KB020952

ESSENCE
DICCIONARIO COREANO-ESPAÑOL

엣센스韓西辭典

한국외국어대학교
서반아어과 학과장 윤 석 영 감수

전 스페인어 문화원장 김 충 식 편저

사전 전문
민 중 서 림

감수의 말

60여억의 인구가 살고 있는 지구촌(la aldea global)은 이제 대망의 2000년대 (el segundo milenio) 즉 21세기를 맞아 국제 교류를 가일층 증진시킬 필요성이 절실하다 하겠다. 그러한 상호 교류를 보다 원활히 하기 위해서 앞서 말한 지구촌 구성원들간의 의사 소통을 도모하는 주요 매개체라 할 수 있는 외국어 실력의 배양이 매우 긴요하다고 본다. 영어 다음으로 큰 비중을 차지하면서 24개국에서 약 4억의 인구가 국어로 사용하며 미국에서만 3천여만 명이 사용함은 물론, 가장 많이 가르치고 배우는 제2외국어가 바로 스페인어라는 점은 주지의 사실이다. 이는 스페인어가 유엔 주요 공용어 중의 하나로서 차지하는 비중이 지대함을 보여주는 한 가지 좋은 예(例)라 하겠다.

한편, 우리 나라에서의 스페인어 교육 및 보급의 역사는 거의 반세기에 이른다. 하지만 스페인어 학습을 위해 필수적인 길잡이 역할을 하는 사전들 가운데 하나인 「한서사전(韓西辭典)」은 국내에서 그동안 출간된 바 있으나 분량과 수준면에서 아직도 미흡한 실정이라 하겠다. 이 점에 착안하여 김충식(金忠植) 선생이 다년간 심혈을 기울이고 각고(刻苦)의 노력 끝에 풍부한 어휘를 수록한 한서사전을 편찬, 유명 사전 전문 출판사인 「민중서림」의 협조를 얻어 이번에 이를 세상에 내놓게 되었다.

본서의 출간으로 스페인어 학습자들의 번역 작업과 연구에 적지 않은 도움이 될 것으로 확신하여 이를 경하해마지 않으며, 감수사에 가름하고자 한다.

2002년 10월

한국외국어대학교 서반아어과 학과장

문학박사　윤 석 영

윤석영

머 리 말

한서 사전 만들기에 평생을 바치기로 한 지가 벌써 28년이라는 세월이 흘렀다. 28년 중 66,000시간을 이 사전 쓰는데 사용했다. 짧다면 짧고 길다면 긴 세월을 오로지 혼신의 힘을 다했다. 열심히 한 우물을 파 왔다. 항상 서반아어를 접할 때는 정성껏 대해 왔다. 서반아어는 나의 우상이었다. 자나깨나 사전과 씨름했다. 자료 수집을 위해서, 언어 감각을 익히기 위해서 무려 열일곱 차례에 짧게는 한 달여에서부터 길게는 2년 17일까지, 6년여의 기간을 서반아 및 서반아어 사용국들을 배낭을 매고 귀신에 홀린 듯 정신나간 사람처럼 돌아다녔다. 자료 몇 가지를 구하려고 어떤 나라는 무려 스무 차례나 들락거리기도 했다. 소매치기를 만나고, 들치기를 만나고, 강도를 만나고, 대낮에 산적떼를 만나기도 했으며, 강도에게 여권까지도 빼앗겨 오도가도 못하는 신세가 되기도 했었다. 그래도 한서 사전을 만드는 이 지고한 작업을 그칠 수가 없었기에 마냥 즐거웠던 나날이었다. 또 그 수를 헤아리기조차 어려운 많은 친지들은 내 자료 수집 여행길에 물심 양면으로 도움을 주셔서 큰 어려움이 반감되기도 했으며 그 분들이 나에게 베푼 사랑에 보답하기 위해서도 최선을 다했다. 이런 결과 200자 원고지 38,300장의 대작(?)을 쓰게 되었으며, 또 본 저자가 직접 원고부터 컴퓨터 입력 · 편집 · 교정까지 전부 혼자 하는 동서고금을 통해 사전 출판 사상 초유의 일을 할 수 있게 되었다.

사전 작업이 고통의 나날이었을 것이라 생각하신 분이 많았지만 오히려 나에겐 즐거움의 연속이었다. 하루하루 불어나는 어휘 수에, 줄 수에, 쪽 수에 인내심을 가지고 작업을 하다 보니 하루에도 수차 남들이 맛볼 수 없는 나만의 희열을 맛볼 수 있었다. 이처럼 날마다 기쁨 속에 살고, 기쁨을 맛볼 수 있는 일이 이 세상에 그리 많지 않으리라. 이것은 오직 내가 하고 싶은 일을 했기 때문이라 믿는다.

문자 그대로 살아 생동하는 사전이 되도록 하기 위해서는 비록 끝이 없는 작업일지라도 쓸 힘이 있는 그 날까지 이 작업은 계속될 것이다. 지금까지 해 왔던 것처럼 앞으로도 계속될 것이다. 비록 내용면에서는 훌륭하다는 말은 듣지 못할지 모르지만 더 많은 단어와 구와 예문이 풍부한 사전이 되도록 한 몸을 바쳐 후학들을 위해 남은 여생을 바칠 것이다. 서반아와 우리는 모든 것이 다른 먼 지역에 있기에 서로가 국어로 사용하고 있는 한글과 서반아어 사이에는 표현이 전혀 다른 것이 많아 한글을 서반아어로 옮기기에 어려움이 많았다. 말하자면 서반아식 표현이 될 것이 우리식으로 번역되어 우리는 알지만 서반아어 사용 국민은 무슨 소리인지 모를 수도 있을 수 있다는 것이다. 이 모든 것은 본 편저자가 워낙 천학비재(淺學非才)하여 생긴 일이므로 오류가 발견되면 기탄없이 질타와 충고로 많은 가르침을 주어 교정해 나가도록 지도 편달하여 주길 바란다. 아무쪼록 이 사전이 기본이 되어 앞으로 더욱 알찬 내용의 사전이 출간되어 한국의 서반아어 발전에 많은 기여를 할 수 있길 진심으로 바란다.

이 사전이 빛을 볼 수 있게 도움을 주신 많은 국내외 친지 여러분 중에서도 서반아의 최순덕 님, 온두라스의 이천일 님, 구아떼말라의 봉재춘 님, 멕시코의 윤경희 님, 도미니까 공화국의 김종효 목사님, 엘살바도르의 김학래 님, 코스타리카의 민영진 목사님, 볼리비아의 정도훈 님, 꼴롬비아의 이윤석 님, 뻬루의 이기형 님, 칠레의 정원재 님, 에꾸아도르의 이경서 님과 남재우 님, 고인이 되신 아르헨띠나의 이용도 님, 꾸바의 로사 장 이 님, 도미니까 공화국 뿌에르또 쁠라따에서 어려움에 처해 있을 때 많은 도움을 주어 여행을 계속할 수 있도록 도와 준 이재호 동문, 오랫동안 변함없이 서반아에서 많은 자료를 보내준 전상우 님, 중국에서까지 여러 종류의 서반아어 사전을 구해 주신 존경하는 석규관 님, 내 뒷바라지를 수년간 해 준 서울의 김용철 님, 허창수 님과 허미소 님은 결코 잊을 수 없는 분들이다. 특히 바쁘신 중에도 감수를 해 주셔서 이 사전에 생명력을 불어 넣어 주신 한국외국어대학교 서반아어과 학과장 문학박사 윤석영 님께 머리숙여 감사드리며, 어려운 여건 중에서도 이 사전을 출판해 주신 민중서림 배효선 사장님과 직원 여러분, 또 마지막 편집의 마무리를 해 주신 민중서림 전산실 차장 김명희 님께도 감사드린다. 그리고 산천이 몇 번 바뀐 그 오랜 세월을 묵묵히 이 일을 할 수 있게 해 준 내 사랑하는 아내에게 고맙다는 말을 전하고 싶다.

이 사전이 서반아어를 공부하는 국내외 서반아어 학도들에게 조금이나마 도움이 되길 충심으로 바라며 서반아어 발전에 작은 보탬이 되었으면 하는 마음 간절하다.

2002년 10월

김 충 식 김 충 식

일 러 두 기

Ⅰ. 표제어(表題語)

1. 표제어 표기는 가나다순을 원칙으로 하여 우리말-한자어-외래어-접두사-접미사의 순으로 순서를 정했다.
2. 우리말 중 글자와 음은 같으나 어원의 뜻이 다른 말은 그 말 오른편 어깨에 각각 1, 2, 3 등의 번호를 매겨 구별했다.

갈리다[1], 갈리다[2], 갈리다[3], 갈리다[4], 갈리다[5]

3. 한자어 표제어에는 그 한자를 달아 주었다.

세관(稅關), 대한 민국(大韓民國)

4. 모든 한글 표기는 1988년 1월 19일에 교육부에서 고시한 「한글 맞춤법」에 따랐다.
5. 외래어 표기는 1986년 1월 7일 교육부에서 고시한 「외래어 표기법」에 따랐으나 서반아어는 외래어 표기법에 따라 쓰기도 했지만 원음(原音)에 가깝게도 표기해 두 가지, 세 가지로 썼다.

에스빠냐, 에스파냐 España **빠라구아이, 파라구아이, 파라과이** Paraguay

6. 표제어가 외래어일 경우에는 표제어 다음에 그 외래어를 표기해 주었다.

컴퓨터(영 *computer*) ordenador *m*, *AmL* computador *m*, *AmL* computadora *f*.

Ⅱ. 용례(用例)

1. 용례의 배열은 명사구, 형용사구(절), 부사구(절), 문장의 순서로 배열함을 원칙으로 했다.
2. 용례의 문장이 두 가지 이상으로 표현할 경우에는 (/) 표시로 구분하고, 별도의 예문은 (//)로 구분했다.

Ⅲ. 괄호의 사용법

1. [ ]는 앞에 있는 단어나 구의 대신으로 사용해도 뜻이 변하지 않는다.

돈[1] ① … ~을 모으다 acumular [amontonar · juntar · reunir] dinero =acumular dinero, amontonar dinero, juntar dinero, reunir dinero.

조용히 … ~ 있다 quedarse [permanecer] silencioso [callado] →quedar silencioso, quedar callado, permanecer silencioso, permanecer callado.

할퀴다 … 할퀸 상처 [자국] rasguño *m*, arañazo *m*, lamedura *f*. →할퀸 상처 rasguño m, arañazo m, lamedura *f*. 할퀸 자국 rasguño *m*, arañazo *m*, lamedura *f*.

2. [ ]는 앞에 있는 단어나 구와 뜻이 다른 경우에도 반복을 줄이기 위해서 사용하기도 했다.

학력(學力) … ~이 있다[없다] tener un nivel escolar alto [bajo]. → ~이 있다 tener un nivel escolar alto. ~이 없다 tener un nivel escolar bajo.

3. ( )는 앞 단어와 함께 사용해도 뜻이 같다.

학부형(學父兄) padres *mpl* (y hermanos) de estudiantes. →padres de estudiantes = padres y hermanos de estudiantes.

Ⅳ. 전문어

모든 전문어는 알기 쉽도록 【건축】【동물】【사회】【식물】【역사】【음악】【인명】【인쇄】【전기】【조류】【지명】【컴퓨터】【화학】처럼 【 】안에 그대로 모두 표기하였다.

외래어의 한글 약어 풀이

그 ······ 그리스어	범 ······ 범어, 산스크리트어	인 ······ 힌두어
까딸 ······ 까탈루냐어	불 ······ 불란서어	일 ······ 일본어
네 ······ 네델란드어	서 ······ 서반아어	중 ······ 중국어
네팔 ······ 네팔어	아랍 ······ 아랍어	케 ······ 케추아어
독 ······ 독일어	아이마라 ······ 아이마라어	포 ······ 포르투갈어
라 ······ 라틴어	아일 ······ 아일랜드어	폴 ······ 폴란드어
러 ······ 러시아어	에 ······ 에스페란토어	핀 ······ 핀란드어
말 ··· 말레이 · 인도네시아어	영 ······ 영어	헝가리 ······ 헝가리어
바 ······ 바스크어	이 ······ 이탈리아어	헤 ······ 헤브라이어

서반아어 약어 풀이

adj adjetivo 형용사
al alemán 독일어
AmC América Central 중앙 아메리카
AmL América Latina 라틴 아메리카
AmS América del Sur 남아메리카
Andal Andalucía 안달루시아
Andes Andes 안데스 지역
Arg Argentina 아르헨띠나
Bol Bolivia 볼리비아
Caribe Caribe 카리브 지역
Chi Chile 칠레
chino chino 중국어
Col Colombia 꼴롬비아
CoR Costa Rica 꼬스따리까
CoS Cono Sur 아르헨띠나, 칠레, 빠라구아이 및 우루구아이
Cuba Cuba 꾸바
danés danés 덴마크어
Ecuad Ecuador 에꾸아도르
Esp España 서반아, 에스빠냐, 스페인
esper Esperanto 에스페란토어
f femenino 여성 명사
Fil Filipinas 필리핀
f(m) femenino (masculino) 원래 여성 명사 지만 남성 명사도 됨
fpl femenino plural 여성 복수 명사
fr francés 불란서어
f.sing.pl femenino singular y plural 여성 단수 복수 동형.
Guat Guatemala 구아떼말라
ind indicativo 직설법
inf infinitivo 동사 원형
ing inglés 영어
ital italiano 이탈리아어
lat latino 라틴어
m masculino 남성 명사
Méj Méjico, México 멕시코
mf masculino y femenino 남녀 명사
m(f) masculino (femenino) 원래 남성 명사 지만 여성 명사도 됨
mpl masculino plural 남성 복수 명사
m.sing.pl masculino singular y plural 남성 단수 복수 동형
Par Paraguay 빠라구아이, 파라과이
Per Perú 뻬루
pl plural 복수 (명사)
PRico Puerto Rico 뿌에르또리꼬
ReD República Dominicana 도미니까 공화국
RPl Río de la Plata 쁠라따 강 지역
Rusia Rusia 러시아
Sal(v) El Salvador 엘살바도르
sáns sánscrito 산스크리트어, 범어
sing singular 단수 명사
subj subjuntivo 접속법
Urg Uruguay 우루구아이
Ven Venezuela 베네수엘라

참고 서적

- DICCIONARIO DE LA LENGUA ESPAÑOLA, Real Academia Española, Vigésima Segunda Edición, Editorial Espasa Calpe, S.A., Madrid, 2001
- DICCIONARIO DE LA LENGUA ESPAÑOLA, Real Academia Española, Vigésima Primera Edición, Edtorial Espasa Calpe, S.A., Madrid, 1992
- DICCIONARIO DE INFORMATICA E INTERNET DE MICROSOFT, McGraw-Hill, España, 2001
- DICCIONARIO DEL ESPAÑOL ACTUAL I II, Manuel Seco Reymundo, Olimpia Andrés Puent, Gabino Ramos González, Aguilar, Madrid, 1999
- DICCIONARIO KAPELUSZ DE LA LENGUA ESPAÑOLA, Editorial KAPELUSZ, Buenos Aires, 1979
- DICCIONARIO MANUAL SOPENA ENCICLOPEDICO E ILUSTRADO TOMO I II, Editorial Ramón Sopena, S.A., Barcelona, 1963
- CLAVE DICCIONARIO DE USO DEL ESPAÑOL ACTUAL, cuarta edición, Ediciones SM, Madrid, 2000
- MARIA MOLINER DICCIONARIO DE USO DEL ESPAÑOL I II, segunda edición, Editorial Gredos, S. A., Madrid, 1999
- OCEANO LANGENSCHEIDT SUMMA DICCIONARIO, OCEANO Langenscheidt Ediciones, S.L., Barcelona, 1990
- DICCIONARIO DE LA COMPUTACION Inglés-Español, segunda edición, Editorial Trillas, México, 1996
- DICCIONARIO DE INFORMATICA Y TELECOMUNICACIONES, primera edición, Arturo Moreno Martín, Editorial Ariel, S.A., España, 2001
- DICCIONARIO ESPAÑOL-ITALIANO, Emilio M. Martínez Amador, Editorial Ramón Sopena, S.A., Barcelona, 1998
- DICCIONARIO ITALIANO-ESPAÑOL, Emilio M. Martínez Amador, Editorial Ramón Sopena, S.A., Barcelona, 1998
- DICCIONARIO INGLES PUBLICIDAD Y MARKETING, primera edición, Eduardo Parra Murga, Ediciones Gestión 2000, Barcelona, 2000
- DICCIONARIO PARA INGENIEROS, Luis A. Robb, cuarta reimpresión, Compañía Editorial Continental, S.A. de C.V., México, 2000
- DICCIONARIO TECNICO Inglés-Español/ Español-Inglés, Federico Beigbeder Atienza, Díaz de Santos, S.A., Madrid, 1996
- DICCIONARIO Y MANUAL DE MATEMATICAS, Eugene D. Nichols, Sharon L. Schwartz, Grupo Editorial Iberoamérica, S.A. de C.V., México, 1996

- DICCIONARIO DE CITAS, Edición Conmemorativa del año 2000, CIE INVERSIONES EDITORIALES DOSSAT 2000, Madrid, 1999
- EL PEQUEÑO LAROUSSE ILUSTRADO, Larousse Editorial, S.A., Barcelona, 2000
- Glosario Médico Inglés-Español, Salvat Editores, S.A., Barcelona, 1998
- GRAN DICCIONARIO Español-Francés / Français-Espagnol, Ramón García-Pelayo y Gross, Larousse-Bordas, Paris, 1998
- GRAN DICCIONARIO Español-Inglés / English-Spanish 8ª reimpresión, Larousse, S.A., México, 1996
- MANUAL COMPLETO DE INFORMATICA, Ediciones Añil, S.L., Madrid, 1999
- 2001 NUEVO ESPASA ILUSTRADO (Diccionario Enciclopédico), Espasa Calpe, S.A., España, 2000
- PEQUEÑO LAROUSSE ILUSTRADO, Ramón García-Pelayo y Gross, Ediciones Larousse, México, 1995
- SPANISH DICTIONARY OF BUSINESS, COMMERCE AND FINANCE, Emilio G. Muñiz Castro, Routledge, London and New York, 1998
- The COLLINS SPANISH DICTIONARY, HarperCollins Publishers Inc., major new edition (sixth edition), New York, 2000
- The OXFORD SPANISH DICTIONARY / EL DICCIONARIO OXFORD, Oxford University Press, Oxford, 1994
- DICTIONARY OF PROVERBS Spanish/English and English/Spanish, Delfín Carbonell Basset, Barron's Educational Series, Inc., U.S.A. 1966
- A DICTIONARY OF CHINESE BUDDHIST TERMS, William Edward Soothill and Lewis Hodous, Ch'enn Wen Publishing Company, Taipei, 1975
- ABBREVIATIONS DICTIONARY, ninth edition, Ralph De Sola, Dean Stahl, Karen, CRC Press, Inc., U.S.A., 1995
- NUEVO DICCIONARIO ESPAÑOL-CHINO, 北京外國語學院西班牙語系 新西中辭典組編, 商務印刷館, 北京, 1999
- NUEVO DICCIONARIO CHINO-ESPAÑOL, 商務印刷館, 北京, 2000
- 西和辭典, Vicente González y Tadayoshi Isshiki, Enderle 書店, 東京, 1986
- 西和辭典, 高橋正武編, 白水社, 東京, 1996
- 西和中辭典, 桑名一博 外, 小學館, 東京, 1991
- 和西辭典, 宮城昇 外, 白水社, 東京, 1999
- LA MANOPUNTURA COREANA (KORYO SOOJI CHIM), Tae Woo You, Eva García (Traducción), Federación Española de Asociación Acupuntura y Manopuntura, 1996 (primera edición)
- El INGENIOSO HIDALGO DON QUIJOTE DE LA MANCHA I II, Miguel de Cervantes Saavedra, John Jay Allen (edición), Ediciones Cátedra, S.A., Madrid, 2000.

▪ El ORO Y LA PAZ (decimotercera edición), Juan Bosch, Editora Alfa & Omega, Santo Domingo, República Dominicana, 1991
▪ COCINA LATINOAMERICANA, Elisabeth Lambert Ortiz, Andrés Linares (traducción), Editorial EDAF, S.A., Madrid, 1998.
▪ LAS ORGANIZACIONES INTERNACIONALES, Manuel Díez de Velasco Vallejo, undécima edición, Editorial Tecnos, S.A., Madrid, 1999
▪ HISTORIA DE AMERICA, José Manuel Lozano Fuentes y Amalia López Reyes, Compañía Editorial Continental, S.A., México, 1978
▪ HISTORIA UNIVERSAL antigüedad y edad media, Ida Appendini y Silvio Zavala, Editorial Porrúa, S.A., Méxco, D.F., 1994
▪ HISTORIA UNIVERSAL moderna y contemporánea, Ida Appendini y Silvio Zavala, Editorial Porrúa, S.A., México, D.F., 1996
▪ 民衆 엣센스 스페인어사전, 김충식, 민중서림, 2000 (초판 11쇄)
▪ 우리말 큰사전, 한글학회, 어문각, 1997 (6판)
▪ 새 우리말 큰사전, 신기철/신용철, 삼성출판사, 1976
▪ 民衆 엣센스 국어사전, 민중서림편집국, 민중서림, 1998 (4판 4쇄).
▪ 영한 한영 의학사전, 개정신판, 고문사, 1998 (초판 제2쇄).
▪ 한서영 성구사전(韓西英聖句辭典), 김충식편, 쿰란출판사, 2000 (초판)
▪ UN, 박홍규, 형성사, 1991
▪ 엣센스 한영사전, 민중서림 편집국, 민중서림, 1998 (제3판 제2쇄)
▪ 엣센스 한영사전, 민중서림 편집국, 민중서림, 2000 (제4판)
▪ 프라임 한영사전, 두산동아 사전편찬실, 두산동아, 1998 (3쇄)
▪ 한불사전, 한국불어불문학회편, 한국외국어대학교출판부, 1979 (재판)
▪ 불한사전, 정지영/홍재성, 두산동아, 1998
▪ 엣센스 독한사전, 허형근, 민중서림, 2002
▪ 관주 성경전서 (개역 한글판), 대한성서공회, 1988 (123판)
▪ 성경전서 (개역개정판), 대한성서공회, 1998 (초판)
▪ 한서영 축구용어사전, 한국외국어대학교 통역번역대학원 BK21 외국어통역번역분야 특화사업단 편, 한국외국어대학교 출판부, 2002 (초판 1쇄)
▪ LA SANTA BIBLIA (Versión Reina-Valera, reversión de 1960), Sociedad Bíblica Americana, Nueva York, 1964
▪ LA SANTA BIBLIA (Versión Popular, segunda edición), Sociedad Bíblica Americana, Nueva York, 1983

ㄱ

ㄱㄴㄷ순(―順) ＝ㄱㄴㄷ 차례.

ㄱㄴㄷ 차례(―次例) orden *m* alfabético.

ㄱㄴ순(―順) ＝가나다순. ¶～으로 alfabéticamente. 이름을 ～으로 적다 hacer una lista de nombres alfabéticamente..

ㄱ자(―字) la letra más fácil. 낫 놓고 ～도 모른다 no saber nada, ser muy ignorante.
■ㄱ자 왼다리도 못 그린다 ((속담)) Es muy ignorante / Es analfabeto.

ㄱ자자(―字―) escuadra *f.*

ㄱ자집(―字―) casa *f* de [en] forma de escuadra.

ㄱ자홈(―字―) acanaladura *f* de [en] forma de escuadra.

가[1] 【음악】 do *m.*

가[2] ① [가장자리] borde *m,* punta *f,* [강(江)의] orilla *f,* [종이의] margen *m.* 물～ playa *f.* 강～ orilla *f* del río. ② [끝] fin *m,* cabo *m,* extremidad *f.*
가(이) 없다 ser muy ancho, ser infinito. 가 없는 바다 mar *m* infinito.
가(이) 없이 infinitamente.

가(加) ① [더함] adición *f,* suma *f.* ～하다 adicionar, sumar. 10에 9를 ～하면 19다 Diez y nueve son diez y nueve. ② ((준말)) ＝가법(加法), 가산(加算). ③ [덧붙임·보충함] añadidura *f,* agregación *f.* ～하다 añadir, agregar.

가(可) ① [옳음] lo correcto, lo justo. ② [좋음] bueno. ～도 아니고 부(否)도 아니다 No es ni bueno ni malo. 분매(分賣)도 ～함 Se puede vender por separado. ③ [찬성] aprobado. ④ [성적에서] D.

가(家) familia *f.* 이씨～ la familia Lee; [사람들] los Lee. 그녀는 강씨～ 태생이다 Ella es de la familia (de los) Kang.

가(笳) 【음악】 ＝날라리.

가(價) [값] precio *m*; [값어치] valor *m.*

가-(假) [임시적인] provisional, *AmS* provisorio, temporal, temporario, transitorio; [대리의] interino; [조건부의] condicional; [가설적인] hipotético, supuesto; [가짜의] falso.
■～계약 contrato *m* provisional. ～공사 obra *f* provisional. ～사무소 oficina *f* temporal, oficina *f* provisional. ～조약 tratado *m* provisional.

-가 [주격 조사] ¶아이～ 웃는다 El nene sonríe. 새～ 지저귄다 El pájaro canta. 비～ 내린다 Llueve. 바다～ 보인다 Se ve el mar. 역사～ 유구하다 La historia es larga. 개～ 짖는다 Ladra un perro.

-가(家) especialista *mf,* autoridad *f.* 낙천～ optimista *mf.* 전문(專門)～ especialista *mf.* 정치～ político, -ca *mf,* estadista *mf.* 혁명～ revolucionario, -ria *mf.*

-가(街) ① [지방 행정 구역의 하나인 「-로(路)」 「-동(洞)」을 다시 작게 나누어 가른 구획] *Ga.* 종로 1～ *Jongno 1- Ga.* ② [도시에서 크고 넓은 거리를 낀 동(洞)을 이르는 말] calle *f,* avenida *f,* bulevar *m.* ③ [어떤 명사 뒤에 붙어, 그 거리의 어떠함 [특수한 지구임]을 나타내는 말] centro *m,* distrito *m,* el área *f* (*pl* las áreas), ciudad *f.* 중심～ centro *m.* 대학～ ciudad *f* de (la) Universidad. 빈민～ gueto *m.*

-가(哥) [가문] familia *f,* [성(姓)] apellido *m;* [가문의 사람] Sr. (Kim). 김～ 네 삼형제 tres hermanos de los Kim. 내 성은 김～입니다 Mi apellido es Kim. 한국에는 김～가 많다 Hay muchos Kim en Corea.

-가(歌) canción *f,* himno *m.* 애국～ himno *m* nacional. 춘향～ *Chunhyangga,* canción *f* de *Chunhyang.*

-가(價) ① [값] precio *m.* 생산(生産)～ precio *m* de producción. 판매(販賣)～ precio *m* de venta. ② [(숫자 밑에 쓰이어) 원자가를 나타냄] ¶3(三)～ 알코올 alcohol *m* trivalente.

가가(家家) cada casa, todas las casas.
■～호호(戶戶) cada casa, todas las casas. ¶～마다 de puerta a puerta, a cada puerta, de casa a casa.

가가(假家) [가건물] edificio *m* temporario, casa *f* provisional.

가가(呵呵) ¡Ja, ja, ja!; carcajada *f.* ～하다 reírse a carcajadas, soltar carcajadas.
■～ 대소(大笑) carcajada *f,* risotada *f.* ¶～하다 reír ruidosamente, dar [soltar · echar · lanzar] una carcajada, reír(se) a carcajadas, reír(se) a mandíbula batiente.

가각(街角) ＝길모퉁이.

가각본(家刻本) libro *m* publicado por un individuo.

가간(家間) toda la casa.
■～사(事) asunto *m* familiar.

가감(加減) ① [보태거나 뺌] aumento *m* y [o] reducción *f,* adición *f* y [o] substracción *f.* ～하다 sumar y [o] substraer, aumentar y [o] reducir. ② [(더하거나 덜어서) 알맞게 조절함] regulación *f,* moderación *f.* ～하다 regular, moderar, ajustar. ～해서 con mesura, con moderación, mesuradamente, moderadamente. 온도를 ～하다 regular la temperatura. 소금을 넣어서 맛을 ～하다 echar sal para sazonar la comida. 일의 양(量)을 ～하다 controlar el volumen del trabajo. ③ [증감] aumento y [o] disminución, adición y [o] reducción. ～하다 aumentar y [o] disminuir, adicionar y [o] reducir. ④ 【수학】 ＝가감법(加減法).
■～법 adición *f* y substracción. ～승제

cuatro reglas aritméticas; adición, substracción, multiplicación y división. ~ 콘덴서 condensador *m* ajustable.

가객(佳客) huésped, -da *mf*, convidado, -da *mf*.

가객(歌客) cantor, -ra *mf*, cantante *mf*, cantatriz *f*.

가갸 *gagya*, *hangul*, coreano *m*, idioma *m* coreano, lengua *f* coreana.
■가갸 뒷자도 모른다 ((속담)) Es muy ignorante / Esr analfabeto.

가거(假居) =가우(假寓).

가거(街渠) canal *m* de riego.

가건물(假建物) edificio *m* temporario.

가건축(假建築) construcción *f* temporaria.

가게 ① tienda *f*. ~ 앞에서 enfrente [delante] de la tienda; [입구(入口)] a la entrada de la tienda. ~를 지키기 guarda *f* [vigilancia *f*] (de una tienda). ~를 보는 사람 vendedor, -ra *mf*. ~를 보다 vigilar una tienda; ocuparse de [atender a] los clientes. ~를 열다 abrir la tienda. ~를 닫다 cerrar la tienda (폐점할 때도 같은 표현을 사용함). ~를 내다 abrir [montar · inaugurar · poner] una tienda. 대로(大路)에 ~를 내다 instalar un escaparate [inaugurar una tienda] en una avenida. 상품을 ~ 앞에 늘어놓다 exponer artículos a la entrada de la tienda. 여인들이 과일 ~ 앞에서 이야기하고 있었다 Unas mujeres estaban hablando a la entrada de la frutería. 근처에 A를 파는 ~ 없습니까? ¿No habrá por aquí una tienda que venda A? ~에 사람 없습니까? ¿No hay dependientes? 이 ~는 잘 꾸며졌다 Esta tienda tiene buen aspecto. ② [장터나 길거리 등에서 물건을 벌여 놓고 파는 곳] puesto *m*. 야채 ~ puesto *m* de verduras.
◆과일 ~ frutería *f*. 과자 ~ confitería *f*. 구멍 ~ tiendecita *f*. 꽃~ florería *f*, floristería *f*. 빵 ~ panadería *f*. 반찬 ~ tienda *f* de comestibles [de ultramarinos]; *Cuba*, *Per*, *Ven* bodega *f*, *AmC*, *Andes*, *Méj* tienda *f* de abarrotes; *CoS* almacén *m* (*pl* almacenes). 생선 ~ pescadería *f*. 피자 ~ pizzería *f*. 화장품 ~ perfumería *f*.

가게채 habitación *f* [cuarto *m*] con la tienda.

가겟방(-房) tienda *f*, casa *f* usada como una tienda.

가격(加擊) ① [때림] golpe *m*. ~하다 golpear, dar un golpe. ② [공격] ataque *m*. ~하다 atacar.

가격(價格) precio *m*, valor *m*; [대금(代金)] importe *m*. ~에 의해서 según el valor, conforme al valor, en cumplimiento del valor. 일정한 ~으로 a un determinado precio. 매긴 ~ precio *m* cotizado. 적당한 ~ precio *m* razonable. ~을 올리다 alzar [subir · aumentar] el precio. ~을 내리다 bajar [reducir · rebajar] el precio, hacer una rebaja del precio. ~을 정하다 cotizar, valorar, tasar, fijar el precio. ~을 유지하다 mantener fijos los precios. 쌀 ~이 오르고 있다 [내리고 있다] El precio del arroz sube [baja].
◆고시 ~ precio *m* oficial. 본선 인도 ~ franco a bordo, F.A.B. 소비자 ~ precio *m* al consumo [consumador]. 수입 ~ precio *m* de importación. 수출 ~ precio *m* de exportación. 시간외 ~ precio *m* fuera de horas. 시장 ~ precio *m* de mercado. 운임 보험료 포함 ~ coste, seguro y flete; C.S.F. 적정 ~ precio *m* razonable. 정찰 ~ precio *m* fijo. 최고(最高) ~ precio *m* tope. 최저(最低) ~ precio *m* último, precio *m* mínimo. 특별 ~ precio *m* especial. 판매 ~ precio *m* de venta. 평균 ~ precio *m* medio.
■~ 경쟁 competitividad *f* de los precios. ~ 동결 bloqueo *m* de los precios, congelación *f* de precios. ~ 변동 fluctuación *f* de los precios, cambio *m* de precios. ~ 스티커 etiqueta *f* de precio. ~ 안정 estabilización *f* de precios. ~ 유지(책) mantenimiento *m* de los precios. ~ 인상 el alza *f* [aumento *m*] de precio. ~ 인하 reducción *f* de precios. ~ 인하 싸움[전쟁] guerra *f* (de reducción) de precios. ~ 전략 estrategia *f* de precios. ~ 정책 política *f* de precios. ~제 sistema *m* de precios. ~ 주도기업 fijador *m* de precios. ~ 지수 índice *m* de precios. ~ 지수 수준 nivel *m* del índice de precios. ~ 차별 discriminación *f* de precios. ~ 차익 margen *m* de ganancia [de beneficio]. ~ 통제 control *m* de precios. ~표 lista *f* de precios; cotización *f*. ~ 표기 declaración *f* del valor. ~ 표기 우편 carta *f* de valores declarados. ~ 표기 우편물 materia *f* de [con] valor declarado. ~ 협정 acuerdo *m* sobre los precios. ~(협정) 카르텔 cártel *m* [cartel *m*] del acuerdo sobre los precios.

가결(可決) aprobación *f*. ~하다 aprobar, resolver, decidir. ~되다 ser aprobado, ser aceptado. 법안은 만장 일치로 [찬성 100표 반대 50표로] ~되었다 El proyecto de ley fue aprobado por unanimidad [por cien votos en favor y cincuenta en contra].
■~ 비율 ratio *m* de aprobación.

가결의(假決議) decisión *f* temporánea, resolución *f* provisional.

가경(佳景) escena *f* hermosa, escena *f* pintoresca, paisaje *m* hermoso.

가경(佳境) ① [고비] clímax *m*, climax *m*. 이야기는 ~으로 들어간다 La historia se está poniendo interesante. ② [경치] escena *f* hermosa, paisaje *m* hermoso, sitio *m* [lugar *m*] hermoso.

가경(可驚) sorpresa *f*, susto *m*, sobresalto *m*. ~할(만한) sorprendente. ~할 대사건 incidente *m* sorprendente. ~하게 하다 dar un susto, sorprender, asustar.

가경(嘉慶) alegría *f* y asunto feliz.

가경지(可耕地) tierra *f* laborable [labradera].

가계(家系) linaje *m*, genealogía *f*.
■~도 árbol *m* genealógico.

가계(家計) economía *f* doméstica, economía *f* familiar, presupuesto *m* familiar; manejo *m* [cuidado *m*] de la casa; circunstancia *f*. ~가 풍족하다[어렵다] estar en buenas [malas] circunstancias. ~를 돕다 ayudar el mantenimiento de la familia. ~가 어렵다 La economía familiar está en condiciones difíciles.

■ ~ 경제 =가정 경제. ~ 보험 seguro *m* del hogar. ~부 teneduría *f* de libros del hogar, libro *m* de cuentas del hogar. ~부기 teneduría *f* de libros del hogar [de la casa]. ~비 dinero *m* (para los gastos) de la casa. ~ 수표 cheque *m* personal.

가계(家戒) =가규(家規).

가계(家契) =집문서.

가계(家鷄) gallina *f* doméstica.

가계약(假契約) contrato *m* provisional.

가계주(一紬) una especie de la seda china.

가고(家故) accidente *m* doméstico.

가고(歌稿) manuscrito *m* poético.

가곡(歌曲) ① [노래] canción *f*. ② [독창곡·중창곡·합창곡 따위의 성악곡] aria *f*, canción *f*. 이탈리아 [독일] ~ colección *f* italiana [alemana]. ③ [우리 나라의 재래 음악의 한 가지로, 시조에 곡을 붙여 부르는 노래의 가락] melodía *f*, tono *m*.

■ ~집(集) colección *f* de canciones.

가곡(嘉穀) ① [좋은 곡식] buenos cereales *mpl*. ② [벼] arroz *m*.

가공(加工) elaboración *f*, labor *f*, labra *f*, labrado *m*, fabricación *f*, manufactura *f*, tratamiento *m*, procesamiento *m*. ~하다 elaborar, trabajar, labrar, fabricar, dar la última mano, perfeccionar, retocar. 원료를 ~하다 elaborar la materia prima.

■ ~공 elaborador, -dora *mf*. ~ 공장 planta *f* elaborada. ~ 무역[수출] comercio *m* elaborado. ~법 ley *f* de elaboración. ~비 costo *m* de labor. ~사(絲) hilo *m* elaborado. ~ 산업 industria *f* elaborada. ~ 생산 producción *f* elaborada. ~성 aplicabilidad *f*. ~세 impuesto *m* elaborado. ~ 수입 importación *f* elaborada. ~ 수지 resina *f* elaborada. ~ 시설 facilidades *fpl* elaboradas. ~ 식품 alimento *m* elaborado. ~업 industria *f* elaborada. ¶식품 ~ industria *f* alimenticia. ~업자 procesador, -dora *mf*. ~용 uso *m* elaborado; [부사적] para la elaboración. ~ 원료 materiales *mpl* trabajados. ~유(乳) leche *f* elaborada. ~ 유지(油脂) aceite *m* elaborado. ~지(紙) papel *m* elaborado. ~ 창고 depósito *m* elaborado. ~품 producto *m* [artículo *m*] elaborado; [정제품] géneros *mpl* consumados.

가공(可恐) ¶~할 espantoso, horrible, tremendo, terrible, de miedo, formidable, horrible, horroroso, pantoso, extraordinario. 핵무기의 ~할 파괴력 fuerza *f* destructora horrible de las armas nucleares.

가공(架空) ① [공중(空中)에 건너지름] ¶~의 aéreo, de trole, etéreo. ② [근거 없는 일] cosa *f* infundada. ③ [사실이 아니고 상상으로 지어낸 일] ficción *f*, fantasía *f*. ~의 fantástico, imaginario. ~의 이야기 cuento *m* fantástico. ~의 인물 figura *f* imaginaria.

■ ~ 도체 conductor *m* aéreo. ~ 삭도[케이블] funicular *m* aéreo, cable *m* aéreo, cable *m* portante, vía *f* aérea. ~선(線) línea *f* aérea, línea *f* [alambre *m*] de trole, cable m portante. ~ 인물 =헛인물. ~적 fantástico, imaginario. ¶~ 인물 figura *f* imaginaria. ~ 정원 Jardín *m* Colgante. ~ 지선 alambre *m* aéreo de la tierra. ~ 철도 ferrocarril *m* elevado. ~ 컨베이어 cinta *f* [correa *f*] transportadora aérea; *Méj* banda *f* transportadora aérea.

가공 의치(架工義齒) puente *m*. ~를 하다 poner un puente.

가공치(一齒) =가공 의치(架工義齒).

가과(佳果) fruta *f* sabrosa [deliciosa · rica]..

가곽(街廓) manzana *f*; *AmS* cuadra.

가관(可觀) ① [가히 볼 만함] espectáculo *m*, atracción *f*. 설악산의 눈꽃이 ~이었다 El Monte *Seorak* nevado [coronado de nieve] es un espectáculo magnífico. ② [(하는 짓이나 몰골 따위가) 꼴불견임] ostentación *f*. 그들의 옷차림이 ~이었다 Sus ropas eran una ostentación. 그의 젠체하는 꼴이 정말 ~이었다 Sus aires afectados eran una ostentación.

가관(假官) [임시로 임명한 관원] funcionario *m* público nombrado provisionalmente.

가관(笳管) 【악기】 =피리.

가관절(假關節) 【해부】 seudo-coyuntura *f*.

가교(架橋) ① [다리를 놓음] construcción *f* del puente. ~하다 construir un puente. ② [가로질러 놓은 다리] puente *m* cruzado.

■ ~ 공사 construcción *f* de puentes.

가교(假橋) puente *m* temporáneo [temporario · provisional · *AmL* provisorio].

가교(駕轎) ① [임금이 탔던 가마] palanquín *m* (*pl* palanquines) que montó el rey. ② =쌍가마.

가교사(假校舍) edificio *m* temporáneo de la escuela.

가교실(假教室) sala *f* de clase temporánea [provisional], sala *f* temporánea [provisional], salón *m* temporáneo [provisional].

가구[1](家口) ① [집안 식구] familia *f*, (todos) los de la casa. ② [집안의 사람 수효(數爻)] números *mpl* de la persona de la casa.

■ ~주 jefe *m* de familia, padre *m* de familia, amo *m* de familia.

가구[2](家口) [한 집안이나 한 골목 안에서 각 살림하는 집의 수효] número *m* de la familia que vive junta en una casa. 두 ~ dos familias. 이 건물에서 몇 ~나 삽니까? ¿Cuántas familias viven en este edificio?

가구(家具) mueble *m*; [집합적] moblaje *m*, mobiliario *m*. ~가 비치된 방 habitación *f* amueblada [con muebles] (del alquiler). ~가 비치된 집 casa *f* amueblada. 방에 ~를 들여놓다 amueblar la habitación. 이 방은

ㄱ

~가 잘 비치되어 있다 Esta habitación está bien amueblada.
◆고(古)~ mueble *m* antiguo. 금속(金屬)~ mueble *m* de acero tubular.
■~ 공장 mueblería *f*, tienda *f* [taller *m*] de muebles. ~ 디자이너 mueblista *mf*. ~비 gastos *mpl* para los muebles. ~ 비품 muebles *mpl* y útiles. ~ 집기 muebles *mpl* y enseres. ~사(師) mueblista *mf*, el que hace [vende] muebles. ~용 uso *m* del mueble; [부사적] para el mueble. ~장이 mueblista *mf*. ~재(材) material *m* para el mueble. ~점(店) mueblería *f*, tienda *f* de muebles. ¶~ 주인 mueblista *mf*. ~ 제조인 mueblista *mf*.

가구(佳句) verso *m* hermoso, frase *f* hermosa.

가구자(家韭子) 【한방】 semilla *f* del puerro.

가국(佳局) buena situación *f*, buen aspecto *m*.

가국(家國) ① [집안과 나라] familia *f* y nación. ② =고향(故鄕).

가군(家君) ① [자기의 아버지] mi padre. ② [자기의 남편] mi marido, mi esposo.

가권(家券) =집문서.

가권(家眷) ① [집안 식구] familia *f*, el padre, la madre y los hijos que viven bajo un mismo techo. ② [(남 앞에서) 자기의 아내] mi mujer, mi esposa.

가권(家權) poder *m* de comandar la familia, dirección *f* del jefe de familia.

가귀(佳句) buena frase *f* del poema.

가규(家規) regla *f* de la familia.

가극(暇隙) =여가(餘暇), 짬, 겨를.

가극(歌劇) ópera *f*.
■~ 글라스 gemelos *mpl* de teatro. ~단 compañía *f* de ópera. ~ 배우 operista *mf*, bailarín *m* de ópera, bailarina *f* de ópera; cantante *mf* de ópera. ~장 sala *f* de ópera, teatro *m* de ópera.

가근(假根) 【식물】 =헛뿌리.

가금(加金) dinero *m* adicional.

가금(苛禁) prohibición *f* severa. ~하다 prohibir severamente.

가금(家禽) el ave *f* (*pl* las aves) doméstica, el ave *f* de corral.
■~분(糞) estiércol *m* del ave doméstica. ~사 corral *m*. ~상(商) pollero, -ra *mf*, gallinero, -ra *mf*.

가금(假金) oro *m* falso.

가금(嘉禽) el ave *f* (*pl* las aves) hermosa.

가금(價金) precio *m*.

가급(加給) pago *m* más que el precio fijo. ~하다 pagar más que el precio fijo.

가급(苛急) severidad *f*, crueldad *f*. ~하다 (ser) severo, cruel.

가급적(可及的) lo más posible, tan … como posible. ~이면 si posible. ~ 빨리 lo más pronto posible, tan pronto como posible, cuanto antes, lo antes posible. ~ 빨리 돌아오너라 Vuelve lo más pronto posible. ~ 조속한 회답을 주시길 바랍니다 Espero que conteste usted lo más pronto posible / Espero su pronta contestación [respuesta].

가긍(可矜) pobreza *f*, miseria *f*, lástima *f*. ~하다 (ser) pobre, miserable, lastimoso.
가긍스럽다 (ser) miserable, lastimoso.
가긍스레 miserablemente, lastimosamente, con lástima.
가긍히 lastimosamente, miserablemente, pobremente.

가기(佳氣) =서기(瑞氣).

가기(嫁期) =혼기(婚期).

가기(佳期) ① [좋은 철] buena estación *f*. ② [혼기(婚期)] edad *f* de matrimonio.

가기(家忌) lamento *m* de familia.

가기(歌妓) cantatriz *f* [cantante *f*·cantora *f*] profesional.

가기(佳器) ① [좋은 그릇] buena vasija *f*, buen vaso *m*. ② [훌륭한 인물(人物)] gran hombre *m*, persona *f* eminente.

가기(家基) =집터.

가기(嘉氣) =서기(瑞氣).

가기(稼器) instrumento *m* para la agricultura.

가까스로 difícilmente, con dificultad, apenas, casi no, de mala vez, a duras [malas] penas, por los pelos. 시간에 ~ a última hora, en el momento crítico, justo a tiempo. ~ 제 시간에 닿다 llegar por un pelo, llegar apenas a tiempo. ~ 위기를 모면하다 librarse de una crisis a duras penas. ~ 시험(試驗)에 합격하다 aprobar los exámenes a duras penas.

가까워지다 acercarse (a), aproximarse (a). 봄 [여름·가을·겨울]이 가까워진다 Se aproxima la primavera [el verano·el otoño·el invierno]. 그의 사고 방식은 내 사고 방식에 가까워지고 있다 Su manera de pensar se acerca a la mía.
가까워지게 하다 acercar, aproximar.

가까이 cerca. 여기서 ~(에) cerca de aquí, (por) aquí cerca; [근처] en esta vecindad, en los alrededores. ~ 하다 aproximar, acercar. 탁자를 창에 ~ 하다 acercar la mesa a la ventana. 그는 내 집 ~ 살고 있다 El vive cerca de mi casa. 거기서 ~에 있는 카페에서 만납시다 Vamos a vernos en una cafetería cerca de ahí.

가까이하다 [허물없이 사귀다] acercarse (a *uno*), tener relación (con *uno*). 가까이하기 쉬운 accesible. 가까이하기 어려운 inaccesible. A를 B와 가까이하게 하다 hacer que A intime con B.

가깝다 ① [거리가 짧다] (estar) cerca, próximo, vecino; [인접한] inmediato, contiguo. 가장 가까운 cercano, próximo, que está más cerca, el más cercano. 댁은 여기서 가깝습니까? ¿Está cerca de aquí su casa? 내 집은 여기서 가깝다 Mi casa está cerca de aquí. 사무실은 집에서 아주 ~ La oficina está muy cerca de mi casa. 가장 가까운 우체국에 문의해 주십시오 Pregúntele en la oficina de correos que esté más cerca. 인천은 서울에서 ~ *Incheon* está cerca de [está próximo a] *Seúl*. ② [(시간

상으로) 동안이 짧다] (estar) cercano, próximo. 가까운 날 안으로 dentro de poco, dentro de pocos días, dentro de unos días, un día de éstos. 가까운 장래에 en un futuro cercano [próximo]. 날샐녘이 ~ Va a amanecer / Está próximo el amanecer / Casi está amaneciendo. 봄이 ~ La primavera está próxima [cerca] / La primavera se acerca. 그럼 가까운 날에 만납시다 (Entonces) Hasta pronto / Hasta dentro de poco. ③ [교분이 두텁다·서로 정을 느끼는 사이다] (ser) íntimo. 두 사람은 퍽 가까운 사이다 Los dos son muy íntimos. ④ [(촌수 따위가) 멀지 아니하다] (ser) cercano, próximo. 가까운 친척 pariente *m* cercano, parienta *f* cercana. ⑤ [(성질·모양·내용·상태 따위가) 거의 비슷하다] (ser) parecido (a). 그의 생각은 내 생각에 ~ Su idea es parecida a [no está lejos de] la mía. ⑥ [어떤 기준에 미칠 듯하다] ser casi perfecto, estar casi [cerca de] (*algo*), valer casi (*algo*). 이 작품은 완벽에 ~ Esta obra es casi perfecta. 백만 명 가까운 사람이 모였다 Se han reunido casi [cerca de] un millón de personas. 이 책은 만 원이 ~ Este libro vale casi diez mil wones. ⑦ [(생활 주변에서) 멀지 않다] (estar) cercano. 가까운 예를 든다면 … Por ejemplo cercano.

■가까운 남이 먼 일가보다 낫다 ((속담)) Más vale un amigo cercano que un hermano lejano. 가까운 무당보다 먼 데 무당이 영(靈)하다 ((속담)) La intimidad reduce fama.

가깝디가깝다 [거리가] estar muy cerca; [교분이] ser muy íntimo; [혈연 관계가] ser muy cercano [próximo].

가꾸기 cultivo *m*.

가꾸다 ① [자라게 하다] hacer crecer, cultivar. 정원을 ~ cultivar un jardín. ② [치장하다] ataviar, asear, componer, adornar, decorar, acicalar, engalar, aderezar, hermosear, enbellecer.

가꾸러뜨리다 lanzar hacia abajo.

가꾸러지다 caerse hacia abajo.

가꾸로 patas (para) arriba, de cabeza.

가끔 a vecer, algunas veces, unas veces, de vez en cuando, de cuando en cuando. ~ 있는 일이다 Eso sucede a veces / No es nada del otro mundo. 그는 ~ 좋은 작품을 쓴다 El escribe algunas veces obras buenas.

가끔가끔 =가끔.

가끔가다 =가끔가다가.

가끔가다가 de vez en cuando, de cuando en cuando.

가나 【지명】 Ghana. ~의 ghanés, -nesa.

■~사람 ghanés, -nesa *mf*.

가나다 [한글] *ganada*, *hangul*, alfabeto *m* coreano.

■ ~순(順) orden *m* (*pl* órdenes) alfabético. ¶~의 alfabético. ~으로 alfabéticamente. ~으로 배열하다 alfabetizar. ~의 배열(配列) alfabetización *f*.

가나다(加那陀) 【지명】 el Canadá. ☞캐나다

가나오나 [언제나] siempre, en todo tiempo, en cualquier tiempo, constantemente.

가난 pobreza *f*, necesidad *f*, estrechez *f*, escasez *f*, carestía *f*. ~하다 ser pobre, empobrecer. ~한 pobre, necesitado; [매우] pobrísimo. ~한 농민 campesino, -na *mf* pobre. ~한 사람들 los pobres, los necesitados, los menos afortunados. ~하게 되다 empobrecerse, hacerse pobre. ~하게 살다 vivir en pobreza. ~ 때문에 고민하다 agobiarse por pobreza. ~ 때문에 괴로워하다 estar apretado por pobreza. 찢어지게 ~하다 ser tan pobre como un ratón de sacristía, ser más pobre que una rata [las ratas], estar en la última miseria. ~에 시달리다 comerse de la miseria. ~한 자는 못할 일이 없다 Hombre pobre, todo es trazas. ~해지면 뛰어난 사람도 어리석어진다 / ~은 사리를 둔하게 만든다 La necesidad obscurece el juicio. ~한 사람은 여가가 없다 Quien es pobre, ignora la ociosidad.

◆가난(이) 들다 andar escaso de dinero. 가난이 [가난을] 파고들다 hacerse pobre más y más.

■가난 구제는 나라도 못한다 ((속담)) La pobreza es incurable. 가난이 싸움이라 ((속담)) La pobreza cría conflictos. 가난이 죄다 ((속담)) La pobreza es la madre del delito. 가난할수록 기와집 짓는다 ((속담)) El que no tiene plata en su monedero, tiene que tenerla en su lengua.

■~뱅이 pobrecito, -ta *mf*.

가난(家難) calamidad *f* [infelicidad *f*] familiar [de familia].

가납(假納) depósito *m*.

■~금[세] depósito *m*.

가납(嘉納) [물건의] aceptación *f*; [충고의] aprobación *f*. ~하다 aceptar con mucho gusto, aprobar, apreciar.

가납사니 ① [쓸데없는 말을 잘하는 사람] persona *f* habladora, parlero, -ra *mf*, parlador, -dora *mf*; charlador, -dora *mf*; guapetón, -tona *mf*; hablador, -dora *mf*; parlanchín, -china *mf*; charlatán, -tana *mf*; trabilla *mf*. ② [말다툼을 잘하는 사람] peleador, -dora *mf*; peleón, -ona *mf*.

◆가납사니같다 decir cosas inútiles, hablar por hablar, charlar ociosamente.

가내(家內) ① [집의 안·가정 안] casa *f*. ~의 doméstico, de casa. ~ 문제 asunto *m* doméstico. ② [가정] familia *f*. ~ 평안하길 기원하다 rezar para que no suceda ninguna desgracia a la familia. ~ 안전(安全) la paz y la seguridad de la familia. ③ [가까운 일가] pariente *m* cercano.

■~ 공업 industria *f* doméstica. ~ 노동 labor *f* [trabajo *m*] a domicilio. ~ 노예[노비] esclavo *m* doméstico, esclava *f* doméstica. ~사(事) quehaceres *mpl* domésticos.

가냘프다 (ser) endeble, enclenque, escuchi-

ㄱ

mizado, delgado, flaco, débil, delicado, pequeño, flexible, doblegable, cimbreante. 가냘픈 목소리 voz *f* débil. 가냘픈 몸 cuerpo *m* delgaducho [flaco]. 가냘픈 몸짓 comportamiento *m* donoso [gracioso]. 가냘픈 손 mano *f* delgada. 가냘픈 어린아이 niño, -ña *mf* endeble. 가냘픈 여인(의 몸) mujer *f* delicada. 가냘픈 허리 cintura *f* delgada. 가냘픈 목소리로 con voz débil. 가냘픈 여성의 몸으로 그런 곳에 간다는 것은 위험하기 짝이 없다 Es muy peligroso que una mujer vaya a tal lugar.

가녀(歌女) ① [노래를 잘 부르는 여자] mujer *f* que canta bien. ② [노래 부르는 것을 업으로 하는 여자] cantatriz *f*, cantante *f*, cantadora *f*.

가녀리다 =가냘프다.

가년(加年) =가령(加齡).

가년스럽다 (ser) andrajoso, desastrado. 가년스레 andrajosamente, desastradamente.

가누다 reprimir, restringir, predominar, controlar.

가느다랗다 (ser) muy delgado, muy flaco, muy débil, delgadísimo, flaquísimo. 가느다랗게 de manera más delgada que gruesa. 가느다랗게 되다 adelgazar(se).

가느다래지다 adelgazar(se).

가느스레하다 =가느스름하다.

가느스름하다 (ser) delgado un poco. 가느스름히 muy delgadamente.

가는귀 ☞가늘다

가는귀먹다 ☞가늘다

가는눈 ☞가늘다

가는대 ☞가늘다

가는모래 ☞가늘다

가는베 ☞가늘다

가는실 ☞가늘다

가는체 ☞가늘다

가늘게 finamente, delgadamente. ~ 하다 ㉮ hacer (*algo*) más fino [delgado], adelgazar. ㉯ [뾰족하게 하다] aguzar, afilar. ㉰ [좁게 하다] estrechar. 가스 불을 ~ 하다 bajar [poner más débil] el fuego de gas. 눈을 ~ 하고 보다 mirar con los ojos medio cerrados; [근시(近視)가] mirar con *sus* ojos miopes: [애정(愛情)으로] comerse (a *uno*) con los ojos [con la vista]. 연필을 ~ 깎다 sacar punta al [afilar el] lápiz. ~ 오래 살다 vivir modesta y largamente. ~ 자르다 cortar (*algo*) a [en] pedacitos, cortar (*algo*) en trozos menudos, cortar (*algo*) en porciones un poco delgadas. ~ 뜬 눈으로 보다 mirar (*algo*) con los ojos entornados. 그의 목소리는 점점 ~ 된다 Su voz se hace cada vez más débil.

가늘다 (ser) delgado, fino, delicado, sutil, flaco, falto de carnes; [좁다] estrecho, angosto. 가는 menudo, fino. 가는 길 camino *m* estrecho, caminito *m*. 가는 목소리 voz *f* pequeño [sutil·débil]. 가는 밧줄 cuerda *f* delgada [fina], cordel *m*; [삼실] bramante *m*. 가는 섬유(纖維) fibra *f* fina [delgada]. 가는 실 hilo *m* fino [delgado]. 가는 팔 brazos *mpl* delgados [débiles]. 가는 허리 caderas *fpl* finas, mujer *f* tierna. 허리가 가는 여인 mujer *f* delgada de cintura. 가는 글자로 쓰다 escribir en letras finas [con letra fina]. 수족(手足)이 ~ tener los miembros muy delgados. 여자의 가는 팔로는 한 집안을 지탱할 수가 없다 Es imposible sostenerse la familia por los brazos débiles de mujer.
가는귀 oídos *mpl* ensordecidos un poco.
가는귀먹다 ensordecer un poco.
가는눈 ojos *mpl* finos.
가는대 =아기살.
가는모래 arena *f* fina.
가는바늘 aguja *f* fina.
가는베 tela *f* fina.
가는실 hilo *m* fino.
가는체 pasapurés *m.sing.pl*, tamiz *f* (*pl* tamices). ~로 거르다 pasar (*algo*) por un pasapurés. ~로 거른 진한 감자 수프 puré *m* de patatas [*AmL* patas].
가는털 lana *f* fina.

가늘디가늘다 ser muy fino [delgado].

가늘어지다 adelgazarse, ponerse delgado; [좁아지다] ponerse estrecho [angosto].

가늠 puntería *f*. ~하다 apuntar, tirar, poner la mira (en *algo*). ~해서 찾다 buscar (*algo*) basándose en conjeturas. 그가 집에(늘) 있는 시간을 ~하여 그에게 전화걸겠다 Le llamaré (por teléfono) a la hora que suele estar [que es propio que esté] en casa.
■ ~쇠 punto *m* de mira. ~자 =조척(照尺). ~추 =평형추(平衡錘).

가늠하다 =가느스름하다.

가능(可能) posibilidad *f*, probabilidad *f*. ~하다 (ser) posible, realizable, practicable. ~한 [가능성이 있는] posible; [실현할 수 있는] realizable, factible; [실행할 수 있는] practicable. ~한 빨리 cuanto antes, tan pronto como posible, lo antes posible, lo más pronto posible. ~한 범위에서 en [dentro de·en la medida de] lo posible. ~하면 si es posible. …하는 일이 ~하다 Se puede [Es posible] + *inf*. ~하면 오늘와 주십시오 Venga hoy si es posible. 이 일을 1개월만에 끝내는 것은 ~하다 Se puede [Es posible] terminar este trabajo en un mes. 이 문장은 여러 가지 해석이 ~하다 Esta frase se puede interpretar de varias maneras / Esta frase admite varias interpretaciones. 인간이 다른 혹성에 가는 일이 ~하게 되었다 Ya se ha hecho posible que el hombre viaje hasta otro planeta.
■ ~성 posibilidad *f*, probabilidad *f*. ¶~이 있는 posible; [실현의] factible. ~이 없는 imposible. ~을 인정해서 en vista de la posibilidad [probabilidad]. 다시 전쟁이 일어날 ~이 크다 Hay gran posibilidad de que estalle otra guerra. 그런 일이 일어날 ~이 크다 Es muy posible que ocurra eso.

가다 ① [일반적] ir; [가버리다] irse, marcharse, largarse; [출발하다] partir [salir] (para *un sitio*); [외출하다] salir; [방문하다] visitar, hacer una visita; [이전하다] trasladarse (a *un sitio*); [향하다] dirigirse (a *un sitio*); [급히] acudir (a *un sitio*); [자주] frecuentar (*un sitio*); [출석하다] asistir (a *algo*). 가는 해 el año que pasa [termina]. 병원에 ~ ir al hospital. 스페인 [마드리드]에 ~ ir a España [Madrid]. 걸어 ~ ir a pie, ir andando, andar, caminar, pasear(se). 차[기차 · 택시]로 ~ ir en coche [tren · taxi]. 피크닉 ~ ir de campo. … 하러 ~ ir a + *inf.* 말을 타고 ~ ir a caballo. 뒤도 돌아보지 않고 ~ andar Como Lot. 뿔뿔이 흩어져 ~ ir separadamente. 물건 사러 ~ salir [ir] de compras. 여행하러 ~ salir [ir] de viaje. 가는 김에 [길에] de paso, al pasar, en (*su*) camino (a *un sitio*). 가는 여름에 이별을 고하다 decir adiós al verano que se pasa. 가는 길에 들리겠습니다 Le visitaré de paso. 종로 가는 길을 가르쳐 주시겠습니까? ¿Por favor, puede usted indicarme cómo se va a Jongno? 안녕히 가십시오 [usted에게] Vaya con Dios / Que se vaya bien / Váyase bien // [ustedes에게] Vayan con Dios / Que se vayan bien / Váyanse bien. 잘 가거라 [tú에게] Vete bien / Que te vayas bien // [vosotros에게] Idos bien / Que os vayáis bien. 제발 가지 마세요 [tú에게] No te vayas / [usted에게] No se vaya / [vosotros에게] No os vayáis / [ustedes에게] No se vayan. 갑시다 Vamos / Vámonos. 가지 맙시다 No nos vayamos. 이제 갈까요? ¿Iremos (ahora)? / ¿Vamos a ir ahora? / [헤어지고자 할 때] ¿Vamos a despedirnos aquí? / [이야기 도중에] ¿Vamos a terminar aquí? 이만 가보겠습니다 Ahora tengo que irme [marcharme]. 나는 일요일마다 교회에 간다 Yo voy a la iglesia (todos) los domingos. 어디 가십니까? ¿A dónde va usted? 너 어디 가니? ¿A dónde vas? 집에 갑니다 Voy a casa. 학교[약국]에 갑니다 Voy a la escuela [la farmacia]. 지금 갑니다 Ahora (me) voy. 지금 곧 갑니다 Ahora mismo me voy / Voy [Vengo] en seguida. 박물관[슈퍼마켓]에 가려면 어디로 가야 합니까? ¿Por dónde se va al museo [al supermercado]? 주인이 어디 간지 아십니까? ¿Sabe usted a dónde fue el señor? 멕시코 가본 적이 있습니까? ¿Ha estado usted en México? / ¿Conoce usted México? 아닙니다, 저는 멕시코에 한 번도 가 본 적이 없습니다 Nunca he estado en México / No he estado nunca [jamás] en México / Todavía no conozco México. 나는 한 번도 외국에 가 본 적이 없다 Nunca he estado en el extranjero. 그녀는 아무 말도 없이 가버렸다 Ella se largó a la francesa / Ella se fue sin decir nada [sin decir adiós]. 갔다가 내일 다시 오겠습니다 Volveré (aquí) mañana. 나는 그날 시골에 가 있었다 Ese día yo estaba en el campo. 그림을 그리러 공원에 갑시다 Vamos al parque a pintar (un cuadro). 식사하러 식당에 갑시다 Vamos a comer a un restaurante. 그는 의사를 부르러 갔다 El fue por el médico. 우리는 해안으로 산책 가곤 했다 Nosotros íbamos de paseo a la costa. 그녀는 말을 타고 농장에 갔다 Ella fue a caballo a la hacienda.

② [돌아다니다] recorrer. 갈 길 camino *m* a recorrer. 나는 전국 방방곡곡을 갔다 Recorrí toda Corea.

③ [죽다] morir, fallecer, perecer, fenecer, llamarlo Dios, cerrar los ojos, dejar de vivir [existir], estinguirse, acabarse.

④ [시간 · 세월 · 날 등이 경과하다] pasar, correr. 세월은 쏜살같이 간다 El tiempo pasa [corre] como una flecha.

⑤ [값 · 무게가] costar, valer, pesar. 쇠고기는 1킬로에 12,000원 간다 La carne de vaca cuesta [vale] doce mil wones el kilo.

⑥ [불이 꺼지거나 전기가 나가다] apagarse. 불이 갔다 Se apagó la luz / Se fue la luz.

⑦ [타동사적으로 쓰여, 어떤 기준에 따르거나, 목적을 향하여 행동하다] seguir. 샛길을 ~ seguir un sendero. 두 사람은 같은 운명을 갔다 Los dos siguieron el mismo destino [camino].

⑧ ((속어)) =까무러치다. 지다.

⑨ [도착하다. 도달하다] llegar. 마드리드에 가면 전화해라 Llámame cuando llegues a Madrid.

⑩ [시계 따위의 기계가 움직이다] funcionar. 시계(時計)가 가지 않는다 Mi reloj no funciona.

⑪ [금이나 주름 같은 것이 생기다] arrugarse; [컵이] rajarse; [바위 · 살갗 등이] agrietarse. 금이 간 [컵이] rajado; [갈빗대가] fracturado; [벽 · 천정이] con grietas, resquebrajado; [입술이] paratido, agrietado; [살갗이] agrietado. 주름이 간 얼굴 cara *f* arrugada.

⑫ ㉮ [맛 등이 없어지다] echarse a perder, estropearse. 맥주 맛이 갔다 La cerveza tiene sabor sin gas. ㉯ [맛 등이 상하다] estropearse. 김치 맛이 갔다 Este *kimchi* se hizo ácido [agrio].

■ 가는 말이 고와야 오는 말이 곱다 ((속담)) Buenas palabras para buenas palabras. 가는 방망이, 오는 홍두깨 ((속담)) Quien siembra vientos recoge tempestades / Siembra vientos y recogerán tempestades. 가는 세월 오는 백발 ((속담)) Tiempo ni hora no se ata con soga / El tiempo pasa inexorablemente.

가다가 a veces, unas veces, algunas veces, de vez en cuando, de cuando en cuando.

가다가다 (muy) raras veces.

가다듬다 arreglar, disponer, ordenar. 기억을 ~ refrescarle la memoria. 목소리를 ~ modular la voz. 몸을 ~ arreglarse. 정신을 ~ animarse.

가다랑어 【어류】 atún *m* (*pl* atunes), bonito

m. 마른 ~ bonito *m* seco. 말린 ~ bonito *m* secado.

ㄱ

가다오다 =오다가다.

가닥 hebra *f*, pedazo *m*, trozo *m*, tira *f*; [철사의] filamento *m*; [길의] bifurcación *f*. 실 한 ~ una hebra de hilo. 천 한 ~ una tira de tela. 길 한 ~ una bifurcación del camino.
 ■ ~수(數) número *m* de tiras.

가단(家團) 【법률】 familia *f*.

가단(歌壇) mundo *m* de los cantores.

가단성(可鍛性) maleabilidad *f*. ~의 maleable.

가단조(-短調) 【음악】 la menor.

가단 주철(可鍛鑄鐵) 【화학】 hierro *m* maleable, hierro *m* forjado, hierro *m* dúctil, hierro *m* fundido maleable, fundición *f* maleable, fundición *f* dulce para moldeo, lingote *m* de hierro maleable.

가단철(可鍛鐵) =가단 주철(可鍛鑄鐵).

가담(加擔) [관여] participación *f*, [공모(共謀)] conspiración *f*, [원조] auxilio *m*, apoyo *m*, ayuda *f*. ~하다 participar [tomar parte] (en *algo*), declararse a favor (de *uno*), tomar partido (por *uno*), juntarse (a *algo*), asociarse (a [con] *algo*), conspirar (con *uno*), unirse (con *uno*). 범죄에 ~하다 tomar parte en un crimen [en un delito]. 대화에 ~하다 tomar parte en la conversación. 운동 [경기]에 ~하다 participar en la campaña [en el juego]. 여행단에 ~하다 juntarse al grupo de viajeros. 나는 어느 편에도 ~하지 않았다 No tomo partido por ninguno de los dos.
 ■ ~자 conspirador, -ra *mf*, [공모자(共謀者)] cómplice *mf*.

가당(可當) lo justo, lo correcto. ~하다 (ser) justo, correcto, adecuado, apropiado.
 가당찮다 (ser) injusto, poco razonable, irrazonable, excesivo, no tener razón. 가당찮은 요구 demanda *f* excesiva. 가당찮은 말을 하지 마라 No digas cosas siniestras [de mal agüero]. 네 행동은 정말 ~ Tu actitud es muy poco razonable. 그렇게 많이 기대하는 것은 ~ Es poco razonable esperar tanto.
 가당찮이 excesivamente, injustificadamente.
 가당히 justamente, correctamente.

가대(家垈) =집터.

가대(架臺) armazón *m* (*pl* armazones).

가대인(家大人) mi padre.

가댁질 el corre que te pillo, *Méj* la roña, *Col* la lleva, *Chi* la pinta, *RPI* la mancha.

가덕(嘉德) virtud *f* magnífica.

가도(家道) ① [가정 도덕] moral *f* familiar; [가정 습관] costumbre *f* de la familia. ② =가계(家計).

가도(街道) ① [도시의 큰 도로] camino *m* principal, camino *m* real. ② [도시와 도시를 잇는 큰 도로] carretera *f*. 경인(京仁) ~ la Carretera Gyeong-in.

가독(家督) herencia *f*, patrimonio *m* de una familia, propiedades *fpl* familiares. ~을 상속하다 heredar una casa, suceder a *su* padre. ~을 양도하다 ceder (a *uno*) la dirección de la casa.
 ■ ~ 상속 sucesión *f* como jefe de la familia, sucesión *f* a una casa. ~ 상속권 derecho *m* de sucesión como jefe de la familia, derecho *m* de sucesión a una casa. ~ 상속인(相續人) heredero, -ra *mf* (de una casa).

가돈(家豚) mi hijo.

가돌리늄(독 *Gadolinium*) gadolinio *m*.

가동(可動) movilidad *f*. ~의 movible, móvil.
 ■ ~ 관절 diartrosis *f*, articulación *f* movible. ~교 puente *m* movible. ~댐 dique *m* con compuerta. ~성 movilidad *m*. ~언(堰) dique *m* de controlar la cantidad del agua. ~적 movible, móvil. ~ 코일 검류계 galvanómetro *m* de cuadro móvil.

가동(家僮/家童) sirviente *m*.

가동(歌童) 【역사】 niño *m* cantante.

가동(稼動) operación *f*, la acción y el efecto de operar. ~하다 operar, funcionar, marchar, andar.
 ■ ~ 레버 palanca *f* [impulsora *f*] de mando. ~력 fuerza *f*. ~률 porcentaje *m* de funcionamiento [de operación], rendimiento *m*. ~ 시간 hora *f* laborable [de trabajo].

가동거리다 mecer (sobre las rodillas).

가동이치다 =가동거리다.

가동질하다 =가동거리다.

가두(街頭) calle *f*. ~에서 en la calle. ~에 나가다 salir a la calle.
 ■ ~ 극장 teatro *m* al aire libre. ~ 검색 inspección *f* en la calle. ~ 녹음 grabación *f* pública en la calle, registro *m* de las voces de (la) plaza. ~ 데모 manifestación *f* callejera. ~ 모금 colecta *f* pública. ~ 봉사 servicio *m* en la calle. ~ 선전 propaganda *f* en la calle. ~ 선전원 hombre *m* anuncio, profesional *m* de la publicidad. ~ 설법 predicación *f* al aire libre. ~ 시위 manifestación *f* en la calle. ~ 시장 mercado *m* al aire libre, *CoS* feria *f*. ~ 연설 discurso *m* pronunciado en la calle, arenga *f* en las plazas. ~ 연설가 orador *m* callejero, oradora *f* callejera. ~ 예술가 artista *m* callejero, artista *f* callejera. ~ 인터뷰 entrevista *f* en la calle. ~ 집회 reunión *f* en la calle. ~ 판매 venta *f* en la calle. ¶ ~하다 vender (*algo*) en la calle. ~ 판매소 quiosco *m*, kiosco *m*, tenderete *f*.

가두다 encarcelar, enjaular, cerrar completamente, encerrar, recluir, aprisionar, confinar, meter en un sitio cerrado. 죄수를 감옥에 ~ encerrar a un preso en la cárcel. A씨를 방에 ~ encerrar al Sr. A en una habitación. 비는 나를 집에 가두었다 La lluvia me obligó a permanecer en la casa. 그들은 병영(兵營)에 가두어졌다 Ellos estaban retenidos en el cuartel / Ellos estaban arrestados.

가두리 [모자·그릇 등의] labio *m* (de un vaso), el ala *f* (*pl* las alas) (de un sombrero), borde *m*, margen *m*, dobladillo *m*.

ㄱ

~하다 dobladillar, hacer un dobladillo (a).

가둥거리다 menear, bambolear.

가둥가둥 memeando (y meneando).

가드락거리다 comportarse displicentemente y groseramente, pavonearse.

가드레일(영 *guardrail*) [난간(欄干)] [계단의] barandilla *f*, barandal *m*; [길 따위의] barrera *f* de seguridad, barrera *f* de protección, valla *f* (protectora), pretil *m*, antepecho *m*, parapeto *m*; [철도의] contracarril *m*.

가득 lleno. ~ 찬 lleno; [사람으로] atestado. 포도주로 ~ 담긴 병(甁) botella *f* llena de vino. 눈에 눈물이 ~ 차 con lágrimas en los ojos, con los ojos llenos de lágrimas. ~ 차다 llenarse, hacerse lleno. ~ 채우다 llenar, hacer lleno, poner lleno. 눈에 눈물을 ~ 머금고 있다 tener los ojos llenos de lágrimas. 상자에 책을 ~ 채우다 rellenar [llenar por completo] una caja de [con] libros. 그는 컵에 물을 ~ 채웠다 El llenó el vaso de agua. 해가 방에 ~ 비친다 El sol da de lleno en el cuarto. 호수에는 물이 ~ 찼다 El lago está rebosante de agua. 광장에는 사람이 ~ 찼다 En la plaza la gente está completamente llena [está de bote en bote]. 그는 안면에 미소를 ~ 머금었다 Su rostro se dilató en una amplia sonrisa. 상자에는 금화(金貨)가 ~ 차 있었다 La caja estaba llena de monedas de oro. 회의장은 사람으로 ~ 차 있었다 La sala estaba llena [atestada] de gente. 서랍에 물건이 ~ 차 있어 열리지 않는다 No se abre el cajón porque está lleno de cosas.

가득가득 lleno separadamente. ~하다 Cada uno está lleno.

가득하다 estar lleno, llenarse; [연기가] ahumarse; [김이] llenarse de vapor; [가스가] llenarse de gas; [발을 디딜 틈이 없이] estar de bote en bote, estar completamente lleno. 방에는 사람이 ~ La sala está llena [repleta] de gente. 이 열차는 승객이 ~ Este tren va de bote en bote. 그 책에는 오자(誤字)가 ~ Ese libro está lleno de errores / Ese libro tiene errores por todas partes. 여름에 해변에는 사람으로 ~ En verano la playa está de bote en bote [está completamente llena].

가득히 *de lleno, del todo, enteramente.*

가든 파티(영 *garden party*) fiesta *f* al aire libre, recepción *f* al aire libre.

가든하다 [옷 따위가] (ser) ligero; [마음이] sentirse ligero, sentirse bueno. 가든한 옷차림 traje *m* ligero.

가든히 ligeramente, sin dificultad, sin problemas.

가들거리다 =가드락거리다.

가들막거리다 caminar [andar] con aire arrogante, pavonearse. 그는 가들막거리며 바에 갔다 El se acercó con aire arrogante. 선원들은 온 시내를 가들막거렸다 Los marineros anduvieron pavoneándose por toda la ciudad.

가들막하다 =그들먹하다.

가등기(假登記) registro *m* provisional.

가뜩 ① ((센말)) =가득. ② ((준말)) =가뜩이나(además).

가뜩이나 además, por otra parte, a más de eso, para colmo (de males). 그는 ~ 요즈음은 술까지 마신다 Para colmo él comienza a beber estos días. ~ 피로한데 또 일을 하란다 Estoy muerto de cansancio y todavía quieren que yo trabaje.

가뜩하다 estar muy lleno (de).

가뜬하다 (ser) ágil, ligero, leve, vivo, activo.

가뜬히 ágilmente, ligeramente, livianamente, con agilidad.

가라말 【동물】 caballo *m* con pelo negro.

가라사대 como dice, dice, dijo, diciendo, según. 공자 ~ Confucio dice, Confucio dijo, según Confucio.

가라앉다 ① [침몰하다] hundirse, sumergirse, irse abajo, sumirse, irse a fondo [a pique] (배가), zozobrar (배가); inmergirse, somorgujarse. 바다에 ~ hundirse [somorgujarse] en el mar. 그 도시는 1년에 13센티미터에서 20센티미터 비율로 계속 가라앉고 있다 La ciudad sigue hundiéndose a razón de trece a veinte centímetros por año. 배가 폭풍우(暴風雨)로 가라앉았다 La tempestad acabó por echar a pique el barco. ② [조용해지다] aquietarse, tranquilizarse, ponerse en calma, sosegarse, calmarse, tranquilizarse, apaciguarse. ③ [마음·통증 따위가] mitigarse, aliviarse, aligerarse, desanimarse, deprimirse. ④ [종기·부기 따위가] resolverse. 통증이 가라앉는다 El dolor se mitiga [se alivia]. 부기[종기]가 저절로 가라앉는다 El tumor se resuelve a sí mismo. 부기는 곧 가라앉을 것이다 El tumor se resolverá pronto.

가라앉히다 ① [침몰시키다] hundir, sumergir, echar a lo hondo, inmergir, echar a pique, echar a fondo, zambullir, zampuzar, somorgujar. 바다에 커다란 기둥을 가라앉혀 사원을 건설했다 Hundiendo en el mar grandes postes y sobre ellos construyen el templo. ② [마음을 가라앉게 하다] calmar, apaciguar, serenar, tranquilizar; [통증을] adormecer; [병세를 일시적으로] mitigar, paliar; [종기·멍울 따위를] resolver. 마음을 ~ tranquilizarse, calmarse. 인심(人心)을 ~ serenar el ánimo de la gente. 통증을 ~ adormecer los dolores, aliviar [mitigar] el dolor. 이 약은 통증을 가라앉힌다 Esta medicina calma el dolor. 그녀는 너무 화가 나 있어 마음을 가라앉힐 방법이 없다 Ella está tan enojada que no hay modo de apaciguarla.

가라지¹ 【식물】 =강아지풀.

가라지² 【어류】 ((학명)) Decapterus maruadsi.

가락¹ ① [음조] tono *m*, melodía *f*, aire *m*, atonación *f*, [박자] ritmo *m*, tiempo *m*. ~을 붙이다 dar melodía. ② [솜씨] destreza *f*, habilidad *f*, agilidad *f*, maña *f* y arte.

가락² [물레로 실을 자을 때, 실이 감기는 쇠

ㄱ

꼬챙이] huso *m*.
■ ~국수 *garakguksu*, tallarín *m* coreano, fideo *m* grueso coreano, espagueti *m* coreano.

가락지 anillo *m*. ~를 끼다 ponerse el anillo. ~를 끼워 주다 poner el anillo. ~를 벗다 quitarse el anillo. ~를 벗기다 quitar el anillo.

가란(家亂) disturbio *m* doméstico, conflictos *mpl* familiares.

가람(伽藍)((불교)) templo *m* budista.

가람조(伽藍鳥)【조류】=사다새.

가랑(佳郞) ① [재질(才質)이 있는 훌륭한 신랑] novio *m* hábil. ② [얌전한 총각] soltero *m* manso.

가랑눈 nieve *f* en polvo, nieve *f* polvorosa, nieve *f* muy menudita, nevada *f* ligera.

가랑니 piojo *m* pequeño, liendre *f*, huevecillo *m* del piojo, huevo *m* del piojo.

가랑머리 peinado *m* con dos coletas.

가랑무 rábano *m* ahorquillado.

가랑비 llovizna *f*, lluvia *f* leve [menuda · fina], cernidillo *m*, chipichipi *m*, chispas *fpl*. ~가 내리다 lloviznar, *Ecuad* paramear, *Col*, *Ecuad*, *Ven* paramar. 비가 ~로 되다 ir a escampar. ~가 내린다 Llovizna / Cae llovizna / Cae agua menudilla / Caen chispas / Chispea.
■ 가랑비에 옷 젖는 줄 모른다 ((속담)) Muchos pocos hacen un mucho / Muchas candelillas hacen un cirio pascual.

가랑이 ① [원 몸의 끝이 갈라져 벌어진 부분] gancho *m*, corhete *m*, horquilla *f*, horcajadura *f*. ② [허벅지] entrepiernas *fpl*; [사타구니] muslo *m*. ③ ((준말)) =바짓가랑이. ④ ((속어)) =다리(pierna). ¶~를 벌리다 abrir piernas.
◆ 가랑이(가) 지다 bifurcarse. 길이 가랑이진다 El camino se bifurca. 가랑이(가) 째지다 =가랑이(가) 찢어지다. 가랑이(가) 찢어지다 ㉮ [살림살이가 군색하다] ser tan pobre como un ratón de sacristía. ㉯ [몹시 바쁘거나 하는 일이 힘에 부치다] estar ocupadísimo. 가랑이가 찢어지게 가난하다 ser tan pobre como un ratón de sacristía.

가랑이지다 =가랑이(가) 지다. ☞가랑이.

가랑잎 hoja *f* muerta.
■ 가랑잎이 솔잎더러 바스락거린다고 한다 ((속담)) Dijo la sartén al cazo: quítate que me tiznas. ☞똥 묻은 개가 겨 묻은 개 나무란다.

가래[1] 【농기구】 laya *f*; [가축에 매단] arado *m*. ~로 땅을 갈다 arar, labrar la tierra. ~로 밭을 갈다 layar el campo, labrar el campo con laya, arar el campo, labrar el campo con un arado.
■ ~질 aradura *f*, labranza *f*. ¶~하다 arar, labrar la tierra.

가래[2] [담(痰)] flema *f*, esputo *m*, escupitajo *m*. ~를 뱉다 escupir, esputar. 목에 ~가 생기다 tener flemas en la garganta.
■ ~침 ㉮ [가래가 섞인 침] escupidura, saliva. ~을 뱉다 escupir, salivar, echar saliva. ㉯ [담 · 가래] flema *f*, esputo *m*, escupitajo *m*.

가래[3] 【식물】 nogal *m* silvestre.

가래[4] [가래나무의 열매] fruto *m* de la catalpa.

가래[5] ① [떡 · 엿 따위를 둥글고 길게 늘여 놓은 토막] *garae*, tira *f* de la torta de arroz. ② [떡이나 엿의 토막을 세는 말] pedazo *m*.
■ ~떡 *garaeteok*, torta *f* de arroz blanco cortado muy fina y larga. ~엿 *garaeyeot*, caramelo *m* masticable (fino y largo); *Guat* melcocha *f* fina y larga.

가래나무 【식물】 catalpa *f*.

가래다 distinguir, conocer la diferencia que hay entre las cosas.

가래톳 chancro *m* sifilítico, incordio *m*, bubón *m*, caballo *m*.
◆ 가래톳(이) 서다 tener bubón.

가량[1](假量) =어림짐작.
◆ 가량(이) 없다 (ser) inestimable, inapreciable. 가량(이) 없이 inestimablemente, inapreciablemente.

가량[2](假量) [쯤] unos, unas; casi; aproximadamente; más o menos; cerca de (*algo*). 15퍼센트 ~ un [cerca del] quince por ciento. 마흔 살 ~의 여자 mujer *f* que tiene alrededor de [que raya en los] cuarenta años.
가량없다 ㉮ [어림없다] tener poco juicio. ㉯ [당치않다] (ser) absurdo, escandaloso, exorbitante, abusivo, vergonzoso, atroz. 가량없는 행동 conducta *f* vergonzosa.
가량없이 absurdamente, escandalosamente, exorbitantemente, abusivamente, vergonzosamente, atrozmente.

가량가량하다 (ser) delgado pero parecer sano.
가량가량히 delgada y sanamente.

가량맞다 (ser) indecoroso, impropio.

가량스럽다 (ser) indecoroso, impropio, poco favorecedor.
가량스레 indecorosamente, impropiamente.

가려내다 =가리다

가려먹다 ser particular en la comida.

가려움 picazón *m*, picor *m*, prurito *m*. ~에 바르는 약 ungüento *m* contra el picor.

가려잡다 seleccionar, escoger, entresacar.

가려지다 ((준말)) =가리어지다.

가려하다(佳麗－) (ser) hermoso, bello, lindo, bonito, guapo, elegante, fino. 가려함 hermosura *f*, belleza *f*, elegancia *f*, fineza *f*.

가련하다(可憐－) (ser) lastimoso, miserable, lastimero, pobre, digno de compasión, digno de lástima; [불행한] infeliz; [슬픈] triste, melancólico. 가련한 남자 pobre hombre *m*, hombre *m* digno de lástima, hombre *m* digno de compasión. 가련한 모습 figura *f* lastimosa, aspecto *m* lamentable. 가련하게도 아이들이 아사(餓死)했다 Lastimosamente los niños [Los pobres niños] se murieron de hambre.
가련히 lastimosamente, miserablemente,

pobremente, infelizmente, tristemente, melancólicamente.

가렴 주구(苛斂誅求) imposición *f* de tributos pesados y sucesivos, extorsión *f*, exacción *f*.

가렵다 picar, sentir picazón, sentir comezón; [근질근질하다] arrastrarse. 나는 등이 ~ Me siento comezón en la espalda / Me pica (en) la espalda. 나는 팔이 가렵다 Me pica el brazo. 벌레 물린 데가 가려워 참을 수 없다 No puedo aguantar el picor que siento donde me ha picado el bicho.
가려워하다 sentir picazón, sentir comezón.
◆가려운 곳을 긁어 주다 atender a toda necesidad.

가령(苛令) orden *m* demasiado severo.

가령(家令) =가법(家法).

가령(家領) tierra *f* [territorio *m*] de la posesión de una familia.

가령(假令) por ejemplo, si, con tal que. ~ 당신이 오시면, 그것을 보실 수 있을 것입니다 Si usted viene, puede verlo.

가례(家例) usaje *m* familiar.

가례(家禮) formalidades *fpl* tradicionales de una familia.

가례(嘉禮) ① [왕의 성혼·즉위 등에서 하던 예식] ceremonia *f* prometedora en la corte. ② [경사스러운 예식] ceremonia *f* feliz.

가로 ① anchura *f*, ancho *m*, anchor *m*. ~ 10센티미터 diez centímetros de ancho. 이 건물은 ~가 얼마나 됩니까? ¿Qué ancho tiene este edificio? / ¿Cuánto mide [tiene] este edificio de ancho? ② [부사적] de lado, de costado, horizontalmente. ~선을 긋다 dibujar una línea horizontal. 머리를 ~ 젓다 sacudir *su* cabeza de lado, sacudir *su* cabeza negativamente, rehusar, rechazar, no aceptar, decir no.
가로놓다 poner de lado, poner de costado.
가로놓이다 estar de lado, estar de costado.
가로누이다 dejar a un lado.
가로닫이 puerta *f* corrediza, puerta *f* (de) corredera.
가로닫이막(幕) telón *m*, cortina *f* de escena.
가로대 ㉮ puntal *m* ménsula, brazo *m* transversal, travesaño *m*; [신호기 따위의] brazo *m*. ㉯【수학】eje *m* horizontal.
가로막다 ㉮ [(앞을) 가로질러 막다] plantarse, impedir. 문을 ~ quedarse plantado a la puerta. 남자가 그의 앞을 가로막았다 Un hombre se plantó ante él. ㉯ [무슨 일을 못하게 막거나 방해하다] impedir, estorbar, obstruir, cortar el paso (a), salir a paso (de).
가로막히다 interrumpirse, estorbarse, obstruirse.
가로무늬 franja *f*.
가로무늬근(筋)【해부】músculo *m* estriado.
가로무늬살【해부】=가로무늬근.
가로서다 estar de pie a un lado.
가로세로 ㉮ [가로와 세로] longitud y anchura. ㉯ [사방으로] por todas las partes.
가로쓰기 escritura *f* horizontal.
가로장 =가로대.
가로좌표(座標)【수학】=엑스좌표. 횡좌표.
가로줄 =횡선(橫線).
가로지르다 atravesar, cruzar. 차도(車道)를 ~ atravesar [cruzar] la carretera. 자동차 앞을 ~ pasar (por) delante de un coche. 공원을 가로질러 가다 ir atravesando [a través de] un parque.
가로축(軸)【수학】=가로대.
가로퍼지다 extenderse.

가로(家老) anciano *m* de una familia.

가로(街路) calle *f*, avenida *f*, bulevar *m*, camino *m*, carretera *f*. (교통 규칙이나 신호에 따르지 않고) ~를 횡단하다 cruzar la calle descuidadamente.
■ ~등(燈) farol *m*, alumbrado *m* de la calle. ¶희미한 ~ escasos faroles *mpl*. ~미화원 barrendero, -ra *mf*. ~변(邊) borde *m* del camino, borde *m* de la carretera, orilla *f* del camino. ¶~에 al borde del camino, al borde de la carretera, a la vera del camino. ~수 hilera *f* de árboles, alameda *f*, arbolado *m* de una calle. ~ㅅ길 alameda *f*, calle *f* con hileras de árboles; [가로(街路)] avenida *f*, bulevar *m*; [산책길] paseo *m*. ~원(園) glorieta *f*.

가로되 =가라사대.

가로막(一膜)【해부】=횡격막(橫隔膜).

가로막다 ☞가로

가로맡다 asumir, tomar, emprender. 책임을 ~ asumir la responsabilidad.

가로새다 escaparse, salir (de).

가로차다 =가로채다.

가로채다[1] estafar (*algo* a *uno*), interceptar, arrebatar, coger. 그는 내 돈을 가로챘다 El logró estafarme el dinero.

가로채다[2] =가로채이다.

가로채이다 ser arrebatado, ser robado.

가뢰【곤충】cantárida *f*, abadejo *m*.

가료(加療) tratamiento *m* médico, trato *m* médico. ~하다 tratar. ~중 bajo el tratamiento.

가루 polvo *m*; [밀가루] harina *f*. ~가 되다 reducirse a un polvo. ~로 만들다 pulverizar, moler [reducir] *algo* a polvo, hacer *algo* polvo. ~로 부수다 machacar, moler.
■ ~눈 nieve *f* en polvo, nieve *f* fina. ~담배 tabaco *m* en polvo, rapé *m*. ~모래 arena *f* en polvo. ~받이 =꽃가루받이. ~분(粉) polvos *mpl* en pasta, polvos *mpl* de tocador. ~비누 ㉮ jabón *m* (*pl* jabones) en polvo. ㉯ =합성 세제. ~사탕 azúcar *m* en polvo. ~ 설탕 azúcar *m(f)* glas [glasé], *Chi* azúcar *m(f)* flor, *RPl* azúcar *m(f)* impalpable, *Col* azúcar *m(f)* en polvo. ~소금 sal *f* en polvo. ~약 medicina *f* en polvo, polvos *mpl*. ~ 우유[젖] leche *f* seca, leche *f* en polvo. ~즙 el agua *f* de polvo. ~차(茶) té en polvo. ~체 cedazo *m* de harina ~치약 polvos *mpl* dentífricos, polvo *m* dentífrico. ~ㅅ국 ㉮ [밀가루를 푼

물] el agua *f* de polvo de trigo. ㉯ =국숫물.

가루(加累) adición *f* de la calamidad. ~하다 adicionar la calamidad.

가류(加硫)【화학】=가황(加黃).

가르기 =분할(分割).

가르다 ① [나누다] dividir, partir; [토지를] parcelar; [토막으로] desmembrar en trozos. 책을 여러 장(章)으로 ~ dividir el libro en varios capítulos. 토지를 넷으로 ~ parcelar el terreno en cuatro partes. 저가 바다를 갈라 물을 무더기 같이 서게 하시고 저희로 지나가게 하셨으며 ((시편 78:13)) Dividió el mar y los hizo pasar; detuvo las aguas como en un montón / Partió en dos el mar, y los hizo pasar por él, deteniendo el agua como un muro. ② [날선 연장으로 베다 · 쪼개다] cortar; [자신의 몸을] cortarse. 배를 ~ cortarse el vientre. ③ [양쪽으로 헤쳐 열다] abrirse camino por entre, cortarse camino (por).

가르랑 respirando con dificultad, resollando.
가르랑가르랑 siguiendo respirando con dificultad, siguiendo resollando.
가르랑거리다 respirar con dificultad, resollar.

가르마 raya *f* (del cabello), *Sal* camino *m*.
◆가르마(를) 타다 partir la raya (del cabello), hacer la raya. 옆으로 ~ llevar la raya a un lado. 오른쪽으로 가르마를 타 주세요 Hágame la raya a la derecha.
▪~고챙이 palillito *m* para la raya. ~ㅅ자리 lugar *m* de hacer la raya.

가르시아 마르께스【인명】Gabriel García Márquez (1928-).
◆꼴롬비아의 작가이며 1982년「백년간의 고독」으로 노벨 문학상을 수상(escritor colombiano y galardonado el Premio Nobel de Literatura en 1982 con *Cien Años de Soledad*).

가르치다 ① [교육하다] enseñar, instruir, dar lecciones (de *algo* a *uno*), educar, disciplinar. 철저히 ~ inculcar, dar lecciones (de *algo* a *uno*), hacer entrar (algo) en la cabeza (de *uno*). 제자를 ~ enseñar a su discípulo (a + *inf*). 예의 범절을 ~ enseñar las buenas maneras (a *uno*), hacer aprender los buenos modales (a *uno*). 학생들에게 서반아어를 ~ enseñar (el) español a los estudantes. 어린이들에게 피아노를 ~ dar lecciones de piano a los niños, enseñar (a tocar el) piano a los niños. 운전 기술을 철저히 ~ inculcar (a *uno*) la técnica de conducir. 개에게 재주를 ~ amaestrar a un perro, enseñar a un perro a hacer habilidades. 학교에서 무엇을 가르치십니까? ¿Qué enseña usted en la escuela? 그는 자신을 본보기로 나에게 살아가는 방법을 가르쳐 주었다 El me ha enseñado con su propio ejemplo cómo se debe vivir. 그는 나에게 많은 것을 가르쳐 주었다 Aprendo mucho de él. ② [(사람의 도리나 바른길을) 깨닫게 하다] hacer percibir. ③ [올바르게 바로잡다] corregir, reformar. 버르장머리를 ~ corregir el hábito.

가르친사위 persona *f* estúpida que no puede hacer nada personalmente.

가르침 ① [가르치는 일] enseñanza *f*, instrucción *f*, lección *f*. ~에 따르다 seguir la enseñanza. ~을 받다 recibir instrucción (de *uno*). ~을 청하다 pedir instrucción (a *uno*). ② [교훈] percepto *m*, lección *f*. 아버지의 ~ lecciones *fpl* del padre. ~을 받다 tomar la lección. ③ [교의(教義)] doctrina *f*, dogma *m*, máxima *f*. 그리스도의 ~ doctrina *f* de Cristo.

가름 ① [가르는 일] división *f*. ~하다 dividir. ② [장(章)] capítulo *m*.
▪~대 barra *f* de dividir la secciòm superior y la sección inferior del ábaco.

가리[1] [대로 엮어 만든 고기 잡는 기구] encañizada *f* de bambú.

가리[2] [소갈비] chuleta *f* [costilla *f*] de vaca.

가리[3] [곡식 · 땔나무 등을 쌓은 더미] montón *m* (*pl* montones) de los sacos de cereales.

가리[4] ((준말)) =가리새[1].

가리(加里)【화학】potasio *m*, potasa *f* cáustica.
▪~ 비누 jabón *m* de potasio. ~ 비료(肥料) fertilizante *m* potásico, abono *m* potásico.

가리(苛吏) oficial *m* cruel e inhumano.

가리(街里) =거리.

가리가리 a pedazos, en pedazos, en tiras. ~ 찢다 hacer pedazos [trizas · polvo]. 사자가 그를 ~ 찢었다 Un león le descuartizó [despedazó].

가리개 biombo *m*.

가리다[1] ① [선택하다] escoger, elegir; [구별하다] distinguir. ② [어린아이가 낯선 사람을 알아보고 싫어하다] ser vergonzoso con los extraños. 우리 아이는 매우 낯을 가린다 Mi bebé es vergonzoso con los extraños. ③ [어린아이가 똥이나 오줌을 마구 싸지 않고 늘 곳에 누게 되다] crecer bastante a ir al servicio personalmente. ④ [치러 주어야 할 셈을 따지어 갚아 주다] pagar la cuenta. ⑤ [헝클어진 머리털을 초벌 빗다] peinarse.

가리다[2] [쌓다] amontonar, apilar, hacer un montón (con), hacer una pila (con).

가리다[3] [보이지 아니하게 막히다] cubrir(se), esconder, ocultar, encubrir, tapar, interceptar, obstruir, impedir, estorbar, detener. 빛을 ~ interceptar la luz. 시계(視界)를 ~ obstruir la vista. 수건으로 얼굴을 ~ cubrirse la cara con una toalla. 양손으로 얼굴을 ~ taparse la cara con las [ambas] manos. 커튼에 가려서 실내가 보이지 않는다 La cortina me impide ver el interior del cuarto. 너무 낯 뜨거운 장면이라 눈을 가려야 했다 Era una escena tan desgarradora que tuvimos que taparnos los ojos.

가리맛【조개】una especie de navaja.
▪~살 carne *f* de navaja.

가리비【조개】venera *f*, concha *f* de peregrino, molusco *m* bivalvo.

가리사니 ① [사물을 판단할 만한 지각] conciencia *f*, sabiduría *f*, conocimiento *m*. ~ 없는 여자 mujer *f* estúpida, mujer *f* sin sentido, mujer *f* inconsciente. ② [사물을 분간할 수 있는 실마리] clave *f*, idea *f*. ~를 잡을 수 없다 no tener idea, ser imposible entender, no poder entender.

가리새[1] [일의 갈피와 조리] sentido *m* [hilo *m*] de un asunto. ~를 잃다 perder el hilo.

가리새[2] [도자기를 만들 때, 그릇의 몸을 긁어 모양을 내는 데 쓰는 고부라진 쇠] metal *m* curvo para la porcelana.

가리새(鴐犁-) 【조류】 espátula *f*.

가리어지다 esconderse, ocultarse.

가리온 caballo *m* blanco con el crín negro.

가리우다 esconder, ocultar, encubrir, tapar.

가리워지다 esconderse, ocultarse, encubrirse, taparse.

가리이다 esconderse, ocultarse.

가리키다 ① [사람이 주어일 때] señalar, indicar, apuntar, enseñar, mostrar, manifestar. 길을 ~ indicar el camino. 손가락으로 ~ señalar (algo) con el dedo. 손가락으로 방향을 ~ señalar la dirección con el dedo. 손가락으로 지도를 ~ señalar el mapa con el dedo. 손가락으로 산 쪽을 ~ señalar con el dedo hacia la montaña. 선생님이 나를 가리키셨다 El profesor me indicó. ② [사물이 주어일 때] [기호나 기구 따위로] mostrar, presentar, señalar, indicar, anunciar, avisar, marcar. 엔진의 부조(不調)를 가리키는 소리 ruido *m* que avisa un mal funcionamiento del motor. 한란계가 25도를 가리키고 있다 El termómetro señala [marca] veinte y cinco grados. 이 기호(記號)는 병원을 가리킨다 Esta señal representa un hospital. 수확고의 감소를 가리켰다 La cosecha indicó una disminución. 그 숫자는 발행고(發行高)의 증가를 가리킨다 La cifra nos muestra el aumento de las emisiones. 시계는 정각 아홉 시를 가리키고 있다 El reloj marca las nueve en punto. 자석의 바늘이 북쪽을 가리키고 있다 La aguja magnética apunta al norte. 시계 바늘이 다섯 시를 가리킨다 Las manecillas del reloj indican las cinco. 이 대명사는 무엇을 가리키고 있습니까? ¿Qué indica este pronombre? 이 비판은 나를 가리키고 있다 Esta crítica está dirigida contra mí.

가리틀다 [훼방하다] impedir, interrumpir.

가린스럽다 (ser) mezquino, ruin, mísero, tacaño, roñoso.

가린스레 mezquinamente, con mezquindad, tacañamente, con tacañería. ~ 행동하다 portarse con tacañería, tacañear.

가림색(-色) =보호색(保護色).

가마[1] [머리의] remolino *m* (de cabello), torbellino *m*, vórtice *m*.

가마[2] [탈 것] palanquín *m*, litera *f*, andas *fpl*, silla *f* a [de] manos. ~를 메다 cargar un palanquín. ~를 메고 가다 llevar palanquín. ~에 오르다 montar en palanquín. ~ 타고 가다 ir en palanquín.

■가마 타고 시집가기는 다 틀렸다 ((속담)) No es posible [Es imposible] que sea muy ceremonioso.

■~꾼 faquín *m* de palanquín. ~채 vara *f* de palanquín.

가마[3] ((준말)) =가마솥(olla, caldera, horno).

■가마가 솥더러 검정아 한다 ((속담)) El puchero dijo a la sartén: apártate de mí, que me tiznas / Dijo la sartén al cazo: quítate que me tiznas.

■~솥 caldero *m*, marmita *f*, olla *f*, [보일러] caldera *f*, [볶는] horno *m*.

가마[4] ((준말)) =가마니.

가마[5] [질그릇·기와·벽돌·숯 따위를 구워 내는 구덩이] horno *m*.

■~터 alfarería *f*. ~호수(戶首) fogonero, -ra *mf* en el horno.

가마[6] [「가마[5]」를 세는 말] horno *m*. 숯 두 ~ dos hornos de carbón.

가마(家馬) caballo *m* doméstico.

가마노르께하다 (ser) amarillento oscuro.

가마니 saco *m* hecho de paja, fardo *m*, talega *f*, costal *m* de paja. 쌀 ~ saco *m* de arroz. 쌀 두 ~ dos fardos de arroz.

가마득하다 (estar) lejano, remoto; [시간에서] distante. 저 멀리 가마득한 수평선(水平線) horizonte *m* muy lejano.

가마득히 lejos. 서울역은 여기서 ~ 멀다 La Estación de Seúl está muy lejos de aquí.

가마아득하다 ((본딧말)) =가마득하다.

가마우지 【조류】 cormorán *m*, cuervo *m* marino, corvejón *m*.

가막부리 tiralíneas *m.sing.pl.*

가막쇠 pasador *m*, pestillo *m*.

가막조개 【조개】 ((학명)) Corbicula fluminea producta.

가만 ① =가만히. ② [삽입어로 쓰이어, 남의 말이나 행동을 제지할 때에 쓰이는 말] ¡Espera! / ¡Silencio! / ¡Cállate! ~, 그리 서두를 것 없어 Espera, no hay prisa.

가만가만 quietamente, pacíficamente, silenciosamente, sin hacer ruido, en voz baja. ~ 걷다 andar sin hacer ruido. ~ 말하다 hablar en voz baja.

가만가만히 muy quietamente, muy pacíficamente.

가만두다 dejar; [사람을] dejar (a *uno*) tranquilo [en paz].

가만있다 [조용히·잠자코 있다] (estar) tranquilo, en paz, callado, silencioso]; [꼼짝 않고] (estar) quieto, inmóvil. 가만있어라 No te inquietes / Descuida y estáte tranquilo. 그는 잠시도 가만있을 수 없다 El no puede estarse quieto ni un momento. 나는 이제 가만있을 수 없다 Ya no puedo estar tranquilo.

가만하다 (ser) silencioso.

가만히 ㉮ [꼼짝않고 조용히] quietamente, inmóvilmente, sin movimiento. ~ 있다 estar quieto, estar inmóvil. ~ 앉아 있다 permanecer sentado. ~ 생각에 잠기다 de-

ㄱ

tenerse a pensar, sumirse en reflexiones. 그는 한시도 ~ 있을 수 없다 El no puede estarse quieto ni un momento. 이 아이는 나를 한시도 ~ 두지 않는다 Este niño no me deja tranquilo ni un momento. 저를 ~ 두세요 Déjeme tranquilo [en paz]. ㉯ [소리를 내지 않고] silenciosamente, en silencio, calladamente, tranquilamente, sin hacer ruido, callandito, pacíficamente. ~ 놓다 poner con cuidado. ㉰ [가볍게] ligeramente, suavemente. ~ 만지다 tocar ligeramente. ㉱ [몰래·살짝] en secreto, secretamente, bajo cuerda, por debajo de cuerda, con sigilo, furtivamente, ocultamente, a hurtadillas, clandestinamente, a escondidas. ~ 알려주다 dar a conocer (*algo* a *uno*) en secreto. ~ 도망치다 huir ocultamente [a hurtadillas·a escondidas]. ~ 나가다 salirse a hurtadillas. ~ 보다 mirar de soslayo (*algo* [a *uno*]) (furtivamente). 필기를 ~ 보다 echar furtivamente una mirada a los apuntes. ~ 두다 [사람을] dejar (a *uno*) tranquilo [en paz]. ~ 말하다 decir en voz baja [en tono bajo]. ~ 말씀해 주십시오 [usted에게] Hable usted bajo [en voz baja] / [ustedes에게] Hablen ustedes bajo [en voz baja] / [tú에게] Habla bajo [en voz baja] / [vosotros에게] Hablad bajo [en voz baja]. ~ 말합시다 Hablemos bajo [en voz baja] / Vamos a hablar bajo [en voz baja].

가말다 dirigir, administrar, llevar a cabo, realizar, mantener.

가망(可望) esperanza *f*, perspectiva *f*, posibilidad *f*. ~ 있는 lleno de esperanzas, prometedor, que promete, que tiene porvenir, que da gran esperanza. ~이 없는 sin porvenir, desesperado, sin esperanzas, imposible. ~이 없는 사랑 amor *m* sin esperanzas, amor *m* imposible. ~이 없는 상황 situación *f* desesperada. ~이 없는 일 trabajo *m* imposible. 이길 ~ probabilidad *f* de ganar, posibilidad *f* de triunfo. ~이 있다 tener esperanzas; tener porvenir; dar gran esperanza. ~이 없다 Es un caso perdido / 【의학】 No tiene cura. 취직 ~이 없다 No hay esperanza de encontrar (una) colocación. 너는 귀국할 수 있는 무슨 ~이라도 있느냐? ¿Tienes alguna esperanza de poder regresar a tu país? 이 사업은 성공의 ~이 있다 Esta empresa tiene probabilidades de éxito. 환자는 살 ~이 없다 El enfermo no tiene esperanza de salvación. 요구가 받아들여질 ~은 크다 Hay gran probabilidad de que la petición sea aceptable. 그 남자는 ~이 없는 멍청이다 Ese hombre es un imbécil que no tiene remedio.

가맣다 ① [(빛깔이) 짙게 검다] (ser) muy negro, negrísimo. ② [(시간이나 거리가) 오래되었거나 멀어서 아득하다] [거리가] estar muy lejos. 가맣게 먼 하늘 cielo *m* muy lejano. ③ [(「가맣게」의 꼴로 「잊다」와 함께 쓰이어, 「완전히」의 뜻을 나타냄] completamente. 가맣게 잊다 olvidar completamente. 나는 그것을 가맣게 잊었다 Lo he olvidado completamente. ④ [(내용이나 소식 따위를) 전혀 모르다] no darse cuenta de nada en absoluto.

가맣게 completamente. ☞가맣다❸

가매(假寐) ① [졸음] sueño *m* ligero, sopor *m*, adormecimiento *m*. ② ((궁중말)) =낮잠.

가매(假賣) engaño *m*. ~하다 engañar.

가매장(假埋葬) entierro *m* temporal, entierro *m* temporáneo. ~하다 enterrar temporalmente, enterrar temporáneamente.

가매지다 ennegrecerse, ponerse negro.

가맹(加盟) afiliación *f*, asociación *f*, participación *f*, unión *f*, adhesión *f*. ~하다 afiliarse (a), adherirse (a), entrar (en), hacerse miembro (de). 유엔에 ~하다 adherirse a la ONU. 조합(組合)에 ~하다 afiliarse al sindicato.

■ ~국 país *m* miembro, signatario *m*. ¶ 유엔 ~ país *m* miembro de la ONU. ~단체 organización *f* miembro. ~자 afiliado, -da *mf*; participante *mf*; miembro *mf*. ~조합 unión *f* afiliada.

가면(假面) ① [탈] máscara *f*, careta *f*. ~을 벗기다 desenmascarar, quitar la máscara. ~을 씌우다 poner la máscara, enmascarar. ② [거짓으로 꾸민 표정] semblante *m* falso, hipocresía *f*.

◆가면(을) 벗다 desenmascararse, quitarse la máscara. 가면(을) 쓰다 ponerse la máscara, enmascararse.

■ ~극 mascarada *f*; espectáculo *m* de danza, canto, diálogo etc. de los siglos XVI y XVII. ~ 무도회(舞蹈會) baile *m* de máscaras, mascarada *f*.

가면허(假免許) licencia *f* [autorización *f*·permiso *m*] temporal.

가멸다 tener muchos bienes, tener mucha fortuna, ser rico.

가멸지다 =가멸다.

가명(家名) nombre *m* de la familia; [명예] honor *m* de la familia. ~을 날리다 honrar la familia. ~을 떨어뜨리다 deshonrar la familia. ~을 더럽히다 difamar el nombre de la familia, tachar [manchar] el honor de la familia.

가명(假名) seudónimo *m*, alias *m*, nombre *m* falso. ~으로 en seudónimo. 그는 ~으로 여행했다 El viajaba usando un alias / El viajaba bajo un nombre falso.

가명(佳名) buena reputación *f*, buena fama *f*, buen nombre *m*.

가명(嘉名) buen nombre *m*.

가모(家母) ① [남에게 자기의 어머니를 일컫는 말] mi madre. ② [한 집안의 주부] el ama *f* (*pl* las amas) de casa.

가모(假母) madrastra *f*, concubina *f* de *su* padre.

가모(嫁母) madre *f* que se casó por segunda vez.

가모(嘉謀/嘉謨) buena opinión *f* que aconsejan al rey sobre los asuntos nacionales.
가목(椵木) 【식물】 =피나무.
가목(嘉木) árbol *m* hermoso y raro.
가묘(家猫) =집괭이.
가묘(家廟) santuario *m* de una familia.
가무(家務) =가사(家事).
가무(歌舞) ① [노래와 춤] la canción y la danza, canto y danza. ② [노래하고 춤을 춤] el cantar y el bailar.
■ ~곡(曲) música y danza. ~ 음곡(音曲) la canción, el baile y la música.
가무끄름하다 (ser) negro oscuro. 가무끄름한 que tira a negro oscuro.
가무대대하다 =가무끄름하다.
가무댕댕하다 =가무끄름하다.
가무라기 【조개】 =가막조개.
가무락조개 【조개】 almeja *f*.
가무러지다 estar desfallecido (de), desvanecerse, sufrir un desvanecimiento. 나는 공복으로 가무러졌다 Yo estaba desfallecido de hambre.
가무러치다 quedar(se) atónito [pasmado · helado]. 그는 그녀가 그것을 그에게 말했을 때 가무러쳤다 El se quedó atónito [pasmado · helado] cuando ella se lo dijo. 알몸으로 있는 굉장히 많은 사람을 본 산초는 가무러쳤다 (El Quijote)) Sancho, que vio tanta gente en cueros, quedó pasmado.
가무리다 robar sin que los demás se dé cuenta.
가무스레하다 =가무스름하다.
가무스레 =가무스름히.
가무스름하다 (ser) negruzco.
가무스름히 negruzcamente.
가무잡잡하다 (ser) negruzco oscuro.
가무족족하다 =가무잡잡하다.
가무칙칙하다 (ser) muy negruzco.
가무퇴퇴하다 =가무칙칙하다.
가문(家門) linaje *m*, familia *f*, descendencia *f*; [태생] nacimiento *m*. ~이 좋다 ser de buena familia, ser de buen linaje [nacimiento], ser bien nacido, ser de ilustre linaje. ~이 나쁘다 ser de linaje [nacimiento] humilde. ~이 오래되다 ser de una familia antigua [solariega]. 그는 귀족 ~ 태생이다 El es de familia noble. ~보다는 가정 교육이 중요하다 Con quién paces, que no con quién naces.
가문비나무 【식물】 abeto *m* rojo [falso · del Norte].
가문서(假文書) ① [가짜 문서] documento *m* falso. ② [임시(臨時) 문서] documento *m* provisional.
가물 =가뭄(sequía, sequedad). ¶~이 든 땅 ((성경)) tierra *f* de sequedad, tierra *f* sedienta. 금년 여름은 전국적으로 ~이 계속되고 있다 Este verano todo el país atraviesa una larga sequía.
◆가물에 콩 나기 =가물에 콩 나듯. 가물에 콩 나듯 Aparecer poco frecentado. 가물(을) 타다 sufrirse desde sequía. 가물(이) 들다 tener la sequía.
■ 가물에 돌 친다 ((속담)) Si quieres la paz prepárate para la guerra / Provisión es prevención / Hombre prevenido vale por dos.
■ ~철 temporada *f* del tiempo seco, estación *f* seca.
가물가물 ① [불 · 빛 · 물체가] parpadeantemente, titilantemente, intermitentemente, débilmente, tenuemente, oscuramente, con oscuridad, vagamente. ~하다 (ser) parpadeante, titilante, débil, poco iluminado, iluminado por una luz tenue, vago. ~한 방 habitación *f* poco iluminada, habitación *f* iluminada por una luz tenue, oscuro. 우리들은 ~하는 불꽃을 바라보고 있었다 Mirábamos bailar las llamas. ② [정신이] vacilantemente, desfallecidamente, vagamente. 기억이 ~하다 tener una memoria desfallecida [vaga]. 눈이 ~해지다 írsel*e* a *uno* la vista.
가물거리다 ① [불빛이] parpadear, titilar, chispear, vacilar; [촛불 등이] parpadear, brillar con luz trémula. 가물거리는 parpadeante, titilante, chispeante. 가물거리는 불 fuego *m* chispeante. 가물거리는 불꽃 llama *f* vacilante. 촛불이 가물거린다 La vela pavea / La vela se está acabando. 우리들은 가물거리는 불꽃을 바라보았다 Mirábamos bailar las llamas. ② [먼 곳의 물건이나 정신이] (ser) débil, tenue, neblinoso, vago, borroso. 가물거리는 기억 memoria *f* vaga. 가물거리는 과거의 추억 recuerdo *m* vago del pasado. 멀리서 가물거리는 섬 isla *f* neblinosa en la distancia [en la lejanía · a lo lejos]. 기억이 ~ la memoria hacer borroso.
가물다 hacer seca. 날이 ~ El tiempo hace seca.
가물들다 ☞가물
가물음 →가뭄.
가물치 【어류】 mújol *m*, múgil *m*, bonito *m*.
가뭄 sequía *f*, sequedad *f*, seca *f*. 오랜 ~ larga sequía *f* [sequedad *f* · seca *f*].
■ ~ 더위 calor *m* veraniego por la sequía. ~ 피해 daño *m* por la sequía.
가뭇가뭇 manchando de negro. ~하다 tener manchado de negro. 그의 넥타이는 ~했다 El tenía la corbata manchada de negro.
가뭇없다 ① [눈에 띄지 않다] no verse. ② [간 곳을 알 수 없다] desaparecer sin dejar rastro. ③ [소식이 없다] no haber noticia. ④ [흔적이 없다] no dejar rastro.
가뭇없이 sin que no se vea, sin dejar rastro, sin noticia.
가뭇하다 ((준말)) =가무스름하다.
가미(加味) ① [음식에 다른 식료품이나 양념을 더 넣어 맛이 나게 함] sazón *m*, salsa *f*, sabor *m*. ~하다 [맛을 들이다] condimentar, sazonar; [소금과 후추로] salpimentar. ② [부가(附加)] añadidura *f*, agregación *f*, introducción *f*. ~하다 añadir, agregar, introducir. 교육 제도에 종교를 ~하다 introducir la religión en el sistema educati-

ㄱ

vo. 법에 인정을 ~하다 templar la justicia con misericordia. ③【한방】añadidura *f* a la prescripción medicinal regular. ~하다 añadir *algo* a la prescripción medicinal regular.

가미(佳味·嘉味) ① [좋은 맛] buen sabor *m*, sabor *m* excelente. ② [맛이 좋은 음식] rica comida *f*, comida *f* sabrosa [deliciosa].

가박(假泊) ¶~하다 echar anclas temporalmente.

가발(假髮) peluca *f* (postiza), cabello *m* artificial [falso]. ~을 쓰다 usar peluca, ponerse (la) peluca postiza. ~을 벗다 quitarse (la) peluca postiza. ~을 쓰고 있다 llevar peluca.

가방 ① [접는] cartera *f*; [서류 가방] carpeta *f*, *AmS* portafolio *m*; [여행 가방] maleta *f*, *RPl* valija *f*, *Méj* petaca *f*; [트렁크] baúl *m* (*pl* baúles); [큰 가방] (baúl *m*) mundo *m*; [작은 가방] maletín *m* (*pl* maletines); [여학생용] cabás *m* (*pl* cabases); [핸드백] bolso *m*, cartera *f*, *Méj* bolsa *f*; [우편용의] saca *f* (del correo); [용기(容器)] bolsa *f*. ~에 넣다 poner [meter] en la maleta. ~을 열다 abrir la cartera [la maleta]. ~을 닫다 cerrar la maleta [la cartera]. ~을 가지고 있다 llevar una cartera. ~을 꾸리다 hacer la maleta. ~을 풀다 deshacer la maleta. 나는 ~을 꾸리고 떠났다 Yo hice las maletas y me fui. 당신의 ~은 어디 있습니까? ¿Dónde está su equipaje? ~ 좀 열어 주시겠습니까? [세관에서] ¿Quiere usted abrir la maleta? ② ((준말)) =책가방.

가방(佳芳) buen perfume *m*.

가배(佳配) buen cónyuge *m*, buena cónyuge *f*.

가배(咖啡) café *m*.

가배(嘉俳) =가위[3].

가백(家伯) mi hermano mayor.

가버리다 irse, marcharse. 인사도 없이 ~ irse a la francesa, marcharse sin decir adiós, irse sin decir nada.

가벌(家閥) =문벌(門閥).

가범(家範) etiqueta *f* de una familia.

가법(加法)【수학】adición *f*.

가법(家法) etiqueta *f* casera, reglamento *m* de familia, reglamento *m* de casa constitución *f* privada, tradición *f* familiar.

가법(苛法) decreto *m* severo, ley *f* severa.

가벼운입술소리【언어】=경순음(輕脣音).

가벼이 ☞가볍다

가벽(歌癖) hábito *m* del tiempo de cantar.

가변(可變) inestabilidad *f*, instabilidad *f*, inconstancia *f*. ~의 inestable, instable, cambiable, variable, transformable.

■~ 발동기 motor *m* variable. ~ 비용(費用) expensas variables. ~ 사이클로트론 ciclotrón *m* variable. ~성 variabilidad *f*. ~익(翼) alas *fpl* variables. ~익기(翼機) avión *m* de alas variables. ~ 자본 capital *m* variable. ~ 저항기 resistor *m* varible. ~적 variable, transformable, inestable. ~전압 tensión *f* variable. ~ 전압 안정 장치 estabilizador *m* de voltaje regulable. ~ 축전기[콘덴서] condensador *m* variable.

가변(家變) calamidad *f* de una familia.

가볍다 ① [무게가] (ser) ligero, liviano, leve. 가벼운 ligero, liviano, leve; [쉬운] fácil. 가벼운 식사 comida *f* ligera, refrigerio *m*; [저녁 때의] merienda *f*. 가벼운 음악 música *f* ligera. 가벼운 죄 pecado *m* ligero, pecado *m* venial. 몸이 ~ ser ágil. 기분이 ~ sentir alivio, sentirse aliviado. 무게가 ~ ser ligero de peso. 가벼운 복장을 하다 vestirse ligeramente; [상태] ir ligero de ropa. 나무는 돌보다 ~ La madera es más ligera que la piedra. 그는 나보다 5킬로그램이 ~ El pesa conco kilos más ligero que yo / El pesa cinco kilos menos que yo. ② [경솔하다] ser ligero; [무분별하다] (ser) imprudente, inconsideradamente, irreflexivamente. 가벼운 행동 conducta *f* ligera. ③ [(병증이나 독기가) 대단하지 아니하다] no ser grave, ser ligero, ser leve. 가벼운 병에 걸리다 contraer una enfermedad ligera [leve]. 상처가 생각보다 가벼웠다 La herida era menos grave de lo que se había pensado. ④ [정도가 대수롭지 않고 예사롭다] ¶가볍게 생각하다 [보다] hacer poco caso (de *algo* · *uno*); tener (*algo* [a *uno*]) en menos [a menos · en poco]; menospreciar (*algo* [a *uno*]); no dar importancia (a *algo* · *uno*). 약속을 가볍게 생각하다 hacer poco caso de cumplir sus promesas. 생명을 가볍게 생각하다 menospreciar [tener en poco] la vida. 부하(部下)를 가볍게 생각하다 menospreciar [tener en nada] a *sus* subalternas.

가벼이 ligeramente, livianamente, con ligereza.

가볍게 ㉮ ligeramente, livianamente, levemente, con ligereza; [쉽게] fácilmente, con facilidad. ~하다 aligerar [aliviar] la carga. 형(刑)을 ~ 하다 atenuar [conmutar] la pena. 세금을 ~ 하다 rebajar los impuestos, reducir el impuesto. ㉯ [경솔하게] a la ligera, de ligero, ligeramente; [무분별하게] con imprudencia inconsideradamente, irreflexivamente. ~ 떠맡다 encargarse (de *algo*) a la ligera. 낯선 사람과는 ~ 말해서는 안된다 No debes hablar ligeramente [fácilmente].

가볍디가볍다 (ser) muy ligero [liviano].

가보(家寶) tesoro *m* hereditario, tesoro *m* de familia, alhaja *f* de casa.

가보(家譜) árbol *m* genealógico, genealogía *f*, linaje *m*, descendencia *f* de una familia.

가보트(불 *gavotte*)【음악】gavota *f*.

가복(家僕) sirviente *mf* [criado, -da *mf* · camarero, -ra *mf* · paje *mf*] de casa; doméstico, -ca *mf*, familiar *mf*.

가복(家福) fortuna *f* doméstica, buena suerte *f* doméstica.

가본(假本) copia *f* falsa, edición *f* falsa.

가본적(假本籍) domicilio *m* legal provisional.

가봉【지명】Gabón *m*. ~의 gabonés.

■ ~ 사람 gabonés, -nesa *mf.*
가봉(加捧) pago *m* adicional.
가봉녀(加捧女) =의붓딸.
가봉자(加捧子) =의붓아들.
가부(可否) bueno o malo, sí o no, pro o contra. ~를 결정하다 decidir pro o contra. ~를 물어 결정하다 decidir por voto, tomar una decisión por voto.
■ ~간(間) bueno o malo, de todos modos, de todas formas, de todas maneras, igual. ¶~, 결정을 내자 De todos modos, vamos a decidir. ~ 결정을 빨리 알려 주세요 De todos modos, avíseme el resultado pronto.
가부(家父) ① [남에게 자기의 아버지를 지칭] mi padre. ② 【법률】 =가부장.
■ ~장 jefe *m* de familia, páter *m* familias. ~장제 patriarcado *m*. ~장제 국가 país *m* patriarcal.
가부(家夫) mi marido, mi esposo.
가부(家鳧) 【조류】 =집오리.
가부자(假夫子) Confucio *m* falso.
가분가분 ligeramente, ágilmente, con agilidad, con destreza, con habilidad. ~하다 (ser) ligero, ágil, diestro, hábil.
가분가분히 =가분가분.
가분성(可分性) 【물리】 divisibilidad *f.*
가분수(假分數) fracción *f* impropía.
가분하다 ① [알맞게 가볍다] (ser) ligero, liviano, airoso, grácil. ② [마음에 짐이 되지 아니하고 편안하다] sentir un gran alivio, sentirse aliviado.
가분히 airosamente, grácilmente. ~ 춤추다 bailar airosamente [grácilmente].
가불(假拂) paga *f* adelantada, pago *m* provisional [en suspenso], adelanto *m*, anticipo *m*. ~하다 pagar provisionalmente, pedir un adelanto (a *uno*). ~ 받다 recibir paga adelantada. ~해 주다 dar un adelanto (a *uno*). 급료의 일부를 ~하다 pedir el pago adelantado de una parte del sueldo. 나는 내 봉급에서 10만 원을 ~받았다 Me adelantaron cien mil wones del sueldo / Me dieron un adelanto [un anticipo] de cien mil wones a cuenta del sueldo.
■ ~금(金) pago *m* provisional, moneda *f* de paga *f* adelantada.
가불가(可不可) bueno o malo, sí o no, pro o contra.
가붓가붓 muy ligeramente, muy livianamente. ~하다 (ser) muy ligero, muy liviano.
가붓가붓이 muy ligeramente, muy livianamente.
가붓하다 (ser) muy ligero, muy liviano.
가붓이 muy ligeramente [livianamente].
가붕(佳朋) buen amigo *m*, buena amiga *f.*
가빈(佳賓/嘉賓) ① [반가운 손님] invitado *m* bienvenido, invitada *f* bienvenida. ② 【조류】 gorrión *m*.
가빈(家貧) pobreza *f.*
■가빈에 사양처(思良妻)라 ((속담)) Se sabe la autenticidad en caso de emergencia
가빠(포 *capa*) capa *f*, capote *m*; [비옷] impermeable *m*.
가빠지다 ☞가쁘다.
가뿐가뿐 ((센말)) =가분가분.
가뿐하다 ((센말)) =가분하다.
가뿟가뿟 ((센말)) =가붓가붓.
가뿟하다 ((센말)) =가붓하다.
가쁘다 ① [숨이 몹시 차다] respirar con dificultad, respirar con fatiga. ② [힘이 겹다] (ser) difícil, no ser fácil. 가쁜 일 trabajo *m* difícil.
가사(佳詞) palabra *f* hermosa, buena palabra *f.*
가사(家士) =가신(家臣).
가사(家舍) =가택(家宅).
가사(家事) quehaceres *mpl* domésticos, tareas *fpl* de la casa, faenas *fpl* domésticas, cuidado *m* de la casa, quehaceres *mpl* de casa, deberes *mpl* de casa, ocupaciones *fpl* domésticas, asuntos *mpl* familiares. ~를 돌보다 hacer [ocuparse de] las tareas domésticas. ~를 처리하다 manejar las ocupaciones domésticas. ~에 쫓기다 estar agobiado por [estar ocupado con] los quehaceres domésticos.
■ ~ 노동 labor *f* doméstica. ~비 gastos *mpl* domésticos. ~ 사건 asuntos *mpl* domésticos. ~ 소송법 ley *f* procesal de litigios familiares, procedimiento de litigios familiares. ~ 심판소 tribunal *m* de asuntos domésticos. ~싸움 pelea *f* familiar, riña *f* familiar, pelea *f* doméstica, riña *f* doméstica.
가사(歌詞) letra *f* (de una canción). 곡(曲)에 ~를 붙이다 poner una letra [una poesía] a una melodía.
■ ~집(集) cancionero *m*.
가사(假死) asfixia *f*, síncope *m*.
■ ~ 상태 asfixia *f*, letargo *m*. ¶~의 asfixiado. ~에 빠지다 asfixiarse.
가사(袈裟) estola *f*, vestuario *m* de bonzos para la misa.
가사(歌辭) *gasa*, forma *f* antigua del verso coreano.
■ ~ 문학 literatura *f* del antiguo verso coreano. ~체 estilo *m* del antiguo verso coreano.
가사(嘉事) cosa *f* feliz, buena cosa *f.*
가사(稼事) agricultura *f.*
가사(假使) =가령(假令).
가사 시간(可使時間) =가용 시간(可用時間).
가산(加算) adición *f*, suma *f*. ~하다 sumar, hacer una adición. ~되다 ser añadido, añadirse. 원금에 이자를 ~하다 sumar los intereses al capital. 급료에 수당이 ~되었다 La gratificación fue añadido al sueldo.
■ ~금[액] precio *m* adicional. ~기 máquina *f* adicional. ~세 impuesto *m* adicional.
가산(家山) ① =고향(故鄕)(tierra natal). ② [한 집안의 묘지] tumba *f* de una familia.
가산(家産) bienes *mpl* de fortuna, propiedad *f* casera, propiedad *f* [bienes *mpl* · fortuna *f*] familiar. ~을 탕진(蕩盡)하다 derrochar la fortuna.
가산(假山) ((준말)) =석가산(石假山).

ㄱ

가산호(假珊瑚) coral *m* artificial.

가살 actitud *f* detestable [odiosa · aborrecible].
◆가살(을) 떨다 portarse [comportarse] de manera detestable. 가살(을) 부리다 portarse aborreciblemente. 가살(을) 빼다 portarse de modo provocador. 가살(을) 피우다 portarse aborreciblemente.
가살스럽다 (ser) detestable, odioso, aborrecible.
가살스레 de manera detestable.
■ ~쟁이[꾼] persona *f* detestable.

가삼(家蔘) ginsén *m* [ginseng *m*] cultivado.

가상(架上) sobre el estante [el anaquel].

가상(家相) ① [가신(家臣)의 장(長)] jefe *m* de los criados. ② [집 모양] aspecto *m* de una casa. ~이 좋은[나쁜] 집 casa *f* de aspecto fortunado [desfortunado].

가상(假象) 【철학】 aparición *f*.

가상(假想) imaginación *f*, suposición *f*, idea *f* fantástica. ~하다 imaginar, suponer.
■ ~ 변위 desajuste *m* virtual. ~ 원자로 reactor *m* simulado. ~ 원자전 guerra *f* atómica de simulación. ~적(的) imaginario *adj*, hipotético. ¶~으로 imaginariamente, hipotéticamente. ~적(敵) enemigo *m* imaginario. ~ 적국(敵國) enemigo *m* hipotético, país *m* enemigo imaginario. ~ 질량 masa *f* virtual.

가상(假像) fantasma *m*, espíritu *m*, aparición *f*, duente *m*; [광물에서의] imagen *f* falsa [secundaria].

가상(嫁殤) muerte *f* del soltero, muerte *f* de la soltera.

가상(嘉尙) ① [착하고 귀엽게 여겨 칭찬함] elogios *mpl*, alabanzas *fpl*. ~하다 elogiar, hacer elogio (de), alabar. 그의 공을 ~하다 elogiar por *sus* méritos. ② [착하고 갸륵함] lo loable, lo digno de elogio.
가상히 elogiosamente. ~ 여기다 elogiar. 선행을 ~ 여기다 elogiar por *sus* buenos actos.

가상(嘉祥) feliz síntoma *m*.

가상(嘉賞·佳賞) alabanza *f*. ~하다 alabar.

가상계(可想界) 【철학】 mundo *m* inteligible.

가새지르다 cruzar(se), atravesar.

가색(稼穡) agricultura *f* de los cereales.
■ ~지간난(之艱難) dificultad *f* de la agricultura.

가생(家生) vida *f* de la familia.

가서(加敍) ascenso *m* [promoción *f*] del rango. ~하다 ascender, promover.

가서(加署) firma *f* en el documento oficial. ~하다 firmar en el documento oficial.

가서(佳壻) yerno *m* eminente, hijo *m* político *eminente*.

가서(家書) ① =장서(藏書). ② carta *f* que envió a *su* propia casa. ③ carta *f* que envió [vino] de *su* propia familia.

가서(歌序) prólogo *m* del poema.

가석방(假釋放) libertad *f* condicional, libertad *f* bajo caución. ~하다 dejar en libertad condicional. ~되다 ser dejado en libertad condicional. ~ 중이다 estar en libertad condicional. 그는 ~되었다 El fue dejado en libertad condicional.
■ ~자(者) criminal *mf* en libertad condicional; prisionero, -ra *mf* libre bajo *su* palabra de honor.

가석하다(可惜-) (ser) lamentable, deplorable, vergonzoso. 가석하게 생각하다 lamentar. …하는 것은 가석한 일이다 Es lamentable que + *subj*. 가석하게도 우리들은 아니라고 말해야 한다 Muy a nuestro pesar [lamentablemente], tenemos que decir que no. 가석하게도 아주 적은 사람이 참석했다 Lamentablemente asistió muy poca gente. 당신의 불행을 가석하게 생각합니다 Lamento su desgracia. 가석하게도 우리들은 이 슬픈 소식을 알리지 않으면 안되겠습니다 Lamentamos tener que anunciar esta noticia triste.
가석히 lamentablemente, deplorablemente, vergonzosamente.

가선(-線) ① [옷 따위의 가장자리를 딴 헝겊으로 가늘게 싸서 돌린 선] dobladillo *m*, *Chi* basta *f*. ② [쌍꺼풀진 눈시울의 주름진 금] arruga *f* del doble párpado plegado.
◆가선(을) 두르다 hacerle el dobladillo [*Chi* la basta] (a). 가선(이) 지다 arrugarse alrededor de *sus* ojos.

가선(加線) 【음악】 línea *f* adicional.

가선(架線) ① [가설(架設)하는 일] instalación *f*. ② [가공선(架空線)] alambre *m* eléctrico, cable *m*.
■ ~공 técnico *m* encargado del tendido y mantenimiento de cables telefónicos o eléctricos. ~ 공사 instalación *f* [tendido *m*] de alambres eléctricos, trabajo *m* de alambre.

가설(加設) ¶~하다 instalar más.

가설(架設) instalación *f*, construcción *f*, establecimiento *m*. ~하다 instalar, establecer, construir. 다리를 ~하다 construir un puente. 전화를 ~하다 instalar un teléfono. 케이블을 ~하다 tender [instalar] un cable.
■ ~ 공사 obra *f* de construcciones. ~권 derecho *m* de construcciones. ~도 diagrama *m* [dibujo *m*] de construcciones. ~료 precio *m* de instalación. ~비 gastos *mpl* de instalación.

가설(假設) ① [임시로 설치함] instalación *f* temporal [provisional]. ~의 temporal, eventual, provisional, *AmL* temporario, provisorio. ② [실제에 없는 것을 있는 것으로 가정함] suposición *f*, hipótesis *f*. ~의 hipotético. ③ 【법률】 ficción *f*. ~의 ficticio.
■ ~각(角) ángulo *m* hipotético. ~ 건축물 construcción *f* temporal, edificio *m* temporal. ~ 공사(工事) obra *f* temporal. ~교(橋) puente *m* temporal. ~ 극장 teatro *m* temporal. ~ 등기 registro *m* temporal. ~ 무대 escenario *m* provisional. ~인(人) 【법률】 persona *f* ficticia. ~적(的) temporal, eventual, provisional, *AmL* temporario,

provisionario. ~적(敵) enemigo *m* temporal. ~적 연습 ejercicio *m* temporal. ~ 정거장 estación *f* temporal. ~ 주택 vivienda *f* temporal. ~ 철도 ferrocarril *m* de construcción.

가설(假說)【논리】hipótesis *f.sing.pl.* ~을 세우다 hacer hipótesis [conjeturas].
■~ 연역법 deducción *f* hipotética. ~적(的) hipotético. ¶~으로 hipotéticamente.

가설(街說) =항설(巷說).

가성(佳城) tumba *f*, sepulcro *m*.

가성(家性) carácter *m* de una familia.

가성(家聲) honor *m* [fama *f* · reputación *f*] de una familia.

가성(苛性) calidad *f* de cáustico, causticidad *f*. ~의 cáustico.
■~도 causticidad *f*. ~ 소다【화학】soda *f* cáustica. ~ 알칼리【화학】álcali *m* cáustico. ~ 알코올 alcohol *m* cáustico.

가성(假性) falsedad *f*. ~의 falso, espurio, pseudo-, seudo-.
■~ 근시(近視)【의학】miopia *f* falsa. ~ 빈혈【의학】pseudoanemia *f*.

가성(假聲) ① [남성이 소리낼 수 있는 범위에서 가장 높은 목소리] voz *f* falsa. ② [거짓 목소리] falsete *m*. ~으로 en falsete, en [con] una voz disfrazada [fingida]. ~으로 노래하다 cantar en falsete. ~으로 하다 disfrazar la voz.

가성(歌聲) =노랫소리.

가성대(假聲帶) cuerda *f* vocal falsa.

가성명(假姓名) nombre *m* y apellido falsos.

가성문(假聲門)【해부】pseudoglotis *f*.

가세(加勢) ayuda *f*, auxilio *m*, socorro *m*, asistencia *f*, apoyo *m*; [원군(援軍)] refuerzos *mpl*. ~하다 ayudar, auxiliar, socorrer, apoyar, asistir, prestar apoyo [auxilio] (a *uno*), reforzar (una tropa); [편들다] ser partidario (de *uno*), apoyar (a *uno*), estar (con *uno*), echar un capote (a *uno*), echar una mano (a *uno*). ~를 보내다 reforzar, enviar refuerzo.

가세(家貰) =집세.

가세(家勢) condición *f* financiera de familia, circunstancias *fpl* económicas de familia. ~가 넉넉하다 ser adinerado. ~가 넉넉하지 못하다 estar mal de dinero. ~가 기울다 estar en decadencia.

가세(苛稅) impuesto *m* pesado.

가소(可笑) lo ridículo, lo risible.
가소로이 absurdamente, ridículamente.
가소롭다 (ser) absurdo, ridículo, risible. 그건 ~ Eso es de risa / Es absurdo / Es ridículo. 가소롭기 짝이 없다 Es lo más ridículo que hay. 네가 나에게 도전하다니 ~ Me da risa que tú me desfíes.
■~사(事) cosa *f* ridícula, cosa *f* risible.

가소(苛小) pequeñez *f*. ~하다 (ser) muy pequeño.

가소(佳宵) ① [아름다운 밤] noche *f* hermosa. ② [기분이 상쾌한 좋은 밤] noche *f* agradable. ③ [가인(佳人)을 만나는 밤] noche *f* que se encuentra con la belleza.

가소(假笑) risa *f* falsa. ~하다 reir falsamente.

가소성(可塑性) plasticidad *f*. ~의 plástico.
■~ 물질(物質) plástica *f*.

가속(加速) aceleración *f*, aceleramiento *m*. ~하다 acelerar. ~된 acelerado.
■~기(器) acelerador *m*. ~도【물리】aceleración *f*. ~력 fuerza *f* aceleratriz, fuerza *f* acelerante. ~ 로켓 cohete *m* de arranque, cohete *m* acelerador. ~ 보행(步行) festinación *f*. ~성 aceleración *f*. ~ 운동 moción *f* aceleradora. ~ 입자 partícula *f* aceleradora. ~ 장치 acelerador *m*. ~적(的) acelerado. ¶~으로 aceleradamente, con aceleración. ~ 전극 eletrodo *m* acelerador. ~ 전압 voltaje *m* acelerante. ~ 펌프 bomba *f* de aceleración.

가속(家屬) ① [가족(家族)] familia *f*. ② [「아내」의 낮춤말] mujer *f*, esposa *f*.

가손(家孫) nieto *m* de *su* familia.

가손(家損) deshonor *m* de *su* familia.

가솔(家率) miembro *mf* de familia.

가솔린(영 *gasoline*) gasolina *f*, *RPI* nafta *f*, *Chi* bencina *f*. ~을 넣다 echar [poner · repostar] gasolina. 차에 ~을 넣다 echar gasolina a un coche. ~을 가득 채워 주세요 Llene el depósito.
■~ 기관[엔진] motor *m* de gasolina. ~ 발전기 generador *m* movido por motor de gasolina. ~ 분사 장치 sistema *m* de inyección de gasolina. ~차(車) carro *m* de gasolina. ~ 탱크 depósito *m* de gasolina.

가송(歌頌) =송가(頌歌).

가쇄(枷鎖)【역사】hierros *mpl*, grilletes *mpl*, cadenas *fpl*. ~를 채우다 poner grilletes, cargar de cadenas. ~를 풀어 주다 romper las cadenas (de), libertar de las cadenas.

가쇄(假刷) ①【인쇄】[교정용으로 임시로 찍음] imprenta *f* provisional para la corrección. ② [인쇄물] impreso *m* provisional para la corrección.

가수(加水) aumento *m* del agua. ~하다 aumentar el agua.
■~ 분해(分解) hidrólisis *f*. ¶~하다 hidrolizar(se).

가수(歌手) cantante *mf*, cantor, -ra *mf*; [여가수] cantatriz *f*, [플라멩코의] cantador, -ra *mf*. 오페라 ~ cantante *mf* de ópera.

가수[1](加數) [(돈이나 물품의) 액수나 수효를 늘림] aumento *m* (del número · de la cantidad). ~하다 aumentar el número [la cantidad].

가수[2](加數) sumando *m*.

가수(加修) reparación *f*, reparo *m*. ~하다 reparar.

가수(家嫂) mi cuñada.

가수(家數) ① [한집안의 사회적 처지(處地)] situación *f* social de una familia. ② [집안의 운수] suerte *f* de una familia.

가수(假睡) =가매(假寐).

가수(假數)【수학】mantisa *f*.

가수금(假受金) ingresos *mpl* de suspensión.

가수요(假需要) demanda *f* de disfraz.

ㄱ

■ ~자 consumidor, -dora *mf* de disfraz.

가수용소(假收容所) campo *m* de prisioneros provisional.

가숙(家叔) mi tío.

가숙(家塾) pupilaje *m*, escuela *f* de internos, escuela *f* de pensionistas, escuela *f* privada.

가스(영 *gas*) ① gas *m*. ~를 틀다 abrir la llave del gas. ~를 잠그다 cerrar la llave del gas. 난로의 ~를 켜다 encender el gas de la estufa. 배에 ~가 차다 tener ventosidades [gases intestinales]. ~가 샌다 Se sale [Se escapa] el gas. ② =독가스.

◆도시 ~ gas *m* ciudad. 독(毒)~ gas *m* tóxico, gas *m* venenoso. 부탄 ~ gas *m* butano. 연료용 ~ gas *m* combustible. 질식 ~ gas *m* afixiante. 천연 ~ gas *m* natural. 최루~ gas *m* lacrimógeno. 프로판 ~ gas *m* de propano. 희~ gas *m* raro.

■ ~ 계량 gasometría *f*. ~ 계량기 contador *m* de gas, gasómetro *m*. ~ 공급망 red *f* de distribución de gas. ~ 공장 fábrica *f* de gas. ~관 tubo *m* de gas, cañería *f* de gas, gasoducto *m*. ~ 기관 motor *m* de gas. ~ 기구 aparatos *mpl* de distribución de gas, accesorios *mpl* para gas. ~ 난로 estufa *f* de gas. ~ 난방 calefacción *f* por gas. ~ 냉각 refrigeración *f* de gas. ~ 냉각로 reactor *m* refrigerado por gas. ~ 냉각형 원자로 reactor *m* refrigerado por gas. ~ 냉장고 refrigerador *m* de gas. ~등 farola *f* [alumbrado *m*] de gas. ~ 라이터 encendedor *m* de gas. ~ 레인지 cocina *f* de gas. ~로(爐) horno *m* de gas. ~ 마스크 careta *f* antigas, máscara *f* antigas. ~ 버너 mechero *m* de gas, quemador *m* de gas. ~ 보일러 caldera *f* de gas. ~실 cámara *f* de gas. ~ 오븐 horno *m* de gas. ~ 온도계 termómetro *m* de gas. ~ 요금 precio *m* del gas. ~ 용접 soldadura *f* con gas y oxígeno, soldeo *m* por llama de gas, soldeo *m* con gas y oxígeno, soldeo *m* oxiacetilénico. ~ 용접공 soldador *m* oxiacetilénico, soldador *m* de autógena. ~ 유정(油井) pozo *m* de petróleo de gas. ~ 전(田) zona *f* de gas natural. ~ 전지 pila *f* de gas, célula *f* de gas. ~정(井) [천연가스정] pozo *m* de gas natural. ~ 중독 intoxicación *f* de gas. ~ 취급소 gasfitería *f*. ~ 취급인 gasfiero, -ra *mf*. ~ 카본 carbón *m* de retorta. ~탄(彈) obús *m* cargado con gases deletéreos, granada *f* de gas, proyectil *m* tóxico, granada *f* química. ~ 탱크 tanque *m* [depósito *m*] de gasolina [*RPI* de nafta · *Chi* de bencina], gasómetro *m*, depósito *m* de gas. ~ 터빈 turbina *f* de gases, turbina *f* a gas. ~ 터빈 발생기 turboalternador *m* de turbina de gas. ~ 파이프 gasoducto *m*, tubo *m* de gas, cañería *f* de gas. ~ 파이프라인 canalización *f* de gas, gasoducto *m*. ~ 폭발 explosión *f* de gas. ~ 폭탄 bomba *f* de gas. ~ 풍로 hornillo *m* de gas. ~화(化) gasficación *f*. ¶~하다 gasficar. ~ 회사 compañía *f* de gas.

가스러지다 ① [성질이 거칠어지다] hacerse obstinado, hacerse incorregible. ② [잔털 등이 거칠게 일어나다] erizarse, ponerse de punta.

가슬가슬 ① [(성미나 성질이) 까다로운 모양] obstinadamente, incorregiblemente. ~하다 (ser) obstinado, incorregible. ② [물체의 거죽이나 살결이 윤기가 없고 거친 모양] ásperamente, secamente. ~하다 (ser) áspero. ~한 천 tela *f* áspera. 손이 ~하다 tener las manos secas. ~ 말라 있다 estar completamente seco.

가슴 pecho *m*, seno *m*; busto *m*; [흉곽] tórax *m*; [심장] corazón *f*; [새의 가슴] pechuga *f*. ~의 torácico, pectoral. ~을 많이 도려낸 드레스 vestido *m* bien escotado. (자신감을 갖고) ~을 펴다 sacar [abultar] el pecho (con mucho orgullo). ~을 뒤로 젖히다 erguir [enderezar] el busto. ~이 풍만하다 tener los pechos [los senos] muy desarrollados [abultados]. ~이 약하다 no tener pecho. ~에 품다 apretar contra *su* pecho, abrazar. ~이 쓰리다 tener acedía [ardor] en el estómago. ~(속)을 털어놓다 revelar *su* secreto, abrir *su* corazón. ~에 간직하다 guardar (*algo*) en secreto. ~이 넓다 [좁다] tener un pecho amplio [estrecho]. ~이 후련하다 sentir gran satisfacción [placer], sentirse completamente satisfecho. (…의) ~에 권총(拳銃)을 겨누다 apuntar al pecho (de *uno*) con una pistola, apretar la pistola contra el pecho (de *uno*). 그 여자는 ~이 약하다 Ella es débil de pecho. 나는 ~이 답답하다 Siento opre- sión en el pecho / Me aprieta el pecho. 나는 ~이 두근거린다 Siento latir violenta- mente el corazón. 나는 ~이 상쾌하다 [후련하다] Me sentí aliviado [aligerado · des- cargado]. ② 【곤충】 pecho *m*, cuerpo *m*. ③ [마음] corazón *m*. 그 말은 내 ~을 내리쳤다 Me impresionó [conmovió] mucho el relato. 어머님의 말씀이 ~에 와 닿았다 Las palabras de mi madre me llegaron al corazón. 그의 말은 내 ~에 깊이 와 닿았다 Sus palabras me emocionaron profunda- mente / Sus palabras me llegaron hasta las entretelas del corazón. ④ ((준말)) =옷가슴.

◆가슴에 손을 얹다 poner(se) las manos en el pecho. 가슴에 손을 얹고 생각하다 reflixionar bien (en [sobre] algo). 가슴을 앓다 enfermar del pecho; [상태] estar tísico. 가슴을 태우다 arder de pasión. 가슴이 두근거리다 latir con fuerza, dar*le* un brinco. 가슴이 두근두근한다 =가슴이 두근 반 세 근 반 한다. 가슴이 두 근 반 세 근 반 한다 latir con fuerza, el corazón dar un brinco. 그 소식을 듣고 나는 가슴이 두 근 반 세 근 반 했다 El corazón me dio un brinco al recibir la noticia. 가슴이 뛰다 =

가슴이 두근거리다. 가슴(이) 설레다 sentir una inquietud vaga, tener mal presentimiento, estremecerse el corazón. 나는 기뻐 가슴이 설렜다 Se me ha estremecido el corazón de alegría. 나는 기대에 차 가슴이 설레 전화를 걸었다 El llamó por teléfono con el corazón lleno de esperanza. 가슴(이) 아프다 ㉮ [마음 아프다] sentirse afligido. 나는 그 광경을 보고 가슴이 아팠다 Me siento afligido ante la escena. ㉯ [병으로] doler el pecho, tener dolor de pecho. 나는 가슴이 아프다 Me duele el pecho / Tengo dolor de pecho.

■ ~가로근 músculo *m* transverso de tórax. ~걸이 cincha *f*, ventrera *f*, cinto *m*. ~ 근육 músculo *m* torácico, músculo *m* pectoral. ~ 넓이 anchura *f* de pecho, anchura *f* del tórax. ~둘레 busto *m*, periferia *f* de tórax. ~속 ㉮ [흉중(胸中)] corazón *m*. ¶~에 en profundidad del corazón. ~에 간직하다 grabar (*algo*) en *su* corazón [en *su* mente]. (…을) ~에 간직하고 penetrado de (*algo*), llevando (*algo*) grabado, en *su* corazón. ㉯ 【해부】 =흉강(胸腔). ~앓이 cardiagía *f*, dolor *m* [enfermedad *f*] de pecho, pirosis *f*, dolor *m* que se siente en la boca del estómago, pena *f* del corazón; [실연(失戀)의] mal *m* de amor. ¶~를 앓다 tener dolor de pecho. ~지느러미 aleta *f* pectoral. ~털 vello *m* del pecho. ¶~이 짙다 tener el pecho peludo. ~통 pecho *m*, tórax *m.sing.pl.* ~ 호주머니 bolsillo *m* de pecho. ~ 호흡 respiración *f* torácica.

가슴츠레 soñolientamente, con soñolencia. ~하다 (ser) soñoliento, somnoliento.

가습기(加濕器) humectador *m*, humidificador *m*.

가승(家乘) =가첩(家牒), 족보(族譜).

가승(家蠅) 【곤충】 =집파리.

가승(假僧) sacerdote *m* budista falso.

가시[1] ① 【식물】 espina *f*, aguijón *m*. ~가 없는 inerme, sin espina. 장미의 ~ espina *f* rosal. ~에 찔린 상처 espinadura *f*. ~에 찔리다 espinar(se). ~ 없는 장미는 없다 No hay rosa sin espinas. 선인장은 ~가 있다 El cactus está erizado de espinas. ② [물체나 동물의 표면에 가늘고 빳빳하게 돋아난 것] espina *f*, pincho *m*, púa *f*. ~가 있는 espinoso. 내 손가락에 ~가 박혔다 Se me clavó una espina en el dedo. 나는 그녀의 손가락의 ~를 뺐다 A ella le saqué la espina del dedo. ③ [물고기의 잔뼈] espina *f*. ~가 없는 sin espina. ~가 많은, ~투성이의 espinoso. ~가 많은 물고기 pez *m* (*pl* peces) espinoso. ~가 많은 생선(生鮮) pescado *m* espinoso. 생선의 ~를 발라내다 quitar las espinas de un pescado. 생선을 ~까지 먹다 comer el pescado con espinas. 생선 ~가 목에 걸렸다 Una espina de pescado se me quedó clavada en la garganta. 이 물고기에는 ~가 많다 Este pescado tiene muchas espinas. ④ [미운 사람] persona *f* detestable [odiosa · aborrecible]. 눈엣~ monstruosidad *f*, adefesio *m*. ⑤ [손에 박힌 나무·대 등의 뾰족한 거스러미] astilla *f*. ⑥ [사람의 마음을 찌르는 것. 곧 남을 공격하는 뜻이나 불평 불만을 뜻하는 심리나 표현] aspereza *f*. ~가 돋친 áspero, malévolo. ~ 돋친 말 palabra *f* malévola. ~돋친 어조로 en tono áspero.

◆가시(가) 돋치다 (ser) áspero, punzante, malévolo. 그녀의 말에는 가시가 돋쳐 있다 Son ásperas [punzantes] las palabras de ella. 가시(가) 세다 (ser) terco, testarudo, tozudo, obstinado.

■ ~관[면류관] ㉮ corona *f* de espina, corona *f* de púas. ㉯ ((종교)) pasión *f*. ~덤불 espino *m*, zarza *f*. ~덤불길 camino *m* espinoso. ~밭 espino *m*. ~밭길 camino *m* espinoso. ¶~을 걷다 seguir un camino espinoso. ~ 철망 alambre *m* de espinas. ~ 철사 alambre *m* de (hierro con) púas, alambre *m* de espino. ~ 철사 울타리 alambrada *f* de púas.

가시[2] [음식물에 생긴 구더기] gusano *m*.

가시(可視) visibilidad *f*. ~의 visible.

■ ~ 거리 distancia *f* visible, alcance *m* de visibilidad. ~ 광선[선] rayo *m* visible. ~도(度) visibilidad *f*. ~ 수평선 horizonte *m* visible. ~ 스펙트럼 espéctro *m* visible. ~신호 señal *f* óptica. ~적 visible. ¶~으로 visiblemente.

가시(佳詩) poesías *fpl* hermosas.

가시(歌詩) la canción y el poema.

가시나무 【식물】 espina *f*, árbol *m* espinoso.

가시다[1] [변하거나 달라지거나 없어지다] pasar, alejarse; [고뇌(苦惱)·불만(不滿) 따위가] disiparse, desvanecerse, desaparecer; [망설임이] desengañarse, desilucionarse. 통증이 가셨다 Pasó [Desapareció] el dolor. 무언가 가시지 않는 것이 있다 Hay algo que no se despeja del todo. 연인의 얼굴을 보자 피로가 가셨다 Cuando vi a mi novia, se me fue el cansancio.

가시다[2] [씻다] lavar, limpiar, enjuagar, aclarar. 입을 ~ enjuagarse (la boca). 세탁물을 ~ aclarar la ropa.

가시덤불 espino *m*, zarzamora *f*, moral *m*.

가시랭이 pedacito *m* de una espina.

가시리 *Gasiri*, nombre *m* de la letra de la canción de la dinastía Koryo.

가시목(一木) 【식물】 =가시나무.

가시버시 ((속어)) marido y mujer.

가시아버지 ((낮은말)) =장인(丈人)(suegro).

가시어머니 ((낮은말)) =장모(丈母)(suegra).

가식(加飾) adorno *m*, decoración *f*. ~하다 adornar, decorar.

가식(假飾) hipocresía *f*, disimulo *m*, disimulación *f*, afectación *f*, ostentación *f*. ~하다 disimular, afectar, fingir, aparentar. ~의 falso, afectado, hipócrita. ~이 많은 teatral, efectista. 아무런 ~도 없이 sin efectismo alguno, sin teatralidad alguna.

■ ~적(的) ostentoso. ¶~으로 ostentosamente, con ostentación.

가신(可信) credibilidad *f.* ～하다 (ser) credencial.
■ ～지인(之人) persona *f* credencial.
가신(家臣) vasallo *m*, súbdito *m*, criado *m*.
가신(家信) carta *f* [noticia *f*] que envió de *su* propia familia.
가신(佳辰/嘉辰) ① [경사스러운 날] día *m* próspero. ② [좋은 명절] fiesta *f* muy buena.
가신(家神) ángel *m* de la guarda, ángel *m* custodio.
가실(家室) ① [가족(家族)] familia *f.* ② [아내] esposa *f*, mujer *f.*
가심 enjuagadura *f*, lavado *m* limpio. ～하다 enjuagar, lavar.
가십(영 *gossip*) chisme *m*, chascarrillo *m*, cotilleo *m*, chismografía *f*, chismorreo *m*.
■ ～란(欄) gacetilla *f.*
가아(家兒) mi hijo.
가악(歌樂) la canción y la música.
가악(嘉樂) música *f* feliz.
가안(家鴈) ganso *m*.
가압(加壓) presurización *f*, presionización *f.* ～하다 presurizar, presionizar.
가압(家鴨)【조류】＝집오리.
가압류(假押留) embargo *m* preventivo
■ ～ 결정(決定) resolución *f* de embargo preventivo. ～ 명령 orden *f* de embargo preventivo. ～ 법원 corte *f* de embargo preventivo.
가앙(苛殃) calamidad *f* severa, desastre *m* severo.
가애(加愛) cuidado *m*. ～하다 cuidarse.
가애하다(可愛－) ser amoroso.
가액(家厄) catástrofe *f* familiar.
가액(價額) valor *m*, precio *m*. ～이 불확실한 채권 el crédito cuyo valor es incierto.
가액(加額) adición *f* de la cantidad. ～하다 adicionar la cantidad.
가야금(伽倻琴)【악기】*gayagum*, instrumento *m* típico coreano con doce cuerdas.
가약(佳約) ① [좋은 언약] buena promesa *f.* ② [사랑을 맺고 싶은 사람과 만날 약속] cita *f.* ③ [부부가 되자는 약속] cita *f* de novios.
◆ 백년(百年) ～ amor *m* eternal. 백년 ～을 맺다 prometer *su* amor eternal, casarse (con), hacerse marido y mujer. 그들은 교회에서 백년 ～을 맺었다 Ellos se casaron por la iglesia [*Bol*, *CoS*, *Per* por iglesia].
가약정(假約定) acuerdo *m* provisional, contrato *m* provisional.
가얏고(伽倻－)【악기】＝가야금(伽倻琴).
가양(家釀) ① [집에서 쓸 목적으로 술을 빚어 만듦] fabricación *f* de vino, hechura *f* de vino. ～하다 *fabricar* vino, *hacer* vino. ② ((준말)) ＝가양주.
■ ～주(酒) vino *m* hecho en casa, licor *m* casero, vino *m* casero.
가어음(假－) letra *f* provisional.
가언(佳言) ＝가언(嘉言).
가언(假言)【논리】hipótesis *f.*
■ ～ 명제 proposición *f* hipotética. ～적 삼단 논법[추리] silogismo *m* hipotético. ～적 판단【논리】juicio *m* hipotético.
가언(嘉言) buena palabra *f* ejemplar.
가엄(苛嚴) severidad *f.* ～하다 ser severo.
가엄(家嚴) mi padre.
가업(家業) ocupación *f* [profesión *f*] de la casa [de la familia]. ～을 잇다 suceder al padre en el negocio de la familia, suceder a la ocupación del padre. ～에 힘쓰다 atender *sus* negocios, ser industrioso [diligente・laborioso・aplicado]. ～을 도와주다 ayudar en el trabajo de la casa. ～을 게을리하다 descuidar *su* negocio.
가업(稼業) ＝가행(稼行).
가없다 (ser) innumerable, interminable, sin límites, infinito, ilimitado, eterno, eternal, no poder contar. 가없는 부모의 은혜(恩惠) gracia *f* eternal de *sus* padres.
가없이 eteramente, para siempre, constantemente, incesantemente, sin parar, hasta la saciedad, interminablemente, inacabablemente, sin fin, permanentemente, perpetuamente. ～ 넓은 바다 mar *m* infinito.
가여(駕輿) palanquín *m* (*pl* palanquines) del príncipe o del príncipe heredero.
가역(可逆) reversibilidad *f.* ～의 reversible.
■ ～ 기관 motor *m* reversible. ～ 반응【화학】 reacción *f* reversible. ～ 변화【물리・화학】cambio *m* reversible. ～성【물리・화학】reversibilidad *f.* ～ 승압기 generador *m* regulador, elevador *m* reversible de tensión. ～ 전동기 motor *m* reversible. ～ 텔레비전 채널 canal *m* reversible de televisión.
가역(苛役) trabajo *m* muy duro.
가역(家役) construcción *f* de la casa, reparación *f* de la casa.
가역(假驛) estación *f* provisional.
가연(可燃) combustibilidad *f.* ～의 combustible.
■ ～물 combustibles *mpl*, inflamables *mpl*. ～성 combustibilidad *f*, inflamabilidad *f.* ～성 직물 textil *m* combustible.
가연(佳宴) banquete *m* feliz, fiesta *f* feliz.
가연(佳緣) buena boda *f*, buen casamiento *m*. ～을 정하다, ～을 맺다 hacer una buena boda. 그녀는 ～을 맺었다 Ella hizo una buena boda / Ella se casó bien.
가연(家宴) banquete *m* de bebida de una familia.
가열(加熱) calentamiento *m*, calefacción *f.* ～하다 calentar.
■ ～ 곡선 curva *f* de calefacción. ～ 공기 살균 esterilización *f* por aire caliente. ～기(器) calentador *m*, calefactor *m*. ～대(帶) zona *f* de calefacción. ～로(爐) horno *m* de calefacción. ～ 살균(殺菌) esterilización *f* caliente. ～ 시험 prueba *f* en caliente. ～실 cámara *f* de calefacción. ～ 착색 termocolocación *f*, termotinción *f*,【야금】oxidación *f* por calentamiento. ¶～하다 termocolorear.
가열(嘉悅) alegría *f.* ～하다 alegrarse (de).

가열하다(苛烈－) (ser) cruel y violento.
가열히 cruel y violentamente.
가염(加染) coloración *f.*
가엾다 (ser) lastimoso, lastimero, lamentable, pobre; digno de compasión; [슬프다] triste; [불쌍하다] miserable; [불행하다] infeliz, desdichado; [잔혹하다] cruel, despiadado. 가엾은 고아 pobre huérfano, -na *mf.* 가엾은 여인 pobre mujer *f.* 가엾은 이야기 historia *f* triste. 가엾은 경우 situación *f* miserable. 가엾기도 해라 ¡Qué lastimoso! / ¡(Qué) Pobre! / ¡Pobrecito! / ¡Pobre hombre! / ¡Qué pena [lástima]! 너 참 가엾구나! ¡Das pena! / ¡Das lástima! 저 가엾은 여아는 늘 혼자 있다 Aquella pobre niña siempre está sola. 개를 그렇게 학대하는 것은 가엾기 그지없는 일이다 Es muy cruel maltratar de esa manera al perro. 그 가엾은 아이는 고아가 되었다 El pobre niño se quedó huérfano. 그녀 홀로 고통을 받는 것을 보면 ～ Me da compasión [pena] verla sufrir sola.
가엾이 lastimosamente, lamentablemente, pobremente, tristemente, miserablemente, infelizmente, cruelmente, compasivamente. ～ 생각하다 apiadarse (de), compadecerse (de), compadecer (a), sentir [tener] lástima [compasión] (de · por). ～ 생각하고 그를 구해 주십시오 Socórrale por piedad.
가영(歌詠) recitación *f* de las poesías. ～하다 recitar las poesías.
가영업(假營業) negocio *m* provisionalmente establecido.
가영업소(假營業所) oficina *f* provisional.
가예(家隷) esclavo *m* doméstico, escalva *f* doméstica.
가예산(假豫算) presupuesto *m* provisional.
가오리 【어류】 raya *f.*
가오리연(－鳶) *gaoriyeon*, cometa *f* de la forma del raya.
가옥(家屋) casa *f*, [건물] edificio *m*; [주거(住居)] vivienda *f.* ～을 수리하다 reparar una casa.
■～ 감가 상각비 coste *m* amortizable de una casa, coste *m* de depreciación de una casa. ～ 건축용 대부(금) préstamo *m* para la construcción de vivienda. ～ 대장 libro *m* de vivienda. ～ 매입 compra *f* de vivienda. ～세 impuesto *m* sobre vivienda. ～ 유지비 coste *m* de mantenimiento de una casa.
가옥(假玉) joya *f* artificial, joya *f* falsa.
가옥(假屋) pabellón *m*, sombraje *m*, barraca *f*, cabaña *f.*
가옥(假獄) 【역사】 prisión *f* provisional.
가온(加溫) adición *f* de la temperatura. ～하다 adicionar la temperatura.
가온음(－音) 【음악】 mediante *m.*
가옹(家翁) jefe *m* de la familia.
가왕(假王) rey *m* falso.
가외(可畏) lo temible.
가외(加外) extra *f*, exceso *m*, excedente *m*, superávit *m.* ～의 extra, suplementario, adicional.
가외로 extra, adicionalmente. ～ 술을 사다 obsequiar (a *uno*) con el vino reservado; [자신을 위해] permitirse el lujo de beber el vino reservado.
■～ 비용 gastos *mpl* extras. ～ 수입 ingreso *m* extra. ～ 시간 hora *f* de sobra.
가욋돈(加外－) dinero *m* extra, dinero *m* de sobra.
가욋사람(加外－) persona *f* innecesaria, hombre *m* inútil.
가욋 수입(加外收入) renta *f* extra.
가욋일(加外－) trabajo *m* extra.
■～꾼 trabajador, -dora *mf* extra.
가요(歌謠) canción *f*, copla *f*, canto *m.*
◆대중(大衆) ～ canto *m* folclórico, canción *f* folclórica, canción *f* popular.
■～계 mundo *m* de cantantes, mundo *m* de la canción popular. ～곡 ㉮ [민요] canción *f* tradicional, canción *f* popular. ㉯ [대중 가요] canción *f* popular. ～ 작가 compositor, -tora *mf* (de canciones). ～제 festival *m* de canciones. ～집 cancionero *m.*
가용(可用) lo disponible, lo aprovechable.
■～ 스페이스 【컴퓨터】 [하드 디스크에서] espacio *m* aprovechable. ～ 시간 tiempo *m* disponible. ～액 presupuesto *m* disponible. ～자금 fondos *mpl* disponibles, fondos *mpl* de que se dispone. ～ 자산 activo *m* disponible. ～ 탑재량 carga *f* rentable disponible, carga *f* útil disponible. ～ 현금 efectivo *m* disponible, efectivo *m* en caja.
가용(可溶) lo soluble.
■～물 cuerpo *m* soluble. ～성 solubilidad *f.* ～성 전분 【화학】 almidón *m* soluble. ～ 양극(陽極) ánodo *m* soluble. ～화(化) solubilización *f.* ¶～하다 solubilizar.
가용(可鎔) lo fusible.
■～금(金) metal *m* fusible. ～물 cuerpo *m* fusible. ～성 fusibilidad *f.* ～ 합금 aleación *f* fusible.
가용(佳容) aspecto *m* hermoso.
가용(家用) ① [집안 살림의 비용] gastos *mpl* familiares. ～하다 gastar en casa. ② [필요에 쓰이는 물건] cosa *f* necesaria. ③ ((준말)) ＝자가용.
가용(家茸) 【한방】 cuerno *m* cortado del ciervo doméstico.
가용 인구(可容人口) población *f* soportable.
가우(假寓) residencia *f* provisional. ～하다 residir provisionalmente.
가우디 【인명】 Antonio Gaudi (1852-1926).
◆서반아의 건축가로 그의 대표작은 서반아의 바르셀로나에 있는 미완(未完)의 성가족 성당이다(Fue arquitecto español. Su obra maestra es la iglesia inacabada de La Sagrada Familia, en Barcelona, España).
가우스(영 *gauss*) 【물리】 gausio *m* (G).
■～ 단위계 gausiómetro *m.*
가우초(서 *gaucho*) [목동] gaucho *m.*
가운(영 *gown*) {실내복} bata *f*, [승려 · 재판관 · 교수 따위의] toga *f.*
◆나이트 ～ camisón *m* de noche.

가운(家運) fortuna *f* de una familia. ~이 기운다 Declina la fortuna de la familia.

가운데 ① [끝이나 가장자리가 아닌 부분·속] interior *m*. ~로 adentro. …의 ~에 en, dentro de …, en el interior de …. …의 ~에서 desde dentro de …. ② [둘의 사이] entre. ③ [중앙 부분. 중심] centro *m*, parte *f* central. ④ [일정한 무리의 안] de, entre, de entre. 우리들 ~서 몇 명 algunos de nosotros. …의 ~에서 고르다 escoger (*algo* [a *uno*]) de [entre · de entre] *algo* · *uno*. ⑤ [(일 따위가) 진행되는 동안] mientras, durante. 눈이 내리는 ~를 bajo la nieve, cuando nieve, aunque nieva. 소음 ~에서 en medio del ruido. 바쁜 ~도 aunque está ocupado. ⑥ ((준말)) =한가운데.

■ ~층(層) primer piso *m*, piso *m* principal, *AmL* segundo piso *m* (del edificio de tres pisos).

가운뎃발가락 dedo *m* del pie cordial.

가운뎃손가락 dedo *m* cordial, dedo *m* de en medio, dedo *m* del corazón.

가운뎃집 casa *f* del segundo hermano entre tres hermanos.

가웃 medio. 두 말 ~ dos *mal* y medio, cuarenta y cinco litros.

가원(街園) plazuela *f*.

가월(嘉月) marzo *m* del calendario lunar.

가월(佳月) hermosa luna *f*.

가위[1] [옷감·종이·가죽·머리털 따위를 베는 기구] tijeras *fpl*; [금속용] cizallas *fpl*. ~로 자르다 cortar(se) con tijeras.

가위바위보 *gawibawibo*, juego *m* de la mano para echar suerte; juego *m* de la piedra, las tijeras y el papel para echar suerte; cara o cruz. ~하다 jugar al *gawibawibo*.

■ ~질 costadura *f* con tijeras. ¶~하다 cortar con tijeras, tijeretear; [전정(剪定)하다] podar. ~표(標) cruz *f*. ¶~를 하다 hacer una cruz. ~ㅅ밥 recortes *mpl*; [천의] retazos *mpl*, retales *mpl*.

가위[2] [자는 사람을 놀라게 하는 귀신] pesadilla *f*, incubo *m*.

◆ 가위에 눌리다 tener la pesadilla.

가위[3] [음력 팔월 명절] *gawi*, fiesta *f* del quince de agosto lunar.

■ ~놀이 juego *m* en fiesta del quince de agosto lunar. ~ㅅ날 el día quince de agosto del calendario lunar.

가위(可謂) literalmente, conforme a la letra, conforme al sentido literal, verdaderamente, por decirlo así.

가유(家有) estancia *f* en casa.

■ 가유 명사(名士)에 삼십 년 부지(不知)라 ((속담)) *No se sabe el talento de su propia familia.* 가유 현처(賢妻)면 장부(丈夫)는 불조 횡사(不遭橫事)라 ((속담)) Si hay buena esposa en casa, el esposo no hace mala actitud.

가유치(假留置) detención *f* transitoria.

가율(加律) pena *f* adicionada.

가융금(可融金) 【화학】 =가용금(可鎔金).

가융 합금(可融合金) 【화학】 =이융(易融) 합금.

가으내 todo el otoño. 나는 ~ 시골에서 농사일을 거들었다 Me quedé en el campo ayudando el cultivo todo el otoño.

가을 ① [한 해의 네 철 가운데 셋째 철] otoño *m*. ~의 otoñal, autumnal, de(l) otoño. ~에 en (el) otoño. ~의 문턱에 al entrar en el otoño, al comenzar el otoño. ~의 청명한 날씨 tiempo *m* despejado de otoño. 인생의 ~ otoño *m* [atardecer *m*] de la vida. 맑은 ~ 하늘 el día claro autumnal, tiempo hermoso peculiar del otoño. 남자의 마음은 ~ 하늘과 같다 Hombre es tan voluble como el tiempo autumnal. ② [농작물을 거두어들이는 일] [곡물의] cosecha *f*, siega *f*; [과실·야채의] cosecha *f*, recolección *f*; [포도의] vendimia *f*; [사탕수수의] cosecha *f*, *AmL* zafra *f*. ~하다 cosechar, hacer agosto; [포도를] vendimiar.

■ ~갈이 labranza *f* otoñal, cultivo *m* otoñal, plantación *f* en otoño. ~걷이 cosecha *f* (otoñal · del otoño). ¶~하다 cosechar, hacer agosto, hacer la cosecha. ~ 경치 paisaje *m* otoñal, escena *f* otoñal. ~꽃 flor *f* otoñal. ~날 día *m* otoñal, tiempo *m* otoñal. ~누에 gusano *m* de seda otoñal. ~달 luna *f* otoñal. ~밀 trigo *m* otoñal. ~바람 viento *m* otoñal. ~밤 noche *f* otoñal. ~볕 solana *f* otoñal. ~보리 cebada *f* otoñal. ~봄 el otoño y la primavera. ~비 lluvia *f* otoñal. ~비는 장인의 나룻 밑에서도 긋는다 ((속담)) La lluvia otoñal no sigue mucho tiempo. ~일 cosecha *f*. ~작물 cultivo *m* sembrado en otoño. ~장마 período *m* de lluvias en otoño. ~철 otoñada *f*, estación *f* otoñal. ~철에는 죽은 송장도 꿈지럭한다 ((속담)) Se tiene que trabajar mucho, que es muy ocupado en la granja otoñal.

가읍(家邑) señorío *m*.

가의(加衣) =책가위.

가의(加意) cuidado *m* especial, atención *f* especial.

가의(可疑) sospecha *f*.

가의할 sospechoso. ~ 사건(事件) suceso *m* sospechoso.

가의(佳意) buen corazón *m*.

가의(歌意) ① [노래의 뜻] sentido *m* de la canción. ② [시가(詩歌)의 뜻] sentido *m* de las poesías.

가의(嘉儀) ceremonia *f* feliz, buena ceremonia *f*, [종교적] ritual *m* devoto, rito *m* piadoso.

가이거 계수관(Geiger 計數管) contador *m* de Geiger.

가이거뮐러 계수관(Geiger Müller 計數管) = 가이거 계수관.

가이던스(영 *guidance*) [지도] guía *f*, dirección *f*, orientación *f*. ~를 하다 orientar, guiar. 학생에게 과목 선택의 ~를 하다 orientar a los estudiantes en la selección de las asignaturas.

◆직업 ～ orientación *f* profesional.
가이드(영 *guide*) ① [안내·지도] guía *f*, dirección *f*, orientación *f*. ～를 하다 orientar, guiar. …의 ～를 하다 guiar a *uno*, servir de guía a *uno*. 서울 ～ la Guía de Seúl. ② [안내자] guía *mf*; [명승지의] cicerone *mf*. ③ ((준말)) ＝가이드북.
■～라인 [지침] línea *f* directiva, pauta *f*, directriz *f*. ～북 [(여행) 안내서] guía *f*, guía *f* turística. ～ 포스트 poste *m* indicador.
가인(佳人) ① [참하고 아름다운 여자] mujer *f* hermosa; [집합적] belleza *f*. ② [고운 남자] hombre *m* guapo.
■～ 박명(薄命) La mayoría de la belleza es infeliz / La vida de la belleza es corta / A quien Dios quiere para sí, poco tiempo lo tiene aquí / Los buenos se van y los malos se están / A quien Dios ama, le llama. ～ 재자(才子) la mujer hermosa y el joven talentoso.
가인(家人) ① [식구] familia *f*. ～이 없는 동안 mientras que está ausente la familia. ② [자기 아내] mi mujer, mi esposa.
가인(歌人) poeta, -tisa *mf*.
가일(佳日/嘉日) ① [좋은 날] buen día *m*. ② [좋은 일이 있는 날] día *m* feliz.
가일(暇日) día *m* libre, día *m* desocupado.
가일층(加一層) más (y má). ～ 공부하다 estudiar más. ～ 노력하다 hacer un gran esfuerzo.
가임(家賃) ＝집세.
가입(加入) afiliación *f*, ingreso *m*, entrada *f*, adhesión *f*; [전화·보험 등의] inscripción *f*. ～하다 afiliarse (a), entrar (en), ingresar (en), adherirse (a), hacerse miembro (de), inscribirse (en), abonarse (a). 보험에 ～하다 inscribirse en el seguro. 조합에 ～하다 entrar en la asociación.
■～금(金) honorarios *mpl* de entrada (como miembro). ¶～ 신청 inscripción *f*, subscripción *f*, solicitud *f* de admisión. ～자 subscriptor, -ra *mf*; abonado, -na *mf*; miembro *mf*. ¶신규 ～ nuevo subscriptor *m*, nueva subscriptora *f*; nuevo abonado *m*, nueva abonada *f*; nuevo miembro *m*, nueva miembro *f*.
가자(家慈) mi madre.
가자(假子) ① [양아들] hijo *m* adoptivo. ② [의붓자식] hijastro *m*.
가자(嫁資) dote *m*.
가자미 【어류】 platija *f*, lenguado *m*, rodaballo *m*, suela *f*.
가자제(佳子弟) hijo *m* dócil, buen hijo *m*.
가작(佳作) obra *f* excelente, obra *f* maestra, buena obra *f*, trabajo *m* excelente; [선외(選外)의] obra *f* [trabajo *m*] que ha recibido una mención honorífica [honorable].
가작(假作) ficción *f*.
가잠(家蠶) ＝집누에.
가잠나룻 bigotes *mpl* cortos y finos.
가장 「정관사」 (el, la, los, las, lo) + *adj* (de), 「정관사」 (명사) + *adj*, más + *adv*, el más, la más, el menos, la menos. ～ 위대한 사람 el más gran hombre. ～ 중요한 문제 중의 하나 uno de los problemas más importantes. ～ 아름답다 ser el más hermoso. ～ 중요하다 ser el más importante. ～ 좋은 것은 …하는 것이다 Lo mejor es + *inf* [que + *subj*]. 그는 형제 중에서 ～ 키가 크다 El es el más alto de sus hermanos. 할머니가 집안에서 ～ 연장자다 La abuela es la mayor de la familia. 그는 반에서 ～ 부지런하다 El es el (estudiante) más aplicado de la clase. 그녀는 반에서 ～ 게으른 학생이다 Ella es la (estudiante) menos aplicada de la clase / Ella es la (alumna) más holgazana de la clase. ～ 좋은 것은 아무 말도 하지 아니하는 것이다 Lo mejor es no decir nada / Lo mejor es que no digas nada. 감기에 ～ 좋은 것은 자는 것이다 Para el resfriado lo mejor es acostarse. ～ 큰 증오(憎惡)는 ～ 큰 사랑에서 싹이 튼다 El mayor aborrecimiento, en el amor tiene su cimiento. 자유는 하늘이 인간에게 준 ～ 소중한 선물 중의 하나이다 ((El Quijote)) La libertad es uno de los preciosos dones que a los hombres dieron el cielos.
가장(家長) jefe *m* de la familia. 여자 ～ mujer *f* cabeza de familia.
■～권(權) derechos *mpl* patriarcales. ～ 정치 gobierno *m* patriarcal. ～ 제도 sistema *m* patriarcal.
가장(家藏) depósito *m* en *su* propia casa; [물건] artículo *m* depositado en *su* propia casa.
■～ 집물(什物) ㉮ [가구] muebles *mpl*. ㉯ [도구(道具)] utensilios *mpl* domésticos.
가장(假葬) ① [임시로 묻음] entierro *m* temporal. ～하다 enterrar temporalmene. ② [어린애의 매장] entierro *m* del niño muerto. ～하다 enterrar el cadáver del niño.
가장(假裝) disfraz *f* (*pl* disfraces). ～하다 disfrazarse, enmascarse, desfigurarse. ～한 사람 disfrazado, -da *mf*. ～용 의상(衣裳) disfraz *f*, traje *m* de máscaras. 해적(海賊)으로 ～하여 disfrazado de pirata, bajo el disfraz de pirata. 말을 사실처럼 꾸며 ～하다 dar una semblanza [dar apariencia] de verdad a una historia. 값싼 물건을 고급품처럼 ～해 팔다 dar una falsa apariencia de lujo a un artículo barato.
■～ 납입(納入) pago *m* ficticio. ～ 매매 compraventa *f* ficticia. ～ 무도회 baile *m* de máscaras, baile *m* de disfraces. ～ 양도 enajenación *f* ficticia. ～ 채무 obligación *f* ficticia. ～ 행렬 mascarada *f*, procesión *f* de disfraces.
가장귀 horquilla *f* de un árbol. ～가 진 나뭇가지 hoja *f* ahorquillada.
가장귀지다 ahorquillarse.
가장이 ramita *f*.
가장자리 borde *m*, margen *m*, canto *m*; [강(江)의] orilla *f*; [모자의] el ala *f* (*pl* las alas); [끝] extremidad *f*. 테이블의 ～ orilla

f de la mesa. 컵의 ~까지 물을 따르다 echar el agua hasta el borde de un vaso.

가장조(一長調) 【음악】 la mayor.

가재 【동물】 [바다의] langosta *f*, cígala *f*; [민물의] ástaco *m*, congrejo *m* de mone, congrejo *m* de río.

■ 가재는 게 편이라 ((속담)) No se le pueden pedir peras al olmo / Cada oveja con su pareja / Dios los cría y ellos se juntan. 가재는 게 편이요, 초록(草綠)은 한 빛이라 ((속담)) =가재는 게 편이라.

■ ~걸음 paso *m* hacia atrás. ¶~을 하다 andar hacia atrás.

가재(家財) ① [가구] muebles *mpl*. ② [자산(資産)] riqueza *f* de una familia, bienes *mpl* [ajuar *m* · moblaje *m*] de casa.

■ ~ 기물[도구] muebles *mpl* y utensilios.

가재(歌才) la canción y el talento.

가저(家豬) =집돼지.

가적(佳適) mucha alegría *f*. ~하다 alegrarse mucho (de).

가적(家嫡) hijo *m* legítimo de una familia.

가적(假敵) =가상적(假想敵).

가전(加錢) =웃돈.

가전(家傳) arcano *m* de familia. ~의 trasmitido de padres a hijos, trasmitido de generación en generación, hereditario. ~의 묘약(妙藥) suprema medicina *f* secreta de familia.

■ ~ 보옥(寶玉) joya *f* transmitida en una familia. ~ 비방(秘方) receta *f* secreta transmitida en una familia, secreto *m* hereditario. ~지물(之物) artículo *m* transmitido en una familia. ~지보(之寶) reliquias *fpl* de familia, tesoro *m* de familia. ~학 ciencia *f* hereditaria.

가전(嘉典) ceremonia *f* feliz.

가전(價錢) =값(precio).

가전성(可展性) 【물리】 =전성(展性).

가전 제품(家電製品) aparatos *mpl* eléctricos domésticos, (aŕiculos *mpl*) electrodomésticos *mpl*.

가절(佳節) estación *f* hermosa, ocasión *f* feliz, día *m* fausto, día *m* feliz, día *m* próspero.

가절하다(佳絶一) (ser) muy bueno, muy hermoso, muy guapo.

가정(苛政) política *f* tiránica; [정부] gobierno *m* tiránico.

가정(柯亭) =피리.

가정(家丁) criado *m*.

가정(家政) gobierno *m* de la casa, manejo *m* de la casa, economía *f* doméstica. ~을 정리하다 ajustar los asuntos domésticos [de la casa].

■ ~ 경제 economía *f* familiar, economía *f* doméstica. ~과 departamento *m* [curso *m*] de economía doméstica, (asignatura *f* de) quehaceres *mpl* domésticos. ~부(婦) empleada *f* de hogar, el ama *f* (*pl* las amas) de llaves, gobernanta *f*, criada *f*; [통근하는] asistenta *f*, *ReD* doméstica *f*. ~학 (ciencia *f* de) economía *f* doméstica, enseñanzas *fpl* del hogar.

가정(假定) suposición *f*, supuesto *m*, postulado *m*; [가설] hipótesis *f*. ~하다 suponer [poner por caso · admitir] que + *ind* · *subj*. ~의 supuesto, hipotético. …라 ~해서 suponiendo que + *ind* · *subj*, dado por supuesto que + *ind* · *subj*. 그가 죽었다고 ~해서 suponiendo [en el supuesto] que él haya muerto. 그것이 사실이라고 ~합시다 Admitamos por hipótesis [Supongamos] que eso es [sea] verdad. 이것은 어디까지나 ~입니다 Esto es una hipótesis, nada más / Esto no pasa de ser una hipótesis.

■ ~법 modo *m* subjuntivo. ~적 supuesto, hipotético, imaginario.

가정(假晶) seudomorfosis *f*, seudomorfismo *m*.

가정(駕丁) faquín *m* de palanquín.

가정(家庭) hogar *m*, familia *f*, casa *f*. ~의 hogareño, familiar, doméstico, casero. ~의 평화 felicidad *f* doméstica, paz *f* doméstica. ~용 특별 밀가루 harina *f* (de trigo) para el hogar. ~을 가진 사람 persona *f* casada; casado, -da *mf*. ~을 가진 남자 (hombre *m*) casado *m*. ~을 가진 여자 (mujer *f*) casada *f*. ~을 꾸리다 poner casa. ~을 가지다 tener *su* hogar, poseer *su* hogar. ~을 이루다 fundar [formar] un hogar [una familia]; [결혼하다] casarse. 유복한 ~에서 자라다 crecer en una familia acomodada.

■ ~과 departamento *m* del hogar, departamento *m* de economía doméstica. ~ 관리 administración *f* doméstica. ~ 교사 tutor, -ra *mf*; preceptor *m*, institutriz *f*; profesor, -sora *mf* particular. ¶~를 하다 dar clases particulares. ~ 교육 educación *f* familiar, educación *f* de familia, educación *f*, buenas maneras *fpl*, urbanidad *f*. ¶~이 좋은 bien educado. ~이 나쁜 mal educado. ~ 교훈(敎訓) preceptos *mpl* familiares. ~극 teatro *m* casero, función *f* de aficionados. ~ 기구 aparatos *mpl* domésticos. ~내 폭력 violencia *f* doméstica. ~란[면] columna *f* doméstica; [가정면] plana *f* familiar. ~ 방문 visita *f* a domicilio. ~ 배달(配達) servicio *m* a domicilio. ¶~을 하다 servir a domicilio. ~법 ley *f* de relaciones domésticas. ~ 법원 tribunal *m* de asuntos familiares. ~ 부인(婦人) el ama *f* (*pl* las amas) de casa. ~ 비극 tragedia *f* doméstica. ~ 사정 asuntos *mpl* domésticos, circunstancias *fpl* domésticas. ~ 상담소 oficina *f* de información de la casa. ~ 상비약 medicina *f* casera. ~ 생활 vida *f* familiar, vida *f* doméstica, vida *f* de familia. ~ 소설 novela *f* de la vida doméstica. ~ 실습 práctica *f* doméstica. ~ 연료 combustible *m* doméstico. ~ 오락 entretenimiento *m* familiar. ~ 요리 cocina *f* casera. ~ 요법 terapia *f* casera. ~용 전기 냉장고 refrigerador *m* eléctrico doméstico. ~용 컴퓨터 ordenador *m* doméstico, *AmL* computadora *f* doméstica. ~ 용품 artículos *mpl* de uso doméstico, utensilios *mpl* domésticos. ~의(醫) médico *m* familiar, médico *m* de cabecera. ~의 날 el Día del Hogar. ~ 의례(儀禮) ritual *m* familiar [doméstico], rito *m* familiar [doméstico]. ~ 의례 심의 위원회 el Consejo Deliberante de los Rituales Domésticos. ~ 의례에 관한 법률 ley *f* sobre rituales familiares. ~ 의례 준칙 las Normas de Rituales Domésticos Simplificados. ~ 잡지 revista *f* familiar. ~ 쟁의 reyerta *f* doméstica. ~적(的) hogareño, familiar, doméstico. ¶~인 남자 hombre *m* hogareño, hombre *m* casero, hombre *m* de su casa. ~인 분위기 ambiente *m* hogareño. ~ 전기 기기 aparatos *mpl* eléctricos domésticos. ~ 전기 기기 제품 (artículos *mpl*) electrodomésticos *mpl*. ~ 전화(電化) electrificación *f* doméstica. ~ 통신(通信) correspondencia *f* doméstica, comunicaciones *fpl* domésticas. ~학 ciencia *f* doméstica, ciencia *f* del hogar, hogar *m*, economía *f* doméstica. ~ 학습 estudio *m* doméstico. ~ 환경 (medio *m*) ambiente *m* doméstico.

가정거장(假停車場) estación *f* provisional.

가정관(假定款) estatuto *m* provisional.

가정류소(假停留所) parada *f* provisional.

가정류장(假停留場) =가정류소(假停留所).

가정부(假政府) gobierno *m* provisional.

가제(家弟) mi hermano.

가제(歌題) título *m* de la canción o del poema.

가제(독 *Gaze*) gasa *f*, cendal *m*, gasa *f* antiséptica, gasa *f* hidrófila.

가져가다 portar, llevar. ☞가지다

가져오다 traer, portar, llevar, ir con una cosa, producir, causar. 좋은 소식을 ~ traer [llevar] una buena noticia. 모자를 가져오너라 Trae el sombrero. 모자를 가져오십시오 Traiga usted el sombrero. 모자를 가져오지 마라 No traigas el sombrero. 모자를 가져오지 마십시오 No traiga usted el sombrero. 모자를 가져옵시다 Traigamos [Vamos a traer] el sombrero. 모자를 가져오지 맙시다 No traigamos el sombrero. 태풍은 많은 피해를 가져왔다 El tifón causó muchos daños. 양국간에 중대한 결과를 가져올 것이다 El asunto traerá graves consecuencias en las relaciones entre ambos países.

가조(佳兆/嘉兆) buen augurio *m*.

가조(家祖) antepasados *mpl* de una familia.

가조(一調) 【음악】 la *m*.

가조각(假爪角) púa *f*, plectro *m*.

가조약(假條約) tratado *m* provisional, pacto *m* provisional, convenio *m* interino entre dos naciones.

가조인(假調印) firma *f* preliminar, firma *f* provisional. ~하다 firmar preliminarmente [provisionalmente].

■ ~식(式) ceremonia *f* inicial.

가족(家族) (miembros *mpl* de una) familia *f*. ~의 familiar. 5인 ~ familia *f* de cinco personas [miembros]. ~의 한 친구 un amigo de la familia. 내 아들과 그의 ~ mi hijo y su familia. ~이 많다 tener una familia numerosa. ~이 적다 tener poca familia. ~을 부양하다 mantener a su familia. ~은 몇 명입니까? — 다섯 명입니다 ¿Cuántas personas hay en su familia? / ¿Cuántos son ustedes de familia? — Somos cinco (de familia). ~ 모두 건강하십니까? — 모두 건강합니다 ¿Cómo está su familia? — Todos están bien. ~한테 안부 전하여 주십시오 Recuerdos [Dé recuerdos de mi parte] a su familia / Saludos a su familia. 나는 시골에 ~이 있다 Yo tengo familia [familiares · parientes] en el campo.

◆ 대(大)~ familia *f* grande, familia *f* numerosa, familión *m*. 복합 ~ familia *f* compuesta. 소~ familia *f* pequeña, familia *f* poco numerosa. 핵~ familia *f* nuclear.

■ ~ 경제 economía *f* doméstica. ~ 계획 planificación *f* familiar, planificación *f* de familia, plan *m* familiar, plan *m* de familia. ~ 관계 relaciones *fpl* familiares. ~노동 labor *f* familiar. ~ 묘지 cementerio *m* familiar. ~ 문제 asunto *m* de la familia. ~법 derechos *mpl* de la familia. ~ 부양 의무 responsabilidad *f* familiar. ~석(席) asiento *m* familiar. ~수 número *m* de la familia. ~ 수당 asignación *f* familiar, subsidio *m* familiar, compensación *m* familiar, gajes *mpl* para la familia. ~ 요법 terapia *f* familiar. ~ 의료 medicina *f* familiar. ~적 familiar, de la familia. ¶~인 분위기 ambiente *m* familiar. ~ 제도 sistema *m* familiar, sistema *m* de familia. ~탕 baño *m* familiar. ~ 통계 estadística *f* de la familia. ~ 회의 consejo *m* familiar.

가존(家尊) ① [남의 아버지의 존칭] su padre. ② [자기 아버지의 존칭] mi padre.

가주(家主) dueño, -ña *mf* de casa, propietario, -ria *mf*.

가주(佳酒) licor *m* [vino *m*] delicioso.

가주거(假住居) residencia *f* temporánea, permanencia *f*, quedad *f*. ~하다 residir [morar · vivir · permanecer] temporáneamente.

가주소(假住所) residencia *f* temporaria [temporánea · provisional · transitoria].

가죽 ① [동물의 몸의 겁질을 이룬 질긴 물건] [생(生)] piel *f*, [무두질한] cuero *m*; [사람의] pellejo *m*. 살~ [피부] piel *f*, [얼굴의] cutis *m(f)*. ~을 벗기다 [동물의] despellejar, desollar. ~을 무두질하다 curtir. ② [피혁(皮革)] piel *f*, cuero *m* (curtido), piel *f* curtida.

◆ 모조 ~ piel *f* sintética, *AmL* cuero *m* sintético.

■ ~ 가방 bolso *m* de piel, bolso *m* de cuero. ~ 공장 curtiduría *f*, tenería *f*. ~ 구두 zapatos *mpl* de piel, zapatos *mpl* de cuero. ~끈 correa *f* de piel, correa *f* de cuero; [엽견용의] traílla *f*. ~띠 correa *f*, cintura *f* de cuero; [군인의] cinturón *m* (de cuero). ~ 무두질 curtido *m*, tenería *f*.

~부대 odre *m*, saco *m* de cuero. ~ 세공 obra *f* de cuero. ~ 세공품 objeto *m* de cuero. ~ 숫돌 afiladera *f* de cuero. ~신 calzados *mpl* de piel, calzados *mpl* de cuero. ~옷 ropa *f* de cuero, ropa *f* de piel. ~자루 odre *m*, pellejo *m*, cuero *m*; [작은] bodo *m*, zaque *m*; [물통 모양의] bota *f*. ~ 장갑 guantes *mpl* de piel, guantes *mpl* de cuero. ~ 장화 botas *fpl* de cuero. ~ 제본 encuadernación *f* de cuero. ~ 점퍼 pichi *m* de cuero, *AmL* jumper *ing.m*. ~제품 artículos *mpl* de cuero, artículos *mpl* de piel. ¶~의 de cuero, de piel. ~조끼 chaleco *m* de cuero. ~채 ㉮ [채찍] [경마에서] fusta *f* de cuero, *AmL* fuete *m* de cuero; [조련사의] látigo *m* de cuero; [체벌용] azote *m* de cuero. ㉯ [북·장구의 채] palillo *m* de cuero (de tambor). ~ 표지 cubierta *f* de cuero, tapa *f* de cuero. ~ 표지책 libro *m* encuadernado en cuero. ~혁대 cinturón *m* de cuero, correa *f* de cuero.

가죽나무 【식물】 árbol *m* del cielo.

가중(加重) gravamen *m*, exceso *m* de peso; 【법률】 agravación *f*. ~하다 poner peso encima. 그것은 수치심만 ~시킬 뿐이다 Eso sirve sólo para agravar [para aumentar] la vergüenza.

■~ 과세(課稅) recargo *m*, impuesto *m* adicional. ~범 crimen *m* agravantes. ~ 사유 circunstancias *fpl* agravantes. ~ 처벌 castigo *m* agravante. ~형(刑) pena *f* agravante.

가중(家中) ① [온 집안] toda la casa. ② [한 집의 안] interior *m* de una casa.

■~사(事) quehaceres *mpl* domésticos, asunto *m* de una familia.

가중치(加重値) peso *m*. ~를 주다 ponderar.

가중 평균(加重平均) media *f* ponderada.

가중하다(苛重-) (ser) pesado, excesivo. 가중함 pesadez *f*. 가중한 세금(稅金) carga *f* pesada de impuestos.

가중히 pesadamente, excesivamente.

가즈럽다 (estar) engreído, presuntuoso. 가즈럽게 con engreimiento, con presunción.

가증(加症) síntoma *m* adicional. ~하다 adicionar el síntoma.

가증(加增) adición *f*. ~하다 adicionar.

가증스럽다(可憎-) (ser) aborrecible, maligno, malévolo, odioso, detestable.

가증스레 aborreciblemente, malignamente, malévolamente, odiosamente, destestablemente.

가지[1] [나무의] rama *f*; [어린] vástago *m*; [작은] ramo *m*, rama *f* pequeña, ramito *m*, ramita *f*; [가지에서 나온 가지] ramilla *f*; [잎이 무성한] ramada *f*; [집합적] ramaje *m*. ~를 치다 podar, cortar las ramas; *Col*, *Cuba* ramajear. ~를 쳐서 이식하다 plantar de rama. 매화(梅花)의 ~를 치다 podar [chapodar·limpiar] un ciruelo. ~에서 ~로 날아다니다 volar de rama en rama. ~가 자란다 Crecen las ramas de los árboles. 나무가 ~를 뻗친다 Los árboles extienden las [sus] ramas. 그 나무의 아랫~를 잘라 버려라 Córtate las ramas bajas al árbol. 이 소나무는 ~가 보기 좋게 뻗었다 Este pino tiene una forma armoniosa [elegante].

◆가지가 벌다 hacer malas migas, tener malas relaciones. 가지(를) 치다 ㉮ [초목의 가지가 번식하다] reproducirse (las ramas). ㉯ [초목의 곁가지를 베어내다] podar, cortar las ramas.

■가지 많은 나무에 바람 잘 날이 없다 ((속담)) Gran nave, gran tormenta / Los padres que tienen muchos hijos siempre tienen inquietud / Una madre con numerosa prole nunca tiene el día pacífica.

가지가지 cada rama, todas las ramas, de rama en rama.

가지[2] ① 【식물】 berenjena *f*. ② [열매] berenjena *f*.

■~ 밭 berenjenal *m*. ~색 color *m* de berenjena. ¶~의 aberenjenado, de color de berenjena.

가지[3] [종류] género *m*, especie *f*, clase *f*. 두 ~로 doblemente, de dos maneras. 두 ~로 사용할 수 있는 de doble uso, que se puede usar de dos maneras. 이 문장은 두~로 해석할 수 있다 Puede interpretarse esta frase en dos sentidos [de dos maneras].

가지가지 ㉮ [여러 종류·가지각색] muchas clases, toda clase. 포도주에도 ~다 En el vino hay de toda / En el vino hay muchas clases / Hay vinos y vinos / Hay toda clase de vinos. ㉯ [관형사적 용법] [여러 종류의·가지각색의] diferentes, distintos, varios.

가지가지로 de varias maneras, de varios modos, de distintos modos, de distintas maneras.

■~각색(各色) todo tipo, toda clase, toda especie. ¶~의 diferentes, distintos, diversos, varios, varias cosas [especies] de, distintos géneros [tipos] de. ~의 물건을 사다 comprar diversas cosas. ~의 방법을 시도(試圖)하다 probar varios métodos. 세상에는 인종도 ~이다 Hay distintos tipos de personas en el mundo. 이 수박들은 얼마입니까? — ~입니다 ¿Cuánto cuestan estas sandías? — Varía / Depende. 나는 그녀에게 할 말이 ~이다 Tengo muchas cosas que quiero contarle a ella. 방을 치워야 하고 할 일이 ~으로 쌓였다 Tengo que arreglar mi cuarto y hacer un montón de cosas. 세상에는 사람이 ~이다. 부자가 있는가 하면 가난한 사람도 있다 En el mundo hay gente de todo tipo [toda clase de gente]; los hay ricos y los hay pobres.

가지고 con, llevando, llevándose. ~ 가다 [다니다] llevarse, llevar consigo. ~ 오다 traer. 그는 항상 카메라를 ~ 다닌다 El siempre lleva la cámara fotográfica consigo. 우산을 ~ 가는 것이 더 좋을 거야 Será mejor que te lleves el paraguas / Será mejor que salgas con paraguas. 나는 습득물을 경찰서에 ~ 갔다 Yo llevé un hallazgo a la policía. 열쇠를 ~ 오겠다 Voy a traer la llave. 부엌에서 재떨이를 ~ 오너라 Tráeme un cenicero de la cocina. 우리들은 정보를 ~ 모여 검토했다 Hemos estudiado el problema con los datos que cada uno de nosotros había traído. 그들은 요리 따위를 ~ 모여 파티를 열었다 Celebran la fiesta con los platos y demás que había traído cada uno de los participantes.

가지기 mujer *f* que convive con el hombre sin el casamiento legal.

가지다 ① [손에] llevar, tener. 돈을 좀 가지고 있다 Tengo un poco de dinero en la mano. 나는 돈은 절대로 많이 가지고 다니지 않는다 Nunca llevo mucho dinero. ② [소유하다] poseer, tener, tomar, contener. 김 교수는 책을 많이 가지고 있다 El profesor Kim tiene muchos libros. 미화(美貨)를 얼마나 가지고 있습니까? ¿Cuántos dólares estadounidenses tiene usted? ③ [아이를 배다] estar preñada, estar encinta. 어린애를 ~ concebir. ④ [몸·마음에 지니다] abrazar, tener. 공산주의 사상을 ~ abrazar comunismo. 용기를 ~ tener valor. 용기를 가지고 con valor. ⑤ [유지하다] tener, mantener, conservar, albergar. 희망을 ~ tener [conservar] la esperanza. 오랫동안 야망(野望)을 ~ albergar la ambición durante mucho tiempo. 두 나라는 깊은 유대를 가지고 있다 Los dos países mantienen los vínculos estrechos. ⑥ [치르다. 행하다] celebrar, tener, abrir. 회의를 ~ celebrar una conferencia, abrir una sesión, tener una reunión.

가져가다 llevar. 우산을 가져가거라 Llévate un paraguas contigo.

가져오다 traer. 물 한 잔 가져오너라 Tráeme un vaso de agua.

가지런하다 igualarse, hacerse igual [uniforme]. 가지런하게 하다 igualar, hacer igual [uniforme]. 머리털을 잘라 가지런하게 하다 cortar los cabellos para igualarlos, igualar los cabellos.

가지런히 en orden. ~ 놓다 [가구 등을] arreglar, disponer; [꽃 등을] arreglar. 의자가 ~ 놓여 있었다 Las sillas estaban colocadas en círculo. 나는 카드를 가나다순으로 ~ 놓았다 Yo coloqué [puse] las fichas en orden alfabético / Yo ordené las fichas alfabéticamente.

가지방(加地枋) umbral *m*.

가지불(假支拂) pago *m* provisional.

가지치다 podar, cortar ramas.

가직(家直) =가지기.

가직(家職) =가업(家業).

가직하다 estar cerca.

가직이 cerca.

가진대이름씨 【언어】 pronombre *m* posesivo.

가질(苛疾) enfermedad *f* grave.

가질(家姪) mi sobrino.

가집(佳什) poesías *fpl* hermosas.

가집(歌集) cancionero *m*, colección *f* poética, antología *f*, florilegio *m*.

가집장(假汁醬) el pepino y la berenjena mezclados por aceite con el relleno de ajo, perejil, puerro y salsa.

가집행(假執行) ejecución *f* provisional. ~하다 ejecutar provisionalmente.

■~ 선고(宣告) declaración *f* de ejecución provisional.

가짜(假-) imitación *f*, aparencia *f* falsa, falsificación *f*, objeto *m* falsificado, objeto *m* imitado. ~의 falso, falsificado; [모조의] imitado, imitativo. ~에 조심(하시오) ¡Cuídense de falsificación! / ¡Precávanse de imitación! 이 그림은 ~ Este cuadro es una falsificación. 그는 ~ 의사다 El es un médico falso. 그 소식은 ~였다 La noticia fue [resultó] falsa. 나는 ~를 샀다 Me han encajado un artículo falso.

■~ 거래 operaciones *fpl* falseadas. ~ 골동품 antigüedad *f* falsa. ~ 다이아몬드 diamante *m* de imitación, diamante *m* falso. ~ 대학생 universitario *m* falso, universitaria *f* falsa. ~ 도장 sello *m* falsificado. ~돈 billete *m* falso, billete *m* falsificado, moneda *f* falsa. ~ 목소리 voz *f* falsa. ~ 문서 documento *m* falso, documento *m* falsificado, falsificación *f*. ~ 보석 joya *f* de imitación, joya *f* falsa. ~ 속눈썹 pestaña *f* falsa [postiza · artificial]. ¶~을 붙이다 ponerse pestañas postizas. ~을 붙이고 있다 llevar pestañas postizas. ~ 수염 [턱수염] barba *f* postiza, barba *f* artificial; [콧수염] bigote *m* falso. ¶~을 달고 있다 llevar bigote falso. ~ 수표 cheque *m* falso. ~ 여대생 la estudiante falsa. ~ 의사 curandero, -ra *mf*. ~ 주주 tenedor *m* ficticio de acciones. ~중 sacerdote *m* budista falso. ~ 증서 bono *m* falso, obligación *f* falsa. ~ 편지 carta *f* falsa. ~ 회사 compañía *f* falsa.

가차(假借) préstamo *m* provisional. ~하다 pedir prestado provisionalmente.

◆가차(가) 없다 (ser) despiadado, inexorable, implacable, sin piedad. 가차(가) 없이 despiadadamente, sin piedad, inexorblemente, implacablemente. ~ 고문(拷問)하다 atormentar despiadadamente, torturar sin piedad.

가차압(假差押) ((구용어)) =가압류(假押留).

가찬(加餐) ① [많은 음식을 먹는 일] el comer mucha comida. ~하다 comer mucho. ② =양생(養生).

가찬(佳饌/嘉饌) buena comida *f*, buen plato *m*, buen cocido *m*, comida *f* excelente.

가창(街娼) mujer *f* pública, prostituta *f* callejera.

가창(歌唱) ① [노래] canción *f*. ② [노래를 부름] (el) cantar una canción. ~하다 cantar una canción.

가채(可採) posibilidad *f* de la explotación.

가책(呵責) remordimiento *m*, compunción *f*, arrepentimiento *m*. 양심(良心)의 ~ remordimiento *m* (de la conciencia). 나는 양심의 ~을 느낀다 Me remuerde [acusa] la conciencia. 그는 양심의 ~을 받았다 Le atormentaba el remordimiento de conciencia / Estaba roído por los remordimientos de la conciencia / Le remordía [acusaba] la conciencia.

가책(苛責) reproche *m* severo. ~하다 reprochar severamente.

가책(葭簀) cortina *f* de cañas

가처분(假處分) disposición *f* provisional [temporánea]. ~하다 dictar una disposición provisional, disponer provisionalmente.
■ ~ 명령(命令) auto *m* de disposición provisional. ~ 소득 ingreso *m* disponible.

가척(笳尺) 【역사】 flauta *f* de la dinastía de *Sila*.

가철(假綴) encuadernación *f* en rústica. ~하다 encuadernar en [a la] rústica.
■ ~본 libro *m* encuadernado en rústica. ~ 제본 =가철(假綴).

가첨(加添) adición *f*, añadidura *f*. ~하다 añadir, agregar, adicionar.
■ ~잠 sueño *m* adicional.

가청(可聽) posibilidad *f* audible. ~의 audible.
■ ~ 거리 distancia *f* audible. ~도 audibilidad *f*. ~ 범위 alcance *m* audible. ~ 신호(信號) señal *f* audible, señal *f* acústica. ~역(閾) 【심리】 límite *m* de audibilidad. ~음 sonido *m* audible. ~ 음파 onda *f* sonora audible, ~ 주파 audiofrecuencia *f*. ~ 주파수 audiofrecuencia *f*. ~ 주파 증폭기 amplificador *m* de audiofrecuencia. ~ 지역 región *f* audible. ~ 한계 límite *m* audible.

가체(歌體) estilo *m* del poema.

가체포(假逮捕) 【법률】 arresto *m* provisional.

가촌(街村) aldea *f* [pueblo *m*] a lo largo de la calle.

가축 mucho cuidado. ~하다 tener mucho cuidado. 겨울 옷을 잘 가축해 두다 tener mucho cuidado con la ropa invernal.

가축(家畜) animal *m* doméstico; [집합적] ganado *m*, bestias *fpl*. ~의 떼 manada de ganado. ~ 300 마리 trescientas cabezas de ganado. ~을 기르다 criar ganado. 그는 200마리의 ~을 가지고 있다 El tiene doscientas cabezas de ganado. 그들은 우리를 ~처럼 배에 실었다 Ellos nos subieron al barco como a ganado.
■ ~ 검역 inspección *f* sanitaria de ganado. ~ 검역관 oficial *m* de cuarentena de ganado. ~ 검역소 estación *f* de cuarentena de ganado. ~군(群) manada *f*. ~ 도둑 ladrón *m* de ganado; cuatrero, -ra *mf*. ~ 몰이 recogida *f* de ganado. ~ 방목장 ganadería *f*, hacienda *f*, estancia *f*. ~병 peste *f* bovina. ~ 병원 hospital *m* veterinario. ~ 사육 crianza *f* de ganado. ~ 사육자 criador, -dora *mf* de ganado, ganadero, -ra *mf*. ~ 시장 feria *f* de ganado, mercado *m* ganadero, mercado *m* de ganado. ¶ 미인 대회에서는 ~에서처럼 여자를 전시한다 En los concursos de belleza se exhíbe a las mujeres como en una feria de ganado. ~용 화차 vagón *m* de ganado. ~ 우리 corral *m*. ~ 중매인[상] tratante *mf* de ganado; *AmS* rematador, -dora *mf* de ganado. ~ 탈출 방지용 도랑 rejilla *f* en la carretera que permite pasar a los vehículos pero no al ganado. ~ 통로 paso *m* de ganado. ~ 트럭[차] camión *m* de ganado.

가출(家出) huida *f*, fuga *f*. ~하다 dejar (la) casa, huir de (la) casa, escaparse de casa.
■ ~ 소녀 muchacha *f* fugitiva, muchacha *f* huidiza. ~ 소년(少年) muchacho *m* fugitivo, muchacho *m* huidizo. ~인 fugitivo, -va *mf*.

가출소(假出所) =가출옥(假出獄).

가출옥(假出獄) liberación *f* [libertad *f*] provisional [condicional], libertad *f* bajo caución. ~하다 ser libertado provisionalmente.

가취(嫁娶) casamiento *m*, matrimonio *m*. ~하다 casarse.

가취지례(嫁娶之禮) =혼례(婚禮).

가치(價値) valor *m*, mérito *m*; [가격] precio *m*. ~ 있는 valioso, precioso, estimable. ~ 없는 sin valor, sin mérito, que no vale para nada, insignificante. ~가 높은, 매우 ~ 있는 de mucho [gran] valor. ~가 낮은 de poco valor. 상품의 ~ valor *m* de las mercancías. ~가 없다 no valer (para nada), ser papel mojado. ~를 상실하다 desmerecer. …할 ~가 있다 valer la pena de + *inf*, merecer la pena de + *inf*. 아무런 ~도 없다 no valer para nada, no ser ni chicha ni limón. …의 ~를 인식하다 reconocer el valor de *algo*. 예술적 ~가 있다 tener un valor artístico. 이 책은 읽을 ~가 있다 Este libro merece [vale] la pena de leer(se) / Este libro es digno de ser leído. 그 그림은 무척 ~가 있다 Ese cuadro tiene mucho valor. 그 그림은 아무런 ~가 없다 Ese cuadro no tiene ningún valor. 그것은 별로 ~가 없다 Eso no vale mucho. 그것은 연구할 ~가 있다 Eso merece estudio / Eso merece ser estudiado / Vale la pena (de) estudiar eso / Merece la pena de estudiar eso.
◆ 경제 ~ valor *m* económico. 교환 ~ valor *m* cambiador. 영양 ~ valor *m* dietético. 이용 ~ valor *m* de utilidad. 희소 ~ valor *m* de carestía.
■ ~관 concepción *f* del valor. ~론 ㉮ = 가치 철학. ㉯ [재화(財貨)의 가치] teoría *f* de valor. ~ 심리학 sicología *f* de valor. ~ 철학 filosofía *f* de valor. ~ 판단 juicio *m* de valor, valoración *f*, evaluación *f*.

가치(假齒) =의치(義齒).

가친(家親) mi padre.

가칠(加漆) revestimiento *m* adicional con laca. ~하다 revestir adicionalmente con laca.

가칠(假漆) revestimiento *m* provisional con laca. ~하다 revestir provisionalmente con laca.

가칠가칠하다 (ser) áspero, rasposo. 손이 ~ tener las manos como el papel de lija. 이 종이는 ~ Este papel es áspero. 모래가 입에 들어가 혀가 ~ Me ha metido la arena en la boca y tengo la lengua rasposa.
가칠하다 (ser) demacrado, ojeroso, consumido, descarnado, escuálido. 가칠한 얼굴 cara *f* consumida, cara *f* descarnada.
가칭(假稱) seudónimo *m*, nombre *m* provisional.
가칭(佳稱/嘉稱) buen nombre *m*.
가쾌(家儈) =집주릅.
가타부타(可-否-) sí o no. ~ 대답해라 Dime sí o no. ☞가(可)하다
가탁(假託) pretexto *m*, excusa *f*. ~하다 poner excusas, buscar pretextos.
가탄스럽다(可歎-) (ser) lamentable.
가탄스레 lamentablemente.
가탄지사(可歎之事) cosa *f* lamentable.
가탄하다(可歎-) (ser) lamentable, triste, deplorable.
가탈[1] ① [일이 순하게 진행되지 못하게 방해되는 조건] obstáculo *m*, estorbo *m*, impedimento *m*. 처음 시작한 일에 ~도 많다 Hay mucho impedimento para mi nuevo negocio. ② [이러니저러니 트집을 잡아 까다롭게 구는 일] defecto *m*, falta *f*.
◆가탈(을) 부리다 encontrar*le* defectos [faltas] (a), complicar las cosas. 가탈을 부리지 마라 ¡No compliques las cosas! 그는 그들의 계획에 가탈을 부렸다 El le encontró defectos a su plan.
가탈스럽다 (ser) difícil, pesado, problemático, conflictivo, complicado, intrincado, particular, muy exigente, quisquilloso, difícil de contentar. 그는 성질이 ~ El es particular [muy exigente · quisquilloso · difícil de contentar].
가탈스레 difícilmente, particularmente, exigentemente, complicadamente.
가탈[2] [타기에 거북스러운 말의 걸음걸이] paso *m* vacilante.
가탈거리다 caminar con paso vacilante.
▪~걸음 paso *m* vacilante.
가택(家宅) casa *f*, domicilio *m*, morada *f*, vivienda *f*.
▪~ 방문(訪問) visita *f* domiciliaria. ~ 수색 registro *m* domiciliario. ¶~하다 registrar toda la casa, hacer un registro domiciliario, hacer registro a domiciliario. ~ 수색 영장 orden *f* de registro, auto *m* dado para registrar una casa, *AmL* orden *f* de allanamiento. ~ 연금(軟禁) arresto *m* domiciliario. ¶그는 군사 정부에 반대했기 때문에 3년간 ~되었다 El estuvo en arresto domiciliario durante tres años por su oposición a los gobiernos militares.
가택(假宅) vivienda *f* provisional.
가터(영 *garter*) ligas *fpl* (para calcetines), jarretera *f*.
▪~ 뜨기 [대바늘뜨기의 하나] punto *m* de ligas.
가토(加土) ① [흙으로 나무뿌리를 북돋아 줌. 또는 그 흙] acolladura *f*, [흙] tierra *f* que acolla la raíz del árbol. ~하다 acollar. ② [무덤 위에 흙을 더 얹음] rescate *m* de la tumba con tierra. ~하다 rescatar la tumba con tierra.
가토(家兎) **【동물】** conejo *m*.
가톨 castañas *fpl* de ambos lados en tres castañas.
가톨릭(영 *Catholic*; 불 *Catholique*) ① [가톨릭교] catolicismo *m*. ② [가톨릭교도] católico, -ca *mf*.
▪~교 catolicismo *m*. ~교도 católico, -ca *mf*. ~ 교회 ㉮ [가톨릭교를 믿는 교회] iglesia *f* católica. ㉯ =로마 가톨릭 교회.
가톨릭 종교 개혁(Catholic 宗教改革) ((기독교)) =반종교 개혁(anti-Reforma).
가통(家統) linaje *m* (familiar). ~을 잇다 mantener el linaje familiar.
가통가통(可痛可痛) lo lamentable.
가통하다(可痛-) (ser) lamentable.
가통할 lamentable.
가통히 lementablemente.
가트(영 *GATT, General Agreement on Tariffs and Trade*) [관세와 무역에 관한 일반 협정(協定)] el Acuerdo General sobre Aranceles Aduaneros y Comercio, AGAAC *m*, GATT *m*.
가파(加派) =증파(增派).
가파르다 (ser) escarpado, precipitoso, acantilado, pino, abrupto. 가파르지 않은 fácil, suave. 가파른 계단 escalera *f* empinada. 가파른 절벽 roca *f* escarpada. 가파른 커브 vuelta *f* brusca, curva *f* cerrada. 가파르지 않은 경사 pendiente *f* [cuesta *f*] fácil [suave]. 가파르지 않은 언덕 colina *f* suave.
가편(可便) el sí, el pro. ~과 부편 el sí y el no, los pros y los contras, el pro y el contra. ~과 부편(否便)의 양론을 고려하다 sopesar los pros y los contras.
가편(加鞭) azotamiento *m*. ~하다 azotar, dar azotes. 주마(走馬) ~하다 alentar, estimular.
가편(佳篇) =가작(佳作)
가평(苛評) =혹평(酷評).
가평(嘉平) ① =가평절(嘉平節). ② [음력 섣달] diciembre *m* del calendario lunar.
가폭(苛暴) crueldad *f*, ferocidad *f*. ~하다 (ser) cruel, feroz.
가표(加標) **【수학】** =덧셈표.
가표(可票) voto *m* afirmativo.
가풀막 suelo *m* escarpado.
가풀막지다 (estar) escarpado, precipitado, cortado a pico.
가품(佳品) objeto *m* de buena calidad; [뛰어난 작품] obra *f* excelente, obra *f* maestra.
가품(家品) ① =가풍(家風). ② [한집안 사람들에게 공통하는 품성] carácter *m* de una familia.
가풍(家風) costumbres *fpl* de la familia, tradición *f* de la familia, tradición *f* de casa, rito *m* familiar, ritual *m* familiar. ~에 맞지 아니하다 no ajustarse a la tradición familiar.

가피(痂皮) escara *f.*
가피부 색소 결핍(假皮膚色素缺乏) pseudoacromia *f.*
가필(加筆) corrección *f,* revisión *f,* [그림] retoque *m.* ~하다 corregir, revisar, retocar. ~한 글자 letra *f* borrosa, escritura *f* floja. 여러 군데를 ~하다 dar unos retoques. 글자에 ~을 했다 [먹이 적어 흰 줄이 생겨서] La brocha [El pincel] dio los perfiles.
가하다(加—) ① [부가하다] añadir, agregar, juntar. ② [삽입하다] insertar, meter, incluir. ③ [증가하다] aumentar.
가하다(可—) [옳다] tener razón, ser posible. ~! Está bien / ¡Vale!
가타 부타 말이 없다 no decir sí o no.
가학(加虐) maltrato *m* adicional. ~하다 adicionar el maltrato.
■ ~성 변태 성욕 sadismo *m.* ~성 변태 성욕자 sadista *mf.* ~애(愛) sadismo *m.* ¶~의 sádico. ~애자 sadista *mf,* sádico, -ca *mf.* ~적 sádico. ¶~으로 sádicamente. ~적 인격 장애 personalidad *f* sádica. ~ 피학애증 sadomasoquismo *m.*
가학(苛虐) tratamiento *m* cruel, maltrato *m,* crueldad *f.* ~하다 tratar cruelmente [con crueldad].
가함(假銜) ① [거짓 직함] título *m* oficial falso. ② =가명(假名).
가합(加合) adición *f.* ~하다 adicionar.
가합하다(可合—) (ser) razonable. 가합한 의견(意見) opinión *f* razonable.
가합히 razonablemente.
가항(假航) navegación *f* provisional. ~하다 navegar provisionalmente.
가해(加害) asalto *m,* violencia *f.* ~하다 asaltar, acometar.
■ ~자 autor, -tora *mf* de un atentado; [범인] criminal *mf,* ofensor, -ra *mf,* agresor, -ra *mf.* ~ 행위(行爲) violencia *f,* acto *m* perjuicial.
가해지다(加—) ser aumentado, aumentar(se). 날마다 더위가 가해진다 Hace cada día más calor. 배에 속도가 가해졌다 La velocidad del barco aumentó / El barco aceleró. 바람에 눈까지 가해져서 기온이 내려갔다 Al viento se juntó la nieve y bajó la temperatura.
가행(嘉幸) felicidad *f,* fortuna *f,* suerte *f.*
가향(佳香) buen perfume *m.*
가향(家鄕) tierra *f* nativa (que está *su* propia casa), suelo *m* natal.
가헌(家憲) constitución *f* familiar.
가형(家兄) mi hermano.
가형(加刑) penalidad *f* adicionada.
가호(加號) 【수학】 =덧셈표.
가호(家戶) ① [호적상의 집] casa *f* en el registro civil. ② [집의 수] número *m* de la casa.
가호(加護) protección *f* divina. 신(神)의 ~로 gracias a (la protección de) Dios. 우리에게 신의 ~가 있기를! (Ojalá) Que nos proteja Dios.
■ ~력 poder *m* de la protección divina.
가호적(假戶籍) registro *m* civil provisional.
가호전(加戶錢) 【역사】 impuesto *m* de cada casa.
가혹하다(苛酷—) (ser) cruel, inhumano; [엄하다] severo, riguroso, duro. 가혹함 crueldad *f,* severidad *f.* 가혹한 벌(罰) castigo *m* severo. 가혹한 법률 ley *f* rigurosa. 가혹한 비평 crítica *f* severa. 가혹한 조건 término *m* duro, condición *f* dura. ~하게 취급하다 tratar cruelmente [severamente]. 가혹한 취급을 받다 recibir [sufrir] un tratamiento cruel.
가혹히 cruelmente, inhumanamente, severamente, con crueldad, con severidad; rigurosamente, duramente.
가화(佳話) historieta *f* hermosa, cuento *m* hermoso.
가화(家禍) desgracia *f* doméstica, calamidad *f* casera, desastre *m* doméstico.
가화(假花) flor *f* artificial.
가화(嘉禾) gran espiga *f* de arroz con muchos granos.
가화 만사성(家和萬事成) Si hay paz en una familia, todo está bien.
가환(家患) desgracia *f* doméstica, desastre *m* doméstico, calamidad *f* casera.
가환(假患) =어여머리.
가황(加黃) vulcanización *f.* ~하다 vulcanizar.
■ ~ 계수 coeficiente *m* vulcanizado. ~ 고무 goma *f* vulcanizada. ~유(油) aceite *m* vulcanizadao.
가회(佳會/嘉會) reunión *f* alegre, buena reunión *f,* mitin *m* (*pl* mítines) agradable.
가회(歌會) reunión *f* de criticar las canciones.
가효(佳肴/嘉肴) plato *m* sabroso.
가후(家後) detrás de *su* propia casa.
가훈(家訓) precepto *m* familiar, precepto *m* de la familia.
가훼(嘉卉) las hierbas y los árboles hermosos.
가흥(佳興) alegría *f* agradable.
가희(佳姬) mujer *f* joven y hermosa.
가희(歌姬) cantora *f,* cantarina *f,* cantatriz *f.*
가히(可—) del todo, totalmente, enteramente, completamente, bien, fácilmente, con facilidad. ~ 그렇게 말할 만하다 Te es natural decirlo así.
각(各) cada, todo, toda; [여러] varios. ~ 개인(個人) cada uno, cada cual.
각(角) ① [뿔] cuerno *m.* ② [모] esquina *f,* recodo *m.* ③ [각도] ángulo *m.* ~의 cuadrado, cuadrangular; [직각(直角)의] retangular. ~이 진 anguloso. ~에는 예각, 직각 및 둔각 세 종류가 있다 Hay tres clases de ángulos: el agudo, el recto y el obtuso. ④ [옛날의 뿔로 만든 피리] flauta *f* de cuerno.
각(刻) ① ((준말)) =조각(彫刻). ② ((준말)) =누각(漏刻). ③ [연장으로 나무나 돌 같은 데에 글이나 그림 따위를 새기는 일] grabado *m,* grabadura *f.* ~하다 grabar. ④ [15분 동안] (durante) quince minutos.

각(脚) ① ＝종아리. 다리. ② [짐승을 잡아 그 고기를 나눌 때, 몇 등분한 한 부분] una de varias partes que el animal matado es cortado.
◆각(을) 뜨다 cortar el animal matado en partes.
각(殼) ＝껍데기.
각(覺) ((불교)) (estado *m* mental de) Buda *m*.
각(閣) edificio *m* de piso alto, palacio *m*, mansión *f*.
각-(各) ① [각각의] cada. ② [여러] muchos. ～처(處) muchas partes.
각-(角) de cuerno. ～도장(圖章) sello *m* de cuerno.
-각(閣) palacio *m*, mansión *f*. 금문(金門)～ palacio *m* de *Gummun*.
각가속도(角加速度)【물리】aceleración *f* angular.
각가지(各－) ＝여러 가지. 각종(各種).
각각(各各) cada, todo, individualmente, separadamente, respectivamente. 상기(上記) ～은 2만과 3만입니다 Los saldos dichos son, respectivamente, de veinte mil y treinta mil.
각각으로 cada momento, momento por momento, de momento en momento, a cada instante.
각각으로(刻刻－) de momento en momento, constantemente, de modo constante.
각개(各個) cada uno, uno a uno, uno por uno, individualmente, respectivamente. ～의 cada, individual, respectivo. ～ 행동하다 actuar individualmente.
▪～ 격파(擊破) derrota *f* uno por uno. ¶～하다 vencer [derrotar] las tropas enemigas una por [tras] uno. ～ 교련(敎鍊) instrucción *f* individual. ～ 약진(躍進) ataque *m* individual. ～ 전투 combate *m* individual. ～점호 revista *f* individual, llamada *f* individual. ¶～를 하다 pasar lista individual. ～ 훈련 capacitación *f* individual; ((운동)) entrenamiento *m* individual.
각개인(各個人) cada individuo, cada uno, cada cual.
각거(各居) vivienda *f* separada. ～하다 vivir separadamente.
각결막염(角結膜炎)【의학】queratoconjuntivitis *f*.
각계(各界) varios círculos *mpl*, cada campo. ～의 명사(名士) distinguidas personalidades *fpl* de cada campo.
▪～ 각층(各層) varios círculos *mpl* sociales, cada campo.
각고(刻苦) trabajo *m* difícil, labor *f* ardua, trabajo *m* arduo, faena *f* ardua. ～하다 trabajar difícilmente [infatigablemente·laboriosamente].
각고을(各－) cada aldea, todas las aldeas.
각곡(各穀) cada cereal, todos los cereales.
각골(刻骨) recuerdo *m* perpetuo en el corazón.
▪～ 난망(難忘) recuerdo *m* perpetuo sobre el agradecimiento. ¶～하다 no olvidar el agradecimiento para siempre. ～ 통한[지통] rencor *m* profundo en el corazón.
각골(脚骨)【해부】＝다리뼈.
각과(各科) [학과] cada departamento; [과목] cada asignatura.
각과(各課) cada sección, todas las secciones.
각과(殼果) ＝견과(堅果).
각관(各官) cada oficina gubernamental.
각괄호(角括弧)【인쇄】＝꺾쇠묶음.
각광(脚光) candilejas *fpl*, luz *f* de baterías. ～을 받다 ser foco [centro] de la atención pública.
각교(各校) cada escuela, todas las escuelas.
각국(各局) cada departamento, todos los departamentos.
각국(各國) cada país, cada nación, cada estado; [제국] varios países; [만국] todos los países del mundo. 아시아 ～ países *mpl* asiáticos.
각군(各郡) cada *Gun*, todos los distritos.
각군데(各－) cada lugar, cada sitio, todos los sitios, todos los lugares; [부사적] en [por] todas partes.
각궐(各闕) cada palacio, todos los palacios.
각근(恪勤) trabajo *m* duro, servicio *m* fiel. ～하다 trabajar duramente, servir fielmente.
각급(各級) cada clase, todas las clases.
▪～ 학교 todas las clases de la escuela.
각급(刻急) severidad *f* y urgencia. ～하다 ser severo y urgente.
각기(各技) talento *m* de cada uno.
각기(各其) cada uno, cada una; [부사적] respectivamente. ～ 좋은 점이 있다 Cada uno [una] de ellos [ellas] tiene su ventaja.
▪～ 명하(名下) debajo del nombre de cada uno. ～ 소원 deseo *m* de cada uno. ～ 소장(所長) talento *m* de cada uno.
각기(脚氣)【의학】beriberi *m*. ～에 걸리다, ～를 일으키다 contraer el beriberi. ～를 앓다 sufrir el beriberi.
▪～병[증] ＝각기(脚氣).
각기둥(角－)【기하】prisma *m*.
각내(閣內) gabinete *m*.
각다귀 ①【곤충】mosquito *m* rayado. ② [남의 것을 착취하는 악한] explotador, -dora *mf*, sanguijuela *f*, vampiro *m*.
각다분하다 (ser) difícil y tedioso.
각단 primera medida *f* de un asunto.
각담(咯痰) ＝객담(喀痰).
각대(角帶)【역사】＝각띠.
각댁(各宅) ((높임말)) cada casa, cada hogar.
각도(各道) cada provincia, todas las provincias.
▪～ 각군(各郡) cada provincia y cada distrito. ～ 각시(各市) cada provincia y cada ciudad.
각도(角度) ángulo *m*. ～를 재다 medir el ángulo. ～가 35도이다 formar [tener] un ángulo de cuarenta y cinco grados. 다른 ～에서 생각하다 considerar (*algo*) desde otros ángulos. 여러 ～에서 검토하다 exa-

minar (*algo*) desde distintos ángulos, considerar el problema desde todos los ángulos. 이 ~에서는 그 집은 보이지 않는다 La casa no se ve desde este ángulo.
■ ~계 goniómetro *m*. ~기(器) transportador *m*, semicírculo *m* (graduado).
각도(角壔) 【기하】 prisma *m*.
각도(刻刀) =새김칼.
각도(閣道) ① =복도(複道). ② =잔도(棧道).
각도(覺道) =오도(悟道).
각도장(角圖章) ① [뿔로 만든 도장] sello *m* de cuerno. ② [모가 난 도장] sello *m* cuadrado.
각동(各洞) cada *Dong*, cada aldea, todas las aldeas.
각띠(角-) fajín *m* (*pl* fajines).
각력(角力) ① [서로 힘을 겨룸] medida *f* de *su* fuerza. ~하다 medir *su* fuerza. ② =씨름.
각력(脚力) ① =다릿심(fuerza de *sus* piernas). ② [길 걷는 힘] fuerza *f* de andar. ③ =각부(脚夫).
각령(閣令) decreto *m* del gabinete (ministerial).
각로(却老) ① [젊어짐] rejuvenecimiento *m*. ~하다 rejuvenecer(se). ② 【식물】 =구기자나무.
각로(脚爐) calentador *m* de pies; camilla *f*.
각로(閣老) primer ministro *m*.
각론(各論) tema *m* particular; [전체로] exposición *f* por materias [por capítulos]. ~으로 들어가다 entrar en [abordar] un tema particular.
각료(閣僚) ministros *mpl*, miembro *m* ministerial, miembro *m* de gabinete.
◆ 전(前) ~ exministro, -tra *mf*. 한일(韓日) ~ 회담(會談) conferencia *f* [asamblea *f*] ministerial entre Corea y Japón.
■ ~ 간담회 reunión *f* ministerial. ~급 회담 conferencia *f* a nivel ministerial. ~ 회의 consejo *m* de ministros. ¶유럽 공동체 ~ el Consejo de Ministros de la Comunidad Europea.
각루(刻漏) =물시계.
각류(各類) cada clase, todas las clases.
각리(各里) cada *Ri*, cada aldea, todas las aldeas.
각막(角膜) 【해부】 córnea *f*. ~의 corneal. 불투명한 ~ córnea *f* opaca.
■ ~경(鏡) queratoscopio *m*. ~계 queratómetro *m*. ~병 queratopatía *f*. ~ 성형술 queratoplastia *f*. ~ 수정체 성형술 queratofaquia *f*. ~염 corneitis *f*, keratitis *f*, queratitis *f*, inflamación *f* de la córnea. ~ 은행 banco *m* de la córnea. ~ 이식(意識) queratotrasplante *m*, trasplante *m* [mudanza *f* · transplantación *f*] de la córnea. ~ 이식술 queratoplastia *f*.
각면(各面) ① [행정 구역] cada *Myon*. ② [각방면] todas partes.
■ ~ 각리(各里) cada *Myon* y cada *Ri*.
각명(各名) =각인(各人).
각모(脚毛) pelo *m* de las piernas.
각목(角木) 【건축】 viga *f* de madera.
각목(刻木) madera *f* grabada.
각문(各問) cada problema.
각문(角紋) figura *f* cuadrada.
각물(各物) cada artículo, todos los artículos.
각물(穀物) =조개류.
각물종(各物種) cada artículo, todos los artículos.
각박하다(刻薄-) ① [모나고 인정이 없다] (ser) inhumano, frío, glacial, de corazón de piedra, insensible. 각박함 inhumanidad *f*, falta *f* de simpatía y piedad, corazón *m* de piedra. 그는 각박한 사람이다 El tiene un corazón de piedra. ② [아주 인색하다] (ser) muy tacaño.
각박히 inhumanamente, de modo inhumano, de manera inhumana; tacañamente.
각반(各班) ① [각 학급] cada clase. ② [행정 구역] cada *Ban*.
각반(各般) =여러 가지. 제반(諸般).
각반(脚絆) polainas *fpl*, borceguí *m*. ~을 감다 ponerse las polainas.
각방(各方) ① ((준말)) =각방면(各方面). ② [각각의 편] partido *m* de cada uno.
각방(各房) cada habitación, cada cuarto.
■ ~ 거처(居處) residencia *f* en las otras habitaciones de cada uno.
각방(各邦) cada país, muchos países.
각방면(各方面) cada dirección, todas las direcciones; todos los campos. ~의 전문가 especialistas en todos los campos.
각배(各-) ① [어미는 같으나 낳은 시기가 다른 새끼] cría *f* diferente de la misma madre. ② ((속어)) =이복(異腹).
각배(角杯) vaso *m* de cuerno.
각별나다(各別-) =각별하다.
각별 조심(各別操心) cuidado *m* especial. ~하다 cuidar(se) especialmente.
각별하다(各別/恪別-) (ser) especial; [현저한] notable, considerable; [예외적인] extraordinario, excepcional; [특수한] particular; [친한] íntimo, familiar. 각별한 차이(差異) diferencia *f* considerable. 각별한 배려로 por consideraciones especiales, como favor especial. 각별한 진보(進步)를 하다 hacer progreso notable. 각별한 욕심이 없다 no tener anhelo particular por [mucha gana de]. 각별한 일이 없었다 No había nada de particular.
각별히 especialmente, en especial, extraordinariamente, particularmente, notablemente, excepcionalmente, íntimamente, familiarmente. ~ 친한 사이 amistad *f* íntima, intimidad *f*.
각보(却步) =퇴보(退步).
각본(刻本) =판본(板本).
각본(脚本) pieza *f* teatral, drama *m*; 【영화】 guión *m* (*pl* guiones).
■ ~가[작가] dramaturgo, -ga *mf*; autor *m* dramático, autora *f* dramática; guionista *mf*. ~화 dramatización *f*. ¶~하다 dramatizar.
각봉(各封) selladura *f* en cubierta separada.

～하다 sellar en cubierta separada.

각부(各部) cada parte; [부서(部署)] cada departamento, cada sección; [정부의] cada ministerio; [여러 부분] distintas [diversas] partes *fpl*.

각부(脚部) pierna *f*, pata *f* de aves y animales, pie *m* [pata *f*] de muebles, caña *f* de medias [de bota].

각부(脚夫) mensajero *m*.

각부분(各部分) cada parte, varias partes *fpl*.

각분(各分) división *f* separada. ～하다 dividir separadamente.

각분(角盆) tiesto *m* cuadrado.

각분(角粉) polvo *m* del cuerno.

각빙(角氷) cubito *m* de hielo.

각뿔(角－) pirámide *m*. ～ 모양의 piramidal.
◆삼(三)～ pirámide *m* triangular. 오(五)～ pirámide *m* pentagonal.

각사(各事) cada cosa, todas las cosas.

각사탕(角砂糖) azúcar *m* en terrón, terrón *m* de azúcar, azúcar *m* cortadillo, azúcar *m* en terrón. ～을 두 개 넣다 echar dos terrones de azúcar.

각살림(各－) vida *f* separada, vivienda *f* separada. ～하다 vivir separadamente.

각상(各床) mesas *fpl* separadas, comida *f* puesta separadamente para cada uno. ～하다 preparar las mesas individuales.

각상(角狀) forma *f* del cuerno.

각색(各色) ① [각각의 빛깔] cada color. ② [각종] toda clase, cada especie. 각양 ～의 varios, diversos.
■～각양(各樣) ＝각양각색. 가지각색.

각색(脚色) adaptación *f*; [희곡화(戱曲化)] dramatización *f*. ～하다 adaptar, dramatizar, dar forma dramática (a). 김 씨 ～ dramatizado [adoptado] por el Sr. Kim.
■～가[자] adaptador, -dora *mf*; dramaturgo, -ga *mf*.

각색(角色) color *m* del cuerno.

각서(覺書) ① [메모] prontuario *m*, memoria *f*, apunte *m*, minuta *f*. ② [약식의 외교 문서] nota *f*, memorándum *m*. ～를 교환하다 canjear notas. ③ [상대방에게 약속하는 내용을 적어 주는 문서] promesa *f* [fe *f*] escrita [firmada]. ～를 한 통 써내다 hacer [dar] una promesa [una fe] escrita [firmada].

각석(角石) hornfelsa *f*.

각석(刻石) piedra *f* grabada.

각선(各線) cada línea, todas las líneas.

각선(脚線) línea *f* de pierna.
■～미(美) hermosura *f* de línea de pierna, pierna *f* de la figura hermosa.

각설(却說) vuelta *f* al tema. ～하다 volver al tema.

각설이(却說－) ((낮춤말)) ＝장타령꾼.
■～타령 canción *f* del mendigo cantante.

각설탕(角雪糖) ＝각사탕(角砂糖).

각섬석(角閃石) 【광물】 anfíbol *m*, hornablenda *f*.

각성(各姓) apellidos *mpl* diferentes.
■～받이 hombres *mpl* de los apellidos diferentes.

각성(覺醒) despertamiento *m*. ～하다 despertar.
◆영적 ～ despertamiento *m* espiritual.
■～제(劑) excitante *m*, estimulante *m*, droga *f* excitante [estimulante], remedio *m* estimulante. ～제 중독자 adicto, -ta *mf* de estimulante.

각세공(角細工) hornabeque *m* [obra *f*] a tenaza.
■～품 artículo *m* de cuerno.

각소(各所) sitios *mpl* respectivos, todas partes *fpl*, diversos lugares *mpl*, diversos sitios *mpl*. ～에 en todas partes, en diversos lugares.

각소(角素) queratina *f*.

각속도(角速度) velocidad *f* angular.

각수(刻手) escultor, -ra *mf*.

각수(覺樹) ((불교)) ＝보리수(菩提樹).

각수렴하다 pagar a escote.

각시 ① [새색시] novia *f*, desposada *f*, mujer *f* recién casada. ② [인형] muñeca *f* de soltera.
■～놀음 juego *m* con muñecas. ¶～하다 jugar con muñecas.

각시(各市) cada ciudad, todas las ciudades.

각시계(角時計) reloj *m* cuadrado.

각시새우 【동물】 camarón *m* (*pl* camarones), langostín *m* (*pl* langostines), langostino *m*.

각시석남(－石南) 【식물】 ＝석남(石南).

각신(恪愼) cuidado *m*. ～하다 cuidar (de).

각신 동격교(各神同格敎) igualdad *f* de los dioses.

각심(各心) ① [각 사람의 마음] corazón *m* de cada uno. ② [각각 마음을 서로 달리함] corazón *m* diferente de cada uno.

각심(刻心) ＝명심(銘心).

각아비 자식(各－子息) hijos *mpl* de los padres diferentes, medios hermanos *mpl*.

각양(各樣) diversidad *f*, variedad *f*.
■～ 각색 cada tipo, cada clase, todo tipo, toda clase. ～ 각식(各式) cada estilo, todos los estilos.

각역(刻役) escultura *f*. ～하다 esculpir.

각연초(刻煙草) ＝살담배.

각오(覺悟) ① [앞으로 닥쳐올 일을 미리 알아차리고 마음을 정함] resolución *f*, decisión *f*, disposición *f*, prevención *f*, resignación *f*. ～하다 resolverse, decidirse, resignarse. 죽음을 ～하다 resignarse a morir. ～를 단단히 하고 바다에 뛰어들다 lanzarse al mar decididamente. 그것을 단행할 ～이다 Estoy resuelto a emprenderlo. 그는 유죄를 선고받을 ～를 하고 있다 El está preparado a que le declaren culpable. 나는 실패를 ～하고 있다 Sé que puedo fracasar. 내 요구를 받아들이지 않는다면 나에게도 ～가 있다 Si no acepta mis peticiones, verá usted. ② [도리를 깨달음] percepción *f*. ～하다 percibir, entender.

각오(覺寤) despertamiento *m* del sueño. ～하다 despertarse del sueño.

각왕(覺王) ((불교)) ＝불타(佛陀).

각운(脚韻) rima *f*, pie *m*.
각운동(角運動) 【물리】 moción *f* angular.
각원(各員) cada uno, todos, cada persona, todos los miembros.
각원(閣員) ministerio *m* del gabinete.
각월(各月) cada mes, todos los meses.
각위(各位) caballeros *mpl*, señores *mpl*. ~의 su estimado. 독자(讀者) ~에게 a los lectores.
각유 소장(各有所長) Cada uno tiene su mérito.
각유 일능(各有一能) Cada uno tiene una habilidad especial.
각읍(各邑) cada *Eub*, cada pueblo.
각의(閣議) consejo *m* de ministros, reunión *f* del gabinete, consejo *m* del gabinete, junta *f* ministerial. ~를 열다 celebrar el consejo ministros. ~에 회부하다 someter [referir] al consejo del gabinete.
◆임시 ~ conferencia *f* extraordinaria de gabinete.
각의(刻意) =고심(苦心).
각이하다(各異—) Cada es diferente.
각인(各人) cada uno, cada cual.
■~ 각색 Cuantos hombres, tantos pareceres / Cien cabezas, cien sentencias. ~ 각설(各說) Cada uno tiene su opinión. ~ 각성(各姓) Cada uno tiene el apellido diferente. ~처(處) porción *f* de cada uno.
각인(刻印) troquel *m* de sello, grabación *f*, sello *m* grabado. ~하다 estampar [sellar] con troquel. ~을 찍다 grabar un sello. 악당의 ~이 찍히다 ser tiznado como un villano [malvado].
각일각(刻一刻) constantemente, a cada momento, de momento en momento, por momentos, a cada instante. 기한이 ~ 박두하고 있다 El plazo expira por momentos.
각자(各自) ① [각각의 자신] cada uno, cada cual. ~의 de cada uno, respectivo. ~ 하나씩 sendos. ~ 자력(自力)에 의해 según *su* capacidad respectiva. ~ 능력(能力)에 따라 según la capacidad de cada uno. ~ 자기 식으로 cada uno a *su* manera. ~에게 만 원씩 지불하다 pagar diez mil wones a cada uno [a cada una]. ~ 자기의 희망을 말했다 Expresó cada uno su deseo. 선생은 ~에게 반성을 촉구했다 El maestro instó a cada uno a que reflexionase. ~ 자기의 생각을 가지고 있다 Cada cual [Cada uno] tiene su opinión. 우리들은 ~ 책을 한 권씩 가지고 있었다 Teníamos sendos libros. 점심은 ~ 준비하십시오 Prepare cada uno su propio almuerzo. ~ 짐을 정리하십시오 Arregle cada uno su respectivo equipaje. ~ 따로따로 행동한다 Cada uno actúa por su cuenta. 표는 ~ 소지해 주십시오 Que lleve cada uno su billete. 그들은 ~의 말을 타고 왔다 Ellos vinieron en sendos caballos. 병사들은 ~ 손에 총을 들고 진격했다 Avanzaban los soldados con sendos fusiles en las manos. ② [제각기] respectivamente, de modo respectivo.
■~ 부담 escote *m*. ¶~하다 escotar, ir [pagar] a escote [a medias].
각자(刻字) grabado *m* de las letras; [글자] letra *f* grabada. ~하다 grabar las letras.
각자(覺者) ((불교)) Buda *m*.
각장(各葬) sepultura *f* separada, entierro *m* separado.
각장(刻匠) 【역사】 grabador, -dora *mf*.
각재(角材) madero *m* cuadrado, viga *f* (13인치 이상), cuartón *m* (5인치 이상).
각저(角抵/角觝) =씨름.
각조(各條) cada artículo.
각종(各種) varias clases *fpl*, diferentes clases *fpl*, diversas clases *fpl*, diversos géneros *mpl*, toda especie *f*. ~의 de toda especie, de diferentes clases, de diversos géneros, de diversas clases. 폐사는 ~ 제품을 갖추고 있습니다 Nosotros tenemos un gran surtido de diversos géneros.
■~ 경기 todas clases de deportes. ~ 사물(事物) todas clases de cosas. ~ 직업 ocupaciones *fpl* de varias clases. ~ 학교 (una de) las escuelas misceláneas, academia *f*, instituto *m*.
각좆 juguete *m* del pene de cuero o cuerno.
각주(角柱) ① [네모진 기둥] columna *f* cuadrada. ② 【기하】 prisma *m*.
◆삼(三)~ prisma *m* triangular. 육(六)~ prisma *m* sexagonal.
각주(脚註/脚注) notas *fpl* a(l) pie [al calce] (de la página). ~를 달다 poner notas al pie de la página.
각주구검(刻舟求劍) la estupidez y la falta de versatilidad.
각주파수(角周波數) =각속도(角速度).
각지(各地) partes *fpl* diferentes, todas partes *fpl*, cada lugar, cada sitio; [여러 지방] varias regiones *fpl*, distintas regiones *fpl*. ~의 날씨 tiempo *m* local, tiempo *m* de cada región. 전국 ~를 여행하다 viajar por todas las partes del país. 전국 ~에서 강연을 하다 dar conferencias en varias lugares del país.
■~ 각처(各處) todas partes *fpl*, varias regiones *fpl*, distintas regiones *fpl*.
각지(各紙) cada periódico, todos los periódicos.
각지(各誌) cada revista, todas las revistas.
각지방(各地方) cada región, cada comarca, todas las regiones, todas las comarcas.
각진동수(角振動數) 【물리】 =각속도(角速度).
각질(角質) queratina *f*, keratina *f*. ~의 querático, queratótico, córneo.
■~ 세포 queratinocito *m*. ~ 증식 queratosis *f*. ~ 조직 tejido *m* córneo. ~층 estrato *m* córneo. ~ 형성 queratogénesis *f*. ~화(化) queratosis *f*, keratosis *f*, cornificación *f*.
각질(脚疾) ① [다리 앓는 병] sufrimiento *m* de pierna. ② =각기(脚氣).
각창(角窓) ventana *f* cuadrada.
각책(刻責) reproche *m* severo. ~하다 reprochar severamente.

각처(各處) cada sitio, cada lugar, todas (las) partes. ~에 en [por] todas partes, en varios lugares, en toda tierra de garbanzos. 시내 ~에서 화재(火災)가 일어났다 Hubo incendios en varios lugares de la ciudad.
각체(各體) varios estilos *mpl.*
각초(刻草) =살담배.
각촌(各村) cada aldea, todas las aldeas, varias aldeas.
각추렴(各出斂) contribución *f* por *su* parte proporcional. ~하다 contribuir por *su* parte proporcional. 비용을 ~하다 sufragar(se) [costearse] los gastos por *su* parte proporcional. 우리가 ~하면 si todos ponemos *algo,* si todos contribuimos con *algo.* 그들은 그녀에게 선물을 사주기 위해 ~했다 Ellos le compraron un regalo entre todos.
각축(角逐) competición *f,* rivalidad *f,* lucha *f,* concurso *m,* combate *m.* ~하다 competir (por), disputarse, rivalizar. 그와 그녀는 인기에서 ~을 벌였다 El y ella rivalizaban en popularidad. 많은 사람들이 직업을 얻기 위해 ~하고 있다 Muchas personas compiten por [se disputan] el puesto. 우리는 다른 두 회사와 계약을 위해 ~을 벌였다 Competíamos con otras dos compañías por el contrato.
■ ~장(場) arena *f* de competición. ¶세계 열강의 ~ arena *f* de competición entre los poderes mundiales. ~전 combate *m* de competición.
각출물(喀出物) ① =침(saliva). ② 【의학】 = 담(痰)(esputo, flema).
각층(各層) ① [각각의 층] cada piso, cada planta. ② [여러 계층 중의 낱낱의 층] cada clase. 각계 ~의 명사들 personalidad *f* de toda posición social. ③ [각각의 등급] cada categoría.
각층(角層) ((준말)) =각질층(角質層).
각치다 ① [할퀴다] arañar. ② [말로 부아를 지르다] pinchar. 그는 항상 그의 동생을 각친다 El siempre está pinchando al hermano.
각칙(各則) varias leyes *fpl.*
각침(角針) =분침(分針).
각태(角胎) carne *f* del interior del cuerno.
각테(角-) aro *m* de cuerno.
각통(各通) cada *copia,* todas copias, copias separadas.
각통(角筒) 【수학】 =각주(角柱).
각통(脚痛) dolor *m* de pierna.
각통(覺痛) sentimiento *m* del dolor.
각통질 hinchamiento *m* a la vaca con pienso y agua. ~하다 obligar [forzar] a comer el pienso y el agua.
각파(各派) [정당의] cada partido, todos los partidos; [예술계 등의] todas las escuelas.
각파(脚婆) calentador *m,* calientacamas *m.*
각판(刻版) ① [판각(板刻)] grabado *m* en madera. ② [판각에 쓰이는 널조각] madera *f* para el grabado.
각판(刻版) ((준말)) =각판본(刻版本).
■ ~본(本) =판각본(板刻本).
각품(各品) cada rango, cada categoría.
각피(角皮) 【해부】 cutícula *f,* queratoderma *m,* keratoderma *m.*
■ ~소 cutícula *f.* ~증 queratoderma *m.*
각피(殼皮) =겉껍데기.
각하(閣下) ① [벼슬이 높은 사람에 대한 경칭] Vuestra Excelencia, Su Excelencia. 대통령 ~ Su Excelencia Señor Presidente. 장군 ~ Su Excelencia Señor General. ~ 그리고 신사 숙녀 여러분 Vuestra Excelencia, damas y caballeros. ② ((천주교)) = 성하(聖下).
각하(却下) rechazamiento *m.* ~하다 rechazar. 상고를 ~하다 rechazar una apelación a un tribunal superior.
각하(脚下) ① [다리 아래] debajo de la pierna. ② [지금] ahora; [현재] presente *m.*
각한(刻限) hora *f* determinada, tiempo *m* fijo; [시각(時刻)] hora *f.* ~에 늦다 llegar tarde, no llegar a tiempo. ~을 한 시간 넘기다 tener una hora de atraso.
각항(各項) ① [각 항목] cada cláusula, cada artículo, todos artículos. ② =각가지.
각해(覺海) ((불교)) mundo *m* del budismo.
각혈(咯血) esputo *m* de sangre, vómito *m* de sangre; 【의학】 hemoptisis *f.* ~하다 esputar [escupir] sangre, vomitar la sangre, expectorar la sangre; tener hemoptisis.
각형[1](角形) ① [모난 형상] forma *f* cuadrada. ② [사각형] cuadrilátero *m.*
각형[2](角形) [뿔의 모양] forma *f* del cuerno.
각호(各戶) ① [각 집] cada casa. ~에 en cada casa. ② [각 세대] cada familia.
각화(角化) cornificación *f,* queratinización *f.*
■ ~증 queratosis *f,* queratodermia *f,* hiperqueratosis *f.*
간 ① [짠 조미료] sazón *m,* salazón *m,* acción *f* de salar, gusto *m* salado, gusto *m* de sal; [양념] condimento *m.* ② [(음식의) 짠맛의 정도] salobridad *f,* salinidad *f.* ~이 든 salino, salobre.
◆간(을) 맞추다 salar, sazonar [condimentar] con sal. 간(을) 보다 probar, saborear. 간(을) 하다 sazonar, echar [poner · conservar] en sal; [고기를] curar con sal. 간을 한 salado, sazonado [condimentar] de sal. 간(이) 맞다 sazonarse bien.
간(肝) ① 【해부】 hígado *m.* ② [음식으로서의 짐승의 간장] hígado *m.* ③ [담력] valor *m,* coraje *m,* denuedo *m,* valentía *f,* ánimo *m,* espíritu *m.* ~이 큰 audaz, atrevido, osado, temerario. ~이 작은 tímido, cobarde, medroso. ~이 작다 (ser) tímido, medroso, miedoso, pusilánime, cobarde. ~을 싸늘하게 하다 horrizarse, espantarse. ~이 덜렁하다 maravillarse, asustarse.
◆간에 기별도 아니 가다 apenas comenzar a satisfacer *su* estómago. 간에도 차지 않다 casi no ser bastante para valer la pena de comer. 간에 붙었다 쓸개에 붙었다 하다 cambiar de chaqueta fácilmente, chaquetear fácilmente, darse vuelta la chaqueta. 간

에 붙었다 쓸개에 붙었다 하는 짓 doblez m(f), trato m doble. 간(을) 녹이다 fascinar, violar, cautivar, embelesar, tener profunda impresión. 간이 붙다 (ser) audaz, atrevido. 간이 오그라들다 asustarse mucho. 간이 콩알만하다 [해지다] asustarse mucho, espantarse, horrorizarse, quedarse estufefacto [atónito]. 간(이) 크다 (ser) atrevido, audaz, osado, intrépido, bravo, arriesgado, temerario.

간(間) ① [동안] durante, dentro de …, por, en; [명사] duración. 2주~의 예정으로 여행을 떠나다 salir de viaje por dos semanas. 일을 3일~으로 끝내다 terminar el trabajo en tres días. 나는 10년~ 스페인에서 살았다 Yo viví [pasé] diez años en España. 10분~ 쉽시다 Descansemos [Vamos a descansar] diez minutos. 10년~에 사회는 많이 변한다 En diez años cambia mucho la sociedad. ② [사이] entre. 서울과 부산 ~의 거리 distancia f entre *Seúl* y *Busan*. 서울과 목포 ~을 달리는 열차 tren m que hace el recorrido entre *Seúl* y *Mokpo*. 이 배는 목포와 제주도 ~을 왕복하고 있다 Este barco realiza el servicio entre *Mokpo* y *Chechudo*. ③ [길이의 단위] *gan*, *kan* (unos seis pies). ④ [가옥의] una habitación. ⑤ [관계] relación f, [전치사로] entre. 숙질~ relación f de tío y sobrino. 삼국(三國)~의 협정 acuerdo m entre tres poderes.

간(刊) ((준말)) =간행(刊行)(publicación). ¶민중서림 ~ 한서사전(韓西辭典) diccionario m coreano-español publicado en la Editorial Minjung. 2002년 ~ 서한사전 diccionario m español-coreano publicado en 2002 (dos mil dos).

간(姦) ① =간사하다. ② =간음하다. 간통하다.

간- pasado. ~밤 anoche, noche pasada.

-간(刊) publicación f. 신(新)~ nueva publicación f. 구(舊)~ vieja publicación f.

-간(間) entre. 부부~의 비밀(秘密) secreto m entre los esposos, secreto m entre marido y mujer. 한국과 미국~의 조약 tratado m coreano-estadounidense. 백화점~에 경쟁이 치열하다 Hay mucha competencia entre los almacenes.

간각(刊刻) escultura f, grabado m. ~하다 esculpir, grabar.

간각(間刻) ① =간격(間隔). ② =간살.

간간(間間) ((준말)) =간간이[1]. ¶소식은 ~ 듣고 있다 He oído la noticia de vez en cuando.

간간이(間間-) ① [드문드문. 이따금] a veces, algunas veces, de vez en cuando, de cuando en cuando, frecuentemente. 그 일은 ~ 일어난다 Eso sucede a [muchas · frecuentes] veces. ② =듬성듬성.

간간짭잘하다 (ser) bueno a paladar y salado.

간간하다[1] ① [마음이 간질간질하게 재미있다] (ser) interesante, excitante, emocionante, apasionante. ② [아슬아슬하게 위태롭다] (ser) emocionante. 이야기의 간간한 대목 clímax m emocionante de una historia.

간간히 interesantemente, excitantemente, emocionantemente.

간간하다[2] [감칠맛이 있게 약간 짠 듯하다] ser algo salado.

간간히 algo saladamente.

간객(看客) =관객(觀客). 구경꾼.

간거(簡倨) arrogancia f, altivez f. ~하다 (ser) arrogante, altivo.

간걸(姦桀) persona f astuta y feroz.

간격(間隔) ① [시간 · 공간 · 거리] intervalo m, distancia f, espacio m. ~을 두고 a (largos) intervalo, poniendo (mucho) espacio. 10분 ~으로 a intervalos de diez minutos. ~을 두다 espaciar, distanciar; [A와 B의] dejar [poner] un espacio entre A y B; [떼어놓다] apartar [separar] (*algo*). 수업 시간의 ~을 줄이다 reducir el intervalo entre clase y clase. 열차의 발차 ~을 5분 더 늘리다 esparciar cinco minutos más las salidas de los trenes. 1미터의 ~으로 나무를 심다 plantar árboles a intervalos de un metro. 탁자와 탁자의 ~을 넓게 잡다 espaciar las mesas. 기둥과 기둥의 ~을 3미터로 하다 levantar los postes a [con] intervalos de tres metros. 일정한 ~을 유지하다 guardar un determinado intervalo. 열의 ~을 좁히십시오 Estrechen más las filas. 2미터 ~으로 나무가 심어져 있다 Los árboles están plantados a [con] intervalos de dos metros. 두 주자(走者) 사이는 ~이 100미터 벌어졌다 Hay cien metros de distancia entre los dos corredores. 행간 사이가 너무 ~이 벌어졌다 Hay demasiado espacio entre renglones. 선수들은 30초 ~으로 출발했다 Los jugadores salieron a [con] intervalos de treinta segundos. 기둥과 기둥의 ~은 2미터다 Hay un espacio de dos metros entre las columnas. 총성이 ~을 두고 울렸다 A intervalos se oían disparos. ② [사람들 사이의 사귀어 지내는 관계가 멀어지거나 나빠지는 틈] tirantez f, roces mpl, desavenencias fpl, alienación f, alejamiento m, distanciamiento m, frialdad f. 지금 두 사람 사이에 ~이 생겼다 Los dos ahora están separados. 그녀는 남편과 ~이 있다 Ella está separada de su esposo.

■ ~ 전류 corriente f de reposo. ~파(波) onda f de reposo, onda f de contramanipulación.

간결체(簡潔體) estilo m conciso.

간결하다(簡潔-) (ser) conciso, breve, sencillo, lacónico, sencillo y conciso. 간결함 brevedad f, sencillez f, concisión f, laconimo m. 간결한 문장(文章) frase f concisa. 간결함은 하나의 덕이다 La concisión es una virtud.

간결히 concisamente, brevemente, sencillamente, lacónicamente, de una manera sencilla y concisa. ~ 표현하다 expresar concisamente.

간경(刊經) publicación *f* de la Escritura Sagrada del Budismo. ～하다 publicar la Escritura Sagrada del Budismo.
간경변(肝硬變) ＝간경변증(肝硬變症).
간경변증(肝硬變症) 【의학】 cirrosis *f* del hígado, hipatocirrosis *f*.
간경하다(簡勁－) (ser) sencillo y fuerte. 간경함 sencillez *f* y fuerza.
간계(奸計) maquinación *f*, intrega *f*, conspiración *f*, astucia *f*, designio *m* astuto, intención *f* taimada, propósito *m* perverso, trama *f*, conjura *f*. ～를 꾸미다 intrigar [conspirar] (contra), maquinar [tramar · armar · urdir] una intriga (contra), idear un plan taimado.
간계(澗谿) ＝계류(溪流).
간고(艱苦) ① [가난함. 곤궁함] pobreza *f*. ～하다 (ser) pobre. ② [고생] penalidad *f*, tribulación *f*, sufrimiento *m*, privación *f*. ～를 맛보다 sufrir muchas penas. ～를 견디다 aguantar los apuros [las dificultades]. 간고히 con penalidad.)
간고정술(肝固定術) hepatopexia *f*.
간곡(奸曲) astucia *f*. ～하다 (ser) astuto.
간곡(澗谷) ＝산골짜기.
간곡하다(懇曲－) (ser) cordial, amable. 간곡함 amabilidad *f*, cordialidad *f*.
간곡히 cordialmente, amablemente. ～ 타이르다 amonestar con paciencia, aconsejar cordialmente.
간과(看過) tolerancia *f*. ～하다 pasar por alto, tolerar. 우리는 이 사태를 ～할 수 없다 No podemos pasar por alto esta situación.
간과(干戈) [병장기] armas *fpl*. ～를 들다 hacer guerra, hacer armas, acudir a las armas. ② [전쟁(戰爭)] guerra *f*.
간관(肝管) 【해부】 conducto *m* hepático.
간교(刊校) ＝교정(校正).
간교(奸巧) astucia *f*, artificio *m*, treta *f*, fraude *m*, engaño *m*, maño *m*, arte *m*. ～하다 (ser) astuto, mañoso.
간교히 astutamente, con astucia, mañosamente.
간구(干求) ＝바람. 요구(要求).
간구(懇求) deseo *m* ferviente, súplica *f*, ruego *m*. ～하다 pedir, rogar, solicitar.
간구하다(艱苟－) (ser) pobre, necesitado. 간구함 pobreza *f*.
간구히 pobremente, con pobreza.
간국 ① [짠맛이 우러난 물] líquido *m* salado, salmuera *f*, el agua *f* salada. ② [때와 땀이 함께 섞이어 더럽게 옷에 밴 것] suciedad *f*, mancha *f*.
간군하다(艱窘－) (ser) pobre.
간균(桿菌) bacilo *m*; [세균] microbio *m*.
간극(間隙) distancia *f*, diferencia *f*.
간근(幹根) el tronco y el raíz.
간기(刊記) colofón *m* (*pl* colofones).
간기(－氣) sabor *m* salado.
간기(癇氣) 【한방】 ＝지랄병. 간질.
간기(懇祈) ruego *m* ferviente. ～하다 rogar fervientemente.
간나위 persona *f* astuta, hombre *m* astuto, gente *f* astuta.
간난(艱難) penalidad *f*, molestia *f*, fatiga *f*, pena *f*, dificultad *f*, adversidad *f*, trabajo *m*. 많은 ～을 맛보다 sufrir [padecer] muchas penalidades.
간난히 con penalidad.
■～ 신고(辛苦) [노고] trabajos *mpl*, penas *fpl*, dificultades *fpl*; [시련] dura prueba *f*; [역경] infortunio *m*, adversidad *f*; [곤궁] apuro *m*. ¶～하여 자식을 기르다 criar a *sus* hijos con toda dificultad.
간녀(奸女) mujer *f* malvada.
간념(懇念) pensamiento *m* sincero, corazón *m* sincero, mente *f* sincera.
간농양(肝膿瘍) hepatofima *f*.
간뇌(肝腦) cuerpo y espíritu.
간뇌(間腦) diencéfalo *m*.
■～증(症) diencefalosis *f*.
간능(幹能) [재간과 지능] talento *m* y inteligencia. ～하다 tener talento y inteligencia.
간니 ＝영구치(永久齒).
간닥거리다 moverse, temblar, tener flojo. 이 이가 간닥거린다 Tengo este diente flojo / Se me mueve este diente.
간닥간닥 moviéndose, temblando
간단(間斷) interrupción *f*, tregua *f*, pausa *f*.
간단없다 (ser) incesante, perpetuo, continuo.
간단없이 incesantemente, perpetuamente, continuamente, sin cesar, sin interrupción. ～ 계속되다 continuar sin interrupción.
간단(簡單) brevedad *f*, concisión *f*, [단순함] simplicidad *f*, sencillez *f*, [쉬움] facilidad *f*. ～하다 (ser) breve, conciso, simple, sencillo, fácil; [소화가 잘 되는 가벼운] ligero. ～한 기계(機械) máquina *f* simple. ～한 일 trabajo *m* fácil, trabajo *m* sencillo. ～한 문제(問題) problema *m* fácil, problema *m* sencillo. ～한 보고 información *f* breve. ～한 식사(食事) comida *f* ligera. 수속이 ～했다 Se han simplificado las formalidades. 그에게 직접 물어보는 편이 ～하다 Es más sencillo preguntarle directamente.
■～ 명료(明瞭) simplicidad *f* y claridad. ¶～하다 ser simple y claro. ～히 simple y claramente.
간단간단히 muy concisamente.
간단히 brevemente, simplemente, sencillamente, con sencillez, fácilmente, con facilidad, sin dificultad, concisamente, en resumen. ～ 말하면 hablando de una manera sencilla, en una palabra, en pocas palabras, en resumen, en breve, con brevedad, hablando en breve, en resumidas cuentas, brevemente dicho, en suma, para breviar. ～ 지다 rendirse sin mayor [mucha] resistencia. ～ 단념하다 resignarse en seguida. 결혼식(結婚式)을 ～ 하다 celebrar la boda con sencillez.
간달 mes *m* pasado.
간담(肝膽) ① [간과 쓸개] el hígado y la hiel. ② [속마음] *su* mente, *su* intención,

su corazón.

◆간담이 내려앉다[떨어지다] quedarse estupefacto [atónito], aterrorizarse [asustarse · horrorizarse · espantarse] (mucho). 간담이 서늘하다 helarse de miedo el corazón, aterrorizarse, herirse con terror, intimidarse. 간담이 서늘하게 하다 intimidar, herirle con terror, espantar, asustar, aterrorizar, helar de miedo el corazón (de *uno*).

▪~ 상조(相照) entendimiento *m* perfecto. ¶~하다 entenderse perfectamente. 두 사람은 ~하는 친구다 Los dos se entienden perfectamente.

간담(懇談) consulta *f* familiar, conversación *f* amigable. ~하다 conversar amigablemente, charlar familiarmente.

▪~회 reunión *f* amigable, charla *f*, conferencia a [de] mesa redonda.

간당(奸黨) grupo *m* de las personas astutas.

간대로 tal fácilmente.

간댕간댕 temblando, sacudiendo.

간댕거리다 temblar, sacudir.

간덩이(肝-) ((속어)) =간(肝).

◆간덩이(가) 붓다 (ser) intrépido, audaz. 간덩이(가) 크다 (ser) descarado, desvergonzado, sinvergüenza, insolente.

간데없다 desaparecer (como una bocanada de humo), irse de repente.

간데온데없다 =온데간데없다.

간도(奸徒/姦徒) grupo *m* astuto, grupo *m* malvado.

간도(奸盜/姦盜) ladrón *m* (*pl* ladrones) malvado, ladrona *f* malvada.

간도(間道) senda *f*. ☞샛길

간도(懇到) mucha amabilidad. ~하다 (ser) muy amable.

간독(干瀆) =모독(冒瀆).

간독(簡牘) ① [글씨를 쓰던 대쪽] pedazo *m* de bambú fino. ② =편지(便紙)(carta).

간독하다(奸毒-) (ser) astuto y malicioso.

간독히 astuta y maliciosamente.

간독하다(懇篤-) (ser) amable, cordial.

간독히 amablemente, con amabilidad, cordialmente, con cordialidad.

간동간동 abrigándose cuidadosamente.

간동그리다 abrigarse cuidadosamente, arreglar bien.

간동맥(肝動脈) arteria *f* de hígado.

간동하다 ser arreglado bien.

간두(竿頭) el extremo más grande.

▪~지세(之勢) situación *f* más grande.

간드랑간드랑 colgando, prendiendo.

간드랑거리다 colgar, prender, titubear, vacilar.

간드러지다 (ser) coqueto, de coqueta, esbelto. 간드러지게 con (coqueta) timidez. 간드러지는 미소(微笑) una sonrisa tímida y coqueta.

간드작간드작 balandeándose ligeramente, bamboleándose ligeramente.

간드작거리다 balandearse ligeramente, bambolearse ligeramente.

간들간들 [바람이] suavemente; [태도가] airosamente, coqueteando, flirteando. ~ 걷다 andar airosamente, pavonearse.

간들거리다 ① [바람이 부드럽게 불다] soplar suavemente. ② [연하게 간드러진 태도를 보이다] portarse con coquetería. ③ [간드러지게 자꾸 움직이다] sacudirse, temblar. 그는 우스워 간들거렸다 El se sacudía de risa. 그녀의 목소리가 가볍게 간들거리고 있었다 Le temblaba ligeramente la voz. ④ [물체가 이리저리 자꾸 흔들리다] temblar, agitarse. 나뭇잎이 바람에 간들거렸다 Las hojas se agitaban con el viento.

간들바람 viento *m* suave.

간디【인명】Gandhi. 마하트마라 불리우는 ~는 인도의 애국지사요 철학자이며 인도 독립 운동의 핵으로 비폭력주의를 내세웠다 Gandhi, denominado el Mahatma, patriota y filósofo indio, era alma del movimiento de independencia de la India y fundó su acción sobre el principio de la no violencia.

▪~주의 gandhiísmo *m*. ~주의자 gandhiísta *mf*.

간디스토마(肝 distoma) dístomo *m* hepático.

간떨어지다(肝-) quedarse estupefacto [atónito], aterrorizar [asustarse · horrorizarse · espantarse] (mucho), sorprenderse mucho. 간떨어지겠네 ¡Qué sorpresa!

간략(幹略) el talento y la estratagema.

간략하다(簡略-) (ser) sencillo, simple, breve, conciso; [약식의] informal. 간략함 simplicidad *f*, brevedad *f*, abreviación *f*, concisión *f*, condensación *f*. 간략하게 하다 abreviar, simplificar, reducir. 연설을 간략하게 하다 pronunciar un discurso abreviado.

간략히 simplemente, brevemente, sencillamente, abreviadamente, informalmente, sin formalismo. ~ 말하면 en resumen, con brevedad, para abreviar, hablando en breve. 결혼식을 ~ 하다 celebrar la boda de una forma simple [en la intimidad].

간련(幹練) habilidad *f*. ~하다 (ser) hábil.

간로(間路) =샛길. 지름길.

간로(干櫓) =방패(防牌).

간록(干祿) [행복을 구함] busca *f* de la felicidad. ~하다 buscar la felicidad.

간류(幹流) ① =본류(本流). ② =주류(主流).

간릉(幹能) astucia *f*. ~하다 (ser) astuto, ladino, taimado, ingenioso.

◆간릉(을) 부리다 portarse con astucia, actuar astutamente.

간릉스럽다 (ser) astuto, ladino.

간릉스레 con astucia, astutamente.

간리(奸吏) funcionario *m* gubernamental astuto.

간리(幹理) administración *f*. ~하다 administrar.

간막국 sopa *f* de carne de vaca con sal.

간막이(間-) =칸막이.

간만(干滿) flujo *m* y reflujo (de marea).

▪~차(差) diferencia *f* de flujo y reflujo (de marea).

간망(懇望) deseo *m* ardiente, solicitud *f*, súplica *f*, ruego *m*. ～하다 suplicar, implorar, anhelar. 출석(出席)을 ～하다 suplicar [impetrar] a una persona que se presente.
간맞다 sazonarse bien.
간맞추다 sazonar.
간명하다(簡明－) ((준말)) ＝간단 명료하다. 간명히 brevemente, concisamente.
간모(奸謀) ＝간계(奸計).
간목(刊木) ＝벌목(伐木).
간물 [소금기가 섞인 물] el agua *f* salada.
간물(奸物/姦物) persona *f* astuta; hombre *m* astuto, mujer *f* astuta.
간물(幹物) pescado *m* seco, carne *f* seca.
간민(奸民/姦民) pueblo *m* malvado.
간민(間民) ＝유민(遊民).
간박하다(簡朴/簡樸－) (ser) sencillo. 간박함 sencillez *f*.
간박히 sencillamente, con sencillez.
간반(肝斑) 【의학】 cloasma *f*.
간반(澗畔) arroyuelo *m* que corre en el valle.
간발(間髮) momentito *m*.
■～의 차(差) distancia *f* muy pequeña.
간발(簡拔) escogimiento *m* de muchas personas. ～하다 escoger entre muchas personas.
간밤 anoche. ～에 무엇을 하셨습니까? ¿Qué hizo usted anoche? 나는 ～에 푹 잤다 Anoche dormí perfectamente bien.
간방(艮方) nordeste *m*, noreste *m*.
간벌(間伐) ¶～하다 hacerse ralo, hacer menos denso.
간법(簡法) método *m* sencillo y cómodo.
간병(看病) asistencia *f*, cuidado *m* (de un enfermo); [철야의] vela *f*. ～하다 atender, cuidar, asistir, velar.
■～부(夫) enfermero *m*. ～부(婦) enfermera *f*. ～인[원] enfermero, -ra *mf*. ¶낮～ enfermero, -ra *mf* del turno diurno. 밤～ enfermero, -ra *mf* del turno nocturno.
간보다 saborear, probar.
간볶음(肝－) hígado *m* de vaca tostado.
간본(刊本) libro *m* impreso, incunable *m*.
간봉(杆棒/桿棒) ＝몽둥이.
간봉합술(肝縫合術) hepatorrafia *f*.
간부(幹部) directivo, -va *mf*, dirigente *mf*; [집합적] dirección *f*, personal *m* directivo.
■～회 directorio *m*, junta *f* directiva, consejo *m* de administración. ～ 후보생 cadete *mf*.
간부(奸婦) mujer *f* malvada, diabla *f*.
간부(姦夫) adúltero *m*, amante *m* secreto.
간부(姦婦) adúltera *f*.
간부(間夫) adúltero *m*, amante *m* secreto.
간부 복막염(肝部腹膜炎) hepatoperitonitis *f*.
간불용발(間不容髮) ① [사태가 매우 급박함] (estado *m* de) emergencia *f*. ② [빈틈이 없음] prudencia *f*, discreción *f*, sensatez *f*.
간비(姦非) maldad *f*, injusticia *f*. ～하다 (ser) malvado, injusto.
간비염(肝脾炎) hepatosplenitis *f*.
간비조영술(肝脾造影術) hepatosplenografía *f*.
간비종(肝脾腫) hepatosplenomegalía *f*.
간빙기(間氷期) período *m* interglacial.
간사(幹事) administrador, -ra *mf*, secretario, -ria *mf*, directivo, -va *mf*, auditor, -ra *mf*.
■～장 secretario, -ria *mf* general. ～회 junta *f* directiva.
간사(奸詐) astucia *f*, fraude *m*, engaño *m*, maña *f*, treta *f*. ～하다 (ser) astuto, mañoso, artificioso. 그녀는 여우처럼 ～하다 Ella es astuta como un zorro / Ella tiene la astucia de un zorro.
간사히 astutamente, con astucia, mañosamente, con maña.
간사스럽다 (ser) astuto.
간사스레 astutamente, con astucia.
간사(間使) espía *mf*.
간사위 recursos *mpl*, inventiva *f*, versatilidad *f*, flexibilidad *f*.
간사하다(奸邪－) (ser) astuto y libertino. 간사한 여인 una mujer astuta y fácil, una mujer astuta y de vida alegre.
간삭(間朔) ＝간월(間月). 격월(隔月).
간살 lisonja *f*, halago *m*, adulación *f*, adulancia *f*, galantería *f*.
◆간살(을) 부리다 lisonjear, halagar, adular; [특히 여자에게] decir piropos (a).
간살스럽다 (ser) lisonjero, adulador. 간살스런 웃음 risa *f* aduladora.
간살스레 como una lisonja, por [como] adulación.
■～쟁이 lisonjero, -dora *mf*, adulador, -ra *mf*, lisonjeador, -dora *mf*, lisonjeante *mf*. ～질 lisonja *f*, adulación *f*.
간삼조이(干三召二) 【한방】 tres jenjibres y dos dátiles.
간상(奸商) comerciante *m* deshonesto [deshonrado · astuto].
■～배(輩) (grupo *m* de) mañosos *mpl*.
간상 세포(桿狀細胞) báculo *m*.
간상체(桿狀體) ＝간상 세포(桿狀細胞).
간색(看色) ① [물건의 좋고 나쁨을 알려고 견본삼아 일부분을 봄] muestra *f*. ② [구색(具色)으로 일부분씩 눈비음으로 내놓는 물건] muestra *f*, muestreo *m*.
간색(間色) color *m* compuesto, color *m* secundario.
간서(刊書) ① [간행한 서적] libro *m* publicado. ② [책을 간행함] publicación *f* del libro. ～하다 publicar el libro.
간서(簡書) carta *f*.
간서(看書) lectura *f*. ～하다 leer (el libro).
■～벽(癖) hábito *m* de lectura.
간석(干潟) ＝간석지(干潟地).
■～지 tierra *f* que queda cubierta cuando la marea está alta, tierra *f* de marea, espacio *m* de playa descubierta con la bajamar, playa *f* en bajamar. ¶～를 개간하다 reformar tierra de marea.
간선(幹線) línea *f* principal, línea *f* mayor; [철도 등의] tronco *m*.
■～거(渠) sumidero *m* principal. ～ 도로 carretera *f* arterial, carretera *f* principal.
간선(簡選) ＝간택(簡擇).

간섭(干涉) ① [남의 일에 간섭함] intromisión *f*, entrometimiento *m*, entremetimiento *m*, injerencia. ~하다 interponerse, entrometerse, mezclarse, meterse, inmiscuirse. 남의 생활에 ~하다 meterse en intimidades ajenas, entrometerse en la vida ajena, meterse [meter las narices · inmiscuirse · entrometerse] en los asuntos ajenos. 남의 일에 ~하다 cucharetear, meterse en negocios ajenos. 사소한 일에까지 ~하다 discutir sobre menudencias, cortar pelos en el aire. 개인의 일에 ~하다 entrometerse [meterse] en los asuntos privados. 남의 일에 ~하지 마세요 [tú에게] No te metas en cosas ajenas / [usted에게] No se meta usted en cosas ajenas / [vosotros에게] No os metáis en cosas ajenas / [ustedes에게] No se metan ustedes en cosas ajenas. 남의 일에 ~하지 맙시다 No nos metamos en cosas ajenas. 그의 일에 ~하지 마라 No te metas [entrometas · inmiscuyas] en sus asuntos. 나는 어느 누구도 이 일에는 ~하게 하지 않는다 No dejo a nadie meterse en este asunto / No dejo que nadie toque este asunto. ② [한 나라가 다른 나라의 내정 · 외교에 관하여 강제적으로 개입하는 일] intervención *f*, interferencia *f*. ~하다 intervenir. 정부의 ~ interferencia *f* gubernamental, interferencia *f* del gobierno. ③ 【물리 · 통신】 interferencia *f*. ~하다 [전파 등을] interferir.
◆ 군사(軍事) ~ intervención *f* militar. 무력(武力) ~ intervención *f* armada.
■ ~계 interferómetro *m*. ~ 굴절계 refractómetro *m* interferencial. ~ 무늬 franja *f* de interferencia. ~ 분광기 espectroscopio *m* interferencial. ~ 분광법 espectroscopia *f*. ~상[권] 【물리】 figura *f* interferencial. ~색 【물리】 color *m* interferencial. ~ 스펙트럼[분광] espectro *m* de interferencia. ~자 intervenidor, -dora *mf*. ~ 작용 acción *f* interferencial. ~주의 intervencionismo *m*. ¶불(不)~ no intervencionismo *m*. ~주의자 intervencionista *mf*. ¶불(不)~ no intervencionista *mf*. ~ 침강(沈降) sedimentación *f* interferencial.

간성(干城) baluarte *m*. 국가의 ~ baluarte *m* del estado. 자유(自由)의 ~ baluarte *m* de la libertad.

간성(肝性) hepático *adj*.

간성(間性) intersexo *m*. ~의 intersexual.

간성 난색(姦聲亂色) la música adúltera y la pasión sexual lasciva.

간세(簡細) la sencillez y la minucia. ~하다 (ser) sencillo y minucioso.
간세히 sencilla y minuciosamente.

간세포(肝細胞) célula *f* hepática. ~의 hepatocelular.

간소(姦所) lugar *m* de la adulteración.

간소하다(簡素-) (ser) simple, sencillo, modesto. 간소함 simplicidad *f*, llaneza *f*, sencillez *f*, modestia *f*. 간소하게 sencillamente, con sencillez, modestamente. 간소한 생활 vida *f* sencilla. 간소한 식사(食事) comida *f* sencilla. 간소한 생활을 하다 llevar una vida sencilla. 결혼식을 간소하게 하다 celebrar la boda con sencillez.
간소히 simplemente, sencillamente, con sencillez.

간소화(簡素化) simplificación *f*. ~하다 simplificar. ~하는 simplificador. ~할 수 있는 simplificable. 생활을 ~하다 simplificar la vida. 이 방식은 절차를 ~할 것이다 Este procedimiento simplificará los trámites.

간솔하다(簡率-) (ser) franco. 간솔함 franqueza *f*.
간솔히 francamente, con franqueza.

간수 cuidado *m*, precaución *f*, recaudo *m*. ~하다 guardar, tener cuidado (de *algo*), mantener, proteger, depositar, almacenar. 물품을 창고에 ~하다 almacenar los artículos, depositar las mercancías en el almacén. 유골(遺骨)을 절에 ~하다 confiar al templo las cenizas (de un muerto). 나는 시계를 잘 ~하도록 그녀에게 주었다 Le di un reloj para que lo guardara en lugar seguro / Le di un reloj para que lo pusiera a buen recaudo.

간수(-水) el agua *f* (madre) de sal, el agua *f* salada, salmuera *f*, el agua *f* cargada de sal.

간수(看守) carcelero, -ra *mf*.
■ ~장 carcelero, -ra *mf* en jefe.

간수(間數) número *m* de *gan*, espacio *m* del piso de una casa.

간수(澗水) el agua *f* que corre del valle.

간식(間食) merienda *f*, causeo *m*. ~하다 tomar [comer] la merienda, merendar, tomar causeo. ~으로 …을 먹다 tomar *algo* entre comidas, merendar *algo*. ~을 주다 dar de merendar, dar una merienda. ~으로 들다 merendar, comer en la merienda. 우리는 오후 6시에 ~을 먹는다 Merendamos a las seis de la tarde. 그들은 우유와 비스킷을 ~으로 들었다 Merendaron leche y bizcochos.

간식(艱食) =조식(粗食).

간식(墾植) el cultivo y la plantación. ~하다 cultivar y plantar.

간신(奸臣/姦臣) súbdito *m* traidor, vasallo *m* villano, partidario *m* bellaco.
■ ~ 적자(賊子) el súbdito traidor y el hijo ingrato a *sus* padres.

간신(肝腎) ① [간장과 신장] el hígado y el riñón. ② [마음] corazón *m*, mente *f*.

간신(諫臣) consejero *m* al rey.

간신(艱辛) penalidad *f*.
간신히 a duras penas, a malas penas, difícilmente, con mucha dificultad, por los pelos, casi no, apenas. ~ 도망치다 escapar por un pelo, escapar con vida de algún peligro, escapar al peligro de muerte, salvar el pellejo. ~ 시간에 대다 llegar por un pelo, llegar apenas a tiempo. ~ 위기를 벗어나다 librarse de una crisis a duras penas. 그는 ~ 살아났다 El se libró de

una buena / El se salvó por los pelos. ~ 네 말이 들린다 Apenas te oigo / Casi no te oigo. 그가 도착했을 때 우리는 ~ 식사를 끝냈다 Apenas habíamos terminado de comer cuando él llegó.

간실간실 halagueñamente, con adulación. ~하다 halagar, adular, lisonjear.

간심(奸心/姦心) corazón *m* malvado, mente *f* malvada.

간아(看兒) cuidado *m* con el niño. ~하다 cuidar con el niño.

간아(澗阿) parte *f* curvada del valle.

간악무도하다(奸惡無道—) (ser) malvado e inhumano.

간악스럽다(奸惡—) (ser) malvado, perverso.
간악스레 malvadamente, perversamente, con maldad.

간악하다(奸惡—) (ser) malvado, perverso, reprobo, bellaco, traicionario, alevoso. 간악함 maldad *f*, vicio *m*, inquiedad *f*. 간악한 신하 súbdito *m* malvado.
간악히 malvadamente, con maldad, perversamente.

간암(肝癌) cáncer *m* de hígado, hepatocarcinoma *f*, hepatoma *f*. ~ 발생의 hepatocartinogénico.

간약하다(簡約—) condesar, abreviar, simplificar. 간약함 concisión *f*, brevedad *f*, simplificación *f*.
간약히 concisamente, brevemente, con brevedad, con concisión.

간언(間言) palabra *f* maliciosa.

간언(諫言) amonestación *f*. ~하다 amonestar.

간여(干與) =관여(關與).

간연화증(肝軟化症) hepatomalacia *f*.

간염(肝炎) **【의학】** hepatitis *f*, inflamación *f* del hígado.
◆바이러스성 ~ hepatitis *f* vírica. 수혈(輸血) ~ hepatitis *f* de transfusión. 수혈후(輸血後) ~ hepatitis *f* de postransfusión. 신생아 ~ hepatitis *f* neonatal. 전염성 ~ hepatitis *f* infecciosa. 혈청(血淸) ~ hepatitis *f* del suero.
▪~ 바이러스 virus *m* de la hepatitis. ~ 비형 hepatitis B.

간엽(肝葉) **【해부】** lóbulo *m* hepático, lóbulo *m* del hígado.

간운 보월(看雲步月) pensamiento *m* de la tierra natal en la tierra foránea. ~하다 pensar la tierra natal en la tierra foránea.

간운 폐일(干雲蔽日) árbol *m* alto.

간웅(奸雄) traidor *m* mayor.

간원(懇願) petición *f*, ruego *m*, súplica *f*, instancia *f*, solicitud *f*. ~하다 solicitar (*algo* de *uno*), solicitar (de *uno* que + *subj*), rogar [suplicar] (a *uno algo* [que + *subj*]), pedir encarecidamente, instar. …의 ~에 의해 a petición [a solicitud] de *uno*.
▪~자 solicitante *mf*, suplicante *mf*.

간위(奸僞) mentira *f* astuta. ~하다 mentir astutamente.

간위축(肝萎縮) **【의학】** hepatatrofia *f*.

간유(肝油) aceite *m* de hígado, aceite *m* de balacao.

간음(姦淫/姦婬) adulterio *m*, adulteración *f*, fornicación *f*. ~하다 adulterar, cometer adulterio, fornicar. ~하지 말라 ((마태 복음 19:18)) No adulterarás / No cometas adulterio / No fornicarás.
▪~범(犯) adulterado *m*. ~자 adúltero, -ra *mf*, fornicador, -dora *mf*, fornicario, -ria *mf*. ~죄 adulterio *m*.

간음(間音) =사잇소리.

간음(幹音) **【음악】** sonido *m* natural.

간이 muerto, -ta *mf*, difunto, -ta *mf*, persona *f* muerta, persona *f* difunta.

간이(簡易) sencillez y facilidad, simplicidad *f*, sencillez *f*. ~하다 (ser) sencillo y fácil, simple, sencillo, fácil.
간이히 simplemente, sencillamente, con sencillez.
▪~ 도서관 biblioteca *f* de consulta, biblioteca *f* de referencia. ~ 보험 seguro *m* postal. ~ 생명 보험 seguro *m* postal de vida. ~ 생활 vida *f* sencilla. ~ 수도 sistema *m* reducido de abastecimiento de agua. ~식(食) dieta *f* sencilla. ~ 식당 bodegón *m* (*pl* bodegones), figón *m* (*pl* figones), casa *f* de comidas. ~ 여관 posada *f*, fonda *f*. ~ 주택 barraca *f*, casa *f* prefabricada, casa *f* económica. ~ 재판소 tribunal *m* sumario. ~ 차고 cochera *f*, garaje *m* abierto. ~화(化) simplificación *f*. ¶~하다 simplificar.

간인(奸人) bribón, -bona *mf*, pícaro, -ra *mf*.

간인(刊印) imprenta *f*, impresión *f*. ~하다 imprimir.

간인(間人) espía *mf*.

간일학(間日瘧) **【한방】** =하루거리.

간자 ① [어른을 높여 「그의 숟가락」] su cuchara. ② ((준말)) =간자숟가락.
▪~숟가락 cuchara *f* gruesa y linda.

간자[1](間者) =간첩(間諜)(espía).

간자[2](間者) ① =이사이. ② =이마적.

간자(慳者) ① [욕심꾸러기] avaro, -ra *mf*, codicioso, -sa *mf*. ② [간악하고 무자비한 사람] persona *f* malvada y cruel.

간자말 caballo *m* con la frente blanca y las mejillas blancas.

간자미 **【어류】** rayita *f*.

간작(間作) [재배] siembra *f* intermedia entre dos cosechas; [작물] cosecha *f* intermedia.

간잔지런하다 tener los ojos de dormido con la falta de sueño.

간장(—醬) salsa *f* de soja, salsa *f* china, *AmS, ReD* salsa *f* de soya. 생선을 ~에 발라 굽다 asar un pescado remojado en salsa de soja. 쇠고기[돼지고기]를 ~을 발라 굽다 asar la carne de vaca [la carne de cerdo] remojada en salsa de soja.
▪~국 =장국.

간장(肝腸) ① [간과 장] el hígado y la tripa, el intestino. ② [마음] corazón *m*, mente *f*.
◆간장(을) 녹이다 encantar, embelesar. 간장(이) 녹다 encantarse, embelesarse. 간장(이) 타다 quemarse para amor.

간장(肝臟) 【해부】 hígado *m.* ~의 hepático.
■ ~ 경화(硬化) cirrosis *f* del hígado. ~ 기능 부전 insuficiencia *f* hepática. ~ 디스토마 【동물】 dístoma *m* hepático. ~병 mal *m* de hígado, afección *f* hepática. ~ 비대 hipertrofia *f* del hígado. ~암 cáncer *m* del hígado. ~ 엑스 【약】 extracto *m* de hígado. ~염(炎) hepatisis *f.* ~염 환자 hepático, -ca *mf.* ~ 절개 hepatotomía *f.* ~ 종창(腫脹) hinchazón *m* del hígado. ~통 hepatalgia *f.* ~ 파열 hepatorrexis *m.*
간장지(間障子) 【건축】 =샛장지.
간재(奸才) treta *f,* ardid *f,* talento *m* astuto; [사람] persona *f* que tiene talento astuto.
간저(澗底) lugar *m* profundo del valle.
간저냐(肝-) tortilla *f* de hígado.
간적(奸賊) ladrón *m* malvado.
간적(姦跡/姦迹) marca *f* adúltera.
간절개술(肝切開術) hepatotomía *f.*
간절하다(懇切-) (ser) ardiente, ansioso, sincero, afectuoso, bondadoso, cariñoso, benigno, anhelante, fervoroso, vehemente, ferviente, encarecido. 간절함 ansia *f,* anhelo *m,* ahínco *m,* sinceridad *f,* buena voluntad *f,* cariño *m,* cordialidad *f.* 간절한 소원 voto *m* ferviente, anhelo *m,* deseo *m* sincero, deseo *m* profundo, deseo *m* encarecido. 간절한 부탁을 모른 체 할 수 없어 sin poder rechazar fríamente la petición (de *uno*).
간절히 sinceramente, ansiosamente, con anhelo, de todo corazón, ardientemente, vivamente, verdaderamente, francamente, con franqueza y buena fe, fervorosamente, fervorosamente, encarecidamente. ~ 빌다 esperar sinceramente. …하기를 ~ 빕니다 Suplico [Ruego] de corazón que + *subj.*
간접(間接) lo indirecto, carácter *m* indirecto. ~의 indirecto, mediato.
■ ~ 가열기 calentador *m* indirecto. ~ 감독 supervisión *f* indirecta. ~ 경험 experiencia *f* indirecta. ~ 고용 empleo *m* indirecto. ~ 관리 administración *f* indirecta. ~광(光) luz *f* prestada. ~ 기관 motor *m* indirecto. ~ 목적어 objetivo *m* indirecto. ~ 무역 comercio *m* indirecto. ~ 민주 정치 gobierno *m* democrático indirecto. ~ 민주제(民主制) sistema *m* democrático. ~법(法) método *m* indirecto. ~ 보어 complemento *m* indirecto. ~ 분석 análisis *m* indirecto. ~비 gasto *m* indirecto. ~ 비료 [거름] fertilizante *m* indirecto. ~ 사격 disparo *m* indirecto. ¶~하다 disparar indirectamente. ~ 선거 elección *f* indirecta. ~세[소비세] impuesto *m* indirecto. ~ 손해 daños *mpl* consiguientes. ~ 수혈(輸血) transfusión *f* indirecta. ~시(視) visión *f* indirecta. ~적 indirecto. ¶~으로 indirectamente. ~적 논증 prueba *f* indirecta. ~ 전염 contagio *m* indirecto. ~ 조명 iluminación *f* indirecta. ~ 조명 장치 alumbrado *m* indirecto. ~ 조사(調査) investigación *f* indirecta. ~ 증거 prueba *f* indirecta. ~ 증명(법) testimonio *m* indirecto. ~ 책임 responsabilidad *f* indirecta. ~ 촬영 [엑스선의] fluoroscopia *f.* ~ 측정 medición *f* indirecta. ~ 침략 agresión *f* indirecta. ~ 통제 control *m* indirecto. ~ 화법 estilo *m* indirecto. ~ 흡연 el fumar pasivo.
간정(肝精) =간장(肝臟) 엑스.
간정(懇情) amistad *f* sincera, corazón *m* amable.
간정되다 tranquilizarse.
간정맥(肝靜脈) vena *f* hepática.
간정하다(簡淨-) (ser) sencillo y limpio.
간조(干潮) reflujo *m,* marea *f* baja [menguante · descendiente], bajamar *f.* ~에 en bajamar.
■ ~면 nivel *m* de bajamar. ~선 línea *f* de bajamar. ~표 marca *f* de bajamar.
간종(肝腫) hepatomegalia *f.*
간종거리다 arreglar, ordenar.
간종이다 =간종거리다.
간종창(肝腫脹) =간장 종창(肝臟腫脹).
간주(看做) consideración *f.* ~하다 considerar, tomar, tratar, juzgar. ~되다 ser considerado (como). A를 B로 ~하다 considerar [juzgar] A como B, tomar A por B. 농담으로 ~하다 considerar como un chiste. 대답하지 않는 사람은 결석으로 ~된다 Se considera como ausente al que no responde.
간주(間奏) ① 【음악】 [한 곡 중간에 삽입하여 연주하는 일] intermedio *m,* interjección *f* en intervalos de una canción. ② 【음악】 =간주곡(間奏曲).
■ ~곡[악] 【음악】 interludio *m,* intermedio *m,* interjección *f* en intervalos de una canción.
간주위염(肝周圍炎) perihepatitis *f,* paraheptitis *f.*
간주지(簡周紙) rollo *m* para la carta.
간죽(竿竹/間竹/簡竹) =담배 설대.
간죽(幹竹) 【식물】 =자죽(紫竹).
간중심정맥(肝中心靜脈) vena *f* central hepática.
간증(干證) ① 【역사】 [범죄에 관계 있는 증인] testigo *mf* ocular, testigo *mf* presencial. ~하다 ser testigo (de), presenciar. ② ((기독교)) confesión *f.* ~하다 confesar.
간증(癎症) 【한방】 hepatosis *f,* síntoma *m* de la epilepsia.
간지(干支) ciclo *m* sexagenario, señal *f* del zodíaco [circuito].
간지(奸智) inteligencia *f* astuta, astucia *f,* treta *f,* ardid *m,* maña *f.* ~하다 (ser) astuto, taimado, insidioso, engañoso, solapado, maquiavélico.
간지(間紙) papel *m* de [para] escribir.
간지(諫止) disuasión *f,* amonestación *f.* ~하다 disuadir, amonestar.
간지(簡紙) papel *m* para la carta.
간지(懇志) voluntad *f* cordial.
간지다 ① [붙은 데가 가늘어 곧 끊어질 듯하다] estar listo para caer. ② [간드러진 멋이 있다] (ser) coqueto, encantador.

간지럼 cosquillas *fpl*, cosquilleo *m*.
◆간지럼(을) 타다 sentir [tener] cosquillas. 간지럼 타는 사람 cosquilloso, -sa *mf*.
간지럽다 tener [sentir] cosquillas, ser cosquilloso. 등이 ~ Siento cosquillas en la espalda.
간지럽히다 cosquillear, hacer cosquillas, cosquillar.
간직 almacenamiento *m*. ~하다 almacenar, surtir, proveer.
간질(肝蛭) 【동물】 =간충(肝蟲).
간질(艱疾) enfermedad *f* difícil para curar.
간질(間質) intersticio *m*. ~의 intersticial.
간질(癎疾) 【한방】 epilepsia *f*, alferecía *f*. ~의 epiléptico. ~ 비슷한 epileptiforme, epileptoide.
■~ 환자(患者) epiléptico, -ca *mf*. ~학(學) epileptología *f*.
간질간질 haciendo cosquillas a menudo.
간질거리다 hacer cosquillas a menudo.
간질밥(을) 먹이다 =간질이다.
간질이다 cosquillear, cosquillar, hacer cosquillas. 털로 ~ hacer cosquillas con la pluma. 발바닥을 ~ hacer cosquillas en las suelas [en las plantas]. …의 등을 ~ cosquillear [hacer cosquillas] (a *uno*) en la espalda.
간질환 전문 의사(肝疾患專門醫師) hepatólogo, -ga *mf*.
간질환학(肝疾患學) hepatología *f*.
간짓대 vara *f* larga de bambú.
간찰(簡札) carta *f*.
간책(奸策) treta *f* fraudulenta, engaño *m*, magaña *f*, ardid *m*, fraude *m*, astucia *f*. ~을 쓰다 acudir a la treta.
간척(干拓) desecación *f*, reclamación *f* de la tierra por desagüe. ~하다 desecar, reclamar la tierra para desaguar.
■~ 계획 programa *m* de reclamación. ~ 공사 obras *fpl* de la reclamación. ~ 사업 proyecto *m* de reclamación. ~지 tierra *f* desecada, tierra *f* reclamada.
간첩(間諜) espía *mf*, agente *m* secreto, agente *f* secreta.
◆무장(武裝) ~ espía *m* armado, espía *f* armada. 이중 ~ espía *mf* doble.
■~망 red *f* del espía. ~죄 crimen *m* del espía. ~ 행위 espionaje *m*, acción *f* de espiar. ~활동 actividad *f* del espía.
간첩(簡捷) la sencillez y la rapidez, prontitud *f*, simplicidad *f*. ~하다 (ser) sencillo y veloz.
간첩히 sencilla y rápidamente [velozmente], simplemente, prontamente.
간청(懇請) petición *f*, ruego *m*, súplica *f*, solicitud *f*. ~하다 rogar, suplicar.
간초(艱楚) apuros *mpl*, dificultades *fpl*, privaciones *fpl*. ~를 극복(克服)하다 superar apuros.
간촉(懇囑) =간청(懇請).
간추리다 compendiar, reducir a compendio, resumir. 간추려 말하면 en resumen, resumiendo, sumariamente, en breve, en compendio, abreviadamente, en pocas palabras. 간추려 말하다 resumir, decir en resumen [sumariamente], explicar en términos generales.
간축(簡軸) pila *f* de las cartas.
간출(刊出) publicación *f*. ~하다 publicar.
간출(簡出) resumen *m*, compendio *m*. ~하다 resumir, compendiar.
간충(肝蟲) 【동물】 fasciola *f* hepática.
간취(看取) reconocimiento *m*. ~하다 reconocer; [간파하다] descubrir, percibir, echar de ver; [정세(情勢)를] penetra [comprender] la situación.
간친(懇親) amistad *f*, sociabilidad *f*. ~하다 ser íntimo, tener relaciones cordiales (con).
■~회(會) reunión *f* social, reunión *f* amigable, reunión *f* amistosa.
간택(簡擇) selección *f*. ~하다 seleccionar.
간통(姦通) adulteración *f*, adulterio *m*, fornicación *f*, unión *f* carnal fuera del matrimonio. ~하다 adulterar, cometer adulterio, tener relación ilícita, fornicar, cometer el pecado de la fornicación. 기혼자(既婚者)와 독신자의 ~ adulterio *m* solo. 기혼자간의 ~ adulterio *m* doble.
◆혈족(血族) ~ incesto *m*.
■~자 adúltero, -ra *mf*; adulterador, -ra *mf*; fornicador, -ra *mf*; fornicario, -ria *mf*. ~죄 adulterio *m*. ¶~를 범하다 cometer adulterio.
간투사(間投詞) 【언어】 interjección *f*.
간특(奸慝/姦慝) astucia *f*. ~하다 (ser) astuto, taimado. ~한 인간 persona *f* taimada, perro *m* viejo..
간특히 astutamente, con astucia, taimadamente.
간파(看破) perspicacia *f*. ~하다 penetrar, adivinar, calar, descubrir, leer, percibir, echar de ver. 사기(詐欺)를 ~하다 penetrar fraude. 배짱을 ~하다 penetrar la intención oculta. 상황을 ~하다 captar la situación. 적의 계략을 ~하다 descubrir la estrategia de los enemigos. 그의 마음을 ~했다 Penetré [Adiviné] lo que pensaba él / Leí su pensamiento.
간판(看板) ① [가게 따위에서 여러 사람의 주의를 끌기 위해 상호·상표명·영업 종목 등을 써서 내건 표지] cartelera *f*, letrero *m*, muestra *f*, anuncio *m*. ~을 걸다 poner [colgar] un letrero. 그 점포에는 할인 ~이 걸려 있다 En esa tienda hay letreros de rebajas. ~을 거두어 들일 시간이다 Ya es hora de cerrar. 가게 앞에서 손님을 끄는 역할을 하는 가게의 ~ (스타) 아가씨 la chica que atrae a los clientes. ② =학벌 (carrera escolar). ③ ((속어)) =얼굴(cara).
◆그림 ~ tablero *m* de anuncios con figuras pintadas.
◆간판을 내리다 bajar *su* letrero, cerrar la tienda, cerrar la puerta. 간판을 떼다 quitar la cartelera [el letrero].
■~장이 pintor, -tora *mf* de carteleras. ~점[집] tienda *f* de pintor de carteleras. ~

화(畵) dibujo *m* de cartelera.

간팥 el haba *f* (*pl* las habas) [soja *f*] roja molida en el mortero.

간편하다(簡便—) (ser) simple, sencillo, fácil. 간편함 simplicidad *f*. 간편한 방법으로 de un modo fácil, de una manera fácil, de una manera cómoda. 간편한 방법으로 일하다 trabajar de una manera fácil [cómoda]. 간편히 fácilmente, con facilidad, cómodamente, con comodidad, de una manera fácil [cómoda].

간품(看品) muestreo *m*, inspección *f*. ～하다 inspeccionar, revisar.

간핍(艱乏) mucha pobreza. ～하다 ser más pobre que una rata [las ratas]. 간핍히 muy pobre.

간하다 salar, sazonar con sal, curar con sal.

간하다(諫—) aconsejar, avisar, amonestar. 그는 무모한 일을 그만두라고 주인에게 간했다 El aconsejó a su amo que se dejara [dejase] de temeridades.

간하다(奸—) ＝간사하다.

간학(澗壑) valle *m* que corre el agua.

간한(奸漢) hombre *m* astuto.

간해 año *m* pasado.

간행(刊行) publicación *f*, edición *f*. ～하다 publicar, editar, dar a luz. ～되다 publicarse, editarse. 이 사전은 2002년에 ～되었다 Este diccionario se publicó en 2002 (dos mil dos).
■～ 날짜[연월일] fecha *f* de publicación. ～물 publicación *f*. ～본 libro *m* publicado. ～지 lugar *m* de publicación.

간행(奸行) actitud *f* astuta.

간행(間行) ＝미행(微行).

간헐(間歇) intermitencia *f*.
■～ 기어 engranaje *m* de dentadura discontinua. ～ 난방(暖房) calefacción *f* intermitente. ～ 방전(放電) descarga *f* intermitente. ～ 생산(生産) fabricación *f* intermitente. ～성 경련 convulsión *f* intermitente. ～성 말라리아열 fiebre *f* malaria. ～성 파행증 claudicación *f* intermitente. ～열 fiebre *f* intermitente, fiebre *f* recurrente. ～ 온천 fuente *f* intermitente, manantial *m* intermitente, géiser *m*. ～ 운동 movimiento *m* intermitente. ～적 intermitente. ¶～으로 intermitentemente, espasmódicamente. ～으로 내리는 비 lluvia *f* intermitente. ～ 전류 corriente *f* intermitente. ～ 하천[천·류] río *m* intermitente.

간호(看護) cuidado *m* de los enfermos, atención *f*. ～하다 asistir, atender, cuidar (de). 환자(患者)를 ～하다 asistir [atender·cuidar] a un enfermo. 나는 내 아내가 회복될 때까지 ～했다 Yo la atendí [cuidé] a mi esposa hasta que se repuso / Yo cuidé de mi esposa hasta que se repuso.
■～ 과장 director, -tora *mf* del servicio de enfermería. ～법 arte *m* de enfermería. ～병 ＝위생병. ～ 보조원 ＝간호 조무사. ～부(婦) ((구용어)) ＝여자 간호원. ～ 부장 enfermera *f* en jefe. ～사 enfermero, -ra *mf*. ¶견습 ～ enfermero, -ra *mf* practical. 야간 ～ enfermero, -ra *mf* del turno nocturno. 주간 ～ enfermero, -ra *mf* del turno diurno. ～ 실습생 estudiante *mf* de enfermería. ～원 ((구용어)) ＝간호사. ～원 양성소 centro *m* de formación de las enfermeras. ～인 enfermero, -ra *mf*. ～장 ((구용어)) ＝수간호원. ～ 장교 oficial *f* de enfermería. ～ 조무사 secretaria *f* de la enfermera. ～학 ciencia *f* de enfermería. ～ 학과 departamento *m* de ciencia de enfermería. ～ 학교(學校) escuela *f* de formación profesional de enfermeros.

간혹(間或) unas veces, algunas veces, a veces, de vez en cuando, ocasionalmente, a intervalos. ～ 있는 일이다 Eso sucede a veces / No es nada del otro mundo.

간혼(肝魂) ＝담력(膽力).

간활하다(奸猾—) (ser) malvado y astuto. 간활히 malvada y astutamente.

간회(肝膾) hígado *m* crudo.

간흉(奸凶/姦凶) brutalidad *f*, salvajismo *m*, ferocidad *f*, fiereza *f*. ～하다 (ser) brutal, salvaje, feroz, atroz, sanguinario, despiadado.

간흡충(肝吸蟲) 【동물】 ＝간장디스토마.

갇히다 encerrarse. 갇혀 있다 estar confinado, estar encerrado con llave. 눈에 갇혀 있다 quedar aislado por la nieve. 그녀는 휠체어에 갇혀 있다 Ella está confinada a una silla de ruedas. 비 때문에 그들은 집에 갇혀 있었다 La lluvia los obligó a permanecer en la casa. 우리는 비 때문에 온종일 집에 갇혀 있다 La lluvia nos ha tenido encerrados en casa todo el día. 그는 일로 호텔 방에 갇혀 있다 El está encerrado con su trabajo en la habitación de un hotel. 어제는 온종일 비 때문에 갇혀 있었다 La lluvia nos detuvo ayer todo el día. 그는 수개월 동안 침대에 갇혀 있었다 El tuvo que guardar en cama durante varios meses. 우리들은 수년간 병영(兵營)에 갇혀 있었다 Nosotros estábamos retenidos en el cuartel durante varios años / Nosotros estábamos arrestados durante varios años.

갈[1] ① ((준말)) ＝갈대. ② ((준말)) ＝갈잎.

갈[2] ① [갈래] división *f*. ② [학(學)·논(論)] ciencia *f*, estudio *m*, -ología.

갈[3] 【건축】 horca *f* de un espaldón ahorquillado.

갈[4] ((준말)) ＝갈보(puta, ramera).

갈[5] ((준말)) ＝가을(otoño).

갈[6] 【식물】 ((준말)) ＝가래.

갈[7] 【식물】 ((준말)) ＝갈나무.

갈(碣) [머리를 둥글게 만든 작은 비석] lápida *f* pequeña con la parte superior redonda.

갈- pequeño. ～거미 araña *f* pequeña.

갈-(褐) moreno.

갈가마귀 【조류】 corneja *f*.

갈가위 persona *f* avariciosa, persona *f* codiciosa; avaro, -ra *mf*, tacaño, -ña *mf*.

갈갈 con gula, con glotonería, con avaricia. 갈갈거리다 (ser) glotón, *CoS* angurriento.

갈개 cuneta *f*, acequia *f*.
갈개꾼 [훼방꾼] impedidor, -dora *mf*, aguafiestas *mf*.
갈개발 parásito *m*, adlátere *mf*.
갈걍갈걍하다 (ser) delgado y robusto.
갈건(葛巾) capucha *f* hecha de tela de arrurruz.
갈걷이 =가을걷이.
갈겨먹다 ☞갈기다
갈겨쓰다 ☞갈기다
갈고랑막대기 palo *m* ganchudo.
갈고랑쇠 gancho *m*.
갈고랑이 gancho *m*, garfio *m*, garabato *m* (고기 따위를 달아매는), escarpia *f*, colgadero *m* (물건을 매다는), prendedero *m* (꺾쇠). ~ 모양의 ganchudo, ganchoso, de [con] forma de gancho. ~처럼 구부러진 ganchoso. 갈고리 모양으로 찢긴 것 rasgón, siete. ~로 …에 걸다 enganchar. ~에 걸다 [매달다] colgar (*algo*) en el gancho. ~에 걸리다 estar enganchando. ~에서 내려 놓다 descolgar del gancho. 바지가 ~ 모양으로 찢겨졌다 Se ha hecho un siete en los pantalones.
■~ 사용 금지 ((게시)) ¡No usar ganchos!
갈고리 ((준말)) =갈고랑이.
■~형 forma *f* ganchuda.
갈고리눈 ojos *mpl* ganchudos.
갈고리달 luna *f* nueva.
갈고쟁이 gancho *m* de madera.
갈고지 =갈고쟁이.
갈구(渴求) deseo *m* vehemente, anhelo *m*, deseo *m* ardiente. ~하다 anhelar, desear ardientemente [vehemente].
갈그랑거리다 respirar con dificultad, resollar (produciendo un sonido sibilante como los asmáticos).
갈그랑갈그랑 resollando, respirando con dificultad.
갈근(葛根) 【한방】 raíz *f* de un arrurruz.
갈근거리다 ① [음식이나 재물에 대하여 체면 없이 함부로 욕심을 부리다] codiciar. ② [목구멍에 가래가 붙어 간지럽게 가치작거리다] tener comezón en garganta. 나는 목구멍이 갈근거린다 Me pica la garganta.
갈근갈근 codiciando; picando.
갈급령나다(渴急令-) tener mucha impaciencia.
갈급증(渴急症) mucha impaciencia.
갈급하다(渴急-) (ser) muy impaciente.
갈급히 muy impacientemente.
갈기[1] crin *m* [clin *m*] de caballo; [사자 따위의] melena *f*. ~가 있는 crinado, crinito.
■~털 =갈기[1].
갈기[2] 【농업】 =경운(耕耘).
갈기갈기 a [en] pedazos, a [en] piezas, a [en] trozos, a [en] trizas, a tiras [jirones · retazos]. ~ 조각내다 hacer trizas. ~ 찢다 hacer pedazos, cortar a piezas, hacer trizas [jirones] (*algo*), desgarrar [rasgar] (*algo*) en pedazos, despedazar. ~ 찢기다 ponerse sueltos, ponerse en pedazos. 그녀는 아들의 사망을 알았을 때 마음이 ~ 찢겼다 A ella le agarró el alma cuando ella supo la muerte de su hijo.
갈기계(-機械) =연삭반(硏削盤).
갈기다 ① [후려치다] golpear, dar un golpe. ② [발로 지르다] patear, dar patadas, dar puntapies. ③ [연장으로 베다] cortar. ④ [글씨를] escribir mal. ⑤ [총 · 대포 따위로 냅다 쏘다] disparar, pegar*le* un tiro, pegar*le* un balazo. 그들은 그의 다리에 세 발을 갈겼다 Le pegaron tres tiros en las piernas. ⑥ [똥 · 오줌 따위를 함부로 싸다] orinar, hacer aguas, irse las aguas.
갈겨먹다 ㉮ [음식 · 재물을 빼앗아 먹다] arrancar. ㉯ =떼어먹다.
갈겨쓰다 garrapatear, garrabatear, hacer garrabatos, escribir mal.
갈기래(喝起來) 【식물】 =도꼬마리.
갈나무 【식물】 =떡갈나무.
갈다[1] [이미 있는 사물을 다른 것으로 바꾸다] cambiar, reemplazar, substituir. A를 B로 ~ cambiar [reemplazar · substituir] A por B. 욕조의 물을 ~ cambiar el agua de la bañera. 찻그릇의 차를 ~ volver a poner té fresco en la tetera. 헌 무명 모포를 새것으로 ~ substituir la guata vieja por la nueva. 베갯잇을 새것으로 ~ substituir la funda de almohada vieja por la nueva. 선로의 전철기를 ~ cambiar las agujas de la vía. 어음을 ~ renovar la letra.
갈다[2] ① [칼을] afilar, aguzar, amolar. 면도칼을 ~ amolar [asentar] una navaja. 칼을 ~ aguzar un cuchillo. ② [맷돌로] moler, pulverizar. 갈아 뭉개다 moler, triturar, majar. ③ [윤이 나게] pulir, pulimentar, dar lustre. ④ [강판에] rallar. 무를 강판에 ~ rallar un nabo. ⑤ [어떤 물체를 다른 물체에 대고 문질러 닳게 하다] restregar, refregar. ⑥ [윗니나 아랫니를 소리가 나도록 맞대어 세게 문지르다] hacer rechinar los dientes. ⑦ [훈련하다 · 연마하다] instruir, practicar.
갈다[3] [논밭을] labrar, cultivar, labrar la tierra; [이랑을 만들다] arar; [쟁기로] layar, labrar con laya. 깊이 ~ arar profundamente, desfondar.
갈대 【식물】 caña *f*, cañuela *f*, junco *m*, carrizo *m*, junquillo *m*. ~가 많은 cañado, cañoso. ~가 무성한 poblado de juncos.
■~꽃 flor *f* de caña. ~발 mampara *f* de caña, mampara *f* de junquillo. ~밭 cañal *m*, cañaveral *m*. ~ 피리 pito *m* de caña.
갈동(褐銅) =청동(靑銅).
갈두(楬豆) plato *m* de madera.
갈등(葛藤) discordia *f*, conflicto *m*, complicación *f*. ~이 생긴다 Surgen conflictos / Surgen dificultades.
◆갈등(이) 나다 surgir conflictos, surgir dificultades.
갈라내기 =선별(選別).
갈라내다 ☞가르다
갈라놓기 =가름.
갈라놓다 ① [분할하다] dividir, separar. ② [분배하다] distribuir, servir. 과일을 접시에

~ servir frutas en los platos, distribuir la fruta en los platos. ③ [이간하다] alejar.

갈라디아서(Galatia 書) ((성경)) La Epístola del Apóstol San Pablo a los Gálatas.

갈라붙이다 dividir, partir, separar.

갈라서다 ① [관계를 끊고 따로따로 되다] separarse (de); [연인과] romper (las relaciones) (con). ② [이혼하다] divorciarse (de), separarse (de), autorizar la separación de dos esposos, pronunciar el divorcio.

갈라지다 ① [분기(分岐)] ramificarse; [두 개로] bifurcarse. ② [분할되다] dividirse, partirse; [분열되다] fraccionarse; [분산되다] divergirse, dispersarse; [배분되다] repartirse. 혈관이 가늘게 갈라져 있다 Las venas se ramifican. 길이 둘로 갈라진다 Se bifurca el camino. 이 문제에서는 의견이 갈라진다 Respecto a este problema están divididas las opiniones. 우리는 두 팀으로 갈라져 시합(試合)을 했다 Divididos en dos equipos jugamos el partido. 대한민국은 아홉 도(道)로 갈라져 있다 La República de Corea está dividida en nueve provincias. 민주당은 두 파로 갈라져 있다 El Partido Demócrata [Democrático] se fraccionó [se escindió] en dos facciones. ③ [서로의 관계에 금이 가서 벌어지다] separarse. ④ [크게 금이 가거나 쪼개지다] grietarse, resquebrarse, cuartearse, agrietarse, henderse, rajarse. 말라서 ~ resquebrarse por la sequía. 낙뢰로 나무의 몸통이 둘로 갈라졌다 El rayo partió en dos el tronco del árbol. 땅이 갈라진다 Se abre [Se agrieta] el suelo.

갈라테아(영 *Galatea*) **【신화】** Galatea *f.*

갈라파고스 제도(Galapagos 諸島) **【지명】** las Islas Galápagos.

갈락토오스 (영 *galactose*) galactosa *f*, azúcar *m* de leche.

갈래 ramo *m*; [구분] división *f*, parte *f*. 두 ~의 difurcado, horcado, ahorquillado. 두 ~길 camino *m* bifurcado. 길이 두 ~로 나누어진다 El camino se bifurca.

갈래다 ① [길이나 정신이 갈리어 바른 길을 찾기 어렵게 되다] confundirse. 나는 아직 정신이 약간 갈래어 있다 Todavía estoy un poco confundido. ② [짐승이 갈 바를 모르고 왔다갔다 하다] descarriarse.

갈려가기 【음악】 moción *f* contraria.

갈력(竭力) esfuerzo *m*, conato *m*, empeño *m*. ~하다 esforzarse, hacer esfuerzo.

갈륨(영 *gallium*; 독 *Gallium*) **【화학】** galio *m*.
▪ ~ 비소(砒素) arseniuro *m* de galio.

갈리다[1] [목이 잠기어 쉰 목소리가 나다] enronquecerse. 그들은 목이 갈릴 때까지 소리 질렀다 Ellos gritaron hasta enroquecer.

갈리다[2] [분열되다] dividirse, separarse, fraccionarse, repartirse. 표가 여러 후보자에게 갈렸다 Los votos se repartieron entre varios candidatos.

갈리다[3] ① [새것으로 갊을 당하다] ser sustituido, ser reemplazado. 교장이 ~ ser reemplazado el director. ② [새것으로 갈아 대게 하다] hacer reemplazar.

갈리다[4] ① [문질러 갊을 당하다] (ser) rechinado, afilado, molido. 분해서 이가 ~ ser rechinado los dientes muerto de rabia. ② [나무 그릇이 갈이칼에 잘 깎이다] ser cortado bien. ③ [문질러 갈게 하다] hacer afilar. ④ [갈이칼로 나무 그릇을 깎아서 만들게 하다] cortar.

갈리다[5] ① [논밭이 갊을 당하다] ser arado la tierra. ② [논밭을 갈게 하다] arar la tierra.

갈리시아 【지명】 Galicia. ~의 gallego.
◆이베리아 반도 북서부에 위치한 서반아의 한 지방(una región de España, al noroeste de la Península Ibérica).
▪ ~ 말 gallego *m*. ~ 사람 gallego, -ga *mf*.

갈릭(영 *garlic*) [마늘을 가루로 만든 조미료] ajo *m*.

갈릴레이 【인명】 Galileo Galilei (1564-1642). ~는 이탈리아의 수학자·물리학자·천문학자이며 1609년 베네치아에서 첫 천체 망원경을 만들었다 Galilei fue matemático, físico y astrónomo italiano, y construyó el primer telescopio astronómico en Venecia en 1609 (mil seiscientos nueve).
▪ ~식 망원경 telescopio *m* galileo.

갈릴리호(Galilee 湖) **【지명】** lago *m* de Galilea.

갈림길 ① [갈라진 길] ramificación *f*, ramal *m*; [네거리] bifurcación *f* del camino, encrucijada *f*. ② [기로(岐路)] viraje *m* decisivo, evento *m* decisivo, momento *m* crucial, momento *m* crítico, crisis *f*, borde *m*. 천하를 잡느냐 못 잡느냐의 ~이 되는 중요한 싸움 batalla *f* decisiva. 생사(生死)의 ~에 있다 encontrarse entre vida y muerte, estar en el borde entre vida y muerte. 이것이 ~이다 [승부·성공 따위의] Este constituye un viraje decisivo / Este es un momento crucial. 우리는 생사의 ~에 있다 Nos encontramos entre vida y muerte.

갈림목 bifurcación *f* de un camino, cruce *m*, empalme *m*.

갈마들다 alternar, oscilar. 그는 희망과 절망 사이에서 갈마들었다 El oscilaba entre la esperanza y la desesperación.

갈마들이다 hacer alternar.

갈마바람 ((뱃사람말)) =서남풍(西南風).

갈마보다 mirar por turno, mirar alternativamente.

갈마뿌리기 =대파(代播).

갈마쥐다 ① [한 손에 쥔 것을 다른 손에 바꾸어 쥐다] cambiar de mano a mano. ② [쥔 것을 놓고 다른 것으로 갈아 쥐다] agarrar uno tras otro.

갈말 =학술어(學術語).

갈망 control *m*, dirección *f*, administración *f*, gestión *f*. ~하다 arreglar, saber sobrellevar.

갈망(渴望) anhelo *m*, deseo *m* ardiente. ~하다 anhelar [ansiar] (*algo*) + *inf*, suspirar (por *algo*·por + *inf*), solicitar, desear vivamente, estar ansioso [sediento] (de *algo*·de + *inf*), echar de menos, echar en falta. 지적(知的)인 ~ deseo *m* intelectual. ~하고 있다 estar deseando. 나는 그녀에게 진실을 말하기를 ~하고 있었다 Yo estaba deseando decirle la verdad a ella. 우리는 그와 인사하기를 ~합니다 Estamos deseando conocerle a él. 나는 그녀가 돌아오기를 ~하고 있었다 Yo estaba deseando que ella volviera / Yo anhelaba su regreso. 그녀는 일요일이 오길 ~하고 있었다 Ella estaba deseando que llegara el domingo. 그렇게도 ~하던 순간이 왔다 Había llegado el tan anhelado [esperado] momento.

갈매¹ [갈매나무의 열매] fruto *m* del espino cerval.

갈매² [짙은 초록빛] verde *m* fuerte, verde *m* obscuro, verdor *m* espeso.

갈매기 【조류】 gaviota *f*.

갈매나무 【식물】 espino *m* cerval.

갈모 cubierta *f* impermeable para el sombrero.
 ■ 갈모 형제라 ((속담)) El hermano menor es más guapo que su hermano mayor.

갈목 espiga *f* de la caña.
 ■ ~비 escoba *f* de espigas de la caña.

갈무리 ① [물건을 잘 정돈하여 간수함] acomodo *m* de un asunto. ~하다 arreglar un asunto, volver a poner en orden. ② =저장(貯藏).

갈묻이 removimiento *m* de la tierra, cultivo *m*, labranza *f*. ~하다 remover la tierra, cultivar, labrar.

갈미 【동물】 =광삼(光蔘).

갈민 대우(渴民待雨) Los agricultores esperan la lluvia con ahinco en la sequía.

갈바람¹ ((뱃사람말)) =남서풍. 서풍(西風).

갈바람² ((준말)) =가을바람.

갈바래다 remover la tierra y exponer al sol y al viento.

갈반(褐斑) mancha *f* morena.

갈범 【동물】 =범(tigre).

갈병(暍病) =일사병(日射病).

갈보 ① [웃음과 몸을 파는 여자] prostituta *f*, puta *f*, ramera *f*. ~ 노릇을 하다 prostituirse. ② ((속어)) =빈대.
 ■ ~집 brudel *m*, casa *f* pública de mujeres mundanas, mancebía *f*.

갈분(葛粉) arrurruz *m*, fécula *f* de maranta.

갈붙이다 alienar, separar.

갈비¹ ① =갈비뼈. 늑골(肋骨). ② [소의 가슴뼈] costilla *f* [chuleta *f*] de vaca. ③ [몹시 마른 사람] persona *f* muy flaca.
 ■ ~뼈 【해부】 =늑골(肋骨). 갈빗대. ~살 carne *f* de vaca de junto a las costillas. ~새김 carne *f* pelada de las costillas de vaca o cerdo. ~씨 persona *f* muy flaca. ~조림 *galbichorim*, costillas *fpl* de vaca hirviendo bien condimentando. ~찜 *galbichim*, costillas *fpl* cortadas cocinadas al vapor. ~탕 =가릿국. ~ㅅ대 costilla *f*. ¶~를 부러뜨리다 romper costillas. ~가 휘다 (ser) laborioso, arduo, agotador, exte- nuante, pesado, difícil.

갈비² 【건축】 anchura *f* del tejado.

갈비³ [낙엽진 솔잎] hojas *fpl* del pino caídas.

갈비⁴ ((준말)) =갈목비.

갈사(暍死) muerte *f* de sed, muerte *f* de calor. ~하다 morir de sed, morir de calor.

갈색(褐色) color *m* marrón, color *m* castaño, color *m* pardo, color *m* moreno. ~의 marrón, moreno, castaño, pardo. 짙은 ~의 de color castaño o(b)scuro [pardo quemado].
 ■ ~ 인종(人種) raza *f* morena. ~ 착색제 colorante *m* para salsas. ~토(土) tierra *f* morena. ~ 화약 pólvora *f* morena.

갈색곰(褐色－) 【동물】 =불곰.

갈서다 estar de pie hombro con hombro.

갈수(渴水) carestía *f* de agua.
 ■ ~기 temporada *f* de sequía, período *m* de sequedad. ~량 flujo *m* mínimo. ~위(位) nivel *m* del agua de sequía.

갈수록 más, más y más, gradualmente. 매상이 ~ 증가했다 Las ventas aumentaron gradualmente hacia el final del período.
 ◆ 갈수록 태산이다 Salir de las llamas y caer en las brasas / Salir de Herodes y entrar en Pilatos.

갈씬거리다 casi alcanzar.

갈씬하다 casi llegar.

갈아내다 sustituir, reemplazar.

갈아대다 cambiar, sustituir, reemplazar.

갈아들다 mudarse, cambiarse.

갈아들이다 cambiar, sustituir, reemplazar.

갈아붙이다 pegar de nuevo.

갈아입다 ponerse cambiado (el vestido), 옷을 ~ cambiarse de vestido [de ropa], mudar de vestido [de ropa]. 파자마를 ~ ponerse en pijama. 계절에 따라 옷을 ~ cambiar de vestidos según la estación. 갈아입을 옷이 없다 no tener otro vestido para ponerse [para cambiarse]. 갈아입을 옷 vestido *m* disponible; [바지를 갖춘] muda *f*.

갈아주다 ① [장수에게 이를 붙여 주고 물건을 사다] comprar. ② [새것으로 갈음하여 주다] cambiar, renovar. 기저귀를 ~ cambiar de pañal. 욕조(浴槽)에 물을 ~ volver a llenar el agua en la bañera, rellenar el agua en la bañera.

갈아타다 trasbordar, tra(n)sbordar, cambiar, hacer un tra(n)sbordo, cambiar de tren. A에서 B로 ~ transbordar(se) de A a B, hacer transbordo de A a B. 갈아탐 tra(n)sbordo *m*, cambio *m*. 갈아타는 역 estación *f* de trasbordo, estación *f* de cambio, empalme *m*. 갈아타는 표 billete *m* de trasbordo. 갈아타지 아니하고 sin trasbordar, sin cambiar, directamente. 버스를 ~ cambiar de autobús. 다른 배로 ~ tra(n)sbordar a otro barco. 구명 보트에 ~ subir al bote salvavidas. 대전역에서 호남선으로~ cambiar [hacer trasbordo] a la línea Honam en la estación de Daecheon. 서울 방면(方面)은 다음 역에서 갈아타십시

오 Para Seúl hagan trasbordo en la próxima estación / Cámbiese de tren en la próxima estación para Seúl.

갈음 (el) sustituir, (el) cambiar. ～하다 sustituir, cambiar.

갈음질 (el) moler, (el) afilar, (el) amolar. ～하다 moler, afilar, amolar.

갈이[1] [논밭의] arado *m*, cultivo *m*. ～하다 arar, cultivar.
■ ～질 arado *m*, cultivo *m*. ¶～하다 arar, cultivar.

갈이[2] [갈아댐] cambio. ～하다 cambiar.

갈잎 ① ＝낙엽(落葉). ② ((준말)) ＝떡갈잎.

갈잎나무【식물】árbol *m* de hoja caduce, árbol *m* caedizo, árbol *m* caducifolio. ☞낙엽수. 낙엽송

갈증(渴症) sed *f*. ～을 풀다 apagar [calmar · satisfacer · aplacer · mitigar] la sed.
◆갈증(이) 나다 tener sed. 나는 무척 갈증이 난다 Tengo mucha sed. 갈증이 납니까? — 예, 갈증이 납니다 ¿Tiene usted sed? — Sí, tengo sed. 너 갈증 나니? — 아니, 난 갈증이 나지 않아 ¿Tienes sed? — No, no tengo sed.

갈지개【조류】halcón *m* que tiene un año.

갈지자걸음(－之字－) paso *m* vacilante. ～을 걷다 caminar abriendo las piernas, andar [ir] haciendo eses.

갈지자형(－之字形) zigzag *m*, zigzagueo *m*. ～으로 en zigzag, zigazagueando.

갈진(竭盡/渴盡) agotamiento *m*. ～하다 (estar) agotado, exhausto.

갈쭉하다 (ser) espeso. 갈쭉한 국 sopas *fpl* espesas.
갈쭉히 espesamente.

갈참나무【식물】roble *m* blanco.

갈채(喝采) aplauso *m*, aclamación *f*, vítores *mpl*, vivas *mpl*. ～하다 aplaudir, aclamar, palmear, palmotear, vitorear, dar vivas. ～를 받다 ser aplaudido, ganar(se) [recibir] los aplausos (de), promover aplausos. 나는 ～를 받으면서 연단(演壇)을 내려왔다 Entre aplausos yo bajé de la plataforma.
◆큰 ～ aplausos *mpl* atornados, lluvia *f* de aplausos.

갈철(褐鐵)【광물】limonita *f*.
■ ～광(鑛)【광물】＝갈철(褐鐵).

갈초(－草) heno *m* de(l) invierno.

갈충 보국(竭忠報國) ＝진충 보국(盡忠報國).

갈취(喝取) extorsión *f*, exacción *f*. ～하다 extorsionar, sacar [obtener] por fuerza.

갈치【어류】espadín *m* (*pl* espadines).

갈퀴 rastrillo *m*, rastro *m*. 나무 ～ rastrillo *m* de madera. 대나무 ～ rastrillo *m* de bambú, rastro *m* de bambú. ～로 긁어 모으다 rastrillar. 낙엽을 ～로 긁어 모으다 recoger las hojas caídas con el rastrillo, rastrillar las hojas caídas.
■ ～나무 hojas *fpl* muertas [hierbas *fpl* secas] para el combustible. ～질 rastrillaje *m*, recogimiento *m* con un rastrillo. ¶～하다 recoger con un rastrillo, rastrillar. ～ㅅ발 dientes *mpl* de un rastrillo.

갈퀴다 rastrillar, recoger con un rastrillo.

갈퀴덩굴【식물】persera *f*, amor *m* de hortelano.

갈퀴손【식물】＝덩굴손.

갈탄(褐炭) lignito *m*.

갈탕(葛湯) atole *m* de arrurruz.

갈파(喝破) proclamación *f*. ～하다 expresarse vehementemente [concisamente], proclamar, declarar.

갈파래【식물】＝청태(靑苔).

갈팡질팡 con confusión. ～하다 desconcertarse, desatinar, perder el rumbo, confundirse, turbarse, aturdirse, azorarse, perder la serenidad, quedar(se) confuso [perplejo · embarazado], no saber qué hacer. 대답에 ～하다 no saber qué contestar. 나는 완전히 ～했다 Quedé completamente confuso. 그녀는 나를 보자 ～했다 Ella se turbó al verme. 우리들은 ～했다 Respondimos desconcertado [todo confuso · lleno de confusión].

갈포(葛布) tela *f* de arrurruz.
■ ～ 벽지(壁紙) papel *m* de empapelar de arrurruz.

갈피 ① [요점] punto *m* principal. ② [겹치거나 포갠 물건의 하나하나의 사이] espacio *m* entre pliegues [páginas].
◆갈피를 못 잡다 quedar(se) confuso [perplejo · embarazado], no saber qué hacer. ¶갈피를 못 잡고 sin vacilar, sin vacilaciones. 어떻게 대답할지 ～ no saber qué contestar. …하는데 ～ vacilar [titubear] en + *inf* [en *algo*]. …하는데 갈피를 못 잡고 있다 estar vacilante [indeciso] en + *inf* [en *algo*]. A와 B 사이에서 ～ vacilar [fluctuar · dudar] entre A y B. 판단에 ～ vacilar en la decisión [en el juicio]. 그녀는 어떤 것을 고를지 갈피를 못 잡고 있다 Ella está indecisa sobre cuál escoger. 그는 집을 팔까 말까 갈피를 못 잡고 있다 El duda si vender la casa o no. ② [책 따위의] espacio *m* entre pliegues [páginas].
갈피갈피 hojas tras hojas, página tras página, uno a uno, uno por uno. 책을 ～ 넘기다 pasar [volver] las páginas.

갈하다(渴－) tener sed.

갈호(蝎虎)【동물】＝도마뱀붙이.

갈화(葛花) flores *fpl* de un arrurruz.

갉다 ① [날카로운 끝으로 물체를 박박 문지르다] roer, arañar, rayar. 개가 뼈를 갉고 있었다 El perro roía un hueso. ② [갈퀴 따위 기구로써 빗질하듯이 하여 끌어들이다] recoger (con un rastrillo). ③ [좀스럽게 헐뜯다] criticar por criticar. ④ [비열한 짓으로 약자(弱者)의 재물을 단작스럽게 훑어 들이다] exhortar.
갉아먹다 ㉮ [이로 갉아서 조금씩 먹다] roer, morder, mordiscar, mordisquear, ratonar, tascar, comer a bocaditos. 사과를 ～ morder la manzana. 쥐가 벽을 갉아먹었다 La pared fue roída por los ratones. 쥐는 보는 것은 무엇이나 갉아먹는다 Los ratones roen todo lo que encuentran. ㉯ [남

의 재산을 비열한 짓으로 단작스럽게 빼앗아 가지다] exhortar.

갉작거리다 roer y roer.

갉작갉작 royendo y royendo. ~하다 estar royendo y royendo.

갉죽거리다 =갉작거리다.

갉히다 =긁히다.

감[1] [감나무의 열매] caqui *m*, kaki *m*, nispero *m* coreano. 우린 ~ caqui *m* sazonado en tonel.

감[2] ① [재료] material *m*. ② [인재] persona *f* conveniente. ③ ((준말)) =감돌. ④((준말)) =감흙. ⑤ [「감²❶」의 수를 나타냄] *gam*, muestra *f*. 저고리 두 ~ dos muestras de *cheogori* [blusa coreana]. 치마 한 ~ una muestra de *chima* [falda coreana].

감(感) ① [생각] intuición *f*, instinto *m*, olfato *m*; [느낌] sensación *f*, sentido *m*, percepción *f*, sentimiento *m*; [인상] impresión *f*, inspiración *f*. ~을 주다 impresionar. 나는 그것이 위조라는 것을 ~으로 알았다 Por intuición supe que era imitación. ② ((준말)) =감도(感度).

감(減) ① ((준말)) =감법(減法). ② ((준말)) =감산(減算). ③ [줄임·덤] reducción *f*, disminución *f*, decremento *m*, mengua *f*, merma *f*. ~하다 reducir, disminuir. 1할 ~ disminución *f* del diez por ciento. 매상이 예상보다 3할 ~이었다 Las ventas han arrojado un diez por ciento menos de lo esperado.

감(龕) ((준말)) =감실(龕室).

-감(感) sensación *f*, sentimiento *m*, sentido *m*. 공복~ un sentido de hambre.

감가(減價) reducción *f* de precio, descuento *m*; [가치 감소] depreciación *f*, amortización *f*. ~하다 reducir el precio, descontar, depreciar.

◆자산(資産) ~ depreciación *f* de activos.

▪~ 상각 amortización *f*, depreciación. ~ 상각비 coste *m* de depreciación, coste *m* amortizable, *AmL* costo *m* amortizable, costo *m* de depreciación. ~ 상각비 보험 seguro *m* de depreciación. ~ 상각액 cantidad *f* de depreciación, cantidad *f* amortizable. ~ 상각 자산 activo *m* amortizable. ~ 상각 적립금[준비금] fondo *m* de depreciación, fondo *m* de amortización, reserva *f* para depreciación, amortización *f* acumulada. ~판매 venta *f* de descuento.

감각(減却) reducción *f*, disminución *f*. ~하다 reducir, disminuir.

감각(感覺) sentido *m*, sensación *f*, sentimiento *m*; [감성(感性)] sensibilidad. ~의 sensual, sensorio, sensacional, sensorial. 예술적 ~ *su* sentido artístico. 음악적 ~ *su* sentido musical. ~을 잃다 perder sentido. 전통 예술(傳統藝術)에 새로운 ~을 불어넣다 introducir un sentido nuevo en el arte tradicional. 나는 ~이 무디다 Tengo una sensibilidad pasada de moda. 그는 미적(美的) ~이 뛰어나다 El tiene un gran sentido de la estética. 이 아이는 색채(色彩)에 대한 ~이 없다 Este niño no tiene el sentido del color. 나는 추위로 손가락의 ~이 무더졌다 Mis dedos están entumecidos por el frío. 식물은 ~이 없는 것 같다 Parece que las plantas no tienen sentidos.

◆거리 ~ sentido *m* de distancia. 시간 ~ sentido *m* de tiempo. 피부 ~ sensación *f* cutánea.

▪~ 감퇴(減退) hipoestesia *f*. ~ 과민(過敏) hiperestesia *f*, hipersensibilidad *f*. ~권 círculo *m* sensorial ~ 기관 órgano *m* sensorio, órgano *m* de los sentidos. ~ 기관학 estofisiología *f*. ~ 기능 función *f* sensoria. ~기학(器學) estematología *f*. ~력 sensibilidad *f*. ~론 sensualismo *m*. ~ 마비(痲痺) parálisis *f* sensorial. ~모(毛) ㉮【동물】pelo *m* sensorial. ㉯【식물】pelo *m* sensible. ~ 묘사 descripción *f* sensual. ~미 belleza *f* sensual. ~ 박탈 privación *f* sensorial. ~ 생리학 estesiofisiología *f*, estofisiología *f*. ~ 세포 célula *f* sensorial. ~ 식물 planta *f* sensible. ~ 신경(神經) nervio *m* sensitivo, nervio *m* sensorio. ~ 이상 parestesia *f*. ~ 자료 dato *m* de sentido. ~적 sensacional, sensorio, sensual, sensato. ¶~으로 sensualmente, con sensualidad, con sensatez. ~ 표현 descripción *f* sensual. ~주의 sensualismo *m*. ~주의자 sensualista *mf*. ~ 중추 centro *m* de sentido, sensorio *m* (común). ~ 착오 errores *mpl* de sentido. ~ 파(派) sensualistas *mpl*. ~학 estesiología *f*.

감감 ((준말)) =감감히.

▪~ 무소식(無消息) =감감 소식. ¶~이다 no haber noticias algunas, no saber lo que se pesca. ~ 소식(消息) No hay ninguna noticia (por) mucho tiempo.

감감하다 no tener noticias.

감감히 sin noticias algunas, sin ningunas noticias.

감개(感慨) emoción *f* (profunda), sensación *f*. ~에 잠기다 dejarse llevar por una emoción profunda.

▪~ 무량(無量) emoción *f* sin fin. ¶~하다 estar lleno de emoción profunda, sentirse embargado por una profunda emoción, estar emocionado sin medida. ~한 얼굴로 con la cara emocionada.

감격(感激) emoción *f* (profunda), conmoción *f*, impresión *f* emocional, entusiasmo *m*. ~하다 emocionarse, conmoverse, impresionarse mucho, sentir una honda emoción, entusiasmarse. ~시키다 impresionar, emocionar, conmover, excitar, afectar, dar impresión profunda, entusiasmar, causar entusiamo. ~의 눈물 lágrimas *fpl* de emoción, emotivas lágrimas. 몹시 ~하다 sentir una honda emoción, emocionarse [conmoverse] hondamente. ~해서 눈물을 흘리다 llorar poseído de una descriptible emoción, echarse a llorar de emoción. ~에 겨운 모습으로 con honda emoción, con un aspecto muy emocionado. 그는 그 말에 무

척 ~했다 El se conmovió profundamente al oir el relato / El relato lo dejó profundamente conmovido. 나는 원작(原作)을 읽고 새로운 ~을 맛보았다 Leyendo el original experimenté una emoción nueva / La lectura del original me produjo una emoción nueva. 그는 ~의 눈물을 흘렸다 Se le saltaron las lágrimas con la emoción / Se le arrasaron los ojos en lágrimas de emoción / El sollozó emocionado / A él le brotaron las lágrimas de emoción [las emociones lágrimas]. 나는 그의 작품에 굉장한 ~을 느꼈다 Yo sentí un gran entusiasmo por su obra.

■ ~적(的) emocionante, impresionante, entusiasta (남녀 동형). ¶~인 만남 encuentro *m* emocionante. ~인 어조로 con acento entusiasta.

감경(減輕) reducción *f*, mitigación *f*. ~하다 reducir, mitigar.

감고(甘苦) ① [단것과 쓴 것] lo dulce y lo amargo. ② [고락(苦樂)] dulzura y amargura de la vida, alegría y pena, alegría y tristeza. ~의 노력 esfuerzo *m* arduo.

감고(勘考) =숙고(熟考).

감곡(嵌谷) cueva *f* del monte.

감과(甘瓜) melón *m* (*pl* melones).

감과(坩堝) crisol *m*.

감곽(甘藿) 【식물】=미역.

감관(感官) órgano *m* de sentido.

감광(減光) 【천문】 extinción *f*. ~하다 irse atenuando.

감광(感光) exposición *f*, sensibilización *f*. ~하다 exponerse a la luz. ~시키다 impresionar, exponer a luz. 이 필름은 ~되어 있다 Esta película ha quedado expuesta a la luz.

■ ~계(計) sensitómetro *m*. ~ 기록 계기 fotorregistrador *m*. ~도 sensibilidad *f*. ~면 superficie *f* fotosensible. ~성 sensibilidad *f*. ~약 amboceptor *m*, sensibilizador *m*. ~ 재료 material *m* sensitivo. ~제[유제] sensibilizador *m*, emulsión *f*. ~지(紙) papel *m* sensible (fotográfico). ~체 receptor *m* visual. ~ 측정 sensitometría *f*. ~판 plancha *f* sensibilizada. ~ 필름 película *f* sensitiva.

감군(減軍) reducción *f* de ejércitos. ~하다 reducir los ejércitos.

감궂다 (ser) atroz, malvado, feroz, diabólico.

감귤(柑橘) mandarina *f*, tangerina *f*, naranja *f*. ~ 농장(農場) huerto *m* [plantación *f*] de mandarinas.

감귤나무(柑橘−) mandarino *m*, tangerino *m*, naranjo *m*.

감귤류(柑橘類) agrios *mpl*, auranciáceas *fpl*.

감극(減極) 【물리】 =소극(消極).

감금(監禁) prisión *f*, encierro *m*, reclusión *f*, confinamiento *m*, detención *f*, encarcelación. ~하다 encerrar, aprisionar, recluir, confinar. 방에 ~하다 confinar en una habitación [un cuarto]. 대통령은 관저에 ~되어 있다 El presidente está detenido en el Palacio Presidencial [su residencia oficial]. 그들은 병영에 ~되어 있었다 Ellos estaban retenidos en el cuartel / Ellos estaban arrestados.

◆불법(不法) ~ prisión *f* ilegal, detención *f* ilegal.

감급(減給) reducción *f* [descuento *m*] del sueldo [salario · pago]. ~하다 reducir el sueldo [salario · pago]. 10퍼센트의 ~ reducción *m* de diez por ciento del sueldo. ~ 처분을 하다 imponer (a *uno*) una reducción del sueldo.

감기(疳氣) 【한방】 =감병(疳病).

감기(感氣) resfriado *m*, catarro *m*, constipado *m*; [유행성 감기] gripe *f*, influenza *f*, trancazo *m*. 심한 ~ resfriado *m* grave [fuerte · terrible], mala gripe *f*. 가벼운 ~ resfriado *m* leve, gripe *f* ligera, pequeño *m* catarro. 여름 ~ resfriado *m* veraniego [de verano]. ~에 걸리다, ~를 앓다 resfriarse, coger un resfriado [un frío · un catarro], pescar [pillar · agarrar] un resfriado. ~에 걸려 있다, ~를 앓고 있다 estar con gripe, estar resfriado, tener un resfriado. 쉬 ~에 걸리다 resfriarse fácilmente, ser propenso a los resfriados [a catarros · a resfriarse]. ~ 기운이 약간 있다 estar levemente resfriado, sentirse un poco constipado, tener un pequeño catarro. 나는 ~ 걸렸다 Cogí un resfriado. 나는 ~ 걸려 있다 Tengo (un) resfriado. ~ 조심하세요 [usted에게] Tenga (mucho) cuidado con resfriado / [ustedes에게] Tengan cuidado con resfriado / [tú에게] Ten cuidado con resfriado / [vosotros에게] Tened cuidado con resfriado. ~에 조심합시다 Tengamos [Vamos a tener] cuidado con resfriado. 나는 어제부터 ~입니다 Estoy resfriado desde ayer / Tengo catarro desde ayer. ~가 쉬 낫지 않는다 No puedo librarme [recobrarme] del catarro / No se me pasa [cura] el resfriado. ~ 기가 가시지 않는다 No hay modo de escapar del resfriado. ~가 유행되고 있다 Hay mucha (epidemia de) gripe. 나는 그에게서 ~가 옮았다 Me ha pasado su constipado / Me ha pegado su constipado.

■ ~약(藥) pastilla *f* para la tos, medicina *f* para el resfriado, medicina *f* para el constipado, anticatarral *m*.

감기(感起) =분기(奮起).

감기다[1] [눈이] cerrarse. 눈이 ~ cerrarse los ojos.

감기다[2] ① [실이나 끈 따위가] enrollarse, arrollarse, enroscarse; [사람에게] pegarse, rondar (a *uno*). 뱀이 먹이에 감긴다 Una serpiente enrosca alrededor de su presa. ② [실 따위를 감게 하다] enrollar.

감기다[3] [눈을 감게 하다] hacer cerrar los ojos.

감기다[4] [머리나 몸을 씻게 하다] (hacer) lavar. 멱을 ~ lavar, bañar.

감나무 【식물】 caqui *m*, kaki *m*.

감내(堪耐) perseverancia *f*, paciencia *f*. ~하다 tener paciencia, aguantar, tolerar, soportar, sufrir, perseverar. ~하기 어려운 intolerable, insufrible, insoportable, inaguantable.

감노(監奴) jefe *m* de los esclavos.

감뇨증(減尿症) oliguria *f*.

감다[1] [눈을] cerrar. 눈을 감고 con los ojos cerrados. 눈을 ~ cerrar los ojos. 한 쪽 눈을 ~ cerrar un ojo. 눈을 감아라 Cierra los ojos. 눈을 감으세요 Cierre los ojos. 눈을 감지 마라 No cierres los ojos. 눈을 감읍시다 Cerremos los ojos / Vamos a cerrar los ojos.

감다[2] ① [실을] devanar; [축 따위를] enrollar; [둥글게] enroscar. 손가락에 붕대를 ~ vendar un dedo. 몸에 타월을 ~ envolverse con una toalla. 실패에 실을 ~ devanar un hilo, devanar una madeja, arrollar un hilo, hacer un ovillo con el hilo. 시계 태엽을 ~ dar cuerda al reloj. 뱀이 나뭇가지에 감는다 La culebra se enrosca a la rama de un árbol. ② [휘감다] envolver, rodear. 그녀는 팔을 그의 몸에 감았다 Ella le rodeó el cuello con los brazos. ③ [감아서 묶다] atar. ④ ((속어)) [옷을 입다] ponerse, llevar.

감다[3] [씻다] lavarse, bañarse. 머리를 ~ lavarse el cabello. 미역 ~ lavarse, bañarse.

감다[4] [빛깔이 먹빛과 같다] ser negro como el carbón.
감은빛 color *m* del carbón.

감당(勘當) desheredación *f*, exheredación *f*. ~하다 desheredar, exheredar. ~할 수 있다 ser apto [adecuado] (para), tener madera (para · de). 나는 그 일을 ~할 수 없다 Yo no soy apto para ese trabajo.

감도(感度) sensibilidad *f*. ~가 좋은 muy sensible. ~가 나쁜 poco sensible. 이 라디오는 ~가 좋다 Esta radio tiene gran sensibilidad
◆고(高)~ 필름 película *f* pronta. 저(低)~ 필름 película *f* lenta.
■~ 시험 prueba *f* de sensibilidad. ~ 측정 sensitometría *f*.

감독(監督) ① ㉮ [지도(指導)] dirección *f*; [사람] director, -ra *mf*. ㉯ [감시] supervisión *f*, vigilancia *f*; [사람] supervisor, -ra *mf*; vigilante *mf*. ㉰ [시찰] inspección *f*; [사람] inspector, -ra *mf*. ㉱ [관리] superintendencia *f*, custodia *f*; [사람] superintendente *mf*. ~하다 dirigrir, supervisar, vigilar, inspeccionar, custodiar, revistar, superintender. …의 ~ 아래 bajo (la) dirección de *uno*. ~ 부족으로 por falta de supervisión. 정부의 ~ 아래 놓다 colocar bajo el control del gobierno. 시험 ~을 하다 vigilar el examen. 직공을 ~하다 vigilar los obreros. ② [영화의] dirección *f*; [사람] director, -ra *mf* (de cine); realizador, -ra *mf*. ~하다 dirigir. ③ ((감리교)) obispo *m*. ④ ((운동)) entrenador, -ra *mf*; seleccionador, -dora *mf*; ((축구)) director *m* técnico. 선수 겸 ~ director-jugador *m*. 선수 아닌 ~ director-banca *m*. ~을 임명하다 nombrar al entrenador [seleccionador]. ~을 해임하다 despedir al entrenador [seleccionador]. 외국인 ~을 영입하다 invitar a un entrenador [un seleccionador] extranjero. ⑤ [각종 공사장의] capataz *mf* (*pl* capataces).
◆공사 ~ capataz *mf*. 공장 ~ inspector, -tora *mf* de una fábrica. 국가 대표팀 ~ entrenador, -dora *mf* [seleccionador, -dora *mf*] nacional. 기술 ~ director *m* técnico, directora *f* técnica. 농장 ~ alguacil *mf* en agricultura. 대리 ~ ((야구)) entrenador *m* interino. 무대 ~ director, -tora *mf* de escena. 미술 ~ decorador, -dora *mf*. 시험 ~ persona *f* que supervisa un examen; investigador, -dora *mf*. 영화 ~ director, -tora *mf* (de cine). 음악 ~ director, -tora *mf* de música. 조(助)~ ayudante *mf* de dirección. 총(總)~ ((야구)) entrenador *m* general. 판매장 ~ jefe, -fa *mf* de vendedores. 현장(現場) ~ capataz *mf*; supervisor, -sora *mf*.
■~관 superintendente *mf*; [호텔 · 수영장 등의] encargado, -da *mf*; [빌딩의] portero, -ra *mf*; [공공 시설의] director, -tora *mf*. ~ 관청 oficina *f* de supervisor, autoridad *f* con petente. ~ 교회(教會) la Iglesia Episcopaliana, la Iglesia Episcopal. ~ 교회원 miembro *mf* de la Iglesia Episcopaliana [Episcopal]. ~국 departamento *m* de inspección. ¶광산 ~ departamento *m* de inspección de minas. ~ 기관 instituciones *fpl* competentes. ~ 대리 ((종교)) intendente *mf*. ~생 encargado, -da *mf*; monitor, -tora *mf*. ~자 superintendente *mf*. ~ 제도 [교회의] sistema *m* episcopal. ~ 판사 juez *mf* que preside. ~ 행정(行政) administración *f* de supervisor.

감돈(嵌頓) 【의학】 incarceración *f*.

감돌다 rodar, girar, encorvarse.

감돌이 persona *f* de espíritu materialista.

감동(感動) emoción *f*, impresión *f*, sensación *f*. ~하다 emocionarse [conmoverse · impresionarse] (por · de). ~하기 쉬운 emotivo, impresionable, sensible. ~시키다 conmover, emocionar, inpresionar, causar [producir] emoción [impresión] (en). 소년 소녀의 마음을 ~시키는 이야기 historia *f* que conmueve a los muchachos. 나는 그 광경을 보고 ~되었다 Me impresionó el espectáculo / Me impresioné ante aquella escena. 나는 그의 말을 듣고 ~했다 Me emocioné escuchando lo que deciía. 그는 ~되어 눈물을 흘렸다 Las lágrimas se le saltaron de emoción / Derramó lágrimas de emoción. 그녀는 쉬 ~한다 Ella es una sentimental que llora por nada. 그 여아는 쉬 ~하는 소녀다 Es una niña que se impresiona fácilmente. 그의 겸손은 우리를 ~시켰다 Nos ha impresionado su humildad.

■ ~적 emocionante, impresionante, conmovedor. ¶~으로 emocionantemente, impresionantemente, conmovedoramente.

감둥 negro. ~ 강아지 perrito *m* negro.

감득(感得) sentimiento *m*, realización *f*, percepción *f*. ~하다 sentir, realizar; [눈치채다] percibir.

감등(減等) conmutación *f*. ~하다 conmutar. 형(刑)을 ~하다 conmutar la sentencia., conmutar la pena.

감디감다 (ser) muy negro, negrísimo.

감때(가) 사납다 (ser) brusco, basto, rudo, feroz.

감때(가) 세다 =감때(가) 사납다.

감떡 *gamtteok*, tarta *f* [pastel *m*] de harina de arroz y caqui.

감또개 caqui *m* joven caído del árbol.

감람(甘藍) 【식물】 col *f*, berza *f*.

감람(橄欖) 【식물】 [감람나무의 열매] aceituna *f*, oliva *f*.

■ ~과(果) aceituna *f*, oliva *f*. ~ 녹색(綠色) color *m* de olivo. ~목(木) ((성경)) madera *f* de olivo. ~ 밭 olivar *m*. ~색(色) ((준말)) =감람 녹색. ~석 (石) olivino *m*, olivina *f*, peridoto *m*. ~ 열매 oliva *f*, aceituna *f*. ~원 olivar *m*. ~유(油) aceite *m* de oliva; ((성경)) aceite *m*.

감람나무(橄欖－) 【식물】 olivo *m*. ~ 가지 rama *f* de olivo.

감람산(橄欖山) 【지명】 ((성경)) la cuesta de los Olivos, el Monte de los Olivos.

감람수(橄欖樹) 【식물】 =감람나무.

감량(減量) disminución *f*, pérdida *f* de cantidad. ~하다 [몸의] disminuirse el peso. 체중(體重)의 ~ disminución *f* de peso.

감례(甘醴) =단술. 감주(甘酒).

감로(甘露) ① [단 이슬] rocío *m* dulce, nectar *m*. ② ((불교)) *sáns* amrta. ③ [단 액즙] nectar *m*. ④ [알맞게 내려 생물에게 이로운 이슬] rocío *m* beneficioso. ⑤ ((준말)) =감로수(甘露水). ⑥ ((준말)) =감로주(甘露酒).

■ ~수(水) el agua *f* dulce. ~주(酒) licor *m* dulce.

감루(感淚) lágrima *f* de emoción, lágrima *f* de gratitud. ~를 흘리다 derramar lágrima de gratitud, sollozar emocionado.

감률(甘栗) ① [맛이 단 밤] castaña *f* dulce. ② [구운 밤] castaña *f* quemada.

감리(監理) ① [감독하고 관리함] supervisión *f*, superintendencia *f*, control *m*, administración *f*, dirección *f*, gestión *f*. ~하다 dirigir, administrar, controlar, supervisar, superentender, inspeccionar, vigilar. ② 【역사】 jefe *m* del Comercio del Puerto.

감리교(監理敎) la Iglesia Metodística.

■ ~ 교도 metodista *mf*. ~ 신자 metodista *mf*. ~파 metodismo *m*.

감리 교회(監理敎會) la Iglesia Metodística.

감리사(監理師) ((감리교)) superintendente *mf* de la Distrito Metodista.

감마(減摩/減磨) ① [닳아서 줄어듦] reducción *f* debido a los gastos. ② [마찰을 적게 함] reducción *f* de fricción.

■ ~유(油) =윤활유. ~제(劑) lubricante *m*.

감마 [그리스 자모의 셋째 글자] Γ, γ *f*.

■ ~ 글로불린 gamma-globulina *f*. ~ 방사선 radiación *f* gamma.

감마선(gamma 線) rayo(s) *m*(*pl*) gamma.

■ ~ 광자(光子) fotón *m* gamma. ~ 분광계 espectrómetro *m* gamma. ~ 망원경 telescopio *m* de rayos gamma. ~ 방사 코발트 육십 cobalto-60 emisor de rayos gamma. ~ 방사 동위 원소 (放射同位元素) isótopo *m* emisor de partículas gamma.

감매(監寐) siempre. ~에도 잊지 못하던 조국 patria *f* que no me olvidé siempre.

감면(甘眠) =단잠.

감면(酣眠) =감와(酣臥).

감면(減免) reducción y exención; [세금의] exención *f* [reducción *f*] de impuestos; [형벌의] conmutación *f* de la pena. ~하다 [세금을] hacer una reducción [una exención] de impuestos; [형벌을] conmutar [remitir] la pena.

◆ 세금(稅金) ~ reducción *f* de impuestos.

■ ~ 소득 reducción y exención de ingresos. ~ 조건 condición *f* de reducción y exención.

감명(感銘) emoción *f*, impresión *f* profunda. ~을 받다 emocionarse [impresionarse · sentir emoción] (por). ~을 주다 dar una impresión profunda, emocionar, conmover. 나는 그 책을 읽고 ~을 받았다 Me emocioné leyendo ese libro.

■ ~적 emocional, emocionante.

감모(減耗) agotamiento *m*. ~하다 agotar. ~되다 agotarse.

감모(感冒) =감기(感氣).

감문(監門) portero *m*.

감물 jugo *m* áspero del caqui verde.

감미(甘味) sabor *m* dulce, sabor *m* azucarado, dulzura *f*.

◆ 감미(가) 돌다 tener (un) sabor [gusto] dulce, saber dulce.

감미롭다 tener un sabor dulce, ser dulce. 감미로운 dulce, delicioso, exquisito, meloso. 감미로운 목소리 voz *f* dulce, voz *f* melosa. 감미로운 음악 música *f* exquisita, música *f* melosa. 감미로운 추억 memorias *fpl* dulces.

■ ~료 dulzura *f*, dulcificante *m*. ¶인공(人工) ~ dulcificante *m* artificial.

감미(甘美) lo dulce y lo sabroso. ~하다 (ser) dulce y sabroso.

감발 vendaje *m* de algodón para envolver los pies. ~하다 vendar *sus* pies con vendajes.

감발(勘發) =견책(譴責).

감발(感發) =감분(感奮).

감발쩌귀 adulador, -ra *mf*, sicofante *mf*.

감방(監房) celda *f*.

감배(減配) ① [배당의] reducción *f* [disminución *f*] de dividendo. ~하다 reducir [disminuir] el dividendo. 10퍼센트 ~하다 reducir el dividendo en diez por ciento. ②

[배급의] reducción *f* [disminución *f*] de la ración. ~하다 reducir [disminuir] la ración.
감법(減法) 【수학】 resta *f*, substracción *f*.
감별(鑑別) discernimiento *m*, distinción *f*, diferenciación *f*, reconocimiento *m*. ~하다 discernir, distinguir, diferenciar; determinar; reconocer. 병아리(의 암수)를 ~하다 sexar (los polluelos), separar [determinar] el sexo de un polluelo.
■ ~법 diferenciación *f*, disernimiento *m*. ~사 discernidor, -dora *mf*. ¶병아리 ~ sexador, -dora *mf* de polluelos; separador, -dora *mf* [discernidor, -dora *mf*] del sexo de polluellos.
감복(感服) admiración *f*. ~하다 admirar, admirarse (de). 지극히 ~했습니다 Me he quedado admirado de eso / Eso me ha dejado admirado.
감복숭아 【식물】 almendro *m*; [열매] almendra *f*.
감봉(減俸) reducción *f* [descuento *m*] del sueldo [del salario]. ~하다 reducir el salario [el sueldo]. ~ 처분을 하다 imponer una reducción del sueldo.
감분(甘粉) =감자 녹말.
감분(感奮) =감분(感憤).
감분(感憤) =감격(感激).
감빛 color *m* del kaki maduro.
감빨다 ① ㉮ [감칠맛 있게 빨다] lamer con un buen apetito. ㉯ [맛있게 먹다] comer con un buen apetito. ② [이익을 탐내다] buscar interés personal, codiciar *sus* posesiones.
감빨리다 ① [입맛이 당기다] tener un apetito fuerte, tener un buen apetito. ② [이익이 탐나서 욕심이 생기다] estar tentado de ganancia.
감사(甘辭) =감언(甘言).
감사(感謝) agradecimiento *m*, gratitud *f*, reconomiento *m*. ~하다 agradecer, dar las gracias. ~하는 agradecido, reconocido. ~하게 agradecidamente. ~하게도 con agradecimiento, con gratitud. ~의 표시로 en señal de agradecimiento. ~의 말을 하다 pronunciar unas palabras de [expresar *su*] agradecimiento. …을 ~하게 생각하다 estar [quedar · sentir] agradecido por [de] *algo*. …해 주셨으면 ~하겠습니다 Le agradecería (mucho) que [si] + *subj*. 당신의 뜻은 ~하오나 … Le agradezco mucho, pero …. ~합니다 Gracias / Se lo agradezco / Estoy agradecido (por). 말씀 ~합니다 Le agradezco las palabras. 친구란 늘 ~하게 만든다 Los amigos son de agradecer. 친절히 대해 주신 데 대해 ~하게 생각하고 있습니다 Estoy (muy) agradecido por su amabilidad. 친절히 대해 주신 데 대해 어떻게 ~해야 할지 모르겠습니다 No sé cómo expresarle mi profundo agradecimiento por las atenciones que me ha prestado. 이렇게 친절을 베풀어 주신 데 대해 뭐라 ~의 말씀을 드려야 할지 모르겠습니다 No sé cómo expresarle a usted tal amabilidad. 당신의 친절에 ~드립니다 Le agradezco muchísimo su amabilidad / Es usted muy amable. 친절에 대해 진심(眞心)으로 ~를 드립니다 Le agradezco sinceramente su bondad. 어제의 일은 ~했습니다 Gracias por lo de ayer. 정말 ~합니다 ¡Cuánto se lo agradezco! / Muchas gracias / Muchísimas gracias / Mil gracias / Un millón de gracias / No sabe cuánto se lo agradezco / No sé cómo agradecérselo (a usted) / No encuentro palabras para darle (a usted) las gracias / Estoy muy agradecido / Se lo agradezco mucho. 잊고 온 물건을 가져다 주셔서 정말 ~합니다 Le agradezco mucho que me haya traído lo que yo había dejado olvidado. 초대해 주셔서 ~합니다 Gracias por su [la] invitación. 원조해 주신 데 대해 ~드립니다 Le estoy agradecido por su ayuda / Gracias por su ayuda. 조속한 답장을 해 주신 데 대해 ~드립니다 Le agradezco su pronta respuesta. 카탈로그를 보내 주시면 ~하겠습니다 Les agradecería que me enviaran [enviasen] el catálogo. 서반아어로 회답을 주시면 ~하겠습니다 Agradecería si me contestase [contestaran] en español. ~합니다 — 아닙니다. 오히려 (당신이) ~합니다 (Muchas) Gracias — (Gracias) a usted.
감사히 con reconocimiento, con agradecimiento, agradecidamente. ~ 받겠습니다 Le recibiré agradecidamente.
■ ~ 만만[무지] agradecimiento *m* infinito. ~일(日) ((준말)) =추수 감사일. ~장 (carta *f* de) agradecimiento *m*, (carta *f* de) reconocimiento *m*. ~절(節) ((기독교)) ((준말)) =추수 감사절. ~패 placa *f* de reconocimiento. ¶~를 증정하다 entregar una placa de reconocimiento (a).
감사(監事) auditor,-ra *mf*, revisor, -ra *mf*, inspector, -ra *mf*, interventor, -ra *mf*, superintendente *mf*.
감사(監査) inspección *f*, examen *m*, registro *m*; [회계 감사] revisión *f* [intervención *f*] de cuentas, control *m*. ~하다 inspeccionar, examinar, registrar, intervenir, controlar.
■ ~과 departamento *m* de inspección. ~관 inspector, -tora *mf* de cuentas. ~원 el Tribunal de Cuentas. ~원장 presidente, -ta *mf* del Tribunal de Cuentas. ~ 위원 miembro *mf* del Tribunal de Cuentas, comité *mf* de inspección.
감사(監司) =관찰사(觀察使)(gobernador).
■ 평안 감사도 저 싫으면 그만이다 ((속담)) Se puede llevar un caballo al agua, pero no se puede hacerle beber.
감사납다 (ser) severo, exigente, estricto, tenaz, tosco, basto, duro.
감삭(減削) =삭감(削減).
감산(甘酸) ① [달고 심] lo dulce y lo ácido. ② [즐거움과 괴로움] la alegría y la pena.
감산(減産) reducción *f* [disminuición *f*] de producción, decremento *m* en producción.

~하다 reducir [disminuir] la producción (de *algo*). 각 메이커는 20%의 ~을 행하고 있다 Cada fabricante reduce un veinte por ciento de su producción.

감산(減算) substracción *f.* ~하다 substraer.
■ ~ 부호 signo *m* de substracción.

감상(鑑賞) apreciación *f,* aprecio *m.* ~하다 apreciar, saborear, deleitarse (con). 그림을 ~하다 apreciar los cuadros. 시를 ~하다 apreciar la poesía. 나는 음악(音樂) ~을 좋아한다 Me gusta (mucho) (la apreciación de) la música.
■ ~가[자] apreciador, -dora *mf.* ~력 poder *m* apreciativo. ~법 método *m* apreciativo. ~ 비평 criticismo *m* apreciativo. ~안(眼) arte *m* apreciativo. ¶그는 예술에 대한 ~이 있다 El sabe apreciar el arte muy bien / El entiende mucho de arte. ~회 reunión *f* de apreciación.

감상(感想) impresión *f,* sentido *m.* ~을 말하다 decir las impresiones (de). 한국에 대한 ~은 어떻습니까? ¿Qué impresión tiene usted de Corea? / ¿Cuál es su impresión de Corea? 별로 ~이 없다 No encuentro nada de particular / No tengo ninguna impresión en particular.
■ ~담 observaciones *fpl.* ~록 récord *m* de impresiones, impresiones *fpl,* memoria *f.* ~문 descripción *f* de *sus* impresiones, composión *f* sobre las impresiones.

감상(感傷) sentimentalismo *m,* sensiblería *f.* ~에 젖다 entregarse al sentimentalismo; [상태] estar absorto en el sentimentalismo.
■ ~적 sentimental, emocional, melodramático, sensiblero, romántico, impresionante. ¶~으로 sentimentalmente, emocionalmente, melodramáticamente, románticamenrte, impresionantemente. ~으로 되다 ponerse [estar] sentimental. ~이 되지 말라 No seas sentimental. ~적 소설 novela *f* sentimental, historia *f* sentimental. ~주의 sentimentalismo *m.* ~주의자 sentimentalista *mf.*

감색(紺色) azul *m* marino (obscuro), color *m* azul obscuro, añil *m,* índigo *m.* ~의 azul marino (obscuro).

감색(減色) descoloramiento *m,* descolorimiento *m.* ~하다 descolorar, descolorir.

감색(監色) =간색(看色).

감생(減省) reducción *f.* ~하다 reducir.

감서(甘署) 【식물】=고구마.

감선(監膳) inspección *f* previa de la comida del rey. ~하다 inspeccionar la comida del rey previamente.

감성(感性) [감각력] sensibilidad *f,* sentido *m;* [감수성] susceptibilidad *f.*
■ ~계 mundo *m* sensible. ~론 estética *f.* ~적 sensible, susceptible, susceptivo. ~적 세계 mundo *m* sensible.

감성(感聲) grito *m* de admiración.

감성돔 【어류】 dorada *f.*

감세(減稅) reducción *f* de impuestos. ~하다 reducir impuestos.
■ ~안 proyecto *m* de ley para reducir impuesto, proyecto *m* de ley para reducción impositiva.

감세(減勢) reducción *f,* rebaja *f,* disminuición *f.* ~하다 reducir, rebajar, disminuir.

감소(減少) disminución *f,* reducción *f,* decrecimiento *m,* aminoración *f.* ~하다 disminuir(se), decrecer, aminorarse, menguar, reducirse. 매상(賣上)의 ~ disminución *f* de las ventas. 생산의 ~ reducción *f* de la producción. 이익이 ~한다 Las ganancias disminuyen. 농촌 인구는 ~하고 있다 La población rural está disminuyendo.

감속(減速) 【물리】 deceleración *f,* disminución *f* de velocidad. ~하다 disminuir la velocidad.
■ ~ 운동 movimiento *m* de reducción de velocidad. ~ 장치 decelerador *m;* [톱니바퀴의] engranjes *mpl* reductores de velocidad, engranajes *mpl* de reducción. ~재(材) moderador *m.*

감손(減損) decremento *m,* pérdida *f.* ~하다 decrecer, perder, gastarse con el uso.
■ ~액 depreciación *f.* ~율 tasa *f* de desgaste por frotamiento.

감쇄(減殺) diminución *f,* disminución *f,* reducción *f,* atenuación *f.* ~하다 diminuir, disminuir, decrecer, atenuar.

감쇠(減衰) disminución *f,* atenuación *f,* amortiguación *f.* ~하다 amortiguar, ser atenuado.
■ ~기(器) atenuador *m,* amortiguador *m.*

감수(甘水) el agua *f* dulce.

감수(甘受) sometimiento *m,* resignación *f.* ~하다 someterse (a), resignarse (a · con), conformarse (con), aguantar. 비난을 ~하다 someterse a la censura, aguantar la crítica.

감수(監修) supervisión *f,* dirección *f.* ~하다 supervisar [dirigir] la publicación (de un libro). A씨가 ~한 한서사전 Diccionario *m* Coreano-Español publicado bajo la supervisión del señor A.
■ ~자 supervisor, -sora *mf,* editor, -tora *mf.*

감수(減收) [수확의] disminución *f* [baja *f*] de la cosecha; [수입의] disminución *f* de los ingresos. 금년 보리는 작황이 좋지 않아 100만톤이 ~됐다 Este año la cosecha de cebada no ha sido buen resultado una disminución de un millón de toneladas / Dada la mala cosecha de cebada de este año ha resultado una disminución de un millón de toneladas.

감수(減水) decrecimiento *m* [bajada *f* · descenso *m* · disminución *f*] de las aguas. ~하다 decrecer, bajar, descender, disminuir. 수도의 갑작스런 ~ carestía *f* repentina del servicio de agua. 냇물이 ~한다 El río decrece / El caudal del río desciende.

감수(酣睡) [곤하게 든 잠] sueño *m* profundo. ~하다 dormir profundamente.

감수(減數) 【수학】 sustraendo *m;* [피감수(被

減數)] minuendo *m*.

■ ~ 분열 división *f* de reducción.

감수(減壽) reducción *f* de la vida. ~하다 reducir la vida. ~되다 reducirse la vida.

감수(監守) custodia *f*. ~하다 custodiar, servir de custodia.

■ ~인 custodio *m*, guardián *m*. ¶산림(山林) ~ guardia *m* mayor de bosque.

감수(感受) impresión *f*, recepción *f*. ~하다 recibir una impresión.

■ ~기(器) receptor *m*. ~성 sensibilidad *f*, emotividad *f*, delicadeza *f*, sentimiento *m* delicado. ¶~이 예민한 sensible, emotivo, impresionable, sentido, delicado. ~이 없는 insensible, impasible, indelicado. ~을 기르다 cultivar la sensibilidad. ~이 예민한 여인 mujer *f* muy impresionable. 그 아이는 ~이 무척 예민하니 그런 책을 선물하지 마라 No le regales ese libro, que es un niño muy impresionable. 그녀는 ~이 예민한 나이다 Ella está en una edad sensible [crítica].

■ ~율 susceptibilidad *f*.

감숭하다 (ser) oscuro, oscuro aquí y allá.

감시(甘柿) caqui *m* [kaki *m*] dulce.

감시(監視) vigilancia *f*, custodia *f*, inspección *f*. ~하다 vigilar, custodiar, estar a la mira (de), inspeccionar. ~ 아래 있다 estar bajo la vigilancia. 죄수를 ~하다 custodiar a los prisioneros. 적의 동정을 ~하다 vigilar la acción de los enemigos.

■~ 계전기 relé *m* supervisor. ~국 estación *f* supervisora. ~ 근무 guardia *f*, *AmC* posta *f*. ~ 기관 organización *f* supervisora. ~대 atalaya *f*. ~망 red *f* de vigilancia. ~ 망루 vigía *f*. ~병 vigía *mf*. ~선 guardacostas *m.sing.pl*. ~소 atalaya *f*, puesto *m* de observación. ~ 신호 señal *f* de finalización. ~원 vigilante *mf*, guardia *m*. ¶망대 ~ guardia *m* del tope. ~인[자] vigilante *mf*. ~ 장치 monitor *m*. ~ 전자 회로 circuito *m* de comprobación, circuito *m* de escucha. ~ 제어 control *m* supervisor. ~ 채널 canal *m* de supervisión. ~초(哨) puesto *m* de observación. ~탑 atalaya *f*, torre *f* de vigilancia. ~ 터미널 [통신의] terminal *f* supervisora. ~ 프로그램 【컴퓨터】 programa *m* supervisor.

감식(甘食) comida *f* sabrosa, comida *f* rica, comida *f* deliciosa. ~하다 comer sabrosamente.

감식(鑑識) identificación *f* (criminal), discernimiento *m*, valuación *f*. ~하다 discernir, percibir.

◆범죄 ~ 자료 material *m* de identificación criminal. 지문(指紋) ~ identificación *f* de huellas digitales.

■ ~가 perito, -ta *mf*, ojo *m* para discernir. ~과 sección *f* de identificación. ~력 poder *m* de indentificación.

감식(減食) disminución *f* del alimento, dieta *f*, régimen *m* alimenticio. ~하다 disminuir su alimento, ponerse a dieta, seguir un régimen.

■ ~ 요법 cura *f* de reducción del alimento. ¶~을 하다 ponerse a régimen, ponerse a dieta, hacer régimen, hacer dieta.

감실(龕室) ① [집안의] altar *m* doméstico sintoísta. ② ((불교)) capilleta *f* budista. ③ ((천주교)) tabernáculo *m*, capilleta *f*.

감실거리다 vislumbrarse, brillar débilmente.

감심(感心) admiración *f*, alabanza *f*. ~하다 admirar, admirarse (de), sentir [tener] admiración (por), quedarse [estar · sentirse] admirado (por). ~시키다 admirar, causar [producir · provocar] admiración (a). ~한 admirativo, admirable, digno de admiración. ~한 청년 joven *m* (*pl* jóvenes) digno de admiración. 나는 그의 노력에 ~했다 Admiré [Me admiré de · Me admiré] su esfuerzo. 그의 사업은 항상 ~시킨다Siempre me admira su talento para los negocios. 그 영화는 나를 ~시키지 못한다 La película no me convence / La película no me satisface.

감싸다 ① [휘감아 싸다] envolver. 갓난아이를 모포로 ~ envolver al nene con una manta. 머리를 감싸고 궁리하다 meditar con la cabeza entre las manos. ② [보호하다] proteger, amparar, resguardar, defen- der. 약자를 ~ amparar [proteger] a los débiles. 상처를 ~ cuidarse la herida. 아무도 나를 감싸주지 않는다 Nadie me defien- de / Nadie da la cara por mí / Nadie intercede por mí. ③ [흉허물이나 약점을 덮어주다] disfrazar. 실수를 ~ disfrazar la falta.

감싸주다 disfrazar. 실수(失手)를 ~ disfrazar la falta.

감아 올리다 arrollar, envolver, levantar con un torno. 바람이 먼지를 감아 올렸다 El viento levanta el polvo.

감안(勘案) consideración *f*. ~하다 considerar. ~되다 considerarse. …을 ~해서 en [a la] vista de *algo*, en consideración a *algo*, a la luz de *algo*.

감압(減壓) descompresión *f*. ~하다 someter a descompresión, descomprimir.

■ ~ 반사 reacción *f* de reducción. ~ 밸브 válvula *f* reductora. ~성 폐기종 aeroenfisema *m*. ~ 장치 dispositivo *m* de descompresión.

감액(減額) disminución *f*, reducción *f*. ~하다 disminuir, reducir. ~되다 disminuirse, reducirse.

감언(甘言) palabra *f* melosa, palabra *f* halagueña, lisonja *f*, adulación *f*, halago *m*.

■ ~ 이설(利說) palabra *f* melosa, palabra *f* halagueña, lisonja *f*, adulación *f*, halago *m*, faramalla *f*, soflama *f*, roncería *f*. ¶~로 꾀다 atraer con palabras melosas. ~로 꾀이다 ser embaucado por las palabras melosas (de), dejarse embaucar por las palabras melosas (de). ~로 속이다 engañar con buenas palabras [con palabras melosas], engatusar [embaucar] (a), engañar [seducir] con halagos [con palabras melosas · con palabras mañosas]. 나는 그의 ~에 속아 넘어갔다 El me engastusó con sus palabras melosas / El me cameló. 그들은 ~로 나에게 돈을 투자하게 했다 Ellos consiguieron por medio de halagos que invirtiera el dinero.

감에(憾恚) ira *f*, cólera *f*, enfado *m*, enojo *m*. ~하다 enojarse, enfadarse, estar enojado, estar enfadado.

감여(堪輿) =천지(天地).

감연하다(敢然-) (ser) audaz, atrevido, osado, temerario.

감연히 ㉮ [결연히] resueltamente, decididamente, sin vacilar. ㉯ [대담하게] audazmente, atrevidamente, con temeridad, osadamente, con valor, con osadía, con audacia.

감염(感染) [공기나 물에 의한] infección *f*, [접촉에 의한] contagio *m*, contaminación *f*. ~하다 infeccionar, infectar, inficionar, infestar, contagiar, contaminar. ~의 infectivo, infeccioso, contagioso. ~되다 contagiarse (de · por), infestarse, contaminarse. 나는 형한테서 ~되었다 Me he contagiado de mi hermano.

◆결핵(結核) ~ infección *f* tuberculosa.

■~ 경로 vía *f* de infección. ~량 dosis *f* infectiva. ~ 면역 inmunidad *f* infecciosa. ~성 infecciosidad *f*. ~성 심내막염 endocarditis *f* infecciosa. ~성 유산 aborto *m* infeccioso. ~성 핵산 ácido *m* nucleido infeccioso. ~ 세균 bacteria *f* infecciosa. ~소(巢) afección *f*. ~원(源) foco *m* de (la) infección, fuente *f* de infección. ~ 유산 aborto *m* infectado. ~증 enfermedad *f* infecciosa. ~ 후뇌 척수염 encefalomielitis *f* posinfecciosa.

감영(監營) 【역사】 oficina *f* gubernamental.

감옥(監獄) cárcel *f*, prisión *f*. ~의 carcelario, penitenciario, de la prisión. ~에 넣다 encarcelar. ~에 넣다 meter en la cárcel. ~에 수감되다 ser encarcelado. ~에서 도망치다 escapar de una cárcel. ~에서 나오다 salir de una cárcel. …동안 그를 ~에 넣었다 Le encarcelaron [metieron] preso por …. 그를 ~에 넣었다 A él le metieron en la cárcel. 그녀는 ~에 있다 Ella está presa / Ella está en la cárcel. 그의 공범자는 10년간 ~에 갔다 Su cómplice fue condenado a diez años de prisión. 그는 ~에서 석방되었다 El fue puesto en libertad / El fue excarcelado.

■~살이 vida *f* carcelario. ¶~하다 ser condenado a presidio, ser encarcelado.

감옷 =갈옷.

감와(酣臥) =숙면(熟眠).

감용(敢勇) valentía *f*. ~하다 (ser) valiente.

감용히 valientemente, con valentía.

감우(甘雨) =단비.

감우(紺宇) ① [불사(佛寺)] templo *m* budista, convento *m* (budista). ② [귀인(貴人)의 집] casa *f* del noble.

감원(減員) reducción *f* de personaje. ~하다 reducir el personaje.

감원(紺園) templo *m* budista, convento *m* budista.

감원(憾怨) resentimiento *m*. ~하다 resentir.

감위(敢爲) =감행(敢行).

감유(甘油) glycerina *f*.

감유(甘乳) 【약】 =두묘(痘苗).

감은(感恩) agradecimiento *m*, gratitud *f*. ~하다 sentir gratitud.

감은약(-藥) ((변한말)) =아편.

감음(酣飮) bebida *f* alegre. ~하다 beber alegremente.

감음정(減音程) 【음악】 intérvalo *m* disminuido.

감읍(感泣) lloro *m* conmovido, derramamiento *m* de la lágrima de agradecimiento. ~하다 llorar conmovido, derramar lágrimas de agradecimiento.

감응(感應) ① [영감(靈感)] inspiración *f*, [공감] simpatía *f*, [약(藥)의] eficacia *f*, efecto *m*. ~하다 tener eficacia. ② [기원의] respuesta *f*, contestación *f*. ~하다 responder, contestar, escuchar, conceder a la súplica (de). 하나님은 우리들의 기원에 ~할 것이다 Dios escuchará nuestras oraciones. 하나님은 우리의 소원에 ~을 주셨다 Nuestras súplicas han sido oídas. ③ 【전기】 =유도(誘導).

■~ 계수 coficiente *f* de inducción. ~ 기뢰 mina *f* de influencia. ~ 기전기 máquina *f* de inducción, máquina *f* asíncrona. ~ 기전력 poder *m* inducido. ~도 sensitividad *f*. ~ 도체 conductor *m* de inducción. ~력 influencia *f*. ~ 물질 inductor *m*. ~ 반응 reacción *f* inducida. ~ 방사선 radiación *f* inducida. ~성 irritabilidad *f*, simpatía *f*. ~ 시간 hora *f* sensible. ~ 유전 telegonía *f*. ~ 작용 inducción *f*, inductilidad *f*. ~ 전기 electricidad *f* inducida. ~ 전동력(電動力) fuerza *f* electromotriz inducida. ~ 전류 corriente *f* inducida. ~ 코일 bobina *f* de inducción.

감응초(感應草) 【식물】 =미모사.

감인(堪忍) =감내(堪耐).

감잎전(-煎) tortilla *f* de hojas del kaki.

감자 【식물】 patata *f*, *AmL* papa *f*. ~를 캐다 arrancar [desenterrar] patatas. 튀긴 ~ patatas *fpl* fritas, *AmL*, *Méj*, *ReD*, *Cuba* papas *fpl* fritas. 껍질째 삶은 ~ patatas *fpl* asadas (con la piel), *AmL* papas *fpl* asadas (con la cáscara).

◆씨~ patatas *fpl* de siembra, *AmL* papas *fpl* de siembra. 햇~ nueva patata *f*, *AmL* nueva papa *f*.

■~ 가루 [요리용] puré *m* de patatas. ~ 껍질 piel *f* de patatas, *AmL* cáscara *f* de papas. ~ 밭 patatal *m*, patatar *m*. ~ 수확 cosecha *f* de patatas. ~ 전분 chuño *m*.

감자(甘蔗) 【식물】 caña *f* de azúcar, caña *f* dulce.

■~당(糖) azúcar *m* de caña.

감자(柑子) 【한방】 naranja *f* silvestre.

감자(減資) reducción *f* del capital. ~하다 reducir el capital.

■ ~ 잉여금 superávit *m* de reducción.

감자(減磁) 【물리】 desmagnetización *f.* ~하다 desmagnetizar.

감자나무(柑子—) 【식물】 naranjo *m* silvestre. ~의 열매 naranja *f* silvestre.

감작(減作) cosecha *f* reducida. ~하다 reducir la cosecha.

감작(感作) 【의학】 sensibilización *f.* ~하다 sensibilizar.

감잡이 ① [대문 장부에 감아 박은 쇠] metal *m* de ensambladura. ② [기둥과 들보를 겸쳐 못을 박는 쇳조각] grapa *f* de metal grande. ③ [잠자리할 때 쓰는 수건] toalla *f* usada después del acto sexual.

감장[1] [남의 도움을 받지 않고 제 힘으로 꾸려 감] autoayuda *f,* 【경제】 autofinanciación *f,* autofinanciamiento *m.*

감장[2] [가만 물감이나 빛] color *m* negro.

■ ~강아지 perrito *m* negro. ~이 ㉮ [검정 빛의 물건] cosa *f* negra. ㉯ [검정빛] color *m* negro.

감장(甘醬) salsa *f* dulce.

감장(勘葬) terminación *f* de la sepultura. ~하다 terminar la sepultura.

감장(監葬) cuidado *m* con la sepultura. ~하다 cuidar con la sepultura.

감저(甘藷) ① ((본딧말)) =감자. ② =고구마.

감전(感電) sacudida *f* [descarga *f*] eléctrica, elcetrización *f.* ~되다 ser sacudido por electricidad, recibir una sacudida eléctrica.

■ ~사(死) electrocución *f.* ¶~하다 electrocutarse, morir de descarga eléctrica.

감점(減點) disminución *f* de puntos, reducción *f* de puntos, puntos *mpl* reducidos. 5점 ~하다 disminuir cinco puntos.

감정(甘井) pozo *m* del agua sabrosa.

감정(甘精) 【화학】 sacarina *f.*

감정(感情) sentimiento *m,* sensibilidad *f,* [감동] emoción *f,* [심정] corazón *m;* [열정] pasión *f,* [충동] impulso *m.* ~의 동물(動物) criatura *f* emocional, criatura *f* sensitiva. ~의 충돌 colisión *f* de sentimientos. ~에 지배되다 ser apasionado. ~에 호소하다 apelar a los sentimientos (de). ~을 노골적으로 나타내다 llevar el corazón en la mano. ~을 상하다 ofender, mortificar. ~을 표하다 demostrar [disimular] *su* sentimiento. ~을 억제하다 contener [sujetar] *su* sentimiento. ~을 해치다 ofenderse, incomodarse, molestarse; [다른 사람의] herir los sentimientos (de), ofender (a). 내 말은 그녀의 ~을 상했다 La hirieron [ofendieron · picaron] mis palabras.

■ ~가 persona *f* sensitiva [apasionada · sentimental · tierna · delicada]. ~감각 sensación *f* sensible. ~ 교육 educación *f* sentimental, educación *f* emocional. ~극 obra *f* emocional. ~론 opinión *f* sentimental. ~선 [손금의] línea *f* del corazón. ~성 범죄인 criminal *mf* emocional. ~성 정신 신경증 parapatia *f.* ~ 이입 empatía *f.* ~ 이입설 teoría *f* de empatía. ~적 sentimental, impulsivo, emocional, apasional. ¶~으로 sentimentalmente, emocionalmente, apasionalmente, de modo sentimental, en tono sentimental. ~ 행동 conducta *f* sentimental. ~으로 되다 ponerse sentimental, ponerse molesto, ofenderse. ~ 전이(轉移) transferencia *f.* ~ 정신병 psicosis *f* afectiva. ~학 patematología *f.*

감정(憾情) rencilla *f,* rencor *m,* indignación *f,* resentimiento *m.* ~이 있다 tener*le* [guardar*le*] rencor (a). 그녀는 내가 그녀를 이긴 것에 ~이 있다 Ella no me perdona que le haya ganado. 걱정 마라. 나는 ~이 없다 No te preocupes; no soy de los que guardan rencor.

◆감정(을) 내다 enfadarse, enojarse, irritarse. 감정을 사다 provocar rencor. 감정이 풀리다 calmarse rencor.

■ ~싸움 un ajuste de cuentas.

감정(鑑定) juicio *m* [opinión *f*] de un experto; [평가] valoración *f,* apreciación *f,* estimación *f,* tasación *f* pericial. ~하다 valorar, apreciar, estimar, evaluar, justipreciar, tasar. 전문가에게 ~을 의뢰하다 pedir la opinión pericial [de especialista] (en), someter al examen de un experto.

■ ~가 experto, -ta *mf,* perito, -ta *mf,* entendido, -da *mf.* ¶고미술(古美術) ~ experto, -ta *mf* en antigüedades. 포도주 ~ entendido, -da *mf* en vinos. ~가격 valor *m* tasado. ~관 [세관의] tasador, -dora *mf,* supervisor, -sora *mf.* ~료(料) honorarios *mpl* para una opinión de un experto. ~서 experticia *f,* prueba *f* pericial. ~인[자] experto, -ta *mf,* entendido, -da *mf,* perito, -ta *mf.*

감정(勘定) =계정(計定).

감조(減租) =감세(減稅).

감죄(減罪) reducción *m* del crimen. ~하다 reducir el crimen. ~되다 reducirse el crimen.

감주(甘酒) *gamchu, sul* glutinoso con dulzura, bebida *f* dulce de arroz fermentado.

감주(監主) =감사(監寺).

감죽(甘竹) 【식물】 bambú *m* negro.

감중지와(埳中之蛙) persona *f* del conocimiento superficial.

감지(甘旨) sabor *m* dulce.

■ ~ 공친(供親) servicio *m* a *sus* padres con la comida sabrosa.

감지(紺地) tela *f* caqui [kaki].

감지(紺紙) papel *m* caqui [kaki].

감지(感知) sentido *m,* percepción *f.* ~하다 sentir, percibir.

감지덕지(感之德之) con muchas gracias, muy agradecidamente. ~하다 estar muy agradecido.

감지 장치(感知裝置) 【전자 공학】 sensor *m.*

감질(疳疾) apetito *m* insaciable.

◆감질(이) 나다 sentir insaciable, nunca sentir satisfacción.

감쪼으다 mostrar a *su* superior.

감쪽같다 (ser) perfecto, completo, tan bueno

como lo nuevo.
감쪽같이 perfectamente, completamente, con buen éxito, bonitamente; [교묘히] hábilmente, con mucha maña. ~ 넘어가다 [속다] ser atrapado (por), dejarse atrapar (por), caer en la trampa (de). ~ 속이다 engañar, embaucar; [사취(詐取)하다] estafar. 여자를 ~ 속이다 engañar [sacudir] a una mujer. 나는 ~ 속아 넘어갔다 Caí en garlito / Me engañaron astutamente. 나는 ~ 속았다 Me he salido con la mía. 나는 그 사람에게 ~ 속았다 El me ha atrapado bien / Caí en su trampa / El me engañó / El me atrapó bien / Me dejé engañar por él / El me cogió en la trampa.

감차(甘茶) ((불교)) =단술.

감찰(監察) inspección *f.* ~하다 inspeccionar, supervisar.
▪ ~감 inspector *m* general. ~감실 oficina *f* del inspector general. ~관 inspector, -tora *mf*, supervisor, -sora *mf*.

감찰(鑑札) licencia *f*, permiso *m*. 무(無)~의[로] sin licencia. ~을 갱신하다 renovar la licencia. ~을 교부하다 dar [entregar] la licencia. ~을 몰수하다 revocar la licencia. ~을 받다 recibir la licencia. 영업(營業) ~을 받다 recibir la licencia de comercio.
▪ ~료 honorarios *mpl* para la licencia.

감창(疳瘡) 【한방】 úlcera *f* sifilítica.

감채(甘菜) 【식물】 =사탕무.

감채(減債) amortización *f*. ~하다 amortizar.
▪ ~ 기금 fondo *m* de amortización, fondo *m* de amortización de deudas. ~ 기금 대부 préstamo *m* con fondo de amortización. ~ 적립금 fondo *m* de reserva de amortización.

감천(甘泉) pozo *m* del agua sabrosa.

감천(感天) impresión *f* profunda del cielo.
▪ 지성(至誠)이면 감천이라 ((속담)) La sinceridad mueve el cielo / La fe moverá la montaña.

감청(紺靑) (color *m*) azul *m* marino [oscuro]. ~의 azul marino [oscuro].
▪ ~색(色) color *m* azul marino.

감체(感涕) =감읍(感泣).

감초(一醋) vinagre *m* de kaki.

감초(甘草) 【식물】 regaliz *f*, alcazuz *f*. ~의 뿌리 orozuz *f*. 약방의 ~ hombre *m* indispensable.
▪ ~ 분말 regaliz *f* en polvo. ~ 엑스 extracto *m* de regaliz.

감초(甘蕉) 【식물】 ① =파초. ② =바나나.

감촉(感觸) tacto *m*, (sentido *m* de) palpamiento *m*, tiento *m*, sensibilidad *f*. ~이 부드러운 blando al tacto. ~이 딱딱한 duro al tacto. ~이 가슬가슬한 천 tela *f* áspera. ~으로 구분하다 distinguir (*algo*) con el tacto. ~이 좋다 tener un acto agradable, ser agradable al tacto. ~이 나쁘다 tener un tacto desagradable, ser desagadable al tacto. 입었을 때 ~이 좋다 ser agradable [confortable · cómodo] de llevar. 이 옷은 입으면 ~이 좋다 Este traje es cómodo (de llevar). 이 펜은 ~이 좋다 Esta pluma escribe bien / Esta pluma es muy cómoda.

감추다 ocultar, esconder, enclaustrar, encerrar, encobijar. …에게 무엇을 ~ ocultar una cosa a [de] *uno*. 돈을 ~ ocultar dinero. 모습[몸]을 ~ esconderse, ocultarse. 어둠 속으로 자취를 ~ desaparecer en las tinieblas. 자취를[행방을] ~ esconderse, ocutarse, desaparecer sin dejar huellas. 그 편지를 어디에 감추었는지 봅시다 ¡A ver (en) dónde escondiste esa carta!

감축(感祝) congratulación *f* con entusiasmo. ~하다 celebrar [congratular] con entusiasmo, dar las gracias cordialmente [sinceramente].

감축(減縮) reducción *f*, disminución *f*. ~하다 reducir, disminuir.

감치다[1] [잊혀지지 아니하고 늘 마음에 감돌다] ser siempre en *su* corazón, recordar en *su* corazón.

감치다[2] [실올이 풀리지 않도록 꿰매 나가다] sobrehilar. 치마의 옷단을 ~ sobrehilar la orilla de la falda.
감침질 sobrehilado *m*, sobrehilo *m*, sobrehílo *m*. ~하다 sobrehilar.

감칠맛 ① [(음식을 먹은 뒤에도 계속 남아 있는) 맛깔스러운 맛] (buena) boca *f*, buen sabor *m*, buen paladar *m*. ~이 있는 [술이] con buena boca, con buen cuerpo, de cuerpo. ~이 있는 포도주 vino *m* de buena boca, vino *m* de buen paladar, vino *m* de buen sabor. 한국 요리의 ~ buen paladar *m* del plato coreano. 이 포도주는 ~이 있다 Este vino tiene buena boca. ② [일이나 물건이 사람의 마음을 끌어당기는 힘] encanto *m*, atractivo *m*. 우리말의 ~ encanto *m* de la lengua coreana.

감탄(感歎) admiración *f*, maravilla *f*. ~하다 admirarse, maravillarse, exclamarse de admiración. ~할 만한 admirable, maravilloso, digno de admiración. ~해 마지 않다 estar lleno de admiración. 나는 그의 아량에 ~했다 Me he admirado de su generosidad.
▪ ~문 oración *f* admirativa. ~ 부호 (signo *m* de) exclamación *f*. ~사 interjección *f*.

감탕 [물에 풀어져 아주 곤죽처럼 된 진흙] limo *m*, cieno *m*.
▪ ~밭 pantanal *m*, pantanos *mpl*; [해안(海岸)의] marismas *fpl*.

감탕질 =요분질.

감태(甘苔) 【식물】 =김.

감태(憨態) actitud *f* tonta.

감태같다 El pelo es negro y lustroso.

감퇴(減退) decrecimiento *m*, descenso *m*, decaimiento *m*, disminución *f*, merma *f*, declinación *f*, decadencia *f*, menoscabo *m*, decaecimiento *m*; [고통의] apaciguamiento *m*. ~하다 decrecer, decaer, disminuir, minorarse. 나는 최근 식욕(食慾)이 ~되었다 He perdido el apetito / Estos días tengo poco apetito. 나는 최근 기억력이 ~되었다 Recientemente tengo mala memoria / Re-

cientemente ha decaído mi memoria.
◆기억력 ~ decadencia *f* de memoria. 식욕(食慾) ~ decadencia *f* de apetito.

감투 ① [벼슬] puesto *m* [posición *f*] gubernamental, distinguido puesto *m*. ② ((낮은 말)) =탕건.
◆감투(를) 벗다 dimitir [renunciar] un puesto [una posición] gubernamental. 감투(를) 쓰다 ((속어)) hacerse un funcionario gubernamental.
■ ~싸움 lucha *f* por el puesto influyente.

감투(敢鬪) combatividad *f*, lucha *f* con denuedo. ~하다 luchar [pelear · combatir] valientemente, luchar con denuedo.
■~상 premio *m* de combatividad, premio *m* de valentía, premio *m* por la lucha con denuedo. ~ 정신 combatividad *f*, valentía *f*, brío *m*, espíritu *m* combativo.

감투거리 relaciones *fpl* sexuales [acto *m* sexual] con una mujer de arriba.

감파랗다 (ser) azul oscuro.

감파래지다 hacerse azul oscuro.

감파르다 (ser) azul oscuro.

감파르잡잡하다 (ser) leonado [pardo rojizo] con un tinte azul.

감파르족족하다 (ser) pardo rojizo con un tinte azul.

감편 *gampyeon*, pan *m* coreano de kaki con almidón y miel.

감편도(甘扁桃) 【식물】 almendra *f*.

감표(減標) signo *m* de substracción.

감표(監票) supervisión *f* de la votación. ~하다 supervisar la votación.
■ ~ 위원 comité *mf* de supervisión de la votación. ~인 superintendente *mf* de la votación.

감하다(減-) ① [빼다] substraer, deducir, quitar. ② [줄이다] reducir, disminuir. ③ [경감(輕減)하다] conmutar. 형(刑)을 종신 징역으로 ~ conmutar la penalidad a la vida de encarcelación. ④ [줄다] reducirse, decrecer, menguar, ir a menos, mermar, minorarse. 수출이 50퍼센트로 감했다 La exportación ha decrecido en cincuenta por ciento.

감행(敢行) audacia *f*. ~하다 atreverse (a + *inf*), osar (+ *inf*), emprendar, realizar resueltamente. 공격을 ~하다 lanzar un ataque.

감향주(甘香酒) vino *m* de las materiales medicinales que tiene el sabor dulce y la aroma.

감형(減刑) conmutación *f* de la pena, mitigración *f* de penalidad. ~하다 conmutar la pena, mitigar penalidad. 그는 사형에서 종신형으로 ~되었다 Se le conmutó la pena capital por cadena perpetua.
■ ~ 탄원서 petición *f* de clemencia, petición *f* de conmutación de pena.

감호(減號) 【수학】 =뺄셈표.

감호(監護) custodia *f*, guardia *f*, superintendencia *f*. ~하다 atender, cuidar, supervisar.
■ ~자 guardián, -diana *mf*. ~ 처분 prisión *f* preventiva.

감홍(甘汞) 【화학】 calomelanos *m*.
■ ~ 연고 ungüento *m* de calomelanos. ~ 전극 electrodo *m* de calomelanos.

감홍로(甘紅露) aguardiente *m* tinto con canela y miel.

감홍주(甘紅酒) =감홍로(甘紅露).

감화(感化) influencia *f*, influjo *m*. ~하다 influir (a · en · sobre), ejercer [tener] influencia (en · sobre). …의 ~로 bajo la influencia de *uno*. ~를 받다 sufrir [sentir] la influencia (de), dejarse influir (por), influirse, afectarse. ~를 받고 있다 estar bajo la influencia (de). ~를 받기 쉽다 es fácil de influir, dejarse influir.
■ ~ 교육 instrucción *f* reformatoria, educación *f* penitenciaria. ~력 influencia *f*. ~ 사업(事業) obra *f* reformatoria. ~원(院) penitenciaría *f*, casa *f* de corrección, reformatorio *m*.

감회(感懷) [느낀 생각] honda emoción *f*, impresión *f*, [회상] recuerdo *m* sentimental. 온갖 ~가 내 마음에 오간다 Diversas cosas acuden a mi mente.

감흥(感興) delicia *f*, gozo *m*, disfrute *m*. ~이 일어나다 interesarse (en · por), sentir interés (por); [인스피레이션] inspirarse (en); [기쁨] sentir una sensación de placer. ~을 일으키다 despertar [suscitar] interés (de). ~을 가라앉히다 enfriar [entibiar] el interés (de). ~을 깨다 estropear el gozo.

감히(敢-) intrépidamente, audazmente, atrevidamente, osadamente. ~ …하다 osar [atreverse] a + *inf*. 나는 ~ 그에게 충고를 했다 Me atreví a aconsejarle a él.

갑(甲) ① [첫째] primero, A. ~과 을 el primero y el segundo, A y B. ② 【민속】 ((준말)) =갑방(甲方). ③ 【민속】 ((준말)) =갑시(甲時). ④ ((준말)) =갑옷. ⑤ =갑각(甲殼).

갑(匣) caja *f*, cajita *f*, cajetilla *f*, [담배 따위의] paquete *m*, *AmS* cajetilla *f*, *Arg* atado *m*, *Cuba* caja *f*. 담배 한 ~ un paquete de cigarrillos. 성냥 한 ~ una caja de cerillas. 담배 열 ~ diez paquetes de cigarrillos, un cartón (de cigarrillos), *Arg* diez cajetillas. 당신은 하루에 담배를 몇 ~이나 피우십니까? ¿Cuántos paquetes de cigarrillos fuma usted al día? 성냥 한 ~과 담배 두 ~ 주세요 Quiero [Quisiera] una caja de cerillas y dos paquetes de cigarrillos.

갑(岬) cabo *m*, promontorio *m*, punta *f* de tierra.

갑가(甲家) familia *f* de buen linaje.

갑각(甲殼) caparazón *m*, carapacho *m*, concha *f*, cáscara *f*.
■ ~소(素) quitina *f*.

갑각(岬角) =갑(岬).

갑각류(甲殼類) crustáceos *mpl*.
■ ~ 동물 crustáceo *m*. ~학 crustaceología *f*. ~ 학자 crustaceólogo, -ga *mf*.

갑갑증(-症) hastío *m*, fastidio *m*, tedio *m*, engorro *m*, molestia *f*, hastío *m*, aburrimiento *m*.

갑갑하다 ① [(시원스럽게 트이지 아니하고 좁아서) 옹색하고 답답하다] (ser) estrecho, angosto, apretado; [통풍이 안되어] mal ventilado. 갑갑한 방 habitación *f* mal ventilada, cuarto *m* mal ventilado. 바지가 갑갑해졌다 Se me han quedado chicos los pantalones. 이 바지는 허리가 ~ Estos pantalones me aprietan en la cintura. ② [너무 늦어지거나 지루하여 견디기가 괴롭다] (ser) doloroso, estar aquejado. ③ [(속이 언짢거나 체하거나 하여) 배 속이 무겁고 답답하다] sentir opresión, ser pesado, ser opresivo, ser ponderoso, tener la respiración fatigosa, respirar con dificultad. 가슴이 ~ sentir opresión en el pecho. ④ [너무 어리석어서 납득시키기에 답답하다] ser difícil de convencer.
갑갑히 opresivamente, pesadamente, ponderosamente. ~ 느끼다 sentir(se) opresivamente.

갑골문(甲骨文) =갑골 문자(甲骨文字).

갑골 문자(甲骨文字) inscripciones *fpl* en huesos y caparazón de tortuga.

갑골학(甲骨學) estudios *mpl* de inscripciones en huesos y caparazón de tortuga.

갑근세(甲勤稅) ((준말)) =갑종 근로 소득세.

갑남 을녀(甲男乙女) personas mediocres.

갑년(甲年) año de sesenta y un años de edad.

갑두어(甲頭魚) 【어류】 =성대.

갑론을박(甲論乙駁) disputas *fpl* entre muchas personas. ~하다 disputarse por y contra un asunto.

갑리(甲利) =갑변(甲邊).

갑문(閘門) esclusa *f*, puerta *f* de esclusa *f*, compuerta *f*.
▪ ~식 운하(式運河) canal *m* de esclusa. ~항(港) puerto *m* de esclusa.

갑반(甲盤) bandeja *f* de la cualidad muy buena.

갑방(甲方) estenoreste *m*.

갑번(甲番) 【역사】 primer turno *m*.

갑번(甲燔) porcelana *f* buena.

갑변(甲邊) interés *m* doble.

갑병(甲兵) soldado *m* con armadura.

갑부(甲富) persona *f* muy rica; millonario, -ria *mf*, multimillonario, -ria *mf*, archimillonario, -ria *mf*, billonario, -ria *mf*. ~가 되다 hacerse millonario.

갑부(甲部) =경부(經部).

갑부(閘夫) portero *m*.

갑사(甲士) =갑병(甲兵).

갑사(甲紗) seda *f* fina de buena calidad.

갑삼팔(甲三八) tela *f* superior de hilo de seda.

갑상(甲狀) *forma f semejante a la armadura.*
▪ ~골 agujero *m* tiroideo. ~ 연골 cartílago *m* tiroides.

갑상샘(甲狀-) =갑상선(甲狀腺).

갑상선(甲狀腺) tiroides *m*, glándula *f* tiroides. ~의 tiroideo, tiroides.
▪ ~ 결여 tiroprivia *f*. ~ 교질 tirocoloide *m*. ~ 기능 감퇴 유발 hipotiroidación *f*. ~ 기능 부전 hipotiroidismo *m*, hipotireosis *f*, insuficiencia *f* tiroidea. ~ 기능 장애 tirosis *f*, tiremfraxis *f*. ~ 기능 저하증 hipotiriodismo *m*. ~ 기능 정상 eutiroidismo *m*. ~ 단백질 tiroproteína *f*. ~ 독소 tiroidotoxina *f*, tirotoxina *f*. ~ 동맥 arteria *f* tiroides. ~ 발육 부전 tiroaplasia *f*. ~ 발육 장애 tiroaplasia *f*. ~병 tiropatía *f*. ~ 비대 tiromegalía *f*, tiroadenitis *f*. ~염 tiroiditis *f*. ~ 요법 tiroterapia *f*. ~ 자극 호르몬 tirotropina *f*, hormotirina *f*. ~ 절제술(切除術) tiroidectomía *f*. ~ 정맥 vena *f* tiroides. ~ 종(腫) papera *f*, bocio *m*, tiroma *m*, tirofima *m*. ~종 유발 물질 goitrina *f*, goitrogen *m*. ~ 주위염 peri-tirioditis *f*. ~ 중독성 tirotoxicosis *f*, tiroidismo *m*. ~ 증대(增大) tiromegalía *f*. ~ 파열 연골 tiroaritenoideo *m*. ~ 하수증 tiroptosis *f*. ~학 tiroidología *f*. ~ 항독소 tiroantitoxina *f*. ~ 협부(峽部) istmo *m* de glándula tiroidea. ~ 호르몬 hormona *f* tiroides.

갑석(-石) piedra *f* plana puesta en otra piedra.

갑술(甲戌) 【민속】 *gapsul*, undécimo período *m* binario del ciclo sexagenario.

갑시(甲時) 【민속】 *gapsi*, el sexto de los veinticuarto períodos del día, de las cuatro y media de la mañana a las cinco y media de la mañana.

갑시다 estar entrecortado (por). 연기로 ~ estar entrecortado con el humo.

갑신(甲申) 【민속】 *gapsin*, el Año del Mono, el vigesimoprimer año del ciclo sexagenario.

갑신정변(甲申政變) 【역사】 *Gapsin Jeongbyeon*, el Golpe de Estado de *Gapsin* (de 1884).

갑야(甲夜) =초경(初更).

갑오(甲午) 【민속】 *gabo*, trigesimoprimer término *m* binario del ciclo sexagenario.

갑오경장(甲午更張) la Reforma de *Gabo*.

갑오징어 【동물】 sepia *f*.

갑오혁신(甲午革新) =갑오경장(甲午更張).

갑옷(甲-) armadura *f*. ~을 입다 llevar armadura, vestirse armadura, ponerse la armadura. ~ 입은 기사(騎士)들 caballeros *mpl* con armaduras.
▪ ~ 미늘 piezas *fpl* de metal en la armadura. ~ 투구 la armadura y el yelmo.

갑을(甲乙) el primero y el segundo, A y B. ~ 가리지 않고 sin ninguna diferencia, de igual a igual.

갑의(甲衣) 【역사】 =갑옷.

갑이별(-離別) separación *f* repentina entre los amantes.

갑인(甲寅) 【민속】 *gabin*, quincuagesimoprimer período *m* binario del ciclo sexagenario.
▪ ~자(字) *gabinja*, tipo *m* de cobre acuñada en el Año de *Gabin* (1443).

갑일(甲日) =환갑날.

갑자(甲子) 【민속】 *gapja*, primer período *m* binario del ciclo sexagenario.

갑자기 de repente, de golpe, de pronto, repentinamente, de súbito, súbitamente, impetuosamente, precipitadamente. ~ 문을 열다 abrir la puerta de golpe. ~ 몸져 눕다 caer enfermo súbitamente. ~ 죽다 morir súbitamente [de repente], fallecer súbitamente [de repente]. 그는 ~ 태도가 변했다 El se ha cambiado la manera repentinamente [de repente]. ~ 비가 내리기 시작했다 De repente, empezó a llover. 온도가 ~ 내려갔다 La temperatura bajó repentinamente.

갑작병(一病) enfermedad *f* repentina.

갑작사랑 amor *m* repentino.

■ 갑작사랑 영이별 ((속담)) El amor repentino es fácil de separarse para siempre.

갑작스럽다 (ser) urgente, repentino, súbito, inesperado, impensado, rápido. 갑작스러운 일로 우리는 아무 준비도 못했다 Como ha sido una cosa repentina, no tenemos nada preparado.

갑작스레 de repente, repentinamente, de súbito, súbitamente.

갑장(甲仗) la armadura y las armas.

갑장(甲長) =동갑(同甲).

갑절 doble, dos veces; [셀 때] veces *fpl*. 두 ~ doble *m*, dos veces.

갑제(甲第) casa *f* bien construida grande y anchamente.

갑족(甲族) familia *f* de buen linaje.

갑졸(甲卒) =갑병(甲兵).

갑종(甲種) grado A.

■ ~ 근로 소득 ingresos *mpl* salariales de Grado A. ~ 근로 소득세 impuestos *mpl* de ingresos salariales de Grado A.

갑주(甲冑) =갑옷 투구.

갑주(甲紬) seda *f* lujosa de la cualidad superior.

갑중(匣中) interior *m* de la caja.

갑증(甲繒) seda *f* fina y lujosa de la calidad superior.

갑진(甲辰) 【민속】 *gabchin*, cuadragesimoprimer período *m* binario del ciclo sexagenario.

■ ~자(字) *gapjinja*, tipo *m* de cobre acuñado en el Año de *Gapjin* (1484).

갑찰(甲刹) el templo budista más grande del país o de la provincia.

갑철(甲鐵) la armadura y las armas.

갑충(甲蟲) 【곤충】 escarabajo *m*, lucano *m*, ciervo *m* volante.

갑판(甲板) cubierta *f*. ~에 나가다 salir a cubierta. ~을 깔다 engalanar (*algo* con *algo*), adornar (*algo* con *algo*). ~에서 바다로 뛰어들다 saltar al agua.

◆ 비행(飛行) ~ cubierta *f* de vuelo. 상(上) ~ cubierta *f* superior. 아래 ~ cubierta *f* inferior. 앞 ~ cubierta *f* de proa. 중(中)~ entrepuente *m*, entrecubierta *f*. 하(下)~ cubierta *f* inferior.

■ ~ 대들보 eslora *f* de cubierta. ~도(渡) =에프오비(F.O.B.). ~ 사관 oficial *mf* de cubierta. ~ 승강구 trampilla *f*, escotilla *f*. ~실[선실] cabina *f* de cubierta, cabina *f* de mando; 【항공】 cabina *f* de vuelo. ~ 여객 pasajeros *mpl* de cubierta. ~원 marinero *m* (de cubierta). ~ 일지(日誌) diario *m* de cubierta. ~장 contramaestre *m*. ~ 적재 화물 carga *f* en [a] cubierta. ~ 적하(積荷) carga *f* de cubierta. ~ 착륙 aterrizaje *m* sobre cubierta. ¶~을 하다 aterrizar en la cubierta.

갑피(甲皮) zapatos *mpl* sin suelas.

갑화(一火) =도깨비불.

값 precio *m*, coste *m*, costo *m*, valor *m*. ~이 싼 barato, moderado. ~이 비싼 caro. 부르는 ~ precio *m* pedido (por el vendedor). 매우 오른 ~으로 a precio muy subido, a peso de dinero [de oro, de plata]. 부른~으로 사다 comprar al precio pedido. (경매에서) 서로 다투어 ~을 올리다 ofrecer precios elevados [elevar precios] en una subasta. ~은 얼마입니까? ¿Cuánto vale? / ¿Cuánto cuesta? / ¿Cuánto es? / ¿Qué precio tiene? / ¿A cómo es? / ¿Cuánto le debo? ~이 오른다고 [내린다도] 합니다 Dicen [Se dice] que va a subir [bajar].

◆ 값(이) 나가다 ㉮ [값이 많은 액수에 이르다] (ser) caro, valioso. 값이 나가는 물건 artículo *m* caro. ㉯ [귀하다] ser precioso. 값나가는 물건 objeto *m* precioso, objeto *m* de (mucho) valor [de precio]. 값나갈만한 물건은 아무것도 없다 No hay objetos de valor. 값(이) 없다 ㉮ [너무 귀해 값을 칠 수 없다] (ser) inapreciable, inestimable, *AmL* invalorable. 값이 없는 보배 tesoros *mpl* inestimables. ㉯ [하찮아서 값이 나가지 않다] (ser) sin (ningún) valor.

값비싸다 [값이 비싸다] ser caro, ser de precio alto, ser costoso.

값싸다 ① [값이 싸다] ser barato, ser de precio bajo, ser poco costoso. 품질에 비해 값싼 muy barato, de precios rebajados. 품질에 비해 값싸게 a precio módico [reducido]; [할인해서] a precio rebajado. 품질에 비해 값싸게 팔다 vender (*algo*) a precio rebajado. 품질에 비해 값싼 물건 artículos *mpl* que se venden a precios rebajados, liquidaciones *fpl*, rebajas *fpl*; [바겐세일하는 물건] ganga *f*. ② [(무슨 일의) 의의나 가치가 적다] ser de poco valor y sin utilidad, ser frívolo, ser superficial. 값싼 동정 compasión *f* superficial. 나는 값싼 동정을 받고 싶지 않다 No quiero aceptar una compasión superficial.

값어치 valor *m*. 한 번 읽어 볼 ~가 있다 Vale la pena de leer / Merece la pena de leer.

값지다 (ser) caro, valuable. 값진 선물 regalo *m* caro, obsequio *m* caro. 값진 물건은 없다 No hay objetos de valor.

값 치르다 pagar el precio.

값표(一表) lista *f* de precios.

갓[1] ① [쓰는] *gat*, sombrero *m* tradicional coreano, sombrero *m* de juncia [de bambú, de caña]. ② [갓 모양으로 된 것 · 등이나 전등의 갓 따위] pantalla *f.* ③ [버섯에서, 관(冠)처럼 생긴 부분] sombrete *m.*

갓² 【식물】 mostaza *f.*

갓³ ((준말)) =말림갓.

갓⁴ [비웃 · 굴비 같은 것의 열 마리, 또는 고사리 · 고비 같은 것의 열 모숨을 한 줄로 엮은 것을 셀 때 이르는 단위] *gat,* manojo *m,* atado *m.* 굴비 한 ~ un manojo de corvina amarilla secada. 고사리 두 ~ dos manojos de helechos.

갓⁵ [금방 · 처음] fresco, nuevo, reciente, recientemente; [과거 분사 앞에서] recién. ~ 구운 recién sacado del horno. ~ 만든 recién hecho. ~ 구운 [나온 · 꺼낸] 과자 pastel *m* recién salido del horno. ~ 구운 빵 pan *m* recién sacado del horno. ~ 낳은 알 huevo *m* recién puesto. ~ 꺾은 꽃 flores *fpl* recién cortadas. ~ 맞춘 옷 vestido *m* recién estrenado, vestido *m* nuevo. ~ 면도한 얼굴 cara *f* recién afeitada. ~ 잡은 생선 pescado *m* fresco. ~ 빤 와이셔츠 camisa *f* recién lavada. ~ 칠한 문(門) puerta *f* recién pintada. 우물에서 ~ 푼 물 el agua *f* fresca del pozo, el agua *f* recién sacada del pozo. 대학을 ~ 졸업한 청년 joven *m* recién graduado en la universidad. 그는 대학을 ~ 나왔다 El es un recién salido de la universidad.

갓- ① [이제 막] justo. ~마흔 justo cuarenta años de edad. ② =겨우.

갓걸이 percha *f* para el sombrero, *Ecuad, Per, PRico,* sombrerera *f, Col* sombrerero *m.*

갓김치 *gatgimchi,* las hojas y los tallos de mostaza encurtidos.

갓끈 cuerda *f* del sombrero.

갓나다 nacer recientemente. 갓난 송아지 ternero *m* recién nacido.
갓난것 ((속어)) =갓난아이.
갓난누에 =개미누에.
갓난아기 =갓난아이.
갓난아이 lactante *mf,* nene, -na *mf,* bebé *m;* niño, -ña *mf* de pechos; criatura *f,* crío, -a *mf,* infante, -ta *mf,* niño *m* recién nacido, niña *f* recién nacida; rorro *m.* ~ 취급을 하다 tratar (a *uno*) como un nene. 나는 ~ 때부터 desde que yo era bebé, desde que yo era niño de pecho. ~에게 첫 목욕을 시키다 dar el primer baño a un niño recién nacido. 그는 마치 ~ 같다 El es como un niño recién nacido. 그 여자는 나를 ~ 취급을 한다 Ella me trata como a un crío.
갓난어린애 =갓난아이.
갓난어린이 =갓난아이.

갓나오다 acabar de salir.

갓방(-房) tienda *f* del sombrerero.

갓양태 el ala *f* (*pl* las alas) del sombrero tradicional coreano.

갓장이 sombrerero *m.*

갓쟁이 hombre *m* con el sombrero tradicional coreano.

갓전(-廛) tienda *f* de los sombreros tradicionales coreanos.

갓집 sombrerera *f,* caja *f* para guardar el sombrero tradicional coreano

갓털 【식물】 vilan *m,* papo *m.*

강(江) río *m.* ~을 따라 a lo largo del río. ~ 건너 저쪽에 al otro lado del río. ~ 아래쪽으로 río abajo. ~ 위쪽으로 río arriba. ~ 아래쪽으로 항해하다 navegar río abajo. ~을 건너다 atravesar [cruzar] el río. ~을 거슬러 올라가다 ir contra [seguir] la corriente, ir río arriba. ~을 거슬러 내려가다 seguir la corriente, ir río abajo. 도시 한가운데로 ~이 흐르고 있다 Por (en) medio de la ciudad pasa el río. 아마존~과 미시시피~은 세계에서 가장 큰 두 ~이다 El Misisipí y el Amazonas son los dos ríos más grandes del mundo.
◆ 한~ el río Han, el Han.
◆ 강 건너 불 구경 contemplar (*algo*) como puro espectador.
■ ~ 낚시 pesca *f* de río.

강(鋼) =강철(鋼鐵)(acero).

강(綱) 【생물】 clase *f.*

강(講) ① [배운 글을 선생 앞에서 욈] recitación *f,* el aprender de memoria delante del maestro lo que aprendió. ~하다 recitar. ② ((준말)) =강의(講義)(curso, lección). ¶~하다 dar lecciones.
◆ 강(을) 바치다 aprender de memoria lo que aprendió antes delante del maestro. 강(을) 받다 hacer aprender de memoria lo que aprendió antes delante del maestro.

강(腔) cavidad *f.*

강- ① [아주 호되거나, 억척스러움을 나타내는 말] severo, fuerte, firme, resistente, intenso, seco. ~추위 frío *m* fuerte, frío *m* seco. ~샘 celos *mpl* poco razonables, celos *mpl* intensos. ② [일부 명사 앞에 붙어, 「그것으로만 이루어진」의 뜻] puro. ~조밥 mijo *m* cocido puro.

강-(强) muy fuerte, muy duro. ~추위 frío *m* muy severo. ~행군(行軍) marcha *f* fuerte.

-강(强) un poco más de …; … y pico; … y un poco más. 국민의 60 퍼센트~ un poco más del sesenta por ciento de la nación.

강가(江-) orilla *f* (de un río), ribera *f,* margen *f* (*pl* márgenes), banda *f* de río. ~에 a orillas del río, a la orilla del río.

강가(降嫁) casamiento *m* de la princesa con el súbdito. ~하다 (la princesa) casarse con el súbdito.

강가루(영 *kangaroo*) ① 【동물】 =캥거루. ② ((은어)) [임신중인 여자] mujer *f* preñada [encinta · embarazada].

강간(强姦) violación *f,* estupro *m,* violencia *f,* desfloración *f,* ultraje *m,* rapto *m;* [미성년자 강간] relaciones *fpl* sexuales con un menor. ~하다 violar, forzar (a una mujer), estuprar, ultrajar, cometer estupro, deshonrar, abusar de una mujer por violencia. ~당하다 ser violado. ~당한 여인의 극적인 증언 dramático testimonio *m* de mujer violada.

◆집단(集團) ～ violaciones *fpl* colectivas.
▪～ 미수 estupro *m* intentado. ～범 violador, -dora *mf.* ～자 violador *m*, estuprador *m.* ～죄 violación *f*, delito *m* de violación; [미성년자의] estupro *m.*

강강수월래(强羌水越來) ① *ganggangsuwole*, danza *f* folclórica tradicional coreana, baile *m* folclórico tradicional coreano. ② [여자들이 하는 민속적 원무(圓舞)에 맞추어 부르는 노래] canción *f* folclórica con *ganggangsuwole*.

강강술래 ＝강강수월래.

강강하다(剛剛－) ① [기운이 단단하다] (ser) firme, robusto, tenaz, macizo, categórico. ② [마음이 군세다] (ser) firme. ③ [풀이 세어 빳빳하다] (ser) duro. ④ [날씨가 쌀쌀하다] hacer fresquito. 강강한 날씨 tiempo *m* fresquito.
강강히 firmemente, robustamente, tenazmente, duramente.

강개(慷慨) indignación *f* justificada. ～하다 estar indignado. 그는 그 제안에 ～했다 La sugerencia le indignó. 그는 변변치 않은 보상을 받고 ～를 느꼈다 El se indignó al recibir tan mezquina recompensa. 그는 이 제안에 ～를 나타냈다 El expresó su indignació ante esta sugerencia / El se mostró muy indignado ante esta sugerencia.

강건체(剛健體) estilo *m* nervioso.

강건하다(剛健－) (ser) fuerte, robusto, vigoroso. 강건함 fuerza *f*, robustez *f*, vigor *m* físico, virilidad *f*.
강건히 fuertemente, robustamente, vigorosamente, virilmente.

강건하다(强健－) (ser) robusto, fuerte, vigoroso. 강건함 robustez *f*, vigor *m*, salud *f* vigorosa. 강건한 정신 espíritu *m* robusto.
강건히 robustamente, con robustez, vigorosamente, fuertemente.

강격(强擊) golpe *m* fuerte. ～하다 dar un golpe fuerte, golpear fuertemente.

강견(强肩) fuerza *f* del hombro.

강견하다(强堅/剛堅－) (ser) fuerte y sólido.
강견함 fuerza *f* y solidez.
강견히 fuerte y sólidamente.

강경(疆境) ＝강계(疆界).

강경 노선(强硬路線) línea *f* dura. ～의 de línea dura.

강경론자(强硬論者) partidario, -ria *mf* de la línea dura.

강경 수단(强硬手段) medida *f* drástica, medida *f* radical, paso *m* decisivo.

강경 정책(强硬政策) política *f* de línea dura.

강경책(强硬策) medida *f* de línea dura.

강경파(强硬派) halcón *m* (*pl* halcones), partidarios *mpl* de la línea dura.

강경하다(强硬/强勁/强梗/强骾－) (ser) firme, tenaz, inflexible, riguroso, enérgico, fuerte, agresivo, forzado; [비타협적인] intransigente. 강경함 firmeza *f*, obstinación *f*, inflexibilidad *f*. 강경한 태도로 en actitud firme, en actitud agresiva. 강경한 태도로 나오다 tomar una actitud agresiva, mostrarse agresivo. 강경한 수단을 취하다 tomar medidas rigurosas [enérgicas]. 강경하게 반대하다 oponerse fuertemente (a *algo*). 강경한 담판을 하다 hacer una negociación forzada, presionar una negociación.
강경히 firmemente, resueltamente, con firmeza, insistentemente, tenazmente, inflexiblemente, rigurosamente, enérgicamente, fuertemente, inquebrantemente.

강계(江雞) hembra *f* de la libélula.

강계(疆界) borde *m*, frontera *f*.

강고하다(强固－) (ser) firme, seguro, fuerte, sólido. 강고함 firmeza *f*, solidez *f*, seguridad *f*, fuerza *f*. 강고한 기초(基礎) base *f* sólida. 강고한 의지(意志) voluntad *f* firme. 기초가 강고되었다 La fundación está firme. 그는 의지가 ～ El está firme en sus propósitos / El tiene una voluntad firme.
강고히 firmemente, seguramente, fuertemente, sólidamente. ～ 하다 hacer firme, hacer sólido, asegurar, consolidar, fortificar. 자기의 지위(地位)를 ～ 하다 asegurar *su* posición.

강골(强骨) carácter *m* firme.
▪～한(漢) persona *f* de constitución robusta.

강공(强攻) ataque *m* positivo. ～하다 atacar positivamente.

강관(鋼管) tubo *m* de acero.

강괴(鋼塊) barra *f* de acero.

강교(江郊) afueras *fpl* cerca del río.

강교(鋼橋) puente *m* de acero.

강구(江口) ① [강어귀] desembocadura *f*, ría *f*, estuario *m*. ② ＝나루.

강구(强求/彊求) ① [강제로 구함] petición *f* insistente. ～하다 exigir [requerir] insistentemente. ② ＝강요(强要).

강구(强仇) enemigo *m* fuerte.

강구(强寇) ladrón *m* (*pl* ladrones) influyente.

강구(康衢) avenida *f* que se va por varios sitios.
▪～연월(煙月) paisaje *m* pacífico de la época de la paz.

강구(講究) estudio *m*, consideración *f*, deliberación *f*. ～하다 estudiar, considerar, deliberar. 필요한 대책을 ～하다 tomar las medidas [disposiciones] necesarias (para + *inf* · contra).

강국(强國) país *m* (*pl* países) fuerte, país *m* poderoso, nación *f* poderosa, potencia *f*. 세계의 ～ potencia *f* del mundo.

강군(强軍) ① [강한 군대] tropas *fpl* fuertes. ② [강한 팀] equipo *m* fuerte.

강굴 ostras *fpl* puras sin mezclar el agua.

강굽이(江－) curva *f* del río.

강궁(强弓) arco *m* fuerte.

강권(强勸) recomendación *f* insistente. ～하다 obligar [forzar · compeler] (a + *inf*). 그들은 ～으로 팔았다 Ellos se vieron obligados [forzados] a vender.

강권(强權) autoridad *f*, autoridad *f* legal, fuerte medida *f*. ～을 발동하다 ejecutar

autoridad, invocar la autoridad legal (contra), tomar fuertes medidas (contra).
■ ~ 발동 invocación *f* de autoridad legal. ~ 정치 política *f* poderosa, política *f* arbitaria. ~주의 autoritarismo *m*.

강근(强近) grado *m* de consanguinidad muy cercano.
■ ~지친(之親) parentesco *m* muy cercano, pariente *m* cercano.

강기(剛氣) fortaleza *f*, solidez *f*, firmeza *f* de carácter, tenacidad *f*, masculinidad *f*, virilidad *f*, audacia *f*, intrepidez *f*.

강기(强記/彊記) buena memoria *f*, memoria *f* firme, tenacidad *f*, memoria *f* retentiva.

강기(綱紀) orden *m* y disciplina.
■ ~ 문란(紊亂) infracción *f* [violación *f*] de disciplina. ~ 숙정 restablecimiento *m* del orden y (la) disciplina.

강기슭(江一) ribera *f*, orilla *f* de un río.

강남(江南) ① [강의 남부] parte *f* sur del río. ② [전라남도 순천군(順天郡)] *Suncheon-gun* en la provincia de *Jeollanamdo*. ③ [남쪽의 먼 곳] lugar *m* lejano del sur. ~ 갔던 제비 golondrina *f* que fue al lugar lejano del sur. ④ [중국(中國)] China *f*.
■ ~귤 화위지(橘化爲枳) La naturaleza se cambia según el ambiente.

강남두(江南豆) 【식물】 =강낭콩.

강남죽(江南竹) 【식물】 =죽순(竹筍)대.

강낭콩(江南一) 【식물】 alubia *f*, judía *f*, habichuela *f*, frijol, fréjol *m*, *CoS* poroto *m*. 흰 ~ alubia *f* blanca.
■ ~밥 arroz de alubia [*Cuba, ReD* frijol].

강냉이 maíz *m* (*pl* maíces).

강년(康年) =풍년(豊年).

강녕(康年) el cuerpo sano y el corazón pacífico. ~하다 estar sano y salvo.
강녕히 sano y salvo.

강노(强弩) arco más fuerte.

강놈(江一) riberano, -na *mf*, ribereño, -ña *mf*.

강다리[1] [물건을 버릴 때 어긋맞게 괴는 나무] palo *m* de soporte en diagonal.

강다리[2] [쪼갠 장작의 100 개비] cien pedazos de leña.

강다짐 ① [밥을 국이나 물에 말지 않고 그냥 맨밥으로 먹음] comida *f* sin sopa o agua. ~하다 comer sin sopa o agua. ② [주는 것 없이 남을 강압적으로 부림] empleo *m* obligatorio sin pagar. ~하다 obligar a trabajar sin pagar. ③ [덮어놓고 얹눌러 꾸짖음] reprensión *f* sin escuchar *su* historia. ~하다 reprender sin escuchar *su* historia.

강단(講壇) plataforma *f*, estrado *m*; [설교의] púlpito *m*; [대학의] cátedra *f*, tarima *f*. ~에 서다 aparecer a la plataforma. ~에 오르다 subir a la plataforma.

강단(剛斷) resolución *f*, determinación *f*, lo decisivo.
강단지다 tener el carácter decisivo.

강단(降壇) =하단(下壇).

강담 muro *m* de piedras sin tierra.

강담(剛膽) audacia *f* fuerte. ~하다 (ser) audaz.

강담(講談) discurso *m*, conversación *f*; [설교(說敎)] sermón *m*..

강당(講堂) ① [학교 등의] salón *m* (*pl* salones) de actos, el aula *f* (*pl* las aulas), auditorio *m*, sala *f* de conferencia, paraninfo *m*. ② ((불교)) =강원(講院). ③ ((천주교)) púlpito *m*.

강대(江一) aldea *f* de la orilla del río que estaba en los alrededores de Seúl.

강대(强大) fuerza *f*, poder *m*, potencia *f*. ~하다 (ser) fuerte, poderoso, potente. ~하게 되다 llegar a ser poderoso.
강대히 fuertemente, poderosamente.
■ ~국 país *m* fuerte, nación *f* poderosa, potencia *f*. ¶세계의 4대 ~ cuatro potencias del mundo. ~ 무비 fuerza *f* incomparable.

강더위 calor *m* intensivo [severo].

강도(羌挑) =호두(胡一).

강도(强度) intensidad *f*, fuerza *f*. ~의 intenso, fuerte, intensivo. 지진의 ~ intensidad *f* sísmica.

강도(强盜) ① [사람] ladrón *m* (*pl* landrones), -drona *mf* (a mano armada); salteador, -dora *mf*, asaltante *mf*, bandido *m*; atracador, -dora *mf*. ② [행위] robo *m* (a mano armada), saqueo *m* violento, salteamiento *m*, pillaje *m*, atraco *m*. 어제 저 집은 ~당했다 Ayer aquella casa fue asaltada a mano asaltada / Ayer aquella casa fue víctima de asalto.
◆ 권총(拳銃) ~ atracador, -dora *mf* con pistola; pistolero *m* armado; [행위] atraco *m*. 노상(路上) ~ atracador, -dora *mf*. 무장(武裝) ~ atracador, -dora *mf* a mano armada; asaltante *mf* a mano armada. 복면(覆面) ~ atracador *m* enmascarado, atracadora *f* enmascarada. 은행(銀行) ~ atracador, -dora *mf* de bancos; asaltante *mf* de bancos. 택시 ~ ladrón, -drona *mf* del taxi.
■ ~ 강간죄 violación *f* con motivo de robo. ~ 강간 치사죄 violación *f* con motivo de robo con resultado de muerte. ~ 살인죄 robo *m* con resultado de muerte. ~ 상해죄 robo *m* con resultado de lesión. ~ 예비죄 preparación *f* de robo. ~질 salteamiento *m*, acción *f* de saltear, robo *m*. ¶ ~하다 saltear, robar, robar en despoblado a los caminantes, asaltar [robar] a mano armada. 무장 ~ asalto *m* [atraco *m*] a mano armada. 은행 ~ asalto *m* [atraco *m*] a un banco. ~ 치사죄 robo *m* con resultado de muerte. ~ 치상죄 robo *m* con resultado de lesión.

강도(講道) predicación *f*. ~하다 predicar.
■ ~사(師) ((기독교)) predicador, -dora *mf*. ~상(床) púlpito *m*.

강독(講讀) lectura *f*, [해석(解釋)] interpretación *f* (del texto), explicación *f* (del texto). ~하다 leer y interpretar [explicar].

강돈(江豚) 【동물】 =돌고래.

강동거리다 brincar, dar saltitos, saltar a la

pata coja, saltar con un solo pie.
강동강동 brincando, dando saltitos.

강동하다 (ser) demasiado corto.

강두(江頭) atacadero *m*, muelle *m*, embarcadero *m*.

강둑(江－) ribero *m*, dique *m*.

강등(降等) degradación *f*, destitución *f* ignominiosa de un grado [de una dignidad]. ～하다 degradar, despojar de un grado [dignidad]. ～을 당하다 sufrir la degradación militar. 군인(軍人)을 ～시키다 degradar a un militar.

강똥 estiércol *m* muy espeso.

강락(康樂) bienestar *m*, comodidad *f*. ～하다 ser cómodo.

강력(强力) ① [강한 힘] gran fuerza *f*, gran poder *m*. ～하다 (ser) fuerte, poderoso, potente, de mucha fuerza, enérgico, que tiene energía. ～하게 enérgicamente, con fuerza. ～한 내각(內閣) gabinete *m* fuerte. ～한 살충제 insecticida *m* potente. ～한 엔진 motor *m* potente, motor *m* de gran potencia. ～하게 정책을 수행하다 poner enérgicamente en práctica el programa político. ～한 어조로 말하다 hablar con tono enérgico.
강력히 fuertemente, enérgicamente, con fuerza, poderosamente, con gran poder.
■ ～범(犯) [범인] criminal *m* violento; [행위] crimen *m* de violencia. ～부(部) departamento *m* encargado de crimen de violencia.

강렬하다(强烈－) (ser) intenso, fuerte; [격하다] violento. 강렬함 intensidad *f*, violencia *f*. 강렬한 색(色) color *m* vivo, color *m* chillón. 강렬한 지진 terremoto *m* intenso, terremoto *m* serio. 강렬한 악취(惡臭)를 발하다 despedir un olor nauseabundo [muy malo], apestar. 강렬한 일격(一擊)을 가하다 dar un golpe violento. 그는 강렬한 개성(個性)의 소유자다 El tiene una personalidad muy acusada.
강렬히 intensamente, fuertemente, violentamente, con violencia.

강령(綱領) programa *m* principal, plataforma *f*, principio *m*, plan *m* general, punto *m* esencial, declaración *f* formal de principios.

강론(講論) ① [학술의] exposición *f*, discusión *f*. ～하다 exponer, discutir. ② ((천주교)) predicación *f*. ～하다 predicar. ③ ((성경)) ¶～하다 declarar y exponer, discutir.
■ ～회(會) ㉮ [학술의] reunión *f* de discusión. ㉯ ((천주교)) reunión *f* de predicación.

강류(江流) corriente *f* del río.

강린(强隣) país *m* (*pl* países) vecino fuerte.

강림(降臨) ① adviento *m*; [그리스도의] advenimiento *m* de Cristo. ～하다 descender. ② ((성경)) venida *f*.
■ ～절(節) el Adviento.

강마르다 (estar) seco, reseco, agostado.

강만(江灣) el río y la bahía.

강만(岡巒) la colina y la montaña.

강매(强買) compra *f* forzada. ～하다 hacer [forzar a] comprar (*algo* a *uno*), comprar (*algo*) a la fuerza.

강매(强賣) venta *f* forzada. ～하다 hacer [forzar a] vender (*algo* a *uno*), vender (*algo*) a la fuerza.
■ ～자 buhonero, -ra *mf* [mercachifle *mf*·charanguero, -ra *mf*·baratillero, -ra *mf*] insistente.

강명하다(剛明－) (ser) intrépido e inteligente.
강명히 intrépida e inteligentemente.

강모(剛毛) cerda *f*.

강모래(江－) arena *f* del río.

강모음(强母音) vocal *f* fuerte.

강목(綱目) ① [요점(要點)] punto *m* principal. ② [부류(部類)] clasificación *f*, clase *f*. ～하다 clasificar, detallar.

강무(講武) capacitación *f* militar, capacitación *f* en el arte de guerra. ～하다 estudiar la capacitación militar.

강물(江－) el agua *f* del río, el río. ～이 넘친다 El río se desborda. ～이 준다 El río desciende / El río baja. 비가 내린 뒤에 ～이 불었다 El río estaba crecido tras la lluvia.

강미(糠糜) gachas *fpl* de cáscaras.

강바닥(江－) fondo *m* del río.

강바람 viento *m* seco.

강바람(江－) brisa *f* del río, viento *m* del río.

강박(强迫) compulsión *f*, coacción *f*, amenaza *f*. ～하다 obligar (a + *inf*), forzar (a + *inf*), coaccionar (para que + *subj*).
■ ～ 관념 obsesión *f*, idea *f* obsesiva, idea *f* compulsiva. ¶～에 사로잡히다 obsesionar. 그는 …라는 ～에 사로잡혀 있다 Le obsesiona idea de que + *subj*. ～ 감정 afecto *m* obsesivo. ～ 반응 신경증 neurosis *f* obsesiva. ～ 사고 pensamiento *m* obsesivo. ～ 상태 estado *m* obsesivo. ～성 인격 personalidad *f* obsesiva. ～ 신경증 neurosis *f* obsesiva. ～적 compulsivo, obsesivo. ～ 행위 anancastia *f*.

강반(江畔) ＝강가. 강기슭.

강밥 comida *f* sin sopa.

강방(强邦) país *m* (*pl* países) poderoso.

강밭다 (ser) muy tacaño.

강벌(江－) ＝강펄.

강변(江邊) orilla *f* del río, ribera *f*. ～에 por la orilla, a la orilla del río. ～을 산책하다 pasear por la orilla [a lo largo] del río. 나는 ～에 산다 Yo vivo al borde del río. ～에 버드나무가 심어져 있다 El borde del río está poblado de sauces.
■ ～ 도로 camino *m* de orillas del río. ～로 ((준말)) ＝강변 도로. ～ 집 casa *f* a orillas del río. ～ 카페 café *m* a orillas del río.

강변(强辯) sofisma *m*, sofistería *f*, subterfugio *m*, pretexto *m*, efugio *m*. ～하다 sofisticar, obstinarse en *sus* opiniones, utilizar sofismas para defender *su* opinión, buscar escapatorias.

강변화(强變化) conjugación *f* fuerte.

■ ~ 동사 verbos *mpl* fuertes.
강병(-病) =괴병.
강병(剛兵) soldado *m* fuerte.
강병(强兵) ① [강한 병사] soldado *m* fuerte. ② [군비·병력 등을 강화함] concentración *f* militar.
◆부국(富國) ~ la riqueza y la fuerza militar de una nación, la prosperidad y la defensa de un país. 부국 ~책 medida *f* de enriquecer y fortalecer un país.
강보(襁褓) pañales *mpl*.
■ ~ 유아 bebé *m*; niño, -ña *mf*.
강보합(强保合)【증권】tendencia *f* al alza
강복(降福) ((천주교)) bendición *f*. ~하다 bendedir. 하나님께서 당신에게 ~하시기를! ¡Que el Señor te bendiga!
강복하다(康福-) (ser) sano y feliz.
강북(江北) ① [강의 북쪽] norte *m* del río. ② [서울에서, 한강 이북 지역] el área *f* (*pl* las áreas) del norte del río Han. ③ [중국 양쯔 강의 북쪽] norte *m* del Río Azul.
강비(糠粃) comida *f* basta.
강비탈(江-) cuesta *f* del río.
강사(講士) conferenciante *mf*.
강사(講師) lector, -ra *mf*; encargado; -da *mf* del curso; [강연자(講演者)] conferenciante *mf*; *AmS* conferencista *mf*; [대학의] profesor *m* no numerario, profesora *f* no numeraria; *AmL* profesor, -sora de tiempo parcial. ~직(職) puesto *m* de profesor no numerario.
강삭(鋼索) cable *m*.
■ ~ 철도 carril *m* de cable, fenicular *m*.
강산(江山) ① [강과 산] el río y la montaña. 10년이면 ~도 변한다 El río y la montaña se cambian también en diez años. ② [나라의 강토(疆土)] país *m* (*pl* países). ③ [자연(自然)] naturaleza *f*. 아름다운 ~ naturaleza *f* hermosa [maravillosa].
◆금수(錦繡) ~ tierra *f* hermosa. 삼천리 금수 ~ tierra *f* hermosa de Corea.
■ ~ 풍월(風月) paisaje *m* hermoso de la naturaleza.
강산(强酸)【화학】ácido *m* fuerte.
강살(降殺) =강쇄.
강삼(江蔘) ginsén *m* [ginseng *m*] producido en la provincia *Gangwondo*.
강상(江上) ① [강물의 위] sobre el agua del río. ② =강기슭.
강상(降霜) escarcha *f*. ~하다 escarchar, formarse escarcha en las noches frías. ~으로 덮인 잎 hojas *fpl* cubiertas de escarcha. 불시의 ~때문에 debido a la escarcha inesperada.
강상(綱常) principios *mpl* morales, moralidad *f*.
강샘 celos *mpl* excesivos, celos *mpl* poco razonables, celos *mpl* ardientes, celos *mpl* intensivos. ~하다 sentir la fuerza de celos poco razonables, envidiar intensivamente, tener envidia ardiente, estar intensivamente celoso (de), tener celos excesivos (de).
강생(降生) encarnación *f*. ~하다 estar encarnado.
강서(江西) ① [강의 서쪽] oeste *m* del río. ② [(서울의) 한강의 서쪽 지역] el área oeste del río Han (de Seúl).
강서(講書) exposición *f* de las escrituras antiguas. ~하다 exponer las escrituras antiguas.
강서리 escarcha *f* fuerte.
강석(講席) sala *f* de conferencia.
강석(講釋) comentario *m*, explicación *f*. ~하다 comentar, explicar.
강선(鋼船) barco *m* de acero.
강선(鋼線) cuerda *f* de acero.
강설(降雪) nevada *f*, caída *f* de la nieve, acción *f* de nevar. ~하다 nevar, caer la nieve. ~이 30센티미터에 달했다 Hubo una nevada que alcanzó hasta (un grosor de) treinta centímetros.
■ ~량 (cantidad *f* de) nevada *f*.
강설(强雪) nieve *f* que cae fuertemente.
강설(講說) conferencia *f*, charla *f*. ~하다 dar una conferencia, dar una clase.
강섬(江-) isla *f* en el centro del río.
강성(强性) carácter *m* fuerte, fuerza *f*.
강성(剛性) fuerza *f*, vigor *m*, consistencia *f*, solidez *f*.
■ ~ 헌법(憲法) =경성 헌법(硬性憲法).
강성하다(强盛-) (ser) vigoroso, energético, poderoso; [번영하다] próspero, floreciente.
강세(降世) =강생(降生).
강세(强勢) ① [세력(勢力)이 강함] influencia *f* fuerte. ② [물가나 시세가 올라가는 기세] tendencia *f* alcista. ③【언어】acento *m* prosódico, acento *m* de intensidad. ④【음악】=악센트.
강소주(-燒酒) *gangsochu*, aguardiente *m* que se bebe sin tapa.
강소풍(强素風) =강쇠바람.
강속(江-) lo profundo del río.
강속구(强速球) ((야구)) pelota *f* [bola *f*] rápida [de veolocidad], bola *f* de fuego.
강속부절(繈屬不絶) =연속 부절.
강송(强送) envío *m* forzado; [본국으로] repatriación *f* forzada. ~하다 enviar [mandar] por la fuerza, repatriar por la fuerza, volver a *su* patria por la fuerza.
강송(講誦) recitación *f*. ~하다 recitar.
강쇠(强-) =강철(强鐵).
강쇠(降衰) descenso *m*, disminución *f*, decadencia *f*. ~하다 disminuir, decrecer, declinar, menguar, decaer.
강쇠바람 viento *m* (del) este de la primavera temprana.
강수(江水) =강물.
강수(江樹) árbol *m* que está a la orilla del río.
강수(降水) precipitación *f*, bajada *f* del cielo.
■ ~량 precipitaciones *fpl*; [우량(雨量)] cantidad *f* de lluvia. ~ 밀도 densidad *f* de precipitación. ~ 시간 duración *f* de precipitación. ~ 예보 pronóstico *m* de precipitaciones. ~일(日) día *m* de precipitación.
강순(薑筍) =새앙순. 생강순.

강술 bebida *f* que se bebe sin tapa.
강술(講述) lección *f.* ～하다 dar la lección.
강습(强襲) asalto *m,* ataque *m.* ～하다 asaltar, dar un asalto, tomar por asalto.
■～ 부대 fuerzas *fpl* de ataque.
강습(講習) curso *m,* cursillo *m.* ～하다 dar un curso. ～을 받다 asistir al curso.
◆동계(冬季) ～ curso *m* de las vacaciones de invierno. 하계(夏季) ～ curso *m* de las vacaciones de verano.
■～생 estudiante *mf* (del curso), cursillista *mf.* ～소 instituto *m,* academia *f.* ～회 curso *m,* cursillo *m.*
강시(殭屍/僵屍) cadáver *m* muerto de frío.
강식(强食) comida *f* forzada. ～하다 comer forzadamente, comer por fuerza.
강식(强識) buena memoria y mucho conocimiento. ～하다 tener buena memoria y mucho conocimiento.
강신술(降神術) espiritismo *m,* espiritualismo *m.* ～사[자] espiritista *mf.*
강심(江心) centro *m* del agua del río.
■～수(水) el agua *f* que corre el centro del río.
강심(强心) corazón *m* fuerte.
■～제(劑) tónico *m* cardiaco, tónico *m* cardíaco, medicina *f* estimulante, cordial *m.*
강아지 cachorro, -rra *mf,* cría *f,* cachorrito, -ta *mf,* perrillo, -lla *mf,* perrito, -ta *mf,* perro *m* pequeño, perra *f* pequeña.
강아지풀 【식물】 cola *f* de zorra.
강안(江岸) ＝강기슭.
강안(强顔) sinvergonzonería *f,* sinvergüencería *f,* poca vergüenza *f.* ～하다 no tener vergüenza, ser sinvergüenza, ser sinvergonzón.
강알칼리(强 alkali) 【화학】 ＝강염기(强鹽基).
강압(强壓) opresión *f,* compulsión *f,* coacción *f,* represión *f.* ～하다 oprimir, compeler, obligar.
■～ 수단(手段) medida *f* coercitiva, medida *f* represiva. ～적 opresivo, compulsivo, coercitivo, represivo; [전횡적인] arbitrario, prepotente. ¶～으로 opresivamente, compulsivamente, coercitivamente, represivamente, arbitrariamente, prepotentemente. ～ 태도 actitud *f* arbitraria. ～ 정책 política *f* arbitraria. ～ 통풍 tiro *m* forzado. ～ 통풍로 horno *m* de tiro forzado. ～ 통풍 장치 ventilador *m* de tiro forzado.
강애(江艾) 【한방】 absenta *f* medicinal producida en la isla *Ganghwa.*
강약(强弱) la fuerza y la debilidad, intensidad *f.* 음(音)의 ～ intensidad *f* del sonido.
강어(江魚) pez *m* (*pl* peces) que vive en el río.
강어귀(江一) desembocadura *f,* ría *f,* estuario *m,* boca *f* del río, ensenada *f,* brazo *m* del mar; [작은] abra *f,* cala *f,* caleta *f;* [만(灣)] bahía *f.*
강역(江域) parte *f* cercana del río.
강역(疆域) ① [강토의 지역] zona *f* del territorio. ② [국경(國境)] frontera *f.*
강연(講筵) ＝강석(講席).
강연(講演) discurso *m,* conferencia *f,* alocución *f,* [장황하게 늘어놓은] charla *f.* ～하다 conferenciar, dar [pronunciar] una conferencia (sobre), hacer un discurso (sobre). ～을 듣다 asistir a una conferencia, escuchar una conferencia.
■～대 mesa *f* de conferencia. ～료 honorarios *mpl* de conferenciante. ～식 ceremonia *f* de conferencia. ～자 conferenciante *mf,* *AmS* conferencista *mf.* ～회 reunión *f* de conferencia, conferencia *f.*
강옥석(鋼玉) 【광물】 corindón *m.*
강온(强穩) la resolución y la moderación, incentivos y amenazas.
■～ 양면 정책 política *f* de incentivos y amenazas. ～ 양파 los halcones y las palomas.
강와(强窩) gran ladrón *m* malvado.
강요(强要) forzamiento *m,* coacción *f.* ～하다 exigir (*algo* a *uno*), obligar [forzar · compeler] (a *uno* a *algo* [a + *inf*]), imponer. ～하는 듯한 insistente. ～하는 듯한 태도로 con una actitud insistente. 자백을 ～하다 obligar (a *uno*) a confesar. 빚의 지불을 ～하다 exigir (a *uno*) el pago de la deuda. 복종(服從)을 ～하다 [A에게 B에의] forzar [obligar] a A a obedecer a B, exigir a A la obediencia a B. 술을 ～하다 beber (a *uno*) a la fuerza. 자신의 의견을 다른 사람에게 ～해서는 안된다 No hay que imponer el parecer propio a los demás. 그들은 국무총리에게 사직을 ～했다 Ellos compelieron al primer ministro a dimitir.
강요(綱要) elemento *m,* esencial *m,* contorno *m,* esquema *m,* sumario *m,* resumen *m* (*pl* resúmenes), sinopsis *f.*
강용(江茸) 【한방】 cuerno *m* del venado producido en la provincia *Gangwondo.*
강용(剛勇) valentía *f,* valor *m,* ánimo *m,* atremiento *m,* osadía *f,* intrepidez *f.* ～하다 (ser) valiente, osado, atrevido, audaz.
강용(强勇) la fuerza y la valentía. ～하다 (ser) fuerte y valiente.
강우(降雨) lluvia *f,* caída *f* de lluvia; 【기상】 precipitación *f.* ～하다 llover, caer agua de las nubes, hacer lluvia.
■～ 강도 intensidad *f* de lluvia. ～ 계속 시간 duración *f* de precipitación. ～기[계] temporada *f* lluviosa, estación *f* lluviosa. ～대(帶) zona *f* de lluvias. ～도 mapa *m* de lluvias. ～량 cantidad *f* de lluvias; [강수량] precipitaciones *fpl.* ¶연간 ～ cantidad *f* anual de lluvias; precipitaciones *fpl* anuales. ～이 110밀리이다 Caen 110 milímetros de agua [lluvia]. ～림 bosque *m* de lluvias. ～ 분포 distribución *f* de precipitaciones. ～ 전선 frente *m* de lluvias.
강우(强雨) lluvia *f* fuerte.
강울음 llanto *m* fingido, llanto *m* falso. ～울다 derramar [llorar] lágrimas de cocodrilo.
강원(講院) ((불교)) ＝강당(講堂).
강월(江月) luna *f* que brilla en el río.

강유(剛柔) dureza *f* y suavidad, resistencia *f* y elasticidad.
■ ~ 겸전 combinación *f* de dureza y suavidad. ¶~하다 combinar dureza y suavidad.

강음(强音) acento *m*, énfasis *m(f)*.
■ ~부(部) 【음악】 fuerte *m*, *ital* forte.

강음(强淫) =강간(强姦).

강음(强飮) bebida *f* forzada. ~하다 beber contra *su* voluntad, beber forzadamente, beber por fuerza.

강의(剛毅) fortaleza *f*, firmeza *f*. ~하다 (ser) fuerte y viril [varonil].
강의히 fuerte y virilmente.

강의(講義) curso *m*, lección *f*; [1회 한의] conferencia *f*. ~하다 dar un curso [una clase · una lección · una conferencia]. ~를 듣다 escuchar una conferencia. ~에 나가다 asistir al curso. 미술사를 ~하다 dar clase de historia de arte.
■ ~록 apuntes *mpl* del curso, apuntes *mpl* de clase, correspondencia *f* para curso. ~소 aula *f*, lugar *m* que dan clase. ~ 시간표 horario m escolar. ~실 aula *f*.

강인(强忍) paciencia *f* forzada. ~하다 (ser) paciente forzadamente [por fuerza].

강인(强靭) robutez *f*, fortaleza *f*. ~하다 (ser) robusto, muy fuerte, resistente; [불굴의] inquebrantable. ~한 육체를 가지다 tener un cuerpo robusto. ~한 의지를 가지다 tener una voluntad inquebrantable.
강인히 robustamente, con robustez, fuertemente, resistentemente, inquebrantablemente.
■ ~성 tenacidad *f*, dureza *f*, resistencia *f*, solidaridad *f*.

강잉(降孕) ((천주교)) =강생(降生).

강잉하다(强仍—) hacer de mala gana.
강잉히 de mala gana, de mala voluntad, renuentemente.

강자(强者) persona *f* fuerte, fuerte *m*. ~와 약자(弱者) el fuerte y el débil. 유도부의 ~ fuerte *m* veterano del club de judo.

강자리(腔子裏) =뱃속.

강자성(强磁性) 【물리】 ferromagnetismo *m*. ~의 ferromagnético.
■ ~체 cuerpo *m* ferromagnético, substancia *f* ferromagnética. ¶반(反)~ cuerpo *m* antiferromagnético.

강장(强壯) robustez *f*, sanidad *f*. ~하다 (ser) robusto, sano.
■ ~ 음료 bebida *f* tónica. ~제 tónico *m*, reconstituyente *m*. ~지년(之年) edad *f* que tiene la energía muy fuerte, persona de los treinta a los cuarenta años.

강장(强將) jefe *f* fuerte.
■ ~하에 무약병(無弱兵)이라 No hay subordinado al jefe fuerte.

강장(腔腸) celentéreo *m*.
■ ~동물 celentéreos *mpl*, celenterios *mpl*, celenterados *mpl*. ¶~의 celentéreo.

강장거리다 trotar, ir al trote, andar con un paso menudo y afectado. 강장거리게 하다 hacer trotar.
강장강장 con un paso menudo y afectado.

강재(江材) 【한방】 materiales *mpl* medicinales del origen de la provincia *Gangwondo*.

강재(鋼材) (material *m* de) acero *m*.

강적(强敵) enemigo *m* formidable, enemigo *m* temible, rival *m* tenaz, contrincante *m* fuerte.

강적(强賊) ladrón *m* (*pl* ladrones) fuerte.

강점(强占) ocupación *f* por fuerza. ~하다 ocupar por fuerza.

강점(强點) punto *m* fuerte, fuerte *m*, poder *m*, ventaja *f*, superioridad *f*. ~이 있다 tener ventaja (de). 그의 ~은 몸이 튼튼한 데에 있다 Su ventaja consiste en la robustez de su cuerpo. 이 나라의 ~은 자원이 풍부함이다 La superioridad de este país reside en la abundancia de sus recursos / La riqueza de recursos constituye la ventaja [el fuerte] de este país.

강정 ① [술을 친 찹쌀가루 반죽을 썰어서 기름에 튀기고 꿀을 발라, 깨 · 콩가루 · 송홧가루 등을 묻힌 한식 과자] *gangcheong*, galleta *f* de arroz apelmazado achicharrada en aceite y con miel. ② [깨 · 콩 · 잣 등을 물엿으로 굳힌 한식 과자] *gangcheong*, tarta *f* hecha de arroz, ajonjolí y soja etc. mezclada con gelatina de arroz apelmazado.

강정(江亭) pabellón *m* (*pl* pabellones) que está a la orilla del río.

강정제(强精劑) tónico *m*.

강제(强制) coacción *f*, compulsión *f*, imposición *f*, constreñimiento *m*. ~하다 coaccionar, forzar, obligar, compeler. ~의 forzado, obligatorio. 딸에게 결혼을 ~하다 obligar a *su* hija a casarse.
강제로 por fuerza, forzadamente. ~ 연행하다 llevar (a *uno*) por fuerza. ~ 창문으로 들어가다 forzar la ventana. …의 방에 ~ 들어가다 forzar la habitación de *uno*. 싫은 일을 ~ 하게 하다 forzar (a *uno*) hacer un trabajo desagradable. 책임을 ~ 떠맡기다 cargar (a *uno*) con la resposabilidad. 그는 나에게 ~ 표를 사게 했다 El me forzó a comprar un billete. 나를 ~ 입원시켰다 Me hospitalizaron a la fuerza.
■ ~ 가격 precio *m* forzado. ~ 격리 segregación *f* forzada, aislamiento *m* forzado. ~ 결혼 casamiento *m* forzado. ~ 경매 subasta *f* forzada. ~ 공제 deducción *f* forzada. ~ 공채 bono *m* forzado. ~ 관리 administración *f* obligatoria. ~ 규정 reglamento *m* forzado. ~ 노동[노역] trabajo *m* forzado. ~력 fuerza *f* legal. ~ 매매 compraventa *f* forzada. ~ 매입 compra *f* obligatoria. ~ 매입법 la Ley de Compra Forzosa. ~ 명령 mandamiento *m* judicial obligatorio. ~ 변호 alegato *m* forzado. ~ 보험 seguro *m* obligatorio. ~ 분가 familia *f* ramal forzada. ~ 상각 amortización *f* forzada. ~ 상속 herencia *f* obligatoria. ~ 소개(疏開) evacuación *f* forzada, evacua-

ción *f* obligatoria. ~ 송환 repatriación *f* forzada, extradición *f.* ¶~하다 obligar (a *uno*) a repatriarse. ~ 수단 medida *f* obligatoria. ~ 수사(搜査) registro *m* forzado, investigación *f* recurriendo a medidas coercitivas. ~ 수용(收容) detención *f* por fuerza legal. ~ 수용(收用) expropiación *f* forzada. ~ 수용소 campo *m* de concentración. ~ 예금 ahorro *m* forzoso, depósito *m* obligatorio. ~ 이민(移民) deportación *f*, emigración *f* forzada. ~ 이행 ejercicio *m* obligatorio, desempeño *m* obligatorio, complimiento *m* forzado. ~ 인지(認知) reconocimiento *m* forzado. ~적 coactivo, obligatorio, forzado. ¶~으로 a la fuerza, por (la) fuerza. ~ 절차 proceso *m* coercitivo. ~ 접종 vacunación *f* obligatoria. ¶~하다 vacunarse obligatoriamente. ~ 조정(調停) mediación *f* obligatoria. ~ 중재 arbitraje *m* obligatorio, intervención *f* legal, arbitraje *m* necesario. ~ 진단(診斷) diagnóstico *m* obligatorio. ~ 집행(執行) ejecución *f* forzada, ejecución *f* expropiativa; 【법률】 embargo *m.* ~ 집행 면탈 evasión *f* ilegal de ejecución expropiativa. ~ 집행 영장 (orden *f* [mandato *m*] judicial de) ejecución *f.* ~ 집행 정지 suspensión *f* del cumplimiento de la sentencia. ~ 징병 reclutamiento *m* obligatorio. ~ 징수 gravamen *m* obligatorio. ~ 착륙 aterrizaje *m* forzado. ~ 처분 medida *f* coercitiva. ~ 철거 demolición *f* forzada. ~ 통용력 validez *f* forzosa. ¶~을 가지다 tener la validez forzosa. ~ 통화 moneda *f* circulante obligatoria; [법화(法貨)] curso *m* legal. ~ 투표 votación *f* obligatoria. ~ 파산 quiebra *f* involuntaria. ~ 화의 negociación *f* para paz forzada.

강제(鋼製) producto *m* de acero.

강조(强調) énfasis *m(f)*, insistencia *f.* ~하다 acentuar, poner énfasis (en), insistir (en), subrayar, poner de relieve. 붉은 색을 ~하다 acentuar el color rojo. …의 결점을 ~하다 poner las faltas de *algo* [*uno*] de relieve. 평화(平和)의 중요성을 ~하다 acentuar [subrayar] la importancia de la paz.

강조밥 *gangchobab*, mijo *m* cocido sin (la mezcla de) arroz.

강졸(强卒) [센 병졸] soldado *m* fuerte.

강종거리다 dar grandes zancadas.
강종강종 dando grandes zancadas.

강좌(講座) curso *m*; [강의] clase *f*, lección *f*; [대학의] cátedra *f.* ~를 개설하다 abrir un curso; [대학에서] establecer una cátedra. 텔레비전 서반아어 ~ curso *m* de español por televisión.

강주(江珠) =호박(琥珀).

강주(强酒) bebida *f* fuerte.

강주(薑酒) =새앙술.

강주정(-酒酊) borrachera *f* afectada, embriaguez *f* afectada.

강죽(糠粥) =겨죽.

강준치(江-) 【어류】 ((학명)) Culter erythropterus.

강줄기(江-) curso *m* del río. ~를 따라 a lo largo del río.

강중(江中) ① [강 가운데] centro *m* de la superficie del río. ② [강속] profundidad *f* del agua del río.

강즙(薑汁) zumo *m* de jengibre.

강지(剛志) voluntad *f* fuerte.

강직(江直) ginsén *m* [ginseng *m*] producido en la provincia de *Gangwondo.*

강직(剛直) fuerza *f*, robustez *f*, rigor *m*, fortaleza *f.* ~하다 (ser) fuerte, robusto, rigoroso, riguroso.
강직히 fuertemente, robustamente, rigurosamente.

강직(强直) ① [마음이 강하고 곧음] corazón *m* honrado. ~하다 (ser) honrado, honesto. ② [사후(死後)의] rigidez *f*, anquilosis *f.* ~하다 (ser) rígido. 관절 ~ anquilosis *f.*
■ ~ 동공(瞳孔) pupila *f* tónica. ~성 경련 entaia *f* de espasmo tetánico, tétanos *mpl.* ~성 실보증 abasia *f* espástica. ~증(症) anquilosis *f.*

강진(强震) terremoto *m* fuerte, seísmo *m* fuerte, sacudida *f* violenta.
■ ~계(計) acelerógrafo *m.*

강진향(降眞香) una especie de incienso.

강짜 ((속어)) =강새암.
◆강짜(가) 나다 ponerse celoso. 강짜(를) 부리다 mostrar celos poco razonables.

강차(降車) =하차(下車).

강착(降着) aterrizaje *m* del aeroplano. ~하다 aterrizar el aeroplano.

강참숯 carbón *m* (*pl* carbones) puro sin mezcla del otro.

강천(江天) cielo *m* de sobre el río.
■~ 일색(一色) igualdad *f* del color del agua del río y el del cielo.

강철(鋼鐵) ① 【화학】 acero *m.* ~제(製)의 de acero. ② [심신(心身)이 단단하고 굳셈] firmeza *f*, solidez *f*, dureza *f.*
◆강철같다 (ser) firme, inflexible, sólido, duro, férreo, de acero. 강철같은 의지(意志) voluntad *f* de hierro.
■ ~ 공장 planta *f* de laminación de acero, planta *f* siderúrgica, acería *f*, acerería *f*, fundición *f*, *AmL* fundidora *f.* ~ 공장 직공 obrero *m* siderúrgico, obrera *f* siderúrgica; trabajador *m* siderúrgico, trabajadora *f* siderúrgica. ~ 밴드 banda *f* de percusión típica del Caribe. ~봉(棒) barra *f* de acero. ~ 산업 industria *f* siderúrgica. ~선[사] alambre *m* de acero. ~ 솜 [연마용] lana *f* de acero, estropajo *m* de aluminio, *Arg* virulana®, *Méj* fibra *f* metálica. ~ 업자 fabricante *mf* de acero. ~차 coche *m* equipado con acero. ~ 테이프 cinta *f* métrica de acero. ~판 chapa *f* de acero. ~함 buque *m* de guerra equipado con acero. ~ 헬멧 casco *m* (de acero).

강철이(强鐵-) dragón *m* (*pl* dragones) malvado de la tradición.

강청(强請) importunidad *f*, exacción *f*, demanda *f* injusta. ~하다 importunar, asediar, demandar injustamente, chantajear, hacer*le* chantaje (a).

강체(剛體)【물리】cuerpo *m* rígido.

■~역학 geostática *f*.

강촌(江村) aldea *f* que está a la orilla del río.

강추(絳縐)【곤충】=고추잠자리.

강추위 frío *m* intenso, frío *m* severo.

강축(强縮) rigidez *f*. ~하다 (ser) rígido.

강취(强取) extorsión *f*, chantaje *m*. ~하다 chantajear.

강치【동물】león *m* (*pl* leones) marino.

강타(强打) ① ((운동)) golpe *m* fuerte, golpe *m* violento. ~하다 golpear fuerte, dar un golpe fuerte. 그는 머리를 벽에 ~했다 Se dio un golpe fuerte en la cabeza contra la pared. ② [큰 타격을 끼침] embestidura *f* furiosa, embestida *f* furiosa, acometimiento *m*, acometida *f*. ~하다 [태풍 따위가] desencadenarse, embestir a ciegas. 태풍이 남해안 지역 전역을 ~했다 El tifón embistió furioso contra todo el distrito de la costa del sur.

■~자(者) fuerte golpeador, -dora *mf*; bateador, -dora *mf* que golpea muy fuerte la bola.

강탄(降誕) nacimiento *m*; [예수·성모·세례자 요한의] navidad *f*. ~하다 nacer (el santo).

■~일 día *m* de nacimiento. ~절 el 8 de abril del calendario lunar. ~제 ㉮ [성인이나 위인들의 탄생일을 기념하는 잔치] fiesta *f* para el día de nacimiento (de los santos o los grandes hombres). ㉯ ((기독교)) (Pascua *f* de) Navidad *f*, Fiesta *f* del Nacimiento de Jesucristo. ~회 reunión *f* budista de la celebración del nacimiento de Buda.

강탈(强奪) extorsión *f*, pillaje *m*, despojo *m* violento, robo *m* violento. ~하다 despojar violentamente (a *uno* de *algo*), robar (*algo* a *uno*) por la fuerza [usando la violencia], arrebatar (*algo* a *uno*). 공갈해서 ~하는 일 chantaje *m*, extorsión *f*. 공갈해서 ~하는 사람 chantajista *mf*. 그는 왕위(王位)를 ~당했다 Su hermano le usurpó el trono. 그는 돈을 ~당했다 Le arrebataron [arrancaron] el dinero bajo amenaza.

■~자(者) despojador, -dora *mf*.

강태(江太) abadejo *m* cogido en la provincia *Gangwondo*.

강태(江苔) =이끼.

강태공(姜太公) ① [낚시를 좋아하는 사람] aficionado, -da *mf* a la pesca (con caña). ② =태공망.

강토(疆土) territorio *m*.

강팀(强 team) equipo *m* fuerte.

강파(江波) onda *f* del río.

강파르다 (ser) flaco, fastidioso y terco.

강파리하다 parecer flaco, fastidioso y terco.

강판(降板) ((야구)) eliminación *f*. ~하다 eliminar.

강판(鋼板) ① [강철판] chapa *f* de acero. ② =줄판.

강판(鋼版)【인쇄】chapa *f* de acero.

강판(薑板) rallador *m*, rallo *m*. ~에 갈다 rallar. 무를 ~에 갈다 rallar rábano.

강팔지다 (ser) intolerante; fanático e intransigente.

강퍅하다(剛愎－) (ser) terco, testarudo, tozudo, obstinado. 강퍅함 terquedad *f*, obstinación *f*, tozudez *f*.

강퍅히 tercamente, testarudamente, tozudamente, obstinadamente.

강펄(江－) tierra *f* de cieno a la orilla del río.

강평(講評) comentario *m*, crítica *f*, juicio *m*. ~하다 comentar, hacer un comentario, criticar, censurar.

■~회 reunión *f* de comentario.

강포(强暴) atrocidad *f*, crueldad *f*, brutalidad *f*. ~하다 (ser) atroz, vergonzoso, escandaloso, cruel, brutal.

강폭(江幅) anchura *f* del río. 그 강은 ~이 100미터다 La anchura del río es de cien metros / El río tiene cien metros de ancho.

강풀 engrudo *m* espeso sin templar con agua. ~(을) 치다 recubrir con engrudo espeso.

강풀(江－) hierba *f* (que crece) a la orilla del río.

강풍(江風) =강바람(江－).

강풍(剛風) =경풍(勁風).

강풍(强風) viento *m* fuerte, vendaval *m*, ventarón *m*, temporal *m*, tormenta *f*. ~이 불다 soplar el viento fuerte. ~에 견디다 soportar [resistir] el viento fuerte.

■~ 주의보 alarma *f* contra viento fuerte.

강피증(强皮症)【의학】=공피증(鞏皮症).

강필(鋼筆) =새부리. 가막부리.

강하(江河) ① [강(江)과 하천(河川)] el río y el arroyo grande. ② [중국 양쯔 강과 황하] el Río Azul y el Río Amarillo.

강하(降下) descenso *m*, bajada *f*, baja *f*, caída *f*. ~하다 descender, bajar.

■~ 부대(部隊) tropa *f* paracaidista.

강하(糠蝦/糠鰕)【동물】=젓새우.

강하다(講－) ① [배운 글을 선생 앞에서 외다] recitar. ☞강(講). ② [강의(講義)하다] dar lecciones.

강하다(强－) ① [기력이나 세력 따위가 세다. 힘있다] (ser) fuerte, poderoso, robusto, vigoroso, viguroso, sólido; [강렬하다] vivo, intenso, violento; [성격이] firme, inflexible; [단단하다] durable, resistente. 강해지다 fortificarse, fortalecerse, reforzarse, vigorizarse. 강한 광선(光線) rayo *m* intenso. 강한 결의(決意) resolución *f* firme. 강한 바람 viento *m* fuerte, viento *m* violento. 강한 인상(印象) impresión *f* viva. 강한 줄 cuerda *f* resistente. 세계에서 제일 강한 남자 el hombre más fuerte del mundo. 바람이 강해진다 El viento arrecia / El viento cobra fuerza. ② [잘하다] (ser) fuerte. 그는 영어[수학]에 ~ El es fuerte en inglés [matemáticas].

강하게(强－) fuertemente, fuerte, con fuerza; [격하게] vivamente. ～ 하다 fortificar, fortalecer, reforzar; [강건] vigorizar. ～ 되다 fortificarse, fortalecerse, reforzarse, vigorizarse. ～ 치다 golpear fuerte. ～ 부르짖다 gritar fuerte. ～ 부인(否認)하다 negar enérgicamente. 다리를 ～ 하다 fortalecer las piernas.

강하다(剛－) (ser) duro, firme, categórico, inflexible, resistente, fuerte.

강한하다(剛悍/强悍－) (ser) fiero, feroz.

강해(江海) el río y el mar.

강해(講解) explicación *f.* ～하다 explicar.

강행(强行) forzamiento *m.* ～하다 forzar. 투표를 ～하다 forzar una votación. ～ 공사로 다리를 건설하다 construir un puente con toda urgencia. 태풍에도 불구하고 공사는 ～되었다 Forzaron las obras a pesar de la tempestad.

강행군(强行軍) marcha *f* forzada. ～하다 hacer una marcha forzada.

강혈(腔血) 【생물】 sangre *f* del cuerpo.

강호(江湖) ① [강과 호수] el río y el lago. ② [자연(自然)] naturaleza *f.* ③ [세상(世上)] mundo *m*, público *m.* ④ [서울에서 멀리 떨어진 곳] lugar *m* lejano de Seúl. ⑤ [속세를 떠난 선비가 사는 곳] refugio *m*, lugar *m* de reclusión.

강호(强豪) ① [세력이 강하여 대적(對敵)하기 힘든 사람] veterano *m*; [강적] adversario *m* temible [poderoso · fuerte]. ② [아주 강한 팀] equipo *m* muy poderoso.

강호(康瓠) jarra *f* grande, cántaro *m.*

강혼(降婚) casamiento *m* con un hombre [una mujer] de clase inferior. ～하다 casarse con un hombre [una mujer] de clase inferior, no casarse bien. 그녀는 ～했다 Ella se casó con un hombre de clase inferior a la suya / Ella no se casó bien.

강화(江華) 【지명】 (pueblo *m*) *Ganghwa.*
▪강화 도련님인가 우두커니 앉았다 ((속담)) persona *f* que mata el tiempo.

강화(强化) fortalecimiento *m*, consolidación *f.* ～하다 fortalecer, fortificar, reforzar, intensificar, consolidar. 경영진을 ～하다 fortalecer la dirección. 동맹 관계를 ～하다 cimentar [afirmar] la alianza. 제한을 ～하다 reforzar [intensificar] las restricciones. 지배 체제를 ～하다 consolidar el régimen del gobierno. 규제가 ～되고 있다 Se refuerzan los controles.
▪～ 유리 vidrio *m* templado, vidrio *m* endurecido. ～ 훈련 entrenamiento *m* intensificado.

강화(講和) paz *f*, reconciliación *f.* ～하다 hacer la paz, reconciliarse. 굴욕적 ～ paz *f* humillante. 전면(全面) ～ paz *f* total, paz *f* global. ～를 제의하다 demandar por la paz.
▪～ 담판 negociación *f* de paz. ¶～을 하다 negociar la paz. ～ 사절 enviado, -da *mf* de paz. ～ 사절단 misión *f* de paz. ～ 성립 conclusión *f* de negociación de paz. ～ 조건 condiciones *fpl* de paz. ～ 조약 (tratado *m* de) paz *f.* ¶～을 조인하다 firmar la paz. ～ 회의 conferencia *f* de paz.

강화(講話) conferencia *f*, discurso *m.* ～하다 dar una conferencia, pronunciar un discurso (ante).

강황(薑黃) ① 【식물】 cúrcuma *f*, azafrán *m* de las Indias. ② 【한방】 rizoma *f* de la cúrcuma.
▪～지(紙) papel *m* hecho de rizoma secada de la cúrcuma.

강회(－膾) rollo *m* pequeño de apio hervido.

강회(剛灰) ＝생석회(生石灰).

갖- de piel, de cuero. ～옷 ropa *f* de cuero, vestido *m* de cuero.

갖가지 ((준말)) ＝가지가지.

갖다[1] ((준말)) ＝가지다. ¶이 책을 갖고 왔다 Yo vine con este libro.

갖다[2] [구비하다] tener todo, ser completo.

갖다[3] [가지어다가] llevando. ～ 대다 aplicar, pegar, apretar, prensar. ～ 주다 traer. 벽에 귀를 ～ 대다 pegar la oreja a la pared. 손에 입술을 ～ 대다 pegar los labios a la mano. 가슴에 십자가(十字架)를 ～ 대다 apretarse la cruz contra el pecho. 맥주 좀 ～ 주십시오 Tráigame cerveza, por favor.

갖두루마기 *gatdurumaki*, toga *f* forrada de piel.

갖바치 fabricante *mf* de zapatos de piel.
▪갖바치 내일 모레 Cuando la(s) críe(n) pelo(s) / Cuando llevan cebollas.

갖신 ① ((준말)) ＝가죽신. ② [가죽으로 만든 재래식 신] calzado *m* tradicional de cuero. ③ ＝비단신(calzado de seda).

갖옷 ropa *f* de piel [cuero], vestido *m* de piel [cuero], traje *m* de piel [cuero].

갖은 [온갖] todo; [빠짐없이] completo, perfecto. ～ 고생(苦生) toda vida difícil.

갖은것 todo, todo tipo de cosas, toda clase de cosas, cosas *fpl* de todo tipo, cosas *fpl* de toda clase, todo género de cosas, toda suerte de cosas.

갖은소리 palabras *fpl* irrazonables.

갖은양념 varios condimentos *mpl.*

갖저고리 abrigo *m* de piel [cuero].

갖추 completamente, perfectamente, todo, del todo, exhaustivamente, comprensivamente, absolutamente, globalmente.
갖추쓰다 no omitir nada.

갖추다 [준비하다] preparar, estar listo; [설비하다] equipar, proveer; [조건을 만족시키다] satisfacer; [구비하다] tener, poseer; [서류를 기재하다] llenar, rellenar; [전부를 모으다] completar; [한 세트를 모으다] reunir un juego (de). 도구를 ～ reunir un juego de utensilios, surtirse de los utensilios necesarios. 시리즈물을 ～ completar la serie. 필요한 문헌을 ～ coleccionar todos los datos bibliográficos necesarios. 세르반떼스의 작품을 ～ coleccionar todas las obras de Cervantes. 위엄을 ～ tener dignidad. 준비를 ～ hacer los preparativos. 단정한 복장을 갖추고 있다 estar bien vestido. 그 가게는 좋은 물건을 갖추고 있다

Esa tienda está surtida de buenos artículos.
갖추어지다 hacerse completo, completarse. 이것으로 필요한 책(冊)이 전부 갖추어졌다 Con éste se completaron los libros necesarios. 모두 갖추어졌습니까? ¿Están ya todos? 이 점포에는 물건이 잘 갖추어져 있다 Esta tienda está bien surtida [tiene buen surtido] (de mercancías). 이 대학에는 귀중한 자료가 갖추어져 있다 Esta Universidad cuenta con numerosos documentos de gran valor. 이 보고서는 내용이 갖추어져 있다 Este informe tiene contenido / Es sustancial este informe. 우리는 출발 준비가 갖추어져 있다 Estamos listos para partir.

갖풀 goma *f* de pegar, pegamento *m*. ~을 붙이다 pegar.

같다 ① [동일하다] (ser) mismo; […과 동등하다] (ser) igual, equivalente, parejo (a *algo*); equivaler (a *algo*), igualar (a *algo*); [완전히 동등하다] (ser) idéntico (a *algo*); […과 같은 정도·수량의] tanto + 「명사」 + como, tan + *adj*·*adv* + como, tanto como; [같은 가치의] equivalente (a). 같은 모양의 semejante, parecido. 같은 것 lo mismo, la misma cosa. 같은 예 ejemplo *m* parecido, ejemplo *m* igual. 같은 사건 caso *m* semejante, caso *m* igual. 같은 책 el mismo libro. 같은 간격으로 a intervalos iguales. 같은 방법으로 del mismo modo, de igual manera, igualmente. 마치 강요하는 것 같은 casi imperativo. 같게 하다 igualar, hacer igual. 길이 [높이]가 ~ ser de una misma longitud [altura], ser parejo en la longitud [en la altura]. A와 B를 같게 하다 igualar A a B, hacer A igual a B. 어제와 같은 장소에서 만납시다 Nos veremos en el mismo lugar que ayer. 우리는 같은 연배(年輩)다 Somos de la misma edad / Nosotros tenemos la misma edad. 그는 언제나 같은 속도로 걷는다 El anda siempre al [con el] mismo paso. 너와 내 의견은 ~ Tu opinión y la mía son idénticas. 그렇게 되면 같게 된다 Entonces da [viene a ser] lo mismo. 그것은 나더러 죽으라는 말과 ~ Eso es lo mismo que decirme que yo muera. 일은 끝난 것이나 ~ Casi puede decirse que el trabajo ha terminado / Casi puede darse por terminado el trabajo. 그것은 거의 없는 것과 ~ Es nada, o casi nada. 그는 폐인(廢人)과 ~ El es prácticamente el cadáver. 이 두 표현은 뜻이 ~ Estas dos expresiones tienen el mismo sentido. 그의 차는 내 아버지의 차와 ~ Su coche es igual que el de mi padre. 침묵은 범행을 인정하는 것과 ~ El silencio equivale a confesión de culpabilidad / Guardar el silencio equivale a confesar su culpabilidad. 나는 그녀와 의견이 ~ Tengo [Soy de] la misma opinión que ella. 1원은 100전과 ~ Un won equivale a cien chones. 한 시간은 60분과 ~ Una hora equivale a sesenta minutos. 이 카메라는 내것과 ~ Esta cámara fotográfica es igual que [a] la mía. 짙은 안개가 끼는 경우에는 비행기는 착륙할 수 없다. 대설(大雪)의 경우도 ~ En caso de niebla densa los aviones no pueden aterrizar y lo mismo ocurre en caso de fuertes nevadas. 그것은 결국 같은 것이다 De todos modos, da lo mismo. 나는 어제와 같은 시간에 도착한다 Yo llego a la misma hora que ayer. 작년과 같은 시험 문제가 다시 출제되었다 De nuevo salieron en el examen preguntas semejantes a las del año pasado. 그 사람과 같은 행동을 해라 Actúa del mismo modo [de igual manera] que él. 나는 그와 같은 분량의 책을 가지고 있다 Tengo tantos libros como él. 두 사람은 빛깔이나 무늬가 같은 옷을 입고 있다 Los dos llevan el mismo traje [un traje igual]. ② […는·을 것 같다] parecer +「명사」 [+ *inf*·que + *ind*]; […하려고 하다] ir a + *inf*. 눈이 내릴 것 ~ Va a nevar / Parece que va la nevar. 비가 내릴 것 ~ Va a llover / Parece que va a llover. 이 건물은 학교 ~ Este edificio parece ser una escuela. 그는 기분이 나쁜 것 ~ Parece que se siente mal / Parece que no se siente bien / El parece estar indispuesto. 그런 것 ~ Parece que sí / Parece que es así. 그는 행복한 것 ~ El parece feliz / Se le ve feliz. 지금이라도 비가 내릴 것 ~ Parece que va a llover de un momento a otro / Amenaza lluvia / Está amenazando (con) llover. 나는 갈증이 나 죽을 것 ~ Me muero de sed / Estoy muerto de sed. 그는 그의 여동생 같은 소녀와 함께 있었다 El estuvo con una muchacha que parecía ser su hermana menor. 너 같은 고용원이 무어라 하느냐 ¡Qué dices tú, un simple empleado!
■같은 깃의 새는 같이 모인다 ((속담)) Dime con quién andas, y te diré quién eres.

같아지다 igualarse. 두 팀은 끝에는 같아졌다 Los dos equipos se igualaron al final.

같은 값이면 si es todo el mismo (que), otras cosas siendo igual.
■같은 값이면 다홍치마 ((속담)) El castillo de huesos es mejor que el de piedras.

같은꼴가기 【음악】 sucesión *f* regular de frases melodiosas y semejantes en diferentes diapasones.

같은비(一比) 【수학】 =정비례(正比例).

같은자리 【언어】 =동격(同格).

같은자리각(一角) 【수학】 =동위각(同位角).

같은쪽각(一角) 【수학】 =동위각(同位角).

같이 ① [같게] como, en la misma manera, igualmente, por igual, similarmente, semejantemente. 그는 언제나와 ~ 학교에 갔다 El fue a la escuela como de costumbre. 그는 나와 ~ 빨리 말한다 El habla de prisa como yo. 두 사람이 ~ 유죄(有罪)다 Los dos son igualmente [por igual] culpables. 네 이웃을 네 몸과 ~ 사랑하라 ((마태 복음 19:19)) Amarás a tu prójimo como a ti mismo / Ama a tu prójimo como a ti mismo. ② [공평하게] imparcialmente, con imparcialidad. ③ [다 함께] juntos, con. 다 ~ 공부합시다 Vamos a estudiar juntos / Estudiemos juntos. 나와 ~ 놀자 Vamos a jugar conmigo. 나하고 ~ 갑시다 Vamos [Vámonos] juntos (conmigo). ④ [바로 그대로] como. 말씀하신 바와 ~ como dice usted. ⑤ [처럼] como. 눈~ 희다 ser blanco como la nieve.

같이하다 compartir. 나는 그 사람과 이해를 같이하고 있다 Yo comparto sus intereses / El y yo tenemos intereses comunes.

같잖다 (ser) trivial, insignificante, cursi, afectado, amanerado, presumido, remilgado, dengoso, pedante. 같잖은 남자 hombre *m* afectado, cursi *m*, pedante *m*. 같잖은 말 palabra *f* cursi. 같잖은 옷 vestido *m* cursi. 정말 같잖은 놈이군 ¡Qué presumido! / ¡Qué tipo tan cursi!

같지다 [주로 씨름에서] caerse juntos los dos.

같지 않다 ((본딧말)) =같잖다.

갚다 ① [빚을] pagar. 빚을 ~ pagar la deuda (a *uno*), satisfacer la deuda. ② [보답하다] recompensar. ③ [남에게서 진 신세나 은혜나 원한 등을] vengar, vengarse (de). 그는 아버지의 원수를 갚았다 El vengó a su padre. 너에게서 받았던 모욕을 갚겠다 Me vengaré de la ofensa en ti / Me vengaré de ti por la ofensa. ④ ((성경)) volver, devolver, pagar.

갚음 =대갚음.

개[1] [강이나 내에 바닷물이 드나드는 곳] ensenada *f*, cala *f*, caleta *f*.

개[2] ① 【동물】 [수컷] perro *m*; [암컷] perra *f*. ~의, ~ 같은 perruno. ~를 기르다 tener un perro. ~를 쇠사슬로 묶어 두다 sujetar un perro con cadena. ② [부정한 자나 권력자의 앞잡이. 주구(走狗)] chivato, -ta *mf*; delator, -ra *mf*; espía *mf*; títere *m*, muñeco *m*. ③ [성질이 괴악하고 망측한 사람] persona *f* muy exigente y absurda.

▪개 눈에는 똥만 보인다 ((속담)) Ojos que no ven, corazón que no llora.

▪~보름쇠기 *gaeboreumsoegi*, costumbre *f* que se hacen tener hambre en el día quince de enero del calendario lunar.

개(介/個/箇) pieza *f*, unidad *f*. 감 한 ~ un kaki, un caqui. 책상 두 ~ dos mesas. 비누 세 ~ tres jabones, tres pastillas de jabón. 사과 열 ~ diez manazas. 100원짜리 동전 한 ~ una moneda de cien wones. 그것은 한 ~ 500원이다 Cuesta [Se vende a] quinientos wones la pieza. 시바오 산(產) 바나나 한 ~에 60에서 70센따보인 반면에 바라오나 산(產)은 1뻬소에서 1뻬소 20센따보가 매겨져 있다 *ReD* La unidad de plátano cibaeño se cotiza entre sesenta y setenta centavos, mientras que el barahonero está a peso y a uno con veinte.

개(蓋) ((불교)) =번뇌(煩惱).

개- [야생의] salvaje, silvestre; [마구 되어 변변치 못한] ~살구 albaricoque *m* salvaje.

-개 aparato *m* muy pequeño. 노리~ juguete *m*. 지우~ goma *f*.

개가(改嫁) segundas nupcias. ~하다 casarse otra vez, casarse por segunda vez.

개가(凱歌) ① ((준말)) =개선가(凱旋歌). ② [크게 이긴 기쁨이나 큰 성과를 올린 감격에서 나오는 함성] triunfo *m*, victoria *f*. 현대 과학의 ~ triunfo *m* de la ciencia moderna. 시합은 한국 팀의 ~로 끝났다 El partido terminó con la victoria de los coreanos.

◆개가를 올리다 obtener un triunfo, triunfar. 미국 팀에 ~ triunfar sobre el equipo estadounidense. 개가 부르다 cantar (la) victoria.

개가죽 ① [개의 가죽] piel *f* del perro. ② [낯가죽] cara *f*, rostro *m*.

개각(介殼) 【조개】 cascos *mpl*, cáscaras *fpl*.

▪~류 crustáceo *m*, mariscos *mpl*. ~충(蟲) escama *f*.

개각(改閣) remodelación *f* del gabinete, recambio *m* del gabinete. ~하다 remodelar, cambiar del gabinete de nuevo.

개각 등행(開脚登行) ((스키)) tijera *f*, manera *f* de subir pendientes caminando con los esquís en V.

개간(改刊) reimpresión *f*, edición *f* revisada. ~하다 reimprimir, imprimir de nuevo.

개간(開刊) primera publicación *f* (del libro), primera edición *f*. ~하다 publicar el libro por primera vez, hacer la primera publicación, publicar la primera edición.

개간(開墾) roturación *f*, [삼림의] desmonte *m*, cultivo *m* de tierra yerma. ~하다 roturar, hacer un sitio utilizable; desmontar, cultivar la tierra yerma. 황무지(荒蕪地)를 ~하다 roturar un terreno inculto, preparar un terreno yermo para el cultivo, roturar una tierra árida. 삼림(森林)을 ~하여 길을 만들다 abrir una nueva carretera a través de un bosque.

▪~자 roturador, -ra *mf*. ~지 terreno *m* roturado, campo *m* roturado.

개감스럽다 (ser) voraz, hambriento, glotón (*pl* glotones), *CoS* angurriento.

개감스레 vorazmente, con voracidad. ~ 먹다 devorar(se), engullir(se). ~ 먹지 마라 No engullas.

개갑(介甲) ① [게나 거북 따위의 단단하게 굳은 껍데기] concha *f*. ② =갑옷.

개강(開講) apertura *f* de curso. ~하다 empezar un curso, comenzar una serie de conferencias; [강좌를 설치하다] crear [establecer] una cátedra.

▪~식 ceremonia *f* de apertura de curso.

개개(箇箇) ① [낱낱] cada uno. ~의 individual, cada. ~의 문제(問題) problema *m* individual. ~의 책임(責任) responsabilidad *f* individual. ② [낱낱이] individualmente.

개개이 uno a uno, una a una; individualmente; [따로따로] separadamente, por separado.

■ ~인(人) individuales *mpl*, cada sola persona.
개개다 erosionar, corroer, carcomer, escoriar.
개개빌다 rogar *su* perdón sinceramente.
개개풀리다 =개개풀어지다.
개개풀어지다 ① [끈끈한 기가 있던 것이 녹아서 다 풀어지다] perder *su* pegajosidad. ② [졸리거나 술에 취하여 눈의 정기가 없어지다] tener los ojos empañados [nublados], estar medio adormilado, tener la cara de sueño.
개갱 [강아지의 소리] aullido *m*, gañido *m*, ladrido *m* (agudo). ~하다 aullir, gañir, ladrar (con ladridos agudos).
개거(開渠) conducto *m* abierto.
개결(介潔) puridad *f*, integridad *f*, honradez *f*, honestidad *f*, incorruptibilidad *f*, rectitud *f*, franqueza *f*, sinceridad *f*. ~하다 (ser) puro, honrado, honesto, incorruptible, recto, franco, sincero.
개결히 puramente, honradamente, honestamente, incorruptiblemente.
개고기 ① [개의 고기] carne *f* de perro. ② [성질이 막된 사람] mal chico *m*, persona *f* cruel, mala persona *f*, persona *f* malvada, demonio *m*.
개고마리 【조류】 =때까치.
개골 ((속어)) ira *f*, enfado *m*, *AmL* enojo *m*. ◆개골(을) 내다 enfadarse, irritarse, *AmL* enojarse.
개골개골 sonido *m* que la rana sigue croando. (개구리가) ~하다 seguir [continuar] croando, seguir [continuar] cantando la rana. (개구리가) ~하는 소리 croar *m*, canto *m*. ~ 울다 croar.
개골거리다 croar muchas veces.
개골산(皆骨山) 【지명】 montaña *f* Gumgang de la temporada invernal.
개골창 cuneta *f*, zanja *f*, [하수구] cloaca *f*, albañal *m*, sumidero *m*.
개과(改過) arrepentimiento *m*, penitencia *f*. ~하다 arrepentirse (de), estar arrepentido (de).
■~ 천선[자신] arrepentimiento *m*., penitencia *f*. ¶~하다 arrepentirse (de). ~하고 있다 estar arrepentido (de).
개관(開館) ① [도서관·회관·영화관 등의 시설을 차려 놓고 처음 엶] inauguración *f*. ~하다 inaugurar. ② [관을 열어 그날의 업무를 시작함] apertura *f*. ~하다 abrir. 오전 10시에 ~함 ((게시)) Se abre a las diez de la mañana. 화요일부터 일요일까지 ~함 ((게시)) Abierto de martes a domingo.
■ ~식(式) ceremonia *f* de apertura, ceremonia *f* de inauguración.
개관(概觀) reseña *f* panorámica, aspecto *m* general. ~하다 tener una visión de conjunto [panorámica] (de), examinar, analizar.
개괄(概括) sumario *m*, resumen *m*, compendio *m*. ~하다 resumir, hacer un resumen (de); [요약하다] compendiar, recapitular; [총괄하다] generalizar. ~하여 말하면 en resumen, en términos generales.
■ ~적 sumario, compendiado; general. ¶~으로 sumariamente, de modo sumario, compendiariamente, en compendio, abreviadamente, compendiosamente. 사건을 ~으로 보고하다 recapitular el suceso, relatar el asunto sumariamente.
개교(改敎) ((종교)) =개종(改宗).
개교(開校) apertura *f* [fundación *f*·inauguración *f*] de una escuela. ~하다 abrir [inaugurar·fundar] una escuela.
■~ 기념일 aniversario *m* de la fundación [de la inauguración] de la escuela. ~식 ceremonia *f* de fundación de la escuela.
개교(開教) apertura *f* [fundación *f*·inauguración *f*] de una religión. ~하다 abrir [inaugurar·fundar] una religión.
개구(開口) apertura *f* de la boca. ~하다 ㉮ [입을 열다] abrir la boca. ㉯ [입을 열어 말함] empezar [comenzar] a hablar, abrir [comenzar] *su* discurso. 그는 ~ 벽두에 상대방의 무능을 비난했다 El abrió [comenzó] su discurso criticando [con un ataque a] la incompetencia de los contrarios.
■ ~각(角) 【기계】 apertura *f* angular. ~기(器) mordaza *f*. ~수(數) 【수학】 apertura *f* numérica. ~음(音) 【음성】 vocal *f* abierta. ~ 일번(一番) tan pronto como se habla.
개구리 ① 【동물】 rana *f*, [식용의] rana *f* toro. ~가 울다 croar la rana. ~ 울음소리 croar *m*, canto *m* de rana. ~가 운다 La rana croa. ② ((준말)) =참개구리. ③ ((준말)) =청개구리.
■ ~헤엄 braza *f* de pecho.
개구리강(-綱) 【동물】 anfibios *mpl*.
개구리미나리 【식물】 hierba *f* flotante.
개구멍 agujero *m* del perro.
■~바지 pantalones *mpl* para el niño con rendija en la parte inferior. ~받이 expósito, -ta *mf*.
개구쟁이 pilluelo, -la *mf*, bribonzuelo, -la *mf*, pícaro, -ra *mf*, picaruelo, -la *mf*, (niño *m*) mocoso *m*, (niña *f*) mocosa; trasgo, -ga *mf*, trasguero, -ra *mf*, aficionado, -da *mf* a trasguear; [장난꾸러기] juguetón, -tona *mf*. ~의 travieso, pícaro, malo. ~ 짓 travesuras *fpl*. ~ 짓을 하는 travieso, pícaro, desobediente. ~ 짓을 하다 trasguear, portarse como los trasgos. 이 ~야! ¡Qué [Vaya (un)] pilluelo [chiquillo]!
개국(開國) ① [건국(建國)] fundación *f* del país. ~하다 fundar el país. ② [외국과 처음으로 국교를 시작함] comienzo *m* de las relaciones diplomáticas con el país extranjero. ~하다 abrir las relaciones diplomáticas con el país extranjero, abrir el país al comercio extranjero, empezar las relaciones con los países extranjeros
■ ~ 공신 vasallo *m* meritorio en la fundación de una dinastía. ~ 시조 fundador *m* de una nación. ~주의 política *f* de puertas abiertas.
개굴개굴 sonido *m* que canta la rana. 개구리가 ~ 울다 croar, cantar la rana.

개굴거리다 croar, cantar la rana.
개권(開卷) ① [책을 폄] acción *f* de abrir el libro; [책을 펴서 읽음] acción *f* de leer el libro después de abrirlo. ~하다 abrir el libro; leer el libro abriéndolo. ② [책을 편 첫째 장(章)] primer capítulo *m* del libro abierto.
개귀(凱歸) =개선(凱旋).
개그(영 *gag*) chiste *m*, broma *f*, gag *m*; 【연극】 morcilla *f*. ~하다 bromear. ~를 넣다 meter morcillas. 그는 그것을 ~로 했다 El lo hizo en chiste [en broma].
■ ~맨 bromista *m*. ~ 우먼 bromista *f*.
개근(皆勤) presencia *f* regular, asistencia *f* regular. ~하다 asistir regularmente (a), no faltar nunca (a), asistir [servir] durante todo el año.
■ ~상 premio *m* de asistencia perfecta. ~상장 certificado *m* para una persona que no ha faltado a la clase ni un día. ~생 estudiante *mf* que no ha faltado a la clase ni un día. ~ 수당 complemento *m* [sobresueldo *m*] para el servicio que no ha faltado al trabajo. ~자 persona *f* que no ha faltado al trabajo ni un día. ~장(狀) certificado *m* de asistencia perfecta.
개금(開金) llave *f*.
개금(開襟) ① [가슴을 헤쳐 놓음] desahogo *m*, apertura *f* del pecho, apertura *f* del corazón. ~하다 desahogarse (con), abrir*le* el pecho (a), abrir*le* el corazón (a). ② =돕지.
■ ~ 셔츠 camisa *f* de cuello abierto, camisa *f* sport.
개기(皆既) ((준말)) =개기식(皆既蝕).
■ ~식 eclipse *m* total. ~ 월식 eclipse *m* lunar. ~ 일식 eclipse *m* solar.
개기(開基) ① [공사를 하려고 터를 닦기 시작함] comienzo *m* a la nivelación del terreno. ~하다 (comenzar a) nivelar el terreno. ② ((불교)) =개산(開山).
개기름 grasa *f* en *su* cara, lo grasiento, lo graso.
개꼴 vergüenza *f*, humillaión *f*, infamia *f*. ~이 되다 deshonrar, humillarse.
개꿀 miel *f* con un trozo de panal.
개꿈 sueño *m* vacío. ~을 꾸다 tener el sueño vacío.
개나리[1] 【식물】 forsitia *f*. ~는 봄의 상징이다 La forsitia es el símbolo de la primavera.
개나리[2] [야생 나리] liliácea *f* silvestre.
개나발(-喇叭) palabra *f* irrazonable.
◆개나발을 불다 decir absurdos.
개납(皆納) pago *m* de todos los impuestos. ~하다 pagar todos los impuestos.
개년(改年) =새해.
개념(概念) concepto *m*, noción *f*, idea *f* general. …에 관한 ~을 얻다 [주다] hacerse [dar] una idea de *algo*. 기초적인 경제~ conceptos *mpl* básicos de economía.
■ ~론 conceptualismo *m*. ~론자 conceptualista *mf*. ~시(詩) poema *m* conceptual. ~ 실재론 realismo *m*. ~ 인식 cognición *f* conceptual. ~ 작용(作用) concepción *f*. ~적 conceptual, nocional. ¶~으로 conceptualmente. ~으로 이해하다 entender conceptualmente. ~적 판단(的判斷) juicio *m* conceptual.
개다[1] [날씨가] aclarar(se), despejarse, volver a ponerse claro lo que estaba obscuro; [비가] escampar. 맑게 개인 despejado. 맑게 개인 하늘 cielo *m* despejado. 날씨가 활짝 ~ despejarse, aclararse, serenarse. 날씨가 개어 있다 Está despejado / Hace buen tiempo. 하늘이 개어 있다 El cielo está despejado [claro]. 날씨가 개일 것 같다 Parece que va a despejarse [a escampar]. 날씨가 개어 가고 있다 Va aclarado. 날씨가 활짝 개었다 Se ha despejado el cielo / El cielo está completamente despejado. 오후에는 개일 것이다 Estará despejado por la tarde [*AmL* en la tarde] / Hará buen tiempo por la tarde. 제발 하늘이 활짝 개었으면 좋겠다 ¡Ojalá que el cielo se despeje!
개다[2] [으깨다] amasar. 점토를 ~ amasar arcilla. 밀가루를 물에 ~ desleír la harina en el agua.
개다[3] ① [옷이나 이부자리 등을] doblar, plegar. 이불을 ~ doblar [plegar] el colchón. ② ((준말)) =개키다.
개다래 fruto *m* de Actinidia polygama.
개다리 ① [개의 다리] pata *f* del perro. ② ((은어)) pistola *f*.
◆개다리 울리다 ((은어)) disparar sin bala, hacer disparo al aire, batir a cañonazo vacuo.
■ ~ 상제(喪制) doliente *m* maleducado, doliente *m* descortés. ~ 소반[밥상] mesita *f* (de comedor) con patas encorvadas. ~질 conducta *f* desagradable.
개당(個當) (por) una pieza.
개도국(開途國) ((준말)) =개발 도상국.
개동(開冬) ① [초겨울] invierno *m* temprano. ② [음력 시월] octubre *m* (del calendario) lunar.
개동(開東) ① [먼동이 틈] el rayar [el romper] el alba. ~하다 amanecer, clarear, alborear. ~할 때 al clarear [al despuntar] el día. ② =밝을녘. 새벽녘.
개돼지 ① [개나 돼지] perro o puerco; [개와 돼지] perro y puerco. ② [미련하고 못난 사람] persona *f* idiota.
개떡 *gaetteok*, torta *f* de la forma de pastel hecha de la harina de cebada gruesa.
개떡같다 (ser) trivial, inútil, banal, pésimo, no servir para nada.
개떡같이 trivialmente, inútilmente.
개똥 ① [개의 똥] caca *f* de perro, estiércol *m* de perro. ② [보잘것없고 천한 것] basura *f*, cachivaches *mpl*, porquerías *fpl*.
◆개똥도 모른다 no saber nada.
개똥같다 ser una basura, no valer nada.
개똥같이 como una basura.
■ ~밭 ㉮ [땅이 건 밭] campo *m* fértil. ㉯ [개똥이 많이 있어 더러운 곳] lugar *m* su-

cio cubierto de los estiércoles de perro. 개똥밭에도 이슬 내릴 날이[때가] 있다 ((속담)) No hay mal que dure cien años. ～번역 ㉮ [엉터리 번역] mala traducción *f.* ㉯ [이중 번역] traducción *f* doble. ～상놈 tipo *m* vulgar, tipo *m* bajo, patán *m.* ～철학 burla *f* [mofa *f*] de filosofía.

개똥벌레 【곤충】 luciérnaga *f,* gusano *m* de luz. ～ 잡이 놀이 caza *f* de luciérnagas.

개똥지빠귀 【조류】 tordo *m,* zorzal *m.*

개똥참외 【식물】 melón *m* silvestre.

■개똥참외는 먼저 맡는 이가 임자다 ((속담)) Cosa hallada no es hurtada.

개똥티티 【조류】 ＝개똥지빠귀.

개띠 【민속】 nacimiento *m* del Año del Perro.

개라(疥癩) 【의학】 ＝문둥병.

개략(概略) resumen *m,* compendio *m,* sumario *m,* sinopsis *f,* líneas *fpl* generales. 사건의 ～을 술회하다 hablar del caso en (*sus*) líneas generales, resumir el caso en pocas palabras.

■～ 계획 plan *m* general. ～적 sumario, compendiado, breve. ¶～으로 sumariamente, de modo sumario. ～ 내용 contenido *m* sumario. ～으로 말하면 en compendio, abreviadamente.

개량(改良) mejora *f,* mejoramiento *m;* [개혁] reforma. ～하다 mejorar; reformar. 기계를 ～하다 mejorar la máquina. 농지(農地)를 ～하다 mejorar el campo; reformar el terreno agrícola. 품종을 ～하다 mejorar la raza.

■～ 농지 tierras *fpl* de labranza mejoradas. ～복 ropa *f* mejorada. ～종 variedad *f* mejorada. ～ 종자 semilla *f* mejorada. ～주의 reformismo *m.* ～품 producto *m* mejorado. ～형 modelo *m* mejorado.

개량조개 【조개】 almeja *f* redonda.

개런티(영 *guarantee*) garantía *f.*

개력하다 tener convulsiones de naturaleza, cambiar completamente.

개론(概論) nociones *fpl* generales, esbozo *m;* [입문서(入門書)] introducción *f.*

◆문학 ～ introducción *f* a la literatura.

개류(芥溜) basurero *m,* basurera *f, ReD* zafacón *f.*

개리 【조류】 oca *f* china, ganso *m* chino.

개막(開幕) levantamiento *m* [subida *f*] del talón, comienzo *m* de una función, apertura *f,* inauguración *f.* ～하다 levantar el talón, subir el talón, comenzar la función. ～의 벨이 울린다 Suena el timbre que anuncia el levantamiento del talón.

■～극 pieza *f* corta que precede a la representación principal. ～ 시간 hora *f* del levantamiento del talón. ～식 ceremonia *f* inaugural, ceremonia *f* de inauguración. ～예행 연습 ensayo *m* de la ceremonia inaugural. ～일 día *m* de inauguración. ～전[경기] partido *m* de apertura.

개막은땅 ＝간척지(干拓地).

개망나니 oveja *f* negra, matón *m.*

개망신(－亡身) vergüenza *f* profunda, humillación *f* [indignidad *f*] dolorida. ～하다 deshonrar en público, hacer un papelón en público.

개맹이 espíritu *m,* energía *f,* vitalidad *f,* vigor *m.*

개머리[1] [개의 머리] cabeza *f* del perro.

개머리[2] 【군사】 culata *f.* 그는 총의 ～로 그 동물의 머리를 때렸다 El golpeó con la culata la cabeza del animal.

■～판(板) 【군사】 ＝개머리[2].

개먹다 erosionar, corroer, carcomer, escoriar.

개명(改名) cambio *m* del nombre. ～하다 cambiar *su* nombre.

개명(開明) civilización *f,* ilustración *f,* florecimiento *m* de la cultura. ～하다 civilizar. ～되다 civilizarse.

■～국 país *m* (*pl* países) civilizado. ～꾼 persona *f* civilizada. ～ 세대 mundo *m* civilizado. ～ 시대 edad *f* de civilización. ～지인(之人) persona *f* civilizada.

개무(皆無) nada, nulo *m.* ～하다 no existir, no haber nada, no haber en ninguna parte.

개무리 【동물】 ＝식육류(食肉類).

개문(開門) apertura *f* de la puerta. ～하다 abrir la puerta.

개물(個物) individuo *m.*

개미[1] [연줄에 먹이는] cristal *m* empolvado mezclado con pegamento.

◆개미(를) 먹이다 bañar [cubrir] en la cuerda de la cometa con cristal empolvado.

개미[2] 【곤충】 hormiga *f.* ～의, ～같은 hormiguesco, hormigoso. ～의 피해(被害)를 입은 hormigoso. 왕～ hormigón *m.*

◆개미 새끼 하나 얼씬 못하다 ni siquiera poder pasar una hormiga. 그곳은 개미 새끼 하나 얼씬 못하게 경계가 심했다 El lugar estaba tan vigilado que ni siquiera podía pasar una hormiga.

■개미 금탑 모으듯 (한다) ((속담)) Cada día un grano pon y harás montón.

■～구멍 ㉮ [개미가 뚫은 구멍] agujero *m* de la hormiga. ㉯ [웃음] risa *f.* ～굴 ㉮ [개미가 뚫은 굴] túnel *m* de la hormiga. ㉯ ＝개미집. ～떼 un enjambre [una nube] de hormigas. ～ 마을 colonia *f* de los traperos. ～산(酸) 【화학】 ácido *m* fórmico. ～집 hormiguero *m.* ～총[탑] ＝개밋둑. ～허리 cintura *f* muy fina (como la de la hormiga). ～ㅅ둑 hormiguero *m.*

개미(開眉) ① [마음의 근심을 푸는 일] solución *f* de *su* preocupación. ② [웃음] risa *f.*

개미귀신 hormiga *f* león.

개미나리 【식물】 ＝미나리.

개미핥기 【동물】 tamándoa *f,* tamantuá *f,* (oso *m*) hormiguero *m,* oso *m* melero.

개미허리 ☞개미[2]

개발 pata *f* del perro.

◆개발에 땀나다 Se ha hecho un trabajo muy difícil.

■개발에 (주석) 편자[놋대갈 · 버선] ((속담)) Echar margaritas a los puercos / Echar

margaritas a los cerdos.
■ ~코 nariz *f* (*pl* narices) chata.

개발(開發) desarrollo *m*; [자원의] explotación *f*. ~하다 desarrollar, desenvolver, explotar. ~되다 desarrollarse; [개화하다] civilizarse; [근대화하다] modernizarse. 인간 능력의 ~ desarrollo *m* de la facultad humana. 신제품을 ~하다 sacar un nuevo producto. 산지(山地)를 ~하다 explotar la región montañosa. 자원을 ~하다 explotar los recursos naturales. 이 부근은 최근에 ~되었다 Esta vecindad se ha desarrollado recientemente.
■ ~ 경제 economía *f* del desarrollo, desarrollo *m* económico. ~ 계획 planificación *f* [proyecto *m*・plan *m*・programa *m*] del desarrollo. ~ 교육 educación *f* del desarrollo. ~ 도상국 país *m* en desarrollo, país *m* en vías [en proceso] de desarrollo. ~비 gastos *mpl* de explotación. ~ 사업 obra *f* del desarrollo. ~ 원조 ayuda *f* al [para el] desarrollo. ~ 원조 그룹 el Grupo de la Ayuda al Desarrollo. ~ 원조 위원회 el Comité de Ayuda al Desarrollo, el Comité de Asistencia al Desarrollo. ~ 융자 자금 fondo *m* del desarrollo. ~ 은행 el Banco de Desarrollo. ~자 desarrollador, -ra *mf*. ~ 전략 estrategía *f* de desarrollo. ~ 정책 política *f* de desarrollo. ~ 제한 지역 distrito *m* del desarrollo limitado. ~주의 método *m* inductivo de enseñanza. ~지 región *f* desarrollada, región *f* en desarrollo, el área *f* (*pl* las áreas) del desarrollo. ~ 차관 préstamo al [para el] desarrollo. ~ 차관 기금 el Fondo del Préstamo al [para el] Desarrollo. ~ 촉진 지역 distrito *m* promovido del desarrollo.

개밥 alimento *m* para el perro.
■개밥에 도토리 ((속담)) paria *mf*, persona *f* aislada.

개밥바라기 【천문】 ((속어)) lucero *m* vespertino, lucero *m* de la tarde, véspero *m*, estrella *f* verpertina.

개방(開方) 【수학】 evolución *f*.

개방(開放) entrada *f* libre. ~하다 abrir, dejar abierto; [문호를] abrir de par en par. 창을 ~하다 dejar abierta la ventana. ~ 엄금(嚴禁) ((게시)) No dejar la puerta abierta. 이 테니스 코트는 일반에게 ~되어 있다 Esta cancha de tenis está abierta al público.
■ ~ 경제 economía *f* de puertas abiertas, economía *f* no proteccionista. ~ 골절(骨折) fractura *f* abierta. ~ 대학 universidad *f* abierta. ~ 도시 ciudad *f* abierta. ~ 배액법 drenaje *m* abierto. ~ 사회 sociedad *f* abierta. ~성 franqueza *f*; 【의학】 perseverancia *f*. ~성 결핵 tuberculosis *f* abierta. ~성 비음 rinolalia *f* abierta. ~ 요법 tratamiento *m* al aire libre. ~ 장치 aparato *m* de desconexión. ~적 abierto; [솔직한] franco. ¶~인 성격 carácter *m* abierto. ~ 전류 corriente *f* de desconexión. ~ 정책 política *f* de puertas abiertas; [수입(輸入)의] política *f* no proteccionista. ~주의 laisser-faire *m*, laissezfaire *m*. ~창(創) herida *f* abierta. ~현(弦) cuerda *f* abierta.

개방귀 ① [개의 방귀] pedo *m* del perro. ② [천하고 시시한 것] vulgaridad *f* y trivialidad.

개방아 【식물】 =송장풀.

개백장 ① [개 잡는 것을 업으로 삼는 사람] carnicero *m* del perro. ② [언행이 막된 사람] persona *f* maleducada, persona *f* descortés.

개백정(一白丁) =개백장.

개버딘(영 *gabardine*) gabardina *f*.

개범(開帆) =출범(出帆).

개벽(開闢) ① [천지가 처음 열림] creación *f* del mundo. ~하다 crear el mundo. ② [천지가 어지럽게 뒤집혀짐] confusión *f* del mundo. 천지(天地) ~이 일어나도 aunque el cielo caiga. ③ [새로운 시대가 시작됨] comienzo *m* de la nueva era.
■ ~ 이래(以來) desde la creación del mundo, después de la Creación. ¶~ 처음 보는 사건(事件) acontecimiento *m* sin precedentes.

개변(改變) cambio *m*, modificación *f*; [개혁(改革)] renovación *f*, reformación *f*. ~하다 cambiar, modificar; renovar, reformar. 제도(制度)를 ~하다 reformar el sistema.

개별(個別) caso *m* individual, individualización *f*.
■ ~ 개념 concepto *m* distributivo. ~ 보험 seguro *m* individual. ~ 생명 보험 seguro *m* de vida individual. ~ 선발 selección *f* de personal; 【보험】 selección *f* individual. ~성 individualidad *f*. ~ 심사 chequeo *m* individual. ~적 individual, particular, separado. ¶~으로 individualmente, separadamente, particularmente; uno por uno, una por una. ~ 조사 investigación *f* individual. ~ 지도 orientación *f* individual. ~화 individualización *f*. ¶~하다 individualizar.

개병(皆兵) reclutamiento *m* universal.
◆국민 ~ 제도 sistema *m* de reclutamiento universal.

개복(改服) =변복(變服).

개복(開腹) 【의학】 apertura *f* de abdomen para la operación. ~하다 abrir el abdomen para la operación.
■ ~ 수술 laparotomía *f*, operación *f* abdominal. ~ 수술 기구 laparoscopio *m*.

개복(蓋覆) tapadura *f* de la tapa. ~하다 tapar la tapa.

개봉(開封) ① [봉한 것을 떼어 엶] apertura *f* del sobre, acción *f* de abrir cosa sellada. ~하다 [봉투를] abrir el sobre; [봉인된 것을] abrir (*algo*) sellado, desellar. ~해서 보내다 enviar (*algo*) en el sobre abierto. 편지를 ~하다 abrir la carta. ~ 우편물 objeto *m* postal no cerrado. ~ 편지 carta *f* abierta. ② [새 영화를 처음으로 상영함] estreno *m*. ~하다 estrenar. ~되다 estre-

narse. 그 영화는 오늘부터 ~된다 La película se estrena desde hoy. 그 영화는 대한 극장에서 ~되었다 La película se estrenó en el Cine Daehan.
■ ~관 cine *m* de estreno. ~ 영화 película *f* de estreno.

개분(慨憤) mucha indignación, mucho enfado, mucho enojo. ~하다 enfadarse [enojarse·indignarse·enfurecerse] mucho.

개비 pedazo *m* de madera partida.
◆성냥 ~ cerilla *f*, fósforo *m*. 장작 ~ pedazo *m* de leña partida.

개비(改備) renovación *f*. ~하다 renovar.

개비(開扉) apertura *f* de la puerta, acción *f* de abrir la puerta. ~하다 abrir la puerta.

개빙(開氷) primera apertura *f* del depósito de hielo. ~하다 abrir el depósito de hielo por primera vez.

개사(開社) acción *f* de inaugurar y abrir la compañía. ~하다 inaugurar y abrir la compañía.

개사(開肆) apertura *f* de la tienda. ~하다 abrir la tienda.

개사(開謝) acción *f* de florecer y caer.

개산(開山) ① ((불교)) primera inauguración *f* del templo. ② ((불교)) ((준말)) =개산 조사(開山祖師). ③ [산을 개척함] explotación *f* del monte. ~하다 explotar el monte.
■ ~날[일] día *m* de la inauguración del templo. ~ 조사[시조] fundador, -dora *mf* de un templo; fundador, -dora *mf* de una secta budista. ~탑 pagoda *f* del fundador de una secta budista.

개산(概算) aproximación *f*, cálculo *m* aproximativo, cálculo *m* aproximado. ~하다 calcular [tasar] aproximadamente, hacer un cálculo aproximado (de), calcular por cuenta. ~으로 aproximadamente, con aproximación. 오늘 매상은 ~으로 천만 원이다 Las ventas de hoy se elevan aproximadamente a diez millones de wones.
■ ~ 가격 precio *m* aproximado, valor *m* aproximado. ~ 견적 estimación *f* aproximada. ~불[급] pago *m* con aproximación. ~ 수량 cantidad *f* aproximada. ~액 cantidad *f* aproximada.

개산포(一砲) 【군사】 una especie del cañón.

개살구 [개살구나무의 열매] alboricoque *m* silvestre.
■빛 좋은 개살구 ((속담)) Las apariencias engañan / So vaina de oro, cuchillo de plomo / Mucho ojo, que la vista engaña / No te fíes de las apariencias / No debemos juzgar por lo que vemos, por lo que parece.

개새끼 ① [강아지] cachorro, -rra *mf*, perrito, -ta *mf*. ② [개자식] hijo *m* de perro, hijo *m* de puta.

개서(改書) acción *f* de escribir otra vez. ~하다 escribir otra vez.

개서(開書) apertura *f* del sobre. ~하다 abrir el sobre, leer abriendo el sobre.

개석(蓋石) =가첨석(加檐石).

개선(改善) mejora *f*, mejoramiento *m*; [개혁(改革)] reforma *f*, [향상] progreso *m*. ~하다 mejorar; reformar. 노동 조건을 ~하다 mejorar las condiciones de trabajo.
■ ~책 medidas *fpl* de reforma, remedio *m*.

개선(改選) renovación *f* (por elección). ~하다 renovar por elección. 협회의 임원을 ~하다 elegir los nuevos dirigentes de una asociación.

개선(凱旋) vuelta *f* triunfal. ~하다 volver en triunfo, volver triunfalmente [triunfo].
■ ~가 canción *f* triunfal. ~문 arco *m* de triunfo, arco *m* triunfal. ~식 celebración *f* triunfal. ~ 장군 general *m* triunfante, general *m* vencedor.

개선(疥癬) 【의학】 sarna *f*, roña *f*.
■ ~충 cunículo *m*.

개설(開設) establecimiento *m*, fundación *f*, apertura *f*, construcción *f*, [창설] creación *f*. ~하다 establecer, fundar, abrir, inaugurar, crear. 신용장의 ~ apertura *f* de un crédito. 지점(支店)의 ~ apertura *f* de una sucursal. 신용장을 ~하다 abrir el crédito. 텔레비전국을 ~하다 establecer una estación de televisión.

개설(概說) explicación *f* general, resumen *m* general, exposición *f* sumaria. ~하다 explicar (*algo*) en términos generales, exponer (*algo*) sumariamente, dar una idea general (de).

개성(改姓) cambio *m* del apellido. ~하다 cambiar el apellido.

개성(個性) personalidad *f*, carácter *m* individual, individualidad; [독창성] originalidad *f*. ~이 없는 sin personalidad, sin originalidad, común. ~을 발휘하다 mostrar [revelar] *su* personalidad. 그는 ~이 강하다 El es un hombre de mucha personalidad / El tiene una fuerte personalidad / El es un hombre de genio audaz y descarado.
■~ 검사 prueba *f* de personalidad. ~교육 educación *f* individual. ~ 심리학 psicología *f* diferencial. ~적 personal, original, singular.

개성(開城) ① [성문을 엶] apertura *f* de la puerta del castillo. ~하다 abrir la puerta del castillo. ② [적에게 항복함] rendición *f* al enemigo. ~하다 rendirse [someterse] al enemigo.

개세(開歲) comienzo *m* del año nuevo.

개세(改歲) =환세(換歲).

개세(蓋世) superación *f* de todo. ~하다 superar todo.
■ ~ 영웅 héroe *m* prominente del día.

개세(慨世) lamentación *f* del mundo, lamentación *f* del cambio del mundo. ~하다 lamentar el mundo, lamentar el cambio del mundo.

개세(概勢) situación *f* aproximada, circunstancias *fpl* aproximadas.

개소(開所) apertura *f* de una nueva oficina. ~하다 abrir una nueva oficina.
■ ~식 celebración *f* de la apertura de una

nueva oficina.

개소(個所) lugar *m*, sitio *m*, punto *m*, parte *f*. 사오(四五) ~ cuatro o cinco lugares. 지붕 삼 ~에 구멍이 뚫려 있다 Hay tres roturas [bocas] en el tejado. 철도 두 ~가 불통이다 El tráfico ferroviario se ha interrumpido en dos lugares del recorrido.

개소년(改少年) ＝갱소년(更少年).

개소리 tonterías *fpl*, estupideces *fpl*, chorradas *fpl*, disparate *m*, *RPl* pavadas *fpl*. ~ 마라 ¡Tonterías! / ¡Qué ridículo! / No digas tonterías [estupideces]. 그것은 순전한 ~다 Son puras tonterías [estupideces].

◆개소리(를) 치다 decir tonterías, decir estupideces, decir disparates.

개소주(—燒酒) *gaesoju*, aguardiente *m* de perro.

개쇄(開鎖) acción *f* de abrir y cerrar la puerta o la tapa. ~하다 abrir la puerta o la tapa y cerrarla.

개수(—水) ((준말)) ＝개숫물.

■~대(臺) fregadero *m*, *And*, *Méj* lavaplatos *m.sing.pl*, *RPl* pileta *f*. ~통 fregadero *m*, *And*, *Méj* lavaplatos *m.sing.pl*.

개수(改修) reparación *f*, reforma *f*. ~하다 reparar, rehacer, reformar. 교량(橋梁) ~공사 obras *fpl* de reparación del puente.

개수(箇數) número *m*. ~를 세다 contar el número.

■~ 임금 precio *m* por pieza, precio *m* unitario, salario *m* a destajo.

개수작(—酬酌) tonterías *fpl*, estupideces *fpl*, bobadas *fpl*. ~ 마라 ¡Tonterías! / ¡Qué ridículo! / No digas tonterías [estupideces · bobadas].

개술(概述) resumen *m*. ~하다 resumir, hacer un resumen (de).

개숫물(—水—) el agua de lavar los platos.

■~통 artesón *m*.

개시(開市) ① [시장을 열어 매매를 시작함] apertura *f* de mercado, comienzo *m* de la compra y la venta después de abrir el mercado. ~하다 comenzar la compra y la venta. ② [(장사를 시작한 뒤) 처음으로 물건을 팔게 됨] primera venta *f* del día. ~하다 vender por primera vez (después de abrir la tienda).

■~ 손님 primer cliente *m* [comprador *m*] del día.

개시(皆是) todo.

개시(開始) comienzo *m*, principio *m*, apertura *f*. ~하다 comenzar, empezar, iniciar, dar principio (a). 공격(攻擊)을 ~하다 emprender [empezar] el ataque. 교섭(交涉)을 ~하다 abrir [entrar en] negociaciones. 시판(市販)을 ~하다 comenzar [empezar] a vender. 영업을 ~하다 empezar un negocio [un servicio]. 방송 ~는 오전 여섯 시다 La emisión empieza [comienza] a las seis de la mañana. 북한은 핵실험을 ~했다 Corea del Norte comenzó la prueba nuclear.

개식(開式) apertura *f* de una ceremonia. ~하다 abrir una ceremonia.

■~사(辭) discurso *m* inicial.

개신(改新) renovación *f*, innovación *f*, novedad *f*, reforma *f*. ~하다 renovar, innovar, reformar.

개신거리다 mover lánguidamente.

개신개신 moviendo lánguidamente.

개신교(改新敎) ((기독교)) ＝신교(新敎).

개심(改心) reforma *f*, corrección *f*, arrepentimiento *m*. ~하다 arrepentirse, enmendarse, corregirse, reformarse. ~시키다 corregir, reformar. ~의 여지가 없다 (ser) incorregible, irremediable; no tener remedio, estar definitivamente perdido. 그는 이미 ~했다 El está completamente arrepentido y trabaja con diligencia.

■~자 penitente *mf*.

개싸움 ① [개끼리의 싸움] pelea *f* de [entre] los perros. ② [옳지 못한 행동으로 더러운 욕망을 채우려는 싸움] lucha *f* sucia.

개악(改惡) mal cambio *m*. ~하다 cambiar (*algo*) para mal. 헌법의 ~ enmienda *f* retrógrada de la Constitución.

개안(開眼) ① [눈을 뜨게 함] la acción de hacer abrir los ojos. ~하다 hacer abrir los ojos. ② ((불교)) [불도의 진리를 깨달음] ilustración *f*. ~하다 estar ilustrado espiritualmente. ③ ((불교)) [불상을 만든 뒤에 처음으로 불공을 드리는 의식] primer ritual *m* budista después de hacer una estatua budista.

■~ 수술(手術) operación *f* para recobrar la vista.

개안(開顔) ＝파안(破顔).

개암[1] [개암나무의 열매] avellana *f*.

■~사탕 dulces *mpl* [caramelos *mpl* · golosinas *fpl*] de avellana. ~장(醬) salsa *f* de avellana. ~죽 gachas *fpl* de avellana.

개암[2] [매의 먹이 속에 넣는 솜뭉치] pedazo *m* de algodón puesto en alimento del halcón.

◆개암(을) 도르다 vomitar un pedazo de algodón después de digerir la carne.

개암나무 【식물】 avellano *m*.

개암(이) 들다 tener complicaciones después de parto.

개양(開陽) la sexta etrella de la Osa Mayor.

개양귀비(—楊貴妃) 【식물】 ababol *m*, amapola *f*.

개어귀 estuario *m*, *Gal* ría *f*.

개업(開業) apertura *f*, inauguración *f*, [창업] fundación *f*, establecimiento *m*. ~하다 empezar a ejercer (de *algo*), inaugurar, fundar, establecer (de *algo*); [가게를] establecer una tienda, abrir una tienda; [병원을] practicar. 변호사를 ~하다 establecerse como [de] abogado, abrir un bufete. 카페를 ~하다 abrir [empezar] una cafetería. 식당 ~을 하신다고 들었습니다 Yo he oído que usted va a abrir un restaurante.

■~ 광고 anuncio *m* de apertura de los negocios. ~ 면허장 licencia *f* de apertura de los negocios. ~비 coste *m* inicial de negocios. ~식 ceremonia *f* de inauguración. ~의(醫) médico *m* práctico, médica *f* práctica; médico, -ca *mf* general; médico, -ca *mf* de consulta. ~ 준비 비용 fondo *m* de apertura de los negocios.

개역(改易) cambio *m*, modificación *f*, alteración *f*. ~하다 cambiar, modificar, alterar.

개역(改譯) traducción *f* revisada. ~하다 traducir de nuevo.
■ ~ 성경 la Versión Revisada de la Santa Biblia. ~자 traductor *m* revisado, traductora *f* revisada. ~판 versión *f* revisada.

개연(開演) representación *f*, levantamiento *m* del telón, apertura *f*. ~하다 levantar el telón. ~ 시간 hora de apertura. 여섯 시 ~함 ((게시)) El telón se levanta a las seis / La representación comienza a las seis.

개연(蓋然) lo probable.
■ ~론 probabilismo *m*. ~론자 probabilista *mf*. ~설 probabilismo *m*. ~성 probabilidad *f*. ~적 probable. ¶~으로 probablemente. ~(적) 판단 juicio *m* problemático.

개연하다(慨然-) (estar) indignado.
개연히 con indignación.

개염 codicia *f*.

개오(改悟) reformación *f*. ~하다 reformar.

개오(開悟) ((불교)) nirvana *f*, conocimiento *m* de la verdad absoluta. ~하다 descubrir la verdad absoluta.

개오동(-梧桐) 【식물】 =개오동나무.

개오동나무(-梧桐-) 【식물】 catalpa *f*.

개와(蓋瓦) acción *f* de hacer el tejado. ~하다 techar con las tejas.

개완두(-豌豆) 【식물】 =갯완두.

개왈(皆曰) se dice, dicen, todos dicen.

개요(概要) sumario *m*, compendio *m*, sinopsis *f*, resumen *m*. 사건(事件)의 ~ sumario *m* del caso, resumen *m* del caso. 조약(條約)의 ~ resumen *m* del tratado. 문법의 ~를 공부하다 estudiar un compendio de gramática. 사건의 ~를 말하다 hablar del caso en (*sus*) líneas generales, resumir el caso en pocas palabras.

개운(開運) apertura *f* de la nueva fortuna, apertura *f* de la fortuna. ~하다 abrir la nueva fortuna, abrir la fortuna.

개운하다 ① [산뜻하고 시원하다] sentir bien, sentirse refrescado, sentirse aliviado. 개운치 않다 (ser) vago, indistinto; [기분이] sombrío. 정계의 개운치 않은 음모 manejos *mpl* tenebros del mundo político. 무언가 개운치 않은 게 있다 Hay algo que no se despeja del todo. 그가 이긴 것을 보고 개운했다 Me sentí aliviado al ver que él había ganado. ② [입에 상쾌하도록 산뜻하다] (ser) sencillo, refrescante. 조개탕 맛이 ~ La sopa de almeja sabe refrescante / La sopa de almeja tiene un sabor [gusto] refrescante.
개운히 refrescantemente.

개울 arroyo *m*, arroyuelo *m*, riachuelo *m* pequeño.
■ ~가 al lado del arroyo, junto al arroyo. ~녘 cercanía *f* del arroyo, vecindad *f* del arroyo. ~물 el agua *f* del arroyo.

개원(改元) cambio *m* (del nombre) de la era. ~하다 cambiar del nombre de la era.

개원(開院) apertura *f*, inauguración *f*; [국회의] apertura *f* de la sesión. ~하다 abrir; [국회를] abrir la sesión.
■ ~식 inauguración *f*; [국회의] ceremonia *f* de apertura (de Cortes · de asamblea nacional].

개원(開園) apertura *f*. 이 공원은 오전 9시 일반에 ~한다 Este parque es abre al público a las nueve de la mañana.

개월(開月) meses *mpl* (siguientes). 그 건축물은 5년 6개월만에 준공되었다 Se tardó cinco años y seis para la finalización del edificio.

개으르다 (ser) perezoso, holgazán., haragán, gandul.
개으르게 perezosamente, con pereza.

개으름 pereza *f*, holgazanería *f*, ociosidad *f*.
◆개으름(을) 부리다 holgazanear, perecear, permanecer ocioso voluntariamente, hacer la actitud perezosa. 개으름(을) 피우다 holgazanear, mostrar la actitud perezosa.

개으름뱅이 perezoso, -sa *mf*; holgazán (*pl* holgazanes), -zana *mf*; haragán, -gana *mf*.

개으름쟁이 =개으름뱅이.

개을러빠지다 (ser) muy perezoso [holgazán · haragán].

개을리 perezosamente, con pereza, ociosamente, con ocio, holgazanamente.

개의(介意) inquietud *f*, preocupación *f*. ~하다 inquietarse, preocuparse (de · por), hacer caso (de · a), prestar atención (a), tomar [tener] en consideración, tener en cuenta. ~하지 않고 sin preocuparse (de · por), sin consideración (para), sin hacer caso (de). 시간에 ~하지 않고 sin tener en consideración el tiempo. 금전에 ~하지 않다 no preocuparse por el dinero. 나는 복장에 ~하지 않는다 Yo no me preocupo de qué vestidos ponerse. 그는 다른 사람들의 비판 따위에는 ~하지 않는다 El no hace caso de la crítica de los otros. 우리는 그의 반대[말]에 전혀 ~하지 않는다 Nosotros no hacemos ninguún caso de sus objeciones [de lo que dice él].

개의(改衣) cambio *m* de la ropa, cambio *m* del vestido. ~하다 cambiarse de ropa [vestido].

개의(改議) reconsideración *f*. ~하다 reconsiderar, discutir de nuevo, enmendar.

개의(概意) sumario *m*, sinopsis *f*.

개이 ① 【곤충】 piojo *m* del perro. ② piojo *m* de la clase animal.

개인(改印) cambio *m* del sello. ~하다 cambiar el sello (registrado).
■ ~계[신고] declaración *f* del cambio del sello.

개인(個人) individuo *m*, persona *f*. ~의 individual, personal, particular, privado. ~의 이익(利益) interés *m* particular. ~의 자유

libertad *f* individual. ~의 존엄 dignidad *f* del individuo. ~의 존중(尊重) respeto *m* a individuo.

■ ~ 감정 sentimiento *m* individual. ~ 건강 기금 fondo *m* de salud privada. ~ 경기 deporte *m* individual, prueba *f* individual. ~ 경영 administración *f* privada. ~ 공격 ataque *m* a una persona particular. ~ 관계 relaciones *fpl* personales. ~ 교섭 negociación *f* individual. ~ 교수 ㉮ lección *f* privada, lección *f* particular. ¶~를 하다 dar lecciones particulares (a). 피아노 ~를 받다 tomar lecciones particulares de piano. ㉯ [사람] profesor, -sora *mf* particular. ~기(技) técnica *f* personal, técnica *f* individual. ~ 기업(企業) empresa *f* privada [personal]. ~ 명의(名義) título *m* personal. ¶~로 a título personal. ~ 문제(問題) asunto *m* privado. ~ 병원 hospital *m* privado. ~ 보험 seguro *m* privado. ~ 비용(費用) coste *m* privado, *AmL* costo *m* privado. ~ 사업 negocio *m* privado. ~ 사업주 propietario, -ria *mf*. ~상(賞) premio *m* privado. ~성 individualidad *f*. ~세 impuesto *m* privado. ~ 소득 renta *f* per cápita. ~ 소비 consumo *m* privado. ~ 숭배 culto *m* a la personalidad. ~ 식별(識別) identificación *f*. ~ 심리학(心理學) psicología *f* individual. ~ 어음 pagaré *m* personal. ~ 영업 negocio *m* privado. ~ 예금 ahorro *m* personal. ~용 컴퓨터 ordenador *m* personal, *AmL* computadora *f* personal. ~ 용품 artículo *m* de uso personal. ~ 위생 higiene *m* personal. ~ 윤리(倫理) ética *f* personal. ~ 은행 banco *m* privado. ~ 의견 opinión *f* personal. ¶~으로는 en *su* opinión personal. ~ 자본 capital *m* privado. ~ 재산 bienes *mpl* privados. ~적(的) individual, personal; [사적인] privado, particular. ¶~으로 individualmente, personalmente, privadamente, particularmente, como simple particular, con individualidad, de un modo individual. ~인 이유로 por razones personales. 나는 그녀를 ~으로 알고 있다 Yo la conozco a ella personalmente. ~전(展) exposición *f* individual [personal · privada]. ¶에이 씨의 ~을 열다 organizar [hacer] una exposición personal de las obras del señor A. ~전(戰) (partido *m*) individual *m*. ~ 전용선 cable *m* privado. ~ 제도 sistema *m* individual. ~ 종목 prueba *f* individual. ~주의 ㉮ individualismo *m*. ㉯ =이기주의. ~주의자 individualista *mf*. ~ 주택 residencia *f* privada. ~ 지도 orientación *f* personal. ¶~를 하다 dar la orientación personal (a). ~차 diferencia *f* entre los individuos. ~ 택시 taxi *m* de chofer-propietario. ~ 택시 운전사 taxista-propietario *mf*. ~ 투자(投資) inversión *f* privada. ~ 투자가 inversor *m* privado, inversora *f* privada. ~ 투자 고객 cliente *m* de inversión privado, cliente *f* de inversión privada. ~ 표상(表象) sím- bolo *m* individual. ~ 플레이 acción *f* personal. ~ 회사 compañía *f* de un solo propietario, empresa *f* sin cotización en bolsa, compañía *f* privada. ~ 휴대품 equipaje *m* de mano privado, efectos *mpl* personales privados.

개인(蓋印) =답인(踏印).

개입(介入) intervención *f*; [간섭] injerencia *f*, intromisión *f*. ~하다 intervenir [interponerse] (en), meter las narices (en); [간섭하다] entrometerse (en), injerirse (en). 제삼자의 ~ intervención *f* de un tercer partido. 한국 전쟁에 ~하다 intervenir en la Guerra Coreana. 남의 일에 ~하지 마세요 No se meta usted las narices en asuntos ajenos.

개자(芥子) mostaza *f*.

개자리[1] 【식물】 alfalfa *f*.

개자리[2] [과녁 앞에 웅덩이를 파 놓고 사람이 들어앉아 화살의 맞고 안 맞음을 살피는 자리] hoyo *m* del indicador del tiro al [con] arco delante de varita mágica.

개자식(-子息) hijo *m* de perro, hijo *m* de puta.

개작(改作) refundición *f*; [번안(飜案) · 각색] adaptación *f*; [표절] plagio *m*. ~하다 refundir, rehacer; [번안 · 각색하다] adaptar; [표절하다] plagiar, cometer plagio.

개작(開作) =개간(開墾).

개잘량 alfombra *f* de piel de perro.

개잠 sueño *m* repantigado (como un perro).
◆개잠(을) 자다 dormir repantigándose como un perro.

개잠(改-) sueño *m* después de despertarse una vez por la mañana.
◆개잠(을) 자다 volver a dormir después de despertarse una vez por la mañana. 개잠(이) 들다 volver a dormirse después de despertarse una vez por la mañana.

개잡년(-雜-) desvergonzada *f*, descocada *f*, libertina *f*, putilla *f*, fulana *f*, mujer *f* inmoral, hija *f* de puta.

개잡놈(-雜-) mujeriego *m*, tenorio *m*, persona *f* a quien le gusta codearse con gente distinguida.

개장(-醬) ((준말)) =개장국.
■ ~국 sopa *f* de carne de perro.

개장(改葬) ① [고쳐 다시 장사지냄] reentierro *m*. ~하다 volver a enterrar. ② =이장(移葬).

개장(改裝) renovación *f*, reforma *f*, modificación *f*, transformación *f*. ~하다 renovar, reformar, transformar, equipar con nuevas instalaciones. 점포 ~ 휴업 ((게시)) Cerrado por reformas.

개장(開仗) comienzo *m* de la guerra. ~하다 comenzar [empezar] la guerra.

개장(開場) apertura *f*. ~하다 abrir(se), empezar. 정오에 ~ ((게시)) Se abre al mediodía.
■ ~ 시간 ㉮ [가게의] horario *m* comercial. ㉯ [은행 · 사무실의] horario *m* de atención al público. ~ 시세 precio *m* de aper-

tura. ～식 ceremonia *f* de apertura.

개장(蓋匠) 【역사】 tejero *m.*

개재(介在) interposición *f*, intervención *f.* ～하다 estar, encontrarse, meditar, interponerse, estar situado. …을 ～하여 mediante, por conducto de, por intermedio de, por meditación de, a través de.

개전(改悛) arrepentimiento *m*, penitencia *f.* ～하다 arrepentirse, compungirse, dolerse. ～시키다 hacer arrepentirse. ～의 정이 현저하다 dar claras muestras de *su* arrepentimiento, arrepentirse sinceramente.

■ ～자(者) arrepentido, -da *mf.*

개전(開展) ① ＝전개(展開). ② progreso *m* y desarrollo. ～하다 desarrollar.

개전(開戰) rompimiento *m* [principio *m*] de hostilidades, comienzo *m* de la guerra. ～하다 romper [comenzar] las hostilidades, comenzar [empezar] la guerra.

개절(介節) fidelidad *f* fuerte.

개절(凱切) apropiación *f*, aptitud *f.* ～하다 (ser) apropiado, apto, pertinente.

개점(開店) apertura *f*, inauguración *f.* ～하다 inaugurar el comienzo, abrir tienda. ～한 지 얼마 안된 상점 tienda *f* recién inaugurada. 10시 ～함 ((게시)) La tienda se abre a las diez.

■ ～ 시간 hora *f* de apertura, hora *f* de abrir la tienda. ～ 인사(人事) anuncio *m* de abrir la tienda. ～ 휴업 El negocio no va bien. ¶점포는 ～ 상태다 La tienda será abierta, pero apenas hace negocio.

개정(改正) corrección *f*, enmienda *f*, rectificación *f*; [개혁] reforma *f*; [변경] modificación *f.* ～하다 corregir, enmendar, revisar, reformar, modificar. 법률(法律)을 ～하다 enmendar una ley. 우편 요금을 ～하다 revisar la tarifa de correos.

◆조약 ～ revisión *f* de tratado. 헌법(憲法) ～ enmienda *f* de la Constitución Nacional.

■ ～ 가격 precio *m* revisado. ～ 세율 tasa *f* aduanera revisada. ～ 시간표 horario *m* revisado, nuevo horario *m.* ～안 proyecto *m* de (la) revisión. ¶조약 ～ proyecto *m* de (la) revisión de tratado. ～ 요금 tarifa *f* revisada, precio *m* revisado.

개정(改定) reforma *f.* ～하다 reformar.

개정(改訂) revisión *f.* ～하다 revisar.

◆전면(全面) ～ revisión *f* total [completa]. ¶한서 사전(韓西辭典)을 전면(全面) ～하다 revisar el Diccionario Coreano-Español totalmente [completamente].

■ ～증보판 edición *f* revisada y aumentada. ～판 edición *f* revisada, versión *f* revisada. ¶전면(全面) ～ versión *f* [edición *f*] totalmente [completamente] revisada.

개정(開廷) apertura *f* del tribunal, apertura *f* del juzgado. ～하다 abrir el tribunal, abrir la sesión.

개제(介弟) su hermano.

개제(改題) cambio *m* del título. ～하다 cambiar del título.

개조(改造) reconstrucción *f*, reorganización *f*; [개장] transformación *f*; [개수(改修)] reforma *f.* ～하다 reconstruir, reorganizar; transformar; reformar. 내각(內閣)을 ～하다 reorganizar [reconstruir] el gabinete. 집을 ～하다 reconstruir una casa. 부엌을 ～하다 reformar una cocina. 차고(車庫)를 작업장으로 ～하다 transformar un garaje en taller.

개조(開祖) ① [처음으로 시작하여 그 일파의 원조가 되는 사람] fundador, -dora *mf.* ② ((불교)) ((준말)) ＝개종조(改宗祖). ③ ((준말)) ＝개산 조사(開山祖師).

개조(改組) reorganización *f.* ～하다 reorganizar.

개조(箇條/個條) artículo *m*, cláusula *f.* 그 계약은 10～로 되어 있다 El contrato consta de diez artículos.

개종(改宗) conversión *f.* ～하다 convertirse, cambiar de religión. 개신교로 ～하다 convertirse al protestantismo. 그는 가톨릭에서 개신교로 ～했다 El se convirtió del catolicismo al protestantismo.

■ ～자 converso, -sa *mf*, convertido, -da *mf.*

개종(開宗) ((불교)) fundación *f* de una secta del budismo. ～하다 fundar una secta del budismo.

■ ～조(祖) fundador *m* (de una secta del budismo).

개좆부리 ((낮은말)) ＝감기. 고뿔.

개주(芥舟) barca *f*, lancha *f*, barco *m* pequeño.

개주(改鑄) refundición *f*, [화폐의] resello *m.* ～하다 refundir; resellar.

개죽(－粥) *gaechuk*, alimento *m* para el perro como las gachas.

개죽음 muerte *f* vana, muerte *f* inútil. ～을 당하다 morir en vano, morir inútilmente.

개중(個中/箇中) entre otros, entre muchas cosas.

개지(開地) terreno *m* roturado.

개지랄 marrano *m*, cochino *m.*

개진(開陣) declaración *f*, exposición *f.* ～하다 declarar, manifestar.

개짐 cinturón *m* higiénico, banda *f* higiénica.

개집 perrera *f.*

개짓 mala conducta *f*, conducta *f* malvada.

개찜 ahumado *m* de carne de perro.

개차반 persona *f* maleducada, persona *f* descortés, mierda *f*, gentualla *f*, gentuza *f.* 행실이 ～이다 portarse descortésmente, ser muy malo en *su* conducta.

개착(改着) cambio *m* de vestido, cambio *m* de ropa. ～하다 cambiarse de vestido.

개착(開鑿) excavación *f*, [샘이나 굴의] perforación *f.* ～하다 excavar. 운하를 ～하다 abrir [construir] un canal. 터널을 ～하다 perforar [construir] un túnel.

■ ～ 공사 obras *fpl* de excavación, obras *fpl* de perforación. ～기(機) excavadora *f*, perforador *m*, perforadora *f.* ～자 excavador, -dora *mf.*

개찬(改竄) corrección *f*, revisión *f.* ～하다

corregir, revisar.

개찰(改札) revisión *f* de billetes, *AmS* revisión *f* de boletos. ~하다 revisar los billetes; [표를 자르다] picar los billetes; [집찰하다] recoger los billetes, horadar billete con punzón, horadar boleto con punzón.
■~계(係) sección *f* de revisión. ~구 portillo *m* de andén, garita *f* del revisor. ~원 revisor, -ra *mf.*

개찰(開札) examen *m* de oferta. ~하다 examinar la oferta.

개창(疥瘡)【한방】=옴.

개창(開創/開刱) comienzo *m*, inauguración *f.* ~하다 comenzar, empezar, inaugurar.
■~지(地) tierra *f* explotada, colonia *f.*

개척(開拓) explotación *f*, cultivo *m*, colonización *f*, [개간] roturación *f.* ~하다 explotar, cultivar, roturar. ~할 수 있는 explotable. ~할 수 있는 땅 terreno *m* explotable. 새로운 연구 분야를 ~하다 crear [iniciar] una nueva esfera de estudio.
■~단 grupo *m* de la exploración. ~민 emigrante *mf* para la explotación. ~사(史) historia *f* de la colonización [de la explotación]. ~ 사업 obra *f* de la explotación. ~자 explotador, -ra *mf*, colonizador, -ra *mf*, [새 분야의] iniciador, -ra *mf*, pionero, -ra *mf*, roturador, -ra *mf.* ~자 시대 época *f* de pioneros. ~자 정신 espíritu *m* pionero y emprendedor de los hombres de la frontera. ~지(地) tierra *f* explotada, colonia *f*, terreno *m* ganado al mar.

개천(開川) ① [개골창물이 흘러 나가도록 판 긴 내] acequia *f.* ② [내] arroyo *m*; [작은 내] arroyuelo *m.*
■개천에 든 소 ((속담)) Mucha comida y mucha fortuna. 개천에서 용(龍) 난다 ((속담)) Las cañas se vuelven lanzas / Tener un hijo más brillante que uno mismo.
■~가 ㉮ [개천 주변의 땅] terreno *m* del alrededor del arroyo. ㉯ =냇가. 천변(川邊).

개천절(開天節) Día *m* Nacional de la Fundación.

개청(開廳) inauguración *f*, apertura *f* de la secretaría. ~하다 inaugurar, abrir la secretaría.

개체(改替) cambio *m.* ~하다 cambiar.

개체(個體) individuo *m.* ~의 individual, individuo.
■~ 관념 concepto *m* individual. ~군(群) población *f.* ~ 발생 ontogenia *f*, ontogénesis *f*, desarrollo *m* ontogénico. ~ 발생론 ontologismo *m*, ontología *f.* ~ 발생론자 ontólogo, -ga *mf.* ~ 변이 variación *f* individual. ~ 생태학 ecología *f* individual. ~ 선발 selección *f* individual. ~성 individualidad *f.* ~ 접합 juntura *f* individual. ~주의 individualismo *m.*

개초(蓋草) ① [이엉] paja, juncos etc. utilizados como techumbre, *AmS* quincha *f.* ② [이엉으로 지붕을 임] empajado *m* de tejados y techos. ~하다 cubrir [techar] con paja [juncos], empajar, *AmS* quinchar.
■~장이 empajador, -dora *mf* (de tejados), *RPI* quinchador, -dora *mf.*

개최(開催) celebración *f.* ~하다 celebrar, dar, tener. ~되다 celebrarse, tener lugar. 강연회가 ~되었다 Se celebró una conferencia. 영화제가 서울에서 ~되었다 El festival de cine se celebró [tuvo lugar] en Seúl.
■~국 país *m* anfitrión. ~ 기간 período *m* que se celebra. ~일 día *m* fijo para la reunión. ~자 anfitrión, -triona *mf.* ~지(地) sede *m*, lugar *m* que se celebra. ¶다음 올림픽 ~ sede *m* de los próximos Juegos Olímpicos.

개축(改築) reconstrucción *f*, [전부의] reedificación *f.* ~하다 reconstruir, reedificar; [개수하다] reformar. 집을 ~하다 reconstruir una casa. ~중이다 estar en reconstrucción.
■~ 공사 obras *fpl* de reconstrucción, reformas. ~비 gastos *mpl* para la reconstrucción.

개춘(改春) ① [다시 돌아온 봄] nueva primavera *f*, primavera *f* que vuelve a venir. ② [새해] año *m* nuevo.

개춘(開春) comienzo *m* de la primavera. ~하다 comenzar [empezar] la primavera.

개충(介蟲)【곤충】=갑충(甲蟲).

개치(改置) =대치(代置).

개칠(改漆) coloración *f*, coloramiento *m.* ~하다 colorar, colorir, pintar, teñir, colorear, dar (de) color, abigarrar.

개칭(改稱) cambio *m* de nombre, cambio *m* de título, cambio *m* de denominación. ~하다 cambiar el nombre, poner nuevo. 회사 명칭을 에이에서 비로 ~하다 cambiar la razón social de A en la de B.

개코원숭이【동물】=비비(狒狒).

개키다 doblar. 옷을 ~ doblar su ropa. 이부자리를 ~ doblar la ropa de cama.

개타령(-打令) *gaetaryong*, uno de *pansori*.

개탁(開坼) Ve abriendo (la carta o el documento sellado).

개탄(慨嘆) lamentación *f.* ~하다 lamentar, deplotar. ~할 수 있는 lamentable, deplorable.

개탕(開鐋) ①【건축】muesca *f*, ranura *f.* ② ((준말))=개탕 대패.
◆개탕(을) 치다 acanalar, hacer ranuras (en), hacer una muesca (en).
■~대패 acanalador *m.* ~톱 sierra *f* acanaladora.

개택(凱澤) gracia *f* de la paz.

개털 pelo *m* del perro.

개통(開通) apertura *f* (al tráfico), inauguración *f.* ~하다 abrirse al tráfico, inaugurarse. 터널이 ~되었다 El túnel quedó al tráfico. 새로운 전화 회선(電話回線)이 ~된다 La nueva línea telefónica se pone en funcionamiento.
■~ 구간 sección *f* abierta para el tráfico. ~식 ceremonia *f* de apertura, inauguración *f.*

개판 confusión *f* completa, desorden *m* completo, cochinería *f*, lío *m*, embrollo *m*. ~이 되다 caer en confusión completa.

개판(改版) 【인쇄】 revisión *f*, nueva redacción *f*. ~하다 redactar de nuevo.

■ ~본(本) edición *f* revisada.

개판(開版) publicación *f*. ~하다 publicar.

개판(蓋板) tablilla *f*.

개펄 cieno *m*, lodo *m*.

개편(改編) reorganización *f*, reconstitución *f*; [내각(內閣)의] remodelación *f*. ~하다 reorganizar, reconstituir; [내각을] remodelar. 내각의 ~ remodelación *f* del gabinete.

개평 propina *f* del ganador al perdedor o al espectador en el juego.

◆개평(을) 떼다 quitar la propina del ganador.

■ ~꾼 espectador, -dora *mf* que espera un poco de dinero dado por el jugador.

개평(概評) crítica *f* sumaria, crítica *f* general, observaciones *fpl* generales. ~하다 criticar sumariamente, criticar generalmente, observar generalmente.

개평(開平) 【수학】 =제곱근풀이.

개평근(開平根) 【수학】 =제곱근.

개평방(開平方) 【수학】 =제곱근풀이.

개폐(改廢) modificación *f*, revisión *f*, reorgazación *f*. ~하다 modificar, revisar; reorganizar. 법률을 ~하다 someter a revisión una ley, hacer modificación de una ley.

개폐(開閉) apertura y cierre [clausura]. ~하다 abrir y cerrar.

■ ~교(橋) puente *m* levadizo. ~기 conmutador *m*. ¶자동 ~ conmutador *m* automático. ~문 puerta *f* de abrir y cerrar. ~소 centro *m* de conmutación. ~ 신호 señal *f* de conmutación. ~실 cámara *f* de dispositivos de distribución. ~ 운동(運動) movimiento *m* de abrir y cerrar. ~ 장치 dispositivos *mpl* de distribución. ¶자동 ~ dispositivos *mpl* de distribución automáticos. ~ 회로 circuito *m* de manipulación; [라디오의] circuito *m* emisor.

개표(開票) escrutinio *m*, recuento *m* de los votos. ~하다 escrutar, hacer el escrutinio, hacer el recuento de los votos, recontar los votos, abrir la cuenta de votos.

■ ~ 감시인 supervisor, -sora *mf* de escrutinio, inspector, -tora *mf* de cuenta de votos. ~구 distrito *m* de escrutinio. ~소 [장소] lugar *m* de escrutinio. ~ 종사원(從事員) escrutador, -ra *mf*. ~ 참관인(參觀人) escrutador, -ra *mf*.

개풍(凱風) ① [따뜻한 바람] viento *m* templado. ② [남풍(南風)] viento *m* (del) sur.

개학(開學) comienzo *m* de la clase, comienzo *m* de la escuela. ~하다 comenzar la clase, comenzar la escuela, empezar la escuela.

개합(開闔) =개폐(開閉).

개항(開港) ① apertura *f* del puerto al comercio exterior. ~하다 abrir un puerto (al comercio exterior). ② ((준말)) =개항장.

■ ~장[지] puerto *m* abierto (al comercio extranjero), puerto *m* de tratado.

개해 【민속】 el Año del Perro.

개행실(-行實) mala conducta *f*, comportamiento *m* malvado. ~하다 comportarse mal, portarse mal.

개헌(改憲) modificación *f* [enmienda *f*·reforma *f*] de la Constitución. ~하다 modificar [enmendar·reformar] la Constitución.

■ ~안 proyecto *m* de modificación de la Constitución. ~ 운동 movimiento *m* para la modificación de la Constitución. ~ 저지 투쟁 lucha *f* contra la modificación de la Constitución.

개헤엄 natación *f* como un perro. ~을 치다 nadar como un perro.

개혁(改革) reforma *f*; [개조] reorganización *f*; [쇄신] renovación *f*, innovación *f*. ~하다 reformar, hacer reforma (de *algo*); reorganizar; renovar, innovar. 정치적 ~ reforma *f* política. 통화 제도를 ~하다 reformar el sistema monetario. 교육 제도를 발본적으로 ~하다 reformar radicalmente el sistema de educación.

◆대(大) ~ gran reforma *f*. 사회(社會) ~ reforma *f* social. 종교 ~ Refoma *f*. 행정(行政) ~ reforma *f* administrativa.

■ ~안 proyecto *m* de reforma. ~ 운동 movimiento *m* de reforma. ~자 reformista *mf*, reformador, -ra *mf*, renovador, -ra *mf*. ~파 reformistas *mpl*. ~파 교회 iglesia *f* reformista.

개호(改號) ① [시호(詩號)나 당호(堂號)를 고침] cambio *m* de nombre de pluma. ~하다 cambiar el nombre de pluma. ② [개원(改元)] cambio *m* (del nombre) de la era. ~하다 cambiar el nombre de la era.

개호주 【동물】 cría *f* del tigre.

개혼(開婚) primer casamiento *m* entre los hijos. ~하다 casar por primera vez entre los hijos.

개화(開化) civilización *f*, ilustración *f*. ~하다 civilizarse. ~한 civilizado, ilustrado. ~되다 civilizarse. ~시키다 civilizar. ~된 국민 pueblo *m* civilizado. ~된 나라 país *m* civilizado. 문명 ~의 시대 era *f* civilizada.

■ ~경(鏡) [구한말의] gafas *fpl*, anteojos *mpl*. ~기(期) período *m* de civilización, período *m* civilizador. ~꾼 civilizador, -dora *mf*. ~당 【역사】 =독립당. ~모(帽) [구한말의] sombrero *m* del estilo occidental. ~복 [구한말의] traje *m* europeo. ~사(史) historia *f* de civilización. ~ 사상(思想) idea *f* civilizada, pensamiento *m* civilizado. ~인 civilizador, -ra *mf*.

개화(開花) floración *f*, florecimiento *m*. ~하다 florecer, dar *su* flor, echar *su* flor. 문명(文明)의 ~ florecimiento *m* de civilización. 예술의 ~ 시기(時期) período *m* de florecimiento artístico. 벚나무가 ~했다 Los cerezos florecieron / Los cerezos dieron [echaron] su flor.

■ ~기(期) floración *f*, florescencia *f*, flore-

cimiento *m*, prosperidad *f*. ¶르네상스 문화의 ~ florecimiento *m* [prosperidad *f*] de la cultura del Renacimiento.
개활(開闊) grandeza *f* y anchura. ~하다 ser grande y ancho.
개활지(開豁地) tierra *f* abierta infinitamente.
개활하다(開豁-) estar vastamente abierto.
개황(概況) aspecto *m* general, situación *f* general, estado *m* general.
개회(改悔) =회개(悔改).
개회(開會) inauguración *f*, apertura *f* (de una asamblea · de una sesión). ~하다 abrir (la asamblea), empezar la sesión. ~를 선언하다 declarar la sesión abierta, inaugurar. ~중이다 estar en sesión. ~를 선언합니다 Se declara abierta la sesión. 의회는 내일 ~한다 La Cámara celebrará [abrirá] sesión mañana.
■ ~사(辭) discurso *m* de apertura. ¶~를 하다 pronunciar el discurso de apertura. ~식(式) inauguración *f*, ceremonia *f* de apertura.
개흉(開胸) 【의학】 apertura *f* de tórax.
개흘레 【건축】 hornacina *f*, nicho *m*.
개흙 cieno *m* [limo *m* · légamo *m*] en el estuario.
객(客) ① [손님] visita *f*, visitante *mf*. ② [나그네] viajero, -ra *mf*; pasajero, -ra *mf*; extranjero, -ra *mf*.
객-(客) inútil.
-객(客) persona *f*. 불청(不聽)~ visita *f* sin que nadie la invitara.
객거(客居) vivienda *f* en la tierra extraña. ~하다 vivir en la tierra extraña.
객격(客格) 【언어】 =목적어(目的語).
객고(客苦) penalidad *f* [vida *f* difícil] en la tierra extraña. ~에 시달리다 estar agotado por el camino.
■ ~ 막심(莫甚) mucha penalidad *f* [muchas dificultades *fpl*] en la tierra extraña. ¶~하다 vivir muy difícilmente en la tierra extrña.
객공(客工) ① [임시로 고용한 직공] trabajador, -dora *mf* temporal. ② ((준말)) =객공잡이.
■ ~잡이 destajista *mf*; trabajador, -dora *mf* a destajo.
객관(客館) =객사(客舍).
객관(客觀) objeto *m*; [객관성] objetividad *f*.
■ ~ 가치설 teoría *f* de valores objetivos. ~ 묘사(描寫) descripción *f* objetiva. ~법 método *m* objetivo. ~ 비평 crítica *f* objetiva. ~설 objetivismo *m*. ~성 objetividad *f*. ¶~이 없는 falto de objetividad. ~으로 보다 objetivar. ~세(稅) impuesto *m* objetivo. ~식 시험 =객관적 테스트. ~적(的) objetivo. ¶~으로 objetivamente. ~적(的) 가치 validez *f* objetiva. ~적 고사법 examen *m* objetivo. ~적 관념론 idealismo *m* objetivo. ~적 도덕(道德) moralidad *f* objetiva. ~적 미화 embellecimiento *m* objetivo. ~적 비평 crítica *f* objetiva, criticismo *m* objetivo. ~적 사회학 sociología *f* objetiva. ~적 실재 realidad *f* objetiva. ~적 유심론 espiritismo *m* objetivo. ~적 정신 espíritu *m* objetivo. ~적 진리 verdad *f* objetiva. ~적 타당성 validez *f* objetiva. ~적 테스트 prueba *f* objetiva. ~ 정세 situación *f* objetiva, circunstancias *fpl* objetivas. ~주의 objetivismo *m*. ~주의자 objetivista *mf*. ~화(化) objetivación *f*. ¶~하다 objetivar.
객귀(客鬼) fantasma *m* [espíritu *m*] de un hombre que murió durante la estancia extranjera.
객기(客氣) bravura *f* desaconsejada [malaconsejada], ánimo *m* [brío *m*] ficticio [fingido].
■ ~(를) 부리다 fingirse animoso [brioso].
객꾼(客-) participante *mf* [asistente *mf*] no interesado, -da.
객난(客難) censura *f* [reproche *m*] de la visita.
객년(客年) año *m* pasado.
객담(客談) palabra *f* ociosa. ~하다 hablar la tontería.
객담(喀痰) expectoración *f*, esputo *m*. ~하다 expectorar, esputar, escupir.
객당(客堂) =사랑[2].
객대(客待) =대객(待客).
객동(客冬) invierno *m* (del año) pasado.
객랍(客臘) diciembre *m* (del año) pasado.
객려(客旅) ① =여행(旅行)(viaje). ② =나그네.
객례(客禮) etiqueta *f* que tratan el visitante.
객로(客路) =여로(旅路).
객론(客論) =객설(客說).
객리(客裏) =객중(客中).
객몽(客夢) sueño *m* que el viajero sueña en la tierra extraña.
객미(客味) amargura *f* en la tierra extraña.
객반위주(客反爲主) =주객전도(主客顚倒).
객방(客房) habitación *f* que se hospeda el viajero.
객병(客兵) ejército *m* extranjero; soldado *m* extranjero.
객비(客費) ① [객쩍은 비용] gastos *mpl* inútiles. ② [객지에서 드는 비용] gastos *mpl* que cuestan en la tierra extraña.
객사(客死) muerte *f* [fallecimiento *m*] en el extranjero, muerte *f* durante el viaje. ~하다 morir en el extranjero [lejos de su país · durante el viaje], morir como un perro (abandonado).
객사(客使) enviado *m* extranjero.
객사(客舍) posada *f*, fonda *f*, mesón *m* (*pl* mesones), pensión *f* (*pl* pensiones), hotel *m*, hostal *m*.
객사(客思) pensamiento *m* durante el viaje.
객사(客辭) 【언어】 =목적어(目的語).
객상(客床) comida *f* extra preparada para una visita.
객상(客狀) situación *f* que se pasa en la tierra extraña.
객상(客商) vendedor, -dora *mf* en la tierra extraña.

객석(客席) ① [무대에 대한] sala *f* de espectadores [de auditorio]; [좌석] localidad *f*, asiento *m*, butaca *f*. ② [손님의 자리] asiento *m* del visitante.
객선(客船) ① [손님을 태우는 배] barco *m* de pasajeros, paquebote *m*. ② [다른 곳에서 온 배] barco *m* que vino de la otra región.
객설(客說) palabra *f* ociosa.
객설스럽다 hablar mucha tontería.
객설스레 con mucha habla tonta.
객성(客星) 【천문】 =혜성(彗星). 신성(晨星).
객세(客歲) año *m* pasado.
객소리(客－) palabra *f* ociosa, majaderías *fpl*, cháchara *f*. ～하다 chacharear, cotorrear, decir majaderías. ～마라 No diga majaderías.
객수(客水) ① [쓸데없는 비] lluvia *f* inútil. ② [딴 데서 들어온 겉물] el agua *f* que entró del otro lugar. ③ [끼니때 외에 마시는 물] el agua que se bebe en la comida extra.
객수(客愁) nostalgia *f*, soledad *f* del viajero, tedio *m* de viaje.
객숟가락(客－) cuchara *f* para el visitante.
객스럽다(客－) (ser) innecesario, inútil.
객스레 innecesariamente, inútilmente.
객승(客僧) monje, -ja *mf* budista visitante.
객식구(客食口) parásito *m*; adlátere *mf*.
객신(客臣) enviado *m* extranjero.
객신(客神) =잡귀(雜鬼).
객실(客室) ① [손님을 거처하게 하거나 응접하는 방] sala *f* de visitas, salón *m* (*pl* salones) ～로 안내하다 conducir al salón. ② [호텔 등의] habitación *f*, cuarto *m*. ③ [(선박 등에서) 손님이 타는 곳] camarote *m*.
■～ 담당자 [호텔의] recepcionista *mf*. ～승무원 camarero, -ra *mf*.
객어(客語) ① 【언어】 =목적어(目的語). ② 【논리】 =빈사(賓辭).
객연(客演) aparición *f* especial.
객용(客用) uso *m* para la visita; [부사적] para la visita, para los visitantes.
객원(客員) participante *m* invitado, participante *f* invitada; huésped *m* invitado, huésped *f* invitada; miembro *m* honorario, miembro *f* honoraria.
■～ 교수(敎授) profesor, -sora *mf* visitante; profesor *m* invitado, profesora *f* invitada. ～ 연설자 conferenciante *m* invitado, conferenciante *f* invitada; orador *m* invitado, oradora *f* invitada. ～ 지휘자 director *m* invitado, directora *f* invitada.
객월(客月) mes *m* pasado.
객위(客位) asiento *m* de los visitantes.
객유(客遊) juego *m* en la tierra extraña como el viajero. ～하다 jugar en la tierra extrña como el viajero.
객의(客衣) ropa *f* para el viaje.
객의(客意) =객정(客情).
객인(客人) ① [나그네] viajero, -ra *mf*, pasajero, -ra *mf*, extranjero, -ra *mf*. ② [객쩍은 사람] hombre *m* ocioso, persona *f* ociosa.
객자(客子) =손님.
객전(客戰) guerra *f* en el otro territorio. ～하다 combatir en el otro territorio.
객점(客店) posada *f*, mesón *m* (*pl* mesones).
객정(客亭) =여관(旅館).
객정(客情) sentimiento *m* del viajero.
객정(客程) =나그넷길.
객좌(客座) asiento *m* de la visita.
객주(客主) ① posada *f*, mesón *m*. ② [사람] posadero, -ra *mf*, mesonero, -ra *mf*.
객주(客酒) bebida *f* alcohólica para los visitantes.
객죽(客竹) pipa *f* de bambú para los visitantes.
객줏집(客主－) posada *f*, mesón *m*.
객중(客－) =객승(客僧).
객중(客中) durante el viaje, en el camino.
객중(客衆) mucha visita, muchos visitantes, multitud *f* de los visitantes.
객증(客症) =합병증(合倂症).
객지(客地) tierra *f* extraña, tierra *f* extranjera, extranjero *m*.
■～ 살이[생활] vida *f* en la tierra extraña.
객쩍다(客－) ser inútil. 객쩍은 잡담으로 시간을 보내다 malgastar el tiempo de trabajo.
객차(客車) coche *m* de pasajeros, vagón *m* de pasajeros, vagón *m* de viajeros. 혼합(混合) ～ vagón *m* mixto.
객찰(客札) billete *m* de entrada.
객창(客窓) =여창(旅窓).
객체(客體) objeto *m*.
■～계 mundo *m* fenomenal. ～성 objetividad *f*. ～화(化) objetivación *f*. ¶～하다 objetivar.
객초(客草) tabaco *m* para los visitantes.
객추(客秋) otoño *m* (del año) pasado.
객춘(客春) primavera *f* pasada, primavera *f* del año pasado.
객출(喀出) expectoración *f*, esputación *f*, acción *f* de esputar. ～하다 expectorar, esputar.
객침(客枕) almohada *f* para los visitantes.
객탑(客榻) asiento *m* para los visitantes.
객토(客土) tierra *f* traída de la otra región.
객하(客夏) verano *m* (del año) pasado.
객향(客鄕) tierra *f* extraña [extranjera].
객혈(喀血) hemoptisis *f*. ～의 hemoptísico.
■～ 환자(患者) hemoptísico, -ca *mf*.
객호(客虎) tigre *m* que vino de la otra región [comarca].
객화(客貨) artículo *m* extranjero.
객회(客懷) =객정(客情).
갠지스 강(Ganges 江) 【지명】 el Ganges.
갤러리(영 *gallery*) galería *f*.
갤런(영 *gallon*) galón *m* (*pl* galones).
갤런틴(영 *galantine*) espíritu *m* heroico, valor *m*, heroísmo *m*.
갤럽[1](영 *gallop*) galope *m*.
갤럽[2](영 *galop*) 【음악】 galop *m*, galopa *f*.
갤럽 여론 조사(Gallup 輿論調査) sondeo *m* de Gallup.
갤리선(galley 船) galera *f*.
갤버노미터(영 *galvanometre*) 【물리】 =검류

계.
갬대 cuchillo *m* de deshierba de madera.
갬부지(영 *gamboge*) 【식물】 gomaguta *f*, gutagamba.
갬블(영 *gamble*) [노름] juego *m*, apuesta *f*, jugada *f*.
갭(영 *gap*) ① [산등성이의] sima *f*. ② [(담·벽 따위의) 갈라진 틈] grieta *f*, raja *f*, quebraja *f*. ③ [(의견 따위의) 서로 다른 차이] distancia *f*, discrepancia *f*, brecha *f*. 두 사람의 의견에는 ~이 크다 Los dos difieren mucho en sus opiniones.
갭직하다 ser un poco ligero.
갭직이 un poco ligeramente.
갯가 orilla *f* del estuario. 그들은 ~에 집을 가지고 있다 Ellos tienen una casa a la orilla del estuario.
갯가재 【동물】 esquila *f*.
갯값 precio *m* muy barato, precio *m* baratísimo. ~이다 estar por los suelos.
갯강구 【동물】 tiñuela *f*.
갯고랑 canal *m* pequeño de la marea en la orilla del estuario.
갯둑 =방파제(防波堤).
갯땅 =개펄.
갯마을 =어촌(漁村), 포촌(浦村).
갯물 ① [해수(海水)] el agua *f* salada del estuario. ② [개] estuario *m*.
갯바닥 lecho *m* del estuario.
갯바람 brisa *f* de mar, viento *m* de mar.
갯밭 campo *m* a lo largo de la orilla de un estuario.
갯버들 【식물】 sauce *m* blanco.
갯벌 banco *m* de arena que entra y sale el agua de mar.
갯솜 【동물】 =해면(海綿).
갯장어(-長魚) 【어류】 lamprea *f*.
갯지렁이 【동물】 lombriz *f* de tierra, arenícola *f*, nereida *f*, lombriz *f* del cebo de pesca.
갱(坑) ① 【광산】 [구덩이] hoyo *m*, pozo *m*, cueva *f*. ② ((준말)) =갱도(坑道). ③ [도랑] acequia *f*. ④ [구덩이에 묻음] sepultación *f* en la fosa.
갱(영 *gang*) [사람] rufián *m*, gángster *mf*, bandido *m*; [행위] gangsterismo *m*; [총칭] banda *f*, pandilla *f*. 은행 ~ gángster *m* atracador de bancos.
■~ 영화 película *f* de gángster.
갱구(坑口) 【광산】 bocamina *f*.
갱기(更起) =재기(再起).
갱내(坑內) 【광산】 parte *f* interior de mina.
■~ 가스 gas *m* de mina. ~ 권양기 torno *m* de extracción. ~ 노무자 trabajador, -dora *mf* de minas. ~부(夫) trabajador *m* del fondo de una mina. ~ 사고 accidente *m* de minas. ~ 작업 trabajos *mpl* de minas, laboreo *m* de minas, trabajo *m* en la parte interior [en el fondo] de una mina. ~ 화재 fuego *m* de minas.
갱년기(更年期) edad *f* crítica, climaterio *m*, período *m* regresivo; [폐경기(肺經期)] menopausia *f*. ~의 climatérico, menopáusico.
■~ 각피증 queratoderma *f* climatérica. ~ 관절염 artritis *f* climatérica. ~ 장애 indisposición *f* [afección *f*] por la menopausia. ~ 출혈 paramenstruación *f*. ~ 피부각화증 queratoderma *f* climatérica.
갱도(坑道) galería *f* de mina, pozo *m* de mina.
갱독(更讀) acción *f* de leer otra vez, segunda lección *f*. ~하다 leer otra vez, volver a leer.
갱동(坑洞) =방고래.
갱로(坑路) =갱도(坑道).
갱륙(坑戮) =갱살(坑殺).
갱목(坑木) entibo *m*.
갱문(更問) acción *f* de preguntar otra vez, segunda pregunta *f*. ~하다 preguntar otra vez, volver a preguntar.
갱문(更聞) acción *f* de escuchar otra vez, segunda escucha *f*. ~하다 escuchar otra vez, volver a escuchar.
갱봉(更逢) acción *f* de ver otra vez. ~하다 ver otra vez, volver a ver, ver de nuevo.
갱부(坑夫) minero *m*.
갱생(更生) regeneración *f*, renacimiento *m* a una buena vida, conversión *f* propia a una buena vida, rehabilitación *f*. ~하다 regenerarse [corregirse] de la mala vida (de un pecado), renacer [convertirse] a una vida nueva. ~시키다 regenerar [corregir] (a *uno*) de la vida viciosa, tratar de enmendar (a *uno*) de un defecto.
■~ 결정 decisión *f* de rehabilitación. ~ 고무 =재생 고무. ~ 보호 servicio *m* de rehabilitación. ~ 보호법 ley *f* de servicio de rehabilitación. ~ 보호회 la Sociedad de Servicio de Rehabilitación. ~ 사위 oportunidad *f* para salvarse de milagro, oportunidad *f* para salvarse por un pelo [por los pelos]. ~ 시설 instalaciones *fpl* para rehabilitación. ~ 지도(指導) orientación *f* de rehabilitación.
갱선(更選) reelección *f*. ~하다 reelegir.
갱소(更蘇) =갱생(更生).
갱소년(更少年) rejuvenecimiento *m*, acción *f* de rejuvenecer(se). ~하다 rejuvenecer(se), comunicar nueva juventud.
갱신 acción *f* de moverse con dificultad.
◆갱신못하다 ser muy difícil de moverse.
갱신(更新) renovación *f*, regeneración *f*, reanudación *f*, reanudamiento *m*; 【법률】 reconducción *f*. ~하다 renovar, reanudar. 계약을 ~하다 renovar el contrato. 구독(購讀)을 ~하다 renovar la suscripción. 기록(記錄)을 ~하다 batir [mejorar] un récord. 협정(協定)을 ~하다 reanudar el acuerdo.
갱외(坑外) 【광산】 fuera del pozo de mina.
■~부(夫) trabajador *m* fuera del pozo de mina.
갱유 분서(坑儒焚書) =분서 갱유(焚書坑儒).
갱지(更紙) papel *m* de baja calidad.
갱충쩍다 (ser) descuidado y estúpido, negligente.
갱탕(羹湯) caldo *m*.
갸기 orgullo *m*, arrogancia *f*, altivez *f*, os-

tentación *f*, presunción *f*, soberbia *f*, ufanía *f*, vanidad *f*. ~(를) 부리다 estar orgulloso (de), estar altivo.

갸륵하다 (ser) admirable, laudable, meritorio, digno de alabanza. 갸륵한 사람 persona *f* laudable, persona *f* digna de alabanza. 갸륵한 행동 acto *m* laudable, acción *f* meritoria.
갸륵히 admirablemente, de manera admirable, perfectamente.

갸름갸름하다 (cada uno) ser pequeño y delgado.

갸름하다 (ser) (delgado) de rasgos delicados, pequeño y delgado, ovalado. 갸름한 남자 hombre *m* (delgado) de rasgos delicados. 갸름한 얼굴 cara *f* ovalada, rostro *m* ovalado. 얼굴이 ~ ser carilargo, tener el rostro ovalado [afilado · aguileño]. 얼굴이 갸름한 여인 mujer *f* que tiene cara ovalada.

갸우듬하다 estar inclinado un poco.
갸우듬히 con un poco de inclinación.

갸우뚱 moviendo un poco la cabeza a un lado. ~하다 mover un poco la cabeza a un lado. 의심스러워서 고개를 ~하다 mover un poco la cabeza a un lado con una duda.

갸울다 estar inclinado.

갸울이다 torcer, curvar, doblar, flexionar.

갸웃 inclinación *f* de la cabeza. ~하다 inclinar, ladear. 고개를 ~하다 inclinar [ladear] la cabeza.

갸웃거리다 mirar a hurtadillas, inclinar, ladear, *RPI* vichar. 고개를 ~ inclinar la cabeza, ladear la cabeza. 우리들은 커튼 뒤로 갸웃거렸다 Nosotros asomamos por detrás de las cortinas.

갸웃대다 =갸웃거리다.

갸웃하다 estar un poco inclinado.
갸웃이 con un poco de inclinación.

갹금(醵金) =추렴.

갹음(醵飮) =술추렴.

갹출(醵出) contribución *f*, aportación *f*, donación *f*. ~하다 contribuir, aportar, donar.

갸쭉하다 ser un poco largo. 얼굴이 ~ tener una cara ovalada.

걀쯤하다 ser muy largo.
걀쯤이 muy largamente.

걀찍하다 ser bastante largo.
걀찍이 bastante largamente.

걔 ese muchacho, ese niño. ~가 날 때렸어 Ese muchacho me golpeó / Ese muchacho me dio un golpe.

걜 a ese muchacho, a ese niño. ~ 데려와라 Trae a ese muchacho.

거[1] ((준말)) =것. ¶세상이란 다 이런 ~지 *El* mundo es así.

거[2] ((준말)) =거기. ¶~ 누구냐? ¿Quién es ahí?

거[3] eso. ~ 참 좋다 Eso es muy bueno / ¡Qué bueno es eso!

거(去) pasado.

거(距) ①【식물】=꿀주머니. ②【동물】=며느리발톱. ③【동물】=싸움발톱.

거(車) vehículo *m*, coche *m*.

거가(巨家) ① [문벌이 높은 집안] familia *f* de buen linaje. ② =거가대족(巨家大族).

거가(車駕) ① [임금의 수레] coche *m* real, coche *m* del rey. ② [임금의 행차] viaje *m* real, viaje *m* del rey.

거가(居家) estancia *f* en *su* casa. ~하다 estar en *su* casa, quedarse en *su* casa.

거가(擧家) toda la casa, familia *f* entera.

거가대족(巨家大族) familia *f* prosperada por generaciones que tiene linaje, distinguida familia *f*, poderosa familia *f*, influyente familia *f*, poderoso clan *m*.

거각(巨閣) gran casa *f* (*pl* grandes casas), palacio *m*, mansión *f* (*pl* mansiones).
◆ 고루(高樓) ~ gran casa *f* alta.

거간(居間) ① [행위] corretaje *m*. ~하다 hacer corretaje (de). ② ((준말)) =거간꾼.
■ ~꾼 agente *mf*, corredor, -dora *mf*. 집 ~ agente *mf* de casa. ¶토지 ~ agente *mf* de tierra. 주식 ~ agente *mf* de bolsa, corredor, -dora *mf* de bolsa. ~질 corretaje *m*.

거간(巨姦) persona *f* malvada que comete crimen grande.

거간(拒諫) rechazo *m* de la amonestación, rechazo *m* del consejo.

거개(擧皆) casi todo, mayoría *f*, gran parte *f*, mayor parte *f*. 이 전람회의 그림은 ~가 한국화다 La mayor parte de las pinturas de esta exposición es la pintura coreana.

거거년(去去年) año *m* antepasado.

거거월(居居月) mes *m* antepasado.

거거익심(去去益甚) estado *m* de mal en peor. ~하다 estar de mal en peor, estar cada vez peor.

거거일(去去日) anteayer, antier.

거경(巨鯨) ballena *f* grande.

거골(距骨) =복사뼈.

거관(巨款) mucho dinero, gran cantidad *f*.

거관(巨觀) [큰 구경거리] gran espectáculo *m*; [썩 좋은 경치(景致)] paisaje *m* bastante bueno, vista *f* bastante bella.

거괴(巨魁) cabecilla *mf*, jefe, -fa *mf*. 폭도의 ~ jefe, -fa *mf* de los bandidos).

거굉(巨觥) vaso *m* grande.

거교(鉅狡) pícaro *m* poderoso.

거구(巨軀) figura *f* masiva, cuerpo *m* gigantesco, enorme masa *f* de cuerpo.
■ ~증(症) macrosomia *f*, macrosomatia *f*.

거국(擧國) toda la nación, todo el país.
■ ~ 일치 unidad *f* nacional, frente *m* unido, todo el país en un cuerpo. ¶~로 일어섰다 La nación se levantó como un solo hombre. ~ 일치 내각 gabinete *m* apoyado por toda la nación, gabinete *m* pan-nacional. ~적 a escala nacional, a toda la nación, todo el territorio nacional, a nivel nacional. ¶~으로 a escala nacional, en todo el territorio nacional. ~인 조사(調査) estudio *m* realizado a nivel nacional. 그의 성공을 ~으로 축하했다 Todo el país le felicitó por su éxito. 우리는 ~인 특약점

망을 가지고 있다 Tenemos una red de agentes que cubre todo el territorio nacional. 방송은 ~으로 청취되었다 La emisión fue escuchada en todo el territorio nacional.

거근(擧筋)【생물】músculo *m* erector.
◆음경(陰莖) ~ músculo *m* erector del pene. 척주(脊柱) ~ músculo *m* erector de la espina.

거금(巨金) mucho dinero, gran cantidad *f* de dinero, capital *m* considerable, presupuesto *m* considerable. ~을 투자하다 invertir una gran cantidad de dinero. ~을 투자하여 invirtiendo un capital considerable, con un presupuesto considerable.

거금(距今) hace, hacía. ~ 500년 전(前) hace quinientos años.

거기 ① ㉮ [그곳] ese lugar, ese sitio. 만수는 ~서 일하고 있습니다 Mansu está trabajando en ese lugar. ㉯ [그것] eso, ése. ~가 문제다 Ese es el problema / Ahí está la cuestión. ㉰ [그 점] ese punto, tal punto. ~까지는 좋았습니다만 … Me fue bien hasta ese punto, pero …. 사태가 ~까지 악화되었습니까? ¿Ha empeorado tanto [hasta tal punto] la situación? ② [부사적] [상대방으로부터 가까운 곳] ahí; [말하는 사람이나 듣는 사람으로부터 먼 곳] allí. ~(에)서 de ahí, de allí. 여기서 ~까지 de aquí a allí. ~를 산책하다 pasear(se) [dar un paseo] por allí. ~를 통과하십시오 Pase usted ahí / [가족이나 친한 사이에서] Pasa por ahí. ~ 있는 책을 다오 Pásame el libro que está ahí. 그 사람은 ~있습니다 El está allí. ~까지 바래다 드리겠습니다 Voy a acompañarle (a usted) hasta allí. 그 남자는 바로 ~서 죽었다 Allí ese hombre se murió.

거기(倨氣) actitud *f* altiva [arrogante].

거꾸러뜨리다 tirar (abajo), lanzar hacia abajo, echar abajo, derribar, derrumbar, derrocar, destruir, arruinar. 내각(內閣)을 ~ derribar [derrocar] el gabinete. 선수권자를 ~ derribar [derrocar] al campeón. 독재자를 거꾸러뜨려라 ¡Abajo al dictador!

거꾸러지다 ① [엎어지다] caerse en tierra. ② [파산하다] fracasar, hacer bancarrota, hacer quiebra. ③ [죽다] morir, fallecer, dejar de vivir, dejar de existir.

거꾸로 al revés (안팎을), a [por] la inversa, al contrario, por el [lo] contrario, de un modo opuesto, con el orden invertido (순서에서), de arriba abajo (상하로); boca abajo (주둥이 달린 것이나 사람을); en sentido contrario (방향이);【속어】patas arriba. 바지를 ~ 입다 ponerse los pantalones al revés. 그림을 위아래 ~ 걸다 colocar el cuadro invertido. 속셔츠의 안팎을 ~ 입다 ponerse la camiseta al revés. 컵을 ~ 놓다 poner un vaso boca abajo. 순서를 ~ 하다 invertir el orden. 단어의 순서가 ~ 되어 있다 El orden de los vocablos está invertido. 그는 사람들이 말한 것과는 ~ 나갔다 El fue en sentido contrario al [del] que le dijeron.
◆거꾸로 박히다 caerse patas arriba, caer(se) de cabeza, caer en picado.

-거나 o; ya … ya. 가~ 오~ 내버려 두어라 Vaya o venga, déjalo. 사~ 말~ 돈은 필요하다 Compre o no compre, se necesita el dinero. 크~ 작~ 간에 다 가져오너라 Ya sea grande, ya (sea) pequeño, tráeme todo.

거나하다 estar medio borracho [ebrio], estar poco ebrio [borracho]. 그는 거나하게 취해 있다 El está entre Pinto y Valdemoro / El está medio borracho [ebrio].
거나히 medio borrachamente.

거낭(巨囊) bolsón *m*, bolsa *f* grande.

거냉(去冷) calentamiento *m*. ~하다 quitar el calor, hacer entrar en calor, calentarse.

거년(去年) año *m* pasado. ~부터 desde el año pasado. ~까지 hasta el año pasado. ~ 여름에 en el verano del año pasado. ~의 오늘 en esta misma fecha del año pasado.

거년스럽다 (estar) gastado, muy usado.

거느리다 [지휘나 통솔 아래 두다] dirigir, encabezar, gobernar, acompañarse (de · con), ser acompañado (de); [군대 등을] mandar, conducir, guiar. 다수의 수행원을 거느리고 acompañado de mucho séquito. 에이 씨가 거느리는 사절단 misión *f* dirigida [encabezada] por el señor A.

거느림채 edificación *f* anexa.

거늑하다 (ser) suficiente, bastante, abundante, amplio.

거니(를) 채다 sentir, notar, percibir.

거닐다 callejear, andar paseando las calles, vaguear, pasear(se), dar un paseo, cancanear. 공원을 ~ pasear(se) por el parque, dar un paseo por el parque.

거담(袪痰) pectoral *m*, secreción *f* de flema. ~하다 despedir la flema.
■~약[제] expectorante *m*.

거당(擧黨) todo el partido.
■~적 de todo el partido.

거대(巨大) grandeza *f*, gigantez *f*, enormidad *f*. ~하다 (ser) muy grande, gigantesco, colosal, enorme.
■~ 도시 megalopolis *m*. ~ 세포 célula *f* gigante. ~ 유방 macromastia *f*. ~ 음경 macrofalo *m*, megalopene *m*. ~ 음핵 macroclítoris *m*, megaloclítoris *m*, clitorimegalía *f*. ~증 gigantismo *m*.

거덕치다 (ser) torpe, poco elegante.

거덜거덜 vacilantemente, tambaleantemente. ~하다 (ser) inseguro, vacilante, tambaleante.

거덜(이) 나다 desmoronarse, derrumbarse, desplomarse, hundirse, venirse abajo; [파산하다] quebrar, ir a la bancarrota. 그의 사업은 거덜났다 Su negocio fue a la bancarrota.

거도(巨盜) gran ladrón *m*.

거도(巨濤) ola *f* grande.

거도(擧道) toda la provincia.
▪ ~적 de toda la provincia.
거독(去毒) desintoxicación *f*, eliminación *f* de la toxicidad. ~하다 desintoxicar, eliminar la toxicidad (de).
거동(去冬) invierno *m* pasado.
거동(擧動) actitud *f*, apariencia *f*, aire *m*, movimiento *m*, gesto *m*, ademán *m*, acto *m*. 수상한 ~으로 por *sus* actos sospechosos. ~이 수상한 남자 hombre *m* de actos sospechosos, hombre *m* de movimiento sospechoso, hombre *m* de actitud sospechosa, hombre de apariencia sospechosa.
거동궤(車東軌) ((준말)) =거동궤 서동문.
▪ ~ 서동문(書同文) unificación *f* de varias comarcas.
거두(巨頭) persona *f* importante, figura *f* prominente, gran hombre *m*; [업계나 재계의] magnate *m*. 실업계의 ~ magnate *m* de la industria.
▪ ~ 회담 conferencia *f* cumbre, conversaciones *fpl* de alto nivel.
거두(去頭) corte *m* de la cabeza. ~하다 cortar la cabeza.
▪ ~ 절미(截尾) ㉮ [머리와 꼬리를 자름] truncamiento *m*. ¶~하다 truncar. 사건은 ~되었다 El asunto quedó truncado. ㉯ [앞뒤의 잔사설은 빼고 요점만 말함] resumen *m*, sumario *m*. ~하다 resumir, hacer un resumen (de).
거두기 =수확(收穫).
거두다 ① [모으다] juntar, unir, coleccionar. ② [돈 따위를] cobrar, recaudar, percibir, exigir. 빚을 ~ cobrar el préstamo (a *uno*). 집세를 ~ cobrar el alquiler (a *uno*). ③ [수확을] cosechar, segar, recolectar. 밀을 ~ cosechar [segar · recolectar] el trigo. ④ [얻다] ganar, adquirir, conseguir, obtener, tener, lograr. 성공(成功)을 ~ tener (buen) éxito. 성과를 ~ lograr éxito, lograr buen resultado. ⑤ [돌보다] cuidar. ⑥ [그만두다. 그치다] parar, dejar (de + *inf*). 눈물을 ~ dejar de llorar. 숨을~ morir, fallecer, exhalar el último suspiro.
거두어들이다 retirar, meter, recoger; [돈 따위를] cobrar; [수확(收穫)을] cosechar. 빨래를 ~ retirar [meter] las ropas lavadas en casa, recoger la colada.
거둠질 cosecha *f*, recogida *f*. ~하다 cosechar, recoger.
거둥 visita *f* real. ~하다 hacer una visita real.
거둬들이다 =거두어들이다. ☞거두다
거드럭거리다 fanfarronear, contonear. 거드럭거리면서 걷다 pavonearse. 나는 거드럭거리면서 걸어 방에서 나왔다 Yo salí de la habitación pavoneándose [dándose aires].
거드름 valentonada *f*.
◆거드름(을) 부리다 alzarse [levantarse · subirse] a mayores, remilgarse, hacer remilgo, darse tono, tomar un aire afectado, presumir. 거드름을 부리는 presumido, afectado, valentón. 그는 언제나 거드름을 부린다 El siempre se remilga [hace remilgos]. 거드름(을) 빼다 remilgarse, hacer remilgos.
▪ ~장이 valentón, -tona *mf*.
거든하다 (ser) ligero, ágil, diestro, hábil. 거든히 ligeramente, ágilmente, hábilmente.
거들거리다 fanfarronear. ☞거드럭거리다
거들다 ① [조력(助力)하다] ayudar; [지원하다] apoyar; [보좌하다] auxiliar, asistir; [구제하다] salvar; [기여하다] contribuir. 친구의 일을 ~ ayudar a un amigo en su trabajo. 산업의 발전을 ~ contribuir al desarrollo de la industrial. 노인이 길을 건너도록 ~ ayudar a un anciano a cruzar la calle, prestar la mano a un anciano al atravesar la calle. ② [참견하다] entremeterse, meterse, interponerse, mezclarse, introducirse, intervenir.
거들떠보다 prestar atención (a), dar, dirigirse (a).
◆거들떠보지도 않다 ㉮ [(거만한 태도로) 아는 체도 하지 아니하다] no mirar tampoco. ㉯ [무관심하다] descuidar, desatender, dejar a un lado dejar de un lado. 반대를 거들떠보지도 아니하고 sin hacer ningún caso de la oposición. 일은 거들떠보지 않고 …하다 dejar el trabajo a un lado para + *inf*.
-거들랑 si, cuando, en el caso de (que + *subj*). 마음에 드시~ 가지세요 Tráigalo cuando le guste. 아프~ 쉬어라 Descansa, si estás enfermo. 울~ 달래 주어라 En el caso de que llore, acaricia.
거들먹거리다 portarse imprudentemente [con imprudencia]. 거들먹거리면서 말하다 decir sin reserva. 거들먹거리면서 걷다 pavonearse, caminar [andar] con aire arrogante. 그들은 거들먹거리면서 걸었다 Ellos caminaban erguidos [con aire arrogante]. 그는 거들먹거리면서 바에 들어갔다 El se acercó al bar con aire arrogante. 선원들은 온 시내를 거들먹거리면서 걸었다 Los marineros anduvieron pavoneándose por toda la ciudad.
거듬거듬 sin entusiasmo, con desgana, bruscamente, de manera violenta, sin apretar, libremente, aproximadamente, *AmL* con desgano. ~ 다루다 manejar bruscamente. ~ 싸다 envolver sin apretar. ~ 읽다 echar*le* [dar*le*] un vistazo (a), echar*le* una ojeada (a).
거듭 otra vez, de nuevo, nuevamente, repetidamente, repetidas veces. ~하다 repetir, reiterar, hacer de nuevo. ~ 사과드립니다 Pido perdón otra vez. ~ 말하지만 그녀는 아무 죄도 없다 Yo repito [insisto en] que ella es inocente. 그는 ~ 우승했다 El ganó otra vez / El se llevó otra victoria.
거듭되다 repetirse. 거듭되는 사고 accidentes *mpl* repetidos. 거듭되는 실패에도 불구하고 a pesar de una seire de fracasos.
거듭거듭 repetidas veces, una y otra vez, repetidamente, otra vez, segunda vez, fre-

cuentemente, con frecuencia. ~ 사죄하는 바입니다 Le pido mil perdones / Le pido perdón desde el fondo de mi alma.
■ ~나다 ((기독교)) nacer de nuevo, rectificarse, resucitar. ~남 ((기독교)) resucitación *f*, nuevo nacimiento *m*. ~닿소리【언어】=복자음(複子音). ~셈【언어】=복수(複數). ~소리 =복음(複音). ~씨【언어】=복합어(複合語). ~월【언어】=복문(複文). ~이름씨【언어】=복합명사. ~제곱【수학】involución *f*. ~제곱근(根)【수학】raíz *f* radical. ~제곱 함수【수학】función *f* de raíz radical. ~홀소리【언어】=복모음(複母音).

거뜬하다 ser más ligero de lo que pensaba, sentir mejor, sentir un gran alivio, sentirse aliviado.

-거라 [일부 동사 (가다 · 자다 · 있다 · 앉다 따위) 아래 쓰이는 해라체의 명령형 종결 어미] 「동사의 3인칭 단수」+ (te). 시집가~ Cásate. 일찍 자~ Acuéstate temprano. 여기 앉~ Siéntate aquí. 너는 집에 있~ Quédate [Está] en casa.

거란(契丹) Kitan, pueblo *m* tungústico en la Manchuria.

거란지 ((준말)) =거란지뼈.
■ ~뼈 coxis *m* [cóccix *m* · rabadilla *f*] de una vaca.

거랑꾼 lavador, -dora *mf* de oro.

거래[1](去來) ① [상품을 사고파는 일] negocio *m*, trato *m*, negociación *m*; [상거래] comercio *m*; [상업 활동] transacción *f*; [매매] compraventa *f*; [비합법적인] tráfico *m*. ~하다 negociar, tratar, comerciar. ~를 제안하다 proponer tener relación comercial. ~를 성립시키다 llevar a cabo [a buen término] un negocio; [계약하다] concertar un negocio. ~를 시작하다 abrir [establecer] relaciones comerciales. ~에 응하다 aceptar el negocio. 차(茶)를 ~하다 negociar en [con] té. 유리 [불리]한 ~를 하다 hacer un buen [mal] negocio. 큰 ~를하다 hacer un gran negocio. ② [경리 목적의 경제 행위] trato *m*, negocio *m*. ~하다 tratar, operar, comerciar. 이 회사의 ~ 은행 bancos *mpl* con los que opera esta compañía. ~를 중지하다 dejar el trato [el negocio]. 우리 회사는 저 은행과 ~가 있다 Nuestra compañía tiene trato con aquel banco. 당점은 현금 이외에는 ~하지 않습니다 Nuestra casa comercia sólo al contado. ③ [서로의 이해득실을 위한 교섭] trato *m*. ~하다 tratar. 적과 ~하다 tratar con el enemigo. ④ =왕래(往來).
◆ 간접(間接) ~ transacción *f* indirecta. 공정 ~ comercio *m* equitativo. 공정 ~법 ley *f* de comercio equitativo. 국내(國內) ~ comercio *m* nacional. 무역 ~ comercio *m* visible. 무역 외~ comercio *m* invisible. 선물(先物) ~ operación *f* a vencimiento. 신규 ~ nuevo negocio *m*. 신용 ~ transacciones *fpl* de crédito. 외국 ~ comercio *m* extranjero. 증권 ~ transacciones *fpl* en la Bolsa de Valores. 지방 ~ comercio *m* local. 직접 ~ transacción *f* directa. 현금 ~ transacción *f* al contado.
■ ~ 가격 precio *m* de mercado. ~ 건수 marcación *f* (*pl* marcaciones). ~고 volumen *m* de negocios, número *m* de transacciones. ~ 관계 relación *f* comercial, relación *f* de negocios. ~량 cantidad *f* de negocios. ~ 방법 modo *m* de transacción. ~법 regulaciones *fpl* de transacción. ~사절 suspensión *f* del comercio. ~세(稅) impuesto *m* sobre transacciones. ~소 lonja *f*, [증권] bolsa *f*. ¶~ 직원 agente *mf* de bolsa. 주식 ~ la Bolsa de Valores. ~소법 ley *f* de la Bolsa de Valores. ~액 volumen *m* de negocios. ~ 은행 *su* banco. ~처[선] parroquiano, -na *mf*; cliente *mf*. ~ 총액 cifra *f* de negocios, número *m* de transacciones comerciales.

거래[2](去來) ((불교)) el pasado y el futuro.
■ ~금(今) el pasado, el presente y el futuro.

거량(巨量) ① [많은 분량] mucha cantidad. ② [큰 식량] mucha cantidad de comida.

거량(車輛) =차량(車輛).

거레 holgazanería *f*, haraganería *f*. ~하다 holgazanear, haraganear, flojear, detenerse largo rato (en), extenderse largamente (sobre).

거론(擧論) acción *f* de hacer un objeto de critismo. ~하다 hacer un sujeto de discusión, hacer un objeto de critismo.

거룡(巨龍)【고생물】megalosauro *m*.

거루 ((준말)) =거룻배.

거룩거룩하다 (ser) muy santo y grande, muy divino.

거룩하다 (ser) santo y grande, divino, sagrado, grande, glorioso, sublime, venerable; ((성경)) santo. 거룩하신 은혜 gracia *f* divina. 거룩하신 가르침 enseñanza *f* sagrada. 거룩한 자기 희생 sacrificio *m* sublime. 거룩한 정신(精神) espíritu *m* noble, espíritu *m* elevado, sentimientos *mpl* nobles. ~ ~ ~ 만군의 여호와여 그 영광이 온 땅에 충만하도다 ((이사야 6:3)) Santo, santo, santo, Jehová de los ejércitos; toda la tierra está llena de su gloria / Santo, santo, santo es el Señor todopoderoso; toda la tierra está llena de su gloria.

거룻배 lancha *f*, naveta *f*.

거류(去留) ① [떠남과 머무름] partida y estancia. ② [죽음과 삶] vida y muerte. ③ [일이 되고 안됨] éxito y fracaso.

거류(居留) residencia *f*, permanencia *f*, estancia *f*. ~하다 residir, permanecer, estar, hallarse en un lugar.
■ ~민 residente *mf*, extranjero, -ra *mf*; [집합적] colonia *f*. ~민단 asociación *f* [organización *f* · entidad *f* · corporación *f*] de los residentes coreanos. ~지 colonia *f*, sitio *m* [lugar *m*] donde se establecen colonos, concesión *f*, terreno *m* concedido.

거륜(車輪) =차륜(車輪).

거르다[1] [받다] filtrar, pasar, colar, trascolar. 모래로 물을 ~ filtrar agua por la arena. 천으로 술을 ~ trascolar vino por el paño. 거른물【광업】el agua *f* filtrada.

거르다[2] [건너뛰다] faltar, pasar, saltar(se), omitir, *RPI* saltearse. 하루 걸러 cada dos días. 이틀 걸러 cada tres días. 끼니를 ~ omitir [saltarse] la comida. 오늘은 저녁을 거를 것 같다 Creo que hoy no voy a cenar / Creo que voy a pasar de cenar. 당신은 어느 끼니고 걸러서는 안됩니다 Tú no debes saltarte [*RPI* saltearte] ninguna comida. 나는 디저트를 거를 생각이다 Creo que no voy a comer postre / Creo que voy a pasar del postre. 나는 하루도 거르지 않고 신문을 읽는다 No paso ni un día sin leer el periódico.
◆걸러뛰다 saltar espacios, omitir.

거름【농업】abono *m*; [화학 비료] fertilizante *m*; [인분] estiércol *m*. ~하다 abonar, fertilizar, estercolar, abonar con estiércol.
■ ~기(운)[발] poder *m* del abono. ~더미 montón *m* de abono. ~독 jarra *f* para recoger la orina y el estiércol. ~베 paño *m* para la filtración. ~종이 papel *m* de filtro. ~주기 acción *f* de abonar. ~ 주다 abonar, estercolar, beneficiar la tierra con abonos orgánicos o inorgánicos. ~통[1] cubo *m* para el abono. ~통[2] cubo *m* de filtro. ~풀 hierbas *fpl* [hojas *fpl* del árbol] para el abono. ~흙 ㉮ [기름진 흙] terreno *m* fértil. ㉯ [거름더미 밑이나 또는 거름을 놓았던 자리에서 그러모은 흙] tierra *f* recogida en el montón de abono.

거리[1] ① [재료] materia *f*, material *m*. ② [대상] tema *m*, causa *f*, origen *m*, sujeto *m*. 소설 ~를 찾다 buscar el tema de una novela.

거리[2] [길거리] calle *f*, camino *m*. ~의 불량배 gamberro, -rra *mf* de la calle. ~의 여인 mujer *f* pública, prostituta *f*, ramera *f*, puta *f*. ~의 천사(天使) niño, -ña *mf* sin hogar; niño, -ña *mf* sin techo.

거리[3] [단위] un grupo de cincuenta (pepinos). 오이 두 ~ cien pepinos.

거리(巨利) ganancia *f* fabulosa, beneficio *m* enorme, ganancia *f* de mucha cantidad.

거리(距離) ① [두 곳 사이의 떨어진 정도] distancia *f*; [주행 거리] recorrido *m*; [전파나 포탄 등의 도달 거리] alcance *m*; [간격] intervalo *m*. …에서 10킬로미터 ~에 a diez kilómetros de *un sitio*. 3미터 ~를 두고 con [a] intervalos de tres metros. 걸어서 [자동차로] 10분 ~에 a diez minutos andando [en coche]. 여기서 ~가 멀지 않은 곳에 en un lugar no lejano [no muy lejos · a poca distancia] de aquí. ~를 재다 medir la distancia. 일정한 ~를 유지하다 mantener una distancia determinada. 손이 [목소리가] 닿을 ~에 있다 estar al alcance de la mano [de la voz]. 100킬로미터의 ~를 가다 hacer cien kilómetros de camino. 걸어서 [자동차로] 30분 ~다 Hay treinta minutos a pie [en coche]. 여기서 서울까지는 ~가 꽤 멀다 Hay bastante distancia de aquí a Seúl. 이 그림은 ~를 두고 보는 것이 좋다 Este cuadro se aprecia mejor a distancia. 네 집에서보다 내 집에서 역까지의 ~가 더 가깝다 La estación es encuentra a menos distancia de mi casa que de la tuya. 요금은 ~에 따라 다르다 La tarifa varía según la distancia. 서울에서 부산까지는 ~가 얼마나 됩니까? ¿Cuánto [Qué distancia] hay de Seúl a Busan? ~가 줄어든다 [늘어난다] Se aminora [Se aumenta] la distancia. ② [서먹한 사이 · 친밀하지 못한 사이] relaciones *fpl* incómodas.
③ [서로의 차이나 구별] diferencia *f*, distancia *f*. 이 계획은 실현에는 ~가 멀다 La realización de este proyecto queda todavía muy lejos. 그것은 명작(名作)하고는 ~가 멀다 Dista mucho de ser una obra maestra. 그의 그림은 좋게 평가받기에는 아직 ~가 멀다 Su pintura dista mucho de poder ser calificada de buena. 두 사람의 의견에는 큰 ~가 있다 Existe una gran distancia entre las opiniones de los dos / Es grande la distancia de opinión que separa a los dos.
■ ~감 sentido *m* de distancia(s). ~ 감각 *su* sentido de distancia. ~ 경주【스키】carrera *f* de distancia. ~계 telémetro *m*. ~ 공간 espacio *m* de distancia. ~ 측정기 telémetro *m*. ~표 mojón *m*. ~ㅅ송장 cadáver *m* que se murió en la calle, cuerpo muerto en la calle.

거리끼다 temer, tener recelo (hacia), amedrentarse, abstenerse (de + *inf*), refrenarse, contenerse; [주저하다] vacilar(se). 말하는 것을 ~ abstenerse de [no atreverse a] decir. 사람들이 말할까 거리껴서 temiendo [por temor de] lo que digan. 진실을 말하는 것을 거리껴서는 안된다 No hay que abstenerse de [vacilar en] decir la verdad.

거리낌 recelo *m*, temor *m*.
거리낌없이 sin temer nada, sin vacilar, sin reserva, sin hacer caso de la presencia ajena, de buena lid, sin vacilación; [까놓고] francamente, abiertamente. 그는 아무도 ~ 큰소리로 말한다 El habla en alta voz sin temer a nadie. ~ 말하지만 그녀는 대학 출신이다 Aquí donde me ves, ella es graduada de una universidad / Sin vanidad, me permito decirle que ella es graduada de una universidad.

거마(車馬) caballos y vehículos, tráfico *m*, transportación *f*.
■ ~비(費) gastos *mpl* de viaje, precio *m* del billete, *AmL* precio *m* del boleto.

거막(巨瘼) enfermedad *f* grave incurable, mal *m* incurable.

거만(巨萬/鉅萬) millones *mpl*, gran fortuna *f*. ~의 부(富) fortuna *f* inmensa. ~의 부를 쌓다 amontonar un caudal (de riquezas), adquirir una gran fortuna.
■ ~ 대금(大金) gran cantidad *f* de dinero,

mucho dinero.

거만(倨慢) arrogancia *f*, altivez *f*, insolencia *f*, orgullo *m*. ~하다 (ser) arrogante, altanero, altivo, insolente, soberbio, orgulloso. ~한 태도로 de una manera altiva [arrogante], con altivez, con arrogancia. ~한 태도를 취하다 tomar una actitud altiva [arrogante · insolente · orgullosa].

거만히 arrogantemente, con arrogancia, altivamente, con altivez, con altanería, orgullosamente, con orgullo.

◆거만(을) 부리다 tomar una actitud arrogante.

거만스럽다 (ser) arrogante, altivo, insolente.

거만스레 arrogantemente, con arrogancia, altivamente, con altivez. ~ 말하다 hablar arrogantemente [con arrogancia].

거매(居媒) =거간(居間).

거매지다 ennegrecerse, ponerse negro.

거먕빛 color *m* bastante rojo oscuro.

거먕옻나무 【식물】 zumaque *m*.

거머리 ① 【동물】 sanguijuela *f*. ② [남에게 달라붙어 귀찮게 구는 사람] gorrón, -rrona *mf*. ~ 같은 사람 gorrón, -rrona *mf*, pesado, -da *mf*; incordio *m*; peste *m*.

거머먹다 devorarse, engullirse.

거머무트름하다 (ser) oscuro y regordete.

거머무트름히 oscura y regordetemente.

거머삼키다 tragar(se) con glotonería.

거머안다 abrazar.

거머잡다 agarrar con glotonería.

거머쥐다 empuñar, asir, agarrar, apoderarse.

거머채다 agarrar.

거멀 ((준말)) =거멀장.

■~못 grapa *f*, remache *m*, roblón *m*. ~쇠 tornillo *m* de banco de hierro. ~장 grapa *f*, remache *m*, roblón *m*. ~ 장식 tachuela *f* ornamental.

거멓다 (ser) negro como el carbón.

거메지다 oscurecerse, hacerse negro.

거목(巨木) ① [매우 큰 나무] árbol *m* gigante, árbol *m* gigantesco, árbol *m* muy grande. ② [큰 인물] gran hombre *m* (*pl* grandes hombres). 그 분이야말로 한국 정계(政界)의 ~이시다 El es verdaderamente un gran líder [un gran hombre] del mundo político de Corea.

거무끄름하다 (ser) un poco negro oscuro.

거무데데하다 (ser) moreno, de tez morena.

거무레하다 (ser) un poco obscuro [moreno · bronceado · tostado · atezado]. 그녀의 피부는 ~ Su piel es un poco obscura [morena].

거무스레하다 =거무스름하다.

거무스레해지다 [피부가] volverse bronceado [tostado · atezado]; [볕에 타서] volverse obscuro [moreno]. 거무스레한 얼굴 cara *f* bronceada, rostro *m* bronceado.

거무스름하다 (ser) negruzco; [피부가] oscuro, moreno; [볕에 타서] bronceado, tostado, atezado. 거무스름한 여인(女人) mujer *f* morena.

거무스름히 negruzcamente.

거무접접하다 ser negruzco.

거무죽죽하다 ser negruzco.

거무충충하다 ser negruzco.

거무칙칙하다 (ser) oscuro, opaco, turbio.

거문고 【악기】 *gomungo*, el arpa *f* tradicional coreana con seis cuerdas. ~를 뜯다 [타다] tocar el *gomungo*.

■~자리 【천문】 Arpa *f*, Lira *f*. ~줄 cuerda *f* del *gomungo*.

거물(巨物) gran hombre *m*, hombre *m* importante, hombre *m* de gran calibre, pez *m* gordo, pájaro *m* gordo, pronombre *m*, magnate *m*, gran figura *f*, gran personaje *m*, gran maestro *m*, protagonista *mf*. ¶산업계의 ~ magnate *m* del mundo industrial. 정계의 ~ gran figura *f* en el mundo político. 그는 ~이다 El es un pez gordo.

■~ 정치가(政治家) político, -ca *mf* de gran calibre.

거물거리다 parpadear, titilar.

거뭇거뭇 estado *m* puntuado con manchas negras. ~하다 estar puntuado con manchas negras.

거미 【동물】 araña *f*. ~의 arañal, arañil. ~같은 arañal. ~가 줄을 치다 tejer la tela. ~가 집을 짓는다 Una araña hila su tela.

■거미 새끼같이 흩어진다 ((속담)) Huir a la desbandada.

■~줄 ㉮ [거미가 뽑아내는 가는 줄] hilo *m* de araña, hebra *f* de araña, telaraña *f*. ㉯ [수사망] red *f* (para prender a *uno*). 거미줄같다 parecer que se extiende. 서울에는 지하철이 거미줄같이 쳐져 있다 La red del metro se extiende por toda Seúl. 거미줄(을) 늘이다 echar operación policial de captura. 거미줄(을) 치다 tender una red (para prender a *uno*), acechar (a *uno*). 거미줄이 쳐져 있다 estar acecho (a *uno*). ~집 telaraña *f*, tela *f* de araña. ¶~투성이의 telarañoso, lleno de telarañas.

거미치밀다 recibir infinidad de envidia, hacerse codicioso.

거민(居民) habitante *mf*.

거반(去般) =지난번.

거반(居半) ((준말)) =거지반(居之半).

거방지다 tener presencia imponente.

거배(巨杯) vaso *m* grande.

거배(渠輩) aquellos hombres.

거번(去番) ① =지난번. ② =저번(這番).

거베 cáñamo *m* grueso.

거벽(巨擘) [학식이 뛰어난 사람] estudioso *m* [erudito *m*] destacado, gran autoridad *f*.

거볍다 (ser) ligero, liviano.

거벼이 ligeramente, livianamente.

거볍디거볍다 ser muy ligero.

거병(擧兵) asamblea *f* de tropas, congregación *f* de tropas. ~하다 congregar las tropas, lograr formar el ejército.

거보(巨步) ① [크게 내디디는 걸음] zancada *f*, tranco *m*, paso *m* gigantesco, paso *m* agigantado. ② [큰 공적(功績)이나 훌륭한 업적] hazaña *f* brillante.

◆거보(를) 내디디다 hacer (grandes) progresos.

거봐라 ¡Mira! / Yo te dije así.
거부(巨富) millonario, -ria *mf*, multimillonario, -ria *mf*, billonario, -ria *mf*, persona *f* muy rica; hombre *m* muy rico.
거부(拒否) rechazo *m*, denegación *f*, negación *f*, veto *m*, negativa *f*. ~하다 rechazar, no aceptar, rehusar, negar. 제안(提案)을 ~하다 poner el veto a la propuesta. 출격(出擊)을 ~하다 negarse a salir al combate.
■ ~권 (derecho *m* de) veto *m*. ¶대국의 ~ derecho *m* de veto de las potencias. ~을 행사하다 hacer uso del derecho de veto. ~ 반응 rechazo *m*. ¶이식 피부가 ~을 일으켰다 El injerto fue rechazado.
거부(拒斧) =사마귀[2].
거북 【동물】 tortuga *f*, [큰 거북] galápago *m*; [바다 거북] tortuga *f* marina, tortuga *f* de mar. 고속 도로에는 차가 줄을 이어 ~이 걸어가듯 한다 Hay tal caravana en la autopista que los coches avanza a paso de tortuga.
◆거북의 털 cosa *f* que nunca se puede adquirir.
■ ~걸음 paso *m* muy lento, paso *m* de tortuga. ~딱지 concha *f* del galápago. ~점 adivinación *f* por la concha de tortuga ardiente.
거북살스럽다 sentirse muy desagradable [molesto].
거북살스레 muy desagradablemente, muy molestamente, *AmL* molestosamente.
거북선(-船) *gobukseon*, Buque *m* de Tortuga, buque *m* blindado en forma de galápago (inventado por el Almirante Lee Sun Sin en 1592).
거북스럽다 sentirse desagradable, sentirse molesto.
거북스레 desagradablemente, molestamente, *AmL* molestosamente.
거북하다 ser incómodo, quedar corrido, encontrarse en una posición delicada; [주어가 사람일 때] sentirse incómodo, sentirse molesto. 거북해 하다 guardar las distancias (con), mantenerse alejado (de). 누구나 그를 거북해 한다 Todos guardan las distancias con él / Todos se mantienen alejados de él. 두 사람 사이가 ~ Los dos no se llevan tan bien como antes / Las relaciones entre los dos se han enfriado. 그의 제안을 거부하기가 ~ No me conviene rehusar su propuesta. 나는 그들과 함께 있으면 ~ Cuando estoy con ellos, me siento un poco molesto [molesto]. 그와 이야기할 때는 ~ Al hablar con él, me siento cohibido. 나는 그에게 그것을 묻기가 거북했다 No me atreví a preguntárselo a él.
거분하다 (ser) ligero, liviano.
거분히 ligeramente, livianamente.
거불거리다 portarse frívolamente.
거붓하다 (ser) algo ligero.
거붓이 algo ligeramente.
거비(巨費) gastos *mpl* enormes, expensas *fpl* enormes, gran cantidad *f* de dinero, un capital considerable. ~를 투자하다 invertir una gran cantidad de dinero. ~를 투자해서 con un presupuesto considerable, invirtiendo un capital considerable.
거사(巨事) gran obra *f*, gran construcción *f*, gran trabajo *m*.
거사(居士) ① ((불교)) devoto, -ta *mf* budista. ② [숨어 살며 벼슬을 않는 선비] ermitaño, -ña *mf*, eremita *mf*. ③ ((속어)) [아무 일도 아니하고 놀고 지내는 사람] haragán, -gana *mf*, vago, -ga *mf*, flojo, -ja *mf*.
거사(擧事) levantamiento *m*, sublevación *f*, rebelión *f*. ~하다 levantarse, alzarse, rebelarse, sublevarse. 혁명을 ~한 사람들 los que empezaron una revolución. ~를 모의하다 tramar una rebelión.
거산(巨山) gran monte *m*, gran montaña *f*.
거산(居山) vivienda *f* en la montaña. ~하다 vivir [morar · habitar] en la montaña [en el monte].
거산(鋸山) =암산[2](巖山).
거상(巨商) ① [큰 장사] gran comercio *m*, gran negocio *m*. ② [큰 장사를 하는 사람] comerciante *m* rico, comerciante *f* rica.
거상(居喪) ① [상중에 있음] luto *m*, duelo *m*. ② ((속어)) [상복] luto *m*. ~을 입다 llevar luto.
거석(巨石) piedra *f* enorme, gran piedra *f*, [유사 이전의] megalito *m*. ~의 megalítico.
■ ~ 건축물 construcción *f* megalítica. ~ 기념물 monumento *m* megalítico. ~렬(列) monumentos *mpl* megalíticos. ~묘 tumba *f* megalítica. ~ 문화 cultura *f* megalítica.
거석(擧石) levantamiento *m* de la piedra. ~하다 levantar la piedra.
거선(巨船) gran barco *m*, barco *m* enorme.
거성(巨姓) =대성(大姓).
거성(巨星) ① 【천문】 estrella *f* gigantesca. ② [큰 인물] gran hombre *m* (*pl* grandes hombres), coloso *m*. 악단(樂壇)의 ~ gran músico *m* (*pl* grandes músicos). 문단의 ~이 서거했다 Ha fallecido un coloso del mundo literario.
거성(去聲) 【언어】 voz *f* más alta.
거성(居城) castillo *m* habitado.
거세(巨細) grandeza *f* y pequeñez.
■ ~사(事) la obra grande y la pequeña, trabajo grande y el pequeño.
거세(巨勢) gran influenza *f*, gran potencia *f*, gran poder *m*.
거세(去勢) ① [동물의 수컷의 불알을 까버리거나, 암컷의 난소를 없애버림] castración *f*, capadura *f*, esterilización *f*. ~하다 castrar, esterilizar, capar. ~되다 castrarse, ser castrado. 소를 ~하다 castrar el toro. ② [저항 · 반대를 못하도록 세력을 꺾어버림] exclusión *f*, erradicación *f*, debilitación *f*, debilidad *f*. ~하다 excluir, erradicar, debilitar.
■ ~ 가축 ganado *m* castrado, bestia *f* castrada. ~계(鷄) capón *m* (*pl* capones), gallo *m* castrado. ~돈(豚) cerdo *m* castrado. ~마(馬) caballo *m* castrado. ~술

(術) (técnica *f* de) la castración. ~양(羊) carnero *m* castrado. ~우(牛) buey *m*, toro *m* castrado.

거세(去歲) año *m* pasado.

거세(擧世) todo el mundo.

거세다 (ser) fuerte, fuertísimo, fortísimo, robusto, vigoroso, poderoso, potente, violento, furioso, áspero, bronco, indisciplinado, difícil de controlar. 거센 목소리 voz *f* áspera, voz *f* bronca. 거센 바람 viento *m* fuertísimo, viento *m* furioso. 거센 성격 disposición *f* violenta, carácter *m* violento. 거센 여자 mujer *f* indisciplinada, mujer *f* difícil de controlar, arpía *f*, bruja *f*. 거센 입심 lenguaje *m* violento. 거센 파도 onda *f* embravacida.

거세차다 (ser) muy fuerte, muy robusto, muy vigoroso, muy poderoso.

거센말【언어】lengua *f* violenta, palabra *f* violenta.

거센털 ㉮ =강모(剛毛). ㉯ =조모(粗毛).

거소(居所) domicilio *m*, residencia *f*, lugar *m*; [주소] dirección *f*, señas *fpl*; [행방] paradero *m*. ~를 알려 주다 [자신의] enseñar [hacer saber] *su* propio domicilio; [남의] avisar la dirección (de). ~를 옮기다 mudar de lugar. 아무도 그의 ~를 모른다 Nadie conoce su paradero.

거송(巨松) gran pino *m*, pino *m* gigantesco, pino *m* gigante, pino *m* muy grande.

거수(巨帥) =대장(大將) ❶.

거수(巨樹) gran árbol *m*, árbol *m* gigantesco, árbol *m* gigante, árbol *m* muy grande.

거수(渠帥) líder *m* de los pícaros.

거수(渠首) =거수(渠帥).

거수(擧手) alzamiento *m* de mano, seña *f* con la mano. ~하다 alzar la mano, levantar la mano.

■ ~ 경례 saludo *m* militar. ¶~를 하다 hacer un saludo militar. ~기[기계] visto bueno. ¶회의는 그의 정책을 인증하기 위한 단순한 ~에 불과했다 La Asamblea no tenía otra función que la de refrendar sus políticas. ~ 투표 voto *f* a mano alzada. ¶ ~를 하다 votar a mano alzada.

거스러미 ① =손거스러미. ② [나무의] esquirla *f*.

거스러지다 ① [사람의 성질이] (ser) bruto, tosco, inculto, grosero. ② [잔털이] erizarse, encresparse.

거스르다 ① [남의 뜻이나 행동 따위를] desobedecer. 명령(命令)에 ~ desobedecer [no obedecer] la orden. 어른의 말을 ~ desobedecer el mayor, desobedecer lo que dice el mayor. ② [자연스러운 세(勢)나 흐름에 반대되는 방향을 취하다] oponerse [resistir] (a), ir contra. 흐름 [바람]에 거슬러 contra la corriente [el viento]. 시대의 흐름에 ~ ir contra [en contra de] la corriente de los tiempos. ③ [큰돈에서 받을 액수를 제하고 남는 것을 내어 주다] dar la vuelta, dar el cambio.

거슬러 올라가다 ㉮ [흐름의 아래쪽에서 흐름의 위쪽으로 거꾸로 가다] subir contra la corriente. 강물을 ~ remontar el río. 연어는 강물을 거슬러 올라간다 Los salmones remontan el río. ㉯ [생각의 시점(時點)을 과거로 올라가 잡다] remontar (a). 새 임금은 1월로 거슬러 올라가 지급됨 El nuevo sueldo se pagará con carácter retroactivo a enero. 근본(根本)으로 거슬러 올라가 생각해 봅시다 Pensemos remontándonos a los orígenes. 그 습관의 기원은 10세기까지 거슬러 올라간다 El origen de esta costumbre se remonta al siglo X / Esta costumbre data del siglo X.

거스름[1] ((준말)) =거스름돈.

■ ~돈 vuelta *f*, cambio *m*, dinero *m* menudo, *AmS* vuelto *m*. ¶~을 주다 dar la vuelta. ~은 여기 있습니다 Aquí está la vuelta / Aquí está el cambio. ~ 부탁합니다 [주세요] La vuelta, por favor. ~은 필요 없습니다 [당신이 가지세요] (Guárdese) la vuelta para usted / Quédese con el cambio [con la vuelta]. 나는 오천 원 권의 ~을 받았다 Recibí la vuelta del billete de cinco mil wones. 만원짜리 ~ 있습니까? ¿Tiene usted vuelta de diez mil wones?

거스름[2] ((준말)) =거스러미.

거슬거슬 ① [성질이 거친 모양] tercamente, con terquedad, tenazmente, pertinazmente. ~하다 (ser) terco, testarudo, tozudo, pertinaz. ② [(물건의 표면이나 살결 따위가) 윤기가 없어 부드럽지 못한 모양] ásperamente, con aspereza. ~하다 (ser) áspero. 감촉이 ~한 천 tela *f* áspera.

거슬러 올라가다 ☞거스르다

거슬리다 ① [귀에] (ser) chocante. 귀에 거슬리는 소리 voz *f* chocante. 눈에 ~ perturbar [obstruir] la vista (de). ② [불쾌하다] lastimar la vista (de). 그 자식은 눈에 거슬리는 놈이야 ¡Qué hombre tan fastidioso ése! / ¡Qué fastidioso es ese hombre!

거슴츠레하다 (ser) pesado, somnoliento, adormilado. 그는 거슴츠레했다 El se estaba amodorrando [adormilando] / Le estaba entrando sueño. 포도주는 나를 거슴츠레하게 만든다 El vino me da sueño / El vino me amodorra. 넌 잠이 와서 눈이 거슴츠레하군 Tú tiene ojos pesados. 그녀의 눈꺼풀이 잠이 와서 거슴츠레했다 Se le cerraban los ojos de sueño.

거승(巨僧) monje *m* budista famoso.

거시(擧市) toda la ciudad.

■ ~적 de toda la ciudad.

거시기 bueno, bien, pues, ¡Déjame ver!, ¿A ver?

거시적(巨視的) macroscópico.

■ ~ 경제학 macroeconomía *f*, economía *f* política macroscópica. ~ 물리학 macrofísica *f*. ~ 분석 macroanálisis *m*, análisis *m* macroscópico. ~ 세계 mundo *m* macroscópico.

거식(擧式) celebración *f*. ~하다 celebrar.

거식증(拒食症)【의학】apastia *f*, apositia *f*, cibofobia *f*.

거실(巨室) ① [큰 방] habitación *f* grande, cuarto *m* grande. ② =거가대족(巨家大族).
거실(居室) cuarto *m* de estar, sala *f* (de estar), salón *m*.
거심증(巨心症) megalocardia *f*, cardiomegalia *f*.
거안(巨眼) [큰 눈] ojo *m* grande.
거암(巨巖) gran roca *f*, roca *f* enorme, roca *f* muy grande.
거애(擧哀) =발상(發喪).
거액(巨額) gran cantidad *f* de dinero, suma *f* enorme, suma *f* colosal. ~의 gran cantidad de, suma enorme de. ~의 자산 gran capital *m*. ~의 예산 gran presupuesto *m*. ~을 기부하다 hacer una gran donación, donar una gran cantidad de dinero. 손해는 1억 원의 ~에 달한다 Las pérdidas ascienden a la suma colosal de cien millones de wones.
거야(去夜) anoche, noche de ayer.
거어(鉅漁) pez *m* (*pl* peces) grande.
거여목 【식물】 trébol *m*.
거역(巨役) trabajo *m* grande, empresa *f* colosal, tarea *f* grande.
거역(拒逆) desobediencia *f*, oposición *f*, objeción *f*. ~하다 desobedecer, oponerse (a), resistir (a). 부모의 말에 ~하다 desobedecer a *sus* padres. 명령에 ~하다 no obedecer la orden. 명령에 ~해서 contra la orden (de).
거용(巨用) muchos gastos.
거용(擧用) =등용(登用).
거우(居憂) estancia *f* de luto.
거우다 provocar, vejar, molestar, irritar, enojar, enfadar.
거우듬하다 (estar) algo inclinado.
거우듬히 con inclinación.
거우르다 hacer inclinar.
거울러지다 inclinarse un poco.
거욷하다 ((준말)) =거우듬하다.
거울 ① [물체의 형상을 비추어 보는 물건] espejo *m*; [큰] luna *f*. ~ 달린 옷장 armario *m* con espejo, armario *m* de luna. ~에 비친 모습 figura *f* reflejada en el espejo. ~을 보다 mirarse en el espejo. ~ 앞에서 면도하다 afeitarse ante el espejo. ② [귀감] modelo *m*, buen ejemplo *m*, espejo *m*. 그녀는 의사의 ~이다 Ella es una médica ejemplar.
◆오목 ~ espejo *m* cónvaco. 볼록 ~ espejo *m* convexo.
거울삼다 tomar [utilizar] de [como] modelo. 한국을 거울삼아 siguiendo el modelo coreano, a imitación del modelo coreano.
■~ 가게 espejería *f*. ~ 장수 espejero, -ra *mf*. ~ 전류계 galvanómetro *m* de espejo, galvanómetro *m* de reflexión. ~ 제조자 espejero, -ra *mf*. ~집 espejería *f*. ¶~ 주인 espejero, -ra *mf*.
거웃[1] [음모(陰毛)] pelo *m* púbico, pubis *m*, pubes *m*.
거웃[2] 【농업】 surco *m* arado en el arrozal.
거월(去月) mes *m* pasado.
거위[1] 【조류】 ganso *m*, ánsar *m*; [암컷] gansa *f*. 집~ ganso *m* doméstico.
■~ 고기 carne *f* de ganso. ~ 새끼 ansarino *m*, cría *f* de la oca o ganso. ~ 알 huevo *m* de ganso.
거위[2] 【동물】 =회충(蛔蟲).
■~배 【한방】 dolor *m* de estómago causado por el gusano.
거위걸음 paso *m* de ganso. ~을 걷다 marchar a paso de ganso.
거유(巨儒) ① [학식이 많은 학자] sabio *m* erudito. ② [이름난 유학자] gran confuciano *m*, confuciano *m* famoso.
거의 casi; [부정] apenas; [대부분] en *su* mayoría; [대략] poco más o menos, aproximadamente, cosa de, cerca de. ~ 전부 casi todo. ~ 한 시간 cosa de una hora, poco menos de una hora, algo así como una hora. ~ 한밤중에 casi a media noche, cerca de la media noche. ~ 반년 전(前)에 hace aproximadamente medio año, hace cosa de medio año. ~ 열 시가 되었다 Son alrededor [cerca] de las diez. ~ 모든 병사가 죽었다 Casi todos los soldados han muerto. 실험은 ~ 성공했다 El ensayo ha tenido un resultado casi satisfactorio. 건물은 ~ 완성되었다 El edificio ha sido terminado casi completamente / El edificio está casi terminado. 나는 ~ 집에 있다 Casi siempre estoy en casa. 그는 ~ 익사할 뻔했다 Por poco él se ahogaba / El estaba a punto de ahogarse. 소리가 ~ 들리지 않는다 No se oye apenas el ruido. 이 기계는 ~ 움직이는 것 같지 않다 Este aparato apenas parece moverse. 이 두 개는 ~ 같다 Estos dos son casi iguales. 그 문제는 ~ 해결이 불가능하다 Es casi imposible resolver ese problema. 나는 그 사람에 대해 ~ 아무것도 모른다 Yo no sé casi nada de él. 나는 ~ 그녀를 만나지 못했다 Yo no la he visto apenas / Apenas la he visto. 그는 돈을 ~ 가지고 있지 않다 Apenas [Casi no] tiene dinero. 이 길은 ~ 차가 다니지 않는다 Apenas [Muy raras veces] pasan coches por este camino.
거의거의 casi. ☞거의
거익(巨益) gran ganancia *f*.
거익(去益) más y más.
거인(巨人) ① [대인(大人)] gigante *m*, titán *m*, coloso *m*. ~ 같은 gigantesco. ② [위인] gran hombre *m* (*pl* grandes hombres).
■~국 tierra *f* de gigantes. ~증 gigantismo *m*.
거자(巨資) capital *m* enorme.
거자 막추(去者莫追) A enemigo que huye, puente de plata.
거작(巨作) gran obra *f*.
거장(巨匠) gran maestro *m*, coloso *m*. ~의 작품 obra *f* del gran maestro. 문학계의 ~ gran maestro *m* del mundo literarrio.
거재(巨材) madera *f* enorme.
거재(巨財) fortuna *f* enorme.
거저 ① [공으로] gratis, de balde, gratuita-

mente, de modo gratuito, sin pagar nada, sin cobrar nada, de rositas, *Méj* de amor y amor, *Caribe* de chivo. ~ 일하다 trabajar gratis. ~ 가르치다 enseñar gratis, enseñar sin pagar nada. ~ 먹다 [여행하다] comer [viajar] de gorra. 매일 ~ 먹여 주다 tener a mesa y mantel. 그는 이 그림을 ~나 마찬가지로 입수했다 El consiguió este cuadro por casi nada. ② [아무것도 가지지 않고] sin tener nada.

■ ~먹기 obtención *f* gratuita, trabajo *m* fácil. ~먹다 ㉮ [노력함이 없이 공으로 차지하다] obtener gratuitamente. ㉯ [힘들이지 않고 수월히 하다] trabajar fácilmente.

거적 estera *f* (de paja), esterilla *f*, estera *f* burda hecha de paja. ~을 깔다 extender una estera. ~을 덮다 cubrir con la estera. ~을 만들다 tejer [hacer] una estera de paja.

■ ~눈 ojos *mpl* con párpados encorvados. ~때기 fragmento *m* de una estera de paja. ~문(門) puerta *f* de estera. 거적문에 돌쩌귀 ((속담)) Echarles margaritas a los cerdos. ~송장[시체] cadáver *m* envuelto en la estera de paja. ~자리 estera *f* de paja.

거적(巨賊) gran ladrón *m*.

거절(拒絶) negativa *f*, rechazamiento *m*, rechazo *m*, denegación *f*. ~하다 rechazar, rehusar, negarse (a). 어음 지불을[인수를] ~하다 rehusar el pago [la aceptación] (de la letra). 면회를 ~하다 negarse a recibir, rechazar ver. 딱 잘라 [한마디로] ~하다 rechazar categóricamente [rotundamente]. 결혼 신청을 딱 잘라 ~하다 rehusar la petición de mano. 그는 내 면회를 ~했다 El se negó a recibirme. 그 요구는 딱 잘라 ~되었다 La demanda fue rechazada.

■ ~증 negativismo *m*. ~ 증서 protesto *m*.

거점(據點) punto *m* de apoyo, base *f*, posición *f*, baluarte *m*, plaza *f* fuerte; 【군사】 fortaleza *f*, bastión *m* (*pl* bastiones).

◆군사(軍事) ~ base *f* militar, base *f* naval, posición *f* militar. 전략(戰略) ~ base *f* estratégica.

거정 화강암(巨晶花崗巖) pegmatita *f*.

거조(擧措) conducta *f*, comportamiento *m*.

거조(擧朝) toda la corte (imperial).

거족(巨族) ((준말)) =거가대족(巨家大族).

거족(擧族) toda la nación.

■ ~적 de toda la nación.

거족증(巨足症) 【의학】 macropodia *f*.

거종(巨鐘) campana *f* enorme.

거죄(巨罪) =대죄(大罪).

거주(去週) semana *f* pasada.

거주(居住) residencia *f*, vivienda *f*, morada *m*. ~하다 habitar, residir, morar, vivir, domiciliar. 도심지에 ~하다 habitar en el centro de la ciudad. ~가 일정치 않다 ser sin hogar, ser sin techo, ser vagabundo.

■ ~권(權) derecho *m* de residencia. ~민 habitante *mf*, residente *mf*, morador, -dora *mf*. ~ 성명 dirección, nombre y apellido. ~소 dirección *f*, señas *fpl*. ~ 신고 declaración *f* de residencia. ¶~하다 declarar la residencia. ~의 자유 libertad *f* de la residencia. ~ 이전의 자유 libertad *f* de escoger y cambiar de residencia, libertad *f* de residencia y movimiento. ~ 인구 población *f* residente. ~자 habitante *mf*, residente *mf*, morador, -dora *mf*. ¶불법(不法) ~ [공유지의] ocupa *mf*, okupa *mf*, ocupante *mf* ilegal, *Méj* paracaidista *mf*. 외인(外人) ~ residente *m* extranjero, residente *f* extranjera. ~ 자격 calificación *f* residencial. ~ 제한 restricción *f* de residencia. ~ 증명서 certificado *m* de residencia. ~지 lugar *m* de residencia. ~ 지역 región *f* residencial.

거죽 [표면] superficie *f*, [겉부분] exterior *m*, parte *f* exterior; [외견(外見)] apariencia *f*. ~만 en apariencia, aparentemente. 당신은 사물의 ~만 본다 Tú miras solamente la superficie de las cosas.

거중(居中) estancia *f* en el centro.

■ ~ 조정 mediación *f*, intervención *f*. ¶~하다 mediar, interponerse entre.

거증(擧證) establecimiento *m* de la verdad (por la evidencia).

■ ~자 parte *f* con carga de la prueba. ~ 책임 carga *f* de la prueba.

거지 mendigo, -ga *mf*; pordiosero, -ra *mf*.

■거지도 부지런하면 더운 밥을 먹는다 ((속담)) El que madruga coge la oruga / A quien madruga, Dios le ayuda.

거지같다 (ser) insatisfactorio, poco satisfactorio, deficiente, desagradable, ingrato, ofensivo, insultante, pobre, humilde, modesto, sin ningún valor.

거지같이 insatisfactoriamente, deficientemente, desagradablemente, ingratamente, de mala manera, de manera desagradable, de (una) manera ofensiva, de (una) manera insultante, humildemente, con humildad, modestamente.

■ ~ 근성 bajeza *f*, espíritu *m* humilde. ~꼴 apariencia *f* miserable.

거지(巨指) pulgar *m*, dedo *m* pulgar.

거지(居地) tierra *f* residencial.

거지(居址) =거소(居所).

거지(擧止) ((준말)) =행동거지(行動擧止).

거지반(居之半) casi, casi medio, la gran parte (de), la mayoría (de), la buena parte (de), por la mayor parte, por lo común, ordinariamente. 일이 ~ 끝나가니 조금만 더 기다려라 Espera un poco más, porque el trabajo casi va terminando.

거지 중천(居之中天) =허공(虛空)❶.

거짓 ① [명사] mentira *f* (거짓말), falsedad *f* (허위), hipocresía *f*, engaño *m*, fraude *m*. ~ 정보를 주다 dar una información falsa, dar una explicación incorrecta. 나는 ~이 없는 진실에만 관심이 있다 No me interesa sino la verdad. ② [부사] mentirosamente, falsamente.

■ ~꼴 forma *f* falsa. ~ 눈물 lágrimas *fpl*

de cocodrilo. ¶~을 흘리다 derramar [llover] lágrimas de cocodrilo. ~말 mentira *f*, [허위] falsedad *f*, [지어낸 말] invención *f*. ¶~하다 mentir, decir la mentira, falsear la verdad, faltar a la verdad. 새빨간 ~ exageración *f* artificial, fantasía *f*. ~ 같은 increíble. ~을 잘하는 mentirioso. 사실로 변한 ~ mentira *f* convertida en verdad. ~을 퍼뜨리다 circular mentiras. 한없이 ~을 하다 decir un sinfín de mentiras. ~이다! ¡Mentira! / ¡Falso! ~ 같다 Parece mentira. ~ 같은 이야기다 Es increíble / Parece mentira. ~도 정도가 있는 법이다 Existen límites en la mentira. 그의 말은 ~ 같다 Suena a mentira lo que ha dicho. 내 생각에는 ~ 같다 No pueden creerlo mis ojos. 이것은 ~ 같은 사실 이야기다 Esto es un relato increíble pero verídico. 그는 ~로 뭉쳐진 사람이다 Es la mentira personificada [en persona]. 그는 ~만 한다 El siempre miente / El no dice más que mentiras. 그는 ~을 못하는 사람이다 El es incapaz de mentir / El no puede decir más que la verdad. 그가 아프다는 것은 완전한 ~이다 Su enfermedad es una pura invención. 그는 학생이라지만 ~이다 El dice que es estudiante, pero es mentira. 이 신문 기사는 ~이다 Son falsas las noticias de este periódico. 나는 그 말이 ~인지 아닌지 모르겠다 Yo no sé si es mentira o no. 그녀는 아주 자연스레 ~을 한다 Ella miente con toda naturalidad. 그가 하는 말은 모두가 새빨간 ~이다 Todo lo que él dice es pura mentira. 아이들이 ~을 하면 엄히 나무라야 한다 Hay que reprimir severamente la mentira en los niños.

■거짓말도 잘만 하면 논 닷 마지기보다 낫다 ((속담)) La mentira es útil a veces.

■~말쟁이 mentiroso, -sa *mf*, embustero, -ra *mf*. ¶그는 ~다 El es (un gran) mentiroso. ~말 탐지기 detector *m* de mentiras. ~상(像) 【물리】 =허상(虛像). ~ 웃음 risa *f* forzada, risa *f* falsa. ~ 이름 nombre *m* falso. ¶~으로 bajo el nombre falso.

거차다 (ser) grande y fuerte.

거찰(巨刹) gran templo *m* budista, convento *m*, catedral *f*.

거참 ¡De veras! / ¡Dios mío! ~ 안됐다 ¡Qué lástima! / ¡Qué pena!

거창하다(巨創/巨刱-) estar en gran escala, ser enorme.
거창히 en gran escala, enormemente.

거처(去處) paradero *m*. 그의 ~를 알고 있는 사람이 아무도 없다 Nadie conoce su paradero.

거처(居處) residencia *f*, vivienda *f*, morada *f*, habitación *f*. ~하다 habitar, residir, morar, vivir. ~를 정하다 establecerse (en), instalarse (en), fijar *su* residencia [*su* domicilio] (en).

■~방(房) cuarto *m* de estar, sala *f* (de estar).

거청숫돌 amoladera *f* tosca, piedra *f* tosca de afilar; [큰] mollejón *m* tosco.

거체(巨體) cuerpo *m* gigantesco, enorme masa *f* de cuerpo; [사람 이외의] mole *m*.

거촉(炬燭) las antorchas y las candelas.

거추(去秋) otoño *m* pasado.

거추없다 (ser) absurdo, disparatado, ridículo, insulso. 거추없이 de manera absurda, con absurdidad.

거추장스럽다 (ser) gravoso, oneroso, incómodo, molesto, pesado, inmanejable, fastidioso, embarazoso, importuno.
거추장스레 gravosamente, onerosamente, incómodamente, molestamente

거추하다 tener cuidado, cuidarse.

거춘(去春) primavera *f* pasada.

거춤거춤 globalmente, someramente, a la ligera; [간단하게] brevemente, en dos palabras. ~ 견적하다 calcular (*algo*) en números redondos. ~ 설명하다 explicar brevemente. ~ 검토하다 echar una ojeada (a *algo*), examinar (*algo*) ligeramente [a la ligera]. ~ 소제하다 hacer una limpieza general. 신문을 ~ 읽다 hojear el periódico, leer el periódico a la ligera. 무슨 문제인가 ~ 말씀해 주십시오 Dígame en dos palabras de qué se trata.

거취(去就) *su* curso de acción; [태도] actitud *f*, conducta *f*, comportamiento *m*. ~를 결정하다 decidir *su* curso de acción, decidir *su* actitud. ~를 정하지 못하다 estar indeciso sobre qué actitud tomar. ~가 수상하다 mostrar la conducta extraña. ~를 분명히 하다 definir *su* actitud.

거치(据置) aplazamiento *m*, dilación *f*.
■~ 기간 días *mpl* de gracia. ~ 배당금 dividendo *m* diferido. ~ 보험 seguro *m* diferido. ~ 부채 deuda *f* diferida. ~ 연금 anualidad *f* diferida. ~ 자산 activo *m* diferido. ~ 저금 ahorros *mpl* diferidos. ~ 주권 bono *m* social diferido.

거치(鋸齒) =톱니.

거치다 ① [(무엇에) 걸려 스치다] pasar. ② ㉮ [어떤 처소를 지나거나 잠깐 들르다] pasar (por), ir (por). …을 거쳐 vía *un sitio*, por *un sitio*. 우체국을 거쳐서 학교로 가다 ir a la escuela pasando por el correo. 일행은 파리를 거쳐 마드리드로 향했다 Se dirigieron a Madrid vía París. ㉯ [(어떤 일을) 겪어 지나가다·경험하다] tener experiencia, experimentar, sufrir. ㉰ [어떤 단계나 과정을 밟다] pasar (por). 무수한 난관을 ~ tener un sinfín de dificultades. 도매업자를 거치지 않고 생산자에게서 직접 사다 comprar directamente de los productores sin pasar por mayoristas.

거치렁이 arroz *m* tosco.

거치적거리다 ser (a [para] *uno*) un compañero embarazoso, estorbar (a). 그녀가 일하는데 아이들이 거치적거린다 Los niños son un estorbo [una dificultad] para que ella trabaje.

거칠거칠 ásperamente, rugosamente. ~하다 [피부가] secarse, ponerse áspero, ponerse rugoso; [피부가 트다] agrietarse. ~ 말라 있다 estar completamente seco. 손이 ~하다 tener las manos secas (como el papel de lija). 피부가 ~하다 tener el cutis áspero, tener la piel áspera. 피부가 ~해진다 Se seca el cutis / Se pone áspera [rugosa] la piel / [트다] Se agrieta la piel. 나는 혀가 무척 ~해졌다 Se me ha puesto muy áspera la lengua.

거칠다 ① [(가루·모래·흙 따위의) 알갱이가 굵다] (ser) grueso. 거친 모래 arena *f* gruesa.
② [(베나 천의 결이) 성기고 굵다] (ser) basto, ordinario, burdo. 거친 천 tela *f* basta. 거칠게 바느질하다 coser grandes puntadas, dar grandes puntadas (a). 거칠게 짜다 hacer punto flojo.
③ [(살갗·판자 따위의) 표면 [결]이 험하다] (estar) seco, áspero, rugoso. 거칠어지다 [피부가] secarse, ponerse áspero, ponerse rugoso; [피부가 트다] agrietarse; [판자가] ser ásperamente cepillado. 거칠게 하다 agrietar el cutis 거친 피부를 가지다 tener el cutis áspero, tener la piel áspera. 거칠어지기 쉬운 살갗이다 tener el cutis propenso a secarse. 피부가 ~ Se seca el cutis / Se pone áspera [rugosa] la piel / [트다] Se agrieta la piel. 이 크림은 피부를 거칠게 한다 Esta crema daña el [afecta al] cutis.
④ [(하는 짓이나 일이) 차분하거나 꼼꼼하지 못하다] (ser) rudo, brusco, chapucero, poco esmerado, poco cuidadado. 거칠게 rudamente, con rudeza, con brusquedad, bruscamente, chapuceramente, con poco esmero. 거친 일 trabajo *m* chapucero, trabajo *m* poco esmerado. 거칠게 다루다 usar con rudeza, usar con brusquedad. 거칠게 취급하다 tratar rudamente. 일을 거칠게 끝내다 acabar un trabajo chapuceramente. 그의 일은 무척 ~ Su manera de trabajar es muy ruda. 그는 성격이 ~ El tiene un carácter desordenado. 그는 기계 사용법이 ~ El maneja la máquina con poco cuidado.
⑤ [(성질이나 말·글 따위가) 난폭(亂暴)하거나 막되다·세련되지 못하다] (ser) rudo, violento, bruto, brusco, brutal, grosero, agresivo, impetuoso, basto, inculto, poco educado; [문체(文體)가] descuidado. 거칠게 violentamente, bruscamente, con brusquedad, agresivamente, brutalmente, impetuosamente; descuidadamente. 거친 말 palabra *f* [historia *f*] violenta [escabrosa]. 거친 말(馬) caballo *m* indamable, caballo *m* fogoso. 거친 목소리 voz *f* violenta [brusca]. 거친 세태(世態) aspecto *m* turbulento [conflictivo] de la sociedad. 거친 태도(態度) actitud *f* agresiva. 거칠어지다 enfurecerse, excitarse; [감정이] desencadenarse. 거칠게 다루다 [사람을] hacer trabajar (a) duramente y ninguna compasión, someter (a *uno*) a trabajos duros. 욕정(欲情)이 거칠어지다 desencadenarse las pasiones. 어투(語套)가 ~ correr palabras mayores. 거친 생활을 하다 llevar una vida desordenada [irregular · salvaje]. 그는 말이 ~ El es ruido al hablar. 그는 성격이 ~ El es un hombre de carácter violento. 그의 예술은 ~ Su arte ha degenerado. 그는 마음이 ~ El tiene el corazón endurecido. 그는 거친 남자다 El es un bruto.
⑥ [(산야(山野)나 농토 따위가) 황폐하다] (estar) arruinado, asolado, abandonado. 거칠어지다 asolarse, arruinarse, desbatarse. 거칠어진 농토 campo *m* asolado. 거친 풀숲으로 덮여진 농토campo *m* cubierto de malezas. 전답이 거칠어진다 El campo se asola / El campo se cubre de malezas.
⑦ [(물결·바람·날씨 따위가) 사납다] (estar) agitado, borrascoso, tempetuoso, revuelto. 거친 바다 mar *m* agitado [bravo · borrascoso]. 거칠어지다 [바다가] agitarse; [풍파가] desencadenarse; [회의나 시합이] agitarse, caer en una gran confusión [en desorden]. 바람이 거칠어지다 desencadenarse el viento. 풍파(風波)가 ~ agitarse las olas. 바다가 거칠어졌다 El mar está agitado [borrascoso]. 파도(波濤)가 거칠어진다 Las olas se encrespan [se agitan] / Se pica el mar / [상태] El mar está picado / Hay marejadilla. 날씨가 거칠어졌다 El tiempo está tempestuoso [agitado · revuelto · borrascoso]. 날씨가 거칠어질 모양이다 Parece que el tiempo se pone tempestuoso [borrascoso] / Amenaza tempestad. 오늘은 바다의 파도가 무척 ~ El mar está muy agitado hoy.
⑧ [손버릇이 나쁘다·도벽이 있다] tener (la) mano larga, tener las manos largas, ser largo de uñas.
⑨ [음식이 맛깔스럽지 못하고 험하다] (ser) desagradable. 매우 거친 포도주 vino *m* muy desagradable.

거칠하다 (estar) consumido, descarnado, demacrado, ojeroso, rendido, agotado, débil, flaco, escuálido, flacucho, cansado. 거칠한 모습 figura *f* demacrada. 거칠한 얼굴 cara *f* demacrada, rostro *m* demacrado. 고통으로 거칠해진 얼굴 rostro *m* demacrado por el dolor. 거칠해지다 demacrarse, enflaquecer(se), ponerse flaco. 병을 앓아 거칠해지다 demacrarse [enflaquecerse · ponerse flaco] por la enfermedad.

거침 obstáculo *m*, dificultad *f*, impedimento *m*, complicación *f*, problema *m*, pega *f*, [주저] vacilación *f*, reserva *f*, timidez *f*.
◆거침(이) 없다 [막힘이 없다] (ser) sin problemas; [거리낌없다] sin obstáculos, sin trabas, estar libre del impedimento [del problema · de la dificultad], ser sin vacilación [problema · reserva]
거침(이) 없이 sin reservas, con franqueza, francamente, sin reparo, a pedir de boca, sin tropiezo, sin dificultad, fácilmente; [서슴지 않고] sin vacilación. ~ 말하다 decir

sin reservas. ~ 풀다 solucionar un problema fácilmente [sin esfuerzos]. 매사가 ~ 되어 갔다 Todo salió a pedir de boca / Todo marchó sobre ruedas. 그는 ~ 말하는 사람이다 El no tiene pelos en la lengua.

■ ~새 obstáculo *m*, impedimento *m*, situación *f* de impedirse, inconveniente *m*, problema *m*, pega *f*. ¶~가 많다 estar lleno de problemas.

거침(巨浸) inundación *f*, diluvio *m*, desbordamiento *m*, riada *f*.

거칫거리다 regañar, tirar (de), *AmL* jalar (de) (*CoS* 제외).

거칫하다 (estar) demacrado, flaco.

거쿨지다 (ser) varonil, masculino, viril, valiente, valeroso, imponente, impresionante, considerable, dominante.

거탄(巨彈) ① [큰 폭탄] gran bomba *f*, proyectil *m* pesado. ② [비유적] sensación *f*, bomba *f*, película *f* principal (영화의).

거탈 fingimiento *m*, simulación *f*, apariencia *f* falsa. 그의 우정은 ~뿐이었다 Su amistad era fingida [falsa].

거택(居宅) =주택(住宅).

거통 ① [당당한 체모(體貌)] gran apariencia *f*, actitud *f* digna. ② [지위가 높되 실권이 없는 처지] posición *f* nominal.

거통(巨桶) tonel *m* grande, barril *m* grande.

거트 ① =창자(intestino). ② =장선(腸線).

거판(擧板) [가산(家産)을 탕진함] dilapidación *f* de la fortuna. ~하다 dilapidar la fortuna.

거패(去貝) =목면(木棉).

거편(巨篇) [크고 무게 있는 내용의 저술(著述)] gran obra *f* (*pl* grandes obras).

거폐(巨弊) [큰 폐단] abuso *m* grande.

거폐(去弊) [폐단을 없애버림] eliminación *f* del abuso. ~하다 eliminar el abuso.

■ ~ 생폐(生弊) Muchos van por lana y vuelven trasquilados.

거포(巨砲) ① [큰 대포] gran cañón *m* (*pl* grandes cañones). ② ((야구)) =강타자.

거푸 otra vez, una y otra vez, mil veces, de nuevo, nuevamente, repetidamente, repetidas veces. 내가 당신에게 그것을 ~ 말했다 Te lo he dicho mil veces [una y otra vez].
거푸거푸 una y otra vez, repetidamente, repetidas veces.

거푸돌 =속돌.

거푸집 ① [주형(鑄型)] matriz *f* (*pl* matrices), molde *m*. ~에 넣다 vaciar, moldear, poner en el molde; [본뜨다] amoldear. …의 ~을 꺼내다 sacar el molde de *algo*, moldear *algo*. ② =콩풀. ③ ((속어)) =겉모양.

거푼거리다 ondear, agitarse.
거푼거푼 agitándose, ondeando.

거풀거리다 aletear, revolotear, flamear, ondear, agitarse.
거풀거풀 aleteando, revoloteando, flameando, ondeando, agitándose.

거품 [비누의] pompa *f*, [말이나 비누 따위의] espuma *f*, [물의] burbuja *f*, [입의] espumajo *m*; [맥주의] jiste *m*; [침] espumarajo *m*. ~이 이는 espumajoso, espumoso, espumante. ~이 일지 않는 맥주 cerveza *f* sin viveza. ~이 일다 espumar, espumear, hacer espuma; [입 따위에서] espumajear; [끓다] burbujear. 입에서 ~을 뿜다 espumejear, echar espumarajos por la boca. 생크림의 ~을 일으키다 batir nata. 이 비누는 ~이 잘 인다 Este jabón de [hace] mucha espuma. 바다의 파도는 바위에 산산이 부서지면서 ~을 일으킨다 Las olas del mar forman espuma al estrellarse en las rocas.

◆거품(을) 치다 quitar la espuma, espumar.

■ ~고무 goma *f* espumosa. ~ 목욕 baño *m* de burbujas, baño *m* de espuma, gel *m* de baño. ~ 상자 cámara *f* de burbujas. ~ 유리 vidrio *m* espumoso, vidrio *m* celular, vidrio *m* aburbujado para obtener efectos decorativos. ~제(劑) agente *m* espumante. ~투성이 espumaje *m*.

거피(去皮) despellejadura *f*, desolladura *f*. ~하다 [동물을] despellejar, desollar; [바나나·사과·감자를] pelar; [사과를] mondar; [완두콩을] pelar; [견과(堅果)·새우·달걀을] pelar; [홍합·대합조개를] quitar*le* la concha (a), desconchar.

거하(去夏) verano *m* pasado.

거하다 ① [크고 웅장하다] ser grande y espléndido. ② [(나무나 풀 따위가) 퍽 무성하다] (ser) muy frondoso. ③ [땅이 깊고 으슥하다] (ser) profundo y solitario.

거하다(居―) vivir, habitar, morar.

거한(巨漢) gigante *m*, titán *m* (*pl* titanes), coloso *m*, persona *f* de gran tamaño, hombre *m* muy alto.

거함(巨艦) gran buque *m* de guerra.

거해(巨海) océano *m*, mar *m* grande.

거해궁(巨蟹宮) 【천문】 =게자리.

거해좌(巨蟹座) 【천문】 =게자리.

거행(擧行) celebración *f*. ~하다 celebrar. ~되다 celebrarse tener lugar. 개회식을 ~하다 celebrar la apertura. 다리의 개통식이 ~되었다 Se celebró la inauguración del puente. 졸업식을 ~합니다 Damos comienzo a la ceremonia de graduación.

거향(居鄕) vivienda *f* en el campo. ~하다 vivir en el campo.

거화(炬火) =횃불.

거화(擧火) levantamiento *m* de la antorcha. ~하다 levantar la antorcha.

걱실거리다 comportarse [portarse] agradablemente.
걱실걱실 comportándose agradablemente.

걱정 ① [근심] preocupación *f*, ansiedad *f*, inquietud *f*, cuidado *m*. ~하다 preocuparse (con [de · por] *algo* · *uno*), inquietarse (por *algo* · *uno*), apenarse [angustiarse · amargarse] (por *algo*), cuidar (de *algo* · *uno*), temer, tener miedo, recelar. ~시키다 preocupar, inquietar. ~ 없는 libre de cuidados [de preocupaciones], despreocupado. 아무런 ~없이 sin ninguna preocupación, sin preocuparse de nada. ~하고 있다 estar preocupado. 신상(身上)을 ~하다 preocuparse [inquietarse] por la suerte (de *uno*). 몹시 ~하다 preocuparse mucho, quemarse la sangre. ~이 많다 estar devorado de inquietudes, tener muchas preocupaciones. ~을 끼치다 ser motivo de preocupación (de *uno*), preocupar (a *uno*), dar preocupación (a *uno*). ~되는 얼굴을 하고 있다 tener cara de preocupado. ~ 없는 얼굴을 하고 있다 tener el rostro libre de todo cuidado. …이 ~이다 [사람이 주어] preocuparse [inquietarse] con [de · por] *algo*; [사물이 주어] preocupar a *uno*. 그의 행방이 ~이다 Me preocupa su paradero. 나는 ~이 많다 Tengo mucho de que preocuparme / Tengo muchas preocupaciones / Tengo muchas inquietudes. ~하지 마라 [tú에게] No te preocupes / [vosotros에게] No os preocupéis. ~하지 마십시오 [usted에게] No se preocupe / No se angustie / Descuide usted / Pierda usted cuidado / No tenga miedo / No pase cuidado / [대단한 것이 아니다] No es cosa de cuidado // [ustedes에게] No se preocupen ustedes. ~하지 맙시다 No nos preocupemos. ~ 좀 해보아라 [tú에게] Preocúpate / [vosotros에게] Preocupaos. ~ 좀 해보십시오 [usted에게] Preocúpese usted / [ustedes에게] Preocúpense. ~ 좀 해봅시다 Preocupémonos. 비가 오지 않을까 ~하고 있었다 Yo tenía miedo de que lloviera. 나는 일찍 일어나는 것이 조금도 ~이 안된다 No me causa [cuesta] ningún trabajo madrugar. 그녀는 병을 ~해서 자살했다 Ella se suicidó angustiado por la enfermedad. 나는 네 장래가 ~된다 Me preocupa de [por] tu provenir [tu futuro]. 나는 그의 장래가 ~된다 Yo estoy muy preocupado [Yo me inquieto] por su futuro / Me preocupa lo que será de él. 그는 당신의 장래를 ~하고 있다 El se preocupa por su porvenir. 그들은 그의 건강을 ~하고 있다 Ellos están preocupados por su salud. 나는 아이들을 ~하고 있다 Estoy preocupado por los niños / Me preocupan los niños. 그녀는 늘 내 건강을 ~하고 있다 Ella siempre está preocupada de [por] mi salud. 당장에 주거 ~을 해야 한다 Hay que preocuparse de buscar ahora mismo una casa. 우리는 노후(老後)의 ~을 해야 한다 Tenemos que estar preocupados para cuando seamos viejos. 나는 그녀가 병이나 걸리지 않았을까 ~이다 Temo que ella caiga enferma / Me preocupa la posibilidad de que ella se ponga enferma. 그에게서 연락이 없어 ~이다 Me preocupa su silencio. 그녀가 올지 ~이다 Me preocupa si ella va a venir. 나는 그녀의 일이 갑자기 ~되기 시작했다 De repente empecé a sentir preocupación por él. 나는 ~이 되어 그녀에게 전화했다 Preocupado, la llamé. 그렇게 ~할 것이 없다 No hay que por qué preocuparse tanto. 이제는 ~이 없다 Ya no hay cuidado / Ya puede usted estar tranquilo. 내 아들에 한해서는 ~이 없다 Tratándose de mi hijo, no tengo ninguna preocupación. 그는 무척 ~하고 있음에 틀림없다 El debe de estar muy preocupado. ~해 주는 사람이 있어 나는 행복하다 Yo soy feliz de tener quien se preocupa de mí. 부모님에게 ~을 끼쳐서는 안된다 No debes a tus padres el menor [más leve] motivo de preocupación. 나는 시험 결과를 ~하고 있다 Temo que yo no haya salido bien en el examen / Me preocupa el resultado del examen. 그런 일은 아무 ~도 없다 No me preocupa nada / No me da ni frío ni calor. 아버님의 병상(病狀)이 ~된다 Me preocupa [Me inquieta] mucho la enfermedad de mi padre. 그가 실패하는 것은 아닌가 ~이다 Temo que él fracase [salga mal]. 이것은 그녀에게 큰 ~이었다 Esto la ha tenido muy preocupada [inquieta]. ~할 이유가 없다 No hay motivo que preocuparse [inquietarse]. 그녀는 우리에게 큰 ~을 끼쳐왔다 [병 때문에] Ella nos ha tenido muy preocupados / [행동 때문에] Ella nos ha estado dando [causando] muchas preocupaciones. ~은 몸에 해롭다 ((서반아 속담)) Sustos y disgustos matan a muchos.

② [아랫사람의 잘못을 나무라는 말] reproche *m*, reprobación *f*, censura *f*. ~을 듣다 regañar, reprochar, reprobar, censurar. 나는 부모님한테 ~을 들었다 Mi abuelo me regañó. 그런 짓을 하면 할아버지께 ~을 듣는다 Si haces tal cosa, el abuelo te regaña.

◆걱정이 태산(泰山)이다 tener muchísimas preocupaciones que vencer.

■ ~거리 preocupaciones *fpl*, quebradero *m* [dolor *m*] de cabeza, causa *f* [motivo *m*] de preocupación, fuente *m* de inquietud. ¶~가 있다 tener preocupaciones. 무슨 ~라도 있습니까? ¿Tiene usted (algunas) preocupaciones? 나는 ~가 있다 Tengo algo que me preocupa / Tengo preocupaciones. 그것은 ~다 Eso es un quebradero de cabeza / Eso no va a traer sino preocupaciones. 이 아이는 부모의 ~다 Este niño es la constante preocupación [el dolor de cabeza] de sus padres. 그의 가장 큰 ~는 자녀가 잘 있는 것이다 Su mayor preocupación es el bienestar de su hijo. 우리의 큰아이가 우리에게는 큰 ~다 Nuestro hijo mayor nos da [nos causa] muchas preocupaciones. ~꾸러기 ㉮ [늘 걱정거리가 많은 사람] persona *f* que siempre tiene preocupaciones, pesimista *mf*. ㉯ [늘 남의 걱정을 많이 듣는 사람] niño *m* problemático, niña *f* problemática; alborotador, -dora *mf*; oveja *f* negra. ¶저 애는 참 ~야 El es un problemático constante. 어느 집이나 ~는 있는 법이다 Hay una oveja negra en cada tropel. ~덩어리 grandes preocupaciones *fpl*, gran dolor *m* de cabeza.

걱정스럽다 (estar) preocupado, inquieto,

ansioso, aprensivo, de aprensión. 걱정스러운 태도 aire *m* de preocupación. 걱정스러운 얼굴을 하다 parecer preocupado, tener cara de preocupado. 우리는 그의 아이가 시험에 실패하지 않을까 걱정스럽다 Estamos preocupado por lo que su hijo salga mal en el examen / Sentimos cierta aprensión por lo que su hijo salga mal en el examen.

걱정스레 con preocupación, con inquietud, con ansiedad, con aire de preocupación, con un aire de ansiedad, ansiosamente.

건¹ ((준말)) =이거나(o). ¶그~ 나~ sea él, sea yo; él o yo; que sea él o que sea yo. 우유~ 음료수~ 마실 것을 주오 Dame de beber, la leche o la bebida.

건² ① ((준말)) =것은. ¶내 ~ 이것이고 네~ 저것이다 El mío es esto y el tuyo aquello. ② ((준말)) =그것은(eso). ¶~ 분명히 네 잘못이다 Eso es tu culpa evidentemente / Sin duda eso es la culpa tuya.

건(巾) ① [헝겊 따위로 만들어 머리에 쓰는 물건] cubierta *f* de cabeza hecha de tela. ② ((준말)) =두건(頭巾).

건(件) [일·사건·문제] asunto *m*, cosa *f*. …의 ~에 관해 en cuanto a …, respecto a [de] …, a propósito de …, en lo relativo a …. 예의 ~ el asunto *m* referido, asunto *m* en cuestión. 귀하께서 의뢰한 ~ lo que nos ha encargado usted. 그 ~은 어떻게 되었습니까? ¿Qué se ha hecho de aquel asunto? 어제는 교통사고가 10~ 있었다 Ayer hubo diez accidentes de tráfico. 말씀하시고자 하는 ~은 무엇입니까? ¿Cuál es el asunto de que quiere usted hablarme?

건(鍵) ① =열쇠(llave). ② [풍금이나 피아노 따위의] tecla *f*.

건(腱) 【생물】 [힘줄] tendón *m* (*pl* tendones).

건(영 *gun*) pistola *f*, revólver *m*, escopeta *f*, fusil *m*, refle *m*; [대포] cañón *m*.

건- [마른] seco; [말린] secado. ~전지 pila *f* (seca), batería *f* (seca).

-건 ① ((준말)) =-거나. ¶앞으로 나가~ 돌아오~ ya sea seguir adelante, ya regresar. 사~ 사지 않~ 최소한 돈은 준비해 가지고 있겠다 Compre o no compre al menos tendré preparado el dinero. ② ((준말)) =-거든. ¶날이 새~ 떠납시다 Vamos a partir cuando amanezca.

건각(健脚) ① [튼튼한 다리] piernas *fpl* fuertes. ② [튼튼해 잘 걸음] acción *f* de andar bien; [튼튼해 잘 걷는 사람] gran andador *m*, gran andadora *f*, andarín, -rina *mf*. ~의 소유자다 ser gran andador [andarín].

■ ~가(家) gran andador *m*, gran andadora *f*, *gran andarín m*, *gran andarina f*, tragaleguas *m.sing.pl*, tragamillas *m.sing.pl*.

건강(健康) salud *f*. ~하다 estar sano, estar bien, estar bien de salud, tener buena salud, gozar de buena salud. ~의 [이유·문제] de salud; [정책·시설] sanitario, de salud pública; [검사관·규칙] de sanidad. ~한 sano, saludable, con buena salud. ~이 좋은 saludable, bueno para la salud, sano; [위생면에서] higiénico. ~이 나쁜 insaludable, perjudicial [malo] para la salud. ~상의 이유로 por razón de salud, por motivos de salud. ~이 좋다 estar bien (de salud). ~이 좋지 않다 estar [andar] mal (de salud), estar indispuesto, estar enfermizo, estar delicado (de salud). ~하게 살다 vivir con buena salud. ~을 유지하다 conservar la salud. ~을 회복하다 recobrar la salud, recuperar la salud, mejorar de salud. ~에 주의하다 cuidarse bien, cuidar de *su* salud, mirar por *su* salud. …의 ~을 위해 건배하다 brindar *por uno*, beber a la salud *de uno*. ~을 축하해 (건배합시다) ¡A la salud! 당신의 ~을 위해 건배(합시다) ¡Salud! / ¡A su salud! 교수님의 ~을 축하하여 마십시다 Vamos a beber a la salud del profesor. 그는 건강이 좋다 [나쁘다] El está bien [mal] de salud. 그는 ~하게 보인다 El tiene un aspecto saludable. 그것은~에 좋다 [나쁘다] Es bueno [malo] para la salud. 나는 그의 ~을 걱정하고 있다 Estoy preocupado por su salud. 그는 대단한 ~을 지니고 있다 El disfruta de muy buena salud. ~에 주의하세요 [재채기를 하는 사람에게] ¡Salud! / ¡Jesús! ~하시다니 정말 기쁩니다 Me alegro muchísimo de que esté bien de salud. 이것이 내 ~ 유지법이다 Este es mi método de conservar la salud. ~은 어떠합니까? ¿Cómo está [sigue·se encuentra] usted? // [tú에게] ¿Cómo estás? / ¿Qué tal (estás)? 그는 과로로 ~을 해쳤다 El trabajo excesivo le quebrantó la salud / Perdió la salud por trabajar demasiado. 담배는 ~에 무척 해롭다 El tabaco es muy nocivo para la salud. 담배를 과다하게 피우는 것은 ~을 해친다 Fumar en exceso debilita [daña·destruye] la salud. 흡연은 ~을 심하게 해친다 Fumar perjudica seriamente la salud. 이 제품은 ~에 해로울 수도 있다 *Méj* Este producto puede ser nocivo para la salud. 알코올은 ~에 무척 해롭다 El alcohol perjudica mucho a la salud. 이곳 기후는 ~에 좋다 Aquí el clima es saludable. 이 자세는 ~에 무척 좋다 Esta postura es muy buena para la salud. ~의 원칙은 병을 알고 의사가 지시한 약을 환자가 복용하고 싶어하는 데에 있다 ((El Quijote)) El principio de la salud está en conocer la enfermedad y en querer tomar el enfermo las medicinas que el médico le ordena.

◆ 육체적 ~ salud *f* física. 정부의 ~ 정책 política *f* sanitaria del gobierno. 정신적 ~ salud *f* mental.

건강히 sanamente, con sanidad, saludablemente.

■ ~ 관리 asistencia *f* sanitaria, asistencia *f* médica. ~ 교육 educación *f* de salud. ~ 문제 problema *m* de salud. ~미 belleza *f* sana. ~법 cómo mantener *su* salud, higiene *f*. ~ 보험 seguro *m* de salud, seguro *m* de enfermedad. ¶～에 들어 있다 estar en el seguro de enfermedad. 이 약은 ～에 포함되어 있지 않다 A [Para] este medicamento no se puede aplicar [no vale·no sirve] el seguro de enfermedad / Este medicamento no cae bajo [no entra en] el seguro de enfermedad. ～ 보험 의사 médico *m* del seguro (de enfermedad). ～ 보험 증서 tarjeta *f* de seguro de enfermedad. ～ 상담 consulta *f* sobre la salud. ～ 상담소 consultorio *m* (sobre la salud). ～ 상태 (estado *m* de) salud *f*. ～ 센터 [보건소] centro *m* médico, centro *m* de salud. ～ 식품 alimentos *mpl* naturales. ～식품 가게 tienda *f* de alimentos naturales, herbolario *m*. ～아 niño *m* sano, niña *f* sana. ～ 유해물 riesgo *m* [peligro *m*] para la salud. ～제(劑) ＝보약(補藥). ～ 주간 semana *f* de la salud. ～ 증명 certificado *m* de sanidad. ～ 증(명)서 patente *f* de sanidad, carta *f* de sanidad. ～ 증진 mejoramiento *m* de la salud. ～ 진단 reconocimiento *m* (médico), chequeo *m*, revisión *f*. ¶～을 받다 hacerse un reconocimiento, hacerse un chequeo, tener [recibir] un reconocimiento médico. ～ 진단서 certificado *m* médico. ～ 진료 asistencia *f* sanitaria, asistencia *f* médica. ～체(體) cuerpo *m* sano, condición *f* sana.

건개(乾疥) sarna *f* seca, comezón *m* seco.

건건 사사(件件事事) cada asunto, todos los asuntos.

건건이(件件－) cada asunto, todos los asuntos.

건건찝찔하다 estar algo salado.

건건하다 estar salado.

건건히 saladamente, con sal.

건경(健勁) solidez *f*, firmeza *f*, tenacidad *f*. ～하다 (ser) robusto, férreo, tenaz, inquebrantable.

건계(乾季) estación *f* seca, temporada *f* de la sequía.

건곡(乾谷) valle *m* seco, valle *m* sin agua.

건곡(乾穀) grano *m* seco.

건곤(乾坤) ① [하늘과 땅] el cielo y la tierra, universo *m*. ② ＝음양(陰陽). ③ [책의 상하(上下)] el tomo I (primero) y el tomo II (segundo), el primer tomo y el segundo (tomo).

■～ 일척(一擲) acción *f* de pasar el Rubicón. ¶～하다 jugarse el todo por el todo, echar toda la carne en el asador, pasar el Rubicón, atravesar el Rubicón.

건공(乾空) ＝허공(虛空).

건공중(乾空中) ＝허공(虛空).

건과(乾果) ((준말)) ＝건조과(乾燥果).

건과(愆過) ＝허물. 과실(過失).

건과자(乾菓子) galleta *f*, pastel *m* seco.

건교부(建交部) ((준말)) ＝건설 교통부.

건교자(乾交子) mesa *f* llena de tentempié de beber.

건구(建具) cosas *fpl* para la partición de la habitación.

건구역(乾嘔逆) ＝헛구역.

건국(建國) fundación *f* de un país [de un Estado·de una nación]. ～하다 fundar un país [un Estado·una nación].

■～ 기념일 el Día de la Fundación Nacional. ～ 시조 fundador *m* de un país. ～ 포장 la Medalla de la Fundación Nacional. ～ (공로) 훈장 la Orden de Mérito para la Fundación Nacional.

건군(建軍) fundación *f* del ejército. ～하다 fundar el ejército.

건극(建極) ＝개국(開國)❶.

건기(件記) ＝발기(－記).

건기(乾期) ((준말)) ＝건조기(乾燥期).

건기침(乾－) ＝마른기침.

건깡깡이 ① [일을 하는 데 아무 기술이나 기구 없이 매나니로 함] lo chapucero, falta *f* de atención, falta *f* de cuidado, negligencia *f*; [사람] trabajador *m* chapucero, trabajadora *f* chapucera; trabajador *m* descuidado, trabajadora *f* descuidada. ② [아무런 뜻도 재주도 없이 살아가는 사람] persona *f* sin talento.

건낙지(乾－) pulpo *m* seco.

건너 otro lado. 강 ～ 저쪽에 al otro lado del río.

건너가다 cruzar, atravesar, pasar. 길을 ～ pasar al otro lado de la calle. 서반아에 ～ pasar a España; [정착하다] establecer en España; [이민가다] emigrar a España.

건너긋다 escribir un trozo horizontal.

건너다 cruzar, atravesar, pasar. 길을 ～ cruzar una calle. 냇물을 ～ cruzar [atravesar] el río. 다리를 ～ pasar un puente. 바다를 ～ cruzar [atravesar] el mar. 냇물을 걸어서 ～ vadear un río, atravesar a pie un río. 길 건너편으로 ～ pasar al otro lado de la calle.

건너다보다 ① [이쪽에서 저쪽을 바라보다] mirar el otro lado. ② [남의 이익을 부러워하거나 탐내다] codiciar, envidiar. 남의 재산을 ～ codiciar la propiedad de otro. 남의 아내를 건너다보아서는 안 된다 No desearás [codiciarás] la mujer de tu prójimo.

건너따옴법(－法) 【언어】 ＝간접화법(間接話法).

건너뛰다 ① [사이를 밟지 않고 단번에 건너편까지 뛰다] saltar. 도랑을 ～ saltar una zanja. 1계급 ～ saltar un grado. 번지가 건너뛰어 있다 Los números están saltados. ② [생략하다] omitar, saltar(se). 1쪽을 ～ saltar(se) una página. 세부를 ～ omitir los detalles.

건너보다 ((준말)) ＝건너다보다.

건너오다 inmigrar, pasar (a *un sitio*), introducirse (en *un sitio*). 불교(佛敎)는 6세기에 한국에 건너왔다 El budismo se introdujo en [pasó a] Corea en el siglo VI. 철새들이 시베리아에서 한국에 건너온다 Los pájaros emigrantes inmigran de Siberia a Corea.

건너짚다 suponer, prever, adivinar.

건너편(－便) otro lado *m*, lado *m* opuesto. ～의 del otro lado. ～에 al otro lado, al lado opuesto (de). ～에 보이는 숲 bosque *m* que se ve allí. 강 ~의 공원 el parque al otro lado del río. ~ 물가에 a la otra orilla. 강 [호수] ~에 al otro lado del río [del lago]. 그의 집은 내 집의 ~에 있다 Su casa está enfrente de la mía. 그들은 길 ~에 산다 Ellos viven justo enfrente. 그는 길 ~에서 그녀를 불렀다 El la llamó desde la acera de enfrente [desde el otro lado de la calle].

건넌방(-房) habitación *f* al otro lado del salón principal.

건널목 ① [철도의] paso *m* a nivel. ② [길의] paso *m* de peatones, cruce *m* peatonal, cruce *m* de peatones; [강의] cruce *m*; [국경의] paso *m* fronterizo.
■ ~지기 guardavía *m.sing.pl*, guardabarrera *m.sing.pl*. ~ 차단기 barrera *f* de paso a nivel.

건넛마을 aldea *f* de enfrente.

건넛방(-房) habitación *f* de enfrente.

건넛산(-山) montaña *f* de enfrente.

건넛집 casa *f* de enfrente. 내 집의 ~ casa *f* oblicuamente opuesta a la mía.

건네다[1] ① [남에게 말을 붙이다] decir. 농담을 ~ bromear, decir en broma. ② [(금품·책임·권리 따위를) 남에게 옮기어 주다] entregar (*algo* a *uno*), hacer entrega de (*algo* a *uno*), pasar (*algo* a *uno*).

건네다[2] [건너게 하다] (hacer) pasar. 사람들을 강 건너편에 ~ pasar a la gente el otro lado del río.

건네주다 ① [건너게 해 주다] hacer cruzar. ② [돈이나 물건 따위를 남에게 옮기어 주다] entregar, hacer entrega (de), pasar. 소금을 건네주십시오 [usted에게] Páseme (la) sal / [tú에게] Pásame (la) sal. 그에게 직접 건네주세요 Entrégueselo personalmente [directamente · en propia mano].

건달(乾達) libertino *m*, bribón *m*, pícaro *m*, tuno *m*, pillo *m*, truhán *m*, canalla *m*, granuja *m*, rufián *m*, disoluto *m*.
◆ 건달(을) 부리다 llevar una vida disoluta.
■ ~패(牌) granuja *f*, granujería *f*, pillería *f*, tunantería *f*. ¶~가 되다 engranujarse.

건담(健啖) glotonería *f*, gula *f*.
■ ~가 glotón, -tona *mf*, comilón, -tona *mf*, tragón, -gona *mf*, tragaldabas *m*, tramallas *m.sing.pl*.

건답(乾畓) arrozal *m* seco, arrozal *m* que se seca fácilmente.

건대(-袋) bolsa *f* de papel del sacerdote.

건대(巾帶) el hábito y el cinturón del doliente.

-건대 según, cuando. 내가 보~ según mi observación. 듣~ según el rumor. 바라~ Yo espero (que). 결론(結論)을 말하~ para concluir, como conclusión, en conclusión.

건대구(乾大口) bacalao *m* seco.

건더기 ① [국물 있는 음식 속에 섞인 고기·채소 등] pedazos *mpl* de carne y vegetales en la sopa, sustancia *f*. 음식에는 ~가 별로 없었다 La comida no tenía mucha sustancia / La comida no era muy sustanciosa. ② [액체에 섞여 있는 고체의 물건] ingredientes *mpl* sólidos que mezclan en el líquido. ③ ((속어)) [일의 내용] base *f*, fundamentos *mpl*, sustancia *f*. ~ 없는 이야기 historia *f* vacía, historia *f* infundada, historia *f* de poca sustancia.

건덕(乾德) virtud *f* del emperador.

건덕(健德) virtud *f* sana, virtud *f* honesta.

건독(乾 dock) dique *m* seco.

건둥하다 (estar) arreglado, cuidado, ordenado, bien cuidado.

건드러지다 (ser) hermoso y suave.

건드레하다 achisparse, ponerse alegre.

건드리다 ① [만지거나 부딪거나 하여 움직이게 하다] tocar. 건드리지 마세요 No toque. ② [(말이나 행동으로) 남의 마음을 상하게 하다] provocar, irritar, sacar de quicio. 자존심을 ~ tentar el orgullo propio (de). ③ [(어떤 일에) 손을 대어 관계하다] tener relaciones. ④ [(부녀자를 꾀거나 하여) 육체 관계를 맺다] tener relaciones sexuales (con una mujer).

건들거리다 ① [흔들흔들 자꾸 움직이다] balancearse, bambolearse, oscilar, agitar, sacudir. 바위가 건들거린다 La roca sacude. ② [바람이 시원하게 약간 높이 불다] soplar algo fuerte. ③ [일없이 빈둥거리다] pavonearse, darse aires, holgazanear, haraganear, flojear.
건들건들 [바람이] suavemente; [사람이] ágilmente.

건들바람 brisa *f* refrescante.

건들장마 estación *f* de las lluvias variable [inestable] en el otoño temprano.

건들 팔월(-八月) agosto *m* del calendario lunar que corre fugazmente.

건듯 prontamente, con presteza, apresuradamente, a toda prisa, apresuradamente. 그들은 무질서를 ~ 정리했다 Ellos arreglaron el desorden a toda prisa.

건듯건듯 brevemente, someramente, por encima.

건땅 terreno *m* fértil.

건락(乾酪) queso *m*.
■ ~ 괴사(壞死) necrosis *f* a queso. ~소(素) caseína *f*. ~ 제품 productos *mpl* de queso.

건량(乾糧) comida *f* secada, alimento *m* secado, comida *f* hecha para el viaje.

건려(愆戾) culpa *f*.

건령(乾靈) ① [양(陽)의 정기(精氣)] esencia *f* positiva. ② [하늘의 신] el Dios del cielo.

건류(乾溜) 【화학】 carbonización *f*, destilación *f* seca. ~하다 carbonizar.

건립(建立) edificación *f*, construcción *f*. ~하다 edificar, construir, establecer. ~중이다 estar en construcción. 기념비(記念碑)를 ~하다 construir un monumento. 절을 ~하다 construir un templo budista.
■ ~자 constructor, -ra *mf*, edificador, -ra *mf*.

건마(健馬) caballo *m* robusto [ligero].

-건마는 aunque, a pesar de (que), pese a

(que), no obstante. 노력은 했~ 그는 실패했다 A pesar de sus esfuerzos, él fracasó.

건막(腱膜) 【해부】 aponeurosis *f.* ~의 aponeurótico.

건망(健忘) ① [잘 잊어버림] lo olvidadizo. ② ((준말)) =건망증(健忘症).

■ ~가 hombre *m* olvidadizo, persona *f* olvidadiza. ~증 amnesia *f.* ¶~의 amnéstico. ~이 심한 amnéstico, olvidadizo. 정신성 ~ amnesia *f* psicogénica. 그는 ~이 심한 사람이다 Es un hombre olvidadizo. 나는 요즈음 ~이 심하다 Estos días se me olvidan fácilmente las cosas. ~성실어증 afasia *f* amnéstica. ~ 환자 amnésico, -ca *mf.*

건면(乾麪) tallarín *m* (*pl* tallarines) seco.

건명(件名) ① [일이나 물건의 이름] nombre *m* de la cosa. ② [서류의 제목] título *m* del documento.

건명태(乾明太) abadejo *m* secado.

건목 ① [거칠게 대강만 만드는 일] cosa *f* basta, trabajo *m* basto. ② [거칠게 대강만 만든 물건] artículo *m* acabado bastamente.

◆건목(을) 치다 acabar el artículo bastamente.

건목(乾木) madera *f* seca.

건몸(이) 달다 hacer esfuerzos vanos, luchar en vano.

건문어(乾文魚) pulpo *m* seco.

건물 semen *m* emitido involuntariamente.

건물(乾-) acción *f* de no saber el porque. 건물로 ㉮ =쓸데없이. ㉯ [까닭도 모르고 건으로] ciegamente. ㉰ [힘 안 들이고] fácilmente, con facilidad, por la fuerza. 남의 재산을 ~ 가로채다 apoderarse de la propiedad de otro por la fuerza.

건물(建物) edificio *m,* inmueble *m*; [건축물] construcción *f.* 황폐한 ~ edificio *m* destruido. ~을 개축하다 renovar un edificio. ~을 부수다 destruir un edificio. ~을 세우다 construir un edificio. ~을 파괴하다 demoler [derribar · echar abajo] un edificio. ~의 내부를 부수다 destruir el interior de un edificio. 화재(火災)로 ~의 내부가 부서졌다 El fuego destruyó el interior del edificio. 건축업자가 ~의 뼈대만 남겨두었다 Los constructores dejaron sólo el esqueleto del edificio.

◆고층(高層) ~ edificio *m* alto, torre *f,* [마천루] rascacielos *m.sing.pl.* 목조(木造) ~ edificio *m* de madera. 석조(石造) ~ edificio *m* de piedra. 쌍둥이 (고층) ~ las torres gemelas. 철근 콘크리트 ~ edificio *m* de hormigón armado.

■~ 등기 registro *m* de edificio. ~ 보수 reparación *f* de edificios. ~ 보험 seguro *m* de edificios.

건물(乾物) [식료품] comestibles *mpl,* provisiones *fpl, AmS* abarrotes *mpl*; [육류포] carne *f* seca (y salada); [생선포] pescado *m* seco (y salado).

■ ~상(商) ㉮ [가게] tienda *f* de comestibles, tienda *f* de ultramarinos, tienda *f* de abarrotes. ㉯ [사람] tendero, -ra *mf* de comestibles, abarrotero, -ra *mf.*

건민(健民) pueblo *m* sano.

건바닥(乾-) suelo *m* seco.

건반(乾飯) arroz *m* (blanco) seco.

건반(鍵盤) teclado *m.*

■ ~ 악기 instrumento *m* de teclado. ~ 음악 música *f* de teclado.

건반사(腱反射) 【생물】 sacudida *f* tendinosa.

건밤 noche *f* en blanco, noche *f* sin poder dormir. 우리는 침대에서 ~으로 있었다 Estábamos en la cama desvelados [sin poder dormir].

◆건밤(을) 새우다 pasar la noche en blanco [sin poder dormir]. 나는 또 건밤을 새웠다 Pasé otra noche en blanco [sin poder dormir].

건방 altivez *f,* altiveza *f,* orgullo *m,* altanería *f,* soberbia *f,* arrogancia *f,* insolencia *f.* 건방지다 (ser) altivo, orgulloso, altanero, soberbio, arrogante, insolente, jactancioso, presuntuoso; [예의를 모르는] descortés, impertinente, descarado. 건방진 녀석 tipo *m* impertinente, esnob *mf.* 건방진 대답 respuesta *f* descarada. 건방진 사람 hombre *m* altivo [presuntuoso · orgulloso · arrogante · altanero], persona *f* hinchada de orgullo. 건방진 여자 mujer *f* descarada, mujer *f* insolente, chica *f* a la moda. 건방진 소리하다 decir descarado. 건방진 태도를 취하다 tomar una actitud orgullosa [insolente]. 건방지게 말하다 hablar con arrogancia. 건방진 소리 마라 ¡No tengas descaro! / ¡No seas insolente [descarado]!

건배(乾杯) brindis *m.* ~하다 brindar, beber a la salud. …의 건강을 위해 ~하다 brindar por *uno,* beber la salud de *uno.* ~! ¡Salud! / ¡A su salud! / ¡Salud, amor y dinero! 무엇에 ~할까? ¿Por qué brindamos? ~합시다 ¡Salud! / ¡A su salud! / Vamos a brindar / Brindemos / ¡A su salud, amor y dinero! 당신의 부모님의 건강을 축하해 ~(합시다) ¡A salud de sus padres! 우리의 불참한 친구들을 위해 ~합시다 Brindemos por nuestros amigos ausentes. 우리는 그의 생일에 그를 위해 ~했다 Brindamos por él el día de su cumpleaños. 우리는 행복한 커플을 위해 샴페인으로 ~했다 Brindamos por la feliz pareja con champán. 새 투자 기업의 성공을[뉴 벤처를] 위해 ~합시다 Brindemos por el éxito de la nueva empresa.

건백(建白) =건언(建言). ¶~하다 presentar un memoria (a).

■ ~서(書) memorial *m.*

건보(健步) paso *m* fuerte, piernas *fpl* fuertes; [사람] buen andarín *m,* buena andarina *f,* buen andador *m,* buena andadora *f.*

건부(健婦) mujer *f* fuerte.

건빨래(乾-) =마른빨래.

건빵(乾-) bizcocho *m,* galleta *f.*

건사하다 ① [돌보다] cuidarse, atender. ② [수습하다] manejar, mirar por, ocuparse (en).

건삼(乾蔘) ginsén *m* [ginseng *m*] pelado y secado después de cortar las raíces finas y el tallo.

건상어(乾−) tiburón *m* secado.

건석어(乾石魚) ① =가조기. ② =굴비.

건선(乾癬) 【의학】 psoriasis *f*, empeine *m* (escamoso).

건선거(乾船渠) dique *m* seco.

건선명(乾仙命) 【민속】 [술가(術家)에서] año *m* que nació el hombre muerto.

건설(建設) construcción *f*. ~하다 construir, edificar, erigir, levantar. ~중이다 estar en construcción.

◆도로 ~ construcción *f* de carreteras.

■~ 공사 obra *f* de la construcción. ~ 공채 obligación *f* de construcción. ~과(課) sección *f* de construcción. ~ 교통부 el Ministerio de Construcción y Transportación. ~ 교통부 장관 ministro, -tra *mf* de Construcción y Transportación. ~국 departamento *m* de construcción. ~ 기계 maquinaria *f* de la construcción. ~ 노동자 obrero, -ra *mf* de la construcción; trabajador, -dora *mf* de la construcción. ~부 el Ministerio de Construcción, el Ministerio de Obras Públicas y Urbanismo. ~부 장관 ministro, -tra *mf* de Construcción; ministro, -tra *mf* de Obras Públicas y Urbanismo. ~ 분과 위원회 el Comité [la Comisión] de Construcción. ~비 gastos *mpl* de construcción, coste *m* de la construcción. ~ 사업(事業) industria *f* de la construcción. ~업 industria *f* de la construcción. ~업법 ley *f* de industria de (la) construcción. ~ 용지 terreno *m* [solar *m*] para construcción. ~ 위원회 el Comité [la Comisión] de Construcción. ~자 constructor, -ra *mf*. ~적 constructivo *adj*. ¶ ~인 의견 opinión *f* constructiva. ~ 회사 compañía *f* de construcción, empresa *f* de construcción, empresa *f* constructora.

건설방 holgazán, -zana *mf*, vago, -ga *mf*, haragán, -gana *mf*, flojo, -ja *mf*.

건성 desatención *f*, descuido *m*, distracción *f*. ~으로 distraídamente. ~으로 한 대답(對答) respuesta *f* distraída. ~으로 대답하다 responder distraídamente. 나는 그의 말을 ~으로 들었다 Le escuchaba distraídamente. 그는 결혼식이 가까워지자 일을 ~으로 했다 La proximidad de la boda le dejó concentrarse en el trabajo.

건성건성 sin ganas, con poco entusiasmo.

■~꾼 persona *f* impetuosa. ~울음 lloro *m* distraído. ¶~(을) 울다 derramar [llorar] lágrimas de cocodrilo.

건성(虔誠) sinceridad *f* sana.

건성(乾性) naturaleza *f* seca. ~의 seco.

■~ 가스 gas *m* seco, gas *m* natural compuesto de metano y etano. ~ 동물(動物) animal *m* xérico. ~ 식물 xerofite *m*.

건성형술(腱成形術) tendinoplastia *f*, tendoplastia *f*, tenontoplastia *f*, tenoplastia *f*. ~의 tenoplástico.

건소채(乾蔬菜) =건채소.

건수(件數) número *m* (de caso). 범죄 ~가 최근 감소되었다 El número de los deleitos ha disminuido.

건수(乾嗽) tos *f* seca.

건습(乾濕) sequedad y humedad.

■~구 습도계 psicómetro *m*. ~운동 movimiento *m* higroscópico.

건승(健勝) buena salud *f*. ~하다 estar bien de salud. ~을 빌다 rogar por *su* buena salud. ~을 빕니다 ¡Ojalá que usted goce de buena salud! / Ruego por su buena salud.

건시(乾柿) kaki *m* secado, caqui *m* secado.

◆건시나 감이나 =대동소이(大同小異)하다.

건식(健食) acción *f* de comer bien cualquier cosa. ~하다 comer bien cualquier cosa.

■~가(家) comilón, -lona *mf*.

건식(乾式) proceso *m* seco.

■~ 촬영법 xerografía *f*.

건실성(健實性) carácter *m* honesto.

건실하다(健實−) (ser) firme, serio, honesto, decente. 건실함 firmeza *f*. 건실한 사람 persona *f* honesta. 건실한 일 trabajo *m* serio. 건실한 생활을 하다 (comenzar a) llevar una vida honesta [decente].

건실히 firmemente, con firmeza.

건아(健兒) joven *m* (*pl* jóvenes) vigoroso. 대한의 ~ joven *m* vigoroso de Corea.

건어(乾魚) 【어류】 =건어물(乾魚物). ¶~를 만들다 secar los peces.

■~물 pescado *m* secado. ~장 lugar *m* que se secan los peces.

건오적어(乾烏賊魚) calamar *m* secado.

건완(健腕) brazo *m* fuerte.

건용하다(健勇−) (ser) sano y valiente.

건우(愆尤) culpa *f*.

건우(犍牛) toro *m* castrado.

건울음 lloro *m* fingido.

건위(健胃) ① [튼튼한 위(胃)] estómago *m* fuerte. ② [위를 튼튼하게 함] acción *f* de fortificar el estómago. ~하다 fortificiar el estómago.

■~정(錠) tableta *f* péptica. ~제[약] estomacal *m*, estomáquico *m*.

건육(乾肉) carne *f* secada.

건으로(乾−) ① =턱없이. ② =공연히. ③ =매나니로.

건의(建議) ① [의견이나 희망을 상신함. 또, 그 의견] propuesta *f*, proposición *f*, recomendación *f*, sugerencia *f*. ~하다 proponer, sugerir, hacer una proposición, recomendar. ② [개인이나 단체가 관청에 희망을 개진함] memorial *m*. ~하다 solicitar por medio de un memorial.

■~서 memorial *m*, petición *f*, solicitud *f*. ¶~를 제출하다 presentar una petición, hacer una solicitud. ~안 proposición *f*, proyecto *m*; [국회의] moción *f*. ~자 proponente *mf*, proponedor, -ra *mf*. ~함 caja *f* de sugerencia.

건자재(建資材) materiales *mpl* para la obra

de construcción.
건잠머리 instrucciones *fpl* generales para hacer el trabajo.
건장(乾醬) salsa *f* seca.
건장하다(健壯－) (ser) robusto, vigoroso, fuerte, recio. 건장함 robustez *f*, robusteza *f*, vigor *m*, fuerza *f*. 건장한 사람 hombre *m* robusto, hombre *m* vigoroso.
건장히 robustamente, vigorosamente, fuertemente, reciamente.
건재(乾材) 【한방】 hierbas *fpl* medicinales secadas.
■～ 약국 tienda *f* de las hierbas medicinales al por mayor, droguería *f* de las hierbas medicinales orientales.
건재(建材) materiales *mpl* de construcción.
■～상 [상점] tienda *f* de materiales de construcción; [사람] comerciante *mf* de materiales de construcción.
건재(健在) goce *m* de buena salud. ～하다 gozar de buena salud, estar bien de salud, estar con buena salud, estar bien. ～를 빕니다 Deseo que usted goce de buena salud. 부모님께서는 ～하십니까? ¿Están bien de salud sus padres?
건전(健全) sanidad *f*, salubridad *f*, honestidad *f*, honradez *f*. ～하다 (ser) sano, honesto, honrado, serio; [견실하다] firme, sólido. ～한 사상(思想) idea *f* sana. ～한 오락(娛樂) diversión *f* sana [honesta · saludable]. ～한 직업(職業) colocación *f* seria. ～한 책 libro *m* serio, lectura *f* honesta. 몸과 마음이 ～하다 ser sano de cuerpo y alma. 판단이 ～하다 estar en *su* sano juicio.
건전히 sanamente, con sanidad, honestamente, honradamente, seriamente, sólidamente, firmemente, saludablemente.
건전한 정신은 건전한 몸에 깃든다 Alma [Mente] sana en cuerpo sano.
■～ 재정(財政) finanza *f* sana [sólida · bien equilibrada].
건전복(乾全鰒) oreja *f* marina secada.
건전지(乾電池) pila *f*, batería *f*.
건정 ＝대강.
건정하다(乾淨－) limpiar. 건정함 limpieza *f*.
건정되다 limpiarse, ser limpiado.
건정히 limpiamente, con limpieza.
건제(乾劑) ＝건조제(乾燥劑).
건제품(乾製品) ＝건조품(乾造品).
건져내다 rescatar. 위험에서 ～ rescatar (a *uno*) del peligro. 돈은 도둑맞았으나 보석(寶石)은 건져냈다 Me robaron dinero, pero no me tocaron las joyas.
건조(建造) construcción *f*, edificación *f*. ～하다 construir, edificar. ～중이다 estar en construcción. 선박을 ～하다 construir un barco.
■～물 edificio *m*, estructura *f*, construcción *f*. ～ 보험 seguro *m* contra riesgos de constructores. ～ 보험 증서 póliza *f* de riesgos de constructores de buques
건조(乾棗) azufaifa *f* secada, dátil *m* secado.
건조(乾燥) ① [습기 · 물기가 없어짐. 습기 · 물기를 없앰] sequedad *f*, calidad *f* de seco, secado *m*; [정신 · 환경 등이] aridez *f*. ～하다 (estar · ser) seco, secarse, resecarse, desecarse. ～시키다 secar, resecar, hacer (*algo*) seco, desecar. ～된 seco, reseco, desecado. 재목을 ～시키다 curar [desecar] las maderas. 풀을 ～시키다 secar las hierbas. 공기가 ～하다 El aire está seco. 이 지방은 ～하다 Este región es seca. ② ((준말)) ＝건조 무미.
■～ 경보 alarma *f* de sequía. ～ 공기 aire *m* seco. ～과(果) [말린 과실] fruta *f* pasa, fruta *f* secada. ～기(期) estación *f* seca, temporada *f* de (la) sequía. ～기(機/器) secadora *f*, deshumedecedora *f*, [의류의] enjugador *m*. ～ 기후 clima *m* árido. ～ 냉동 lo liofilizado. ¶～하다 liofilizar. ～ 냉동법 lo liofilizado. ～란(卵) huevos *mpl* secos. ～림 bosque *m* seco. ～물 artículo *m* secado. ～ 밀도 densidad *f* seca. ～비료 abono *m* seco, fertilizante *m* seco. ～성 calidad *f* de sequía, secado *m* rápido. ¶～ 페인트 pintura *f* de secado rápido. ～성 마찰 xerotripsis *f*. ～식 xerofagia *f*. ～ 식품 comida *f* deshidratada. ～실 secadero *m*. ～약 desicante *m*. ～장 secadero *m*. ¶연초 ～ secadero *m* de tabaco. ～제(劑) desecante *m*; [도료용] secante *m*. ～ 주의보 aviso *m* de sequedad. ～증 xerosis *f*. ～지(地) terreno *m* seco. ～ 채소[야채] verduras *fpl* deshidratadas [desecadas]. ～ 피부 xeroderma *m*. ～ 혈장 plasma *m* seco. ～효모 lavadura *f* seca.
건졸(健卒) (soldado *m*) raso *m* robusto [fuerte].
건주정(乾酒酊) ＝강주정(borrachera fingida).
¶～하다 fingir la borrachera.
건중건중 aproximadamente.
건중그리다 arreglar aproximadamente.
건중이다 ＝건중그리다.
건즐(巾櫛) ① [수건과 빗] la toalla y el peine. ② [낯을 씻고 머리를 빗는 일] el lavado y el peinado. ～하다 lavarse y peinarse.
건지 [물 깊이를 잴 때 쓰는 돌을 매단 줄] cuerda *f* de plomada.
건지다 ① [구하다] salvar, socorrer. 가난한 사람을 ～ socorrer a los pobres. 생명을 ～ salvar la vida (de [a] *uno*). 병(病)에서 ～ curar la enfermedad. 곤궁에서 ～ remediar las necesidades (de), remediar (a). 물에서 건져 올리다 salvar (a *uno*) del agua [del peligro de ser ahogado]. ② [원조하다] ayudar, apoyar, asistir. ③ [해방(解放)하다] librar.
건착망(巾着網) red *f* de bolso.
건착선(巾着船) barco *m* con la red de bolso.
건채(乾菜) verduras *fpl* secas.
건채소(乾菜蔬) verduras *fpl* secas.
건책(建策) consejo *m*, sugestión *f*, sugerencia *f* del plan. ～하다 sugerir un plan.
건천(乾川) arroyo *m* que se seca rápidamente.

건청어(乾青魚) arenque *m* secado.
건체(愆滯) =연체(延滯).
건초(乾草) heno *m*, hierba *f* seca para el ganado. ~를 만드는 사람 campesino, -na *mf* (que trabaja en la recogida del heno). ~ 만들기 siega *f* (y recolección *f*) del heno. ~를 얹는 선반 pesebre *m*, comedero *m*. ~를 만들다 segar y secar el heno [los pastos].
■별 났을 때 건초를 만들어라 ((속담)) A la ocasión la pintan calva (기회를 놓치지 마라).
■~ 더미 montón *m* (*pl* montones) de heno. (비에 젖지 않게 지붕을 해 씌운) 큰 ~ almiar *m*. ~용 쇠스랑 horca *f*. ~용 풀밭 henar *m*, campo *m* de heno. ~ 저장소 pajar *m*.
건초(腱鞘) 【해부】 peritendón *m*. ~의 tendovaginal.
건초열(乾草熱) 【의학】 fiebre *f* del heno, polinosis *f*, alergia *f* al polen.
건초원(乾草原) prado *m* seco.
건축(建築) construcción *f*, edificación *f*; [총칭] arquitectura *f*. ~하다 construir, edificar, eregir, levantar. ~상의 arquitectural, arquitectónico. ~ 중의 en construcción. ~되다 construirse, ser construido. ~하게 하다 hacer construir, mandar edificar. 집을 ~하다 construir(se) la casa. 이 건물은 100년 전(前)에 ~되었다 Este edificio se construyó hace cien años.
◆주택 ~ arquitectura *f* doméstica.
■~가 arquitecto, -ta *mf*, [도급업자] contratista *mf*. ~ 계획 plan *m* de construcciión. ~ 공사 obras *fpl* de construcción. ~과 ~ 공학 ingeniería *f* arquitectónica. ~과 departamento *m* de arquitectura. ~ 구조(構造) construcción *f* de edificio. ~ 구조역학 mecánica *f* estructural. ~ 기사(技師) ingeniero, -ra *mf* de construcción. ~ 기술 técnica *f* de construcción. ~ 기술자 arquitecto y ingeniero. ~ 기준법 ley *f* fundamental de la construcción. ~ 노동자 obrero, -ra *mf* de construcción. ~ 도급 contrato *m* de obras. ~ 도급업자 contratista *mf* (de obras). ~ 디자인[의장] diseño *m* arquitectónico. ~ 면적 el área *f* de construcción. ~물 construcción *f*, edificación *f*, edificio *m*. ~미(美) belleza *f* de construcción. ~ 미술 bellas artes *fpl* de arquitectura. ~법 ley *f* de (la) construcción, legislación *f* sobre construcciones. ~ 법규 código *m* de edificación. ~ 부지(敷地) obra *f*, solar *m*. ~비 gastos *mpl* de construcción. ~사(士) arquitecto *m* autorizado, arquiteca *f* autorizada. ¶1급 ~ arquictecto, -ta *mf* de primera clase. ~사(史) historia *f* de la arquitectura. ~ 사무소 oficina *f* constructora. ~ 사업 industria *f* de construcción. ~ 설계 diseño *m* arquitectónico. ~ 설계 사무소 estudio *m* de arquitectura. ~ 설비 equipo *m* de construcción. ~술 arquitectura *f*. ~ 양식 estilo *m* arquitectónico. ~업 industria *f* de la construcción, construcción *f*. ~ 업계 círculo *m* industrial de la construcción. ~업자 constratista *mf* de obras, constructor, -ra *mf*. ~ 용지(用地) solar *m*. ~용 철재 acero *m* [hierro *m*] para construcciones. ~ 위생 higiene *f* arquitectoral. ~ 음향학 acústica *f* arquitectoral. ~자 constructor, -ra *mf*. ~재[용재] materiales *mpl* de [para] construcción. ~ 제한선 límite *m* de construcción. ~ 조합 banco *m* de crédito hipotecario, banco *m* hipotecario. ~ 통제 control *m* de construcción. ~학 arquitectura *f*. ~ 허가 permiso *m* para construir. ~ 화가 pintor *m* arquitectónico, pintora *f* arquitectónica. ~ 회사 (empresa *f*) constructora *f*, compañía *f* de construcción.
건침(乾一) =마른침.
건태(乾太) =북어.
건투(健鬪) buena lucha *f*, buen combate *m*, lucha *f* brava; [노력] esfuerzos *mpl* enérgico. ~하다 luchar bravamente, hacer esfuerzos enérgicos. ~를 빕니다 ¡Le deseo buena suerte! / ¡Que le vaya bien!
건파(蹇跛) cojo, -ja *mf*.
건판(乾板) 【사진】 placa *f* seca. ~을 현상하다 desarrollar la placa seca.
건평(建坪) el área *f* (*pl* las áreas) de un edificio, superficie *f* edificada. ~ 백 평 el área de cien *pyeong*. 이 집은 ~이 100 평방미터다 Esta casa tiene una superficie de cien metros cuadrados.
건폐율(建蔽率) porcentaje *m* de superficie a edificar.
건포(巾布) tela *f* para la capucha de cáñamo del doliente.
건포(乾脯) carne *f* secada, pescado *m* secado.
건포(乾布) toalla *f* seca.
■~ 마찰 fricción *f* con una toalla seca.
건포도(乾葡萄) pasa *f*, uva *f* secada al sol.
건풍(乾風) viento *m* seco, brisa *f* seca.
◆건풍(을) 떨다 alardear (de), jactarse (de), vanagloriarse (de), presumir, sacar pecho, fanfarronear.
건피(乾皮) piel *f* de la bestia secada.
건필(健筆) escritura *f* vigorosa, pluma *f* prolífica.
건하(乾蝦) camarón *m* secado.
■~장 secadero *m* de camarones.
건하다 ① [아주 넉넉하다] (ser) muy abundante. ② ((준말)) =흥건하다. ③ ((준말)) =거나하다.
건함(建艦) construcción *f* de buque de guerra. ~하다 construir un buque de guerra.
건합육(乾蛤肉) carne *f* de los mariscos secados.
건해삼(乾海蔘) pepino *m* de mar secado, cohombro *m* de mar secado.
건혜(乾鞋) zapatos *mpl* secos.
건호(健豪) =건필(健筆).
건혼(이) 나다 asustarse por nada.
건홍합(乾紅蛤) carne *f* de los mejillones de

mar secados.
건회(愆悔) culpa *f.*
걷기 caminata *f,* andar *m.*
■ ~ 운동 caminata *f.*
걷다[1] [다리를 번갈아 떼어 옮겨 가거나 오거나 하다] andar, caminar, marchar, ir de un lugar a otro. 거리를 ~ andar por las calles, andorrear, callejear. 길을 ~ andar el camino. 고난의 길을 ~ ir por un camino muy penoso, sufrir [pasar por] muchas desgracias. 빨리 ~ andar rápidamente. 터벅터벅 ~ andar con trabajo. 걸어서 가다 ir andando, ir a pie. 걸어서 통학 [통근] 하다 ir a la escuela [a la oficina] andando. 걸으면서 책을 읽다 leer un libro andando. 걷지 못하다 no poder ponerse de pie. 걸을 수 있다 ponerse a andar (en camino); [갓난아이가] soltarse [echarse] a andar, dar los primeros pasos. 걷는 연습을 하다 [병후(病後)에] pasearse un poco para acostumbrarse a andar; [달려] hacer ejercicios de calentamiento corriendo. 갓난아이가 비틀거리면서 걷기 시작한다 El nene empieza a andar titubeando. 그곳은 걸어서 갈 수 있다 Se puede ir allí andando. 역까지는 걸어서 10분 걸린다 Se tarda diez minutos andando [a pie] hasta la estación. 여기서 버스 터미널까지는 걸어서 얼마나 걸립니까? ¿Cuánto (tiempo) se tarda andando de aquí a la terminal de autobuses? 걸어서 5분 걸립니다 Se tarda cinco minutos a pie [andando]. 경주를 걷는 것은 역사를 걷는 것이다 (El) Andar por Gyeongchu es andar por la historia.
■ 걷기도 전에 뛰려고 한다 ((속담)) Los niños aprenden a arrastrarse antes de que pueden ir.
걷다[2] ① [끼었던 구름이나 안개 따위가 흩어져서 벗어지다] despejarse, aclararse, serenarse. ② [가리거나 늘어지거나 퍼진 것을 추키거나 말아서 올리다] levantar; [특히 옷자락이나 소매 따위를] remangar(se), arremangar(se), recoger. 바지의 옷자락을 걷어 올리다 remangarse los pantalones. 소매를 걷어 올리다 arremangarse, remangarse. 소매를 걷어 올리고 en mangas de camisa. …의 스커트를 걷어 올리다 arremangar [remangar · recoger · levantar] las faldas a *uno.* ③ [덮였거나 깔렸거나 널린 것을 모으거나 뭉쳐서 치우다] remover, cobrar, recoger; [기 · 돛을] arriar. 그물을 ~ cobrar [recoger] las redes. 기를 ~ arriar la bandera. 돛을 ~ arriar la vela. 천막을 ~ desmontar la tienda. 캠프를 ~ levantar el campamento. 빨래를 ~ quitar la ropa lavada de la cuerda de tender. 어부들은 그물을 걷었다 Los pescadores cobraron [recogieron] las redes. 그들은 돛을 걷었다 Ellos arriaron la vela. ④ [(일이나 일손을) 끝내거나 중단하여 그만두다] resolver, solucionar, llevar a una conclusión. 일을 ~ poner *sus* asuntos en orden. ⑤ ((준말)) =거두다(cobrar, coleccionar). ¶회비를 ~ cobrar la cuota.
걷어들다 arroparse.
걷어붙이다 remangarse, arremangarse. 와이셔츠의 소매를 ~ remangarse la camisa.
걷어차다 patear, golpear con los pies, dar un puntapie [una patada] (a), pegar una patada (en), dar patadas, patalear. 그녀는 그의 정강이를 걷어찼다 Ella le pegó una patada en la espinilla.
걷어차이다 ser dado una patada (en), ser dado una coz. 그는 말에 걷어차였다 Le dio una coz un caballo.
걷어치우다 ㉮ [흩어진 것을 거두어 치우다] recoger y quitar. 이불을 ~ recoger la ropa de cama y quitarla. ㉯ [하던 일을 거두어서 그만두다] dejar de + *inf,* parar de + *inf,* cerrar. 가게를 ~ cerrar la tienda. 사업을 ~ dejar de hacer un negocio. 하던 일을 ~ dejar de hacer *su* trabajo.
걷몰다 espolear. 말을 ~ espolear un caballo.
-걷이 recogida *f,* colección *f.* 가을~ cosecha *f,* recolección *f,* [포도의] vendimia *f.*
걷잡다 ① [쓰러지는 것을 거두어 붙잡다] sujetar, agarrar, parar. 걷잡을 새 없이 rápidamente, con rapidez, rápido, velozmente, con (toda) prontitud. 달아나는 말을 ~ parar un caballo fugitivo. ② [마음을 진정하거나 억제하다] frenar, contener, controlar, chequear, *Méj* checar.
◆ 걷잡을 수 없다 (ser) incontrolable, irresistible, irrefrenable, incontenible. 걷잡을 수 없는 incontrolable, irresistible, irrefrenable, incontenible. 걷잡을 수 없는 혼란 confusión *f* incontrolable. 그 아이는 ~ A ese niño no hay quien lo controle.
◆ 걷잡을 수 없이 de modo incontrolable.
걷히다 ① [돈 따위가] cobrarse. 회비가 잘 걷히지 않는다 No se cobra bien la cuota. ② [안개 따위가] aclararse, clarearse. 안개가 걷힌다 Se aclara [Se clarea] la niebla.
걸[1] [윷놀이에서] *geol.*
걸[2] ((준말)) =것을. ¶그~ 나에게 가져와라 Tráemelo.
걸(영 *girl*) chica *f,* muchacha *f.*
■ ~ 스카우트 (niña *f*) exploradora *f.* ~ 프렌드 amiga *f,* [연인] novia *f.* ~ 헌트 conquista *f* de mujeres. ¶~를 하다 andar a la conquista de mujeres.
걸각(傑閣) pabellón *m* muy grande.
걸개(乞丐) mendigo, -ga *mf.*
걸개그림 cuadro *m* colgante, pintura *f* colgante.
걸객(乞客) mendigo, -ga *mf.*
걸걸 codiosamente, glotonamente, con voracidad, con ansia, a dos carrillos.
걸걸거리다 tener un hambre canina. 걸걸거리며 먹다 comer glotonamente [con voracidad · con ansia · a dos carrillos].
걸걸하다 (ser) aguardentoso. 걸걸한 목소리 voz *f* aguardentosa.
걸걸히 aguardentosamente.
걸걸하다(傑傑－) (ser) franco, sincero, imparcial.

걸걸히 francamente, sinceramente, imparcialmente.

걸귀 ① [새끼 낳은 암퇘지] puerca *f* que dio a luz su cochinillo. ② [음식을 지나치게 탐하는 사람] glotón (*pl* golotones), -tona *mf*, comilón, -lona *mf*, tragón, -gona *mf*. ~들린 glotón, voraz, hambriento, insaciable. ~들리다 devorar(se), engullir(se).

◆걸귀 같다 devorarse, engullirse, comer con glotonería. 걸귀(가) 들린 듯이 con glotonería, con avidez, vorazmente, con gula. ¶~ 먹다 comer con glotonería, comer con gula.

걸그림 ① =괘도(掛圖). ② =족자(簇子).

걸그물 =자망(刺網).

걸근거리다 ① [음식이나 재물에 대하여 체면없이 함부로 욕심을 부리다] codiciar. ② [목구멍에 가래가 붙어 근지러운 느낌을 주다] tener un picor con flema en la garganta, picar*le* la garganta con flema. 목구멍이 걸근거린다 Tengo un picor con flema en la garganta / Me pica la garganta con flema.

걸근걸근 ㉮ [먹고 싶어] codiciosamente, con codicia, con glotonería, con gula. ㉯ [목구멍이] teniendo un picor con flema, picando con flema.

걸기대(乞期待) Esperamos que tengan esperanza / Tengan esperanza / Esperen / Aguarden.

걸기질 nivelación *f* del arrozal. ~하다 nivelar el arrozal.

걸까리지다 (ser) grande y robusto.

걸낭(-囊) ① [몸에 차지 않고 걸어 두는 큰 주머니나 담배쌈지] bolsa *f* grande, bolso *m*; [담배쌈지] petaca *f*. ② ((불교)) =걸망. ③ ((불교)) =바랑.

걸다¹ ① [매달다] colgar, suspender, enganchar. 걸려 있다 colgar, pender, estar colgado. 모자를 못에 ~ colgar un sombrero de un clavo. 오버를 옷걸이에 ~ colgar el abrigo en la percha. 벽에 그림을 ~ colgar un cuadro en la pared. 창에 [천장에서] 커튼을 ~ colgar una cortina en la ventana [del techo]. 그림을 이곳에 겁시다 Vamos a colgar aquí [en este lugar] el cuadro. 나는 못에 그림을 걸었다 Yo suspendí un cuadro de un clavo. 액자는 약한 못에 걸려 있었다 El cuadro estaba suspendido de un débil clavo. 나는 오버를 못에 걸었다 Se me enganchó el abrigo en un clavo. 그림은 늘 그곳에 걸려 있었다 El cuadro siempre había estado (colgado) allí. 자네 오버는 홀에 걸려 있다 Tu abrigo está colgado en el vestíbulo.

② [(솥 따위를) 얹어 놓다] poner. 솥을 ~ poner la olla.

③ [(문이나 궤짝 따위를) 열리지 않게 하거나 잠그다] cerrar (con llave). 문에 자물쇠를 ~ cerrarse la puerta con llave. 금고에 자물쇠를 ~ cerrar la caja fuerte con llave.

④ [(금품을) 담보로 내놓다] apostar. …에 천 원을 ~ apostar mil wones a *algo*. 축구 시합에 돈을 ~ apostar dinero en el partido de fútbol. (돈을) 얼마나 걸겠느냐? ¿Cuánto quieres apostar?

⑤ [목숨 따위를] exponer; [위험을 무릅쓰다] arriesgar. 목숨을 ~ exponer [arriesgar] *su* vida (por). 목숨을 걸고 exponiendo [arriesgando] *su* vida, a [con] riesgo de la vida. 우승에 목숨을 걸고 싸우다 enfrentarse por el campeonato. 목숨을 걸고 연구에 몰두하다 dedicarse en cuerpo y alma a *sus* estudios.

⑥ [상대방에게 어떤 행동을 시작하다] empezar, comenzar. 말을 ~ hablar (a). 시비를 ~ provocar. 싸움을 ~ provocar (a), buscar la boca [la bronca] (a), emprenderla (con).

⑦ [어떤 관계를 맺다] tener una relación. 연애를 ~ enamorarse (de), estar enamorado (de).

⑧ [(기대·희망 등을) 갖다] tener una esperanza,. 청년 학도에게 기대를 걸고 있다 tener una esperanza a los estudiantes jóvenes.

⑨ [(상대방에게 동작이나 작용이) 미치게 하다] suceder*le* (a), ocurrir*le* (a). 전화를 ~ telefonear, llamar por teléfono, llamar. 오후 세 시에 전화 걸어 주십시오 Llámeme (por teléfono) a las tres de la tarde.

⑩ [기계의 작용을 하게 하다] arrancar, *Chi* partir. 시동을 ~ arrancar, *Chi* partir. 브레이크를 ~ poner el freno.

⑪ [게양하다·내걸다] izar. 국기를 ~ izar la bandera nacional.

걸다² ① [양분(養分)을 많이 지니다] (ser) fértil, rico. 땅이 ~ La tierra es fértil [rica]. ② [(액체가) 묽지 않고 툭툭하다] (ser) espeso. 건국 sopa *f* espesa. ③ [(차려 놓은 음식이) 푸짐하다] (ser) rico, suntuoso, lujoso. 잔치가 ~ La fiesta es rica [lujosa · suntuosa]. ④ [식성이 좋다] (ser) glotón (*pl* glotones), voraz, insaciable, no ser especial, no ser maniático. 그녀는 입이 걸어서 무엇이나 먹는다 Ella no es especial [maniática] con la comida / Ella se come cualquier cosa.

◆손이 걸다 (ser) afortunado, bueno, diestro, hábil, tener suerte, tener una buena mano. 그는 손이 걸어 도박해서 잃는 일이 없다 Con su mano afortunada [Con su suerte] él siempre nunca pierde una apuesta. 입이 걸다 (ser) malhablado, insultante, grosero, calumnioso, difamatorio, decir a soltar groserías, tener una lengua asquerosa.

걸대 pértiga *f* para colgar la cosa.

걸때 (tamaño *m* de) cuerpo *m*. ~가 황소 같다 tener un cuerpo gigantesco.

걸뜨다 flotar en el medio del agua.

걸랑 si, cuando. 서울에 도착하~ 소식을 전하여라 Avísame cuando llegues a Seúl.

걸러 cada, a [con] intervalos. 하루 ~ un día sí y otro no, cada dos días, en días alternos. 이틀 ~ a [con] intervalos de dos días, cada tres días. 10일 [10분·10미터] ~ a intervalos de diez días [minutos · metros]. 한 행(行) ~ 쓰다 escribir a doble espacio, escribir a dos renglones.

걸러내기 =배설(排泄).

걸러뛰다 saltarse. 10쪽을 ~ saltarse diez páginas. 나는 한 줄을 걸러뛰고 읽었다 Me he saltado un renglón.

걸레 ① [방·마루·세간 등을 훔치는 데 쓰는 헝겊] bayeta *f*, trapo *m*, fregajo *m*, estropajo *m*, hule *m* para cubrir el suelo, *AmL* trapero *m*, *Méj* jerga *f*, *RPl* trapo *m* de piso; [마루용 자루 걸레] fregona *f*, mopa *f*, fregasuelos *m.sing.pl*, *AmL* trapeador *m*. ~로 닦다 limpiar, pasar*le* la fregona [la mopa] (a), *AmL* trapear. 마룻바닥을 ~로 훔치다 pasar*le* la fregona [la mopa] al suelo, *AmL* trapear el suelo. ② ((준말)) =걸레 부정.
■~ 부정 [물건] basura *f*; [사람] inútil *mf*, calamidad *f*. ~질 limpieza *f* con un paño, frotamiento *m* para limpiar. ¶~하다 frotar para limpiar, fregar con la bayeta, limpiar con el trapo, limpiar con el paño. ~치다 frotar para limpiar, fregar con la bayeta, limpiar con el trapo. ~쪽 pedazo *m* del trapo. ~통 cubo *m* de la bayeta.

걸려들다 ① [낚시에] pescarse. ② [계략 따위에] caer (en). 그는 음모에 걸려들었다 El cayó en la intriga.

걸름기관(-器官) =배설기(排泄器).

걸리다[1] ① [매달리거나 끼이거나 붙거나 하다] colgar(se), suspenderse, prender (en). 가지에 옷이 걸렸다 Las ramas prendieron el vestido. 벽에 그림이 걸려 있다 Un cuadro está colgado en la pared / Hay un cuadro (suspendido) en la pared. 창문에 커튼이 걸려 있다 Una cortina está colgada en la ventana / Hay una cortina en la ventana. 오버가 옷걸이에 걸려 있다 El abrigo está colgado en la percha. 노획물이 망에 걸렸다 La presa prendió en la red. 가시가 목구멍에 걸렸다 Una espina me ha quedado en la garganta. 이 책은 검열에 걸렸다 Este libro fue censurado.
② [시간이] tardar(se); [사람·일이 주어] necesitar; [일이 주어] costar. 3일 걸려(서) en tres días. 3일 걸린 여행 viaje *m* de tres días. 여기서 역까지는 얼마나 걸립니까? ¿Cuánto (tiempo) se tarda de aquí a la estación? 20분 걸립니다 Se tarda veinte minutos. 학교에 오는 데 얼마나 걸렸습니까? ¿Cuánto tiempo tarda usted en venir a la escuela? 이 일을 끝내려면 이삼일 걸릴 겁니다 Necesitaremos unos días más para terminar este trabajo / Nos costará unos días más terminar este trabajo / Este trabajo necesitará unos días más para ser terminado. 나는 이 사전을 쓰는 데 28년 걸렸다 He empleado veinte y ocho años para escribir este diccionario / He tardado veintiocho años en terminar este diccionario. 이 책을 읽는 데는 시간이 많이 걸린다 Se necesita mucho tiempo para leer este libro / Lleva mucho tiempo leer este libro. 병원까지 걸어가는 데는 시간이 많이 걸린다 Se tarda mucho tiempo en ir a pie al hospital / Lleva mucho tiempo ir a pie al hospital.
③ [(달이나 태양 따위가) 떠 있다] estar colgado (en). 달이 서쪽 하늘에 걸려 있다 La luna está colgada en el cielo oeste.
④ [(법을 어겨) 법의 심판을 받게 될 관계에 놓이다] ser contrario (a), ir en contra (de), ser cogido, ser atrapado, ser agarrado, ser pescado, violar. 검열에 ~ no pasar la censura. 교통순경에게 ~ ser atrapado por la policía de tráfico. 법에 ~ ser contrario a las leyes y las reguloac. 법망에 ~ caer en la malla de la ley, ser cogido por la ley.
⑤ [병이 들다] padecer, coger, contraer. 병에 ~ caer enfermo, ponerse enfermo, enfermar, coger una enfermedad, contraer una enfermedad. 감기에 ~ tener (un) resfriado, estar resfriado, coger un frío. 콜레라에 ~ coger el cólera. 그는 병에 잘 걸린다 Es enfermizo / Es propenso a enfermar / Enferma fácilmente. 그는 결핵에 걸려 있다 El tiene [padece de] la tuberculosis / El está tuberculoso. 그녀는 결핵에 걸려 죽었다 Ella enfermó del pecho y murió.
⑥ [계략에 빠지다] caer (en). 모략(謀略)에 ~ caer en una trampa. 그는 계략에 걸려 있다 El cayó en la intriga.
⑦ [책임 따위가] pesar (sobre). 중대한 책임이 나에게 걸려 있다 Una grave responsabilidad pesa sobre mí.
⑧ [홀리다] caer en la trampa (de), dejarse engañar (por), ser defraudado (por), ser seducido (por), caer en las garras (de). 악한 여자에게 ~ ser seducido por una mala mujer, caer en las garras de una mala mujer.
⑨ [마음에 거리끼어 꺼림하다] preocupar*le* (a), tener preocupado, estar preocupado (por). 그것이 내 마음에 많이 걸린다 Me preocupa mucho. 시험이 언제나 마음에 걸린다 Los exámenes siempre me preocupan. 그것은 아직도 그녀의 양심에 무척 걸렸다 Todavía sentía un gran cargo de conciencia. 내 아내의 건강이 조금 마음에 걸린다 La salud de mi esposa me tiene algo preocupada / Estoy algo preocupado por la salud de mi esposa. 무언가 마음에 걸리는 것이 있다 Hay algo que me preocupa.
⑩ [기계의 작동이] arrancar, *Chi* partir. 자동차가 시동이 걸리지 않는다 El coche no arranca / *Chi* El coche no parte.
⑪ ((은어)) [(관헌에게) 잡히다] ser cogido; [물건에] enredarse. 고기가 그물에 걸렸다 Un pez fue cogigo en una red. 그의 발이 그물에 걸렸다 Se le enredaron los pies en la red. 나비가 거미줄에 걸렸다 Se enredó

una mariposa en la telaraña.
⑫ ((은어)) [얻다] obtener, conseguir, lograr lo que desea.
⑬ [관계되다] estar relacionado (con), estar conectado (con). 사활(死活)이 걸린 문제 una cuestión de vida o muerte, una cuestión vital.
걸려 넘어지다 tropezar (con · contra · en). 발이 ~ tropezar, dar un paso en falso. 돌에 걸려 넘어지다 caer al tropezar contra [con] una piedra.

걸리다² [걷게 하다] hacer andar. 아기에게 걸음을 ~ hacer andar a un niño.

걸림대이름씨 【언어】 =관계대명사(關係代名詞)

걸림씨 【언어】 =조사(助詞).

걸림어찌씨 【언어】 =관계부사(關係副詞).

걸림음(一音) 【음악】 suspensión *f.*

걸망(一網) ((불교)) mochila *f* del monje budista.

걸맞다 ① [두 편이 거의 비슷하다] hacer [formar] buena pareja. 걸맞은 부부(夫婦) esposos *mpl* que forman buena pareja. 두 사람은 걸맞은 한 쌍이다 Los dos hacen buena pareja. 그는 나이에 걸맞게 보인다 El representa la edad que tiene. 그는 노력을 많이 했기 때문에 걸맞은 성과를 거둘 것이다 Como él se ha esforzado mucho, recogerá el fruto debido [correspondiente].
② [격에 맞다] (ser) apropiado (para), adecuado (para). 그는 수입에 걸맞지 않은 생활을 하고 있다 El tren de vida que lleva no corresponde a sus ingresos / El lleva una vida por encima de sus ingresos.

걸머맡다 asumir, cargar (con). 동생의 빚을 ~ cargar con la deuda de su hermano.

걸머메다 =걸메다.

걸머메이다 hacer ponerse a un hombro.

걸머잡다 agarrar, agarrarse (de), asirse (de), arrebatar. 그는 내 어깨를 걸머잡았다 El me agarró del hombro. 나는 난간을 걸머잡았다 Me agarré [Me así] de la barandilla. 그녀는 손으로 책(冊)을 걸머잡았다 Ella le arrebató el libro de las manos.

걸머지다 ① [짐바에 걸어 등에 지다] ponerse [echarse] al hombro con la cuerda. ② [빚을 잔뜩지다] contraer deudas. ③ [책임을 지다] asumir la responsabilidad, cargar la culpa.

걸머지우다 ① [짐바에 걸어 등에 지게 하다] hacer ponerse al hombro con la cuerda. ② [빚을 잔뜩지게 하다] hacer contraer deudas. ③ [책임을 지게 하다] hacer asumir la responsabilidad, hacer cargar la culpa.

걸먹다 =언걸을 먹다. ☞언걸

걸메다 ponerse [echarse] a un hombro.

걸물(傑物) ① [걸출한 인물] gran hombre *m* (*pl* grandes hombres), hombre *m* extraordinario; [여자] gran mujer *f* (*pl* grandes mujeres), mujer *f* extraordinaria. 그는 조선계(造船界)의 ~이다 El es un zar en el mundo de construcción naval. ② [뛰어난 물건] cosa *f* extraordinaria.

걸보(桀步) =게.

걸불병행(乞不竝行) Es mejor que una sola persona pida limosna / Si hay mucho que pide, nadie puede obtener.

걸사(傑士) personalidad *f*, persona *f* sobresaliente.

걸상(一床) ① [걸터앉도록 만든 기구] taburete *m*, tabrete *m*, tabulete *m*, banquete *m*; [벤치] banco *m*. ② =의자(椅子).

걸쇠 ① [문의] cerrojo *m*, aldabilla *f*, pestillo *m*, picaporte *m*, aldaba *f*, grapa *f*, laña *f*. ~로 걸다 engrapar, asegurar con grapas, lañar. 문의 ~를 채우다 cerrar con aldaba, echar el cerrojo a la puerta. 문의 ~를 벗기다 descorrer el cerrojo de la puerta. ② =다리쇠. ③ [타자기의] tecla *f*.

걸식(乞食) mendiguez *f*, mendicidad *f*, pordioseo *m*. ~하다 mendigar, pedir limosna, pordiosear.
■ ~자 mendigo, -ga *mf*.

걸신(乞身) =걸해(乞骸).

걸신(乞神) voracidad *f*, calidad *f* de voraz.
◆걸신(이) 들리다[나다] tener apetito voraz, ser voraz, ser muy comedor. 걸신(이) 들린 사람 glotón, -na *mf*; comilón, -lona *mf*; tragón, -gona *mf*. 걸신(이) 들린 듯 먹다 comer glotonamente [con voracidad · con ansia · a dos carrillos], devorar(se), engullir(se), comer ávidamente [con avidez].
■ ~쟁이 persona *f* voraz, persona *f* glotona; glotón, -tona *mf*.

걸싸다 ser muy ágil.

걸쌈스럽다 =억척스럽다.
걸쌈스레 =억척스레.

걸쌍스럽다 (ser) encantador.
걸쌍스레 encantadoramente.

걸씬거리다 casi alcanzar, estar cerca (a).

걸씬하다 aparecer por poco tiempo.

걸아(乞兒) niño, -ña *mf* que mendiga.

걸악(傑惡) fealdad *f*. ~하다 ser feo.

걸어가다 ir a pie, ir andando, ir caminado.

걸어앉다 sentarse. 의자에 ~ sentarse en una silla.

걸어앉히다 hacer sentarse.

걸어오다¹ ① [탈것에 타지 않고 도보(徒步)로 오다] venir a pie, venir andando. 빨리 걸어오너라 Ven a pie rápido. ② [경험해 오다. 살아오다] experimentar. 우리가 걸어온 길 camino *m* que hemos seguido.

걸어오다² [말이나 수작 따위를 상대방에서 먼저 붙여 오다] buscar. 싸움을 ~ buscar pelea, buscar pleito, buscar camorra.

걸어잠그다 cerrar con llave.

걸어총(一銃) un montón de armas. ~하다 amontonar [apilar] las armas. ~하고 쉬다 amontonar las armas y descansar.

걸우다 fertilizar, abonar, estercolar, enriquecer.

걸음 paso *m*, acción *f* de andar, marcha *f*. 첫 ~ primer paso *m*. 한 ~ 한 ~ paso a paso. 느린 ~으로, 소~으로 a paso de tortuga. 빠른 ~으로 con pasos rápidos. ~

이 빠르다 tener los pies rápidos, ser ligero de pies. ~이 늦다 ser lento de pies, ser lento para andar. ~을 빨리하다 apretar [avivar · acelerar] el paso, apresurar el paso. ~을 늦추다 retardar [aminorar] el paso, ir más despacio. ~을 멈추다 detenerse, pararse, detener el paso, detener [parar] la marcha. …에서 몇 ~ 쯤에서 멈추다 pararse a unos pasos de *algo*. 한 ~도 움직이지 마라 No te muevas ni un paso.
◆황소~ paso *m* de tortuga.
◆걸음아 날 살려라 Hay que fugarse rápido.
■천리길도 한 걸음부터 ((속담)) Poco a poco se anda todo / Las cosas se hacen poco a poco.
걸음걸음이 cada paso.

걸음걸이 modo *m* de andar, andadura *f*.

걸음나비 =보폭(步幅).

걸음마 primeros pasos *mpl* del niño, pinitos *mpl*. ~를 하다 hacer pinitos. ~를 시작하다 empezar a andar, empezar a caminar, dar *sus* primeros pasos.

걸음발 andadura *f*, modo *m* de andar.
◆걸음발(을) 타다 empezar a andar, empezar a caminar.

걸음새 =걸음걸이.

걸음쇠 =컴퍼스❶.

걸음짐작 medida *f* a pasos. ~으로 거리를 재다 medir a pasos la distancia.

-걸이 aparato *m* de colgar. 옷~ percha *f*. 모자~ perchero *m*, percha *f*.

걸인(乞人) mendigo, -ga *mf*.

걸인(傑人) persona *f* destacada.

걸작(傑作) ① [썩 훌륭한 작품] obra *f* maestra. 불멸의 ~ obra *f* maestra inmortal. 그것은 ~이다 Es una obra maestra // [재미있다] Es genial / Es muy divertido. 동끼호떼는 불멸의 ~이다 El ingenioso hidalgo don Quijote de la Mancha [El Quijote de la Mancha] es una obra maestra inmortal. ② [언행이 유별나게 우습고 남의 눈에 띔. 또, 그런 사람] palabra *f* ridícula; [사람] tipo *m* divertido. 그는 ~이다 El es un tipo divertido.
■~집(集) colección *f* de obras maestras.
~품 obra *f* maestra.

걸쩍거리다 (ser) activo.
걸쩍걸쩍 acivamente.

걸쩍지근하다 ① [음식을 닥치는 대로 먹다] (ser) glotón. ② [욕을 함부로 하여 입이 매우 걸다] (ser) malhablado. 걸쩍지근하게 욕하다 insultar [ofender] con palabras groseras y violentas.
걸쩍지근히 con palabras groseras y violentas.

걸쭉하다 (ser) espeso. 걸쭉한 국 sopa *f* espesa.
걸쭉히 espesamente.

걸차다 (ser) muy fértil. 걸찬 땅 tierra *f* muy fértil.

걸채 【농업】 albarba *f*.

걸쳐두다 dejar pendiente (de resolución), dejar sin resolver. 교섭을 ~ dejar una negociación en suspensión.

걸출(傑出) prominencia *f*, eminencia *f*, excelencia *f*; [사람] persona *f* destacada. ~하다 sobresalir, descollar, distinguirse. ~한 prominente, sobresaliente, distinguido, prominente, destacado. ~한 인물 personaje *m* prominente.

걸치다 ① [놓다] tender. …에게 다리를 ~ echar la [poner una] zancadilla a *uno*. 강위에 걸친 다리 puente *m* sobre [que cruza] el río. A와 B 사이에 줄을 ~ tender una cuerda entre A y B. 도랑에 널판자를 ~ tender una pasarela sobre el surco. 이 산들은 두 나라에 걸쳐 있다 Estas montañas se extienden entre dos países. ② [옷이나 이불 따위를] ponerse, vestirse, llevarse. 그는 걸친 그대로 도망쳤다 El escapó con lo que tenía puesto. ③ [일정한 횟수나 시간 등을] extender, cubrir; [계속하다] durar, seguir. 주말에 걸쳐 hacia fines de la semana. 어제부터 오늘에 걸쳐 de ayer a hoy. 8월 초순부터 하순에 걸쳐 de [desde] principios hasta finales de agosto. 3일간에 걸친 회의 conferencia *f* que dura tres días. 반경(半徑) 30킬로미터에 걸쳐 en un radio de treinta kilómetros. 서울에서 부산에 걸쳐 de Seúl a Busán. 이 연구는 여러 분야를 걸친다 Este estudio cubre varios campos.

걸태질 arrebatamiento *m* de dinero, explotación *f*. ~하다 arrebatar el dinero, sacar dinero con todo descaro, explotar, exprimir dinero.

걸터듬다 buscar *algo* a tientas. 나는 열쇠 구멍을 걸터듬었다 Yo busqué a tientas la cerradura.

걸터먹다 tragarse todo, zamparse todo, engullirse todo. 그는 그것을 몇 초 만에 걸터먹었다 El se lo tragó [se lo zampó] todo en unos pocos segundos.

걸터앉다 sentarse, tomar asiento, sentarse a horcajadas; [말에] montar a horcajadas. 테이블에 ~ sentarse en la mesa. 그는 울타리에 걸터앉아 있었다 El estaba sentado en la valla. 나는 말 위에 걸터앉았다 Yo estuve montado en el caballo a horcajadas.

걸터앉히다 sentar, hacer sentarse, hacer tomar asiento, sentar a horcajadas.

걸터타다 montar a horcajadas (en · sobre), cabalgar (en · sobre).

걸프전(Gulf 戰) la guerra del Golfo.

걸핏하면 en un periquete, a menudo, a seguido. ~ …하다 ser propenso [apto · inclinado · dispuesto] a + *inf*, tener tendencia a + *inf*, tender a + *inf*, [사람이 주어] inclinarse a + *inf*. 그녀는 ~ 차멀미를 한다 Ella es propensa [tiene tendencia · tiende] a marearse cuando viaja en coche.

걸행(傑行) actitud *f* prominente, actitud *f* sobresaliente.

검 ① [신(神)] Dios *m*. ② [신령(神靈)] espíritu *m.*

검(劍) [양날의] espada *f,* [사브르] sable *m;* [총검] bayoneta *f,* [단검(短劍)] daga *f,* puñal *m;* [장식용] espadín *m;* [투우사의] estoque *m.* ~을 뽑다 desenvaniar la espada, desnudar espada. ~의 달인(達人)이다 manejar bien la espada, ser un hábil espadachín.

검객(劍客) espada *m.sing.pl,* espadachín *m,* esgrimidor *m; AmS* esgrimista *mf.*

검거(檢擧) arresto *m,* detención *f,* captura *f.* ~하다 arrestar, detener, hacer una detención, hacer un arresto, capturar, apresar, aprehender, prender. 많은 사람들이 ~되었다 Muchos fueron detenidos / Detuvieron a muchos. 그들은 차례로 연달아 ~되었다 Ellos fueron detenidos uno tras otro.

검경(檢鏡) examen *m* microscópico.

검공(劍工) espadero *m.*

검극(劍戟) la espada y la lanza.

검기다 [검게 더럽히다] ennegrecer, tiznar.

검기무(劍器舞) =칼춤.

검기울다 oscurecerse, nublarse.

검뇨(檢尿) 【의학】 uroscopia *f,* examen *m* químico de la orina. ~하다 examinar la orina.
■ ~기(器) urómetro *m,* aerómetro *m* para pesar la orina.

검누래지다 hacerse amarillo oscuro.

검누렇다 (ser) amarillo oscuro.

검누르다 (ser) amarillo oscuro.

검님 【민속】=신령님.

검다[1] ① ㉮ [빛깔이 숯빛이나 먹빛 같다] (ser) negro (como carbón). ㉯ (피부가) (ser) obscuro, moreno. ㉰ [햇볕에 타서] (ser) bronceado, tostado, atezado. 검어지다, 검게 되다 volverse negro, ennegrecerse, volverse bronceado, volverse tostado, volverse atezado. 검게 하다[만들다] ennegrecer. 검게 염색하다 teñir de negro. 검게 탄 얼굴 cara *f* bronceada [tostada]. 검은 머리카락 cabellos *mpl* negros, pelo *m* negro. 검은 색(色) color *m* negro. 검은 테 [사망 광고 따위의] marco *m* negro, bordes *mpl* negros. 피부가 검은 여인 mujer *f* morena, mujer *f* de piel oscura. 검은 옷을 입은 vestido de negro. 검은 빛 투성이의 negruzco. 머리카락이 검은 moreno, de caballo negro. 이 잉크는 ~ Esta tinta es negra. 그의 피부(皮膚)는 약간 ~ Su piel es un poco morena [obscura]. 그녀는 머리카락을 검게 물들였다 Ella se tiñe el pelo de negro. 그는 천을 검게 물들였다 El tiñó la tela de negro. ② [마음이 정직하지 못하고 엉큼하다] (ser) malvado, perverso, malévado, malo, maligno. 속이 검은 사람 persona *f* malvada, persona *f* perversa. 그는 뱃속이 ~ El es malvado [perverso].
◆검은 머리 파뿌리 되도록 hasta que sea muy viejo.

검다[2] [흩어진 물건을 갈퀴 따위로 긁어 모으다] rastrillar, quitar raspando, recoger. 낙엽(落葉)을 ~ rastrillar las hojas caídas.

검당계(檢糖計) 【화학】 sacarímetro *m.*

검대(劍帶) cinturón *m* de (las) espadas.

검댕 hollín *m.* ~투성이의 holliniento, que tiene mucho hollín, cubierto de hollín. ~으로 덮인 cubierto de hollín. …의 ~을 없애다 deshollinar *algo,* limpiar *algo* de hollín. ~으로 가득 차 있다 estar lleno de hollín.
■ ~ 귀신 persona *f* con cara sucia.

검도(劍道) esgrima *f,* [검술] arte *m* de esgrima, destreza *f* en el manejo de la espada. ~ 5단 esgrimista *mf* del quinto dan.
■~가 esgrimista *mf,* esgrimidor, -ra *mf.* ~ 도장 escuela *f* de esgrima. ~ 사범 maestro, -tra *mf* de esgrima. ~ 시합 torneo *m* de esgrima. ¶~을 하다 hacer un torneo de esgrima. ~장 sala *f* de esgrima.

검독수리 【조류】 ((학명)) Aquila chrysaetos japonica.

검둥 con pelos negros, de color negro.

검둥개 perro *m* con pelos negros.

검둥수리 【조류】=검독수리.

검둥오리 【조류】 ((학명)) Melanitta nigra americana.

검둥이 ① ((속어)) [피부가 검은 사람] moreno, -na *mf.* ② [흑인] negro, -ra *mf,* moreno, -na *mf.* ③ =검둥개.

검디검다 (ser) muy negro, negrísimo

검뜯다 molestar.

검량(檢量) medida *f.* ~하다 medir.

검룡(劍龍) 【동물】 estegosaurio *m.*

검류계(檢流計) galvanómetro *m.*

검맥(檢脈) 【한방】 =진맥(診脈).

검무(劍舞) danza *f* de (las) espadas. ☞칼춤

검문(檢問) inspección *f,* control *m.* ~하다 inspeccionar, controlar. 그는 경관에게 ~당했다 El ha sido interrogado por el policía. 그는 누구에게도 ~받지 않고 나갔다 El salió sin que nadie sospechara de él.
■ ~소(所) (punto *m* de) control *m, AmL* retén *m.*

검문(劍門) =검각(劍閣).

검박하다(儉朴―) (ser) sencillo, frugal, económico, ahorrativo. 검박함 sencillez *f,* frugalidad *f,* economía *f,* ahorro *m.*
검박히 sencillamente, frugalmente, con sencillez, con frugalidad.

검버섯 mancha *f* (de erupciones). ~이 낀 얼굴 cara *f* llena de manchas (de erupciones). 그의 얼굴에 ~이 생겼다 Le han salido manchas en la cara.

검번(檢番) =권번(券番).

검법(劍法) esgrima *f,* arte *m* de esgrimir, (destreza *f* en) el manejo de la espada.

검변(檢便) examen *m* de excrementos. ~하다 examinar excrementos.

검병(檢病) examen *m* de la enfermedad (del enfermo). ~하다 examinar la enfermedad (del enfermo).

검부나무 hierba *f* seca [hojas *fpl* secas] para la combustible.

검부러기 restos *mpl* de la hierba seca [de las hojas secas].

검분(檢分) inspección *f.* ~하다 inspeccionar.

검불 hierba *f* seca, hojas *fpl* secas.
검불덤불 desordenadamente, sin orden ni concierto.
검붉다 (ser) rojo negruzco, rojo oscuro.
검붕장어【어류】((학명)) Conger japonica.
검비(劍鼻) =칼코등이.
검사(劍士) =검객(劍客).
검사(檢事) fiscal *mf*; procurador *m* (público), procuradora *f* (pública). ~가 행하는 직무 asuntos *mpl* pertenecientes al fiscal. ~앞에서의 진술 declaración *f* ante el fiscal. ~의 직무 cargo *m* del fiscal. ~ 작성의 피의자 심문 조서 declaración *f* ante el fiscal.
■ ~보(補) fiscal *m* adjunto, fiscal *f* adjunta. ~장 fiscal *mf* general. ~직 fiscalía *f*.
검사(檢査) examen *m* (*pl* exámenes), inspección *f*, control *m*, reconocimiento *m*, examinación *f*; [분석] análisis *m(f)*; [확인을 위한] comprobación *f*, verificación *f*; [회계의] intervención *f*; [세관의] registro *m*; [금의 질 등을] contraste *m*. ~하다 examinar, inspeccionar, revisar, comprobar, verificar, confirmar, registrar, reconocer, contrastar, pasar revista (a). 여권(旅券)의 ~ control *m* de pasaportes. 제조 공정(製造工程)의 ~ inspección *f* del proceso de fabricación. 짐의 ~ control *m* de equipajes. ~를 받다 examinarse, sufrir un examen. ~에 합격하다 salir aprobado [bien] en un examen. [세관에서] 가방을 ~하다 reconocer la maleta. 소지품(所持品)을 ~하다 examinar los objetos personales (de). 품질을 ~하다 examinar [comprobar · verificar] la calidad (de). 환자는 정밀 ~를 받았다 El paciente fue reconocido cuidadosamente.
◆ 대변 ~ examen *m* [análisis *m*] de excremento. 소변 ~ análisis *m* de orina. 신체 ~ reconocimiento *m* médico. 초음파 ~ diagnóstico *m* ultrasónico. 현장(現場) ~ inspección *f* sobre el terreno.
■ ~관 examinador, -ra *mf*; inspector, -ra *mf*; registrador, -ra *mf*, verificador, -ra *mf*. ~구(區)【군사】distrito *m* de(l) examen. ~국 departamento *m* de inspección. ~소 oficina *f* de inspección. ~원 inspector, -tora *mf*, examinador, -dora *mf*, registrador, -dora *mf*. ~인 inspector, -tora *mf*, examinador, -dora *mf*. ~증 certificado *m* de prueba. ~필 Aprobado / Examinado / Visto bueno. ¶이 기계는 ~이다 Esta máquina ya está examinada [verificada · aprobada].
검산(檢算) prueba *f*, verificación *f*. ~하다 verificar (el resultado de la operación).
검색(檢索) referencia *f*; [수색] busca *f*, pesquisa *f*, indagación *f*. ~하다 referir, averiguar, explorar, buscar, indagar.
검선(劍仙) buen esgrimidor *m*.
검세다 (ser) severo, exigente, estricto, tenaz, tesonero, perseverante.
검소하다(儉素-) (ser) sobrio, austero, simple, frugal, económico, sencillo, modesto. 검소함 simplicidad *f*, economía *f*, frugalidad *f* (식사 따위의), sobriedad *f*, austeridad *f*, sencillez *f*. 검소하게 sencillamente, econónicamente, con sobriedad, con auteridad, con sencillez. 검소한 식사 comida *f* frugal. 검소한 생활을 하다 llevar un estilo de vida muy modesto. 검소하게 살다 vivir con sobriedad, vivir frugalmente, vivir [llevar] una vida llana. 검소한 식사로 만족하다 contentarse con una comida sobria [frugal]. 그는 검소한 사람이다 El es un hombre sobrio. 그녀는 검소하게 몸단장을 한다 Ella (se) viste de una manera sencilla.
검소히 sencillamente, económicamente, con sobriedad, con austeridad, con sencillez, frugalmente, con frugalidad.
검속(檢束) detención *f*, arresto *m*. ~하다 detener, arrestar. ~중이다 estar detenido.
검순(劍楯) la espada y el escudo.
검술(劍術) esgrima *f*, arte *m* de esgrimir, manejo *m* de la espada.
■ ~가 espadachín *m*, espada *f*. ~도장(道場) escuela *f* de esgrima. ~사 buen esgrimidor *m*. ~ 사범 maestro *m* de esgrima. ~ 솜씨 destreza *f* en el manejo de la espada. ~ 시합 torneo *m* de esgrima.
검숭검숭하다 (ser) escasamente negro.
검습기(檢濕器) =습도계(濕度計).
검시(檢屍) examen *m* del cacáver; [해부] autopsia *f* (judicial). ~하다 examinar el cadáver, hacer una autopsia, autopsiar el cadáver. ~를 실시하다 llevar a cabo una autopsia, realizar una autopsia.
■ ~계 necrómetro *m*. ~관 funcionario *m* encargado de investigar las causas de muertes violentas, repentinas o sospechosas; juez *mf* de instrucción. ~기(器) tanatómetro *m*. ~실 sala *f* de autopsia. ~장 lugar *m* de autopsia.
검시(檢視) ① [사실을 조사하여 봄] investigación *f* de la verdad. ~하다 investigar la verdad. ② [시력(視力)을 검사함] examen *m* de la vista. ~하다 examinar la vista. ③【법률】=검시(檢屍).
■ ~관 funcionario *m* encargado de examinar autopsia
검실(劍室) =칼집.
검실거리다 brillar [relucir] ligeramente.
검실검실 indistintamente.
검실검실하다 (ser) negro aquí y allá.
검썩은병(-病) =탄저병(炭疽病).
검쓰다 (ser) muy amargo.
검안(檢案)【법률】examen *m*. ~하다 examinar. 시체를 ~하다 llevar a cabo una autopsia, realizar una autopsia.
■ ~서 certificado *m* de defunción.
검안(檢眼) examen *m* de la vista, optometría *f*. ~하다 examinar (a *uno*) la vista.
■ ~경(鏡) oftalmoscopio *m*. ~경 검사기 oftalmoscopia *f*. ~기 optómetro *m*. ~법 optometría *f*. ~의(醫) optometrista *mf*. ~현미경 oftalmomicroscopio *m*.
검압(檢壓) examen *m* de la presión. ~하다

examinar la presión.
■ ~계 manómetro *m*, piezómetro *m*.
검약(儉約) economía *f*, frugalidad *f*. ~하다 economizar, ahorrar.
■ ~가 económico, -ca *mf*, ahorrador, -ra *mf*.
검역(檢疫) inspección *f* sanitaria; [격리 기간] cuarentena *f*. ~하다 poner en cuarentena. ~을 받다 someterse a la cuarentena. ~중이다 estar en cuarentena. ~을 위해 정선시키다 poner un barco en cuarentena.
◆육상(陸上) ~ inspección *f* terrestre. 해상(海上) ~ inspección *f* marítima.
■ ~관 oficial *mf* del lazareto. ~ 규칙 regulaciones *fpl* de cuarentena. ~기(旗) bandera *f* de cuarentena. ~ 기간 cuarentena *f*. ~료 honorario *m* de cuarentena. ~반 grupo *m* de cuarentena. ~법 ley *f* de cuarentena. ~선(船) buque *m* de cuarentena. ~소 lazareto *m*, estación *f* de cuarentena. ~ 신호 señal *f* de cuarentena. ~원 miembro *mf* de cuarentena. ~의(사) médico, -ca *mf* de cuarentena. ~ 정선 cuarentena *f*. ~ 증명서 certificado *m* de cuarentena. ~필(畢) Aprobada Inspección Médica. ~항 puerto *m* de cuarentena.
검열(檢閱) inspección *f*, [출판·영화의] censura *f*; [군(軍)의] revista *f*. ~하다 inspeccionar, censurar, aplicar [ejercer] censura (a), revisar. 신문의 ~ censura *f* de prensa. 철저한 ~ inspección *f* profunda. 형식적인 ~ inspección *f* superficial. ~을 받다 someterse a la censura. ~에 걸리다 (ser) censurado, desaprobado, reprobado.
◆사전(事前) ~ precensura *f*. 사후(事後) ~ poscensura *f*.
■ ~과 sección *f* de censura. ~관 censor, -ra *mf*, [군대의] inspector, -tora *mf*. ¶영화 ~ censor, -ra *mf* de películas. ~국 departamento *m* de censura. ~ 규정 código *m* de censura. ~원 censor, -ra *mf*, inspector, -tora *mf*. ~자 inspector, -tora *mf*, censor, -ra *mf*. ~제 sistema *m* de censura. ~필 Aprobado por la censura; ((천주교)) Nihil obstat.
검온(檢溫) termometría *f*. ~하다 ㉮ [온도를 재다] medir la temperatura. ㉯ [체온을 재다] medir el temperatura corporal (del cuerpo).
■ ~기(器) termómetro *m* clínico.
검유기(檢乳器) lactodensímetro *m*, lactómetro *m*, galactómetro *m*.
검은가뢰 【곤충】 =먹가뢰.
검은고니 【조류】 =흑고니.
검은 고양이 ① [검은빛의 고양이] gato *m* negro. ② ((은어)) =순경(policía).
검은 구월(一九月) Septiembre *m* Negro.
검은그루 tierra *f* en barbecho.
검은깨 ajonjolí *m* negro, sésamo *m* negro.
검은다리 ((은어)) =총(pistola).
검은머리물떼새 【조류】 ostrero *m*, gaviota *f*.
검은방울새 【조류】 pinzón *m*, verderón *m*.
검은별무늬병(一病) =흑반병(黑斑病).
검은빛 (color *m*) negro *m*.
검은손 =마수(魔手).
검은엿 caramelo *m* masticable negro.
검은자 ((준말)) =검은자위.
검은자위 iris *m*.
검은콩 soja *f* negra, soya *f* negra.
검은팥 haba *f* negra.
검은피 sangre *f* negra.
검은흙 tierra *f* negra.
검이경(檢耳鏡) auriscopio *m*.
검인(檢印) sello *m* de aprobación, sello *m* de control; [저자(著者)의] sello *m* del autor. ~을 찍다 sellar, franquear, poner sellos.
■ ~증 certificado *m* de aprobación. ~필(畢) Aprobado y sellado.
검인정(檢認定) =검정(檢定).
■ ~ 교과서 =검정 교과서. ~필 Autorizado, Aprobado. ¶교육부 ~ Autorizado [Aprobado] por el Ministerio de Educación.
검장(劍匠) espadero *m*.
검적검적하다 ser punteado con manchas negras.
검전기(檢電器) 【전기】 electroscopio *m*.
◆금박 ~ electroscopio *m* de hojas de oro.
검접하다 agarrar, abrazarse.
검정 (color *m*) negro *m*. ~ 일색의 [옷이] todo vestido de negro.
■ ~고양이 【동물】 gato *m* negro. ~말 【동물】 caballo *m* negro. ~ 머리 pelo *m* negro, cabello *m* negro. ~별병(病) =흑반병. ~빛 color *m* negro. ~이 objeto *m* negro.
검정(檢定) examen *m* (*pl* exámenes); [허가] aprobación *f* oficial, autorización *f* oficial. ~하다 examinar, inspeccionar.
■ ~ 고시(考試) examen *m* de cualificación, examen *m* de licencia. ¶교원 자격 ~ examen *m* de cualificación para maestro. 대학 입학 자격 ~ examen *m* de cualificación para ingreso universitario. ~ 교과서 libro *m* de texto autorizado. ~료 honorario *m* autorizado. ~ 시험 =검정 고시. ¶교원 ~ examen *m* de licencia para maestros. ~증 certificado *m* autorizado. ~필 Autorizado. ~필 교과서 libro *m* de texto autorizado.
검정두루미 【조류】 =흑두루미.
검정사마귀 lunar *m*. 입가에 ~가 있다 tener un lunar en la comisura de los labios.
검정필(檢定畢) ☞검정(檢定).
검증(檢證) comprobación *f*, verificación *f*, inspección *f*. ~하다 comprobar, verificar, inspeccionar. ~의 결과를 기재한 서류 documento *m* llevando los resultados de la inspección.
■ ~물 datos *mpl* para verificación. ~ 장소 lugar *m* a inspeccionar. ~ 조서 protocolo *m* de inspección. ~ 처분 disposición *f* de inspección.
검진(檢診) examen *m* médico, examen *m* clínico, reconocimiento *m* médico. ~하다 examinar médicamente. ~를 받다 someterse a un reconocimiento médico, sufrir un examen clínico.

◆ 정기(定期) ~ examen *m* médico periódico. 종합 ~ examen *m* médico completo. 집단(集團) ~ reconocimiento *m* en grupo, examen *m* clínico en grupo.
■ ~일 día *m* de reconocimiento médico.

검진기(檢震器) =지진계(地震計).

검질기다 (ser) implacable, incesante, persistente, continuo, constante, tenaz, infatigable, incansable.

검차(檢車) inspección *f* de un coche. ~하다 inspeccionar un coche.
■ ~원 inspector *m* de un coche.

검차다 (ser) tenaz y violento.

검찰(檢札) revisión *f* (de billetes), *AmL* revisión *f* de boletos. ~하다 revisar billetes, *AmL* revisar boletos.

검찰(檢察) inspección *f*, registro *m*, acusación *f*. ~하다 inspeccionar, registrar, acusar.
■ ~계(係) ㉮ sección *f* de revisión. ㉯ [사람] revisor, -ra *mf*. ~관 fiscal *mf*; acusador, -dora *mf*. ~국 departamento *m* de acusación. ~ 당국 autoridades *fpl* de la acusación. ~ 사무 asuntos *mpl* de acusación. ~청 (Dirección *f* de) Fiscalía *f*. ¶고등(高等) ~ la Fiscalía del Tribunal de Apelación. 대~ la Fiscalía del Tribunal Supremo. 서울 ~ la Fiscalía de Seúl. 지방 ~ la Fiscalía del Tribunal Regional, la Fiscalía de Distrito. ~의 사무 asuntos *mpl* de la fiscalía. ~ 총장 fiscal *m* general del Estado, procurador *m* general, fiscal *m* de la corona.

검출(檢出) detección *f*. ~하다 detectar. 토양에서 대량의 피비시(PBC)가 ~되었다 En la tierra se detectó una considerable cantidad de policlorobifenilo.
■ ~기[장치] detector *m*.

검측스럽다 (ser) traicionero, traidor, engañoso, falso, embustero, astuto, zorro.
검측스레 traicioneramente, engañosamente, astutamente.

검측측하다 ① [빛이 거칠게 검다] (ser) muy negro. ② [마음이 몹시 검측하다] (ser) malvado, perverso.

검측하다 (ser) taimado, astuto, artero, cuco.
검측이 taimadamente, astutamente.

검치다 poner alrededor de la esquina.

검침(檢針) lectura *f* [apunte *m*] de un contador. ~하다 leer un contador. 전기(電氣)의 ~을 하다 leer un contador de electricidad.
■ ~원 empleado, -da *mf* de la lectura de un contador.

검침하다 (ser) malvado, malévolo, insidioso, traicionero, traidor. 검침한 꾀 trampa *f* malvada. 검침한 사람 persona *f* insidiosa, persona *f* malvada.
검침히 malvadamente, insidiosamente, traicioneramente.

검토(檢討) examen *m*, estudio *m*, investigación *f*. ~하다 examinar, estudiar, investigar, someter a examen. ~를 거듭하다 examinar repetidas veces. 그 건(件)은 ~중이다 El asunto está en examen / Tengo en estudio al asunto. 잘 ~ 후에 답하겠습니다 Le contestaré después de estudiar la cuestión a fondo. 그것은 더 ~를 요한다 Eso necesita examinarse más / Eso debe someterse a ulteriores discusiones.

검특하다(檢慝—) (ser) artero, taimado, insidioso, traicionero, traidor, astuto, zorro.
검특히 arteramente, taimadamente, insidiosamente, traidoramente, astutamente, con astucia.

검파(檢波)【물리】detección *f* (de las ondas). ~하다 detener (las ondas), desmodular.
■ ~ 계수 coeficiente *m* de detección. ~관(管) tubo *m* detector.

검파기(檢波器)【물리】detector *m* (de ondas), desmodulador *m*.
◆ 광석 ~ detector *m* cristal. 열전 ~ detector *m* termoeléctrico. 자기 ~ detector *m* magnético. 전해 ~ detector *m* electrolítico. 진공관 ~ detector *m* de tubos.
■ ~ 회로 circuito *m* detector.

검표(檢票) examen *m* [revisión *f*] de los billetes. ~하다 examinar [revisar] los billetes.

검푸르다 (ser) pálido y obscuro, negriazul. 검푸른 바다 mar *m* azul profundo.

검호(劍豪) buena espada *f*, maestro *m* de armas, maestro *m* de esgrima.

검환(劍環)【군사】=칼코등이.

겁(劫) ((불교)) siglo *m*, kalpa *f*.

겁(怯) cobardía *f*, timidez *f*, pusilanimidad *f*, acobardamiento *m*. ~(이) 많은 cobarde, tímido, pusilánime. ~ 많은 사나이 hombre *m* cobarde. ~을 주다 acobardar. ~이 없다 (ser) intrépido, audaz, atrevido, valiente, valeroso. 그는 전혀 ~이 없다 No le tiene miedo a nada.
◆ 겁(이) 나다 sentir miedo, tener miedo, sentirse tímido, intimidarse, temer, acobardarse. 그는 겁이 났다 Se acobardó / Le entró miedo / El estuvo poseído por el miedo. 나는 넘어질까 겁이 났다 Yo tenía miedo de caerme. 그녀는 기차를 놓칠까 겁이 났다 El tenía miedo de perder el tren. 겁(을) 내다 asustarse [espantarse · horrorizarse] (de *algo* · *uno*), sentir [tener] miedo (de *algo* · *uno*), temer. 겁(을) 내게 하다 asustar, espantar, horrorizar, dar [pegar] un susto (a *uno*), dar [poner] miedo (a *uno*). 겁(을) 내는 기색도 없이 sin ninguna vacilación, sin intimidarse, impávidamente. 너는 무엇을 겁내느냐? ¿De qué tienes miedo? 이 아이는 어떤 것에도 겁(을) 내지 않는다 Este niño no se intimida por nada. 그의 눈에는 겁(을) 낸 빛이 나타났다 En sus ojos se reflejaba el miedo. 그는 전혀 겁내지 않는다 No le tiene miedo a nada. 그는 어두움에 겁을 낸다 Le tiene miedo a la oscuridad. 너는 겁낼 것이 아무 것도 없다 No tienes nada que temer. 그녀는 어느 것이나 어느 누구에게도 겁내지 않는다 A ella no le tiene miedo [A ella no le teme]

a nada ni a nadie. 물지 않을 테니 겁내지 마라 No tengas miedo que no te muerde. 겁(을) 먹다[집어먹다] meterse en la piña, sentirse tímido, intimidarse, temblar de miedo, inquietarse, mostrarse tímido, mostrarse nervioso. 겁(을) 먹은 tímido, nervioso, inquieto. 겁(을) 먹어 tímidamente, nerviosamente.

겁간(劫姦) =강간(强姦).

겁겁하다(劫劫−) ① =급급하다(汲汲−). ② [참을성이 없다] ser impaciente. 겁겁히 impacientemente, con impaciencia.

겁결(怯−) ímpetu *m* de miedo. 겁결에 horrorizado, atemorizado, lleno de miedo.

겁기(劫氣) ① [궁한 사람의 얼굴에 나타난 언짢은 기색] aire *m* embarazoso. ② [험한 산이 트이지 못하고 궂은 기운] aparición *f* horrible de una montaña empinada.

겁꾸러기(怯−) cobarde *mf*.

겁나다(怯−) ☞겁(怯)

겁내다(怯−) ☞겁(怯)

겁보(怯−) cobarde *mf*.

겁부(怯夫) hombre *m* cobarde.

겁수(劫囚) =겁옥(劫獄).

겁심(怯心) corazón *m* que siente miedo.

겁약(怯弱) timidez *f*. ~하다 (ser) tímido. 겁약히 tímidamente, con timidez.

겁쟁이(怯−) cobarde *mf*, tímido, -da *mf*, pusilánime *mf*, gallina *mf*, miedica *mf*, miedoso, -sa *mf*, persona *f* cobarde.

겁초(劫初) principio *m* del mundo.

겁탈(劫奪) ① [약탈(掠奪)] saqueo *m*, pillaje *m*, hurto *m*, robo *m* con violencia. ~하다 saquear, pillar, robar con violencia, hurtar, cometer un rapto. ② [강간(强姦)] violación *f*, rapto *m*. ~하다 forzar a una mujer, violar.
▪ ~자(者) ㉮ [약탈자] saqueador, -dora *mf*, [도둑] ladrón (*pl* ladrones), -drona *mf*, ㉯ [강간자] violador, -dora *mf*.

겁패(劫貝) 【식물】 =목화(木花).

겁포(怯怖) miedo *m* con cobardía.

겁풍(劫風) ((불교)) viento *m* de infierno.

겁하다(怯−) asustarse, espantarse, horrorizarse.

겁화(劫火) ((불교)) fuego *m* de infierno.

것 ① [(사물이나 현상 또는 성질 따위를) 추상적으로 이르는 말] cosa *f*, objeto *m*, artículo *m*, el (de), la (de), los (de), las (de); algo, asunto *m*. 무슨 마실 ~ algo de beber. 이 옷은 새 ~이다 Este vestido es nuevo. 네 공책이 내 ~보다 좋구나 Tu cuaderno es mejor que el mío. 술은 좋은 ~은 아니다 No hay nada mejor que el vino / No hay nada tan bueno cómo el vino. 생명은 매우 신비스러운 ~이다 La vida es (una cosa) muy misteriosa. 나는 중요한 ~을 잊고 있었다 Se me olvidaba una cosa importante. 그것은 슬픈 ~이다 Es una cosa [un asunto] triste. 이~은 잊읍시다 Olvidemos este asunto.
② [사유물임을 뜻함] el *suyo*, la *suya*, los *suyos*, las *suyas*, lo *suyo*. 내 ~ el mío, la mía, los míos, las mías, lo mío. 이 책은 내 ~이다 Este libro es (el) mío. 네 ~은 어떤 ~이냐? ¿Cuál es el tuyo? 우리는 우리의 ~으로 만족하고 있다 Nosotros estamos contentos con lo nuestro. 표는 당신의 ~도 사 두었소 Ya tengo comprado también tu billete.
③ [내용·정도·수준을 뜻함] lo (que), que. 여행에 관한 ~을 일기에 쓰다 escribir sobre el viaje en el diario. 어제의 ~은 잊어라 Olvida lo de ayer. 내가 말했던 ~을 기억하십니까? ¿Se acuerda usted de lo que le dije? 내가 걱정하는 ~은 그가 아프지나 않은가 하는 우려다 Lo que me preocupa es el temor de que esté enfermo. 그가 죽은 ~을 아십니까? ¿Sabe usted que él ha muerto? 그가 죽었다는 ~을 말하고 있다 Dicen que murió él.
④ [확신·결심·결정을 뜻함] convicción *f*, decisión *f*. 당신에 대한 ~은 결코 잊지 않겠소 Nunca me olvidaré de ti.
⑤ [전망·추측·예상을 뜻함] suposición *f*, presunción *f*. 그는 이미 도착했을 ~이다 El habrá llegado ya. 내일은 비가 올 ~이다 Mañana va a llover.
⑥ [사람이나 동물을 얕잡아 가리키는 말] cosa *f*, hombre *m*, mujer *f*, animal *m*. 젊은 ~ el joven, la joven.
⑦ [앞서 말한 사실에 대한 확신이나 추측을 나타내는 말] verdad *f*, cosa *f*, conclusión *f*. 그가 겸손한 ~은 사실이다 Es verdad que él es modesto. 부지런히 일하라 성공은 네 ~이다 Trabaja mucho, y el éxito será tuyo. 별로 염려할 ~ 없다 No hay nada que preocuparte mucho.
⑧ [필요] necesidad *f*. 걱정할 ~ 없다 No hay por qué preocuparse.
⑨ [명령하는 글을 끝맺는 말] ¶잔디를 밟지 말 ~ Prohibido pisar el césped / No pise el césped. 이곳에서는 담배를 피우지 말 ~ No fumar aquí / Se prohibe fumar aquí / Prohibido fumar aquí / No fumen aquí.
⑩ [이·그·저 따위의 대명사와 함께 쓰여] ¶이~ esto, éste, ésta. 그~ eso, ése, ése. 저~ aquello, aquél, aquélla.

겅그레 zarzo *m*, cañizo *m*.

겅더리되다 adelgazar después de la enfermedad.

겅둥거리다 brincar, saltar, dar un salto.

겅둥하다 ser demasiado corto. 그녀는 겅둥한 웃옷을 입고 있다 Ella lleva una chaqueta demasiado corta.

겅성드뭇하다 dispersarse todo.

겅정거리다 caminar con paso grande.

걸 [표면] superficie *f*, [외면(外面)] exterior *m*; [외모(外貌)] apariencia *f*, fachada *f*. ~의 superficial, de apariencia, exterior. ~으로는 aparentemente, en aparienicia. ~만 번드레한 물건 faramalla *f*. ~을 꾸미다 guardar las apariencias. ~만 보고 믿어서는 안된다 No es oro todo lo que reluce.

그는 ~으로는 조용하지만 성이 날 때는 물불을 가리지 않는다 El es aparentemente apacible, pero se muestra violento cuando se enfada. 그의 친절은 ~뿐이다 Su amabilidad es sólo exterior. ~만 보고 사람을 평가하지 마라 No juzgues a los demás sólo por su apariencia. 사람은 ~만 보고는 알 수 없는 법이다 Las apariencias engañan.
■겉 다르고 속 다르다 ((속담)) Las apariencias engañan / So vaina de oro, cuchillo de plomo / Mucho ojo, que la vista engaña / Ser de dos haces.
■~ 표지 portada *f*.
겉- superficial, exterior, de apariencia.
겉가량(一假量) cálculo *m* aproximado. ~하다 hacer un cálculo aproximado. ~하여 haciendo un cálculo aproximado.
겉가루 harina *f* en polvo en primera moledura.
겉가죽 piel *f* exterior.
겉감 lado *m* derecho (de textura).
겉겨 cascabillo *m* de arroz.
겉고름 ((준말)) =웃겉고름.
겉곡식(一穀食) grano *m* de no pelar.
겉깃 solapa *f* exterior, cuello *m* exterior.
겉꺼풀 capa *f* exterior; [물의] capa *f* de suciedad.
겉껍데기 [달걀·호두·밤·개암의] cáscara *f*; [바다 연체 동물의] concha *f*; [거북·달팽이·갑각류(甲殼類)의] caparazón *m(f)*, caparacho *m*.
겉껍질 piel *f* exterior; [과일·옥수수 따위의] vaina *f*, cascarilla *f*; [밀·벼의] cáscara *f*, cascarilla *f*, cascabillo *m*; [옥수수의] farfolla *f*, chala *f*; [완두콩·콩의] vaina *f*; [딸기의] cabito *m*, calículo *m*; [싹 등의] envoltura *f*; [달걀·호두·밤·개암의] cáscara *f*; [바다 연체 동물의] concha *f*; [거북·달팽이·갑각류의] caparazón *m(f)*, caparacho *m*; [피부의] capa *f* exterior de la piel, cutícula *f*; 【동·식물】 manto *m*; 【생물】 investidura *f*; 【해부】 corteza *f*; 【동물·식물·해부】 epidermis *f*. ~을 벗기다 [밀·벼의] descascarillar, descascarar; [옥수수의] quitar*le* la farfolla (a), quitar*le* la chala (a); [완두콩·콩의] pelar, quitar*les* la vaina (a); [딸기의] quitar*les* el cabito (a).
겉껍질 세포(一細胞) =표피 세포(表皮細胞).
겉꼴 =외형(外形).
겉꾸리다 arreglar la aparición, favorecer mucho.
겉꾸림 arreglo *m* de la aparición.
겉나깨 salvado *m*.
겉날리다 hacer de prisa y mal, hacer con descuido. 일을 ~ trabajar de prisa y mal, hacer *su* trabajo con descuido.
겉넓이 el área *f* superficial.
겉놀다 ① [서로 어울리지 않고 따로 놀다] patinar, derrapar. 자동차가 얼음 위에서 겉놀았다 El coche patinó [derrapó] en el hielo. ② [나사나 못 따위가 잘 맞지 않고 움직이다] no fijar.
겉눈감다 fingir cerrar *sus* ojos.
겉눈썹 ceja *f*.
겉늙다 parecer más viejo que *su* edad, ser viejo para *su* edad, avejentarse. 겉늙은 여인 mujer *f* avejentada.
겉늙히다 avejentar.
겉대[1] [푸성귀의 거죽에 붙어 있는 줄기나 잎] tallo *m* exterior o hoja exterior de verduras.
겉대[2] [댓개비의 거죽을 이룬 단단한 부분] parte *f* dura exterior de bambú.
겉대중 cálculo *m* aproximado basado en la aparición exterior.
겉더께 capa *f* exterior.
겉돌다 ① [서로 다른 액체·기체·가루 따위가 서로 섞이지 않고 따로따로 나누이다] no mezclar. ② [사람이 서로 가깝게 사귀어 어울리지 않고 베돌다] no hacer buenas migas. ③ [기계나 바퀴 따위가 제구실을 못하고 헛돌다] ㉮ [기계가] mover [funcionar] en vacío. ㉯ patinar. 차바퀴가 겉돌고 있다 Las ruedas están patinando.
겉똑똑이 persona *f* superficalmente inteligente.
겉마르다 secarse en la superficie; [곡식이] secarse antes de madurarse.
겉막(一膜) =표막(表膜).
겉말 palabras *fpl* simples [meras], palabras *fpl* melosas.
겉맞추다 halagar, adular.
겉면(一面) =외면(外面).
겉모습 =외모(外貌).
겉모양(一模樣/貌樣) aspecto *m*, apariencia *f*, aparición *f*. ~이 좋다 tener buena apariencia [buen aspecto · buena vista]. ~이 나쁘다 tener mala apariencia [mal aspecto · mala vista]. ~을 보고 사람을 판단해서는 안된다 No debemos juzgar por lo que vemos, por lo que parece.
◆겉모양(을) 내다 ponerse elegante.
겉물 líquido *m* de flotar el otro sin mezclar.
◆겉물(이) 돌다 flotar en la superficie sin mezclar.
겉밤 castaña *f* de no descascarillar, castaña *f* con cáscara.
겉보기 apariencia *f*, fachada *f*, exterior *m*. ~에는 en apariencia, exteriormente. ~와는 달리 a pesar de la apariencia. 여자는 ~에는 약하지만 실은 강하다 La mujer esconde fortaleza bajo una apariencia débil. 그는 ~에만 강하다 Parece fuerte sólo en apariencia / Da la impresión de (ser un) hombre fuerte, pero no lo es. 그는 ~처럼 강하지 않다 No es tan fuerte como parece. 그는 ~보다 더 늙었다 El es más viejo de lo que parece. 사람은 ~와는 다르다 Las apariencias engañan / So vaina de oro, cuchillo de plomo / Mucho ojo, que la vista engaña / El hábito no hace al monje. 그의 우정은 ~뿐이었다 Su amistad era falsa [fingida].
겉보기등급(一等級) =실시 등급(實視等級).
겉보리 ① [껍질을 벗기지 않은 보리] cebada

f desraspada. ② ＝보리.
겉봉(－封) ① [편지를 봉투에 넣고 다시 싸서 봉한 종이] papel *m* cerrado después de poner la carta en el sobre y envolverla otra vez. ② [봉투의 거죽] envoltura *f* del sobre. ③ [봉투] sobre *m*.
겉봉투(－封套) sobre *m* exterior.
겉불꽃 llama *f* oxidante.
겉뼈대 ＝외골격(外骨格)
겉살 carne *f* desnuda, piel *f* desnuda.
겉수수 mijo *m* desraspada.
겉싸개 cubierta *f*, envoltura *f*.
겉씨식물(－植物) 【식물】 gimnosperma *f*.
겉약다 ser inteligente de manera superficial.
겉어림 cálculo *m* aproximado.
겉여물다 madurarse solamente en *su* apariencia.
겉열매껍질 【식물】 ＝외과피(外果皮).
겉옷 guardapolvo *m*; [의사(醫師) 등의] bata *f*; [공원(工員) 등의] mono *m*; [어린아이의] delantal *m*.
겉잎 hojas *fpl* exteriores.
겉잠 ① [선잠] sueñecillo *m*, duermevela *f*, sueño *m* ligero. ② [자는 체함] fingimiento *m* de dormir.
◆겉잠(이) 들다 descabezar un sueñecillo, dormitar.
겉잡다 hacer un cálculo aproximado. 겉잡을 수 없는 말을 하다 decir una historia incoherente. 겉잡아 일주일이면 충분하다 A mi juicio una semana será bastante.
겉잣 piñón *m* (*pl* piñones) con sus cáscaras.
겉장 portada *f*; [표지] tapa *f* de un libro, cubierta *f* de un libro.
겉재목(－材木) ＝변재(邊材).
겉저고리 chaqueta *f* exterior de la mujer.
겉절이 encurtidos *mpl* [verduras *fpl* encurtidas] inmediatamente antes de comerlas..
겉절이다 conservar en sal inmediatamente antes de comer, poner [echar] sal a verduras antes de condimentar elaboradamente.
겉조 mijo *m* desraspado.
겉중심(－中心) 【수학】 ＝방심(傍心).
겉짐작(－斟酌) cálculo *m* aproximado. ～을 하다 hacer el cálculo aproximado.
겉창(－窓) ventana *f* exterior, postigo *m*, persiana *f*.
겉치레 ostentación *f*, vanidad *f*. ～하다 hacer ostentación, cubrir las apariencias. ～의 convencional. ～로 convencionalmente. ～로 말하다 decir cosas convencionales, decir cosas por pura exigencia del momento. 이 문제는 ～로는 해결될 수 없다 No se puede despachar este asunto cubriendo las apariencias.
■～ 인사 saludos *mpl* de pura formalidad.
겉치마 falda *f* exterior.
겉치장(－治裝) adorno *m* exterior, maquillaje *m* exterior. ～하다 adornar la parte exterior, maquillarse la parte exterior.
겉칠 pintura *f* exterior.
겉켜 capa *f* superficial.
겉포장(－包裝) cubierta *f*, envoltura *f*, sobre *m*. ～의 무게 tara *f*. ～ 포함 중량 peso *m* bruto. ～을 뺀 무게 peso *m* neto. ～ 포함해 10킬로그램이다 pesar diez kilos con tara.
겉풀솜 ＝견면(繭綿).
겉핥기 conocimiento *m* superficial. ～식의 superficial.
겉핥다 tener un conocimiento superficial.
게[1] 【동물】 cangrejo *m*; [바다의] cámbaro *m*; [담수의] éstaco *m*. 바닷～ cangrejo *m* de mar, cangrejo *m* moro.
■～구멍 cangrejera *f*. ～껍질 caparazón *m* del cangrejo. ～장수 cangrejero, -ra *mf*.
■게도 구럭도 다 잃었다 ((속담)) Perro que muchas liebres levanta pocas mata / El que mucho abarca, poco aprieta / No se debe ser codicioso y embarcarse en varias aventuras al mismo tiempo porque no se conseguirá nada.
게[2] ① ((준말)) ＝거기. ¶～가 어디냐? ¿Dónde está ahí? ② [상대를 얕잡아 보고 일컫는 말] tú. ～가 어디 사나? ¿Dónde vives tú?
게[3] ((준말)) ＝에게. ¶내～ 자유와 빵을 달라 Dame la libertad y el pan.
게[4] ((준말)) ＝것이. ¶그～ 누구의 것이냐? ¿De quién es eso?
게거품 ① [게가 토하는 거품 같은 침] espuma *f* por la boca de un cangrejo. ② [사람이나 동물이 몹시 괴로울 때 부걱부걱 나오는 거품 같은 침] espuma *f*. ～을 튀기다 discutir acaloradamente, discutir con mucho ímpetu. 그는 말할 때 입에 ～을 낸다 El echa espuma por la boca al decir.
게걸 voracidad *f*.
◆게걸(이) 들다 tener un apetito voraz.
게걸거리다 refunfuñar, rezongar, quejarse, murmurar.
게걸게걸 refunfuñando, quejándose.
게걸스럽다 (ser) voraz, muy comedor, devorador. 게걸스런 사람 glotón, -tona *mf*, comilón, -lona *mf*, tragón, -gona *mf*. 게걸스럽게 먹다 devorar(se), engullir(se), tener apetito voraz.
게걸스레 vorazmente. ～ 먹다 devorar(se), engullir(se), tener apetito voraz. ～ 먹지 마라 No engullas.
게꽁지 insignificancia *f*, pequeñez *f*.
게꽁지만하다 ser insignificante, ser muy corto, ser muy poco.
-게나 ¶어서 이리 앉～ Siéntate aquí, por favor.
게놈 (독 *Genom*; 영 *genome*) genoma *m*.
◆인간 ～ genoma *m* humano.
■～ 분석 análisis *m*(*f*) de genoma.
게눈 ① [게의 눈] ojo *m* del cangrejo. ② 【건축】 decoración *f* de espiral en el borde de la viga del tejado
■게눈 감추듯 한다 ((속담)) Se come muy rápido / Se come con gula [con glotonería].
게다가 ① ((준말)) ＝거기에다가(allí). ¶꽃병은 ~ 놓아라 Pon el florero allí. ② [그러한데다가 또] en adición, (y) además, e incluso, encima, por añadidura, para colmo. ~ 더욱 곤란한 점은 돈이 충분하지 못한 것이다 Y lo peor todavía es que me falta dinero. 그녀는 두뇌가 명석하고 ~ 미녀이다 Ella es inteligente, y además guapa. 너는 지각을 했고 ~ 용서도 빌지 않는다 Llegaste tarde y encima no me pides perdón. 날이 어두워졌고 ~ 비까지 내리기 시작했다 Anochecía, y además [y para colomo] empezó a llover. 그는 공부 잘하고, ~ 운동 선수이다 El estudia mucho, y además es atleta. 나는 오늘 밤에 바쁘다. ~ 몸도 안 좋아 Estoy ocupado esta noche, y además me encuentro indispuesto. 그녀는 배우이고 ~ 작가이다 Ella es actriz, y, además, es escritora / Ella es escritora además de ser actriz. ③ [그 꼴에] en esa forma, en ese tipo.

게두덜거리다 refunfuñar, rezongar.
게두덜게두덜 refunfuñando, rezongando.

게딱지 concha *f* del congrejo.
게딱지같다 =게딱지만하다.
게딱지만하다 (ser) insignificante y pequeño, pequñísimo.

게라(영 *galley*) ①【인쇄】galerada *f.* ② ((준말)) =게라쇄(刷). ③ =교정지(校正紙).

게르니까 ①【지명】Guernica (서반아 비스까야 주의 주도). ② [피카소의 한 그림] Guernica.
■ ~의 나무 el Arbol de Guernica (바스꼬의 상징인 떡갈나무로 그 나무 그늘에서 주민 대표들이 회의를 열고 있음. 1511년에 심었으나 1771년과 1861년에 다시 심음).

게르마늄(독 *Germanium*) germanio *m.*

게르만(독 *Germane*) ①【지명】la Germania. ② [사람] germano, -na *mf.* ~의 germánico, germano.
■ ~ 민족 germanos *mpl*, raza *f* germánica. ~ 어족 germánico *m.* ~인 germano, -na *mf.* ~족 germanos *mpl.* ~주의 germanismo *m.* ¶범~ pangermanismo *m.* ~주의자 germanista *mf.*

게릴라(서 *guerrilla*) guerrilla *f.*
■ ~ 대원[병] guerrillero, -ra *mf*, partisano, -na *mf*, miembro *mf* de la resistencia. ~부대 unidad *f* de partisanos, grupo *m* de guerrilleros. ~ 작전 operaciones *fpl* guerrilleras. ¶대(對)~ operacioes *mpl* contraguerrilleras. ~전(戰) guerrilla *f*, guerra *f* de guerrilla. ¶대(對)~ contraguerrilla *f*, guerra *f* contraguerilla. ~을 하다 guerrillear, pelear en guerrillas. ~ 전술 táctica *f* guerrillera. ~ 지도자 líder *m* guerrillero, líder *f* guerrillera. ~ 행동 acción *f* de guerrilla.

게바라【인명】Ernesto Che Guevara (1929-1967).
◆아르헨띠나의 정치가며 의사인 동시에 꾸바 혁명에서 피델 까스뜨로의 협력자로 꾸바 중앙 은행장과 내무부 장관을 역임하고 볼리비아 게릴라 전투에서 사망(político y médico argentino y colaborador de Fidel Castro en la Revolución Cubana. Era administrador del Banco Central Cubano y ministro de Asuntos Interiores. Murió en Bolivia en la lucha de guerrillas).
■ ~주의 guevarismo *m.* ~주의자 guevarista *mf.*

게살 carne *f* del cangrejo (secada).

게서[1] ((준말)) =거기에서. ¶혼자 ~ 뭘 하니? ¿Qué haces allí solo? 점심은 ~ 먹었다 Yo tomé almuerzo allí.

게서[2] ((준말)) =에게서. ¶이 책을 그이~ 받았다 Yo recibí este libro de él. 그이~ 편지가 왔다 Yo recibí una carta de él / El me envió una carta / El me escribió una carta.

게슈타포(독 *Gestapo*) [나치 독일의 비밀 국가경찰] gestapo *m.*

게스트(영 *guest*) [손님] invitado, -da *mf*, huésped *mf*, *Chi* alojado, -da *mf.*
■ ~ 룸 [여관·하숙의 객실] cuarto *m* de huéspedes. ~ 리스트 lista *f* de invitados. ~ 멤버 miembro *m* invitado, miembro *f* invitada. ~ 싱어 cantante *m* invitado, canante *f* invitada.

게시(揭示) anuncio *m*, aviso *m*, notificación *f*, cartel *m*, letrero *m.* ~하다 anunciar [avisar · notificar] (en el tablero de anuncio), publicar escrito en papel, publicar por medio de carteles, pegar [fijar] carteles.
■ ~판 cartelera *f*, tablero *m* de anuncios. ¶~에 오늘 휴강이라 게시되어 있다 En el tablero de anuncios se notifica que hoy no hay clase.

게실(憩室)【의학】divertículo *m*, apéndice *m* (vertical), bolsillo *m* ciego.

게양(揭揚) izada *f.* ~하다 izar, enarbolar. 국기를 ~하다 izar la bandera nacional.

게염 codicia *f.*
◆게염(이) 나다 hacerse codicioso. 게염(을) 부리다 codiciar, comportarse codiciosamente.
게염스럽다 ser codicioso.
게염스레 codiciosamente, con codicia.

게오폴리티크(독 *Geopolitik*) [지정학(地政學)] geopolítica *f.*

게우다 ① [먹었던 것을 도로 토하다] vomitar, arrojar. 게우는 일 [것] vómito *m.* 게울 것 같은 nauseabundo, asqueroso, repugnante. 음식을 ~ vomitar la comida. 뱃멀미가 나서 게우고 싶다 Yo siento náusea. ② [이유에 닿지 않게 차지하였던 남의 재물을 도로 내어 놓다] devolver, vomitar.

게으르다 (ser) perezoso, holgazán, indolente, haragán, ocioso; ser de mala madera, tener mala madera. 나는 게을러서 회의에 참석하지 못했다 No he asistido a la reunión por pereza.
게을러지다 hacerse [volverse] negligente [perezoso].
■게으른 놈이 짐 많이 진다 ((속담)) El haragán tiene mucho trabajo. 게으른 말 짐 탐한다 ((속담)) El haragán tiene mucho

trabajo. 게으른 선비 책장 넘기기 ((속담)) El haragán tiene pretextos.

게으름 pereza *f*, holgazanería *f*, haraganería *f*, ociosidad *f*, indolencia *f*. ~이 사람으로 깊이 잠들게 하나니 게으른 자는 주릴 것이니라 ((잠언 19:15)) La pereza hace caer en profundo sueño, y el alma negligente padecerá hambre / La pereza hace dormir profundamente, y el perezoso habrá de pasar hambre.

◆게으름(을) 부리다 (ser) perezoso, holgazán, ocioso. 게으름(을) 피우다 holgazanear, haraganear, gandulear; [태만하다] desatender, descuidar, dedicarse a la ociosidad [a la negligncia]. 일을 ~ desatender [descuidar] *su* trabajo. 게으름 피우는 버릇이 들다 adquirir el hábito de la pereza. 게으름 피우는 버릇이 있다 tener el vicio de la holganza.

게으름뱅이 ((속어))) =게으름쟁이.

게으름쟁이 perezoso, -sa *mf*, holgazán (*pl* holgazanes), -zana *mf*, haragán, -gana *mf*. ~가 되다 emperezarse, hacerse perezoso.

게을러빠지다 ser muy perezoso [holgazán].

게을리 perezosamente, con pereza, negligentemente. ~하다 descuidar, desatender, ser negligente, ser perezoso. 일을 ~하다 descuidar el [descuidarse del] trabajo. 주의를 ~하다 descuidarse, no prestar [no poner] atención (a). 공부를 ~하다 descuidar *sus* estudios, descuidarse en los estudios. 우리들은 자신의 의무를 ~하는 경향이 있다 Somos propensos a desatender [a faltar a] nuestros deberes.

게이(영 *gay*) [동성 연애자] homosexual *mf*.

게이지(영 *gauge*) ① [측정기] calibrador *m*. ② [철도의 궤간] ancho *m* de vía, entrevía *f*, *CoS* trocha *f*.

■ ~글라스 cristal *m* manométrico. ~ 압력 presión *f* manométrica.

게이트(영 *gate*) ① [여닫는 문] puerta *f*, [정원의] cancela *f*, verja *f*, [밭의] portón *m* (*pl* portones); [성·도시의] puerta *f*, portal *m*; [통제하는 곳의 입구] entrada *f*. ② [수문(水門)] compuerta *f*. ③ [비행장에서, 승객의 출입을 체크하는 곳] puerta *f* (de embarque). ④ [경마장에서, 출발점의 칸막이] cajón *m* (*pl* cajones) de salida. ⑤ [스키장의 출발문] puerta *f* de salida. ⑥【컴퓨터】puerta *f*.

게임(영 *game*) ① [놀이] juego *m*. ② [시합] partido *m*; [장기·카드 등의] partida *f*, ((테니스)) juego *m*. ~을 하다 jugar, echar una partida. ~을 포기하다 abandonar el juego [la lucha], tirar la toalla. 체스 [카드] ~을 하다 jugar una partida de ajedrez [naipes]. 첫 ~ primera partida *f*, primer partido *m*, primer juego *m*. ~의 계획 plan *m* de juego. ~의 이론 teoría *f* de juegos.

■ ~ 세트 fin *m* de la partida, final *m* del juego.

게자리【천문】Cáncer *m*.

게장(-醬) ① [게젓] cangrejos *mpl* encurtidos en salsa. ② [게젓을 담근 간장] salsa *f* hecha de cangrejos encurtidos.

게재(揭載) inserción *f*, publicación *f*. ~하다 insertar, publicar. 신문에 사진을 ~하다 publicar una foto en el periódico. 이 시(詩)는 잡지에 ~되었다 Esta poesía fue publicada en una revista.

■ ~ 금지 prohibición *f* de publicación.

게저분하다 (estar) sucio, impuro. 마루가 ~ El suelo está sucio. 부엌이 무척 게저분했다 La cocina estaba sucísima / La cocina estaba hecha un asco.

게저분히 suciamente, con suciedad, impuramente.

게적지근하다 no sentirse a gusto. 나는 그곳이 게적지근했다 No me sentía a gusto allí.

게접스럽다 (estar) mugriento, roñoso, guarrísimo, sucio, *Chi, Méj* mugroso.

게접스레 mugrientamente, roñosamente, suciamente.

게젓 cangrejos *mpl* encurtidos en salsa.

게정 quejumbre *f*, queja *f* perezosa, refunfuño *m*.

◆게정(을) 내다 regonzar, refunfuñar.

게정거리다 quejarse, querellarse, refunfuñar, gruñir.

게정게정 quejándose, refunfuñando, gruñendo.

게정꾼 rezongón, -gona *mf*, gruñón, -ñona *mf*, quejumbroso, -sa *mf*, querelloso, -sa *mf*, quejicoso, -sa *mf*.

게정스럽다 (ser) gruñón, -ñona; refunfuñón, -ñona.

게지(憩止) descanso *m* de un momento. ~하다 descansar un momento.

게집 cangrejera *f*.

게토(이 *ghetto*) ① [유대인 거주 지역] judería *f*, barrio *m* de los judíos, ghetto *m*. ② [빈민가] ghetto *m*.

게트림 eructo *m* [regüeldo *m*] arrogante. ~하다 arrojar [vomitar] arrogantemente.

게판(揭板) =게시판(揭示板).

게휴(憩休) =휴게(休憩).

겐 ① ((준말)) =거기는. 거기에는. ¶~ 사정이 어떻더냐? ¿Cómo está allí? ② [조사「에게」와 「는」이 합하여 준 말] para, a. 우리~ 책을 주시오 Danos un libro. 네~ 이런 책이 없지? No tienes este libro?

겟국 sopa *f* de cangrejos.

겨 cáscara *f*, farfolla *f*, [쌀겨] salvado *m* de arroz.

■똥 묻은 개가 겨 묻은 개를 나무란다 [흉본다] ((속담)) Olvidar sus propios defectos / Ver la paja en el ojo ajeno, y no ver la viga en el suyo / El puchero dijo a la sartén: apártate de mí que me tiznas / Dijo la sartén al cazo: quítate que me tiznas. 겨 주고 겨 바꾼다 ((속담)) Es inútil / Es como dar palos de ciego.

■ ~기름 aceite *m* de cáscara.

겨끔내기 alternación *f*. ~로 alternativamente.

겨냥 ① [목적물을 겨눔] puntería *f*, blanco *m*. ~하다 apuntar, asestar (el tiro). ② [겨누어 정한 치수와 양식] medida *f*, tamaño *m*, dimensión *f*. ~하다 medir, poner*le* la talla (a).
◆겨냥(을) 내다 medir, poner*le* la talla (a). 겨냥(을) 대다 apuntar. 겨냥(을) 보다 apuntar.
■~대 varilla *f* de medir. ~도(圖) bosquejo *m*.

겨누다 ① [과녁 따위를] apuntar. 높게 ~ apuntar alto. 낮게 ~ apuntar bajo. 과녁을 ~ apuntar al blanco. 그녀는 총으로 나를 겨누었다 Ella me apuntón con una pistola. 다른 쪽을 겨누어라 Apunta hacia [para] otro lado. 준비 … 겨눠 … 발사 Preparen … apunten … ¡fuego! ② [어떤 물체의 길이나 넓이 따위를 알기 위해 대보다] medir.

겨눠보다 ① [시선을 한 줄로 겨누어서 보다] tomar puntería tentativa. ② [겨냥(을) 보다] apuntar.

겨드랑 ((준말)) =겨드랑이.

겨드랑눈【식물】=곁눈.

겨드랑이 ① [가슴의 양편 옆, 팔 밑의 오목한 곳] sobaco *m*, axila *f*. ~에 debajo del brazo, en el sobaco. 가방을 ~에 끼고 con la cartera bajo el brazo. 책을 ~에 끼고 있다 llevar un libro bajo el brazo. ② [옷의 겨드랑이에 닿는 부분] sisa *f*.

겨레 hijos *mpl* [decendientes *mpl*] de los mismos antepasados; [민족] pueblo *m*, compatriota *mf*, raza *f*, [형제] hermanos *mpl*.
◆배달 ~ pueblo *m* coreano.
■~말 idioma *m* común de una raza. ~붙이 miembros *mpl* del pueblo.

겨루기 =겨룸. 힘~ concurso *m* de fuerza.

겨루다 competir, rivalizar, contender, medir, oponerse. 기능을 ~ contender [rivalizar] en detreza (con). 두 소녀는 미(美)를 겨룬다 Las dos chicas rivalizan [compiten] en belleza. 나는 스포츠에서는 그 사람과 겨룰 수 없다 No puedo competir con él en el deporte. 이 제품은 품질면에서 그 제품과 겨룰 수 없다 Este artículo no puede rivalizar con ese artículo en su calidad.

겨룸 competición *f*, competencia *f*, rivalidad *f*, concurso *m*. ~하다 competir, rivalizar.

겨를 tiempo *m* desocupado, tiempo *m* libre, rato *m* ocioso, horas *fpl* ociosas, horas *fpl* muertas. ~이 없다 estar ocupado, estar atareado, tener mucho ajetreo. 나는 ~이 전혀 없다 No tengo ningún tiempo libre. 나는 오늘은 눈코 뜰 ~이 없었다 Hoy he estado muy atareado / Hoy he estado muy ocupado con mi trabajo.

겨리 arado *m* atraído por dos bueyes.
■~질 aradura *f* con arado de dos bueyes.

겨릿소 uno de los bueyes atados al arado de dos bueyes.

겨반지기(–半–) arroz *m* mezclado por muchas cáscaras.

겨우 ① [힘들게 가까스로, 근근이] con (mucha) dificultad, difícilmente, a duras penas, a malas penas, por los pelos ~ 시간에 대어 도착하다 llegar por un pelo, llegar apenas a tiempo. ~ …하기에 이르다 llegar a + *inf* por fin [trabajosamente]. 나는 ~ 빚을 청산하기에 이르렀다 Por fin llegué a liquidar la deuda. 나는 ~ 네 말이 들린다 Apenas te oigo / Casi no te oigo. 그가 집에 도착했을 때 우리는 ~ 식사를 끝냈다 Apenas habíamos terminado de comer cuando él llegó a casa. ② [고작] sólo, solamente.

겨우겨우 con mucha dificultad. ~ 살아가다 vivir al día.

겨우내 todo el invierno. ~ 눈이 온다 Nieva todo el invierno.

겨우살이[1] [겨울 동안의 옷과 양식] la ropa y provisiones de invierno.

겨우살이[2]【식물】muérdago *m*, parásito *m*.

겨울 invierno *m*. ~의 invernal, de(l) invierno. ~에 en (el) invierno. 2001년 ~에 en el invierno de 2001 (dos mil uno). ~을 지내다 pasar el invierno, invernar; [동면하다] hibernar. ~ 준비를 하다 hacer preparativos para el invierno. 나는 ~에 스키 타러 가기를 좋아한다 Me gusta ir a esquiar en invierno.
◆금년 ~ este invierno. 내년 ~ año *m* que viene. 작년 ~ año *m* pasado.
■~ 경치 paisaje *m* invernal. ~나기 invernación *f*. ~날 [날] día *m* del invierno; [날씨] tiempo *m* invernal, tiempo *m* del invierno. ~ 등산 alpinismo *m* de invierno. ¶~을 하다 subir a una montaña en invierno. ~바람 viento *m* invernal, viento *m* del invierno, viento frío del invierno. 겨울바람이 봄바람 보고 춥다 한다 ((속담)) El puchero dijo que a la sartén: Apártate de mí, que me tiznas. ~ 방학 vacaciones *fpl* de invierno. ~새 el ave *f* (*pl* las aves) invernal, el ave de invierno. ~ 스포츠 deportes *mpl* de invierno. ~ 옷 ropa *f* invernal, traje *m* invernal, vestido *m* invernal, ropa *f* [traje *m*] de [para] invierno, vestido *m* [traje *m*] de [para] invierno. ~ 올림픽 경기 대회 los Juegos Olímpicos de invierno, la Olimpiada de invierno. ~용 막사 cuarteles *mpl* de invierno. ~잠 hibernación *f*, invernada *f*, acción *f* de pasar el invierno [el tiempo] en un paraje retirado [en la inacción]. ~ 채비 preparaciones *fpl* para invierno. ~철 invierno *m*., temporada *f* de invierno. ¶~의 불경기 baja *f* de las ventas en invierno. ~ 의류 vestidos *mpl* de invierno. ~의 황량한 경치 paisaje *m* invernal desolado. ~의 잎이 떨어진 나무 árboles *mpl* deshojados por [en] el invierno. ~ 파종(播種) siembra *f* en (el) invierno. ~ 패션 moda *f* de invierno.

겨워하다 sentir difícil (a + *inf*).

겨자(芥子) ①【식물】mostazo *m*. ②【양념】mostaza *f*.
■~ 단지 mostacera *f*, mostacero *m*. ~씨

㉮【식물】 grano *m* de mostaza, semilla *f* de mostaza. ㉯ [몹시 작은 것] cosa *f* muy pequeña.

겨죽(–粥) gachas *fpl* de cáscara.

격(格) ① [등급] orden *m*, categoría *f*; [지위] rango *m*; [자격] capacidad *f*; [인격] carácter *m*. ~을 갖추다 ser formal, completar formalidades. ~이 오르다 subir de rango. ~이 내리다 bajar de rango. ~이 틀리다 ser de un rango diferente. …보다 ~이 높다 ser de [tener] categoría superior a *uno*. ②【언어】 caso *m*. 주(主)~ caso *m* nominativo.

격감(激減) fuerte disminución *f*, diminución *f* repentina, mengua *f* [reducción *f*] repentina y notable. ~하다 disminuir [menguar · reducirse] notablemente [visiblemente]. 인구(人口)가 ~한다 Disminuye la población rápida y notablemente. 매상(賣上)이 ~했다 Las ventas se han reducido notablemente.

격검(擊劍) ① [장검을 쓰는 일을 익히는 일] esgrimidura *f*. ~하다 esgrimar. ② [검도] esgrima. ~하다 practicar la esgrima, hacer esgrima.

■ ~ 도장 sala *f* de esgrimidura. ~ 사범 maestro *m* de esgrimir.

격구(擊毬) una especie del polo jugado por el militar en los días pasados.

격나다(隔–) perder *su* antigua intimidad. 부부간에 격나 있다 Marido y mujer han perdido su antigua intimidad.

격납고(格納庫) hangar *m*. ~에 넣다 guardar [meter] en el hangar.

격년(隔年) cada dos años. ~의 de cada dos años. ~으로 cada dos años, en años alternos.

격노(激怒) ira *f*, furor *m*, rabia *f*, cólera *f*, indignación *f*. ~하다 enfurecerse, indignarse, tomar rabia, montar en cólera, ponerse furioso. ~시키다 indignar, exasperar, irritar, enfurecer, encolerizar.

격돌(激突) choque *m* [encontrón *m* · trompazo *m*] fuerte, colisión *f* violenta. ~하다 chocar fuertemente (contra), darse un trompazo fuerte (con).

격동(激動) movimiento *m* violento, agitación *f*, turbación. ~하다 agitarse. ~하는 사회(社會) sociedad *f* agitada [revuelta · tempestuosa].

■ ~기(期) época *f* de agitación, época *f* de turbación.

격랑(激浪) ① [거센 물결] olas *fpl* embravecidas. ② [모진 시련] prueba *f* severa.

격려(激勵) estímulo *m*, ánimo *m*, aliento *m*. ~하다 animar, alentar, estimular; dar ánimo (a), infundir ánimos (en), dar aliento (a). ~의 말 palabras *fpl* de ánimo [aliento]. 야구 선수들을 ~하다 alentar [animar] a los beisbolistas [los beisboleros]. 그는 그들에게 ~의 연설을 했다 El les habló para levantarles la moral / El les habló para infundirles ánimo. 모든 사람들의 ~속에 그는 여행을 떠났다 Animado por todos, él salió de viaje. 그의 선생님들은 그에게 많은 ~를 보냈다 Sus profesores le dieron mucho ánimo. 그녀는 다시 해보도록 나를 ~했다 Ella me alentó a seguir adelante / Ella me alentó para que volviera a intentarlo.

■ ~사 palabra *f* de ánimo. ~ 연설(演說) discurso *m* de ánimo. ~자(者) alentador, -dora *mf*.

격력(擊力)【물리】 fuerza *f* impulsiva.

격렬하다(激烈–) (ser) violento; [경쟁 따위가] severo; [고통 따위가] agudo, vehemente. 격렬함 violencia *f*, arrebatamiento *m*. 몹시 격렬한 muy violento, muy severo, muy agudo; a muerte. 몹시 격렬한 전쟁 guerra *f* a muerte. 격렬하게 토론하다 discutir vehementemente.

격렬히 violentamente, severamente, agudamente, vehementemente.

격론(激論) discusión *f* acalorada [ardiente · viva], disputa *f* acalorada [ardiente · viva]. ~을 벌리다 discutir [disputar] acaloradamente, tener una discusión animada.

격류(激流) corriente *f* rápida, torrente *m*, rápido *m*. ~를 건너다 cruzar el rápido [el torrente · la corriente rápida]. ~에 휩쓸려 내려가다 ser arrastrado por el torrente. ~는 위험한 홍수를 일으킨다 Los torrentes causan peligrosas inundaciones.

격률(格率)【철학】 máxima *f*.

격리(隔離) aislamiento *m*, separación *f*; [혹인에 대한] segregación *f*; [전염병 환자의] cuarentena *f*. ~하다 aislar, separar, segregar, poner en cuarentena. 전염병 환자를 ~하다 aislar (a) los enfermos contagiosos.

■ ~ 병사(病舍) pabellón *m* aislado (de un hospital). ~ 병실 sala *f* de hospital aislada. ~ 병원 hospital *m* aislado. ~실 ㉮ [격리하는데 쓰는 방] sala *f* de cuarentena, habitación *f* aislada, cuarto *m* aislado. ㉯ =격리 병실. ~증(症) hipertelorismo *m*. ~체(體) islador *m*. ~판(板) separador *m*. ~환자 enfermo *m* contagioso aislado.

격막(膈膜) ① ((준말)) =횡격막. ②【생물】 tabique *m*.

격면(隔面) =절교(絶交).

격멸(擊滅) exterminio *m*, aniquilación *f*. ~하다 exterminar, destruir, aniquilar. 적(敵)을 ~하다 destruir [aniquilar] el enemigo.

■ ~전(戰) batalla *f* de exterminio.

격무(激務) trabajo *m* fatigoso [pesado · penoso · abrumador]. 그는 ~를 견디지 못한다 El no aguanta un trabajo tan fatigoso.

격문(檄文) manifesto *m*, proclama *f*. ~을 돌리다 lanzar un manifiesto, circular una proclama.

격물(格物) estudio *m* de cosas y naturaleza. ~하다 estudiar las cosas y la naturaleza.

■ ~ 치지(致知) obtención *f* de conocimiento por el estudio de cosas y naturaleza.

격발(激發) arrebato *m*, arranque *m*, explosión *f*, ataque *m* (de una enfermedad). ~하다 estallar, hacer explosión, explotar. ~시키다 provocar, instigar, incitar, despertar. 감정의 ~ arrebato *m* de emoción. 노기(怒氣)의 ~ arrebato *m* de ira, arranque *m* de ira. 적대 의식을 ~시키다 provocar el antagonismo.

격발(擊發) percusión *f*.
■~ 신관 fusible *m* de percusión. ~ 장치 cerradura *f* de percusión. ~총 fusil *m* de percusión.

격벽(隔壁) ① [벽을 사이에 둠] división *f*, separación *f*. ② 【건축】 mamparo *m*.

격변(激變) cambio *m* repentino [violento · brusco], mutación *f* repentina; [주식의] fluctuación *f* violenta. ~하다 cambiar violentamente [bruscamente · repentinamente], fluctuar violentamente [bruscamente · repentinamente].

격변화(格變化) 【언어】 declinación *f*. ~하다 declinarse.

격부증(擊仆症) 【한방】 =졸중풍(卒中風).

격분(激忿) indignación *f*, rabia *f*, enfurecimiento *m*, irritación *f*, ira *f*, furia *f*, enfado *m*, enojo *m*. ~하다 irritarse [indignarse · enfurecerse] (con · contra), rabiar (contra).

격분(激憤) indignación *f* vehemente, rencor *m* vehemente, resentimiento *m* vehemente. ~하다 indignarse vehementemente.

격분(激奮) exitación *f* vehemente. ~하다 exitarse vehementemente.

격상(激賞) elogio *m* caluroso, alabanza *f* entusiasta. ~하다 abrumar a elogios, elogiar [alabar] con entusiasmo, prodigar elogios.

격서(檄書) =격문(檄文).

격세(隔世) ① [세대를 거름] distinta edad *f*. ② [딴 세상] otra edad *f*, diferente mundo *m*.
■~ 유전 atavismo *m*. ~(지)감 sentimiento *m* del otro mundo. ¶당시를 생각하면 ~이 있다 Cuando pienso en aquellos días, me parece que han pasado siglos.

격식(格式) [형식] formalidad *f*, [지위] posición *f* social, estado *m* social. ~이 높은 de alto estado, de elevada posición *f* social. ~을 차린 ceremonioso, formulario, formal. ~을 차려 ceremoniosamente, de ceremonia. ~을 차리지 않고 sin ser ceremonioso, sin ceremonia. ~을 차린 모임 una reunión de etiqueta. ~을 차린 표현 expresión *f* ceremoniosa, término *m* protocolario. ~을 중요시하다 dar importancia a las formalidades.

격실(隔室) compartimiento *m*.

격심(格心) corazón *m* honrado.

격심(隔心) =격의(隔意).

격심하다(激甚−) (ser) extremo, severo, intenso, vehemente, agudo, feroz, salvaje, importante. 격심함 severidad *f*, extremidad *f*. 격심한 경쟁(競爭) competición *f* feroz [salvaje]. 격심한 고통 dolor *m* agudo. 격심한 추위 frío *m* severo. 격심한 피해 daño *m* [perjuicio *m*] severo [importante · de consideración · de envergadura].
격심히 severamente, con severidad, intensamente, con intensidad, agudamente, ferozmente, importantemente..

격앙(激昂) excitación *f*, arrebato *m* de pasión, agitación *f*, cólera *f*, furia *f*. ~하다 excitarse, exasperarse, irritarse, enfurecerse, agitarse, encolerizarse, montar en cólera, ponerse furioso, dejarse llevar de vida, entusiasmarse. ~시키다 excitar, entusiasmar, exasperar, irritar, enfurecer, encolerizar. ~한 excitado, exasperado, irritado, enfurecido, entusiasmado. ~하기 쉬운 excitable, nervioso, colérico, exaltado. ~하여 con exitación. ~되다 ponerse hecho una furia, enfuerecerse, montar en cólera. ~되어 있다 estar furioso. 나는 여행으로 매우 ~되어 있다 El viaje me hace tanta ilusión / Estoy tan entusiasmado con el viaje. 그는 ~되어 얼굴이 붉어졌다 El se puso rojo de furia. 너무 ~하지 마라 No te entusiasmes demasiado / No te hagas demasiadas ilusiones.

격야(隔夜) cada dos noches.

격양(擊攘) =격퇴(擊退).

격어(激語) palabra *f* radical.

격언(格言) proverbio *m*, refrán *m*, máxima *f*, adagio *m*, dicho *m*, sentencia *f*. ~의 proverbial. ~에도 있듯이 como dice [va] el proverbio [el refrán]. ~ 풍으로 a modo de proverbio. 「시간은 돈이다」 라는 ~이 있다 Hay un refrán que dice: El tiempo es oro.
■~집(集) refranero *m*.

격외(格外) excepción *f*, especialidad *f*. ~의 excepcional, extraordinario, especial.
■~ 성총(聖寵) ((천주교)) gracia *f* del ayudo. ~품 artículo *m* no estándar.

격원하다(隔遠−) (estar) lejos, remoto, distante.

격월(隔月) cada dos meses. ~의 bimensual. ~로 en meses alternos, cada dos meses.
■~간 publicación *f* bimensual; [잡지] revista *f* bimensual.

격음(激音) =거센소리.

격의(隔意) reserva *f*. ~가 있는 reservado, reconcentrado. ~ 없는 franco, abierto, expansivo, comunicativo. ~ 없는 말투로 en tono de franqueza. 말하는 동안 두 사람은 ~가 없었다 Los dos, mientras hablaban, perdieron toda reserva. 그녀는 사람들과 꽤 ~가 있었다 A ella le cuesta trabajo franquearse [ser comunicativa].
격의없이 ㉮ sin reserva, libremente, a *su* modo, francamente. ㉯ [안심하고] libre de cuidados, sin preocuparse (de nada), sin inquietarse (de nada), sin la menor inquietud. ~ 지내다 franquearse, explayarse, expansionarse. ~ 말하다 hablarse con franqueza, hablarse de corazón.

격일(隔日) cada dos días. ~로 en día sí y otro no, en días, cada dos días.

격일열(隔日熱) 【의학】 fiebre *f* terciana.

격자(格子) ① [문짝이나 창문 등의] enrejado *m*, rejilla *f*. 이 창에는 ~가 붙어 있다 Esta ventana tiene puestas las rejillas. ②【물리】=결정 격자. 회절 격자. ③【전기】parrilla *f*, reja *f*.
■ ~망 red *f* de rejilla. ~ 무늬 rayas *fpl* cruzadas. ~문 puerta *f* de rejilla, puerta *f* con reja. ~ 세공 enrejado *m*; [창문의] celosía *f*. ~창 ventana *f* de rejilla, ventana *f* de celosía.

격전(激戰) batalla *f* feroz, combate *m* feroz, guerra *f* a muerte, guerra *f* sin cuartel.
■ ~장 campo *m* de batalla muy reñida. ~지 lugar *m* de batalla muy reñida.

격절(隔絶) aislamiento *m*, separación *f*. ~하다 aislar, separar, apartar. 사회에서 ~한 생활을 하다 vivir en completo aislamiento de la sociedad, vivir apartado de la sociedad.

격절 칭상(擊節稱賞) =격절 탄상(擊節嘆賞).

격절 칭찬(擊節稱讚) =격절 탄상(擊節嘆賞).

격절 탄상(擊節嘆賞) elogio *m* caluroso, alabanza *f* entusiasta. ~하다 abrumar a elogios, elogiar [alabar] con entusiasmo, prodigar elogios.

격정(激情) pasión *f*, emoción *f* violenta, emoción *f* fuerte, apasionamiento *m*. ~의 발작 arranque *m* [arrebato *m*] de pasión. ~에 못 이겨 llevado por el torrente pasional.
■ ~ 열의(熱意) corazón *m* pasional y ardiente. ~적(的) pasional.

격조(格調) ① [문예에서 체재에 맞는 격과 운치에 어울리는 조] ritmo *m*. ~가 높은 sublime; [문장 등의] altisonante, grandilocuente. 그의 문장은 ~가 높다 Su estilo tiene un tono elevado. ② [사람의 품격과 지취(志趣)] personalidad *f*, carácter *m*. ~가 높은 noble.

격조(隔阻) negligencia *f* en cartas [en visitas]. ~하다 no escribir mucho tiempo, no visitar mucho tiempo. 오랫동안 ~했습니다 Hace mucho tiempo que no le he visitado. ~를 용서하십시오 Perdone usted mi largo silencio.

격주(隔週) cada dos semanas. ~의 quincenal, de cada dos semanas. ~에 cada dos semanas. ~ 토요일에 cada dos sábados alternos.

격증(激增) fuerte aumento *m*, crecimiento *m* repentino, crecimiento *m* rápido, aumento *m* repentino, crecimiento *m* brusco. ~하다 aumentar rápidamente [repentinamente], crecer rápidamente [repentinamente], ir en rápido aumento. 인구가 ~한다 Aumenta bruscamente la población. 수입이 ~했다 Hubo un fuerte incremento en las importaciones.

격지 [여러 겹으로 쌓이어 붙은 켜] (muchas) capas *fpl*.
격지격지 en capas.

격지(隔地) distrito *m* lejano, lugar *m* lejano, sitio *m* lejano.
■ ~자(者) [격지에 있는 사람] hombre *m* (que está) en el distrito lejano.

격지(隔紙) una hoja de papel insertida entre dos capas.

격진(激震) terremoto *m* violento, seísmo *m* violento, terremoto *m* destructor [severo]. 오늘 아침에 ~이 있었다 Hubo un terremoto severo esta mañana.

격차(隔差) diferencia *f*. ~를 시정하다 corregir la diferencia. 기온의 1년 ~ diferencia *f* entre la temperatura máxima y la mínima del año. AB 간에 ~를 두다 hacer [establecer] diferencia entre A y B. 남녀 임금 ~가 증대[감소]되고 있다 Aumenta [Disminuye] la diferencia entre el sueldo de los hombres y el de las mujeres.
◆ 기업 ~ diferencia *f* entre empresas.

격찬(激讚) alabanza *f* alta, elogio *m* alto. ~하다 alabar altamente, elogiar altamente, ensalzar.

격천정(格天井) =우물 천장.

격철(擊鐵) =공이치기.

격추(擊墜) derribamiento *m*. ~하다 derribar (a tiros).

격침(擊沈) hundimiento *m*. ~하다 hundir, echar a pique.

격침(擊針) =공이.

격타(擊打) golpe *m*. ~하다 golpear, dar un golpe.

격통(激痛) dolor *m* agudo, dolor *m* fuerte, pena *f* aguda [intensiva · severa]. ~을 느끼다 sentir una pena aguda, sentir un dolor agudo. 나는 팔에 ~을 느꼈다 Me dolió fuertemente el brazo / Sentí un dolor agudo en el brazo.

격퇴(擊退) rechazamiento *m*, repulsión *f*. ~하다 rechazar, repulsar, repeler.

격투(格鬪) (lucha *f* · pelea *f*) cuerpo a cuerpo, cuerpo *m* singular, lucha *f* de mano a mano, encuentro *m* de mano a mano. ~하다 pelear cuerpo a cuerpo.

격투(激鬪) lucha *f* feroz. ~하다 luchar ferozmente.
■ ~기(技) arte *m* marcial.

격파(激波) onda *f* bruta.

격파(擊破) derrota *f*, derrote *m*, destrozo *m*, rompimiento *m*, destrucción *f*. ~하다 derrotar, destrozar, romper. 적군(敵軍)을 ~하다 destrozar el ejército enemigo.

격하(格下) degradación *f*. ~하다 degradar.

격하다(激—) excitarse, irritarse, exasperarse, enfurecerse. 격하기 쉽다 (ser) excitable, irritable, tener sangre caliente.

격하다(隔—) separar, dejar un lugar. 담장을 격한 이웃 vecino *m* de al lado. 강을 격하여 desde el otro lado del río. 10년을 격하여 después de diez años, a intervalos de diez años. 15미터를 격하여 a intervalos de quince metros. 5년 격하여 한 번씩 una vez cada cinco años.

격하다(檄—) (ser) fuerte, violento, intenso, vehemente, feroz, ardoroso, exaltado, fogoso, acalorado. 격한 감정 pasión *f* violenta. 격한 말 lenguaje *m* violento, palabra *f* fogosa. 격한 성미 carácter *m* exaltado. 격한 논의(論議) discusión *f* acalorada.

격화(激化) intensificación *f*, arrebato *m*, arrebatimiento *m*. ~하다 intensificarse, arreciarse, hacerse intenso. ~시키다 intensificar. 전투가 ~된다 El combate se hace más intenso [encarnizado].

겪다 ① [경험하다] experimentar. 겪어 본 일이 있다 tener experiencia. ② [사람들에게 음식을 차리어 대접하다] servir la comida. 손님을 ~ recibir a los invitados, agasar a los invitados.

겪이 servicio *m*.

견(犬) perro *m*.

견(見) ① [보다] ver, mirar. ② [대면하다] entrevistarse, tener entrevista. ③ =견해(見解). ④ =현재. 지금.

견(肩) hombro *m*.

견(絹) ① [얇고 성기며 무늬 없이 희게 짠 깁] seda *f*. ②【미술】((준말)) =견본(絹本).

견(遣) ① [보내다] enviar, mandar. ② [쫓아 보내다] apartarse. ③ [버리다. 이혼하다] divorciarse.

견-(絹) seda *f*.

-견(絹) seda *f*.

견가(譴呵) reprensión *f*. ~하다 reprender.

견갑(堅甲)【해부】hombro *m*.

■ ~골 omoplato *m*, omóplato *m*, escápula *f*. ~ 관절 =견관절(肩關節). ~부 hombro *m*. ~염 omitis *f*.

견갑 이병(堅甲利兵) ① [튼튼한 갑옷과 날카로운 병기] la armadura fuerte y las armas afiladas. ② =정병(精兵).

견갑충(堅甲蟲)【곤충】=갑각류(甲殼類).

견강 부회(牽强附會) forzamiento *m*. ~하다 forzar. ~한 forzado, traído de lejos.

견강하다(堅剛-) (ser) fuerte, sólido.

견강하다(堅强-) (ser) robusto, macizo.

견개하다(狷介-) ① [고집이 세어 남의 주장을 용납하는 일이 없다] (ser) terco, testarudo, tozudo, tenaz, perseverante. ② [절개가 매우 굳다] (ser) casto, puro, integral.

견결(堅決) ① [굳게 결심함] decisión *f* firme. ~하다 decidir firmemente. ② [단단히 결정함] determinación *f* sólida. ~하다 determinar [decidir] sólidamente.

견고하다(堅固-) ① [굳고 튼튼하다] (ser) fuerte, firme, sólido. 견고함 firmeza *f*, solidez *f*. 견고한 성(城) castillo *m* bien fortificado, castillo *m* bien defendido, castillo inexpugnable. 견고한 토대 base *f* firme, base *f* sólida. ② [(의지나 사상이) 동요되지 않고 확고하다] (ser) firme. 견고한 사상(思想) idea *f* firme.

견고히 fuerte, fuertemente, con fuerza, firmemente, sólidamente, bien. ~ 묶다 atar bien. ~ 수비하다 defender firmemente. ~하다 fortalecer, reforzar. ~ 묶여져 있는지 확인해 보세요 Asegúrese de que está bien atado.

견고하다(譴告) reprender y amonestar. 견고함 reprensión y amonestación.

견과(堅果)【식물】nuez *f* (*pl* nueces).

견관절(肩關節) articulación *f* de húmero.

■ ~병 omartrocace *m*. ~염 omartritis *f*.

견대(肩帶) ① =전대(纏帶). ② =상지대(上肢帶).

견돈(犬豚) [개와 돼지] el perro y el cerdo.

견두(肩頭) ① [어깨] hombro *m*. ② [어깨 끝] punta *f* del hombro.

견두류(肩頭類)【동물】stegocephali *m*.

견디다 ① [참다] tolerar, aguantar, tener paciencia, soportar (con indulgencia, sufrir. 견딜 수 없는 insoportable, intolerable, insufrible, inaguantable. 견딜 수 없을 만큼 intolerable. 견딜 수 없게 insoportablemente, intolerablemente, extremadamente. 견딜 수 없는 더위 [추위] calor *m* [frío *m*] insoportable [intolerable]. 불편을 ~ sufrir las incomodidades. …하고 싶어 견딜 수 없다 morirse de [tener muchas] ganas de (+ *inf*), morirse [desvivirse] por (+ *inf*). 나는 골프를 치고 싶어 견딜 수 없다 Tengo muchas ganas de jugar al golf / Me muero por jugar al golf. 나는 추위를 견딜 수 없다 Yo no puedo soportar este frío / Me muero de frío / Estoy helado (de frío). 나는 더워 견딜 수 없다 Estoy asado. 견딜 수 없는 더위[추위]다 Hace un calor [un frío] insoportable / No puedo tolerar este calor [este frío]. 무서워 견딜 수 없다 Me muero de miedo / Estoy muerto de miedo. 나는 이런 대접을 더 이상 견디지 못할 것이다 No voy a seguir tolerando [consintiendo] que se me trate así. 그가 낯가죽이 두꺼운 짓을 하는 걸 견딜 수 없다 Su frescura me saca de quicio / No puedo aguantar su cara dura / Me molesta mucho su desvergüenza. 나는 이제 이 일에 견딜 수 없다 Ya no puedo con este trabajo / Estoy asqueado de este trabajo / Este trabajo me da cien patadas. 나는 공부할 때 누가 나를 괴롭히면 견딜 수 없다 Yo no puedo soportar que me molestan cuando estudio / Me molesta mucho que distraigan mi estudio. 나는 담배가 좋아 견딜 수 없다 Me gusta fumar a rabiar. 나는 술 냄새를 견딜 수 없다 Yo no puedo soportar el olor a vino. 더 이상은 견딜 수 없다 Yo no puedo (soportar [aguantar]) más. 우리는 소음을 더 이상 견딜 수 없어 이사했다 Cambiamos de casa porque no podíamos soportar más. 그건 견딜 수 없는 일이다 Es una cosa que no se puede aguantar. 그는 비난 받는 것을 견딜 수 없다 El no soporta que lo critiquen. 이곳 생활은 견딜 수 없다 La vida aquí es excesivamente dura. 나는 그런 무례한 행동을 견디지 못할 것이다 ¡No voy a tolerar semejante impertinencia! 내 입으로 너에게 그 소식을 말하는 것은 견딜 수 없다 Me parte el corazón darte la noticia. 그는 어떤 중노동에도 견딜 수 있다 El puede aguantar [soportar] cualquier trabajo duro. 그는 그들이 견딜 수 없을 때까지 고통스럽

게 했다 El los hizo sufrir hasta que no podían más. 내가 견딜 수 없는 일이 있다면 그건 나를 기다리게 하는 것이다 Si hay algo que no soporto [que no aguanto] es que me hagan esperar.
② [지탱하다] durar, resistir, ser a prueba (de). 열에 ~ resistir el calor. 차폐물들은 대부분의 발사체(發射體)를 견딘다 Los escudos son a prueba de la mayoría de los proyectiles.
③ [살림살이에 곤란 없이, 유지하여 지내다] ganarse la vida. 근근히 생계를 견디어 가다 ganarse la vida a duras penas. 그들은 땅을 일구면서 근근히 생계를 견디어 간다 Ellos se ganan la vida a duras penas trabajando la tierra.
견딜성(性) paciencia *f*, perseverancia *f*, fortaleza *f*, resistencia *f*. ~이 있는 paciente, perseverante, tenaz. ~ 없는 falto de paciencia. 무슨 일에든지 ~이 있어야 성공하는 법이다 El que la sigue, la mata / Quien perseveró, alcanzó / La perseverancia es la madre de éxito.
견딜힘 resistencia *f*, paciencia *f*.
견딤성(性) =내성(耐性).

견련(牽聯/牽連) conexión *f*, enlace *m*. ~하다 estar afiliado (a).
■ ~ 사건(事件) caso *m* afiliado.

견뢰(堅牢) firmeza *f*. ~하다 (ser) firme, sólido, fuerte, resistente.

견루(堅壘) fortaleza *f* inexpugnable, fortaleza *f* inconquistable. ~를 공략하다 expugnar una fortaleza sólida.

견마(犬馬) ① [개와 말] el perro y el caballo. ② [「자기」를 낮춘 말] yo.
■ ~지로(之勞) ㉮ [임금이나 나라에 충성을 다하는 노력] *su* servicio leal, *su* gran servicio. ¶~를 아끼지 않다 prestar un gran servicio (a). ㉯ [자기의 노력을 겸손하게 일컫는 말] mi humilde esfuerzo. ~지류(之類) ㉮ [개와 말 같은 것들] animales *mpl* domésticos. ㉯ [개나 말처럼 낮고 천한 사람들] gente *f* baja y humilde. ~지성(之誠) ㉮ [임금이나 나라에 바치는 충성] lealtad *f* al rey o al país. ㉯ [자기의 정성을 겸손하게 일컫는 말] mi sinceridad, mi devoción. ~지심(之心) *su* corazón que presta un gran servicio al rey o al país. ~지충(之忠) lealtad *f* al rey. ~지치(之齒) mi edad.

견문(見聞) [지식] información *f*, conocimiento *m*; [경험] experiencia *f*; [관찰] observación *f*. ~하다 experimentar, observar. ~을 넓히다 ampliar la experiencia, ver mundo, conocer el mundo. ~이 넓다 tener mucha experiencia del mundo. 친히 ~하다 observar personalmente.
■ ~록 récord *m* de experiencia personal.

견문 발검(見蚊拔劍) el prestar mucha atención a nimiedades.

견물 생심(見物生心) Ver es desear / La codicia lo quiere todo.

견반(堅盤) roca *f* sólida.

견방적(絹紡績) hila *f* de seda.

견방직(絹紡織) tejido *m* de seda.

견백동이(堅白同異) =궤변(詭辯).

견본(見本) muestra *f*; [모델] modelo *m*; [표본] espécimen *m* (*pl* especímenes); [집합적] muestrario *m*. ~과 일치하다 estar conforme a la muestra. ~과 틀리다 no corresponder con la muestra. ~을 보고 사다 comprar según el muestrario. …의 ~을 만들다 preparar [sacar] muestras de *algo*. 폐사에 …의 견본을 보내 주십시오 Envíenos la muestra de *algo*
◆공장 ~ muestra *f* de fábrica. 무료 ~ muestra *f* gratuita, muestra *f* gratis. 오줌 ~ muestra *f* de orina. 토양 ~ muestra *f* de suelo. 혈액 ~ muestra *f* de sangre.
■ ~ 검사 inspección *f* de muestra. ~ 디자인 diseño *m* de la muestra. ~ 매매(賣買) compraventa *f* según el muestrario. ~쇄(刷) ejemplar *m* de muestra, página *f* que sirve de muestra. ~시(市) ((준말)) =견본시장. ~ 시장 feria *f* (de muestras). 국제 ~ la Feria Internacional. ~실 sala *f* de muestras. ~ 자료 datos *mpl* de muestra. ~장(帳) muestrario *m*. ~ 주문 pedido *m* por muestras. ~철(綴) muestrario *m*. ~품 artículos *mpl* como muestras.

견본(絹本) una hoja de seda (usada para la pintura o la escritura).

견분(犬糞) estiércol *m* del perro.

견비(肩臂) el hombro y el brazo.
■ ~통(痛) 【한방】 dolor *m* de hombro, dolor *m* de entre el hombro y el brazo.

견빙(堅氷) hielo *m* sólido.

견사(絹紗) la seda y la gasa.

견사(絹絲) hilo *m* de seda.
■ ~ 방적 hilandería *f* de seda, hilado *m* de seda.

견새(堅塞) fortaleza *f* muy defendida.

견석(堅石) piedra *f* sólida.

견설 고골(犬齧枯骨) desabrimiento *m*.

견성(見城) ① [튼튼한 성] castillo *m* firme. ② [방비가 견고한 성] castillo *m* muy defendido.

견수(堅守) =고수(固守).

견습(見習) aprendizaje *m*; [사람] aprendiz *m* (*pl* aprendices), -za *mf*; discípulo, -la *mf*; [변호사나 의사 따위의] pasante *mf*. ~하다 hacer *su* aprendizaje, pasar *su* aprendizaje.
■ ~ 간호사 enfermero, -ra *mf* practicante; estudiante *mf* de enfermería. ~공 aprendiz, -diza *mf*; discípulo, -la *mf*. ~ 기간 período *m* de prácticas, período *m* de prueba. ~ 기자 periodista *m* novato, periodista *f* novata. ~ 사관 cadete *m*. ~ 사원 empleado, -da *mf* practicante. ~생 aprendiz, -diza *mf*; discípulo, -ra *mf*; [의사나 변호사 따위의] pasante *mf*. ~ 선원 marinero *m* inexperto, marinero *m* de agua dulce. ~ 운전사 chofer *mf* practicante. ~ 전기 기사 aprendiz, -diza *mf* de electricista.

견식(見識) ① [견문과 학식] la experiencia y la ciencia. ② [의견(意見)] opinión *f*; [안식

(眼識)] discernimiento *m*, entendimiento *m*, juicio *m*; [지식] sabiduría *f*, conocimiento *m*, información *f*. ~이 있는 clarividente, bien entendido, de mucho entendimiento, muy enterado. ~이 높은 clarividente, previsor. ~이 있는 체하다 darse aire de importancia. 그는 미술에 ~이 있다 El es un gran conocedor de (las) bellas artes.

견신(見神) visión *f* beatífica.

견신(堅信) ((천주교)) =견진(堅振).
 ▪ ~례(禮) ((기독교)) confirmación *f*. ¶~를 받을 사람 confirmando, -da *mf*. ~를 베풀다 confirmar.

견실(見失) pérdida *f*. ~하다 perder. ~되다 ser perdido.

견실(樫實) 【식물】 =상수리.

견실하다(堅實-) (ser) firme, sólido, estable, seguro. 견실함 firmeza *f*, solidez *f*, estabilidad *f*, seguridad *f*. 견실한 기업(企業) empresa *f* sólida, empresa *f* firme. 견실한 방법(方法) método *m* seguro. 견실한 사업(事業) negocios *mpl* firmes, negocios *mpl* seguros. 견실한 사람 persona *f* sensata, persona *f* juiciosa, persona *f* de entereza, persona *f* de carácter. 견실한 상인(商人) comerciante *mf* formal, comerciante *mf* solvente. 견실한 여인(女人) mujer *f* que vale mucho, mujer *f* que sabe donde pisa. 견실한 투자 inversión *f* segura. 견실한 회사(會社) compañía *f* sólida, compañía *f* firme. 장사를 견실하게 하다 comerciar de una manera formal. 시황(市況)이 ~ comerciar de una manera formal.
 견실히 firmemente, sólidamente, seguramente, de una manera formal, de una manera segura.

견암(堅巖) roca *f* sólida.

견약(堅約) promesa *f* firme. ~하다 prometer firmemente.

견양(犬羊) ① [개와 양] el perro y la oveja. ② [악한 사람과 선한 사람] el buen hombre y el mal hombre.
 ▪ ~지질(之質) disposición *f* sin talento.

견여금석(堅如金石) firmeza *f* como el metal y la roca. ~하다 ser firme como el metal y la roca.

견여반석(堅如盤石) base *f* firme y segura. ~하다 tener la base firme y segura.

견염(堅鹽) =고염(固鹽).

견예(牽曳) remolque *m*. ~하다 remolcar.

견온병(犬瘟瓶) enfermedad *f*.

견외(遣外) envío *m* al país extranjero. ~하다 enviar al país extranjero.

견우(牽牛) ① ((준말)) =견우성. ② 【식물】 = 나팔꽃.
 ▪ ~성(星) 【천문】 Altaír *m*. ~자(子) 【한방】 semilla *f* de dondiego de día. ~ 직녀 el Altaír y la Vega.

견우화(牽牛花) 【식물】 flor *f* de dondiego de día.

견원(犬猿) el perro y el gato.
 ▪ ~지간(之間) enemistad *f* mutua. ¶~으로 como perros y gatos. ~이다 andar como perros y gatos, llevarse como el perro y el gato. 두 사람은 ~이다 Los dos se llevan como el perro y el gato / Los dos están engañándose [jugando] como el gato y el ratón.

견유(犬儒) cínico, -ca *mf*.
 ▪ ~주의 cinismo *m*. ~ 학도 cínico, -ca *mf*. ~ 학설(學說) cinismo *m*. ~ 학파(學派) cínicos *mpl*.

견인(堅忍) perseverancia *f*. ~하다 perseverar.
 ▪ ~ 불발(不拔) persistencia *f*, empeño *m*. ¶~하다 persistir, empeñarse. ~하여 정상(頂上)에 도착하다 echar arrestos y llegar a la cumbre. 그녀는 ~하여 밤이 이슥할 때까지 공부하고 있다 Ella está dale que dale al estudio hasta muy avanzada la noche. ~ 불발성 carácter *m* persistente. ~성 persistencia *f*. ~지구(持久) perseverancia *f* obstinada. ~지종(至終) persistencia *f* hasta el fin. ¶~하다 persistir hasta el fin.

견인(堅靭) (solidez *f* y) dureza *f*. ~하다 ser sólido y duro.

견인(牽引) remolque *m*, tracción *f*. ~하다 remolcar, tirar (de), arrastrar.
 ▪ ~기(器) 【의학】 retractor *m*. ~ 기관차 motor *m* de tracción. ~력 fuerza *f* de tracción. ~ 밧줄 cuerda *f* de tracción. ~ 섬유 fibra *f* de tracción. ~성 탈모 alopecia *f* de tracción. ~ 자동차 tractor *m*, coche *m* remolque, carro *m* remolque. ~차 ㉮ [짐을 실은 차량을 끄는 원동력을 갖추고 있는 자동차] tractor *m*, grúa *f*. ㉯ =견인 자동차.

견자(見者) veedor, -ra *mf*.

견장(肩章) hombrera *f*, charretera *f*, capona *f*.

견적(見積) valuación *f*, presupuesto *m*, estimación *f*, evaluación *f*, cálculo *m* aproximado. ~하다 valuar, presuponer, estimar, evaluar, calcular. 높게 ~하다 subestimar. 손해를 ~하다 valuar los perjuicios. 아무리 싸게 ~해도 그 공사는 1억원이 든다 Aun calculando [tirando] por bajo esa obra costará cien millones de wones.
 ◆ 개산(概算) ~ cálculo *m* aproximado. 과대 ~ cálculo *m* excesivo. 과소 ~ infravaloración *f*.
 ▪ ~ 가격 valor *m* estimado, precio *m* estimado, precio *m* calculado. ~서 presupuesto *m*. ~액 cantidad *f* estimada. ~ 원가 coste *m* estimado, *AmL* costo *m* estimado.

견제(牽制) ① [끌어당기어 자유로운 행동을 하지 못하게 함] limitación *f*, restricción *f*, control *m*. ~하다 dominar, contener, refrenar, controlar. ② 【군사】 divertimiento *m* estratégico, diversión *f*. ~하다 divertir. 적을 측면에서 ~하다 divertir al enemigo por un flanco suyo.
 ▪ ~ 공격 ataque *m* de diversión. ~구(球) pelota *f* de finta. ~ 상륙 desembarco *m* de diversión. ~ 운동 diversión *f*. ~ 작전

[전술] táctica *f* de diversión, táctica *f* de divertimiento. ~ 행동 movimiento *m* de diversión.

견주다 ① [둘 이상의 사물을 맞대어 보다] comparar (con). …과 견주어서 en comparación con *algo*. 그것은 내 어머님의 요리에 견줄 수 없다 No se puede comparar con [a] la comida de mi madre. 오래된 기계는 속도와 효율면에서 새것과 견줄 수 없다 La máquina vieja no se puede comparar con la nueva en (cuanto a) velocidad y eficacia. ② [힘을 비교하여 우월(優越)·승부(勝負)를 가리다] competir (contra·con), participar, rivalizar. 우리들은 경기에서 견주어 볼 것이다 Vamos a competir [participar] en los juegos. 우리들은 다른 세 팀과 견주어 볼 것이다 Vamos a competir contra otros tres equipos. 우리들은 단순히 그들과 견줄 수 없다 Sencillamente no podemos competir con ellos. 결단력과 스태미너에서 이 주자(走者)와 견줄만한 사람은 아무도 없다 Nadie puede competir con este corredor en (cuanto a) determinación y resistencia. 홍길동은 김철수와 인기면에서 견주고 있었다 Hong Kildong y Kim Cheolsu rivalizaban en popularidad. 폐사(弊社)는 다른 세 회사와 계약 때문에 견주고 있었다 Competíamos con otras tres compañías por el contrato.

견줌 comparación *f*, competencia *f*, capacidad *f*.

견지 carrete *m* (de pescar) de bambú usado sin caña de pescar.
■ ~ 낚시[질] pesca *f* con carrete de bambú usado sin caña de pescar.

견지(見地) punto *m* de vista. 경제적인 ~ punto *m* de vista económico. 이런 ~에서 보면 desde este punto de vista. 정치적 ~에서 (볼 때) desde el punto de vista político. 모든 ~에서 검토하다 examinar en todos los aspectos, examinar desde todos los puntos de vista.

견지(堅持) perseverancia *f*, mantenimiento *m* firme. ~하다 perseverar, mantenerse firme, mantener. 정책을 ~하다 perseverar en *su* política.

견지(繭紙) papel *m* muy duradero de la época de la dinastía Koryo.

견직물(—物) tejido *m* de seda, tela *f* de seda, género *m* de seda.
■ ~ 공장 fábrica *f* de seda. ~상 mercante *mf* de seda. ~업 industria *f* sedera.

견진(堅振) ((천주교)) ((준말)) =견진 성사.
■ ~ 성사 ((천주교)) confirmación *f*. ¶~를 받다 ser confirmado, recibir confirmación. ~를 행하다 confirmar.

견책(譴責) reprensión *f*, censura *f*, crítica *f*. ~하다 reprender, censurar, culpar, criticar. 엄하게 ~하다 reprender [censurar] severamente.
■ ~ 처분 reprensión *f*, reprimenda *f*. ¶~하다 reprender, censurar, castigar. ~을 받다 recibir una reprimenda oficial.

견치(犬齒) =송곳니.

견탄(堅炭) carbón *m* (*pl* carbones) sólido.

견퇴(見退) =견각(見却).

견폐(犬吠) ladrido *m* del perro. ~하다 ladrar el perro.

견포(絹布) tela *f* de seda, seda *f*.

견피(犬皮) piel *f* del perro.

견학(見學) visita *f* educacional, inspección *f* científico-escolar, visita *f* científico-escolar, observación *f*, inspección *f*. ~하다 visitar para instruirse, realizar una visita científico-escolar. 박물관을 ~하다 visitar un museo.
◆ 공장(工場) ~ visita *f* educacional a una fábrica.
■ ~단 grupo *m* de inspección. ~ 여행 viaje *m* de inspección [observación].

견해(見解) opinión *f*, parecer *m*. ~의 일치(一致) conformidad *f*. ~를 말하다 expresar [dar·exponer] su opinión. …과 ~가 일치하다 ponerse de acuerdo con *uno*; [상태] estar conforme [de acuerdo] con *uno*. …과 ~를 달리하다 estar en desacuerdo con *uno*, no ser del mismo parecer que *uno*, tener otra opinión que *uno*. 그것은 ~의 문제다 Es cuestión de parecer.
■ ~차 desacuerdo *m*, diferencia *f* de opiniones, descrepancia *f* de opiniones.

견확하다(堅確—) (ser) sólido y seguro. 견확히 sólida y seguramente.

겯고틀다 persistir hasta el fin, luchar, competir.

겯다[1] ① [기름기가 흠뻑 묻어 배다] (ser) grasiento, cubierto de grasa, lleno de grasa. 때에 결은 옷 ropa *f* grasienta con mugre. ② [한 가지 일을 오래하여 손에 익다] (ser) hábil, experto, diestro, cualificado, calificado, de especialista, especializado. 손에 결은 익숙한 솜씨 destreza *f* hábil. ③ [물건을 기름에 담그거나 발라 흠뻑 배게 하다] engrasar, lubricar, aceitar.

겯다[2] ① [대·갈대·싸리채 등의 오리로 어긋매끼게 엮다] entretejer, tejer. 바구니를 ~ tejer el cesto. ② [여러 개의 긴 물체가 안 자빠지도록 어긋매끼게 걸어 세우다] colocar uno sobre otro, acumularse entrecruzado.

겯지르다 poner transversalmente, cruzar, entrelazar.

겯질리다 ① [물건이] ser puesto transversalmente, ser cruzado. ② [일이] meterse en enredos el uno del otro. ③ [힘겹다] estar exhausto, estar agotado.

결[1] [나무·천의] fibra *f*, [돌의] vena *f*.
◆ 결(이) 곱다 (ser) suave, fino, liso. 결(이) 거칠다 (ser) rudo, áspero.

결[2] ① ((준말)) =성결(disposición). ¶결이 고운 아가씨 muchacha *f* bondadosa, muchacha *f* de buen corazón. 대쪽같이 ~이 곧은 사람 hombre *m* franco, hombre *m* de disposición franca. ② ((준말)) =결기(—氣).
◆ 결(을) 내다 enojar, enfadar, irritar. 결(이)

나다 enojarse, enfadarse, irritarse.
결³ ((준말)) =겨울.
결⁴ ① [때] tiempo *m*, momento *m*; [사이] intervalo *m*. 아침 ~에 por la mañana, *AmL* en la mañana. ② [기회] ocasión *f*, oportunidad *f*.
결가(結跏) ((불교)) ((준말)) =결가부좌.
▪ ~부좌 posición *f* del loto, posición *f* patizamba.
결강(缺講) ausencia *f* de clase. ~하다 faltar a la clase, ausentarse de la clase.
결격(缺格) descalificación *f*, incapacidad *f*.
▪ ~ 사유(事由) descalificación *f*.
결과(結果) resultado *m*, consecuencia *f*, [성과] fruto *m*. 그 ~ por consiguiente, en consecuencia, como resultado. 노력의 ~ fruto *m* del esfuerzo, resultado *m* [consecuencia *f*] de los esfuerzos. 시험의 ~ resultado *m* del examen. 조사의 ~ resultado *m* de la investigación. ~를 보아서 según cómo sea del resultado, después de ver el resultado. 여러 모로 생각한 ~ después de haberlo pensado de varias maneras, después de haberlo dado muchas vueltas al asunto. 좋은 ~를 가져오다 dar buen resultado. 좋은 ~를 얻다 salir bien, obtener un buen resultado, tener (buen) éxito. 나쁜 ~를 초래하다 recaer [causar] malas consecuencias. 나쁜 ~로 끝나다 salir mal, tener mal éxito. 중대한 ~를 초래하다 causar graves consecuencias. ~는 …이다 Resulta que + *ind* / El resultado es que + *ind*. ~는 같은 것이다 El resultado es el mismo / Resulta lo mismo. ~는 의외였다 El resultado fue inesperado. 좋은 ~를 얻기를 바란다 ¡Ojalá que salga bien! 실험 ~는 대성공이었다 La prueba ha tenido muy buen éxito / El resultado de la prueba ha sido un completo éxito. 결국 조사 ~가 나왔다 Por fin salió el resultado de la ancuesta. 그 ~ 우리는 패배(敗北)했다 Y, en consecuencia, fuimos vencidos. 수술의 ~는 만족스럽지 못하다 El resultado de la operación no es satisfactorio. 내 노력의 ~로 그들이 화해(和解)할 것 같다 Como resultado de mis esfuerzos parece que van a reconciliarse.
▪ ~설[론] argumento *m* basado en el resultado. ~적(的) ¶~으로 mirándolo desde el punto de vista del resultado. ~으로 계획을 중지해야 했다 Mirándolo ahora, hemos hecho bien en haber suspendido el proyecto. ~표(標) =귀결부(歸結符).
결과(缺課) ausencia *f* de la clase. ~하다 ausentarse de la clase, faltar a la clase.)
결괴(決壞) =결궤(決潰).
결교(結交) formación *f* de amistad. ~하다 formar una amistad.
결구(缺口) =언청이.
결구(結句) 【언어】 apódosis *f*.
결구(結球) 【식물】 puño *m*.
결구(結構) estructura *f*, construcción *f*, armazón *m*. ~하다 construir, formar, fabricar.
결국(結局) ① [끝장] fin *m*, acabamiento *m*, colmo *m*; [결말] conclusión *f*. ~하다 acabar, terminar; concluir. ② [부사적] en fin, al fin, por fin, finalmente, después de todo, (al fin y) al cabo, en conclusión; total, que …. 실험은 ~ 실패했다 Al fin, fracasó el experimento. ~은 같은 일이다 Después de todo, da lo mismo. ~ 그 계획은 실패로 끝났다 En fin, el plan ha fracasado. 나는 여러모로 생각했지만 ~ 의견은 변하지 않는다 Lo he pensado bien, pero en fin mi opinión es la misma / Aunque le he dado muchas vueltas al asunto, sigo, de todas maneras, pensando lo mismo. 그도 ~ 양보하게 될 것이다 Al fin y al cabo, ha de ceder. ~ …이다 Total, que + *ind*. ~ 우리들은 그것을 하기로 했다 Total, que nos hemos decidido a hacerlo. ~ 나는 가고 싶지 않다 Total, que no quiero ir. ~ 집에 있는 것이 가장 현명한 것이다 Total, que lo más prudente será quedarse en casa. ~ 아무도 만족하지 못한다 Total, que nadie está contento. ~ 그는 왔다 Al fin vino él. ~ 그녀는 오지 않았다 Al fin y al cabo ella no vino. 우리의 노력도 ~ 헛되었다 Después de todo, nuestros esfuerzos resultaron inútiles. ~ 경기가 회복되었다 Finalmente se ha restablecido la situación económica. ~ 너는 무엇을 말하고 싶으냐? En fin, ¿qué quieres decir con eso? / En fin, ¿adónde quieres ir a parar con todo eso? 자네는 ~ 내가 자네를 위해 무엇을 하길 바라느냐? Después de todo, ¿qué quieres que te haga yo?
◆결국(을) 짓다 =결말(을) 짓다.
결궤(決潰) rompimiento *m*. ~하다 romperse, deshacerse. 제방이 ~했다 Se ha roto [venido abajo] el terraplén.
결귀(結句) →결구(結句).
결극(決隙/缺隙) grieta *f*, raja *f*.
결근(缺勤) ausencia *f*, inasistencia *f*. ~하다 ausentarse, no asistir. ~없이 다니다 no faltar nunca a *su* trabajo. ~으로 다루다 tratar como ausente [como inasistente].
▪ ~계 aviso *m* de ausencia, notificación *f* de ausencia. ¶~를 내다 informar de *su* ausencia. ~자 ausente *mf*.
결기(一氣) vehemencia *f*, impetuosidad *f*, violencia *f*. ~ 있는 brioso, gallardo.
결납(結納) =결탁(結託).
결나다 =결(이) 나다. ☞결
결내다 =결(을) 내다. ☞결
결단(決斷) decisión *f*, determinación *f*, resolución *f*. ~을 내리다 tomar una resolución, decidir, determinar. ~을 내리지 못하고 있다 estar entre dos aguas. ~이 내려지지 않는다 no poder decidirse. 그는 결국 ~을 내렸다 Por fin él se decidió.
▪ ~력 (fuerza *f* de) resolución *f*, determinación. ¶~이 있는 deciso, resoluto. ~이 없는 indeciso, irresoluto. ~이 있는 사람

hombre *m* de decisión. ～이 부족한 사람 hombre *m* falto de decisión. 그는 ～이 있다 El es un hombre de decisión / El es un hombre resuelto [decidido]. ～성 carácter *m* deciso. ¶그는 ～이 없다 El tiene un carácter indeciso / El es un hombre indeciso [de indecisión].
결단코 nunca, (nunca) jamás, jamás de los jamases, para siempre jamás, de ningún modo, de ninguna manera, de ningún caso, *Arg* con fantasía. ～ 그런 일은 하지 않겠다 Nunca lo haré / No lo haré nunca [jamás]. ～ 그런 일을 다시는 하지 않겠다 Nunca volveré a hacer tal cosa.

결단(結團) formación *f* de una organización. ～하다 formar una organización.
■ ～식(式) reunión *f* inaugural.

결당(結黨) formación *f* de un partido, asociación *f*. ～하다 formar un partido.
■ ～식(式) ceremonia *f* inaugural (de un partido).

결따마 caballo *m* bermejizo.

결딴 ruina *f*, destrucción *f*, fracaso *m*; [파산(破産)] bancarrota *f*.
◆결딴(을) 내다 arruinar, estropear, hacer bancarrota, destrozar, romper con fuerza. 결딴(이) 나다 estropearse, hacerse bancarrota, destrozarse.

결렬(決裂) rotura *f*, rompimiento *m*, ruptura *f*. ～하다, ～되다 romperse. 교섭(交涉)은 ～되었다 Las negociaciones se han roto.
◆교섭(交涉) ～ ruptura *f* de negociaciones.

결례(缺禮) falta *f* de cortesía. ～하다 faltar la cortesía. 상중(喪中)이기 때문에 신년 인사를 ～합니다 Por estar de luto me permito no presentarle a usted mis saludos del Año Nuevo.

결론(結論) conclusión *f*. ～적으로 en conclusión. ～을 내리다 concluir. ～을 세우다 establecer una conclusión. ～을 꺼내다 sacar una conclusión. …라 ～하다, …라는 ～에 달하다 llegar a la conclusión de + *inf* [de que + *ind*]. ～은 나올 것 같지 않다 No parece que vamos a llegar a una conclusión. ～적으로 말해서 너의 제안은 받아들일 수 없다 En conclusión no puedo aceptar tu propuesta. 토의 결과, 공사를 계속한다는 ～에 도달했다 Después de deliberar hemos llegado a la conclusión de proseguir las obras. 조사 결과 그 투자는 위험하다는 ～에 도달했다 Dado el resultado de las investigaciones se concluyó que esa inversión era peligrosa.
◆결론(을) 짓다 concluir, finalizar.

결리다 ① [몸의 어떤 부분이 아프게 딱딱 마치다] *sentir agujetas* (en); [아프다] doler*le* a *uno*, tener dolor (de). 어깨가 ～ sentir agujetas en los hombros, tener los hombros endurecidos; tener dolor de hombros, doler*le* a *uno* los hombros. 어디가 결립니까? ¿Dónde siente usted agujetas? / ¿Qué le duele a usted? 어깨가 결린다 Siento agujetas en los hombros / Tengo los hombros endurecidos / Me duelen los hombros / Tengo dolor de hombros. 나는 다리가 결렸다 Se me ha entumecido la pierna / Tengo la pierna paralizada. ② [마음대로 행동하지 못하도록 억눌리다] acobardar, amilanar, intimidar.

결막(結膜) 【해부】 conjuntiva *f*, adnata *f*. ～의 conjuntival.
■ ～샘[선] glándula *f* conjuntival. ～염 conjuntivitis *f*, blenoftalmía *f*. ～ 충혈 hiperemia *f* conjuntival. ～ 확장 ectocolon *m*.

결말(結末) conclusión *f*, término *m*, fin *m*; [소설이나 희곡의] desenlace *m*; [비극적인] catástrofe *f*; [해결] solución *f*, arreglo *m*; [결과] resultado *m*, resulta *f*. 이 소설의 ～은 재미가 없다 No es interesante el desenlace de esta novela. 사건의 ～은 어떻게 났느냐? ¿Qué ha sido del asunto? / ¿Cómo se arregló [En qué quedó] el asunto? ～도 없는 이야기다 ¡Qué cosa tan poco seria! 그것은 ～이 분명치 않다 Eso no conduce a ninguna parte. 우리는 교섭을 했지만 ～이 명확하지 않다 Hemos negociado, pero la situación sigue en pie sin ningún progreso.
◆결말(을) 내다[짓다] poner fin (a), concluir, terminar, solucionar. 결말(이) 나다 acabar, terminar, llegar a una conclusión, quedar solucionado.

결말나다(結末－) ＝결말(이) 나다. ☞결말

결맹(結盟) conclusión *f* de un tratado. ～하다 concluir un tratado.

결명(決明) 【식물】 ((준말)) ＝결명차(決明茶).

결명차(決明茶) 【식물】 ((학명)) Cassia Tora.

결문(結文) epílogo *m*.

결미(結尾) fin *m*, conclusión *f*.

결박(結縛) atadura *f*. ～하다 atar, ligar; [수갑을 채우다] poner esposas (a), poner grilletes (a), encadenar. ～되다 atarse, ser atado. 손을 뒤로 ～하다 atar las manos (de *uno*) a la espalda.
◆결박(을) 짓다 atar fuertemente.

결발(結髮) peinados *mpl*, peluquería *f*, arte *m(f)* de peinar.

결백(潔白) [순결] pureza *f*, castidad *f*, limpieza *f*; [청렴] integridad *f*; [무죄] inocencia *f*. ～하다 [깨끗하다] (ser) puro, limpio, inmaculado, sin mancha; [죄가 없다] inocente; [청렴하다] sincero, recto. ～한 사람 hombre *m* de integridad, hombre *m* inocente. 자신의 ～을 입증하다 probar su inocencia.
결백히 puramente, meramente, simplemente, de una manera pura, sin mezcla, inocentemente, sin corrupción ni delito, castamente, limpiamente, sinceramente, rectamente.
■ ～성(性) carácter *m* inocente. ～ 청정 limpieza *f*. ¶～하다 (ser) limpio.

결번(缺番) número *m* ausente.

결벽(潔癖) manía *f* [amor *m*] por limpieza [por el aseo]; [정의감] probidad *f*, integri-

dad *f*, incorruptibilidad. ～하다 (ser) probo, íntegro, puritano, amar la limpieza.
■ ～성(性) carácter *m* limpio.
결별(訣別) separación *f*, despedida *f*. ～하다 separarse (de), despedirse (de), decir adiós (a); [서로] separarse; [절연하다] romper (con).
결병(潔病) =결벽(潔癖).
결복(潔服) ropa *f* limpia, vestido *m* limpio.
결복(闋服) =해상(解喪).
결본(缺本) volumen *m* desaparecido.
결부(結付) conexión *f*. ～하다 conectar. ～되다 [서로] unirse, atarse, vincularse; […과] adherirse (a). …과 ～되어 있다 estar vinculado a *algo*. …과 ～시켜 생각하다 considerar con respecto a *algo*. 부단한 노력은 성공과 ～된다 El esfuerzo de siempre nos conduce al éxito. 그 정당은 재계와 ～되어 있다 Ese partido está vinculado al mundo financiero / Ese partido mantiene estrechas relaciones con el mundo financiero.
결빙(結氷) congelación *f*. ～하다 helarse, congelarse.
■ ～기(期) período *m* de congelación. ～점 punto *m* de congelación.
결사(決死) desesperación *f*, furor *m*, encarnización *f*, determinación *f*. ～의 determinado, desesperado. ～의 각오로 desafiando a la muerte, con coraje desesperado, desesperadamente.
■ ～대(隊) pelotón *m* suicida, cuerpo *m* de vida o muerte. ¶～를 조직하다 organizar un cuerpo de vida o muerte. ～적 desesperado. ¶～으로 desesperadamente. ～ 용기 valor *m* desesperado, coraje *m* desesperado. ～으로 싸우다 luchar desesperadamente.
결사(結社) asociación *f*, sociedad *f*, organización *f*. ～를 만들다 formar [organizar] una sociedad.
◆비밀 ～ sociedad *f* secreta, organización *f* clandestina. 정치(政治) ～ organización *f* política, partido *m* político.
■ ～의 자유 libertad *f* de asociación.
결사(結砂)【의학】mal *m* de piedra, la arenilla que se forma en los riñones o en la vejiga.
결산(決算) liquidación *f*, balance *m*, cierre *m* de libros. ～하다 cerrar, hacer el balance, saldar una cuenta, llevar a cabo el cierre de libros. ～ 보고를 하다 publicar el estado de cuenta. 계정을 ～하다 cerrar la cuenta. 장부를 ～하다 cerrar el libro.
■ ～기 término *m* de liquidación. ～ 기입 asiento *m* de cierre. ～ 날짜 fecha *f* de liquidación. ～ 보고 publicación *f* del estado de cuenta. ¶～를 하다 publicar el estado de cuenta. ～ 보고서 balance *m*, balance *m* de ejercicio, balance *m* de situación, balance *m* general. ～서 estado *m* de cuenta, balance *m* general financiero. ～액 cuenta *f* ajustada. ～ 위원회 comité *m* [comisión f] en cuentas. ～일(日) día *m* de liquidación.
결석(缺席) ausencia *f*, [피고의] contumacía *f*, rebeldía *f*. ～하다 no asistir, faltar. ～없이 다니다 asistir sin falta a sus clases. 수업을 ～하다 faltar [no asistir] a (la) clase.
◆무단(無斷) ～ ausencia *f* sin permiso. 장기(長期) ～ larga ausencia *f*.
■ ～계 nota *f* [aviso *m*] de ausencia. ¶～를 제출하다 presentar una nota de justificación de *su* ausencia. ～률 tipo *m* de absentismo. ～생 (estudiante *mf*) ausente *mf*. ～ 신고 inporme *m* de ausencia. ～자 ausente *mf*. ¶오늘은 ～가 많다 Hay muchos ausentes hoy. ～ 재판[판결] juicio *m* en rebeldía.
결석(結石)【의학】cálculo *m*.
■ ～병(病)【의학】cálculos *mpl*, litiasis *f*. ～소식자 litoscopio *m*. ～ 신증(腎症) litonefria *f*. ～ 용해 litólisis *f*. ～ 용해제 litotríptico *m*. ～증 calculosis *f*, litiasis *f*. ～천공술 litotresis *f*. ～ 측정기 litómetro *m*. ～ 파쇄술 litodialisis *f*. ～학 litología *f*. ～학자 litólogo, -ga *mf*. ～ 형성 litogénesis *f*. ～ 환자 calculoso, -sa *mf*.
결선(決選) ① [투표(投票)] elección *f* final, voto *m* final. ～하다 elegir por voto final. ② [결승(決勝)] final(es) *f*(*pl*), competencia *f* final. ～하다 jugar en las finales.
■ ～ 투표 voto *m* final, voto *m* decisivo.
결성(結成) formación *f*, organización *f*, constitución *f*. ～하다 formar, organizar, constituir. 노동 조합을 ～하다 organizar un sindicato de obreros.
■ ～식(式) ceremonia *f* inaugural, reunión *f* inaugural, inauguración *f*.
결속(結束) unión *f*, solidaridad *f*, [동맹(同盟)] alianza *f*, coalición *f*, liga *f*. ～하다 unirse, solidificarse; aliarse, ligarse. ～하여 como un solo cuerpo, unidamente, justamente. 당내의 ～을 굳건히 하다 consolidar [solidificar] la unidad del partido.
결손(缺損) [손실] pérdida *f*, [부족] déficit *m*; [손해] daño *m*, perjuicio *m*. ～의 deficitario. 큰 ～ gran pérdida *f*, daños *mpl* considerables 천만 원의 ～ déficit *m* de diez millones de wones. ～을 메우다 cubrir el déficit. ～이 나다 estar en déficit. ～을 내다 causar pérdidas (en). 회계에 큰 ～을 내다 causar daños considerables [una pérdida considerable]. 그는 회사의 재정에 ～을 냈다 El ha causado pérdidas en las finanzas de la compañía.
결손나다 estar en déficit.
■ ～액(額) déficit *m*, deficiencia *f*, [세금의] descubierto *m*. ～ 처분 disposión *f* deficitaria. ～ 충당금 fondo *m* de reserva para compensación de déficit.
결순(缺脣) =언청이.
결승(決勝) competencia *f* final, final *f*, [동점 후의] eliminatoria *f*. ～에 나가다 entrar [presentar] en la final. ～까지 남다 quedarse hasta las finales.
◆준(準)～ semifinal(es) *f*(*pl*).

■ ~선 meta *f*, línea *f* de llegada. ¶~에 거의 도착했다 Llegaron a la meta casi a la par. ~자 =결승 출전자. ~전 final(es) *f(pl)*; [동점 또는 비겼을 경우] eliminatoria *f*. ¶~에 출전하다 entrar [presentar] en la final. ~에서 이기다 [지다] ganar [perder] en las finales. ~전 출전자 finalista *mf*. ~점 meta *f*, gol *m*, punto *m* decisivo. ¶~에 다다르다 llegar a la meta, tocar [romper] la cinta. ~을 얻다 marcar un punto decisivo; ((축구)) marcar el gol de la victoria.

결승 문자(結繩文字) quipos *mpl*.

결식(缺食) ida *f* sin comida. ~하다 ir sin comida.
■ ~ 아동 niño *m* mal alimentado.

결실(結實) ① [(식물이) 열매를 맺음] fructificación *f*; [익음] madurez *f*. ~하다 fructificar, dar fruto. ~하지 않다 (ser) estéril, infructuoso, inútil, no dar fruto. ~이 많다 (ser) fructuoso, fecundo. 작물의 ~이 좋다 Se promete una buena cosecha. 가을은 ~의 계절이다 El otoño es la estación de la recolección. ② [성과(成果)] fruto *m*, resultado *m*, realización *f*. 그의 여러 해에 걸친 노력은 결국 ~을 맺었다 Sus esfuerzos de muchos años han dado fruto por fin. 그것은 그의 노력의 ~이다 Eso es fruto de sus esfuerzos. 노력은 ~을 안겨주었다 El esfuerzo ha dado su fruto. 이 일은 ~이 좋다 Este trabajo reporta muchos beneficios.
■ ~기 época *f* de la fructificación.

결심(決心) resolución *f*, decisión *f*, determinación *f*. ~하다 resolverse, decidirse, determinarse, tomar una resolución. 굳은 ~ determinación *f* firme. ~이 굳다 estar firme en *su* resolución. ~이 서다 decidirse por fin. ~이 서지 않다 quedar indeciso, estar irresoluto. ~을 바꾸다 mudar de decisión, retractar su decisión, cambiar su decisión. ~을 단단히 하다 tomar una firme decisión [resolución]. …할 ~을 굳히다 decidirse firmemente a + *inf*. …할 ~이 굳어 있다 estar firmemente decidido [resuelto] a + *inf*. …할 ~이다 estar decidido [resuelto · dispuesto] a + *inf*. 굳은 ~을 하고 일에 착수하다 emprender *algo* resueltamente. 나는 출석할지 안할지 아직 ~이 서지 않았다 Aún no he decidido si asistir o no. 그는 담배를 끊을 ~을 했다 El ha tomado la decisión de no fumar más / El ha decidido dejar de fumar. 그 소리를 듣자 그는 ~이 흔들렸다 Al oírlo, se tambaleó [se debilitó] su determinación. 그는 회사를 그만둘 ~을 하고 있다 El está decidido [resuelto] a retirarse de la compañía.

결심(結審) conclusión *f* de juicio, decisión *f*. ~하다 concluir el juicio, decidir.
■ ~ 공판 juicio *m* final.

결여(缺如) carencia *f*, falta *f*, carestía *f*, escasez *f*, ausencia *f*. ~하다 faltar (a), carecer (de). 객관성(客觀性)의 ~ falta *f* de objetividad. 달러에 대한 신뢰의 ~ falta *f* de confianza en el dólar. 상호 이해와 협력 정신의 ~ falta *f* de entendimiento mutuo y espíritu de cooperación. 그는 주의력(注意力)이 ~되어 있다 Le falta [El carece de] la capacidad de concentración.

결연(結緣) ① [인연을 맺음] formación *f* del parentesco. ~하다 formar la relación. 양자(養子) ~ adopción *f*. ② ((불교)) el hacerse creyente en el budismo.

결연하다(決然―) (ser) firme, resuelto, decidido. 결연한 태도로 con una actitud firme, con un ademán resuelto.
결연히 resueltamente, decididamente, firmemente, con firmeza.

결원(缺員) vacancia *f*, vacante *m*, posición *f* vacante, puesto *m* vacante, resulta *f*. ~을 메우다 llenar un puesto vacante, cubrir [llenar] una vacante [una resulta]. 그 과에 ~이 생겼다 Quedó vacante un puesto en esa sección. 그 직무(職務)는 ~으로 되어 있다 El empleo está vacante. 부장 자리가 ~이다 Ha quedado vacante el puesto de jefe de departamento.

결음(訣飮) bebida *f* del vino de despedida. ~하다 beber el vino de despedida.

결의(決意) resolución *f*, decisión *f*, determinación *f*. ~하다 decidirse, resolverse. 굳은 ~로 con una resolución firme.

결의(決議) resolución *f*, decisión *f*, voto *m*. ~하다 resolver, decidir; votar. 전쟁 반대의 ~를 하다 votar contra la guerra.
■ ~권(權) =의결권(議決權). ~ 기관 órgano *m* de decisión. ~록 resolución *f* escrita. ~문 texto *m* de una resolución. ~ 사항 resoluciones *fpl*, asuntos *mpl* que resolverse. ~안 resolución *f*, proyecto *m* por decidir. ¶~을 부결시키다 rechazar una resolución (por votación). ~을 제출하다 proponer una resolución. ~을 만장일치로 가결하다 aprobar una resolución por unanimidad.

결의(結義) juramento *m* de fraternidad. ~하다 hacer juramento de fraternidad, jurar ser hermanos.
■ ~ 형제 hermanos *mpl* jurados, hermano *m* de juramento, compinche *mf*, amigote *mf*, camarada *mf*. ¶~를 맺다 jurar ser hermanos de por vida.

결의론(決疑論) 【철학】 teología *f* moral, ciencia *f* de los casuistas.

결자(缺字) palabra *f* omitada; [인쇄의] tipo *m* blanco.

결자해지(結者解之) Quien hizo el cohombro, que le lleve al hombro / Quien se excusa, se acusa / El que rompe, paga / El que la hace, la paga.

결장(結腸) 【해부】 colon *m*. ~의 cólico.
■ ~염 colitis *f*, colonitis *f*. ~ 출혈 colonorragia *f*. ~통 colonalgia *f*.

결재(決裁) sanción *f*, aprobación *f*. ~하다 sancionar, aprobar. ~를 바라다 acometer

[presentar] *algo* a la aprobación [al juicio].
■ ～권(權) derecho *m* de decisión, poder *m* decisivo, voto *m* de calidad.

결전(決戰) batalla *f* decisiva, lucha *f* decisiva. ～하다 dar una batalla decisiva, combatir decisivamente. ～의 시기(時期) hora *f* cero. ～을 청하다 lanzarse al combate decisivo.
◆ 일대 ～ el Apocalipsis.
■ ～장(場) campo *m* de batalla decisiva.

결절(結節) ① [매듭] nudo *m*. ～상의 nudoso, tuberoso. ②【의학】nodo *m*, nudosidad *f*; [작은 결절] nódulo *m*. ～의 nodal, nodular. ③【해부】tubérculo *m*. ～의 tubercular. ④【수학】nudo *m*.
■ ～라(癩)【의학】lepra *f* tubercular. ～리듬 ritmo *m* nodal. ～염 tuberculitis *f*. ～점 nudo *m*. ～종 ganglio *m*. ～ 형성 tuberculación *f*, nodulación *f*.

결점(缺點) defecto *m*, falta *f*, tacha *f*, imperfección *f*, [약점] punto *m* débil, punto *m* flaco. ～이 있는 defectuoso, imperfecto. ～이 없는 entero, perfecto, sin tacha, impecable, irreprochable. ～을 말한다면 si se me permite señalar defectos. ～을 고치다 corregir los defectos (a); [자신의] corregirse los defectos. ～을 찾으려고 애쓰다 tratar de buscar faltas [de poner tachas]. ～을 발견하다 hallar un defecto (en). ～을 드러내다 mostrar la hilacha; dejar ver el cobre. ～을 드러내지 않다 [숨기다] guardar las apariencias [las formas]. ～을 지적하다 señalar [indicar] los defectos. …의 ～을 찾다 buscar defectos (a・en). 누구나 ～은 있다 Todo el mundo tiene defectos. 게으름이 그의 ～이다 La pareza es su punto flaco. 그는 ～투성이다 El está lleno de defectos. 너의 논증(論證)은 ～투성이다 Tu argumento no puede sostenerse. 아이들의 ～은 어릴 때 고쳐 주어야 한다 Deben corregirse los defectos de los niños cuando aún son muy pequeños.

결정(決定) decisión *f*, determinación *f*, fijación *f*. ～하다 decidir, determinar, fijar, tomar una decisión. ～되다 fijarse, determinarse, decidirse. ～된 determinado, fijo, decidido. 회의에서 ～된 것 lo (que se ha) decidido en la reunión. 뜻을 ～하다 decidirse. 뜻이 ～되지 아니하다 estar indeciso. 무죄로 ～되다 ser declarado inocente. 취직이 ～되다 obtener un empleo, obtener una colocación. 당(黨)의 방침을 ～하다 determinar la política del partido. 승패를 ～하다 decidir la suerte del combate. 운명을 ～하다 decidir la suerte (de). 투표로 ～하다 decidir por voto, tomar una decisión por voto. 합격자를 ～하다 decidir los que serán aprobados. 출발 날짜를 ～하다 fijar el día de la salida. 이미 ～되었다 Ya está decidido. 다음 회합은 3월에 열기로 ～되어 있다 Se ha decidido celebrar la próxima reunión en marzo. 화제(話題)가 ～되었다 Se ha decidido el asunto / El asunto está decidido. 신제품의 발매일은 아직 ～되지 않았다 Todavía no está fijado el día en que se pondrá en venta el nuevo producto. 누구를 대표로 임명할 것인가는 ～되지 않았다 No se acaba de decidir a quién van a nombrar representante. 그는 어떤 일을 한 번 ～하면 끝까지 수행한다 Una vez [Después] que ha decidido una cosa, la lleva a cabo hasta el final.
■ ～권 poder *m* decisivo, poder *m* de decisión. ¶～을 가지다 tener el poder decisivo [de decisión]. ～은 의장에게 있다 El poder decisivo lo tiene el presidente. ～론 determinismo *m*. ¶기계적 ～ determinismo *m* mecánico. ～론자 determinista *mf*. ～ 인자【의학】determinante *m*, factor *m* de determinación. ～적 decisivo, determinado, fijo, definitivo; [확정적] seguro. ¶～인 방법 medio *m* decisivo. ～인 타격을 주다 dar un golpe decisivo. 승리를 ～으로 하다 hacer definitiva la victoria. 그의 승진은 ～이다 Es un segura su promoción. 물가를 잡기 위한 ～인 방법은 없다 No hay medio decisivo para impedir la subida de los precios. ～적 순간 momento *m* decisivo. ～타 golpe *m* decisivo. ～ 투표 voto *m* de calidad, votación *f* decisiva. ～판 edición *f* definitiva.

결정(結晶) cristalización *f*. ～하다 cristalizarse. ～시키다 cristalizar. 노력의 ～ fruto *m* de *sus* esfuerzos. 사랑의 ～ fruto *m* del amor.
■ ～계(系) sistema *m* cristalino, sistema *m* de cristalización. ～ 광학(光學) óptica *f* cristalina. ～ 구조 estructura *f* cristalina. ～뇨(尿) cristaluria *f*. ～립(粒) grano *m* cristalino. ～면(面) faceta *f* cristalina. ～ 발광 cristaloluminiscencia *f*. ～수 el agua *f* de cristalización. ～ 작용 cristalización *f*. ～ 정류기 rectificador *m* piezoeléctrico. ～질 estructura *f* cristalina. ～체 cristal *m*, cristaloide *m*, cristalización *f*. ～축 eje *m* cristalográfico. ～학 cristalografía *f*. ～형 forma *f* cristalina. ～화(化) cristalización *f*. ¶～하다 cristalizar. ～되다 cristalizarse.

결제(決濟) liquidación *f*, cancelación *f*, reembolso *m*. ～하다 liquidar, cancelar, reembolsar. 차용금(借用金)을 ～하다 liquidar una deuda. 귀사(貴社)의 통지를 받자마자 해당 금액을 ～하겠습니다 En cuanto recibamos su aviso, les reembolsaremos a ustedes el importe.
◆ 국제 ～ 은행 el Banco de Pagos Internacionales 대차 ～ pago *m* de facturas. 부분 ～ liquidación *f* parcial, pago *m* parcial. 삼각 ～ liquidación *f* triple. 잔액 ～ pago *m* íntegro.
■ ～금 fondo *m* de liquidación. ～ 방법 forma *f* de reembolso. ～일 día *m* de liquidación. ～ 자금 fondo *m* de liquidación. ～ 통화 divisa *f* de liquidación.

결증(－症) arranque *m*.

결지(決志) ＝결의(決意).

결질(潔疾) ＝결벽(潔癖).
결집(結集) concentración *f*, reunión *f*. ～하다 concentrar, juntar, reunir. 총력(總力)을 ～하여 concentrando todas las energías. 민주 세력을 ～하다 reunir todas las fuerzas democráticas.
결착(決着/結着) conclusión *f*, fin *m*, decisión *f*. ～하다 concluir, decidir.
결찰(缺札) ＝결표(缺票).
결체(結滯) 【의학】 intermisión *f* del pulso, acrotismo *m*. ～하다 (ser) intermitente.
결체(結締) atadura *f*. ～하다 atar.
■～ 조직 tejido *m* conjuntivo, tejido *m* conectivo. ～ 조직 섬유주 trabécula *f*.
결초(結草) ((준말)) ＝결초보은(結草報恩).
■～보은(報恩) gratitud *f* hasta en la tumba. ¶～하다 corresponder a la gratitud de otro hasta en la tumba [hasta la muerte].
결초(結梢) ＝결말(結末).
결코(決－) [결코 … 않다] nunca, jamás (en la vida), nunca jamás, de ninguna manera, de ningún modo. 나는 그 일을 ～ 잊지 않겠다 Nunca me olvidaré de eso. 귀하의 친절을 ～ 잊지 않겠습니다 No olvidaré nunca [jamás] su amabilidad / Jamás [Nunca] olvidaré su amabilidad. 그는 ～ 나쁜 사람이 아니다 El no es de ninguna manera un hombre malo. 그런 일은 ～ 없을 것이다 De ningún modo podría ser eso / De ninguna manera podría ser eso. ～ 손해는 없을 것이라 확신을 가지십시오 Esté seguro de que no va a salir de ninguna manera perjudicada. ～ 그것을 허락하지 않겠다 No lo permitiré jamás [nunca] / Nunca [Jamás] lo permitiré. ～ 그렇지 않다 Eso no es así de ningún modo / Rotundamente no / Nada de eso.
결탁(結託) conspiración *f*, confabulación *f*, colusión *f*. ～하다 conspirar, confabularse, conchabarse. …과 ～하여 en connivencia con *algo*, en complicidad con *algo*, entendiéndose con *algo*.
결투(決鬪) duelo *m*, desafío *m*. ～하다 batirse en duelo. ～를 신청하다 desafiar (a), arrojar el guante (a), enviar el cartel (a), desafiar a duelo (a).
■～ 신청 desafío *m*, envío *m* del cartel. ～자 duelista *mf*. ～장(狀) cartel *m* (de desafío).
결판(決判) decisión *f*, determinación *f*.
◆결판(을) 내다 decidir, determinar. 결판(이) 나다 decidirse, determinarse.
결핍(缺乏) escasez *f*, falta *f*, carencia *f*, carestía *f*, dificiencia *f*. ～하다 faltar*le* a *uno*, escasear, carecer (de). 자금의 ～ falta *f* de recursos. 이 나라에는 식량이 ～되어 있다 En este país escasean los víveres / Este país carece de víveres / Este país tiene escacez de víveres.
◆비타민 ～ carencia *f* vitamínica, déficit *m* vitamínico.
■～증 enfermedad *f* de deficiencia. ¶비타민 ～ avitaminosis *f*.
결하다(決－) ① ＝결정하다(決定－). ② [승부를] decidir. 승부를 ～ decidir un concurso.
결하다(缺－) (ser) falto, deficiente, faltar, carecer.
결함(缺陷) defecto *m*, falta *f*, imperfección *f*, [기계의] avería *f*, [물건의] defecto *m*, falla *f*. ～이 있는 defectivo, defectuoso, imperfecto, que falla. ～이 없는 impecable, perfecto, sin tacha. ～이 있는 물건 artículo *m* defectuoso. ～이 있는 엔진 motor *m* defectuoso. ～이 있는 자동차 coche *m* defectuoso. 그의 모든 ～에도 불구하고 a pesar de todos sus defectos. …에게서 ～을 찾다 encontrar defectos a *uno*. 그에게는 육체적 [정신적] ～이 있다 El tiene un defecto físico [moral]. 그는 신체상의 ～은 없다 El no tiene defectos físicos. 그것은 그의 성격상의 ～이다 Es un defecto suyo / Es un defecto de su carácter. 그 계획은 많은 ～이 있다 El plan tiene muchos defectos. 그의 행동은 ～이 될 수 없다 Su comportamiento es intachable [impecable].
■～차(車) coche *m* defectuoso.
결합(結合) combinación *f*, unión *f*, ligazón *m*; [전기의] acoplamiento *m*, conexión *f*. ～하다 combinarse, unirse (a · con), ligarse. ～시키다 unir, combinar, ligar. 산소(酸素)와 수소(水素)는 ～한다 El hidrógeno y el oxígeno se combinan. 공통의 취미가 그들을 ～시켰다 La afición que tienen en común los unió íntimamente.
■～ 계수 coeficiente *m* de acoplamiento. ～ 공급 suministro *m* conjunto. ～기(器) manguito *m* de acoplamiento, manguito *m* de unión, acoplador *m*, conectador *m*, aparato *m* de conexión. ～ 단백질 proteína *f* conjugada. ～도 grado *m* de acoplamiento. ～력 coherencia *f*. ～률[법칙] ley *f* concurrente. ～ 발생 sinfiogénesis *f*. ～범[죄] atentado *m* concurrente. ～ 봉합술 sinfiseorrafia *f*. ～산(酸) ácido *m* conjugado. ～선(線) ligadura *f*. ～ 에너지 energía *f* de enlace. ～점 sinfisión *f*. ～제 agente *m* adherente, adhesivo *m*. ～ 조직 tejido *m* conectivo, tejido *m* conjuntivo, tela *f* conjuntival, tejido *m* fibroso que atraviesa el cuerpo entero y sirve para unir y sostener las diversas partes. ～ 조직염 fibrositis *f*, flemón *m*. ～ 조직종 mesocitoma *m*. ～ 직염 celulitis *f*. ～ 항원 antigeno *m* conjugado. ～ 회로 circuito *m* de acoplamiento. ～ 효과 efecto *m* de masa.
결항(缺航) suspensión *f* del servicio. 비행기의 ～ suspensión *f* del servicio aéreo. ～하다 suspender el servicio. 오늘 편(便)은 ～이다 Se suspende el servicio de hoy.
결핵(結核) 【의학】 tubérculo *m*, tuberculosis *f*. ～에 걸리다 tuberculizarse, coger la tuberculosis, enfermarse de tuberculosis, padecer de (la) tuberculosis.
■～ 감염(感染) tuberculización *f*. ¶～이 되다 tuberculizar, volverse tuberculoso. ～

요양소 sanatorio *f.* ~ 결절 tubérculo *m.* ~균[박테리아] microbio *m* tuberculoso, bacilo *m* tuberculoso. ~균 독소 tuberculotoxina *f.* ~ 박멸 detuberculización *f.* ~ 백신 vacuna *f* tuberculosa. ~병 enfermedad *f* tuberculosa. ~성 규폐증 tuberculosilicosis *f.* ~성 기관지염 bronquitis *f* tísica. ~성 기관지 폐렴 bronconeumonía *f* tuberculosa. ~약 droga *f* de antituberculosis. ~ 예방 prevención *f* de tuberculosis. ~ 예방 대책 medida *f* de antituberculosis. ~ 요법 tuberculoterapia *f.* ~ 요양소 sanatorio *m* para tuberculosis. ~용 지방 백신 lipotuberculina *f.* ~종(腫) tuberculoma *m.* ~증 tuberculosis *f.* ~진(疹) tubercúlide *m,* tuberculoderma *f.* ~질 constitución *f* tubercular. ~ 환자 tuberculoso, -sa *mf,* tísico, -ca *mf.*

결행(決行) acción *f* decisiva. ~하다 ejecutar *algo* con resolución, hacer *algo* cueste lo que cueste.

결혼(結婚) matrimonio *m,* casamiento *m,* boda *f,* enlace *m.* ~하다 casarse (con), contraer matrimonio (con), desposarse (con). ~시키다 casar (a). ~의 matrimonial, nupcial. 갓 ~한 recién casado. 갓 ~한 부부 los recién casados. ~ 전(前)의 딸 hija *f* casadera. ~한 아들 hijo *m* del matrimonio. ~ 날짜를 결정하다 fijar el día de la boda. ~을 신청하다 [남자가 여자에게] pedir la mano (de la mujer). ~을 승낙하다 acceder a (una) petición de matrimonio [de casamiento], prometerse (con). 두 번 ~하다 casarse en segundas nupcias. 교회식으로 [교회에서] ~하다 casarse por la iglesia [*RPI* por iglesia]. 그는 ~했다 [그는 ~해서 살고 있다] El está casado / El es casado. 그녀는 이미 ~했다 Ya está casada. 그들은 일요일에 ~한다 Ellos se casan el domingo. 그들은 어제 ~했다 Ellos se casaron ayer. 그녀는 변호사와 ~했다 Ella se casó con un abogado. 그는 서반아 여인과 ~해서 살고 있다 El está casado con una española. 그는 3년 전에 ~했다 El contrajo matrimonio hace tres años / El se casó hace tres años / Hace trece años que se casó. 그녀는 그들의 ~을 방해하려고 했다 Ella trató de impedir que se casaran. 그는 내 한 사촌 누이와 ~해 살고 있다 El está casado con una prima mía. 우리들은 ~한 지 22년 되었다 Nosotros llevamos veintidós años casados / Hace veintidós años que nos casamos. 나는 일과 ~했다 Yo no vivo más que para mi trabajo. 그들은 교회에서 ~했다 Ellos se casaron por la iglesia [*Bol, CoS, Per* por iglesia]. 그는 부잣집 여인과 ~했다 El se casó con una mujer de familia rica. 그들은 딸을 부유한 은행가에게 ~시켰다 Ellos la casaron a su hija con un rico banquero. 그들은 자녀들을 모두 ~시켰다 Ellos han casado a todos sus hijos. 그는 딸의 ~을 잘 시켰다 El casó muy bien a su hija. 그녀는 자기보다 신분이 낮은 [높은] 사람과 ~했다 Ella se casó con un hombre de clase inferior [superior] a la suya / Ella se casó con alguien de condición social inferior [superior] a la suya / Ella no se casó bien [Ella se casó bien]. ◆강제(强制) ~ matrimonio *m* forzado. 계약(契約) ~ matrimonio *m* por contrato. 국제(國際) ~ matrimonio *m* internacional. 근친(近親) ~ matrimonio *m* pariente más cercano. 매매(賣買) ~ matrimonio *m* de compra. 약탈(掠奪) ~ matrimonio *m* por captura. 연애(戀愛) ~ matrimonio *m* por amor. 정략(政略) ~ matrimonio *m* de conveniencias. 중매(中媒) ~ matrimonio *m* por mediación. 집단 ~ matrimonio *m* en grupo. 합의 ~ matrimonio *m* consensual. 혈족 ~ matrimonio *m* consanguíneo. ■~ 공포증 gamofobia *f.* ~관 vista *f* de matrimonio. ~ 기념식 aniversario *m* nupcial. ~ 기념일 aniversario *m* nupcial, aniversario *m* de bodas, aniversario *m* de casamiento. ~ 날짜 fecha *f* de matrimonio. ~ 문제 cuestión *f* de matrimonio. ~ 반지 anillo *m* nupcial, anillo *m* de boda, alianza *f, Chi* argolla *f* (de matrimonio). ~ 보험 seguro *m* de matrimonio. ~복 vestido *m* de novia, traje *m* de novia. ~ 비행 vuelo *m* nupcial. ~ 사기 fraude *m* [estafa *f*] matrimonial. ~ 사진 fotografía *f* nupcial. ~ 상담소 agencia *f* matrimonial. ~ 상담원 agente *mf* matrimonial. ~ 상대 cónyuge *mf,* esposo, -sa *mf.* ~ 생활 vida *f* matrimonial, vida *f* conyugal, vida *f* de casado. ¶그녀는 시인과 2년간 ~을 했다 Ella estuvo dos años casada con el poeta. 네 ~은 어떻니? ¿Qué tal te sienta la vida de casado [여자에게 la vida de casada]? ~ 생활 지도 terapia *f* de pareja. ~ 생활 지도 카운슬러 consejero, -ra *mf* matrimonnial. ~ 선물 regalo *m* de boda, regalo *m* de casamiento. ~식 bodas *fpl,* ceremonia *f* de(l) matrimonio, nupcias *fpl,* desposorios *mpl.* ¶~의 거행 celebración *f* de la boda. ~을 올리다 celebrar la boda [las nupcias · el matrimonio] (en un casamiento). 그는 ~에서 그에게 딸을 넘겨주었다 El le entregó a su hija en matrimonio. ~식날 día *m* de *su* boda, día *m* de *su* casamiento. ¶~ 밤 noche *f* de bodas. ~식장 salón *m* (*pl* salones) de matrimonio. ~ 신고 registro *m* de *su* matrimonio. ~ 신청 propuesta *f* matrimonial. ~애(愛) amor *m* entre los esposos. ~ 연령 edad *f* de casarse. ~ 의상 vestido *m* de novia, traje *m* de novia. ~ 자금 fondo *m* matrimonial. ~ 적령기 nubilidad *f,* edad *f* de casarse, edad *f* de merecer. ¶~의 casadero, núbil, que está ya en edad de casarse. ~의 소녀 muchacha *f* casadera. 그녀에게는 ~에 있는 두 딸이 있다 Ella tiene dos hijas casaderas [en edad de casarse · en edad de merecer]. ~전 부부 재산 계약 acuerdo *m* prematrimonial en el que se estipula la cuantía de la dote. ～ 정책[정략] política *f* matrimonial. ～ 중매 afición *f* a casar a los demás. ～ 중매인 casamentero, -ra *mf*, celestina *f*. ～ 증명서 certificado *m* de matrimonio. ～ 지참금 dote *m*. ～ 초야(初夜) primera noche *f* de bodas. ～ 축가 canción *f* nupcial. ～ 취소 disolución *f* [anulación *f*] del matrimonio. ～ 케이크 tarta *f* [pastel *m*] de boda, torta *f* de matrimonio, *AmS* torta *f* de novios (*CoS* 제외), *RPl* torta *f* de casamiento, *Chi* torta *f* de novia. ～ 파트너 ＝결혼 상대. ～ 피로연 banquete *m* nupcial, banquete *m* [recepción *f*] de boda. ～ 행진곡 marcha *f* nupcial. ～ 혐기(嫌忌) misogamía *f*. ～ 혐오자 misógamo, -ma *mf*.

결후(結喉) nuez *f*.

겸(兼) y, en adición, al mismo tiempo. 국무총리 ～ 외교통상부 장관 el Primer Ministro y (al mismo tiempo) ministro de Diplomacia y Comercio. 서재 ～ 응접실 cuarto *m* que sirve tanto de estudio como de salón.

겸덕(謙德) moralidad *f* humilde, virtud *f* modesta.

겸두겸두 al mismo tiempo. ☞겸사겸사

겸무(兼務) empleo *m* adicional. ～하다 tener empleo adicional.

겸비(兼備) combinación *f*. ～하다 combinar, tener ambos. 재색(才色)을 ～한 여성 mujer *f* con belleza e inteligencia. 문무(文武) ～의 장군 general *m* con conocimientos y artes marciales. 지혜와 용기를 ～하다 tener tanta sabiduría como valor.

겸비(謙卑) autodegradación *f*, humillación *f*. ～하다 humillarse, mostrarse humilde, mostrarse modesto. ～해서 humildemente, en toda humildad.

겸사(謙辭) ① [겸손하게 사양함] modestia *f*, humildad *f*. ～하다 (ser) modesto, humilde. ② [겸손한 말] palabra *f* modesta, palabra *f* humilde. ～하다 hablar modestamente, hablar humildemente.
 ■ ～말 ㉮ [겸양어(謙讓語)] palabras *fpl* reverentes. ㉯ [겸손하게 사양하는 법] palabra *f* modesta. ～법(法) ＝겸양법(謙讓法).

겸사겸사(兼事兼事) al mismo tiempo, a la vez, simultáneamente, a un tiempo.

겸상(兼床) mesa *f* para los dos. ～하다 preparar para los dos, comer en la misma mesa.

겸세(歉歲) ＝흉년(凶年).

겸손(謙遜) modestia *f*, humildad *f*. ～하다 humillarse, ser modesto, ser humilde. 그렇게 ～해 하지 마세요 No sea usted tan humilde [modesto]. 그는 ～하다 El es humilde / El tiene una actitud modesta.
 겸손히 con modestia, con humildad, modestamente, humildemente.

겸양(謙讓) humildad *f*, modestia *f*, sumisión *f*. ～하다 humillarse, mostrarse modesto, rebajarse. ～의 미덕(美德) virtud *f* de modestia. ～의 미덕을 발휘해서 con modestia, con humildad.
 ■ ～법 estilo *m* reverente (de lengua). ～사[어] ＝겸사말.

겸어(謙語) palabra *f* modesta, palabra *f* humilde.

겸억(謙抑) ＝겸양(謙讓).

겸업(兼業) trabajo *m* secundario, trabajo *m* accesorio, profesión *f* secundaria. ～하다 ejercer dos profesiones; [부업으로 하다] ejercer *algo* como trabajo accesorio, ejercer como profesión secundaria.
 ■ ～ 농가(農家) agricultor *m* con otro trabajo secundario, agricultor *m* a tiempo parcial.

겸연스럽다(慊然－) (ser) vergonzoso, ruboroso. 겸연스런 태도 actitud *f* vergonzosa. 겸연스레 vergonzosamente, ruborosamente.

겸연쩍다(慊然－) tener vergüenza, estar avergonzado. 겸연쩍어 하며 tímidamente, embarazosamente. 나는 그들이 사이좋게 지내는 것이 ～ Me dan cierta envidia las muestras de cariño que se prodigaban. 나는 이렇게 많은 칭찬을 받으니 ～ Estoy avergonzado recibir tantos elogios.

겸영(兼營) combinación *f* de administración del otro negocio. ～하다 operar *algo* además del otro negocio.

겸용(兼用) uso *m* combinado, ambos usos *mpl*. ～하다 usar adicionalmente. 응접실 ～ 서재 estudio *m* que sirve también como [de] salón. A에도 B에도 ～하다 usar *algo* para A y para B, usar así para A como para B. 이 웃옷은 여름과 겨울 ～이다 Esta chaqueta sirve para invierno y para verano. 이 우산은 청우(晴雨) ～이다 Este paraguas sirve también de parasol.

겸용(兼容) generosidad *f*. ～하다 ser generoso.

겸인(傔人) ＝청지기.

겸임(兼任) desempeño *m*. ～하다 desempeñar *algo* al mismo tiempo. 두 개 [여러 개] 직무의 ～ desempeño *m* de dos [varios] cargos. 두 학교를 ～해서 가르치다 enseñar en dos escuelas. 국무총리는 국방부 장관을 ～하고 있다 El Primer Ministro desempeña al mismo tiempo la cartera de Defensa Nacional.

겸자(鉗子) 【의학】 pinzas *fpl*, fórceps *m*.
 ■ ～ 교합(咬合) labidontia *f*. ～ 분만 parto *m* por fórceps, operación *f* de fórceps. ～ 분만 수술 operación *f* de fórceps. ～ 압박 forcipresión *f*. ～ 지혈 forcipresión *f*. ～판계(瓣計) labidómetro *m*.

겸저(縑楮) la seda y el papel.

겸전(兼全) perfección *f* en todo. ～하다 (ser) perfecto en todo.

겸직(兼職) puesto *m* [trabajo *m*] adicional. ～하다 tener el puesto adicional.
 ■ ～ 금지 prohibición *f* del puesto adicional.

겸치다(兼－) combinar.

겸퇴(謙退) retirada *f* modesta. ～하다 retirar

modestamente.
겸폐(歉弊/歉敝) escasez *f* de víveres por el año de mala cosecha. ~하다 faltar los víveres por el año de mala cosecha.
겸하(謙下) =겸비(謙卑).
겸하다(兼-) ① [겸임하다] desempeñar *algo* al mismo tiempo. 부총리는 재정경제부 장관을 겸하고 있다 El vicepremier desempeña al mismo tiempo la cartera de Economía y Finanzas. 그는 두 개의 직을 겸하고 있다 El desempeña dos cargos al mismo tiempo / El ocupa dos puestos al mismo tiempo. ② [두 개 이상의 기능을 아울러 가지다] servir también, servir tanto, servir para. 거실과 식당을 겸한 방 habitación *f* que sirve tanto de sala de estar como de comedor. 쇼핑을 겸하여 산책하다 ir de paseo y de compras, aprovechar el paseo para hacer compras. 여러 용도를 ~ servir para usos múltiples. 나는 그를 방문한 것을 겸하여 사의(謝意)를 표했다 Le visité para darle las gracias. 이 부엌은 식당을 겸하고 있다 Esta cocina sirve también como [de] comedor.
겸행(兼行) acción *f* de hacer dos cosas diferentes al mismo tiempo. ~하다 hacer dos cosas diferentes al mismo tiempo.
겸허(謙虛) modestia *f*, humildad *f*. ~하다 (ser) modesto, humilde. ~하게 modestamente, humildemente. 좀더 ~한 자세를 취해라 Sé más modesto.
겹 [포개어 거듭됨] doblez *f*, pliegue *m*, plegadura *f*; [거듭된 켜] capa *f*, pliegue *m*; [쌓아올린 켜] pila *f*, montón *m*; [밧줄 따위의 가닥] chapa *f*, lámina *f*; [두 배] doble, dos veces. 종이를 여러 ~으로 접다 doblar un papel una y otra vez.
겹것 ① [겹으로 된 물건] cosa *f* hecha de dos o más capas. ② =겹옷.
겹겹 varias veces. 종이를 ~으로 접다 doblar un papel varias veces.
겹겹이 en muchas capas, muy estrechamente. ~ 에워싸다 cercar [asediar · sitiar] *un sitio* muy estrechamente. 나무 상자가 ~ 쌓여 있다 Están amontonadas las cajas de madera. 그의 집을 경찰이 ~ 둘러쌌다 Su casa se vio asediado por la policía.
겹그림씨 【언어】 =복합형용사(複合形容詞).
겹꺾임 =복굴절(複屈折).
겹내림표(-標) 【음악】 bemol *m* doble.
겹눈 【동물】 ojos *mpl* compuestos.
겹다 ser demasiado mucho, estar en exceso. 눈물 겨운 광경 escena *f* triste, escena *f* emotiva, escena *f* patética. 힘에 ~ ser más allá de *su* poder, ser fuera de *su* fuerza [poder]. 그녀는 슬픔에 겨워 소리내어 울었다 Ella lloró fuerte en una pasión de profunda pena.
겹닿소리 【언어】 =이중 자음(二重子音)
겹떡잎 【식물】 =쌍떡잎.
겹리(-利) =복리(複利).
겹말 palabras *fpl* redundantes, pleonasmo *m*.
겹문자(-文字) letras *fpl* redundantes.
겹바지 pantalones *mpl* forrados.
겹받침 【언어】 =쌍받침.
겹버선 calcetines *mpl* forrados.
겹사돈(-査頓) pariente *m* doble relacionado por el matrimonio.
겹살림 ① [한 가족이 나뉘어 따로 살림을 차려서 이중으로 하는 살림] mantenimiento *m* de dos casas de una familia. ~하다 (una familia) mantener dos casas. ② [첩을 얻어 따로 살림을 차려 이중으로 하는 생활] vida *f* doble con *su* concubina. ~하다 mantener la vida doble con *su* concubina.
겹세로줄 【음악】 barra *f* doble.
겹세포 식물(-細胞植物) =다세포 식물.
겹셈 【수학】 =복수(複數).
겹소리 =복음(複音).
겹손톱 묶음표(-標) =이중 괄호 ((( ))).
겹씨 【언어】 =복합어(複合語).
겹올림표(-標) 【음악】 sostenido *m* doble.
겹옷 vestido *m* forrado, ropa *f* forrada.
겹움직씨 【언어】 =복합 동사(複合動詞).
겹월 【언어】 =복문(複文).
겹이름씨 【문법】 =복합 명사(複合名詞).
겹이불 colchón *m* (*pl* colchones) forrado.
겹잎 ① hoja *f* compuesta. ② ((준말)) =겹꽃잎.
겹잎꽃 【식물】 =겹꽃.
겹저고리 chaqueta *f* forrada.
겹질리다 torcerse, tener torcedura. 발목을 ~ torcerse en *su* tobillo, tener una torcedura en *su* tobillo.
겹집 casa *f* con varias alas.
겹집다 recoger en un montón.
겹창(-窓) contraventana *f*.
겹쳐지다 estar montados unos sobre otros, traslaparse, estar uno tras otro, venir uno tras otro; [휴가 · 책임이] coincidir en parte. 불행(不幸)이 ~ tener una desgracia tras otra, tener una serie de desgracias. 화면(畵面)이 둘로 ~ La pantilla tiene dos escenas montadas
겹치다 colocar montados unos sobre otros, traslapar, haber dos cosas mismas a la vez, sobrar uno de los dos, sobreponerse, superponerse; [쌓아 올려지다] apilarse, amontonarse, acumularse; [눌러 합하다] caer (en), coincidir (con). 겹친 불행(不幸) desgracias *fpl* sucesivas. 많은 서류가 겹쳐 있다 Están amontonados muchos documentos. 사람들이 겹쳐 넘어졌다 Cayeron unos encima de otros. 행운[불행]이 겹쳤다 Vienen una tras otra las suertes [las desdichas]. 국경일이 일요일과 겹쳤다 La fiesta nacional cayó en domingo. 두 모임이 같은 시간에 겹쳤다 Me he encontrado con dos reuniones a la misma hora. 두 모임이 겹친다 [겹쳤다] Coinciden [Coincidieron] dos reuniones. 음악회 초청이 셋이나 겹쳤다 Me he juntado con tres invitaciones para el concierto.
겹치마 falda *f* forrada.
겹톱니 【식물】 =중거치(重鋸齒).

겹홀소리 【언어】 =복모음(複母音).
겻불 fuego *m* que quema las cáscaras.
겻불내 olor *m* que se queman las cáscaras.
겻섬 saco *m* de cáscaras de arroz.
경 ① 【역사】 *gyeong*, una de penalidad que dio al ladrón. ② [호된 고통] dolor *m* severo.
경(更) *gyeong*, nombre *m* de las vigilias que dividen en cinco partes de la puesta del sol a la salida del sol: primer *gyeong* (de las siete a las nueve de la noche), segundo *gyeong* (de las nueve a las once de la noche), tercer *gyeong* (de las once de la noche a las una de la madrugada), cuarto *gyeong* (de la una a las tres de la madrugada), y quinto *gyeong* (de las tres a las cinco de la madrugada).
경[1](京) [서울. 수도] capital *f*, Seúl.
경[2](京) 【수학】 cien millones de veces de cien millones.
경[3](京) [크다] (ser) grande.
경(庚) 【민속】 [십간의 일곱째] el séptimo de los diez signos de los cielos en el calendario lunar (tradicional).
경(莖) tallo *m* de la hierba.
경(卿) señor *m*; [영국의] lord *m* (*pl* lores).
경[1](景) ① ((준말)) =경치(景致). ¶한국(韓國)의 삼(三)~ los tres paisajes más hermosos de Corea. ② ((준말)) =경황(景況).
◆경(이) 없다 ((준말)) =경황 없다.
◆경(이) 없이 ((준말)) =경황 없이.
경[2](景) 【연극】 escena *f*. 제 2~ la escena segunda.
경(經) ① ((준말)) =경서(經書). ② ((준말)) =불경(佛經). ③ ((천주교)) =주기도문. ④ ((준말)) =경도(經度). ⑤ ((준말)) =경선(經線).
경(境) =지경(地境).
경(磬) 【악기】 =경쇠.
경(警) 【준말】 =경찰(警察). 경찰관(警察官).
◆경(을) 치다 ㉮ [벌을 받다] sufrir el castigo, ser castigado, recibir el castigo. ㉯ [혼나다] sufrir, padecer. 호되게 ~ pasar malos ratos, pasar un trago amargo, pasarlas negras, vérselas negras, verse negro.
▪경치고 포도청 간다 ((속담)) Sufrir el castigo severo.
경-(硬) [굳고 딱딱한] duro, sólido. ~화(貨) dinero *m* en efectivo, dinero *m* en metálico.
경-(輕) ① [가벼운] ligero, liviano, leve. ~공업 industria *f* liviana. ② [경쾌하고 간단한] ágil y sencillo.
-경(頃) hacia, a eso de, alrededor de, cerca de, por, en, como, sobre. 월말(月末)~ a fines del mes. 오전 11시~ alrededor de las once de la mañana. 오후 5시~ a eso de las cinco de la tarde. 8월~에 por agosto. 15세기~에 alrededor del siglo XV. 몇 시~에 ¿A qué hora más o menos? 그는 3시~에 왔다 El vino a eso de [alrededor de · como a · hacia · sobre] las tres. 크리스마스~에 그녀는 돌아올 것이다 Ella volverá por [en] la Navidad.
-경(鏡) [거울] espejo *m*; [안경] anteojos *mpl*, gafas *fpl*.
경가(耕稼) =경작(耕作).
경가(輕舸) barca *f*, barco *m* pequeño y liviano.
경가(鏡架) =경대(鏡臺).
경가극(輕歌劇) operta *f*, zarzuela *f*.
경가 파산(傾家破産) bancarrota *f*.
경각(頃刻) momento *m*, instante *m*, segundo *m*, minuto *m*.
▪~간(間) =경각(頃刻)
경각(傾角) ① [기울어진 각] ángulo *m* inclinado. ② 【물리】 inclinación *f*.
경각(警覺) advertimiento *m*. ~하다 advertir.
▪~심(心) conciencia *f* de la propia identidad.
경각사(京各寺) ((불교)) todos los templos budistas que están cerca de la ciudad de Seúl.
경간(耕墾) cultivo *m* de páramo. ~하다 cultivar el páramo.
경간(驚癎) 【한방】 epilepsia *f* causada al tener ataque.
경감(輕減) mitigación *f*, reducción *f*, aligeramiento *m*. ~하다 mitigar, reducir, aligerar, aliviar. 세금을 ~하다 reducir [aligerar] impuestos. 고통을 ~하다 mitigar el sufrimiento, aliviar el dolor.
경감(警監) inspector *m* (de la policía), capitán *m* (*pl* capitanes).
경감(鏡鑑) ① [거울] espejo *m*. ② [본] modelo *m*.
경감(驚疳) 【한방】 =심감(心疳).
경개(更改) 【법률】 novación *f*.
경개(梗槪) ① [요약한 줄거리] contorno *m*, perfil *m*, resumen *m*, sumario *m*, compendio *m*. ② =대략(大略).
경개(景槪) =경치(景致).
경거(輕車) carro *m* liviano, tanque *m* antiguo.
▪~ 숙로(熟路) habilidad *f*, perfeccionamiento *m*.
경거(輕遽) =경솔(輕率).
경거히 frívolamente, imprudentemente, a la ligera, de ligero.
경거(輕擧) conducta *f* imprudente. ~하다 hacer una conducta imprudente.
▪~망동(妄動) conducta *f* imprudente. ¶~하다 actuar a la ligera, actuar sin reflexión, actuar imprudentemente. ~을 피하다 guardarse de toda conducta imprudente, evitar toda conducta imprudente.
경거(瓊琚) buen regalo *m*, buen obsequio *m*.
경건(敬虔) piedad *f*, devoción *f*, reverencia *f*. ~하다 (ser) pío, piadoso, devoto, religioso. ~한 기독교 신자 cristiano *m* devoto, cristiana *f* devota. ~한 불교 신자 budista *m* devoto, budista *f* devota. ~한 천주교도 católico *m* devoto, católica *f* devota. ~한 기도를 드리다 ofrecer oraciones piadosas.

rezar con devoción, rezar con unción.
경건히 piadosamente, devotamente, religiosamente.
■ ~주의(主義) pietismo *m*, doctrina *f* de los pietistas. ~파(派) los pietistas.

경건하다(勁健-) (ser) robusto, corpulento.

경겁(驚怯) susto *m*, miedo *m*, sobrecogimiento *m*. ~하다 tener*le* miedo (a), temer*le* (a), sentirse sobrecogido.

경결(耿潔) limpieza *f*. ~하다 ser limpio.

경결(硬結) congelación *f*, solidificación *f*. ~하다 congelar, solidificar.

경경(京境) dentro de la capital, dentro de la ciudad de Seúl.

경경(耿耿) ① [불빛이 깜박깜박함] luz *f* débil, luz *f* tenue y trémula. ~하다 brillar con luz trémula. ② [마음에 잊혀지지 않고 염려됨] ansiedad *f* sin olvidarse en el corazón. ~하다 ser obsesionado en una ansiedad.
■ ~ 고침(孤枕) cama *f* solitaria en una ansiedad. ~ 불매(不寐) lo obsesionado en una ansiedad.

경경(梗梗) rectitud *f* y bravosidad. ~하다 (ser) recto y bravo.

경경(竟境) =경계(境界), 국경(國境).

경경(煢煢) lo solitario y preocupación. ~하다 (ser) solitario y preocuparse..

경경(輕輕) ligereza *f*. ~하다 (ser) ligero, liviano.
경경히 ligeramente, livianamente, con ligereza.

경경 열열(哽哽咽咽) sollozo *m* por la tristeza. ~하다 sollozar por la tristeza.

경계(境界) límite *m*, linde *m*, confín *m* (*pl* confines), aledaños *mpl*, frontera *f*. AB간의 ~를 정하다 fijar los límites entre A y B. …의 ~를 접하다 deslindar *un sitio*, alindar *un sitio*, limitar *un sitio*. …과 ~를 접하다 lindar [limitar · colindar] con *un sitio*. 내 토지는 공원과 ~를 접하고 있다 Mi solar linda con el parque. 옆집과 ~에는 담이 있다 Hay una tapia que limita con la casa vecina. 이 강을 ~로 두 나라가 이웃해 있다 Este río constituye el límite de los dos países vecinos.
■ ~담 tapia *f* confinante, tapia *f* limítrofe. ~ 분쟁 disputa *f* de límite. ~석 mojón *m*. ~선 línea *f* divisoria, linde *m(f)*, línea *f* de demarcación. ~지 zona *f* fronteriza, frontera *f*. ~층 capa *f* límite. ~표 mojón *m* (*pl* mojones), hito *m*, coto *m*.

경계(警戒) [조심] precaución *f*, cautela *f*, alarma *f*, ojo *m*; [경비] vigilancia *f*, guardia *f*, [경고] advertencia *f*, aviso *m*; 【법률】 ((운동)) amonestación *f*. ~하다 tomar precaución, precaverse (de · contra), precaucionarse, prevenirse, alarmarse; vigilar; amonestar (a *uno* por + *inf*). ~하여 con cautela, con precaución, vigilantemente, con cien ojos, con ojo avizor. ~ 태세로 en estado de alarma. ~시키다, ~하게 하다 dar alarma, poner a *uno* sobre aviso. ~를 엄중히 하다 reforzar la vigilancia. ~를 늦추다 relajar la vigilancia. 이 집은 ~가 소홀하다 Irrumpen fácilmente en esta casa. 그는 ~를 요한다 Es un hombre de desconfiar / Hay que tener precaución con él.
■ ~ 경보 alarma *f* amarilla, (aviso *m* de) alarma *f*. ~ 관제 bloqueo *m* de alarma antiaérea. ~망 cordón *m* de policías. ~색 color *m* de alarma. ~선 límite *m* de seguridad, línea *f* de alarma; [경찰의] cordón *m* de policías. ~ 수위(水位) nivel *m* de alarma. ¶강물이 ~를 넘었다 El agua del río ha sobrepasado del nivel máximo (de alarma). ~ 신호 señal *f* de aviso, señal *f* de alerta. ~심 cautela *f*, recelo *m*. ~표 mojón *m*, hito *m*. ~ 표지 señal *f* de aviso, señal *f* de alerta.

경계(驚悸) 【한방】 ① [놀라는 증세] susceptibilidad *f*, síntoma *m* susceptible, síntoma *m* de sorprenderse. ② [가슴이 두근거리는 증세] síntoma *m* de palpitación.
■ ~증(症) 【한방】 síntoma *m* de palpitación, síntoma *m* de sorprenderse.

경계(敬啓) Q.E.S.M. [que estrecha su mano] / Quedo de usted my atto. y s.s. [atento y seguro servidor].

경고(警告) advertencia *f*, advertimiento *m*, prevención *f*, aviso *m*; 【법률】 ((운동)) amonestación *f*. ~하다 advertir, prevenir, avisar; amonestar. ~없이 sin advertencia, sin aviso. ~를 발하다 dar una advertencia. ~를 받다 recibir una advertencia. 나는 다시 위반하면 벌을 받을 것이라고 그에게 ~했다 Le advertí que sería castigado si volvía a cometer la infracción.
■ ~문(文) aviso *m*. ~ 사격 disparo *m* [tiro *m*] de advertencia.

경고(硬膏) escayola *f*, yeso *m*.

경골(脛骨) tibia *f*. ~의 tibial.
■ ~동맥 arteria *f* tibial. ~ 신경 nervio *m* tibial, nervio *m* de la tibia. ~염 cnemitis *f*.

경골(硬骨) ① [굳뼈] hueso *m* duro. ② [강직함] carácter *m* firme, inflexibilidad. ~의 inflexible.
■ ~어 pez *m* teleósteo. ~ 어류 teleósteos *mpl*. ~증 paquiostosis *f*. ~한 hombre *m* de carácter firme, hombre *m* intransigente, hombre *m* que no cede.

경골(頸骨) vértebra *f* cervical.

경골(鯁骨) hueso *m* del pez.

경골(鯨骨) pez *m* (*pl* peces) de la ballena.

경공업(輕工業) industria *f* ligera.
■ ~부(部) *Cuba* el Ministerio de Industria Ligera. ¶~ 장관 *Cuba* ministro, -tra *mf* de Industria Ligera.

경과(經過) [때의] paso *m*, transcurso *m*; [기한의] expiración *f*, [사건 따위의] progreso *m*, desarrollo *m*. ~하다 pasar, transcurrir, expirar, progresar, desarrollar. 시간의 ~에 따라 con el transcurso del tiempo, con el tiempo, con el correr del tiempo, con el paso de los años. 1년을 ~해서 al cabo de un año, después de un año. 10세기를 ~한 성(城) castillo *m* que data de hace diez siglos. 분쟁(紛爭)의 ~를 설명하다 explicar el desarrollo del conflicto. 그로부터 8년이 ~했다 Han pasado ocho años desde entonces. 환자는 ~가 양호했다 El paciente se está mejorando.

■ ~구(句) 【음악】 pasaje *m*. ~법[규정 · 조치] medidas *fpl* provisionales. ~ 보고 informe *m* sobre el avance [la marcha] de los trabajos. ~ 시간 tiempo *m* transcurrido.

경과(輕科) 【법률】 crimen *m* ligero.

경과실(輕過失) culpa *f* ligera.

경관(景觀) paisaje *m*, escena *f*, perspectiva *f*, vista *f*, espectáculo *m*. 빼어난 자연 ~ lugar *m* [sitio *m*] de belleza pintoresca espléndida. ~을 해치다 destruir [estropear · arruinar] la belleza pintoresca.

◆ 일대 ~ gran vista *f*, panorama *m*.

경관(警官) ((준말)) =경찰관(警察官).

경관(頸管) cérvix *m*. ~의 cervical. ~내(內)의 intracervical.

경광(景光) ① =경치(景致). ② =효상(爻象).

경광(耿光) ① [밝은 빛] luz *f* clara. ② [빛나는 위엄] dignidad *f* brillante.

경교(景教) ((종교)) nestorianismo *m*.

■ ~도(徒) nestoriano, -na *mf*.

경구(硬球) ((야구)) pelota *f* dura.

경구(敬具) Quedo de usted my atto. y s.s. [atento y seguro servidor] / Q.E.S.M. [que estrecha su mano] / Mientras tanto, saludamos a ustedes muy atentamente / Le saluda muy atentamente [afectuosamente · cordialmente].

경구(耕具) instrumento *m* agrícola.

경구(敬懼) =경외(敬畏).

경구(經口) acción *f* de tomar la medicina a través de la boca. ~의 oral.

■ ~ 감염[전염] infección *f* oral. ~ 내시경 검사법 endoscopia *f* peroral. ~ 면역 inmunidad *f* oral. ~ 백신 vacuna *f* oral. ~ 삽관법 intubación *f* oral. ~ 투여[투약] administración *f* oral. ~ 피임약 píldora *f* anticonceptiva, píldora *f* contraceptiva.

경구(輕裘) ropa *f* de cuero ligera.

경구(警句) epigrama *m*, aforismo *m*. ~의 aforístico. ~를 토하다 hacer observaciones [advertencias] agudas.

■ ~시(詩) poesía *f* aforística. ~집(集) colección *f* de epigramas.

경구개(硬口蓋) paladar *m* duro.

■ ~열(裂) uranosquisis *f*. ~음 sonido *m* palatal.

경국(傾國) ① [나라의 힘을 기울임] descenso *m* [disminución *f*] de una nación. ② [나라를 위태롭게 함] acción *f* de hacer peligrar una nación. ③ ((준말)) =경국지색.

■ ~지색(之色) la mujer más hermosa del país, mujer *f* hermosa, mujer *f* bella, belleza *f*.

경국(經國) administración *f* del país.

■ ~ 제세(濟世) dirección *f* de los asuntos públicos. ~ 제세술 arte *m* de gobernar, arte *m* de dirigir los asuntos públicos, calidad *f* de estadista. ~지사(之士) hombre *m* de capacidad administrativa. ~지재(之才) grado *m* de capacidad del estadista, talento administrativo, capacidad administrativa; [사람] hombre *m* de capacidad administrativa.

경궁(勁弓) arco *m* fuerte.

경권(經卷) ① =경전(經典). ② [경문을 적은 두루마리] rollo *m* de sutras.

경궐(京闕) ① [서울의 왕궁] palacio *m* real en Seúl. ② [서울] Seúl.

경귀(驚句) ((준말)) =경인귀(驚人句).

경균도름(傾囷倒廩) ① [온 재산을 내어 놓음] donación *f* de todos *sus* bienes. ~하다 donar todos *sus* bienes. ② [품은 생각을 숨김없이 드러내어 말함] acción *f* de decir *su* pensamiento sin reserva. ~하다 decir *su* pensamiento sin reserva.

경극(京劇) [서울의 번화한 곳] centro *m* de compras y diversiones de la capital.

경근(敬謹) respecto *m* modesto. ~하다 prestar respeto modesto.

경근(頸筋) músculo *m* de cuello.

경금속(輕金屬) metal *m* ligero.

■ ~ 공업 industria *f* de metal ligero. ~ 합금 aleación *f* de metal ligero.

경기(景氣) [형편] (marcha *f* · estado *m* de) las cosas; [상황] actividad *f* [tendencia *f*] del mercado, condición *f* de los negocios; [경제 상태] situación *f* económica. ~가 어떻습니까? ¿Cómo le van las cosas [los negocios]? ~가 좋다[나쁘다] Las cosas marchan bien [mal] // [상점에서] El negocio prospera [languidece] / El negocio anda bien [mal]. ~가 회복된다 Se recupera la situación económica. ~가 과열된다 Se calienta demasiado la actividad del mercado.

◆ 벼락 ~ el alza *f* extraordinaria, el alza *f* rápida, auge *m*, aumento *m* repentino, boom *ing.m.* 불~ baja *f* repentina, caída *f* repentina, desplome *m*, depresión *f* económica, crisis *f* económica.

■ ~ 과열(過熱) calentamiento *m* excesivo [recalentamiento *m*] de la actividad del mercado. ~ 동향 조사 encuesta *f* económica. ~ 변동 fluctuación *f* econónica [de los negocios]. ~ 부양책 política *f* expancionista. ~ 상승 el alza *f* económica. ~ 순환 ciclo *m* económico. ~ 예고 지표 índice *m* de aviso económico. ~ 예측 previsión *f* comercial, pronóstico *m* empresarial. ~ 정책 política *f* económica. ~ 지수 barómetro *m* económico. ~ 침체 estancamiento *m* (de actividades económicas). ~ 통계 estadística *f* de círculos económicos. ~ 회복 recuperación *f* del negocio, restablecimiento *m* [recuperación *f*] de la actividad económica. ~ 후퇴 recesión *f* (económica).

경기(競技) ① [무술이나 운동 경기로 승부를 겨루는 일] juego *m*, partido *m*, combate *m*, prueba *f*. ~하다 jugar, tener partido de juego. ~ 중 en juego, durante el partido. ~의 형세 estado *m* de juego. ~의 흐름 flujo *m* del juego. 가망 없는 ~ juego *m* vencido [derrotado]. 공격 위주의 ~ juego *m* orientado hacia [de] ataque. 대등한 ~ partido *m* parejo. 무기력한 ~ juego *m* impotente. 수비 위주의 ~ juego *m* orientado hacia defensa [defensivo]. 우천(雨天)으로 포기한 ~ partido *m* abandonado por la lluvia. 지루한 ~ partido *m* aburrido. 짜릿한 ~ partido *m* emocionante. 홈 ~의 승리 victoria *f* en casa. 활기찬 ~ juego *m* agitado. ~를 망치다 arruinar el juego. ~를 읽다 intuir [leer] el juego. ~를 주도하다 dominar [liderar] el juego. ~를 진정시키다 calmar el juego. ~에서 빠지다 abandonar la cancha, salir del partido. ~에 참가하다 participar [tomar parte] en los juegos. ~의 흐름을 늦추다 bajar el ritmo de juego, ralentizar. 걸어 다니는 ~를 하다 jugar a la velocidad del que camina a pie. 시간을 벌기 위한 ~를 하다 jugar por ganar tiempo. 일방적인 ~를 하다 jugar en una mitad del campo. ~를 계속하십시오 ¡Sigan jugando! ② [기술의 낫고 못함을 겨루어 우열(優劣)을 가리는 일] competición *f*, concurso *m*. ~에 이기다 ganar en la competición. ~에 지다 perder en la competición. ③ ((준말)) =경기 운동. ④ ((준말)) =육상 경기.

◆레슬링 ~ combate *m* de lucha libre. 무득점 ~ empate *m* sin goles. 무승부 ~ empate *m*. 복싱 ~ combate *m* de boxeo. 본선 ~ competición *f* final. 수상(水上) ~ deportes *mpl* acuáticos. 시범 ~ partido *m* de exhibición. 실내(室內) ~ deportes *mpl* bajo techo. 십종(十種) ~ decathlón *m*. 야간 ~ partido *m* nocturno. 야외(野外) ~ prueba *f* de atletismo. 연습 ~ partido *m* de entrenamiento. 영패(零敗) ~ empate *m* sin goles. 예선(豫選) ~ partido *m* de clasificación. 오종(五種) ~ pentathlón *m*. 올림픽 ~ 대회(大會) los Juegos Olímpicos, las Olimpiadas, las Olimpíadas. 원정[어웨이] ~ partido *m* jugado en campo contrario. 조별 ~ partido *m* de grupo. 축구 ~ partido *m* de fútbol. 하키 ~ partido *m* de hockey. 학교 대항 ~ partido *m* interescolor; [대학의] partido *m* interuniversario. 홈 ~ partido *m* en casa. 홈 앤드 어웨이 ~ partidos *mpl* de ida y vuelta.

■~ 결과 resultado *m* del partido. ~ 구역 límites *mpl* del terreno de juego. ~ 규칙(規則) reglas de juego. ¶~ 수정안 modificaciones *fpl* de las reglas de juego. ~ 위반 infracción *f* a las reglas de juego. ~에 관한 추가 지시(追加指示) instrucciones *fpl* adicionales de las reglas de juego. 국제 축구 연맹 [피파(FIFA)]의 ~ reglas *fpl* de juego de la FIFA. ~을 집행하다 imponer las reglas de juego. ~ 대회(大會) juegos *mpl* deportivos, manifestación *f* deportiva. ~력(力) capacidad *f* de rendimiento. ~ 방해 bloqueo *m*, intervención *f*. ~ 보고서 reportaje *m* [informe *m*] del partido. ~ 시설 instalaciones *fpl* atléticas. ~ 연기 aplazamiento *m* del equipo. ~ 운영 요원 agente *mf* de manejo de juego. ~일 día *m* [jornada *f*] del partido. ~ 일정 calendario *m* del partido. ~ 일정표 lista *f* de calendario del partido. ~자 jugador, -ra *mf*; competidor, -ra *mf*; atleta *mf*. ~장 estadio *m* (deportivo), campo *m*, campo *m* de juegos, campo *m* de deportes, terreno *m* de juego, cancha *f*. ¶~ 광고 publicidad *f* del campo. ~ 기공식(起工式) ceremonia *f* para poner los cimientos. ~ 면적 superficie *f* del campo. ~ 방어 그물 barrera *f* de muchedumbre. ~ 수용 능력 capacidad *f* del estadio. ~ 시설 instalacionnes *fpl* del estadio. ~ 아나운서 comentarista *mf*. ~ 외곽 울타리[펜스] cerca *f* de contorno externo. ~ 조건 condiciones *fpl* del campo. ~ 지하 난방 장치 calefacción *f* por debajo del suelo. ~ 직원 oficial *mf* de estadio. ~ 출입 금지 prohibición *f* de entrada; ((게시)) Se prohíbe entrar. ~ 침입 invasión *f* del campo de juego. ~ 표시 marcación *f* del campo. 다목적 ~ estadio *m* multiuso. 보조 ~ estadio *m* auxiliar. 신설 ~ estadio *m* nuevo. 연습 ~ campo *m* [cancha *f*] de entrenamiento. 종합 ~ estadio *m* multiuso. 주(主) ~ estadio *m* principal. 지붕(을 씌운) ~ estadio *m* cubierto. 축구 전용 ~ estadio *m* de fútbol. 흙 ~ campo *m* de tierra. ~에 입장하다 entrar al campo de juego. ~에서 추방하다 expulsar del campo de juego. ~을 이탈하다 abandonar el campo de juego. ~ 장악 dominio *m* del juego. ~ 재개 reanudación *f* del juego. ~ 종료 final *m*, término *m* del juego. ~ 종료 직전 últimos momentos. ~ 종목(種目) número *m* de competiciones. ~ 주도권 iniciativa *f* del juego. ~ 중단 interrupción *f* [suspensión *f*] del partido. ~ 중지 fuera del campo. ~ 출장 금지(出場禁止) suspensión *f*. ~ 취소(取消) cancelación *f*. ~ 편성[포메이션] alineación *f* del equipo. ~ 포기 abandono *m* del partido.

경기(勁騎) 【군사】 soldado *m* de caballería fuerte.

경기(輕騎) soldado *m* de caballería ligero y ágil.

경기(驚氣) 【한방】 =경풍(驚風).

경기관총(輕機關銃) ametralladora *f* ligera.

경기구(輕氣球) globo *m* (aerostítico).

경기병(輕騎兵) caballería *f* ligera.

경낙(輕諾) consentimiento *m* ligero, consentimiento *m* con gusto. ~하다 consentir ligeramente, consentir con (mucho) gusto.

■~ 과신(寡信) consentimiento *m* rápido, poca confianza *f*.

경난(經難) experiencia *f* de la cosa difícil. ~

하다 experimentar la cosa díficil.
경난(輕暖) la ligereza y la templanza (de la ropa). ~하다 ser ligero y templado.
경난히 ligera y templadamente.
경내(境內) recinto *m*.
경년(頃年) =근년(近年).
경년(經年) acción *f* de pasar el año. ~하다 pasar el año.
경노(勁弩) arco *m* fuerte.
경노동(輕勞動) labor *f* ligera.
경농(經農) =영농(營農).
경뇌(鯨腦) esperma *f* de ballena, espermaceti *m*.
▪ ~유(油) aceite *m* de esperma de ballena, aceite *m* de espermaceti.
경뇌막(硬腦膜) 【해부】 duramadre *f*, duramáter *f*.
경누(耕耨) =경운(耕耘).
경단(輕單) la ligereza y la estatura baja.
경단(瓊團) *gyeongdan*, una especie de *tteok* [pan coreano], bola *f* de masa que se come en sopas o guisos, bola *f* de harina de arroz pegajoso amasada, bola *f* hervida de harina de arroz pegajoso.
경단백질(硬蛋白質) escleroproteína *f*.
경대(鏡臺) tocador *m*.
▪ ~보 cubierta *f* de tocador.
경도(京都) capital *f*, Seúl.
경도(徑道) atajo *m*, el camino más corto.
경도(硬度) dureza *f*.
▪ ~계 durómetro *m*; [광물의] esclerómetro *m*.
경도(經度) ① 【의학】 [월경(月經)] menstruación *f*. ② 【지리】 [날도] longitud *f*.
▪ ~선(線) 【지리】 =날금.
경도(傾倒) ① [넘어져 엎드림] acción *f* de postrarse cayéndose. ~하다 postrarse cayéndose. ② [기울여 쏟음] derramiento m inclinando. ~하다 derramar [vertir] inclinando. ③ [마음을 한쪽으로 기울이어 열중함] dedicación *f*, concentración *f*, admiración *f*. ~하다 dedicarse [entregarse] todo entero (a), concentrarse (en); [사람에게] admirar (a). 나는 우나무노에 ~하고 있다 Soy un admirador ferviente de Unamuno.
경도(敬禱) oración *f* piadosa. ~하다 orar piadosamente.
경도(輕度) ligereza *f*. ~의 부상(負傷) herida *f* leve. ~의 손해(損害) daños *mpl* leves. ~의 화상(火傷) quemadura *f* leve.
경도(鯨濤) ola *f* grande del mar.
경도(驚倒) caída *f* por mucha sorpresa. ~하다 caerse por mucha sorpresa.
경독(耕讀) el cultivo y la lectura, lectura con el cultivo. ~하다 cultivar y leer, leer cultivando.
경독(煢獨/惸獨) lo solitario; [사람] (hombre *m*) solitario *m*.
경독히 solitariamente.
경독(經讀) ((불교)) lectura *f* de las sutras. ~하다 leer las sutras.
경돌(磬-) =경석(磬石).
경동(輕動) ① [경솔하게 행동함] compartamiento *m* frívolo. ~하다 comportarse frívolamente. ② ((준말)) =경거망동.
경동맥(頸動脈) carótida *f*. ~의 carotídeo. ~사이의 intercarótico.
경등(卿等) ustedes.
경라(輕羅) seda *f* ligera y fina.
경락(京洛) Seúl.
경락(經絡) 【한방】 vaso *m* sanguíneo.
경락(競落) adquisición *f* en remate [en subasta], decisión *f* de la subasta. ~하다 adquirir *algo* en una subasta, comprar *algo* en una subasta.
▪ ~ 기일 fecha *f* de la decisión de la subasta. ~물 objetos *mpl* caídos. ~인[자] licitador *m* decidido, licitadora *f* decidida; postor, -tora *mf* de éxito.
경랍(鯨蠟) 【화학】 espermaceti *m*.
경랑(鯨浪) ola *f* grande.
경량(輕量) peso *m* ligero [liviano]. ~의 ligero, liviano.
▪ ~ 골재 conglomerado *m* ligero. ~급 peso *m* ligero. ~ 내화물(耐火物) artículo *m* refractario. ~ 내화 벽돌 ladrillo *m* refractario ligero. ~ 벽돌 ladrillo *m* ligero. ~ 콘크리트 hormigón *m* ligero. ~품 artículos *mpl* ligeros. ~ 화물 mercancías *fpl* ligeras.
경려(輕慮) pensamiento *m* corto.
경력(經歷) carrera *f*, historia *f* personal, curso *m*, antecedentes *mpl*; [이력] curriculum vitae *m*, historial *m*. ~이 수상한 사람 persona *f* con un pasado turbio. 다양한 ~을 가진 사람 persona *f* con carreras varios. ~이 좋다 tener buenos antecedentes, tener un pasado irreprochable. ~이 좋지 않다 tener malos antecedentes, tener un pasado poco honroso. ~을 속이다 disimular *su* historia personal. ~을 조사하다 investigar los antecedentes (de). 여러 가지 ~을 가지고 있다 tener varias carreras, ser una persona de varias carreras. 그는 ~이 어떤 사람입니까? ¿Qué antecedentes tiene él? 그는 외교관으로 오랜 ~이 있다 El tiene una larga experiencia como diplomático.
▪ ~ 소개 introducción *f* biográfica. ~자 persona *f* experimentada, persona *f* con experiencia. ~직 trabajo *m* para personas con experiencia.
경련(京輦) Seúl.
경련(痙攣) 【의학】 convulsión *f*, espasmo *m*, paroxismo *m*, muerte *f* chiquita; [근육의] calambre *m*, retortijón *m*; [안면의] tic *m* (nervioso). ~이 나다 dar*le* un calambre (a). ~을 일으키다 convulsionarse, tener accesos convulsivos. 전신(全身)에 ~을 일으키다 tener convulsiones en todo el cuerpo. 내 다리의 근육이 ~을 일으켰다 Yo tuve un calambre en la pierna / Se me crisparon los nervios de la pierna. 그의 수족(手足)이 ~을 일으켰다 Se le convulsionaron las extremidas / El tuvo convulsiones en los miembros. 나는 계단을 오

를 때 ~이 났다 Me dio un calambre mientras subí por la escalera.
■ ~독(毒) convulsionante *m.* ~ 체질 espasmofilia *f.* ~학 espasmología *f.* ~ 환자 convulsionante *mf.*

경렬(庚烈) calor *m* canicular.

경렵(鯨獵) =고래잡이.

경령(頸領) vena *f* en el cuello.

경례(敬禮) saludo *m,* salutación *m.* ~하다 saludar, hacer un saludo; [거수경례하다] hacer un saludo militar quitándose el sombrero; [머리를 숙이다] hacer una reverencia. ~에 답하다 responder al saludo. 국기에 ~하다 saludar la bandera.

경로(敬老) respeto *m* por los ancianos. ~하다 respetar a los ancianos.
■ ~석 (asiento *m*) reservado *m* (para los ancianos). ¶그 자리는 ~이다 El asiento está reservado para los ancianos. ~의 날 día *m* (en honor) de los ancianos. ~회 reunión *f* en honor de los ancianos; [노인회] peña *f* de los ancianos.

경로(經路) curso *m,* ruta *f,* camino *m,* paso *m,* conducto *m,* canal *m;* [과정] progreso *m.* 정보의 ~ vía *f* [conducto *m*] de información. 외교 ~를 통하여 por la vía diplomática. 같은 ~를 밟다 seguir el mismo camino. 당신은 공식 ~를 통하여 절차를 밟아야 한다 Usted tiene que hacer el trámite por los conductos [las vías] oficiales.
◆배급 ~ canales *mpl* de distribución. 전염(傳染) ~ rastro *m* de una epidemia.

경뢰(驚雷) trueno *m* grande.

경루(瓊樓) =궁전(宮殿).

경륜(徑輪) el diámetro y la circunferencia.

경륜(經綸) administración *f;* [국가의] arte *m* de gobernar. ~하다 administrar los asuntos del estado.
■ ~가[지사] hombre *m* hábil [diestro].

경륜(競輪) carreras *fpl* de bicicletas.
■ ~ 선수 ciclista *mf.* ~장 velódromo *m;* [트랙] circuito *m* ciclista.

경리(經理) administración *f* financiera, contabilidad *f.* ~하다 administrar. ~를 담당하다 encargarse de la administración financiera.
◆육군 ~ 학교 academia *f* de intendencia militar.
■ ~과 contaduría *f.* ~국 Departamento *m* de Cuentas, *AmL* Departamento *m* General de Contabilidad. ~ 담당 contable *mf,* tenedor, -dora *mf* de libros. ~ 사무 negocio *m* del contable. ~ 사원 empleado, -da *mf* de contabilidad. ~원 contable *mf,* tenedor, -dora *mf* de libros. ~ 학교 la Escuela de Contabilidad.

경마 brida *f.*
◆경마(를) 잡다 llevar [guiar] un caballo. 경마(를) 잡히다 hacer llevar [guiar] un caballo.

경마(競馬) carreras *fpl* de caballos, hípica *f,* (carreras *fpl*) hípicas *fpl.* ~에 돈을 걸다 apostar en las carreras de caballos. ~로 이익을 보다 ganar en las carreras de caballos. ~로 손해를 보다 perder las carreras de caballos.
■ ~ 기수 jinete *mf* de carrera. ~마(馬) caballo *m* de carrera(s). ~법 ley *f* de carreras de caballos. ~ 순번표 programa *m* de carreras. ~장 pista *f* (de carreras); [스타디움] hipódromo *m.* ~ 팬 carreísta *mf,* aficionado, -da *mf* a las carreras (hípicas). ~회 reunión *f* de las carreras hípicas.

경망(輕妄) imprudencia *f,* frivolidad *f,* indiscreción *f,* atolondramiento *m,* aturdimiento *m;* [부주의] descuido *m,* inadvertencia *f.* ~하다 (ser) imprudente, frívolo, insensato, irresponsable, indiscreto, atolondrado, aturdido, descuidado. ~한 언동 frivolidad *f.* ~한 위인 personalidad *f* insensata [irresponsable · imprudente]. ~한 짓 acto *m* imprudente. ~한 짓을 하다 actuar [comportarse] de forma irresponsable.
경망스럽다 (ser) atolondrado.
경망스레 atolondradamente, con atolondramiento.
경망히 imprudentemente, frívolamente, indiscretamente, con imprudencia, con frivolidad, con indiscreción.

경매(競賣) remate *m,* subasta *f,* venta *f* pública. ~하다 vender a subasta, vender en subasta pública, rematar, subastar. 가구를 ~에 붙이다 poner los muebles a (pública) subasta [a almoneda]. ~에서 백만 원에 팔렸다 Se vendió en un millón de wones en una subasta.
■ ~ 가격 oferta *f.* ~ 공고 aviso *m* de subasta. ~ 기간 duración *f* de subasta. ~ 기일 fecha *f* de subasta. ~물 artículo *m* para venta en la subasta. ~법 ley *f* de subasta. ~ 시장 mercado *m* de subasta. ~인 subastador, -dora *mf,* rematador, -dora *mf.* ~일 día *m* de subasta. ~장 sala *f* de subastas.

경맥(硬脈) pulso *m* duro.

경면(鏡面) ① [거울의 표면] superficie *f* del espejo. ② [수면] superficie *f* del agua tranquila y clara.

경멸(輕蔑) desprecio *m,* menosprecio *m,* desdén *m.* ~하다 despreciar, menospreciar, desdeñar. ~적(인) despreciativo. ~할 수 있는 despreciable, menospreciable, desdeñable, digno de desprecio. ~의 눈으로 보다 mirar (a *uno*) con ojos desdeñosos [con desprecio]. ~하는 듯한 미소를 짓다 reir despectivamente, reir con un tono de desprecio. 모두가 그를 몹시 ~하고 있다 Todos le tienen un gran desprecio.

경명(景命) gran orden *f.*

경명풍(景明風) =동남풍(東南風).

경모(京耗) noticia *f* de Seúl.

경모(景慕) culto *m,* adoración *f,* admiración *f,* respeto *m.* ~하다 adorar, venerar, rendir culto (a), admirar, respetar.

경모(敬慕) admiración *f,* adoración *f.* ~하다

admirar, adorar, amar y respetar.
경모(輕侮) desprecio *m*, menosprecio *m*. ~하다 despreciar, menospreciar, hacer menosprecio.
경목(耕牧) el cultivo y la ganadería.
경묘(輕妙) gracia *f*, ingenio *m*, donaire *m*. ~하다 (ser) simple y gracioso, gracioso, ingenioso, donairoso. ~한 익살 chiste *m* ingenioso.
경묘히 graciosamente, ingeniosamente, donairosamente.
경무(警務) deberes *mpl* policiales; [경찰 행정] administración *f* policial.
■ ~관(官) inspector, -tora *mf* general.
경무대(景武臺) *Gyeongmudae*, Antigua Palacio Presidencial, Antigua Casa Presidencial.
경문(經文) ① ((불교)) sutra *m* (budista). ② ((천주교)) devocionario *m*. ③ ((종교)) libros *mpl* del taoísmo.
■ ~가(歌) 【음악】 Motete *m*.
경문학(硬文學) literatura *f* metafísica.
경문학(輕文學) literatura *f* ligera.
경물(景物) paisaje *m*.
■ ~시(詩) poema *m* del paisaje.
경미하다(輕微−) (ser) ligero, leve, insignificante. 경미함 ligereza *f*, levedad *f*. 경미한 문제(問題) problema *m* ligero, asunto *m* trivial. 경미한 범죄 delito *m* de menor cuantía *f*. 경미한 손해 daño *m* leve. 손해는 경미했다 El daño ha sido leve.
경미히 ligeramente, levemente, insignificantemente, con ligereza.
경박(輕薄) ((준말)) =경조부박. ¶~하다 (ser) frívolo, ligero, veleidoso, voluble, imprudente. ~한 사람 persona *f* frívola. ~한 언행 conducta *f* frívola. 그는 ~한 남자다 El es un hombre frívolo / El tiene un carácter frívolo.
경박히 frívolamente, ligeramente, veleidosamente, volublemente, imprudentemente.
경반(徑畔) camino *m* estrecho.
경방(京坊) calle *f* de Seúl.
경방(庚方) 【민속】 oessuroeste *m*.
경배(敬拜) saludo *m* respetuoso.
경배(輕輩) persona *f* baja.
경배(瓊杯) =옥배(玉杯).
경배(卿輩) ustedes.
경백(敬白) =경구(敬具).
경벌(輕罰) castigo *m* ligero.
경범(輕犯) ((준말)) =경범죄(輕犯罪).
경범죄(輕犯罪) delito *m* de menor cuantía, contravención *f*, falta *f* leve, delito *m* menor.
■ ~ 처벌법 ley *f* relativa a la contravención.
경범(輕帆) navío *m* velero ligero y rápido.
경변(硬便) =된똥.
경변(輕邊) =헐변(歇邊).
경변증(硬變症) 【의학】 cirrosis *f*. ~의 cirrotico, cirrótico.
■ ~ 환자 cirroso, -sa *mf*.
경병(京兵) tropa *f* oficial en Seúl.
경병(勁兵) soldado *m* fuerte.
경병(經餠) =경편.
경보(頃步) medio paso *m*.
경보(輕寶) ① [값진 보배] piedra *f* preciosa. ② =학식(學識).
경보(競步) marcha *f* (atlética), carrera *f* de andar. 20킬로미터 ~ 올림픽 챔피언 campeón *m* olímpico de veinte kilómetros marcha.
■ ~ 선수 marchador, -dora *mf*.
경보(警報) (señal *f* de) alarma *f*. ~를 내리다 dar una alarma. ~가 해제되었다 Termina la alarma. ~는 아직 해제되지 않았다 Todavía sigue [no ha pasado] la alarma.
◆ 경계(警戒) ~ alarma *f* amarilla. 공습(空襲) ~ alarma *f* aérea, alarma *f* roja. 해제(解除) ~ alarma *f* blanca.
■ ~기(器) aparato *m* de alarma, alarmador. ¶도난 ~ alarma *f* antirrobo. 화재 ~ alarmador *m* de fuego. ~ 램프 lámpara *f* de alarma. ~망 red *f* de alarma. ~ 시스템 sistema *m* de alarma (y protección. ~ 신호 señal *f* de alarma. ~ 업무 negocio *m* de alarma. ~ 온도계 termómetro *m* de alarma. ~ 장치 aparato *m* de alarma. ~ 종(鐘) alarma *f*. ~ 해제 luz *f* verde, sirena *f*.
경복(景福) gran bienaventuranza *f* [suerte *f*·fortuna].
경복(敬服) respeto *m*, admiración *f*. ~하다 respetar, admirar, estimar. ~할만한 admirable, respetable, estimable, digno de admiración. 나는 그의 노력에 ~했다 Admiré su esfuerzo.
경부(京府) Seúl.
경부(耕夫) agricultor *m*.
경부(頸部) 【해부】 cerviz *f*, cogote *m*. ~의 cervical.
경부(京釜) Seúl y Busan.
경부 고속 도로(京釜高速道路) autopista *f* de Seúl y Busan.
경부선(京釜線) línea *f* de Seúl y Busan.
경비(經費) gastos *mpl*, expensas *fpl*, coste *m*, *AmL* costo *m*. ~ 관계로 por razón financiera [económica]. ~가 많이 드는 costoso, que necesita muchos gastos. 회사의 ~로 a expensas de la compañía. ~를 절감하다 cercenar los gastos. 물가고(物價高)로 ~가 오른다 Suben los gastos debido al alza de precios.
■ ~ 긴축(緊縮) reducción *f* de gastos. ¶~을 하다 reducir gastos. ~ 삭감 reducción *f* de gastos. ~ 절약 reducción *f* de gastos, racionalización *f* de gastos. ¶~을 하다 reducir gastos.
경비(警備) guardia *f*, custodia *f*, vigilancia *f*. ~하다 guardar, custodiar, vigilar. ~하고 있다 salir de guardia. ~하러 나가다 salir de guardia. ~를 교대하다 relevar la guardia, mudar la guardia. ~가 붙다 montar la guardia. ~가 삼엄하다 estar guardado [vigilado] estrictamente.
■ ~대(隊) guardia *f*. ~망 red *f* de defen-

sa. ~병 guarda *mf*; patrulla *mf*. ~실 cuarto *m* de guardia; [죄수용의] calabozo *m*. ~원 guardia *m*, custodia *f*, vigilante *m*. ~정[선] guardacostas *m.sing.pl*, lancha *f* patrullera.. ¶경찰 ~ guardacostas *m* de policía. ~함 patrullera *f*.

경비행기(輕飛行機) avioneta *f*.

경사(京師) Seúl, capital *f* principal, metrópoli *f*.

경사(勁士) ① [용감한 병사(兵士)] guerrero *m* bravo, soldado *m* valiente. ② [정직한 사람] hombre *m* honrado. ③ [용감한 사람] hombre *m* bravo, hombre *m* valiente, hombre *m* fuerte.

경사(剄死) muerte *f* después de cortarse el cuello.

경사(經史) libros *mpl* sobre la ética y la historia.

경사(經師) ((불교)) =경스승.

경사(傾斜) inclinación *f*, declive *m*, pendiente *f*, cuesta *f*, declividad *f*, oblicuidad *f*. 급한 ~ declive *m* abrupto, declive *m* pino. 완만한 ~ declive *m* suave.

◆경사(가) 지다 inclinarse, declinar. 경사(가) 진 inclinado, declinante, oblicuo; [밭·땅·바닥이] de declive. 경사(가) 지게 en declive, oblicuamente. 30도 경사(가) 져 있다 tener una inclinación de treinta grados. 이 토지는 하천 쪽으로 경사(가) 져 있다 El terreno se inclina hacia el río. 지붕은 완만하게 경사(가) 져 있다 El tejado tiene un declive suave.

■~각 (ángulo *m* de) oblicuidad *f*. ~계 clinómetro *m*. ~도(度) gradiente *m*, inclinación *f*, ángulo *m* inclinado. ~로(路) rampa *f*. ~면 plano *m* inclinado. ~ 생산 producción *f* de prioridad. ~의(儀) clinómetro *m*. ~지 tierra *f* de declive.

경사(慶事) asunto *m* feliz, ocasión *f* feliz, evento *m* feliz, asunto *m* que merece felicitación [enhorabuena]. ~입니까? [임산부에게] ¿Espera? / ¿Va a tener un hijo? 그의 집에는 ~가 있다 [결혼의] Un miembro de familia se va a casar pronto.

경사로이 felizmente, con felicidad.

경사롭다 =경사스럽다.

경사스럽다 (ser) feliz. 경사스런 일 acontecimiento *m* [suceso *m*] feliz [alegre], motivo *m* de felicitaciones. 네 성공은 무엇보다도 ~ Tu éxito constituye la felicidad más grande.

경사스레 felizmente, alegremente. ~ 끝나다 terminar felizmente.

■~ㅅ날 día *m* feliz.

경사(經絲) urdimbre *f*

경사(傾瀉) 【화학】 decantación *f*.

경사(輕士) ① [가벼운 옷을 입은 병사(兵士)] soldado *m* con vestido ligero. ② [낮은 지위의 병사] soldado *m* de posición baja.

경사(警査) cabo *m* de policía.

경사(競射) competencia *f* de la tirada al arco [del tiro]. ~하다 competir en la tirada al arco [en el tiro].

경산(京山) montaña *f* en las afueras de Seúl.

■~목 maderas *fpl* de las montañas en las afueras de Seúl. ~절 templo *m* budista en la montaña de las afueras de Seúl. ~중 monje *m* budista del templo budista en la montaña de las afueras de Seúl.

경산(經産) el tener experiencia que dio a luz.

경산부(經産婦) multípara *f*.

경상(境上) vecindad *f* de la frontera, cercanía *f* del límite.

경상(輕傷) herida *f* leve. ~을 당하다 recibir una herida leve, ser herido levemente.

■~자(者) herido, -da *mf* leve.

경상(經常) invariabilidad *f*, inmutabilidad *f*, constancia *f*. ~의 corriente, ordinario.

■~ 거래 transacción *f* ordinaria, negocio *m* ordinario. ~ 계정 balanza *f* de partidas en cuenta corriente, balanza *f* de transacciones corrientes. ~ (계정) 수지 balanza *f* de mercancías y servicios. ~비 costes *mpl* de explotación, gastos *mpl* de mantenimiento, gastos *mpl* de operaciones, gastos *mpl* de funcionamiento, *AmL* costos *mpl* de explotación. ~ 수입 ganancia *f* ordinaria.

경색(景色) ① [경치(景致)] paisaje *m*. ~이 좋은 de buen paisaje. 이곳은 ~이 아름답다 Este lugar tiene un paisaje hermoso. ② [광경(光景)] vista *f*; [정경(情景)] escena *f*, panorama *m*. 이곳은 ~이 좋다 Este lugar tiene una vista preciosa / Desde aquí se domina un magnífico panorama.

경색(梗塞) ① [막힘. 특히, 돈의 융통이 잘 안되고 막힘] rigurosidad *f*, bloqueo *m*, cese *m*, suspensión *f*, interrupción *f*. 정국(政局)의 ~ situación *f* política estricta. ② 【의학】 infarto *m*.

◆금융(金融) ~ mercado *m* de dinero restrictivo.

■~ 금융 정책(金融政策) política *f* monetaria restrictiva.

경서(經書) clásicos *mpl* confucianos.

경서(慶瑞) buen síntoma *m*.

경석(竟夕) toda la noche.

경석(硬石) piedra *f* sólida.

■~고(膏) anhidrita *f*.

경석(輕石) 【광물】 pomez *f*, piedra *f* pomez.

경선(經線) 【지리】 meridiano *m*.

■~의(儀) cronómetro *m*.

경선(傾船) lo que hace inclinar el barco. ~하다 hacer inclinar el barco.

경선(頸腺) glándula *f* cervical, glándula *f* linfática en el cuello.

경선(鯨船) =포경선(捕鯨船).

경선 벡터(徑線-) 【물리】 radio *m* vector.

경성(京城) ① ((지명)) *Gyeongseong*, nombre *m* antiguo de Seúl. ② ㉮ [수도] capital *f*. ㉯ [서울] Seúl.

경성(硬性) solidez *f*, dureza *f*.

■~ 골종(骨腫) osteomaduro *m*. ~ 세제 detergente *m* duro. ~ 헌법 constitución *f* de hierro, constitución *f* fuerte.

경성(傾性) =절세미인(絶世美人).
경성지색(傾城之色) =경국지색(傾國之色).
경세(頃歲) =근년(近年).
경세(經世) administración *f.* ~하다 gobernar, administrar.
■ ~가(家) estadista *mf*, hombre *m* de estado, administrador, -dora *mf.* ~ 제민(濟民) el gobernar el mundo y el asistir al pueblo. ~지재(之才) talento *m* para administrar el mundo; [사람] el que tiene talento para administrar el mundo. ~지책(之策) arte *m* de gobernar.
경세(輕稅) poco impuesto *m*, poco tributo *m*.
경세(警世) el despertar al pueblo. ~하다 despertar al pueblo.
■ ~가(歌) *gyongsega*, canción *f* popular de la dinastía *Choson*.
경소(輕笑) ridículo *m*, ridiculización *f*, ridiculez *f*, mofa *f.* ~하다 ridiculizarse, ponerse en ridículo.
경소하다(輕小-) (ser) ligero y pequeño.
경솔하다(輕率-) (ser) ligero, frívolo, imprudente, indiscreto, irreflexivo, prematuro, presicipitado, atolondrado, aturdido, descuidado. 경솔함 ligereza *f*, frivolidad *f*, imprudencia *f*, atolondramiento *m*, aturdimiento *m*; [부주의] descuido *m*, inadvertencia *f.* 경솔한 사람 persona *f* impetuosa; persona *f* precipitada; atolondrado, -da *mf.* 경솔한 행위 acto *m* imprudente, acto *m* precipitado. 경솔하게 말하다 decir precipitadamente [con precipitación]. 경솔한 짓을 하다 actuar [comportarse] precipitadamente [con precipitación]. 그는 약간 ~ El es un poco imprudente.
경솔히 ligeramente, a la ligera, frívolamente, imprudentemente, indiscretamente, atolondradamente, precipitadamente, con precipitación. ~ 남을 욕하면 화를 당할 것이다 Si tú hablas mal de otros a la ligera, pagarás la ofensa.
경쇄(扃鎖) cerradura *f.*
경쇄(驚殺) gran sorpresa *f.* ~하다 sorprender mucho.
경쇠(磬-) 【악기】 *gyeongsoe*, instrumento *m* musical de piedra o jade.
경수(硬水) el agua *f* dura, el agua *f* gorda.
경수(輕水) el agua *f* (ligera).
경수(經水) =월경(月經)(menstruación).
경수(輕囚) prisionero, -ra *mf* del crimen ligero.
경수(慶壽) felicitación *f* del (día del) cumpleaños del rey.
경수(鯨鬚) [고래 수염] barba *f* de ballena.
경수(鯨首) figura *f* dibujada en la frente con tinta indeleble.
경수로(輕水爐) reactor *m* del agua natural.
경순양함(輕巡洋艦) crucero *m* ligero.
경술 국치(庚戌國恥) =국권 피탈(國權被奪).
경스승(經-) ((불교)) maestro *m* de las sutras.
경승(景勝) hermoso paisaje *m*, vista *f* maravillosa.
경승지(景勝地) ((준말)) =경승지지(景勝之地).
경승지지(景勝之地) lugar *m* de hermoso paisaje, lugar *m* de vista maravillosa.
경시(輕視) desprecio *m*, menosprecio *m*, desdén *m.* ~하다 despreciar, menospreciar, desdeñar, prestar poca atención (a), hacer poco caso (de), tener a menos [en menos · en poco], no dar importancia (a). ~해서 con menosprecio, desdeñosamente. ~할 수 없는 no despreciable, digno de consideración. 의견을 ~하다 prestar poca atención (de). 부하(部下)를 ~하다 menospreciar a *sus* subalternos, tener en nada a *sus* subalternos. 생명을 ~하다 menospreciar la vida, tener en poco la vida. 약속(約束)을 ~하다 hacer poco caso de cumplir sus promesas.
경시(勁矢) =경전(勁箭).
경식(硬式) tipo *m* duro, tipo *m* rígido. ~의 duro, rígido.
■ ~ 비행선 dirigible *m* rígido.
경식(輕食) comida *f* ligera, comida *f* sencilla, merienda *f*, tentempié *m*, refrigerio *m*.
■ ~당(堂) bar *m*, cafetería *f.*
경식(頸飾) adorno *m* del cuello.
경신(更新) ① [옛것을 고쳐 새롭게 함] renovación *f.* ~하다 renovar. 운전면허의 ~ renovación *f* de licencia de conductor. 계약을 ~하다 renovar el contrato. 면허증은 2년마다 ~해야 한다 La licencia debe ser renovado cada dos años. ② [기록 경기 따위에서, 종전의 기록을 깨뜨림] batimiento *m* de un récord. 기록을 ~하다 batir un récord.
경신(京信) ① [서울에서 온 편지] carta *f* de Seúl. ② [서울 소식] noticia *f* de Seúl.
경신(敬神) piedad *f*, reverencia *f* para con Dios. ~하다 adorar [venerar · rendir culto] al Dios. 그는 ~의 마음이 두텁다 El es piadoso.
경신(輕信) credulidad *f.* ~하다 ser crédulo, creer fácilmente [ligeramente · a la ligera].
경실(京室) habitación *f* del emperador.
경심(傾心) 【물리】 metacentro *m*.
경심(驚心) gran sorpresa *f* en el corazón. ~하다 sorprenderse mucho en el corazón.
■ ~ 동백(動魄) gran sorpresa y temor.
경십(瓊什) =경장(瓊章).
경아리(京-) seulense *mf.*
경악(驚愕) asombro *m*, sorpresa *f*, susto *m*. ~하다 asombrarse, sobresaltarse, pasmar(se), espantarse. ~을 금치 못하다 no poder reprimir *su* asombro.
■ ~ 반응[신경증] reacción *f* de alarma.
경압(輕壓) presión *f* ligera.
경앙(景仰) admiración *f*, adoración *f.* ~하다 admirar, adorar.
경앙(敬仰) reverencia *f*, adoración *f*, admiración *f.* ~하다 adorar, venerar, rendir culto (a), admirar.
경애(敬愛) respeto *m* y afecto, veneración *f.* ~하다 amar y respetar, venerar. ~하는 querido, estimado. (나의) ~하는 A군 mi

estimado señor A.

경야(經夜) ① [밤을 지샘] vela *f*, velada *f*, velación *f*. ~하다 pasar la noche en vela, pasar las velas, velar. ② [장사 전에 죽은 이의 관 옆에서 근친지기들이 밤샘을 하는 일] velada *f* de los parientes del muerto alrededor de la ataúd antes de la sepultura. ~하다 los parientes del muerto velar alrededor de la ataúd antes de la sepultura.

경양(京樣) costumbre *f* de Seúl.

경어(京魚) ① [고래] ballena *f*. ② [큰 어류] peces *mpl* grandes.

경어(敬語) término *m* honorífico, término *m* de respeto, palabra *f* de respeto, dicción *f* respetuosa; [정중한 말] término *m* de cortesía, palabra *f* de cortesía, término *m* de urbanidad, palabra *f* de urbanidad. ~로 말하다 hablar en términos de respeto. ~를 사용하다 usar términos respetuosos.

경어(鯨魚) 【동물】 ballena *f*.

경언(京言) el habla *f* seulense.

경역(境域) ① [경계가 되는 구역] borde *m*, margen *m*, límite *m*, frontera *f*. ② [경계 안의 땅] barrada *f*, terreno *m*.

경연(硬鉛) aleación *f* de antimonio y plomo.

경연(硬軟) dureza *f* y debilidad.

경연(慶宴) banquete *m*, fiesta *f*. ~을 베풀다 dar una fiesta, dar un banquete.

경연(競演) concurso *m*. ~을 열다 celebrar el concurso.

■~ 대회 concurso *m*. ¶미인 ~ concurso *m* de belleza. 민요 ~ concurso *m* de canción popular. ~회 concurso *m*. ¶~를 개최하다 celebrar un concurso.

경연극(輕演劇) comedia *f* ligera, función *f* teatral ligera.

경열(庚熱) calores *mpl* caniculares.

경열(硬咽) sollozo *m* por gran tristeza. ~하다 sollozar por gran tristeza.

경열(輕熱) fiebre *f* que la temperatura del cuerpo es de 38.1 ~ 38.5℃.

경염(庚炎) calores *mpl* caniculares.

경염(硬鹽) =돌소금.

경염(競艶) concurso *m* de belleza. ~하다 celebrar un concurso de belleza.

■~ 대회 concurso *m* de belleza.

경영(經營) administración *f*, manejo *m*, dirección *f* (administrativa), operación *f*, gestión *f*. ~하다 administrar, manejar, dirigir, ejercer, mantener, operar. 경양 식당을 ~하다 llevar una cafetería. 술집을 ~하다 mantener [llevar] una taberna. 학교를 ~하다 dirigir una escuela. 그는 무역 회사를 ~하고 있다 El dirige una compañía de comercio exterior. 이 회사는 ~이 잘되고 있다 [되지 않고 있다] La administración funciona bien [mal] en esta empresa. 이 회사는 ~ 상태가 좋지 않다 El estado financiero de esta compañía no es bueno [solvente].

◆개인(個人) ~ empresa *f* privada. 다각(多角) ~ dirección *f* múltiple, gerencia *f* múltiple. 집약 ~ dirección *f* intensiva.

■~ 경제학 economía *f* de empresa. ~ 계획 plan *m* administrativo. ~ 고문 [컨설턴트] asesor *m* [consejero *m*] administrativo, asesora *f* [consejera *f*] administrativa. ~ 공학 ingeniería *f* industrial. ~ 관리 administración *f* [dirección *f*·gestión *f*] de empresas. ~권 derecho *m* de administración. ~난 dificultades *fpl* financieras. ¶~에 빠지다 caer en dificultades financieras. ~ 능력 capacidad *f* de dirección, capacidad *f* administrativa, talento *m* para la administración. ~ 다각화 diversificación *f* de los negocios. ~ 대학원 el Curso de Posgrado de Administración de Empresas. ~ 방침 política *f* de negocios, línea *f* administrativa (de la compañía). ¶회사의 ~은 바뀌지 않을 것이다 No traerá consigo modificación alguna en la línea administrativa de la compañía. ~법 administración *f*. ~ 분석 análisis *m* administrativo. ~비 gastos *mpl* de mantenimiento. ~자 patrono *m*; patrón, -trona *mf*; [관리자] administrador, -ra *mf*; director, -ra *mf*; gerente *mf*; [소유자] propietario, -ria *mf*; dueno, -ña *mf*. ¶~측과 노동자측 [노사] patronos y obreros; [노자(勞資)] capital y trabajo. ~ 자금 fondo *m* de los negocios. ~자 단체 patronato *m*. ~ 자본 capital *m* de los negocios. ~ 재단 fundación *f* de los negocios. ~ 전략(戰略) estrategia *f* empresarial, estrategia *f* comercial. ~ 정보 시스템 sistema *m* de información empresarial. ~ 조직 organización *f* de la empresa, organización *f* de negocios. ~주(主) patrono *m*; patrón, -trona *mf*. ~진 empresarios *mpl*, patronal *f*. ~ 참가 participación *f* de los obreros en la dirección. ~ 책임자 director *m* ejecutivo, directora *f* ejecutiva. ~ 통계 estadística *f* administrativa. ~ 통계학 estadística *f* administrativa. ~학 administración *f* (de empresas), economía *f* de la empresa. ~학과 departamento *m* de administración. ~ 합리화 racionalización *f* de la empresa. ~ 협의회 consejo *m* de administración, consejo *m* de dirección. ~ 형태 formas *fpl* de administración.

경영(競泳) carrera *f* de natación. 100미터 ~ carrera *f* de natación de cien metros.

■~ 선수 nadador, -dora *mf*; tritón *m*, sirena *f*. ~자 nadador, -dora *mf*.

경영 환각(鏡映幻覺) =자체 환각(自體幻覺).

경예(輕銳) agilidad *f* y agudeza. ~하다 (ser) ágil y agudo.

경예(鯨鯢) macho y hembra de la ballena.

경옥(硬玉) 【광물】 jade *m*.

경옥(鏡玉) lente *f* (para la cámara, los anteojos, el telescopio etc.).

경옥(瓊玉) bola *f* hermosa.

경외(京外) ① [서울과 지방] Seúl y la región. ② [서울 이외의 지방] región *f* aparte de Seúl.

경외(境外) fuera del local.
경외(敬畏) respeto *m* reverencial, terror *m*. ~하다 tener*le* terror [pavor] (a).
경외서(經外書) ((준말)) =경외 성서.
경외 성서(經外聖書) los textos apócrifos.
경용(經用) gastos *mpl* de costumbre.
경우(輕雨) lluvia *f* ligera.
경우(境遇) caso *m*, ocasión *f*, circunstancia *f*. ~에 따르면 según el caso. …의 ~에는 cuando + *subj*, en caso de +「명사」, en caso de + *inf*, en caso de que + *subj*. 완성할 ~에는 con la terminación. 이런 ~에는 en este caso. 그가 성공할 ~에는 en el caso de que él tenga éxito. 내 부모님께서 아실 ~에는 en caso de que lo sepan mis padres. 어떤 ~에도 …이 아니다 [부정문에서] en ningún caso, de ninguna manera. 네가 나설 ~ [때]가 아니다 Esto no es asunto tuyo / No tienes nada que ver con esto. 4월에도 ~에 따라서는 서리가 내리는 일이 있다 A veces sucede que escarcha aun en abril.
■~ 변이(變異)【생물】=일시 변이.
경우(頸羽) =목털.
경운(耕耘) arada *f* y cultivo. ~하다 arar y cultivar.
■~기(機) cultivador *m*, cultivadora *f*, motocultivador *m*, motocultor *m*.
경운(景雲) =서운(瑞雲).
경운(輕雲) nube *f* delgada.
경운(慶雲) nube *f* de buen síntoma.
경운(瓊韻) =경장(瓊章).
경원(經援) ((준말)) =경제 원조(經濟援助).
경원(敬遠) ((준말)) =경이원지(敬而遠之). ¶ 모두가 그를 ~하고 있다 El es evadido por todos / Todos se mantienen alejados de él (intencionadamente) / Todos guardan las distancias con él.
경월(傾月) luna *f* que se pone.
경위(涇渭) lo bueno y lo malo; [판단력] juicio *m*, discernimiento *m*.
경위(經緯) ① [피륙의 날과 씨] urdimbre *f* y trama. ② ((준말)) =경위도. ③ ((준말)) =경위선. ④ ㉮ [일이 진전되어 온 전말] circunstancias *fpl*, condiciones *fpl*. ㉯ [상세함] detalles *mpl*. ㉰ [과정] desarrollo *m*, proceso *m*, marcha *f*. 사건의 ~를 말하다 exponer cómo sucedió el asunto. 분쟁의 ~를 설명하다 explicar el desarrollo del conflicto.
■~도(度) longitud *f* y latitud. ~도 원점 origen *m* de longitud y latitud. ~선(線) líneas *fpl* de longitud y latitud. ~의(儀)[기(器)] teodolito *m*. ~서(書) =전말서(顚末書). ~ 측량선 línea *f* transversal.
경위(警衛) ① [경비하여 호위함] guardia *f*, patrulla *f*, [경비하여 호위하는 사람] guardia *m*. ② [경찰관의 직위] lugarteniente *mf*, subinspector, -ra *mf*.
경위(頸圍) circunferencia *f* del cuello.
경유(經由) pasada *f*. ~하다 pasar (por). …를 ~로 pasando por *un sitio*, vía por *un sitio*. 파리 ~로 서반아에 가다 ir a España pasando por París. 파리를 ~(해) 마드리드에 도착하다 llegar a Madrid por París. 로스앤젤레스 ~로 멕시코에 가다 ir a Méjico vía [por vía de] Los Angeles. 북극 ~로 유럽에 가다 ir a Europa por la ruta del [pasando por el] Polo Norte.
■~지(地) lugar *m* que pasa.
경유(輕油) aceite *m* ligero.
경유(鯨油) aceite *m* de ballena.
경육(鯨肉) carne *f* de ballena.
경윤(卿尹) primer ministro *m*.
경은(輕銀) aluminio *m*.
경음(硬音)【언어】sonido *m* fuerte.
■~화 현상(化現象)【언어】glotalización *f*.
경음(瓊音) sonido *m* claro y hermoso.
경음(鯨音) sonido *m* de campana, toque *m* de campanas.
경음(輕陰) sombra *f* pequeña.
경음(鯨飮) (gran) trago *m*. ~하다 beber a grandes tragos, tomarse un trago (de), beber mucho.
경음(競飮) competencia *f* de la bebida del vino. ~하다 competir en beber el vino.
경음악(輕音樂) música *f* ligera.
■~단 banda *f* de la música ligera. ~ 작곡가 compositor *m* ligero, compositora *f* ligera.
경읍(京邑) capital *f*.
경의(更衣) cambio *m* de la ropa. ~하다 cambiar de la ropa.
경의(脛衣) =각반(脚絆).
경의(敬意) respeto *m*, homenaje *m*. ~를 표시하다 respetar. ~를 표하다 presentar *su* respeto (a), mostrar *su* respeto (a). …에게 ~를 표하여 en homenaje a [de] *uno*, en honor de *uno*.
경의(經義) =경서(經書).
경의(輕衣) ① [가벼운 비단옷] ropa *f* de seda liviana. ② [간단한 옷] ropa *f* sencilla.
■~ 비마(肥馬) vestido *m* lujoso.
경이(徑易) =용이(容易).
경이(傾耳) =경청(傾聽).
경이(驚異) maravilla *f*, prodigo *m*, admiración *f*, sorpresa *f*. ~의 눈으로 바라보다 mirar con admiración, contemplar con los ojos maravillados, contemplar con los ojos llenos de admiración.
■~감(感) sentimiento *m* maravilloso.
경이롭다 (ser) maravilloso, admirable. 경이로운 성과(成果) fruto *m* maravilloso.
경이로이 maravillosamente, admirablemente, prodigiosamente.
경이적 maravilloso, prodigioso, sorprendente, admirable. ¶~인 성공 éxito *m* maravilloso. ~인 속도(速度) velocidad *f* asombrosa, velocidad *f* prodigiosa.
경이원지(敬而遠之) acción *f* de poner a distancia respetando. ~하다 guardar las distancias (con), poner a distancia respetándole (a), evadir (cortésmente), mantenerse (respetuosamente) alejado (de).
경인(京人) seulense *mf*.
경인(京仁) *Seúl* e *Incheon*.

■ ~답(畓) arrozal *m* que el seulense tiene en el campo. ~선(線) línea *f* de *Seúl* e *Incheon*. ~전(田) campo *m* que el seulense tiene en el campo. ~ 지방 región *f* de *Seúl* e *Incheon*.

경인 고속 도로(京仁高速道路) autopista *f* de *Seúl* e *Incheon*.

경인본(景印本) 【인쇄】 =영인본(影印本).

경일(頃日) =지난번.

경일(敬日) ((대종교)) domingo *m*.

경일(慶日) día *f* feliz.

경자(庚子) 【민속】 *gyeongcha*, trigesimoséptimo término *m* binario del ciclo sexagenario.

경자(耕者) el [la] que cultiva el arrozal y el campo; agricultor, -tora *mf*.

경자(頃者) =지난번.

경자(瓊姿) figura *f* hermosa como joya.

경자(卿子) usted.

경작(耕作) cultivo *m*, labranza *f*, labor *f*. ~하다 cultivar, labrar. ~에 적당한 토지(土地) tierra *f* cultivable, tierra *f* laborable, tierra *f* adecuada para el cultivo.

■ ~권 derecho *m* de cultivo. ~기 maquinaria *f* agrícola. ~ 면적 extensión *f* de terreno agrícola. ~물 cosecha *f* de cultivo, cosecha *f* de labranza. ~자(者) cultivador, -ra *mf*, labrador, -ra *mf*. ~지(地) tierra *f* de cultivo, tierra *f* cultivada, tierra *f* laborada, tierra *f* de labranza, campo *m* de cultivo. ~ 한계지 tierra *f* marginal.

경장(更張) renovación *f*. ~하다 renovar.

경장(京莊) hacienda *f* [finca *f*·granja *f*] del seulense en el campo.

경장(境場) =국경(國境).

경장(輕裝) vestido *m* ligero, atavío *m* ligero. ~하다 vestirse ligeramente. ~으로 ligeramente vestido, en atavío ligero.

경장(瓊章) su poema, su poesía.

경장(警長) cabo *m* (de policía).

경재(硬材) madera *f* dura.

경재(卿宰) =재상(宰相).

경쟁(競爭) competencia *f*, competición *f*, rivalidad *f*, emulación *f*, [콘테스트] concurso *m*, certamen *m*. ~하다 competir (con), rivalizar (con), hacer (la) competencia (a), estar en competencia (con). ~의 competitivo. 불공평한 ~ competencia *f* desleal. ~에 이기다 ganar en un concurso, salir una competición. 한 여자를 두고 서로 ~하다 disputarse el favor de una mujer. 그 두 회사는 매상액(賣上額)으로 ~하고 있다 Esas dos compañías compiten [están en competencia] por conseguir una mayor venta. 그들은 ~으로 고층 빌딩을 짓고 있다 Ellos rivalizan en la construcción de altos edificios. A는 B와의 ~에서 이겼다 A ha salido triunfante de [en] la competencia con B. 최근 출판계는 ~이 심하다 Hay una competencia muy reñida en el mundo editorial de hoy día.

◆대외(對外) ~ competición *f* extranjera. 생존 ~ lucha *f* por la supervivencia. 자유(自由) ~ libre competencia *f*.

■ ~ 가격 precio *m* competitivo. ¶~으로 a precios competitivos. ~ 계약 contracto *m* competitivo. ~국 país *m* (*pl* países) competidor. ~력 capacidad *f* competitiva, fuerza *f* competitiva, competividad *f*. ¶한국 상품의 강한 수출 ~ fuerte competividad *f* exportadora de las mercancías coreanas. ~을 강화(强化)하다 reforzar la competividad [fuerza competitiva]. ~률 tipo *m* competitivo, tarifa *f* competitiva, porcentaje *m* de las plazas sobre los aspirantes. ¶입시 ~ porcentaje *m* de las plazas sobre los aspirantes en el examen de ingreso. ~ 매매(賣買) (compra)ventas *fpl* competitivas. ~ 무대(舞臺) ruedo *m* competitivo, ruedo *m* de competición. ~ 시대 era *f* de competición. ~ 시험(試驗) oposiciones *fpl*, examen *m* competitivo, concurso *m* de [por] oposición. ~심 espíritu *m* competitivo, espíritu *m* de competición, (espíritu *m* de) rivalidad, emulación *f*. ¶~으로 con espíritu competitivo, con espíritu de competición, por emulación. ¶~이 강하다 (ser) intrépido, agresivo, atrevido. ~ 의식 conciencia *f* de rivalidad, conciencia *f* de emulación. ~ 입찰 licitación *f* pública. ¶~하다 hacer una licitación pública. ~자[상대] [경쟁 시험에서] opositor, -tora *mf*, concursante *mf*, [비지니스의] competidor, -dora *mf*, rival *mf*, [스포츠의] contrincante *mf*, rival *mf*, [미인 대회·퀴즈 쇼의] concursante *mf*, [지위·자리의] contendiente *mf*, candidato, -ta *mf*. ¶미스 월드 ~ aspirante *f* al título de Señorita Mundo. ~적 competitivo, de competición. ¶~으로 con espíritu competitivo [de competición]. ~적 사회주의 socialismo *m* competitivo.

경쟁이(經一) exorcista *mf*.

경적(勁敵/勍敵) enemigo *m* fuerte.

경적(經敵) =경서(經書).

경적(警笛) silbato *m* [pito *m*] de alarma; [자동차의] bocina *f*, claxon *m*; [배의] sirena *f*. ~을 울리다 silbar, bocinar, tocar la bocina, tocar el claxon, pitar.

경전(勁箭) saeta *f* fuerte.

경전(耕田) el arrozal y el campo que cultivan.

■ ~착정(鑿井) el cultivar el campo y el excavar el pozo.

경전(經典) las (Sagradas) Escrituras, la Veda; [기독교의] la (Santa) Biblia; [불교의] la Sutra, escritos *mpl* sagrados budistas; [회교의] el Corán.

경전(輕箭) saeta *f* ligera.

경전기(輕電機) equipo *m* eléctrico ligero.

경전차(輕電車) tanque *m* ligero.

경절(勁節) fidelidad *f* firme.

경절(莖節) nudo *m* del tronco.

경절(慶節) día *m* conmemorativo feliz, aniversario *m* feliz.

경정(更正) revisión *f*, corrección *f*, reajuste

m, rectificación *f*, enmienda *f*. ～하다 revisar, corregir, rectificar. 예산(豫算)의 ～ reajuste *m* del presupuesto.

■～ 결정 resolución *f* de rectificación. ¶세(稅)의 ～을 하다 retasar el importe de la contribución. ～ 예산 presupuesto *m* de enmienda. ¶추가(追加) ～ presupuesto *m* suplementario.

경정(更訂) revisión *f*. ～하다 revisar.

경정(輕艇) barco *m* rápido.

경정(警正) superintendente *mf*.

경정(競艇) ＝모터보트 레이스.

경정맥(頸靜脈) vena *f* yugular.

경제(經濟) ① 【경제】 economía *f*. ～의 económico. 한국의 ～ 사정 estado *m* de la economía de Corea, situación *f* económica de Corea. 라틴 아메리카의 ～ economía *f* latinoamericana. 우리 나라의 ～가 회복되고 있다 La economía de nuestro país se está recuperando. ② [절약] ahorro *m*, economía *f*. ～하다 ahorrar, economizar. ～ 관념이 발달되어 있다 tener un gran sentido de la economía. ③ ((준말)) ＝경세제민(經世濟民). ④ ((준말)) ＝경제학.

◆가정(家庭) ～ economía *f* doméstica. 개인(個人) ～ economía *f* individual. 경쟁(競爭) ～ economía *f* competitiva. 계획 ～ economía *f* planificada. 공동 ～ economía *f* colectiva. 국가 ～ economía *f* estatal. 국민 ～ economía *f* nacional. 농업(農業) ～ economía *f* agrícola. 농촌 ～ economía *f* rural. 봉쇄 ～ economía *f* cerrada. 사회 ～ economía *f* social. 사회주의 ～ economía *f* socialista. 세계 ～ economía *f* mundial. 소비(消費) ～ economía *f* de consumo. 수출 ～ economía de exportación. 시장(市場) ～ economía *f* de mercado. 자유(自由) ～ economía *f* libre. 자유 시장(自由市場) ～ economía *f* de mercado libre. 전시(戰時) ～ economía de guerra. 지방(地方) ～ economía *f* regional, economía *f* local. 혼합 ～ economía *f* mixta.

■～가(家) ㉮ economista *mf*. ㉯ [절약가] ahorrador, -ra *mf*, *Arg* ahorrista *mf*. ～ 각료(閣僚) ministro *m* económico, ministra *f* económica. ～ 각료 회의 conferencia *f* de ministros económicos. ～ 감사관 supervisor *m* económico, supervisora *f* económica. ～ 감시관 inspector *m* económico, inspectora *f* económica. ～ 개발 desarrollo *m* económico. ～ 개발구 zona *f* de desarrollo económico. ～ 개발 오개년 계획 el Plan Quinquenal de Desarrollo Económico. ～ 개혁 reforma *f* económica. ～ 객체 objetos *mpl* económicos. ～ 경찰 policía *f* de economía. ～계 mundo *m* económico, círculos *mpl* económicos. ～ 계획 plan *m* económico, planificación *f* económica. ～ 고문 asesor *m* económico, asesora *f* económica. ～ 공황 pánico *m* económico. ～ 관계 relaciones *fpl* económicas (entre ambos países). ～ 관료 burócratas *mpl* económicos. ～ 구조 estructura *f* económica. ～권 bloque *m* económico. ～ 기구 estructura *f* económica. ～ 기사 artículos *mpl* sobre la economía. ～ 기자 periodista *mf* [reportero, -ra *mf*] de noticias económicas. ～ 기적 milagro *m* económico. ～ 기획국 el Departamento de Planificación Económica. ～ 기획원 el Ministerio de Planificación Económica. ～ 기획원 장관 ministro, -tra *mf* de Planificación Económica. ～난 dificultad *f* económica, dificultades *fpl* financieras. ～ 단위 unidad *f* económica. ～ 단체 organización *f* económica. ～ 대국 potencia *f* económica. ～ 도시 ciudad *f* económica. ～ 동맹(同盟) alianza *f* [unión *f*·liga *f*] económica. ～란 columna *f* económica. ～력 poder *m* económico, poder *m* financiero. ～림 bosque *m* de árboles económicos. ～면 plana *f* económica. ～ 모델 modelo *m* económico. ～ 문제 cuestiones *fpl* económicas, problema *m* económico. ～ 발전 desarrollo *m* económico. ～ 백서 libro *m* blanco económico. ～범 ＝경제 사범. ～법 ley *f* económica, legislación *f* económica. ～ 범죄 delito *m* económico. ～ 변동 fluctuación *f* económica. ～ 보증 garantía *f* económica. ～ 봉쇄 bloqueo *m* económico. ～부 [신문·방송의] sección *f* económica. ～ 부장 editor, -tora *mf* de noticias económicas. ～ 부흥 회의 el Congreso de la Rehabilitación Económica. ～ 분석 análisis *m* económico. ～ 붐 auge *m* económico, boom *m* económico. ～ 블록 bloque *m* económico. ～사(史) historia *f* económica. ～ 사범 [죄] infracción *f* económica, delito *m* económico; [사람] violador, -dora *mf* de las leyes económicas. ～ 사상 ideas *fpl* económicas. ～ 사절 misión *f* económica; [사람] enviado *m* económico, enviada *f* económica. ～ 사절단 misión *f* económica. ～ 사정 condiciones *fpl* [situaciones *fpl*] económicas [financieras]. ～ 사회 sociedad *f* económica. ～ 사회 위원회 el Comité Económico y Social. ～ 사회 이사회 [유엔의] el Consejo Económico y Social, ECOSOC *m*. ～상 económicamente. ¶～의 이익 ganancia *f* económica. ～의 손실 pérdida *f* económica. ～ 상태 condiciones *fpl* económicas. ～ 생활 vida *f* económica. ～성 economicidad *f*, eficiencia *f* económica. ～ 성장(成長) crecimiento *m* económico, desarrollo *m* económico. ～ 성장률 índice *m* de crecimiento económico. ～ 속도[속력] velocidad *f* económica. ～ 수역(水域) zona *f* económica exclusiva. ～ 수준 nivel *m* económico. ～ 순환 circulación *f* económica. ～ 안정 estabilización *f* económica. ～ 예측 previsión *f* económica. ～ 외교 diplomacia *f* económica. ～ 운영(運營) administración *f* económica. ～ 원론(原論) principios *mpl* de economía. ～ 원리(原理) principio *m* económico. ～ 원조(援助) ayuda *f* económica, asistencia *f* económica. ～ 원조 계획(援助計劃) programa *m* de ayuda económica. ～ 원칙 principio *m* económico. ～ 위기 crisis *f* económica. ～ 위원회 la Comisión Económica. ¶라틴 아메리카 ～ la Comisión Económica para América Latina. 서아시아 ～ la Comisión Económica para Asia Occidental. 아시아 극동 ～ la Comisión Económica para el Asia y el Lejano Oriente. 유럽 ～ la Comisión Económica para Europa. 유럽 무역 및 기술 분과 ～ la División de la Comisión Económica Europea de Comercio Internacional y Tecnología. ～ 윤리 ética *f* económica, moralidad *f* económica. ～ 윤리 강령 la Carta [el Código] de Etica Económica. ～ 윤리 위원회 la Comisión de Etica Económica. ～ 이론 teoría *f* económica. ～인 comerciante *mf*; hombre *m* de negocios. ～ 잠재력 potencial *m* económico, posibilidades *fpl* económicas. ～ 잡지 revista *f* económica. ～재 bienes *mpl* económicos. ～적 económico, de (la) economía. ¶～으로 económicamente, de manera económico. ～ 견지에서 (보면) económicamente hablando, desde el punto de vista económica. ～적 민주주의 democracia *f* económica. ～적 자유 libertad *f* económica. ～적 조치 acción *f* económica. ～적 후진국 ＝개발 도상국. ～전(戰) guerra *f* económica, competición *f* económica. ～ 정보 inteligencia *f* económica, información *f* económica. ～ 정책 política *f* económica. ¶대외 ～ política *f* económica extranjera. ～ 정치학 ecopolítica *f*, política *f* económica. ～ 제도 sistema *m* económico. ～ 제재 sanción *f* económica. ～ 조정관 coordinador *m* económico, coordinadora *f* económica. ～ 조정관실 oficina *f* de coordinador económico. ～ 조직 sistema *m* económico, estructura *f* económica. ～ 조치 medidas *fpl* económicas. ～ 조항 cláusula *f* económica. ～ 좌표 barómetro *m* económico. ～주의 economismo *m*. ～주의자 economista *mf*. ～ 지리학 geografía *f* económica. ～ 지표 indicador *m* económico. ～ 차관 préstamo *m* económico. ～ 철학 filosofía *f* de economía. ～ 측정 econometría *f*. ～ 침략 invasión *f* económica, agresión *f* económica. ～ 통계 estadística *f* económica, estadística *f* financiera. ～ 통제 control *m* económico. ～ 통합 integración *f* económica. ～ 투쟁 lucha *f* económica. ～ 패턴 esquema *m* económico. ～ 평론가 crítico *m* económico, crítica *f* económica; analista *m* econónico, analista *f* económica. ～표 tabla *f* económica. ～학 economía *f* (política), ciencias *fpl* (políticas y) económicas, económicas *fpl*. ¶거시 ～ macroeconomía *f*. 계량(計量) ～ ecometría *f*. 고전파(古典派) ～ economía *f* clásica. 근대 ～ economía *f* moderna. 마르크스 ～ economía *f* marxista. 미시(微示) ～ microeconomía *f*. 소비 ～ economía *f* de consumo. 순수 ～ economía *f* pura. 정통파 ～ economía *f* ortodoxa. 후생 ～ economía *f* del bienestar, economía *f* para el bienestar social. ～학과(學科) departamento *m* de ciencias (políticas y) económicas. ～학박사 doctor, -tora *mf* en ciencias políticas ～학 박사 학위 doctorado *m* de ciencias económicas. ～학사(學士) bachiller *mf* en economía política. ～학사(學史) historia *f* de economía. ～학 사전 diccionario *m* de ciencias económicas. ～학 석사 maestro, -tra *mf* en ciencias políticas. ～학설사(學說史) ＝경제 학사. ～학 원리 principios *mpl* de ciencias económicas. ～ 학자 economista *mf*. ～ 행위 actividad *f* económica, vida *f* económica. ～ 협력 cooperación *f* económica. ～ 협력 개발 기구 (協力開發機構) la Organización para la Cooperación y Desarrollo Económicos, OCED *f*, OECD *f*. ～ 협력국 Departamento *m* de Cooperación Económica. ～ 협의회 (協議會) el Consejo Económico. ～ 협조처 la Administración de la Cooperación Económica.

경조(京兆) capital *f*.

경조(京造) ((준말)) ＝경조치.
■ ～치 imitaciones *fpl* hecha en Seúl de las artesanías típicas de la región.

경조(京調) costumbre *f* de Seúl.

경조(敬弔) condolencias *fpl*, pésame *m*. ～하다 dar el pésame (a), dar *sus* condolencias (a).

경조(慶弔) felicidades *fpl* y condolencia.
■ ～비(費) gastos *mpl* para felicidades y condolencia. ～ 상문(相問) felicidades *fpl* en las ocasiones felices y condolencia en las ocasiones infelices. ～ 전보 telegrama *m* de felicidades o condolencia.

경조(慶兆) síntoma *m* feliz.

경조(競漕) regata *f*, carrera *f* de botes.
■ ～ 대회(大會) regata *f*. ～용 보트 yate *m* de regata.

경조부박(輕佻浮薄) frivolidad *f*, ligereza *f*, superficialidad *f*. ～하다 (ser) volubre y frívolo, veleidoso y superficial, ligero.

경조하다(輕佻－) ＝경솔하다.
경조히 ＝경솔히.

경조하다(輕燥－) (ser) ligero y seco.

경조하다(輕躁－) (ser) precipitado, imprudente, impetuoso.

경졸(勁卒) soldado *m* fuerte.

경졸(輕卒) ① [가벼운 옷차림의 병사(兵士)] soldado *m* con vestido ligero. ② [낮은 계급의 병사] soldado *m* de clase baja.

경종(京種) ① [서울에서 생산되는 채소 종자] semilla *f* de las verduras producidas en Seúl. ② ＝서울내기.

경종(耕種) cultivo *m* y sembradura. ～하다 cultivar y sembrar.

경종(警鐘) campana *f* de alarma, alarma *f* de incendio, toque *m* de somatén; [경고] advertencia *f*, aviso *m*.
◆경종(을) 울리다 tocar [sonar] la campana de alarma; [비유] dar la alarma.

경좌(鯨座) 【천문】 ＝고래자리.

경죄(輕罪) delito *m* de menor cuantía, delito *m* ligero.
경주(傾注) devoción *f*, aplicación *f*. ~하다 dedicarse, entregarse. 전력(全力)을 ~하다 concentrar todas *sus* fuerzas (en), dedicarse [consagrarse] todo entero [en cuerpo y alma] (a).
경주(競走) carrera *f*, corrida *f*; [보트의] regata *f*. ~하다 correr, luchar a la carrera, hacer una carrera, competir en una carrera; regatear. ~에 이기다 ganar en la carrera. ~에 지다 perder en la carrera.
◆단거리 ~ carrera *f* de corta distancia. 마라톤 ~ carrera *f* maratón. 100미터 ~ carrera *f* de cien metros lisos. 1000미터 ~ carrera *f* de mil metros. 장거리 ~ carrera *f* de larga distancia.
■~로(路) [자동차용] circuito *m*; [자전거용] velódromo *m*; [경주자용] pista *f* de atletismo; [그레이하운드용] canódromo *m*. ~마(馬) caballo *m* de carrera(s). ~용 자동차 automóvil *m* de carrera(s). ~용 자전거 bicicleta *f* de carrera(s). ~자(者) corredor, -dora *mf*. ~장(場) pista *f*. ¶그레이하운드 ~ canódromo *m*, galgódromo *m*. 자동차 ~ autódromo *m*, circuito *m*. 자전거 ~ velódromo *m*.
경주(輕舟) barca *f* ligera y rápida.
경주(慶州) 【지명】 *Gyongchu*, *Kyongchu*.
◆경주 돌이면 다 옥석(玉石)인가 ((속담)) También hay una mala cosa en una buena cosa.
경주(勁酒) vino *m* fuerte.
경주(競舟) =경조(競漕).
경중(京中) interior *m* de Seúl [de la capital].
경중(敬重) respeto *m*, reverencia *f*, veneración *f*. ~하다 respetar, venerar, reverenciar.
경중(輕重) ① [가벼움과 무거움] la ligereza y la pesadez. ② =무게(peso). ③ [큰 일과 작은 일. 중요함과 중요하지 않음] importancia *f* relativa, gravedad *f* relativa, seriedad *f*.
경중(鏡中) interior *m* del espejo.
■~ 미인(美人) mujer *f* hermosa en el espejo, lo insubstancial, poca substancia *f*, ninguna substancia.
경증(輕症) enfermedad *f* leve.
■~ 환자(患者) caso *m* leve.
경지(京址) ruinas *fpl* de la capital.
경지(耕地) ((준말)) =경작지(耕作地).
■~ 면적(面積) superficie *f* cultivada. ~ 정리 arreglo *m* del terreno cultivable.
경지(境地) ① [경계가 되는 땅] tierra *f* de límite. ② [한 지경의 풍치] belleza *f* escénica. ③ [환경과 처지] el ambiente y las circunstancias. ④ [경험한 결과 도달한 지경·상태] estado *m* (mental), condición *f*, circunstancias *fpl*. 심오한 ~에 이른 방법으로 con perfecta maestría. 새로운 ~를 열다 abrir nuevos horizontes (en). 성인(聖人)의 ~에 달하다 llegar a la santidad. 그의 서반아어는 심오한 ~에 이르러 있다 Su español es magistral. 그는 사회를 보는 데에는 심오한 ~에 이르러 있다 El dirige la reunión magistralmente.
경지(經紙) papel *m* que se copia la sutra.
경지(鯨脂) aceite *m* de ballena.
경지산(硬脂酸) 【화학】 =스테아린산.
경지옥엽(瓊枝玉葉) =금지옥엽(金枝玉葉).
경직(勁直/梗直) robustez *f*, firmeza *f*, fuerza *f*, integridad *f*. ~하다 (ser) robusto, firme, fuerte. 결심(決心)의 ~ firmeza *f* de resolución.
경직(硬直) dureza *f*, solidez *f*, firmeza *f*; [긴장] rigidez *f*. ~하다 ponerse tieso, guardarse rígido. ~된 tieso, rígido, yerto. 금속(金屬)의 ~ dureza *f* del metal. 사후(死後) ~ rigidez *f* cadavérica. 재정(財政)의 ~화(化) endurecimiento *m* de la administración financiera. 그는 아직도 ~되어 있다 El todavía actúa con rigidez / El está nervioso todavía.
경진(輕震) terremoto *m* débil, sacudida *f* ligera.
경진(輕塵) polvo *m* ligero.
경진(罄盡) =경갈(罄竭).
경진 대회(競進大會) exposición *f*, exposición *f* competitiva.
경진회(競進會) =공진회(共進會).
경질(更迭) cambio *m*, su(b)stitución *f*, reemplazo *m*, alteración *f*. ~하다 su(b)stituir, reemplazar. 각료(閣僚)의 ~ cambio *m* de ministro. 장관을 ~하다 reemplazar a un ministro.
경질(硬質) dureza *f*, rigidez *f*. ~의 duro, rígido.
■~ 고무 goma *f* dura. ~ 도기(陶器) cerámica *f* dura. ~ 섬유(纖維) fibra *f* dura. ~ 유리(琉璃) vidrio *m* de calidad dura. ~ 자기(磁器) porcelana *f* dura. ~ 합금(合金) aleación *f* dura. ~ 헌법(憲法) =경성 헌법(硬性憲法). ~ 화합물 compuesto *m* duro.
경차(經差) diferencia *f* longitudinal.
경찰(警察) ① policía *f*. ~의 policial, policíaco. ~이 되다 ser policía, hacerse policía. ~을 부르다 llamar a la policía. 사건을 ~에 알리다 avisar [informar] a la policía de lo sucedido. ~은 범인을 수사하고 있다 La policía persigue al criminal. ② ((준말)) =경찰서(警察署). ③ ((준말)) =경찰관.
◆비밀 ~ policía *f* secreta. 사법 ~ policía *f* judicial. 청원 ~ policía *f* privada.
■~견(犬) perro *m* policía. ~관(官) policía *mf*; agente *mf* (de policía), mujer *f* policía. ~ 관청[관서] jefatura *f* de policía. ~관 파출소 puesto *m* (policial · de policía). ~ 관할 구역 distrito *m* policial. ~국 la Jefatura de Policía. ¶서울특별시 ~ la Jefatura de Policía de Metrópoli de Seúl. ~ 국장 jefe, -fa *mf* de Policía. ¶서울특별시 ~ jefe, -fa *mf* de Policía de Metrópoli de Seúl. ~ 국가 estado *m* policía. ~권 poder *m* [autoridad *f*] de la policía. ~ 기동대 policía *f* antidisturbios. ~대 policía *f*. ~대학 la Academia de Policía. ~력 policía

f, fuerzas *fpl* del orden público. ~ 명령 orden *f* de policía. ~범(犯) delito *m* de policía. ~법 ley *f* de policía. ~ 법규 regulaciones *fpl* policial [de policía]. ~병원 hospital *m* de policía. ~봉(棒) porra *f* (de policía). ~서 comisaría *f* (de policía). ~서장 comisario, -ria *mf* (de policía). ~수첩 carné *m* [carnet *m*] del policía. ~ 원호법 ley *f* de cooperación policial. ~의(醫) médico, -ca *mf* forense. ~의 날 día *m* del policía. ~ 제도 sistema *m* policial. ~ 중립화 neutralización *f* de la policía. ~ 지서 subcomisaría *f*, sucursal *f* de comisaría. ~ 직무 원호법 ley *f* de cooperación con funciones policiales. ~ 처분 disposición *f* policial. ~청 la Jefatura de Policía Nacional, el Departamento de Policía Nacional, *Arg* la Secretaría de Policía (Nacional). ¶ 지방 ~ la Jefatura de Policía Regional. ~청장 jefe, -fa *mf* del Departamento de Policía Nacional. ~ 출입 기자 reportero, -ra *mf* de la policía. ~ 통신 comunicaciones *fpl* policiales. ~ 학교 la Academia de Policía, la Escuela de Policía. ~ 행정 administración *f* policial. ~ 허가 autorización *f* de policía.

경창(京倉) depósito *m* del arroz.

경창(京唱) canción *f* que se canta en Seúl.

경채(京菜) =북경 요리.

경책(輕責) reprensión *f* ligera. ~하다 reprender ligeramente.

경책(警責) amonestación *f*, admonición *f*, reprimenda *f*, advertencia *f*. ~하다 amonestar, reprender, advertir.

경처(景處) lugar *m* del paisaje hermoso.

경천(敬天) adoración *f* a Dios; [하늘을 숭배함] adoración *f* del cielo. ~하다 adorar a Dios; adorar el cielo.

■ ~ 애인(愛人) la adoración del cielo y el amor del hombre. ¶~하다 adorar el cielo y amar al hombre.

경천(經天) administración *f* del mundo. ~하다 administrar [gobernar] el mundo.

■ ~위지(緯地) gobierno *m* del mundo. ¶~하다 gobernar el mundo.

경천(驚天) gran sorpresa *f*, milagro *m*.

■ ~동지(動地) sorpresa *f* [asombro *m*·susto *m*] del mundo. ¶~하다 asombrar [sorprender·asustar] el mundo.

경철(輕鐵) ((준말)) =경편 철도(輕便鐵道).

경철광(鏡鐵鑛) 【광물】 =휘철광(輝鐵鑛).

경첩 gozne *m*, bisagra *f*, charnela *f*. ~을 달다 engoznar, poner goznes (a). ~을 벗기다 desgoznar. 문(門)의 ~이 어긋나 있다 La puerta está desgoznada.

경첩하다(勁捷-) (ser) fuerte y ágil.

경첩하다(輕捷-) (ser) ligero, ágil.

경청(敬請) escucha *f* cortés. ~하다 escuchar cortésmente.

경청(傾聽) escucha *f* atenta. ~하다 escuchar atentamente, prestar oído(s) (a), dar oído(s) (a). 그것은 ~할만한 가치가 없다 No vale [merece] la pena (de) prestar oído(s).

경추(頸椎) =목등뼈(vértebra cervical).

■ ~골(骨) vértebra *f* cervical. ~골 앞결절 tubérculo *m* anterior de vértebra cervical. ~ 쇄골근(鎖骨筋) traqueloclavicularis *f*. ~신경(神經) nervio *m* de vértebra cervical. ~열(裂) esquistotraquelo *m*.

경축(慶祝) felicitación *f*, congratulación *f*. ~하다 celebrar, felicitar, congratular.

■ ~일(日) día *m* de fiesta (nacional), día *m* festivo, fiesta *f*, *AmL* (día *m*) feriado *m*. ¶수요일은 ~이다 El miércoles es fiesta / El miércoles es día festivo / *AmL* El miércoles es (día) feriado. ~ 행사(行事) festejos *mpl*, festividades *fpl*. ¶나는 ~에 참석했다 Asistí a los festejos [las festividades].

경취(景趣) =경치(景致).

경측(頸側) lado *m* del cuello.

경치(景致) paisaje *m*, panorama *m*, perspectiva *f*, escena *f*, vista *f*. 좋은 ~ buen paisaje *m*. 밤 ~ paisaje *m* nocturno. 전망대에서 본 항구의 ~ la vista del puerto desde el mirador. ~가 좋은 집 la casa que tiene buena vista. 이곳은 ~가 좋다 Desde aquí se domina un magnífico panorama [una hermosa vista]. 이 방은 정원의 ~가 그만이다 Este cuarto tiene buena vista al jardín. ~가 참 좋다 ¡Qué vista es tan bonita! 정말 아름다운 ~다 ¡Qué bonito es el paisaje! / Es indescriptible la belleza del paisaje! 열차에서 보는 ~ 때문에 여행은 무척 즐거웠다 El viaje fue muy interesante por los paisajes que se contemplan desde el tren.

경치게 muy, tan, más.

경치다 ☞경

경칩(驚蟄) *gyeongchib*, día *m* que los insectos aparecen de sus agujeros en la tierra.

경칭(敬稱) título *m* honorífico.

■ ~ 생략(省略) Sin mención de títulos.

경쾌감(輕快感) sentimiento *m* alegre.

경쾌하다(輕快-) ① [재고 날래다] (ser) rápido, veloz, ligero; pronto. 경쾌한 대답 contestación *f* pronta. 경쾌한 동작 movimiento *m* ligero. 개는 동작이 경쾌한 동물이다 El perro es un animal veloz. ② [가뜬하고 시원하다] (ser) alegre, jovial. 경쾌한 리듬 ritmo *m* alegre. ③ [장중하지 않고 멋들어지다] (ser) airoso. 경쾌하게 춤추다 bailar [danzar] airosamente [grácilmente].

경쾌히 ligeramente, con ligereza, rápidamente, velozmente, alegremente, jovialmente, airosamente, grácilmente.

경탄(驚歎) asombro *m*, admiración *f*, maravilla *f*. ~하다 asombrarse (de), maravillarse (de), admirarse (de). ~할 만한 admirable, fantástico. ~하게 하다 asombrar, admirar, causar admiración (en). 그의 재능(才能)에 사람들은 ~했다 Su talento admiró a la gente / La gente se admiró de su talento.

경토(耕土) ① [갈아서 농사에 알맞는 땅] te-

rreno *m* fértil, terreno *m* rico. ② =걸흙.
경토(境土) =강토(疆土).
경파(硬派) facción *f* robusto, elementos *mpl* fuertes.
경파(鯨波) ola *f* grande del mar.
경편(輕便) conveniencia *f*, facilidad *f*, ligereza *f*, manejabilidad *f*, simplicidad *f*. ~하다 (ser) conveniente, fácil, ligero, manejable, portátil (휴대에 편리한), simple.
경편히 convenientemente, fácilmente, ligeramente, manejablemente, simplemente.
■ ~ 궤조(軌條) riel *m* para el ferrocarril liviano. ~ 요리(料理) cocina *f* sencilla, plato *m* sencillo, comida *f* sencilla. ~ 철도(鐵道) ferrocarril *m* liviano.
경폐기(經閉期) menopausia *f*, cesación *f* natural de la menstruación.
경포(輕砲) cañón *m* (*pl* cañones) liviano.
경포(警砲) cañón *m* para el alarma.
경포(驚怖) sorpresa y miedo. ~하다 sorprender.
경폭격기(輕爆擊機) avión *m* (*pl* aviones) de bombardeo ligero, bombardero *m* ligero, avión *m* de bombardero ligero.
경품(景品) premio *m*, regalo *m*, obsequio *m*, extra *m*, suplemento *m*; *AmS* yapa *f*, feria *f*. ~을 내놓다 ofrecer premios. ~으로 붙이다 añadir [insertar] como regalo. 이 캐러멜은 ~이 붙어 있다 Estos caramelos llevan un premio incluido.
■ ~권(券) papeleta *f* de premios. ~부 대매출(附大賣出) gran venta *f* con premios.
경풍(京風) costumbre *f* de Seúl, costumbre *f* de la capital.
경풍(勁風) viento *m* fuerte.
경풍(景風) =마파람.
경풍(輕風) brisa *f*, viento *m* ligero, viento *m* suave.
경풍(驚風) 【한방】 convulsión *f*, muerte *f* chiquita. ~하다 sorprenderse mucho.
경피증(硬皮症) 【의학】 =공피증(鞏皮症).
경하(敬賀) el respeto y la felicitación. ~하다 respetar y felicitar.
경하(傾河) =은하수(銀河水).
경하(慶賀) felicitación *f*, congratulación *f*. ~하다 felicitar, congratular. 혹서지절(酷暑之節)에 가내 제절이 두루 무고하시다니 ~하는 바입니다 Me alegro de oír que todas sus familias están bien a pesar del calor intenso.
경하다(經—) =경유하다(經由—).
경하다(輕—) ① [가볍다] (ser) liviano, ligero, leve. ② [경솔하다] (ser) imprudente. ③ [가치가 적다] valer poco. ④ [(병세나 죄가) 무겁지 않다] no ser grave, no ser fuerte, ser ligero. 죄가 ~ El pecado no es ligero. 병의 증세가 ~ El síntoma de enfermedad no es grave.
경히 ligeramente, livianamente, con ligereza; imprudentemente.
경학(經學) estudio *m* de clásico chino, estudio *m* de confucianismo.
경학사(耕學社) *gyeonghaksa*, una de la organización del movimiento de independencia.
경한(輕汗) poco sudor *m*.
경한(輕寒) frío *m* leve.
경함(經函) ((불교)) caja *f* para las sutras.
경합(競合) competencia *f* (reñida). ~하다 competir, rivalizar; [입찰에서] licitar. ~을 벌이다 librar una enconada competencia. 이 시장에는 세 회사가 ~하고 있다 En este mercado compiten (las) tres compañías.
■ ~죄(罪) delitos *mpl* concurrentes.
경합금(輕合金) aleación *f* ligera.
경해(驚駭) sorpresa *f*, asombro *m*, estupefacción *f*. ~하다 quedarse helado [pasmado · estupefacto].
경행(京行) ida *f* a Seúl, ida *f* a la capital. ~하다 ir a Seúl, ir a la capital.
경행(徑行) ida *f* al atajo. ~하다 ir al atajo.
경행(景行) ① [큰길] carretera *f*. ② [훌륭한 행실] buena conducta *f*.
경행(慶幸) cosa *f* feliz.
경향(京鄕) la capital y el campo. ~ 각지에 en todo el país.
■ ~간(間) entre la capital y el campo. ~ 출몰(出沒) la aparición y la desaparición en la capital y el campo. ¶~하다 aparecer y desaparecer en la capital y el campo.
경향(傾向) tendencia *f*; [성향] inclinación *f*. ~을 알리다 acusar tendencia. …하는 ~이 있다 (ser) propenso a + *inf*, tener tendencia a + *inf*, tender a + *inf*. 인구가 감소하는 ~이다 La población sigue disminuyendo. 물가가 상승하는 ~이 있다 Los precios tienden a subir / La tendencia es el alza (de precios). 나는 자동차 멀미를 하는 ~이 있다 Soy propenso [Tengo tendencia · Tiendo] a marearme cuando viajo en coche. 그는 추위를 잘 타는 ~이 있다 El es muy friolero [friolento]. 이 국민은 새로운 것을 거부하는 ~이 있다 Este pueblo tiene (una) inclinación a evadir la responsabilidad.
■ ~ 문학(文學) literatura *f* de tesis. ~적(的) tendente *adj*.
경헌법(硬憲法) 【법률】 =경성 헌법(硬性憲法).
경험(經驗) experiencia *f*. ~하다 experimentar, tener experiencia (de). ~ 있는 experimentado; [숙련된] experto, perito. ~ 없는 inexperto; [초심(初心)의] novato, novicio. ~이 있는 간호사 enfermero *m* experimentado, enfermera *f* experimentada. ~ 없는 사람 inexperto, -ta *mf*, novicio, -cia *mf*. 타이피스트 ~이 있는 사람 persona *f* que tiene la experiencia de mecanógrafo. 풍부한 ~을 살려서 con una causa de experiencia. 수년의 ~으로 con largos años de experinencia. 내 ~으로는 mi experiencia muestra que+*inf*, según mi experiencia. ~을 살리다 aprovechar el experiencia. ~을 쌓다 acumular experiencia (de). ~으로 배우다 aprender (algo) por experiencia. ~

으로 알다 saber (algo) por experiencia. ~이 많다 tener mucha experiencia (en), tener mucho oficio (en). ~이 적다 tener poca experiencia (en), tener poco oficio (en). 좋은 ~이 되다 ser una buena experiencia (para). 어려움을 ~하다 experimentar sufrimiento, sufrir dificultades. 교사의 ~이 있다 tener experiencia de maestro. ~이 최고다 Más sabe el diablo por viejo que por diablo. ~은 무엇과도 바꿀 수 없는 값진 것이다 La experiencia vale más que nada. 그것은 귀중한 ~이었다 Ha sido una experiencia preciosa. 그는 실연(失戀)을 여러번 ~했다 El ha experimentado muchas veces el fracaso amoroso. 그런 사태는 이미 ~했다 Esa situación ya la he experimentado. 나는 아직 그런 ~이 없다 Todavía no he tenido esa experiencia. 그는 외교관의 ~이 풍부하다 El tiene mucha [una gran] experiencia en diplomacia [como diplomático]. ~은 가장 훌륭한 스승이다 ((서반아 속담)) La experiencia es la madre de la ciencia. ~은 많은 희생을 요한다 ((서반아 속담)) La experiencia mucho cuesta.

◆간접(間接) ~ experiencia *f* indirecta. 직접(直接) ~ experiencia *f* directa.

■~가(家) persona *f* que tiene mucha experiencia; experto, -ta *mf*, perito, -ta *mf*. ~ 과학(科學) ciencia *f* empírica. ~담(談) historia *f* [relato *m*] de *su* experiencia. ~론(論) emprismo *m*. ~론자(論者) empírico, -ca *mf*. ~ 연수(年數) años *mpl* de experiencia, años *mpl* de práctica. ~자(者) persona *f* que tiene experiencia. ~적(的) experimental *adj*, empírico *adj*. ~적 개념(的概念) concepto *m* empírico. ~주의(主義)【철학】=경험론(經驗論). ~ 철학(哲學) filosofía *f* empírica. ~ 학파(學派) escuela *f* empírica.

경혈(經穴)【한방】lugar *m* [sitio *m*] en el cuerpo conveniente para la acupuntura.

경혈(頸血) sangre *f* que se derrama en el cuello.

경형(輕刑) castigo *m* ligero.

경호(警護) escolta *f*, convoy *m*, custodia *f*. ~하다 escoltar, convoyar custodiar. 신변(身邊)을 ~받다 hacerse escoltar (por). 요인(要人)을 ~하다 escoltar a un personaje principal.

■~대(隊) guardia *f*. ¶대통령 ~ guardia *f* Presidencial. ~원(員) guardaespaldas *mf*, guardia *mf* de corps, salvaguardia *m*, *Arg* custodio *m*, bodyguard *ing.m*; [그룹] escolta *f*. ¶무장(武裝) ~ guardia *m* armado, guardia *f* armada. ~인(人) agente *mf* de seguridad.

경홀하다(輕忽-) (ser) imprudente, descuidado, poco cuidadoso.

경홀히 imprudentemente, descuidadamente.

경화(京華) calles *fpl* ocupadas de la capital.

경화(硬貨) moneda *f*, pieza *f*, moneda *f* metálica, moneda *f* contante y sonante, (dinero *m*) efectivo *m*. ~로 en metálico. 10원짜리 ~ moneda *f* [pieza *f*] de diez wones.

경화(硬化) ① [단단히 굳어짐] endurecimiento *m*. ~하다 endurecerse, ponerse rígido, ponerse tieso. ~된 endurecido, rígido, tieso. 그는 태도를 ~시켰다 El endureció su actitud. ②【의학】esclerosis *f*. 동맥(動脈) ~ esclerosis *f* arterial, esclerosis *f* de arteria.

■~ 고무 =에보나이트. ~유(油) aceite *m* endurecido. ~제(劑) endurecedor *m*. ~증(症) escleroma *f*.

경화기(輕火器)【군사】armas *fpl* de fuego ligera, armas *fpl* ligeras.

경화물(輕貨物) mercancía *f* ligera, carga *f* ligera.

경화학(輕化學) química *f* ligera.

■~ 공업(工業) industria *f* química ligera.

경환(輕患) enfermedad *f* ligera.

■~자(者) enfermo *m* ligero, enferma *f* ligera.

경황(景況) situación *f*, condición *f*.

◆경황(이) 없다 no tener interés (en), no interesarse (en).

경희(驚喜) gran sorpresa y gran alegría. ~하다 sorprenderse mucho y alegrarse mucho.

■~ 작약(雀躍) gran alegría y salto. ~하다 alegrarse mucho y dar saltos.

곁 ① [옆] lado *m*; [근처] vecindad *f*. ~의 vecino, cercano, de al lado. ~에 al lado, cerca. …의 ~에 cerca de *un sitio*, al lado de *un sitio*, junto a *un sitio*. ~에서 보아 [보면] mirándolo de cerca, visto de cerca. ~으로 접근하다 [다가가다] acercarse (a). ~을 떠나다 alejarse (de). 부모의 ~을 떠나다 alejarse de *sus* padres, dejar al hogar. 늘 ~에 붙어 있다 no separarse (de), estar siempre pegado (a). 늘 ~을 떠나지 않고 (환자를) 간호하다 estar siempre a la cabecera de un enfermo. 나는 바로 이 ~에서 살고 있다 Yo vivo muy cerca de aquí. 내 집은 그의 집 바로 ~에 있다 Mi casa está muy cerca de la suya. ② [가까이 있으면서 도와줄 만한 사람] ayudante *mf*, ayudador, -dora *mf*. ~이 많으면 외롭지 않다 No es solitario si hay ayudador.

◆곁(을) 비우다 dejar a *uno* solo. 곁(이) 비다 ㉮ [보관·보호하여 줄 사람이 곁에 없다] estar sin protección, no ser cuidado. ㉯ ((준말)) =곁(을) 비우다.

곁가닥 pedazo *m* lateral del hilo.

곁가리 costilla *f* con poca carne.

곁가지 rama *f* lateral.

곁간(-肝) lóbulo *m* del hígado de vaca.

곁갈비 costilla *f* con poca carne.

곁길 calle *f* lateral, lateral *f*, callejón *m*.

곁꾼 ayudante, -ta *mf*.

곁노(-櫓) espadilla *f*.

곁노질(-櫓-) remadura *f*. ~하다 remar con espadilla.

곁눈¹ mirada *f* de reojo ~으로 보다 ojear

[mirar] a *uno* de soslayo [de reojo · al soslayo · con el rabillo del ojo], guiñar.
◆곁눈(을) 주다 irse los ojos (tras). 그는 그녀에게 곁눈을 주었다 Se le fueron los ojos tras ella. 곁눈(을) 팔다 echar [lanzar] una mirada de soslayo.

곁눈² 【식물】 botón *m* (*pl* botones) auxilar.

곁눈질 mirada *f* de soslayo [de reojo · con el rabillo del ojo]. ～을 보내다 echar [lanzar] una mirada de soslayo [de reojo] (a). ～로 보다 mirar a *uno* de soslayo [al soslayo · de reojo · con el rabillo del ojo].

곁다리 cosa *f* secundaria.
◆곁다리(를) 들다 meterse (en), entrometerse (en), inmiscuirse (en), inferir (en). 내 일에 곁다리 들지 마라 ¡No te metas [entrometas · inmiscuyas] en mis asuntos.

곁두리 tentempié *m* para los mozos de labranza.

곁듣기 =방청(傍聽).

곁들다 ayudar, asistir, ponerse de parte (de), ponerse del lado (de), tomar partido (por), tomar parte (en), participar (en). 곁들어 싸우다 tomar parte en la pelea. 일을 곁들어 주다 ayudar con el trabajo, echar la mano con el trabajo, dar la mano con el trabajo.

곁들이 guarnición *f*, aderezo *m* de un plato.

곁들이다 acompañar, adornar, aderezar, añadir. 곁들인 음식 aderezo *m* (de un plato), guarnición *f*. 요리에 미나리를 ～ aderezar [adornar] la comida con perejil. 모자에 꽃을 ～ adornar el sombrero con una flor. 고기 요리에 채소를 ～ acompañar de verduras que se suele servir con la carne, añadir verduras al plato de carne.

곁땀 sudor *m* de la axila. ～이 나다 sudar debajo de la axila.

곁땀내 olor *m* a sudor de la axila.

곁마누라 concubina *f*.

곁마름 ayudante, -ta *mf* al supervisor de la granja.

곁말 argot *m*, jerga *f*, jerigonza *f*.

곁목밑샘 =상피 소체(上皮小體).

곁방(一房) ① [딸린 방] habitación *f* contigua. ② [빌려 쓰는 남의 집의 한 부분] una parte de la casa del otro aquilada, habitación *f* alquilada.
■ ～살이[살림] residencia *f* en una habitación alquilada. ～하다 vivir [residir · morar] en una habitación alquilada. 곁방살이 코 곤다 ((속담)) Se invierten los papeles.

곁방석(一方席) adulador, -dora *mf*; pelota *mf*; *CoS* chupamedias *mf*; *Méj* lambiscón (*pl* lambiscones), -cona *mf*; *Col* lambón (*pl* lambones), -bona *mf*.

곁부축 ① [겨드랑이를 붙들어 걸음을 돕는 일] acción *f* de ayudar el andar cogiendo la axila. ～하다 ayudar el andar cogiendo la axila. ② [곁에서 말이나 일을 도와주는 일] ayuda *f*, asistencia *f*. ～하다 ayudar, asistir.

곁불이 parientes *mpl* lejanos.

곁뿌리 raíz *f* (*pl* raíces) secundaria, raíz *f* lateral.

곁상(一床) mesita *f* puesta al lado de la mesa principal.

곁쇠 duplicado *m*, copia *f* de una llave, llave *f* maestra.
■ ～질 acción *f* de abrir un duplicado. ¶ ～하다 abrir con un duplicado.

곁수(一數) =계수(係數).

곁순(一筍) brotes *mpl* laterales.
■ ～치기 el podar brotes laterales.

곁쐐기 cuña *f* adicional, cuña *f* lateral.

곁자리 asiento *m* de al lado.

곁잠 sueño *m* al lado. ～을 자다 dormir con *uno*, acostarse al lado de [junto a] *uno*.

곁점(一點) =방점(傍點).

곁줄기 【식물】 tallo *m* lateral.

곁집 casa *f* contigua, casa *f* vecina, casa *f* de al lado. ～ 사람 vecino *m* de al lado. ～에 살다 vivir al lado, vivir en la casa de al lado.

곁쪽 parientes *mpl* cercanos.

곁채 anexo *m*, anejo *m*, cabaña *f*.

곁콩팥 =부신(副腎).

곁하다 ① [가까이하다] acercar(se). ② [가까이 있다] estar cerca.

계(計) ① [합계] total *m*, suma *f* total; [소계(小計)] subtotal *m*; [합계하여] en total. ～만 원입니다 Son diez mil wones en total. ② =꾀. ③ [세다] contar, hacer una cuenta.

계(系) ① 【수학 · 철학】 corolario *m*, consectario *m*. ② 【물리 · 화학】 sistema *m*.

계(戒/誡) ① [죄악을 범하지 못하게 하는 규정] precepto *m*. ② ((불교)) precepto *m* budista, mandamiento *m* budista.

계¹(季) [계절] estación *f*.

계²(季) [어린이. 소년] niño *m*, muchacho *m*.

계³(季) [막내아우] hermano *m* menor.

계⁴(季) [어리다] (ser) pequeño, menor.

계⁵(季) [끝] fin *m*.

계(係) subsección *f*, [사람] encargado, -da *mf*.

계(契) *gye*, *kye*, asociación *f* de préstamo mutuo, asociación *f* de ayuda mutua, unión *f* de crédito, sociedad *f* de ayuda mutua; [추첨식] rifa *f*, *ReD* san *m*. ～를 조직하다 organizar la asociación de préstamo mutuo.
곗날 día *m* de la asociación de préstamo mutuo.
곗돈 dinero *m* de la asociación de préstamo mutuo.
곗술 vino *m* que se bebe en el día de la asociación de préstamo mutuo.

계(啓) [왕에게 올리는 서식의 하나] carta *f* al rey.

계(階) ① [벼슬의 등급] rango *m* oficial, grado *m*. ② ((준말)) =품계(品階). ③ =섬돌 층계. ④ =사닥다리.

계(溪) [시내] arroyo *m*.

계(鷄) gallo *m*, gallina *f*.

-계(系) ① [한 계통이나 혈통으로 이어진 것] sistema *m*. 신경(神經)~ sistema *m* nervioso. 태양~ sistema *m* solar. 공산당~의 조합 sindicato *m* de adhesión [de filación] comunista. ② [혈통] familia *f*, linaje *m*, genealogía *f*. 서반아 ~ origen *m* español. 한국~의 멕시코인 mejicano *m* de origen coreano. ③ [계통이 이루어진 분류] sistema *m*. 결정(結晶)~ sistema *m* de cristalización. ④【지질】período *m*. 캄브리아~ período *m* cambriano. ⑤ [당파] facción *f*, partido *m*, grupo *m*.

-계(屆) nota *f*, aviso *m*, declaración *f*, notificación *f*. 결석~ aviso *m* [nota *f*] de ausencia. 결근~ aviso *m* [notificación *f*] de ausencia. 사망~ declaración *f* de defunción.

-계(界) mundo *m*, círculo *m*, reino *m*. 실업~ mundo *m* comercial, círculos *mpl* comerciales. 정치~ mundo *m* político, círculos *mpl* políticos. 출판~ mundo *m* editorial. 동물~ reino *m* animal. 식물~ reino *m* vegetal. 광물~ reino *m* mineral.

-계(計) -metro. 한란(寒暖)~ termómetro *m*. 우량(雨量)~ pluvímetro *m*, pluviómetro *m*.

계간(季刊) ① [춘하추동으로 나누어 1년에 네 번 발간함] publicación *f* trimestral. ~하다 publicar trimestralmente. ② ((준말)) =계간지(季刊誌).

■ ~지(誌)[잡지] revista *f* trimestral.

계간(鷄姦) pederastia *f*, sodomía *f*. ~의 sodomítico.

■ ~자(者) sodomita *mf*; invertido, -da *mf*; [남색자(男色者)] pederasta *m*; ((속어)) marica *f*, maricón *m* (*pl* maricones).

계간(鷄澗) corriente *f* del valle.

계거(鷄距) uña *f* pulgar del gallo.

계거기(計距器) odómetro *m*.

계거초(鷄距草)【식물】=닭의장풀.

계견(鷄犬) el gallo y el perro.

계경(界境) ① =경계(境界). ② =경계(經界).

계경(溪徑) senda *f* del valle.

계경이조(繫頸以組) [항복한다] Me rindo.

계계승승(繼繼承承) sucesión *f* de generación en generación. ~하다 suceder de generación en generación.

계고(戒告) advertencia *f*, amonestación *f*, reprimenda *f*. ~하다 advertir, hacer una advertencia (a), amonestar, reprender. 그는 ~ 처분을 받았다 Le dieron una advertencia.

■ ~장(狀) ㉮ ((종교)) monición *f*. ㉯【법률】carta *f* de notificación. ~ 조치(措置) medida *f* de amonestación.

계고(啓告) =상신(上申).

계고(階高) ① [층계의 높이] altura *f* de la escalera. ② [품계가 높음] altura *f* del grado. ③ [건물의 층 사이의 높이] altura *f* del piso.

■ ~ 직비(職卑) rango *m* alto y bajo puesto gubernamental.

계고(稽考) estudio *m* de antigüedad. ~하다 estudiar la antigüedad.

계고지력(稽古之力) mucha educación y mucho conocimiento.

계곡(溪谷/谿谷) valle *m*, quebrada *f*. 망자(亡者)의 ~ el Valle de los Caídos.

계관(係關) =관계(關係).

계관없다 =상관없다.

계관없이 abiertamente, sin vacilación.

계관(桂冠) ((준말)) =월계관(月桂冠)(laurel).

■ ~ 시인(詩人) poeta *m* laureado, poetisa *f* laureada. ~ 시종(詩宗) =계관 시인.

계관(鷄冠) ① [닭의 볏] cresta *f* (de gallo). ② ((식물)) =맨드라미.

■ ~석(石)【광물】rejalgar *m*, sulfuro *m* rojo de arsénico.

계관초(鷄冠草)【식물】=맨드라미.

계관화(鷄冠花)【식물】=맨드라미.

계교(計巧) plan *m*, proyecto *m*, designio *m*, treta *f*, estratagema *f*, trampa *f*, ardid *m*, complot *m*, conspiración *f*. ~를 꾸미다 idear [crear · concebir] la estratagema.

계교(計較) comparación *f*. ~하다 comparar.

계구(戒懼) la precaución y el miedo.

계구(溪口) entrada *f* del valle.

계구(鷄口) ① [닭의 주둥이] pico *m* del gallo. ② [작은 단체의 우두머리] jefe, -fa *mf* de la organización pequeña.

■ 계구(鷄口)로 될지언정 우후(牛後)는 되지 말라 ((속담)) Más vale ser cabeza de ratón que cola de león / Ser jefe de la organización pequeña es mejor que el puesto más bajo de la grande.

■ ~우후(牛後) Más vale ser cabeza de ratón que cola de león.

계구(鷄灸) =닭구이.

계구(鷄狗) el gallo y el perro.

■ ~마(馬) el gallo, el perro y el caballo.

계군(鷄群) ① [닭의 무리] grupo *m* de los gallos. ② [범인(凡人)의 무리] grupo *m* de los hombres ordinarios.

■ ~ 고학(孤鶴) =계군 일학. ~ 일학(一鶴) Joya *f* en el muladar. ~학(鶴) =계군 일학.

계궁(計窮) agotamiento *m* del ingenioo.

■ ~역진(力盡) agotamiento *m* del ingenio y de la fuerza. ¶~하다 agotarse *sus* recuentas, venir al fin de ingenio y fuerza.

계권(契券) =계약서(契約書).

계귀(繼晷) continuación *f* del trabajo del día por la noche. ~하다 continuar el trabajo del día por la noche.

계급(階級) clase *f*; [등급] categoría *f*, grado *m*; [지위] rango *m*; [신분] casta *f*, estado *m*; [군대의] graduación *f*, grado *m*; [서열] orden *m* (*pl* órdenes); [계층] capa *f*. ~을 올리다 subir el rango. ~을 내리다 degradar (a). ~이 오르다 subir de rango. 노동자 [중산] ~에 속하다 pertenecer a la clase obrera [media]. 대위의 ~을 가지다 tener el grado de capitán. 대장 ~으로 승진시키다 promover (a *uno*) capitán general.

■ ~ 독재(獨裁) dictadura *f* de clases. ~ 문학(文學) literatura *f* proletaria. ~ 의식

(意識) conciencia *f* de clase. ¶～이 있는 con cienciencia de clase, clasista, consciente de las distinciones sociales. ～장(章) insignia *f* de rango. ～ 제도 jerarquía *f*, sistema *m* de clases. ～ 타파 demolición *f* de las distinciones sociales. ～ 투쟁(鬪爭) lucha *f* de clases, conflicto *m* de clases.

계기(癸期) ciclo *m* mensual, período *m* de la menstruación.

계기(契機) punto *m* decisivo, motivo *m*, ocasión *f*, oportunidad *f*, coyuntura *f*;【철학】momento *m*. …을 ～로 하여 con motivo de *algo*. ～가 되다 dar la ocasión (de). ～를 잡다 coger una ocasión. ～를 만나다 encontrar la ocasión (de [para] + *inf*). ～를 기다리다 aguardar [esperar] la ocasión (de + *inf*). 한국 전쟁은 일본 경제 부흥의 ～가 되었다 La Guerra de Corea ocasionó la reconstrucción de la economía japonesa. 그것이 전쟁의 ～가 되었다 Eso fue el motivo de la guerra / Eso condujo a la guerra. 그에게 말할 ～를 발견하지 못하고 있다 No encuentro la ocasión de [para] hablarle.

계기(繼起) sucesión *f*, acción *f* de suceder. ～하다 suceder el acontecimiento funesto, sucederse, ocurrir sucesivamente, producirse uno tras otro [una tras otra].

계기(計器) medidor *m*, contador *m*, indicador *m*, instrumento *m*.
■ ～등(燈) luz *f* de instrumentos. ～반(盤) [자동차의] tablero *m* de mandos; [비행기의] tablero *m* [cuadro *m*] de instrumentos. ～ 비행 vuelo *m* por [con] instrumentos (sin visibilidad). ¶～하다 volar por [con] instrumentos. ～ 속도 velocidad *f* de instrumentos. ～용 변압기 transformador *m* de tensión. ～ 착륙 aterrizaje *m* instrumental. ～ 착륙 방식 método *m* de aterrizaje instrumental. ～ 착륙 장치 sistema *m* de aterrizaje instrumental.

계남(桂男) ① [달 속에 산다는 선인(仙人)] ermitaño *m* que vive en la Luna. ② [달] luna *f*. ③ ＝호남자(好男子).

계녀(季女) hija *f* menor.

계녀(桂女) hada *f* que vive en la Luna.

계농(鷄農) avicultura *f*.

계단(戒旦) mañana *f* temprana.

계단(階段) escalera *f*, [건물 정면의] gradas *fpl*; [주택 입구의] escalinata *f*, [한 층계참] tramo *m*, escalón *m*, peldaño *m*, grada *f*. ～을 오르다 subir (por) la escalera, ir escalera arriba. ～을 내려가다 bajar (por) la escalera, ir escalera abajo. ～에서 넘어지다 caer escaleras abajo, caerse por las *escaleras*. ～을 두 단씩 오르다 subir la escalera de dos en dos escalones. ～ 위가 침실로 되어 있다 En el piso de arriba se encuentra el dormitorio. 나는 ～을 달려 올라갔다 Yo subí la escalera corriendo.
◆ 나선(螺旋) ～ escalera *f* de caracol. 비상(非常) ～ escalera *f* de salvamento.
■ ～ 격자(格子) rejilla *f* de difracción de escalón. ～ 경작[갈이] cultivo *m* en terrazas. ～ 공포증 climacofobia *f*. ～ 교실 anfiteatro *m*, aula *f*. ～ 농업 labranza *f* sólida, cultivo *m* sólido. ～밭 (campos *mpl* en) terrazas *fpl*. ～석(席) gradería *f*, [낱낱의] grada *f*. ¶뒷 ～ [점원용] escalera *f* de servicio. ～식 객석 asientos *mpl* en gradas. ～식 농장 cortijo *m* [*AmL* granja *f*] en terrazas. ～식 밭 (campos *mpl* en) terrazas *fpl*. ～실(室) escalera(s) *f*(*pl*). ～참(站) rellano *m*, escansillo *m*. ～통【건축】caja *f* [hueco *m* · *Méj* cubo *m*] de la escalera. ～ 현상【의학】fenómeno *m* de la escalera.

계대(繼代) sucesión *f* de generación. ～하다 suceder a *su* padre.

계도(系圖) genealogía *f*, tabla *f* genealógica; [나무 모양의] árbol *m* genealógico.
■ ～학(學) genealogía *f*. ～ 학자 genealogista *mf*.

계도(界盜) ladrón *m* de la frontera.

계도(計圖) ＝기도(企圖).

계도(戒塗) preparación *f* para el viaje. ～하다 preparar (para) el viaje.

계도(桂櫂) remo *m* de árbol de canela.

계도(啓導) orientación *f*, guía *f*, dirección *f*, enseñanza *f*, ilustración *f*, iluminación *f*. ～하다 guiar, orientar, aconsejar, enseñar.

계도가(契都家) casa *f* de la asociación de préstamo mutuo.

계돈(鷄豚) ① [닭과 돼지] el gallo y el cerdo. ② [가축] animal *m* doméstico.
■ ～ 동사(同社) reunión *f* de la asociación de préstamo mutuo entre los paisanos.

계동(季冬) mes *m* de diciembre del calendario lunar.

계두(鷄頭) ① [닭의 볏] cresta *f* (de gallo). ②【식물】＝맨드라미.
■ ～육(肉) leche *f* de la mujer hermosa.

계란(鷄卵) huevo *m*. 삶은 ～ huevo *m* pasado por agua. 프라이한 ～ huevo *m* frito.
■ 계란이나 달걀이나 ((속담)) Lo mismo da.
■ ～덮밥 arroz *m* cubierto con huevos revueltos. ～밥[반] arroz *m* cocido con huevos en el arroz hirviendo. ～빛 ＝달걀빛. ～빵 pan *m* de harina con azúcar, huevo y soda. ～소(素) ＝흰자질. ～장(醬) salsa *f* de soya de huevo. ～주(酒) vino *m* de huevo y azúcar. ～죽(粥) gachas *fpl* de huevo. ～찌개 sopa *f* de huevo. ～탕(湯) sopa *f* de huevo. ～형(形) forma *f* oval, forma *f* ovalada.

계람(溪嵐) vaho *m* de la corriente del valle.

계략(計略) ① [계책과 방략(方略)] complot *m*, conspiración *f*, trampa *f*. ～에 빠뜨리다 poner una trampa (a), hacer caer en una trampa. ～에 빠지다 dejarse atrapar, caer en la trampa. ～을 제거하다 contrarrestrar la trampa, frustrar la trampa. 적의 ～에 빠지다 caer en la trampa del enemigo. ② [모략] estratagema *f*, ardid *m*, treta *f*, artificio *m*. ～을 세우다 trazar una estratagema, idear una estratagema. ~을 쓰다 emplear estratagema, valerse de astucia.

계량(計量) medida *f*, pesada *f*. ~하다 [무게를] pesar; [분량을] medir.

■~ 경제학 econométrica *f*. ~ 경제학자 especialista *mf* en econometría. ~기(器) medidor *m*, indicador *m*, balanza *f*. ¶가스 ~ gasómetro *m*. ~ 사회학 sociometría *f*. ~ 수저[스푼] cuchara *f* para medir. ~자 medida *f* para medir. ~ 컵 taza *f* para medir. ~ 탱크 tanque *m* para medir. ~학(學) metrología *f*.

계로(溪路) senda *f* del valle.

계룡기(鷄龍器) una especie de la propia porcelana coreana.

계루(係累/繫累) ① [이어서 얽어맴] atadura *f*, amarradura *f*. ~하다 atar, amarrar. ② [연루] implicación *f*. ~하다 implicar. ③ [딸린 식구] cargas *fpl* familiares. ~가 많다 tener mucha familia a *su* cargo. ~가 없다 no tener cargas de familia.

계류(溪流/谿流) torrente *m* montañoso.

계류(繫留) amarrada *f*, amarradura *f*. ~하다 amarrar. 배를 ~하다 amarrar un barco. 배가 ~되어 있다 Está amarrado un barco.

■~ 기구(氣球) globo *m* cautivo. ~ 기뢰(機雷) mina *f* amarrada. ~ 부표(浮標) amarra *f* fija, boya *f* de amarre. ~삭(索) estacha *f* de amarre. ~선(船) barco *m* anclado. ~장(場)[주(柱)·환(環)] amarradero *m*, atracadero *m*. ~ 장치(裝置) dispositivo *m* de amarre. ~탑(塔) mástil *m* de amarre.

계류(稽留) lo que hace quedarse. ~하다 hacer quedarse.

■~열(熱)【의학】fiebre *f* continua.

계륜(桂輪) luna *f*.

계륵(鷄肋) ① [닭의 갈비뼈] costilla *f* de gallo. ② [버리기에는 아까운 것] superfluidad *f*, redundancia. ③ [몸이 몹시 허약함] debilidad *f*, delicadeza *f*.

계리사(計理士) ((구칭)) =공인 회계사.

계리학(計理學) =회계학(會計學).

계림(桂林) ① [계수나무의 숲] bosque *m* de los canelos. ② [아름다운 숲] bosque *m* hermoso. ③ [문인(文人)들의 사회] sociedad *f* [mundo *m*] de los hombres de letras.

계림(鷄林) ① *Gyerim*, nombre *m* del país que se llamó desde el cuarto rey, *Talhae* en la dinastía *Sila*. ② *Gyerim*, antiguo nombre *m* de *Gyeongchu*. ③ *Gyerim*, otro nombre *m* de Corea. ④ *Gyerim*, nombre *m* del bosque en *Gyeongchu* que se decía que salió el Sr. *Kim Alchi*.

■~ 팔도(八道) *gyerim paldo*, otro nombre *m* de Corea.

계말(季末) =말세(末世).

계말(桂末) canela *f* en polvo.

계맥(系脈) =계통(系統).

계면(界面) superficie *f* del mar, interfase *f*, interfaz *f*, superficie *f* interfacial. ~의 interfacial.

■~ 장력(張力) tensión *f* interfacial. ~ 장력계(張力計) tensímetro *m* interfacial. ~ 화학 química *f* superficial. ~ 활성(活性) =표면 활성. ~ 활성제(活性劑) agente *m* activo superficial.

계명(戒名) ① ((불교)) [중이 수계(受戒)할 때 스승한테서 받은 이름] nombre *m* budista. ② ((불교)) [죽은 중에게 주는 이름] nombre *m* póstumo. ~을 붙이다 poner un nombre póstumo (a).

계명(啓明) ① ((준말)) =계명성(啓明星). ② =계몽.

■~성(星)【천문】=샛별.

계명(階名) ① [계급·품계의 이름] nombre *m* de la clase [del grado]. ②【음악】nombre *m* de la escala musical.

■~ 창법(唱法)【음악】solfa *f*, solfeo *m*.

계명(誡命) ((종교)) mandamiento *m*.

◆십~ los Diez Mandamientos, Decálogos.

계명(鷄鳴) ① [닭의 울음] canto *m* del gallo. ② ((준말)) =계명 축시(鷄鳴丑時).

■~ 고효(告曉) aviso *m* de clarear el alba cantando el gallo. ~구도(狗盜) el que engaña a otros empleando estratagemas viles. ~구폐(狗吠) El gallo canta y el perro ladra. ~ 산천(山川) la montaña y el arroyo del tiempo de cantar el gallo y empieza a clarear el alba. ~성(聲) canto *m* del gallo. ~시(時) ㉮ =계명 축시(鷄鳴丑時). ㉯ [샐 녘] amanecida *f*, amanecer *m*, el alba *f*. ~ 축시(丑時) hora *f* de cantar el primer gallo, entre la una y las tres de la madrugada.

계명워리 mujer *f* de la mala conducta, mujer *f* libertina.

계모(季母) esposa *f* del tío menor, mujer *f* del hermano menor de *su* padre.

계모(計謀) =계략(計略).

계모(繼母) madrastra *f*.

계몽(啓蒙) ilustración *f*, educación *f*, iluminación *f*, instrucción *f*. ~하다 ilustrar, instruir, educar, iluminar.

■~기(期)[시대] período *m* de ilustración. ~대(隊) grupo *m* de ilustración. ~ 문학 literatura *f* de (la) ilustración. ~ 사상(思想)【철학】=계몽주의. ~서(書) libro *m* de ilustración. ~ 운동(運動) movimiento *m* de ilustración;【역사】La Ilustración. ~적(的) instructivo, de ilustración, esclarecedor. ¶~인 작품(作品) obra *f* instructiva, obra *f* de ilustración. ~주의【철학】iluminismo *m*. ~ 철학 filosofía *f* de la ilustración.

계무소출(計無所出) =백계무책(百計無策).

계문(契文) papel *m* del contrato.

계박(繫泊) amarre *m*, amarradura *f*. ~하다 amarrar.

계발(啓發) ilustración *f*, instrucción *f*, iluminación *f*, edificación *f*, educación *f*, desarrollo *m*. ~하다 alumbrar, iluminar, ilustrar, edificar, desarrollar. 나는 그의 강연(講演)에 크게 ~되었다 Su conferencia ha sido para mí muy iluminadora / Su con-

ferencia me ha ilustrado enormemente.
■ ～ 교육(敎育) =개발 교육(開發敎育).
계방(季方) hermano *m* menor.
계방(癸方) 【민속】 norte *m* cuarta al nordeste.
계방형(季方兄) su hermano menor.
계배(繼配) =후실(後室).
계백(桂魄) luna *f.*
계변(溪邊) =시냇가.
계병(悸病) enfermedad *f* que palpita el corazón.
계보(系譜) genealogía *f,* árbol *m* genealógico. 낭만주의의 ～ genealogía *f* del romanticismo. 한국 문학의 ～ genealogía *f* de la literatura coreana.
■ ～학(學) genealogía *f.* ～ 학자(學者) genealogista *mf.*
계보(季報) revista *f* trimestral.
계보기(計步器) =측보기(測步器).
계복(計福) persecución *f* de la felicidad, búsqueda *f* de la felicidad. ～하다 perseguir la felicidad.
계복(啓服) caballo *m* con las cuatro piernas blancas.
계부(季父) hermano *m* menor de *su* padre.
계부(繼父) padrastro *m.*
계부모(繼父母) padrastros *mpl.*
계분(契分) amistad *f,* intimidad *f,* familiaridad *f.*
계분(鷄糞) estiércol *m* del gallo.
계분백(鷄糞白) 【한방】 parte *f* blanca del estiércol del gallo.
계비(繼妃) segunda esposa *f* del rey.
계비(鷄肥) estiércol *m* del gallo para el fertilizante.
계비지총(繫臂之寵) favor *m* especial del soberano.
계비직고(階卑職高) alto puesto *m* gubernamental con el rango bajo.
계사(繫辭) 【논리】 cópula *f.*
계사(繼嗣) =계후(繼後).
계사(鷄舍) gallinero *m.*
계삭(計朔) =계월(計月).
계삭(繫索) amarradura *f.*
계산(計算) cálculo *m,* cuenta *f,* calculación *f,* cómputo *m,* computación *f,* [지불] pago *m.* ～하다 calcular, contar, hacer un cálculo, computar; [지불하다] pagar la cuenta. ～상(으로) calculadamente. ～할 수 있는 calculable, computable. ～의 기초(基礎) base *f* de cálculo. ～에 들어 있다 hacer(se) cuenta (de), tener *algo* en cuenta. ～을 담당하다 encargarse del pago. ～을 지불하다 pagar la cuenta. ～을 틀리다 calcular mal, equivocarse en el cálculo, cometer un error en el cálculo, equivocarse al contar. ～이 늦다 ser flojo en cálculo. ～이 빠르다 ser buen calculador. ～을 한 후에 호텔을 나가다 marcharse del hotel después de pagar *su* cuenta. 이 ～은 맞다 Es exacto este cálculo. 그결로 ～이 맞다 Con eso sale ajustado la cuenta. 이 조건은 ～에 들어 있지 않았다 No se tuvo en cuenta esta condición. 이것으로 우리는 ～이 끝났다 [이제 주고받을 것이 없다] Estamon en paz / Con esto hemos saldado las cuentas. ～은 여기서 합니다 La cuenta la cobramos aquí / La caja está aquí. ～은 얼마입니까? ¿Cuánto es? ～해 주십시오 Hágame el cálculo del precio.
◆ 계산에 넣다 poner *algo* en la cuenta.
■ ～기(器) calculadora *f,* máquina *f* calculadora, máquina *f* sumadora, máquina *f* para calcular. ¶디지털 ～ ordenador *m* digital, *AmL* computador *m* digital, *AmL* computadora *f* digital. 아날로그 ～ ordenador *m* analógico, *AmL* computador *m* analógico, *AmL* computadora *f* analógica. 전자(電子) ～ calculadora *f* electrónica, ordenador *m* electrónico, *AmL* computador *m* electrónico, *AmL* computadora *f* electrónica. ～대(臺) mostrador *m,* caja *f.* ～법(法) =산법(算法). ～서(書) (estado *m* de) cuenta *f,* nota *f.* ¶～ 부탁합니다 La cuenta, por favor / La nota, por favor. ～ 여기 있습니다 Aquí está la cuenta. 견적 ～ cuenta *f* simulada. 매상 ～ cuenta *f* de venta. ～일(日) día *m* de cuentas. ～자[척] regla *f* de cálculo, calculador *m.* ～자(者) calculador, -dora *mf.* ～ 착오 error *m* de cálculo, cuenta *f* equivocada. ～통(筒) =산통(算筒). ～표[도표] nomograma *m,* tabla *f* de cálculos; [가격 조견표] baremo *m.* ～ 화폐 dinero *m* de cuenta.
계산(桂酸) 【화학】 =계피산(桂皮酸).
계삼탕(鷄蔘湯) =삼계탕(蔘鷄湯).
계상(計上) destinación *f,* asignación *f.* ～하다 destinar, asignar, apropiar, sumar, enumerar, especificar. A를 B에 ～하다 destinar A a B. A를 B의 예산에 ～하다 apropiar [asignar] A en el presupuesto para B.
계상(季商) septiembre *m* (del calendario) lunar.
계색(戒色) abstinencia *f* sexual. ～하다 abstenerse de sexo.
계서(計書) =보고서(報告書).
계서(階序) =계단(階段).
계서(鷄黍) servicio *m.*
계서(鷄棲) gallinero *m.*
계선(繫船) ① [배] barco *m* amarrado. ② [행위] amarre *m* (del barco), amarradura *f* (del barco). ～하다 amarrar un barco.
■ ～거(渠) =계선 독. ～구(具) amarraje *m.* ～닻 el ancla *f* (*pl* las anclas) de amarre. ～ 독 dique *m* de mareas. ～료 amarraje *m,* precio *m* de amarre. ～ 말뚝 amarradero *m.* ～ 부두 muelle *m* de amarre. ～ 부표(浮標) amarra *f* fija. ～삭(索) estacha *f* de amarre. ～소 fondeadero *m,* amarradero *m.* ～안(岸) muelle *m.* ～ 잔교(棧橋) muelle *m* de amarre. ～장(場) amarradero *m.* ～주(柱) poste *m* de amarre. ～환(環) argolla *f* de amarre.
계성(溪聲) sonido *m* del torrente del valle.
계성(鷄聲) sonido *m* del canto del gallo.
계세(季世) =말세(末世).

계속(繫束) =기속(羈束).

계속(戒屬) amonestación *f*, consejo *m*. ~하다 amonestar, aconsejar.

계속(繫屬/係屬)【법률】pendencia *f*. ~ 중에 en pendencia.

계속(繼續) continuación *f*, continuidad *f*, seguimiento *m*. ~하다 continuar, seguir, durar. 말의 ~ continuación *f* del relato. 전호(前號)의 ~ continuación *f* del número anterior. ~ 3년간 por tres años consecutivos. 네 번 ~ cuatro veces seguidas. 3일(三日) ~ tres días seguidos. 일을 ~하다 seguir el trabajo, continuar el trabajo, proseguir el trabajo. 심의(審議)를 ~하다 continuar las deliberaciones. 구독(購讀)을 ~하다 renovar la suscripción. 계약을 ~하다 prolongar el contrato. 연구를 ~하다 continuar [seguir] el estudio. 말을 ~하다 [다시] reanudar la conversación. 발전을 ~하다 continuar el desarrollo, continuar desarrollándose. 그 문제는 ~ 심의해 왔다 Ese problema ha quedado para ulteriores deliberaciones. 비가 ~ 내리고 있다 Sigue [Continúa] lloviendo. 전쟁이 벌써 5년째 ~하고 있다 La guerra continúa ya por cinco años. 강연은 두 시간 ~되었다 La conferencia duró dos horas. 그 영향은 꽤 오래 ~되었다 Los efectos han durado bastante tiempo. 똑같은 경향이 ~된다 Continúa la misma tendencia. 불운(不運)이 ~된다 Suceden malas suertes. 10쪽에 ~ Sigue en [Viene de] la página diez. 비가 ~ 내린다 Llueve sin cesar / Llueve continuamente / No deja de llover. ~ 말씀하세요 Siga [Continúe] usted hablando. 그는 세 시간 전부터 ~ 자고 있다 El sigue [continúa · está] durmiendo desde hace tres horas. 세입은 세출을 ~ 초과했다 Los gastos del Estado siguieron superando a las rentas. 그는 ~ 실패했다 El sufrió una serie de fracasos / El sufrió fracaso tras fracaso.

계속해서 continuamente, cesantemente, sucesivamente, sin interrupción, sin intervalo, sin cesar, una y otra vez, siempre; [잇달아] uno tras otro, detrás de otro, una tras otra, detrás de otra; [번갈아] alternativamente. 오후 내내 ~ toda la tarde. 그 후 ~ *desde entonces* (hasta aquí). 10년간 ~ por [durante] diez años enteros. 여행하는 동안 ~ durante todo el viaje, en todo el trayecto. 살아 있는 동안 ~ durante toda *su* vida. ~ …하다 continuar [seguir] +「현재 분사」. 15일간 ~ 휴가를 얻다 tomar quince días seguidos de vacaciones. 포도주 다섯 잔을 ~ 마시다 beber cinco copas de vino seguidos. 그녀는 ~ 서반아어를 공부하고 있다 Ella sigue [continúa] estudiando español. 나는 ~ 시험에 낙방했다 Sufrí una serie de fracasos en el examen / Sufrí fracaso tras fracaso en el examen.

■~ 기간 período *m* de duración. ~범(犯) delito *m* continuado. ~ 부절(不絶) =연속부절. ~비 coste *m* continuo, *AmL* costo *m* continuo. ~ 비행 vuelo *m* sin escalas. ~ 상연(上演) sesión *f* continua, *AmL* función *f* continua (*CoS* 제외), *CoS* función *f* continuada. ~성(性) continuidad *f*. ~ 생산 producción *f* continua. ~적(的) continuo, seguido. ¶~으로 continuamente, seguidamente, sin interrupción. ~ 항해 viaje *m* continuo.

계수(季嫂) cuñada *f*, hermana *f* política, esposa *f* de *su* hermano menor.

계수(癸水) menstruación *f* de la señora.

계수(係數) coeficiente *m*.

◆마찰 ~ coeficiente *m* de rozamiento. 팽창 ~ coeficiente *m* de expansión.

계수(計數) cuenta *f* del número. ~하다 contar el número.

■~관 contador *m*. ~기(器) comptómetro *m*. ~ 장치(裝置) escalímetro *m*, contador *m* de impulsos. ~ 회로(回路) circuito *m* reductor;【방사능】circuito *m* desmultiplicador de impulsos.

계수(桂樹) ((준말)) =계수나무.

계수(溪水) =시냇물.

계수(繫囚) prisionero, -ra *mf* en la cárcel.

계수나무(桂樹-)【식물】canelo *m*, árbol *m* de canela;【학명】Cinnamomum Cassia.

계승(階乘)【수학】factorial *f*.

계승(繼承) sucesión *f*. ~하다 suceder (a), heredar. 부친(父親)의 뒤를 ~하다 heredar [suceder] a su padre. 왕위(王位)를 ~하다 suceder en el trono. 아버지의 사업을 ~하다 suceder a *su* padre en la empresa [en los negocios], heredar los negocios de *su* padre. 아버지의 불같은 성질을 ~하다 heredar la impaciencia de su padre.

■~권 derecho *m* de sucesión. ~자(者) sucesor, -ra *mf*; heredero, -ra *mf*.

계시 aprendiz, -diza *mf*.

계시(癸時) *gyesi*, el segundo del período de veinticuatro hora.

계시(計時) cronometría *f*, cronometraje *m*. ~하다 cronometrar.

◆정식 ~ cronometría *f* oficial.

■~기(器) temporizador *m*; [솥 · 비디오 등의] reloj *m* (automático). ~자 cronometrador, -ra *mf*.

계시(啓示) revelación *f*, apocalipsis *m*. ~하다 revelar. 신(神)의 ~ revelación *f* del Dios. ~되다 ser revelado, ser dado a conocer. ~를 받다 revelar, dar a conocer, recibir una revelación divina. 하나님께서 모세에게 참된 법을 ~했다 Dios reveló a Moisés la verdadera ley.

계시록(啓示錄) ((성경)) El Apocalipsis. 요한 ~ El Apocalipsis de San Juan. ~ 문학 literatura *f* apocalíptica, apocalíptico *m*, apocalipsis *m*. ~ 종교 religión *f* revelada.

계시다 estar, quedarse. 누님은 댁에 계십니까? ¿Está en casa su hermana? 한국에 얼마 동안이나 계셨습니까? ¿Cuánto tiempo hace que estaba en Corea?

계신(計臣) =모신(謀臣).
계신(桂薪) leña *f* del árbol de canela.
계신(鷄晨) sonido *m* del canto del gallo que avisa el alba.
계실(繼室) =후실(後室).
계심(戒心) cautela *f*, prudencia *f*, precaución *f*.
계씨(季氏) su hermano (menor).
계안(鷄眼) 【한방】 ((준말)) =계안창(鷄眼瘡).
계안창(瘡) 【한방】 callo *m*.
계압(溪鴨) 【조류】 =비오리.
계약(契約) contrato *m*; [협정] acuerdo *m*, pacto *m*. ~하다 contratar, concluir [ajustar · firmar] un contrato. ~에 의해 conforme al contrato. ~을 갱신하다 renovar el contrato. ~을 위반(違反)하다 quebrantar [violar] el contrato. ~을 이행(履行)하다 cumplir (con) el contrato, respetar el contrato. ~을 취소하다 anular el contrato. ~을 파기하다 rescindir [romper · deshacer] el contrato. 매매 ~을 맺다 concluir un contrato de compraventa. 그는 마드리드에서 일하기 위해 ~을 맺었다 El firmó un contrato para trabajar en Madrid. 폭력에 의해 성립된 ~은 무효다 Son nulos los contratos conseguidos con violencia.
◆구두(口頭) ~ contrato *m* verbal. 단기 ~ contrato *m* a corto plazo. 단체(團體) ~ contrato *m* colectivo. 매매 ~ contrato *m* de compraventa. 보상(補償) ~ contrato *m* de indemnización. 사행(射倖) ~ contrato *m* aleatorio. 선물(先物) ~ contrato *m* a futuro, contrato *m* a plazo. 임대차 ~ contrato *m* enfitéutico. 쌍무(雙務) ~ contrato *m* bilateral. 연간 ~ contrato *m* anual. 용선(傭船) ~ contrato *m* de arrendamiento, contrato *m* de fletamento. 일년 ~ contrato *m* válido por un año. 임대 ~ contrato *m* de alquiler. 임대차 ~ contrato *m* de locación y conducción. 장기 ~ contrato *m* a largo plazo. 전세(傳貰) ~ (contrato *m* de) alquiler *m*. 차관(借款) ~ contrato *m* de préstamo. 판매(販賣) ~ contrato *m* de venta. 편무(片務) ~ contrato *m* unilateral.
■~ 가격 precio *m* contractual. ~ 갱신 renovación *f* del contrato. ~고(高) cantidad *f* del contrato. ~금 ((준말)) =계약 보증금. ~ 기한 término *m* [plazo *m*] de un contrato. ~ 기한 초과 일수 días *mpl* de sobreestadía. ~ 노동 mano *f* de obra contratada, trabajo *m* contratado. ~ 당사자 parte *f* contratante. ~법 ley *f* de contrato. ~ 보증금 depósito *m* de garantía, depósito *m*, pago *m* inicial, pago *m* adelantado; [전속 입단 계약(금)] fichaje *m*. ¶~ 1할 pago *m* inicial [adelantado] de diez por ciento. 맨션 구입 ~ entrada *f* de piso. 계약할 때 천만 원을 ~으로 지불하다 pagar diez millones de wones en concepto de pago inicial al firmar el contrato. ~ 불이행 incumplimiento *m* de(l) contrato. ~서(書) (escritura *f* de) un contrato. ¶~를 작성하다 hacer un contrato. 노동 ~ contrato *m* de(l) trabajo. ~설(說) ((준말)) = 사회 계약설. ~ 위반(違反) incumplimiento *m* de contrato. ~ 이민(移民) inmigrantes *mpl* de contrato. ~자(者) contratista *mf*, contratante *mf*; [당사자] parte *f* (contratante). 보험 ~ contratante *mf* [contratista *mf*] de seguros. ~ 조건 condiciones *fpl* de contrato. ~ 조항(條項) estipulaciones *fpl* [cláusulas *fpl*] de un contrato. ~ 체결 conclusión *f* de contrato. ~ 파기(破棄) rescisión *f* del contrato. ~ 해제(解除) anulación *f* de contrato, cancelación *f* de contrato, disolución *f* del contrato. ¶~하다 anular el contrato.
계엄(戒嚴) guardia *f* estricta, protección *f* contra el peligro. ~하다 guardar más estrictamente.
■~령(令) ley *f* marcial. ¶~을 선포하다 proclamar la ley marcial. ~을 해제하다 levantar [quitar] la ley marcial. ~사(司) ((준말)) =계엄 사령부. ~ 사령관 jefe *m* del Cuartel General de la Ley Marcial. ~ 사령부 el Cuartel General de la Ley Marcial. ~ 상태 estado *m* de sitio, estado *m* de alarma, estado *m* de excepción.
계역(界域) =경계(境界), 경역(境域).
계열(系列) línea *f*, 【물리】 serie *f*, 【생물】 sistema *m*; sucesión *f*, [당파] facción *f*, partido *m*; [대학의] departamento *m*; [산업의] interrelación *f*. A회사의 ~ 아래 들어가다 [있다] colocarse dentro de la línea de la compañía A. 그의 소설은 사실주의 ~에 속한다 Su novela se sitúa dentro de la línea realista / Se novela se clasifica entre las realistas.
■~ 기업 empresas *fpl* interrelacionadas, empresas *fpl* relacionadas entre sí. ~사(社) ((준말)) =계열 회사. ~화(化) agrupación *f*. ¶~하다 agrupar. 기업(企業)의 ~ agrupación industrial. ~ 회사 compañías *fpl* relacionadas, sociedad *f* subsidiaria, compañías *fpl* afiliadas, empresa *f* filial.
계영배(戒盈杯) copa *f* para precaverse contra la bebida excesiva, copa *f* para la precaución de la bebida excesiva.
계외가(繼外家) casa *f* paterna de la madrastra.
계우(溪雨) lluvia *f* que cae en el valle.
계우(鷄羽) pluma *f* del gallo.
계운(溪雲) nube *f* del valle.
계원(係員) oficial *mf*, oficinista *mf*, empleado *m* (administrativo), empleada *f* (administrativa).
◆접수(接受) ~ recepcionista *mf*.
계원(契員) miembro *mf* de la asociación de préstamo mutuo.
계월(季月) diciembre *m* del calendario lunar.
계월(計月) cuenta *f* de los meses. ~하다 contar los meses.
계월(桂月) ① [달] luna *f*. ② [음력 팔월] agosto *m* (del calendario) lunar.
계위(階位) =위계(位階).

계위(繼位) sucesión *f* del trono. ～하다 suceder el trono.

계유(鷄油) aceite *m* del gallo.

계육(鷄肉) pollo *m*, carne *f* de gallo.

계율(戒律) ((불교)) preceptos *mpl* (budistas), mandato *m*, mandamiento *m*. ～을 지키다 observar los preceptos. ～을 깨다[파하다] violar los preceptos.

계음(戒飮) moderación *f* en bebida, abstinencia *f* de bebidas alcohólicas. ～하다 beber con moderación, abstenerse de beber el alcohol.

계인(契印) sello *m* de tarja, impresión *f* de tarja.

계일(計日) cuenta *f* de los días. ～하다 contar los días.

계자(系子/契子) =양아들(hijo adoptivo).

계자(季子) hijo *m* menor.

계자(界磁) 【물리】 sistema *m* inductor.
▪ ～극(極) polo *m* inductor. ～ 저항기(抵抗器) reostato *m* de excitación. ～ 전류(電流) corriente *f* inductora.

계자(繼子) ① [양아들] hijo *m* adoptivo. ② [의붓아들] hijastro *m*.

계자(雞子/鷄子) =달걀(huevo).

계자석(界磁石) 【물리】 =계자(界磁).

계장(係長) jefe, -fa *mf*, jefe, -fa *mf* de sección; jefe *m* encargado, jefa *f* encargada.

계장(契長) encargado, -da *mf* de la asociación de préstamo mutuo.

계장초(鷄腸草) 【식물】 =닭의장풀.

계쟁(係爭) disputa *f*, pleito *m*; 【법률】 litigio *m*. ～하다 disputar, contender, litigar. ～중인 사건 asunto *m* en litigio, asunto *m* en disputa. …에 관해 …와 ～중이다 estar en litigio con *uno* sobre *algo*.
▪ ～물(物) asunto *m* en disputa. ～ 사건 caso *m* polémico. ～ 사실(事實) hecho *m* en disputa. ～점(點) punto *m* en litigio.

계적기(界積器) =면적계(面積計).

계전(階前) frente de la escalera; frente del patio.

계전기(繼電器) 【전기】 relé *m*, relevador *m*.

계절(季節) estación *f*, temporada *f*. ～의 [변동] estacional; [야채] del tiempo, de temporada; [수요] de estación, de temporada, estacional. ～이 늦은 tardío, atrasado, fuera de sazón. ～이 지난, ～ 외의 fuera de estación, fuera de tiempo, intempestivo, a destiempo. ～에 맞는 [적당한] propio de la época del año, propio de la estación. ～에 맞는 기후 tiempo *m* propio de la época del año, tiempo *m* propio de la estación. 이 ～에는 durante [en] estación. 벚꽃의 ～ estación *f* de los cerezos en flor. 벚꽃이 ～이 지나 피었다 Los cerezos echan flores a destiempo [fuera de tiempo]. 포도는 지금이 ～이다 Estamos en la estación [en el tiempo] de (las) uvas.
▪ ～감(感) =계절 감각. ～ 감각 sentido *m* de la estación, sentimiento *m* de la estación. ～ 고용 empleo *m* de estación. ～ 과실(果實) fruta *f* de las estaciones. ～ 관세 derechos *mpl* arancelarios estacionales. ～ 노동 trabajo *m* de temporada. ～ 노동자 temporero, -ra *mf*, temporalero, -ra *mf*, trabajador, -dora *mf* de temporada; jornalero, -ra *mf*. ～물(物) artículos *mpl* de estación. ～ 변동 variación *f* estacional. ～병(病) enfermedad *f* estacional. ～ 산업(産業) industria *f* estacional. ～성(性) estacionalidad *f*. ～ 식품(食品) alimento *m* estacional. ～ 실업(失業) desempleo *m* estacional. ～ 예보 pronóstico *m* estacional. ～ 요금 tarifa *f* estacional. ～ 요리(料理) cocina *f* estacional, platos *mpl* de estación. ～ 요인 factor *m* estacional. ～적(的) estacional, de estación, del tiempo, de temporada. ¶～으로 estacionalmente, según estaciones. ～적 변동 variación *f* estacional, variación *f* según estaciones, cambios *mpl* estacionales, fluctuación *f* estacional, oscilaciones *fpl* estacionales. ～적 수요 demanda *f* estacional. ～적 실업(的失業) desempleo *m* estacional. ～적 취락 colonia *f* estacional. ～ 조정(調整) ajuste *m* estacional. ¶～된 desestacionalizado, reajustado según la estación. ～된 숫자 cifras *fpl* ajustadas estacionalmente. ～된 연율(年率) tipo *m* anual con ajuste estacional. ～이 안 된 고용 숫자 cifras *fpl* de empleo no ajustadas según los cambios estacionales. ～ 지수(指數) índice *m* estacional. ～품 artículos *m* de estación. ～풍(風) viento *m* periódico, viento *m* estacional; [인도양의 몬순] monzón *m*. ～ 할인 descuento *m* de temporada.

계정(計定) 【경제】 cuenta *f*. ～을 개설하다 abrir la cuenta. ～을 폐쇄하다 cerrar la cuenta. …의 ～으로 a cuenta de *uno*.
◆ 본지점 ～ cuentas *fpl* entre compañías. 신(新)[구(舊)] ～ cuenta *f* nueva [antigua]. 잡～ varias cuentas *fpl*, cuentas *fpl* miscélaneas, cuentas *fpl* diversas. 총(總)～ 원장(元帳) libro *m* mayor general.
▪ ～ 계좌(計座) cuenta *f*. ～ 과목 partida *f*. ¶반대 ～ contrapartida. ～ 구좌 ((구용어)) =계정 계좌. ～ 자리 =계정 계좌.

계정(階庭) patio *m* que está delante de la escalera.

계정(鷄精) 【한방】 =조루(早漏).

계제(階除) =계단(階段).

계제(階梯) ① [일이 되어가는 [벼슬이 올라가는] 순서] gradación *f*, fase *f*, etapa *f*. ② [일의 좋은 기회] buena ocasión *f*, buena oportunidad. 이 ～에 우리를 방문하러 와 주십시오 De paso venga usted a visitarnos. 이 ～를 이용해 말씀드리면 … (Dicho sea) De paso … / Aprovecho la ocasión para decirle que ….

계족(戒足) ((불교)) =계(戒).

계종(鷄蹤) una especie de seta.

계종(繼蹤) sucesión *f*. ～하다 suceder.

계좌(計座) ((준말)) =계정 계좌(計定計座).

계주(戒酒) =계음(戒飮).

계주(契主) organizador, -dora *mf* de la aso-

ciación de préstamo mutuo.
계주(啓奏) =계품(啓稟).
계주(繫柱) ((준말)) =계선주(繫船柱).
계주(繼走) ((준말)) =계주 경기(繼走競技).
■~ 경기(競技) carrera *f* de relevos. ¶400 미터 ~ 4×100 metros revelos. ~봉(棒) testigo *m*. ~자(者) corredor, -ra *mf*.
계지(季指) ① =새끼손가락. ② =새끼발가락.
계지(稽遲) =계체(稽滯).
계집 ① ((속어)) mujer *f*. ~이라면 사족을 못 쓰는 사내 mujeriego *m*, hombre *m* que tiene una debilidad a la mujer. ② [아내] esposa *f*, mujer *f*. ③ [신분이 낮은 사람의 아내] mujer *f* del hombre humilde.
■~년 ((비어)) mujerzuela *f*, tipa *f*. ~붙이 mujer *m* de todas las clases. ~아이 chica *f*, muchacha *f*, niña *f*. ¶~ 같은 afeminado. 그는 ~같다 El es un hombre afeminado. ~애 ((준말)) =계집아이. ~애종 sierva *f* joven. ~자식(子息) ㉮ [처자(妻子)] mujer e hijo. ㉯ [딸자식] hija *f*. ~종 sierva *f*, criada *f*. ~질 puteo *m*; [난봉] libertinaje *m*. ¶~하다 putañear, putear, corromper por medio de la lascivia, ir con prostitutas.
계차(階次) orden *m* de rango [grado].
계창(鷄唱) canto *m* del gallo que canta por la madrugada.
계책(計策) artificio *m*, treta *f*, plan *m*, proyecto *m*, designio *m*. 좋은 ~ buen plan *m*. 현명한 ~ plan *m* sabio. ~을 세우다 formar un plan, proyectar, trazarse un plan, formar proyectos.
계처(繼妻) segunda mujer *f* [esposa *f*].
계천(溪川) arroyuelo *m*, riachuelo *m*, riacho *m*.
계청(計請) escucha *f* del plan. ~하다 escuchar el plan.
계체(繼體) sucesión *f* de los antepasados. ~하다 suceder a los antepasados.
■~지군(之君) príncipe *m* heredero.
계초(階礎) piedra *f* angular de la escalera.
계추(季秋) ① [음력 구월] septiembre *m* del calendario lunar. ② [늦가을] otoño *m* tardío.
계추(桂秋) ① [음력 팔월] agosto *m* del calendario lunar. ② [가을] otoño *m*.
계추(鷄雛) =병아리.
계춘(季春) ① [음력 삼월] marzo *m* del calendario lunar. ② [늦은 봄] primavera *f* tardía.
계출(屆出) =신고(申告).
계취(繼娶) =재취(再娶).
계측(計測) medida *f*. ~하다 medir.
■~ 공학 ingeniería *f* de instrumentación. *~기학(器學)* instrumentología *f*.
계층(階層) ① [사회의] clase *f*, clase *f* social, estrato *m* (social). 모든 ~의 사람들 gente *f* de todas condiciones, gente *f* de todas las esferas, gente *f* de todas clases. ② =층계(層階).
계칙(鸂鶒) 【조류】 ① =비오리. ② =뜸부기.
계친(繼親) padrastro *m*; madrastra *f*.
계칩(啓蟄) =경칩(驚蟄).
계탕(鷄湯) sopa *f* de gallo.
계통(系統) ① [순서나 체계] sistema *m*. ~을 세우다 sistematizar. ~을 이어받다 descender, provenir, proceder, derivarse. 그의 철학은 실존주의의 ~을 이어받고 있다 Su filosofía se deriva del existencialismo. ② [혈통(血統)] sangre *f*, linaje *m*, casta *f*. ~이 좋은 de buena sangre, de buena casta. ③ 【생물】 familia *f*. 같은 ~의 언어 lenguas *fpl* de la misma familia. 그는 색맹 ~이다 El es de una familia de daltonianos.
■~ 나무[수] árbol *m* genealógico. ~도(圖) genealogía *f*. ~ 발생(發生) filogénesis *f*, filogenia *f*. ~ 발생론[발생학] filogenia *f*. ~적(的) sistemático. ¶~으로 sistemáticamente. ~으로 연구하다 estudiar sistemáticamente. ~학[분류학] genealogía *f*, filogenia *f*, sistematología *f*, taxonomía *f*. ~학적(學的) genealógico, sistematológico.
계통(繼痛) dolor *m* de la enfermedad consecutiva. ~하다 doler la enfermedad consecutiva.
계통(繼統) sucesión *f* del trono. ~하다 suceder la línea royal.
계표(計票) cuenta *f* del voto. ~하다 contar los votos.
계표(界標) mojón *m* (*pl* mojones).
계피(桂皮) canela *f*.
■~말(末) =계핏가루. ~산(酸) 【화학】 ácido *m* cinámico. ~색(色) canela *m*. ~의 canela (남녀 동형). ~수(水) el agua *f* del aceite de canela. ~ 수소산(水素酸) ácido *m* hidrocinámico. ~ 알코올 alcohol *m* de canela. ~유(油) aceite *m* de canela. ~주[술] vino *m* de canela con azúcar. ~차(茶) té *m* de canela. ~ㅅ가루 canela *f* en polvo, polvo *m* de canela.
계피(鷄皮) cutis *f* del (hombre) viejo.
■~ 학발(鶴髮) hombre *m* viejo, viejo *m*.
계하(季夏) junio *m* (del calendario) lunar.
계하(階下) lugar *m* debajo de la escalera.
계학(谿壑) valle *m* que corre el agua, valle grande.
■~지욕(之慾) avaricia *f* infinita, avaricia *f* interminable.
계한(界限) ① [땅의 경계] frontera *f*, límite *m*. ② =한계(限界).
계합(契合) =부합(符合).
계해(癸亥) 【민속】 *gyehae*, sexagésimo término *m* binario del sexagésimo ciclo.
계행(戒行) ((불교)) penitencia *f*, austeridades *fpl* religiosas, práctica *f* ascética.
계향(桂香) perfume *m* del árbol de canela.
계혈석(鷄血石) 【광물】 =주자석(朱子石).
계협(計筴) =계책(計策).
계화(戒花) =불조심.
계화(桂花) flor *f* del árbol de canela.
계회(契會) reunión *f* de la asociación de préstamo mutuo. ~하다 tener la reunión de la asociación de préstamo mutuo.
계획(計劃) plan *m*, planificación *f*, proyecto

m, programa *m*, designio *m*; [의도] intención *f*, próposito *m*. ~하다 hacer un plan, proyectar, intentar, tener la intención (de). ~대로 tal como se ha concertado [planeado]. ~에 따르면 según el proyecto, de acuerdo con el plan. 무~으로 sin plan ni nada. ~을 세우다 proyectar, planear, hacer un plan [un proyecto], trazar [montar · idear · establecer · preparar] un plan [un programa]. ~을 변경하다 cambiar de proyecto, modificar el proyecto. ~을 실행하다 ejecutar un proyecto. ~을 품다 tener *algo* en la mente. ~대로 진행하다 seguir con el plan proyecto. …할 ~이다 proponerse [proyectar · intentar] + *inf*, tener la intención de + *inf*. 새로운 회사 설립을~하다 proyectar la fundación de una compañía nueva. ~이 성공했다 Salió bien el proyecto / Tuvo buen éxito el plan. ~이 실패했다 Salió mal el proyecto / Tuvo mal éxito el plan. ~이 예상대로 들어맞았다 El proyecto ha dado un resultado perfecto / Ha salido redondo lo que se pretendía. 새로운 사업이 ~되고 있다 Está en proyecto [sobre el tapete] una empresa nueva. 우리는 소풍갈 ~이 있다 Tenemos planeado hacer una excursión / Tenemos en proyecto una excursión. 그것은 ~으로 끝났다 El proyecto ha quedado sólo en proyecto / El proyecto ha quedado sin realizarse. 그는 큰 사업을 ~하고 있다 El intenta realizar [llevar a cabo] una gran empresa. 공사는 ~대로 진행되었다 Las obras marchaban tal como se había proyectado. 일은 ~대로 안 되기가 쉽다 Las cosas no suelen salir tal como se han planeado.

◆경제 발전 ~ proyecto *m* de desarrollo económico. 연구 ~ plan *m* de estudios. 5개년 ~plan *m* quinquenal. 10년~ plan *m* decenal. 제 1차 경제 개발 5개년 ~ el Primer Plan Quinquenal de Desarrollo Económico.

▪~ 경제 economía *f* planificada. ~ 도산 bancarrota *f* planificada. ~량(量) cantidad *f* planificada, capacidad *f* planeada. ~ 생산 producción *f* planificada. ~ 승인 [건축 등의] licencia *f* de urbanización, licencia *f* de obras, permiso *m* de construcción. ~안(案) programa *m*, plan *m*, proyecto *m*. ~자(者) planificador, -dora *mf*, promotor, -tora *mf*. ~적(的) premeditado, calculado, intencional, delibado. ¶~으로 premeditamente, calculadamente, intencionalmente, deliberadamente. ~인 범죄(犯罪) crimen *m* premeditado. ~ 판매 venta *f* planificada. ~표 tabla *f* de programa.

계후(季候) la estación y el tiempo.

계후(繼後) =계사(繼嗣).

계흉(鷄胸) =새가슴.

곗날(契-) ☞계(契)

곗돈(契-) ☞계(契)

곗술(契-) ☞계(契)

고[1] [옷고름의] presilla *f*.

고[2] [그 사람] él.

고[3] [그] ese. ~ 근처 esa cercanía *f*. ~ 녀석 귀엽다 Ese niño es mimoso.

고(考) padre *m* difunto.

고(股) ((준말)) =고본(股本).

고(苦) ((불교)) dolor *m*, angustia *f*.

고[1](高) [높이] altura *f*, alto *m*.

고[2](高) [비싸다] (ser) caro.

고[3](高) [나이가 많다] tener muchos años de edad.

고[4](高) [숭고하다] (ser) sublime.

고[5](高) [뽐내다] jactarse.

고(庫) ((준말)) =곳간(庫間).

고(鼓) [북] tambor *m*.

고(膏) parche *m*.

고(稿) ① [초고(草稿)] primera versión *f*, manuscrito *m*. ② [원고] manuscrito *m*. ③ [짚] paja *f*.

고(故) ① [옛날의] antiguo. ② [이미 세상을 떠난] difunto, fallecido, muerto. ~ 김구(金九) 선생 el difunto señor Kim Gu.

고-(古) viejo. ~본(本) ejemplar *m* viejo, libro *m* viejo. ~서적(書籍) libro *m* viejo.

고-(高) alto, grande, rápido. ~소득(所得) gran ingreso *m*, ingreso *m* alto. ~속도(速度) velocidad *f* rápida.

-고(高) altura *f*, alto *m*; cantidad *f*. 생산~ producción *f* total.

-고(膏) parche *m*. 반창~ esparadropo *m*.

고가(古家) casa *f* antigua, vieja casa *f*.

고가(古歌) canción *f* antigua, canto *m* antiguo; poema *m* antiguo, poesía *f* antigua.

고가(告暇) ① el tomar vacaciones, el pedir vacaciones. ② ausente. ~하다 estar ausente.

고가(孤歌) =고음(孤吟).

고가(故家) familia *f* antigua.

▪~ 대족(大族) familia *f* con historia distinguida. ~세족(世族) =고가 대족.

고가(高價) alto precio *m*, precio *m* alto, precio *m* elevado. ~의 de alto precio, caro, valioso. ~이다 costar caro, valer mucho, ser caro, ser de mucho valor. 이 그림은 무척 ~이다 Este cuadro cuesta muy caro / Este cuadro cuesta un ojo de la cara.

▪~품(品) artículo *m* valioso, artículo *m* caro, objeto *m* de mucho valor.

고가(高歌) el cantar en voz alta.

고가(高駕) vehículo *m* excelente.

고가(雇價) =품삯.

고가(高架) construcción *f* elevada.

▪~교(橋) =구름다리. ~ 도로(道路) carretera *f* elevada. ~ 삭도(索道) =가공 삭도. ~선(線) =고가 철도(高架鐵道). ~ 철도(鐵道) ferrocarril *m* elevado, ferrocarril *m* de vía aéreo.

고각(高角) 【수학】 =앙각(仰角).

▪~포(砲) =고사포(高射砲).

고각(高閣) casa *f* alta, pabellón *m* alto, edificio *m* alto.

▪~ 대루(大樓) casa *f* alta y grande.

고각(鼓角) el tambor y la trompeta en el

ejército.

고간(股間) =샅.

고간(苦諫) amonestación *f* ferviente. ~하다 amonestar fervientemente.

고간(苦艱) =간고(艱苦).

고간(庫間) ((본딧말)) =곳간.

고갈(枯渴) agotamiento *m*. ~되다 agotarse, consumirse. ~시키다 agotar. 자원(資源)을 ~시키다 agotar los recursos naturales. 우리는 자금이 ~되었다 Se nos agotaron los fondos / Se nos agotó el capital.

고감도 필름(高感度 film) película *f* sensible.

고같이 así, tal.

고개[1] ① [목의 뒷등이 되는 부분] nuca *f*. ~가 아프다 doler la nuca, tener dolor de nuca. ② [머리] cabeza *f*. ~를 갸우뚱하다 inclinar la cabeza en señal de extrañeza.
◆고개를 가로 흔들다 negar con la cabeza. 고개(를) 끄덕이다 afirmar [asentir] con la cabeza. 심하게[가볍게] ~ afirmar con profunda [leve] inclinación de cabeza. 그는 묵묵히 고개를 끄덕였다 El asintió con la cabeza sin decir palabra. 고개(를) 들다[쳐들다] levantar [alzar] *su* cabeza. 고개(를) 숙이다 bajar la cabeza, inclinar la cabeza, ponerse cabizbajo, quedar cabizbajo. 고개를 숙이고 con la cabeza baja. 곡식은 익을수록 ~ El que sabe mucho, habla poco. 고개를 젓다 agitar [sacudir · mover] la cabeza en señal de negativa, decir que no con la cabeza, negar con la cabeza.
고갯심 fuerza *f* de la nuca, fuerza *f* de la cabeza.
고갯짓 [거부의] el negar con la cabeza; [찬성의] el asentir con la cabeza.

고개[2] ① [산이나 언덕의] cuesta *f*, declive *m*, pendiente *f*, [오르는] (cuesta *f*) subida *f*, [내려가는] bajada *f*, [언덕이나 산의] cumbre *f* [cima *f* · pico *m*] de montaña. 급한 ~ pendiente *f* grande, cuesta *f* empinada, cuesta *f* escarpada, escarpa. *f*. 완만한 ~ pendiente *f* pequeña. ~를 올라간 곳에 a la cabeza de la cuesta. ~를 내려간 곳에 al pie de la cuesta. ~를 오르다 ir cuesta arriba, subir la cuesta. ~를 내려가다 ir cuesta abajo, bajar la cuesta. ② [(되어가는 일의) 중요한 고비가 되는 부분이나 봉우리를 이루는 부분] clímax *m*, pico *m*. 50~를 바라보다 frisar [rondar] en los cincuenta años. 50~를 넘다 pasar (de) los cincuenta años.
고갯길 camino *m* en cuesta, camino *m* en declive, sendero *m* en subida.

고개(高概) fidelidad *f* alta, integridad *f* alta.

고객(估客) =상인(商人).

고객(孤客) viajero *m* solitario, viajera *f* solitaria; extranjero *m* solitario, extranjera *f* solitaria.

고객(顧客) cliente *mf*, parroquiano, -na *mf*, comprador, -ra *mf*, [집합적] clientela *f*, favorecedores *mpl*; parroquia *f*. 물건을 많이 사 주는 ~ cliente *mf* de primera categoría. ~을 만들다 conseguir clientes. ~을 잃다 perder clientes. 경품(景品)으로 ~을 끌다 atraer a los compradores con premios. ~의 출입이 증가한다 Aumentan la clientela. ~의 출입이 줄어든다 Disminuye el número de clientes / Los clientes disminuyen. 저 분은 우리 가게의 좋은 ~이다 Aquel señor es uno de los mejores clientes [parroquianos] de nuestra tienda.

고갱이 médula *f*.

고거(故居) casa *f* que se vivió antes.

고거(高距) =해발(海拔).

고거(鼓車) carro *m* que carga el tambor.

고거리 carne *f* de la pierna delantera de la vaca.

고건물(古建物) edificio *m* antiguo.

고검(古劍) espada *f* antigua.

고검(孤劍) ① [한 자루의 칼] una espada. ② [간단한 무장(武裝)] armamento *m* sencillo. ③ [도움이 없는 전사(戰士)] guerrero, -ra *mf* sin ayuda.

고검(高檢) ((준말)) =고등 검찰청(高等檢察廳).

고것 eso, ése, ésa. ~이 크다 Eso es grande.

고게[1] ((준말)) =고것이. ¶~ 뭐냐? ¿Qué es eso?

고게[2] ((준말)) =고기에. ¶~ 있다 Hay allí.

고격(古格) formalidad *f* antigua.

고격(高格) carácter *m* alto.

고격(敲擊) golpe *m*, golpeo *m*, golpeadura *f*. ~하다 golpear, dar un golpe.
■~ 악기(樂器)【악기】=타악기(打樂器).

고견(高見) ① [뛰어난 의견] opinión *f* excelente, vista *f* con visión de futuro. ② [남을 높이어 그의 의견] su opinión.

고결(高潔) integridad *f*, probidad *f*, nobleza *f* y pureza de alma. ~하다 (ser) íntegro, probo, recto, noble, generoso, de noble corazón. ~한 사람 hombre *m* íntegro, hombre *m* noble y recto, el alma *f* proba. 정신이 ~하다 ser generoso de espíritu.
고결히 íntegramente, con integridad, probamente, recta y noblemente, generosamente, con generosidad.

고경(古經) ① [옛 경전] sagrada escritura *f* antigua. ② ((천주교)) =구약 성서.

고경(古鏡) espejo *m* antiguo (de hierro).

고경(苦境) adversidad *f*, apuro *m*, situación *f* difícil, dificultad *f*. ~에 처하다 hallarse en apuros, estar en una situación difícil, verse en un apuro. ~에 빠지다 caer en la estechez. ~에서 빠져 나오다 salir de una situación difícil, salir de un apuro.

고계(苦界) ((불교)) mundo *m* terrenal, este mundo sufrido.

고고(考古) estudio *m* de antigüedad.

고고(呱呱) primer llanto *m* (de un niño recién nacido).
◆고고의 소리 voz *f* del primer llanto (de un niño recién nacido). ~지성(之聲) =고고의 소리.

고고(孤苦) lo solitario y lo pobre. ~하다 (ser) solitario y pobre.
■~ 영정(零丁) vida *f* difícil sin ayuda

por la pobreza.
고고(枯槁) ① [(초목이) 말라서 물기가 없음] marchitez *f.* ② [야위어서 파리함] flaqueza *f,* flacura *f,* debilidad *f, Col, Cuba, ReD, Ven* flacuencia *f, Sal* flaquera *f.*
고고(高古) nobleza *f.* ～하다 (ser) noble.
고고(高高) mucha altura. ～하다 (ser) muy alto.
■～ 산두(山頭) sobre una montaña alta.
고고(영 *gogo*) [로큰롤에 맞춰 몸을 격렬하게 흔드는 야성적인 춤. 또, 그 음악] gogó *f.*
■～ 댄서 (chica *f* a) gogó *f.* ～ 댄싱[춤] baile *m* a gogó. ～ 클럽 club *m* de gogó.
고고도(高高度) altitud *f* alta.
고고미(苦苦米) arroz *m* que cosechó hace dos años.
고고학(考古學) arqueología *f.* ～(상)의 arqueológico. ～상으로 arqueológicamente, desde el punto de vista arqueológico.
■～과(科) departamento *m* de arqueología. ～자(者) arqueólogo, -ga *mf.* ～ 자료(資料) espécimen *m* arqueológico.
고곡(古曲) canto *m* antiguo.
고곤(苦困) ＝곤고(困苦).
고골(枯骨) esqueleto *m.*
고공(姑公) ① [시부모] padres *mpl* de *su* esposo. ② [왕고모부] cuñado *m* de *su* abuelo.
고공(高空) cielo *m* alto.
■～ 무용(舞踊) danza *f* aérea. ～병(病) mal *m* de alturas, mal *m* de montaña, *Andes* soroche *m, CoS* apunamiento *m, Chi* puna *f.* ～ 비행(飛行) vuelo *m* aéreo. ～ 폭격(爆擊) bombardeo *m* aéreo.
고공(雇工) ① ＝머슴. ② ＝품팔이.
■～살이 vida *f* de obrero agrícola.
고공(篙工) ＝뱃사공.
고공품(藁工品) saco *m* de paja.
고과(考課) consideración *f* de servicio, evaluación *f* de méritos.
■～표(表) historial *m* personal.
고과(孤寡) ① [고아와 과부] el huérfano y la viuda. ② [왕후가 자신을 겸손하게 이르는 말] yo.
고관(高官) [직위] alto puesto *m,* alta posición *f,* [사람] alto funcionario *m,* alta funcionaria *f,* alto dirigente *m,* alta dirigente *f,* dignatorio *m.*
■～ 대작(大爵) [직위] alto puesto *m* excelente; [사람] alto funcionario *m* (excelente).
고관절(股關節) 【의학】 coxa *f.*
■～ 결핵(結核) 【의학】 coxotuberculosis *f.* ～병(病) 【의학】 coxalgia *f.* ～병 측정기(病測定器) coxankilómetro *m.* ～부(部) coxa *f.* ～염 【의학】 coxartritis *f,* coxitis *f.* ～ 주위염 pericoxitis *f.* ～증 【의학】 osfiartrosis *f.* ～ 진균증 coxartrocace *f.* ～통(痛) coxalgia *f,* coxodinia *f.* ～통 환자 coxálgico, -ca *mf.*
고광(孤光) luz *f* solitaria (que se ve de lejos).
고광(高曠) generosidad *f,* nobleza *f.* ～하다 (ser) generoso, noble.
고괴하다(古怪－) (ser) extraño. 고괴함 extrañeza *f.*
고괴히 extrañamente, con extrañeza.
고굉(股肱) ① [팔과 다리] el brazo y la pierna. ② ((준말)) ＝고굉지신(股肱之臣).
■～지신(之臣) el súbdito [el vasallo] más importante (del rey), el súbdito [el vasallo] que el rey tiene una gran confianza.
고교(故交) ＝고구(故舊).
고교(高校) ((준말)) ＝고등학교(高等學校).
■～생(生) ((준말)) ＝고등학교 학생.
고교(高敎) ① [훌륭한 가르침] buena enseñanza *f,* buena instrucción *f.* ② [남을 높이어 그의 가르침] su enseñanza, su instrucción.
고교회파(高敎會派) sector *m* de la Iglesia Anglicana más cercano a la liturgia y ritos católicos.
고구(古句) frase *f* antigua.
고구(古丘) ① [옛 언덕] colina *f* antigua. ② [옛날의 무덤] tumba *f* antigua. ③ ＝고총(古塚).
고구(考究) estudio *m,* investigación *f,* consideración *f.* ～하다 estudiar, investigar, considerar.
고구(姑舅) padres *mpl* políticos, padres *mpl* de *su* esposo.
고구(故舊) viejo amigo *m,* vieja amiga *f.*
고구(高丘) colina *f* alta.
고구마 【식물】 batata *f,* boniato *m; Andes, Méj, AmS* camote *m,* patata *f* dulce.
◆군～ boniato *m* asado. 찐～ boniato *m* cocinado, boniato *m* cocinado al vapor.
■～ 덩굴 tallo *m* del boniato, boniato *m* de la batata, *Andes, Méj, AmS* tallo *m* del camote. ～ 밭 batatal *m,* batatar *m,* boniatal *m,* camotal *m.* ～볶음 boniato *m* cortado en pedazos y frito con salsa sazonada, agua y aceite. ～ 뿌리 raíz *f* de boniato, batata *f.* ～술 vino *m* de batata. ～엿 caramelos *mpl* coreanos de batata, *Guat* melcocha *f* de camote. ～ 장수 vendedor, -dora *mf* de batata, *Méj* camotero, -ra *mf, Guat* vendedor, -dora *mf* de camote..
고국(古國) ① [역사가 오랜 나라] país *m* de la historia larga. ② [일찍이 존재했던 나라] país *m* antiguo.
고국(故國) ① [자기 조국] país *m* natal, patria *f.* ② [역사가 오랜 옛 나라] país *m* antiguo de la historia larga. ③ [이미 망해버린 옛 나라] país *m* antiguo en ruinas.
■～ 산천(山川) ㉮ [고국의 땅] tierra *f* de la patria. ㉯ [본국의 산과 물] las montañas y el agua del país natal. ～을 떠나려 하랴마는 … No quiero salir de (la tierra de) la patria, pero ….
고군(故君) ① [죽은 군주] el difunto monarca, el difunto rey. ② [죽은 남편] *su* difunto esposo, *su* difunto marido.
고군(孤軍) (el poco número del) ejército *m* solitario sin ayuda.
■～분투(奮鬪) lucha *f* sola, lucha *f* sin

apoyo ninguno. ～하다 luchar solo, luchar sin apoyo ninguno. ～약졸(弱卒) ㉮ [후원 없고 힘 약한 군사] ejército *m* débil sin apoyo ninguno. ㉯ [외롭고 힘이 약한 사람] persona *f* solitaria y débil.

고군(故郡) pueblo *m* antiguo, aldea *f* antigua.

고군(雇軍) ＝삯꾼.

고궁(古宮) palacio *m* antiguo.

고궁하다(孤窮－) (ser) solitario y pobre. 고궁히 solitaria y pobremente.

고권(估券) documento *m* del derecho de propiedad del terreno.

고권(故券) carta *f* vieja, certificado *m* viejo.

고귀(告歸) saludo *m* de la despedida. ～하다 decir adiós.

고귀하다(高貴－) ① [지위(地位)가 높고 귀하다] (ser) excelente y noble. 고귀함 (excelencia *f* y) nobleza *f*. 고귀한 정신(精神) espíritu *m* (excelente y) noble. ② [(물건 값이) 비싸다] ser caro. 고귀한 값 precio *m* caro. ③ [지체가 높고 귀하다] (ser) alto y noble, distinguido, elevado. 고귀한 사람 noble *mf*; hombre *m* distinguido. 그는 고귀한 집안의 태생이다 El es noble de nacimiento / El es noble de cuna / El es de linaje noble / El es de sangre noble. 고귀히 noblemente.

고규(古規) ley *f* antigua, regla *f* antigua.

고규(孤閨) ① [홀로 자는 방] habitación *f* que duerme solo. ② [외로이 자는 잠자리] cama *f* que dueme solitariamente. ③ [과부(寡婦)] viuda *f*.

고극(苦劇) severidad *f*. ～하다 (ser) muy severo. 고극히 muy severamente.

고금【한방】＝학질(瘧疾).

고금(古今) tiempos *mpl* antiguos y presente *m*. ～의 antiguo y moderno. ～의 명작(名作) obras *fpl* maestras antiguas y modernas. ～에 없는 대사건 asunto *m* inaudito, asunto *m* sin precedentes.

■～ 독보(獨步) No hay persona que le haya superado en ningún lugar ni época. ～동서(東西) el pasado y el presente, el oriente y el occidente; toda la época y todos los lugares. ¶～를 통해 그를 능가할 음악가는 없다 No hay músico que le haya superado en ningún lugar ni época. ～ 문자(文字) letra *f* antigua y la moderna. ～어(語) palabra *f* antigua y la moderna. ～천지(天地) todo el mundo de desde tiempos antiguos hasta el presente.

고금(孤衾) ① [홀로 자는 이불] colchón *m* que duerme solo. ② [외로이 자는 잠자리] cama *f* que duerme solitariamente.

고금(雇金) ＝삯돈.

고금리(高金利) tipo *m* alto de interés, interés *m* alto.

고금알석(敲金戛石) excelencia *f* del poema o del estilo literario.

고급(告急) aviso *m* de la prisa. ～하다 avisar la prisa.

고급(高級) ① [높은 등급이나 계급] primera clase *f*, alta clase *f*, clase *f* superior, primer categoría *f*, primer orden *m*, alto rango *m*. ～의 superior, de clase superior, de primera clase, de (primera) categoría, de primer orden, de alto rango. ② [높은 표준이나 품질] calidad *f* superior, primera cualidad *f*. ～의 superior, de calidad superior, lujoso, de lujo, de primera calidad.

■～ 개념 concepto *m* superior. ～ 관료 alto funcionario *m*, alta funcionaria *f*. ～반(班) clase *f* superior. ～ 부관 ayudante *m* superior. ～ 부관실 sala *f* del ayudante superior. ～ 사원 empleado, -da *mf* de alto rango. ～ 상점 tienda *f* de lujo. ～생활 vida *f* lujosa. ～ 선원 oficial *mf* (de un barco). ～ 승용차 coche *m* de lujo, coche *m* lujoso. ～ 식당 restaurante *m* de lujo. ～ 아파트 piso *m* de primera cualidad. ～ 알코올 alcohol *m* superior. ～ 양장점 tienda *f* de alta costura. ～ 언어(言語)【컴퓨터】lenguaje *m* superior. ～ 잡지 revista *f* de primera calidad. ～ 장교 oficial *mf* de alto rango. ～ 제과점 confitería *f* de primera cualidad. ～주(酒) vino *m* de primera calidad. ～차(車) coche *m* lujoso, coche *m* de lujo. ～ 참모 oficial *mf* del Estado Mayor de alto rango. ～ 창녀 prostituta *f* de lujo. ～품 artículo *m* de lujo, artículo *m* de categoría, artículo *m* de primera cualidad. ～ 호텔 hotel *m* de lujo.

고급(高給) ((준말)) ＝고급봉(高給俸).

■～봉(俸) mucho salario *m*, sueldo *m* alto, sueldo *m* elevado, mucha cantidad *f* del salario. ～을 받다 ganar [cobrar] un sueldo alto [mucho salario]. ¶～으로 고용하다 emplear a *uno* con un sueldo alto.

고기¹ ① [새 · 짐승 · 어류 등의 살] carne *f*. 구운 ～ carne *f* asada. 볶은 ～ carne *f* tostada. 설구워진 ～ carne *f* poco asada [hecha]. 돼지～ carne *f* de cerdo. 쇠～ ternera *f*, carne *f* de vaca, *AmC*, *Méj* carne *f* de res. ② ((준말)) ＝물고기(pez). ¶～가 많다 [낚시에서] Hay muchos peces en el agua. ③ [고깃덩어리] [사람의 육체] cuerpo *m* humano, cuerpo *m* del hombre.

◆고기맛 본 중 persona *f* que se divierte experimentando el placer prohibido demasiado tarde.

■고기 값이나 하지 ((속담)) No desperdicies tu vida. 고기는 씹어야 맛이요 말은 해야 맛이라 ((속담)) Es bueno decir francamente todo lo que se quiere 고기는 씹어야 맛을 안다 ((속담)) Se tiene que tener la experiencia verdadera para que sepa bien algo. 고기 보고 기뻐하지 말고 가서 그물을 떠라 ((속담)) Hombre prevenido vale por dos.

■～간장(醬) salsa *f* de soja con la carne de vaca o de cerdo. ～구이 asado *m*, carne *f* asada. ～덮밥 arroz *m* con carne de vaca condimentada por encima. ～떼 cardumen *m* [banco *m*] de peces. ～만두 bollo *m* con carne de cerdo, croqueta *f*. ～

밥 ㉮ [물고기에게 주는 밥] comida *f* dada al pez. ㉯ [미끼] cebo *m*, carnada *f*. ¶~이 되다 ahogarse, morir ahogado. ~볶음 carne *f* tostada. ~붙이 carnes *fpl*. ¶~를 먹지 않다 abstenerse de carnes. ~소 albóndiga *f*. ~쌈 =육포(肉包). ~완자 bola *f* de masa de carne que se come en sopaso guisos. ~요리(料理) plato *m* de carne. ~잡이 ㉮ [물고기를 잡는 일] pesca *f*. ¶~하다 pescar. ㉯ [어부] pescador, -dora *mf*. ~잡이꾼 pescador, -dora *mf*. ~잡이배 = 고깃배. ~전골(煎骨) calda *f* con la carne de vaca y las verduras. ~제품(製品) productos *mpl* de carne. ~칼 cuchilla *f* de carnicero. ~ㅅ가루 ㉮ =어분(魚粉). ㉯ = 육분(肉粉). ~ㅅ간 carnicería *f*. ¶~ 주인(主人) carnicero, -ra *mf*; pesero, -ra *mf*. ~ㅅ관(館) carnicería *f*. ~ㅅ국 sopa *f* de carne, sopa *f* de pescado. ~ㅅ덩어리 ㉮ [덩어리로 된 동물의 고기] masa *f* de carne, pedazo *m* [trozo *m*] de carne, carne *f* desmenuzada. ㉯ ((속어)) [사람의 육체] cuerpo *m* humano, cuerpo *m* del hombre. ~ㅅ덩이 ((준말)) =고깃덩어리. ~ㅅ배 barco *m* de pesca, barco *m* pesquero. ~ㅅ점 pedacito *m* de carne, pedazo *m* pequeño de carne. ~ㅅ집 carnicería *f*.

고기² ① [거기] ese lugar. ~가 어디냐? ¿Dónde es ese lugar? ② [그곳에] allá. ~가 보라 Ve allá y ve.

고기(古記) documento *m* antiguo, crónica *f* antigua, record *m* antiguo.

고기(古基) ruinas *fpl* antiguas.

고기(古器) vaso *m* antiguo.

고기(孤羈) viajero *m* solitario, pasajero *m* solitario.

고기(故基) ruinas *fpl* que se vivió él mismo.

고기다 ① [자동사로] arrugarse. ② [타동사로] arrugar.

고기닭 =육계(肉鷄).

고기돼지 =육돈(肉豚).

고기압(高氣壓) alta presión *f* atmosférica.

고김살 =구김살.

고깃거리다 arrugar [estrujar] a menudo.

고깃고깃 arrugando a menudo. ~하다 arrugar [estrujar] a menudo. 종이를 ~하다 arrugra [estrugar] a menudo el papel. 종이를 ~하여 공을 만들다 hacer una bola arrugando a menudo el papel.

고까지로 con una cosa trivial, en nimiedades.

고까짓 tal, tan trivial. ~ 일로 실망해서야 쓰나 No te desilusiones en nimiedades. ~ 빚으로 걱정할 것이 뭐 있나 No te preocupes de tal deuda nominal. ~ 일로 화내지 마라 No te enfades en nomiedades.

고깔 *gocal*, capucha *f* de paño de los monjes budistas.

◆고깔 뒤의 군헝겊 gorrón, -rrona *mf*.

▪~모자 sombrero *m* de la forma de *gocal*.

고깝다 (ser) desagradable, poco amable y sentirse.

고까이 desagradablemente, poco amablemente, con poca amabilidad.

고꾸라뜨리다 hacer caer(se).

고꾸라지다 caerse.

고난(苦難) sufrimiento *m*, aflicción *f*, padecimiento *m*; [어려움] dificultad *f*, penalidad *f*, trabajo *m*; [불행(不幸)] desgracia *f*. ~을 참다 soportar [aguantar · pasar] los sufrimientos, sufrir [sobrellevar] las desgracias. 온갖 ~을 겪다 pasar las de Caín, padecer mucho. ~의 길을 걷다 ir por camino muy penoso, sufrir [pasar por] muchas desgracias. 그의 일생은 ~의 연속이었다 Su rostro acusa una porfunda pena. 그들은 많은 ~을 겪었다 Ellos pasaron muchos apuros [muchas dificultades · muchas privaciones].

고낭(姑娘) ① =고모(姑母)(tía). ② =첩(妾) (concubina). ③ [독신녀] soltera *f*.

고내(庫內) interior *m* del déposito o de la nevera.

고냥 =그냥.

고녀(孤女) mujer *f* sin padre.

고녀(雇女) empleada *f*, criada *f*, moza *f*, sirvienta *f*.

고녀(鼓女) mujer *f* que tiene el órgano genital imperfecto.

고녀(辜女) =어지자지.

고녀(瞽女) ① [소경 여자] (mujer *f*) ciega *f*. ② =여복(女卜).

고년(高年) =고령(高齡).

고념(顧念) ① [돌보아 줌] cuidado *m*. ~하다 cuidar. ② [남의 허물을 덮어 줌] acción *f* de cubrir el defecto. ~하다 cubrir el defecto.

고논 arrozal *m* fértil con el fondo profundo y la buena fuente de agua.

고뇌(苦惱) padecimiento *m*, pena *f*, sufrimiento *m*, dolor *m*. ~하다 sufrir, padecer. ~의 빛 aire *m* de aflicción. ~의 생활 vida *f* de sufrimiento.

고누 *gonu*, uno de las diversiones.

▪~판(板) tabla *f* de *gonu*.

고니 【조류】 cisne *m*.

고다 ① [삶다] hervir, bullir. 닭을 고기 시작하다 empezar a hervir el pollo. ② [진액만 남도록 끓이다] destilar. 엿을 ~ destilar el caramelo coreano [*Guat* melcocha]. ③ [소주를 만들다] destilar, fabricar, hacer. 술을 ~ fabricar vino.

고단(孤單) lo solitario.

고단(高段) alto dan *m*.

고단(高壇) altar *m* alto.

고단하다 estar cansado, fatigarse. 몹시 ~ estar muy cansado, fatigarse mucho. 오늘 따라 유난히 ~ Hoy estoy terriblemente cansado. 그는 많은 일로 고단했다 El se ha fatigado con mucho trabajo.

고단히 con cansancio, cansadamente, fatigadamente, con fatiga.

고달¹ ① [칼 · 창 · 송곳 등의 몸뚱이가 자루에 박힌 부분] espiga *f*. ② [쇠붙이 등의 대롱으로 된 물건의 부리] regatón *m* (*pl* regatones), contera *f*.

고달² ① [점잔을 빼고 거만을 부리는 짓] altivez *f*, altanería *f*, arrogancia *f*. ② [말 못하는 어린애가 성을 내고 몸부림하는 짓] queja *f*, fastidio *m*, irritación *f*.
고달이 lazada *f*.
고달프다 estar muy cansado [harto · aburrido] (de). 고달픈 나날 días *mpl* cansados. 고달픈 여행 viaje *m* cansado. 고달픈 인생(人生) vida *f* cansada. 고달픈 일 trabajo *m* duro. 그녀는 고달프게 느꼈다 Ella se sentía [se encontraba] cansada.
고달피 cansadamente, con cansancio, con fastidio, fastidiosamente, enojadamente.
고담(古談) cuento *m* antiguo, leyenda *f*.
■ ~책 libro *m* de los cuentos antiguos.
고담(高談) ① [큰 소리로 하는 말] el habla en voz alta. ~을 하다 hablar en voz alta. ② [남의 담화의 높임말] su conversación, sus palabras. 선생의 ~을 경청하였습니다 Le escuchó las palabras.
■ ~준론(峻論) ㉮ [고상하고 준엄한 언론] conversación *f* noble y puritana. ¶~하다 decir de manera noble y puritana. ㉯ [자만하고 과장하며 하는 언론] fanfarronería *f*, fanfarronada *f*. ¶~하다 anfarronear, darse importancia, darse infulas.
고답(高踏) trascendencia *f* del mundo prosaico. ~적 trascendente.
■ ~주의(主義) trascendentalismo *m*. ~파(派) trascendentalistas *mpl*; escuela *f* parnasiana. ¶~ 시인(詩人) poeta *m* parnasiano, poetisa *f* parnasiana.
고당(古堂) templo *m* viejo.
고당(高堂) ① [높은 집] mansión *f* alta. ② [아버지와 어머니] *sus* padres. ③ [남의 집의 높임말] su casa.
고당명기(高塘名妓) *kisaeng* famosa.
고대¹ ((준말)) =깃고대.
고대² ① [지금 막] ahora mismo, hace poco. 집에서 ~ 왔다 Yo vine de casa ahora mismo. ② [즉시] inmediatamente, en seguida.
고대(古代) edad *f* antigua, tiempo *m* antiguo, antigüedad *f*. ~의 antiguo, de antigüedad, de antaño. ~로부터 desde el tiempo antiguo. ~의 유물 reliquias *fpl* del tiempo antiguo.
■~ 국가 país *m* (*pl* países) antiguo. ~ 국어 lengua *f* antigua. ~극 teatro *m* antiguo. ~ 로마 la Roma antigua. ~ 문명 civilización *f* antigua. ~법 ley *f* antigua. ~ 사회 sociedad *f* antigua. ~사(史) historia *f* antigua. ~ 소설 novela *f* antigua, historia *f* del tiempo antiguo. ~ 올림픽 la Olimpiada Antigua. ~인(人) antiguos *mpl*. ~ 지리학 paleogeografía *f*. ~ 지질학 paleogeología *f*.
고대(苦待) espera *f* impaciente, espera *f* con impaciencia. ~하다 esperar impacientemente [con impaciencia], anhelar (por), ansiar. ~했던 소식 noticia *f* muy esperada.
고대(高臺) ① [높은 지대] zona *f* alta. ② [높이 쌓은 대] base *f* alta, altar *m* alto.
■ ~광실(廣室) mansión *f*, palacio *m*.
고대고모(高大姑母) tía *f* de *su* bisabuelo.
고대하다(高大－) (ser) alto y grande.
고덕(古德) ((불교)) monje *m* antiguo de virtud noble.
고덕(高德) virtud *f* alta.
고도(古刀) ① [헌 칼] cuchillo *m* usado, espada *f* usada. ② [옛날에 만든 칼] cuchillo *m* antiguo, espada *f* antigua.
고도(古都) capital *f* antigua.
고도(古道) ① [옛날에 다니던 길] camino *m* antiguo. ② [옛날의 도의(道義)] moral *f* antigua.
고도(孤島) isla *f* solitaria, isla *f* aislada.
고도(高度) ① [높이] altura *f*, altitud *f*, alto *m*. ~의 alto. ~를 오르다 ganar la altura. ~를 내리다 perder la altura. ~ 천 미터 상공을 날다 volar a una altura de mil metros. ② [정도가 높음] alto grado *m*, gran desenvolvimiento *m*. ~의 elevado; [진보한] avanzado. ~의 기술(技術) técnica *f* muy avanzada, técnica *f* de alto grado. ~의 문명(文明) civilización *f* muy elevada, civilización *f* de gran desenvolvimiento.
◆비행(飛行) ~ altura *f* de vuelo. 임계(臨界) ~ altitud *f* crítica. 자동 ~ 표시기 altígrafo *m*. 절대(絶對) ~ altitud *f* absoluta. 해발(海拔) ~ altitud *f* de nivel del mar.
■ ~계(計) altímetro *m*. ~병(病) =고공병(高空病). ~성장 crecimiento *m* acelerado, altocrecimiento *m*. ¶~하다 crecer aceleradamente, crecer alto. 경제의 ~ crecimiento *m* acelerado [alto crecimiento *m*] de la economía. ~의(儀) teodolito *m*. ~ 제어(制御) control *m* de altura. ~ 제어 장치(制御裝置) sistema *m* de control de altura. ~ 측량(測量) altimetría *f*.
고도(高跳) salto *m* de altura, *AmL* salto *m* alto.
■ ~대(臺) =높이뛰기틀.
고도리 [고등어의 새끼] caballa *f* joven.
고도어(古刀魚/高刀魚/高道魚) 【어류】 =고등어.
고독(苦毒) amargura *f*, aflicción *f*, disgusto *m*.
고독(孤獨) ① [부모 없는 어린아이와 자식 없는 늙은이] el huérfano y el viejo sin hijos. ② [외로움] aislamiento *m*, soledad *f*. ~하다 (ser) solitario, aislado. ~한 생활 vida *f* solitaria. ~한 남자 hombre *m* solitario. ~한 여자 mujer *f* solitaria. ~한 생활을 하다 vivir solo, vivir aislado, llevar una vida solitaria, vivir solitaria y retiradamente, vivir solitario y retirado. ~을 느끼다 sentirse solitario, sentirse solo, sentir soledad.
고독히 solitariamente, aisladamente.
■ ~감(感) sensación *f* de soledad. ~경(境) estado *m* mental solitario. ~ 공포증(恐怖症) monofobia *f*, eremiofobia *f*. ~ 단신(單身) persona *f* solitaria.
고동 ① [장치(裝置)] llave *f*, interruptor *m*,

conmutador *m.* ② [수도(水道)의] grifo *m;* [집합적] grifería *f.* ③ [요점(要點)] punto *m* capital, pivote *m.*
◆고동(을) 틀다[불다·울리다] (hacer) girar la llave.
고동(古董) =골동(骨董).
고동(古銅) ① [헌 구리쇠] cobre *m* viejo. ② [옛 구리] cobre *m* de los tiempos antiguos.
■~빛[색] ㉮ [검푸른 색] color *m* castaño, color *m* marrón. ~의 castaño, marrón. ㉯ =적갈색.
고동(鼓動) ① =고무(鼓舞). ② [심장이 뛰는 일] palpitación *f,* latido *m;* [맥박의] pulsación *f.* ~하다 pulsar, latir las arterias, latir el corazón.
◆고동(을) 치다 latir, pulsar, palpitar.
■~ 동시 기록기 【의학】 detector *m* de mentiras. ~ 장치 pulsador *m.*
고동기(古銅器) recipiente *m* antiguo de cobre.
고동맥(股動脈) 【의학】 =대퇴 동맥(大腿動脈).
고동무치 【어류】 =홍어(洪魚).
고되다(苦-) (ser) duro, penoso, pesado. 고된 일 trabajo *m* duro, trabajo *m* penoso, trabajo *m* pesado. 고된 훈련 entrenamiento *m* duro [fuerte]. 일이 아무리 고되더라도 널 잡아먹지는 않는다 Por duro que sea el trabajo no te matará.
고두(叩頭) reverencia *f* en señal de respeto. ~하다 tocar el suelo con la frente en señal de respeto, hacer una reverencia.
■~ 사죄(謝罪) disculpa *f* humilde. ~하다 disculpar humildemente.
고두리 ① [물건 끝이 뭉뚝한 곳] punta *f* roma. ② ((준말)) =고두리살. ③ [고두리살을 갖춘 활] arco *m* equipado con las flechas que no tiene punta roma.
■~살 flecha *f* para coger los pajaritos.
고두머리 alfiler *m* de pivote de un mayal.
고두밥 arroz *m* cocido muy duro.
고두충(叩頭蟲) 【곤충】 =바구미.
고둥 【동물】 gasterópodo *m.*
고드래 ((준말)) =고드랫돌.
고드랫돌 piedra *f* de urdimbre.
고드러지다 secarse, agotarse.
고드름 cerrión *m,* carámbano *m* (de hielo), canelón *m.* 처마의 ~ cerrión *m* del tejaroz, cerrión *m* del alero.
고들개[1] ① [안장의 가슴걸이에 다는 방울] cencerro *m.* ② [말 굴레의 턱 밑으로 돌아가는 방울이 달린 가죽] cuero *m* con cencerro.
고들개[2] [채찍의 열 끝에 굵은 매듭이나 추(錘)같이 달린 물건] látigo *m* cargado.
고들고들 seca y duramente. ~하다 (ser) seco y duro.
고들빼기 【식물】 lechuga *f* coreana.
고등(孤燈) luz *f* de (la) lámpara solitaria.
고등(高騰) el alza *f* brusca, subida *f* brusca, encarecimiento *m.* ~하다 subir [alzarse·elevarse] bruscamente [excesivamente·exorbitamente], encarecerse. 생활비의 ~ el alza del coste de vida, carestía *f* de la vida. 물가의 ~ encarecimiento *m* de los precios. 환시세의 ~ el alza de cambio. ~을 계속하고 있다 seguir en alza. 물가가 ~하고 있다 Los precios están subiendo excesivamente [más de lo razonable].
고등(高等) clase *f* superior, clase *f* alta, grado *m* alto, cualidad *f* [calidad *f*] superior, alta cualidad *f* [calidad *f*]. ~의 superior, alto, avanzado de clase superior, de clase alta, de grado alto, de cualidad superior, de alta cualidad.
■~ 감각[감관] 【심리】 sentido *m* superior. ~ 감정(感情) =정조(情操). ~ 검사장(檢事長) jefe *m* del Fiscal de Tribunal de Apelación. ~ 검찰청 la Fiscalía del Tribunal de Apelación. ~ 검찰청장 jefe *m* de la Fiscalía del Tribunal de Apelación. ~ 경찰 policía *f* superior. ~ 고시 examen *m* [oposiciones *fpl*] del alto servicio civil. ~ 고시 위원 miembro *mf* de la comisión del examen del alto servicio civil. ~ 고시 위원회 comisión *f* del examen del alto servicio civil. ~과(科) curso *m* superior, curso *m* avanzado. ~ 교육 enseñanza *f* superior, educación *f* superior. ~ 교육국 el Departamento de Educación Superior. ~ 교육 기관 instituciones *fpl* de la enseñanza superior. ~ 기관(器官) órgano *m* superior. ~ 군법 회의 el Consejo de Guerra Superior. ~ 군사반 curso *m* avanzado de oficiales. ~ 동물 animal *m* superior. ~ 룸펜 vagabundo, -da *mf* superior. ~ 마술(馬術) equitación *f* superior. ~ 법원 el Tribunal de Apelación, la Audiencia Territorial, el Tribunal Sepremo. ~ 법원장 presidente, -ta *mf* del Tribunal de Apelación. ~ 비평(批評) criticismo *m* superior. ~ 비행(飛行) vuelo *m* avanzado, vuelo *m* de aerobacia aérea, aerobacia *f* aérea. ~ 수학 matemáticas *fpl* superiores, altas matemáticas *fpl.* ~ 식물 planta *f* superior. ~ 유민(遊民) holgazán *m* educado, holgazana *f* educada. ~ 이론 metateoría *f.* ~ 재판소 la Corte Suprema (de Justicia). ~ 정책 política *f* superior, alta política *f.* ~ 척추동물 vertebrados *mpl* superiores. ~ 판무관(辦務官) alto comisario *m,* alta comisaria *f.* ¶~실에서 근무하는 사람들 [집합적] Alto Comisionado *m,* Alto Comisariado *m.* ~ 포유동물 mamífero *m* superior. ~학교(學校) escuela *f* superior; bachillerato *m* (중고등 과정); instituto *m* (de segunda enseñanza); [사립의] colegio *m;* *Méj* escuela *f* preparatoria; *AmS* escuela *f* secundaria superior. ~학교 졸업 graduación *f* de la escuela superior. ~학교 졸업생 bachiller, -ra *mf.* ~학교 학생 estudiante *mf* de(l) bachillerato. ~ 행정 administración *f* superior.
고등어 【어류】 caballa *f,* escombro *m,* rincha *f,* pejerrey *m.*
고딕(영 *Gothic*) ① 【건축】 ((준말)) =고딕식. ¶~의 gótico. ② 【인쇄】 letra *f* gótica.

■ ～(식) 건축(建築) arquitectura *f* gótica. ～ 문자 letra *f* gótica. ～ 미술 bellas artes *fpl* góticas. ～식 (estilo *m*) gótico *m*. ¶～의 gótico. ～ 양식 gótico *m*. ～ 음악 música *f* gótica. ～체[활자체] tipo *m* gótico.

고라니 【동물】 alce *m*; [북아메리카・캐나다의] alce *m* de América.

고라말 caballo *m* amarillo con la espalda del pelo negro.

고락 ① [낙지 배때기] vientre *m* del pulpo pequeño. ② [낙지 배때기 속에 든 검은 물. 또, 그 물이 담긴 주머니] tintas *fpl*; [주머니] bolsa *f* de tintas.

고락(苦樂) las alegrías y las penas. ～을 함께하다 compartir las alegrías y las penas (con).

고람(高覽) su inspección. ～하다 inspeccionar. 졸작(拙作)을 ～하시도록 증정하나이다 Tengo el honor de ofrecerle mi obra para que la examine.

고랑[1] [두둑 사이의] surco *m*.

■ ～창 surco *m* estrecho y hondo.

고랑[2] [두 두둑의 사이를 세는 단위] surco *m*. 한 ～ un surco. 두 ～ dos surcos.

고랑[3] ((준말)) ＝쇠고랑.

고랑[4] ((궁중말)) ＝툇마루.

고랑(高浪) ola *f* alta.

고랑쇠 ＝쇠고랑.

고랑채(姑娘菜) 【식물】 ＝꽈리.

고래[1] ① 【동물】 ballena *f*; [향유고래] cachalote *m*; [새끼] ballenato *m*. ② ((속어)) gran bebedor *m*, gran bebedora *f*.

◆ 흰～ ballena *f* blanca.

■ 고래 싸움에 새우등 터진다 ((속담)) La tercera persona sufre un daño en la pelea de los otros.

■ ～고기 carne *f* de ballena. ～기름 aceite *m* de ballenas. ～등 같다 ser muy alto y grande. ¶고래등 같은 기와집 casa *f* cubierta de tejas alta y grande, mansión *f*, palacio *m*. ～수염(鬚髥) barba *f* de ballena, ballena *f*. ～술 mucha bebida, borrachez *f*; [사람] gran bebedor *m*, gran bebedora *f*, borracho, -cha *mf*. ～자리 【천문】 Ballena *f*. ～ 작살 arpón *m* (*pl* arpones) ballenero. ～잡이 pesca *f* de ballena, caza *f* de ballena. ¶～하다 pescar [cazar] (las) ballenas. ～하러 가다 ir a pescar ballenas. ～ 어부(漁夫) ballenero, -ra *mf*. ～ 철 estación *f* ballenera. ～잡이배 ballenero *m*, lancha *f* ballenera. ～회(膾) ballena *f* cruda cortada en pedazos.

고래[2] ((준말)) ＝방고래(hipocausto).

고랫당그래 rastrillo *m* para vaciar y limpiar las cenizas del hipocausto.

고랫등 caballón *m* que el tiro del hipocausto está puesto.

고랫재 cenizas *fpl* del hipocausto.

고래(古來) ① [옛날 이래] desde muy antiguo, desde los tiempos antiguos. 한국～의 풍습 costumbre *f* tradicional coreana. ② ((준말)) ＝자고 이래(自古以來).

고래로 ((준말)) ＝자고 이래로.

고래에 ((준말)) ＝자고 이래에.

■ ～지풍(之風) costumbre *f* tradicional. ～희(稀) mucha rareza desde los tiempos antiguos. ¶인생 칠십 ～ Es muy raro que se vive setenta años desde los tiempos antiguos.

고래고래 alto, en voz alta, ruidosamente, con mucho ruido, alborotadamente. ～ 소리 지르다 dar un grito.

고래 고함(－高喊) grito *m* en voz alta. ～을 지르다 gritar en voz alta, dar un grito en voz alta.

고래류(－類) 【동물】 cetáceos *mpl*.

고래상어 【어류】 ((학명)) Rhincodon typus

고랭지(高冷地) región *f* alta y fría de mil metros sobre el nivel del mar.

■ ～ 농업(農業) agricultura *f* de la región alta y fría (de mil metros sobre el nivel del mar).

고량(高粱) 【식물】 ＝수수(mijo).

■ ～미(米) ＝수수쌀. ～ 소주(燒酒) ＝수수 소주. ～주(酒) ((준말)) ＝고량 소주.

고량(膏粱) ((준말)) ＝고량 진미(膏粱珍味).

■ ～ 자제(子弟) joven *m* (*pl* jóvenes) del hogar rico que no sabe la pena. ～ 진미(珍味) comida *f* sabrosa, comida *f* rica, comida *f* deliciosa.

고량토(高粱土) ＝고령토(高嶺土).

고려(考慮) consideración *f*, deliberación *f*, reflexión *f*. ～하다 considerar, deliberar, reflexionar; [검토하다] estudiar. …을 ～해서 considerando *algo*, teniendo en cuenta *algo*, en consideración a *algo*, por consideración a *uno*, en vista de *algo*. 신중히 ～한 후에 después de estudiarlo prudentemente. ～에 들어가다 tener en cuenta, tomar en cuenta, tomar en consideración, tener en consideración, hacer caso (de). ～하지 않다 no tener en cuenta, dejar fuera de *su* consideración. 체면을 ～하다 tener la reputación en cuenta. 그 문제는 ～중이다 El problema está bajo consideración / El problema está sometido a consideración. 그것은 ～할 여지가 없다 Eso no da lugar a consideración alguna. 정부는 여론의 동향을 ～해서 정책을 변경했다 El gobierno, teniendo en cuenta la opinión pública, cambió de política. 그의 실패를 ～해서 나는 그 회합에 갈 수 없다 En vista de su fracaso no puedo ir a la reunión. 일기가 나쁜 것을 ～해서 우리는 여행을 중지했다 En vista del mal tiempo suspendemos el viaje.

고려(苦慮) ＝고심(苦心).

고려(高慮) su consideración [discreción・prudencia・opinión・parecer・intención].

고려(高麗) ① *Koryo, Korea,* Corea, una de nuestras dinastías (918-1392). ② ((준말)) ＝고구려. ③ *Koryo,* primer nombre *m* del país *Taebong*.

■ ～ 가요[가사・속요] canción *f* popular de la época de dinastía *Koryo*. ～ 불교 budismo *m* de la época de *Koryo*. ～악(樂)

música *f* de la época de *Goguryo*. ~양(樣) costumbre *f* de *Koryo*. ~ 와당(瓦當) teja *f* de la época de *Koryo*. ~ 인삼 (人蔘) *koryo insam*, ginseng *m* [ginsén *m*] coreano, nombre *m* del producto en *Gaeseong*. ~ 자기(瓷器) porcelana *f* de *Koryo*.. ~장(葬) costumbre *f* (de la sepultura) de *Goguryo* de enterrar vivo al viejo. ~조(朝) dinastía *f* (de) *Koryo*. ~ 청자 *Koryo cheongcha*, porcelana *f* de celadón de *Koryo*.

고려(鼓勵) =고무(鼓舞).

고려(顧慮) ① [다시 돌이켜 생각함] consideración *f*. ~하다 considerar, tener consideración. 그들은 다른 사람들의 감정을 전혀 ~하지 않고 있다 Ellos no tienen ninguna consideración por los sentimientos de los demás. ② [앞일을 걱정함] preocupación *f*, inquietud *f*. ~하다 preocuparse (por), estar preocupado (por).

고려 대장경(高麗大藏經) *koryo daechanggyeong*, xiligrafía *f* de la época de *Koryo*.

고려사(高麗史) la Historia de *Koryo*.

고력(古曆) calendario *m* antiguo.

고력(苦力) =쿨리.

고련(苦楝) 【식물】 =소태나무.

고령(高嶺) alta cumbre *f*, alta cima *f*.

고령(高齡) edad *f* evanzada. ~의 남자 hombre *m* entrado en años, hombre *m* de edad avanzada. ~의 여자 mujer *f* entrada en años, mujer *f* de edad avanzada. ~이다 ser entrado en años, ser de (una) edad avanzada, tener (una) edad avanzada. ~에 달하다 llegar a la vejez, llegar a la edad avanzada. 그는 아흔 살의 ~으로 사망했다 El murió a la avanzada edad de noventa años.

▪ ~자(者) anciano, -na *mf*, viejo, -ja *mf*. ~화(化) envejecimiento *m*. ~화 사회 sociedad *f* envejecida.

고령토(高嶺土) caolín *m* (*pl* caolines).

고례(古例) tradición *f*, costumbre *f* antigua.

고례(古禮) cortesía *f* [etiqueta *f*] antigua.

고로(故-) por eso, por lo tanto, que. 인생은 짧고 예술은 길다. ~ 인생을 보람 있게 살지어다 La vida es corta, y el arte es largo. Por eso tienes que vivir provechosamente. 비가 내린 ~ 길이 질다 El camino está lleno de lodo, que llueve.

고로(古老) viejo *m* experimentado, perro *m* viejo.

고로(苦勞) dolor *m* del corazón y del cuerpo.

고로(孤老) viejo *m* solitario sin *su* esposa y *sus* hijos.

고로(故老) =노인(老人).

고로(栲栳) =고리² ❷.

고로(高爐) horno *m* alto.

고로(雇奴) ① =고공(雇工). ② =더부살이, 머슴.

고로롱거리다 sufrir con la dolencia de edad, sufrir con la enfermedad larga.

고로롱고로롱 sufriendo con la enfermedad larga.

고로롱대다 =고로롱거리다.

고로롱팔십(一八十) El viejo que se cura, cien años dura.

고로쇠나무 【식물】 ((학명)) Acer mono.

고로 여생(孤露餘生) persona *f* que se murieron *sus* padres en su niñez.

고로케(불 *croquette*) croqueta *f*.

고로표(一標) =귀결부(歸結符).

고론(高論) ① [높은 이론] opinión *f* noble. ② [남을 높이어] su opinión.

고롭다 ① =괴롭다. ② =고생스럽다.

고롱고롱 ((준말)) =고르롱고르롱.

고료(稿料) ((준말)) =원고료(原稿料).

고루 uniformemente, igualmente, imparcialmente. 설명서는 전원에게 ~ 돌아갔습니까? ¿Cada uno tiene su manual? / ¿Se han distribuido los manuales a todos?

고루(古壘) fortaleza *f* antigua.

고루(固陋) intolerancia *f*, fanatismo *m*, conservadurismo *m*, obstinación *f*, terquedad *f*, obstinación *f* malsana. ~하다 (ser) intolerante, fanático, conservador, de mentalidad cerrada, obstinado, terco.

고루히 intolerantemente, fanáticamente.

고루(孤壘) fortaleza *f* aislada.

고루(固壘) fortaleza *f* fuerte.

고루(高樓) casa *f* de dos pisos alta.

▪ ~ 거각(巨閣) mansión *f*, palacio *m*, casa *f* alta y grande.

고루(高壘) fortaleza *f* alta.

고루(鼓樓) casa *f* de dos pisos con tambor.

고루고루 todo. 카탈로그를 ~ 보냈습니다 Le mandamos toda una serie de catálogos. 당점은 가구를 ~ 갖추고 있습니다 Tenemos un buen surtido [Estamos bien surtidos] de muebles. 식량이 전원에게 ~ 미쳤다 Los comestibles han llegado a todos.

고룸소리 【언어】 =조음소(調音素).

고륜차(孤輪車) =일륜차(一輪車).

고르개 【물리】 =정류자(整流子).

고르다¹ [(여럿 가운데서) 골라 정하다] elegir, escoger, seleccionar. A보다 B를 고르다 preferir B a A. 직업을 ~ elegir [escoger] una colocación. 골라 읽다 hojear. 두 사람 중에서 한 사람을 골라라 Escoge uno de los dos. 좋은 물건을 골랐군요 ¡Qué cosa tan buena ha elegido! 많은 응모자 중에서 그를 골랐다 Fue elegido entre muchos aspirantes. 이 과일 중에서 마음에 드는 걸 골라라 Escoge de estas frutas la que te guste. 그녀는 넥타이를 잘 고른다 El sabe elegir las corbatas. 마음에 든 것을 아무 것이나 고르세요 Elija cualquier cosa que le guste. 적당한 요리를 마음대로 고르세요 Elija a su voluntad los platos que crea más convenientes.

고른쌀 arroz *m* que se escogen las arenas y el arroz no pelado.

고르다² [평평하게 하거나 가지런하게 하다] nivelar, allanar, explanar, aplanar, igualar, poner llano. 땅을 ~ explanar el terreno. 바닥을 ~ allanar el suelo. 우리는 그 땅을 아주 단시간 내에 골라야 한다 Necesitamos nivelar el terreno en muy poco tiempo.

고르다³ [한결같다] (ser) uniforme, igual, regular. 고르지 않은 desigual, irregular. 두께가 고르지 않은 desigual en grosor. 잇바디가 고르지 않다 tener una dentadura irregular [los dientes desiguales]. 색이 고르지 않다 Hay desigualdad en el color. 벽은 고르지 않게 칠해져 있다 La pared no está pintada uniformemente. 그의 연주는 고르지 못하다 Su interpretación es muy desigual.
고르게 igualmente, imparcialmente.

고른값 =평균값.

고른수(一數) 【수학】 =평균수(平均數).

고른율(一率) 【수학】 =평균율(平均率).

고른한낮 【천문】 =평균 정오.

고른해 【천문】 =평균 태양.
■ ~시 =평균 태양시. ~ㅅ날 =평균 태양일.

고름¹ ((준말)) =옷고름.

고름² [곪는 곳에서 생기는 끈끈한 액체] pus *m*. ~이 나오다 supurar. ~을 짜다 sacar el pus. 상처에서 ~을 짜다 sacar el pus de la herida. 상처에 ~이 생겼다 La herida ha formado (un) pus. 종기에서 ~이 많이 나왔다 El absceso supuró mucho.
■ ~병(病) =농병(膿病). ~집 pústula *f*.

고름소리 【언어】 =조음소(調音素).

고릉(古陵) mausoleo *m* antiguo.

고릉토(高陵土) =고령토(高嶺土).

고리¹ [무엇에 끼우기 위하여 만든 둥근 물건] anillo *m*; [커튼의] anilla *f*; [쇠사슬의] eslabón *m*. 아이들은 부부의 ~ 역할을 한다 Los hijos cimientan el matrimonio. ② ((준말)) =문고리.
■ ~못 escarpia *f*, alcayata *f*. ~ 일식(日蝕) =금환식. ~점(點) punto *m*.

고리² ① [껍질 벗긴 고리버들의 가지] mimbre *m*, varita *f* de la mimbrera, rama *f* de mimbre pelada. ② [고리로 엮은 상자] cesta *f* de mimbres, canasta *f* con tapadera. 옷 ~ maleta *f* de mimbre.
■ ~백장 ((낮춤말)) =고리장이. ~백정(白丁) =고리백장. ~장이 cestero, -ra *mf*. ~짝 cesta *f* de mimbres, equipaje *m*.

고리³ ((준말)) =소줏고리.

고리⁴ ① [그러하게] así, muchísimo, como eso. ② [고 곳으로] allá. ~ 가거라 Vete allá.

고리(高利) ① [많은 이익] gran ganancia *f*, mucha ganancia. ② [고율의 변리] interés *m* alto; [부당하게 비싼 변리] usura *f*, interés *m* usurario. ~의 usurario, de usura. ~로 con usura, usurariamente. ~로 빌려주다 dar a usura, prestar usurariamente.
■ ~대(貸) ((준말)) =고리대금. ~대금(貸金) ㉮ [이자가 비싼 돈] dinero *m* de interés alto. ㉯ [비싼 이자를 받는 돈놀이] usura *f* de interés alto. ~대금업(貸金業) usura *f*. ~대금업자 usurero, -ra *mf*, logrero, -ra *mf*, prestamista *mf*. ¶그 ~는 고리채로 산다 Ese prestamista vive de la usura. 필요에 따라 나는 ~에게 가야 했다 Tuve que recurrir a un usurero por necesidad. ~채(債) deuda *f* de intereses usurarios.

고리다 ① [곯아 썩은 풀이나 달걀 냄새 같다] oler mal, ser fétido, ser hediondo, ser apestoso. 고린 냄새 olor *m* fétido, olor *m* hediondo, olor *m* apestoso, mal olor *m*. ② [마음 쓰는 것이 옹졸하다] (ser) tacaño, mezquino, agarrado, pequeño, superficial. 고린 생각 idea *f* superficial, idea *f* estúpida, vista *f* corta de miras.

고리마디 【동물】 =환절(環節).

고리버들 【식물】 álamo *m*, álamo *m* blanco, mimbre *m*; 【학명】 Salix koriyanagi.

고리삭다 no estar lleno de brío, no ser vivaz, ser demasiado discreto para *su* edad.

고리쇠 anillo *m* de hierro.

고리타분하다 ① [냄새가 고리고도 타분하다] (ser) fétido, hediondo, apestoso, rancio. 냄새가 ~ oler muy mal, apestar, ponerse rancio. ② [사람의 성미나 하는 짓이 고리삭고 흐리터분하다] ser de moda antiquísima, ser anticuado. 고리타분한 표현(表現) expresión *f* exagerada y anticuada. 그는 고리타분한 사람이다 El es (un hombre de) tipo anticuado.
고리타분히 de moda antiquísima, anticuadamente.

고리탑탑하다 ① [냄새가 매우 고리타분하다] (ser) muy fétido, muy hediondo, muy apestoso. ② [하는 짓이나 생각이] ser de moda antiquísima, ser muy anticuado.
고리탑탑히 muy anticuadamente.

고린내 mal olor *m*, olor *m* fétido, olor *m* hediondo, olor *m* apestoso. ~가 나다 oler mal. ~가 난다 Huele mal.

고린도 【지명】 ((성경)) Corinto.
■ ~ 사람[인] ((성경)) corintio, -tia *mf*.

고린도서(Corinth 書) ((성경)) Primera Epístola y Segunda Epístola del Apóstol San Pablo a los Corintios.

고린도 전서(Corinth 前書) ((성경)) Primera Epístola del Apóstol San Pablo a los Corintios.

고린도 후서(Corinth 後書) ((성경)) Segunda Epístola del Apóstol San Pablo a los Corintios.

고릴라(영 *gorilla*) 【동물】 gorila *f*.

고림보 ① [몸이 약하여 늘 골골하는 사람] persona *f* enfermiza; inválido, -da *mf*. ② [마음이 옹졸하고 하는 짓이 고린 사람] persona *f* mezquina, persona *f* de mentalidad cerrada, persona *f* intolerante.

고립(孤立) aislamiento *m*, aislación *f*, desamparo *m*. ~하다 aislarse, desampararse. ~시키다 aislar, desamparar. ~된 aislado, solitario, desamparado. 홍수로 마을이 ~되었다 El pueblo quedó aislado por la inundación / La inundación aisló el pueblo. 이 나라는 세계 경제에서 ~되어 있다 Este país vive aislado de la economía mundial.
■ ~감(感) sentido *m* de aislación. ~무원(無援) aislamiento *m* sin ninguna ayuda.

¶~의 aislado y sin ninguna ayuda. ~하다 aislarse sin ninguna ayuda. ~어(語) lengua *f* aislada. ~적(的) aislado. ~ 정책 política *f* de aislamiento, aislacionismo *m*. ~주의(主義) aislacionismo *m*. ~주의자 aislacionista *mf*. ~지세(之勢) situación *f* aislada. ~파(派) aislacionista *mf*. ~화(化) aislación *f*, 【외교】 cerco *m*.

고마움 agradecimiento *m*, gratitud *f*, gracias *fpl*; [가치] valor *m*; [천혜(天惠)] favor *m* divino. 돈의 ~ valor *m* de dinero. 부모의 ~ justa apreciación *f* del amor paterno. 돈의 ~을 알다 darse cuenta del valor del dinero. 부모님의 ~을 모르다 no conocer el valor de los padres, no conocer lo que valen los padres. ~의 눈물을 흘리다 derramar lágrimas de agradecimiento. 그는 ~의 눈물을 흘렸다 Le brotaron lágrimas [Lloró·Vertió lágrimas] de agradecimiento. 우리는 병이 나서야 처음으로 건강의 ~을 알게 된다 Cuando caemos enfermos, comprendemos, por primera vez, lo que es [vale] la salud.

고마워하다 estar agradecido (por), dar las gracias (por), agradecer.

고마이 con gratitud, con conocimiento, con agradeciminto.

고막 【조개】 =꼬막.

고막(鼓膜) tímpano *m*. ~의 timpanal, timpánico.

■ ~경(鏡) miringoscopio *m*. ~ 경화(硬化) timpanosclerosis *f*. ~균병(菌病) micomiringitis *f*. ~ 균증(菌症) miringomicosis *f*. ~기(器) órgano *m* timpanal. ~ 긴장근(緊張筋) músculo *m* tensor de membrana timpánica. ~ 긴장근 신경 nervio *m* de músculo tensor timpánico. ~ 성형술 miringoplastia *f*. ~염 miringitis *f*, timpanitis *f*. ~ 장근(張筋) músculo *m* tensor de tímpano. ~ 장근 신경(張筋神經) nervio *m* de músculo tensor timpánico. ~ 절개도(切開刀) miringótomo *m*. ~ 절개술(切開術) miringotomía *f*, timpanotomía *f*, ototomía *f*. ~ 천자(穿刺) auripuntura *f*. ~ 패임 incisura *f* timpánica. ~ 피부염(皮膚炎) miringodermatitis *f*.

고만(高慢) altivez *f*, orgullo *m*, altanería *f*, soberbia *f*, arrogancia *f*. ~하다 (ser) altivo, orgulloso, altanero, soberbio, arrogante. ~한 사람 persona hinchada de orgullo, persona altiva. ~한 태도를 취하다 tomar una actitud orgullosa, mostrarse altivo, mostrarse pedante.

고만히 altivamente, orgullosamente, arrogantemente, con altivez, con arrogancia, con orgullo.

고만고만하다 [크기가] ser de tamaño igual; [능력이] ser de habilidad igual.

고만두다 parar, detener, suspender.

고만이다 =그만이다.

고만하다 (ser) similar, parecido, semejante, del mismo tamaño, parecerse (a). 두 자동차는 디자인이 아주 ~ Los dos coches se parecen mucho en el diseño / Los dos coches tienen un diseño muy similar [parecido]. 그것은 내가 가지고 있는 것과 ~ Se parece al que yo tengo / Es parecido [similar] al que yo tengo. 그것은 참새와 ~ Es de tamaño parecido al de un gorrión.

-고말고 ¡Claro (que sí)! / ¡Pues claro! 가니? — 가~ ¿Vas? — ¡Claro que sí! / ¡Pues claro! 사과는 답니까? — 달~ ¿Son dulces las manzanas? — ¡No han de serlo! / Sí que son dulces!

고맙다 estar agradecido (por), dar las gracias (por), agradecer (por). 고맙게도 con gratitud, con conocimiento, con agradecimiento. 고마운 말씀 palabras *fpl* amables. 고마운 선물 regalo *m* muy agradecido. 고맙습니다 Gracias / Se lo agradezco / Estoy agradecido. 대단히 고맙습니다 Muchas gracias / Mil gracias / Un millón de gracias / Estoy muy agradecido. 정말로 고맙습니다 Muchísimas gracias / No sabe cuánto se lo agradezco. 당신이야말로 고맙습니다 Gracias a usted. 도와주어 ~ Te agradezco tu ayuda. 초대해 주셔서 고맙습니다 Gracias por su [la] invitación. 찾아와 주셔서 고맙습니다 Gracias por su [la] visita. 호의(好意)를 베풀어 주셔서 고맙습니다 Gracias por su favor [hospitalidad]. 원조해 주신 데 대해 정말로 고맙게 생각합니다 Apreciamos profundamente su ayuda. 편지 주셔서 고맙습니다 Gracias por su carta / He recibido con agrado sus noticias. 전송 나와 주셔서 고맙습니다 Le agradezco mucho que haya tenido la gentileza de venir a despedirme / Gracias por su despedida. 친절하게 대해 주셔서 고맙습니다 Estoy agradecido por su amabilidad / Le doy gracias por su amabilidad / Le agradezco su amabilidad. 그의 친절은 고맙기는 하지만 도리어 나를 난처하게 만든다 Su amabilidad me pone en aprietos / Su amabilidad es molesta [imoportuna]. 고맙기는 하지만 그런 일은 나를 곤란하게 만든다 Eso es un favor que me pone en apuros / Eso es un favor que me causa molestia. 귀하의 초대를 고맙게 받아드리겠습니다 Acepto agradecido su invitación. 귀하의 편지를 고맙게 읽었습니다 He leído con grado [con mucho gusto] su carta. 고맙습니다. 이제 살았습니다 Gracias a Dios, estoy salvado. 말씀 고맙습니다 Le agradezco sus palabras. 뜻은 고맙습니다만 … Le agradezco mucho, pero …. 백만 원만 빌려주시면 고맙겠습니다(만) Le agradecería mucho que me prestara un millón de wones. 미리 알려 주시면 고맙겠습니다 Le agradecería que me avisara con antelación. 아이가 소리를 지르지 않았으면 고맙겠습니다 Le agradecería que su niño no gritara. ☞감사(感謝)

고매(故買) compra *f* de efectos [de géneros] robados. ~하다 comprar géneros robados.

■ ~자(者) comprador, -dora *mf* de efectos robados.

고매(高邁) nobleza *f.* ~하다 (ser) noble, elevado. ~한 정신(精神) espíritu *m* elevado, espíritu *m* noble.
고매히 noblemente, con nobleza, elevadamente.

고맥(高脈)【의학】=대맥(大脈).

고면(故面) =구면(舊面).

고면(高免) su perdón.

고명 condimentos *mpl.*
■ ~딸 sola hija entre *sus* muchos hijos. ~딸아기 =고명딸. ~장(醬) ㉮ [양념으로 쓰는 장] salsa *f* de soja para el condimento. ㉯ [고명을 친 장] salsa *f* de soja con condimentos. ~파 puerro *m* fino cortado (para poner sobre la comida).

고명(古名) nombre *m* antiguo.

고명(告命) =사령장(辭令狀).

고명(沽名) ① codicia del honor. ~하다 codiciar el honor. ② venta del honor. ~하다 vender el honor.

고명(高名) ① [높이 알려진 이름] nombre *m* muy conocido; [이름이 높이 남] fama *f* alta. ~하다 la fama es alta. ② [남의 이름의 공대말] su nombre.

고명(高明) ① [고매하고 현명함] la nobleza y la sensatez. ~하다 (ser) noble y sensato. ~한 일 generalidad *f,* plan *m* noble. ~한 자(者) generoso, -sa *mf,* el que es noble. ② [조예가 깊음] erudición *f* profunda, profundo conocimiento *m.* ~하다 (ser) erudito, versado; renombrado, ilustre, insigne. ~한 학자 sabio *m* erudito, sabia *f* erudita. ~한 철학자 filósofo *m* renombrado, filósofa *f* renombrada. ③ [상대편을 높여 이르는 말] usted, su (famoso) nombre. ~하신 선생님의 말씀은 익히 듣고 있습니다 Ya le conozco a usted por su reputación / Su nombre me es muy familiar / Yo he oído mucho de usted.

고명(顧命) último testamento *m* de un rey, orden *f* de lecho de muerte de un rey.
■~대신(大臣) ministro *m* encomendado con el último testamento de un rey. ~지신(之臣) vasallo *m* encomendado con el último testamento de un rey.

고모(姑母) tía *f* (carnal), hermana *f* de *su* padre.

고모(高謨/高謀) artificio *m* excelente.

고모라【지명】((성경)) Gomorra.

고모부(姑母夫) tío *m,* esposo *m* de *su* tía, esposo *m* de la hermana de su padre.

고목(古木) viejo árbol *m.*
■ ~나무 =고목(古木).

고목(枯木) árbol *m* muerto, árbol *m* seco.
■ ~나무 =고목(枯木). ~ 발영(發榮) =고목생화. ~ 사회(死灰) hombre *m* sin ambición alguna. ~ 생화(生花) Quien se halla en la miseria, obtiene la buena suerte.

고목(高木) árbol *m* alto.

고목(槁木) árbol *m* seco.

고묘(古墓) tumba *f* antigua.

고묘(古廟) viejo santuario *m.*

고무(鼓舞) estimulación *f,* animación *f.* ~하다 estimular, alentar, animar.
■ ~자(者) estimulador, -dora *mf.* ~적(的) estimulante.

고무 goma *f,* caucho *m,* elástica *f, Méj* hule *m.* ~의 de goma, gomoso, gomero. ~를 입힌 engomado.
◆생(生)~ caucho *m* crudo. 인조(人造)~ hule *m* artificial.
■ ~ 가공품 artefacto *m* de hule. ~공 pelota *f* de goma [caucho · hule]. ~ 공업 industria *f* de goma. ~관 tubo *m* de caucho. ~끈 cuerda *f* de goma. ~나무【식물】cauchera *f,* árbol *m* del caucho, árbol *m* gomoso, *Col* caucho *m, Méj* hule *m.* ~다리 pierna *f* postiza de caucho. ~도장 [인] sello *m* de caucho, sello *m* de goma, sello *m,* tampón *m* (*pl* tampones). ¶~을 찍다 sellar. ~마개 tapón *m* (*pl* tapones) de caucho. ~바닥 suela *f* con caucho. ~바퀴 rueda *f* de goma, rueda *f* de caucho. ~반창고 emplato *m* de caucho. ~배[보트] bote *m* de caucho, barca *f* de caucho. ~밴드 anilla *f* de caucho, goma *f* (elástica), banda *f* de goma, *RPl* gomita *f, Chi* elástico *m, Col* caucho *m, Méj* liga *f.* ~베개 almohada *f* de caucho. ~빗 peine *m* de caucho. ~ 수채화 aguada *f,* gouache *m.* ~신 zapatos *mpl* de goma, zapatos *mpl* de suela de goma, zapatos *mpl* de suela de caucho, gomas *fpl.* ~실 hilo *m* elástico. ~ 인형 muñeca *f* de goma, *Méj* muñeca *f* de hule. ~장갑 guantes *mpl* de caucho. ~장화 botas *fpl* de goma. ~ 재배원 plantación *f* (de árboles) de caucho, *Méj* plantación *f* de hule. ~젖꼭지 tetina *f* (de goma), *Méj* chupón *m* (*pl* chupones), *CoS* chupete *m, Col* chupo *m.* ~ 제품 artículos *mpl* de goma. ~종(腫)【의학】goma *f.* ¶~을 앓는 gomoso. ~ 환자 gomoso, -sa *mf.* ~줄 cuerda *f* de goma. ~지우개 goma *f* (de borrar). ¶~로 지우다 borrar con goma. ~창 suela *f* de goma, suela *f* de caucho. ~총(銃) pistola *f* de juguete de goma. ~ 타이어 llanta *f* de goma, llanta *f* de caucho. ~ 테이프[띠줄] cinta *f* de goma. ~풀 goma *f,* goma *f* arábiga, goma *f* de pegar, mucílago *m.* ~ 풍선 globo *m.* ~ 호스 manguera *f* de goma.

고무라기 miga *f.*

고무락거리다 mover a menudo poco a poco.

고무래 rastrillo *m;* [부엌용] rastrillo *m,* hurgón *m* (*pl* hurgones).

고묵(古墨) ① [오래된 먹] tinta *f* china antigua. ② [옛날 먹] antigua tinta china *f.*

고문(古文) texto *m* antiguo, escrito *m* antiguo, escritura *f* arcaica.
■ ~가(家) arcaísta *mf.* ~체(體) estilo *m* arcaizante.

고문(叩門) llamada *f* a la puerta (al visitar a otros). ~하다 llamar a la puerta (cuando se visita a otros).

고문(拷問) tortura *f*, tormento *m*, suplicio *m*. ~하다 atormentar. ~을 가하다 torturar (a), atormentar (a), infligir suplicio (a).
■ ~대(臺) potro *m* (de tortura). ~ 치사 tortura *f* que ocasiona la muerte.

고문(高門) ① [이름 있는 집안] familia *f* renombrada. ② [상대편을 높이어 「그의 집안」] su familia.

고문(高聞) su escucha.

고문(顧問) ① [의견을 물음] acción *f* de preguntar la opinión. ~하다 preguntar la opinión. ~의 consultivo, consultor, consultante. ② [사람] consejero, -ra *mf*; consultor, -tora *mf*; asesor, -sora *mf*.
◆기술 ~ consejero *m* técnico, consejera *f* técnica. 당(黨) ~ consejero, -ra *mf* del partido. 대통령 ~ consejero, -ra *mf* presidencial. 법률 ~ asesor, -sora *mf* legal, consejero, -ra *mf* legal; jerisconsulto, -ta *mf*. 재정 ~ consejero *m* financiero, consejera *f* financiera; asesor *m* financiero, asesora *f* financiera. 편집(編輯) ~ editor *m* consultivo, editora *f* consultiva.
■ ~관(官) consejal, -jala *mf*; consejero, -ra *mf*; asesor, -sora *mf*. ~단(團) grupo *m* consultivo, cuerpo *m* consultivo. ~ 변호사(辯護士) abogado *m* consultor, abogada *f* consultora; abogado, -da *mf* consultante. ~회(會) junta *f* consultora.

고문서(古文書) texto *m* antiguo, documento *m* antiguo.
■ ~ 보관소 archivo *m*. ~학 paleografía *f*. ¶~의 paleográfico. ~ 학자 paleógrafo, -fa *mf*.

고문장(古文章) =고문(古文).

고문학(古文學) literatura *f* antigua.

고문헌(古文獻) literatura(s) *f(pl)* antigua(s), documentos *mpl* antiguos, récords *mpl* documentales antiguas.

고물[1] [떡의] *gomul*, judía *f* en polvo (para el pan coreano), pasta *f* de judías azucarada. 떡에 깨~을 묻히다 cubrir el pan coreano con el ajonjolí en polvo.

고물[2] [배의 뒤쪽] popa *f*. ~에 en la popa. ~쪽으로 a popa. 이물에서 ~까지 de proa a popa. ~에 앉다 sentarse en la popa. ~쪽으로 가다 ir a popa.

고물(古物/故物) ① [옛날 물건] objeto *m* antiguo, antigüedades *fpl*. ② [헌 물건] objeto *m* viejo, cosa *f* vieja, artículo usado, artículo *m* de segunda mano, antigualla *f*. ③ [쓸모 없는 사람] persona *f* inútil, hombre *m* inútil.
■~ 가격 precio *m* de artículos de segunda mano. ~상(商) ㉮ [가게] tienda *f* de antigüedades, tienda *f* de viejo, tienda *f* de cosas usadas, anticuario *m*. ㉯ [사람] ropavejero, -ra *mf*; trapero, -ra *mf*; chamarilero, -ra *mf*; prendero, -ra *mf*; anticuario, -ria *mf*; comerciante *mf* de antigüedades; *CoS* botellero, -ra *mf*. ~선(船) barcucho *m*, carraca *f*. ~ 시장 rastro *m*, mercado *m* de las pulgas, *CoS* mercado *m* de pulgas. ~ 자동차 cacharro *m*, coche *m* desvencijado, coche *m* destartalado, coche *m* gastado. ~전(廛) prendería *f*, tienda *f* de artículos de segunda mano.

고물가(高物價) precio *m* alto.

고물거리다 retorcerse, avanzar serpenteando, avanzar culebreando.
고물고물 retorciéndose, avanzando serpenteando.

고물대다 =고물거리다.

고미(古米) arroz *m* añejo.

고미(苦味) amargura *f*, sabor *m* amargo.
■ ~ 정기(丁幾)[팅크] tintura *f* amarga. ~제[약] medicina *f* amarga.

고미가 정책(高米價政策) política *f* del precio alto.

고미다락 una especie del desván.

고미술품(古美術品) objetos *mpl* de arte de antigüedades.

고미집 casa *f* con un desván.

고민(苦悶) agonía *f*, congoja *f*, angustia *f*; [걱정] preocupación *f*; [번거로움] molestia *f*; [고뇌] padecimiento *m*, pena *f*, dolor *m*. ~하다 agonizar, acongojarse, sufrir mucho. 돈의 ~ preocupaciones *fpl* de dinero. 사랑의 ~ penas *fpl* de amor, padecimiento *m* de amor. ~에 가득찬 표정 expresión *f* llena de amargura. 사랑으로 ~하다 padecer de amor, penar por amor, estar enfermo de amor. 그는 ~이 있다 El tiene preocupaciones / El sufre. 그는 얼굴에 ~의 빛을 띠고 있다 El puso cara de angustia / Su rostro tomó una expresión dolorosa.
■ ~거리 quebradero *m* de cabeza, dolor *m* de cabeza, (motivo *m* de) preocupación *f*. ¶이 학생(學生)은 선생님들의 ~이다 Este alumno es la constante preocupación [el dolor de cabeza] de los profesores.

고밀도 집적 회로(高密度集積回路) integración *f* a gran escala, LSI *f*.

고박(賈舶) =상선(商船).

고박하다(古朴/—) (ser) anticuado y sencillo.
고박히 anticuada y sencillamente.

고발(告發) queja *f*, 【법률】 acusación *f*, denuncia *f*. ~하다 acusar, denunciar, imputar. ~되다 ser acusado, ser denunciado. 경찰에 ~하다 denunciar a *uno* a la policía, formular [presentar] una queja ante la policía, llevar un asunto a la policía; [사람을] acusar a *uno* a la policía. 나는 그를 상해죄로 ~했다 Yo le acusé de delito de agravio. 그는 사기죄로 ~당했다 El fue acusado de haber cometido una estafa.
■ ~ 문학 literatura *f* acusadora. ~인[자] acusador, -ra *mf*; denunciador, -ra *mf*; denunciante *mf*. ~장 escrito *m* de acusación presentado a un jurado. ~ 정신 espíritu *m* acusador. ~ 조건 condición *f* acusadora.

고방(庫房) almacén *m* (*pl* almacenes), depósito *m*, cuarto *m* de almacenar, *Méj* bodega *f*; [음식용] despensa *f*.

고배(苦杯) ① [쓴 술잔] copa *f* amarga. ② [쓰라린 경험] experiencia *f* amarga, amarga derrota *f*.

◆고배(를) 들다[마시다] [패배하다] sufrir una amarga derrota; [시합에서 지다] perder el partido; [괴롭고 쓰라린 경험을 하다] pasar por una amarga experiencia, tener una experiencia amarga; [실패하다] tener un amargo fracaso, fracasar, salir mal.

고배(高配) ① [타인의 배려의 높임말] su atención, su consideración. ② ((준말)) = 고배당(高配當).

고배당(高配當) 【주식】 dividendo *m* alto.

고백(告白) confesión *f*; [사랑의] declaración *f*; [신앙의] profesión *f*. ~하다 confesar, declarar. 신앙의 ~ profesión *f* de fe. 사랑을 ~하다 declarar [confesar] su amor. 죄를 ~하다 confesar *sus* pecados, confesarse de *sus* culpas. 신앙의 ~을 하다 hacer profesión de fe. 이것을 당신께 ~하리이다 (사도 행전 24:14) Esto te confieso / Lo que sí confieso.

■~ 문학 literatura *f* de confesión. ~서(書) confesión *f* escrita. ~ 성사(聖事) sacramento *m* de penitencia. ~ 소설 novela *f* de confesión. ~의 기도 confesión *f* general. ~적(的) penitente.

고백반(枯白礬) 【화학】 alumbre *m* calcinado, sulfato *m* aluminicopotásico anhidro.

고범(孤帆) barco *m* solitario.

고범(故犯) crimen *m* intencional.

고법(古法) regulaciones *fpl* antiguas.

고법(高法) ((준말)) = 고등 법원(高等法院).

고벽(高壁) pared *f* alta.

고벽(痼癖) costumbre *f* difícil de corregir.

고변(告變) denuncia *f* de una rebelión. ~하다 denunciar de la rebelión a *uno*.

고별(告別) despedida *f*. ~하다 despedirse (de), decir adiós (a).

■~사(辭) ㉮ [전임(轉任)·퇴관(退官)·퇴직할 때의 작별사] discurso *m* de despedida. ㉯ [고인(故人)에게 영결을 고하는 의식] alucución *f* fúnebre. ~식(式) ㉮ [송별식] ceremonia *f* de despedida. ㉯ [영결식] misa *f* funeral. ~연[파티] banquete *m* [fiesta *f*] de despedida. ~ 연주회 concierto *m* de despedida. ~전(戰) último partido *m*. ~회(會) reunión *f* de despedida.

고병(古兵) (soldado *m*) veterano *m*.

고병(雇兵) = 용병(傭兵).

고보(高報) aviso *m* del alza del precio.

고복(古服) ① [낡은 옷] ropa *f* vieja. ② [옛적의 옷] ropa *f* antigua.

고복(皐復) = 초혼(招魂).

고복(鼓腹) vida *f* cómoda y holgada. ~하다 vivir cómoda y holgadamente.

■~ 격양(擊壤) gozo *m* de paz. ¶~하다 gozar de la paz.

고복(顧復) crianza *f* de los hijos de los padres. ~하다 los padres crían a *sus* hijos.

고본(古本) ① [헌 책] libro *m* usado, libro *m* de segunda mano. ~을 수집하다 coleccionar los libros de segunda mano. ② [옛판] edición *f* antigua.

고본(稿本) manuscrito *m*.

고봉(孤峰) pico *m* aislado.

고봉(高俸) sueldo *m* alto, salario *m* alto.

고봉(高峰) pico *m* alto, cumbre *f* alta, cima *f* alta.

■~ 절정(絶頂)[정상(頂上)] el pico más alto de la montaña. ~ 준령(峻嶺) el pico alto y la cadena empinada.

고부(告訃) = 부고(訃告).

고부(姑夫) ① ((준말)) = 고모부(姑母夫). ② [남편의 자매의 남편] esposo *m* de la hermana de *su* esposo.

고부(姑婦) la suegra y la nuera, la madre política y la hija política.

■~간(間) entre la suegra y la nuera. ¶~ 싸움이 잦다 Riñen repetidas veces entre la suegra y la nuera.

고부(高阜) colina *f* alta.

고부라뜨리다 torcer, curvar, doblar. 철사를 ~ torcer el alambre.

고부라지다 torcer(se), curvarse. 고부라지기 쉬운 flexible. 길은 왼쪽으로 고부라진다 El camino tuerce a la izquierda. 이 모퉁이에서 오른쪽으로 고부라져 곧장 가십시오 Usted tuerce a la derecha en esta esquina y siga derecho.

고부라트리다 = 고부라뜨리다.

고부랑길 camino *m* curvado.

고부랑이 objeto *m* curvado.

고부랑하다 (estar) curvado, torcido; [등이나 사람이] encorvado.

고부량 삼성(高夫梁三姓) *goburyang samseong*, tres apellidos que aparecen en la historia de fundación del país *Tamraguk*.

고부지례(姑婦之禮) etiqueta *f* entre la suegra y la nuera.

고분(古墳) tumba *f* antigua, sepulcro *m* antiguo, túmulo *m*.

고분(鼓盆) muerte *f* de la esposa.

■~지탄(之嘆) lamento *m* de la muerte de *su* esposa. ~지통(之痛) tristeza *f* de la muerte de *su* esposa.

고분고분 obedientemente, dócilmente, mansamente, sumisamente. ~하다 ㉮ [공손하고 부드럽다] (ser) apacible, manso, dulce. ~ 명령에 따르다 someterse a una orden, obedecer una orden mansamente. ㉯ [시키는 대로 순순히 잘 듣다] (ser) obediente, dócil, sumiso. ~한 아이 niño, -ña *mf* dócil. ~ 충고를 받아들이다 aceptar los consejos dócilmente, seguir los consejos de buen talante. ~ 자백하다 confesar francamente. ~ 잘못을 인정하다 confesar *su* falta sumisamente. 너무 ~해도 좋지 않다 No es bueno ser demasiado dócil [obediente] / Un hombre demasiado dócil es problemático.

고분고분히 obedientemente, con obediencia dócilmente, sumisamente, francamente.

고분자(高分子) 【화학】 macromolécula *f*, polí-

mero *m* elevado.
▪ ~ 물질 substancia *f* de macromoléculas. ~ 반도체 polímero *m* semiconductor. ~ 전해질(電解質)【화학】polielectrólito *m*. ~ 화학 química *f* de polímero elevado. ~ 화합물 compuesto *m* de polímero elevado, combinación *f* de macromoléculas.

고불(古佛) ① ((불교)) Buda *m* antiguo. ② ((준말)) =명사 고불(名士古佛). ③ [나이가 많은 노인] (hombre *m*) viejo *m* que tiene muchos años de edad.

고불거리다 serpentear, zigzaguear. 시내가 여기서부터 고불거리기 시작한다 El arroyo empieza a zigzaguear de aquí.
고불고불 en zigzag, haciendo zigzag. ~하다 zigzaguear. ~한 en zigzag, zigzagueante, serpeante. ~한 냇물 arroyo *m* serpeteante. ~한 산길 senda *f* de montaña en zigzag. 길은 정상까지 ~ 올라간다 La carretera sube haciendo zigzag [en zigzag] hasta la cima. 개울이 들 가운데를 ~ 흐르고 있다 El arroyo serpentea a través del campo.

고불탕하다 (ser) serpeteante, zigzagueante, en zigzag. 고불탕한 길 camino *m* serpeteante.
고불탕고불탕 en zigzag, haciendo zigzag. ~한 개천 arroyo *m* serpeteante.

고붓하다 (estar) algo curvado, algo torcido, algo encorvado.

고붕(高朋) buen amigo *m*.

고붙치다 doblar, plegar, arrugar.

고블랭(불 *goblins*) [프랑스 산(産) 벽걸이 장식용 융단] gobelinos *mpl*.

고비[1] 【식물】osmunda *f*, helecho *m* real.

고비[2] [절정] clímax *m*; [절정기] apogeo *m*; [위기] crisis *f*, momento *m* crítico. 더위가 ~를 넘겼다 Ha pasado el apogeo del calor. 더위는 지금이 ~다 El calor está ahora en su apogeo. 병세가 ~를 넘겼다 Ha pasado la fase crítica de la enfermedad.
고비늙다 chochear; [상태] estar decrépito, estar chocho, estar caduco.
고비판 momento *m* crítico, momento *m* decisivo, momonto *m* crucial.
고빗사위 borde *m*, momento *m* crítico. 생사(生死)의 ~에 있다 estar [encontrarse] en el borde entre la vida y la muerte.

고비[3] [편지 등을 꽂아 두는 물건] organizador *m* de la carta.

고비(叩扉) llamada *f* a la puerta. ~하다 llamar a la puerta.

고비(古碑) lápida *f* sepulcral antigua.

고비(考妣) *sus* difuntos padres.

고비(苦悲) la angustia y la tristeza.

고비(高批) su crítica.

고비(高庇) su protección.

고비(高卑) la nobleza y la bajeza.

고비(高飛) vuelo *m* alto. ~하다 volar alto.
▪ ~ 원주(遠走) huida *f*, escape *m*, fuga *f*. ¶~하다 huir, escaparse, fugarse,

고비(高鼻) nariz *f* (*pl* narices) alta.

고비사막(Gobi 砂漠)【지명】desierto *m* de Gobi.

고빈(高賓) =귀빈(貴賓).

고뿔 =감기(感氣)(resfriado).

고삐 rienda *f*. ~를 끌다 tirar de las riendas, apretar las riendas. ~를 잡다 llevar al caballo por la brida. 말에 ~를 달다 poner las riendas al caballo.
◆고삐 놓은 말 caballo *m* desbocado. 고삐를 늦추다 aflojar las riendas.

고사(古史) historia *f* antigua.

고사(古寺) templo *m* budista antiguo.

고사(古事/故事) hecho *m* antiguo, hecho *m* histórico, tradición *f*, leyenda *f*, cosa *f* antigua. ~의 내력(來歷)을 이야기하다 remontarse al origen (de), contar la historia.

고사(古祠) santuario *m* antiguo.

고사(古査) tocón *m* del árbol antiguo.

고사(考思) =고려(考慮).

고사(考査) examen *m*. ~하다 examinar.

고사(告祀)【민속】ofrecimiento *m* de un sacrificio a los espíritus. ~하다 ofrecer un sacrificio a los espíritus.
▪ ~떡 pastel *m* ofrecido a los espíritus.

고사(固辭) rechazo *m* positivo. ~하다 obstinarse en rehusar, empeñarse en rehusar, persistir en rechazar, repulsar con persistencia, recusar con persistencia.

고사(孤寺) templo *m* budista solitario.

고사(告辭) discurso *m* reprobatorio.

고사(枯死) marchitamiento *m*. ~하다 marchitarse.

고사(苦思) ① [괴로운 생각] pensamiento *m* afligido. ~하다 pensar afligidamente. ② [깊은 생각] pensamiento *m* profundo. ~하다 pensar profundamente.

고사(高士) ① [고결한 선비] sabio *m* noble y recto. ② [뜻이 높고 덕이 있는 훌륭한 사람] hombre *m* de alta virtud.

고사(庫舍) =곳집.

고사(庫紗) una especie de la seda lujosa.

고사(高射) tiro *m* hacia el cielo alto.
▪ ~ 기관총 ametralladora *f* antiaérea. ~포(砲) cañón *m* (*pl* cañones) antiaéreo.

고사(篙師) remero *m* viejo con el trabajo de remar.

고사리【식물】helecho *m* (común).
◆고사리 같은 손 manos *fpl* pequeñas y regordetes de los niños. 고사리밥 같은 손 =고사리 같은 손.
▪ ~나물 helecho *m* cocido y condimentado. ~밥 arroz *m* de helecho. ~산적(散炙) pincho *m* de carne de vaca cortada largamente y sazonada con el helecho. ~국 sopa *f* de helecho.

고사리식물(一植物)【식물】=양치식물.

고사문(一門) puerta *f* del palacio real.

고사본(古寫本) códice *m*, copia *f* tradicional.

고사풍 afección *f* reumática de los músculos de los miembros repentinos, una enfermedad del caballo o del cerdo.

고사하고(姑捨一) excepto, menos, aparte de. 비용은 ~ aparte de los gastos.

고삭부리 ① [음식을 많이 먹지 못하는 사람]

el que no come mucho. ② [허약 체질로 병치레가 잦은 사람] enfermizo, -za *mf*.

고산¹(孤山) [외따로 있는 산(山)] montaña *f* aislada.

고산²(孤山) *gosan*, seudónimo *m* del Sr. Yun Seon Do.

고산(故山) =고향(故鄕)(pueblo natal).

고산(高山) montaña *f* alta, montaña *f* elevada, monte *m* alto. ~의 alpino, alpestre.
■ ~ 관측(觀測) observación *f* alpina. ~ 기후 【기상】 =산악 기후. ~대(帶) zona *f* alpina. ~ 도시 ciudad *f* alpina. ~ 동물 animal *m* alpino. ~병(病) mal *m* de montañas, mal *m* de altura, enfermedad *f* montañera, *Andes* soroche *m*, *CoS* apunamiento *m*, *Chi* puna *f*. ~ 생활 vida *f* alpina. ~ 식물 vegetación *f* alpina, flora *f* alpina, planta *f* alpestre. ~ 식물원 jardín *m* (*pl* jardines) alpino. ~ 요양소 sanatorio *m* alpino. ~ 유수(流水) ㉮ [높은 산과 흐르는 물] la montaña alta y el agua que corre. ㉯ [미묘한 음악] música *f* delicada que es muy difícil de entender. ㉰ [지기(知己)] conocido, -da *mf*. ~ 초원 prado *m* alpino.

고산(高算) artificio *m* excelente.

고산자(高山子) *gosanja*, seudónimo *m* del Sr. Kim Cheong Ho.

고살(故殺) homicidio *m* sin premeditación, homicidio *m*. ~하다 cometer un asesinato, cometer un crimen.

고상(古象) 【동물】 =매머드.

고상(固相) 【화학】 =고체상(固體相).

고상(故上) esposa *f* del difunto noble.

고상(枯桑) 【식물】 =꾸지뽕.

고상(枯傷) marchitez y herida. ~하다 marchitarse y herir.

고상(孤孀) el huérfano y la viuda.

고상(高尙) ① [품이 있으며 고상함] nobleza *f*, sublimidad *f*, elegancia *f*; [세련] refinamiento *m*. ~하다 (ser) noble, sublime, elevado, elegante, exquisito, refinado. ~한 취미 gusto *m* exquisito, gusto *m* refinado. ~함이 있다 tener elegancia. ② [뜻이 높고 거룩함] voluntad *f* alta y sagrada.
고상히 noblemente, sublimemente, elegantemente; alta y sagradamente.
■ ~기지(其志) posesión *f* del corazón noble. ~하다 tener el corazón noble.

고상(高相) impresión *f* noble.

고상(高翔) vuelo *m* alto. ~하다 subir volando alto.

고상고상 desveladamente, en vela. ~하다 quedarse desvelado [en vela].

고상체(睾上體) =부고환(副睾丸).

고샅 ① [고샅길] callejuela *f*. ② [좁은 골짜기의 사이] espacio *m* del valle estrecho.
고샅고샅 todas las callejuelas.
■ ~길 callejuela *f*.

고새(固塞) fortaleza *f* bien fortificada.

고색(古色) ① [(오래되어) 낡은 빛] color *m* ofusco, vetustez *f*. ② [예스러운 풍치나 모습] aspecto *m* añejo, figura *f* antigua.
■ ~ 창연(蒼然) apariencia *f* de antigüedad, vetustez *f*. ~하다 tener apariencia de antigüedad, ser añejo, ser vetusto, ser antiguo.

고생(苦生) sufrimiento *m*, vida *f* difícil, penalidad *f*; [노고(勞苦)] trabajo *m*; [노력] esfuerzo *m*; [심로(心勞)] pena *f*. ~하다 sufrir (de · con · por), atormentarse (por), penar, tener pena, pasar un trago amargo, hacer esfuerzos [un esfuerzo]; [어려움] tener dificultades. ~해서 a duras penas, laboriosamente, con dificultades. ~없이 sin dificultad, sin preocupación, sin cuidado. ~한 보람도 없이 a pesar de los esfuerzos. 어떤 ~을 하더라도 a todo trance, a toda costa, cueste lo que cueste. 공복(空腹)으로 ~하다 pasar hambre, sufrir hambre. 두통으로 ~하다 sufrir [padecer] (de) dolor de cabeza. 뱃멀미로 ~하다 sufrir un mareo. 부모를 ~시키다 molestar [afligir] a *sus* padres. 산다는 것이 ~이다 aburrirse de vivir. 중세(重稅)로 ~하다 gemir bajo pesados impuestos. 모진 ~을 하다 pasar las de Caín, padecer mucho. 그녀는 치통으로 ~하고 있다 Ella padece dolores de muela [de diente]. 나는 채무 변제 때문에 ~하고 있다 Me atormenta la liquidación de la deuda. 나는 ~거리가 그치지 않는다 No se me agota la fuente del sufrimiento. 나는 ~한 보람이 있었다 La pena [El sufrimiento] no me ha resultado en vano [me ha dado sus frutos]. 그의 ~은 헛되었다 Su esfuerzo ha resultado vano / Su esfuerzo no ha servido de nada. 이 일을 하는 데는 ~이 많다 Hay muchas dificultades en este trabajo. 나는 그 일을 하느라 ~을 많이 하고 있다 Me cuesta mucho hacer este trabajo / Este trabajo me causa muchos dolores de cabeza. 나는 돈 때문에 ~을 하고 있다 El dinero me trae de cabeza. 나는 좋은 책을 고르느라 ~했다 Me era difícil escoger el libro del buen contenido. 그는 ~해서 현재의 지위에 이르렀다 Con muchos esfuerzos él ha llegado a la posición que ocupa ahora. 부모들은 늘 자식들 때문에 ~을 한다 Los padres siempre sufren por los hijos. 아무 ~없이 그 일을 해낼 수 있을 텐데 (그렇지 못하다.) Si fuera [fuese] fácil, no costaría nada hacerlo. ~하셨습니다 Gracias por su trabajo. ~을 시켜드려서 죄송합니다만 부탁을 들어 주십시오 Perdone la molestia, pero permítame que le pida un favor. 나는 ~한 보람이 없었다 Mis esfuerzos resultaron (ser) infructuosos [vanos].
■ 고생 끝에 낙(樂)이 있다 [온다] ((속담)) No hay mal que dure cien años.
고생고생 repitiendo muchos sufrimientos.
■ ~길 situación *f* difícil que no evita el sufrimiento, camino *m* espinoso. ~담(談) cuento *m* de sufrimiento. ~문(門) ㉮ [고생을 당할 운명] comienzo *m* del sufrimiento, fortuna *f* de sufrir. ㉯ ((은어)) =

영문(營門). ～바가지 ㉮ [평생 고생만 한 사람] hombre *m* que ha padecido sólo toda la vida. ㉯ ((은어)) ＝철모(鐵帽). ～살이 vida *f* dura. ～스럽다 ahorrar la molestía. ¶고생스러운 일 trabajo *m* duro. 그것은 고생스러운 일이다 Eso no tiene mucho mérito / Es un trabajo que se podría ahorrar la molestía de hacerlo. ～주머니 ㉮ ((속어)) ＝고생바가지. ㉯ ((속어)) [고생이 되는 일이 많은 사람] persona *f* que tiene mucho trabajo duro. ～티 rasgo *m* del sufrimiento.

고생계(古生界) 【지질】＝고생층(古生層).

고생대(古生代) 【지질】 era *f* paleozoica, paleozoico *m*. ～의 paleozoico.

고생물(古生物) organismos *mpl* extintos.
■～지(誌) paleontografía *f*. ～학 paleontología *f*. ¶～의 paleontológico. ～ 학자 paleontólogo, -ga *mf*.

고생 인류(古生人類) ＝화석 인류(化石人類).

고생층(古生層) 【지질】 estrato *m* paleozoico.

고서(古書) ① [오래된 책] libro *m* antiguo. ② [헌 책] libro *m* usado, libro *m* de segunda mano. ③ [옛날의 글씨] escritura *f* antigua.
■～ 장수 vendedor, -dora *mf* de libros usados. ～전(展) exposición *f* de libros antiguos raros. ～점(店) librería *f* que se trata de los libros usados, tienda *f* de libros usados.

고서(高書) su carta, su obra.

고서적(古書籍) libro *m* antiguo.

고서화(古書畵) libros *mpl* antiguos y cuadros *mpl* antiguos.

고석(古石) ① [이끼가 덮인 오래된 돌덩이] antigua piedra *f* musgosa. ② ＝괴석(怪石).

고석(古昔) tiempos *mpl* antiguos.

고석(鼓石) 【민속】＝북석.

고석(蠱石) 【광물】＝속돌.

고석기 시대(古石器時代) ＝구석기 시대.

고선(高蟬) cigarra *f* sobre el árbol alto, olvido *m* de la crisis de la caída.

고선(賈船) barco *m* mercante.

고설(古說) ① [옛날 이야기] cuento *m* antiguo, leyenda *f*, historia *f* antigua. ② [옛적의 학설] teoría *f* antigua, teoría *f* de los tiempos antiguos.

고설(高說) ① [훌륭한 논설이나 의견] discurso *m* excelente, opinión *f* excelente. ② [남을 높이어 그의「논설」] su discurso, su opinión.

고성(古城) castillo *m* antiguo.
■～터 ruinas *fpl* del castillo antiguo.

고성(古聖) santo *m* de los tiempos antiguos.

고성(告成) ① [일이 모두 이루어짐을 알림] aviso *m* del cumplimiento del trabajo. ～하다 avisar el cumplimiento del trabajo. ② [완성] perfeccionamiento *m*, cumplimiento *m*, acabamiento *m*. ～하다 perfeccionar, acabar (completamente), llevar a cabo, cumplir.

고성(固性) 【물리】＝강성(剛性).

고성(固城) castillo *m* fuerte; castillo *m* bien fortificado, castillo *m* bien defendido.

고성(孤城) castillo *m* remoto y solitario.
■～ 낙일(落日) el estar solo sin ayuda de nadie.

고성(孤聖) solo santo *m* solitario.

고성(高姓) familia *f* noble, noble *m*.

고성(高城) castillo *m* alto.

고성(高聲) alta voz *f*. ～으로 en voz alta. ～으로 외치다 gritar en voz alta.
■～ 규조(叫噪) ruido *m* en voz alta. ¶～하다 hacer un ruido en voz alta. ～기(器) ＝확성기. ～대규(大叫) grito *m* en voz alta. ¶～하다 gritar en voz alta. ～대질(大叱) reprimenda *f* en voz alta. ¶～하다 reprender seriamente en voz alta. ～대호(大呼) llamada *f* en voz alta. ～하다 llamar en voz alta. ～염불(念佛) oración *f* al Buda. ¶～하다 orar al Buda. ～전화 llamada *f* por teléfono en voz alta. ¶～하다 llamar por teléfono en voz alta.

고성(鼓聲) sonido *m* del tambor.

고성능(高性能) eficiencia *f* alta. ～의 potente, de alto rendimiento; [정밀한] de alta precisión.
■～ 수신기 receptor *m* de alta fidelidad, equipo *m* de alta fidelidad, hi-fi *m*. ～ 폭약 explosivo *m* de alta potencia, alto explosivo *m*.

고성소(苦聖所) ((천주교)) limbo *m*.

고섶 inmediatamente debajo de *su* nariz. 나는 바로 ～에 두고 못 찾는다 No puedo buscarlo cuando está inmediatamente debajo de mi nariz.

고세(古世) ＝고대(古代).

고세(高世) fama *f* de una generación. ～하다 ser famoso en una generación.

고세(庫稅) alquiler *m* del depósito.

고세공(藁細工) trabajo *m* en paja. ～하다 trabajar en paja.

고소(古巢) casa *f* vieja de los tiempos antiguos, nido *m* antiguo.

고소(告訴) querella *f*, denuncia *f*, acusación *f*. ～하다 querellarse, presentar una denuncia (contra), presentar una demanda (contra), poner pleito (a), entablar pleito (a), demandar (por), hacer una acusación. ～를 취하하다 desistir de *su* demanda. 법원에 ～하다 presentar una demanda a un tribunal; [사람을] poner pleito (a).
■～권(權) derecho *m* de querella. ¶～의 포기 renuncia *f* al derecho de querella. ～기간 término *m* de querella. ～의 대리(代理) representación *f* de querella. ～의 방식(方式) forma *f* de querella. ～의 불가분 indivisibilidad *f* de querella. ～의 취소 desistencia *f* [desistimiento *m*] de la demanda, revocación *f* de querella. ～인(人) acusador, -dora *mf*, querellante *mf*. ～장(狀) denuncia *f*, escrito *m* de querella.

고소(苦笑) riza *f* forzada, riza *f* del conejo, risa *f* amarga. ～하다 sonreír forzadamente, reírse amargamente, reírse con amargura.

고소(高所) altura *f*, sitio *m* [lugar *m*] alto.
■ ~ 공포(증) acrofobia *f*.
고소(鼓騷) ruido *m*. ~하다 hacer un ruido.
고소득(高所得) gran ingreso *m*, ingreso *m* de tipo superior.
■ ~층(層) acoplamiento *m* de ingresos de tipo superior.
고소원(固所願) lo que se desea originalmente.
◆고소원이나 불감청(不敢請)이다 Eso es lo que se deseaba originalmente, pero no se atreve a pedirlo / Eso es exactamente lo que yo deseaba / No pido otra cosa mejor.
고소하다 ① [깨소금이나 참기름 따위의 맛이나 냄새와 같다] oler como sésamo o aceite de sésamo, tener el sabor de sésamo, ser fragante, ser dulce, ser sabroso. 고소한 참기름 aceite *m* de sésamo fragante. ② [(미운 사람이 잘못하거나 할 때) 기분이 좋고 흐뭇하다] merecer, tener merecido, estar muy bien empleado, ganar bien. 참 ~ ¡Tú lo mereces! / ¡Lo tienes merecido! / ¡Te está muy bien empleado! / ¡Te lo has ganado bien!
고소히 fragantemente, dulcemente, sabrosamente; merecidamente.
고속(古俗) costumbre *f* antigua.
고속(高速) ((준말)) =고속도(高速度).
■ ~강(鋼) ((준말)) =고속도강. ~ 도로 autopista. ~ 버스 autobús *m* exprés. ~ 사진 fotografía *f* de alta velocidad. ~ 잠수함 submarino *m* rápido. ~ 철도 ferrocarril *m* rápido.
고속가(高俗歌) *gosokga*, canción *f* popular y vulgar de la época de la dinastía *Koryo*.
고속도(高速度) gran velocidad *f*, alta velocidad *f*. ~의 rápido, ultrarrápido, de gran velocidad, de alta velocidad. ~으로 a alta velocidad, a gran velocidad, con mucha velocidad.
■ ~강(鋼) acero *m* rápido, acero de gran velocidad de corte. ~ 레이저 사진술 holografía *f* ultrarrápida. ~ 사진 fotografía *f* de alta velocidad. ~선(船) barco *m* de alta velocidad. ~ 수송 transportación *f* rápida. ~ 영화 película *f* rápida. ~ 윤전기 rotativa *f* de alta velocidad. ~ 차단기 disyuntor *m* ultrarrápido. ~ 촬영 rodaje *m* acelerado.
고속요(古俗謠) canción *f* popular de las casas particulares de los tiempos antiguos.
고손(高孫) =현손(玄孫).
고손녀(高孫女) nieta *f* del nieto, tataranieta *f*, rebiznieta *f*, rebisnieta *f*, tercera nieta *f*.
고손자(高孫子) =현손(玄孫).
고송(古松) pino *m* antiguo.
고송(孤松) pino *m* solitario.
고송(枯松) pino *m* marchito.
고수(固守) detención *f*, defensa *f* terca, persistencia *f* terca; mantenimiento *m* firme. ~하다 detener; [수비하다] defender tercamente, defender con persistencia; [견지하다] mantener firmemente, guardar firmemente, conservar firmemente.
고수(高手) [수가 높음] superioridad *f*, habilidad *f* excelente; [사람] maestro, -tra *mf*.
고수(高愁) gran preocupación *f*, gran ansiedad *f*.
고수(高壽) =고령(高齡).
고수(鼓手) =북잡이.
고수레 *gosure*, mezcla *f* del agua caliente en el arroz en polvo para hacer pastel coreano.
■ ~떡 *gosuretteok*, una especie del pastel de arroz cocido al vapor.
고수련 cuidado *m*, atención *f*. ~하다 cuidar (de), atender.
고수머리 cabellos *mpl* rizados; [집합적] pelo *m* encrespado, pelo *m* ensortijado, pelo *m* rizado; [사람] persona *f* con cabellos rizados; [낱낱] rizo *m*, bucle *m*. ~의 bufo.
고수부지(高水敷地) =둔치.
고수위(高水位) alto nivel *m* del mar.
고수준언어(高水準言語) 【컴퓨터】 lenguaje *m* de alto nivel.
고수풀 【식물】 =고수.
고스락 crisis *f*, momento *m* crítico, caso *m* de emergencia.
고스란하다 estar intacto, quedar intacto, quedar entero.
고스란히 todo, completamente, de modo completo. ~ 그대로 있다 quedar intacto.
고스러지다 (estar) esmirriado, desmirriado, flaco, extenuado, consumido.
고스톱(영 go + stop) ((「가라」「서라」의 뜻)) ① [교통 정리 신호] señal *f* de tráfico. ② [화투놀이의 한 가지] *gostop* *m*. ~을 치다 jugar a los naipes llamados *gostop*.
고스펠(영 *gospel*) ((기독교)) ① [복음(福音)] evangelio *m*. ② [복음서] el Evangelio. ③ [영가적 음악] gospel *m*.
■ ~ 송 [흑인의 종교 음악] gospel *m*.
고슬고슬 adecuadamente cocido. ~하다 ser adecuadamente cocido.
고슴도치 【동물】 erizo *m*.
■고슴도치도 제 새끼는 함함하다고 한다 ((속담)) El erizo piensa que su propia cría es la hermosa. 고슴도치 외[오이] 걸머지듯 ((속담)) Se debe mucho / Se tiene mucha deuda.
고습(故習) costumbre *f* de desde los tiempos antiguos, larga costumbre *f*.
고습(高濕) mucha humedad. ~하다 ser muy húmedo.
고승(高僧) ① [학식이 많고 덕이 높은 중] sacerdote *m* búdico de alta virtud, monje *m* santo, santo *m* budista, bonzo *m* de alta virtud. ② [상대편의 중을 높여 부르는 말] su bonzo.
고시(古時) tiempos *mpl* antiguos.
고시(古詩) ① [고대의 시] poema *m* antiguo poesía *f* antigua. ② ((준말)) =고체시(古體詩).
고시(考試) ① =시험(試驗)(examen). ② [공무원 임용 자격을 결정하는 시험] examen

m de admisión de los funcionarios públicos.

◆고등 ~ examen *m* [oposiciones *fpl*] del alto servicio civil. 보통(普通) ~ examen *m* de servicio civil. 사법(司法) ~ examen *m* de admisión de jueces y fiscales. 외무고등(外務高等) ~ examen del alto servicio civil para asuntos exteriores.

■ ~ 과목 asignaturas *fpl* para el examen, asignaturas *fpl* del examen. ~관 examinador, -dora *mf* oficial. ~료(料) derecho(s) *m(pl)* de examen. ~ 위원 examinador, -dora *mf*. ~ 위원회 comité *m* [comisión *f*] de examen. ~ 제도 sistema *m* de examen. ~ 준비 preparación *f* para un examen.

.시(告示) aviso *m*, declaración *f*, anuncio *m*; [국가 기관의] nota *f* oficial. ~하다 avisar, declarar, anunciar. 내각(內閣)의 ~ declaración *f* del consejo de ministros. ~를 발표하다 publicar [emitir] una nota oficial.

■ ~판(板) cartelera *f*.

시(高試) ((준말)) =고등 고시(高等考試).

시랑거리다 soler reprender [censurar].

고시랑고시랑 reprendiendo [censurando] frecuentemente.

시랑대다 =고시랑거리다.

시조(古時調) *sicho* *m* antiguo, verso *m* antiguo. ~를 읊다 recitar el verso antiguo.

시 활보(高視闊步) coraje *m* excelente.

식(古式) rito *m* antiguo, rito *m* tradicional, ritual *m* tradicional. ~에 따르면 según el rito antiguo [tradicional]. ~으로 꽉 차다 ser abundante en ritos antiguos.

식(固植) voluntad *f* recta, volundad *f* honrada.

식(姑媳) =고부(姑婦).

식(高識) conocimiento *m* alto, sabiduría *f* alta.

식(姑息) arreglo *m* provisional, *AmL* arreglo *m* provisorio.

■ ~적(的) precario, provisional. ¶~ 수단을 취하다 recurrir una medida precaria [previsional]. ~지계(之計) capa *f* superficial. ¶그의 지식은 ~이다 El sólo tiene una capa superficial de conocimientos adquiridos atolondradamente. ~책(策) =고식지계(姑息之計).

물학(古植物學) paleobotánica *f*.

!(孤身) cuerpo *m* solitario.

!(拷訊) =고문(拷問).

!(高紳) persona *f* de alta posición.

!(故實) costumbres *fpl* antiguas, tradición rancia.

!(鼓室) 【해부】 tímpano *m*, cavidad *f* timpánica. ~의 timpánico, timpanal.

~각 ángulo *m* timpánico. ~계(階) escala *f* timpánica. ~ 계측법 timpanometría *f*. ~고리 anillo *m* timpánico. ~ 교감 신경 절제술 timpanosimpatectomía *f*. ~꼭지틈새 fisura *f* timpanomastoidea. ~도 timpanograma *m*. ~동(洞) seno *m* timpánico. ~동굴 seno *m* timpánico. ~륜(輪) anillo *m* timpánico. ~ 마사지 fonopneumomasaje *m*. ~ 미로 고정술 timpanolabirintopexia *f*. ~ 벌집[봉소] célula *f* timpánica. ~ 성형술 timpanoplastia *f*. ~ 신경 nervio *m* timpánica. ~신경 얼기 plexo *m* timpánico. ~신경절(神經節) ganglio *m* timpánico. ~ 유돌염(乳突炎) timpanomastoiditis *f*. ~ 유양돌기(乳樣突起) timpanomastoide *m*. ~저(底) fondo *m* timpánico. ~ 절개술timpanectomía *f*. ~ 정맥 vena *f* timpánica. ~즐(櫛) crista *f* timpánica. ~ 추체(錐體) pirámide *m* de tímpano. ~판 platina *f* timpánica. ~ 하부(下部) hipotímpano *m*. ~ 혈종(血腫) hematotímpano *m*.

고심(古心) corazón *m* cándido.

고심(苦心) afán *m*, trabajos *mpl*, sufrimiento *m*; [노력] esfuerzo *m*, empeño *m*, tesón *m*. ~하다 angustiarse, atormentar su cerebro, desvelarse (por), afanarse (por + *inf*). ~해서 con muchos esfuerzos, haciendo esfuerzos esfanosos y penosos. 대답에 ~하다 no saber qué contestar. 사태 수습에 ~하다 angustiarse por no saber cómo arreglar la situación. 그는 채무 변제에 ~하고 있다 Le atormenta la liquidación de la deuda.

■ ~담(談) relato *m* de las penosas experiencias sufridas. ~작(作) obra *f* realizada con muchos esfuerzos. ~ 참담 muchos esfuerzos, esfuerzos *mpl* esfanosos y penosos, duras penas *fpl*. ¶~하다 hacer muchos esfuerzos, hacer esfuerzos esfanosos y penosos, sudar tinta (para + *inf*), trabajar como un negro (para + *inf*), romperse los cascos (para + *inf*). ~하여 con muchos esfuerzos, haciendo esfuerzos afanosos y penosos, a duras penas. 내가 ~한 효과가 있었다 Mis penosos esfuerzos han dado fruto [han sido eficaces]. ~ 혈성(血誠) sinceridad *f* fiel.

고십(영 *gossip*) ① [한담(閑談)·잡담(雜談)] charla *f*, charladuría *f*, picotería *f*, parlería *f*, parla *f*. ② [험담(險談)] chisme *m*. ③ [신문 지상의] crónica *f* de sociedad.

■ ~ 칼럼 crónica *f* de sociedad.

고아(古雅) elegancia *f*. ~하다 (ser) elegante. 고아히 elegantemente, con elegancia.

고아(孤兒) huérfano, -na *mf*; [아버지를 여윈] (niño *m*) huérfano *m* de padre. ~의 huérfano. ~가 되다 quedar huérfano. A를 ~로 만들다 dejar huérfano a *uno*. 그는 ~가 되었다 El quedó huérfano. 그 여자는 두 살 때에 ~가 되었다 Ella quedó huérfana a los dos años. 수백 명의 아이들이 사고(事故)로 ~가 되었다 El accidente dejó huérfanos a cientos de niños.

◆전쟁 ~ huérfano, -na *mf* de guerra.

■ ~ 과부(寡婦) niño *m* huérfano de padre y la viuda que su esposo se murió. ~원(院) asilo *m* de huérfanos, hospicio *m*, orfanato *m*, orfelinato *m*.

고악(古樂) música *f* antigua.
고악(固握) toma *f* firme. ～하다 tomar firmemente.
고악(高嶽) montaña *f* alta, monte *m* alto.
고악기(古樂器) instrumento *m* musical antiguo.
고안(考案) idea *f*, plan *m*; [발명] invención *f*. ～하다 idear, imaginar, ingeniar, inventar [idear] un nuevo método [(una) máquina nueva]. ～해내다 ingeniarse, ingeniárselas, inventar. 새로운 기계를 ～하다 inventar una nueva máquina. 무슨 좋은 ～이 없습니까? ¿No se te ocurre ninguna idea buena? / ¿Qué nos aconsejarías hacer?
■ ～물(物) cosa *f* inventada. ～자 inventor, -ra *mf*. ～품(品) artículo *m* inventado.
고안(孤雁) ＝외기러기.
고암(古巖) roca *f* antigua con musgo.
고압(高壓) ① [높은 압력(壓力)] alta presión *f*. ② 【전기】 alta tensión *f*, alto voltaje *m*. ③ [마구 억누름] presión *f*, coacción *f*, opresión *f*, prepotencia *f*, arbitrariedad *f*.
■ ～계(計) piezómetro *m*. ～ 기관 máquina *f* de vapor de agua de alta presión. ～ 밀봉법 presionización *f*, presurización *f*. ～ 보일러 caldera *f* de alta presión. ～선 ((준말)) ＝고압 전선. ～ 송전 transmisión *f* de alta voltaje. ～솥 olla *f* de alta presión, autoclave *f(m)*. ～ 수단 medida *f* coertiva. ¶～을 쓰다 tomar una medida coactiva. ～실(室) cámara *f* de sobrepresión. ～ 장치 equipo *m* de alta presión. ～적(的) arbitrario, prepotente, coactivo, coercitivo, arrogante, insolente. ¶～으로 arbitrariamente, prepotentemente, coactivamente, coercitivamente, arrogantemente, insolentemente. ～인 태도로 con un tono autoritorio, de manera altiva, con una actitud coertiva [opresiva · represiva]. ～으로 행동하다 portarse con [tratar a] (*uno*) altivamente [despóticamente]. ～인 태도를 취하다 ponerse [mostrarse] arrogante. ～인 태도로 나오다 tomar [adoptar] una actitud coercitiva [opresiva · represiva]. ～ 전기 electricidad *f* de alta tensión. ～전류(電流) corriente *f* (eléctrica) de alta tensión, corriente *f* de alto voltaje. ¶위험 ～! ((게시)) ¡Peligro, alto voltaje! ～ 전선 cable *m* [alambre *m*] de alta tensión. ～정책 política *f* coactiva. ～ 케이블 cable *m* de alta tensión. ～ 터빈 turbina *f* de alta presión. ～통(筒) 【기계】 cilindro *m* de alta presión. ～ 회로(回路) circuito *m* de alto voltaje.
고애(高崖) precipicio *m* alto.
고액(苦厄) sufrimiento y calamidad.
고액(高額) importe *m* alto, suma *f* elevada, cantidad *f* elevada, gran cantidad *f*.
■ ～권(券) billete *m* bancario de gran valor nominal. ～ 납세자 contribuyente *mf* de gran cantidad. ～ 소득자 persona *f* (que goza) de una renta elevada [de buenos ingresos]. ～ 지폐 billete *m* de gran valor nominal.
고야 【인명】 Fransisco José de Goya y Lucientes (1746-1828) (서반아의 화가).
고약(膏藥) parche *m*, emplasto *m*; [연고] ungüento *m*, pomada *f*. ～을 바르다 aplicarse un parche, aplicarse un emplasto, emplastarse el hombro. 어깨에 ～을 바르다 [자신의] aplicarse un emplasto [un parche] al hombro, emplastarse el hombro.
고약하다 ① [냄새나 맛 따위가] oler mal, apestar. 냄새가 고약한 maloliente, pestilente, apestoso, fétido, hediondo. 술 [마늘]에서 고약한 냄새가 나다 oler (mal) a vino [a ajo]. 네 입 [발]에서 고약한 냄새가 난다 Te huele la boca [huelen los pies]. 이 고기는 고약한 냄새가 나기 시작한다 Esta carne comienza a oler mal. 담배는 입에서 고약한 냄새를 나게 한다 El tabaco hace oler (mal) la boca. ② [인심이나 언행 따위가] (ser) malvado, maligno, malicioso, malintencionado, de mal carácter, desagradable. 고약한 남자 hombre *m* malvado. 고약한 사람 persona *f* malvada, hombre *m* malvado. 고약한 여자 mujer *f* malvada. ③ [일기가 사납다] (ser) tempestuoso, tormentoso. 날씨가 ～ El tiempo es tempestuoso.
고약히 mal, apestosamente, fétidamente, hediondamente, malvadamente, malignamente, desagradablemente, tempestuosamente, tormentosamente.
고얀 ((준말)) ＝고약한(malvado, maligno).
¶～ 인간이로군! ¡Es un tipo malvado!
고양(高揚) exaltación *f*, ensalzamiento *m*. ～하다 exaltar, ensalzar, elevar. 사기를 ～시키다 exaltar la moral, elevar la moral.
고양(羔羊) ① ((천주교)) ＝어린양. ② [염소와 양] el chivo y la oveja.
고양(膏壤) tierra *f* fértil.
고양이 【동물】 gato *m*. 도둑～ gato *m* callejero, gato *m* vago. 수～ gato *m*. 암～ gata *f*.
◆고양이 낯짝만 하다 [이마빼기만 하다] ser muy estrecho, ser muy angosto. 고양이와 개다 Es una relación que se tiene rencor el uno del otro.
■고양이 목에 방울 달기 ((속담)) Es un argumento académico que es difícil de llevar a cabo.
■ ～ 새끼 gatito, -ta *mf*.
고양이소(一素) hipócrita *mf*, lobo *m* disfrazado de cordero.
고어(古語) ① [옛말] arcaísmo *m*, palabra *f* anticuada, palabra *f* antigua, voz *f* arcaica. ② [옛사람이 한 말] palabra *f* de los antiguos. ③ [옛 속담] proverbio *m* antiguo.
■ ～ 사전(辭典) diccionario *m* de arcaísmo.
고어(枯魚) pescado *m* seco con sal.
고어(苦語) ＝고언(苦言).
고언(古言) ＝옛말.
고언(古諺) proverbio *m* antiguo, refrán *m* (*pl* refranes) antiguo.
고언(苦言) advertencia *f* dura y sincera. ～을 하다 dar un consejo duro pero sincero (a),

hacer observaciones francas y severas (a).
고언(高言) =큰소리.
고여금(古如今) etenidad *f*, constancia *f*, permanencia *f*.
고여시 금여시(古如是今如是) =고여금.
고역(苦役) trabajo *m* duro, trabajo *m* penoso. ~을 치르다 pasarlo mal.
고역(高域) región *f* alta, comarca *f* alta.
고연(故緣) afinidad *f* antigua.
고연(高煙) humo *m* que sube alto.
고열(苦熱) calor *m* insoportable.
고열(高熱) ① [높은 열도(熱度)] (grado *m* de) calor *m*, temperatura *f*. ② 【의학】 [높은 신열(身熱)] fiebre *f* alta, calentura *f* elevada. ~에 시달리다 padecer una fiebre alta, estar afectado por una fiebre alta.
■~ 반응(反應) 【화학】 reacción *f* pirogenética. ~ 조정기(調整器) pirostato *m*.
고염(苦炎) =고열(苦熱).
고염(苦鹽) =간수.
고엽(枯葉) hoja *f* seca, hoja *f* marchita.
■~제(劑) defoliante *m*.
고영(孤詠) =고음(孤吟).
고영(孤影) aspecto *m* solitario.
고영(庫英) seda *f* de la calidad superior.
고영(高詠) ① canción *f* en voz alta. ② su poema y canción.
고영(高影) sombra *f* solitaria.
고영초(庫英綃) =고영(庫英).
고오(高傲) arrogancia *f*. ~하다 (ser) arrogante, soberbio.
고옥(古屋) casa *f* construida hace mucho tiempo, casa *f* vieja.
고온(高溫) alta temperatura *f*, temperatura *f* elevada.
■~계 =고온도계. ~균 termófilo *m*, bacteria *f* termofílica. ~ 다습(多濕) alta temperatura *f* y mucha humedad. ¶~의 caluroso y húmedo, cálido y de mucha humedad. ~한 지방 región *f* [comarca *f*] calurosa y húmeda, región *f* cálida y de mucha humedad. ~ 반응(反應) reacción *f* pirogenética. ~ 생존(生存) [세균의] termobiosis *f*. ~ 지대(地帶) zona *f* de alta temperatura. ~ 측정(법) pirometría *f*. ~ 호흡 촉진 termopolipnea *f*.
고온도(高溫度) =고온(高溫).
고온도계(高溫度計) pirómetro *m*.
■~ 검사기 verificador *m* de pirómetros. ~ 스위치 conmutador *m* pirométrico. ~ 회로(回路) circuito *m* pirométrico.
고와(古瓦) ① [옛 기와] teja *f* antigua. ② [낡은 기와] teja *f* vieja.
고왕 금래(古往今來) =고금(古今).
고요 silencio *m*, tranquilidad *f*, serenidad *f*, paz *f*. ~하다 (ser) tranquilo, silencioso, quieto, pacífico.
고요히 tranquilamente, quietamente, pacíficamente.
고요(古謠) canción *f* de la época antigua.
고욕(苦辱) apuro *m* y humillación. ~을 당하다 pasar apuros y humillación.
고욤 【식물】 una especie del caqui pequeño.
고용(雇用) empleo *m*. ~하다 emplear, tomar, dar trabajo (a). ~되다 ser empleado. 개인~의 empleado personal, privado. 개인~ 운전수 chófer *m* privado, chófer *m* personal. 피~인[자] empleado, -da *mf*.
■~인[주] patrón, -trona *mf*, empresario, -ria *mf*.
고용(雇傭) empleo *m*, trabajo *m* (a otros recibiendo dinero). ~하다 trabajar (a otros recibiendo dinero), ser empleado.
◆공평~ empleo *m* limpio. 단기 ~ empleo *m* a corto plazo. 장기~ empleo *m* a largo plazo. 종신(終身) ~ empleo *m* de toda una vida.
■~ 경영인 director *m* contratado, directora *f* contratada. ~ 계약 contrato *m* de empleo, contrato *m* de trabajo, pacto *m* de empleo, pacto *m* de trabajo. ~ 관계(關係) relación *f* de empleo. ~ 기간(期間) período *m* de empleo. ~법(法) ley *f* de empleo, ley *f* del trabajo, legislación *f* laboral. ~살이 servicio *m* como un empleado; [도제(徒弟)살이] aprendizaje *m*; [머슴살이] servicio *m* doméstico. ¶~를 하다 servir como un empleado; hacer [pasar] un aprendizaje. ~살이꾼 empleado, -da *mf*. ~ 상태 조사 encuesta *f* de condiciones de empleo. ~상황 situación *f* de empleo. ~세(稅) impuesto *m* sobre el empleo. ~원(員) ㉮ empleado, -da *mf*. ㉯ [단순한 노무에 종사하는 공무원] funcionario *m* empleado, funcionaria *f* empleada. ~인[자] empleado, -da *mf*, trabajador, -ra *mf*. ~자 명부(者名簿) lista *f* de empleados. ~ 정책(政策) política *f* de empleo. ~ 조건 condiciones *fpl* de empleo. ~주(主) patrón, -trona *mf*, patrono, -na *mf*, empleador, -ra *mf*. ~측 patronal *m*. ~직(職) trabajo *m* contratado.
고용체(固溶體) 【화학】 solución *f* sólida.
고우(故友) ① [사귄 지 오랜 벗] amigo *m* antiguo, amiga *f* antigua; viejo amigo *m*, vieja amiga *f*. ② [죽은 벗] difunto amigo *m*, difunta amiga *f*, amigo *m* muerto, amiga *f* muerta.
고우(苦雨) lluvia *f* intempestiva.
고우(膏雨) lluvia *f* tempestiva, lluvia *f* oportuna.
고운(孤雲) ① [외따로 떠도는 구름] nube *f* solitariamente flotante ② [가난한 선비] literato *m* pobre; [어진 선비] literato *m* virtuoso. ③ *Goun*, seudónimo *m* del Sr. Choi Chi Won.
■~ 야학(野鶴) literato *m* ocioso sin posición oficial.
고운(高韻) elegancia *f* exquisita.
고원(古園) jardín *m* antiguo.
고원(故園) ① [옛 뜰] patio *m* antiguo; [예전에 살던 곳] lugar *m* que vivía antes. ② =고향(故鄕).
고원(高圓) =대공(大空).
고원(高原) altiplanicie *f*, altillano *m*, *AmL* altiplano *m*; [대지] meseta *f*.
◆개마 ~ altiplanicie *f* de *Gaema*.

■～ 지대 altiplanicie *f*, tierras *fpl* altas.

고원(雇員) empleado, -da *mf*.

고원(高遠) nobleza *f*, sublimidad *f*, elevación *f*. ～하다 (ser) noble, sublime, elevado. ～한 이상(理想) ideal *m* noble, ideal *m* sublime.

고월(孤月) luna *f* solitaria.

고월(皐月) mayo *m* (del calendario) lunar.

고위(高位) ① [높은 지위] alta dignidad *f*, alto rango *m*, alta jerarquía *f*, alta [mucha] categoría *f*, alta posición *f*, alto puesto *m*. ～의 alto, de alto rango, de alta jerarquía. ～에 오르다 elevarse a una alta dignidad, llegar a ser una persona de alta [mucha] categoría. ② [높은 위치] posición *f* alta, lugar *m* alto.

■～ 고관 dignatario, -ria *mf*; prócer *m*; alto dirigente *m*. ～ 관장(법) enteroclisis *f*, enteroclisma *f*. ～ 교합(咬合) supraclusión *f*, supraoclusión *f*. ～급 협의회 consejo *m* de alto nivel, consejo *m* a nivel de rango alto. ～급 회담 conferencia *f* de alto nivel, conferencia *f* a nivel de rango alto. ～ 당직자(當直者) miembro *mf* de alto rango del partido político. ～ 외교 당국자 회담 conferencia *f* diplomática de autoridades de rango alto. ～자(者) dignatario, -ria *mf*; alto dirigente *m*. ～층(層) oficiales *mpl* altos, oficiales *mpl* de alta jerarquía. ～ 회담 negociaciones *fpl* de alto nivel.

고위도(高緯度) 【지리】 latitud *f* alta.

■～ 지방(地方) región *f* [distrito *m*] en la latitud lata.

고위하다(孤危-) (ser) solitario y peligroso.

고유(固有) ① [특유] característica *f*, peculiaridad *f*; [본질(本質)] esencia *f*. ～하다 (ser) propio; peculiar, particular, característico, nativo. ～의 말 *su* propia lengua *f*. 동양의 ～ 풍습 costumbre *f* peculiar del Oriente. 한국 ～의 음악 música *f* nativa de Corea. 한국 ～의 풍습 costumbre *f* propia [peculiar] coreana. ② [천성] inherencia *f*. ～하다 (ser) inherente, connatural.

■～ 간동맥(肝動脈) arteria *f* hepática propia. ～ 공막질(鞏膜質) sustancia *f* propia. ～광(光) luz *f* intrínseca. ～ 난소삭[난소 인대] ligamento *m* del ovario propio. ～막 membrana *f* propia. ～ 명사 sustantivo *m* [nombre *m*] propio. ～ 문자 letras *fpl* nativas a un país. ～ 문화 cultura *f* nativa. ～법 leyes *fpl* derivadas de las costumbres y las tradiciones de un país. ～색(色) color *m* local. ～성(性) característica *f*, peculiaridad *f*. ～ 식물(植物) flora *f* indígena. ～ 신앙(信仰) fe *f* peculiar. ～어 lengua *f* nativa. ～ 아세포(芽細胞) idioblasto *m*. ～ 염색질 idiocromatina *f*. ～ 운동 moción *f* propia. ～ 위샘[위선] glándula *f* gástrica propia. ～음(音) sonido *m* propio. ～ 재산(財産) *su* propia propiedad *f*. ～ 점성(粘性) viscosidad *f* intrínseca. ～ 정신 espíritu *m* peculiar. ～종(種) 【생물】 especies *fpl* indígenas, especie *f* endémica. ～ 진동(振動) vibración *f* propia. ～ 진동수 frecuencia *f* propia. ～층(層) túnica *f* propia. ～치(值) valor *m* propio. ～판(板) lámina *f* propia.

고유(高猷) artificio *m* excelente.

고유(膏油) aceite *m* para la lámpara.

고유지지(膏腴之地) tierra *f* fértil.

고유하다(膏腴-) ① [기름지고 살지다] (ser) gordo, tener mucha grasa. ② [땅이 걸다] (la tierra) ser fértil.

고육(股肉) carne *f* de muslo

고육조(高肉彫) 【미술】 ＝고부조(高浮彫).

고육지계(苦肉之計) recurso *m* desesprado. ～을 쓰다 adoptar [tomar · echar mano de] un recurso desesperado, recurrir a medio sacrificador (a *uno*).

고육지책(苦肉之策) ＝고육지계(苦肉之計).

고육책(苦肉策) ＝고육지계(苦肉之計).

고율(古律) disciplina *f* antigua.

고율(高率) tasa *f* elevada, tipo *m* elevado, razón *f* alta. ～의 이자(利子) interés *m* (de tipo) elevado.

■～ 관세(關稅) tarifa *f* aduanera elevada. ～ 배당(配當) dividendo *m* activo elevado. ～세(稅) impuesto *m* de tipo elevado. ～ 임금(賃金) salario *m* elevado.

고은(孤恩) ＝배은(背恩).

고은(高恩) gran favor *m*, benevolencia *f* alta, amabilidad *f* profunda, obligaciones *fpl*. ～을 입다 recibir un gran favor.

고을 pueblo *m*, distrito *m*, comarca *f*, región *f*, provincia *f*. 우리 ～의 남자 hombre *m* de nuestra propia provincia.

고을고을 varios pueblos; [부사적] todos los pueblos.

■～살이 servicio *m* como un jefe del distrito. ¶～하다 servir como un jefe del distrito.

고음(高吟) recitación *f* en voz alta.

고음(高音) ① [높은 소리] sonido *m* alto, voz *f* alta, tono *m* agudo. ～의 alto, agudo. 이 스피커는 ～이 잘 난다 Este altavoz reproduce bien el tono alto. ② 【음악】 soprano *m*.

■～계 【음악】 alta escala *f*. ～부(部) 【음악】 soprano *m*, tiple *m*. ～부 기호 clave *f* de sol.

고읍(古邑) pueblo *m* antiguo.

고의(古義) sentido *m* antiguo, interpretación *f* antigua, significación *f* antigua, acepción *f* antigua.

고의(古誼) ＝고의(古義).

고의(苦衣) ((천주교)) pantalones *mpl* de verano para hombres.

고의(故意) intención *f*, deliberación *f*. ～가 아닌 afectado, forzado. ～의 살인 asesinato *m* intencionado, asesinato *m* deliberado. ～거나 우연이거나 intencionadamente o por casualidad. ～가 아니다 (ser) involuntario, no deliberado. ～가 아닌 것 같다 Parece forzado. 미안합니다. ～가 아니었습니다 Lo siento, fue sin querer / Lo siento, no fue adrede.

고의로 intencionalmente, intencionadamente, adrede, a propósito, deliberadamente. ~하다 hacer queriendo [adrede · a propósito]. ~ 의무(義務)를 태만히 하다 desatender [faltar a · no cumplir con] *su* deber adrede [a propósito].

■~범(犯) delito *m* deliberado. ~적(的) intencional, intencionado, deliberado. ¶~으로 intencionadamente, deliberadamente, adrede, a propósito. ~인 모욕 insulto *m* intencional. ~인 파울 falta *f* intencionada. 우리들은 그것을 ~으로 하지 않았다 No lo hicimos queriendo [adrede · a propósito].

고의(高椅) silla *f* alta.

고의(高意) sentido *m* excelente.

고의(高義) moralidad *f* excelente, integridad *f* excelente.

고의(高誼) mucha amistad.

고의(高醫) médico, -ca *mf* excelente.

고의(袴衣) shorts *mpl* de verano.

■~ 적삼 *goui cheoksam*, shorts *mpl* de verano y chaqueta *f* de verano sin forro. ~춤 espacio *m* entre *su* abdomen y el cinturón de *sus* pantalones.

고이[1] [고 사람] ese hombre, él.

고이[2] ① [곱게] hermosamente, bellamente, bonitamente, bien. ~ 단장하다 adornar bien, embellecer. ② [귀중하게] preciosamente, valiosamente. ~ 키운 자녀(子女) hijos *mpl* que crían preciosamente. ③ [조용하고 편안히] pacíficamente, en paz, cómodamente. ④ [그대로 고스란히] completamente, de modo completo. 빌어온 물건을 ~ 돌려보내다 devolver las cosas prestadas completamente.

고인(古人) antiguo *m*, hombre *m* antiguo. ~들의 말에 따르면 según los antiguos (decían).

■~ 금인(今人) 여류수(如流水)라 Todos se mueren / Todo el mundo se muere.

고인(故人) ① [옛 친구] amigo *m* antiguo, amiga *f* antigua. ② [죽은 사람] muerto, -ta *mf*, difunto, -ta *mf*, persona *f* muerta; persona *f* fallecida; finado, -da *mf*. ~의 무덤 tumba *f* del muerto. ~이 되다 morir, fallecer, dejar de existir, finar, entregar el alma a Dios.

■~지자(之者) hijo *m* del amigo antiguo.

고인(雇人) ((준말)) =고용인(雇傭人).

고인(賈人) =장수.

고인(鼓人) =공인(工人).

고인(瞽人) ciego, -ga *mf*.

고인돌 dolmen *m* (*pl* dólmenes).

고임(雇賃) =품삯.

고입(高入) admisión *f* de la escuela superior.

고입(庫入) depósito *m* de las mercancías en almacén.

고입(雇入) =고용(雇用).

고자(古字) letras *fpl* en el estilo antiguo.

고자(告者) chismoso, -sa *mf*.

고자(孤子) yo.

고자(鼓子) hombre *m* con órganos genitales poco desarrollados.

고자(瞽子) ciego, -ga *mf*.

고자(姑姉) hermana *f* mayor de *su* padre.

고자 과학(孤雌寡鶴) persona *f* que *su* esposo o *su* esposa se murió.

고자누룩하다 ① [한참 떠들다가 조용하다] tranquilizarse. ② [몹시 괴롭고 답답하던 병세가 좀 수그러져 그만하다] aliviarse, calmarse, mitigarse.

고자누룩이 con tranquilidad, tranquilamente, mitigadamente.

고자매(姑姉妹) la hermana mayor y la hermana menor de su padre.

고자세(高姿勢) actitud *f* arrogante [insolente · intransigente · agresiva · provocativa]. ~를 취하다 tomar [adoptar] una actitud intrasigente [agresiva · provocativa], portarse (con *uno*) altivamente [despóticamente], tratar (a *uno*) altivamente [despóticamente], ponerse [mostrarse] arrogante.

고자쟁이(告刺－) chismoso, -sa *mf*, delator, -ra *mf*, soplón (*pl* soplones), -lona *mf*, acusón (*pl* acusones), -sona *mf*.

■고자쟁이가 먼저 죽는다 ((속담)) El soplón que quiere perjudicar a otro sufre daño primero.

고자질 delación *f*, chismoreo *m*, chismografía *f*, soplo *m*, soplonería *f*. ~하다 delatar, dar el soplo, ir con el soplo, soplar, soplonear, chismear, chismorrear.

고작[1] [기껏하여야] a lo más, lo más, cuando mejor, a lo sumo, todo lo más; [단순히] solamente, simplemente. ~ 아이들의 싸움이다 No es más que la riña de niños. ~ 천 원짜리다 No costará más de mil wones / Costará mil wones a lo más. ~ 만 원 때문에 소동을 피우지 마라 No os acaloréis por sólo diez mil wones. 그는 나를 욕하는 것이 ~이다 Todo lo que puede hacer es hablar mal de mí. 이 급료로는 나 혼자 생활하는 것이 ~이다 Con este salario puedo apenas mantenerme a mí solo.

고작(高爵) alta posición *f* social, rango *m* alto.

고장 ① [지방(地方)] región *f*, comarca *f*, distrito *m*. 그것은 그 ~의 풍속이다 Es la costumbre de la región. ② [주산지(主産地)] principal región *f* productora. 대구는 사과의 ~이다 *Daegu* es una principal región productora de las mazanas.

고장(告狀) carta *f* de los antiguos, carta vieja.

고장(古牆) muro *m* antiguo.

고장(苦杖) 【식물】 =호장(虎杖).

고장(枯腸) entraña *f* seca, entraña *f* vacía, estómago *m* vacío.

고장(苦障) ((불교)) aflicción *f* del infierno.

고장(股掌) el ingle y la palma.

고장(孤掌) una palma.

고장(故障) [기계 따위의] avería *f*, desarreglo *m*; [장애] obstáculo *m*; [사고] accidente *m*; [결함] defecto *m*. ~이 나다 [생기다] averiarse, estropearse, desarreglarse, quedarse averiado, no marchar [funcionar ·

andar] bien, tener una avería. ~(이) 난 estropeado, averiado. ~ 난 자동차 coche *m* averiado. ~ 나 있다 [차가] quedarse estancado, quedarse astacado. ~을 수리하다 reparar (una avería), arreglar (una avería). ~의 원인을 발견하다 encontrar la causa de la avería. 이 기계는 ~이 나 있다 Esta máquina está averiada / Esta máquina está estropeada / Esta máquina no anda bien / Esta máquina no funciona.

고장(高牆) muro *m* alto, muralla *f* alta.

고장(鼓掌) golpe *m* de las palmas. ~하다 golpear las palmas.

고장(鼓腸) 【의학】 meteorismo *m*.

고장(藁葬) sepultación *f* de pajas.

고장물 el agua *f* turbia.

고장애(高障礙) =고장애 경주.

■ ~ 경주(競走) =하이 허들.

고장지신(股掌之臣) =고굉지신(股肱之臣).

고재(高才/高材) talento *m* alto.

고쟁이 *gochaenghi*, una especie de la prenda interior para mujeres, prenda interior que se usa debajo del *dansokgot* y encima de la ropa interior.

고저(高低) [높낮이] la altura y la baja; [높이] altura *f*; [시세의] fluctuación *f*; [기복] altibajos *mpl*, desigualdades *fpl*, desnivelación *f*; [음(音)의] tono *m*; [요철(凹凸)] desnivel *m*, desigualdad *f*; [소리의] modulación *f*. ~가 있는 [토지가] desnivelado, desigual, accidentado. ~가 없는 nivelado, igual, llano.

■ ~각(角) 【군사】 ángulo *m* de elevación. ~자(字) =평측자(平仄字). ~ 장단 altura *f* y longitud. ~차 diferencia *f* de altitud; [토목의] diferencia *f* de elevación. ~ 측량 medición *f* geométrica de la altura. ~파(波) =횡파(橫波). ~ 평행봉 pararelas *fpl* asimétricas.

고저(高著) su obra.

고적(古跡/古迹/古蹟) ① [남아 있는 옛 물건이나 건물] monumento *m* histórico. ② [고적지] ruinas *fpl* (históricas).

■ ~ 보존회 la Sociedad de Preservación de los Lugares Históricos. ~지(地) =고적(古蹟)❷.

고적(孤寂) soledad *f*. ~하다 ser solitario. ~을 즐기다 amar la soledad. ~하게 살다 vivir solitariamente. ~한 나날을 보내다 llevar una vida solitaria.

고적히 solitariamente.

고적(故敵) enemigo *m* antiguo.

고적(高積) amontonamiento *m* alto. ~하다 amontonar alto.

고적(鼓笛) el tambor y la flauta.

■ ~대(隊) música *f* [músicos *mpl*] de desfile. ~대장(隊長) jefe *m* de la banda, bastonera *f*.

고적운(高積雲) 【기상】 altocúmulo *m*.

고전(古典) ① [옛날의 의식(儀式)] ceremonia *f* antigua. ② [옛날의 작품이나 서적] obra *f* antigua, libro *m* antiguo; [옛날의 경전] sagrada escritura *f* antigua. ③ [옛날의 예술 작품] clásicos *mpl*.

■ ~ 건축(建築) arquitectura *f* clásica. ~ 경제학(經濟學) economía *f* clásica. ~경제학파 escuela *f* clásica, clasicistas *mpl*. ~ 고대(古代) antigüedad *f* clásica. ~극(劇) teatro *m* clásico, drama *m* clásico, letras *fpl* clásicas. ~ 동화(童話) cuento *m* infantil clásico. ~ 문학 literatura *f* clásica, letras *fpl* humanas. ~ 물리학(物理學) física *f* clásica. ~미(美) belleza *f* clásica. ~ 발레 baile *m* clásico. ~성(性) lo clásico. ~ 소설 novela *f* clásica. ~악(樂) =고전음악(古典音樂). ~어 lengua *f* clásica. ~ 역학(力學) dinámica *f* clásica. ~ 예술 arte *m* clásico. ~ 음악 música *f* clásica. ~ 작가 clásico, -ca *mf*; autor *m* clásico, autora *f* clásica; escritor, -tora *mf* de los tiempos antiguos. ~적(的) clásico *adj*. ¶~인 기풍 aire *m* clásico. ~인 분위기 atmósfera *f* clásica. ~인 작품 obra *f* clásica. ~적 문학(的文學) literatura *f* clásica. ~적 예술(的藝術) arte *m* clásico. ~주의 clasicismo *m*. ¶~의 clásico, clacisista. 신(新)~ neoclasicismo *m*. ~주의자 clásico, -ca *mf*; clasicista *mf*. ~파(派) escuela *f* clásica. ~파 경제학 economía *f* clásica. ~파 건축 arquitectura *f* clásica. ~파 음악 música *f* clásica. ~학 estudios *mpl* clásicos, humanidades *fpl*. ~ 학자(學者) clásico, -ca *mf*; clasicista *mf*; humanista *mf*. ~학파 =고전경제학파(古典經濟學派).

고전(古殿) palacio *m* antiguo.

고전(古篆) carácter *m* de sello antiguo.

고전(古磚) el ladrillo y la teja antiguos.

고전(古錢) moneda *f* antigua.

■ ~ 박물관 museo *m* numismático. ~ 수집가 numismático, -ca *mf*; coleccionista *mf* de monedas. ~지(誌) numismatografía *f*. ~학(學) numismática *f*. ¶~의 numismático. ~학 연구가 numismático, -ca *mf*. ~학자 numismático, -ca *mf*.

고전(苦戰) batalla *f* dura, lucha *f* desesperada (contra fuerzas superiores). ~하다 combatir desesperadamente. A팀은 ~하고 있다 El equipo A libra un partido desesperado.

■ ~ 악투(惡鬪) =악전 고투(惡戰苦鬪).

고전(雇錢) =품삯.

고전장(古戰場) campo *m* de batalla antiguo.

고전적(古典籍) clásicas *fpl* chinas antes de la dinastía (de) *Choson*.

고절(苦節) inquebrantable perseverancia *f*.

■ ~ 십년(十年) diez años de inquebrantable perseverancia (en *sus* principios).

고절(高絶) carácter *m* noble.

고절(高節) altas virtudes *fpl*.

고점(高點) buena nota *f*.

고접(孤蝶) una mariposa solitaria.

고정(固定) [일정한 곳에 있어 움직이지 않음] fijeza *f*, fijación *f*. ~하다 fijar, establecer ~된 fijo, firme, estacionario, estacional, permanente. ~시키다 fijar, sujetar. 못으로 ~시키다 fijar *algo* con clavos. 호치키스로 ~시키다 sujetar *algo* con grapas. 책상을

땅바닥에 ~하다 fijar un pupitre en el suelo. 이 옷장은 벽에 ~되어 있다 Este armario está fijado [fijo] a la pared.
■~ 가격 precio *m* fijo. ~ 간첩 espía *mf* residente. ~ 관념(觀念) ㉮【심리】idea *f* fija. ㉯【음악】=고정 악상. ~급 salario *m* fijo, sueldo *m* fijo, sueldo *m* regular. ~기(期) fijeza *f*. ~도르래 polea *f* fija. ~독(毒) virus *m* fijo. ~ 독자 lector *m* fijo, lectora *f* fija; [신문·잡지 따위의] subscriptor, -tora *mf* regular. ~ 디스크 드라이브【컴퓨터】unidad *f* de discos fijos. ~란(欄) columna *f* regular. ~ 레이트 (tipo *m* de) interés *m* fijo. ~물 cuerpo *m* fijo, fijación *f*. ~ 부수 número *m* fijo de subscripciones. ~ 부채(負債) pasivo *m* fijo consolidado. ~ 비용 gastos *mpl* fijos, cargo *m* fijo. ~ 비율(比率) tipo *m* de interés fijo. ~손님 cliente *mf* regular. ~수 número *m* fijo. ~ 수입(收入) renta *f* fija. ~식 탄약(式彈藥) munición *f* fija. ~ 신호기(信號機) =상치 신호기(常置信號機). ~ 아크등 lámpara *f* de arco eléctrico de foco fijo. ~악상(樂想)(불 *idée fixe*)【음악】idea *f* fija. ~ 안테나 antena *f* fija. ~액(液) fluido *m* fijado. ~ 우주선 satélite *m* de posición fija. ~ 이자 interés *m* fijo. ~로 a interés fijo. ~자(子)【물리】estator *m*. ~ 자금(資金) fondo *m* fijo. ~ 자본(資本) capital *m* fijo, capital *m* permanente, capital *m* inmovilizado. ~ 자산(資産) activo *m* fijo [inmobilizado]. ~ 자산 과세 대장 libro *m* mayor de contribución territorial. ~ 자산세 contribución *f* territorial municipal. ~ 자세 postura *f* fija. ~ 재산 ㉮ =고정 자산. ㉯ =부동산. ~ 재산세 impuestos *mpl* sobre inmuebles. ~적(的) fijo, firme, estacionario, estacional, permanente, regular. ¶~인 수입(收入) renta *f* fija. ~주(株) acción *f* fija. ~ 질소(窒素) nitrógeno *m* combinado. ~ 초점(焦點) foco *m* fijo. ~ 초점 카메라 cámara *f* de foco fijo. ~ 축전기(蓄電器) condensador *m* fijo. ~ 탄소(炭素) carbono *m* fijo. ~표(票) voto *m* fijo. ~ 헌법【법률】=경성 헌법(硬性憲法). ~화(化) fijación *f*. ~ 환율(換率) cambio *m* fijo. ~ 환율제 (sistema *m* de) cambio *m* fijo. ~ 활차(滑車) =고정 도르래.

고정(固精) fortificación *f* de la energía. ~하다 fortificar la energía.

고정(苦情) queja *f*, reclamo *m*. ~을 토로하다 quejarse, reclamar.

고정(高情) corazón *m* noble.

고정(鼓鉦) el tambor y el gongo.

고정맥(股靜脈)【해부】=대퇴 정맥(大腿靜脈).

고제(古制) sistema *m* antiguo.

고제(古製) fabricación *f* antigua.

고조(古調) tono *m* antiguo.

고조(枯凋) marchitamiento *m*, marchitez *f*. ~하다 marchitarse.

고조(高祖) ((준말)) =고조부(高祖父).

고조(高彫) =고부조(高浮彫).

고조(高調) ① [음률이 높은 곡조] melodía *f* de tono elevado. ② [의기(意氣)를 돋움] elevación *f*, subida *f*, aumento *m*. ~되다 elevarse, subir; [증대되다] aumentarse. 감정이 ~되다 emocionarse, sentirse emocionado, experimentar una fuerte emoción. 민족 의식이 ~된다 Se desarrolla la conciencia nacional. 반대 의견이 ~된다 Cobra fuerza la opinión contraria. ③ [역설(力說)] énfasis *m*. ~하다 enfatizar, poner énfasis (en).

고조(高潮) ① [만조(滿潮)] plenamar *m*, marea *f* alta (producida por la fuerza de un tifón). ② [한창·절정] apogeo *m*, zenit *m*, culminación *f*. ~에 달하다 culminar. ③ [감정의] aumento *m* (de emoción). 긴장의 ~ aumento *m* de tensión. 긴장을 ~시키다 hacer que la tensión vaya en aumento. 양국간의 긴장이 ~되었다 La tensión fue en aumento entre dos países.
■~선(線) =만조선(滿潮線). ~점(點) línea *f* de pleamar. ~항(港) puerto *m* con régimen de marea.

고조(高藻) poema *m* excelente.

고조(涸潮) =썰물.

고조(顧助) ayuda, asistencia. ~하다 ayudar, asistir.

고조고(高祖考) difunto tatarabuelo *m*.

고조모(高祖母) abuela *f* del abuelo.

고조부(高祖父) abuelo *m* del abuelo.

고조비(高祖妣) difunta tatarabuela *f*.

고조선(古朝鮮)【역사】*Gochoson*, primer país *m* de nuestra historia.

고조하다(高燥-) (ser) elevado y seco.

고족(孤族) familia *f* solitaria.

고족 제자(高足弟子) primer discípulo *m*, discípulo *m* más aventajado.

고졸(高卒) ((준말)) =고등학교 졸업.

고종(古終) =목화(木花).

고종(古鐘) campana *f* antigua.

고종(姑從) ((준말)) =고종 사촌(姑從四寸).
■~매(妹) hija *f* de la hermana de *su* padre. ~ 사촌(四寸) hijo, -ja *mf* de la hermana de *su* padre. ~씨(氏) hijo *m* de la hermana de *su* padre. ~ 형제(兄弟) hijos *mpl* de la hermana de *su* padre.

고종(孤蹤) =고독 단신(孤獨單身).

고종명(考終命) muerte *f* pacífica.

고종시(高宗枾) *gochongsi*, una especie del caqui, caqui *m* más pequeño que el ordinario, sin semillas y .con el sabor dulce.

고좌(高座) =상좌(上座).

고죄(告罪) ((천주교)) confesión *f* (de *su* culpa) ~하다 confesar *su* culpa.

고주(古注/古註) notas *fpl* antiguas.

고주(孤主) rey *m* solitario sin poder real.

고주(孤舟) bote *m* solitario.

고주(故主) amo *m* antiguo.

고주(苦酒) ① [매우 독한 술] licor *m* muy fuerte. ② =고주망태.

고주(高柱) columna *f* alta.
■~ 대문(大門) =솟을대문. ~집 casa *f* con las columnas altas.

고주망태 borrachera *f*, embriaquez *f*. ~가 되

다 emborracharse (con). ~가 되도록 마시다 seguir [continuar] bebiendo hasta que se emborrache. 나는 오늘밤에 ~가 되고 싶다 Quiero emborracharme esta noche.

고주알미주알 =미주알고주알.
◆고주알미주알 다 알다 =미주알고주알 다 알다. ☞미주알고주알
◆고주알미주알 캐어묻다 =미주알고주알 캐어묻다. ☞미주알고주알

고주파(高周波) 【물리】 alta frecuencia *f*, hiperfrecuencia *f*.
■~ 가열 calefacción *f* de alta frecuencia. ~ 건조 termosecamiento *m*. ¶~하다 termosecar. ~ 건조로(乾燥爐) termosecador *m* dieléctrico. ~로(爐) =고주파 전기로. ~ 머신 máquina *f* de alta frecuencia. ~ 무선(無線) radio *f* de alta frecuencia. ~ 발전기 generador *m* de alta frecuencia. ~ 발진기 oscilador *m* de hiperfrecuencia. ~ 변성기 transformador *m* de hiperfrecuencia. ~ 요법 fulguración *f*. ~ 저항기 reóstato *m* de alta frecuencia. ~ (유도) 전기로(電氣爐) calentador *m* eléctrico de alta frecuencia. ~ 전류(電流) corriente *f* de alta frecuencia, altofrecuencia *f*. ~ 전파 onda *f* radioeléctrica de alta frecuencia. ~ 전화 teléfono *m* de alta frecuencia. ~ 증폭기 radioamplificador *m*.

고죽(苦竹) 【식물】 =참대.

고준하다(高峻—) (ser) alto y empinado.
고준히 alta y empinadamente.

고즈넉하다 ① [고요하고 아늑하다] (ser) tranquilo y cómodo. ② [잠잠하고 다소곳하다] (ser) tranquilo y solitario.
고즈넉이 tranquila y cómodamente, tranquila y solitariamente.

고증(考證) indagación *f*, investigación *f* (histórica). ~하다 indagar, investigar. 15세기의 의상(衣裳)에 관한 ~ indagación *f* [investigación *f*] de la indumentaria del siglo XV.
■~학(學) estudio *m* bibliográfico de clásicos chinos.

고지[1] [호박·가지·고구마 등을 납작납작하게 또는 가늘고 길게 썰어서 말린 것] calabazas *fpl* [berenjenas *fpl*] cortadas en trozos pequeños y secados.

고지[2] [누룩이나 메주 따위를 디디어 만들 때 쓰는 나무틀] marco *m* de madera para presionar la malta, sojas hervidas etc.

고지[3] [명태의 이리] lecha *f* del abadejo.

고지(告知) noticia *f*, aviso *m*, información *f*. ~하다 notificar, avisar, informar, anunciar.
■~서(書) aviso *m* (escrito). ~판 tablilla *f* (de informaciones), tablero *m* de anuncios.

고지(固持) *persistencia f*. ~하다 persistir.

고지(故地) tierra *f* natal, tierra *f* que vivía antes.

고지(枯枝) rama *f* marchita.

고지(高地) terreno *m* alto, terreno *m* elevado; [대지] meseta *f*, [고원] altiplanicie *f*, altillano *m*.
■~ 산소 결핍증 anoxia *f* de alturas

고지(高志) idea *f* elevada.

고지기(庫—) almacenista *mf*, guardaalmacén *m*.

고지대(高地帶) secciones *fpl* accidentadas, el área *f* (*pl* las áreas) alta.
■~ 생활 요법(生活療法) orinoterapia *f*.

고지도(古地圖) mapa *m* antiguo.

고지랑물 el agua *f* sucia.

고지리(古地理) =고지리학.
■~학(學) geografía *f* antigua.

고지식쟁이 persona *f* muy seria.

고지식하다 (ser) simple y honrado, rígido, muy serio (y concienzudo), simple, cándido, sin malicia, ingenuo. 그는 너무 ~ El es demasiado serio.
고지식이 muy seriamente, simple y honradamente, rígidamente, simplemente.

고직(庫直) 【역사】 =고지기.

고진(高進) el alza *f*, aumento *m* de precio. ~하다 alzar (el precio), aumentar el precio.

고진감래(苦盡甘來) El que algo quiere, algo le cuesta / No hay miel sin hiel / No hay atajo sin trabajo.

고질(姑姪) =인질(姻姪).

고질(固質) solidez *f*, carácter *m* sólido.

고질(痼疾) enfermedad *f* crónica, mal *m* crónico. 그는 ~인 신경통으로 시달리고 있다 El sufre de neuralgia *f* crónica.
■~병(病) =고질(痼疾).

고질(高秩) alto rango *m*.

고집(固執) obstinación *f*, terquedad *f*, testarudez *f*, porfía *f*, tenacidad *f*, persistencia *f*; [임의] voluntad *f*; [자존심] orgullo *m*, amor *m* propio. ~하다 insistir (en), persistir (en), sostener [mantener] firmemente [tenazmente]. ~이 센 obstinado, tenaz (*pl* tenaces), terco, testarudo, porfiado, pertinaz (*pl* pertinaces). ~을 부려 obstinadamente, porfiadamente, con obstinación, con porfía. ~을 굽히다 darse por rendido, ceder, deferir, condescender. ~을 부리다 obstinarse, insistir, persistir, empeñarse; [양보하지 아니하다] no ceder. ~을 관철(貫徹)하다 imponer *su* voluntad. ~을 버리다 abandonar *su* terquedad. 자기의 의견에 ~을 부리다 obstenerse [insistir · persistir] en *su* opinión, someter tenazmente *su* opinión. 그는 하지 말라고 하면 ~으로 더한다 Si le dicen que no lo haga, so obstina más en ello. ~일지 모르지만 일이 그리되었으므로 무슨 일이 있어도 하겠다 Ya que se han puesto así las cosas, aunque sólo sea por amor propio, lo haré pase lo que pase. 나는 ~으로라도 지지 아니하겠다 El orgullo no me permite ceder. 나는 ~을 굽혀 그의 의견에 따랐다 Cedí [Me sometí · Me doblegué] a su opinión. 참 ~이 센 사람이다 ¡Qué hombre tan tenaz! / ¡Qué nervio tiene el hombre! 그렇게 ~하신다면 … Si usted insiste tanto …. 길동이는 ~이 센 아이여서 복종할 줄 모른다 Kildong es un niño testarudo y no sabe obedecer.

◆고집(을) 세우다 obstinarse, estarse [seguir · mantener] en *sus* trece. 고집을 세우지 마라 No seas terco.

■~ 불통(不通) testrudez *f*, tenacidad *f*; [사람] persona *f* testaruda [tenaz]. ¶~이다 casarse con *su* opinión, ser tenaz. ~의 obstinado, cabezota, cabezudo, terco. ~쟁이 hombre *m* obstinado; cabezudo, -da *mf*; testarudo, -da *mf*; terco, -ca *mf*; persona *f* persistente [obstinada · tenaz]. ~통이 ㉮ [고집이 몹시 세어서 변통이 없는 성질] carácter *m* obstinado e inflexible. ㉯ =고집쟁이.

고차(固車) carro *m* fuerte.

고차(高次) grado *m* superior, alto nivel *m*.

■~ 방정식 ecuación *f* de grado superior. ~ 언어(言語)【언어】metalenguaje *m*. ~적(的) de alto nivel.

고차(鼓車) =도르래.

고차원(高次元) ①【수학】alta dimensión *f*. ② [높은 수준] alto nivel *m*.

■~ 세계 mundo *m* de alta dimensión.

고착(固着) adhesión *f*. ~하다 adherirse (a), pegarse (a).

■~ 관념 idea *f* fija, obsesión *f*. ~ 생활 parasitismo *m*. ~제(劑) aglutinante *m*.

고찰(古刹) templo *m* (budista) antiguo.

고찰(考察) consideración *f*, observación *f*, reflexión *f*. ~하다 considerar, observar, contemplar, reflexionar (sobre). 문명(文明)에 관한 ~ estudio *m* de la civilización.

고찰(高札) *su* carta.

고참(古參) ① [오래 전부터 한 직장이나 직위에 머물러 있는 일] antigüedad *f*. ② [사람] socio *m* más antiguo, socia *f* más antigua; veterano, -na *mf*; mayor *mf*; miembro *m* más antiguo, miembro *f* más antigua; mayor *mf*. ~의 (el) más antiguo. 그는 ~ 관료다 El es un viejo [veterano] burócrata. 그는 이 회사의 ~이다 El es uno de los empleados más antiguos de esta compañía. 그는 이 클럽의 최~이다 El es el socio más antiguo de este club. 그는 ~이기 때문에 처음에 말할 권리가 있다 Era su derecho hablar primero por ser el mayor.

■~권(權) =선임권. ~병 veterano, -na *mf*.

고창(高唱) ① [노래나 구호 · 만세 등을 큰소리로 부르거나 외침] llamada *f* en voz alta, grito *m* en voz alta. ~하다 llamar en voz alta, gritar en voz alta. ② [자신의 의견을 강하게 주장함] aseveración *f*, reivindicaciión *f*, afirmación *f*. ~하다 imponer, afirmar, hacer valer, reivindicar.

고창(鼓脹)【의학】flatulencia *f*.

고창병(蠱脹病) ((성경)) hidropesía *f*. 주의 앞에 ~ 든 한 사람이 있는지라 ((누가 복음 14:2)) He aquí estaba delante del Dios un hombre hidrópico / Estaba allí, delante del Señor, un hombre enfermo de hidropesía.

고책(高策) artificio *m* excelente.

고처(高處) altura *f*, lo alto, lugar *m* alto, sitio *m* alto.

■~ 공포증(恐怖症)【의학】=고소 공포증.

고천(告天) anuncio *m* al Dios. ~하다 anunciar al Dios.

■~문(文) anuncio *m* al Dios.

고천(高天) cielo *m* alto.

고천자(告天子)【조류】=종다리.

고철(古哲) filósofo *m* antiguo, sabio *m* antiguo.

고철(古鐵) hierro *m* viejo, metal *m* antiguo, chatarra *f* [raspaduras *fpl* · desechos *mpl*] de hierro.

■~상(商) [가게] tienda *f* de hierro viejo; [사람] comerciante *mf* de hierro viejo.

고청(高聽) su escucha.

고체(古體) arcaísmo *m*, estilo *m* arcaico.

■~시(詩) poema *m* arcaico.

고체(固體) (cuerpo *m*) sólido *m*. ~의 sólido. ~ 상태의 de(l) estado sólido.

■~ 레이저 láser *m* de componentes sólidos. ~ 마이크로웨이브 장치 sistema *m* de microondas de estado sólido. ~ 메이저 máser *m* de estado sólido. ~ 물리학(物理學) física *f* del estado sólido. ~ 물리학자 físico, -ca *mf* del estado sólido. ~ 스위치 conmutador *m* de estado sólido. ~ 연료 carbón *m*; [로켓의] combustible *m* sólido. ¶~ 중앙 난방 장치 calefacción *f* central de [a] carbón. ~ 옵티컬 메이저 máser *m* óptico de estado sólido. ~ 장치(裝置) dispositivo *m* de estado sólido. ~ 전자 공학 electrónica *f* de estado sólido. ~ 탄산 anhídrido *m* carbónico sólido. ~화(化) solidificación *f*. ¶~하다 solidificar. ~되다 solidificarse. ~ 회로(回路) circuito *m* de estado sólido.

고체하다(固滯-) (ser) intolerante, de mentalidad cerrada.

고초(枯草) hierba *f* marchita.

고초(苦楚) penalidad *f*, sufrimiento *m*, infortunio *m*, apuro *m*, dificultad *f*. 많은 ~를 겪다 pasar muchos apuros [muchas dificultades · muchas privaciones].

■~ 만상(萬狀) muchos apuros, muchas dificultades, muchas privaciones, muchos sufrimientos.

고초(藁草) =볏짚.

고촉(孤燭) candela *f* solitaria.

고촌(孤村) aldea *f* apartada, aldea *f* remota, aldea *f* aislada.

고총(古塚) tumba *f* antigua.

고추 ①【식물】chile *m*, ají *m* (*pl* ajíes), pimiento *m*, pimientón *m*, guindillo *m* de Indias, guindilla *f*,【학명】Capsicum longum. ② [성질이 매우 독하거나 모진 사람] persona *f* malévola. ③ ((준말)) =고추자지.

■고추는 작아도 맵다 ((속담)) La pimienta es chica pero calienta / Chica es la abeja, y nos regala la miel y la cera / En chica cabeza, caben grandes ideas.

■~바람 viento *m* muy frío. ~상투 moño *m* en lo alto de la cabeza. ~소스 ají *m*, salsa *f* de ají, salsa *f* de chile. ~씨 semilla *f* del ají [del chile]. ~양념 ají *m*, condimento *m* de chile. ~ 열매 ají *m*, chile *m*, guindilla *f*, *ReD* montesino (콩알보다 작고 무척 매운 것). ~자지 pene *m* del niño, pene *m* pequeñísimo [muy pequeño]. ~장(醬) *gochuchang*, pasta *f* de arroz mezclado con el chile rojo. ~장복이 *gochuchang m* tostado. ~ㅅ가루 ají *m* en polvo, chile *m* en polvo, polvo *m* de ajíes, polvo *m* de chiles. ~ㅅ잎 hoja *f* de ají [de chile]. ~ㅅ잎나물 hojas *fpl* de ají cocidas.

고추(高秋) pleno otoño *m*, otoño *m* que el cielo es claro y alto.

고추나무 【식물】 ají *m*, chile *m*.

고추나물 【식물】 hojas *fpl* de ají cocidas.

고추냉이 【식물】 ((학명)) Wasabia koreana.

고추박이 [전날의] marido *m* [esposo *m*] de la mujer de humilde cuna.

고추 부서(孤雛腐鼠) persona *f* insignificante y inútil.

고추잠자리 【곤충】 libélula *f* roja, caballito *m* del diablo rojo.

고추짱아 【곤충】 ((어린이말)) =고추잠자리.

고춘(古春) primavera *f* tardía.

고출력(高出力) salida *f* grande.

고충(孤忠) lealtad *f* solitaria.

고충(苦衷) solicitud *f*, predicamento *m*, dificultad *f*, dilema *m*. ~을 털어놓다 dar rienda suelta a *sus* predicamentos. ~이 있다 estar en un dilema.

고충실도(高忠實度) alta fidelidad *f*.
■~ 장치 equipo *m* de alta fidelidad. ~ 증폭기 amplificador *m* de alta fidelidad.

고충실 음향 재생 장치(高忠實音響再生裝置) alta fidelidad *f*.

고취(鼓吹) ① [북을 치고 피리를 붊] el tocar el tambor y la flauta. ~하다 tocar el tambor y la flauta. ② [고무 격려하여 의기를 북돋아 일으킴] estímulo *m*, incitación *f*. ~하다 inspirar, incular, excitar, estimular.
■~자(者) estimulador, -dora *mf*.

고층(高層) ① [건물에서 높게 지은 층] piso *m* alto. ② [위쪽의 층] piso *m* superior.
■~ 건물 edificio *m* de muchos pisos; [마천루] rascacielos *m.sing.pl*. ~ 건축 construcción *m* de muchos pisos. ~ 기류(氣流) corriente *f* de la atmósfera superior. ~ 기상(氣象) tiempo *m* aerológico. ~ 기상 관측 observación *f* aerológica. ~ 기상대(氣象臺) observatorio *m* aerológico. ~ 기상학 aerología *f*. ~ 대기(大氣) atmósfera *f* superior. ~ 비행 vuelo *m* en la alta altitud. ~ 아파트 piso *m* de muchos pisos. ~운(雲) 【기상】 altoestrato *m*. ~ 주택 vivienda *f* de muchos pisos.

고치 [누에가 만든 집] capullo *m*. ~에서 실을 뽑다 devanar capullos [la seda de los capullos]. 누에가 ~를 짓는다 El gusano de seda hace [hila] su capullo.
■~솜 =견면(繭綿). ~실 hilo *m* hilado alrededor del capullo.

고치(高値) precio *m* caro, precio *m* alto; [최고치(最高値)] precio *m* cumbre. ~를 부르고 있다 [주(株)가] estar en alza, tender a una alza.

고치(膏雉) faisán *m* (*pl* faisanes) engodado.

고치다 ① [수리·수선하다] reparar, arreglar. 고쳐지다 repararse, arreglarse. 고칠 수 있는 reparable, arreglable. 고칠 수 없는 irreparable. 고치러 보내다 mandar a reparar, hacer reparar. 다시 ~ rehacer, reparar. 바지를 ~ arreglar los pantalones. 자전거 [자동차]를 ~ arreglar [reparar] la bicicleta [el coche]. 지붕을 ~ arreglar el tejado, reparar las goteras del edificio. 시계를 고쳤다 Han reparado el reloj. 이런 고장은 곧 고칠 수 있다 Esta avería se puede reparar [arreglar · quitar] pronto. 이 방은 완전히 다시 고쳐야 한다 Hay que reparar esta habitación enteramente.
② [병을 낫게 하다] curar, sanar. 고칠 수 있는 curable. 고칠 수 없는 incurable. 병을 ~ curar la enfermedad (a). 부상자를 ~ curar a un herido [a una herida]. 고쳐지다 ㉮ [환자가] recuperarse, restablecerse, recobrar [recuperar] la salud. ㉯ [병이] curarse, sanar. 고칠 수 있다 ser curable, poder curar. 그의 병은 곧 고쳐졌다 El se recuperó pronto / Se repuso [Se curó · Sanó] pronto de la enfermedad. ㉰ [상처가] curarse, cicatrizarse. 그의 상처는 고쳐져 간다 La herida se le va curando.
③ [바로잡다] corregir, enmendar, rectificar; [그림 따위를] retocar. 고쳐지다 corregirse. 마음을 ~ corregirse, enmendarse, reformarse. 작품을 ~ retocar una obra. 잘못을 ~ corregir los errores. 문장의 오류를 ~ corregir [enmendar] los errores de la frase. 나쁜 버릇을 ~ corregir [quitar] una mala costumbre, corregir los malos hábitos; [자신의] arrancarse [quitarse] de una mala costumbre [del vicio]. 문장의 오류가 고쳐졌다 Los errores de la frase se han corregido [enmendado]. 그의 나쁜 버릇이 고쳐졌다 Se ha corregido de esa mala costumbre [de ese vicio]. 마음을 고쳐 먹고 착실히 일해라 Enmiéndate y trabaja seriamente.
④ [바꾸다] cambiar, modificar. 계획(計劃)을 ~ modificar el plan. 이름을 ~ cambiar el [de] nombre. A를 B로 고쳐 만들다 transformar A en B. 소설을 영화 [연극]로 고쳐 만들다 adaptar una novela al cine [al teatro]. 그는 이름을 A로 고쳤다 El cambió su nombre por A.
⑤ [모양·위치를] enderezar. 자세(姿勢)를 ~ enderezar la postura.

고친(故親) persona *f* íntima desde hace mucho tiempo.

고침(孤枕) cama *f* solitaria.
■~ 단금(單衾) sueño *m* solitario de una mujer joven. ~ 한등(寒燈) lámpara *f* solitaria del cuarto que se duerme solo.

고침(孤寢) sueño *m* solitario.

고침(高枕) ① [높은 베개] almohada *f* alta. ② ((준말)) =고침 안면(高枕安眠).

■～ 단면(短眠) No se puede dormir mucho tiempo en la almohada alta. ～ 단명(短命) No se puede vivir mucho tiempo en la almohada alta / La almohada alta, la vida corta. ～ 안면(安眠) sueño *m* profundo sin angustia.

고칭(古稱) nombre *m* antiguo.

고탁(高卓) excelencia *f.* ～하다 (ser) excelente.

고탑(古塔) pagoda *f* antigua.

고탑(高塔) pagoda *f* alta, torre *f* alta.

고태(古態) ① [옛 모양] figura *f* antigua. ② [고아(古雅)하고 질박(質朴)하여 수수한 상태] estado *m* elegante y moderado.

■～ 의연(依然) lo estacionario. ¶～하다 no cambiar para nada como lo fue.

고태(故態) figura *f* antigua.

고택(古宅) casa *f* antigua, casa *f* construida hace mucho tiempo.

고택(高澤) benevolencia *f* cordial, buen beneficio *m.*

고택(膏澤) ① [몸의 기름] gordura *f* del cuerpo. ② [남의 은혜나 덕택] su favor. ③ [이슬과 비의 은혜와 덕택] favor *m* del rocío y de la lluvia. ④ =고혈(膏血).

고토(苦土)【화학】=산화마그네슘.

■～ 운모(雲母)【광물】=흑운모(黑雲母).

고토(故土) tierra *f* natal, suelo *m* natal, pueblo *m* natal.

고토(膏土) terreno *m* fértil.

고통(苦痛) dolor *m*, pena *f*, pesar *m*, aflicción *f*, dolencia *f*, sufrimiento *m*, tormento *m*, desconsuelo *m*, agustia *f*, tristeza *f.* 마음의 ～ pena *f* del corazón, angustia *f*, [후회] remordimiento *m.* 이별의 ～ aflicción *f* de la despedida, pesadumbre *f* de la separación. ～을 느끼다 sentir pena [angustia]. ～을 주다 dar pena, atormentar, torturar, mortificar. ～을 참다 sufrir [aguantar] el dolor. …에게서 ～을 제거하다 quitar a *uno* el sufrimiento. 이 일은 나에게는 ～이다 Este trabajo es un sufrimiento para mí.

고통스럽다 (ser) doloroso, angustioso, penoso, atormentador, amargo, duro, fatigoso, lastimoso, lamentable. 고통스러워하다 penar (de·por). 고통스러운 병 enfermedad *f* dolorosa. 마음의 ～ angustia *f* mental. 고통스러운 얼굴을 하다 poner una cara de pena. 나는 가슴이 ～ Me duele el pecho / Tengo dolor de pecho. 고통스러우십니까? [환자 등에게] [usted에게] ¿Se siente mal? / [tú에게] ¿Te sientes mal? 나는 고통스러워 죽을 지경입니다 Me muero de dolor / Tengo un dolor que me muero / Tengo un dolor que me mata. 이 일은 ～ Este trabajo es penoso. 그는 아이 때문에 고통스러워한다 El pena por su hijo. 그를 만나는 것은 ～ Me da pena verle a él. 우리가 헤어지다니 ～ Me destroza [Me parte] el corazón separarnos / ¡Qué pena separarnos!

고통스레 dolorosamente, penosamente, angustiosamente, fatigosamente, amargamente, lastimosamente, lamentablemente.

■～의 신비 ((천주교)) misteria *f* dolorosa.

고퇴(敲推) =퇴고(推敲).

고투(苦鬪) lucha *f* amarga, combate *m* duro. ～하다 luchar amargamente, combatir desesperadamente.

고트족(Goth 族)【역사】godos *mpl.*

◆동(東)～ ostrogodos *mpl.* 동～의 ostrogodo. 서(西)～ visigodos *mpl.* 서～의 visigodo, visigótico.

고파(高波) ola *f*, onda *f* grande.

고판(古版) ① [옛 목판(木版)] xilografía *f* antigua. ② ((준말)) =고판본(古版本).

■～본(本) ① [옛날 목판본] libro *m* xilográfico antiguo. ② [신판의 책에 대하여 그 이전의 책] edición *f* antigua.

고판(沽販) compraventa *f.* ～하다 comprar y vender.

고패 polea *f*, torno *m* de alfarero.

■～ㅅ줄 cuedrda *f* de polea.

고패(古貝)【식물】=목면(木棉).

고팽(高伻) su criado.

고팽이 ① [새끼·줄을 사려 놓은 한 돌림. 또, 그 세는 단위] rollo *m.* ② [어떤 거리의 한 왕복. 또, 그 세는 단위] una ruta de ida y vuelta. ③【건축】[나선형 모양으로 된 무늬] figura *f* espiral.

고편(高篇) poema *m* excelente.

고편도(高扁桃)【식물】=감복숭아.

고평(考評) revisión *f*, comentario *m*, observación *f*, criticismo *m.* ～하다 reseñar, hacer la crítica (de), hacer comentarios (sobre), criticar.

고평(高評) su opinión, su criticismo.

고폐(痼弊) vicio *m* incorregible.

고포(苦匏)【식물】=호리병박.

고포(高抱) corazón *m* noble.

고푸리다 encorvarse. 몸을 고푸리지 마라 No te encorves. 그녀는 몸을 고푸리고 걷는다 Ella camina encorvada.

고품(古品) ① [낡은 물품] artículo *m* viejo. ② [옛 물품] artículo *m* antiguo, antigüedades *fpl*

고품위(高品位) alta dignidad *f* [definición *f*].

고품위 텔레비전(高品位－) televisión *f* de alta definición.

고풍(古風) moda *f* antigua, estilo *m* de antigüedad. ～의 tradicional, arcaico, anticuado, antiguo, de moda antigua; [시대에 뒤떨어진] pasado [fuera] de moda. ～의 노인 viejo *m* [anciano *m*] anticuado y solemne.

고풍스럽다 (ser) arcaico. 고풍스런 표현(表現) arcaísmo *m*, expresión *f* arcaica.

고풍스레 arcaicamente, de modo arcaico.

고풍(高風) ① [높은 곳의 바람] viento *m* de la altura. ② [고상한 풍채나 품성] apariencia *f* noble, carácter *m* noble. ③ [남을 높이어, 그의 풍채] su apariencia.

고풍로(鼓風爐) horno *m* pequeño.

고프다 querer comer la comida. 배가 ～ tener hambre. 운동을 해서 배가 ～ hacer ejercicio para abrir el apetito. 나는 배가

몹시 ~ Tengo mucha hambre / Tengo un hambre canina / Me muero de hambre / ((속어)) Tengo gazuza. 너 배 고프니? ¿Tienes hambre? 선생님, 배 고프세요? Señor, ¿tiene hambre?

고필(古筆) ① [오래된 붓] pluma *f* china antigua. ② [옛 사람이 쓴 필적(筆跡)] escritura *f* de los antiguos.

고하(苦河) =고해(苦海).

고하(高下) ① [(사회적 지위나 등급의) 높음과 낮음] lo alto y lo bajo. ② [(값의) 비쌈과 쌈] lo caro y lo barato. ③ [(품질이나 내용의) 좋음과 나쁨] lo bueno y lo malo.
■ ~간(間) alto o bajo. ¶값은 ~에 a toda costa, cueste lo que cueste. 값은 ~에 그는 그것을 사고 싶었다 El lo quería comprar costase lo que costase.

고하(高河) =은하수(銀河水).

고하(高廈) casa *f* grande y alta, mansión *f*, palacio *m*.

고하(涸河) =와디(wadi).

고하다(告-) ① [아뢰다] decir. 사실대로 ~ decir la verdad. ② [이르다·까바치다] chivarse, ir con el chismo, ir con el cuento, *Méj* irse a rajar, *RPI* ir a alcahuetear. 그는 선생님에게 고했다 El se chivó al profesor / Le fue con el chisme al profesor. ③ ㉮ [알리다] anunciar, informar, avisar. ㉯ [말하다] decir. 그것은 위험하다고 나는 그에게 고했다 Le dije que eso era peligroso. ④ [(아퀴를) 짓다] terminar su trabajo. 종말을 ~ acabarse, finalizarse.

고학(苦學) estudio *m* (universitario) bajo dificultades. ~하다 estudiar bajo dificultades, estudiar con [en medio de] dificultades económicas.
■ ~생(生) estudiante *mf* con dificultades económicas.

고학년(高學年) cursos *mpl* avanzados (de la escuela).

고한(枯旱) marchitez *f* por la sequía.

고한(孤寒) vida *f* solitaria y pobre.

고한(苦恨) =고통(苦痛).

고한(苦寒) ① [모진 추위] frío *m* severo. ② [추위의 괴로움] pena *f* por el frío.

고함(高喊) grito *m*.
◆고함(을) 지르다[치다] gritar, dar un grito, exclamar, vocear, vociferar.

고해(告解) ((천주교)) =고해 성사(告解聖事).
■ ~ 성사(聖事) confesión *f*.

고해(苦海) ((불교)) mundo *m* humano con mucha pena, este mundo.

고행(苦行) ① [육신을 괴롭히고 고뇌를 견뎌내는 종교적 수행] penitencia *f*, mortifición *f*. ~하다 hacer penitencia, mortificarse. ② ((불교)) práctica *f* ascética, austeridades *fpl* religiosas, ascetismo *m*. ③ ((불교)) = 정인(淨人).
■ ~승 (僧)(힌두교)) faquir *m*. ~자 asceta *mf*.

고행(高行) actitud *f* noble y excelente.

고향(故鄕) tierra *f* natal, suelo *m* natal, pueblo *m* natal, patria *f* (chica), terruño *m*; ((성경)) tierra *f*, propia tierra *f*. 제이의 ~ segunda patria *f*. ~에 돌아가다 [돌아오다] volver al pueblo natal. ~을 그리워하다 añorar *su* pueblo natal, tener nostalgia [añoranza] de *su* patria chica.

고허(古墟) ruinas *fpl*.

고헌(古憲) reglamento *m* antiguo.

고헐(高歇) lo caro y lo barato.

고현(古賢) sabio *m* del tiempo antiguo.

고현학(考現學) estudio *m* de fenómeno moderno.

고혈(孤孑) =고단(孤單).
■ ~ 단신(單身) cuerpo *m* solitario sin hijos.

고혈(膏血) sudor *m* y sangre.

고혈당증(高血糖症)【의학】hiperglucemia.

고혈압(高血壓) hipertensión *f* arterial, alta presión *f* [tensión *f*] arterial. ~의 hipertenso.
■ ~성 동맥 질환【의학】arteriopatía *f* hipertensiva. ~성 망막 병증(性網膜病症)【의학】retinopatía *f* hipertensiva. ~자 hombre *m* de alta presión [tensión *f*] arterial. ~증(症)【의학】hipertensión *f*. ~ 환자(患者) hipertenso, -sa *mf*.

고형(固形) solidez *f*. ~의 sólido.
■ ~물(物) sólido *m*. ~ 비료 fertilizante *m* sólido. ~ 사료(飼料) forraje *m* sólido. ~ 수프 sopa *f* sólida. ~식(食) alimento(s) *m(pl)* sólido(s). ~ 알코올 alcohol *m* sólido. ~ 연료(燃料) combustible *m* sólido. ~체 substancia *f* sólida.

고형(苦刑) =고문(拷問).

고호(古號) seudónimo *m* antiguo, nombre *m* antiguo del país [de la tierra].

고호(苦瓠)【식물】=호리병박.

고호(顧護) =고견(顧見).

고호로(苦瓠蘆/苦壺蘆)【식물】=호리병박.

고혹(蠱惑) seducción *f*. ~하다 seducir.
■ ~적(的) seductivo, seductor. ~적 미(的美) belleza *f* [hermosura *f*] seductiva [seductora].

고혼(孤魂) espíritu *m* solitario que camina sin rumbo fijo. ~을 달래다 rezar por el reposo del muerto. ~이 되다 morir en soledad. 수중 ~이 되다 ser enterrado en la tumba acuosa.

고홍(孤鴻)【조류】=외기러기.

고화(古畵) pintura *f* antigua, cuadro *m* antiguo.

고화(固化) =고체화(固體化).

고화(枯花) flor *f* marchita.

고화(高話) ① [고상한 이야기] cuento *m* noble. ② [남을 높이어「그가 하는 이야기」] su cuento, su historia, su palabra.

고화(鼓花)【미술】=인화(印花).

고환(苦患) =고뇌(苦惱).

고환(睾丸)【해부】testículos *mpl*, compañón *m* (*pl* compañones). ~의 testicular, orquítico.
■ ~ 간막(間膜) mesorquio *m*. ¶~의 mesorquial. ~ 거근(擧筋) cremáster *m* muscular. ~ 거근 동맥 arteria *f* cremastérica

～ 결핵증 tuberculocele *m.* ～ 경련 orquicorea *f.* ～ 경성종(硬性腫) orquioscirro *m.* ～ 고정술(固定術) orquidopexia *f.* ～ 과잉증(過剩症) poliorquia *f.* ～ 내분비 과도(內分泌過度) hiperorquia *f.* ～ 뇌양암(腦樣癌) orquiencefaloma *f.* ～ 동맥(動脈) arteria *f* testicular. ～망(網) red *f* testicular. ～ 백막(白膜) *lat* tunica albuginea testis. ～ 백색(白色) albugínea *f* testicular, albuginea *f* testis. ～병(病) testopatía *f*, orquiopatía *f*. ～ 봉합술 orquiorrafia *f.* ～성 여성(性女性) feminización *f* testicular. ～성 지방증(性脂肪症) adiposis *f* orquítica. ～ 성형술 orquioplastia *f.* ～ 수낭종 sarcohidrocele *m.* ～ 신경통 orquioneuralgia *f.* ～암 cáncer *m* testicular, cáncer *m* del testículo. ～염 didimitis *f*, orquitis *f.* ～ 절개술 orquiotomía *f.* ～ 절제술 orquidectomía *f*, testectomía *f.* ～ 정맥 vena *f* testicular. ～종류(腫瘤) sarcocele *m.* ～ 종양(腫瘍) orquionco *m.* ～ 초막(鞘膜) perididimo *m.* ～ 초막 절제술 vaginectomía *f.* ～ 초막염(鞘膜炎) perididimitis *f*, periorquitis *f*, vaginalitis *f.* ～통 orquiodinia *f*, didimodinia *f*, didimalgia *f*, orquialgia *f*, testalgia *f.* ～ 호르몬 hormona *f* testicular.

고황(苦況) situación *f* penosa.

고황(膏肓) 【해부】 el lugar más hondo del cuerpo humano.
◆고황에 들다 (ser) incurable, incorregible. 그의 야구에 열정은 고황에 들어 있다 Su pasión por el béisbol es incurable / Es un fanático incorregible del béisbol.
■ ～지질(之疾) enfermedad *f* incurable, enfermedad *f* difícil de curar.

고회(高會) ＝성회(盛會).

고회석(苦灰石) 【광물】 ＝백운석(白雲石).

고훈(古訓) lección *f* antigua.

고훈(苦訓) enseñanza *f* severa.

고훈(高訓) ① [훌륭한 교훈] lección *f* excelente. ② [남을 높이어 「그가 하는 훈계」] su sermón, su consejo.

고훼(枯卉) árbol *m* marchito.

고흐 【인명】 Vincente Van Gogh (1853-1890) (네덜란드의 화가)

고희(古稀) septuagésimo cumpleaños *m*, setenta años *mpl* de edad. ～를 축하하다 celebrar el septuagésimo cumpleaños (de).
■ ～연(宴) fiesta *f* [banquete *m*] de septuagésimo cumpleaños.

곡[1](曲) ① ((준말)) ＝곡조(曲調). ② ((준말)) ＝악곡(樂曲). ③ ((준말)) ＝이곡(理曲).
◆피아노～ pieza *f* para piano.

곡[2](曲) [곡조나 노래를 세는 단위] canción *f*, pieza *f* (musical). 두 ～을 부르다 cantar dos canciones. 세 ～을 연주하다 interpretar tres piezas musicales.

곡(谷) [골짜기] valle *m.*

곡(哭) llanto *m*, sollozo *m*, gemido *m*, clamor *m*, lamento *m.* ～하다 llorar, gemir, dar sollozos [gemidos], lamentar(se).

곡(穀) ① [곡식. 곡류] cereal *m*, grano *m.* ② [좋다] (ser) bueno. ③ ＝복록(福祿). ④ ＝녹미(祿米).

곡가(穀價) precio *m* de los cereales.
■ ～ 정책 política *f* del precio de los cereales.

곡간(谷澗) riachuelo *m*, arroyo *m* que corre del valle.

곡경(曲境) circunstancias *fpl* difíciles, adversidad *f*, obstáculos *mpl*, dificultades *fpl.* ～에서 헤어나다 buscar un camino de dificultades.

곡곡(曲曲) ① [굴곡이 많은 산이나 내나 길의 굽이] curva *f.* ② ((준말)) ＝방방곡곡.

곡과(穀果) ＝영과(穎果).

곡괭이 azada *f*, azadón *m* (*pl* azadones), zapapico *m*, pico *m*, piqueta *f*, piocha *f.* ～질을 하다 pasar la azada (por), azadonar.

곡굉이침지(曲肱而枕之) vida *f* pobre, vida *f* sencilla.

곡굉지락(曲肱之樂) Uno está contento con la pobreza y se goza de la verdad.

곡교의(曲交椅) ＝용교의(龍交椅).

곡균(麯菌) ＝누룩곰팡이.

곡기(曲技) ＝곡예(曲藝).

곡기(穀氣) comida *f* de cereales.
◆곡기(를) 놓다[끊다] no comer ninguna comida, no poder comer comida alguna [ninguna comida].

곡다(曲茶/穀茶) ＝곡차(曲茶).

곡도(穀道) 【해부】 el intestino grueso y el ano.

곡두 ＝환영(幻影).

곡두(穀頭) ((불교)) sacerdote *m* budista encargado del arroz.

곡령(穀靈) espíritu *m* de cereales.

곡록(曲彔) silla *f* para los sacerdotes budistas.

곡록응(穀轆鷹) 【조류】 ＝수리부엉이.

곡론(曲論) ＝곡설(曲說).

곡류(曲流) corriente *f* serpenteada, meandro *m.* ～하다 correr serpenteadamente.
■ ～천(川) río *m* serpenteado.

곡류(穀類) cereales *mpl*, grano *m.*

곡륜(轂輪) rueda *f.*

곡률(曲率) 【수학】 curvatura *f.*
■ ～ 반경(半徑) radio *m* de curvatura. ～선(線) línea *f* de curvatura. ～원 círculo *m* de curvatura. ～ 중심(中心) centro *m* de curvatura.

곡마(曲馬) circo *m.*
■ ～단(團) compañía *f* de circo, *Perú*, *RPl* circo *m.* ¶～은 코끼리 두 마리와 원숭이 한 마리를 데리고 다닌다 El circo tiene dos elefantes y un mono. ～사(師) jinete *mf* de circo. ～술(術) acrobacia *f* aérea, arte *m* de circo.

곡면(曲面) 【수학】 superficie *f* encorvada.
■ ～ 인쇄(印刷) imprenta *f* curvada. ～체 figura *f* curvada. ～형 forma *f* curvado.

곡명(曲名) título *m* (de una pieza musical).

곡목(曲木) árbol *m* encorvado.

곡목(曲目) ① [연주할 악곡을 적어 놓은 목록] programa *m* (de un concierto). ② ＝곡명(曲名).

곡물(穀物) cereal *m*, grano *m*. ~을 재배하다 cultivar cereales.
■ ~ 거래소(去來所) bolsa *f* de cereales. ~ 건조기(乾燥機) secadora *f* de grano. ~ 검사(檢査) registro *m* de grano. ~ 도매상(都賣商) agente *mf* de grano. ~법(法)【법률】ley *f* de cereales. ~ 부족 carencia *f* [falta *f*· carestía *f*· escasez *f*] de cereales. ~상(商) ㉮ [상인] comerciante *mf* de grano. ㉯ [곡물의 장사] comercio *m* de grano. ~세 impuesto *m* sobre cereales. ~ 수입 importación *f* de cereales, importación *f* de grano. ~ 수출(輸出) exportación *f* de cereales, exportación *f* de grano. ~ 수확(收穫) cosecha *f* de cereales, cosecha *f* de grano. ~ 시장(市場) mercado *m* de grano, mercado *m* de cereales. ~ 용선 계약(傭船契約) contrato *m* de fletamento de grano. ~ 용선 계약서(傭船契約書) contrato *m* de fletamento de grano. ~ 운반선 barco *m* de transporte de grano. ~ 재배 cultivo *m* de cereales. ~ 조례(條例)【법률】=곡물법. ~ 중매인(仲買人) agente *mf* de grano. ~ 창고 granero *m*; [고가식의] hórreo *m*. ~ 터미널 terminal *f* granelera.
곡미어(曲眉語)【언어】=굴절어(屈折語).
곡발(鵠髮) cana *f*.
곡배(曲拜)【역사】saludo *m* al rey. ~하다 saludar al rey.
곡백(穀帛) los cereales y la seda.
곡병(曲屏) ① =머릿병풍. ② =가리개.
곡보(曲譜)【음악】=악보(樂譜).
곡복사신(穀腹絲身) la comida y la ropa.
곡분(穀粉) cereales *mpl* en polvo, polvo *m* de cereales.
곡사(曲士) ① [촌뜨기] campesino *m*. ② [마음이 바르지 못한 사람] persona *f* deshonesta, hombre *m* deshonesto, mujer *f* deshonesta.
곡사(曲赦) amnistía *f* parcial.
곡사(鵠瀉)【식물】=쇠귀나물.
곡사포(曲射砲)【군사】obús *m* (*pl* obuses).
곡상(穀商) ((준말)) =곡물상(穀物商).
곡선(曲線) (línea *f*) curva *f*. ~의 curvilíneo. ~을 그리다 trazar una curva.
■ ~ 도표(圖表) curva *f*, gráfico *m*, gráfica *f*. ~ 도형(圖形)【수학】=곡선형. ~동(動) ((준말)) =곡선 운동. ~미(美) belleza *f* de curva, curva *f* hermosa. ~ 운동 moción *f* curvilínea. ~자 plantilla *f* de curvas. ~ 좌표(座標) coordinados *mpl* curvilíneos. ~척(尺)【수학】=운형 정규. ~판【수학】=운형 정규. ~표(標) signo *m* curvilíneo. ~형(形) forma *f* curvilínea.
곡선(曲蟺/蛐蟺/蛐蟮)【동물】=지렁이.
곡성(哭聲) gemido *m*, lamento *m*.
곡쇠(曲一) =곡철(曲鐵).
곡수(谷水) el agua *f* del valle.
곡식(穀一) cereales *mpl*, grano *m*.
■ 곡식 이삭은 잘될수록 고개를 숙인다 ((속담)) Quien sabe mucho, habla poco.
■~ 농사 cultivo *m* de cereales, labranza *f* de cereales. ~알 grano *m*.
곡신(穀神) dios *m* de los cereales; ((로마 신화)) Ceres *f*.
곡심(曲心) corazón *m* malvado.
곡예(曲藝) juego *m* de manos, malabarismo *m*, juegos *mpl* malabares, acrobatismo *m*, acrobacia *f*, suertes *fpl* acrobáticas. ~의 acrobático. ~를 하다 hacer malabarismo [acrobatismo], hacer ejercicios de acrobacia [de acrobatismo]. ~를 배우다 aprender acrobacia, aprender acrobatismo.
◆ 공중(空中) ~ acrobacia *f* aérea. 마상(馬上) ~ acrobacia *f* sobre el caballo. 자전거 ~ acrobacia *f* sobre la bicicleta.
■ ~단(團) compañía *f* acrobática. ~ 댄스 danza *f* acrobática. ~ 비행(飛行) acrobacia *f* aérea. ~사(師) acróbata *mf*. ~술 arte *m* de acrobacia.
곡왕(谷王) mar *m*.
곡인(穀人) agricultor, -tora *mf*, labrador, -dora *mf*.
곡일(穀日)【민속】*gok-il*, el primero de enero del calendario lunar.
곡자(曲子/麴子) levadura *f*.
곡자균(曲子菌/麴子菌)【식물】=누룩곰팡이.
곡자집(曲字一) =기역자집.
곡재아(曲在我) Es la culpa mía.
곡재피(曲在彼) Es la culpa de otros.
곡저(谷底) fondo *m* del valle.
곡적(鵠的) centro *m* del blanco.
곡절(曲切) =곡진(曲盡).
곡절(曲折) ① [여러 가지 복잡한 사정] intrincación *f*; [파란] vicisitud *f*; [까닭] razón *f*. 사건의 ~ complicaciones *fpl* de un asunto. ② [구불구불 꺾인 상태] curva *f*, meandro *m*.
■ ~어(語)【언어】=굴절어(屈折語).
곡정수(穀精水) =밥물.
곡조[1](曲調) [음악과 가사의 가락] melodía *f*, música *f*; [작품(作品)] composición *f* [pieza *f*] musical. 시에 ~을 붙이다 poner música.
곡조[2](曲調) [곡이나 노래의 수를 세는 단위] canción *f*, música *f*. 한 ~ una canción, una música. 두 ~ dos canciones, dos músicas.
곡종(穀種) ① [곡식의 종류] clase *f* de los cereales. ② [곡식의 종자] semilla *f* de los cereales.
곡주(穀酒) vino *m* de grano, licor *m* de los cereales.
곡지(谷地) valle *m*.
곡지통(哭之痛) llanto *m* muy triste. ~하다 llorar muy tristemente.
곡직(曲直) lo correcto y lo incorrecto.
■~불문(不問) =불문곡직(不問曲直).
곡차(曲茶/穀茶) ((불교)) vino *m* de arroz, vino *m*, bebida *f*, licor *m*.
곡창(穀倉) ① [곡식을 넣어 두는 창고] granero *m*; [고가식의] panera *f*, hórreo *m*. ② [곡식이 많이 나는 지방] granero *m*. 호남평야는 우리 나라의 ~이다 La planicie de *Honam* es un granero de nuestro país.
■ ~ 지대(地帶) granero *m*. ¶그 지역은 세계의 ~가 될 것이다 Esa zona llegará a

ser el granero del mundo.
곡척(曲尺) ＝곱자.
■ ～형(形) forma *f* de la escuadra.
곡천(谷泉) pozo *m* del valle.
곡천(穀賤) cereales *mpl* baratos.
곡초(穀草) paja *f* de arroz.
곡추(曲脉) ＝오금.
곡축(曲軸) 【기계】 ＝크랭크축.
곡출(穀出) producción *f* de grano.
곡퇴(穀堆) ＝볏가리.
곡풍(谷風) ＝골바람.
곡피(穀皮) cáscara *f* de los cereales.
곡필(曲筆) falsificación *f*, perversión *f*. ～하다 tergiversar [distorsionar] la verdad, falsificar.
곡하(轂下) ＝제도(帝都).
곡하다(曲－) ① [사리가 바르지 못하고 굽다] (ser) deshonesto. ② ＝고깝다.
곡학(曲學) estudio *m* pervertido, estudios *mpl* diabólicos.
■ ～아세(阿世) estudio *m* pervertido, estudio *m* oportunista, adulteración *f* de la ciencia, sofistería *f*. ¶～하다 adulterar la ciencia. ～하는 사람 intelectual *mf* que adultera la ciencia, contemporizador, -dora *mf*. ～아세지도(阿世之徒) grupo *m* de contemporizadores. ～자 contemporizador, -dora *mf*.
곡해(曲解) mala interpretación *f*, mal entendimiento *m*. ～하다 interpretar mal [equivocadamente], entender mal, comprender mal, malinterpretar, interpretar mal, tergiversar, trocar [torcer] el sentido (de). 고의로 ～하다 entender [comprender] mal a propósito. 내 말을 ～하지 마라 Por favor entiéndeme / Por favor no me malinterpretes.
곡향(穀鄕) granero *m*.
곡형(曲形) forma *f* encorvada.
곡호(曲護) ＝곡비(曲庇).
곡회(曲會) banquete *m* entre los parientes.
곡희(穀饒) abundancia *f* de los cereales. ～하다 (ser) abundante en cereales.
-곤 muchas veces; [곤잘 … 하다] soler + *inf.* 그녀는 저녁마다 나를 찾아오～ 했다 Ella solía visitarme todas las noches.
곤경(困境) dilema *m*, situación *f* difícil. ～에 빠지다 verse en un gran apuro [aprieto], estar en un aprieto [apuro], meterse en un aprieto [apuro], confundirse [perturbarse] totalmente, quedar(se) todo complejo, irse a pique. ～에서 벗어나다 salir de un apuro [un aprieto].
곤계(昆季) ＝형제(兄弟)(hermano).
곤고(困苦) dificultad *f*, sufrimiento *m*, padecimiento *m*, pena *f*, penalidad *f*, infortunio *m*; [곤궁] apuro *m*, aprieto *m*, miseria *f*. ～를 참다 soportar dificultades [trabajos · penas].
곤고히 difícilmente, con dificultad, miserablemente.
곤곤(困困) ① [퍽 곤란함] mucha dificultad. ～하다 (ser) muy difícil. ② [몹시 빈곤함] mucha pobreza. ～하다 (ser) muy pobre.
곤골(滾汨) mucha prisa. ～하다 estar muy ocupado.
곤골히 de prisa, apresuradamente.
곤궁(困窮) pobreza *f*, carencia *f*, necesidad *f*, miseria *f*, apuro *m*, aprieto *m*. ～하다 hallarse en la miseria, empobrecerse; [상태] estar muy apretado, ser pobre. ～한 처지에 있다 estar en la piña, estar en la necesidad. ～이 극에 달해 있다 estar en la extrema necesidad, sufrir de una extrema pobreza.
곤궁히 pobremente, con pobreza.
■ ～자(者) pobre *mf*, necesitado, -da *mf*, apurado, -da *mf*.
곤궁(坤宮) palacio *m* de la reina.
곤궁(壼宮) ① 【역사】 [후비] esposa *f* del rey, reina *f*. ② 【역사】 [후비의 처소] vivienda *f* de la reina.
곤권(困倦) ＝곤비(困憊).
곤궤(困匱) pobreza *f*. ～하다 (ser) pobre.
곤극(困極) ＝곤위(壼位).
곤극(壼極) ＝곤위(壼位).
곤급하다(困急－) (ser) difícil y tener prisa.
곤급히 difícil y apresuradamente.
곤기(閫奇) cargo *m* del general.
곤당(褌襠) ＝속고의.
곤댓질 ＝곤댓짓.
곤댓짓 conducta *f* arrogante. ～하다 darse aires, *CoS* mandarse la(s) parte(s).
곤덕(坤德) virtud *f* de la reina.
곤독(悃篤) ＝간독(懇篤).
곤돈(困頓) ＝곤핍(困乏).
곤돌라(이 *gondola*) ① [(이탈리아의) 베네치아의 명물인 작은 배] góndola *f*. ～ 뱃사공 gondolero, -ra *mf*. ② [비행선이나 기구 등의] góndola *f*. ③ [고층 건물의 옥상에서 늘어뜨려 오르내리게 하는 하물 운반기] góndola *f*.
곤두박이다 descender [bajar] en picado [en picada].
◆곤두박이(를) 치다 caer precipitadamente.
곤두박질 caída *f* precipitada.
◆곤두박질(을) 치다 descender [bajar] en picado, caerse, dar de coronilla. 나는 계단에서 곤두박질쳤다 Me caí por la escalera.
곤두서다 ponerse con los pies hacia arriba. 신경이 ～ estar nervioso, tener los nervios de punta.
곤두세우다 poner con los pies hacia arriba. 그녀는 머리카락을 곤두세우고 노했다 Ella se enfureció.
곤드기 장원(－壯元) empate *m*.
곤드라지다 dormirse muerto de cansancio. 술에 취해 ～ dormirse [quedarse dormido] en beber demasiado.
곤드레 ((준말)) ＝곤드레만드레.
곤드레만드레 brutalmente, totalmente, tambaleándose; [취하여] completamente borracho, como una cuba. ～하다 tambalearse. ～ 취하다 emborracharse completamente [mucho · totalmente], embriagarse brutalmente, coger una buena turca, ponerse

completamente beodo [mona]. ~ 취해 있다 estar como una uva, estar más borracho que una cuba. ~ 취하여 en estado de embriaguez e irresponsablidad. ~가 되어 공안 방해(公安妨害)를 하면서 en estado de embriaguez y alterando el orden público.

곤들매기 【어류】 umbra *f.*

곤란(困難) ① [어려움] dificultad *f*, [장해(障害)] obstáculo *m*; [곤궁(困窮)] apuro *m*, aprieto *m*, escasez *f*, [역경] adversidad *f*; [난사(難事)] tropieza *f*; [고난] tormento *m*. ~하다 ㉮ apurarse, estar [verse] en aprietos [en apuros · en un apuro · en un aprieto]. ㉯ [당혹(當惑)하다] quedar(se) [estar] perplejo, quedar confuso, turbarse, desconcertarse. ㉰ [처지가 궁하다] no saber qué [cómo] hacer, estar en dificultad. ~한 difícil, duro, penoso, apurado, trabajoso, fatigoso. ~한 공사(工事) obra *f* (de construcción) difícil. ~한 입장 situación *f* apurada [difícil · perpleja · embarazosa]. 해결이 ~한 사건(事件) asunto *m* difícil de resolver. 매우 ~하다 azorarse, quedar perplejo [aturdido · desconcertado], quedarse sin saber qué hacer. ~에 대처하다 hacer frente a [desafiar · afrontar] dificultades. ~을 당하다 encontrarse [tropezar · topar] con una dificultad, enfrentarse con [confrontarse con · hacer frente a] una dificultad. ~을 극복하다 superar [vencer] una dificultad. ~을 피하다 eludir [evitar] dificultades. ~한 사람을 돕다 ayudar a los necesitados. 답변이 ~하다 no saber qué contestar. 보행에 ~을 느끼다 andar [caminar] con dificultad. …하는 것은 ~하다 Es difícil + *inf* [que + *subj*]. 나는 어찌 할지 몰라 ~한 처지에 놓여 있다 Me vi apurado [en un apuro] sin saber qué hacer. ~한데요! ¡Qué problema! / ¡Qué papelón [papelita]! ~한 일이 생겼다 Ha surgido un problema. ~할 때 나한테 연락해라 Cuando estés en apuros [en dificultades], comunícamelo. 나는 숨쉬기가 ~하다 Tengo una respiración difícil / Me es difícil respirar. 나는 ~한 시기를 보내고 있다 Yo paso un momento angustioso / Yo sufro una prueba dura. 그는 ~한 입장에 처해 있다 El se halla en un aprieto / El está en una situación angustiada [difícil]. ② [생활이 궁핍함] pobreza *f*. ~하다 (ser) pobre. 나는 가계(家計)가 ~하다 Yo vivo en gran [con mucha] estrechez. 회사(會社)는 지금 ~하다 La compañía ahora está económicamente mal / La compañía atraviesa una situación difícil. 그녀는 ~한 가운데서도 자식을 대학까지 보냈다 Aunque ella vivía en la estrechez, mandó a su hijo a la universidad. 그는 삼시 세끼 이어가는 것도 ~하다 El es tan pobre que no puede satisfacer el hambre.
곤란히 difícilmente, con dificultad; pobremente, con pobreza.

곤로(困勞) =노곤(勞困).

곤룡포(袞龍袍) 【역사】 uniforme *m* oficial del rey.

곤마(袞馬) caballo *m* que toma el rey.

곤명(坤命) ① ((불교)) [축원문에서] mujer *f*. ② 【민속】 año *m* que nació la mujer.

곤법(壼法) 【역사】 reglamento *m* de las concubinas del palacio real.

곤복(袞服) 【역사】 =곤룡포(袞龍袍).

곤봉(棍棒) palo *m*, garrota *f*, tranda *f*, [경찰봉] porra *f*, cachiporra *f*, [체조용] maza *f* de gimnasia.

곤비(困憊) ① [고달파서 힘이 없음] fatiga *f* extrema, cansancio *m* extremo. ~하다 estar cansado. ② [가난함] pobreza *f*. ~하다 (ser) pobre.

곤선명(坤仙命) 【민속】 año *m* que nació la mujer muerta.

곤손(昆孫) nieto *m* del tataranieto.

곤쇠아비동갑(—同甲) ((속어)) persona *f* inútil que tiene muchos años y figura fea.

곤수(困睡) sueño *m* profundo. ~하다 dormir profundamente.

곤신풍(坤申風) 【민속】 viento *m* sureste.

곤여(坤與) =대지(大地).

곤와(困臥) acostada *f* por la fatiga, sueño *m* profundo. ~하다 acostarse por la fatiga, dormir profundamente.

곤외(閫外) ① [문지방의 밖] fuera del umbral. ② [왕성(王城)의 밖] fuera del castillo real.
■ ~지사(之事) control *m* del ejército. ~지신(之臣) general *m*.

곤욕(困辱) insulto *m* amargo, desprecio *m*. ~을 치르다 sufrir un insulto amargo. ~을 참다 aguantar [soportar] un insulto.

곤원(梱願) =간원(懇願).

곤위(坤位) ① [부인의 무덤] tumba *f* de la mujer. ② =곤위(壼位).

곤위(壼位) posición *f* de la reina.

곤의(坤儀) ① =대지(大地). ② [왕후의 덕(德)] virtud *f* de la reina.

곤의(褌衣) =잠방이.

곤이(鯤鮞) ① [물고기의 알] hueva *f*. ② [물고기의 새끼] pecezuelo *m*, pececillo *m*.

곤장(棍杖) 【역사】 porra *f*, clava *f*. ~을 안기다 azotar, fustigar.
■ 곤장에 대갈 바가지 ((속담)) Azotan mucho con porra.
■ ~질 porrazo *m*.

곤쟁이 【동물】 una especie de la gamba pequeña.
■ ~젓 *gonchaengicheot*, gambas *fpl* pequeñas puestas en conserva con sal.

곤전(坤殿) 【역사】 =중궁전(中宮殿).
■ ~마마 ((경칭)) =곤전(坤殿).

곤절(困絶) =곤갈(困竭).

곤정(壼政) 【역사】 asunto *m* del interior del palacio.

곤제(昆弟) =형제(兄弟).

곤죽 ① [땅이 매우 질퍽질퍽함] cenagal *m*, lodazal *m*, *AmL* barrial *m*. ~이 되어 있다 estar lleno [cubierto] de barro [de lodo]. ② [일이 엉망진창이 되어 갈피를 잡기 어

려운 상태] confusión *f* completa [total · absoluta], desorden *m*, revoltijo *m*, atelladero *m*. ~으로 만들다 desordenar; [더럽히다] suciar. 침실이 ~이 되어 있었다 El dormitorio estaba todo desordenado. 너는 여기서 놀아도 되지만 어느 것도 ~으로 만들어서는 안된다 Tú puedes jugar aquí, pero no desordenes nada.

곤줄매기 【조류】 =곤줄박이.

곤줄박이 【조류】 paro *m*.

곤지 colorete *m*, mancha *f* roja en la frente de la novia. ~를 찍다 ponerse colorete en *su* frente.

곤축(坤軸) =지축(地軸).

곤충(昆蟲) insecto *m*.
▪~ 공포증 entomofobia *f*. ~ 기생병(寄生病) entomiasis *f*. ~망(網) red *f* de insectos. ~ 바이러스 virus *m* de insectos. ~ 사육장 insectario *m*. ~ 채집 colección *f* [caza *f*] de insectos. ¶~을 하다 cazar insectos. ~ 채집망(採集網) red *f* para cazar insectos. ~ 초목(草木) el insecto, la hierba y el árbol. ~학(學) entomología *f*, insectología *f*. ~ 학자(學者) entomólogo, -ga *mf*, insectólogo, -ga *mf*.

곤충기 【책】 Recuerdos Entomológicos (de Henri Fabre).

곤충류(昆蟲類) especies *fpl* de insectos.

곤침(困寢) sueño *m* profundo por la fatiga. ~하다 dormir profundamente por la fatiga.

곤포(昆布) alga *f* (marina), planta *f* marina.
▪~국[탕] sopa *f* de alga marina.

곤포(梱包) embalaje *m*, empaque *m*. ~하다 embalar, empaquetar, empacar.
▪~기(機) empacadora *f*. ~업 empresa *f* de embalaje. ~ 업자 embalador, -dora *mf*, empaquetador, -dora *mf*.

곤핍(困乏) =곤비(困憊).
곤핍히 =곤비히.

곤하다(困—) ① [기운이 풀리어 느른하다] estar cansado. 몹시 ~ estar muy cansado. 너는 곤한 것 같다 Tú tienes cara de cansado. ② [(매우 느른해서 든 잠이) 깊다] dormir profundamente. 곤한 잠 sueño *m* profundo.
곤히 con cansancio, con fatiga; profundamente. ~ 자다 dormir profundamente [como un tronco · de un tirón].

곤형(棍刑) 【역사】 =장형(杖刑).

곤혹(困惑) perplejidad *f*, perturbación *f*. ~하다 quedar [estar] perplejo [perturbado], no saber qué hacer. ~하게 하다 perturbar, turbar.

곧 ① [바로] pronto, dentro de poco; [즉시] inmediatamente, en seguida, enseguida, en el acto, en breve, poco después, con el tiempo. 그후 ~ poco (tiempo) después, al poco tiempo; [수일 후] a los pocos días. ~ 떠나라 Sal en seguida. 아버님께서는 ~ 돌아오실 겁니다 Mi padre volverá pronto [dentro de poco · en breve] / No tardará mucho en regresar mi padre. ~ 어두워지겠다 Va a oscurecer [atardecer · anochecer] pronto. ~ 정오다 Pronto será mediodía / Pronto darán [serán] las doce del día. ~ 봄[여름 · 가을 · 겨울]이 온다 Ya está cerca [Pronto llega] la primavera [el verano · el otoño · el invierno] / La primavera [El verano · El otoño · El invierno] está a punto de llegar [está para llegar · no tardará en llegar]. ~ 여름휴가다 Ya falta poco para las vacaciones de verano. ~ 작별의 시간이다 Se acerca la hora de la despedida. 그는 ~ 온다 Pronto [En seguida] llega él / El no tardará en venir. 결과는 ~ 알려드리겠습니다 Del resultado le informaremos pronto. 나는 그것을 ~ 잊었다 Lo olvidé al momento [pronto]. 버스는 ~ 올 것이다 Vendrá el autobús pronto. 나는 ~ 서반아에 간다 Dentro de poco iré [voy] a España. 나는 결혼한지 ~ 25년이 된다 Va a hacer veinticinco años que me casé. 이 계획은 ~ 실현되지는 않을 것이다 Este proyecto no se realizará en poco tiempo. 내 아내는 ~ 쉰 살이다 Pronto cumplirá [va a cumplir] (los) cincuenta años. ~ 역에 도착한다 Ya está cerca la estación / Pronto llegaremos a la estación.
② [다시 말하면] es decir, o sea, o, a saber, dicho de otro modo. 대한민국의 수도, ~ 서울 la capital de la República de Corea, o Seúl. ~ …이다 ser justamente …, no ser otra cosa …. 이것은 ~ 배반이다 Esto no es otra cosa que una traición. 그것은 ~ 그가 패배를 인정했다는 것을 뜻한다 Eso quiere decir precisamente que él ha reconocido su derrota.

곧다 ① [끝과 끝이 중간에서 구부러지거나 비뚤어지지 아니하고 똑바르다] (ser) recto. 버스터미널까지는 길이 ~ Este es el único camino a la estación. ② [마음이 똑바르다] (ser) honrado, honesto. 대쪽같이 곧은 마음 corazón *m* honrado como un bambú.
▪곧기는 먹줄같다 ((속담)) ㉮ Dar gato por liebre. ㉯ Es muy honrado. 곧은 나무 먼저 [쉬] 꺾인다 [찍힌다] ((속담)) ㉮ Los buenos se van y los malos se están / Se muere temprano el hombre prometedor. ㉯ Se rinde [Se dobla] (más) pronto el hombre que parece ser fuerte.
곧은금 【수학】 línea *f* recta.
곧은길 camino *m* recto, camino *m* derecho; [갈래길이 없는] camino *m* sin bifurcación.
곧은목소리 voz *f* nerviosa.
곧은불림 confesión *f* franca. ~하다 confesar francamente.
곧은창자 ㉮ 【해부】 recto *m*. ㉯ [너무 고지식한 사람] persona *f* ingenua [cándida · inocentona]. ㉰ [음식을 먹고 바로 뒤를 보는 사람을 놓으로 하는 말] persona *f* que va al servicio inmediatamente después de comer.

곧바로 ① [틀리거나 어긋나지 아니하고 바르

게] verdaderamente, honestamente, honradamente. ② [즉시] inmediatamente, en seguida, en el acto. 나는 일을 끝내자 ~ 집에 돌아갔다 Yo volví a casa inmediatamente después de terminar el trabajo. 나는 저녁을 먹자 ~ 나갔다 Salí inmediatamente después de cenar / Salí en cuanto terminé de cenar. 나는 그것을 ~ 후회했다 Me arrepentí inmediatamente / Me arrepentí en cuanto lo dije [lo hice].

곧뿌림 【농업】 =직파(直播).

곧이 ① [곧게] honradamente, honestamente, verdaderamente. ② [즉시] en seguida, inmediatamente. ③ [거짓 없이] sin mentiras, sin decir mentiras, sin mentir.
곧이곧대로 ㉮ [아무 꾸밈이나 거짓이 없이 사실 그대로] sinceramente, honradamente, honestamente, seriamente, en serio, sin mentiras. ㉯ [거리낌없이 마음대로] en buena lid, abiertamente, sin vacilación.

곧이듣다 tomar en serio, creerse todo cuanto lo dicen. 무슨 말이나 ~ comulgar con ruedas de molino. 그는 쉽게 곧이듣는 성격이다 El es muy crédulo. 내가 농담으로 말한 것을 그는 곧이들었다 El tomó en serio mis bromas.

곧잘 ① [(익히거나 배우거나 하여) 제법 잘, 꽤 잘] muy bien, perfectamente bien. 철수는 공부도 잘하거니와 바느질도 ~ 한다 *Cheolsu* no sólo estudia mucho, sino también cose muy bien. ② [가끔 잘] frecuentemente, con frecuencia; [가끔] a veces, unas veces, algunas veces, de vez en cuando, de cuando en cuando. 그가 전에는 ~ 놀러 왔었다 Antes él me visitaba frecuentemente.

곧장 ① [중도에서 다른 곳에 머무르지 않고 바로] directamente, derecho. ~ 집으로 갑시다 Vamos a casa directamente. ~ 집으로 오세요 Ven a casa directamente. 나는 근무를 끝내고 ~ 집에 왔다 Yo vine directamente [derecho] a casa después del trabajo. ② [중도에 지체하지 않고 줄곧] continuamente. ③ [(길을 갈 때에) 샛길로 빠지지 않고 바로] derecho, *AmL* directo. ~ 가십시오 [usted에게] Siga (todo) derecho / *AmL* Siga directo // [tú에게] Sigue derecho / *AmL* Sigue directo // [길을 물을 때 일반적인 대답은 모두 생략하고] Derecho / Derechito / *AmL* Directo. 그 언덕을 따라 ~ 가세요 Siga derecho a lo largo de la colina.

곧추 en línea recta, derecho, erguido. ~ 걷다 caminar en línea recta. ~ 서다 ponerse de pie erguido. 놀라 ~ 서다 estremecerse de sorpresa; [말이] encabritarse. 무릎을 ~ 해라 No dobles las rodillas. 그는 ~ 걷는다 El camina muy erguido.
곧추들다 llevar derecho.
곧추세우다 erguir derecho.
곧추안다 abrazar derecho.
곧추앉다 sentarse derecho.

곧추다 enderezar, poner derecho.

골[1] ① 【해부】 =골수(骨髓). ② ((준말)) =머릿골.

골[2] [(무엇이 비위에 거슬리거나 하여) 벌컥내는 성] ira *f*, enfado *m*, *AmL* enojo *m*.
◆골(을) 내다 enfadarse, irritarse, enojarse. 그는 쉬 골을 낸다 El se enfada [se irrita · se enoja] con facilidad. 골 내지 않겠다고 나에게 약속해라 ¿Me prometes que no te vas a enfadar? 골(이) 나다 enfadarse, irritarse, *AmL* enojarse. 골이 나서 en un momento de ira, con ira. 골 나게 한다 enfadar, irritar, enojar.

골[3] [형(型)] molde *m*. 구두 ~ horma *f* (de zapatero)

골[4] [피륙 · 종이 따위를 길이로 똑같이 접거나 나누어 오리거나 하는 금] arruga *f*.

골[5] ① ((준말)) =골짜기. ② ((준말)) =고랑. ③ ((준말)) =골목. ④ [깊은 구멍] agujero *m* profundo.
◆골로 가다 morir, fallecer. 골(을) 타다 surcar, hacer surcos en la tierra [en el campo].

골[6] ((준말)) =고을.

골(骨) ① 【해부】 =뼈. ② 【역사】 =골품(骨品). ③ [몸] cuerpo *m*. ④ =인품(人品) (personalidad, carácter). ⑤ [사물의 중추] centro *m*, pivote *m*.

골(영 *goal*) ① [목표. 목적] meta *f*, objetivo *m*. 그의 ~은 의사가 되는 것이었다 Su objetivo era ser médico. ② [결승선] meta *f*. ③ [득점] gol *m*, tanto *m*. 쉬운 ~ gol *m* fácil. 완벽한 ~ gol *m* perfecto. 종료 직전의 동점 ~ gol *m* de empate del último minuto. ~을 넣다 marcar un gol, anotar un tanto. ~을 뽑아내다 cosechar goles. ~을 허용하다 encajar un gol. 두 ~을 넣다 marcar [meter] dos goles. 한 ~ 뒤지다 tener un gol de menos [de retraso]. 소나기 ~을 퍼붓다 bombardear de goles. ④ ((준말)) =골인.
◆결승 ~ gol *m* de la victoria. 결정(적인) ~ gol *m* decisivo [definitivo]. 단독 ~ jugada *f* individual que acaba en un gol. 동점 ~ gol *m* de empate. 만회 ~ gol *m* del honor. 선취 ~ primer gol *m*, gol *m* de salida. 헤딩 ~ cabezazo *m*, gol *m* de cabeza.
■ ~ 감각 instinto *m* de gol. ~ 그물[네트] red *f* de portería. ~대 poste *m* [palo *m*] (de la portería). ¶이동식 ~ poste *m* portátil. ~를 때리다, ~에 맞다 tirar contra el poste. ~를 맞고 나오다 rebotar desde el poste. ~ 득점자 goleador, -dora *mf*. ~ 라인 ㉮ ((축구)) línea *f* de(l) gol, el área *f* de gol. ¶(골키퍼가) ~에서 나오다 [벗어나다] salir de la línea de(l) gol. ㉯ ((럭비)) línea *f* de meta. ~ 모서리 borde *m* de la portería. ~ 문(門) =골 포스트. ¶빈 ~ meta *f* desguarnecida [abierta]. ~을 크게 벗어난 슛 tiro *m* desviado. ~을 넘기다 tirar por encima del larguero. ~을 빗나가다 desaprovechar una ocasión de gol. ~ 바 [축구의 골포스트 위에 가로 건너지른

나무] larguero *m*, travesaño *m*, *Andes* horizontal *m*. ~ 에어리어[박스] el área *f* chica [de portería · de meta]. ~인 ㉮ [결승점에 들어섬] meta *f*. ¶~하다 alcanzar la meta. ㉯ [(축구 · 농구 · 하키 등에서) 공이 골에 들어감] gol *m*. ~ 잔치 festival *m* de goles. ~ 키퍼 portero, -ra *mf*, guardameta *mf*, *AmL* arquero, -ra *mf*, *Cos* golero, -ra *mf*. ¶~ 교체 cambio *m* del arquero, sustitución *f* del portero. ~가 손을 쓸 수 없게 하다 no dar oportunidad al arquero. ~ 킥 saque *m* de puerta [de portería · *CoS* de valla]. ~ 포스트 poste *m* [palo *m*] de la portería [*AmL* del arco].

-골 aldea *f*. 대추나뭇~ aldea *f* de Datileros.

골간(骨幹) ① **【해부】** =뼈대(armazón). ② [사물의 중요한 부분] pivote *m*, lo esencial, lo fundamental, sustancia *f*.

골감 una especie del caqui.

골감소증(骨減少症) **【의학】** osteopenia *f*.

골갑류(骨甲類) **【어류】** ((학명)) Osteostraci.

골강(骨腔) **【해부】** laguna *f* ósea.

골갱이 ① [물질 속의 단단한 부분] corazón *m*, centro *m*, núcleo *m*. ② [골자] sustancia *f*, pivote *m*.

골걷이 deshierba *f* en los surcos. ~하다 deshierbar los surcos.

골검(骨劍) **【역사】** espada *f* de hueso.

골격(骨格) ① **【해부】** esqueleto *m*. ② =뼈대. ③ [사물의 주요 부분을 이루는 줄거리] esqueleto *m*.

■~ 경화증 eburnación *f*. ~ 교착 anquilosis *f*. ~근(육)[힘살] **【해부】** músculo *m* esquelético. ~성 단백질 albuminoide *m*. ~ 조직 tejido *m* esquelético. ~ 진동 vibración *f* esquelética. ~학 esqueletología *f*. ~ 해설 esqueletografía *f*.

골경화증(骨硬化症) **【의학】** osteosclerosis *f*. ~의 osteosclerótico.

골계(滑稽) =익살.

■~가(家) =익살꾼.

골고다 **【지명】** ((성경)) Gólgota.

골고래 sistema *m* de hipocausto.

골고루 ((준말)) =고루고루. ¶~ 나누어 주어라 Divide en partes iguales entre todos.

골골[1] ① [숙환이 더하였다 덜하였다 하는 모양] ¶~하다 sufrir de la enfermedad crónica. ~하는 사람 persona *f* crónica. ② [병이 잦아서 몸이 늘 약한 모양] inválidamente, con invalidez. ~하는 사람 persona *f* inválida.

골골거리다 sufrir de la enfermedad crónica.

골골대다 =골골거리다.

골골[2] [암탉이 알겯는 소리] cloqueando para el gallo.

골골거리다 cloquear para el gallo.

골골대다 =골골거리다.

골골[3] ((준말)) =고을고을.

골골막염(骨骨膜炎) **【의학】** osteoperiostitis *f*.

골골무가(汨汨無暇) =골몰무가(汨沒無暇).

골골샅샅 todas las partes.

골골샅샅이 por todas las partes.

골관(骨管) tubo *m* de hueso.

골관절(骨關節) articulación *f* ósea.

■~염 osteoartritis *f*. ~ 절개술 osteartrotomía *f*. ~증 osteoartropatía *f*.

골괴저(骨壞疽) **【의학】** osteonecrosis *f*.

골구(鶻鳩) **【조류】** =산비둘기.

골근(骨筋) ① [뼈와 근육] el hueso y el músculo. ② ((준말)) =골격근(骨格筋).

골기(骨器) [뼈로 만든 물건] artículo *m* de hueso.

골김(骨-) =홧김.

골내막(骨內膜) membrana *f* medular, perimielis *f*, endostio *m*.

■~염 endosteítis *f*. ~종(腫) endosteoma *m*. ~ 층판(層板) laminilla *f* endosteal.

골뇌양암(骨腦樣癌) **【의학】** osteoencefaloma *m*.

골다 roncar. 코를 ~ roncar.

골다공증(骨多孔症) **【의학】** osteoporosis *f*. ~의 osteoporótico.

골단(骨端) epífisis *f*, osteoepífisis *f*, apófisis *f*. ~의 epifisario.

■~ 고정술(固定術) epifisiodesis *f*. ~ 병증(病症) apofiseopatía *f*. ~ 분리 epifisiolisis *f*. ~선(腺) línea *f* epifisaria. ~ 연골염(軟骨炎) condroepifisitis *f*. ~염(炎) epifisitis *f*.

골동(骨董) ① [여러 가지 물건이 함께 섞인 것] lo mezclado con varias cosas. ② [역사적 · 미술적으로 값어치가 있는 옛 미술품이나 기구] antigüedad *f*, objeto *m* antiguo.

■~면(麵) =비빔국수. ~물(物) artículo *m* antiguo y raro. ~반(飯) =비빔밥. ~탄(炭) =등걸숯. ~포(鋪) tienda *f* de las antigüedades. ~품(品) antigüedades *fpl*, objeto *m* antiguo, (artículos *mpl* de) curiosidades *fpl*. ¶~을 수집하다 coleccionar los objetos de arte antiguos. 그는 ~적인 존재다 El ha hecho su tiempo / [경멸적] El es una persona anticuada. ~품상(品商) ㉮ [장사] negocio *m* de antigüedades. ㉯ [장수] anticuario, -ria *mf*. ~품 수집가 anticuario, -ria *mf*. ~품 애호가 virtuoso, -sa *mf*, curioso, -sa *mf*. ~품점 tienda *f* de antigüedades, anticuario *m*, tienda *f* de curiosidades.

골드(영 *gold*) [황금(黃金)] oro *m*.

■~러시 [황금열] fiebre *f* del oro. ~메달 medalla *f* de oro.

골든(영 *golden*) [황금의 · 제품의] de oro.

■~ 디스크 [황금의 레코드] disco *m* de oro. ~ 아워 horas *fpl* de oro. ~ 웨딩 [금혼식] bodas *fpl* de oro. ~ 키 [황금 열쇠] llave *f* de oro.

골땅 =곡지(谷地).

골땅땅이 una especie de dóminos.

골똘하다 estar absorto (en), estar concentrado (en), estar abstraído (en), abstraer (en). 연구에 ~ estar absorto en la investigación, abstraer en el estudio. 그녀는 책에 완전히 골똘했다 Ella estaba completamente absorta en el libro. 그는 계산하는데 완전히 골똘했다 El estaba totalmente concentrado haciendo las cuentas.

골똘히 atentamente.
골라잡다 seleccionar, elegir. 마음에 드는 것을 ~ elegir lo que quiera. 마음에 드는 것을 골라잡으세요 Elija lo que quiera.
골락새 【조류】 =크낙새.
골로새서(Colossae 書) ((성경)) La Epístola del Apóstol San Pablo a los Colosenses.
골류(骨瘤) 【의학】 =골혹.
골마루 pasillo *m* estrecho.
골마지 capa *f* de suciedad.
골막(一膜) 【해부】 =뇌막(腦膜).
골막(骨膜) 【해부】 periostio *m.* ~의 perióstico.
■ ~염(炎) 【의학】 periostitis *f*, periosteitis *f*, osteo *m* periostitis, inflamación *f* del periostio. ~종(腫) periosteoma *m.* ~종증(腫症) periosteosis *f.* ~층판(層板) laminilla *f* perióstica.
골막하다 estar casi lleno.
골머리 ((속어)) =머릿골(cerebro, cabeza).
◆골머리(를) 앓다 enfadarse, enojarse, estar enfadado, estar enojado, romperse los cascos.
골목 callejón *m* (*pl* callejones).
◆막다른 ~ callejón *m* sin salida.
골목골목 cada callejón, todos los callejones.
골목골목이 =골목골목.
■ ~길 =골목. ~대장 jefe *m* de los niños en un callejón. ~쟁이 callejón *m* profundo hacia la parte interior.
골몰(汨沒) ① [다른 생각을 버리고 한 일에만 온 정신을 쏟음] dedicación *f.* ~하다 dedicarse (a + *algo* · *inf*), estar absorto (en), estar enfrascado (en). 독서에 ~하다 dedicarse a la lectura, dedicarse a leer, estar absorto a la lectura. 일에 ~하다 dedicarse a *su* trabajo, estar absorto a *su* trabajo. ② =부침(浮沈).
골무 dedil *m.*
■ ~떡 *golmutteok*, pedazo *m* de la forma de dedil de la tarta de arroz.
골물 el agua *f* que corre del valle.
골미로(骨迷路) 【해부】 laberinto *m* óseo.
골밑이 guía *f.*
골밑 =곡저(谷底).
골밑샘 【해부】 =뇌하수체(腦下垂體).
골바람 viento *m* que sopla del valle al monte.
골반(骨盤) 【해부】 pelvis *f*, cintura *f* ósea. ~의 pelvi-, pélvico, pelviano.
■ ~강(腔) 【해부】 cavidad *f* pélvica [pelviana]. ~ 격막 【해부】 diafragma *m* pélvico. ~ 결합 조직염 pelvicelulitis *f.* ~계(計) pelvicómetro *m*, pelvímetro *m.* ~ 계측법 pelivicometría *f*, pelvimetría *f.* ~ 내용 제거술 exenteración *f* pélvica. ~대(帶) cintura *f* pélvica. ~ 두부 계측법(頭部計測法) pelvicefalometría *f.* ~벽(壁) pared *f* pélvica. ~ 복막염 pelvioperitonitis *f*, pelviperitonitis *f*, pelveoperitonitis *f.* ~부(部) parte *f* pélvica. ~ 분계선(分界線) línea *f* terminal de pelvis. ~ 성형술 pelvioplastia *f.* ~ 엑스선 사진 pelvicograma *m.* ~ 엑스선 촬영법 pelvioradiografía *f.* ~와(窩) cuenco *m.* ~위 분만(位分娩) parto *m* de nalgas. ~ 입구(入口) entrada *f* pélvica. ~ 장기 고정기(臟器固定器) pelvifijación *f.* ~저(底) fondo *m* pélvico. ~ 절개술 pelvetomía *f*, pelviotomía *f*, plevosección *f*, plevitomía *f.* ~ 절제 etrotomía *f.* ~지(肢) miembro *m* pélvico. ~ 직장(直腸) intestino *m* recto pélvico. ~ 진찰법 pelvioscopia *f.* ~ 척수염 pelvoespondilitis *f.* ~ 천골(薦骨) pelvisacro *m.* ~축 eje *m* pélvico. ~ 태아두 촬영법 pelviencefalografía *f.* ~ 태아두 측정법 pelviencefalometría *f.* ~통(痛) pelicalgia *f*, dolor *m* pélvico. ~ 하구(下口) salida *f* pélvica, estrecho *m* pélvico inferior, apertura *f* pelvis inferior. ~학(學) pelicología *f.* ~ 협착 angostura *f* pélvica. ~ 회전술(回轉術) versión *f* pélvica.
골발생(骨發生) osteosis *f.*
골발육 부전증(骨發育不全症) anostosis *f.*
골방(一房) habitación *f* de atrás.
골백번(一百番) muchas veces.
골벽(一壁) =곡벽(谷壁).
골병(一病) enfermedad profundamente arraigada.
◆골병(이) 들다 caerse en la enfermedad profundamente arraigada.
골병(骨病) osteopatía *f.*
골병리학(骨病理學) osteopatología *f.*
골봉합(骨縫合) osteosutura *f.*
골부(骨斧) 【역사】 el hacha *f* de hueso.
골부림 el perder de los estribos fácilmente.
골분(骨粉) hueso *m* en polvo.
■ ~ 비료(肥料) abono *m* de hueso.
골산(骨山) montaña *f* rocosa, montaña *f* de rocas y piedras.
골상(骨相) fisonomía *f.* ~을 보다 decir la buenaventura frenológicamente (a), examinar *su* fisonomía.
■ ~학(學) frenología *f*, fisonomía *f.* ¶~의 frenológico, fisonómico. ~적으로 frenológicamente, fisonómicamente. ~학자 frenólogo, -ga *mf*; fisonomista *mf*; fisónomo, -ma *mf*.
골생원(一生員) ① [옹졸하고 고루한 사람] persona *f* intolerante, persona *f* de mentalidad cerrada. ② [잔병치레로 골골 앓는 사람] persona *f* delicada, persona *f* enfermiza.
골석화증(骨石化症) osteopetrosis *f.*
골선비 =골생원❶.
골섬유종(骨纖維腫) osteofibroma *m.*
■ ~증(症) osteofibromatosis *f.*
골성 미로(骨性迷路) laberinto *m* óseo.
골성 지방종(骨性脂肪腫) osteosteatoma *m.*
골성형술(骨成形術) osteoplastia *f.*
골세포(骨細胞) célula *f* ósea.
골소(骨蘇) =소골(蘇骨).
골소강(骨小腔) laguna *f* ósea.
골속 ① [골풀의 속] corazón *m* del junco. ② =골풀(junco). ③ ((준말)) =왕골속. ④ [머릿골의 속] sesos *mpl.*
골수(骨髓) 【해부】 tuétano *m*, médula *f* (óse-

a). ~의 medular.

◆골수 [뼛골]에 사무치다 herir a *uno* en lo más vivo.

■~ 거세포(巨細胞) mieloplaxo *m.* ~ 거세포종(巨細胞腫) mieloplaxoma *m.* ~ 경화증 mielosclerosis *f,* osteomielosclerosis *f.* ~구(球) medulocélula *f.* ~구성 백혈병(球性白血病) leucemia *f* mielocítica. ~구종(球腫) mielocitoma *m.* ~구종증(球腫症) mielocitomatosis *f.* ~구 증가증 mielocitosis *f.* ~구 혈증(球血症) mielocitemia *f.* ~ 내막염 perimielitis *f.* ~독(毒) mielotoxina *f.* ~로(癆) mieloftisis *f.* ~ 모세포 mieloblasto *m.* ~섬유종(纖維腫) mielofibrosis *f.* ~성 녹색종(性綠色腫) cloromieloma *m.* ~성 단구(性單球) mielomonocito *m.* ~성 림프구 mielolinfocito *m.* ~성 백혈구 mieloplasto *m.* ~성 백혈병 mieloblastosis *f.* ~성 조직 tejido *m* mieloide. ~ 세포 mielocito *m.* ~ 세포종(細胞腫) mielocitoma *m.* ~ 세포 형성 mielopoiesis *f.* ~ 수혈 transfusión *f* medular. ~ 아구(芽球) mieloblasto *m.* ~염(炎) osteomielitis *f,* medulitis *f,* mielitis *f.* ~ 요법 mieloterapia *f.* ~ 육종 mielosarcoma *m.* ~ 육종증 mielosarcomatosis *f.* ~ 이식 tra(n)splante *m* medular. ~ 조영술 osteomedulografía *f.* ~종(腫) mieloma *m.* ~종 단백질 proteína *f* de mieloma. ~종증(腫症) mielomatosis *f.* ~ 중독증(中毒症) mielotoxicosis *f.* ~증(症) mielosis *f.* ~지방종(脂肪腫) mielolipoma *m.* ~ 천자(穿刺) puntura *f* medular. ~ 측정법 pielometría *f.* ~ 형성 medulización *f.*

골신(骨身) el hueso y el cuerpo.

골신경(骨神經) 【해부】 =뇌신경(腦神經).

■~통(痛) 【의학】 osteoneuralgia *f.*

골신생(骨新生) osteanagénesis *f.*

■~ 섬유성 골염 【의학】 osteoplastia *f* osteiisfibrosa.

골안개 neblina *f* de la mañana en el valle.

골양(骨瘍) 【의학】 =카리에스(caries).

골얼음강(-江) =곡빙하(谷氷河).

골연골(骨軟骨) ¶~의 osteocartilaginoso.

■~ 섬유종(纖維腫) osteocondrofibroma *m.* ~염 【의학】 osteocondritis *f.* ~종(腫) 【의학】 osteoencondroma *m,* osteocondroma *m,* condroeteoma *m.* ~종증 【의학】 osteocondromatosis *f.* ~증(症) osteocondrosis *f.*

골연화(骨軟化) osteolisis *f.*

◆~증(症) 【의학】 osteomalacia *f.*

골염(骨炎) 【의학】 osteitis *f.*

골예수 ((속어)) cristiano, -na *mf* inflexible.

골유합 박리술(骨癒合剝離術) sinoseotomía *f.*

골유합증(骨癒合症) sinostosis *f.*

골육(骨肉) ① [뼈와 살] los huesos y la carne. ② ((준말)) =골육지친.

■~ 상잔[상쟁·상전] ㉮ [부자(父子)나 형제 등 혈연 관계에 있는 사람끼리 서로 해치며 싸우는 일] pelea *f* entre los parientes muy cercanos. ㉯ [같은 민족끼리 해치며 싸우는 일] pelea entre las mismas razas. ~지친(之親) padre e hijo, hermanos *mpl,* parientes *mpl,* relaciones *fpl* sanguíneas.

골인 ① [골에 들어감] meta *f,* gol *m.* ~하다 alcanzar la meta. ☞골(goal) ② [목표에 도달함] logro *m* del objetivo. ~하다 lograr al objetivo. 결혼에 ~하다 casarse (felizmente).

골자(骨子) lo esencial, lo fundamental, sustancia *f,* punto *m* principal. 논쟁의 ~ punto *m* principal del argumento.

골재(骨材) conglomerado *m.*

골재생(骨再生) osteoanagénesis *f.*

골저(骨疽) 【의학】 =카리에스.

■~창(瘡) 【한방】 osteoperiostitis *f* crónica.

골절(骨折) 【의학】 fractura *f.* ~되다 fracturarse. 팔에 ~상을 입다 fracturarse el brazo.

■~ 검사기(檢查器) osteoscopio *m.* ~술(術) osteotomía *f.* ~학(學) agmatología *f.*

골절(骨節) articulación *f* (de hueso).

골점액 연골종(骨粘液軟骨腫) osteomixocondroma *m.*

골정맥 혈전증(骨靜脈血栓症) osteotrombosis *f.*

골조(骨組) armazón *m,* estructura *f.*

■~ 공사(工事) construcción *f* de armazón.

골조(骨彫) escultura *f* grabada en el hueso o en el marfil.

골조송증(骨粗鬆症) 【의학】 =골다공증.

골조직(骨組織) tejido *m* óseo.

골종(骨腫) 【의학】 osteoma *m.*

골종양(骨腫瘍) 【의학】 osteonco *m.*

골종증(骨腫症) 【의학】 osteomatosis *f.*

골증(骨症) osteopatia *f,* osteosis *f.*

골증식증(骨增殖症) osteofitosis *f.*

골지방 연골종(骨脂肪軟骨腫) osteolipocondroma *m.*

골지방종(骨脂肪腫) osteolipoma *m.*

골지 소체(Golgi 小體) =골지체(Golgi 體).

골지체(Golgi 體) aparato *m* de Golgi.

골질(骨質) tejido *m* óseo.

골짜기 valle *m.* 깊은 ~ valle *m* profundo.

골짝 =골짜기.

골초(-草) ① [품질이 나쁜 담배] tabaco *m* de la calidad inferior. ② [담배를 많이 피우는 사람] gran fumador *m,* gran fumadora *f.*

골치 ((낮춤말)) =머릿골. ¶~(가) 아픈 일 preocupación *f,* inquietud *f,* dolor *m* de cabeza.

◆골치(가) 아프다 tener dolor de cabeza por la preocupación [por la molestia]. 골치(를) 앓다 preocuparse (por).

■~ㅅ거리 incordio *m,* fastidio *m,* lata *f,* pesadez *f,* molestia *f,* dolor *m* de cabeza.

골치다 poner *algo* en el molde.

골침(骨針) 【역사】 aguja *f* de hueso.

골켜다 cortar la médula de madera.

골타다 surcar.

골탄(骨炭) carbón *m* (*pl* carbones) de hueso, carbón *m* animal.

골탕(-湯) ① [소의 등골·머릿골에 녹말을 묻혀 기름에 지지고 맑은 장국에 넣어 끓인 국] sopa *f* de sesos de vaca. ② ((속어)) [되게 입는 손해] gran daño *m,* gran perjuicio *m.*

◆골탕(을) 먹다 sufrir mucha pérdida. 골탕(을) 먹이다 hacer sufrir mucha pérdida.
골통 ((속어)) =골통이.
■~대 una especie de la pipa de tabaco. ~뼈 ((비어)) =두골(頭骨). ~이 ((속어)) =머리[1]❶.
골통(骨痛) 【한방】 ostalgia *f*.
골틀리다 enfadarse, enojarse, irritarse.
골파 【식물】 una variedad del puerro.
골판지(—板紙) cartón *m* corrugado.
골패(骨牌) dómino *m*.
골퍼(영 *golfer*) golfista *mf*, jugador, -dora *mf* de golf.
골편(骨片) osteocoma *f*, pedazo *m* del hueso.
골풀 【식물】 junco *m*.
골풀이 acción *f* de dar rienda suelta. ~하다 desahogarse, dar rienda suelta (a). 아이들에게 ~하지 마라 No te desahogues con los niños. 그는 병을 깨면서 ~했다 El dio rienda suelta a su ira rompiendo la botella / El se desahogó rompiendo la botella.
골품(骨品) 【역사】 *golpum*, categoría *f* del rango (social).
골프(영 *golf*) ① [구기의 하나] golf *m*. ~의 golfístico, de golf. ~에 관한 del (deporte del) golf. ~를 치는 사람 golfista *mf*, jugador, -dora *mf* de golf. ~를 치다 jugar al golf, *AmL* jugar golf (*RPI* 제외). ② ((준말)) =베이비 골프.
■~공 pelota *f* de golf. ~ 과부 mujer *f* que pasa mucho tiempo sola mientras su marido juega al golf, mujer *f* que se queda muchas veces sola porque *su* marido es muy aficionado al golf. 나는 ~다 Yo paso mucho tiempo sola mientras mi marido juega al golf. ~광(狂) maníaco, -ca *mf* de golf. ~ 바지 pantalones *mpl* de golf. ~복(服) ropa *f* de golf. ~ 볼 ㉮ =골프공. ㉯ [(타자기의) 공 모양의 식자판] bola *f* [esfera *f*] de impresión, cabeza *f* de escritura. ~볼 타자기 máquina *f* de escribir a bola, máquina *f* de escribir cabeza esférica. ~ 선수(選手) golfista *mf*, jugador, -dora *mf* de golf. ~ 연습장 campo *m* de golf diseñado para practicar tiros de salida. ~장[코스] campo *m* [*AmL* cancha *f*] de golf. ~채 palo *m* de golf. ¶~ 한 세트 un juego de palos de golf. ~ 카트 [골프백을 나르는 손수레, 골퍼를 나르는 전동차] cochecita *f* de golf. ~ 클럽 ㉮ club *m* de golf. ㉯ =골프채.
골필(骨筆) pluma *f* de cliché, pluma *f* de hierro.
골학(骨學) osteología *f*. ~의 osteológico.
■~자(者) osteólogo, -ga *mf*.
골함석 cinc *m* corrugado.
골형성(骨形成) osteogénesis *m*.
■~ 결손 anostosis *f*. ~ 부전증 osteogénesis *m* imperfecto. ~ 섬유(纖維) fibra *f* osteogenética.
골혹(骨—) tumor *m* óseo.
골화(骨化) osificación *f*.
골활액 낭염(骨滑液囊炎) osteosinovitis *f*.
골회(骨灰) cenizas *fpl* de huesos.
곪다 ① [탈난 살에 염증이 생겨 고름이 들게 되다] enconarse, formar pus. ② [내부의 갈등·모순·부패 등이 쌓여서 터질 정도에 이르다] madurar.
곬 ① [한 방향으로 나가는 길] dirección *f* (fija). ② [물이 흘러 내려가는 길] curso *m* de agua. ③ [사물의 유래] origen *m*, causa *f*, fuente *f*. ④ [양재(洋裁)에서, 접는 부분] parte *f* doblada.
곯다[1] ① [곡식 같은 것이 담은 그릇에 차지 못하고 좀 비다] todavía no estar lleno. ② [먹는 것이 모자라서 늘 배가 고프다] tener hambre siempre, no estar lleno, no estar harto, tener el estómago vacío.
곯다[2] ① [속이 물커져 상하다] pudrirse, echarse a perder, estropearse. 곯은 달걀 huevo *m* pudrido. ② [은근히 해를 입어 골병들다] sufrir el daño interno.
곯리다[1] ① [그릇에 차지 못하게 하다] no hacer estar lleno. ② [먹는 것이 모자라 늘 배가 고프게 하다] hacer tener hambre, quedar sin comer. 간이 좋지 않으면 배를 곯려야 한다 Si no te gusta el hígado, te quedas sin comer.
곯리다[2] ① [속이 물커져 상하게 하다] hacer pudrirse, hacer estropearse. ② [골병들게 하다] hacer sufrir el daño interno, hacer daño.
곯아떨어지다 [술에] estar completamente borracho [ebrio]; [잠에] caerse en el sueño profundo, dormirse profundamente, quedarse profundamente dormido. (술마시기를 겨루어 상대편을) 곯아떨어지게 하다 dar a *uno* cien mil vueltas bebiendo. 그녀는 술 마시기를 겨루어 너를 곯아떨어지게 할 수 있다 Ella te da cien mil vueltas bebiendo.
곯아빠지다 ① [몹시 곯은 상태에 있다] estar muy corrompido [podrido]. ② [주색잡기에 빠져 못 벗어나다] regodearse [deleitarse] en el vicio.
곰[1] [고기나 생선을 푹 삶은 국] caldo *m* espeso hecho de carne bien cocida
■~거리 materiales *mpl* para el caldo espeso hecho de carne bien cocida. ~국 sopa *f* espesa de carne de vaca.
곰[2] ① 【동물】 oso *m*; [암곰] osa *f*. ② [미련한 사람] imbécil *mf*, estúpido, -da *mf*, bobo, -ba *mf*, idiota *mf*.
◆불~ oso *m* pardo, oso *m* común. 북극~ oso *m* polar. 흰~ oso *m* blanco, oso *m* marítimo.
■~ 새끼 cacharro *m* (del oso). ~쓸개 hiel *f* del oso.
곰[3] 【식물】 ((준말)) =곰팡이.
곰곰 cuidadosamente, con cuidado, detenidamente. ~ 생각하다 cavilar (sobre), reflexionar cuidadosamente (sobre), meditar cuidadosamente (sobre) pensar bien.
곰곰이 =곰곰.
곰바지런하다 (ser) puntilloso y diligente.
곰바지런히 puntillosa y diligentemente.
곰방담뱃대 =곰방대.

곰방대 pipa *f* corta para fumar.
곰방메 mazo *m*.
곰배 ((준말)) ＝곰배팔이.
■ ~말 caballo *m* con lomo encorvado. ~팔 brazo *m* deforme. ~팔이 persona *f* con brazo deforme.
곰보 persona *f* picada de viruela(s), persona *f* con (la marca de) viruela.
■ ~딱지 ((속어)) persona *f* picada de muchas viruelas.
곰비임비 uno tras otro. 불행이 ~ 닥쳤다 La desgracia sigue una tras otra.
곰삭다 (ser) bien conservado en vinagre.
곰살갑다 (ser) generoso, cordial, amable, con mentalidad abierta, de criterio amplio, tolerante.
곰살궂다 (ser) cordial, afectuoso, cariño, amable y atento.
곰상곰상 mansa y amablemente.
곰상스럽다 (ser) puntilloso, meticuloso.
곰상스레 de manera puntillosa, de manera meticulosa, puntillosamente, meticulosamente.
곰솔 【식물】＝해송(海松).
곰실거리다 retorcerse.
곰실대다 ＝곰실거리다.
곰작 moviéndose. ~하다 moverse, agitarse.
곰작거리다 moverse frecuentemente.
곰작대다 ＝곰작거리다.
곰지락 moviendo ligeramente.
곰지락거리다 mover lentamente [ligeramente].
곰지락대다 ＝곰지락거리다.
곰취 【식물】una especie de la hierba cana.
곰치 【어류】morena *f*.
곰탕(－湯) *gomtang*, sopa *f* espesa de carne de vaca con arroz.
곰틀 moviendo. ~하다 mover.
곰틀거리다 mover frecuentemente.
곰틀곰틀 moviendo y moviendo.
곰틀대다 ＝곰틀거리다.
곰파다 excavar cuidadosamente.
곰팡 【식물】((준말)) ＝곰팡이.
◆ 곰팡(이) 슬다 estar mohoso, estar lleno de moho.
곰팡내 ((준말)) ＝곰팡냄새. ¶~ 나다 oler a moho, oler a humedad.
곰팡냄새 ① [곰팡이에서 나는 냄새] olor *m* a humedad, olor *m* a moho. ~ 나는 방 habitación *f* viciada. 책에서 ~가 났다 El libro olía a moho [a viejo]. ② [시대에 뒤떨어진 고리타분한 행동·사상] lo trillado, cosa *f* común, cosa *f* corriente, cosa *f* frecuente. ~ 나다 (ser) gastado, trillado, común, manido, corriente, ordinario, anticuado, desfasado. ~ 나는 사상(思想) idea *f* anticuada.
곰팡이 【식물】moho *m*. ~이 슨 이야기 historia *f* muy vieja, historia *f* muy pasada.
◆ 푸른 ~ moho *m* verde.
곱[1] [종기·부스럼·헌데 등에 끼는 골마지 모양의 물질] secreción *f* mucosa.
곱[2] ① ((준말)) ＝곱쟁이. ② ((준말)) ＝곱절. ③ 【수학】multiplicación. ~하다 multiplicar. 5 ~하기 5는 25이다 Cinco (multiplicado) por cinco son veinticinco.
곱걸다 ① [두 번 걸치어 얽다] envolver doble. ② [노름에서 돈을 곱절을 걸다] doblar.
곱꺾다 torcer y extender una articulación.
곱꺾이 acción *f* de torcer y extender una articulación.
곱꺾이다 (ser) doblado, flexionado.
곱끼다 ① ((준말)) ＝곱살끼다. ② [종기·부스럼에 곱이 생기다] formar una secreción pelicular.
곱놓다 [노름에서 먼저 태운 돈의 곱을 다시 걸어 놓다] doblar.
곱다[1] [이익을 보려다가 도리어 손해를 보다] terminar con una pérdida, más que una ganancia.
곱다[2] ① [신 것을 먹은 뒤에 이뿌리가 저리다] dar dentera (a), *AmL* destemplar los dientes (a). ② [손가락·발가락이 차서 감각이 없고 잘 움직여지지 아니하다] tener entumecido. 우리의 손은 추위로 곱았다 Teníamos las manos entumecidas por el frío.
곱다[3] [바르지 않고 고부라져 휘어 있다] estar torcido, estar encorvado.
곱다[4] ① [보기에 산뜻하고 아름답다] (ser) hermoso, bello, bonito, lindo, majo. 고운 처녀 muchacha *f* hermosa, muchacha *f* maja. ② [말이나 소리가 맑고 부드럽다] (ser) dulce. 고운 목소리 voz *f* dulce. ③ [살결이나 피륙 같은 것의 바탕이 거칠지 아니하고 부드럽다] (ser) suave, tierno. 고운 손 manos *fpl* suaves. ④ [가루 같은 것이 굵지 아니하고 부드럽다] (ser) fino. 고운 모래 arena *f* fina. 고운 밀가루 harina *f* fina. ⑤ [마음이 부드럽고 순하다] (ser) dócil, amable, obediente. ⑥ [편안(便安)하다] (ser) cómodo, pacífico. ⑦ [그대로 온전하다] (ser) completo, perfecto, bien. 곱게 간직하여라 Guarda bien.
곱게곱게 muy hermosamente [bellamente].
곱디곱다 (ser) muy hermoso, muy bello.
곱다랗다 (ser) muy hermoso, muy bello.
곱다라니 muy hermosamente [bellamente].
곱다시 muy hermosamente, muy bellamente.
곱닿다 ((준말)) ＝곱다랗다.
곱돌 【광물】talco *m*.
■ ~냄비 cacerola *f* de talco. ~솥 olla *f* de talco. ~화로(火爐) hornillo *m* de talco.
곱드러지다 tropezar (con). 돌에 채어 ~ tropezar con una piedra.
곱들다 costar el doble.
곱들이다 gastar el doble.
곱디곱다 ☞곱다
곱똥 estiércol *m* mezclado con la secreción mucosa.
곱먹다 comer el doble.
곱빼기 ① [두 번 거듭하는 것] doble *m*, dos veces. ② [음식의 두 몫을 한 그릇에 담은 분량] medida *f* doble, bebida *f* doble.
곱뿌(포 *copo*) copa *f*.

곱사 ((준말)) ① =곱사등. ② =곱사등이.
■ ~등 giba *f*, joroba *f*, corcova *f*. ~등이 jorobado, -da *mf*. ~등이춤 baile *m* de jorobado, danza *f* de jorobado. ~병 =구루병(佝僂病).

곱살끼다 ponerse [estar] neura (por), (ser) quejoso, fastidioso.

곱살스럽다 ① [용모가] (ser) bonito, lindo, hermoso, bello, guapo, apuesto, mono, precioso. 곱살스런 아이 niño *m* guapo, niña *f* guapa. 그 드레스를 입으니 넌 참 곱살스럽구나! ¡Qué bonita [guapa · preciosa · *AmL* linda] estás con ese vestido! ② [마음씨가] bueno, simpático, amable, dulce, delicado, tierno, de buen corazón.
곱살스레 bonitamente, lindamente, hermosamente, bellamente, guapamente, preciosamente; simpáticamente, amablemente, dulcemente, tiernamente.

곱살하다 =곱살스럽다.

곱삶다 cocer dos veces.

곱삶이 ① [두 번 삶아 짓는 밥] arroz *m* hervido dos veces. ② [꽁보리밥] comida *f* con cebadas enteras..

곱새기다 ① [곡해하다] comprender [entender] mal. ② [거듭 생각하다] pensar una y otra vez.

곱새김 =곡해(曲解).

곱셈 multiplicación *f*. ~하다 multiplicar, hacer una multiplicación. ~의 multiplicativo. ~은 기본 사칙의 하나이다 La mulitiplicación es una de las cuatro operaciones básicas. ~은 거듭된 더하기로 생각할 수 있다 La multiplicación se puede considera como una suma repetida.
■ ~법 método *m* de multiplicación. ~표 [기호] signo *m* de multiplicación.

곱소리 pelo *m* de la cola del elefante.

곱솔[1] [박이옷에서의] puntadas *fpl*.

곱솔[2] ((준말)) =곱소리.

곱송그리다 estremecerse.

곱쇠 ① =곡철(曲鐵). ② =곡정(曲釘).

곱수(-數) =승수(乘數).

곱슬곱슬 rizando, ensortijando. ~해지다 rizarse, ensortijarse, *CoS* encresparse, *Méj* enchinarse, *RPI* enrularse.
곱슬곱슬하다 (ser) rizado, ensortijado, *CoS* crespo, *Méj* chino. 곱슬곱슬하게 하다 rizar, *CoS* encrespar, *Méj* enchinar, *RPI* enrular; [파형(波形)으로] ondular, [종이 · 옷감 따위를] fruncir. 곱슬곱슬하게 만 것 rizado *m*. 곱슬곱슬한 머리카락 pelo *m* rizado [encrespado], rizo *m*, bucle *m*. 머리카락을 곱슬곱슬하게 하는 핀 bigutí *m*. 머리카락을 곱슬곱슬하게 마는 기구 rizador *m*. 그녀의 머리카락은 ~ Ella tiene el pelo rizado. 헤어 아이언으로 머리카락을 곱슬곱슬하게 해 주시겠습니까? ¿Quiere rizarme el cabello con tenacillas?

곱슬머리 =고수머리.

곱씹다 ① [거듭해서 씹다] mascar repetidas veces. ② [말이나 생각 따위를 거듭 되풀이하다] repetir, mascar. ③ [다짐받듯 묻다] insistir (sobre). 그것을 곱씹지 마라! ¡No sigas con eso! / ¡Déjate de insistir sobre eso! / Déjate de machacar sobre eso! 나는 네가 그 테마에 대해 곱씹기를 그만두길 바란다 ¿Por qué no te dejarás de insistir sobre el tema?

곱은성(-城) muro *m* circular que protege la puerta del castillo.

곱은자집 =ㄱ자집.

곱자 cartabón *m* (*pl* cartabones), escuadra *f*.

곱자집 =ㄱ자집.

곱잡다 figurarse doble.

곱장다리 piernas *fpl* patizambas; [사람] persona *f* patizamba. ~의 patizambo, estevado, *Col* cascorvo; [책상이] de patas arqueadas.

곱쟁이 doble *m*, cantidad *f* doble.

곱절 doble *m*, dos veces *fpl*. ~하다 doblar, duplicar; [노력을] redoblar. 세 ~하다 triplicar. 나는 설탕의 양을 ~을 넣었다 Yo puse el doble de azúcar.

곱창 intestino *m* delgado de la vaca.

곱치다 doblar, duplicar.

곱평균(-平均) 【수학】 =상승 평균(相乘平均).

곱표(-標) ((준말)) =곱셈표.

곱하기 multiplicación *f*. 5 ~ 6은 30 Cinco por seis son treinta.
■ ~표 =곱셈표.

곱하다 multiplicar. 10에 6을 ~ multiplicar diez por seis.
곱하는수(數) 【수학】 =곱수.
곱하임수(數) 【수학】 multiplicando *m*.
곱해지는수(數) 【수학】 =곱하임수.

곱히다 hacer encorvar, hacer corvar.

곳 ① [장소] sitio *m*, lugar *m*, parte *f*, local *m*; [지방] región *f*, localidad *f*. 밝은 곳 sitio *m* [lugar *m*] claro. 강변의 쾌적한 ~ lugar *m* [sitio *m*] precioso a orillas del río. A가 있는 ~에서 en presencia de A. 사람이 있는 ~에서 en público. 조용한 ~에서 살다 vivir en un lugar tranquilio. 탁자 놓을 ~이 없다 No hay lugar para la mesa. 그이가 있는 ~에 돌아갑시다 Vamos a volver a donde está él. 그녀는 아버지가 있는 ~에 가까이 갔다 Ella se acercó a su padre. 학교는 여기서 걸어서 20분 걸리는 ~에 있다 La escuela está a veinte minutos a pie de aquí. 탑의 전망대는 100 미터 높이의 ~에 있다 El mirador de la torre está a cien metros de altura. 지붕 한 ~에 구멍이 나 있다 Hay una rotura [una boca] en el tejado. 서반아 남부 지방은 기후가 온화한 ~이다 El sur de España es una región de clima templada. 지원 경찰이 급히 소란한 ~에 파견되었다 Refuerzos policiales fueron enviados con urgencia al lugar de los disturbios [del siniestro]. 소방대원들은 재빨리 화재가 난 ~에 나타났다 Los bomberos se presentaron sin demora en el lugar del siniestro. 내가 돌아올 때까지 그 ~에서 움직이지 마라 No te muevas de ahí hasta que yo vuelva. ② [주소] dirección *f*, señas *fpl*; [집] casa *f*, hogar *m*.

사는 ~이 어딥니까? ¿Qué es su dirección? / ¿Dónde vive usted? / ¿Dónde está su casa?

곳간(庫間) almacén *m* (*pl* almacenes), depósito *m*, *Chi*, *Col*, *Méj* bodega *f*; [음식용] despensa *f*; [곡물 창고] granero *m*; [지하의] sótano *m*. ~에 넣다 almacenar, depositar en el almacén.

■ ~차(車) =유개 화차(有蓋貨車).

곳곳 [부사적] en [por] todas partes, por todos lados; [여기저기] aquí y allá. 나는 그것을 ~에서 찾았다 Yo lo buscaba por todas partes [por todos lados]. 그는 차로 ~에 갔다 El fue a todas partes [a todos lados] en coche. 너는 가는 ~에서 가난을 보게 될 것이다 Dondequiera que vas, ves pobreza. 그는 가는 ~마다 열렬한 환영을 받았다 El fue recibido con entusiasmo [Se le dio una bienvenida entusiasta] dondequiera que fue.

곳곳으로 por todas partes, por todos lados. 곳곳이 en todas partes, en todos lados.

곳집(庫―) ① [창고·곳간] almacén *m*, depósito *m*, *Méj* bodega *f*. ② [상엿집] la cabaña en que las andas y sus accesorios se depositan

공 ① [야구·골프의] pelota *f*, bola *f*; [농구·축구의] balón *m* (*pl* balones), *AmL* pelota *f*; [당구·크로켓의] bola *f*; [큰] balón *m*; [구체(球體)] globo *m*. 낮은 ~ pelota *f* baja. 높은 ~ pelota *f* alta. 빠른 ~ pelota *f* rápida. ~을 줍는 소년 recogepelotas *m*, *Col*, *Méj* recogebolas *m*, *Chi* pelotero *m*. ~을 줍는 소녀 recogepelotas *f*, *Col*, *Méj* recogebolas *f*, *Chi* pelotera *f*. ~을 던지다 lanzar la pelota. ~을 줍다 recoger pelotas. ~을 차다 patear el balón. ~을 튕기다 rebotar una pelota. 반죽덩이로 ~ 모양을 만들다 formar bolas con la masa. ②【수학】=구(球).

■ ~놀이 juego *m* de pelota. ~하다 jugar a la pelota. ¶~ 금지(함) ((게시)) Prohibido jugar a la pelota.

공(工) ((준말)) =공업(工業).

공[1](公) ① [여러 사람에게 관계되는 국가나 사회의 일] asuntos *mpl* públicos. ② ((준말)) =공작(公爵).

공[2](公) ① =당신. ② [남자 삼인칭의 공대말] él.

공(孔) [성의 하나] *Gong*, uno de los apellidos.

공(功) ① ((준말)) =공로(功勞). ¶~을 세우다 realizar un hecho meritorio, prestar un servicio distinguido. ~을 이루고 이름이 나다 realizar una obra meritoria y hacerse un nombre. ② ((준말)) =공력(功力).

◆공(을) 쌓다 hacer méritos.

공(空) ① [속이 텅 빈 것] vacancia *f*, lo vacío. ② [사실이 아닌 것] falsedad *f*. ③ = 영(零)(cero). ④ [아라비아 숫자 「0」의 이름] cero *m*. ⑤ [대가(代價)가 없는 것] lo gratuito. ⑥ [쓸데없음] inutilidad *f*, falta *f* de valor. ⑦ ((불교)) nada, cero *m*.

◆공(을) 치다 ser en vano.

공(貢) ① ((준말)) =공상(貢上). ② ((준말)) =공물(貢物). ③ ((준말)) =공납(貢納).

공(영 *gong*) gong *m*, gongo *m*, batintín *m* (*pl* batintines); [스포츠의] campana *f*. ~이 울리다 sonar la campana. ~이 그를 살렸다 ((권투)) Lo salvó la campana.

공-(公) oficial. ~문서 documento *m* oficial.

공-(空) [속이 빈 것] vacío. ~봉투 sobre *m* vacío. ~문서(文書) documento *m* vacío.

-공(工) obrero, -ra *mf*, mecánico, -ca *mf*, trabajador, -dora *mf*. 인쇄~ impresor, -sora *mf*, tipógrafo, -fa *mf*, prensista *mf*.

-공(公) ① [성(姓)이나 시호(諡號)·관작(官爵) 뒤에 붙어서 존대하는 말] don. 충무(忠武)~ Don *Chungmu*. ② [공작의 작위를 받은 사람의 이름 뒤에 붙이어 이르는 말] [공작] duque *m*; [백작] conde *m*. 에든버러~ el duque de Edimburgo.

공가(工價) =공전(工錢).

공가(公家) ((불교)) templo *m* (budista), monasterio *m* (budista).

공가(公暇) vacaciones *fpl* oficiales (a los funcionanarios públicos).

공가(空家) casa *f* inhabitada [desocupada · vacía].

공간(公刊) publicación *f*.

공간(空間) espacio *m*, vacío *m*; [여지(餘地)] espacio *m*, lugar *m*, sitio *m*; [우주의] infinito *m*. ~의 espacial, del espacio. ~에 espacialmente. 시간과 ~ tiempo y espacio. 광고의 ~ espacio *m* publicitario. 디저트를 놓을 ~을 남겨 두세요 Deja un lugarcito para el postre.

■ ~각(覺)【심리】percepción *f* espacial. ~감각 sentido *m* espacial. ~ 개념 concepto *m* espacial. ~ 격자 rejilla *f* espacial. ~ 곡선【수학】curva *f* espacial. ~ 관념 idea *f* espacial. ~ 기하학【수학】geometría *f* espacial. ~ 도형 =입체 도형. ~미(美) belleza *f* espacial. ~ 사각형 cuadrado *m* espacial. ~ 속도 velocidad *f* espacial. ~ 예술 arte *m* de tres dimensiones. ~적(的) espacial, del espacio. ~ 전하(電荷) carga *f* espacial. ~ 지각 percepción *f* espacial. ~파【물리】ola *f* espacial.

공간(空簡) carta *f* sin regalos.

공간(槓杆)【물리】palanca *f*.

공갈(恐喝) ① [을러서 무섭게 함] amenaza *f*, intimidación *f*, chantaje *m*. ~하다 amenazar (con chantaje), chantajear, intimidar, hacer chantaje, coaccionar. A에게 ~하여 돈을 빼앗다 hacer chantaje a A. ② ((속어)) =거짓말(mentira).

◆공갈(을) 놓다 ((속어)) amenazar. ☞공갈하다. 공갈(을) 때리다 amenazar. ☞공갈하다. 공갈(을) 치다 ((속어)) amenazar. ☞공갈하다.

■ ~자 chantajista *mf*. ~죄 delito *m* de chantaje [de amenaza · de coacción]. ~ 취재 chantaje *m*. ~ 취재자 chantajista *mf*, mafioso, -sa *mf*.

공감(共感)【심리】simpatía *f*, consentimiento

m. ～하다 simpatizar. ～을 느끼다 sentir [experimentar] simpatía (por·hacia). A의 ～을 불러 일으키다 inspirar simpatía a A, atraer la simpatía de A.

공감각(共感覺)【심리】sinestesia *f.*

공개(公開) apertura *f* al público. ～하다 abrir al público. ～의 abierto, público. ～ 석상(席上)에서 públicamente, en público, delante del público, ante el público. 문서를 ～하다 hacer público un documento. 비밀을 ～하다 abrir el secreto al público. 이 영화는 우리 나라에서 첫 ～다 Esta película se estrena [se proyecta por primera vez] en nuestro país.

■～ 강좌 cursillo *m* público. ～ 경쟁(競爭) competencia *f* pública. ～ 기간 período *m* abierto. ～ 녹음(錄音) grabación *f* pública. ～ 대학(大學) universidad *f* a distancia, *Méj* universidad *f* abierta. ～ 도서관 librería *f* abierta. ～ 방송(放送) emisión *f* pública. ～ 법인(法人) persona *f* jurídica pública. ～ 법정(法廷) tribunal *m* abierto. ～ 선거(選擧) elección *f* abierta. ～ 수사 indagación *f* pública, investigación *f* criminal abierta. ～ 시장(市場) mercado *m* público. ～ 시장 정책 política *f* de mercado abierto. ～ 시장 조작 operaciones *fpl* de mercado abierto. ～ 시합 torneo *m* abierto. ～ 심리주의 psicologismo *m* abierto. ～ 연설(演說) discurso *m* público. ～ 외교(外交) diplomacia *f* abierta. ～ 입찰 licitación *f* pública. ～장(狀) carta *f* abierta. ¶제2차 정상 회담에 보내는 ～ carta *f* abierta a la segunda cumbre. ～ 재판 juicio *m* público. ～적(的) público. ¶～으로 públicamente, en público. ～정(廷) tribunal *m* abierto. ～ 토론 discusión *f* pública, debate *m* público. ～ 토론회(討論會) foro *m.* ～ 투표(投票) votación *f* abierta. ～ 프로그램 programa *m* de televisión abierto al público. ～ 회의(會議) sesión *f* abierta.

공거(公車) ＝병거(兵車).

공거래(空去來)【경제】＝차금 매매(差金賣買).

공것(空－) lo gratuito, algo gratuito, bendición *f* (del cielo), ganancia *f* imprevista. 백만 원의 상금은 ～이나 마찬가지였다 El premio de un millón de wones le cayó como llovido del cielo. 수표는 나에게는～이었다 El cheque me vino como caído del cielo.

공격(攻擊) ① [적을 침] ataque *m*, asalto *m*, acometida *f*; [침략] invasión *f*, agresión *f*; [강습(强襲)] arremetida *f*, carga *f.* ～하다 atacar, asaltar, acometer, arremeter. ～을 가하다 lanzar ataques (contra). ～을 받다 ser objeto del ataque, ser atacado, sufrir ataques. ～을 시작하다 emprender el ataque, comenzar el ataque, lanzarse al ataque. 성(城)을 ～하다 atacar un castillo; [포위하다] sitiar [asediar] un castillo. 적(敵)을 ～하다 atacar a los enemigos, arremeter contra el enemigo. ～은 최대의 방어 El ataque es la mejor defensa. ② [시비를 가려 논란함] censura *f*, acusación *f*, ataque *m.* ～하다 censurar, reprochar, acusar, dirigir censuras, dirigir reproches, atacar. 신문에서 ～을 받다 ser atacado [criticado] en la prensa. 야당은 정부의 물가 정책을 ～했다 El partido de la oposición censura [ataca] la política de precios del gobierno.

■～각(角)【항공】ángulo *m* de ataque. ～ 개시 시간(開始時間) hora *f* H. ～ 개시일(開始日) ㉮【군사】[제이차 세계 대전의] el Día D. ㉯ [중요한 날] día *m* señalado. ～군(軍) fuerza *f* atacante. ～기(機) avión *m* (*pl* aviones) de ataquel ～력(力) poder *m* atacante. ～로(路) ruta *f* de ataque. ～ 명령(命令) orden *f* de ataque. ～ 목표 blanco *m* de ataque, meta *f* de ataque. ～ 무기 el arma *f* (*pl* las armas) ofensiva. ～성(性) agresividad *f.* ～ 수단(手段) medios *mpl* de ataque. ～용 병기(用兵器) el arma *f* (*pl* las armas) ofensiva. ～용 전차(用戰車) tanque *m* ofensivo. ～자 atacante *mf.* ～적(的) ofensivo, agresivo. ¶～으로 de manera ofensiva, agresivamente; [스포츠에서] en el ataque. ～인 남자 hombre *m* agresivo. ～인 태도 actitud *f* agresiva, actitud *f* ofensiva. ～인 태도를 취하다 tomar medidas enérgicas. 그는 자신이 있었기 때문에 ～인 태도를 취했다 Como él está seguro de sí mismo, ha tomado una actitud agresiva. ～적 행동 acción *f* agresiva, acción *f* ofensiva. ～전 guerra *f* agresiva. ～ 전술 táctica *f* de agresión. ～ 전투(戰鬪) acción *f* ofensiva. ～ 정신 espíritu *m* ofensivo, agresividad *f*, acometividad *f.* ～ 준비 사격 preparación *f.* ～ 준비 포격 preparación *f* de artillería. ～ 행동 movimiento *m* agresivo, movimiento *m* ofensivo.

공겸(恭謙) modestia *f*, humildad *f*, cortesía *f.* ～하다 (ser) modesto, humilde, cortés.

공경(恭敬) respeto *m*, veneración *f*, honor *m.* ～하다 respetar, venerar, honrar, tener respeto (a), reverenciar. ～할 만한 respetable, venerable. 스승을 ～하다 honrar a *su* maestro. 하나님을 ～하다 reverenciar a Dios. 나는 그를 스승으로 ～하고 있다 Le venero [respeto] como maestro. 나는 그를 작가로서 ～한다 Le respeto como escritor. 그는 모든 동료로부터 ～을 받고 있다 El es muy respetado por sus colegas / Todos sus colegas le respetan. 그 여자는 학생들로부터 ～을 받았다 Ella se ganó el respeto de sus alumnos.

공경히 respetuosamente, con respeto.

공경제(公經濟) ((준말)) ＝공공 경제.

공계(空界) ＝공간(空間). 공중(空中).

공고(工高) ((준말)) ＝공업 고등학교.

공고(公告) anuncio *m* oficial, publicidad *f*, proclama *f*, aviso *m.* ～하다 dar aviso (de), dar publicidad (a), publicar un aviso (de), publicar oficialmente.

■～문(文) aviso *m*, anuncio *m.*

공고(攻苦) ＝노고(勞苦).

공고(功高) gran mérito *m.* ～하다 El mérito

es grande.

공고(鞏固) solidez *f*, firmeza *f*. ~하다 (estar) sólido, firme, fuerte, inquebrantable. ~한 기반(基盤) bases *fpl* firmes, bases *fpl* sólidas. 의지(意志)가 ~하다 ser firme en *sus* propósitos. 그는 의지가 ~하다 El está firme en sus propósitos / El tiene una voluntad firme. ☞견고(堅固)

공고히 firmemente, con firmeza, sólidamente, inquebrantablemente.

■ ~성(性) solidez *f*, firmeza *f*.

공고라 【동물】 caballo *m* amarillo con la boca negra.

공곡(公穀) cereales *mpl* nacionales.

공곡(空谷) valle *m* solitario.

■ ~공음(跫音) ㉮ [공곡에 울리는 사람의 발자국 소리] sonido *m* de huella en el valle solitario. ㉯ [쓸쓸히 지낼 때 듣는 기쁜 소식] noticia *f* alegre al pasar solitariamente. ~족음(足音) =공곡공음.

공골말 【동물】 caballo *m* con pelo amarillo.

공공(公共) lo público, servicios *mpl* públicos. ~의 público, común (*pl* comunes). ~의 복지(福祉) bienestar *m* público. ~의 질서(秩序) orden *m* público. ~의 이익을 위하여 en beneficio común, en interés público.

■ ~ 건물(建物) edificio *m* público. ~ 경비(經費) gastos *mpl* públicos, expensas *fpl* públicas. ~ 경제(經濟) economía *f* pública. ~ 경제학 ciencias *fpl* políticas públicas. ~ 고용(雇用) empleo *m* público. ~ 관계 법률 ley *f* pública. ~ 관계 법안 proyecto *m* de ley pública. ~ 광고 anuncio *m* público. ~ 기관(機關) institución *f* pública. ~ 기관의 개인 정보 보호에 관한 법률 ley *f* sobre protección de informaciones privadas en oficinas públicas. ~ 기업체(企業體) corporación *f* pública, empresa *f* pública. ~길 =공로(公路). ~단체(團體) cuerpo *m* público. ~물(物) bienes *mpl* del pueblo, propiedad *f* pública. ~방송(放送) radiodifusión *f* [televisión *f*] no comercial pública. ~ 복지 bienestar *m* público. ~ 복지용 재산(福祉用財産) bienes *mpl* para el bienestar público. ~ 부분(部門) sector *m* público. ~ 사업(事業) empresa *f* pública, servicios *mpl* públicos, obras *fpl* públicas. ~ 생활 vida *f* comunitaria. ~ 서비스 servicio *m* público. ~선(善) bien *m* público. ~성(性) lo público. ~ 수송 기관 transporte *m* público. ~ 시설 servicios *mpl* públicos, establecimientos *mpl* públicos. ~심 espíritu *m* cívico. ¶~이 강한 solitario, de espíritu cívico. ~ 요금 tarifa *f* de los servicios públicos. ~용물(用物) =공공물(公共物). ~ 용수(用水) el agua *f* para el uso público. ~용 재산(用財産) propiedad *f* pública, bienes *mpl* públicos. ~ 용지의 취득 및 손실 보상에 관한 특별법 ley *f* especial sobre adquisición de terrenos públicos e indemnización de perjuicios. ~ 위생 salud *f* pública, sanidad *f* pública. ~ 이익(利益) interés *m* pública. ¶~을 도모하다 consultar el interés público. ~ 자금 fondo *m* público, capital *m* público. ~ 재산 propiedad *f* pública, bienes *mpl* públicos. ~ 조합 asociación *f* pública. ~ 지출 gastos *mpl* públicos. ~ 직업 안정소 oficina *f* de seguridad de empleos públicos. ~ 측량 medición *f* pública. ~ 투자 inversión *f* pública. ~ 포스터 cartel *m* público.

공공(空空) [비어 있음] vaciamiento *m*.

■ ~ 기지(基地) base *f* no revelada. ~ 부대(部隊) unidad *f* no identificada.

공공연하다(公公然―) (ser) público, abierto. 공공연한 público, abierto. 공공연한 비밀 secreto *m* a voces. 공공연해진 적(敵) enemigo *m* declarado.

공공연히 públicamente, en público, abiertamente, a los ojos de todo el mundo, a la clara, a las claras, a la vista de todos, a la vista de todo el mundo. 뇌물은 반(半)은 ~ 행해지고 있었다 Los sobornos se hacían casi abiertamente.

공공하다(公公―) =공공연하다.

공과(工科) departamento *m* de ingeniería, escuela *f* [facultad *f*] de ingeniería [de tecnología].

■ ~ 대학(大學) universidad *f* politécnica [tecnológica], escuela *f* superior de ingeniería, instituto *m* de tecnología.

공과(工課) curso *m* de estudio, currículo *m*.

공과(公課) impuestos *mpl* públicos.

공과(功過) mérito *m* y demérito *m*.

공관(公館) ① [공공 건물] edificio *m* público. ② [정부 고관의 공적 저택] residencia *f* oficial. ③ ((준말)) =재외 공관(在外公館).

■ ~장(長) jefe, -fa *mf* de la legación.

공관 복음서(共觀福音書) ((성경)) diatesarón *m* (del evangelio cristiano).

공교롭다(工巧―) (ser) causal, fortuito, inesperado, imprevisto, accidental. 공교로운 일치(一致) coincidencia *f* causal.

공교로이 [뜻밖에·우연히] inesperadamente, accidentalmente, causalmente, por casualidad, afortunadamente; [불운(不運)하게도] desgraciadamente, por desgracia; [때가 나쁘게] inoportunadamente. ~ …하다 tener la mala suerte de + *inf* [que + *ind*]. ~ 그는 집에 없었다 Por desgracia él estaba ausente. ~ 도중에서 차의 엔진이 꺼졌다 Tuve la mala suerte que en el camino se paró el motor del coche. 운동회때 ~ 비가 내렸다 La lluvia aguó la tan esperada fiesta deportiva. ~ 절품되었다 Lo siento mucho, pero está agotado.

공교육(公敎育) educación *f* pública, enseñanza *f* pública.

공교하다(工巧―) ①=교묘하다. ②=공교롭다.

공교회(公敎會) =카톨릭 교회.

공구(工具) herramienta *f*, instrumento *m*. ~ 한 벌 juego *m* de herramientas.

◆기계 ~ herramientas *fpl* de máquinas. 목공(木工) ~ herramientas *fpl* de carpintería. 절삭(切削) ~ herramientas *fpl* cortantes. 정밀(精密) ~ herramientas *fpl* de precisión. 조원(造園) ~ herramientas *fpl* [utensilios *mpl*] de jardinería.

■ ~강(鋼) acero *m* de herramientas. ~ 백 bolsa *f* de herramientas. ~ 상자 caja *f* de herramientas. ~ 수리공(修理工) =공구 제작공. ~점(店) ferretería *f*. ~ 제작(製作) fabricación *f* de herramientas. ~ 제작공 obrero *m* especializado en la fabricación de herramientas.

공구(工區) sección *f* de obras. 제일(第一) ~ primera sección *f* de obras.

공구(恐懼) miedo *m*, temor *m*, terror *m*. ~하다 temer, tener miedo (a), tener terror (a), tener pavor (a).

공국(公國) principado *m*, ducado *m*. 룩셈부르크 ~ Gran Ducado *m* Luxemburgo. 리히텐슈타인 ~ Principado *m* de Liechtenstein. 모나코 ~ Principado *m* de Mónaco. 안도라 ~ Principado *m* de Andorra.

공군(空軍) Fuerza(s) *f(pl)* Aérea(s), Ejército *m* del Aire, aviación *f*.

◆대한민국 ~ las Fuerzas Aéreas de la República de Corea.

■ ~기(機) avión *m* de la Fuerza Aérea. ~ 기지 base *f* aérea. ~ 대위 capitán, -tana *mf* de la Fuerza Aérea. ~ 대장(大將) teniente *m* general, *AmL* brigadier *m* general. ~력(力) poder *m* aéreo, fuerza *f* aérea. ~ 본부(本部) cuartel *m* general de la Fuerza Aérea. ~ 부대(部隊) división *f* de la fuerza aérea. ~ 사관 학교(士官學校) Academia *f* de la Fuerza Aérea. ~ 사병 soldado, -da *mf* de la fuerza aérea. ~ 소장(少將) general *mf* de división, *Col, Chi* mayor *mf* general; *Arg* brigadier *mf* general, *Urg* teniente *mf* general. ~준장(准將) general *mf* en brigada, *AmL* brigadier *mf*. ~ 중장(中將) teniente *mf* general, mariscal *m* del aire. ~ 참모 차장 el subjefe del Estado Mayor de la Fuerza Aérea. ~ 참모 총장 el jefe del Estado Mayor de la Fuerza Aérea.

공굴 ((속어)) =콘크리트.

■ ~다리 puente *m* de hormigón.

공권(公權) derechos *mpl* civiles, derechos *mpl* públicos. ~을 박탈하다 privar de los derechos civiles. 그는 ~을 박탈당했다 Le privaron de sus derechos civiles.

■ ~력(力) poder *m* público. ~ 박탈 privación *f* de derechos civiles. ~적 해석(的解釋) 【법률】 =유권 해석.

공권(空拳) manos *fpl* vacías, puño *m* limpio, mano *f* desnuda, puño *m* desnudo, puño *m* vacío. ~으로 con las manos vacías, sin guantes, a puño limpio; [연장없이] sin heramientas.

공궐(空闕) palacio *m* real vacía sin rey.

공궤(供饋) ofrecimiento *m* del alimiento. ~하다 dar de comer, ofrecer el alimiento.

공규(空閨) cámara *f* de una esposa afligida.

공그리다 coser con puntadas invisibles.

공극(孔隙) =틈. 구멍.

공극(空隙) ① [구멍. 빈 틈] agujero *m*, abertura *f*. ② =겨를. ③ [건축물이 없는 빈 터] tierra *f* vacante.

공극하다(孔劇—) (ser) muy venenoso, vicioso.

공근하다(恭勤—) (ser) córtes y diligente.

공글리다 ① [땅바닥 따위를 단단하게 다지다] endurecer, consolidar, solidificar. ② [일을 알뜰하게 끝맺다] terminar bien, acabar bien.

공금(公金) fondo *m* público, dinero *m* público, fondo *m* gubernamental, dinero *m* gubernamental.

■ ~ 유용 malversación *f* de los fondos públicos. ¶~을 하다 malversar los fondos públicos. ~ 횡령 malversación *f* de los fondos públicos [del dinero bajo *su* custodia], desfalco *m*. ¶~을 하다 malversar fondos públicos, desfalcar.

공급(供給) suministro *m*, abastecimiento *m*, aprovisionamiento *m*, surtido *m*. ~하다 suministrar, abastecer, aprovisionar, surtir, proporcionar, proveer. ~의 suministrador. 전력(電力)의 ~ suministro *m* de electricidad, servicio *m* eléctrico. 전력(電力)을 ~하다 suministrar energía eléctrica. 전력[물] ~을 끊다 cortar el suministro de electricidad [agua]. 이 나라는 한국에 양모를 ~하고 있다 Este país suministra [abastece · proporciona] lana a Corea. 우리들은 일주일용 식량을 ~받았다 Nos abastecieron [proveyeron · surtieron] de comestibles para una semana.

◆혈액(血液) ~ riego *m* sanguíneo.

■ ~ 가격 precio *m* de abastecimiento, precio *m* de oferta. ~ 계약(契約) contrato *m* de suministro. ~ 과다(過多) suministro *m* excesivo. ~ 과잉(過剩) exceso *m* de suministro. ~관(管) cañería *f* de abastecimiento, tubería *f* de abastecimiento, tubo *m* de entrada. ~기(機) dispositivo *m* alimentador, conducto *m*, depósito *m* alimentador, línea *f* de alimentación. ~ 능력(能力) capacidad *f* suministradora. ~로(路) ruta *f* de abastecimiento. ¶~를 끊다 cortar la ruta de abastecimiento. ~ 부족(不足) escasez *f* de abastecimiento. ~원(源) fuente *f* de alimentación, fuente *f* de suministro. ~의 법칙 ley *f* de la oferta. ¶수요와 ~ ley *f* de la oferta y la demanda. ~자 surtidor, -dora *mf*, suministrador, -dora *mf*, abastecedor, -dora *mf*, proveedor, -dora *mf*, aprovisionador, -dora *mf*. ~ 장치(裝置) alimentador *m*, cargador *m*, dispositivo *m* [aparato *m*] alimentador, depósito *m* alimentador. ~ 전압 tensión *f* de servicio. ~지 fuente *f* de suministro, centro *m* de abastecimiento.

공기 [돌] cantillo *m*; [놀이] cantillos *mpl*, juego *m* de los cantillos.

◆공기(를) 놀다 jugar a los cantillos. 공기(를) 놀리다 ㉮ [공기를 가지고 놀리다] jugar los cantillos. ㉯ [사람을 농락하다] inducir, engatusar.

■ ～ㅅ돌 cantillo *m.*

공기(公器) ① [공중의 물건] cosa *f* del aire. ② [공공 기관] órgano *m* público. 신문은 사회의 ～다 Los periódicos son un órgano público de la sociedad.

공기(空氣) ① [지구를 둘러싸고 있는 무색·투명·무취의 기체] aire *m*, atmósfera *f.* 맑은 ～ aire *m* claro. 바다의 ～ aire *m* de mar. 신선한 ～ aire *m* fresco. 압착 ～ aire *m* comprimido. ～의 유통이 좋은 bien ventilado [aireado]. ～의 유통이 나쁜 mal ventilado [aireado]. ～가 통하지 않는 hermético. ～가 통하지 않는 방 habitación *f* hermética, cuarto *m* hermético. ～를 빼다 desinflar, sacar aire (de). ～가 빠지다 desinflarse. 방에 ～를 들이다 ventilar el cuarto. 타이어에 ～를 넣다 inflar [hinchar] el neumático [la rueda]. 타이어에 ～가 충분히 넣어져 있다 Los neumáticos están bien inflados. 타이어의 ～가 빠졌다 Se ha desinflado el neumático. 시골은 ～가 좋다 En el campo el aire es puro [limpio]. ～가 좀 들어오도록 창문을 열어라 Abre la ventana para que entre un poco de aire. 나는 그의 타이어에서 ～를 뺐다 Yo le desinflé los neumáticos. 신선한 ～를 마시게 나갑시다 Salgamos a tomar el fresco. 연기로 ～가 탁해졌다 La atmósfera estaba cargada de humo.
② [분위기] atmósfera *f*, ambiente *m.* 시장 ～ atmósfera *f* bursátil. 긴장된 ～가 흘렀다 El ambiente se puso tenso / Un aire de tensión se apoderó del ambiente. 당내(黨內)에는 법안에 찬성할 ～가 강하다 Domina un ambiente favorable al proyecto de ley dentro del partido. 사내의 ～가 매우 험악하다 La atmósfera tensa domina en la oficina.
■ ～ 가스 gas *m* aéreo. ～ 감염 infección *f* aérea. ～ 검사기(檢査機) aeroscopio *m.* ～ 고막 전달 conducción *f* aerotimpánica. ～ 공구(工具) instrumento *m* neumático. ～ 관절 조영상도 neumoartrograma *m.* ～ 관절 조영술(關節造影術) neumoartrografía *f*, artroneumografía *f.* ～ 기관(機關) motor *m* aéreo. ～ 기관차(機關車) locomotora *f* del aire. ～ 기중기(起重機) grúa *f* neumática. ～ 냉각(冷却) refrigeración *f* aérea. ～ 냉각기(冷却器) refrigerador *m* aéreo. ～ 냉각장치(冷却裝置) aparato *m* de refrigeración del aire. ～ 동역학(動力學) aerodinámica *f.* ～ 드릴 =공기 천공기. ～ 램프 lámpara *f* aérea. ～ 마사지 neumomasaje *m.* ～ 마이크로미터 micrómetro *m* neumático. ～ 마찰 fricción *f* del aire. ～ 망치 martillo *m* neumático. ～ 매개(媒介) transporte *m* por el aire. ¶～의 transportado por el aire. ～ 물리학(物理學) aerología *f.* ～ 밀도 densidad *f* del aire. ～ 방석 almohadón *m* inflable, almohadón *m* [cojín *m*] neumático, colchón *m* de aire. ～ 방파제 malecón *m* aéreo. ～ 베개 almohada *f* neumática [de aire]. ～ 브레이크 =공기 제동기. ～뿌리 =기근(氣根). ～ 색전증 aeroembolismo *m.* ～ 세척기 lavadora *f* aérea. ～ 송곳 alesna *f* aérea. ～식 요도경 aerouretroscopio *m.* ～압(壓) =공기 압력. ～ 압력【물리】[타이어의] presión *f* de aire; [공기를 동력 매체로 하는 기술] neumática *f.* ¶～ 계통(系統) sistema *m* neumático. ～ 선반 torno *m* neumático. ～ 압착기 prensa *f* neumátia. ～ 압축기 compresor *m* aéreo. ～액(液) =액체 공기. ～ 여과기 filtro *m* aéreo. ～ 역학 aerodinámica *f.* ～ 열역학 aerotermodinámica *f.* ～ 오염 contaminación *f* aérea, polución *f* aéreaa ～ 온도계 termómetro *m* de aire. ～ 요법(療法)【의학】aeroterapia *f.* ～욕(浴) baño *m* aéreo. ～ 유속계(流速計) aerodromómetro *m.* ～ 이온 도입 요법 aeroiontoterapia *f.* ～ 이온 화법 aeroionización *f.* ～ 이용 공학 aerotécnica *f.* ～ 이용학 aerotecnia *f.* ～ 저항【물리】resistencia *f* del aire. ～ 전도 condución *f* aérea. ～ 전염【의학】contagio *m* por aire, infección *f* por el aire. ～전염병(傳染病) enfermedad *f* transportada por el aire. ～ 정역학(靜力學) aerostática *f.* ～ 제동기(制動機) freno *m* neumático. ～ 조절(調節) aire *m* acondicionado, regulación *f* aérea. ～ 조절장치(調節裝置) acondicionador *m* de aire ～주머니 bolsa *f* del aire. ～ 주입 뇌실 엑스선 사진 촬영법 neumoventriculografía *f.* ～ 주입 신우 조영법(注入腎盂造影法) nemopielografía *f.* ～ 주입 촬영 엑스선 사진 neumograma *m.* ～증(症) aerofobia *f.* ～ 천공기(穿孔機) perforadora *f* neumática, taladradora *f* neumática. ～ 청정기(清淨器) limpiador *m* por vacío. ～총escopeta *f* de viento. ～ 컨베이어 neumotransportador *m.* ～ 펌프 bomba *f* neumática, bomba *f* de aire, inflador *m.* ～ 흡입기(吸入器) insuflador *m.* ～ㅅ구멍 agujero *m* respiratorio.

공기(空器) ① [빈 그릇] vajilla *f* vacía, plato *m* vacío. ② [식사용] cuenco *m*, escudilla *f*, tazón *m* (*pl* tazones). 대소 두 개가 한 쌍인 ～ tazones *mpl* de matrimonio.

공기업(公企業) empresa *f* pública.

공납(公納) impuesto *m.*
■ ～금(金) impuestos *mpl* públicos.

공납(貢納) tributo *m.* ～하다 pagar el tributo. ～의 tributario.

공낭(空囊) bolsillo *m* vacío sin dinero.

공녀(工女) =여직공(女職工).

공노(共怒) enfado *m* [enojo *m*] mutuo. ～하다 enfadarse juntos.

공놀이 juego *m* de pelota. ～하다 jugar a la pelota. ～ 금지(禁止) ((게시)) Prohibido jugar a la pelota.

공능(功能) ① [공적과 재능] méritos *mpl* y habilidad. ② [효능] efecto *m*, eficacia *f*, beneficio *m*, uso *m.*

공단(工團) ((준말)) =공업 단지(工業團地).

공단(公團) corporación *f* (pública), organismo *m* semi-gubernamental.
■ ～ 주택(住宅) viviendas *fpl* construidas

por la Corporación de la Vivienda.
공단(貢緞) satín *m*, satén *m*, raso *m*.
공담(空一) muro *m* vacío, muralla *f* vacía.
공담(公談) ① [공평(公平)한 말] palabras *fpl* imparciales. ② [공무에 관한 일] conversación *f* pública, discusión *f* pública.
공담(空談) ① [쓸데없는 이야기] conversación *f* inútil, chismes *mpl*. ② [실행이 불가능한 이야기] conversación *f* impracticable [imposible de llevar a cabo.].
공답(公畓) 【역사】 arrozal *m* estatal.
공당(公堂) 【역사】 oficina *f* de los asuntos públicos.
공당(公黨) partido *m* político (oficialmente reconocido).
공당(空堂) salón *m* (*pl* salones) vacío.
공대(工大) ((준말)) ＝공과 대학(工科大學).
공대(空垈) ① [담 안의 빈 터전] solar *m* vacío dentro del muro. ② [빈 집터] terreno *m* [solar *m*] vacío.
공대(恭待) ① [공손하게 대접함] trato *m* respetable. ～하다 tratar con respeto, recibir cordialmente. ② [상대자에게 경어를 씀] términos *mpl* respetuosos. ～하다 usar términos respetuosos.
■～말 expresión *f* honorífica. ¶～을 사용하여 urbanamente, cortésmente.
공대공(空對空) aire-aire *adj*.
■～ 로켓 cohete *m* aire-aire. ～ 미사일 mísil *m* aire-aire. ～ 전투(戰鬪) combate *m* aire-aire.
공대지(空對地) aire-superficie *adj*, aire-tierra *adj*.
■～ 공격 ataques *mpl* aire-tierra. ～ 미사일 mísil *m* aire-tierra, mísil *m* aire-superficie.
공덕(公德) moralidad *f* social.
■～심(心) civismo *m*, sentido *m* cívico, sentido *m* del deber público, moralidad *f* pública. ¶～이 있다 tener sentido cívico [de la moral pública].
공덕(功德) ① [공로와 인덕(仁德)] el mérito y la benevolencia, el mérito y la virtud. ～을 쌓다 amontonar el mérito y la benevolencia. ② ((불교)) virtud *f*, virtud *f* y mérito, mérito *m* budista, caridad *f*, piedad *f*. 큰 ～ gran virtud *f*. 수행(修行)의 지고한 ～ virtud *f* suprema de aplicación práctica. ～을 베풀다 practicar la caridad. 그 모든 ～은 헤아릴 수가 없다(彼諸功德 不可量) Las virtudes (y los méritos) no se pueden calcular.
공도(公度) 【수학】 factor *m* común decimal.
공도(公盜) ＝공적(公敵).
공도(公道) ① [공평하고 바른 도리] camino *m* recto, camino *m* derecho, justicia *f*. 천하의 ～를 걷다 caminar por la senda de la justicia. ② [떳떳하고 당연한 이치] razón *f* lógica. ③ ＝공로(公路)(vía pública).
공도(孔道) arte *m* de Confucio, confucianismo *m*, confucionismo *m*.
공도(共倒) derribo *m* mutuo. ～하다 derribar juntos.
■～동망(同亡) derribo *m* mutuo y bancarrota *f* mutua. ¶～하다 derribar juntos y hacer bancarrota juntos.
공돈(空一) ganancia *f* imprevista, dinero *m* gratuito.
공돌다 girar en *su* propia manera.
공돌이(工乭一) ((속어)) ＝공원(工員).
공동(公同) ＝공동(共同).
공동(共同) cooperación *f*, colaboración *f*, comunidad *f*, unión *f*. ～하다 cooperar, colaborar, coadyuvar (con *uno* en *algo*). ～의 co-, común (*pl* comunes), comunal, cooperativo. ～으로 en colaboración, en cooperación, de mancomún, comunalmente, comúnmente. ～의 적(敵) enemigo *m* común. ～으로 영화를 제작하다 hacer una película en colaboración. 우리들은 방을 ～으로 사용한다 Nosotros compartimos la habitación entre todos.
■～ 가입 [전화의] suscripción *f* conjunta. ¶～자 abonado *m* conjunto, abonada *f* conjunta. ～ 가입 전화 teléfono *m* en línea *f* colectiva. ～ 각서(覺書) nota *f* colectiva, mensaje *m* colectivo. ～ 결의 resolución *f* conjunta. ～ 경영(經營) dirección *f* conjunta, conjunto *m* (en asociación), asociación *f*. ～ 경영자 administrador *m* conjunto, administradora *f* conjunta; [소유자] copropietario, -ria *mf*. ～ 경작 cultivo *m* conjunto. ～ 경제 economía *f* conjunta. ～ 관리 coadministración *f*. ～ 관심 interés *m* común. ～ 권리자 coacreedor, -dora *mf*. ～ 구입 compras *fpl* cooperativas. ～ 구좌(口座) cuenta *f* en participación mancomunada. ～ 근저당 cohipoteca *f* de máximo. ～ 기업 empresa *f* conjunta. ～ 기자 회견 rueda *f* de prensa conjunta. ～ 노력 trabajo *m* de equipo, trabajo *m* realizado en conjunto. ～ 농장(農場) granja *f* colectiva. ～ 담보(擔保) hipoteca *f* conjunta. ～ 대리(代理) corepresentación *f*. ～ 대부 préstamo *m* conjunto. ～ 대표(代表) corepresentación *f*, [사람] corepresentante *mf*. ～ 모금 colecta *f* para beneficencia pública, fondos *mpl* reunidos voluntariamente por la comunidad, destinados a beneficencia y bienestar social. ～ 모의(謀議) conspiración *f*. ～ 모의자(謀議者) conspirador, -dora *mf*. ～ 목간 baño *m* público. ～ 목욕탕 baño *m* público. ～ 목적 objetivo *m* común. ～ 묘지 cementerio *m* (común · público). ¶시립(市立) ～ cementerio *m* municipal. ～ 발행인(發行人) coeditor, -tora *mf*. ～ 방위(防衛) defensa *f* conjunta. ～ 변소 retrete *m* común, excusado *m* público. ～ 보증(保證) garantía *f* [fianza *f*] conjunta. ～ 보증인 cofiador, -dora *mf*, cogarantizador, -dora *mf*. ～ 보험 seguro *m* conjunto. ～ 불법 행위 acto *m* ilegal conjunto. ～ 사업 empresa *f* cooperativa. ～ 사회(社會) comunidad *f*, sociedad *f* comunitaria. ～ 상속 herencia *f* conjunta. ¶～하다 heredar conjuntamente. ～ 상속인

coherederos *mpl*; [개인] coheredero, -ra *mf*. ~ 생활 convivencia *f*, [집단 생활] vida *f* colectiva, vida *f* de comunidad; [남녀의] cohabitación *f*. ¶~을 하다 vivir en comunidad; [남녀가] cohabitar (con). ~ 선언(宣言) declaración *f* conjunta. ~성명(聲明) comunicado *m* conjunto, declaración *f* conjunta. ¶~을 발표하다 hacer público un comunicado conjunto. ~ 소송 colitigio *m*. ~ 소송인(訴訟人) colitigante *mf*. ~ 소유(所有) copropiedad *f*, condominio *m*, posesión *f* común, propiedad *f* común. ~ 소유자 copropietario, -ria *mf*, comunero, -ra *mf*, codueño, -ña *mf*, condómino, -na *mf*. ~ 수송 체계 sistema m conjunto de transportación. ~ 숙박소 casa *f* de inquilinato en conjunto. ~ 시설 instalaciones *fpl* públicas. ~ 시장(市場) mercado *m* común. ¶유럽 ~ el Mercado Común Europeo. ~ 어업권 derechos *mpl* pesqueros comunes. ~ 연구(硏究) investigación *f* conjunta. ~ 예금 계좌(預金計座) cuenta *f* conjunta. ~ 우물 pozo *m* común. ~ 위원 comisario *m* mixto, comisaria *f* mixta; [집합적] comité *m* mixto. ~ 위원회 comisión *f* mixta, comité *m* paritario. ~유언(遺言) testamento *m* común. ~ 융자 financiación *f* conjunta. ~ 의무(義務) obligaciones *fpl* conjuntas. ~ 이익 beneficio *m* común. ~ 자본 acción *f* mancomunada. ~ 작업 trabajo *m* [labor *f*] de equipo, cooperación *f*. ¶~을 하다 cooperar (con), trabajar juntos. ~ 작용 acción *f* conjunta; 【의학】sinergia *f*. ~ 작전(作戰) operaciones *fpl* coordinadas. ~ 재산 bienes *mpl* comunes, propiedad *f* común, bienes *mpl* comunales. ~ 저당(抵當) cohipoteca *f*. ~ 전선(前線) frente *m* común, frente *m* de alianza. ¶~을 형성하다 formar un frente de alianza (contra), hacer un frente común (contra). ~ 전화 ((준말)) =공동 가입 전화. ~ 정범(正犯) codelincuencia *f*. ~ 정신(精神) espíritu *m* cooperativo. ~ 제작(製作) coproducción *f*. ¶~하다 coproducir. ~자 coproductor, -tora *mf*. ~ 조합 cooperativa *f*, asociación *f* cooperativa. ~ 주권(主權) soberanía *f* conjunta. ~ 주최 auspicios *mpl* conjuntas, patrocinio *m* conjunto. ¶에이와 비의 ~로 patrocinado conjuntamente por A y B. ~ 주택(住宅) casa *f* [edificio *m*] de pisos, edificio *m* de apartamentos, casa *f* de vecindad [de vecinos] de un solo piso. ~ 지배인(支配人) cogerente *mf*. ~ 채무자 codeudor, -dora *mf*. ~ 책임 responsabilidad *f* común; [위원회·내각 따위의] responsabilidad *f* colectiva; [부채 따위의 연대 책임] responsabilidad *f* conjunta. ~체(體) comunidad *f*. ¶유럽 ~ la Comunidad Europea. 유럽 경제 ~ la Comunidad Económica Europea. ~ 출자 inversión *f* colectiva (de capitales), fondo *m* común. ¶~하다 hacer un fondo común. ~로 con fondos (en) común. 그들은 보트를 사기 위해 돈을 ~했다 Ellos hicieron fondo común para comprarse un barco. ~ 취사장(炊事場) cocina *f* comunal. ~ 친권(親權) custodia *f* conjunta. ~탕(湯) =공동 목욕탕. ~ 판매(販賣) mercadotecnia *f* conjunta, mercadeo *m* conjunto. ~ 폭행(暴行) violencia *f* por más de una persona. ~ 피고인(被告人) coprocesado, -da *mf*. ~ 해손(海損) avería *f* general [gruesa·común]. ~ 협력(協力) cooperación *f*. ¶~하다 cooperar. ~ 협찬 auspicios *mpl* conjuntos.

공동(空洞) caverna *f*, cavidad *f*, hoyo *m*, hueco *m*. ~이 생기다 producirse una cavidad. 폐에 ~이 생겼다 Se produció una cavidad en el pulmón. 이 나무의 몸통에 ~이 있다 El tronco de este árbol tiene una cavidad.
 ■~ 벽돌 ladrillo *m* hueco. ~음(音) 【의학】cuchicheo *m* cavernoso. ~ 척수증(脊髓症) 【의학】siringomielia *f*.

공들다(功-) tomar mucha labor, costar un esfuerzo extenuante. 공드는 일 trabajo *m* duro, trabajo *m* laborioso.
 ■공든 탑이 무너지랴 ((속담)) Los grandes esfuerzos se verán coronados por el éxito.

공들이다(功-) hacer gran esfuerzo, trabajar duro, luchar. 공들여 con gran esfuerzo. 공들인 솜씨 trabajo *m* elaborado [esmerado]. 공들인 작품 obra *f* muy elaborada, trabajo *m* muy elaborado. 여태 공들인 보람이 없어졌다 Todas mis labores han sido en vano.

공떡(空-) bendición *f* (del cielo). 수표는 ~이다 El cheque me viene como caído del cielo.

공락(攻落) rendición *f*. ~하다 tomar, rendir. 성채(城砦)를 ~하다 tomar una fortaleza.

공란(空欄) blanco *m*, papel *m* blanco, espacio *m* vacío, margen *m(f)*; [서류] formulario *m*. ~에 기입하다 apuntar el blanco. ~을 메우다 [서류의 빈 곳을 채우다] rellenar el formulario.

공람(供覽) muestra *f*, exposición *f*. ~하다 exponer ante el público.

공랭(空冷) ((준말)) =공기 냉각(空氣冷却).
 ■~식 refrigeración *f* por aire. ¶~의 refrigerado por aire, enfriado por aire. ~식 기관총 ametralladora *f* refrigerada por aire. ~식 기통 cilindro *m* refrigerado por aire. ~식 엔진 motor *m* enfriado [refrigerado] por aire. ~ 장치 refrigerador *m* de aire.

공략(攻略) [탈취] toma *f*, [정복] conquista *f*. ~하다 tomar, conquistar. 적진(敵陣)을 ~하다 tomar el campo enemigo.

공력(工力) poder *m* del estudio.

공력(功力) [노력] esfuerzo *m*, labor *f*, elaboración *f*.

공로(公路) =공도(公道).

공로(功勞) mérito *m*, hazaña *f*, proeza *f*, acción *f* meritoria, acto *m* meritorio; [공헌] contribución *f*. ~가 있는 meritorio. ~를 세우다 realizar una hazaña, realizar una acción meritoria, realizar un hecho meritorio, prestar un servicio distinguido. ~를 말하다 contar *sus* proezas [*sus* hazañas]. ~를 세우고 이름이 나다 realizar una obra meritoria y hacerse nombre. ~를 자랑하는 듯한 얼굴로 말하다 atribuirse el mérito (de). 그는 그 일에 큰 ~를 세웠다 El ha prestado grandes servicios [ha contribuido mucho] a esa obra. 본교(本校)에 쏟은 그의 ~는 대단히 크다 Su contribución a esta universidad es muy grande.

■ ~상 premio *m* de servicio distinguido, medalla *f* de servicio distinguido. ~자 persona *f* de méritos, persona *f* que ha hecho el servicio distinguido. ~주 premio *m* en títulos.

공로(空路) ((준말)) =항공로(vía aérea). ¶~로 en avión, por vía aérea. ~로 마드리드로 향하다 ir a [salir para] Madrid en avión.

■ ~ 수송 transporte *m* aéreo, transporte *m* por avión.

공론(公論) opinión *f* pública, criticismo *m* recto.

공론(空論) argumento *m* vano, dictamen *m* imaginario.

■ ~가(家) doctrinario, -ria *mf.* ~공담(空談) cuento *m* inútil.

공룡(恐龍) dinosaurio *m.*

■ ~ 화석(化石) saurios *mpl* fósiles.

공루(空淚) lágrimas *fpl* de cocodrilo. ~를 흘리다 derramar lágrimas de cocodrilo.

공륜(公倫) ((준말)) =공연 윤리 위원회.

공률(工率) tipo *m* de producción.

공리(公吏) oficial *m* funcionario público.

공리(公利) interés *m* público [común].

공리(公理) axioma *m.*

공리(功利) utilidad *f.*

■ ~ 문학(文學) literatura *f* utilitaria. ~설(說) 【윤리】 =공리주의(功利主義). ~성(性) utilidad *f.* ~적(的) utilitario. ¶~인 생각 pensamiento *m* utilitario. ~주의 utilitarismo *m.* ~주의자 utilitarista *mf.*

공리(空理) teoría *f* vacía.

■ ~공론(空論) teoría *f* inaplicable [irrealizable], razonamiento *m* vacío [falto de base]. ¶~에 흐르다 perderse en vanas elucubraciones.

공리(貢吏) funcionario *m* que paga tributo.

공립(公立) institución *f* pública. ~의 público, comunal; [시립의] municipal; [주립의] provincial; [국립의] nacional, estatal, de Estado.

■ ~ 도서관(圖書館) librería *f* pública. ~ 병원(病院) hospital *m* público. ~ 학교(學校) escuela *f* pública.

공막(空漠) vacío *m*, cavidad *f.* ~하다 (ser) extenso y vacío. ~한 인생 vida *f* vacía, vida *f* estéril. ~한 계획(計劃) proyecto *m* insubstancial, proyecto *m* impreciso, proyecto *m* lleno de vaguedades.

공막(鞏膜) 【해부】 esclerótica *f.* ~의 escleral. ~내(內)의 intraescleral. ~ 위의 supraescleral. ~하(下)의 hipoescleral, subescleral. ~의 시신경공(視神經孔) agujero *m* óptico de esclerótica.

■ ~염 esclerotitis *f.* ~ 절개술(切開術) esclerotomía *f.*

공매(公賣) subasta *f*, venta *f* pública. ~에 붙이다 sacar a [vender en] subasta pública.

■ ~ 처분 (disposición *f* por) la venta pública.

공맹(孔孟) Confucio y Mencio. ~의 가르침 enseñanza *f* de Confucio y Mencio.

■ ~지도(之道) doctrinas *fpl* de Confucio y Mencio. ~학(學) ㉮ =공맹지도. ㉯ [공맹을 연구하는 학문] estudio *m* de Confucio y Mencio.

공명(功名) hazaña *f.*

■ ~심(心) ambición *f* (de distinguirse), deseo *m* de distinguirse, deseo *m* de destacarse, aspiración *f.* ¶~이 많다 tener sed de fama, tener muchas ansias de fama, tener mucha ambición de fama. ~욕(慾) deseo *m* de buscar la hazaña.

공명(共鳴) ① [반향] eco *m*, resonancia *f*, repercusión *f.* ~하다 resonar. ② [공감(共感)] simpatía *f.* ~하다 compartir la opinión (de), simpatizar (con). 나는 그의 의견에 ~했다 He compartido su opinión.

◆ 핵자기(核磁氣) ~ resonancia *f* magnética nuclear.

■ ~관(管) tubo *m* de resonancia. ~기(器) resonador *m.* ~동(胴) cuerpo *m* de resonancia. ~ 상자(箱子) 【음악】 caja *f* de resonancia. ~실 cámara *f* de resonancia. ~음(音) sonido *m* simpatizante. ~자(者) simpatizante *mf*, seguidor, -dora *mf.* ¶공산주의 ~ simpatizante *mf* comunista. ~탐침기(探針器) sonda *f* de resonancia. ~통(筒) tubo *m* de resonancia. ~판(板) tabla *f* armónica resonante. ~함(函) =공명 상자. ~ 효과(效果) efecto *m* de resonancia. ~ 흡수(吸收) absorción *f* de resonancia.

공명(空名) ① [실제에 맞지 아니하는 명성] reputación *f* superficial. ② =허명(虛名).

공명 선거(公明選擧) elecciones *fpl* limpias.

공명정대(公明正大) justicia *f*, imparcialidad *f*, equidad *f.* ~하다 (ser) justo, imparcial, equitativo. ~하게 justamente, imparcialmente, con imparcialidad, equitativamente.

공명하다(公明-) (ser) limpio, justo, imparcial. 공명함 limpieza *f.* 공명한 선거(選擧) elecciones *fpl* limpias. 공명한 정치(政治) política *f* limpia.

공명히 limpiamente, con limpieza, imparcialmente, con imparcialidad.

공모(公募) subscripción *f* pública. ~하다 subscribir en público, invitar en público. 사원(社員)을 ~하다 reclutar empleados públicamente. 주식(株式)을 ~하다 ofrecer acciones a subscripción pública, colocar acciones en el mercado.

공모(共謀) conspiración *f*, confabulación *f*, conchabanza *f.* ~하다 conspirar (con), confabularse, conchabarse. A와 ~하여

conspirando [confabulándose] con A.
■~ 공동 정범(共同正犯) codelincuencia *f*, coautoría *f* sucesiva. ~자(者) cómplice *mf*, conspirador, -dora *mf*, confabulador, -dora *mf*.
공무(工務) obras *fpl* de ingeniería.
■~국(局) departamento *m* de imprenta. ~소(所) oficina *f* de imprenta.
공무(公務) servicio *m* público, negocios *mpl* oficiales, negocios *mpl* públicos.
■~상 비밀(上秘密) secreto *m* oficial. ~원(員) funcionario, -ria *mf* (público, -ca). ¶~ 주택(住宅) vivienda *f* para funcionarios. ~원법(員法) estatuto *m* de los funcionarios (públicos). ~원 연금법(員年金法) ley *f* de pensión de funcionarios públicos. ~원 조합(員組合) sindicato *m* de funcionarios públicos. ~ 집행(執行) ejercicio *m* de las funciones oficiales ~ 집행 방해(執行妨害) injerencia *f* en el ejercicio de las funciones oficiales. ~ 집행 방해죄 delito *m* de injerencia en el ejercicio de las funciones oficiales.
공문(公文) ((준말)) =공문서(公文書).
■~서 documento *m* oficial, documento *m* público. ~ 서식 formularios *mpl* para documentos oficiales. ~서 위조 falsificación *f* de escritura pública. ~서 위조죄 delito *m* de violación de escritura pública. ~ 전보 telegrama *m* oficial. ~체(體) estilo *m* oficial.
공문(孔門) escuela *f* confuciana.
공문(空文) letra *f* muerta, carta *f* no reclamada. 이 법률은 ~이다 Esta ley es letra muerta.
공물(公物) propiedad *f* gubernamental.
공물(供物) ofrenda *f*, ofrecimiento *m*, tributo *m*. ~을 바치다 hacer una ofrenda. …을 ~로 바치다 ofrender *algo*.
공물(貢物) 【역사】 tributo *m*. ~을 바치다 pagar [dar · prestar] tributo.
공미(供米) arroz *m* a los Budas.
공미(貢米) arroz *m* ofrecido como un tributo.
공미리 【어류】 =학꽁치.
공민(公民) ciudadano *m*.
■~ 교육(教育) educación *f* civil. ~권(權) ciudadanía *f*, derecho *m* civil. ~ 도덕(道德) moralidad *f* civil. ~ 학교(學校) centro *m* de educación civil.
공바치다(貢—) pagar el tributo.
공박(公拍) =경매(競賣).
공박(攻駁) refutación *f*, ataque *m*. ~하다 refutar, atacar.
공발(攻拔) capitulación *f*, entrega *f*. ~하다 capitular, entregar. ~되다 capitularse, entregarse.
공밥(空—) comida *f* gratuita.
공방(工房) taller *m*.
공방(孔方) =엽전(葉錢).
■~형(兄) =엽전(葉錢).
공방(攻防) ataque *m* y defensa, ofensiva *f* y defensiva. ~전(戰) batalla *f* (de) ofensiva y defensiva.
공방(空房) ① [사람이 거처하지 않는 빈방] habitación *f* libre, habitación *f* vacía. ② [혼자 자는 방] habitación *f* que vive solo.
공배(空排) 【바둑】 blanco *m*. ~를 서로 메우다 rellenarse el blanco (uno a otro).
공배수(公倍數) 【수학】 común múltiplo *m*, múltiplo *m* común. 20은 동시에 4와 10의 배수이므로 4와 10의 ~이다 20 es un múltiplo común de 4 y 10, porque es múltiplo de 4 y de 10 a la vez. 또한 20의 모든 배수는 4와 10의 ~이다 Todo múltiplo de 20 también es múltiplo común de 4 y 10.
◆최소 ~ mínimo *m* común múltiplo.
공백(空白) ① =여백(餘白)(margen, blanco). ¶~의 페이지 página *f* blanca, página *f* en blanco. 지도(地圖)의 ~ 부분 parte *f* blanca del mapa. ~을 메우다 llenar el blanco. ② [아무것도 없이 빔] vacío *m*, cavidad *f*, hueco *m*. 권력(權力)의 ~ vacío *m* de poder. 정치적 ~ interregno *m*. …을 위하여 6개월의 ~ 기간을 두다 establecer [poner] seis meses de término pendiente para *algo*.
■~기(期) inactividad *f*. ¶나는 병으로 6개월간의 ~가 있다 Tengo seis meses de inactividad [en blanco] debido a la enfermedad.
공범(共犯) ① [두 사람 이상이 공모하여 죄를 범함] complicidad *f*. ② ((준말)) =공범자.
■~ 관계 complicidad *f*. ~자 cómplice *mf*, coautor, -tora *mf* (de un delito). ~죄(罪) complicidad *f*.
공법(公法) 【법률】 ley *f* pública, derecho *m* público. 국제(國際) ~ derecho *m* público internacional.
■~ 위반 infracción *f* [violación *f*] de la ley pública. ~인 persona *f* jurídica pública. ~학 (estudio *m* de) ley *f* pública. ~학자 publicista *mf*, persona *f* versada en Derecho público.
공법(空法) =항공법(航空法).
공변되다 (ser) justo, franco, limpio, imparcial.
공병(工兵) ingeniero *m* militar, gastador *m*, zapador *m*, ingeniero *m*.
■~대(隊) cuerpo *m* de ingenieros, cuerpo *m* de zapadores, cuerpo *m* de gastadores. ~학(學) ingeniería *f* militar. ~ 학교(學校) la Escuela de Ingeniería.
공병(空甁) botella *f* vacía.
공보(公報) boletín *m* (*pl* boletines) público, noticia *f* pública, periódico *m* público, comunicación *f* pública; [홍보] información *f* pública, publicidad *f*. ~에 의하면 según la noticia pública. ~로 발표하다 publicar en el boletín público.
■~계(係) servicio *m* de información. ~과(課) sección *f* de información. ~관(館) ((준말)) =국립 공보관. ~ 비서 secretario, -ria *mf* de prensa. ~실(室) la Oficina de la Información Pública. ~원(院) el Centro de la Información Pública. ¶미국 ~ el

Servicio de Información de los Estados Unidos de América. ~처(處) la Agencia de la Información Pública. ~ 활동 actividades *fpl* de información.

공복(公服)【역사】uniforme *m* oficial.

공복(公僕) servidor *m* público, persona *f* al servicio del público.

공복(空腹) ① [아침이 되어 아직 아무것도 안 먹은 배] estómago *m* vacío. ~이다 tener el estómago vacío. ~을 채우다 llenar el estómago vacío. ② [음식을 먹은 지 오랜 시간이 지난 빈속] estómago *m* vacío. ③ [배고픔] el hambre *f.* ~이다 tener hambre. ~을 느끼다 sentir hambre. ~을 채우다 satisfacer el [*su*] hambre. ~을 견디다 matar [saciar] el hambre. ~을 호소하다 quejarse de hambre, estar hambriento.

■ ~ 위통(胃痛) gastralgocenosis *f.* ~통(痛) dolor *m* de hambre.

공부(工夫) estudio *m*; [레슨] lección *f,* clase *f,* [시련] experiencia *f.* ~하다 estudiar, aprender, trabajar, hacer el estudio. ~를 열심히 하는 (사람) estudioso, -sa *mf,* trabajador, -dora *mf,* aplicado, -da *mf,* diligente *mf.* ~를 잘하는 [성적이 좋은] sobresaliente, brillante, capacitado. ~에 힘쓰다 aplicarse [dedicarse · entregarse] al estudio, esforzarse en el estudio. 힘써 ~하지 아니하다 estudiar poco, ser perezoso. ~만 파다 empollar, estudiar con ahinco. ~만 파는 사람 empollón (*pl* empollones), -llona *mf.* 법률을 ~하다 estudiar derecho. 우리는 알기 위해 ~한다 Estudiamos para saber. 그는 의사(가 되기 위해) ~를 한다 El estudia para (ser) médico. 좋은 ~였다 Ha sido una lección muy instructiva / [비유적] Ha sido una buena experiencia para mí.

■ ~방(房) (gabinete *m* de) estudio *m.* ~시간(時間) hora *f* de estudio. ~ㅅ벌레 empollón (*pl* empollones), -llona *mf.*

공부자(孔夫子) ((높임말)) =공자(孔子).

공분(公憤) indignación *f* pública; [민중의 분노] cólera *f* pública. ~을 느끼다 estar moralmente indignado.

공분(共分) ① =공동 분할. ② =공동 분담.

공분모(公分母)【수학】=공통 분모.

공비(工費) costo *m* de construcción, costo *m* de obras.

공비(公費) gastos *mpl* públicos, expensas *fpl* públicas, desembolso *m* público. ~로 a expensas públicas, a gastos públicos.

공비(共匪) guerrillas *fpl* comunistas. ~를 소탕하다 barrer [reducir] las guerrillas comunistas.

공비(空費) desperdicio *m,* expensa *f* inútil. ~하다 desperdiciar. 시간을 ~하다 perder [desperdiciar · malgastar] el tiempo.

공사(工事) obra *f* (de construcción), (trabajos *mpl* de) construcción *f.* ~하다 construir. ~중이다 estar de obra, estar en construcción. 다리가 ~중이다 El puente está en construcción. ~중 ((게시)) En obras / En construcción.

■ ~ 담당자 encargado, -da *mf* de obras. ~비(費) gastos *mpl* de construcción. ~장(場) lugar *m* de obras. ~지(地) terreno *m* de obras. ~판 =공사 현장. ~ 현장(現場) lugar *m* [sitio *m*] de la construcción.

공사(工師) jefe, -fa *mf* de ingenieros.

공사(公司) =회사(會社).

공사(公私) ① [공공의 일과 사사로운 일] lo oficial [lo público] y lo privado. ~를 혼동하다 confundir lo oficial [lo público] con lo privado, mezclar el interés público on el privado. ② [관청과 민간] la oficina gubernamental y el pueblo. ③ [사회와 개인] la sociedad y el individuo.

공사다망하다 estar ocupado tanto pública como privadamente.

■ ~ 혼동(混同) confusión *f* de los asuntos públicos con los privados.

공사(公舍) =관사(官舍)

공사(公事) ① =공무(公務). ② [공공에 관계되는 사무] trabajo *m* público.

공사(公使) ministro, -tra *mf.* ~를 파견하다 enviar (a) un ministro.

◆ 변리(辨理) ~ ministro *m* residente. 전권(全權) ~ ministro *m* plenipotenciario.

■ ~관(館) legación *f.* ¶대한민국 ~ Legación *f* de la República de Corea. ~관원(館員) funcionario, -ria *mf* de la legación; [집합적] personal *m* de la legación.

공사(公社) corporación *f* pública.

공사(空士) ((준말)) =공군 사관 학교.

공사(空事) =헛일.

공사립(公私立) la institución pública y la institución privada.

공사채(公社債) bono *m.*

■ ~ 발행 emisión *f* de bonos. ~ 발행 가격 precio *m* de emisión de bonos. ~ 발행 비용 gastos *mpl* de emisión de bonos. ~ 발행 작업 operación *f* de emisión de bonos. ~ 보증금 fianza *f* de bonos. ~ 시장 mercado *m* de bonos. ~ 액면 가격 valor *m* nominal del bono. ~ 옵션 opción *f* de bonos. ~ 옵션 시장 mercado *m* de opciones sobre bonos. ~율 cotización *f* de bonos. ~ 이율 tipo *m* de interés del bono. ~ 이자 interés *m* del bono. ~ 자금 fondo *m* de bonos. ~ 콜 옵션 opción *f* de compra de bonos. ~ 할인 descuento *m* sobre bonos.

공산(工産) ((준말)) =공산물(工産物).

■ ~물(物) productos *mpl* industriales. ~품(品) productos *mpl* industriales.

공산(公算) posibilidad *f,* probabilidad *f.* …할 ~이 크다 Es muy posible que + *subj* / Hay mucha posibilidad de que + *subj.* 그들은 조난되었을 ~이 크다 Es muy posible que ellos tuvieran un accidente.

공산(共産) propiedad *f* común; [공산주의] comunismo *m.*

■ ~ 국가(國家) país *m* comunista. ~군 el Ejército Comunista, el Ejército Rojo. ~권

(圈) bloque *m* comunista. ~권 제국 países *mpl* del bloque comunista. ~당(黨) partido *m* comunista. ~당 기관지 órgano *m* del partido comunista. ~당원(黨員) comunista *mf*. ~ 도배(徒輩) comunistas *mpl*. ~ 분자(分子) elemento *m* comunista. ~ 사회(社會) sociedad *f* comunista. ~ 세계(世界) mundo *m* comunista. ~ 인터내셔널 la Internacional Comunista. ~제 comunismo *m*. ~ 조합(組合) asociación *f* comunista. ~주의 comunismo *m*. ¶~의 comunista. ~ 국가 país *m* comunista. ~주의자 comunista *mf*. ~ 지구(地區) territorio *m* comunista, el área *f* (*pl* las áreas) comunista.. ~ 진영 campamento *m* comunista. ~촌 aldea *f* comunista, villa *f* comunista. ~측(側) lado *m* comunista. ~화(化) comunización *f*. ¶~하다 comunizar. ~되다 comunizarse.

공산(空山) montaña *f* inhabitada, monte *m* inhabitado.
■~명월(明月) ㉮ [빈산에 외로이 비치는 달] luna *f* brillante en la montaña solitaria. ㉯ [산과 달을 그린 화투짝의 하나] *gongsan*. ㉰ [대머리] calvo, -va *mf*.

공상(工商) ① [공업과 상업] la industria y el comercio. ② [장색(匠色)과 상인] el artesano y el comerciante.

공상(公傷) herida *f* sufrida en [durante] el trabajo, herida *f* de servicio.

공상(供上) 【역사】 presentación *f* (del producto local) al rey.

공상(空想) fantasía *f*, ensueño *m*, ensoñación *f*, imaginación *f*, ilusión *f*, quimera *f*. ~하다 imaginar, figurarse, representarse en la mente. ~에 잠기다 soñar despierto, fantasear, hacerse ilusiones, entregarse a la imaginación, estar en las nubes, estar en el limbo, pensar en [mirar] las musarañas. ~에 잠겨 있지만 말고 무언가를 해라 No te quedes allí pensando en las musarañas, haz algo. 그녀는 ~에 잠겨 온종일 방에서 시간을 보냈다 Ella se pasó el día en su habitación pensando en las musarañas. 이 모든 이야기는 ~에서 만들어졌다 Toda esa historia es un producto de su fantasía.
■~가(家) soñador, -dora *mf*, utopista *mf*, visionario, -ria *mf*, hombre *m* imaginario, hombre *m* de mucha imaginación. ~ 과학 소설 ficción *f* científica, novela-ficción *f* científica, ciencia-ficción *f*. ~ 과학 소설가 novelista *mf* de ficción científica. ~ 과학 영화 película-ficción *f* científica. ~력(力) poder *m* de la imaginación, imaginación *f*. ~론(論) ideal *m* mero. ~적 imaginario, fantástico, fabuloso, quimério.

공상(貢上) presentación *f* de los productos como un tributo. ~하다 presentar los productos como un tributo.

공생(共生) 【생물】 simbiosis *f*, comensalismo *m*. ~ 의 simbiótico, de simbiosis.
■~ 식물(植物) 【식물】 comensal *m*. ~체(體) comensal *m*.

공생애(共生涯) vida *f* pública.

공서(公書) ((준말)) =공문서(公文書).

공서(公署) 【역사】 ① =마을(aldea). ② [공공단체의 사무소] oficina *f* de la asociación pública.

공서(共棲) =공생(共生).

공서 양속(公序良俗) el orden público y las buenas costumbres.

공석(公席) reunión *f*, mitin *m* (*pl* mítines). ~에서 en el público, oficialmente.

공석(空席) puesto *m* vacante [desocupado], asiento *m* desocupado, plaza *f* vacante; [결원] vacante *f*. ~의 vacante. ~을 메우다 llenar [cubrir] una vacante.

공석(孔釋) [공자와 석가] Cong-Fu-Tse y Shakahmuni, Confucio y Buda.

공석(共析) 【화학】 =공석 변태(共析變態).
■~ 변태(變態) eutectoide *m*. ~ 변태강(變態鋼) acero *m* eutectoide.

공선(公船) ① [공용에 쓰는 선박] barco *m* para el uso público. ② [국가의 공권(公權)을 행사하는 선박] barco *m* oficial.

공선(公選) ① [공평한 선거] elección *f* imparcial. ② [일반 국민에 의한 선거] elección *f* pública, elección *f* por votación popular. ~하다 elegir públicamente, elegir por sufragio general, elegir por votación (popular).
■~ 의원 miembro *m* electivo, miembro *f* electiva; miembro *mf* de una asamblea legislativa. ~제(制) sistema *m* electivo. ~도지사(道知事) gobernador *m* electivo, gobernadora *f* electiva.

공선(共善) bien *m* público.

공선(空船) barco *m* libre, barco *m* vacío.
■~ 항해(航海) navegación *f* sin carga.

공설(公設) instalación *f* pública. ~의 público; [시립의] municipal.
■~ 기관(機關) institución *f* pública. ~ 시장(市場) mercado *m* público, mercado *m* municipal. ~ 운동장 estadio *m* público ~ 전당포 casa *f* de empeños pública, montepío *m* público, *Méj* monte *m* de piedad. ~ 하수도(下水道) alcantarillado *m* público.

공성(攻城) sitio *m*, cerco *m*. ~하다 poner sitio, poner cerco, sitiar, acediar, cercar.
■~군(軍) ejército *m* asediador. ~ 야전 campaña *f* de sitio. ~ 작업 operaciones *fpl* de sitio. ~전(戰) guerra *f* de sitio. ~포(砲) artillería *f* de sitio.

공세(攻勢) ofensiva *f*, agresión *f*. ~를 취하다 tomar la ofensiva. ~로 바꾸다 pasar (de repente) a la ofensiva. 평화 ~를 시작하다 emprender [desencadenar] una ofensiva de paz.
◆선전(宣傳) ~ ofensiva *f* de propaganda. 외교 (外交) ~ ofensiva *f* diplomática.

공세(貢稅) =조세(租稅).

공소(公訴) procesamiento *m*, comparecencia *f* ante el juez, proceso *m* criminal, acción *f* pública, acción *f* criminal. ~하다 entablar una acción pública (ante el tribunal).
■~권(權) autoridad *f* de procesamiento.
¶~ 남용 abuso *m* de la autoridad de

procesamiento. ~ 기각 desestimación *f* del procesamiento. ¶~의 결정 auto *m* de desestimación del procesamiento. ¶~의 판결(判決) sentencia *f* de desestimación del procesamiento. ~ 불가분의 원칙 principio *m* de indivisibilidad de procesamiento. ~ 사실 cargo *m*, hecho *m* punible procesado. ¶~의 동일성(同一性) identidad *f* del hecho punible procesado. ~의 변경(變更) alteración *f* del cargo [del hecho punible]. ~의 철회(撤回) revocación *f* del cargo [del hecho punible]. ~의 추가(追加) adición *f* del cargo [del hecho punible]. ~ 시효(時效) prescripción *f* de la acción penal o del delito. ¶~ 기간 término *m* de prescripción de la acción penal. ~ 유지(維持) mantenimiento *m* del procesamiento. ~장(狀) acta *f* de acusación, escrito *m* del procesamiento. ¶~의 변경 alteración *f* en el escrito del procesamiento. ~ 제기(提起) realización *f* del procesamiento. ¶~의 실효(失效) caducidad *f* de la realización del procesamiento. ~의 의제(擬制) ficción *f* de la realización del procesamiento.

공소(空疎) insubstancialidad *f*. ~하다 (ser) insubstancial, vacío, vano, carente de sentido. 내용이 ~한 논의(論議) discusión *f* insubstancial [vacía · carente de sentido].

공소(控訴) ((구용어)) =항소(抗訴).

공손수(公孫樹) 【식물】 =은행나무.

공손하다(恭遜−) (ser) cortés (*pl* corteses), urbano, bien criado, respetuoso, ceremonioso. 공손함 cortesía *f*, urbanidad *f*, buena crianza *f*.
공손히 cortésmente, urbanamente, respetuosamente, con respeto, con reverencia. ~ 거절하다 rehusar cortésmente. ~ 굴다 humillarse, mostrarse humilde, portarse con deferencia. ~ 인사하다 hacer una reverencia respetuosa.

공수 【민속】 *gongsu*, palabra *f* del muerto entregada por el exorcista.
◆공수(를) 받다 recibir *gongsu*. 공수(를) 주다 entregar *gongsu*.
■~받이 【민속】 *gongsubachi*, lo que escucha *gongsu*.

공수(公水) el agua *f* para el interés público.

공수(公需) 【역사】 gastos *mpl* públicos.

공수(共守) defensa *f* común contra el mismo enemigo.

공수(攻守) ataque *m* y defensa, ofensiva *f* y defensiva.
■~ 동맹(同盟) alianza *f* ofensiva y defensiva, alianza *f* de ofensa y defensa.

공수(供水) suministro *m* del agua.

공수(空手) manos *fpl* vacías.
■~래공수거(來空手去) ((불교)) Se nace con las manos vacías y se muere con las manos vacías / Se nace en el mundo y se muere en vano.

공수(供需) ((불교)) comida *f* que sirven gratis a los visitantes en el templo budista.
■~간(間) ((불교)) lugar *m* que preparan la comida en el templo budista.

공수(空輸) ((준말)) =항공 수송(航空輸送). ¶~하다 transportar por aire [por vía aérea.
■~ 부대 tropas *fpl* aerotransportadas, unidad *f* aerotransportada; [낙하산 부대] tropas *fpl* paracaidistas. ~ 사단 división *f* aerotransportada. ~ 작전 operaciones *fpl* aerotransportadas.

공수병(恐水病) hidrofobia *f*, rabia *f*. ~에 걸리다 rabiar, padecer la enfermedad llamada rabia. ~에 걸린 rabioso. ~에 걸린 개 perro *m* rabioso. 파스퇴르는 ~ 백신을 발명했다 Pasteur inventó la vacuna contra la rabia.
■~ 환자(患者) rabioso, -sa *mf*.

공수표(空手票) ① =부도 수표(不渡手票). ② [빈말] promesa *f* vacía, promesa *f* vana.

공순이(工順−) ((속어)) =여공(女工). 여직공.

공순하다(恭順−) (ser) obediente, sumiso, dócil. 공순함 obediencia *f*, sumisión *f*, rendimiento *m*, docilidad *f*.
공순히 obedientemente, sumisamente, dócilmente.

공술(空−) vino *m* gratuito, licor *m* gratuito.

공술(供述) 【법률】 declaración *f*, deposición *f*, confesión *f*. ~하다 deponer, testificar, confesar. 유리한[불리한] ~을 하다 prestar una declaración favorable [desfavorable].
■~서(書) declaración *f* escrita. ~인(人) declarante *mf*.

공습(空襲) ataque *m* aéreo, bombardeo *m* aéreo, ataque *m* por cielo. ~하다 atacar por cielo, bombardear. ~의 contra un ataque aéreo.
■~ 경보(警報) alarma *f* antiaérea, alarma *f* del raid aéreo. ¶~를 발하다 dar la alarma [la señal] de bombardeo. ~를 해제하다 tocar la sirena (que indica el final del bombardeo). ~ 감시인(監視人) observador, -dora *mf*. ~ 관제 control *m* contra un ataque aéreo. ~ 대피소(待避所) refugio *m* antiaéreo. ~ 예방 조치 precaución *f* contra un ataque aéreo.

공시(公示) publicidad *f*, anuncio *m* público, aviso *m* público, noticia *f* oficial. ~하다 anunciar públicamente, publicar, hacer público; [법규(法規)를] promulgar. ~에 의한 의사 표시 manifestación *f* de voluntad por la noticia oficial. ~의 원칙 principio *m* de la confidencia pública. 시장 선거가 ~되었다 Se ha anunciado la próxima elección para alcalde.
■~가(價) valor *m* declarado. ¶세관 ~ valor *m* declarado en aduanas. 운임 ~ valor *m* declarado por porte. ~ 방법(方法) forma *f* de la noticica oficial. ~ 송달(送達) notificación *f* mediante la noticia oficial, citación *f* por edictos. ~ 지가 precio *m* sobre el valor de la tierra. ~ 최고(催告) requerimiento *m* público. ¶~ 기일(期日) término *m* del requerimiento público.

공시(公試) ① [국가에서 행하는 시험] examen *m* estatal. ② [공개적인 시험] examen *m* público, examen *m* abierto.

공식(公式) ①· [관청의 의식] ceremonia *f* oficial. ② [공적인 방식] oficialidad *f.* ～의 oficial. 비～의 no oficial, extraoficial. ③ [틀에 박힌 말] formalidad *f.* ～의 formal. ④ 【수학】 fórmula *f.*

■ ～론 formalismo *m.* ～론자 formalista *mf.* ～ 반응(反應) respuesta *f* oficial. ～ 발표(發表) anuncio *m* oficial. ¶～에 의하면 según el anuncio oficial. ～ 방문(訪問) visita *f* oficial; [국가 원수의] visita *f* de estado. ～ 성명(聲明) ㉮ comunicado *m* oficial. ㉯ [신문 발표의] comunicado *m* de prensa. ～ 승인(承認) 【국제법】 adhesión *f.* ¶조약의 ～ adhesión *f* al tratado. ～ 시합(試合) partido *m* regular; [선수권 시합] combate *m* por el título. ～어(語) ㉮ [여러 사람이 다 함께 두루 쓰는 말] idioma *f* oficial. ㉯ ＝표준어(標準語). ～ 용어(用語) términos *mpl* oficiales. ～적(的) oficial. ¶ ～으로 oficialmente, de manera oficial, de modo oficial. ～으로 서반아를 방문하다 visitar España oficialmente. ～주의(主義) formalismo *m.* ～주의자(主義者) formalista *mf.* ～ 타이틀 título *m* oficial. ～ 행사(行事) actos *mpl* oficiales. ～화 formulación *f*, oficialización *f.* ¶～하다 formular, oficializar. ～ 회담(會談) conferencia *f* oficial. ～ 회합(會合) reunión *f* oficial.

공식(空食) ① [힘들이지 아니하고 돈을 얻거나 음식을 먹음] dinero *m* gratuito, comida *f* gratuita. ～하다 ganar dinero gratuitamente, comer gratuitamente. ② ((불교)) lo que hacen comer a la visita gratuitamente. ～하다 hacer comer a la visita gratuitamente.

공신(公信) confidencia *f* [confianza *f*] pública.

공신(功臣) súbdito *m* [vasallo *m*] meritorio.

공신(貢臣) súbito *m* [vasallo *m*] que ofrece el tributo.

공신용(公信用) confidencia *f* [confianza *f*· crédito *m*] nacional.

공실(公室) sala *f* para los asuntos públicos.

공실(空室) cuarto *m* libre [desocupado], habitación *f* libre [desocupada].

공심(公心) corazón *m* imparcial.

공심(空心) estómago *m* vacío.

■ ～복(服) 【의학】 toma *f* de medicamento en el estado de estómago vacío.

공심판(公審判) ① ＝공개 재판(公開裁判). ② ((기독교)) ＝최후의 심판.

공쌓다(功－) hacer méritos.

공안(公安) seguridad *f* pública.

■ ～ 경찰(警察) policía *f* de seguridad. ～ 위원(委員) miembro *mf* de la comisión de seguridad pública. ～ 위원회 comité *m* [comisión *f*] de seguridad pública. ¶국가 ～ el Comité Nacional de (la) Seguridad Pública. ～ 조례 ordenanzas *fpl* (municipales) para la manuención del orden público.

공안(公案) ① [공사의 안문(案文)] versión *f* del documento público. ② [관청의 조서] protocolo *m* gubernamental. ③ [공론에 의해 결정한 안건] proyecto *m* decidido según la opinión pública. ④ ((불교)) [석가의 언어 · 행동] lengua *f* de Buda, acción de Buda. ⑤ ((불교)) ＝화두(話頭).

공알 【해부】 clítoris *m.*

공약(公約) promesa *f* pública, compromiso *m* oficial; [선거의] promesas *fpl* electorales; [정당의] plataforma *f.* ～하다 prometer públicamente [oficialmente].

■ ～량 ＝공도(公度). ～수(數) 【수학】 divisor *m* común.

공약(空約) promesa *f* vana.

공양(供養) ① [웃어른에게 음식을 대접함] servicio *m* al mayor. ～하다 servir (la comida) al mayor. ② ((불교)) [부처 앞에 음식물을 올림] ofrenda *f* de la comida a Buda. ～하다 ofrecer la comida a Buda, hacer ofrecimiento a Buda. ③ ((불교)) [중이 음식을 먹는 일] comida *f* de los monjes. ～하다 tomar la comida (los monjes). ④ ((불교)) [불공을 드리는 일] oficios *mpl* al difunto, misa *f* al difunto. ～하다 hacer ofrecimiento al difunto, celebrar un oficio [un servicio] por el descanso del alma (de *uno*).

◆공양(을) 드리다 ㉮ ofrecer la comida a Buda. ㉯ hacer ofrecimiento al difunto, celebrar un oficio [un servicio] por el descanso del alma (de *uno*).

■ ～미(米) ((불교)) arroz *m* ofrecido a Buda. ～주(主) ((불교)) persona *f* que da limosnas al templo budista. ～탑(塔) ((불교)) pagoda *f* erigida a Buda.

공언(公言) declaración *f* (pública), manifestación *f.* ～하다 declarar públicamente [abiertamente], manifestar. 감히 …라 ～하다 atreverse a declarar públicamente que + *ind.* 주저하지 않고 …라 ～하다 no vacilar en declarar públicamente que + *ind.*

공언(空言) palabra *f* vana, mentira *f.*

공얻다(空－) obtener gratuitamente [gratis].

공업(工業) industria *f.* ～의 industrial, manufacturero, de la industria.

◆자동차 ～ industria *f* automovilística. 탈 ～ 사회 sociedad *f* postindustrial. 화학 ～ industria *f* química.

■ ～가 industrial *mf.* ～ 경영 administración *f* industrial. ～ 경제(經濟) economía *f* industrial. ～계(界) círculo *m* industrial, mundo *m* industrial. ～ 고등학교(高等學校) escuela *f* secundaria técnica, instituto *m* [colegio *m*] técnico [laboral]. ～ 공황(恐慌) pánico *m* industrial. ～ 교육 educación *f* industrial, nación *f* industrializada. ～국(國) país *m* (*pl* países) industrial. ～ 규격(規格) estándar *m* industrial. ～ 금융(金融) financiación *f* industrial. ～ 기사 ingeniero, -ra *mf* industrial. ～ 기술자 técnico, -ca *mf* industrial. ～ 단지(團地) zona *f* [parque *m* · polígono *m*] industrial, complejo *m* industrial. ～ 대학 universidad *f* politécnica, universidad *f* tecnológica. ～ 도시 ciudad *f* industrial. ~ 디자이너 diseñador, -dora *mf* industrial. ~ 디자인 diseño *m* industrial. ~력(力) poder *m* industrial. ~ 발전 desarrollo *m* industrial. ~ 발전법(發展法) ley *f* de desarrollo industrial. ~ 부기(簿記) contabilidad *f* [teneduría *f* de libros] industrial. ~ 분석 análisis *m* técnico. ~ 생산 producción *f* industrial. ~ 생산품 productos *mpl* industriales. ~ 센서스 censo *m* industrial. ~ 소유권 propiedad *f* industrial. ~ 소유권 보호 protección *f* de la propiedad industrial. ~ 시험소(試驗所) laboratorio *m* industrial. ~ 약품 producto *m* químico industrial, sustancia *f* química industrial. ~염(鹽) sal *f* industrial. ~ 예술 arte *m* industrial. ~용(用) uso *m* industrial; [부사적] para la industria. ¶~의 industrial. ~용 로봇 robot *m* industrial. ~ 용수(用水) el agua *f* industrial. ~용 식물 planta *f* industrial. ~용 텔레비전 televisión *f* industrial. ~ 원료 materia *f* prima industrial. ~ 의장(意匠) diseño *m* industrial. ~ 입지(立地) ubicación *f* de industria. ~ 전문 대학 el Instituto de Formación Profesional, la Escuela Politécnica, *Urg* la Universidad de Trabajo. ~ 정책 política *f* industrial. ~ 제품 productos *mpl* industriales, bienes *mpl* industriales. ~주(株) acciones *fpl* industriales. ~ 중독 intoxicación *f* industrial. ~ 중심지(中心地) centro *m* industrial. ~ 지대(地帶) zona *f* industrial. ~ 지리학 geografía *f* industrial. ~진흥청 la Dirección de Promoción Industrial. ~ 통계 estadística *f* industrial. ~ 폐수 vertidos *mpl* industriales, aguas *fpl* residuales industriales. ~ 학교 escuela *f* politécnica, escuela *f* tecnológica. ~화(化) industrialización *f*. ~하다 industrializar. ¶~ 정책 política *f* de industrialización. ~ 화학 química *f* industrial.

공업(功業) ① [공적이 현저한 사업] servicio *m* meritorio, logro *m*. 과학에서의 ~logro *m* científico. ② [큰 공로] gran mérito *m*.

공여(供與) suministro *m*, abastecimiento *m*. ~하다 suministrar, proporcionar, abastecer (con · de).

공역(工役) obras *fpl* públicas.

공역(公役) servicio *m* público.

공역(共譯) traducción *f* en equipo [en colaboración]. ~하다 traducir en equipo. AB 두 사람의 ~의 traducido por los señores A y B (en colaboración).

■ ~자(者) cotraductor, -tora *mf*.

공역(空域) cielo *m* (de una región).

공연(公演) función *f*, representación *f* (pública). ~하다 funcionar, dar una representación, dar una función.

■ ~법(法) ley *f* de funciones artísticas.

공연(共演) función *f* colectiva. ~하다 cooperar en la función teatral. 무대[영화]에서 A와 ~하다 actuar con A en el escenario [en la película].

■ ~자 coactor, -triz *mf*; cooperador, -dora *mf*.

공연스럽다(空然-) =공연(空然)하다.

공연스레 vagamente, de manera vaga. 그 여자의 얼굴에는 ~ 슬픔이 비친다 Una vaga tristeza asoma a su rostro / Se nota no sé qué tristeza en su cara.

공연하다(空然-) (ser) inútil, vago, impreciso.

공연히 inútilmente, vagamente, de manera vaga, en vago, en balde, para nada. ¶~ 시간을 낭비하다 malgastar el tiempo, pasar el tiempo en vano. ~ 소란을 피우다 alborotar para nada, meter bulla inútilmente.

공연하다(公然-) (ser) público, abierto.

공연히 públicamente, abiertamente.

공염불(空念佛) hipocresía *f*, conversaciones *fpl* vacías.

공영(公營) administración *f* pública. ~의 público; [시립의] municipal; [도립의] provincial.

■ ~ 개발 desarrollo *m* público. ~ 기업 empresa *f* pública. ~ 농장 granja *f* colectiva, campo *m* de cultivo colectivo. ~ 방송 transmisión *f* pública. ~ 선거 elecciones *fpl* públicas. ~ 주택(住宅) viviendas *fpl* públicas.

공영(共榮) prosperidad *f* mutua.

공영(共營) =공동 경영(共同經營).

공예(工藝) arte *m* industrial, artefacto *m*, tecnología *f*. ~의 industrial, tecnológico, politécnico, técnico.

■ ~가(家) artesano, -na *mf*; artista *mf* de artes menores; tecnólogo, -ga *mf*. ~ 공학 ingeniería *f* politécnica. ~ 미술 bellas artes *fpl* aplicadas. ~ 사전 diccionario *m* tecnológico. ~ 사진 fotografía *f* politécnica. ~ 연구소 instituto *m* politécnico. ~ 유리 vidrio *m* artístico, cristal *m* artístico. ~ 작물 cultivo *m* politécnico. ~품 producto *m* industrial, artículos *mpl* elaborados, objeto *m* de arte (aplicada) [de artesanía · de artes menores]. ¶~ 전시회 exhibición *f* de artes industriales. ~학 tecnología *f*, técnica *f*, politécnica *f*. ~ 학교 escuela *f* politécnica. ~ 학자 tecnólogo, -ga *mf*.

공용(公用) ① [공적인 용무 · 사무] negocios *mpl* oficiales, negocios *mpl* públicos, servicio *m* [uso *m*] público. ~의 oficial, público. ② =공비(公費). ③ [국가나 공공 단체가 사용하는 일] uso *m* común. ~하다 usar en común.

■ ~물(物) objetos *mpl* para el uso público. ~어(語) idioma *m* oficial. ¶비(非)~ idioma *m* no oficial. ~ 여권 pasaporte *m* oficial. ~ 외출(外出) salida *f* para el uso público. ~ 재산(財產) bienes *mpl* para el uso público. ~전(栓) =공동전(共同栓). ~지(地) tierra *f* para el uso público.

공용(功用) =공효(功效).

공용(共用) uso *m* común. ~하다 compartir, usar en común. ~의 de uso común, co-

mún, público. ～의 수도(水道) el agua *f* corriente de uso común. 우물을 ～하다 usar el pozo en común.
■ ～물(物) propiedad *f* pública.
공용림(供用林) ＝경제림(經濟林).
공운(空運) transporte *m* aéreo.
공원(工員) obrero, -ra *mf*.
공원(公園) parque *m*; [작은 공원] plazuela *f*. 파고다 ～ el Parque de Pagoda.
◆국립 ～ el Parque Nacional. 도립 ～ el Parque Provincial. 옥상(屋上) ～ terraza *f* ajardinada, azotea *f* ajardinada.
■ ～과(課) la Sección de Parques. ～ 구역 el área *f* (*pl* las áreas) del parque. ～ 도로(道路) carretera *f* ajardinada, avenida *f* ajardinada, paseo *m*. ～ 묘지 cementerio *m* del parque.
공위(攻圍) sitio *m*, asedio *m*. ～하다 sitiar, asediar. ～를 해제하다 levantar un sitio. 성(城)을 ～하다 sitiar un castillo. 도시는 ～되어 있다 La ciudad está sitiada.
공위(空位) ① [비어 있는 지위] (puesto *m*) vacante *m*, vacancia *f*. ② [실권이 없이 이름뿐인 지위] puesto *m* nominal.
공유(公有) propiedad *f* pública, posesión *f* pública. ～의 de posesión pública, público; [시립의] comunal, municipal.
■ ～림 bosque *m* público. ～물 propiedad *f* pública; [자산] bienes *mpl* públicos. ～수면(水面) aguas *fpl* comunes. ～수면 관리법 ley *f* de control de aguas comunes. ～수면 매립법 ley *f* de rellenamiento de aguas comunes. ～ 재산 propiedad *f* pública, bienes *mpl* comunales. ～지[토] terreno *m* público. ～ 지분(持分) cuota *f*.
공유(共有) copropiedad *f*, propiedad *f* común. ～하다 poseer en común, poseer colectivamente, tener como propiedad común. ～의 (de propiedad) común.
■ ～ 결합(結合) 【화학】 unión *f* covalente. ～림 bosque *m* común. ～물 copropiedad *f*, propiedad *f* común. ～ 원자가 covalencia *f*. ～자 copropietario, -ria *mf*. ～ 재산 propiedad *f* común. ～지(地) terreno *m* de propiedad común.
공으로(空－) gratuitamente, gratis, de balde, sin pagar. 옷을 ～ 얻다 obtener la ropa gratuitamente.
공의(公醫) doctor *m* público, doctora *f* pública; médico *m* público, médica *f* pública.
공이 mano *f* de mortero, majador *m*, pilón *m*.
공이치기 percusor *m*, percutor *m*.
공익(公益) interés *m* público, bien *m* público, utilidad *f* pública. ～상의 필요 necesidad *f* del interés público. ～의 대표자 representante *mf* de los intereses públicos.
■ ～ 기업[사업] empresa *f* [obra *f*] de utilidad pública. ～ 단체 corporación *f* pública. ～ 법인 persona *f* jurídica de utilidad pública. ～ 법인의 설립 및 운영에 관한 법률 ley *f* sobre constitución y administración de fundaciones públicas. ～ 비용 carga *f* pública, obligaciones *fpl* públicas, graven *m* público. ～ 신탁(信託) fideicomiso *m* público. ～ 위원(委員) miembro *m* público, miembro *f* pública. ～ 전당포 *Méj* monte *m* de piedad.
공익(共益) interés *m* común.
■ ～ 비용(費用) obligaciones *fpl* comunes, carga *f* común.
공인(工人) [중국에서, 노동자] obrero, -ra *mf*.
공인(公人) hombre *m* (al servicio del) público; [공직에 있는 사람] oficial *m* público, oficiala *f* pública..
공인(公印) sello *m* oficial.
■ ～ 위조 falsificación *f* del sello oficial.
공인(公認) reconocimiento *m* [autorización *f* · aprobación *f*] oficial; [기록의] homologación *f*. ～하다 reconocer [aprobar] oficialmente, autorizar; [스포츠의 기록을] homologar. ～의 reconocido, aprobado, autorizado, legalizado. 풍속(風速)이 초속 2미터 이상일 때, 기록은 ～되지 않는다 Cuando la velocidad del viento es superior a los 2,0 m/s, la marca no se homologa.
■ ～교(敎) religión *f* reconocida oficialmente. ～ 기록 récord *m* oficialmente reconocido, marca *f* oficial. ¶미(未)～ récord *m* oficialmente reconocido, marca *f* no reconocida. ～ 입후보자 candidato *m* reconocido [candidata *f* reconocida] por su partido. ～ 자본 capital *m* reconocido oficialmente. ～ 중개사(仲介士) agente *m* inmobiliario autorizado, agente *f* inmobiliaria autorizada; *Chi* corredor, -dora *mf* de propiedades autorizado, -da. ¶～ 시험 examen *m* para agente inmobiliario autorizado. ～ 중매인(仲買人) agente *m* certificado, agente *f* certificada. ～ 회계사(會計士) contable *m* público certificado, contable *f* pública certificada; contable *m* público titulado, contable *f* pública titulada; *AmL* contador *m* público [titulado], contadora *f* pública [titulada], *AmL* contador *m* público certificado, contadora *f* pública certificada. ～ 회계사법 ley *f* de contable público certificado.
공인수(公因數) 【수학】 factor *m* común.
공일(空－) trabajo *m* gratuito. ～하다 trabajar gratuitamente.
공일(空日) día *m* festivo, día *m* feriado, día *m* de fiesta, día *m* de descanso; [일요일] domingo *m*.
■ ～날 ＝공일(空日).
공임(工賃) paga *f*, jornal *m*, (gasto *m* de la) mano de obra.
공자(公子) noble *m* joven, príncipe *m* joven.
■ ～ 왕손(王孫) descendientes *mf* del rey.
공자(孔子) 【인명】 Confucio, Kong-Fu-Tse. ～의 confuciano, confunianista. ～의 가르침 confucianismo *m*, confunionismo *m*.
■공자 앞에서 문자 쓴다 ((속담)) No es necesario predicar a un sabio.
공작(工作) ① [토목 · 건축 · 제조 등에 관한 일] labor *f*, operación *f*, gestión *f*. ～하다

laborar, obrar, maniobrar, gestionar. ② [어떤 목적을 위하여 미리 꾸미어 계획하거나 준비함] maniobra *f.* ~하다 [정계(政界) 따위에서] hacer gestiones subrepticias, hacer maniobras políticas. 준비 ~을 하다 hacer preparativos (para), hacer gestiones preparativas (para), preparar el camino (para).

◆도면 ~ dibujos *mpl* y trabajos manuales. 정치 ~ maniobra *f* política.

■~ 게이지 calibre *m* de fabricación. ~금 fondos *mpl* de operación. ~ 기계 máquina *f* herramienta. ¶~공(工) maquinista *mf*, operario, -ria *mf.* ~물(物) estructura *f*, edificio *m.* ~선(船) buque *m* factoría. ~창(廠) taller *m.* ~함(艦) buque *m* factoría.

공작(孔雀) 【조류】 pavo *m* real.

■~미(尾) cola *f* del pavo real. ~부인(夫人) mujer *f* hermosa vestida de lujo.

공작(公爵) duque *m.*

■~ 부인(夫人) duquesa *f.*

공작고사리(孔雀－) 【식물】 culantrillo *m*, cabellos *mpl* de Venus.

공작새(孔雀－) 【조류】 pavo *m* real.

공작석(孔雀石) 【광물】 malaquita *f.*

공작초(孔雀草) 【식물】 =공작고사리.

공장(工匠) artesano, -na *mf.*

공장(工場) fábrica *f*, factoría *f*; [수공업적인 작은 공장] taller *m.* ~을 설립하다 instalar una fábrica [un taller].

◆도자기 ~ taller *m* de cerámica. 제지(製紙) ~ fábrica *f* de papel. 제철 ~ fábrica *f* metalúrgica. 폭탄 ~ fábrica *f* de bombas.

■~ 가격(價格) costes *mpl* de fabricación, *AmL* costos *mpl* de fabricación. ~ 검사관 inspector *mf* industrial; inspector, -tora *mf* de fábrica [de factoría]. ~ 경영 administración *f* de fábrica. ~ 공해(公害) contaminación *f* de fábrica. ~ 관리(管理) administración *f* [dirección *f*] de fábrica. ¶~ 제도 sistema *m* de la administración de fábrica. ~ 근로자[노동자] obrero, -ra *mf* (de fábrica); trabajador, -dora *mf* industrial. ~도(渡) franco *m* en fábrica. ¶~ 가격 precios *mpl* de fábrica, precios *mpl* franco fábrica. ~법 ley *f* de fábricas. ~ 부지(敷地) solar *m* de fábrica, terreno *m* de fábrica. ~ 생산 fabricación *f* en serie. ~ 생산품 producto *m* manufacturado. ~ 시설(施設) instalación *f* de fábrica, equipos *mpl* e instalaciones de fábrica. ~ 위생(衛生) higiene *f* de fábrica. ~장(長) director, -tora *mf* de fábrica; jefe, -fa *mf* de fábrica. ~ 재단(財團) fundación *f* de fábrica. ~ 저당법 ley *f* de hipoteca de fábricas. ~주(主) dueño, -ña *mf* [propietario, -ria *mf*] de la fábrica. ~ 지대(地帶) zona *f* industrial. ~ 폐기물 residuos *mpl* industriales. ~ 폐쇄 cierre *m* empresarial, cierre *m* de una fábrica. ~ 폐수(廢水) aguas *fpl* residuales de fábrica. ~ 폐수 처리 장치 planta *f* de tratamiento de aguas residuales [negras] de fábrica.

공장(空腸) ① [아무것도 먹지 않은 빈 창자] estómago *m* vacío. ② 【해부】 yuyuno *m.*

공저(公邸) residencia *f* oficial.

공저(共著) colaboración *f.* A와 ~한 escrito en colaboración con A. 이 책은 세 사람이 ~했다 Este libro ha sido redactado en colaboración por tres autores.

■~자(者) coautor, -tora *mf*; colaborador, -dora *mf.*

공적(公的) público, oficial. ~으로 en público, públicamente, oficialmente. ~인 일 misión *f* oficial, asunto *m* oficialmente confiado. ~인 장소 lugar *m* [sitio *m*] público.

■~ 기록(記錄) récord *m* oficial. ~ 사업 empresa *f* pública, negocio *m* público. ~ 생애(生涯) carrera *f* pública. ~ 생활 vida *f* pública.

공적(公賊) ladrón, -drona *mf* que roba los bienes públicos.

공적(公敵) enemigo *m* público. 한국의 ~ 1호 enemigo *m* público número uno de Corea.

공적(功績) mérito *m*, acto *m* meritorio; [공헌] contribución *f.* ~을 세우다 realizar un hecho mérito, prestar un servicio distinguido. ☞공(功)

■~ 명부(名簿) registro *m* del servicio meritorio. ~ 조사부 departamento *m* de la investigación de mérito.

공적하다(空寂－) [조용하고 쓸쓸하다] (ser) tranquilo y solitario.

공전(工錢) pago *m*, salario *m*, sueldo *m.*

공전(公田) el arrozal y el campo nacionales.

공전(公典) ley *f* hecha imparcialmente.

공전(公電) telegrama *m* oficial; [본국 정부에서 대사 등에게 보내는 전보] despacho *m* diplomático.

공전(公錢) =공금(公金).

공전(公轉) 【천문】 revolución *f.* ~하다 girar recorriendo *su* órbita, hacer *su* revolución, dar vueltas (alrededor del sol).

■~ 운동(運動) movimiento *m* orbital. ~ 주기(週期) revolución *f.*

공전(空前) lo inaudito. ~의 sin precedentes, inaudito, sin antecedentes en *su* historia. ~의 대성공 éxito *m* fenomenal. 마라톤 사상 ~의 기록을 수립하다 establecer un récord sin precedentes en la historia del maratón.

■~절후(絶後) =전무후무(前無後無).

공전(空電) ① ((준말)) =공중 전기. ② ((준말)) =공전 방해(空電妨害).

■~ 방해(妨害) interferencia *f* atmosférica.

공전(空轉) ① [공도는 일] funcionamiento *m* en vacío, movimiento *m* en vacío; [차륜의] patinazo *m.* ~하다 mover [funcionar] en vacío, patinar. ~시키다 funcionar en vacío. 바퀴가 ~하고 있다 Las ruedas están patinando. ② [일이나 행동이 헛되이 진행됨] argumento *m* vano, círculo *m* vicioso, razonamiento *m* circular. ~되다 caer en un círculo vicioso, dar una y otra vuelta al asunto sin llegar a conclusión alguna.

공정(工程) proceso *m*, procedimiento *m.*

◆생산(生産) ~ proceso *m* de fabricación.
■~ 관리(管理) control *m* de proceso. ~도(圖) plan *m* de proceso. ~표 programa *m* de proceso, programa *m* de trabajo, representación *f* gráfica de las operaciones.

공정(公正) justicia *f*, equidad *f*, imparcialidad *f*, rectitud *f*. ~하다 (ser) justo, equitativo, imparcial. ~하게 en [con · según] justicia, justamente, justo, equitativamente, imparcialmente. ~한 재판(裁判) juicio *m* justo. ~한 판정(判定) decisión *f* imparcial, fallo *m* equitativo. 그 결정은 ~하다고 생각한다 Creo que la decisión es justa.
■~가(價) ((준말)) =공정 가격. ~ 가격 precio *m* justo. ~ 거래 comercio *m* justo. ~거래 위원회 la Comisión de Comercio Justo. ~ 기록(記錄) récord *m* justo. ~ 증서 acta *f* notarial, contrato *m* notarial, escritura *f* pública. ~ 증서 유언 testamento *m* del acta notarial. ~ 지가(地價) precio *m* de la tierra justo.

공정(公定) decisión *f* pública. ~의 oficial, público, legal, fijo oficialmente.
■~가(價) ((준말)) =공정 가격. ~ 가격 precio *m* oficial, precio *m* público. ~거래(去來) comercio *m* equitativo. ~ 거래법 ley *f* de comercio equitativo. ~ 거래 위원회 la Comisión de Comercio Equitativo. ~금리(金利) =공정 이율. ~ 보합 tasa *f* de descuento oficial. ~ 시세(時勢) cotización *f* oficial. ~ 이율 tipo *m* de interés oficial, tasa *f* de intereses oficial. ~ 할인율 redescuento *m* oficial, tasa *f* de descuento. ~ 환율 tipo *m* de cambio oficial.

공정(空庭) patio *m* vacío.

공정 부대(空挺部隊) tropas *fpl* aerotransportadas.

공정 작전(空挺作戰) operaciones *fpl* aerotransportadas.

공제(共濟) ayuda *f* [asistencia *f*] mutua.
■~ 조합 asociación *f* de socorros mutuos, sociedad *f* mutualista, masonería *f*. ~. 조합원 mutualista *mf*, masón, -sona *mf*.

공제(控除) reducción *f* (de antemano); [급료 등에서] deducción *f*, [세금의] cantidad *f* libre (de impuestos). ~하다 reducir de antemano, deducir. 세금 ~하고 después de hacer deduciones por concepto de impuestos. 이자를 ~하다 reducir el interés de antemano. 총소득의 10%를 ~하다 deducir [descontar] el diez por ciento del importe total. 급료에서 보험료 ~액 cantidad *f* deducida del sueldo por concepto de seguro. 봉급에서 1할 ~하다 reducir un diez por ciento del sueldo. 봉급에서 세금을 ~하다 deducir del sueldo el impuesto. 내 봉급은 세금 ~하고 85만 원이다 Mi paga líquida es ochocientos cincuenta mil wones. 수수료를 ~하고 300만 원의 이익이다 Deduciendo la comisión, salgo ganando tres millones de wones.

공조(工曹) 【역사】 el Ministerio de Industria.
■~ 판서(判書) ministro *m* de Industria.

공조(公租) =조세(租稅).

공조(共助) cooperación *f*, asistencia *f* mutua. ~하다 ayudar [asistir] mutuamente, cooperar.

공존(共存) coexistencia *f*. ~하다 coexistir.
■~ 공영(共榮) coexistencia *f* y prosperidad. ¶~ 하다 coexistir para la prosperidad mutua. ~ 의식(意識) conciencia *f* de coexistencia. ~ 정책(政策) política *f* de coexistencia.

공죄(公罪) delito *m* que daña el interés público nacional.

공죄(功罪) mérito *m* (y demérito). ~가 상반(相半)한다 Los méritos son casi iguales a los deméritos.

공주(公主) infanta *f*, princesa *f*.

공죽(空竹) =객죽(客竹).

공준(公準) 【수학】 postulado *m*.

공중(公衆) público *m*, gente *f*. ~의 público. ~의 앞에서 en público, a la vista de la gente. ~의 이익(利益) interés *m* público. ~의 이익을 위하여 en el beneficio público, para el provecho público, por el bien público.
■~ 도덕 moralidad *f* pública, moral *f* pública. ~ 목욕탕 baño *m* público. ~ 변소(便所) servicios *mpl*, aseos *mpl* (públicos), urinarios *mpl*, retrete *m* [excusado *m*] público. ~ 위생 higiene *f* pública, sanidad *f* pública. ~ 위생법 ley *f* de higiene pública. ~ 전화 teléfono *m* público. ~ 전화 박스 cabina *f* del teléfono público. ~ 전화실(電話室) =공중 전화 박스.

공중(空中) aire *m*, espacio *m*, cielo *m*. ~의 aéreo, atmosférico, espacial. ~에 en [por] el aire [el espacio · el cielo]. ~을 날다 volar por [en] el aire.
■~ 감시(監視) inspección *f* aérea. ~ 경비(警備) guardia *f* aérea. ~ 곡예 acrobacia *f* aérea. ~곡예사 [공중그네의] trapecista *mf*, [줄타기의] equilibrista *mf*, funámbulo, -la *mf*. ~ 관측(觀測) observación *f* aérea. ~ 광고(廣告) publicidad *f* por el avión. ~권 derecho *m* aéreo. ~ 급유 repostaje *m* aéreo, rebastecimiento *m* de combustible aéreo. ¶~용 비행기 avión *m* cisterna. ~ 납치 secuestro *m* aéreo. ¶~하다 secuestrar (un avión). ~된 aeropirateado. ~ 납치범 pirata *m* aéreo, pirata *f* aérea; secuestrador, -dora *mf*. ~ 누각 castillo *m* aéreo. ¶~을 짓다 hacer castillos en el aire. ~ 무선 전화기 aeroteléfono *m*. ~ 방전(放電) descarga *f* atmosférica. ~ 보급(補給) aerotransporte *m*, transporte *m* por avión [por vía aérea], puente *m* aéreo. ¶~ 을 하다 aerotransportar, transportar por avión [por vía aérea]. ~ 분해 desintegración *f* en el aire. ¶~하다 desmembrar en el aire. 비행기는 ~되었다 El avión se desintegró en el aire [en (el) vuelo]. ~ 사닥다리 escalera *f* de bomberos. ~ 사진(寫眞) aerofoto *f*, fotografía *f* aérea. ~ 사진 촬영법 aerofotogrametría *f*. ~ 사찰 ins-

pección *f* aérea. ~ 삭도(索道) teleférico *m*. ~ 생물학 aerobiología *f*. ~ 생물학자 aerobiólogo, -ga *mf*. ~ 서커스 acrobacia *f* aérea. ~선(線)【물리】antena *f*. ~ 소독(消毒) aerofumigación *f*. ~ 쇼 exhibición *f* acrobática aérea. ~ 수송(輸送) transportación *f* aérea [por el aire]; [공군에 의한] puente *m* aéreo. ¶~된 transportado por el aire, aerotransprtado. ~ 수송 부대 tropas *fpl* aerotransportadas. ~ 어뢰 torpedo *m* aéreo. ~전(戰) batalla *f* aérea, batalla *f* atmosférica, combate *m* aéreo. ~ 전기(電氣) electricidad *f* atmosférica. ~ 정찰(偵察) patrulla *f* aérea. ¶~하다 patrullar en el aire. ~제비 voltereta *f*, pirueta *f* [salto *m*] en el aire; ((체조)) salto *m* mortal; [비행기의] pirueta *f* aérea. hacer piruetas en el aire, dar volteretas en el aire; [비행기·새가] rizar el rizo; [자동차가] dar una vuelta de campana. 2회 ~ doble salto *m* mortal. ~ 조명(照明) iluminación *f* aérea. ~ 질소 nitrógeno *m* atmosférico. ¶~를 고정하다 fijar el nitrógeno atmosférico. ~ 질소 고정 fijación *f* de nitrógeno. ~청음기(聽音機) aerofono *m*. ~ 촬영 fotografía *f* aérea. ¶~하다 hacer una fotografía aérea. ~ 충돌 choque *m* en vuelo. ¶~하다 chocar en vuelo. ~ 케이블카 cable *m* transportado. ~ 투하(投下) suministro *m* por paracaídas. ¶~하다 lanzar desde un avión [en paracaídas]. ~ 폭격 bombardeo *m* aéreo, raid *m* aéreo. ¶~하다 bombardear por aire [por avión], bombear. ~ 활공(滑空) = 공중 활주. ~ 활주(滑走) vuelo *m* sin motor. ¶~하다 volar sin motor. ~ 활주자 piloto *mf* de vuelo sin motor. ~ 회전 ((스키)) slalom *m* aéreo.

공중합(共重合) copolimerización *f*. ~하다 copolimerizar.

공중합체(共重合體) copolímetro *m*.

공증(公證) el acta *f* (*pl* las actas) notarial, autenticación *f*, autentificación *f*, notaría *f*. ~하다 autenticar, autorizar, dar fe pública (de), *Chi* notariar. ~의 notarial, escribanil. ~된 notariado.

▪ ~료 honorarios *mpl* notariales. ~ 문서 el acta *f* notarial. ¶~로 하다 levantar el acta notarial. ~인 notario, -ria *mf*, notario *m* público, notaria *f* pública; *RPI* escribano, -na *mf*. ~인법(人法) ley *f* de notario público. ~인 사무소 notaría *f*, oficina *f* de notario. ~인직(人職) notariado *m*, oficio *m* de notario.

공지(公志) = 공심(公心).

공지(共知) conocimiento *m* público. ~하다 conocer juntos.

▪ ~ 사실 hecho *m* público. ~ 사항(事項) asuntos *mpl* públicos.

공지(空地) ① [빈 터·빈 땅] terreno *m* sin construir, terreno *m* vacío, *AmL* terreno *m* baldío, solar *m*. ② [하늘과 땅] el cielo y la tierra.

공지(空紙) ① [백지(白紙)] papel *m* blanco. ② [쓸데없는 종이] papel *m* inútil.

공지하다(工遲−) tener talento pero ser lento.

공직(公職) función *f* pública, cargo *m* oficial [público], puesto *m* oficial, empleo *m* gubernamental [del gobierno]. ~의 후보자 candidato, -ta *mf* al puesto oficial. ~에 있다 ocupar un puesto oficial. ~에 취임하다 entrar al servicio del gobierno, asumir una función pública. ~에서 물러나다 dimitir [retirarse de] *su* cargo oficial. ~에서 추방하다 expulsar del puesto oficial [de una función pública].

▪ ~ 생활 carrera *f* pública. ~ 선거 및 선거 부정 방지법 ley *f* de elección de cargos públicos y prevención de elecciones ilícitas. ~자 oficial *m* [funcionario *m*] público, oficial *f* [funcionaria *f*] pública. ~자 윤리법 ley *f* de ética de funcionarios públicos.

공직하다(公直−) (ser) honrado sin parcialidad.

공진(共振)【물리】resonancia *f*, simpatía *f*.

공진회(共進會) feria *f*, exhibición *f* competitiva, exposición *f*.

◆ 가축 ~ feria *f* ganadera. 농업 ~ feria *f* agrícola y ganadera, *RPI* exposición *f* rural.

공징이【민속】*gongchingi*, adivina *f*.

공짜(空−) lo gratuito. ~의 gratuito. 나는 이 골동품을 ~나 마찬가지로 입수했다 Yo conseguí esta antigüedad por casi nada. 공짜로 gratis, gratuitamente, de balde, sin pagar nada, de rositas, *Méj* de amor y amor, *Caribe* de chivo. ~ 일하다 trabajar gratis [gratuitamente · de balde]. ~ 가르치다 enseñar gratis [sin cobrar nada]. ~ 먹다 comer de gorra. ~ 여행하다 viajar de gorra.

공짜배기(空−) = 공짜.

공차(公差)【수학】diferencia *f* común.

공차(空車) ① [빈 차] vehículo *m* vacío, coche *m* vacío; [택시] taxi *m* libre; ((게시)) Libre. ② [돈을 안 내고 타는 차] viaje *m* gratuito.

공차반(供次飯) ((불교)) = 반찬.

공찬(供饌) ((불교)) ofrecimiento *m* de la comida a Buda. ~하다 ofrecer la comida a Buda.

공찰(公札)【역사】= 공함(公函).

공참하다(孔慘−) (ser) muy cruel, miserable, terrible.

공창(工廠) arsenal *m*.

◆ 해군(海軍) ~ arsenal *m* naval.

공창(公娼) prostituta *f* autorizada.

▪ ~ 제도(制度) prostitución *f* autorizada. ~ 폐지(廢止) abolición *f* de la prostitución autorizada. ~ 폐지 운동 campaña *f* [movimiento *m*] de la purificación, movimiento *m* de la abolición de la prostitución autorizada..

공채(公債) bono *m* (público), empréstito *m* (público). ~를 발행하다 emitir bonos.

◆ 등록(登錄) ~ bono *m* registrado. 영구(永久) ~ empréstito *m* perpetuo, empréstito *m* no amortizable. 장기 ~ bono *m* a largo plazo. 장기 ~ 옵션 opción *f* de bonos a largo plazo. 정부 발행 ~ emprésitos *mpl* que emite el gobierno.

■ ~ 발행 차입금 deuda *f* garantizada con bonos. ~비(費) gastos *mpl* de bonos. ~ 상환 자금 fondo *m* para amortización de obligaciones. ~ 시장 mercado *m* de bonos, mercado *m* de obligaciones de rentas fijas. ~ 정리 consolidación *f* de emprésito público. ~ 증권 bono *m* público, valores *mpl* del Estado. ~ 증권 소지자 obligacionista *mf*. ~ 차환 conversión *f* de emprésito público.

공책(空冊) cuaderno *m*; [작은] libreta *f*, cuadernillo *m*. ~의 조각 trozo *m* de papel de un cuaderno. ~에 적다 anotar, apuntar, inscribir, registrar.

공처(空處) ① [임자없이 버려둔 빈터] terreno *m* vacío sin dueños. ② =공지(空地).

공처(恐妻) sumisión *f* a *su* esposa.

■ ~가(家) calzonazos *m.sing.pl*, bragazas *m*, marido *m* dominado por su mujer. ¶그는 대단한 ~이다 El tiene mucho miendo a su esposa.

공천(公薦) recomendación *f* pública; [정당의] nominación *f* (pública). ~하다 recomendar públicamente, nominar públicamente. ~받은 사람 candidato, -ta *mf*.

■ ~ 입후보자 candidato *m* autorizado [reconocido · oficial], candidata *f* autorizada [reconocida · oficial]. ¶민주당 ~ candidato *m* autorizado [candidata *f* autorizada] por el Partido Demócrata.

공첩(公貼) =공문서(公文書).

공첩(公牒) despacho *m* [envío *m*] oficial.

공청(公廳) oficina *f* gubernamental [pública].

■ ~회(會) audición *f* pública, reunión *f* de diputados para escuchar la opinión de los interesados y entendidos en un asunto de carácter público, reunión *f* para escuchar opiniones de los interesados y académicos en asuntos importantes.

공청(空聽) =헛간.

공총하다(倥傯-) estar muy ocupado por mucho trabajo.

공축(恐縮) agradecimiento *m*, reconocimiento *m*. ~하다 agradecer, quedar [estar] agradecido [reconocido] (por), sentir*lo*. 와 주시는 불편을 끼쳐 ~합니다 Le agradezco mucho que se haya molestado en venir. 답장을 보내주신 데 대해 오히려 ~하는 바입니다 Al contrario, le quedo muy agradecido [reconocido] por su atenta respuesta.

공출(供出) ofrecimiento *m* del arroz al gobierno. ~하다 ofrecer el arroz al gobierno.

■ ~미(米) arroz *m* ofrecido al gobierno.

공치기 juego *m* de pelota.

공치다(空-) ① [어떤 표시로 동그라미를 그리다] dibujar un círculo, marcar un cero (0). ② [맞히지 못하다] no dar (en el blanco). ③ [허탕치다] hacer esfuerzos vanos.

공치사(功致辭) admiración *f* de *sus* propios méritos, elogios *mpl* [alabanzas *fpl*] de *sí* mismo. ~하다 elogiarse a *sí* mismo, alabarse [jactarse] de *sus* méritos.

공치사(空致辭) gratitud *f* [apreciación *f*] de palabras vanas. ~하다 dar gracias con palabras vanas.

공칙하다 tener mala suerte, tener la desgracia.

공칙히 con mala suerte, con desgracia.

공칭(公稱) nombre *m* oficial. ~의 nominal. 당원의 수가 ~ 100만 명이다 Son un millón de miembros nominales del partido.

■ ~ 가격 precio *m* nominal [oficial]. ~ 능력 capacidad *f* autorizada. ~ 마력 caballo *m* de vapor nominal. ~ 시세 cotización *f* nominal. ~ 액면 가격 valor *m* facial, valor *m* nominal. ~ 자본 capital *m* nominal.

공탁(供託) depósito *m* de fianza, consignación *f*. ~하다 depositar fianza, dar fianza.

■ ~금 fianza *f*, depósito *m*. ¶~을 법원에 납부하다 depositar fianza en la tribunal. ~물 depósito *m*. ~법 ley *f* de fideicomiso. ~서 documento *m* de déposito. ~소(所) oficina *f* de depósito. ~자 depositante *mf*.

공터(空-) =공지(空地).

공토(公土) terreno *m* del cuerpo público.

공통(共通) lo común. ~의 común, general, público. ~의 이해를 가지다 tener unos intereses comunes. 서반아어와 불란서어는 많은 점에서 ~이다 El idioma español y el francés tienen muchos puntos en común.

■ ~목적 fin *m* común. ~ 분모denominador *m* común, común denominador *m*. ~성 comunidad *f*. ¶이해의 ~ comunidad *f* de intereses. ~어(語) lengua *f* común. ~의식 conciencia *f* común. ~ 인수[인자] 【수학】 factor *m* común. ~점(點) punto *m* común. ¶~을 가지다 tener puntos comunes.

공판(公判) juicio *m*, audiencia *f* pública (de una causa). ~에 회부하다 llevar [someter] *algo* a juicio.

■ ~ 기록 el acta *f* (*pl* las actas) [registro *m*] de audiencia pública. ~ 기일 día *f* fija para el juicio. ~ 수속(手續) procedimiento *m* en el juicio. ~ 일정표(日程表) lista *f* de causa. ~ 절차(節次) procedimiento *m* en el juicio. ~정(廷) tribunal *m*, sala *f* (de un tribunal). ~ 조서 protocolo *m* para el juicio público. ~ 청구(請求) demanda *f* para el juicio.

공판(共販) ((준말)) =공동 판매(共同販賣).

■ ~장(場) mercado *m* conjunto, mercado *m* en común. ¶농협(農協) ~ mercado *m* conjunto de la cooperativa agrícola.

공편(共編) coredacción *f*. ~하다 coredactar.

■ ~자(者) coredactor, -tora *mf*.

공평(公平) equidad *f*, imparcialidad *f*, [정당함] justicia *f*. ~하다 (ser) equitativo, imparcial, justo.

공평히 equitativamente, con equidad, imparcialmente, sin parcialidad. ~ 말하면 imparcialmente hablando.

공평무사(公平無私) integridad *f*, desinterés *m* absoluto.
공평무사히 con integridad.

공포(公布) promulgación *f*, publicación *f*, anuncio *m*. ~하다 promulgar, publicar, anunciar. 법률의 ~ promulgación *f* de la ley. 법령을 ~하다 promulgar [expedir] un decreto.

공포(空胞)【생물】vacúola *f*.

공포(空砲) ① [실탄을 재지 않고 쏨] cartucho *m* sin bala, cañonazo *m* descargado. ~를 쏘다 disparar sin bala, batir a cañonazo vacuo. ② [위협하려고 공중에 쏨] disparo *m* al aire. ~를 쏘다 hacer un disparo al aire, disparar al aire.
◆공포(를) 놓다 ㉮ [공포를 쏘다] disparar sin bala, batir a cañonazo vacuo, hacer un disparo al aire. ㉯ [공갈하다. 을러대다] amenazar, intimidar, coaccionar.

공포(恐怖) terror *m*, horror *m*, espanto *m*, pavor *m*, miedo *m*, temor *m*. ~의 대상 pánico *m*. ~에 사로잡혀 lleno de miedo. ~에 질린 눈으로 con los ojos llenos de espanto. ~에 사로잡히다 sobrecogerse de espanto. ~를 느끼게 하다 infundir [causar] terror. ~를 느끼게 하다 infundir [causar] terror, aterrar, aterrorizar. ~에 떨다 temblar de horror, morirse de miedo, sobrecogerse de terror. ~에 사로잡혀 있다 estar poseído de terror. ~의 소리를 지르다 lanzar un grito de horror. 관객들은 ~에 사로잡혔다 El pánico se apoderó de los espectadores. 학생한테는 시험은 ~의 대상이다 El estudiante tiene pánico del examen.
■~감 (sensación *f* de) miedo *m* [temor *m*]. ¶~에 사로잡히다 sobrecogerse de terror. ~ 시대 el Terror. ~ 정치(政治) ㉮ [광포(狂暴)한 수단을 써서 반대당을 탄압하여 행하는 정치] terrorismo *m*. ¶~를 펴다 gobernar por el terror. ㉯【역사】[불란서 혁명 때 과격 공화주의 당파인 자코뱅당(黨)이 행한 탄압 정치] el Terror. ~증(症) fobia *f*, [정신병의] psicastenía *f*. ¶고독(孤獨) ~ monofobia *f*. 공습(空襲) ~ psicastenía *f* antiaérea. 남성(男性) ~ androfobia *f*. 남성 ~에 걸린 (사람) andrófobo, -ba *mf*. 대인(對人) ~ antrofobia *f*. 여성(女性) ~ ginefobia *f*.

공폭(空爆) ((준말)) =공중 폭격.

공표(一標) =동그라미표.

공표(公表) declaración *f* oficial, proclamación *f*, publicación *f*, anuncio *m* al público. ~하다 anunciar oficialmente [al público], publicar, proclamar.

공표(空票) [거저 얻은 입장권·차표 등의 표(票)] entrada *f* gratuita, billete *m* gratuito, *AmL* boleto *m* gratuito.

공피병(鞏皮病)【의학】esclerodema *f*, esclerodermia *f*, dermatoesclerosis *f*.

공하(恭賀) enhorabuena *f* respetuosa, felicitaciones *fpl* respetuosas.
■~신년(新年) =근하신년(謹賀新年).

공하(恐嚇) =공갈. 위협(威脅).
■~ 정치(政治) =공포 정치(恐怖政治) ㉮.

공하다(供一) ① =이바지하다. ② =제공하다.

공하다(貢一) ① [공물(供物)을 바치다] ofrender. ② =이바지하다.

공학(工學) ingeniería *f*, tecnología *f*.
■~과(科) departamento *m* de tecnología. ~ 박사 doctor, -tora *mf* en ingeniería. ~부(部) facultad *f* [escuela *f*] de ingeniería [de tecnología]. ~사(士) licenciado, -da *mf* en ingeniería. ¶~ 학위 licenciatura *f* en ingeniería. ~ 석사 maestro, -tra *mf* en ingeniería. ¶~ 학위 maestría *f*. ~ 학위 소지자 poseedor, -dora *mf* de una maestría en Ingeniería.

공학(共學) coeducación *f*, educación *f* mixta [mezclada]. 남녀 ~의 de coeducación. 이 학교는 남녀 ~이다 Esta es una escuela mixta.

공한(公翰) carta *f* oficial.

공한(空閑) ocio *m*, tiempo *m* libre. ~하다 llevar una vida de ocio, estar libre, estar ocio, estar desocupado.
■~지(地) terreno *m* libre.

공함(公函) carta *f* oficial.

공항(空港) aeropuerto *m*; [비행장] aeródromo *m*. ~에 도착하다 llegar al aeropuerto.
◆김포 ~ el Aeropuerto de Kimpo. 인천 국제 ~ el Aeropuerto Internacional de Incheon.
■~장(長) director, -tora *mf* [*ReD* administrador, -dora *mf*] del aeropuerto. ~ 출입국 관리소 oficina *f* de migración del puerto.

공해(公海) alta mar *f*, aguas *fpl* internacionales. ~ 상에서 어업하다 pescar en aguas internacionales, pescar fuera de las aguas territoriales.
■~ 어업(漁業) industria *f* pesquera en las aguas internacionales.

공해(公害) contaminación *f*, contaminación *f* ambiental, contaminación *f* del medio ambiente, polución *f* (ambiental). ~를 제거하다 eliminar la contaminación.
◆산업(産業) ~ contaminación *f* industrial. 소음(騷音) ~ contaminación *f* por los ruidos. 열(熱) ~ contaminación *f* térmica. 자동차(自動車) ~ contaminaciones *fpl* varias ocasionadas por los automóviles.
■~ 대책 medidas *fpl* contra las contaminaciones ambientales. ~ 대책 방지법 la Ley Preventiva de las Medidas contra las Contaminaciones Ambientales. ~ 방지법 la Ley Preventiva contra las Contaminaciones Ambientales. ~ 방지 산업(防止産業) industria *f* preventiva contra las contaminaciones ambientales. ~ 방지 시설(防止施設) facilidades *fpl* (preventivas) contra las contaminaciones ambientales. ~ 방지 운동 campaña *f* (preventiva) contra las contaminaciones ambientales. ~병(病) enfermedad *f* ocasionada [causada] por la contaminación. ~ 산업(産業) industria *f* de

las contaminaciones ambientales. ~ 요인 causas *fpl* de las contaminaciones ambientales. ~ 추방 운동(追放運動) campaña *f* contra contaminaciones ambientales.

공해(空海) ① [하늘처럼 가이없는 바다] mar *m* infinito como el cielo. ② [바다와 같은 창공(蒼空)] firmamento *m* como el mar.

공행(公行) [공무 여행] viaje *m* para el negocio oficial.

공행(空行) =헛걸음.

공허(公許) =관허(官許).

공허감(空虛感) sentido *m* de vacuidad.

공허하다(空虛-) (ser) vacío, vacuo, hueco, insustancial, insulso. 공허함 vacuidad *f*, insustancialidad *f*. 공허한 생활 vida *f* insulsa, vida *f* vacía. 공허한 이야기 cuento *m* insulso.

공헌(貢獻) ① 【역사】[공물을 상납함] ofrecimiento *m* del tributo. ~하다 ofrecer el tributo. ② [힘을 써서 이바지함] contribución *f*, servicios *mpl*. ~하다 contribuir, rendir [prestar] servicios (para・a). ~하는 contribuyente, contribuidor. 사회에 ~하다 contribuir a la sociedad. 평화 유지에 ~하다 contribuir para conservar la paz.
▪ ~자(者) contribuidor, -dora *mf*.

공혈(供血) 【의학】 donación *f* de sangre. ~하다 donar la sangre.
▪ ~자(者) donador, -dora *mf* de sangre.

공화(共和) harmonía *f* universal, gobierno *m* republicano, republicanismo (공화제). ~의 republicano.
▪ ~국(國) república *f*. ¶민주(民主) ~ república *f* democrática. ~당(黨) partido *m* republicano. ~당원 republicano, -na *mf*. ~력(曆) 【역사】 calendario *m* revolucionario. ~ 정체 republicanismo *m*. ~ 정체론 republicanismo *m*. ~ 정치 política *f* republicana. ~제(도) sistema *m* republicano del gobierno, republicanismo *m*. ~주의 republicanismo *m*. ~주의자 republicano, -na *mf*.

공활하다(空豁-) (ser) muy extenso, extensísimo.

공황(恐惶) terror *m*, espanto *m*.

공황(恐慌) ① [급변한 사태에 놀랍고 두려워 어찌할 바를 모름] pánico *m*, terror *m*, espanto *m*. ② 【경제】 pánico *m*, crisis *f* económica. ~을 일으키다 causar pánico. ~에 습격받다 ser asaltado por el pánico.
◆ 금융(金融) ~ pánico *m* financiero. 대(大)~ pánico *m* (crisis). 주식(株式) ~ pánico *m* del mercado de valores.
▪ ~ 가격(價格) precio *m* pánico. ~ 시세(時勢) mercado *m* pánico.

공회(公會) ① [공사(公事)로 인한 모임] reunión *f* por asuntos públicos. ② [공중(公衆)의 회합] asamblea *f* pública. ③ [공개 회의] conferencia *f* abierta.
▪ ~당(堂) salón *m* público, sala *f* municipal de fiestas, salón *m* municipal de actos.

공효(功效) ① =보람. ② =효험(效驗).

공후(公侯) ① =제후(諸侯). ② 【역사】[공작과 후작] el duque y el marqués.

공훈(功勳) =공로(功勞). 훈공(勳功). ¶혁혁한 ~ hazaña *f* brillante. ~을 세우다 realizar una hazaña [una acción meritoria], prestar servicios distinguidos.

공휴(公休) ((준말)) =공휴일(公休日).

공휴일(公休日) día *m* feriado, día *m* de fiesta, día *m* festivo (regular), día *m* de descanso (regular).

공히(公-) todos juntos.

곶 [갑(岬)] cabo *m*; [바위가 많은] promontorio *m*.

-곶(串) =-갑(岬)(cabo). ¶장산(長山)~ cabo *m* de *Changsan*.

곶감 caqui *m* secado, kaki *m* secado.
◆ 곶감 꼬치에서 곶감 빼 먹듯 usar [gastarse] *sus* ahorros poco a poco, carcomer poco a poco *sus* ahorros.

과[1] 【식물】 ((준말)) =과꽃.

과[2] ① [받침 있는 체언 뒤에서 열거를 나타내는 접속 조사] y; [i-와 hi-로 시작되는 단어 앞에서 발음의 중복을 피하기 위하여] e. 형~ 아우 hermano mayor y hermano menor. 말~ 소 el caballo y la vaca. 딸~ 아들 hija e hijo. ② [받침 있는 체언에 붙어, 다른 말과 비교하는 부사격 조사] y, e. 이 책~ 저 책 este libro y aquél. 그것~ 같다 Es igual a eso. ③ [받침 있는 체언에 붙어, 함께함을 나타내는 부사격 조사] con, junto con. 김군~ 같이 가다 ir (junto) con Kim.

과(果) ① [나무 열매] fruto *m*. ② =결과(結果)(resultado). ③ ((불교)) *sáns* phala.

과(科) ① [연구 분야를 분류한 소구분] curso *m*, sección *f*, departamento *m*. 국어~ departamento *m* de lengua. 생물~ departamento *m* de biología. 서반아어~ departamento *m* de español. 초등(初等)~ curso *m* elemental. 한서(韓西)~ departamento *m* de español-coreano. 당신은 문과 대학의 무슨 ~입니까? ¿En qué departamento de la Facultad de Letras estudia usted? ② 【생물】 [목(目)의 아래, 속(屬)의 위임] familia *f*, orden *f*. 소나뭇~ familia *f* de pino. 포유류~ orden *f* de mamíferos. ③ 【역사】 ((준말)) =과거(科擧).

과(課) sección *f*, [학과] lección *f*. ~장(長) jefe, -fa *mf* de sección. 제1~ primera lección *f*. 제3~ lección tres [tercera], tercera lección. 총무(總務)~ sección *f* de asuntos generales. 회계(會計)~ sección *f* de contabilidad.

과-(過) ① [지나친・과도한] excesivo. ~적재(積載) cargamento *m* excesivo. ② 【화학】 per-. ~산화 (酸化) peróxido *m*.

과감하다(果敢-) (ser) audaz, valiente, atrevido, denodado, intrépido, decisivo, radical, drástico. 과감한 개혁(改革) reforma *f* radical. 과감한 개혁을 단행하다 llevar a la práctica una reforma radical. 과감한 조치를 취하다 adoptar [tomar] una medida decisiva. 인플레이션의 억제를 위해 과감한

조치를 취하다 adoptar medidas drásticas para detener la inflación.
과감히 valientemente, con valentía, audazmente, decisivamente, radicalmente, drásticamente. ～ 공격하다 lanzar ataques denodados.

과객(過客) ① [지나가는 길손] transeúnte *mf.* ② [과객질하는 나그네] caminante *mf.*

과거(科擧) 【역사】 examen *m* estatal, examen del Estado. ～에 급제하다 salir bien [tener éxito] en el examen estatal.

과거(過去) ① [지나간 때] pasado *m.* ～의 pasado. ～에 en el pasado, anteriormente. ～ 10년간 durante [por] diez años pasados. ～를 잊다 olvidar lo pasado. ～를 잊읍시다 Olvidemos lo pasado. ② ((불교)) ＝전세(前世). ③ 【언어】 pretérito *m.* 완료(完了) ～ pretérito *m* perfecto. 불완료 ～ pretérito *m* imperfecto.
■～ 미래 condicional *m* simple. ～ 미래 완료 condicional *m* compuesto. ～분사(分詞) participio *m* pasado. ～사(事) lo pasado. ¶～를 잊읍시다 Lo pasado, pasado / Olvidemos lo pasado. ～세(世) ((불교)) ＝전세(前世). ～ 시제(時制) pasado *m,* pretérito *m.* ～ 역사 historia *f* del pasado. ～ 완료 pretérito *m* pluscuamperfecto. ～장(帳) ((불교)) obituario *m,* notas *fpl* necrológicas. ～지사(之事) ＝과거사(過去事).

과거(寡居) viudez *f,* viudedad *f.* ～하다 estar viudo.

과격(過激) lo radical. ～하다 (ser) radical; [과도하다] excesivo; [극단적이다] extremo. ～한 사상 ideas *fpl* exaltadas, ideología *f* radical. ～한 운동 [신체의] ejercicio *m* excesivo. ～하게 굴다 alborotar, armar jaleo. 아이들이 정원에서 ～하게 놀고 있다 Los niños están alborotando en el jardín.
과격히 radicalmente, extremamente, excesivamente.
■～ 분자 elemento *m* radical, elemento *m* extremista. ～ 사상 ideología *f* radical. ～ 주의 extremismo *m,* radicalismo *m.* ～주의자 extremista *mf,* radical *mf.* ～파(派) facción *f* radical, facción *f* extremista.

과경에(過頃―) ＝아까. 조금 전에.

과골(踝骨) 【해부】 ＝복사뼈.

과공(過恭) modestia *f* excesiva. ～하다 (ser) demasiado modesto.
◆과공은 비례라 Es descortés ser demasiado modesto.

과긍(誇矜) orgullo *m.* ～하다 enorgullecerse (con・de).

과기(瓜期) pubertad *f.*

과꽃 【식물】 aster *m* chino.

과남풀 【식물】 genciana *f.*

과납(過納) pago *m* en exceso. ～하다 pagar en exceso.

과냉(過冷) ① [지나치게 냉각함] enfriamiento *m* excesivo. ～하다 enfriar en exceso. ② 【물리】 ＝과냉각(過冷却).

과냉각(過冷却) 【물리】 sobreenfriamiento *m,* sobrefusión *f.* ～하다 sobreenfriar.

과녀(寡女) viuda *f.*

과녁 blanco *m.* ～에 맞다, ～을 쏘다 dar en [acertar] el blanco, atinar al blanco. ～을 맞추다 hacer blanco. ～을 겨냥하다 [조준하다] apuntar al blanco. ～을 조준하여 쏘다 tirar al [sobre el] blanco. ～의 중심을 맞추다 hacer [dar en la] diana. 탄환이 ～을 맞추었다 El tiro dio de lleno en el blanco. 탄환이 ～을 벗어났다 El tiro se desvió mucho.
■～빼기 dirección *f* de enfrente. ～빼기집 casa *f* de enfrente. ～판(板) diana *f.*

과년(瓜年) ① [여자가 혼기(婚期)에 이른 나이] edad *f* pubescente. ～한 딸 hija *f* casadera, hija *f* en edad de casarse. 그 여자는 ～한 딸이 둘이다 Ella tiene dos hijas casaderas [en edad de casarse・en edad de merecer]. ② 【역사】 el último año de su término de servicio.
◆과년(이) 차다 ser de edad de casarse, ser casadero.

과년도(過年度) año *m* pasado.
■～ 수입(收入) ingreso *m* del año pasado. ～ 지출(支出) gastos *mpl* del año pasado.

과년하다(過年―) pasar la edad de casarse. 과년한 딸 hija *f* que pasa la edad de casarse.

과념(過念) preocupación *f* excesiva. ～하다 preocuparse muchísimo.

과다(過多) exceso *m,* demasía *f,* sobra *f,* superabundancia *f.* ～하다 (ser) excesivo, demasiado.
◆공급(供給) ～ suministro *m* excesivo, abastecimiento *m* excesivo. 위산(胃酸) ～ hiperclorhidria *f,* acidez *f* de estómago. 인구(人口) ～ superpoblación *f,* *AmL* sobrepoblación *f.* 지방(脂肪) ～ exceso *m* de grasa, obesidad *f.*
■～ 고환 poliorquismo *m.* ～ 발한(發汗) hidrorrea *f.* ～ 사지(四肢) polimelia *f.* ～ 영양 politrofia *f.* ～ 유방 polimastia *f.* ～ 유방증 hipermastia *f.* ～ 정자(精子) polispermia *f.* ～증 síntoma *m* excesivo. ～ 치아(齒牙) poliodoncia *f.* ～ 쾌감증 hiperhedonia *f.*

과다하다(夥多―) (ser) bastante abundante, bastante mucho. 과다함 bastante abundancia *f.*

과단(果斷) decisión *f* rotunda, juicio *m* rápido. ～한 resuelto.
■～성(性) resolución *f* (rápida), decisión *f* (rotunda), determinación *f* rápida, determinación *f* pronta. ～ 있는 resuelto, decidido, determinado. ～ 있는 조치를 취하다 tomar medidas rápidas [prontas・drásticas].

과당(果糖) 【화학】 fructosa *f.*

과당(過當) exceso *m.* ～하다 (ser) excesivo. ～하게 en exceso, con exceso, excesivamente. ～한 요구 demanda *f* excesiva.
■～ 경쟁 competencia *f* desenfrenada competencia *f* excesiva.

과대(過大) demasiada grandeza *f.* ～하다 (ser) demasiado grande, excesivo, exagerado, extravagante. ～하게 excesivamente, extravagantemente, con exceso. ～시하다 exagerar.

과대(誇大) exceso *m*, exageración *f*. ～하다 (ser) excesivo, exagerado, demasiado, desmesurado. ～하게 excesivamente, demasiado, con exageración. ～한 값 precio *m* exagerado. ～한 요구 demanda *f* excesiva.

■～ 광고(廣告) anuncio *m* bombástico, anuncio *m* sensacionalista. ～ 망상(妄想) falsa ilusión *f* expansiva, delirios *mpl* de grandeza. ¶～에 빠지다 caer en los delirios de grandeza. ～ 망상광(妄想狂) ㉮ [행위] megalomanía *f*. ㉯ [사람] megalomaníaco, -ca *mf*; megalómano, -na *mf*. ～ 망상증(妄想症) megalomanía *f*. ¶～의 megalómano, megalomaníaco. ～ 환자 megalómano, -na *mf*; megalomaníaco, -ca *mf*. ～ 자본(資本) capital *m* excesivo. ～ 평가(評價) estimación *f* excesiva, sobreestimación *f*. ¶～하다 sobreestimar, supervalorar, apreciar [estimar] excesivamente, supervalorar los méritos (de *uno*). 그는 자신을 ～하고 있다 El se estima demasiado a sí mismo / El se cree que más capacitado de lo que es. 선생님은 나를 ～하고 계신다 El maestro [El profesor] me estima más de lo que merezco.

과댁(寡宅) ((준말)) ＝과수댁(寡守宅).

과덕(果德) ((불교)) méritos *mpl* de nirvana.

과덕(寡德) ＝박덕(薄德).

과도(果刀) cuchillo *m* para frutas.

과도(過渡) transición *f*.

■～기(期) período *m* [época *f*] de transición, período *m* transitorio. ～기적(期的) transitorio, transeúnte, de transición. ～정부 gobierno *m* transitorio. ～정치 oligarquía *f*. ¶～의 oligárquico.

과도하다(過度－) (ser) excesivo, exagerado, demasiado. 과도한 공부 estudio *m* excesivo. 과도한 음주(飮酒) bebida *f* excesiva, exceso *m* en la bebida. 과도한 일 trabajo *m* excesivo. 과도한 긴장으로 debido a la aguda tensión.

과도히 excesivamente, con exageración, en exceso, en demasía.

과동(過冬) invernación *f*. ～하다 invernar, pasar el invierno.

■～시(柴) leña *f* para el invierno. ～ 준비 preparación *f* para pasar el invierno.

과두(果頭) ((불교)) condición *f* de retribución, recompensa *f* de ilustración.

과두(裹肚) tela *f* para el abdomen del muerto.

과두(裹頭) tela *f* para la cabeza del muerto.

과두(寡頭) unos jefes *mpl*.

■～ 정치 oligarquía *f*. ¶～의 oligárquico.

과두(蝌蚪) ＝올챙이.

과똑똑이 persona *f* demasiado inteligente.

과라나(포 *guarana*) ① 【식물】 guaraná *f* (남미산의 식물. 그 마른 열매로 해열제·흥분제를 만듦). ② [과라나 씨로 만든 음료] guaraná *f*.

과락(科落) suspensión *f* de una asignatura de muchas asignaturas. ～하다 suspender [*AmL* ser reprobado] una asignatura.

과량(過量) exceso *m* de cantidad. ～하다 la cantidad ser excesivo.

과로(過勞) trabajo *m* excesivo, esfuerzo *m* violento, agotamiento *m* causado por el exceso de trabajo. ～하다 agotarse [fatigarse] por el exceso de trabajo, trabajar demasiado. ～하게 하다 hacer trabajar demasiado. ～로 쓰러지다 caer enfermo por (el) exceso de trabajo [a fuerza de trabajar]. 그는 ～로 인해서 건강을 해쳤다 El cayó enfermo por el trabajo excesivo.

과료(科料) 【법률】 multa *f* (ligera). 10만 원의 ～에 처하다 [과하다] poner [imponer] a *uno* una multa de cien mil wones.

과루(瓜蔞) 【식물】 ＝하눌타리.

과류(過謬) ＝과오(過誤). 과실(過失). 잘못.

과립(顆粒) ① [알갱이] grano *m*. ② 【화학】 granulación *f*, gránulo *m*.

■～ 감소 degranulación *f*. ～구 감소증(球減少症) hipogranulocitosis *f*. ～구계(球系) series *fpl* de granulocito. ～구성 백혈병(球性白血病) leucemia *f* granulocítica mieloide. ～구 증다 요법(球增多療法) granuloterapia *f*. ～구 증다증 granulocitosis *f*. ～구혈증 granulocitemia *f*. ～구 형성 granulopoyesis *f*, granulocitopoyesis *f*. ～막 granulosa *f*, membrana *f* granulosa. ～막 세포 célula *f* granulosa. ～막 세포종 tumor *m* granuloso. ～ 백아구(白芽球) leucoblasto *m* granular. ～ 백혈구 leucocito *m* granular, granulocito *m*. ～ 백혈구 감소증 granulopenia *f*. ～ 백혈구 형성 granulopoyesis *f*. ～상 경화(狀硬化) induración *f* granular. ～상 세포(狀細胞) célula *f* granular. ～성 결막염 conjuntivitis *f* granular. ～성 원형질 trofoblasto *m*. ～성 흑피증 cocomelasma *f*. ～ 세포 célula *f* granular, granulocito *m*. ～ 세포 종양 (細胞腫瘍) tumor *m* de célula granular. ～ 소체(小體) granulocorpúsculo *m*. ～ 아구(芽球) granuloblasto *m*. ～ 아구증 granuloblastosis *f*. ～ 원형질 granoplasmo *m*. ～증(症) granulosis *f*. ～질(質) granuloplasmo *m*. ～체 microsomía *f*. ～형성 granulación *f*.

과만(瓜滿) llegada *f* a la edad de casarse. ～하다 llegar a la edad de casarse.

과만하다(過滿－) ＝과분하다.

과망간산(過－酸) ácido *m* permangánico.

■～염(炎) permanganato *m*. ～칼륨 【화학】 permanganato *m* potásico.

과면증(過眠症) 【의학】 hipersomnia *f*, hipersomnio *m*.

과명(科名) 【생물】 nombre *m* de la familia.

과목(果木) árbol *m* de la fruta.

■～밭 ＝과수원(果樹園).

과목(科目) curso *m*, lección *f*, asignatura *f*.

◆대학 입학 시험 ～ asignaturas *fpl* del examen de ingreso para la universidad. 선택(選擇) ～ asignatura *f* opcional. 필수 ～ asignatura *f* obligatoria.

과묵하다(寡默－) (ser) callado, silencioso, taciturno, hablar poco. 과묵함 taciturnidad *f.* 선원들은 늘 ～ Los marineros suelen ser taciturnos.
과묵히 silenciosamente, con silencio.
과문(過門) ((준말)) ＝과문불입(過門不入).
과문불입(過門不入) acción *f* de no pasar por la casa pasando delante de la del conocido.
과문 천식(寡聞淺識) poca experiencia y poca sabiduría.
과문하다(寡聞－) tener poca experiencia.
과물(果物) fruta *f.* ～전(廛) frutería *f.*
과민(過敏) nerviosidad *f,* hiperestesia *f.* ～하다 ser excesivamente sensitivo.
▪～ 방광(膀胱) vejiga *f* irritable. ～사(死) muerte *f* alérgica. ～증 eretismo *m,* hipersensibilidad *f,* enfermedad *f* alérgica.
과민성(過敏性) hipersensibilidad *f.*
▪～ 결막염 conjuntivitis *f* atópica. ～ 습진 eccema *f* atópica. ～ 질환(疾患) enfermedad *f* alérgica. ～ 체질(體質) constitución *f* alérgica. ～ 피부염 dermatitis *f* atópica. ～ 현상 anafilaxis *m.* ～ 홍피증 eritrodermia *f* atópica.
과밀(過密) lo abarrotado, superpoblación *f.* ～하다 (ser) superpoblado, abarrotado, atestado, demasiado denso, apretado.
▪～ 도시 ciudad *f* superpoblada. ～ 지역 el área (*pl* las áreas) abarrotada.
과박하다(寡薄－) (la virtud) ser poca y superficial.
과반(果盤) bandeja *f* para las frutas.
과반(過半) la mayor parte (de), mayoría *f.*
▪～수(數) mayor número *m,* mayoría *f.* ¶ ～를 얻다 obtener la mayoría. ～를 점하고 있다 estar en mayoría, tener una mayoría. 제안(提案)을 ～로 채택하다 adoptar una proposición por mayoría de votos. 찬성표는 ～에 달했다 Los votos en favor de la proposición alcanzaron mayoría.
과반(過般) ＝지난번.
과방(果房) ＝숙설간(熟設間).
과방(過房) adoptación *f* de un hijo.
▪～자(者) hijo *m* adoptivo.
과병(寡兵) pocos efectivos *mpl.*
과보(果報) ((준말)) ＝인과응보(因果應報).
과부(寡婦) viuda *f.* ～의 viudal. ～가 되다 enviudar, quedar viuda. 평생을 ～로 지내다 quedar viuda toda la vida. 그녀는 스물여섯 살에 ～가 되었다 Ella enviudó [se quedó viuda] a los 26 años. 그녀는 두 번 ～가 되었다 Ella enviudó [quedó viuda] dos veces. 그녀는 골프 ～다 Ella pasa horas sola mientras el marido juega al golf.
▪과부는 은이 서 말, 홀아비는 이가 서 말 ((속담)) La viuda puede vivir ahorrando dinero, pero el viudo está en la extrema necesidad. 과부 사정은 동무 과부가 안다 ((속담)) Es la viuda solamente saber las dificultades del viudo.
▪～댁(宅) ((존칭)) ＝과부(寡婦). ～ 생활(生活) viudez *f,* viudedad *f.*
과부(踝部) 【해부】 región *f* del hueso del tobillo.
과부적중(寡不適中) ＝중과부적(衆寡不敵).
과부족(過不足) exceso y [o] falta. ～ 없이 sin exceso ni falta, acertamente, ni más ni menos, precisamente; [적당하게] en *su* punto, a propósito, convenientemente.
과분하다(過分－) (ser) excesivo, demasiado. 이것은 평상복으로는 ～ Este es demasiado bueno para vestir de ordinario. 이 선물은 나한테는 ～ No merezco este regalo / Es un regalo demasiado bueno para mí. 그 사람한테는 과분한 여자다 El no merece (a) la mujer que tiene. 과분한 수당을 주셔서 고맙습니다 Le agradezco que me haya concedido una remuneración que no merezco.
과분히 excesivamente, demasiado.
과불(過拂) sobrepaga *f,* pago *m* en exceso, pago *m* excesivo. ～하다 pagar en exceso, pagar excesivamente.
과불급(過不及) exceso o [y] falta.
과산증(過酸症) ＝위산 과다증(胃酸過多症).
과산화(過酸化) 【화학】 peróxido *m.*
▪～나트륨[소다] 【화학】 peróxido *m* de sodio. ～납 【화학】 peróxido *m* de plomo. ～망간 【화학】 peróxido *m* de magnesio. ～물(物) 【화학】 peróxidos *mpl.* ～바륨 【화학】 peróxido *m* de bario. ～수소 【화학】 peróxido *m* de hidrógeno. ～수소수 【약】 el agua oxigenada. ～질소 【화학】 peróxido *m* de nitrógeno. ～철(鐵) peróxido *m* de hierro.
과상(過賞) ＝과찬(過讚).
과석(過石) ((준말)) ＝과인산석회(過燐酸石灰).
과선교(跨線橋) puente *m* de paso, puente *m* de pasada.
과세(過歲) celebración *f* del Año Nuevo. ～하다 celebrar el Año Nuevo.
과세(課稅) imposición *m* [fijación *f*] de impuestos, tasación *f.* ～하다 imponer [gravar · cargar] con un impuesto. ～ 대상이 되는 imponible. 수입품에 ～하다 gravar los artículos de importación con impuesto.
▪～ 가격 precio *m* gravable. ～권 derecho *m* de imposición de impuestos. ～ 기간(期間) período *m* fiscal. ～ 기준(基準) base *f* del impuesto, base *f* imponible, base *f* impositiva. ～ 단위 unidad *f* impositiva, tasa *f* unitaria. ～ 당국 autoridades *fpl* fiscales. ～ 면제(免除) exención *f* de impuestos; [우편세 · 관세의] franquicia *f.* ～ 물건(物件) artículo *m* de imposición de impuestos, artículo *m* gravable. ～ 소득(所得) ingresos *mpl* gravables. ～율(率) tipo *m* impositivo. ～ 자료 materiales *mpl* para la imposición de impuestos. ～ 제도 sistema *m* fiscal, sistema *m* impositivo, sistema *m* tributario. ～ 표준(標準) valor *m* catastral, norma *f* impositiva. ～품(品) artículos *mpl* [sujetos *mpl*] a impuestos. ¶ ～을 가지고 있습니까? [세관에서] ¿Tie-

ne usted algo que declarar?
과소(果蔬) la fruta y la legumbre.
과소(過小) demasiada pequeñez *f.* ~하다 (ser) demasiado pequeño.
■ ~ 평가 subestimación *f.* ~하다 desestimar, subestimar, infravalorar.
과소(過少) demasiada poquedad *f.* ~하다 (ser) demasiado poco.
■ ~ 생산(生産) producción *f* insuficiente. ~ 인구(人口) población *f* muy despoblada [poco poblada · subpoblado · de baja densidad de población].
과소(過疎) despoblación *f.* ~하다 (ser) despoblado, poco poblado, subpoblado, de baja densidad de población.
■ ~ 지대(地帶) región *f* despoblada. ~화(化) despoblación *f.* ~하다 despoblarse.
과소(寡少) mucha poquedad. ~하다 (ser) muy poco.
과소비(過消費) consumo *m* muy excesivo. ~를 하다 consumir excesivamente [demasiado].
과속(過速) exceso *m* de velocidad. ~으로 가다 ir a exceso de velocidad. 그녀는 ~으로 벌금을 물었다 La multaron por exceso de velocidad.
■ ~ 딱지 multa *f* por exceso de velocidad. ~ 방지턱 guardia *m* tumbado, badén *m*, *Méj* tope *m*, *Col* policía *m* acostado, *Chi* baden *m*, *RPI* lomo *m* de burro. ~ 차량(車輛) vehículo *m* a exceso de velocidad.
과수(果樹) 【식물】 frutal *m*, árbol *m* frutal. ~의 재배(栽培) cultivo *m* de frutas, fruticultura *f.*
■ ~원(園) huerta *f*, vergel *m.*
과수(寡守) viuda *f.*
■ ~댁(宅) =과부댁(寡婦宅).
과수(夥數) =다수(多數).
과시(科試) =과거(科擧).
과시(誇示) ostentación *f*, jactancia *f.* ~하다 ostentar, hacer ostentación (de), alardear (de), hacer alarde (de). ~하는 ostentativo. ~하는 듯한 ostentoso. ~하듯이 ostentosamente. 부(富)를 ~하다 ostentar [hacer ostentación de] *sus* riquezas. 지식을 ~하다 alardear [hacer alarde] de *sus* conocimientos. 그는 자기의 부를 ~했다 El hacía ostentación de sus riquezas.
과시(果是) =과연.
과식(過食) comida *f* excesiva, demasiada comida *f*, comida *f* con exceso, exceso *m* de [en] la comida. ~하다 comer demasiado, comer excesivamente, comer en [con] exceso, sobrecargar el estómago, excederse en comer, sobrealimentarse. ~하지 않도록 노력해라 Procura no comer demadiado / Procura no cometer excesos en la comida. 나는 ~했다 Comí demasiado / Comí excesivamente / Me harté de comida / Yo estaba ahítos (de comida.)
과신(過信) confianza *f* equivocada, confianza *f* excesiva. ~하다 confiar demasiado, tener demasiada confianza (en), dar demasiado crédito (a). 자기의 능력을 ~하다 creer demasiado en *su* propio talento, tener demasiada confianza en *su* propio talento.
과실(果實) [과수에 생기는 열매] fruta *f.* ~용 칼 cuchillo *m* de [para] frutas. ~ 한 조각 una (pieza de) fruta. 깨진 ~ fruta *f* rota. 싱싱한 ~ fruta *f* fresca. 썩은 ~ fruta *f* podrida. 익은 ~ fruta *f* madura. 풋 ~ fruta *f* verde. 다른 형의 ~ distintas frutas *fpl*, distintos tipos *mpl* de fruta.
■ ~ 가게 frutería *f.* ~밭 huerta *f.* ~ 분류학(分類學) carpología *f.* ~ 상인 frutero, -ra *mf.* ~ 샐러드 ensalada *f* de frutas. ~ 시럽 jarabe *m* de frutas. ~ 에센스 esencia *f* de fruta. ~ 음료 bebida *f* de fruta. ~ 재배자(栽培者) fruticultor, -tora *mf.* ~ 접시 frutero *m*, plato *m* frutero. ~주(酒) vino *m* [licor *m*] de frutas. ~즙(汁) zumo *m* [*AmL* jugo *m*] de frutas. ~칼 cuchillo *m* de fruta. ~학(學) =과실 분류학.
과실(過失) falta *f*, equivocación *f*, error *m*, culpa *f.* ~의 erróneo. ~로 por equivocación [descuido · inadvertencia]. ~의 경중(輕重) gravedad *f* de culpa. ~의 경합(競合) concurrencia *f* de culpa. ~을 범하다 cometer un error, cometer una error. 파일럿의 ~이었다 El piloto cometió un error / Fue un error del piloto.
■ ~범(犯) negligencia *f* (criminal). ~사(死) muerte *f* accidental. ~ 상계(相計) culpa *f* en común. ~ 상해죄 imposición *f* de herida accidental. ~죄(罪) crimen *m* accidental. ~ 책임(責任) responsabilidad *f* por la culpa. ~ 책임주의 principio *m* de responsabilidad por la culpa. ~ 치사(致死) muerte *f* accidental, homicidio *m* accidental, homicidio *m* involuntario [por culpa · por imprudencia · por error]. ~ 치사죄(致死罪) homicidio *m* accidental. ~ 치상 lesión *f* accidental, lesión *f* por culpa. ~ 폭발물 파열 explosión *f* por culpa.
과액(寡額) poca cantidad *f*, cantidad *f* pequeña.
과야(過夜) vela *f*, velada *f*, acción *f* de velar. ~하다 velar, estar sin dormir el tiempo destinado de ordinario para el sueño.
과약하다(寡弱—) (ser) poco y débil.
과언(過言) exageración *f.* …라 말해도 ~은 아니다 No es mucho [demasiado · exagerado · (una) exageración] decir que + *ind.*
과언하다(寡言—) (ser) taciturno. 과언함 taciturnidad *f.*
과업(課業) negocio *m* encargado, lección *f.*
과연(果然) ciertamente, en realidad, verdaderamente, claro. ~ 그렇다 Eso es / Claro que sí / Sí, por cierto / Exacto. ~ 그의 아들이다 Con razón es hijo de su padre. 시베리아는 ~ 춥다 Como esperaba, [Realmente] hace frío en Siberia. ~ 축구를 좋아하는 국민이다 No nota que es un pueblo muy aficionado al fútbol. ~ 그는 천재라는 말을 들을 만하다 Bien merece el nombre de genio.

과열(過熱) recalentamiento *m*, calentamiento *m* excesivo, calefacción *f* excesiva. ~하다 recalentarse, calentar demasiado, calentar excesivamente. 엔진이 ~되었다 El motor se calienta excesivamente / El motor se quemó. 경기(景氣)는 ~ 상태다 La situación económica está recalentada.
■~ 경보(警報) alarma *f* de temperaturas. ~ 경제(經濟) economía *f* recalentada. ~계(計) indicador *m* de recalentamiento. ~기(器) 【물리】 recalentador *m*. ¶~의 안전 밸브 válvula *f* de seguridad del recalentador. ~도(度) grado *m* de recalentamiento. ~실(室) cámara *f* recalentada. ~ 입시 경쟁(入試競爭) competición *f* excesiva para el examen de ingreso. ~ 증기(蒸氣) vapor *m* recalentado.
과염소산(過鹽素酸) 【화학】 ácido *m* perclórico.
과염소산연(過鹽素酸鉛) 【화학】 perclorato *m*.
과염화물(過鹽化物) 【화학】 percloruro *m*.
과오(過誤) error *m*, equivocación *f*, falta *f*; [종교·도덕상의] pecado *m*; [범죄] delito *m*. ~를 범하다 equivocar, faltar, cometer una falta, cometer un error, incurrir en un error. ~를 범하거든 허물을 고치는 데 서슴지 말라 Nunca es tarde a corregir.
과외(課外) estudio *m* extraordinario.
■~ 강의(講義) lectura *f* extraordinaria, clase *f* extracurricular, clase *f* fuera del programa de estudios. ~ 독본 libro *m* de lectura extracurricular. ~ 수업(授業) clase *f* extracurricular. ~ 지도(指導) orientación *f* extracurricular. ~ 활동(活動) actividades *fpl* extracurricular, actividades *fpl* fuera del programa de estudios.
과욕(過慾) [권력이나 돈에 대한] avaricia *f*, codicia *f*; [음식에 대한] gula *f*, glotonería *f*, angurria *f*. ~하다 (ser) avaricioso, avariento; glotón (*pl* glotones), angurriento. ~으로 con avaricia, con gula, con glotonería.
과욕하다(寡慾-) (ser) desinteresado, generoso, tener poca avarica, no tener mucha avaricia. 과욕함 desinterés *m*, generosidad *f*.
과용(過用) expensas *fpl* excesivas, gastos *mpl* excesivos. ~하다 gastar demasiado, gastar en exceso. 돈을 ~하다 gastar demasiado dinero, derrochar dinero.
과용하다(果勇-) (ser) decisivo y valiente.
과우(寡雨) poca lluvia *f*, escasez *f* de lluvia.
과원(果園) ((준말)) =과수원(果樹園).
과원(果圓) ((불교)) ilustración *f* perfecta.
과원(課員) personal *m* de una sección.
과월절(過越節) =유월절(逾越節).
과유불급(過猶不及) Lo excesivo es tan malo como lo poco.
과유식(果唯識) ((불교)) verdad *f* de Buda, sabiduría *f* alcanzada de investigar y pensar acerca de la filosofía.
과육(果肉) ① [과일과 고기] la fruta y la carne. ② [과일의 살] sarcocarpio *m*, carne *f* de la fruta.
과율(課率) ((준말)) =과세율(課稅率).
과음(過淫) libertinaje *m*, disipación *f*, indulgencia *f* sexual. ~하다 excederse en placer sexual.
과음(過飮) bebida *f* excesiva, excesos *mpl* de [en] la bebida. ~하다 beber demasiado, beber mucho. ~으로 병이 나다 beber demasiado y caer enfermo. 그는 술을 ~해서 몸을 해쳤다 Los excesos de [en] la bebida le perjudicaron la salud.
과의하다(果毅-) (ser) decisivo y fuerte.
과인(果人) ((불교)) Buda *m*.
과인(寡人) yo.
과인산(過燐酸) 【화학】 superfosfato *m*.
과인산석회(過燐酸石灰) 【화학】 superfosfato *m* de cal.
과인지력(過人之力) poder *m* mucho más fuerte que el hombre ordinario.
과인하다(過人-) (ser) mucho más sobresaliente (que el otro).
과일 fruta *f* (comible). ☞과실(果實)
■~ 가게 frutería *f*. ~ 장수 frutero, -ra *mf*. ~ 바구니 cesta *f* [*AmL* canasta *f*] para frutas.
과일(過日) día *m* pasado, día *m* que pasó.
과잉(過剩) exceso *m*, sobra *f*, superabundancia *f*, superfluidad *f*, excedente *m*. ~의 excesivo, demasiado, excedente, superfluo. 음식의 ~ excedentes *mpl* de alimentos. 정력(精力)의 ~ plétora *f* de energía. ~되다 sobreabundar, abundar con exceso. 은행에 ~되고 있는 자금 fondos *mpl* excesivo en banco. 철강이 ~ 기미다 El acero sobreabunda en el mercado. 그들은 ~ 에너지를 쓸 필요가 있다 Ellos necesitan gastar la energía que les sobra. 이 지방에서는 물자가 ~이다 Los materiales sobreabundan en esta zona. 금년에는 쌀 생산이 ~이었다 Este año ha habido una excesiva cosecha de arroz.
■~ 고용(雇傭) superempleo *m*. ~ 공기 aire *m* excesivo. ~금(金) superávit *m*. ~ 방위(防衛) defensa *f* propia excesiva. ~ 보호(保護) protección *f* excesivo. ¶~하다 proteger demasiado [excesivamente], sobreproteger. ~의 sobreprotector. 그는 어린 동생을 ~하고 있다 El sobreprotege a su hermano pequeño. 자녀를 ~해서는 안된다 No debemos proteger al niño excesivamente. ~ 보호 아동 niño *m* excesivamente protegido. ~ 생산(生産) exceso *m* de producción, superproducción *f*, sobreproducción *f*. ~하다 sobreproducir, producir en exceso. ~ 설비(設備) instalaciones *fpl* excesivas. ~ 인구 población *f* excesiva, superpoblación *f*, *AmL* sobrepoblación *f*. ¶~의 superpoblado, *AmL* sobrepoblado. ~ 인원(人員) personal *m* superfluo. ~ 충성(忠誠) devoción *f* excesiva. ~ 투자(投資) inversión *f* excesiva.
과자(菓子) [단 것] dulce *m*, caramelo *m*; [캔디] dulce *mpl*, golosinas *fpl*, caramelos

mpl; [개인용 조각 캔디] dulce m, caramelo m; [큰 케이크] torta f, pastel m; [작은 케이크] pastel m, RPI masa f, [달걀을 많이 넣은 케이크] bicocho m, AmL queque m (CoS 제외), CoS biscochuelo m, Col, Ven ponqué m, Méj panque m. 마른 ~ confite m. 맛있는 ~ dulce m exquisito. 홍차와 ~를 내놓다 servir [ofrecer] té y dulces.
■ ~류(類) productos mpl de confitería. ~상자 caja f de dulces. ~ 장수 dulcero, -ra mf, confitero, -ra mf. ~점(店) confitería f, pastelería f, dulcería f. ¶~ 주인 dulcero, -ra mf, confitero, -ra mf, pastelero, -ra mf. ~ 제조자 confitero, -ra mf, pastelero, -ra mf.

과작(寡作) poca producción f de obras. ~하다 producir pocas obras.

과장(科長) jefe, -fa mf de sección; director, -tora mf [jefe, -fa mf] de departamento.

과장(誇張) exageración f, ponderación f. ~하다 exagerar, ponderar, hiperbolizar, pintar. ~된 exagerado, ponderativo, hiperbólico. ~해서 con exageración, con hipérbole. ~된 보도(報道) información f exagerada. ~된 표현(表現) expresión f exagerada. ~된 몸짓을 하다 gesticular con exageración, hacer gestos exagerados. ~하여 말하다 hacer una montaña de un grano de arena. …라 말해도 ~은 아니다 No es [está] exagerado decir que + ind. / No es (una) exageración] decir que + ind. 너는 사실을 ~하고 있다 Tú exageras el hecho. 그는 ~해서 말하는 사람이다 El es muy amigo de pintar. 모든 것이 ~됐다 Todo se ha exagerado. 그는 항상 ~해서 말한다 El siempre habla con exageración.
■ ~ 공포증(恐怖症) 【의학】 mitofobia f. ~법 hipérbole m. ~벽(癖) mitomanía f. ~성(性) 【심리】 expansión f. ~ 의태(擬態) 【의학】 macromimia f. ~증(症) 【의학】 mitomanía f.

과장(課長) jefe, -fa mf de sección.

과적(過積) cargo m excesivo, sobrecarga f. ~하다 cargar excesivamente, sobrecargar. 트럭에 물품을 ~하다 sobrecargar un camión de artículos.

과적재(過積載) =과적(過積).

과전(瓜田) pepinar m.

과전류(過電流) 【전기】 sobrecorriente f.

과전압(過電壓) 【물리】 sobrevoltaje m.

과점(寡占) 【경제】 monopolio m parcial [de unos pocos], oligopolio m. ~하다 monopolizar.
■ ~ 판매자(販賣者) monopolista mf.

과정(科程) ((준말)) =학과 과정.

과정(過程) proceso m, etapa f, desarrollo m, curso m. …의 ~에서 en el proceso [en el transcurso · en el curso] de algo. 진화의 ~ el proceso de la evolución. 몰락의 ~에 있다 estar en el curso de decadencia.

과정(過政) ((준말)) =과도 정부(過渡政府).

과정(課程) curso m.; [전과정] plan m de estudios, programa m (de estudio), currículo m, AmL curriculum m. ~을 끝내다 terminar un curso.
◆ 대학(大學) ~ curso m de la universidad. 속성(速成) ~ curso m intensivo. 육년(六年) ~ curso m de seis años.
■ ~표(表) horario m de clases. ¶~를 작성하다 programar.

과제(科第) ① 【역사】 =과거(科擧). ② 【역사】 =등과(登科), 등제(登第).

과제(課題) ① [제목(題目)] tema m, asunto m, sujeto m, tesis f. ② [숙제] trabajo m a domicilio; [학생의] deberes mpl, trabajo m escolar; [연습 문제] ejercicios mpl. ③ [해결할 문제] cuestión f, problema m. 이것은 금후(今後)의 연구 ~로 남겨둡시다 Dejemos esto a las futuras investigaciones.
■ ~장(帳) cuaderno m (de ejercicios).

과종(瓜種) semilla f del pepino, el melón, la calabaza, etc.

과종(果種) ① [실과의 종류] especies fpl de las frutas. ② =과실(果實)❶.

과중(過重) perponderancia f, sobrepeso m. ~하다 ㉮ [너무 무겁다] (ser) demasiado pesado. ㉯ [힘에 벅차다] (ser) muy excesivo, demasiado pesado, muy pesado, sobrecargado, ser una carga (para). ~한 노동 trabajo m muy excesivo. ~한 책임 responsabilidad f demasiado pesada. 책임의 ~ peso m de la responsabilidad.
과중히 demasiado, pesadamente.
■ ~ 교육(教育) educación f excesiva. ~ 부담(負擔) carga f muy grande.

과즙(果汁) zumo m [AmL jugo m] de frutas.

과지(果枝) rama f del árbol frutal.

과찬(過讚) alabanzas fpl excesivas, elogios mpl excesivos. ~하다 elogiar excesivamente, hacer elogio excesivo. 우리들은 그의 노력을 ~했다 Nosotros le elogiamos excesivamente por sus esfuerzos.

과채(果菜) ① [과일과 채소] las frutas y las verduras. ② [열매 채소] verduras fpl frutales.

과체중(過體重) sobrepeso m, peso m excesivo.

과추(過秋) acción f de pasar el otoño.

과춘(過春) acción f de pasar la primavera.

과취(過醉) borrachera f, borrachez f, embriaguez f. ~하다 estar borracho.

과태(過怠) =태만(怠慢).
■ ~료(料) recargo m (por incumplimiento de pago), multa f por incumplimiento de pago.

과테말라 【지명】 =구아떼말라.

과포화(過飽和) sobresaturación f. ~ 상태의 sobresaturado.
■ ~ 용액(溶液) disolución f sobresaturada. ~ 증기(蒸氣) vapor m sobresaturado.

과표(課標) ((준말)) =과세 표준(課稅標準).

과품(果品) varias frutas fpl.

과피(果皮) cáscara f de las frutas.

과하(過夏) acción f de pasar el verano.
■ ~시(柴) leñas fpl para el verano.

과하다(科—) imponer, condenar, cargar. 벌금

을 ~ cargar una multa. 형(刑)을 ~ imponer una pena. 징역 5년을 ~ condenar a cinco años de cárcel.

과하다(課－) ① [조세 등을 매겨 내게 하다] imponer, cargar, asignar, infligir. 관세(關稅)를 ~ imponer derechos aduaneros. 벌금을 ~ imponer una multa, multar. 세금을 ~ gravar [cargar] con un impuesto. 학생들에게 숙제를 ~ dar [poner] a los alumnos deberes, imponer a los alumnos ejercicios. ② =시험하다. ③ [공부를 시키다] hacer estudiar. ④ [일・책임을 맡겨 하게 하다] encomendar.

과하다(過－) ser excesivo, exceder(se). 과한 일을 하다 excederse en sus facultades. 과한 짓을 하다 excederse a *sí* mismo. 운동도 과하면 몸에 해롭다 Un deporte excesivo [sin moderación] es perjudicial para la salud. 술을 과하게 마시지 않도록 조심해라 Ten cuidado de no beber demasiado / Ten cuidado de no excederte en la bebida. 매일 아침 체조를 하는 것은 나한테는 ~ Me cuesta mucho (trabajo) hacer gimnasia todas las mañanas.

과히 ㉮ [너무 지나치게] demasiado, excesivamente. 술을 ~ 마시다 beber demasiado. 음식을 ~ 먹다 comer demasiado. ㉯ [그다지] [부정문] (no) … muy, (no) … mucho. ~ 크지 않다 No es muy grande. ~ 덥지 않다 No hace mucho calor.

과학(科學) ciencia *f.* ~의 científico. ~의 연구(硏究) investigación *f* científica. ~의 진보(進步) avance *m* tecnológico.

◆사회(社會) ~ ciencia *f* social. 순수(純粹) ~ ciencia *f* pura. 응용(應用) ~ ciencia *f* aplicada. 인문(人文) ~ ciencia *f* cultural, humanidades *fpl*, las artes y las letras. 자연(自然) ~ ciencia *f* natural. 정밀(精密) ~ ciencia *f* exacta. 첨단 ~ 집중 지역 polígono *m* de desarrollo tecnológico vinculado a una universidad.

■ ~계(界) mundo *m* científico, círculos *mpl* científicos. ~관 salón *m* científico. ~ 교육 formación *f* científica. ~ 기술(技術) técnica *f* científica. ~ 기술 용어(技術用語) términos *mpl* técnicos y científicos. ~ 기술자(技術者) técnico *m* científico, técnica *f* científica. ~ 기술처 el Ministerio de Ciencia y Tecnología. ¶~ 장관 ministro, -tra *mf* de Ciencia y Tecnología. ~ 기술 행정 administración *f* científica y técnica. ~ 만능주의(萬能主義) cientificismo *m.* ~ 문명(文明) civilización *f* científica. ~ 박물관(博物館) museo *m* de ciencias. ~ 병기(兵器) armas *fpl* científicas. ~ 비판(批判) crítica *f* científica. ~ 비평 crítica *f* científica. ~ 사회학(社會學) sociología *f* científica. ~ 서적(書籍) libro *m* científico. ~ 소설 ficción *f* científica. ¶공상(空想) ~ ciencia *f* ficción. ~ 수사 investigación *f* científica. ~ 시대 edad *f* científica. ~ 심의회(審議會) el Consejo de Investigación Científica. ~ 연구 investigación *f* técnica, estudio *m* científico. ¶~비 expensas *fpl* de investigación técnica. ~ 영화 película *f* científica. ~ 위성(衛星) satélite *m* científico. ~자(者) científico, -ca *mf*, hombre *m* de ciencia. ¶내 대학 친구의 대부분은 ~였다 La mayoría de mis amigos de la universidad estudiaban ciencias. ~ 잡지 revista *f* científica. ~적(的) científico *adj.* ¶~으로 científicamente, de una manera científica. 그들은 ~으로 문제를 분석했다 Ellos enfocaron el problema de una manera científica. ~적 방법 método *m* científico. ~적 사회주의 socialismo *m* científico. ~적 실재론 realismo *m* científico. ~전(戰) guerra *f* científica. ~주의 cientifismo *m.* ~ 지식 conocimiento *m* científico. ~ 체계 sistema *m* científico.

과현(過現) el pasado y el presente.

■ ~미(未) ((불교)) el pasado, el presente y el futuro.

과해(果海) ((불교)) océano *m* de ilustración.

곽(郭) [성의 하나] *Gwak*, uno de los apellidos.

곽(槨) ataúd *m* exterior, féretro *m* exterior.

곽공(郭公) 【조류】 =뻐꾸기.

곽공충(郭公蟲) 【곤충】 =개미붙이.

곽란(癨亂) 【한방】 convulsión *f* intestinal.

곽향(藿香) 【식물】 betónica *f.*

관[1] [과녁의 한복판] centro *m* del blanco.

관[2] =과는. ¶나는 나쁜 사람~ 놀지 않는다 Yo no juego con el mal hombre.

관(官) ((준말)) =관청(官廳).

관(冠) 【역사】 corona *f*, sombrero *m.* ~을 쓰다 ponerse la corona, coronarse. ~을 씌우다 coronar.

관[1](貫) ((준말)) =본관(本貫).

관[2](貫) [무게의 단위] *gwan*, 3.75 kg.

관(棺) ataúd *m.* 시체(屍體)를 ~에 넣다 poner [meter] el cadáver en el ataúd.

관(款) 【법률】 artículo *m.*

관(管) ① [몸피가 둥글고 길며 속이 빈 물건] tubo *m*, pipa *f*, caño *m*, conducto *m*; [집합적] tubería *f*, [가스・수도의] cañería *f.* ~을 설치하다 entubar. ② 【악기】 flauta *f* de bambú negro.

관(館) ① ((준말)) =성균관. ② ((준말)) =왜관(倭館). ③ [서울에서 쇠고기를 전문으로 팔던 가게] carnicería *f*, tienda *f* que se vendía la carne de vaca en Seúl. ④ [고급 음식점] restaurante *m* de lujo.

관(觀) templo *m* del taoísmo.

-관(串) =-곶(cabo).

-관(館) ① [어떤 기관・건물의 이름을 나타내는 말] edificio *m.* 대사(大使)~ embajada *f.* 영사(領事)~ consulado *m.* ② [주로 한식 음식점・요정(料亭) 등의 옥호(屋號)에 붙이는 말] restaurante *m.* 명월(明月)~ el Restaurante *Myeongwol*.

-관(觀) vista *f.* 인생(人生)~ vista *f* de vida. 사회(社會)~ vista *f* de sociedad. 세계(世界)~ vista *f* del mundo.

관가(官家) edificio *m* público, oficina *f* regional.

관각(觀閣) ＝망대(望臺).

관개(灌漑) irrigación *f*, riego *m*. ～하다 irrigar, regar.
■～ 계획(計劃) plan *m* de irrigación. ～ 공사(工事) obra *f* de irrigación. ～ 농업(農業) cultivo *m* de irrigación. ～ 용수(用水) riego *m*. ～용 수로(用水路) canal *m* de irrigación. ～ 용수로(用水路) acequia *f*, reguera *f*. ～지(地) tierra *f* irrigada.

관객(觀客) espectador, -dora *mf*; [집합적] público *m*. ～ 층이 넓다 tener un vasto público. ～이 많다 Hay muchos espectadores [numerosa asistencia · numeroso público]. ～이 적다 Hay pocos espectadores [poca asistencia · poco público]. ～은 전원 기립하여 박수를 쳤다 Todos los espectadores se pusieron de pie y aplaudieron. 오늘은 ～이 많이 [적게] 입장했다 Hoy asiste [hay] un público numeroso [poco público]. 이 연극(演劇)은 ～이 적다 Poco público acudió a ver la representación.
■～석(席) asiento *m*; [집합적] sala *f*.

관건(關鍵) ① [문빗장] cerrojo *m*, pasador *m*, pestillo *m*. ② [핵심(核心)] punto *m* principal, punto *m* capital, punto *m* fundamental, punto *m* clave, pivote *m*.

관견(管見) [좁은 소견] vista *f* estrecha; [사견] *su* vista *f* personal, *su* punto *m* de vista.

관계(官界) mundo *m* oficial, círculos *mpl* oficiales. ～에 들어가다 entrar en el mundo oficial.

관계(官階) rango *m* oficial.

관계(關係) ① [관련] relación *f*, conexión *f*. ～가 있는 correspondiente, concerniente. ～가 있다 [서로] relacionarse, conexionarse. A와 ～가 있다 relacionarse con A, tener [guardar · mantener] relaciones con A. 사건에 ～가 있다 relacionarse con un asunto. 학력 유무에 ～없이 tenga o no tenga título académico. 네가 가건 가지 않건 ～없이 vaya o no vaya. 그는 이 사건과 ～가 있다 El tiene relación con este asunto. 이 두 사건은 상호 밀접한 ～가 있다 Estos dos casos están íntimamente relacionados / Hay una relación estrecha entre los dos casos. 날씨는 수확과 깊은 ～가 있다 El tiempo tiene una relación estrecha con las cosechas / El tiempo está en estrecha relación con las cosechas. 그것은 너와는 ～가 없다 Eso no tiene nada que ver contigo. 그것은 나와는 ～가 없다 No tengo nada que ver con eso / Eso no me concierne. 이 두 문제는 ～가 있다 Estos dos problemas están relacionados entre sí. 나는 그 사건과는 아무런 ～가 없다 Yo no tengo nada que ver con [en] el asunto. 기후에 ～없이 우리들은 출발합니다 Partimos independientemente del tiempo / Partimos haga el tiempo que haga. 그는 광고(廣告)와 ～ 있는 일을 하고 있다 Se dedica a un trabajo relacionado con la publicidad.
② [사이 · 교제(交際)] relación *f*. 작가와 독자의 ～ relaciones *fpl* del escritor con sus lectores. ～를 맺다 establecer relaciones (con). A와 거래 ～를 가지고 있다 tener relaciones comerciales con A. 외교(外交) ～를 끊다 romper las relaciones diplomáticas (con un país). 사업상 ～가 있다 tener relaciones con *uno* por el trabajo. 당신은 그 사람과 무슨 ～가 있습니까? ¿Qué relaciones tiene usted con él? 그와 나는 삼촌과 조카의 ～이다 El y yo somos tío y sobrino. 나는 이 회사와 ～가 깊다 Tengo relaciones estrechas con esta compañía. 양국의 ～는 악화되어 가고 있다 Están empeorando las relaciones entre los dos países. 친척 ～ relaciones *fpl* de parentesco. 부자(父子) ～ filiación *f*. 한미(韓美) ～ relaciones *fpl* coreano-estadounidense, relaciones *fpl* entre Corea y los Estados Unidos de América.
③ [육체적 관계] relaciones *fpl* carnales, relaciones *fpl* sexuales. ～를 갖다 tener relaciones sexuales (con *uno*).
④ [관여] participación *f*. ～하다 participar (de · en), tomar parte (en), asociarse (a · con). 그는 그 공사(工事)에 ～가 있다 El participa en la obra. 그는 오직(汚職)에 ～가 있다 El está implicado [metido] en una corrupción.
⑤ [영향] influencia *f*. ～하다 [영향을 미치다] influir (en · sobre), tener [ejercer] influencia (sobre · en), afectar (a). 날씨 ～로 debido al tiempo. 더위 ～로 debido al calor que hace. 기후 ～로 이 과실은 한국에서는 생산되지 않는다 Debido a la influencia del clima no se produce esta fruta en Corea. 누가 대표이건 나는 아무런 ～가 없다 No me importa quién ostente la representación. 물가 상승은 생활에 큰 ～가 있다 La subida de (los) precios tiene mucha influencia [influye mucho] sobre la vida. 그것은 그의 생명에 ～된 문제다 Es un problema que afecta a su vida. 그것은 한국의 장래(將來)에 ～된 문제다 Es un problema que tendrá influencia en el futuro de Corea. 이것은 내 명예에 ～가 있다 Mi honor está en juego en esto. 그런 일을 하면 네 명예에 ～될 것이다 Si haces tal cosa, se manchará [acabarás por perjudicar] tu honor.
⑥【언어】relación *f*.
◆거래(去來) ～ conexiones *fpl* comerciales. 외교(外交) ～ relaciones *fpl* diplomáticas. 인간(人間) ～ relación *f* humana. 인과(因果) ～ relación *f* causa-efecto. 적대(敵對) ～ relaciones *fpl* hostiles. 전후(前後) ～ [문장의] contexto *m*.
■～ 각료(閣僚) ministros *mpl* interesados, ministros *mpl* correspondientes. ～관(官) oficial *mf* concerniente. ～ 관념 ＝관계 망상. ～국 países *mpl* concernientes. ～ 기관(機關) órganos *mpl* concernientes. ～ 단조(短調) (tono *m* de) menor *m* relativo. ～ 당국(當局) autoridades *fpl* concernientes.

~ 대명사(代名詞) pronombre *m* relativo. ~ 법규(法規) reglamento *m* concerniente. ~ 부사(副詞) adverbio *m* relativo. ~사(詞) relativo *m*. ~ 서류 correspondientes documentos *mpl*. ~ 습도(濕度)【물리】= 상대 습도. ~없다 ㉮ [상관없다] no importar. ¶나는 ~ No me importa. 내 부모님은 ~ A mis padres no les importa. ㉯ [염려할 것 없다] no preocuparse. 나는 관계없습니다 No me preocupo. ~없이 sin preocupaciones. ¶아무런 ~ sin preocupaciones algunas. ~자 interesado, -da *mf*, persona *f* interesada. ~ 작업(作業) obra *f* concerniente. ~ 장조(長調)【음악】clave *f* mayor relativa. ~절(節) oración *f* relativa, cláusula *f* relativa, oración *f* [cláusula *f*] de relativo. ~조(調)【음악】tono *m* relativo. ~찮다 ((준말)) =관계치않다. ~치않다 no tener relaciones. ~ 형용사 adjetivo *m* relativo. ~회사 compañía *f* asociada.

관고(官庫)【역사】depósito *m* gubernamental.

관곡(官穀)【역사】cereales *mpl* gubernamentales.

관곡(款曲) cordialidad *f*, amabilidad *f*. ~하다 (ser) cordial y amable.

관공리(官公吏) funcionario, -ria *mf*.

관공립(官公立) gubernamental y público.

■~ 학교(學校) escuela *f* pública.

관공사립(官公私立) establecimiento *m* nacional, provincial y privado.

관공서(官公署) oficinas *fpl* gubernamentales y públicas, organizaciones *fpl* públicas.

관곽(棺槨) el ataúd interior para el cadáver y el ataúd exterior.

■~장이 persona *f* que hace el ataúd interior y el ataúd exterior.

관광(觀光) turismo *m*. ~하다 ir a visitar los lugares de interés, visitar, *Andes* turistear. ~의 turístico, turista. 한국에 ~하러 온 서반아의 청년들 los jóvenes españoles que vienen a hacer turismo por Corea. 우리 나라는 ~ 면에서 아시아 제이의 강국(强國)이다 Nuestro país es la segunda potencia asiática en materia turística. 나는 사업 여행을 이용해 ~을 조금 했다 Yo aproveché el viaje de negocios para turistear un poco. 그들은 남부 지방을 ~하고 있다 Ellos andan turisteando en el sur.

■~ 가이드 [책] guía *f* turística; [사람] guía *mf* de turismo, *Méj* guía *mf* de turistas. ~ 개발 desarrollo *m* turístico. ~객(客) turista *mf*, visitante *mf*. ~ 계절(季節) temporada *f* [estación *f*] turística. ~ 국가 país *m* (*pl* países) de turismo. ~ 농원(農園) granja *f* turística. ~단 grupo *m* de turistas. ~ 도로(道路) camino *m* de turismo. ~도시(都市) ciudad *f* turística. ~ 무역(貿易) comercio *m* turístico. ~ 버스 autobús *m* (*pl* autobuses) de turismo, autocar *m* de turismo. ~ 붐 auge *m* [boom *m*·gran prosperidad *f*] de turismo. ~ 비자 visado *m* turístico, visa *f* turística, visa *f* de turismo, visa *f* de turista. ~ 사업(事業) turismo *m*. ~ 산업(産業) turismo *m*, industria *f* del turismo, industria *f* turística. ~선(船) barco *m* de turismo, barco *m* turístico. ~ 수입(收入) ingresos *mpl* del turismo. ~시설 instalaciones *fpl* turísticas. ~ 시즌 temporada *f* turística. ~ 안내(案內) ㉮ [책] guía *f* turística. ㉯ [사람] guía *mf* de turismo, *Méj* guía *mf* de turistas. ~ 안내소(案內所) oficina *f* de (infomación y) turismo, agencia *f* de turismo, información *f* de turismo. ~ 업자(業者) agente *mf* de viajes. ~ 업체(業體) agencia *f* de viajes. ~ 여행(旅行) turismo *m*, viaje *m* turístico, viaje *m* de recreo. ¶~을 하다 hacer turismo, viajar por turismo, ir a visitar los lugares de interés. ~ 여행을 가다 ir de viaje de recreo. 서반아는 ~에는 훌륭한 자연 조건을 갖추고 있다 España dispone de admirables condiciones naturales para el turismo. ~ 열차 tren *m* de turismo, tren *m* de recreo. ~ 유람(遊覽) excursión *f* por los lugares de interés. ~자원 atracción *f* turística, recursos *mpl* turísticos, fuente *f* de turismo. ~지(地) centro *m* turístico, centro *m* vacacional, lugar *m* de turismo, lugar *m* de interés, lugar *m* interesado. ¶해안(海岸) ~ centro *m* turístico costero, *AmL* balneario *m*. ~지 개발(地開發) explotación *f* del centro turístico, explotación *f* del lugar de turismo. ~ 지도(地圖) mapa *m* turístico [de turismo]. ~ 코스 ruta *f* turística. ~ 호텔 hotel *m* turístico. ~ 호텔 경영학 administración *f* de empresas turísticas y hoteleras. ~회사(會社) compañía *f* turística, compañía *f* de turismo.

관교(官教) =교지(教旨).

관구(棺柩) =관(棺)(ataúd).

관구(管區) distrito *m* de jurisdicción; [교회의] parroquia *f*.

관군(官軍) tropas *fpl* gubernamentales.

관권(官權) autoridad *f* del gobierno. ~을 남용(濫用)하다 abusar de la autoridad del gobierno.

■~당(黨) =여당(與黨).

관극(觀劇) ida *f* al teatro. ~하다 ir al teatro, ir a ver la obra (de teatro), ir a ver la pieza (teatral).

관급(官給) suministro *m* gubernamental.

■~품(品) artículo *m* suministrado por el gobierno.

관기(官妓) *kisaeng f* gubernamental.

관기(官紀) disciplina *f* oficial, moral *f* oficial, disciplina *f* burocrática, moral *f* oficial. ~를 유지하다 mantener rígida la disciplina entre los funcionarios.

■~문란(紊亂) corrupción *f* de la disciplina oficial. ~숙정(肅正) aplicación *f* de la disciplina oficial. ¶~하다 hacer cumplir [respetar] la disciplina oficial.

관내(管內) jurisdicción *f*. A의 ~에 dentro de la jurisdicción de A.

관념(觀念) [생각] idea *f*, [개념] concepto *m*, noción *f*, intención *f*. 시간의 ~이 없다 no tener noción del tiempo. 책임 ~이 전혀 없다 no tener la menor noción de responsabilidad.
◆일반 ~ idea *f* general. 일차(一次) ~ primera intención *f*. 이차(二次) ~ segunda intención *f*.
■~가(家) ideólogo, -ga *mf*. ~ 공포증(恐怖症) ideo-fobia *f*. ~ 과학(科學) ciencia *f* ideológica. ~ 구성(構成) ideación *f*. ~군(群) complejo *m*, complexo *m*. ~력(力) fuerza *f* ideal. ~론(論) 【철학】 idealismo *m*. ~론자 idealista *mf*. ~성(性) 【철학】 idealidad *f*. ~ 소설(小說) 【문학】 novela *f* ideológica. ~시(詩) 【문학】 poema *m* ideológico. ~ 실행증(失行症) apraxia *f* ideomotora. ~ 연합(聯合) 【심리】 asociación *f* de ideas. ~ 운동 【심리】 acción *f* ideomotora. ~ 운동성(運動性) ideoquinético *adj*. ~작용(作用) ideación *f*. ~적(的) ideal *adj*. ~주의 idealismo *m*. ~주의자 idealista *mf*. ~ 투쟁(鬪爭) guerra *f* ideológica. ~학(學) ideología *f*. ~ 학자 ideólogo, -ga *mf*. ~ 형태(形態) =이데올로기❶. ~ 형태론(形態論) ideología *f*. ~화(化) ideación *f*.
관노(官奴) 【역사】 esclavo *m* gubernamental.
■~비(婢) esclavos *mpl* gubernamentales.
관놈(館-) ① =관사람. ② =관쇠.
관능(官能) ① sensualidad *f*, voluptuosidad *f*, [육체의 기능] funciones *fpl* orgánicas. ② ((속어)) =감각(感覺).
■~미(美) belleza *f* sensual. ~성 sensualidad *f*. ~ 장애 impedimento *m* funcional. ~적(的) sensual, voluptuoso. ¶~으로 sensualmente, voluptuosamente. ~인 그림 pintura *f* sensual. ~인 무용 baile *m* sensual. ~인 여자 mujer *f* sensual, mujer *f* voluptuosa. ~인 쾌감(快感) placeres *mpl* sensuales. ~ 질병 enfermedad *f* funcional. ~적 문학 literatura *f* sensual. ~주의 sensualismo *m*. ~주의자 sensualista *mf*.
관다발(管-) haz *f* vascular, cordón *m* vascular.
관대(款待) hospitalidad *f*, recepción *f* cordial. ~하다 tratar cordialmente.
관대(寬大) generosidad *f*, indulgencia *f*, magnanimidad *f*. ~하다 (ser) generoso, magnánimo. ~하게 generosamente, con generosidad, magnánimamente, con indulgencia. ~한 조치 medida *f* indulgente. ~하게 취급하다 tratar con indulgencia. 그는 ~한 사람이다 El tiene gran corazón / El es generoso. 그는 ~하게도 나를 용서했다 El me perdonó generosamente.
관대(寬待) tratamiento *m* generoso. ~하다 tratar generosamente.
관대(寬貸) perdón *m* generoso. ~하다 perdonar generosamente.
-관데 tan … que. 무슨 일이 있었~ 그녀는 그리 슬퍼하느냐? ¿Qué la hace tan triste?
관도(官途) carrera *f* del funcionario público.
관독(管督) administración e inspección. ~하다 administrar e inspeccionar.
관동(冠童) el adulto y el niño.
관동(關東) 【지명】 *Kwandong*, tierra *f* (del) este de *Daekwanryeong*, provincia *f* de *Gangwondo*.
관동삼(關東蔘) ginseng *m* producido en la provincia de *Gangwondo*.
관동 팔경(關東八景) ocho Lugares de Interés en la provincia de *Gangwondo*.
관두(關頭) momento *m* crítico, emergencia *f*, crisis *f*. 성패의 ~ crisis *f* del éxito o del fracaso.
관등(官等) rango *m* oficial, rango *m* del funcionario público. ~에 오르다 ser promovido en el rango.
■~성명(姓名) *su* rango y nombre oficial.
관등(觀燈) ((불교)) *Kwandeung*, la Fiesta de Lámparas, fiesta *f* del aniversario del nacimiento de Buda. ~하다 celebrar el aniversario del nacimiento de Buda, tener la Fiesta de Lámparas.
■~놀이 *kwandeungnori*, festejos *mpl* en la Fiesta de Lámparas. ~연 banquete *m* en la Fiesta de Lámparas. ~절 la Fiesta de Lámparas. ~회(會) reunión *f* para la Fiesta de Lámparas.
관디 【역사】 uniforme *m* del antiguo funcionario público.
관람(觀覽) visita *f*, espectáculo *m*. ~하다 visitar, mirar, inspeccionar.
■~객(客) espectador, -dora *mf*. ~권(券) billete *m* de entrada. ~료(料) entrada *f*. ~ 무료 entrada *f* gratuita; ((게시)) Entrada Libre. ~석 asiento *m*, localidad *f*, tribuna *f*, palco *m*. ~자 espectador, -dora *mf*; visitante *mf*.
관략(冠略) =관생(冠省).
관력(官力) autoridad *f* gubernamental, poder *m* gubernamental.
관력(官歷) carrera *f* del funcionario público.
관련(關聯) relación *f*, conexión *f*, referenica *f*. ~하다 relacionarse (con), tener relación (con). …에 ~하여 con relación a *algo*, en relación con *algo*, referente a *algo*, respecto a *algo*, a propósito de *algo*, con motivo de *algo*, con ocasión de *algo*. …에 ~하여 이름을 짓다 poner un nombre a *algo* en memoria de *algo*. 두 문제를 ~시켜 이야기하다 pensar sobre los dos problemas relacionándolos entre sí. 이 두 문제는 전혀 ~이 없다 No hay ninguna conexión entre los dos asuntos. 그는 최근 사건과 ~된 사회학 강의를 했다 El dio una clase de sociología con referencia a [relacionándola con] los acontecimientos recientes. 그것이 무슨 ~이 있는지 나는 모른다 No veo qué relación tiene eso.
■~ 산업(産業) industria *f* relacionada. ¶방위(防衛) ~ industria *f* relacionada con la defensa nacional. ~성(性) relación *f*, relevancia *f*, importancia *f*. ¶~이 있는 pertinente, relevante. 그것은 우리가 토의했던 것과는 ~이 없다 Eso no guarda rela-

ción alguna con lo que estábamos tratando / Eso no viene al caso. ~ 질문(質問) pregunta *f* afín, pregunta *f* conexa; [국회의] interpelación *f* afín. ~ 회사 compañía *f* afiliada, compañía *f* subsidiaria; [자회사(子會社)] empresa *f* filial.

관령(官令) orden *f* gubernamental, orden *f* oficial.

관례(冠禮) ceremonia *f* de *su* mayoría de edad, ceremonia *f* de boda.

관례(慣例) costumbre *f*, tradición *f*, usanza *f*, uso *m*, práctica *f*, [선례(先例)] precedente *m*. ~에 따라 según la costumbre, como de costumbre, conforme a los precedentes. ~를[에] 따르다 seguir la costumbre. ~를 깨뜨리다, ~를 어기다 romper la costumbre. ~에 역행하다 ir contra la costumbre, contravenir a la tradición. 이것이 우리 집의 ~다 Esta es (una) costumbre [tradición] de nuestra casa.

■ ~법(法) 【법률】 =관습법(慣習法).

관록(官祿) sueldo *m* oficial, salario *m* oficial.

관록(貫祿) dignidad *f*. ~이 있는 de dignidad, digno, majestuoso. ~이 있는 사람 hombre *m* de dignidad. ~ 있는 실업가(實業家) negociante *mf* influyente. ~을 보이다 mostrar (la) dignidad.

관료(官僚) burocracia *f*, [사람] burócrata *mf*. ~의 burocrático.

■ ~ 기질(氣質) burocratismo *m*. ~ 내각(內閣) gabinete *m* burocrática, gabinete *m* organizado con los burócratas. ~ 사상(思想) burocracia *f*, burocratismo *m*. ~ 사회(社會) burocracia *f*. ~적(的) burocrático. ¶~으로 burocráticamente. ~ 정치(政治) burocracia *f*. ¶~의 burocrático. ~제(制) =관료 제도. ~ 제도 burocracia *f*. ~주의 burocracia *f*, burocratismo *m*. ¶~는 현대 국가들의 불행이다 La burocracia es la plaga de los Estados modernos. ~주의자 burócrata *mf*. ~파 burócratas *mf*, círculos *mpl* burocráticos. ~화(化) burocratización *f*. ¶~하다 burocratizar.

관류(貫流) ¶~하다 atravesar, pasar (por). 평야를 ~하는 강 río *m* que atraviesa [pasar por] la llanura.

관리(官吏) funcionario, -ria *mf* (del Estado); funcionario *m* público, funcionaria *f* pública.

◆고급 ~ funcionario *m* alto, funcionaria *f* alta. 말단(末端) [하급(下級)] ~ funcionario *m* bajo, funcionaria *f* baja.

■ ~ 근성 círculos *mpl* oficiales, burocracia *f*.

관리(管理) dirección *f*, administración *f*, gestión *f*, superintendencia *f*, gerencia *f*, control *m*, supervisión *f*, manejo *m*; [보관(保管)] custodia *f*. ~하다 dirigir, administrar, gestionar, controlar, supervisar, custodiar, *AmL* gerenciar; [말을] manejar, dominar. (기업) ~의 de administración de empresas, de gestión de empresas. 공원(公園)을 ~하다 adminitrar el parque. 공장(工場)을 ~하다 dirigir [controlar] una fábrica. 재산(財産)을 ~하다 administrar los bienes [la propiedad]. 정부(政府)의 ~ 아래 두다 colocar bajo el control del gobierno. 그는 기업(企業)의 ~를 공부하고 있다 El está estudiando administración de empresas. 이 지사는 누가 ~하고 있습니까? ¿Quién es el director [el gerente] de esta sucursal? / ¿Quién dirige esta sucursal?

◆공장 ~ administración *f* de la fábrica. 국제(國際) ~ control *m* internacional. 노무(勞務) ~ administración *f* de labor. 법정(法定) ~ administración *f* legal. 생산(生産) ~ administración *f* de producción. 업무(業務) ~ administración *f* de negocio. 외국환(外國換) ~ control *m* de divisas extranjeras. 정부 ~ 공장 fábrica *f* controlada por el gobierno. 품질(品質) ~ control *m* de calidad.

■ ~ 가격(價格) precio *m* administrativo. ~ 검사(檢査) inspección *f* de control. ~ 결정 decisión *f* de la dirección, decisión de la gerencia. ~ 공학(工學) tecnología *f* administrativa. ~관 administrador, -dora *mf*. ~권(權) derecho *m* de administración. ~ 농(農) agricultura *f* por el mayordomo. ~ 능력 capacidad *f* de administración. ~ 무역 comercio *m* controlado por el gobierno. ~ 방법 método *m* administrativo. ~법(法) [방법] método *m* de administración; [법률] ley *f* de administración. ~부(部) departamento *m* ejecutivo. ~ 부장(部長) jefe, -fa *mf* del departamento ejecutivo. ~비(費) gastos *mpl* de gerencia, gastos *mpl* administrativos, gastos *mpl* de administración. ¶일반 ~ gastos *mpl* generales de administración. ~ 사무소 oficina *f* de administración, oficina *f* de control, oficina *f* de dirección. ¶~ 직원 personal *m* de la oficina de dirección. 공원 ~ oficina *f* de administración del parque. ~서(署) la Oficina de Administración. ~ 센터 centro *m* administrativo. ~ 업무 administración *f* de la oficina. ~ 요금 comisión *f* de administración, cuota *f* administrativa, honorarios *mpl* de administración. ~ 위원회 consejo *m* directivo, consejo *m* de administración, junta *f* directiva, *AmL* mesa *f* directiva. ~인(人) [회사 · 백화점의] director, -tora *mf*, gerente *mf*, [가게 · 식당의] gerente *mf*, encargado, -da *mf*, [재산 · 기금의] administrador, -dora *mf*, [연예인 · 권투 선수 등의] manager *ing.mf*, [스포츠의] entrenador, -dora *mf*, [축구의] entrenador, -dora *mf*, director *m* técnico, directora *f* técnica *mf*, [아파트 등의] portero, -ra *mf*, [농장 등의] mayordomo *m*. 생산 ~ director, -tora *mf* [gerente *mf*] de producción. 수출 ~ director, -tora *mf* [gerente *mf*] de exportaciones. 그녀는 훌륭한 ~이다 Ella es buena administradora. ~직 cargo *m* de dirección, gerencia *f*. ¶~ 직원 personal *m* administrativo, personal *m* directivo. ~ 태만(怠慢) negligencia *f* de administración. ~ 통

화(通貨) moneda *f* maneja, moneda *f* manipulada. ~ 통화 제도 sistema *m* de moneda maneja [manipulada]. ~ 팀 equipo *m* administrativo, equipo *m* de gestión. ~ 행위(行爲) acción *f* administrativa. ~ 회계(會計) contabilidad *f* de gestión. ~ 회사 compañía *f* de un solo propietario, empresa *f* sin cotización en bolsa, sociedad *f* tenedora.

관림(官林) bosque *m* gubernamental.

관립(官立) establecimiento *m* oficial. ~의 establecido por el gobierno.
 ■~ 학교(學校) escuela *f* gubernamental, escuela *f* pública.

관망(觀望) observación *f*. ~하다 observar.

관머리(棺-) cabeza *f* del ataúd.

관면(寬免) perdón *m* generoso.

관면(慣面) cara *f* conocida.

관명(官名) título *m* oficial.

관명(官命) orden *f* oficial. ~에 따라 según la orden oficial.

관명(冠名) *su* nombre de adulto.

관모(官帽) sombrero *m* oficial.

관모(冠毛)【조류】=도가머리❶.

관목(貫目) arranque *m* seco.

관목(關木) cerrojo *m* [aldaba *f*] (de la puerta).

관목(灌木)【식물】arbusto *m*; [작은] mata *f*. ~으로 숨다 esconderse en las matas.
 ■~대(帶)[지대]【식물】zona *f* de arbustos. ~림(林) arbustos *mpl*, matas *fpl*.

관무(官務) trabajo *m* de la oficina gubernamental.

관문(官文) ((준말)) =관문서.
 ■~서(書) documento *m* oficial.

관문(官門)【역사】① [관아(官衙)의 문] puerta *f* del pueblo. ② [관아. 마을] pueblo *m*.

관문(關門) ① [국경이나 요새의 성문] puerta *f* del castillo. ② [지계(地界)에 세운 문] puerta *f* de los límites. ③ [적(敵)을 막기에 좋은 목] buen lugar *m* para vencer al enemigo. ④ [문을 닫음] el cerrar la puerta. ⑤ [난관(難關)] barrera *f*, obstáculo *m*, dificultad *f*, paso *m* difícil. ~을 통과하다 pasar el espaldón. 시험의 제일 ~을 통과하다 superar [vencer] la primera barrera del examen.

관물(官物) propiedad *f* gubernamental.

관물때(罐-)【화학】=관석(罐石).

관민(官民) el gobierno y el pueblo.

관변(官邊) ①【역사】interés *m* gubernamental. ② =관변측.
 ■~측(側) círculos *mpl* oficiales, círculos *mpl* gubernamentales, fuentes *fpl* oficiales. ¶~에 따르면 según los círculos oficiales, según las fuentes oficiales.

관병(官兵) =관군(官軍).

관병(觀兵) ① [군의 위력을 빛냄] esplendor *m* del poder militar. ② =열병(閱兵).
 ■~식(式) revista *f* (militar).

관보(官報) boletín *m* (*pl* boletines) oficial. ~로 발표하다 publicar en el Boletín Oficial del Estado.

관복(官服) uniforme *m* oficial.

관본(官本) libros *mpl* de xilografía gubernamental.

관봉(官俸)【역사】=관록(官祿).

관부(官府) ①【역사】[조정(朝廷). 정부(政府)] gobierno *m*. ②【역사】[관아. 마을] pueblo *m*.

관불(灌佛) ① ((불교)) [불상에다 향수를 뿌리는 일] rito *m* de rociar el perfume en la estatua de Buda. ☞욕불(浴佛) ② ((준말)) =관불회(灌佛會).
 ■~회(會) fiesta *f* del nacimiento de Buda.

관비(官婢) sirvienta *f* gubernamental.

관비(官費) expensas *fpl* del gobierno, gastos *mpl* gubernamentales. ~로 a gastos [expensas] del gobierno. ~로 유학하다 estudiar en el extranjero a gastos [a expensas · a costa] del gobierno.
 ■~생(生) estudiante *mf* gubernamental; becario, -ria *mf* gubernamental. ~ 유학생 estudiante *m* enviado [estudiante *f* enviada] al extranjero por el gobierno.

관비(髖髀)【해부】=관골(髖骨).

관사(官司)【역사】aldea *f*, pueblo *m*.

관사(官舍) residencia *f* oficial.

관사(冠詞)【언어】artículo *m*.
 ◆부정(不定) ~ artículo *m* indefinido. 정(定)~ artículo *m* definido.

관사(館舍) casa *f* que hospedaron los enviados extranjeros.

관사람(館-) carnicero *m*.

관산(關山) ① [고향의 산] montaña *f* de *su* tierra natal. ② =고향(故鄕)(tierra natal, pueblo natal). ③ [관문(關門) 가까이에 있는 산] montaña *f* que está cerca de la frontera.

관삼(官蔘) ginseng *m* hecho en el gobierno.

관상(管狀) forma *f* tubular. ~의 tubular, tubiforme, tubuloso.
 ■~ 기관(器官)【곤충】fistula *f*. ~물(物) tubo *m*. ~샘[선] glándula *f* tubulosa. ~ 소포형(小胞形) forma *f* acinotubular. ~유피종(類皮腫) tubulodermoide *m*. ~화(花)【식물】flor *f* tubular. ~ 화관(花冠) corola *f* tubular.

관상(觀相) fisonomía *f*, fisionómica *f*. ~의 fisonómico.
 ■~가(家) fisiomista *mf*, fisónomo, -ma *mf*. ~녀(女) fisionista *f*, fisónoma *f*. ~서(書) libro *m* de fisonomía, libro *m* fisonómico. ~술(術) arte *m* fisonómico. ~쟁이 ((속어)) =관상가(觀相家). ~학 fisonomía *f*, metoposcopia *f*. ~ 학자 fisonomista *mf*.

관상(觀象) observación *f* meteorológica. ~하다 hacer la observación meteorológica, observar la clima.
 ■~대(臺) ((구칭)) =기상대(氣象臺).

관상(觀賞) admiración *f*. ~하다 admirar la belleza (de).
 ■~식물(植物) planta *f* ornamental. ~어(魚) pez *m* (*pl* peces) para acuario, pez *m* para pecera. ~용(用) ¶~의 ornamental. ~조(鳥) el ave *f* (*pl* las aves) ornamental.

~화(花) flor *f* ornamental.
관상 동맥(冠狀動脈) 【해부】 coronaria *f.*
■~ 부전(不全) insuficiencia *f* coronaria. ~염(炎) arteritis *f* coronaria. ~ 폐색증(閉塞症) oclusión *f* coronaria. ~ 혈전증(血栓症) trombosis *f* coronaria.
관상 봉합(冠狀縫合) sutura *f* coronaria.
관상 순환 부전(冠狀循環不全) insuficiencia *f* coronaria.
관상 정맥(冠狀靜脈) vena *f* coronaria.
■~동(洞) seno *m* coronario. ~동판(막)(洞瓣(膜)) válvula *f* de seno coronario. ~판(瓣) válvula *f* coronaria.
관상 질환 집중 치료 병동(冠狀疾患集中治療病棟) unidad *f* coronaria.
관서(官署) oficina *f* gubernamental.
◆중앙(中央) ~ oficinas *fpl* del gobierno central. 지방(地方) ~ oficinas *fpl* del gobierno regional.
관서(寬恕) perdón *m* tolerante. ~하다 perdonar tolerantemente.
관서(關西) región *f* del oeste de *Macheonryeong*, provincia de *Pyongando.*
관선(官船) barco *m* gubernamental.
관선(官線) ferrocarril *m* gubernamental.
관선(官選) elección *f* oficial. ~의 elegido [nombrado · designado] por el gobierno.
■~ 변호사(辯護士) abogado *m* de oficio. ~ 변호인(辯護人) ((구칭)) =국선 변호인.
관설(官設) instalación *f* gubernamental.
■~ 철도(鐵道) ferrocarril *m* instalado por el gobierno.
관섭(關涉) intromisión *f.* ~하다 entrometerse.
관성(慣性) 【물리】 inercia *f.* ~의 inercial.
■~ 기동기(起動機) arrancador *m* de inercia, arrancador *m* de volante. ~ 능률[모멘트] momento *m* de inercia. ~ 바퀴 rueda *f* de inercia. ~ 승적(乘積) producto *m* de inercia. ~의 법칙 ley *f* de inercia. ~ 저항(抵抗) resistencia *f* de inercia. ~ 조속기(調速機) regulador *m* de inercia. ~ 질량 masa *f* inercial. ~ 타원(橢圓) elipse *m* de inercia.
관성자(管城子) =붓.
관세(關稅) arancel *m*, tarifa *f* aduanera, tarifa *f*, derechos *mpl* aduanales [aduaneros · arancelarios · de aduana], impuesto *m* de entrada, adeudo *m.* ~에 준한 sujeto a derechos de aduana. ~가 없는 libre de derechos de aduana. ~를 과하다 adeudar, imponer los derechos (a), imponer derechos aduaneros. ~를 지불하지 않고 지입하다 meter sin pagar impuestos de entrada.
■~ 개정(改正) revisión *f* arancelaria. ~ 개혁(改革) reforma *f* arancelaria. ~ 경찰(警察) policía *f* arancelaria. ~ 동맹(同盟) unión *f* aduanera, unión *f* de aduana. ~ 면세품(免稅品) artículos *mpl* libres de impuestos. ¶~ 상점 tienda *f* libre de impuestos. ~ 면제 품목표 lista *f* de excepción arancelaria. ~ 및 무역에 관한 일반 협정 el Acuerdo General sobre Aranceles y Comercio, el Acuerdo GATT. ~법(法) el Código de Aduanas. ~사(士) agente *mf* de aduanas. ~ 수입 ingresos *mpl* arancelarios. ~ 수준(水準) nivel *m* arancelario. ~율(率) tipo *m* de arancel, arancel *m*, tarifa *f* aduanera, tarifa *f* arancelaria. ~ 인하(引下) reducción *f* de arancel. ~ 자주권(自主權) autonomía *f* arancelaria. ~ 장벽 barrera *f* arancelaria, barrera *f* aduanera. ~ 전쟁(戰爭) guerra *f* de tarifas. ~ 정책(政策) política *f* arancelaria. ~ 제도(制度) sistema *m* arancelario. ~ 조약(條約) tratado *m* arancelario. ~청(廳) la Dirección General de Aduanas, el Departamento de Aduanas. ~청장(廳長) director, -tora *mf* de Aduanas. ~ 할당제(割當制) cuota *f* de tarifa. ~ 할인(割引) rebaja *f* arancelaria. ~ 협정 acuerdo *m* aduanero.
관세음보살(觀世音菩薩) diosa *f* budista de la merced.
관솔 nudo *m* resinos del pino. ~불 fuego *m* del nudo resinoso del pino.
관쇄(關鎖) ① [문을 잠금] cierre *m* [cerradura *f*] de una puerta. ~하다 cerrar la puerta. ② [문의 자물쇠] cerradura *f* de la puerta.
관쇠(館−) carnicero, -ra *mf.*
관수(官需) demanda *f* oficial.
관수(盥水) acción *f* de lavarse las manos.
관수(灌水) =관개(灌漑).
관수해(冠水害) daños *mpl* anegados [inundados · cubiertos] por el agua.
관숙하다(慣熟−) ① [손이나 눈에 익숙하다] (ser) experto, hábil, diestro. ② [가장 친밀하다] (ser) el más íntimo.
관습(慣習) costumbre *f*, hábito *m*, uso *m*, usanza *f*, [인습(因習)] convención *f*, [전통] tradición *f.* ~에 따라 según la costumbre, según la usanza. …의 ~에 따라 a usanza de *algo*, a(l) uso de *algo*, según costumbre de *algo*. ~에 따르다 pegarse [someterse] a la costumbre. 이 회사에서는 세 시에 차를 내놓는 것이 ~으로 되어 있다 En esta compañía es costumbre servir té a las tres.
■~법(法) derecho *m* consuetudinario.
관시(串柿) =곶감.
관식(官食) comida *f* que ofrece la oficina gubernamental.
관심(關心) interés *m.* ~을 가지다 tener [sentir] interés (por · hacia), tener [poner] interés (en · por), interesarse (en · por), estar interesado (en). …에게 ~을 갖도록 유인하다 tratar de interesar a *uno.* 그에 관한 것은 아무것도 나에게는 ~이 없다 No me interesa nada [No me importa] lo que sea de él. 이 점에 ~이 있는 분은 아래 주소(住所)로 연락 바랍니다 Sírvanse escribir a la dirección siguiente los interesados en este asunto. 나의 주된 ~은 이 전쟁이 언제 끝날 것인지를 아는 데에 있다 Mi interés principal está en saber cuándo

terminará esta guerra.
■ ～사(事) asunto *m* [cosa *f*] de interés [de importancia]. ¶그것은 우리들에게는 일대 ～이다 Es de mucho interés para nosotros / Es cosa que nos importa muchísimo / Nos tiene preocupadísimos.

관아(官衙) oficina *f* gubernamental.

관악(管樂) 【음악】 música *f* (ejecutada) por el instrumento de viento.
■ ～기(器) instrumento *m* de viento. ～기부(器部) instrumentos *mpl* de viento. ～기(연)주자 músico *mf* de instrumento de viento. ～ 사중주(四重奏) cuarteto *m* de viento. ～ 합주 concierto *m* de viento.

관액(官厄) ＝관재(官災).

관엄하다(寬嚴－) (ser) generoso y severo.

관업(官業) empresa *f* estatal, negocio *m* estatal; [전매(專賣)] monopolio *m* gubernamental.

관여(關與) participación *f*, relación *f*. ～하다 participar (en), tomar parte (en). 경영(經營)에 ～하다 participar en la administración. 상담에 ～하다 tomar parte [ser consultado] en el consejo [en las deliberaciones]. 정치(政治)에 ～하다 tomar parte en la política.
■ ～자(者) participante *mf*.

관역(官役) trabajo *m* oficial, obra *f* oficial, construcción *f* gubernamental.

관엽 식물(觀葉植物) planta *f* de follaje [de adorno].

관영(官營) negociación *f* [empresa *f*·monopolio *m*] gubernamental [estatal·del gobierno·del Estado]. ～의 gubernamental, estatal, del gobierno, del Estado.
■ ～ 사업(事業) empresa *f* gubernamental [estatal·del gobierno·del Estado]. ～ 요금(料金) tarifa *f* gubernamental.

관옥(冠玉) ① [관 앞을 꾸미는 옥] jade *m* adornado en la parte delantera de la corona. ② [남자의 아름다운 얼굴] cara *f* hermosa del hombre.

관외(管外) ¶～의 fuera de la jurisdicción. ～출장을 가다 viajar fuera de la jurisdicción en negocio oficial.

관용(官用) ① [관청의 용무] negocio *m* oficial [gubernamental·público·del gobierno·del Estado]. ② [관청의 사용] uso *m* público.
■ ～ 부기(簿記) contabilidad *f* oficial. ～차(車) vehículo *m* oficial, coche *m* oficial.

관용(慣用) uso *m* (corriente). ～의 usual, acostumbrado, habitual. ～으로 por usanza.
■ ～구 modismo *m*, locución *f*, frase *f* hecha. ～ 수단(手段) medio *m* usual. ～어(語) ㉮ [습관으로 쓰는 말] palabra *f* de uso establecido. ㉯ ＝관용구(慣用句). ～어법 modismos *mpl*, expresión *f* idiomática, giro *m* (idiomático), idiomatismo *m*. ～음(音) pronunción *f* popular. ～ 표현(表現) expresión *f* idiomática.

관용(寬容) tolerancia *f*, generosidad *f*, indulgencia *f*, magnanimidad *f*. ～하다 (ser) tolerante, generoso, indulgente, magnánimo. ～의 정신 espíritu *m* de tolerancia. ～과 인내(忍耐) tolerancia *f* y paciencia. ～은 위인들의 덕이다 La generosidad es la virtud de las grandes almas.
■ ～성(性) tolerancia *f*.

관운(官運) suerte *f* del rango oficial.

관원(官員) oficial, -la *mf* estatal; oficial *m* público, oficiala *f* pública; funcionario *m* público, funcionaria *f* pública.

관위(官位) rango *m* oficial, posición *f* oficial, categoría *f* oficial.

관위(官威) autoridad *f* gubernamental, influencia *f* gubernamental.

관유(官有) propiedad *f* estatal [gubernamental]. ～의 de propiedad estatal.
■ ～림(林) bosque *m* estatal [gubernamental]. ～물(物) propiedad *f* gubernamental [estatal].

관유(寬宥) ＝관서(寬恕).

관유(寬裕) generosidad *f*, magnanimidad *f*. ～하다 (ser) generoso, magnánimo.

관음(觀音) ((불교)) ((준말)) ＝관세음보살.

관음보살(觀音菩薩) ((불교)) ((준말)) ＝관세음보살.

관이 primer jugador *m* [primera jugadora *f*] en el naipe.

관인(官人) ＝벼슬아치.

관인(官印) sello *m* oficial.

관인(官認) autorización *f* oficial.

관인(寬忍) paciencia *f* con el corazón generoso. ～하다 tener paciencia con el corazón generos.

관인대도(寬仁大度) la generosidad y la benevolencia.

관인하다(寬仁－) (ser) generoso, magnánimo, benigno. 관인함 generosidad *f*, benignidad *f*, magnanimidad *f*.

관자(貫子) botones *mpl* de la cinta del pelo.

관자놀이(貫子－) sien *f*.

관자재(觀自在) ((불교)) ((준말)) ＝관자재보살(觀自在菩薩).

관자재보살(觀自在菩薩) ((불교)) ＝관세음보살(觀世音菩薩).

관작(官爵) el puesto oficial y el título.

관장(管掌) control *m*, manejo *m*. ～하다 controlar, manejar.

관장(館長) [도서관·학관 등의 장] director, -tora *mf*; superintendente *mf*; jefe, -fa *mf*. 박물～ director, -tora *mf* del museo.

관장(灌腸) 【의학】 irrigación *f*, lavativa *f*. ～하다 irrigar.
■ ～기(器) 【의학】 lavativa *f*, irrigador *m*. ～액(液) irrigación *f*, enema *f*, lavativa *f*. ～제(劑) 【의학】 lavativa *f*, enema *f*.

관재(管財) administración *f* de la propiedad.
■ ～국(局) departamento *m* de administración de propiedades. ～인(人) administrador, -dora *mf*; [청산인] liquidador, -dora *mf*.

관저(官邸) residencia *f* oficial. 대통령 ～ residencia *f* oficial del presidente, palacio *m* presidencial, casa *f* presidencial, mansión *f* presidencial. 국무 총리 ~ residencia *f* del primer ministro. 시장(市長) ~ residencia *f* del mayor.

관적(貫籍) ① =본적지. ② =관향(貫鄕).

관전(觀戰) observación *f*. ~하다 observar. 시합을 ~하다 observar [ver · asistir a] un partido.

■ ~기(記) informe *m* de observación. ~평(評) crítica *f* de observación.

관절(關節) 【해부】 articulación *f*, coyuntura *f*. ~의 articular. ~이 있는 articulado. ~을 삐다 dislocarse una articulación. 나는 어깨의 ~을 삐었다 Se me ha dislocado la articulación del hombro.

■ ~강(腔) 【해부】 cavidad *f* de articulación. ~ 강직(强直) artroclisis *f*. ~ 강직 단열술(强直斷裂術) artroclasia *f*. ~ 강직증(强直症) anquilosis *f*. ~ 강직증(剛直症) sinartrofisis *f*. ~강 확장증(腔擴張症) artrectasia *f*. ~ 결석 artritalito *m*, artritolito *m*. ~ 결핵(結核) tuberculosis *f* articular. ~ 경직(硬直) rigidez *f* articular. ~ 경화증 artrosclerosis *f*. ~계(計) artrómetro *m*. ~ 고정술(固定術) artrodesis *f*. ~ 골염(骨炎) artrosteitis *f*. ~구(丘) cóndilo *m*. ~구축증 artrogriposis *f*. ~근 músculo *m* articular. ~ 기종(氣腫) neumartrosis *f*. ~낭(囊) 【해부】 bolsa *f* articular. ~낭 성형술(囊成形術) capsuloplastia *f*. ~낭 인대(囊靭帶) ligamento *m* capsular. ~내 가스 주입 neumoserosa *f*. ~ 동물 animal *m* articulado. ~류(瘤) artrocele *m*. ~ 류머티즘 reumatismo *m* articular. ~ 만곡증(彎曲症) artrogriposis *f*. ~면(面) facies *f* articular. ~면 절제(面切除) facetectomía *f*.~ 박리(剝離) dearticulación *f*. ~ 박리술 artrolisis *f*. ~병(病) artropatía *f*, artrosia *f*. ~ 병리학(病理學) artropatología *f*. ~ 병증(病症) artropatía *f*. ~ 병질(病質) artropatía *f*. ~병 체질(病體質) artritismo *m*. ~부(部) región *f* articular [de articulación]. ~부 골수염(部骨髓炎) meduloartritis *f*. ~ 부종(浮腫) artredema *m*. ~뼈 【해부】 hueso *m* articular. ~석(石) artrolito *m*. ~성 소질(性素質) artritismo *m*. ~ 성형술(成形術) artroplastia *f*. ~ 수증(水症) hidrartrosis *f*. ~ 신경(神經) nervio *m* articular. ~ 신경통 artroneuralgia *f*. ~ 연골 【해부】 cartílago *m* articular. ~ 연골염(軟骨炎) artrocondritis *f*. ~염(炎) artritis *f*, inflamación *f* de articulación. ~염증(炎症) artritides *m*. ~염 환자 artrítico, -ca *mf*. ~와(窩) cavidad *f* glenoidea. ~ 원판(圓板) disco *m* articular. ~ 유합(癒合) sinartrodia *f*. ~ 유합증(癒合症) sinartrosis *f*. ~ 이상(異常) disartrosis *f*. ~ 이형성(異形成) artrodisplasia *f*. ~ 인대(靭帶) ligamento *m* articular. ~ 절개술(切開術) artrostomía *f*, artrosinovitistomía *f*. ~ 접합 articulación *f*. ~ 종양(腫瘍) artronco *m*. ~ 종창(腫脹) artronco *m*. ~ 주위염(周圍炎) periatitis *f*. ~증(症) artrosis *f*, artropatía *f*. ~ 천자(穿刺) artrocentesis *f*. ~ 축농증 artroempiesis *f*. ~ 출혈(出血) artrorragia *f*. ~ 탈구(脫臼) dislocación *f* de articulación. ~통(痛) artralgia *f*, dolor *m* de articulación. ~학(學) artrología *f*, sinosteología *f*. ~ 화농증(化膿症) artropiosis *f*.

관절하다(冠絶-) (ser) el más excelente.

관점(觀點) punto *m* de vista. 경제적(經濟的) ~ punto *m* de vista económico. 이런 ~에서 desde este punto de vista. 정치적 ~에서 말하면 desde el punto de vista político.

관제(官制) organización *f* gubernamental [del gobierno].

■ ~ 개혁(改革) reforma *f* de organización gubernamental.

관제(官製) fabricación *f* gubernamental. ~의 hecho [fabricado] por el gobierno.

■ ~ 데모 manifestación *f* inspirada por el gobierno. ~염(鹽) sal *f* fabricada en el gobierno. ~ 엽서(葉書) tarjeta *f* postal (del Estado), postal *f* (de Estado).

관제(管制) ① [관할하여 통제함] control *m*. ② ((준말)) =항공 교통 관제.

◆ 지상(地上) ~ control *m* de tierra. 진입(進入) ~ control *m* de acceso.

■ ~관 controlador, -dora *mf* (del tráfico aéreo). ~기(器) controlador *m*. ~반(盤) cuadro *m* de control. ~ 장치(裝置) engranaje *m* de control. ~탑(塔) torre *f* de mando, torre *f* de control. ~판(瓣) válvula *f* de control.

관조(觀照) ① ((불교)) meditación *f*. ~하다 meditar. ② [예술 작품을 냉정한 마음으로 관찰 · 음미함] contemplación *f*, observación *f*. ~하다 contemplar, observar. ③ 【미술】 intuición *f*.

관조(鸛鳥) 【조류】 =황새.

관족(管足) 【동물】 pie *m* ambulacral.

관존민비(官尊民卑) respeto *m* a los oficiales y falta de respeto al pueblo.

관주(館主) [미술관 · 도서관 · 박물관 · 영화관 등의 주인] amo, -ma *mf*, propietario, -ria *mf*, dueño, -ña *mf*.

관중(觀衆) [연극 · 영화의] espectadores *mpl*, público *m*; [콘서트 · 강의의] auditorio *m*, público *m*; [텔레비전의] audiencia *f*, telespectadores *mpl*. 꽤 많은 ~ un buen número de espectadores. ~의 참가 participación *f* del público. ~들 중에 어떤 선생님이 있습니까? ¿Hay algún profesor entre el público? 그 가수는 더 젊은 ~에게 호감을 사고 있다 El cantante atrae a un público más joven.

■ ~석(席) asiento *m* del público.

관중하다(關重-) tener relaciones importantes.

관지(關知) participación *f*. ~하다 participar (de · en), tomar parte (en). 그것은 내가 ~할 바 아니다 Eso no tiene nada que ver conmigo / No tengo nada que ver con eso / Eso no es asunto mío / Eso no me importa.

관직(官職) servicio *m* del gobierno, burocracia *f* oficial, puesto *m* oficial. ~을 받다

recibir un puesto oficial. ～을 떠맡다 asumir un cargo en el gobierno, entrar en la burocracia oficial.

관찰(觀察) ① [사물을 주의하여 살펴봄] observación *f*, examen *m*, estudio *m*, inspección *f*. ～하다 observar, examinar, estudiar, inspeccionar. 개미가 개미굴을 만드는 것을 ～하다 observar cómo las hormigas hacen su hormiguero. ②【역사】((준말)) =관찰사(觀察使).
■～력(力) (*su* poder *m* de) observación *f*. ～사(使)【역사】gobernador *m* (provincial). ～안(眼) ojo m, poder *m* de observación. ～자(者) observador, -dora *mf*. ～점(點) punto m de vista.

관철(貫徹) logro *m*, consecución *f*, cumplimiento *m*, efectuación *f*, penetración *f*. ～하다 lograr, cumplir, efectuar, llevar a cabo. 방침을 ～하다 llevar a cabo *su* proyecto. 요구를 ～하다 persistir en *su* demanda. 자설(自說)을 ～하다 insistir en *su* teoría. 그는 언제나 자기의 의견을 ～시키려고 한다 El siempre quiere hacer prevalecer su opinión. 그는 요구를 ～했다 El logró que aceptaran su demanda.

관청(官廳) oficina *f* gubernamental.
■～가(街) [서울의] centro *m* de ministerios; [지방 도시의] centro *m* municipal. ～부기(簿記) contabilidad *f* oficial. ～ 용어(用語) términos *mpl* oficiales. ～ 집무 시간 horas *fpl* de comercio oficial.

관측(觀測) ① [자연 현상의 추이·변화를 정확·세밀하게 관찰하여 수량적인 측정을 행함] observación *f*. ～하다 observar. 일식(日蝕)을 ～하다 observar el eclipse solar. 천체(天體)를 ～하다 observar un astro. ② [관찰하여 추측함] ideas *fpl*, pensamiento *m*, opinión *f*. 희망적 ～ ilusiones *fpl*. 내 ～으로는 en mi opinión, en mi parecer.
◆천체(天體) ～ observación *f* del astro.
■～값 valor *m* observado, observación *f*. ～기(機) avión *m* de observación. ～ 기구(氣球) [기상용의] balón *m* de ensayo, globo *m* piloto, globo *m* sonda, radiosonda *f*. ～ 방정식 ecuación *f* de observación. ～소(所) ㉮ estación *f* de observación, observatorio *m*. ¶지진(地震) ～ observatorio *m* de sismología. ㉯【군사】puesto *m* de observación. ～ 오차 error *m* de observación. ～자(者) observador, -dora *mf*. ～판(板) cuadro *m* de observación.

관통(貫通) penetración *f*. ～하다 penetrar, agujerear, atravesar, traspasar, taladrar. 탄환이 그의 팔을 ～했다 Una bala le penetró en el brazo. 탄환이 내 다리를 ～했다 Una bala me atravesó la pierna. 영산강은 나주평야(平野)를 ～해 흐르고 있다 El río *Yeongsan* corre atravesando [a través de] la planicie de *Naju*.
■～상(傷) herida *f* penetrante.

관판(官版) [출판] publicación *f* gubernamental; [인쇄] imprenta *f* gubernamental.

관판(棺板) tabla *f* (ancha y larga) para el ataúd.

관포지교(管鮑之交) relación *f* íntima.

관품(官品)【역사】rango *m* oficial.

관풍(觀楓) =단풍 구경.

관하(管下) jurisdicción *f*. ～의 bajo la jurisdicción.

관하다(關－) ① [대하다] referir (a). …에 관한 de, sobre, acerca de, referente a. …에 관해서 de, sobre, a propósito de, acerca de, en cuanto a, (con) respecto a [de]. 이 점에 관해서 a este respecto, de este particular. 우정(友情)에 관해서 acerca de la amistad. 자동 조작(自動操作)에 관한 문제(問題) problemas *mpl* relacionados con [concernientes a] la autorización. 한국에 관한 책 libro *m* sobre la historia de Corea. 통화 문제에 관한 질문 preguntas *fpl* acerca del problema monetario. 돈의 건에 관해서는 por lo que respecta al dinero, por lo que se refiere al dinero. 평화에 관해서 술회하다 hablar de (la) paz. 서반아어에 관해서는 그는 일류(一流)다 En cuanto [Por lo que respecta] al español, él es un experto de primer orden. 달리기에 관해서는 어느 누구도 그를 이기지 못한다 A correr, nadie le gana. 나는 여행에 관해서 당신과 이야기하고 싶습니다 Yo quisiera hablar con usted sobre [acerca de · con respecto al] viaje.
② [관계하다] afectar, relacionarse (con), tener relación (con). 그것은 한국의 장래에 관한 문제다 Es un problema que tendrá influencia en el futuro de Corea. 그것은 그의 생명에 관한 문제다 Es un problema que afecta a su vida.

관하다(觀－) =살펴보다.

관하인(官下人) =관례(官隸).

관학(官學) ① [관립(官立)의 학교] escuela *f* estatal, escuela *f* gubernamental. ② [국가에서 제정·공인한 학문] ciencia *f* establecida y autorizada por el gobierno.

관할(管轄) jurisdicción *f*, control *m*. ～하다 controlar, tener [ejercer] control [jurisdicción] (sobre); ((성경)) enseñorearse. …의 ～ 아래 속하다 [속해 있다] caer [estar] bajo la jurisdicción de *algo*. … 의 ～밖에 있다 estar fuera de la jurisdicción de *algo*. 이 사건은 우리의 ～ 밖이다 Este caso no está dentro de nuestra jurisdicción.
■～ 관청(官廳) autoridad *f* competente. ～ 구역(區域) [법원 등의] jurisdicción *f*, [활동 구역] zona *f* de la acción, distrito *m* de jurisdicción. ～권(權) jurisdicción *f*. ¶～이 없다 no tener jurisdicción. 제일심 ～ jurisdicción *f* original. ～ 다툼 disputa *f* jurisdiccional. ～ 범위(範圍) jurisdicción *f*. ～ 법원(法院) corte *f* competente, tribunal *m* competente. ～서(署) comisaría *f* competente. ～ 세무서(稅務所) oficina *f* de impuestos del distrito. ～에 속(屬)하는 사항 asunto *m* relativo a la jurisdicción. ～ 위반(違反) incompetencia *f*. ¶～의 판결 sentencia *f* de incompetencia. ～지(地) juris-

dicción *f.*
관함식(觀艦式) revista *f* naval.
관행(慣行) práctica *f* tradicional. ~의 habitual, práctico.
■ ~범(犯) delito *m* habitual.
관향(貫鄕) suelo *m* natal de *su* primer antesesor.
관허(官許) permiso *m* gubernamental [estatal], licencia *f.*
■ ~ 요금 precio *m* autorizado por el gobierno.
관헌(官憲) ① [관청의 법규] regulaciones *fpl* gubernamental. ② =관청(官廳). ③ =관리(官吏). 경찰 관리(警察官吏).
관현(管絃) 【음악】 instrumentos de viento y de cuerda.
■ ~악(樂) 【음악】 música *f* de orquesta, música *f* orquestal. ¶~의 orquestal. ~으로 편곡(編曲)하다 orquestar. ~악단(樂團) (banda *f* de) orquesta *f.* ~악 편곡(법) orquestación *f.* ~악 편곡자(樂編曲者) orquestador, -dora *mf.*
관형(寬刑) penalidad *f* generosa.
관형사(冠形詞) 【언어】 pronombre *m* sustantivo.
관혼(冠婚) ritos *mpl* para la mayoría de edad, ceremonia *f* de boda.
■ ~상례(喪禮) ritos *mpl* para la mayoría de edad, bodas y funerales a los antepasados. ~상제(喪祭) ritos *mpl* para la mayoría de edad, bodas, funerales y culto a los antepasados.
관홍(寬弘) =관대(寬大).
관화(官話) [중국의 표준말] mandarina *f.*
관활하다(寬闊—) (ser) generoso y magnánimo. 관활함 generosidad y magnanimidad.
관후장자(寬厚長者) persona *f* generosa y digna.
관후하다(寬厚—) (ser) generoso, magnánimo. 관후함 generosidad *f,* magnanimidad *f.* 관후하게 generosamente, magnánimamente.
괄괄하다 ① [풀 따위가 너무 세다] (ser) engomado, adhesivo, pegajoso. ② [성질이 너무 급하고 과격하다] (ser) viril, varonil, violento. 기질(氣質)이 ~ tener un carácter violento.
괄다 ① [화력이 세다] (ser) fuerte, intenso. ② =괄괄하다❷.
괄대(恝待) recepción *f* fría, mal trato *m,* inhospitalidad *f.* ~하다 tratar mal, recibir fríamente, ser inhospitalario.
괄목상대하다(刮目相對—) mirar el uno del otro con gran asombro.
괄목하다(刮目—) mirar atentamente.
괄선(括線) corchete *m.*
괄시(恝視) inhospitalidad *f.* ~하다 ser inhospitalario, maltratar.
괄약(括約) constricción *f.* ~하다 constreñir.
괄약근(括約筋) 【해부】 esfínter *m,* (músculo *m*) constrictor *m.* ~의 esfinteral.
◆ 방광(膀胱) ~ esfínter *m* de la vejiga. 요도(尿道) ~ esfínter *m* de la uretra. 입술 ~ esfínter *m* de los labios. 질(膣) ~ esfínter *m* de la vagina. 항문 ~ esfínter *m* anal. 홍채(虹彩) ~ esfínter *m* del iris.
■ ~ 압력 측정(壓力測定) esfinterometría *f.* ~염(炎) esfinteritis *f.* ~ 절개기(切開器) esfinterótomo *m.* ~ 절개술 esfinterotomía *f.* ~ 형성술 esfinteroplastia *f.*
괄태충(括胎蟲) 【동물】 babosa *f,* limaza *f.*
괄호(括弧) paréntesis *mpl* (( )), paréntesis *mpl* cuadrados ([ ]), llaves *fpl* ({ }), comillas *fpl* (≪ ≫), paréntesis *mpl* dobles ((( ))). ~에 넣다 poner entre paréntesis. ~를 없애다 quitar los paréntesis. ~를 열다 abrir el paréntesis. ~를 닫다 cerrar el paréntesis.
괌 【지명】 Guam.
광 cobertizo *m* de los trastos; [방] (cuarto *m*) trastero *m*; [다락방] desván *m* (*pl* desvanes).
광[1](光) 【물리】 =빛(luz).
광[2](光) =광택(光澤)(lustre, brillo, viso). ¶~을 내다 bruñir, dar brillo; [구두·가구 따위를] lustrar, dar lustre; [금속을] pulir, pulimentar. 하녀가 내 구두의 ~을 냈다 La criada lustró mis zapatos.
광(廣) ① =넓이. ② =나비.
광(壙) [송장을 묻기 위하여 판 구덩이] fosa *f* para enterrar el cadáver.
광(鑛) [광물을 파내는 구덩이] hoyo *m* para cavar el mineral.
-광(狂) [행위] manía *f,* [사람] maníaco, -ca *mf,* aficionado, -da *mf,* loco, -ca *mf.* 낚시~ loco, -ca *mf* por la pesca. 스피드~ maníaco, -ca *mf* de la velocidad. 야구~ aficionado, -da *mf* al béisbol. 연극(演劇)~ loco, -ca *mf* por el teatro. 장서(藏書)~ bibliomanía *f,* [사람] bibliomaníaco, -ca *mf.* 편집(偏執)~ monomanía *f,* [사람] monomaníaco, -ca *mf,* monomaniaco, -ca *mf.*
광각(光角) 【물리】 ángulo *m* óptico.
광각(光覺) 【심리】 sentido *m* óptico.
광각(廣角) ángulo *m* ancho, ángulo *m* extendido.
■ ~ 렌즈 objetivo *m* de ángulo extendido.
광갱(鑛坑) mina *f.*
광검출기(光檢出器) fotodetector *m.*
광견(狂犬) perro *m* rabioso, perro *m* loco.
광견병(狂犬病) 【의학】 rabia *f,* hidrofobia *f.* ~의 rabioso. ~에 걸린 개 perro *m* rabioso. ~에 걸리다 rabiar, padecer la enfermedad llamada rabia. 파스퇴르는 ~ 백신을 발견했다 Pasteur inventó la vacuna contra la rabia. 이 개는 ~이 있다 Este perro tiene rabia.
■ ~ 공포증(恐怖症) lisofobia *f.* ~ 바이러스 virus *m* de rabia. ~ 예방법 la Ley de Prevención de Rabia. ~ 예방 주사 inyección *f* preventiva contra rabia. ~ 환자(患者) rabioso, -sa *mf.*
광경(光景) espectáculo *m,* escena *f,* vista *f.* 아름다운 ~ escena *f* hermosa. 하늘에서 본 ~ vista *f* desde el cielo. 아름다운 ~을 보여주다 presentar una escena hermosa.
광고(廣告) [라디오·텔레비전의] anuncio *m,*

spot *m* (publicitario), *AmL* aviso *m*, *AmL* réclame *m(f)*, *RPI* reclame *m*; [신문의] anuncio *m*, *AmL* aviso *m*; publicidad *f*, propaganda *f*; [포스터] cartel *m*; [안내문] prospecto *m*; [안으로 접어 넣는 광고] encarte *m*. ～하다 anunciar, hacer publicidad (a), hacer propaganda (a), poner un anuncio (de), *AmL* hacer réclame (a), *RPI* hacer reclame (a). ～의 publicitario. 한 자리의 교수직(敎授職)을 제공하는 ～ anuncio *m* ofreciendo un puesto de profesor. 세 자리의 여비서 구직(求職) ～ anuncio *m* solicitando tres secretarias. …에 ～를 내다 insertar un anuncio en *algo*. 잡지에 ～하다 anunciar en una revista. 신문에 신제품의 ～를 내다 publicar un anuncio de un artículo nuevo en un periódico. 나는 그것을 텔레비전 [잡지]에 ～된 것을 보았다 Lo vi anunciado en la televisión [en la revista]. 나는 내 피아노를 (팔기 위해) ～를 냈다 Puse un anuncio para vender el piano. 그 일은 어제의 신문에 ～가 났다 El trabajo salió anunciado en el diario de ayer / El anuncio del trabajo apareció en el diario de ayer. 병원은 간호사를 구하는 ～를 냈다 El hospital ha puesto un anuncio solicitando enfermeras. 나는 골동품을 팔기 위해 ～를 내려고 한다 Yo voy a poner un anuncio para vender antigüedades.

◆개별(個別) ～ publicidad *f* individual. 공중 ～ publicidad *f* aérea. 기구(氣球) ～ publicidad *f* con globos. 무차별 ～ publicidad *f* no selectiva. 샴푸 ～ anuncio *m* [spot *m*] de champú. 신문 ～ publicidad *f* en la prensa, publicidad *f* en los periódicos. 연합 ～ publicidad *f* colectiva. 옥외 ～ publicidad *f* exterior. 우편 ～ publicidad *f* por correo. 텔레비전 ～ publicidad *f* en la televisión. 포스터 ～ publicidad *f* por carteles.

▪～ 계획(計劃) plan *m* publicitario. ～과(課) sección *f* de publicidad. ～국(局) departamento *m* de publicidad. ～ 규정(規定) reglamento *m* publicitario. ～ 규제 기구(規制機構) la Organización para la Regulación de la Publicidad. ～ 기관(機關) medio *m* publicitario, soporte *m* publicitario. ～ 기구(氣球) globo *m* de publicidad. ～ 대리업(代理業) agencia *f* de publicidad. ～ 대리 업자(代理業者) agente *mf* de publicidad. ～ 대리점(代理店) agencia *f* de publicidad. ～ 대행업(代行業) agencia *f* de publicidad. ～등(燈) anuncios *mpl* iluminosos. ～란(欄) columna *f* de publicidad. ¶삼행(三行) ～ anuncio *m* por palabras. ～료(料) precio *m* publicitario, precio *m* de anuncio, gastos *mpl* de (la) publicidad, tarifa *f* publicitaria, tarifas *fpl* de publicidad. ～ 매니저 gerente *mf* de publicidad; jefe, -fa *mf* de publicidad. ～ 매체(媒體) medios *mpl* publicitarios. ～ 맨 hombre *m* anuncio, profesional *m* de la publicidad. ～문(文) prospecto *m*. ¶～ 작성자 redactor, -tora *mf* de textos publicitarios. 그림이 든 종합 ～ prospecto *m* ilustrado y detallado. ～문안가 redactor, -tora *mf* de textos publicitarios. ～ 방송(放送) spot *m* publicitario, anuncio *m*, *AmL* aviso *m*, *AmL* comercial *m*. ～법(法) código *m* publicitario. ～부(部) departamento *m* de publicidad. ～ 부록(附錄) suplemento *m* publicitario. ～비(費) coste *m* publicitario, *AmL* costo *m* publicitario. ～ 비용 gastos *mpl* publicitarios, gastos *mpl* de publicidad. ～사(社) agencia *f* de publicidad. ～세(稅) impuesto *m* de publicidad. ～ 수입(收入) ingresos *mpl* publicitarios, renta *f* de publicidad. ～술(術) arte *m* de publicidad, técnica *f* publicitaria. ～ 스케줄 plan *m* publicitario. ～ 시간(時間) tiempo *m* para publicidad. ～ 심리학(心理學) sicología *f* publicitaria. ～업(業) industria *f* de la publicidad. ～ 업자(業者) agente *mf* de publicidad. ～ 여행(旅行) gira *f* publicitaria. ～ 예산 presupuesto *m* publicitario, presupuesto *m* de publicidad. ～ 용어(用語) jerga *f* publicitaria. ～ 우편(郵便) carta *f* de anuncio circular. ～ 윤리 ética *f* publicitaria. ～ 재료 material *m* de publicidad. ～ 전략 estrategia *f* publicitaria. ～주(主) anunciante *mf*. ～지(紙) ㉮ prospecto *m*. ¶～를 배포하다 repartir prospectos. ㉯ ＝삐라. ～ 지역(地域) zona *f* publicitaria. ～차(車) vehículo *m* [medio *m*] publicitario. ～ 채널 canal *m* publicitaria. ～ 캠페인 campaña *f* publicitaria. ～탑(塔) torre *f* de anuncios, torre *f* de propaganda, columna *f* publicitaria. ～ 테스트 prueba *f* publicitaria. ～ 통계학 estadísticas *fpl* de publicidad. ～판(板) ㉮ [광고하는 글이나 그림 등을 붙이는 게시판] cartelera *f*, tablero *m* de anuncios, tablero *m* de aviso. ¶～을 세우다 levantar un tablero de aviso. ㉯ [철도 연변이나 도로변, 또는 건물의 지붕 위 등에 세우는, 광고를 위한 간판] letrero *m*. ～ 풍선(風船) ＝광고 기구. ～ 협회 la Asociación de Agencias de Publicidad. ～ 회사 agencia *f* de publicidad. ～ 효과 efectividad *f* del anuncio, eficacia *f* publicitaria.

광고(曠古) ＝미증유(未曾有).

광공업(鑛工業) industria *f* minera e industrial.

광구(匡救) rectificación *f*, remedio *m*, corrección *f*. ～하다 rectificar, corregir, reformar.

광구(光求) 【물리】 fotospera *f*, fotoespera *f*.

광구(鑛區) zona *f* minera.

광궤(廣軌) vía *f* ancha, *AmS* trocha *f* ancha; [유럽의] vía *f* normal.

▪～ 철도 ferrocarril *m* de vía ancha.

광기(光氣) 【화학】 ＝포스겐.

광기(狂氣) ① [미친 증세(症勢)] locura *f*, insanía *f*, demencia *f*. ～의 insano, loco. ～가 나다 enloquecer(se), volverse loco, perder la razón. ② [사소한 일에 화내고 소리치는 사람의 기질] perturbación *f*.

광꾼(鑛－) ＝광부(鑛夫).

광나다(光−) ① [빛이 나다] (ser) brillante. ② [윤이 나다] (ser) lustroso, ponerse lustroso; [종이가] glaseado, brilloso.
광내(壙內) interior *m* de la tumba.
광내다(光−) pulir, lustrar, bruñir, pulimentar, dar brillo (a); [구두를] limpiar (el calzado). 광내는 걸레 trapo *m* para pulir, pulidero *m*.
광녀(狂女) (mujer *f*) loca *f*.
광년(光年) 【천문】 año-luz *m* (*pl* años-luz). 100만 ~ un millón de años-luz.
광담(狂談) farsa *f* de Noh, supercheria *f*.
■ ~ 패설(悖說) farsa *f* de Noh, superchería *f*.
광당마(光唐馬) =덜렁마.
광대 ① [옛날에, 연극이나 줄타기 또는 판소리를 하던 사람] *gwangdae*, acróbata *mf*. 거리의 ~ juglar *mf*, saltimbanqui *mf*, titiritero, -ra *mf*. ② ((낮춤말)) =연예인(演藝人). ③ [연극이나 춤을 추려고 얼굴에 물감을 칠하는 일] el pintar la pintura *f* en la cara para la danza o el teatro. ④ =탈(máscara). ⑤ ((속어)) =얼굴. 낯(cara).
■ ~놀음 *gwangdaenoreum*, farsa *f*. ~등걸 cara *f* hundida, cara *f* flaca.
광대(廣大) amplitud *f*, inmensidad *f*, grandeza *f*. ~하다 (ser) amplio, extenso, vasto, inmenso, de gran extensión, de gran dimensión. ~한 지역 el área *f* (*pl* las áreas) inmensa. ~한 평원(平原) llanura *f* extensa, llanura *f* vasta.
광대나물 【식물】 ortiga *f* muerta.
광대무변하다(廣大無邊−) (ser) limitado, infinito, incomensurable.
광대버섯 【식물】 ((학명)) Amanita muscaria.
광대뼈 pómulo *m*. 불쑥 튀어나온 ~ juanete *m*. ~가 튀어나온 juanetudo. ~가 튀어나오다 tener los pómulos salientes.
광도(光度) ① 【물리】 grado *m* [intensidad *f*] de la luz, luminosidad *f*. ② 【천문】 =항성광도(恒星光度).
■ ~계(計) 【물리】 fotómetro *m*, luminómetro *m*. ~ 측정(測定) fotometría *f*.
광도(狂濤) onda *f* rugiente, mar *m* tempestuoso.
광도(廣跳) =멀리뛰기.
광도(廣圖) plan *m* muy grande.
광독(鑛毒) polución *f* mineral.
■ ~ 피해(被害) daño *m* de la polución mineral.
광란(狂亂) delirio *m*, locura *f*, enloquecimiento *m*. ~하다 delirar, enloquecer(se), volverse (como) loco.
광란(狂瀾) =광도(狂濤).
광랑(狂浪) =광도(狂濤).
광량(光量) 【물리】 intensidad *f* de radiación.
■ ~계(計) actinómetro *m*. ~ 조절기(調節器) atenuador *m*, desvanecedor *m* (de la luz). ~ 측정기(測定器) actinógrafo *m*. ~ 측정법(測定法) actinometría *f*.
광량(廣量) generosidad *f*. ~하다 (ser) generoso.
광량(鑛量) cantidad *f* del mineral enterrado en la tierra.
광력(光力) 【물리】 brillantez *f*, [촉광] bujía *f*.
■ ~계(計) actinógrafo *m*.
광로(光路) 【물리】 =광행로(光行路).
광림(光臨) su estimada visita.
광막하다(廣漠−) (ser) vasto, amplio, espacioso, muy grande. 광막함 vastedad *f*. 광막한 평원(平原) llanura *f* que se extiende hasta perderse de vista.
광망(光芒) =빛(luz).
광망막염(光網膜炎) fotoretinitis *f*.
광망하다(狂妄−) (ser) infinitamente vasto.
광맥(鑛脈) yacimiento *m*, vena *f*, filón *m*. ~을 찾아내다 descubrir un yacimiento (mineral).
광면하다(廣面−) tener muchos conocidos.
광명(光名) nombre *m* brillante, gran honor *m*.
광명(光明) [빛] luz *f* (*pl* luces); [희망(希望)] esperanza *f*. 전도(前途)에 ~을 보이다 encontrar una luz de esperanza en el futuro.
■ ~ 정대(正大) justicia *f*, imparcialidad *f*. ¶~하다 (ser) justo, imparcial. ~주(珠) bola *f* brillante.
광명두 [나무로 만든 등잔걸이] portalámparas *m* de madera.
광목(廣木) tela *f* [paño *m*] blanca de algodón.
광무(鑛務) minería *f*, mineraje *m*.
광물(鑛物) mineral *m*, substancias *fpl* minerales. ~의 mineral. ~을 함유(含有)하다 mineralizarse.
■ ~계(界) reino *m* mineral. ~면(綿) lana *f* mineral. ~ 박물관 museo *m* mineralógico. ~ 비료(肥料) 【화학】 =광물질 비료. ~성(性) lo mineral. ~의 mineral. ~성 기름 aceite *m* mineral. ~성 색소(性色素) pigmento *m* mineral. ~성 섬유(性纖維) fibra *f* mineral. ~성 수지(性樹脂) resina *f* mineral. ~성 염료(性染料) tintura *f* mineral. ~ 시험(試驗) examen *m* mineralógico. ~유(油) aceite *m* mineral. ~ 자원 recursos *mpl* minerales. ~질(質) substancia *f* mineral. ~질 결핍(質缺乏) hipomineralización *f*. ~질 비료(質肥料) fertilizante *m* mineral. ~질 소실(質消失) demineralización *f*. ~ 채취(採取) extracción *f* de los minerales. ~학(學) mineralogía *f*. ¶~의 mineralógico. ~ 학자 mineralogista *mf*. ~화(化) mineralización *f*. ¶~하다 mineralizar. ~되다 mineralizarse.
광미(鑛尾) =복대기.
광배(光背) ((불교)) halo *m*, nimbo *m*.
광범(廣範) =광범위.
광범위(廣範圍) amplitud *f*. ~하다 (ser) muy amplio, extenso, vasto, inmenso. ~한 지식(知識) conocimiento *m* vasto [amplio y variado]. ~한 행동 반경(行動半徑) radio *m* de acción muy amplio. 정계에 ~한 영향력을 가지고 있다 tener una gran influencia en los círculos políticos.
광병(狂病) =미친병.
광보(匡輔) =광필(匡弼).

광복(光復) ① [빛나게 회복함] rehabilitación *f*, recuperación *f* brillante. ~하다 recuperar brillantemente. ② [잃었던 나라와 권력을 되찾음] restauración *f* de independencia. ~하다 recuperar [restaurar · recobrar] *su* independencia.
■ ~군(軍) el Ejército de Independencia, el Ejército de Liberación. ~절(節) el Día de Independencia (Nacional).
광부(狂夫) hombre *m* loco.
광부(曠夫) ① =홀아비(viudo). ② [아내에게 불충실한 남편] esposo *m* infiel a *su* esposa.
광부(鑛夫) ((구칭)) =광원(鑛員)(minero).
■ ~병(病) enfermedad *f* del minero.
광분(狂奔) ① [미친 듯이 뛰어다님] el recurrir como loco. ~하다 matarse (por · a), afanarse (en · por), hacer esfuerzos desesperados (por · para), recurrir como un loco. 돈마련에 ~하다 recurrir a todos los medios para reunir el dinero. ② [미친 듯이 날뜀] el corretear como un loco. ~하다 andar dando vueltas como un loco; [말 따위가] hacer salir en estampida [desbandada]. ③ [미친 듯이 달아남] huida *f* como un loco. ~하다 huir [escaparse · fugarse] locamente.
광분해(光分解) 【물리】 fotolisis *f*.
■ ~성(性) lo fotolítico. ~의 fotolítico.
광사(狂死) muerte *f* de locura. ~하다 morir de locura.
광사(誑詐) engaño *m* con la mentira. ~하다 engañar con la mentira.
광사(鑛舍) depósito *m* provisional del carbón.
광산(鑛山) mina *f*. ~의 minero.
◆ 우라늄 ~ mina *f* de uranio.
■ ~ 공학(工學) ingeniería *f* minera. ~ 궤도(軌道) vía *f* férrea de minas. ~ 기계(機械) maquinaria *f* de minas. ~ 기사(技師) ingeniero *m* de minas. ~ 노동(勞動) labor *f* [laboreo *m*] de minas. ~ 노동자(勞動者) obrero *m* minero, obrera *f* minera. ~등(燈) lámpara *f* de minero. ~병(病) enfermedad *f* ocasionada por la labor en la mina. ~ 사무소(事務所) oficina *f* de mina. ~왕(王) magnate *mf* de mina, potentado, -da *mf* de mina. ~ 전문 학교 escuela *f* de ingenieros de minas. ~ 지방(地方) distrito *m* minero. ~ 채굴권 concesión *f* de mina, derechos *mpl* de mina. ~촌(村) villa *f* de mineros. ~ 측량(測量) levantamiento *m* de plano de mina. ~학(學) estudio *m* de minería. ~학과(學科) departamento *m* de minería. ~ 회사(會社) compañía *f* minera.
광산(鑛產) productos *mpl* minerales.
■ ~가(家) minero, -ra *mf*. ~물 producto *m* mineral. ~세(稅) =광세(鑛稅). ~업(業) industria *f* mineral. ~ 업자(業者) minero, -ra *mf*. ~ 자원 recursos *mpl* minerales.
광산(鑛酸) 【화학】 =무기산(無機酸).
광상(匡牀) =침상(寢牀)
광상(鑛床) yacimiento *m*. 우라늄을 함유한 ~ yacimiento *m* que contiene uranio.
광상곡(狂想曲) rapsodia *f*.
광색(光色) =광채(光彩).
광석(鑛石) 【광물】 mena *f*, mineral *m* (metalífero); [라디오의] cristal *m*.
■ ~ 검파(檢波) 【물리】 detección *f* cristal. ~ 검파기 【물리】 detector *m* cristal. ~ 검파 수신기(檢波受信機) receptor *m* cristal. ~ 라디오 【물리】 =광석 수신기. ~법(法) tratamiento *m* del mineral. ~ 수신기(受信機) 【물리】 receptor *m* cristal. ~ 운반차(運搬車) vagoneta *f* de mina. ~차(車) = 광차(鑛車). ~체 criba *f*, tromel *m*, criba *f* giratoria. ~화(化) mineralización *f*. ~하다 mineralizarse. ~시키다 mineralizar.
광선(光線) luz *f*, rayo *m*. ~의 굴절력 측정(測定) dioptoscopia *f*. ~의 반사(反射) reflejo *m* de la luz. ~이 잘 드는 방 habitación *f* soleada. ~의 반사로 그의 얼굴이 잘 보이지 않는다 Debido a los reflejos de la luz no se le ve bien la cara.
■ ~ 과민(過敏) hiperestesia *f* óptica. ~ 과민증 galeropia *f*. ~광(狂) fotomania *f*. ~ 굴절 렌즈 lentes *mpl* dióptricos. ~ 무기(武器) arma *f* de rayos infrarrojos. ~ 민감증(敏感症) fotestesis *f*. ~병(病) fotopatía *f*. ~ 분석(分析) análisis *m* de espectro. ~ 생물학 fotobiología *f*. ~성 피부증(性皮膚症) ftodermatosis *f*. ~속(束) 【물리】 haz *f* de rayo de luz. ~ 안병(眼病) fotooftalmía *f*. ~ 알레르기 fotoalergía *f*. ~ 여과기 filtro *m* de luz. ~ 요법 【의학】 fototerapia *f*. ~ 운동(運動) fotoquinesis *f*. ~ 응고법(凝固法) fotocoagulación *f*. ~ 전음기(電音器) fotófono *m*. ~ 전화기(電話器) teléfono *m* óptico, fotófono *m*, radiófono *m*, radioteléfono *m*. ~ 청진기 fotostetoscopio *m*. ~ 투과 역학(透過力學) penetrología *f*. ~ 피부염 fotodermatitis *f*, actinodermatitis *f*. ~학 fotología *f*. ~ 형태 fotomorfismo *m*.
광섬유(光纖維) fibra *f* óptica.
■ ~ 레이저 láser *m* de fibra óptica. ~ 연결(連結) enlace *m* de fibra óptica. ~ 케이블 cable *m* de fibra óptica. ~ 통신(通信) comunicación *f* de fibra óptica.
광세하다(曠世-) (ser) raro, extraordinario.
광소(光素) 【물리】 =광입자(光粒子).
광속(光束) ① =광선속(光線束). ② [어떤 면을 단위 시간에 통과하는 빛. 또, 그 밖의 방사선 에너지 (단위는 루멘(lumen))] flujo *m* luminoso.
광속(光速) 【물리】 ((준말)) =광속도(光速度).
■ ~ 발산도(發散度) emitancia *f* luminosa.
광속계(光束計) lumenímetro *m*, fotómetro *m* de integración.
광속도(光速度) 【물리】 velocidad *f* de luz.
광수(鑛水) el agua *f* mineral.
◆ 천연(天然) ~ el agua *f* mineral natural.
광시(狂詩) parodía *f*.
■ ~곡(曲) 【음악】 rapsodia *f*.
광신(狂信) fanatismo *m* religioso. ~하다 creer fanáticamente.
■ ~도(徒) creyente *m* fanático, creyente *f* fanática. ~자(者) fanático, -ca *mf*. ~적

(的) fanático, santurrón. ¶~으로 fanáticamente.
광심(光心) 【물리】 centro *m* óptico.
광야(廣野) campo *m* extenso. 눈 덮인 ~ campo *m* extenso cubierto de la nieve.
광야(曠野) ① [아득하게 너른 벌판] llano *m*, llanura *f*, pradera *f*, páramo *m*. ② =황야(荒野).
광약(狂藥) ① [미치게 하는 약] medicina *f* que hace volverse loco. ② =술(vino, licor, bebida).
광양자(光陽子) 【물리】 fotón *m*.
■~테 anillo *m* de fotón. ~테 레이저 láser *m* de anillo de fotón.
광어(廣魚) 【어류】 =넙치.
■~눈이 =넙치눈이.
광언(狂言) =광담(狂談).
■~ 망설(妄說) tonterías *fpl* absurdas.
광업(鑛業) industria *f* minera, industria *f* mineral, minería *f*. ~의 minero, mineral.
◆국립(國立) ~ 연구소(硏究所) el Instituto Nacional de Investigación de Minas.
■~가(家) minero, -ra *mf*. ~계 minería *f*. ~권(權) derecho *m* minero. ~ 금융(金融) financiación *f* minera. ~ 기계(機械) maquinaria *f* minera. ~ 기사(技師) minero, -ra *mf* de minas. ~ 노동자 minero, -ra *mf*; trabajador, -dora *mf* de minas. ~ 노동 조합(勞動組合) unión *f* de mineros. ~법(法) ley *f* de minería. ~부(簿) registro *m* de mineros. ~세(稅) impuesto *m* minero. ~소(所) oficina *f* minera. ~ 식민지(植民地) colonia *f* minera. ~ 원부(原簿) libro *m* mayor minero. ~자(者) minero, -ra *mf*. ~ 재단(財團) fundación *f* de minas. ~ 저당(抵當) hipoteca *f* minera. ~ 저당법(抵當法) ley *f* de hipoteca minera. ~적 임업(的林業) silvicultura *f* minera. ~주(株) valores *mpl* mineros. ~지(地) centro *m* minero. ~ 출원(出願) solicitud *f* minera. ~회사(會社) compañía *f* minera, sociedad *f* de minas.
광역(廣域) el área *f* (*pl* las áreas) ancha.
■~ 경제 economía *f* de esfera grande. ~시(市) megalópolis *f*. ¶광주 ~ la Megalópolis de *Gwangchu*. ~ 횡단 보도(橫斷步道) [(도로의) 교통 안전 지대] isla *f* de peatones, isla *f* peatonal.
광열(光熱) luz y calor.
■~비(費) gastos *mpl* de luz y gas.
광엽(廣葉) hoja *f* ancha (y grande).
광영(光榮) =영광(榮光)(honor, gloria).
광예(光譽) honor *m* brillante.
광요(光耀) ① =광채. ② [빛남] brillantez *f*.
광원(光源) fuente *f* luminosa, origen *m* de la luz.
광원(曠原) =광야(曠野).
광원(鑛員) minero, -ra *mf*.
광원하다(廣遠−) (ser) extenso y lejano.
광유(鑛油) ((준말)) =광물유(鑛物油).
광음(光陰) ① =세월. ¶~은 화살 같다 El tiempo corre [pasa] como una flecha / El tiempo vuela. ~은 사람을 기다리지 않는다 Tiempo ni hora no se ata con soga / Hay ciertas cosas que no admiten espera. ② =때[1].
■~여류(如流) El tiempo corre como una flecha / El tiempo vuela.
광음(狂飮) acción *f* de beber vino como un loco. ~하다 beber vino como un loco.
광음극(光陰極) fotocátodo *m*.
광의(廣義) sentido *m* amplio, sentido *m* alto. ~로(는) en sentido amplio. ~로 해석하다 interpretar en un sentido amplio.
광인(狂人) loco, loca *mf*; lunático, -ca *mf*.
광일(曠日) acción *f* de matar el tiempo.
■~미구(彌久) acción *f* de matar el tiempo y de quedarse mucho tiempo.
광입자(光粒子) 【물리】 =광소(光素).
광자(光子) 【물리】 =광양자(光量子).
◆적외선(赤外線) ~ fotón *m* infrarrojo.
■~ 로켓 cohete *m* de fotón.
광자(狂者) =광인(狂人).
광장(廣場) plaza *f*; [소광장] plazuela *f*, plazoleta *f*; [도로·교차점의] glorieta *f*. 5월의 ~ [아르헨띠나 공화국 부에노스아이레스의] la Plaza de Mayo.
◆역전(驛前) ~ plaza *f* de estación.
■~ 공포증 agorafobia *f*, agorofobia *f*. ¶~에 걸린 agoráfobo. ~ 공포증 환자 agoráfobo, -ba *mf*.
광장하다(廣壯−) (ser) ancho y magnífico.
광재(鑛滓) escoria *f*.
광적(狂的) lunático, loco, demente, chiflado; [광신적인] fanático. ~으로 como un loco, locamente, lunáticamente, dementemente; fanáticamente. ~인 신앙(信仰) devoción *f* fanática. ~인 행위(行爲) acto *m* demente. 그녀는 ~으로 질투한다 Ella está loca de celos.
광전관(光電管) 【물리】 célula *f* fotoeléctrica.
광전류(光電流) corriente *f* fotoeléctrica.
광전 방사(光電放射) fotoemisión *f*.
광전자(光電子) 【물리】 fotoelectrón *m*.
광전지(光電池) célula *f* fotovoltaica, célula *f* fotoeléctrica, fotocelda *f*, fotocélula *f*.
광전 효과(光電效果) efecto *m* fotoeléctrico.
광점(光點) ① [빛을 발하는 점] punto *m* luminoso, punto *m* radiante. ② ((구칭)) =백반(白斑).
광점(鑛店) =광갱(鑛坑).
광정(匡正) reforma *f*, corrección *f*. ~하다 reformar, corregir.
광주(鑛主) minero, -ra *mf*; propietario, -ria *mf* de mina.
광주리 canasta *f*, cesto *m*, cesta *f*; [등에 지는] capacho *m*, capazo *m*; [집합적] cestería *f*. 한 ~(의 분량) una cestada. 과일 두 ~ dos cestadas de frutas.
■~ 장수 canastero, -ra *mf*; cestero, -ra *mf*. ~ 제조자 canastero, -ra *mf*; cestero, -ra *mf*.
광주 민주화 운동(光州民主化運動) el Movimiento de Democratización [*Arg* Institucionalización] de Gwangju.
광주 학생 항일 운동(光州學生抗日運動) el

Movimiento Antijaponés de Estudiantes de Gwangju.

광중(壙中) hueco *m* de la tumba.

광증(狂症) demencia *f*, locura *f*, insensatez *f*.

광지(壙誌) =묘지(墓誌).

광질(狂疾) =광증(狂症). 정신병(精神病).

광차(鑛車) vagoneta *f*.

광찰(光察) 【역사】 gobernador *m* de *Jeollanamdo*.

광채(光彩) ① [찬란한 빛] lustre *m*, brillantez *f*, brillo *m*, resplandor *m*. ~를 발하다 sobresalir (en), brillar (en), resplandecer. 태양의 ~ brillo *m* del sol. 황금(黃金)의 ~ brillo *m* del oro. ~가 찬연하다 ser brillante. 그의 눈은 ~를 잃었다 Sus ojos han dejado de brillar / Sus ojos han perdido el brillo. ② [빛의 무늬] figura *f* de la luz.

광천(鑛泉) manantial *m* (de agua mineral); [온천] termas *fpl*, balneario *m*; [광수] el agua *f* mineral.
■~ 목욕탕 baño *m* de agua mineral, balneario *m*. ~ 요법 balneoterapia *f*. ~장(場) balneario *m*.

광체(光體) 【물리】 cuerpo *m* luminoso, lumbrera *f*.

광축(光軸) 【물리】 eje *m* óptico.
■~각(角) 【물리】 ángulo *m* óptico.

광취(狂醉) emborrachamiento *m*, embriaguez *f*.

광층(鑛層) capa *f* mineral.

광치(狂癡/狂痴) ① [미치고 어리석음] la locura y la estupidez. ② [미친 사람과 바보] el loco y el bobo.

광치다(光-) ① [광내다] relumbrar, relucir, brillar, emitir destellos. ② [사실보다 크게 떠벌려 자랑하다] alardear, jactarse, enorgullecerse, vanagloriarse (de). 그것은 광칠 만한 것이 아니다 No es como para enorgullecerse [vanagloriarse].

광컴퓨터(光 computer) 【컴퓨터】 ordenador *m* óptico, *AmL* computador *m* óptico, *AmL* computadora *f* óptica, *AmL* calculadora *f* óptica electrónica.

광케이블(光cable) ((준말)) =광섬유 케이블.

광탄(光彈) bengala *f*, baliza *f*.

광탑(光塔) =등대(燈臺).

광태(狂態) extravagancia *f*, manera *f* escandalosa, proceder *m* ignominioso, escándalo *m*, conducta *f* loca. ~를 부리다 hacer extravagancia, portarse de una manera escandalosa, quedar en ridículo.

광택(光澤) lustre *m*, brillo *m*, ersura *f*, aguas *fpl*; [천이나 돌의] viso *m*. ~이 나는 lustroso, brillante, pulimentado, terso, reluciente, glaseado, pulido, satinado, vítreo. ~이 없는 deslustroso, deslucido, mate, sin lustre, sin brillo, apagado. ~이 나게 lustrosamente, brillantemente, lucientemente. ~이 있는 머리털 cabello *m* lustroso. ~이 있다 tener lustre y tersura. ~을 내다 dar lustre, sacar lustre, sacar brillo, dar brillo, lustrar, pulir, bruñir, pulimentar, satinar, glasear, vidriar, dar tersura y lustre. ~을 잃다 perder el lustre, deslustrarse. ~을 죽이다[없애다] [유리·금속의] deslustrar; [사진 따위의] poner gris. ~이 나다 ponerse lustroso. 가구에 ~을 내다 dar lustre a un mueble.
■~계(計) lustrómetro *m*, brillancímetro *m*. ~도 시험(度試驗) prueba *f* de brillo. ~면(面) superficie *f* brillante. ~ 사진(寫眞) fotografía *f* glaseada. ~지(紙) papel *m* satinado, papel m glaseado.

광통신(光通信) comunicaciones *fpl* ópticas.

광파(光波) onda *f* luminosa, onda *f* de luz.
■~ 로켓 =광자 로켓.

광파이버(光 fiber) =광섬유(光纖維).

광포하다(狂暴-) (ser) furioso, atroz, frenético. 광포하게 con furia, furiosamente, frenéticamente, con atrocidad, atrozmente.

광폭(廣幅) ① [까닭없이 남의 일에 간섭함] intromisión *f*, injerencia *f*, interferencia *f*. ~하다 entrometerse, meterse, inmiscuirse, interferir. ② [넓은 폭] doble ancho *m*.

광풍(狂風) borrasca *f*, tempestad *f*, tormenta *f*, [사이클론] ciclón *m* (*pl* ciclones); [허리케인] huracán *m* (*pl* huracanes); [태풍] tifón *m* (*pl* tifones). ~의 밤 noche *f* de tempestad. ~이 불다 hacer borrasca.

광하(廣廈) casa *f* extensa y grande, palacio *m*, mansión *f*.

광학(光學) 【물리】 óptica *f*. ~의 óptico.
■~ 공업(工業) industria *f* óptica. ~ 공장 taller *m* óptico. ~ 기계(機械) aparatos *mpl* [instrumentos *mpl*] ópticos. ~ 기계상(機械商) óptico, -ca *mf*. ~ 망원경(望遠鏡) telescopio *m* óptico. ~ 무기[병기] el arma *f* (*pl* las armas) óptica. ~ 문자 판독 conocimiento *m* óptico de caracteres. ~(식) 문자 판독기 lectora *f* óptica de caracteres. ~ 유리(琉璃) 【화학】 vidrio *m* óptico. ~ 이성(異性) isomería *f* óptica. ~적 기록(的記錄) grabación *f* óptica, registro *m* fotográfico. ~적 이중성(的二重星) 【천문】 =복성(複星). ~적 주사(的走査) lectura *f* óptica, escansión *f* óptica. ~ 제품(製品) artículo *m* óptico, artículo *m* de óptica. ~ 주사기(走査機) lector *m* óptico, lectora *f* óptica, explorador *m* óptico, rastreador *m* óptico, rastreador *m* visual. ~ 천문학 astronomía *f* óptica. ~ 활성(活性) actividad *f* óptica.

광학(鑛學) ((준말)) =광물학(鑛物學).

광한(狂漢) hombre *m* loco, lunático *m*.

광합성(光合成) fotosíntesis *f*.

광행차(光行差) 【천문】 aberración *f*.
◆연주(年週) ~ aberración *f* anual. 유성(流星) ~ aberración *f* planetaria. 일주(日週) ~ aberración *f* diaria.

광혈(壙穴) hueco *m* de tumba.

광혈(鑛穴) =광맥(鑛脈).

광화학(光化學) 【물리·화학】 fotoquímica *f*. ~의 fotoquímico.
■~ 반응(反應) 【화학】 reacción *f* fotoquímica. ~ 스모그 neblumo *m* fotoquímico.

광환(光環) ＝광관(光冠).
광활하다(廣闊－) (ser) espacioso, extenso. 광활하게 espaciosamente, extensamente. 광활한 영토(領土) territorio *m* extenso.
광휘(光輝) brillantez *f*, brillo *m*, esplendor *m*, gloria *f*. ～ 있는 brillante, explendente, glorioso y brillante. ～ 있는 5천년의 역사 historia *f* gloriosa de cinco mil años.
광희(狂喜) alegría *f*, extremo júbilo *m*, extremo éxtasis *m*. ～하다 estar loco de alegría, regocijarse extremadamente, arrebatarse de alegría. ～하여 loco [transportado] de alegría. ～하여 펄쩍펄쩍 뛰다 saltar locamente de alegría.
괘(卦) ① [중국 고대의 복희씨가 만들었다는 글자] trigrama *m*. ② ＝점괘(占卦).
괘경(掛鏡) espejo *m* colgante.
괘괘떼다 rehusar rotundamente, rehusar de plano.
괘괘이떼다 ＝괘괘떼다.
괘그르다(卦－) tener mala suerte.
괘꽝스럽다 (ser) muy extraño [raro].
괘념(掛念) procupación *f*, aprensión *f*, miedo *m*, recelo *m*, temor *m*. ～하다 preocuparse (de · por), tener caso (de), tener en consideración, tener aprensión (de), tener miedo (de), recelar, temer. ～하지 않고 sin preopar (de · por), sin consideración (para), sin hacer caso (de). 시간에 ～하지 않고 sin tener en consideración el tiempo. 금전에 ～하지 않다 no preocuparse por el dinero. 그녀는 복장에 ～하지 않는다 Ella no se preocupa qué vestidos ponerse. 그는 다른 사람의 비판에 ～하지 않는다 El no hace caso de la crítica de los otros. 이 계획이 실패(失敗)하지나 않을까 ～하고 있다 Temo [Tengo miedo de] que fracase este proyecto.
괘다리적다 ① [사람됨이 멋없고 거칠다] (ser) zaño, grocero, burdo, rudimentario, ordinario, descortés. ② [성미가 무뚝뚝하고 퉁명스럽다] (ser) insociable, poco amable, seco, desaborido. 괘다리적은 대답을 하다 responder secamente. 그는 ～ El es un hombre sin gracia / El es un desaborido.
괘도(掛圖) tabla *f* de pared, carta *f* hidrográfica de pared, diagrama *m* de pared; [지도] mapa *m* de pared.
괘력(掛曆) calendario *m* de pared.
괘면(掛麪) fideos *mpl* secos, tallarines *mpl* secos.
괘불(掛佛) ① ((불교)) [크게 그려 걸게 된 불상(佛像)] estatua *f* grande de Buda colgante. ② ((불교)) [부처를 그린 그림을 높이 걺] el acción *f* de colgar alto el cuadro del Buda.
▪ ～탱(幀) ((불교)) ＝괘불(掛佛)❶.
괘사 broma *f*, travesura *f*, diablura *f*.
◆괘사(를) 떨다 gastar una broma, bufonear(se) mucho, chancearse mucho. 괘사(를) 부리다 gastar una broma, bufonear(se), chancearse.
괘사스럽다 (ser) gracioso, cómico, divertido, bufonesco, burlón (pl burlones).
괘사스레 bufonescamente, burlonamente.
괘서(挂筮) adivinación *f*, adivinanza *f*.
괘선(罫線) pauta *f*, raya *f*, línea *f* (trazada). ～을 긋다 rayar, trazar líneas. ～을 그은 [긋지 않은] 종이 papel *m* rayado [no rayado].
괘씸하다 (ser) insolente, impertinente; indigno, vergonzo; indecente, impudente, imperdonable. 괘씸한 행위(行爲) mala conducta *f*, irregularidad *f*. 괘씸한 일이다 ¡Qué insolencia! / ¡Qué impudencia! / Eso es indigno / Eso es vergonzoso / Eso es un escándalo. 나한테 인사도 없이 괘씸한 녀석이다 ¡Qué poca vergüenza tiene ese tipo! Ni siquiera me saluda. 너는 아주 괘씸한 행동을 했다 Has cometido una irregularidad tremenda.
괘씸히 inselentemente, impertinentemente, indignamente, vergonzosamente, indecentemente, impudentemente, imperdonablemente.
괘의(掛意) ＝괘념(掛念).
괘종(卦鐘) (reloj *m*) despertador *m*.
괘지(罫紙) ＝인찰지(印札紙)(papel rayado).
괜찮다 [별로 나쁘지 아니하다] no ser malo; [무방하다] estar seguro, estar libre de cuidados; [견고하다] estar sólido; [신뢰할 수 있다] ser digno de confianza; [상관없다] no importar, no preocuparse (de), no molestarse (de). 괜찮습니다 [상관없습니다] ¡No importa! / ¡Qué importa! // [안심하십시오] [usted에게] ¡Tranquilícese! / [tú에게] ¡Tranquilízate! // [아무 일도 없다] No pasa nada // [보증합니다] Se lo aseguro. 나 [너 · 그 · 우리 · 너희들· 그들]는 괜찮습니다 No me [te · le · nos · os · les] importa. 그분이라면 ～ [신뢰할 수 있다] Podemos confiar en él / Es un hombre de toda confianza // [위험하지 않다] No hay peligro con él. 이런 집은 태풍이 와도 괜찮을 것이다 Esta casa resistirá de maravilla aunque venga un tifón. 이 의자는 올라가도 괜찮습니까? ¿Se puede estar de pie sobre esta silla sin peligro? 그렇게 무리해도 괜찮을까? ¿Crees que podrás resistir forzándote de esa manera? 이제 ～ [위험이 없다] Ya está libre de peligros. 나는 괜찮으니 먼저 가거라 Sigue adelante y no te preocupes de mí. 창문을 열어도 괜찮을까요? － 괜찮습니다 ¿No le molesta [importa] que abra la ventana? － No, de ninguna manera / No, no me importa. 들어가도 괜찮을까요? ¿Me permite usted pasar? / ¿Se puede (entrar)? 가도 괜찮을까요? ¿Puedo ir? / ¿Me permite usted ir? 괜찮으니 생각하고 있는 것을 말해라 Dime lo que piensas francamente [sin reservas].
괜하다 ((준말)) ＝공연하다. ¶괜한 소리 palabras *fpl* inútil. 괜한 욕 censura *f* infunda 괜히 en vano, inútilmente, infructuosamente, gratuitamente, gratis. ～ 애쓰다 esforzarse en vano.

괭이¹ [땅을 파는 농기구] azada *f*; [큰] azadón *m* (*pl* azadones); [토끼 모양의] zapapico *m*; *Ecuad* lamplón *m* (*pl* lamplones); [곡괭이] pico *m*, piqueta *f*. 큰 ~로 한 번 파기 azadonazo *m*. ~로 때리기 azadonada *f*, azadonazo *m*, golpe *m* dado con azadón. ~로 파다 azadonar, pasar la azada (por), cavar con azadón. ~로 치다 dar un golpe con azadón.
■~질 azadada *f*, azadazo *m*. ¶~하다 azadonar. ~ㅅ날 filo *m* de la azada.
괭이² 【동물】 ((준말)) =고양이.
괭이갈매기 【조류】 meauca *f*.
괭이잠 sueño *m* poco profundo.
괴(魁) =으뜸.
괴걸(怪傑) prodigio *m*, hombre *m* de talento extraordinario.
괴경(塊莖) 【식물】 =덩이줄기.
괴광(怪光) luz *f* (*pl* luces) misteriosa.
괴괴망측하다(怪怪罔測-) (ser) raro, extraño, misterioso, grotesco. 괴괴망측한 일 cosa *f* extraña. 괴괴망측한 풍설 rumor *m* escandaloso.
괴괴하다 (ser) silencioso, quieto, tranquilo, en calma, desierto. 괴괴한 거리 calle *f* tranquila, calle *f* desierta.
괴괴히 silenciosamente, tranquilamente.
괴괴하다(怪怪-) (ser) extraño, misterioso, fantástico.
괴괴히 extrañamente, misteriosamente, fantásticamente.
괴교하다(怪巧-) (ser) extraño e ingenioso.
괴귀(怪鬼) =도깨비.
괴근(塊根) 【식물】 =덩이뿌리.
괴금(塊金) pepita *f* de oro.
괴기 소설(怪奇小說) novela *f* misteriosa, novela *f* escalofriante.
괴기하다(怪奇-) (ser) grotesco, fantástico, misterioso, extraño. 괴기하게 grotescamente, fantásticamente, misteriosamente, extrañamente.
괴까다롭다 ① [문제가] (ser) difícil, peliagudo. ② [성미가] (ser) astuto, taimado.
괴까다로이 difícilmente, peliagudamente; astutamente, taimadamente. 괴까다로운 사람 persona *f* exigente, persona *f* quisquillosa.
괴까닭스럽다 =괴까다롭다.
괴깔 pelusa *f*, lanilla *f*, borra *f*. ~을 세우다 cardar, sacar pelusa (a). ~이 일다 soltar pulusa. 이 천은 ~이 일어난다 Esta tela suelta pelusa.
괴끼 copete *m*, ramillete *m*, manojo *m*.
괴나리 =괴나리봇짐.
괴나리봇짐 fardela *f*.
괴다¹ [우묵한 곳에 액체가 모이다] acumularse, amontonarse, estancarse. 괸 물 el agua muerta. 구덩이에 물이 괴었다 En el hoyo se ha acumulado [estancado] el agua.
괴다² [발효(醱酵)하다] fermentar.
괴다³ ① [밑을 받쳐 안정하게 하다] apoyar. 손으로 턱을 ~ apoyar una mejilla en la mano. 손으로 턱을 괴고 con una mejilla apoyada en la mano. ② [음식 따위를 차곡차곡 쌓아 올리다] amontonar, acumular. 쟁반에 떡을 ~ amontonar el *teok* [el pan coreano] en la bandeja.
괴다⁴ [유난히 귀엽게 사랑하다] mimar, amar, querer, adorar. 그들은 서로를 괴고 있다 Ellos se adoran.
괴담(怪談) cuento *m* de duende, cuento *m* de espectro, cuento *m* de fantasmas, historia *f* horrible, historia f horripilante.
괴당하다(乖當-) no ser justo.
괴대(拐帶) 【법률】 huida *f* con dinero. ~하다 huir con dinero.
괴덕부리다 comportarse [portarse] displicentemente [frívolamente].
괴덕스럽다 (ser) displicente, indiferente, frívolo.
괴덕스레 displicentemente, frívolamente.
괴도(怪盜) ladrón *m* (*pl* ladrones) misterioso.
괴란(壞亂) [풍속의] corrupción *f*, desmoralidad *f*, desmoralización *f*; [질서의] subversión *f*. ~하다 corromper, desmoralizar, viciar. 풍속을 ~하다 corromper [pervertir] (la) moralidad pública, corromper las costumbres.
괴력(怪力) fuerza *f* extraordinaria [enorme · sobrenatural · maravillosa · hercúlea]. ~의 사나이 hombre *m* de una fuerza mararavillosa, hercúles *m*.
괴로움 turbación *f*, confusión *f*, disturbio *m*, aflicción *f*, pena *f*, dolor *m*, lo penoso, congoja *f*, calamidad *f*, pesadumbre *f*, amargura *f*. 이별의 ~ aflicción *f* de la despedida, pesadumbre *f* de la separación. ~을 겪다 ㉮ apurarse, estar [verse] en aprietos [en apuros · en un apuro · en un aprieto], sufrir un contratiempo, tener una expriencia amarga. ㉯ [난처하다] quedar(se) perplejo, estar perplejo, quedar confuso, turbarse, desconcertarse. ㉰ [처치에 궁하다] no saber qué [cómo] hacere, estar en dificultad. 답변에 ~을 겪다 no saber qué contestar. 돈에 ~을 겪다 estar en apuros [en un apuro] de dinero, tener apuros de dinero, pasar apuros, pasar pecuniarios. 나는 어찌할 바를 몰라 ~을 겪었다 Me vi apurado [en un apuro] sin saber qué hacer. 나는 이가 아파 ~을 겪고 있다 Me molesta (el dolor de) la muela. 주민들은 소음으로 ~을 겪고 있다 Los vecinos se quejan por el ruido.
괴로워하다 sufrir (de · con · por), atormentarse (por), verse afligido, hallarse molestado, hallarse vejado. …로 ~ penar de [por] *algo*, inquietarse con [por] *algo*, preocuparse por *algo*, apurarse por *algo*. 아이 때문에 ~ penar por *su* hijo. 사랑으로 ~ penar por [de] amores, padecer de amor, estar enfermo de amor. 두통(頭痛)으로 ~ sufrir [padecer] (de) dolor de cabeza. 방문객 때문에 ~ cansarse de tener visitas. 배고파 ~ pasar hambre, sufrir hambre. 배멀미로 ~ sufrir un mareo. 중세(重稅)로 ~

gemir bajo pesados impuestos. 치통(齒痛)으로 ~ sufrir [padecer] (de) dolor de muelas. 그는 복통으로 괴로워하고 있다 El padece dolores de estómago.

괴롭다 (estar) dolorido, afligido, desconsolado, atormentado, penoso, molesto, oneroso, faigoso, vejatorio, enojoso, fastidioso. 괴로운 문제(問題) cuestión *f* penosa, problema *m* fatigoso. 세상사가 ~ fatigarse de la vida, hastiarse con la vida. 무척 ~ Es muy molesto. 그를 만나는 것은 ~ Me da pena verle a él. 우리가 작별하는 것은 ~ Me destroza [Me parte] el corazón separarnos / ¡Qué pena separarnos! 서반아를 떠나자니 무척 ~ Me cuesta mucho dejar España. 이 일은 실로 괴로웠다 Ha sido muy duro este trabajo / Me ha costado mucho este trabajo.

괴롭히다 molestar, agonizar, afligir, angustiar, fastidiar, importunar, atormentar, torturar, mortificar, hacer sufrir, hacer las narices, apenar, impacientar, meterse (con); [걱정시키다] preocupar, inquietar. 마음을 ~ sufrir (con · de · por), preocuparse (por · de), inquietarse (con · de · en). 국민을 ~ poner al pueblo en un aprieto. 아이들을 ~ maltratar a los niños. 소음이 우리를 괴롭힌다 Nos molesta [fastidia] el ruido. 나를 괴롭히지 마라 No me agonices / No me molestes. 괴롭혀 드려서 죄송합니다 Siento mucho molestarle a usted. 근처에 늘 다른 아이들을 괴롭히는 아이가 있다 En la vecindad hay un niño que siempre se está metiendo con los demás niños.

괴뢰(傀儡) ① [꼭두각시] títere *m*. 군부(軍部)의 ~ un títere de los militares. 수상(首相)은 군부의 ~이다 El primer ministro es un títere en manos del ejército [de los militares]. ② =망석중이. ③ = 허수아비.
▪ ~국(國) país *m* (*pl* países) títere. ~군(軍) ejército *m* títere. ~사(師) titiritero, -ra *mf*. ~ 정권[정부] gobierno *m* títere, régimen *m* (*pl* regímenes) marioneta.

괴리(乖離) disociación *f*, separación *f*, alejamiento *m*. 현실(現實)과 이상(理想)의 ~ disociación *f* de la realidad y el ideal.

괴망(怪妄) excentricidad *f*, extravagancia *f*. ~하다 (ser) excéntrico, extravagante, monstruoso, escandaloso, extraordinario.
괴망스럽다 (ser) excéntrico, extravagante.
괴망스레 excéntricamente, extravagantemente.

괴멸(壞滅) destrucción *f*, demolición *f*, derribo *m*, ruina *f* total; [패배(敗北)] derrota *f*; [전멸] aniquilamiento *m*. ~하다 ser destruido, caer en la ruina, aniquilarse, destruirse, arruinarse. ~시키다 destruir, demoler, derribar, echar abajo, arruinar, convertir ruinas, aniquilar. 지하 조직은 ~되었다 La organización clandestina fue aniquilada [destruida].

괴목(槐木) 【식물】 =회화나무.

괴몽(怪夢) sueño *m* misterioso.

괴문(怪聞) rumor *m* extraño [sorprendente]; [추문] escándalo *m*.

괴문서(怪文書) anónimo *m*, documento *m* mistetioso, documento *m* [folleto *m*] de fuente desconocida.

괴물(怪物) ① [괴상한 물체] monstruo *m*, fenómeno *m*, fantasma *m*, espíritu *m*. ~ 같은 monstruoso. ② [괴상한 사람] hombre *m* monstruo. 정계(政界)의 ~ esfinge *f* política.

괴발개발 con poca fluidez, descuidadamente, con dejadez, de cualquier manera, al azar. ~ 쓰다 escribir con poca fluidez.
◆괴발개발 그리다 escribir con poca fluidez.

괴배다(塊-) 【한방】 tener un tumor en *su* vientre.

괴벽(乖僻) =괴망(怪妄). ¶~한 성질(性質) carácter *m* excéntrico.
괴벽스럽다 (ser) excéntrico, monstruoso, extraordinario.
괴벽스레 excéntricamente.

괴벽(怪癖) hábito *m* misterioso, costumbre *f* misteriosa.

괴변(怪變) accidente *m* extraña.

괴병(怪病) enfermedad *f* misteriosa.

괴불 ((준말)) =괴불주머니.

괴불주머니 bolsa *f* ornamental con cuerda.

괴사(怪事) cosa *f* misteriosa, asunto *m* extraño, asunto *m* inexplicable; [불미스러운 일] evento *m* escandaloso [espantoso · extraño].

괴사(怪死) muerte *f* misteriosa. ~하다 morir misteriosamente.

괴사(壞死) 【의학】 necrosis *f*, gangrena *f*.
▪ ~ 독소(毒素) necrotoxina *f*. ~ 박리(剝離) necrolisis *f*. ~성 근막염 fascititis *f* necrótica. ~성 동맥염(性動脈炎) arteritis *f* necrótica. ~성 소장 결장염(性小腸結腸炎) enterocolitis *f* necrómatica. ~성 용해 necrolisis *f*. ~성 자궁 내막염 endometritis *f* necrótica. ~성 홍반(性紅斑) eritema *m* necrótico. ~ 조직 절제술 necronectomía *f*.

괴상(怪狀) forma *f* misteriosa.

괴상(塊狀) ¶~의 aterronado, macizo.

괴상망측하다(怪常罔測-) (ser) muy extraño.

괴상스럽다(怪常-) (ser) extraño.
괴상스레 extrañamente.

괴상야릇하다(怪常-) (ser) muy raro, extraño. 괴상 야릇한 표정 expresión *f* muy extraño.

괴상하다(怪常-) (ser) extaño, raro, peculiar, curioso, fantástico. 괴상한 소리를 지르다 dar un grito fuera de lugar. 나는 지난밤에 괴상한 꿈을 꾸었다 Yo tuve un sueño muy extraño anoche.
괴상히 extrañamente, raramente, peculiarmente, curiosamente, fantásticamente.

괴석(怪石) piedra *f* de la forma muy extraña.

괴석(塊石) =돌멩이.

괴설(怪說) rumor *m* misterioso.

괴손(壞損) =훼손(毁損).

괴수(怪獸) bestia *f* monstruosa, monstruo *m*.

■～ 영화(映畵) película *f* de monstruos.
괴수(魁首) cabecilla *mf.*
괴심(愧心) corazón *m* vergonzoso.
괴악망측하다(怪惡罔測－) (ser) muy extraño.
괴악스럽다(怪惡－) (ser) extraño y cruel. 괴악스레 extaña y cruelmente.
괴악하다(怪惡－) (ser) extraño y cruel.
괴암(怪岩) roca *f* de la forma muy extraña.
괴어(怪魚) pez *m* de la forma muy extraña.
괴옥(壞屋) casa *f* destruida.
괴운(怪雲) nube *f* muy extraña.
괴위하다(魁偉－) tener la gran cara.
괴이다 [((「괴다3·4」의 피동)) ① [받친 물건에 굄을 당하다] ser apoyado. 한 쪽 다리를 괴인 책상 mesa *f* que se apoya una pata. ② [그릇 위에 괴어 쌓아 올림을 당하다] acumularse, ser acumulado, amontonarse, ser amontonado. 예쁘게 괴인 사과 manzanas *fpl* bien amontonadas. ③ [남에게 귀엽게 굄을 받다] ser mimado.
괴이쩍다(怪異－) (ser) extraño, raro.
괴이찮다(怪異－) no ser extraño, no ser raro, ser natural.
괴이하다(怪異－) (ser) extraño, misterioso, espectral, fantástico, sobrenatunal. 괴이함 misterio *m*, pasmo *m*, milagro *m*. 괴이히 extrañamente, misteriosamente, fantásticamente.
괴저(壞疽) 【의학】 gangrena *f.* ～에 걸리다 gangrenarse, padecer gangrena. ～에 걸린 gangrenado. ～에 걸린 팔다리 miembro *m* gangrenado. ～에 걸린 팔다리를 절단하다 cortar un miembro gangrenado.
■～ 발생(發生) gangrenosis *f.* ～ 발생성 육아종(發生性肉芽腫) granuloma *m* gangrenoso. ～성 구내염 estomatitis *f* gangrenosa. ～성 귀두염 balanitis *f* gangrenosa. ～성 농창(性膿瘡) ectima *f* gangrenosa. ～성 농피증(性膿皮症) piodema *f* gangrenosa. ～성 수두(性水痘) varicela *f* gangrenosa. ～성염(性炎) inflamación *f* gangrenosa. ～성 충수염(性蟲垂炎) apendicitis *f* gangrenosa.
괴조(怪鳥) pájaro *m* de la forma extraña.
괴좆나무 【식물】 ＝구기자나무.
괴질(怪疾) ① [병(病)의 원인을 알 수 없는 괴상한 병] enfermedad *f* misteriosa. ② ((속어)) ＝콜레라.
괴짜(怪－) ((속어)) (hombre *m*) excéntrico *m*, (mujer *f*) excéntrica; extravagante *mf*; persona *f* excéntrica; hombre *m* singular; raro, -ra *mf*, extraño, -ña *mf.* 그는 ～다 El es un hombre raro. 그는 군인으로서는 ～다 El es un militar poco corriente / El no es un militar común / El es una excepción como militar. 그는 ～여서 아무하고도 교제하지 않는다 El es un hombre singular [tiene un carácter raro] y no trata con nadie.
괴철(塊鐵) hierro *m* en lingote.
괴탄(塊炭) carbón *m* en bulto.
괴토(塊土) tierra *f* en bulto.
괴통 agujero *m* del mango.
괴팍하다(乖－) (ser) muy exigente, quisquilloso, particular. 괴팍한 사람 persona *f* muy exigente.
괴하다(怪－) ＝괴이(怪異)하다.
괴한(怪漢) hombre *m* sospechoso, hombre *m* dudoso. ～이 집 주위를 어슬렁거리고 있었다 El hombre sospechoso andaba merodeando por la casa.
괴현상(怪現象) fenómeno *m* extraño.
괴혈병(壞血病) 【의학】 ecorbuto *m.*
■～ 환자(患者) escorbútico, -ca *mf.*
괴형(塊形) forma *f* en bulto.
괴화(怪火) fuego *m* fatuo [misterioso].
괵수(馘首) ＝참수(斬首).
굄[1] ＝총애(寵愛).
굄[2] [물건 밑을 받쳐 괴는 일. 또, 그 괴는 물건] puntal *m*, soporte *m*, apoyo *m*, sostén *m.*
굄돌 piedra *f* de soporte.
굄목(－木) puntal *m* de madera.
굄새 ＝고임새.
굄질 ＝고임질.
굉굉하다(轟轟－) (ser) rugiente, estruendoso. 굉굉함 estruendo *m*, fragor *m*. 굉굉한 폭음 ruido *m* retumbante, ruido *m* estruendoso, estruendo *m*. 굉굉히 울리다 retumbar, tronar; [바다·바람 따위가] rugir, bramar.
굉대하다(宏大－) (ser) muy grande, grandísimo.
굉도(宏圖) gran plan *m* (*pl* grandes planes).
굉렬하다(轟烈－) (ser) muy violento y fuerte.
굉모(宏謀) gran plan *m* (*pl* grandes planes).
굉업(宏業) gran empresa *f.*
굉연하다(轟然－) (ser) estruendoso, estrepitoso, ensordecedor, atronador. 굉연히 con un ruido ensordecedor, con estruendo.
굉원하다(宏遠－) estar considerablemente lejos, ser muy extenso y estar muy lejos.
굉음(轟音) estruendo *m* ruidioso, ruido *m* ensordecedor, estruendo *m*, estrépido *m*; [폭발(爆發)의] estampido *m* muy grande. ～으로 벽이 무너졌다 Con un gran estruendo se derrumbó [se cayó] la pared.
굉장하다(宏壯－) (ser) vasto, grandioso, imponente, grande y espléndido, terrible, horrible, pavoroso, espantoso, extraordinario. 굉장한 사고 accidente *m* horrible. 굉장한 소리 ruido *m* ensordecedor, estruendo *m*. 굉장한 양(量) gran cantidad *f*, enorme cantidad *f.* 굉장한 더위[추위]다 Hace un calor [frío] terrible [horroso·exorbitante]. 그는 굉장한 사람이다 El es una persona extraordinaria. 사람이 굉장하군요! ¡Qué concurrencia! / ¡Hay muchísima gente! / ¡Qué de gente! 1억 원은 굉장한 금액이다 Cien millones de wones es una cantidad respetable. 대학교의 입학 시험에 합격했다니 그녀는 ～ Es notable que ella haya tenido éxito [haya salido bien] en el examen de ingreso de la universidad.

굉장히 muy, muchísimo, sumamente, extremadamente, tremendamente, fabulosamente, terriblemente, horriblemente, espantosamente, extraordinariamente. ～ 어려운 sumamente difícil, extremadamente difícil, dificilísimo, muy difícil. ～ 나쁜 맛 pésimo gusto *m*. 그는 ～ 세다 El es extremadamente [terriblemente] fuerte. 나는 ～ 피곤하다 Estoy agotado [rendido] / Estoy muy cansado. ～ 재미있다 Es tremendamente interesante. 그는 그림을 ～ 잘 그린다 El pinta de maravilla. 이 배는 ～ 빠르다 Este barco es velocísimo. 나는 그것을 ～ 좋아한다 Me gusta eso a rabiar. ～ 대담하시군! ¡Qué audacia! / ¡Qué valor! ～ 낯가죽이 두텁군요! ¡Qué sinvergüenza! / ¡Qué frescura!

굉장하다(宏莊－) (ser) extenso, grande y majestuoso.

굉재(宏才) talento *m* sobresaliente.
■～ 탁식(卓識) gran talento y mucha sabiduria.

굉재(宏材) personalidad *f* sobresaliente.

굉홍하다(宏弘－) (ser) ancho y grande.

굉활하다(宏闊一) (ser) grande y ancho, extenso.
굉활히 grande y anchamente, extensamente.

교(敎) ((준말)) ＝종교(宗敎).

교(驕) ((준말)) ＝교만(驕慢).

교(絞) ((준말)) ＝교형(絞刑).

교가(校歌) himno *m* [canción *f*] de la escuela.

교각(交角)【수학】ángulo *m* de una intersección.

교각(橋脚) pilar *m* (de un puente).

교각살우(矯角殺牛) Tanto adornó el diablo a su hija que le sacó un ojo.

교간(喬幹) tallo *m* del árbol alto.

교감(交感) simpatía *f*, correspondencia *f*. ～하다 simpatizarse (uno a otro). ～하는 simpático.
■～성 안염(性眼炎) oftalmía *f* simpática.

교감(校監) subdirector, -tora *mf* (de una escuela).

교감 신경(交感神經) (nervio *m*) (gran) simpático *m*.
◆부(副)～ nervio *m* parasimpático.
■～ 자극 요법(刺戟療法) simpaticoterapia *f*. ～간(幹) tronco *m* simpático. ～계(系) sistema *m* nervioso simpático. ～ 세포(細胞) neurona *f* ganglonar. ～ 실조(失調) desequilibrio *m* simpático. ～염(炎) simpateneuritis *f*. ～절(節) simpateticalgia *f*. ～절 절제(節切除) gangliosimpatectomía *f*. ～절제술(切除術) simpatectomía *f*. ～종(腫) simpateticoma *m*, simpatoma *m*. ～ 줄기 tronco *m* simpático. ～증(症) simpaticopatía *f*.

교갑(膠匣) cápsula *f*.

교객(嬌客) su yerno, su hijo político.

교거(攪車) ＝씨아.

교거하다(驕倨－) (ser) arrogante, orgulloso.

교계(交界) ＝접경(接境).

교계(交契) ＝교분(交分).

교계(敎界) ＝종교계(宗敎界).

교계(較計) ＝계교(計巧).

교고(巧故) mentira *f* astuta.

교골(交骨)【해부】[여자의 치골(恥骨)] pubis *m*, huesos *mpl* del pubis.

교과(敎科) ① [가르치는 과목] asignatura *f*, materia *f*, disciplina *f*. ② ＝교과목(敎科目).
■～ 과정 currículo *m*, curso *m* de estudios, plan *m* de estudios. ～목(目) sujeto *m*, curso *m* (de estudios). ～서(書) (libro *m* de) texto *m*. ¶검인정 ～ libro *m* de texto autorizado. 국정(國定) ～ libro *m* de texto nacional. 수학 ～ libro *m* de texto de matemáticas.

교관(交款)) ＝교환(交驩).

교관(敎官) instructor, -tora *mf*, maestro, -tra *mf*, profesor, -sora *mf*.

교교백구(皎皎白駒) ① [희고 깨끗한 말] caballo *m* blanco y limpio. ② [성현(聖賢)이 타는 말] caballo *m* para el santo.

교교 월색(皎皎月色) luz *m* de la luna muy clara.

교교하다(姣姣－) tener talento.

교교하다(皎皎－) ① [달이 밝고 밝다] (ser) muy claro y brillante. 교교한 달빛 la luz de la luna muy clara, el brillo claro de luna. ② [희고 깨끗하다] (ser) blanco y limpio.
교교히 brillantemente, claramente, fuertemente, vivamente.

교구(交媾) ＝성교(性交)(relaciones sexuales).

교구(狡寇) ladrón *m* (*pl* ladrones) astuto, ladrona *f* astuta.

교구(校具) instrumentos *mpl* de la escuela.

교구(敎具) instrumentos *mpl* de educación.

교구(敎區) ((종교)) parroquia *f*.
■～민(民) parroquiano, -na *mf*.

교군(轎軍) ① [가마] palanquín *m* (*pl* palanquines). ② ((준말)) ＝교군꾼.
■～꾼 portador, -dora *mf* del palanquín.

교권(敎權) ① [스승으로서의 권위나 권력] autoridad *f* educativa. ～을 확립하다 establecer la autoridad educativa. ② [종교상의 권위] autoridad *f* eclesiástica.

교규(校規) reglamentos *mpl* de una escuela.

교규(敎規) ＝교칙(校則).

교근(咬筋)【해부】músculo *m* masetérico.
■～ 동맥(動脈) arteria *f* masetérica. ～ 신경(神經) nervio *m* masetérico. ～ 정맥(靜脈) vena *f* masetérica.

교기(巧技) talento *m* ingenioso.

교기(校紀) disciplina *f* escolar.

교기(校旗) bandera *f* de la escuela, estandarte *m* escolar.

교기(嬌氣) ＝교태(嬌態).

교기(驕氣) actitud *f* altiva [altinera · orgullosa].
◆교기(를) 부리다 comportarse [portarse] orgullosamente [alivamente · altineramente].

교난(敎難) persecusión *f* eclesiástica, dificul-

tad *f* eclesiástica.
교낭(膠囊) =교갑(膠匣).
교내(校內) interior *m* de la escuela. ~에서 dentro [en el interior] de la escuela, en la escuela.
■ ~ 방송(放送) emisión *f* interescolar. ~ 활동(活動) actividad *f* interescolar.
교녀(嬌女) mujer *f* que coquetea.
교니(膠泥) =모르타르(mortar).
교단(校壇) estrado *m* del campo de recreo.
교단(教團) comunidad *f* religiosa, congregación *f*, orden *f* religiosa. 산 후안 ~ la Orden de San Juan. 프란시스코 ~ la Orden de San Francisco. 헤수스 ~ la Compañía de Jesús.
교단(教壇) plataforma *f*, estrado *m*, tribuna *f*. ~ 생활 30년 experiencia *f* de enseñanza de treinta años ~에 서다 ser [hacerse] un maestro, enseñar (en la escuela). ~에서 물러나다 retirarse de *su* puesto de enseñanza. ~에 선 일이 있으십니까? ¿Tiene usted la experiencia como un maestro?
교당(教堂) [교회] iglesia *f*; [성당] catedral *f*; [절] templo *m* budista.
교대(交代) relevo *m*, substitución *f*, cambio *m*, turno *m*. ~하다 substituir, suceder, turnar. ~로 al turno(s), alternativamente, con alternación, por tandas, en lugar de otro, como un substituto. ~로 일하다 trabajar por turnos. ~로 …하다 encargarse de *algo* [de + *inf*] por turno, turnarse para + *inf*. ~로 자동차를 운전하다 conducir el coche alternativamente, turnarse para conducir el coche. 야간 ~를 하다 hacer el turno de la noche. 주간 ~를 하다 hacer el turno de día. 여섯 시간 ~로 일하다 trabajar por turnos de seis horas. 삼 ~로 일하다 trabajar en tres turnos. A가 B와 ~했다 A ha substituido a B. 나는 그와 ~로 감시했다 El y yo vigilamos por turnos. 나는 첫 ~를 했다 Hago el primer turno. 그는 마지막 ~를 했다 El hizo el último turno.
■ ~ 근무(勤務) trabajo *m* por turnos. ~ 근무자 trabajador, -dora *mf* por turnos. ~ 병(兵) relevo *m*. ~ 시간(時間) turno *m*. ~ 요원(要員) substituidor, -dora *mf*, [집합적] tanda *f*. ~자(者) relevo *mf*. ~ 작용(作用) operación *f* de turnos. ~제 sistema *m* de turnos. ¶삼(三)~ sistema *m* (de trabajo) de tres turnos. ~제 근무 =교대 근무. ~제 근무자 =교대 근무자.
교대(教大) ((준말)) =교육 대학(教育大學).
교도(教徒) =신자(信者)(creyente, fiel).
◆그리스도 ~ cristiano, -na *mf*, [천주교의] católico, -ca *mf*, [개신교의] protestante *mf*. 마호메트[이슬람] ~ mahometano, -na *mf*, musulmán, -mana *mf*. 불(佛)~ budista *mf*.
교도(教導) ① =교유(教諭). ② [학생의 생활 문제를 지도함. 또, 그 특수 교사] instrucción *f* moral; [교사] instructor, -tora *mf* moral; maestro, -tra *mf* de religión; pedagogo, -ga *mf*. ~하다 instruir, enseñar, reformar.
■ ~ 교사(教師) instructor, -tora *mf* moral. ~ 민주주의 democracia *f* orientada.
교도관(矯導官) carcelero, -ra *mf*, celador, -dora *mf*, guardia *mf*, funcionario, -ria *mf* de prisiones.
교도 사목(矯導司牧) ((기독교)) pastor, -tora *mf* de prisiones.
교도소(矯導所) prisión *f*, cárcel *m*. ~에 넣다 encarcelar, meter en la cárcel, reducir a prisión; ((속어)) enchiquerer, enjaular. ~에 들어가다[넣어지다] ser encarcelado, ser enjaulado. ~에 들어가 있다 estar en prisión, estar encarcelado. ~를 나오다 salir de la cárcel. 그는 ~에 들어가 있다 El está preso / El está en la cárcel. 그는 ~에서 석방되었다 El fue puesto en libertad / El fue excarcelado.
■ ~장(長) administrador, -dora *mf* de la cárcel, administrador, -dora *mf* de carceleros; jefe, -fa *mf* de carceleros.
교동(佼童/姣童/嬌童) =미소년(美少年).
교동(狡童) niño *m* astuto, niña *f* astuta.
교동(驕童) niño, -ña *mf* arrogante.
교두보(橋頭堡) cabeza *f* de puente, fortificación *f* a la cabeza de puente, defensa *f* a la entrada de un puente. 유럽 시장에 ~를 구축하다 establecer una cabeza de puente en el mercado europeo.
교란(攪亂) agitación *f*, disturbio *m*; 【군사】 hostigamiento *m*. ~하다 agitar, perturbar, disturbar, poner en desorden, poner en confusión; 【군사】 hostigar. 질서를 ~하다 perturbar el orden. …의 마음을 ~하다 perturbar a *uno*, trastornar a *uno*. 적의 후방(後方)을 ~하다 picar [hostigar] la retaguardia del enemigo. 평화(平和)를 ~하다 perturbar la paz.
■ ~자(者) agitador, -dora *mf*.
교량(橋梁) puente *m*. ~을 놓다 poner un puente.
■ ~ 공사 construcción *f* de un puente.
교련(教鍊) ejercicio *m* [instrucción *f*] (militar). ~하다 hacer la instrucción militar.
■ ~ 교관(教官) instructor, -tora *mf* de la instrucción militar.
교령술(交靈術) espiritismo *m*, espiritualismo *m*.
■ ~사(士) espiritista *mf*.
교령(教令) orden *m* real, mandato *m* real.
교령(教領) ((천도교)) jefe *m* de la religión de *Cheondo*.
교료(校了) Listo para limpiar, fin *m* de la corrección de pruebas, V°B°. ~하다 dar el visto bueno para imprimir.
◆교료(를) 놓다 dar el visto bueno para imprimir.
교룡(交龍) =용틀임.
교룡(蛟龍) ① [전설상의 용의 하나] una especie del dragón tradicional. ② [때를 못 만나 뜻을 이루지 못하는 영웅이나 호걸] héroe *m* que no logró *su* voluntad.

교류(交流) ① 【물리】 corriente *f* alterna, corriente *f* alternativa. ② [문화·사상(思想) 등의 조류가 서로 통함] intercambio *m*. 문화 ~ intercambio *m* cultural. 한서(韓西)간의 문화 ~ intercambio *m* cultural entre Corea y España. ③ [서로 교체됨] intercambio *m*. 인사(人事) ~ intercambio *m* de personal.
■ ~기(機) ((준말)) =교류 발전기. ~ 발전기 alternador *m*, generador *m* de corriente alterna. ~ 변압기 transformador *m* de corriente alterna. ~ 전동기 motor *m* de corriente alterna. ~ 전압(電壓) voltaje *m* de corriente alterna. ~ 전위차계(電位差計) potenciómetro *m*. ~ 회로 circuito *m* de corriente alterna. ~ 회로 차단기 disyuntor *m* de corriente alterna.

교리(教理) doctrina *f*, dogma *m*.
■ ~ 문답(問答) catecismo *m*. ~ 문답서 catecismo *m*. ~서 catecismo *m*. ~ 신학 =교의학(教義學). ~주의 dogmatismo *m*.

교린(交隣) amistad *f* entre los países vecinos.
■ ~ 정책(政策) política *f* de amistad entre los países vecinos. ~지의(之誼) amistad *f* entre los países vecinos.

교마(轎馬) el palanquín y el caballo.

교만(驕慢) arrogancia *f*, orgullo *m*, altanería *f*, altivez *f*, soberbia *f*. ~하다 (ser) arrogante, orgulloso, insolente, soberbio, altivo, altanero. ~한 사람 persona *f* presuntuosa, persona *f* engreída, persona *f* arrogante, persona *f* orgullosa, persona *f* altanera.
교만스럽다 (ser) orgulloso, arrogante, altanero.
교만스레 orgullosamente, arrogantemente, con orgullo, con arrogancia.

교면(嬌面) cara *f* que coquetea.

교명(校名) nombre *m* de la escuela.

교명(教名) ((천주교)) nombre *m* de pila, nombre *m* de bautismo.

교명(嬌名) fama *f* de belleza. ~으로 유명하다 ser famoso por *su* hermosura [*su* belleza]. ~으로 칭찬받다 ser elogiada por *su* hermosura.

교모(校帽) gorra *f* escolar.

교모(教母) madrina *f*.

교목(校牧) pastor, -tora *mf* de la escuela.

교목(喬木) 【식물】 árbol *m* alto, árbol *m* grande.
■ ~대(帶) zona *f* de los árboles altos.

교묘하다(巧妙—) (ser) hábil, mañoso, ingenioso, diestro, esperto, sutil, habilidoso. 교묘함 habilidad *f*, maña *f*, ingenio *m*, sutileza *f*, sutilidad *f*. 교묘한 핑계 [구실] pretexto *m* hábil.
교묘히 bien, hábilmente, con habilidad, mañosamente, ingeniosamente, diestramente. ~ 변명하다 excusarse [disculparse] mañosamente. 질문을 ~ 피하다 eludir con habilidad las preguntas.

교무(教務) asuntos *mpl* escolares, negocios *mpl* escolares.
■ ~과(課) sección *f* de asuntos escolares; [대학의] secretaría *f*. ~실(室) sala *f* de maestros. ~ 주임 jefe, -fa *mf* de asuntos escolares. ~처(處) oficina *f* de asuntos académicos. ~처장(處長) rector, -tora *mf* de asuntos académicos.

교문(校門) puerta *f* [entrada *f*] de la escuela.
◆교문을 나서다 graduarse de la escuela.

교문(教門) [교회의 문] puerta *f* de la iglesia.

교미(交尾) cópula *f*, coito *m*, ayuntamiento *m*; [닭의] pisa *f*. ~하다 copularse, ayuntarse, cruzarse, juntarse, hacer coito, hacer cópula, coitar, pisar una gallina.
■ ~기(期) tiempo *m* de brama, estación *f* de celo.

교미(嬌媚) coquetería *f*, coqueteo *m*.

교미 교취약(矯味矯臭藥) =교정약.

교민(僑民) residente *m* coreano en el extranjero.

교반(攪拌) batimiento *m*, revolvimiento *m*, removimiento *m*. ~하다 batir, revolver, remover.
■ ~기(機/器) batidor *m*.

교방고(教坊鼓) 【악기】 *gyobango*, una especie del tambor.

교배(交拜) saludo *m* (mutuo) nupcial en señal de compromiso de fidelidad matrimonial. ~의 예를 거행하다 saludarse uno a otro en señal de compromiso de fidelidad matrimonial.

교배(交配) 【생리】 mestizaje *m*, cruzamiento *m*, cruce *m*, celo *m*, intersección *f*; 【식물】 hibridación *f*. ~하다 cruzarse, aparearse, acoplarse, copular. ~시키다 cruzar, aparear; 【식물】 hibridar, hibridizar.
■ ~종(種) cruce *m*, *AmL* cruza *f*. ¶~의 cruzado.

교번(交番) alternación *f*, alternancia *f*.
■ ~ 전류(電流) 【물리】 =교류(交流)❶.

교범(教範) método *m* pegagógico, pedagogía *f*, libro *m* de texto; 【군사】 manual *m* de instrucción.
◆기술(技術) ~ manual *m* técnico. 야전(野戰) ~ manual *m* de campaña.

교법(教法) ① ((종교)) doctrina *f* religiosa, religión *f*. ② [가르치는 방법] método *m* pedagógico.

교변(巧辯) palabra *f* ingeniosa.

교병(交兵) =교전(交戰).

교병(驕兵) soldado *m* arrogante después de ganar la batalla.

교보(教報) impreso *m* para informar los asuntos dentro de la escuela y fuera de la escuela.

교복(校服) uniforme m escolar.

교본(校本) ① [교정을 끝낸 책] libro *m* corregido. ② [교열본] libro *m* revisado.

교본(教本) =교과서(教科書)(libro de texto).
◆음악(音樂) ~ manual *m* de música. 피아노 ~ método *m* de piano.

교봉(交鋒) =교전(交戰).

교부(交付/交附) entrega *f*, concesión *f*, traspaso *m*, dación *f*, [증명서의] expedición *f*. ~

하다 entregar, dar conceder, traspasar, facilitar; [증명서를] expedir. 여권(旅券)을 ~하다 expedir un pasaporte.

■ ~ 공채(公債) =강제 공채. ~금(金) =보조금(補助金).

교부(敎父) ① [신부(神父)] padre *m.* ② [대부(代父)] padrino *m.* ③ [초기 기독교회의 신학자] Padres *mpl* de la Iglesia.

■ ~ 철학 【철학】 filosofía *f* patrística. ~학(學) patrística *f.* ¶~의 patrístico.

교부(轎夫) =교군꾼.

교분(交分) amistad *f,* relación *f* amistosa. ~이 두텁다 ser buen amigo (con)

교붕(交朋) ① [여자의 동성애] homosexualidad *f* (entre las mujeres). ② =교우(交友).

교비(校費) gastos *mpl* escolares.

■ ~생(生) estudiante *mf* que estudian con los gastos escolares; becario, -ria *mf.*

교빙(交聘) intercambio *m* de losi enviados entre los países. ~하다 intercambiar a los enviados.

교사(巧詐) astucia *f,* picardía *f.* ~하다 (ser) astuto, zorro, pícaro, pillo. 교사한 사람 persona *f* astuta.

교사스럽다 (ser) astuto, pícaro.

교사스레 astutamente, con astucia, con picardía.

교사(校舍) (edificio *m* de la) escuela *f.*

교사(敎師) maestro, -tra *mf;* [중학교 이상의] profesor, -sora *mf;* [교습소 등의] instructor, -tora *mf.* 서반아어 ~ profesor, -sora *mf* de español. ~가 되다 hacerse maestro [profesor]. 초등학교에서 ~를 하고 있다 trabajar [estar] de maestro en una escuela primaria [en una enseñanza primaria]. ~라는 직업도 쉬운 일은 아니다 No es una tarea fácil el ser maestro. 경험은 가장 좋은 ~이다 La experiencia es la mejor maestra.

◆가정 ~ profesor, -sora *mf* particular. 초등학교 ~ maestro, -tra *mf* (de primera enseñanza).

■ ~ 자격증(資格證) licencia *f* de maestro, certificado *m* de maestro. ~직(職) puesto *m* de profesor, puesto *m* docente, profesorado *m.*

교사(敎唆) instigación *f,* incitación *f* a un crimen. ~하다 instigar, excitar, incitar, *tentar.* …에 ~되어 instigado por *uno,* incitado por *uno,* seducido por *uno,* a instigación de *uno.* 살인을 ~하다 incitar al asesinato. 그녀는 그 소녀를 ~해 물건을 훔치게 했다 Ella indujo a la chica a cometer un robo.

■ ~범(犯) incitación *f;* [사람] incitador, -dora *mf.* ~자(者) instigador, -dora *mf;* incitador, -dora *mf.* ~죄 instigación *f.*

교사(矯詐) =속임. 기만(欺瞞). 허위(虛僞).

교사하다(驕奢-) (ser) arrogante y lujoso.

교사하다(驕肆-) (ser) arrogante y maleducado, altivo y descortés.

교살(絞殺) estangulación *f,* ahorcadura *f,* muerte *f* en la horca. ~하다 estrangular, ahorcar, agarrotar. ~당하다 ser estrangulado.

교상(咬傷) mordedura *f,* mordisco *m,* mordicación *f* dentellada.

교상(膠狀) pegajosidad *f,* glutinosidad *f.*

■ ~질(質) pegajosidad *f.*

교생(敎生) ((준말)) =교육 실습생.

교서(敎書) ① [대통령이 국회나 국민에게 발하는 서면] mensaje *m* del presidente. ② [교황이 발하는 선언] encíclica *f.*

◆일반(一般) ~ mensaje *m* general. 특별(特別) ~ mensaje *m* especial.

교섭(交涉) ① [어떤 일을 이루기 위하여 서로 의논함] negociación *f,* trato *m;* [회담] conferencia *f,* conversación *f.* ~하다 negociar, tratar, conversar. ~에 의해 mediante las negociaciones, por medio de las negociaciones. ~에 들어가다 entrar en negociaciones (con), entrar en tratos (con), empezar las negociaciones (con), entablar las negociaciones (con). ~중(中)이다 estar de [en] negociaciones [en trato] (con). ~으로 분쟁을 해결하다 resolver el conflicto por medio de negociaciones. 평화 조약에 관해 ~하다 negociar acerca del tratado del paz. 서반아와 통상 협정을 ~하다 negociar un tratado de comercio con España. ~이 마무리되었다 Las negociaciones han llegado a un acuerdo [a una conclusión]. 그는 그 회사와 지불 조건을 ~하고 있다 El está negociando [tratando] las condiciones de pago con esa compañía. 그래서 ~은 실패한 것 같다 Así [De esta manera], parece que la negociación va a fracasar. ② [관계를 가짐] conexión *f,* relación *f,* contacto *m.* ~을 가지다 entablar relaciones (con), ponerse en contacto (con). ~을 가지고 있다 tener relaciones (con), tener que ver (con); [연애 관계] estar en relaciones (amorosas) (con). A와 B 사이에 ~이 있다 Hay una relación [una conexión] entre A y B.

◆단체 ~권 derecho *m* de negociaciones colectivas. 직접(直接) ~ negociaciones *fpl* directas.

■ ~ 단체 cuerpo *m* de negociaciones. ~위원(委員) miembro *mf* de una comisión de negociaciones. ~ 위원회 comisión *f* [comité *m*] de negociaciones. ~ 테이블 mesa *f* de negociaciones.

교성(嬌聲) voz *f* hermosa, tono *m* seductivo.

교성곡(交聲曲) 【음악】 =칸타타(cantata).

교세(敎勢) influencia *f* de las sectas religiosas.

교소(巧笑) ① [귀염성 있는 웃음] sonrisa *f* preciosa. ② [아양을 떠는 웃음] sonrisa *f* coquetona.

교소(嬌笑) sonrisa *f* voluptuosa.

교수(巧手) =묘수(妙手).

교수(敎授) ① [학술 기예를 가르침] enseñanza *f,* instrucción *f.* ~하다 enseñar, dar clase. ② [대학에서 급수가 가장 높은 교원] catedrático, -ca *mf;* profesor, -sora *mf;*

[집합적] profesorado *m*. ~에 승진하다 ser promovedo [ascendido] a catedrático.
◆ 개인 ~ profesor, -sora *mf* particular. 객원 ~ profesor, -sora *mf* visitante. 명예 ~ profesor *m* emérito [honorario]. 문학부 ~ catedrático, -ca *mf* de la Facultad de Filosofía y Letras. 부(副)~ profesor *m* asociado, profesora *f* asociada. 비전임(非專任) ~ [강사] profesor *m* no numerario, profesora *f* no numeraria; *AmL* profesor, -sora *mf* de tiempo parcial. 전임 ~ profesor *m* numerario [titular], profesora *f* numeraria [titular], *AmL* profesor, -sora *mf* de tiempo completo. 정~ catedrático, -ca *mf*. 조~ profesor *m* adjunto [agregado], profesora *f* adjunta [agregada].
■ ~ 능력(能力) habilidad *f* de enseñanza. ~단(團) profesorado *m*. ~법(法) didáctica *f*, método *m* didáctico, método *m* de enseñanza. ~ 세목 plan *m* detallado para la instrucción, artículo *m* de enseñanza. ~실(室) sala *f* del profesor. ~안 programa *m* [proyecto *m*] de enseñanza. ~ 요목(要目) plan *m* de estudios. ~ 자료 material *m* didáctico, material *m* pedagógico. ~직(職) profesorado *m*. ~회(의) claustro *m* (de profesores), consejo *m* de profesores, junta *f* de profesores.

교수(絞首) ① =교살(絞殺). ¶~하다 estrangular. ② 【법률】 penalidad *f* de (la) muerte por estrangulación.
■ ~대(臺) horca *f*, patíbulo *m*, garrote *m*. ¶~의 이슬로 사라지다 morir en la horca, terminar *su* vida en la horca. ~형(刑) pena *f* de horca, penalidad *f* de estrangulación, ahorcadura *f*, muerte *f* en horca. ¶~에 처하다 ahoracar, condenar a estrangulación, enviar a la horca. ~형 집행인(刑執行人) verdugo *m*.

교습(教習) enseñanza *f*. ~하다 enseñar.
■ ~소(所) escuela *f* práctica, plantel *m*. ¶ 댄스 ~ escuela *f* de baile. 자동차 ~ autoescuela *f*. 피아노 ~ escuela *f* de piano.

교시(教示) instrucción *f*, enseñanza *f*. ~하다 instruir, enseñar.

교신(交信) ① [통신을 주고받음] comunicación *f*, correspondencia *f*, información *f*. ~하다 comunicar (con), corresponder (con), informar (con). 서로 ~하다 intercambiarse. ~이 끊겼다 Está interrumpida la comunicación. ② =서신 교환(書信交換).
◆ 상호(相互) ~ intercomunicación *f*.

교신(驕臣) vasallo *m* arrogante.

교실(教室) ① [학교에서 수업하는 방] aula *f*, (sala *f* de) clase *f*, salón *m* (*pl* salones) de clase. 요리 ~을 열다 abrir una escuela [una academia] de cocina. ② [대학에서, 전공 과목별 연구실] sala *f* de estudio; [실험실] laboratorio *m*.
◆ 고고학 ~ clase *f* de arqueología; [조직] seminario *m* de arqueología. 병리학(病理學) ~ sala *f* de patología. 콩나물 ~ sala *f* de clase atestada (de gente).

교심(驕心) corazón *m* arrogante.

교아(驕兒) ① [버릇없이 자란 아이] niño *m* malcriado, niña *f* malcriada. ② [교만한 사람] persona *f* arrogante.

교악하다(狡惡-) (ser) astuto y perverso.

교안(教案) =교수안(教授案).

교양(教養) cultura *f*, saber *m*, conocimientos *mpl*, (buena) educación *f*. ~ 있는 culto, educado, instruido. ~ 없는 inculto. ~ 있는 사람 persona *f* culta, hombre *m* educado. ~을 높이다 aumentar [desarrollar] la cultura. ~을 얻다 adquirir la cultura.
■ ~ 과목(科目) asignatura *f* de cultura. ¶ 일반 ~ asignatura *f* de cultura común. ~ 과정 curso *m* de artes culturales. ~ 문제 cuestión *f* de cultura. ~물(物) libros *mpl* para la cultura. ~미(美) belleza *f* por la cultura. ~ 부족 falta *f* de cultura. ~ 서적(書籍) libros *mpl* para la cultura. ~ 소설(小說) novela *f* culta. ~어(語) lenguaje *m* culto. ~인(人) persona *f* culta, hombre *m* educado. ~ 프로그램 programa *m* cultural. ~ 학과 departamento *m* de artes liberales y ciencia. ~ 학부(學部) facultad *f* de artes liberales.

교어(巧語) =교언(巧言).

교어(鮫魚) 【어류】 =상어.

교언(巧言) adulación *f*, lisonja *f*, halago *m*, palabras *fpl* melosas, palabras *fpl* lisonjeras, marrullerías *fpl*, zalamerías *fpl*. ~하다 halagar, adular, lisonjear. ~으로 설득시키다 persuadir con palabras melosas.
■ ~ 영색(令色) lengua *f* zalamera.

교여(轎輿) el palanquín y el coche.

교역(交易) comercio *m*, negocio *m*, tráfico *m*, intercambio *m* comercial; [물물 교환] trueque *m*, permuta *f*. ~하다 comerciar, traficar, tener relaciones comerciales; [물물 교환하다] hacer trueques, cambalachear, cambalachar. 외국(外國)과의 ~ comercio *m* con los países extranjeros. 우리는 세계 각국과 ~하고 있다 Comerciamos [Tenemos relaciones comerciales] con países de todo el mundo.
■ ~ 도시(都市) ciudad *f* comercial. ~ 조건(條件) condiciones *fpl* de comercio.

교역(教役) ((종교)) obras *fpl* religiosas.
■ ~자(者) trabajador *m* religioso, trabajadora *f* religiosa.

교열(校閱) revisión *f*, revista *f*; [신문사의] corrección *f* de pruebas. ~하다 revisar, pasar revista (a); [신문사에서] corregir pruebas. A 씨가 ~한 책 libro *m* revisado por el señor A. 원고(原稿)를 ~하다 revisar el manuscrito.
■ ~본(本) 【인쇄】 =교본(校本). ~부 [신문사의] sección *f* de corrección de pruebas. ~자(者) revisor, -sora *mf*; [신문사의] corrector, -tora *mf* de pruebas.

교열(教閱) la instrucción militar y la revista militar. ~하다 instruir y revistar.

교오하다(驕傲-) (ser) arrogante, altanero, soberbio, altivo, orgulloso.

교오히 arrogantemente, altaneramente, soberbiamente, altivamente, orgullosamente.

교외(郊外) afueras *fpl*, alrededores *mpl*, cercanías *fpl*, suburbio *m*, arrabal *m*, aledaños *mpl*; [신시가지] ensanche *m*. ~의 suburbano, de las afueras, de cercanías, aburguesado. 서울의 ~에 살다 vivir en las afueras [en los alrededores] de Seúl.
■~ 거주자(居住者) habitante *mf* de un barrio residencial de las afueras de una ciudad. ~ 거주지(居住地) zonas *fpl* residenciales de las afueras de una ciudad. ¶ ~의 중심부에(서) en plena zona residencial en las afueras de la ciudad. ~ 산책(散策) paseo *m* por el suburbio, paseo *m* por el arrabal. ~ 생활 vida *f* aburguesada. ~선(線) línea *f* circular que corre alededor de la zona metropolitana. ~선 열차 tren *m* de cercanías, (tren *m*) suburbano *m*. ~ 쇼핑 센터 centro *m* comercial de las afueras. ~ 주택 chalet *m*, chalé *m*. ~ 주택지 barrio *m* residencial de las afueras, *Méj* colonia *f*. ~ 주택 지구 [상점가·상업 지구와 구별하여 도시의] barrios *mpl* periféricos [de las afueras] (de la ciudad).

교외(校外) el área *f* fuera de la escuela. ~의 fuera de la escuela; [대학의] de extensión, externo. ~에 afuera de la escuela.
■~ 교육 enseñanza *f* de extensión. ~생 estudiante *m* externo, estudiante *f* externa. ~ 수업 clase *f* extraacadémica [extracurricular]. ~ 지도 orientación *f* de extensión. ~ 활동 actividad *f* de extensión.

교용(嬌容) figura *f* coqueta.

교우(交友) amistad *f* entre amigos. ~하다 ganarse la amistad (de).
■~ 관계 compañerismo *m*, camaradería *f*, relaciones *fpl* de amistad, relaciones *fpl* amistosas, relaciones *fpl* amigables. ¶…와 ~가 있다 tener relaciones amigables con *uno*. …의 ~를 조사하다 inquirir sobre las relaciones amistosas de *uno*. ~이신(以信) lo que se hace amigo con la creencia.

교우(校友) ① [동창의 벗] compañero, -ra *mf* de clase, compañero, -ra *mf* de estudios, compañero, -ra *mf* de escuela. ② [졸업생] graduado, -da *mf* de la escuela.
■~지(誌) revista *f* de asociación de graduados y estudiantes. ~회 asociación *f* de antiguos alumnos, asociación *f* de graduados colegiales; [모임] reunión *f* de antiguos alumnos. ~회 잡지 =교우지.

교우(教友) compañero, -ra *mf* fiel; [기독교의] compañero *m* cristiano, compañera *f* cristiana; [불교의] compañero, -ra *mf* budista.

교원(郊原) campo *m* fuera de la ciudad.

교원(教員) [초등학교의] maestro, -tra *mf*, [중학교 이상의] profesor, -sora *mf*, [교습소 등의] instructor, -tora *mf*, [집합적] profesorado *m*, cuerpo *m* docente, personal *m* docente.
◆축탁 ~ encargado, -da *mf* del curso.
■~ 검정(檢定) ((준말)) =교원 자격 검정. ~ 연수원(研修院) instituto *m* de cursos de capacitación [de perfeccionamiento] para los maestros. ~ 일동(一同) todos los maestros, todos los profesores. ~ 자격 검정(資格檢定) certificación *f* de capacitación para los maestros. ~ 자격 검정 시험(資格檢定試驗) examen *m* para obtener título de maestro. ~ 자격증(資格證) diploma *m* de maestros, licencia *f* de profesor. ~ 조합(組合) sindicato *m* de maestros.

교원병(膠原病) 【의학】 enfermedad *f* del colágeno.

교원 섬유(膠原纖維) fibra *f* colagenosa.

교원증(膠原症) 【의학】 colagenosis *f*.

교원질(膠原質) colágeno *m*.

교원 질염(膠原膣炎) 【의학】 colagenitis *f*.

교원질 장애(膠原質障碍) afección *f* del colágeno.

교원 효소(膠原酵素) colagenasa *f*.

교월(皎月) luna *f* blanquísima y clarísima.

교위(巧僞) engaño *m* astuto. ~하다 engañar astutamente.

교위(教委) ((준말)) =교육 위원회.

교위(矯僞) engaño *m*. ~하다 engañar.

교유(交遊) compañerismo *m*, amistad *f*, asociación *f*. ~하다 relacionarse (con)

교유(教諭) instrucción *f*, enseñanza *f*. ~하다 instruir, enseñar.

교육(教育) educación *f*, enseñanza *f*, magisterio *m*; [교수] instrucción *f*, [양성(養成)] formación *f* (profesional); [훈련] capacitación *f*, [스포츠의 훈련] entrenamiento *m*; [교양] cultura *f*. ~하다 enseñar, educar, instruir, disciplinar, formar. ~의 docente, de enseñanza, educativo, instructivo, pedagógico. ~을 받은 culto. ~을 받지 못한 indecente, tosco. ~이 있는 bien educado, instruido. ~이 없는 sin instrucción. 고등 ~을 받은 사람 persona *f* que ha recibido una enseñanza superior. ~을 받다 recibir enseñanza, recibir educación. ~에 전념(專念)하다 dedicarse a la enseñanza. 좋은 ~을 받다 recibir una buena enseñanza [educación·formación]. 음악가가 되기 위한 ~을 받다 recibir una formación musical. 자네 아이들은 ~을 잘 받았군 Tus hijos están muy bien educados / Tú tienes bien adiestrados a tus hijos. 그녀는 자녀 ~에 열의를 다하고 있다 Ella pone todo su entusiasmo en la educación de sus hijos. 그는 ~을 못 받은 남자다 El es un hombre sin educación. ~이란 지도(指導)의 완성이다 La educación es el complemento plemento de la instrucción. 전 직원이 ~을 받을 것임 Todo el personal recibirá la capacitación.
◆가정(家庭) ~ educación *f* (de familia). 고등 ~ enseñanza *f* superior. 과학(科學) ~ educación *f* científica. 기술(技術) ~ enseñanza *f* técnica. 대한 ~ 연합회 la Federación Coreana de Asociaciones Educacionales. 산업(産業) ~ enseñanza *f* laboral, enseñanza *f* vocacional. 상호(相互)

~ enseñanza *f* mutua. 성인(成人) ~ enseñanza *f* para los adultos. 음악 ~ educación *f* musical. 의무(義務) ~ [14세까지의] educación *f* general básica. 중등(中等) ~ enseñanza *f* media, segunda enseñanza *f*. 직업(職業) ~ enseñanza *f* profesional. 초등 ~ educación *f* primaria, enseñanza *f* primaria, primera enseñanza *f*. 학교(學校) ~ educación *f* escolar.

■ ~가 pedagogo, -ga *mf*, educador, -dora *mf*. ~감 superintendente *mf* de asuntos educativos. ~ 강령(綱領) principicios *mpl* educativos. ~ 개혁 reforma *f* del sistema educativo. ~계(界) mundo *m* pedagógico, círculos *mpl* pedagógicos. ~ 공무원(公務員) funcionario *m* público [funcionaria *f* pública] de servicio educacional. ~ 공무원법(公務員法) ley *f* de funcionarios públicos de servicio educacional. ~ 공학(工學) tecnología *f* educativa. ~ 공해(公害) contaminación *f* educativa. ~ 과정(課程) programa *m* de estudios, plan *m* de estudios, currículo *m*. ~ 광고 publicidad *f* didáctica, publicidad *f* informativa. ~ 기관(機關) órgano *m* de educación, institución *f* de educación, centro *m* docente. ~ 기구(機構) organización *f* educativa. ~ 기금(基金) fondo *m* de educación. ~ 기본법 ley *f* fundamental de la educación. ~ 단체 cuerpo *m* educativo [educacional]. ~대(隊) tropas *fpl* de capacitación. ~ 대학 escuela *f* normal, facultad *f* normal. ~ 도서(圖書) libros *mpl* para la escuela. ~ 발전(發展) desarrollo *m* educativo. ~ 방법(方法) método *m* de educación, método *m* de enseñanza. ~ 방송(放送) transmisión *f* educativa. ~ 백서(白書) libro *m* blanco sobre educación. ~법[1](法) [교육시키는 방법] enseñanza *f*, método *m* de dar la enseñanza. ~법[2](法) 【법률】 ley *f* de educación. ~ 보험 seguro *m* para gastos de estudios. ~부(部) el Ministerio de Educación. ~부 장관 ministro, -tra *mf* de Educación. ~비(費) gastos *mpl* de educación, gastos *mpl* educacionales, gastos *mpl* para la educación, coste *m* [costo *m*] de educacón. ~비 공제(액) deducción *f* por gastos de educación. ~사(史) historia *f* de la educación. ~ 사업(事業) negocios *mpl* educativos [de educación]. ~ 사회학 sociología *f* pedagógica. ~ 산업(産業) industria *f* de educación. ~ 세(稅) impuestos *mpl* de educación. ~세법 ley *f* de impuestos de educación. ~ 수준(水準) nivel *m* educativo. ~ 시설(施設) establecimiento *m* docente. ~ 시찰(視察) visita *f* de educación, inspección *f* de educación. ~ 시찰단(視察團) cuerpo *m* de inspectores para (observar y estudiar) la educación. ~ 시찰 여행(視察旅行) viaje *m* de inspección [de observación] para la educación. ~ 실습생 profesor, -sora *mf* cursillista. ~ 심리학(心理學) psicología *f* pedagógica. ~ 심의회(審議會) el Consejo de Instrucción Pública, el Consejo de Educación. ~애(愛) amor *m* de los pedagogos a los educados. ~ 연도(年度) año *m* educativo. ~ 연령 edad *f* educativa. ~ 열(熱) pasión *f* sobre la educación. ~ 영화(映畵) película *f* educativa. ~ 예산 presupuesto *m* para la educación. ~ 원리(原理) principios *mpl* de la educación. ~ 위원(委員) miembro *mf* de la comisión de educación. ~ 위원회 comité *m* [comisión *f*] de educación. ~ 인구(人口) población *f* educativa. ~ 인적 자원부(人的資源部) el Ministerio de Educación y Recursos Humanos. ¶~ 장관 ministro, -tra *mf* de Educación y Recursos Humanos. ~ 장관 겸 부총리 ministro *m* de Educación y Recursos Humanos y vicepremier. ~자(者) =교육가(教育家). ~장(長) superintendente *mf* de educación. ~적(的) educativo, instructivo. ¶그것은 ~ 견지에서 바람직하지 못하다 No es deseable desde el punto de vista pedagógico. ~ 전력(前歷) antecedentes *mpl* educativos. ~ 전문가(專門家) educador, -dora *mf*. ~ 정도(程度) nivel *m* de educación. ~ 제도(制度) sistema *m* educativo, sistema *m* de educación, sistema *m* de enseñanza. ~ 지수(指數) índice *m* de educación. ~청(廳) la Dirección de Educación. ~청장(廳長) director, -tora *mf* de Educación. ~ 텔레비전 televisión *f* educativa. ~ 투자 inversión *f* de educación. ~ 평가 evaluación *f* de educación. ~ 프로그램 programa *m* educativo. ~학(學) pedagogía *f*. ¶~의 pedagógico. ~상 pedagógicamente. ~학 박사 doctor, -tora *mf* en pedagogía. ¶~ 학위 doctorado *m* en pedagogía. ~ 학부(學部) facultad *f* de pedagogía. ~ 학사 bachiller, -ra *mf* en pedagogía. ~학 석사 maestro, -tra *mf* en pedagogía. ~ 학자 pedagogo, -ga *mf*. ~ 학적 pedagógico. ¶~으로 pedagógicamente. ~ 학회 asociación *f* [institución *f*] educativa. ~ 한자 caracteres *mpl* chinos para la educación. ~ 행정 administración *f* de instrucción pública. ~ 헌장 carta *f* de educación. ¶국민 ~ la Carta Nacional de Educación. ~ 흥국 prosperidad *f* nacional por la educación.

교의(交椅) ① =의자(椅子). ② [신주를 모시는 의자] silla *f* para la tablilla de un antepasado.

교의(交誼) amistad *f*, relaciones *fpl* amsitosas.

교의(校醫) ((준말)) =학교의(學校醫).

교의(教義) ① [종교의 주지(主旨)] doctrina *f*, dogma *m*, principio *m*. ~의 doctrinal, dogmático. ~상 dogmáticamente. 기독교의 ~ doctrina *f* cristiana. 천주교의 ~ dogma *m* católico. ② [교육의 본지(本旨)] objeto *m* principal de la educación.

■ ~ 내용(內容) contenido *m* doctrinal. ~ 문답 catequismo *m*. ~학(學) dogmática *f*.

교인(教人) creyente *mf*, fiel *mf*, devoto, -ta

mf. 기독교 ~ protestante *mf.* 천주교 ~ católico, -ca *mf.*

교일하다(驕逸－) (ser) arrogante y maleducado.

교자(巧者) persona *f* hábil.

교자(交子) juego *m* de comida en la mesa grande.

■ ~상(床) mesa *f* (de comedor) grande.

교자(嬌姿) ＝교태(嬌態).

교자(轎子) 【역사】 ((준말)) ＝평교자(平交子).

교자불민(驕恣不敏) arrogancia y descortesía.

교자하다(驕恣－) ＝교사(驕肆)하다.

교잡(交雜) ① [서로서로 뒤섞임] confusión *f*, desorden *m.* ~하다 (estar) confundido, hecho un lío, muy embrollado. ② 【생물】 [식물의] cruce *m*; [동물의] hibridación *f.* ~하다 cruzar, hibridar, hibridizar.

교장(巧匠) artesano, -na *mf* hábil.

교장(校長) ((준말)) ＝학교장(學校長).

교장(教場) aula *f*, clase *f*, sala *f* de clase, salón *m* de clase.

교재(教材) material *m* de [para] enseñanza.

■ ~비(費) gastos *mpl* para los materiales de enseñanza.

교적(教籍) ((천주교)) lista *f* del documento humano de los creyentes.

교전(交戰) batalla *f*, combate *m*, lucha *f*; [전쟁(戰爭)] guerra *f.* ~하다 luchar [batallar] (con [contra] un enemigo), entablar una lucha (contra un enemigo); [전쟁하다] hacer (la) guerra (a un país), guerrear (con [contra] un país). ~중인 beligerante, en combate.

■ ~ 구역(區域) zona *f* de guerra. ~국(國) (países *mpl*) beligerantes *mpl*; [집합적] beligerancia *f.* ¶비(非)~ no beligerantes. ~군(軍) fuerzas *fpl* en combate. ~권(權) derecho *m* de beligerencia, derecho *m* de hacer la guerra. ~ 규칙(規則) reglamento *m* [regla *f*·norma *f*] para el combate. ~ 단체 cuerpo *m* beligerante, beligerancia *f.* ¶~로 인정하다 conceder [dar] beligerancia. ~ 법규(法規) regulaciones *fpl* beligerantes. ~ 상태(狀態) estado *m* de guerra, beligerancia *f.* ¶이웃 나라와 ~에 들어가다 entrar en guerra con un país vecino. A 국(國)과 ~에 있다 hallarse en estado de guerra con A. ~자(者) beligerante *mf*; [집합적] beligerancia *f.* ~지(地) campo *m* de batalla. ~ 회피(回避) acción *f* retirada.

교전(教典) libro *m* sagrado, canon *m.*

◆기독교 ~ las (Sagradas) Escrituras, la Santa Biblia. 불교 ~ los escritos sagrados budistas. 회교(回教) ~ la Escritura del Islam, el Corán, el Alcorán.

교점(交點) 【천문】 (punto *m* de) intersección *f.* ~의 nodal.

■ ~월(月) luna *f* nodal.

교접(交接) ① [서로 닿아서 접촉함] contacto *m.* ② ＝성교(性交) ¶~하다 tener relaciones sexuales, coplarse, unirse sexualmente, juntarse sexualmente, coitar. 부부의 ~ relación *f* matrimonial.

■ ~기(器) órganos *mpl* sexuales del animal. ~ 불능(不能) impotencia *f.* ~ 불능자(不能者) impotente *mf.*

교접(膠接) ＝교착(膠着).

교정(交情) amistad *f*, intimidad *f*, relaciones *fpl* amistosas.

교정(校正) corrección *f* de pruebas. ~하다 corregir las pruebas.

◆교정(을) 보다 corregir pruebas.

■ ~ 기호 signo *m* de corrección de pruebas. ~료(料) precio *m* de corrección (de pruebas). ~쇄 ㉮ 【인쇄】 prueba(s) *f(pl)* (de imprenta). ㉯ 【사진】 prueba *f.* ~원 corrector, -tora *mf* (de pruebas); revisor, -sora *mf.* ~지(紙) papel *m* de pruebas de imprenta. ~침(針) ＝지속침(遲速針).

교정(校訂) revisión *f.* ~하다 revisar.

■ ~본(本) libro *m* revisado. ~자 revisor, -sora *mf.* ~판(版) edición *f* crítica, edición *f* revisada.

교정(校庭) campus *m*, patio *m* (de la escuela), jardín *m* (*pl* jardines) (de la escuela); [운동장] patio *m* (de recreo).

교정(教程) ① [가르치는 정도] grado *m.* ② [가르치는 법식] método *m* de enseñanza. ③ ＝교과서. ¶문법(文法) ~ libro *m* de texto de gramática.

교정(矯正) corrección *f*, rectificación *f*, reajuste *m*, reforma *f.* ~하다 corregir, rectificar, rejustar. ~ 할 수 있는 corregible. ~ 할 수 없는 incorregible, sin remedio. 말더듬이를 ~하다 corregir la tartamudez. 발음을 ~하다 corregir (los) defectos de pronunciación. 저 남자는 ~ 불능의 저능한 사람이다 Ese hombre es un imbécil que no tiene remedio.

■ ~법(法) remedio *m*, cura *f.* ~ 시력(視力) vista *f* corregida. ~ 시설 institución *f* correccional, correccional *m(f).* ~약(藥) agente *m* correctivo. ~ 치과 의사(齒科醫師) ortodontista *mf.* ~ 치과학 ortodoncia *f*, ortodontología *f.*

교제(交際) relaciones *fpl*, trato *m*, amistad *f*, asociación *f*, sociedad *f.* ~하다 tener relaciones, tener trato, tener amistad, tratar, relacionarse, codearse, frecuentar, acercarse (a). ~를 좋아하는 sociable, amable, afable. ~를 싫어하는 insociable, poco sociable, poco amable. ~하기 쉬운 accesible. ~하기 어려운 inaccesible, intratable, difícil de tratar. (의리상) ~로 por mantener la compañía, por amistad, por obligación social. ~를 끊다 romper las relaciones [el trato] (con). ~를 맺다 entablar [trabar] relaciones amistosas (con). ~를 청하다 buscar relaciones (con). ~로 술을 마시다 tomar una copa por obligación social. 나쁜 친구와 ~를 피하다 evitar [mantenerse alejado de] las malas compañías. 그는 ~가 넓다 El tiene muchas amistades / El tiene relaciones extensas / El tiene relaciones [amistades] numerosas / El es hombre de mundo. 그는 누구하고도 ~하지

않는다 El no trata con nadie. 그는 어떤 사람과 ~하고 있느냐? ¿Con qué clase de gente se relaciona [se codea]? / ¿Qué clase de gente frecuenta? 그는 사람들과 ~하기를 싫어한다 No le gusta tratar [mezclarse] con la gente. 그런 작자들과는 ~하지 않는 것이 더 좋다 Es mejor no tratar con esos tipos.

■ ~가(家) persona *f* de mundo, persona *f* de trato de gentes. ~법 código *m* social, etiqueta *f*. ~비(費) gastos *mpl* para actividades sociables, gastos *mpl* de relaciones sociables. ~술(術) sociabilidad *f*, tácticas *fpl* sociables. ¶~이 능한 사람 persona *f* muy sociable. ~이 능한 남자[여자] hombre *m* [mujer *f*] muy sociable.

교제(膠劑) agente *m* aglutinoso.

교제(敎弟) ((기독교)) yo.

교조(敎祖) fundador, -dora *mf* de una secta religiosa; patriarca *m*.

교조(敎條) dogma *m*. ~적(的) dogmático.

■ ~주의(主義) dogmatismo *m*. ~주의자(主義者) dogmatista *mf*.

교졸(巧拙) habilidad y tropeza, destreza e inhabilidad.

교졸(校卒)【역사】el oficial y el soldado.

교종(敎宗) ① ((불교)) unificación *f* de varias sectas *fpl* de no zen de budismo. ② ((불교)) secta *f* de no zen de budismo.

■ ~ 본산(本山) ((불교)) templo *m* principal de las sectas de no zen de budismo.

교죄(絞罪) estrangulación *f*, ahorcadura *f*, muerte *f* en horca. ~에 처하다 ahorcar.

교주(校主) propietario, -ria *mf* de una escuela privada.

교주(校注/校註) comentario *m* revisado.

교주(敎主) ① [한 종교 단체의 우두머리] jefe *m* supremo de una religión. ② =교조(敎祖). ③ ((불교)) =석가세존(釋迦世尊).

교주고슬(膠柱鼓瑟) lo ingenuo y lo inflexible.

교준(校準)【인쇄】=교정(校正).

교중(僑中) =객중(客中).

교지(巧知) talento *m* ingenioso, inteligencia *f* ingeniosa.

교지(狡智) inteligencia *f* ingeniosa [mañosa · hábil · astuta], ardid *f*, artificio *m*, astucia *f*, treta *f*, maña *f*. ~하다 (ser) astuto, taimado, maquiavélico.

교지(校地) solar *m* del colegio, solar *m* de la escuela.

교지(校誌) revista *f* publicada por la escuela.

교지(敎旨) ① [종교의 취지] principio *m* de una religión. ② [교육의 취지] principio *m* de la educación.

교지하다(巧遲一) (ser) ingenioso pero lento.

교직(交直)【전기】la corriente alterna y la corriente directa.

교직(交織) (tela *f* de) mezclilla *f*, mezcla *f*.

교직(敎職) ① [학생을 가르치는 직무] posición *f* de maestro, profesorado *m*; [대학의] cátedra *f*. ~에 있다 dedicarse a la enseñanza, ser profesor, desempeñar la profesión de maestro. ~에 들어가다 ingresar en la enseñanza, escoger el profesorado, hacerse profesor, entrar a la profesión de enseñanza. ② [그리스도교에서, 신도의 지도와 교회의 관리를 맡은 직무 ((목사·집사·전도사 따위))] ministerio *m*, orden *f* sacerdotal, clero *m*.

■ ~ 과목(科目) asignatura *f* de formación pedagógica, curso *m* para magisterio. ~과정 curso *m* de formación pedagógica. ~원 personal *m* de la escuela. ~원 일동 todos los profesores y oficiales. ~원 조합 sindicato *m* del profesorado y personal no decente (de un centro de enseñanza). ~원실 aula *f* de profesores. ~원 회의(員會議) reunión *f* de profesores. ~자(者) profesor, -sora *mf*.

교질(交迭) =교체(交替).

교질(膠質) ① [아교 같은 물질의 끈끈한 성질] glutinosidad *f*, pegajosidad *f*. ~의 visciso, pegajoso, glutinoso, gelatinoso. ② [콜로이드] coloide *m*. ~의 coloide.

■ ~물(物) jalea *f*, jaletina *f*, gelatina *f*. ~용액 solución *f* coloide. ~ 화약 pólvora *f* coloide. ~ 화학(化學) química *f* coloide.

교차(交叉) intersección *f*, cruce *m*. ~하다 entrecortarse; [두 개의 물건이] cruzar(se). ~된 cruzado. 국기를 ~하다 entrelazar [cruzar] las banderas nacionales. 이 도로는 국도(國道)[철도]와 ~한다 Este camino se cruza con la carretera nacional [la línea férrea].

■ ~ 광맥(鑛脈)【지질】filón *m* crucero, filón *m* transversal. ~로(路) cruce *m*, intersección *f*, encrucijada *f*, calle *f* traviesa, calle *f* de travesía. ~ 면역【의학】inmunidad *f* paraespecífica colateral o cruzada. ~법【통신】transposición *f*. ~선 líneas *fpl* cruzadas. ~ 수역(水域) zona *f* de aguas cruzada. ~ 승인(承認) reconocimiento *m* cruzado. ~점(點) punto *m* de intersección, empalme *m*, cruce *m* (de calles), encrucijada *f*. ¶~에서 멈추다 parar [detenerse] en el cruce.

교차(較差) distancia *f*. 한란계의 승강 ~ distancia *f* del termómetro.

교착(交錯) alternación *f*, confusión *f*, mezcla *f*. ~하다 cruzarse, entrecruzarse, alternar; [섞이다] confundirse, mezclarse. 꿈과 현실이 ~한다 Se entrecruzan [Se confunden] el sueño y la realidad. 기대와 불안이 ~한 느낌이다 Siento una mezcla de esperanza y temor.

교착(膠着) aglutinación *f*. ~의 aglutinante.

■ ~ 상태(狀態) estado *m* aglutinante. ¶교섭은 ~에 있다 Las negociaciones se hallan estancadas [paralizadas] / Las negociaciones están en un punto muerto. ~어(語)【언어】lengua *f* aglutinante. ~제(劑) aglutinante *m*.

교창(咬創) herida *f* mordida.

교천하다(交淺一) conocer poco.

교체(交替) reemplazo *m*, relevo *m*, cambio *m*, substitución *f*, [극장 따위의] cambio *m* de espectadores al terminar cada sesión; [차량의] maniobras *fpl*. ~하다 cambiar, reemplazar, relevar, substituir, ponerse en lugar (de), ponerse en vez (de), alternar (con); [액체를 다른 그릇에] trasear, trasvasar. A를 B와 ~하다 cambiar [reemplazar·substituir] A por B. 차량을 ~하다 maniobrar, hacer maniobras. 욕조의 물을 ~하다 cambiar el agua de la bañera. 헌 무명 모포를 새것으로 ~하다 substituir la guata vieja por la nueva. 부대의 설탕을 단지에 ~하다 pasar el azúcar de la bolsa al pote. 주전자의 차(茶)를 ~하다 volver a poner el té fresco en la tetera. 손님을 ~하다 [극장 따위의] cambiar a los espectadores. A가 B와 ~한다 A cambia el [su·de] lugar con B / [대신하다] A reemplaza [substituye] a B. 저와 자리를 ~해 주십시오 Cambie usted el [se·de] asiento conmigo, por favor. ~없이 연속 상연함 ((게시)) Sesión continua.

◆선수 ~ cambio *m* de los jugadores. 세대 ~ cambio *m* de las generaciones.

■~ 수석 대표(首席代表) jefe *m* de delegación alternativo.

교체(交遞) ① =교질(交迭). ② [교통과 체신] el tráfico y las comuinicaciones.

교체(橋體) parte *f* principal del puente.

교체위(交遞委) ((준말)) =교통 체신 위원회.

교치(咬齒) rechinamiento *m* de los dientes. ~하다 rechinar los dientes.

교치하다(巧緻―) (ser) primoroso, elaborado, fino, delicado, refinado.

교치하다(驕侈―) =교사(驕奢)하다.

교칙(校則) reglamento *m* de la escuela, reglas *fpl* de la escuela, reglas *fpl* para la enseñanza.

교칙(敎則) ① [교수상(敎授上)의 규칙] regla *f* de enseñanza. ② [종교상의 규칙] regla *f* religiosa.

■~본(本)【음악】método *m*, manual *m*.

교칠(膠漆) ①[아교와 칠] el visco y la laca. ② [교분(交分)이 극히 두터움] amistad *f* muy cercana.

■~지교(之交) relación *f* de amistad muy cercana.

교탁(敎卓) mesa *f* para el maestro, mesa *f* del maestro.

교탑(橋塔) torre *f* en la entrada del puente.

교태(嬌態) coquetería *f*, coqueteo *m*, coquetismo *m*, halago *m*, lisonja *f*, adulación *f*, zalamería *f*, flirteo *m*. ~를 부리는 coqueto. ~를 부리는 여자 coqueta *f*. ~를 부리다 coquetear, lisonjear, adular, halagar, popar, requebrar, hacer zalamerías, enjabonear. 관객에게 ~를 부리다 adular al público.

교태(驕態) atitud *f* arrogante.

교통(交通) ① [오고 가는 일] circulación *f*, tránsito *m*. ~을 정지시키다 interrumpir la circulación. ② [사람의 왕복, 화물의 수송, 기차·자동차 등의 운행하는 일의 총칭] tráfico *m*, tránsito *m*, circulación *f*, transporte *m*, transportación *f*. ~의 de (la) circulación, de(l) tráfico, de(l) tránsito. ~을 차단하다 interceptar [cortar] el tráfico. ~이 아주 편리한 곳에 위치해 있다 estar bien situado para los transportes. ~이 잘 소통되었다 Había poco tráfico. 러시아워 동안 ~이 무척 혼잡하다 Hay mucho tráfico durante las horas punta. ~이 세 시간 동안 차단되었다 La circulación quedó interrumpida durante tres horas. 자동차가 집중되어 ~이 차단되었다 El tráfico se interrumpió por la aglomeración de automóvil. ③ [의사의 통달] comunicación *f*. ~을 편리하게 하다 facilitar comunicaciones.

◆육상(陸上) ~ tráfico *m* terrestre. 해상(海上) ~ tráfico *m* marítimo. 한국 ~ 공사 la Agencia de Turismo de Corea.

■~ 감시관(監視官) [주차 위반 단속 등을 함] guardia *mf* de tráfico, guardia *mf* de tránsito, guardia *m* urbano, persona *f* que controla el estacionamiento de vehículos en los ciudades. ~ 감시자(監視者) =교통 감시관. ~ 경제 economía *f* de tráfico. ~ 경찰(警察) policía *f* de tráfico, policía *f* de tránsito. ~ 경찰관 agente *mf* [policía *mf*] de tráfico [de tránsito]. ~ 관제관(管制官)【항공】controlador, -dora *mf* del tráfico aéreo. ~ 광장(廣場) glorieta *f* de tráfico. ~ 규칙(規則) código *m* [ordenanzas *fpl*·reglamento *m*] de la circulación. ~ 기관 medios *mpl* de comunicación, medios *mpl* de tráfico. ~난(難) congestión *f* de tráfico. ~ 단속원(團束員) =교통 감시관. ~ 도덕(道德) moral *f* de tráfico. ~ 도시 ciudad *f* central de tráfico. ~량(量) (cantidad *f* de) tráficos *mpl*, volumen *m* de la circulación. ¶~이 많은 도로 carretera *f* de mucho tráfico [trásito]. 이 도로는 ~이 증가했다 En esta carretera ha aumentado el tráfico / En esta carretera ha aumentado el volumen de la circulación. 이 주변은 ~이 많다 Hay mucho tránsito [mucha circulación] por aquí. ~로(路) ruta *f* de tráfico. ~ 마비(痲痺) paralización *f* del tráfico. ~망(網) red *f* [vías *fpl*] de comunicación. ~ 방해(妨害) obstrucción *f* de tráfico. ~ 법규(法規) reglamento *m* de la circulación, el Código de la Circulación, código *m* de tráfico. ¶나는 ~를 공부해야 한다 Tengo que estudiar el reglamento de la circulación. ~부(部) el Ministerio de Transportación. ¶~ 장관 ministro, -tra *mf* de Transportación. ~비(費) ㉮ =거마비(車馬費). ㉯ [자동차 따위의 운행 및 수리에 드는 비용] gastos *mpl* de transportación. ~ 사고 accidente *m* de tráfico, accidente *m* de circulación, *AmL* accidente *m* de tránsito. ¶~가 발생하다 producirse un accidente de tráfico. ~를 내다 causar un accidente de tráfico. ~ 사정 situación *f* de circulación. ¶이 도시는 ~이 좋다[나쁘다] La circulación es fácil [difícil] en esta ciudad. ~ 소음 ruido *m* de circulación. ~ 순경(巡警) agente *mf* [policía *mf*] de tráfico [tránsito]. ~ 신호(信號) señal *f* de tráfico, semáforo *m*. ¶~를 무시하고 길을 횡단하다 cruzar la calzada imprudentemente. 그녀는 ~를 무시하고 길을 횡단하다가 벌금을 물었다 La multaron por cruzar la calzada con riesgo de provocar un accidente. ~를 무시하고 길을 횡단하는 사람 peatón *m* imprudente. ~ 신호등(信號燈) semáforo *m*. ~ 안전(安全) seguridad *f* de tráfico. ~ 안전 주간(安全週間) semana *f* de la seguridad de tráfico. ~ 안전 지대 [도로상의] isla *f* de peatones, isla *f* peatonal, isleta *f*, refugio *m*. ~ 안전 표지(安全標識) señal *f* vial, señal *f* de tráfico, señal *f* de tránsito. ~ 위반(違反) infracción *f* de tráfico, infracción *f* de tránsito, contravención *f* a las ordenanzas de la circulación, violación *f* de las ordenanzas de circulación. ¶~을 하다 infringir [violar] el tráfico. ~ 위반자(違反者) infractor, -tora *mf* de tráfico; [남의 앞에 뛰어드는] loco, -ca *mf* del volante; [속력 위반자] infractor, -tora *mf* de los límites de velocidad; [보행의] peatón *m* imprudente. ~ 전쟁(戰爭) guerra *f* de tráfico. ~ 정리 regulación *f* del tránsito, regulación *f* del tráfico, control *m* de la circulación, control *m* de tráfico. ¶~를 하다 ordenar [regularizar] la circulación, regular el tráfico. ~ 정책(政策) política *f* de tráfico. ~ 정체(停滯) embotellamiento *m*, atasco *m*. ~ 조사(調査) investigación *f* de tráfico. ~ 지도 mapa *m* de tráfico. ~ 지리학 geografía *f* de tráfico. ~ 지옥(地獄) congestión *f* de tráfico. ~ 질서(秩序) orden *m* de tráfico. ~ 차단 interrupción *f* de la circulación, prohibición *f* del tráfico, prohibición *f* de comunicaciones, cuarentena *f*. ~ 체신 위원회 el Comisión [el Comité] de Transportación y Comunicaciones. ~ 체증 embotellamiento *m* (de tráfico), atasco *m*. ¶2킬로미터의 ~ embotellamiento *m* [atasco *m*] de dos kilómetros. ~ 통제(統制) control *m* del tráfico. ~ 통제 센터 centro *m* de control de tráfico. ~편(便) comunicaciones *fpl*. ¶이 곳은 ~이 좋다 [나쁘다] Este lugar está bien [mal] comunicado. ~ 표지 ((준말)) =교통 안전 표지. ~ 행정 administración *f* de tráfico. ~ 혼잡(混雜) congestión *f* de tráfico. ¶~을 완화하다 descongestionar el tráfico.

교파(教派) secta *f* religisoa. ~에 속한 사람 sectario, -ria *mf*.
■ ~심(心) sectarismo *m*. ~적(的) sectario, confesional. ~주의 sectarismo *m*.

교편(教鞭) magisterio *m*, enseñanza *f*, instrucción *f*, varilla *f* de maestro. ~을 잡다 ejercer el magisterio, enseñar (en la escuela), dedicarse a la enseñanza, hacerse maestro. 그녀는 고등학교에서 ~을 잡고 있다 Ella enseña en una escuela superior.
■ ~ 생활(生活) vida *f* de maestro.

교포(僑胞) residente *mf* en el extranjero; coreano, -na *mf* residente en el extranjero; compatriota *mf*.
◆ 재서반아(在西班牙) ~ coreano *m* residente en España. 재미(在美) ~ coreano *m* residente en los Estados Unidos de América. 재일(在日) ~ coreano *m* residente en el Japón. 해외(海外) ~ compatriota *mf* en el extranjero.

교풍(校風) tradición *f* [espíritu *m*] de la escuela.

교풍(矯風) reforma *f* de maneras.

교하다(巧-) ① [솜씨가 아주 좋다] (ser) hábil, diestro, habilidoso. ② [말이나 행동이 교사(巧詐)하다] (ser) astuto, zorro.

교하생(教下生) =문하생(門下生).

교학(教學) ① [교육과 학문] la educación y la ciencia. ② [가르치는 일과 배우는 일] el enseñar y el aprender.

교한하다(驕悍-) (ser) arrogante y feroz.

교합(交合) =성교(性交)(relaciones sexuales).

교합(校合) =교정(校正).

교항하다(驕亢-) (ser) arrogante y orgulloso.

교향(交響) eco *m* mutuo.
■ ~곡(曲) 【음악】 sinfonía *f*. ¶베토벤의 ~ 제5번 la quinta sinfonía de Beethoven. ~ 모음곡 【음악】 suite *f* para la sinfonía. ~시 【음악】 poema *m* sinfónico. ~악 sinfonía *f*, concierto *m* sinfónico. ~악단 【음악】 orquesta *f* sinfónica. ~악시(樂詩) 【음악】 poema *m* sinfónico. ~조곡(組曲) 【음악】 suite *f* para la sinfonía.

교형(絞刑) ((준말)) =교수형(絞首刑).

교혜하다(巧慧-) (ser) hábil y inteligente.

교호(交互) alternación *f*, reciprocidad *f*, reciprocación *f*. ~의 alternativo, recíproco, mutuo. ~로 alternativamente, uno después de otro. 수족(手足)을 ~로 움직이다 mover las manos y los pies alternativamente.
■ ~ 계산(計算) corriente *f* de cuentas. ~ 작용 acciones *fpl* recíprocas, interacción *f*.

교화(交火) =교전(交戰).

교화(教化) [종교·도덕상의] moralización *f*, edificación *f*, [문명의] ilustración *f*, civilización *f*, [복음으로의] evangelización *f*. ~하다 moralizar, ilustrar, civilizar; [그리스도교의] catequizar, evangelizar. ~하기 쉬운 educable. ~하기 어려운 ineducable. 아프리카 토인(土人)을 ~하다 civilizar a las tribus salvajes de la Africa.
■ ~력(力) poder *m* educativo. ~사(師) ((구칭)) =교회사(教誨師). ~ 사업 obra *f* educacional. ~운동 campaña *f* educacional. ~황(皇) ((천주교)) =교황(教皇).

교환(交換) ① [이것과 저것과 서로 바꿈] cambio *m*, intercambio *m*. ~하다 cambiar; [물물 교환하다] permutar, batear, trocar, hacer trueques. …과 ~으로 a [en·contra] cambio de *algo*, a [en] trueque de *algo*. 아이디어의 ~ intercambio *m* de las ideas. 우편물(郵便物)의 ~ intercambio *m* postal. 의견(意見)의 ~ intercambio *m* de pareceres, permuta *f* de opinión. 출판물의 ~ intercambio *m* de publicaciones. 계약서

를 ~하다 firmar un contrato. 공문서를 ~하다 canjear los documentos oficiales. 의견을 ~하다 cambiar (las) opiniones, intercambiar (las) opiniones. 자리를 ~하다 cambiar el [de] asiento (con); [서로] cambiarse de asiento. 유로화를 달러로 ~하다 cambiar euros en dólares. A를 B와 ~하다 cambiar A por [con] B, permutar A por [con] B, dar [poner · tomar] A por B, trocar A con [en · por] B. 나는 그와 넥타이를 ~했다 Le cambié la corbata por la suya / Cambié con él la corbata. 현금과 ~으로 물품을 인도하겠다 Entregaré los artículos contra recibo [contra pago] al contado. 이것을 큰 것으로 ~할 수 있을까요? ¿Puedo cambiar esto por una talla más grande? 어디서 뻬소를 달러로 ~하면 됩니까? ¿Dónde podemos cambiar dólares en [a] pesos? 우리들은 그들과 인사를 ~했다 Nos saludamos. 할인한 물건은 ~이 안 됩니다 No se cambian los artículos rebajados. ② ((준말)) =전화 교환(電話交換)(conexión del teléfono). ③ =인환(引換). ¶~하다 cambiar (cheques · letras y otros títulos entre los bancos). 어음 ~소(所) banco *m* de liquidación.

◆물물(物物) ~ permuta *f*, trueque *m*, intercambio *m* de mercancía.

▪~ 가격(價格) precio *m* del cambio, valor *m* del cambio. ~ 가치 valor *m* cambiador. ~ 경제(經濟) economía *f* de permuta. ~ 교수 profesor, -sora *mf* de intercambio. ~ 국(局) central *f* telefónica manual, central *f* automática. ~권(券) bono *m*, vale *m*. ~기(機) ((준말)) =전화 교환기. ~대(臺) [전신 · 전화의] cuadro *m* de distribución, cuadro *m* conmutador. ~ 렌즈 lentes *mpl* permutables. ~ 무역(貿易) comercio *m* de trueque. ~ 무역제(貿易制) sistema *m* de trueque. ~ 법칙(法則) 【수학】 regla *f* de conmutación. ~선(船) barco *m* de repatriación. ~성 칼슘 calcio *m* canejable. ~소(所) ((준말)) =어음 교환소. ~ 수단(手段) medio *m* de intercambio. ~ 수혈(輸血) transfusión *f* de reemplazo. ~ 수혈법(輸血法) 【의학】 exsanguinofusión *f*. ~양(孃) [전화의] operadora *f*. ~원(員) ((준말)) =전화 교환원(電話交換員). ~ 유학생(留學生) becario, -ria *mf* que hace intercambio. ~율(律) 【수학】 =교환 법칙. ~ 작용 intercambiabilidad *f*. ~ 조건 condiciones *fpl* de cambio. ~ 학생 estudiante *mf* de intercambio. ~ 협정 acuerdo *m* de trueque, tratado *m* de trueque.

교환(交驩/交歡) canje *m* de cortesía, canje *m* de benevolencia. ~하다 canjear cortesía.

▪~ 경기(競技) juego *m* [partido *m*] de cortesía, juego *m* [partido *m*] de buena voluntad. ~ 비행 vuelo *m* de cortesía. ~ 음악회(音樂會) concierto *m* de cortesía. ~ 회(會) reunión *f* amistosa. ¶오비(OB)와 현역의 ~ reunión *f* amitosa entre los graduados y los estudiantes.

교활하다(狡猾－) (ser) astuto, mañoso, taimado, sagaz (*pl* sagaces), ladino, maulero, pillo, artificioso, artero, sacarrón (*pl* socarrones), mañero. 교활함 astucia *f*, maña *f*, ardid *m*, sagacidad *f*, audacia *f*, treta *f*, artificio *m*, socarronería *f*. 교활하게 astutamenrte, con astucia, con astucia y engaño, sagazmente, arteramente, mañeramente, ladinamente, mañosamente. 교활한 놈 tipo *m* astuto. 교활한 사내 hombre *m* astuto, hombre *m* taimado, hombre *m* ladino. 교활한 사람 zorro, -rra *mf*; persona *f* astuta. 교활한 여자 mujer *f* astuta, mujer *f* taimada, mujer *f* ladina. 매우 ~ (ser) muy astuto, saber latín. 교활하게 행동하다 obrar [actuar] con astucia. 교활한 수단을 쓰다 emplear recursos astutos, recurrir a engaños y ardides. 교활한 얼굴을 하다 tener una cara taimada. 교활한 짓을 하다 hacer una cosa tramposa, hacer trampa(s), hacer fullería(s). 그는 ~ El es (un tipo) astuto [taimado]. 그는 교활하기 짝이 없는 사람이다 El es un viejo zorro. 그는 시험 중에 교활한 짓을 했다 El ha hecho trampas en el examen [en la baraja]. 시험에서 커닝을 하는 것은 교활한 짓이다 Es injusto copiar en el examen.

교황(敎皇) ((천주교)) Papa *m*, Pontífice *m*, Sumo Pontífece *m*, Soberano Pontífice *m*. ~의 papal, pontificio, pontifical. ~의 예장(禮裝) pontifical *m*. ~의 지위 dignidad *f* papal, dignidad *f* pontificia, pontificado *m*, tiara *f*. ~이 되다 pontificar.

▪~관(冠) corona *f* del Papa, tiara *f*. ~권(權) tiara *f*. ~ 대사(大使) el Nuncio, embajador *m* papal. ~령(領) los Estados Pontificios, los Estados de la Iglesia. ~ 사절 enviado, -da *mf* papal; legado *m* papal; nuncio *m* (apostólico). ~ 선거 회의 cónclave *m*. ~ 성하(聖下) Su Santidad el Pontífice, Su Santidad el Papa. ~ 재임기 pontificado *m*. ¶A 교황의 ~는 매우 길었다 El pontificado del Papa A fue muy largo. ~ 절대권주의[지상권주의] vaticanismo *m*, ultramontanismo *m*. ~ 정치(政治) política *f* papal. ~ 제도(制度) sistema *m* papal, papalismo *m*. ~청(廳) el Vaticano, la Ciudad del Vaticano, la Santa Sede. ¶ ~ 대사 Nuncio *m*. ~ 대사관 Nunciatura *f* (de la Santa Sede). ~ 도서관 vaticana *f*. ~ 소재지(所在地) sede *m* pontifical. ~파 vaticanista *mf*.

교회(交會) encuentro *m* mutuo. ~하다 encontrarse uno de otro, verse uno de otro.

교회(敎會) ① ((종교)) [종교 신앙을 같이하는 이들의 조직체] Iglesia *f*; [대성당] catedral *f*; [그리스도교 이외의] templo *m*; [회교의] mezquita *f*. ~의 eclesiástico. ~에 가다 ir a la iglesia. 어머님께서는 일요일마다 ~에 다니셨다 Mi madre iba a la iglesia todos los domingos. 어머님께서는 돌아가실 때까지 ~에 다니셨다 Mi madre fue a la iglesia hasta su muerte [hasta que murió]. ②

((종교)) [건물] iglesia *f.* ~를 신축하다 construir una iglesia.
◆로마 가톨릭 ~ la Iglesia Católica Romana. 장로 ~ la Iglesia Presbiteriana.
■~극(劇) drama *m* eclesiástico. ~당 ((천주교)) =교회(教會). ~력 ((천주교)) calendario *m* eclesiástico. ~ 미술(美術) arte *m* eclesiástico. ~법(法) ((천주교)) derecho *m* canónico, derecho *m* eclesiástico. ¶~에 따라 eclesiásticamente. ~에 따라 살다 vivir eclesiásticamente. ~ 음악 música *f* eclesiástica. ~학 eclesiología *f.* ~ 회의(會議) consejo *m* eclesiástico; [국가·지방의] sínodo *m.*

교회(教誨) admonición *f*, consejo *m.* ~하다 amonestar, instruir.
■~사(師) capellán *m* de la cárcel, capellán *m* de la prisión.

교훈(校訓) preceptos *mpl* de la escuela, lema *m* [divisa *f*] para la disciplina escolar.

교훈(教訓) lección *f*, precepto *m*, lección *f* moral, enseñanza *f*, moraleja *f*, instrucción *f*, edificación *f*; [훈계] amonestación *f*, escarmiento *m*; [경고] advertencia *f.* ~적 instructivo, moralizador, edificante, edificativo, moral; [문학·소설·시의] didáctico. ~적 우화 fábula *f* instructiva. ~에 따르다 seguir *sus* preceptos. ~을 주다 dar una lección, leccionar, instruir, amonestar, reprender. ~을 잘 지키다 obedecer los preceptos. ~이 되다 server de aviso, ser de advertencia. 장래를 위해 ~을 주다 advertir [dar consejos] para *su* porvenir. 좋은 ~이 되다 dar un ejemplo edificante, dar un buen ejemplo. 부모는 자식에게 ~을 주기 위해 집에 들어오지 못하게 한다 Los padres, para dar una lección a su hijo, no le permiten entrar en casa.
■~극(劇) moralidad *f.* ~ 문학 literatura *f* didáctica. ~ 소설(小說) novela *f* didáctica. ~시(詩) poesía *f* didáctica.

교힐하다(巧黠/狡黠-) =교활(狡猾)하다.

구(丘) ① [언덕] colina *f*, cuesta *f*, cerro *m.* ② [뫼. 산. 산악] montaña *f.* ③ [마을] aldea *f*, pueblo *m.*

구(句) ① [둘 이상의 단어가 모여 절이나 문장의 일 부분이 되는 토막] frase *f*, locución *f*; [삽입구] inciso *m.* ② [시조·사설의 짧은 토막] verso *m.* 시(詩)~ verso *m.* ③ =구절(句節).

구(具) [시체의 수효를 세는 단위] cadáver *m.* 유해(遺骸) 4~ cuatro cadáveres, cuatro restos mortales.

구(灸) ① =구이[1]. ② =뜸[2]. ③ 【한방】 moxa *f.*

구(矩) =곱자.

구(球) ① [공 같이 둥글게 생긴 물체] esfera *f*, bola *f*, globo *m*, tubo *m*, lámpara *f*, pelota *f*, bombilla *f.* ② 【수학】 esfera *f.*

구(區) ① [넓은 것을 몇으로 나눈 구획] división *f*, territorio *m*, área *f*, distrito *m.* ② [서울 특별시 및 인구 50만 이상의 시(市)에 둔 행정 구획 단위] *Gu, Ku*, subdivisión *f* de un municipio, distrito *m*, barrio *m*, *AmS, Caribe* municipio *m.* 강남(江南)~ Gangnam-Gu, Kangnam-Ku. ③ [행정상 필요에 의해 정해진 특정한 구획 단위] distrito *m.* 선거(選擧)~ distrito *m* electoral, circunscripción *f.*
■~의회(議會) asamblea *f* del distrito. ~ 의회 의원(議會議員) consejal, -la *mf.* ~의회 의장(議會議長) presidente, -ta *mf* de la asamblea del distrito. ~청(廳) oficina *f* de Gu, oficina *f* de Barrio, ayuntamiento *m* de Barrio, gobierno *m* municipal. ~청장(廳長) jefe, -fa *mf* de Oficina de Gu, jefe, -fa *mf* de Barrio, presidente, -ta *mf* municipal.

구(毬) pelota *f* de madera.

구(九) ① [아홉] nueve. ~일(日) el nueve. ~월(月) septiembre. 제 ~(의) noveno, nono. ② [아홉 번] nueve veces.

구(俱) ① [다. 함께. 모두] todo, todos, juntos. ② [갖추다. 구비하다] poseer, tener. ③ [동반하다. 함께 가다] acompañar.

구(舊) ① [옛날. 과거] pasado *m*, tiempos *mpl* antiguos. ② [오래다] mucho tiempo, largo tiempo *m.* ③ [친구. 오래 사귄 벗] amigo, -ga *mf.* ④ [늙은이. 노인] viejo, -ja *mf*, anciano, -na *mf.*

구(鷗) [갈매기] gaviota *f.*

구(龜) [거북] tortuga *f*, galápago *m.*

구-(舊) viejo, antiguo. ~사상(思想) idea *f* antigua. ~체제(體制) régimen *m* antiguo. ~판(版) edición *f* antigua.

-구(口) ① [일부 명사 뒤에 붙어서 「작은 구멍」「구멍이 나 있는 곳」을 나타내는 말] abertura *f.* 접수~ información *f.* 통풍~ ventilador *m.* ② [일부 명사 뒤에 붙어서 「드나드는 곳」을 나타내는 말] entrada *f.* 출입~ entrada *f.* 비상~ salida *f* de emergencia. 승강~ entrada *f*; [비행기 등의] portezuela *f*; [갑판의] escotilla *f.*

-구(具) instrumento *m*, utensilios *mpl*, -ería. 문방~ papelería *f.*

구가(舊家) ① [오래 대를 이어 온 집안] familia *f* antigua, familia *f* solariega. ② [옛날에 살던 집] casa *f* antigua. ③ [한 곳에 오래 살아온 집안] familia *f* que ha vivido mucho tiempo en un lugar.

구가(謳歌) elogio *m* [glorificación *f*] a coro. ~하다 cantar en elogio (de), elogiar, ensalzar, exaltar, cantar la alegría (de), cantar la gloria (de). …을 ~하는 사람 admirador, -dora *mf*, adorador, -dora *mf.* 인생을 ~하다 cantar la alegría de la vida. 자유를 ~하다 ensalzar la libertad, glorificar la libertad. 청춘을 ~하다 cantar la alegría de la juventud. 평화를 ~하다 ensalzar la paz, glorificar la paz. 그는 천재(天才)로 ~하고 있다 Le celebran como a un genio / El tiene fama de genio.

구가(衢街) calle *f* grande, avenida *f* de la metrópoli, bulevar *m.*

구각(口角) =입아귀.
■~ 궤양(潰瘍) úlcera *f* angular. ~ 성형

술 calinoplastia *f.* ~염 estomatitis *f* angular. ~증 queilosis *f.* ~창(瘡) boquera *f.* ~춘풍(春風) palabra *f* que admira a otro, admiración *f* a otro.

구각(舊殼) cáscara *f* vieja, costumbre *f* antigua, tradición *f.* ~을 탈피하다 romper con la tradición, desarraigar viejas costumbres.

구간(球竿) varilla *f* de metal.

구간(區間) sección *f,* división *f,* [철도 등의] trayecto *m,* recorrido *m,* tramo *m.* 열차의 운전(運轉) ~ recorrido *m* [trayecto *m*] del servicio de un tren. 일 ~ 600원 seiscientos wones cada tramo. 전 ~ 차표 billete *m* directo. 우리가 타는 ~은 650원이다 Nuestro trayecto ahora cuesta seiscientos cincuenta wones.

구간(舊刊) [서적의] edición *f* vieja, edición *f* antigua; [잡지의] número *m* atrasado.

구간(軀幹) tronco *m.*

구간하다(苟艱—) ser tan pobre como un ratón de sacristiía, ser muy pobrecito.
구간히 muy pobremente.

구갈(口渴) sed *f.* ~증(症) hidrodipsomanía *f.*

구감(口疳) estomatitis *f.*

구감초(炙甘草) regaliz *f* [orozuz *f*] azada.

구강(口腔) 【해부】 cavidad *f* oral, cavidad *f* bucal. ~의 estomático.
■ ~경(鏡) estomatoscopio *m.* ~ 과학(科學) estomatología *f.* ~근(筋) músculo *m* de la boca. ~론(論) estomatografía *f.* ~ 발육 부전(發育不全) atelostomia *f.* ~병(病) cacostomia *f.* ~ 병리학(病理學) patología *f* oral. ~병 전문의(病專門醫) estomatólogo, -ga *mf.* ~선(腺) glándula *f* oral. ~ 악취(惡臭) estomatodisodia *f.* ~암(癌) cáncer *m* de la boca. ~열(裂) estomatosquisis *f.* ~염(炎) inflamación *f* oral. ~ 예방 의학(豫防醫學) estomatofilaxis *f.* ~ 외과(학) cirugía *f* oral, cirugía *f* bucal. ~ 위생(衛生) higiene *f* bucal, higiene *f* oral, higiene *f* dental. ~ 위생학 oralogía *f,* higiene *m* oral. ~ 의학 estomatología *f,* oralogía *f.* ~ 인두(咽頭) orofaringe *m.* ~증 estomatosis *f.* ~ 체온계(體溫計) termómetro *m* oral. ~통(痛) estomatodinia *f.* ~학(學) oralogía *f.* ~ 협착(狹窄) estenostomia *f.*

구개(口蓋) paladar *m.* ~의 palatal.
◆ 경(輕)~ paladar *m* duro. 연(軟)~ velo *m* del paladar.
■ ~ 거근(擧筋) músculo *m* petrostafilino. ~골(骨) 【해부】 hueso *m* palatal. ~근(筋) *lat* palatouvularis. ~도(圖) palatograma *f.* ~ 마비(痲痺) palatoplejía *f.* ~선(腺) glándula *f* palatal. ~ 성형술 palatoplastia *f.* ~수(垂) úvula *f* palatina. ~수근(垂筋) músculo *m* uvular. ~수 봉합술(垂縫合術) cionorrafia *f.* ~수 성형술 estafiloplastia *f.* ~수염(垂炎) uvulitis *f,* cionitis *f.* ~수종(垂腫) estafilonco *m.* ~ 신경(神經) nervio *m* palatal. ~염(炎) palatitis *f,* uraniscomitis *f.* ~음(音) palatal *f.* ~음화 palatalización *f.* ¶~하다 palatalizar. ~ 파열 paladar *m* mellado. ~ 편도(扁桃) tonsila *f* palatina.

구갱(舊坑) mina *f* abandonada.

구거(鉤距) =미늘❶.

구거(溝渠) =개골창.

구걸(求乞) mendiguez *f.* ~하다 mendigar, pedir limosna. 가난하지만 나는 사람들에게 ~하고 싶지 않다 Aunque soy pobre, no quiero pedir limosna.

구겁(九劫) ((불교)) nueve kalpas.

구겨지다 arrugarse, hacerse arrugas, plegarse, desplancharse.

구경 espectáculo *m,* visita *f,* observación *f,* vista *f.* ~하다 visitar, ver, presenciar, observar, ser mirón; [상품을 사지는 않고] mirar, curiosear. 서울 ~ visita *f* a Seúl. 박물관을 ~하다 visitar el museo. 세계를 ~하다 viajar por todo el mundo, hacer excursión por todas partes del mundo. 카니발을 ~하다 ver el carnaval. 자유롭게 ~하도록 하다 dejar al libre examen del público. 경주는 ~할 곳이 많다 Hay muchos sitios de visitar en *Gyeongchu.* 우리들은 골동품 가게들을 ~하고 다녔다 Estuvimos curioseando por las tiendas de antigüedades. 무얼 드릴까요? — 아닙니다. ~ 좀 하고 있는 중입니다 ¿Qué desea usted? / ¿Qué desearía usted? / ¿Qué quiere usted? — Nada, gracias. Estoy mirando [curioseando] / Doy una vuelta.
◆ 구경 가다 ir a ver. 구경(이) 나다 ocurrir [suceder] los espectáculos.
■ ~가마리 hazmerreír *m,* objeto *m* de ridículo. ~감[거리] vista *f,* atracción *f,* objeto *m* de interés; [흥행] expectáculo *m,* circo *m.* ¶~가 되다 exhibir en público; [수치당하다] deshonrar ante el público. 남의 ~가 되다 poner en ridículo ante la mirada de todos, ridiculizar ante la mirada de todos, exponer a la risa pública. 모든 사람의 ~다 ser objeto de la curiosidad de todos. ~꾼 observador, -dora *mf,* mirador, -dora *mf,* mirón (*pl* mirones), -rona *mf,* [관객] espectador, -dora *mf,* [방문자] visitante *mf,* visita *mf.* ¶관람석은 ~으로 꽉 차 있다 La tribuna está llena de espectador. ~석(席) localidad *f,* asiento *m* (de palco), asiento *m* de espectáculo; [계단의] tribuna *f* (de los espectadores), grada *f.*

구경(口徑) calibre *m.* 32~ 권총 revólver *m* del calibre 32. ~ 16인치 포 cañón *m* (*pl* cañones) con 16 pulgadas de calibre.

구경(究竟) ① =궁극(窮極). ② ((불교)) final *m* fundamental. ③ =결국.

구경(具慶) felicidad *f* a causa de *sus* padres vivientes.

구경(球莖) 【식물】 =알줄기(bulbo).

구계(九界) ((불교)) nueve mundos excepto el mundo budista.

구고(句股) =직각 삼각형(直角三角形).

구고(究考) estudio *m* profundo hasta el final. ~하다 estudiar profundamente hasta el final.

구고(救苦) ((불교)) socorro *m* de la aflicción. ~하다 socorrer la aflicción.

구고(舅姑) =시부모.
구고(舊故) larga relación *f*, relación *f* desde hace mucho tiempo.
구고(舊稿) manuscrito *m* viejo, borrador *m* viejo.
구곡(九穀) nueve granos.
구곡(舊穀) granos *mpl* del año pasado.
구곡간장(九曲肝腸) corazón *m* profundo.
구공(九空) =구만리장천(九萬里長天).
구공(口供) confesión *f*, deposición *f*, testimonio *m*. ~하다 confesarse, hacer una confesión, deponer, declarar, dar testimonio.
■~서(書) afidávuti *m*, escrito *m* de confesión. ~자(者) deponente *mf*.
구공(舊功) mérito *m* de los tiempos antiguos.
구공탄(九孔炭) ① [구멍이 아홉 뚫린 구멍탄] briqueta *f* con nueve agujeros. ② ((준말)) =십구공탄. ③ [구멍이 뚫린 연탄] briqueta *f* con agujeros.
구과(口過) ① =실언(失言). ② =구취(口臭). ③ [지나친 말] palabra *f* excesiva.
구과(毬果) 【식물】 piña *f*.
구관(舊官) funcionario *m* público antiguo.
■구관이 명관(名官)이다 ((속담)) El que tiene más experiencia es mejor.
구관(舊慣) costumbre *f* vieja, usos *mpl* antiguos. ~을 고수하다 adherirse a la costumbre vieja.
구관(舊館) edificio *m* (más) viejo.
구관(舊觀) apariencia *f* primitiva, estado *m* antiguo.
구관조(九官鳥) 【조류】 mirlo *m*, mirla *f*, merla *f*.
구교(舊交) antigua amistad *f*, amistad *f* vieja, conocimiento *m* viejo. ~를 새로이 하다 renovar [resucitar · recobrar · calentar] la antigua amistad (con *uno*).
■~지간(之間) conocimiento *m* desde hace mucho tiempo.
구교(舊敎) catolicismo *m*, religión *f* católica. ~의 católico. ~도(徒) católico, -ca *mf*.
구구 [닭 등을 부르는 소리] cloqueo *m*.
구구구 [비둘기나 닭이 우는 소리] arrullo *m*. 비둘기가 크게 ~ 하는 소리 sonoros arrullos *mpl* de paloma. ~ 울다 arrullar. 비둘기가 ~ 하고 울다 Arrulla una paloma.
구구(九九) =구구법(九九法).
■~법(法) 【수학】 reglas *fpl* de multiplicación. ~표 【수학】 tabla *f* de multiplicación.
구구이(句句-) cada párrafo, todos los párrafos.
구구절절이(句句節節-) cada párrafo, todos los párrafos.
구구하다(區區-) ① [제각기 다르다] (ser) diverso, diferente, distinto. 의견이 ~ Hay divergencia de pareceres / Las opiniones son separadas. 이 문제에 대해 그들은 의견이 ~ Sus opiniones son diversas [diferentes] sobre este problema / Discrepan sobre este problema / Hay divergencia de opiniones entre ellos sobre este problema. ② [떳떳하지 못하고 구차스럽다] (ser) trivial, insignificante, de poca importancia, sin importancia, nimio, pequeño. 구구한 소국(小國) país *m* pequeño. 구구한 이익 ganancias *fpl* pequeñas. 구구한 소리 마라 No digas tonterías. ③ [잘고 용렬하다] (ser) vil, innoble, abyecto, miserable, mezquino, bajo, pobre. 구구한 변명(辨明) excusa *f* pobre.
구구히 separadamente, distintamente, diversamente, distintamente, individualmente, a parte; insignificantemente, trivialmente, nimiamente; vilmente, innoblemente, miserablemente.
구국(救國) salvación *f* nacional.
■~ 운동 movimiento *m* de salvación nacional.
구군(舊君) ex monarca *m*.
구군(舊軍) persona *f* experta que tiene mucha experiencia.
구권(舊券) billete *m* antiguo.
구규(九竅) 【한방】 nueve agujeros: dos ojos, dos narices, dos oídos, boca, ano y uretra.
구규(舊規) reglas *fpl* antiguas, regulaciones *fpl* convencionales.
구균(球菌) 【식물】 micrococo *m*.
구극(仇隙) malas relaciones *fpl* como el enemigo.
구극(究極) =궁극(窮極).
■~ 목적(目的) último objeto *m*, último propósito *m*.
구극(駒隙) ((준말)) =백구과극(白駒過隙).
구극(舊劇) ((준말)) =구파 연극(舊派演劇).
구근(球根) 【식물】 =알뿌리(bulbo). ¶~이 있는 bulboso. ~ 모양의 bulboso.
■~류(類) 【식물】 =구근 식물. ~ 식물(植物) 【식물】 planta *f* bulbosa. ~초(草) 【식물】 hierba *f* bulbosa.
구금(拘禁) detención *f*, arresto *m*, prisión *f*. ~하다 detener, arrestar, aprisionar. ~당하다 ser detenido, ser arrestado. ~되어 있다 estar detenido. 그는 1주일간 ~되어 있었다 El estuvo detenido una semana.
■~실(室) [군함 내의] bergantín *m*; [교도소의] calabozo *m*. ~장(場) lugar *m* de detención.
구급(救急) ayuda *f*, auxilio *m* (de emergencia), primeros auxilios *mpl*, urgencia *f*, emergencia *f*.
■~낭(囊) bolsa *f* para la medicina de primeros auxilios. ~방(方) ㉮ [급난을 구원하는 방법] método *m* de auxiliar la emergencia. ㉯ 【한방】 [구급하는 약방문] prescripción *f* para [de] la emergencia. ~법(法) =응급 치료법(應急治療法). ~ 병원(病院) clínica *f* de urgencia, clínica *f* de asistencia urgente; [무료의] casa *f* de socorro. ~ 상비약(常備藥) medicina *f* de primeros auxilios. ~ 상자(箱子) botiquín *m* (*pl* botiquines) (de primeros auxilios), caja *f* de emergencia. ~소(所) puesto *m* de primeros auxilios. ~ 신호 llamada *f* de auxilios, señal *f* de auxilios, S.O.S. *m*.

¶~를 보내다 mandar un S.O.S. ~약(藥) medicina *f* de primeros auxilios. ~ 조치(措置) medidas *fpl* de emergencia. ~차(車) ambulancia *f*. ¶~를 부르다 llamar a la ambulancia. ~책 =구급방. ~ 처치 tratamiento *m* de primeros auxilios. ~ 치료(治療) primeros auxilios *mpl*. ¶~를 하다 prestar los primeros auxilios. ~함(函) botiquín *m* (de primeros auxilios). ~ 환자(患者) caso *m* de emergencia.

구기 cucharón *m* pequeño, cazo *m* pequeño. ~로 떠내다 servir con cucharón (pequeño).

구기(九氣) nueve sentimientos: cólera 노염, miedo 두려움, alegría 기쁨, tristeza 슬픔, sorpresa 놀람, anhelo 그리움, fatiga 피로, frío 한랭 y calor 열.

구기(口器) peristome *m*, peristoma *f*, contorno *m* de la boca, contorno *m* de un orificio.

구기(拘杞)【식물】=구기자나무.

■~자(子) ㉮【식물】=구기자나무. ㉯【한방】[구기자나무 열매] fruto *m* del té del duque de Argyll. ~자나무【식물】té *m* del duque de Argyll. ~차(茶) té *m* de duque de Argyll.

구기(球技) ① [공을 사용하는 운동 경기] juego *m* de pelota; [베이스볼 게임] partido *m* de béisbol; [축구 경기] partido *m* de fútbol, *Méj* partido *m* de futbol americano. ② [공을 다루는 기술] técnica *f* de manejar la pelota.

■~장(場) ㉮ [야구장] estadio *m* de béisbol, *Méj* parque *m* de béisbol. ㉯ [축구장] campo *m* de fútbol, *AmL* cancha *f* de fútbol. ㉰ [볼링장] bolera *f*. ㉱ [당구장] sala *f* de billar.

구기(嘔氣) =토기(吐氣).

구기(舊記) documento *m* de los tiempos antiguos.

구기(舊基) ① [옛 집터] solar *m* antiguo. ② [옛 도읍터] solar *m* de la capital antigua.

구기다[1] [운수가 나빠서 살림이 꼬여만 가다] hacerse pobre por la mala suerte.

구기다[2] ① [구김살이 생기다] arrugar, hacer arrugas, plegar. 구겨지다 arrugarse, plegarse. ② [비비어 금이 생기게 하다] estrujar. 나는 종이를 구겨 던졌다 Yo estrujé el papel y lo tiró.

구기박지르다 arrugarse mucho.

구기적거리다 arrugarse.

구기적구기적 arrugándose.

구기적대다 =구기적거리다.

구기지르다 arrugarse.

구김 ((준말)) =구김살.

구김없다 ((준말)) =구김살없다.

구김살 pliegue *m*, arruga *f*, doblez *f*. 구김살 진 arrugado, plegado. ~ 없는 미소(微笑) sonrisa *f* angélica. ~ 하나 없는 바지 pantalones *mpl* sin raya. ~을 펴다 [다리미로] planchar, quitar. 이 와이셔츠는 ~이 쉽게 펴지지 않는다 Esta camisa no es muy fácil de planchar.

구김살없다 ㉮ [생활이 쪼들리지 않고 꿋꿋하다] estar bien de dinero, vivir holgadamente, vivir con holgura, tener una posición acomodada [desahogada]. ㉯ [성격이 찌든 데가 없고 티없이 맑다] (ser) inocente.

구김살없이 holgadamente, con holgadura; inocentemente.

구김없다 ((준말)) =구김살없다.

구김없이 ((준말)) =구김살없이.

구깃거리다 arrugar a menudo, estrujar a menudo, seguir arrugando. 종이를 ~ arrugar [estrujar] el papel a menudo, seguir arrugando el papel a menudo.

구깃구깃 arrugando y arrugando, arrugando a menudo, siguiendo arrugando.

-구나 ¡Qué + 「명사·형용사·부사」! 참 덥~! ¡Qué calor! 참 불쌍하~! ¡Qué pena! / ¡Qué lástima! 정말 아름답~! ¡Qué bella es! / ¡Qué hermosa es! 참 춥~! ¡Qué frío! 정말 아름다운 아가씨~ ¡Qué chica tan [más] guapa! 그 사람은 정말 친절하~! ¡Qué amable es él!

구나방 chiflado, -da *mf*; excéntrico, -ca *mf*; maniático, -ca *mf*; raro, -ra *mf*.

구난(救難) salvamento *m*, rescate *m*, *CoS* salvataje *m*. 난파(難破) ~ salvamento *m* del naufragio.

■~대(隊) equipo *m* de salvamiento. ~ 부표(浮漂) =구명 부표. ~선(船) buque *m* de salvamento, barco *m* de rescate. ~작업(作業) operación *f* de rescate, operación *f* de salvamento.

구내(口內) interior *m* de la boca.

■~ 건조증 xerostomia *f*. ~경 estomatoscopio *m*. ~ 성형술 estomatoplastia *f*. ~ 연화(軟化) estomatomalacia *f*. ~염(炎)【의학】estomatitis *f*. ~ 출혈 estomatorragia *f*.

구내(區內) ¶~에 en la sección, en el distrito, en el área.

구내(構內) recinto *m*, campus *m*. ~ 출입을 금함 ((게시)) Se prohíbe entrar en este recinto.

◆역(驛)~ patio *m* de la estación. 대학(大學) ~ recinto *m* [campus *m*] de la universidad.

■~ 매점(賣店) puesto *m* (en el recinto). ~선(線) vía *f* férrea en el recinto. ~ 식당(食堂) refectorio *m*. ~ 전화(電話) teléfono *m* interno, interfono *m*. ~ 택시 taxi *m* con licencia para recoger clientes en las estaciones.

구년(久年) mucho tiempo, largo tiempo *m*.

구년(舊年) año *m* pasado, último año *m*.

■~묵이 artículo *m* viejo. ~ 친구 ㉮ [오랫동안 작별한 벗] amigo, -ga *mf* que no ha visto mucho tiempo. ㉯ [오랫동안 사귀어 온 벗] amigo, -ga *mf* que ha conocido desde hace mucho tiempo.

구년지수(九年之水) inundación *f* [diluvio *m*] que continúa por nueve años.

구녕살 carne *f* grasa de las nalgas de la vaca.

구눌하다(口訥－) ＝어눌하다.
구능【민속】*guneung*, el noveno de los espíritus invocados por la hechicera.
구단(球團) club *m*, equipo *m*.
구달(口達) aviso *m* oral. ～하다 avisar oralmente.
구담(口談) ＝언변(言辯). 이야기.
구담(瞿曇; 범 *Guatama*) ① [인도의 석가 종족의 성] Guatama. ② [성도(成道)하기 전의 석가] Shakamuni antes del logro de la Gran Sabiduría.
구대(舊代) época *f* antigua, era *f* antigua.
구대륙(舊大陸) el Viejo Mundo [Continente].
구더기【곤충】gusano *m*, larva *f*, cresa *f*. ～가 낀 agusanado, lleno de gusanos. ～가 생기다 agusanarse, criar gusanos. 이 치즈에는 ～가 끼어 있다 Este queso está agusanado.
■구더기 무서워 장 못 담글까 ((속담)) Aunque haya un obstáculo, se hay que hacer lo que le quiera.
구덥다 (ser) muy confiable, fiable, fidedigno; [장래가] prometiente, prometedor.
구덩이 ① [땅이 움푹하게 팬 곳] hoyo *m*, agujero *m*, hueco *m*, foso *m*, depresión *f*, cueva *f*, cavidad *f*, caverna *f*. ②【광산】＝갱.
구도(口到) Cuando se lee se tiene que leer solamente la escritura sin decir ni una palabra con la boca.
구도(求道) ((불교)) busca *f* de la verdad. ～하다 ir en busca de [en pos de] la verdad, buscar la verdad.
■～심(心) espíritu *m* que busca la verdad. ～자(者) ((불교)) persona *f* en busca de [en pos de] la verdad.
구도(構圖) composición *f*, diseño *m*, trazo *m*. ～가 좋은[나쁜] 도안(圖案) dibujo *m* bien [mal] compuesto.
구도(舊道) carretera *f* antigua, camino *m* antiguo.
구도(舊都) capital *f* antigua, Seúl antigua.
구독(購讀) subscripción *f*, suscripción *f*, abono *m*. ～하다 subscribir. 잡지를 ～하고 있다 estar subscrito a una revista, ser subscriptor de una revista. 신문의 ～을 예약하다 subscribirse [abonarse] a un periódico.
■～료(料) (tarifa *f*·precio *m* de) subscripción *f*. ～자(者) subscriptor, -tora *mf*; abono, -na *mf*. ¶～가 많다 haber muchos subscriptiores, tener gran circulación.
구동(九冬) (por) noventa días del invierno.
구동(舊冬) invierno *m* pasado.
구동(驅動) motor *m*, transmisión *f*, impulsión *f*, mando *m*, propulsión *f*, tracción *f*.
◆사륜(四輪) ～ propulsión *f* total. 앞바퀴 ～ tracción *f* delantera. 후륜(後輪) ～ propulsión *f* trasera.
■～력(力) fuerza *f* motriz. ～ 장치(裝置) mecanismo *m* motor, mecanismo *m* de impulsión, mecanismo *m* de transmisión, aparato *m* de mando. ～축(軸) eje *m* motor, eje *m* de mando.
구두 zapatos *mpl*; [장화] botas *fpl*; [편상화] botín *m* (*pl* botines); [발에 신는 것] calzado *m*. ～ 한 켤레 un par de zapatos. 굽이 낮은 ～ zapatos *mpl* de tacones bajos. 굽이 높은 ～ zapatos *mpl* de tacones (altos). ～를 신고 con los zapatos puestos, sin descalzar. ～를 광내는 천 조각 trapo *m* para limpiar zapatos, paño *m* de dar brillo a los zapatos. ～를 신기다 calzar. ～를 신다 ponerse los zapatos, calzarse. ～를 벗다 quitarse los zapatos, descalzarse. ～를 닦다 limpiar los zapatos; [자신의] limpiarse los zapatos. ～의 윤(潤)을 내다 hacerse limpiar los zapatos. ～를 신어라 Ponte los zapatos / Cálzate. 제 ～ 좀 닦아 주시겠습니까? ¿Me limpia los zapatos? / *AmS* ¿Me lustra los zapatos? / *Méj* ¿Me bolea los zapatos? / *Col* ¿Me embola los zapatos?
◆소가죽 ～ zapatos *mpl* de cuero de vaca.
■～끈 cordones *mpl* (de zapato), *Méj* agujeta *f*, *Col* pasador *m*. ¶～을 조이다 apretar [atarse con fuerza] los cordones de los zapatos. ～을 묶다 atarse [amarrarse·anudarse] los cordones de los zapatos [las agujetas]. 네 ～이 풀렸다 Tienes un cordón desamarrado [una agujeta desamarrada]. ～닦기 limpia *f* de los zapatos. ～닦이 limpiabotas *mf.sing.pl*, *AmS* lustrabotas *mf.sing.pl*, *Méj* bolero, -ra *mf*; *Col* embolador, -dora *mf*. ～ 수선 reparación *f* de zapatos, reparación *f* de calzado. ～ 수선공 zapatero *m* (remendón), zapatera *f* remendona; zapatero, -ra *mf* de viejo. ～ 수선소 zapatería *f*. ～약 betún *m*, crema *f* para zapatos [el calzado], lustre *m* de zapatos, *AmL* bola *f*, *RPI* pomada *f*, *Chi* pasta *f* de zapatos. ¶구두에 ～을 바르다 dar [untar] betún a los zapatos, dar (de) crema a los zapatos. ～용 가죽 cuero *m* para zapatos. ～창 suela *f*. ¶～을 갈다 cambiar la suela de un zapato. ～통 caja *f* de zapatos, caja *f* de limpiabotas. ～ㅅ가게 zapatería *f*, tienda *f* de zapatos, tienda *f* de calzado. ～ㅅ골 horma *f*; [제조용의] molde *m* de los zapatos. ～ㅅ발 pies *mpl* con zapatos. ～ㅅ발길 zapatazo *m*. ～ㅅ방(房) zapatería *f*. ～ㅅ소리 taconeo *m*. ～ㅅ솔 cepillo *m* para [de] los zapatos. ～ㅅ주걱 calzador *m*.
구두(口頭) palabra *f* de boca. ～의 oral, verbal. ～로 oralmente, verbalmente, de palabra, de viva voz. ～로 신청하다 decir *algo* a *uno* de palabra.
■～ 계약 contrato *m* oral. ～ 변론 alegato *m* oral. ～선(禪) palabra *f* mera, eslogan *m* vacío. ～ 설명(說明) explicación *f* oral. ～ 시험(試驗) examen *m* (*pl* exámenes) oral. ～ 심리 proceso *m* verbal, juicio *m* verbal. ～ 약속 promesa *f* oral [verbal·de palabra]. ¶～을 하다 prometer de palabra,

hacer una promesa de palabra. ~ 유언(遺言) testamento *m* oral. ~ 위임(委任) comisión *f* oral.

구두(句讀) 【언어】 ((준말)) =구두법(句讀法).
■ ~법(法) puntuación *f.* ~점(點) signos *mpl* de puntuación. ¶문장에 ~을 찍다 poner los signos de puntuación en un escrito, puntuar un escrito.

구두덜거리다 rezongar, funfuñar. ☞두덜거리다

구두덜구두덜 rezongando y rezongando.

구두쇠 avaro, -ra *mf,* tacaño, -ña *mf,* mezquino, -na *mf,* avariento, -ta *mf,* cicatero, -ra *mf,* persona *f* codiciosa.

구두질 limpieza *f* del hipocausto coreano. ~하다 limpiar el hipocausto coreano.

구둔하다(口鈍—) (ser) lento.

구둣대 aparato *m* para la limpieza del hipocausto coreano.

구드러지다 secarse.

구들 ((준말)) =방구들(hipocausto). ¶~을 놓다 instalar el hipocausto. ~을 수리하다 reparar el hipocausto. ~이 덥다 El suelo es caliente.
■ ~고래 =방고래. ~더께 =구들직장. ~돌 =구들장. ~목 parte *f* inferior de la habitación. ~미 cenizas *fpl* y tierra quemada del tiro del hipocausto coreano. ~바닥 suelo *m* del hipocausto sin revestir nada. ~방(房) *gudeulbang,* habitación *f* cuyo suelo es adoquinada con piedras planas. ~장 *gudeulchang,* pieza *f* de la piedra plana usada para el revistimiento para suelos de la habitación sobre el hipocausto coreano. ~직장 persona *f* casera, persona *f* hogareña.

구들구들 secándose completamente. ~하다 secarse completamente, resecar.

구들동티 muerte *f* repentina sin causa aparente. ~가 나다 morir de repente sin causa aparente.

구들재 =구재.

구듭 servicio *m* concienzudo, sufrimiento *m* de la molestia de ayudar.
◆구듭(을) 치다 sufrir la molestia de ayudar.

구등(球燈) lámpara *f* redonda.

구뜰하다 (ser) sabroso, apetitoso, rico.

구라(救癩) auxilio *m* para los leprosos.
■ ~ 사업 obra *f* del auxilio para los leprosos.

구라파(歐羅巴) 【지명】 Europa *f.* ☞유럽

구락부(俱樂部) club *m* (*pl* clubs).

구랍(舊臘) diciembre *m* del año pasado.

구래(舊來) desde los tiempos antiguos. ~의 viejo, antiguo, tradicional, acostumbrado, habitual, usual. ~로 desde tiempo antiguo, desde tiempo pasado. ~의 누습 abusos *mpl* viejos. ~의 누습을 타파하다 suprimir abusos viejos.

구량(口糧) ración *f.*

구럭 artículo *m* de mallas de paja.

구렁 ① [움푹 패어 들어간 땅] hueco *m,* depresión *f,* cavidad *f,* hoyo *m,* pozo *m,* fosa *f.* ~에 빠지다 caer en el hoyo. ② [비유적] abismo *m,* profundidades *fpl,* lo más profundo. 깊은 ~ hoyo *m* sin fondo.
■ ~ 생활 vida *f* sumida en la pobreza, vida *f* pobrísima, vida *f* muy pobre.

구렁말 caballo *m* con el pelo castaño.

구렁이 ① 【동물】 boa *f,* serpiente *f* grande. ② ((속어)) [음흉하고 능글맞은 사람] viejo zorro *m,* perro *m* viejo, persona *f* astuta, persona *f* taimada.
■ 구렁이 담 넘어가듯 ((속담)) Hacer el ardid cautelosamente sin despertar sospecha.

구렁텅이 abismo *m,* fondo *m.* 절망의 ~에 빠져 있다 estar en el fondo [en el abismo] de la desesperanza.

구레나룻 patillas *fpl.* ~이 난 사람 hombre *m* patilludo.

-구려 ① [감탄] ¡Qué! 참 아름답~ ¡Qué hermoso! ② [허용] poder. 들어오~ Usted puede entrar. 좋도록 하~ Haz como te gustes. 갈테면 가~ Tú puedes ir cuando quieras. ③ [권유] Yo te aconsejo que + *subj.* 경주로 여행하~ Yo te aconsejo que viajes a *Gyeongchu.*

구력(球歷) *su* carrera del béisbol.

구력(舊曆) =태음력(太陰曆).

구령(口令) orden *f* verbal, orden *f.* ~하다 ordenar.

구령(救靈) salvación *f,* salvación *f* del alma. ~하다 salvar [redimir] el alma.

구령(舊領) feudo *m* antiguo.

구례(舊例) costumbre *f* vieja, precedentes *mpl.*

구례(舊禮) etiqueta *f* vieja.

구로(劬勞) trabajo *m* duro de dar a luz un hijo y criarlo.
■ ~일(日) *su* cumpleaños. ~지감(之感) corazón *m* de pensar el favor de *sus* padres. ~지은(之恩) gracia *f* a *sus* padres, amor *m* paternal, cariño *m* paternal.

구로(舊路) camino *m* antiguo.

구로(鷗鷺) la gaviota y la garceta.

구록(具錄) anotación *f* sin omisión. ~하다 anotar todo sin omisión.

구록(舊錄) anotación *f* antigua.

구록피(狗鹿皮) cuero *m* de perro de curtir suavemente como el de ciervo.

구론(口論) disputa *f,* riña *f,* alternación *f,* altercado *m.* ~하다 disputar, reñir, altercar, contender. …와 …에 관해 ~하다 disputar [altercar] con *uno* sobre [de] *algo.*

구롱(丘壟) ① =언덕. ② [조상(祖上)의 산소] cementerio *m* de *sus* antepasados.

구료(救療) la salvación y la cura a los enfermos. ~하다 salvar a los enfermos y curarlos.

구루(佝僂) ① =곱사등이. ② [늙거나 병들어 허리가 앞으로 꼬부라짐] curva *f* hacia adelante de la cintura por la vejez y la enfermedad.
■ ~병(病) raquitis *f,* raquitismo *m.* ~병

환자(病患者) raquítico, -ca *mf.*
구류(拘留) detención *f* penal, detención *f*, arresto *m*, prisión *f*. ~하다 detener, arrestar, aprisionar, prendar. ~ 중이다 estar en detención. 일주일간 ~에 처하다 ser sentenciado a siete días detención.
■ ~ 신문(訊問) interrogatorio *m* de arresto. ~장(狀) orden *f* de arresto. ~장(場) casa *f* de arresto. ~ 처분(處分) sentencia *f* de detención penal.
구륙(九六) ① [아홉과 여섯] nueve y seis. ② [양(陽)과 음(陰)] el positivo y el negativo.
구륜(九輪) ((불교)) nueve vehículos en la parte superior de la pagoda.
구르다[1] ① [데굴데굴 돌며 옮아가다] rodar, darse vuelta, rular. 바퀴가 ~ rodar una rueda. 언덕 아래로 ~ rodar cuesta abajo. 병이 방바닥에서 굴렀다 La botella rodaba sobre el suelo. 봉지가 찢어져 귤이 굴러 나왔다 La bolsa se rompió y las naranjas salieron rodando. ② [총 따위를 쏠 때 반동으로 뒤로 되튀다] retroceder, dar un culatazo.
■ 구르는 돌에는 이끼가 안 낀다 ((속담)) Piedra movediza no coge musgo / Piedra movediza nunca moho (la) cobija / La piedra quieta cría malva / Piedra que rueda no cría moho.
굴러 들어가다 =굴러 들어오다.
굴러 들어오다 entrar rodando. 공이 집으로 굴러 들어왔다 La pelota entró rodando en la casa. 그에게 재산이 굴러 들어왔다 La fortura le entró de rondón en casa.
굴러 떨어지다 derrumbarse, venirse abajo.
구르다[2] [밑바닥이 울리도록 발을 내리디디다] patear, dar una patada (en). 발을 동동 ~ dar una patada en el suelo. 발을 동동 구르며 울다 llorar dando una patada en el suelo.
구름 ① [대기의 고층에 떠도는 물방울] nube *f*. ~ 이 잔뜩 낀 하늘 cielo *m* nublado. ~이 없는 하늘 cielo *m* despejado [sin nubes]. 검은 ~ nube *f* negra. 흰 ~ nube *f* blanca. ~ 사이로 desde [por] entre las nubes. ~으로 덮다 anublar, nublar, ocultar las nubes el azul del cielo o la luz de un astro, especialmente la del Sol o la Luna. ~이 덮이다 anublarse. ~이 나오다 acumular las nubes. ~이 일다 levantarse las nubes. ~이 낀다 Se forman las nubes. ~이 끼기 시작한다 Comienzan a formarse las nubes / Se está nublando el cielo. ~이 걷힌다 Las nubes desaparecen [se disipen] / El cielo se esclarece [se despeja]. ~ 사이로 달빛이 스민다 Un rayo de luna se filtra por entre las nubes. 하늘에 ~이 끼어 있다 El cielo está nublado / El cielo está cubierto de nubes. 산꼭대기에 ~이 덮여 있다 Las nubes cubren [ciñen] la cima de la montaña. 달이 ~에 가려 있다 La luna se ha ocultado tras [detrás de] las nubes. 하늘에 ~ 한 점 없다 No hay ni una [sola] nube en el cielo / Está totalmente despejado. 날씨가 더웠으나 ~이 끼어 있었다 Hacía calor pero estaba nublado / Hacía calor pero había nubes. ② [높은 것] altura *f*, lo alto. ~ 같은 집 casa *f* muy alta.
◆먹~ nubarrón *m* negro. 뭉게~ cúmulo *m*. 새털~ cirro *m*. 소나기~ nube *f* gigantesca. 쌘비~ nubarrón *m*. 털~ cirro *m*.
◆구름(을) 잡다 tratar de hacer una conducta extremadamente vaga. 그것은 구름을 잡는 이야기다 Es un cuento extremadamente vago.
■ ~결 ㉮ [구름처럼 슬쩍 지나는 겨를] tiempo *m* libre que pasa como la nube. ㉯ [엷고 고운 구름의 결] tersura *f* de la nube fina y hermosa. ~다리 viaducto *m*. ¶~부표(浮漂) boya *f* salvavidas. ~무늬 figura *f* de la forma de la nube. ~바다 mar *m* de nube. ~비 la nube y la lluvia. ~양(量) cantidad *f* de la nube. ~장 masa *f* de nubes.
구름금 [도약 운동에서] primera línea *f* del trampolín.
구름판(一板) trampolín *m* (*pl* trampolines).
구릅 nueve años de edad del caballo o de la vaca.
구릉(丘陵) [언덕] colina *f*, loma *f*, collado *m*, cerro *m*, alcor *m*.
■ ~지(地) zona *f* de colinas.
구리 【화학】 cobre *m*. ~를 함유한 cobrizo. ~를 입히다 cubrir [revestir] con cobre.
■ ~돈 moneda *f* de cobre. ~줄 cuerda *f* de alambre fino. ~철사(鐵絲) alambre *m* de cobre. ~합금(合金) aleación *f* de cobre. ~ㅅ빛 color *m* cobrizo. ¶~의 (color) cobrizo. ~ 살결 cutis *m* cobrizo.
구리(久痢) 【의학】 disentería *f* crónica.
구리(究理) investigación *f* de los principios naturales. ~하다 investigar los principios naturales.
구리귀신(一鬼神) persona *f* apretada y terca.
구리다 ① [똥이나 방귀 냄새와 같다] (ser) fétido, hediondo, nauseabundo, apestoso. ② [하는 짓이 더럽고 추잡하다] (ser) tacaño, mezquino, malo, asqueroso.
구린내 mal olor *m*, hediondez *f*, hedor *m*.
◆구린내(가) 나다 ㉮ [냄새가 구리다] oler mal, apestar. 구린내가 나는 que huele mal, que tiene mal olor, mal oliente, maloliente, pestilente, apestoso, fétido, hediondo. ㉯ [수상쩍다] (ser) sospechoso, oler mal. 그에게서 구린내가 난다 El es sospechoso / El huele mal. 구린내를 풍기다 tener mal olor, apestar.
구린입 boca *f* inmunda, boca *f* sucia.
구리때 【식물】 angelica *f*.
구리지언(丘里之言) =속담(俗談).
구리터분하다 ① [냄새가 구리고 터분하다] (ser) maloliente, apestoso, pestilente, fétido, hediondo. ② [하는 짓이나 생각하는 것이 깔끔하지 못하고 더럽다] (ser) tacaño, mezquino.

구리텁텁하다 ① [냄새가 구리고 텁텁하다] (ser) maloliente, hediondo. ② [몹시 구리터분하다] (ser) muy apestoso.
구림(久霖) estación *f* de lluvias larga.
구마(驅魔) expulsión *f* del diablo. ~하다 expulsar el diablo.
구만리장천(九萬里長天) cielo *m* muy alto y lejano.
구만(九慢) ((불교)) nueve formas de orgullo.
구매(購買) compra *f*, adquisición *f*. ~하다 comprar, adquirir.
■ ~가[값] precio *m* de compras, precio *m* de adquisición. ~과(課) sección *f* de compras. ~ 기금(基金) fondo *m* de compras. ~ 담당 agente *mf* de compras. ~ 담당 공무원 funcionario, -ria *mf* de compras. ~ 담당관 =구매 담당 공무원. ~ 독점(獨占) monopolio *m*. ~ 동기(動機) motivo *m* adquisitivo. ~력(力) poder *m* adquisitivo, facultad *f* de compras. ¶~ 평가 paridad *f* de poder adquisitivo. ~ 평가설 teoría *f* de paridad de poder adquisitivo. ~부(部) departamento *m* de compras. ~욕 deseo *m* adquisitivo. ¶~을 일으키다 despertar [estimular] el deseo adquisitivo. ~자(者) comprador, -dora *mf*. ~ 조합 cooperativa *f* de compras, asociación *f* de compras. ~처(處) departamento *m* de compras. ~ 회사(會社) compañía *f* adquirente.
구멍 agujero *m*, orificio *m*; [열쇠나 들여다보는] ojo *m*; [벌어진] rotura *f*, [벽의] boquete *m*, agujal *m*; [움푹 파인] hueco *m*, cavidad *f*, hoyo *m*; [지면(地面)의] fosa *f*, socavón *m* (*pl* socavones), hoyo *m*, agujero *m*; [길의] bache *m*; [단추의] ojal *m*; [구두나 서류 따위의 끈을 꿰기 위한 동그란 구멍] ojete *m*; [작은] agujuelo *m*; [동굴] gruta *f*, cueva *f*, caverna *f*. ~투성이의 lleno de agujero. ~을 내다[뚫다] agujerear, horadar, abrir un agujero (en), hacer un agujero (en). ~을 파다 cavar. ~을 막다 tapar el agujero. ~을 메우다 llenar el hoyo. ~으로 들여다보다 clavar la vista [los ojos] (en), mirar de hito en hito. 담벽에 ~을 뚫다 agujerear una muralla. 벽에 ~을 뚫다 horadar [agujerear · abrir un agujero en] la pared. 틀에 맞게 ~을 뚫다 estampar. 바닥에 ~이 뚫려 있다 Hay un agujero en el suelo. 와이셔츠에 ~이 나 있다 Hay una rotura en la camisa. 양말에 큰 ~이 뚫렸다 Se hizo un tomate [un roto] en el calcetín. 내 양말에 ~이 많이 나 있다 / 내 양말은 ~투성이다 Tengo los calcetienes llenos de agujeros. 지붕에 ~이 뚫려 있다 El tejado está agujereado. 제발 땅에 ~이라도 생겨 내가 들어갈 수 있다면 좋으련만 ¡Ojará (que) me tragara la tierra!
■ ~가게 tiendecita *f*. ~새 ㉮ [구멍의 생김새] forma *f* del agujero. ㉯ [얼굴의 생김새] forma *f* de la cara. ~탄(炭) briqueta *f* de la forma de columna con agujeros.
구메구메 =새새. 틈틈이.
구메농사(一農事) ① [고장에 따라 풍흉(豊凶)이 다른 농사] cultivo *m* irregular. ② [소규모의 농사] cultivo *m* a pequeña escala.
구메밥 comida *f* abastecida a los prisioneros a través del ojo de la pared.
구면(球面) ① [구의 표면] superficie *f* de la esfera. ② 【수학】 superficie *f* esférica. ~의 esférico, esferal.
■ ~각(角) 【수학】 ángulo *m* esférico. ~경(鏡) espejo *m* esférico. ~계 【물리】 esferómetro *m*. ~ 기하학 【수학】 geometría *f* esférica. ~ 다각형 【수학】 polígono *m* esférico. ~ 삼각법 【수학】 trigonometría *f* esférica. ~ 삼각형 【수학】 triángulo *m* esférico. ~ 수차(收差) 【물리】 aberración *f* esférica. ~ 운동(運動) moción *f* esférica. ~ 좌표 【수학】 coordenadas *fpl* esféricas. ~ 천문학 【천문】 astronomía *f* esférica. ~ 투영법 proyección *f* esférica. ~파(波) 【물리】 ola *f* esférica. ~ 항법(航法) navegación *f* esférica.
구면(舊面) conocido, -da *mf*. 그녀는 ~이다 Ella es conocida. 우리는 ~이다 Nos conocemos desde hace tiempo.
구명(究明) estudio *m*, investigación *f*, indagación *f*. ~하다 esclarecer, estudiar a fondo, examinar a fondo, investigar, inquirir, indagar. 진리(眞理)를 ~하다 esclarecer [indagar] la verdad, procurar [intentar · tratar de] conocer la verdad.
구명(救命) socorrismo *m*. ~의 que salva vidas.
■ ~구(具) (aparato *m* de) salvavidas *m*. ~대[동의(胴衣)] boya *f* salvavidas, cinturón *m* salvavidas, salvamento *m*. ~ 부대(浮袋) =구명대. ~ 부표(浮漂)[부이] salvavidas *m.sing.pl*, guindola *f*. ~삭(索) cuerda *f* salvavidas. ~선(船) lancha *f* de salvamento. ~ 운동(運動) campaña *f* de salvar vidas. ~ 장비 salvavidas *m.sing.pl*. ~정[보트] ㉮ [배의] bote *m* salvavidas. ㉯ [해안 기지의] lancha *f* de salvamento. ~조끼 chaleco *m* salvavidas.
구명(舊名) nombre *m* viejo, nombre *m* anterior.
구명(軀命) =신명(身命).
구목(丘木) árbol *m* alrededor de la tumba.
구몰(俱沒) muerte *f* de *sus* padres. ~하다 morir *sus* padres.
구묘(丘墓) =무덤(tumba).
■ ~지향(之鄕) campo *m* que hay montaña que *sus* antepasados están encerrados, campo *m* que hay cementerio de *sus* antepasados.
구무럭거리다 soler mover el cuerpo lentamente.
구무럭구무럭 soliendo mover el cuerpo lentamente.
구문(九門) nueve puertas principales.
구문(口文) =구전(口錢)(comisión).
◆구문(을) 받다 tomar una comisión.
구문(口吻) ① =입술(labio). ② =주둥이(boca). ③ =말투(manera de hablar).

구문(構文) construcción *f* (de oración). 문법상의 ~ construcción *f* gramatical.
■ ~론(論) 【언어】 sintaxis *f*.

구문(歐文) letras *fpl* europeas, escrituras *fpl* europeas, lengua *f* europea.
■ ~ 전보 telegrama *m* en letras europeas, telegrama *m* redactado en una lengua europea. ~ 타자기 máquina *f* de escribir con letras romanas.

구문(舊聞) historia *f* antigua, formación *f* anticuada.

구물(舊物) ① [옛 물건] artículo *m* antiguo. ② [대대로 물려 전해 오는 물건] artículo *m* heredero.

구물거리다 ① entretenerse, mover lentamente, tardar mucho (en + *inf*). 구물거리지 말고 sin perder el tiempo, sin demora alguna; [즉시] pronto, en seguida. 구물거릴 시간이 없다 No podemos perder tiempo / No hay tiempo que perder. 구물거리지 마라 No sea remiso / No pierdas tiempo / Date prisa / [가만히 있어라] Quédate [Estáte] quieto. 구물거리지 말고 빨리 가거라 Vete pronto, sin perder ni un momento. ② [벌레·물고기가] retorcerse. 구물거리며 나아가다 avanzar serpeando, avanzar culebreando.

구미(口味) apetito *m*, sabor *m*, gusto *m*. ~에 따라 a *su* gusto. ~에 맞는 de buen paladar, bueno al paladar. 병이 나서 ~를 잃다 perder el apetito por la enfermedad. 이 포도주(葡萄酒)는 ~에 맞다 Este vino tiene buen paladar / Este vino es bueno al paladar.
◆구미가 나다 ㉮ [입맛이 나다] tener buen apetito. 나는 ~ Tengo buen apetito. ㉯ [욕심이 나다] tener deseo. 구미를 돋우다 estimular *su* apetito.

구미(歐美) ① [유럽주와 아메리카주] la Europa y la América. ~의 습관 costumbres *fpl* de Europa y América, costumbres *fpl* occidentales, costumbres *fpl* europeo-americanas. ② [유럽과 미국] la Europa y los Estados Unidos de América.
■ ~국(局) departamento *m* de asuntos europeo-americanos. ~ 여행 viaje *m* por Europa y América. ~인(人) occidentales *mpl*, europeos y americanos. ~ 제국 países *mpl* de Europa y América.

구미(舊米) arroz *m* (*pl* arroces) añejo.

구미호(九尾狐) ① [오래 묵어 사람을 호린다는 꼬리 아홉 개 달린 여우] zorra *f* con nueve colas. ② [교활한 사람] persona *f* astuta [zorra].

구민(區民) habitante *mf* de *Gu*.

구민(救民) auxilio *m* del pueblo. ~하다 auxiliar [ayudar] al pueblo.

구밀복검(口蜜腹劍) Lenguaje meloso, trato engañoso / Palabras confitadas, entrañitas dañadas.

구박(驅迫) maltratamiento *m*, maltrato *m*. ~하다 maltratar, tratar mal. 며느리를 ~하여 쫓아내다 maltratar a *su* nuera para que deje la casa.

구배(句配) ① 【건축】 =물매. ② 【수학】 ((구용어)) =기울기.

구법(求法) ((불교)) busca *f* del budismo. ~하다 buscar el budismo.

구법(舊法) ley *f* antigua.

구벽(口癖) =입버릇.

구변(口邊) =입가.

구변(口辯) =말솜씨. 언변(言辯).
■ ~머리 ((속어)) =구변(口辯).

구변(具邊) ((준말)) =구본변(具本邊).

구별(區別) ① [종류에 따라 갈라놓음] clasificación *f*, división *f*. ~하다 clasificar, dividir. ② [차별함] distinción *f*; [식별함] discernimiento *m*. ~하다 distinguir, discernir. ~없이 sin distinción. 남녀 ~없이 sin distinción de sexo. 남녀노소 ~없이 sin distinción de edad ni sexo. 진짜와 가짜를 ~하다 discernir lo verdadero de lo falso. 모두와 ~없이 놀다 jugar con todos sin distinción. 선악(善惡)을 ~할 수 없다 no poder distinguir lo bueno y lo malo, no saber hacer distinción entre el bien y el mal. 이 말의 의미(意味)를 정확히 ~해라 Distingue exactamente los sentidos de estas palabras. 그는 선악의 ~도 못한다 El no sabe hacer distinción entre el bien y el mal.

구병(救兵) soldado, -da *mf* ayudante.

구병(救病) atención *f*, cuidado *m*. ~하다 atender, cuidar (de).

구보(驅步) paso *m* de carga, paso *m* de ataque, paso *m* ligero, carrera *f*, corrida *f*, [말의] galope *m*. ~로 corriendo, a paso redoblado, a marchas forzadas, a galope, de galope. ~로 유럽을 돌다 hacer un recorrido relámpago por Europa. ~로 전진! ¡Redoblen la marcha!

구복(口腹) la boca y el estómago.
■ 구복이 원수다 ((속담)) El hambre es la fuente de humillación.
■ ~지계(之計) medio *m* de ganarse la vida.

구본(舊本) libro *m* publicado hace mucho tiempo.

구본변(具本邊) suma *f* de capital y interés. ~하다 sumar el capital y el interés.

구봉(舊封) feudo *m* anterior.

구부간(舅婦間) entre el padre político y su nuera.

구부득(求不得) Se busca pero no se halla.
■ ~고(苦) ((불교)) dolor *m* que se busca pero no se halla.

구부러뜨리다 torcer, curvar, doblar, encorvar, agarbar, inclinar, combar.

구부러지다 encorvarse, doblarse, plegarse, agarbarse, serpentear, serpear, combarse; [파이프·철사 등이] torcerse, curvarse; [기울다] inclinarse; [방향을 바꾸다] girar, torcer, dblar,dar la vuelta, virar. 구부러진 curvado, arqueado, sinuoso, torcido, encorvado, doblado, plegado, agarbado, serpenteado, combado. 구부러진 길 camino *m* serpenteado. 허리가 구부러진 노파(老婆) vieja *f* encorvada. 활등처럼 구부러진 철도 ferrocarril *m* curvado como el arco. 등이 구부러져 있다 tener la espalda encorvada. 길이 구부러졌다 El camino se tuerce / El camino da la vuelta. 눈의 무게 때문에 가지가 구부러졌다 Las ramas se curvan por el peso de la nieve. 첫 모퉁이에서 오른쪽으로 구부러지세요 Gire [Doble · Tuerza · Dé la vuelta] a la derecha en la primera esquina. 길이 완만하게 구부러져 있다 El camino serpea levemente.

구부렁이 artículo *m* curvado.

구부렁하다 curvarse hacia adentro.

구부리다 encorvar, agarbar; [파이프 · 철사 · 가지 등을] torcer, curvar, combar; [등 · 팔 · 다리를] doblar, flexionar; [몸을] agacharse, inclinarse, doblarse, encorvarse. 가지를 ~ doblar una rama. 무릎을 ~ doblar las rodillas. 팔을 ~ [자신의] doblarse un brazo. 쇠를 ~ combar un hierro. 허리를 ~ doblarse, encorvarse, doblarse por la cintura, doblar la cintura. 몸을 앞쪽으로 ~ inclinarse hacia adelante. 몸을 뒤쪽으로 ~ inclinarse hacia atrás. 몸을 구부리고 걷다 andar encorvado, andar con el cuerpo doblado. 몸을 앞으로 구부린 자세로 con la cabeza agachada, con la frente inclinada. 몸을 구부려 인사하다 inclinarse para saludar. 구부리지 마세요 ((게시)) No doblar. 나는 문을 통과하기 위해 몸을 구부려야 했다 Yo tuve que agacharse para pasar por la puerta.

구부스름하다 ser algo curvado.

구부스레하다 =구부스름하다.

구부정하다 ser algo curvado [inclinado · encorvado · doblado]. 머리를 약간 구부정하게 하고 걷다 andar con la cabeza algo inclinada. 그는 몸이 수척하고 ~ El es delgado y algo inclinado.

구분(區分) [분할] división *f*, [구획] sección *f*, compartimiento *m*; [분류] clasificación *f*; [한계] demarcación *f*; [구별] distinción *f*. ~하다 dividir, clasificar, compartir; [구별하다] distinguir. 마을을 넷으로 ~하다 dividir un pueblo en cuatro secciones. 공사(公私)를 ~하다 distinguir entre lo público y lo privado. 각국 별로 색깔을 달리 ~하다 pintar el mapa dando distinto color a cada país.

구불거리다 serpentear, ondular, zigzaguear.
구불구불 serpenteantemente, en zigzag, haciendo zigzag, torcido. ~하다 (ser) serpentear, hacer zigzag.

구불텅하다 (ser) levemente curvado.
구불텅구불텅 serpenteando por [en] muchas partes. ~하다 serpentear [ondular] por [en] muchas partes.

구붓하다 parecer algo curvado [arqueado].

구비(口碑) tradición *f* oral, leyenda *f*, folclore *m*, folklore *m*. ~로 전하는 바에 따르면 según la tradición, La tradición dice que + *ind.* ~로 전하다 ser transimitido oralmente.
■ ~ 동화(童話) cuento *m* de hadas oral. ~ 문학(文學) literatura *f* oral.

구비(具備) equipo *m*, posesión *f*. ~하다 surtir bien, suplir bien, poseer, tener, ser dotado (de), equipar, estar dotado (con), aparejar. 자격을 ~하고 있다 tener títulos. 그는 여러 가지 능력을 ~하고 있다 El tiene capacidad para muchas cosas.

구비(廐肥) abono *m* del establo.

구빈(救貧) socorro *m* de pobres.
■ ~ 사업(事業) obra *f* de beneficencia. ~원(院) asilo *m* para los pobres, casa *f* de beneficencia. ~ 제도(制度) sistema *m* de socorro.

구쁘다 sentir el apetito.

구사(求仕) busca *f* del puesto gubernamental. ~하다 buscar el puesto gubernamental.

구사(鳩舍) palomar *m*.

구사(廐舍) =마구간.

구사(舊史) historia *f* antigua.

구사(舊寺) templo *m* budista fundido hace mucho tiempo.

구사(舊事) =옛일.

구사(舊師) maestro *m* antiguo, maestro *m* anterior.

구사(驅使) ① [사람이나 동물을 몰아쳐 부림] manejo *m*, control *m*. ~하다 manejar, controlar. ② [자유자재로 다루어 씀] manejo *m* libre, uso *m* libre. ~하다 hacer pleno uso (de), usar. 수개 국어를 ~하다 hablar bien varias lenguas. 5개 국어를 ~하다 manejar [usar] con destreza cinco idiomas. 최신 기술을 ~하여 배를 건조하다 construir un buque usando la más moderna tecnología en *su* máximo grado, construir un buque haciendo pleno uso de la última tecnología.

구사대(救社隊) cuerpo *m* de rompehuelgas.
■ ~원(員) rompehuelgas *m.sing.pl.* ~이 되다 romper la huelga.

구사상(舊思想) ① [옛적 사상] idea *f* antigua. ② [시대에 뒤떨어진 낡은 사상] idea *f* anticuada.

구사일생(九死一生) escape *m* por un pelo de la muerte, muerte *f* muy probable. ~하다 salvarse de milagro, salvarse por un pelo, salvarse por los pelos, escaparse por un pelo, escapar [salvarse · librarse] milagrosamente de la muerte. 그는 죽음에서 ~했다 El se escapó por un pelo de la muerte.

구산(口算) cuenta *f* oral. ~하다 contar oralmente.

구산(丘山) la colina y la montaña.

구산(求山) busca *f* del lugar de la tumba. ~하다 buscar el lugar de la tumba.

구상(求償) reclamación *f* para compensación.
■ ~권 derecho *m* de compensación reclamante. ~ 무역 comercio *m* de compensación. ~주의 sistema *m* de compensación.

구상(具象) =구체(具體).
■ ~ 개념 【논리】 =구체적 개념. ~ 명사 =구체적 명사. ~성(性) 【철학】 =구체성.

~ 예술 arte *m* figurativo, artes *mpl* plásticos. ~화(化) =구체화(具體化). ~화(畵) pintura *f* figurativa.

구상(球狀) forma *f* esférica, esferoide *m*. ~의 esférico, globular, globoso, esferoidal.
■~ 관절(關節) articulación *f* esferoidal. ~관절염 enartritis *f*. ~균(菌) micrococo *m*. ~ 단백질(蛋白質) proteína *f* globular. ~반응(反應) reacción *f* globular. ~ 성단(星團)【천문】grupo *m* globular. ~ 세균 =구상균. ~ 입자(粒子) globulo *m*. ~ 적혈구(赤血球) esferocito *m*. ~ 적혈구 결여(赤血球缺如) asferinia *f*. ~ 적혈구증(赤血球症) esferocitosis *f*. ~종(腫) esferoma *m*. ~체(體) esferoide *m*. ~체 형성(體形成) globulosis *f*. ~핵(核) globulo *m*. ~화산(火山)【지질】volcán *m* esférico.

구상(鉤狀) forma *f* de gancho. ~의 de forma de gancho, unciforme.
■~ 관절(關節) artrodia *f*. ~ 돌기(突起) proceso *m* coronoide.

구상(構想) plan *m*, proyecto *m*, programa *m*; [착상] idea *f*. ~을 세우다 trazar [formar · elaborar · forjar · madurar] un plan [un proyecto]. 웅대한 ~을 가지다 tener un plan de gran alcance.

구상나무【식물】abeto *m* coreano.

구상서(口上書) nota *f* verbal.

구상유취(口尙乳臭) puerilidad *f*. ~의 pueril.

구새 ((준말)) =구새통.
◆구새(가) 먹다 hacerse hueco. 구새 먹은 나무 árbol *m* hundido.
■~통 ㉮ [구새 먹은 통나무] árbol *m* hundido, tronco *m* hundido. ㉯ [나무로 만든 굴뚝] chimenea *f* de madera.

구색(具色) surtido *m*.
◆구색(을) 맞추다 tener un buen [gran] surtido. 구색을 맞춘 bien surtido. 당점에서는 구색을 맞추어 놓았습니다 Tenemos un gran surtido. 폐점은 여러 가지 값의 와이셔츠를 구색을 맞추어 놓았습니다 Tenemos un buen surtido de camisas de varios precios.

구생(苟生) vida *f* muy pobre. ~하다 vivir muy pobre.

구생(舅甥) ① [외삼촌과 생질] tío *m* materno y *su* sobrino. ② [장인과 사위] suegro *m* y *su* yerno.

구서(九暑) calor *m* durante noventa días del verano.

구서(口書) ① [붓을 입에 물고 쓴 글씨] escritura *f* hecha con el cepillo de escribir en la boca. ② [죄를 자백한 것을 적은 서류] declaración *f* jurada, affidávit *m*.

구서(購書) compra *f* del libro. ~하다 comprar el libro.

구서(驅鼠) exterminio *m* de las ratas. ~하다 exterminar las ratas.

구석 ① [모퉁이의 안쪽] esquina *f*, rincón *m* (*pl* rincones), ángulo *m*, punto *m*. ② [드러나지 아니하고 치우친 곳] lugar *m* escondido, lugar *m* oculto.
구석구석 cada rincón y esquina, todas las esquinas. ~까지 por todos los rincones. ~을 찾다 buscar *algo* sin dejar rincones. 집안을 ~까지 찾다 buscar hasta en el último rincón de la casa, buscar por toda la casa. 나는 집안 ~까지 찾았다 Yo he buscado hasta en el último rincón de la casa.
■~방(房) habitación *f* interior, habitación *f* aislada, habitación *f* retirada. ~장(欌) cómoda *f* triangular. ~지다 (estar) aislado, apartado, retirado, poco conocido. ¶구석진 곳 lugar *m* apartado, lugar *m* lugar *m* aislado, lugar *m* retirado, lugar *m* poco conocido.

구석기(舊石器) instrumento *m* [utensilio *m*] de piedra en la edad paleolítica.
■~ 시대(時代) edad *f* paleolítica, paleolítico *m*. ¶~의 paleolítico. ~ 사람 hombre *m* paleolítico.

구설(口舌) chismorreo *m* malicioso, palabras *fpl* acaloradas.
■~수 mala suerte *f* de los insultos verbales.

구설초(狗舌草)【식물】=수리취.

구성(九成) segundo grado *m* del oro.

구성(構成) organización *f*, composición *f*, constitución *f*, formación *f*; [구조(構造)] estructura *f*;【미술】construcción *f*. ~하다 componer, organizar, constituir, formar. ~되다 componerse (de), constar (de). 작품(作品)의 ~ composición *f* de la obra. 문장(文章)을 ~하다 componer [formar] una oración. 다섯 명의 과학자가 위원회를 ~하고 있다 Cinco científicos forman el comité / El comité consta [se compone] de cinco científicos. 이 소설은 ~이 딱딱하다 Esta novela tiene una estructura sólida. 물은 산소와 수소로 ~되어 있다 El agua está compuesta [se compone] de oxígeno e hidrógeno.
■~ 개념(槪念)【심리】constructo *m*. ~단위(單位) unidad *f* constituyente. ~ 단체(團體) organización *f* afiliada. ~미(美) belleza *f* arquitectónica. ~ 분자(分子) elementos *mpl* constituyentes. ~ 심리학 psicología *f* constituyente. ~ 요소 elemento *m* constitutivo, elemento *m* constituyente, componente *m*. ~원(員) miembro *mf*, componente *mf*. ~체(體) cuerpo *m* constituyente, organización *f* constituyente. ~파(派) constructivismo *m*, construccionismo *m*. ¶~ 미술가 constructivista *mf*, construccionista *mf*.

구성명(具姓名) ¶~하다 escribir nombre y apellido.

구성없다 (ser) feo, antiestético, torpe, poco elegante, patoso.

구성지다 (ser) apropiado, favorecedor, elegante, atractivo, encantador, precioso; [목소리가] dulce, melodioso. 구성지게 elegantemente, atractivamente, de un modo encantador, dulcemente, melodiosamente. 구성진 목소리로 en voz dulce, en voz melodiosa.

구세【광물】mineral *m* de roca poroso.

구세(救世) ① [세상 사람을 구제함] salvación *f* (del mundo). ② ((종교)) salvación *f* por el poder religioso.

▪ ~군(軍) ((기독교)) el Ejército de Salvación. ~군 교지(軍教旨) salvacionismo *m*. ~군 군인 salvacionista *mf*, miembro *mf* del Ejército de Salvación. ~군 사관(軍士官) oficial *mf* del Ejército de Salvación. ~제민(濟民) =구세(救世). ~주(主) ㉮ [인류를 구제하는 사람] mesías *m*. ¶~의, ~적인 mesiánico. ㉯ ((기독교)) [예수] Jesús, el Salvador, el Redentor, el Mesías. ㉰ ((불교)) =석가모니.

구세(舊歲) año *m* pasado.

구세계(舊世界) =구대륙(舊大陸).

구세대(舊世代) generación *f* antigua.

구세동거(九世同居) intimidad *f* de *su* hogar.

구세력(舊勢力) ① [옛 세력] fuerza *f* antigua. ② [수구적인 세력] fuerza *f* conservadora.

구소(灸所) =구혈(灸穴).

구소(舊巢) ① [새들의 옛 둥우리] nido *m* viejo. ② [옛 보금자리] lugar *m* [sitio *m*] donde vivía antaño. 그는 예전에 일했던 ~로 돌아갔다 El ha vuelto a donde trabajaba antaño.

구소설(舊小說) novela *f* antes de la Reforma de *Gabo*.

구속(拘束) ① [체포하여 신체를 속박함] detención *f*, arresto *m*. ~하다 detener, arrestar. 용의자(容疑者)의 신병을 ~하다 detener a un sospechoso. ② [자유 행동을 제한 또는 정지시킴] restricción *f*, suspensión *f*. ~하다 restringir, suspender.

▪ ~ 기간의 연장 prórroga *f* de la detención. ~ 기간의 재연장 prórroga *f* de nuevo de la detención. ~력(力) fuerza *f* restrictiva. ~ 시간 horas *fpl* de estancia obligatora (en la oficina). ~ 영장 orden *f* de arresto, orden *f* de detención. ¶그의 ~이 발행되었다 Se expidió una orden de arresto [de detención] en su contra / Se ordenó su arresto [detención]. ~ 적부 심사(適否審査) *lat* hábeas corpus *m*. ~ 집행정지 suspensión *f* de la detención.

구속(球速) velocidad *f* de la pelota.

구속(救贖) ((성경)) redención *f*. ~하다 redimir, libertar.

▪ ~자(者) ((성경)) Redentor *m*, defensor *m*, salvador *m*, libertador *m*.

구속(舊俗) costumbre *f* anticuada.

구송(口誦) recitación *f*. ~하다 recitar, leer en voz alta.

구수(口授) =구술(口述).

구수(仇讐) =원수(怨讐).

▪ ~지간(之間) entre el enemigo.

구수(丘首) ① [근본을 잊지 않음] lo que no olvida el fundamento. ② [고향을 생각함] añoranza *f* de *su* tierra natal.

구수(拘囚) =수금(囚禁).

구수(寇讐) =원수(怨讐).

구수(鳩首) lo que muchas personas se enfrentan unos a otros. ~ 회의[응의] conferencia *f*.

구수닭 gallina *f* con manchas.

구수하다 ① [맛·냄새가 비위에 좋다] (ser) agradable, bueno, sabroso, apetitoso, rico. 구수한 냄새 perfume *m*, aroma *m*, olor *m* sabroso. 냄새가 ~ El olor es bueno. 맛이 ~ El sabor es bueno. ② [말이 듣기에 그럴듯하다] (ser) interesante, gracioso, cómico, divertido, encantador, agradable, delicioso. 구수한 이야기 historia *f* interesante, cuento *m* interesante, palabra *f* divertida. 구수한 사람 persona *f* atractiva, persona *f* encantadora.

구순(口脣) ① [입과 입술] la boca y los labios. ② =입술(labio).

구순하다 (ser) armonioso, íntimo. 둘 사이가 ~ Ellos están en buenas relaciones.

구순히 armoniosamente, íntimamente, con intimidad, en buenas relaciones, en armonía. ¶~ 살다 vivir felizmente juntos.

구술(口述) exposición *f* oral, alegación *f*, manifestación *f* oral; [받아쓰기] dictado *m*. ~하다 exponer [manifestar] oralmente; dictar, trasladar. ~의 oral, verbal. ~ 필기하다 escribir al dictado.

▪ ~ 녹음기 dictáfono *m*. ~ 시험 examen *m* oral. ~인(人) testigo *mf*. ~ 증거(證據) evidencia *f* oral.

구술(灸術)【한방】moxiterapia *f*.

구스베리(영 *gooseberry*)【식물】grosella *f* esponosa, uva *f* espina.

구슬 ① [보석으로 둥글게 만든 물건] cuenta *f*, abalorio *m*, bola *f*; [보석] joya *f*, gema *f*, piedra *f* preciosa. ~ 굴리는 듯한 목소리로 con una voz argentina. ② =진주(眞珠)(perla). ③ [사기나 유리로 만든 눈알만한 크기의 장난감의 하나] canica *f*, bolita *f*, pita *f*. ~을 치다 jugar a las canicas [a las bolitas · a las bolas].

▪ 구슬이 서 말이라도 꿰어야 보배라 ((속담)) El que algo quiere, algo le cuesta / No hay miel sin hiel / No hay atajo sin trabajo.

▪ ~덩 palanquín *m* [silla *f* de manos] con la cortina bordada con cuentas. ~땀 gotas *fpl* de sudor. ~발 persiana *f* bordada con cuentas. ~백 bolso *m* bordado con cuentas. ~ 세공(細工) puntilla *f* con adorno de cuentas. ~알 una sola cuenta. ~옥(玉) cuenta *f* con agujero. ~치기 (놀이) juego *m* de las bolitas, juego *m* de las canicas.

구슬구슬 ¶~하다 ser cocido ni duro ni suave.

구슬리다 ① [그럴듯하게 꾀어 마음을 움직이다] lisonjear, adular, halagar, acariciar, engatusar, camelar, conquistar. 그는 그 문서를 입수하기 위해 비서를 구슬렸다 El cameló al secretario para obtener el documento. 그는 나를 잘 구슬려서 돈을 내게 했다 El se las arregló bien para sacarme dinereo. ② [끝난 일을 이리저리 생각하다] considerar, deliberar, meditar, reflejar,

reflexionar, cavilar (sobre).
◆구슬려 내다 sonsacar. 구슬려 대다 sonsacar muchas veces. 구슬려 삶다 hacer ser interesante halagando. 구슬려 세다 alabar halagando.

구슬프다 estar triste.
구슬피 (silenciosa y) tristemente, con tristeza. ¶~ 울다 llorar tristemente. 장례식은 ~ 거행되었다 Celebraron los funerales silenciosa y tristemente.

구습(口習) ① =입버릇. ② =말버릇.

구습(舊習) costumbre *f* antigua, costumbre *f* vieja, hábito *m* antiguo. ~을 고수하다 adherirse a la costumbre antigua. 이 마을에는 아직도 ~이 남아 있다 En este pueblo quedan costumbres viejas.

구승(口承) tradición *f* oral.
■~ 문학(文學) literatura *f* oral.

구승(舊升) medida *f* de 1.8 litros.

구시(仇視) consideración *f* como un enemigo. ~하다 considerar como un enemigo.

구시(舊時) =왕시(往時).

구시가(舊市街) ciudad *f* vieja, barrios *mpl* antiguos de la ciudad, parte *f* antigua de la ciudad.

구시대(舊時代) edad *f* antigua.

구시렁거리다 refunfuñar, rezongar, gruñir, quejarse, regañar, jeringar.
구시렁구시렁 siguiendo refunfuñando. ~하다 seguir refunfuñando.

구시월(九十月) septiembre y octubre.
■구시월 세(細)단풍 ((속담)) Aunque es hermoso una vez se marchita pronto.

구식(舊式) ① [옛 양식이나 방식] estilo *m* anticuado, moda *f* antiquísima, tipo *m* anticuado, escuela *f* anticuada. ~의 anticuado, desusado, pasado de moda, trasnochado. ② [케케묵은 것] lo anticuado.
■~ 기계 máquina *f* anticuada. ~ 무기 el arma *f* (*pl* las armas) anticuada. ~ 생각 idea *f* anticuada. ~쟁이 conservador, -dora *mf*; convencionalista *mf*. ~ 혼인(婚姻) boda *f* tradicional coreana.

구신(具申) relato *m*, parte *f*, información *f*. ~하다 informar, relatar, dar parte, manifestar, referir.

구신(狗腎) 【한방】 pene *m* del perro.

구신(舊臣) vasallo *m* antiguo.

구실 ① 【역사】 [공공이나 관가의 직무] deber *m*, obligación *f*, responsabilidad *f*. ② =조세(租稅). ③ [제가 해야 할 일] funciones *fpl*, responsabilidades *fpl*, deberes *mpl*. 자식으로서의 ~ deberes *mpl* del hijo. 제 ~을 하다 desempeñar *sus* funciones, cumplir con *sus* obligaciones. 제 ~을 못하다 *caerse en sus deberes*. 사람 ~을 해라 Pórtate como se pueda hacer.

구실(口實) pretexto *m*, excusa *f*, disculpa *f*, escapatoria *f*, efugio *m*. 그럴듯한 ~ excusa *f* plausible. 좋은 ~ buena excusa *f*. 어떤 ~을 붙여 bajo cualquier pretexto. …을 ~로 하여 con [a] pretexto de *algo*, pretextando *algo* [que + *ind*], so color de *algo*. ~을 만들다 inventar un pretexto (para). ~을 찾다 buscar un pretexto (para). …을 ~로 하다 pretextar *algo*, dar [alegar] *algo* como pretexto, tomar *algo* por pretexto. 감기를 ~로 결근하다 faltar a la oficina bajo pretexto del resfriado. 두통을 ~로 결석하다 faltar a la escuela bajo pretexto de un dolor de cabeza, pretextar un dolor de cabeza para no asistir a clase. 친구를 ~로 하여 놀러 가다 ir a divertirse tomando por pretexto [a pretexto de] la invitación de un amigo. 그는 여러 가지 ~을 만들어 일을 쉰다 El busca diversos pretexto para no trabajar. 어떤 ~이라도 붙일 수 있다 Se puede encontrar cualquier pretexto. 그는 병을 ~로 일을 지체했다 El retardó su trabajo bajo el pretexto de su indisposición.

구실재아(咎實在我) el constatar *su* propia culpa.

구심(求心) ① ((불교)) meditación *f* del zen budista para buscar el corazón verdadero. ② 【물리】 fuerza *f* centrípeta. ~의 centrípeto.
■~력(力) 【물리】 fuerza *f* centrípeta. ~성(性) tendencia *f* centrípeta. ~ 운동(運動) moción *f* centrípeta. ~점 punto *m* centrípeto. ~ 펌프 bomba *f* centrípeta.

구심(球心) centro *m* de una esfera.

구심(球審) ((야구)) árbitro *m* (de pelota).

구십(九十) noventa. ~ 번째(의) nonagésimo. ~대의 (노인) nonagenario, -na *mf*.
■~춘광(春光) ㉮ [봄의 90일 동안] (por) noventa días de la primavera. ㉯ [노인의 마음이 청년처럼 젊음] juventud *f* del corazón del viejo como el del joven.

구아(球芽) 【식물】 =주아(珠芽).

구아(歐亞) 【지명】 Eurasia *f*, la Europa y el Asia.
■~주(洲) =구아(歐亞). ~주 사람 europeo y asiático.

구아노(영 *guano*) guano *m*.

구아닌(영 *guanine*) 【화학】 guanina *f*.

구아떼말라 【지명】 Guatemala. ~의 guatemalteco.
■~ 사람 guatemalteco, -ca *mf*. ~ 사투리 guatemaltequismo *m*. ~ 시(市) ciudad *f* de Guatemala.

구아슈(불 *gouache*) ① [물·아라비아 고무·꿀 등으로 용해하여 만든 불투명한 수채 물감. 또, 그 화법] aguada *f*, pintura *f* a la aguada. ② =고무 수채화.

구악(舊惡) delito *m* antiguo, crimen *m* pasado, falta *f* antigua, mala conducta *f* pasada. ~을 들추어내다 delatar las faltas pasadas [el crimen pasado] (de). 그의 ~이 폭로되었다 Se reveló [Se descubrió] su mala conducta pasada.

구악(舊樂) música *f* folclórica.

구안(具眼) criterio *m* de ojos, talento *m* crítico. ~하다 tener los ojos para observar.
■~자(者) observador, -dora *mf* inteligente; persona *f* sagaz. ~지사(之士) persona

con los ojos perspicaces; observador, -dora *mf* inteligente; persona *f* de criterio.

구애(求愛) pretensión *f*, cortejo *m*; [남자가 여자에게] galanteo *m*. ~하다 cortejar, hacer la corte, pretender, galantear. 나는 그 소녀에게 ~했다 Yo pretendía a esa chica. 그녀는 젊은 장교한테 ~를 받았다 Un joven oficial la cortejaba [le hacía la corte].

구애(拘礙) complicación *f*, problemas *mpl*, obstrucción *f*, obstáculo *m*, estorbo *m*. ~하다 aferrarse (a · en), obstinarse (en), preocuparse (de). 형식에 ~하다 ser embargado por las formas, aferrarse [atarse · sujetarse] a la forma. 사소한 일에 ~하다 particularizarse en menudencias, pararse en pelillos, buscar el pelo al huevo. 그는 세부적인 것에 ~하지 않은 성격이다 El tiene un carácter que no se para en pormenores.

구애적 성격(口愛的性格)【심리】=구순 성격.

구액(口液) saliva *f*.

구약(口約) promesa *f* [convenio *m* · pacto *m* · contrato *m*] verbal. ~하다 dar promesa verbal.

구약(舊約) ① [옛 약속] promesa *f* vieja. ② ((기독교)) [예수가 나기 전에 하나님이 인간에게 한 약속] alianza *f* vieja. ③ ((성경)) antiguo pacto *m*. ④ ((준말)) =구약성서.
■ ~성서(聖書) el Antiguo Testamento, el Viejo Testamento. ~ 시대 la era del Antiguo Testamento. ~전서(全書) =구약성서.

구양(九陽) ① [태양] sol *m*. ② [태양이 뜨는 곳] lugar *m* que sale el sol.

구어(口語) lengua *f* coloquial, lenguaje *m* hablado, lengua *f* oral, lengua *f* verbal. ~의 oral, verbal, dialogal. ~로 en lenguaje oral, oralmente, dialogalmente.
■ ~문(文) frase *f* de estilo coloquial. ~체(體) estilo *m* dialogal, estilo *m* dialogístico, expresión *f* familiar. ¶~로 하다 dialogizar, usar estilo dialogal [familiar].

구어박다 ① [사람이 한 군데서 꼼짝을 못하고 박혀 지내다] quedarse inactivo en *su* lugar. ② [쐐기를 불길을 쐬어서 박다] clavar, hincar.

구어박히다 ser quedado inactivo en *su* lugar; ser hincado, ser clavado.

구역(區域) región *f*, distrito *m*; zona *f*, límite *m*, esfera *f*, [관할] jurisdicción *f*, [범위] espacio *m*.
◆순찰 ~ ronda *f*. 안전(安全) ~ zona *f* de seguridad. 위험(危險) ~ zona *f* de peligro.

구역(嘔逆) náusea *f*.
◆구역(이) 나다 tener náusea, sentir náuseas.
■ ~증(症) síntoma *m* nauseabundo. ~질 náusea *f*, bascas *fpl*, gana *f* de vomitar, vómito *m*, vomitivo *m*. ¶~이 날 것 같은 nauseabundo, asqueroso, repugnante. ~ 나게 하다 provocar a vómitos. ~이 나다 vomitar, arrojar, dar asco, dar bascas. ~을 느끼다 sentir náuseas. 그의 아첨에는 ~이 난다 Me da asco su adulación.

구연(口演) =구술(口述).
■ ~ 동화(童話) cuento *m* de hadas recitado [narrado] oralmente.

구연(球宴) gran partido *m* de béisbol.

구연(舊緣) vínculos *mpl* [lazos *mpl*] antiguos, amistad *f* antigua.

구연산(枸櫞酸) ((구칭)) =시트르산(酸)(ácido cítrico).
■ ~ 나트륨 citrato *m* sódico, citrato *m* de sidio. ~염(鹽) citrato *m*.

구열(口熱) fiebre *f* en la boca.

구엽(舊葉) hoja *f* añeja.

구옥(舊屋) ① =고옥(古屋). ② [전에 살던 집] casa *f* que vivía antes.

구완 =병구완.

구왕(九王) todo el mundo.

구왕(舊王) rey *m* antiguo.

구왕궁(舊王宮) palacio *m* real de la dinastía *Choson*, casa *f* [familia *f*] real de la dinastía *Choson*.

구왕실(舊王室) la Casa Real.

구외(構外) fuera de la zona, fuera del distrito.

구우(舊友) amigo *m* antiguo, amiga *f* antigua; [옛날부터의] viejo amigo *m*, vieja amiga *f*.

구우일모(九牛一毛) la menos de muchas cosas, una gota en el océano, una porción inapreciable.

구운밤 castaña *f* tostada.

구운빵 pan *m* asado

구운석고(-石膏) escayola *f*, yeso *m*.

구움일 lo que seca la madera.

구움판 horno *m* de secar la madera.

구워삶다 apaciguar, persuadir, convencer. 백을 흑이라 ~ tapar lo injusto con lo justo. 그는 나를 잘 구워삶아 돈을 내게 했다 El se las arregló bien para sacarme dinero. 나는 아이를 재우려고 구워삶았다 Convencí al niño para que se acostara.

구원(久遠) eternidad *f*, permanencia *f*, perpetuidad *f*. ~하다 (ser) eterno, permanente, perpetuo. ~의 평화(平和) paz *f* eterna.
■ ~겁(劫) tiempo *m* del pasado muy remoto. ~불(佛) ((불교)) =아미타여래.

구원(仇怨) =원수(怨讐). 원한(怨恨).

구원(丘園) jardín *m* (*pl* jardines) de flores [huerta *f*] en la colina.

구원(救援) ① [도와 건져 줌] socorro *m*, auxilio *m*, ayuda *f*, rescate *m*, salvación *f*. ~하다 socorrer, ayudar, auxiliar, prestar auxilio, prestar ayuda, asistir, rescatar, salvar. ~을 청하다 pedir el socorro. ② ((성경)) salvación *f*. ~을 얻다 ser salvo, ser salvado. 사람의 마음으로 믿어 의에 이르고 입으로 시인하여 ~에 이르느니라 ((로마서 10:10)) Porque con el corazón se cree para justicia, pero con la boca se confiesa para salvación / Pues con el corazón se cree para quedar libre de culpa, y con la boca se reconoce a Jesucristo para alcanzar la salvación.

■ ~군(軍) refuerzo *m.* ~대(隊) socorro *m,* equipo *m* de socorro, expedición *f* de salvamento. ~병(兵) refuerzo *m.* ~ 투수 ((야구)) lanzador, -dora *mf* de ayuda.

구원(舊怨) hostilidad *f* antigua, hostilidad *f* vieja, rencor *m* antiguo, rencor *m* viejo. ~을 풀다 desquitarse del rencor viejo.

구월(九月) septiembre *m.* ~ 구일(九日) el nueve de septiembre.

구위(球威) ((야구)) poder *m* de la pelota.

구유 ① pesebre *m,* comedero *m.* ② ((성경)) pesebre *m,* establo *m,* granero *m,* trigo *m.*
■ ~배 canoa *f,* lancha *f* como un pesebre.

구유(具有) posesión *f.* ~하다 poseer, tener, estar suministrado, estar dotado, equiparse.

구육(狗肉) =개고기❶.

구율(舊律) disciplina *f* antigua.

구은(九垠) extremo *m* del cielo y la tierra.

구은(舊恩) favor *m* antiguo, beneficio *m* anterior. ~을 갚다 recompensar el favor antiguo.

구음(口吟) ① [읊조림] recitación *f.* ~하다 recitar. ② [말을 더듬음] tartamudeo *m.* ~하다 tartamudear.

구음(口音) =입소리.

구읍(舊邑) pueblo *m* que había una oficina gubernamental.

구의(舊誼) amistad *f* antigua, amistad *f* vieja.

구의회(區議會) asamblea *f* del distrito.
■ ~ 의원(議員) consejal, -la *mf* (de Gu). ~ 의장(議長) presidente, -ta *mf* de la asamblea de Gu.

구이 [고기나 생선을 양념하여 구운 음식] [오븐에] asado *m* (al horno); [석쇠에] parrillada *f.* ~용 고기 trozo *m* de carne para asar. ~를 만들다 [숯불에] hacer [asar] a la parrilla [a las brasas].
◆돼지~ (carne *f* de) cerdo [puerco] asado. 생선~ pescado *m* asado. 참새~ gorrión *m* asado. 통닭~ pollo *m* asado, gallina *f* asada.
■ ~가마 horno *m* para el asado. ~통(筒) chimenea *f* del horno para el asado.

구이(九夷) nueve países salvajes del oriente.

구인(求人) busca *f* de personal. ~! Demanda de Trabajo.
■ ~ 광고 anuncio *m* clasificado, aviso *m* que necesita gente. ¶신문에 ~를 내다 anunciar en un periódico una oferta de trabajo [de empleo]. ~난(難) escasez *f* de mano de obra. ~란 columna *f* de 「Se busca」. ~ 신청(申請) solicitud *f* de trabajadores.

구인(拘引) comparecencia *f* obligatoria, arresto *m,* detención *f.* ~하다 arrestar, detener, prender, hacer [mandar] comparecer (en juicio).
■ ~장(狀) orden *f* [auto *m*] de comparecencia, orden *f* de arresto.

구인(救人) ayuda *f* a otro, persona *f* que ayuda a otro.

구인(舊人) ① [오래 전 사람] antiguo, -gua *mf.* ② [새 시대(時代)에 맞지 아니한 사람] conservador, -dora *mf.*

구인(舊因) karma *m* desde hace mucho tiempo.

구인(舊姻) pariente *mf* desde los tiempos antiguos.

구일(九日) ① [아흐레] el nueve. ② [음력 9월 9일] el nueve de septiembre del calendario lunar.
■ ~장(葬) servicios *mpl* funerales celebrados en nueve días después de la muerte.

구입 sustento *m* escaso, vida *f* desnuda. ~하다 ganarse la vida escasamente.
■ ~장생 =구입.

구입(購入) compra *f,* adquisición *f.* ~하다 comprar, adquirir, hacer compra (de).
■ ~ 가격 precio *m* de compra, precio *m* de adquisición. ~권(券) billete *m* de compra, cupón *m* (*pl* cupones) de compra. ~ 담당(擔當) encargado, -da *mf* del surtido de mercancías. ~ 대금 dinero *m* de compra. ~ 도서 libros *mpl* comprados. ~명세서 especificación *f* de compra. ~액(額) cantidad *f* de mercaderías compradas. ~ 원가(原價) costo *m* de compra. ~자(者) comprador, -dora *mf.* ~ 주문(서) orden *f* de compra. ~처(處) =구매처. ~품(品) artículos *mpl* surtidos.

구작(舊作) obra *f* antigua.

구작(舊斫) leñas *fpl* añejas.

구잠정(驅潛艇) cazasubmarinos *m.sing.pl.*

구장(九章) nueve bordados del traje real.

구장(九腸) todos los intestinos.

구장(狗醬) =개장국.

구장(球場) cancha *f* de béisbol, estadio m.

구장(區長) jefe, -fa *mf* de *Gu.*

구재 =구들재.

구재(口才) ① =말재주. ② [노래 잘 부르는 재주] talento *m* de cantar bien.

구재(救災) salvación *f* de los damnificados. ~하다 salvar a los damnificados.

구저(舊著) obra *f* antigua.

구저분하다 (estar) tosco y sucio, mugriento, roñoso. 부엌이 ~ La cocina está mugrienta [roñosa] / La cocina está asquerosa / La cocina está hecha un asco.

구적 tajada *f* fina eflorescente de una piedra.

구적(仇敵) =원수(怨讐). ¶~처럼 como un enemigo mortal.

구적(求積) 【수학】 mensuración *f,* cuadratura *f.*
■ ~계 planímetro *m.* ~법 【수학】 mensuración *f.*

구적(寇賊) enemigos *mpl* extranjeros que violan el territorio.

구적(舊蹟) ruinas *fpl,* restos *mpl* históricos, lugar *m* histórico, sitios *mpl* históricos, lugar *m* de interés histórico.

구전(口傳) tradición *f* (oral), leyenda *f.* ~을 전수하다 transmitir de palabra, iniciar oralmente (en), instruir oralmente (en). ~에 따르면 …이다 La tradición dice que + *ind.* 그것은 옛날부터의 ~이다 Eso es una

tradición antigua. ~에 따르면 이곳에 악마가 살고 있다 Según la leyenda, aquí vive el diablo.
■~ 문학(文學) literatura *f* oral. ~ 민요(民謠) canción *f* popular oral.
구전(口錢) comisión *f*, corretaje *m*, derecho *m*, correduría *f*, [뇌물] comisión *f* extra. 10%의 ~을 받다 cobrar una comisión del diez por ciento (sobre).
구전(舊典) código *m* antiguo.
구전(舊錢) dinero *m* antiguo.
구전하다 Las cosas son bastantes.
구전하다(俱全-) ① [모두 다 온전하다] (ser) perfecto, completo. ② [모두 다 갖추고 있다] Todo está listo.
구절(句節) ① [구와 절] la frase y la cláusula. ② [한 토막의 말이나 글] un párrafo, una palabra.
구절양장(九折羊腸) lo zigzagueante y lo empinado.
구절죽장(九節竹杖) ((불교)) bastón *m* de bambú con nueve nudos del sacerdote budista.
구절초(九節草) 【식물】 una especie de la camomila [la manzanilla].
■~차(茶) manzanilla *f*.
구점(口占) [즉석에서 시를 지어 부름] verso *m* improvisado. ~하다 improvisar el verso.
구점(句點) puntuación *f*.
구점(灸點) señales *fpl* de la moxa. ~을 놓다 señalar los puntos en que se debe poner la moxa.
구접스럽다 ① [너절하고 더럽다] (estar) mugriento, sucio. ② [하는 짓이 더럽다] (ser) vil, abyecto, tacaño, mezquino, bajo.
구접스레 suciamente, con suciedad; con vileza, vilmente.
구정(九井) grandes andas *fpl* funerales.
구정(舊正) ① [음력설] (día *m* del) Año Nuevo del calendario lunar. ② [음력 정월] enero *m* del calendario lunar.
구정(舊情) amistad *f* antigua, intimidad *f* antigua. ~을 새롭게 하다 renovar la amistad antigua.
구정물 ① [무엇을 빨거나 씻어 더러워진 물] el agua *f* mugrienta, líquido *m* de desecho; [하수] aguas *fpl* negras, aguas *fpl* residenduales, *CoS* aguas *fpl* servidas; [설거지한 물] el agua de fregar los platos, el agua de lavar los platos. 맛이 ~ 같다 [국이] Es un aguachirle // [커피가] Sabe a chicoria / *CoS* Tiene gusto a jugo de paraguas / *Méj* Tiene gusto a té de calcetín. ② [종기 고름이 빠진 뒤에 흐르는 물] filtración *f* de la herida purulenta.
■~통(桶) cubo *m* de las aguas negras.
구제(救濟) socorro *m*, auxilio *m*, salvación *f*, asistencia *f*, ayuda *f*. ~하다 socorrer, auxiliar, salvar, ayudar, asistir. ~할 길이 없는 incorregible, intratable. ~를 요청하다 pedir auxilio. ~의 손을 뻗치다 prestar asistencia, prestar ayuda, prestar auxilio, dar la mano. 난민(難民)을 ~하다 socorrer a los refugios. 빈곤한 가정을 ~하다 asistir [ayudar · auxiliar] a una familia pobre.
■구제할 것은 없어도 도둑 줄 것은 있다 ((속담)) Por más que sea una familia pobre, hay objetos robados.
■~ 금융(金融) finanzas *fpl* de socorro. ~ 기금(基金) fondos *mpl* de socorro. ~비(費) gastos *mpl* de ayuda. ~ 사업(事業) obra *f* social, ayuda *f* social. ~자(者) salvador, -dora *mf*. ~ 자금(資金) fondos *mpl* de socorro. ~ 조합(組合) asociación *f* de socorro. ~책(策) medida *f* de socorro. ~품(品) artículos *mpl* de socorro.
구제(舊制) sistema *m* antiguo.
■~ 대학(大學) universidad *f* bajo el sistema antiguo de educación.
구제(舊題) título *m* escrito anterior.
구제(驅除) exterminación *f*, estirpación *f*. ~하다 exterminar, extirpar. 쥐[모기]를 ~하다 exterminar las ratas [los mosquitos].
구제도(舊制度) sistema *m* antiguo.
구조(救助) salvación *f*, socorro *m*, salvamento *m*, rescate *m*, ayuda *f*, auxilio *m*, asistencia *f*. ~하다 socorrer, salvar, asistir, ayudar, auxiliar, rescatar. ~의 손을 뻗치다 socorrer, ayudar, auxiliar, prestar asistencia, prestar ayuda, dar la mano. ~하러 가다 ir a salvar, ir a socorrer. 인명(人命)을 ~하다 salvar la vida. 물에 빠진 사람을 ~하다 salvar [socorrer] a una persona que está ahogándose.
■~대(袋) tolva *f* de escape. ~대(隊) cuerpo *m* de rescate, pelotón *m* de salvamento, equipo *m* de salvamento. ~망(網) red *f* de seguridad, salvavidas *m.sing.pl.* ~ 본부 puesto *m* central de salvamento. ~ 사다리 escalera *f* portátil de rescate. ~선(船) barco *m* de salvamento, lancha *f* de salvavidas, lancha *f* de auxilio. ~ 소방차(消防車) camión *m* (*pl* camiones) de bomberos de rescate. ~ 신호(信號) sos *m*, SOS *m*, S.O.S. *m*, señal *f* de aviso de peligro y petición de socorro. ~ 작업 trabajos *mpl* de rescate, trabajos *mpl* de salvamento.
구조(構造) constitución *f*, estructura *f*, [조직] organización *f*, [메커니즘] mecanismo *m*. ~상의 estructural, tectónico. 기계의 ~ mecanismo *m* de la máquina. 사회(社會)의 ~ estructura *f* de la sociedad. 인체(人體)의 ~ estructura *f* del cuerpo humano. 세계의 소비 ~ estructura *f* del consumo mundial. 집의 ~ estructura *f* de una casa. 한식(韓式)의 ~ construcción *f* a la coreana. ~가 견고한 집 casa *f* construida firmemente.
◆경제 ~ estructura *f* económica. 산업(産業) ~ estructura *f* industrial.
■~ 개혁(改革) reforma *f* estructural. ¶사회 ~ reforma *f* de las estructuras sociales. ~곡(谷) 【지질】 valle *m* estructural. ~ 공학(工學) ingeniería *f* estructural. ~

단구(段丘) 【지질】 banco *m* estructural. ~물(物) 【건축】 estructura *f.* ~ 분지(盆地) cuenca *f* tectónica. ~선(線) 【지질】 línea *f* tectónica. ~ 설계도 【건축】 dibujo *m* estructural. ~식 【화학】 fórmula *f* estructural. ~ 심리학 psicología *f* estructural. ~ 언어학(言語學) lingüística *f* estructural. ~ 역학(力學) mecánica *f* estructural. ~용 강철(用鋼鐵) acero *m* estructural. ~주의(主義) estructuralismo *m.* ~주의 문법(主義文法) gramática *f* estructural. ~주의자 estructuralista *mf.* ~ 지진(地震) 【지질】 terremoto *m* tectónico. ~ 지질학 tectónica *f,* geología *f* tectónica. ~ 평야 【지질】 llano *m* tectónico. ~학(學) tectónica *f.* ~호(湖) 【지질】 lago *m* tectónico. ~ 화학(化學) química *f* estructural.

구족(九族) nueve generaciones de un clan.

구족(具足) =구존(具存).

구존(俱存) lo que *sus* padres están vivos. ~하다 *sus* padres están vivos.

구종(九宗) ocho sectas y secta Zen.

구좌(口座) ((구칭)) =계좌(計座).

구주(救主) ((기독교)) ((성경)) Salvador *m.*

구주(歐洲) ((준말)) =구라파 주(la Europa).
■ ~ 경제 공동체 la Comunidad Económica Europea, CEE *f.* ~ 공동 시장 el Mercado Común Europeo, MCE *m.*

구주(舊主) ① ((준말)) =구주인(舊主人). ② [예전에 섬기던 임금] rey *m* que servía antes.

구주(舊株) 【경제】 acción *f* antigua.

구주인(舊主人) amo, -ma *mf* anterior, propietario, -ria *mf* anterior.

구죽 montón *m* de conchas de ostra.
■ ~바위 conchas *fpl* de ostra petrificadas.

구중(九重) ① [아홉 겹] nueve veces. ② ((준말)) =구중궁궐.
■ ~궁궐[심처] palacio *m* real [imperial].

구중중하다 (estar) desaseado, sucio; [날씨가] asqueroso. 구중중한 날씨 tiempo *m* asqueroso. 구중중한 방 habitación *f* sucia.

구증(口證) prueba *f* oral, testimonio *m* oral. ~하다 probar oralmente.

구증(狗蒸) =개찜.

구증구포(九蒸九曝) 【한방】 el cocer las medicinas coreanas al vapor y el secarlos nueve veces.

구지(九地) ((불교)) nueve tierras.

구지(舊地) =구토(舊土).

구지(舊址) ruinas *fpl,* restos *mpl* históricos.

구지렁물 el agua *f* podrida.

구지레하다 (ser・estar) mugriento, sucio, cochino. 구지레한 옷 ropa *f* sucia.

구지부득(求之不得) lo que busca pero no halla.

구지심(求知心) corazón *m* que se anhela el conocimiento.

구직(求職) busca *f* de empleo, demanda *f* de empleo, busca *f* de colocación, busca *f* de trabajo. ~하다 buscar el empleo. ~! ((광고)) Bolsa de Trabajo / Se busca trabajo.
■ ~ 광고(廣告) anuncio *m* de posición. ¶~를 하다 anunciar una posición. ~ 신청(申請) solicitud *f* de posición. ¶~을 하다 solicitar una posición. ~자(者) persona *f* que busca empleo; buscador, -dora *mf* de empleo; aspirante *mf.*

구진(口陳) =구술(口述).

구진(舊陳) terreno *m* añejo.

구질(九秩) noventa años (de edad).

구질(久疾) enfermedad *f* incurable.

구질(球質) cualidad *f* de la pelota.

구질구질 ① [어떤 상태나 하는 짓이 더럽고 지저분한 모양] suciamente, con suciedad, cochinamente. ~하다 (ser・estar) sucio, cochino. ~한 골목길 callejuela *f* sucia. ② [날씨가 맑게 개지 못하고 비나 눈이 내려 지저분한 모양] nublosamente, nubosamente. ~하다 estar nubloso. 구질구질한 하늘 cielo *m* nubloso.

구차(柩車) ((준말)) =영구차(靈柩車).

구차스럽다(苟且-) =구차하다.
구차스레 muy pobremente. ☞구차히

구차하다(苟且-) ① [살림이 매우 가난하다] ser tan pobre como un ratón de la sacristía, ser muy pobre. 집안이 매우 ~ La familia vive en gran [con mucha] estrechez. ② [말이나 행동이 떳떳하거나 버젓하지 못하다] (ser) torpe. 구차한 변명 interpretación *f* para salir del paso.
구차히 ㉮ [가난하게] muy pobremente, con mucha pobreza, en gran estrechez, con mucha estrechez. ㉯ [버젓하지 못하게] torpemente, con torpeza.

구창(口瘡) divieso *m* en la boca.

구창(灸瘡) divieso *m* en la cauterización.

구채(舊債) deuda *f* antigua, deuda *f* permanente. ~를 갚다 pagar la deuda antigua.

구척장신(九尺長身) ① [아주 큰 키] estatura *f* muy alta, talla *f* muy alta. ② [아주 키가 큰 사람] persona *f* muy alta.

구천(九天) ① [가장 높은 하늘] el cielo más alto, bóveda *f* celestre, firmamento *m.* ② [고대 중국에서, 하늘을 아홉 방위로 나누어 이르는 말] nueve cielos. ③ ((불교)) nueve cielos.

구천(九泉) ① =구천 지하(九天地下). ② [깊은 땅속] profundidad *f.*
■ ~ 지하(地下) el Hades.

구천(久喘) 【한방】 síntoma *m* falto de aliento.

구철(鉤鐵) 【음악】 =갈고리쇠.

구첩하다(口捷-) (ser) elocuente.

구청(區廳) oficina *f* de barrio, ayuntamiento *m* de barrio, gobierno *m* municipal.

구체(久滯) 【한방】 indigestión *f* crónica.

구체(具體) ① [전체를 구비함] equipo *m* total. ~하다 equiparlo todo. ② 【철학】 lo concreto. ③ ((바둑)) siete *dan.*
■ ~ 개념(槪念) 【논리】 =구체적 개념. ~ 명사(名詞) 【언어】 nombre *m* concreto. ~ 명사(名辭) 【논리】 =구체적 명사. ~성(性) concreción *f,* lo concreto. ¶이 안은 ~이 없다 Este proyecto carece de concreción. ~안(案) proyecto *m* concreto, proyecto *m*

preciso. ～ 음악(音樂) música *f* conreta. ～적(的) concreto. ¶～으로 concretamente, en concreto, de una manera concreta, de un modo concreto, en forma concreta. ～적 개념(的概念) ㉮【논리】[실물에 가까운 형상을 갖춘 것으로서 사유되는 개념] concepto *m* concreto. ㉯ =단독 개념. ～적 명사(的名辭) término *m* concreto. ～적 시장(的市場) mercado *m* concreto. ～책(策) medida *f* concreta. ～화(化) ㉮ [구체적으로 되게 함] materialización *f.* ¶～하다 dar cuerpo [forma] material, materializar, incorporar, formar corporación. 계획을 ～하다 dar forma concreta al proyecto. 계획은 곧 ～할 것이다 El plan se pondrá concreto pronto. 계획은 ～되었다 El proyecto ha tomado forma concreta. ㉯ =실현(實現) (realización).

구체(球體) objeto *m* de la forma de pelota.

구체(舊滯) indigestión *f* vieja.

구체(軀體) =몸. 구간(軀幹).

구초(舊草) ① [묵은 담배] tabaco *m* añejo. ② [오래된 초벌 원고] primer manuscrito *m* viejo.

구촌(九寸) ① [삼종 숙질(三從叔姪) 간의 촌수] noveno grado *m* de consanguinidad. ② [아홉 치] nueve *chi*, nueve pulgadas coreanas (27.2727 centímetros).

구추(九秋) ① =삼추(三秋). ② [음력 구월] septiembre *m* del calendario lunar.

구축(構築) construcción *f,* edificación *f.* ～하다 construir, fabricar, edificar, hacer, poner. 성(城)을 ～하다 hacer [edificar · construir] un castillo. 학문(學問)의 토대를 ～하다 poner el fundamento de la ciencia. 그는 큰 회사를 ～했다 El ha levantado una gran compañía desde los cimientos.

구축(驅逐) expulsión *f,* extirpación *f.* ～하다 expulsar, echar fuera, ahuyentar, desterrar. 국내 시장에서 외국 상품을 ～하다 rechazar los productos extranjeros del mercado nacional. 악화(惡貨)는 양화(良貨)를 ～한다 La mala moneda desplaza la buena.

■ ～함 contratorpedero *m,* cazatorpedero *m,* destructor *m.*

구춘(九春) por noventa días de la primavera.

구출(救出) rescate *m,* salvamento *m.* ～하다 rescatar, salvar, libertar, poner en salvo. …를 도와 위험에서 구출하다 librar [salvar] a *uno* del peligro.

구출(驅出) expulsión *f.* ～하다 expulsar.

구충(鉤蟲)【동물】=십이지장충(十二指腸蟲).

구충(驅蟲) =제충(除蟲).

■ ～제[약] ㉮ [체내의 기생충을 구제(驅除)하는 데 쓰는 약제] parasiticida *m.* ¶～를 먹다 tomar un parasiticida, tomar una purga para despedir las lombrices. ㉯ [해충을 없애는 약제] insecticida *m,* vermífugo *m,* vermicida *m.*

구취(口臭) mal olor *m* de [a] boca, olor *m* bucal. 그는 ～가 난다 Huele su boca / Le huele la boca.

구층탑(九層塔) pagoda *f* de nueve pisos.

구치(臼齒) =어금니(muela).

구치(灸治)【한방】cura *f* por la cauterización. ～하다 curar por la cauterización.

구치(拘置) detención *f,* encarcelamiento *m.* ～하다 detener, encarcelar, poner en prisión.

■ ～소(所) casa *f* de detención, cárcel *f,* prisión *f.*

구침(鉤針) gancho *m,* aguja *f* de crochet, ganchillo *m, Chi* crochet *m.*

구칭(舊稱) nombre *m* antiguo.

구타(毆打) golpe *m;* [몽둥이로] paliza *f.* ～하다 golpear, dar un golpe, pegar; [여러 차례] dar (de) golpes; [몽둥이로] dar (de) palizas. 해머로 ～ martillazo *m,* golpe *m* con un martillo. ～ 살해하다 matar a golpes. 몽둥이로 ～ 살해하다 matar a palizas. 그는 나를 막대기로 ～했다 El me golpeó con un bastón.

구태 =구태여.

구태여 intencionalmente, expresamente, de propósito, de intento, adrede. 너는 ～ 출석할 필요가 없다 No te hace falta asistir de ningún modo. 두 넥타이는 어느 것이고 좋지만 ～ 말한다면 이것으로 고르겠습니다 Las dos corbatas son igualmente buenas, pero si me obligas [si me aprietas], escogería ésta. ～ 그의 단점을 찾는다면 Si me obligan a buscar un defecto de él.

구태(舊態) condición *f* vieja, estado *m* viejo.

구태의연하다(舊態依然－) permanecer sin cambiar, permanecer como estaba, permanecer como antes.

구택(舊宅) *su* casa *f* vieja.

구텁지근하다 (ser) algo maloliente, algo hediondo.

구텁텁하다 ((준말)) =구리텁텁하다.

구토(嘔吐) vómito *m,* náusea *f.* ～하다 vomitar. ～ 의 emético, vomitivo.

■ ～ 설사(泄瀉) vómito *m* y diarrea. ～제(劑) vomitorio *m,* emético *m,* vomitivo *m.*

구토(舊土) feudo *m* anterior.

구투(舊套) convencionalismo *m,* costumbres *fpl* viejas, forma *f* antigua, resto *m* a las costumbres.

구파(舊派) ① [재래의 형식을 따르는 파] escuela *f* antigua, escuela *f* vieja, estilo *m* viejo, tipo *m* viejo. ②【연극】((준말)) =구파 연극(舊派演劇).

■ ～ 연극 teatro *m* clásico, drama *m* clásico, drama *m* histórico.

구판(舊版/舊板) edición *f* antigua, edición *f* vieja, edición *f* anterior.

구폐(舊弊) vicio *m* viejo, abuso *m* viejo. ～의 anticuado, pasado de moda, caduco.

구포(臼砲)【군사】mortero *m.*

■ ～대(隊) cuerpo *m* de mortero.

구푸리다 [파이프 · 철사 · 가지를] curvar, torcer; [등 · 팔 · 다리를] doblar, flexionar; [몸을] encorvarse, inclinarse, retorcerse. 구푸리고 걷다 caminar encorvado. 그는 몸을 구푸리기 시작한다 El se está encorvando 그는 (등을) 약간 구푸린다 El es un poco cargado de espaldas / El es un poco encorvado. 어깨를 구푸리지 마라 Ponte derecho. 그는 어깨를 구푸린다 El se encorva. 그녀는 구푸리고 걷는다 Ella camina encorvada.

구품(具稟) anuncio *m* al mayor con razón. ~하다 anunciar al mayor con razón.

구풍(颶風) ① =열대성 저기압(熱帶性低氣壓). ② [초속 29미터 이상의 최강풍] el viento más fuerte de más de veintinueve metros por segundo.

구풍(舊風) costumbre *f* antigua, estilo *m* antiguo, estilo *m* viejo.

구피(狗皮) piel *f* de perro.

구필(口筆) escritura *f* con cepillo en *su* boca.

구하(九夏) por noventa días del verano.

구하다(求—) buscar, pedir; [얻다] obtener, conseguir; [가지고 싶어하다] desear, querer; [사다] comprar; [필요하다] necesitar. 구하기 어려운 difícil de obtener, difícil de conseguir; [귀중한] inapreciable, valioso; [드문] raro. 방을 ~ buscar una habitación. 사전을 2만5천 원에 ~ comprar un diccionario a veinticinco mil wones. 일자리를 ~ buscar un empleo, buscar un trabajo. 산에서 물고기를 ~ pedir leche a las cabrillas. 구함! ((게시)) Se busca / Se necesita. 직공을 구함! ((게시)) ¡Se buscan obreros! 정원사를 구함! ((게시)) Se necesita jardinero / Se precisa jardinero.

구하다(灸—) ① [쑥으로 뜸을 뜨다] cauterizar con artemisa, castrar las heridas y curar otras enfermedades con el cauterio. ② [불에 굽다] asar; [토스트하다] tostar.

구하다(救—) ① [어려움을 벗어나게 하다] salvar, rescatar, socorrer; [해방하다] librar. 구하러 가다 ir a salvar, ir a socorrer. 물에서 구해 내다 salvar del agua, salvar del peligro de ser ahogado. 죽음에서 ~ salvar de la muerte. 위험에서 구해 내다 rescatar del peligro. ② [물건을 주어 돕다] ayudar, apoyar, socorrer. 가난한 사람을 ~ socorrer a los pobres [a los necesitados]. 곤궁(困窮)에서 ~ remediar las necesidades (de), remediar (a). ③ [병을 돌보아 낫게 하다] curar. 병(病)에서 ~ curar la enfermedad (a)

구학(丘壑) la colina y el hueco.

구학(求學) busca *f* de conocimientos. ~하다 buscar conocimientos.

구학(溝壑) =구렁.

구학문(舊學問) estudios *mpl* clásicos, literatura *f* china, estudio *m* de clásicos chinos.

구한국(舊韓國) =대한 제국(大韓帝國).

구합(媾合) =성교(性交).

구험하다(口險—) (ser) malhablado.

구현(具現/具顯) *realización f*, encarnación *f*, incorporación *f*, personificación *f*. ~하다 realizar, encarnar, dar forma material (a), realizarse (en).

구혈(灸穴) 【한방】 partes *fpl* de la piel que se puede cauterización.

구협(口峽) 【해부】 fauces *fpl*. ~의 faucial, faucal.

구형(求刑) 【법률】 demanda *f* de castigo, demanda *f* de pena. ~하다 demandar [reclamar] un castigo [una pena]. 피고에게 사형을 ~하다 pedir [demandar] la pena de muerte para el acusado. 3년 금고(禁錮)를 ~하다 demandar prisión [encarcelación] de tres años (para el acusado).

구형(矩形) ((구용어)) =직사각형.

구형(球形/毬形) forma *f* esférica. ~의 esférico, globular.

구형(鉤形) forma *f* de gancho.

구형(舊形/舊型) tipo *m* anticuado, moda *f* pasada. ~의 anticuado, pasado de moda.

구호(口號) ① =군호(軍號). ② [대중 집회나 시위 등에서 어떤 요구나 주장을 나타내기 위해 외치는 간결한 문구] eslogan *m*, lema *m*, consigna *f*. ~를 외치다 gritar, dar voces. 그는 ~뿐 일은 진척이 없다 El no sabe sino dar voces / El habla mucho pero no hace nada. 시위자들은 ~를 외치고 있었다 Los manifestantes coreaban consignas. ③ =구점(口占).

구호(救護) primeros auxilios *mpl*, socorro *m*, ayuda *f*, protección *f*. ~하다 socorrer, ayudar, asistir, proteger.

■ ~금(金) fondo *m* de primeros auxilios. ~ 기관 organización *f* de primeros auxilios. ~ 물자 abastecimiento *m* de primeros auxilios. ~미(米) arroz *m* de primeros auxilios. ~반(班) equipo *m* de socorro, equipo *m* de salvamento. ~ 사업(事業) obra *f* de primeros auxilios. ~소(所) puesto *m* de primeros auxilios, puesto *m* de socorro, puesto *m* de salvamento. ~ 양곡(糧穀) arroz *m* de primeros auxilios. ~책(策) medida *f* de primeros auxilios.

구혼(求婚) proposición *f* [oferta *f*·propuesta *f*] de matrimonio. ~하다 proponer el matrimonio (a); [여성에게] pedir la mano (de).

■ ~ 광고 anuncio *m* matrimonial, anuncio *m* conyugal. ~자(者) pretendiente *mf*.

구화(口話) modo *m* de hablar de los sordomudos, lo que hablan los sordomudos.

■ ~법 método *m* de hablar de los sordomudos.

구화(毬花) 【식물】 flor *f* coniforme larga.

구화(媾和) =강화(講和).

구화(歐化) europeización *f*. ~하다 europeizar.

구화(舊貨) dinero *m* antiguo, billete *m* antiguo.

구화반자 【건축】 techo *m* con el diseño de crisantemo.

구화장지(—障—) puerta *f* corrediza con el diseño de crisantemo.

구활(久闊) sin noticia por mucho tiempo.

구황(救荒) asistencia *f* a las víctimas de la hambruna [del hambre], primeros auxilios *mpl* a los pobres en la escasez de víveres.

■ ~ 작물(作物) productos *mpl* agrícolas adecuados para el cultivo en la escasez de víveres.

구황실(舊皇室) antigua familia *f* imperial.
구획(區劃) división *f*, [가로(街路)] manzana *f*, cuadra *f*, bloque *m*; [경계] límite *m*, deslinde *m*; [부분] sección *f*, sector *m*, zona *f*, barrio *m*. ~하다 dividir, deslimitar, deslindar.
◆ 행정(行政) ~ sección *f* administrativa.
■ ~ 어업(漁業) pesca *f* de los límites de la superficie de agua. ~ 정리 demarcación *f* de los límites de los terrenos; [도시의] delimitación *f* de las calles. ~를 하다 demarcar [reajustar] los límites de los terrenos.
구휼(救恤) socorro *m*. ~하다 socorrer.
■ ~금(金) dinero *m* [fondos *mpl*] de socorro.
구희(球戱) juego *m* de pelota, juego *m* de balón; [당구] billar *m*.
■ ~대(臺) [당구의] mesa *f* (de billar). ~장(場) [당구장] salón *m* de billar; [볼링장] bolera *f*.
국 ① [채소·생선·고기 등을 넣고 물을 많이 부어 끓인 음식] sopa *f*. 묽은 ~ caldo *m*, consomé *m*. ② ((준말)) =국물.
■ 국에 덴 놈 물 보고도 분다 ((속담)) A la olla que hierve, ninguna mosca se atreve / Quien se quema en la sopa, sopla en la fruta / Gato escaldado, del agua fría huye.
■ ~거리 ㉮ [국을 끓일 재료] materiales *mpl* para la sopa. ㉯ [곰국을 끓일 소의 내장 따위] entrañas *fpl* de la vaca para la sopa de carne de vaca espesa. ~건더기 ingredientes *mpl*. ~국물 *gukgukmul*, el agua *f* de sopa para la sopa. ~그릇 [뚜껑 달린 움푹한 것] sopera *f*. ~ 수저 cuchara *f* sopera, cuchara *f* de sopa. ~ 접시 [서양 수프용] fuente *f*, plato *m* sopero, plato *m* hondo, plato *m* de sopa.
국(局) ① [관청·회사의 사무를 분담하여 처리하는 곳] departamento *m*, dirección *f*, buró *m*. ② [바둑·장기의 한 판] partida *f* de juego, tablero *m* de *baduc*.
국(菊) =국화(菊花).
국(局) oficina *f*, departamento *m*, buró *m*.
◆ 방송~ [라디오의] radiodifusión *f*, (estación *f*) difusora *f*, [텔레비전의] televisión *f*. 발행~ oficina *f* libradora. 통상(通商)~ departamento *m* de asuntos comerciales. 재무부 인쇄~ el Departamento de Moneda y Timbre del Ministerio de Hacienda.
-국(國) nación *f*, país *m* (*pl* países), estado *m*. 강대(强大)~ potencia *f*. 공화(共和)~ república *f*. 약소(弱小)~ país *m* pequeño y débil. 중립(中立)~ país *m* neutral. 초강대~ superpotencia *f*.
국가(國家) país *m* (*pl* países), nación *f*, estado *m*. ~의 nacional, estatal, de(l) Estado. ~의 승인 reconocimiento *m* de una nación. ~의 이익(利益) intereses *mpl* del Estado. ~의 중대 이익 intereses *mpl* importantes del estado. ~적 견지에서 desde el punto de vista nacional. ~에 봉사하다 servir al Estado, servir a *su* [la] patria.
■ ~ 결합(結合) unión *f* del estado. ~ 경륜책(經綸策) arte *m* de gobernar. ~ 경제(經濟) economía *f* nacional [estatal · del estado]. ~경찰 policía *f* nacional, policía *f* estatal. ~ 고시 examen *m* de Estado, examen *m* nacional; [채용 시험] oposición *f*. ~ 공무원(公務員) funcionario, -ria *mf* del Estado; funcionario, -ria *mf* nacional; funcionario *m* público, funcionaria *f* pública. ~ 공무원법 ley *f* de funcionarios públicos. ~관(觀) vista *f* nacional. ~관리(官吏) funcionario, -ria *mf* nacional. ~ 관리(管理) control *m* estatal, control *m* nacional. ~ 교육 educación *f* del estado. ~ 권력 poder *m* nacional, poder *m* estatal. ~ 기관 organismo *m* nacional. ~ 기본권(基本權) derechos *mpl* fundamentales de un país. ~ 대표 선수 miembro *mf* del equipo nacional, atleta *mf* nacional. ~ 대표팀 equipo *m* nacional. ~ 독립권(獨立權) derecho *m* de independencia nacional. ~론(論) teoría *f* del Estado. ~ 배상법(賠償法) ley *f* de indemnización del Estado. ~ 백년대계(百年大計) política *f* nacional con visión de futuro. ~ 보상 indemnidades *fpl* nacionales. ~ 보안법(保安法) ley *f* de seguridad estatal, Ley *f* de Seguridad Nacional. ~ 보훈처 la Agencia para Asuntos de Veteranos y Patriotas. ~ 복지(福祉) bienestar *m* nacional. ~ 부조 ayuda *f* nacional, asistencia *f* nacional. ~ 비상 사태(非常事態) estado *m* de emergencia nacional. ~ 사상 ideología *f* nacional. ~ 사업(事業) empresa *f* nacional. ~ 사회주의 nacionalsocialismo *m*, socialismo *m* nacionalista. ~ 시험(試驗) =국가 고시. ~ 신용 confianza *f* nacional. ~ 안보 seguridad *f* nacional. ~ 안전 기획부 la Agencia de Seguridad Nacional. ~ 안전 보장 회의(安全保障會議) el Consejo de Seguridad Nacional. ~ 연합(聯合) la Federación de Estados. ~ 영역 territorio *m* nacional. ~ 예산(豫算) presupuesto *m* del Estado. ~ 올림픽 위원회 el Comité Olímpico Nacional. ~ 원수(元首) ㉮ [국민의 수장(首長)] jefe, -fa *mf* del Estado. ㉯ [공화국의 대통령] presidente, -ta *mf* (del Estado). ~ 의사(意思) intención *f* nacional. ~ 의지(意志) voluntad *f* nacional. ~ 이유 razón *f* de Estado. ~ 인권 위원회(人權委員會) el Comité Nacional de los Derechos Humanos. ~ 자본(資本) capital *m* nacional. ~ 자본주의 capitalismo *m* nacionalista. ~ 자위권(自衛權) derecho *m* de coservación [supervivencia] nacional. ~ 재건 최고 회의(再建最高會議) el Consejo Supremo para la Reconstrucción Nacional. ~ 재정(財政) finanzas *fpl* nacionales. ~적(的) nacional, estatal, de(l) Estado. ¶~ 견지에서 desde el punto de vista nacional. ~적 통제(的統制) control *m* nacional, control *m* estatal. ~ 정보원 el Servicio de Inteligencia Nacional. ~ 정책(政策) política *f* nacional. ~

존망시(存亡時) momento *m* crítico de la nación. ～주의(主義) nacionalismo *m*. ～주의자(主義者) nacionalista *mf*. ～책임(責任) responsabilidad *f* nacional. ～ 총동원(總動員) movilización *f* nacional. ～ 총력전(總力戰) guerra *f* totalitaria nacional. ～ 통제(統制) control *m* estatal. ～ 파산(破産) bancarrota *f* nacional. ～ 평등권 derecho *m* de igualdad nacional. ～학(學) ciencia *f* política, arte *m* de gobernar. ～ 헌장(憲章) carta *f* nacional.

국가(國歌) himno *m* nacional.

국감(國監) ((준말)) =국정 감사(國政監査).

국견(局見) opinión *f* estrecha.

국경(國境) frontera *f*. ～의 fronterizo, de frontera(s); [사건・습격할 때] en la frontera. ～ 밖에 fuera de la frontera. ～ 안에 adentro de la frontera. ～을 넘다 cruzar [pasar・atravesar] la frontera. ～을 침입하다 violar [infringir] las fronteras. A와 ～을 접하다 limitar (con), lindar (con). 아르헨띠나와 ～을 접하고 있는 나라들 los países que limitan con la República Argentina. 빠라구아이는 아르헨띠나와 볼리비아 및 브라질 세 나라와 ～을 접하고 있다 Paraguay limita con tres países: Argentina, Bolivia y Brasil. 서반아는 서쪽으로 포르투갈과 북으로는 불란서와 ～을 접하고 있다 España linda con Portugal al oeste y con Francia al norte. 멕시코는 북으로는 미국과 ～을 접하고 있다 Méjico limita al norte con los Estados Unidos de América. 예술에는 ～이 없다 El arte no conoce fronteras [la frontera]. 사랑에는 ～이 없다 El amor no tiene fronteras.

◆중소(中蘇) ～ frontera *f* sino-rusa.

■～ 경비대(警備隊) patrulla *f* de fronteras, guarnición *f* [guardia *f*] de frontera. ～ 관세 derechos *mpl* aduaneros fronterizos. ～ 도시(都市) ciudad *f* fronteriza. ～ 무역(貿易) comercio *m* fronterizo. ～ 문제(問題) cuestión *f* fronteriza. ～ 분쟁 conflicto *m* fronterizo, disputa *f* fronteriza. ¶～을 해결하다 arreglar la disputa fronteriza. ～ 사건(事件) incidente *m* en frontera. ～선(線) frontera *f*. ～ 순찰대(巡察隊) patrulla *f* de fronteras. ～ 없는 의사회(醫師會)(불 *MSF*, *Médecins Sans Fronteieres*) Médicos *mpl* sin Fronteras. ～전 batalla *f* en frontera, guerra *f* en frontera. ～ 지대(地帶) zona *f* fronteriza. ～ 지방 frontera *f*. ¶～(의) 사람 habitante *mf* de la frontera. ～ 침입[침범] infracción *f* fronteriza. ～ 협정(協定) acuerdo *m* fronterizo.

국경일(國慶日) fiesta *f* nacional.

국계(國界) =국경(國境).

국고(國庫) tesoro *m* nacional, finanzas *fpl* públicas. ～에서 지불하다 ser pago de la tesorería nacional. ～의 수입이 되다 entrar en la tesorería del estado.

■～금(金) fondos *mpl* nacionales. ～ 대리인 agente *mf* fiscal del gobierno. ～ 보조금(補助金) subsidio *m* del Estado, subsidio *m* del gobierno. ～ 부담금 subsidio *m* de la tesorería del Estado. ～ 수입(收入) ingresos *mpl* fiscales, ingresos *mpl* del Estado, renta *f* del Estado, renta *f* del Erario. ～ 예금 depósitos *mpl* del tesoro nacional. ～ 잉여금 superávit *m* del tesoro nacional. ～ 준비금(準備金) fondo *m* de reserva del tesoro nacional. ～ 증권(證券) cédulas *fpl* del Tesoro. ～ 지출 abono *m* del tesoro nacional. ～ 지출금 gastos *mpl* del tesoro nacional. ～ 차입금 préstamo *m* nacional. ～ 채권 letra *f* de la tesorería, letra *f* del Tesoro. ～ 투자(投資) inversión *f* del tesoro, inversión *f* estatal.

국공(國共) el Kuomintang y el Partido Comunista de China.

국광(國光) ① [나라의 영광] gloria *f* nacional. ② [사과의 한 품종] *Gukgwang*.

국교(國交) relaciones *fpl* diplomáticas. ～의 조정 ajuste *m* de relaciones diplómaticas. ～를 맺다 entrar en relaciones diplomáticas (con un país). ～를 단절하다 romper las relaciones diplomáticas. ～를 회복하다 restablecer las relaciones diplomáticas.

■～ 단절(斷絶) ruptura *f* [rompimiento *m*] de relaciones diplomáticas. ～ 정상화(正常化) normalización *f* de relaciones diplomáticas. ～ 회복(回復) restablecimiento *m* de relaciones diplomáticos. ¶한일(韓日) ～ restablecimiento *m* de relaciones diplomáticos entre Corea y Japón.

국교(國敎) religión *f* del Estado. 이 나라는 가톨릭을 ～로 하고 있었다 Este país confesaba [profesaba] la fe católica.

국구(國舅) suegro *m* del rey.

국군(國君) soberano *m* [monarca *m*・rey *m*] de un país.

국군(國軍) ejército *m* nacional.

■～ 묘지 cementerio *m* del Ejército Nacional. ～의 날 el Día de las Fuerzas Armadas, el Día del Ejército Nacional. ～ 통합 병원(統合病院) el Hospital Complejo del Ejército Nacional.

국궁(國弓) arco *m* típico nacional.

국궁(鞠躬) postración *f*. ～하다 postrarse.

국권(國權) ① [나라의 주권(主權)] soberanía *f* (nacional). ～을 주장(主將)하다 reivindicar la soberanía nacional. ② [나라의 통치권] poder *m* nacional, derecho *m* nacional. ～을 신장하다 extender el poder nacional.

■～ 상실(喪失) pérdida *f* de la soberanía. ～ 피탈(被奪) =경술국치(庚戌國恥). ～ 회복(回復) recuperación *f* de la soberanía.

국극(國劇) ① [그 나라 특유의 국민성을 나타낸 연극] teatro *m* típioco nacional. ② [우리 나라 창극] *changguk*, ópera *f* clásica coreana.

국금(國禁) prohibición *f* nacional, veto *m* nacional. ～하다 ser prohibido por el gobierno. ～을 범하다 infringir la prohibición nacional, infringir el veto nacional.

국기(國忌) aniversario *m* del fallecimiento del rey.

■ ~일(日) =국기(國忌).
국기(國技) deporte *m* nacional.
■ ~원(院) *Gukkiwon*, el Gran Palacio del Deporte Nacional.
국기(國紀) disciplina *f* nacional.
국기(國記) historia *f* nacional.
국기(國基) fundación *f* de un país.
국기(國旗) bandera *f* nacional; [배의] pabellón *m* (*pl* pabellones), bandera *f* de popa. 한국의 ~ bandera *f* nacional de Corea, pabellón *m* coreano. ~를 게양하다 izar la bandera nacional. ~를 모독하다 insultar la bandera nacional.
■ ~ 게양(揭揚) izada *f* de la bandera nacional. ~ 게양식(揭揚式) ceremonia *f* de la izada de la bandera nacional.
국기(國器) capacidad *f* que se puede dominar un país; [사람] persona *f* que tiene la capacidad de poder dominar un país.
국난(國難) peligro *m* nacional, crisis *f* nacional, riesgo *m* del Estado; [재화(災禍)] calamidad *f* del Estado. ~으로 순교(殉敎)하다 martirizarse de calamidad [crisis] nacional.
국내(局內) ① [묘지의 구역 안] interior *m* de una sección de la tumba. ② [판국의 안] en una situación. ③ [관청이나 회사의 한 국의 안] en un departamento.
국내(國內) interior *m* del país. ~의 interior, doméstico, nacional, del país. ~에서 en el país, en el interior del país, domésticammente. 간첩 사건으로 ~가 소란하다 En el país todo el mundo anda agitado con el caso de espionaje.
■ ~ 거래(去來) comercio *m* nacional. ~ 공안(公安) seguridad *f* pública nacional. ~ 관세 derechos *mpl* aduanales nacionales. ~ 무역(貿易) comercio *m* nacional. ~ 물가(物價) precios *mpl* interiores, precios *mpl* del interior. ~법(法) derecho *m* civil. ~ 사정(事情) circunstancias *fpl* interiores. ~산(産) =국산(國産). ~ 산업 industria *f* nacional. ~ 상업 comercio *m* nacional, comercio *m* interior. ~ 생산물(生産物) producto *m* del país. ~선 línea *f* nacional; [비행] vuelo *m* nacinal. ~ 소비 consumo *m* interno, consumo *m* doméstico. ~ 소비물자(消費物資) artículos *mpl* del consumo doméstico. ~ 소비세(消費稅) impuesto *m* de [sobre] consumo doméstico. ~ 수요(需要) demanda *f* interior, demanda *f* doméstica. ~ 시장(市場) mercado *m* interior, mercado *m* nacional, mercado *m* doméstico. ~외(外) el interior y el exterior del país. ~ 우편(郵便) correo *m* nacional, correo *m* doméstico. ~ 유학(留學) beca *f* en *su* propio país. ~ 정세(情勢) situación *f* nacional. ~ 정치(政治) política *f* interior, política *f* doméstica. ~ 총생산 el Producto Interior Bruto Nacional. ~ 통신(通信) comunicaciones *fpl* nacionales. ~ 항로(航路) línea *f* (de navegación) nacional.
국도(國都) capital *f* (del país).
국도(國道) carretera *f* nacional, ruta *f* nacional, camino *m* real.
■ ~ 일호선(一號線) la ruta primera.
국란(國亂) guerra *f* civil, rebelión *f*.
국량(局量) =도량(度量)
국력(國力) potencia *f* [poderío *m* · poder *m* · fuerza *f*] del país. ~을 기르다 fomentar [reforzar] la potencia del país, vigorizar las raíces nacionales.
■ ~ 신장(伸張) extensión *f* [desarrollo *m* · expansión *f*] de la fuerza nacional.
국련(國聯) ((준말)) =국제 연합. 유엔.
■ ~군(軍) =국제 연합군. 유엔군. ~기(旗) =국제 연합기. 유엔기(旗).
국로(國老) decano *m* nacional.
국록(國祿) estipendio *m*, salario *m*, sueldo *m*. ~을 먹다 recibir el estipendio, estar en el servicio gubernamental.
■ ~지신(之臣) vasallo *m* de recibir el espendio.
국론(國論) opinión *f* pública, opinión *f* nacional, vista *f* nacional, dictamen *m* nacional. ~을 들끓게하다 excitar la opinión pública. ~을 분열시키다 perturbar [deteriorar] la opinión pública. ~을 환기시키다 despertar la opinión pública. ~을 통일하다 unificar la vista pública [la opinión pública]. ~이 갈라지다 dividirse la opinión pública. ~이 양분(兩分)되었다 La opinión se dividió en dos en el país.
■ ~ 비등 excitación *f* de la opinión pública. ~ 통일(統一) nificación *f* de la vista nacional.
국리(國利) interés *m* nacional, provecho *m* nacional.
■ ~ 민복(民福) bienestar y felicidad nacional. ~을 도모하다 promover bienestar y felicidad nacional.
국립(國立) establecimiento *m* [institución *f*] estatal [gubernamental · nacional · del Estado · del gobierno]. ~의 nacional, estatal, del Estado, gubernamental.
■ ~ 경찰(警察) policía *f* nacional. ~ 공원(公園) parque *m* nacional. ~ 과학 박물관(科學博物館) el Museo Nacional de la Ciencia. ~ 과학원 la Academia Científica Nacional. ~ 국악 관현악단(國樂管絃樂團) la Orquesta Nacional de la Música Clásica. ~ 국악원(國樂院) el Instituto Nacional de la Música Clásica. ~ 국어 연구원(國語硏究院) la Academia Nacional de la Lengua ~ 극장 el Teatro Nacional. ~ 대학(교) universidad *f* nacional, universidad *f* estatal. ~ 도서관(圖書館) biblioteca *f* nacional. ~ 미술관 el Museo Nacional de Bellas Artes. ~ 묘지 panteón *m* nacional, cementerio *m* nacional. ~ 박물관(博物館) museo *m* nacional. ~ 병원(病院) hospital *m* nacional. ~암센터 el Centro Nacional del Cáncer. ~ 요양소(療養所) sanatorio *m* nacional. ~ 은행(銀行) banco *m* nacional. ~ 의료원 el Centro Médico Nacional. ~ 중앙 극장 el Teatro Central Nacional. ~

중앙 도서관 la Biblioteca Central Nacional. ~ 중앙 박물관 el Museo Central Nacional. ~ 현대 미술관 el Museo Contemporáneo Nacional.

국말이 *gungmari*, arroz *m* blanco con sopa, fideo *m* con sopa.

국면(局面) aspecto *m* (del asunto), situación *f*, fase *f*. ~을 변화시키다 hacer cambiar la situación de raíz. ~을 타개하다 despejar la situación. 산업 개발(産業開發)의 ~에 접어들다 entrar en la fase de exploración industrial. ~이 완전히 다르다 El asunto toma un aspecto completamente diferente. ~이 일변했다 La situación se ha desarrollado con nuevo aspecto.

국명(國名) nombre *m* de un país.

국명(國命) ① [나라의 사명] misión *f* nacional. ② [나라의 명령] orden *f* nacional.

국모(國母) madre *f* de la patria.

국모(麴母) =누룩밑.

국무(國巫)【민속】((준말)) =국무당.

■~당【민속】*gukmudang*, hechicera *f* que encarga todos los exorcismos del país.

국무(國務) asuntos *mpl* estatales [nacionales · del Estado], negocio *m* del Estado.

■~부(部) el Departamento del Estado. ¶ ~ 장관 ministro, -tra *mf* del Estado. ~성(省) =국무부. ~ 위원(委員) ministro, -tra *mf* del Estado; [무임소의] ministro, -tra *mf* sin cartera. ~ 장관(長官) =국무부 장관. ~ 총리 primer ministro *m*, primera ministra *f*, premier *m*. ~ 회의(會議) el Consejo de Ministros.

국문(國文) ① [자기 나라에서 쓰는 고유한 글] *hangul m*, coreano *m*, idioma *m* nacional. ② ((준말)) =국문학(國文學).

■~법(法) ㉮ [한 나라 말의 법칙] gramática *f* de una lengua. ㉯ [우리 나라 말의 법칙] gramática *f* coreana. ~ 연구소 la Academia de la Lengua Coreana, el Instituto de la Lengua Coreana. ~자(字) ㉮ [한 나라의 문자] alfabeto *m* de un país, letras *fpl* de un país. ㉯ [우리 나라의 문자] alfabeto *m* coreano, *hangul m*. ~학(學) ㉮ [한 나라의 문학] literatura *f* de un país. ㉯ [우리 나라의 문학] literatura *f* coreana. ~학과(學科) departamento *m* de la literatura coreana. ~학사 la Historia de la Literatura Coreana.

국물 ① [국·찌개·김치 등의 물] *gukmul*, el agua *f* de la sopa ② ((속어)) [많지 아니한 이득] poca ganancia *f*, gajes *mpl* extras, emolumentos *mpl* extras.

◆국물도 없다 no tener ninguna ganancia, no haber ninguna ganancia.

국민(國民) pueblo *m*, nación *f*. ~의 nacional, popular. ~의 의무 obligación *f* del pueblo. 양국 ~의 우호를 깊게 하다 estrechar la amistad de ambos pueblos.

■~ 가요(歌謠) canción *f* nacional. ~ 감정(感情) sentimiento *m* nacional. ~ 개병 제도(皆兵制度) sistema *m* de la conscripción universal. ~ 경제 economía *f* nacional. ~ 경제학 economía *f* política nacional. ~ 교육 ㉮ educación *f* nacional, enseñanza *f* nacional. ㉯ =의무 교육(義務敎育). ~ 교육 헌장 Carta Nacional de la Educación. ~ 국가(國家) estado-nación *m*. ~군(軍) milicia *f* nacional. ~당[1](黨) Partido *m* Nacional. ~당[2](黨) [대만의] Kuomintang. ~ 대표(代表) representante *mf* nacional. ~ 대회(大會) asamblea *f* nacional, junta *f* magna. ~ 도덕(道德) moralidad *f* nacional. ~ 문학(文學) literatura *f* nacional. ~ 문화(文化) cultura *f* nacional. ~ 발안(發案) moción *f* nacional. ~병(兵) milicia *f* (nacional). ~ 병역(兵役) servicio *m* militar nacional. ~ 보건 체조 gimnasia *f* de la salud nacional. ~ 복지 bienestar *m* nacional. ~ 복지 연금 Pensión del Bienestar Nacional. ~ 사상 idea *f* nacional. ~ 사회주의(社會主義) =국가 사회주의. ~ 생활(生活) vida *f* nacional. ~ 생활 양식 modo *m* de la vida nacional. ~성(性) nacionalidad *f*, carácter *m* nacional. ~ 소득(所得) renta *f* nacional. ~ 소환(召還) citación *f* nacional. ~ 순생산(純生産) el Producto Nacional Neto, PNN *m*. ~시(詩) poesía *f* nacional. ~ 신탁(信託) confianza *f* nacional. ~ 신탁 운동 협회(信託運動協會) la Asociación del Movimiento de la Confianza Nacional. ~ 심사(審査) examen *m* de jueces hecho por el pueblo. ~ 연금(年金) pensión *f* ciudadana, pensión *f* nacional. ~ 연금법(年金法) la Ley de la Pensión Ciudadana. ~ 외교(外交) diplomacia *f* por el pueblo. ~ 운동 movimiento *m* nacional. ~음악 música *f* nacional. ~ 의례(儀禮) ceremonia *f* nacional. ~ 의무(義務) obligación *f* nacional. ~ 의회(議會) asamblea *f* nacional. ~장(葬) funeral *m* nacional. ~ 저축 ahorros *mpl* nacionales. ~적(的) nacional. ~ 정당(政黨) partido *m* político nacional. ~ 정부 el Gobierno Nacionalista. ~ 정신 espíritu *m* nacional. ~주(株) acciones *fpl* nacionales. ~ 주권(主權) soberanía *f* del pueblo. ~주의 nacionalismo *m*. ~주의자 nacionalista *mf*. ~ 주택(住宅) vivienda *f* nacional. ~차(車) coche *m* nacional. ~ 총생산 el Producto Nacional Bruto, PNB *m*. ~ 총수입 renta *f* nacional bruta, RNB *f*, ingreso *m* nacional bruto, INB *m*. ~ 총지출(總支出) el Gasto Nacional Bruto. ~ 투표 referéndum *m*, plebiscito *m*, votación *f* ciudadana. ~ 투표법 la Ley de Votación Ciudadana. ~ 포장(褒章) medalla *f* nacional. ~ 훈장(勳章) la Orden Nacional. ~화(化) nacionalización *f*. ¶~하다 nacionalizar.

국민 은행(國民銀行) el Banco Nacional.

국반절(菊半截) =국반판(菊半版).

국반판(菊半版) mitad *f* de octavo mediano.

국밥 *gukbab*, arroz *m* blanco con sopa.

국방(國防) defensa *f* nacional, defensa *f* del territorio (nacional). ~상 por la defensa nacional. ~의 충실 intensificación *f* de la defensa nacional. ~ 을 강화하다 fortalezar la defensa nacional.

■ ~ 경비대 guarnición *f* de defensa nacional, regimiento *m* de la guardia de defensa nacional. ~ 경제(經濟) economía *f* de defensa nacional. ~ 계획 proyecto *m* de la defensa nacional, plan *m* de la seguridad nacional. ~ 관세 impuesto *m* aduanal de la defensa nacional. ~ 국가(國家) estado *m* militar. ~군(軍) fuerzas *fpl* de la defensa nacional. ~법(法) la Ley de Defensa Nacional. ~부(部) el Ministerio de Defensa (Nacional), *Méj* la Secretaría de Defensa; [미국의] el Departamento *m* de Defensa. ¶~ 장관 ministro *m* de Defensa (Nacioal), *Méj* secretario *m* de Defensa. ~ 분과 위원회(分科委員會) la Comisión [el Comité] de Defensa Nacional. ¶~ 위원장 presidente, -ta *mf* de la Comisión [el Comité] de Defensa Nacional. ~비(費) gastos *mpl* para la defensa nacional. ~상(相) ministro *m* de Defensa (Nacional). ~ 색(色) caqui *m*, kaki *m*. ~성(省) el Ministerio de Defensa. ~ 예산(豫算) presupuesto *m* de defensa. ~ 위원회(委員會) la Comisión [el Comité] de Defensa Nacional. ~ 정책(政策) política *f* de defensa nacional. ~ 회의(會議) junta *f* [consejo *m*] de la defensa nacional.

국번(局番) ((준말)) =국번호(局番號).

국번호(局番號) indicativo *m* telefónico.

국법(國法) leyes *fpl* (del país). ~을 지키다 observar [respetar] las leyes (del país).

국변(國變) guerra *f* civil [rebelión *f*] del país.

국보(局報) ① [우체국 간에 주고받는 전보] servicio *m* franco de telegrama entre oficinas. ② [방송국의 보도] noticia *f* de la estación emisora. ③ [국 안의보도] información *f* en el departamento.

국보(國步) destino *m* del estado.

■ ~ 간난(艱難) crisis *f* nacional.

국보(國寶) ① [나라의 보배] tesoro *m* nacional. ~로 보존하다 preservar como un tesoro nacional. 이 불상은 ~로 지정되어 있다 Esta estatua budista está designada como tesoro nacional. ② 【역사】 =국새(國璽)❷.

국본(國本) fundación *f* de un país.

국부(局部) ① [전체 가운데 한 부분] parte *f*, sección *f*, región *f*; [환부] parte *f* afectada, parte *f* enferma. ② =음부(陰部).

■ ~ 마비(痲痺) paralisis *f* local. ~ 마취(痲醉) anestesia *f* local, analgesia *f*. ~ 마취제 analgesina *f*, anestésico *m* local. ~ 묘사(描寫) descripción *f* local. ~ 서포터 [남자 운동 선수용] suspensorios *mpl*, suspensorio *m*, *Per*, *RPl* suspensor *m*. ~ 수축(收縮) contracción *f* de una parte. ~적(的) local, parcial, parcial. ¶~으로 parcialmente. ~으로 한정하다 localizar, retener la extensión (de). ~ 전류 corriente *f* local. ~ 전지(電池) batería *f* local. ~ 진찰(診察) examen *m* de la parte afectada.

국부(國父) ① [임금] rey *m*. ② [건국에 공로가 있어 국민의 숭앙을 받는 사람] padre *m* del Estado, padre *m* de la Patria. 꾸바의 ~ 호세 마르띠 José Martí, padre de la Patria de la República de Cuba.

국부(國府) ((준말)) =국민 정부(國民政府).

국부(國富) riqueza *f* nacional, riqueza *f* del país, recursos *mpl* nacionales, recursos *mpl* de un país. ~를 증진시키다 aumentar la riqueza nacional.

국부론(國富論) las Investigaciones sobre la Naturaleza y las Causas de la Riqueza de las Naciones.

국비(國費) gastos *mpl* nacionales, expensas *fpl* del Estado. ~로 a [por] gastos [expensas] del Estado.

■ ~생(生) estudiante *mf* que recibe la beca nacional. ~ 유학생 estudiante *m* enviado [estudiante *f* enviada] al extranjero a gastos nacionales. ~ 장학생(奬學生) becario, -ria *mf* nacional.

국빈(國賓) huésped *mf* del Estado, huésped *mf* nacional. ~으로 환영하다 partir a *uno* como huésped del Estado.

■ ~ 대우 tratamiento *m* de huésped del estado. ¶~를 하다 recibir (a *uno*) con el tratamiento de huésped del estado.

국사(國士) lo mejor del pueblo, la flor y nata del pueblo.

국사(國史) historia *f* nacional, historia *f* de un país.

■ ~ 연표(年表) calendario *m* histórico de Corea. ~ 자료(資料) materiales *mpl* historiográficos.

국사(國使) enviado, -da *mf* de un país.

국사(國事) asuntos *mpl* nacionales, negocios *mpl* del Estado. ~에 분주하다 empeñarse de promoción de asuntos del estado [del interés del país]. ~에 참여하다 participar en los asuntos nacionales, tomar parte en los negocios del estado.

■ ~범(犯) delito *m* político, ofensa *f* política; [사람] ofensor *m* político, ofensora *f* política. ~ 탐정(探偵) espía *f* política.

국사(國師) ① [한 나라의 스승] maestro *m* nacional. ② [천자의 스승] maestro *m* del imperio. ③ [임금의 스승으로 삼던 덕이 높은 중] el mejor reverendo sacerdote, sacerdote *m* virtuoso como maestro del rey.

국산(國産) ① [자기 나라에서 생산함] producción *f* nacional, producción *f* doméstica, fabricación *f* nacional, fabricación *f* doméstica. ~의 de producción nacional [doméstica], de fabricación nacional [doméstica]. 이것은 ~이다 Esto es de fabricanacional. ② [우리 나라에서 생산함. 국내산] producción *f* coreana, fabricación *f* coreana. ~의 de fabricación coreana, de producción coreana, coreano. ③ ((준말)) =국산품(國産品).

■ ~물(物) producto *m* nacional. ~ 원자재(原資材) materia *f* prima local. ~ 자동차(自動車) automóvil *m* de fabricación nacional; [한국산] automóvil *m* de fabricación coreana. ~ 자전거 bicicleta *f* (de fabricación) hecha en Corea. ~품(品) producto *m* nacional, producto *m* doméstico, producto *m* coreano. ¶~을 애용하다 usar [comprar] los artículos hechos en casa. ~품 장려(品獎勵) estímulo *m* del uso de productos nacionales, propaganda *f* por mayor consumo de productos nacionales.

국상(國喪) luto *m* nacional, duelo *m* nacional, funerales *mpl* nacionales. ~중이다 estar de luto nacional, guardar luto nacional.

국새(國璽) ① [국가의 표상으로서의 인장] sello *m* del Estado. ② [임금의 인장] sello *m* real, sello *m* del rey.

국색(國色) ① [나라 안에서 제일가는 용모] belleza *f* del país, la mujer más hermosa del país. ② =모란꽃.

국서(國書) ① [한 나라의 원수(元首)가 그 나라의 이름으로 외국에 보내는 서류] [신임장] (cartas *fpl*) credenciales *fpl*; [친서(親書)] mensaje *m* del soberano. ~를 봉정(奉呈)하다 presentar las credenciales. ② [한 나라의 역사와 문장 등에 관한 서적] libros *mpl* literarios nacionales, literatura *f* nacional, obra *f* nacional.

국서(國婿) ① [임금의 사위] yerno *m* del rey. ② [여왕의 남편] esposo *m* de la reina.

국석(菊石) =암모나이트(ammonite).

국선(國仙) 【역사】=화랑(花郞).

■ ~도(徒) 【역사】=화랑도(花郞徒).

국선(國選) =관선(官選). ¶~의 nombrado [designado] por el gobierno.

■ ~ 변호사 abogado, -da *mf* de oficio.

국세(局勢) situación *f*, fase *f*, aspecto *m* de asuntos.

국세(國稅) impuesto *m* nacional. ~를 징수하다 recaudar impuestos nacionales.

■ ~ 부가세(附加稅) sobretasa *f* [impuesto *m* adicional] sobre el impuesto nacional. ~ 업무(業務) asuntos *mpl* de impuestos nacionales. ~청(廳) la Dirección General Impositiva, la Dirección General de Tributos, la Dirección de Impuestos Internos, el Departamento General de Contribuciones. ¶~장 director, -tora *mf* [administrador, -dora *mf*] de la Dirección General Impositiva [de Impuestos Internos]. ~ 체납 impago *m* [falta *f* de pago] de impuestos nacionales. ~ 체납 처분(滯納處分) disposición *f* de impuestos nacionales en mora.

국세(國勢) estado *m* de un país, estado *m* estatal, estado *m* del Estado, poder *m* nanal.

■ ~ 조사(調査) censo *m* (de población). ¶~를 하다 hacer [levantar] un censo. ~관(調査官) censor, -sora *mf*.

국소(局所) =국부(局部)(parte). ¶~의 local, tópico.

국속(國俗) costumbre *f* nacional.

국솥 olla *f* para [de] la sopa.

국수 *guksu*, fideo *m*, tallarín *m*, espaguetis *mpl*, spaghetti *ital.mpl*.

◆국수(를) 먹다 celebrar la boda [las nupcias · el matrimonio] (en un casamiento).

■ ~ 가락 *guksu garak*, un fideo. ~ 사리 *guksu sari*, rollo *m* de fideos cocidos. ~원밥숭이 *guksuwonbabsungi*, sopa *f* de pan coreano con el arroz blanco y los fideos. ~틀 prensa *f* de fideos. ~ㅅ물 caldo *m* de fideos. ~ㅅ발 =국수 가락. ~ㅅ분 barril *m* para la masa de la prensa de fideos. ~ㅅ분통 =국숫분. ~ㅅ집 ㉮ [국수 빼는 집] fábrica *f* de fideos. ㉯ [국수 파는 집] tienda *f* de fideos; [국수 파는 식당] restaurante *m* de fideos.

국수(國手) ① [이름난 의사] célebre médico, -ca *mf*; médico *m* famoso, médica *f* famosa. ② [바둑이나 장기 등이 한 나라에서 으뜸가는 사람] campeón, -peona *mf* nacional.

■ ~전(戰) concurso *m* del maestro nacional. ¶~에 참가하다 tomar parte en el concurso del maestro nacional.

국수(國粹) características *fpl* nacionales, espíritu *m* de la nación. ~의 típicamente nacional.

■ ~ 보존(保存) conservación *f* de de características nacionales. ~주의 nacionalismo *m*. ~주의자 nacionalista *mf*; chauvinista *mf*.

국수(國讐/國讎) enemigo *m* nacional.

국수맨드라미 【식물】 una especie del moco de pavo.

국승(國乘) =국사(國史).

국시(國是) (principio *m* de) la política nacional, razón *f* del Estado. ~를 정하다 establecer la política nacional. 민주주의를 ~로 하다 tomar la línea de democracia. 반공을 ~로 하다 tomar la línea anticomunista.

국악(國樂) ① [그 나라의 고유한 음악] música *f* clásica nacional. ② [우리 나라의 고전 음악] música *f* clásica coreana.

■ ~기(器) instrumento *m* musical coreana. ~원(院) ㉮ [민족 음악의 보존과 발전을 목적으로 조직된 기관] el Instituto de la Música Clásica. ㉯ ((준말)) =국립 국악원.

국어(國語) ① [국민 전체가 쓰는 그 나라의 고유한 말] lengua *f* (nacional), idioma *m*; [모국어] lengua *f* materna.. 여러 ~에 능한 사람 polígloto, -ta *mf*. ② [우리 나라 말 · 한국어] *hangul*, coreano *m*, lengua *f* coreana, idioma *m* coreano.

■ ~ 개량(改良) reforma *f* de la lengua. ~ 교사(敎師) profesor, -sora *mf* de coreano. ~ 교육(敎育) educación *f* de la lengua. ~ 독본 lectura *f* coreana. ~ 문법 gramática *f* de la lengua coreana. ~ 문제 problema *m* de la lengua. ~사(史) historia *f* de la lengua coreana. ~ 사전 diccionario *m* de la lengua coreana. ¶양(兩) ~ diccionario *m* bilingüe. ~ 순화(醇化) purificación *f* de la lengua. ~ 심의회 el Consejo Naciona de [para] la Lengua Coreana. ~ 운동(運動) movimiento *m* de la lengua. ~학(學) ㉮ [국어를 연구하는 학문] estudio *m* de la lengua nacional. ㉯ [우리 나라 말을 연구 대상으로 하는 학문] coreanología *f*, estudio *m* de la lengua coreana. ~학사(學史) ㉮ [국어학의 발달 과정의 역사. 또 그 학문] historia *f* del estudio de la lengua nacional. ㉯ [국어학의 역사를 적은 책] la Historia del Estudio de la Lengua Nacional. ~학자 coreanólogo, -ga *mf*; especialista *mf* de la lengua nacional.

국역(國役) obra *f* de construcciones de un país.

국역(國譯) traducción *f* al coreano. ~하다 traducir al coreano.
■ ~본(本) libro *m* traducido al coreano.

국영(國營) administración *f* nacional. ~의 nacional, estatal, del Estado.
■ ~ 기업(企業) empresa *f* nacional. ~ 농장(農場) granja *f* del Estado. ~ 무역(貿易) comercio *m* estatal. ~ 방송(放送) transmisión *f* nacional. ~ 방송국 (estación *f*) difusora *f* nacional. ~ 사업(事業) emprpresa *f* del Estado. ~화 nacionalización *f*, estatificación *f*. ¶~하다 nacionalizar, estatificar. 철도를 ~하다 nacionalizar [estatificar] el ferrocarril.

국왕(國王) rey *m*, reina *f*; [군주(君主)] monarca *m*; soberano, -na *mf*. ~의 real, del rey, manárquico. 후안 까를로스 서반아 왕국 ~ el Rey del Reino de España Juan Carlos.
■ ~ 폐하(陛下) Su Majestad el Rey.

국외(局外) exterior *m*, parte *f* de fuera, posición *f* neutral. ~에 서다 ponerse al margen, mantenerse apartado, no meterse (en).
■ ~자[인] persona *f* ajena al asunto, persona *f* no comprometida, persona *f* de fuera; [제삼자] tercero, -ra *mf*; [방관자] espectador, -dora *mf*. ~ 중립 neutralidad *f*. ¶~을 지키다 mantenerse al margen y neutral.

국외(國外) extranjero *m*, ultramar *m*. ~의 del (país) extranjero, extranjero. ~에 al extranjero. ~에서 en el extranjero, fuera del país. ~에 나가다 salir del país, ir al extranjero. ~에 도망하다 refugiarse en el extranjero, exiliarse. ~에 추방시키다 desterrar [expulsar] del país.
■ ~ 망명(亡命) expatriación *f* al extranjero. ¶~하다 expatriarse al extranjero. ~ 망명자 expatriado, -da *mf* al extranjero. ~ 발전(發展) expansión *f* extranjera. ~ 우편(郵便) correo *m* extranjero. ~ 추방(追放) deportación *f*. ~ 추방자 expulsado, -da *mf*.

국욕(國辱) vergüenza *f* [ignominia *f* · infama *f* · afrenta *f* · humillación *f* · deshonar *f*] nacional.

국용(國用) ① =국비(國費). ② [나라의 소용] uso *m* del país.

국우(國憂) preocupación *f* del país.

국운(國運) destino *m* del país, destino *m* nacional, hado *m* nacional, fortuna *f* nacional. ~의 쇠퇴 decadencia *f* de un país. ~의 흥륭(興隆) prosperidad *f* de un país. ~을 걸다 poner en juego el destino del país.

국원(局員) funcionario, -ria *mf*; empleado, -da *mf* de un departamento; empleado, -da *mf* de correos.

국월(菊月) septiembre *m* del calendario lunar.

국위(國威) gloria *f* [prestigio *m* · honor *m* · dignidad *f* · poder *m*] nacional. ~를 선양하다 ensalzar el prestigio nacional. ~를 손상시키다 deteriorar [perjudicar] la dignidad nacional. ~를 해외(海外)에 떨치다 desplegar la gloria nacional al mundo.
■ ~ 선양(宣揚) aumento *m* de la gloria nacional, ensalzamiento *m* del prestigio nacional. ¶~을 하다 aumentar la gloria nacional, ensalzar el prestigio nacional, realizar la dignidad nacional.

국유(國有) propiedad *f* del estado. ~의 (propio) del Estado, estatal, nacional, gubernamental.
■ ~림(林) bosque *m* estatal [estatal · del Estado · nacional]. ~ 재산 bienes *mpl* del Estado. ~지(地) terreno *m* del Estado. ~ 철도(鐵道) ferrocarril *m* nacional [estatal · del Estado]; [서반아의] la Red Nacional de Ferrocarriles Españoles, RENFE *f*. ~화(化) nacionalización *f*. ¶~하다 nacionalizar. 철도의 ~ nacionalización *f* de los ferrocarriles. 토지의 ~ nacionalización *f* del terreno. ~되다 nacionalizarse. 산업을 ~하다 nacionalizar la industria. 철도를 ~하다 nacionalizar el ferrocarril. 토지를 ~하다 nacionalizar el terreno. 이집트는 수에즈 운하를 ~했다 Egipto nacionalizó el canal de Suez.

국으로 apropiado [adecuado] para *su* propia habilidad.

국은(國恩) favores *mpl* recibidos de la patria.

국음(國音) pronunciación *f* coreana.

국익(國益) beneficio *m* [provecho *m* · utilidad *f*] nacional, intereses *mpl* nacionales. ~에 반(反)하다 contrariar al beneficio nacional. ~에 반하는 행위 acción *f* contraria al beneficio nacional. ~을 꾀하다 promover beneficio [interés] nacional. ~에 많은 공헌을 하다 contribuir mucho a la prosperidad nacional. ~에 우선하다 dar prioridad al beneficio nacional.

국인(國人) =국민(國民).

국자 cucharón *m* (*pl* cucharones), cazo *m*, cuchara *f* grande. ~ 모양의 espatulado. ~로 푸다 achicar por cucharón, sacar con cucharón.

국자(國字) ① [그 나라의 문자] escritura *f* nacional, alfabeto *m* nacional. ② [우리 나라의 문자] *hangul*, coreano *m*, alfabeto *m* coreano, caracteres *mpl* coreanos.

국자가리비 【조개】 concha *f* de vieira, venera *f*, *CoS* concha *f* de ostión.

국장(局長) jefe, -fa *mf*, director, -dora *mf*; [우체국 등의] administrador, -dora *mf*.

국장(國章) emblema *m* nacional, escudo *m* nacional.

국장(國葬) ① [나라에 공로가 많은 사람이 죽었을 때 국비로 지내는 장례] funeral(es) *m*(*pl*) del Estado, funeral *m* nacional. ~으로 하다 enterrar a expensas del Estado, otorgar funerales del Estado. ② 【역사】 = 인산(因山).

국재(國災) calamidad *f* nacional, desastre *m* nacional.

국재(國財) propiedad *f* nacional, fondos *mpl* nacionales, riqueza *f* nacional.

국적(國賊) traidor, -dora *mf* (del país).

국적(國籍) nacionalidad *f*. ~의 redactado por el gobierno. ~을 바꾸다 cambiar de nacionalidad. ~을 박탈하다 desnacionalizar. ~을 취득하다 adquirir la nacionalidad. ~을 상실하다 perder la nacionalidad. 한국 ~을 가지고 있다 ser de nacionalidad coreana. 서반아 ~을 취득하다 adquirir [adoptar] la nacionalidad española.
■ ~ 박탈(剝奪) desnacionalización *f*. ¶~을 하다 desnacionalizar. ~법(法) ley *f* de la nacionalidad. ~ 변경(變更) cambio *m* de nacionalidad. ~ 복귀 reinstauración *f* de nacionalidad. ~ 불명(不明) nacionalidad *f* desconocida, matrícula *f* desconocida. ~의 선박 [항공기] barco *m* [avión *m*] de nacionalidad desconocida. ~ 상실(喪失) desnacionalización *f*, pérdida *f* de nacionalidad. ~ 상실자 persona *f* que ha perdido *su* nacionalidad, persona *f* desnacionalizada. ~ 선택권 derecho *m* de elegir la nacionalidad. ~이탈(離脫) separación *f* de nacionalidad. ¶~의 자유 libertad *f* de separarse de nacionalidad. ~ 증명서 certificado *m* de nacionalidad. ~ 증서(證書) = 국적 증명서. ~ 취득(取得) adquisición *f* de nacionalidad. ~ 포기(抛棄) renuncia *f* de nacionalidad. ~ 회복 reivindicación *f* de nacionalidad.

국전(國典) ① [나라의 법전] código *m* nacional. ② [국가의 전적(典籍)] libros *mpl* clásicos del Estado.

국전(國展) ((준말)) =대한민국 미술 전람회.

국정(國定) redacción *f* nacional, decisión *f* del gobierno, redacción *f* del gobierno, redacción *f* del Estado. ~의 redactado [estatuido] por el gobierno, designado por el Estado.
■ ~ 교과서(教科書) libro *m* de texto redactado [aceptado] por el gobierno, libro *m* de texto autorizado (del Estado). ~ 세율(稅率) tarifa *f* estatuida.

국정(國政) administración *f* nacional, gobierno *m*; [국무(國務)] asuntos *mpl* del Estado, negocios *mpl* del Estado. ~에 참여하다 participar en la administración nacional. ~을 관장하다 tomar las riendas del Estado [del gobierno].
■ ~ 감사(監査) [국회의] inspección *f* parlamentaria respecto al gobierno. ~ 감사권(監査權) autoridad *f* parlamentaria de inspeccionar el gobierno. ~ 감사반(監査班) equipo *m* de parlamentarios para la inspección respecto al gobierno. ~ 조사(調査) investigación *f* respecto al gobierno. ~ 조사권(調査權) derecho *m* parlamentario de investigar el gobierno.

국정(國情) condiciones *fpl* de un país. 대한민국의 ~에 밝다 estar al corriente de la situación interior de la República de Corea. ~이 불안정하다 Está inestable [insegura] la sitaución interior del país.

국정원(國情院) ((준말)) =국가 정보원.

국정 홍보처(國政弘報處) la Oficina de la Información Pública. ¶~장 director, -tora *mf* de la Oficina de la Información Pública.

국제(國制) ① [나라의 제도] régimen *m* (*pl* regímenes) nacional, sistema *m* nacional. ② [국상(國喪)의 복제] sistema *m* tradicional de luto de funerales nacionales.

국제(國際) ① [나라와 나라와의 교제. 또, 그 관계] relación *f* internacional. ~의 internacional. ② [세계 각국에 관한 일] asuntos *mpl* de todos los países del mundo.
■ ~ 가격(價格) precio *m* internacional. ~간(間) entre las naciones. ~ 개발(開發) desarrollo *m* internacional. ~ 개발처 la Agencia de Desarrollo Internacional, la Agencia Internacional para el Desarrollo. ~ 개발 협회(開發協會) la Asociación Internacional de Fomento, AIF *f*. ~ 견본시 feria *f* (de muestras) internacional. ~ 결제 은행(決濟銀行) el Banco de Pagos Internacionales, BPI *m*. ~ 결혼 matrimonio *m* internacional, casamiento *m* internacional. ~ 경기 juego *m* internacional, partidos *mpl* internacional. ¶~(의) 일정 calendario *m* de partidos internaconales. 경쟁력(競爭力) capacidad *f* competitiva internacional. ~ 경제(經濟) economía *f* internacional. ~ 경제 협력 cooperación *f* económica internacional. ~ 경제 협력 은행 el Banco Internacional para la Cooperación Económica, IBEC *m*. ~ 공무원(公務員) sirviente *mf* internacional. ~ 공법(公法) derecho *m* público internacional, ley *f* pública internacional. ~ 공산당(共産黨) Comintern *m*, la Tercera Internacional. ~ 공안(公安) seguridad *f* internacional. ~ 공항(空港) aeropuerto *m* internacional. ¶인천 ~ el Aeropuerto Internacional de Incheon. ~ 관계(關係) relaciones *fpl* internacionales, internacionalismo *m*. ~ 관례(慣例) usaje *m* internacional. ~ 관세 협정(關稅協定) el Acuerdo General sobre Aranceles y Comercio, el Acuerdo GATT. ~ 관습법 derecho *m* consuetudinario internacional. ~ 관행 práctica *f* habitual

internacional. ~ 교류(交流) intercambio *m* internacional. ~ 교섭(交涉) negociaciones *fpl* internacionales. ~ 균형(均衡) equilibrio *m* internacional. ~ 금리(金利) interés *m* internacional. ~ 금융(金融) finanzas *fpl* internacionales. ~ 금융 시장(金融市場) el Mercado Internacional de Dinero. ~ 기관(機關) órgano *m* internacional. ~ 기구(機構) organización *f* internacional. ~ 기능 올림픽 대회 el Concurso Internacional de Formación Profesional. ~ 노동 기구 la Organización Internacional de Trabajo, OIT *f*. ~ 단위 unidad *f* internacional. ~ 단체(團體) organización *f* internacional. ~ 담판 negociaciones *fpl* internacionales. ~ 대차(貸借) préstamo *m* internacional. ~ 도덕(道德) moralidad *f* internacional. ~ 도시(都市) ciudad *f* cosmopolita. ~ 마케팅 mercadotecnia *f* internacional. ~ 무대(舞臺) escena *f* internacional. ~ 무역(貿易) comercio *m* internacional. ~ 무역 기구(貿易機構) la Organización Internacional de Comercio, OIC *f*. ~ 무역 센터 el Centro de Comercio Internacional. ~ 무역 헌장 la Carta del Comercio Internacional. ~ 문제(問題) problema *m* internacional. ~ 미디어 센터 el Centro Internacional de Medios Informativos. ~ 민간 항공 기구(民間航空機構) la Organización de Aviación Civil Internacional. ~ 민법(民法) derecho *m* civil internacional. ~ 박람회(博覽會) feria *f* mundial, exhibición *f* internacional. ~ 반신권(返信券) cupón *m* (*pl* cupones) de respuesta internacional. ~ 방송(放送) emisión *f* [transmisión *f*] internacional. ~ 방송 센터 el Centro Internaconal de Transmisión. ~ 범죄 crimen *m* internacional. ~ 법(法) derecho *m* internacional, ley *f* internacional. ~ 부흥 개발 은행 el Banco Internacional para la Reconstrucción y el Desarrollo, BIRD *m*. ☞세계 은행(世界銀行). ~ 분쟁 conflicto *m* internacional. ~ 사법(私法) ley *f* privada internacional, derecho *m* privado internacional. ~ 사법 재판소(司法裁判所) el Tribunal Internacional de Justicia, TIJ *m*, la Corte Internacional de Justicia, CIJ *f*. ~ 사회(社會) comunidad *f* internacional. ~ 상법 derecho *m* mercantial internacional. ~ 상업 회의소 la Cámara de Comercio Internacional, CCI *f*. ~ 상품(商品) mercancía *f* internacional. ~선(線) línea *f* internacional; [비행] vuelo *m* internacional. ¶대한 항공의 ~ vuelo *m* internacional de KAL. ~ 수지 balanza *f* de pagos internacionales. ~ 시장(市場) mercado *m* internacional. ~ 식량 농업 기구(食糧農業機構) la Organización de las Naciones Unidas para la Agricultura y Alimentación, FAO *f*. ~신의(信義) lealtad *f* internacional. ~ 신체 장애자 올림픽 대회 los Juegos Paralímpicos. ~ 심사(審査) examen *m* internacional. ~어(語) ㉮ [국제적으로 널리 쓰이는 말] lengua *f* internacional ㉯ =세계어(世界語) ~ 어음 letra *f* internacional. ~ 에너지 기관 la Agencia Internacional de la Energía, AIE *f*. ~ 여단(旅團) las Brigadas Internacionales. ~ 여행(旅行) viaje *m* internacional. ~ 여행업자 연맹 la Federaración Internacional de Agentes de Viaje. ~ 연극 협회(演劇協會) la Asociación Internacional del Teatro. ~ 연맹(聯盟) la Liga de las Naciones. ~ 연합 las Naciones Unidas, la Organización de las Naciones Unidas, ONU *f*. ¶~의 목적 los Propósitos de las Naciones Unidas. ~ 연합 가입(afiliación *f* a la ONU. ~ 연합 가입국 miembro *m* de la ONU. ~ 연합 개발 계획 el Programa de las Naciones Unidas para el Desarrollo, PNUD *m*. ~ 연합 경찰군(聯合警察軍) policía *f* de las Naciones Unidas, fuerzas *fpl* del orden público de las Naciones Unidas, fuerzas *fpl* de Emergencia de las Naciones Unidas. ~ 연합 공업 개발 기구(聯合工業開發機構) la Organización de las Naciones Unidas para el Desarrollo Industrial, ONUDI *f*. ~ 연합 공업 개발 회의(聯合工業開發會議) la Conferencia de las Naciones Unidas sobre Medio Ambiente y Desarrollo. ~ 연합 교육 과학 문화 기구 la Organización de las Naciones Unidas para Educación, Ciencia y Cultura, UNESCO *f*. ~ 연합 구제 사업국(聯合救濟事業局) la Agencia de las Naciones Unidas para la Ayuda a los Refugiados. ~ 연합 국제 상법 위원회 la Comisión de las Naciones Unidas para el Derecho Mercantil Internacional. ~ 연합군(聯合軍) las Fuerzas de las Naciones Unidas. ~ 연합기(聯合旗) bandera *f* de la ONU. ~ 연합 기구 la Organización de las Naciones Unidas, ONU *f*. ~ 연합 긴급군(聯合緊急軍) las Fuerzas de Emergencia de las Naciones Unidas. ~ 연합 난민 고등 판무관(聯合亂民高等辦務官) el Alto Comisionado de las Naciones Unidas para los Refugiados. ~ 연합 난민 고등 판무관 사무소 la Oficina del Alto Comisionado de las Naciones Unidas para los Refugiados, ACNUR *f*. ~ 연합 대사 embajador, -dora *mf* en la ONU. ~ 연합 대한민국 대사(聯合大韓民國大使) embajador, -dora *mf* de la República de Corea en la ONU. ~ 연합 대한민국 대사관 la Embajada de la República de Corea en la ONU. ~ 연합 대한민국 대표 (miembro *mf* de) la delegación coreana en la ONU. ~ 연합 라틴 아메리카 경제 위원회 la Comisión Económica para América Latina de las Naciones Unidas. ~ 연합 무역 개발 회의 la Conferencia de las Naciones Unidas sobre Comercio y Desarrollo. ~ 연합 본부(聯合本部) la Sede de la ONU. ~ 연합 사무국 secretaría *f* de la ONU. ~ 연합 사무 총장(聯合事務總長) secretario *m* general de la ONU. ~ 연합 사회 개발국 la Agencia de Naciones Unidas para el Desarrollo Social,

ANUDS *f.* ~ 연합 식량 농업 기구 la Organización de las Naciones Unidas para la Agricultura y Alimentación, FAO *f.* ~ 연합 아동 기금(聯合兒童基金) la Agencia de las Naciones Unidas para la Ayuda a la Infancia, UNICEF *f.* ~ 연합 안전 보장 이사회(聯合安全保障理事會) el Consejo de Seguridad de las Naciones Unidas. ~ 연합의 날 =국제 연합일. ~ 연합 이사국 miembro *m* del Consejo de las Naciones Unidas. ~ 연합일 día *m* internacional. ~ 연합 정보국(聯合情報局) la Oficina de Información de las Naciones Unidas. ~ 연합 총회(聯合總會) la Asamblea General de las Naciones Unidas. ~ 연합 파견군(聯合派遣軍) cuerpo *m* expedicionario de las Naciones Unidas. ~ 연합 평화 유지군(聯合平和維持軍) fuerzas *fpl* de paz de las Naciones Unidas, fuerzas *fpl* encargadas del mantenimiento de la paz de las Naciones Unidas. ~ 연합 헌장 la Carta de las Naciones Unidas. ~ 연합 협회(聯合協會) la Asociación de las Naciones Unidas. ~ 연합 환경 계획(聯合環境計劃) el Programa de las Naciones Unidas para el Medio Ambiente. ~ 연합 회원국 miembro *m* de las Naciones Unidas. ~ 연합 회의(聯合會議) el Congreso de las Naciones Unidas. ~ 영화제 el Festival Cinematográfico Internacional, el Festival Internacional del Cine. ~ 옥수수 재단 la Fundación Internacional de Maíz. ~ 올림픽 경기 대회 los Juegos Olímpicos, la Olimpiada. ~ 올림픽 위원회 el Comité Olímpico Internacional, COI *m*, la Comisión de la Olimpiada Internacional. ~ 우편(郵便) correo *m* internacional. ~ 우편환 giro *m* postal internacional. ~ 운송 transporte *m* internacional. ~ 운전 면허 licencia *f* de conducir internacional. ~ 운전 면허증 carnet *m* de conducir internacional, *AmL* licencia *f* de conducir internacional. ~ 운하(運河) canal *m* internacional. ~ 원자력 기구(原子力機構) el Organismo Internacional de Energía Atómica, OIEA *m*. ~ 은행법(銀行法) ley *f* bancaria internacional. ~ 음성 기호(音聲記號) =국제 음표 문자. ~ 음표 문자(音標文字) el Alfabeto Fonético Internacional. ~ 의례(儀禮) etiqueta *f* internacional. ~ 의회 연맹 la Unión Inter-Parlamentaria. ~ 이해(理解) entendimiento *m* internacional. ~인(人) cosmopolita *mf.* ~ 자본 시장(資本市場) mercado *m* internacional de capitales. ~ 재단(財團) sindicato *m* internacional. ~ 재판(裁判) juicio *m* internacional. ~ 재판소 la Corte Internacional, el Tribunal Internacional. ~ 쟁의(爭議) complicación *f* internacional. ~ 저작권(著作權) derecho *m* de autor internacional, copyright *m* internacional. ~적(的) internacional; [세계적] mundial, universal, cosmopolita. ¶~으로 internacionalmente, mundialmente, universalmente. ~ 견지 punto *m* de vista internacional. 그의 이름은 ~으로 알려져 있다 Su nombre es conocido aun en el extranjero / El tiene renombre internacional. ~ 적십자(赤十字) la Cruz Roja Internacional. ~ 적십자사 la Sociedad de la Cruz Roja Internacional. ~ 전략 연구소(戰略硏究所) el Instituto Internacional para los Estudios Estratégicos. ~ 전보(電報) telegrama *m* internacional. ~ 전화(電話) teléfono *m* internacional; [통화] conferencia *f* internacional, llamada *f* telefónica internacional. ~ 정세(情勢) situación *f* internacional. ~ 정치(政治) política *f* internacional. ~ 조약(條約) pacto *m* internacional, tratado *m* internacional. ~ 조정(調停) arbitraje *m* [ajuste *m*] internacional. ~ 조직(組織) organización *f* internacional. ~ 주식 시장(株式市場) el Mercado Internacional de Acciones. ~주의(主義) internacionalismo *m*. ~주의자(主義者) internacionalista *mf.* ~ 중재(仲裁) arbitraje *m* internacional. ~ 중재 재판소(仲裁裁判所) el Tribunal de Arbitraje Internacional. ~ 증권 valores *mpl* internacionales. ~ 증권 거래소(證券去來所) la Bolsa Internacional, la Bolsa Internacional de Valores. ~ 지불 pago *m* internacional. ~ 지역(地域) zona *f* internacional. ~ 지체 장애자 경기 대회 los Juegos Paralímpicos (Internacionales). ~ 질서(秩序) orden *m* internacional. ~ 철도(鐵道) ferrocarril *m* internacional. ~ 체육 기자 연맹 la Asociación Internacional de la Prensa Deportiva. ~ 축구 연맹 la Federación Internacional de Fútbol Asociación, FIFA *f.* ¶~ 총회 el Congreso de la FIFA. ~ 회장 presidente *m* de la FIFA. ~ 축구 평의회 el Consejo Internacional de Fútbol Asociación. ~ 친선(親善) buena voluntad *f* internacional. ~ 카르텔 cartel *m* internacional. ~ 태권도 연맹 la Federación Internacional de Taekwondo. ~ 통신 comunicaciones *fpl* internacionales. ~ 통신 연맹(通信聯盟) la Unión Internacional de Telecomunicaciones. ~ 통화(通貨) moneda *f* internacional. ~ 통화 기금 el Fondo Monetario Internacional, FMI *m*. ~ 통화 시장(通貨市場) el Mercado Monetario Internacional. ~ 통화 유출(通貨流出) flujo *m* monetario internacional. ~ 통화 제도 el Sistema Monetario Internacional. ~ 투자 inversión *f* extranjera. ~ 판권 derecho *m* de autor internacional. ~ 펜클럽 la Asociación Internacional de Poetas, Dramaturgos, Editores, Ensayistas y Novelistas, PEN club *m*. ~ 표준(標準) norma *f* internacional. ~ 표준 간행물 일련 번호 (標準刊行物一連番號) número *m* de serie de la Norma Internacional. ~ 표준 도서 번호 la Numeración Internacional Normalizada de Libros, ISBN *f.* ~ 표준 산업 분류법 la Clasificación Industrial según Normas Internacionales. ~ 표준 직업 분류법(標準職業分類法) la Clasificación Internacional del

Empleo. ～ 표준화 기구(標準化機構) la Organización Internacional de Normalización, OIN *f.* ～ 하천(河川) río *m* internacional. ～항(港) puerto *m* internacional. ～ 항공 운송 협회(航空輸送協會) la Asociación Internacional de Transporte Aéreo, IATA *f.* ～ 해양법 el Código Marítimo Internacional. ～ 해운 연맹 la Federación Internacional de Compañías Navieras. ～ 해협 estrecho *m* internacional. ～ 협력(協力) cooperación *f* internacional. ～ 형법 derecho *m* criminal internacional. ～ 형사 경찰 기구(刑事警察機構) ＝인터폴. ～호(湖) lago *m* internacional. ～ 호텔 협회 la Asociación Internacional de Hoteles. ～화(化) internacionalización *f.* ¶～하다 internacionalizar. ～되다 internacionalizarse. ～환 ＝외국환(外國換). ～ 회의 congreso *m* internacional, conferencia *f* internacional.

국조(國祚) ＝국운(國運).

국조(國祖) fundador *m* del país.

국조(國鳥) pájaro *m* nacional.

국조(國朝) dinastía *f* de *su* país, gobierno *m* de *su* país.

국주(國主) rey *m* de un país.

국중(國中) ＝국내(國內).

국지(－紙) pedacitos *mpl* de papel.

국지(局地) localidad *f.* ～의 local.

■～ 전쟁(戰爭) guerra *f* local. ～풍(風) viento *m* local. ～화(化) localización *f.* ¶～하다 localizar.

국창(國唱) cantante *mf* más célebre del país.

국채(國債) obligaciones *fpl* del Estado, bonos *mpl* del Estado.

■～ 상환 기금 fondo *m* de amortización. ～ 증권(證券) bono *m* nacional.

국책(國策) política *f* nacional. ～에 따라 según la política nacional. ～을 수행하다 llevar a cabo la política nacional.

■～ 은행 banco *m* patrocinado por el gobierno. ～ 회사 empresa *f* de la política nacional.

국책(國責) deberes *mpl* nacionales.

국척(國戚) pariente *mf* del rey.

국철(國鐵) ((준말)) ＝국유 철도(國有鐵道).

국체(國體) ① [나라의 사정·상태] situación *f* nacional. ② [나라의 체면] prestigio *m* nacional, dignidad *f* nacional. ③ ((준말)) ＝전국 체육 대회.

국초(國初) comienzo *m* de la fundación de un país.

국초(國礎) fundación *f* de un país.

국축(跼縮) ＝국척(跼蹐).

국치(國恥) vergüenza *f* del país, humillación *f* nacional.

■～민욕(民辱) vergüenza *f* del país y del pueblo. ～일(日) día *m* de la vergüenza del país, el veintinueve de agosto.

국태민안(國泰民安) la prosperidad nacional y el bienestar del pueblo. ～하다 gozar de la prosperidad nacional y el bienestar del pueblo.

국토(國土) territorio *m* (nacional). ～의 territorial, del territorio.

■～ 개발(開發) desarrollo *m* del territorio, explotación *f* del territorio. ～ 개발 계획(開發計劃) ((준말)) ＝국토 건설 종합 계획. ～ 건설 종합 계획(建設綜合計劃) el Plan de Explotación del Territorio. ～ 계획(計劃) ((준말)) ＝국토 건설 종합 계획. ～ 방위(防衛) defensa *f* nacional. ～ 보존(保存) integridad *f* territorial. ～분단 división *f* territorial. ～ 조사 investigación *f* territorial.

국판(菊判) octavo *m.*

국폐(國弊) vicios *mpl* nacionales.

국풍(國風) costumbre *f* del país.

국학(國學) literatura *f* nacional, literatura *f* clásica coreana.

■～자(者) especialista *mf* de la literatura clásica coreana.

국한(局限) localización *f,* limitación *f.* ～하다 localizar, limitar.

■～화(化) localización *f.*

국한문(國漢文) ① [국문과 한문] lengua *f* coreana y caracteres chinos. ② [국문에 한문이 섞인 글] literatura *f* coreana mezclada con los caracteres chinos.

■～체(體) estilo *m* de *hangul* mezclado con los caracteres chinos.

국향(國香) ① [나라에서 제일가는 미인] primera belleza *f* del país, la mujer más hermosa del país. ② 【식물】 ＝난초(蘭草).

국헌(國憲) constitución *f* nacional. ～을 제정하다 establecer una constitución. ～을 준수하다 respetar la constitución nacional.

국호(國號) nombre *m* del Estado.

국혼(國婚) matrimonio *m* real.

국화(菊花) 【식물】 crisantemo *m.*

■～과 식물(科植物) compuesta *f.* ～꽃 crisantemo *m.* ～동(童) ((준말)) ＝국화동자못. ～동자못 clavo *m* de la forma de crisantemo. ～ 무늬 emblema *m* de crisantemo. ～ 문장(紋章) escudo *m* de crisantemo, emblema *m* de crisantemo. ～빵 *gukhwapang,* pan *m* de la forma de crisantemo. ～석(石) fósil *m* de la forma de crisantemo. ～송곳 barrena *f* de mano de la forma de crisantemo. ～잠(簪) pasador *m* con adorno de la forma de crisantemo. ～전(展) exhibición *f* de crisantemos.

국화(國花) flor *f* nacional. 무궁화는 대한민국의 ～이다 *Mugunghwa* es considerada como la flor nacional de Corea.

국회(國會) Asamblea *f* Nacional; [서반아의] Cortes *fpl;* [미국의] Congreso *m;* [영국의] Parlamento *m;* [일본의] Dieta *f.* ～ 회기 중 durante la sesión de la Asamblea Nacional. ～를 소집하다 convocar la Asamblea Nacional. ～를 해산하다 disolver la Asamblea Nacional. ～가 개회 중이다 La Asamblea Nacional está en sesión.

■～ 경비원(警備員) guardián *m* (*pl* guardianes) de la Asamblea Nacional. ～ 도서관(圖書館) biblioteca *f* de la Asamblea Nacional. ～법(法) ley *f* de la Asamblea

Nacional. ~ 본회의 sesión *f* plenaria de la Asamblea Nacional. ~ 부의장 vicepresidente, -ta *mf* de la Asamblea Nacional. ~ 사무처(事務處) secretaría *f* de la Asamblea Nacional. ~ 사무 총장 secretario, -ria *mf* general de la Asamblea Nacional. ~ 상임 위원회 comisión *f* [comité *m*] permanente de la Asamblea Aacional. ~ 심의권 prerogativa *f* legislativa de la Asamblea Nacional. ~ 예산 결산 위원회(豫算決算委員會) el Comité de Presupuesto y Liquidación de la Asamblea Nacional. ~ 운영 위원회 el Comité Directivo de la Asamblea Nacional. ~의사당 el Palacio de la Asamblea Nacional, el Edificio de la Asamblea Nacional; [미국의] el Congreso de los Estados Unidos de América. ~ 의사록 el acta *f* de la Asamblea Nacional. ~ 의원 miembro *mf* de la Asamblea Nacional; miembro *mf* del Congreso; miembro *mf* del Parlamento; diputado, -da *mf* (de las Cortes); legislador, -dora *mf*, *mf*, parlamentario, -ria *mf*, congresista *mf*, miembro *mf* de la Dieta. ¶~에 당선되다 ser elegido a un diputado en las Cortes. ~ 의원 선거 elecciones *fpl* generales. ~ 의장 presidente, -ta *mf* de la Asamblea Nacional. ~ 임시 회기(臨時會期) sesión *f* extraordinaria de la Asamblea Nacional. ~ 전문 위원(專門委員) miembro *m* experto, miembro *f* experta; [집합적] comité *m* experto. ~ 특별 위원회(特別委員會) comité *m* especial de la Asamblea Nacional. ~ 특별 조사 위원회(特別調査委員會) comité *m* investigador compuesto [comisión *f* investigadora compuesta] por diputados del gobierno y la aposición. ~ 해산(解散) disolución *f* de la Asamblea Nacional.

국홀(國恤) =국상(國喪).

군(君) tú. ~의 tu, tuyo. ~에게 a ti, te. ~을 a ti, te. 김 ~! Kim. ~이라 부르다 tutear (a *uno*). 김 ~은 오지 않았다 Kim no vino.

군(軍) ① ((준말)) =군부(軍部). ② ((준말)) =군대(軍隊). ¶~의 militar. ~을 파견하다 expedir las tropas. ③ [육군의 최고 편성 단위] ejército *m*. ④ ((준말)) =군사령부.
◆공~ fuerzas *fpl* aéreas. 육~ ejército *m*. 제일 ~ primer ejército *m*. 지상~ fuerzas *fpl* terrestres. 한국~ ejército *m* coreano, fuerzas *fpl* coreanas. 해(海)~ marina *f*, fuerzas *fpl* navales.
■~ 당국(當局) autoridades *fpl* militares. ~사령관 comandante *m* del ejército. ~사령부(司令部) cuartel *m* general.

군(郡) ① =고을. ② 【역사】 ((준말)) =군아(郡衙). ③ [지방 자치 단체의 하나] *Gun*, distrito *m*, condado *m*, partido *m* (judicial). ④ ((준말)) =군청(郡廳).

군- extra, superfluo, innecesario. ~걱정 ansiedad *f* innecesaria. ~소리 comentario *m* innecesario. ~식구(食口) huésped *mf*, invitado, -da *mf*. ~음식 tentempié *m*.

-군 ((준말)) =-구나. ¶거참 좋~ ¡Que bueno! / ¡Que bien! 잘 됐~ Vale / Muy bien / Está bien.

-군(群) grupo *m*, flota *f*. 어선(漁船)~ la flota de los barcos pesqueros.

군가(軍歌) canto *m* militar, canto *m* bélico; [곡] aire *m* marcial; [행진곡] marcha *f* militar.

군거(群居) ① [떼를 지어 삶] vida *f* gregaria. ② 【생물】 =군서(群棲).
■~ 본능(本能) instinto *m* gregario. ~ 생활(生活) vida *f* gregaria.

군것 cosas *fpl* innecesarias, sobreabundancia *f*, superabundancia *f*, exceso *m*, superfluidad *f*.
■~질 ㉮ [주전부리] gastos *mpl* de *su* dinero en golosinas. ¶~하다 gastar *su* dinero en golosinas ㉯ ((속어)) =오입질.

군견(軍犬) ((준말)) =군용견(軍用犬).

군경(軍警) el militar y la policía.
■~ 합동 수사(合同搜査) investigación *f* conjunta del militar y la policía. ~ 유가족(遺家族) familias *fpl* desconsoladas de los soldados y los policías difuntos.

군계(郡界) límite *m* del condado.

군계(群鷄) bandada *f* de gallinas, populacho *m*.

군계일학(群鷄一鶴) uno que se eleva sobre la gentuza, joya *f* en el muladar.

군계집 adúltera *f*.

군고(軍鼓) tambor *m* para el militar.

군고구마 boniato *m* asado.

군공(君公) =제후(諸侯).

군공(軍功) méritos *mpl* militares, servicio *m* meritorio en la guerra..

군관(軍官) funcionario *m* militar.

군관구(軍管區) distrito *m* militar. 2~ 사령부 el Cuartel General del Segundo Distrito Militar.

군교(軍橋) puente *m* provisional construido por el militar.

군구(軍區) zona *f* militar.

군국(君國) ① [임금과 나라] el rey y el país. ~을 위해 싸우다 luchar por el rey y el país. ② [군주가 통치하는 나라] el país que reina el soberano.

군국(軍國) nación *f* militar.
■~주의 militarismo *m*. ¶~의 militarista. ~주의자 militarista *mf*.

군권(君權) poder *m* real.

군규(軍規) =군기(軍紀).

군글자(一字) caracteres *mpl* superfluos.

군기(軍紀) disciplina *f* militar. ~를 문란케 하다 perturbar la disciplina militar.
■~ 문란 perturbación *f* de la disciplina militar. ~ 위반 violación *f* de la disciplina militar.

군기(軍記) crónica *f* militar, historia *f* de una guerra. ☞전기(戰記)

군기(軍氣) espíritu *m* militar, moral *f*.

군기(軍旗) bandera *f* del ejército, estandarte *m*.

군기(軍器) =병기(兵器).

■ ~고(庫) =병기고(兵器庫).

군기(軍機) secreto *m* militar.

■~ 누설(漏泄) revelación *f* del secreto militar. ~ 누설 사건(漏泄事件) caso *m* de traición a secreto militar.

군기침 ① [공연히 버릇이 되어 하는 기침] tos *f* seca habitual. ② =헛기침.

군난(窘難) =박해(迫害).

군납(軍納) suministro *m* de los objetos y los servicios al ejército.

■ ~불(弗) dólares *mpl* ganados por el suministro de los objetos y los servicios a las fuerzas de las Naciones Unidas. ~ 업자(業者) proveedor, -dora *mf* [abastecedor, -dora *mf*] de los objetos militares. ~품(品) suministros *mpl* provistos por el proveedor.

군내 olor *m* desagradable, mal olor *m*. ~ 나는 김치 *kimchi* que huele mal [desagradablemente].

군내(郡內) interior *m* del condado, interior *m* de un *Gun*. ~에(서) en el condado.

군눈 [쓸데없는 짓] conducta *f* innecesaria.

군눈팔다 concentrar *su* atención a la cosa innecesaria.

군단(軍團) legión *f*; [사단의 편제 단위] cuerpo *m* del ejército.

■~장(長) comandante *m* del cuerpo de ejército.

군단지럽다 (ser) inmundo, asqueroso, cochino.

군담(軍談) cuento *m* sobre la guerra.

■~ 소설(小說) novela *f* de la guerra.

군답(軍畓) arrozal *m* perteneciente al cuartel general.

군당(群黨) muchos grupos, muchos partidos.

군대(軍隊) ejército *m*, tropas *fpl*, fuerzas *fpl* militares, fuerzas *fpl* armadas. ~의 militar. ~를 모집하다 reclutar soldados. ~를 보내다 enviar tropas. ~를 일으키다 levantar un ejército, levantarse en armas. ~를 통솔하다 mandar un ejército. ~에 입대하다 ingresar en el ejército, alistarse en el ejército. 내 ~ 시절에 cuando yo estaba en el ejército, durante mi vida militar. 그는 아들을 ~에 보냈다 El ejército llamó a su hijo a filas / El ejército reclutó a su hijo.

■~ 교육 educación *f* militar, instrucción *f* militar, enseñanza *f* militar. ~ 명부(名簿) lista *f* del regimiento. ~ 생활(生活) vida *f* militar. ~ 소집 reclutamiento *m* militar, llamamiento *m* militar. ~식(式) estilo *m* militar. ¶~으로 a lo militar. ~ 예절(禮節) etiqueta *f* militar. ~ 용어 términos *mpl* militares. ~ 위생 higiene *f* militar. ~ 행진곡(行進曲) marcha *f* militar. ~ 훈련(訓練) instrucción *f* militar.

군더더기 superfluidad *f*, redundancia *f*. ~를 붙이다 añadir superfluidades. 이것은 ~입니다만 No hace falta decir que + *ind* / Es superfluo decir que + *ind*.

군덕(君德) virtud *f* real.

군던지럽다 =군단지럽다.

군데 lugar *m*, sitio *m*, parte *f*. 한 ~ un lugar, un sitio, una parte. 여러 ~ varios lugares *mpl*, varios sitios *mpl*, varias partes *fpl*. 지붕 두 ~에 구멍이 나 있다 Hay dos roturas [bocas] en el tejado. 철도는 한 ~가 불통(不通)이다 El tráfico ferroviario se ha interrumpido en un lugar del recorrido.

군데군데 varios lugares *mpl*, varios sitios *mpl*, varias partes *fpl*; [여기저기] acá y allá.

군도(軍刀) sable *m*, espada *f* del ejército.

군도(群島) archipiélago *m*, (grupo *m* de) islas *fpl*. 필리핀 ~ las Islas Filipinas. 하와이 ~ las Islas Hawaii.

군도(群盜) grupo *m* de ladrones.

군돈 dinero *m* gastado innecesariamente.

군드러지다 =곤드라지다.

군락(群落) ① [많은 부락] muchas aldeas *fpl*, colonia *f*. ② 【식물】 vegetación *f*.

군란(軍亂) insurrección *f* de tropas, rebelión *f* del ejército; [쿠데타] golpe *m* de estado.

군략(軍略) estrategia *f*, estratagema *f*. ~의 estratégico.

■ ~가(家) estratégico, -ca *mf*. ~적(的) estatégico. ¶~으로 estratégicamente, según la vista del punto estratégico.

군량(軍糧) víveres *mpl*, vituallas *fpl*, provisiones *fpl* militares. 적의 ~을 끊다 cortar los víveres al enemigo.

■ ~미(米) arroz *m* para las provisiones militares. ~선(船) barco *m* para las provisiones militares.

군려(軍旅) ① =군대. 군세(軍勢). ② =전쟁.

군력(軍力) =병력(兵力). 군사력(軍事力).

군령(軍令) ① [군의 통수권을 가진 원수(元首)가 발하는 군사 법규와 명령] mandato *m* militar, orden *f* militar. ② [군중(軍中)의 명령. 진중(陣中)의 명령] orden *f* de guerra.

군례(軍禮) honores *mpl* militares, ritos *mpl* militares.

군리(群吏) muchos funcionarios.

군림(君臨) ① [군주로서 그 나라를 거느려 다스림] reinado *m*. ~하다 reinar. 왕은 ~하나 통치하지 않는다 El soberano reina, pero no rige. ② [절대적 세력을 가진 사람이 남을 압도하는 일] reinado *m*, hegemonía *f*, dominación *f*. ~하다 dominar, reinar. 산업계에 ~하다 dominar en el mundo industrial. 전 유럽에 ~하다 dominar en toda Europa. 세계 챔피언으로서 그의 ~은 끝났다 Su reinado [Su hegemonía] como campeón del mundo ha concluido.

군마(軍馬) ① [군사와 말] los soldados y los caballos. ② [군대에서 쓰는 말] corcel *m*, caballo *m* de guerra.

군막(軍幕) tienda *f* para el uso militar, tienda *f* militar.

군말 palabras *fpl* redundantes, comentarios *mpl* innecesarios. ~하다 decir las cosas innecesarias.

군매점(軍賣店) economato *m* militar, cooperativa *f* militar.
군맹무상(群盲撫象) Muchos ciegos tocan el elefante / Se considera mal todas las cosas a su parecer.
군명(君命) orden *f* del rey, mandato *m* real.
군명(軍命) orden *f* militar.
군모(軍帽) sombrero *m* militar, gorro *m* militar, gorra *f* militar, kepis *m*, quepis *m*.
군목(軍牧) capellán *m* (*pl* capellanes).
군무(軍務) ① [사무] asuntos *mpl* militares. ② [복무] servicio *m* militar. ~에 종사하다 cumplir *su* servicio militar, servir a las banderas.
■ ~원(員) agregado *m* al ejército, agregado *m* a la armada. ~ 회의 conferencia *f* de los jefes militares.
군무(群舞) baile *m* colectivo, baile *m* en grupo.
군문(軍門) ① [군영의 문] puerta *f* del campamento militar. ② [군영의 경내(境內)] recinto *m* del campamento militar. ③ ((속어)) =군대.
군물 ① [끼니때 이외에 마시는 물] el agua potable tomada entre las comidas. ② [음식이나 풀 위에 따로 생기는 물] el agua sobre la comida. ③ [끓는 물에 거듭 치는 맹물] el agua fría adicional añadida en el agua hirviendo.
군물(軍物) artículos *mpl* militares.
군민(君民) el rey y el pueblo.
■ ~ 일체(一體) identificación *f* entre el rey y el pueblo.
군민(軍民) el militar y el civil, el militar y el pueblo.
군민(郡民) habitantes *mpl* del condado.
군박하다(窘迫-) ① [몹시 군색하다] (ser) muy pobre ② [일의 형세가 급하다] la situación ser urgente.
군밤 castaña *f* tostada.
■ ~구덩이 agujero *m* para tostar las castañas.
군밤타령(-打令) *Gunbamtaryeong*, el Canto de las Castañas Tostadas.
군밥 ① [군식구에게 먹이는 밥] arroz *m* de hacer comer al huésped. ② [먹고 남은 밥] arroz *m* sobrante.
군방(群芳) ① [향기가 있는 아름다운 초목의 꽃. 여러 가지 꽃] flor *f* de las plantas fragantes y hermosas, varias flores *fpl*. ② [많은 현자(賢者)] muchos sabios. ③ [많은 미인(美人)] mucha belleza, muchas mujeres hermosas.
군번(軍番) ① [군인에게 매기는 일련 번호] número *m* serial. ② =인식표(認識票).
■ ~줄 cuerda *f* de la placa de identidad.
군벌(軍閥) clan *m* militar, partido *m* militar, camarilla *f* militarista, militaristas *mpl*. ~의 militarista.
■ ~ 정치 política *f* [gobierno *m*] militarista.
군법(軍法) ① [군대의 형법] ley *f* marcial, ley *f* militar. ② [군대 내의 규칙] reglamento *m* militar. ③ [병법과 전술] el arte militar y la operación militar.
■ ~ 회의(會議) consejo *m* de guerra, tribunal *m* de guerra. ¶~에 회부하다 formarle consejo de guerra (a), citar [hacer comparecer] ante el consejo de guerra, cometer al juicio del consejo de guerra [del tribunal de guerra]. 그들은 ~에 회부될 것이다 Se les formará consejo de guerra.
군법무관(軍法務官) oficial *m* judicial militar.
군법정(軍法廷) tribunal *m* militar, tribunal *m* de guerra.
군변(君邊) =군측(君側).
군병(軍兵) =군사(軍士).
군복(軍服) uniforme *m* militar, traje *m* militar. ~을 입고 있다 tener puesto el uniforme militar, estar de uniforme.
◆ 군복(을) 벗다 ((속어)) =제대하다.
군봉(軍鋒) ① [군대의 선봉] vanguardia *f* de las tropas. ② [군의 위세] influencia *f* del ejército.
군봉(群峰) varias cimas *fpl* de las montañas altas.
군부(君父) rey *m*.
군부(軍部) ① [군(軍)의 일을 맡은 기관] autoridades *fpl* militares, círculo *m* militar, militaristas *mpl*. ② 【역사】 la Secretaría de Asuntos Militares.
■ ~ 대신 【역사】 ministro *m* de Defensa. ~ 독재(獨裁) dictadura *f* militar.
군불 fuego *m* encendido para calentar los suelos.
◆ 군불(을) 때다 ㉮ [방을 덥게 하려고 불을 때다] calentar los suelos. ㉯ ((속어)) fumar el cigarrillo.
■ 군불에 밥짓기 ((속담)) Matar dos pájaros de un tiro.
■ ~솥 olla *f* grande del hogar para calentar los suelos. ~ 아궁이 hogar *m* para calentar los suelos.
군비(軍備) armamentos *mpl*, preparativos *mpl* de guerra, preparación *f* militar. ~를 정하다 hacer preparación militar. ~를 축소(縮小)하다 reducir armamentos. ~를 확장하다 desarrollar armamentos.
◆ 재(再)~ rearmamentos *mpl*, rearme *m*.
■ ~ 경쟁 competición *f* de armamentos. ~ 제한(制限) limitación *f* de armamentos. ~ 철폐(撤廢) desarme *m*, desarmamiento *m*. ~ 축소(縮小) desarme *m*, reducción *f* de armamentos, limitación *f* de armamentos. ¶~를 하다 desarmarse, reducir armamentos. 여론은 ~를 찬성하는 쪽으로 기울었다 La opinión pública se inclinó en favor del desarme. ~ 축소 회의(縮小會議) conferencia *f* de reducción de armamentos; [해군] conferencia *f* de desarmamiento naval. ~ 확장 expansión *f* de armamentos expansión *f* militar. ¶~을 하다 acrecentar [desarrollar] armamentos.
군비(軍費) gastos *mpl* de guerra.
군사(軍士) soldado, -da *mf*.

군사(軍史) historia *f* de la guerra.
군사(軍使) enviado, -da *mf* militar.
군사(軍事) asuntos *mpl* militares. ~의 militar, estratégico, bélico.
■ ~ 개입(介入) intervención *f* militar. ~ 고문(顧問) consejero *m* militar. ~ 고문단(顧問團) grupo *m* consultivo militar. ~ 공채(公債) bono *m* militar. ~ 교관(敎官) instructor *m* militar. ~ 교련 instrucción *m* militar, ejercicio *m* militar. ~ 교육(敎育) educación *f* militar, enseñanza *f* militar, instrucción *f* militar. ~ 기관(機關) agencia *f* militar, organización *f* militar. ~ 기밀(機密) secretos *mpl* militares. ~ 기지 base *f* militar. ~ 대국(大國) superpotencia *f* militar. ~ 도시(都市) ciudad *f* militar. ~ 동맹(同盟) alianza *f* militar. ~력(力) poder *m* militar, capacidad *f* militar. ~ 목표(目標) objetivos *mpl* militares. ~ 법원(法院) tribunal *m* de guerra, tribunal *m* militar. ☞군법 회의(軍法會議). ~ 법정(法廷) tribunal *m* militar. ~ 봉쇄(封鎖) bloqueo *m* militar. ~ 부담(負擔) abono *m* militar. ~ 분계선[경계선] la Línea de Demarcación Militar. ~비(費) =군비(軍費). ~ 서반아어 español *m* militar. ~ 수송 transporte *m* militar. ~ 술어 términos *mpl* militares. ~ 시설(施設) instalaciones *fpl* militares. ~ 영어(英語) inglés *m* militar. ~ 예산(豫算) presupuesto *m* militar. ~ 용어 términos militares. ~ 우체국 (casa *f* de) correos *mpl* militares. ~ 우편(郵便) correo *m* militar. ~ 원조(援助) ayuda *f* militar. ~ 원조 계획(援助計劃) programa *m* de la ayuda militar. ~ 위성(衛星) satélite *m* militar. ~ 위원회 la Comisión de Servicios Armados. ~ 재판(裁判) juicio *m* militar. ~ 전문가(專門家) experto, -ta *mf* militar; especialista *mf* militar. ~ 점령 ocupación *f* militar. ~ 정보 infomación *f* militar. ~ 정부[정권] gobierno *m* militar. ~ 정세(情勢) situación *f* militar. ~ 정전 위원회 la Comisión del Armisticio Militar. ~ 지리학 geografía *f* militar. ~ 지출(支出) gastos *mpl* militares. ~ 첩보(諜報) inteligencia *f* militar, información *f* secreta militar. ~ 체제(體制) sistema *m* militar. ~ 쿠데타 golpe *m* de estado, golpe *m* militar.~ 탐정(探偵) espionaje *m* militar. ~통(通) persona *f* versada en los asuntos militares. ~ 통신원(通信員) corresponsal *mf* militar. ~ 평론가(評論家) comentarista *mf* militar. ~ 평의회 la Junta Militar. ~학(學) ciencia *m* militar. ~ 학교 escuela *f* militar. ~ 행동 acción *f* militar, operación *f* militar. ~ 행정 administración *f* militar. ~ 혁명 revolución *f* militar. ~ 회의(會議) el Consejo Militar. ~ 훈련(訓練) disciplina *f* militar, preparación *f* militar.
군사(軍師) estratega *mf*; estratégico, -ca *mf*; táctico, -ca *mf*; périto, -ta *mf* militar.
군사람 persona *f* superflua, persona *f* innecesaria..
군사령관(軍司令官) comandante *mf* (del ejército).
군사령부(軍司令部) cuartel *m* general militar.
군사부(軍師父) el rey, el maestro y el padre.
■ ~일체(一體) Son iguales el favor del rey, el del maestro y el del padre.
군사설(-辭說) palabras *fpl* largas y superfluas.
군산(群山) montañas *fpl*, cordillera *f*.
군살 ① [궂은살] aporisma *f*, equimosis *f*, carne *f* superflua. ~을 빼다 deshacerse de la carne superflua. ~이 생기다 aporismarse. ② [군더더기 살] gordura *f*; [지방(脂肪)] grasa *f*. ~이 붙다 engordar más de lo necesario. ~이 빠지다 perder la grasa innecesaria, perder el peso innecesario.
군상(群像) ① [많은 사람들] mucha gente. ② [그림·조각에서] grupo *m*.
■ ~화(畵) pintura *f* de grupo.
군새 paja *f* usada para arreglar [reparar] el tejado de paja.
군색스럽다(窘塞-) parecer que es pobre.
군색하다(窘塞-) ① [생활이 딱하고 어렵다] (ser) pobre, necesitado, indigente. 군색한 사람들 los necesitados, los pobres. 군색하게 태어나다 nacer pobre, nacer en una familia pobre. 그는 군색하게 되었다 El quedó en la indigencia / El quedó en la miseria. ② [일이 떳떳하지 못하거나 거북하다] (ser) pobre, malo. 군색한 변명 excusa *f* pobre, mala excusa *f*.
군색히 pobremente, con pobreza. ~ 살다 ganarse la vida pobre.
군생(群生) ① [많은 생물] muchos seres vivientes. ② [많은 백성] muchos pueblos. ③ [생물 등이 한데 모여 남] gregarismo *m*, vida *f* gregaria. ~하다 vivir en grupos. 고산 식물(高山植物)이 ~한다 La planta alpestre vive en grupos.
■ ~ 식물(植物) planta *f* gregaria, planta *f* social.
군서(軍書) libro *m* militar, obra *f* sobre la ciencia militar, libro *m* sobre estrategia.
군서(群書) [많은 서적] muchos libros; [여러 가지 서적] varios libros *mpl*.
군서(群棲) 【생물】 gregarismo *m*, vida *f* gregaria.
■ ~ 동물 animal *m* gregario [social].
군선(軍船) buque *m* de guerra, buque *m* naval, nao *m*.
군선도(群仙圖) pintura *f* oriental de pintar el grupo de los magos.
군성(軍聲) ruido *m* de los soldados y los caballos.
군성(群星) muchas estrellas.
군세(軍勢) poder *m* militar, situación *f* militar; [군] tropas *fpl*, ejército *m*. 새로운 ~ tropas *fpl* nuevas.
군세(郡勢) situación *f* del pueblo.
군소 【동물】 liebre *f* de mar.
군소(群小) ① [많은 자잘한 것] muchas cosas pequeñas, insignificancia *f*. ~의 menor, pequeño, insignificante, muy poco. ②

[많은 첩] muchas concubinas.
■ ~ 국가 países *mpl* menores. ~배(輩) grupo *m* de las personas insignificantes. ~봉(峰) muchas cimas de las montañas pequeñas. ~ 작가 escritores *mpl* menores. ~ 정당 partidos *mpl* políticos menores.

군소리 ① [쓸데없이 중얼거리는 소리] queja *f* vana, palabras *fpl* quejosas innecesarias. ② =군말(palabras innecesarias). ③ =헛소리(delirio).

군속(軍屬) =군무원(軍務員).

군속(群俗) =대중(大衆).

군손질 adorno *m* innecesario, cuidado *m* innecesario.

군수(軍帥) comandante *m* en jefe.

군수(軍需) municiones *fpl* (de guerra).
■ ~ 경기(景氣) gran prosperidad *f* de municiones, prosperidad *f* debida a los pedidos de guerra. ~ 경제(經濟) economía *f* de guerra. ~ 공업 industria *f* militar. ~ 공업가(工業家) industrialista *mf* militar. ~ 공장(工場) fábrica *f* de municiones, fábrica *f* de armamentos. ~국(局) departamento *m* de municiones. ~로(路) ferrocarril *m* [carretera *f*] de transportar los materiales militares y los soldados. ~ 물자(物資) materiales *mpl* militares. ~미(米) =군량미(軍糧米). ~ 보급 기지 depósito *m* de suministro de municiones. ~ 산업(産業) industria *f* de municiones, industria *f* de guerra. ~ 인플레이션 inflación *f* de la demanda militar. ~ 자재(資材) materiales *mpl* militares. ~전(錢) =군비(軍費). ~품(品) materiales *mpl* militares, materiales *mpl* bélicos, municiones *fpl*, enseres *mpl* de guerra, pertrechos *mpl* militares. ~ 회사(會社) compañía *f* de municiones.

군수(郡守) alcalde, -desa *mf*, gobernador, -dora *mf* del condado.

군순(ㅡ筍) retoño *m* inútil.

군술(軍術) =전술(戰術).

군승(軍僧) sacerdote *m* militar (como oficial).

군시럽다 sentir picor [picazón · comezón], picar. 나는 코가 ~ Me pica la nariz. 눈이 ~ Me pican los ojos.

군식구(ㅡ食口) parásito, -ta *mf*, adlátere *mf*.

군신(君臣) el soberano y los súbditos, el señor y el vasallo.
■ ~대의(大義) leatad *f* entre el soberano y los súbditos. ~분의(分義) los deberes y la leatad entre el soberano y los súbditos. ~유의(有義) Hay deberes entre el soberano y los súbditos en la lealtad.

군신(軍神) dios *m* de guerra, Marte *m*, héroe *m* de guerra.

군신(群臣) cuerpo *m* completo de oficiales.

군실거리다 =군시럽다.

군악(軍樂) música *f* militar.
■ ~기(器) instrumento *m* musical para la música militar. ~대 banda *f* militar. ~대원 músico *m* de banda. ~대장(隊長) director *m* de banda. ~수(手) músico *m* de banda militar.

군양(群羊) =양떼.

군역(軍役) servicio *m* militar. ☞병역(兵役)

군영(軍營) campamento *m* militar.

군영(群英) ① [많은 인재] muchos hombres de habilidad. ② [여러 가지 꽃] varias flores *fpl*.

군왕(君王) rey *m*, soberano *m*, monarca *m*.

군요(軍擾) =군란(軍亂).

군욕(窘辱) =곤욕(困辱).

군용(軍用) ① [군대에 쓰임] uso *m* militar. ~의 de uso militar, para uso bélico, militar. ② =군비(軍備). 무장(武裝).
■ ~견(犬) perro *m* de ejército. ~교(橋) puente *m* para el propósito militar. ~금 =군자금(軍資金). ~기(機) avión *m* militar, avión *m* de guerra; [집합적] aviación *f* militar. ~ 기구(氣球) globo *m* militar. ~ 도로(道路) camino *m* militar, ruta *f* militar, ruta *f* estratégica. ~ 비둘기 paloma *f* mensajera en servicio militar. ~ 비행기 =군용기(軍用機). ~빵 pan *m* para ración. ~선(船) buque *m* militar, barco *m* militar. ~ 수송기 avión *m* de transporte militar. ~ 수표(手票) =군표(軍票). ~ 열차(列車) tren *m* militar. ~ 전신(電信) telégrafo *m* militar. ~ 전화(電話) teléfono *m* militar. ~지(地) parque *m*. ~ 지도(地圖) mapa *m* militar. ~차(車) coche *m* militar. ~ 차량 vehículo *m* militar. ~ 철도 ferrocarril *m* militar, ferrocarril *m* estratégico. ~표(票) =군표(軍票). ~품(品) artículos *mpl* de municiones.

군용(軍容) ① [군대의 상태] condición *f* militar. ② [군대의 장비] equipo *m* militar.

군우(軍友) ① ((구세군)) creyente *mf*, fiel *mf*. ② =전우(戰友).

군웅(群雄) barones *mpl* locales, caudillos *mpl* rivales, señores *mpl* poderosos, líderes *mpl* rivales. ~이 할거하고 있다 Los poderosos señores se están disputados la soberanía.
■ ~할거(割據) rivalidad *f* de barones locales, rivalidad *f* de señores poderosos. ~할거 시대 época *f* de caudillos rivales.

군원(軍援) ((준말)) =군사 원조(軍事援助).

군위(君位) puesto *m* del soberano.

군위(軍威) ① [군대의 위력] influencia *f* del ejército. ② [군대의 위신] prestigio *m* del ejército.

군유(裙襦) *gunyu*, la blusa y la falda en la dinastía de Tres Países.

군율(軍律) ① =군법(軍法)(ley marcial). ② [군대 내의 기율] disciplina *f* militar.

군은(君恩) favor *m* del rey, benevolencia *f* real.

군음식(ㅡ飮食) tentempié *m*, refrigerio *m*, comida *f* de más.

군읍(郡邑) *Gun* y *Eub*, el condado y el pueblo.

군의(軍醫) ((준말)) =군의관(軍醫官).
■ ~감(監) inspector *m* general de sanidad ~관(官) cirujano *m* militar, médico *m* mi-

litar, médico *m* del ejército, médico *m* de la armada, oficial *m* médico. ¶해군 ~ cirujano *m* naval, médico *m* naval.

군인(軍人) soldado, -da *mf*, militar *mf*; [해군] marina *f*, marino *m*, marinero *m*; [공군] soldado *mf* de la fuerza aérea. ~의 militar. ~다운 marcial, militar. ~이 되다 hacerse militar.

◆ 직업 ~ soldado, -da *mf* profesional.

■ ~ 가족(家族) familia *f* de militares. ~ 사회(社會) círculos *mpl* militares, mundo *m* militar. ¶~에서는 en el círculo militar. ~ 생활(生活) vida *f* militar. ~식(式) lo militar. ¶~으로 a lo militar, militarmente. ~ 연금(年金) pensión *f* militar. ~ 정신(精神) espíritu *m* militar. ~ 정치 política *f* militar.

군일 cosa *f* inútil, trabajo *m* inútil, trabjo *m* innecesario.

군자(-字) ((준말)) =군글자.

군자(君子) ① [학식과 덕행이 높은 사람] persona *f* virtuosa, hombre *m* virtuoso, hombre *m* bien nacido, hombre *m* de carácter noble, caballero *m*; [현인(賢人)] sabio *m*. ~인 체하다 hacer como si fuera sabio, fingir que fuera sabio. ~는 위험을 멀리한다 El sabio nunca corteja el peligro / La discreción es la mejor parte del valor. ~는 자신의 잘못을 알면 곧 고칠 줄 안다 El sabio sabe adaptarse a circunstancias cambiantes / El sabio sabe cambiar de opinión, el tonto nunca. ② [벼슬이 높은 사람] hombre *m* de rango alto. ③ [아내가 남편을 가리키는 말] mi esposo, mi marido.

■ ~국(國) tierra *f* de caballero. ~ 대로행(大路行) El sabio va al camino grande / Pórtate honradamente para que sea el ejemplo de otro. ~ 무본(務本) El sabio hace un esfuerzo por el principio. ~연하다 hacer como si fuera sabio. ~절(節) integridad *f* como un sabio.

군자(軍資) ((준말)) =군자금(軍資金).

■ ~금(金) ㉮ [군사에 필요한 자금] fondos *mpl* militares, fondos *mpl* de guerra. ㉯ [비유적으로, 어떤 일을 하기 위한 자금] fondos *mpl*; [선거 자금] fondos *mpl* de campaña.

군장(君長) ① [원시 부족 사회의 우두머리] caudillo *m*, jefe *m*, capitán *m* (*pl* capitanes). ② =군주.

군장(軍裝) ① [군인의 복장] uniforme *m* militar. ② [군대의 장비] equipo *m* militar.

군장(軍葬) funerales *mpl* militares.

군재(軍裁) ((준말)) =군사 재판(軍事裁判).

군적(軍籍) lista *f* militar, registro *m* militar, servicio *m* militar; [해군의] servicio *m* naval. ~에 들다 enlistarse en el ejército. ~에 몸을 두다 estar en el servicio militar [해군 naval].

군적(群籍) muchos libros.

군정(軍政) ① 【법률】[전쟁·사변 때에 군사령관이 행하는 임시 행정] administración *f* militar, gobierno *m* militar, régimen *m* militar. ~을 실시하다 establecer un gobierno [un régimen] militar. ② [군 행정 사무] asuntos *mpl* militares.

■ ~관(官) funcionario *m* militar. ~권(權) autoridad *f* militar, poder *m* militar. ~부(府) administración *f* militar. ~ 장관(長官) gobernador *m* militar. ~청(廳) cuartel *m* general de la administración militar.

군정(軍情) condiciones *fpl* militares, circunstancias *fpl* militares, inteligencia *f* militar.

군정(郡政) administración *f* del condado.

군제(君劑) medicina *f* principal en la receta de la medicina coreana.

군제(軍制) organización *f* militar, régimen *m* militar, sistema *m* militar.

■ ~학(學) ciencia *f* de organización militar.

군제(郡制) régimen *m* del condado.

군조(群鳥) bandada *f* de los pájaros.

군졸(軍卒) =군사(軍士).

군종(軍宗) asuntos *mpl* religiosos en el ejército.

■ ~감실(監室) la Oficina de Asuntos Religiosos en el Ejército. ~ 신부(神父) padre *m* en el ejército.

군주(君主) rey *m*, soberano *m*, monarca *m*.

■ ~국(國) monarquía *f*. ~ 독재 autocracia *f*, monarquía *f* absoluta. ~ 신권설(神權說) teoría *f* del derecho divino monárquica. ~ 전제(專制) monarquía *f* absoluta. ~ 정체(政體) monarquía *f*, monarquismo *m*. ¶~의 monárquico. 입헌 ~ monarquía *f* constitucional. 전제 ~ monarquía *f* absoluta. ~ 정치(政治) monarquía *f*. ~ 정치 반대자 antimonárquico, -ca *mf*. ~제 sistema *m* monárquico, monarquismo *m*. monarquía *f*. ¶입헌(立憲) ~ monarquía *f* constitucional, sistema m monárgico constitucional. ~주의 monarquismo *m*. ~주의자 monárquico, -ca *mf*.

군중(群衆) gentío *m*, multitud *f* de gente, muchedumbre *f*, tropel *m* de gente. ~을 헤치고 나아가다 abrirse camino por la fuerza entre la muchedumbre. ~이 많다 haber muchos ocurrentes. ~이 적다 haber pocos ocurrentes. 거리에는 ~이 많았다 La calle estaba apiñada de gente. 건물에서 ~이 나온다 Una gran muchedumbre se va [se retira · sale] del edificio.

■ ~ 공포증(恐怖症) oclofobia *f*. ~ 대회(大會) concentración *f*. ~ 심리(心理) mentalidad *f* colectiva, sicología *f* de populacho, espíritu *m* de populacho, espíritu *m* de gentuza. ~ 심리학 sicología *f* colectiva.

군지럽다 ((준말)) =군던지럽다.

군직(軍職) profesión *f* militar, puesto *m* militar, adscripción *f* militar.

군진(軍陣) campamento *m* militar.

군집(群集) amontonamiento *m*, acumulación *f*, grupo *m*, asamblea *f*. ~하다 agruparse, aglomerarse, apiñarse, agolparse, congregarse, juntarse, reunirse en grupo, atro-

parse.
군짓 conducta *f* innecesaria.
군천자(裙櫬子) =고욤.
군청(郡廳) oficina *f* de *Gun*, oficina *f* del condado.
■~ 소재지(所在地) sede *m* de la oficina de *Gun* [del condado].
군청(群青) azul *m* ultramarino.
■~색(色) azul *m* ultramarino, azul *m* de ultramar. ~의 azul ultramario, (de) ultramar. ~의 바다 mar *m* azul ultramarino.
군체(群體) 【생물】 colonia *f*.
군축(軍縮) ((준말)) =군비 축소(軍備縮小). ¶ ~하다 desarmarse, reducir armamentos.
■~ 회담 conversación *f* del desarme. ~ 회의 conferencia *f* del [para el] desarme, conferencia *f* de reducción militar.
군측(君側) lado *m* del rey.
군치리 taberna *f* que se vende vino con la carne de perro.
군친(君親) el rey y el padre.
군침 baba *f*. ~을 흘리다 babear, echar la baba. ~이 흐르다 hacerse (una) agua la boca. 그는 ~을 흘린다 El babea / Se le cae la baba.
◆군침(을) 삼키다 tragar *su* saliva. 군침을 삼키고 con aliento detenido, con mucho interés. 군침(이) 돌다 ㉮ [식욕이 돌다] hacerse la boca agua, hacerse agua la boca. 나는 군침이 돌았다 Se me hizo la boca agua / Se me hizo agua la boca. ㉯ [이익·재물에 욕심이 동하다] codiciar.
군턱 papada *f*, doble barba *f*.
군티 defecto *m* ligero.
군표(軍票) vale *m* de guerra.
군핍(窘乏) mucha pobreza.
군하(郡下) =군내(郡內). ¶~의 각 학교 todas las escuelas del pueblo.
군학(軍學) ciencia *f* de guerra.
군함(軍艦) buque *m* de guerra, barco *m* de guerra
■~기(旗) bandera *f* de buque de guerra.
군항(軍港) puerto *m* naval.
■~ 사령부(司令部) cuartel *m* general del puerto naval.
군호(軍號) contraseña *f*, canto *m* y seña.
군호(群豪) muchos héroes.
군혼(群婚) matrimonio *m* en grupo.
군화(軍靴) botas *fpl* militares.
군획(一畫) pincelada *f* extra.
군후(君侯) ① [승상] primer ministro *m*. ② ((존칭)) =제후(諸侯).
군흉(群凶) ① [흉악한 뭇 인물] mucho personaje atroz. ② [국가나 사회의 변혁을 꾀하는 무리] grupo *m* que intenta cambiar un país [una sociedad].
굳건하다 (ser) firme, fuerte, sólido, estricto, riguroso. 굳건한 기초 bases *fpl* sólidads. 굳건한 의지(意志) voluntad *f* firme. 굳건한 정신(精神) espíritu *m* firme.
굳건히 firmemente, fuertemente, sólidamente, estrictamente, rigurosamente, sinceramente. ~ 맹세하다 jurar firmemente. ~ 믿다 creer firmemente. ~ 약속하다 prometer firmemente [sinceramente].
굳게 ㉮ [단단하게] sólidamente, firmemente, fijamente, fuerte, fuertemente, estrechamente. ~ 묶다 atar fuertemente [fijamente]. ~ 얼다 helarse sólidamente. ~ 잡다 empuñar fuertemente. 두 사람은 ~ 껴안는다 Los dos se abrazan estrechamente. ㉯ [뜻이 흔들리거나 바뀌지 않고] firmemente, estrictamente, rigurosamente, sinceramente, terminantemente. ~ 맹세하다 jurar firmemente. ~ 약속하다 prometer firmemente [sinceramente]. ~ 지키다 tener una defensa firme.
굳기 【광물】 =경도(硬度).
■~계(計) =경도계(硬度計).
굳기름 =지방(脂肪).
굳다 ① [무르지 않고 단단하다] (ser) duro, sólido. 체력이 ~ carecer de flexibilidad. 지면(地面)이 ~ El terreno es sólido [duro]. ② [무른 것이 단단해지다] solidificarse, endurecerse, ponerse sólido.; [시멘트 등이] fraguar. 굳은 duro, firme, endurecido. 굳은 돌 piedra *f* sólida. 시멘트가 굳는다 Fragua el cemento. ③ [견고하다·튼튼하다] (ser) fuerte, resistente. 의자는 네 몸무게를 견디기에는 굳지 못하다 La silla no va a aguantar tu peso. ④ [뜻이 흔들리지 않다] (ser·estar) sólido, firme, inquebrantable. 굳은 신념 convicción *f* sólida [profunda]. 굳은 약속 promesa *f* sincera. 의지가 굳은 firme en *sus* propósitos. 내 결심은 ~ Mi resolución es firme [inquebrantable]. 그는 의지가 ~ El está firme en sus propósitos / El tiene una voluntad firme. ⑤ [부드럽거나 매끄럽지 않다] ponerse tieso, ponerse rígido, estar tenso, ponerse tenso, eatar en estado de tensión. ⑥ [근육이나 뼈마디가 뻣뻣해지다] endurecerse. 굳은 rígido, entumecido, agarrotado. 굳은 근육 músculo *m* entumecido. 굳은 시체 cadáver *m* rígido. ⑦ [습관이 되다] acostumbrarse. ⑧ [응결하다] cuajarse, coagularse. 기름이 굳는다 El aceite se cuaja. 젤리가 굳는다 Se cuaja la jalea. 피가 굳는다 Se coagula la sangre. 피는 공기에 굳는다 La sangre se coagula al aire. 피가 지면(地面)에서 굳었다 La sangre se cuajó en el suelo. ⑨ [재물 따위가 없어지지 않고 자기의 것으로 계속 남게 되다] seguir dejar en *su* mano.
■굳은 땅에 물이 괸다 ((속담)) A quien siempre se vive económicamente y se ahorra se le aumentan los bienes.
굳비늘 【어류】 =경린(硬鱗).
굳뼈 【해부】 =경골(硬骨).
굳세다 ① [굳고 힘이 세다] (ser) fuerte, vigoroso. 굳센 몸 cuerpo *m* fuerte. ② [뜻한 바를 굽히지 않고 나아가다] (ser) firme, sólido, férreo, de hierro. 굳센 신념(信念) convicción *f* firme. 굳센 의지(意志) voluntad *f* férrea, voluntad *f* de hierro. 의지가 굳센 con una voluntad férrea, con una

voluntad de hierro. 굳세게 살아가다 ganarse la vida firme.

굳어지다 atiesarse, hacerse duro, secarse y endurecerse, ponerse tieso; [태도 따위가] ponerse reservado; [근육 따위가] endurecerse; [긴장되어] crisparse, ponerse nervioso [tenso · tirante], intimidarse; [의견 · 계획 등이] solidificarse. 굳어진 tieso, rígido, duro, endurecido, yerto. 굳어져 있다 estar [quedar(se)] estirado [duro · rígido · endurecido]. 굳어진 얼굴로 con una cara de tensión. 나는 추위로 몸이 굳어졌다 Me quedé yerto de frío / El frío me dejó yerto. 추위로 몸이 굳어진다 El frío me crispa el cuerpo. 그는 굳어진 몸을 하고 있다 El tiene un cuerpo de músculos firmes. 시체가 굳어졌다 El cadáver está rígido. 당(黨)의 방침이 굳어졌다 Se ha solidificado la línea del partido.

굳은살 callo *m*.

굳이 firmemente, con firmeza, tercamente, tenazmente, con tesón, sólidamente, obstinadamente, porfiadamente, necesariamente, indispensablemente, no siempre. ~ …하다 osar a + *inf*, atreverse a + *inf*. ~ 원하신다면 si me lo pide usted tan insistentemente, si lo desea usted tanto. ~ 그렇다고만은 할 수 없다 No es siempre tal cosa. 나는 ~ 그에게 사실을 말하지 않는다 No me atrevo a decirle a verdad.

굳히다 ① [굳게 하다. 엉기어 단단해지게 하다] solidificar, endurecer, cuajar. 시멘트를 ~ endurecer el cemento. 젤리를 ~ cuajar la jalea. ② [확고부동한 것으로 하다] consolidar, asegurar, organizar. 기반 [기초]을 ~ consolidar las bases, consolidar los fundamentos. 승리를 ~ asegurar la victoria. 중역진을 친척들로 ~ organizar la administración con *sus* parientes. 승리를 굳힌 1점을 얻다 obtener un tanto más para asegurar la victoria.

굴 ① 【조개】 ostra *f*, *Méj* ostrón *m* (*pl* ostrones), *AmS* ostión *m* (*pl* ostiones). ~이 나는 ostrífero. ~은 아주 맛있는 먹거리다 Las ostras son una comida muy estimada. ② [굴의 살] carne *f* de la ostra.
■ ~김치 *kimchi* con ostras crudas. ~ 껍질 concha *f* de las ostras. ~ 양식(養殖) ostricultura *f*. ~의 ostrícola. ~ 양식 업자(養殖業者) ostricultor, -tora *mf*. ~ 양식장(養殖場) ostral *m*, ostrera *f*, ostrero *m*. ~장(醬) salsa *f* (china) mezclada con ostras crudas. ~장수 ostrero, -ra *mf*. ~저냐 ostra *f* salteada, ostra *f* sofrita. ~적(炙) pincho *m* de ostras. ~ 전문 요리점(專門料理店) ostrería *f*. ~젓 ostras *fpl* (crudas conservadas en vinagre y) saladas. ¶어리~ ostras *fpl* saladas con pimiento picante. ~튀김 ostras *fpl* rebozadas.

굴(窟) ① [땅이나 바위가 깊숙이 패인 곳] cueva *f*, caverna *f*. ~ 속에 살다 vivir en una cueva. ② [터널] túnel *m*. ③ [짐승이 숨어 있는 구멍] guarida *f*, cubil *m*. 너구리 ~ tejonera *f*, guarida *f* del mapache. 사자 ~ guarida *f* del león. 여우 ~ zorrera *f*, raposera *f*. ④ ((준말)) =소굴(guarida).

굴강(掘江) ① =개천. ② =해자(垓字).

굴강하다(屈强－) no rendirse a otro con una voluntad férrea [de hierro].

굴개(窟－) limo *m* estancado, cieno *m* estancado.

굴건(屈巾) *gulkeon*, capucha *f* puesta sobre la capucha de cáñamo del doliente.
■ ~제복(祭服) *gulkeon* y toga ritual.

굴곡(屈曲) ① [상하(上下) 또는 좌우(左右)로 꺾이고 굽음] flexión *f*, torcedura *f*; [해안선 따위의] irregularidad *f*; [광선의] refracción *f*; [길의] curva *f*; [강의] curva *f*, meandro *m*. ~하다 doblarse, torcerse, serpentearse. ~이 진 curvado, torcido, doblado, combado, refractado; [강(江) · 길이] sinuoso, serpenteante; [해안선이] recortado, accidentado. ~이 진 해안선 litoral *m* recortado, litoral *m* accidentado. 우리는 ~이 진 거리로 그들을 따라갔다 Los seguimos por el laberinto de calles. 이곳은 해안선의 ~이 심하다 Por aquí abundan las sinuosidades (abruptas) de la línea de costa. ② [사람이 살아가면서 성(盛)함과 쇠(衰)함이 번갈아 오는 일] vicisitudes *fpl*, altibajos *mpl*. 인생의 ~ las vicisituedes de la vida. 그의 사업은 ~이 있었다 Su negocio ha tenido sus altibajos.

굴관(屈冠) =굴건(屈巾).

굴광성(屈光性) 【식물】 heliotropismo *m*.
■ ~ 식물(植物) planta *f* heliotrópica.

굴근(屈筋) 【해부】 (músculo *m*) flexor *m*; [동물의] nervio *m* maestro.

굴기성(屈氣性) 【식물】 aerotropismo *m*.

굴다[1] ((준말)) =구르다.

굴다[2] [부사형 용언 밑에 붙어 그러하게 행동함] comportarse, conducirse, actuar; [특히 어린이가] portarse; [대하다] tratar. 못살게 ~ tratar severamente, tratar con severidad, tratar con aspereza. 잘 ~ portarse bien, comportarse. 밉게 ~ portarse muy mal. 신사답게 ~ comportarse como un caballero. 약삭빠르게 ~ comportarse [portarse] astutamente. 점잖게 ~ ser muy cortés (con). 잘 굴어라 ¡Pórtate bien! 그들은 무책임하게 굴었다 Ellos actuaron [de comportaron] de forma irresponsable. 어린 아이처럼 굴지 마라 ¡No seas infantil! 아무 일도 없었던 것처럼 굴어라 Haz como si no hubiera pasado nada. 죄송합니다. 제가 바보처럼 굴었습니다 Perdón, fui muy tonto / Perdón, me comporté como un tonto. 그 소년은 늘 우리에게 예의바르게 군다 El chico siempre es muy cortés con nosotros.

굴다리(窟－) viaducto *m*.

굴대 árbol *m*; [선반 따위로 공작물을 고정시키는] madrín *m* (*pl* madrines), mandrino *m*; [자동차의] eje *m*.

굴도리 【건축】 viga *f* redonda.

굴등 【동물】 =따개비.

굴때장군 ① [키가 크고 몸이 굵은 사람] persona *f* alta y gruesa. ② [살빛이 검거나 옷이 시커멓게 된 사람] persona *f* morena, persona *f* de tez morena.

굴뚱 ejes *mpl* de una rueca.

굴뚝 chimenea *f.* ～을 세우다 construir una chimenea. ～을 청소하다 deshollinar, limpiar (la) chimenea. ～을 후비다 ((은어)) fumar (cigarrillo). 공장에는 ～이 많이 늘어서 있다 En la fábrica se alzan muchas chimeneas.
◆굴뚝같다 desear, querer, estar ansioso (por), tener muchos deseos, tener muchas ansias, tener sed (de). 나는 그녀를 만날 생각이 ～ Estoy ansioso por conocerla a ella. 그는 불란서어를 배우고 싶은 생각이 ～ El tiene muchos deseos [muchas ansias] de aprender el francés. 그들은 복수할 생각이 굴뚝같았다 Ellos tenían sed de venganza.
■아니 땐 굴뚝에 연기 날까 ((속담)) Donde fuego se hace, humo sale / Cuando el río suena, agua lleva / Por el humo se sabe donde está el fuego.
■～ 청소 deshollinamiento *m*, barrido *m* de chimenea. ¶～를 하다 deshollinar la chimenea. ～ 청소부(淸掃夫) deshollinador *m.* ～청소부(淸掃婦) deshollinadora *f.*

굴뚝새 【조류】 carrizo *m*, buscareta *f*, coletero *m*, rey *m* de zarza, chochín *m*, troglodita *m.*

굴뚝청어(一靑魚) arrenque *m* joven.

굴러가다 avanzar rodando.

굴러다니다 ① [데굴데굴 구르며 왔다 갔다 하다] venir e ir revolcándose. ② [정처없이 방랑하다] deambular, vagar, caminar sin rumbo fijo.

굴러먹다 volverse desvergonzado. 굴러먹은 desvergonzado, maleado, descarado, impudente. 굴러먹은 여자 pícara *f*, mujer *f* desvergonzada, mujer *f* descarada; [불량한 여자] tunanta *f*, granuja *f.* 그녀는 아직 굴러먹지는 않았다 Ella todavía no está maleada. 어디서 굴러먹던 말뼈다귀냐! Es un tipo de origen desconocido.

굴렁대 vara *f* [trozo *m* de alambre] para el aro.

굴렁쇠 aro *m*, rueda *f.*
■～ 놀이 juego *m* del aro. ¶～를 하다 jugar al aro, jugar a la rueda.

굴레[1] ① [마소의 목에서 고삐에 걸쳐 얽어매는 줄] brida *f*, cabestro *m*, ronzal *m.* ～를 씌우다 embridar, ponerle la brida (a). ② ＝기반(羈絆)(yugo). ¶～를 벗어나다 liberarse del yugo.

굴레[2] [어린애 머리에 씌우는 모자의 하나] *gule*, uno del gorro para el niño.

굴레미 rueda *f* de madera.

굴리다 ① [굴러가게 하다] (hacer) rodar. 공을 ～ hacer rodar una pelota. 지면(地面)에 ～ hacer rodar por el suelo. ② [돈놀이하다] dedicar dinero (para); [빌려주다] prestar *su* dinero; [투자하다] invertir *su* dinero. 돈을 ～ dedicar dinero. ③ [아무렇게나 내버려 두다] descuidar. ④ [나무를 모나지 않게 깎다] redondear, poner redondo, alisar un tronco, cortar redondo. ⑤ ((속어)) ＝염(殮)하다. ⑥ [영업을 목적으로 차를 운행하다] dirigir, llevar, tener. 차를 세 대 ～ dirigir [llevar・tener] tres coches.

굴림 corte *m* redondo.
■～끌 formón *m* (*pl* formones) [escoplo *m*] para redondear la madera. ～대 tronco *m* cilíndrico. ～대패 cepillo *m* de carpintero con un filo redondo.

굴먹하다 estar casi lleno del recipiente.

굴밤 bellota *f.*

굴밥 arroz *m* cocido con ostras.

굴변(掘變) accidente *m* que se cavó la tumba.

굴복(屈伏) ① [머리를 굽혀 꿇어 엎드림] el postrarse inclinándose. ② ＝굴복(屈服).

굴복(屈服) sumisión *f*, rendición *f.* ～하다 darse por vencido, bajar la cerviz; [···에게] ceder [rendirse・someterse・doblegarse] (a・ante); [수락(受諾)하다] accedir. ～시키다 someter, doblegar, humillar, sujetar, subyugar, declararse vencido. 유혹에 ～하다 dejarse vencer por la tentación, ceder a la tentación, verse dominado por la tentación, verse vencido por la tentación, sucumbir a la tentación. 그는 결코 ～하지 않는다 El nunca se da por vencido. 너 ～하겠느냐? ¿Te rindes? 그는 결국 그들의 요구에 ～했다 El finalmente accedió a lo que pedian. 그녀는 결국 그들의 위협에 ～했다 Ella finalmente cedió a [ante] sus amenazas.

굴비 corvina *f* amarilla secada.
■～두름 veinte corvinas amarillas secadas trenzadas por paja.

굴성(屈性) 【식물】 tropismo *m.*

굴속(窟一) ① [굴의 안쪽] interior *m* de la cueva. ② [어두워 캄캄한 곳] lugar *m* oscuro, oscuridad *f.* ～ 같다 ser tan oscuro como una cueva.

굴수성(屈水性) 【식물】 hidrotropismo *m.*

굴슬(屈膝) ① [무릎을 꿇고 절을 함] saludo *m* postrándose. ～하다 saludar postrándose. ② ＝굴복(屈服).

굴습성(屈濕性) 【식물】 ＝굴수성(屈水性).

굴신(屈伸) ① [몸을 앞으로 굽힘] inclinación *f* hacia adelante. ～하다 inclinarse hacia adelante. ② [겸손하게 처신함] modestia *f*, humildad *f.* ～하다 (ser) humilde, modesto.
■～ 운동 movimiento *m* de estiramiento y contracción de los músculos.

굴왕신같다 (ser) viejo y gastado [muy usado].

굴욕(屈辱) humillación *f*, afrenta *f*, deshonra *f*, oprobio *m.* ～을 느끼다 sentir una humillación, sentir una afrenta. ～을 받다 sufrir una humillación, sufrir una afrenta. ～을 주다 humillar, afrentar, avergonzar, hacer una afrenta.
■～감(感) sentido *m* de la humillación. ～외교(外交) diplomacia *f* humillante. ～적(的) humillante, afrentoso. ¶～으로 humi-

llantemente, afrentosamente, con humillación.

굴우물(窟－) pozo *m* muy profundo sin fondo.

■ 굴우물에 돌 넣기 ((속담)) No se llena por más que se ponga. 굴우물에 말똥 쓸어 넣듯 한다 ((속담)) Se come algo sin discriminación.

굴일성(屈日性)【식물】heliotropismo *m* positivo.

굴절(屈折) ① [휘어서 꺾임] doblamiento *m*, torcimiento *m*, torcedura *f*. ～하다 doblarse, torcerse. ～된 심정(心情) mentalidad *f* complicada. ②【물리】refracción *f*. ～하다 refractarse. ～의 refractivo. ～한 refracto. ～시키다 refractar. 프리즘은 빛을 ～시킨다 El prisma refracta los rayos de luz. ③【의학】anaclasis *f*.

■ ～각(角)【물리】ángulo *m* de refracción. ～ 각막 이식술 queratoplastia *f* refractiva. ～계(計)【물리】refractómetro *m*, dioptómetro *m*, anaclasímetro *m*. ～ 광선(光線) rayo *m* refracto. ～ 렌즈 lentes *mpl* refractivos, refractor *m*. ～력(力) poder *m* refractivo. ～률(率) índice *m* de refracción. ～ 망원경 (telescopio *m*) refractor *m*. ～ 매체(媒體) medio *m* refractivo, refractor *m*. ～사다리 escalera *f* plegable. ～선(線) dirección *f* refractiva de los rayos de luz. ～어(語)【언어】lengua *f* flexiva. ～ 이상(異常)【의학】ametropía *f* refractiva. ～ 측정기 fleximetro *m*. ～ 투광체 medios *mpl* refractivos.

굴절(屈節) abandono *m* de *su* integridad. ～하다 abandonar *su* integridad.

굴젓눈이 persona *f* con un solo ojo.

굴조개【조개】ostra *f*.

굴종(屈從) sumisión *f*, sujeción *f* (servil), obediencia *f* humilde. ～하다 someterse, sujetarse (servilmente). ～시키다 subyugar [sujetar] a una humilde servidumbre.

굴지(屈指) ① [손가락을 꼽음] el contar con *sus* dedos. ② [손가락을 꼽아 셀 만큼 뛰어남] eminencia *f*, prominencia *f*, importancia *f*. ～의 distinguido, destacado, prominente, importante, líder, puntero. 한국 ～의 실업가 negociante *mf* líder de Corea. 그는 우리 나라 ～의 부자이다 El es uno de los hombres más ricos de nuestro país.

■ ～성(性) geotropismo *m*. ～증(症) camptodactilia *f*.

굴진 hollín *m* (*pl* hollines) oleaginoso que se acumula en la chimenea.

굴진(掘進) cavadura *f*. ～하다 cavar.

굴집(窟－) casa *f* cavada como una cueva.

굴착(掘鑿) excavación *f*. ～하다 excavar.

■ ～기(機) excavadora *f*, máquina *f* excavadora, aparato *m* que sirve para excavar. ～삽(揷) pala *f* excavadora. ～자(者) excavador, -dora *mf*.

굴참나무【식물】roble *m* oriental.

굴채(掘採) ＝채굴(採掘).

굴총(掘塚) excavación *f* de la tumba de otro. ～하다 excavar la tumba de otro.

굴침스럽다 (ser) obstinado, emperrado. 굴침스레 obstinadamente.

굴타리먹다 pudrirse; [과실을] (ser) agusanado; [나무를] carcomido, apolillado.

굴터분하다 ((준말)) ＝구리터분하다.

굴텁텁하다 ((준말)) ＝구리텁텁하다.

굴퉁이 ① [겉은 그럴듯하나 속이 보잘것없는 물건·사람] ㉮ [물건] baratija *f*, oropel *m*, relumbrón *m* (*pl* relumbrones), imitación *f* fraudulenta, imitación *f* astuta, falsificación *f*. ㉯ [사람] impositor, -tora *mf*, hipócrita *mf*. ② [씨가 덜 여문 호박] calabaza *f* que la semilla todavía no está madura.

굴피(－皮) ① [참나무의 두꺼운 껍질] corteza *f* gruesa del roble. ② [빈 돈주머니] monedero *m* vacío, portamonedas *m.sing.pl* vacío.

굴하다(屈－) ① [몸을 굽히다] inclinarse. 몸을 앞으로 ～ inclinarse hacia adelante. 몸을 뒤로 ～ inclinarse hacia atrás. ② [힘이 부쳐 쓰러지다] ceder, rendirse, someterse, caerse. 굴하지 않다 superar, dominar, vencer. 실패에도 굴하지 않다 sobrellevar la fracasa. 역경에 굴하지 않다 aguantar [sobrellevar] la adversidad. ③ [복종하다] ceder, obedecer. 권력에 ～ ceder al poder. 유혹에 ～ dejarse vencer por la tentación, ceder a la tentación. 나는 그의 위협에 굴했다 Cedí a [ante] su amenaza. 그녀는 유혹에 굴하지 않았다 Ella no sucumbió a la tentación. ④ [겁을 먹다] estar aterrorizado, ser presa del pánico.

굴혈(掘穴) excavación *f* de la cueva. ～하다 excavar la cueva.

굴혈(窟穴) ① [도둑의 소굴] guarida *f*. ② [굴속] interior *m* de la cueva.

굵다 ① [몸피가 크다·둘레가 크다] (ser) grueso, gordo. 굵은 글씨 letra *f* gruesa, escritura *f* gruesa. 굵은 연필 lápiz *m* (*pl* lápices) grueso. 굵은 허리 cintura *f* gorda. 굵은 글씨용의 para escritura gruesa. 굵게 만 담배 cigarrillo *m* grueso. 굵은 글씨로 쓰다 escribir con letras gruesas. 굵고 짧은 일생을 보내다 llevar una vida corta pero fecunda. 팔이 ～ tener (unos) brazos gruesos. ② [말이나 행동의 폭이 크다] (ser) magnánimo, generoso. 그는 ～ El es magnánimo / El tiene un gran corazón. ③ [목소리가 저음으로 우렁우렁 울려 크다] (ser) resonante, profundo. 굵은 목소리 voz *f* resonante, voz *f* profunda. ④ [살찌고 잘지 않다] (ser) grueso. 굵은 밤알 castaña *f* gruesa.

굵다랗다 (ser) muy grueso, muy grande; [목소리가] muy profundo.

굵디굵다 (ser) muy grueso, muy grande.

굵어지다 hacerse más grueso, hacerse más grande; [허리가] engordar.

굵은베 tela *f* gruesa.

굵직하다 (ser) algo grueso [grande · gordo · profundo].

굶기다 hambrear, causar [hacer] padecer hambre, privar de comida (a), hacer pasar hambre (a). 굶겨 죽이다 matar de hambre.

굶다 ① [끼니를 먹지 않거나 먹지 못하다·주리다] pasar hambre, no comer, no tomar. 점심을 ~ no tomar el almuerzo, no almorzar. 굶어 죽다 morirse de hambre. 그들은 모두 굶어 죽었다 Todos se murieron de hambre / Todos se murieron de inanición. 나는 여러 날 굶었다 Yo pasé hambre unos días. ② [놀이나 오락 따위에서, 자기 차례를 거르다] saltarse, omitir.

◆굶기를 밥 먹듯 한다 no comer a menudo, no frecuentar comer.

▪굶어 보아야 세상을 안다 ((속담)) La riqueza es más conocida por su falta. 굶어 죽기는 정승 하기보다 어렵다 ((속담)) Por más pobre que sea, se puede mantener la vida / Por más pobre que sea, no se muere / El morirse de hambre es más difícil que el ser primer ministro. 열흘 굶어 아니 나는 생각 없다 ((속담)) El hambre y la fría lo entregan a un hombre a su enemigo / No hay virtud que la pobreza no destruye / El que no come diez días puede hacer cualquier cosa.

굶주리다 ① [먹을 것이 없어 주리다] pasar hambre, tener hambre. 굶주린 hambriento (de), famélico. 굶주린 이리 lobo *m* hambriento. 굶주려 죽을 지경이다 morirse de hambre, morirse sin comida. ② [어떤 정신적인 것에 매우 모자람을 느끼다] anhelar, ansiar, tener ansias (de), tener sed (de), privar (a *algo* de *algo*). 애정에 ~ tener sed de amor [cariño]. 애정에 굶주린 아이 niño *m* privado de cariño. 명예심에 굶주린 남자 hombre *m* ávido de gloria. 그는 애정에 굶주려 있다 El tiene sed de cariño. 그녀는 배움에 굶주려 있었다 Ella tenía ansias [sed] de aprender.

굶주림 el hambre *f*, inanición *f*. ~으로 죽다 morirse de hambre, morirse de inanición. ~을 면하다 engañar el estómago. 나는 ~을 면하기 위해 빵 한 조각을 먹었다 Yo comí un pedazo de pan para engañar el estómago.

굻다 ① [그릇에 차지 아니하다] no estar lleno (en el recipiente). ② [한 쪽이 푹 꺼져 있다] (estar) hundido, derrumbado.

굻어지다 ① [한 부분이 우묵하게 들어가다] hundirse, derrumbarse. ② [다 차지 않게 되다] no llenarse

굼닐거리다 soler inclinarse y estirarse.

굼닐다 ① [몸을 구부렸다 일으켰다 하다] inclinarse y estirarse. ② [몸을 구부렸다 일으켰다 하며 일하다] trabajar inclinándose y estirándose.

굼뜨다 (ser) lento, tardo, lerdo, negligente. 굼뜬 사람 rezagado, -da *mf*. 그는 말이 ~ El habla de modo pesado / El habla arrastrando las palabras. 그녀는 배움이 ~ Ella tiene problemas de apendizaje / A ella le cuesta aprender. 나는 독서 속도가 ~ Leo despacho. 네 굼뜬 행동을 보면 답답해 죽겠다 Me impacienta mucho tu lentitud. 떡갈나무는 자라는 것이 ~ Los robles crecen muy despacho. 그는 굼뜨지만 일을 끝낸다 El es lento [El trabaja despacho], pero termina las cosas.

굼벵이 ① 【곤충】 larva *f* (de una mosco), gorgojo *m*, cresa *f*, gusano *m*. ② ((속어)) [동작이 느린 사람] persona *f* perezosa, persona *f* holgazana, holgazán, -zana *mf*, haragán, -gana *mf*; moroso, -sa *mf*; lento, -ta *mf*.

굼슬겁다 (ser) más generoso de que parece.

굼실거리다 retorcerse. 굼실거리며 나아가다 avanzar serpenteando, avanzar culebreando.

굼실굼실 retorciéndose, serpenteando, culebreando.

굼적 moviéndose lentamente. ~도 하지 않다 no haber movimiento el que menor.

굼적거리다 moverse, agitarse.

굼지럭 moviéndose lentamente.

굼지럭거리다 moverse, agitarse.

굼지럭굼지럭 siguiendo moviéndose lentamente.

굼질 ((준말)) =굼지럭.

굼튼튼하다 (ser) firme, seguro, sólido, fijo.

굼틀 moviéndose.

굼틀거리다 retorcerse, moverse, agitarse.

굼틀굼틀 siguiendo moviéndose.

굽 ① [짐승의 발톱·발굽] ㉮ [말의] casco *m*, *RPl* vaso *m*, *Méj* pezuña *f*. ㉯ [소의] pezuña *f*. 갈라진 ~ pezuña *f* partida, pezuña *f* hendida. ② [그릇 따위의 밑바닥 받침] fondo *m*. 사발의 ~ fondo *m* del plato. ③ [구두 바닥의 뒤쪽] tacón *m* (*pl* tacones), *CoS* taco *m*. 높은 ~ tacones *mpl* altos, *CoS* tacos *mpl* altos. 낮은 ~ tacones *mpl* bajos, *CoS* tacos *mpl* bajos. ~을 대다 poner*les* tacones [*CoS* tacos] nuevos (a); [하이힐에] poner*les* tapas [*Chi* tapillas] (a). 내 구두의 ~이 닳았다 Los tacones de mis zapatos están gastados.

▪~갈다 poner*le* tacones nuevos (a). ~갈래 parte *f* hendida del casco. ~갈리다 hacer poner*les* tacones nuevos (a). ~갈리장수 el que pone tacones nuevos a los zapatos. ~갈이 lo que pone tacones nuevos a los zapatos. ~달이 plato *m* con patas. ~뒤축 tacón *m* del caballo o la vaca. ~바닥 fondo *m* del tacón.

굽다¹ ① [불에 익히거나 타게 하다] [고기·감자·밤 따위를] asar; [빵을] hacer, cocer; [커피콩을] tostar, torrefaccionar; [땅콩을] tostar; [프라이팬 위에서] freír; [벽돌·옹기 등을] cocer. 구운 asado (al horno), tostado, torrefacto; [석쇠에] asado, a la(s) brasa(s). 구운 감자 patata *f* [*AmL* papa *f*] asada [al horno]. 구운 고기 asado *m*, carne *f* asada. 구울 고기 trozo *m* de carne para asar. 고기를 ~ asar la carne. 뜨거운 오븐에 ~ hornear en horno caliente. 불에 (쬐어) ~ asar a la parilla, asar al grill, pasar por el fuego. 빵을 ~ hacer pan, cocer pan; [토스트로 만들다] tostar pan. 생선을 ~ asar el pescado. 석쇠로 ~ ㉮ [전기·가스 그릴에] hacer al grill. ㉯ [숯불 위에서] hacer [asar] a la parilla [a las brasas]. 알맞게 ~ asar bien, tostar bien, dorar. 잘 구워진 bien asado, bien tostado. 반쯤 구워진 medio asado, medio tostado. 석쇠로 구운 정어리 sardinas *fpl* a la parilla [a las brasas]. 숯불에 구운 고기 carne *f* a las brasas, carne *f* a la parilla. 빵이 구워졌다 Se ha tostado el pan. 생선이 구워졌다 Se ha asado el pescado. 얼굴이 일광(日光)에 구워졌다 El sol me ha quemado la cara. 이 비프스테이크는 너무 구워졌다 Este bistec está demasiado asado. 그녀는 집에서 빵을 굽는다 / 그녀는 직접 빵을 구워 먹는다 Ella hace pan en casa. 너는 그것을 프라이하느냐 아니면 굽느냐? ¿Lo fríes o lo haces al horno? 어머님께서는 일요일마다 빵을 구우셨다 Mi madre hacía pan [pasteles] los domingos. ② [숯을 만들다] hacer carbón. ③ [벽돌·도자기 등을 만들 때 가마에 넣고 불을 때다] cocer. 벽돌을 ~ cocer ladrillas. 옹기를 ~ cocer cerámicas. ④ [사진의 음화를 인화지에 옮겨 양화로 만들다] imprimir. 사진을 ~ imprimir las fotografías.

구워지다 asarse, tostarse, cocerse. 볕에 ~ [벽돌이] cocerse al sol.

굽다² [윷놀이에서] poner en el caballo anterior.

굽다³ ① [한쪽으로 휘어져 있다] estar curvado, estar encorvado. ② [한쪽으로 휘다] torcerse, curvarse, encorvarse, doblarse; [활처럼] arquearse; [강·길이] serpentear. 굽은 [파이프·가지가] curvado, torcido; [선·팔·다리가] torcido, *AmL* chueco; [등·사람이] encorvado; [길·도로가] sinuoso, lleno de curvas; [활·활처럼] arqueado; [강·길이] sinuoso, serpenteante. 굽은 강 río *m* serpenteante. 굽은 길 camino *m* lleno de curvas, camino *m* serpenteante. 굽은 나무 árbol *m* torcido. 굽은 다리 piernas *fpl* arqueadas. 도로가 굽어져 있다 La ruta dibuja una curva.

◆굽도 절도 할 수 없다 no poder avanzar ni replegarse, no saber qué hacer.

•굽은 나무가 선산을 지킨다 ((속담)) El hijo deforme es obediente a sus padres / De una bellota chica se hace una encina / El árbol más altanero, débil tallo fue primero.

굽도리 partes *fpl* inferiores de la pared de la habitación.

▪ ~지(紙) *gupdoriji*, papel *m* de pegar en las partes inferiores de la pared de la habitación.

굽슬굽슬하다 (ser) rizado, ensortijado, *CoS* crespo, *Méj* chino. ☞곱슬곱슬하다

굽실 adulando con bajeza, inclinándose.

굽실거리다 mostrarse servil, hacer la pelotilla, dar coba, adular, lisonjear, incensar, adular con bajeza, arrastrarse. 머리를 ~ tocar el suelo con la frente en señal de respeto. 몸을 ~ rendir homenaje (a), tributar homenaje (a). 그는 상관에게 언제나 굽실거린다 El anda siempre adulando a sus superiores / El está siempre dand coba a sus superiores. 그의 굽실거리는 행위를 보면 구역질이 난다 Su actitud servil [rastrera] me da asco.

굽실굽실 servilmente, con servilismo, de modo excesivamente obsequioso. ~하다 mostrarse servil, hacer la pelotilla, dar coba, hacer zalemas.

굽싸다 atar cuatro patas (de un animal).

굽어보다 ① [허리를 굽혀 아래를 내려다보다] mirar abajo. 탑에서 전 시가를 굽어본다 Desde la torre se ve toda la ciudad. 그녀는 거리를 굽어보았다 Ella miró calle abajo. ② [아랫사람을 도우려고 살피다] atender (a), cuidar (de), prestar*le* atención (a). 하늘이 ~ el cielo atender. ③ ((성경)) mirar, mirar atentamente.

굽어살피다 ① prestar*le* atención (a). ② ((성경)) mirar. 주여 하늘에서 굽어살피시며 ((이사야 63: 15)) Mira, Señor, desde el cielo.

굽이 curva *f*, recodo *m*, vuelta *f*. 강(江)의 ~ recodo *m* del río.

굽이굽이 cada recodo, cada curva, cada vuelta.

굽이감다 arrollar, envolver, devanar, ovillar, torcer, hacer, girar, dar cuerda (a), describir una curva, serpentear.

굽이돌다 describir una curva, serpentear. 굽이도는 serpenteante. 굽이도는 시냇물 arroyo *m* serpenteante.

굽이지다 serpentear, describir una curva. 황하는 거기서 동쪽으로 크게 굽이진다 El Río Amarillo describe una gran curva hacia el este allí.

굽이치다 serpentear. 굽이쳐 흐르는 강(江) río *m* serpenteante. 강물이 굽이친다 El río serpentea.

굽잡다 tener en *sus* garras.

굽잡히다 estar a merced (de).

굽적 con un saludo atemorizado.

굽적거리다 hacer una reverencia [inclinación] atemorizada.

굽적굽적 haciendo una reverencia atemorizada.

굽정이 artículo *m* torcido.

굽죄이다 tener reparo, tener escrúpulo, estar inquieto [preocupado·avergonzado], dar*le* avergüenza (a). 부인한테 굽죄여 지내다 ser dominado por *su* mujer. 부인한테 굽죄여 지내는 남편 un marido dominado por *su* mujer, un calzonazos *m.sing.pl.*

굽질리다 tener problema, tropezar con dificultad.

굽창 cuero *m* de reforzar la tira en el tacón de un calzado de paja.

굽통¹ [말이나 소 따위의 발굽의 몸통] [말의] casco *m*, *RPl* vaso *m*, *Méj* pezuña *f*, [소

의] pezuña *f.*

굽통² [화살대의 끝쪽에 대통으로 싼 윗부분] parte *f* superior del extremo de bambú.

굽히다 ① [구푸리다] encorvar, curvar, arquear, doblar, plegar, torcer. 몸을 ~ inclinarse. 무릎을 ~ hincarse de rodillas, doblar las rodillas. 팔을 ~ [자신의] doblarse blarse un brazo. 허리를 ~ encorvarse, doblarse, inclinarse. 몸[허리]을 앞으로 ~ inclinarse hacia adelante. 몸[허리]을 뒤로 ~ inclinarse hacia atrás. 몸[허리]을 약간 ~ inclinarse ligeramente. 예수께서 몸을 굽히사 손가락으로 땅에 쓰시니 ((요한 복음 8:6)) Jesús, inclinado hacia el suelo, escribía en tierra con el dedo / Jesús se inclinó y comenzó a escribir en la tierra con el dedo. ② [구푸리게 하다] desfigurar, tergiversar, alterar, cambiar. 법을 ~ tergiversar la ley. 주의(主義)를 ~ alterar *su* principio, cambiar *su* principio. 진실을 ~ desfigurar la verdad. 글뜻을 굽혀 읽다 tergiversar el texto, torcer el sentido [el significado] de un texto. 결의(決意)를 굽히지 않다 persistir en *su* resolución. 신념을 굽히지 않다 persistir en su *fe.*

굿¹ [무당이 노래나 춤을 추며 귀신에게 치성 드리는 의식] exorcismo *m.* ~하다 exorcizar. ~하는 사람 exorcista *mf.*

■ ~거리 danza *f* practicada durante el exorcismo. ~보다 ㉮ [굿을 구경하다] ver la representación de exorcismo. ㉯ [남의 일에 참견하지 않고 보기만 하다] mirar los toros desde la barrera, nadar entre dos aguas, no definirse.

굿² ((변한말)) =구덩이.

■ ~문(門) entrada *f* de un pozo minero. ~일 excavación *f* de un hoyo [un pozo · un agujero]. ~짓다 excavar la tumba.

굿중 monje, -ja *mf* mendicante

■ ~패(牌) banda *f* de los monjes mendicantes.

궁(弓) arco *m.*

궁(宮) ① [집] casa *f.* ② 【역사】 =대궐. 궁전(宮殿). ③ =종묘(宗廟). ④ 【역사】 ((준말)) =궁형(宮刑). ⑤ [천구(天球)의 한 구분] signo *m.* 황도 십이~ signos *mpl* del zodíaco. ⑥ ((장기)) mate *m.*

궁가(宮家) palacio *m* del príncipe [de la princesa].

궁객(窮客) persona *f* muy pobre.

궁경(窮境) =궁지(窮地).

궁계(窮計) último expediente *m,* último recurso *m.*

궁고하다(窮苦-) dar mucha pena, dar mucha lástima, ser muy doloroso.

궁곡(窮谷) valle *m* profundo.

궁곤하다(窮困-) (ser) pobre, necesitado.
궁곤히 pobremente, con pobreza.

궁구(窮究) investigación *f* meticulosa [minuciosa · rigurosa], estudio *m* minucioso. ~하다 investigar [estudiar] meticulosamente [minuciosamente], dominar, llegar a dominar.

궁구(窮寇) enemigo *m* metido en un aprieto.

궁굴다 (ser) más ancho de lo que se piensa.

궁굴리다 (ser) tolerante.

궁궐(宮闕) palacio *m* real. ~ 같은 집 palacio *m,* mansión *f,* residencia *f* palaciega. 내 집에 비하면 당신의 집은 ~이다 Comparada con la mía, tu casa es un palacio.

궁극(窮極) finalidad *f,* extremidad *f.* ~의 final, extremo. ~의 승리(勝利) victoria *f* final. ~에 가서는 al final, en última instancia.

■ ~ 목적 último fin *m,* último objeto *m.* ~성(性) 【철학】 finalidad *f.* ~ 원인(原因) causa *f* final, última causa *f.* ~적(的) final, último, extremo, eventual, concluyente, decisivo, terminante. ¶~으로 finalmente, en fin, por fin, al fin y al cabo, al fin y a la postre]

궁글다 (estar) hueco, vacío.

궁글막대 tornapuntal *m* de albarda.

궁금(宮禁) =궁궐(宮闕).

궁금증(-症) ansiedad *f.* ~을 풀어 주다 satisfacer *su* curiosidad.

궁금하다 (estar) preocupado, inquieto, preocuparse, inquietarse. 수남이가 ~ Estoy preocupado por Sunam / Sunam me tiene preocupado. 나는 그녀의 건강(健康)이 조금 ~ Su salud me tiene algo preocupado / Estoy algo preocupado por su salud. 나는 그 소식을 들었을 때 그들의 안전이 궁금했다 Cuando oí la noticia me preocupé [inquieté] por ellos.
궁금히 con preocupación, con inquietud.

궁기(窮氣) absoluta miseria *f,* pobreza *f* terrible, aparición *f* pobre, lo lamentable, desdicha *f.*

궁끼다(窮-) estar en un aprieto [apuro], quedar en la indigencia [miseria], sufrir empobrecimiento.

궁내(宮內) palacio *m,* (interior *m* del) palacio *m* real.

■ ~부(府) 【역사】 el Departamento [la Dirección General] de la Casa Imperial, la Agencia Imperial. ¶~ 대신 el Director General de la Casa Imperial.

궁녀(宮女) dama *f* de honor [de palacio].

궁노(弓弩) arco *m.* ~수(手) arquero *m.*

궁노루 【동물】 =사향노루.

궁달(窮達) la pobreza y el honor.

궁답(宮畓) arrozales *mpl* perteneciente a cada palacio.

궁대(弓袋) =활집.

궁도(弓道) ① [궁술 닦는 일] tiro *m* con arco, tiro *m* al arco. ② [궁술의 도의] arte *m* de arco.

■ ~ 시합(試合) torneo *m* de arco.

궁도(窮途) miseria *f,* circunstancias *fpl* pobres, estrecheces *fpl,* apuros *mpl* económicos.

궁도련님(宮-) ① [반지빠르고 거만한 궁가의 젊은이] joven *m* impudente y arrogante del palacio del príncipe, hijo *m* del hombre rico que ignora el mundo. ② [호강스럽게

자라 세상일을 잘 모르는 사람] novato, -ta *mf*, pardillo, -lla *mf*, principiante *mf*.

궁도령(宮道令) =궁도련님.

궁동(窮冬) diciembre *m*.

궁둥뼈 【해부】 =좌골(坐骨).

궁둥이 ① [주저앉아서 바닥에 닿는 엉덩이의 아랫부분] caderas *fpl*, nalgas *fpl*, trasero *m*, culo *m*, trascorral *m*; [말 따위의] ancas *fpl*. ~의 nalgar. ~가 큰 nalgón (*pl* nalgones). ~가 큰 사람 nalgón, -gona *mf*. ~가 진득하지 못한 사람 culo *m* de mal asiento. ~가 질기다 quedarse mucho tiempo, quedarse más de lo debido, abusar de *su* hospitalidad. ~가 크다 tener unas nalgas voluminosas. ~를 때리다 [벌로] dar un azote en el culo. ~를 흔들다 mover las caderas. ~를 흔들면서 걷다 andar nalguando, andar contoneándose. 나는 ~가 질겨 미움을 사고 싶지 않았다 Yo no quería quedarme más de lo debido / No quería abusar de su hospitalidad. ② [옷에서, 궁둥이가 닿는 부분] fondillos *mpl*.

◆궁둥이가 무겁다 ㉮ [동작이 굼뜨고, 오랫동안 앉아 있는 성미를 가지다. 밑이 질기다] calentar la silla, calentar el asiento, quedarse mucho tiempo. 궁둥이가 무거운 사람 visita *f* de galleta. 그는 ~ Su visita es larga. 그녀는 무척~ Cuando ella viene a casa, no hay modo que vuelva. ㉯ [차분하게 버티어, 좀처럼 움직이려 하지 않는 상태이다] quedarse mucho tiempo, tardar mucho en arrancar. 궁둥이가 무겁지 않은 것이 더 좋다 Es mejor no quedarse mucho tiempo aquí.

■궁둥이에서 비파 소리가 난다 ((속담)) No hay tiempo de descansar, que se pasea apresuradamente.

궁둥잇짓 actitud *f* de nalguear, contoneo *m*.

궁둥짝 una cadera, ambas caderas *fpl*.

궁따다 fingir no saber, hacer un comentario absurdo, hacer una observación absurda.

궁뚱망뚱하다 (ser) rústico, tacaño, mezquino, miserable.

궁례(宮隷) 【역사】 criado, -da *mf* de cada palacio.

궁륭(穹窿) =둥근 천장(cúpula, domo).

■~상(狀) =궁륭형. ~형(形) forma *f* en arco.

궁리(窮理) ① [사리를 깊이 연구함] estudio *m* [investigación *f*] de las leyes de la naturaleza. ② [좋은 도리를 발견하려고 곰곰 생각함] deliberación *f*, consideración *f*. ~하다 deliberar, considerar, pensar (en), meditar (sobre). ~에 잠기다 estar absorto [ensimismado] en la consideración (de); [이것저것] dar vueltas (a *algo*) (pensando qué hacer), cavilar (sobre). ~해 내다 ingeniarse, ingeniárselas, fraguar, maquinar, tramar, urdir. 살기 위해 ~하다 ingeniarse niarse a vivir. 나는 일자리를 얻기 위해 ~했다 Me ingenié para conseguir un empleo. 그는 파티를 즐겁게 하기 위해 ~했다 El se las ingenió para hacer la fiesta agradable. 무슨 좋은 ~ 없느냐? ¿No se te ocurre ninguna idea buena? / ¿Qué nos aconsejarías hacer? ~해 낸 사람은 바로 그 사람이다 Es él quien lo tramó / El intigante es él.

궁마(弓馬) ① [활과 말] el arco y el caballo. ② [궁술과 마술] el arte de arco y la equitación.

궁문(宮門) puerta *f* del palacio.

궁민(窮民) pueblo *m* pobre.

궁박하다(窮迫-) estar en un aprieto, estar en circunstancias necesitadas, (ser) pobrísimo, muy pobre, sumido en la pobreza, sufrir privaciones, sufrir miseria. 궁박함 escasez *f*, apuro *m*, estrchez *f*, privación *f*, miseria *f*. 재정적으로 ~ estar en dificultad financiera. 국가 재정이 ~ Las finanzas de la nación atraviesan dificultades.

궁박히 pobremente, con pobreza.

궁방(弓房) taller *m* de arco.

궁방(宮房) 【역사】 =궁가(弓家).

궁벽하다(窮僻-) (estar) apartado, aislado, remoto.

궁벽히 remotamente.

궁사(弓士) flechero, -ra *mf*, flechador, -dora *mf*.

궁사(弓師) arquero *m*.

궁사(窮奢) mucho lujo. ~하다 ser muy lujoso.

■~극치(極侈) el colmo del lujo.

궁상(弓狀) arco *m*.

궁상(宮相) 【역사】 =궁내부 대신.

궁상(窮狀) estado *m* miserable, condición *f* miserable, situación *f* miserable.

궁상맞다 tener naturaleza de pobre.

궁상스럽다 estar en la más absoluta miseria.

궁상(窮相) cara *f* pobre, apariencia *f* pobre, aspecto *m* miserable.

궁색(窮色) figura *f* miserable.

궁색하다(窮塞-) (ser) pobre, necesitado.

궁색히 pobremente, con pobreza.

궁생원(窮生員) confuciano *m* joven pobre.

궁서(窮鼠) rata *f* en aprieto.

■궁서가 고양이를 문다 ((속담)) Ciervo en aprieto es enemigo peligroso.

궁성(宮城) ① [궁궐의 성벽] muralla *f* del castillo del palacio. ② [궁궐] palacio *m* real.

궁세(宮稅) 【역사】 impuestos *mpl* de cada palacio.

궁세(窮勢) situación *f* pobre.

궁수(弓手) 【역사】 arquero *m*.

■~자리 【천문】 Arquero *m*.

궁수(宮繡) bordado *m* hecho por la dama de honor.

궁수(窮愁) ansiedad *f* experimentada por la pobreza.

궁수(窮數) fortuna *f* pobre.

궁술(弓術) ballestería *f*.

■~사(師) maestro *m* de ballestería.

궁시(弓矢) el arco y la flecha.

궁실(宮室) ① [궁전] palacio *m* real. ② [집.

가옥] casa *f.*
궁여일책(窮餘一策) Cuando hay hambre no hay pan duro / En tiempos de guerra cualquier hoyo es trinchera.
궁여지책(窮餘之策) =궁여일책.
궁역(宮域) zona *f* del palacio real.
궁온(宮醞) vino *m* que el rey regala.
궁유(窮儒) =궁생원(窮生員).
궁음(窮陰) =궁동(窮冬).
궁의(弓衣 =활집.
궁인(弓人) =조궁장이.
궁인(宮人) 【역사】 =나인.
궁인(窮人) persona *f* pobre, persona *f* necesitada.
궁장(宮庄) el arroz y el campo poseídos por la familia real.
궁장(宮牆) =궁성(宮城)❶.
궁장이(弓匠-) ((준말)) =조궁장이.
궁전(弓箭) =궁시(弓矢).
궁전(宮田) =궁장(宮庄).
궁전(宮殿) =궁궐(宮闕).
■ ~복(服) ropa *f* del palacio real.
궁절(窮節) tiempo *m* de grandes apuros.
궁정(弓旌) el arco y la bandera.
궁정(宮廷) =궁궐(宮闕).
■ ~ 문학(文學) literatura *f* de corte. ~ 시인(詩人) poeta *m* de caballero. ~악(樂) música *f* de corte. ~ 정치(政治) política *f* de corte. ~ 화가(畫家) pintor *m* de corte.
궁정(宮庭) patio *m* del [en el] palacio real.
궁줄(窮-) situación *f* pobre.
궁중(宮中) (seno *m* de la) corte *f* real.
■ ~ 무용(舞踊) danza *f* que había danzado en la corte real. ~ 문학(文學) literatura *f* (escrita) sobre la vida en el palacio real. ~ 서열(序列) rango *m* de la corte real. ~ 어[말] término *m* de la corte real. ~ 예복(禮服) ropa *f* de la corte real. ~ 정치(政治) política *f* de la corte real.
궁지(宮趾/宮址) =궁터.
궁지(窮地) aprieto *m*, apuros *mpl*, situación *f* difícil. ~에 몰리다 meterse en callejón sin salida, verse en un (gran) apuro [aprieto], meterse en un atolladero, caer en una situación crítica [difícil], verse entre la espada y la pared, confundirse totalmente, perturbarse totalmente, quedar(se) todo complejo. ~에 몰아넣다 meter [poner] un aprieto [en una situación difícil]. ~에 빠지다 estancarse, meterse en un aprieto [apuro]. ~에서 구출하다 sacar de los rastrojos. ~에서 나오다 salir de un aprieto [apuro]. ~에서 벗어나다 salir [escapar] del atolladero. ~에 몰려 …하다 verse tan apurado que + *ind*, no tener más remedio que + *inf.* 대화(對話)는 ~에 빠졌다 Las conversaciones se estancaron. 그는 ~에 몰려 자백했다 El se vio forzado a confesar / El no tuvo más remedio que confesar. 그는 ~에 몰려야 공부한다 El no estudia hasta que se ve apurado [forzado]. 너 때문에 나는 ~에 몰려 있다 Por tu causa me he visto en un aprieto. 이번 불황으로 우리들은 ~에 몰렸다 Esta depresión económica no ha puesto en una situación difícil.
궁진(窮盡) agotamiento *m.* ~하다 agotar.
궁창(穹蒼) cielo *m* alto y azul.
궁책(窮策) =궁계(窮計)
궁척(弓尺) =한량(閑良).
궁천극지(窮天極地) infinidad *f.*
궁체(宮體) estilo *m* del idioma coreano escrito por las damas de honor.
궁초(宮綃) una de las sedas.
궁촌(窮村) =빈촌(貧村).
궁춘(窮春) =궁절(窮節).
궁태(窮態) =궁상(窮狀).
궁터(宮-) ruinas *fpl* del palacio antiguo.
궁토(宮土) 【역사】 terreno *m* de la familia real.
궁통(窮通) =궁달(窮達).
궁팔십(窮八十) vida *f* pobre.
궁폐하다(窮弊-) ser pobre y estar agotado. 궁폐히 pobre y agotadamente.
궁핍(窮乏) escacez *f*, pobreza *f*, carencia *f*, necesidad *f.* ~하다 (ser) pobre, necesitado, escaso. ~하게 pobremente, con pobreza. ~한 생활을 하다 pasar estrecheces, pasar apuros económicos.
궁하다(窮-) ① [가난하다] (ser) pobre, necesitado. 궁한 사람을 돕다 ayudar a los necesitados. ② [넉넉하지 못하다] no ser suficiente, apurarse, estar [verse] en aprietos [en un aprieto · en apuros · en un apuro]. 일생동안 궁하지 않을 만큼 충분한 돈 dinero *m* suficiente para vivir holgadamente toda la vida. 돈에 ~ estar en apuros [en un apuro] de dinero, tener apuros de dinero, pasar apuros, pasar pecuniarios, estar escaso [apurado] de dinero. 그는 직업이 없을지라도 궁하지 않다 El no se apura aunque no tenga trabajo. ③ [어떤 일을 처리할 도리가 없다] no saber cómo [qué] hacer. 말에 ~ cortarse hablando. 나는 지금 ~ No sé qué hacer ahora. 그는 대답에 궁하지 않다 El tiene respuesta para todo. 나는 말할 것이 궁했다 No supe qué decir. 나는 그 소식을 듣고 어떻게 처신할지 궁했다 No supe cómo reaccionar ante la noticia. ④ [극도에 이르러 있다] ponerse en un apuro, ponerse en un aprieto. 궁하면 무엇인들 못하랴 Uno se hace cualquier cosa si se pone en un aprieto.
■ 궁하면 통한다 ((속담)) Cuando una puerta se cierra, otra se abre / La necesidad es la madre de la habilidad / La necesidad hace maestro. 궁한 사람이 무엇을 가리랴 ((속담)) A caballo regalado no le mires el diente / A veces no se está en situación de exigir nada.
궁합(宮合) armonía *f* matrimonial pronosticada por el adivino, armonía *f* de carácter, afinidad *f.* 두 사람은 ~이 좋다 Hay alguna afinidad entre los dos. 두 사람은 ~이 나쁘다 No hay ninguna afinidad entre los

dos. 그들은 ～이 좋다 Ellos congenian / Parecen estar hechos el uno para el otro. 우리는 ～이 나쁘다 Nosotros no congeniamos bien / Parece que nosotros no nacimos bajo la misma estrella.

궁항(窮巷) ① [좁고 으슥한 뒷골목] callejón *m* (*pl* callejones) solitario. ② [외딴 촌구석] aldea *f* solitaria.

궁행(躬行) práctica *f* personal. ～하다 llevar a cabo, exemplificar, hacer personalmente.

궁향(窮鄕) campo *m* solitario.

궁현(弓弦) ① [활시위] cuerda *f* del arco. ② [곧게 뻗어 나간 길] camino *m* recto.

궁협(窮峽) valle *m* profundo empinado.

궁형(弓形) ① [활처럼 굽은 형상] forma *f* arqueada. ② 【수학】 ((구용어)) ＝활꼴.

궁형(宮刑) 【역사】 [생식기를 없애는 형벌(刑罰)] castigo *m* de cortar el órgano genital.

궁흉하다(窮凶－) (ser) atroz, brutal, cruel.

궂기다 ① [상사가 나다] morir, fallecer. ② [일에 헤살이 생겨 잘 안되다] salir mal, fallar, fracasar.

궂다 ① [언짢고 거칠다] (ser) malo, de mal carácter, desagradable, sentirse mal, no sentirse bien. ② [날씨가 나쁘다] hacer mal tiempo. 궂은 날씨 mal tiempo *m*. 날씨가 궂어졌다 El tiempo se descompone / El tiempo se echa a perder. ③ [소경이 되다] hacerse ciego, perder *su* vista.

궂은고기 carroña *f*.

궂은비 lluvia *f* larga.

궂은살 carne *f* superflua.

궂은쌀 arroz *m* de calidad inferior.

궂은일 desgracia *f*, desastre *m*, asunto *m* infeliz, acontecimiento *m* perjudicial. 좋은 일이 있으면 ～도 있다 ((서반아속담)) Muchas veces la adversidad es causa de prosperidad / No hay mal que por bien no venga / Siempre hay algo bueno en lo malo / Tras una nube negra se esconde el sol.

▪궂은일에는 일가만 한 이가 없다 ((속담)) Los parientes se ayudan unos a otros en la luta y la celebran.

궂히다 ① [죽게 하다] hacer morir, perder. 사람을 ～ hacer morir a la gente. 아내를 ～ perder a *su* mujer, *su* mujer fallecer. ② [일을 그르치게 하다] hacer estropear una cosa.

권(勸) [추천] recomendación *f*; [권고] consejo *m*; [장려] fomento *m*, estímulo *m*, exhortación *f*. ～하다 [권고] aconsejar [exhortar] (a *uno* que + *subj*); [장려] fomentar, estimular (a *uno* a + *inf* [a que + *subj*]); [추천] recomendar; [권유] invitar [incitar] (a *uno* a + *inf* [a que + *subj*]). 담배를 ～하다 invitar a fumar. 범행을 ～하다 instigar [incitar] al delito. 술을 무리하게 ～하다 forzar a beber. 식사를 ～하다 invitar a comer. 청소년(青少年)에게 스포츠를 ～하다 fomentar los deportes entre los jóvenes. 나는 그에게 참가를 ～한다 Le aconsejo que asista . 나는 그에게 참가를 ～했다 Le aconsejé que asistiera. 이 상표를 ～합니다 Le recomiendo a usted esta marca. 그것은 ～할 만한 것이 못된다 Eso no es recomendable. 의사는 나에게 담배를 이렇게 많이 피우지 말라고 ～했다 El médico me aconsejó que no fumara tanto / El médico me aconsejó no fumar tanto.

◆권커니 잣거니 sirviéndose vino unos de otros. ～하다 servirse vino unos de otros. ～ 밤을 새워 마시다 pasar la noche sirviéndose vino unos de otros.

권(卷) ① [책의 편차(編次)의 한 부분] tomo *m*. 상(上)～ el tomo I [primero]. 중(中)～ el tomo II [segundo]. 하(下)～ [상하 두 권일 때] el tomo II [segundo]; [상중하 세 권일 때] el tomo III [tercero]. 제 일～ el tomo primero, el primer tomo. ② [책을 세는 단위] volumen *m* (*pl* volúmenes), libro. 한 ～ un volumen, un libro. 두 ～ dos volúmenes, dos libros. 세 ～ tres volúmenes, tres libros. 열 ～으로 된 작품 obra *f* en diez tomos [volúmenes]. 몇 편의 논문을 책 한 ～으로 모으다 juntar las tesis en un volumen. 이 책을 다섯 ～ 주십시오 Quiero [Déme] cinco ejemplares de este libro. ③ [영화 필름의 길이의 단위 (한 권은 305미터임)] rollo *m*. 필름 열 ～ diez rollos de película.

-권(券) billete *m*. 500원～ un billete de quinientos wones. 입장(入場)～ billete *m*.

-권(圈) ① [지구상의 위도 66°30′의 지점을 연결하는 윤형의 선이나 그 이상의 지방] círculo *m*. 북극～ círculo *m* polar ártico. ② [범위] campo *m*, ámbito *m*, esfera *f*, el área *f* (*pl* las áreas). 태풍～ el área de tifón.

-권(權) poder *m*, derecho(s) *m*(*pl*); [특권] previlegio *m*; [권력] autoridad *f*. 사법(司法)～ poder *m* judicial. 입법(立法)～ poder *m* legislativo. 참정(參政)～ derechos *mpl* políticos; [투표권] derecho *m* de voto. 행정(行政)～ poder *m* ejecutivo.

권가(權家) ((준말)) ＝권문세가(權門勢家).

권계(勸戒) admonestación *f*, admonición *f*. ～하다 admonestar, reprender.

권계면(圈界面) tropopausa *f*.

권고(眷顧) cuidado *m*. ～하다 cuidar.

▪～지은(之恩) favor *m* del cuidado.

권고(勸告) consejo *m*, recomendación *f*, exhortación *f*. ～하다 aconsejar, advertir, recomendar, exhortar. …의 ～로 según los consejos de *uno*. ～에 따라 conforme a los consejos. ～에 따르다 seguir los consejos (de). 사직(辭職)을 ～하다 aconsejar dimitir, pedir la dimisión. 청소년에게 스포츠를 ～하다 fomentar los deportes entre los jóvenes. 정부는 업자에게 그 상품의 제조를 중지하라고 ～했다 El gobierno exhortó al fabricante a que cesara de manufacturar los artículos. 나는 그에게 빨리 귀국하라고 ～했다 Le exhorté que volviera pronto a su país [al país].

▪～사직(辭職) consejo *m* a dimitir ～자

(者) consejero, -ra *mf.* ~장[서] consejo *m* escrito.

권구(眷口) familia *f* que vive bajo el mismo tejado.

권귀(權貴) persona *f* influyente y de rango alto.

권내(圈內) interior *m* de la esfera. ~에 en el ámbito, en la esfera, en el alcance, en la órbita. 당선 ~에 있다 [선거에서] tener la posibilidad de ganar en la campaña electoral. 우승 ~에 있다 tener la posibilidad de obtener la victoria. 적의 세력 ~에 있다 estar en la esfera de influencia del enemigo. 제주도는 태풍 ~에 들어 있다 La Isla Chechu ya está dentro de la zona del tifón.

권농(勸農) fomento *m* de la agricultura. ~하다 promover [fomentar] la agricultura.
▪ ~의 날 el día del Fomento de la Agricultura, el día de los Agricultores. ~일(日) =권농의 날. ~ 정책(政策) política *f* del fomento de la agricultura.

권능(權能) poder *m,* facultad *f,* atribución *f,* autoridad *f,* competencia *f.* ~을 부여하다 conferir poderes, otorgar poderes, autorizar, dar poder. 그녀는 나를 대신하여 계약서에 서명하도록 ~을 부여받았다 Ella está autorizada a [para] firmar el contrato en mi nombre.

권도(勸導) guía *f,* consejo *m,* orientación *f.* ~하다 guiar, aconsejar, orientar.

권도(權度) ① [저울과 자] la balanza y la regla. ② =규칙(規則). ③ =균형(均衡).

권두(卷頭) principio *m* (de un libro), comienzo *m* (de un libro). ~의 그림 frontispicio *m.*
▪~ 논문(論文) [잡지의] artículo *m* que encabeza una revista. ~언[사] prefacio *m* (de la revista).

권력(權力) poder *m,* autoridad *f.* ~의 공백(空白) vacío *m* de poder. ~을 잡다 tomar el poder, hacerse con el poder, obtener [ocupar · asumir] el poder. ~을 휘두르다 ejercer *su* poder [*su* autoridad] (sobre).
◆국가 ~ poder(es) *m(pl)* estatal(es), autoridad *f* estatal.
▪ ~가(家) hombre *m* de poder ~ 관계(關係) relación *f* de poder. ~ 구조(構造) estructura *f* de poder. ~ 국가(國家) estado *m* autoritario. ~ 균형(均衡) equilibrio *m* de poder. ~ 다툼 contienda *f* por la autoridad, lucha *f* por el poder. ~ 분립(分立) división *f* de poder. ~욕(慾) deseo *m* para poder. ~ 의지(意志) voluntad *f* a poder. ~자(者) poderoso, -sa *mf.* ~ 작용(作用) acción *f* de poder. ~ 정치(政治) política *f* de poder. ~주의자 autoritarismo *m.* ~ 투쟁(鬪爭) lucha *f* por el poder.

권련(眷戀) afecto *m* profundo. ~하다 tener el afecto profundo.

권로하다(倦勞-) estar cansado de aburrimiento.

권뢰(圈牢) establo *m.*

권리(權利) ① [권세와 이익] el poder y la ganancia. ② 【법률】 derecho *m.* …을 청구할 ~ derecho *m* a pedir *algo.* ~가 있다 tener derecho (a), tener el derecho (de). ~를 양도하다 trasferir [transferir] *sus* derechos. ~를 얻다 obtener [adquirir] un derecho. ~를 침해하다 usurpar el derecho (de). ~를 포기하다 renunciar a *sus* derechos. ~를 행사하다 ejercer *su* derecho, hacer valer *su* derecho. 당신한테는 나를 벌할 ~ 가 없다 Usted no tiene derecho a castigarme. 그것은 너의 당연한 ~다 Te corresponde de derecho. 당연한 ~로 우리들은 그것을 요구한다 Reclamamos eso como un derecho que nos es natural. ③ [특권] privilegio *m,* ventaja *f* exclusiva. ~를 얻다 obtener un privilegio. ④ [권한] autoridad *f.* ⑤ [소유권] título *m.* ⑥ [청구권] reclamo *m.*
▪ ~금(金) derecho *m;* [셋집 등의] fianza *f, Arg* llave *f.* ~락(落) sin derechos. ~자(者) ㉮ [권리를 가진 자] persona *f* legítima. ㉯ =채권자. ~증(證) 【법률】 =등기필증. ~ 침해 violación *f* de los derechos de otro. ~ 행위(行爲) acto *m* legítimo.

권리 선언(權利宣言) 【역사】 la Declaración de Derechos (22 de enero de 1689).

권리 장전(權利章典) 【역사】 =권리 선언.

권말(卷末) final *m* (de un libro). ~의 부록(附錄) apéndice *m.*

권매(勸賣) consejo *m* de la venta. ~하다 aconsejar la venta.

권매(權賣) venta *f* condicional.

권면(券面) denominación *f.*

권면(勸勉) fomento *m.* ~하다 fomentar.

권모(權謀) ardid *m,* intriga *f,* maniobra *f,* táctica *f.* ~에 능한 lleno de ardides, lleno de maniobras.
▪ ~가(家) maquiavelista *mf;* intrigante *mf;* maquinador, -dora *mf.* ~술수(術數) maquiavelismo *m,* maniobra *f.* ¶~를 부리다 recurrir al maquiavelismo, recurrir a una maniobra, maquinar intrigas, tramar intrigas. ~ 외교 diplomacia *f* maquiavelista.

권문(權門) ((준말)) =권문세가(權門勢家)
▪ ~ 귀족(貴族) el hombre influyente y el noble. ~세가(勢家) familia *f* influyente, hombre *m* de influencia. ~ 자제(子弟) hijo *m* de la familia influyente.

권배(勸杯/勸盃) servicio *m* de una copa, ofrecimiento *m* de una copa. ~하다 servir una copa, ofrecer una copa.

권번(券番) sindicato *m* de *kisaeng*

권법(拳法) arte *m* de agitar *su* puño vacío.

권변(權變) ardid *m* improvisado.

권병(權柄) poder *m,* autoridad *f,* influencia *f.* ~을 휘두르다 ejercer poder.

권부(權府) oficina *f* gubernamental de ejercer poder.

권불십년(權不十年) Más dura será caída / La flor de la belleza es poco duradera / La rosa y la doncella pierden su flor.

권비(眷庇) favor *m,* protección *f,* patrocinio

m, auspicio m. ～하다 patrocinar, auspiciar, ayudar, estar a favor (de), ser partidario (de).
권사(勸士) ((기독교)) anciana f.
권서(勸書) ((기독교)) ＝매서인(賣書人).
권선(捲線) 【물리】 ((구용어)) ＝코일.
■ ～기(機) devanadora f, bobinadora f.
권선(勸善) ① [선을 권하고 장려함] promoción f de virtud, exhortación f a la rectitud. ～하다 exhortar a la rectitud, fomentar el bien. ② ((불교)) solicitación f de contribuciones para el propósito religioso. ～하다 pedir [rogar] que contribuya.
■ ～극(劇) drama m de moralidad. ～소설(小說) novela f didáctica. ～징악(懲惡) la promoción de virtud y la reprensión de vicio, moralización f. ¶～하다 promover el bien y castigar el mal. ～의 moralizador.
권세(權勢) poder m, influencia f, autoridad f. ～에 아부하다 tomar (a *uno*) por el cuello.
◆권세(를) 부리다[피우다] ejercer *su* poder [*su* influencia] (sobre).
■ ～욕(慾) anhelo m del poder, deseo m por el poder.
권속(眷屬) ① [한집안 식구] *su* familia. 일가(一家)～ toda (la) familia. ② ((낮춤말)) mi esposa, mi mujer.
권솔(眷率) *su* familia.
권수(卷首) ① [책의 첫째 권(卷)] el tomo I [primero]. ② ＝ 권두(卷頭).
권수(卷數) número m de los libros, número m de los volúmenes.
권신(權臣) vasallo m influyente.
권애(眷愛) amor m, cariño m, favor m.
권양기(卷揚機) cabrestante m, torno m.
권언(勸言) palabra f del consejo.
권업(勸業) fomento m de industria. ～하다 fomentar [promover] la industria.
권외(圈外) exterior m del ámbito. ～에 fuera del ámbito, fuera de la esfera, fuera del alcance. 정치 ～에 fuera de la esfera política. 당선 ～에 있다 no tener posibilidad de ganar en la elección. 폭풍우 ～에 있다 estar fuera de la zona de la tempestad.
권요(權要) puesto m influyente e importante; [사람] persona f influyente e importante.
권운(卷雲) 【기상】＝새털구름.
■ ～층(層) capa f de cirro.
권위(權威) ① [일정한 분야에서 사회적으로 인정을 받고 영향을 끼칠 수 있는 능력이나 위신] autoridad f, prestigio m. ～ 있는 autorizado, prestigioso. ～ 있는 소식통에 따르면 según una fuente autorizada [fidedigna]. ～를 잃다 pestigiarse, perder la autoridad, perder el prestigio. ～ 있는 소식통이 그 정보를 부정하고 있다 Las fuentes autorizadas desmienten la noticia. 그는 정계에서 ～를 가지고 있다 El tiene prestigio en el mundo político. ② [어떤 방면의 권위자] autoridad f, experto, -ta mf, maestro, -tra mf.
■ ～자(者) experto, -ta mf, maestro, -tra mf, [집합적] autoridad f. …에 ～이다 ser una autoridad en *algo*. ～주의 autoritarismo m.
권유(勸誘) solicitación f, invitación f, [설득] persuasión f. ～하다 solicitar, invitar, incitar; [설득하다] persuadir. 그는 나에게 보험 가입을 ～했다 El me solicitó entrar en el seguro.
■ ～원[자] solicitante mf, solicitador, -tora mf. ¶보험 ～ solicitante mf [solicitador, -dora mf] de seguros. ～장(狀) (carta f de) solicitación f, invitación f.
권유(勸諭) amonestación f, consejo m. ～하다 amonestar, aconsejar, recomendar.
권의(卷衣) toga f, sari m.
권익(權益) (derechos e) intereses. 우리의 ～은 보호되어야 한다 Nuestros derechos e intereses deben ser pretegidos.
◆국가 ～ intereses mpl nacionales. 기득(既得) ～ intereses mpl creados. 특별(特別) ～ intereses mpl especiales.
권장(勸奬) fomento m, promoción f, recomendación f. ～하다 fomentar, promover, recomendar.
■ ～ 가격 precio m de recomendación.
권적운(卷積雲) 【기상】＝조개구름.
권점(圈點) período m. ～을 찍다 poner un período.
권좌(權座) poder m, poderío m. ～에 있는 사람들 hombres mpl en poder. ～를 떠나다 dimitir [renunciar] *su* poder. ～에 오르다 llegar al poder, subir al poder, tomar el poder. ～에 있다 estar en el poder, ocupar el poder.
권주(勸酒) servico m de vino, ofrecimiento m de vino. ～하다 servir [ofrecer] vino.
■ ～가(家) canción f de taberna (coreana).
권중하다(權重—) El poder es grande.
권지(勸止) disuasión f. ～하다 disuadir (de).
권질(卷帙) volúmenes mpl, libros mpl.
권총(拳銃) pistola f, [연발의] revólver m; [작은] pistolete m, cahorrillo m. ～을 겨누고 a punta de pistola. ～을 겨누다 apuntar con una pistola. ～을 쏘다 disparar una pistola, descargar una pistola. ～ 자살을 하다 suicidarse con pistola.
◆자동(自動) ～ pistola f automática. 육연발 ～ revólver m (con seis cámaras). 콜트식 자동 ～ colt®.
■ ～ 강도 ladrón m (pl ladrones) armado de pistola, atracador m con pistola, salteador m con pistola.
권총(權寵) el poder y el favor del rey.
권추(圈樞) centro m del círculo.
권축(卷軸) rollo m.
권층운(卷層雲) 【기상】＝털층구름. 햇무리구름. 솜털 구름.
권칭(權稱) ＝권형(權衡).
권태(倦怠) ① [싫증을 느껴 게을러짐] tedio m, aburrimiento m. ～를 느끼다 aburrirse (con・de・por), sentir tedio (por), hastiarse (de). ② [심신(心身)이 피로하고 나른함] fatiga f, cansancio m.

■ ~감(感) hastío *m*, aburrimiento *m*, tedio *m*; 【의학】 cenestopatía *f*. ¶~을 느끼다 hastiarse (de), aburrirse (con・de・por), sentir tedio (por). ~기(期) período *m* de aburrimiento (en la vida matrimonial). ~증(症) síntoma *m* de aburrimiento.

권태롭다(倦怠一) hastiarse (de), aburrirse (con・de・por), fastidiarse.
권태로이 aburridamente, con aburrimiento, con hastío.

권토중래(捲土重來) ¶~하다 volver a atacar después de recobrar las fuerzas.

권투(拳鬪) boxeo *m*, pugilato *m*, pugilismo *m*. ~의 boxístico, pugilístico. ~를 하다 boxear.
■ ~계(界) círculos *mpl* boxísticos, mundo *m* boxístico. ~ 기술(技術) habilidad *f* pugilística. ~ 선수(選手) boxeador, -dora *mf*, púgil *mf*, pugilista *mf*. ~ 시합(試合) combate *m* pugilístico. ~장(場) cuadrilátero *m*, ring *ing.m*. ~ 장갑(掌匣) guante *m* para el boxeador. ~ 팬 aficionado, -da *mf* al boxeo, entusiasta *mf* del boxeo.

권투(圈套) ① [새나 짐승을 잡는 올가미] trampa *f*. ② [세력 범위] esfera *f* de influencia. ③ [남을 속이는 수단] medio *m* de engañar a otro.

권패(卷貝) =고둥.

권폄(權窆) funeral *m* provisional.

권하다(勸一) ① [권고하다] recomendar, exhortar, aconsejar. 입원하도록 ~ aconsejar (a *uno*) que entre en el hospital. ☞권(勸). ② [음식을 먹도록 하다] servir, ofrecer, invitar. 술을 ~ server [ofrecer] vino. 떡을 ~ servir [ofrecer] *teok*. ☞권(勸)
◆권커니 잣거니 ☞권(勸)

권학(勸學) fomento *m* de educación. ~하다 fomentar [promover] la educación.

권한(權限) derecho *m*, atribución *f*, poder *m*, autoridad *f*, competencia *f*, [관할] jurisdicción *f*. ~의 위임(委任) delegación *f* de la autoridad. ~을 부여하다 autorizar [conferir・otorgar] poder, autorizar (a), conceder atribuciones. ~을 위임하다 delegar la autoridad (en・a). …의 ~에 속하다 estar dentro de las atribuciones de *uno*. …할 ~이 있다 tener la autoridad para + *inf*, tener el derecho de + *inf*, estar autorizado para + *inf*.
■ ~내(內) dentro de las atribuciones. ~ 대행(代行) ¶~의 interino. 대통령(大統領) ~ Presidente *m* interino. ~외(外) fuera de las atribuciones, fuera del derecho, fuera de la competencia. ¶그것은 내 ~다 Eso no está dentro de mis atribuciones / Eso no está e mi derecho / Eso está fuera de mi competencia. ~ 쟁의(爭議) colisión *f* de la autoridad.

권형(權衡) ① =저울. ② [저울추와 저울대] la pesa y el astil (de la balanza). ③ [사물의 경중(輕重)을 재는 척도] barómetro *m*. ④ [사물의 균형] equilibrio m, balanza *f*.

권화(勸化) ((불교)) solicitación *f* de contribuciones para el propósito religioso. ~하다 solicitar las contribuciones para el propósito religioso.

권화(權化) encarnación *f*, personificación *f*. 그녀는 미덕(美德)의 ~이다 Ella es la virtud personificada.

궐(闕) palacio *m* real.

궐공 persona *f* débil.

궐공(厥公) =궐자(厥者).

궐기(蹶起) levantamiento *m*. ~하다 levantarse. ~시키다 incitar [excitar] a levantarse.
■ ~ 대회(大會) concentración *f*.

궐나다(闕一) quedar vacante un puesto.

궐내(闕內) (interior *m* del) palacio *m* real.

궐녀(厥女) ella, esa mujer.

궐련(卷煙) cigarrillo *m*, pitillo *m*. ~을 피우다 fumar un cigarrillo. ~ 한 갑 주세요 Quiero [Déme] un paquete de cigarrillos.
■ ~갑(匣) cigarrillera *f*, pitillera *f*, estuche *m* de cigarrillos. ~물부리 pipa *f* para el cigarrillo. ~ 종이 papel *m* de cigarrillo, papel *m* de fumar.

궐문(闕文) palabras *fpl* perdidas, cartas *fpl* omitidas.

궐문(闕門) puerta *f* (principal) del palacio real.

궐방(闕榜) fracaso *m* en el examen. ~하다 salir mal en el examen.

궐본(闕本) =결본(缺本).

궐석(闕席) 【법률】 rebeldía *f*. ~하다 estar en rebeldía. ☞결석(缺席)
■ ~자(者) rebelde *mf*. ~ 재판(裁判) juicio *m* en rebeldía.

궐식(闕食) =결식(缺食).

궐원(闕員) =결원(缺員).

궐위(闕位) vacancia *f*, puesto *m* vacante, posición *f* vacante.

궐자(厥者) él, esa persona.

궐채(蕨菜) 【식물】 =고사리.

궐초(厥初) principio *m*, comienzo *m*.

궐하(闕下) delante del rey.

궐하다(闕一) ser omitido.

궐후(厥後) después.

궤(軌) ① [수레의 두 수레바퀴 사이의 간격] intervalo *m* entre dos ruedas del carro. ② [수레바퀴의 자국] huella *f* de las ruedas del carro. ③ [무슨 일의 경로] curso *m*, ruta *f*.
◆궤를 같이하다 el método de pensar es igual.

궤(櫃) cofre *m*, cajón *m* (*pl* cajones), caja *f*.
◆옷~ cómoda *f*.

궤간(軌間) ① [궤도의 너비] ancho *m* de vía, entrevía *f*, *CoS* trocha *f*. 좁은 ~ vía *f* estrecha, *CoS* vía *f* angosta. ② [철도 레일의 안쪽 너비] ancho *m* de la parte interior del raíl.

궤결(潰決) =결궤(決潰).

궤계(詭計) ardid *m*, maña *f*, artimaña *f*, trampa *f*, engaño *m*.

궤도(軌道) ① [차가 지나다니는 길] camino *m* del vehículo. ② [레일을 깐 기차나 전차

의 길] vía *f* (férrea). ③ [꼭 밟아야 할 정도(正道)] justicia *f*, camino *m* verdadero. 본~에 오르다 ir por buen camino. 사업을 ~에 올리다 poner el trabajo en marcha. 일이 ~에 오르기 시작한다 El trabajo empieza a marchar sobre ruedas. 그의 사업은 ~ 에 오르고 있다 Sus negocios van por buen camino. 계획이 ~에 올랐다 El proyecto se ha puesto en marcha. ④ [천체가 돌아가는 일정한 길] órbita *f*. ~의 orbital. 달의 ~ órbita *f* de la luna. ~에 진입하다 entrar en órbita. 인공위성을 ~에 오르다 poner en órbita un satélite artificial. 위성을 ~에 태우다 poner un satélite en órbita. …의 주위를 ~를 그리며 돌다 girar [orbitar] alrededor de *algo*, describir una órbita alrededor de *algo*. 달의 주위를 ~를 그리며 돌다 describir una órbita alrededor de la luna. 인공위성이 ~에 진입했다 El satélite artificial entró en su órbita. 인공위성이 ~에서 벗어난다 El satélite artificial se desvía de su órbita. ⑤ [물체가 일정한 힘에 작용되어 운동할 때 그리는 일정한 경로] trayectoria *f*, recorrido *m*. 유도탄의 ~ trayectoria *f* [recorrido *m*] del misil. ◆단선(單線) ~ vía *f* férrea única. 달 ~ órbita *f* de la luna. 동기(同期) ~ órbita *f* sincrónica. 복선(複線) ~ vía *f* férrea doble. 원(圓)~ órbita *f* circular. 전기(電氣) ~ vía *f* de tranvía eléctrica. 전위(轉位) ~ órbita *f* de transferencia. 지구(地球) ~ órbita *f* de la tierra. 타원(橢圓) ~ órbita *f* elíptica. 편심(偏心) ~ órbita *f* excéntrica. ■~ 경사(傾斜) inclinación *f* orbital. ~ 기중기(起重機) pórtico *m*, puente *m*. ~면(面)【철도】plano *m* de una órbita. ~ 부설(敷設) construcción *f* de vía férrea. ~ 비행(飛行) vuelo *m* orbital. ¶유인(有人) ~ vuelo *m* orbital tripulado. ~세(稅) impuesto *m* de línea de ferrocarril. ~ 속도(速度) velocidad *f* orbital. ~ 수준기(水準器) nivel *m* de vía férrea. ~ 요소(要素) elemento *m* orbital. ~ 운동(運動) moción *f* orbital. ~ 전자(電子) electrón *m* orbital. ~ 주기(週期) período *m* orbital. ~ 체류연수(滯留年數) vida *f* orbital. ~차(車) tranvía *f*, tren *m*. ~축(軸) eje *m* de una órbita. ~ 표시기(標示器) indicador *m* de vía férrea. ~ 회로(回路) circuito *m* de vía férrea.

궤란(憒亂) confusión *f* completa [total · absoluta]. ~하다 estar en el estado de confusión completa [total · absoluta].

궤란(潰爛) descomposición *f*. ~하다 descomponer.

궤란쩍다 (ser) insolente, descarado, impertinente, fresco, atrevido.

궤멸(潰滅) destrucción *f*, demolición *f*, aniquilación *f*, aniquilamiento *m*. ~하다 destruir, demoler, aniquilar.

궤모(詭謀) =궤계(詭計).

궤범(軌範) ejemplo *m*, modelo *m*, norma *f*.

궤변(詭辯) sofisma *f*, sofistería *f*, falacia *f*. ~의 sofístico, sofista. ~을 농하다 sofisticar. 그것은 ~이다 Eso es un sofisma. ■~가(家) sofista *mf*. ~술(術) sofistería *f*. ~적(的) sofístico, sofista. ¶~으로 sofísticamente. ~ 학파(學派) sofistas *mpl*.

궤복(跪伏) postración *f*. ~하다 postrarse.

궤붕(潰崩) =붕괴(崩壞).

궤사(詭詐) engaño *m* astuto. ~하다 engañar astutamente.

궤산(潰散) derrota *f*. ~하다 ser derrotado.

궤상(机床) sobre [en · encima de] la mesa. ■~공론(空論) =탁상공론(卓上空論).

궤상(跪像) estatua *f* postrada.

궤설(詭說) palabra *f* que engaña con mentiras.

궤술(詭術) ardid *m* que engaña.

궤양(潰瘍)【의학】úlcera *f*, llaga *f*. ~이 생기다 ulcerarse. ~이 생기게 하다 ulcerar, causar úlcera, llagar. ◆문합성(吻合性) ~ úlcera *f* anastomótica. 십이지장 ~ úlcera *f* duodenal. 위(胃)~ úlcera *f* estomacal, úlcera *f* del estómago. ■~ 대장염(大腸炎) colitis *f* ulcerativa. ~면 식피술(面植皮術) helcoplastia *f*. ~ 반점피부증(斑點皮膚症) estigmatosis *f*. ~성 구내염(性口內炎) estomatitis *f* ulcerativa. ~성 대장염(性大腸炎) colitis *f* ulcerativa. ~성 안검염(性眼瞼炎) blefaritis *f* ulcerosa. ~성 염증(性炎症) inflamación *f* ulcerativa. ~성 포도종(性葡萄腫) helcostafiloma *m*. ~성 피부증(性皮膚症) helcodermatosis *f*. ~암(癌) cáncer *m* ulceroso; [위에 생기는] ulcerocáncer *m*. ~학(學) helcología *f*. ~형성 ulceración *f*. ~화(化) ulceración *f*.

궤적(軌跡/軌迹) ① [수레바퀴가 지나간 자국] huella *f* de las ruedas. ② [전인(前人)의 행적] obra *f* [contribuciones *fpl*] de *sus* predecesores. ③【수학】((구용어)) =자취 ❸.

궤조(軌條) raíl *m*.

궤주(潰走) derrota *f*, desbandada *f*, fuga *f* desordenada. ~하다 desbandarse, huir derrotado, huir en desorden. 적을 ~시키다 derrotar al enemigo, dispersar al enemigo. poner al enemigo en fuga.

궤지기 residuos *mpl*, desperdicios *mpl*.

궤짝(櫃-) ((속어)) =궤(櫃).

궤철(軌轍) ① [차가 지나간 바큇자국] huella *f* de las ruedas. ② =법칙. 법도.

궤철(軌鐵) ① [궤조에 쓰이는 철재] material *m* de acero para el raíl. ② =궤조(軌條).

궤하(机下) ① [책상 아래] debajo del pupitre. ② [편지 겉봉의 상대편 이름 아래 쓰는 경칭] señor, señora, señorita. 김복남 ~ Señor Kim Boknam.

궤휼(詭譎) ardid *m*, artimañas *fpl*, tretas *fpl*. ~하다 (ser) astutu, artero.

궤휼(饋恤) ayuda *f* a los pobres. ~하다 ayudar a los pobres.

귀 ①【해부】㉮ oreja *f*. ㉯ [청각] oído *m*. ~에 익은 familiar, conocido. ~에 거슬리는 소리 voz *f* desagradable [chocante]. ~에 거슬리는 음(音) sonido *m* desagradable [chocante]. ~가 나쁘다 tener mal oído, tener un oído malo, oír mal; [난청] ser teniente. ~가 먹다 [일시적으로] estar sordo; [영구히] ser sordo. ~가 아프다 dolerle el oído, tener dolor de oído. ~가 어둡다 tener el oído duro, ser duro de oído. ~를 기울이다 aguzar el oído, aguzar las orejas. ~를 틀어막다 cerrar los oídos. ~를 쫑그리고 듣다 ser todo oídos, escuchar con interés. ~를 쫑긋하다 [사람이] aguzar el oído, *AmL* para la(s) oreja(s); [개·말이] levantar las orejas, *AmL* parar las orejae. ~를 후비다 [자기의] limpiarse las orejas. ~에 들어가다 informar (de), enterar (de), hacer saber, llegar a oídos (de). ~에 들어오다 [듣다] oír, enterarse (de); [사물이 주어일 때] llegar al oído (de). 한쪽 ~가 먹다 [일시적으로] estar sordo de un oído; [영구히] ser sordo de un oído. 나는 ~가 아프다 Me duele el oído / Tengo dolor de oído. 나는 오전 내내 ~가 아팠다 Llevo toda la mañana con dolor de oído / Me ha dolido el oído toda la mañana. 그는 ~가 멀었다 El tiene sordera. 내 아내는 ~가 크다 Mi esposa tiene orejas grandes. ~ 좀 빌려 주세요 Haga el favor de escucharme / ¿Quiere usted escucharme un momento? / Escúcheme. 그는 내 말에는 ~를 틀어막는다 El cierra los oídos a lo que digo / El no presta oídos a lo que diga. 소문이 내 ~에 들어왔다 Ha llegado el rumor a mis oídos / Me he enterado del rumor por casualidad. 그 음악은 아직도 ~에 남아 있다 La música aún me queda en el oído. 어머니의 말씀이 ~에 쟁쟁하다 Las palabras de mi made no se apartan de mis oídos / Las palabras de mi madre todavía me suenan en el oído. ~가 찢어지는 듯한 소음(騷音)이다 Es un ruido ensordecedor. 그건 ~가 아프다 Siento remordimiento de conciencia / Siento algo como una acusación. 그런 말은 ~에 거슬린다 Lo que me cuentas es muy desagradable. 그 소리는 ~에 익는다 La voz me es conocida / Reconozco la voz / Me suena esa voz. 그것은 ~에 익지 않은 음악이다 Es una música desconocida [poco familiar]. ② ((준말)) =귓바퀴. ③ ((준말))=귀때. ④ [넓적한 물건의 모퉁이 끝] filo *m*, corte *m*, borde *m*, esquina *f*; [종이 따위의] borde *m*; [빵의] corteza *f*; [직물의] orillo *m* [자루. 손잡이] asa *f*, adidero *m*. ⑤ [바늘구멍] ojo *m*. 바늘~ ojo *m* de la aguja. ⑥ ((준말)) =불귀. ⑦ [바둑판의 모퉁이 부분] rincón *m*. ⑧ [돈머리에 좀더 붙은 우수리] suma *f* impar.

◆귀가 울다 *zumbar los oídos*. 귀를 의심하다 no poder creer *su* oído. 귀빠진 날 *su* cumpleaños.

귀(鬼) ① =귀신(鬼神). ② =도깨비. ③ [뛰어난 것] lo extraordinario. ④ ((준말)) = 귀성(鬼星).

귀(貴) ① [귀하다] ㉮ [지위가 높다] ser un puesto alto. ㉯ [지위가 높은 사람] persona *f* de rango alto. ㉰ [값이 비싸다] ser caro. ② =귀히 여기다.

귀(歸) ① [돌아가다. 돌아오다] volver. ② [돌려보내다] devolver. ③ [따르다] seguir. ④ [죽다] morir, fallecer.

귀(貴) ① [상대편에 대한 존칭] su (estimado). ~ 회사(會社) su compañía, su sociedad, ustedes. ② [희귀한. 존귀한] raro, precioso. ~금속 metal *m* precioso.

귀가(歸家) vuelta *f* a casa, regreso *m* a casa, llegada *f* a casa. ~하다 volver a casa. ~ 도중에 en camino de vuelta [de regreso] a casa, de vuelta a casa, volviendo a casa.

귀간(貴簡) su carta.

귀감(龜鑑) modelo *m*, buen ejemplo *m*. 그는 의사의 ~이다 El es un médico ejemplar.

귀갑(龜甲) cáscara *f* de tortuga.

귀객(貴客) un huésped distinguido, un huésped de honor.

귀거래(歸去來辭) regreso *m* [vuelta *f*] a la tierra natal después de presentar *su* dimisión de la oficina gubernamental.

귀거슬리다 ser (muy) desagradable al oído.

귀거칠다 ser desagradable escuchar.

귀걸이 ① [추위를 막는, 귀에 거는 제구] orejeras *fpl*. ② =귀고리.

귀격(貴格) ① [귀하게 될 상격(相格)] facciones *fpl* nobles. ② [귀한 체격] físico *m* raro.

귀견(貴見) su opinión, su parecer.

귀결(歸結) consecuencia *f*, resultado *m*, conclusión *f*. 당연한 ~로 como consecuencia natural, como consecuencia lógica, como consecuencia necesaria. …은 당연한 ~이다 Es una conclusión lógica que + *ind* / De eso se sigue naturalmente que + *ind*.

◆귀결을 짓다 llevar a la conclusión.

■~점(點) punto *m* de conclusión.

귀경(歸京) vuelta *f* a la capital, vuelta *f* a Seúl. ~하다 volver [regresar] a la capital [a Seúl].

귀경(歸耕) cultivo *m* de la tierra en el campo después de presentar su dimisión de la oficina gubernamental. ~하다 cultivar la tierra en el campo después de presentar *su* dimisión de la oficina gubernamental.

귀고(貴稿) su manuscrito.

귀고리 pendiente *m*, zarcillo *m*, *AmL* arete *m*; [길게 늘어뜨린] arracada *f*; [다이아몬드나 진주가 박힌] dormilona *f*, *CoS* aro *m*, *Urg* caravana *f*

귀고름【의학**】** otorrea *f*.

귀곡(鬼哭) llanto *m* del espíritu.

■~새 búho *m*, *Méj* tecolote *m*. ~성(聲) ㉮ [귀신의 울음소리] llanto *m* del espíritu. ㉯ [귀곡새의 울음소리] canto *m* del búho.

귀골(貴骨) ① [귀하게 생긴 골격] físico *m* noble. ② [귀하게 될 골상] facciones *fpl* nobles. ③ [귀하게 자란 사람] persona *f* de nacimiento noble.

귀공(鬼工) habilidad *f* muy sobresaliente.

귀공(貴公) usted.
귀공자(貴公子) joven *m* (*pl* jóvenes) noble. ~인 척하는 propio [digno] de un príncipe, aristocrático, con aire noble, con aire distinguido.
귀관(鬼關) ((불교)) puerta *f* de entrar en el Hades.
귀관(貴官) ① [상급자가 하급자를 부르는 말] tú. ② =관리(官吏).
귀교(貴校) su escuela, su colegio.
귀교(歸校) vuelta *f* a la escuela. ~하다 volver a la escuela.
귀국(貴國) su país, su estado, su nación.
귀국(歸國) vuelta *f* [regreso *m*] a *su* país. ~하다 volver [regresar] a *su* país. ~길에 오르다 tomar el camino de *su* país, ir con rumbo a *su* país. 대한민국으로 ~하다 volver a la República de Corea.
귀군(貴君) tú.
귀글(句一) verso *m*, poema *m*, poesía *f*.
귀금속(貴金屬) metal *m* precioso, metal *m* noble.
■~상(商) ㉮ [가게] joyería *f*, platería *f* orfebrería *f*. ㉯ [사람] joyero, -ra *mf*, platero, -ra *mf*; orfebre *mf*.
귀기(鬼氣) aire *m* espantoso. ~가 서린 espantoso, horrendo.
귀기(歸期) promesa *f* de volver, período *m* de volver.
귀기둥 【건축】 columna *f* del rincón del edificio.
귀기울이다 prestar*le* atención (a) 귀기울이고 듣다 escuchar (con atención). 음악에 귀기울이고 듣다 escuchar la música, prestar oído a la música. 내 말에 귀기울여라 Préstame atención.
귀꿈스럽다 (ser) remoto y poco corriente. 귀꿈스레 remota y poco corrientemente.
귀나다 ① [모가 반듯하지 않고 비뚤어지다] alabearse, combarse, pandearse, ser irregular, ser desigual ② [의견이 서로 빗나가서 틀어지다] discrepar en opinión.
귀남자(貴男子) ① [존귀한 남자] hombre *m* noble, joven *m* (*pl* jóvenes) precioso. ② [귀한 집에 태어난 아들] hijo *m* de nacimiento noble.
귀납(歸納) 【논리】 inducción *f*. ~하다 inducir, generalizar. ~의 inductivo.
■~논리학(論理學) lógica *f* inductiva, filosofía *f* inductiva. ~법(法) método *m* inductivo, inducción *f*. ~적(的) inductivo. ¶~으로 inductivamente. ~적 논리(的論理) lógica *f* inductiva, filosofía *f* inductiva. ~적 논증(的論證) prueba *f* inductiva. ~적 비평(的批評) criticismo *m* inductivo. ~적 추리(的推理) razonamiento *m* inductivo, deducción *f* inductiva. ~ 학파 escuela *f* inductiva.
귀넘어듣다 no prestar atención, no hacer caso (de), hacer caso omiso (de), escuchar sin la debida atención. 너는 내 충고를 귀넘어들었다 Tú no hiciste caso de mis consejos / Tú hiciste caso omiso de mis consejos.
귀녀(鬼女) ① [악귀(惡鬼) 같은 여자] mujer *f* demoniaca. ② [여자 모습의 귀신] espíritu *m* de la forma mujeril.
귀녀(貴女) ① [귀한 집안에서 태어난 딸] hija *f* de nacimiento noble. ② [귀염 받는 딸] hija *f* preciosa. ③ [당신] usted.
귀농(歸農) vuelta *f* a la tierra, vuelta *f* al cortijo, vuelta *f* a la hacienda. ~하다 volver a la tierra, volver al cortijo.
■~민(民) campesino, -na *mf* que vuelve a la tierra. ~ 운동(運動) movimiento *m* que vuelve a la tierra.
귀느래 caballo *m* con las orejas colgonas.
귀다래기 vaca *f* con las orejas pequeñas.
귀담다 grabar en la memoria. 나는 그 장면을 귀담아 두었다 Tengo la escena grabada en la memoria.
귀담아듣다 prestar*le* atención (a), hacer caso (de), escuchar con atención, escuchar con interés, aguzar los oídos, abrir el oído. 나는 항상 그의 말을 귀담아듣는다 Yo siempre le presto a atención a él. 나는 그의 말을 귀담아듣지 않았다 Le oí como quien oye llover / Le dejé decir [hablar] sin prestar atención / Sus palabras me entraban por un oído y me salían por otro.
귀대(歸隊) vuelta *f* a *su* batallón. ~하다 volver a *su* batallón.
귀댁(貴宅) su familia, su casa, su hogar. ~의 자녀 hijos *mpl* de su familia.
귀도(歸途) =귀로(歸路).
귀돌 piedra *f* angular.
귀동(貴童) =귀둥이.
귀동냥 sabiduría *f* adquirida de oídos. 그는 ~으로 여러 가지 것을 알고 있다 El ha aprendido muchas cosas de oído.
귀동자(貴童子) hijo *m* precioso [amado].
귀두(鬼頭) adorno *m* de la forma de la cabeza del duende.
귀두(龜頭) ① =귀부(龜趺). ② 【해부】 [자지의 대가리] balano *m*, bálano *m*, cabeza *f* del miembro viril, extremidad *f* del pene, extremidad *f* del clítoris.
■~ 성형술(成形術) balanoplastia *f*. ~염(炎) 【의학】 balanitis *f*. ¶괴저성 ~ balano *m* gangrenoso. 농루성 ~ balanorragia *f*. 당뇨병성 ~ balano *m* diabético. 윤상(輪狀) ~ balano *m* circinado. 임균성 ~ balano *m* gonorreico. ~ 포피염(包皮炎) balanopostitis *f*.
귀둘레 hélix *m*.
귀둥대둥 imprudentemente, de modo temerario, desconsideradamente, ciegamente, sin discriminación.
귀둥이(貴一) niño *m* amado [favorito · preferida], niña *f* amada [favorita · preferida].
귀때 pitorro *m*, pico *m*.
■~그릇 recipiente *m* con pitorro. ~동이 tarro *m* con pitorro. ~항아리 jarro *m* con pitorro.
귀때기 ((속어))=귀. ¶~를 때리다 pegar *su* oreja.

귀뚜라미【곤충】grillo *m*. ~가 울다 chirriar el grillo.
귀뚤귀뚤 chirriando. ~ 울다 chirriar.
귀뜨다 aprender a escuchar por primera vez después del nacimiento.
귀뜨이다 tener *su* atención llamada (a).
귀띔 insinuación *f*, indirecta *f*. ~하다 insinuar, dar la insinuación, dar la pauta. 나는 새 영화를 보고 싶다는 소망을 귀띔해 주었다 Insinué mi deseo de ver la nueva película.
귀래(歸來) vuelta *f* [regreso *m*] (a casa). ~하다 volver (a casa), regresar (a casa).
귀로(歸路) regreso *m*, vuelta *f*. ~에 en camino de casa (de), en el camino de vuelta (de), en el camino de regreso (de). ~를 서두르다 apresurarse a volver, darse prisa a volver, apresurarse a volver a casa, encaminarse a casa a toda prisa. ~에 오르다 ponerse en camino de vuelta [de regreso] a casa. ~를 향하다 dirigirse a casa, encaminarse a casa ~에 물건을 사다 hacer compras en camino de casa, hacer compras al volver a casa. 그는 언제나 ~가 늦다 [이르다] El siempre vuelve [regresa] tarde [temprano].
귀룽나무【식물】una especie del cerezo.
귀류법(歸謬法) reducción *f* a absurdidad.
귀리【식물】centeno *m*, avena *f*. ~밭 avenal *m*.
귀린(鬼燐) =도깨비불.
귀마방우(歸馬放牛) No vuelve a hacer la guerra .
귀머거리 sordo, -da *mf*; persona *f* sorda. ~의 sordo. ~가 되다 quedarse sordo. ~인 체하다 fingir sordera, hacerse el sordo, no darse por enterado.
귀머리장군 una especie de la cometa.
귀먹다 ① [귀가 어두워서 소리가 잘 들리지 아니하게 되다] tener el oído duro, ser duro de oído. ② [남의 말을 이해하지 못하다] no entender a otro, no comprender a otro.
귀먹다 ser sordo.
귀면(鬼面) ① [귀신의 얼굴] cara *f* del espíritu. ②【건축】adorno *m* que pintó la cara del espíritu.
귀명(貴名) nombre *m* alto y noble, nombre *m* raro.
귀명(貴命) su orden, su mandato.
귀목 madera *f* de olmo.
귀목나무【식물】=느티나무(olmo).
귀문(貴門) ① [존귀한 집안] familia *f* noble. ② [당신네 문중] su familia, su clan.
귀물(貴物) artículo *m* precioso.
귀밑 ((속어)) mejillas *fpl* de la región inferior de las orejas.
귀밑머리 cabello *m* que cubre los lados de la cabeza, pelo *m* suelto, pelo *m* desprendido, cabello *m* de los sienes, los lados de la cabeza.
귀밑샘【해부】glándula *f* parótida.
■ ~관(管) conducto *m* parótido. ~ 정맥(靜脈) vena *f* parótida.
귀밑털 patillas *fpl*, cabello *m* de las sienes. ~이 길다 tener las patillas largas.
귀박쥐【동물】una especie del murciélago.
귀밝다 tener buenos oídos.
귀밝이 =귀밝이술.
귀밝이술 vino *m* de beber para agudizar los oídos en la mañana del quince de enero.
귀방(貴邦) =귀국(貴國).
귀범(歸帆) vuelta *f* [regreso *m*] del barco.
귀보(貴報) su información, su carta.
귀보(貴寶) tesoro *m* precioso.
귀복(歸伏) rendición *f*, sumisión *f*, sometimiento *m*. ~하다 rendirse, someterse.
귀본(歸本) ((불교)) muerte *f* del monje budista.
귀부(鬼斧) el hacha *f* (*pl* las hachas) del espíritu, herramienta *f* maravillosa.
귀부(龜趺) piedra *f* de base del monumento de la forma de la tortuga
귀부인(貴夫人) su señora, su esposa.
귀부인(貴婦人) dama *f*.
귀비(貴妃) ①【역사】=비빈(妃嬪). ② [당나라 때, 궁녀] dama *f* de honor.
귀빈(貴賓) huésped *m* distinguido, huésped *f* distinguida; huésped *mf* honorable, huésped *mf* de honor; huésped *mf* importante.
■ ~관(館) casa *f* de recepción. ~석(席) tribuna *f* de honor, asientos *mpl* reservados para los invitados excelsos. ~실(室) sala *f* de huéspedes distinguidos, salón *m* (*pl* salones) de recepción de palacio, sala *f* para de VIPS.
귀빠지다 ((속어)) [태어나다] nacer. 귀빠진 날 cumpleaños *m.sing.pl*.
귀뿌리 mejillas *fpl* de la región inferior de las orejas.
귀사(貴社) su compañía, su distinguida compañía, ustedes.
귀산(歸山) vuelta *f* [regreso *m*] al templo budista en la montaña. ~하다 volver [regresar] al templo budista en la montaña.
귀살스럽다 estar enredado.
귀상어【어류】pez *m* (*pl* peces) martillo.
귀서(貴書) su (estimada) carta.
귀석(貴石) cristal *m* de roca, cuarzo *m*.
귀석류석(貴石榴石) granate *m* sangriento.
귀선(龜船) =거북선.
귀설다 estar desconocido, resultar desconocido, no estar familiarizado (con), no estar acostumbrado (a), ser extraño. 귀선 목소리 voz *f* extraña. 귀선 이름 nombre *m* desconocido. 그 이름은 나한테 ~ El nombre me resulta desconocido / El nombre no me es familiar.
귀성(歸省) ida *f* a *su* casa paternal, visita *f* a su tierra nativa. ~하다 ir a *su* casa paternal, visitar a *su* tierra nativa, volver [regresar] a la tierra natal [al pueblo natal].
■ ~객(客) personas *fpl* de volver a la tierra nativa. ~열차 tren *m* especial para la gente de volver a la tierra nativa. ~일

(日) día *m* de volver a la tierra nativa. ~ 학생(學生) estudiante *mf* de volver a la tierra nativa.

귀성스럽다 ((준말)) =귀인성스럽다.

귀소 본능(歸巢本能) instinto *m* de volver al hogar.

귀소성(歸巢性) 【동물】 =귀소 본능(歸巢本能).

귀속(歸屬) pertenencia *f*, dependencia *f*; [소유권 등의] reversión *f*, revuelta *f*. ~하다 pertenerse (a), depender (de), revertir (a). 국가(國家)에 ~하다 revertir al estado. 기니아의 일부는 서반아에 ~되었다 Una parte de Guinea pertenecía a España.

■~ 가치(價値) valor *m* imputado. ~물(物) artículo *m* revertido. ~ 재산(財産) propiedad *f* revertida al estado. ~ 지위(地位) posición *f* de nacimiento.

귀순(歸順) defección *f*, deserción *f*, sumisión *f*, obediencia *f*, sometimiento *m*, homenaje *m*. ~하다 defeccionar, desertar, someterse, obedecer, prometer fidelidad, prometer obediencia, hacer homenaje. ~의 뜻을 표하다 expresar deseo de someterse, ser sumiso, ser obediente. 정부에 ~하다 someterse al gobierno. 그는 북한에서 남한으로 ~했다 El desertó de Corea del Norte al Sur.

■~병(兵) soldado *m* sometido. ~자(者) desertor, -tora *mf*.

귀신((鬼神) ① [죽은 사람의 넋] el alma *f* (difunta), espíritu *m*, duente *m*, fantasma *m*; [살인귀] ogro *m*; [악마] diablo *m*. ~의 diabólico. ~ 같은 diabólico, endemoniado. ~에 홀린 듯이 como (un) endemoniado, como un poseso. 너는 마치 ~을 본 것 같구나 ¡Parece que hubieras visto un fantasma! ② [사람에게 화복을 준다는 정령] dios *m*, demonio *m*, diablo *m*. ③ [특수한 재주가 있는 사람] maestro *m* supremo, fiera *f* +「현재 분사」, hacha *f* +「현재 분사」, bestia *f* +「현재 분사」. 그녀는 골프의 ~이다 Ella es una fiera [un hacha] jugando al golf. 그는 수학을 푸는 데는 ~이다 El es una fiera [un hacha] resolviendo el problema matemático. 그는 일에는 ~이다 El es una bestia trabajando. 그 아이는 운동에 ~이다 El niño es una bestia haciendo ejercicio. 그는 소설의 ~이라고 사람들은 말한다 Dicen [Se dice] que él es el maestro supremo de la novela. ④ [생김새나 주제가 몹시 사나운 사람] persona *f* fiera [feroz · cruel]; [남자] hombre *m* fiero [feroz · cruel]; [여자] mujer *f* fiera [feroz · cruel].

◆귀신도 모르다 Nadie sabe / No sabe nadie. 귀신(이) 들리다 estar endemoniado, estar poseído por el demonio.

■귀신이 곡한다 ((속담)) Es original y curioso. 귀신이 곡할 노릇이다 Es misterioso [extraño · raro · incomprensible · inexplicable].

귀신같다 (ser) sobrenatural, poco natural, poco normal, (estar) espantoso. 그녀는 ~ Ella está espantosa.

귀신같이 sobrenaturalmente, espantosamente, de una manera espantosa, increíblemente, terriblemente mal, terriblemente.

■~날 【민속】 *güisinnal*, el dieciséis de enero del calendario lunar. ~단오(端午) = 귀신날. ~ 망상(妄想) demonomanía *f*. ~숭배(崇拜) demonolatría *f*.

귀신(貴臣) ① [지위 높은 신하(臣下)] vasallo *m* del rango alto. ② [상대방의 신하를 높이는 말] *su* vasallo.

귀심(歸心) querencia *f* vehemente a *su* casa, nostalgia *f*. ~이 간절하다 tener querencia vehemente a *su* casa, anhelar por *su* hogar.

귀싸대기 cara *f*, rostro *m*, la oreja y la mejilla. ~를 때리다 pegar*le* una bofetada a *uno*, dar*le* una bofetada a *uno*, abofetear a *uno*, dar*le* un sopapo a *uno*, *AmL* dar*le* una cachetada a *uno*, cachetear a *uno*.

귀아프다 ① [너무 시끄러워서 듣기 싫다] ser desagradable a *su* oído, resultar desagradable a *su* oído. ② [잔소리를 너무 늘어놓아 듣기 싫다] dar una lectura larga. 귀아프도록 잔소리를 하다 reprender severamente, echar una buena regañina. 나는 그녀에게 귀아프도록 잔소리를 했다 La reprendí severamente / Le eché una buena regañina. ③ [너무 자주 들어 듣기 싫다] estar harto de oír, haber oído bastante. 그 소리는 귀아프도록 들었네 Yo he oído bastante del relato. 똑같은 변명에 나는 귀아프다 Estoy harto de oír siempre las mismas excusas.

귀앓이 =귓병(dolor de oído, otalgia).

귀애하다(貴愛-) amar, querer, tratar con cariño.

귀약(-藥) trabuco *m* de pedernal en polvo.

■~통(筒) recipiente *m* del trabuco de pedernal en polvo.

귀얄 cepillo *m* para el pegamento.

귀얄잡이 =텁석부리.

귀양 destierro *m*, exilio *m*, expulsión *f*, extrañamiento *m*.

■귀양(을) 가다 exiliarse, exilarse. 귀양(을) 보내다 desterrar, exiliar, exilar, dejar en una isla. 귀양(을) 살다 vivir en el exilio. 귀양(을) 오다 venir al exilio.

■~다리 exilio *m*. ~살이 vida *f* en el exilio. ~처 exilio *m*, destierro *m*, lugar *m* de exilio. ¶~에 보내지다 ser desterrado, ser enviado al exilio. ~에서 죽다 morir en el exilio, morir en el destierro.

귀양(歸養) servicio *m* a *sus* padres después de volver a *su* tierra natal.

귀어(鬼語) palabra *f* del espíritu.

귀어둡다 tener el oído duro, ser duro de oído.

귀업(貴業) su negocio.

귀엣말 susurro *m*, cuchicheo *m*, voz *f* baja, ruido *m* sordo. ~하다 cuchichear, decir al oído, hablar al oído, cuchechear. ~로 en susurros, en voz baja, cuchicheando. 예 —

하고 그는 ~로 말했다 Sí — susurró [dijo en voz baja]. 그들은 ~로 말했다 Ellos hablaban cuchicheando / Ellos hablaban en susurros.

귀여겨듣다 escuchar atentamente, prestar oído, prestar un oído atento.

귀여리다 (ser) crédulo, estar dispuesto a creer.

귀여워하다 amar, querer, sentir cariño, tener cariño, mimar, acariciar, querer bien, echar a perder con mimos. 어린이를 너무 ~ mimar demasiado a *sus* niños [hijos]. 그는 손자를 무척 귀여워한다 El tiene mucho cariño a su nieto. 그는 선생님이 무척 귀여워하는 학생이다 El es un alumno favorito [predilecto] del maestro. 미자는 선생님이 가장 귀여워하는 아이다 Micha es la niña mimada de la maestra. 엄마는 나를 무척 귀여워하신다 Mi mamá me mima mucho. 자기 자식을 귀여워하지 않는 사람은 없다 No hay nadie que no quiera a sus propios hijos.

귀염 amor *m*, cariño *m*, afección *f*. ~을 받다 ser amado [querido] (de · por), ser favorito (de). 그녀는 선생님의 ~을 받고 있다 Ella es favorita [predilecta] del maestro.
■ ~둥이 niño *m* mimado, niña *f* mimada. ¶그 아이는 선생님의 ~다 El es el niño mimado de la maestra.

귀염성(一性) encanto *m*, atractivo *m*, afabilidad *f*, amabilidad *f*, gentileza *f*. ~ 있는 encantador, precioso, lindo, bonito, afable, amable, guapo, mono, cuco.
귀염성스럽다 (ser) afable, atractivo, encantador, amable, mono.
귀염성스레 afablemente, amablemente, monamente, con afabilidad, atractivamente..

귀엽다 (ser) encantador, mimado, mono, atractivo, guapo, majo, querido, amado, caro, acariciado, lindo, bonito, monín; [목소리가] dulce, melodioso; [순진한] inocente. 귀여운 소녀(少女) muchacha *f* mona, muchacha *f* linda. 귀여운 강아지 perrito *m* acariciado. 귀여운 목소리 voz *f* dulce, voz *f* melodiosa. 귀여운 어린이 niño *m* caro, niña *f* cara. 귀여운 입 boca *f* bonita, boca *f* pequeñita. 귀여운 자식 hijo *m* querido, hijo *m* amado. 귀여운 태도 actitud *f* encantadora. 저 소녀는 무척 ~ Aquella chica es muy mona [bonita]. 그녀는 귀여운 얼굴을 하고 있다 Ella tiene bonita cara. 자식이 귀엽거든 (고생이 무엇인지 알 수 있도록) 고생의 맛을 보여 주어라 Quien bien te quiere, te hará llorar.

귀영(歸營) vuelta *f* al cuartel. ~하다 volver al cuartel.
■ ~ 나팔(喇叭) toque *m* al cuartel. ~ 시간(時間) hora *f* de volver al cuartel.

귀울다 tener zumbido en los oídos, zumbar*le* a *uno* los oídos.

귀울음 zumbido *m* de oídos. 나는 ~ 소리가 난다 Tengo zumbido en los oídos / Me zumban los oídos.

귀원성(歸原性)【동물】=회귀성(回歸性).

귀의(貴意) su opinión, su voluntad, su consideración.

귀의(歸依) ((종교)) conversión *f*. ~하다 convertirse (a una religión), creer (en una religión). 기독교 [천주교 · 불교]에 ~하다 convertirse al cristianismo [al catolicismo · al budismo].
■ ~법(法) fe *f* en el budismo. ~불(佛) fe *f* en el Buda. ~승(僧) fe *f* en el templo budista. ~심(心) fe *f* en el budismo. ~자(者) converso, -sa *mf*. ~처(處) lugar *m* de conversión.

귀이개 mondaoídos *m.sing.pl*, limpiaoídos *m.sing.pl*, escarbaorejas *m.sing.pl*.

귀인(貴人) noble *mf*, persona *f* noble; dignatario, -ria *mf*, persona *f* de alcurnia.
■ ~상(相) cara *f* noble, semblante *m* noble.

귀인성(貴人性) (cualidad *f* de) nobilidad *f*.
귀인성스럽다 (ser) noble, afable, atractivo.
귀인성스레 noblemente, afablemente.

귀일(歸一) unidad *f*, unificación *f*. ~하다 unificarse.
■ ~법(法) método *m* unitario.

귀임(歸任) vuelta *f* a *su* puesto. ~하다 volver a *su* puesto.

귀자(貴子) ① [남달리 귀염을 받는 아들] hijo *m* mimado. ② =귀공자(貴公子).

귀잠 sueño *m* profundo.
◆ 귀잠(이) 들다 dormirse profundamente.

귀재(鬼才) ① [세상에 드문 재능] talento *m* notable. ~의 notable, polifacético, versátil. ② [세상에 드문 재능을 가진 사람] genio *m* de talento notable; persona *f* versátil; persona *f* de gran versatilidad; persona *f* polifacética; experto, -ta *mf*. 문단(文壇)의 ~ genio *m* literario. 컴퓨터의 ~ experto, -ta *mf* en informática.

귀적(歸寂) muerte *f* (de un monje budista).

귀점(龜占) =거북점.

귀접스럽다 ① [추하고 지저분하다] (ser) sucio, mugriento, roñoso, desordenado; [냄새가] nauseabundo, fétido, hediondo; [맛이] repugnante, asqueroso, inmundo; [공기가] viciado; [물이] infecto. ② [사람됨이 천하고 비루하다] (ser) bajo, vil, innoble, abyecto, tacaño, mezquino,
귀접스레 suciamente, con suciedad, mugrientamente, inmundamente, con bajeza, con vileza, innoblemente, tacañamente.

귀정(歸程) =귀로(歸路).

귀제(貴弟) su hermano menor.

귀조(歸朝) =귀국(歸國).

귀족(貴族) ① [귀한 직위에 있어 특권을 가진 사람들] noble *mf*, aristócrata *mf*, ser *m* de linaje, ser *m* de familia; [시골의] hidalgo *m* (*pl* hijosdalgo); [전체] nobleza *f*, aristocracia *f*. ~이 되다, ~ 작위를 받다 recibir el título de noble, ser ennoblecido. ~ 출신이다 ser de noble alcurnia, ser de noble de nacimiento. ② [상대방의 가족 · 민족의

존칭] su familia, su pueblo.

■ ~ 계급(階級) clase *f* aristocrática, aristocracia *f*, nobleza *f*. ~ 기질 aristocratismo *m*. ¶~의 aristocratista. ~ 문학(文學) literatura *f* aristocrática. ~ 사회(社會) aristocracia *f*, sociedad *f* aristocrática. ~어(語) lengua *f* de la clase aristocrática. ~ 예술(藝術) arte *m* aristocrático. ~원(院) senado *m*, cámara *f* alta. ~적(的) noble, aristocrático. ¶~으로 aristocráticamente. ~적 문학(的文學) literatura *f* aristocrática. ~ 정치(政治) gobierno *m* aristocrático, política *f* aristocrática, aristocracia *f*. ~ 정치론자 aristócrata *mf*. ~제(制) sistema *m* aristocrático. ~주의자 aristocratista *mf*. ~ 취미(趣味) aristocratismo *m*. ~ 학교(學校) colegio *m* para los niños de los nobles. ~ 화(化) aristocratización *f*. ¶~하다 aristocratizar.

귀중(貴中) Señores. 민중 편집국 ~ Señores Redacción de la Editorial Minjung.

귀중중하다 (ser) sucio, mugriento.

귀중품(貴重品) objetos *mpl* de valor, artículos *mpl* preciosos [valiosos · de valor], joya *f* u otros artículos de valor, cosas *fpl* preciosas, tesoro *m*.

귀중하다(貴重－) (ser) precioso, valioso, de gran valor, de gran precio; [존중할 만한] apreciable, estimable. 귀중함 preciosidad *f*. 그는 돈을 생명보다 귀중하게 여긴다 Para él el dinero es más precioso que la vida.

귀지 cerilla *f*, cerumen *m*, cera *f* del oído.

귀지(貴地) su región, su ciudad, esa plaza, ésa.

귀지(貴誌) su revista.

귀지(貴紙) su periódico, su diario.

귀진(歸陣) vuelta *f* al campamento. ~하다 volver al campamento.

귀질기다 ① [감각이 둔하고 말귀가 어둡다] (ser) insensible (a). 그녀는 추위에 ~ Ella es insensible a frío. ② [남의 말을 잘 안 듣는 상태이다] no prestar atención.

귀착(歸着) ① [돌아가 닿음] llegada *f*, regreso *m*. ~하다 llegar, volver, regresar. 나는 서울에 ~했다 Yo volví a Seúl. ② [의견이 낙착됨] conclusión *f*, consecuencia *f*, fin *m*. ~하다 concluir, llegar a la conclusión, resultar, imputarse, atribuirse. 논의(論議)의 ~ consecuencia *f* lógica de argumento. 모든 것은 금전 문제로 ~한다 Todo termina en la cuestión del dinero. 그 사고는 그의 책임이라는 결론에 ~했다 Llegamos a la conclusión de [a concluir] que él tenía la responsabilidad del accidente.

■ ~ 갑판(甲板) cubierta *f* de aterrizar. ~ 장치(裝置) radiocompás *m*, radiobrújula *f*, indicador *m* automático de ruta, radioguía *f* para recalada. ~점(點) deducción *f*, inferencia *f*.

귀찮다 fastidiarse, molestarse, dar rabia. 귀찮은 fastidioso, molesto, irritante, pesado, tedioso. 귀찮게 irritantemente. 귀찮은 사람 causa *f* del problema, perplejidad *f*, molestia *f*, oveja *f* negra; [부담] carga *f*, peso *m*. 귀찮게 하다 molestar, fastidiar, importunar, irritar. 만사(萬事)가 귀찮아서 fatigosamente, con aire fatigado. 만사가 ~ encontrar todo fastidioso [molesto]. 매사(每事)가 ~ No tengo ganas de hacer nada / Me fastidia cualquier cosa que hago. 나를 귀찮게 하지 마세요 [usted에게] ¡No me moleste usted! / [tú에게] ¡No me molestes! / [ustedes에게] ¡No me molesten / [vosotros에게] ¡No me molestéis! 부모님을 귀찮게 하지 맙시다 No molestemos a nuestros padres. 아이, 귀찮아! ¡Qué molestia! 걷는 것도 ~ Me cuesta mucho trabajo andar / Tengo qeu hacer esfuerzos para andar. 외출하는 것이 ~ Me es molesto salir afuera / Me da pereza salir afuera / No tengo pagas de salir afuera. 나한테는 귀찮은 이야기다 Es una molestia para mí. 그의 언동은 대단히 ~ Sus palabras y conducta me molestan enormemente. 귀찮아 죽겠다 ¡Qué pesadez! 그에게 편지 쓰는 일이 ~ Me molesta [Me fastidia · Me da pereza] escribirle a él. 귀찮게 해서 미안합니다 Siento mucho haberle molestado / Le pido perdón por las molestas que le he causado / Perdóneme la molestia / Perdone que le moleste / Perdóneme por haberle molestado. 정말 귀찮은 놈이군 ¡Qué tipo tan pertinaz! 정말 모기들이 귀찮게 한다 ¡Qué moscas tan molestas! 그렇게 귀찮게 질문하지 마라 No te pongas tan pesado preguntando / No me importunes con tantas preguntas. 그 편지를 다시 써야 하다니 정말 ~ Da mucha rabia tener que escribir la carta otra vez. 다시 집에 가야 하다니 귀찮아 죽겠다 ¡Qués fastidio tener que volver a casa! 아이가 과자를 사 달라고 귀찮게 졸랐다 El niño pedía con pesadez que le comprara dulces. 다시 지불해야 하다니 정말 귀찮았다 Tuvimos que volver a pagar, lo cual nos dio mucha rabia.

귀찮아하다 fastidiar, molestar, irritar. 할아버지께서는 라디오를 귀찮아하신다 Al abuelo le fastidia la radio.

귀찰(貴札) su carta.

귀책사유(歸責事由) fundamento *m* imputable.

귀처(貴處) ＝귀지(貴地).

귀척(貴戚) ① [임금의 인척] parientes *mpl* del rey. ② [상대방의 친척에 대한 경칭] su pariente.

귀천(貴賤) rico y pobre, alto y bajo, noble y plebeyo, rangos *mpl*. ~의 차별 없이 sin distinción de rango [de clase · de alcurnia]. 사람은 ~이 없다 Todos somos de la carda. 직업에 ~ 없다 No hay profesión vil. 법률 앞에는 ~이 없다 Ante la ley todos somos iguales.

■ ~상하(上下) lo noble y lo plebeyo del rango y lo alto y lo bajo de la puesto. ~지별(之別) distinción *f* de lo noble y lo

humilde.
귀천(歸天) muerte *f*, fallecimiento *m*.
귀천(歸泉) vuelta *f* al Hades, muerte *f*.
귀청 tímpano *m*. ~이 터질 듯이 요란한 ensordecedor, estridente, que rompe los tímpanos. ~이 떨어지는 듯한 절규 grito *m* penetrante. ~이 떨어지는 듯한 큰 소리 estruendo *m* ensordecedor. 전기 기타 소리에 ~이 터지겠다 Con el ruido de la guitarra eléctrica casi estoy para volverme sordo.
◆귀청을 떼다 romper los tímpanos, producir un ruido ensordecedor.
귀체(貴體) usted, su cuerpo, su salud. ~ 안녕하십니까? ¿Cómo está usted?
귀촉도(歸蜀道)【조류】=소쩍새.
귀촌(歸村) vuelta *f* a la aldea. ~하다 volver a la aldea.
귀추(歸趨) tendencia *f*; [결과] consecuencia *f*. 평화 문제의 ~ cuestión *f* de la paz. 당연한 ~로서 como una consecuencia natural.
귀축(鬼畜) ① [귀신과 짐승] el demonio y la bestia. ② [잔인한 짓을 하는 사람] persona *f* cruel. ③ [은혜를 모르는 사람] persona *f* desagradecida, persona *f* ingrata, persona *f* malagradecida.
귀축축하다 (ser) indecente, obsceno, asqueroso.
귀취(歸趣) =귀추(歸趨).
귀측(貴側) ustedes.
귀태(貴態) figura *f* noble. ~가 나다 (ser) noble, elegante.
귀택(歸宅) vuelta *f* a casa. ~하다 volver a casa.
귀토(歸土) muerte *f* (humana), fallecimiento *m* (humano).
귀토지설(龜兎之說) cuento *m* de la liebre y la tortuga.
귀퉁이 ① [귀의 언저리] raíz *f* (*pl* raíces) de la oreja. ② [물건의 쑥 내민 부분] parte *f* saliente. ③ [사물의 구석] ㉮ [안에서 보는 경우] rincón *m* (*pl* rincones). 방의 ~에 en un rincón del cuarto. ㉯ [밖에서 보는 경우] esquina *f*. 탁자의 ~에 en una esquina de la mesa.
귀틀 armazón *m* (*pl* armazones).
■~마루 =우물마루. ~집 cabaña *f* de troncos.
귀판(龜板) caparazón *m*(*f*) [carapacho *m*] de la barriga de la tortuga.
귀품(貴品) ① ((준말)) =귀중품(貴重品). ② [상대방 물품에 대한 경칭] su artículo, su objeto.
귀하(貴下) ① [편지에서 상대방을 높이기 위하여 상대방 이름 뒤에 붙여 쓰는 말] [남자에게] señor, Sr.; [기혼녀에게] señora, Sra.; [미혼녀에게] señorita, Srta. 김순남 ~ Señor Kim Sun Nam. ② [상대자를 높이어 이름 대신 부르는 말] usted. ~의 의견에 찬동합니다 Estoy de acuerdo con usted.
귀하다(貴-) ① [신분·지위가 높다] (ser) noble, alto. 귀한 가문(家門) familia *f* noble. 귀하신 몸 persona *f* de nacimiento noble, personaje *m* alto. 귀한 집안 태생이다 ser de sangre noble. ② [흔하지 않다] (ser) raro, poco común; [진귀하다] curioso. 아주 귀한 물건 cosa *f* muy rara, objeto *m* muy raro, curiosidad *f*. ③ [소중하다] (ser) inestimable, precioso; [존경할 만하다] venerable, honorable, respetable. 귀한 분 persona *f* respetable. 귀한 손님 visitante *m* bienvenido. 인명은 무엇보다도 ~ La vida humana es inestimable. 그의 우정은 나에게 무엇보다도 귀한 것이다 Su amistad es más preciosa que cualquier otra cosa. ④ [귀염을 받을 만하다] (ser) adorable, majo, amoroso. 그녀는 귀한 소녀다 Ella es una chica majísima / Es un encanto de chica.
■귀한 자식 매 한 대 더 때리고 미운 자식 떡 한 개 더 준다 ((속담)) Niño mimado, niño ingrato / Niño mal rezado, difícilmente enmendado / Si no se aplica el castigo a tiempo, los niños ni aprenden ni enmiendan.
귀히 raramente, curiosamente; noblemente; inestimablemente, preciosamente, venerablemente, respetablemente.
귀한(貴翰) su atenta (carta), su estimada (carta), su apreciable (carta), su estimable (carta). 이달 20일자 ~ su atenta [su estimable carta] del 20 del actual [del corriente].
귀함(貴函) su carta.
귀함(歸艦) vuelta *f* [regreso *m*] al buque de guerra [al barco de guerra]. ~하다 volver [regresar] al buque de guerra [al barco de guerra].
귀항(歸航) navegación *f* de vueltas. ~하다 navegar hacia *su* país, volver [regresar] al puerto. ~ 중이다 estar de regreso por mar. ~길에 오르다 ponerse en camino marino por mar.
귀항(歸港) vuelta *f* al puerto. ~하다 volver al puerto.
■~선(船) barco *m* de vuelta [de regreso].
귀항(歸降) =투항(投降). 항복(降伏).
귀향(歸鄕) regreso *m* (a casa), vuelta *f* (a casa). ~하다 volver a casa, regresar a casa, volver a *su* tierra natal.
■~ 여비 pasaje *m* para la vuelta a casa.
귀현(貴顯) persona *f* distinguida, persona *f* eminente, personaje *m* alto.
귀형(鬼形) figura *f* espantosa, forma *f* del demonio.
귀형(貴兄) tú, usted.
귀호곡(歸乎曲) =가시리.
귀화(鬼火) [도깨비불] fuego *m* fatuo.
귀화(歸化) ① [복종] lealtad *f*, sumisión *f*. ~하다 someterse. ②【법률】[다른 나라의 국적을 얻어 그 국민이 됨] naturalización *f*, nacionalización *f*. ~하다 naturalizarse, nacionalizarse. 외국인의 ~ naturalización *f* de un extranjero. ~를 허가하다 conceder la ciudadanía. 서반아에 ~하다 naturalizarse en España. 미국 시민으로 ~하다 naturalizarse [nacionalizarse] ciudadano esta-

dounidense. 그는 아르헨띠나로 귀화했다 El se ha hecho naturalizar argentino. 당신은 아직 ~하지 않았습니까? ¿Usted no se ha naturalizado todavía? ③ 【생물】 naturalización *f*, aclimatación *f*. ~하다 naturalizar, aclimatar. 그들은 이 나라에서 그 식물을 ~하는 데 성공했다 Ellos tuvieron éxito en naturalizar esa planta en este país.

▪ ~국(國) *su* país adoptado [adoptivo]. ~권(權) derecho *m* de naturalización. ~민(民) pueblo *m* naturalizado. ~법(法) ley *f* de naturalización. ~ 본능(本能) instinto *m* de volver al hogar, orientación *f*. ~ 생물(生物) ser *m* viviente naturalizado. ~ 식물(植物) planta *f* naturalizada. ~인(人) ciudadano *m* [extranjero *m*] naturalizado, ciudadana *f* [extranjera *f*] naturalizada. ~종(種) especie *f* naturalizada. ~증(證) carnet *m* [carné *m*] de naturalización, carta *f* de naturalización. ~ 증명서 certificado *m* de naturalización.

귀환(歸還) regreso *m*, vuelta *f*, retorno *m*, tornada *f*; [외지(外地)에서의] vuelta *f*, repatriación *f*, evacuación *f*. ~하다 volver, regresar, retornar. 기지(基地)에 ~하다 regresar a la base. 본국(本國)에 ~하다 regresar a la patria, repatriar(se).

▪ ~병(兵) soldado *m* de vuelta [de regreso]. ~ 비행 vuelo *m* de vuelta, vuelo *m* de regreso. ~자 repatriado, -da *mf*.

귀회(貴會) su asociación, su sociedad, su federación, su organización.

귀휴(歸休) regreso *m* a casa, permiso *m*.

▪ ~병(兵) soldado *m* licenciado, militar *mf* con permiso. ~제 sistema *m* licenciado [con permiso].

귀흉귀배(龜胸龜背) =안팎곱사등이.

귓가 borde *m* de la oreja.

귓결 tiempo *m* libre de entreoír. ~에 por ventura, casualmente, por acaso, por casualidad, de casualidad, de manera fortuita. ~에 듣다 oír casualmente, entreoír.

귓구멍 agujero *m* de la oreja. ~을 후비다 escarbarse la oreja.

◆귓구멍이 넓다 escuchar cuidadosamente, escuchar con cuidado.

▪귓구멍에 마늘쪽 박았나 ((속담)) el que no entiende bien.

귓돌 =머릿돌.

귓등 región *f* exterior de la oreja.

귓문(一門) orificio *m* exterior de la oreja.

귓바퀴 【해부】 aurícula *f*, pabellón *m* externo del oído. ~의 auricular.

귓밥 grosor *m* del lóbulo de la oreja.

귓병(一病) dolor *m* de oído.

귓불[1] [귓바퀴의 아래쪽으로 늘어진 살] lóbulo *m* (de la oreja), perilla *f* de la oreja.

귓불[2] [총에 화승을 대는 신관] espoleta *f*.

귓속 parte *f* interior de las orejas. 나는 ~에서 윙 울리는 소리가 난다 Tengo zumbido en los oídos / Me zumban los oídos.

▪ ~말 =귀엣말. ¶~로 소곤거리다 cuchichear. 그는 눈을 감고 ~로 소곤거렸다: 당신보다 더 악명 높은 사람은 아무도 없소 El cerró los ojos cuchicheando: No hay nadie más infame que usted. 남의 앞에서 ~은 절대로 해서는 안 된다 No se debe cuchichear nunca delante de otra persona. ~질 cuchicheo *m*.

귓전 borde *m* de la aurícula. ~에 al oído, alrededor de las orejas. …의 ~에 대고 속삭이다 hablar en voz baja al oído a *uno*, cuchichear a *uno*.

◆귓전으로 듣다 oír casualmente, oír por casualidad.

귓집 orejeras *fpl*.

규(圭) ① [옥으로 만든 홀(笏)] maza *f* de jade. ② =모. 귀퉁이.

규(規) ① =컴퍼스. ② =표준. 규칙. 법. 법칙. ③ = 꾀. 책략. 계략. ④ =바로잡다. ⑤ =본뜨다.

규(閨) ① [협문] puerta *f* pequeña del palacio real. ② =침실(寢室)(alcoba). ③ [남녀의 관계] relación *f* entre el hombre y la mujer. ④ [부녀자 또는 부녀자에 관한 일을 이름] mujer *f* casada, lo de las mujeres.

규각(圭角) ① [모나 귀퉁이의 뾰족한 곳] punta *f* aguda, aguedeza *f*. ② [사물이 서로 들어맞지 않음] discordia *f*, divergencia *f*. ③ [말·뜻 등이 서로 맞지 않음] desacuerdo *m*, disconformidad *f*, disenso *m*.

◆규각(이) 나다 no estar de acuerdo (con), disentir (de), discrepar (de).

규격(規格) norma *f*, tipo *m*, modelo *m*, ley *f*, marco *m*, regla *f* fija. ~ 외의 fuera de serie. ~에 일치한 conforme al modelo, conforme a la norma.

▪ ~ 검사 inspección *f* de estandarización, normalización *f*. ~ 통일(統一) unificación *f* normal. ~판(判) norma *f* de tamaño. ~판(版) tamaño *m* normal. ~품(品) artículo *m* normalizado, género *m* en serie. ~화(化) estandarización *f*, normalización *f*. ¶ ~하다 estandarizar, normalizar.

규례(規例) reglas *fpl* y regulaciones, estándar *m*.

규명(糾明) examen *m* minucioso. ~하다 examinar a fondo, reducir al examen minucioso, examinar rigurosamente. 범행 동기를 ~하다 examinar a fondo los motivos del crimen.

규모(規模) escala *f*, dimensión *f*, graduación *f*, magnitud *f*, envergadura *f*; [설계] plan *m*, propósito *m*. ~가 큰 de gran escala, de gran envergadura. ~가 작은 de pequeña escala, de pequeña envergadura. 재해(災害)의 ~ escala *f* [magnitud *f*·envergadura *f*] del desastre. 국가 ~로 a [en] escala nacional. 대~로 a [en] gran escala. 소~ 로 a [en] pequeña escala. 세계적 ~로 a escala mundial, a escala global. 대~로 확장하다 [축소하다] extender [reducir] el campo de *su* envergadura. 사업(事業)은 대~로 시작될 것이다 El negocio empezará a [en] gran escala. 나는 모든 것을 소~로 했다 Yo todo lo hice a [en] pequeña escala. 그는 소~로 도둑질을 한다 El es un ladrón en pequeña escala.

규목(槻木) 【식물】=느티나무.

규문(奎文) la ciencia y la cultura.

규문(閨門) =규방(閨房).

규문(糾問) interrogatorio *m* ~하다 interrogar severamente.

규방(閨房) tocador *m*, alcoba *f*, recámara *f* de señora.

▪~ 가사(歌辭)【문학】=내방 가사(內房歌辭). ~ 문학 literatura *f* que describió la vida de las mujeres en la sociedad feudal.

규벌(閨閥) nepotismo *m*, influencia *f* matrimonial.

규범(規範) ① =본보기. ②【철학】norma *f*, regla *f*. 사회 ~ norma *f* social.

▪~ 과학(科學)【철학】=규범학. ~ 문법(文法)【언어】gramática *f* normativa. ~학(學)【철학】ciencia *f* normativa.

규보(跬步) medio paso *m*, distancia *f* cercana de medio paso.

규사(硅砂) arena *f* silícea.

규산(硅酸/珪酸) sílice *m*, ácido *m* silícico. ~의 silícico.

▪~겔 gel *m* de sílice, silicagel *m*. ~나트륨【화학】silicato *m* de sodio. ~마그네슘【화학】silicato *m* de magnesio. ~ 소다 silicato *m* de sodio. ~ 아연광 wilemita *f*. ~알루미늄【화학】silicato *m* de aluminio. ~염(鹽)【화학】silicato *m*. ~ 점토(粘土) arcilla *f* silícea. ~칼륨 silicato *m* de potásico, vidrio *m* solubre. ~칼슘【화학】silicato *m* cálcico.

규석(硅石) ①【광물】silicato *m*, sílex *m*. ②【화학】sílice *m*.

▪~벽돌 ladrillo *m* de sílice.

규성(叫聲) grito *m*, exclamación *f*.

규소(硅素/珪素)【화학】silicio *m*.

▪~강(鋼) acero *m* (al) silicio. ~ 수지 resina *f* silicónica. ~ 화합물 ciliciuro *m*.

규수(閨秀) ① =처녀(處女)(soltera). 김씨댁 ~ hija *f* del Sr. Kim. ② [학예(學藝)에 뛰어난 여자] mujer *f* literaria.

▪~ 문학가(文學家) literata *f*. ~ 시인(詩人) poetisa *f*. ~ 작가(作家) escritora *f*. ~ 화가(畵家) pintora *f*.

규식(規式) reglas y formas establecidas.

규실(閨室) ① =규방(閨房). ② =아내.

규암(硅巖)【광물】cuarcita *f*.

규약(規約) estatuto *m*, reglamento *m*, acuerdo *m*, convenio *m*, pacto *m*, estipulación *f*, contrato *m*, término *m* de acuerdo. ~을 맺다 conciliar, hacer un contrato, pactar, contratar, estipular.

◆조합 ~ estatuto *m* del sindicato. 협회 ~ artículos *mpl* de una asociación. 휴전 ~ acuerdo *m* de alto el fuego.

규양(閨養) =규수(閨秀).

규연하다(巋然−) (ser) elevado, imponente, altísimo.

규율(規律) disciplina *f*, orden *m*. ~을 깨뜨리다 faltar a la disciplina. ~을 유지하다 mantener la disciplina. ~을 지키다 observar [guardar] la disciplina.

규장(奎章) ① =문장(文章). ② [임금이 쓴 글이나 글씨] composición *f* escrita por el rey, escritura *f* del rey.

규정(規定) reglamento *m*, prescripción *f*. ~하다 regalmentar, estipular, prescribir. ~의 regular, debido, estipulado, prescrito. ~되다 estipularse. ~대로 debidamente, conforme al reglamento. 개념을 ~하다 definir la idea general. ~에 따라 서식(書式)을 작성하다 expedir un documento en forma debida. …하게 ~되어 있다 estar estipulado [determinado] que + *subj*. 이것은 헌법에 명확히 ~되어 있다 Esto se estipula expresamente en la Constitución. 상부 구조는 하부 구조에 의해 ~된다 La estructura superior está determinada por la inferior.

◆규정(을) 짓다 =작정하다. 규정하다.

▪~ 농도(濃度)【화학】normalidad *f*. ~량(量) [일의] norma *f*. ~론(論) determinismo *m*. ~ 명제(命題) proposición *f* categórica. ~서(書) directorio *m*. ~식(食) [환자 따위의] dieta *f*. ~액(液) solución *f* normal [valorada · patrón]. ~ 요금(料金) precio *m* estipulado [reglamentario · prescrito]. ~종목(種目) ((체조)) ejercicio *m* obligatorio.

규정(規程) regulación *f*, regla *f*.

▪~ 가격표(價格表) tarifa *f* en regulación.

규제(規制) [규칙] regulación *f*, reglamentación *f*; [제한] restricción *f*; [통제] control *m*. ~하다 regular, reglamentar, restringir, limitar, controlar. 알코올 음료의 판매를 ~하는 법률 legislación *f* que regula [reglamenta] la venta de bebidas alcohólicas. 교통을 ~하다 regular el tráfico. 데모를 ~하다 controlar la manifestación.

규조(硅藻)【식물】diatomea *f*, diatomácea *f*.

▪~류(類)【식물】diatomea *f*. ~식물(植物) diatomea *f*. ~토(土)【광물】diatomita *f*, tierra *f* diatomácea, trípoli *m*.

규준(規準) canon *m*, precepto *m*, modelo *m*.

규중(閨中) tocador *m*.

▪~ 처녀[처자] doncella *f*, virgen *f*, soltera *f*.

규칙(規則) regla *f*, reglamento *m*, norma *f*, orden *f*. 경기(競技)의 ~ las reglas del juego. 교통(交通)의 ~ las normas de circulación. 안전(安全)의 ~ las normas de seguridad. 테니스의 ~ el reglamento del tenis. ~대로 conforme a la regla. ~에 반하여 contrario al reglamento, en contra del reglamento. ~에 의하면 según la regla, conforme a la regla. ~에 위배되다 ser contrario al reglamento, ser en contra del reglamento. ~을 만들다 fijar [hacer · establecer] una regla [un reglamento]. ~을 어기다 violar [contravenir · infringir · ir contra] una regla [las normas]. ~을 지키다 observar [obedecer · respetar · acatar] las reglas [las normas]. ~에 의하면 …이다 La regla dice que … / Según el reglamento … / Según las reglas …. 이

학교는 ~투성이다 Esta escuela está llena de reglas [de reglamentos]. 여기서 촬영하는 것은 ~에 위배된다 Está prohibido sacar fotos aquí. 직원이 헬멧을 써야 하는 것은 ~이다 El reglamento obliga al personal a llevar casco. 이 학교의 ~에는 학생은 복도에서 달리는 것을 금하고 있다 El reglamento de esta escuela prohíbe a los alumnos correr por los pasillos / El reglamento de esta escuela dice que los alumnos no deben correr por los pasillos.

■~ 동사(動詞)【언어】verbo *m* regular. ¶불~ verbo *m* irregular. ~서(書) reglamento *m*; [취의서] prospecto *m*. ~ 위반(違反) violación *f* [infracción *f*] a [de] la regla. ~적(的) regular, sistemático, ordenado, metódico. ¶~으로 regularmente, de una manera regular, metódicamente. ~인 생활 vida *f* bien ordenada. ~인 호흡 respiración *f* regular. 집과 회사 사이를 ~으로 왕복하다 ir y volver regularmente de la compañía a casa. ~ 형용사(形容詞)【언어】adjetivo *m* regular. ~ 활용(活用)【언어】[동사의] conjugación *f* regular; [성·수의] inclinación *f* regular.

규탄(糾彈) acusación *f*, censura *f*, denuncia *f*, delación *f*. ~하다 acusar, censurar, incriminar, denunciar, acriminar, delatar. 이 문제로 정부를 ~하다 censurar el gobierno en la cuestión.

규폐(硅肺)【의학】=규폐증(硅肺症).

■~증(症)【의학】silicosis *f*.

규합(糾合) convocación *f*. ~하다 convocar. 동지(同志)를 ~하다 convocar a los que tienen un mismo propósito.

규합(閨閤) =규중(閨中).

규호하다(叫號—) =부르짖다. 외치다.

규화(硅化)【화학】silicificación *f*. ~하다 silicificar.

■~목(木) madera *f* silicificada. ~물(物) siliciuro *m*.

규화(硅華)【광물】toba *f* silícea.

규화(葵花) ①【식물】((준말)) =촉규화(蜀葵花). 접시꽃. ②【식물】=해바라기.

규환(叫喚) grito *m*, aclamación *f*. ~하다 gritar, dar un grito, aclamar. 아비 ~의 장면 escena *f* terrible de confusión, escena *f* terrible.

균(菌) ((준말)) ① =균류(菌類). ② =세균(細菌). ③ =병균(病菌).

■~ 배양(培養) cultivo *m* de un microbio. ~학(學) micetología *f*, micología *f*. ~혈증(血症) microbiemia *f*, bacteremia *f*.

균개(菌蓋)【식물】=균산(菌傘).

균독(菌毒) veneno *m* de seta.

균등(均等) igualdad *f*, paridad *f*, uniformidad *f*. ~하다 (ser) igual, uniforme.

균등히 igualmente, con igualdad, por igual, uniformemente. ~ 하다 igualar. ~ 나누다 dividir en partes iguales. 비용을 ~ 부담하다 repartir igualmente los gastos.

◆기회(機會) ~ igualdad *f* de oportunidad.

■~ 대우(待遇) tratamiento *m* igual. ~ 대표제(代表制) representación *f* igual. ~성 uniformidad *f*. ~할(割) división *f* igual. ~화법【미술】dibujo *m* isométrico.

균류(菌類) hongos *mpl*.

■~학(學) fungología *f*. ~ 학자 fungólogo, -ga *mf*.

균모(菌帽) =균산(菌傘).

균배(均排) división *f* igual. ~하다 dividir igualmente.

균배(均配) división *f* en partes iguales. ~하다 dividir igualmente.

균분(均分) división *f* igual. ~하다 dividir igualmente. 유산(遺産)을 ~하다 distribuir la herencia igualmente.

■~ 상속(相續)【법률】herencia *f* igualada. ~원(圓) ecuador *m*.

균사(菌絲)【식물】micelio *m*.

균산(菌傘)【식물】parte *f* de la forma de paraguas de la parte superior de hongos.

균세(均勢) ① [균등한 세력(勢力)] influencia *f* igualada. ② [세력 균형] equilibrio *m* de la influencia [de la fuerza]. ~를 깨다 romper el equilibrio de la fuerza. ~를 지키다 mantener equilibrio de la fuerza.

균시차(均時差) =시차(時差).

균심(菌蕈)【식물】=버섯.

균안하다(均安—) estar bien, ser pacífico.

균열(龜裂) grieta *f*, raja *f*, rajada *f*, hendedura *f*, hendidura *f*, resquebradura *f*, resquebrajadura *f*, resquebrajamiento *m*; [가는] fisura *f*; [벽·천장 따위의] cuarteo *m*; [성벽 따위의] brecha *f*. 땅의 ~ hendidura *f* [grieta *f*·rotura *f*] del suelo. ~이 생기다 rajarse, agrietarse, henderse, requebrarse, resquebrar(se), resquebrajar. 땅에 ~이 생기다 Se abre el suelo / Se agrieta el suelo. 선복(船腹)에 ~이 생겼다 Se produjo una hendidura en el costado del barco.

균일(均一) uniformidad *f*, igualdad *f*. ~하다 (ser) uniforme, igual. ~하게 uniformemente, igualmente, con igualdad. ~하게 하다 igualar, hacer uniforme. 요금을 ~하게 하다 fijar un precio uniforme. 모든 물건은 천 원 ~이다 Todos los artículos se venden al precio uniforme de mil wones.

◆만 원 ~ diez mil wones cada uno, diez mil wones por pieza.

■~ 가격(價格) precio *m* uniforme. ~ 부하(負荷)【기계】carga *f* uniforme. ~ 상점(商店) tienda *f* del precio uniforme. ~설(說) uniformitarianismo *m*. ~ 요금 precio *m* uniforme, tarifa *f* única. ~ 요금 제도(料金制度) sistema *m* de precio uniforme. ~ 요율 요금제(料率料金制) tarifa *f* a una tasa de interés fijo. ~제(制) sistema *m* de razón uniforme.

균점(均霑) ① [평등히 이익을 받음] adjudicación *f* igual de ganancias. ~하다 dividir las ganancias a partes iguales. ②【법률】reciprocidad *f*.

균정(均整) =균제(均齊).

균제(均齊) simetría *f*. ~가 잡힌 simétrico. ~가 잡힌 사람 persona *f* bien formada.

균종(菌腫) 【의학】 micetoma *m.*
균질(均質) homogeneidad *f.* ～의 homogéneo, normalizado.
■ ～계(系) sistema *m* homogéneo. ～광(光) luz *f* homogénea. ～ 물질(物質) sustancia *f* homogénea. ～성(性) homogeneidad *f.* ～ 우유(牛乳) leche *f* homogeneizada. ～화(化) homogeneización *f.* ¶～하다 homogeneizar.
균천(鈞天) centro *m* del cielo.
균첨(均沾) =균점(均霑).
균체(菌體) cuerpo *m* del microbio.
■～ 내독소(內毒素) 【생화학】 endotoxina *f.* ～ 외독소(外毒素) 【생화학】 exotoxina *f.*
균탁(龜坼) =균열(龜裂).
균평하다(均平－) (ser) igual, uniforme.
균할(均割) división *f* igual. ～하다 dividir igualmente.
균형(均衡) balanza *f,* equilibrio *m.* ～이 잡힌 bien equilibrado. ～이 잡히지 않은 mal equilibrado. 국제 수지의 ～ equilibrio *m* de la balanza de pagos internacionales. ～을 깨뜨리다 romper el equilibrio. ～을 잃다 perder el equilibrio, faltar*le* a *uno* los pies. ～을 이루다 lograr el equilibrio. ～을 잡다 equilibrar, balancear. ～이 잡히다 equilibrarse, balancearse. …의 ～을 유지하다 guardar el equilibrio de *algo,* mantener *algo* en equilibrio. 생산과 소비의 ～을 맞추다 balancear entre el producto y el consumo. 수요(需要)와 공급(供給)의 ～을 유지하다 mantener el equilibrio entre la oferta y la demanda. 수입과 ～ 잡힌 생활을 하다 vivir conforme a los ingresos. ～이 깨졌다 Se rompe el equilibrio / Se pierde el equilibrio. 두 나라는 힘의 ～을 유지하고 있다 Los dos países mantienen un equilibrio de fuerza. 손득(損得) ～이 잡혀 있다 Se equilibran ganancias y pérdidas. 수급(需給) 잔고는 ～을 유지하고 있다 La balanza entre la demanda y la oferta se mantiene equilibrada.
■～ 뮤추얼 펀드 fondo *m* de inversión equilibrado. ～ 분석(分析) análisis *m* de equilibrio. ～ 성장(成長) crecimiento *m* equilibrado. ～식(食) dieta *f* equilibrada. ～ 예산(豫算) presupuesto *m* equilibrado. ～ 재정(財政) finanzas *fpl* equilibradas. ～점(點) punto *m* de equilibrio.
귤(橘) naranja *f,* mandarina *f,* tangerina *f.* ～의 naranjero. ～껍질을 벗기다 pelar (la cáscara de) la naranja.
■～껍질 cáscara *f* de la naranja. ～밭 naranjal *m,* sitio *m* plantado de naranjos. ～병(餠) naranja *f* reducida en miel o azúcar. ～빛[색] (color *m*) anaranjado *m, naranja m.* ～엽(葉) hoja *f* del naranjo. ～재배자(栽培者) naranjero, -ra *mf.* ～장수 naranjero, -ra *mf.* ～핵(核) semilla *f* de la naranja. ～화차(花茶) té *m* de la flor secada del naranjo. ～피(皮) 【한방】 cáscara *f* del naranjo.
귤나무(橘－) 【식물】 naranjo *m,* mandarino *m,* tangerino *m.*
그 ① [자기한테서 조금 떨어져 있는 사물, 또는 이미 말한 것 또는 서로 이미 아는 것을 가리킬 때 쓰는 말] ese, esa, esos, esas; [문제의] en cuestión. ～ 소년(少年) ese muchacho el muchacho en cuestión. ～ 집 esa casa. ～ 책 ese libro. ～ 이야기 ese cuento. ～ 대신에 en *su* lugar, en lugar de ello; [역으로] en cambio; [보상으로] en recompensa. ～ 뒤[후] después, más tarde, luego. ～ 후 수일만에 a los pocos días, algunos días después. ～ 근처에 por ahí, por esos parajes; [주변] por los alrededores, en las cercanías, por esos contornos. ～ 공 이리 좀 다오 Entrégame esa pelota. ～ 반(半) 나에게 다오 Dame la mitad. 제가 지금 화제에 올랐던 바로 ～ 사람이다 Es la persona de quien estábamos hablando ahora. ② ((준말)) =그이(él, ella). ¶～의 su, suyo. ～를 le, lo, a él. ～에게 le, a él. ～의 것 el suyo, la suya, los suyos, las suyas, lo suyo. ～ 자신 él mismo, ella misma. ～ 자신을, ～ 자신에게 a sí mismo. ～에게서 온 편지 su carta. ～와 함께 기뻐하다 alegrarse con él. ～는 훌륭한 선생이다 El es un maestro respetable. ③ ((준말)) =그것. ¶～와 같은 물건 artículo *m* como eso.
그간(－間) entre tanto, entretanto, mientras tanto. 그가 외출했으니 ～에 방을 청소합시다 Como él está fuera, mientras tanto, vamos a limpiar la habitción. ～ 많이 달라졌군 Entre tanto te has cambiado mucho. ～의 사정에 관해서는 나도 전혀 모르고 있다 Yo no sé tampoco nada de eso. ～ 참 이상한데 ¡Qué extraño!
그거 ((준말)) =그것. ¶～ 참 좋다 ¡Qué bueno es eso! ～ 참 이상하군 ¡Qué extraño!
그건 ((준말)) =그것은. ¶～ 내 책이다 Ese es mi libro.
그걸 ((준말)) =그것을(lo). ¶～ 나에게 주라 Dámelo. ～ 너에게 주마 Te lo daré.
그걸로 ((준말)) =그것으로(con eso).
그것 ① [지시 대명사] ése, ésa, ésos, ésas; [중성] eso. ～을 lo, la. ～들을 los, las. ～에 관해서(는) sobre ese asunto, respecto de ese asunto, acerca de eso, en cuanto a eso. ～은 그렇다고 하고 volviendo ahora a nuestro tema. ～은 그렇다치고 Sea como sea [fuere] / Eso puesto aparte / Dejando aparte todo eso / Aparte de eso. ～도 그럴싸하지만 Es verdad, pero / Tiene usted razón, pero. ～은 무엇입니까? ¿Qué es eso? ～이 더 좋다 Eso es mejor / Es mejor así. ～은 내것이 아니다 Eso no es mío. ～은 좋은 생각이다 Es una buena idea. 바로 ～이다 ¡Eso es! / ¡Justamente! / ¡Eso digo yo! ～은 그렇다 Tiene usted razón / Yo también creo lo mismo. ～을 이리 다오 Dame eso. ～은 내가 내세울 점이 못 된다 Eso no es mi fuerte. ～은 그에게 전하겠습니다 Se lo diré. ～을 나에게 가져오세요 [usted에게] Tráigamelo / [tú에

게] Tráemelo / [ustedes에게] Tráiganmelo / [vosotros에게] Traédmelo. ~을 나에게 가져오지 마세요 [usted에게] No me lo traiga / [tú에게] No me lo traigas / [ustedes에게] No me lo traigan / [vosotros에게] No me lo traigáis. ~에 관해서는 내가 상세히 알고 있다 Ese asunto lo conozco a fondo / En [Por] lo que se refiere a eso, lo conozco a fondo. ~은 그렇다치고 너에게 할 말이 있다 Además de eso, tengo otra cosa que decirte. 그를 만났다. ~도 아주 최근에 Le he visto, y (eso) hace muy poco. 어려운 일임에 틀림없지만, 이봐, ~은 네 수단으로 해결하려고 노력하길 바란다 Ciertamente que es un trabajo difícil, pero, mira, quiero que te esfuerces en realizarlo por tus propios medios.
② [그 아이] ese niño, esa niña. ~들 참 귀엽기도 하지 ¡Qué guapos son ellos!
③ [그 사람] ese hombre, ese tipo.

그글피 cuatro días después.

그까짓 esa clase de, tal, de tal grado. ~ 일은 나도 할 수 있다 Si se trata nada más que de eso, puedo hacerlo yo también / Yo también puedo hacer tal cosa [una cosa así]. ~ 일은 누구나 할 수 있다 Todo el mundo puede hacer esa clase de cosa. ~ 일로 울지 마라 No llores por tan poca cosa.

그깟 ((준말)) =그까짓.

그끄러께 hace tres años. 나는 ~ 부산에 갔다 Fui a Busan hace tres días.

그끄저께 hace tres días. ~의 신문 periódico *m* de hace tres días.

그끄제 ((준말)) =그끄저께.

그나마 aun así, sin embargo, no obstante,

그날 ese día, el mismo día. ~의 de ese día, del mismo día. ~을 위하여 para ese día. ~ 수확한 야채를 팔다 vender verduras cosechadas ese mismo día.

그날그날 cada día, todos los días, diariamente, día tras día, de día en día, día a día. ~ 살아가다 vivir al día. ~ 일어난 일을 일기로 쓰다 escribir en el diario lo ocurrido cada día.

그냥 ① [그 모양 그대로] tal como está. ~ 두어라 Déjalo tal como está. ② [그대로 줄곧] continuamente, solo, directamente. ~ 지나치다 pasar de largo (delante de *un sitio*). 위스키를 ~ 마시다 beber [tomar] un whisky solo. 병에서 ~ 마시다 beber directamente de la botella, beber a morro. 와이셔츠를 맨살에 ~ 입다 ponerse la camisa sin camiseta, ponerse la camisa sobre *sus* hombros desnudos. 땅바닥에 ~ 앉다 sentarse en el frío [duro · desnudo] suelo.

그네[1] columpio *m*, *RPI* hamaca *f*; [곡예용] trapecio *m*. ~(를) 타다 jugar al columpio, columpiarse, *RPI* hamacarse. 그네 타는 사람 trapecista *mf*.
◆그네(를) 뛰다 columpiarse, moverse en el columpio, *RPI* hamacarse.
■ ~ㅅ줄 cuerda *f* del columpio.

그네[2] ((준말)) =그네들.

그네들 ellos, esas personas. ~에게 les, a ellos. ~ 을 los, a ellos.

그녀(-女) ella. ~의 su, suyo. ~를 la, a ella. ~에게 le, a ella. ~의 것 el suyo, la suya, los suyos, las suyas; [중성] lo suyo. ~ 자신 ella misma. ~ 자신에게[을] a sí misma.

그녀들 ellas. ~의 su, suyo. ~을 las, a ellas. ~에게 les, a ellas. ~을 las, a ellas. ~의 것 el suyo, la suya, los suyos, las suyas. ~ 자신 ellas mismas. ~ 자신을[에게] a sí mismas.

그년 esa mujer, esa bastarda, *Andes* esa guacha.

그노시스(그 *gnosis*) 【철학】 gnosis *f*, nosis *f*.

그놈 ese tipo, ese bastardo, *Andes* ese guacho.
◆그놈이 그놈이다 Ellos son todos bastardos.

그느다 dar la indicación de orinar, mostrar la señal de orinar..

그느르다 cuidar (a · de), ocuparse (de), encargarse (de), atender, proteger.

그늘 ① [볕이나 불빛이 가려진 곳] sombra *f*. 나무의 ~ sombra *f* del árbol. ~에서 말리다 secar a la sombra. ~을 만들다 dar sombra. 나무의 ~에서 쉬다 descansar a la sombra de un árbol, tomar el fresco a la sombra de un árbol. 우리는 ~에 앉았다 Nos sentamos a la sombra. 큰 나무가 정원에 ~을 만들었다 Un gran árbol daba sombra al jardín. 손 ~이 져서 어둡다 Me molesta la sombra de la mano. 빌딩이 지어졌기 때문에 내 집은 ~이 졌다 Como han construido un alto edificio, mi casa ha quedado a la sombra.
② [부모나 어느 사람이 보살펴 주는 아래] cuidado *m*, protección *f*. 부모의 ~ cuidado *m* de los padres, protección *f* de los padres.
③ [드러나지 않은 곳] oscuridad *f*. ~에서 사는 사람 marginado *m* de la sociedad; ex presidario, -ria *mf*, ex convicto, -ta *mf*. ~에서 일하는 사람 sostenedor, -dora *mf* [partidario, -ria *mf*] por nadie conocido. 표면에 나타나지 않고 ~에서 일하다 trabajar duro en la sombra, empeñarse en trabajo desagradecido.
④ [불행이나 근심이 있어 흐려진 분위기나 표정] atmósfera *f* sombría, carácter *m* sombrío. ~이 진 얼굴 cara *f* sombría. 그에게는 ~이 있다 El tiene un carácter sombrío.
◆그늘(이) 지다 ㉮ [직접 빛이 비치지 않다] nubarse. 해가 그늘진다 El sol se nubla. 해가 그늘져 있다 El sol está nublado. ㉯ [속에 숨어 드러나지 않다] (estar) en oscuridad. ㉰ [성질이 음성으로 되다] (ser) sombrío, lúgubre, fúnebre. 그늘진 얼굴 cara *f* sombría, cara *f* lúgubre.
■ ~대 sombrilla *f*. ~ 말림 =음건(陰乾).

그다지 [「못하다」·「않다」 따위 부정의 말과 같이 쓰임] [형용사나 부사 앞에서] muy; [명사 앞에서] mucho, mucha, muchos, muchas; [동사 뒤에서 동사 수식] mucho; [형용사나 부사 앞에서] tan; [명사 앞에서] tanto, tanta, tantos, tantas; [동사 뒤에서 동사 수식] tanto; particularmente. ~ 덥지 않다 No hace mucho calor. ~ 춥지 않다 No hace mucho frío. ~ 심각하지 않다 No es muy grave. 그는 ~ 영리하지 않다 El no es muy inteligente / El es poco inteligente. 나는 소설을 ~ 좋아하지 않는다 No me gustan mucho las novelas / Me gustan poco las novelas. 나는 영화를 ~ 좋아하지 않는다 No me gusta mucho el cine. 나는 ~ 외출하지 않는다 No salgo mucho / Salgo pocas veces. ~ 불편은 없다 No hay mayores [grandes] inconvenientes. ~ 심한 병은 아니다 No es una enfermedad tan grave. 그것은 ~ 놀랄 일이 아니다 Eso no es nada particularmente asombroso / No hay nada de extraño en eso. 그녀는 ~ 잘 부른 노래는 아니다 Ella no canta tan bien.

그대 ① [「자네」보다 좀 높인 말] tú. ~는 누구인가 ¿Quién eres tú? ② [애인끼리 「당신」의 뜻으로 쓰인 말] tú. 내 사랑하는 ~여 [남자에게] ¡Querido mío! / [여자에게] ¡Querida mía!

그대로 tal como (está), mismo, como, así, intacto. 있는 [사실] ~ sin exageración, justamente lo que es, francamente, abiertamente. 있는 ~의 사실(事實) la pura verdad. 있는 ~ 말하면 hablando francamente [abiertamente · sin reservas]. ~ 두다 mantener *algo* fijo, dejar *algo* tal como está. 있는 ~ 말하다 hablar francamente. 가격을 ~ 두다 mantener fijo el precio, continuar con el mismo precio. 사물을 있는 ~ 보다 ver las cosas como [tal cual] son. 사물을 있는 ~ 재현하다 representar las cosas tal como se ven. 사실을 있는 ~ 묘사하다 describir el hecho tal como ocurrió [fue]. 세율(稅率)을 현행 ~ 하다 continuar con el mismo tipo de impuestos que rige actualmente. 지금 ~ 두다 dejar intacto, dejar (tal) como está, no tocar. 옛날 ~ 두다 dejar (tal) como estaba. 꼭 ~다 Así es / Es verdad / Eso es / Usted tiene razón / Exacto / Eso, así / Dice usted bien / ¡Y que lo diga usted! ~ 되었다 Y así ocurrió. 그것을 ~ 두십시오 [usted에게] Déjelo / [tú에게] Déjalo / [ustedes에게] Déjenlo / [vosotros에게] Dejadlo. 그것을 ~ 둡시다 Dejémoslo / Vamos a dejarlo. 그를 ~ 두어라 Déjale / No te preocupes de él. 나를 ~ 가만히 두세요 Déjeme en paz. 그가 말한 ~ 되었다 Resultó como él había dicho. 그녀의 아름다움은 옛날 ~다 Sigue tan hermosa como antes. 모든 것이 옛날 ~다 Todo está como estaba antes / Nada ha cambiado / Todo sigue igual. 내가 들은 ~ 너한테 말하겠다 Voy a contártelo según [conforme · tal como] lo oí. 네 방은 ~ 두었다 He dejado tu habitación tal como estaba. 선생님은 학생들을 ~ 내버려 둔다 El maestro desatiende a sus alumnos. 그런 일은 ~ 내버려 두어라 Deja eso en paz / No te preocupes de eso. 만일 ~ 두면 사태는 더욱 악화될 것이다 Si no hacemos nada, la situación empeorará cada vez más. 집은 불탔으나 금고는 ~ 있었다 La casa se quemó pero la caja fuerte quedó intacta [sin sufrir desperfectos]. 제발 ~ 계십시오 No se moleste usted // [앉아 있는 상태로] No se levante / Quédese sentado. (그냥) ~ 드세요 Sírvase comerlo tal como está. (그냥) ~ 기다려 주세요 [전화에서] Haga el favor de esperar sin colgar (el auricular) / No cuelgue usted. 책은 (그냥) ~ 두세요 Deje el libro así (donde está) / No toque el libro. 그는 ~ 가서 돌아오지 않는다 El se ha ido para no volver. 그가 귀가했을 때 입은 ~의 복장으로 외출했다 El salió con el mismo traje con que había vuelto (a casa). 당신은 화려하게 차려 입고 갈 필요는 없소. ~ 좋소 No tienes que ir vestida con elegancia. Tal como estás, estás bien. 알코올은 뚜껑을 열어 둔 채 ~ 두면 자연 발화한다 El alcohol se evapora por sí solo cuando se lo deja destapado.

그득 lleno. ~ 차다 [그릇이] llenarse (de). …에 ~ 찬 lleno de *algo*, repleto de *algo*, pleno de *algo*. 먼지가 ~ 찬 lleno de polvo. 크림으로 ~ 채운 케이크 pasteles *mpl* rellenos de nata [crema]. 담배 연기로 ~ 찬 방 habitación *f* llena de humo. ~ 채우다 [병·잔·방 등을] llenar (de); [케이크·샌드위치 등을] rellenar (de). 연못에 물이 ~ 찼다 El estanque se llenó de agua. 거리는 사람으로 ~ 찼다 La calle se llenó de gente. 그는 컵에 물을 ~ 담았다 El llenó el vaso de agua. 나는 탱크에 물을 ~ 채웠다 Yo llené el tanque de agua. 잔을 ~ 채우지 마라 No llenes la taza hasta el borde. 그녀의 마음은 기쁨으로 ~ 차 있었다 Ella tenía el corazón lleno [henchido] de alegría / Su corazón rebosaba de alegría. 그 소식은 나를 노여움으로 ~ 차 있게 했다 La noticia me llenó de ira. 그녀는 질투로 ~ 차 있었다 La consumían los celos.

그득그득 muy lleno, muy repleto, muy pleno.

그득하다 estar lleno (de), llenarse (de). 그녀의 눈은 눈물로 그득했다 Se le llenaron los ojos de lágrimas. 그의 마음은 감격으로 가득했다 Le embargó la emoción.

그들 ① [그 사람들] ellos. ~에게 les, a ellos. ~을 los, a ellos. ~ 자신 ellos mismos. ~ 자신에게 a sí mismos, se. ~ 자신을 a sí mismos, se. ~의 것 el suyo, la suya, los suyos, las suyas, lo suyo. ~은 모두 학생이다 Todos ellos son alumnos. ~ 중 한 사람은 한국인이었다 Uno de los cuales era coreano. 부상자는 열 명이었는데 ~ 중 두 명은 오늘 아침에 사망했다 Había diez heridos, de los cuales dos han muerto esta mañana. ② [그것들] esos, esas.

그들먹하다 estar casi lleno.

그따위 esa clase (de), tal, cual, tal cosa, tal persona, cosas por el estilo, cosas de ésas, esas cosas, gente por el estilo. ~ 사소한 일로 울지 마라 No llores con tales nimiedades.

그때 entonces, en ese momento, por esos días, en [por] aquel entonces, esos días, en eso, cuando (관계 부사로 절을 이끌 때). ~까지 hasta entonces, hasta ese momento, hasta ese tiempo. ~까지(에)는 para entonces, para ese momento, para ese tiempo. ~부터 desde entonces, desde ese momento, a partir de ese momento; [현재까지] desde entonces hasta hoy. ~의 내각(內閣) el gabinete del momento, el gabinete de entonces. 늦어도 ~까지(는) para entonces. (약속한) ~ 만납시다 Hasta entonces. ~ 그는 열 살이었다 Entonces él tenía diez años de edad. ~는 나도 젊었었다 Entonces yo era aún joven. ~의 일을 나는 잘 기억하고 있다 Yo recuerdo bien aquel entonces. 내가 외출하려 할 바로 ~ 그녀가 나를 찾아왔다 Yo iba a salir, y en ese momento él vino a visitarme. 나는 산책을 하고 있었는데 바로 ~ 그녀를 만났다 Yo paseaba [estaba paseando], cuando me encontré con ella. 내가 외출하려 할 바로 ~ 그가 찾아왔다 Yo iba a salir, y en ese momento él vino a verme. 내가 외출해야 할 때가 바로 ~였다 Entonces fue cuando debí salir. 내가 문을 열었더니 ~ 그가 그곳에 서 있었다 Al abrir la puerta, hallé que él estaba de pie allí / Cuando abrí la puerta, le vi que estaba allí de pie. 내가 막대기를 던졌더니 ~ 개가 그것을 주우러 갔다 Yo tiré un palo y el perro fue a recogerlo. ~가 올 때까지는 알 수 없다 No se puede saber hasta que llegue el momento. 그의 발언은 언제나 ~ 뿐이다 Sus palabras carecen de toda consistencia / Es inconsecuente con sus palabras. ~부터 나는 다시는 그녀를 만나지 못하고 있다 Desde entonces no la he vuelto a ver / Esa fue la última vez que la vi.

그때그때 el momento.

그라비어(불 *gravure*) fotograbado *m*.

■~ 용지(用紙) papel *m* de fotograbado. ~ 인쇄기 prensa *f* de fotograbado.

그라운드(영 *ground*) campo *m* de juego, patio *m* (de recreo), terreno *m*, campo *m*, estadio *m*.

■~ 관리인 encargado *m* (del mantenimiento del campo de juego), encargado *m* de campo. ~ 규칙[룰] regla *f* de terreno, regla *f* de campo, *Ven* regla *f* local. ~ 매너 modales *mpl* de campo. ~ 볼 roletazo *m*, rola *f*. ~ 스트로크 golpe *m*. ~ 스피드 velocidad *f* en tierra, velocidad *f* respecto a la tierra. ~ 시트 suelo *m* impermeable. ~ 컨트롤 control *m* de tierra. ~ 포지션 posición *f* de tierra.

그라운딩(영 *grounding*) base *f*.

그라인더(영 *grinder*) molinillo *m*.

그라탱(불 *gratin*) gratén *m*, gratín *m*.

그랑프리(불 *Grand Prix*) Gran Premio *m*, Grand Prix *fr.m*.

그래[1] [그리하여] y, por eso, por consiguiente, por lo tanto. ~ 넌 어떻게 했니? ¿Y cómo hiciste tú?

그래[2] [아랫사람에게 대답하는 말] sí; [부정] no. ~, 내 곧 갈게 Sí. Yo iré pronto.

그래그래 Sí, sí / Ahora me acuerdo / ¡Ah sí!. ~ 알았다 알았어 Sí, sí, yo sé, yo sé.

그래뉼러당(一糖) azúcar *f* granulada, azúcar *m* granulado.

그래도 a pesar de ello, no obstante, sin embargo, con todo, pero. ~ 아직 y sin embargo, y con todo esto [eso], y a pesar de todo. ~ 가야 한다 A pesar de todo ello, hay que ir. 그는 아직 젊다. ~ 분별력이 있다 El es joven todavía, y ya tiene discreción. ~ 나는 오늘은 지장이 있다 Pero, tengo inconveniente hoy. 그는 그렇게도 많은 명예를 얻었지만 ~ 아직 만족하지 않고 있다 El ha adquirido tantos honores, y, con todo esto, no está contento / A pesar de haber adquirido tanta fama, él todavía no está contento.

그래서 por eso, por lo tanto, por esa razón, a causa de ello, debido a eso, en consecuencia, por consiguiente, a ese fin, para eso, (y) así, pues, con que, de ese modo, porque + *ind*, pues + *ind*, por + *inf*, como + *ind*. ~ 나는 그것을 용서할 수 없다 No por eso lo perdono. ~ 너한테 묻고 싶다 Pues bien, te quiero preguntar. 내가 지각한 것은 ~였다 Por eso he llegado tarde. ~ 용건이 무엇입니까? ¿Bueno, pero qué quiere usted? ~ 우리는 오늘 먹을 것이 없습니다 De ese modo, no tenemos qué comer hoy. 그의 집안은 가난했다. ~ 일해야 했다 Era pobre su familia, y por lo tanto tenía que trabajar. 그는 서반아에서 5년을 보냈다. ~ 서반아어를 아주 잘했다 El había estado cinco años en España y por lo tanto [por consiguiente] hablaba español bastante bien.

그래스 코트(영 *grass court*) [잔디를 심은 테니스 코트] pista *f* de hierba, *AmL* cancha *f* de pasto.

그래야 únicamente así.

그래포스코프(영 *graphoscope*) 【컴퓨터】 grafoscopio *m*.

그래프(영 *graph*) ① [통계의 결과를 한눈에 볼 수 있도록 나타낸 표] gráfico *m*, diagrama *m*, gráfica *f*. ~를 만들다 hacer un gráfico. ~로 나타내다 representar con un gráfico. ② [사진을 주로 한 잡지, 또는 화보] gráfico *m*.

■~ 용지(用紙) papel *m* cuadriculado.

그래픽(영 *graphic*) ① [화보(畵報)] gráfico

m. ② [형용사로] gráfico *adj*.
■ ~ 디자이너 diseñador *m* gráfico, diseñadora *f* gráfica. ~ 디자인 diseño *m* gráfico. ~ 아트 las artes gráficas.

그랜드(영*grand*) magnífico, espléndido, grandioso, grande.
■ ~ ~ 슬램 ((테니스)) el gran slam y el triunfo en los Juegos Olímpicos ~ 스타일 estilo *m* espléndido, obra *f* de estilo espléndido. ~ 슬래머 [만루 홈런] jonrón *m* con casa llena, jonrón *m* barrebases. ~ 슬램 gran slam *m*. ~ 오페라 gran ópera *f*. ~ 피아노 piano *m* de cola.

그랜드 캐니언 【지명】 el Gran Cañón del Colorado, el Cañón del Colorado.

그램(영 *gram*) 【수학】 gramo *m* (gr.). 소금 20 ~ veinte gramos de sal.
■ ~ 당량 (peso *m*) equivalente *m* gramo. ~ 분자(分子) molécula *f* gramo, mol *m*. ~ 원자(原子) 【화학】 átomo-gramo *m*. ~ 이온 【화학】 ión-gramo *m*. ~중(重) 【물리】 gramo *m* fuerza. ~ 칼로리 caloría *f* gramo.

그러고 ((준말)) =그러하고.. ¶~ 보니 범인은 너로구나 Conque tú eres el culpable, ¿verdad? / Según eso, tú eres el culpable.

그러구러 de algún modo u otro, poco a poco, gradualmente, ya, mientras tanto, entretanto, *AmL* de a poco. ~ 나는 빚을 갚을 수 있었다 De algún modo u otro, pude pagar mis deudas.

그러그러하다 (ser) mediano; regular; mediocre; así, así; así, asá; indiferente; ni bueno ni malo; ni mejor ni peor. 그 소설은 어떻습니까? — 그러그러합니다 ¿Qué tal es esa novela? — Ni fu ni fa.

그러께 año antepasado, hace dos años. ~ 봄(에) hace dos años, en primavera, en la primavera de hace dos años. ~ 삼월에 hace dos años, en marzo. en marzo de hace dos años.

그러나 pero, sin embargo, no obstante, con todo, con todo esto, con todo eso; [고어나 시어(詩語)에서] mas; [하지만] a pesar de + *ind*, a pesar de que + *ind*, aunque + *ind*, bien que + *ind*. 이것은 비싸다. ~ 질기다 Esto es caro pero duradero. 그는 열심히 공부했다. ~ 시험에 불합격되었다 El estudió mucho, pero no pasó el examen.

그러나저러나 salga lo que saliere, sea lo que se fuere, de todos modos, de todas formas, de todas maneras, en cualquier caso, de cualquier modo, sea como se fuere, igual, con todo eso. ~ 나는 그것을 말할 수 없다 No puedo decirlo de todas maneras. ~ 나는 아무것도 모른다 Pero, de todos modos, no sé nada.

그러내다 quitar. 난로에서 재를 ~ quitar las cenizas de la estufa.

그러넣다 poner (en), recoger.

그러니 ((준말)) =그러하니.

그러니까 ((준말)) =그러하니까.

그러니말리 entonces, bueno, conque, de modo que. ~ 내일 만납시다 Entonces, hasta mañana. ~ 시작합시다 Bueno, vamos a empezar. 그는 집에 안 계십니까? ~ 나중에 전화걸겠습니다 ¿No esá él en casa? Entonces, le llamaré más tarde. ~ 당신은 출석하지 않는 거죠? Conque [De modo que] usted no asiste, ¿verdad?

그러니저러니 esto o eso, una cosa o otra. ~ 할 것 없이 sin decir esto o eso, con una buena gracia. ~ 할 것 없이 시작하세요 Empiece sin consentir. 이제 와서 ~ 해봐야 이미 때는 늦었다 Es demasiado tarde quejarse.

그러다 haciendo así. ~ 넘어질라 Te caerás haciendo así.

그러다가 haciendo así. ~ 혼날 거다 Tú castigarás haciendo así.

그러담다 recoger (y poner). 그는 땅바닥에서 장난감을 그러담았다 El recogió los juguetes del suelo.

그러당기다 recoger y tirar (de). 판돈을 ~ recoger el dinero en la mesa de juego.

그러데이션 【미술】 [바림] gradación *f*.

그러들이다 recoger, coleccionar, hacer colección (de), *AmL* juntar. 빚을 ~ recoger las deudas. 그는 무명 예술가들의 작품을 그러들인다 El colecciona obras de artistas jóvenes desconocidos.

그러루하다 (ser) indiferente, ordinario.

그러매 ((준말)) =그러하매.

그러면 entonces, pues, bien, bueno, en ese caso, en tal caso, con que + *ind*, de modo que + *ind*. ~ 내일 오겠습니다 Entonces vendré mañana. ~ 내일 뵙겠습니다 Entonces, hasta mañana / Entonces, nos veremos mañana. ~ 또 만납시다 Entonces, nos veremos otra vez / Entonces, hasta luego. ~ 오전 열 시에 오십시오 Bueno entonces, venga usted a las diez de la mañana. ~ 당신은 독신이십니까? Luego [Conque] ¿es usted soltero? ~ 당신은 한국에 있었군요? De modo que [Con que] ha estado usted en Corea, ¿verdad? 즉시 출발해라. ~ 열차를 탈 수 있을 것이다 [그렇지 않으면 열차를 놓칠 것이다] Sal en seguida y podrás tomar [o perderás] el tren. 그것을 받아들이지 않으시겠습니까? ~ 제가 난처합니다 ¿No quiere usted aceptarlo? En ese caso me pone en un apuro.
◆그러면 그렇지 como era de esperar. ~ 불평 안 할 리가 있나 Supongo que iba a protestar.

그러면서 haciendo así.

그러모으다 recoger, renuir, juntar, acumular, reclutar. 낙엽을 ~ recoger las hojas caídas. 노동자를 ~ reclutar obreros. 돈을 ~ reunir dinero. 먼지를 ~ juntar polvo, acumular polvo. 사람을 ~ reunir manos de obra. 이것저것 ~ recoger varias cosas. 정보(情報)를 ~ reunir noticias, reunir informaciones. 그는 많은 책을 그러모은다 El reúne muchos libros. 그들은 자선 공연에서

많은 돈을 그러모았다 Reunieron mucho dinero en la función benéfica.

그러묻다 recoger y encerrar. 숯불을 ~ recoger el fuego de carbón y encerrarlo.

그러므로 por eso, por (lo) tanto, y, por ello, por [en] consecuencia, por consiguiente, por esa razón, por esta razón, de modo que + *ind*, de manera que + *ind*, así, luego. 그는 집에 있다. ~ 여기에 있는 사람은 그가 아니다 El está en casa, por eso el que está aquí no es él. ~ 내 자신이 그렇지 않다고 말했다 Por eso yo mismo dije que no. 오늘은 일이 없다. ~ 오지 마라 Hoy no hay trabajo, por eso [con que] no vengas. 우리 나라는 작은 나라다. ~ 경제는 무역에 의존한다 Nuestro país es pequeño, por lo tanto su economía depende del comercio internacional.

그러안다 abrazar. 서로 ~ abrazarse uno de otro, estrecharse, fundirse. 나는 달려가 그녀를 그러안았다 Corrí a estrecharla en [entre] mis brazos / Corrí a abrazarla. 그들은 서로 뜨겁게 그러안았다 Ellos se estrecharon [se fundieron] en un cálido.

그러자 con lo cual, en ese momento, y, cuando.

그러잖아도 para colmo (de). ~ 곤란한 터에 para colmo de apuros. ~ 나쁜데 para colmo (de males). ~바쁜 터에 종업원 다섯 명이 나오지 않았다 Estamos muy ocupados, y para colmo, hay cinco empleados que no se han presentado al trabajo.

그러잡다 agarrar, tener (firmemente) agarrado, sujetar. 그는 그녀의 팔을 세게 그러잡았다 El la agarró fuertemente del brazo. 그녀는 가방을 꽉 그러안았다 Ella sujetó [agarró] firmemente el bolso. 그들은 손을 꽉 그러안았다 Ellos se dieron un fuerte apretón de manos. 그는 팔에 그녀를 그러안았다 El la estrechó entre sus brazos. 그는 손에 꽃 한 다발을 그러안고 들어왔다 El entró con un ramo de flores en la mano. 그녀는 아이를 가슴에 그러안았다 Ella estrechó [apretó] al niño contra su pecho.

그러저러하다 (ser) así y así, tal cosa, cual cosa.

그러쥐다 agarrar, coger, asir. 그는 내 어깨를 그러쥐었다 El me agarró del hombro. 나는 난간을 그러쥐었다 Me agarré [Me así] de la barandilla.

그러하고 conque, según eso.

그러하고말고 ¡Ya lo creo! / ¡Claro! / ¡Desde luego! / ¡Por supuesto! / Tiene usted razón.

그러하니까 por eso, por esa razón, por (lo) tanto, por consiguiente, así, luego. ~ 내 자신이 아니라고 말했다 Por es mismo yo dije que no.

그러하다 ser así. 그러합니다 Así es / Eso es / Cierto / Exacto / [당신 말이 옳습니다] Tiene usted razón. 그러하지 않다 No es así / No lo es / No es eso. 물론 그러합니다 ¡Cómo no! / ¡Eso mismo! / ¡Claro! / ¡Desde luego! / ¡Por supuesto! 세상이란 ~ Así es la vida / El mundo es así. 한국에서도 ~ Es igual en Corea / Así es también en Corea. 대학의 당연히 그러하여야 할 모습이다 Es lo que debe ser la universidad. 그러했으면 좋겠다 Me gustaría que fuera así. 모든 남자들이 그러했으면 좋으련만 Ojalá que todos los hombres fueran así. 시간은 ~ 하더라도 돈이 없다 Podré arreglar lo del tiempo, pero no hay dinero. 그러할 수도 있겠다 No podría ser de otra manera / Es lógico / Eso no me extraña.

그러하듯이 así, tan, tanto. ☞그렇게

그러한 tal, semejante. ☞그런

그러한즉 por eso, por consigueinte.

그럭저럭 aproximadamente, casi, como, poco más o menos, entre unas cosas y otras, regular, sea como sea, por las buenas o por las malas, de algún modo u otro, apenas, casi no. ~ 하는 사이[동안]에 mientras tanto, entretanto, entre tanto. (사업 따위가) ~ 되어 가다 marchar bien, andar bien. ~ 살아가다 ㉮ [검소하게] vivir modestamente. ㉯ [어렵게] vivir a duras penas, vivir con dificultades económicas. 그 노부부는 연금으로 (굶지 않고) ~ 살고 있다 Ese matrimonio anciano vive a duras penas de la pensión. 장사가 ~ 되어 간다 El negocio anda bien. ~ 열두 시가 되었다 Ya son aproximadamente [casi · como · cerca de] las doce. 어떻게 지내십니까? — ~ 지내고 있습니다 ¿Cómo está usted? — Regular. ~ 10년이 지나갔다 Entre unas cosas y otras han transcurrido diez años. ~ 하는 사이에 나이만 먹었다 Mientras tanto tengo muchos años. ~ 그는 빚을 갚을 수 있었다 De algún modo u otro, él pudo pagar sus deudas. 서울에서 산 지도 ~ 40년이 된다 Hace cuarenta años que yo he vivido en Seúl. 나는 한국을 떠난 지가 ~ 2년이 되었다 Hace casi [como] dos años que salí de Corea. ~ 하는 사이에 상세한 점을 알게 될 것이다 Entretanto se podrán saber los detalles.

그런 ((준말)) =그러한(tal, semejante). ¶~ 것 tal cosa, eso. ~ 식으로 así, de esa manera, de ese modo. ~ 이유로 por eso, por esta razón, de modo que + *ind*, así es que + *ind*. ~ 경우에는 en ese caso, en tal caso, en tal ocasión. 그는 ~ 학문이 있음에도 불구하고 para lo sabio que es, a pesar de ser tan inteligente, a pesar de tanta ciencia que tiene. ~ 것은 모른다 No sé nada de eso. ~ 것이 아니다 No es verdad / No es cierto. 전혀 ~ 것이 아니다 Nada de eso. 대충 ~ 것이다 Es más o menos así. 왜 ~ 짓을 했느냐? ¿Por qué hiciste tal cosa? 인생이란 ~ 거다 Así es la vida. ~ 일은 아무나 할 수 있다 Cualquiera puede ser tal cosa. ~ 일은 본 적이

없다 Nunca se ha visto tal cosa. ~ 사소한 일로 서두르지 마라 No te apures por tan poca cosa / Eso no es nada. ~ 행동은 좋지 않다 No es bueno tal modo de proceder / No es recomendable portarse así. ~식으로 성공할지 모른다 No se sabe si van a salir tan bien las cosas. ~ 경우에는 도리가 없다 Si es así, no hay remedio / En ese caso, no hay nada que hacer. ~ 말은 금시초문이다 No he oído (decir) tal cosa. 그녀 같은 ~ 미녀는 없을 것이다 No habría una chica tan guapa como ella. 그 녀석은 ~ 남자다 Es un hombre así. 그가 ~ 남자인 줄은 미처 몰랐다 Yo no sabía que él fuera un hombre así. 누가 ~ 일을 믿으려고 했겠는가? ¿Quién iba a creerlo así? / ¿Quién lo hubiera [habría] sospechado? ~ 커다란 실수를 ~분이 저지를 까닭이 없다 Tal falta no la puede cometer un hombre tal.

그런고로 por eso, por consiguiente. ☞그러므로

그런대로 de todos modos, de todas formas, igual, al [a lo · por lo] menos, a *su* modo, a *su* manera, en *su* género, en cierta medida. ~ 살다 vivir al día. 경기는 어떻습니까? — ~ 괜찮습니다 ¿Cómo es el negocio? — Oh, no tan malo. 목숨을 구했던 것이 ~ 위안이 되었다 Por lo menos me consuela [es un consuelo] haber salvado la vida. 비가 오지 않아 ~ 다행이다 Menos mal que no llovió. 이 책도 ~ 재미있다 Este libro es también interesante a su manera [a su género].

그런데 pero, sin embargo, y.

그런데도 y sin embargo, con todo esto, a pesar de todo. 나는 너 때문에 걱정을 하고 있었다. ~ 너는 편지 한 장 없었다 Yo estaba preocupado por ti, y sin embargo no me escribiste ni una línea.

그런즉 ((준말)) =그러한즉.

그럴듯하다 (ser) probable, verosímil, Puede ser, Pudiera. 그럴듯한 의견(意見) opinión *f* probable. 그럴듯한 사건 acontecimiento *m* probable. 그럴듯하게 꾸민 말로 속이다 engañar con un argumento bien inventado. 그건 ~ Tiene usted razón / Yo también creo lo mismo. 그는 늘 그럴듯한 말을 한다 A él se le va todo siempre en frases bonitas / Siempre dice buenas palabras (para salvar las apariencias).

그럴싸하다 =그럴듯하다.

그럼[1] ((준말)) =그러면.

그럼[2] [감탄사로] Por supuesto / Desde luego / Claro (que sí) / Desde luego / Cómo no / Ya lo creo / Naturalmente que sí. 좀 도와주겠니 — ~요 ¿Puedes ayudarme? — Cómo no. 전화 좀 할 수 있을까요? — ~요 ¿Puedo llamar por teléfono? — Pues claro ¡no faltaría más! 너 그것을 알지? — ~요 Lo sabes, ¿no? — ¡Claro! / ¡Desde luego! / ¡Por supuesto! 내가 초대되었습니까? — ~요 ¿Estoy invitado? — ¡Claro! / ¡Desde luego! / ¡Por supuesto! / ¡Naturalmente que sí!

그렁그렁 ① [액체가 가장자리까지 괴어 거의 찰듯 찰 듯한 모양] casi lleno. 눈물이 ~한 눈 ojos *mpl* casi llenos de lágrimas. 눈물이 두 눈에 ~하다 Las lágrimas están casi llenas. ② [국물은 많고 건더기가 적어서 조화되지 않은 모양] acuosamente. 국물이 ~하다 La sopa es acuosa. ③ [물을 많이 먹어서 배 속에 물이 가득히 괴어 있는 모양] hinchado [abotagado · abotargado] de agua. ~하다 sentirse hinchado [abotagado · abotargado] de agua.

그렁성저렁성 esto o eso, de algún modo u otro. ~ 의견이 많다 Hay muchas opiniones diferentes.

그렁저렁 =그럭저럭.

그렇게 así, tan, tanto, de esa manea, de ese modo; [부정] (no) mucho. ~까지 hasta tal punto. ~ 보면 viendo eso, a juzgar por eso. 그에게 ~ 경고했지만 aunque se lo advertí. ~ 생각한다 Creo que sí / Lo creo. ~생각하지 않는다 Creo que no / No lo creo / Sospecho que no es así. ~ 생각했었다 Así lo suponía yo / Lo sospechaba. ~ 되길 바란다 Espero que sea así / ¡Ojalá! ~ 되지 않기를 바란다 Espero que no sea así. ~ 어렵지 않다 No es tan difícil. ~ 많이는 필요하지 않다 No necesito tanto. 왜 ~ 서두르십니까? ¿Por qué se da usted tanta prisa? ~서두를 필요가 없다 No tiene que darse tanta prisa / No hay que apresurarse tanto. 왜 일을 ~ 많이 하니? ¿Por qué trabajas tanto? 그 사람이 ~ 가난합니까? ¿Es él tan pobre? ~ 중한 병은 아니다 No es una enfermedad tan grave. ~ 할 수밖에 다른 도리가 없었다 No hubo má remedio que hacerlo / No pude comportarme de otra manera. 그녀의 노래는 ~ 잘 부른 것은 아니다 Ella no canta tan bien. 그는 생각만큼 ~ 늙지 않다 El no es tan viejo como parece / El es menos viejo de lo que parece / El parece viejo, pero no lo es tanto. 넌 ~ 노력할 필요는 없다 No necesitas esforzarte tanto. 위스키 좋아하십니까? — ~ 좋아하지 않습니다 ¿Le gusta el whisky? — No mucho. 그는 ~ (많이) 변하지는 않았었다 El no había cambiado tanto. 그것은 ~ 나쁜 일이라고 생각하지 않는다 No pienso que eso sea una cosa tan mala. 그는 바보가 아니지만 사람들은 ~ 생각하고 있다 Es cierto que le toman por tonto, aunque no lo sea (en realidad) / Si él no es tonto, es (la) verdad que le toman por tal. 비용이 ~ 많이 들 것으로는 생각하지 않았다 No creía que costara tanto. 그는 시험에 합격했다. 만일 내가 ~ 공부했더라면 나도 합격했을 텐데 El pasó [salió bien en] el examen. Si yo hubiera estudiado tanto (como él) [lo mismo (que él], me hubieran aprobado también. 그들처럼 ~ 닮은 형제도 드물다 Raros son los hermanos que se parecen tan como ellos. 그 일을 ~ 생각하는 사람도 있을 것이다 Tal habrá que lo sienta así. 이 책들을 읽고 그는 ~ 되었다 Tal estaba él con la lectura de estos libros. 그녀는 ~ 보이지 않는데 아직 처녀다 Ella es soltera aunque no lo parece / Ahí donde la ves, ella es soltera. 일이란 늘 우리가 바라는 대로 좋은 결과를 주지만은 않는다 Las cosas no siempre dan los buenos resultados que deseamos. ~ 쉽게 계속해서 우리를 속이도록 두지 않겠다 No dejaremos que sigan engañándose tan fácilmente. 빨로마는 그것을 ~ 했다 Lo hizo así Paloma. 이보게, 산초, 자네가 ~ 두 번씩 반복해서 이야기를 하면 이틀에도 끝내지 못할 걸세 ((El Quijote)) Si de esa manera cuentas tu cuento, Sancho, repitiendo dos veces lo que vas diciendo, no acabarás en dos días.

그렇다 ((준말)) =그러하다. ¶~면 si es así. 그렇지 않다 No es así / No es eso / No es eso. 물론 ~ ¡Cómo no! / Eso mismo / ¡Claro que sí! / ¡Desde luego! / ¡Por supuesto! 그렇습니까? ¿Verdad? / ¿De veras? / ¿Así? / ¿Está usted seguro? 그것도 ~ Es natural. 아 그렇군요 [실망했을 때 따위에서] ¿Ah, sí? / [수긍하는 뜻으로] Lo veo / ¡Ya comprendo! ¡Ah, sí! 그것도 그럴 것이 그는 잠들어 있었다 Era natural, porque él estaba dormido. 사실은 그렇습니다만 그건 소년 시절이었습니다 라고 산초가 대답했다 ((El Quijote)) Así es la verdad —respondió Sancho—, pero fue cuando muchacho.

◆그렇고말고 ((준말)) =그러하고말고. ¶그녀는 사랑스런 소녀야 — ~ Ella es una chica encantadora — ¡Ya lo creo! 너 그것을 알지? — ~ Lo sabes, ¿no? — ¡Claro! / ¡Desde luego! / ¡Por supuesto!

그렇다면 si ello es así.

그렇듯 =그렇듯이.

그렇듯이 =그러하듯이.

그렇잖다 no ser así.

그렇잖으면 ((준말)) =그렇지 않으면.

그렇지 Eso es / Así es / Cierto / Exacto.

그렇지마는 pero, sin embargo, no obstante, aunque. 그것은 금지되어 있다. ~ 예외가 없다는 것을 의미하는 것은 아니다 Eso está prohibido. Pero [Sin embargo] no quiere decir que no haya excepciones. 그 사람을 그다지 기대할 수 없다. ~ 그의 실력은 인정한다 No puedo esperar mucho de él aunque reconozco su capacidad.

그렇지만 ((준말)) =그렇지마는.

그렇지 않으면 si no, o. 서둘러라 ~ 열차를 놓칠 것이다 Date prisa, o perderás el tren. 복종해라 ~ 벌하겠다 Obedece la orden. Si no, te castigaré. 오늘 출발하고 싶으나 ~ 내일 출발하겠다 Quiero partir hoy, y si es imposible, mañana / Quiero partir hoy o bien mañana.

그레고리력(Gregoio 曆) calendario *m* gregoriano.

그레고리오 성가(Gregorio 聖歌) canto *m* gregoriano.

그레고리오식 망원경(Gregorio 式望遠鏡) telescopio *m* gregoriano.

그레셤의 법칙(Gresham－法則) la Ley de Gresham.

그레이드(영 *grade*) grado *m*.

그레이 마켓(영 *grey market*) 【주식】 [회색시장] mercado *m* gris.

그레이 먼데이(영 *grey Monday*) 【주식】 lunes *m* gris.

그레이프(영 *grape*) [포도] uva *f*.

▪~ 주스 zumo *m* [jugo *m*] de uva.

그레이하운드(영 *greyhound*) [잘 달리는 사냥개] galgo *m*.

그레코로만(영 Greco-Roman) ① [그리스와 로마의 혼합 양식] estilo *m* grecorromano. ② =그레코로만 형.

▪~ 미술(美術) bellas artes *fpl* grecorromanas. ~ 시대 período *m* grecorromano. ~ 형 ((레슬링)) estilo *m* grecorromano, lucha *f* grecorromana.

그려 [친근한 명령] ¶갑시다~ Vámonos. 가게 ~ Vete. 한 잔 합시다~ Vamos a beber una copita.

그로기(영 *groggy*) ((권투)) grogui, groggy *ing*; [강타당한 후] atontado; [술을 마신 후에] tambaleante; [아픈 후에] débil; [불안정한] inestable, poco seguro. ~가 되다 estar vacilante, estar atontado; [피로하다] estar rendido.

그로스(불 *grosse*) gruesa *f*, doce docenas. ~로 a la gruesa. 1~의 una gruesa de ….

그로테스크(불 grotesque) grotesco.

그루 ① [나무·곡식 등의 줄기의 아랫부분] tocón *m* (*pl* tocones), cepa *f*. 오래된 ~ tocón *m* antiguo. ② [식물 특히 나무를 세는 법] rastrojo *m*, tocón *m*, cepa *f*. 나무 한 ~ un árbol. 벼 한 그루 un rastrojo de arroz. ③ [한 해에 같은 땅에 농사짓는 횟수(回數)] vez *f* de la rotación de cultivos.

그루갈이 cultivo *m* secundario (de invierno).

그루지아 【지명】 Georgia *f*. ~의 georgiano.

▪~ 사람 georgiano, -na *mf*. ~어 georgiano *m*.

그루터기 tocón *m* (*pl* tocones), tueca *f*, cepa *f*, pie *m*; [뿌리] raíz *f* (*pl* raíces); [곡물의] rastrojo *m*.

그룹(영 *group*) ① [동아리. 집단. 무리] grupo *m*. ~으로 en grupo, en conjunto. 세 ~으로 en grupos de tres. ~을 만들다 organizar un grupo, formar un grupo, agruparse. ~으로 나누다 dividir en grupos. 두 ~으로 나누어지다 dividirse en dos grupos. ② =분단(分團). ③ ((준말)) =기업(企業) 그룹. ④ 【음악】 grupo *m*, conjunto *m*. 록 ~ un grupo de rock. 팝 ~ un grupo de pop.

▪~ 보험(保險) seguro *m* colectivo. ~ 사운드 grupo *m* de rock (de dos o tres músicos). ~ 사진(寫眞) foto *f* de conjunto. ~ 섹스 sexo *m* en grupo. ~ 요법(療法) terapia *f* de grupo. ~ 학습(學習) estudio *m* de divisiones.

그르다 ① [옳지 아니하다] estar equivocado, estar mal, ser incorrecto, ser erróneo, no tener razón. 그릇된 방침 política *f* errónea, política *f* desacertada. 그른 일 acciones *fpl* malvadas, obras *fpl* malvadas, fechoría *f*, delito *m*, vicio *m*. 그릇된 판단(判斷) juicio *m* equivocado, idea *f* errónea. 마음이 그른 사람 persona *f* malvada [maligna], mala persona *f*. 네 말은 ~ No tienes razón. 대답이 ~ La respuesta está mal [equivocada]. 신문에 나온 시간은 글렀다 La hora que salió en el periódico estaba mal. ② [될 가망이 없다] (ser) desesperado, imposible. 그 사람의 치료는 글렀다 El no tiene cura. ③ [하는 짓이 싹수가 없다] no tener posibilidad.

그르렁거리다 respirar con dificultad, resollar, ronronear; [어린아이가] gorjear.

그르치다 estropear, arruinar, afear, destruir, echar por tierra, malograr, corromper. 몸을 ~ perderse. 이 건물들은 도시를 그르쳐 왔다 Estos edificios han afeado la ciudad. 불경기는 회사를 그르쳤다 La compañía quebró debido a la recesión. 챔피언 희망은 상해(傷害)로 그르쳤다 Una lesión malogra [echa por tierra] las esperanzas de ganar el campeonato.

그릇[1] ① [물건을 담는 기구의 총칭] recipiente *m*, vasija *f*, receptáculo *m*, envase *m*. 이것을 담을 수 있는 ~을 주세요 Déme algún recipiente en que se puede meter esto. ② [일에 처하는 그릇. 사람의 능력이나 도량] calibre *m*, capacidad *f*, habilidad *f*. ~이 크다 ser un hombre de calibre, ser un hombre de mucha capacidad. ~이 작다 ser un hombre de poco calibre, ser un hombre de poca capacidad. 그는 대통령의 ~이 아니다 El no es un hombre de calibre para ser presidente.

◆그릇 깨겠다 (la mujer) (ser) indecente, indecoroso, obsceno, deshonesto, grosero.

▪그릇도 차면 넘친다 ((속담)) Cuando el pozo está lleno, se derramará [se desbordará].

그릇[2] [그르게·틀리게] mal, incorrectamente, erróneamente, equivocadamente, por equivocación, por error. ~하다 equivocar, cometer error. ~ 생각하다 entender mal, comprender mal. ~ 전하다 dar una información falsa. 사람을 ~ 보다 juzgar mal. 그가 도와주리라고 ~ 생각하면서 creyendo equivocadamente que él me ayudaría. 그는 내 이름을 ~ 썼다 El escribió mal mi nombre. 그녀가 단념하리라고 생각하면 당신은 그녀를 ~ 본 것이다 Te equivocas si crees *que se va a dar por vencida.* 그들은 내가 그들을 배반했다고 ~ 믿고 있었다 Ellos creyeron, equivocadamente, que yo los había traicionado.

그릇되다 equivocarse, fracasar, estropearse, echarse a perder. 그릇된 equivocado, falso, erróneo, incorrecto. 그릇된 생각 idea *f* equivocada, idea *f* errónea. 그릇된 행실(行實) acciones *fpl* falsas, fechoría *f*, delito *m*

그릇박 plato *m* de madera para el recipiente

그릇장(一欌) aparador *m* para el recipiente.

그리 ① [그러하게] tan, así. ~ 크지 않다 No es tan grande. ~ 생각합니다 Creo así / Pienso así. ② [그곳으로. 그쪽으로] ahí (듣는 사람에게), allí (멀리에 있는). 내가 ~ 가지 Iré ahí / Iré allí.

그리게 ((준말)) =그러하기에.

그리고 y; [i-·hi- 로 시작되는 단어 앞에서] e; y después, y también. 부친께서는 9월 ~ 모친께서는 10월에 돌아가셨습니다 El padre murió en septiembre, y después la madre en octubre. ~ 무엇을 했습니까? ¿Y qué hizo usted? 나는 연필 둘 공책 셋 ~ 지우개 한 개를 샀다 Yo compré dos lápices, tres cuadernos y un borrador.

그리고 나서 y, después de eso; [그 뒤. 그 후] (y) luego, (y) después; [그때 이래] a partir de ese momento, desde entonces. ~ 일주일 뒤 a los ocho días, una semana después. ~ 수년 뒤 a los pocos años, algunos años después. ~ 현재까지 desde entonces hasta hoy. ~ 십 년이 되었다 Diez años han transcurrido desde entonces / Hace diez años desde entonces.

그리니치(영 *Greenwich*)【지명】Greenwich(런던 교외 템스 강가의 자치구; 본초 자오선의 기점 그리니치 천문대의 소재지).

▪~ 시(時) =그리니치 표준시. ~ 천문대 la Observatorio de Greenwich. ~ 표준시(標準時) hora *f* (del meridiano) de Greenwich. ¶지금 ~로 다섯 시다 Ahora son las cinco, hora (del meridiano) de Greenwich.

그리다[1] ① [보고 싶어 그리운 마음을 품다] anhelar, ansiar, añorar, encantar, echar de menos, echar en falta, *AmL* extrañar. 그녀는 돌아가기를 그리고 있었다 Ella anhelaba [ansiaba] volver. 나는 고향을 그리고 있다 Yo añoro mi patria. 우리는 당신을 다시 만나기를 그릴 것입니다 Nos encantaría volverte a ver. 나는 어머님의 모습을 마음속에 그렸다 He evocado la imagen de mi madre. ② [사모하다] amar [querer] mucho [de verdad]. 나는 그녀를 그리고 있다 Yo la quiero mucho [de verdad].

그리다[2] ① [물건의 형상을 그와 같게 그림으로 나타내다] [색채화를] pintar; [선화(線畫)·도면(圖面)을] dibujar, trazar. 고양이를 ~ dibujar un gato. 장미를 ~ pintar las rosas. 지도(地圖)를 ~ dibujar [trazar] un plano. 초상화를 ~ pintar un retrato. 공중에 원을 그리면서 날다 volar en el cielo trazando un círculo. ② [사물의 형용이나 생각을 말이나 글로 나타내다] describir. 이 책은 등산의 즐거움을 그리고 있다 Este libro describe los placeres del alpinismo.

그리도 tan, tanto, así. ~ 좋아하나 ¿Te gusta tanto?

그리드(영 *grid*)【전기·물리】rejilla *f*.

▪~ 검파(檢波) detección *f* por rejilla, desmodulación *f* por rejilla. ~ 배터리 batería *f* de polarización. ~ 밸브 corredera *f* de parrilla. ~ 전류(電流) corriente *f* de rejilla. ~ 전압(電壓) tensión *f* de rejilla. ~ 축전기(蓄電器) condensador *m* de rejilla. ~ 컨트롤 control *m* por rejilla. ~ 편차(偏差) variación *f* de rejilla. ~ 회로(回路) circuito *m* de rejilla.

그리로 =그리❷.

그리마【동물】 miriápodo *m*, miriópodo *m*, ciempiés *m*.

그리스(영 *grease*) [(윤활유 등의) 기름] grasa *f*. ~ 박스 caja *f* de grasa.

그리스【지명】 Grecia *f*. ~의 griego, helénico. 고대(古代) ~의 helénico.

■ ~ 문명 civilización *f* helénica, helenismo *m*. ~ 문자(文字) escritura *f* griega. ~ 문학(文學) literatura *f* griega. ~ 문화(文化) helenismo *m*, cultura *f* helénica. ~ 신화(神話) mitología *f* griega. ~어(語) griego *m*. ~어 학자 helenista *mf*. ~인 griego, -ga *mf*. ~ 정교 cristianismo *m* ortodoxo griego. ~ 정교회 la Iglesia Ortodoxa Griega. ~ 정신(精神) helenismo *m*. ~ 철학(哲學) filosofía *f* griega. ~화(化) helenización *f*. ¶~하다 helenizar. ~되다 helenizarse. 알렉산더의 정복은 동양의 일부를 ~했다 La conquista de Alejandro helenizó parte de Oriente.

그리스도(영 *Christ*) el Cristo, Jesús Cristo, Jesús, el Santísimo, el Mesías, el (Divino) Nazareno. 시몬 베드로가 대답하여 가로되 주는 ~시오 살아 계신 하나님의 아들이시니이다 ((마태 복음 16:16)) Respondiendo Simón Pedro, dijo: Tú eres el Cristo, el Hijo del Dios viviente / Simón Pedro le respondió: Tú eres el Mesías, el Hijo del Dios viviente.

■ ~교(教) cristianismo *m*, religión *f* cristiana. ¶~의 cristiano. ~교도 cristiano, -na *mf*. ~ 예수 ((성경)) Cristo Jesús. ~의 고난(苦難) ((성경)) padecimientos *mpl* de Cristo, sufrimientos *mpl* de Cristo. ~의 나라 ((성경)) reino *m* de Cristo, reino *m* de Mesías. ~의 몸 ((성경)) cuerpo *m* de Cristo. ~의 십자가 ((성경)) cruz *f* de Cristo, Cristo en la cruz. ~의 영(靈)((성경)) el Espíritu de Cristo. ~인(人) ((성경)) cristiano *m*. ~ 재림 advenimiento *m* de Cristo. ~ 재림론자 adventista *mf*.

그리움 deseo *m* ardiente.

그리워지다 echar de menos. 당신이 그리워지오 Te echo de menos. 부모님이 그리워진다 Echo de menos a mis padres. 외투가 그리워졌다 Yo estaba de menos el sobretodo.

그리워하다 recordar dulcemente, desear con ansia ver, añorar, echar de menos, sentir nostalgia (de), recordar con nostalgia, recordar con añoranza, pensar (en · sobre) (con nostalgia), morirse (por), suspirar (por); [생각나다] recordar, acordarse (de). 고향을 ~ añorar el terruño, sentir nostalgia [añoranza] por *su* pueblo, echar de menos a *su* patria, sentir nostalgia de *su* tierra natal, echar de menos *su* tierra natal. 돌아가신 어머니를 ~ añorar [recordar con añoranza] a *su* difunta madre, recordar [echar de menos] a *su* difunta madre. 망부(亡夫)를 ~ recordar [echar de menos] a su difunto esposo. 젊은 시절을 ~ recordar su juventud con nostalgia. …를 그리워하면서 en memoria de *algo* · *uno*, en recuerdo de *algo* · *uno*, recordando *algo* [a *uno*]. 그녀는 고향을 그리워한다 Ella añora su patria. 나는 그녀의 포옹을 그리워한다 Yo añoro sus abrazos. 그녀는 연인을 그리워했다 Ella echaba de menos a su novio. 이 영화는 옛날의 행복했던 시절을 그리워하게 한다 Esta película evoca aquellos felices tiempos. ☞그리다[1]

그리저리 al azar, caprichosamente, a diestro y siniestro, a diestra y siniestra. ~하다 hacer al azar, hacer a diestro y siniestro.

그리하다 hacer así.

그리한즉 por eso, por consiguiente.

그린(영 *green*) ① [녹색] (color *m*) verde *m*. ② [풀밭] plaza *f* con césped. ③ ((골프)) green *ing.m*.

■ ~백 dólar *m*, verde *m*. ~베레 boina *f* verde, comando *m* británico, comando *m* norteamericano. ~벨트 zona *f* verde. ~ 카드 ㉮ [미국의] permiso *m* de residencia y trabajo. ㉯ [유럽의] carta *f* verde (que asegura un vehículo para viajes al extranjero). ~ 티 [녹차] té *m* verde. ~ 파티 [녹색당] partido *m* verde. ~피 ((골프)) green fee *ing.m*. ~피스 Greenpeace (핵실험 · 고래잡이 반대 · 환경 보호를 주장하는 국제 단체). ~하우스 invernadero *m*.

그린란드【지명】 Groenlandia *f*. ~의 groenlandés. ~ 사람 groenlandés, -desa *mf*.

그릴(영 *grill*) ① [석쇠] parilla *f*. ② [호텔 등의 간이 식당] grill *ing.m*, restaurante *m* de servicio rápido.

■ ~룸 =그릴❷.

그림 [액자에 넣어진] cuadro *m*; [착색화] pintura *f*; [선화(線畵)] dibujo *m*; [삽화] ilustración *f*. ~이 들어 있는 ilustrado. ~의 기호(嗜好) gusto *m* de dibujar. ~의 재능(才能) talento *m* de bosquear. ~을 그리다 pintar, dibujar; [도형(圖形)을 그리다] trazar, describir. ~에 재능이 있다, ~을 알다 tener de talento de dibujar, tener cierta aptitud para el dibujo, tener talento para la pintura; [감상력이 있다] saber apreciar los cuadros. 기차의 ~을 그리다 hacer un dibujo del tren. 이 ~은 무엇을 상징합니까? ¿Qué representa este cuadro? 그는 취미로 ~을 그린다 El pinta por afición. 그는 ~을 잘 그린다 El es un buen pintor. 그것은 ~에 옮길 수 없을 정도로 아름답다 Esa belleza no se puede trasladar a la pintura / Esa belleza supura toda expresión pictórica. 이 ~은 한국의 풍경을 그린 것이다 Este cuadro representa un paisaje coreano. 그녀는 유명한 화가한테서

~을 사사받고 있다 Ella aprende la pintura con un célebre pintor. 나는 ~을 그리고 싶은 심정이 간절하다 Me entran deseos de dibujar.

◆그림 같다 (ser) pintoresco. 그림 같은 마을 pueblo *m* pintoresco, aldea *f* pintoresca. 정말 그림 같은 경치다 ¡Qué paisaje más pintoresco! 이 경치는 그림 같이 아름답다 Este paisaje es tan hermoso como una pintura.

◆그림의 떡 objeto *m* deseable pero imposible de conseguir. 그녀는 ~이다 Ella es algo inaccesible [inalcanzable].

■~ 그래프 gráfico *m* ilustrado. ~꼴 =도형(圖形). ~ 문자[글자] pictografía *f.* ~물감 colores *mpl,* pintura *f.* ¶~을 풀다 diluir los colores. …에 ~을 칠하다 dar color a *algo,* pintar *algo.* ~물감 붓 cepillo *m* de colores. ~물감 상자(箱子) caja *f* de colores. ~물감 솔 pincel *m.* ~물감 통(桶) caja *f* de colores. ~물감 판(板) paleta *f.* ~배 =화방(畵舫). ~본(本) =모형(模型). ~씨 【언어】 adjetivo *m.* ~ 연극 teatro *m* abumlante típico que consiste en la explicación de cartillas con dibujos. ~ 엽서 postal *f,* trajeta *f* postal (ilustrada). ~ 일기(日記) diario *m* ilustrado. ~ 잡지[화보] revista *f* ilustrada. ~쟁이 ((속어)) =화가(畵家). ~ 전람회(展覽會) exposición *f* de cuadros. ~ 족자(簇子) rollo *m* de cuadros, cuadro *m* colgante. ~책(冊) libro *m* ilustrado. ~첩(帖) libro *m* de pinturas.

그림쇠 regla *f,* medida *f.*

그림자 ① [햇빛이나 불빛을 가려서 나타난 검은 영상] sombra *f,* silueta *f.* 건물의 ~ sombra *f* de un edificio. 나무의 ~ sombra *f* de un árbol. ~가 길다 Se alarga la sombra. 탑의 ~가 길게 뻗어 있다 La torre proyecta su sombra alargada. 땅 위에 비행기의 ~가 보였다 Se veía en el suelo la sombra del avión. 나무가 벽에 ~를 비춘다 El árbol proyecta su sombra sobre la pared. 그의 모습이 벽에 ~를 비추고 있다 Su sombra se proyecta en la pared. 나무들이 도로에 ~를 만들고 있다 Los árboles dan sombra a la avenida / Los árboles proyectan su sombra sobre la avenida. 그는 ~처럼 나를 따라다닌다 El me sigue como mi sombra. ② [거울이나 물에 비치는 물체의 형상] reflejo *m.* 산들이 호수에 ~를 비추고 있다 Los cerros se reflejan en el lago. ③ [사람의 자취] rastro *m,* huella *f,* pisada *f.* ④ [얼굴에 나타난 불행이나 근심 따위의 표정] figura *f,* semblante *m.* ⑤【물리】=영자(影子).

◆그림자도 없다 desaparecer por completo. 홍수의 흔적은 ~ Los efectos de la inundación han desaparecido por completo.

◆그림자를 감추다 desaparecerse, esconderse. 강도단은 이제 그림자를 감추었다 Los bandidos permanecen ahora escondidos.

■~놀이 silueta *f.* ¶~를 하다 proyectar siluetas. ~놀이극 sombras *fpl* chinescas.

그립다 echar de menos. 그리운 querido, recordado; [향수에 젖은] nostálgico; [잊을 수 없는] inolvidable. 그리워 con nostalgia, con añoranza. 그리운 고향 마을 pueblo *m* natal de feliz memoria [recuerdo]. 그리운 아내 esposa *f* querida, esposa *f* recordada. 그리운 추억 feliz [grata · dulce] memoria *f,* nostálgico recuerdo *m.* 내 그리운 연인에게 [편지 서두에서] Mi querido novio, Mi querida novia. 어린 시절이 ~ Siento nostalgia de mi niñez / Añoro los días de mi niñez. 그날들이 그리워 생각난다 Recuerdo con nostalgia [con añoranza] aquellos días.

그만[1] ((준말)) =그만한. ¶~ 돈은 나도 있다 Yo también tengo tal dinero.

그만[2] ① [그 정도까지만] hasta ese punto, lo suficiente, para. ~ 먹어라 Deja de comer. ~ 울어라 Deja de llorar. ② [그대로 곧장] en cuanto, tan pronto como, apenas, no bien. 그는 자리에 들자 ~ 잠들었다 En cuanto él se acostó se durmió. ③ [어쩔 도리가 없어서] inevitablemente, involuntariamente, sin querer. ~ 잊어버리다 olvidarse (de *algo* [de + *inf*]) sin querer. 나는 ~ 지각했다 No pude evitar llegar tarde. ④ [감탄사적] ¡Basta! 이제 ~! ¡Ya basta!

그만그만하다 (ser) casi el mismo. 나이가 ~ ser de casi la misma edad.

그만두다 parar, dejar (de + *inf*), cesar (de + *inf*), abandonar; [사퇴하다] renunciar, negarse a + *inf,* retirarse. 농담은 그만두고 dejando aparte las bromas, ahora en serio. 담배를 ~ dejar de fumar. 술을 ~ dejar de beber. 노는 걸 그마두자 ¡Basta de juegos! 이야기는 그만두고 들어라 Deja de hablar y escucha. 나는 결국 담배를 그만두었다 Finalmente he dejado de fumar. 이제 토론은 그만두고 표결로 들어갑시다 Vamos a dejar ya de discutir y pasemos a la votación.

그만이다 ① [그것뿐이다] ser sólo, no importa, da igual. 가면 ~ No importa si yo voy. 그것만 있으면 ~ Eso es todo lo que yo quiero. 늦어도 ~ No importa si tú llegas tarde. ② [그것으로 마지막이다] ser el fin (de). 그것만 하면 오늘은 ~ Hoy es el fin si lo hacemos sólo. ③ [마음에 넉넉하다] (ser) suficiente, bastante. 나는 책과 공책만 사 주시면 그만이에요 Es suficiente si usted me compra el libro y el cuaderno sólo. ④ ((속어)) [더할 나위 없다. 제일 낫다. 가장 낫다] (ser) el mejor. 그 사람의 요리 솜씨는 ~ El es un buen cocinero / El cocina muy bien. 사람이 아주 ~ El es un encanto.

그만저만 ¶~하다 no ser ni bueno ni malo; ni fu ni fa; así, así. 그 영화는 어떻느냐? − ~하다 ¿Qué tal es esa película? − Ni fu ni fa.

그만큼 tanto, hasta ese punto. ~이면 충분하다 Eso será bastante.

그만하다 ① [크지도 작지도, 또 더하지도 덜 하지도 아니하고 그저 비슷하다] no ser grande ni pequeño, no ser mejor ni peor. 아버님 병환이 ～ La enfermedad de mi padre no es mejor ni peor. 이것도 무게가 ～ Esto es tan pesado como eso. 당신의 것도 좋지만 내것도 ～ El mío es tan bueno como el suyo. 내 신발의 크기도 그만합니다 Mis zapatos son del mismo tamaño. 그만해도 족하니 이 일로 내게 말하지 말라 ((신명기 3:26)) Basta, no me hables más de este asunto ② [웬만하다] (ser) regular, (no ser) ni fu ni fa. ～은 어때요? ─ 그저 그만합니다 ¿Qué tal es su negocio? ─ Ni fu ni fa. ③ [정도나 수량이 그것만하다] (ser) tanto. 그만한 돈은 내게도 있다 Yo también tengo tanto dinero.

그만한 tan, tanto, tal. ～ 일은 나도 할 수 있다 Yo también puedo hacer tal cosa [una cosa así].

그맘때 casi ese tiempo, casi la misma edad. ～까지는 일이 끝날 것이다 Mi trabajo se terminará para casi ese tiempo. ～일이 전혀 생각나지 않는다 Yo no recuerdo nada acerca de esos tiempos.

그물 red *f*, malla *f*; [석쇠] parilla *f*; [투망] esparavel *m*; [수렵용의] red *f* de cazar; [창문의] tela *f* metálica, malla *f* metálica, *RPI* tejido *m* metálico, *Col* anjeo *m*. ～ 모양의 reticulado, reticular. (코가) 넓은 ～ malla *f* abierta. (코가) 가는 ～ malla *f* fina. ～을 뜨는 일 operación *f* de hacer redes [redecillas]. ～로 보호하다 [과실 관목을] proteger con redes. ～로 잡다 [나비를] cazar (con red); [물고기를] pescar (con red). ～에 걸리다 caer en red. ～을 던지다 lanzar la red, arrojar la red. ～을 뜨다 hacer redes, hacer redecillas. ～을 치다 tender las redes (en), colocar las redes (en). ～로 고기를 건지다 sacar peces con la red. ～로 생선을 굽다 asar pescado a la parrilla. 창문에 ～이 처져 있다 La ventana está pretegida por una tela metálica.
■～ 국자 espumadera *f*. ～눈 ＝그물코. ～막(膜)【해부】＝망막(網膜). ～ 선반(旋盤) anaquel *m* de mallas, rejilla *f*; [철도의] rejilla *f* (portaequipajes); [자동차의] baca *f*, portaequipajes *m.sing.pl*, *Andes* parilla *f*. ～ 셔츠 camisa *f* de punto. ～질 pesca *f* con red. ¶～하다 pescar con red. ～채 [수영장용의] utensilio *m* para recoger hojas etc. de la superficie de una piscina. ～코 malla *f* de la red. ～판(版) ＝망판(網版).

그물거리다 estar indeciso, estar inestable. 그물거리는 날씨 tiempo *m* indeciso, tiempo *m* inestable. 날씨가 그물거린다 El tiempo está indeciso [inestable].

그물그물 indecisamente, inestablemente.

그믐 ((준말)) ＝그믐날. ¶섣달 ～ el último día de diciembre, el último día del año.
■～께 los últimos días del mes, hacia el último día del mes. ～날 el último día del mes. ¶사월 ～ el último día de abril. ～달 luna *f* que sale hacia el último día de cada mes lunar. ～밤 la última noche del mes lunar. 그믐밤에 달이 뜨는 것과 같다 ((속담)) Es una cosa imposible. 그믐밤에 홍두깨 내민다 ((속담)) Lo inesperado ocurre de repente. ～사리 corvina *f* amarilla cogida hacia el fin del mes. ～ 초승 el fin del mes y el principio del próximo mes. ～치 lluvia *f* [nieve *f*] (que cae) hacia el fin del mes. ～칠야(漆夜) noche *f* oscura del último día del mes lunar.

그분 ((높임말)) ＝그이, 그 사람. ¶～은 언제 가셨습니까? ¿Cuándo se fue él? ～은 언제 한국에 오셨지오? ¿Cuándo vino él a Corea? ～이 누구죠? ¿Quién es él?

그사이 mientras tanto, entretanto, interin *m*, interín *m*. ～에 mientras tanto, entretanto, en el ínterin, en el interín. ～에 상을 차리지 그래요? ¿Por qué no vas poniendo la mesa, mientras tanto? ～에 많은 것이 변했다 Muchas cosas habían cambiado en el ínterin [en el interín].

그새 ((준말)) ＝그사이.

그스르다 hacer quemar ligeramente.

그슬리다 quemar, abrasar [consumir] con fuego. 검게 그슬림 quemadura *f* superficial. 검게～ carbonizarse. 검게 그슬린 유해(遺骸) restos *mpl* carbonizados, restos *mpl* calcinados.
■그슬린 돼지가 달아 맨 돼지 타령한다 ((속담)) Dijo el asno al mulo: tira allá, orejudo / Dijo la sartén al cazo: quítate que me tiznas / Dijo la sartén a la caldera, quítate allá, que me tiznas.

그악스럽다 (ser) fiero, feroz (*pl* feroces); [장난이] travieso; [너무하다] excesivo; [부지런하다] diligente, trabajador, laborioso. 우리 아이는 한창 그악스러운 나이입니다 Mi hijo está en la edad más traviesa.
그악스레 con ferocidad, ferozmente. ～ 공부하다 estudiar demasiado mucho. ～ 굴다 comportarse indignantemente. ～ 먹다 comer demasiado, sobrealimentarse, comer en exceso. ～ 부려먹다 hacer sudar. ～ 일하다 deslomarse trabajando, sudar la gota gorda.

그악하다 ① [지나치게 심하다. 모질게 사납다] (ser) fiero, feroz. 그악하게 con ferocidad, ferozmente. ② [억척스럽고 부지런하다] [일꾼이] trabajador, laborioso, diligente; [학생이] aplicado, diligente; [노력을] diligente, empeñoso. 그악하게 con diligencia, con aplicación.

그야 ((준말)) ＝그것이야(eso). ¶～ 물론이지 ¡Por supuesto! ～ 그럴 수 있지 Eso es bastante posible.

그야말로 verdaderamente, en realidad, realmente, bien que, de veras, a la verdad, totalmente, completamente, muy, mucho. ～ 아름답다 Es muy hermoso / Es hermosísimo / Es verdaderamente hermoso. ～ 크다 Es verdaderamente grande. ～ 구사일생이구나 Realmente tú te salvaste de milagro [por un pelo · por los pelos]. 그렇다면 ~ 기쁘다 Si ello es así, me alegraré mucho. ~ 보람 있는 일이다 Eso es realmente trabajo que constituye un desafío. ~ 네가 잘못이다 Verdaderamente tú no tienes razón.

그어주다 compartir.

그어지다 aclararse.

그역(一亦) (eso) también.

그 역시(一亦是) también. ~ 사실이다 Eso también es verdad.

그예 al final, finalmente.

그 옛날 ① [그보다 이전의 옛날] los tiempos antiguos de antes. ② =옛날.

그윽하다 ① [깊숙하고 으늑하며 고요하다] (ser) silencioso, tranquilo, en calma, quieto, solitario, apartado, aislado. 그윽한 곳 lugar *m* aislado, lugar *m* solitario. ② [뜻과 생각이 깊다] (ser) profundo. 그윽한 마음씨 consideración *f* profunda. 그윽한 생각 pensamiento *m* profundo, idea *f* profunda. 그윽한 애정 cariño *m* profundo, amor *m* profundo, afección *f* profunda. ③ [느낌이 은근하다] (ser) exquisito, delicioso. 그윽한 향기 aroma *f* exquisita, aroma *f* deliciosa.
그윽히 en secreto, secretamente, en particular, en el corazón, por dentro, interiormente, tranquilamente, con suavidad. ~ 빛나는 con lustre apagado, lustado con suavidad.

그을다 ① [햇볕에] quemarse. 햇볕에 그은 얼굴 cara *f* bronceada. ② [연기에] fumigar, humear, cubrirse de hollín, tiznarse, echar humo, estar humeante, ponerse negro por el humo.

그을리다[1] [연기에] fumigar, humear; [볕에] quemarse. 나는 해변에서 많이 그을렸다 En la playa me he quemado [me quemé] mucho al sol.

그을리다[2] [그을게 하다] hacer quemarse. 피부를 ~ hacer quemarse la piel.

그을음 hollín *m*, tizne *m(f)*. ~투성이의 cubierto de hollín. ~을 없애다 deshollinar *algo*, limpiar *algo* de hollín. ~투성이다 estar cubierto de hollín. ~으로 가득 차 있다 estar lleno de hollín.

그이 él, ese hombre, esa persona. 내 사랑하는 ~ él que yo amo.

그이들 ellos, esos hombres, esas personas.

그자(一者) ese tipo. ☞그이

그자리 el mismo lugar, ese lugar.

그저 ① [그대로 사뭇] todavía, aún, continuamente, siempre, sin cesar. ~ 비가 온다 Sigue lloviendo. 그는 ~ 책을 읽고 있다 El todavía está leyendo el libro. ② [별로 신기함이 없이] así así, así asá, regular, más o menos. ~ 그렇다 Así, así / Regullar / Nada de particular. 이 포도주는 ~ 그렇다 Este vino no es bastante bueno. 이 책은 ~ 쓸만하다 Este libro me sirve a pesar de todo. ③ [어쨌든. 무조건하고] imprudentemente, de modo temerario, casualmente, sin objeto, sin norte, sólo, solamente, al azar. 그는 ~ 앉아 있다 El está sentado con apatía. 그는 아무 말도 하지 않고 ~ 갔다 El se fue sin decir ni una palabra. ④ [아무런 생각 없이] meramente, simplemente, sencillamente, solamente. ~ 농담이다 Es una mera broma. 그건 ~ 우연이다 Es una mera coincidencia. 나는 ~ 돕고 싶었습니다 Simplemente [Solamente] quería ayudar yo.

그저께 anteayer, antes de ayer, antier. ~ 아침(에) anteayer por la mañana. ~ 오후(에) anteayer por la tarde.

그저께밤 anteanoche.

그전(一前) antes, en otros tiempos, antiguamente. ~에 en el pasado, antes, en otros tiempos, antiguamente. ~처럼 como antes, como siempre. ~ 주소(住所) dirección *f* antigua. ~에 살다 vivir en el pasado. 우리는 ~부터 아는 사이입니다 Nosotros nos conocemos (por) mucho tiempo. ~에는 그 사람도 부자였다 El fue rico en el pasado.

그제 =그저께.

그제야 por primera vez, finalmente, por fin. 그는 ~ 바다를 보았다 El miró el mar por primera vez en su vida. 사람들은 건강을 잃고 나서 ~ 그 고마움을 안다 La salud no es conocida hasta que es perdida / El bien no es conocido hasta que se ha perdido / Hasta que no se pierde la salud no se sabe lo buena que es / En realidad no se aprecia lo bueno hasta que se pierde.

그중(一中) entre el resto, entre ellos, de muchos. ~ 가장 낫다 Es el mejor de muchos.

그지없다 ① [끝이 없다 · 한이 없다] (ser) infinito, ilimitado, sin fin. 그지없는 기쁨 alegría *f* infinita. 부모의 사랑은 ~ El amor paternal es infinito. ② [이루 다 말할 수 없다] (ser) indescriptible, inefable, inenarrable.
그지없이 infinitamente, ilimitadamente, indescriptiblemente, inefablemente, inenarrablemente. ~ 넓은 바다 mar *m* inmenso.

그치다 ① [계속되던 움직임이 멈추게 되다] parar, cesar. 그칠 새 없이 continuamente, sin cesar, constantemente, incesantemente. 그치지 않고 나오다 manar [borbollar · borborar · borborear] inagotablemente [en porfusión]. 바람이 그쳤다 Cesó el viento. 싸움이 그쳤다 Cesó la disputa. ② [어떤 상태에 머무르다] limitarse. …하는 것으로 ~ limitarse a + *inf*. 나는 …을 지적하는 것으로 그치겠다 Me limitaré a señalar *algo*. 나는 그에게 충고하는 것으로 그쳤다 Me limité a aconsejarle a él. 물가 상승은 그칠 줄 모른다 El alza de los precios no conoce límites. 그의 관심은 문학에만 그치지 않는다 Su interés no se limita a la literatura. ③ [계속되는 움직임을 멈추게 하다 · 하던 일을 멈추다] dejar de + *inf*, cesar de + *inf*. 울음을 ~ dejar de llorar. 일을 ~ cesar de trabajar. 나는 달리는 것을 그쳤다 Yo cesé de correr.

그침표(一標) ＝쌍점(雙點).

그토록 tan, tanto. ～ 어려운 일 trabajo *m* tan difícil. ～ 잘해 주시니 고맙습니다 Muchas gracias / Muchísimas gracias / Mil gracias / Un millón de gracias.

그 후(一後) después, más tarde, después de eso. ～ 15분 quince minutos después [más tarde]. ～ 일주일 una semana después [más tarde]. ～ 나는 서울에서 살고 있다 Desde entonces que yo vivo en Seúl.

극(極) ① [사물이나 그 정도가 그 이상 갈 수 없는 지경] cenit *m*, climax *m*. ～에 달하다 ser el punto culminante (de), estar en la cima [en la cumbre · en la cúspide] (de). ② [남극과 북극] polos *mpl*. 지구의 양(兩) ～ ambos polos *mpl* de la tierra. ③【물리】＝전극(電極). ④【물리】[자석(磁石)에서 자기력이 가장 센 두 끝] extremidad *f*.
◆ 남(南)～ polo *m* sur, polo *m* antártico, polo *m* austral. 북(北)～ polo *m* norte, polo *m* ártico, polo *m* boreal. 양(陽)～ polo *m* positivo. 음(陰)～ polo *m* negativo.

극(劇) ① ＝연극(演劇). ② [심하다] (ser) grave, serio. ③ [바쁘다. 번거롭다] (estar) ocupado. ④ [놀이. 장난] juego *m*.

극가(劇歌) línea *f* de *pansori*.

극간(極諫) protesta *f* fuerte. ～하다 protestar severamente.

극간하다(極奸一) (ser) astuto.

극간하다(極艱一) ser muy pobre, ser pobrecito, ser tan pobre como un ratón de sacristía.

극감(極減) reducción *f* extrema. ～하다 reducir extremamente.

극값(極一)【수학】valor *m* extremo.

극거리(極距離)【천문】codeclinación *f*.

극계(劇界) ＝극단(劇壇).

극고생(極苦生) muchas dificultades graves, trabajo *m* duro. ～하다 trabajar duro.

극곤하다(極困一) ser muy pobre.

극공명(極功名) rango *m* oficial muy alto.

극공하다(極恭一) ser muy cortés.

극과(極果) ((불교)) el fruto más alto, ilustración *f* perfecta de Buda.

극광(極光) aurora *f*, luz *f* polar. ～의 auroral.
◆ 남[북]～ aurora *f* austral [boreal].
■ ～대(帶) zona *f* auroral.

극괴하다(極怪一) (ser) muy extraño.

극구(極口) ① [갖은 말을 다함] todo tipo de palabras, toda clase de palabras. ～하다 decir todo tipo de palabras. ② [온갖 말을 다하여] con todo tipo de palabras, con toda clase de palabras.
■ ～ 변명[발명] todo tipo de excusas, todo tipo de pretextos, toda clase de excusas, toda clase de pretextos. ¶～하다 poner toda clase de excusas, buscar toda clase de pretextos. ～ 칭찬[찬송] las alabanzas más altas, los elogios más altos. ¶～하다 poner por las nubes.

극구(隙駒) El tiempo pasa muy rápidamente / El tiempo corre como una flecha.

극궁하다(極窮一) ser tan pobre como un ratón de sacristía, ser más pobre que una rata.

극권(極圈) círculos *mpl* polares.
◆ 남[북]～ círculo *m* antártico [ártico].

극궤도(極軌道) órbita *f* polar.

극귀하다(極貴一) ser muy raro.

극기(克己) abnegación *f*, estoicismo *m*. ～하다 abnegar.
■ ～력(力) poder *m* de abnegar. ～심(心) espíritu *m* abnegado, espíritu *m* estoico, espíritu *m* de abnegación. ～주의 ＝금욕주의. ～파(派)【철학】＝스토아 학파.

극기(極忌) aversión *f*, aborrecimiento *m*, antipatía *f*. ～하다 destestar, aborrecer.

극기후(極氣候) tiempo *m* polar.

극난(克難) subyugación *f* de dificultades. ～하다 vencer [superar · salvar] dificultades.

극난하다(極難一) ser muy difícil.

극남(極南) extremo *m* (del) sur.

극년(極年) ＝국제 지구 관측년.
■ ～ 관측 observación *f* del año polar.

극단(極端) extremo *m*, extremidad *f*; [과도] exceso *m*. ～의 extremo, extremado, radical, ultra; [예외적인] excepcional; [과도한] exagerado, extraordinario.
■ ～론 extremismo *m*. ¶～의 extremista. ～론자 extremista *mf*. ～적(的) extremo, extremado, radical, ultra; [과도한] exagerado, extraordinario. ¶～으로 extremadamente, extraordinariamente. ～인 대조(對照) contraste *m* fuerte, contraste *m* radical. ～인 예(例) caso *m* extremo.

극단(劇團) compañía *f* teatral.

극단(劇壇) mundo *m* teatral, círculos *mpl* teatrales.

극담(劇談) ① [쾌활한 이야기] cuento *m* alegre. ② [격렬한 말] palabra *f* violenta. ③ [연극에 관한 이야기] cuento *m* sobre el teatro.

극대(極大) ① [지극히 큼] lo grandísimo. ～의 grandísimo. ②【수학】máximo *m*. ～의 máximo.
■ ～값【수학】valor *m* máximo. ¶～이란 제일 큰 값이다 El valor máximo es el mayor valor. ～ 극소(極小) el máximo y el mínimo. ～량 máximo *m*. ～치(値)【수학】((구용어)) ＝극대값.

극도(極度) extremo *m*, grado *m* supremo. ～의 extremo, excesivo, extremado. ～의 피로 때문에 por estar extremadamente cansado.
극도로 con extremo, en extremo, en exceso, excesivamente, en sumo grado, en grado supremo, extremadamente. ～ 지치다 cansarse en extremo.

극도(劇道) camino *m* teatral.

극독(劇毒) veneno *m* violento [terrible], ponzoña *f* violenta [terrible].
■ ～약(藥) veneno *m* mortal.

극돌기(棘突起)【해부】apófisis *f* espinosa.

극동(極東) ① [동쪽의 맨 끝] extremo *m* (del) este. ②【지명】el Lejano Oriente, el Extremo Oriente. ～에서의 평화와 안전 la paz y la seguridad en el Extremo Oriente. ■~ 문제 cuestión *f* del Lejano Oriente. ~ 위원회(委員會) [유엔의] la Comisión del Lejano Oriente.

극락(極樂) ① [지극히 안락하여 아무 걱정이 없는 경우와 처지] situación *f* muy cómoda, dicha *f*, felicidad *f* absoluta. ② ((불교)) =극락세계(極樂世界). ¶지상(地上)의 ~ el Paraíso Terrenal, el Edén. ~에 가다 ir al cielo. ③ ((성경)) alegría y gozo, alegría *f*. 그런즉 내가 하나님의 단에 나아가 나의 ~의 하나님께 내가 수금으로 주를 찬양하리이다 ((시편 43:4)) Estaré al altar de Dios, al Dios de mi alegría y de mi gozo; y te alabaré con arpa, oh Dios, Dios mío / Llegaré entonces a tu altar, oh Dios, y allí te alabaré al son del arpa, pues tú, mi Dios, llenas mi vida de alegría.
■~계(界) ((준말)) =극락세계(極樂世界). ~길 ((불교)) camino *m* de ir al paraíso. ~ 만다라(曼茶羅) ((불교)) pintura *f* budista sobre el Paraíso. ~발원(發願) ((불교)) lo que se desea ir al paraíso. ~ 생활(生活) vida *f* elísea. ~세계(世界) ((불교)) paraíso *m*, cielo *m* budista, Edén *m*, mundo *m* de suma alegría, los Campos Elíseos. ¶~의 elíseo. ~ 왕생(往生) ㉮ ((불교)) [죽어서 극락정토에 가서 다시 태어남] renacimiento *m* en el Paraíso. ㉯ ((불교)) [편안히 죽음] muerte *f* feliz, muerte *f* tranquila. ¶~하다 morir tranquilamente. ~원(願) ((불교)) deseo *m* de renacer en el Paraíso. ~전(殿) ((불교)) santuario *m* budista a Amitabha. ~정토(淨土) ((불교)) Edén *m*, paraíso *m*. ☞극락세계.

극락조(極樂鳥) 【조류】 el ave *f* (*pl* las aves) del paraíso.

극량(極量) dosis *f* mínima, dosis *f* fatal.

극력(極力) con todo el poder, con toda fuerza, en la medida de lo posible, a más no poder. ~하다 hacer un supremo esfuerzo. 나는 ~ 노력하겠다 Haré todo lo posible / Haré el mayor esfuerzo posible / Haré todo lo que esté en la medida de lo posible. 그녀는 자신의 의견을 ~ 주장했다 Ella insistió tercamente en su propia opinión / Ella se mantuvo en sus trece.

극렬 분자(極烈分子) radical *mf*, extremista *mf*.

극렬하다(極烈—) (ser) violento, severo, intenso, vehemente. 극렬함 violencia *f*, severidad *f*, intensidad *f*, vehemencia *f*.
극렬히 violentamente, con violencia, severamente, con severidad, vehementemente, con vehemencia. 나는 ~ 반대했다 Me opuse con vehemencia.

극렬하다(劇烈—) (ser) muy violento, muy feroz, muy fiero.
극렬히 muy violentamente, muy ferozmente, muy fieramente.

극론(極論) argumento *m* extremo, argumento *m* radical, sofistería *f*. ~하다 argumentar en términos extremados. ~으로 en términos extremados. …할 때까지 ~하다 llegar hasta el extremo de decir que + *ind.* 그것은 ~이다 Es una opinión extremada [extrema].

극론(劇論) discusión *f* radcal. ~하다 discutir radicalmente.

극류(極流) 【해양】 corriente *f* polar.

극명(克明) minuciosidad *f*. ~하다 (ser) minucioso, detallado, escrupuloso. ~한 묘사(描寫) descripción *f* minuciosa.
극명히 minuciosamente, detalladamente, escrupulosamente. ~ 조사하다 investigar escrupulosamente.

극모(棘毛) 【동물】 espina *f* muy fuerte y gruesa.

극묘하다(極妙—) (ser) exquisito.

극무(劇務) deber *m* severo, trabajo *m* duro.

극문학(劇文學) literatura *f* dramática.

극미(極微) ((불교)) átomo *m*.

극미하다(極美—) (ser) muy hermoso, hermosísimo.

극미하다(極微—) (ser) microscópico, infinitesimal.

극변(極邊) frontera *f* muy lejana.

극변(劇變) =급변(急變).

극복(克服) subyugación *f*, conquista *f*, vencimiento *m*, superamiento *m*. ~하다 vencer, superar, rendir, subyugar, conquistar. 난관(難關)을 ~하다 vencer [superar · salvar] las dificultades. 병(病)을 ~하다 vencer la enfermedad. 불황을 ~하다 vencer la depresión económica. 위기를 ~하다 vencer [superar] una crisis. 유혹(誘惑)을 ~하다 resistir a la tentación. 장애(障碍)를 ~하다 vencer [superar · salvar] los obstáculos. 나이는 ~할 수 없다 No se puede luchar contra la edad. 사랑은 모든 것을 ~한다 El amor todo lo vence. 그녀는 비행기 여행에 대한 공포를 ~할 수 없었다 Fue incapaz de vencer [superar] el miedo a viajar en avión. 부친께서는 그 어려운 날들을 ~하셨다 Mi padre venció esos días difíciles.

극복(克復) restoración *f*, vuelta *f*. ~하다 restorarse, volver.

극본(劇本) =각본(脚本)(guión).

극북(極北) norte *m* extremo

극비(極秘) ((준말)) =극비밀(極秘密).
■~리(裡) sumo secreto *m*, mayor secreto *m*. ¶~에 con sumo secreto, con el mayor secreto. ~ 서류 documento *m* confidencial. ~ 정보 información *f* super secreta información *f* estrictamente confidencial.

극비밀(極秘密) secreto *m* estricto [capital · absoluto · riguroso]. ~의 estrictamente confidencial. ~로 en el mayor secreto, con sumo secreto, con [bajo] la mayor reserva. 사건을 ~로 하다 guardar [poner] el asunto en el más absoluto secreto.

극빈하다(極貧—) (ser) extremadamente pobre. 극빈함 extremada pobreza *f*, pobreza extrema. 극빈하게 살다 vivir en un nivel de pobreza extrema. 극빈함에 허덕이다

다 morir en la miseria. 라틴 아메리카에는 육천백만 명이 극빈한 상태로 살고 있다 En América Latina sesenta y un millones de personas viven en condiciones de pobreza extrema.

극사하다(極似—) parecerse mucho, ser muy parecido, parecerse como dos gotas de agua.

극상(極上) ① [(서열 따위의) 제일 위] el primero. ② [(품질 따위에서의) 가장 윗길] lo mejor. ~의 de cualidad superior, superfino, óptimo, supremo.

■ ~등(等) =최상급(最上級). ~품 artículo *m* de cualidad superior. ~ 품질 suprema cualidad *f*.

극서(極西) oeste *m* extremo.

극서(極暑/劇暑) =혹서(酷暑).

극선하다(極善—) (ser) muy bueno.

극성(極性) polaridad *f*. ~의 polar.

극성(極星) 【천문】 estrella *f* polar.

극성(極盛) lo extremo, extremidad *f*, [매우 성함] plena prosperidad *f*.

◆극성(을) 부리다[떨다] (ser) impaciente, impetuoso, loco, frenético, furioso.

■~기(期) período *m* de plena prosperidad. ~즉패(則敗) Si es demasiado próspero se arruina pronto.

극성맞다 =극성스럽다.

극성스럽다 (ser) muy próspero, rampante; [성질이] extremo, impaciente, impetuoso, impulsivo, frenético, furioso. 극성스러운 사람 persona *f* impaciente. 극성스러운 언동(言動) conducta *f* inmoderada.

극성스레 impacientemente, con impaciencia, furiosamente. ~ 일하다 trabajar furiosamente, trabajar como un loco.

극성(極聖) el santo más alto, Buda *m*.

극성(劇性) ① [극렬한 성질] carácter *m* violento. ② [연극으로서의 성질] carácter *m* teatral.

극세말(極細末) polvo *m* finísimo.

극세포(極細胞) celdilla *f* polar.

극세하다(極細—) (ser) muy delgado, muy fino.

극소(極小) ① [아주 작음] pequeñez *f* mínima. ~하다 (ser) muy pequeño, pequeñísimo. ② 【수학】 =극소값.

■~값[치] 【수학】 valor *m* mínimo.

극소량(極少量) mínimum *m*.

극소수(極少數) número *m* mínimo. ~의 과격파 un puñado de radicales.

극소하다(極少—) (ser) muy poco.

극술(劇術) =연기(演技). 배우술(俳優術).

극시(劇詩) poesía *f* dramática, poema *m* dramático.

극심스럽다(極甚/劇甚—) (ser) muy extremo.

극심스레 muy extremamente.

극심하다(極甚/劇甚—) (ser) extremo, excesivo, violento, intenso; [추위가] severo; [손해가] muchísimo. 극심함 extremidad *f*, exceso *m*, violencia *f*, intensidad *f*, severidad *f*. 극심한 더위 calor *m* intenso. 극심한 추위 frío *m* severo. 극심한 피해 daño *m* pesado, perjuicio *m* pesado.

극심스레 extremamente, excesivamente, violentamente, intensamente, severamente, con severidad, muchísimo.

극악무도하다(極惡無道—) (ser) atroz, brutal. 극악무도함 atrocidad *f*, brutalidad *f*.

극악하다(極惡—) (ser) atroz, malvado, diabólico. 극악함 atrocidad *f*, maldad *f*. 극악한 사람 hombre *m* malvado, hombre *m* perverso, monstruo *m*, bribón *m* (*pl* bribones), persona *f* horrible.

극약(劇藥) medicina *f* fuerte, remedio *m* fuerte, medicamento *m* de empleo peligroso; [독약(毒藥)] veneno *m*.

극양(極洋) mares *mpl* polares.

극언(極言) crítica *f* severa. ~하다 criticar severamente.

극엄하다(極嚴—) ① [몹시 엄하다] (ser) muy severo, severísimo. ② [매우 엄숙하다] (ser) grave, solemne, serio.

극열(極熱) ① [극히 심한 열] fiebre *f* muy extrema. ② [극히 뜨거움] lo extremamente caliente.

■ ~ 지대(地帶) zona *f* muy cálida. ~ 지옥(地獄) ((불교)) el infierno más caliente, el séptimo de los ocho infiernos.

극열(劇熱) fiebre *f* muy extrema.

극염(極炎/劇炎) calor *m* muy severo.

극영화(劇映畫) cinedrama *m*, drama *m* de película.

극예술(劇藝術) arte *m* dramático, arte *m* teatral.

극예하다(極銳—) (ser) muy penetrante.

극우(極右) ((준말)) =극우익(極右翼).

■~ 단체(團體) grupo *m* de la extrema derecha. ~파(派) ultraderechistas *mpl*.

극우익(極右翼) ① [극단적인 우익 사상] extrema derecha *f*, ultraderecha *f*. ② [우익파(右翼派) 사람] extrema derechista *mf*, ultraderechista *mf*.

극원하다(極遠—) estar muy lejos.

극월(極月) noviembre *m*.

극월(劇月) mes *m* muy ocupado.

극위(極位) el rango más alto, el puesto más alto.

극음(劇飮) demasiada bebida *f*. ~하다 beber demasiado.

극음악(劇音樂) música *f* dramática.

극인(棘人) =상제(喪制).

극자리표(極—標) 【수학】 =극좌표(極座標).

극작(劇作) teatro *m*, obra *f* dramática. ~하다 escribir un drama [una obra dramática].

■ ~가(家) dramaturgo, -ga *mf*, escritor, -tora *mf* de dramas. ~법[술] dramaturgia *f*, dramática *f*.

극장(劇場) [연극용의] teatro *m*; [영화용의] cine *m*. ~에 가다 ir a ver una película, ir al cine.

◆국립 ~ el Teatro Nacional. 영화 ~ cinema *m*, cine *m*. 오페라 ~ ópera *f*, teatro *m* de ópera. 원형 ~ anfiteatro *m*.

■ ~가(街) distrito *m* teatral. ~ 경영자(經

營者) productor, -troa *mf* teatral; director, -tora *mf* teatral. ~ 안내원 acomodador, -dora *mf*. ~ 음악(音樂) música *f* teatral. ~주(主) dueño, -ña *mf* [propietario, -ria *mf*] de un teatro.

극적(劇的) dramático. ~으로 dramáticamente. ~인 만남 encuentro *m* dramático.
■ ~ 장면(場面) escena *f* dramática.

극점(極點) ① [극도에 다다른 점·맨 끝] punto *m* extremo, climax *m*. ② [북극점과 남극점] meridiano *m*.

극제(劇劑) =극약(劇藥).

극제품(極製品) muy buen producto *m*.

극젱이 una especie del arado.

극존(極尊) ① [지위가 극히 높음] rango *m* muy alto, puesto *m* muy alto. ② ((높임말)) =임금.
■ ~대(待) trato *m* cordial, tratamiento *m* cordial. ¶~하다 tratar cordialmente.

극좌(極左)((준말)) =극좌익(極左翼).
■ ~파(派) extremas izquierdistas *mpl*.

극좌익(極左翼) ① [극단적인 좌익 사상] extrema izquierda *f*, ultraizquierda *f*. ② [극단적인 좌익 사상을 가진 사람] extrema izquierdista *mf*, ultraizquierdista *mf*.

극중(劇中) en la obra (de teatro). ~의 사건(事件) incidente *m* en la obra.
■ ~극(劇) obra *f* de la obra (de teatro). ~ 인물(人物) caracteres *mpl* en la obra.

극중하다(極重-) ① [극히 무겁다] (ser) muy pesado. ② [병이 매우 위중하다] (ser) muy crítico, muy grave. ③ [범죄가 중하다] (el crimen) ser grave.

극지(極地) polo *m*, región *f* polar.
■ ~법(法) método *m* polar. ~ 식물(植物) planta *f* polar. ~ 탐험(探險) expedición *f* polar. ~ 탐험가(探險家) explorador, -dora *mf* polar. ~ 항법(航法) navigación *f* polar. ~ 횡단 비행 vuelo *m* transpolar.

극직(劇職) trabajo *m* muy ocupado, deber *m* duro.

극진(劇震) terremoto *m* grave.

극진하다(極盡-) (ser) atento, hospitalario, cariñoso, cordial. 극진함 cariño *m*, cordialidad *f*, hospitalidad *f*. 극진한 간호를 받다 ser asistido con el mayor cuidado, recibir un cuidado cordial.
극진히 atentamente, cordialmente, hospitalariamente, cariñosamente, con mucha hospitalidad, con la mayor cuidado. ~ 맞이하다 recibir con mucha hospitalidad. 고인(故人)의 장례를 ~ 지냈다 El difunto fue enterrado con la más cordial ceremonia.

극찬(極讚) alabanza *f* alta. ~하다 alabar mucho.

극채색(極彩色) coloramiento *m* rico. ~의 ricamente coloreado; [다채색의] multicolor, polícromo; [야한] abigarrado, pintado de colores chocantes.

극처(極處) lugar *m* extremo.

극체(極體) =극세포(極細胞).

극초단파(極超短波) hiperfrecuencia *f*, frecuencia *f* ultraalta, microonda *f*, onda *f* ultracorta.
■ ~ 송신 【통신】 transmisión *f* por frecuencias ultraaltas. ~ 측선(側線) 【철도·통신】 dipolo *m* de hiperfrecuencia. ~ 튜너 sintonizador *m* de frecuencia ultraalta.

극치(極侈) lujo *m* excesivo. ~하다 ser excesivamente lujoso.

극치(極致) máximo grado *m*, colmo *m*, non plus ultra. 미(美)의 ~ belleza *f* suprema, belleza *f* ideal. 행복(幸福)의 ~ colmo *m* de la felicidad. ~에 달하다 llegar al máximo grado.

극치(極値) ((구용어)) =극값.

극친하다(極親-) (ser) muy íntimo. 극친한 사이 relaciones *fpl* muy íntimas.

극택(極擇) =정선(精選).

극터듬다 trapar(se) con mucha dificultad.

극통(極痛) ① [극히 심한 아픔] dolor *m* muy severo, pena *f* severa, pena *f* intensa, pena *f* aguda. ② [뼈에 사무치는 원통] rencor *m* profundamente arraigado.

극통(劇痛) dolor *m* severo.

극평(劇評) crítica *f* teatral; [신문 등의] crónica *f* del teatro. ~을 하다 criticar obras teatrales [dramáticas].
■ ~가(家) crítico, -ca *mf* teatral.

극피 동물(棘皮動物) equinodermo *m*.

극하다(極-) ir a extremos.

극하다(革-) la enfermedad ser grave.

극한(極限) último límite *m*, extremidad *f*. ~에 달하다 llegar al último límite. 그의 인내는 ~에 달했다 Su paciencia llegó al límite.
■ ~값 【수학】 valor *m* límite. ~ 강도(强度) resistencia *f* máxima. ~ 상황(狀況) situación *f* extrema. ~적(的) extremo. ¶~으로 extremamente. ~치(値) 【수학】 ((구용어)) =극한값. ~ 투쟁 lucha *f* a extremos, lucha *f* hasta el fin.

극한(極寒/劇寒) frío *m* muy severo, frío *m* muy intenso..
■ ~ 기후(氣候) tiempo *m* del frío muy severo.

극해(極害) daño *m* muy severo.

극형(極刑) pena *f* capital. ~에 처하다 condenar a la pena capital.

극화(劇化) adaptación *f* teatral, dramatización *f*. ~ 하다 adaptar al teatro. 소설을 ~하다 dramatizar una novela, adaptar a la escena [al teatro] una novela.

극화(劇畫) =그림 연극.

극흉하다(極凶-) ① [극히 흉악하다] (ser) muy atroz, cruel, malvado. ② [얼굴이 흉하다] (ser) muy feo..

극히(極-) muy, mucho, extremamente, extremadamente, sumamente, extraordinariamente. ~ 드문 일 cosa *f* muy rara. ~ 중요하다 ser sumamente importantemente.

근 ((준말)) =그는. ¶~ 그고 난 나지 El es él y yo soy yo.

근(根) ① [부스럼 속에서 곪아 단단하게 된 망울] clavo *m*. ② 【식물】 =뿌리. ③ 【화학】 =기(基). ④【수학】[방정식을 만족시키는 미지수의 값] raíz *f.* ~을 구하다 extraer una raíz. ⑤【수학】=승근(乘根) (raíz). ¶4승~ raíz *f* cuarta. 5승~ raíz *f* quinta.

근(筋)【해부】=힘줄. 근육(筋肉)(músculo).
■ ~운동(運動) movimiento *m* muscular.

근(斤) *gun* (600 g., 375 g.) ~으로 팔다 vender al peso.

근(近) casi, cerca de, alrededor de, unos, unas. ~ 한 달 동안 casi un mes. ~ 백리 cerca de cien *ri*, cerca de cuarenta kilómetros.

근간(近刊) ① [최근 출판된 간행물] edición *f* recién publicada. ② [머지않아 곧 출간함. 또, 그 책] próxima publicación *f*, [책] libro *m* en preparación.
■ ~서(書) [출판된] libro *m* recién publicado, libro *m* de reciente publicación. ~ 예고(豫告) anuncio *m* de libros de próxima edición.

근간(近間) ① [요즈음] estos días, nuestros días, recientemente. ② [가까운 시일의 미래] pronto, dentro de poco, en un futuro cercano, un día de estos, uno de estos días. ~에 또 만납시다 A ver si nos vemos pronto / Nos veremos un día de éstos. ~에 찾아 뵙겠습니다 Cualquier día de éstos le haré una visita / Le visitaré uno de estos días. 나는 ~ 외국에 간다 Voy al extranjero en un futuro cercano [dentro de poco · pronto]. 그는 시험이 ~에 있다 Su examen está muy cerca / Su examen está a la vuelta de la esquina. 그녀의 결혼식은 ~으로 임박하고 있다 Se le acerca [Se le aproxima] la boda.

근간(根幹) ① [뿌리와 줄기] la raíz y el tronco. ② [근본] principio *m*, fundamento *m*, base *f*, fondo *m*, tónica *f.* 그것은 한국 외교의 ~이다 Es la tónica de la diplomacia coreana.

근거(根據) ① [사물의 토대] base *f*, fundamento *m.* …을 ~로 하다 basarse en *algo*, fundarse en *algo*. 과학적 ~가 있다 tener una base científica. ② [의논 등에 그 근본이 되는 사실] base *f*, fundamento *m*, autoridad *f*, razón *f.* ~ 있는 (bien) fundado, con fundamento. ~ 없는 infundado sin fundamento, sin razón. ~ 없는 낭설(浪說) rumor *m* infundado sin fundamento. …을 ~로 말하다 afirmar a base de *algo*, afirmar basándose en *algo*; [고려에 넣어] afirmar en consideración de *algo*. 사실을 ~로 의견을 술회하다 opinar teniendo como base el hecho. …할 충분한 ~가 있다 Hay buenas razones para + *inf.* 그의 주장에는 확실히 ~가 있다 Ciertamente hay fundamento en su opinión. 그의 의견은 사실에 ~하고 있다 Su opinión se basa en el hecho / Su opinión se basa en la realidad de los hechos. ③ =근거지.
■ ~지(地) base *f* de operación, base *f* de opera-ciones.

근거리(近距離) distancia *f* corta, distancia *f* cercana, poca distancia *f*, cercanía *f.* ~에 있다 estar a poca distancia.
■ ~ 열차(列車) tren *m* de cercanías.

근검(勤儉) diligencia y frugalidad, economía e industria. ~하다 (ser) diligente y frugal.
■ ~저축 economía y ahorro. ¶~하다 ahorrar trabajando duro y economizando gastos. ~저축 운동 movimiento *m* de ahorro.

근검하다 ser bienaventurado con muchos hijos.

근경(近頃) [요즈음. 요사이] (en) estos días, nuestros días.

근경(近景) vista *f* cercana, paisaje *m* cercano.

근경(近境) ① [가까운 곳] lugar *m* cercano, sitio *m* cercano, cercanía *f.* ② [가까운 경우] condición *f* reciente, estado *m* presente de asuntos. ③ [가까운 국경] frontera *f* cercana.

근경(根耕) =그루갈이.

근경(根莖) ① [뿌리와 줄기] la raíz y el tallo. ②【식물】=뿌리줄기(rizoma).

근계(謹啓) [편지 첫머리에 쓰는 말로 「삼가 아뢰니다」의 뜻] [남자에게] Muy señor mío; [부인에게] Muy señora mía; [아가씨에게] Muy señorita mía; [회사 · 단체에게] Muy señores míos; [여자 단체에게] Muy señoras mías.

근고(近古) ① [과히 멀지 않은 옛적] tiempos *mpl* antiguos cercanos. ②【역사】edad *f* moderna cercana.
■ ~ 문학(文學) literatura *f* de principios de la dinastía *Koryo* al establecimiento de *Hunmin-jeongeum* [la escritura coreana]. ~사(史) historia *f* de la edad moderna cercana.

근고(勤苦) trabajo *m* duro. ~하다 trabajar duro.

근고(謹告) anuncio *m* [aviso *m*] respetuoso. ~하다 anunciar [avisar] respetuosamente [con respeto].

근곡(根穀) cereales *mpl* añejos, grano *m* añejo.

근골(筋骨) ① [근육과 뼈] el músculo y el hueso. ② [체력(體力)] fuerza *f* física. ~이 튼튼한 musculoso, fornido.
■ ~종(腫) misoteoma *m.*

근공(勤工) estudio *m* diligente. ~하다 estudiar diligentemente.

근관(根冠)【식물】=뿌리골무.

근교(近郊) alrededores *mpl*, cercanías *fpl*, afueras *fpl*. ~의 de los alrededores, de las afueras, suburbano, vecino. ~의 농민(農民) campesinos *mpl* de los pueblos vecinos. 서울의 ~에 en los afueras de Seúl, en los alrededores de Seúl.
■ ~ 농업 agricultura *f* en áreas suburbanas. ~ 철도 ferrocarril *m* suburbano.

근국(近國) país *m* vecino (*pl* países vecinos).

근근(近近) dentro de poco, en el futuro cercano.

근근(僅僅) =겨우. 근근이.

■ ~득생(得生) vida *f* poco abundante. ¶~하다 ganarse la vida a duras penas. 그들은 농토를 일구면서 ~한다 Ellos a duras penas se ganan la vida trabajando la tierra. ~부지(扶持) mantenimiento *m* a duras penas. ¶~하다 mantener a duras penas.

근근이(僅僅-) con dificultad, difícilmente, a duras penas, con dificultades económicas. ¶~ 살아가다 ganarse la vida a duras penas, vivir a duras penas, vivir con dificultades económicas. 그는 연금으로 ~살아가고 있다 El vive a duras penas de la pensión.

근근자자(勤勤孜孜) diligencia *f* y sinceridad. ~하다 (ser) diligente y sincero.

근근하다[1] [좀 아픈 듯하면서 근질근질한 느낌이 있다] picar doliendo un poco.

근근하다[2] [우물이나 못 따위에 괸 물이 가득 있다] estar lleno.

근근하다(勤勤-) (ser) muy diligente.

근기(近畿) región *f* cercana de Seúl.

■~ 지방 región *f* [comarca *f*] cercana de Seúl.

근기(根氣) ① [참을성 있게 배겨 내는 힘] paciencia *f*, perseverancia *f*, asiduidad *f*, aguante *m*, constancia *f*. ~ 있는 paciente, perseverante, asiduo; [지칠 줄 모르는] infatigable, incansable. ~ 있게 con paciencia, pacientemente, asiduamente, infatigablemente, incansablemente. ~ 있는 노력 esfuerzo *m* de paciencia. ~ 있는 일 trabajo *m* de paciencia, trabajo *m* que requiere constancia. ~ 있게 가다 ir asiduamente (a *un sitio*). ~에 지다 agotar [consumir · acabar] la paciencia. 나는 ~가 다 했다 Se me acabó la paciencia / Ya no puedo más / Estoy agotado. ② [근본이 되는 힘] fuerza *f*, vigor *m*, resistencia *f*, energía *f*, nervio *m*. ③ [(음식이 차지거나 영양이 많아서) 먹은 다음에 오랫동안 든든한 기운] resistencia *f*.

■~ 경쟁 competencia *f* de paciencia.

근기(根基) =근저(根底).

근긴장(筋緊張) tensión *f* muscular. ~의 musculotónico.

근년(近年) estos años, estos últimos años, recientes años. ~에 없었던 풍작(豊作)이다 Hemos tenido una cosecha tan abundante como no había en estos últimos años.

근념(勤念) consideración *f* amable. ~하다 dar una consideración amable.

근농(勤農) labranza *f* diligente, cultivo *m* diligente. ~하다 cultivar [labrar] diligentemente.

■~가(家) ㉮ [집안] familia *f* que cultiva diligentemente. ㉯ [사람] agricultor, -tora *mf* diligente.

근단백질(筋蛋白質) mioproteína *f*.

근대 【식물】 remolacha *f* azucarera.

■~뿌리 remolacha *f*, *Méj* betabel *m*, *Chi* betarraga *f*. ~ㅅ국 sopa *f* de remolacha azucarera.

근대(近代) ① [가까운 시대] época *f* cercana. ② =요즈음(estos días). ③ =현대(現代) (edad contemporánea). ~적 건축물 edificio *m* comtemporáneo. ④ [역사상 시대 구분의 하나] edad *f* moderna, época *f* moderna. ~의 moderno, de la edad moderna, de la época moderna. 서반아는 15세기 초에 ~로 접어들었다고 한다 Se dice que España entró en la época moderna a principios del siglo XV.

■~ 건축(建築) arquitectura *f* moderna. ~ 경제학 economía *f* política moderna. ~ 과학(科學) ciencia *f* moderna. ~ 국가(國家) país *m* (*pl* países) moderno. ~ 국어(國語) lengua *f* moderna. ~극 drama *m* moderno, teatro *m* moderno. ~ 도시(都市) ciudad *f* moderna. ~ 문명 civilización *f* moderna. ~ 문학(文學) literatura *f* moderna. ~ 문화(文化) cultura *f* moderna. ~법(法) ley *f* moderna. ~사(史) historia *f* moderna. ~ 사상(思想) ideas *fpl* modernas. ~ 사회(社會) sociedad *f* moderna. ~ 산업(産業) industria *f* moderna. ~ 생활(生活) vida *f* moderna. ~ 서반아어(西班牙語) español *m* moderno. ~성(性) modernidad *f*. ~ 소설(小說) novela *f* moderna. ~어(語) lengua *f* moderna. ~ 여성(女性) mujer *f* moderna. ~ 예술(藝術) arte *m* moderno. ~ 오종 경기(五種競技) pentatlón *m* moderno. ~ 음악(音樂) música *f* moderna. ~인 hombre *m* moderno; moderno, -na *mf*. ~ 장비(裝備) equipo *m* moderno. ~적(的) moderno *adj*. ~전(戰) guerra *f* moderna. ~주의(主義) modernismo *m*. ~주의자 modernista *mf*. ~파(派) modernistas *mpl*. ~ 한국 Corea *f* moderna. ~화(化) modernización *f*. ¶~하다 modernizar. ~되다 modernizarse.

근대다 ① [귀찮게 굴다] molestar, fastidiar, dar*le* la lata (a). 나를 근대지 마라 ¡Deja de molestarme! / Deja de fastidiarme! / ¡Deja de darme la lata! ② [조롱하다] burlarse, mofarse, reírse (de), ridiculizar.

근덕거리다 mover ligeramente; [움직이게 하다] hacer mover ligeramente.

근덕근덕 moviendo ligeramente.

근데 ((준말)) =그런데.

근뎅거리다 soler mover ligeramente

근뎅근뎅 soliendo mover ligeramente.

근뎅이다 mover meciendo ligeramente.

근돌기(筋突起) proceso *m* coronoides.

■~ 절제술(切除術) coronoidectomía *f*.

근동(近東) 【지리】 el Cercano Oriente.

근동(近洞) aldea *f* vecina cercana, pueblo *m* vecino cercano.

근동맥(筋動脈) artería *f* muscular.

근드렁거리다 mover lenta y suavemente.

근드렁근드렁 moviendo lenta y suavemente.

근드적거리다 temblar ligeramente, balancearse ligeramente.

근드적근드적 balanceándose ligeramente, temblando ligeramente.

근들거리다 [가지 · 나무가] balancearse; [건

물·탑이] bambolearse, balancearse, oscilar; [가볍게] mecerse, balancearse, temblar, tambalearse, moverse, vacilar. 근들거리는 이 diente *m* flojo. 이가 근들거리고 있다 tener un diente flojo. 내 무릎이 근들거린다 Me tiemblan las rodillas. 이 의자는 ~ Esta silla no es estable / Esta silla se tambalea / Esta silla se mueve. 이가 하나 근들거린다 Se me mueve un diente / Tengo un diente flojo.

근들근들 balanceándose, bamboleándose, oscilando, meciéndose, tambaleándose, moviendo, oscilando, vacilando. ~하다 oscilar, balancearse, estar movedizo.

근래(近來) [부사적] estos días, recientemente, en estos últimos tiempos. ~의 reciente, moderno. 그것은 ~에 보기 드문 걸작이다 Esta es una obra maestra difícil de encontrar en estos últimos tiempos.

근량(斤兩) ① [무게의 근과 냥] el peso y la cantidad. ② ((준말)) =근량쭝.
■~쭝 peso *m* del artículo.

근량(斤量) peso *m*. ~을 속이다 dar el peso pequeño, engañar el peso.

근력(筋力) ① [근육의 힘] poder *m* muscular. ② [기력(氣力)] energía *f*, fuerza *f* física. ③ [근육의 지속성] durabilidad *f* muscular.

근로(近路) camino *m* cercano.

근로(勤勞) labor *f*, trabajo *m*, servicio *m*, esfuerzo *m*. ~하다 trabajar, trabajar duro, hacer un esfuerzo.
■~ 감독관 inspector, -tora *mf* de trabajo. ~ 계급(階級) clase *f* obrera. ~ 계약(契約) contrato *m* de labor, contrato *m* de trabajo. ~권(權) derecho *m* obrero. ~ 기준법 la Ley Fundamental de Labor, la Ley del Trabajo Normalizada. ~ 대중(大衆) masa *f* obrera. ~ 문제(問題) problema *m* obrero. ~봉사(奉仕) servicio *m* de trabajo gratuito, servicio *m* de labor. ~ 봉사대(奉仕隊) cuerpo *m* de servicio de labor [trabajo gratuito]. ~ 소득(所得) ingresos *mpl* por servicio [trabajo] personal, ingresos *mpl* en concepto de salario [sueldo], ingresos *mpl* de trabajo. ~ 소득세(所得稅) impuesto *m* de ingresos por trabajo personal. ~자(者) trabajador, -dora *mf*, obrero, -ra *mf*. ~자의 날 el Día del Trabajo, el día de los trabajadores. ~ 정신(精神) espíritu *m* de labor, espíritu *m* de trabajo. ~ 조건(條件) condición *f* de labor, condición *f* de trabajo. ~ 청년(青年) joven *m* obrero. ~ 포장(褒章) la Medalla de Labor. ~ 학생(學生) trabajador, -dora estudiante *mf*.

근류(根瘤) 【식물】 =뿌리혹.
■~ 박테리아 =뿌리혹박테리아.

근리하다(近理—) casi tener razón.

근린(近隣) ① [가까운 이웃] vecino *m* [prójimo *m*] cercano. ② [가까운 곳] lugar *m* [sitio *m*] cercano, vecindad *f*, vecindario *m*. ~의 vecino, de la vecindad, limítrofe. ~의 여러 나라 países *mpl* vecinos, países *mpl* limítrofes.

근마비(筋痲痺) mioparálisis *f*.
■~증(症) mioplejía *f*.

근막(筋膜) 【해부】 fascia *f*. ~의 musculofascial, miofascial, fascial.

근맥(根脈) origen *m* que se ocurre la cosa.

근맥(筋脈) el músculo y el vaso sanguíneo.

근면(勤勉) diligencia *f*, laboriosidad *f*, aplicación *f*. ~하다 (ser) diligente, trabajador, laborioso, aplicado. ~하게 diligentemente, aplicadamente. ~한 학생(學生) estudiante *m* aplicado, estudiante *f* aplicada. ~하게 일하다 aplicarse, trabajar aplicadamente.
■~가(家) persona *f* trabajadora; [남자] hombre *m* trabajador; [여자] mujer *f* trabajadora. ~성(性) carácter *m* laborioso.

근모(根毛) 【식물】 =뿌리털.
■~ 세포(細胞) mioblasto *m*.

근무(勤務) servicio *m*, trabajo *m*. ~하다 servir, estar de servicio, trabajar, prestar servicio. ~ 중에 en acto de servicio, durante el ejercicio de *su* trabajo. ~ 중이다 estar de servicio. 비서(秘書)로 ~하다 trabajar de secretario [secretaria *f*]. 본사(本社)에 ~하다 trabajar en la oficina central, ser transferido a la oficina central. 오늘 우리들은 온종일 ~했다 Hoy hemos trabajado todo el día. 그는 이 회사에 ~하고 있다 El trabaja en esta compañía / El es un empleado de esta compañía. 우리는 하루 여덟 시간 ~다 Trabajamos ocho horas diarias. 내가 첫 ~ 차례다 Yo estoy en el primer turno / Yo estoy en la primera tanda.
◆시간외 ~ horas *fpl* extra(s), *Chi* sobretiempo *m*. 야간 ~ servicio *m* nocturno [de la noche]. turno *m* nocturno, turno *m* de la noche. 여덟 시간 ~ ocho horas de servicio. 육상 ~ servicio *m* de [en la] tierra. 주간 ~ servicio *m* diurno, turno *m* diurno. 해상 ~servicio *m* de [en el] mar. 해외 ~ servicio *m* en el extranjero.
■~ 능률(能率) eficiencia *f* de servicio. ~ 당번표(當番表) lista *f* de turnos. ~ 병과(兵科) el arma *f* de servicio. ~ 성적(成績) expediente *m*. ¶~이 있다 tener un expediente profesional excelente. ~ 소집(召集) =병무 소집(兵務召集). ~ 수당 subsidio *m* de servicio. ~ 시간(時間) horas *fpl* de trabajo, horas *fpl* de servicio, horas *fpl* de oficina. ¶벌써 내 ~이 넘었다 Ya han terminado mis horas de trabajo. ~실적 récord *m* de servicio. ~ 연한(年限) longitud *f* de *su* servicio. ~ 예정표(豫定表) horario *m* de servicio. ~ 일지 diario *m* de servicio. ~자 persona *f* de servicio; trabajador, -dora *mf*. ~ 조건 condiciones *fpl* de trabajo. ~지(地) lugar *m* de servicio. ¶~를 이탈하다 alejarse del lugar de servicio. ~지 수당(地手當) sobresueldo *m* del lugar de trabajo. ~처(處) trabajo *m*, lugar *m* de trabajo, oficina *f*. ¶~에서 돌아오다 volver del trabajo. ~의 전화번호를 알려 주다 dar el número del teléfono

de *su* oficina. ~가 어디입니까? ¿Dónde trabaja usted? ~ 카드 tarjeta *f* de servicio. ~ 태도(態度) *su* conducta, diligencia *f*. ~ 평점(評點) calificación *f* de servicios. ¶~을 매기다 calificar los servicios prestados.

근묵자흑(近墨者黑) Del amigo dañoso, como del tiñoso / Un amigo falso empuja al hombre al cadalso / Quien [El que] se acerca al betún se manchará.

근미래(近未來) futuro *m* cercano.

근민(近民) pueblo *m* del país vecino.

근민(勤民) ① [부지런한 백성] pueblo *m* diligente. ② [근로 생활을 영위하는 민중] pueblo *m* que maneja la vida obrera.

근방(近方) [근처(近處)] vecindad *f*, vecindario *m*; [주변] cercanías *fpl*, alrededores *mpl*, contornos *mpl*.

근방(近傍) lugar *m* [sitio *m*] cercano.

근배(謹拜) [편지의 끝말] (Saluda) A usted atentamente / Atentamente.

근변(近邊) =근방(近方).

근본(根本) ① [초목의 뿌리] raíz *f* (*pl* raíces) de las plantas y de los árboles. ② [기초] base *f*, cimiento *m*, fundamento *m*. 민주주의의 ~은 인권 존중이다 El respeto a los derechos humanos es la base de la democracia. ③ [자라온 환경과 경력] el medio ambiente y la carrera.
■ ~ 문제(問題) cuestión *f* fundamental. ~법(法) ley *f* básica. ~악(惡) 【철학】 mal *m* básico. ~ 원인(原因) causa *f* básica. ~ 원칙(原則) principio *m* fundamental. ~ 자료 fuentes *fpl* fuentes *fpl* originales. ~적(的) básico, fundamental, radical, esencial. ¶~으로 básicamente, fundamentalmente, radicalmente, a fondo. ~인 차이 diferencia *f* fundamental, diferencia *f* radical. 이 계획은 ~으로 틀렸다 Este plan está equivocado radicalmente. ~ 정신(精神) espíritu *m* fundamental. ~ 진리(眞理) 【철학】 verdad *f* básica.

근부(根部) parte *f* de las raíces de las plantas.

근사(勤仕) =근무(勤務).

근사값(近似-) 【수학】 valor *m* aproximado.

근사 계산(近似計算) 【수학】 cuenta *f* aproximada.

근사법(近似法) aproximación *f*.

근사식(近似式) 【수학】 fórmula *f* aproximada.

근사치(近似値) 【수학】 ((구용어)) =근사값.

근사하다(近似-) ① [거의 같다] (ser) aproximado. 근사함 aproximación *f*. 근사하게 aproximadamente. ② ((속어)) [그럴싸하게 괜찮다] (ser) probable, verosímil, gracioso, elegante, bonito, mono. 근사함 probabilidad *f*, verosimilitud *f*, elegancia *f*, gracia *f*. 근사한 생각 opinión *f* probable. 저 아가씨 근사하지? No está mal aquella chica, ¿eh? 이 노래 근사하지요? Es fenómena esta canción, ¿no?

근상(謹上) [편지 끝에 씀] A usted atentamente / Atentamente.

근생엽(根生葉) =뿌리잎(hojas radicales).

근서(近西) dirección *f* cercana al este.

근석 ((준말)) =그 녀석(ese tipo). ¶~을 때려 줘라 Golpea a ese tipo.

근섬유(筋纖維) fibra *f* muscular.
■ ~막 endomisio *m*. ~ 막염(膜炎) miofibrositis *f*. ~ 분절(分節) sarcómera *f*. ~종(腫) miofibroma *m*. ~증 miofibrosis *f*. ~초(鞘) miolema *m*.

근성(芹誠) corazón *m* sincero.

근성(根性) carácter *m* (*pl* caracteres), natural *m*, espíritu *m*, temple *m*, perseverancia *f*, temperamento *m*. ~이 있는 perseverante. ~이 나쁜 perverso, malévolo, retorcido, malicioso, maligno, malintencionado. ~이 썩은 corrompido, de corazón vil. ~을 고치다 corregir el (mal) carácter (de), corregirse, reformarse. ~을 발휘하다 mostrar *su* vigor, mostrar *su* carácter, mostrar *su* espíritu. ~이 썩어 있다 tener un espíritu depravado, tener un espíritu completamente corrompido. 그는 ~이 나쁘다 El tiene un espíritu malévolo / El es malo / El es perverso. 그는 ~이 있다 El tiene vigor [carácteres] / El es un hombre de vigor [de carácter · de espíritu · de temperamento]. ~만 있으면 어느 것이나 달성할 수 있다 / ~은 모든 것을 이룬다 La perseverancia lo consigue todo.

근성형술(筋成形術) mioplastia *f*. ~용의 mioplástico.

근세(近世) ① [오래되지 아니한 세상] tiempos *mpl* recientes, tiempos *mpl* modernos. ~의 reciente. ~의 한국 작가(作家) escritores *mpl* coreanos de tiempos recientes. ② 【역사】 época *f* moderna. ~의 moderno.
■ ~ 건축(建築) arquitectura *f* moderna. ~사(史) historia *f* moderna. ~ 조선(朝鮮) Choson *m* moderno. ~ 철학(哲學) filosofía *f* moderna.

근세(近勢) situación *f* reciente.

근세포(筋細胞) célula *f* muscular.
■ ~ 융해 miocitolisis *f*. ~종 miocitoma *m*.

근소하다(僅少-) (ser) un poco, pequeño, trivial. 근소함 pequeñez *f*, mínimo *m*, minimum *m*. 근소한 차이로 이기다 ganar por una mínima [pequeña] diferencia. 그는 근소한 차로 졌다 El perdió por una pequeña diferencia.

근속(勤續) servicio *m* continuo. ~하다 servir durante largo tiempo, prestar servicios continuos, seguir trabajando. 10년 ~ 공무원 funcionario *m* público [funcionaria *f* pública] con diez años de servicios. 그녀는 이 회사에 20년 이상 ~하고 있다 Ella lleva más de veinte años al servicio de esta compañía / Hace más de veinte años que ella trabaja en esta compañía. 김 씨는 공무원으로 30년간 ~하고 있다 El señor Kim lleva treinta años al servicio del funcionario público.
■ ~급(給) salario *m* de servicio largo. ~기간(期間) tiempo *m* de servicio. ~ 수당

(手當) subsidio *m* de servicio largo. ~ 연수(年數) años *mpl* transcurridos en el servicio. ~ 연한 longitud *f* de servicio. ~ 자(者) empleado, -da *mf* en el servicio largo. ¶30년 이상 ~ los [las] que han prestado servicios durante más de treinta años seguidos.

근쇠약증(筋衰弱症) amiostenia *f.*

근수(斤數) número *m* de *gun*, peso *m.* ~가 모자라다 faltar de peso. ~가 초과되다 tener exceso de peso.

근수(根數) 【수학】 raíz *f*, radical *m.*

근수종(筋水腫) mioedema *m.*

근수축(筋收縮) contracción *f* muscular.
■ ~계 mioscopio *m.* ~ 지체(遲滯) miodradia *f.*

근시(近侍) miembro *m* del séquito, paje *m.*

근시(近時) estos días, recientemente.

근시(近視) ① [근시안] corta vista *f*, vista *f* corta, vista *f* baja; 【의학】 miopía *f.* ~의 miope, corto de vista. ~의 사람 miope *mf.* ~이다 tener la vista corta, ser corto de vista, ser miope. 심한 ~이다 tener una miopía muy avanzada, ser muy miope. ② [눈앞의 일에 사로잡혀 앞일을 바로 보지 못함] visión *f* corta.
■ ~경(鏡) gafas *fpl* para [de] miopía. ¶고도(高度) ~ gafas *fpl* para miopía de alto grado. ~ 교정술(校正術) mioportosis *f.* ~성 난시(性亂視) astigmatismo *m* miópico. ~성 반월(性半月) creciente *f* miópica. ~안(眼) miopía *f.* ¶~의 miope, miópico. ~안자(眼者) miope *mf.* ~안적(眼的) miope, corto de vista. ¶~으로 con miopía. ~증(症) disfotia *f.*

근신(近臣) paje *m* personal.

근신(近信) noticia *f* reciente, carta *f* reciente.

근신(謹愼) buena conducta *f*, reserva *f*, circunspección *f*; [개전(改悛)] arrepentimiento *m*, penitencia *f*; [벌] reclusión *f.* ~하다 portarse bien; [자택에서] recluirse en *su* domicilio.

근신경(筋神經) mioneurastenia *f.* ~의 mioneural.
■ ~종(腫) mioneuroma *m.* ~통(痛) mioneuralgia *f.*

근실거리다 picar, sentir comezón (en). 나는 손이 근실거린다 Me pica la mano / Siento comezón en la mano. 나는 여행하고 싶어 근실거린다 Tengo muchas ganas de viajar.

근실근실 picando. ~하다 picar, sentir comezón (en). 등이 ~하다 Me pica la espalda / Me pica en las espaldas. 때리고 싶어 손이 ~하다 Las manos se me calientan.

근실하다(勤實-) (ser) activo, diligente, laborioso. 그는 무척 ~ El es muy activo.
근실히 activamente, diligentemente, laboriosamente. ~ 일하다 trabajar diligentemente [laboriosamente · como una abeja].

근심 ansiedad *f*, preocupación *f*, inquietud *f*, solicitud *f.* ~하다 inquietarse (de · por), fatigarse (de · por). ~의 원인 causa *f* de ansiedad. 가정(家庭)의 ~ ansiedad *f* familiar, problemas *mpl* familiares. 쓸데없는 ~ ansiedad *f* innecesaria. ~에 잠기다 sumergirse en *sus* reflexiones, sumirse en honda meditación, sumirse en graves reflexiones. ~에 잠겨 있다 estar absorto [ensimismado] en hondas reflexiones.
■ ~거리[사] preocupación *f.* ¶~ 없이 sin preocupaciones. ~가 전혀 없다 no tener ninguna preocupación.
근심스럽다 estar preocupado. 그는 근심스런 표정을 하고 있다 El parece preocupado.
근심스레 con aire de preocupación, con ansiedad, con preocupación.

근압(根壓) 【식물】 =뿌리압.

근엄하다(謹嚴-) (ser) severo, serio, solemne, grave, formal, digno. 근엄함 severidad *f*, seriedad *f*, formalidad *f*, gravedad *f.* 근엄한 사람 persona *f* seria. 근엄한 태도 actitud *f* digna. 근엄한 표정 semblante *m* serio.
근엄히 seriamente, formalmente, gravemente, severamente, solemnemente, dignamente.

근업(近業) ① [최근에 지은 책이나 글] libro *m* recién escrito. ② [근래에 하는 사업] negocio *m* reciente.

근역(槿域) Corea *f*, nuestro país *m.*

근연(近緣) pariente *m* cercano.

근염(筋炎) sarcitis *f*, miositis *f.*
■ ~성 신경염(性神經炎) neuromiosistis *f.*

근엽(根葉) ① 【식물】 [뿌리와 잎] el raíz y la hoja. ② ((준말)) =근생엽(根生葉).

근영(近詠) poesía *f* recién compuesta.

근영(近影) *su* última fotografía.

근왕(勤王) lealtad *f* al rey.
■ ~병(兵) soldado *m* leal al rey.

근운동(筋運動) miocinesis *f.* ~의 miocinético.
■ ~ 기록도(記錄圖) miograma *m.* ~ 능력 cinetismo *m.* ~ 묘기법 miografía *f.* ~ 요법 cinesipatía *f.* ~통(痛) cinesalgia *f.*

근원(根源) ① [사물이 생겨나는 본바탕] origen *m* (*pl* orígenes), raíz *f* (*pl* raíces), fuente *f*, procedencia *f*, principio *m*; [근본원인] causa *f* primera; [정수] esencia *f.* 사회악의 ~ raíz *f* del mal social. …에 ~을 가지다 tener origen (en), originarse (en). 모든 악(惡)의 ~을 제거하다 quitar la raíz de todos los males. 돈은 모든 악의 ~이다 El dinero es causa de todos los males. 욕심은 모든 악의 ~이다 La avaricia es la raíz de todos los males. 돈은 모든 악의 ~이다 ((서반아 속담)) El dinero es la causa de todos los males. ② [물이 흘러내리는 샘 줄기의 근본] origen *m.* ③ =금실지락(琴瑟之樂).
■ ~적(的) original, esencial. ~지 fuente *f.*

근위(近衛) escolta *f* cerca del rey.
■ ~대(隊) la Guardia Real. ~병 soldado *m* de la Guardia Real, miembro *m* de la Guardia Real, soldado *m* de la Guardia Nacional. ~ 사단(師團) división *f* de la guardia.

근위축(筋萎縮) 【의학】 miatrofia *f*, mioatrofia *f*, amiotrofia *f*. ~의 amiotrófico.
■ ~증(症) amiotrofia *f*.

근유(根由) razón *f* fundamental.

근육(筋肉) músculo *m*; [집합적] musculatura *f*. ~의 muscular. ~ 모양의 mioide. ~ 사이의 intermuscular. ~이 많은 사람 hombre *m* musculoso. ~을 만들다 hacer músculos. ~을 단련하다 fortalecer los músculos. 이두근은 앞팔에서 가장 강한 ~이다 El biceps es el músculo más fuerte del antebrazo.
■ ~ 감각 sentido *m* muscular. ~ 감각 상실 acinestesia *f*. ~ 계통(系統) sistema *m* muscular. ~ 골화증 sarcostosis *f*. ~내 주사(內注射) inyección *f* intramuscular. ~노동(勞動) labor *f* física, esfuerzo *m* físico, trabajo *m* de brazos. ~ 노동자 obrero *m* (manual), peón *m* (*pl* peones) bracero. ~ 돌기(突起) proceso *m* coronoides. ~ 류머티즘 reumatismo *m* muscular. ~ 바깥막(膜) epimisio *m*. ~ 발생 miogénesis *m*. ~ 분절 miótomo *m*. ~ 수축 contracción *f* muscular. ~양 세포(樣細胞) célula *f* mioide. ~ 이영양증(異營養症) distrofia *f* muscular. ~ 조직 tejido *m* muscular, sistema *m* muscular, musculatura *f*. ~종(腫) miosarcoma *f*. ~주사(注射) inyección *f* intramuscular. ~질(質) musculatura *f*. ¶~의 musculoso. ~층(層) panículo *m* carnoso, túnica *f* muscular. ~통(痛) dolor *m* muscular; 【의학】 mialgia *f*, miodinia *f*. ~ 피부 신경 nervio *m* musculocutáneo. ~학(學) miología *f*, sarcología *f*. ~형 동맥(形動脈) arteria *f* miotípica. ~형 정맥(形靜脈) vena *f* miotípica. ~ 횡격막 동맥 arteria *f* musculofrénica. ~ 횡격막 정맥 vena *f* musculofrénica.

근음(根音) 【음악】 =밑음.

근읍(近邑) pueblo *m* cercano.

근인(近因) causa *f* inmediata.

근인(近姻) pariente *m* cercano.

근인(根因) causa *f* primera.

근일(近日) ① [요사이] estos días, nuestros días, recientes días. ② [가까운 동안] pronto. ~ 중에 dentro de poco, un día de éstos, en lo futuro cercano, pronto. ~ 중에 방문하겠습니다 Le visitaré un día de éstos.
■ ~ 개점(開店) Se inaugurará pronto / De próxima inauguración.

근일점(近日點) 【천문】 perihelio *m*.

근자(近者) estos días; [부사적] recientemente. ~의 reciente. ~에 recientemente.

근작(近作) obra *f* reciente, última obra *f*.

근잠 una especie del añublo.

근장(筋漿) suero *m* muscular.

근저(近著) obra *f* literaria reciente; [책] libro *m* recién escrito.

근저(根柢) fundamento *m*, cimiento *m*, base *f*, raíz *f*, fondo *m*. ~에서, ~로부터 fundamentalmente, radicalmente; [근원(根源)에서] desde el origen; [철저하게] a fondo, íntegramente. 그의 사상의 ~를 이루고 있는 것은 기독교다 La base de su pensamiento es el cristiano / Su pensamiento tiene por fondo el cristiano.

근저당(根抵當) hipoteca *f* flexible, hipoteca *f* variable.

근전도(筋電圖) electromiograma *m*.

근전위(筋轉位) mietopía *f*.

근절(根絶) erradicación *f*, extirpación *f*, desarraigo *m*; [절멸(絶滅)] extinción *f*, exterminación *f*, destrucción *f*. ~하다 erradicar, extirpar, desarraigar, arrancar, suprimir, hacer desaparecer, eliminar, extinguir, exterminar, destruir. ~할 수 있는 erradicable. 교통사고를 ~하다 hacer desaparecer los accidentes de circulación. 사회에서 범죄를 ~하다 suprimir los crímenes de la sociedad. 부패 정치가들을 ~하다 erradicar a los políticos corruptos. 그는 행정부의 악폐(惡弊)를 ~하려 했다 El trató de erradicar los males de la Administación.
■ ~책(策) medida *f* de erradicación.

근절개도(筋切開圖) miótomo *m*, sarcótomo *m*.

근절개술(筋切開術) miotomía *f*.

근점(近點) ① 【물리】 la distancia más cercana que se ve con los ojos. ② 【천문】 el punto más cercano. ③ 【천문】 ((준말)) =근일점(近日點). ④ 【천문】 ((준말)) =근지점(近地點).
■ ~년(年) 【천문】 365 días 6 horas 13 minutos 52 segundos. ~월(月) 【천문】 27 días 13 horas 18 minutos 33 segundos.

근접(近接) aproximación *f*, proximidad *f*, 【심리】 contigüidad *f*. ~하다 (estar) cerca, próximo, contiguo, aproximarse, acercarse.
■~ 도시 la ciudad y los pueblos de los alrededores. ~ 신관(信管) espoleta *f* de aproximidad. ~전투(戰鬪) combate *m* en proximidad, combate *m* cercano. ~ 전투부대 elementos *mpl* de combate cercano. ~ 지역 distritos *mpl* de los alrededores. ~ 항공 지원 apoyo *m* aéreo cercano.

근정(謹呈) presentación *f*, donación *f*, dedicación *f*. ~하다 donar, dar, regalar; [도서 따위를] presentar, hacer homenaje (a *uno* con *algo*), dedicar. 김 선생님께 책을 한 권 ~하다 presentar un libro al señor Kim, hacer homenaje al señor Kim con un libro.

근정맥(筋靜脈) vena *f* muscular.

근제(謹製) fabricación *f* cuidadosa. ~하다 fabricar cuidadosamente.

근조(謹弔) condolencias *fpl*, pésame *m*. ~하다 dar el pésame, dar *sus* condolencias.

근조직(筋組織) tejido *m* muscular.
■ ~ 이완증(弛緩症) malacosarcosis *f*.

근족(近族) pariente *m* cercano.

근종(根種) =그루갈이.

근종(筋腫) mioma *m*.
■~ 발생(發生) miomagénesis *f*. ~ 절제술 miomatectomía *f*. ~증 miomatosis *f*.

근종(跟從) =수행(隨行).

근중(斤重) peso *m*.
근증(筋症) miopatía *f*. ~의 miopático.
근지(近地) lugar *m* cercano, sitio *m* cercano, tierra *f* cercana, distrito *m* cercano.
근지럽다 picar*le* (a *uno*). 등이 ~ Me pica (en) la espalda. 벌레가 문 곳이 근지러워 참을 수 없다 No puedo aguantar el picor que siento donde me ha picado el bicho.
근지방 변성(筋脂肪變性) miodemia *f*.
근지방증(筋脂肪症) mielipoma *m*.
근지점(近地點)【천문】perigeo *m*.
근직하다(謹直-) (ser) diligente y honrado. 근직한 사람 persona *f* diligente y honrada.
근질거리다 sentir comezón muchas veces, picar con frecuencia.
근질근질 sintiendo comezón muchas veces. …하고 싶어 ~하다 tener muchas ganas de + *inf*, sentir comezón por + *inf*, saltar por + *inf*, estar impaciente por + *inf*, morirse ganas de + *inf*, arder en deseos de + *inf*. 무슨 말을 하고 싶어 ~하다 sentir comezón por decir una cosa. 때리고 싶어 손이 ~하다 Las manos se me calientan.
근질대다 =근질거리다.
근쭝(斤-) peso *m*.
근착(近着) llegada *f* reciente. ~하다 llegar recientemente. ~한 양서(洋書) libro *m* extranjero recién llegado. ~(한) 잡지(雜誌) revista *f* recién llegada.
근채(芹菜)【식물】=미나리.
근채(根菜) =뿌리채소.
■ ~류(類) raíces *fpl* comestibles.
근처(近處) vecindad *f*, vecindario *m*, cercanía *f*. ~의 cercano próximo, que está más cerca. ~에 en la vecindad, en la cercanía. 이 ~에 por aquí cerca, en este barrio, en esta vecindad. 그 ~에 por ahí, por esos parajes; [부근·근방] por los alrededores, en las cercanías, por esos contornos. 종로 ~에 por (el barrio de) Chongro. 그 ~를 산책하다 dar un paseo por las cercanías, dar un paseo por ahí. 그 ~에 두어라 Déjalo ahí / Ya está bien. 안경은 그 ~에 있을 것이다 Los anteojos andarán por ahí. 그 ~까지 바래다 드리겠습니다 Le acompaño hasta ahí cerca. ~의 안내소에 문의해 주십시오 Pregúntelo en las informaciones que estén más cerca. 그 ~에서 식사합시다 Vamos a comer allí cerca [por allí]. 집 ~에서 화재가 있었다 Hubo un incendio cerca de mi casa. 이 ~에 파출소가 있습니까? ¿Hay por aquí (cerca) algún puesto de policía? / ¿Hay un puesto de policía cerca de aquí?
근척(近戚) pariente *m* cercano.
근청(謹聽) ¶~하다 escuchar con atención.
근촌(近寸) grado *m* de consanguinidad cercana.
근촌(近村) pueblo *m* vecino, alrededores *mpl*.
근축(根軸)【수학】eje *m* radical.
근치(根治) cura *f* radical; [상처의] cicatrización *f*. ~하다 sanar [curar] radicalmente [completamente], cicatrizar.
근친(近親) pariente *m* cercano, pariente *f* cercana; familiar *mf*, allegado, -da *mf*.
■ ~결혼 casamiento *m* consanguíneo. ~살해 parricidio *m*. ~ 살해자 parricida *mf*. ~상간(相姦) incesto *m*. ~혼(婚) ((준말)) =근친결혼(近親結婚).
근친(覲親) ① [시집간 딸이 친정 어버이를 뵘] visita *f* de la novia a *sus* padres. ~하다 (la novia) visitar a *sus* padres. ② ((불교)) visita *f* del monje budista a *sus* padres. ~하다 (el monje budista) visitar a *sus* padres.
근칭(斤秤) =대칭(大秤).
근타(勤惰) =근태(勤怠).
근탄(根炭) =등걸숯.
근태(根太)=그루콩.
근태(勤怠) diligencia *f* y pereza.
근통(筋痛)【의학】mialgia *f*.
근표(根表)【수학】=제곱근표.
근표본(筋標本) músculo *m* para el espécimen.
근풀이(斤-) venta *f* por libra. ~하다 vender por libra.
근하(謹賀) ¡Felicidades!
■ ~신년(新年) ¡Feliz Año Nuevo! / Le deseo un próspero Año Nuevo.
근하다(勤-) (ser) diligente, trabajador.
근학(勤學) mucho estudio, estudio *m* diligente. ~하다 estudiar mucho, estudiar diligentemente.
근해(近海) mares *mpl* cercanos (a), aguas *fpl* cercanas (a). ~의 costero, cerca del mar. ~를 따라 a lo largo de la costa, bordeando la costa. 한국 ~에서 en las aguas cercanas a las costas de Corea.
■ ~ 무역(貿易) cabotaje *m*. ~어(魚) pez *m* de mares cercanos. ~ 어업(漁業) pesca *f* en mares cercanos a la costa. ~ 항로(航路) litoral *m*, costa *f*. ~ 항행 navegación *f* costera, cabotaje *m*.
근행(勤行) servicio *m* religioso, práctica *f* religiosa, ejercicio *m* piadoso; [아침의] maitines *mpl*. ~하다 celebrar el servicio religioso.
근행(覲行) visita *f* a *sus* padres. ~하다 visitar a *sus* padres. 내 아내는 ~ 가 있다 Mi mujer está en casa de sus padres.
근호(根號)【수학】radical *m*.
근화(近火) incendio *m* vecino, incendio *m* ocurrido en *su* vecindad. 우리는 ~에 아무런 피해 없이 무사하기를 바랍니다 Esperamos que no les haya afectado nada el incendio ocurrido en su vecindad y que se encuentren bien.
근화(槿花)【식물】=무궁화(無窮花).
■ ~향(鄕) =근역(槿域).
근황(近況) estado *m* actual, condición *f* actual, estado *m* reciente, condición *f* reciente. 저에게 귀하의 ~을 알려 주십시오 Cuénteme qué es de su vida últimamente.
■ ~ 보고(報告) noticias *fpl* de *su* vida.
근후하다(謹厚-) (ser) cuidadoso y cortés.
글[1] ① [학문] letras *fpl*, estudios *mpl*, saber

m, conocimientos *mpl*, educación *f*. ～ 있는 사람 persona *f* educada, hombre *m* educado. ～이 있다 ser educado. ～을 배우다 aprender, estudiar, perseguir *sus* estudios. 글깨나 배웠다고 뽐내다 estar orgulloso de *sus* conocimientos. ② [문장] oración *f*, composición *f*, artículo *m*, estilo *m*, frase *f*, literatura *f*. 세련된 ～ estilo *m* elegante. 알기 쉬운 ～ estilo *m* fácil de entender. 좋은 ～ buen estilo *m*. ～을 다듬다 elaborar el estilo. ～을 잘 쓰다 ser un estilista, escribir un buen estilo. ～을 짓다 componer, escribir una composición. 다음 ～ 중에서 틀린 곳을 고치시오 Corríjanse los errores en las frases siguientes. 그는 많은 월간지에 ～을 쓰고 있다 El colabora en muchas revistas mensuales. ③ [글자] escritura *f*, alfabeto *m*, caracteres *mpl*. ～을 모르다 ser iletrado. ～을 쓰다 escribir. ～을 예쁘게 쓰다 caligrafiar. ～을 잘 쓰는 사람 calígrafo, -fa *mf*.
■글 속에도 글 있고 말 속에도 말 있다 ((속담)) Hay otro contenido en el contenido. 글에 미친 송 생원(宋生員) ((속담)) el que sólo lee los libros, el que está loco de la lectura, maníaco, -ca *mf* por la lectura.

글² ((준말)) ＝그를. ¶～ 찾아라 Búscale a él.

글겅거리다 ((준말)) ＝글그렁거리다.

글겅글겅 ((준말)) ＝글그렁글그렁.

글겅이 almohaza *f*.

글겅이질 ① [마소의 털을 글겅이로 벗기는 짓] ejercicio *m* de almohazar. ～하다 almohazar. ② [지방 관리나 권세자가 약자의 재물을 긁어먹는 짓] explotación *f*. ～하다 explotar.

글공부(－工夫) estudio *m* (de las letras). ～하다 aprender las letras, estudiar.

글구멍 talento *m* literario.

글귀 frase *f*, palabra *f*, verso *m*, pasaje *m*, oración *f*, línea *f*, pareado *m*, dístico *m*. ～를 잇다 completar un verso. ～를 외다 aprender de memoria un pasaje.

글그렁거리다 ronronear, respirar con dificultad, resollar (produciendo un sonido sibilante como los asmáticos.

글그렁글그렁 ronroneando, respirando con dificultad, resollando.

글꼴 디자이너(－designer) dibujante *m* tipográfico, dibujante *f* tipográfica.

글꼴 디자인(－design) tipografía *f*.

글동무 compañero, -ra *mf* de clase; condiscípulo, -la *mf*.

글동접(－同接) ＝글동무.

글라디올러스 【식물】 gladíolo *m*, gladiolo *m*, estoque *m*.

글라스(영 *glass*) ① [유리] cristal *m*, vidrio *m*. ② [유리컵] vaso *m* de cristal, copa *f* de cristal, caña *f* de cristal. ③ ＝안경(眼鏡). 쌍안경(雙眼鏡). ④ [유리 섬유] fibra *f* de vidrio.

글라이더(영 *glider*) 【항공】 planeador *m*. ～로 비행하다 volar en planeador.
■～ 비행(飛行) vuelo *m* en planeador.

글라이딩(영 *gliding*) [활주] vuelo *m* sin motor.

글래머(영 *glamour*) encanto *m*, atractivo *m*.
■～ 걸 muchacha *f* atractiva, belleza *f*, guapa *f*, *AmS* churro *m*. ～ 여인 mujer *f* guapa y atractiva, mujer *f* de buen tipo. ～주(株) acción *f* de moda, valor *m* de gran aceptación.

글러브(영 *glove*) [장갑] guante *m*.

글러지다 ① [바라던 일이 잘못 되어가다] fracasar, ir de mal en peor, estar peor. ② [병이 더 악화되다] agravarse, empeorarse, hacerse crítico, caerse en una condición crítica.

글로 ① [그리로] por ahí. ～ 가세요 Váyase por ahí. ② [그걸로] con eso.

글로리아 ① ((기독교)) (라 *Gloria*) Gloria *f*. ② (라 gloria) gloria *f*.

글로불린(영 *globulin*) 【생화학】 globulina *f*.

글로브(영 *globe*) globo *m*.

글로빈(영 *globin*) globina *f*.

글로켄슈필(독 *Glockenspiel*) 【악기】 ＝철금.

글루코오스(영 *glucose*) 【화학】 ＝포도당.

글루타민(영 *glutamine*) 【화학】 glutamina *f*.
■～산(酸) 【화학】 ácido *m* glutamínico.

글루탐산(－酸) 【화학】 ácido *m* glutámico.

글루텐(영 *gluten*) 【화학】 gluten *m*.

글리사드(불 *glissade*) 【등산】 resbalón *m*.

글리산도(이 *glissando*) 【음악】 glissando.

글리세롤(영 *glycerol*) 【화학】 glicerol *m*.

글리세린(영 *glycerine*) 【화학】 glicerina *f*.

글리코겐(영 *glycogen*) glicógeno *m*.

글말 ＝문어(文語).
■～체(體) ＝문어체(文語體).

글발 ① [적어 놓은 글] apunte *m*, nota *f*. ② [글자의 생김이나 형식] apariencia *f* de las letras.

글방(－房) escuela *f* privada, escuela *f* de la aldea.

글벗 amigo *m* literario, amiga *f* literaria.

글쇠 [피아노·타자기·컴퓨터·워드 프로세서 따위의] tecla *f*.

글썽 con los ojos anegados.
글썽거리다 soler tener los ojos anegados. 그 여자의 눈에 눈물이 글썽거렸다 Ella tenía los ojos anegados en lágrimas.
글썽글썽 con ojos de lágrimas. 그녀의 눈에 눈물이 ～하다 Sus ojos están empañados de lágrimas / A ella se le han humedecido de lágrimas los ojos.
글썽이다 tener los ojos mojados, asomar. 그녀의 눈에 눈물이 글썽인다 Ella tiene los ojos mojados de lágrimas / A ella se le asoman lágrimas en los ojos.

글쎄 bueno, entonces, pues, pues mire, mire. ～, 저는 잘 모르겠습니다 Pues mire, yo no sé bien / Mire, yo qué sé. ～, 그것은 그의 것일 겁니다 Supongo que será suyo. ～ 봅시다 (Ya) Veremos.

글쎄요 ((높임말)) ＝글쎄.

글쓰다 escribir, componer.

글씨 ① ＝글자(letra). ② [써 놓은 글자] escritura *f*, caligrafía *f*.

■ ~본(本) modelo *m* [muestra *f*] de escritura. ¶~을 보고 쓰다 escribir según el modelo. ~체(體) estilo *m* de letra.

글월 ① =글. 문장. ② =편지(便紙)(carta).

글음 ((준말)) =그을음.

글자(-字) letra *f*, tipo *m*, caracteres *mpl*. ~를 읽을[쓸] 줄 모르는 (사람) analfabeto, -ta *mf*. ~를 배우다 aprender a leer y escribir, aprender las letras. ~를 쓰다 escribir (letras). ~를 읽다 leer. ~를 쓸 줄 알다 saber escribir. ~를 읽을 줄 알다 saber leer. ~를 잘[잘못] 쓰다 tener (una) buiena [mala] letra, escribir bien [mal]. 두터운[가는] ~로 쓰다 escribir en letras gruesas [finas]. 이 ~는 어떻게 씁니까? ¿Cómo se escribe esta letra [este carácter]? ~를 똑똑히 써 주십시오 Escriba con letras claras [con claridad].

■ ~판(板) =자판(字板).

글재주(-才-) talento *m* literario.

글제(-題) título *m* [tema *m*] de un artículo [una composición · un poema].

글줄 unas líneas de escritura.

글짓기 composición *f*.

글피 día *m* siguiente a pasado mañana, día *m* siguiente después de pasado mañana. ~는 휴일이다 Es fiesta el día siguiente a pasado mañana.

글하다 estudiar. 글하는 학생 estudiante *mf* que estudia.

긁다 ① [손톱이나 칼날 같은 것으로 바닥이나 거죽을 문지르다] rascar; [자신의 몸을] rascarse. 등을 ~ rascarse la espalda. 머리를 ~ rascarse la cabeza, rascarse el pelo. 놀이 부분을 긁으세요. 만일 한 금액이 세 번 나오면 귀하는 그 금액을 받으십니다 *ReD* Raspe el área de juego. Si una cantidad aparece tres veces, Ud. gana esa cantidad. 내 등을 좀 긁어 주겠소? ¿Me rascas la espalda? 그는 머리를 긁었다 El se rascó la cabeza. ② [갈퀴 따위로 거두어서 그러모으다] juntar, recoger con un rastrillo, rastrillar. 낙엽을 긁어 모으다 recoger las hojas caídas. (말이) 흙을 ~ piafar. 그는 돈을 전부 긁어 모았다 El juntó todo el dinero. ③ [남을 건드려서 헐뜯다] ofender, provocar, irritar, meterse (con), pinchar, rezongar, hacer rabiar. ④ [약자의 재물을 훑어 들이다] explotar, sacar. 돈을 긁어 내다 sacar dinero. 그는 그들에게서 더 많은 돈을 긁으려고 했다 El trató de sacarles más dinero.

■ 긁어 부스럼 ((속담)) Quien se arriesga a ello se arrepiente / Vale más no meneallo / Vale más dejarlo como está / Deja el tabú como está. ~ 만들지 마라 Mejor no revolver el asuno / Mejor es no meneallo. ~이 될 수 있다 Peor es meneallo / Peor es menearlo.

긁어내다 rascarse, seguir rascando.

긁어당기다 sacar, embolsarse, forrarse. 그들은 돈을 긁어당기고 있다 Ellos están haciendo mucho dinero / Ellos se están forrando. 그들은 이 세금으로 수백만 달러를 긁어당기고 있다 Ellos sacan [se embolsan] millones de dólares con estos impuestos.

긁어먹다 ㉮ [물건에 묻은 것을 이나 칼 따위로 조금씩 긁어서 먹다] roer. 개가 뼈를 긁어먹고 있었다 El perro roía un hueso. ㉯ [남의 재물을 모아 들이다] explotar, vivir a costa, vivir a costillas (de).

긁어모으다 recoger, juntar.

긁적거리다 seguir [continuar] rascándose

긁적긁적 siguiendo [continuando] rascándose.

긁혀미다 ser rascado. 긁혀민 상처 rasguño *m*, arañazo *m*. 그것은 긁혀민 상처일 뿐입니다 No es más que un rasguño.

긁히다 rascarse, ser rascado. 긁힌 자국 rascadura *f*, rasguño *m*, arañazo *m*.

금¹ [가격] precio *m*, costo *m*, valor *m*. 적당한 ~ precio *m* razonable. ~이 나가다 costar mucho. ~이 비싸다 El precio es caro. ~이 싸다 El precio es barato. ~이 오르다 El precio sube. ~ 이 내리다 El precio baja.

◆ 금이 낮다 ser barato. 금이 높다 ser caro.

● 금도 모르고 싸다 한다 ((속담)) Se finge saber no teniendo conocimiento / Se finge como si se conociera.

금² ① [구겼거나 접었거나 줄을 친 자국] pliegue *m*, doblez *f*; [선] línea *f*. ~을 긋다 trazar una línea. ② [갈라지지 않고 가늘게 터지기만 한 흔적(痕迹)] grieta *f*, raja *f*, rajada *f*, hendidura *f*, rendija *f*, resquebrajo *m*; [가는] fisura *f*; [벽 · 천장 따위의] cuarteo *m*; [성벽 따위의] brecha *f*.

◆ 금이 가다 ㉮ [물건이 터져 금이 생기다] rajarse, agrietarse, henderse, resqubrarse, resquebrajarse. 금이 간 찻잔 taza *f* agrietada, taza *f* resquebrajada, taza *f* rajada. 시계의 유리에 금이 갔다 El cristal del reloj se rajó. ㉯ [서로의 사이가 벌어지다] separarse. 부부의 애정에 금이 갔다 Se ha abierto una brecha en el amor conyugal de esa pareja / Se ha agrietado el amor conyugar de esa pareja.

■ 금이 나다 ㉮ [옷이나 종이 따위가 구겨져서 금이 생기다] plegarse. ㉯ =금이 가다.

금¹(金) ① [황색의 광택이 있는 금속 원소] oro *m*. ~의 de oro, dorado. ~을 입힌 chapado en oro, enchapado en oro, bañado en oro. ~의 유출(流出) salida *f* de oro, emigración *f* de oro, fuga *f* de oro. 반짝이는 것이 다 ~은 아니다 No es oro todo lo que reluce / No todo lo que brilla es oro. ② [오행(五行)의 하나] [방위] oeste *m*, occidente *m*; [계절] otoño *m*; [색(色)] (color *m*) blanco *m*.

◆ 금이야 옥이야 con mucho esmero. ~하고 키우다 criar a *uno* con mucho esmero, llevar a *uno* en palmitas.

금²(金) ((준말)) =금요일(金曜日).

금(琴) 【악기】 *gum*, uno del instrumento de cuerda con siete cuerdas.
금(禁) prohibición *f.* ~하다 prohibir. ☞금(禁)하다.
금-(今) el presente (tiempo), de ahora, este, esta. ~세기(世紀) este siglo. ~년(年) este año. ~월 (月) este mes, el mes presente, el mes actual, el mes corriente, el mes en curso.
-금 [어떤 말 뒤에 붙여 그 말을 강조] ¶다시~ otra vez, de nuevo, nuevamente.
-금(金) ① [금의 순도를 나타내는 말] oro *m.* 14~ oro *m* de catorce quilates. 18~ oro *m* de dieciocho quilates. ② [돈] dinero *m.* 기부~ donación *f*, contribución *f.*
금가다 ① [사이가 터져 금이 생기다] rajarse, agrietarse, henderse, resquebrarse. 금간 그릇 vasija *f* rajada. ② [서로의 사이가 벌어지다] separarse.
금가락지(金—) anillo *m* de oro.
금가루(金—) oro *m* en polvo, oro *m* molido, polvo *m* de oro.
금각(金閣) ① [금으로 꾸민 누각] castillo *m* adorado con oro. ② [아름답게 꾸민 누각] castillo *m* hermosamente adorado.
금감(金柑) 【식물】 =금귤(金橘).
금갑(金甲) armadura *f* de metal.
금값(金—) ① [금의 값] precio *m* del oro. ② [금에 맞먹을 만큼 비싼 값] precio *m* carísimo, precio *m* muy caro. 생선값이 ~이다 El precio del pescado es carísimo [muy caro].
금강(金剛) ① =금강석(金剛石). ② ((불교)) *sans* vajra. ③ [몹시 단단해 결코 파괴되지 않음. 또, 그런 물건] fuerza *f* hercúlea. ④ =금강산(金剛山).
금강경(金剛經) ((준말)) =금강반야바라밀경(金剛般若波羅密經).
금강계(金剛戒) ((불교)) precepto *m* de vajra.
금강계(金剛界) ((불교)) *sáns* Vajradhātu.
금강구(金剛口) ((불교)) boca *f* de diamante, boca *f* de Buda.
금강권(金剛拳) ((불교)) puño *m* de diamante.
금강동자(金剛童子) ((불교)) *sáns* Vajrakumāra.
금강력(金剛力) fuerza *f* hercúlea, fuerza *f* extraordinaria, fuerza *f* irresistible. ~을 내다 sacar una fuerza hercúlea.
금강륜(金剛輪) ((불교)) rueda *f* de diamante.
금강문(金剛門) ((불교)) puerta *f* de diamante de Garbhadhātu mandala.
금강반야경(金剛般若經) ((불교)) =금강반야바라밀경(金剛般若波羅密經).
금강반야바라밀경(金剛般若波羅密經) ((불교)) Sutra *f* de Diamante, *sáns* Vajracchedikā-prājñāpāra-mitā-sutra.
금강불(金剛佛) ((불교)) vajra-buda *m*, *sans* Vairocana.
금강불괴(金剛不壞) ((불교)) Buda *m.*
금강불자(金剛佛子) ((불교)) hijo *m* del vajra-buda, hijo *m* de Vairocana.
금강사(金剛砂) 【광물】 esmeril *m*, carborundo *m.* ~ 숫돌 piedra *f* de afilar de esmeril.
금강 사자(金剛使者) ((불교)) vajra-mensajero *m* de los Budas.
금강산(金剛山) ① 【지명】 el (monte) *Gumgang*, el *Keumgang*, el *Gumgangsan*, el *Keumgangsan*. ② ((불교)) *sáns* Sumeru.
■ 금강산(金剛山)도 식후경(食後景)이라 ((속담)) Más vale una cosa substancial que otra superficial / En barriga vacía, huelgan ideas / No se levanta el saco vacío.
■ ~도(圖) pintura *f* del monte Gumgang.
금강석(金剛石) 【광물】 diamante *m.*
금강수(金剛水) ((불교)) el agua de diamante.
금강수(金剛手) ((불교)) protector *m.*
금강승(金剛乘) ((불교)) vehículo *m* de diamante.
금강신(金剛神) ((불교)) =금강역사(金剛力士).
금강심(金剛心) ((불교)) corazón *m* de diamante, corazón *m* de Buda.
금강야차(金剛夜叉) ((불교)) *sáns* vijrayaksa.
금강역사(金剛力士) ((불교)) ídolos *mpl* grandes en la entrada de los monasterios budistas.
금강염송(金剛念誦) ((불교)) repetición *f* silesiosa.
금강왕(金剛王) ((불교)) rey *m* de vajra.
금강자(金剛子) ① 【식물】 semilla *f* de Koelreuteria paniculata. ② ((불교)) hijo *m* de vajra.
■ ~ 염주(金剛子念珠) ((불교)) rosario *m* de semilla de Koelreuteria paniculata.
금강저(金剛杵) ((불교)) rayo *m.*
금강좌(金剛座) ((불교)) trono *m* de diamante.
금강지(金剛智) ((불교)) sabiduría *f* de diamante indestructible de Buda.
금강찰(金剛刹) ((불교)) monasterio *m* budista, edificio *m* budista.
금강체(金剛體) cuerpo *m* de diamante, cuerpo *m* de Buda y sus méritos.
금강혜(金剛慧) ((불교)) sabiduría *f* de diamante.
금갱(金坑) hoyo *m* de oro.
금경(金鏡) luna *f.*
금계(禁戒) precepto *m.*
금계(禁界) límites *mpl* de una área restringida.
금계(錦鷄) 【조류】 faisán *m* de oro.
금계랍(金鷄蠟) quinina *f.*
금고(今古) el presente y el pasado.
금고(金庫) ① [돈·재물 등을 넣어 두는 창고] depósito *m* para el dinero o los tesoros. ② [화재·도난 등을 방지하고자 돈과 중요 서류를 보관하는 데 쓰는 궤] caja *f* fuerte, caja *f* de caudales, caja *f* de hierro, caja *f.* ~에 보관하다 guardar en una caja fuerte. 호텔의 ~에 예치하다 depositar en la caja fuerte del hotel. ③ [국가나 공공단체의 현금 출납 기관] tesorería *f.*
■ ~털이 ㉮ [행위] asalto *m* [atraco *m*] de una caja fuerte. ~를 하다 atracar [asaltar] una caja fuerte. ㉯ [사람] atracador -dora *mf* de caja fuerte. ~ 강도 ladrón -drona *mf* de cajas fuertes, desvalijador

-dora *mf* de cajas fuertes.

금고(金鼓) 【역사】 el gongo y el tambor.

금고(禁錮) 【법률】 prisión *f*, encarcelamiento *m*. ~ 1년형에 처하다 condenar a un año de prisión.

■ ~형(刑) 【법률】 =금고(禁錮).

금곡(金穀) dinero y cereales.

금과(禁果) ((종교)) =금단의 열매. ☞금단(禁斷)

금과옥조(金科玉條) regla *f* de oro. …을 ~로 삼다 no reconocer otra autoridad que *algo*, adherirse estrictamente a *algo*.

금관(金冠) ① [금으로 만들거나 장식한 관] corona *f* de oro. ② ((준말)) =황금 보관. ③ ((준말)) =금양관(金梁冠). ④ [충치를 치료한 다음, 금으로 모자처럼 만들어 씌운 것] corona *f* de oro. 이에 ~을 씌우다 recubrir una muela con una corona de oro.

금관(金管) ① [황금으로 만든 통소] flauta *f* de oro. ② [금으로 만든 관] tubo *m* de oro.

■ ~ 악기 bronces *mpl*, metales *mpl*.

금관 문화 훈장(金冠文化勳章) la Orden Cultural de la Corona de Oro.

금광(金光) ① [황금의 광채. 금빛] color *m* de oro, lustre *m* de oro, brillo *m* de oro. ② ((불교)) luz *f* de oro.

금광(金鑛) ① [황금을 함유한 광석] mineral *m* de oro. ② [금광이 매장되어 있는 광산] mina *f* de oro. ③ [금광이 매장된 광맥] yacimiento *m* de oro. ~을 발견하다 descubrir un yacimiento de oro.

금광명(金光明) ((불교)) luz *f* de oro.

■ ~경(經) ((불교)) sutra *f* de la luz de oro.

금광상(金鑛床) yacimiento *m* de oro.

금광석(金鑛石) mineral *m* de oro.

금광업(金鑛業) industria *f* minera de oro.

금광초(金光草) tabaco *m* amarillo producido en *Gwangju*, la provincia de *Gyeonggido*.

금괴(金塊) lingote *m* de oro, tejo *m* de oro, macizo *m*.

■ ~ 밀수 contrabando *m* (de lingote) de oro. ~ 시장 mercado *m* (de lingote) de oro.

금구(金口) ① ((불교)) [황금빛의 부처의 입] boca *f* de oro de Buda. ② ((불교)) [석가의 설법] sermón *m* de Buda. ③ ((불교)) [절의 북 모양의 종] campana *f* de la forma de tambor del templo budista.

금구(金句) ① [아름다운 구절] párrafo *m* hermoso. ② [훌륭한 격언] refrán *m* (*pl* refranes) excelente.

금구(衾具) =이부자리.

금구(禁句) palabra *f* tabú, tema *m* tabú. 그것은 그에게는 ~다 Esa es una palabra tabú para él.

금군(禁軍) 【역사】 la Guardia Real.

■ ~청(廳) la Oficina de la Guardia Real.

금권(金券) billete *m* convertible con la moneda de oro.

금권(金權) poder *m* de dinero, influencia *f* monetaria.

■ ~만능(萬能) El dinero responde a todo. ¶요즈음은 ~의 시대이다 Por el dinero se mueve el mundo entero. ~ 정치 plutocracia *f*, política *f* plutocrática. ¶~의 plutocrático. ~ 정치가 plutócrata *mf*.

금궐(禁闕) =궁궐(宮闕).

금궤(金櫃) caja *f*, [금고식의] caja *f* fuerte.

금궤당귀산(金櫃當歸散) 【한방】 medicina para fortalezar el ánimo de la mujer preñada.

금귀자(金龜子) 【곤충】 =풍뎅이.

금귀충(金龜蟲) 【곤충】 =풍뎅이.

금규(錦葵) 【식물】 =당아욱.

금귤(金橘) ① 【식물】 limonero *m* (chino). ② [과실] limón *m* chino (*pl* limones chinos).

금극목(金克木) 【민속】 El metal gana el árbol.

금긋다 ① [금을 긋다] trazar una línea. ② [한도나 한계선을 정하다] limitar.

금기(今期) este término.

■ ~ 결산 liquidación *f* de este término.

금기(金氣) 【민속】 energía *f* del otoño.

금기(琴碁) el *gomungo* y el *baduc*.

금기(禁忌) ① [꺼리어 피함] tabú *m* (*pl* tabúes), abstinencia *f*. ~하다 prohibir, abstenerse (de). ~로 삼다 declarar el tabú. ② 【의학】 contraindicación *f*.

■ ~ 증상(症狀) contraindicante *m*. ¶~의 contraindicado.

금꼭지(金-) *gumcokchi*, una de la cometa.

금꽃(金-) ((성경)) flor *f* de oro.

금나다[1] [물건 값이 결정되다] el precio ser fijo.

금나다[2] [물건이 구기거나 깨어져 줄이 생기다] arrugarse, doblarse, plegarse.

금나비(金-) mariposa *f* del color dorado.

금남(禁男) prohibición *f* de la entrada de los hombres; ((게시)) No entren los hombres.

■ ~의 집 hogar *m* sin hombres algunos. ~의 섬 isla *f* de mujeres.

금납(金納) pago *m* en efectivo. ~하다 pagar en efectivo.

금낭(錦囊) bolsa *f* de seda.

금낭화(錦囊花) 【식물】 dicentra *f*, flor *f* del corazón.

금낮다 El precio es barato.

금내(禁內) =궐내(闕內).

금년(今年) este año, año *m* en curso, año *m* corriente, presente año *m*. ~ 가을(에) el otoño de este año, este otoño. ~ 4월에 en abril de este año. ~ 중에 en el transcurso del año, dentro de este año. ~은 몇 년입니까? — 2002년입니다 ¿En qué año estamos? — Estamos en 2002 (dos mil dos).

■ ~도(度) este año, el año actual; [학년도] este año escolar; [회계 연도] este año fiscal. ~생(生) nené *m* nacido [nena *f* nacida] este año; 【식물】 nueva planta *f* de este año..

금높다 El precio es caro.

금놓다 fijar la norma del precio de una cosa.

금니(金-) diente *m* de oro, diente *m* orificado; [어금니] muela *f* de oro, muela *f*

orificada; [일부만의] diente *m* [muela *f*] con estuche de oro.
■ ~박이 el [la] que tiene el diente de oro.
금니(金泥) =이금(泥金).
금단(金丹) =선단(仙丹).
금단(金壇) ((성경)) altar *m* de oro.
금단(禁斷) prohibición *f* severa. ~하다 prohibir severamente.
■ ~의 나무 árbol *m* de la ciencia del bien y del mal, árbol *m* del conocimiento del bien y del mal. ~의 열매 ㉮ fruto *m* prohibido. ㉯ ((성경)) fruto *m* del árbol de la ciencia del bien y del mal. ~ 증상(症狀) síntoma *m* de abstinencia. ~ 증세(症勢) 【의학】 síndrome *m* de abstinencia, mono *m*.
금단청(金丹青) pintura *f* de muchos colores y diseños brillantes como la seda.
금당(金堂) ((불교)) templo *m* budista bañado de oro.
금닿다 ① [물건의 금이 적당한 점에 미치다] (ser) razonable (en precio). ② [물건 값이 상당히 나가다] (ser) bastante caro.
금대(今代) esta época.
금대(金帶) =금띠.
금더미(金－) montón *m* de oro.
금덩이(金－) pepita *f* de oro. ~ 세 개 tres pepitas de oro.
금도(琴道) método *m* de tocar el *gomungo*.
금도(襟度) magnanimidad *f*, generosidad *f*, tolerancia *f*. ~가 넓다 (ser) magnánimo, generoso.
금도금(金鍍金) doradura *f*, dorado *m*, plaqué *m* de oro, baño *m* de oro. ~하다 dorar, galvanizar con oro. ~된 dorado. ~한 chapado en oro, enchapado en oro, bañado en oro. ~한 반지 anillo *m* chapado [enchapado · bañado] en oro. A에 ~을 하다 chapado · bañado] en oro. A에 ~을 하다 recubrir A de oro. 동(銅)에 ~을 하다 recubrir el cobre de oro.
금독지행(禽犢之行) conducta *f* obscena entre los parientes.
금돈(金－) moneda *f* de oro.
금돌(金－) 【광물】 =금광(金鑛). 금석(金石).
금동(今冬) este invierno.
금동(金銅) cobre *m* enchapado de oro.
■ ~불(佛) estatua *f* [imagen *f*] de Buda de cobre enchapada de oro.
금딱지(金－) cajita *f* de oro del reloj. ~의 chapado de oro, enchapado de oro, bañado de oro.
■ ~ 시계(時計) reloj *m* enchapado de oro.
금띠(金－) cinturón *m* de oro.
금란(金蘭) amistad *f* entre los amigos.
■ ~지계(之契) amistad *f* entre los amigos íntimos. ~지교(之交) amistad *f* íntima.
금려(禁旅) 【역사】 =금군(禁軍).
금력(金力) poder *m* de dinero, influencia *f* de dinero.
■ ~가(家) plutócrata *mf*. ~ 결혼(結婚) casamiento *m* forzado por la influencia de dinero. ~ 정치(政治) plutocracia *f*.
금렵(禁獵) veda *f*, prohibición *f* de caza. ~하다 prohibir la caza. ~의 vedado. ~! Coto / Vedado de caza.
■ ~구(區) terreno *m* acotado, coto *m*. ~기(期) época *f* de veda. ~조(鳥) el ave *f* (*pl* las aves) vedada.
금령(金鈴) campanilla *f* de oro.
금령(禁令) prohibición *f*, veda *f*. ~을 위반하다 violar la prohibición.
금루(禁漏) 【역사】 reloj *m* de agua del palacio real.
금륜(金輪) ((불교)) rueda *f* de oro.
■ ~왕(王) ((불교)) rey *m* de la rueda de oro.
금리(金利) interés *m*, crédito *m*, renta *f*; [이자율] tasa *f* de interés, tipo *m* de interés. ~를 인상하다 aumentar el tipo de interés. ~를 인하하다 rebajar el tipo de interés.
◆고~ interés *m* alto. 대출 ~ interés *m* de préstamo. 은행 ~ tipo *m* bancario, tasa *f* bancaria. 저(低)~ bajo interés *m*, interés *m* reducido.
■ ~ 생활자(生活者) rentista *mf*. ~ 수준(水準) nivel *m* de interés. ~ 자유화(自由化) liberalización *f* de interés. ~ 정책(政策) política *f* de tipo de interés. ~ 특혜(特惠) tipo *m* [tasa *f*] de interés preferencial. ~ 하향 조정 reajuste *m* descendente de tipos bancarios. ~ 현실화 realización *f* de tipo bancario. ¶~하다 reajustar a un nivel realista. ~ 협정(協定) acuerdo *m* de tipo de interés.
금린(錦鱗) pez *m* (*pl* peces) hermoso.
■ ~옥척(玉尺) pez *m* de unos treinta y tres centímetros.
금만가(金滿家) =재산가(財産家).
금맞추다 adjustar el precio.
금맥(金脈) ① [황금의 광맥] vena *f* de oro. ② =돈줄.
금메달(金 medal) medalla *f* de oro.
금메달리스트(金 medallist) medallista *mf* de oro.
금명(今明) ((준말)) =금명간(今明間).
■ ~간(間) (entre) hoy o mañana, en un día o dos, dentro de un día o dos. ¶~에 찾아뵙겠습니다 Le visitaré dentro de un día o dos. ~년(年) (entre) este año o el año que viene. ~일(日) hoy o mañana; [오늘이나 내일] en [dentro de] hoy o mañana.
금모래(金－) =사금(砂金).
금목수화토(金木水火土) 【민속】 cinco elementos que crean todas las cosas.
금몰(金－) galón *m* (*pl* galones) de oro. ~한 제복(制服) uniforme *m* galoneado de oro.
금몸(金－) ((불교)) =금색신(金色身).
금문(金門) puerta *f* del palacio real.
금문(禁門) ① [출입을 금지하는 문] puerta *f* que se prohibe la entrada. ② [금궐(禁闕)의 문] puerta *f* del palacio real.
금문자(金文字) carácter *m* de oro, letra *f* dorada.
금물(金－) pintura *f* del color dorado.
금물(禁物) prohibición *f*, tabú *m*. 손으로 먹는

것은 ~이다 Comer con las manos es algo que no se hace [que está mal visto]. 그에게 이 말은 ~이다 Este es un tema tabú para él. 비지니스에 온정(溫情)은 ~이다 La benevolencia es incompatible con los negocios. 고혈압이 있는 사람에게는 술은 ~이다 Las bebidas alcohólicas son fatales para los que tienen la tensión arterial alta.

금박(金箔) pan *m* (de) oro, oro *m* en panes, oro *m* batido (en hojas). 틀이 ~으로 장식되어 있었다 El marco estaba dorado a la hoja.
 ◆금박을 박다 montar con oro, engastar en oro. 에메랄드에 ~ engastar una esmeralda en oro. 금박(을) 입히다 dorar, enchapar en oro.
 ■~ 검전기 electroscopio *m* de hojas de oro. ~ 전위계 electrómetro *m* de panes de oro.

금박이(金―) varias figuras *fpl* del polvo de oro en la tela.

금반(今般) =이번(esta vez).

금반지(金斑指) anillo *m* de oro.

금발(金髮) pelo *m* rubio, cabello *m* rubio. ~의 rubio, pelirrubio, blondo, *Méj* güero, *Col* mono, *Ven* catire. ~의 사람 rubio, -bia *mf*, *Méj* güero, -ra *mf*, *Col* mono, -na *mf*, *Ven* catire *mf*. ~의 여인 mujer *f* rubia.
 ■~미인(美人) belleza *f* rubia.

금방(今方) ahorita, ahora mismo, pronto, en este mismo instante, poco hace, recientemente, últimamente. ~ 오겠다 Vendré ahorita [pronto] / Hasta ahorita. ~ 돌아오겠습니다 Volveré ahora mismo. ~ 가겠습니다 Me voy ahorita.

금방(金房) platería *f*.

금방망이(金―)【식물】hierba *f* cana.

금배(金杯) copa *f* de oro.

금백(金帛) el oro y la seda.

금백(錦伯)【역사】gobernador *m* de la provincia de *Chungcheong*.

금번(今番) esta vez, ahora; [최근] recientemente; [얼마전] poco tiempo hace.

금벌(禁伐) prohibición *f* del corte forestal. ~하다 prohibir el corte forestal.

금법(禁法) =금령(禁令).

금변(禁便) prohibición *f* de orinas y excrementos. ~하다 prohibir orinas y excrementos.

금병(金瓶) ① [금으로 만든 병] botella *f* de oro. ② [금도금한 병] botella *f* dorada, botella *f* enchpada de oro.

금병(禁兵)【역사】=금군(禁軍).

금보(琴譜) nota *m* (musical) del *gomungo*.

금본위(金本位)【경제】=금본위 제도.
 ■~ 블록【경제】bloque *m* del patrón oro. ~ 제도【경제】el patrón oro.

금부처(金―) Buda *m* de oro; [금도금한 부처] Buda *m* dorado.

금북(金―) ((불교)) tambor *m* para el templo budista.

금분(金分) cantidad *f* del oro contenida en el mineral.

금분(金盆) ① [금으로 만든 분(盆)] maceta *f* de oro, tiesto *m* de oro. ②【천문】luna *f*.

금분(金粉) ① =금가루(oro en polvo). ② [금빛깔 나는 가루] polvo *m* del color dorado.

금불(金佛) ① [황금제 불상] estatua *f* de Buda de oro. ② [도금을 한 부처] estatua *f* de Buda dorada.

금불초(金佛草)【식물】helenio *m*.

금붕어(金―)【어류】pez *m* de colores, pececito *m* (rojo), pez *m* parecido a la tenca de color de oro y rojo rojado. 눈이 툭 튀어나온 ~ pez *m* de telescopio.
 ■~ 어항(魚缸) pecera *f* (redonda).

금붕어꽃(金―)【식물】=금어초(金魚草).

금붙이(金―) artículos *mpl* hechos de oro.

금블록(金 bloc)【경제】=금본위 블록.

금비(金肥) [인조 비료] fertilizante *m* artificial; [화학 비료] abono *m* químico.

금비녀(金―) pasador *m* de oro, horquilla *f* de oro.

금빛(金―) color *m* dorado, color *m* de oro. ~의 dorado. ~으로 번쩍번쩍 빛나는 relumbrante, de oropel, de relumbrón. ~으로 번쩍번쩍 빛나는 옷 traje *m* de oropel.

금사(金砂) ① =금가루. ② [금빛 모래] arena *f* del color dorado. ③ [장식품에 쓰이는 금박(金箔)의 가루] polvo *m* de oro batido para el adorno.

금사(金莎)【식물】=금잔디.

금사(金絲) hilo *m* de oro.

금사망(金絲網) red *f* de hilo de oro.

금사작(金絲雀)【조류】canario *m*.

금산[1](金山) [금광(金鑛)] mina *f* de oro.

금산[2](金山) ((불교)) montaña *f* de oro, Buda *m*, cuerpo *m* de Buda.
 ■~철벽(鐵壁) mucha firmeza.

금산(金酸)【화학】=수산화금(水酸化金).

금산(禁山) bosque *m* reservado.

금삼(錦蔘) *gumsam*, ginseng *m* producido en *Gumsan, Chungcheongnamdo*.

금상(今上) rey *m* presente, rey *m* actual.
 ■~ 폐하(陛下) Su Majestad el Rey, Su Majestad el Emperador.

금상(金賞) primer premio *m*.

금상(金像) ((불교)) estatua *f* de oro, estatua *f* enchapada de oro.

금상첨화(錦上添花) extra *m*, remate *m*. ~하다 añadir el lustre en lo que ya es brillante. 그것은 ~다 Eso es el remate.

금상학(金相學) =금속 조직학(金屬組織學).

금새 precio *m*. ~가 비싸다 ser caro. ~가 싸다 ser barato. ~를 알아보다 investigar el precio.

금색(金色) =금빛.
 ■~세계(世界) ((불교)) =극락정토. ~신(身) ((불교)) cuerpo *m* de oro, cuerpo *m* de Buda.

금색(禁色) prohibición *f* de relaciones sexuales (con la mujer). ~하다 prohibir relaciones sexuales con la mujer.

금생(今生) ((불교)) =이승.

금서(禁書) libro *m* prohibido. ~로 하다 ca-

talogar (un libro) en el índice, prohibir la lectura (de un libro).
■ ~ 목록(目錄) ((천주교)) [삭제 부분 지시의] el Indice Expurgatorio; [신자가 읽어서는 안되는] el Indice de libros prohibidos.

금석(今夕) esta noche.

금석(今昔) el presente y el pasado.
■ ~지감(之感) sentimiento *m* causado por el contraste entre el presente y el pasado. ¶~을 느끼다 sentir profundamente el cambio de los tiempos.

금석(金石) ① [쇠붙이와 돌] (objetos *mpl* de) hierro y piedra. ② [대단히 굳고 단단한 것] cosa *f* muy dura. ③ ((준말)) =금석 문자(金石文字). ④【광물】=금돌.
◆ 금석(과) 같다 (ser) firme, no cambiar.
■ ~맹약 promesa *f* firme (como hierro y piedra). ~문(文) ((준말)) =금석 문자(金石文字). ~ 문자(文字) epígrafe *m*. ~상약(相約) =금석지약(金石之約). ~제(劑) ((준말)) =금석지제. ~지(誌) libro *m* sobre el epígrafe. ~지교(之交) amistad *f* firme. ~지약(之約) promesa *f* firme. ~지언(之言) =금언(金言). ~지재(之材)【한방】medicina *f* de metal o de piedra. ~지전(之典) código *m* valioso y constante como hierro y piedra. ~지제(之劑)【한방】medicina *f* de metales. ~학(學) ㉮ [금석 문자를 연구하는 학문] epigrafía *f*. ¶~은 고대 연구에 있어서 필요 불가결한 것이다 La epigrafía es un precioso auxiliar en el estudio de la antigüedad. ㉯ =광물학.

금선(金仙) ((불교)) Buda *m*.

금선(金線) raya *f* de oro.

금선(琴線) ① [거문고의 줄] cuerda *f* del *gomungo*. ② [마음속에 간직한 다감한 마음] corazón *m* sentimental.

금설(金屑) oro *m* en polvo, oro *m* molido, polvo *m* de oro.

금섭옥(金鑷玉) pasador *m* de oro, pasador *m* enchapado de oro.

금성(金星) ①【천문】Venus *m*, lucero *m*. ② [금빛 나는 또는 금으로 만든 별 모양의 기장(記章)] insignia *f* de la forma estrellar de oro.

금성(金城) castillo *m* firme, fortaleza *f* firme.
■ ~철벽(鐵壁) fortaleza *f* inexpugnable, fortaleza *f* impenetrable, ciudadela *f*, fortaleza *f*, bastión *m* (*pl* bastiones). ~탕지(湯池) =금성철벽(金城鐵壁).

금성(金聲) =쇳소리.

금성(禁城) =궁성(宮城).

금세 en un momento, en seguida, enseguida, dentro de poco, inmediatamente, pronto. ~ 돌아오겠습니다 Volveré dentro de poco.

금세(今世) ① ((불교)) =이승. ② [지금의 세상(世上)] mundo *m* presente, este mundo.

금세(今歲) este año.

금세공(金細工) orfebrería *f*.
■ ~사[장이] orfebre *m*, platero *m*. ~점(店) orfebrería *f*.

금세기(今世紀) este siglo. 이것은 ~ 최대의 행사이다 Esto es el acontecimiento más grande del siglo.

금소(今宵) esta noche.

금속(金屬)【화학】metal *m*. ~의 metálico, de metal(es). ~성의 소리 sonido *m* metálico. 철은 유용한 ~이다 El hierro es un metal útil.
■ ~ 가공(加工) procesamiento *m* de un metal. ~ 가공소 taller *m* de procesamiento de un metal. ~ 가공학(加工學) tecnología *f* matalúrgica. ~ 가루 polvo *m* metálico, pulvimental *m*. ~공(工) =금속 세공인. ~ 공업(工業) metalurgía *f*, industria *f* metálica, sector *m* metálico. ~ 공예 artefacto *m* metálico. ~ 공예가(工藝家) artista *m* metálico, artista *f* metálica. ~ 공포증【의학】metalofobia *f*. ~ 공학 ingeniería *f* metálica. ~ 광택(光澤) brillo *m* metálico, lustre *m* metálico. ~ 기술 metalistería *f*. ~끌 buril *m*. ~ 노동자(勞動者) trabajador *m* metalúrgico. ~분(粉) polvo *m* metálico, pulvimetal *m*. ~ 비누 jabón *m* metálico. ~ 뼈대 armadura *f* metálica. ~ 산화물(酸化物) óxido *m* metálico. ~ 상자(箱子) caja *f* metálica. ~성 반향(性反響) eco *m* metálico. ~ 세공 trabajo *m* en metales, metalistería *f*. ~ 세공인 (obrero *m*) metalúrgico *m*, (obrera *f*) metalúrgica *f*. ~ 세공품(細工品) trabajo *m* en metales, metalistería *f*. ~ 스토브 estufa *f* metálica. ~ 시장【주식】mercado *m* de metales. ~ 알레르기【의학】alergía *f* metálica. ~ 압력계(壓力計) manómetro *m* metálico. ~ 요법(療法)【의학】metaloterapia *f*. ~ 원소(元素)【화학】elementos *mpl* metálicos. ~음(音) sonido *m* metálico, ruido *m* metálico. ~ 저항기(抵抗器) resistor *m* de hoja metálica. ~ 전압계(電壓計) voltímetro *m* de solución de sal metálica. ~ 절단 기구 herramienta *f* para el corte de metales. ~ 접촉 요법(接觸療法) metaloterapia *f*. ~ 정련(精鍊) refinería *f* metálica. ~ 정류기(整流器) rectificador *m* metálico. ~제(製) producto *m* metálico. ¶~의 de metal. ~ 제품(製品) producto *m* metálico. ~ 조직학 metalografía *f*. ~ 주조(鑄造) fundición *f* metálica no férrica. ~ 주형(鑄型) matriz *f* metálica. ~ 중독증【의학】metalotoxemia *f*. ~ 진단법(診斷法) metaloscopia *f*. ~촉지(觸知) metalestesia *f*. ~ 커팅 corte *m* de metales. ~ 코팅 revestimiento *m* metálico. ~ 탐지기 detector *m* de metales. ~판(板) plancha *f* metálica, lámina *f* metálica. ~ 평판(平板)【인쇄】litografía *f* metálica. ~ 포장(包裝) embalaje *m* metálico, empaquetadura *f* metálica. ~품(品) artículo *m* metálico. ~ 피로(疲勞) fatiga *f* del metal. ~ 필름 película *f* metálica. ~ 함유 효소(含有酵素) metaloenzima *f*. ~ 현미경(顯微鏡) microscopio *m* metalúrgico. ~ 호스 menguera *f* metálica, tubo *m* metálico flexible. ~화(化) metalización *f*. ¶~하다 metalizar. ~ 화폐 moneda *f* (circulante) metálica. ~ 활자(活字) tipo *m*

metálico.
금송화(金松花)【식물】＝금잔화(金盞花).
금쇠 herramienta *f* usada para trazar las líneas en la tabla, una especie de la cincel *m*.
금수(金水) ((불교)) el agua de oro, sabiduría *f*.
금수(禁輸) prohibición *f* de exportación e importación.
■～품(品) artículos *mpl* prohibidos. ～품목(品目) lista *f* de artículos prohibidos.
금수(禽獸) ① [날짐승과 길짐승. 곧, 모든 짐승] bestia *f*, animal *m* cuadrúpedo. ② [무례하고 추잡한 행실을 하는 사람] persona *f* descortés y obscena. ～만도 못한 놈 tipo *m* peor que una bestia.
금수같다 (ser) brutal, bestial. 금수같은 놈 tipo *m* bestial.
금수같이 brutalmente, bestialmente.
■～어충(魚蟲) el ave, el animal, el pez y el insecto; todos los animales.
금수(錦繡) la seda y el tejido bordado.
■～강산(江山) ㉮ [비단에 수를 놓은 듯이 아름다운 산천(山川)] la montaña y el río hermosos como si se borden en la seda, tierra *f* hermosa. ㉯ [우리 나라] Corea *f*.
금수출(金輸出) exportación *f* de oro.
금슬(琴瑟) ① [거문고와 비파] el *geomungo* y la *bipa*, el arpa *f* (*pl* las arpas) coreana y la laúd coreana. ② ☞금실(琴瑟).
금승(金蠅)【곤충】mosca *f* con brillo metálico.
금시(今時) ahora, estos días, nuestro día, hoy día, hoy, enseguida, en seguida, inmediatamente, ahora mismo. ～라도 보고 싶은 마음 el corazón que quiero ver ahora mismo. 그는 오자마자 ～ 떠났다 El se fue [salió] pronto tan pronto como llegó.
금시로 inmediatamente, en seguida, enseguida.
금시에 ＝금세.
금시계(金時計) reloj *m* de oro.
금시작(金翅雀)【조류】＝검은방울새.
금시장(金市場) mercado *m* de oro.
금시조(金翅鳥) ((불교)) ＝가루라(迦樓羅).
금시초견(今始初見) vista *f* por primera vez.
금시초문(今始初聞) lo que he oído por primera vez. ～이다 no haberlas visto mas gordas. 이것은 ～이다 Esta es una noticia para mí / Yo no he oído nunca de esto antes / Esto es una revelación para mí.
금식(金飾) adorno *m* con oro, decoración *f* con oro. ～하다 adornar con oro, decorar con oro.
금식(禁食) ayuno *m*. ～하다 ayunar, hacer ayuno. ～을 어기다 romper el ayuno. ～하게 하다 hacer ayunar, hacer que ayune.
■～일(日) día *m* de ayuno; ((성경)) ayuno *m*.
금신(金身) ((불교)) ((준말)) ＝금색신.
금신(金神)【성경】dios *m* de oro.
금실(金－) hilo *m* de oro. ～로 수놓다 bordar con hilos de oro. ～로 수놓은 bordado con hilos de oro.
금실(琴瑟)【준말】＝금실지락(琴瑟之樂). ¶～이 좋다 tener buena armonía conyugal [buenas relaciones conyugales].
■～지락(之樂) armonía *f* conyugal [matrimonial], relaciones *fpl* conyugales.
금싸라기(金－) artículo *m* precioso, artículo *m* de gran valor.
금싸라기같다 ser muy precioso, ser valiosísimo, ser de gran valor.
금싸라기같이 preciosamente, de un modo precioso.
금압(禁壓) supresión *f*, prohibición *f*, tabú *m*. ～하다 suprimir, prohibir, reprimir, refrenar, sofocar.
금액(金額) cantidad *f*, suma *f*, cantidad *f* de dinero, suma *f* de dinero. 상당한 ～ suma *f* considerable. 손해가 상당한 ～으로 올라가고 있다 Las pérdidas ascienden a una suma considerable. 여기에 사용한 ～을 써 주십시오 Apunte [Anote] aquí los gastos que ha hecho usted.
금야(今夜) esta noche.
금어[1](金魚)【어류】＝금붕어.
금어[2](金魚) ((불교)) persona *f* que pinta (la estatua de) Buda.
금어(禁漁) prohibición *f* de pesca, veda *f*. ～! Vedado de pesca.
■～구(區) zona *f* vedada de pesca. ～기(期) época *f* de veda. ～장(場) ＝금어구.
금어초(金魚草)【식물】(hierba *f*) becerra *f*.
금언(金言) proverbio *m*, adagio *m*, refrán *m* (*pl* refranes), máxima *f*, sentencia *f*, aforismo *m*, dicho *m*, apotegma *m*. ～의 proverbial.
■～집(集) refranero *m*, colección *f* de proverbios y refranes.
금연(禁煙) prohibición *f* de fumar. ～하다 prohibir el fumar; [억제하다] dejar de fumar, abstenerse de fumar. ～의 para no fumadores. ～! ((게시)) Se prohíbe fumar / No fume(n) / No fumar / Prohibido fumar. 차내(車內)에서는 ～이다 Está prohibido fumar en el tren. ～은 건강에서 중대한 위험을 줄인다 *Méj* Dejar de fumar, reduce importantes riesgos en la salud.
■～구역 sección *f* para no fumadores. ～석(席) asiento *m* de no fumar. ～실(室) sala *f* para no fumadores. ～ 운동(運動) campaña *f* de no fumar. ～자 no fumador, -dora *mf*, persona *f* que no fuma. ¶나는 ～를 원합니다만 Yo preferiría un no fumador / Yo preferiría alguien que no fumase. ～차 compartimiento *m* para no fumadores. ～ 파이프 pipa *f* para no fumadores.
금염(金鹽)【화학】＝염화금산나트륨.
금염화나트륨(金鹽化 Natrium)【화학】＝염화금산나트륨.
금오(金烏) sol *m*.
■～옥토(玉兎) el sol y la luna.
금옥(金玉) [금과 옥] el oro y el jade.
■～군자(君子) hombre *m* íntegro y dulce. ～지세(之世) mundo *m* pacífico. ～지중(之

重) mucha importancia *f.*
금왕지절(金旺之節) otoño *m.*
금요일(金曜日) viernes *m.sing.pl.* ~ 오전(에) el viernes por la mañana. ~ 오후에 el viernes por la tarde. ~ 밤에 el viernes por la noche. 매주 ~, 금요일마다 (todos) los viernes.
금욕(禁慾) abstinencia *f,* práctica *f* ascética, mortificación *f,* [성욕(性慾)의] continencia *f.* ~하다 abstenerse de los goces mundanos, reprimir la pasión, mortificarse.
■ ~가(家) practicante *mf* de la abstinencia. ~ 생활(生活) vida *f* ascética. ¶~을 하다 llevarse una vida ascética. ~적(的) ascético, mortificante. ~주의 asceticismo *m,* estoicismo *m.* ~주의자(主義者) asceta *mf,* estoico, -ca *mf.*
금우궁(金牛宮) 【천문】 Toro *m,* Tauro *m.*
금우상(金偶像) ((성경)) ídolo *m* de oro.
금원(金員) número *m* de dinero.
금원(禁垣) interior *m* del palacio real.
금원(禁苑) =비원(秘苑).
금월(今月) este mes, mes *m* corriente, mes *m* presente, mes *m* actual, mes *m* en curso. ~ 중에 dentro de este mes. ~ 초순에 a principios de este mes. ~ 중순에 a mediados de este mes. ~ 하순에 a finales de este mes, a fines de este mes. ~ 15일에 al quince de este mes, al 15 del mes corriente, al 15 del mes en curso.
금융(金融) financiación *f,* financiamiento *m,* finanzas *fpl;* [융자] crédito *m,* empréstito *m.* ~의 monetario, financiero. ~의 상태 situación *f* monetaria. ~의 중심 centro *m* financiero. ~의 핍박 aprieto *m* monetario. ~을 완화하다 facilitar las actividades financieras. ~을 제한(制限)하다 restringir las actividades financieras. ~의 길을 강구하다 ocuparse en operaciones financieras. ~이 경색되고 있다 Escasean los capitales. ~ 사정이 긴장 상태를 계속하고 있다 La situación monetaria continúa muy tirante. ~ 사정이 완만하다 La situación monetaria está floja. ~이 완화되고 있다 Abundan los capitales.
◆ 개발(開發) ~ crédito *m* de fomento. 수입(輸入) ~ financiación *f* de la importación. 수출(輸出) ~ financiación *f* de la exportación.
■ ~ 경색(梗塞) escasez *f* monetaria. ~계(界) mundo *m* financiero, círculos *mpl* monetarios. ~ 공황 pánico *m* financiero. ~ 기관(機關) órgano *m* bancario, órgano *m* monetario, institución *f* bancaria. ~ 긴급 조치령(緊急措置令) la Ordenanza de la Medida Financiera de Emergencia. ~ 긴축 restricción *f* monetaria de crédito. ~ 긴축 정책(緊縮政策) política *f* de restricción de crédito. ~단(團) consorcio *m* bancario, sindicato *m* bancario, sindicato *m.* ~법(法) la Ley de Finanzas. ~ 상태(狀態) situación *f* financiera. ~ 센터 centro *m* de finanzas, centro *m* financiero. ~ 시세(時勢) situación *f* actual financiera. ~ 시장(市場) mercado *m* monetario, mercado *m* de dinero. ~ 실명 거래 및 비밀 보장에 관한 긴급 재정 경제 명령 el Decreto urgente de finanza y economía sobre transacción financiera con nombres reales y protección de secretos. ~ 실명제 sistema *m* financiero del nombre real. ~업(業) negocio *m* financiero. ~ 업자 financista *mf,* financierro, -ra *mf.* ~ 완만 dinero *m* flojo. ~ 완화 정책 política *f* monetaria expansiva. ~ 위기(危機) crisis *f* monetaria. ~ 자본(資本) capital *m* financiero. ~ 자본가(資本家) capitalista *m* financiero, capitalista *f* financiera. ~ 자본주의 capitalismo *m* financiero. ~ 전문가 especialista *m* financiero. ~ 정세(情勢) situación *f* financiera. ~ 정책 política *f* financiera, política *f* monetaria. ~ 제한 restricción *f* del crédito bancario. ~ 조직 sistema *m* de circulación monetaria, sistema *m* bancario. ~ 조치 medidas *fpl* financieras. ~ 조합(組合) sindicato *m* financiero. ~채(債) obligación *f* bancaria. ~ 통제 control *m* financiero [monetario]. ~ 통화 운영 위원회(通貨運營委員會) el Comité Directivo de Finanzas y Divisas ~ 핍박(逼迫) escasez *f* monetaria. ~ 혁신 innovación *f* financiera. ~ 협정 acuerdo *m* financiero. ~ 회사 compañía *f* financiera.
금은(金銀) el oro y la plata.
■ ~괴(塊) las pepitas de oro y de plata. ~방[포] joyería *f.* ~보화[보물 · 보패 · 주옥] los tesoros; las cosas valiosas; los artículos preciosos; las joyas preciosas; el oro, la plata, el jade, la perla etc. ~ 복본위 제도 bimetalismo *m.* ¶~의 bimetalista. ~ 주장자 bimetalista *mf.* ~붙이 artículos *mpl* hechos de oro y plata. ~사(絲) los hilos enchapados de oro y de plata. ~ 세공 orfrería *f.* ~ 세공사 orífice *m;* orfebre *m,* platero *m.* ~전(錢) monedas *fpl* de oro y de plata. ~화[화폐] las monedas de oro y de plata.
금의(錦衣) ropa *f* de seda.
■ ~야행(夜行) conducta *f* inútil. ~옥식(玉食) vida *f* epicúrea, buena vida *f,* la ropa preciosa y la comida exquisita. ~환향(還鄕) vuelta *f* a la tierra natal en gloria. ¶ ~하다 volver a la tierra natal en gloria.
금인(今人) moderno, -na *mf.*
금인(金人) ((불교)) Buda *m,* imagen *f* de Buda de metal o oro.
금인(金刃) ① =칼(cuchillo). ② [칼날이 있는 쇠붙이] hierro *m* con filo.
금인(金印) sello *m* de oro.
금일(今日) hoy. ~까지 hasta hoy, hasta la fecha. ~의 신문 periódico *m* de hoy. ~ 오전 esta mañana. ~ 오후 esta tarde. ~ 밤 esta noche.
금일봉(金一封) una cantidad de dinero, una gratificación, un regalo de dinero. ~을 주다 gratificar con una cantidad de dinero, dar una gratificación, dar un regalo de di-

nero. ～을 받다 recibir un regalo de dinero, recibir una cantidad de dinero.
금잉어(金－) carpa *f* dorada.
금자(今者) ahora, estos días.
금자(金字) letra *f* de oro.
금자둥이(金子－) niño *m* precioso, niña *f* preciosa.
금자탑(金子塔) ① ＝피라미드(pirámide). ② [영원히 전해질 만한 가치 있는 업적] obra *f* monumental. ～을 이루다 realizar una obra monumental.
금작화(金雀花) 【식물】 retama *f*, hiniesta *f*, cítiso *m*; 【학명】 Adenocarpus hispánicus.
금잔(金盞) copa *f* de oro.
■ ～옥대(玉臺) ㉮ [금으로 만든 술잔과 옥으로 만든 잔대] la copa de oro y el platillo de jade (para la copa). ㉯ ＝수선화꽃. ～은대(銀臺) la copa de oro y el platillo de plata.
금잔디(金－) hermoso césped *m* otoñal.
금잔화(金盞花) 【식물】 maravilla *f*, caléndula *f*.
금잠(金簪) pasador *m* de oro.
금잡인(禁雜人) Prohibido entrar no interesados.
금장(金匠) ＝금공(金工).
금장(金裝) adoración *f* con oro. ～하다 adorar con oro.
금장(禁葬) prohibición *f* de enterrar el cadáver. ～하다 prohibir el entierro del cadáver.
금장(襟章) insignia *f* en el cuello del uniforme.
금장도(金粧刀) navaja *f* de oro, cortaplumas *m* de oro.
금장식(金粧飾) decoración *f* de oro. ～하다 decorar con oro.
금장옥액(金漿玉液) medicina *f* maravillosa, panacea *f*.
금전(金錢) ① [쇠붙이로 만든 돈] moneda *f* de metal. ② ＝금화(金貨)(moneda de oro). ③ [돈] dinero *m*, moneda *f*, [현금] (dinero *m*) efectivo *m*. ～상의 de dinero, monetario, pecuniario. ～상의 원조 ayuda *f* monetaria. ～상의 이익 ganancias *fpl* pecuniarias. ～적 가치 valor *m* en efectivo. ～적 욕망 codicia *f* de dinero. ～적으로 돕다 ayudar económicamente. ～을 취급하다 manejar dinero. 이것은 ～적인 가치가 없다 Esto no tiene ningún valor material. 그는 ～의 노예다 El no hace nada sino por dinero / El es un hombre metalizado.
■ ～ 공급 oferta *f* monetaria, oferta *f* de dinero. ～ 대부업 negocio *m* de préstamo monetario. ～ 대부 업자 prestamista *mf*. ～ 등록기(登錄器) caja *f* registradora, registrador *m* de monedas. ～ 신탁(信託) fideicomiso *m* de efectivo. ～ 증권(證券) valores *mpl* monetarios. ～ 채권(債券) obligaciones *fpl* monetarias. ～ 채무(債務) deuda *f*. ～ 출납장 libro *m* de caja.
금전(禁轉) prohibición *f* de traspaso. ～하다 prohibir el traspaso.
금전옥루(金殿玉樓) residencia *f* palaciega, mansión *f* majestuosa, palacio *m*.
금점(金店) mina *f* de oro.
■ ～꾼 trabajador, -dora *mf* en la mina de oro. ～판 (lugar *m* de) trabajo *m* en la mina de oro.
금정(金井) ＝금정틀.
■ ～틀[기] marco *m* de madera para medir el tamaño del agujero de la tumba.
금정(金正) dios *m* de otoño.
금정옥액(金精玉液) medicina *f* bien eficaz.
금제(金製) manufactura *f* (hecha) de oro.
■ ～품[물](品) producto *m* de oro, producto *m* de orfebrería.
금제(禁制) prohibición *f*, interdicción *f*. ～하다 prohibir, vedar. ～의 prohibido, ilegal.
■ ～물[품] artículo *m* prohibido.
금조(今朝) esta mañana.
금조(禽鳥) pájaro *m*, el ave *f* (las aves).
금조(禁鳥) ＝보호조(保護鳥).
금조개(金－) concha *f* de abulón, concha *f* de oreja marina, concha *f* de oreja de mar.
금족(禁足) reclusión *f*, arresto *m*. 10일간의 ～을 명령하다 condenar a diez días de arresto.
■ ～령(令) orden *f* de reclusión.
금종이(金－) papel *m* de oro.
금주(今週) esta semana. ～ 중(中)에 dentro de esta semana. ～ 말(末)에 este fin de semana. ～ 수요일에 el miércoles (de esta semana), este miércoles. ～의 일정(日程) programa *m* de esta semana, programa *m* de la semana. ～의 차림표 menú *m* de la semana.
금주(禁酒) ① [술을 못 먹게 금함] prohibición *f* de bebidas alcohólicas. ～하다 prohibir las bebidas alcohólicas. ～의 seco, donde está prohibida la venta de bebidas alcohólicas. ② [술을 끊고 먹지 않음] abstinencia *f* (de bebidas alcohólicas). ～하다 abstenerse de bebidas alcohólicas, dejar de beber. ～의 antialcohólico.
■ 금주에 누룩 흥정 ((속담)) Trabajo duro inútil / Esfuerzo inútil.
■ ～가(家) abstemio, -mia *mf*. ～국 país *m* (*pl* países) seco. ～당(黨) partido *m* sin bebidas alcohólicas. ～ 동맹(同盟) liga *f* antialcohólica. ～법(法) la Ley seca, la Prohibición. ¶미성년 ～안(案) proyecto *m* de ley para menores. ～ 운동 campaña *f* antialcohólica, movimiento *m* antialcohólico, antialcoholismo *m*. ～주(州) [미국의] estado *m* seco. ～주의 prohibicionismo *m*. ～주의자 partidario, -ria *mf* de la Prohibición. ～회(會) sociedad *f* sin bebidas alcohólicas, sociedad *f* antialcohólica.. ～ 회원 miembro *mf* de abstinencia.
금준(金樽/金罇) barril *m* de oro.
■ ～미주(美酒) vino *m* sabroso [delicioso · rico] del barril de oro.
금준비(金準備) reserva *f* de oro.
금줄[1](金－) ① [금으로 만든 시곗줄] cuerda *f* de reloj (enchapada) de oro. ② [금실을 꼬

아 만든 줄] cuerda *f* de hilo de oro.
금줄²(金－) ＝금맥(金脈).
금줄(禁－) cuerda *f* de paja colgada en la puerta principal cuando nace un niño.
금중(禁中) ＝궁중(宮中).
금중상(金中商) platero, -ra *mf.*
금지(金地) ((불교)) monasterio *m* budista, templo *m* [convento *m*] budista.
금지(金紙) papel *m* de oro.
금지(禁止) prohibición *f*, prescripción *f*; [사냥 등의] veda *f*. ～하다 prohibir, impedir, prescribir, vedar. ～된 prohibido. 성냥의 수입 ～ prohibición *f* a la importación de cerillas [fósforos]. ～를 해제하다 levantar [suspender · alzar] la prohibición. 외출을 ～하다 prohibir la salida (de). 자동차의 통행을 ～하다 prohibir la circulación de los vehículos. …하는 것을 ～함 Prohibido [Se prohíbe · No se permite · No] + *inf*, No + *subj*. 흡연을 ～함 ((게시)) Se prohíbe [No se permite · Prohibido · No] fumar / No fume(n). 미성년자에게 판매를 ～함 *ReD* ((게시)) [복권의] Prohibida la venta a menores de edad. 그 소년은 ～를 위반했다 El muchacho infringió la prohibición. 사진 촬영은 ～됨 ((게시)) Está terminantemente prohibido tomar fotografías. 사치품의 수입을 ～했다 Prohibieron la importación de artículos suntuarios. 호수에서 낚시는 ～되어 있다 Está prohibido [Se prohibe] pescar en el lago. 내가 결과를 발표하는 것은 규정으로 ～되어 있다 El reglamento me prohibe dar a conocer los resulatados. 나는 그들이 자동차를 사용하는 것을 ～했다 Les he prohibido usar el coche / Les he prohibido que usen el coche. 방문객들이 불을 피우는 것을 ～함 Se prohíbe a los visitantes hacer fuego. 이곳에서는 주류(酒類) 판매가 ～됨 Aquí está prohibida la venta de bebidas alcohólicas. 의사는 그에게 담배 피우는 것을 ～시켰다 El médico le ha prohibido fumar / El médico le ha prohibido que fume. 법률은 미성년자의 흡연을 ～하고 있다 La ley prohíbe fumar a los menores de edad. 이 연못에서는 수영이 ～되어 있다 Está prohibido bañarse en este estanque. 면회(面會) ～가 풀렸다 Se levantó la prohibición de visitas.
◆미성년자 ～ Prohibido [No apta] para menores. 소변(小便) ～ Prohibido orinar / Se prohíbe orinar / No orinar / No orine(n). 유사품 취급 ～ prohibición *f* de manejar productos similares. 유아 노동 ～ prohibición *f* del trabajo infantil. 입장 (入場) ～ ((게시)) ¡Se prohíbe la entrada! / ¡Prohibido entrar! / ¡No entre(n)! / ¡No entrar! 출입(出入) ～ ((게시)) Se prohíbe la entrada / Prohibido el paso / No pasar / No pase(n).
■～ 관세(關稅) 【경제】 ＝금지세(禁止稅). ～ 구역 el área *f* (*pl* las áreas) limitada; [자동차의 속도 제한 지역] zona *f* con límite de velocidad; 【군사】 zona *f* restringida. ～령(令) orden *f* de prohibición, decreto *m* prohibitorio. ～법(法) derecho *m* de prohibición. ～세(稅) impuesto *m* de prohibición. ～안(案) proyecto *m* de ley de prohibición. ～ 조치 medidas *fpl* prohibicionistas, medidas *fpl* prohibitorias. ～조항(條項) cláusula *f* prohibida. ～주의(主義) prohibicionismo *m*. ¶～의 prohibicionista. ～ 처분(處分) disposición *f* de prohibición. ～품(品) artículo *m* prohibido.
금지(禁地) el área *f* (*pl* las áreas) restringida.
금지(錦地) su residencia.
금지옥엽(金枝玉葉) ① [임금의 자손이나 집안] persona *f* del nacimiento real. ② [귀여운 자손] hijos *mpl* preciosos.
금지환(金指環) anillo *m* de oro.
금차(今次) esta vez; [형용사적] último, reciente. ～ 대전(大戰) la última Guerra Mundial.
금찰(金刹) ((불교)) pagoda *f* de oro, nueve cículos de oro en la parte superior de una pagoda.
금창(金瘡) tajo *m*; corte *m*; herida *f* causada por la espada, la lanza, la flecha etc.
금채(金釵) pasador *m* de oro.
금채(金彩) oro *m* en polvo.
금채(錦采) tela *f* de seda.
금철(金鐵) ① [금과 철] el oro y el hierro. ② [견고한 사물] la cosa firme.
금쳐놓다 predecir, pronosticar, vaticinar, profetizar, hacer profecías.
금추(今秋) este otoño.
금춘(今春) esta primavera.
금치(金齒) diente *m* de oro.
금치산(禁治産) incapacitación *f*.
■～ 선고(宣告) interdicción *f* civil. ～자 interdicto, -ta *mf*, incapacitado, -da *mf*.
금칠(金漆) laca *f* mezclada por pan de oro con cola.
금침(衾枕) la colcha y la almohada, la ropa de cama y almohada. 원앙～을 펴다 preparar la cama de matrimonio.
■～장(欌) ＝자릿장.
금탑(金塔) ((불교)) pagoda *f* de oro, pagoda *f* enchapada de oro.
금테(金－) ① [안경의] armazón *m* dorado, armazón *m* de oro, montura *f* dorada, montura *f* de oro. ～ 안경 gafas *fpl* con montura de oro, gafas *fpl* de montura dorada. ② [액자의] marco *m* dorado, marco *m* de oro. ③ [책 따위의] bordes *mpl* dorados.
금통위(金通委) ((준말)) ＝금융 통화 운영 위원회(金融通貨運營委員會).
금파(金波) ola *f* dorada.
금파리(金－) 【곤충】 moscarda *f*, mosca *f* de color metálico; 【학명】 Lucilía caesar.
금팔찌(金－) pulsera *f* de oro, brazalete *m* de oro.
금패(金牌) placa *f* de oro.
금패(錦貝) ámbar *m* amarillo y transparente.
금패물(金佩物) ① [금으로 만든 패물] orna-

mentos *mpl* personales de oro. ② [금으로 만든 상패] medalla *f* de oro.
금품(金品) el dinero y los artículos de valor. ~을 빼앗다 desplumar, desvalijar. ~을 강탈(強奪)하다 desplumar el dinero y los artículos de valor.
금풍(金風) brisa *f* otoñal.
금하(今夏) este verano.
금하다 fijar el precio.
금하다(禁—) ① [금지시키다] prohibir, vedar. 출입을 ~ prohibir la entrada. 흡연(吸煙)을 금함 ((게시)) Está prohibido fumar. 시간 중에 식사를 금함 Se prohíbe comer entre horas. 포스터 첨부를 금함 ((게시)) Se prohíbe fijar carteles. 의사는 내가 담배 피우는 것을 금한다 El médico me prohíbe fumar. 의사는 그가 이렇게 많은 담배를 피우는 것을 금하고 있다 El médico le prohíbe que fume tanto. ② [웃음·눈물 따위를 참다] [화·웃음을] contener, reprimir; [감정을] reprimir. 나는 웃음을 금할 수 없었다 No pude reprimirme de reír. 그는 자신의 격정을 금할 수 없었다 El no pudo reprimir su pasión. ③ ((성경)) impedir.
금해금(金解禁) levantamiento *m* de la prohibición de exportación de oro.
금혁(金革) ① =병기(兵器). ② =전쟁(戰爭).
금형(金型) molde *m*. ~을 뜨다 moldear, moldar, sacar molde (a). ~을 해체하다 desmoldar.
■ ~공(工) moldeador, -dora *mf*.
금혼(禁婚) prohibición *f* del casamiento. ~하다 prohibir el casamiento.
금혼식(金婚式) bodas *fpl* de oro.
금화(金貨) moneda *f* de oro. ~로 지불하다 pagar con [en] monedas de oro.
■ ~ 본위 제도 sistema *m* de acuñación de oro. ~ 준비 reserva *f* de oro.
금화(禁火) restricción *f* del uso del fuego. ~하다 restringir el uso del fuego.
■ ~금벌(禁伐) prohibición *f* del uso del fuego en la montaña y del corte forestal.
금환(金環) ① [금으로 만든 고리] anillo *m* de oro. ② [금반지] anillo *m* de oro; [장식이 있는] sortija *f* de oro.
금환식(金環蝕) eclipse *m* anular.
금황제(今皇帝) imperio *m* actual.
금회(今回) esta vez, ahora.
금회(襟懷) pensamientos *mpl* más íntimos en el corazón.
금효(今曉) esta madrugada. ~ 다섯 시 반에 a las cinco y media de la madrugada.
금후(今後) de aquí en adelante, de ahora en adelante, desde ahora en adelante, en el futuro, en lo futuro, en el porvenir, desde ahora, en lo sucesivo. ~의 venidor, futuro. ~ 10년간 estos diez años siguientes [venideros], diez años más, de [desde] ahora en diez años, durante los próximos diez años, de aquí a diez años. ~의 한국과 서반아의 관계 las futuras relaciones coreano-español. ~ 주의하십시오 Sea más prudente de ahora en adelante.
금휘(琴徽) 【악기】=기러기발.
급(急) ① [절박하여 지체할 겨를이 없음] emergencia *f*, urgencia *f*, peligro *m*. ~하다 (ser) emergente, urgente, peligroso. ~할 경우에 en caso de emergencia. ② [빨리 서두름] prisa *f*, apuro *m*, prontitud *f*, rapidez *f*. ~하다 correr prisa, darse prisa, estar de prisa, tener prisa. 나는 ~하다 Estoy de prisa / Tengo prisa. 나는 무척 ~하다 Tengo mucha prisa. ③ [갑작스러움] lo imprevisto, lo inesperado, lo repentino. ~하다 (ser) repentino, imprevisto, inesperado.
급(級) ① [학급·계급·등급(等級)] clase *f*, grado *m*. 한 ~ 오르다 ascender un grado. 한 ~ 내리다 descender un grado. 그는 나보다 한 ~ 높은 지위에 있다 El ocupa un puesto superior al mío. ② [유도·태권도·권투·바둑 등 기술에 의한 등급] peso *m*, grado *m*. 그는 태권도 2~이다 El tiene el segundo grado inferior de taekwondo. ③ [단계. 정도] grado *m*. 그 사람 쪽이 나보다 한 ~ 위다 [능력이] No soy de talla para medirme con él / No tengo talla para competir [para rivalizar] con él. ④ [수준] nivel *m*, clase *f*. 대사~ 회담 conferencia *f* en el nivel de embajadores. ⑤ [오징어 스무 마리를 세는 말] *gub*, veinte calamares. 오징어 두 ~ dos *gub* de calamares, cuarenta calamares.
급(及) y; [i-·hi-로 시작되는 단어 앞에서] e.
-급(級) categoría *f*, peso *m*. 웰터~ peso *m* semimedio, peso *m* welter. 헤비~ peso *m* pesado. 장관~ 인물(人物) persona *f* con calibre para ser ministro, ministrable *mf*.
급각도(急角度) ángulo *m* agudo. ~의 사면(斜面) vertiene *f* [pendiente *f*] escarpada [empinada]. ~로 굽히다 doblar bruscamente. ~로 상승하다 subir verticalmente.
급감(急減) reducción *f* repentina. ~하다 reducir repentinamente.
급강하(急降下) (descenso *m* en) picado *m*, descenso *m* repentino, caída *f* abrupta, descendimiento *m* repentino. ~하다 picar, descender en picado.
■ ~ 폭격(爆擊) bombardeo *m* repentino, bombardeo *m* en picado.
급개념(級概念) =일반 개념(一般概念).
급거(急遽) [갑작스레] de repente, repentinamente, de súbito, súbitamente; [급히] de prisa, apresuradamente, a todo correr. ~ 상경하다 darse prisa a Seúl, apresurarse a Seúl. ~ 출발하다 salir de repente, salir de prisa.
급격(急擊) ataque *m* repentino, asalto *m* repentino, incursión *f* repentina. ~하다 atacar [asaltar] repentinamente.
급격하다(急激—) (ser) rápido, repentino, súbito, improvisto, inesperado, brusco, radical. 급격한 변화 cambio *m* repentino. 급격한 진보 progreso *m* rápido. 급격한 발전을 이룩하다 conseguir un desarrollo rápido [acelerado].

급격히 de repente, repentinamente, de súbito, súbitamente, de pronto, bruscamente, radicalmente, a toda prisa, apresuradamente, precipitadamente, con presteza. ~ 증가하다 aumentar rápidamente.

급경(急境) situación *f* urgente.

급경사(急傾斜) pendiente *f* empinada, vertiente *f* escarpada [abrupta]; [치받이] ascenso *m* brusco; [내리받이] descenso *m* brusco. ~의 escarpado, abrupto, pino.

급고(急告) noticia *f* urgente, aviso *m* urgente. ~하다 avisar urgentemente.

급구(急求) busca *f* rápida. ~하다 buscar rápidamente. ~! ((게시)) ¡Se busca!

급구(急救) socorro *m* rápido. ~하다 socorrer rápi-damente.

급구배(急勾配) =급경사(急傾斜).

급급하다(汲汲-) intentar + *inf.* 그는 돈을 벌려고 급급하고 있다 El está sediento de dinero / El no piensa más que ganar dinero.

급급하다(岌岌-) ① [산이 높고 가파르다] (ser) alto y escarpado. ② [일의 형세가 매우 위급하다] (ser) urgente.

급급하다(急急-) ① [사태가 매우 급하다] (ser) muy urgente. ② [성질이 매우 급하다] (ser) impaciente.
급급히 urgentemente, con urgencia, apresuradamente, impacientemente.

급기야(及其也) finalmente, al fin, por fin, en fin, con el tiempo. ~ 그는 범행을 자백하고 말았다 Finalmente él confesó su crimen.

급난(急難) calamidad *f* urgente, peligro *m* urgente, desastre *m* inesperado..

급단(急湍) rápidos *mpl.*

급등(急騰) subida *f* veloz [rápida · repentina]. ~하다 subir rápidamente [repentinamente]. 주가(株價)가 ~했다 Ha subido repentinamente la cotización de las acciones.

급락(及落) éxito o fracaso (en el examen). ~을 판정하다 juzgar el resultado del examen.

급락(急落) caída *f* [baja *f*] repentina. ~하다 bajar repentinamente. 주가(株價)가 ~했다 La cotización de las acciones ha bajado.

급랭(急冷) refrigeración *f* rápida. ~하다 enfriar rápidamente.

급량(給糧) provisión *f* del alimento. ~하다 proveer del alimento, suministrar el alimento, proporcionar el alimento.

급료(給料) salario *m*, sueldo *m*, paga *f.* ~를 받다 cobrar [recibir] el salario [el sueldo], *percibir un salario* [una remuneración]. ~를 올리다 subir el salario, aumentar el sueldo. ~를 내리다 bajar el salario, disminuir el sueldo. ~를 지불하다 pagar el salario [el sueldo]. 월 100만 원의 ~를 받다 cobrar de sueldo un millón de wones al mes. 나는 다음달부터 ~가 오른다 El próximo mes me suben el sueldo.
■ ~ 봉투(封套) sobre *m* de la paga. ~일(日) día *m* de paga, día *m* de cobro. ~ 지불 명부(支拂名簿) nómina *f* (de pagos), lista *f* de jornales. ~ 지불 수표(支拂手票) cheque *m* del sueldo, cheque *m* de la paga. ~표(表) nómina *f*, planilla *f*, *AmL* planilla *f* (de sueldos). ~ 협정 acuerdo *m* salarial.

급류(急流) ① [물이 급하게 흐림] torrente *m*, corriente *f* rápida, rápidos *mpl.* ~는 위험한 홍수를 일으킨다 Los torrentes causan peligrosas inundaciones. ② ((준말)) =급류수.
■ ~수(水) el agua que corre rápido.

급매(急賣) venta *f* repentina. ~하다 vender repentinamente.

급모(急募) invitación *f* urgente; [신병 · 신입 회원 등의] reclutamiento *m* rápido. ~하다 invitar urgentemente, reclutar rápidamente.

급무(急務) negocio *m* urgente, asuntos *mpl* urgentes, deber *m* urgente.

급박하다(急迫-) (ser) apremiante, acuciante, urgente, grave. 급박함 urgencia *f*, apremio *m*. 급박한 문제 cuestión *f* urgente. 급박한 사태 situación *f* apremiante. 아시아의 급박한 정세 situación *f* grave en el Asia. 사태가 ~ La situación se pone apremiante.
급박히 apremiantemente, acuciantemente, urgentemente, con urgencia, gravemente.

급변(急變) ① [갑자기 달라짐] cambio *m* repentino [brusco · súbito · imprevisto]; [악화(惡化)] empeoramiento *m* repentino. ~하다 cambiar repentinamente [súbitamente · bruscamente · de repente], convertirse repentinamente; [병세가] empeorar, agravarse. 날씨가 ~했다 El tiempo ha cambiado repentinamente. 병세(病勢)가 ~했다 El enfermo empeoró de repente / El estado del enfermo se ha agravado de repente. ② [별안간 일어난 변고] emergencia *f*, accidente *m*.

급병(急病) ① [갑자기 일어난 병] enfermedad *f* repentina. ~에 걸리다 caer enfermo de repente. ② [위급한 병] enfermedad *f* aguda, enfermedad *f* grave.

급보(急步) paso *m* rápido. ~하다 caminar [andar] rápidamente.

급보(急報) mensaje *m* urgente, despacho *m* especial, alarma *f.* ~하다 enviar un mensaje urgente, informar inmediatamente, informar [avisar] urgentemente [con urgencia]; [경보(警報)] dar la alarma (de). 화재(火災)를 ~하다 dar la alarma de un incendio.

급봉(給俸) categoría *f* del salario.

급부(給付) [사회 보장의] subsidio *m*.
◆ 실업(失業) ~ subsidio *m* de desempleo.
■ ~금(金) subsidio *m*. ¶~을 받다 cobrar [recibir] el subsidio. ~을 지불하다 pagar el subsidio.

급비(給費) beca *f.* ~를 받다 disfrutar de una beca, recibir una beca. 나는 ~로 서반아에 갔다 Yo fui a España con una beca.
■ ~생(生) becario, -ria *mf.*

급사(急死) muerte *f* repentina. ～하다 morir repentinamente, morir de repente. 그는 심장 마비로 ～했다 El murió repentinamente de parálisis de corazón.

급사(急使) mensajero, -ra *mf*; correo *mf*; rutero, -ra *mf*; mensajero *m* expreso, mensajera *f* expresa.

급사(急事) asunto *m* urgente, asunto *m* repentino, trabajo *m* urgente.

급사(急斜) =급경사(急傾斜).

■ ～면(面) colina *f* escarpada, declinación *f* escarpada. ～지 tierra *f* muy escarpada.

급사(給仕) camarero, -ra *mf*; mozo, -za *mf*.

급사(給砂) rociada *f* de la arena. ～하다 rociar la arena.

급살(急煞) ① [운수가 사나운 별] estrella *f* de mala suerte. ② [갑자기 닥친 재액] el peor hado.

◆급살(을) 맞다 encontrar una muerte repentina, morir repentinamente, morir de repente. 급살(을) 맞을 놈 ¡Vete al cuerno! / ¡Vete al diablo! / ¡Vete a la mierda! 나는 그에게 급살을 맞을 놈이라 말했다 Yo le mandé al cuerno [al diablo · a la mierda].

■ ～탕(湯) muerte *f* repentina.

급상승(急上昇) subida *f* abrupta, elevación *f* abrupta, empinada *f*. ～하다 empinarse, elevarse abruptamente, subir abruptamente.

급서(急書) carta *f* (que avisa el asunto) urgente.

급서(急逝) =급사(急死).

급선무(急先務) el negocio (más) urgente, emergencia *f*. 당면한 ～ una imperiosa necesidad, una necesidad acucinate. 우리나라의 당면한 ～는 북한 핵문제 해결이다 La necesidad acuciante para nuestro país es resolver el problema nuclear de Corea del Norte.

급선봉(急先鋒) cabeza *f*, líder *m*, vanguardia *f*. 반정부(反政府)의 ～에 서다 estar a la cabeza [a la vanguardia] del movimiento contra el gobierno. 문명(文明)의 ～이다 ser vanguardia de la civilización.

급선회(急旋回) ① [급격한 선회] vuelta *f* rápida. ～ 하다 dar una vuelta rápida. ② [별안간 선회함] viraje *m* repentino; [태도의] cambio *m* repentino de *su* actitud. ～하다 virar repentinamente; cambiar *su* actitud. 기수(旗手)를 오른쪽으로 ～하다 hacer girar repentinamente el aparato hacia la derecha. 비행기가 ～하고 있다 Un avión está dando vueltas repentinas en el cielo.

급설(急設) instalaciones *fpl* rápidas. ～하다 instalar rápidamente.

급성(急性) ① [갑자기 일어나는 성질의 병] enfermedad *f* aguda. ～의 agudo. ② [성미가 급함, 또, 그 성질] mal genio *m*, poca paciencia *f*.

■ ～ 간염(肝炎) hepatitis *f* aguda. ～ 관절염(關節炎) artritis *f* aguda. ～ 기관지염(氣管支炎) bronquitis *f* aguda. ～ 담낭염(膽囊炎) colecistitis *f* aguda. ～ 대동맥염(大動脈炎) aortitis *f* aguda. ～ 맹장염(盲腸炎) apendicitis *f* aguda. ～병(病) enfermedad *f* aguda; [갑자기 일어난 병] enfermedad *f* repentina; [급히 악화되는 병] enfermedad *f* que se empeora repentinamente. ～ 복부질환(腹部疾患) abdomen *m* agudo. ～ 복수증(腹水症) ascitis *f* aguda. ～ 복통(腹痛) abdomen *m* agudo. ～ 염증 inflamación *f* aguda. ～ 운동 실조 ataxia *f* aguda. ～ 인플레(이션) inflación *f* galopante. ～ 전염병 epidemia *f* aguda, enfermedad *f* contagiosa aguda. ～ 전염성 결막염(傳染性結膜炎) conjuntivitis *f* contagiosa aguda. ～ 중이염(中耳炎) otitis *f* agudo. ～ 질환(疾患) enfermedad *f* aguda. ～ 출혈성 결막염(出血性結膜炎) conjuntivitis *f* hemorrágica aguda. ～ 출혈성 췌장염 pancreatitis *f* hemorrágica aguda. ～ 충수염 apendicitis *f* aguda. ～ 폐렴(肺炎) pulmonía *f* aguda. ～ 화농성 관절증(化膿性關節症) piartrosis *f*.

급소(急所) ① [신체 중에서 그곳을 해치면 생명에 관계되는 부분] parte *f* vital, punto *m* vital, punto *m* vulnerable. ～의 상처(傷處) herida *f* mortal. ～의 일격(一擊) golpe *m* definitivo, golpe *m* de gracia. ～를 찌르다 herir [tocar] en lo vivo [en el punto más sensible]. ～를 찔러 기절시키다 dar un puñetazo en alguna parte vital. 나는 그에게 ～를 잡히고 있다 El me tiene cogido por lo vivo. ② [사물의 가장 중요한 곳. 요점] quid *m*, punto *m* clave, punto *m* esencial, punto *m* capital, lo esencial (del caso), lo importante. ～를 찌르다 dar en el quid, dar en el blanco, dar en el clavo, acertar, herir la sensibilidad, rematar; [논의(論議)에서] reducir al silencio. ～를 찌르는 질문 pregunta *f* que ha dado en lo vivo del problema. 이것은 사업(事業)의 ～이다 Este es el quid del negocio. 그의 발언은 ～를 찌르고 있다 Esa opinión toca lo esencial / Esa opinión da en el clavo. 너는 ～를 찔렀다 Tú has acertado / Tú estás en lo cierto.

급소(急燒) quemadura *f* rápida. ～하다 quemarse rápidamente.

■ ～ 화약(火藥) pólvora *f* que se quema en un abrir y cerrar de ojos.

급속도(急速度) velocidad *f* muy rápida, rapidez *f*, prontitud *f*.

급속하다(急速－) ① [매우 급하다] (ser) urgente, emergente. ② [몹시 빠르다] (ser) muy rápido, veloz, pronto. 급속한 발전 crecimiento *m* rápido. 급속한 진보를 하다 hacer progresos rápidos, avanzar a marchas forzadas, avanzar a un ritmo acelerado.

■ 급속 냉동(冷凍) congelación *f* rápida.

급속히 urgentemente, emergentemente; rápidamente, con rapidez, prontamente, aceleradamente, con prontitud, velozmente. 우리 나라의 자동차 수가 ～ 증가하고 있다

El número de los coches en nuestro país está aumentando rápidamente.

급송(急送) envío *m* rápido, envío *m* veloz. ~하다 enviar [mandar] rápidamente.

급수(汲水) lo que saca el agua. ~하다 sacar el agua.

급수(級數) ① 【수학】 progresión *f*, serie *f*. ② [기술의 우열에 의한 등급] grado *m*. ◆기하(幾何)~ progresión *f* geométrica. 대수(代數) ~ serie *f* logarítmica. 무한(無限)~ serie *f* infinita. 부정규(不正規) ~ serie *f* anormal. 산술(算術)~ progresión *f* aritmética. 삼각~ serie *f* trigonométrica. 조화(調和) ~ progresión *f* harmónica. 지수(指數) ~ serie *f* exponencial.

급수(給水) abastecimiento *m* [suministro *m* · servicio *m* · distribución *f*] de agua; 【기계】 alimentación *f*, avance *m*. ~하다 abastecer [suministrar · distribuir · proveer de] agua. 시간(時間) ~를 하다 abastecer agua por un tiempo determinado. ▪ ~관(管) cañería *f* de agua; 【기계】 tubo *m* de alimentación. ~ 구역 el área *f* (*pl* las áreas) del servicio. ~꾼 el que saca el agua. ~난(難) escasez *f* de agua, falta *f* de agua. ~량(量) cantidad *f* suministrada de agua. ~료(料) =수도료(水道料). ~ 본관(本管) cañería *f* principal de suministro del agua, llave *f* principal del agua. ¶~을 막다 cerrar la llve principal del agua. ~선 barco *m* [buque *m* · vapor *m*] cisterna. ~ 설비(設備) planta *f* de tratamiento y depuración de agua, purificadora *f*. ~소(所) estación *f* aprovechadora de agua. ~ 장치(裝置) mecanismo *m* de alimentación, mecanismo *m* de avance. ~전(栓) grifo *m*, toma *f* de agua, grifo *m* alimentación. ~ 제한 distribución *f* restringida de agua. ~ 차(車) camión *m* (*pl* camiones) cisterna. ~탑(塔) torre *f* de agua. ~ 탱크 depósito *m* de agua limpia. ~판(瓣) válvula *f* de alimentación. ~ 펌프 bomba *f* de agua. ~ 회로(回路) circuito *m* de alimentación.

급습(急襲) ataque *m* repentino, asalto *m* repentino, carga *f*, sorpresa *f*; [경찰의] redada *f*, registro *m*. ~하다 atacar [asaltar] de repente [repentinamente · por sorpresa]; [경찰이] hacer una redada, hacer un registro.

급식(給食) abatecimiento *m* [suministro *m*] de comida. ~하다 proveer de comida, servir comida.

급신(急信) noticia *f* urgente, comunicación *f* urgente.

급액(給額) cantidad *f* que paga.

급양(給養) provisiones *fpl*. ~하다 proveer.

급업하다(岌業―) (la montaña) ser peligrosamente alta.

급여(給與) suministro *m*, concesión *f*, salario *m*, sueldo *m*, paga *f*. ~하다 suministrar, dar, conceder. ▪ ~금(金) sobresueldo *m*; [실업의] paro *m*, subsidio *m* de desempleo, *Chi* cesantía *f*. ~ 수준(水準) nivel *m* de salarios, nivel *m* de sueldos. ~ 지불 명세서(支拂明細書) especificación *f* [nota *f* detallada] de pagos de salarios [de sueldos]. ~ 체계 sistema *m* de salarios [de sueldos].

급열(急熱) calentamiento *m* urgente. ~하다 calentar urgentemente.

급용(急用) asunto *m* urgente, negocio *m* urgente. ~으로 por un asunto [un negocio] urgente.

급우(急雨) lluvia *f* que cae rápido, chubasco *m*.

급우(級友) compañero, -ra *mf* de clase; condiscípulo, -la *mf*.

급유(給油) abastecimiento *m* de petróleo, suministro *m* de petróleo; [가솔린의] suministro *m* de gasolina; [연료의] repostaje *m*; [기계 · 기름의] lubrificación *f*, engrase *m*. ~하다 suministrar petrólero, suministrar gasolina, repostar, lubrificar, engrasar. ▪ ~기(器) surtidor *m*. ~기(機) avión *m* cisterna. ~선(船) petrolero *m*, buque *m* cisterna, barco *m* cisterna, buque *m* petrolero. ~소(所) estación *f* [depósito *m*] de petróleo; [주유소] estación *f* de servicio, gasolinera *f*. ~ 트럭 camión *m* (*pl* camiones) cisterna. ~함(艦) buque *m* de guerra cisterna.

급인(汲引) ① [물을 길어 올림] saca *f* de agua (con una bomba). ~하다 sacar agua (con una bomba). ② [인재를 뽑아 씀] nombramiento *m* por mérito. ~하다 nombrar por mérito.

급자(給資) suministro *m* del capital. ~하다 suministrar el capital.

급자기 de repente, de pronto. ☞갑자기

급작스럽다 (ser) repentino, súbito, improvisto, inesperado. 급작스레 de repente, repentinamente, de súbito, súbitamente, de pronto.

급장(急裝) atavío *m* rápido. ~하다 ataviar rápidamente.

급장(級長) monitor, -tora *mf* de clase.

급전(急傳) entrega *f* urgente. ~하다 entregar urgentemente.

급전(急電) telegrama *m* urgente.

급전(急錢) dinero *m* para el uso inmediato.

급전(急轉) cambio *m* repentino [brusco · súbito]. ~하다 cambiar repentinamente [súbitamente · bruscamente]. ▪ ~직하(直下) precipitaciones *fpl*; [사건(事件)의] cambio *m* repentino. ¶~하다 (ser) precipitado; [사건이] cambiar repentinamente, mover rápidamente. ~에 repentinamente, de repente, de pronto, de golpe. 그 문제는 ~에 해결되었다 El problema ha encontrado una solución repentina [súbita].

급전(給電) suministro *m* [abatecimiento *m*] de la electricidad. ~하다 suministrar [abastecer] la electricidad. ▪ ~선(線) [라디오 · 텔레비전의] alimentador *m*, línea *f* de alimentación.

급절하다(急切-) =절박(切迫)하다.

급정거(急停車) parada *f* repentina. ~하다 parar de repente [repentinamente · bruscamente]. 자동차를 ~시키다 parar [frenar] el coche de repente. ~시(時) 위험하오니 손잡이를 잡아 주세요 Coja el mango que es peligroso al parar repentinamente.

급정지(急停止) parada *f* repentina. ~하다 parar de repente [repentinamente].

급제(及第) aprobación *f*. ~하다 ser aprobado, pasar un examen, aprobar los exámenes, salir bien en los exámenes. 서반아어 시험에 ~하다 ser aprobado en el examen español.
■ ~생 estudiante *m* aprobado, estudiante *f* aprobada. ~점(點) marca *f* de aprobación, nota *f* de aprobación, nota *f* necesaria para aprobar. ¶~을 얻다 obtener las notas requeridas en el examen.

급조(急造) construcción *f* a toda prisa. ~하다 construir a toda prisa, hacer a toda prisa. ~한 hecho a toda prisa, construido a toda prisa, formado de improviso. ~한 건물(建物) edificio *m* hecho [construido] a toda prisa.

급조(急潮) corriente *f* rápida.

급조하다(急躁-) =조급(躁急)하다.
급조히 =조급히.

급족(急足) mensajero, -ra *mf* que entrega la noticia urgente.

급주(急走) huida *f* rápida. ~하다 huir rápidamente.

급증(急症) =급병(急病).

급증(急增) aumento *m* repentino, aumento *m* rápido. ~하다 aumentar de repente, aumentar rápidamente.

급진(急進) ① [급히 진행함] progreso *m* rápido. ~하다 progresar rápidamente. ② [급히 이상을 실현하고자 함] esfuerzo *m* que trata de realizar el ideal.
■ ~ 분자(分子) elemento *m* radical. ~ 사상(思想) idea *f* radical, ideología *f* radical. ~적(的) radical. ¶~으로 radicalmente. ~전(展) progreso *m* radical, crecimiento *m* rápido. ~ 정당(政黨) partido *m* radical. ~주의 radicalismo *m*. ¶~의 extremista. ~주의자 radical *mf*, extremista *mf*. ~파(派) secta *f* radical; [사람] radical *mf*.

급진(急診) consulta *f* urgente. ~하다 consultar urgentemete.

급체(急滯) indigestión *f* urgente. ~하다 tener una indigestión urgente.

급촉하다(急促-) =급박(急迫)하다.

급커브(急 curve) curva *f* cerrada [pronunciada · brusca · fuerte · aguda]. 길은 저기서 ~가 된다 El camino da una curva cerrada allí / El camino dobla allí de repente.

급탄(給炭) suministro *m* del carbón; [석탄] carbón *m* (*pl* carbones) suministrado. ~하다 suministrar el carbón.

급템포(急 tempo) velocidad *f* rápida, tiempo *m* rápido.

급파(急派) envío *m* urgente. ~하다 enviar [mandar] urgentemente.

급풍(急風) =돌풍(突風).

급하다(急-) ① [바빠서 우물쭈물할 틈이 없다] (ser) urgente, apremiante, apresurado, acuciante. 급한 일 negocio *m* urgente, trabajo *m* acuciante, tarea *f* urgente. 급한 주문(注文) pedido *m* urgente, orden *f* apremiante. 급한 걸음으로 con paso rápido, con paso precipitado. 급한 일로 por un negocio [asunto] urgente. ~는 소식을 듣고 달려가다 acudir a una emergencia. 급한 일로 상경하다 ir a la capital de negocio urgente. ② [성미가 팔팔해 잘 참지 못하다] (ser) de mal genio, irascible. 급한 성미 disposición *f* irascible. 그는 자녀들에게 무척 ~ El tiene tan poca paciencia con los hijos. ③ [병세가 위독하다] estar muy grave. ④ [몹시 서두르거나 다그치는 경향이 있다] darse prisa, tener prisa, acelerarse, estar de prisa. 급하면 si usted esté de prisa, si usted tiene prisa, si le corre prisa. 이 일은 급합니다 Este trabajo corre prisa. 급할수록 천천히 하라 ((서반아 속담)) Vísteme despacio, que tengo prisa / Quien mucho corre, pronto para / Los que van muy deprisa, acaban parando / A más rapidez, menos velocidad. ⑤ [경사가 가파르다] (ser) empinado, en picado. 급한 언덕길 cuesta *f* [colina *f*] en picado
■ 급하면 바늘허리에 실 매어 쓸까 ((속담)) Apresúrate despacio / Date prisa despacio y llegarás a palacio / Vísteme despacio que tengo prisa. 급할수록 돌아가라 ((속담)) Vísteme despacio, que tengo prisa / Quien mucho corre, pronto para.

급히 a toda prisa, apresuradamente, precipitadamente, urgentemente, de (mucha) prisa, deprisa, a prisa, (muy) aprisa, muy de prisa, con rapidez, a todo correr. ~ 귀가하다 volver de prisa. ~ 달려가다 acudir, apresurar. ~ 식사하다 comer muy de prisa. ~ 역에 가다 ir muy aprisa a la estación, ir a la estación a toda prisa. ~ …하다 apresurarse a + *inf*, darse prisa en + *inf*. 병원(病院)에 ~ 달려가다 acudir al hospital. 일을 ~ 하다 hacer de prisa [acelerar · apresurar] el trabajo. 길을 ~ 가다 apresurar el paso. 학교에 ~ 가다 ir aprisa a la escuela. ~ 그 일을 끝내라 Acaba ese estudio rápidamente. 그들은 어질러진 것을 ~ 치웠다 Ellos arreglaron el desorden a toda prisa.
■ 급히 먹는 밥에 목이 멘다 ((속담)) Vísteme despacio, que tengo prisa.

급행(急行) ① ((준말)) =급행열차. ② [급히 감] ida *f* rápida, ida *f* urgente. ~하다 acudir [ir] rápidamente [de prisa · a toda velocidad]. 사고 현장에 ~하다 acudir de prisa al lugar del accidente.
■ ~권(券) ((준말)) =급행 열차권. ~료(料) ((준말)) =급행요금. ~ 버스 autobús *m* (*pl* autobuses) de expreso. ~열차 (tren *m*) rápido *m*, expreso *m*, exprés *m*. ¶열

두 시 발 서울행 ~ tren *m* rápido de las doce para Seúl. ~ 열차권(列車券) billete *m* [*AmL* boleto *m*] del expreso. ~요금(料金) tarifa *f* [precio *m* · suplemento *m*] del expreso. ~차(車) ((준말)) =급행열차. ~편(便) servicio *m* del expreso.

급혈(給血) suministro *m* de la sangre. ~하다 suministrar la sangre.
■~자 suministrador, -dora *mf* de la sangre.

급화(急火) ① [갑자기 일어나는 불] fuego *m* repentino. ② [맹렬히 타는 불] fuego *m* que se quema violentamente.

급환(急患) caso *m* emergente, caso *m* urgente, caso *m* de urgencia, enfermedad *f* repentina.

급회전(急回轉) vuelta *f* rápida. ~하다 dar una vuelta rápida.

급훈(級訓) lección *f* de la clase.

긋다[1] ① [비가 잠깐 그치다] escampar. 비가 ~ escampar, cesar de llover, aclararse el cielo nublado. 비가 긋기 시작한다 Está lloviendo menos / Está escampando. ② [비를 잠시 피해 그치기를 기다리다] refugiarse [guarecerse] de la lluvia. 처마 밑에서 비를 ~ refugiarse [guarecerse] de la lluvia debajo del alero.

긋다[2] ① [줄을 치거나 금을 그리다] trazar, dibujar, bosquejar. 직선(直線)을 ~ trazar una línea recta. ② [성냥 알을 황에 대고 문지르다] encender, prender. 성냥을 ~ encender la cerilla. ③ [외상값을 장부에 치부하다] cargar a *su* cuenta. 내 아내는 절대로 현금을 가지고 다니지 않고 모든 것을 카드로 긋는다 Mi esposa nunca lleva dinero, lo compra todo con tarjeta [de crédito] / Mi esposa nunca lleva dinero, lo carga todo a su cuenta.

긍과(矜誇) orgullo *m*. ~하다 enorgullecerse (de).

긍긍하다(兢兢-) (ser) miedoso, temeroso.

긍낙(肯諾) consentimiento *m*, asentimiento *m*, aprbación *f*. ~하다 acceder (a), consentir (en).

긍련하다(矜憐-) (ser) lamentable.
긍련히 lamentablemente.

긍민(矜悶) compasión *f*, misericordia *f*, clemencia, piedad *f*. ~하다 tener misericordia [piedad] (de), tener clemencia (para), apiadarse (de).

긍벌(矜伐) orgullo *m*. ~하다 orgullecerse (de).

긍정(肯定) afirmación *f*, [단언(斷言)] aserción *f*, aseveración *f*. ~하다 afirmar, aseverar. 신(神)의 존재를 ~하다 afirmar la existencia de Dios. 나는 ~도 부정도 하지 않는다 No afirmo ni niego / No digo ni que sí ni que no.
■~ 명제(命題) (proposición *f*) afirmativa *f*. ~문(文) oración *f* afirmativa. ~적(的) afirmativo, aseverativo, positivo. ¶~으로 afirmativamente, positivamente. ~적 개념(的概念) concepción *f* afirmativa. ~ 판단(判斷) 【논리】 afirmación *f*.

긍종(肯從) obediencia *f* de buena voluntad. ~하다 obedecer con gusto [de buen grado].

긍지(矜持) orgullo *m*, dignidad *f*. ~를 지키다 cumplir *su* orgullo [*su* dignidad].

긍측하다(矜惻-) (ser) lamentable.

긍휼(矜恤) piedad *f*, compasión *f*, misericordia *f*, simpatía *f*, lástima *f*. ~하다 tener piedad [compasión] (de), compadecer, tener lástima.

긔 =그이. ¶~ 누구요 ¿Quién es él?

기(忌) =기중(忌中). 상중(喪中).

기(奇) [기괴함. 진귀함] misterio *m*, extrañeza *f*, rareza *f*. ~하다 (ser) misterioso, extraño, raro.

기(紀) ① =기록(記錄). ② =법칙(法則). ③ =도의(道義). ④ [기전체(紀傳體) 역사에서, 제왕의 사적(事跡)을 기록한 글] crónica *f*.

기(氣) ① 【철학】 =원기(元氣). ② [생활·활동의 힘] vitalidad *f*, poder *m*, fuerza *f*, espíritu *m*, energía *f*. ③ [있는 힘의 전부] todas *sus* energías, todas *sus* fuerzas. ~를 쓰고 con todas *sus* fuerzas, con todas *sus* energías, desesperadamente, frenéticamente. ~를 쓰다 entusiasmarse. ~를 쓰고 밀다 empujar con sus fuerzas. ~를 쓰고 싸우다 luchar con todas sus fuerzas. 그는 ~를 썼지만 실패했다 El se entusiasmó tanto que fracasó. ④ =정신력(精神力). ¶~를 펴지 못하다 encogerse de miedo, no sentirse a *sus* anchas. 그들은 사장 앞에서 ~를 펴지 못했다 Ellos agacharon la cabeza ante el presidente. 나는 그녀에게는 ~를 펴지 못한다 Con ella nunca siento que me puedo relajar / Con ella nunca me siento a mis anchas. ⑤ [숨쉴 때에 나오는 기운] aliento *m*. ⑥ [뻗어 나가는 기운] ánimo *m*. ~를 꺾다 desmoralizar, desanimar. ⑦ [객기로 쓰는 기운] valor *m* desacertado, valor *m* ciego, genio *m*, carácter *m*, humor *m*. ~가 과하다 (ser) brusco, tener mal genio. 그는 ~가 과하다 El tiene muy mal genio. ⑧ =분위기. ¶살벌한 ~ atmósfera *f* belicosa.
◆기가 꺾이다 caerse desplomado, perder la moral, desmoralizarse, desanimarse. 기가 꺾여 도망치다 huir con el rabo entre las piernas. 기가 나다 hincharse. 기가 죽다 acobardarse, sentirse tímido, sentirse cohibido, cohibirse. 기가 질리다 acobardarse. 기가 질린 표정을 하다 poner una cara acobardada.

기(起) primer verso *m* del poema chino.

기(記) apunte *m*, nota *f*.

기[1](基) 【화학】 radical *m*.

기[2](基) [묘석(墓石)·탑 등을 셀 때의 단위] ¶탑 두 ~ dos pagodas.

기(期) [기한] término *m*, plazo *m*; [시대] período *m*, época *f*, [단계] etapa *f*. 결핵의 제3~ tercera etapa *f* de la tuberculosis. 우리들은 이 학교의 2~생이다 Somos los graduados de esta escuela.

기(旗) bandera *f*, banderola *f*; [군기(軍旗)] estandarte *m*, [함선의] pabellón *m* (*pl* pabellones); [삼각기] gallardete *m*; [작은 기] banderita *f*. ~를 세우고 [넘어지지 않도록] con bandera desplegada. ~를 게양하다 izar [enarbolar] una bandera. ~를 내리다 bajar [arriar] una bandera. ~를 흔들다 ondear [agitar] una bandera.

기(騎) jinete *m*.

-기 -tura, -ida, -ido. 읽~ lectura *f*. 쓰~ escritura *f*. 먹~ comida *f*. 크~ tamaño *m*.

-기(紀) 【지질】 período *m*. 석탄~ período *m* carbonífero. 쥐라~ período *m* jurásico.

-기(氣) [징후(徵候)] aire *m*, asomo *m*; [병의] síntoma *m*; [맛] sabor *m*; [기미] sombra *f*, apariencia *f*. 설탕~ sabor *m* de azúcar. 풍통~가 있다 tener síntomas de gota. 그는 장난~가 약간 있다 El tiene algo de juguetón / El tiene no sé qué carácter juguetón.

-기(記) apunte *m*, libro *m*. 여행~ libro *m* de viajes.

-기(期) [시대] período *m*, época *f*; [기한] término *m*, plazo *m*; [단계] etapa *f*.

-기(機) máquina *f*, motor *m*. 발동(發動)~ motor *m*. 세탁~ lavadora *f*.

-기(器) aparato *m*, instrumento *m*. 각도(角度)~ goniómetro *m*.

기가(妓家) casa *f* de *kisaeng*.

기가(起家) restitución *f* de la familia arruinada. ~하다 restituir la familia arruinada.

기각(棄却) rechazo *m*, rechazamiento *m*. ~하다 rechazar. 공소를 ~하다 rechazar la apelación.

기각(旗脚) =깃발.

기간(其間) entretanto.

기간(起墾) =개간(開墾)

기간(基幹) núcleo *m*, pilar *m*, puntal *m*.
 ■ ~단체 grupo *m* clave. ~산업(産業) industria *f* clave. ~요원(要員) miembro *mf* clave.

기간(既刊) edición *f* ya publicada. ~의 ya publicado, publicado anteriormente.
 ■ ~호(號) [잡지의] número *m* atrasado.

기간(期間) plazo *m*, término *m*, período *m*, duración *f*. 그 ~에 durante ese período, en ese plazo, dentro de ese plazo. 일정 ~안에 durante [dentro de] un plazo fijo. ~을 연장(延長)하다 prolongar [prorrogar] el plazo. 지금은 시험 ~이다 Ahora estamos en el período de exámenes. ~: 4월 15일부터 10월 14일까지 6개월간 Duración: del 15 de abril al 14 de octubre, durante seis meses.
 ◆ 단(短)~ corto plazo *m*. 임대차 ~ plazo *m* [término *m*] de contrato de arrendamiento. 장(長)~ largo plazo *m*.

기간(旗竿) =깃대.

기간지(既墾地) terreno *m* ya roturado.

기갈(飢渴) hambre *f* y sed, el hambre *f*, inanición *f*. ~에 허덕이다 sufrir de hambre y sed. ~을 면하다 mantenerse a flote, no pasar miseria, *CoS* parar la olla.
 ■ 기갈 든 놈이 돌담조차 부순다 ((속담)) El hambre rompe hasta los muros de piedra.
 ■ ~ 임금(賃金) paga *f* muy barata.

기감(技監) =이사관(理事官).

기갑(機甲) lo blindado, lo acorazado, armadura *f*.
 ■ ~병 soldado *m* (del cuerpo) blindado. ~부대(部隊) cuerpo *m* blindado, cuerpo *m* acorazado, fuerzas *fpl* de armadura. ~사단(師團) división *f* blindada, división *f* acorazada. ~ 여단 brigada *f* blindada.

기강(紀綱) principios *mpl* fundamentales, disciplina *f* oficial; [질서] orden *m* público. ~을 바로잡다 mejorar el carácter (moral). ~을 유지하다 mantener la disciplina pública.

기개(氣槪) brío *m*, coraje *m*, espíritu *m*, orgullo *m*. ~가 있는 brioso. ~가 없는 [무기력한] débil, apocado, pobre de espíritu; [겁이 많은] tímido, pusilánime, cobarde. ~가 있다 tener el brío, tener el coraje. 그는 ~가 없다 El es un cobarde [un pusilánime]. 아무것도 반론을 제기하지 못하는 것을 보니 그 사람도 ~가 없군 ¡Qué apocado es! No protesta nada.

기개(幾個) unos, unas.

기거(起居) *su* vida diaria. ~를 같이하다 vivir juntos, convivir, vivir con *uno*, habitar con uno bajo el mismo techo. ~가 부자유스럽다 tener dificultad de movimiento.
 ■ ~ 동작 porte *m*, conducta *f*, comportamiento *m*.

기걸(奇傑) hombre *m* extraordinario.
 기걸스럽다 (ser) extraordinario.
 기걸스레 extraordinariamente.

기겁 sorpresa *f* repentina. ~하다 sorprenderse repentinamente. 나는 두려워서 ~을 했다 Me paralizó el miedo.

기결(起結) el principio y el fin.

기결(既決) lo ya decidido, lo ya determinado. ~의 decidido, determinado, resuelto; [죄가] convicto.
 ■ ~ 서류 expedientes *mpl* clasificados. ~수(囚) reo *m* convicto, reo *f* convicta. ~안(案) asuntos *mpl* decididos.

기경(起耕) cultivo *m*, labranza *f*, arada *f*. ~하다 cultivar, labrar, arar.

기경(氣莖) 【식물】 =땅위줄기.

기경하다(奇警-) ① [뛰어나게 현명(賢明)하다] (ser) muy sabio, muy prudente. ② =기발(奇拔)하다.

기경하다(機警-) (ser) agudo y ágil.

기계(奇計) trampa *f*, ardid *m*, truco *m*, artificio *m* inesperado, estrategia *f* astuta, táctica *f* ingeniosa.

기계(棋界) mundo *m* de *baduc*, círculos *mpl* de *baduc*.

기계(器械) instrumento *m*, aparato *m*.
 ■ ~ 체조 gimnasia *f* pesada, gimnasia *f* con aparatos.

기계(機械) máquina *f*, [집합적] maquinaria *f*, mecánica *f*. ~의 mecánico. 건축용 ~ máquina *f* para la construcción. 결함이 있는

～ máquina *f* defectuosa. 농업용 ～ maquinaria *f* agrícola, máquina *f* agrícola, máquina *f* para agricultura. ～의 손실 pérdida *f* mecánica. ～를 작동시키다 hacer funcionar la máquina, hacer marchar la máquina, hacer trabajar la máquina. ～를 멈추다 parar la máquina. ～로 만든 hecho a máquina.

■～ 가공(加工) fabricación *f* a máquina, trabajo *m* mecánico. ～공 mecánico, -ca *mf*, mecanista *mf*. ～ 공구(工具) máquina *f* herramienta. ～ 공업 industria *f* mecánica. ～공장(工場) taller *m* de mecánica. ～ 공학(工學) ingeniería *f* mecánica. ～ 공학과(工學科) departamento *m* de ingeniería mecánica. ～과(科) ＝기계 공학과. ～끌 cincel *m* mecánico. ～ 나사 tornillo *m* para metales, tornillo *m* para maquinaria. ～ 냉동 refrigeración *f* mecánica. ～ 능률 eficiencia *f* mecánica. ～론(論) mecanismo *m*. ～론자(論者) mecanista *mf*. ～류(類) maquinaria *f*. ～ 만능주의 mecanismo *m*. ～ 문명 civilización *f* mecánica, civilización *f* de la máquina. ～ 번역 traducción *f* con máquina electrónica. ～ 부품(部品) piezas *fpl* para la maquinaria. ～설(說) teoría *f* mecánica. ～ 설계 diseño *m* de una máquina. ～ 수뢰(水雷) mina *f* (submarina), mina *f* (submarina) mecánica, torpedo *m*. ～ 수리공 técnico, -ca *mf*. ～시대(時代) edad *f* mecánica. ～ 식자(植字) tipografía *f* mecánica. ～실(室) sala *f* de mecánicas. ～어(語) palabra *f* de máquina ～ 언어【컴퓨터】lenguaje *m* máquina. ～ 언어 코드【컴퓨터】codificación *f* en lenguaje máquina. ～언어 프로그램 programa *m* en lenguaje máquina. ～유[기름] aceite *m* para maquinaria, aceite *m* de máquina, aceite *m* lubricante. ～ 인형(人形) robot *m*. ～ 작용(作用) acción *f* mecánica. ～ 장치(裝置) mecanismo *m*. ～적(的) mecánico *adj*, maquinal *adj*; [자동적] automático *adj*. ¶～으로 mecánicamente, maquinalmente. ～적 감각(的感覺) sentido *m* mecánico. ～적 기억(的記憶) memoria *f*. ～적 노동(的勞動) labor *f* mecánica. ～적 사고방식 modo *m* mecánico de pensar. ～적 생활 vida *f* monótona, vida *f* rutinaria. ～적 성질 carácter *m* mecánico. ～적 에너지 energía *f* mecánica. ～적 연대(的連帶) solidaridad *f* mecánica. ～적 유물론(的唯物論) materialismo *m* mecánico. ～적 작용 acción *f* mecánica. ～적 행동설(的行動說) automatismo *m*. ～제도(製圖) dibujo *m* mecánico. ～ 제작소(製作所) taller *m* mecánico. ～ 천공기(穿孔機) perforadora *f* mecánica. ～톱 sierra *f* mecánica. ～화(化) mecanización *f*. ¶～하다 mecanizar. 농업의 ～ mecanización *f* mecánica. ～화 농업 agricultura *f* mecanizada. ～화 병기 armas *fpl* mecanizadas. ～화 부대 tropa *f* mecanizada. ～ 효율(效率) rendimiento *m* mecánico.

기고(起稿) comienzo *m* a escribir los manuscritos. ～하다 comenzar [empezar] a escribir los manuscritos.

기고(寄稿) contribución *f*, colaboración *f*. ～하다 contribuir (a), colaborar (a), escribir (para), hacer una contribución (a). 신문에 ～하다 escribir un artículo para un periódico, escribir en un periódico, colaborar en un periódico, contribuir a un periódico. 그는 지방 신문에 규칙적으로 ～하고 있다 El escribe regularmente para el periódico local.

■～가(家) contribuidor, -dora *mf*, colaborador, -dora *mf*.

기고(旗鼓) la bandera militar y el tambor.

기고만장(氣高萬丈) euforia *f*, júbilo *m*. ～하다 estar eufórico (por).

기고하다(奇古－) (ser) extraño y anticuado.

기곤하다(飢困－) estar cansado de hambre.

기골(肌骨) la carne y los huesos.

기골(奇骨) ① [뛰어난 용모] semblante *m* extraordinario. ② [기력이 왕성한 성격, 또, 그 사람] carácter *m* fuerte; [사람] persona *f* con carácter fuerte.

기골(氣骨) ① [기혈(氣血)과 골격] el ánimo y la constitución corporal. ～이 장대하다 estar de buena hebra. ② [씩씩한 의기] firmeza *f* de carácter, inflexibibilidad *f* de espíritu. ～ 있는 사나이 hombre *m* de espíritu. ～이 있다 tener firmeza de carácter, tener inflexibilidad de espíritu.

기공(技工) ① [손으로 가공하는 기술자] artesano, -na *mf*. ② ＝솜씨. ③ [능숙한 기술자] técnico, -ca *mf* hábil.

기공(奇功) éxito *m* fenomenal, mérito *m* extraña y sobresaliente.

기공(紀功/記功) servicios *mpl* distinguidos.

■～비(碑) monumento *m* a los servicios distinguidos.

기공(起工) comienzo *m* (de construcción. ～하다 comenzar la obra, poner manos a la obra.

■～식(式) (ceremonia *f* de) colocación *f* de la primera piedra de la piedra de fundación.

기공(氣孔) ①【식물】estoma *m*. ②【동물】estigma *m*.

기공(氣功) ＝단전 호흡(丹田呼吸).

기공(機工) ((준말)) ＝기계 공업(機械工業).

기공친(期功親/朞功親) pariente *m* cercano, parente *f* cercana.

기관(汽管) tubo *m* de vapor.

기관(妓館) restaurante *m* que hay *guisaeng*.

기관(汽罐) caldera *f*, caldera *f* de vapor. ～에 불을 지피는 일 calentamiento *m* de la caldera, cuidado *m* del fogón.

■～실(室) sala *f* de caldera.

기관(奇觀) maravilla *f*, espectáculo *m* singular, vista *f* extraña, vista *f* rara. 천하의～ maravilla *f* del mundo.

기관(氣管) tráquea *f*.

■～경(鏡) traquoscopio *m*. ～경 검사법(鏡檢査法) traqueoscopia *f*. ～근(筋) músculo *m* traqueal. ～ 기관지 거대증 traqueobroncomegalía *f.* ~ 기관지염 traqueobronquitis *f.* ~기종(氣腫) traqueoaerocele *m.* ~병(病) traqueopatía *f.* ~ 봉합술 traqueorrafía *f.* ~샘[선] glándula *f* traqueal. ~ 성형술(成形術) traqueoplastia *f.* ~염(炎) traqueitis *f*, traquitis *f.* ~ 절개도(切開刀) traqueotoma *f.* ~ 절개술 traqueotomía *f*, tireocricotomía *f.* ~지(支) bronquio *m.* ¶~의 bronquial. ~지 개구기(支開口器) broncótomo *m.* ~지 검사(支檢査) broncoscopia *f.* ~지 검사기(支檢查機) broncoscopio *m.* ~지 결석성 천식 asma *f* de piedra. ~지 결석증(支結石症) broncolitiasis *f.* ~지경(支鏡) broncoscopio *m.* ~지경 검사법(支鏡檢查法) broncoscopia *f.* ~지 경련(支痙攣) broncospasmo *m*, espasmo *m* bronquial. ~지근(支筋) músculo *m* bronquial. ~지 나무 árbol *m* tronquial. ~지 동맥 arteria *f* bronquial. ~지 마비(支痲痺) broncoplegio *m.* ~지 봉합 broncorrafia *f.* ~지샘[선] glándula *f* bronquial. ~지선염(支腺炎) broncadenitis *f.* ~지선종(支腺腫) adenoma *f* bronquial. ~지 섬유경(支纖維鏡) broncofibroscopio *m.* ~지성 장티푸스 broncotifoidea *f.* ~지 수축 broncoconstricción *f.* ~지염(支炎) bronquitis *f.* ¶~의 bronquítico. ~성의 bronquítico. ~ 환자 bronquítico, -ca *mf.* 급성~ bronquitis *f* aguda. 만성(慢性) ~ bronquitis *f* crónica. ~지 절개 broncotomía *f.* ~지 절개술(支切開術) broncotomía *f.* ~지 정맥(支靜脈) vena *f* bronquial. ~지 천식(支喘息) asma *f* bronquial. ~지 출혈(支出血) broncorragia *f.* ~지 카타르 =기관지염. ~지 폐렴(支肺炎) bronconeumonía *f.* ¶~의 bronconeumótico. ~ 환자 bronconeumótico, -ca *mf.* ~지 폐질환 bronconeumopatía *f.* ~지학(支學) broncología *f.* ¶~의 broncológico. ~지 협착 broncostenosis *f.* ~지 형성술(支形成術) broncoplatia *f.* ~지 호흡 respiración *f* bronquial. ~지 호흡계(支呼吸計) broncospirómetro *m.* ~지 확장제(支擴張劑) broncodilatador *m.* ~지 확장증(支擴張症) bronquiectasia *f.*

기관(器官) órgano *m.* ~의 orgánico.
◆감각(感覺) ~ órgano *m* sensorio. 소화(消化) ~ órgano *m* digestivo. 중요(重要) ~ órgano *m* vital. 호흡(呼吸) ~ órgano *m* respiratorio.
■~ 계통(系統) sistema *m* orgánico. ~ 질환(疾患) enfermedad *f* orgánica. ~학(學) organología *f*, organografía *f.* ~ 형성(形成) organogénesis *f.*

기관(機關) ① [활동의 장치를 갖춘 기계] máquina *f.* ② [엔진] motor *m.* ③ [개인이나 단체의 어떠한 목적을 이루는 수단으로서 설치한 조직] órgano *m*, organismo *m*, organización *f*, medios *mpl.* 금융의 중심 ~ órgano *m* central del sistema monetario. 공인 ~ servicio *m* público. 연구(硏究) ~ órgano *m* de investigación, centro *m* de investigación.
■~고(庫) cochera *f*; [큰] cocherón *m.* ~ 단총 metralleta *f.* ~사[수] maquinista *m f.* ~ 신문(新聞) órgano *m.* ~실(室) cuarto *m* de máquinas, sala *f* de motores. ~ 잡지(雜誌) órgano *m.* ~장(長) ㉮ jefe, -fa *mf* de máquinas. ㉯ [정부 기관의 장] jefe, -fa *mf* del órgano gubernamental. ~지(誌) órgano *m.* ~지(紙) órgano *m.* ¶당(黨) ~ órgano *m* del partido. 정부 ~ órgano *m* gubernamental. ~차(車) locomotora *f.* ~총(銃) ametralladora *f*; [단기관총] metralleta *f.* ¶경(輕)~ ametralladora *f* ligera. 중~ ametralladora *f* pesada. ~총수(銃手) ametrallador, -dora *mf.* ~총탄(彈) metralla *f.* ~포(砲) ametralladora *f.*

기괴망측하다(奇怪罔測-) (ser) monstruoso, escandaloso, muy extrañoso.

기괴천만(奇怪千萬) extrañeza *f.*

기괴하다(奇怪-) (ser) extraño, raro, misterioso, fantástico. 기괴함 extrañeza *f*, misterio *m.*

기교(技巧) arte *m(f)*, técnica *f*; [숙련] habilidad *f*, destreza *f*; [손의] artificio *m.* ~를 부린 연주(演奏) ejecución *f* artísticamente elaborada. ~를 부리다 usar el artificio, echar mano de técnicas sutiles.
■~가(家) [회화·음악의] técnico *mf*; técnico, -ca *mf*; [나쁜 의미의] manierista *mf.*

기교하다(奇巧-) (ser) extraño y hábil.

기구(祈求) ① [원하는 바가 실현되도록 빌고 바람] ruego *m.* ~하다 rogar. ② ((천주교)) ((구용어)) =기도(祈禱).

기구(起句) primera línea *f* del poema o de la oración.

기구(氣球) globo *m*, aeróstato *m*, globo *m* aerostático, *Col* bomba *f*, *AmC* chimbomba *f.* ~의 aerostático. ~를 올리다 lanzar un globo. ~를 타다 ir en globo. ~를 타고 올라가다 ascender en un globo. 그들은 ~를 타고 동해를 건넜다 Ellos atravesaron el Mar del Este en globo.
■~ 관측(觀測) aerostación *f.* ~ 비행 경기(飛行競技) aerostación *f.* ~ 비행사(飛行士) aeróstata *mf.* ~ 위성(衛星) satélite *m* de globo. ~ 조종(操縱) aerostación *f.*

기구(寄口) gorrista *mf.*

기구(器具) utensilios *mpl*, instrumento *m*, aparato *m.*

기구(機具) maquinaria e instrumento.

기구(機構) [조직] organización *f*, [구조] mecanismo *m*, estructura *f*, mecánica *f*, maquinaria *f.* ~를 개혁하다 reorganizar, renovar la organización (de).
◆경제(經濟) ~ estructura *f* económica. 국제(國際) ~ organización *f* internacional. 당(黨) ~ organización *f* del partido político. 행정 ~ organización *f* administrativa. 협상 ~ marco *m* para las negociaciones.
■~ 개편 reorganización *f* del sistema.

기구망측하다(崎嶇罔測-) ① [운수가 사납기 짝이 없다] (ser) muy infeliz. ② [산길이 험하기 짝이 없다] (ser) muy accidentado, escabroso, escarpado.

기구맥(氣口脈) pulso *m* de la muñeca.

기구하다(崎嶇-) (ser) infeliz. 기구함 infelicidad *f*. 기구한 운명(運命) hado *m* extraño, destino *m* aciago, extraño destino *m*. 그녀는 기구한 운명에 농락당했다 Ella estuvo a merced de un destino aciago / Ella fue el juguete de un extraño destino.

기국(碁局/棊局/棋局)) =바둑판.

기국(器局) calibre *m*, capacidad *f*, habilidad *f*, talento *m*. 그는 과장의 ~이 없다 Le falta calibre para ser un jefe de sección.

기군(欺君) ((준말)) =기군망상(欺君罔上).
■ ~망상(罔上) engaño al rey. ~하다 engañar al rey.

기궁하다(奇窮-) (ser) muy pobre, ser tan pobre como un ratón de sacristía.

기권(氣圈) atmósfera *f*.

기권(棄權) renuncia *f*, renunciación *f*, abandono *m* (de un derecho); [투표의] abstencionismo *m*, abstención *f* de voto. ~하다 renunciar a *su* derecho, abstenerse de votar. 시합을 ~하다 abandonar un partido, retirarse de un partido.
■ ~ 방지 [투표의] prevención *f* de abstención de voto. ~율 tasa *f* de abstencionistas. ~자 [투표의] abstencionista *mf*. ~주의 abstencionismo *m*. ~주의자 abstencionista *mf*. ~표(票) votación *f* perdida.

기근(氣根) 【식물】 raíz *f* aérea.

기근(基根) =기본(基本).

기근(畿近) ① [경기도 부근] alrededores *mpl* de la provincia *Gyeonggi*. ② [서울 부근] alrededores *mpl* de Seúl.

기근(飢饉/饑饉) carestía *f* [penuria *f*・escasez *f*] de víveres. 물 ~ escasez *f* [penuria *f*・carestía *f*] de agua.
■ ~ 수출(輸出) =기아 수출(飢餓輸出).

기금(基金) fondo *m*. ~을 만들다 crear un fondo, establecer un fondo. ~을 모으다 reunir fondo(s).
◆감채(減債) ~ fondo *m* de amortización, fondo *m* de amortización de deudas. 구제(救濟) ~ fondo *m* de auxilio. 국제 통화 ~ el Fondo Monetario Internacional.
■ ~ 모금(募金) recaudación *f* de fondos, colectación *f* de fondos.

기기(汽機) =증기 기관(蒸氣機關).

기기(奇技) técnica *f* extraña, técnica *f* curiosa.

기기(器機/機器) aparato *m*, máquina *f*, maquinaria *f*. 수송(輸送) ~ maquinaria *f* de transporte.
■ ~ 제작소(製作所) taller *m* de máquinas.

기기괴괴하다(奇奇怪怪-) (ser) muy maravilloso, extravagante, curioso, extraño.

기기묘묘하다(奇奇妙妙-) (ser) maravilloso, misterioso. 기기묘묘함 maravilla *f*, misterio *m*.

기기하다(奇奇-) (ser) muy extraño.

기꺼워하다 estar contento, estar contento.

기꺼이 con (mucho) gusto, gustosamente, de buen grado, de buena gana, con voluntad propia. ~ 승낙하다 consentir con (mucho) gusto, aceptar de buena gana. 우리를 좀 도와주시겠습니까? - ~ ¿Nos podría dar una mano? - Claro, encantado / Claro, con gusto.

기꺼하다 ((준말)) =기꺼워하다.

기껍다 alegrarse con mucha cortesía.

기껏 =고작. 겨우.

기껏해야 a lo sumo, a más no poder, a lo más, todo lo más; [단순히] solamente, simplemente. ~ 천 원 때문에 열내지 마라 No te acalores por sólo [por la nimiedad de] mil wones. ~ 만 원밖에 안된다 No costará más de diez mil wones / Costará diez mil wones a lo más. ~ 아이들의 싸움밖에 아니다 No es más que la riña de (los) niños.

기꼭지(旗-) punta *f* de bandera.

기나긴 muy largo, larguísimo. ~ 겨울밤 noche *f* de invierno muy larga. ~ 그 세월 ese tiempo larguísimo, ese tiempo muy largo.

기나리 *kinari*, una especie de la canción popular que se canta en las comarcas de la costa del sur de *Hwanghaedo* y *Pyeongando*.

기나수(幾那樹) 【식물】 quina *f*, quino *m*..

기나피(幾那皮) quina *f*.

기남자(奇男子) hombre *m* con mucho talento.

기낭(氣囊) =공기주머니.

기내(機內) interior *m* del avión. ~에서 en el avión, a bordo.
■ ~ 서비스 servicio *m* en el avión. ~식(食) comida *f* en el avión. ~ 통신(通信) intercomunicación *f*.

기네스북 el Libro de Guinnes, Guinness Book *ing.m*.

기녀(妓女) ① =여기(女妓). ② =기생(妓生).

기년(紀年) número *m* del año (que se cuenta) de la era.
■ ~체 사기(體史記) =연대기(年代記). ~학(學) =연대학(年代學).

기년(耆年) edad *f* de más de sesenta años.

기년(期年) un año. ~도 안되어 antes de que un año ha pasado, dentro de un año.

기년(朞年) ① ((준말)) =기년복. ② [한 해되는 돌] primer aniversario *m*.
■ ~복(服) luto *m* que se viste un año. ~제(祭) =소상(小祥).

기년(饑年) =흉년(凶年).

기념(祈念) corazón *m* que se reza a Dios.

기념(記念/紀念) conmemoración *f*, recuerdo *m*, memoria *f*. ~하다 conmemorar. ~의 conmemorativo, conmemoratorio. ~할만한 conmemorable. …의 ~으로 en conmemoración de *algo*, en memoria de *algo*, en recuerdo de *algo*. 승리를 ~하여 en conmemoración de la victoria. 나는 ~될 만한 것을 무언가 사고 싶다 Quiero comprar algo que sirve de recuerdo.
■ ~ 강연회 conferencia *f* conmemorativa. ~관(館) monumento *m* conmemorativo. ~ 그림 엽서 (tarjeta *f*) postal *f* conmemorativa. ~ 논문집 ensayos *mpl* (contribuidos) en conmemoración. ~ 대회 convención *f* conmemorativa. ~ 만찬회 cena *f* de ho-

menaje. ~ 메달 medalla *f* conmemorativa. ~문(門) arco *m* conmemorativo. ~물(物) monumento *m* conmemorativo. ~ 박물관 museo *m* conmemorativo. ~ 배지 chapa *f* [insignia *f*] conmemorativa. ~비(碑) monumento *m* (conmemorativo) (a). ¶적도 ~ monumento *m* a la mitad del mundo. 전몰 장병 ~ monumento *m* a los Caídos. ~사(辭) discurso *m* de conmemoración. ~ 사업(事業) empresa *f* conmemorativa. ~ 사진(寫眞) foto *m* conmemorativa. ¶~을 찍다 sacar una foto como [de] recuerdo. ~상(像) estatua *f* conmemorativa. ~ 스탬프 sello *m* conmemorativo, *AmL* estampilla *f* conmemorativa. ~식(式) ceremonia *f* conmemorativa. ~ 식수(植樹) plantación *f* conmemorativa. ~ 앨범 álbum *m* conmemorativo. ¶졸업 ~ álbum *m* conmemorativo de la graduación. ~ 우표(郵票) sello *m* (postal) conmemorativo. ¶사회 복지 사업에 대한 ~ 300만 장을 발행 보급하다 poner en circulación una emisión de tres millones de sellos postales conmemorativos de las obras de bienestar social. ~일 día *m* de conmemoración, día *m* conmemorativo, aniversario *m*. ¶전몰 장병 ~ el día de conmemoración de los Caídos. ~장(章) insignia *f*, emblema *m(f)*. ~ 전람회 exposición *f* conmemorativa. ~제(祭) conmemoración *f*, aniversario *m*, festival *m* conmemorativo. ¶창립 50주년 ~ cincuentenario aniversario *m* de la fundación. ~ 주화(鑄貨) moneda *f* conmemorativa. ~탑 columna *f*, monumento *m*, torre *f* conmemorativa; [불교의] pagoda *f* conmemorativa. ~패(牌) placa *f* conmemorativa. ~품(品) recuerdo *m*. ~ 프로그램 programa *m* conmemorativo. ~ 행사 acontecimiento *m* conmemorativo. ~호(號) número *m* conmemorativo. ~ 화폐(貨幣) moneda *f* conmemorativa.

기능(技能) habilidad *f*, destreza *f*, capacidad *f*, talento *m*. …하는 ~을 가지고 있다 tener el arte [la capacidad · la habilidad] de + *inf*.
◆특수(特殊) ~ talento *m* especial.
■~ 검사(檢査) medición *f* de habilidad. ~공(工) obrero *m* cualificado, obrera *f* cualificada. ~ 교육(教育) educación *f* técnica. ~ 사회(社會) sociedad *f* funcional. ~ 수당(手當) subsidio *m* de capacidad, subsidio *m* de talento. ~ 올림픽 concurso *m* internacional de formación profesional. ~직(職) servicio *m* técnico. ~직 공무원(職公務員) oficial *m* técnico, oficial *f* técnica.

기능(機能) función *f*, facultad *f*. ~의 funcional. ~ 을 발휘하다 funcionar.
◆기관(器官) ~ función *f* orgánica. 생식(生殖) ~ función *f* generativa. 소화(消化) ~ función *f* digestiva. 특수(特殊) ~ talento *m* especial.
■~ 감퇴(減退) hipofunción *f*. ~ 개념(概念)【철학】=설명 개념(說明概念). ~ 구조(構造) estructura *f* funcional. ~ 기관(機關) órgano *m* funcional. ~도(圖) diagrama *m* funcional. ~ 변천 cambio *m* de función. ~ 사회 sociedad *f* funcional. ~성 질환(性疾患) enfermedad *f* funcional. ~ 심리학 psicología *f* funcional. ~어(語) palabra *f* funcional. ~ 장애 impedimiento *m* funcional, desorden *m* funcional. ~ 저하(低下) decadencia *f* funcional;【의학】depresión *f*. ~ 적응(適應) adaptación *f* funcional. ~ 전이(轉移) cambio *m* funcional. ~주의(主義) funcionalismo *m*. ~ 항진 hiperfunción *f*.

기니피그【동물】cobayo *m*, cobaya *f*, conejillo *m* de Indias, *AmS* cuy *m*, *Chi* cuye *m*, *Col* curí *m*.

기다[1] ① [가슴과 배를 아래로 향하고 팔과 다리를 놀려 앞으로 나아가다] arrastrar(se). 땅위를 기는 것들 los que (se) arrastran por el suelo. 뱀은 기어다닌다 Las culebras arrastran. ② [남에게 눌리어 기를 펴지 못하다] arrastrarse. …의 앞에서 ~ arrastrarse ante *uno*. 상관(上官) 앞에서 설설 ~ arrastrarse ante *su* superior. 그의 기는 행동에 나는 구역질이 난다 Su actitud servil [rastrera] me da asco.
■기는 놈 위에 나는 놈 있다 ((속담)) Hay quien hace mejor encima de la persona que hace bien. 기도 못하고 뛰려 한다 ((속담)) Se trata de hacer una cosa de más de su habilidad.

기다[2] ((준말)) =기이다.

기다[3] =그것이다(ser eso). ¶긴지 아닌지 잘 모르겠다 No sé bien si es eso o no.

기다랗다 (ser) más [muy] largo (de lo que se piensa). 기다란 장대 palo *m* largo. 기다란 행렬 (行列) procesión *f* muy larga.

기다리다 ① [어떠한 사람이나 때가 오기를 바라다] esperar, aguardar. 사람을 기다리는 듯이 como esperando a alguien. 사람을 기다리는 듯한 여인 mujer *f* expectante, mujer *f* que aparentemente espera a alguien, mujer *f* que tiene aire de esperar a alguien. 기다리게 하다 hacer esperar a *uno*. 기다리다 지치다 estar cansado [harto] de esperar. 기회를 ~ esperar una oportunidad. 몹시 ~ esperar con impaciencia, estar impaciente por esperar. 별실에서 ~ esperar en otra sala. 더 기다릴 수 없다 esperar con impaciencia, esperar con ansia. 적의 공격에 대비해 기다리고 있다 estar listo [preparado] para un ataque del enemigo. …하는 것이 기다려지다 impacientarse por + *inf*, anhelar + *inf*. 기회가 무르익을 때까지 ~ esperar el momento favorable, esperar hasta que la situación madure. 답장을 기다리면서 … [편지의 끝에서] En espera de su respuesta … / Esperando su contestación …. 잠깐 기다려 주십시오 Espere un momento / Un momento, por favor. 1주일 더 기다려 주십시오 Espere usted una semana más. 모두가 너를 기다리고 있다 Todos te está esperando. 기다리게 해서 대단히 미안합니다

Siento mucho haberle hecho esperar. 이렇게 오래 기다리게 해서 죄송합니다 Siento mucho [Perdóneme por] haberle hecho esperar tanto. 그는 나를 오래 기다리게 했다 El me hizo esperar mucho tiempo. 내가 돌아올 때까지 여기서 기다려다오 Espérame aquí hasta que vuelva yo. 끊지 말고 기다리세요 [전화에서] No cuelgue usted / Espere un momento. 이제 결정을 기다리는 것만 남았다 Sólo queda ya esperar la decisión. 그것은 설명을 기다릴 필요가 없다 Se explica por sí solo / No vale la pena (de) explicarlo / Es evidente. 기다려라! [바둑·장기·씨름 따위에서] ¡Espera! / ¡Detente! 나는 너를 더 기다릴 수 없다 No puedo esperar más a verte. 사람들은 네 도착을 더 기다릴 수 없다 Están impacientes por tu llegada. 나는 친구가 오는 것을 애타게 기다리고 있다 Espero con ansiedad (a) que venga mi amigo. 기다리는 사람은 오지 않는다 La persona esperada no viene. 오래 기다리셨습니다 Perdone [Perdóneme] que le haya hecho esperar / Siento mucho haberle hecho esperar. ② [기한을 물려서 유예해 주다] aplazar, posponer, *AmL* postergar. 더 이상 기다리게 하지 마라 No dejes para más tarde.

기다마하다 (ser) bastante largo.

기다맣다 ((준말)) =기다마하다.

기단(氣團) masa *f* del aire.

기단(基壇) 【건축】 estereóbato *m*, basa *f* sin molduras.

■ ~석(石) piedra *f* de estereóbato.

기단(棋壇) =바둑계. 기계(棋界).

기단하다(氣短-) ① [기력(氣力)이 약하다] decaer *su* ánimo, desfallecer, cansarse. ② [생김생김이 세차지 못하다] el aire no ser fuerte. ③ [숨쉬는 시간이 짧다] el aliento ser corto.

기담(奇談/奇譚) cuento *m* raro, cuento *m* extraño, cuento *m* curioso, historia *f* extraordinaria, chascarrillo *m*.

기대 ① [무동(舞童)을 따라 다니는 계집] mujer *f* que acompaña al bailador chico. ② [무당이 굿하는데 음악을 맡는 사람] persona *f* encargada de la música para el rito del exorcismo de chaman.

기대(企待) expectación *f*, esperanza *f*. ~하다 esperanzar.

기대(期待) expectación *f*, expectativa *f*, [희망] esperanza *f*, [가능성] posibilidad *f*. ~하다 esperar + *inf*, tener esperanza(s) de que + *subj*, esperar que + *subj*. ~에 반(反)하여 en contra de la expectación, contrario a lo esperado. …을 ~하여 en espera de *algo*, esperando [confiando] en *algo*. 물가 상승을 ~하여 contando con el alza de precios. ~가 어긋나다 [사람이 주어일 때] llevarse un chasco, quedarse a la luna de Valencia. ~에 부응하다 responder a la esperanza de *uno*. ~를 갖게 하다 prometer a *uno*, hacer esperar a *uno*, dar esperanzas a *uno*, hacer abrigar a *uno* esperanzas. ~를 등지다 traicionar [truncar] las ilusiones de *uno*, decepcionar a *uno*. 여행 붐을 ~하다 anticiparse al auge turístico. 1억 원의 매상이 ~된다 Se espera una venta de cien millones de wones. 나는 그에 대한 ~가 크다 Tengo en él depositadas grandes esperanzas. 나는 너희들이 위대한 사람이 되기를 ~한다 Espero que lleguéis a ser unos grandes hombres. 우리는 그의 성공을 그다지 ~할 수 없다 No podemos esperar su éxito / No hay mucha posibilidad de que él salga bien. 당신의 원조(援助)를 ~합니다 Espero que me ayude usted / Espero [Cuento con / Confío en] su ayuda. 이 문제는 금후의 연구에 ~한다 Este problema queda pendiente de estudios posteriores / Reservamos este problema para estudios posteriores. 우리의 사업은 네 협력에 ~하는 바 크다 Contamos mucho con tu cooperación para nuestra obra / Nuestra obra depende mucho de tu cooperación. 만사가 ~했던 대로 잘되었다 Todo marchó tan bien como se deseaba / Todo marchó a pedir de boca [a medida del deseo · a satisfacción]. 당신은 귀국할 ~라도 있느냐? ¿Tiene alguna esperanza de poder regresar a su país? 그는 상을 탈 것으로 ~하고 있다 El espera sacar el premio. 나는 그의 전도(前途)에 ~를 걸고 있다 Tengo esperanzas de su porvenir. 그는 ~했던 좋은 결과를 얻었다 El ha obtenido el buen resultado que había esperado [que esperaba]. 그는 ~ 이상의 성과를 얻었다 El obtuvo un éxito mayor del [un resultado mayor de lo] que había esperado [pensado]. 그는 우리들의 ~에 어긋났다 El no nos decepcionó / El no defraudó nuestras esperanzas. 나는 이익이 많으리라 생각했는데 ~에 어긋났다 Me llevé un chasco creyendo que iba a ganar mucho / Quedó defraudada [frustrada] mi esperanza de ganar mucho. 결과는 모두 우리들의 ~에 반(反)했다 Todo resultó al contrario de como esperábamos. ~ 밖의 대답이었다 Fue una respuesta que me decepcionó [desilusionó].

◆헛 ~ esperanza *f* vana [baldía · inútil].

기대다 ① [몸을 무엇에 의지하면서 비스듬히 대다] apoyar(se) (en). 몸을 ~ apoyarse (en · contra), respaldarse (con(tra) · en), agarrarse (a), asirse (a), aferrarse (a), sujetarse (a). 벽에 ~ apoyarse contra la pared, respaldarse] contra la pared. 몸을 지팡이에 ~ apoyarse en el bastón. …을 …에(게) ~ apoyar *algo* contra *algo* · *uno*. …의 팔에 ~ apoyarse en los brazos de *uno*. 나한테 더 기대세요 Apóyese usted bien en mí. 내 팔에 기대라 Apóyate en mi brazo. 그는 벽에 기대고 있었다 El estaba apoyado contra la pared / El se apoyaba contra la pared. 나는 책상에 기댔다 Yo me apoyé en el escritorio. 그는 머리를 의자의 등에 기댔다 El apoyó la cabeza en la

espalda de la silla. 그녀는 벽에 등을 기댔다 Ella apoyó la espalda contra la pared / Ella se apoyó contra la pared.
② [남을 의지하여 희망을 붙이다] arrimarse (a), confiar (en), tener confianza (en), contar (con), fiarse (de·en), asegurarse (de), apoyarse (en), buscar ayuda (en). 부모에게 ~ arrimarse a *sus* padres. 강한 사람에게 ~ arrimarse al más fuerte. 그들에게 기대지 마라 No se fíe usted de ellos / No cuente usted con ellos. 그 사람이 너를 도와주리라 절대로 기대하지 마라 Nunca cuentes con que él te va a ayudar.
기대어 놓다 apoyar. A를 B에 ~ apoyar A en [contra] B. 사다리를 벽에 ~ apoyar una escalera con la pared, juntar la escalera a la pared.

기덕(耆德) persona *f* vieja y virtuosa, persona *f* vieja y de alta virtud.

기도(企圖) intento *m*, plan *m*, proyecto *m*, empresa *f*, prueba *f*, trama *f*, maquinación *f*; [음모] complot *m* (*pl* complots), intriga *f*. ~하다 intentar + *inf*, tratar de + *inf*, probar, proyectar, emprender, tramar, maquinar; [음모를] complotar, conspirar, intrigar. 음모를 ~하다 proyectar una conspiración (contra), conspirar (contra), conjurarse (con). 자살을 ~하다 tratar de suicidarse. 정부의 전복을 ~ tramar un complot para derribar el gobierno. 그들은 정부의 전복을 ~했다 Ellos proyectaron acabar con el Gobierno / Ellos tramaron un complot para derribar el Gobierno.

기도(祈禱) oración *f*, rezo *m*, devociones *fpl*, plegaria *f*. ~하다 orar, invocar, rezar a Dios, entonar una oración. ~의 힘 el poder de la oración. …을 위해 ~하다 rezar por *algo*·*uno*, rogar por *algo*·*uno*. 하나님에게 ~를 드리다 ofrecer oraciones a Dios, elevar una oración [preces] a Dios. 비를 위해 ~하다 rezar para que llueva. ~합시다 Oremos / Recemos (a Dios) / Vamos a orar. 우리는 ~ 중이었다 Nosotros estábamos orando. 내 ~를 들어주셨다 Ha sido escuchada [aceptada] mi oración. 그들은 많은 신들에게 ~했다 Ellos rezaron a muchos dioses. 나는 희생자들 [그의 영혼]을 위해 ~했다 Ellos rezaron [rogaron] por las víctimas [su alma]. 나는 어머님이 무사하시기를 하나님께 ~했다 Recé a Dios para que mi madre se encontrara sano y salvo. 그는 착륙의 한 순간을 ~하는 모습으로 관찰하고 있다 El está observando el momento del aterrizaje con una mirada como de súplica. 우리에게 힘을 달라고 하나님께 ~합시다 Pidámosle [Roguémosle] a Dios que nos dé fuerzas. 그녀는 하나님에게 그들을 도와달라고 ~했다 Ella rogó a Dios que los ayudara. 나는 그가 무사하기를 하나님께 기도한다 Dios quiera que no le haya pasado nada. 내 ~에 응답을 받았다 Mis plegarias fueron atendidas [escuchadas]. ~를 항상 힘쓰고 ~에 감사함으로 깨어 있으라 ((고린도서 4:2)) Perseverad en la oración, velando en ella con acción de gracias / Manténganse constantes en la oración, siempre alerta y dando gracias a Dios.
■ ~가(歌) canto *m* de oración. ~문(文) ㉮ [기도의 내용을 적은 글] oración *f*. ㉯ ((기독교)) =주기도문(el Padrenuestro). ~미(米) ((천도교)) =성미(誠米). ~서 breviario *m*, devocionario *m*; [영국 국교회의] devocionario *m* tradicional de la Iglesia Anglicana. ~처(處) ((성경)) donde se hace la oración, lugar *m* de oración. ~회(會) ((종교)) reunión *f* de oración.

기도(氣道) 【해부】 vía *f* respiratoria.

기도(棋道) arte *m* de *baduc*.

기독(基督) Cristo, Jesús. ☞예수 그리스도.
■ ~ 강탄절(降誕節) =크리스마스. ~ 강탄제(降誕祭) =크리스마스.

기독교(基督教) cristianismo *m*, religión *f* cristiana. ~의 cristiano.
■ ~ 교회(教會) iglesia *f* cristiana. ~국(國) país *m* (*pl* países) cristiano; [집합적] la Cristiandad. ~도(徒) cristiano, -na *mf*; [집합적] cristianismo *m*, fieles *mpl*. ¶개종 ~ cristiano *m* nuevo, cristiana *f* nueva. 조상 대대의 ~ cristiano *m* viejo, cristiana *f* vieja. ~ 민주당(民主黨) el Partido Demócrata Cristiano. ~ 사회주의 socialismo *m* cristiano. ~ 세계(世界) cristiandad *f*. ~ 신학(神學) teología *f* cristiana. ~ 신화(神話) mitología *f* cristiana. ~ 여자 청년회(女子青年會) la Asociación de Jóvenes Cristianas, la Asociación Cristiana de Mujeres Jóvenes, YWCA *f*. ~ 청년회(青年會) la Asociación Cristiana de Jóvenes, la Asociación Cristiana de Hombres Jóvenes, YMCA *f*. ~화(化) cristianización *f*. ¶~하다 cristianizar, evangelizar. ~회(會) la Iglesia cristiana.

기동(奇童) niño *m* muy astuto, niña *f* muy astuta.

기동(起動) ① [몸을 일으켜 움직임] movimiento *m*. ~을 하지 못하는 환자 pariente *m* que no se mueve. ② ((준말)) =기거동작(起居動作). ③ [시동(始動)] arranque *m*. ~하다 arrancar.
■ ~ 장치 aparato *m* de arranque, mecanismo *m*.

기동(機動) maniobra *f*, movimiento *m*. ~하다 maniobrar, hacer una maniobra. ~과 화력(火力)의 통합 integración *f* del apoyo de fuego con la maniobra.
■ ~경찰(警察) policía *f* móvil; [데모 진압 등의] policía *f* antidisturbios. ~ 경찰 대원 policía *mf* antidisturbios. ~ 계획 plan *m* de maniobra. ~ 공간 espacios *mpl* de maniobra. ~대(隊) brigada *f* antiturbios. ~력(力) movilidad *f*, poder *m* móvil. ~ 방어(防禦) defensa *f* móvil. ~ 부대(部隊) [육군의] cuerpo *m* motorizado; [해군의] fuerza *f* operativa. ~성(性) movilidad *f*. ~ 수사대 cuerpo *m* de investigación móvil.

～ 야포 cañón *m* de campaña móvil. ～ 연습 maniobras *fpl*. ～ 예비대 reserva *f* móvil. ～ 작전 operaciones *fpl* de maniobra. ～ 장치 instalaciones *fpl* móviles. ～전(戰) guerra *f* de movimiento, guerra *f* móvil. ～ 전략 estrategia *f* de maniobra. ～차 automotor *m*, autovía *f*, *AmS* autocarril *m*. ～ 함대(艦隊) flota *f* móvil. ～ 훈련(訓練) instrucción *f* motorizada. ～화(化) mecanización *f*, motorización *f*. ¶～하다 mecanizar; 【군사】 motorizar.

기두(起頭) ① [글의 첫머리] prólogo *m*, prefacio *m*. ② [일의 처음] comienzo *m*, principio *m*. ③ [중병이 차차 낫기 시작함] comienzo *m* de la mejoría de enfermedad. ～하다 (la enfermedad) comenzar a mejorse poco a poco.

기두(旗頭) punta *f* de bandera.

기둥 ① [건축물의 보·도리 등을 받치는 나무] pilar *m*, poste *m*; [원주] columna *f*. 집 중앙에 있는 특별히 굵은 ～ pilar *m* central (de una casa). ～을 세우다 erigir [levantar] un pilar. ② [의지가 될만한 가장 중요한 사람] el alma *f* (*pl* las almas), sostén *m* (*pl* sostenes). 한 집안의 ～ sostén *m* de la familia, el [la] que mantiene la casa. 일가(一家)의 ～을 잃다 perder el sostén de la familia. 정신적인 ～을 잃다 perder el sostén moral. 그는 집안의 ～이다 El es el sostén de la familia / El lleva a sus espaldas la carga de la familia.

◆소금 ～ ((성경)) estatua *f* de sal. 불～ ((성경)) columna *f* de fuego.

▪기둥을 치면 들보가 운다 ((속담)) Se puede entender lo que no se dice directamente sino indirectamente.

▪～감 ㉮ [집의 기둥을 만드는 재료] materiales *mpl* para los pilares. ㉯ [한 집안이나 한 단체 또는 나라의 의지가 될만한 사람] persona *f* de ser el sostén en el futuro. ～머리 la parte más superior del pilar. ～목(木) tronco *m* adecuado para los pilares. ～몸 la parte central del pilar. ～뿌리 base *f* del pilar, la parte más inferior del pilar. ～서방(書房) proxeneta *m*, chulo *m* (de putas), *Méj* padrote *m*, *CoS* cafiche *m*.

기드림(旗－) banderola *f*.

기득(既得) lo adquirido, lo obtenido. ～의 adquirido, obtenido.

▪～권(權) derecho *m* adquirido. ¶～의 침해 violación *f* del derecho adquirido. ～을 침해하지 않고 sin perjuicio de los derechos de los firmantes [los declarantes].

기라(綺羅) ① [무늬 놓은 비단과 얇은 비단] la seda con figuras y la seda fina. ② [화려한 옷] ropa *f* fina; [화려한 것] cosa *f* fina, cosa *f* excelente.

▪～성(星) ㉮ [밤하늘에 반짝이는 수많은 별] (numerosas) estrellas *fpl* brillantes. ㉯ [위세 있는 사람. 또는, 그들이 모인 모양] galaxia *f*. ¶～ 같은 고관(高官)들 galaxia *f* de dignatarios.

기략(機略) ingenio *m*, maña *f*, ingeniosidad *f*, táctica *f*, recursos *mpl*, ideas *fpl*. ～이 풍부한 사람 persona *f* ducha en tácticas, persona *f* de recursos, persona *f* de ideas.

기량(技倆/伎倆) habilidad *f*, talento *m*, destreza *f*, arte *m*(*f*), técnica *f*; [능력] capacidad *f*, facultad *f*. ～이 있는 hábil. ～을 펼치다 desplegar *su* arte. ～을 향상시키다 hacer progresos, progresar, adelantar en la técnica. …의 ～을 연마하다 ejercitarse en *algo*, adiestrarse en *algo*, perfeccionar *su* habilidad [*su* técnica]. …의 ～이 있다 ser hábil [diestro · competente] en *algo*. 골프 ～을 높이다 adelantar en el golf.

기량(氣量) ① [기체의 양] cantidad *f* del gas. ② [기상(氣象)과 도량] el fenómeno y la generosidad.

기량(器量) capacidad *f*. ☞기국(器局)

기러기[1] 【조류】 ánsar *m*, ganso *m* silvestre.

◆기러기 불렀다 huirse lejos. 기러기 한평생 vida *f* que se tendrá mucha dificultad en el futuro.

▪～발 ㉮ [현악기의] puente *m*, cordal *m*. ㉯ [기타 따위의] traste *m*.

기러기[2] 【기상】 [제3호 태풍] *kireoki*.

기럭아비 *kireokabi*, persona *f* que lleva el ánsar de madera delante del novio en las bodas tradicionales.

기려(羈旅) viajero, -ra *mf* que se queda en la tierra extranjera.

기려하다(綺麗－) (ser) hermoso, bonito, lindo, bello. 기려함 hermosura *f*, belleza *f*. 기려한 경색(景色) paisaje *m* hermoso.

기력(汽力) fuerza *f* del vapor.

▪～계(計) manómetro *m* de vapor. ～ 발전소(發電所) planta *f* de vapor, central *f* termoeléctrica.

기력(氣力) ① [정신과 육체의 힘] ánimo *m*, energía *f*, vigor *m*, vitalidad *f*, virilidad *f*, espíritu *m*, brío *m*, fuerza *f*, aliento *m*; [건강] buena salud *f*. ～이 있는 animado, enérgico, vigoroso, brioso. ～이 없는 abatido, lánguido desanimado, deprimido, desalentado, descorazonado. ～이 왕성한 animado, enérgico, brioso, vigoroso, fuerte, alentado; [건강한] sano. ～ 좋게 con buen ánimo, con pleno vigor, con mucha energía. ～을 되찾다 recobrar [recuperar] el ánimo. ～을 상실하다 perder el vigor [la energía]. ～을 회복하다, ～이 나다 recobrar el ánimo, recuperar el ánimo, animarse, adquirir ánimos; [환자가] restablecerse, recobrar la salud [las fuerzas], recuperar la salud [las fuerzas]. ～이 왕성하다 [건강하다] estar bien (de salud). ～이 좋다 tener muchos ánimos, ser muy vigoroso. ～ 좋게 노래하다 cantar con vigor. 나는 이제 일을 계속할 ～이 없다 Ya no tengo ánimo para seguir trabajando. 그는 ～이 쇠했다 El ha decaído su ánimo. 저 노인은 ～이 좋다 Aquel anciano está muy vigoroso / Aquel anciano tiene muchos ánimos. 그는 노령에도 불구하고 ～이 왕성

하다 A pesar de su vejez conserva todo su vigor. 그는 지금 일할 ~으로 가득 차 있다 Ahora él está lleno de vigor para el trabajo. 그는 아파서 ~이 없다 El no tiene ánimo por estar enfermo. 나는 이제 말할 ~도 없다 Ya no tengo ni el ánimo para hablar. 이를테면 포도주를 마셔서 ~을 회복하십시오 Recobre usted el ánimo tomando, por ejemplo, vino. ② [압착한 공기의 힘] fuerza *f* del aire comprimido.

기력(棋力/碁力) habilidad *f* del ajedrez coreano o del *baduc*.

기력(棋歷/碁歷) carrera *f* del ajedrez coreano o del *baduc*.

기력(機力) fuerza *f* de máquina.

기로(岐路) viraje *m* decisivo, momento *m* crucial, punto *m* de bifurcación. 지금이 ~다 Este constituye un viraje decisivo / Este es un momento crucial.
◆기로에 서다 estar en una encrucijada, estar en el punto de bifurcación. 나는 생사(生死)의 기로에 서 있다 Me encuentro entre vida y muerte.

기로(耆老) persona *f* de más de sesenta años de edad.

기록(記錄) ① [남길 필요가 있는 사항을 적는 일. 또 그 서류] apunte *m*, apuntación *f*, apuntamiento *m*, anotación *f*, nota *f*, registro *m*; [문서] documento *m*; [연대기] crónica *f*; [의사록] el acta *f* (*pl* las actas). ~하다 apuntar, anotar, registrar, dejar escrito, dejar constancia (de), tomar nota (de). ~이 시작된 이래로 비가 가장 많이 온 3월 el marzo más llovioso del que se tienen datos. 소멸해 가는 생활 양식의 사진 ~ un testimonio fotográfico de un estilo de vida en vías de extinción. 옛 ~에 의하면 según unos documentos antiguos. 교섭의 ~을 하다 tomar nota de las negociaciones. 의사록에 …라 ~되어 있다 Consta en el acta que + *ind.* 역사에 …라 ~되어 있다 Cuenta la historia que + *ind.* 당신의 비용을 ~하십시오 Anote sus gastos. 그것은 의료 카드에 ~되었다 Fue anotado [Quedó registrado] en su ficha médica. 그는 모임의 ~을 지참하고 있다 El lleva un registro de asistencia a las reuniones. 토론된 것이 ~되지 않았다 No se tomó nota de lo discutido / No se levantó acta. 그때부터 적힌 ~이 없다 No hay documentos escritos que daten de ese período. 그가 이곳에서 근무했다는 ~이 없다 No consta en nuestros archivos que haya trabajado aquí. 그의 최근 영화는 각종 흥행 ~을 깼다 Su última película ha batido todos los récords de taquilla. 옛날 이곳에 왕국(王國)이 있었다는 증거(證據)가 되는 역사적인 ~이 남아 있다 Quedan unos documentos históricos que testifican la existencia de un reino aquí en la antigüedad.
② [경기 따위의 성적·결과. 특히 그 최고의 것. 레코드] marca *f*, récord *m*. ~하다 marcar. ~을 갱신하다 renovar una marca [un récord]. ~을 깨뜨리다 batir el récord [la marca], superar la marca. ~을 보유하다 guardar un récord. ~을 세우다 crear un récord. ~을 세우다[수립하다] establecer una marca [un récord]. 자기의 ~을 깨뜨리다 batir *su* propio récord. ~을 깨는 풍작이다 Es una cosecha récord / Es la mejor cosecha hasta ahora. 그는 백 미터 경주에서 10초의 ~을 세웠다 El estableció un récord en la carrera de cien metros lisos con diez segundos. 온도계는 40°C를 ~했다 El termómetro marcó cuarenta centígrados. 그는 연속 우승 ~을 가지고 있다 El tiene el récord de las victorias sucesivas.
③ [신호·음·데이터 등의 정보를 장래에 참조· 재생하기 위해 보존하는 방법] grabación *f*, disco *m*, copia *f*, dato *m*. 우리의 ~에 따르면 según nuestros datos. 디스크에 ~하다 hacer [grabar] un disco. 당신의 정보를 위해 이 ~을 보존하십시오 Conserve esta copia para su información.
◆공식(公式) ~ documentos *mpl* oficiales. 높이뛰기 ~ récord *m* de salto de altura. 세계 ~ récord *m* mundial. 신(新)~ nuevo récord *m*. 인생 ~ documentos *mpl* humanos. 한국 ~ récord *m* coreano, récord *m* en Corea.
■ ~계(係) sección *f* de anotación. ~ 문학(文學) literatura *f* documental. ~ 보관소(保管所) archivo *m*. ~ 보유자(保有者) poseedor, -dora *mf* de un récord. ~ 사진(寫眞) fotografía *f* documental. ~ 서류(書類) dossier *m*, expediente *m*. ~ 영화(映畵) (película *f*) documental *f*. ~원(員) anotador, -dora *mf*, escribiente *mf*, marcador, -dora *mf*. ~자(者) anotador, -dora *mf*, escribiente *mf*, marcador, -dora *mf*. ~적(的) récord, inusitado, sin anales en la historia. ¶~인 더위[추위]다 Hace un calor [frío] inusitado [sin precedentes].

기롱(譏弄) escarnio *m*, irrisión *f*, burlas *fpl*. ~하다 ridiculizar, burlarse (de), reírse (de).

기뢰(機雷) ((준말)) =기계 수뢰(mina, mina mecánica). ¶~를 부설하다 fondear minas.
◆계류(繫留) ~ mina *f* anclada. 부유(浮遊) ~ mina *f* flotante. 수압(水壓) ~ mina *f* de presión. 음향(音響) ~ mina *f* acústica. 자기(磁氣) ~ mina *f* magnética. 촉각 ~ mina *f* de antena.
■ ~ 부설함(敷設艦) minador *m*. ~원(原) campo *m* de minas. ~정(艇)[함(艦)] torpedero *m*. ~ 탐지기(探知機) detector *m* de minas.

기루(妓樓) casa *f* de putas.

기류(氣流) corriente *f* atmosférica.

기류(寄留) residencia *f* temporal, domicilio *m* temporal. ~하다 residir temporalmente en una casa ajena.
■ ~자 residente *m* temporario, residente *f* temporaria. ~지(地) lugar *m* de residencia

temporal.

기류(旗旒) =기드림.

기르다 ① [동식물에 양분을 섭취시켜 자라게 하거나, 목숨을 이어 가게 하다] [동물을] criar, tener, pacer, dar de comer; [재배하다] cultivar, criar. 길러준 부모 padres *mpl* adoptivos. 길러준 분[유모] el ama (*pl* las amas) de leche. 양을 ~ criar las ovejas. 자녀를 ~ criar a un niño. 그녀는 개를 기르고 있다 Ella tiene [cría] un perro. 아파트에서는 동물을 기르는 것이 금지되어 있다 Se prohíbe tener animales en el piso. ② [육체나 정신이 쇠하지 않게 하다] formar, enseñar, educar, cultivar. 제자를 ~ formar a *sus* discípulos. 잘 길러진 개 perro *m* bien amaestrado. ③ [버릇·병 따위를 방치하여 악화시키다] empeorar, volver peor. ④ [머리나 수염 같은 것을 자라게 내버려 두다] dejarse (crecer). 머리를 ~ dejarse (crecer) el pelo. 턱수염 [코밑수염]을 ~ dejarse (crecer) la barba [el bigote].

기르스레하다 (ser) algo largo.

기르스름하다 =기르스레하다.

기름 ① [보통 온도에서 물보다 가볍고 불을 붙이면 대개 잘 타는 액상(液狀)의 물질] aceite *m*, óleo *m*, grasa *f*. ~투성이의 aceitoso, oleoginoso, manchado de aceite, grasiento, graso, *AmL* grasoso. ~투성이의 머리카락 pelo *m* graso, *AmL* pelo *m* grasoso. ~투성이의 손 manos *fpl* grasientas. ~투성이의 옷 ropa *f* manchada de aceite. ~투성이의 음식 comida *f* aceitosa, comida *f* grasienta. ~에 튀긴 생선 pescado *m* frito. ~ 없는 다이어트 dieta *f* sin grasas. ~에 튀기다 freír. ~을 바르다 untar con aceite. ~을 짜다 sacar aceite (de). 프라이팬에 ~을 바르다 echar aceite en la sartén. 기름이 다 되었다 El aceite se ha acabado / El aceite se ha agotado. 이 고기는 ~이 많다 Esta carne tiene mucha grasa. 이 생선은 ~이 발라져 있다 Este pescado está en su sazón. ② ((준말)) =참기름. ③ ((준말)) =머릿기름. ¶머리에 ~을 바르다 ponerse [darse] laca en el pelo. ④ [기계에 치는 기름] grasa *f*. ~투성이의 grasiento, lleno de grasa, cubierto de grasa. ~을 넣다, ~을 치다 engrasar [lubricar]. ~을 바르다 enbadurnar de grasa. (천에서) ~을 빼다 desmugrar. ⑤ =석유. 가솔린. ⑥ =개기름.

◆고래~ esperma *m* de ballena, aceite *m* de ballena. 낙화생 ~ aceite *m* de cacahuete, *AmL* aceite *m* de maní. 동물(動物) ~ grasa *f* animal. 돼지~ manteca *f*, *RPl* grasa *f* de cerdo. 레몬 ~ aceite *m* de limón. 쇠~ sebo *m*, grasa *f* de pella. 식물(植物) ~ grasa *f* vegetal. 야자 ~ aceite *m* de coco. 올리브 ~ aceite *m* de oliva. 정제(精製) ~ aceite *m* esencial. 피마자~ aceite *m* de ricino.

◆기름(을) 먹이다 dar*le* aceite (a). 기름(을) 짜다 ㉮ [콩·참깨·들깨 등을 이겨서 기름이 나오게 하다] exprimir el aceite. ㉯((속어)) =착취하다. ㉰ [많은 사람들이 한 군데 몰려서 밀고 밀리어 부대끼다] empujar. 기름(을) 치다 ㉮ [윤활유 따위를 넣다] poner grasa, poner gasolina, engrasar, lubricar. ㉯ ((속어)) [뇌물을 써서 일이 원활하게 처리되도록 하다] sobornar para manejar el asunto.

■~걸레 hule *m*. ~ 그릇 aceitera *f*, engrasador *m*. ~기(氣) ㉮ [기름덩이가 많이 섞인 고기] grasa *f*, gordo *m*, sebo *m*, carne *f* grasa, carne *f* grasienta. ¶이 고기는 ~가 많다 Esta carne tiene mucha grasa [mucho gordo]. ㉯ [어떤 물건에 묻거나 섞여 있는 기름] grasa *f*, aceite *m*, materia *f* grasa. ~ 있는 graso, grasiento, aceitoso, seboso. ~ 없는 seco, falto de grasa. ~ 없는 머리카락 cabello *m* seco. ~ 없는 피부 cutis *m* falto de grasa. …에서 ~를 빼다 desengrasar *algo*. 얼굴에 ~가 돌다 tener la cara grasienta. 이 치즈는 30%의 ~를 포함하고 있다 Este queso contiene un 30% de materia grasa. ~ 냉각기(冷却機) enfriador *m* de aceite, refrigerante *m* de aceite. ~때 mancha *f* de grasa; [피륙의] juarda *f*. ¶~가 묻은 juardoso. ~물감 óleo *m*. ~병(甁) botella *f* de aceite. ~복자 taza *f* para medir el aceite. ~ 분리기(分離器) separador *m* de aceite. ~장사 comercio *m* de aceite. ~장수 aceitero, -ra *mf*. ~종이 papel *m* engrasado. ~지다 ㉮ [기름이 많이 끼어 있다] (ser) graso, estar lleno [cubierto] de grasa. 기름진 grasiento, pringoso, graso, pingüe. 기름진 음식 comida *f* grasa. ㉯ [살에 기름이 많다] (ser) gordo, grasiento. ㉰ [땅이 걸다] (ser) fértil, rico. 기름진 농토 terreno *m* fértil. 기름진 땅 tierra *f* fértil. 기름지게 하다 fertilizar, abonar. 땅을 기름지게 하다 fertilizar el terreno [la tierra]. 이 땅은 ~ Esta tierra es fértil. 이 땅은 기름지지 않다 Esta tierra es pobre [estéril]. ~지옥(地獄) infierno *m* de aceite hirviendo. ~집 aceitería *f*. ~채 ((준말)) =기름챗날. ~챗날 parte *f* superior de prensa de aceite. ~체 filtro *m* del aceite. ~콩 alubia *f* pequeña para echar retoños. ~통(桶) aceitera *f*, engrasador *m*. ~통(筒) trozo *m* del bambú con nudos manchado de grasa. ~틀 prensa *f* de aceite.

기름하다 (ser) poco largo.

기리(奇利) ganancia *f* inesperada.

기리다 alabar, elogiar, admirar. 기릴 만한 loable, plausible, encomiable, digno de elogio, digno de alabanza, digno de encomio, admirable, meritorio, laudable. 그의 업적을 기려 en loor de su obra, en homenaje de su obra, en alabanza de su obra, cubriendo su obra de alabanzas. 영웅을 기리는 시(詩) poema *m* en homenaje [en loor] de un héroe.

기린(騏驎) =준마(駿馬).

기린(麒麟) 【동물】 jirafa *f*. ② 【천문】 =기린

자리.

기린아(麒麟兒) niño *m* prodigio, joven *m* (*pl* jóvenes) prometedor.

기린자리(麒麟－)【천문】Jirafa *f*.

기린혈(麒麟血) sangre *f* de drago.

기립(起立) levantamiento *m*. ～하다 ponerse de pie, levantarse. ～해 있다 estar de pie. ～으로 표결하다 votar por levantados y sentados. ～! ¡De pie!

기마(騎馬) equitación *f*. ～의 montado, a caballo. ～로 a caballo.
■ ～객(客) persona *f* montada. ～ 경관(警官) policía *m* montado, policía *f* montada; policía *mf* a caballo. ～ 경찰 policía *f* montada, policía *f* a caballo. ～ 경찰관(警察官) ＝기마 경관. ～ 경찰대 cuerpo *m* de la policía montada. ～대(隊) ㉮ [군대의 말을 타는 부대] tropas *fpl* montadas. ㉯ ((준말)) ＝기마 경찰대. ～ 민족(民族) raza *f* de equitación. ～병(兵) ＝기병(騎兵). ～상(像) estatua *f* ecuestre. ～ 순경(巡警) ＝기마 경관. ～인(人) pueblo *m* de equitación. ～전(戰) ㉮ ＝기전(騎戰). ㉯ [말을 타고 하는 싸움을 본뜬 놀이] simulacro *m* de combate a caballo. ～ 행렬 cabalgata *f*.

기막히다(氣－) ① [숨이 막히다. 기절하다] ahogarse, desmayarse, perder el sentido, desfallecer. ② [어떠한 일이 하도 엄청나서 어이없다] Se me hace el nudo en la garganta. ③ [어떻다고 말할 수 없을 만큼 좋거나 정도가 높다] (ser) magnífico, espléndido, exquisito, impresionante, imponente; [우수하다] excelente; [놀랍다] admirable, maravilloso, prodigioso, estupendo; [지독하다] formidable; [이상적이다] ideal. 기막히게 admirablemente, magníficamente, maravillosamente, excelentemente, espléndidamente, estupendamente, prodigiosamente, formidablemente. 기막힌 그림 pintura *f* maravillosa, cuadro *m* maravilloso. 기막힌 맛 sabor *m* exquisito, sabor *m* delicioso. 기막힌 미인(美人) belleza *f* impresionante, belleza *f* imponente. 기막힌 아이디어 idea *f* estupenda. 기막힌 잔치 banquete *m* exquisito, banquete *m* delicioso. 기막히게 잘하는 연주 representación *f* impresionante, función *f* impresionante. 맛이 ～ El sabor es exquisito / El sabor es muy rico / El sabor es muy sabroso / El sabor es muy delicioso. 기막힌 날씨다 Hace un magnífico tiempo / Hace un tiempo espléndido.

기만(奇巒) cima *f* extraña.
■ ～수봉(秀峰) montaña *f* extraña y hermosa.

기만(欺瞞) engaño *m*, trampa *f*, impostura *f*. ～하다 engañar. ～적인 engañoso, tramposo, impostor. 그것은 ～이다 Eso es un engaño.
■ ～ 정책(政策) política *f* engañosa.

기만(幾萬) diez miles. ～ 원 diez miles de wones.

기만면제(期滿免除)【법률】＝소멸 시효.

기말(期末) [학기말] fin *m* del semestre (2학기제의), fin *m* del trimestre (3학기제의); [상업에서] fin *m* del ejercicio (del período contable).
■ ～ 시험(試驗) examen *m* final.

기망(旣望) [음력 열엿샛날 밤. 또는 그날 밤의 달] noche *f* del dieciséis del calendario lunar; [달] luna *f* de la noche del dieciséis del calendario lunar. 7월 ～ noche *f* del dieciséis de julio del calendario lunar.

기망(欺罔) ＝기만(欺瞞).

기망(幾望) [음력 열나흗날 밤. 또는 그날 밤의 달] noche *f* del catorce del calendario lunar; [달] luna *f* de la noche del catorce del calendario lunar.

기망(冀望) ＝희망(希望). 소원(所願).

기맥(氣脈) ¶～이 통하다 trabar relaciones en secreto (con). 그는 적과 ～이 통하고 있다 El tiene relaciones secretas con los enemigos.

기면(嗜眠)【의학】letargo *m*.
■ ～성 뇌염【의학】encefalitis *f* letárgica. ～성 정신병(性精神病) estupemania *f*. ～증(症) hipnolepsia *f*.

기면(旗面) ＝깃발.

기명(記名) firma *f*, registro *m*. ～하다 firmar, poner *su* nombre, registrar.
■ ～ 공채 bono *m* registrado. ～ 기사(記事) ＝서명 기사. ～ 날인(捺印) firma *f* y sello. ～ 사채(社債) bono *m* nominativo. ～식 수표 cheque *m* a favor de determinada persona. ～식 어음 letra *f* a favor de determinada persona. ～ 주권(株券) acción *f* nominativa, acción *f* registrada. ～ 주식 acción *f* nominativa. ～ 증권 título *m* nominativo. ～ 채권 bono *m* registrado. ～ 투표 votación *f* nominal, voto *m* nominal.

기명(器皿) platos *mpl*; vajilla, cubertería, cristalería etc.

기모(奇謀) ardid *m* ingenioso, trampa *f* astuta. ～비계(秘計) ardid *m* secreto.

기모(起毛) levantamiento *m* hacia atrás. ～하다 levantar hacia atrás.

기모(氣貌) la apariencia y el semblante.

기묘(己卯)【민속】*kimyo*, decimosexto término *m* binario del ciclo sexagenario.

기묘하다(奇妙－) (ser) extraño, curioso, extravagante, raro, singular. 기묘함 extrañeza *f*, curiosidad *f*. 기묘한 남자 hombre *m* extraño, hombre *m* raro. 기묘한 물고기 pez *m* raro. 기묘한 소리 ruido *m* extraño. 기묘한 복장을 하고 vestido de modo singular. 5월에 눈이 내리다니 ～ Es extraño que haya nevado en mayo.
기묘히 extrañamente, extravagantemente, raramente, curiosamente, con curiosidad.

기무(妓舞) danza *f* de *gisaeng*.

기무(機務) asuntos *mpl* estatales importantes y secretos.

기문(奇文) rumor *m* extraño.
■ ～ 벽서(僻書) la composición extraña y el libro extravagante.

기문(奇聞) noticia *f* [historia *f*] extraña.

기문(氣門) 【곤충】 =기공(氣孔).

기물(器物) =기명(器皿).

기미 peca *f*, mancha *f* de (la) vejez, descoloramiento *m*. ~투성이의 lleno de pecas, pecoso. ~투성이의 얼굴 rostro *m* lleno de pecas, cara *f* llena de manchas (de erupciones). 그녀의 얼굴에 ~가 생겼다 A ella le han salido manchas en la cara.
◆기미(가) 끼다 tener pecas, descolorarse. 그는 기미가 많이 끼었다 El tiene (muchas) pecas / El es pecoso.

기미(己未) 【민속】 *kimi*, quincuagesimosexto término *m* binario del ciclo sexagenario.

기미(氣味) ① [냄새와 맛] el olor y el sabor. ② [기분과 취미] el humor y la afición.

기미(幾微/機微) =낌새. ¶물가가 오를 ~다 Los precios tienden a subir.
◆기미(를) 채다 =낌새(를) 채다. ☞낌새

기미(期米) ((준말)) =정기미(定期米).

기미(羈縻) =기반(羈絆).

기민(饑民/飢民) pueblo *m* hambriento, famélicos *mpl*.
◆기민(을) 먹이다 proveer al pueblo hambriento de comida, dar de comer a los famélicos.

기민하다(機敏－) (ser) agudo, rápido, sagaz, ágil. 기민함 agudeza *f*, rapidez *f*, presteza *f*, sagacidad *f*, agilidad *f*. 기민하게 agudamente, rápidamente, sagazmente, ágilmente, hábilmente, con agilidad, a paso rápido. 기민하게 행동하다 actuar [comportarse] ágilmente [a paso rápido].

기밀(氣密) hermeticidad *f*. ~의 hermético.
■~복(服) traje *m* herméticamente cerrado, ropa *f* hermética. ~실(室) cámara *f* herméticamente cerrada.

기밀(機密) secreto *m*, confidencia *f*. ~의 secreto, confidencial. ~을 지키다 guardar el secreto. ~을 폭로하다 revelar secretos.
■~ 문서 documentos *mpl* confidenciales. ~비(費) fondos *mpl* secretos, gastos *mpl* secretos. ~ 사항 asuntos *mpl* secretos. ~서류(書類) documentos *mpl* confidenciales.

기박하다(奇薄－) (ser) desafortunado, desventurado, tener muy mala suerte.

기반(基盤) base *f*, fundamento *m*. ~이 별로 없는 후보 candidato *m* efímero, candidata *f* efímera. …을 ~으로 하다 basarse en *algo*, fundarse en *algo*, tener *algo* como base, tener *su* base en *algo*, tener *su* fundamento en *algo*. 학문(學問)의 ~을 쌓다 poner el fundamento de la ciencia. 이 지방은 농업을 ~으로 발전했다 Esta región se desarrolló a [sobre la] base de la agricultura.

기반(棋盤/碁盤) =바둑판.

기반(羈絆) ① =굴레. ② [굴레를 씌우듯 자유를 얽매는 일] yugo *m*, grillos *mpl*, cadenas *fpl*, grilletes *mpl*, lazo *m*, vínculo *m*. 결혼의 ~ las cadenas del matrimonio. ~을 벗어나게 하다 poner [dejar] en libertad del yugo.

기발하다(起發－) comenzar a arrastrar(se).

기발하다(奇拔－) (ser) original, raro, singular, extraordinario, fantástico; [기지가 풍부한] genial. 기발함 originalidad *f*, rareza *f*, singularidad *f*, genio *m*. 기발한 아이디어 idea *f* original. 그의 말은 ~ Es muy original lo que dice él.

기백(氣魄) espíritu *m* (vigoroso), el alma *f*, carácter *m*, ánimo *m* vehemente. ~으로 가득 찬 lleno de fuerza, lleno de vigor. 호쾌한 ~ espíritu *m* intrépido.

기번(幾番) unas veces, cuántas veces.

기번(영 *gibbon*) 【동물】 [긴팔원숭이] gibón *m* (*pl* gibones).

기범선(機帆船) barco *m* de motor y vela, velero *m* con motor.

기법(技法) técnica *f*. ~을 터득하다 adquirir la técnia, llegar a dominar la técnica.

기벽(奇癖) hábito *m* excéntrico, excentricidad *f*, extravagancia *f*, particularidad *f*, singularidad *f*, rareza *f*.

기변(奇變) ① [뜻밖의 난리] sublevación *f* inesperada. ② [기이하게 변함] cambio *m* extraño.

기변(機變) =임기응변(臨機應變).

기별(奇別/寄別) noticias *fpl*, nuevas *fpl*, información *f*, palabra *f*, carta *f*, aviso *m*. ~하다 hacer saber, decir, informar, avisar, notificar. ~을 듣다 tener noticias (de). 추후 ~이 있을 때까지 hasta el nuevo aviso. 추후 ~이 있을 것이다 Se notificaré más tarde.

기병(奇病) enfermedad *f* extraña, enfermedad *f* singular, enfermedad *f* rara.

기병(氣病) enfermedad *f* causada por la preocupación [la ansiedad].

기병(騎兵) soldado *m* de caballería, jinete *m* (a caballo); [집합적] caballería *f*.
■~대(隊) tropa *f* de caballería. ~ 대대(大隊) batallón *m* de caballería. ~ 연대(聯隊) regimiento *m* de caballería. ~ 중대(中隊) escuadrón *m* (*pl* escuadrones). ~창(槍) lanza *f* para la caballería.

기보(旣報) información *f* anterior. ~의 previamente informado. ~한 바와 같이 como se ha informado ya.

기보(棋譜) récord *m* de *baduc*.

기복(祈福) rezo *m* [oración *f*] de la bendición. ~하다 rezar [orar] la bendición.

기복(起伏) vicisitudes *fpl*, altibajos *mpl*, ondulación *f*, desnivel *m*, desnivelación *f*. ~하다 subir y bajar, ser ondulado, ondular. ~이 많은 ondulado, accidentado. ~이 많은 인생(人生) vida *f* llena de vicisitudes. 인생(人生)의 ~ las vicisitudes de la vida. ~을 만들다 desnivelar. ~이 생기다 desnivelar(se). 그들의 결혼은 ~이 있었다 Su matrimonio ha tenido sus altibajos. 그는 성적에 ~이 있다 En sus calificaciones hay altibajos.

기본(基本) base *f*, fundamento *m*, principio *m*; [초보] elementos *mpl*, rudimentos *mpl*; [기준] norma *f*. ~을 이루다 ser fundamental, formar el trabajo preliminar, formar el trabajo de base. ~에서 시작하다 comenzar con el abecedario, comenzar con el abecé.

■~ 개념 concepto *m* básico, concepto *m* fundamental. ~ 계획 plan *m* general. ~ 과목 asignatura *f* básica. ~ 과정(課程) curso *m* elemental. ~ 교련 ejercicio *m* militar básico. ~ 교리(敎理)【종교】doctrina *f* básica. ~권(權) derechos *mpl* fundamentales. ~금 fondo *m* de beneficiencia. ~급(給) salario *m* base, sueldo *m* base. ~ 급료(給料) =기본급. ~ 농산물 =기본 작물. ~ 단위(單位)【물리】unidad *f* fundamental. ~ 대사(代謝) metabolismo *m* elemental. ~ 대형(隊形)【군사】formación *f* básica. ~ 방침 política *f* fundamental, tónica *f*. ~법(法) ley *f* fundamental, ley *f* básica. ~ 사항 datos *mpl* básicos. ~ 산업(産業) industrias *fpl* básicas. ~ 서반아어 español *m* básico, español *m* elemental. ~ 설계(設計) diseño *m* básico. ~ 설계도(設計圖) dibujo *m* general. ~수(數) número *m* básico;【수학】raíz *f*. ~ 수입(收入) ingreso *m* básico. ~ 수입 수준 nivel *m* de ingresos básicos. ~액 cantidad *f* básica. ~ 어음【경제】letra *f* básica. ~ 어휘 vocabulario *m* básico, vocabulario *m* esencial. ~ 연습 ejercios *mpl* básicos. ~ 요금(料金) tipo *m* base, tasa *f* base; [일정한] cuota *f* fija. ~ 원료(原料) materia *f* prima básica. ~ 원리(原理) principio *m* básico, principio *m* fundamental. ~음(音) tono *m* fundamental. ~ 임금(賃金) sueldo *m* base. ~ 자세(姿勢) postura *f* básica. ~ 자유(自由) libertad *f* fundamental. ~ 작물(作物) bien *m* de primera necesidad. ~ 재산(財産) propiedad *f* permanente. ~적(的) básico, esencial, fundamental, principal, elemental, rudimentario, general. ¶~으로 básicamente, fundamentalmente, elementalmente, esencialmente. ~적 소비재(的消費財) bienes *mpl* de consumo básicos. ~적 요구(的要求) reivindicación *f* básica. ~적 인권(的人權) derechos *mpl* fundamentales de seres humanos. ¶~의 보장 garantía *f* de los derechos fundamentales de seres humanos. ~ 전술 táctica *f* elemental. ~ 정관(定款) estatuto *m* básico. ~ 조건(條件) condición *f* esencial, condición *f* fundamental, condición *f* básica. ¶거래의 ~ condición *f* esencial para [en] el negocio. ~ 조사(調査) investigación *f* básica. ~ 조직(組織) organización *f* básica. ~ 주파수 frecuencia *f* fundamental, frecuencia *f* básica. ~파(波) onda *f* fundamental ~ 파장(波長) longitud *f* de onda fundamental. ~ 학과(學科) departamento *m* básico. ~ 협정(協定) acuerdo *m* marco, acuerdo *m* básico. ~형(形) forma *f* fundamental.

기봉(起峰) pico *m* elevado.

기봉(機鋒) =예봉(銳鋒).

기봉(奇逢) pico *m* extraño.

기부(肌膚) carne *f*, cutis *m*, piel *f*.

기부(妓夫) =기둥서방.

기부(寄附) contribución *f*, donación *f*, subscripción *f*. ~하다 contribuir, donar, subscribir, hacer una contribución. 국립 도서관에 책을 ~하다 donar libros a la biblioteca nacional.

■~금 contribución *f*, donación *f*, subscripciones *fpl*. ¶~을 모으다 reunir [juntar] subscripciones. ~자 donante *mf*. ¶거액의 ~ donante *m* generoso, donante *f* generosa. ~ 행위 donación *f*, contribución *f*.

기부(基部) parte *f* básica, base *f*.

기부(機婦) tejedora *f*, tejedora *f*.

기부족(氣不足)【한방】enfermedad *f* por la falta de ánimo.

기분(氣分) ① [마음에 저절로 느껴지는 상태] humor *m*, sensación *f*, estado *m* de ánimo, disposición *f* de espíriru. ~(이) 좋은 agradable, grato, ameno, dulce; [유쾌한] refrescante; [쾌적한] confortable, cómodo. ~(이) 나쁜 desagradable; [혐오감을 일으키는] repugnante; [토할 것 같은] nauseabundo. ~ 좋게 agradablemente, de [con] buen humor, amigablemente; [유쾌히] alegremente, con alegría; [쾌적하게] cómodamente, confortablemente, a gusto; [쾌히] con mucho gusto, gustosamente; [기꺼이] de buena gana, de buena voluntad, voluntariamente. 어쩐지 ~이 나쁜 inquietante, siniestro, lúgubre, misterioso, fúnebre, de mal agüero, extraño. 그때의 ~에 의하면 según el humor del momento. 무거운 ~으로 con el corazón apenado [deprimido]. ~ 좋은 잠 sueño *m* agradable, sueño *m* dulce. 어쩐지 ~ 나쁜 소리 ruido *m* extraño, ruido *m* inquietante, grito *m* siniestro, grito *m* lúgubre. 어쩐지 ~ 나쁜 남자(男子) hombre *m* siniestro, hombre *m* misterioso. 어쩐지 ~ 나쁜 집 casa *f* misteriosa, casa *f* lúgubre. 어쩐지 ~ 나쁜 웃음 risa *f* siniestra, risa *f* misteriosa. ~ 좋은 바람 brisa *f* refrescante. ~ 나쁜 그림 pintura *f* repugnante. ~이 좋다 sentirse bien, estar de (buen) humor, estar de fiesta, estar bien humorado, tener cara de buenos amigos. ~이 나쁘다 sentirse mal, estar indispuesto, indisponerse, estar de mal humor, estar de mal talante. ~을 내다 echar una cana al aire, divertirse. ~을 내서 노래부르다 cantar con sentimiento. ~을 북돋우다 animar, alentar, encorajar. ~을 새롭게 하다 reanimarse, recobrar el ánimo, levantar el espíritu, levantar el corazón, rehacerse, cobrar la calma. ~을 새롭게 하여 recobrando el ánimo, con el espíritu levantado. ~을 해치다 molestar, fastidiar, ofender. ~이 상쾌하다 quedarse nuevo, quedarse aliviado. ~이 좋아지다 recuperar el buen humor, ponerse alegre. ~이 나빠지다 perder el humor, disgustarse, picarse. ~이 더 좋다 sentirse mejor. ~이 더 나쁘다 sentirse peor. ~ 전환을 하다 distraerse, cambiar de estado de ánimo;

[머리를 쉬다] despejarse. ~ 좋게 술을 마시다 beber vino con buen humor. ~ 좋게 인수하다 encargarse (de *algo*) con mucho gusto. ~ 좋게 헤어지다 separarse amigablemente. ~을 맞추다 suguir el humor (de); [아첨하다] halagar (a). …의 ~을 상하다 enfadar [disgustar · picar · ofender] a *uno*. …하는 것은 ~이 좋다 Es agradable + *inf* [que + *subj*]. ~ 좋은 아침이다 Es una mañana agradable. 나는 묘한 ~이다 Tengo una sensación extraña. ~ 나쁜 사람이다 ¡Qué hombre tan siniestro! 어쩐지 ~이 나쁘다 Me da miedo. 공부할 ~이 나지 않는다 No siento ganas de estudiar / No me siento en estado de estudiar. 나는 울고 싶은 ~이다 Me entran ganas de llorar. 나는 늦게 도착해 그녀의 ~을 상하게 하고 싶지 않다 No quiero quedar mal con ella llegando tarde. 잠깐 산책을 하면 ~을 약간 전환할 수 있을 것이다 Un rato de paseo me podrá distraer algo. 오늘 ~이 어떻습니까? — ~이 별로 좋지 않습니다 ¿Cómo está [se siente] usted hoy? — No me siento muy bien. 그는 ~이 언짢다 El está de mal humor / El se sienta mal. 사장은 ~이 나빠 있다 El presidente está de mal humor. 나는 살아 있는 ~이 안 났다 Me sentía más muerto que vivo. 그는 그 소리를 듣자 ~을 잡쳤다 Al oírlo se puso de mal humor. ~상으로 약간 소리를 올려라 Sube un poco el sonido. 목욕을 하고 나니 ~이 상쾌해졌다 Me he quedado nuevo después del baño. 일이 끝나니 ~이 상쾌하다 Acabado el trabajo me siento aliviado. 그 사람이 가버리니 앓던 이가 빠진 것처럼 ~이 시원하다 Ahora que él se ha ido siento como si se me hubiera quitado un peso de encima. 그는 조합을 자기 ~대로 하고 있다 El administra el sindicato a su gusto [a su voluntad · como le gusta]. 나는 그 말을 듣자 혐오감을 일으키는 ~이었다 Sentí una sensación repugnante al oír el relato. 이 방에 들어오면 ~이 좋다 Este cuarto es cómodo / Se siente uno bien en este cuarto. 그는 명랑하고 ~을 낼 줄 아는 사람이다 El es una persona alegre y simpática. 아, 정말 ~ 좋다 ¡Ah, qué bien me siento! 사람들에게 친절을 베푸는 일은 ~ 좋은 일이다 Es agradable ser bondadoso con los demás. 아침 일찍 일어나는 일은 ~이 상쾌하다 El madrugar es agradable. 그는 ~이 좋아져 잠들었다 Sintiéndose a gusto, él se quedó dormido. 이 약을 먹으면 ~이 더 좋아질 것이다 Con esta medicina te sentirás mejor. 이 회사는 ~ 좋게 일할 수 있다 En este compañía se trabaja a gusto. 나는 그것을 보고 ~이 나빠졌다 Me sentí mal al verlo. 그의 지나친 친절로 나는~이 나빴다 Su mucha amabilidad me puso malo. 나는 그것 때문에 ~이 잡쳤다 Eso me enfrió [quitó] todo el entusiasmo / Eso fue como un jarro de agua fría. ② [감정] sentimiento *m*, disposición *f*. …에게 ~ 을 풀다 abrir el corazón a *uno*, desahogar *su* corazón con *uno*. ~을 새롭게 해서 renovando el espíritu. ~을 새롭게 하다 renovar el ánimo. …의 ~을 진정시키다 calmar [apaciguar] a *uno*. 너의 ~은 잘 알겠다 Yo comprendo bien tu(s) sentimiento(s). 본인의 ~을 존중합시다 Respetemos su propio sentimiento. ③ =분위기. ④ 【한 방】=원기(元氣).

■ ~극(劇) obra *f* atmosférica. ~ 묘사(描寫) descripción *f* atmosférica. ~ 전환(轉換) diversión *f*, distracción *f*, recreación *f*. ¶~하다 divertirse, distraerse, despejarse. ~으로 para divertirse, como diversión. 여행은 ~으로 좋다 El viajar es una buena diversión. ~파(派) persona *f* caprichosa.

기불(旣拂) ¶~의 pagado.

기브앤드테이크(영 *give-and-take*) el toma y daca, concesiones *fpl* mutuas. ~다 Toma y daca / Doy para que me des. 양측이 ~해야 한다 [교섭에서] Ambas partes tienen que hacer concesiones / Ambas partes tienen que haber concesiones mutuas.

기비(基肥) =밑거름.

기뻐하다 alegrarse (de + *inf*), tener gusto (en + *inf*), jubilar(se); [만족하다] estar contento, estar satisfecho. 껑충껑충 뛰며 ~ saltar de alegría. 그녀는 그 결과에 매우 기뻐하고 있다 Ella está muy contenta [satisfecha] con los resultados. 그는 그 소식을 듣고 기뻐했다 El (se) jubiló al oír la noticia. 내가 그 소식을 전했더니 그는 무척 기뻐했다 Le di la noticia y él se alegró muchísimo. 우리는 그의 성공을 기뻐했다 Su éxito nos causó una enorme alegría / Su éxito nos llenó de alegría.

기쁘다 (ser) feliz, alegre, contento, agradable, risueño, alegrarse (de *algo*). 기쁘게 alegremente, felizmente, jovialmente, con un gusto alegre, gozosamente, con gran placer [alegría · gozo · júbilo · regocijo].(매우) 기쁘게 하다 llenar de alegría, deleitar. …해서 ~ alegrarse de + *inf*, alegrarse de que + *subj*, tener gusto en + *inf*, holgarse de *algo*, congratularse de *algo*. 정말 ~ alegrarse mucho, regocijarse mucho, no caber en sí de alegría, sentirse muy feliz. 기뻐서 울다 llorar de alegría, verter lágrimas de alegría. 기뻐서 목이 메다 deshacerse en lágrimas de alegría. 기뻐서 울기 시작하다 echarse a llorar de alegría. 너는 …을 들으면 기쁠 것이다 Te alegrará saber que …. 기쁜 소식이다 Es una buena noticia. 아, 정말 ~ ¡Cuánto me alegro! / ¡Qué alegría! / ¡Qué contento estoy! / ¡Qué feliz estoy! 당신이 그것을 좋아하니 기쁘오 Me alegro de que te guste. 내가 올 수 있었다니 정말 ~ ¡Cuánto me alegro de que hayas podido venir! 뵙게 되어 (정말) 기쁩니다 Me alegro (mucho) de verle (a usted). 당신이 올 수 있다니 기쁩니다 Me alegra mucho que puedas venir /

Estoy encantado de que puedas venir. 처음 뵙게 되어 기쁩니다 Encantado (de conocerle) / Mucho gusto (en conocerle). 그 소식을 듣고 기뻤다 Me alegré con la noticia. 그는 굉장히 기쁜 모습을 했다 El dio muestras del mayor júbilo. 눈물이 날 정도로 기쁩니다 Casi me lloran los ojos de alegría. 귀하의 편지를 기쁘게 배견(拜見)했습니다 Me ha dado mucha alegría leer su carta. 네가 그렇게 말하는 것을 들으니 기쁘기 한량없구나 ¡Qué alegría (de) oírte hablar así! 수술이 성공해서 기뻤다 Afortunadamente, la operación tuvo un buen resultado. 그의 성공은 나를 매우 기쁘게 했다 Su éxito me llenó de alegría. 어릿광대는 아이들을 (매우) 기쁘게 했다 El payaso hizo las delicias de los niños / El payaso deleitó a los niños. 이제 너는 조금 더 기쁜 얼굴을 할 수 있을 것이다 Ya podrías poner una cara un poco más alegre. 귀하의 초청을 받게 되어 기쁩니다 Aceptamos encantados [con mucho gusto] su invitación. 나는 네가 나에게 그것을 말해 주니 기쁘다 Me alegro de que me lo hayas dicho. 제가 도울 수 있어 정말 기쁩니다 Es un placer poder ser útil. 기쁠 때나 슬플 때나 나는 늘 그녀를 생각하고 있다 Tanto en la alegría como en la tristeza me acuerdo siempre de él.

기쁨 placer *m*, alegría *f*, deleite *m*, delicia *f*, gozo *m*, goce *m*, júbilo *m*, regocijo *m*, gusto *m*, felicidad *f*, satisfacción *f*, dicha *f*. ~으로 con alegría, con placer, con gozo, con júbilo, con regocijo. ~의 미소 sonrisa *f* de alegría, sonrisa *f* de felicidad. 귀에 ~을 안겨 주는 음악 música *f* que es un deleite [un placer] para el oído. ~의 눈물을 흘리다 llorar de alegría, verter lágrimas de alegría. ~의 눈물로 목이 메다 deshacerse en lágrimas de alegría. ~으로 정신을 잃다 volverse loco de alegría. 기뻐서 껑충껑충 뛰다 saltar de alegría. 뛸 [날] 듯한 ~을 느끼다 sentir gran alegría (por). 나한테 이보다 더한 ~은 없다 Para mí no hay mayor alegría que ésta. 나는 ~을 숨길 수 없다 No puedo disimular mi alegría / Exploto de alegría / Reviento de alegría / Estoy loco de contento. 그는 ~을 감출 수 없었다 El no podía disimular el placer que sentía. 그는 ~이 넘쳐 보인다 Se ve que le rebosa la alegría / Se ve que él rebosa de alegría. 나는 ~의 눈물이 나올 것 같다 Casi me lloran los ojos de alegría. 아이들은 그들에게 커다란 ~이다 Los niños son una gran alegría para ellos.

기사(己巳) 【민속】 *kisa*, sexto término *m* binario del ciclo sexagenario.

기사(技士) ① =주사(主事). ② ((준말)) =운전 기사(chófer).

기사(技師) ingeniero, -ra *mf*; técnico, -ca *mf*. ◆건축(建築) ~ arquitecto, -ta *mf*. 광산(鑛山) ~ ingeniero, ingeniera *mf* de minas. 기계 ~ ingeniero *m* mecánico, ingeniera *f* mecánica. 농업 ~ ingeniero *m* agrónomo, ingeniera *f* agrónoma. 선박 ~ ingeniero, -ra *mf* naval. 전기 ~ ingeniero, -ra *mf* electricista; [대학교 졸업의] ingeniero *m* electrotécnico, ingeniera *f* electrotécnica. 토목 ~ ingeniero, -ra *mf* civil. 화학 ~ ingeniero *m* químico, ingeniera *f* química. ■~장(長) jefe, -fa *mf* de máquinas; jefe, -fa *mf* de ingenieros.

기사(奇士) sabio *m* con talento maravilloso.

기사(奇事) cosa *f* maravillosa. ■~이적(異蹟) evidencia *f* maravillosa.

기사(奇思) pensamiento *m* maravilloso.

기사(起死) resucitación *f*. ~하다 resucitar. ■~회생(回生) resucitación *f*, renacer *m*, reanimación *f*. ¶~하다 resucitar, renacer, reanimar. 그는 ~의 골을 넣었다 El metió un gol que salvó la situación.

기사(記事) artículo *m*; [정기적인] columnas *fpl*, crónica *f*. …에 ~를 게재하다 insertar en *algo*, publicar en *algo*. (여백을 메울) 짧은 ~를 쓰다 escribir un artículo de relleno. ◆사망 ~ obituario *m*, notas *fpl* necrológicas. 사회 ~ noticias *fpl* sociales. 신문 ~ artículo *m* periodístico. 지방 ~ noticias *fpl* locales. 특종 ~ primicia *f*, pisotón *m*. ■~문(文) descripción *f*, composición *f* descriptiva. ~ 문체 estilo *m* descriptivo. ~ 작법 método *m* de escribir las columnas. ~체(體) estilo *m* descriptivo. ~ㅅ거리 noticias *fpl*.

기사(記寫) apunte *m*. ~하다 apuntar.

기사(棋士) [바둑의] jugador, -dora *mf* de *baduc*; [장기의] jugador, -dora *mf* de ajedrez coreano.

기사(幾死) media muerte *f*. ~하다 casi morir.

기사(機事) cosa *f* secreta.

기사(騎士) caballero *m*; [추상적] caballería *f*. ■~도(道) caballería *f*. ¶~의 caballeresco. ~도 소설 novela *f* caballeresca. ~ 이야기 libros *mpl* de caballerías. ~ 정신(精神) =기사도(騎士道).

기사(騎射) el montar a caballo y el tirar al arco, tiro *m* con arco montado.

기사(飢死/饑死) muerte *f* de hambre. ~하다 morir(se) de hambre. ☞아사(餓死)

기산(起算) comienzo *m* a contar. ~하다 comenzar a contar. …부터 ~하다 contar a partir de …. 오늘부터 ~하여 contando desde hoy, contando a partir de hoy. ■~일(日) día *m* de inicio del plazo, día *m* desde el que [a partir del cual] se cuenta un plazo [un término]. ¶이자 ~ fecha *f* valor. ~점(點) punto *m* de partida de cálculos.

기산(譏訕) calumnia *f*, difamación *f*. ~하다 calumniar, difamar, hablar mal (de).

기산지절(箕山之節) fidelidad *f* firme.

기상(奇相) fisonomía *f* extraña.

기상(奇想) idea *f* fantástica. ■~천외(天外) lo original, lo fantástico, lo inimaginable. ¶~의 muy original, fantástico, inimaginable. ~한 행동 actitud *f* fantástica. 아이디어가 ~하다 La idea es fantástica.

기상(起床) levantamiento *m*, levantar *m*. ~하다 levantarse. ~시키다 levantar. 몇 시에 ~하십니까? — 나는 아침 5시에 ~합니다 ¿A qué hora se levanta usted? — Me levanto a las cinco de la mañana.
■ ~ 나팔(喇叭) diana *f*. ~ 시간 hora *f* de levantarse.

기상[1](氣相) =기색(氣色).

기상[2](氣相) estado *m* gaseoso.

기상(氣象) fenómeno *m* atmosférico; [천후] tiempo *m*.
■ ~ 개황 condición *f* del tiempo general. ~ 경보 alarma *f* meteorológica, alarma *f* del tiempo. ~ 관제 [공항의] control *m* meteorológico. ~ 관측 observación *f* meteorológico. ~ 관측기 meteoroscopio *m*. ~ 관측소 observatorio *m* meteorológico. ~구(區) zona *f* meteorológica. ~ 국보(局報) telegrama *m* meteorológico. ~ 기호(記號) símbolos *mpl* del cielo. ~대(臺) estación *f* meteorológica, observatorio *m* meteorológico. ¶중앙 ~ el Observatorio Central de Meteorología. ~ 대원(臺員) meteorólogo, -ga *mf*, hombre *m* del tiempo. ~도(圖) mapa *m* meteorológico. ~ 레이더 radar *m* meteorológico. ~ 방송 emisión *f* meteorológica. ~병 enfermedad *f* meteorológica. ~ 예보 pronóstico *m* del tiempo. ~ 요소(要素) =기후 요소(氣候要素). ~ 위성 satélite *m* meteorológico. ~ 인자(因子) =기후 인자. ~ 재해(災害) calamidad *f* causada por el fenómena atmosférico. ~ 주의보 alarma *f* meteorológica. ~청(廳) el Servicio Meteorológico Nacional, el Departamento Meteorológico. ~청장 director, -tora *mf* del Servicio Meteorológico Nacional, director, -tora *mf* del Departamento Meteorológico. ~ 특보 boletín *m* meteorológico. ~학 meteorología *f*. ~ 학자 meteorólogo, -ga *mf*, meteorologista *mf*. ¶저명한 ~ célebre meteorólogo, -ga *mf*.

기상(氣像) carácter *m*, natural *m*, disposición *f*, genio *m*; [기력] espíritu *m*.

기상(機上) interior *m* del avión. ~에서 a bordo, en el avión.

기상곡(綺想曲/奇想曲) =광상곡(狂想曲).

기색(氣色) [표정] aspecto *m*, apariencia *f*, expresión *f* (facial); [감정] humor *m*, genio *m*; [표시] signo *m*, señal *f*. 절망의 ~으로 con cara de desesperación, con cara de desesperado. ~이 좋다 tener buena cara. ~이 나쁘다 tener mala cara. 성난 ~을 하다 enfadarse, irritarse, enojarse, enfurecerse 피로의 ~이 짙다 tener cara de estar muy cansado. 그는 ~이 좋다 El tiene buena cara. 그녀는 ~이 나쁘다 Ella tiene mala cara. 너는 불행한 ~이다 Parece que estás triste / *AmL* Se te ve triste. 그렇게 놀란 ~을 하지 마라 No pongas esa cara de asombro.

기색(基色) =원색(原色).

기색(飢色/饑色) semblante *m* hambriento.

기생(妓生) *gisaeng*, muchacha *f* cantante y danzante.
■ ~방(房) casa *f* de *gisaeng*. ~오라비 ㉮ [기생의 오빠나 동생] hermano *m* de *gisaeng*. ㉯ [화려하게 차려 입거나 몹시 모양을 내고 다니는 남자] hombre *m* que se viste bien. ~집 ㉮ [기생이 사는 집] casa *f* que vive *gisaeng*. ㉯ [기생이 있는 술집] taberna *f* que hay *gisaeng*. ~퇴물(退物) mujer *f* que era *gisaeng* antes.

기생(寄生) parasitismo *m*. ~하다 ser parásito (de), vivir parásito, vivir dentro (de). ~의 parasítico, parásito.
■ ~ 계급(階級) clase *f* parásita. ~군(群) flora *f*. ~근[뿌리] raíz *f* parasítica. ~ 기형체(畸形體) monstruo *m* parasítico. ~ 동물 zooparásito *m*, parásito *m*. ~목(木) parásito *m*. ~물(物) parásito *m*. ~물학(物學) parasitología *f*. ~물 학자 parasitólogo, -ga *mf*. ~ 미생물(微生物) microparásito *m*. ~ 상태(狀態) paratismo *m*. ~ 식물 planta *f* parásita, epifito *m*. ~음(音) sonido *m* parasítico, parásito *m*. ~ 전류 corriente *f* parasítica. ~ 진드기증(症) gamasoidosis *f*. ~체(體) parásito *m*, parasito *m*. ~ 태아(胎兒) feto *m* parasítico. ~ 화산 volcán *m* parasítico.

기생 식물(氣生植物) 【식물】 planta *f* aérea.

기생충(寄生蟲) ① 【동물】 parásito *m*, parasito *m*, helminto *m*, insecto *m* parásito. ~ 모양의 helmitoideo. ② [남에게 의지해 살아가는 사람] parásito *m*. 그는 사회(社會)의 ~이다 El es un parásito de la sociedad.
■ ~ 감염(感染) parasitización *f*. ~ 감염증(感染症) inverminación *f*. ~ 감염 측정법(感染測定法) patometría *f*. ~ 공포증(恐怖症) helmintofobia *f*, parasitofobia *f*. ~ 구제제(驅除劑) parasiticida *m*. ~ 박멸제(撲滅劑) parasiticida *f*. ~병(病) enfermedad *f* parasitaria. ~ 보유자(保有者) portador *m* parásito, portadora *f* parásita. ~성 무색소증 acromía *f* parasítica. ~성 빈혈(性貧血) parasitinemia *f*. ~성 이염(性耳炎) otitis *f* parasítica. ~성 충수염 apendicitis *f* verminosa. ~ 중복 감염 superparasitismo *m*. ~증(症) helmintiasis *f*, parasitosis *f*. ~ 토출(吐出) helmintemesis *f*. ~학 parasitología *f*. ~학자(學者) parasitólogo, -ga *mf*. ~ 혈증(血症) parasitemia *f*.

기서(奇書) libro *m* raro, libro *m* extraño.
■ ~가(家) =기고가(寄稿家). ~자[인] persona *f* que envía [manda] la carta.

기서(起誓) juramento *m*. ~하다 juramentar, jurar.

기서(寄書) ① [편지를 붙임] envío *m* de la carta. ~하다 enviar la carta, mandar la carta. ② [부치는 편지] carta *f* enviada, carta *f* mandada. ③ =기고(寄稿).

기석(奇石) piedra *f* extraña.

기석(碁石/棋石) =바둑돌.

기선(汽船) vapor *m*, barco *m* de [a] vapor, buque *m* de [a] vapor; [정기의] vapor *m* de servicio regular. ~으로 por vapor.
■ ~ 회사(會社) compañía *f* de vapores.
기선(岐線) =분기선(分岐線).
기선(基線) ① 【측량】 línea *f* básica. ② =간선(幹線).
기선(機先) iniciativa *f*. ~을 제(制)하다 tomar iniciativa, tomar la delantera (a), coger la delantera (a), anticiparse (a), adelantarse (a). ~을 잡고 …하다 adelantarse a + *inf*.
기선(機船) ((준말)) =발동기선(發動機船).
기설(既設) lo establecido ya. ¶~의 establecido.
기성(奇聲) grito *m* extraño. ~을 지르다 dar un grito extraño.
기성(既成) lo hecho ya, lo establecido ya. ~하다 ser hecho ya, ser establecido ya. ~의 cumplido, realizado, hecho, establecido, fijo, de confección, preparado; [현존(現存)의] existente.
■ ~ 개념(概念) idea *f* preconcebida, idea *f* fija. ~ 도덕(道德) moral *f* establecida. ~ 문단(文壇) círculo *m* literario existente. ~ 문화(文化) cultura *f* existente. ~복(服) ropa *f* hecha, vestido *m* hecho. ~ 사실(事實) hecho *m* realizado, hecho *m* cumplido, hecho *m* consumado, cosa *f* acabada. ~ 세대(世代) generación *f* existente. ~ 작가(作家) escritor *m* conocido, escritora *f* conocida. ~ 정당(政黨) partido *m* político existente. ~ 조건 condición *f* cumplida. ~ 품(品) artículo *m* confeccionado, artículo *m* de confección, artículo *m* hecho. ~화(靴) zapatos *mpl* confeccionados, zapatos *mpl* de confección.
기성(期成) resolución *f* a llevar a cabo. ~하다 resolver a llevar a cabo.
■ ~회(會) asociación *f* para la realización (de un plan); [학교의] asociación *f* para apoyar (financieramente) la escuela. ~ 회비 cuota *f* para apoyar la escuela, cuota *f* de organización para apoyar financieramente la administración de la escuela.
기성(棋聖/碁聖) gran maestro, -tra *mf* de *baduc* o ajedrez coreano.
기성명(記姓名) ① [성과 이름을 적음] apunte *m* de nombre y apellido. ② [학식이 없음] analfabetismo *m*.
기성암(基性岩) 【광물】 =염기성암(鹽基性岩).
기성 작용(氣成作用) 【지질】 pneumatolisis *f*.
기성하다(氣盛-) (ser) enérgico, vigoroso.
기세(氣勢) ① [의기가 강한 형세. 남이 보기에 두려워할 만한 힘] espíritu *m*, vigor *m*, actividad *f*, animación *f*, entusiasmo *m*, ardor *m*, fervor *m*. ~ 좋은 enérgico, animoso, vigoroso, vivo, brioso. ~ 좋게 con fuerza, con energía, con vigor, vivamente, animosamente, con brío, violentamente, con ímpetu, con vehemencia, impetuosamente. ~ 좋은 목소리 voz *f* muy viva, voz *f* muy animada. 무서운 ~ actitud *f* amenazadora. ~를 꺾다 desanimar, desalentar, enfriar el entusiasmo (de), entibiar el entusiasmo (de). ~에 압도당하다 estar intimidado, sentirse intimidado. ~ 좋게 떠들다 divertirse bulliciosamente, amar jaleo, seguir hablando (más que siete), hablar con volubilidad, hablar sin parar; [열심히] decir con vehemencia. ~ 돈을 쓰다 gastar el dinero libremente, gastar el dinero a manos llenas. 처음의 ~가 죽다 dejar a medias, dejar sin completarlo. 그는 ~ 좋게 나갔다 El salió muy animado / El salió lleno de animación. 그는 대단한 ~다 El es un hombre que se destaca a grandes pasos. 강물이 ~ 좋게 흐르고 있다 El río corre impetuosamente. 나는 그의 말에 ~가 꺾였다 Sus palabras me desanimaron / Sus palabras me apagaron mi entusiasmo. 그녀는 대단한 ~로 말을 계속하고 있다 Ella sigue hablando con gran ardor [entusiasmo]. 자동차는 ~ 좋게 달리다가 도로에서 벗어났다 El coche iba a tanta velocidad que salió despedido de la carretera. ② =형세(posición, situación).
◆기세(를) 부리다[피우다] avivar(se), animarse, entusiasmarse, alborotar. 데모대는 대사관 앞에서 기세를 부렸다 Los manifestantes gritaron acaloradamente ante la embajada.
기세(棄世) ① =별세(別世). ② =둔세(遁世).
기세(欺世) ① =별세(別世). ② [세상을 멀리하여 초탈함] trascendencia *f*, actitud *f* distante.
■ ~도명(盜名) el engañar a todo el mundo y el codiciar el honor vano.
기세(飢歲) =흉년(凶年).
기세양난(其勢兩難) dilema *m*, aprieto *m*, apuro *m*. ~하다 estar en un dilema. 나는 ~에 빠져 있다 Estoy en un dilema / No sé si ir o no.
기세은둔(棄世隱遁) vida *f* recluida, vida *f* en reclusión, vida *f* aislada, vida *f* retirada. ~하다 vivir recluido, vivir aislado.
기소(起訴) acusación *f*, procesamiento *m*. ~하다 acusar, procesar, procurar, formular una acusación (contra).
■ ~ 독점주의(獨占主義) principio *m* del monopolio del procesamiento. ~ 사실(事實) hecho *m* punible procesado. ~ 유예(猶豫) anulación *f* de la acusación. ~장(狀) ((구용어)) =공소장(公訴狀).
기송(起送) ① [사람을 보냄] envío *m*. ~하다 enviar (a), mandar (a). ② 【역사】 escolta *f* a un prisionero. ~하다 escoltar a un prisionero.
기수(奇數) ((구용어)) =홀수.
기수(基數) número *m* cardinal.
■ ~사(詞) numeral *m* cardinal.
기수(旗手) abanderado *m*; [기병의] portaestandarte *m*.
기수(機首) 【항공】 proa *f* (de un avión). 비행기가 ~를 올린다 [내린다] El avión se encabrita [desciende] de cabeza.
기수(騎手) jinete *m*, caballero *m*, cabalgador

m; [경마의] jockey *m* (*pl* jockeys).

기숙(寄宿) hospedería *f*, alojamiento *m*. ~하다 hospedarse, alojarse.
■ ~사(舍) dormitorio *m*, residencia *f*; [학생의] internado *m*, pensión *f*. ¶~에 넣다 poner (a *uno*) un internado. ~에 들어가다 entrar en un internado. ~생 pensionista *mf*, (alumno *m*) interno *m*, (alumna *f*) interna *f*. ¶그 학교에서는 전 학생이 의무적으로 ~이다 En ese colegio todos los alumnos son obligatoriamente internos.

기술(技術) técnica *f*, arte *m*(*f*), conocimiento *m* técnico; [과학 기술 일반] tecnología *f*; [기교] habilidad *f* técnica. ~(상) técnico, tecnológico. ~의 곤란 dificultad *f* técnica. ~의 진보 mejora *f* técnica. ~을 걸다 [유도 따위에서] aplicar una técnica de ataque (a). ~을 발휘하다 desplegar *su* destreza, hacer alarde de *su* habilidad. ~을 배우다 aprender [asimilar · adquirir] la técnica. 밥을 짓는 것은 일종의 ~이다 Es un arte cocinar el arroz.
◆ 생산 ~ tecnología *f* manufacturera. 첨단(尖端) ~ tecnología *f* actualizada.
■ ~가(家) =기술자(技術者). ~ 개발(開發) desarrollo *m* técnico. ~ 검사(檢査) supervisión *f* técnica. ~ 격차(隔差) discrepancia *f* en técnica. ~ 고문(顧問) asesor *m* técnico, asesora *f* técnica; consejero *m* técnico, consejera *f* técnica. ~공(工) mecánico, -ca *mf*, técnico, -ca *mf*. ~ 공포증(恐怖症) ecnofobia *f*. ~ 교류(交流) intercambio *m* técnico. ~ 교육 formación *f* profesional, formación *f* técnica. ~ 도입(導入) introducción *f* de tecnología. ~ 서적 libros *mpl* técnicos. ~ 수준(水準) nivel *m* de técnica, nivel *m* tecnológico. ~ 수출 exportación *f* de tecnología. ~어(語) terminología *f* técnica. ~ 용어(用語) =기술어. ~ 용역(用役) servicio *m* técnico, servicio *m* tecnológico. ~ 원조 ayuda *f* técnica, ayuda *f* tecnológica, asistencia *f* técnica. ~ 이전(移轉) transferencia *f* técnica. ~자 técnico, -ca *mf*, [기사] ingeniero, -ra *mf*. ~ 장비(裝備) artículos *mpl* técnicos. ~적(的) técnico, tecnológico. ¶~으로 técnicamente, en términos técnicos, desde el punto de vista técnico. ~으로 어렵다 ser técnicamente difícil. 그것은 ~으로 불가능하다 Es técnicamente imposible. ~으로 우리는 많은 진보를 했다 Desde el punto de vista técnico hemos avanzado mucho. ~ 전문어(專門語) =기술어. ~ 점검 inspección *f* técnica. ~ 정보(情報) pericia *f* técnica, información *f* técnica, know-how *ing.m* técnico. ~ 정비(整備) mantenimiento *m* técnico. ~ 제휴 cooperación *f* técnica. ~ 직원(職員) empleado *m* técnico, empleada *f* técnica. ~진(陣) personal *m* técnico. ~ 진용(陣容) personal *m* técnico. ~ 집약형 산업 industria *f* de tecnología intensiva. ~ 집약형 신흥 산업 industria *f* del porvenir. ~ 축약(縮約) acumulación *f* de tecnología. ~ 통제(統制) control *m* técnico. ~ 학교 instituto *m* de formación profesional, escuela *f* politécnica. ~ 향상 adelanto *m* tecnológico. ~ 혁명 revolución *f* técnica. ~ 혁신 renovación *f* [inovación *f*] técnica [tecnológica]. ~ 협력(協力) cooperación *f* técnica.

기술(奇術) malabarismos *mpl*, juegos *mpl* malabares, juegos *mpl* de manos, mágica *f*. ~을 부리다 hacer malabarismos (con), hacer juegos malabares (con), hacer juegos de manos (con).
■ ~사(師) malabarista *mf*, mago, -ga *mf*, prestidigitador, -dora *mf*.

기술(記述) descripción *f*, narración *f*. ~하다 describir, relatar, narrar.
■ ~ 문법[문전]【언어】gramática *f* descriptiva. ~적(的) descriptivo. ~적 과학(的科學) ciencia *f* descriptiva. ~ 천문학(天文學) astronomía *f* descriptiva. ~체 estilo *m* descriptivo. ~학(學) ciencia *f* descriptiva.

기술(既述) lo mencionado ya. ~하다 ya haber mencionado. ~한 바와 같이 como ya mencionado.

기스락 ① [기슭의 가장자리] orilla *f*, borde *m*. ② [초가의 처마 끝] borde *m* del alero.

기슭 orilla *f*, borde *m*, base *f*; [산의] pie *m*, falda *f*. 강 ~에 a la orilla del río. 남산 ~에 al pie del monte *Namsan*.

기습(奇習) costumbre *f* extraña, costumbre *f* rara, hábito *m* extraño, hábito *m* raro.

기습(奇襲) ataque *m* imprevisto, ataque *m* sorpresa. ~하다 sorprender, atacar por sorpresa.
■ ~ 방지 위성 satélite *m* de alarma temprana. ~ 부대(部隊) tropas *fpl* de asalto, tropas *fpl* de choque. ~ 부대원 soldado *m* de las tropas de asalto. ~전(戰) ataque *m* sorpresa, guerrilla *f*.

기습(氣習) =풍습(風習).

기승(奇勝) paisaje *m* maravilloso.

기승(氣勝) indomabilidad *f*, lo resuelto, lo decidido. ~하다 (ser) resuelto, decidido, valiente, valeroso, enérgico, ardiente, vehemente, lleno de vida. ~한 여인 mujer *f* resuelta, mujer *f* decidida.
◆ 기승(을) 떨다 (ser) resuelto, decidido. 기승(을) 부리다[피우다] (ser) resuelto, decidido.
기승스럽다 (ser) indomable, voluntarioso.
기승스레 indomablemente, voluntariosamente.

기승전결(起承轉結)【문학】introducción, desarrollo, cambio y conclusión.

기승전락(起承轉落)【문학】=기승전결.

기승전합(起承轉合)【문학】=기승전결.

기시기(記時器) =타임 리코더.

기식(氣息) aliento *m*, respiración *f*. ☞숨
■ ~엄엄(奄奄) respiración *f* débil. ~하다 boquear, tener la respiración débil; [사업 따위가] estar amenazado [en peligro] de ruina.

기식(寄食) comida *f* y alojamiento. ~하다

gorronear, hacer vida de gorrón, vivir a costillas de los demás, vivir de gorra, gorrear, *RPI* vivir de gorrón, garronear, *Chi* bolsear.

■ ~자(者) gorrón, -rrona *mf*; gorrero, -ra *mf*; *RPI* garronero, -ra *mf*; *Chi* bolsero, -ra *mf*; adlátere *mf*; parásito *m*.

기신(忌辰) =기일(忌日).

기신(起身) ① [몸을 일으킴] levantamiento *m*. ~하다 levantarse. ② [몸을 빼쳐 관계를 끊음] secesión *f*, separación *f*. ~하다 separarse.

기신(氣神) el ánimo y el espíritu, la energía y el espíritu.

기신없다 (se) lánguido, penoso, cansino.

기신없이 lánguidamente, con languidez, penosamente, cansinamente.

기신거리다 mover sin fuerzas, agitar [mover] lánguidamente.

기신기신 penosamente, con languidez, lánguidamente, cansinamente, sin fuerzas. ~걷다 caminar penosamente [con languidez · lánguidamente · cansinamente].

기신호(旗信號) señal *f* de bandera. ~하다 señalar con una bandera.

기실(其實) ① [그 사실] esa verdad. ② [사실상으로] realmente, verdaderamente, a decir verdad, en realidad.

기심(己心) ese corazón.

기심(欺心) engaño *m* a *sí* mismo. ~하다 engañarse a *sí* mismo.

기쓰다(氣-) hacer todo lo que se puede, hacer cuanto se puede, hacer todo lo posible. 기써서 con todas *sus* fuerzas. 돕기 위해 ~ hacer todo lo posible por ayudar. 기써서 밀다 empujar con todas *sus* fuerzas. 기써서 싸우다 luchar con todas *sus* fuerzas. 기써서 일하다 trabajar con todas *sus* fuerzas.

기아(棄兒) ① [부양할 의무가 있는 사람이 몰래 아이를 내다 버림] abandono *m* a un niño. ~하다 abandonar a un niño. ② [몰래 버린 아이] bebé *m* abandonado, niño *m* abandonado, niño *m* expósito, niña *f* abandonada, niña *f* expósita. 골목에서 ~가 발견되었다 Encontraron al bebé abandonado en la callejuela.

기아(飢餓/饑餓) el hambre *f*, inanición *f*.

■ ~ 다이어트 *dieta f de hambre*. ~ 동맹(파업) huelga *f* de hambre. ¶~을 하다 hacer [estar haciendo] huelga de hambre. ~ 부종(浮腫)【의학】edema *m* de inanición. ~선(線) borde *m* del hambre. ~성산증(性酸症) acidosis *f* de hambre. ~ 쇠약 limoftisis *f*. ~ 수출(輸出) exportación *f* de hambre. ~ 요법 pinoterapia *f*, nestiatria *f*, limoterapia *f*, terapia *f* de hambre. ~ 임금(賃金) salario *m* de hambre, sueldos *mpl* de hambre. ~증(症) pedofilia *f*. ~ 행진(行進) marcha *f* de hambre.

기악(妓樂) ① [기생과 풍류] *gisaeng* y elegancia. ② [기생의 풍류] elegancia *f* de *gisaeng*.

기악(器樂) música *f* instrumental.

■ ~곡(曲) canción *f* de la música instrumental. ~부(部) partes *fpl* instrumentales. ~ 연주가(演奏家) instrumentalista *mf*, músico, -ca *mf* instrumental. ~ 편성법(編成法) instrumentación *f*.

기안(妓案)【역사】libro *m* que apuntaba los nombres de *gisaeng*.

기안(奇案) proyecto *m* curioso.

기안(起案) bosquejo *m*, proyecto *m*, designio *m*, dibujo *m*. ~하다 bosquejar, hacer un proyecto (de), designar, dibujar.

■ ~자(者) dibujante *mf*.

기암(奇巖) roca *f* curiosa, roca *f* fantástica.

■ ~ 괴석(怪石) las rocas y las piedras fantásticas. ~ 절벽(絶壁) las rocas y los precipicios fantásticos.

기압(氣壓) presión *f* atmosférica. ~이 오른다 La presión atmosférica sube. ~이 내린다 La presión atmosférica baja. ~이 천 밀리바이다 La presión atmosférica es de mil milibares.

◆절대(絶對) ~ atmósfera *f* absoluta.

■ ~ 경도(傾度) pendiente *f* barométrica. ~계(計) barómetro *m*, manoscopio *m*, aerotonómetro *m*. ¶아네로이드 ~ barómetro *m* aneroide. 자기(自記) ~ barógrafo *m*. ~ 고도계 altímetro *m* barométrico. ~골 depresión *f*, zona *f* de bajas presiones. ~ 배치(配置) distribución *f* de presión atmosférica. ~ 변화성 현기증 vértigo *m* alternobárico. ~성 치통 barodontalgio *m*. ~ 요법(療法) aeropiezoterapia *f*. ~ 측정기(測程器)【항공】variómetro *m*. ~ 측정법 barometría *f*. ~파(波) onda *f* atmosférica.

기약(奇藥) medicina *f* maravillosa, medicina *f* eficaz.

기약(既約) ① [이미 되어 있는 약속(約束)] prometido *m*. ②【수학】lo reducido por fracción.

■ ~ 분수(分數)【수학】fracción *f* simple.

기약(期約) promesa *f*. ~하다 prometer. 우리는 재회(再會)를 ~하고 헤어졌다 Nos despedimos prometiendo vernos otra vez. 다음 주말(週末) 그녀와 만날 ~이 있다 Yo tengo una cita con ella el fin de semana que viene.

기약하다(氣弱-) (ser) tímido, medroso.

기어(奇語) =기언(奇言).

기어(旗魚)【어류】=청새치.

기어(영 *gear*) ① [톱니바퀴] rueda *f* dentada. ② [변속 장치(變速裝置)] caja *f* de engranajes, engranaje *m*; [자동차의] caja *f* de cambios, caja *f* (de cambio) de velocidades, marcha *f*, velocidad *f*, cambio *m*. ~를 넣다 embragar, engranar, meter una velocidad. ~를 바꾸다 cambiar la velocidad [la marcha], cambiar de marcha, cambiar de velocidad, hacer un cambio. 1단 [2단 · 3단 · 4단] ~를 넣다 poner [meter] (la) primera [segunda · tercera · cuarta]. 5단 ~ 변속 장치 una caja de cambios de cinco marchas [velocidades]. 10단 ~ 자전거 una

bicicleta con diez marchas [velocidades].
◆감속(減速) ~ marcha *f* de reducción. 랜딩[착륙] ~ engranaje *m* de aterrizaje. 후진(後進) ~ marcha *f* atrás, *Col, Méj* reversa *f*.
■~ 오일 aceite *m* de engrase, aceite *m* para engrasar.

기어가다 avanzar arrastrándose.

기어들다 ① [몰래 들어오거나 들어가다] entrar en secreto. ② [움츠리며 들어가다] entrar achicándose.

기어오다 venir acá arrastrándose.

기어오르다 ① [기어서 높은 곳으로 가다] trepar, encararse, subir a la altura arrastrándose. 나무에 ~ trepar a un árbol. 그는 나무에 기어올랐다 El se encaramó a [en] un árbol. 그는 지붕에 기어오른다 El se encarama al tejado. 나는 그것을 잡으러 나무에 기어올랐다 Trepé al árbol para alcanzarlo. 그는 바위를 기어올랐다 El subió las rocas gateando. 그들은 벽을 기어올라 갔다 Ellos treparon [se encaramaron] al muro y saltaron.
② [웃어른이 너그럽게 대해 주는 것을 기화로 버릇없이 굴다·분수 모르게 굴다] envanecerse, hincharse, inflarse, engreírse, hacerse presuntuoso [presumido · arrogante]. 그는 상을 받더니 기어오르고 있다 Como le han dado un premio, él está engreído. 그는 추켜주니 기어올랐다 La adulación le ha hecho arrogante. 그에게 친절하게 대할수록 더욱 기어오른다 Cuánto más bondadoso se es con él, (tanto) más se enorgullece. 인내에도 한계가 있으니 기어오르지 마라 No me tientes la paciencia / No abuses de mi paciencia.

기어이(期於一) ① [반드시. 꼭] sin falta, sin duda. ~ 성공하겠다 Voy a tener buen éxito sin falta. ② [마침내] al fin, por fin, en fin, finalmente. 나는 ~ 이겨냈다 Al fin yo gané.

기어코(期於一) =기어이.

기억(記憶) memoria *f*, recuerdo *m*. ~하다 recordar, acordarse (de), retener, rememorar, tener memoria (de), tener presente, traer a la memoria; [암기하다] aprender de memoria, memorizar, conservar la memoria (de). ~할만한 memorable, recordable. ~에 남다 quedar en memoria. ~에 남기다 guardar en la memoria. ~에서 사라지다 borrar(se) de la memoria. ~을 더듬다 exprimirse la memoria, buscar a tientas los recuerdos. ~을 새롭게 하다 refrescar la memoria, renovar la memoria. ~을 잃다 perder la memoria. 단어를 ~하다 aprender palabras de memoria. 내가 ~을 잘못하고 있지 않다면 … Si la memoria no me falla … / Si mal no recuerdo … / Si no me acuerdo …. 나를 ~하십니까? ¿Me recuerda usted? / ¿Se acuerda usted de mí? 이 숫자를 ~해 두십시오 Aprenda usted este número de memoria. 나는 그런 말을 한 ~이 없다 No me acuerdo de haber dicho tal cosa. 나는 잘못을 저지른 ~이 없다 No tengo conciencia de culpabilidad. 당신을 영원히 ~하겠다 Le recordaré para siempre. 그것은 네 ~이 틀렸다 Eso se debe a tu mala memoria. 나는 그녀를 한 번 만난 것으로 ~하고 있다 Me acuerdo de haberla visto una vez. 그 사고만 어렴풋이 ~날 뿐이다 Sólo tengo un recuerdo vago de ese accidente. 나는 그것을 어제 일처럼 ~하고 있다 Lo recuerdo como si hubiera ocurrido [sido] ayer. 그 사고는 아직도 내 ~에 남아 있다 El accidente aún queda en mi memoria [en mi recuerdo]. 그의 죽음은 우리들의 ~에 아직도 생생하다 Su muerte aún está viva en nuestro recuerdo. 사진을 보고 과거의 ~이 되살아났다 Al ver la fotografía resucitaron memorias del pasado. 나는 전혀 이름들을 ~할 수 없다 No puedo aprender de ningún modo los nombres / No puedo mantener en la memoria de ningún modo los nombres.
■~계(計) anamnesis *f*. ~력(力) memoria *f*, retentiva *f*. ¶~이 나쁜 olvidazo, flaco de memoria. ~이 좋은 memorioso. ~이 나쁜 사람 memoria *f* de gallo, memoria *f* de grillo. ~이 좋은 사람 memorioso, -sa *mf*. ~이 좋다 tener buena memoria [retentiva], ser de buena memoria [retentiva], tener (una) feliz memoria, ser fuerte de memoria. ~이 나쁘다 tener mala memoria [retentiva], ser de mala memoria [retentiva], tener una flaca memoria, ser débil de memoria. ~이 비상하다 tener memoria de elefante. ~을 상실하다 perder la memoria. 나는 ~이 둔해졌다 Se me ha debilitado la memoria. 그의 ~은 대단했다 Su memoria era magnífica / El tiene memoria de elefante. 나는 ~이 아주 나빠졌다 Se me ha entorpecido mucho la memoria / Se me escapa fácilmente la memoria. ~력 이상증진(力異常增進) hipermnesia *f*. ~법(法) sistema *m* mnemónico. ~ 상실(喪失) abulia *f*, pérdida *f* de la memoria. ~ 상실증(喪失症) amnesia *f*. ~ 상실증 환자(喪失症患者) abúlico, -ca *mf*. ~ 소자(素子) elemento *m* de memoria. ~술(術) mnemotecnia *f*, nemotecnia *f*, mnemotécnica *f*, nemotécnica *f*. ¶~의 mnemotécnico. ~ 용량(容量) **【컴퓨터】** capacidad *f* de memoria. ~ 장애(障碍) defectos *mpl* de memoria. ~ 장치(裝置) **【컴퓨터】** banco *m* de memoria. ¶전자(電子) ~ máquina *f* de memoria electrónica. 주(主)~ unidad *f* de memoria principal. ~ 착오 paramnesia *f*, ilusión *f* de memoria.

기언(奇言) palabras *fpl* extrañas, paradoja *f*.

기엄기엄 gateando, yendo a gatas, arrastrándose.

기업(企業) empresa *f*, negocio *m*. ~의 empresarial, de (la) empresa, de (la) compañía. ~을 일으키다 montar *su* negocio. 그는 자신의 ~을 일으켰다 El montó *su*

propio negocio.
◆ 대(大)~ empresa *f* grande. 외국(外國) ~ empresa *f* extranjera. 중소(中小) ~ empresas *fpl* pequeñas y medianas.
■ ~가(家) empresario, -ria *mf*. ~ 경쟁(競爭) aptitud *f* administrativa. ~ 계열 회사(系列會社) corporación *f* afiliada. ~ 계획(計劃) planificación *f* empresarial. ~ 공채(公債) préstamo *m* a una corporación, préstamo *m* a una empresa, préstamo *m* a una sociedad. ~ 광고(廣告) publicidad *f* corporativa. ~ 그룹 grupo *m* de empresas. ~ 금융 위원회 comité *m* financiero de una empresa. ~ 네트워크 red *f* corporativa. ~ 데이터베이스 base *f* de datos corporativa. ~ 데이터 센터 centro *m* de datos corporativo. ~ 독점권 monopolio *m* de empresa. ~ 멤버 miembro *m* corporativo. ~ 멤버십 suscripción *f* de empresa. ~ 모델 modelo *m* corporativo. ~ 목적 objetivo *m* corporativo. ~ 문화 cultura *f* corporativa. ~ 민주화 democratización *f* de empresa. ~별 조합(別組合) sindicato *m* de empresa. ~ 소득(所得) renta *f* de sociedades. ~ 소득세(所得稅) impuesto *m* sobre la renta de sociedades. ~ 스파이 especulador *m* corporativo. ~ 스파이 활동 especulación *f* agresiva sobre una empresa, espionaje *m* industrial. ~ 승진 단계 escalafón *f* de la empresa. ~ 연합(聯合) cartel *m*. ~열 fiebre *f* industrial, mania *f* para empresa. ~ 윤리(倫理) moralidad *f* corporativa. ~ 융자(融資) finanzación *f* corporativa. ~ 융자안(融資案) proyecto *m* de financiación de una empresa. ~ 이득(利得) ganancias *fpl* corporativas. ~ 이미지 imagen *f* corporativa, imagen *f* de la empresa, imagen *f* de la compañía. ~ 이미지 통합 전략 identidad *f* corporativa. ~ 자본(資本) capital *m* empresial. ~ 자산(資産) activos *mpl* sociales, bienes *mpl* sociales. ~ 재정(財政) finanza *f* corporativa. ~ 전략(戰略) estrategia *f* corporativa. ~ 전략 계획 planificación *f* estratégica corporativa. ~ 정비(整備) ajuste *m* de la empresa. ~ 제휴(提携) =콘체른. ~ 조합(組合) sindicato *m*. ~주(主) empresario, -ria *mf*. ~ 주식 발행(株式發行) emisión *f* de acciones de una compañía. ~ 진단(診斷) asesoría *f* de empresas, consultoría *f* gestión, consultoría *f* administrativa. ~ 진단원 asesor *m* administrativo, asesora *f* administrativa; consultor, -tora *mf* en administración de empresas; consultor *m* administrativo, consultora *f* administrativa; consultor, -tora *mf* en administración. ~ 집단 =기업 그룹. ~ 집중 =기업 결합. ~체 empresa *f*, corporación *f*, compañía *f*. ~ 캠페인 campaña *f* corporativa. ~ 크레디트 카드 tarjeta *f* de crédito corporativa. ~ 통제(統制) control *m* corporativo. ~ 투자(投資) inversión *f* en sociedades. ~ 투자가 inversor *m* corporativo. ~ 합동 trust *m* (*pl* trustes). ~ 합리화 racionalización *f* de empresa. ~ 합병 fusión *f*, amalgamación *f*. ~ 합병 협정 contrato *m* de fusión. ~ 형태 tipo *m* de empresa. ~화(化) [상업화] comercialización *f*; [공업화] industrialización *f*. ¶~하다 comercializar, industrializar. ~ 후원 patrocinio *m* corporativo.

기업(起業) promoción *f* (de una empresa), organización *f*. ~하다 comenzar una empresa.

기업(基業) ① [기초가 되는 사업] empresa *f* básica, negocio *m* básico. ② [대대로 전하여 오는 사업과 재산] el negocio y los bienes herederos. ③ ((성경)) heredad *f*, herencia *f*, propiedad *f*.

기업(機業) industria *f* textil.
■ ~가(家) industrial *mf* textil.

기여(其餘) el resto.

기여(寄與) contribución *f*, servicio *m*. ~하다 contribuir. 과거의 국가 경제 발전의 ~ las pasadas contribuciones al desarrollo económico de la nación. 산업 발전에 ~하다 contribuir al desarrollo de la industria. 그 발명은 인류의 진보에 많은 ~를 하고 있다 Ese invento está contribuyendo mucho al desarrollo de la humanidad.

기역(其亦) ((준말)) =기역시(其亦是).

기역니은 ① [「ㄱ」과 「ㄴ」] ㄱ (kiyeok) y ㄴ (nieun). ② [한글] *hangul*, coreano *m*, idioma *m* coreano, lengua *f* coreana. ~도 모르는 사람 analfabeto, -ta *mf*.

기역니은순(一順) =가나다순.

기역시(其亦是) eso también.

기역자(一字) letra *f* ㄱ del alfabeto coreano.
■ 기역자 왼 다리도 못 그린다 ((속담)) Es completamente analfabeto. 낫 놓고 기역자도 모른다 ((속담)) =기역자 왼 다리도 못 그린다.

기연(奇緣) hado *m* extraño, coincidencia *f* curiosa.

기연(機緣) ① [어떠한 기회와 인연] la oportunidad y la relación, oportunidad *f*, ocasión *f*. ② ((불교)) afinidad *f*.

기연가미연가하다(其然-未然-) (ser) ambiguo. 기연가미연가하게 ambiguamente, con ambigüedad.

기연미연하다(其然未然-) ((준말)) =기연가미연가하다.

기염(氣焰) entusiasmo *m*, espíritu *m* alto. 대(大)~ fanfarronada *f*, jactancia *f*. ~을 토하다 darse importancia, darse infulas, fanfarronear, jactarse; ponerse alegre bebiendo, calentarse bebiendo.
■ ~만장(萬丈) mucho entusiasmo, jactancia *f*, fanfarronada *f*.

기영(機影) sombra *f* de un avión.

기예(技藝) arte *m*, talento *m*, labores *fpl*.
■ ~가(家) artista *mf*. ~ 학교 escuela *f* politécnica.

기예(氣銳) impetuosidad *f*. ~하다 (ser) enérgético, impetuoso. 신진(新進) ~의 joven y energético.

기온(氣溫) temperatura *f* (atmosférica). ~의

변화(變化) el cambio de la temperatura. ~이 오른다 La temperatura sube. ~이 내린다 La temperatura baja. ~이 20도이다 La temperatura es de veinte grados. ~이 30도로 오른다 La temperatura sube a treinta grados. ~이 5도 내린다 La temperatura baja cinco grados. 오늘은 ~이 높다 Hoy hace una temperatura alta. 어제는 ~이 낮았다 Ayer hizo una temperatura baja. 이곳은 ~이 높다 Aquí la temperatura es alta. 한국의 겨울은 ~이 낮다 La temperatura es baja en el invierno en Corea.

◆ 연평균 ~ temperatura *f* media anual. 월평균 ~ temperatura *f* media mensual. 평균 ~ temperatura *f* media.

■ ~ 경도(傾度) 【기상】 pendiente *f* atmosférica, declive *m* atmosférico. ~ 조절(調節) aire *m* acondicionado. ~ 체감률(遞減率) tasa *f* de lapsus. ~파(波) onda *f* de temperatura. ~ 편차(偏差) declinación *f* de temperatura.

기와 teja *f.* ~를 이다 tejar, cubrir de tejas. ~를 이는 cubierto de tejas.

■기와 한 장 아껴서 대들보 썩힌다 ((속담)) Hay gran perjuicio a causa de una cosa pequeña.

■ ~ 공장 tejera *f*, tejar *m*, tejería *f*, taller *m* de tejas, sitio *m* donde se fabrican tejas. ~장이 tejero, -ra *mf*; persona *f* que fabrica tejas. ~ 지붕 tejado *m*. ~집 casa *f* (cubierta) de tejas. ~ㅅ가마 horno *m* para tejas. ~ㅅ고랑 surco *m* en el tejado. ~ㅅ골 ((준말)) =기왓고랑. ~ㅅ장(張) una teja, cada teja.

기와(起臥) levantamiento *m* y acostamiento. ~하다 levantarse y acostarse.

기왕(既往) ① =이전(antes). ② =이미. 벌써 (ya). ③ =기왕에.

기왕에 =이왕에.

기왕이면 =이왕이면.

■ ~력(歷) anamnesis *f.* ~ 반응 respuesta *f* anamnéstica. ~증(症) anamnesis *f*, antecedentes *mpl*. ~지사(之事) asunto *m* [suceso *m*] (que se ha) pasado. ~ 항체성 반응(抗體性反應) reacción *f* anamnéstica.

기외(其外) =기타.

기요(起擾) provocación *f* de un alboroto. ~하다 armar [provocar] un alboroto.

기요틴(불 *guillotine*) guillotina *f*, máquina *f* inventada en Francia para decapitar a los reos de muerte. ~에 앉히다, ~으로 죄수의 목을 베다 guillotinar, decapitar a los reos con la quillotina.

기용(起用) nombramiento *m*, empleo *m*. ~하다 nombrar, designar, elegir; [승진시키다] ascender, promover. 비서(秘書)에 ~하다 nombrar a *uno* secretario [secretaria]. 중요한 직책에 ~하다 promover a *uno* a un puesto importante.

기우(杞憂) temor *m* imaginario, inquietud *f* infundada, preocupación *f* innecesaria. 그것은 ~에 지나지 않는다 Sus temores son infundados.

기우(奇偶) [기수와 우수] (número *m*) impar *m* y par.

기우(奇遇) encuentro *m* casual, encuentro *m* inesperado. 여기서 만나다니 정말 ~이다 ¡Qué sorpresa [casualidad] (es) encontrarte aquí!

기우(寄寓) hospedaje *m* en casa de *uno*, residencia *f* provisional en casa de *uno*. ~하다 hospedarse en casa de *uno*, residir provisionalmente en casa de *uno*. 친척의 집에 ~하다 hospedarse en casa de un pariente, residir provisionalmente en casa de un pariente.

기우(祈雨) oración *f* por lluvia. ~하다 orar para que llueva, hacer rogativas para pedir la lluvia.

■ ~단(壇) altar *m* para pedir la lluvia. ~제(祭) servicio *m* religioso para pedir la lluvia, ritual *m* para la lluvia.

기우(氣宇) el ánimo y la generosidad.

기우듬하다 (ser) algo oblicuo, estar algo inclinado. 탁자가 ~ La mesa está algo inclinada.

기우듬히 oblicuamente.

기우뚱거리다 mecerse, balancearse, tambalearse, sacudirse. 의자에서 기우뚱거리지 마라 Deja de mecerte en la silla.

기우뚱기우뚱 meciéndose, balanceándose, tambaleándose, sacudiéndose.

기운 ① [힘] energía *f*, fuerza *f*, poder *m*. ~(이) 센 poderoso, fuerte, enérgico, energético. ~ 없는 débil, deprimido, abatido, sin brío, sin garra. ~을 다해서 con todas *sus* fuerzas, con toda *su* fuerza. ~이 센 남자 hombre *m* enérgico. 그는 ~이 매우 세다 El es de fuerza hercúlea. 그때에는 그는 이미 ~이 없었다 Ya para entonces él estaba muy débil.

② [원기. 생기] vigor *m*, vitalidad *f*, espíritu *m*, valor *m*, coraje *m*, ánimo *m*, vida *f*, alegría *f*. ~ 있는, ~ 찬 vigoroso, animoso, valiente, corajudo, alegre; [노인이] lleno de vida, dinámico, saludable, robusto, fuerte como un roble, con una salud de hierro. ~이 없는 desanimado, desmoralizado. ~을 내다 animarse, alegrarse. ~이 넘치다 entusiasmarse, animarse. ~이 넘쳐 있다 estar lleno de ardor, estar lleno de entusiasmo, estar muy animado. ~을 내어 일하다 redoblar *sus* esfuerzos en el trabajo, trabajar con ardor, trabajar con ánimo, trabajar con entusiasmo. ~을 내라 ¡Anímo! / ¡Anímate! ~을 내세요 ¡Animo! / ¡Anímese! 그는 그 소식에 ~이 없었다 El demostró muy poco entusiasmo por la noticia. 저 노인은 아직도 ~이 정정하시다 Aquel anciano todavía esta lleno de vida.

③ [천지 만물의] el ánima *f*.

④ [독한 기운 따위] vapor *m*, gas *m*, señal *f*, indicio *m*, influencia *f*, [기미] aire *m*, gusto *m*, síntoma *m*, tacto *m*. 감기 ~ frío *m* ligero. 개선(改善)의 ~ señales *fpl* de mejoría, indicios *mpl* de mejoría. 대리석의

찬 ~ tacto *m* frío del mármol. 독한 ~ gases *mpl* venenosos. 약 ~ efectividad *f* de una medicina, eficacia *f* de una medicina. 술~에 bajo una influencia de licor. 불~이 있다 demostrar señales de calor. 그는 오늘 술~이 좀 있다 El se pone muy poco alegre hoy.

기운차다 estar lleno de vida, estar brioso, vigoroso, fuerte.

기운(氣運) tendencia *f* de tiempo. 민주화의 ~이 고조되었다 Ha cobrado fuerza la tendencia democrática.

기운(氣韻) atmósfera *f*, elegancia *f*, tono *m*.

기운(機運) la oportunidad y la fortuna, la ocasión y la suerte.

기울 salvado *m*, afrecho *m*.

기울(氣鬱) ① [마음이 울적하여 가슴이 아픈 병] melancolía *f*, depresión *f* mental. ② [심기가 우울함] melancolía *f*. ~하다 (ser) melancólico.

■ ~증(症) hipocondria *f*, melancolía *f*.

기울기 ① [경사] pendiente *f*, declive *f*, inclinación *f*; [비탈길] cuesta *f*. 급한 ~ pendiente *f* grande. 완만한 ~ pendiente *f* pequeña, pendiente *f* suave. 지붕의 ~ pendiente *f* del tejado, inclinación *f* del tejado. 30도의 ~ inclinación *f* de treinta grados. ② **【수학】** gradiente *m*.

기울다 ① [경사지다] inclinarse, ladearse, desviarse. 앞으로 ~ inclinarse hacia adelante. 뒤로 ~ inclinarse hacia atrás. 우측으로 ~ inclinarse [ladearse] a la derecha. 좌측으로 ~ inclinarse [ladearse] a la izquierda. 45도 ~ inclinarse cuarenta y cinco grados. 진로(進路)가 동쪽으로 ~ desviarse al este. ② [다른 것과 비교하여 그것보다 못하다] ser peor (que). ③ [한편으로 쏠리다] inclinarse a un costado, escorar, ladearse. 옆으로 기운다 Se inclina a un lado. 배가 기울었다 El barco escoró / El barco se inclinó a un costado. 그 탑은 오른쪽으로 기울고 있었다 La pagoda estaba inclinada [ladeada] a la derecha. 이 선반은 왼쪽으로 약간 기울어져 있다 Este estante está inclinado un poco hacia la izquierda. ④ [해나 달이 저물어 가다] inclinar, ir poniéndose. 달이 ~ estar menguando, inclinarse. 달이 기울기 시작했다 La luna comenzó a inclinarse. 해가 서쪽으로 기울었다 El so ha declinado hacia el oeste. ⑤ [형세가 불리해지다] inclinarse, estar decayendo [disminuyendo · inclinando], estar en decadencia. 불경기(不景氣)로 회사가 기울었다 La compañía quebró debido a la recesión. 국운(國運)이 기울어지고 있다 El prestigio nacional está en el decadencia. 그의 집은 가세가 기울어지고 있다 Su fortuna está decayendo / Su fortuna está bajando. ⑥ [그러한 경향을 띠다] tender [inclinarse · ser propenso] (a *algo* [a + *inf*]). 모든 의견이 찬성으로 기운다 Las opiniones de todos se inclinan a la aprobación. 그의 관심은 공부보다 놀이 쪽으로 기울고 있다 Se interés tiende a la diversión más bien que al estudio.

기울어뜨리다 inclinar (con todas *sus* fuerzas). 병을 ~ inclinar el botella. 그는 뒷쪽으로 의자를 기울어뜨렸다 El inclinó [echó] la silla hacia atrás.

기울어지다 inclinarse. ☞기울다

기울이다 ① [일정한 기준에서 한편으로 쏠리게 하다] inclinar, ladear. 머리를 ~ ladear [inclinar] la cabeza. 몸을 앞으로 ~ inclinar al cuerpo hacia adelante. 탁자를 ~ inclinar la mesa. ② [어떤 방향으로 향하게 하다] (hacer) dirigir. 귀를 ~ prestar atención, aguzar. ③ [남기지 않고 총동원하다] concentrar (en), dedicarse (a), consagrar, aplicarse (a + *inf*). 심혈을 ~ poner toda *su* energía [*su* alma] (en), dedicarse (a *algo*) con todo el corazón. 일에 정력을 ~ consagrar [dedicar] *su* energía al trabajo. 전력을 ~ dedicarse [aplicar toda la energía · consagrar todos *sus* esfuerzos] (a *algo* [a + *inf*]). 전력을 기울여 con toda *su* energía, con todas *sus* fuerzas, con toda *su* fuerza. 그는 보람 있는 일에 노력을 기울여야 할 것이다 El debería concentrar sus esfuerzos en algo que mereciese la pena. ④ [형세를 불리하게 하다] arruinar, destruir, echar por tierra; [돈을] despilfarrar, derrochar; [재산을] dilapidar. 나라를 ~ arruinar un país. 재산을 ~ dilapidar *su* fortuna.

기움말 【언어】 complemento *m*.

기웃거리다 estirarse, atisbar, mirar por un agujero sin ser visto, mirar a escondidas, mirar furtivamente, mirar (a hurtadillas), husmear, curiosear, fisgonear, echar una ojeada [una mirada] furtiva (a). 자물쇠 구멍으로 ~ mirar por el ojo de la cerradura. 커튼 뒤를 ~ atisbar detrás de los visillos [las cortinas]. 우리는 커튼 뒤를 기웃거렸다 Nos asomamos por detrás de las cortinas. 너와 관계없는 일에 기웃거리지 마라 No te metas en lo que no te importa / No metas las narices en lo que no te importa. 그녀는 무슨 일인지 보려고 창문으로 기웃거렸다 Ella se asomó a la ventana y estiró el cuello para ver qué pasaba.

기웃이 ㉮ [기우듬히] oblicuamente, inclinándose. ㉯ [고개를] husmeando, fisgoneando, curioseando, mirando furtivamente.

기웃하다 ① [조금 기울다] inclinarse un poco, ladearse un poco. ② [조금 기울이다] inclinar un poco, ladear un poco. 그는 머리를 옆으로 기웃했다 El ladeó la cabeza.

기원(技員) ingeniero *m* [técnico *m*] adjunto, ingeniera *f* [técnica *f*] adjunta.

기원(祈願) ruego *m*, rezo *m*, petición *f*, oración *f*, súplica *f*, plegaria *f*, invocación *f*. ~하다 rogar, rezar (a Dios), orar, invocar, pedir, suplicar, ofrecer oraciones, elevar una oración. 하나님에게 ~하다 ofrecer oraciones a Dios, elevar una oración [preces] a Dios. 내 ~에 응답하셨다 Ha sido

escuchada [aceptada] mi oración. 나는 부모님의 무사를 하나님께 ~했다 Recé a Dios para que mis padres se encontrara sano y salvo. 성공을 ~하나이다 ¡Que salga bien! / ¡Que tenga éxito! / Ruego por su éxito.
■ ~문 oración *f* optativa. ~자 suplicante *mf*, rogador, -dora *mf*, rezador, -dora *mf*.

기원(紀元) era *f*, época *f*.
◆서력 ~ era *f* cristiana, era *f* de Cristo. 서력 ~ 10년에 en el año 10 de la era cristiana.
■ ~전(前) antes de Jesucristo, a.C., a.J.C. ¶~ 500년에 en el año 500 antes de Jesucristo [a.(J.)C.]. ~후(後) después de Jesucristo, d.C., d.J.C. ¶~ 65년에 en el año 65 después de Jesucristo [d.(J.)C.].

기원(起源) origen *m* (*pl* orígenes), fuente *f*, manantial *m*, principio *m*, comienzo *m*, procedencia *f*. 생명의 ~ origen *m* de la vida. 종(種)의 ~ origen *m* de las especies; [찰스 다윈의] Del origen de las especies por medio de la selección natural (자연 도태에 의한 종의 기원에 대해). 지구의 ~ origen *m* de la Tierra. …에 ~을 두다 tener origen en *algo*, originarse en *algo*. ~을 거슬러 올라가다 remontarse al origen (de). 그 ~은 인도다 Tiene su origen en la India. 올림픽의 ~은 희랍 시대로 거슬러 올라간다 El origen de la Olimpiada se remonta a la época griega / La Olimpiada data de la época griega. 서반아어는 라틴어에 ~을 두고 있다 El español tiene su origen en el latín.

기원(棋院) *kiwon*, salón *m* de *baduc*.

기원(冀願) =희망(希望). 희원(希願).

기월(忌月) mes *m* del aniversario de la muerte.

기월(期月) un pleno mes.

기위(旣爲) =벌써. 이미.

기유(己酉) 【민속】 *kiyu*, cuadragesimocuarto término *m* binario del ciclo sexagenario.

기유(耆儒) confuciano *m* anciano.

기율(紀律) disciplina *f*, regularidad *f*. ~ 있는 disciplinado, regular, ordenado. ~ 없는 indisciplinado. ~에 관한 disciplinal. ~ 바르게 disciplinadamente. ☞규율(規律)

기음 【농업】 mala hierba *f*.

기음(氣音) consonante *f* aspirada.

기음(基音) =원음(原音). 기본음(基本音).

기음기(記音器) oscilógrafo *m*.

기음 문자(記音文字) 【언어】 =표음 문자.

기의(機宜) =시의(時宜).

기이(機頤) cien años de edad, edad *f* de cien años.
■ ~지수(之壽) =기이(機頤).

기이(旣已) ya.

기이다 eludir, ocultar, velar, disimular. 남의 눈을 ~ eludir los ojos ajenos.

기이하다(奇異-) (ser) extraño, raro, singular, extraordinario, particular, curioso, excéntrico, extravagante. 기이함 extrañeza *f*, rareza *f*, curiosidad *f*. 기이하게 extrañamente, raramente, singularmente, extraordinariamente, particularmente, curiosamente, excéntricamente, extravagantemente, de manera excéntrica, de manera extravagante. 기이한 광경 vista *f* curiosa. 기이한 행동 conducta *f* excéntrica, acción *f* extraña. 기이하게 생각하다 extrañarse (de). 나는 그가 그곳에 있는 것을 기이하게 생각했다 Me extrañé de [Me extrañó] que él estuviera allí.

기인(奇人) persona *f* excéntrica, persona *f* extravagante, persona *f* original, persona *f* rara, extravagante *mf*, excéntrico, -ca *mf*, hombre *m* singular. 그는 ~이어서 사람들과 교제하지 않는다 El es un hombre singular y no trata con nadie / El tiene un carácter raro y n trata con nadie. 그는 군인으로는 ~이다 El es un milita poco corriente / El no es un militar común / El es una excepción como militar.

기인(起因) causa *f*, raíz *f*, origen *m*. ~하다 provenir (de), resultar (de), originarse (de), proceder (de), venir (de), ser causado (por), deberse (a), ser debido (a). 이 폭동은 인종 차별에 ~되고 있다 El tumulto se debe [es debido] a la discriminación racial. 이 싸움은 오해에서 ~되고 있다 Esta discordia viene de un malentendido / Esta discordia tiene su origen en un malentendido.

기인(飢人) persona *f* hambrienta, persona *f* hambrona, hombre *m* hambrón, hombre *m* hambriento.

기인(基因) causa *f* fundamental.

기인(欺人) engaño *m* a los otros. ~하다 engañar a los otros.

기인(幾人) ¿Cuántas personas?, ¿Cuántos hombres?

기인(棄人) =폐인(廢人).

기인(旗人) manchú, -chúa *mf*.

기일(忌日) aniversario *m* de la muerte.

기일(奇日) día *m* impar, día *m* non.

기일(期日) fecha *f* (fija), día *m* fijo, día *m* convenido, data *f*, [기한] término *m*, venciimieto *m*; 【주식】 fecha *f* fija de vencimiento. ~ 내에 antes de vencimiento. 정해진 ~에 a la fecha fija, a(l) día fijo. ~을 정하다 fijar la fecha. ~을 지키다 observar la fecha. ~을 지키지 않다 no respetar la fecha. 10월 5일 ~의 con vencimiento al 5 de octubre.

기일(幾日) ¿Cuántos días?

기입(記入) apunte *m*, anotación *f*, inscripción *f*, [기장] asiento *m*. ~하다 apuntar, anotar, inscribir, asentar; [빈칸을] rellenar. 서류에 ~하다 rellenar el formulario. 전표(錢票)에 금액을 ~하다 apuntar el precio en la nota. 숙박인 명부에 ~해 주시겠습니까? ¿Me hace el favor de rellenar el registro de viajeros?
■~ 누락(漏落) omisión *f*. ~란 columna *f* de inscripción. ~장(帳) hoja *f* de inscripción.

기자(記者) periodista *mf*; [편집자] redactor, -tora *mf*, [르포 기자] reportero, -ra *mf*; cronista *mf*; [통신원] corresponsal *mf*.
◆수습 ~ periodista *m* novato, periodista *f* novata. 종군 ~ corresponsal *mf* de guerra.
■ ~단(團) prensa *f* acreditada, asociación *f* de prensa, grupo *m* de periodistas. ~석(席) reservados *mpl* para la prensa. ~실(室) oficina *f* de prensa, sala *f* para periodistas, sala *f* de prensa, sala *f* de periodistas, centro *m* de prensa. ~증(證) pase *m* de periodista. ~ 클럽 club *m* (*pl* clubs) de prensa. ~ 회견 rueda *f* de prensa, conferencia *f* de prensa. ¶~을 하다 recibir a la prensa, recibir a los periodistas. 나는 ~을 수락했다 Yo acepté recibir a la prensa [a los periodistas].

기자(飢者) =기인(飢人).
■ ~감식(甘食) A buena hambre no hay pan dura / La mejor salsa es el hambre / *Méj* A buena hambre no hay gordas duras.

기자(棊子) ① =바둑. ② =바둑돌.

기잠(起蠶) =인누에.

기장[1] 【식물】 kaoliang *m*, mijo *m*, borona *f*.
■ ~밥 arroz *m* de kaoliang. ~쌀 fruto *m* de kaoliang pelado.

기장[2] [옷 따위의 긴 정도] longitud *f*.

기장(技匠) técnico, -ca *mf*; ingeniero, -ra *mf*.

기장(記章/紀章) ((준말)) =기념장 (insignia, emblema, medalla). ¶~의 emblemático.
■ ~증(證) certificado *m* de medalla.

기장(記帳) asiento *m*; [숙제 등의] registro *m*. ~하다 apuntar, anotar, registrar, asentar, contabilizar, hacer el registro.
■ ~ 항목(項目) partida *f*.

기장(飢腸) entrañas *fpl* hambrientas, estómago *m* hambriento.

기장(旗章) bandera *f* nacional, estandarte *m*, bandera *f*.

기장(機長) capitán *m* (del avión).

기장차다 (ser) largo y recto.

기재(奇才) ① [아주 뛰어난 재주] genio *m*, talento *m* notable. ② [아주 뛰어난 재주를 가진 사람] genio *m*. 문단의 ~ genio *m* literato.

기재(記載) descripción *f*, mención *f*. ~하다 escribir, describir, mencionar, hacer mención (de), apuntar, anotar, tomar notas (de); [신문에] publicar; 【부기】 registrar. 별항(別項) ~와 같이 como se menciona en un párrafo separado.
■ ~ 누락(漏落) omisión *f*. ~ 사항(事項) artículo *m* mencionado. ~ 사항 누락(事項漏落) =기재 누락.

기재(器才) la habilidad y el talento.

기재(器材) el instrumento y el material.

기재(機才) talento *m* hábil, talento *m* improvisado.

기재(機材) material *m* de la maquinaria.

기저(基底) base *f*, fundación *f*.
■ ~ 상태(狀態) estado *m* de reposo.

기저귀 pañal *m*, sabanilla *f* de niño. ~를 채우다 poner pañales (a). ~를 갈아 주다 cambiar los pañales (a). ~를 차고 있다 llevar pañales.
■ ~ 커버 cubierta *f* [cobertera *f*・envoltura *f*] de pañales.

기적(汽笛) [기차의] pito *m*; [배의] sirena *f*. ~을 울리다 silbar, pitar, tocar el pito, sonar la sirena.
■ ~ 소리 sonido *m* del pito, sonido *m* de la sirena.

기적(妓籍) registro *m* de *kisaeng*.

기적(奇蹟)) milagro *m*, maravilla *f*. 한강의 ~ milagro *m* del río Han. ~을 믿다 creer en el milagro. ~을 행하다 hacer un milagro. ~이 일어났다 Se obró el milagro.
■ ~극(劇) milagro *m*. ~적(的) milagroso, maravilloso. ¶~으로 maravillosamente, milagrosamente. ~으로 구조되다 salvarse de milagro.

기적(奇籍) libro *m* extraño, libro *m* curioso.

기적(棋敵) rival *mf* de *baduc*, rival *mf* de ajedrez coreano.

기전(其前) antes.

기전(紀傳) biografía *f* (de una persona).
■ ~체(體) estilo *m* biográfico. ¶~의 biográfico.

기전(起電) 【전기】 generación *f* eléctrica.
■ ~기(機) 【물리】 motor *m* eléctrico. ~력(力) 【물리】 fuerza *f* electromotriz.

기전(棋戰) partido *m* de *baduc*, partido *m* de ajedrez coreano.

기전(騎戰) batalla *f* de caballería.

기절(氣絶) ① [실신] desmayo *m*, desfallecimiento *m*; 【의학】 síncope *m*. ~하다 desmayarse, desfallecer, perder el sentido, perder el conocimiento, sincopizarse. ~한 desmayado. ~시키다 desmayar, sincopizar. 괴로워 ~하다 desmayarse de dolor. 그 여자는 남편의 사망을 알았을 때 ~했다 Ella se desmayó al saber la muerte de su esposo. 그는 그 슬픈 소식(消息)에 ~했다 El desfalleció con la triste noticia / La triste noticia le hizo desfallecer. 그 여자는 하마터면 ~할 뻔했다 Ella se desmaya / Casi la da un síncope. 그는 ~하여 넘어졌다 Ella cayó desvanecida / Ella se desmayó. ② [병든 사람이 숨이 끊어짐] expiración *f*, muerte *f*. ~하다 exhalar el último suspiro, morir, expirar.

기절(氣節) ① [기개(氣概)와 절조(節操)] el espíritu y la integridad. ② =기후(氣候).

기절하다(奇絶-) (ser) muy curioso, curiosísimo.

기점(起點) punto *m* de partida; [철도의] estación *f* terminal; [버스의] terminal *f*.

기점(基點) punto *m* de origen, punto *m* de referencia, punto *m* cardinal, punto *m* básico. …을 ~으로 반경 10킬로미터 이내에 en [dentro de] un radio de diez kilómetros en torno a *un sitio*.

기정(技正) oficial *m* técnico, funcionario *m* técnico.

기정(汽艇) lancha *f* a vapor.
기정(旣定) ¶~의 establecido, determinado, afirmado, fijo. ~의 방침에 따라 según el plan previsto de antemano, según la norma establecida.
■ ~비[세출] gastos *mpl* establecidos. ~ 사실(事實) hecho *m* consumado. ¶~을 제출하다 presentar un hecho consumado. 그것은 이미 ~이다 Eso ya es un hecho establecido [consumado]. ~ 세입(歲入) ingresos *mpl* establecidos. ~ 예산 presupuesto *m* establecido.
기정맥(奇靜脈)【해부】vena *f* ácigos.
기제(忌祭) servicio *m* conmemorativo celebrado en el aniversario de la muerte.
■ ~사(祀) =기제(忌祭).
기제(旣濟) ¶~의 ya establecido, ya terminado, ya pagado.
기제론(機制論)【철학】=기계론(機械論).
기제류(奇蹄類)【동물】perisodáctilos *mpl*. ~의 perisodáctilo.
■ ~ 동물(動物) perisodáctilo *m*.
기조(基調) ①【음악】[주조(主調)] tónica *f*, nota *f* tónica *f*, tono *m* (pre)dominante. ② [사상·학설 등의 기본적 경향] [논지] idea *f* (pre)dominante; [근저] base *f* [principio *m*] fundamental, fundamento *m*. 빨강색을 ~로 한 그림 pintura *f* en la que predomina [resalta] el color rojo. 휴머니즘을 ~한 문학(文學) literatura *f* predominante en el humanitarismo. 그의 문학은 인도주의를~로 하고 있다 Su literatura tiene como idea predominante el humanitarismo / En su literatura predomina el humanitarismo.
■ ~ 연설(演說) discurso *m* en el que se intenta establecer la tónica de un congreso o asamblea, discurso *m* inaugural.
기족(旗族) manchú,-chúa *mf*.
기족(驥足) persona *f* talentosa.
기존(旣存) ¶~의 ya existente, ya establecido, actual. ~의 시설 instalaciones *fpl* ya existentes.
기졸(騎卒)=기병(騎兵).
기종(氣腫)【의학】enfisema *m*, neumatocele *m*, neumatosis *f*.
◆폐(肺)~ enfisema *m* pulmonar.
■ ~ 괴저(壞疽) gangrena *f* gaseosa. ~성 복담낭염 colecistitis *f* enfisematosa. ~성 복막염(性腹膜炎) neumoperitonitis *f*. ~성 심막염(性心膜炎) neumopericarditis *f*. ~성 질염(性膣炎) vaginitis *f* enfisematosa. ~증 empneumatosis *f*. ~ 질염(膣炎) vaginitis *f* enfisematosa. ~ 탈저(脫疽) gangrena *f* enfisematosa.
기종(機種) ① [항공기의 종류] tipo *m* de aviones. ② [기계의 종류] tipo *m* de máquinas.
기좌(技佐) =사무관(事務官).
기주(記注) apunte *m*. ~하다 apuntar.
기주(嗜酒) afición *f* al licor. ~하다 ser aficionado al licor.
기죽다(氣-) ponerse triste, ponerse melancólico, desanimarse, abatirse, sentirse muy deprimido, sentirse tímido, sentirse cohibido, cohibirse.
기준(基準) norma *f*, modelo *m*; [평가 등의] criterio *m*; [조건] condición *f*. ~을 설정하다 establecer [fijar] una norma (en *algo* [para + *inf*]).
◆판단(判斷) ~ criterio *m*.
■ ~ 가격(價格) precio *m* base, precio *m* básico. ~량 cantidad *f* normal [prefijada]. ~면(面) plan *m* de referencia. ~선(線) línea *f* de referencia. ~ 시가[시세] tipo *m* central. ~ 연도(年度) período *m* básico, año *m* básico. ~ 예산(豫算) presupuesto *m* básico. ~율(率) tipo *m* básico, interés *m* base. ~ 임금(賃金) salario *m* estándar. ~점(點) punto *m* de datos. ~ 환율 tasa *f* de cambio báscia, tipo *m* de cambio básico.
기준하다(奇峻-) (la montaña) ser extraño y alto.
기중(忌中) luto *m*, duelo *m*. ~의 de luto. ~이다 estar de luto (por), guardar luto(por). 그녀는 아직 남편의 ~이다 Ella todavía está de luto [guarda luto] por su marido.
기중(其中) entre el resto.
기중(期中) dentro de la plazo.
기중기(起重機) grúa *f*. ~로 들어올리다 levantar con grúa.
◆고정식 ~ grúa *f* fija. 수동식 ~ grúa *f* maniobrada a mano. 운반식 ~ grúa *f* portátil. 이동식 ~ grúa *f* móvil. 회전식 ~ grúa *f* giratoria.
■ ~선(船) grúa *f* flotante. ~ 운전수(運轉手) gruista *mf*. ~차(車) carro *m* de grúa.
기증(寄贈) donación *f*, contribución *f*, oferta *f*. ~하다 donar, hacer una donación, hacer un donativo, contribuir, ofrecer, regalar, obsequiar. 책을 도서관에 ~하다 donar [hacer un donativo de] libros a la biblioteca.
■ ~자(者) donante *mf*. ¶신장(腎臟) ~ donante *mf* de riñón. 혈액(血液) ~ donante *mf* de sangre. ~자 카드 [혈액·장기 기증자가 휴대하는] tarjeta *f* de donante. ~품(品) donativo *m*, donación *f*.
기지(奇地) tierra *f* curiosa.
기지(奇智) sabiduría *f* original y particular.
기지(氣志) la caballerosidad y la voluntad.
기지(基地) base *f*. 무사히 ~에 돌아오다 volver a la base sin novedad.
◆공군 ~ base *f* aérea. 군사 ~ base *f* militar. 남극 ~ base *f* antártica. 미사일 ~ base *f* misile. 영구 ~ base *f* permanente. 작전 ~ base *f* de opereaciones. 전초 ~ base *f* de guarnición. 중계(中繼) ~ base *f* repetidora. 항공 ~ base *f* aérea. 해군 ~ base *f* naval.
기지(旣知) ¶~의 ya conocido.
■ ~수(數) dato *m*.
기지(機智) ingenio *m*, prespicacia *f*, sagacidad *f*, agudeza *f*, sal *f*, gracia *f*. ~가 풍부(豐富)한 ingenioso, agudo, sagaz, inteligente, chistoso. ~가 풍부한 대화(對話

conversación *f* ingeniosa, conversación *f* graciosa. ~를 발휘하다 demostrar *su* ingeniosidad, demostrar *su* gracia, usar el cerebro, usar la cabeza, dar prueba de ocurrencia. 그는 ~가 있다 El es ingenioso / El tiene chispa. 그는 ~가 풍부하다 El es un hombre de mucho ingenio [mucha agudeza] / El tiene mucho ingenio / El es muy ingenioso / El es muy agudo.

기지개 estiramiento *m*, estirón *m*.
◆기지개를 켜다 estirarse, esperezarse, desperezarse.

기직 estera *f* basta, esterilla *f* basta.
■~자리 =초석(草席).

기진(氣盡) agotamiento *m*, fatiga *f*. ~하다 (estar) agotado, exhausto, cansado.
■~맥진[역진] agotamiento *m* completo. ¶~하다 apurar [agotar · consumir] energía, agotarse. 그는 그 교섭으로 ~해 있다 El ha agotado toda su energía en esa negociación. 그는 너무 걸어서 ~했다 El se ha agotado con tanto andar.

기진(寄進) contribución *f*, donación *f*, regalo *m*, oferta *f*. ~하다 contribuir, donar, regalar, ofrecer.

기질(奇疾) enfermedad *f* extraña de origen desconocido.

기질(氣質) genio *m*, naturaleza *f*, disposición *f*, temperamento *m*, manera *f*, modo *m* de ser, espíritu *m*, mentalidad *f*, carácter *m*. ~이 좋은 de buen genio. 격한 ~의 de temperamento violento [vehemente]. ~이 괄괄하다 tener un carácter violento. 이 지방 사람들의 ~은 거칠다 El carácter de las gentes de este lugar es rudo.
◆상인 ~ espíritu *m* de comerciantes, espíritu *m* materialista. 학생 ~ espíritu *m* estudiantil, mentalidad *f* de estudiantes.

기질(基質) 【의학】 estroma *m*.

기질(器質) disposición *f* con talento natural.

기차(汽車) ① =증기차(蒸氣車). 화차(火車). ② [열차(列車)] tren *m*. ~로, ~를 타고 en tren. ~ 안에서 en el tren. ~ 편으로 por tren, por ferrocarril, por vía férrea. ~로 가다 ir en tren. ~를 타다 coger el tren, *AmL* tomar el tren. ~를 놓치다 perder el tren. ~에 오르다 subir en el tren. ~에서 내리다 bajarse del tren. ~ 편으로 수송하다 transportar *por ferrocarril*, transportar por vía férrea.
◆서울행 ~ tren *m* para Seúl.
■~ 멀미 mareo *m* (al viajar en tren). ~ 시간표 horario *m* de trenes. ~ 여행 viaje *m* en tren. ~ 요금[삯] pasaje *m* de ferrocarril, precio *m* del billete de ferrocarril. ~표(票) billete *m*, *AmL* boleto *m*. ¶~ 매표소 taquillería *f*. ~ 매표인 taquillero, -ra *mf*. 왕복 ~ billete *m* de ida y vuelta. 편도 ~ billete *m* de ida. ~ㅅ길 vía *f* férrea, ferrocarril *m*.

기차(幾次) [몇 번, 몇 차례] ¿Cuántas veces?

기차다(氣-) estar asombrado (de), quedarse atónito, quedarse pasmado, dejar atónito, dejar pasmado. 그는 그녀의 반응에 기찼다 Su reacción lo dejó atónito. 나는 네가 별로 변하지 않아 ~ Estoy asombrado de lo poco que has cambiado. 그의 용기는 나를 기차게 했다 Su valor me llenó de asombro. 그녀는 그녀의 남편이 돌아온 것을 알고 기찼다 Ella se quedó atónita cuando se enteró de que había vuelto.

기착(寄着) escala *f*. ~하다 hacer escala. 우리는 로마에 ~했다 Nosotros hicimos escala en Roma / Pasamos en Roma.
■~지(地) escala *f*, lugar *m* donde tocan las embarcaciones o las aeronaves entre su punto de origen y el de destino.

기찰(箕察) 【역사】 gobernador *m* de la provincia *Pyeongando*.

기찰(畿察) 【역사】 gobernador *m* de la provincia *Gyeongkido*.

기창(旗槍) =단창(短槍).

기창(騎槍) lanza *f* larga de la caballería.

기창(機窓) ventanilla *f* del avión.

기채(起債) emisión *f* de empréstito, flotación *f* de empréstito. ~하다 emitir bonos, emitir un empréstito, poner en circulación un empréstito.
■~ 시장 mercado *m* de bonos, mercado *m* de obligaciones de renta fija, mercado *m* de capitales.

기책(奇策) artificio *m* extraño.

기처(其處) allí.

기척 signo *m*, señal *f*, nota *f*, indicio *m*, indicación *f*, rastro *m*. ~ 없이 사라지다 desaparecer sin dejar rastro. 싸운 ~이 없었다 No había señales [indicios · rastros] de que hubiera habido una pelea.

기천(氣喘) 【한방】 el asma *f*.

기첩(奇捷) victoria *f* inesperada.

기체[1](氣體) [기력과 체후] la energía y la salud, su salud.
■~후(候) ((높임말)) =기체[1](氣體).

기체[2](氣體) 【물리】 gas *m*, vapor *m*, cuerpo *m* gaseoso. ~의 gaseoso. ~로 되다 gasificar.
■~ 물리학(物理學) aerología *f*. ~ 밀도계(密度計) aerómetro *m*. ~ 밀도 측정(密度測定) aerometría *f*. ~ 반응의 법칙 【화학】 ley *f* de reacción gaseosa. ~ 역학(力學) aerodinámica *f*. ~ 연료(燃料) combustible *m* gaseoso. ~ 온도계(溫度計) termómetro *m* de gas. ~ 측정(測定) aerometría *f*. ~화(化) vaporización *f*, gasificación *f*. ¶~하다 vaporizar, gasificar. ~할 수 있는 gasificable.

기체(機體) ① [기계의 바탕] máquina *f*. ② [비행기의 동체] fuselaje *m*, cuerpo *m* del avión.

기초(起草) anteproyecto *m*, delineamiento *m*. ~하다 preparar, esbozar, elaborar. 조약안(條約案)을 ~하다 esbozar [elaborar] el borrador de un tratado.
■~ 위원 miembro *mf* de la comisión de redacción. ~ 위원회(委員會) comisión *f* [comité *m*] de redacción. ~자(者) persona

f que redacta un anteproyecto de ley. ¶평화 조약의 ～ arquitecto *m* del tratado de paz.

기초(基礎) fundamento *m*, base *f*, fondo *m*; [건물의] cimiento *m*. ～의 fundamental, básico, elemental. …을 ～로 a base de *algo*. ～가 단단한 회사(會社) compañía *f* sólidamente establecida. …의 ～를 다지다 consolidar el fundamento [la base] de *algo*, fundamentar *algo*, poner los cimientos (para), sentar las bases (de), preparar las bases (de), prepararse (para). …의 ～를 세우다 establecer el fondo [la base sólida] de *algo*, fundar *algo*. 공업화의 ～를 다지다 consolidar el fundamento de la industrialización, preparar las bases de la industrialización. 외국어 공부는 ～가 중요하다 La base [El fundamento] es muy importante en el estudio de lenguas extranjeras.
■～ 공사(工事) cimentación *f*, cimientos *mpl*. ¶…의 ～를 하다 cimentar *algo*. ～ 공작(工作) trabajo *m* preparatorio. ～공제(控除) exención *f* [deducción *f*] básica de impuestos. ～ 대사(代謝) metabolismo *m* elemental. ～ 사회(社會) sociedad *f* básica. ～ 산업(産業) industria *f* clave. ～ 서반아어 curso *m* elemental de español, español *m* elemental. ～적 fundamental, elemental, básico. ¶～ 요소 elementos *mpl*, factores *mpl*. ～ 지식 conocimiento *m* fundamental [elemental · básico]. ～ 학과 estudios *mpl* fundamentales. ～ 화장(化粧) maquillaje *m* fundamental. ～ 화장품 coméstícos *mpl* fundamentales. ～ 훈련 capacitación *f* básica; [스포츠의] entrenamiento *m* básico.

기초(期初) comienzo *m* de un término, principio *m* de un plazo.

기초 시계(記秒時計) cronómetro *m*.

기초청려(奇峭淸麗) la escarpadura, la extrañeza, la claridad y la hermosura de una montaña. ～하다 la montaña es escarpada, extraña, clara y hermosa.

기초하다(奇峭—) la montaña es extraña y escarpada.

기총(機銃) ((준말)) =기관총(機關銃).
■～ 소사(掃射) ametrallamiento *m*. ¶～하다 ametrallar.

기총(騎銃) 【군사】 fusil *m* pequeño para la caballería.

기축(己丑) 【민속】 *kichuk*, vigesimosexto término *m* binario del ciclo sexagenario.

기축(氣縮) desánimo *m*, desaliento *m*. ～하다 (estar) desanimado, desalentado.

기축(祈祝) =기원(祈願).

기축(基軸) eje *m*.
■～ 통화(通貨) =국제 통화(國際通貨).

기축(機軸) ① [활동의 중심이 되는 긴요한 곳] sitio *m* importante, lugar *m* importante, eje *m*. ② =마룻대. ③ [새로 생각하여 낸 사물의 방법] recurso *m*, estratagema *f*, plan *m*, artimaña *f*, treta *f*.

기출(己出) *su* propio hijo *m*.

기층(氣層) capa *f* atmosférica.

기층(基層) capa *f* del fondo.

기치(奇恥) vergüenza *f*.

기치(旗幟) ① [군중(軍中)에서 쓰던 기] bandera *f*. ② [태도나 행동을 구별하는 표] *su* actitud. ～를 선명히 하다 aclarar [definir] *su* actitud.
■～창검(槍劍) la bandera, la lanza y la espada etc. en campaña.

기침 tos *f*. ～하다 toser, tener tos; [가볍게] tosiquear. ～의 발작(發作) ataque *m* de tos, golpe *m* de tos. 흡연자의 ～ tos *f* de fumador. 몹시 심한 ～을 하다 tener mala tos. 나는 ～이 멎지 않는다 No me quita la tos. 나는 ～을 하고 방에 들어갔다 Yo entré en la habitación con una tos.
◆헛～ tos *f* seca.
■～약(藥) [알약] pastilla *f* para la tos; [시럽] jarabe *m* para la tos. ～ 억제약(抑制藥) antitusígeno *m*.

기침(起枕) =기상(起床).

기침(起寢) ① =기상(起床). ② ((불교)) culto *m* al Buda, adoración *f* del Buda. ～하다 adorar al Buda después de levantarse por la noche.
■～쇠 ((불교)) campanilla *f* para el levantamiento por la mañana.

기타(其他) los otros, los demás, etcétera, etc. 피복 서적 ～ 품목 ropa, libros, etc. 사전(辭典)과 ～의 참고서 los diccionarios y otros libros de consulta. ～의 사람들 los otros hombres, el resto de los hombres. 한국, 서반아, 칠레, 꼴롬비아, 뻬루, ～ Corea, España, Chile, Colombia, el Perú, etc.

기타(영 *guitar*) 【악기】 guitarra *f*. ～용(用)의 guitarresco. ～를 치다 tocar la guitarra. 손톱 끝으로 ～를 치다 puntear la guitarra.
◆전기(電氣) ～ guitarra *f* eléctrica.
■～ 상인(商人) guitarrero, -ra *mf*. ～ 연주가(演奏家) guitarrista *mf*. ～ 음악 música *f* guitarresca. ～ 제조자 guitarrero, -ra *mf*.

기타리스트(영 *guitarist*) guitarrista *mf*.

기탁(寄託) ① [부탁하여 맡기어 둠] depósito *m*. ～ 하다 depositar, poner en depósito. ② ((구용어)) =임치(任置).
■～금(金) depósito *m*, dinero *m* encomendado. ～ 도서(圖書) libro *m* depositado. ～물(物) depósito *m*. ～자(者) depositario, -ria *mf*. ～ 증서 certificado *m* de depósito.

기탄(忌憚) reserva *f*, vacilación *f*, escrúpulo *m*. ～하다 vacilar, titubear. ～없는 franco, abierto, directo, sincero. ～없는 비평(批評) crítica *f* abierta. 그는 아주 ～이 없다 El es muy directo [franco] / El no tiene pelos en la lengua.
기탄없이 francamente, con franqueza, abiertamente, indiscretamente, sin reservas, sin rodeos, sin atenuaciones, sinceramente. ～ 말하면 francamente, hablando francamente. ～ 말하다 no tener pelos [pelillos] en la lengua. ～ 논의(論議)하다 discutir (con *uno*) sin rodeos, romper una lanza

(con *uno*). ~ 드십시오 Sírvase sin reserva alguna. ~ 하십시오 ㉮ [자유로이] Con toda libertad. ㉯ [편하게] No esté con ceremonia / No ande con cumplimientos / A su gusto. ~ 말씀해 주십시오 Sea franco / Hable con toda franqueza / Hable sin ninguna reserva. ~ 의견을 말씀해 주십시오 No tenga reparo en decirme lo que piensa / Dígame francamente lo que piensa. ~ 용건을 말씀해 주십시오 Estoy a su completa [entera] disposición. 이것에 대해 ~ 나에게 말씀해 주십시오 Dígame francamente lo que piensa de esto / Diga sin rodeos su opinión sobre esto. 네 의견을 ~ 나에게 말해다오 Dime francamente lo que opinas. 필요한 것이 있으면 ~ 불러 주십시오 Si usted necesita algo, no dude en llamarme. 그는 정부 정책을 ~ 비평한다 El critica abiertamente [sin rodeos] la política del gobierno.

기태(奇態) forma *f* rara, forma *f* extraña.

기택(起宅) construcción *f* de la mansión. ~하다 construir la mansión.

기통(汽筒/汽箭/汽筒) cilindro *m*. 4~ 엔진 un motor de cuatro cilindros. 6~ 자동차 automóvil *m* con motor de seis cilindros. ☞ 실린더.

■ ~ 용적 cilindrada *f*. ~유(油) lubricante *m* para cilindros, aceite *m* para cilindros.

기투(忌妬) odio *m*, aborrecimiento *m*. ~하다 odiar, aborrecer.

기트림 =트림.

기특하다(奇特—) (ser) dingo de elogio, elogiable, meritorio. 기특한 사람 persona *f* laudable, persona *f* digna de alabanza. 기특한 태도 actitud *f* elogiable. 기특한 행동 acto *m* laudable, acción *f* meritoria. 그것은 기특한 일이다 Es una cosa elogiable.

기특히 elogiablemente, meritoriamente.

기틀 punto *m* capital, punto *m* clave, quid *m*, quid *m* de la cuestión.

◆기틀(이) 잡히다 funcionar el punto capital.

기펴다(氣—) sentir un gran alivio, sentirse aliviado.

기평(碁枰//棋枰) =바둑판.

기포(起泡) burbujeo *m*. ~하다 burbujear.

기포(氣泡) [비누의] pompa *f*; [공기 · 가스의] burbuja *f*; [(자동차 등의) 도장면(塗裝面)의] ampolla *f*; [렌즈 · 유리의] burbuja *f* de aire.

■ ~ 유리(琉璃) ((구용어)) =거품유리. ~제(劑) 【약】 =발포고(發疱膏). ~ 콘크리트 hormigón *m* celular.

기포(氣胞) ① =폐포(肺胞). ② [물고기의 부레] vejiga *f* natatoria.

■ ~음(音) murmullo *m* respiratorio.

기포(飢飽/饑飽) el hambre y el hartazgo.

기포(騎砲) cañón *m* de campaña de caballería.

기폭(起爆) denotación *f*.

■ ~약 explosivo *m* inicial. ~ 장치 artefacto *m* explosivo. ~제(劑) detonador *m*.

기폭(旗幅) ① =깃발(bandera). ② [깃발의 너비] anchura *f* de la bandera.

기표(記票) votación *f*.

■ ~소(所) cabina *f* de votación.

기표(記標) =표적(標的).

기품(奇品) artículo *m* curioso, artículo *m* raro.

기품(氣品) dignidad *f*, nobleza *f*, elegancia *f*, gracia *f*, distinción *f*, refinamiento *m*, finura *f*. ~ 있는 digno, noble, elegante, gracioso, distinguido, refinado, fino. ~ 있는 사람 persona *f* refinada. ~ 있는 남자 hombre *m* refinado. ~ 있는 여자 mujer *f* digna, mujer *f* elegante. 그녀의 아름다움은 ~이 있다 Ella tiene elegancia en su belleza / En su belleza hay dignidad.

기품(氣稟) disposición *f*, natural *m*, carácter *m*, temple *m*, genio *m*.

기풍(氣風) ① [기질] disposición *f*, carácter *m*, genio *m*. ② [어느 집단이나 지역 안의 사람들의 공통적인 기질] moral *f*, tono *m*; [특성] rasgos *mpl*, características *fpl*; [정신] espíritus *mpl*. 국민의 ~ características *fpl* [rasgos *mpl* · tono *m*] de una nación. 학교의 ~ moral *f* [espíritus *mpl*] de una escuela.

기피(忌避) ① [꺼리어 피함] evasión *f*, insumisión *f* (al servicio militar). ~하다 evadir; [책임 · 의무 등을] eludir, rehuir. 병역을 ~하다 evadir el servicio militar. 책임(責任)을 ~하다 eludir la responsabilidad. ② 【법률】 recusación *f*. ~하다 recusar. ~의 원인 causa *f* de recusación. 증인의 ~ recusación *f* de un testigo. 재판을 ~하다 recusar a un juez.

■ ~ 신청(申請) petición *f* de recusación. ~ 신청권(申請權) derecho *m* de pedir recusación. ~ 인물(人物) persona *f* desagradable, persona *f* poco grata. ~자(者) ㉮ [기피를 한 자] evasor, -sora *mf*; recusante *mf*. ㉯ [병역 기피자] prófugo *m*.

기필(期必) seguridad *f* de cumplimiento. ~하다 garantizar [asegurar] el cumplimiento.

기필코(期必—) [꼭. 반드시] sin falta, sin duda, positivamente; [무슨 일이 있어도] a toda costa. 나는 ~ 성공하겠다 Sin falta tendré éxito.

기핍(飢乏) falta *f* de comida debido a la carestía de víveres.

기핍하다(氣乏—) no tener ánimo, estar lánguido.

기하(幾何) ① =얼마(¿Cuánto?, ¿Cuántos?). ② 【수학】 ((준말)) =기하학(幾何學).

■ ~ 광학(光學) óptica *f* geométrica. ~ 광학적 착시 opticailusión *f* geométrica. ~급수(級數) 【수학】 progresión *f* geométrica. ¶~적으로 증가하다 aumentar por progresión geométrica. ~ 이성(異性) somerismo *m* geométrico. ~ 평균(平均) 【수학】 medio *m* geométrico. ~학(學) geometría *f*. ¶도형 ~ geometría *f* descriptiva. 유클리드 ~ geometría *f* euclidiana. 입체 ~ geometría *f* del espacio. 평면 ~ geometría *f* plana. 해

석 ~ geometría *f* analítica. ~학(적) 무늬 figura *f* geométrica, diseño *m* geométrico. ~학 양식 estilo *m* geométrico. ~학자 geómetra *mf*. ~학적 geométrico. ¶~으로 geométricamente. ~학적 정신【철학】espíritu *m* geométrico. ~ 화법(畵法) geometría *f* descriptiva.

기하(旗下) ① [깃발의 아래] bajo la bandera, debajo de la bandera. ② =휘하(麾下).

기하다(基-) [기초를 두다] poner el fundamento, poner la base.

기하다(忌-) [(기)피하다] evadir, eludir.

기하다(記-) [기재하다] apuntar, anotar.

기하다(期-) ① [기한을 정하다] fijar un plazo. 내일을 기하여 우리들은 파업에 들어간다 Nos vamos a declarar en huelga precisamente mañana. ② [기약하다] prometer.

기하다(奇-) [기이하다. 신기하다. 기묘하다] (ser) extraño, curioso, raro, maravilloso. 기히 extrañamente, curiosamente, con curiosidad, raramente, con rareza.

기학(氣瘧)【한방】malaria *f* antes de ponerse crónico [pasar al estado crónico].

기학(嗜虐) lo que le gusta la crueldad.

기한(祁寒) frío *m* severo.

기한(飢寒) el hambre y el frío.

기한(期限) período *m*, término *m*; [기간(期間)] plazo *m*; [기일(期日)] fecha *f* fija, fecha *f* limitada, fecha *f* de expiración, vencimiento *m* (de un plazo). ~까지는 para la fecha fija. ~을 늘리다 prolongar el plazo. ~을 앞당기다 adelantar el plazo. ~을 연장하다 prorrogar el plazo. ~ 을 정하다 fijar un plazo. ~이 되다, ~이 오다 vencer. 10년의 ~을 정하다 señalar un término de diez años. ~이 가깝다 Se acerca el plazo. ~이 끝난다 Expira el plazo / Expira el vencimiento. 내 여권은 2006년 3월 14일 ~이 끝난다 Mi pasaparte expira el 14 de marzo de 2006 (dos mil seis). 그 어음은 ~이 됐다 La letra ha vencido. 상환 ~은 아직 안되었다 La fecha del reembolso no llega [no vence] todavía. 당신은 10일 ~ 안에 출석해야 한다 Usted debe presentarse en el término de diez días.
◆지불(支拂) ~ vencimiento *m*. 예정(豫定) ~ fecha *f* propuesta. 최종(最終) ~ último vencimiento *m* de plazo.
■~ 만료(滿了) expiración *f* del plazo. ~부(附) ¶~로 a término, a plazo fijo.

기함(記含) =기억(記憶).

기함(旗艦)【군사】capitana *f*.

기합(氣合) ① [호흡이 맞음] respiración *f* en armonía. ② [정신을 신체에 나타내어 어떤 일을 하는 기세] concentración *f* de espíritu (en el arte militar, vigor *m* de espíritu; [소리] alarido *m*, grito *m*, salvaje *m* (de guerra).~을 넣다 [정신을 들이다] animar, exhortar, elevar la moral (de); [기합술로] fascinar con el grito. ③ ((속어)) [군대나 학교 등에서 잘못한 사람을 육체적 또는 정신적으로 응징하는 일] castigo *m* (disciplinario). ~을 받다 ser castigado. ~을 주다 castigar.
◆단체 ~ castigo *m* disciplinario a un grupo.
■~술(術) arte *m* de fascinar por la concentración de espíritu.

기항(寄航) escala *f*. ~하다 hacer escala (en).
■~지(地) escala *f*.

기항(寄港) [배가 항구에 들름] escala *f*. ~하다 hacer escala (en), pasar por un puerto, arribar.
■~지(地) (puerto *m* de) escala *f*.

기해(己亥)【민속】*gihae*, trigesimosexto término *m* binario del ciclo sexagenario.

기해(氣海) ① =대기(大氣). ② =단전(丹田). 하단전(下丹田).

기행(奇行) excentricidad *f*, conducta *f* extraña, singularidad *f*.
■~벽 anatopismo *m*. ~증 ectopismo *m*.

기행(紀行) memoria *f* de viaje, relación *f* de viaje.
■~문(文) relato *m* [relación *f*] de un viaje. ~문 작가 escritor, -tora *mf* de viaje. ~ 문학(文學) literatura *f* de viaje.

기행(琦行) =기행(奇行).

기행렬(器行列) procesión *f* con banderas.

기허(氣虛)【한방】debilidad *f* del ánimo. ~하다 el ánimo es débil.

기허(幾許) =얼마(¿Cuánto?, ¿Cuántos?).

기험하다(崎險-) ① =기구(琦嶇)하다. ② [음험하다] (ser) insidioso, insidiador, astuto, pérfido, capcioso, acechante, cauteloso, traidor, trasechador.

기현상(奇現象) fenómeno *m* extaño.

기혈(氣血)【한방】el ánimo y la sangre.
■~성 심막낭(性心膜囊) neumohemopericardio *m*. ~증(症) neumatemia *f*, aeremia *f*. ~ 흉중(胸中) neumohemotórax *m*.

기협(氣俠) disposición *f* hombruna.

기형(奇形) forma *f* extraña.
■~ 괴상(怪狀) forma *f* extraña.

기형(基形) =기본형(基本形).

기형(畸形/奇型) deformidad *f*, formación *f* defectuosa, deformación *f*, forma *f* defectuosa, monstruo *m*. ~의 deforme.
■~ 경산부(經産婦) monstripara *f*. ~ 교정(矯正) ortopedia *f*. ¶~의 ortopédico. ~ 만출(滿出) monstriparidad *f*. ~물 monstruosidad *f*, anormalidad *f*. ~ 발생(發生) teratogénesis *f*, teratogenia *f*. ~ 발생 인자 teratogen *m*, teratogene *m*. ~성 anormalidad *f*. ¶~의 terático. ~아(兒) niño, -ña *mf* deforme; niño *m* mal formado, niña *f* mal formada. ~ 아종(芽腫) teratoblastoma *m*. ~ 암종(癌腫) teratocarcinoma *m*. ~적 deforme, monstruoso. ~ 정자증(精子症) teratospermia *f*. ~종(腫) teratoma *m*, tumor *m* teratoide, disembrioma *m*. ~증후군 anomalad *f*. ~학(學) teratología *f* ¶~의 teratológico.

기호(記號) signo *m*, marca *f*, señal *f*, símbolo *m*, emblema *f*,【음악】nota *f*, clave *f*. ~로

표시하다 expresar [representar] con signos. ~를 하다 poner el signo (en), marcar. 그것은 무슨 ~입니까? ¿Qué significa esa marca? / ¿Qué quiere decir ese signo?
■ ~ 논리학(論理學) lógica *f* simbólica. ~론(論) semiótica *f.* ~학(學) semiología *f.*
기호(嗜好) gusto *m,* afición *f,* inclinación *f,* preferencia *f.* ~에 좋은 de buen gusto, que tiene buen gusto. ~에 나쁜 de mal gusto, que tiene mal gusto. 내 ~에 맞는 작가(作家) mi autor favorito, mi autora favorita. ~에 맞다 caer bien (a), gustar (a), ser al gusto (de), ser del gusto (de), agradar *su* gusto, venir bien a *su* gusto. 대중(大衆)의 ~에 맞지 않다 no ser el gusto popular. 대중의 ~에 부응하다 atender el gusto y preferencias del público. 디자인을 유럽 사람들의 ~에 맞추다 acomodar el diseño al gusto europeo. 젊은 세대의 ~를 반영(反映)하다 reflejar el gusto de la generación joven. 이것은 내 ~에 맞다 Esto es de mi gusto. 그것은 각자의 ~ 문제다 Es cuestión de gustos. 이 음식은 한국인의 ~에 맞다 Esta comida es del gusto de los coreanos.
■ ~료(料) =기호품(嗜好品). ~품[식품] víveres *mpl* de lujo, lo que gusta más que todo, comida *f* favorita, pequeños lujos *mpl* (favoritos) de la mesa.
기호(旗號) =기신호(旗信號).
기호(畿湖) provincias *fpl* de *Gyeonggido* y *Chungcheongdo.*
기호망면(幾乎忘面) cara *f* casi olvidada, rostro *m* casi olvidado.
기호지세(騎虎之勢) fuerza *f* impetuosa de circunstancia.
기혼(既婚) ¶~의 casado.
■ ~ 남자(男子) (hombre *m*) casado *m.* ~ 여자(女子) (mujer *f*) casada *f.* ~자(者) persona *f* casada; casado, -da *mf.*
기화(奇花) flor *f* extraña, flor *f* rara.
기화(奇話) =기담(奇談).
기화(奇貨) ① [진귀한 보화(寶貨)] tesoro *m* precioso. ② [못되게 이용하는 기회] oportunidad *f* que se aprovecha mal.
기화(奇禍) calamidad *f* inesperada, desastre *m* inesperado.
기화(氣化) volatilización *f,* gasificación *f,* [증발] evaporación *f,* vaporización *f.* ~하다 volatilizarse, evaporarse, vaporizarse, gasificarse. ~시키다 volatilizar, gasificar, evaporar, vaporizar.
■ ~기(器) carburador *m.* ~기 개폐 장치(器開閉裝置) estrangulador *m.* ¶~를 막다 estrangular, cerrar. ~열(熱) calor *m* de vaporización.
기화(琪花) flor *f* hermosa.
■ ~요초(瑤草) las flores y las hierbas del país de las hadas, las flores y las hierbas hermosas.
기화(機化) ((준말)) =기계화(機械化).
기화전(起火箭) =신기전(神機箭).
기환(奇幻) ① [기묘한 변화] cambio *m* curioso. ② [괴이한 환술(幻術)] arte *m* mágico misterioso. ③ [이상한 허깨비] fantasma *f* extraña.
기환(綺紈) seda *f* hermosa, ropa *f* hermosa y preciosa.
기황(饑荒) =기근(饑饉).
기회(幾回) ¿Cuántas veces?
기회(期會) reunión *f* regular.
기회(機會) oportunidad *f,* ocasión *f.* 노동(勞動)의 ~ oportunidades *fpl* de trabajo. 이 ~에 en [con] esta ocasión. ~가 나는 대로 cuanto antes, en la primera oportunidad que se presente. ~가 있으면 si se presenta la oportunidad, si hay ocasión, si hay oportunidad, si favorece la ocasión (a). ~가 있을 때마다 en cada ocasión. ~를 기다리다 esperar la oportunidad. ~를 노리다 acechar la ocasión, buscar la coyuntura. ~를 엿보다 esperar a ver de dónde sopla el viento, tomar una actitud oportunista. ~를 이용하다[포착하다] aprovechar [aprovecharse de] la ocasión [la oportunidad]. ~를 놓치다 [잃다] perder [desperdiciar · dejar escapar] la oportunidad. ~를 포착하다 asir una oportunidad. ~를 포착하는 데 능숙(能熟)하다 ser sagaz [perspicaz] en asir una oportunidad. …에게 ~를 주다 dar ocasión a *uno.* …할 ~를 놓치다 perder la ocasión de + *inf.* ~가 주어지면 cuando se presenta la oportunidad. 이 ~를 이용해 말씀드리면 … (Dicho sea) De paso … / Aprovecho la ocasión para decirle que …. …할 좋은 ~다 Es una buena ocasión [oportunidad] de [para] + *inf.* ~가 무르익었다 Ha venido [Ha madurado] la oportunidad. 질문할 ~가 없었다 No hubo oportunidad [ocasión] de hacer preguntas. 이 ~를 이용해 사의(辭意)를 표합니다 Aprovecho esta ocasión para expresarle mi agradecimiento. 나는 견해를 표명할 ~가 없었다 No tuve oportunidad de exponer mi punto de vista. 우리는 시내를 돌아볼 ~를 이용했다 Aprovechamos (la oportunidad) para recorrer la ciudad. 그 여자는 절대 ~를 놓치지 않는다 Ella nunca deja pasar una oportunidad [una ocasión]. 이런 ~를 저에게 주신 데 대해 감사드립니다 Gracias por darme esta oportunidad. 나는 선생님께 마땅히 감사드릴 ~가 없었다 No he tenido ocasión [oportunidad] de agradecérselo como es debido. 내가 젊었을 때 여행할 ~가 있었더라면 좋았을 텐데 Ojalá hubiera tenido la oportunidad de viajar cuando era joven. 너에게 ~가 주어진다면 너는 서반아에 가야할 것이다 Tú deberías ir a España si te surge [se te presenta] la ocasión [la oportunidad]. 한국에 오실 ~가 있으면 꼭 들러 주십시오 Cuando venga a Corea, no deje de visitarme. 서울에 가는 ~에 만납시다 Nos veremos cuando yo vaya a Seúl. 이것은 평생에 한 번 오는 ~다 Esta es la única

ocasión en la vida / O ahora o nunca. 불란서 방문은 다음 ~로 미루고 이번에는 서반아만 방문합시다 Esta vez nos limitaremos a visitar España, dejando la visita a Francia papa otra ocasión. 다음 ~에 만나면 상세한 말씀을 드리겠습니다 Le contaré los detalles cuando nos veamos en otra ocasión. 그것에 대해서는 다음 ~에 논의합시다 Ya lo discutiremos. 나는 그들이 만날 ~를 노렸다 Yo busqué la oportunidad de que se encontraran. 그를 만날 ~가 자주 있다 Hay muchas ocasiones de verle. 나는 다시는 그를 만날 ~가 없을 것이다 No tendré otra ocasión de verle / No volveré a tener ocasión de verle. 회사를 그만둘 절호의 ~다 Es la mejor ocasión de dejar la compañía 그것을 다음 ~로 미룹시다 Lo dejaremos para la próxima ocasión. 두 번 다시 오지 않을 이 멋진 ~를 놓치지 마십시오 No desaproveche esta tremenda oportunidad que la suerte no toca dos veces. 일을 ~로 그는 그곳을 즐기고 다닌다 Aprovechando el trabajo anda por ahí divirtiéndose. ~는 도둑을 만든다 ((서반아 속담)) (La) Ocasión hace al ladrón / Puerta abierta, al santo tienta / De la ocasión nace la tentación / Ocasión y tentación, madre e hija son.

■ ~ 균등 igualdad *f* de oportunidades. ¶ ~ 정책 política *f* de igualdad, política *f* de oportunidades. ~ 균등주의 principio *m* de igualdad de oportunidades, principio *m* de puertas abiertas, principio *m* de oportunidad igaul. ~범(犯) =우발범(偶發犯). ~ 원인론(原因論)【철학】ocasionalismo *m*. ~ 주의 oportunismo *m*, política *f* de espera. ~주의자 oportunista *mf*, contemporizador, -dora *mf*.

기획(企劃) plan *m*, proyecto *m*, programa *m*, planificación *f*. ~하다 planear, proyectar. 새로운 사전(辭典)을 ~하다 hacer planes [organizar un proyecto] para un nuevo diccionario.

■ ~ 계획 예산 제도(計劃豫算制度) [전자 계산기에 의한] sistema *m* de planificación, programación y presupuesto; presupuesto *m* por programas. ~과(課) sección *f* de planificación. ~ 관리(管理) planificación y administración. ~국(局) departamento *m* de planificación. ~부(部) departamento *m* de planificación. ~실(室) oficina *f* de planificación. ~ 예산 위원장 presidente, -ta *mf* del Comité de Planificación y Presupuesto. ~ 예산 위원회 el Comité de Planificación y Presupuesto. ~ 예산처 el Ministerio de Planificación y Presupueto. ~ 예산처 장관 ministro, -tra *mf* de Planificación y Presupuesto. ~자 planificador, -dora *mf*, [도시의] urbanista *mf*. ~ 조정실(調整室) la Oficina de Planificación y Coordinación.

기효(奇效) eficacia *f* maravillosa [notable · singular · admirable].

기후(其後) después, luego.

기후[1](氣候) clima *m*; [날씨] tiempo *m*, estado *m* atmosférico. ~가 좋은 bueno, agradable. ~가 나쁜 malo, desagradable. 불순(不順)한 ~ clima *m* desagradable. 온화한 ~ clima *m* benigno, clima *m* templado. ~가 나쁘다 El clima es malo [insaludre · desagradable] / Hace mal tiempo. 이곳은 ~가 좋다 Aquí el clima es bueno [agradable · suave · saludable]. 3월에는 ~가 좋아진다 En marzo el clima se hace [se pone] agradable.

◆ 대륙성 ~ clima *m* continental. 도서성(島嶼性) ~ clima *m* insular. 지중해성 ~ clima *m* mediterráneo. 해양성 ~ clima *m* oceánico.

■ ~ 도표(圖表) climográfico *m*. ~ 변화(變化) cambio *m* climático. ~ 복막증(腹膜症) neumoretroperitoneo *m*. ~성 가래톳 bubón *m* climático. ~ 순응[순화] aclimatazación *f*. ¶~하다 aclimatazar. ~ 요법 climatoterapia *f*, climoterapia *f*. ~ 요소 =기상 요소. ~조(鳥) =철새. ~ 치료학 climatoterapéutica *f*. ~학(學) climatología *f*. ~ 환경의학(環境醫學) geomedicina *f*.

기후[2](氣候) =기체[1](氣體).

기휘(忌諱) evitación *f*. ~하다 evitar. ~에 저촉되다 ofender, agraviar, incurrir [caer] en el desagrado (de).

기흉(氣胸) 【의학】neumotórax *m*.

■ ~ 요법(療法) 【의학】tratamiento *m* de neumotórax (artificial).

기히(旣-) ya.

긴가민가하다 ((준말)) =기연가미연가하다.

긴간(緊幹) ((준말)) =긴간사(緊簡事).

■ ~사(事) asunto *m* urgente e importante.

긴간(緊簡) =긴찰(緊札).

긴객(緊客) visitante *mf* importante.

긴급(緊急) emergencia *f*, urgencia *f*, apremio *m*, exigencia *f*, [긴박함] inminencia *f*. ~하다 (ser) urgente, apremiante, inminente, exigente. ~한 용무(用務) negocio *m* urgente. ~한 경우에는 en caso de emergencia. ~을 요하다 ser urgente. ~ 을 알리다 dar la alarma, poner en alerta. 이 문제는 ~을 요한다 Este asunto es urgente. 사태는 ~을 요한다 Las circunstancias nos exigen una acción inmediata. 사태는 ~을 알리고 있다 La situación es alarmante.

■ ~ 각의(閣議) reunión *f* de emergencia del gabinete. ~ 구속(拘束) detención *f* urgente. ~ 동의(動議) moción *f* urgente, moción *f* de urgencia. ~ 명령(命令) orden *f* de emergencia. ~ 문제(問題) cuestión *f* urgente. ~ 물자(物資) artículos *mpl* de emergencia. ~ 방위(防衛) defensa *f* urgente. ~ 보고(報告) informe *m* urgente. ~사(事) asunto *m* urgente. ~ 사태(事態) estado *m* de emergencia, estado *m* de urgencia. ¶~가 일어나고 있다 Surge una emergencia / Se presenta un caso de urgencia. ~ 사태 선언 declaración *f* de urgencia. ~ 상태(狀態) estado *m* urgente

~ 임무(任務) misión *f* inmediata. ~ 자동차(自動車) automóvil *m* de emergencia. ~ 조치(措置) decreto *m* de emergencia. ~차(車) ((준말)) =긴급 자동차. ~ 착륙(着陸) aterrizaje *m* forzoso. ~ 처분 disposición *f* urgente. ~ 체포(逮捕) =긴급 구속(緊急拘束). ~ 탈출 장치(脫出裝置) sistema *m* de eva-cuación de emergencia. ~ 통신(通信) comunicaciones *fpl* urgentes. ~ 통화(通貨) moneda *f* urgente. ~ 피난 evacuación *f* de emergencia. ~ 항공 지원 apoyo *m* aéreo inmediato. ~ 항공 지원 요청 pedidos *mpl* inmediatos de apoyo aéreo directo. ~ 화폐(貨幣) 【경제】 =긴급 통화. ~ 회의 sesión *f* de emergencia, reunión *f* de emergencia. ¶유엔 특사는 오늘 ~를 소집했다 El enviado de las Naciones Unidas convocó hoy a una reunión de emergencia.

긴급히 urgentemente, con urgencia, con apremio.

긴긴 ((준말)) =기나긴.

긴긴날 día *m* muy largo.

긴긴낮 día *m* muy largo.

긴긴밤 noche *f* muy larga.

긴긴해 sol *m* del día veraniego.

긴꼬리닭 【조류】 =장미계(長尾鷄).

긴꼬리딱새 【조류】 =삼광조(三光鳥).

긴네모 【수학】 =직각사각형(直角四角形).

긴담(緊談) ① [긴요한 이야기] historia *f* importante, conversación *f* importante. ~하다 hablar importantemente. ② [긴급한 이야기] historia *f* urgente. ~하다 hablar urgentemente.

긴대 =장죽(長竹).

긴대답(－對答) respuesta *f* larguísima. ~하다 hacer una respuesta larguísima.

긴둥근꼴 【수학】 =타원형(橢圓形).

긴등 cadena *f* larga.

긴말 =긴소리.

긴맛 【조개】 muergo *m*, mango *m* de cuchillo, navaja *f*, 【학명】 Solen gouldi.

긴무(緊務) negocio *m* urgente.

긴밀하다(緊密－) (ser) íntimo, estrecho, familiar. 긴밀함 intimidad *f*, estrechez *f*. 긴밀한 문제(問題) problema *m* familiar. 긴밀한 접촉 contacto *m* estrecho, toque *m* estrecho. 긴밀한 협력 cooperación *f* estrecha. 긴밀한 관계를 유지하다 mantener relaciones estrechas.

긴밀히 estrechamente, íntimamente. ~ 연락을 취하다 comunicarse estrechamente. …와 관계를 ~ 하다 estrechar las relaciones con *uno*.

긴박(緊縛) atadura *f* ajustada. ~하다 atar bien, amarrar bien.

긴박하다(緊迫－) ponerse tenso [tirante · en tensión]. 긴박함 tensión *f*, tirantez *f*. 긴박한 시합 partido *m* reñido y emocionante. 긴박함을 완화하다 aliviar tensión. 긴박한 공기가 감돌고 있다 Se percibe un ambiente de tensión. 정세(情勢)가 긴박한 상태에 있다 La situación está en tensión.

긴병(－病) larga enfermedad *f*, enfermedad *f* prolongada, enfermedad *f* crónica. ~을 앓다 sufrir de la enfermedad prolongada.

■긴병에 효자 없다 ((속담)) No hay hijo filial en la enfermedad prolongada.

긴볕식물(－植物) =장일식물(長日植物).

긴뼈 =장골(長骨).

긴사설(－辭說) palabra *f* tediosa.

긴살 ((준말)) =볼기긴살(filete de cadera).

긴소리 palabra *f* larga, conversación *f* larga. ~하다 hablar largamente.

■~표(票) 【언어】 =장음부(長音符).

긴요하다(緊要－) (ser) importante, vital; [필요하다] necesario, esencial; [불가결하다] indispensable. 긴요함 importancia *f*, necesidad *f*, indispensabilidad *f*. 긴요한 문제 asunto *m* importante. 생활상이 ~ Es vital a la vida.

긴요히 importantemente, necesariamente, esencialmente, indispensablemente.

긴원(－圓) =타원(橢圓).

■~둘레 =타원주(橢圓周).

긴작 flecha *f* larga.

긴장(緊張) tensión *f*, tirantez *f*, esfuerzo *m* violento, seriedad *f*, [신경(神經)의] nerviosismo *m*. ~하다 ponerse tenso, ponerse nervioso, ponerse tirante, intimarse, estar tenso, estar tirante, jugarse la vida, tener un aire forzado. ~된 분위기 aire *m* tenso, atmósfera *f* tensa. ~된 표정 cara *f* tensa, cara *f* de tensión, expresión *f* de tensión. ~된 상황 situación *f* tensa. ~시키다 someter a tensión, volver tenso, volver tirante. ~되어 있다, ~된 상태에 있다 estar en estado de tensión. ~된 얼굴로 con una cara de nerviosismo [de tensión]. ~을 풀다 relajar la tensión; [방심하다] descuidarse. ~을 풀게 하다 calmar los nervios (de), tranquilizar, sosegar, relajar. ~이 풀리다 aflojarse, relajarse. ~해서 숨을 죽이다 retener el aliento. ~해서 숨을 죽이고 reteniendo el aliento, sin respiración. 강의를 ~해서 듣다 escuchar la lección con mucha atención. 마음을 ~시키다 poner el espíritu en tensión. 마음이 ~되어 있다 estar tenso el espíritu. 사태를 ~시키다 crear una situación tensa. 신경을 ~시키다 poner en tensión los nervios (de). 대화는 ~이 풀린다 La conversación languidece. 시험 전에는 누구나 ~한다 Todos se ponen nerviosos [tensos] antes del examen. 자동차를 타고 갈 때는 ~의 연속(連續)이다 Cuando se va en coche, la tensión es continua. 그는 ~이 풀렸다 El se alivió [se relajó] la tensión (de sus nervios). 그는 최근 ~이 풀려 있다 En estos días él está un poco flojo. 모두 ~ 이 풀렸다 Aflojó la tensión de todos. 국제간의 ~이 완화됐다 Ha disminuido la tensión internacional. 그때까지 ~된 마음이 일시에 풀렸다 El ánimo, hasta entonces, se relajó en un instante. 더위로 모두가 ~이 풀려 있다 Con este calor la atención de todos decae [cede] / Hace mucho calor, y a todo el mundo le falta concentración. 그 보도에 경찰국은 비상하게 ~을 보였다 La Superintendencia General de Policía que había tenido esa información, se mostró con esfuerzo violento. 이 영화는 후반이 약간 ~이 풀린다 La segunda mitad de esta película es un poco floja [es peor]. 그렇게 ~하지 마세요 ¡No se ponga tan nervioso! / ¡Esté usted tranquilo! / ¡No esté tan tenso / ¡Póngase usted cómodo!

■ ~감(感) tensión *f*, ambiente *m* de tensión. ¶이 회사에는 ~이 없다 No se nota ambiente de tensión en esta compañía. ~감각(感覺) tensión *f*. ~도(度) tonicidad *f*. ~리(裡) en tensión. ~미(味) sensación *f* tensa. ~병(病) 【의학】 catatonia *f*. ~ 상태(狀態) estado *m* de tensión. ¶~에 있다 estar en estado de tensión. ~성(性) tonicidad *f*. ~성 경련(性痙攣) espasmo *m* tónico. ~성 동공(性瞳孔) pupila *f* tónica. ~성 두통 dolor *m* de cabeza de tensión. ~성 분열병 esquizofrenia *f* catatónica. ~완화(緩和) relajamiento *m* de la tensión. ¶양국간(兩國間)의 ~ el relajamiento de la tensión entre los dos países. ~제 tónico *m*. ~ 항진(亢進) hipertonia *f*. ~형 분열병(型分裂病) catatonia *f*.

긴절하다(緊切–) (ser) urgente, importante.
 긴절히 urgentemente, importantemente.

긴중하다(緊重–) (ser) importante, vital.

긴짐승 reptiles *mpl*, serpiente *f*, culebra *f*.

긴착하다(緊着–) =긴절(緊切)하다.

긴찮다 ((준말)) =긴하지 아니하다(no tener importancia).
 긴찮이 ((준말)) =긴하지 아니하게(sin importancia).

긴찰(緊札) carta *f* muy importante que es difícil de negar.

긴청(緊請) pedido *m* muy necesario.

긴촉(緊囑) =긴탁(緊託).

긴축(緊縮) restricción *f*, reducción *f*, contracción *f*, cercenamiento *m*, austeridad *f*; [절약] economía *f*. ~하다 restringir, reducir, restriñir, contraerse. ~된 contraído, tieso, bien cerrado, estricto. 재정(財政)을 ~하다 restringir las actividades financieras.

■~ 예산 presupuesto *m* de austeridad. ~ 재정(財政) financiación *f* restringida. ~ 정책(政策) política *f* de austeridad, política *f* de restricción de crédito. ¶경제 ~ política *f* de austeridad económica.

긴치마 falda *f* larga.

긴탁(緊託) petición *f* urgente, pedido *m* muy importante.

긴파람 chifla *f* larga.

긴팔원숭이 【동물】 gibón *m* (*pl* gibones).

긴하다(緊–) (ser) importante, útil, necesario, esencial, indispensable, urgente.
 긴히 importantemente, necesariamente, indispensablemente, útilmente, esencialmente; [급히] urgentemente.

긴헐(緊歇) importancia *f* y sin importancia.

긷다 sacar, achicar. 물을 ~ sacar agua. 우물에서 물을 ~ sacar agua del pozo. 이 양동이는 물을 긷는 데 사용한다 Este cubo sirve para sacar agua.

길¹ ① [사람·배·차·비행기 등이 왕래하는 곳] camino *m*; [도시의 가로(街路)] calle *f*; [도시(都市) 바깥의 한길] carretera *f*; [큰길] bulevar *m*, avenida *f*, calzada *f*; [국도] camino *m* real, carretera *f*; [자동차 전용도로. 고속 도로] autopista *f*; [공도(公道)] vía *f* pública; [경로] vía *f*, ruta *f*; [오솔길] senda *f*; [작은 길] vereda *f*; [좁은 길] rasillo *m*; [골목길] callejón *m* (*pl* callejones), callejuela *f*; [통행] paso *m*, pasaje *m*. ~에서 en (el) camino, en la calle. ~을 따라 10 킬로미터 diez kilómetros siguiendo la carreter [el camino]. 영광에의 ~ camino *m* de la gloria. 평화에 이르는~ camino *m* [sendero *m*] hacia la paz. ~을 가르쳐 주다 indicar el camino. ~을 돌아가다 hacer un rodeo, ir por rodeos, tomar un camino indirecto; [진로에서 벗어나다] desviarse (de). ~을 막다 cortar el paso. ~을 묻다 preguntar el camino. ~을 양보하다 cecer el paso. ~을 서둘러 가다 ir de prisa. ~을 잃다 perderderse (en el camino), extraviarse, errar el camino. ~을 잘못 들다 perder el camino, desviarse. ~을 잘못 알다 equivocar [equivocarse en·confundir] el camino. ~을 트다 abrir el paso, despejar el camino. …와 같은 ~을 가다 seguir *su* camino, seguir el mismo camino. 나는 ~을 잃었습니다 Me he perdido / Me he extraviado. 이것이 서울 가는 ~입니까? ¿Este es el camino [la carretera] que va a Seúl? 서울역에 가려면 어느 ~로 가면 됩니까? ¿Por dónde se va a la estación de Seúl? 국립 박물관에 가는 ~을 가르쳐 주십시오 Dígame por dónde se va al Museo Nacional. 이 ~은 종로로 갑니까? ¿Este camino va [conduce] a *Jongno*? 이 ~로 갑시다 Vamos por esta calle. 이 ~로 가면 역으로 간다 Por este camino se va a la estación de ferrocarril. ~에는 자동차로 혼잡하다 La calle está llena de coches. 거기까지 ~이 계속된다 Hasta ahí sigue el camino. ~을 터 주세요 Déjeme pasar (paso). ~ 건너 [옆에] 빵집이 있다 Enfrente [al otro lado] de la calle hay una panadería.

② [사람으로서 지켜야 할 도리] razón *f*, motivo *m*.

③ [도중(途中)] en el camino, en la mitad del camino. …로 가는 ~에 있다 estar en camino de *un sitio*. …로 가는 ~에 오르다 ponerse en camino de *un sitio*, salir para *un sitio*. 세계 일주의 ~에 오르다 salir para dar una vuelta al mundo. 나는 ~에서 여자 친구를 만났다 Me encontré con una amiga en el camino. 그는 산책~에 그의 선생님을 만났다 El encontró a su maestro mientras paseaba.

④ [여정(旅程)] viaje *m*, itinerario *m*.

⑤ [방법·수단] modo *m*, manera *f*, medio

m, remedio *m*. 달리 ~이 없다 No hay otro remedio.
⑥ [방면·분야] campo *m*, esfera *f*, [전문] especialidad *f*. 그는 자기의 ~에서 전문가이다 El es un experto en su campo. 내 ~은 20세기의 시(詩)다 Mi especialidad es la poesía del siglo XX.
⑦ [거리(距離)] distancia *f*.
■ 길로 가라 하니까 뫼로 간다 ((속담)) Se desobedece a otro / No se obedece a su superior. 길을 두고 뫼로 갈까 ((속담)) ¿Voy al sitio incómodo a pesar de que hay un sitio más cómodo? 길을 무서워하면 범을 만난다 ((속담)) El que teme por dolor sufre del temor. 모든 길은 로마로 통한다 ((속담)) Todos los caminos llevan [conducen · van] a Roma / Por todas partes se va a Roma. 아는 길도 물어 가라 ((속담)) Quien pregunta no yerra.

길² ① [물건에 손질을 잘하여 생기는 윤기] brillo *m*, lustre *m*. 그녀는 번들번들 ~이 날 때까지 탁자를 닦았다 Ella limpió la mesa hasta hacerla brillar. ② [짐승을 잘 가르쳐서 부리기 좋게 된 버릇] domesticación *f*, mansedumbre *f*, docilidad *f*. ~을 들인 원숭이 mono *m* domesticado. ~을 들이기 힘든 짐승 animal *m* difícil de domar. ~을 들이다 domesticar, domar. ③ [익숙해진 솜씨] habilidad *f*, destreza *f*, maña *f*. ~이 난 hábil, diestro. ~이 난 솜씨로 hábilmente, con habilidad.
◆ 길(을) 들이다 dar*le* brillo (a), sacar*le* brillo (a), *AmL* lustrar. 길(이) 나다 acostumbrarse (a + *algo* [a + *inf*]), habituarse (a + *algo* [a + *inf*]). 길이 들다 obtener el brillo.

길³ [물건의 품질이 좋고 나쁜 등급] grado *m*, clase *f*. 윗~ clase *f* superior. 아랫~ clase *f* inferior.

길⁴ [권수가 여러 권으로 된 책의 한 벌] colección *f* de volúmenes, serie *f* de volúmenes. 이 책은 열 권이 한 ~이 된다 Este libro es completo en diez volúmenes.

길⁵ [저고리·두루마기의] sección *f* larga de la tela del abrigo coreano.

길⁶ ① [사람의 키의 한 길이] estatura *f* de un hombre. ② [길이의 단위; 여덟 자 혹은 열 자임] braza *f*. 깊이 스무 ~ veinte brazas de profundidad.

길가 borde *m* del camino, borde *m* de la carretera. ~에(서) al borde de la carretera, al borde del camino, a la vera del camino. ~에 있는 situado al borde del camino. ~에 있는 호텔 hotel *m* de camino, hotel *m* de carretera. 우리들은 ~에 앉았다 Nos sentamos al borde del camino.
■ ~ㅅ집 casa *f* al borde del camino.

길갈래【광산】＝갱도(坑道).

길강도(－强盜) ＝노상강도(路上强盜).

길거리 calle *f*, camino *m*. ~를 쏘다니다 vagar [deambular] por las calles. ~를 헤매다 quedarse sin casa ni hogar. ~나 공공장소에 함부로 휴지를 버리지 맙시다 No ensuciemos las calles tirando papeles rotos.

길경(吉慶) ocasión *f* feliz, acontecimiento *m* prometedor.

길경(桔梗/吉更) ①【식물】＝도라지. ②【한방】[도라지의 뿌리] raíz *f* de campánula china.

길군악(－軍樂) ＝행군악(行軍樂).

길금(吉金) hierro *m* de buena calidad.

길기(吉器) vasija *f* sin mancha.

길길이 ① [물건 따위가 높이 쌓인 모양] alto. ~ 쌓이다 amontonarse alto. ② [성이 나서 높이 뛰는 모양] muy, sumamente, extremadamente. 화가 나서 ~ 뛰다 estar muy enfadado [enojado], darle mucha rabia. 그녀는 열쇠를 잃고 ~이 뛰었다 A él le daba mucha rabia haber perdido las llaves. ③ [풀이나 나무 따위가 높이 자란 모양] alto. ~ 자라다 crecer alto.

길꾼 jugador *m* experto, jugadora *f* experta.

길나다 ① [버릇이나 습관이 되어 버리다] acostumbrarse (a), habituarse (a). ② [윤기가 나다] (ser) brillante, lustroso.

길나장이(－羅將－)【역사】guía *mf*.

길년(吉年) año *m* prometedor, *AmS* año *m* auspicioso.

길녘 junto al camino, alrededor del camino.

길놀이【민속】*kilori*, juego *m* en el camino.

길눈¹ [길을 찾아가는 정신] sentido *m* de dirección.
◆ 길눈(이) 밝다 tener un buen sentido de la dirección. 길눈(이) 어둡다 tener un mal sentido de la dirección.

길눈² [거의 한 길이나 되게 많이 온 눈] nieve *f* profunda como la estatura del hombre.

길다 ① [짧지 않다] (ser) largo. 긴 다리 piernas *fpl* largas. 긴 교량[다리] puente *m* largo. 긴 머리 pelo *m* largo, cabello *m* largo. 긴 비명 (소리) largo grito *m*. 길게 하다 alargar. 약간 긴 듯한 [긴 듯 싶은] un poco más largo (que de ordinario). 약간 긴 듯하게 [긴 듯 싶게] con una longitud algo mayor (que de ordinario), un poco más largamente (que de ordinario). 약간 긴 듯한 스커트 falda *f* un poco más larga que de ordinario. 약간 긴 듯하게 자르다 cortar un poco más largo. 이 작품[소설]은 ~ Esta obra [novela] es larga.
② [시간이 오래다] (ser) largo; [내구성이 있는] duradero. 긴 세월 largos años *mpl*, largos tiempos *mpl*. 긴 장마 larga estación *f* de las lluvias. 긴 세월을 두고 사귄 친구 viejo amigo *m*, vieja amiga *f*. 긴 안목(眼目)으로 보다 juzgar con perspectiva, observar a distancia. 긴 안목으로 보면 si lo juzgamos con perspectiva, si lo observamos a distancia. 인생은 짧고 예술은 ~ La vida es corta, y el arte largo.
◆ 길게 앉다 ＝눕다.
기나길다 (ser) bastante largo.

길닦이 reparación *f* del camino.

길더(영 *guilder*) [네덜란드의 전 화폐 단위]

florín *m* (holandés), guilder *m*, gulden *m*.
길독(—毒) =노독(路毒).
길동그랗다 ser largo y redondo.
길동글다 ser largo y redondo.
길동무 compañero, -ra *mf* de viaje. ~가 되다 ir acompañados. …와 ~가 되다 viajar con *uno*.
길동물(—動物) 【동물】 =파충류(爬蟲類).
길둥그렇다 =길동그랗다.
길둥글다 =길동글다.
길드(영 *guild*) [11세기 이후 유럽의 각 도시에서 발달한 상공업자의 상호 부조적 동업 조합] gremio *m*; 【역사】 corporación *f*.
■ ~ 사회주의[소셜리즘] socialismo *m* gremial.
길들다 ① [물건에 손질을 잘하여 윤기가 나다] pulirse, darse brillo. ② [짐승을 잘 가르쳐서 부리기가 좋게 되다] ser domado, ser domesticado. 길든 domado, domesticado. 길들지 않는 새 pájaro *m* salvaje. 잘 길든 강아지 perrito *m* bien domado. ③ [서투르던 일이 익숙하게 되다] acostumbrarse (a), habituarse (a).
길들이다 ① [그릇 또는 세간 같은 물건에 손질을 잘하여 윤기가 나게 하다] dar*le* [sacar*le*] brillo (a), *AmL* lustrar. ② [짐승을 잘 가르쳐 사람의 말을 잘 듣고 부리기가 좋게 만들다] domar, amaestrar, adiestrar, domesticar, enseñar, educar. 길들일 수 없는 indomable, indomesticable. 재주를 부리도록 개를 ~ domar a un perro a hacer jugadas. ③ [서투르던 솜씨를 익숙하게 하다] acostumbrar, habituar; [운동선수를] entrenar; [군인을] adiestrar; [아이를] enseñar. 일에 ~ acostumbrarse al trabajo. 아무도 그녀를 길들일 수 없었다 Ella era indomable.
길디길다 (ser) muy largo, larguísimo.
길떠나다 salir para un sitio lejano.
길라잡이 guía *mf*.
길래 para siempre. 당신의 은혜는 ~ 잊지 않겠습니다 No me olvidaré de su amabilidad mientras viva.
길례(吉例) buen precedente *m*.
길례(吉禮) ceremonia *f* próspera, ceremonia *f* feliz, función *f* próspera, costumbre *f* de tiempo laurado.
길로틴(영 *guillotine*) =기요틴(guillotine).
길리다 ser criado, criarse. 나는 고모 손에 길리었다 Me crió mi tía.
길마 albarda *f*.
◆ 길마(를) 지우다[짓다] albardar, enalbardar, echar la albarda, poner la albarda.
길명(吉命) buena suerte *f*, mucha suerte.
길모퉁이 esquina *f* (de la calle). ~에 있는 파출소 *casilla f* de policía en la esquina.
길목[1] ① [길의 중요로운 어귀] posición *f* estratégica, posición *f* ventajosa, punto *m* importante. ② [큰 길에서 작은 길로 드는 목] (esquina *f* de) la calle. ~에서 en (la esquina de) la calle. ~에서 두 번째 집 segunda casa *f* de la esquina de la calle.
길목[2] ((준말)) =길목버선.
■ ~버선 calcetines *mpl* de cuello alto.
길몽(吉夢) feliz sueño *m*, sueño *m* afortunado, buen sueño *m*.
길물 el agua *f* de una braza de profundidad.
길미 =이자(利子)(interés).
길바닥 ① =노면(路面)(firme). ② [길 가운데] centro *m* del camino..
길벌레 insecto *m* arrastrante.
길벗 =길동무(compañero de viaje).
길보(吉報) buena noticia *f*, noticia *f* dichosa, noticia *f* fausta, nuevas *fpl* alegres, noticia *f* jubilosa. ~ 를 가져오다 traer una buena noticia.
길봇짐 fardo *m* de viaje.
길비용(—費用) =노자(路資).
길사(吉士) ① =선비. ② [운수가 트인 사람] persona *f* afortunada.
길사(吉事) asunto *m* feliz [afortunado · dichoso], suceso *m* juviloso [regocijado · festivo].
길상(吉相) feliz cara *f*, feliz fisiognomía *f*, semblante *m* bendecido. ~을 한 사람 persona *f* de fisiognomía feliz. ~을 한 남자 hombre *m* de fisiognomía feliz. ~을 한 여자 mujer *f* de fisiognomía feliz.
길상(吉祥) feliz agüero *m*, buen agüero *m*.
■ ~과(果) granada *f*. ~금강(金剛) ((불교)) =문수보살(文殊菩薩). ~단(緞) una especie de seda producida en China.
길서(吉瑞) buen agüero *m*.
길성(吉星) 【민속】 *gilseong*, estrella *f* de feliz agüero.
길섶 =길가(borde del camino).
길세(—稅) =통행세(通行稅).
길손 viajero, -ra *mf*; viajante *mf*; pasajero, -ra *mf*; caminante *mf*.
길시(吉時) hora *f* de agüero feliz.
길신(吉辰) ① [길한 시절. 좋은 시절] tiempo *m* de feliz agüero, buen tiempo *m*. ② =길일(吉日).
길쌈 tejido *m*, el arte y modo de tejer. ~하다 tejer.
■ ~꾼 tejedor, -dora *mf*. ~노래 canto *m* de tejido. ~틀 =방직 기계(紡織機械).
길안내(—案內) ① [길을 안내하는 일] guía *f* del camino. ② =길안내자.
■ ~자(者) guía *mf* del camino.
길어(吉語) buena noticia *f*.
길어지다 alargarse, extenderse.
길연(吉宴) banquete *m* de feliz agüero, fiesta *f* de feliz agüero.
길옆 junto al camino.
길옥(吉玉) buen jade *m*.
길요강 orinal *m* de latón para el viaje.
길운(吉運) buena fortuna *f*, feliz fortuna *f*, buen augurio *m*, feliz augurio *m*, suerte *f*. 트럼프 점은 ~이 나온다 Las cartas auguran un buen auspicio [éxito].
길월(吉月) buen mes *m*, mes *m* de feliz agüero, mes *m* propicio, mes *m* de buen augurio.
길이[1] ① [한 끝에서 다른 한 끝까지의 거리] longitud *f*, largo *m*; [소설 따위의] exten-

sión *f.* 몸의 ~ longitud *f.* ~ 10미터 diez metros de largo, diez metros de longitud. ~ 백 미터의 다리 puente *m* de cien metros de longitud [de largo]. ~가 50미터다 tener cinco metros de longitud [de largo]. 몸의 ~가 2미터가 넘다 tener más de dos metros de largo. 바지의 ~를 짧게 하다 acortar los pantalones. ~가 얼마나 됩니까? ¿Qué largo tiene? ② [어떤 때에서 다른 때까지의 동안] duración *f.*

길이² [오랜 세월이 지나도록 내내] mucho tiempo, para siempre. ~ 보존하다 conservar para siempre. 그의 이름은 청사(靑史)에 ~ 빛날 것이다 El vivirá mucho tiempo en historia. 그분의 은혜(恩惠)를 ~ 못 잊겠다 Nunca olvidaré su amabilidad para siempre.

길이길이 para siempre, por siempre, muchísimo tiempo, permanentemente.

길이불 colchón *m* ligero [portátil] para el viaje.

길인(吉人) buen hombre *m*, feliz persona *f*, persona *f* beenaventurada.

길일(吉日) día *m* de buen augurio, día *m* dichoso [feliz · bienaventurado · próspero · propicio].

길잃은새 pájaro *m* perdido.

길잡이 ① [길을 찾아 나설 수 있는 목표가 되는 사물] guía *f*, manual *m*, faro *m*. 작문의 ~ manual *m* para la composición. ② ((준말)) =길라잡이.

길제(吉祭) servicio *m* conmemorativo celebrado en el vigesimoséptimo mes después de *su* muerte.

길조(吉兆) feliz agüero *m*, agüero *m* presagio, feliz agüero *m*, buen agüero *m*, signo *m* favorable. ~ 를 나타내다 ser de signo favorable, ser de buen agüero, presagiar bien, agorar bien.

길조(吉鳥) pájaro *m* de feliz agüero.

길지(吉地) ① [좋은 땅] buen terreno *m*. ② [민속에서, 좋은 집터나 묏자리] buen terreno *m*, buen solar *m*, buen solar *m* de la tumba.

길짐승 animal *m* arrastrante.

길징(吉徵) =길조(吉兆).

길쭉길쭉 ¶~하다 (ser) largo. ~한 막대 bastón *m* largo.

길쭉스름하다 (ser) algo largo.

길쭉하다 (ser) algo largo.

길쭉이 algo largamente. ~ 늘어놓아 [벽돌 따위를] a soga.

길쯔막하다 =길쯤하다.

길쯤하다 (ser) muy largo, larguísimo.

길차다 ① [아주 미끈하게 길다] (ser) finamente largo. ② [나무가 우거져서 깊숙하다] (ser) frondoso y profundo, estar lleno de maleza.

길책(一冊) libro *m* de muchos volúmenes.

길체 una esquina, un rincón.

길치 toro *m* producido en la región sur de Corea.

길턱 ((속어)) =과속 방지 턱.

길패(吉貝) 【식물】 =목화(木花).

길편하다 (ser) llano y extenso.

길표(一標) =도표(道標).

길하(吉河) =갠지스강(江)(el Ganges).

길하다(吉一) (ser) feliz, afortunado, tener buena suerte. 길한 꿈 sueño *m* con suerte. 길한 운세 buena suerte *f*, feliz suerte *f*.

길항(拮抗) rivalidad *f*, competencia *f*, antagonismo *m*. ~하다 rivalizar, hacer competencia, competir, luchar.

■ ~근(筋) 【해부】 antagonista *m*, músculos *mpl* antagonistas. ~ 물질 antisubstancia *f*. ~성 contrariedad *f*. ~ 신경 【해부】 nervio *m* antagonista. ~ 운동 반복 불능증 adiadococinesia *f*. ~ 작용 antagonismo *m*. ~질(質) antagonista *m*.

길흉(吉凶) buen augurio y mal augurio, felicidad y desastre, fortuna *f*, suerte *f*. ~을 점치다 adivinar fortuna, adivinar suerte, auguriar el provenir, auguriar la suerte.

■ ~화복(禍福) suerte *f*, fortuna *f*.

김¹ 【식물】 alga *f* marina; 【학명】 Porphyra tenera. ② [종이처럼 얇게 말린 김] alga *f* marina finamente secada como el papel.

김² 【농업】 mala hierba *f*.

◆김(을) 매다 escardar, desherbar, desarraigar [arrancar] las malas hierbas. 밭에서 ~ desherbar las malas hierbas en el campo.

김³ ① [물 따위가 열을 받아서 변한 기체] vapor *m*, humo *m*. ~이 (무럭무럭) 나는 수프 sopa *f* huemante. ~이 나다 humear. 냄비에서 ~이 무럭무럭 나고 있다 La olla está humeando / El vapor sale de la olla. ② [숨쉴 때에 입에서 나오는 더운 기운] vaho *m*. ③ [음식의 특유한 향기나 맛] aroma *f* (peculiar), sabor *m* peculiar, olor *m* (peculiar). ~ 빠진 맥주 cerveza *f* insípida [sosa · desabrida].

◆김(이) 빠지다[나가다 · 식다] (ser) insípido, soso, desabrido.

■김 안 나는 숭늉이 더 뜨겁다 ((속담)) Perro ladrador, poco mordedor.

김⁴ [어떤 일의 기회나 또는 바람] ocasión *f*, oportunidad *f*. 말하는 ~에 a propóstio de lo que se trata, en el curso de una conversación. 일어난 ~에 그 책을 나에게 집어 다오 Ya que te has levantado cógeme ese libro. 나는 서울 간 ~에 그를 찾아보았다 Fui a Seúl y de paso le visité.

김구(金九) 【인명】 Kim Gu (1876-1949) (독립운동가 · 정치가).

김나지움(독 *Gymnasium*) gimnasio *m*.

김내기 =증산 작용(蒸散作用).

김매기 =제초(除草)

김발 *kimbal*, persiana *f* de bambú para hacer adherir el alga marina en el mar.

김밥 ① [김으로 밥을 말아 싸서 만든 음식] *kimbab*, comida *f* envuelta [enrollada] por el alga marina. ② =김초밥.

김새다 ((속어)) romperse la diversión.

김쌈 *kimsam*, arroz *m* envuelto por el alga marina.

김의털 【식물】 ((학명)) Festuca ovina var. vulgaris.
김장 *kimchang*, verduras *fpl* encurtidas preparadas para el invierno. ~하다 encurtir las verduras para el invierno.
~감[거리] verduras *fpl* para *kimchang*. ~값 ㉮ [김장거리를 사는 돈] dinero *m* de comprar las verduras para *kimchang*. ㉯ [김장하는 데 드는 경비] gastos *mpl* para *kimchang*. ~김치 *kimchi* encurtido en la temporada de *kimchang*. ~독 jarro *m* para *kimchang*. ~때 temporada *f* de *kimchang*. ~밭 plantío *m* [campo *m*] de *kimchang*. ~배추 repollos *mpl* para *kimchang*. ~철 temporada *f* de *kimchang*, el otoño tardío y el invierno temprano. ~파 cebolleta *f*, escalona *f*, escalonia *f*, cebolla *f* escalonia.
김지이지(金的李的) *Kim* y *Lee*, ciertas personas, cualquier hijo de vecino.
김초밥 *kimchobab*, arroz *m* con vinagre envuelto por el alga marina.
김치 *kimchi*, encurtidos *mpl*, encurtidos *mpl* de repollo, verduras *fpl* encurtidas.
◆무~ *kimchi* de rábano, encurtidos *mpl* de rábano. 오이~ *kimchi* de pepino, encurtidos *mpl* de pepino.
■~말이 *kimchimari*, arroz *m* o fideos *mpl* con sopa de *kimchi*. ~밥 *kimchibab*, arroz *m* de *kimchi*. ~주저리 *kimchichucheori*, hojas *fpl* de repollo o rábano encurtidas en sal. ~죽(粥) *kimchichuk*, gachas *fpl* de *kimchi*. ~찌개 *kimchichigae*, sopa *f* de *kimchi*. ~ㅅ거리 materiales *mpl* para *kimchi*. ~ㅅ국 *kimchitguk*, sopa *f* de *kimchi*. 김칫국부터 마신다 ((속담)) No hay que vender la piel del oso antes de haberlo matado / No hay que vender la piel del oso (antes de cazarlo) / No hagas las cuentas de la lechera. ~ㅅ독 *kimchitdok*, tarro *m* para conservar *kimchi*, jarro *m* para *kimchi*. ~ㅅ돌 *kimchitdol*, piedra *f* para prensar *kimchi* en *kimchitdoc*, piedra *f* gruesa que sirve para presionar *kimchi*. ¶~을 올려놓다, ~로 누르다 colocar [poner] una piedra como peso sobre *kimchi*, presionar *kimchi* bajo una piedra. ~ㅅ보 *kimchitbo*, tela *f* de envolver para *kimchi*. ~ㅅ소 *kimchitso*, relleno *m* en *kimchi*
김치참외 【식물】 =월과(越瓜).
깁 seda *f* sin figuras.
깁기 costura *f*, labor *f*, puntada *f*.
깁다 coser; [수선으로 헝겊을 대고] remendar, *AmL* parchar; [수선으로 구멍·양말을] zurcir; [신발을] arreglar; 【의학】 [봉합하다] suturar, hacer una sutura. 구두를 ~ arreglar los zapatos. 셔츠를 ~ zurcir una camiseta. 양말을 ~ zurcir los calcetines. 옷을 ~ remendar la ropa. 이 양말은 이제 더 기울 수가 없다 Estos calcetines ya no se pueden zurcir.
깁스(독 *Gips*) ① =석고(石膏). ② ((준말)) =깁스붕대.
■~붕대 yeso *m*, vendaje *m* enyesado. ¶다리에 ~를 하다 enyesar una pierna, poner yeso en una pierna.
깁실 hilo *m* de seda.
깁옷 ropa *f* de seda.
깁창(−窓) ventana *f* con seda sin figuras.
깃[1] [외양간·마구간·닭의 둥우리 같은 데에 까는, 짚이나 마른 풀 같은 것] lecho *m* de paja, paja *f*, hierba *f* seca.
깃[2] [새의 날개의 털] pluma *f*; [집합적] plumaje *m*. ~을 넣은 베개 almohada *f* rellenada de pajas. ~이 나다 emplumecer. ~을 뽑다 desplumar. 새의 ~을 뽑다 desplumar un ave. ~이 예쁘면 새도 예쁘다 Por el traje se conoce al personaje / El pájaro parece vistoso porque lleva plumas vistosas, no por otra cosa.
깃[3] [화살의 깃간도피 아래에 세 갈래로 붙인 새 날개의 털] pluma *f*.
깃[4] ((준말)) =옷깃(cuello, cabezón).
깃[5] ((준말)) =부싯깃(yesca).
깃[6] [몫] porción *f*, parte *f*.
깃고대 sitio *m* que el cuello pega a la ropa.
깃광목(−廣木) muselina *f* cruda.
깃구멍막히다 ((속어)) =기막히다.
깃길이 longitud *f* de la pluma.
깃꼴 forma *f* pinada. ~의 pinado.
■~겹잎 【식물】 hoja *f* compuesta pinada. ~맥(脈) 【식물】 vena *f* pinada. ~잎 【식물】 hoja *f* pinada. ~홑잎 【식물】 hoja *f* unifoliada pinada.
깃넓이 anchura *f* de la pluma.
깃다 estar lleno de maleza, estar cubierto de mala hierba.
깃다듬다 [새가] limpiarse las plumas.
깃대 [깃의] cañón *m* (*pl* cañones).
깃대(旗−) ① [기를 달아매는 장대] el asta *f* (*pl* las astas) de (la) bandera, mastil *m*, *Méj* astabandera *f*. ② ((속어)) =기(旗) (bandera).
■~기둥 =당간 지주(幢竿支柱).
깃들다 =깃들이다.
깃들이다 ① [짐승이 보금자리를 만들어 그 속에 들어 살다] acogerse, recogerse en su guarida; [새가] anidar, posarse. 천장에 쥐가 깃들이고 있다 Hay una madriguera de ratones en el techo. ② [속에 머물러 살다. 또, 자리잡다] anidar, morar, vivir, residir. 유흥가에서 불량배들이 깃들이고 있다 Anidan los bribones en los barrios de diversiones. 건전한 정신은 건전한 신체에 깃들인다 Alma [Mente] sana en cuerpo sano.
깃발(旗−) bandera *f*, insignia *f* estandarte.
깃비 escoba *f* de plumas.
깃옷 ① [생무명의 상복] luto *m* de algodón crudo. ② =우의(羽衣).
깃이불 colchón *m* (*pl* colchones) de plumas.
깃저고리 ropitas *fpl* de recién nacido.
깃촉 pluma *f* para escribir.
깃털 pluma *f*; [집합적] plumaje *m*. ~ 모양의 [잎이] pinnado. ~을 뽑다 desplumar. ~이 빠지다 desplumarse.
■~ 베개 almohada *f* de plumas. ~ 이불

colchón *m* (*pl* colchones) de plumas.

깃펜 pluma *f* (para escribir).

깊다 ① [겉면에서 속까지, 또는 위에서 밑바닥까지의 거리가 멀다] (ser) profundo, hondo. 깊은 구멍 hoyo *m* profundo. 깊은 숲 bosque *m* profundo. 깊은 우물 pozo *m* profundo. 깊은 부상을 입다 herirse gravemente, sufrir una herida honda [profunda]. 강은 이 부분에서 매우 ~ El río es muy profundo en esta parte. 이 연못은 매우 ~ Este estanque es muy profundo. 이 우물은 깊지 않다 Este pozo es poco profundo [hondo]. 물은 이 부분이 ~ Las aguas son profundas por esta parte.
② [학문과 지식이 많다] (ser) profundo. 깊은 진리(眞理) profunda verdad *f*. 학문이 깊은 사람 hombre *m* de conocimientos profundos.
③ [심지(心志)가 듬쑥하다] (ser) prudente, profundo. 깊은 생각 pensamiento *m* profundo, preocupación *f*, cavilación *f*, reflexión *f*, meditación *f*. 깊은 생각에 잠기다 preocuparse, meditarse. 깊은 생각에 빠지다 quedarse pensativo. 깊은 감동을 맛보다 tener una impresión muy profunda. 이해를 깊게 하다 cultivar un mejor entendimiento (de), profundizar *sus* conocimientos (de).
④ [사귄 정분이 두텁다] (ser) íntimo, estrecho, profundo. 깊은 관계(關係) relación *f* íntima. 깊은 우정(友情) amistad *f* íntima. 우정을 깊게 하다 fortificar *su* amistad (con). 그는 그녀와 깊은 사이이다 El y ella son amingos íntimos. 그것에는 깊은 사연이 있다 Hay razones profundas para eso. 두 나라 사이에는 우호가 깊어졌다 Se ha hecho más íntima [estrecha] la amistad entre los dos países.
⑤ [이슥하다] (ser) tarde, profundo. 깊은 밤 medianoche *f*, noche *f* profunda. 밤이 깊어질 때까지 hasta que se avance la noche, hasta avanzada la noche. 밤이 깊어짐에 따라 a medida que avanza la noche. 밤이 깊어지다 avanzar la noche. 밤이 ~ La noche es profunda. 밤이 깊어졌다 La noche se avanzó. 이제 밤이 깊어졌다 Ya está bien avanzada la noche.
⑥ [잠이] (ser) profundo, pesado, de plomo. 깊은 잠 sueño *m* profundo [pesado · de plomo].
⑦ [계절 따위가 완숙하다] (ser) profundo. 가을도 깊었습니다 Estamos en pleno otoño.
깊디깊다 (ser) muy profundo, profundísimo.
깊은숨 =심호흡(深呼吸).

깊다랗다 (ser) muy profundo, profundísimo, mucho más profundo de lo que se piensa.

깊숙하다 (ser) profundo, hondo, recóndito. 깊숙한 곳 retirada *f*, fondo *m*. 깊숙한 방 habitación *f* más retirada de la casa. 깊숙한 숲 bosque *m* profundo. 숲 깊숙한 곳에 en lo más profundo [recóndito] del bosque. 깊숙한 방으로 들어가게 하다 hacer pasar a la habitación interior de la casa.
깊숙이 profundamente, hondamente, en el fondo. 동굴[숲] 안 ~ en el fondo de la cueva [del bosque]. 의자에 ~ 앉다 recostarse en la silla. 의자에 ~ 걸터앉다 hundirse [repantigarse] en un sillón. 숨을 ~ 들이마시다 respirar a pleno pulmón, respirar profundamente.

깊이¹ profundidad *f*, profundo *m*. ~를 알 수 없는 sin fondo, insondable. ~를 알 수 없는 호수(湖水) lago *m* sin fondo. 연못의 ~ profundidad *f* del estanque. 우물의 ~ profundidad *f* del pozo. ~ 10미터 diez metros de profundidad [de profundo]. ~가 100미터다 tener cien metros de profundidad. 이 샘은 ~가 얼마나 됩니까? ¿Qué profundidad [hondura] tiene este pozo?

깊이² [깊게. 깊도록] profundamente, con profundidad; [마음속에서] sinceramente, cordialmente, desde el fondo del corazón. ~ 감사하다 agradecer infinitamente [sinceramente]. ~ 들어가다 meterse demasiado (en). ~ 생각하다 pensar profundamente, tener una visión profunda (de). ~ 파다 excavar profundamente. ~ 잠들다 dormirse profundamente. 간밤에는 ~ 잠잤다 Dormí profundamente anoche. 눈이 ~ 쌓였다 La nieve ha cuajado mucho / Hay mucha nieve.
깊이깊이 muy profundamente. 가슴속에 ~ 간직한 사랑 amor *m* muy profundo en el corazón.

깊이다 profundizar, hacer más profundo, ahondar. 구멍을 깊여야 한다 Hay que profundizar el hoyo.

까까머리 ① [머리] cabeza *f* rapada. ~를 하다 tener la cabeza rapada. ② [사람] tonsurado, -da *mf*.

까까중 ① [중] monje *m* budista con la cabeza rapada. ② =까까머리❶.
▪ ~머리 =까까머리. ~이 =까까중.

까뀌 azuela *f*, el hacha *f* (*pl* las hachas). ~로 깎아내다 extraer con la azuela.

까끄라기 arista *f*, barba *f* de la espiga.

까나리 【어류】 ((학명)) Ammodytes personatus.

까놓다 ① [마음속의 비밀을 숨김없이 털어놓다] desahogarse (con), abrir*le* el pecho (a), abrirle el corazón (a), confiarse (a), descubrirse las cosas secretas. ② [껍데기를 까서 놓다] pelar (y poner), quitar*le* la concha (a), desconchar. 새우의 딱지를 ~ quitar la concha al camarón, desconchar el camarón.
까놓고 abiertamente, francamente, públicamente, en público, a la vista de todos, a la vista de todo el mundo. ~ 말하면 francamente, hablando francamente, hablando abiertamente.

까다¹ ① [(재물이) 줄어지다] reducirse la fortuna [los bienes]. ② [(몸의 살이) 여위어지다 · 빠지다] adelgazar(se), ponerse delgado, enflaquecer(se), ponerse flaco.

까다² ① [속에 든 것을 드러내고 껍데기를 벗기다] pelar, cascar, quitar*le* la concha (a), desconchar. 호두를 ~ cascar las nueces. ② [껍질이나 껍데기를 벗겨 따내다] descortezar, pelar, mondar, descascarar. 귤을 ~ mondar una naranja. 모시조개를 ~ abrir [desconchar · quitar las conchas a] las almejas. ③ ((속어)) [새끼를 낳다] empollar, incubar, encobar huevos. 새들이 방금 깠다 Los pájaros acaban de salir del huevo. ④ ((속어)) [쳐서 상처를 내거나 깨뜨리다] golpear (y romper), dar un golpe (y romper). 다시 한 번 그런 짓을 하면 대가리를 까 버릴테다 Si tú haces tal cosa de nuevo, te daré un golpe en la cabeza. ⑤ [결함을 들추어 공격하다] criticar. ⑥ [셈에서 일정한 양을 빼다] deducir, substraer. ⑦ [크게 벌리다] abrir bien, abrir bien grande.

까다³ [실천은 없고 입만 놀리다. 입을 잘 놀리다] decir con mucha labia [palabrería].

까다롭다 ① [성미가] (ser) de carácter difícil, de genio difícil, delicado, particular; [투정이 심한] exigente, quisquilloso; [성을 잘 내는] irascible, susceptible; [문제 따위가 복잡한] complicado, enredado. 까다로운 사람 persona *f* difícil, persona *f* exigente, cascarrabias *m.sing.pl.* 그는 돈에 ~ El es una persona que da importancia hasta un céntimo. 그는 성미가 까다로운 노인이다 El es un viejo cascarrabias [de mal genio]. ② [별스럽게 까탈이 많다] tener mucho obstáculo.

까다로이 delicadamente, particularmente, exigentemente, quisquillosamente, irasciblemente, susceptiblemente, complicadamente, enredadamente.

까닥거리다¹ ① [좋아서 까불다] portarse frívolamente con gusto. ② [분수없이 경솔하게 젠체하다] darse aires imprudentemente.

까닥거리다² [머리를 자꾸 앞뒤로 내흔들다] soler mecer la cabeza (hacia) adelante y atrás.

까닥이다 mecer la cabeza ligeramente, asentir con la cabeza.

까닭 ① [이유(理由)] razón *f* (*pl* razones), motivo *m*, fundamento *m*; [원인] causa *f*. 무슨 ~으로 ¿Por qué? / ¿Con [Por] qué razón? / ¿Por qué motivo? ~ 없이 sin razón, sin motivo. 아무런 ~ 없이 sin motivo alguno, sin razón alguna. 이런 ~으로 por esta razón. 여기에는 여러 가지 ~이 있다 Hay muchas razones para esto. 나는 그를 도울 ~이 없다 No encuentro ninguna razón para ayudarle a él. ② [연유(緣由)] circunstancia *f*, caso *m*. ③ =속셈.

까대기 choza *f* provisional.

까딱수(―手) movimiento *m* arriesgado, medida *f* arriesgada.

까딱없다 (ser) sano y salvo.

까딸루냐 【지명】 Cataluña (옛 공국(公國)이며 이베리아 반도의 북동부 지방). 수도(capital): 바르셀로나(Barcelona).

■ ~ 사람 catalán, -lana *mf*. ~어 catalán *m*.

까라기 ((준말)) =까끄라기.

까라까스 【지명】 Caracas(베네수엘라의 수도). ~의 caraqueño. ~ 사람 caraqueño, -ña *mf*.

까라지다 languidecer.

까르륵 con un grito. ~하다 dar un grio.

까르륵거리다 soler dar un grito.

까마귀 ① 【조류】 cuervo *m*. ~ 떼 bandada *f* de cuervos. ~ 우는 소리 grazido *m* de un cuervo. ~가 울다 graznar, crascitar. ~가 운다 Un cuervo grazna [crascita]. ② [몹시 까맣게 된 것] lo negrísimo. ③ ((은어)) [경찰관] policía *mf*.

■ 까마귀 고기를 먹었나 ((속담)) ¿Por qué es usted muy olvidadizo?

■ ~ 소식(消息) No hay noticia alguna. ~자리 【천문】 el Cuervo.

까마득하다 estar muy lejos.

까마득히 muy lejos.

까마무트름하다 (ser) oscuro y regordete.

까마반드르하다 (ser) negro y brillante.

까마반지르하다 =까마반드르하다.

까마아득하다 ((본딧말)) =까마득하다.

까마아득히 ((본딧말)) =까마득히.

까마종이 【식물】 ((학명)) Solanum nigrum.

까막- (color *m*) negro *m*.

까막거리다 ① [등불 같은 것이 자꾸 꺼질 듯 말 듯 하다] parpadear. ② [눈을 감았다 떴다 하다] pestañear, parpadear.

까막과부(―寡婦) =망문과부(望門寡婦).

까막까치 el cuervo y la urraca.

까막눈 los ojos de la persona ignorante.

까막눈이 analfabeto, -ta *mf*, persona *f* que no saber leer ni escribir, persona *f* ignorante que no escribe ni lee.

까막잡기 gallina *f* ciega.

까맣다¹ [아주 검다. 매우 검다] (ser) negrísimo, muy negro.

까맣다² ① [아주 멀어서 아득하다] estar muy lejos. ② [도무지 기억이 없다] no tener memoria alguna.

◆ 까맣게 모르다 no darse cuenta de nada en absoluto, no saber nada. 까맣게 잊다 olvidar(se) completamente. 나는 그것을 까맣게 잊고 있었다 Le he olvidado completamente.

까매지다 oscurecerse, ennegrecerse, nublarse. 햇볕에 타서 ~ (ser) moreno, bronceado, tostado, broncearse, tostarse, quemarse, *AmL* quemado, *Méj* asoleado. 햇볕에 타서 까매진 얼굴 cara *f* bronceada por el sol.

까먹다 ① [껍데기를 벗기고 먹다] comer después de descascarar. ② [밑천을 다 없애다] gastarse, liquidarse. 밑천을 다 ~ gastarse todo *su* fondo. 재산을 다 ~ perder *su* fortuna, gastarse *su* fortuna. 그는 이틀 만에 한 달 봉급을 다 까먹었다 El se gastó [se liquidó] el sueldo de un mes en dos días. ③ [잊어 버리다] olvidarse.

까무러뜨리다 ① [몹시 까무러지다] (ser) insensible, desvanecerse. ② [까무러치게 하다] hacer desvanecer.
까무스름하다 ((센말)) =가무스름하다.
까무잡잡하다 ((센말)) =가무잡잡하다.
까무족족하다 ((센말)) =가무족족하다.
까무칙칙하다 ((센말)) =가무칙칙하다.
까무퇴퇴하다 ((센말)) =가무퇴퇴하다.
까물거리다 ((센말)) =가물거리다.
까물대다 =까물거리다.
까뮈 【인명】 Albert Camus (1913-1960). ~는 프랑스 작가로 대표작은 「이방인」이다 Albert Camus es un escritor francés y su obra maestra *El Extranjero*.
까바치다 ((속어)) chivarse, ir con el chismo, ir con el cuento, *Méj* irse a rajar (con), *RPI* ir a alcahuetear. 그는 선생님에게 까바쳤다 El se chivó al profesor / Le fue con el chisme [con el cuento] al profesor / *Méj* El se fue a rajar con el profesor / *RPI* Le fue a alcahuetear al profesor. 우리를 까바치지 마라 ¡No nos descubras!.
까발리다 pelar, desenvainar, abrir.
까부라지다[1] ① [물건의 운두 등이 차차 줄어지다] reducirse, disminuirse. ② [힘이 빠져 몸이 고부라지다] languidecer, sentirse cansado, encontrarse cansado.
까부라지다[2] [마음과 성정이 바르지 아니하다] (ser) deshonesto.
까부르다 aventar. 곡식(穀食)을 ~ aventar el grano.
까불거리다 portarse [comportarse] displicentemente.
까불까불 displicentemente, imprudentemente.
까불다 ① [경망하게 행동하다] comportarse [portarse] frívolamente. ② [몹시 아래위로 흔들리다] agitarse, sacudirse, bambolearse, dar bandazos. ③ [몹시 아래위로 흔들다] sacudir, zarandear. ④ ((준말)) =까부르다.
까불리다[1] [재물을 함부로 흩어 없애 버리다] gastar la propiedad imprudentemente, derrochar [despilfarrar] el dinero.
까불리다[2] ① [((「까부르다」의 피동)) 까부름을 당하다] ser aventado. ② [((「까부르다」의 사동)) 까부르게 하다] hacer aventar.
까불이 persona *f* frívola.
까붐질 aventamiento *m*. ~하다 aventar.
까사 로사다 【지명】 la Casa Rosada (아르헨띠나의 대통령 집무실이 있는 정부 청사).
까세레스 【지명】 Cáceres (서반아의 주・주도). ~는 지상(地上)에서 가장 아름다운 도시라 한다 Se dice que Cáceres es la ciudad más hermosa del mundo.
까스뜨로[1] 【인명】 Fidel Castro (1927-).
◆꾸바의 변호사・정치가로 1976년에 국가원수 및 공산당 당수로 지명됨(Es abogado y político cubano y en 1976 fue designado jefe del Estado y del Partido Comunista).
까스뜨로[2] 【인명】 Rosalía de Castro (1837-1885).
◆서반아 갈리시아의 여류 시인으로 갈리시아어와 서반아어로 글을 썼으며 소설도 썼다(Era poestisa gallega y escribió en gallego y en castellano. Escribió también novelas). 갈리시아어로 쓴 「갈리시아의 노래」「폐허」 및 「새로운 혼란」 등이 있고, 서반아어로 쓴 「나의 어머니」「남쪽 해변에서」 등이 있음(Hay Cantares gallegos, Ruinas, Follas Novas, etc. en gallego y Mi madre, En las orillas del Sur etc. en castellano).
까옥 graznando, crascitando. ~하다 graznar, crascitar.
까옥거리다 seguir [continuar] graznando [crascitando].
까옥까옥 siguiendo graznando, siguiendo crascitando.
까지 a, hasta; [늦어도 …까지] para; aun, incluso, el [la] mismo [misma] +「명사」; [부정의 경우] ni siquiera, ni aun, para, antes de, antes (de) que + *subj*; […할 때까지는] para que + *subj* (미래에서) [+ *ind* (과거에서)]; [그 위에] además, por añadidura. 다음 주~ hasta la semana próxima. 12월 11일~ hasta el (día) once de diciembre. 20쪽~ hasta la página veinte. 여기서 역(驛)~ de [desde] aquí a [hasta] la estación. 어떤 점~(는) hasta cierto punto. 세 시부터 다섯 시~ de las tres a las cinco. 일요일~ [계속] hasta el domingo; [마감] para el domingo. 부산~ 가다 ir para Busan. 서울~의 표 billete *m* para Seúl. 세 시~는 돌아오겠다 Volveré para [antes de] las tres. 저녁~는 돌아오너라 Vuelve antes (de) que obscurezca. 나는 그가 돌아올 때~ 기다려야 한다 Tengo que esperar hasta que vuelva. 나는 그가 돌아올 때~ 기다려야 했다 Yo tenía que esperar hasta que volvió. 그가 돌아올 때~ 돌아가지 마세요 No se vaya usted antes (de) que vuelva él. 그는 내가 돌아올 때~ 기다렸다 Yo le esperaba hasta que volvió él. 일을 끝마칠 때~(는) 돌아가지 않겠다 No volveré hasta después de terminar el trabajo. 그의 친자식~도 그를 업신여긴다 Hasta su propio hijo le desprecia. 너~ 그걸 믿니? ¿Hasta tú lo crees? 제주도~ 눈이 내렸다 Nevó hasta en (la isla de) *Chechudo*. 이 산에는 여름~ 눈이 있다 En esta montaña hay nieve aun en (el) verano. 그것은 아이들~도 할 수 있다 Aun [Hasta] los niños pueden hacerlo. 부친~도 그것을 몰랐다 No lo sabía ni el mismo padre. 그는 나한테~ 숨기는 것이 있다 Incluso para mí tiene secretos. 눈~ 내리기 시작했다 Por añididura [Además], empezó a nevar.
까지다[1] ① [껍데기나 옷이 벗겨지다] ㉮ [껍데기가] rasguñarse, rasparse, pelarse, despellejarse. 운전수가 까지기만 했다 El conductor sólo sufrió rasguños. 나는 돌에 피부가 까졌다 La piedra me abrió la piel. 내 피부가 까지고 있다 Me estoy pelando [despellejando]. ㉯ [옷이] quitarse. ② [몸

의 살이나 재물이 줄게 되다] consumirse, atrofiarse; [재물이] disminuir, reducirse, menguar. 점점 까져서 없어지다 irse reduciendo hasta quedar en la nada.

까지다² [닳고 닳아 지나치게 약다] (ser) demasiado astuto, demasiado sagaz. 어린아이가 너무 까졌다 El niño es demasiado astuto.

까치 【조류】 marica *f*, urraca *f*, picaza *f*, picaraza *f*.

■ ~두루마기 *cachidurumaki*, abrigo *m* coreano con varios colores puesto por los niños en el día de Año Nuevo. ~발 【건축】 soporte *m*. ~선(扇) *cachiseon*, abanico *m* redondo con cuatro colores. ~설날 la Nochevieja, el treinta y uno de diciembre, día *m* anterior del Año Nuevo; [밤] la noche de Fin de Año, víspera *f* del Año Nuevo. ~설빔 ropa *f* para la Nochevieja. ~저고리 *cachicheogori*, chaqueta *f* coreana con varios colores puesta por los niños en el día de Año Nuevo. ~집 nido *m* de la urraca.

까치살무사 【동물】 =살무사.

까치콩 【식물】 el haba *f* (*pl* las habas).

까칠하다 (estar) demacrado, ojeroso, escuálido, consumido, descarnado. 까칠한 얼굴 cara *f* descarnada.

까탈 estorbo *m*, obstáculo *m*, problema *m*, impedimento *m*.

◆ 까탈(을) 부리다 fastidiar*le* los planes (a), crear problemas, ser obstáculo, ser lastre. 그의 과거는 그의 출세에 까탈을 부렸다 Su pasado fue un obstáculo [un lastre] en su carrera profesional. 까탈(이) 지다 encontrarse con problema, quedar totalmente paralizado.

까탈스럽다 ㉮ [복잡하다] (ser) complicado, complejo. ㉯ [어렵다] (ser) difícil. 이 문제는 좀 ~ Este problema es un poco difícil de solver. ㉰ [골치아프다] (ser) problemático, conflictivo, difícil. 일이 생각보다 ~ El trabajo es más problemático de lo que yo he pensado.

까탈스레 complicadamente, con dificultad, difícilmente, problemáticamente.

까투리 ① 【조류】 faisana *f*. ② ((속어)) [몹시 약아빠진 사람] persona *f* muy astuta.

까팡이 fragmento *m* de la cerámica sin esmaltar.

까풀 capa *f* dura, capa *f* de suciedad.

◆ 까풀(이) 지다 estar cubierto (de), estar bañado (en).

깍 ((준말)) =까옥.

깍깍 ((준말)) =까옥까옥.

깍깍거리다 soler graznar.

깍두기 *kkakdugi*, nabo *m* cortado en pedacitos con sal, ají crudo cortado en pedacitos, puerro, ajo y jengibre.

■ ~찌개 sopa *f* de *kkakdugi*.

깍둑거리다 cortar en trozos desiguales.

깍둑깍둑 cortando en trozos desiguales.

깍듯하다 (ser) cortés, amable, atento. 인사가 ~ ser cortés en *su* saludo.

깍듯이 cortésmente, con cortesía, amablemente, con amabilidad, atentamente. ~ 인사하다 saludar cortésmente.

깍쟁이 ① [인색하고 이기(利己)에 밝은 사람] tacaño, -ña *mf*, avaro, -ra *mf*. ② [몸집이 작고 얄밉게 약바른 사람] persona *f* astuta, persona *f* ladina, persona *f* taimada.

깍정이 【식물】 cúpula *f*.

깍지¹ ① [콩 따위의 알맹이를 까낸 꼬투리] vaina *f* vacía. ② =껍질(forfolla, cáscara).

깍지² [활시위를 잡아당길 때 엄지손가락의 아랫마디에 끼는 뿔로 된 기구] anillo *m* de cuerno para el pulgar.

◆ 깍지(를) 끼다 estrechar entre *sus* brazos.

깎다 ① [연장의 날로 물건을 얇게 베거나 밀어내다] afilar, aguzar, raspar; [대패로] cepillar, acepillar; [껍질을] mondar. 사과를 ~ mondar la manzana. 연필을 ~ afilar [aguzar] el lápiz. ② [(배게 난 털이나, 풀 같은 것을) 잘라내다] cortar; [동물의 털을] esquilar; [수염을] afeitar; [자신의 수염을] afeitarse. 잔디를 ~ cortar el césped. 수염을 ~ afeitar*le* (a), hacerse la barba (a); [자신의] afeitarse, rasurarse, hacerse la barba. …의 머리를 ~ cortar*le* a *uno* el pelo. ③ [(액수나 수량에서 일부를) 덜어 내다] rebajar, descontar. 물건 값을 ~ rebajar [descontar] el precio. 값을 깎아 달라고 하다 pedir descuento [rebaja]. 1000원을 깎아 주다 rebajar mil wones. 9500원을 9000원으로 깎아 주다 bajar [reducir] el precio de nueve mil quinientos wones a nueve mil. ④ [(남의 체면이나 명예를) 떨어뜨리다] deshonrar. ⑤ [(정구·탁구·축구 등에서) 공을 뱅글뱅글 돌게 하다] hacer girar.

깎는작용(作用) 【지질】 =침식 작용.

깎아지르다 (ser) escarpado, cortado a pico.

◆ 깎아지른 듯하다 ser pino. 깎아지른 듯한 언덕 cuesta *f* bastante pina [escarpada].

깎은새서방(-書房) joven *m* elegantemente vestido

깎은서방님(-書房-) =깎은새서방.

깎은선비 caballero *m* guapo.

깎이다¹ [((깎다의 피동)) 깎음을 당하다] ser afilado, ser cortado, ser mondado.

깎이다² [((깎다의 사동)) 깎게 하다] hacer afilar, hacer mondar.

깐 cálculo *m*, juicio *m*, valoración *f*. 내 ~에는 en mi cuenta.

깐깐오월(-五月) mayo *m* del calendario lunar.

깐깐이 persona *f* quisquillosa, persona *f* maniática.

깐깐하다 ① [질기게 차지다] (ser) engomado, adhesivo, pegajoso, pringoso. ② [성질이 깐질겨 사근사근한 맛이 없다] (ser) pertinaz, tenaz.

깐깐히 adhesivamente, pegajosamente, pertinazmente, tenazmente, con tenacidad.

깐닥거리다 ((센말)) =간닥거리다.

깐보다 conjeturar, hacer conjeturas.

깐작거리다 (ser) tenaz.

깐작깐작 tenazmente, con tenacidad.
깐작대다 =깐작거리다.
깔 ((준말)) =깔색.
깔개 alfombra *f*, estera *f*, esterilla *f*, [방 전체에 까는 직물] moqueta *f*, [문앞의]. felpudo *m*, *Col* tapete *m*; [목욕탕의] alfombrilla *f* [alfombrita *f*・*Col* tapete *m*] del baño; [테이블의] (mantel *m*) individual *m*; [테이블 중앙의・식탁 접시나 화분 밑에 까는 것] salvamanteles *m.sing.pl*, *RPI* posafuentes *m.sing.pl*.
깔기다 ((센말)) =갈기다.
깔깔 a carcajadas. ~ 웃다 soltar carcajadas, reírse a carcajadas.
깔깔거리다 soltar carcajadas, reirse a carcajadas.
깔깔대다 =깔깔거리다.
깔깔이 ① ((속어)) [조젯] (crêpe *m*) georgette *m*. ② ((은어)) dinero *m* que acaba de sacar del banco.
깔깔하다 ① [물건이 말라서 딱딱하여 반드럽지 못하다] (ser) basto, ordinario, áspero, rugoso. ② [마음이 맑고 곧고 깨끗하다] (ser) muy exigente, susceptible. 깔깔한 사람 persona *f* susceptible.
깔깔히 bastamente, ordinariamente, ásperamente, susceptiblemente, exigentemente, rugosamente.
깔끄럽다 (ser) basto, áspero.
깔끔거리다 pinchar, arder, escocer.
깔끔하다 ser bonito y aseado. 깔끔한 집 casa *f* bonita y aseada. 깔끔하지 못한 desarreglado, descuidado, negligente, dejado, sin orden, relajado, sucio, desaseado, desaliñado. 복장이 깔끔하지 못한 descuidado en *su* forma de vestir. 방이 깔끔하지 못하다 dejar la habitación en desorden. 그는 깔끔한 몸매를 하고 있다 El lleva un vestido aseado / El está pulcramente vestido.
깔끔히 pulcramente, esmeradamente. ~ 차리고 나서다 ir pulcramente [esmeradamente] vestido.
깔다 ① [(앉거나 누우려고) 넓은 천이나 자리 따위를 바닥에 펴놓다] poner, extender. 요 위에 모포를 ~ extender [poner] una manta sobre el colchón. 길에 자갈을 ~ echar grava en el camino, cubrir el camino con cascajos. ② [그 위에 눌러 타고 앉다] sentarse en. 방석을 깔고 앉다 sentarse en un cojín. ③ [돈・물건을 여러 군데 빌려 주어 놓다] dejar, prestar, invertir. 빚을 몇 군데 깔아 놓다 dejar [prestar] dinero a unas personas. 여러 가지 사업에 돈을 깔아 놓다 invertir dinero en varios negocios. ④ [눈을 아래로 내리뜨다] mirar haica abajo. ⑤ [(「깔고 앉다」의 형으로 쓰이어) 남을 억눌러 꼼짝 못하게 하다] dominar, llevar los pantalones, llevar los calzones. 그녀는 남편을 깔고 앉아 꼼짝 못하게 한다 Ella es la que lleva los pantalones [los calzones] en la casa.
◆깔아 뭉개다 echar bajo (a *uno*) por fuerza.
깔따구 【곤충】 =모기붙이.
깔딱 ① [물 같은 액체를 겨우 조금 삼키는 소리나 모양] con un trago. ~ 마시다 beberse [tomarse] de un trago. ② [곧 숨이 넘어갈 듯 말 듯하는 소리나 모양] con un grito ahogado. ③ [괄괄하고 얇은 물체가 뒤집힐 때 나는 소리] crepitando, chisporroteando.
깔딱거리다 seguir bebiéndose de un trago; dar un grito ahogado, jadear, respirar entrecortadamente.
깔딱대다 =깔딱거리다.
깔딱하다 ① [얼이 빠져 있다] estar distraído. ② [배가 고프거나 피로하여 눈꺼풀이 위로 올라 붙고 눈꺼풀이 퀭하다] estar demacrado con fatiga o hambre.
깔때기 embudo *m*. ~ 모양의 en forma de embudo.
깔리다 ① [깖을 당하다] ser aplastado. 그는 차에 깔렸다 El fue aplastado por un coche. 담이 무너져 그는 깔렸다 La tapia se derrumbó y lo aplastó contra el suelo. ② [널리 분포되거나 매장되다] envolver, cubrir. 구름이 낮게 깔려 있다 El cielo está cubierto de nubes bajas / Las nubes cubren (todo) el cielo.
깔밋하다 (ser) sencillo y muy cuidado.
깔보다 ① [(남을) 얕잡아보다] despreciar, menospreciar, subestimar, mirar encima del hombro, desdeñar, hacer poco caso (de), tener en menos [en poco]. 깔보아 con menosprecio, desdeñosamente. 깔볼 수 없는 no despreciable, indespreciable, digno de consideración. 적(敵)을 ~ menospreciar a los enemigos. 깔보는 듯한 미소를 짓다 sonreír con ironía [con desdén]. 가난한 사람을 깔보아서는 안된다 No debemos desdeñar a los pobres. 산을 깔보아서는 안된다 No debes menospreciar [desdeñar] el peligro de las montañas. 나를 깔보지 마라 No me tomes por tonto. 사뭇 사람을 깔보는 듯한 투다 Pretende tomarnos por tontos. ② [눈을 아래로 내려뜨고 흘겨보다] mirar (a *uno*) de arriba a abajo [con desdén].
깔아뭉개다 ① [깔고 눌러 뭉개다] comprimir. ② [어떤 일이나 사실을 이내 처리하지 아니하고 질질 끌거나 또는 숨기거나 알리지 아니하다] archivar, aparcar, aplazar, dar*le* carpetazo (a).
깔쭉이 moneda *f* de plata laminada.
깔쭉거리다 (ser) basto, áspero.
깔축(이) 없다 no tener pérdida.
깔치 ① ((비어)) mujer *f*, virgen *f* (*pl* vírgenes). ② ((비어)) amiga *f*. ③ ((은어)) novia *f*. ④ ((은어)) (mujer *f*) casada *f*. ⑤ ((은어)) hija *f*.
깜깜 estado *m* de ignorar nada.
◆깜깜이다 ignorar nada.
▪깜깜밤중이다 ((속담)) No saber es como no ver / Los ignorantes somos como ciegos / La ignorancia no nos permite ver las cosas tal como son.

깜깜무소식(無消息) =감감무소식.
깜깜소식(消息) ((센말)) =감감소식.
깜깜하다 ① [몹시 어둡다] (ser) muy oscuro, oscurísimo. 깜깜한 밤 noche *f* muy oscura, noche *f* como boca de lobo. ② [아주 모르고 있다] no saber. 소식이 ~ no saber la noticia. ③ [그 분야에 대해 전혀 지식이 없다] (ser) ignorante, ignorar. 나는 무슨 일이 일어났는지 깜깜했다 Yo ignoraba lo que había sucedido. 그는 가장 초보적인 것도 ~ El ignora las cosas más elementales.
깜냥 *su* habilidad, *su* capacidad.
깜다 ser muy negro.
깜둥강아지 ((은어)) policía *mf.*
깜둥개 perro *m* negro.
깜둥이 ① [살빛이 까만 사람] persona *f* de piel oscura. ② ((낮춤말)) negro, -gra *mf,* moreno, -na *mf.* ③ [검둥개] perro *m* negro.
깜박 ① [불빛이나 별빛 따위가 순간적으로 갑자기 어두워지는 모양] con un destello, con un centelleo. ~하다 parpadear, titilar. ② [눈을 잠깐 감았다가 뜨는 모양] con un parpadeo, con un pestañeo. ~하다 parpadear, pestañear. ② [정신이나 기억이 잠깐 흐려지는 모양] ㉮ [부주의로] descuidadamente, desprevenidamente, sin prevención, por descuido. ㉯ [태만으로] por inadvertencia. ㉰ [정신없이] distraídamente. ㉱ [경솔히] a la ligera, irreflexivamente. ~하다 descuidarse, distraerse. ~ 잊다 olvidarse, escaparse de la memoria. ~ 다른 사람의 말을 믿다 confiar en las palabras ajenas a la ligera. 나는 ~ 약속을 잊었다 (Descuidado,) Se me ha olvidado la cita. ~하는 사이에 약속 시간이 지나갔다 La hora de cita se me pasó mientras estaba descuidado. 나는 ~ 실언을 했다 Se me fue la lengua. 나는 ~ 그 일을 그에게 말했다 Por error le hablé del asunto. 나는 그의 이름을 ~ 잊었다 No me viene ahora su nombre a la cabeza / No me sale su nombre ahora / Se me olvidó su nombre.
깜박거리다 ㉮ [불빛이나 별빛 따위가] temblar, vacilar; [별이] rutilar; [불이] entremorir; [섬광] centellar. 멀리서 깜박거리는 불빛이 보인다 A lo lejos se ve una luz temblorosa [vacilante]. ㉯ [눈을] parpadear [pestañear] repetidas veces. 눈이 ~ tener los ojos molestos [fatigados · deslumbrados].
깜박깜박 parpadeando, pestañeando, un abrir y cerrar de ojos, guiñando.
깜박등(一燈) intermitente *m, Col, Méj* direccional *f, Chi* señalizador *m.*
깜박막(一膜) =순막(瞬膜).
깜박이 ((속어)) =깜박등.
깜박이다 [눈을] pestañear, parpadear.
깜부기 tizón *m* (*pl* tizones), tizoncillo *m.*
■ ~ㅅ병(病) 【식물】 tizón *m,* añublo *m.*
깜빡 =깜박.
깜작 un abrir y cerrar de ojos.
깜작거리다 [눈을] pestañear, parpadear.
깜작이 ((준말)) =눈깜작이.
깜작이다 guiñar, *Col* picar.
깜장 color *m* negro.
■ ~소 vaca *f* negra. ~이 cosa *f* negra, artículo *m* negro.
깜짝[1] ((센말)) =깜작.
깜짝[2] [별안간 놀라는 모양] con sobresalto. ~ 놀라 asustado, alarmado, asombrado, sorprendente, pasmoso. ~ 놀라다 sentir un susto, amedrentarse, aterrorizarse, sorprenderse, asustarse, espantarse, asombrarse, quedarse estupefacto [asombrado · atónito · pasmado]. ~ 놀라게 하다 asustar, sorprender, espantar, asombrar, dar un susto, aturdir, atolondrar, dejar estupefacto. 나는 그가 사망했다는 것을 알고 ~ 놀랐다 Me quedé atónito al enterarme de su muerte.
깜짝야 ((준말)) =깜짝이야.
깜짝이야 ¡Qué sorpresa! / ¡Qué susto!
깜찌기 ((준말)) =깜찌기실.
■ ~실 hilo *m* fino pero durable.
깜찍스럽다 (ser) precoz.
깜찍스레 precozmente, con precocidad.
깜찍하다 (ser) astuto, ladino, sagaz; [어린아이가] precoz y impertinente. 나이에 비해 ~ hablar como un adulto para su edad.
깜찍이 astutamente, con astucia, ladinamente, sagazmente.
깝대기 =껍데기.
깝작거리다 portarse frívolamente.
깝죽거리다 portarse frívolamente.
깝죽깝죽 frívolamente, imprudentemente.
깝질 =껍질.
깡그러뜨리다 ((힘줌말)) =깡그리다.
깡그리 uno por uno, todo, de todo en todo, enteramente, totalmente, completamente, sin perdonar ni uno. 시내(市內)를 ~ 뒤지다 restrear la ciudad.
깡그리다 terminar, acabar.
깡깡이 【악기】 =해금(奚琴).
깡다구 ① [닭] gallina *f,* gallo *m.* ② [개] perro *m.* ③ =발악(發惡).
◆ 깡다구(를) 부리다 ((은어)) =떠들다.
깡동치마 falda *f* corta.
깡마르다 (ser) flaco, flacucho, demacrado, ojeroso. 깡마른 사람 persona *f* flaca.
깡이 mujer *f* que tiene relaciones sexuales muchas veces.
깡창거리다 saltar a la pata coja, saltar con un solo pie, *Méj* brincar de cojito.
깡창깡창 saltando a la pata coja.
깡충 a saltitos. 한 발로 ~ 뛰다 saltar a la pata coja, saltar con un solo pie, *Méj* brincar de cojito.
깡충깡충 brincando, a saltitos. ~ 뛰다 dar brincos, dar saltos, brincar. ~ 뛰어가다 ir brincando, andar a saltitos.
깡통 ① [얇은 쇠붙이로 만든 그릇] lata *f,* bote *m.* ~을 따다 [열다] abrir la lata. ~에 든 en lata, de lata. ~(에 든) 치즈 queso *m* en lata. 주스 한 ~ una lata de

zumo [*AmL* de jugo]. 석유 ~ lata *f* de petróleo [de kerosene]. ② [속에 든 것은 없이 소리만 요란한 사람] persona *f* de cabeza hueca.

◆ 깡통(을) 차다 hacerse mendigo.

▪ ~따개 abrelatas *m.sing.pl*, abridor *m* de latas.

깡패 tuno *m*, pillo *m*, truhán, canalla *m*, granuja *m*, bribón *m*, rufián *m*.

▪ ~ 기질 gamberrismo *m*, vandalismo *m*, *Méj* porrismo *m*. ~ 생활 gamberrismo *m*.

깨 ① 【식물】 ajonjolí *m*, sésamo *m*, alegría *f*; [들깨] ajonjolí *m* silvestre. ② [참깨의 씨] semilla *f* del ajonjolí [del sésamo]. ~를 빻다 moler la semilla del ajonjolí.

◆ 깨(가) 쏟아지다 vivir muy felizmente. 그 신혼부부는 깨가 쏟아진다 La pareja recién casada vive muy felizmente.

▪ ~기름 aceite *m* de ajonjolí. ~떡 *kkaetteok*, pan *m* coreano de las semillas de ajonjolí. ~소금 ajonjolí *m* mezclado con (la) sal. ~엿 *kkaeyeot*, caramelo *m* coreano de ajonjolí, *Guat* melcocha *f* de ajonjolí. ~죽(粥) gachas *fpl* de ajonjolí. ~ㅅ국 sopa *f* de ajonjolí. ~ㅅ송이 espiga *f* de ajonjolí. ~ㅅ잎 hoja *f* de ajonjolí.

깨개갱 aullando, gañendo. ~하다 aullar, gañir.

깨갱 aullando, gañendo. ~하다 aullar, gañir. 깨갱거리다 seguir aullando, seguir grañendo.

깨갱깨갱 siguiendo aullando [grañendo].

깨끗잖다 no limpiar.

깨끗하다 ① [때나 먼지가 없다 · 청결하다] (ser) limpio, aseado. 방이 ~ El cuarto está limpio. 물이 ~ El agua está limpia.

② [(지저분하지 아니하고) 말쑥하다] (estar · ser) limpio, nítido, pulcro; [정결된] ordenado. 깨끗한 부엌 cocina *f* limpia y bien ordenada. 깨끗한 시트 sábana *f* limpia. 깨끗한 공기 aire *m* puro. 깨끗하게 하다 limpiar, ordenar. 탁자를 깨끗하게 하다 limpiar la mesa; [정돈하다] ordenar la mesa. 그녀는 언제나 방을 깨끗하게 하고 있다 Ella siempre tiene ordenada la habitación.

③ [(잡것이 섞이지 아니하여) 맑고 산뜻하다 · 순수하다] (ser) claro, puro, inocente. 깨끗한 물 el agua *f* clara. 그의 정신은 ~ Su espíritu es inocente.

④ [올바르고 떳떳하다 · 결백하다] (ser) limpio, honrado, honesto, casto. 깨끗한 돈 dinero *m* ganado con honradez [con el sudor de la frente]. 깨끗한 교제(交際) relaciones *fpl* castas. 깨끗한 한 표(票) un voto limpio [casto]. 마음이 깨끗한 사람 persona *f* de corazón limpio. 깨끗한 시합을 하다 jugar (un partido) limpio. 깨끗한 한 표를 던지다 hacer un voto casto.

⑤ [아무것도 남은 것이 없이 말끔하다] (ser) entero, completo. 깨끗하게 enteramente, completamente, por completo, del todo. 깨끗하게 잊다 olvidarse (de *algo* · *uno*) completamente. 돈을 깨끗하게 써 버리다 disipar [derrochar] el dinero.

깨끗이 limpiamente, con limpieza, sin mancha, sin mácula, puramente, con pureza, inocentemente, claramente, noblemente, castamente, aseadamente, purificadamente; [완전히] enteramente, completamente, perfectamente, por completo, del todo. ~ 하다 purificar, purgar, limpiar, depurar. ~ 하는 일 purificación *f*, lustración *f*, ablución *f*. 몸을 ~ 하다 purificarse. 마음을 ~ 한 듯하게 느끼다 sentirse purificado en el alma.

깨나다 ((준말)) =깨어나다.

깨나른하다 (ser) lánguido.

깨다¹ ① [(잠 · 꿈 · 술기운 · 약기운 · 깊은 생각 등에서 벗어나) 정신이 들다 [맑아지다] despertarse, quitarse, pasarse. 꿈에서 ~ despertarse; [환상에서] sufrir un desencanto, desencantarse. …의 꿈을 ~ desilusionar a *uno*, defraudar a *uno* las esperanzas. …의 취기(醉氣)를 ~ quitar la embriaguez a *uno*, desembriagar a *uno*. 미혹(迷惑)에서 ~ desengañarse, desilusionarse. 그는 이제 술이 깼다 Ya se le ha quitado [pasado] la borrachera / Ya está desembriagado. 나는 꿈에서 깼다 Me desperté del sueño. 그들은 흥분에서 깼다 Se les ha pasado la excitación / Se han serenado. 그는 꿈에서 깬 후 착실하게 일하기 시작했다 Después de desechar las ilusiones vanas, empezó a trabajar con seriedad. 깨어라, 현실은 엄하다 Despierta, la realidad es muy dura. ② [지혜가 열리다] abrirse la sabiduría. ③ [자는 일을 그치다] despertarse. 나는 오늘 아침 일곱 시 오 분에 깼다 Esta mañana me he despertado a las siete y cinco. 나는 이상한 소리에 깼다 Me desperté por un ruido extraño / Un ruido estraño me despertó. 잠에서 깼을 때 그가 옆에 서 있었다 Al despertarme, lo encontré (puesto) de pie a mi lado. 나는 전화벨 소리에 깼다 Me desperté por el sonido del teléfono. 아침에 깼을 때 눈이 내리고 있었다 Nevaba cuando me desperté por la mañana. ④ =깨우다(despertar).

깨어나다 ㉮ [잠이나 꿈에서] despertarse. 6시에 ~ despertarse a la seis. 그는 소음으로 깨어났다 El ruido le despertó. 나는 전화 벨소리에 갑자기 깨어났다 Una llamada de teléfono me despertó de repente. ㉯ [(술 · 약품 등에 취한 상태에서) 맑은 정신으로 돌아오다] pasarse (a). 마취에서 ~ pasarse (a *uno*) la anestesia. 그는 마취에서 깨어났다 (A él) Se le ha pasado la anestesia. ㉰ [(까무러친 상태에서) 다시 살아나다] revivir, resucitar, renacer. ㉱ [정신이, 어떤 것에 깊이 빠져 있다가) 정상 상태로 돌아오다] desengañarse, desilusionarse. 깨어나게 하다 desengañar, desilusionar, volver (a *uno*) a la realidad.

깨다² ① [갈라지거나 조각이 나게 하다] romper, quebrar, quebrantar, destruir, fracturar; [으깨다] aplastar; [분쇄하다] destrozar. 달걀을 ~ partir un huevo. 접시를 ~ romper un plato. 얼음을 ~ romper el hielo. 유리를 산산조각으로 ~ hacer añicos el cristal. ② [약속 따위를] romper, faltar. 계약을 ~ romper un contrato. 약속을 ~ faltar a la promesa [palabra]. 침묵을 ~ romper el silencio. ③ [방해하다] impedir. 흥미를 ~ restar interés. ④ [이제까지 유지되던 일정 수준을 넘어서다] batir, superar. 기록을 ~ batir el récord, superar la marca. 세계 기록을 ~ batir el récord mundial. 100미터 경주에서 10초를 ~ hacer la carrera de cien metros lisos en menos de diez segundos.

깨다³ [부화하다] incubar, empollar. 병아리가 깼다 Un pollo nació del huevo [salió del cascarón]. 올챙이의 알이 깼다 Los renacuajos salieron de los huevos.

깨닫기관(一器官)【해부】=감각 기관.

깨닫다 entender, comprender, percibir, notar, advertir, observar, enterarse (de), convencerse, darse cuenta (de), caer en la cuenta (de), percatarse (de). 위험을 ~ percibir el peligro. 잘못을 ~ reconocer [percatarse de · convencerse de] *su* error. 자신의 잘못을 ~ darse cuenta de *su* falta, caer en la cuenta de *su* falta. 사물의 본질을 ~ descubrir la esencia de la cuestión. 그는 자신의 잘못을 깨달았다 El advirtió [se dio cuenta de] sus errores. 나는 지갑을 두고 온 것을 깨달았다 Noté [Me di cuenta de] que había dejado la cartera. 그는 죽음이 다가오는 것을 깨달았다 El se dio cuenta de que iba a morir pronto.

깨닫신경(一神經)【해부】=감각 신경.

깨닫줏대【해부】=감각 중추(感覺中樞).

깨달은이 ilustrado, -da *mf.*

깨달음 ① [앎] sabiduría *f*, conocimiento *m*. ② [생각이 남. 짐작이 감] conjetura *f*, suposición *f*. ③ ((불교)) ilustración *f*.

깨두드리다 romper (en pedazos), aplastar, machacar, prensar, pisar, destrozar, hacer añicos.

깨뜨러지다 romperse, quebrarse.

깨뜨리다 ((힘줌말)) =깨다.

깨물다 ① [(아래윗니로) 으깨지게 꼭 물다] morder(se); [씹다] mascar, digerir. 꼭꼭 ~ ronchar, morder rudamente. 손톱을 ~ morderse [comerse] las uñas. 연필을 ~ morder un lápiz. 밤을 깨물어 먹다 comer mordiendo las castañas. ② [아래윗니를 맞붙여 힘껏 물다] morderse. 입술을 ~ morderse los labios. ③ [(표정·감정 따위를 나타내지 않으려고) 꾹 참다] contener, reprimir. 웃음을 ~ contener la risa. 하품을 ~ contener el bostezo. 나는 입술을 깨물고 할 말을 참았다 Yo me mordí la lengua / Fui a decir algo pero me contuve.

깨물리다 ser mordido.

깨부수다 ① [깨어서 부수다] romper. ② [무슨 일을 이룩하지 못하도록 방해하다] obstruir, impedir.

깨새【조류】=박새.

깨알 grano *m* de la semilla de ajonjolí.
깨알깥다 (ser) muy pequeño, minúsculo, diminuto, menudo.
깨알같이 como el grano de la semilla de ajonjolí; diminutamente, menudamente.

깨어나다 ☞깨다¹.

깨우다 ① [잠이나 술에서 깨게 하다] despertar (a). 내일 몇 시에 깨울까요? ¿A qué hora he de despertarte mañana? 내일 아침 6시 30분에 깨워 주세요 [호텔 등에서] Despiértenme mañana a las seis y media. ② [알을] hacer empollar.

깨우치다 desengañar, desilusionar, volver (a *uno*) a la realidad. 미혹(迷惑)을 ~ desengañar, meter (a *uno*) en razón.

깨죽거리다 refunfuñar, rezongar.

깨지다 ① [단단한 물건이 부딪치어 갈라져서 조각이 나다] romperse, destruirse, partirse, quebrarse, quebrantarse, fracturarse, destrozarse; [붕괴되다] derribarse; [기계 따위가] averiarse, dañarse; [산산이] estrellarse, hacerse añicos, dividirse en partes menudas; [계란 따위가] ser aplastado. 깨진 roto, quebrado, dañado, desmenuzado, hecho añicos; [고장난] descompuesto. 깨지기 쉬운 frágil, quebradizo, delicado, deleznable, fácil de romperse, fácil de quebrarse. 깨지지 않는 irrompible. 깨지기 쉬운 물건 objeto *m* frágil [quebrandizo]. 유리가 깨졌다 Se rompió el cristal. 얼음이 깨진다 Se quiebra [Se rompe] el hielo. 유리 깨지는 소리가 났다 Oyó quebrarse el vidrio. 컵의 끝이 깨졌다 Se ha roto el borde del vaso. ② [얻어맞거나 부딪쳐 상처가 나다] herir. ③ [(진행되거나 약속한) 일이 다 이루어지지 못하고 말다·틀어지다] anularse. 계획이 깨졌다 Se ha anulado el plan. ④ [이루어진 어떤 상태가 계속 유지되지 못하다] no mentenerse. ⑤ ((은어)) =죽다.
깨진바리 ((은어)) =상이군인(傷痍軍人).

깨지락거리다 hacer con indiferencia, hacer sin inmutarse.

깨질거리다 ((준말)) =깨지락거리다.

깨치다 entender, comprender, aprender, realizar.

깩 gritando, chillando. ~하고 쓰러지다 caerse con un chillido.

깩깩거리다 soler chillar.

깩깩대다 =깩깩거리다.

깩소리 palabra *f* de queja [protesta].
◆깩소리(도) 못하다 no decir ni una palabra.

깰깩거리다 gritar con una risita.

깰깰거리다 reírse tontamente.

깻묵 oruja *f*, torta *f* de boruja de colza, pasta *f* oleaginosa.

깻잎나물【식물】=산박하.

깽¹ =갱(gang).

깽² ① [강아지의 비명 소리] con un ladrido. ② [몹시 아프거나 힘겨운 일에 부대끼어 괴롭게 내는 소리] con un gemido.

깽깽 ladrando con ladridos agudos.

깽깽거리다 soler gemir, soler gimotear; [개가] ladrar con ladridos agudos.

꺄룩 estirando el cuello.

꺄룩거리다 estirando y estirando el cuello.

꺄우듬하다 ((센말)) =갸우듬하다.

꺄우듬히 ((센말)) =갸우듬히.

꺄우뚱 ((센말)) =갸우뚱.

꺅 dando un grito.

꺅도요【조류】 agachadiza *f*, becacina *f*.

꺼꾸러뜨리다 hacer caer.

꺼꾸러지다 caerse.

꺼꾸로 =거꾸로.

꺼끄러기 trocitos *mpl* de las cáscaras del arroz o de la cebada.

꺼끙그리다 pelar el grano en el molino.

꺼내다 ① [밖으로] sacar, extraer. 은행에서 돈을 ~ sacar dinero del banco. 호주머니에서 지갑을 ~ sacar el monedero del bolsillo. 상처에서 탄환을 ~ extraer una bala de la herida. 저금에서 십만 원을 ~ sacar [retirar] cien mil wones de los ahorros [del banco]. 장롱에서 옷을 ~ sacar la ropa del armario. 불에서 냄비를 ~ quitar la cacerola del fuego. 공책을 꺼내 주세요 Saquen los cuadernos. ② [제안하다] proponer; [제공하다] ofrecer, proporcionar. 의논을 ~ proponer una consulta (a). 벌이가 있는 사업을 ~ proponer (a *uno*) un negocio provechoso. 말을 ~ abordar el tema, ir al grano, entrar en materia. 나는 이 말을 꺼낼 용기가 없다 Me falta coraje para abordar este tema.

꺼내리다 ((준말)) =끄어내리다.

꺼당기다 ((준말)) =끄어당기다.

꺼드럭꺼드럭 muy de espacio.

꺼들꺼들 ((준말)) =꺼드럭꺼드럭.

꺼들다 ((준말)) =끄어들다.

꺼들이다 ((준말)) =끄어들이다.

꺼러기 ((준말)) =꺼끄러기.

꺼럭 ((준말)) =꺼끄러기.

꺼리다 temer, tener recelo (hacia), amedrentarse, abstenerse (de), refrenarse, contenerse, mostrarse indiferente [frío] (a · con), estar poco dispuesto (a + *inf*), no querer (+ *inf*), aborrecer, abominar, detestar; [피하다] evitar; [주저하다] vacilarse. 사람을 꺼리지 않고 sin tener ningún temor a la vista ajena. 말하기를 ~ no querer soltar prenda. 돈 내기를 ~ no querer *aflojar la bolsa*, resistirse [no decidirse] a dar dinero. 사람의 눈을 ~ amedrentarse de ser observado por otro. 장관은 인가를 꺼리고 있다 El ministro se resiste a dar el permiso.

꺼림칙하다 inquietar [remorder] la conciencia. 그는 그것을 꺼림칙하게 생각하고 있다 Eso le inquieta [remuerde] la conciencia.

꺼림하다 =꺼림칙하다. ¶꺼림한 것을 먹다 tener gusto por los alimentos.

꺼멓다 ((센말)) =거멓다.

꺼벙하다[1] ((속어)) =죽다.

꺼벙하다[2] [허우대는 크나 째이지 않고 엉성하다] (ser) grande pero tambaleante [poco firme].

꺼병이 ① [꿩의 어린 새끼] faisán, -sana *mf* joven; pichón, -chona *mf*. ② [겉모양이 잘 어울리지 아니하고 거칠게 생긴 사람] persona *f* de aparición antiestética [fea].

꺼오다 ((준말)) =끄어오다.

꺼올리다 ((준말)) =끄어올리다.

꺼지다[1] ① [불·거품 등이 사라져 없어지다] apagarse, extinguirse. 불이 꺼진다 La luz se apaga / La luz se extingue. 화재(火災)가 이미 꺼졌다 El incendio ya se extinguió. 불이 꺼지려 한다 El fuego está a punto de apagarse. 도시는 불이 꺼진 듯 적막에 싸여 있다 La ciudad se halla como vacía. 전기가 자동으로 꺼졌다 La máquina se apaga automáticamente. ② ((속어)) [목숨이 끊어지다] morir, fallecer, dejar de vivir, dejar de existir. ③ ((속어)) [사라지다] desaparecer, desvanecerse, borrarse, esfumarse.

꺼지다[2] [속이 곯아서 또는 내려앉아서 겉이 우묵하게 들어가다] hundirse, derrumbarse, romperse, estar hueco. 눈이 꺼져 있다 Sus ojos están huecos. 얼음이 꺼졌다 El hielo se rompió. 지면(地面)이 꺼졌다 La tierra se hundió. 내 발밑에서 갑자기 땅이 꺼졌다 El terreno se hundió de repente debajo de mis pies. 오랜 장마 끝에 도로가 꺼졌다 El camino se hundió después de la lluvia larga.

꺼펑이 cubierta *f*, tapa *f*, capa *f*, capucha *f*.

꺼풀 capa *f*.

꺽 con un eructo.

꺽꺽 chillando. 장끼가 ~ 운다 El faisán chilla.

꺽꺽하다 (ser) áspero, rugoso.

꺽다리 ((준말)) =키꺽다리.

꺽두 ((준말)) =꺽두기.

꺽두기 ① ((속어)) [아이들이나 여자들이 신는, 기름에 결은 재래식 가죽신] zapatos *mpl* de piel engrasados. ② ((비어)) =나막신.

꺽둑거리다 cortar en pedazos desiguales.

꺽둑꺽둑 cortando en pedazos desiguales.

꺽죽거리다 portarse [comportarse] con excesiva desenvoltura [con gran desparpajo].

꺽지다 (ser) robusto, corpulento, resistente, firme, fuerte, sólido.

꺽짓손 medidas *fpl* heroicas.

◆꺽짓손(이) 세다 (ser) indomable, indómito, heroico.

꺾꽂이 esqueje *m*, ejertación *f*, injerto *m*, estaca *f*. ~하다 esquejar, meter en tierra un tallo [cogollo] que se arraiga.

꺾다 ① [휘어서 부러뜨리다] romper, desgajar, quebrar. 나뭇가지를 ~ romper una rama, desgajar una rama del árbol. ② [방향을 옆으로 틀다] doblar, girar, torcer. 왼쪽으로 ~ doblar [girar · torcer] a la izquierda. 나는 종로에서 오른쪽으로 꺾었다 Giré [Doblé · Torcé] a la derecha al salir de la Avenida *Jongno*. ③ [접어서 겹치다] doblar, plegar. 종이를 넷으로 꺾어 접다

doblar [plegar] un papel en cuatro. 종이를 꺾어 접어 학(鶴)을 만들다 hacer una grulla doblando un papel. ④ [몸의 어느 부위를 구부리다] doblar. 손가락을 꺾어 접다 contar con los dedos. 손가락을 꺾어 세다 contar con los dedos. ⑤ [(기운·고집·생각·말 따위를) 억누르거나 못하게 하다] disuadir (a *uno*) las ganas (de + *inf*), quitar (a *uno*) las ganas (de + *inf*), desanimar (a). 강자(强者)를 ~ quebrantar a los poderosos. 기세를 ~ quebrantar el ímpetu (de). ⑥ [(주로 운동 경기에서) 이기다] ganar.

꺾쇠 ① [쇠못] laña *f*, grapa *f*. ② ((속어)) [키 큰 사람] persona *f* alta; [남자] hombre *m* alto; [여자] mujer *f* alta.

꺾쇠묶음【인쇄】 corchete *m*. ~을 열다 abrir corchetes. ~을 닫다 cerrar corchetes.

꺾어지다 ① [부러져 동강이 나다] romperse. ② [종이 같은 것이 모지게 접히다] doblarse. 반으로 ~ doblarse por la mitad.

꺾은선(一線)【수학】línea *f* poligonal.
■ ~ 그래프【수학】gráfica *f* [gráfico *m*] de línea poligonal.

꺾이다 ① [나뭇가지 따위가] romperse, quebrarse. ② [접어서 겹쳐지다] doblarse, plegarse. ③ [몸의 어느 부위가] doblarse. 손가락이 ~ doblarse los dedos. ④ [기운·기세·의견·말 따위가] doblegarse, rendirse, someterse. 기(氣)가 ~ desanimarse, desalentarse, perder el ánimo, perder el coraje. 기가 꺾이지 않고 sin temor alguno, sin vacilar. 유혹에 ~ verse dominado [vencido] por la tentación, sucumbir a la tentación, dejarse vencer por la tentación. 그 말에 그는 기가 꺾였다 Con esas palabras él se desanimó [perdió el ánimo]. 선수권 획득의 희망이 상해(傷害)로 꺾였다 Una lesión malogra [echa por tierra] las esperanzas de ganar el campeonato.

꺾임【물리】=굴절(屈折).
■ ~률(率)【물리】=굴절률(屈折率).

꺾임새 pliegue *m*.

꺾자(一字) tachadura *f*.
◆ 꺾자(를) 치다[놓다] tachar.

껄껄 a carcajadas, a mandíbula batiente, ruidosamente, groseramente; [냉소·조소] burlonamente, con mofa. ~ 웃다 reírse a carcajadas, reírse a mandíbula batiente, risotear, dar una carcajada, soltar carcajadas.
껄껄거리다 seguir [continuar] riéndose a carcajadas, seguir [continuar] soltando carcajadas.
껄껄대다 =껄껄거리다.

껄껄하다 (ser) basto, áspero.

껄끄럽다 (ser) basto, áspero.

껄끄렁베 tela *f* de cáñamo basta.

껄끄렁벼 granos *mpl* de arroz con cáscara.

껄끄렁보리 graños *mpl* de cebada con cáscara.

껄끔거리다 pinchar. 셔츠에 머리털이 박혀 껄끔거린다 Los pedazos del pelo pegan en la camisa y pinchan.

껄떡 ① [목구멍의 액체를 조금 삼키는 소리나 모양] engullendo, con un trago. ② [곧 숨이 넘어갈 듯이 끊어졌다 이어졌다 하는 숨소리나 모양] jadeando, resollando. ③ [얇고 빳빳한 물체의 바닥이 뒤집힐 때 나는 소리나 모양] crujiendo.
껄떡거리다 ㉮ [목구멍의 액체를 조금 넘기는 소리가 나다] engullir, tragar. ㉯ [빳빳하고 얇은 물체의 바닥이 뒤집히는 소리가 나다] crujir. ㉰ [약한 숨을 끊어질 듯 말 듯하게 겨우겨우 끌어 가다. 또, 그런 소리를 자꾸 내다] jadear, resollar, soler jadear.
■ ~이 persona *f* glotona [codiciosa·avara]; comilón (*pl* comilones), -lona *mf*.

껄떡하다 ① [피로·병·굶주림으로 인해 눈꺼풀이 힘없이 열려 있고 눈알이 우묵하다] estar demacrado con fatiga o hambre. ② [얼이 빠져 있다] no estar en *sus* cabales, estar loco, estar distraído.

껄떼기【어류】 cría *f* de la lubina.

껄렁껄렁하다 (ser) inútil, no servir para nada.

껄렁이 persona *f* inútil, persona *f* que no sirve para nada.

껄렁패(一牌) banda *f* [pandilla *f*] que no sirve para nada, banda *f* inútil.

껄렁하다 ((준말)) =껄렁껄렁하다.

껄머리 peluca *f*.

껌 chicle *m*, goma *f* de mascar. ~을 씹다 mascar [masticar] el chicle. ~을 거리에 버리지 마라 No tires el chicle en el camino.

껌껌나라 estado *m* muy oscuro, gran oscuridad *f*.

껌껌하다 ① [아주 꺼멓게 보이도록 몹시 어둡다] (ser) muy o(b)scuro, o(b)scurísimo, como boca de lobo. 껌껌한 밤 noche *f* oscurísima. ② [마음이 몹시 음침하다] (ser) malévolo, malvado. 마음이 껌껌한 사람 persona *f* malévola, persona *f* malvada.

껌다 ((센말)) =검다.

껌둥개 ((센말)) =검둥개.

껌둥이 ((센말)) =검둥이.

껌정 ((센말)) =검정.
■ ~소 vaca *f* muy negra. ~이 artículo *m* muy negro, cosa *f* muy negra.

껍데기 ① [(밤·달걀·조개 따위의) 속을 싸고 있는 단단한 물질] cáscara *f*, [조개의] concha *f*. ☞ 껍질. ② [속을 싼 겉의 물건] cubierta *f*. 이불 ~ cubierta *f* de la manta. ③ ((속어)) =옷. ④ [조롱조로] padre *m*. 저분이 너의 ~냐? ¿Es tu padre aquél? ⑤ [화투에서] cero *m*, espacio *m* en blanco.

껍신거리다 =껍죽거리다❷.
껍신껍신 =껍죽껍죽㉯.

껍적거리다 =껍죽거리다❷.
껍적껍적 =껍죽껍죽㉯.

껍죽거리다 ① [잘난 체하다] darse aires (de). 그는 해박한 척 껍죽거렸다 El se daba aires de sabio. 그 아이는 약간 껍죽거린다 El muchacho se da unos aires. ② [까불거

리다] portarse [comportarse] frívolamente.
껍죽껍죽 ㉮ [잘난 체하며] dándose aires. ㉯ [까불거리며] portándose [comportándose] frívolamente.

껍질 ① [일반적] cáscara *f.* ② [알의] cáscara *f,* cascarón *m* (*pl* cascarones); [감자의] piel *f,* cáscara *f,* [사과의] piel *f, AmL* cáscara *f,* [오렌지·레몬의] cáscara *f,* corteza *f.* ~을 벗기는 기구 [감자의] pelapatatas *m.sing.pl,* pelapapas *m.sing.pl.* ~을 벗긴 토마토 tomate *m* pelado. ~을 벗긴 중간 크기의 토마토 tomate mediano *m* pelado. ~을 벗긴 큰 토마토들 tomates *mpl* grandes pelados. ~을 벗긴 당근 zanahoria *f* pelada. ~ 벗긴 해바라기 씨 pipas *fpl* peladas. ~을 벗기다 pelar (바나나·사과·감자의), mondar, descortezar. ~을 까다 [콩의] pelar, desvainar; [알의] pelar. 계란의 ~을 까다 quitar la cáscara [el cascarón] del huevo. 사과의 ~을 벗기지 않고 먹다 comer una manzana sin pelarla [sin mondar]. 감자를 ~째 삶다 cocer patatas con cáscara. 이 과일은 ~을 벗기지 않고는 먹을 수 없다 Esta fruta no se puede comer sin pelar. 나는 플라스틱 필름의 ~을 벗겼다 Yo quité [despegué] la película de plástico. ③ [패류(貝類)의] concha *f.* ~을 까다 [홍합·조개의] quitar la concha (a), desconchar. ④ [거북·자라·달팽이 등 갑각류(甲殼類)의] caparazón *m,* carapacho *m,* cascarilla *f.* ~을 까다 pelar. ⑤ [굴의] desbulla; [소라 따위의] opérculo *m.* ⑥ [호두·밤·개암 등 견과(堅果)의] vaina *f,* cáscara *f.* 개암의 ~ cáscara *f* de avellana. 호두의 ~ cáscara *f* de nuez. ~을 까다 pelar. ~을 벗긴 호두 nueces *fpl* peladas [sin cáscara]. ⑦ [나무의] corteza *f.* 나무의 ~을 벗기다 descortezar un árbol. ~이 나무에서 벗겨졌다 Habían descortezado los árboles. ⑧ [동물의 허물] despejos *mpl* (de los animales). ⑨ [치즈의] corteza *f.* 치즈의 ~ corteza *f* de queso. ⑩ [베이컨의] piel *f,* borde *m.* ⑪ [벗겨진 껍질] descamación *f.* ~을 벗기다 descamar, escamar. ~이 벗겨지다 descamarse, escamarse. ⑫ [벼·밀의] cáscara *f,* cascarilla *f,* cascabillo *m.* ~을 벗기다 descascarillar, descascarar. ⑬ [옥수수의] *farfolla f, chala f.* ~을 벗기다 quitar la farfolla [la chala] (a). ⑭ [얇은 껍질] película *f,* capa *f.* 먼지의 ~ película *f* [capa *f*] de polvo. ⑮ [액체의 더껑이] crema *f,* nata *f.* ~을 벗기다 [우유에서 크림을 분리하다] descremar, desnatar.
■ ~눈【식물】lentejuela *f,* tuberculillo *m* que pertenece a la capa de corcho de las plantas. ~막(膜) =피막(皮膜). ~벗김 = 박피(剝皮). ~세포【해부】=표피세포(表皮細胞). ~켜 =표피층(表皮層).

-껏 lo más posible, en lo posible, al máximo. 마음~ hasta saciarse, hasta hartazgo. 성의~ con entusiasmo, sinceramente. 한~ 먹다 comer *algo* hasta saciarse, darse un hartazgo (de), hartarse. 한~ 마시다 beber *algo* hasta saciarse. 힘~ 하다 esforzarse al máximo (para), hacer todo lo posible (para). 나는 토마토를 한~ 먹었다 Me he dado un hartazgo de uvas. 그는 과실을 한~ 먹었다 El se hartó con fruta.

껑거리 baticola *f,* grupera *f.*
■ ~끈 cordel *m* de la baticola. ~막대 barra *f* de la baticola.

껑짜치다 estar avergonzado.

껑충 con un salto. 그는 이층에서 ~ 뛰었다 El saltó del [desde el] primer piso.
껑충거리다 caminar de manara saltante.
껑충껑충 saltando y saltando. 아이들이 침대에서 ~ 뛰었다 Los niños saltaban [brincaban] sobre la cama.

껑충이 ① [키가 껑충하게 큰 사람] persona *f* larguirucha; [남자] hombre *m* larguirucho; [여자] mujer *f* larguirucha. ② [키가 크고 싱거운 사람] persona *f* alta y sin personalidad.

껑충하다 (ser) larguirucho, largurucho, muy alto y flaco, largoruto, *AmL* largucho. 다리가 ~ tener unas piernas larguiruchas, ser zanquilargo.

께 ((높임말)) =에게(a). ¶선생님~ 여쭈어 보게 Pregúntaselo al maestro.

-께 ① [(때·시간을 나타내는 어떤 명사와 함께 쓰이어) 「그것을 중심한 가까운 범위」] hacia, a eso de, alrededor de, cerca. 그믐~ 오너라 Ven hacia el último día. 아홉시~ 가자 Vámonos alrededor de las nueve. ② [곳·공간(空間)을 나타내는 어떤 명사와 함께 쓰이어 「그것을 중심한 가까운 범위」] cerca de. 남대문~ 있다 Hay cerca de la puerta de *Namdaemun.* 학교~ 서 있거라 Está de pie cerca de la escuela.

께끄름하다 preocupar*le* (a), sentir un gran cargo (de). 나는 무척 께끄름했다 Me preocupó mucho. 그것은 아직 마음에 께끄름했다 Todavía sentía un gran cargo de conciencia.

께끔하다 ((준말)) =께끄름하다.

께느른하다 (ser) melancólico, lánguido.

께서 ((높임말)) =가, 이. ¶아버지~ 책을 보신다 Mi padre lee el libro. 어머님~ 편지를 쓰신다 Mi madre escribe una carta.

께옵서 ((높임말)) =께서. ¶상감~ 영을 내리셨다 El rey dio proclamación.

께적거리다 ((준말)) =께지럭거리다.

께죽거리다 ① [못마땅하게 여기어 자꾸 중얼거리다] refunfuñar, rezongar, quejarse, reclamar. ② [음식을 먹기 싫은 듯이 자꾸 되씹다] mascar [masticar] secamente [con sequedad].
께죽께죽 refunfuñando, quejándose.

께지럭거리다 hacer algo sin ganas [con poco entusiasmo].

께지럭께지럭 sin ganas, con poco entusiasmo.

께질거리다 ((준말)) =께지럭거리다.

께질께질 ((준말)) =께지럭께지럭.

껜 a. 어머님~ 말씀드렸다 Se lo dije a mi

madre. 형님~ 드리지 않았다 No se lo di a mi hermano.
-껜 hacia, en, por. 이달 보름~ 틀림없이 주겠다 Sin falta te lo daré hacia el quince de este mes.
껴들다 ① [팔로 끼어서 들다] tener cogido entre *sus* brazos [*sus* manos], abrazar. ② [두 물건을 한데 껴서 들다] llevar ambos enseguida.
껴묻거리 =부장품(副葬品).
껴묻기 =부장(副葬).
껴안다 ① [두 팔로 끼어서 안다] abrazar, abarcar, llevar (*algo*·a *uno*) en (los) brazos. 서로 ~ abrazarse (el) uno de(l) otro, abarcarse. 꽉 ~ abrazar estrechamente, abarcar, estrechar (*algo*·a *uno*) entre los brazos. 꼭 껴안아 움쭉달싹 못하게 하다 detener con los brazos; [럭비에서] atajar a un adversario. 그녀는 아들을 가슴에 꽉 껴안았다 Ella apretó a su hijo contra el pecho. ② [혼자서 많은 일을 한데 모아서 맡다] encargarse de muchos trabajos.
껴입다 llevar [tener puesto] (una camisa) debajo de *sus* prendas exteriores, llevar la ropa extra. 속옷을 두 장 ~ llevar dos ropas interiores, tener puestas dos ropas interiores.
꼬기꼬기 →꼬깃꼬깃
꼬기다 ((센말)) =고기다(arrugar).
꼬기작거리다 ((센말)) =고기작거리다.
꼬기작꼬기작 ((센말)) =고기작고기작.
꼬김살 ((센말)) =고김살.
꼬깃거리다 ((센말)) =고기작거리다.
꼬깃꼬깃 arrugando. ~하다 estar todo arrugado.
꼬까 ((유아어)) =때때.
꼬까신 ((유아어)) =때때신.
꼬까옷 ((유아어)) =때때옷.
꼬꼬 ① ((유아어)) gallo *m*, gallina *f*. ~가 운다 El gallo canta. ② [암탉이 우는 소리] ¡Quiquiriquí!
꼬꼬댁 cacareando.
꼬꼬댁거리다 seguir cacareando.
꼬꼬댁꼬꼬댁 cacareando y cacareando.
꼬꾜 ① ((유아어)) =닭. ② ((준말)) =꼬끼오 (quiquiriquí).
꼬꾸라뜨리다 ((센말)) =고꾸라뜨리다.
꼬꾸라트리다 ((센말)) =고꾸라트리다.
꼬꾸라지다 ((센말)) =고꾸라지다.
꼬끼오 ¡Quiquiriquí! ~ 하고 울다 dar un quiquiriquí, hacer quiquiriquí. 닭이 ~ 하고 운다 El gallo hace quiquiriquí.
꼬다 ① [여러 가닥을 비비어 한 줄이 되게 하다] torcer. 꼬는 기계(機械) máquina *f* de torcer. 새끼를 ~ hacer [torcer] la cuerda. 화(禍)와 복(福)은 마치 꼬아 놓은 새끼와 같다 La buenaventura y desventura son así como dos cubos en un pozo. ② [(몸·다리·팔 따위를) 비틀다] cruzar; [비비 꼬다] contorsionarse, retorcerse. 다리를 ~ cruzar las piernas. 다리를 꼬고 앉다 sentarse con las piernas cruzadas. 고통스러워 몸을 비비 ~ retorcerse de dolor. 황홀해서 몸을 비비 ~ estremecerse de placer. 부끄러워 몸을 비비 ~ no saber dónde meterse de la vergüenza. ③ ((준말)) =비꼬다.
꼬드기다 ① [(연을 높이 오르도록 할 때에) 연실을 잡아 잦히다] tirar del hilo de la cometa. ② [남을 꾀어 부추겨서 어떤 일을 하게 하다] seducir, inducir [incitar·provocar·solicitar·instigar·tentar] (a *uno* a + *inf*·a *algo*·a que + *subj*). …에 꼬드겨 seducido por *uno*, a instigación de *uno*. 그는 그 아이를 꼬드겨 도둑질을 하게 했다 El indujo al chico a cometer un robo.
꼬드김 insistencia *f*. 아내의 꼬드김으로 나는 자동차를 사기로 했다 Por la insistencia de mi esposa he decidido comprar un coche.
꼬락서니 [상태(狀態)] estado *m*, condición *f*; [광경(光景)] espectáculo *m*; [외양(外樣)] aspecto *m*.
꼬랑이 ① ((속어)) =꼬리(cola, rabo). ② [배추·무 따위의 하찮은 뿌리 토막] pedacitos *mpl* de los raíces (del repollo o del nabo).
꼬리 ① [동물의] ㉮ [소·말·물고기·새의] cola *f*. 소의 ~ cola *f* de la vaca. ~가 긴 de cola larga. ~가 긴 말 caballo *m* de cola larga. ~가 길다 La cola es larga. ㉯ [개·돼지 등 짧은 꼬리] rabo *m*, cola *f*. 토끼의 ~ rabo *m* del conejo. ~가 짧은 고양이 gato *m* de rabo corto. ~가 짧다 El rabo es corto. ~를 말다 enroscar la cola [el rabo]. 연에 ~를 달다 poner la cola a la cometa. 도마뱀은 ~를 잘리면 다시 자란다 La cola del lagarto vuelve a crecer cuando se le corta. ② [치마의 아랫도리의 끝부분] parte *f* extrema inferior de la falda. ③ [(어떤 사물의) 맨 뒤끝] cola *f*, extremo *m*, punta *f*.
◆꼬리(가) 길다 continuar la conducta malvada por mucho tiempo. 꼬리(를) 감추다 esconderse, ocultarse. 빨리해라. 꼬리를 감추자 Rápido, escondámonos. 꼬리(를) 물다 continuar sin cesar. 꼬리(를) 밟히다 descubrir el pastel, dejarse ver el engaño, dar una pista. 그는 결코 꼬리를 밟히지 않는다 El nunca deja traslucir lo que está tramando. 꼬리(를) 잡다 encontrar *su* culpa.. 꼬리(를) 치다 ㉮ [꼬리를 좌우로 흔들다] colear, rabear, mover [menear·sacudir] la cola, mover el rabo. ㉯ [아양을 떨다. 유혹하다] hacer coqueterías, bailar el agua (a), dar coba (a), tentar, seducir
■꼬리가 길면 밟힌다 ((속담)) Tanto va el cántaro a la fuente que alguna vez se quiebra / Tanto va el cántaro a la fuente que al fin se quiebra / Tanto va el cántaro a la fuente que allí se deja el asa o la frente.
■ ~곰탕(湯) *kkorigomtang*, sopa *f* [caldo *m*] de cola de vaca. ~날개 [비행기의] cola *f* (del avión). ~등뼈 【해부】 =꽁무니뼈. ~말 =권말기(卷末記). ~별 =혜성(彗星). ~뼈 【해부】 =미골(尾骨). ~지느러미

aleta *f* caudal. ~초리 extremo *m* de la cola. ~치마 =풀치마. ~표(票) rótulo *m*, etiqueta *f*, marbete *m*. ¶~를 달다 poner un rótulo (a), poner una etiqueta (a), etiquetar. 꼬리표(가) 붙다[달리다] ponerse el apodo (de). 그 여자는 철의 여인이란 꼬리표가 붙었다 Se le puso el aposo de Dama de Hierro.

꼬리긴닭【조류】=장미계(長尾鷄).

꼬리없는원숭이【동물】macaco *m*.

꼬리타분하다 ((센말)) =고리타분하다.

꼬리탑탑하다 ((센말)) =고리탑탑하다.

꼬마 ① [형체가 작은 사물] cosa *f* pequeña, artículo *m* pequeño. ② ((준말)) =꼬마동이. ③ [키가 작은 사람] persona *f* baja; [남자] hombre *m* bajo; [여자] mujer *f* baja. ▪ ~동이 niño *m* bajo, niña *f* baja; persona *f* baja y pequeña; pequeño, -ña *mf*; pequeñuelo, -la *mf*; chiquito, -ta *mf*. ~ 자동차(自動車) autito *m*, ccche *m* pequeño. ~ 전등(電燈) lamparilla *f*. ~ 전등알 bambilla *f* pequeña. ~ 진공관(眞空管) tubo *m* de vacío pequeño.

꼬막【조개】almeja *f*, berberecho *m*, chirla *f*, [큰] vieira *f*,【학명】Anadara granosa.

꼬맹이 =꼬마동이.

꼬무락거리다 ((센말)) =고무락거리다.

꼬물거리다 ((센말)) =고물거리다.

꼬박 ① [고대로 끝끝내 기다리거나, 밤을 새우는 모양] puntualmente, honestamente. ~ 지불하다 pagar puntualmente. 시간을 ~ 지키다 observar la hora puntualmente. 그는 시간을 ~ 지킨다 El es puntual. ②「숫자」+ bien hechos. ~ 20년 veinte años bien hechos.

꼬박꼬박 ① [조금도 어김없이 순종하는 모양] obedientemente. ~ 어른의 말을 잘 듣다 ser muy obediente a *sus* superiores. 세금을 ~ 내다 pagar *sus* impuestos regularmente. ② [몹시 기다리는 모양] esperando con preocupación [con ansiedad]. ③ [차례를 거르지 않는 모양] continuamente, sin interrupción.

꼬박이 =꼬박.

꼬부라뜨리다 doblar, combar, flexionar, torcer, curvar, serpentear, envolver, enrollar.

꼬부라지다 ① [한쪽으로 꼬붓하게 되다] trabarse, torcerse. 그는 혀가 꼬부라졌다 Se le *trabó la lengua*. 그는 빨리 말하면, 혀가 꼬부라진다 Se le traba la lengua, cuando habla rápido. ② [(성미나 마음이) 올바르지 못하고 틀어지다] (ser) deshonesto.

꼬부랑 글자 ① [모양 없이 서투르게 쓴 글씨] escritura *f* no cualificada. ② ((속어)) [서양 글자] letras *fpl* occidentales.

꼬부랑길 camino *m* tortuoso, camino *m* sinuoso.

꼬부랑꼬부랑 ((센말)) =고부랑고부랑.

꼬부랑 늙은이 viejo *m* [anciano *m*] encorvado, vieja *f* [anciana *f*] encorvada.

꼬부랑말 lengua *f* occidental.

꼬부랑이 objeto *m* curvado.

꼬부랑하다 (estar) encorvado, torcido.

꼬부랑 할미 vieja *f* [anciana *f*] encorvada.

꼬부랑 할아범 viejo *m* [anciano *m*] encorvado.

꼬부리다 [철사·파이프·가지를] torcer, curvar; [등·팔·다리를] doblar, flexionar. 꼬부리지 마세요 ((게시)) No doblar.

꼬부스름하다 (estar) algo encorvado.

꼬부장하다 (estar) ligeramente encorvado.

꼬불거리다 serpentear, zigzaguear.

꼬불꼬불 serpenteando. ~ 구부러지다 hacer meandros, serpentear. ~구부러진 sinuoso, tortuoso. 이 길은 ~ 구부러졌다 Este camino es tortuoso.

꼬불대다 =꼬불거리다.

꼬불탕꼬불탕 en zigzag, haciendo zigzag.

꼬불탕하다 (ser) zigzagueante.

꼬붓꼬붓 ((센말)) =고붓고붓.

꼬붓하다 ((센말)) =고붓하다.

꼬빡 ((센말)) =꼬박.

꼬빡연(一鳶) cometa *f* de *kkoppak*, una especie de las cometas.

꼬이다[1] ① [하는 일 따위가 제대로 순순히 되지 않고 얽히거나 뒤틀리다] enredarse. 일이 ~ enredarse la madeja. ② [(무슨 일에 비위가 거슬리어 마음이) 뒤틀리다] (ser) desagradable, malhumorado, deshonesto. ③ =얽히다.

꼬이다[2] [꼬아지다] torcerse, retorcerse, contorcerse (por algún dolor), vacilar. 고통(苦痛)으로 몸이 ~ retorcerse de dolor. 그는 다리가 꼬였다 Le vacilaron los pies.

꼬장꼬장 ① [가늘고 긴 물건이 곧은 모양] recta y fuertemente. ~하다 (ser) recto y fuerte. ~한 회초리 vara *f* recta y fuerte. ② [사람됨이 곧고 결백한 모양] severamente, inflexiblemente, rectamente. ~하다 (ser) severo, inflexible, recto. 그는 성미가 ~하다 El tiene un carácter severo [recto · inflexible]. ③ [노인이 허리도 굽지 않고 정정한 모양] como un roble, con una salud de hierro. ~하다 (ser) fuerte como un roble, con una salud de hierro, saludable, robusto, vigoroso.

꼬질꼬질 ① [몹시 뒤틀어지고 꼬불꼬불한 모양] serpenteantemente. ~하다 serpentear, retorcerse. ② [옷이나 몸에 때가 많이 낀 모양] suciamente, mugrientamente. ~하다 (estar) sucio, mugriento, lleno de mugre. ~한 옷을 입다 ponerse el vestido lleno de mugre.

꼬집다 ① [손가락이나 손톱으로 살을 집어 뜯거나 비틀다] pellizcar, dar un pellizco (a). 팔을 ~ pellizcar el brazo. ② [남의 약점이나 비밀 같은 것을 비꼬아 말하다] (ser) sarcástico, mordaz, cínico, hacer un comentario cínico [sarcástico], hacer una observación cínica [sarcástica].

꼬집히다 pellizcarse. 나는 그녀에게 팔을 꼬집혔다 Ella me pellizcó en el brazo.

꼬챙이 pincho *m*, asador *m*, espetón *m* (*pl* espetones), broqueta *f*, *RPI* brochette *m*. ~에 꿰다 ensartar en un pincho [en un asador · en una broqueta · en un espetón], clavar *algo* en broqueta. ~에 끼어서 굽다 asar *algo* en broqueta. ~에 낀 양고기 carne *f* de cordero asada en broqueta.

꼬치 ① ((준말)) =꼬챙이. ② [꼬챙이에 꿴 음식물] ㉮ [둥그렇게 구운 것] asador *m*, espetón *m* (*pl* espetones). ㉯ [엷게 썬 것] pincho *m*, broqueta *f*, brocheta *f*, pinchito *m*. 통닭 ~ 구이 pincho *m* [broqueta *f*] de gallina asada, brocheta *f* de pollo asado. ③ =오뎅.
▪ ~안주(按酒) pincho *m*.

꼬치꼬치 ① [몸이 여위어 꼬챙이같이 마른 모양] muy flacamente. ② [끝까지 샅샅이 따지고 캐어묻는 모양] con mucha curiosidad. ~ 캐묻다 (ser) curioso, preguntón (*pl* preguntones, *f* preguntona), preguntar con mucha curiosidad.

꼬투리 ① ((준말)) [담배꼬투리] residuos *mpl* inservibles de las hojas de tabaco. ② [콩과 식물의 열매를 싸고 있는 껍질] vaina *f*, cáscara *f*, casca *f*. 완두콩의 ~ vaina *f* de un guisante. ~를 까다 desgranar. ③ [말이나 사실 따위의 실마리] causa *f*, razón *f*, origen *m*, pero *m*. ~를 잡다 inventar un pretexto, buscar pelea, buscar camorra. ~를 잡아 따지다 poner pero. 이 그림은 ~ 잡을 데가 없다 Este cuadro no tiene pero.
▪ ~열매 【식물】 =협과(莢果).

꼬푸리다 ((센말)) =고푸리다.

꼭 ① [단단히 힘을 주거나 누르거나 죄거나 하는 모양] fuertemente, con fuerza. ~ 죄다 apretar. …의 손을 ~ 쥐다 dar a *uno* un fuerte apretón de manos. ~ 잡다 asir por un puño fuertemente, empuñar *algo* con fuerza. ~ 껴안다 echarse en los brazos (de), abrazarse fuertemente (a · con). 목을 ~ 껴안다 echar los brazos al cuello (de).
② [애써 참거나 견디는 모양] pacientemente, con paciencia.
③ [깊숙이 숨거나 틀어박히는 모양] profundamente, con profundidad.
④ [어김없이. 정확히] justo, justamente, precisamente, exactamente, con precisión. 그는 나에게 ~ 같은 말을 했다 El me dijo exactamente lo mismo.
⑤ [반드시] ciertamente, seguramente, indudablemente, sin duda, correctamente, sin falta; […하지 않으면 …아니하다 · …하면 ~ …하다] no … sin + *inf* [sin que + *subj*]; [무슨 일이 있어도] a toda costa, cueste lo que cueste, pase lo que pase; [필연적으로] necesariamente, inevitablemente. ~ 세 시에 a las tres en punto, justo a las tres. ~ …하는 것은 아니다 no … siempre, no … necesariamente, no … todo. ~ …해야 한다 tener que + *inf* a toda costa. ~ 오너라 Ven sin falta. 오늘밤에 오세요 — ~ 가겠습니다 Venga a verme esta noche — Iré a verle sin falta [No faltaré]. 그는 ~ 돌아올 겁니다 Seguramente él volverá. 그녀는 오늘은 ~ 떠나야 한다 Ella tiene que salir [partir] hoy, pase lo que pase. 나는 ~ 서반아에 가고 싶었다 Yo quería ir a España a toda costa. 그 소설을 ~ 읽어라 No dejes de leer esa novela. 그는 ~ 성공할 겁니다 Seguro que él tendrá buen éxito. 그는 콩쿠르 대회에 나가면 ~ 상을 탄다 Siempre que participa en un concurso se lleva el premio / No participa en un concurso sin que se lleve un premio. 값이 비싸다고 ~ 품질이 좋은 것이 아니다 No es siempre de buena calidad todo lo que cuesta mucho. 이 옷은 너한테 ~ 맞다 [크기가] Este vestido te viene justo / [어울리다] Este vestido te va [viene · sienta] bien. 저 산은 ~ 거북 같다 Aquella mon- taña parece justamente [tiene la forma justa de] una tortuga. ~ 말씀드리겠습니다 Se lo diré sin falta. 나는 여행할 때는 ~ 카메라를 가지고 간다 No viajo nunca sin cámara fotografía / Cuando viajo, me llevo la cámara fotográfica sin falta. 그는 ~ 궁전 같은 집에서 살고 있다 El vive en una casa como [que parece] en palacio. 그는 나를 ~ 자기의 아들처럼 취급한다 [취급했다] El me trata [trató] como si fuera su hijo. 그는 ~ 내가 그것을 했던 것처럼 나를 비난한다 [비난했다] El me critica [criticó] como si yo lo hubiera hecho [hubiese hecho]. 그런 옷을 입으니 그녀는 ~ 미친년 같다 Con ese vestido parece una loca.
⑥ [마치] como si + *subj*. 그는 ~ 미친 사람 같다 Parece como si él fuera loco.

꼭꼭[1] ① [지그시 힘을 주어 누르거나 조르는 것을 더 세게 하는 모양] fuertemente, firmemente. 손발을 ~ 묶다 amarrar firmemente la mano y el pie. ② [무엇을 자꾸 찌르는 모양] picando y picando. ③ [어김없이 완전하게] sin falta, precisamente, con precisión, exactamente, con exactitud, regularmente, puntualmente, a su hora. 빚을 ~ 갚다 pagar *su* deuda regularmente, no dejar de pagar *su* deuda. ~ 들어맞히다 dar en el blanco sin falta. 시간을 ~ 지키다 ser puntual. 약속을 ~ 지키다 cumplir *su* promesa escrupulosamente, no dejar de cumplir *su* promesa. 기차는 ~ 도착했다 El tren salió puntualmente [a su hora]. ④ =꽁꽁.

꼭꼭[2] [암탉의 안는 소리] cloqueando y cloqueando.
꼭꼭거리다 seguir cloqueando.

꼭대기 ① [(높이가 있는 사물의) 제일 위가 되는 곳] cumbre *f*, cima *f*, lo más alto, cúspide *f*, corona *f*. 산의 ~에(서) en la cumbre de una montaña. ~에 눈이 쌓인 산 montaña *f* coronada de nieve. 언덕의 ~ corona *f* de la colina. ② [어떤 단체나 기관 따위의 제일 윗자리, 또는 그 자리에 있는 사람] [사람] jefe, -fa *mf*, líder *mf*. ③ [(사람의) 정수리] corona *f*, coronilla *f*. 머리 ~에서 발끝까지 de pies a cabeza, de arriba abajo, desde la coronilla hasta la punta de los pies.

꼭두각시 ① [여러 가지 이상야릇한 탈을 씌운 인형] títere *m*, marioneta *f*. ~를 놀리는 사람 titiritero, -ra *mf*; titerero, -ra *mf*; titerista *mf*; persona *f* que maneja los títeres. ② [남의 조종에 의해 움직이는 사람] títere *mf*.
■ ~놀음 espectáculo *m* [función *f*] de títeres [de marionetas], teatro *m* de títeres, arte *m* del titiritero.
꼭두놀리다 manejar las marionetas, manejar los títeres.
꼭두새벽 el alba *f*, amanecer *m*, madrugada *f* temprana, las primeras horas de la mañana. ~에 al amanecer, muy de mañana, al romper el día, al alba, al rayar el alba, al romper el alba. ~부터 desde la mañana temprana.
꼭두서니 ① 【식물】 rubia *f*, granza *f*. ~로 물들인 teñido con la raíz de la rubia. ② [꼭두서니를 원료로 하여 만든 빨간 물감, 또는 그 빛깔] rubia *f* (rojiza), granza *f*. ~ (색)의 grancé, granza.
꼭뒤 ① [뒤통수의 한복판] centro *m* de la parte posterior de la cabeza. ② [활의 도고지 붙은 뒤] muesca *f*.
◆ 꼭뒤(를) 누르다 oprimir, reprimir. 꼭뒤(를) 눌리다 ser oprimido, ser reprimido. 꼭뒤(를) 지르다 delantarse, anticiparse, tomar [ganar · coger] la delantera (a). 나는 그를 꼭뒤 질러 마리아를 초대했다 El se me adelantó en invitarla a María. 꼭뒤(를) 질리다 ser prevenido, ser impedido.
꼭자무식(-無識) analfabetismo *m*, ignorancia *f* completa.
꼭지 ① [잎사귀나 열매를 지탱하는 줄기] tallo *m*. ② [그릇 뚜껑의 손잡이] el asa *f* (*pl* las asas). 주전자의 ~ el asa de la tetera. ③ [종이연 머리의 가운데에 붙인 표] tira *f* decorativa pegada en el centro de la parte superior de la cometa. ④ [도리깨의 자루 머리에 꿰어, 열을 걸어 돌게 하는 나무 비녀] pivote *m* del mayal. ⑤ [거지나 딴꾼의 우두머리] jefe, -fa *mf* (de la banda de mendigos). ⑥ [모숨을 지어 잡아맨, 긴 물건을 세는 말] manojo *m*, haz *m*, atado *m*. 미역 세 ~ tres manojos de alga marina.
■ ~각(角) ㉮ [맨 꼭대기가 되는 점] cúspide *f*, cima *f*. ㉯ 【수학】 ángulo *m* vertical. ~ㅅ점(點) 【수학】 vértice *m*.
꼭하다 (ser) honrado y cándido.
꼰질꼰질하다 (ser) muy meticuloso, muy minucioso.
꼲다 corregir, ponerle nota (a), calificar.
꼴[1] [사물의 생김새나 됨됨이] forma *f*. 몇 번이나 충고했는데도 이 ~이다 Esta es la dichosa consecuencia de mis repetidas advertencias. ~ 좋게 됐군! ¡Para que le sepas! / ¡Tómate ésa! / ¡Te lo dijo! / ¡Te está muy bien empleado! 무슨 ~이냐? ¿No te da verguenza de estar así? / ¡Qué torpe eres! ~ 좋다 [타인에 대해] Se lo ha merecido / [자신에게 자학적인 말] Se ríen [Se burlan] de mí / ¡En buena posición he quedado! 이거 무슨 ~이야 ¡Qué miseria! / ¡Qué estado tan miserable! 우리들은 요모양 요~이다 ¡Mira a qué hemos quedado reducidos!
꼴[2] [목초(牧草) pienso *m*, pasto *m*; [건초(乾草)] heno *m*, *AmS* forraje *m*, *Cuba* maloja *f*, *Fil* zacate. ~을 주다 dar forraje, echar pienso, dar pienso. 말에게 ~을 먹이다 dar [echar] pienso a un caballo, pastar caballo con forraje.
-꼴 al tipo de, por unidad. 한 다발에 천 원 ~로 al tipo de mil wones un haz.
꼴간(-間) pajar *m*.
꼴값 ((속어)) =얼굴값.
꼴깍 =꿀꺽.
꼴꼴 corriendo, saliendo. ~ 흐르다 correr, salir, rizarse. 물이 파이프에서 ~ 흘렀다 Salía un hilito de agua de la cañería.
꼴꾼 segador, -dora *mf* de pienso.
꼴딱 =꿀떡.
꼴뚜기 【동물】 chopo *m*, chopito *m*.
■ ~장수 ㉮ [꼴뚜기를 파는 사람] vendedor, -dora *mf* de chopos. ㉯ [재산이나 밑천 따위를 모조리 없애고 근근이 사는 사람] persona *f* en bancarrota, persona *f* en quiebra. ~젓 chopos *mpl* conservados en sal. ~찌개 sopa *f* de chopos.
꼴리다 ① [생식기가 성욕(性慾)으로 인하여 충혈되다] el órgano genital congestionarse por el deseo sexual, ponerse erecto. ② ((속어)) [무슨 일이 마음에 들지 아니하여 성이 몹시 치밀다] montar en cólera, explotar, saltar, ponerse furioso (con).
꼴망태 bolsa *f* de malla de pienso.
꼴머슴 criado *m* [sirviente *m*] en el cortijo.
꼴바꿈 =변형(變形).
꼴보다 examinar *su* cara, mirar la aparición personal.
꼴불견(-不見) fealdad *f*, indecencia *f*. ~이다 ser feo, indecente.
꼴사납다 (ser) feo, indecoroso, indecente, vergonzoso, bochornoso, detestable, odioso, aborrecible. 꼴사나운 짓 conducta *f* indecorosa. 꼴사납게 굴다 comportarse detestablemente
꼴없는이름씨 【언어】 =추상명사(抽象名詞).
꼴있는이름씨 【언어】 =구체명사(具體名詞).
꼴좋다 =꼴불견이다. 꼴사납다.
꼴짝 ① [질거나 끈기 있는 물건을 주무르거나 밟을 때 나는 소리] haciendo un ruido como de succión. ② [눈물을 조금씩 짜내는 모양] gimoteando.
꼴짝거리다 ㉮ [주무르거나 밟을 때] seguir haciendo un ruido como de succión. ㉯ [눈물을] gimotear.
꼴찌 el [lo] último, el [lo] ínfimo, zaga *f*. ~에서 두 번째 [세 번째] 사람 persona *f* penúltima [antepenútima]. ~다 ser el último [la última] de la cola. 내가 제일 ~였다 Yo era el último / Yo era el ínfimo (de la clase). 그는 언제나 반(班)에서 ~다 Ella siempre es la última de la clase. 달

리기에서 그녀가 ~였다 En la carrera ella llegó la última.

꼴찌락거리다 salpicar.
꼴찌락꼴찌락 salpicando y salpicando.

꼴풀 hierba *f* para el pienso.

꼴흉내말【언어】=의태어(擬態語).

꼼꼼쟁이 persona *f* metódica, persona *f* puntual, persona *f* meticulosa, persona *f* escrupulosa, persona *f* quisquillosa, rigorista *mf*.

꼼꼼하다 (ser) puntual, honesto, ordenado, asiduo, minucioso, meticuloso, metódico, escrupuloso. 꼼꼼함 puntualidad *f*, honradez *f*. 꼼꼼한 사람 persona *f* metódica, persona *f* puntual, rigorista *mf*. 그렇게 꼼꼼하지 마세요 No sea usted tan formal / Dejémonos de formalidades.
꼼꼼히 puntualmente, con puntualidad, asiduamente, con asiduidad, escrupulosamente, meticulosamente, metódicamente, concienzudamente, bajo todos los puntos de vista. ~ 일하다 trabajar escrupulosamente. ~ 답장을 쓰다 responder puntualmente. 시간을 ~ 지키다 observar la hora puntualmente. 일기를 ~ 쓰다 llevar el diario con asiduidad [asiduamente.].

꼼바르다 (ser) mezquino, misero.

꼼바리 persona *f* meticulosa.

꼼짝 못하다 frustarse enteramente, estar en la merced (de); [오도 가도 못하다] atascarse, embarrancarse. 꼼짝 못하게 하다 quedarse parado [elevado] (en). 연단에서 ~ quedarse sin palabra en la tribuna. 부하(部下)를 꼼짝 못하게 하다 apretar las clavijas [los tornillos] a sus subordinados. 열차가 눈에 갇혀 꼼짝 못했다 El tren se atascó [quedó bloqueado] por la nevada.

꼼짝없다 ① [꼼짝할 수 없다] no poder mover ni un paso. ② [조금도 움직이는 기색이 없다] estar quieto, estar inmovil. ③ [어떻게 할 방법이 없다] No hay más [otro] remedio / ¡Qué le vamos a hacer!
꼼짝없이 sin movilidad, inevitablemente, forzosamente. ~ 앉아 있다 permanecer sentado. 그는 한시도 ~ 있을 수 없다 El no puede estarse quieto ni un momento.

꼼치 ① [작은 것] cosa *f* pequeña. ② [적은 것] lo poco.

꼽꼽쟁이 persona *f* puntillosa y mezquina.

꼽꼽하다 (estar) algo húmedo.

꼽다 contar, numerar. 이 마을에서 부자로는 그를 첫째로 꼽는다 El es el más rico de este pueblo.

꼽재기 ① [때나 먼지 같은 더러운 것] suciedad *f*, mugre *m*, polvo *m*. ② [작은 사물] cosa *f* pequeña.

꼽추 =곱사등이.

꼽치다 ① [반으로 접어 한데 합치다] plegar en mitad y unir. ② [갑절을 하다] doblar, duplicar.

꼿꼿하다 ① [굽은 데가 없이 쪽 바르다] (ser) recto, vertical. ② [굳세다] (ser) honesto, honrado. ③ [융통성이 없고 곧기만 하다] (ser) inflexible y firme. ④ [어려운 일을 당해 꼼짝할 수 없다] no poder hacer nada, quedarse inmóvil, paralizarse.
꼿꼿이 en línea recta, verticalmente; honestamente, honradamente; [꼼짝없이] sin poder hacer nada. ~ 서다 poner vertical.

꽁꽁[1] [되게 앓는 소리. 또, 아픈 것을 참는 신음 소리] gimiendo, quejándose (de dolor).
꽁꽁거리다 seguir gimiendo, seguir quejándose de dolor.

꽁꽁[2] ① [물체가 단단히 언 모양] helándose duro. ② [보이지 않게 단단히 숨는 모양] escondiéndose bien. ~ 숨어라 Escóndete bien.

꽁무니 ① [등마루뼈의 끝이 되는 부분] trasero *m*, parte *f* posterior del animal. ② [엉덩이를 중심으로 한 몸의 뒷부분] nalgas *fpl*, trasero *m*. ③ [뒤, 또는 맨 끝] cola *f*, trasero *m*.
◆꽁무니를 따라다니다 andar detrás (de). 꽁무니(를) 빼다 volverse atrás, echarse para atrás, resistirse (a). 꽁무니(를) 사리다 vacilar, echarse (para) atrás. 나는 위기에 직면해서는 꽁무니를 사리지 않았다 No me eché atrás ante el peligro.
■ ~뼈【해부】cóccix *m*, rabadilla *f*. ~지느러미【어류】aleta *f* anal.

꽁보리밥 cebada *f* cocida sin arroz.

꽁생원(一生員) persona *f* malhumorada, persona *f* introvertida y de mentalidad cerrada.

꽁지 cola *f*, rabo *m*.
■꽁지 빠진 장닭 같다 ((속담)) La aparición es miserable [desastrada].
■~벌레 gusano *m*. ~부리 =고물. 선미(船尾).

꽁초 colilla *f*, punta *f* de cigarrillo, cola *f*, *AmL* pucho *m*.

꽁치【어류】escombro *m*, caballa *f*.

꽁하다 (ser) malhumorado, de mal humor, introvertido y de mentalidad cerrada. 꽁한 감정(感情) reserva *f* fría; [악감정(惡感情)] animosidad *f*. 그들 사이에는 꽁한 감정이 있다 Mantiene una reserva fría. 두 사람 사이에는 꽁한 감정이 없어졌다 Ha desaparecido la reserva fría que existía entre los dos.

꽂다 ① [구멍에] hacer pasar (실을), meter (en), clavar, insertar, injerir. 꽂아 넣다 insertar, introducir, meter. 핀을 ~ prender (*algo*) con alfileres. 가슴에 비수(匕首)를 ~ clavar una daga en el corazón. 열쇠를 자물쇠 구멍에 꽂아 넣다 meter la llave en el ojo de la cerradura. 다리미의 플러그를 ~ enchufar la plancha. ② [꽃을] poner. 꽃병에 꽃을 ~ poner flores en un florero.

꽂을대 baqueta *f*.

꽂히다 meterse, clavarse. 옷에 꽂힌 꽃 flor *f* prendida en el vestido.

꽃 ①【식물】flor *f*. ~ 파는 소녀 vendedora *f* de flores, florera *f*, florista *f*. ② [꽃이 피는 나뭇가지] rama *f* que da flores. ③ [아름다운 여인] mujer *f* hermosa, belleza *f*.

④ [비유적으로, 아름다운 것] hermosura *f*, belleza *f*. ⑤ [비유적으로, 좋은 때를 만나 번영하는 것] prosperidad *f*.
◆꽃(이) 피다 florecer, estar en flor, dar flores, echar flores, *Méj, Chi* florear. 꽃 피는 나무 árbol *m* que florece [da flores]. 봄에 꽃 피는 식물 planta *f* que florece [da flores] en primavera. 꽃(을) 피우다 hacer florecer, hacer dar flores.
■~장수 florero, -ra *mf*.

꽃가게 floristería *f*, florería *f*, tienda *f* de flores. ~ 주인 florero, -ra *mf*; florista *mf*.

꽃가루 polen *m*. 일정한 장소의 공기 속에 들어 있는 ~의 수 índice *m* de concentración de polen en el aire.

꽃가룻병(-病) fiebre *f* del heno, polinosis *f*, alergia *f* al polen.

꽃가지 rama *f* con flores.

꽃게 【동물】 cangrejo *m* azul.

꽃구경 visita *f* de flores.

꽃구름 nubes *fpl* iridiscentes.

꽃겁질 【식물】 =꽃덮이.

꽃꼭지 【식물】 =꽃자루.

꽃꽂이 (arte *m* del) arreglo *m* de flores, arreglo *m* floral, (arte *m* de) disposición floral. ~하다 disponer [arreglar] flores en un florero.

꽃나무 ① [꽃이 피는 나무] árbol *m* que da flores, árbol *m* de que se aprecian las flores. ② =화초 (花草).

꽃놀이 picnic *m* [recreación *f*] de ver las flores ~가다 ir a ver las flores (de cerezo). ~ 가는 사람 admiradores *mpl* de las flores de cerezo.

꽃눈 【식물】 capullo *m*.

꽃다발 ramo *m* (de flores), ramillete *m*, manojo *m* [atado *m* · hacecillo *m*] de flores, pomo *m* de flores. 장미 ~ ramo *m* de rosas.

꽃다지 [첫 열매] primer fruto *m*.

꽃답다 (ser) hermoso como una flor, bien parecido, respetable, honorable. 꽃다운 죽음 muerte *f* honorable. 꽃다운 처녀 la flor y nata de la muchacha. 꽃다운 나이다 ser la flor y nata de la doncellez. 그녀는 꽃다운 나이에 죽었다 Ella murió en la flor de la edad [de la juventud · de la vida].

꽃대 【식물】 tallo *m*. ~가 생기다 echar tallos, entallecer(se).

꽃덮이 【식물】 periantio *m*, perigonio *m*.
■~꽃 【식물】 =유피화(有被花).

꽃돗자리 estera *f* de paja estampada.

꽃동산 ① [아름다운 꽃이 많이 핀 동산] jardincillo *m* con flores, jardín *m* florido, huerto *m* de flores. ② [경치도 아름답고 살림도 행복한 낙원(樂園)] paraíso *m*.

꽃등(-燈) lámpara *f* de papel con flores.

꽃뚜껑 【식물】 =꽃덮이.

꽃마차(-馬車) coche *m* adorado con flores.

꽃말 lenguaje *m* de las flores, significación *f* puesta en una flor. ~을 쓰다 hacer hablar con flores.

꽃망울 capullo *m* (de flor).

꽃무늬 figuras *fpl* [dibujos *mpl*] florales [de flores]. ~의 con dibujos florales [de flores], floreado. ~ 블라우스 blusa *f* floreada, blusa *f* con dibujos florales.

꽃바구니 cesta *f* para [de] flores.

꽃받기 【식물】 receptáculo *m*, tálamo *m*.

꽃받침 【식물】 cáliz *m*, pedúnculo *m*.

꽃밥 【식물】 antera.

꽃방(-房) =꽃가게.

꽃방석(-方席) estera *f* de juncia con flores.

꽃밭 ① [화원(花園)] jardín *m* (*pl* jardines) de flores, jardín *m* florido, huerto *m* de flores, campo *m* de flores; [화단(花壇)] arriate *m*, plantío *m*, macizo *m*, parterre *m*; [고산(高山)의] zona *f* de flores alpinas. ② [여자들이 많이 모인 곳] sitio *m* [lugar *m*] que se reúnen muchas mujeres bellas; [화려한 장면] escena *f* magnífica.

꽃배 barco *m* adornado con flores.

꽃병(-瓶) florero *m*, jarrón *m* (*pl* jarrones).

꽃보라 pétalos *mpl* de flores que caen en el viento, lluvia *f* de pétalos de las flores.

꽃봉 ① 【식물】 ((준말)) =꽃봉오리. ② [부녀의 머리에 꽂는 장식물] adoración *f* para el pelo de mujeres.

꽃봉오리 ① 【식물】 botón *m* (*pl* botones), yema *f*. ~를 트다 echar botones [yemas]. 매화가 ~를 텄다 El ciruelo tiene [ha echado] yemas.. ② [희망에 가득차고 앞날이 기대되는 어린 세대] juventud *f*, generación *f* joven.

꽃봉투(-封套) sobre *m* hermosamente pintado.

꽃부리 【식물】 corola *f*.

꽃분(-盆) =화분(花盆).

꽃불 ① [이글이글 타오르는 파란 불] fuego *m* encendido. ② [흑색 화약에 쇳가루 등을 섞어 통에 넣고 불을 붙이어 공중 높이 올리는 불] fuegos *mpl* artificiales, fuegos *mpl* de artificio.

꽃붙이 【곤충】 =꽃무지.

꽃사기(-沙器/砂器) china *f* con dibujos florales.

꽃살문(-門) puerta *f* con dibujos florales.

꽃삽 pala *f* pequeñita para flores.

꽃상치 【식물】 endibia *f*.

꽃샘 frío *m* en la estación floreciente, frío *m* primaveral. ~하다 hacerse frío en la estación floreciente de repente.
■~바람 briza *f* fría en la estación floreciente. ~추위 =꽃샘.

꽃자루 【식물】 pezón *m*, pedúnculo *m*, rabillo *m*.

꽃송이 flores *fpl*. 오렌지 ~ flores *fpl* de azahar.

꽃수(-繡) bordado *m* de flores.

꽃수레 coche *m* decorado con flores.

꽃술 columna *f*; [수술] estambre *m*; [암술] pistilo *m*.

꽃시계(-時計) reloj *m* floral.

꽃시장(-市場) mercado *m* de flores, feria *f* de flores.

꽃식그림(-式-) =화식도(花式圖).

꽃식물(一植物) planta *f* que da flores, planta *f* que florece.
꽃신 calzados *mpl* de la forma de flores.
꽃실 【식물】 =수술대.
꽃쌈 =화전(花戰).
꽃씨 semilla *f* de las plantas y de las hierbas.
꽃양배추 【식물】 coliflor *f*.
꽃잎 【식물】 pétalo *m*.
꽃자동차(一自動車) coche *m* adornado con flores.
꽃자루 【식물】 pezón *m* (*pl* pezones), pedúnculo *m*, rabillo *m*.
꽃자리 =꽃돗자리.
꽃재배(一栽培) floricultura *f*, cultivo *m* de las flores.
▪ ~자(者) floricultor, -tora *mf*; persona *f* dedicada a la floricultura.
꽃전(一煎) crepe *m* de arroz apelmazado preparado en la forma de una flor.
꽃전차(一電車) tranvía *m* adornado con flores e iluminación.
꽃주일(一主日) primer domingo *m* de junio.
꽃줄기 tallo *m* de una flor.
꽃집 =꽃가게.
▪ ~ 주인(主人) florero, -ra *mf*.
꽃차(一車) carroza *f* [coche *m* · carro *m*] de festival.
꽃차례 【식물】 inflorescencia *f*.
꽃창포(一菖蒲) 【식물】 iris *m* sibirica.
꽃철 tiempo *m* floreciente, estación *f* floral, estación *f* de flores. ~에는 흔히 비가 온다 Los días en que florecen, suelen ser lloviosos.
꽃턱 【식물】 =꽃받기.
▪ ~잎 【식물】 =포(苞).
꽃판(一瓣) 【식물】 =꽃잎.
꽃피다 estar en flor, florecer.
꽃향기(一香氣) aroma *f* de flores.
꽈르르 borbotando, gorgoteando, con un borboteo, con un gorgoteo.
꽈리 【식물】 alquequenje *m*, vejiga *f* de perro. ~를 불다 soplar el alquequenje.
▪ ~불기 sopladura *f* del alquequenje.
꽉 ① [힘껏] con toda fuerza, fuerte, fuertemente; [잘] bien. ~ 찬 스케줄 horario *mpl* muy apretado. ~ 붙잡다 agarrarse bien (a). ~ 쥐다 agarrarse bien (a). ~ 껴안다 apretar a *uno* fuerte contra *su* seno [entre *sus* brazos], agarrar [asir] *algo* con toda fuerza [fuertemente], empuñar *algo* con fuerza, asir [coger] *algo* apretándolo, abrazar fuerte. 병을 ~ 막다 cerrar [tapar] bien la botella. 핸들을 ~ 쥐다 agarrar el volante, coger el volante apretándolo. 손을 ~ 쥐다 ㉮ [자신의] cerrar la mano [los puños]. ㉯ [다른 사람의] dar a *uno* un fuerte apretón de manos, agarrar a *uno* de [por] la mano. ㉰ [악수하다] apretar [estrechar efusivamente] la mano a *uno*. ~ 붙잡아라 ¡Agárrate bien [fuerte]! 나를 ~ 껴안아 주세요 ¡Abrázame fuerte! 뚜껑을 ~ 눌러라 Aprieta bien el tapón. 나사가 ~ 끼었다 Se ha ajustado bien el tornillo. 책장에 책이 ~ 차 있다 El estante está atestado de libros. 문이 문얼굴에 ~ 끼이지 않는다 La puerta no encaja en su marco. 이 옷은 나한테 너무 ~ 낀다 La ropa me aprieta. 신발이 나한테 너무 ~ 낀다 Me aprietan mucho los zapatos.
② [가득 찬 모양] completamente, muy. ~ 차다 estar completamente lleno, estar de bote en bote. 트렁크를 ~ 채우다 atiborrar [llenar a la fuerza] el baúl (de). 사람이 ~ 찼다 La gente está de bote en bote [completamente llena]. 열차는 ~ 찼었다 El tren iba lleno [atestado · que crujía] de gente / El tren iba de bote en bote / La gente iba en el tren como sardinas en lata.
③ [괴로움을 굳이 참고 견디는 모양] con paciencia, pacientemente, estoicamente, con estoicismo. 그는 치통을 ~ 참았다 El sobrellevó su dolor de muelas pacientemente.
꽉꽉 ① [잔뜩 힘을 들여서 여러번 단단히 누르거나 묶는 모양] fuerte, bien. 그것을 ~ 묶어야 한다 Hay que atarlo fuerte. 그것을 ~ 동여매라 Asegúralo bien. ② [모두 다 가득히 찬 모양] abarrotado [atestado · lleno · repleto] de gente, de bote en bote, hasta el tope, hasta los topes. 해변은 사람으로 ~ 차 있다 La playa está completamente llena de gente / La playa se llena de gente / La playa está de bote en bote. 트렁크는 책으로 ~ 차 있었다 El baúl estaba hasta el tope [los topes] de libros / El baúl estaba atiborrado de libros.
꽉차다 estar de bote en bote, estar muy lleno, estar repleto, estar atestado.
꽐꽐 borbotando, gorgoteando, con un borboteo, con un gorgoteo.
꽐꽐거리다 seguir borboteando [gorgoteando].
꽝[1] [추첨 등에서 뽑히지 못하여 배당이 없는 것] billete *m* [número *m*] no agraciado [no premiado]. ~을 뽑다 sacar un número no premiado.
꽝[2] ① [무겁고 단단한 물건이 바닥에 떨어졌거나 부딪쳤을 때 요란하게 나는 소리] de golpe, estruendosamente, con estrépito; [소리] ¡Pumba! ~ 부딪치다 chocar estruendosamente (contra). ~ 하고 떨어지다 caer con un sonido seco [sonido]. 문을 ~ 닫다 cerrar la puerta de golpe. 상자가 ~ 떨어진다 La caja cae con estrépito. ② [총포를 쏘거나 폭발물 같은 것이 터졌을 때에 요란하게 울리는 소리] ¡Pum! / ¡Bang! ~하다 hacer ¡bang!, hacer ¡pum!
꽝꽝 haciendo ¡bang!, haciendo ¡pum!, produciendo un estruendo.
꽝꽝거리다 seguir haciendo ¡bang! [¡pum!].
꽤 bastante, considerablemente, notablemente. ~ 오래전에 hace bastante tiempo, hace un tiempo considerable. ~ 유명한 bastante famoso. ~ 오랫동안 (por) bastante tiempo, (por) un tiempo considerable. ~

많은 수입 ingresos *mpl* considerables. ~ 많은 부상자 buen número *m* de heridos. ~ 많은 재산(財産) fortuna *f* razonable. ~ 좋은 성적 resultado *m* bastante bueno. ~ 크다 ser bastante grande; [키가] ser bastante alto. ~ 재미있다 ser bastante interesante. 그는 ~ 위독하다 El está bastante grave. 나는 그 일에 ~ 시간이 걸렸다 Ese trabajo me ocupó bastante tiempo. 나는 ~ 늦게 왔다 Llegué bastante tarde. 이제 ~ 추워졌다 Ya hace bastante frío. 오늘은 ~ 춥다 Hace bastante frío hoy / Hoy hace un frío notable. 그는 서반아어와 영어를 ~ 잘한다 El habla bastante bien el español y el inglés. 그는 ~ 취해 있었다 El estaba bastante borracho. 그의 병은 ~ 호전되었다 Su enfermedad se ha mejorado bastante. 완성하기는 ~ 시간이 걸릴 것이다 Aún se tardará bastante tiempo en terminarlo.

꽥 con un grito, con un chillido, gritando, dando un grito, chillando. ~하다 gritar, dar un grito, chillar. 화가 나서 ~ 소리치다 gritar con ira.

꽥꽥 con un rechino, con un chirrido, gritando y gritando; [오리가] graznando, haciendo cua cua. ~하다 gritar, dar un grito, chillar, hacer cua cua.
꽥꽥거리다 seguir gritando, seguir chillando, seguir haciendo cua cua.

꽹 ¡Bang! / ¡Pum!

꽹과리 ① 【악기】 *kkwaenggwari*, gongo *m* tradicional coreano. ~를 치다 golpear el gongo. ② ((심마니말)) luna *f*.

꾀 ① [슬기] inteligencia *f*, ingenio *m*, recursos *mpl*, entendimiento *m*, sabiduría *f*, sagacidad *f*, capacidad *f*. ~가 있는 남자(男子) hombre *m* de recursos. ~가 많은 여자 mujer *f* de muchos recursos. ~가 늘다 entrar en uso de razón; [어린이가] comenzar a dar señales de inteligencia. 아무도 경찰을 부를 ~가 없었다 Nadie tuvo la inteligencia [el tino] de llamar a la policía. ② [계략·계책] trampa *f*, ardid *m*, truco *m*, artificio *m*, estratagema *f*, recurso *m*, propósitos *mpl*, designios *mpl*, esquema *f*.

꾀꼬리 ① 【조류】 risueñor *m*. ② [목소리가 고운 사람] persona *f* que tiene la voz hermosa.

꾀꼬리참외 【식물】 melón *m* del color amarillo.

꾀꼴 cantando haciendo gorgoritos.
꾀꼴꾀꼴 seguiendo cantando haciendo gorgoritos. ~하다 seguir cantando haciendo gorgoritos.

꾀꾀 enjutamente, delgadamente. ~하다 (estar) demacrado, delgado, enjuto.

꾀꾀로 secretamente, en secreto, a escondidas, a hurtadillas, furtivamente.

꾀다[1] ① [(벌레나 동물 따위가) 수없이 모여들어 뒤끓다] concurrir, pulular, hormiguear. 설탕에 개미가 꾄다 Las hormigas pupulan en el azúcar. ② [(사람이) 한 곳에 많이 모이다] (estar) atestado [abarrotado・lleno] (de gente). 장마당에 사람이 꾄다 La plaza del mercado está atestada de mucha gente.

꾀다[2] ((준말)) =꼬이다[1].

꾀다[3] ((준말)) =꼬이다[2].

꾀다[4] [그럴듯하게 남을 속이거나 부추기어 자기의 뜻대로 하게 하다] persuadir (a *uno* a + *inf*), asociar (a *uno* a *algo*), instigar, incitar; [권하다] invitar, convidar. 영화 [산책]에 ~ invitar (a *uno*) al cine [al paseo]. 나쁜 일에 ~ instigar (a *uno*) al mal. 동료를 꾀어 사기를 치다 cometer una estafa en complicidad [en connivencia] con sus compañeros. 나는 친구들을 꾀어 여행 갈 예정이다 Pienso ir de viaje invitando a mis amigos. 나더러 입회(入會)하라고 꾀었다 Me aconsejaron que ingresara en la asociación.
꾀어내다 sacar; [외출] invitar (a *uno*) a salir juntos.

꾀바르다 (ser) astuto, zorro, inteligente, listo.

꾀배 dolor *m* de estómago falso. ~를 앓다 fingir tener dolor de estómago.

꾀병(-病) zangauanga *f*, enfermedad *f* falsa, simulación *f* de una enfermedad. ~을 부리다 encojarse, fingir [simular] estar enfermo, fingir una enfermedad, hacerse el enfermo.

꾀보 persona *f* astuta, persona *f* taimada.

꾀부리다 eludir, rehuir, echar*le* la culpa (a).
꾀부려 쉬다 ausentar sin motivo debido.
꾀부려 수업을 빼먹다 hacer novillos, faltar a la escuela sin motivo.

꾀쓰다 ① [일이 쉽게 잘되도록 지혜를 내어서 하다] usar trampas. ② =꾀부리다.

꾀어내다 atraer, atraer con señuelo. 더 높은 봉급을 주면서 그를 꾀어냈다 Le atrajeron ofreciéndose un sueldo más alto.

꾀음꾀음 con palabras melosas. ~하다 seducir, tentar, atraer.

꾀이다 ser atraído, ser seducido, ser tentado.

꾀자기 persona *f* astuta, persona *f* taimada, perro *m* viejo, viejo zorro *m*.

꾀잠 sueño *m* fingido.

꾀쟁이 =꾀보.

꾀죄죄하다 ponerse muy sucio, ensuciarse.
꾀죄죄한 muy sucio, desaseado, desaliñado, puerco.

꾀죄하다 ponerse sucio, ensuciarse, mancharse, estar desaseado [desaliñado]. 그녀는 늘 꾀죄한 모습을 하고 있다 Ella tiene un aspecto desaliñado.

꾀하다 intentar, trazar, proyectar, tramar, maquinar; [음모를] complotar, conspirar, intrigar. 나쁜 짓을 ~ tramar una maldad. 살해를 ~ formar un complot de asesinarle (a *uno*). 자살을 ~ intentar el suicidio.

꾐 chantaje *m*, extorsión *f*, incitación *f*, [유혹] tentación *f*, provocación *f*. ~에 빠지다 corresponder a la incitación. 그는 첫 ~에 넘어갔다 A la primera incitación, él picó en el anzuelo.

꾐기전기(-起電機) 【전기】 =유도 기전기.

뀜약(－藥)【약】＝유충제(誘蟲劑).

꾸겨지다 ((센말)) ＝구겨지다.

꾸기다 arrugar.

꾸기적거리다 arrugar. 그는 종잇장을 둥글게 꾸기적거렸다 El hizo una bola estrujando la hoja de papel.

꾸꾸꾸 ((센말)) ＝구구구.

꾸다[1] [꿈을 보다] soñar (con). 고향의 꿈을 ～ soñar con *su* tierra natal. 어머니의 꿈을 ～ ver *su* madre en el sueño.

꾸다[2] [빌어쓰다] pedir [tomar] prestado. 돈을 ～ pedir dinero prestado (a). 일전에 꾼 돈을 돌려드리겠습니다 Voy a devolverle el dinero que recibí [le pedí] prestado el otro día.
■꾸어다 놓은 보릿자루 [빗자루] ((속어)) Gallina en corral ajeno.

-꾸러기 -ón, -ona. 잠～ dormilón, -lona *mf*. 장난～ juguetón, -tona *mf*.

꾸러미 paquete *m*, bulto *m*, fardo *m*, bala *f*, farda *f*, fardel *m*. 옷 ～ farda *f* de ropa. ～를 만들다 hacer el paquete, empaquetar, enfardar, embalar. …의 ～를 풀다 desempaquetar, desenfardar, desembalar. 면(綿)한 ～ una bala de algodón. 책 ～ paquete *m* de libros.

꾸르륵 ① [배 속이나 대통 속의 담뱃진 따위가 몹시 끓을 때 나는 소리] gruñendo (de hambre). ～하다 gruñir de hambre. 배 속이 ～한다 Mi estómago gruñe de hambre. ② [닭이 놀랐을 때 지르는 소리] con un cacareo, cacareando. ～하다 cacarear. ③ [물 따위가] borbotando, gorgoteando, con un borboteo, con un gorgoteo. ～하다 gorgotear, borbotar. ④ [가래가 목구멍에서] gorjeando. ～하다 gorjear.
꾸르륵거리다 seguir gruñendo (de hambre); seguir gorgoteando; seguir gorjeando.
꾸르륵꾸르륵 gruñendo y gruñendo; cacareando; gorgoteando; gorjeando.

꾸리[1] [실을 감은 뭉치] huso *m* de hilo.

꾸리[2] [소의 앞다리 무릎 위쪽에 붙은 살덩이] carne *f* de vaca de la parte posterior de la pierna delantera.
■ ～살 ＝꾸리[2].

꾸리다 ① [(짐 따위를) 싸서 묶다] empaquetar, envolver, liar, atar, hacer. 가방을 ～ hacer la maleta. 짐을 ～ hacer el paquete. 짐을 꾸려 떠나다 empaquetar y salir. ② [(살림 따위를) 짜고 건잡아 처리해 나가다] administrar, manejar, llevar. 일가(一家)를 꾸려 나가다 dedicarse al gobierno de la casa. 가계(家計)를 꾸려 나갈 줄 알다 saber dirigir bien la economía de la casa.

꾸며내다 ((준말)) ＝꾸미어내다.

꾸며대다 ((준말)) ＝꾸미어대다.

꾸무럭거리다 mover lentamente, perder el tiempo, tardar, demorar. 꾸무럭거리지 말고 sin tardanza, sin dilación, sin demora, enseguida, en seguida, ahora mismo, pronto. 꾸무럭거리다가 기차를 놓치겠다 Date prisa, o perderás el tren.
꾸무럭꾸무럭 lentamente, perezosamente, con retraso, tardíamente, sin tardanza, sin retraso, sin demora, sin vacilar, sin titubear.

꾸물거리다 retrasarse.
꾸물꾸물 torpemente, perezosamente, haraganamente, pesadamente, de modo irresoluto, con indecisión, indecisamente. ～하다 holgazanear, haraganear, demorarse, dilatarse, ir despacio, titubear, estar indeciso, estar irresoluto. ～걷다 andar despacio.

꾸미 trozo *m* de la carne de vaca.

꾸미다 ① [장식하다] adornar, decorar, ataviar, engalanar, paramentar. 꽃으로 방을 ～ adornar el cuarto con flores. 방을 화려하게 ～ engalanar el cuarto. 융단으로 ～ adornar de [con] tapices. 내 아내는 꽃으로 방을 꾸민다 Mi mujer adorna la sala de [con] flores. ② [꾀하다] tramar, maquinar; [음모를] complotar, conspirar, intrigar. 나쁜 일을 ～ tramar una maldad. 모반(謀叛)을 ～ maquinar una rebelión. 그는 무엇인가를 꾸미고 있다 Algo está tramando él. 그는 정부에 대한 음모를 꾸미고 있다 El está conspirando contra el gobierno. ③ [(글 따위를) 지어서 만들다] adornar, decorar. 문장을 ～ adornar *su* estilo. ④ [사실인 것처럼 거짓으로 둘러대다] crear, inventar, fabricar, forjar, hacer con artificio, crear con maña. 꾸민 이야기 historia *f* inventada [forjada]; [픽션] ficción *f*. 가공인물을 ～ crear [inventar · fabricar] una persona ficticia. 가십을 ～ inventar un chisme. 이야기를 ～ inventar una historia [un cuento]. 그건 꾸민 이야기다 Eso es una historia inventada [un cuento]. 그 말은 완전히 꾸며 낸 것이다 Es una pura invención. ⑤ [바느질하여 만들다] hacer cosiendo. 이불을 ～ hacer un colchón cosiéndolo.
꾸민잠(簪) horquilla *f* ornamental.
꾸민족두리 postizo *m* con joyas como la corona negra de la mujer

꾸밈 ① [꾸미는 일] adornamiento *m*, adorno *m*, decoración *f*. ②【언어】＝수식(修飾).
◆꾸밈(이) 없다 ㉮ ＝수수하다. ㉯ [언행이 솔직하다] (ser) franco, sincero.

꾸밈말【언어】＝수식어(修飾語).

꾸밈새 [장식] decoración *f*, adorno *m*; [모양] forma *f*. ～가 좋은 방 habitación *f* bastante bien amueblada.

꾸밈씨【언어】＝수식사(修飾詞).

꾸밈음(－音)【음악】floritura *f*.

꾸바【지명】Cuba. ～의 cubano.
◆면적(superficie): 110,922 km². 수도(capital): La Habana (1515년 Diego Velázquez 의 지시로 창설됨). 공용어(idioma oficial): 서반아어(español). 화폐 단위(unidad monetaria): peso (CUP). 1 peso cubano = 100 centavos.
■～ 공화국 la República de Cuba. ～ 사람 cubano, -na *mf*. ～ 사투리 cubanismo *m*. ～화 cubanización *f*. ¶～하다 cubanizar.

꾸벅 cabeceando, dando cabezadas.

꾸벅거리다 [졸면서] dar cabezadas, cabecear.
꾸벅꾸벅 cabeceando, dormiéndose, quedándose dormido. ~ 졸다 adormilarse, adormecerse, amodorrarse. ~ 졸기 시작하다 empezar a dar cabezadas.
꾸부러뜨리다 ((센말)) =구부러뜨리다.
꾸부러지다 ((센말)) =구부러지다. ¶밖으로 꾸부러져 있다 Está curvado hacia afuera.
꾸부렁길 camino *m* curvo, camino *m* tortuoso, ruta *f* en zigzag.
꾸부렁꾸부렁 curvando y curvando.
꾸부렁이 cosa *f* curva, objeto *m* curvo, artículo *m* curvo.
꾸부렁하다 estar un poco curvado.
꾸부리다 torcer, curvar, doblar, flexionar.
꾸부스름하다 estar un poco curvado.
꾸부슴하다 ((준말)) =꾸부스름하다.
꾸불꾸불 serpenteando, serpeando. ~ 굽어지다 serpear, serpentear. 강이 ~ 평야를 흐르고 있다 El río serpentea a través de la llanura.
꾸불꾸불하다 serpentear, serpear; [상하나 좌우로] ondular. 꾸불꾸불한 serpentino, serpenteado, que está dando vueltas. 꾸불꾸불한 길 ruta *f* en zigzag, camino *m* tortuoso. 강이 굉장히 ~ El río forma una gran curva. 길이 완만하게 ~ El camino serpea levemente.
꾸불텅꾸불텅 serpeando, serpenteando.
꾸불텅하다 estar levemente curvado.
꾸붓하다 estar muy curvado.
꾸붓꾸붓 curvando mucho.
꾸뻑 ((센말)) =꾸벅.
꾸역꾸역 en tropel, uno tras otro. ~ 쏟아져 나오는 군중(群衆) bocanada *f* de gente. ~ 모여들다 precipitarse. 사람들이 ~ 거리로 나왔다 La gente salió en tropel a las calles. 군중이 울타리로 ~ 모여들었다 La multitud se precipitó por la verja.
꾸이다[1] [꿈에 나타나다] aparecer en el sueño, soñar
꾸이다[2] [빌려 주다] dejar, prestar.
꾸정꾸정하다 (ser) recto y fuerte.
꾸정모기 【곤충】 =각다귀.
꾸준하다 (ser) constante, continuo, regular, infatigable, incansable, repetido, inagotable. 꾸준한 노력(努力) esfuerzo *m* constante. 꾸준한 우정(友情) amistad *f* constante. 꾸준한 노력이 드디어 결실을 보았다 Los esfuerzos constantes dieron fruto finalmente.
꾸준히 regularmente, a un ritmo constante, incansablemente, con perseverancia, sin cesar, sin parar, continuamente, ininterrumpidamente, infatigablemente, una y otra vez. ~ 공부하다 estudiar infatigablemente. ~ 노력하다 aplicarse sin escatimar esfuerzas. 팩스는 ~ 사용된다 El fax se usa constantemente.
꾸중 reproche *m*, reprobación *f*, censura *f*, reprimenda *f*, regañina *f*, *Méj* regañiza *f*, *RPl* reto *m*; [힐책] regaño *m*. ~하다 reprochar, reprobar, censurar, regañar, reñir, reprender, castigar, parar el macho, *Ven* desplomar. 아버지께서 나를 ~하신다 Mi padre me regaña. 그는 수업에 늦어 ~을 들었다 El fue reprendido [Le han amonestado] por haber llegado tarde a clase. 나는 그녀를 호되게 ~했다 La reprendí severamente / Le eché una buena regañina.
◆꾸중(을) 듣다 regañar. 선생님 앞에서 ~ regañar ante mi maestro. 나는 아버지한테서 꾸중을 들었다 Mi padre me regañó. 그는 의무를 게을리했기 때문에 호되게 꾸중을 들었다 Se lo reprendió seriamente por haber sido negligente en sus obligaciones.
꾸지람 =꾸중.
꾸지람하다 =꾸중하다.
꾸짖다 reprender, regañar, reñir, parar el macho, *Méj* reñir, *CoS* retar, *Urg* rezongar. 호되게 ~ reprender severamente [seriamente], echar una buena regañina. 선생님이 나를 호되게 꾸짖으셨다 El maestro me reprendí severamente [seriamente] / El maestro me echó una buena regañina.
꾸푸리다 ((센말)) =구푸리다.
꾹 ① [단단히 힘을 주거나 누르거나 죄거나 하는 모양] bien, fuerte, fuertemente. ~ 누르다 [단추·초인종을] apretar [pulsar] fuerte. 그녀는 내 팔을 ~ 눌렀다 Ella me apretó el brazo. ② [애써 참거나 견디는 모양] con paciencia, pacientemente. ~ 참고 기다리다 esperar pacientemente (*algo*·a que + *subj*). ~ 참다 sentarse en el banco de la paciencia, aguantar *algo* con paciencia. ③ [깊숙하게 들어앉아 있는 모양] profundamente.
꾹꾹 =꼭꼭.
꾼 ((준말)) =길꾼.
-꾼 ① [어떤 일을 전문적·습관적으로 하는 사람] experto, -ta *mf*. 노름~ jugador, -dora *mf*. 씨름~ luchador, -dora *mf*. 장사~ comerciante *mf*, negociante *mf*. ② [그 일에 모이는 사람] miembro *mf*.
꿀 miel *f*, [당밀(唐蜜)] melaza *f*, [설탕을 섞은] jarabe *m*, almíbar *m*; [꽃의] néctar *m*. 묽은 ~ miel *f* líquida. 진한 ~ miel *f* espesa. ~처럼 달콤한 사랑 amor *m* dulce como la miel. ~을 빨다 libar [chupar] la miel. ~처럼 달다 ser dulce como la miel.
꿀같다 ser dulce como la miel. 꿀같은 como la miel, meloso.
■꿀 먹은 벙어리 ((속담)) No decir (ni) chus ni mus / persona *f* que no pudo abrir su corazón a otro. 꿀 먹은 벙어리요, 침 먹은 지네 ((속담)) =꿀 먹은 벙어리.
꿀꺽 ① [물이나 침 따위가 목이나 좁은 구멍으로 단번에 넘어가는 소리, 또는 그 모양] de una vez, de un trago. ~ 마시다 tragarse *algo* de una vez. 침을 ~삼키다 tragar saliva. ② [분한 마음을 억지로 참는 모양] pacientemente, con paciencia. 노여움을 ~ 참다 contener *su* ira.
꿀꺽꿀꺽 de un trago. ~ 마시다 [음료·약·술을] beberse [tomarse] de un trago. 맥주를 ~ 마시다 beberse [tomarse] la

cerveza de un trago.

꿀꿀[1] [물 같은 액체가 가는 줄기로 비스듬히 굽이진 곳을 흐르는 소리] borboteando, borbotando.
꿀꿀거리다 borbotear, borbotar.

꿀꿀[2] [돼지의 우는 소리] gruñendo, con un gruñido.
꿀꿀거리다 verraquear, gruñir.
■ ~돼지 ㉮ [꿀꿀거리는 돼지] cerdo *m* [puerco *m*] verraqueante. ㉯ =꿀돼지. ~이 ㉮ =꿀돼지. ㉯ ((은어)) comida *f*, comida *f* del restaurante. ㉰ ((유아어)) cerdo *m*, puerco *m*. ~이죽(粥) comida *f* del cerdo.

꿀단지 jarro *m* para la miel.

꿀돼지 avaro, -ra *mf*, codicioso, -sa *mf*.

꿀떡[1] [꿀 혹은 설탕을 섞어 만든 떡] *kulteok*, pastel *m* con miel.

꿀떡[2] [음식물 따위를 목구멍으로 단번에 삼키는 소리, 또는 그 모양] de una vez, de un trago. ~ 삼키다 tragar(se) de una vez [de un trago].
꿀떡거리다 seguir [continuar] tragando.
꿀떡꿀떡 tragando y tragando.
꿀떡대다 =꿀떡거리다.

꿀렁 ① [물 따위가 그릇 속에 가득 차지 아니하여 흔들려 나는 소리] salpicando. ~하다 salpicar. ② [착 달라 붙지 않고 들뜨고 부풀어서 들썩들썩하다] sueltamente, anchamente. ~하다 (ser) suelto, ancho, *Méj* guango.
꿀렁거리다 seguir salpicando.
꿀렁꿀렁 salpicando y salpicando. ~하다 [물 따위가] salpicar; [옷이] (ser) suelto, holgado, amplio.

꿀리다 ① [구김살이 잡히다] arrugarse. 꿀린 모자 sombrero *m* arrugado. 꿀린 바지 pantalones *mpl* arrugados. ② [경제 형편이 옹색하게 되다] (ser) empobrecido, estar en circunstancias necesitadas. 살림이 ~ estar en circunstancias necesitadas. ③ [마음이 켕기다] tener algo en *su* conciencia. ④ [(힘이나 능력이) 남에게 눌리다] estar eclipsado, sucumbir, ceder. 조금도 꿀리지 않고 sin (re)chistar. 우리는 테러 위협에 꿀리지 않을 것이다 No vamos a ceder frente a amenazas terroristas. 나는 그의 앞에서는 꿀린다 Estoy eclipsado ante él.

꿀맛 ① [꿀의 단맛] sabor *m* dulce de la miel. ② [꿀처럼 단맛] sabor *m* dulce como la miel.

꿀물 el agua *f* con miel, el agua *f* melosa.

꿀밀(-蜜) =밀(蜜).

꿀받이식물(-植物) 【식물】 =밀원 식물.

꿀밤 ((속어)) golpecito *m* dado en la cabeza.
◆꿀밤(을) 먹다 ser dado un golpecito en la cabeza.

꿀밥 arroz *m* con la miel.

꿀방울 gota *f* de miel.

꿀벌 【곤충】 abeja *f*, 【학명】 Apis indica. ~은 활동적이고 부지런함을 상징한다 La abeja es el emblema de la actividad y del trabajo.
■ ~집 panal *m*. ~치기 =양봉(養蜂).

꿀범벅 pudín *m* (*pl* pudines) con miel.

꿀새 【조류】 =벌새.

꿀샘 【식물】 =밀선(蜜腺).

꿀수박 sandía *f* con miel, azúcar y hielo.

꿀잠 sueño *m* profundo.

꿀쩍 ① [질거나 끈기 있는 물건을 주무르거나 밟을 때에 나는 소리] aplastando, apretándose, apretujándose. ② [눈물을 조금씩 짜내는 모양] gimoteando.
꿀쩍거리다 ㉮ [주무르거나 밟을 때에] seguir aplastando. ㉯ [눈물을] seguir gimoteando.
꿀쩍꿀쩍 aplastando y aplastando; gimoteando y gimoteando.

꿀찌럭 con una salpicadura. ~하다 salpicar.
꿀찌럭거리다 seguir salpicando.
꿀찌럭꿀찌럭 salpicando y salpicando.

꿇다 arrodillarse, ponerse de rodillas. 무릎을 꿇고 arrodillado, de rodillas, de hinojos. 무릎을 꿇고 있다 estar arrodillado, estar de rodillas, estar de hinojos. …의 앞에 꿇어 엎드리다 prosternarse [postrarse] ante *uno*. 제단 앞에 [땅에] 꿇어 엎드리다 prosternarse ante el altar [en tierra]. …의 발 아래 꿇어 엎드리다 echarse a los pies de *uno*. 그는 왕 앞에서 무릎을 꿇었다 El cayó de rodillas ante el rey / El se postró de hinojos ante el rey. 무릎(을) 꿇어! ¡De rodillas! / ¡Arrodíllate! 나는 그에게 무릎을 꿇고 부탁하지는 않겠다 No se lo voy a pedir de rodillas.
꿇어앉다 ㉮ arrodillarse, ponerse de rodillas, sentarse de rodillas. 꿇어앉아 있다 estar arrodillado, estar de rodillas. 그녀는 제단(祭壇) 아래 꿇어앉아 있었다 Ella estaba arrodillada [de rodillas] al pie del altar. ㉯ [예배하기 위해] hacer una genuflexión.

꿇리다 hacer arrodillarse, hacer ponerse de rodillas.

꿇앉다 ((준말)) =꿇어앉다.

꿇앉히다 hacer arrodillarse.

꿈 sueño *m*, ensueño *m*; [악몽] pesadilla *f*, sueño *m* pesado; [환영(幻影)] ilusión *f*. 나쁜 ~ pesadilla *f*, mal sueño *m*. 인생(人生)의 꿈 sueño *m* dorado.. ~을 쫓다 soñar. ~을 실현시키다 realizar *su* sueño. ~에서 깨어나다 despertar(se) del sueño. ~에 …을 보다 ver *algo* en sueños. 달콤한 ~에 빠지다 forjarse ilusiones, ilusionarse, entregarse a un sueño. 나는 ~에도 생각하지 못했다 No se me ocurrió ni en sueño. ~에도 그런 일은 생기지 않을 것이다 No se me ocurriría hacerlo / No lo haría ni soñando. ~이 현실로 되었다 Ha sido un sueño llevado a la realidad / El sueño se volvió realidad. ~은 일반적으로 실제와는 반대다 Los sueños resultan generalmente al revés. 인생은 ~이다 La vida es un sueño. 그것은 ~에 불과하다 No es más que un sueño. 그건 맞는 ~이었다 Aquello fue un sueño premonitorio. 그의 ~은 깨어

졌다 Se han deshecho sus sueños. 그의 ~은 크게 부풀었다 Su sueño alcanzó nuevas proporciones. 요트로 세계 일주를 하는 것이 내 ~이다 Mi sueño es dar la vuelta al mundo en una balandra. 상을 받다니 ~만 같다 Recibir este premio … me parece un sueño [estar soñando]. 당신을 만날 줄은 ~에도 생각하지 못했다 Yo no podía ni soñar [Nunca me imaginaba] que pudiera verlo a usted. 내 가장 큰 ~은 백만장자가 되는 것이다 El sueño de mi vida es ser millonario.

◆꿈(을) 꾸다 ㉮ [자는 사이에 꿈이 보이다] soñar. 꿈꾸는 듯한 눈으로 con unos ojos soñadores. …의 ~ soñar con *algo*, soñar a *uno*. 나쁜 ~ tener una pesadilla, tener un mal sueño. 나는 어머니의 꿈을 꾸었다 Yo soñé con mi madre. 어젯밤에 당신의 꿈을 꾸었소 Anoche soñé contigo. 사고 나는 꿈을 꾸었으나 제발 꿈이기를! He soñado que tenía en accidente, pero ojalá que sólo haya sido un sueño. ㉯ [바라거나 꾀하다] soñar (con). 성공을 ~ soñar con el éxito. 의사가 되기를 ~ soñar con (ser) médico.

꿈같다 parecer un sueño, (ser) irreal, de ensueño, soñador, fantasioso, fantástico, con visión de futuro, utópico, ilusorio, quimérico. 꿈같은 이야기 cuento *m* de hadas, historia *f* fantástica. 그건 꿈같은 계획이다 Es un proyecto irreal.

꿈같이 irrealmente, fantásticamente, utópicamente, ilusoriamente, quiméricamente, .

꿈의 세계 mundo *m* de ensueño.

꿈결 ① [꿈을 꾸는 동안] (en medio de) un sueño, estado *m* soñador. ② [덧없이 지나가는 동안] lo vacío, vacuidad *f*, incertidumbre *f*, lo incierto.

꿈결같다 parecer en un sueño.

꿈결같이 (como si estuviera) soñando. ~ 지내다 estar soñando. 인생을 ~ 보내다 pasarse *su* vida soñando.

꿈결에 medio dormido y medio despierto.

꿈꾸다 ☞꿈

꿈나라 país *m* (*pl* países) de los sueños; [꿈의 세계. 공상의 세계] mundo *m* de ensueño.

◆꿈나라로 가다 dormir (muy) profundamente.

꿈자리 sueño *m*. ~가 좋다 tener buen sueño. ~가 사납다 tener mal sueño.

꿈적 ((센말)) =굼적.

꿈적거리다 soler moverse.

꿈적이다 moverse, agitar.

꿈지럭 moviéndose lentamente.

꿈지럭거리다 seguir moviéndose lentamente.

꿈지럭꿈지럭 siguiendo moviéndose lentamente.

꿈질 ((준말)) =꿈지럭.

꿈쩍 moviéndose lentamente.

꿈쩍거리다 seguir moviéndose lentamente.

꿈쩍꿈쩍 siguiendo moviéndosse lentamente.

꿈쩍 못하다 deprimirse, dejarse abatir.

꿈쩍 아니하다 no inmutarse, quedarse impasible, quedarse impertérrito, no hacer mella, quedarse como si nada. 그는 그들의 적대 행위에도 꿈쩍 아니했다 El se quedó impasible [impertérrito] ante su hostilidad / Su hostilidad no hizo mella en él. 총소리에도 그는 꿈쩍 안했다 A pesar del tiro él no se inmutó.

꿈쩍없다 no moverse en absoluto, no moverse para nada, quedarse inmóvil, quedarse sin mover, resistir, soportar, aguantar. 그 건물은 지진(地震)에도 꿈쩍없었다 El edificio soportó el terremoto perfectamente.

꿈틀 serpenteando, serpeando.

끔틀거리다 soler serpentear.

꿈틀꿈틀 serpenteando y serpenteando.

꿉꿉하다 ser algo húmedo.

꿋꿋하다 ① [힘이 세고 단단하다] (ser) fuerte, firme, sólido, duro. 꿋꿋한 결심(決心) resolución *f* firme. 꿋꿋한 의지 voluntad *f* firme, voluntad *f* fuerte. ② [성질이 엄격하다] (ser) severo, firme. ③ [흔들리거나 구부러지지 않고 쪽 바르다] (ser) recto, derecho. 꿋꿋한 자세 postura *f* derecha.

꿍 ① [무거운 것이 바닥에 떨어져 울리어 나는 소리] con un ruido sordo. ~하고 넘어지다 [부딪치다] caer [chocar] con un ruido sordo. 그는 ~하고 넘어졌다 El se cayó de lleno / El se cayó cual largo era / El cayó al suelo con un ruido sordo. 우리들은 산허리에서 수류탄이 ~하고 터지는 소리를 들었다 Oíamos estallar las granadas en la ladera del monte. ② [큰 북을 울리는 소리] con un golpe, goleando, dando un golpe. ③ [멀리서 대포가 울리는 소리] con un estallido, con un estépido, con un estruendo, produciendo un estruendo.

꿍꽝 tronando, con un estruendo.

꿍꽝거리다 seguir tronando.

꿍꽝꿍꽝 tronando y tronando.

꿍꿍[1] quejándose, gimiendo.

꿍꿍거리다 quejarse, gemir.

꿍꿍[2] =쿵쿵. ¶나는 그가 계단을 ~ 올라가는 소리를 들었다 Lo oí subir pesadamente las escalas.

꿍꿍거리다 =쿵쿵거리다.

꿍꿍이 ((준말)) =꿍꿍이셈.

▪~셈 razones *fpl* ocultas. ¶~을 품다 hacer a dos caras. ~에는 꿍꿍이수작이 있게 마련이다 Debajo de unas razones ocultas, suele haber otras más complejas. ~속 sentido *m* oculto, segunda intención *f*. ~수작(酬酌) gato *m* encerrado. ¶이 일에는 ~이 있다 En este asunto hay gato encerrado.

꿍하다 (ser) cabizbajo, apesadumbrado, hosco, huraño, de mal humor, malhumorado. 너는 오늘 아주 꿍한 것 같다 Hoy te veo muy tristona [apagana].

꿜꿜 gorgoteando, borbotando, con gorgoteo,

con borboteo.
꿜꿜거리다 gorgotear, borbotar.
꿩 【조류】 faisán *m*; [암컷] faisana *f*. ～고기는 익히면 맛이 좋다 La carne del faisán es deliciosa cuando está manida. ～은 잘 익히지 않으면 향이 없다 El faisán no tiene perfume si no está bien manido.
■ 꿩 먹고 알 먹는다 ((속담)) Matar dos pájaros de un tiro. 꿩 먹고 알 먹을 수는 없다 Todo lo quiere, quiere el oro y el moro / Quiere la chancha y los cinco reales / *RPI* Quiere la chancha y los veinte.
■ ～국 sopa *f* de faisán. ～그물 red *f* del faisán. ～알 huevo *m* de la faisana.
꿩의다리 【식물】 ((학명)) Thalictrum aquilegifolium var. japonica.
꿩의비름 【식물】 uva *f* de gato.
꿩잡이 ① [꿩 사냥] caza *f* de los faisanes. ② [꿩 잡는 사람] cazador *m* de los faisanes.
꿰다 ① [구멍으로 실 따위를 이쪽에서 저쪽으로 나가게 하다] pasar. 실에 ～ ensartar, enhebrar. 실에 염주알을 ～ ensartar las cuentas en un hilo. 바늘에 실을 ～ ensartar una aguja. ② [가운데를 뚫고 나가게 하다] ensartar. ③ [옷을 입거나 신을 신다] ponerse.
꿰어들다 ㉮ [꼬챙이 따위로 물건을 꿰어서 쳐들다] pinchar [arponear] y llevar. 나는 포크로 고기를 꿰어들었다 Pinché la carne con el tenedor y la llevé. ㉯ [남의 허물을 들추어내다] revelar, develar, desvelar, poner al descubierto, sacar a la luz.
꿰어뚫다 ㉮ [이쪽에서 저쪽까지 꿰어서 뚫다] aguijonear, agujerear, perforar, atravesar, hacer un agujero. ㉯ [겉에서 속까지 꿰어서 통하게 하다] ser consciente (de), darse cuenta (de). 나는 그것을 꿰어뚫어 보고 있다 Yo soy [*Chi*, *Méj* estoy] muy consciente de eso / Tengo plena conciencia de eso / Me doy perfecta cuenta de eso. ㉰ [일을 속속들이 잘 알고 있다] ser muy versado (en). 내막(內幕)을 꿰뚫어 보다 ser muy versado en la situación.
꿰어매다 ㉮ [해지거나 뚫어진 데를 깁거나 얽다] coser; [옷을 수선하다] remendar. 꿰어매어 달다 coser, pegar, hacer. 손으로 ～ coser *algo* a mano. 손으로 꿰어맨 cosido a mano. 풀린 올을 ～ coser un descosido. 상처를 다섯 바늘 ～ dar cinco puntos de sutura en la abertura de herida, echar cinco puntos a la herida. 몸통 부분에 소매를 꿰어매어 주겠소? ¿Me puedes coser [pegar] la manga al cuerpo? ㉯ [거두기 어려운 일을 매만져 탈이 없게 하다] [지붕·가구를 임시로] hacer*le* un arreglo (a); [옷을] remendar, *AmL* parchar; [구멍을] poner*le* un parche (a). ㉰ ＝말막음하다.
꿰어차다 ㉮ [끈으로 꿰어서 허리춤이나 엉덩이에 매어 달다] colgar. ㉯ ((속담)) [제 것으로 만들다] hacer *suyo* (propio), captar.
꿰들다 ((준말)) ＝꿰어들다. ☞꿰다
꿰뚫다 ((준말)) ＝꿰어뚫다. ☞꿰다
꿰뚫어 보다 penetrar, adivinar, calar. 환히 꿰뚫어 볼 수 없는 인물(人物) persona *f* [hombre *m*] inpenetrable. 나는 그의 마음을 꿰뚫어 보았다 Penetré [Adiviné] lo que él pensaba / Leí su pensamiento. 나는 그의 본심을 꿰뚫어 볼 수 없다 No puedo calar [penetrar (en)] su verdadera intención.
꿰뜨리다 pinchar, romper; [옷·신발 따위를] gastar; [기구 따위를] reventar. 공을 ～ pinchar la pelota. 신을 ～ gastar los zapatos. 옷을 ～ gastar la ropa. 창문을 ～ romper la ventana.
꿰매다 ((준말)) ＝꿰어매다. ☞꿰다
꿰맨 자리 costura *f*. 그는 몸을 굽히자 바지의 ～가 터졌다 El se inclinó y se le rompió la costura de los pantalones.
꿰맴질 costura *f* (a mano), cosido *m* con aguja. ～하다 coser *algo* a mano [con aguja].
꿰미 bramante *m*, cordel *m*, cuerda *f*; [진주·구슬·염주알 등의] sarta *f*, hilo *m*.
꿰지다 ① [내미는 힘으로 약한 부분이 미어져 나가다] romperse, rasgarse. ② [제 안에서 탈이 나서 해지다] gastarse. ③ [틀어막았던 곳이 밀리어 터지다] revelarse.
꿰차다 ((준말)) ＝꿰어차다. ☞꿰다
꽥 chillando, gritando.
꽥꽥 chillando y chillando.
꽥꽥거리다 seguir chillando.
뀌다[1] ((준말)) ＝꾸이다[1].
뀌다[2] [(방귀를) 내어보내다] despedir, tirarse, echarse. 방귀를 ～ peder, peer, tirarse [echarse] un pedo, pedorrearse.
뀌다[3] ((준말)) ＝꾸이다[2].
끄나풀 ① [길지 않은 끈 따위의 나부랑이] pedazo *m* de cuerda, cuerda *f*. ② [연줄] relación *f*, conexión *f*. ③ [남의 앞잡이 노릇을 하는 사람] títere *m*; agnete *mf*; instrumento *m*.
끄느름하다 (estar) nublado, nuboso, haber nubes. 끄느름한 날씨 tiempo *m* nublado. 끄느름한 하늘 cielo *m* nublado, cielo *m* nuboso. 날씨가 무더웠으나 하늘이 끄느름했다 Hacía calor pero estaba nublado / Hacía calor pero había nubes.
끄느름히 nubladamente, nubosamente, con nubes.
끄다 ① [타거나 켜 있지 못하게 만들다] extinguir, apagar. 화재를 ～ extinguir el incendio. 불어서 ～ apagar soplando. 전등을 ～ apagar la luz. 라디오를 ～ apagar la radio. ② [(기계·기구 등에서) 전기나 동력이 통하는 길을 끊다] apagar, cortar, desconectar. ③ [(덩이로 된 물건을) 깨어 헤뜨리다] romper, agrietar, resquebrajar, destrozar, aplastar, machacar, prensar, pisar, partir. 얼음을 ～ romper el hielo. 흙덩이를 ～ romper el bulto de arcilla. ④ [빚 따위를 가리다] cancelar, saldar, liquidar, pagar. 다달이 빚을 꺼 나가다 pagar *su* deuda cada mes.
끄덕 con la cabeza.

끄덕거리다 [동의의 표시로] seguir asintiendo con la cabeza; [인사로] seguir saludando con la cabeza; [졸려서] seguir dando cabezadas.

끄덕끄덕 con la cabeza.

끄덕이다 [동의의 표시로] asentir con la cabeza; [인사로] saludar con la cabeza; [졸려서] dar cabezadas. 그녀는 나에게 시작하도록 머리를 끄덕였다 Ella inclinó la cabeza para que yo empezara / Ella me hizo una señal con la cabeza para que empezara.

끄덩이 ① [머리털의 끝] punta *f* de la ramillete de pelo. ② [실의 뭉친 끝] punta *f* de la ramillete de hilo.

◆끄덩이(를) 잡다 agarrar del pelo. 그는 내 끄덩이를 잡았다 El me agarró del pelo.

끄떡 con la cabeza.

끄떡거리다 seguir asintiendo con la cabeza. ☞끄덕거리다

끄떡끄떡 con la cabeza.

끄떡없다 no afectar a *uno* nada, no hacer caso (de), no importar. 나는 철야(徹夜)해도 ~ El trasnochar no me afecta nada. 나는 추위에도 ~ No hago caso del frío. 사람들이 뭐라고 하든 나는 ~ No me importa un bledo lo que diga la gente.

끄떡없이 sin hacer caso (de), sin importar. 추위에도 ~ a pesar del frío.

끄떡이다 asentir con la cabeza. ☞끄덕이다

끄르다 ① [맺은 것이나 맨 것을 풀다] [매듭을] desatar, deshacer; [구두끈을] desatar, *AmL* desamarrar (*RPI* 제외); [단추·버클 따위를] desabrochar. 매듭을 ~ desatar [deshacer] el nudo. 구두끈을 ~ [자신의] atarse [desamarrarse] los cordones de los zapatos; [남의] atar los cordones de los zapatos. 당신의 구두끈이 끌러져 있다 Tú tienes un cordón desatado [desamarrado]. ② [잠근 것을 열다] [문을] abrir; [지퍼를] abrir.

끄르륵 con un eructo.

끄르륵거리다 seguir eructando, seguir soltando un eructo.

끄르륵끄르륵 con los eructos repetidos, siguiendo eructando.

끄무러지다 nublarse.

끄무레하다 [날씨·날이] estar nublado; [하늘이] estar nublado, estar nuboso, haber nubes. 날씨가 덥지만 하늘이 ~ Hace calor pero está nublado / Hace calor pero hay nubes.

끄물거리다 ser inestable, hacerse nublado de vez en cuando. 끄물거리는 날씨 tiempo *m* inestable.

끄물끄물 inestablemente. ~하다 ser inestable. 날씨가 ~하다 El tiempo es inestable.

끄지르다 callejear, dar vueltas por ahí.

끄집다 coger, sacar. 여럿 가운데 하나를 ~ coger [sacar] uno entre muchos.

끄집어내다 ① [속에 든 것을 끄집어서 밖으로 내다] sacar (*algo* de *algo*). 호주머니에서 편지를 ~ sacar una carta del bolsillo. 내 서랍에서 네 물건을 끄집어내라 Saca tus cosas de mi cajón. 나는 상자에서 장난감을 끄집어냈다 Saqué el juguete de la caja. 우리들은 다시 모든 것을 끄집어내야 했다 Tuvimos que sacarlo todo otra vez. ② [이야기를 시작하다] comenzar [empezar] (la conversación). ③ [결론 따위를 찾아내다] llegar a una conclusión.

끄집어내리다 [커튼·장식물을] quitar; [깃발을] bajar; [천막 따위를] desmontar. 자신의 바지를 ~ bajarse los pantalones.

끄집어당기다 arrastrar, tirar (de), *AmL* jalar (*CoS* 제외); [가깝게 하다] acercar, arrimar. 소매를 ~ tirar de la manga, *AmL* jalar la manga (*CoS* 제외). 의자를 불에 더 가까이에 끄집어당겨라 Acerca [Arrima] la silla al fuego. 내 머리를 끄집어당기지 마라 No me tires del pelo / *AmL* ¡No me jales el pelo! 당나귀가 마차를 끄집어당겼다 El burro tiraba de [*AmL* jalar] la carreta.

끄트러기 ① [쓰고 남은 자질구레한 물건] cosas *fpl* sueltas, retales *mpl*, retazos *mpl*. ② [깎아 내거나 끊어 내고 처진 자질구레한 나뭇조각] astilla *f*.

끄트럭 ((준말)) =끄트러기.

끄트머리 ① [맨 끝 부분] punta *f*; [지팡이·우산의] contera *f*, regatón *m*; borde *m*, orilla *f*. ② [일의 실마리. 단서(端緒)] pista *f*. ☞단서(端緒)

끈 ① [물건을 묶기도 하고 꿰어 들기도 하는 데 쓰는 노·줄] cordel *m*, cuerda *f*; [가는 삼끈] bramante *m*; [구두 따위의] cordón *m* (*pl* cordones), soga *f*; [여러 가닥으로 꼰] trenza *f*, trencilla *f*; [혁대] correa *f*, cinturón *m* (*pl* cinturones). ~으로 묶다 atar [liar·ligar] *algo* con una cuerda [con un cordel]. ~을 풀다 desatar la cuerda; [구두의] desatar los cordones. 구두의 ~을 묶다 atar los cordones de los zapatos. ② [옷이나 보자기 따위에 붙어 그 자체를 잡아매거나 손잡이로 쓰는 물건] cordel *m*, cuerda *f*. ③ =벌잇줄. ④ [부탁할만한 연줄] (buen) respaldo *m*, amparo *m*, patrocinio *m*. ~이 있다 tener un buen respaldo [el amparo·el patricinio], estar bien relacionado. 그는 사장의 ~으로 그 지위를 얻었다 El ha obtenido el puesto con el respaldo del presidente.

끈기(—氣) ① [물건의 끈끈한 기운] pegajosidad *f*, glutinosidad *f*, viscosidad *f*. ~ 있는 pegajoso, glutinoso, viscoso. ② [쉽사리 단념하지 않고 끈질기게 참아 나가는 기운] paciencia *f*, perseverancia *f*, asiduidad *f*, aguante *m*, constancia *f*. ~ 있는 paciente, perseverante, asiduo, constante. ~ 있게 pacientemente, con paciencia, constantemente, con constancia, asiduamente. ~ 있게 열심히 하다 someterse a un esfuerzo excesivo. ~ 있게 일하다 trabajar con constancia [con nervio], trabajar hasta no poder más. ~ 있게 가다 ir asiduamente (a). 그는 ~ 있는 사람이다 El es un hombre muy constante. 그는 ~가 다했다 Se le agotó / Se le consumió / Se le acabó. 그는 ~ 있는 활동력을 가지고 있다 El tiene actividad perseverante. ~가 그의 장점이다 Su mérito está en ser perseverante. ~만 있으면 어떤 일이라도 이룰 수 있다 La perseverancia lo consigue todo.

끈끈막(-膜) 【해부】 =점막(粘膜).

끈끈물 =점액(粘液).

끈끈액(-液) =점액(粘液).

끈끈이 ① [끈끈한 물질] liga *f*, papel *m* para coger [matar] moscas. ~를 칠한 장대 vareta *f*. ② [성미가 몹시 끈끈한 사람] persona *f* tenaz, gallito *m*.

끈끈이주걱 【식물】 drosera *f*, rocío *m* de sol.

끈끈하다 ① [잘 떨어지지 않고 차지다] (ser) pegajoso, pringoso, engomado, adhesivo, viscoso, glutinoso; [쌀이] apelmazado. 끈끈한 풀 engrudo *m* pegajoso, pegamento *m* pegajoso, cola *f* pegajosa. ② [성질이 검질겨서 싹싹한 맛이 없다] (ser) tenaz, persistente. 끈끈한 사나이 hombre *m* muy tenaz, gallito *m*.
끈끈히 pegajosamente, viscosamente, glutinosamente; tenazmente, persistentemente.

끈덕거리다 ① [전체가 좁은 진폭(振幅)으로 가볍게 자꾸 움직이다] (estar) suelto, flojo, moverse ligeramente. 이이가 끈덕거립니다 Tengo este diente flojo / Se me mueve este diente. 단추가 무척 끈덕거린다 El botón se está por caer. 층계가 끈덕거린다 La escalera está tambaleante [poco firme · poco sólido]. 책상이 끈덕거린다 La mesa está poco firme. ② [전체가 좁은 진폭으로 가볍게 자꾸 움직이게 하다] [병·칵테일을] agitar; [사람을] sacudir, zarandear; [건물을] sacudir, hacer temblar; [주사위를] agitar, *AmL* revolver.
끈덕끈덕 siguiendo moviéndose ligeramente.

끈덕지다 (ser) tenaz, perseverante, paciente, persistente, 끈덕지게 tenazmente, con tenacidad, perseverantemente, pacientemente, persistentemente. 끈덕지게 질문하다 acosar con preguntas. 그는 나에게 끈덕지게 질문했다 El me acostó con preguntas.

끈떡거리다 =끈덕거리다.

끈떡끈떡 =끈덕끈덕.

끈떨어지다 perder *sus* medios de vida.

끈목 trenza *f*, cordón *m* trenzado.

끈벌레 =유충(幼蟲).

끈붙다 obtener los medios de vida.

끈적거리다 ① [끈끈하여 자꾸 척척 들러붙다] (ser) pegajoso, viscoso, adhesivo. 끈적거리는 흙 *tierra f* pegajosa. ② [성질이 검질기어서 한 번 관계한 일에서 손을 떼지 아니하고 자꾸 긁적거리다] (ser) tenaz, perseverar (con), persistir. 끈적거리는 사람 persona *f* tenaz, persona *f* de tenacidad.
끈적끈적 ㉮ [끈끈한 것이 자꾸 쩍쩍 들러붙는 모양] pegajosamente, viscosamente, glutinosamente. ~하다 (ser) pegajoso, glutinoso, viscoso. 이 조청은 ~하다 Este caramelo es pegajoso. 땀으로 셔츠가 ~ 들러붙는다 Tengo la camisa pegada al cuerpo por el sudor.

끈적이다 (ser) pegajoso, viscoso.

끈지다 (ser) muy tenaz, tener mucha tenacidad.

끈질기다 (ser) pertinaz, terco, obstinado, contumaz, testarudo, recalcitrante, tenaz, inveterado, inveterado, infatigable, incansable. 끈질기게 pertinazmente, tenazmente, infatigablemente, incansablemente. 끈질기게 버티다 persistir tenazmente [no ceder] (hasta el final). 끈질긴 병(病) enfermedad *f* inveterada. 끈질기게 질문하다 acostar con preguntas, molestar con demasiadas preguntas. 끈질기게 협상하다 negociar infatigablemente. 참 끈질긴 놈이다 ¡Qué tipo tan molesto [pesado]! 감기가 정말 ~ ¡Qué resfriado tan pertinaz!

끈질끈질하다 (ser) muy pertinaz, tenaz, infatigable, incansable.

끈히 tenazmente, persistentemente, pertinazmente, tercamente, obstinadamente, contumazmente, testarudamente.

끊기다 ① [줄·고기 따위가] cortarse, romperse. 실이 끊긴다 Se corta el hilo. 전선(電線)이 끊겨 있다 El cable está cortado. 이 고기는 끊기가 어렵다 Esta carne es difícil de cortar. 이 가위는 잘 끊기지 않는다 Estas tijeras no cortan bien. 전화, 전기 및 수도의 공급이 많은 지역에서 끊겼다 Los servicios de teléfonos, electricidad y agua han sido cortados en muchos lugares. ② [절멸(絶滅)하다] aniquilarse, extinguirse, desaparecer, acabar; [중절(中絶)하다] interrumpirse, cesar (por un rato). 숨이 ~ exhalar el último suspiro, expirar. 수도(水道)가 ~ cortarse el agua. 가계(家系)가 끊긴다 El linaje se extingue. 종족(種族)이 끊긴다 Se extingue la raza. 그 사람은 걱정이 끊기지 않는다 El siempre está preocupado por algo. 전화가 끊긴다 [끊겼다] Se interrumpe [Se interrumpió] la comunicación. 도중에서 말이 끊겼다 Hubo una pausa mometánea en la conversación / [화제가 없어지다] Se ha agotado la conversación. 태풍으로 통신이 끊겼다 Las comunicaciones fueron interrumpidas a causa del tifón. 그 사람한테서 소식이 끊긴지 오래됐다 Hace mucho (tiempo) que no recibo de él. 거리에 인적(人跡)이 끊겼다 La calle se queda desierta.

끊다 ① [자르다] cortar. 둘로 ~ cortar en dos. 종이를 ~ cortar el papel. 줄을 ~ cortar la cuerda. 불에 녹여 ~ quitar con llama.
② [(맺었던 교재나 관계를) 떼어 없애다] ㉮ cortar, romper, dejar de + *inf*. 우정(友情)을 ~ romper la amistad. 교제를 ~ romper [dejar de tener] una relación, romper (con), acabar (con). 외교 관계를 ~ romper las relaciones diplomáticas (con un

país). 희망을 ~ quitar la esperanza. 두 사람은 끊기도 끊지 않기도 어려운 사이다 Una relación difícilmente separable une a dos. 그와 나는 끊을래야 끊을 수 없는 지겨운 사이다 Tengo con él unas relaciones indeseables pero irrompibles. ④ [(계속되던 것을) 중도에서 그만두거나 그치게 하다] dejar [privarse · abatenerse] de + *inf.* 술을 ~ privarse [abstenerse · dejar] de beber. 담배를 ~ dejar [abstenerse] de fumar. 가스를 ~ cerrar la llave del gas; [사고 · 요금 미불입 따위로] cortar el gas.

③ [표를 사다] sacar, comprar; [수표나 어음 따위를] librar. 표를 ~ sacar el billete [*AmL* el boleto]. 수표를 ~ librar el cheque.

④ [옷감을 사다] comprar. 한복의 옷감을 ~ comprar la tela de la ropa tradicional coreana.

⑤ [연락을] cortar, interrumpirse. 연락을 ~ cortar la comunicación. 전화를 ~ colgar (el auricular). 끊지 마십시오 [전화에서] No cuelgue, por favor.

⑥ [문장을 자르다] puntuar.

⑦ [죽이다] matar.

끊어맡다 celebrar un contrato (con *uno* para *algo*).

끊어주다 cancelar, saldar, liquidar, pagar.

끊어지다 ① [연해 있던 것이 따로 떨어지다] cortarse, ser cortado; descontinuarse; [사지(四肢)가] ser amputado. 실이 ~ cortarse el hilo. 전선(電線)이 ~ cortarse la línea eléctrica. ② [절멸(絶滅)하다] aniquilarse, extinguirse, desaparecer, acabar. 가계(家系)가 끊어졌다 El linaje se extinguió.

③ [중절(中絶)하다] interrumpirse, cesar. 그녀는 걱정이 끊어지지 않았다 Ella siempre está preocupada por algo. ④ [중단되다. 차단되다] ser cortado, cortarse, descontinuarse. ¶끊긴 모델 un model que se ha descontinuado, un modelo que ya no se fabrica, un modelo que ya no se vende. 전화가 ~ cortarse el teléfono. 소식이 ~ cortarse la comunicación. ⑤ [맺어진 관계가 없어지게 되다] romperse, ser roto, cortarse, no tener (ningún) contacto (con). 인연이 ~ separarse, ser separado. 내 가족과 소식이 끊어진 지 오래되었다 Hace años que no tengo ningún contacto con mi familia. ⑥ [죽게 되다] morir, fallecer, expirar, dar el último suspiro. 그는 숨이 끊어졌다 El expiró / El dio el último suspiro.

끊음소리 【언어】 =절음(絶音).

끊이다 ① [끊어지게 되다] cortarse, romperse. 관계가 ~ romperse la relación. ② [물건이나 일의 뒤가 달리어 없어지다] acabarse, agotarse, venderse. 우리들은 빵이 끊였다 No nos queda pan / Se nos ha agotado el pan.

끊임없다 (ser) continuo, incesante, ininterrumpido. 끊임없는 소음(騷音) ruido *m* incesante.

끊임없이 [중단(中斷)없이] continuamente, de continuo, incesantemente, sin cesar, sin interrupción; [항상] siempre, todo el tiempo, constantemente. ~ 노력하다 esforzarse [hacer un esfuerzo] siempre [constantemente]. ~ 책을 읽다 leer todo el tiempo. 비가 ~ 내린다 Sigue lloviendo sin cesar. 자동차가 ~ 지나간다 Pasan vehículos sin cesar [continuamente]. 자연이 ~ 파괴된다 Se destruye la naturaleza incesantemente.

끌[1] [연장의 하나] tajadera *f*, cincel *m*, buril *m*, cortafrío *m*.

끌[2] [트림을 하는 소리] eructando, con un eructo.

끌꺽거리다 soler eructar.

끌꺽끌꺽 soliendo eructar.

끌끌 ((준말)) =끄르륵끄르륵. ¶트림을 ~하다 eructar.

끌끌하다 (ser) limpio y puro, recto, honesto, honrado.

끌끌히 limpia y puramente, rectamente, honestamente, honradamente, con honestidad, con honradez.

끌끔하다 (ser) elegante.

끌끔히 elegantemente, con elegancia.

끌날 filo *m* del cincel.

끌다 ① [(바닥에 닿은 채로) 잡아당기다] tirar (de). 무거운 가방을 끄는 소년 un chico con una pesada maleta a rastras. 소매를 ~ tirar de la manga. 양쪽에서 ~ tirar de ambos lados. 의자를 ~ tirar de la silla. 그는 내 소매를 끌었다 El me tiró de la manga.

끌고 다니다 llevar a *uno* aquí y allá; [안내하다] guiar; [나쁜 의미로] llevar [conducir] a *uno* como un perro fiel.

② [(수레나 말이나 소 따위를) 당겨 움직이게 하거나 부리다] tirar (de), conducir. 짐차를 ~ tirar del carro.

③ [길게 뻗쳐 늘이다] [전기 · 가스 · 물을] conectar. 가스를 ~ conectar el gas. 물을 ~ conectar el agua. 전기(電氣)를 ~ conectar la electricidad.

④ [(감정 따위를) 당겨 쏠리게 하다] llamar, atraerse, gozar (de). 인기(人氣)를 ~ gozar de gran popularidad, atraerse la popularidad. 주목(注目)을 ~ llamar la atención, atraerse la atención.

⑤ [(어떤 사실이나 글이나 말 따위를) 따서 옮겨 오거나 옮겨 가다] citar, mencionar, referir (a), indicar. 예를 끌어오다 citar el ejemplo.

⑥ [(시간이나 일을) 늦추거나 미루다] prorrogar, posponer, aplazar, diferir, suspender, dilatar. 지불을 ~ aplazar el pago. 3년째 끌어 오는 빚 deuda *f* de tres años. 10년째 끌어 오는 현안(懸案) problema *m* pendiente desde hace diez años.

⑦ ((준말)) =이끌다(conducir). ¶그녀는 팀을 승리로 끌었다 Ella condujo el partido a la victoria.

⑧ [(어떤 수단을 써서 남으로 하여금) 자기가 뜻하는 대로 움직여 따르게 하다] con-

ducir, llevar, guiar, iniciar (de). 나는 내 아내를 무도장까지 끌었다 Llevé a mi esposa hasta la pista. 나는 그녀를 들판을 가로질러 끌었다 La guié [conduje] a través del campo. 그는 그의 군대를 전선(戰線)으로 끌었다 El inició el ataque al frente de sus tropas.
⑨ [치마나 바지 끝을 바닥에 늘어뜨리다] arrastrar. 치맛자락을 ~ arrastrar la falda. 개는 부러진 다리를 질질 끌고 가고 있었다 El perro iba arrastrando la pata rota. 치맛자락을 끌지 마라 No arrastres las faldas.
끄는힘 =견인력(牽引力).
끌어내다 sacar (de), invitar, arrastrar. 개를 산책하러 ~ sacar el perro a pasear. 그는 나를 오페라에 끌어냈다 El me ha invitado a la ópera. 우리는 그녀를 그 학교에서 끌어낼 것이다 La vamos a sacar de ese escuela. 그는 나를 밖으로 끌어내기를 좋아한다 Le gusta invitarme a salir. 트랙터가 도랑에서 자동차를 끌어냈다 El tractor sacó el coche de la cuneta. 그녀의 남편은 그녀를 모든 파티에 끌어냈다 Su esposo la arrastraba a todas las fiestas.
끌어내리다 cobrar, recoger, sacar (de); [기·닻을] arriar. 어부들은 그물을 끌어내렸다 Los pescadores cobraron [recogieron] las redes. 선원들은 닻을 끌어냈다 Los marineros arriaron la vela.
끌어넣다 arrastrar (en), conquistarse (a), ganarse (a), inducir. 소를 외양간에 ~ arrastrar la vaca en el estable. 범죄에 ~ inducir a *uno* a cometer un delito. 자기의 당(黨)에 ~ conquistarse [ganarse] a *su* partido político. 그는 나를 그의 당에 끌어넣는데 성공했다 El logró conquistarme a su partido.
끌어당기다 tirar de *algo*·*uno* cerca de sí, atraer [traer] *algo*·a *uno* hacia sí. 실을 ~ tirar del hilo hacia sí. 의자를 불 가까이 끌어당기세요 Acerca [Arrima] la silla al fuego.
끌어대다 ㉮ [돈 같은 것을 여기저기서 끌어다가 뒤를 대다] juntar [reunir] a duras penas. 돈을 여기저기서 ~ juntar [reunir] la suma de dinero a duras penas. ㉯ [끌어다가 맞대다] unir, reunir, congregar. 두 가지 물건을 ~ unir dos cosas. 살 사람과 팔 사람을 ~ reunir a los compradores y los vendedores.
끌어들이다 ㉮ [끌어서 안으로 들이다] conectar, conducir. 수도를 ~ conectar el agua. ㉯ [(남을) 어떤 일이나 조직 따위에 관계하게 하다] implicar, enredar, envolver, invitar. 회원에 ~ invitar a *uno* a ser el miembro de la asociación. 자기편에 ~ ganar a *uno* a su causa. 음모에 ~ inducir a *uno* a una conspiración.
끌어매다 atar, sujetar, hacer, pegar, *AmL* amarrar (*RPl* 제외). 매듭을 ~ hacer un nudo (en). 나는 개를 나무에 끌어맸다 Até el perro al árbol. 허리띠를 끌어매라 Abróchate el cinturón.
끌어안다 abrazar, dar*le* un brazo a *uno*, llevar *algo*·a *uno* en (los) brazos. 서로 ~ abrazarse (el uno al otro). 끌어안아 en peso. 끌어안아 나르다 transportar en peso. 나는 무릎을 가슴에 끌어안았다 Me apreté las rodillas contra el pecho. 연인들은 바라보더니 서로 껴안았다 Los novios se miraron y luego se abrazaron. 그녀는 핸드백을 꼭 껴안았다 Ella sujetó [agarró] firmemente el bolso. 그는 그의 아내를 팔에 껴안았다 El estrechó a su esposa entre sus brazos.
끌어올리다 alzar, elevar, levantar *algo* en alto. 값을 ~ elevar los precios. 기중기(起重機)로 하물(荷物)을 ~ alzar la carga con grúa. 크레인으로 자재(資材)를 ~ alzar el material con la grúa.

끌러지다 desatarse.
끌리다 ① [끎을 당하다] arrastrar(se), ser impresionado y movido. 남의 말에 ~ dejarse arrastrar por una conversación ajena. 사람들의 친절에 ~ ser impresionado y movido por la hospitalidad de la gente. 스커트가 질질 끌리고 있다 La falda (se) arrastra. 자식을 생각하는 마음에 끌려 나는 그의 죄를 용서했다 Enternecido por el amor que tenía a sus hijos, le perdonaré el delito. ② [끌게 하다] hacer tirar, hacer arrastrar.
끌려들다 ㉮ [안으로 끌려가다] implicarse, enredarse, envolverse. 분쟁에 ~ implicarse (con *uno*) en un enredo. ㉯ [마음이 무엇에 쏠려서 따라 움직이다] meterse, introducirse. 나는 어려운 문제에 끌려들었다 Me he metido en un asunto muy difícil.
끌밋하다 (ser) guapo, apuesto, bien parecido, atractivo.
끌밥 astillas *fpl* del escoplo.
끌방망이 mazo *m*.
끌어내다 ☞끌다.
끌어내리다 ☞끌다.
끌어넣다 ☞끌다.
끌어당기다 ☞끌다.
끌어대다 ☞끌다.
끌어들이다 ☞끌다.
끌어매다 ☞끌다.
끌어안다 ☞끌다.
끌어올리다 ☞끌다.
끌이막대【농업】=물추리막대.
끌쟁기【농업】=극젱이.
끌질 cinceladura *f*, talladura *f*, entalladura *f*.
끌채 limonera *f*.
끓는점(一點)【물리】punto *m* de ebullición.
끓다 ① [(액체가) 높은 열로 인하여 몹시 뜨거워져서 소리를 내며 거품이 부글부글 솟아오르다] hervir, bullir. 끓기 시작하다 levantar el hervor. 냄비에서 끓어 넘치다 hervir hasta rebosar de la olla, irse de la olla. 목욕물이 끓고 있다 El baño está preparando. 물이 부글부글 끓고 있다 El agua está hirviendo (con fuerza). 냄비가 끓고 있다 La cacerola hierve [bulle]. 커피가 끓고 있다 El café está hirviendo / El

café está que pela. 수프가 솥에서 끓어 넘친다 La sopa se sale de la olla. 물은 섭씨 100도에서 끓는다 El agua hierve a cien centígrados. 방이 펄펄 끓는다 La habitación es un horno. (주전자의) 물이 끓는다! ¡Hierve el agua! 끓는 물을 첨가해라 Añada agua hirviendo. 밥이 끓었다 El arroz se ha quedado sin agua. 오늘은 [이 곳은] 펄펄 끓는 날씨다 Hace un calor espantoso hoy [aquí].
② [흥분 상태로 되다] hervir, arder, calentarse. 속이 ~ irritarse, quejarse, agitarse. 화가 나서 속이 ~ arder de cólera [ira]. 속이 부글부글 끓는다 Yo estoy asado. 그의 가슴에서는 분노의 피가 끓고 있었다 La sangre le hervía en las venas de furia. 나는 속이 부글부글 끓었다 Me hirvió el corazón de ira.
③ [열이 심하여 썩 지나치게 뜨거워지다] calentarse demasiado.
④ [(소화가 잘 안되거나, 또는 병으로 해서) 배 속에서 소리가 나다] hacer ruido de tripas. 네 배가 끓는다 Te suenan las tripas.
⑤ [가래가 속에 붙어서 숨쉴 때마다 소리가 나다] resollar.
⑥ [많이 모이어 우글거리다] aglomerarse, apiñarse, pulular, revolotear, enjambrar, irrumpir. 파리가 고기 주변에 끓었다 Las moscas revoloteaban [pululaban] alrededor de la carne. 군중이 광장에서 끓었다 La multitud irrumpió en la plaza. 해변은 관광객으로 끓었다 Las playas eran un hormiguero de turistas / Las playas estaban plagadas de turistas.

끓어오르다 hervir. 그는 화(火)가 끓어올랐다 Le hirvió el corazón de ira.

끓이다 ① hervir; [국 따위를] cocer; [데우다] calentar. 국을 ~ cocer la sopa. 물을 ~ hervir agua. 덜 끓여져 있다 estar medio [mal] cocido, no estar bien cocido. A와 B를 ~ cocer A con B. 물을 펄펄 ~ calentar el agua hasta hervir, hacer bullir el agua. 여러 가지 재료를 넣어 ~ cocer algo juntamente, cocer con muchos ingredientes. 센 불 [중간 불 · 약한 불]로 푹 ~ cocer *algo* bien a fuego vivo [medio · lento]. 끓여 맛을 내다 reducir [extraer] *algo* por cocción, hacer un cocimiento (de). 생선 끓이는 법을 모르다 no saber cómo cocer el pescado. ② [끓게 하다] hacer hervir, hacer bullir. ③ [속을 태우다] agitarse, preocuparse.

끔벅 ① [별이나 등불 등이 잠깐 어두워졌다 밝아지는 모양] parpadeando. ② [눈을 잠깐 감았다 뜨는 모양] pestañenado.
끔벅거리다 ㉮ [불빛이] seguir parpadeando. ㉯ [눈을] seguir pestañeando, seguir guiñando el ojo.
끔벅끔벅 ㉮ siguiendo parpadeando. ㉯ siguiendo pestañeando.
끔벅대다 =끔벅거리다.
끔벅이다 ㉮ [뻔히 보이는 물체가 잠깐 세게 어두워졌다가 밝아지다] parpadear, titilar. ㉯ [큰 눈을 잠깐 감았다 뜨다] pestañear, parpadear, guiñar el ojo, hacer un guiño, hacer una guiñada.

끔뻑 =끔벅.
끔뻑거리다 =끔벅거리다.
끔뻑끔뻑 =끔벅끔벅.
끔뻑이다 =끔벅이다.

끔적 pestañeando.
끔적거리다 seguir pestañeando.
끔적끔적 pestañeando y pestañeando.
끔적이다 pestañear.

끔적이 ((준말)) =눈끔적이.

끔찍스럽다 (ser) horrible, horroroso, pavoroso, espantoso. 끔찍스런 사고 accidente *m* horrible. 끔찍스런 더위다 Hace un calor terrible.
끔찍스레 horriblemente, horrorosamente, pavorosamente, espantosamente, cruelmente. ~ 살해하다 matar (a *uno*) cruelmente.

끔찍하다 ① [지독하게 크거나, 많거나, 참혹하여 놀랄만하다] (ser) horrible, espantoso, atroz, cruel, horroroso, trágico, miserable, malísimo, pésimo, tremendo, enorme, extraordinario, inmenso. 끔찍한 죽음 muerte *f* horrible. 끔찍한 최후를 마치다 morir de una muerte trágica. 냄새가 ~ Huele muy mal / Tiene un olor que apuesta. 보기에도 끔찍한 광경이다 Es un espectáculo horrible. 나는 끔찍한 순간을 보냈다 Pasé un momento horrible [espantoso]. 그는 끔찍하게 부자다 El es riquísimo. 그들은 끔찍하게 친절했다 Ellos fueron amabilísimos. ② [매우 극진하다] (ser) sincero, caluroso, cordial.
끔찍이 ㉮ terriblemente, horriblemente, espantosamente; [몹시] muy, muchísimo, sumamente, -ísimo. ㉯ [극진히] amablemente, cordialmente, bondadosamente, con gusto, por favor. ~ 사랑하다 amar muchísimo. 자식을 ~ 사랑하다 estar loco por *su* niño, ser esclavo de *su* niño, amar muchísimo a *su* niño.

끗수(一數) tanto *m*, puntos *mpl* de grado.

끙끙 gimiendo, quejándose. ~하다 gemir, decir gimiendo, quejarse, refunfuñar, rezongar, reclamar. ~ 냄새를 맡다 husmear. ~ 앓다 gemir, decir gimiendo, quejarse, inquietarse (con · por), desazonarse (por), preocuparse (de · por); [개 따위가] gemir. 그런 사소한 일로 ~ 앓지 마라 No te inquietes por una cosa tan trivial. 그는 ~ 앓기만 하고 있다 El no hace nada más que inquietarse / Le comen las preocupaciones.
끙끙거리다 gemir, quejarse, inquietarse (con · por), desazonarse (por), preocuparse (de · por).

끝 ① [(시간 · 공간 · 사물 등에서) 계속되던 것이 다 되어 마지막 한계가 되는 데] fin *m*, final *m*, término *m*, punta *f*, borde *m*, margen *m*. ~의 final, último. ~까지 hasta el fin, hasta lo último, a fondo; [강경히]

inquebrantablemente, insistentemente; [극력] a más poder. 세상(世上)의 ~ fin *m* del mundo. 시작과 ~ el comienzo y el fin. 일의 ~ fin *m* del trabajo. ~에서 ~까지 de cabo a cabo, desde extremidad hasta extremidad; [책의] desde forro hasta forro. ~까지 싸우다 luchar hasta el fin. ~까지 일하다 hacer las cosas a fondo, trabajar hasta el fin. 장편 소설을 ~까지 읽다 leer una novela larga hasta el fin. 여름 방학도 오늘로 ~이다 Hoy es el final de las vacaciones de verano. 여행도 ~이 가깝다 El viaje se acerca a su fin. ~까지 들어 주세요 Escúcheme hasta el final. 나는 ~까지 침묵을 지켰다 Yo guardaba silencio. 규칙은 ~까지 지켜야 한다 Las reglas hay que observarlas pase lo que pase.
② [(길다란 물건에서의) 가느다란 쪽의 맨 마지막이 되는 부분] punta *f*, cabo *m*, extremidad *f*. 연필의 ~ punta *f* de un lápiz. 가지의 ~에 en la extremidad de una rama. ~이 뾰족한 [날카로운] puntiagudo, de punta aguda, acabado [terminado] en punta. ~이 둥글다 tener la punta redonda, ser de punta redondeada [roma].
③ [서 있는 물건의 꼭대기] parte *f* superior, parte *f* de arriba; [나무의] copa *f*. ④ [(어떤 일에서의) 결과] resultado *m*, conclusión *f*. ~에 임하여 다음의 것을 말씀드리고 싶습니다 Para concluir, quisiera decir lo siguiente. 오늘 공부는 여기서 ~을 냅시다 Con esto acabaremos [daremos por concluido] el estudio de hoy. ~이 좋으면 모든 것이 좋다 Bien está lo que bien acaba / Si el final concluye bien, todo ha estado bien.
⑤ [(일정한 행동이나 어떤 일이 있은 그 다음] después. … ~에 después de *algo*. 고심 ~에 después de mucho esfuerzo. 두 사람은 말다툼 ~에 주먹다짐을 했다 Los dos pusieron término a la discusión pegándose [a puñetazos].
⑥ [어떤 일이나 사태의 종말] punto *m*, final *m*; [회의의] conclusión *f*, cierre *m*; [기한의] término *m*, vencimiento *m*. ~에 al final, por último. 전쟁 ~에 al [hacia el] final de la guerra.
⑦ [차례 중의 마지막] el último.
⑧ [(명주나 무명 따위의) 피륙의 「필」] rollo *m* (de la seda). ~으로 사다 comprar el rollo entero.
⑨ 【언어】 =어미(語尾).
◆끝(이) 나다 acabar(se), terminar(se), concluir; [회의가] cerrarse; [기한이] expirar, vencer. 끝(이) 지다 llegar al final.
▪끝이 좋으면 만사(萬事)가 좋다 ((속담)) Aquello es bueno que bien acaba / Bien está lo que bien concluye / Si acaban bien, todo está bien.

끝가지 ① 【언어】 =접미사(接尾辭). ② =말초(末梢).

끝 간 데 límite *m*. ~를 모르다 no conocer límites. 각국의 군비 축소 문제는 ~를 모른다 La carrera de los armamentos de los países no conoce límites.

끝갈망 solución *f*, resolución *f*, liquidación *f*, pago *m*, satisfacción *f*. ~하다 resolver, solucionar, liquidar, soldar, pagar.

끝구(一句) apódosis *f*.

끝끝내 ① [끝까지] hasta el fin. ~ 밀고 나가다 ㉮ [주장하다] persistir, insistir. ~ 모른다고 밀고 나가다 persistir en desconocer *algo* hasta el fin. ~ 제멋대로 굴다 imponer *sus* caprichos, insistir en portarse a *su* gusto. 그는 자기의 의견을 ~ 밀고 나간다 El persiste en su opinión / El impone su opinión a los otros / [고집하다] El se aferra a su opinión. 그는 자설(自說)을 ~ 주장한다 El insiste tercamente en su propia opinión / Se mantiene en sus tree. ㉯ [수행하다] llevar a cabo. 반대를 무릅쓰고 ~ 계획을 밀고 나가다 llevar a cabo el proyecto a pesar de la oposición. 나는 ~ 한마디 말도 하지 않았다 No dije ni una palabra hasta el fin.
② [마침내] al fin, en fin, por fin, finalmente. 그는 ~ 성공했다 Al fin él salió bien.

끝나다 acabar(se), terminar(se), concluir; [회의가] cerrarse; [기한이] expirar, vencer. 일이 끝나자마자 en cuanto se termine el asunto. 저녁이 끝나자마자 tan pronto como se haya acabado la cena. 비가 끝났다 Dejó [Cesó · Paró] de llover / Escampa. 일이 일찍 끝났다 El trabajo se acabó temprano. 계산은 벌써 끝났다 Ya se ha pagado la cuenta. 혼례는 무사히 끝났다 La boda acabó felizmente.

끝내 =끝끝내.

끝내기 fin *m*, últimos movimientos *mpl*, último partido *m*. ~를 그르치다 cometer un erro en el fin.

끝내다 terminar, acabar. 책 읽기를 ~ terminar de leer un libro. 피아노 교본을 ~ terminar un método de piano. 이것으로 회의를 끝내겠습니다 Con esto se levanta la sesión [damos por terminada la reunión].

끝눈 【식물】 =꼭지눈.

끝닿다 alcanzar a la cima, alcanzar al fondo.

끝닿소리 【언어】 =종자음(終子音).

끝돈 resto *m*, restante *m*, demás *m*, balance *m*. ~ 을 치르다 pagar el resto.

끝동 puño *m*. ~을 달다 coser un puño a la manga.

끝마감 acabamiento *m*, fin *m*, final *m*, término *m*, conclusión *f*; [마지막 손질] última pincelada *f*. ~ 하다 acabar, terminar; [마지막 손질을 하다] dar la última pincelada.

끝마디 =말절(末節).

끝마치다 concluir, acabar, finalizar, terminar; [완성하다] completar, consumar, llevar *algo* a cabo, perfeccionar; [완수하다] cumplir. …로 연설을 끝마치겠습니다 Para terminar, quiero decir que … / Pongo fin a mi intervención +「현재분사」. 일을 ~ terminar [acabar · dar por terminado] el trabajo. 의무 교육을 ~ terminar la enseñanza obligatoria. 책 읽기를 ~ terminar [acabar] de leer un libro. 형기(刑期)를 ~ cumplir *su* condena. 회장(會長)의 임기를 ~ cumplir *su* término como presidente. 경찰관으로서 20년을 ~ poner fin a una carrera de veinte años como policía, servir veinte años como policía.

끝막다 acabar, terminar, concluir, finalizar, completar, llevar a cabo. ☞끝마치다

끝물 fruto *m* tardío.

끝소리 【언어】 último sonido *m*.

끝손질 acabado *m*, fin *m*, terminación *f*; [그림 따위의] retoque *m*, mano *f*. ~하다 acabar, terminar; [완성하다] perfeccionar; [소설 따위를] concluir; [그림 따위를] dar el último toque [la última mano] (a). 공들인 ~ acabado *m* cuidadoso, hechura *f* cuidadosa, retoque *m* minucioso. 논문을 ~하다 terminar la tesis. 이제 ~만 남았다 Ya sólo me queda dar la última mano. ~이 중요하다 Lo importante es el acabado. 이 그림은 ~이 막 끝났다 Este cuadro acaba de ser pintado [terminado].

끝수(-數) fracción *f*. ~를 올리다 rodondear por exceso. 5 이상의 ~를 올리다 elevar a una unidad la fracción que no sea inferior a cinco.

끝신경(-神經) 【해부】 =말초 신경(末梢神經).

끝없다 [한이 없다] (ser) infinito, continuo, incesante, sin límite, interminable, insaciable. 끝없는 걱정 preocupaciones *fpl* continuas. 끝없는 망망대해(茫茫大海) océano *m* infinito. 끝없는 시도(試圖) innumerables intentos *mpl*, (una) infinidad de intentos, un sinnúmero de intentos, un sinfin de intentos. 끝없는 욕망(慾望) deseos *mpl* insaciables. 날들은 나에게는 끝없는 것 같았다 Los días se me hacían enteros [interminables]. 가능성은 ~ Las posibilidades son infinitas / Hay (una) infinidad de posibilidades.

끝없이 sin cesar, incesantemente, continuamente, sin parar, constantemente, infinitamente, permanentemente, eternamente, para siempre. ~ 깊은 바다 abismo *m* sin fondo. ~ 불평하다 quejarse permanentemente. 눈물이 ~ 흐른다 Caen lágrimas sin cesar. 평원(平原)이 우리 앞에 ~ 펼쳐졌다 La llanura se extendía, interminable, ante nosotros. 그는 자기 아내에 대해 ~ 이야기했다 El no paró de hablar de su esposa. 당신에게 ~ 감사하고 있습니다 Le estoy infinitamente agradecido.

끝으로 por último, finalmente, en conclusión, para concluir, como conclusión.

끝일 ① [맨 나중의 일] último trabajo *m*. ② [어떤 일을 하고 나서 정리하는 일] solución *f*, resolución *f*, liquidación *f*.

끝자리 ① [맨 밑의 지위] puesto *m* más bajo, posición *f* más baja. ② [맨 끝의 좌석] último asiento *m*, asiento *m* final. ③ 【수학】 [숫값의 마지막 자리] fracción *f*.

끝잔(-盞) última copa *f*, último vaso *m*.

끝장 ① [결말(結末)] fin *m*, conclusión *f*. 오늘은 이것으로 ~이다 Esto es todo [Hasta aquí] por hoy. 여름 휴가도 이제 ~이다 Ya estamos al fin de [Ya terminan] las vacaciones de verano / Las vacaciones están a punto de finalizar.
② [일의 맨 마지막] fin *m* del trabajo.
③ ((속어)) [실패 · 패망 · 죽음 따위] fracaso *m* (실패), derrota *f* (패망), muerte *f* (죽음). 그 사람도 이제 ~이 났다 El está perdido [acabado]. 모든 것이 ~이 났다 Todo se acabó / Todo está perdido.
◆끝장(을) 내다 terminar, dar fin (a), poner fin (a), concluir, acabar. 일을 ~ terminar *su* trabajo. 끝장(이) 나다 acabarse, estar perdido, estar acabado. 여기서 만났으니 너도 끝장났다 Ahora que te veo aquí, no te suelto por nada del mundo.

끝판 conclusión *f*, fin *m*, término *m*. 심의(審議)는 ~에 가까워진다 La deliberación se acerca a su término.

끼 comida *f*. 한 ~ una comida. 두 ~ dos comidas. 세 ~ tres comidas. 한 ~를 거르다 pasar de una comida, saltar una comida, saltear una comida.

끼끗하다 (ser) elegante, limpio, muy bueno; [사람이] atractivo, guapo; [장소가] bonito, lindo; [방이] ordenado; [정원이] muy cuidado; [생생하다] fresco. 끼끗한 글씨 letra *f* muy buena. 끼끗한 야채 verduras *fpl* frescas. 그의 글씨는 매우 ~ El tiene muy buena letra.
끼끗이 elegantemente, limpiamente, ordenadamente, atractivamente, frescamente.

끼니 comida *f*. 세 ~ tres comidas. 그 아이는 하루에 네 ~를 먹는다 El niño tiene cuatro comidas al día / El niño come cuatro veces al día.
끼니때 hora *f* de comer; [저녁] hora *f* de cenar, *AmL* hora *f* de comer; [점심] hora *f* de comer, hora *f* de almorzar. ~까지는 돌아오너라 Vuelve a casa para la hora de comer.

끼닛거리 materiales *mpl* para la comida.

끼다[1] ((준말)) =끼이다. ¶구경꾼들 틈에 ~ meterse entre los miradores.

끼다[2] ① [(수증기 · 연기 · 안개 · 구름 같은 것이) 퍼져서 서리다] envolver, cubrirse. 산꼭대기에 구름이 끼어 있다 Las nubes envuelven la cima de la montaña. 침대에 먼지가 낀다 La cama se cubre de polvo. ② [(때나 먼지 같은 지저분한 것이) 기어 붙다] estar sucio, estar manchado (de). 기름기가 낀 바지 pantalones *mpl* cubiertos [llenos] de grasa. 얼굴에 기미가 ~ tener una cara pecosa [llena de pecas].
③ [(이끼나 녹 따위가) 물체를 덮다] estar musgoso, estar cubierto de musgo. 이끼 낀 나무 árboles *mpl* musgosos. 이끼 낀 돌담 murro *m* de piedra musgoso. 이끼가 ~

estar musgoso, estar cubierto [lleno] de musgo. 곰팡이가 ~ enmohecerse. 구르는 돌에는 이끼가 끼지 않는다 Piedra movediza, nunca moho cobija / No se enmohece el que está en constante actividad.

끼다³ ① [제 몸의 벌어진 사이에 넣어 죄어서 빠지지 않게 잡다] meter, cruzar. 끼고 자다 acostarse con otro. 아이를 끼고 자다 reposar estrechando a una criatura. 팔을 ~ cruzar los brazos. 팔을 끼고 걷다 [서로] andar del brazo; [···와] andar con uno del brazo. 그는 발기인 명단에 끼어 있다 El figura entre [en la lista de] los fundadores. ② [걸려 있도록 꿰다·꽂다] ponerse. 장갑을 ~ ponerse los guantes. 반지를 ~ ponerse el anillo [la sortija]. ③ [곁에 두거나 가까이 하다] acercar, aproximar. 해변을 끼고 걷다 andar por la playa. ④ [다른 것을 덧붙이거나 겹치다] cubrirse. 셔츠를 끼어 입다 cubrirse con camisa. 옷을 많이 끼어 입다 cubrirse con mucha ropa. 아이들이 옷을 많이 끼어 입는 것은 좋지 않다 No es bueno que los niños lleven mucha ropa. 많이 끼어 입고 외출해라 Abrígate bien al salir.
⑤ [남의 힘을 빌다] figurar [contarse] (entre). 열강의 대열에 ~ figurar [contarse] entre las grandes potencias.

끼또 【지명】 Quito (에꾸아도르의 수도). ~의 quiteño. ~ 사람 quiteño, -ña *mf.*

끼뜨리다 tirar (a la basura).

끼루룩 graznando.
끼루룩거리다 soler graznar, graznar repetidas veces.
끼룩끼룩 grazgando y graznando.

끼룩¹ ((준말)) =끼루룩.
끼룩거리다 ((준말)) =끼루룩거리다.
끼룩끼룩 ((준말)) =끼루룩끼루룩.

끼룩² [(내다보거나 삼키려 할 때) 목을 길게 앞으로 쑥 빼어 내미는 모양] estirando (el cuello), estirándose.
끼룩거리다 soler estirar el cuello.
끼룩끼룩 estirando y estirando.

-끼리 entre. 우리~ entre nosotros, entre usted y yo, entre tú y yo. 같은 패~의 싸움 lucha *f* intestina, lucha *f* fratricida. 여자~의 경쟁(競爭) rivalidad *f* entre mujeres. 학생~의 토론(討論) discusión *f* entre los estudiantes. 약자(弱者)~ 돕고 있다 Los débiles se ayudan mutuamente. 같은 한국인~가 아닙니까? ¿Es que no somos todos coreanos? 연인~ 손을 잡았다 Los novios se cogieron de la mano. 그들은 같은 패~ 싸움을 시작했다 Ellos han empezado a luchar entre sí.

끼리끼리 en grupos, de dos en dos. 사람은 ~ 모이기 마련이다 Cada oveja con su pareja / Dios los cría y ellos se juntan.

끼어들다 ① [좁은 틈 사이로 헤집고 들다] meterse. 손님 틈에 ~ meterse entre los convidados. ② [자기와 관계 없는 일에 간섭하려 들다] meterse, entremeterse, entrometerse, interponerse. 대화(對話)에 ~ venir [entremeterse] en una conversación. 남의 사생활에 ~ inmiscuirse [meterse] en la vida privada de otros. 두 사람 사이에 ~ ponerse en medio para separar a los dos. 사사로운 일에 끼어드는 것 같아 죄송합니다만 Dispénseme que me meta en asuntos personales. 이 일에 끼어들지 마세요 No se meta en esto.

끼얹다 echar, verter, regar, salpicar, espolvorear. A에 B를 ~ espolvorear A con B; [액체를] rociar A con B. 꽃에 물을 ~ echar agua a las flores. 머리에 물을 ~ [자신의] echarse agua en [sobre] la cabeza.

끼우다 ① [벌어진 사이에 끼어 넣다] insertar, meter, introducir, incluir, colocar, poner, encajar, ajustar, embutir, adaptar; [상안(象眼)하다] incrustar. 모두 끼워 todo incluido. 반지에 다이아몬드를 ~ guarnecer el anillo con diamante. 창문에 유리를 ~ colocar [poner] un cristal a la ventana. 수도꼭지에 호스를 ~ adaptar una manga al grifo. 액자를 그림에 ~ meter [encajar] un pintura en el marco. 책에 서표(書標)를 ~ insertar [introducir] un registro en el libro. ···를 끼워 상담하다 efectuar consultas con la participación de uno. A와 B를 끼워서 팔다 vender A en lote con B. 신문 사이에 끼워 넣다 [광고를] insertar [poners · colocar] (*algo*) entre las hojas del periódico. 나도 그 모임에 끼워 주십시오 Admítame en la tertulia, por favor. 당신을 끼워 [끼우지 않고] 열 명이다 (Con) usted inclusive [Sin incluirle a usted], somos diez. ② [끼게 하다] hacer meter, hacer insertir.

끼이다¹ ① [틈에 박히다] insertarse, meterse, encajonarse. 교회와 도서관 사이에 끼인 작은 집 una casita metida [encajonada] entre la iglesia y la biblioteca. 나는 두 뚱뚱보 아주머니 사이에 끼여 있었다 Yo estaba apretujado entre dos gordas. 나는 두 차례의 사업상 여행 사이에 휴가를 끼이게 해야 했다 Yo tuve que tomarme las vacaciones entre dos viajes de negocios. ② [여럿 속에 섞여 들다] juntarse (a), asociarse (a · con); [참가하다] participar (en), tomar parte (en). 대화(對話)에 ~ tomar parte en la conversación. 여행단에 ~ juntarse al grupo de viajeros.

끼이다² [사람을 싫어하다] odiar (a).

끼인각(一角) 【수학】 ángulo *m* incluido.

끼적거리다 garabatear, hacer garabatos.
끼적끼적 garabateando (y garabateando).

끼적대다 =끼적거리다.

끼절가리 【식물】 =승마(升摩).

끼치다¹ ① [(살가죽에 소름이) 돋다] estremecerse, temblar. 추워로 소름이 ~ estremecerse de frío. 두려워서 소름이 끼쳐 temblando de miedo. 나는 무서워 소름이 끼쳤다 Me estremecí de miedo. ② [덮치는 듯이 뿌려지다] salpicarse.

끼치다² ① [(남에게 은혜나 괴로움을) 입거나 당하게 하다] molestarse; [손해를] herir, lesionar, hacer*le* daño (a), perjudicar, dañar; [영향을] influir (en), influenciar, tener influencia; [원인이 되다] causar, hacer; [공헌하다] contribuir (con), hacer una contribución (a). 건강에 해를 ~ perjudicar a la salud. 폐를 끼쳐 죄송합니다 Perdone [Disculpe] la molestia. 흡연은 건강에 심하게 해를 끼친다 Fumar perjudica seriamente a la salud. ② [뒷날에 남기다] legar*le algo* a *uno*. 우리 조상들이 우리에게 끼친 습관 costumbres *fpl* que nos legaron nuestros antepasados. 후세에 업적을 끼친 공(功) mérito *m* que legó a la posterioridad.

끽 gritando, dando un grito. ~하다 gritar, dar un grito.

끽겁(喫怯) acción *f* de asustarse. ~하다 temer, tener miedo.

끽경(喫驚) [몹시 놀람. 깜짝 놀람] asombro *m*. ~하다 asombrarse.

끽고(喫苦) sufrimiento *m* de dificultades. ~하다 pasar apuros [dificultades · privaciones].

끽긴사(喫緊事) asunto *m* muy importante.

끽긴하다(喫緊－) ser muy importante.

끽끽 gritando, dando gritos, chillando.
끽끽거리다 gritar, dar gritos, chillar.

끽다(喫茶) acción *f* de beber el té.
■ ~점(店) cafetería *f*, café *m*. ☞다방

끽반(喫飯) acción *f* de comer. ~하다 comer, tomar.

끽소리 grito *m*, chillido *m*, alarido *m*. ~ 못하다 guardar silencio, ser silencioso, no poder decir ni una palabra. ~ 못하게 하다 hacer callar, acallar, silenciar.

끽연(喫煙) ＝흡연(吸煙).
■ ~실(室) ＝흡연실(吸煙室).

끽해야 como máximo, a lo sumo. 그녀는 ~ 열아홉 살이다 Ella tiene diecinueve años de edad como máximo.

낀각(－角)【수학】((준말)) ＝끼인각.

낄낄 soltando una risita.
낄낄거리다 soltar una risita.

낌새 secretos *mpl*, insinuación *f*, indirecta *f*, incidio *m*, pista *f*. 그의 행동에는 살인을 기도했다는 어떤 ~도 없다 Su comportamiento no dio ningún indicio [no dejó entrever] que estaba considerando suicidarse.
◆낌새(를) 보다 tantear [sondear] los secretos. 낌새(를) 채다 sentir [notar] los secretos.

낑 con un gemido, gimiendo, con un quejido, quejándose.

낑낑 gimiendo y gimiendo, quejándose y quejándose. ~하다 soler gemir, soler quejarse.
낑낑거리다 soler gemir, soler quejarse.

ㄴ

ㄴ ((준말)) =는. ¶난 갈 테야 Yo me voy [iré]. 누난 어디 갔니? ¿A dónde fue la hermana?

-ㄴ¹ [받침 없는 동사나 형용사의 어간에 붙어] ¶집에 계신 어머니 madre *f* que está en casa. 키가 큰 학생 estudiante *m* alto, estudiante *f* alta. 나쁜 친구 mal amigo *m* (*pl* malos amigos), mala amiga *f*.

-ㄴ² (준말)) =너라. ¶이리 온 Ven acá.

-ㄴ가 [받침 없는 형용사의 어간이나 체언에 붙어, 의문의 뜻을 나타냄] ¶그 여자는 예쁘~? ¿Es bonita [guapa] ella? 지금 바쁘~? ¿Estás ocupado ahora? 형님 집에 계시~? ¿Está en casa tu hermana?

-ㄴ답니다 ((준말)) =-ㄴ다고 합니다. -ㄴ다 합니다. ¶아우는 다시 서반아로 가~ Mi hermano vuelve a ir a España.

-ㄴ답디다 ((준말)) =-ㄴ다고 합디다. -ㄴ다 합디다. ¶자기는 아무것도 모르~ El me dijo que no sabía nada.

나¹ [말하는 이가 자기 스스로를 가리키어 이르는 말] yo. ~의 [명사 앞에서] mi, mis; [명사 뒤에서] mío, mía, míos, mías. ~에게 me, a mí. ~를 me, a mí. ~의 것 el mío, la mía, los míos, las mías, lo mío. ~와 함께 conmigo. ~를 위해서, ~한테는 para mí. ~ 자신 yo mismo, yo misma; [재귀 대명사] me. ~ 혼자 여행하겠다 Yo solo viajaré. 김 선생님이십니까? ― 예, 납니다 ¿Es usted el señor Kim? ― Sí, soy yo / Sí, para servirle. 말한 사람이 ~지만 ~는 잘했다 Lo he hecho bien aunque sea yo el que lo diga. ~는 생각한다. 고로 존재한다 Yo pienso, luego existo.

나² ((준말)) =나이(edad). ¶~ 많은 시동생 cuñado *m* que tiene muchos años de edad.

나³ 【철학·심리】 ego *m*, egotismo *m*, mismo, sí.

나⁴ [받침 없는 체언 뒤에 쓰이어] o; [o-나 ho-로 시작되는 단어 앞에서] u. 사과~ 배 manzana o pera. 아버지~ 아들 padre o hijo. 여자~ 남자 mujer u hombre.

나(螺) 【음악】 =소라.

나¹(羅) [명주실로 짠 실의 하나] hilo *m* de seda.

나²(羅) ① ((준말)) =나전(羅甸). ② ((준말)) =나마(羅馬). ③ ((준말)) =나마니(羅馬尼).

나(鑼) 【악기】 *na*, una especie del instrumento de percusión de latón.

-나¹ ① [뒷말의 내용이 앞말의 내용에 따르지 아니함을 나타내는 어미] pero, sin embargo. 그녀는 얼굴은 예쁘~ 행실은 고약하다 Ella es bonita, pero es malvada. ② [선택] (o) … o; [o- 나 ho- 로 시작되는 단어 앞에서 발음의 중복을 피하기 위해] u. 가지~ 잎 rama u hoja. 너는 홍차~ 커피를 마시면 된다 Tú puedes tomar (o) té o café. ③ [한결같이] siempre. 자~깨~ despierto o dormido, día y noche. 비가 오~ 해가 나~ llueva o truene. 자~깨~ 나는 그 일을 잊을 수가 없다 No puedo olvidarlo despierto o dormido.

-나² ((준말)) =-는가. ¶그 사람은 어디로 가~? ¿A dónde va él?

나가다 ① [안에서 밖으로, 또는 뒤에서 앞으로, 속에서 겉으로 가다·옮기다] salir, ir. 방에서 ~ salir del cuarto. 거리에 ~ salir a la calle. 산책 ~ salir [ir] de paseo. 장보러 ~ salir [ir] de compras. 모두 나가고 없다 Han salido todos. 내가 그쪽으로 나가겠다 Yo voy por ahí. 나가! ¡Vete! / ¡Fuera (de aquí)! / ¡Largo de aquí! / ¡Afuera! / ¡Sal! ② ㉮ [딸렸던 조직체 등에서 물러나다] retirarse. ㉯ [있던 데서 물러나다·떠나다] irse, marcharse, salir. 아버지께서는 방금 나가셨다 Mi padre acaba de salir. ③ [출근·출석하다. 참가하다. 다니다] asistir, concurrir, estar presente, presentarse. ④ [어떤 방면으로 나서다·진출하다] avanzar (hacia), entrar (en), meterse (en). 실업계에 ~ entrar en el negocio. 정계(政界)에 ~ avanzar hacia el mundo político. 그는 출판계로 나가기를 원했다 El quería meterse en el mundo editorial. ⑤ [퍼지다·전파되다] difundirse, divulgarse, propagarse. ⑥ [버티다] soportar, aguantar, tolerar. ⑦ [(물건이나 돈 따위가) 지급(支給)되다] pagarse. 돈이 자꾸 나간다 El dinero se me escapa de las manos. ⑧ ㉮ [상품·제품 따위가 출고되거나 출판물이 출간되다] publicarse. ㉯ [팔리다] venderse. 이 물건은 잘 나간다 Este artículo se vende bien. ⑨ [(값이나 무게 따위가) 일정한 정도에 도달하다] valer; [무게가] pesar. 값이 ~ valer. 납이 쇠보다 더 무게가 나간다 El plomo pesa más que el hierro. 내가 생각했던 것보다 훨씬 더 나간다 Vale mucho más de lo que yo pensaba. ⑩ [써서 없어지다] gastarse, rasgarse, costar. ⑪ [정전(停電)되다] apagarse. 불이 나갔다 Se apagó la luz. ⑫ [망가지거나 해어지다] romperse, no funcionar.

나가넘어지다 derribarse, caerse.

나가동그라지다 caerse, venirse abajo.

나가둥그러지다 caerse, venirse abajo.

나가떨어지다 ㉮ [뒤로 물러가면서 되게 넘어지다] derribarse, caerse. ㉯ ((속어)) [심신이 녹초가 되다] (estar) agotado, exhausto.

나가빼드러지다 derribarse, caerse.

나가쓰러지다 derribarse, caerse.

나가자빠지다 ㉮ [뒤로 물러가면서 넘어지

다] revolcarse, dar vueltas. 지면(地面)에 ~ revolcarse [dar vueltas] en el suelo. 나는 진탕에 나가자빠졌다 Me revolqué en el fango. 그는 땅바닥에 나가자빠졌다 El se revolcó en el suelo. ㉯ [관계를 끊고 손을 떼다] retirar, cancelar, quebrar, ir a la bancarrota. 출판계의 불경기로 많은 출판업자들이 나가자빠졌다 Muchas editoriales han ido a la bancarrota debido a la depresión en el mundo editorial. 회사가 나가자빠지려고 한다 La compañía está al borde de la bancarrota.

나귀 【동물】 ((준말)) =당나귀.

나균(癩菌) 【의학】 bacilo *m* leproso.

나그네 ① [제 고장을 떠나 객지에 있는 사람] persona *f* que vive fuera de su patria. ② [여행 중인 사람. 행객(行客)] viajero, -ra *mf*, pasajero, -ra *mf*, extranjero, -ra *mf*, vagamundo, -da *mf*. ③ ((성경)) extranjero *m*, expatriado *m*, peregrinación *f* (편력, 순례), el que vive fuera de la patria.

◆나그네 세상 mundo *m* fugaz, mundo *m* efímero, vida *f* fugaz, vida *f* efímera.

■나그네 인생(人生) ((속담)) La vida es peregrinación.

■~ㅅ길 ㉮ viaje *m*. ¶인생을 ~에 비유하다 comparar la vida humana a un viaje. ㉯ ((성경)) peregrinación *f* (편력, 순례), ir de un lado a otro, lo que vivieron los antepasados.

나그네새 pájaro *m* migratorio.

나그네쥐 【동물】 lemming *m*, roedor *m* del norte de Europa.

나근거리다 doblar, flexionar, ser flexible.

나근나근 doblando, flexionando.

나긋나긋하다 ① [입안에 닿는 맛이] ser suave (al paladar). ② [대하는 태도가] ser suave.

나긋나긋이 suavemente, con suavidad.

나긋하다 ① [보드랍고 연하다] (ser) suave y blando [tierno]. ② [대하는 태도가 상냥하고 친절하다] (ser) afable y amable.

나기(羅綺) seda *f* fina y seda *f* figurada.

나깨 granzas *fpl* del polvo de trigo rubión [sarraceno], granzas *fpl* del polvo de alforfón

나깨떡 *nakkaetteok*, pan *m* coreano de granzas de trigo en polvo.

나나니벌 【곤충】 ((학명)) Ammophila infesta.

나날 de día en día, de un día, día por día, día tras día, cada día. ~의 diario; [일상의] cotidiano. ~의 양식(糧食) pan *m* de cada día. 행복한 ~을 보내다 pasar los días felices. 나는 독서로 ~을 보낸다 Yo dedico todo el tiempo a la lectura / Yo me paso (el) día (y la noche) leyendo.

나날이 todos los días, cada día (más), diariamente. ~ 새로운 결의(決意)로 con un ánimo renovado cada día. ~ 추워지다 hacer más frío cada día.

나날다 oscilar volando.

나녀(裸女) mujer *f* desnuda.

나노-(영 *nano-*) [10억분의 1] nano-.

■~그램 [10억분의 1그램] nanógramo *m*. ~미터 [10억분의 1미터] nanómetro *m*. ~선(線) nanohilo *m*. ~세컨드 [10억분의 1초] nanosegundo *m*. ~ 수술 nanocirugía *f*. ~아톰 nanoátomo *m*. ~암페어 [10억분의 1암페어] nanoamperio *m*. ~와트 [10억분의 와트] nanovatio *m*. ~퀴리 [10 억분의 1퀴리] nanocurio *m*. ~튜브 nanotubo *m*. ¶유기(有機) ~ nanotubo *m* orgánico. ~패럿 [10 억분의 1패럿] nanofaradio *m*.

나누기 【수학】 división *f*. ~하다 efectuar una división, dividir.

나누다 ① [여러 부분으로 가르다] dividir, partir, repartir, compartir; [토막으로] desmembrar, dividir *algo* en trozos; [토지를] parcelar. 나눌 수 있는 divisible. 나눌 수 없는 indivisible. 셋으로 ~ dividir por tres. 셋씩 ~ dividir en tres. 과실을 두 조각으로~ compartir la fruta en dos partes. 토지를 셋으로 ~ parcelar el terreno en tres partes. 책을 여러 장(章)으로 ~ dividir el libro en varios capítulos. ② [(여러 가지가 섞인 것을) 성질이나 종류에 따라 분류하다] clasificar. 품질에 따라 ~ clasificar *algo* por la cualidad. ③ [분배하다] compartir, distribuir, repartir. 동생과 ~ compartir *algo* con *su* hermano. 형제간에 ~ distribuir [repartir] *algo* entre los hermanos. 슬픔을 다른 사람과 함께 ~ compartir las penas con otro. ④ [음식 따위를 함께 먹다] compartir (*algo* con *uno*). 간식을 나누어 먹다 compartir la merienda. 술이나 한 잔 나눕시다 Vamos a compartir unas copas. ⑤ [말이나 이야기를 주고받다] hablarse. ⑥ [고락(苦樂)을 함께하다] repartir (con), compartir (con). 기쁨을 ~ compartir el gozo (con). 슬픔을 다른 사람과 함께 ~ compartir las penas con otro. 동료들과 고락(苦樂)을 ~ compartir las alegrías y las penas con *sus* compañeros. ⑦ [나눗셈을 하다] ejecutar una división. 21 나누기 3은 7 Veintiuno dividido por tres son siete.

나누는수(數) 【수학】 =나눗수.

나누어지다 [분할되다] dividirse, apartarse, partirse; [분기(分岐)되다] ramificarse; [둘로] bifurcarse; [분열되다] fraccionarse; [분산(分散)되다] divergirse, dispersarse; [배분(配分)되다] repartirse. 이 문제로 의견이 나누어져 있다 Respecto a este problema las opiniones están divididas. 우리는 두 팀으로 나누어져 시합을 했다 Divididos en dos equipos jugamos el partido. 서반아는 17개 지역으로 나누어져 있다 España está dividido en diecisiete comunidades. 민주당은 네 계파로 나누어져 있다 El partido demócrata [democrático] se fraccionó [se escindió] en cuatro facciones.

나누이다 =나누어지다.

나눗셈 【수학】 división *f*. ~하다 dividir, ejecutar una división.

■~ 기호(記號) signo *m* de división. ~법(法) =나눗셈. ~표(標) signo *m* de división.

나눗수(－數) =제수(除數).

나뉘다 ((준말)) =나누이다.

나뉘는수(數)【수학】=나뉨수.

나뉨수(數)【수학】=피제수(被除數).

나닐다 oscilar volando.

나다 ① [태어나다 · 출생하다] nacer, ver la luz (del día), venir al mundo, salir del vientre materno. 나는 나서부터 desde que nací yo. 나고는 처음으로 por primera vez en la vida. 날 때부터 por natuaraleza, de [por nacimiento, naturalmente. 부잣집에서 ~ nacer en una familia rica. 나는 12월에 났다 Nací en diciembre. 어디서 나셨습니까? ¿Dónde nació usted? / ¿De dónde es usted? 나는 시골에서 났습니다 Nací en el campo. 내가 다시 난다면 남자로 나고 싶다 Cuando vuelva a nacer, quisiera ser un hombre. 우리에게 사내아이가 났다 Nos ha nacido un varón. 김씨 댁에 아이가 났다 Nació un niño en casa del señor Guim. 그는 화가와 여류 시인 사이에서 났다 El es hijo de un pintor y una poetisa. 날 때부터 악인(惡人)은 없다 No hay hombres malos de nacimiento [por natuaraleza]. ㉯ [자라다 · 겉으로 나오다] salir, echar, crecer, salir a luz, nacer, vegetar, retoñar. 새싹이 ~ echar botones, echar renuevos. 풀이 난 지면(地面) tierra *f* cubierta de hierbas. 풀이 난다 Se vegetan las hierbas. ㉰ [발생(發生)하다] producirse, resultar, causar. 큰 비로 큰 피해가 났다 Se han producido grandes daños por causa de la fuerte lluvia / La fuerte lluvia ha causado grandes daños. 사고로 10명의 사망자가 났다 En el accidente resultaron [El accidente causó] diez muertos. ㉱ [(뛰어난 사람이) 나오다] salir. 금년에 서반아에서 노벨 문학상 수상자가 났다 Este año ha salido de España un Premio Nobel de (la) Literatura.

② [(감정 · 심리 · 심경 따위에) 어떤 변화가 일어나다] ocurrirse. 생각이 ~ ocurrírse*le* (a), recordar, acordarse (de). 화가 ~ enfadarse, *AmL* enojarse. 나에게 이미 그 생각이 났다 A mí ya se me había ocurrido eso. 너는 물론 물어볼 생각조차 나지 않았다 Y, por supuesto, ni siquiera se te ocurrió preguntar. 당신 내 생각이 나지 않아요? ¿No te acuerdas de mí? 그것을 어디에 두었는지 생각이 나지 않는다 No me acuerdo de [No recuerdo] dónde lo puse. 문을 잠갔는지 생각이 나지 않는다 No recuerdo si cerré la puerta con llave.

③ [(능률 · 기세 · 성과 따위가) 오르다] ganar, obtener. 능률이 ~ hacerse eficiente. 힘이 ~ ganar fuerza.

④ [생산되다 · 산출되다] producirse. 금년에는 쌀 수확이 많이 났다 La cosecha del arroz ha sido buena este año / Este año ha habido buena cosecha de arroz.

⑤ ㉮ [빈자리가 생기다] estar vacante, vacar, haber vacante. ㉯ [여가 · 여력 따위가 생기다] tener (tiempo libre). 짬이 ~ tener tiempo libre. 일손이 ~ tener la mano de obra. ㉰ [여분이나 여유가 생기다] sobrar.

⑥ [결과나 결말이 지다] salir, resultar. 해결이 ~ salir, resultar. 끝장이 ~ acabar, terminar. 탄로가 ~ revelarse, 모든 것이 잘 해결이 났다 Todo salió [resultó] bien.

⑦ ㉮ [훌륭하다. 잘생기다] (ser) excelente, guapo. 못~ ser feo. 잘~ ser guapo. ㉯ [알려지다. 유명하다] hacerse, adquirir, circular, correr, gozar (de). 이름이 ~ correr fama, gozar de buena fama. 소문이 ~ correr el rumor. 정책이 변한다는 소문이 나고 있다 Corre el rumor de que va a cambiar la política. 그는 이름이 난 의사이다 El es un médico de fama.

⑧ [(신문 · 잡지 따위에) 실리다] publicarse, aparecer. 신문에 큼직하게 ~ publicarse con grandes titulares en los periódicos.

⑨ [(나이를 나타내는 말과 함께 쓰이어) 그 나이가 되다] tener. 두 살 난 아이 niño *m* que tiene dos años de edad.

⑩ [지내다. 보내다] pasar. 겨울을 ~ pasar el invierno, invernar.

■ 콩 심은 데 콩 나고 팥 심은 데 팥 난다 ((속담)) Quien mal siembra, mal coge / Lo que el hombre siembre, eso mismo cosechará / Quien siembra vientos recoge tempestades / Siembran vientos y recogerán tempestades.

난가난 든부자(富者) =난거지든부자.

난거지 ((준말)) =난거지든부자.

난거지든부자(富者) persona *f* que echa fanfarronadas de pobreza pero es rica verdaderamente.

난부자(富者) =난부자든거지.

난부자 든가난(－富者－) =난부자든거지.

난부자든거지(－富者－) persona *f* que echa fanfarronadas de riqueza pero es pobre verdaderamente.

나다니다 no quedar en casa, callejear, pasearse, salir, tunar, vaguear, andorrear.

나다분하다 estar desordenado.

나다분히 desordenadamente.

나닥나닥 =너덕너덕.

나달[1] [세월] tiempo *m*. 흐르는 ~ tiempo *m* que corre [pasa].

나달[2] [나흘이나 닷새쯤] unos cuatro o cinco días, cuatro o cinco días más o menos.

나도그늘사초【식물】juncia *f* coreana.

나돌다 ① ((준말)) =나돌아다니다. ② [(말이나 소문 따위가) 널리 여러 사람에게 퍼지다] difundirse. 소문은 전 지역에 나돌았다 El rumor se difundió por toda la comarca.

③ [병 따위가 널리 퍼지다] propagarse, extenderse. 전염병이 라틴 아메리카에 나돌았다 La plaga se extendió a la América Latina. 유행은 전국으로 나돌았다 La moda se extendió por todo el país. ④ [여기저기 눈에 띄다] abundar [salir · surtirse bien] en el mercado, ponerse la venta de un género. 밤이 시장에 나돌고 있다 Abundan las castañas en el mercado. 유사품이 나돌

고 있다 Hay artículos similares en circulación. 위조지폐가 나돌고 있다 Circulan billetes falsas.

나돌아다니다 pasearse, callejear; [외출하다] salir. 그는 늘 나돌아다닌다 El siempre está callejeando / Ella me para en casa.

나뒹굴다 caerse. 그는 말에서 나뒹굴었다 El se cayó del caballo. 그는 균형을 잃고 나뒹굴었다 El perdió el equilibrio y se cayó. 나는 침대에서 나뒹굴었다 Me dejé caer en la cama.

나들다 ((준말)) =드나들다.

나들이 callejeo *m*, salida *f*. ~하다 salir, callejear, pasearse. ~를 좋아하다 ser callejero, ser amigo de callejeos. ~를 좋아하는 사람 amigo, -ga *mf* de callejeos. ~를 싫어하는 사람 casero, -ra *mf*. ~용의 dominguero, del domingo.

■~옷 galas *fpl*, traje *m* dominguero, vestidos *mpl* de domingo, traje *m* de los domingos, vestido *m* [ropa *f*] de fiesta, traje *m* de gala, trapitos *mpl* de cristianar. ¶~을 입다 engalanarse, endomingarse, ponerse los vestidos de fiesta. ~을 입고 vestido de domingo, endomingado.

나라 ① [국가(國家)] país *m* (*pl* países), nación *f* (*pl* naciones), estado *m*; [조국(祖國)] patria *f*, tierra *f* natal, país *m* en que se ha nacido. 온 ~에 por [en] todo el país. ~를 위하여 목숨을 바치다 morir(se) por *su* patria, consagrar la vida al país. 세계에서 제일 큰 [작은] ~ el país más grande [más pequeño] del mundo. ~를 상대로 소송을 제기하다 poner pleito al Estado. 어느 ~ 태생이십니까? ¿De qué país es usted? / [출신지] ¿De qué parte del país es usted? ② [국토] territorio *m* (nacional). ③ [접미사적으로, 「세계」「세상」의 뜻] mundo *m*. 꿈~ [상상의] mundo *m* imaginario; [이상적인] mundo *m* ideal. 달~ la Luna, mundo *m* lunar.

◆나라를 팔다 traicionar a *su* país, traicionar a la patria. 그들은 나라를 팔았다 Ellos traicionaron a su país [a la patria].

■~글자 lengua *f* nacional. ~꽃 flor *f* nacional. ~님 rey *m*, monarca *m*. ~이름 nombre *m* del país. ~종교 religión *f* nacional.

나라지다 desfallecer, decaer.

나락(범 奈落/那落 *Naraka*) ① [지옥(地獄)] infierno *m*, abismo *m*, Hades *m*, regiones *fpl* infernales, averno *m*. ② [도저히 벗어날 수 없는 극한 상황] situación *f* extrema inevitable.

나란하다 (ser) igual, equitativo, uniforme, ser en una línea.

나란히 en una línea, pararelamente; uno junto al otro, uno al lado del otro, una al lado de la otra; [가지런히] en orden. 그들은~ 앉아 있었다 Ellos estaban sentados uno junto al otro [uno al lado del otro]. 말 두 필이 말머리를 ~ 하고 달렸다 Los dos caballos corrieron pararelamente. 건물들이 ~ 지어져 있었다 Los edificios estaban construidos uno al lado del otro. 집들이 ~ 건축되고 있다 Las casas están construidas una al lado de la otra.

나란히금【수학】=평행선(平行線).

나란히꼴【수학】=평행사변형(平行四邊形).

나란히면(-面)【수학】=평행면(平行面).

나란히법(-法)【언어】=대등법(對等法).

나란히월【언어】=대등문(對等文).

나래[1] [논밭을 골라 반반하게 하는 농기구] aplanadora *f*, allanador *m*.

■~꾼 nivelador, -dora *mf*. ~질 aplanamiento *m*, allanamiento *m*, nivelación *f*. ¶~하다 aplanar, allanar, nivelar.

나래[2] [배를 젓는 연장] remo *m*.

나루 embarcadero *m*. ~를 건너다 cruzar [atravesar] el río por la balsa.

■~질 acción *f* de llevar al otro lado de un río. ~터 embarcadero *m*. ~(터)지기 barquero, -ra *mf*. ~턱 embarcadero *m*. ~ㅅ가 inmediaciones *fpl* [alrededores *mpl*] del embarcadero. ~ㅅ목 estrecho *m* del embarcadero.

나룻 ① [수염] barba *f*, bigote *m*, patillas *fpl*. ② ((준말)) =구레나룻.

나룻배 balsa *f*, barcaza *f*, barca *f* (de pasaje), vapor *m* de río; [대형의] transbordador *m*.

나르다 transportar, llevar, portear, portar, conducir, transferir, traspasar. 장작을 ~ portear la leña. 강 건너편으로 ~ llevar *algo* [a *uno*] al otro lado de un río.

나르시스(불 *Narcisse*)【신화】Narciso *m*.

나르시스트(영 *narcissist*) narcisista *mf*.

나르시시즘(영 *narcissism*) narcisismo *m*.

나른하다 ① [(몸이) 고단하여 맥이 풀리고 기운이 없다] (ser) lánguido, fatigado, endeble, pesado, abatido, decaído, desanimado, descaedido, indolente, apático, flojo, flaco, débil, perezoso. 다리가 ~ tener las piernas pesadas. 몸이 ~ sentir lánguido. 나는 몸이 ~ Me siento un poco flojo [lánguido]. 나는 다리가 ~ Siento pesadez [languidez] en las piernas / Siento las piernas pesadas. ② [풀기가 없이 보드랍다] (ser) delicado, débil. 몸매가 나른한 여자 mujer *f* muy delicada.

나른해지다 relajarse, hacerse indolente, languidecer. 그들은 더위로 몸이 나른해져 있다 Ellos se encuentran flojos [sin ganas de hacer nada] por el calor.

나른히 lánguidamente, con languidez, fatigadamente, endeblemente, abatidamente, desanimadamente, flacamente.

나름 dependencia *f*. ~이다 depender (de). 자기 ~으로 en *su* propia manera. 그것은 사람 ~이다 Eso depende de la persona.

나릅 cuatro años de edad.

나릇 vara *f*.

■~걸이 accesorio *m* en el yugo.

나리[1] ①【식물】[백합] liliácea *f*, [흰백합] azucema *f*. ②【식물】[튤립] tulipero *m*, tulipán *m*. ③【식물】((준말)) =참나리.

■~꽃 =백합화(白合花).

ㄴ

나리² [높이어 부르던 말] señor *m*.
■ ~마님 señor *m*.
나마 aunque, pero, sin embargo. 맛없는 과자~ 많이 드세요 Sírvase mucho, aunque las galletas no tiene buen sabor.
-나마 aunque, pero, sin enbargo. 맛은 좋지 못하~ 좀 들어 보십시오 Aunque no tiene buen sabor, sírvase, por favor.
나막신 *namaksin*, calzado *m* [zueco *m*] de madera, almadreña *f*.
■ 나막신 신고 대동선(大同船)을 쫓아간다 ((속담)) Es absurdo sin intención.
나맥(裸麥) 【식물】 =쌀보리.
나머지 ① [여분(餘分)] sobra *f*, sobrante *m*. 만 원을 세 사람이 나누면 ~가 남는다 Sobra algo [queda un resto] al repartir diez mil wones entre los tres. ② [부족분(不足分)] saldo *m*, resto *m*, remanente *m*. 오늘은 값을 절반만 치르고, ~는 내일 치르겠다 Hoy pago la mitad del precio y mañana pagaré el saldo. ③ [일정량에서 일부분을 제했을 때 그 남은 수량] resto *m*. 세 사람은 차를 타고 가고, ~는 걸어갔다 Los tres tomaron el coche y los restos andaron de pie. ④ [결국(結局)] al fin, en fin, por fin, finalmente. 기쁜 ~ de tanta alegría, por la gran alegría. 고통스러운 ~ por la fuerza de dolor [de la angustia]. 난처해진 ~ como último recurso, impulsado por la desesperación [por la necesidad]. ⑤ [뺄셈에서] resto *m*. 10을 4로 나누면 2 ~ 2이다 Diez entre cuatro son dos y sobran [y restan] dos.
나목(裸木) árbol *m* desnudo, árbol *m* sin hojas.
나무 ① 【식물】 [수목(樹木)] árbol *m*; [어린나무] árbol *m* nuevo [adolescente], pimpollo *m*, arbolito *m*; 【원예】 resalvo *m*; [묘목] plantón *m* (*pl* plantones). ~를 심다 plantar un árbol. ~를 베다 cortar un árbol. ~에 오르다 subir a un árbol. ~에서 내려오다 bajar de un árbol. 도시에는 ~가 적다 Hay pocos árboles en la ciudad. ~를 보면 숲을 알 수 있다 El árbol oculta el bosque. ② [목재(木材)] madera *f*. ~로 만든 (hecho [fabricado]) de madera. ~ 냄새가 나다 oler a madera. ③ ((준말)) =땔나무(leña). ¶산에 ~하러 가다 ir a cortar [preparar] la leña al monte.
■ 나무에 잘 오르는 놈이 떨어지고, 헤엄 잘 치는 놈이 빠져 죽는다 ((속담)) Al mejor nadador se lo lleva el río. 열 번 찍어 아니 넘어가는 나무 없다 ((속담)) Muchos golpes derriban un roble.
■ ~가위 tijeras *fpl* para cortar los árboles. ~거울 persona *f* inútil. ~공이 mano *f* (de almirez). ¶~로 빻다 moler *algo* con la mano (de almirez). ~ 등 맞춘 것 같다 Es contrario mutuamente. ~괭이 azadón *m* de madera. ~귀신 【민속】 dios *m* de la madera. ~그릇 vasija *f* de madera. ~ 그림자점(占) adivinanza *f* de la sombra de los árboles. ~깽이 pedazo *m* de la rama. ~껍질 corteza *f*, cáscara *f*. ~꾼 leñador, -ra *mf*. ~눈 brote *m*. ~다리¹ [나무로 만든 교량 (橋梁)] puente *m* de madera. ~다리² =목발. ~때기 trozo *m* fino y largo de madera. ~막대기 palo *m*, vara *f*, trozo *m* largo de madera. ~못 clavo *m* de madera [de bambú]. ~배 barco *m* de madera. ~부처 (estatua *f* de) Buda *m* de madera. ~뿌리 raíz *f* (*pl* raíces) de un árbol. ~ 상자 caja *f* de madera. ~새¹ [여러 가지 땔나무의 총칭] leñas *fpl*. ~새² [나무숲] bosque *m* de los árboles. ~순(筍) brote *m*. ~숲 bosque *m* de los árboles, árbol *m* frondoso, arboleda *f*, bosquillo *m*, grupo *m* de árboles. ~의 날 el Día de los Arboles. ~작대기 vara *f*. ~잔(盞) vaso *m* de madera. ~장(場) mercado *m* de las leñas, plaza *f* de las leñas. ~장수 vendedor, -dora *mf* de las leñas. ~접시 plato *m* de madera. ~젓가락 palillos *mpl* [*Arg* palitos] de madera. ~주걱 cucharón *m* (*pl* cucharones) de madera. ~줄기 tronco *m* de un árbol. ~진 pez *f*, resina *f*. ~집 casa *f* de madera. ~집게 tenacillas *fpl* [pinzas *fpl*] de madera. ~쪽 trozo *m* de la madera. ~칼 espada *f* de madera. ~토막 trozo *m* [pedazo *m*] de la madera, pedacito. ~통(桶) barril *m* de madera, tonel *m* de madera, cuba *f* de madera. ~틀 ㉮ [나무로 만든 모형] molde *m* de madera; [구두 제조·보관용의] horma *f* de zapatos. ㉯ ((속어)) máquina *f* en madera. ~ 판자(板子) =널빤지. ~패(牌) placa *f* de madera. ~흙손 paleta *f* [llana *f*] de madera. ~ㅅ가지 rama *f* (de los árboles). ~ㅅ간(間) leñera *f*. ~ㅅ개비 trozo *m* [pedazo *m*] fino y largo cortado de madera ~ㅅ결 veta *f*, vena *f*; [집합적] veteado *m*. ¶~이 있는 veteado. ~이 많은 venoso. ~ 모양을 붙이다 vetear *algo*. 곧은 ~ fibra *f* recta (de la madera). ~ㅅ고갱이 médula *f* de un árbol. ~ㅅ광 leñera *f*. ~ㅅ길 sendero *m* [senda *f*] de los leñadores. ~ㅅ단 haz *m* (*pl* haces) de leña. ~ㅅ더미 montón *m* (*pl* montones) de madera. ~ㅅ동 haz *m* grande de leñas. ~ㅅ등걸 tocón *m* (*pl* tocones) de un árbol. ~ㅅ바리 carga *f* de leña. ~ㅅ잎 hoja *f* (del árbol); [집합적] follaje *m*. ¶~이 떨어진다 Caen las hojas. ~ㅅ재 ceniza *f* de madera ~ㅅ조각 trozo *m* [pedazo *m*] de madera, pedacito *m*, astilla *f*. ~ㅅ짐 carga *f* de maderas.
나무(범 南無 *Namah*) ((불교)) creencia *f* absoluta.
■ ~불(佛) ((불교)) Yo me dedico enteramente a Buda, Triratna o Amitābha. ~아미타불(阿彌陀佛) ㉮ ((불교)) Yo me convierto a Amitābha / Sálveme, Buda misericordioso / ¡Que descanse en paz su alma! ㉯ [공들여 해놓은 일이 허사가 됨] El trabajo hecho con gran esfuerzo fue en vano.
나무늘보 【동물】 perezoso *m*.

나무딸기 【식물】 frambueso *m*, sangüesa *f*. ~의 열매 frambuesa *f*.

나무라다 ① [잘못을 들어 가벼이 꾸짖다] reprender, censurar, condenar, vituperar, culpar, tachar, criticar, acusar, echar en cara, recriminar, reprochar, *Ven* desplomar. 그는 내가 지각하는 것을 나무랐다 El me echó en cara el haberme retrasado / El me echó en cara que me había retrasado / El me reprochó (por) el retraso. 그렇게 자신을 나무라지 마라 No te acuses [recrimines] tanto. ② [흠점을 지적하여 말하다] decir *su* tacha [*su* defecto]. 나무랄 데가 없다 (ser) a carta cabal; [완전하다] perfecto, impecable; [비난할 데가 없다] intachable, inmejorable; [만족할 만하다] satisfactorio; [이상적이다] ideal. 나무랄 데가 없이 perfectamente, satisfactoriamente; [결점없이] sin el menor defecto. 나무랄 데가 없는 사람 persona *f* intachable. 나무랄 데가 없는 남자 hombre *m* intachable. 나무랄 데 없는 신분(身分) situación *f* envidiable. 나무랄 데 없는 여인(女人) mujer *f* a carta cabal. 나무랄 데 없는 행동(行動) conducta *f* intachable. 그의 연기는 나무랄 데가 없다 Su representación es perfecta / Su representación no deja nada que desear. 그의 복장은 나무랄 데가 없다 El está [va] impecablemente vestido / Su manera de vestir no deja nada que desear.
▪서투른 목수가 연장만 나무란다 ((속담)) =서투른 무당이 장구만 나무란다. 서투른 무당이 장구만 나무란다 ((속담)) El ciego que ha tropezado le echa la culpa al mal empedrado / Para lo que el hombre no quiere hacer, achaque ha de poner / Achaque al odre que sabe a la pez.

나무람 reprensión *f*, censura *f*. ~ 하다 reprender, censurar.

나무진디 【곤충】 cochinilla *f*, *Andes* chanchito *m*.

나무하다 preparar las leñas.

나물 ① [먹을 수 있는 풀이나 나뭇잎 따위] *namul*, hierba *f* comestible, hierba *f* sazonada, hierba *f* condimentada. ~을 캐다 recoger las hierbas comestibles. ② [오이 · 호박 · 무 따위의 채소를 잘게 썰어서 조미하여 무친 반찬] pepino *m* [nabo *m*] cortado en pedacitos con varios condimentos, calabaza *f* cortada en pedacitos con sal, ají en polvo, sésamo, vinagre, y aceite.
▪~국 sopa *f* de hierbas comestibles. ~꾼 recogedor, -dora *mf* de las hierbas comestibles. ~무침 hierbas *fpl* comestibles sazonadas. ~밥 comida *f* con las hierbas comestibles. ~범벅 caldo *m* de hierbas comestibles mezcladas con el polvo de cereales. ~ 채취 recolección *f* de (las) hierbas comestibles.

나물하다 ㉮ [먹을 수 있는 풀을 뜯거나 캐거나 하다] recoger las hierbas comestibles. 나물하러 가다 salir al campo para recoger (las) hierbas comestibles. ㉯ [나물을 볶거나 무치거나 하여 먹게 만들다] sazonar [condimentar] las hierbas comestibles, tostar las hierbas comestibles.

나미비아 【지명】 Namibia. ~의 namibio, namibiano. ~ 사람 namibio, -bia *mf*.

나박김치 nabo *m* cortado en pedacitos con ají, puerro, ajo, y perejil.

나발(喇叭/囉叭) ① 【악기】 corneta *f*, trompa *f*, trompeta *f*, clarín *m* (*pl* clarines); [작은] trompetilla *f*. ② [객쩍거나 당치도 않은 말] lo absurdo, absurdez *f*, absurdidad *f*.
◆나발(을) 불다 ㉮ trompetear, tocar la trompeta. ㉯ [객쩍은 소리나 당치 않은 말을 함부로 떠벌리다] decir lo absurdo. ㉰ [허풍을 떨다] alardear, jactarse, vanagloriarse, decir vanagloriándose.
나발거리다 (ser) hablador, charlatán.
▪~대 ㉮ [나발의 몸체] boquilla *f* de clarín. ㉯ [돼지의 입과 코가 달린 부리] hocico *m* de un puerco. ~수(手) trompetero *m*, trompeta *m*.

나발꽃(喇叭一) 【식물】 =나팔꽃.

나방 【곤충】 polilla *f*, alevilla *f*, mariposa *f* (nocturna).

나뱃뱃하다 tener una cara llana.

나볏하다 (ser) imparcial y digno.
나볏이 imparcial y dignamente.

나병(癩病) 【의학】 lepra *f*. ~의 leproso. ~에 걸리다 [걸려 있다] estar leproso, padecer de lepra.
▪~ 요양소 leprosería *f*, lazareto *m*. ~원 leprosería *f*. ~자[환자] leproso, -sa *mf*, lazarino, -na *mf*.

나부(裸婦) ① [벌거벗은 여자] mujer *f* desnuda. ② [나체화 · 나상(裸像)] desnudo *m*.
▪~상(像) desnudo *m*.

나부끼다 ondear, flamear, tremolar. 나부끼게 하다 hacer ondear, hacer flotar. 기를 나부끼게 하다 hacer ondear [hacer flotar] la bandera. 머리카락을 나부끼게 하면서 dejando ondear el cabello. 기가 바람에 나부낀다 La bandera ondea al [en el] viento / La bandera flamea movida por el viento.

나부대다 ser inquieto, ponerse inquieto. 나부대지 마라 ¡Estáte quieto! 그렇게 나부대지 마라 No seas tan inquieto. 그 아이는 의자에서 나부댔다 El niño no se estaba quieto en la silla / El niño se movía inquieto en la silla.

나부대대하다 tener una cara redonda y plana.

나부랭이 ① [실 · 종이 · 헝겊 따위의 자질구레한 오라기] pedazo *m*, trozo *m*, pedacito *m*, trocito *m*. 종이 ~ pedacito *m* de papel. ② [하찮은 존재] cosa *f* pequeña, persona *f* trivial.

나부죽하다 (ser) plano, llano. 나부죽한 접시 plato *m* plano, plato *m* llano.
나부죽이 ㉮ [나부죽하게] de plano. ㉯ [공손한 태도로 천천히 엎드리는 모양] cortésmente, con cortesía.

나분하다 volar bajo cerca de la tierra.
나분히 volando bajo cerca de la tierra.

ㄴ

나불거리다 ① [보드랍게 나붓거리다] revolotear. ② [경솔하게 입을 놀리다] charlar, chacharear, parlotear, cotorrear, (ser) hablador, charlatán, gárrulo. 그는 입을 나불거린다 El es un charlatán / El tiene mucha labia.
나불나불 revoloteando; charlando, chachareando, parloteando.
나붓거리다 seguir revoloteando.
나붓나붓 siguiendo revoloteando.
나붓하다 (ser) algo plano [llano].
나붓이 cortésmente, con cortesía, suavemente.
나붙다 ser puesto, ser pegado.
나비[1] [폭] anchura *f*, ancho *m*. ~ 5미터 cinco metros de anchura.
나비[2] 【곤충】 mariposa. ~를 잡다 cazar mariposas. ~처럼 날다 volar como una mariposa. ~가 꽃을 찾아 날고 있다 Las mariposas revolotean de flor a flor.
■ ~꼴 나사 (tuerca *f* de) mariposa *f*. ~꼴 밸브 (válvula *f* de) mariposa *f*. ~ 넥타이 pajarita *f*, *AmL* corbata *f* de moño, *Chi* corbata *f* de humita, *Col* corbatín *m* (*pl* corbatines), *Urg* moñita *f*. ~류(類) mariposas *fpl*. ~매듭 lazo *m*, nudo *m*, lazada *f*. ¶~으로 묶다 atar *algo* con dos lazadas. ~잠 sueño *m* de un niño con los brazos extendidos. ~잠(簪) pasador *m* de la forma de mariposa (para el matrimonio). ~채 cazamariposas *m.sing.pl*, red *f* para cazar mariposas. ~춤 danza *f* de mariposa.
나비[3] [「고양이」를 부를 때 쓰는 말] gato *m*, gatito *m*. ~야, ~야, 이리 오너라 Gato, gato, ven acá.
나비 부인(一夫人) 【음악】 la Señora Mariposa.
나빠지다 empeorar(se). 점점 ~ ir de mal en peor. 환자가 나빠졌다 El enfermo empeoró. 날씨가 나빠졌다 El tiempo se descompone [se echa perder].
나쁘다 ① [악하다] (ser) malo, malvado, maligno, perverso, malhechor, injusto, travieso. 나쁜 생각 mal pensamiento *m*. 나쁜 친구 mal amigo *m* [compañero *m*], mala amiga *f* [compañera *f*]. 나쁜 날씨 mal tiempo *m*. 나쁜 짓을 하다 hacer una cosa mala; [···에게] hacer el mal a *uno*; [악사(惡事)] cometer maldades. 나쁘게 말하다 hablar mal (de). 나는 아무런 나쁜 짓을 하지 않았다 No hice [he hecho] nada malo. 거짓말을 하는 것은 ~ Es malo mentir / Es malo decir mentiras. 웃으면서 나쁜 짓을 했다 Hice mal reírme [riéndome]. 네가 그것을 해도 나쁜 짓은 아니다 No haces mal en hacerlo [haciéndolo]. 내가 나쁜 것이 아니다 La culpa no es mía / No es culpa mía. 내가 ~ [내 탓이다] La culpa es mía / Es culpa mía. 네가 ~ [네 탓이다] Tú tienes la culpa / El malo eres tú. 나쁜 아이군! ¡Qué malo [travieso] eres! 그것을 나쁘게 생각하지 마세요 [usted에게] No lo tome a mal / [tú에게] No lo tomes a mal. 네가 나를 도와주는 것도 나쁘지는 않을 텐데 No sería malo [está malo] si me ayudaras. 내가 나빴나? ¿Qué culpa tengo yo? / ¿Qué he hecho yo de malo? 이 보고서는 어디가 나쁜가? ¿A qué parte del informe va a poner peros? / ¿Qué hay de malo en este informe? / ¿Qué pegas tiene este informe? 우중(雨中)에 돌아다닌 것이 나빴다 Hiciste mal en andar bajo la lluvia. 건강이 나쁘십니까? ¿Se encuentra mal de usted? 당신은 건강이 나쁜 곳은 없습니다 No le encuentro mal de salud. 그녀는 심장(心臟)이 ~ Ella está mala del corazón. ② [(됨됨이나 품질 따위가) 좋지 않다] (ser) malo. 머리가 ~ tener el mal cerebro. 사이가 ~ hacer malas relaciones. 안색(顔色)이 ~ ser pálido, tener mala cara, tener mal aspecto.
③ [해롭다] perjudiciar, dañar. 나쁜 [유해(有害)한] malo, perjudicial; [결함(缺陷)이 있는] defectuoso; [열악(劣惡)한] vicioso. 나쁜 공기(空氣) aire *m* vicioso. 나쁜 우유(牛乳) leche *f* cortada. 나쁜 치즈(cheese) queso *m* rancio. 나쁜 과실(果實) fruta *f* podrida. 흡연은 건강에 심히 ~ Fumar perjudicia seriamente la salud. 흡연은 건강에 ~ *Parag* Fumar daña la salud. 흡연은 당신의 건강에 나쁠 수도 있다 Fumar puede ser dañino para su salud.
④ [(먹은 것이) 양에 차지 않다] (ser) insuficiente, insatisfactorio, poco satisfactorio, deficiente, inadecuado, no bastante, escaso, poco, incompleto, imperfecto. 음식은 좀 부족한 듯하게 먹는 것이 건강에 좋다 Comer poco satisfactorio es mejor para la salud.
나삐 mal, viciosamente, defectuosamente, insuficientemente, deficientemente, imperfectamente. 남을 ~ 말하지 마라 No hables mal de otros.
나삐 보다 odiar, disgustar.
나사(螺絲) ① [우렁이 껍데기처럼 빙빙 비틀리게 고랑이 진 모양] espira *f*. ② ((준말)) =나사못.
■ ~돌리개 destornillador *m*, *Chi*, *Méj* desatornillador *m*. ~못 tornillo *m*. ~선 운동 moción *f* helicoidal. ~송곳 broca *f* con canal helicoidal, barrena *f* helicoidal. ~층층대 escalera *f* de caracol. ~ 콘베이어 transportador *m* sin fin. ~ 톱니바퀴 rueda *f* dentada sin fin. ~ 펌프 bomba *f* espiral. ~ 프로펠러 propulsor *m* de hélice. ~스니 rosca *f* de una hélice.
나사(羅紗; 포 *raxa*) paño *m*.
■ ~ 상인 pañero, -ra *mf*. ~점 pañería *f*. ~지(紙) papel *m* pintado con relieve de terciopelo.
나사(영 *NASA*, *National Aeronautics and Space Administration*) [미국 항공 우주국] la NASA, la Agencia Espacial Norteamericana.
나사렛(헤 *Nazareth*) 【지명】 ((성경)) Nazaret.

■ ~ 사람 nazareno, -na *mf.* ~ 예수 Jesús (el) nazareno, Jesús de Nazaret.
나상(裸像) ((준말)) =나체상(裸體像).
나상(螺狀) =나선상(螺旋狀).
나상(羅裳) falda *f* de seda fina y ligera.
나서다 ① [나가서거나 일어나 떠나다] salir. 밭을 갈러 ~ salir a arar el campo. ② [(일정한 일을 직업적으로) 시작하다] iniciar. 경찰이 수사에 나섰다 La policía ha iniciado la investigación. ③ [구하는 일이나 물건이 나타나다] aparecer, presentarse. 인터뷰에 ~ presentarse a la entrevista. ④ [어떤 데에 나타나서 그 일을 맡아보거나 또는 간섭하다] encargar, meterse, intervenir. 왜 남의 일에 나서나? ¿Porqué te metes en el asunto ajeno?
나선(裸跣) el cuerpo desnudo y los pies desnudos.
나선(裸線) alambre *m* eléctrico desnudo.
나선(螺旋) espiral *m*, hélice *f*. ~ 강하(降下)하다 [비행기 따위가] entrar en barrena.
■ ~ 계단 escalera *f* de caracol. ~균(菌) =나선상균. ~사(絲)【생물】espirema *f*. ~상(狀) caracol *m*, forma *f* espiral. ~상 계단 escalera *f* de caracol. ~상균 espirilo *m*. ~상 성운 =나선 성운. ~ 성운 galaxia *f* espiral, nebulosa *f* espiral. ~식(式) ¶~의 de espiral, espiral, helicoidal. ~식 공책 cuaderno *m* de espiral. ~식 기어 engranaje *m* de dentadura espiral. ~식 바퀴 rueda *f* helicoidal. ~식 붕대 vendaje *m* espiral. ~식 안테나 antena *f* espiral. ~식 파이프 tubería *f* espiral. ~ 압착기 prensa *f* de husillo. ~ 양수기 bomba *f* espiral. ~ 은하 galaxia *f* espiral. ~ 추진기 propulsor *m* de hélice. ~ 층대 =나선 층층대. ~층층대 escalera *f* de caracol. ~ 콘덴서 serpentín *m*. ~ 펌프 bomba *f* espiral. ~형(形) =나선상(狀). ~형 터널 =똬리굴.
나선(螺線)【수학】hélice *f*, curva *f* helicoidal.
나선(羅扇) abanico *m* de seda fina.
나성[1](羅城) =외성(外城).
나성[2](羅城)【지명】Los Angeles.
나성(懶性) carácter *m* perezoso.
나소【지명】Nassau (바하마 제도의 수도).
나스르르하다 (ser) suave y esponjoso.
나슨하다 quedarse suelto [holgado · amplio]. 나슨히 sin apretar. 그것을 ~ 해라 No lo aprietes.
나슬나슬하다 =나스르르하다.
나신(裸身) cuerpo *m* desnudo.
나아가다 ① [앞으로 향하여 가다] avanzar, adelantar, marchar. 나아가게 하다 adelantar, hacer avanzar. 파도(波濤)를 헤치며 ~ ir [avanzar] levantando olas. 한 걸음 ~ dar un paso hacia adelante, adelantar un paso. 하루에 50킬로미터 ~ hacer cincuenta kilómetros al día, avanzar cincuenta kilómetros por día. 인파(人波)를 헤치고 ~ abrirse paso por (entre) la multitud, colarse a través de la muchedumbre. 군을 앞으로 나아가게 하다 adelantar las tropas. 행렬이 나아간다 La procesión pasa. 이것이 내가 나아갈 유일한 길이다 Este es el único camino que he de seguir. ② ㉮ [병세가 호전되다] curarse, sanar, recobrar la salud. 병이 ~ irse (a *uno*) curando. 그의 병이 나아간다 La enfermedad se le va curando. ㉯ [일이 좋은 방향으로 진전되다] adelantar, progresar, hacer adelantos, hacer progresos, avanzar. 나아가는 adelantado, avanzado. 나아가는 생각 idea *f* avanzada. 내 연구는 나아가고 있다 Progresa mi investigación. 공사(工事)는 나아갔다 Las obras han avanzado. 이 아이는 나이에 비해서 지능이 아주 나아가고 있다 Este niño tiene una inteligencia muy desarrollada para su edad. 그 나라는 우리 나라보다 문화가 나아간다 Ese país, culturalmente, está más avanzado que el mío. 몇 쪽까지 나아갔습니까? — 100쪽까지입니다 [수업에서] ¿Dónde estamos? — Estamos en la página ciento / ¿Hasta qué página hemos visto? — Hasta la página ciento. 나는 오늘 간신히 10쪽 나아갔다 [독서에서] Hoy, con dificultad, he leído diez páginas / He leído apenas diez páginas hoy. ③ [높은 자리, 또는 넓은 곳을 향하여 가다] ㉮ [승급(昇級)하다] ascender, elevarse. 윗반으로 ~ ascender [elevarse] a una clase superior. ㉯ [넓은 곳으로] salir. 사회로 ~ salir al mundo.
나아지다 mejorar. 그의 건강이 나아졌다 Su salud ha mejorado / El ha mejorado de salud. 나는 다시 나아지고 있다 Ya estoy mejor. 그는 나아지는 데 여러 달 걸렸다 El tardó meses en mejorarse [recuperarse]. 일은 나아질 수 있다 Las cosas no pueden sino mejorar. 나는 전보다 훨씬 나아진 것을 느끼고 있다 Me siento mucho mejor que antes. 날씨가 나아지기를 바랍시다 Esperemos que mejore el tiempo. 그의 일은 믿을 수 없을 만큼 나아졌다 Su trabajo ha mejorado increíblemente. 당신은 나아졌지만 아직 훨씬 더 나아질 수 있다 Tú has mejorado pero todavía puedes mejorar mucho más. 네가 머리를 빗으면 훨씬 나아지겠다 Tú estarás mucho mejor si te peinas.
나약(懦弱) debilidad *f*, endeblez *f*, flaqueza *f*. ~하다 (ser) débil, endeble, flaco, flojo, blando.
나약히 débilmente, con debilidad, endeblemente, flacamente, flojamente, blandamente.
나열(羅列) alineación *f*, desfile *m*, enumeración *f*. ~하다 alinear, desfilar, enumerar. 그것은 사실을 단순히 ~한 것 밖에는 아무것도 아니다 Eso no es nada más que una simple enumeración de los hechos.
나오다[1] ① [일정한 곳의 밖 또는 앞을 향하여 오다] salir. 집에서 ~ salir de casa. 정원에 ~ salir al jardín. 방을 ~ salir de la habitación [del cuarto]. 물이 잘 나오게 조절하다 regular el flujo [la salida]. 이 만년필은 잉크가 잘 나오지 않는다 No corre bien

la tinta de esta pluma estilográfica. 우리들은 서점을 나와 카페에 들어갔다 Salimos de la librería y entramos en un café. 피가 상처에서 나온다 La sangre sale [mana] del labio de la herida. 굴뚝에서 연기가 나온다 El humo sale por la chimenea.

② ㉮ [나타나다] crecer, aparecer, emerger, surgir, salir. 1234번은 아직 나오지 않았습니다 [전화에서] Número 1234 no está conectado todavía / Número 1234 no sale hasta ahora. 악(惡)은 빈곤(貧困)에서 나온다 El mal nace de la pobreza. 모든 의견(意見)이 나왔다 Ya han salido todas las opiniones. 이 근처는 곰이 자주 나온다 Por aquí suelen salir osos. 잃어버린 시계가 나왔다 He encontrado mi reloj perdido. ㉯ [생겨나다] salir. 확실한 곳에서 나온 뉴스 noticia *f* de fuente fidedigna. 그 풍문은 어디서 나왔을까요? ¿De dónde habrá salido ese rumor?

③ [해나 달이] salir, aparecer, ascender, hacer. 해가 ~ salir el sol. 해가 나왔다 El sol sale [aparece].

④ [출석·출근하다] asistir (a), concurrir, estar presente, presentarse (en); [참가하다] participar (en), tomar parte (en). 수업에 ~ asistir a (la) clase. 야구 시합에 ~ tomar parte en el juego de béisbol. 텔레비전에 ~ salir en un programa de la televisión. 나는 나왔다 Estoy presente. 빠짐없이 다 나왔다 Todos están presentes. 그는 회의에 나왔다 El asistió a la reunión. 그는 A연극에 나온다 El representa [actúa] en el teatro A. 이 막(幕)에는 나오지 않는다 No aparece en este acto.

⑤ [유출(流出)하다] fluir, manar.

⑥ [발아(發芽)하다] brotar, germinar. 보리 이삭이 다 나왔다 Todo el trigo ha espigado.

⑦ [앞으로 불쑥 내밀다] salir. 불쑥 나온 saliente. 배가 나온 barrigudo, barrigón. 불쑥 나온 배 barrigón *m* (*pl* barrigones). 못이 나와 있다 Hay un clavo saliente.

⑧ [발행하다] salir, darse a luz, publicarse. 잡지가 ~ publicarse la revista. 그 책은 곧 나온다 El libro pronto se dará a luz / El libro se publicará dentro de poco. 걸작(傑作)이 나왔다 Ha nacido una obra maestra. 그 책은 내일 나온다 El libro se publicará [saldrá] mañana.

⑨ [게재하다] ser puesto, salir, publicar, figurar. 그것은 한겨레에 나왔다 Eso estaba publicado en el diario *Hankyoreh*. 그것은 신문에 나왔다 Eso ha salido en el periódico. / Lo he leído en un periódico. 이 단어는 사전에 나와 있지 않다 Esta palabra no figura [no sale] en el diccionario.

⑩ [생산되다] producirse, rendir. 집세가 매월 20만 원 나온다 El alquiler de la casa proporciona doscientos mil wones. al mes. 이 섬에서는 석유(石油)가 나온다 Esta isla produce petróleo. 이 광산에서는 금이 나온다 Esta mina da oro.

⑪ [허가(許可) 따위가] otorgarse, concederse, dar. 결국 나에게 연금이 나왔다 Finalmente se me concedió la pensión.

⑫ [출생하다] nacer.

⑬ [졸업하다] graduarse (de). 대학교(大學校)를 ~ graduarse de la universidad.

⑭ [있던 곳에서 퇴거·이탈·사직하다] retirarse. 회사에서 ~ retirarse de la compañía. 부친께서는 65세로 나오셨다 Mi padre se retiró a los sesenta y cinco años.

⑮ [(어떤 처리 결과가) 발표되다] declararse, anunciarse.

나오다² ① [진출하다·투신하다] presentarse (a), dedicarse (a). 선거에 ~ presentarse a la elección. 정계(政界)에 ~ dedicarse a la política.

② [주다] ofrecer; [내놓다] servir. 굉장한 상품(賞品)이 나온다고 한다 Dicen que habrá magníficos premios. 우리에게 저녁이 나왔다 Nos ofrecieron la cena. 오늘은 월급 나오는 날이다 Hoy es el día de salario.

③ [길이 통하다] ir, llevar, salir. 이 길로 가면 역(驛)이 나옵니까? ¿Va [Lleva · Sale] este camino a la estación? / ¿Por este camino se va a la estación? 오른쪽으로 굽어지면 광장이 나온다 Doblando a la derecha, se sale a la plaza.

④ [유래(由來)되다] derivarse (de). 이 단어는 라틴어에서 나온 것이다 Esta palabra se deriva del latín.

⑤ [출신(出身)] descender; [졸업] graduarse (de). 그는 대학을 나왔다 El tiene carrera universitaria / El se graduó de la universidad. 그 왕은 부르봉가(家)에서 나왔다 Ese rey descendía de los Borbones.

나우 ① [좀 많게] bastante mucho. 밥을 좀 ~ 담아 주십시오 Ponga el arroz bastante mucho, por favor. ② [(정도가) 좀 낫게] bastante bien. 특별한 손님이니 ~ 대접하시오 Trátele a él bastante bien porque él es un visitante especial.

나우루 공화국(—共和國) 【지명】 la República de Nauru. ~ 사람 nauruano, -na *mf*. ~어[말] nauruano *m*.

나울거리다 agitar. ☞너울거리다
나울나울 agitando.

나위 valor *m*, necesidad *f*. 더할 ~ 없는 perfecto, impecable; [흠잡을 데 없는] intachable, irreprochable, inmejorable; [만족할 만한] satisfactorio; [이상적인] ideal. 더할 ~ 없이 perfectamente, satisfactoriamente; [결점없이] sin el menor defecto. 말할 ~ 없이 huelga decirlo, de más está decirlo. 날씨가 더할 ~ 없이 좋다 Hace un tiempo estupendo [ideal]. 사람이야 더할 ~ 없이 좋지 Es un hombre perfecto [intachable · ideal].

나이 edad *f*, años *mpl*, Navidad *f*, [목축(牧畜)의] hierba(s) *f*(*pl*). ~ 덕택에 gracias a las experiencias de los años. ~에 비해 para *su* edad. 같은 ~의 소년들 los muchachos de una misma edad. …의 ~(때)에 a *su* edad, con *sus* años. 내 ~ 때에 a mi edad, a mis años. 네 ~ 때에 a tu edad. 그 ~ 때에 a esa edad. 열일곱 ~에 a la edad de diecisiete años, a los diecisiete años. 아직 ~도 들지 않은 아이 el niño demasiado joven [de edad tierna]. ~가 세 살인 조랑말 el potro de tres hierbas. ~가 많다 tener muchos años, tener muchas Navidades. ~를 묻다 preguntar (a *uno*) *su* edad. ~를 숨기다 disimular *su* edad. …보다 ~가 위[아래]다 ser mayor [menor] que *uno*. …과 ~가 같다 tener la misma edad que *uno*, ser de la misma edad que *uno*. …하는 ~가 되다 · ~이다 llegar a la edad de + *inf*, tener edad para + *inf*. ~를 한 살 더 먹다 cumplir un año más. 내가 당신 ~ 때는 cuando yo tenía su edad, en su edad. 네가 내 ~를 먹으면 cuando tengas mi edad [mis años]. …할 ~다 estar en la edad de + *inf*. 너 ~가 몇이냐? ¿Cuántos años tienes tú? / ¿Qué edad tienes tú? 그의 ~는 서른이다 El tiene treinta años (de edad). 나는 네 ~의 자식이 있다 Tengo un hijo de tu edad. 그녀는 열 아홉 ~에 결혼했다 Ella se casó a la edad de [a los · cuando tenía] diecinueve años. ~에 걸맞지 않는 일이다 ¡A la vejez, viruelas! 그는 ~에 비해 젊게 보인다 Parece joven para su edad. 그는 ~보다 더 먹게 보인다 El aparenta más edad que la que tiene. 그는 ~만큼 보이지 않는다 El no aparenta la edad que tiene. 그녀의 아이들은 각각 ~가 세 살, 다섯 살, 일곱 살이었다 Sus niños tienen, respectivamente, tres, cinco y siete años. 그녀가 죽었을 때 ~가 몇이었습니까? ¿Qué edad [Cuántos años] tenía cuando ella murió? 당신의 ~에 나는 이미 결혼했었다 Yo ya estaba casado a su edad. 나는 이제 슬슬 ~를 느끼기 시작한다 Ya comienzo a sentir los efectos de la edad / Ya voy siendo viejo. ~에 걸맞게 행동해라 Compórtate según tu edad. ~에 어울리는 행동을 해야 한다 Tú deberías actuar de acuerdo con tu edad / Ya eres (lo) bastante mayor para hacer esas tonterías. 그런 행동은 네 ~에 어울리지 않는다 Esa forma de actuar desdice de tu edad. 그는 ~에도 불구하고 여자에 미쳐 있다 A pesar de la edad que *tiene, él está enamorado de una mujer*. 그는 네 ~쯤 되어 보인다 El es (quizás) de tu edad / El parece [tiene aproximadamente] la misma edad que tú. 그는 ~가 쉰쯤 되어 보인다 Parece que él tiene unos cincuenta años. 그 사람도 드는 ~는 어쩔 수 없다 El no puede con la vejez. 너는 ~에도 불구하고 계속 어린아이다 A pesar de tu edad sigues siendo un niño. 그녀는 ~에 비해 숙성하다 Ella es madura para su edad. 그이도 이제 좋은 ~이다 El es (un hombre) ya de edad.

◆나이(가) 들다 llegar a muchos años de edad, hacerse viejo, envejecerse. 나이가 든 envejecido, viejo, anciano, entrado en años. 그는 실제보다 다섯 살은 더 나이 들어 보인다 El parece cinco años más viejo de lo que es. 장발(長髮) 때문에 그녀는 나이 들어 보인다 El cabello largo la hace más vieja (de lo que es).

◆나이(가) 차다 ser casadero. 나이가 찬 딸 hija *f* casadera.

◆나이(를) 먹다 hacerse viejo, envejecer-(se). 나는 나이를 먹으면서 체력(體力)이 쇠해진다 Con los años viene declinaando mi fuerza corporal.

■~깨 =나잇살. ~바퀴 【식물】 =나이테. ~배기 persona *f* mayor de lo que aparenta [representa]. ~테 【식물】 anillo *m* anual. ~ㅅ값 conducta *f* apropiada para *su* edad. ~ㅅ살 edad *f* avanzada. ¶~이나 들었는데도 (불구하고) a pesar de *su* edad. ~이나 먹다 ser entrado en años, ser de (una) edad avanzada, tener (una) edad avanzada. 그는 ~이나 먹었다 El es entrado en años / El es de una edad avanzada / El tiene una edad avanzada / El es bastante viejo.

나이로비 【지명】 Nairobi (케냐의 수도).

나이아가라 폭포(—瀑布) las cataratas del Niágara.

나이지리아 【지명】 Nigeria *f*. ~의 nigeriano.
■~ 사람 nigeriano, -na *mf*.

나이터(영 *nighter*) [야간 시합] partido *m* nocturno.

나이트(영 *knight*) [기사] caballero *m*.
■~ 작위 título *m* de caballero. ¶~를 받다 recibir el título de caballero.

나이트(영 *night*) [밤. 야간] noche *f*.
■~ 가운 camisón *m*. ~ 게임 partido *m* nocturno, béisbol *m* nocturno. ~ 드레스 camisón *m*. ~ 캡 gorro *m* de dormir. ~ 클럽 club *m* nocturno, cabaret *m*, café *m* cantante. ~ 테이블 mesita *f* de dormir, *AmS* velador *m*, *Méj* buró *m*, *RPl* mesa *f* de luz.

나이팅게일(영*nightingale*) 【조류】 ruiseñor *m*.

나이팅게일 기장(Nightingale 紀章) la Medalla de Florencia Nightingale.

나이팅게일 상 (Nightingale 賞) el Premio de Florencia Nightingale.

나이프(영 *knife*) [칼] cuchillo *m*.

나인(內人) 【역사】 =궁녀(宮女).

나인(拿引) =나포(拿捕).

나인(영 *nine*) ① [아홉] nueve. ② ((운동)) novenas *fpl*; ((야구)) equipo *m*.
■~핀스 [아홉 개의 핀을 사용하는 볼링] bolos *mpl*.

나일 강(Nile 江) el Nilo.

나일론(영 *nylon*) nilón *m*, nailon *m*. ~ 스타킹 medias *fpl* de nilón.

나자빠지다 =나가자빠지다.

나자식물(裸子植物) 【식물】 gimnosperma *f*.

나전(螺鈿) (incrustación *f* de) nácar *m*, madreperla *f*, *Chi* concha *f* de perla.
■~ 상자 cajita *f* (incrustada) de nácar. ~ 세공 obra *f* de nácar. ~ 칠기 ㉮ [도기(陶器)] loza *f* laqueada de nácar. ㉯ [물건] objetos *mpl* [artículos *mpl*] laqueados de

nácar.
나전(羅甸) 【지명】 =라틴(Latin).
■ ~어 =라틴어. ~ 학자 latinista *mf.*
나절 medio día *m.* 한~ medio día *m.* 반~ un cuarto del día. 아침~ la mañana. 저녁~ la noche.
나졸(邏卒) 【역사】 guardia *m*, policía *m.*
나좃대 linterna *f* de junco encendido como una vela (en la casa de la novia).
나좃쟁반(-錚盤) platillo *m* para la linterna de junco.
나중 ① [미래(未來)] futuro *m*, porvenir *m.* ~의 futuro. ~에 en el futuro, después, luego, más tarde. ~ 생각을 하다 pensar en el futuro. ~에 만납시다 ¡Hasta luego! / Nos veremos otra vez / ¡Hasta ahora! ~에 전화하겠습니다 Luego [Más tarde · Luego] le llamaré [telefonearé]. 그는 나보다 ~에 도착했다 El llegó más tarde [después] que yo. ~에 불평해 보아야 소용없다 Es inútil que te quejes después. 그 노력은 ~에까지 나에게 영향을 미쳤다 Aquel esfuerzo excesivo me afectó hasta mucho más tarde. 나는 맨 ~에 노래했다 Canté el último / Fui el último que canté. 너는 ~에 후회할 것이다 Luego [Después] te vas a arrepentir. 내가 알게 된 것은 ~이었다 No me di cuenta hasta después. 나는 ~을 위해 내 사과를 간수해 두겠다 Me voy a guardar la manzana para después [para luego · para más tarde]. 먼저 내 설명을 듣고 ~에 결정을 내리십시오 Escuche mi explicación primero, y tome su decisión después.
② ((성경)) [끝] fin *m.* 또 너희가 내 이름을 인하여 모든 사람에게 미움을 받을 것이나 ~까지 견디는 자는 구원을 얻으리라 ((마가 복음 13:13)) Y seréis aborrecidos de todos por causa de mi nombre; mas el que persevere hasta el fin, éste será salvo / Todo el mundo los odiará a ustedes por causa mía; pero el que siga firme hasta el fin, será salvo.
■ 나중에야 삼수갑산(三水甲山)을 갈지라도 ((속담)) Lo que pase después me tiene cuidado / Tras mí, el diluvio / Salga pato o gallareta.
■ ~지사(之事) trabajo *m* futuro, consecuencias *fpl.*
나지(裸地) =맨땅.
나지라기 persona *f* del rango inferior, artículo *m* de la clase inferior.
나지리 con desprecio, despreciativamente.
나지리 보다[여기다] menospreciar, mirar por encima del hombro (a), despreciar, desdeñar.
나지막하다 (ser) algo bajo. 나지막한 목소리 voz *f* baja. 나지막한 집 casa *f* construida bajo. 나지막한 소리로 말하다 hablar en voz baja.
나지막이 algo bajo.
나직나직 en voz baja, cuchicheando, en susurros. ~ 말하다 hablar en voz baja.
나직하다 (ser) bajo. 나직한 목소리 voz *f* baja. 천장이 나직한 방 habitación *f* con un techo bajo.
나직이 bajo. ~ 말하다 hablar en voz baja. 집을 ~ 짓다 construir una casa bajo. 라디오의 소리를 ~ 하다 bajar la radio.
나쪼다 presentarse delante del mayor.
나찌(독 *Nazi*) nazi *mf*, nazista *mf.*
나찌스(독 *Nazis*) ① (독 *Nationalsozilalistische Deutsche Arbeiterpartel, N.S.D.A.P*) [국민사회주의독일노동당. 국가사회주의독일노동자당] el Partido Nacionalsocialista Alemán. ② ((준말)) =나찌스트.
■ ~문학 literatura *f* nazista.
나찌스트(독 *Nazist*) nazista *mf.*
나찌즘(독 *Nazism*) nazismo *m.*
나체(裸體) cuerpo *m* desnudo, desnudez *f*, desnudo *m.* ~의 desnudo, desnudado. ~로 desnudo. ~가 되다 desnudarse, desvestirse. ~로 수영하다 bañarse desnudo. ~로 포즈를 취하다 posar desnudo. ~ 수영(을) 금지(함) ((게시)) No está permitido bañarse desnudo.
◆ 반(半) ~ semidesnudeza *f.*
■ ~ 검사 gimnoscopia *f.* ~ 공포증 gimnofobia *f.* ~광 nudomania *f.* ~미 belleza *f* del desnudo, hermosura *f* [belleza *f*] física. ~상 estatua *f* desnuda, desnudo *m.* ~신 escena *f* de desnudo. ~주의 nudismo *m*, desnudismo *m.* ~주의자 nudista *mf*, desnudista *mf.* ~ 체조(體操) gimnasia *f* semidesnuda. ~화(畵) nudo *m*, desnudo *m*, pintura *f* desnuda.
나치(拿致) detención *f*, arresto *m.* ~하다 detener, arrestar.
나치스(독 *Nazis*) ① [나치스트] nazis *mf*, nazista *mf.* ② [국가사회주의독일노동자당] el Partido Nacionalsocialista Alemán. ☞나찌스
나치주의(Nazi 主義) nazismo *m.*
나치주의자(Nazi 主義者) nazista *mf.*
나치즘(독 *Nazism*) nazismo *m.*
나침(羅針) =지남침(指南針).
■ ~도 rosa *f* de la brújula, rosa *f* náutica. ~반 ㉮ 【물리】 compás *m*, brújula *f.* ¶~으로 항해하다 navegar con brújula. ~의 지침면 rosa *f* de la brújula, rosa *f* de los vientos, rosa *f* náutica. 회전 ~ girocompás *m.* ㉯ [나침의(羅針儀)] aguja *f* de marear. ~ 바늘 aguja *f* de la brújula, aguja *f* imantada.
나타(懶惰) =나태(懶怠)
나타나다 ① [감추어졌거나 숨었던 것이 겉으로 드러나다] aparecer, figurar, manifestarse, revelarse, verse, dejarse ver, notarse, llevarse [conducirse] a la luz; [등장하다] salir; [출두하다] comparecer, presentarse. 태양(太陽)이 구름 사이에서 나타난다 El sol aparece [sale] de [por] entre las nubes. 영웅이 세상에 나타난다 Un héroe aparece [nace] en el mundo. 그녀의 얼굴에는 피로의 기색이 나타나 있다 En su cara se nota en aire de cansancio / El cansan-

cio se ve [se nota] en su cara. 그는 노기(怒氣)가 태도에 나타나 있다 Su enfado se manifiesta en su actitud. 세르반테스의 사상이 동키호테에 나타나 있다 El pensamiento de Cervantes se deja ver en el Quijote. 그의 진가가 나타난다 Se revela su verdadero mérito. 음모가 나타났다 Se descubrió [Se reveló] la conspiración. 진실은 반드시 나타난다 La verdad siempre se lleva a la luz. 지병(持病)인 신경통이 다시 나타났다 Volvió a aparecer [a salir] mi neuralgia crónica. ② [눈에 띄다 · 보이지 않던 것이 보이게 되다] asomarse, aparecer, ponerse visible; [물속에서] emerger; [문득] surgir, salir de sopetón. 안개 사이로 갑자기 사람 그림자가 나타났다 Un bulto apareció [surgió] de repente de entre la neblina. ③ [없던 것이 생겨나다 · 발생하다] ocurrir, originarse, brotar.

나타내다 ① ㉮ [보이다 · 발휘하다] mostrar, enseñar, exponer, manifestar, exhibir, resaltar. 실력을 세상에 ~ manifestar [hacer notar] *su* capacidad ante todo el mundo. ㉯ [표현하다] expresar, describir, manifestar, representar. 말로 ~ expresar *algo* en palabras. 이 곡(曲)은 깊은 비애(悲哀)를 나타내고 있다 Esta pieza expresa una honda tristeza. ㉰ [의미하다] significar, querer decir. 빨강은 위험을 나타낸다 El rojo significa el peligro. ㉱ [상징하다] simbolizar. ② [숨어 있는 것을] revelar, descubrir, delatar, desenmascarar, traer a la luz. ③ [저술(著述)하다] escribir, redactar, componer; [출판하다] publicar, dar a luz. 이름을 ~ lograr fama [reputación · celebridad], distinguirse. 공적(功績)을 ~ distinguirse por braveza, ejecutar servicios meritorios.

나탈거리다 reírse en voz alta.
나탈나탈 riéndose en voz alta.

나태(懶怠) pereza *f*, indolencia *f*, ociosidad *f*, holgazana *f*, holgazanería *f*, haraganería *f*. ~하다 (ser) perezoso, holgazán, indolente, ocioso, haragán.
■ ~벽 indolencia *f*, hábito *m* indolente. ~성 carácter *m* perezoso. ~심 pereza *f*, corazón *m* perezoso.

나토(영 *N.A.T.O., North Atlantic Treaty Organization*) la Organización del Tratado del Atlántico Norte, la Organización para el Tratado del Atlántico Norte, la OTAN, la NATO, la Nato, la nato.

나트륨(영 *natrium*) **【화학】** sodio *m*.

나티 ① [짐승 모양을 한 일종의 귀신] demonio *m* de la forma animal. ② [검붉은 곰] oso *m* rojo oscuro.
■ ~상 cara *f* fantasmal.

나팔(喇叭) **【악기】** trompeta *f*, trompa *f*, corneta *f*, ((성경)) cuerno *m*, cuatro vientos *mpl*. 기상 [돌격] ~이 울렸다 Ha sonado el toque de diana [de ataque].
◆ 나팔(을) 불다 ㉮ [나팔로 소리를 내다] tocar [sonar] trompeta. ㉯ ((속어)) [술 같은 것을 병째로 마시다] beber de la botella. ㉰ ((속어)) [어린애가 큰 소리로 울거나 외치다] llorar fuerte, gritar fuerte. ㉱ ((속어)) [어떤 사실을 크게 떠들어 선전하다] alardear, presumir, sacar pecho, vanagloriarse.
■ ~ 소리 sonido *m* de la trompeta, toque *m* de clarín, toque *m* de trompeta. ~수(手) corneta *mf*, trompeta *mf*, trompetista *mf*.

나팔거리다 revolotear, agitarse, ondear.
나팔나팔 revoloteando, agitándose, ondeando.

나팔관(喇叭管) **【해부】** oviducto *m*, trompa *f* de Falopio. ☞난관(卵管)
■ ~염 salpingitis *f*. ~ 임신 salpingociesis *f*, concepción *f* en el oviducto.

나팔꽃 **【식물】** dondiego *m* de día, dompedro *m*, campanilla *f*.

나포(拿捕) captura *f*, apresamiento *m*, presa *f*, arresto *m*. ~하다 capturar, apresar, prender, arrestar, apoderarse (de).
■ ~선(船) buque *m* apresado [capturado].

나폴레옹 법전(Napoléon 法典) el Código de Napoleón.

나폴리 **【지명】** Nápoles.

나푼거리다 agitarse ligeramente.
나푼나푼 agitándose ligeramente.

나풀거리다 agitarse toscamente.
나풀나풀 agitándose toscamente.

나프타[1](독 *Naphtha*) ① **【화학】** nafta *f*. ② [조제(粗製) 석유] nafta *f*.
■ ~ 침전물 sedimento *m* de nafta, sedimento *m* de gasolina.

나프타[2](영 *NAFTA, North American Free Trade Agreement*) [북미 자유 무역 협정] NAFTA *m*, el Tratado Norteamericano de Libre Comercio.

나프탈렌(영 *naphthalene*) **【화학】** naftalina *f*.

나프톨(독 *Naphthol*) **【약】** naftol *m*.

나한(羅漢) ((불교)) ((준말)) =아라한.

나한(癩漢) hombre *m* feo.

나화(裸花) **【식물】** =무피화(無被花).

나화(羅花) flor *f* artificial de seda.

나환자(癩患者) lazarino, -na *mf*, leproso, -sa *mf*.

나획(拿獲) =나포(拿捕).

나훔서(Nahum 書) ((성경)) Nahum, Nahúm.

나흗날 ((준말)) =초나흗날(el cuatro).

나흘 ① [네 날] cuatro días. 서울에서 ~을 보내겠다 Pasaré cuatro días en Seúl. ② ((준말)) =초나흗날. ¶오늘이 닷새입니까 ~입니까? ¿Estamos en el cuatro o en el cinco hoy?

낙(樂) placer *m*, gozo *m*, delicia *f*, encanto *m*, deleite *m*; [오락] diversión *f*, recreación *f*, [위안거리] distracción *f*, pasatiempo *m*; ((성경)) el bien, lo que es mejor, alegría *f*. ~이 없는 사람 hombre *m* que no tiene ninguna distracción [pasatiempo], hombre *m* que no sabe distraerse. ~이 없는 생활(生活) vida *f* sin placer. 산책을 ~으로 삼다 tener placer [complacerse] en pasear. 텔레비전을 보는 것이 ~이다 divertirse viendo la televisión. 자식의 성장을 보는 것이 ~이다 alegrarse [gozar] viendo [de ver] crecer su hijo. 카드놀이하는 것을 ~으로 삼다 divertirse jugando a las cartas. 할아버지께서는 야채 심기를 ~으로 삼고 계신다 Mi abuelo cultiva verduras por afición [por gusto]. 그의 가장 큰 ~은 독서다 Su mayor placer es leer / No hay para él mayor deleite que leer. 그녀를 다시 만나는 것을 ~으로 삼고 살고 있다 Tengo el placere de volver a verla a ella. 텔레비전을 보는 것이 내 ~이다 Mi distracción [entretenimiento] es ver la televisión. 그녀는 자식을 유일한 ~으로 삼고 살고 있다 Su hijo es la única alegría de su vida / Ella vive únicamente para su hijo.

■ 고생 끝에 낙이 온다 ((속담)) Hay placer después de la dificultad.

낙관(落款) rúbrica *f* [firma *f*] de escritor (작가의) [de pintor (화가의)]. ~하다 firmar y sellar. ~이 없는 anónimo, innominado, sin nombre, sin firmar. ~이 없는 그림 pintura *f* sin la firma del pintor, pintura *f* sin firmar.

낙관(樂觀) optimismo *m*. ~하다 ser optimista (respecto a *algo*), ver *algo* con optimismo, tener una vista llena de esperanza. ~을 불허하다 estar lejos de tranquilizarse. 사태는 ~을 불허한다 La situación no permite optimismo.

■ ~론 optimismo *m*. ~론자 optimista *mf*. ~적 optimista, lleno de esperanza. ¶~이다 ser optimista (en), ver *algo* con optimismo. 상황을 ~으로 보다 ver la situación de color (de) rosa. 네 판단은 나에게 지나치게 ~이다 Tu juicio me parece demasiado optimista. 그런 ~인 생각으로는 넌 성공할 수 없다 No podrás tener éxito con esa manera de pensar tan optimista. ~주의 optimismo *m*. ~주의자 optimista *mf*.

낙구(落句) última línea *f* de un poema.

낙낙하다 (ser) algo amplio, holgado. 낙낙한 옷 vestido *m* holgado.

낙낙히 ampliamente, holgadamente.

낙농(酪農) industria *f* lechera, lechería *f*, quesería *f*, vaquería *f*.

■ ~가 agricultor, -tora *mf* de quesería; lechero, -ra *mf*; mantequero, -ra *mf*. ~업 agricultura *f* de quesería. ~장 establecimiento *m* de ganado lechero, *RPI* tambo *m*. ~ 제품(製品) producto *m* lácteo. ~품(品) producto *m* lácteo, producto *m* de vaquería.

낙담(落膽) desaliento *m*, desánimo *m*, decepción *f*, descorazonamiento *m*; [실망(失望)] desilusión *f*, desesperanza *f*. ~하다 descorazonarse, desalentarse, desanimarse, decepcionarse, desilusionarse, desesperarse, quedar desilusionado [deanimado · decepcionado], tener una decepción, llevarse (un) chasco; ((성경)) acobardarse, desmayar el corazón. ~해서 desanimadamente, desalentadamente, con desánimo [desaliento · abatimiento]. ~시키다 desilusionar, decepcionar, desalentar, desanimar. ~하는 모양을 하다 tener un aire de desaliento. ~하는 듯한 목소리로 con voz abatida, con voz decepcionada. 그렇게 ~하지 마라 No te desanimes tanto [de esa manera]. 그는 쉽게 ~하지 않는다 El no se desalienta fácilmente.

낙도(落島) isla *f* remota, isla *f* lejana, isla *f* desierta.

■ ~ 주민 habitantes *mpl* de la isla remota; isleño *m* remoto, isleña *f* remota.

낙락장송(落落長松) pino *m* alto y exuberante.

낙뢰(落雷) caída *f* de un rayo, rayo *m*, golpe *m* de relámpago. ~하다 caer un rayo. 공장에 ~했다 La fábrica ha sido sacudido por el rayo.

낙루(落淚) llanto *m*. ~하다 verter [derramar] las lágrimas, llorar.

낙루(落漏) =누락(漏落).

낙마(落馬) caída *f* de un caballo. ~하다 caer(se) de un caballo.

낙막하다(落寞-) (ser) solitario.

낙망(落望) chasco *m*. ~하다 llevarse chasco, salir mal en una empresa.

낙명(落名) pérdida *f* de *su* reputación. ~하다 perder su reputación.

낙명(落命) muerte *f*, fallecimiento *m*. ~하다 morir, fallecer.

낙목(落木) árbol *m* que se cayeron las hojas.

낙반(落磐/落盤) derrumbamiento *m* en una mina, hundimiento *m*, atierre *m*. ~ 사고가 발생했다 Ocurrió un derrumbamiento.

낙방(落榜) fracaso *m* en el examen. ~하다 fracasar [salir mal] en el examen.

낙백(落魄) estupefacción *f*. ~하다 estar aturdido. 음주로 ~하다 estar aturdido por el alcohol.

낙법(落法) ((유도)) estado *m* pasivo.

낙본(落本) pérdida *f*. ~하다 perder.

낙부(諾否) (el) sí o (el) no. ~를 알려 주십시오 Tenga usted la bondad de [Haga el favor de · Sírvase] contestar si lo acepta o no.

낙산(酪酸) ácido *m* butírico. ~의 butírico.

■ ~ 글리세린 【화학】 butirina *f*. ~염 【화학】 butirato *m*.

낙상(落傷) herida *f* de la caída. ~하다 caerse y hacerse daño.

낙서(落書) ① [책을 베낄 때 잘못하여 글자를 빠뜨리고 씀] omisión *f*. ~하다 omitir, saltarse, *RPI* saltearse. ② [장난으로 아무 데나 함부로 글자를 씀. 또, 그 글자] garabateos *mpl*, garabatos *mpl*, garapatos *mpl*, garambainas *fpl*, escritura *f* en las paredes. ~하다 borrajear, garabatear, garapatear, emborronar.

■ ~ 금지 ((게시)) ¡Se prohíbe borrajear! / ¡Prohibido escribir en las paredes!

낙석(落石) desprendimiento *m*.

■ ~ 위험 ((게시)) Desprendimiento de rocas / Zona de derrumbe. ~ 주의 ((게시)) Atención, peligro de desprendimiento.

낙선(落選) fracaso *m*; [선거의] derrota *f* [pérdida *f*] en una elección; [콩쿠르의] rechazamiento *m*. ~하다 ser derrotado, ser vencido, no ser aceptado, derrotarse en la elección, fracazar, ser rechazado.

■ ~자 derrotado, -da *mf*; rechazado, -da *mf*. ~화(畵) pintura *f* rechazada. ~ 후보 candidato *m* infructuoso [derrotado], candidata *f* infructuosa [derrotada].

낙성(落成) terminación *f* de una construcción [de obra]. ~하다 terminar, acabar. ~되다 terminarse, acabarse. ~을 축하하다 celebrar la terminación. 이 건물은 다음 달에 ~한다 La construcción de este edificio terminará el mes próximo.

■ ~식 inauguración *f*, ceremonia *f* de terminación. ¶~을 하다 inaugurar, celebrar la ceremonia de terminación. ~연(宴) banquete *m* de la celebración de terminación.

낙성(落城) caída *f* [capitulación *f* · toma *f*] de un castillo. ~하다 caer, rendirse, capitularse.

낙세(落勢) disminución *f*.

낙수(落水) =낙숫물.

■ ~받이 canalón *m* (*pl* canalones). ~ㅅ물 gota *f* de lluvia [de agua] (que cae del borde del tejado).

■ 낙숫물은 떨어지던 데 또 떨어진다 ((속담)) La cabra siempre tira al monte.

낙수(落穗) ① [곡식의 이삭] espigas *fpl* caídas. ② [어떤 일의 뒷이야기] secuela *f* [consecuencia *f*] de la historia.

낙승(樂勝) victoria *f* fácil, paseo *m*. ~하다 vencer [ganar] fácilmente [con facilidad · sin dificultad]. 시합은 ~이었다 El partido fue un paseo / El partido fue pan comido.

낙심(落心) pérdida *f* de corazón, desesperación *f*, desánimo *m*, desaliento *m*, enervación *f* del corazón. ~하다 desanimarse, desalentarse, desesperar, perder las esperanzas, enervar el corazón, tener acobardado, estar desilusionado, estar decepcionado. ~이 되다 estar abatido, venirse abajo. 낙심하게 하다 desanimar, desalentar. ~하지 마라 No (te) desanimes / No (te) desesperes / ¡Animo!

낙양(洛陽) [중국의 지명] Loyang.

◆ 낙양의 지가(紙價)를 올리다 El libro se vendió enormemente bien / El libro tuvo la venta increíble.

낙양(落陽) sol *m* poniente, puesta *f* del sol.

낙엽(落葉) hojas *fpl* caídas, deshoje *m*; [행위] caída *f* de las hojas; [집합적] hojarasca *f*. ~이 진 수목(樹木) árbol *m* deshojado [desprovisto de hojas]. ~을 모으다 rastrillar las hojas caídas. ~을 그러모으다 recoger las hojas caídas. ~이 지다 deshojarse, marchitarse. ~이 진다 Caen las hojas del árbol / Se deshojan los árboles.

■ ~ 귀근(歸根) Al fin se vuelve a su propia tierra natal. ~색 color *m* rojizo. ¶~ 나뭇잎 hoja *f* rojiza. ~수[목] árbol *m* de hoja caduca, árbol *m* caducifolio. ~수림(樹林) bosque *m* de árboles de hoja caduca, bosque *m* de caducifolios. ~ 작전 operación *f* defoliante. ~제 ㉮【약】agente *m* defoliante. ㉯【약】herbicida *f*.

낙엽송(落葉松) alerce *m*, lárice *m*.

낙오(落伍) rezago *m*. ~하다 rezagarse.

■ ~자(者) regazado, -da *mf*, fracasado, -da *mf*. ¶인생(人生)의 ~ fracasado, -da *mf* en la vida.

낙원(樂園) paraíso *m*, Eden *m*, Jauja *f*. 어린이의 ~ paraíso *m* para los niños. 지상(地上)의 ~ paraíso *m* terrenal, jardín *m* de delicias.

낙인(烙印) ① [소인(燒印)] marca *f* [carácter *m*] de hierro candante. ~을 찍다 marcar [sellar] cn hierro candente. 가축에 ~을 찍다 marcar al [el] ganado con hierro candente. ② [형벌(刑罰)] estigma *f*. 범죄자의 ~이 찍히다 ser tachado de criminal. 그는 변절자로 ~이 찍혔다 Le pusieron la marca de (un) traidor.

◆ 낙인을 찍다 estigmatizar.

낙일(落日) sol *m* poniente, sol *m* que se pone; [일몰(日沒)] puesta *f* del sol, ocaso *m*, ocaso *m* del sol.

낙자(落字) palabra *f* extraviada, omisión *f* de palabras, palabra *f* suprimida.

낙장(落張) hoja *f* omitada, falta *f* de páginas [de hojas] (de un libro).

■ ~본(本) libro *m* en que faltan páginas.

낙제(落第) fracaso *m* [suspenso *m*] (en el examen), reprobado *m*, suspensión *f*. ~하다 fracasar en el examen, suspenderse, ser reprobado, ser suspendido, recibir calabazas en un examen. ~시키다 suspender, reprobar, dar calabazas, hacer (a *uno*) repetir [permanecer en] el mismo curso. 그 가게는 서비스가 ~다 El servicio de esta tienda es defectuoso. 이 물건은 ~했다 Este artículo ha sido rechazado.

◆ 낙제국(을) 먹다 fracasar en el examen.

■ ~생(生) alumno *m* repetidor, alumna *f* repetidora; reprobado, -da *mf*, fracasado, -da *mf*. ~점 suspenso *m*, punto *m* de reprobación [de fracaso].

낙조(落照) puesta *f* del sol, ocaso *m*, ocaso *m* del sol. ~때까지 hasta que se ponga el sol.

낙지【동물】pulpo *m*. ~ 잡는 항아리 trampa *f* para pulpos.

낙지(樂地) =낙토(樂土).

낙진(落塵) lluvia *f* radiactiva, precipitación *f* radiactiva.

◆ 방사성(放射性) ~ poso *m* radiactivo, precipitación *f* radiactiva. 방사성 ~ 지하 대피소 refugio *m* antinuclear, refugio *m* antiatómico.

낙질(落帙) tomo *m* suelto.

낙차(落差) ① [물의] altura *f* de caída, desni-

vel *m.* ② [높이의 차(差)] diferencia *f* de niveles.
◆유효(有效) ~ caída *f* efectiva, desnivel *m* efectivo.

낙착(落着) conclusión *f,* fin *m,* arreglo *m,* decisión *f,* convenio *m.* ~되다 concluirse, arreglarse, resolverse, solucionarse. ~을 보다 concluirse, arreglarse, estar arreglado, decidirse, convenirse, terminarse, concertarse. 사건은 ~을 보았다 El asunto ya está arreglado / El asunto se ha resuelto.

낙찰(落札) licitación *f* favorecida, oferta *f* favorecida, adjudicación *f.* ~하다 triunfar en la licitación, ser afortunado la oferta, ser aceptado su oferta. 그 그림은 당신에게 ~되었습니다 Le adjudicaron a usted ese cuadro.
■~ 가격 precio *m* del mejor postor [de la mejor postora]. ~자 mejor postor *m;* adjudicatorio, -ria *mf;* licitante *m* favorecido, licitante *f* favorecida; postor *m* afortunado, postora *f* afortunada.

낙천(落薦) fracaso *m* en la solicitud.
■~자 aspirante *m* infructuoso, aspirante *f* infructuosa.

낙천(樂天) optimismo *m.*
■~가 optimista *mf.* ~관[론] optimismo *m.* ~적 optimista *adj.* ¶~으로 con optimismo. ~주의 optimismo *m.* ~주의자 optimista *mf.* ~지 paraíso *m,* jardín *m* de delicias, cielo *m.*

낙타(駱駝) ①【동물】[쌍봉낙타] camello *m;* [암컷] camella *f;* [단봉낙타] dromedario *m.* ~의 대상(隊商) caravana *f* de camellos. ~의 혹 joroba *f,* giba *f.* ~가 바늘귀로 나가는 것이 부자가 하나님의 나라에 들어가는 것보다 쉬우니라 ((마가 복음 10: 25)) Más fácil es pasar un camello por el ojo de una aguja, que entrar un rico en el reino de Dios / Es más fácil para un camello pasar por el ojo de una aguja, que para un rico entrar en el reino de Dios. ② [낙타의 털] pelo *m* de camello; [낙타의 털옷감] pelo *m* de camello. ③ ((은어)) =꼽추.
■~ 사육자 camellero, -ra *mf.* ~색 [담황갈색] beige *m.* ~지 pelo *m* de camello.

낙타속(駱駝屬)【동물】camélidos *mpl.* ~의 camélido.

낙태(落胎) aborto *m* (forzado), malparto *m,* prácticas *fpl* abortivas, aborto *m* provocado, feticidio *m.* ~하다 hacerse un aborto, abortar, malparir. ~의 abortivo, feticida. ~시키다 abortar, hacer abortar (a), parir antes del tiempo en que el feto puede vivir. ~한 여인(女人) feticida *f,* malparida *f.* ~를 실시하다 practicar un aborto. ~는 헌법으로 금지되어 있다 El aborto está prohibido en la constitución.
◆인공(人工) ~ aborto *m* artificial.
■~법 leyes *fpl* sobre el aborto. ~ 수술 operación *f* de aborto artificial. ¶~하다 operar aborto artificial. ~ 시술자 abortista *mf.* ~아 aborto, -ta *mf.* ~약 feticidio *m,* abortivo *m.* ~용 약제 abortivo *m,* remedio *m* abortivo. ~ 전문의[의사] abortista *mf,* malpartista *mf.* ~제 abortivo *m.* ~죄(罪) aborto *m* criminal, aborto *m* ilegal.

낙토(樂土) ① paraíso *m,* jardín *m* de delicias, cielo *m.* ② ((성경)) tierra *f* deseable, heredad *f* preciosa, país *m* hermoso, terreno *m* que más quiere.

낙하(落下) caída *f,* precipitación *f.* ~하다 caer(se), precipitarse.
◆바위 ~ ((게시)) Desprendimiento de rocas, *AmL* Derrumbes.
■~율(律)【물리】ley *f* de la caída. ~점 [지점] punto *m* de caída.

낙하산(落下傘) paracaídas *m.sing.pl.* ~으로 내리다 bajar en paracaídas. ~으로 투하하다 lanzar en paracaídas. ~이 펼쳐졌다 Se abrió el paracaídas.
■~ 강하 bajada *f* en paracaídas. ~병(兵) paracaidista *mf.* ~ 부대 cuerpo *m* de paracaídas, tropa *f* de paracaidistas. ~ 융자 préstamo *m* a través de la influencia política. ~ 인사 administración *f* personal despótica; [관료의] nombramiento *m* de un es burócrata para un puesto importante en una compañía privada.

낙향(落鄕) huida *f* de la capital, huida *f* de Seúl. ~하다 huir de la capital, huir de Seúl, dejar la ciudad.

낙향(樂鄕) =낙토(樂土).

낙형(烙刑) =단근질.

낙혼(落婚) =강혼(降婚). ¶그는 ~했다 El se casó con una mujer de clase inferior a la suya / El no se casó bien.

낙홍(落紅) ① =낙화(洛花). ② [단풍이 떨어짐] caída *f* de las hojas matizadas otoñales.

낙화(洛花)【식물】=모란(牧丹).

낙화(烙畵) pirografía *f,* dibujo *m* hecho sobre madera o loza con hierro candente.
■~술(術) pirograbado *m.*

낙화(落花) caída *f* de las flores, flores *fpl* caídas. ~하다 las flores caen.
■~유수(流水) ㉮ [떨어지는 꽃과 흐르는 물] la flor caída y el agua corriente. ㉯ [남녀에게 서로 생각하는 정이 있음] amor *m* entre el hombre y la mujer. ~풍(風) viento *m* que hace caer las flores.

낙화생(落花生)【식물】=땅콩.
■~유(油) aceite *m* de cacahuete, aceite *m* de maní.

낙후(落後) abandono *m,* marginación *f,* aislamiento *m.* ~하다 abandonar los estudios, dejar de asistir al curso, decidir que se presente [no tome parte], marginarse, convertirse en un marginado.
■~자 [사회·그룹에서의] marginado, -da *mf,* [교육에서] alumno, -na *mf* que no completa los estudios.

낚거루 ((준말)) =낚싯거루.

낚다 ① [고기를] pescar con [a] caña. 나는 숭어를 낚았다 Yo he pescado una trucha.

②[남을 꾀다] seducir. 그는 큰돈에 꾀여 친구를 배반했다 El traicionó al amigo seducido por una gran cantidad de dinero.
◆낚아 올리다 pescar, coger, sacar del agua. 송어를 낚아 올리다 pescar [coger·sacar del agua] una trucha.

낚대 ((준말)) =낚싯대.

낚배 ((준말)) =낚싯배.

낚시 ①[물고기를 낚는 데 쓰이는, 바늘로 된 작은 갈고랑이] anzuelo *m* (de pesca), hamo *m*. ~하다 pescar a caña. ~에 꿰다 caer en [tragar] el anzuelo. ~가다 ir a pescar a caña. ~에 미끼를 달다 cebar. 그는 삼 시 세 끼 밥보다 ~를 좋아한다 Le gusta la pesca más que nada / El es un gran aficionado a la pesca. ~ 금지! ((게시)) ¡Prohibido pescar! / ¡Se prohíbe pescar! ②[남을 꾀는 수단] estratagema *f* que seduce a otro. ③((준말)) =낚시질.
■~걸이 acción *f* de dar algo como un cebo. ~꾼 pescador, -dora *mf* (de caña). ~ 도구 aparejos *mpl* de pesca, avíos *mpl* de pesca. ~ 미끼 cebo *m*, carnada *f*. ~ 바구니 canasta *f* en que se guardan los pescados, canasta *f* pequeña con una red para guardar los peces que han sido pescados por caña, nasca *f*. ~질 pesca *f* a [con] caña. ¶~하다 pescar con [a] caña. ~ 가다 ir a pescar con caña, ir de pesca. 강에 ~ 갑시다 Iremos de pesca al río. ~찌 flotador *m*. ~터 piscina *f* para la pesca a caña, lugar *m* de pesca con caña. ~ㅅ거루 barca *f* pescadora, barca *f* de pesca. ~ㅅ대 caña *f* de pescar, caña *f* de bambú [cristal·huso·fondo]. ~ㅅ바늘 ((속어)) =낚시❶. ~ㅅ밥 cebo *m*, carnada *f*. ~ㅅ배 barca *f* pescadora, barca *f* de pesca. ~ㅅ봉 plomo *m*. ~ㅅ줄 sedal *m* (de pescador), cordel *m* de pescar.

낚아채다 coger rápidamente, agarrar rápidamente, arrancar. 그는 가방을 낚아채 달아났다 El cogió [agarró] rápidamente y salió corriendo. 그녀는 내 손에서 편지를 낚아챘다 Ella me arrancó la carta de las manos.

난(卵) [알] huevo *m*.

난(亂) ((준말)) =난리(亂離).
◆난(을) 일으키다 sublevar, rebelarse.

난(難) ①[어려움] dificultad *f*. ② =괴로워하다. ③ =근심. 재앙. 난리. ④ =나무라다. 책망하다. 힐난하다.

난(欄) [신문 따위의] columna *f*, [큰] sección *f*, [쪽] página *f*, [기입 용지의] blanco *m*, casilla *f* vacía. 위의 ~에 기입해 주십시오 Rellénense los espacios en blanco de arriba. 그것은 사회~에 나왔다 Eso apareció en la columna social.
◆문예~ columna *f* literaria. 스포츠~ sección *f* de deportes.

난(蘭) ((준말)) =난초(蘭草).

난-(難) difícil. ~공사(工事) obra *f* difícil. ~문제(問題) problema *m* difícil.

-난(難) dificultad *f*. 자금~ dificultad *f* económica.

난가(亂家) familia *f* en confusión.

난가(難家) familia *f* en situación difícil.

난가(鸞駕) =연(輦).

난각(卵殼) =알껍질(cáscara de hueve).

난간(欄干) [계단·발코니 따위의] baranda *f*, barandilla *f*, barandal *m*; [계단의] pasamanos *m*; [다리·발코니 따위의] antepecho *m*, parapeto *m*, pretil *m*, balaustrada *f*.
■~뜰 =노대(露臺).

난감하다(難堪－) (ser) insoportable, inaguantable, insufrible, intolerable.

난거지 ((준말)) =난거지든부자.

난거지든부자(－富者) ☞나다

난건(難件) asunto *m* difícil.

난경(難境) situación *f* difícil.

난공(難攻) dificultad *f* del ataque.
■~불락(不落) calidad *f* inconquistable, cualidad *f* inexpugnable, lo inexpugnable, lo impenetrable. ¶~의 intacable, inconquistable, inexpugnable, impenetrable. ~의 요새(要塞) fortaleza *f* inconquistable. ~이다 (ser) inconquistable, inexpugnable, impenetrable, difícil de acercarse [aproximarse].

난공사(難工事) obra *f* de construcción difícil.

난관(卵管) 【해부】=나팔관(oviducto).
■~절개(切開) falotomía *f*. ~절개술(切開術) salpingotomía *f*.

난관(難關) barrera *f* fuerte, dificultad *f*. ~을 타개하다 abrir camino a través de la barrera. 많은 ~을 돌파하다 vencer a muchos obstáculos. 입시(入試)의 ~을 돌파하다 vencer [superar·salvar] la barrera del examen de ingreso.

난교(蘭交) relación *f* muy amigable.

난구(卵球) 【해부】=알세포.

난구(難句) frase *f* difícil.

난국(亂局) situación *f* tumultuosa, situación *f* tumultuaria].

난국(亂國) país *m* (*pl* países) tumultuoso, país *m* desordenado por la guerra.

난국(暖國) país *m* de clima templado.

난국(難局) situación *f* [posición *f*] grave [crítica·difícil], momento *m* crítico, crisis *f*, [정치의] crisis *f* política. ~에 처하다 estar en una crisis, estar en una situación difícil, estar en un aprieto, estar en un apuro. ~에 대처하다 enfrentarse con [hacer frente a] una situación crítica. ~을 극복하다 vencer la crisis. ~을 수습하다 salvar la situación. ~을 타개하다 superar [vencer] las dificultades, pasar por una crisis, encontrar una salida a la crisis, salir de apuros, salir del impasse, capear la tormenta.

난국(蘭菊) la orquídea y el crisantemo.

난군(亂君) rey *m* cruel.

난군(亂軍) ①[기율이 잡히지 않은 군대] ejército *m* en confusión. ②[적과 뒤섞이어 싸우는 군대] ejército *m* que combate con el enemigo. ③[반란을 일으킨 군대] tropas *fpl* rebeldes.

난기류(亂氣流) turbulencia *f*, aire *m* turbu-

lento.
난낭(卵囊) 【해부】 =알주머니.
난다긴다하다 ☞날다❶.
난당(亂黨) alborotadores *mpl*, revoltosos *mpl*, insurgentes *mpl*.
난대(暖帶) zona *f* subtropical.
■ ~림 bosque *m* subtropical. ~ 지방 región *f* subtropical.
난데 otra región *f*, otra comarca *f*. ~서 온 낯선 친구 amigo *m* extraño [amiga *f* extraña] que viene de la otra región.
난데없다 (ser) inesperado, imprevisto, repentino, súbito, abrupto, brusco; [당치않다] irrazonable, poco razonable, absurdo. 너의 행동은 아주 난데없는 것이다 Tu actitud es muy poco razonable. 이것은 난데없는 기쁨이다 ¡Qué sorpresa tan agradable!
난데없이 repentinamente, de repente, súbitamente, de súbito, de improvisto, sin previo aviso, de forma imprevista, cuando nadie lo esperaba, de pronto, abruptamente, bruscamente, con brusquedad, de manera absurda, absurdamente. ~ 나타나다 aparecer repentinamente [de repente · súbitamente]. 그는 ~ 지체했다 El tuvo un retraso imprevisto.
난도(亂刀) destrozo *m*, hachazo *m*, machetazo *m*, puñalada *f*.
■ ~질 puñalada *f*, destrozo *m*, hachazo *m*, machetazo *m*, cuchillada *f*, tajo *m*. ¶~하다 apuñalar, dar de puñaladas, destrozar, cortar a tajos, acuchillar, *Andes* tajear, *Col*, *Caribe* puñalear; [고기를] picar, moler, cortar en trozos pequeños. 칼로 ~하다 coser a puñaladas, dar (a *uno*) muchas puñaladas.
난도(難道) camino *m* difícil de andar.
난독(亂讀) lectura *f* caprichosa [variable], lectura *f* al tuntún. ~하다 leer (los libros) al tuntún [al alzar · a la ventura · sin orden ni concierto], leer variablemente.
난독(難讀) dificultad *f* de leer. ~하다 ser difícil de leer.
난동(暖冬) invierno *m* suave, invierno *m* moderado, invierno *m* templado.
난동(亂動) disturbio *m*, tumulto *m*, motín *m*.
난득(難得) dificultad *f* de obtener. ~하다 ser difícil de obtener.
■ ~지물(之物) artículo *m* difícil de obtener.
난든벌 ropa *f* para la casa y para la calle.
난든집 habilidad *f* experta, talento *m* hábil.
◆난든집(이) 나다 tener mucha práctica, tener mucha experiencia, llegar a dominar.
난등(蘭燈) lámpara *f* clara y hermosa.
난딱 fácilmente, con facilidad, sin dificultad alguna.
난령(蘭領) territorio *m* de los Países Bajos.
난령(鸞鈴) campanilla *f* del carro del rey chino.
난로(煖爐) estufa *f*, chimenea *f* (francesa), hogar *m* (doméstico). ~에 불을 지피다 encender la estufa, encender fuego en la chimenea. ~에 몸을 녹이다 calentarse junto a la chimenea. ~에 쬐다 calentarse a la estufa.
◆가스 ~ estufa *f* de gas. 석유 ~ estufa *f* de petróleo. 전기 ~ estufa *f* eléctrica.
난롯가(煖爐-) hogar *m*, alrededor [cerca] del hogar. ~에 앉다 sentarse al calor del fuego, sentarse junto a la chimenea, sentarse junto al hogar, sentarse alrededor [cerca] del hogar. 나는 ~에 앉았다 Me senté al calor del fuego / Me senté junto a la chimenea / Me senté junto al hogar.
난류(暖流) corriente *f* cálida [templada · marina].
난리(亂離) [전쟁(戰爭)] guerra *f*; [반란(叛亂)] rebelión *f*, sublevación *f*, revuelta *f*; [소요(騷擾)] disturbio *m*, tumulto *m*.
난립(亂立) abnegación *f*. ~하다 abnegar. 후보자가 ~하고 있다 Se presentan demasiados candidatos.
난마(亂麻) caos *m*, confusión *f*, desorden *m*. ~와 같다 estar en el estado caótico.
난막(卵膜) 【동물】 membrana *f* de huevo; [어란(魚卵) 따위의] corión *f* (*pl* coriones).
난만(爛漫) pleno esplendor *m*, gloria *f*. ~하다 (ser) exubelante, en pleno esplendor, en *su* gloria, floreciente en profusión.
난만히 florecientemente, exubulentemente.
난망(難忘) lo inolvidable. ~이다 ser inolvidable.
난매(蘭梅) la orquídea y el albaricoquero.
난맥(亂脈) ① [엉망] confusión *f*, desorden *m*, caos *m*. ~의 confuso, desordenado, caótico, turbulento. 이 회사의 경리는 ~ 상태다 La contabilidad de esta compañía es un completo desorden. 회사의 내부는 ~ 상태다 La administración interna de la compañía está en caos. ② 【한방】 pulso *m* en desorden.
난목(一木) =외올베.
난무(亂舞) danza *f* desordenada. ~하다 danzar desordenadamente.
난문(難文) =난문장(難文章).
난문(難問) ① [이해하기 힘든 문제] pregunta *f* difícil de entender. ② ((준말)) =난문제.
난문장(難文章) oración *f* difícil de entender.
난문제(難問題) problema *m* difícil de resolver, rompecabezas *m.sing.pl*. ~를 해결하다 solucionar un problema difícil, resolver una dificultad. 많은 ~에 직면하다 tropezar con muchas dificultades.
난물(難物) [물건] artículo *m* difícil de tratar; [사람] persona *f* difícil de tratar.
난민(亂民) pueblo *m* descontrolado, alborotadores *mpl*, revoltosos *mpl*, insurgentes *mpl*.
난민(難民) náufrago, -ga *mf*, refugiado, -da *mf*, siniestrado, -da *mf*, víctima *f* del siniestro.
■ ~ 구제 auxilio *m* de refugiados.
난바다 alta mar *f*, mar *f* abierta. ~에 a [en] alta mar, mar adentro. ~에 나가다 salir a alta mar, salir mar adentro. ~를 지나다

pasar por alta mar.

■ ~ 낚시 pesca *f* de altura.

난반사(亂反射) 【물리】 reflección *f* irregular [difundida · extendida]. ~하다 reflejar difundidamente [irregularmente].

난발(亂發) ① [난사(亂射)] tiro *m* sin puntería, descarga *f* irregular. ~하다 tirar sin puntería. ② =남발(濫發). ③ [(해서는 안될 말이나 무책임한 말을) 함부로 떠벌림] fanfarronada *f*, fanfarronería *f*. ~하다 fanfarronear, alardear.

난발(亂髮) pelo *m* desgreñado.

난방(亂邦) =난국(亂國).

난방(煖房/暖房) calefacción *f*. ~하다 calentar. ~된 방 habitación *f* con calefacción. ~을 넣다 [끊다] encender [apagar] la calefacción. 이 방은 ~이 잘되어 있다 Esta habitación está bien caldeada.

■ ~기 aparato *m* de calefacción. ~ 장치 [시설] calefacción *f*, radiador *m*; [설비] instalación *f* de calefacción. ¶~가 작동하지 않는다 La calefacción no funciona. 온수(溫水)~ termosifón *m*. ~ 조절 장치 termóstato *m*.

난방(蘭芳) aroma *f* de la orquídea.

난방(蘭房) ① [난초 향기가 그윽한 방] habitación *f* llena de la aroma de la orquídea. ② [여인들이 사용하는 아름다운 방] habitación *f* hermosa de la mujer.

난백(卵白) clara *f*, parte *f* transparente y líquida del huevo.

난번(一番) fuera de servicio. ~이다 [의사 · 간호사가] no estar de turno [guardia]; [경찰관 · 소방사가] no estar de servicio. 나는 오늘은 ~이다 Hoy estoy fuera de servicio / Hoy no entro de servicio / Hoy me toca libre / Hoy libro / No estoy de servicio / No estoy de turno [guardia].

■ ~일(日) día *m* de descanso, día *m* libre, día *m* que no toca (a *uno*) el servicio.

난벌 =나들잇벌.

난병(難病) enfermedad *f* difícil de curar, enfermedad *f* incurable [insanable · fatal · seria].

난보(爛報) 【역사】 =기별(奇別).

난봉 libertinaje *m*, desenfreno *m*.

◆ 난봉(을) 부리다 dedicarse al libertinaje. 난봉(을) 피우다 dedicarse al libertinaje intencional. 난봉(이) 나다 dedicarse al libertinaje.

■ ~꾼[쟁이] libertino *m*, calavera *m*, hombre *m* vicioso, pródigo *m*, despilfarrador *m*. ~ 생활 vida *f* libertina. ~ 자식 hijo *m* pródigo.

난부(懶夫) hombre *m* perezoso.

난부(懶婦) ① [게으른 여자] mujer *f* perezosa. ② =귀뚜라미.

난부자(一富者) ((준말)) =난부자든거지.

난부자든거지(一富者一) ☞나다

난분(卵粉) huevo *m* en polvo, polvo m del huevo.

난분할(卵分割) =난할(卵割).

난비(亂飛) vuelo *m* en todas direcciones. ~하다 volar en todas direcciones, revolotear. 새들이 ~한다 Los pájaros vuelan en todas direcciones. 나비들이 꽃에서 꽃으로 ~하고 있다 Las mariposas revolotean de flor en flor.

난사(亂射) [(총 · 대포 · 활 따위를) 함부로 쏨] tiro *m* sin puntería, descarga *f* irregular. ~하다 tirar sin puntería, disparar sin apuntar.

난사(難事) asunto *m* difícil [embarazoso · fastidioso] (de resolver), custión penosa, dificultad. 이것은 ~중의 ~이다 No hay más difícil que esto / No hay ninguna cosa tan difícil como ésta.

난사(蘭麝) ① [좋은 향] aroma *f* agradable. ② [난초꽃과 사향의 향기] perfume *m* de la flor de orquídea y de almizcle.

난사(爛死) muerte *f* por la quemadura. ~하다 morir de la quemadura.

난사람 persona *f* prominente, persona *f* destacada, persona *f* distinguida, persona *f* importante.

난산(難産) ① 【의학】 parto *m* difícil, parto *m* [laborioso]. ~하다 tener un parto difícil [laborioso], dar la luz de *algo* con dificultad. ② [일이 어려워 순조롭게 이루어지지 아니함] mucha dificultad. 새 내각의 조각은 ~일 것이다 La formación de nuevo gabinete será muy difícil [será atendida con mucha dificultad].

난삽(難澁) sufrimiento *m*, angustia *f*, zozobra *f*, pena *f*, turbación *f*. ~하다 sufrir, estar en turbación [apuro · dificultad]. 그는 매우 ~해 하고 있다 El está en grandes apuros. 난삽히 en turbación, en apuro, en dificultad.

난상(卵狀) =알꼴.

난상(難上) =극상(極上).

난상(爛商) bastante consulta *f*. ~하다 consultar bastante.

난색(暖色) color *m* cálido [caliente].

난색(難色) desaprobación *f*, dificultad *f*. ~을 표하다 mostrarse poco dispuesto a aprobar, mostrar desaprobación, tener *algo* de vacilación.

난생(卵生) oviparidad *f*, oviparismo *m*. ~하다 (ser) ovíparo.

■ ~ 동물 animal *m* ovíparo. ~ 설화(說話) narración *f* ovípara.

난생 처음(一生一) primero después del nacimiento.

난생후(一生後) después del nacimiento en este mundo.

난선(難船) naufragio *m*. ~하다 naufragar.

■ ~ 신호(信號) señal *f* de naufragio. ~자 náufrago, -ga *mf*.

난세(亂世) época *f* bélica [agitada · de disturbio], tiempos *mpl* turbulentos, tiempos *mpl* disturbados.

난세포(卵細胞) óvulo *m*.

난센 【인명】 Fridtjof Nansen (1861-1930) (노르웨이의 탐험가 · 자연주의자).

■ ~ 여권 pasaporte *m* de Nansen.

ㄴ

ㄴ

난센스(영 *nonsense*) disparate *m*, absurdo *m*, absurdidad *f*, tonterías *fpl*, estupideces *fpl*, desatino *m*. ~와 같은 말을 하다 decir tonterías [estupideces · disparates · absurdos]. 완전히 ~다 ¡Tonterías! / ¡Qué ridículo! / ¡Qué absurdo! / ¡Es completamente absurdo! 그것은 ~다 Eso es una tontería [una estupidez]. 그것이 사고였다고 주장하는 것은 ~다 Es absurdo [ridículo] afirmar que fue un accidente.

난소(卵巢) ovario *m*, overa *f*, [조류(鳥類)의] huevera *f*. ~의 ovárico.
■ ~ 고정술(固定術) ovariopexia *f*. ~ 고환 ovotestis *f*. ~관 ovariola *f*. ~ 그물 red *f* ovárica. ~ 기능 과다증 hiperovarianismo *m*. ~ 난관 절제술 ovariosalpingectomía *f*. ~ 낭포 quiste *m* ovárico. ~내 임신 embarazo *m* ovárico. ~ 동맥 arteria *f* ovárica. ~류(瘤) ovariocele *m*. ~망 red *f* ovárica. ~병(病) ovariopatía *f*. ~선(腺) glándula *f* nidamental. ~ 성형술(成形術) ooforoplástica *f*. ~ 수종 hidropesía *f* ovárica. ~ 신경통 ovariodisneuria *f*. ~ 연화(증) ooforomalacia *f*. ~염 ovaritis *f*. ~임신 preñez *f* ovárica. ~ 적출 extirpación *f* del ovario. ~ 절개술 ooforotomía *f*. ~ 절제술 ovariectomía *f*, ooforectomía *f*. ~종(腫) ovariocele *m*. ~ 주기 ciclo *m* ovárico. ~ 주위염 periooforitis *f*, periovaritis *f*. ~통 ovaralgia *f*. ~ 호르몬 hormona *f* ovárica..

난소(難所) paso *m* peligroso, lugar *m* fatigoso, camino *m* áspero.

난수표(亂數表) tabla *f* de números aleatorios.

난숙(爛熟) demasiada madurez *f*. ~하다 (ser) demasiado maduro, pasado. ~한 문화(文化) cultura *f* que ronda la decadencia por *su* madurez.
■ ~기(期) madurez *f*, edad *f* adulta. ¶~에 달하다 llegar a la madurez.

난시(亂時) tiempo *m* desordenado.

난시(亂視) vista *f* confusa, astigmatismo *m*; [사람] astigmático, -ca *mf*. ~의 astigmático. 그는 ~이다 El es astigmático / El tiene astigmatismo.
■ ~ 검정기[측정기] astigmómetro *m*. ~안(眼) ojos *mpl* astigmáticos. ~ 안경 anteojos *mpl* astigmáticos, gafas *fpl* astigmáticas.

난신[1](亂臣) [나라를 어지럽히는 신하] vasallo *m* traidor, vasallo *m* rebelde, súbito *m* pérfido [rebelde].
■ ~ 적자(賊子) traidor *m*, rebelde *m*.

난신[2](亂臣) [난세의 충신] vasallo *m* leal en los días turbulentos.

난실(暖室) ① [따뜻한 방] habitación *f* caliente. ②=온실(溫室).

난실(蘭室) ① [난초의 향기가 그윽한 방] habitación *f* llena de la aroma de la orquídea. ② [난초를 가꾸는 온실] invernadero *m* que se cultiva la orquídea.

난심(亂心) ① [어지러운 마음] locura *f*, demencia *f*, insania *f*, enajenación *f* mental. ② [미치광이] loco, -ca *mf*.

난알부민(卵 albumin) 【화학】 albúmina *f* de huevo.

난약(偄弱) debilidad *f*. ~하다 ser débil.

난어(難語) palabra *f* difícil de entender.

난업(難業) negocio *m* difícil de administrar.

난열(暖熱) calor *m* caliente.

난엽(蘭葉) hoja *f* de la orquídea.

난옥(亂獄) justicia *f* injusta.

난외(欄外) margen *m*, borde *m*. ~의 marginal. ~에 al margen. ~의 여백 espacio *m* marginal.
■ ~ 기사 noticias *fpl* de útima hora. ~주(註) nota *f* marginal, ladillo *m*.

난용(亂用) abuso *m*, mal uso *m*, uso *m* incorrecto, mala utilización *f*, malversación *f*, despilfarro *m*. ~하다 utilizar mal, emplear mal, despilfarrar, malversar, abusar (de).

난운(亂雲) 【기상】 =비구름.

난원형(卵圓形) óvalo *m*, figura *f* ovada, forma *f* oval.

난월(蘭月) julio *m* del calendario lunar.

난의(暖衣) ropa *f* templada.
■ ~ 포식(飽食) vida *f* abundante.

난의(難義) sentido *m* difícil de entender.

난이(難易) dificultad y facilidad, dificultad *f*. …의 ~에 따라 conforme a la [al grado de] dificultad de *algo*.
■ ~도 grado *m* de dificultad. ~율(率) ((체조)) grado *m* [nivel *m*] de dificultad.

난입(亂入) intrusión *f*, invasión *f* (repentina), irrupción *f*. ~하다 intrusarse, forzar una entrada (en), irrumpir (en), entrar de rondón. 사무소에 ~하다 entrar desordenadamente en la oficina. 폭력으로 ~하다 irrumpir con violencia (en). 두 무장 강도가 농장에 ~했다 Dos ladrones armados irrumpieron en la finca.
■ ~자 intruso, -sa *mf*.

난자(卵子) ①【생물】 óvulo. ②【식물】 =밑씨.

난자(亂刺) apuñalada *f*, cuchillada *f*, navajazo *m*; 【의학】 escarificación *f*. ~하다 apuñalar [acuchillar] violentamente; [피부를] escarificar. 그는 ~당해 죽었다 El había muerto apuñalado [acuchillado] / Le habían matado a puñaladas [a cuchilladas · a navajazos]. 그는 나를 칼로 ~하려 했다 El intentó apuñalarme [acuchillarme].

난자(難字) letra *f* difícil de entender.

난작(爛嚼) mascadura *f* bien bastante. ~하다 mascar bien bastante.

난작거리다 deshacerse [romperse] al tocar. 난작난작 deshaciéndose [rompiéndose] al tocar.

난잡하다(亂雜－) ① [어수선하여 혼잡하다] (estar) desordenado, confuso, desarreglado, farragoso. 난잡함 desorden *m*, confusión *f*, revoltijo *m*. 난잡하게 en desorden, sin orden, desordenadamente, confusamente. 난잡하게 놓다 poner (algo) en desorden. 그의 탁자 위는 ~ Sobre su mesa todo está

en desorden. ② [조촐하지 못하고 막되고 너저분하다] (ser) obsceno, lascivo, lúbrico, indecente. 난잡한 상상을 하다 imaginar(se) cosas [escenas] obscenas. 난잡한 생활을 하다 andar en malos pasos, llevar una vida licenciosa [desarreglada].
난잡히 desordenadamente, en desorden, sin orden, confusamente.

난장(-場) mercado *m* especial del campo.

난장(亂場) ((준말)) =난장판.
■ ~판 confusión *f*, desorden *m*, caos *m*, revoltijo *m*. ¶~이 되다 estar en desorden. ~이군! ¡Qué desorden! 모임은 ~으로 끝났다 La reunión terminó en medio de la confusión general. 책상은 ~이었다 El escritorio estaba en desorden. 침실은 ~이었다 El dormitorio estaba todo desordenado. 그녀의 장난감은 마루에 온통 ~이었다 Ella tenía todos los juguetes desparramados por el suelo. 그녀는 요리를 잘하지만 부엌을 ~으로 만든다 Ella cocina bien, pero deja la cocina hecha un desastre [un asco]. 너는 여기서 놀아도 좋지만 ~으로 만들지 마라 Tú puedes jugar aquí, pero no desordenes nada.

난장(亂張) paginación *f* errática.

난장(蘭章) ① [훌륭한 문장(文章)] oración *f* excelente. ② [남을 높이어 「그의 편지」] su carta.

난장초(爛腸草) 【식물】 begonia *f*.

난쟁이 ① [왜인(矮人)] enano, -na *mf*, pigmeo, -a *mf*, liliputiense *mf*, mirmidón *m*. ② [키가 작은 사람] persona *f* baja, hombre *m* bajo.

난적(亂賊) traidores *mpl*, rebeldes *mpl*.

난전(亂前) antes de la guerra.

난전(亂廛) =노점(露店).

난전(蘭田) campo *m* de las orquídeas.

난전(亂戰) combate *m* confuso. 이 시합은 ~이다 Este partido es muy movido.

난절도(亂切刀) =랜싯(lancet).

난점(難點) [어려운 점] dificultad *f*, punto *m* difícil [delicado]; [결점(缺點)] defecto *m*, falta *f*. 아무런 ~이 없다 No tiene ningún defecto. 조건에 ~이 있다 Algunas de las condiciones no son satisfactorias.

난정(亂政) mal gobierno *m*, desgobierno *m*, administración *f* corrupta.

난제(難題) problema *m* difícil (de resolver), proposición *f* difícil. .

난조(亂調) situación *f* desordenada sin moderación, discordia *f*, 【음악】 discordancia *f*, disonancia *f*, [맥박의] irregularidad *f*. ~의 desconcertado, desordenado; [혼란한] confuso, discordante. ~를 보이다 [투수가] perder control. ~에 빠지다 meterse en desorden [confusión].

난주(卵珠) =알세포.

난죽(蘭竹) la orquídea y el bambú.

난중(卵重) peso *m* del huevo.

난중(亂中) período *m* de guerra; [부사적] en medio de la guerra. ~에 durante la guerra.

난중(難重) =중난(重難).

난중지난(難中之難) lo más difícil de todos, la cosa más difícil.
■ ~사(事) la cosa más difícil de la difícil.

난증(難症) enfermedad *f* seria, caso *m* incurable.

난지(暖地) región *f* cálida.

난질 conducta *f* libertina de una mujer, acción *f* de tener relaciones sexuales ilícitas con un hombre. ~하는 여자(女子) desvergonzada *f*, descocada *f*, libertina *f*. 난질 가다 (la mujer) tener relaciones sexuales ilícitas con un hombre.

난질거리다 (ser) fofo, blando, endeble, poco sólido.
난질난질 fofamente, blandamente, endeblemente.

난처(難處) posición *f* delicada. ~하다 quedar corrido, encontrarse en una posición delicada, quedar(se) perplejo, estar perplejo, quedar confuso, turbarse, desconcertarse; [처치에 궁하다] no saber qué [cómo] hacer, estar en dificultad. ~한 입장(立場) situación *f* apurada [difícil · perpleja · embarazosa]. ~한 표정으로 con aire confuso, con cara confusa, con cara de perplejidad. ~하게 되다 [사람이 주어] verse envuelto en aprieto; meterse en un lío; [사물이 주어] andar [volverse] mal. 답변(答辯)이 ~하다 no saber qué contestar. 나는 어찌할 바를 몰라 ~했다 Me vi apurado [en un apuro] sin saber qué hacer. ~한 일이군요 ¡Qué problema! / ¡Qué papelón! / ¡Qué papeleta! ~하시겠군요 ¡Qué problema (tiene usted)! ~한 일이 생겼다 Ha surgido un problema. ~한 일로 나는 즉시 귀가해야 한다 Lo malo es que tengo que volver a casa en seguida. 나는 ~한 장소에서 그를 만났다 Me encontré con él en un lugar inoportuno. 그것은 ~하게 되었다 La cosa se ha vuelto mal / la hemos hecho / Hemos hecho buena cosa. 나는 몹시 ~했다 Me encontré totalmente apurado.

난청(難聽) dificultad *f* al oir. ~이다 tener dificultad al oir, no oir bien.
■ ~아(兒) niño, -ña *mf* que tiene dificultad al oír. ~자(者) persona *f* que tiene dificultad al oír. ~ 지역[구역] zona *f* adyacente a una estación en la que hay dificultad de recibir otras estaciones; [텔레비전의] zona *f* de bloqueo.

난초(蘭草) 【식물】 orquídea *f*.

난초(蘭蕉) 【식물】 =칸나(canna).

난초과(蘭草科) 【식물】 ((학명)) Orchidacae. ~의 orquidáceo. ~ 식물 orquidáaceas *fpl*.

난촉(蘭燭) luz *f* de una candela hermosa.

난총(蘭葱) 【식물】 =부추.

난총(蘭叢) bosque *m* de las orquídeas.

난추(蘭秋) julio *m* del calendario lunar.

난추니 【조류】 gavilán *m* (*pl* gavilanes).

난취(爛醉) =만취(滿醉).

난측(難測) dificultad *f* de medir. ~하다 me-

dir difícilmente.
난층운(亂層雲) =비구름.
난치(難治) dificultad *f* de curar, lo incurable. ~하다 (ser) casi incurable, difícil de curar. ~의 difícil de curar, casi incurable. ~의 암 cáncer *m* difícil de curar.
■ ~병 enfermedad *f* crónica [incurable · maligna · difícil de curar] ~성 간염(性肝炎) hepatitis *f* incurable.
난침모(－針母) costurera *f* no residente.
난타(亂打) golpe *m* sin orden ni concierto, alarma *f*. ~하다 golpear, dar repetidos golpes. 화재 경종을 ~하다 tocar campana dando alarma.
난태생(卵胎生) ovoviviparidad *f*. ~의 ovovivíparo. ~ 동물 ovovivíparo *m*.
난통(難－) situación *f* complicada y difícil.
난투(亂鬪) gresca *f*, pelea *f*, lucha *f* [pelea *f*] confusa [libre], refriega *f*, reyerta *f*. ~하다 luchar [pelear] confusamente. 바겐세일을 하는 첫날은 진짜 ~장이었다 El primer día de las rebajas era una auténtica batalla campal.
■ ~극(劇) escena *f* de pelea confusa.
난파(暖波) onda *f* cálida, ola *f* cálida.
난파(難破) naufragio *m*. ~하다 naufragar.
■ ~선(船) barco *m* naufragado. ~자 náufrago, -ga *mf*.
난파 약사(難波藥師) emigrantes *mpl* de *Baekje* que vivían alrededor de Osaka, Japón.
난편 생식(卵片生殖) =동정 생식(童貞生殖).
난포(卵胞) folículom *m*. ~의 folicular.
난포(蘭圃) campo *m* de las orquídeas.
난폭(亂暴) violencia *f*, violación *f*, brutalidad *f*, agresividad *f*, atrocidad *f*, conducta *f* revoltosa, desorden *m*, despropósito *m*. ~하다 violentarse (con), proceder a violencia, cometer afrenta, armar motines, conducirse revoltosamente. ~한 violento, brutal, agresivo; [조악한] grosero, rudo, brusco, desordenado, atroz, impetuoso, arrebatado, tosco, revoltoso, rústico, ilegal. ~하게 violentamente, agresivamente, brutalmente, groseramente, con brusquedad, con rudeza, rudamente, bruscamente, impetuosamente. ~한 태도 actitud *f* agresiva. ~한 사나이 bruto *m*, hombre *m* brutal, hombre *m* violento y grosero. ~한 어린이 niño *m* rudo, niña *f* ruda. ~한 행위 conducta *f* desordenada, conducta *f* ruda. ~하게 굴다 alborotar, armar jaleo; [폭도 따위가] amotinarse; [말이] desbocarse. ~하게 다루다 manejar [tratar] rudamente [bruscamente], usar *algo* con brusquedad [con rudeza]; [사람을] hacer trabajar (a *uno*) duramente y sin ninguna compasión, someter (a *uno*) a trabajos duros. ~한 언사(言辭)를 쓰다 usar lenguaje violento, usar palabras violentas. ~한 말을 하다 decir groserías. ~하게 운전하다 conducir bruscamente. 그는 기계를 ~하게 다룬다 El maneja la maquinaria con poco cuidado. 그의 말은 ~하다 El es rudo al hablar.
난폭히 violentamente, brutalmente, agresivamente, rudamente, bruscamente, con rudeza.
■ ~자(者) violento, -ta *mf*, bruto, -ta *mf*, agresivo, -va *mf*, hombre *m* brutal [revoltoso]; rufián *m*; pillo *m* (악당); galopo *m*; galopín *m*; tunante *m*.
난풍(暖風) viento *m* cálido.
난필(亂筆) escritura *f* apresurada. ~을 용서하십시오 Discúlpeme la escritura apresurada / Le pido perdón por mi mala escritura.
난하다(亂－) ① [질서가 없고 난잡하다] estar desordenado, estar en desorden. ② [빛깔 · 무늬 등이 지나치게 드러나 눈에 어지럽고 야단스럽다] (ser) llamativo, ostentoso, chillón (*pl* chillones). 난한 빛깔 color *m* chillón. 난하게 화장을 한 얼굴 cara *f* llamativo. espesamente pintada. 너무 ~ ser demasiado llamativo [chillón]. 그녀의 옷은 난한 핑크색이었다 Su vestido era de un rosa chillón.
난하다(難－) ① [어렵다] ser difícil. ② ((준말)) =곤란(困難)하다.
난한(瀾汗) ola *f* grande.
난함(欄檻) =난간(欄干).
난합(卵盒) =알합(盒).
난항(難航) ① [곤란한 항행(航行)] navegación *f* borrascosa. ~하다 navegar borrascosamente. ② [일을 진행하는 데 있어서의 난관] dificultad *f*, camino *m* arduo. ~하다 no marchar bien, avanzar despacio, tener un camino arduo que recorrer. 교섭(交涉)은 ~이다 Las negociaciones no marchan bien. 인선(人選)은 ~이었다 No fue fácil seleccionar una persona idónea.
난해(卵醢) =알젓.
난해(暖海) mar *m* subtropical, mar *m* templado.
난해하다(難解－) (ser) difícil de entender, difícil de comprender, intrincado, ininteligible, incomprensible. 난해함 dificultad *f* de entender, dificultad *f* de comprender. 난해한 글 estilo *m* difícil de comprender. 난해한 문제(問題) cuestión *f* difícil, problema *m* difícil, problema *m* intrincado.
난행(亂行) ① [난폭한 행동] violencia *f*, actitud *f* violenta. ② [음란한 짓] libertinaje *m*, desenfreno *m*, calaverada *f*, lujuria *f*.
난행(難行) ① ((불교)) ascetismo *m*, austeridad *f* religiosa. ~하다 paracticar ascetismo. ~의 생애(生涯) vida *f* penitencial, vida *f* de penitencia. ② [실행하기 어려움] dificultad *f* de practicar. ~하다 (ser) difícil de practicar.
난향(蘭香) aroma *f* de la orquídea.
난험(難險) =험난(險難).
난형(卵形) forma *f* oval, forma *f* de huevo. ~의 oval, ovalado, ovoide, en forma de huevo.
■ ~ 곡선 curva *f* oval. ~물 ovoide *m*. ~장식 ovo *m*.
난형난제(難兄難弟) casi igualdad *f*. ~의

competido estrechamente, de dindán. A와 B는 ~다 A y B son igualmente [a cuál más] competentes / A es tan competente como B. 두 사람은 바둑을 ~로 잘 둔다 Los dos son igualmente buenos jugadores de *baduk* / Los dos juegan igualmente bien al *baduk*.

난형낭(卵形囊) 【해부】 utrículo *m*.

■ ~염(炎) 【의학】 utriculitis *f*.

난혼(亂婚) promiscuidad *f*, relaciones *fpl* sexuales promiscuas.

난화(蘭花) flor *f* de la orquídea.

난황(卵黃) yema *f* (de huevo). ~의 vitelino, de yema.

■ ~낭(囊) saco *m* de yema, saco *m* vitelino, vitelículo *m*. ~막(膜) membrana *f* vitelina, membrana *f* ovular. ~배(胚) lecicitoblasto *m*. ~분(粉) yema *f* en polvo. ~색(色) color *m* de yema. ~ 생성(生成) vitelogénesis *m*. ~소(巢) vitelina *f*. ~ 용해 deuteroplasmolisis *f*. ~ 정맥 vena *f* vitelina. ~질 deutoplasma *f*.

난후(亂後) después de (terminar) la guerra.

낟 grano *m* de los cereales.

낟가리 almiar *m* (de heno), montón *m* (*pl* montones) (de maderas).

낟알 grano *m*.

날[1] ① [하루 동안] día *m*. 어느 ~ [과거의] un día; [미래의] algún día. ~로 día a día, de día en día, cada día, todos los días. ~이 갈수록 cada día más. 그~부터 desde aquel día, a partir de aquel día. 난 지 다섯 ~ 된 병아리 un pollito de cinco días. 일년 중 가장 긴 ~ el día más largo del año. 내 생애 가장 행복한 날들 los días más felices de mi vida. 그들이 떠난 ~(에) el día que ellos se fueron. 날씨가 좋은 ~에는 en los días claros, cuando hace buen tiempo. ~을 정하다 fijar un día. 적합한 ~을 정하다 fijar un día conveniente. 여러 ~이 지났다 Pasaron muchos días. 오늘은 불길한 ~이다 Hoy es un día nefasto. ~이 갈수록 시원해진다 El tiempo se hace cada día más fresco / Aumenta el frío a medida que pasan los días [con los días · día tras día · de día en día]. 그는 스무 ~ 있으면 도착한다 El llega dentro de veinte días. 내가 혐의를 풀 ~이 올 것이다 Llegará el día en el que se me haga justicia. ② [하루의 낮 동안] día *m*. ~이 새다 quebrar [rayar · reír · romper] el alba. ~이 저물다 atardecer, anochecer. ~이 저문다 Atardece. ③ ((준말)) =날씨(tiempo). ¶~이 좋건 나쁘건 que llueva o no, con buen o mal tiempo. ~이 덥다 [춥다 · 시원하다] Hace calor [frío · fresco]. 구름 한 점 없이 ~이 좋다 Hace buen tiempo sin una sola nube. ④ ((준말)) =날짜(fecha). ¶졸업 ~을 정하다 fijar la fecha de la graduación. ⑤ [경우이면] en (el) caso de; [문장 앞에서] en (el) caso (de) que + *subj*. 화재(火災)가 일어나는 날에는 en caso del fuego. ⑥ [때 · 시기 · 시절] momento *m*, tiempo *m*, época *f*. cuando. 조국 통일이 이루어지는 그~ el momento que se efectue la unificación de la patria. 내가 성공하는 ~에는 cuando yo he tenido el éxito. 학도들이여, 젊은 ~의 한 시간을 아껴 쓰라 Estudiantes, escatimad un momento en la juventud.

◆다음 ~ el día siguiente. 전(前)~ el día anterior. 최후 심판의~ el día del Juicio Final.

날이 날마다 todos los días, cada día. ~ 걱정하다 preocuparse todos los días.

날이면 날마다 =날이 날마다.

날[2] [연장의 날카롭고 얇은 부분] filo *m*, corte *m*, hoja *f*. ~이 선 afilado, cortante; *AmL* filoso; *Chi*, *Per* filudo. ~이 없는 embotado, obtuso. 양쪽에 ~이 있는 칼 el arma *f* (*pl* las armas) de dos filos. 날이 선 칼 cuchillo afilado.

◆날(을) 세우다 afilar, sacar filo, dar un filo [un corte]. 칼의 ~ afilar un cuchillo. 톱의 ~ afilar una sierra. 면도칼의 ~ sacar filo a una navaja. 날(이) 서다 afilarse.

날[3] [피륙 · 돗자리 따위를 짜거나, 짚신 · 미투리 따위를 삼거나 할 때, 세로 놓인 실 · 노끈 · 새끼 따위] urdimbre *f*.

날- ① ㉮ [음식이나 열매를 익히지 아니한] crudo. ~고기 carne *f* cruda. ~달걀 huevo *m* crudo [fresco]. ~생선(生鮮) pescado crudo. ㉯ [아직 익지 아니한] verde. ~고추 ají *m* [chile *m*] verde. ② [마르지 아니한] mojado. ~장작 leña mojada. ③ [가공하지 아니한] en bruto, no elaborado, no curtido. ~가죽 piel *f* en bruto [no curtida]. ④ [매우 악랄하고 지독한] sucio, astuto. ~강도(强盜) salteador *m* sucio [astuto]. ~도둑 ladrón *m* (*pl* ladrones) sucio. ⑤ [장사를 아직 다 치르지 아니한] en servicio funeral. ~상가(喪家) familia *f* en luto en servicio funeral.

날가죽 piel *f* en bruto, piel *f* no curtida. ~을 벗기다 desollar [despellejar] (*algo*).

날감 caqui *m* verde, kaki *m* verde, caqui *m* áspero, kaki *m* áspero.

날강도(一强盜) salteador *m* astuto [sucio], salteadora *f* astuta [sucia]; ladrón *m* (*pl* ladrones) descarado, ladrona *f* descarada; mafioso, -sa *mf*.

날강목치다 excavar en vano.

날개 [새나 곤충류의] el ala *f* (*pl* las alas); [날개나 꼬리의 긴 깃] pluma *f*; [깃털] plumón *m* (*pl* plumones); [깃털 전체] pluma *f*, plumaje *m*; [폭탄 · 어뢰 따위의] timón *m* (*pl* timones); [프로펠러 · 선풍기 · 터빈 따위의] paleta *f*. ~ 달린 alado, con alas, plumado, con plumas. ~달린 곤충 insecto *m* plumado. ~ 달린 모자 sombrero *m* con plumas. ~를 치다 aletear, batir las alas. ~를 펴다 desplegar las alas, extender las alas; [공작 따위가] hacer la rueda. 새의 ~를 뽑다 desplumar [pelar] un ave.

◆날개(가) 돋치다 ㉮ [상품 따위가 시세를 만나 몹시 빠른 속도로 팔리다] venderse

como (el) pan caliente. ㉯ [의기가 치솟다] estar en espíritus ardientes. 날개(가) 돋친 듯 como (el) pan caliente, como rosquillas. ~ 팔리다 venderse como (el) pan caliente [como rosquillas]. 날씨가 더워 아이스크림이 ~ 팔렸다 El helado se vendió como el pan caliente por el calor.
■ ~ㅅ죽지 ㉮ [날개의 뿌리 부분] parte *f* que el ala está pegada. ㉯ ((속어)) =날개[1]. ~ㅅ짓 aleteo *m*, aletada *f*, batimiento *m* de alas. ¶~을 하다 aletear, batir [sacudir] las alas.

날것 crudeza *f*, lo crudo. 굴은 ~으로 먹는다 Las ostras se comen crudas. 나는 ~을 좋아하지 않는다 No me gusta lo crudo.

날고기 carne *f* cruda; [날생선] pescado *m* crudo.

날고추 ají *m* verde, chile *m* verde, ají *m* [chile *m*] no secado.

날고치 =생고기.

날공전(-工錢) =날삯.

날귀 dos filos.

날금 [경선(經線)] meridiano *m*.

날기와 teja *f* no cocida al sol.

날김치 *nalkimchi*, *kimchi* verde en sazón.

날다[1] ① [(항공기・새・곤충 따위가) 공중에 떠서 움직이거나 달리다] volar; [활공하다] planear; [여기저기를] revolotear. 나는 새 el pájaro que vuela. 높이 ~ volar alto. 낮게 ~ volar bajo. 비둘기가 ~ volar la paloma. 마드리드로 ~ ir en avión a Madrid. 서울의 상공을 ~ volar sobre [por encima de] Seúl, sobrevolar Seúl. 날아 가다 irse volando. 날아 나가다 salir volando. 날아 들어오다 entrar volando. 나는 새를 쏘다 tirar a un pájaro que vuela. 나는 새를 떨어뜨리는 기세다 tener un poder irresistible. 비행기[새]가 난다 Vuela un avión [un pájaro]. 나비가 난다 Revolotea una mariposa. 새가 새장에서 날아 갔다 El pájaro se escapó (volando) de la jaula. 우리는 1만 미터 상공을 날고 있다 Volamos a diez mil metros. 우리는 서울 상공을 날고 있다 Volamos sobre Seúl / Sobrevolamos Seúl. ② [몹시 빠른 동작으로 움직이다] correr, ir volando, salir volando. 번개처럼 날아드는 주먹 puño *m* que vuela como un relámpago. 우리들은 나는 듯이 모퉁이를 돌았다 Doblamos la esquina volando. 그들은 나는 듯이 계단을 올라갔다 Ellos subieron las escaleras ③ [공중으로 몸을 솟구어 높이 뛰다] saltar alto. ④ [빛깔이 바래어 희미해지거나 없어지다] perder intensidad, apagarse, descolorase, perder color, desteñirse, despintarse; [얼룩이] salir, borrarse. 색이 난 apagado, desvaído; [천・청바지가] que ha perdido el color, desteñido; [사진・글씨의] descolorido, desvaído. 색을 날리다 desteñir, hacer perder el color (a), apagar. 이 얼룩은 쉽게 날지 않는다 Esta mancha no sale con facilidad. 햇볕이 강해서 커튼의 빛깔이 날았다 La luz del sol hizo perder el color a las cortinas. ⑤ [(냄새가 흩어져) 없어지다] desaparecer, disiparse, perder olor. 향기(香氣)가 ~ perder perfume, perder aroma. ⑥ [(액체가) 기체로 변하여 없어지거나 줄어들다] evaporarse. 알코올이 ~ el alcohol evaporarse. ⑦ ((속어)) =달아나다(escapar, huir).
난다 긴다 하다 (ser) rápido, alerta, talentoso, de talento, hábil, experto, elegante, tener habilidad, tener talentos. 난다 긴다 하는 사람 experto, -ta *mf*, hombre *m* de gran talento, hombre *m* de mucha habilidad.
날아가다 ㉮ volar, llevar(se). 공이 매우 멀리 날아갔다 La pelota ha volado muy lejos. 바람으로 그의 모자가 날아갔다 El viento se llevó su sombrero / Con el viento voló su sombrero. 강풍(强風)으로 지붕이 날아갔다 El ventarrón se llevó el tejado. ㉯ ((성경)) irse, escaparse.
날아다니다 [새가] volar, revolotear.
날아들다 entrar de improviso; [손님이] entrar al pasar; [물건이] llegar; [재앙(災殃)이] acontecer. 묘한 편지가 나한테 날아들었다 Me ha llegado una carta extraña. 창으로 눈이 날아든다 Unos copos de nieve penetran por la ventana.
날아예다 =날아가다.
날아오다 venir volando. 탄환이 날아온다 Vienen volando las balas.
날아오르다 [공중에] levantar [tomar・alzar] el vuelo, echar a volar, elevarse, subir volando; [잎이] girar; [연기가] elevar rizándose, girar a través del aire; [비행기가] despegar(se). 공항을 ~ despegar(se) del aeropuerto.

날다[2] ① [(피륙을 짜려고) 날실을 새의 수에 따라 길게 늘이다] hilar. ② [(가마니 따위를 짜려고) 틀에 날을 걸다] enhebrar la urdimbre.

날다람쥐 【동물】 ardilla *f* volante.

날단거리 leña *f* secada tan pronto como se corta.

날도(-度) 【지리】 longitud *f*.

날도둑놈 ladrón *m* (*pl* ladrones) muy astuto.

날도둑질 robo *m* muy astuto.

날도래 【곤충】 frigánea *f*.

날들다 despejar, aclarar, clarear.

날땅 terreno *m* incultivado.

날떠퀴 【민속】 suerte *f* del día.

날뛰다 ① [함부로 마구 덤비거나 거칠게 행동하다] ponerse violento, ponerse brutal, pugnar, alborotarse, desenfenarse; [말이] desbocarse. 말이 ~ desbocarse un caballo. ② [몹시 바쁘게 어떤 일에 골몰하다] dedicarse (a), estar absorto (en). ③ [(일부 형용사의 「-아」 「-어」 등으로 된 말 다음에 와) 어쩔 줄 모르고 마구 행동하거나 몹시 골몰하다] dar saltos, saltar, brincar. 기뻐 ~ dar saltos [saltar・brincar] de alegría, exultar, regocijarse.

날라리 ① 【악기】 *nalari*, trompeta *f* con el latón infundibuliforme en la flauta del bambú de ocho hoyos. ② ((은어)) perro

m. ③ ((은어)) radio f. ④ ((은어)) maestro, -tra mf; profesor, -ra mf.

날래다 (ser) rápido, pronto, veloz; [몸이 가볍다] ágil. 날래게 rápidamente, rápido, de prisa, pronto, ágilmente, con agilidad. 버스에 날래게 오르다 subir de un salto ágil al autobús.

날려보내다 ☞날리다.

날렵하다 ① [재빠르고 날래다] (ser) ágil, veloz. 날렵하게 ágilmente, con agilidad, rápidamente. 날렵하게 몸을 피하다 apartarse con agilidad, esquivar rápidamente. 그는 나를 보자마자 날렵하게 숨었다 Tan pronto como él me vio, corrió a esconderse. ② [매끈하게 맵시가 있다] (ser) elegante, fino.
날렵히 ágilmente, con agilidad, rápidamente, de prisa, pronto, velozmente; elegantemente, con elegancia.

날로[1] [날것인 그대로] crudo; [미가공의] natural, fresco. ~ 먹다 comer *algo* crudo.

날로[2] [나날이] de día en día, cada día, todos los días, diariamente. 날씨가 날로 추워진다 Va haciéndose cada día más frío.

날름[1] =판(瓣).
■ ~막(膜) 【생물】 =판막(瓣膜). ~쇠 ㉮ [총의 방아쇠를 걸었다가 떨어뜨리는 쇠] percusor m, percutor m. ㉯ [물건을 퉁겨지게 하려고 장치한 쇠] muelle m, AmL resorte m. ㉰ [무자위의 아래위 부분에 있는 판(瓣)] válvula f.

날름[2] ① [날쌔게] como una flecha, con un movimiento rápido, rápidamente. 방으로 ~ 들어가다 entrar como una flecha en una habitación. 방에서 ~ 나가다 salir como una flecha de una habitación. 나는 숲 뒤로 ~ 달려가 숨었다 Yo corrí a esconderse detrás de un arbusto. ② [혀를] disparando. ~혀를 내밀다 sacar la lengua.
날름거리다 disparar. 도마뱀이 혀를 날름거렸다 La lagartija disparó la lengua. 도마뱀이 혀를 날름거려 파리를 잡았다 La lagartija atrapó a la mosca de un lengüetazo.
날름날름 disparando y disparando.

날리다[1] [(이름 따위를) 널리 떨치다] ganar fama, conseguir prosperidad, ser popular. 이름을 ~ hacerse un nombre en el mundo.

날리다[2] ① [(지니고 있던 재물 따위를) 헛되게 잃어 버리거나 없애다] perder (todo), gastar, derrochar, despilfarrar. 그는 자동차에 재산을 날렸다 El ha derrochado una fortuna en coches. 그는 먹는 데에 재산을 날려 버렸다 El se derrochó su fortuna comiendo en restaurantes. ② [(일을) 공을 들이지 아니하고 대강대강 함부로 해치우다] escatimar [cicatear · AmL mezquinar] *su* trabajo, hacer el trabajo descuidado, hacer la obra precipitada. 공사를 날려서 하다 hacer una obra mal construida.

날리다[3] volarse, ser volado, quitar; [바람이] llevar(se), ser lanzado. 바람에 날려 쌓인 눈 nieve f amontonada por la ventisca, ventisquero. 바람이 불어 책 위에 쌓인 먼지를 ~ quitar el polvo de un libro soplando. 집 옆에 바람에 날려 눈이 쌓였다 El viento amontonó la nieve al lado de mi casa. 태풍이 지붕을 날렸다 El tifón se llevó el tejado. 나는 바람으로 모자를 날렸다 El viento se llevó el sombrero. 폭풍(爆風)이 그를 날렸다 El fue lanzado por la explosión. 폭풍(暴風)이 지붕을 날렸다 Una borrasca se llevó el tejado. 바람이 구름을 날린다 El viento despeja de nubes el cielo. 먼지가 날려 올라간다 Se levanta polvo. 낙엽이 날려 올라간다 Se arremolinan las hojas caídas.

날리다[4] [날게 하다] volar, dejar [hacer] volar, pilotar, *Andes* hacer encumbrar, *RPI* remontar; [공·돌 따위를] lanzar, arrojar, tirar, echar. 모형 비행기를 ~ hacer volar un aeromodelo. 돌을 멀리 ~ arrojar una piedra hacia lejos. 풍선(風船)을 ~ lanzar [hacer subir] un globo; [손에서 놓아 주다] dejar escapar un globo.
날려 보내다 ㉮ [날아서 가게 하다] hacer volar. 비둘기를 ~ hacer volar la paloma. ㉯ [살림이나 밑천을 다 없애다] gastarlo todo.

날림 ① [공을 들이지 않고 물건을 아무렇게나 날려서 만드는 일] mala hechura f, mala confección f, mala construcción f, mala fabricación f. ~의 ㉮ mal hecho, de mala calidad, poco sólido, mal construido, construido por chapuceros, poco esmerado, poco elaborado, poco concienzudo. ㉯ [결점·오류가 많은] defectuoso, imperfecto, deficiente. ~ 계획(計劃) proyecto m poco elaborado. 이 공사는 ~이다 Esta obra está hecha con poco esmero / Esta obra está construida por chapuceros. ② =날림치.
■ ~ 공사 obra f mal construida, obra f construida por chapuceros, trabajo m poco concienzudo, trabajo m mal hecho, trabajo descuidado. ¶~를 하다 hacer el trabajo mal hecho, trabajar descuidadamente. ~ 글씨 letra f descuidada. ~일 chapuza f, trabajo m descuidado. ~집 casa f de muy mala calidad, casa f poco sólida, casa f endeble, estructura f mal construida, estructura f construida por chapuceros. ~치 objeto m poco concienzudo.

날마다 todos los días, cada día, diariamente, de día en día, día tras día. ~ 하는 일 rutina f diaria, rutina f cotidiana. 거의 ~ casi todos los días. ~ 따뜻해져 간다 Va haciéndose [Se hace] cada día más templado.

날망제 【민속】 el alma f que no exorciza, espíritu m inquieto.

날매같다 ser muy ágil.

날목(-木) madera f mojada, madera f no secada.

날물 el agua f que sale.

날밑 guarnición f.

날바늘 aguja *f* sin hilo.
날바닥 suelo *m* sin alfombrar.
날바람둥이 paseante *mf* en espíritus altas.
날바람(을) 잡다 pasear(se) [deambular] en espíritus altos.
날바람쟁이 =날바람둥이.
날반죽 masa *f* con agua fría. ~하다 amasar con agua fría.
날밤[1] noche *f* que uno se queda levantado toda la noche.
◆날밤(을) 새다 ((준말)) =날밤(을) 새우다. 날밤(을) 새우다 quedarse levantado toda la noche. 그녀는 날밤을 새웠다 Ella se quedó levantada toda la noche.
■ ~집 bar *m* que se queda levantado toda la noche.
날밤[2] [날것대로의 밤] castaña *f* cruda.
날벌레 insecto *m* volante.
날벼 arroz *m* con cáscara no secado.
날변(-邊) interés *m* diario.
날보리 cebada *f* no secada.
날불한당(-不汗黨) sinvergüenza *mf* descarado, -da; bribón *m* (*pl* bribones) [pillo *m*] descarado [desvergonzado · sinvergüenza]; bribona *f* [pilla *f*] descarada [desvergonzada · sinvergüenza].
날붙이 instrumento *m* cortante, cuchillo *m*; [넓은 칼의] cuchilla *f*; [집합적] cuchillería *f*.
날빛 =햇빛.
날사이 unos días pasados, estos días.
날삯 jornal *m*, salario *m* [sueldo *m*] diario, paga *f* diaria.
■ ~꾼 jornalero, -ra *mf*.
날상가(-喪家) casa *f* que está de luto.
날상제(-喪制) persona *f* nueva que está de luto.
날새 ((준말)) =날사이. ¶~ 안녕하십니까? ¿Cómo está usted estos días? / ¿Cómo le va estos días?
날샐녘 el alba *f*, aurora *f*, madrugada *f*. ~에 al rayar el alba, al alba, al amanecer.
날성수(-星數)【민속】suerte *f* del día.
날수(-數) ① [날의 수효] número *m* de los días. ② ((준말)) =날성수.
날숨 espiración *f*, exhalación *f*. ~ 쉬다 espirar, exhalar.
날실[1] [삶지 아니한 실] hilo *m* crudo.
날실[2] [피륙의 날을 이룬 실] hilo *m* de urdimbre.
날쌀 arroz *m* crudo, arroz *m* no cocido.
날쌍날쌍 completamente abierto, completamente flojo.
날쌍하다 (ser) abiertamente entretejido.
날쌔다 (ser) ágil, rápido, veloz, ligero, pronto, presto, *AmL* ser una lanza. 날쌔게 ágilmente, con agilidad, rápidamente, rápido, con rapidez, velozmente, con toda prontitud, como un rayo, ligeramente. 날쌘 청년 joven *m* ágil. 날쌔게 몸을 비키다 esquivarse ligeramente. 날쌔게 담장을 뛰어넘다 saltar legeramente la cerca. 날쌔게 말에 오르다 montar ágilmente (a horcajadas) el caballo. 그는 동작이 무척 ~ El es muy ágil (de movimiento).
날씨 [일기(日氣)] tiempo *m*. 좋은 ~ buen tiempo *m*. 나쁜 ~ mal tiempo *m*. 흐린 ~ tiempo *m* nublado. 안개가 짙은 ~ tiempo *m* cargado. 썰렁한 ~ tiempo *m* crudo. ~가 좋건 나쁘건 que llueva o no, con buen o mal tiempo. ~가 개다 aclararse el cielo, escampar, despejar. 오늘 ~는 어떻느냐? ¿Qué tiempo hace hoy? 아주 좋은 ~다 Hace muy buen tiempo. 궂은 ~다 Hace mal tiempo. ~가 기막히게 좋군요 ¡Qué buen tiempo hace! 이곳은 늘 이렇게 ~가 좋습니까? ¿Hace siempre tan buen tiempo aquí? ~가 나빠진다 [궂어진다] El tiempo (se) empeora. ~가 좋아진다 [개다] El tiempo (se) mejora / Se aclara el tiempo. ~가 수상하다 [괴상하다] El tiempo está inestable [dudoso · incierto] / (El tiempo) Está amenazando (con) lluvia / Amenaza lluvia / El cielo se ensombrece / El tiempo se está poniendo feo [amenazador]. ~가 활짝 개었다 Se ha despejado el cielo. ~가 계속 좋다 Continúa el buen tiempo. ~에 달렸다 Depende del tiempo. 정말 지겨운 ~다 ¡Qué tiempo más detestable [molesto]! 지금이라도 비가 내릴 듯한 ~다 Amenaza llover / (El tiempo) Está amenazando lluvia. 이런 ~로는 외출할 수 없다 Con este tiempo no puedo salir de casa. ~가 좋으면 해수욕을 갑시다 Si hace buen tiempo, vamos a la playa. 내가 여행하는 동안은 ~가 기막히게 좋았다 Hizo un tiempo magnífico durante mi viaje. 오늘은 소풍 가기 좋은 ~다 Hoy hace buen tiempo ideal para ir de excursión.
날씬하다 (ser) esbelto, delgado; [허리 · 목이] fino, delgado. 날씬함 delgadez *f*, esbeltez *f*. 날씬한 손가락 dedos *mpl* finos. 날씬한 여자(女子) mujer *f* esbelta. 날씬하게 하다 adelgazar, bajar de peso; [운동 등으로] hacer régimen, hacer dieta. 날씬하고 연약하다 ser fino [delgado]. 키가 ~ ser de talle esbelto.
날씬히 esbeltamente, delgadamente, finamente.
날아가다 ☞날다[1]
날아다니다 ☞날다[1]
날아들다 ☞날다[1]
날아예다 ☞날다[1]
날아오르다 ☞날다[1]
날아편(-阿片) =생아편(生阿片).
날연(苶然) =날연히.
날연하다 =나른하다.
날연히 =나른히.
날염(捺染) estampación *f*. ~하다 estampar. ~된 estampado.
■ ~공(工) estampador, -dora *mf*. ~ 공장 estampería *f*. ~기(機) máquina *f* de estampación. ~ 무늬 estampación *f*.
날유(捋乳) ordeño *m*. ~하다 ordeñar, extraer la leche.
날인(捺印) selladura *f*. ~하다 sellar, poner el

sello, estampar el sello (en). 서명 ~하다 sellar y firmar.

■ ~기(器) sellador *m*, sello *m*. ~소(所) sello *m*. ~자(者) sellador, -dora *mf*. ~ 증서 certificado *m* sellado. ¶조건부 ~ fideicomiso *m*. ~ 증서 계약(證書契約) contrato *m* sellado.

날일 jornal *m*, empleo *m* diario.

날장(捺章) =날인(捺印).

날장작(-長斫) leña *f* mojada.

날전복(-全鰒) oreja *f* marina cruda.

날젖 leche *f* cruda.

날조(捏造) invención *f*, falsificación *f*, falsedad *f*. ~하다 forjar, inventar, fabricar, hacer con artificio, crear con maña, falsificar. ~된 forjado, inventado. 보고서를 ~하다 enjaretar un informe. 그 말은 완전 ~다 Es una pura invención [fábula].

■ ~ 기사 invención *f*, historia *f* inventada, informe *m* inventado. ~자 falsificador, -dora *mf*; falseador, -dora *mf*.

날줄 =날금.

날짐승 el ave *f* (*pl* las aves), el ave *f* que tiene alas.

날짜[1] ① [작정된] fecha *f*, data *f*. ~가 없는 sin fecha. ~순으로 por orden de fechas. 이 ~부터 a partir de esta fecha. 금월 10일 ~로 con la fecha 10 del corriente. ~를 쓰다 poner fecha, datar, fechar. ~를 정하다 fijar la fecha (para), determinar el día (de). ~를 앞당기다 adelantar la fecha (de). ~를 연기하다 aplazar la fecha (de). ② [어느 날이라고 정한 날] día *m*. 회합 ~는 미정(未定)이다 No está determinado todavía el día de reunión. ③ [일수] (número *m* de) días *mpl*. ~는 얼마나 걸립니까? ¿Cuántos días se tarda? 완성하는 데 여러 ~가 걸린다 Los días son requeridos para terminarlo.

■ ~ 도장 sello *m* del día. ~ 변경선 línea *f* del cambio de fecha. ~선 =날짜 변경선.

날짜[2] ① =날것. ② [일에 익숙하지 못한 사람] persona *f* inexperta; novato, -ta *mf*; pardillo, -lla *mf*. 나는 그런 ~는 처음 보았다 Nunca he visto a tal novato.

날짝지근하다 (estar) lánguido, cansado. 날짝지근히 lánguidamente.

날짱거리다 portarse lentamente, (ser) perezoso, holgazán (*pl* holgazanes), haragán (*pl* haraganes), flojo.

날찍 ganancias *fpl*, beneficios *mpl*, *AmL* utilidades *fpl*.

날찐 halcón *m* (*pl* halcones) salvaje.

날치[1] ① [날아가는 새를 쏘아 잡는 짓] caza *f* de aves. ② [날쌘 것] rapidez *f*, prontitud *f*. ③ ((준말)) =날치꾼.

■ ~꾼 buen cazador *m* de aves.

날치[2] [날마다 이자를 무는 빚] deuda *f* que se paga el interés todos los días.

날치[3] 【어류】 volador *m*, pez *m* (*pl* peces) volante.

날치기 ① [행위(行爲)] hurto *m*, ratería *f*, robo *m*. ~하다 hurtar, ratear, atrapar, sisar, robar. 나는 가방을 ~당했다 Me robaron la maleta de un tirón [*AmL* de un jalón (*CoS* 제외)]. ② [사람] hurtador, -dora *mf*; ermitaño *m* de camino.

■ ~ 공사 obras *fpl* descuidadas. ~꾼 hurtador, -dora *mf*; ermitaño *m* de camino.

날카롭다 ① [끝이 뾰족하거나 날이 서 있다] (ser) agudo, puntiagudo, afilado; *AmL* filoso; *Chil, Per* filudo; [잘 잘리는] cortante; [물건이] de bordes afilados. 날카롭게 하다 afilar, aguzar, hacer afilar. 날카로운 칼 cuchillo *m* bien afilado [cortante]. 날카로운 부리 pico *m* agudo. 연필을 날카롭게 깎다 sacar punta a un lápiz. 이 칼은 아주 ~ Este cuchillo está bien afilado. ② [감각이 예민하다] (ser) perspicaz, penetrante, sutil, fino. 청각(聽覺)이 ~ tener el oído fino. 그는 청각이 ~ El tiene el oído fino. ③ [생각하는 힘이 빠르고 정확하다] (ser) perspicaz, sagaz, agudo. 날카로운 두뇌(頭腦) inteligencia *f* aguda. 날카로운 판단(判斷) juicio *m* perspicaz [sagaz]. 머리가 ~ ser perspicaz [sagaz]. ④ [자극에 대한 반응이 지나치게 민감하다] (ser) agudo, intenso, nervioso. 날카로운 통증 dolor *m* agudo [intenso]. 날카로운 비명 소리 grito *m* estridente, chillido *m*. 날카로운 목소리로 con una voz nerviosa. 신경(神經)이 너무 ~ ser muy [demasiado] nervioso. 그는 흥분해서 날카롭게 외친다 El está excitado y habla con voz chillona. ⑤ [기세가 무섭다] (ser) agudo, intenso, penetrante, violento, impetuoso, mordaz. 날카로운 공격(攻擊) ataque *m* violento [impetuoso]. 날카로운 비판 crítica *f* mordaz. 날카로운 시선(視線) mirada *f* penetrante [aguda]. 시선이 ~ tener una mirada penetrante [aguda]. ⑥ [형세가 매우 긴장되어 있다] (ser) intenso, firme. 날카로운 대립(對立) oposición *f* intensa, antagonismo *m* firme.

날카로이 agudamente, intensamente, perspicazmente, sagazmente, penetrantemente, violentamente.

날큰거리다 (ser) suave y lánguido. 날큰날큰 suave y lánguidamente.

날큰하다 (ser) suave y lánguido. 날큰히 suave y lánguidamente.

날탕 ① =건깡깡이. ② [재물을 마구 써 없애거나 함부로 두들겨 부수는 사람, 또는 그렇게 하는 짓] malgastador, -dora *mf*; desperdiciador, -dora *mf*; [짓] malgaso *m*, desperdicio *m*.

날파람 ① [빠르게 지나가는 서슬에 나는 바람] ráfaga *f* levantada por los objetos que pasan rápidamente. ② [열쌘 기세] espíritus *mpl* rugientes, intensidad *f*.

날팔(喇叭) 【악기】 =나팔(喇叭).

날포 unos días. 여기 온 지 ~가 되었다 Hace unos días que yo estoy aquí.

날품 trabajo *m* diurno, trabajo *m* por día, obra *f* por paga [jornal] diaria.

◆ 날품(을) 팔다 jornalar, ajornalar, trabajar por día.

■ ~삯 jornales *mpl* diarios. ~팔이 ㉮ [날품을 파는 일] jornal *m*, trabajo *m* diurno, empleo *m* diario, trabajo *m* por día, obra *f* por paga [jornal] diaria. ¶~로 일하다 trabajar a jornal. ㉯ ((준말)) =날품팔이꾼.
~팔이꾼 jornalero, -ra *mf*, trabajador *m* diurno, trabajadora *f* diurna; trabajador, -dora *mf* a jornal, peón, -ona *mf*, bracero, -ra *mf*.

날피 pobre *mf* [indigente *mf*] sin morales.

낡다 ① [오래되어 헐고 너절하다] hacerse viejo, hacerse añejo, añejarse, envejecer(se). 낡은 viejo, anciano; [사용해서 닳은] gastado, usado, ruinoso, desvencijado. 낡은 옷 ropa *f* vieja, ropa *f* usada, ropa *f* gastada. ② [시대에 뒤떨어져 있다] (ser) anticuado. 머리가 낡은 atrasado, con ideas atrasadas. 낡은 사고 방식 idea *f* anticuada. 이 마을에는 낡은 습관이 남아 있다 En este pueblo quedan costumbres viejas.
낡아빠지다 (ser) ruinoso, gastado, desvencijado, estropeado, ser más viejo que un palmar. 낡아빠진 집 casa *f* ruinosa. 낡아빠진 배 barcucho *m*, carraca *f*. 낡아빠진 자동차 coche *m* desvencijado, coche *m* gastado. 이 옷은 낡아빠졌다 Este traje está bastante raído.
낡은이 viejo, -ja *mf*, anciano, -na *mf*.

남[1] ① [자기 외의 다른 사람] otro, -tra *mf*, ajeno, -na *mf*, los demás, otra persona *f*. ~의 otro, ajeno. ~의 생각 pensamiento *m* ajeno. ~에게 질세라 a porfía, a cual más o a cual mejor. ~이 들으면 안 되는 일 asunto *m* para guardar en secreto. ~이 듣지 않으니까 말이지만 …(Sea dicho) Entre nosotros …. ~의 손에 넘어가다 pasar a las manos de otro. 그 문제는 ~의 일이라 생각하지 않는다 No puedo ser indiferente a ese problema. 그는 마치 ~의 일처럼 말한다 El habla como si se tratara de un asunto ajeno / El habla como si el asunto no tuviera nada que ver con él. 이 것은 ~의 일이 아니다 Cuando veas las barbas del vecino afeitar, pon las tuyas a remojar / Esto debería ser una advertencia para ti. 무엇이든지 ~에게 대접을 받고자 하는 대로 너희도 ~을 대접하라 ((마태복음 7:12)) Todas las cosas que queráis que los hombres hagan con vosotros, así también haced vosotros con ellos / Hagan ustedes con los demás como quieran que los demás hagan con ustedes. ② [낯선 사람] extranjero, -ra *mf*, desconocido, -da *mf*, extraño, -ña *mf*. ~ 취급하다 tratar (a *uno*) como a un extraño [a una extraña].
◆남의 눈 *mirada f* [*vista f*] de la gente, atención *f* de la gente, miradas *fpl* [curiosidad *f*] de la gente, ojos *mpl* ajenos. ~에 띄다 ser visto, exponerse a la mirada [a la vista] de la gente. ~을 끌다 llamar [atraer · captar] la atención de la gente, atraer las miradas [la curiosidad] de la gente. ~을 기이다 eludir los ojos ajenos. ~을 피하다 ocultarse a las miradas [a vista] de la gente, esquivar las miradas ajenas. ~을 피해서 살다 vivir escondido del mundo. ~을 꺼리다 tener miedo de ser visto; [수치스럽다] tener vergüenza de ser visto. ~을 기인 사랑 amor *m* secreto [oculto · encubierto]. ~을 기이어서 sin ser visto de nadie, a hurtadillas, furtivamente, en [de] oculto, secretamente, a escondidas. ~을 꺼리지 않고 sin tener (ningún) reparo en la mirada de los otros [en presencia de la gente]. 그는 ~에 띄지 않게 살짝 나갔다 El salió cuidando de que nadie lo viera. 그는 늘 ~에 신경을 쓴다 El es una persona que hace mucho caso del [que teme mucho el] qué dirán de él / El siempre se preocupa de lo que piensan los demás de él.
■남의 고기 한 점이 내 고기 열 점보다 낫다 ((속담)) La gallina de mi vecina pone más huevos que la mía / Gusta lo ajeno, más por ajeno que por bueno / Apetece más lo que poseen los vecinos, los demás, que lo que nosotros tenemos. 남의 눈 속의 티만 보지 말고 자기 눈 속의 대들보를 보라 ((속담)) Hay quien en el ojo de su vecino ve una paja, y en el suyo no ve una tranca / Ver la paja en el ojo ajeno, y no la viga en el nuestro. 남의 눈에 눈물 내면 제 눈에는 피가 난다 ((속담)) Quien hace a otro llorar, sangra por sus ojos. 남의 돈 천 냥보다 제 돈 한 냥 ((속담)) Más vale pájaro en mano que cien(to) volando / Más vale pájaro en mano que buitre volando / Más vale un hoy que diez mañanas / Es mejor lo que uno tiene ahora que lo que puede tener en el futuro. 남의 떡에 설 쇤다 ((속담)) Tirar con pólvora ajena / Sacar la sardina con mano ajena / Ganar el cielo con rosario ajeno. 남의 떡에 설 지내서는 안 된다 ((속담)) Desvestir a un santo para cubrir a otro / Desnudar a San Pedro para vestir a San Pablo, no lo ideara el diablo. 남의 잔치에 감 놓아라 배 놓아라 한다 ((속담)) No se meta usted en cosas ajenas. 남의 짐이 가벼워 보인다 ((속담)) Cualquiera piensa que su mochila es más pesada. 남의 흉이 한 가지면 내 흉이 몇 가지냐 [제 흉은 열 가지] ((속담)) Los ojos que ven todas las cosas no ven lo suyo. 남이야 똥 뒷간에서 낚시질을 하건 말건 ((속담)) No le importa nada que los otros hagan. 남 잡이가 제 잡이 ((속담)) Quien cava el hoyo se caerá en él.

남[2] ((성경)) nacimiento *m*. 너도 기뻐하고 즐거워할 것이요 많은 사람도 그의 ~을 기뻐하리니 ((누가 복음 1:14)) Tendrás gozo y alegría, y muchos se regocijarán de su nacimiento / Tú te llenarás de gozo, y muchos se alegrarán de su nacimiento.

남(男) ① [사내. 남자] hombre *m*. ② =정부(情夫)(amante). ③ =아들(hijo). ④ ((준

말)) =남작(男爵)(barón).

남(南) ((준말)) =남녘. 남방. 남쪽(sur).

남(藍) ①【식물】=쪽. ② ((준말)) =남(藍) 빛. ③ =인디고(indigo).

남-(男) hombre *m*, varón *m*. ~동생(同生) hermano *m* menor. ~선생(先生) maestro *m*, profesor *m*. ~학생(學生) alumno *m*, estudiante *m*.

-남(男) hombre *m*, varón *m*, hijo *m*. 동정(童貞)~ virgen *m*. 장(長)~ (hijo *m*) primogénito *m*, hijo *m* mayor.

남가몽(南柯夢) =남가일몽(南柯一夢).

남가일몽(南柯一夢) sueño *m* vano; [덧없는 영화(榮華)] gloria *f* fugaz.

남가지몽(南柯之夢) =남가일몽(南柯一夢).

남감저(南甘藷) =고구마.

남경(男莖) pene *m*, miembro *m* viril.
■ ~형(形) forma *f* del pene.

남경두(南京豆)【식물】=땅콩.

남경 북완(南梗北頑) ① [일본] el Japón. ② [야인(野人)] bárbaro, -ra *mf*.

남경정(南京錠) =맹꽁이 자물쇠.

남계(男系) línea *f* masculina, lado *m* paterno.
■~ 가족 =부계(父系) 가족. ~친(親) pariente *m* del lado paterno. ~ 친족 agnado *m*, consanguíneo *m*. ~ 혈족 parentesco *m* del lado paterno.

남고(覽古) visita *f* a las ruinas históricas.

남공(男工) obrero *m*.

남과(南瓜)【식물】=호박(calabaza).
■~인(仁)【한방】semilla *f* de la calabaza.

남관(覽觀) vista *f*. ~하다 mirar, ver.

남교(南郊) ① [남쪽 교외] alrededores *mpl* del sur; [남쪽 들판] campo *m* sur. ② [서울 남대문 밖] fuera de la Gran Puerta Sur en Seúl, fuera de la Puerta de *Namdaemun*, Seúl.

남구라파(南歐羅巴)【지명】la Europa Meridional.

남국(南國) país *m* sureño, país *m* (del) sur.
■~인 pueblo *m* sur. ~적 del país sureño, del país sur. ~ 정서(情緒) sentimiento *m* del (país) sur. ~ 풍습 hábitos *mpl* del sur.

남군(南軍) ① [남쪽에 위치한 군대] ejército *m* (del) sur. ②【역사】[미국의 남북 전쟁 때의 남부 군대] tropas *fpl* del sur.

남극(南極) polo *m* sur [antártico · austral]. ~의 antártico.
■~ 고래잡이 =남극 포경(捕鯨). ~ 과학 기지 estaciones *fpl* científicas en la Antártida. ¶몇몇 나라가 20세기 초부터 파견대를 두고 있었지만 1944년부터 ~를 설치하기 시작했다 Desde 1944 se comenzaron a establecer estaciones científicas en la Antártida, aunque algunos países tenían destacamentos ahí desde principios del siglo veinte. ~ 관측 observación *f* antártica. ~ (관측) 기지 la Base de Observación Antártica. ~ 관측대(觀測隊) expedición *f* [equipo *m* de exploradores científicos] de la Antártida. ~ 관측선 buque *m* para la observación antártica. ~광(光) aurora *f* austral, luz *f* meridional. ~구(區) la Región Antártica. ~권 círculo *m* (polar) antártico. ~대(隊) la Zona Antártica. ~성(星) Canopo *m*. ~ 지방 región *f* antártica. ~ 탐험 exploración *f* de la Antártida. ~ 탐험대 partida *f* de exploración antártica. ~ 포경[고래잡이] caza *f* [pesca *f*] de ballenas en el Océano Glacial Antártico.

남극 대륙(南極大陸)【지명】la Antártida, el Continente Antártico.
■~ 평화 이용 utilización *f* pacífica del Continente Antártico. ~ 평화 이용 조약 =남극 조약.

남극 반도(南極半島)【지명】la Península Antártica.

남극양(南極洋)【지명】=남극해(南極海).

남극 조약(南極條約) el Tratado Antártico, el Tratado de la Antártida. ~은 남극 대륙의 비군사화를 보증하고 핵폭발과 방사능 폐기물의 저장을 금지하고 30년간 변함없이 영토의 권리 주장과 영토권을 유지한다 El Tratado Antártico garantiza la no militarización de la Antártida, prohíbe en él las explosiones nucleares y el almacenamiento de desechos radiactivos, y mantiene sin alteración las reclamaciones y los derechos territoriales por espacio de treinta años.

남극해(南極海)【지명】el Océano Glacial Antártico.

남극 회의(南極會議) la Conferencia Antártica.

남근(男根)【해부】pene *m*, miembro *m* viril.
■~석(石) piedra *f* de la forma del miembro viril. ~ 숭배(崇拜) culto *m* al miembro viril.

남기다 ① [나머지가 있게 하다] dejar. 남긴 밥 restos *mpl* [sobras *fpl*] (de comida). 음식을 ~ dejar comida. 음식을 접시에 ~ dejar comida en el plato. 빵을 남기지 않고 먹다 comer todo el pan. 일을 ~ dejar una obra a medio hacer. 한 시간을 ~ tener una hora de sobra. 트럭은 짐을 싣고 일부를 남겨 놓고 갔다 El camión fue dejando parte de su carga.
② [남아 있게 하다] dejar (atrás); [보존하다] reservar. 유서를 ~ dejar una nota para *uno*. 이름을 후세(後世)에 ~ transmitir el nombre a la posteridad, inmortalizar el nombre. 편지를 ~ dejar (atrás) una carta. 학생을 벌로 ~ retener a un alumno por castigo. 교회를 위해 재산을 ~ dejar sus bienes para la iglesia. 그녀는 두 아들을 남기고 죽었다 Ella murió dejando dos niños.
③ [이익이 생기게 하다] ganar, sacar ganancias, obtener beneficios, sacar provecho (de), beneficiarse (de). 많은 이를 남기고 팔다 vender *algo* con ganancia. 연필 한 자루에 10원을 ~ ganar diez wones por un lápiz. 그들은 많은 이를 남기고 집을 팔았다 Ellos hicieron bastante dinero con la venta de la casa. 나는 많은 이를 남기지

못했다 Yo no saqué muchas ganancias / Yo no obtuve muchos beneficios.
④ [절약하다] ahorrar, economizar. 여비(旅費)를 ~ ahorrar los gastos de viaje.
남김없이 de todo en todo, íntegramente, enteramente, totalmente, a fondo, sin excepción, como un solo hombre, todos juntos. 한 방울도 ~ hasta la última gota. 한 톨도 ~ sin dejar ni pizca. 한 푼도 ~ hasta el último centavo. ~ 먹어 버리다 comer(se) todo sin dejar ni pizca, comer(se) (*algo*) enteramente. 우리는 식량을 ~ 먹어 버렸다 Agotamos [Se nos agotaron] las provisiones.

남기북두(南箕北斗) lo nominal.

남날개 cartuchera *f*.

남남 los otros sin relaciones algunas.
남남끼리 con las personas [los otros] sin relaciones algunas.

남남동(南南東) sudsudeste *m*.
■ ~풍(風) viento *m* sudsudeste.

남남북녀(南男北女) El hombre es bien parecido [guapo] en la región sur, y la mujer es hermosa en la región norte.

남남서(南南西) sudsudoeste *m*, sursudoeste *m*.

남남서풍(風) viento *m* sudsudoeste.

남남 협력(南南協力) cooperación *f* económica regional o cooperación *f* técnica entre los países en vías de desarrollo.

남녀(男女) hombre y mujer, ambos sexos *m*. ~ 구별없이 [불문하고] sin distinción de sexo, sin distinguir sexos. ~ 두 쌍의 합동 데이트 cita *f* de dos parejas. 약 100명의 ~ unos cien hombres y mujeres. 방은 ~로 꽉 차 있었다 El cuarto estaba lleno de ambos sexos.
■ ~ 고용 평등법 ley *f* sobre igualdad de sexos en empleo. ~ 공학 coeducación *f*. ¶~의 coeducacional. ~ 제도 sistema *m* coeducacional. ~ 학교 escuela *f* para los ambos sexos. ~ 학급 clase *f* mixta. ~ 관계 relaciones *fpl* entre los dos sexos; [성교(性交)] relación *f* sexual. ~ 노소 hombres y mujeres de todas las clases, todo el mundo. ¶~를 불문하고 sin distinción e edad ni de sexo. ~별(別) distinción *f* de los hombres y las mujeres. ~ 유별(有別) distinción *f* entre los sexos. ~종 el criado y la criada, los criados. ~ 추니 persona *f* que tiene los órganos genitiales de ambos sexos. ~ 칠세 부동석 Un muchacho y una muchacha no deben sentarse juntos después de que ellos han alcanzado a los siete años de edad. ~ 평등[동등] igualdad *f* de los ambos sexos. ~ 평등권[동권·동등권] igualdad *f* de derechos en ambos sexos [entre los dos sexos].

남녘(南一) sur *m*, dirección *f* (del) sur, lado *m* sur, distritos *mpl* sureños.

남노(男奴) sirviente *m*, criado *m*.

남다 ① quedar(se), permanecer; [잔존(殘存)하다] sobrar, quedar, restar; [여분(餘分)이 있다] estar de más, sobrar, abundar; [남아 돌아가다] superabundar, sobreabundar. 남아 있는 돈 dinero *m* que sobra, sobra *f* [resto *m*] del dinero. 뒤에 남은 처자(妻子) familia *f* desolada. 집에 ~ quedarse en casa. 사무소에 ~ quedarse en la oficina. 결승에 ~ quedarse para la final. 한 사람이 남는다 Sobra una persona. 이제 한 달 밖에 남지 않았다 Ya no queda más que un mes. 나는 아직 만 원이 남아 있다 Aún me quedan diez mil wones. 10에서 7을 빼면 3이 남는다 Cuando restamos siete de diez quedan tres / Diez menos siete son tres. 그 집은 아직 남아 있다 La casa existe todavía. 그 풍습(風習)이 지금까지 남아 있다 Subsiste la costumbre hasta ahora. 십 분이 남았다 Nos faltan diez minutos. 이곳은 아직 전쟁의 흔적이 남아 있다 Aquí quedan aún rastros de la guerra. 돈은 얼마나 남았습니까? ¿Cuánto dinero le queda a usted? 돈이 너무 많이 남아서 무엇을 할지 모르겠다 Tengo tanto dinero de sobra [Me sobra tanto dinero] que no sé qué hacer con él. 10을 3으로 나누면 1이 남는다 Queda uno al dividir diez por tres. 여기 숟가락이 하나 남았다 Aquí sobra una cuchara. 여러분들은 가십시오. 저는 여기 남겠습니다 Váyanse ustedes. Yo me quedo aquí. 나는 이곳에 남기로 결심했다 Yo decidí quedarme aquí.
② [이(利)가 남다] [사람이 주어일 때] sacar ganancias, obtener beneficios, *AmL* obtener utilidades; [사물이 주어일 때] (ser) lucrativo, rentable, redituable. 이를 남고 팔다 vender *algo* con ganancia. 그는 이가 남지 않았다 El no sacó ganancias / El no obtuvo beneficios.
남아 돌다 ((준말)) =남아 돌아가다.
남아 돌아가다 exceder, sobrar; [물건이 주어] sobreabundar, superabundar; [사람이 주어] sobreabundar (en), superabundar (en), tener (*algo*) de sobra [en exceso·en abundancia·a profesión]; [비인칭 표현] haber demasiada [excesiva] abundancia (en). 남아 도는 abundante, sobreabundante, excesivo, superabundante. 토지가 남아 돌고 있다 Hay terreno de sobra. 일손이 남아 돌아간다 Sobran hombres para el trabajo / Sobra mano de obra / Hay demasiado personal. 이 지방에서는 물자가 남아 돌고 있다 Los materiales sobreabundan en esta zona. 그에게는 돈이 남아 돌고 있다 El tiene dinero hasta sobrarle / Nada en dinero. 이 나라에는 쌀이 남아 돌고 있다 Este país tiene arroz de sobra / Este país tiene exceso de arroz / Este país sobreabunda en arroz.

남다르다 (ser) raro, extraño, singular, excéntrico. 남다른 버릇 extraña manía *f*. 남다른 행실(行實) porte *m* excéntrico. 어딘가 남다른 데가 있는 사람 hombre *m* muy raro [singular].

남달리 raramente, extrañamente, sigularmente, excéntricamente.
남단(南端) extremo *m* meridional, extremo *m* (del) sur. ～의 más meridional, más austral. 나라의 ～ el extremo sur del país. 한국의 최～의 섬 la isla más austral [meridional] de Corea.
■ ～부(部) parte *f* del extremo meridional.
남대문(南大門) *Namdaemun*, la Gran Puerta Sur.
■남대문 구멍 같다 ((속담)) Es un agujero muy grande.
■～ 입납 carta *f* que no tiene la dirección correcta, lo que busca una casa que no sabe ni nombre ni dirección.
남도(南都) ciudad *f* que está en la región sur.
남도(南道) ① [경기도 이남 지방] región *f* sur de la provincia de *Gyeonggido*, las provincias de *Chungcheongdo*, *Jeollado* y *Gyeongsangdo*. ② ((대종교)) la Península Coreana.
남도살무사(南道－) 【동물】 =살무사.
남독(南瀆) 【역사】 el (río) Han.
남독(濫讀) =난독(亂讀).
남동(南東) sudeste *m*, sureste *m*. ～의 sudeste, sureste, del sudeste, del sureste, sudoriental. ～ 방향(方向)에 en dirección sudeste [sureste]. ～ 방향으로 hacia el sudeste, hacia el sureste
■ ～미남(微南) sudeste *m* cuarta al sur. ～미동(微東) sudeste *m* cuarta al este. ～지방 el sudeste, el sureste, región *f* (del) sudeste, región *f* (del) sureste. ～쪽 sudeste *m*, sureste *m*. ¶～으로 hacia el sudeste, hacia el sureste. ～풍 viento *m* del sudeste [sureste].
남동생(男同生) hermano *m* menor.
남등(南藤) 【식물】 =마가목.
남로(南路) =남도(南道)❶.
남루(襤褸) trapo *m*, andrajo *m*. ～하다 (ser) hecho todo harapo [andrajo · guiñapo], andrajoso, traposo, roto, rasgado, harapiento. ～하게 en trapos, a pedazos. ～하게 되다 volverse en trapos; [조각 조각이 되다] caerse a pedazos.
남루히 en trapos, a pedazos.
남만(南蠻) bárbaros *mpl* sureños.
■ ～북적(北狄) bárbaros *mpl* del sur y del norte.
남만시(南蠻柹) 【식물】 tomate *m*.
남매(男妹) ① [오빠와 누이] hermano *m* y hermana, hermanos *mpl*. 우리는 ～이다 Nosotros somos hermanos. 그들은 네 ～를 두었다 Ellos tienen cuatro hermanos. ② = 오누이.
■ ～간(間) ㉮ [오빠와 누이 사이] entre los hermanos. ㉯ [매부와 처남 사이] entre los cuñados.
남면(南面) ① [남쪽으로 향함] hacia el sur. ② 【역사】 [임금이 앉던 자리의 방향] dirección *f* del asiento que el rey se sentaba.
■ ～지덕(之德) virtud *f* del rey. ～지위(之位) trono *m*, asiento *m* del rey.
남명(南溟/南冥) mar *m* grande en el sur.
남모르다 saber solo secretamente, esconderse. 남모르는 secreto, tácito, escondido, desconocido. 남모르는 고통(苦痛) pena *f* [trabajo *m*] que nadie conoce, pena *f* secreta [desconocida]. 그녀는 남모르는 걱정이 있었다 Ella tenía preocupaciones secretas.
남몰래 secretamente, en secreto, sin ser advertido de nadie. ～ 만나다 ver (a *uno*) secretamente. ～ 사랑을 하다 querer (a *uno*) secretamente, querer (a *uno*) sin ser advertido de nadie.
남문(南門) puerta *f* sur.
남미(南美) ((준말)) =남아메리카.
■ ～ 항로 navegación *f* para la América del Sur.
남미 공동 시장(南美共同市場) el Mercado Común del Cono Sur, el Mercosur, el MERCOSUR (아르헨띠나, 브라질, 빠라구아이 및 우루구아이로 구성된 경제 공동체).
남미 대륙(南美大陸) el Continente de la América del Sur.
남미동(南微東) sur *m* cuarta al este.
남미서(南微西) sur *m* cuarta al oeste.
남미주(南美洲) ((준말)) =남아메리카주.
남바위 gorra *f* para la protección del frío.
남반(南半) mitad *f* de la parte sur del territorio del país. ～부(部) parte *f* de la mitad de la región sur.
남반구(南半球) hemisferio *m* austral [sur].
남발(濫發) emisión *f* excesiva. ～하다 emitir excesivamente [demasiado · de sobra]. 지폐의 ～ emisión *f* excesiva de papel moneda [billete].
남방(南方) ① =남쪽. ② =남녘. ③ [남쪽 지방] región *f* sur; [열대 지방] región *f* tropical. ～에 가다 ir a la región tropical. ④ ((준말)) =남방 셔츠.
■ ～ 불교 budismo *m* de la región del Asia del Sudeste. ～ 셔츠 camisa *f*. ～인 sureño, -ña *mf*. ¶～들 los del sur del país [de la región], los sureños, los meridionales. ～ 지역 región *f* (del) sur, región *f* meridional.
남배우(男俳優) actor *m*.
남벌(濫伐) derribo *m* indistinto de los árboles, tala *f* excesiva [imprudente]; [산림(山林)의] despoblación *f* forestal, desmonte *m*. ～하다 cortar al tuntún, talar excesivamente [demasiado]; [산림의] desmontar, cortar los árboles, talar el monte, despoblar de árboles.
남복(男服) ① [남자의 옷] traje *m* para hombres. ② [여자가 남자의 옷을 입음] acción *f* de vestirse como un hombre.
남본(藍本) =원본(原本). 원전(原典).
남부(南部) ① [남쪽의 부분] parte *f* sur, parte *f* meridional, sur *m*. ～의 sur, del sur, meridional. ② 【역사】 zona *f* sur.
남부끄럽다 (estar) avergonzado, vergonzoso;

AmL apenado; innoble, escandaloso; dar vergüenza, dar pena. 남부끄러운 짓 acto *m* vergonzoso. 남부끄럽지 않은 지위(地位) puesto *m* honrado y seguro. 그는 얼마나 남부끄러웠는지를 나에게 말했다 El me dijo lo avergonzado / *AmL* El me dijo lo apenado que estaba. 나는 전혀 남부끄럽지 않았다 No me da ninguna verguenza / *AmL* No me da ninguna pena.
남부끄러이 de manera vergonzosa, de modo vergonzoso, vergonzosamente.

남부끄럽잖다 (ser) honorable, respectable, decente, noble.. 남부끄럽잖은 살림 vida *f* decente. 어디에 내놓아도 남부끄럽잖은 인물(人物) persona *f* honorable, carácter *m* noble.
남부끄럽지 않게 de manera honorable, de modo honorable, honorablemente, con integridad, decentemente, con decencia.

남부럽다 (ser) envidioso, lleno de envidia; envidiar (*algo* · a *uno*).
남부럽잖다 no ser envidioso, nada envidiable; [살림 형편이 넉넉하다] adinerado, acaudalado, rico. 남부럽잖게 살다 ser adinerado, ser rico, vivir en abundancia.

남부여대(男負女戴) hombre *m* cargado en la espalda y mujer en la cabeza. ～하다 caminar sin rumbo fijo como refugiados.

남북(南北) ① [남쪽과 북쪽] el norte y el sur; [남북 방향] dirección *f* norte-sur. ～으로 통하는 큰 길 avendia *f* que va del sur al norte. ～으로 펼쳐진 산맥 cordillera *f* que se extiende de norte a sur. 나라를 ～으로 관통하는 철도(鐵道) ferrocarril *m* que atraviesa el país de norte a sur [en la dirección norte-sur]. ② [머리통의 앞과 뒤] la parte delantera y la trasera de la cabeza. ③ [변태적으로 또는 격에 어울리지 않게 한쪽이 툭 내민 부분] la parte saliente.
■ ～ 교류 intercambio *m* entre Corea del Norte y del Sur, intercambio *m* intercoreano. ～ 교류 협력에 관한 법률 ley *f* sobre intercambio y cooperación intercoreana. ～극(極) el polo sur y el polo norte. ～ 대화 conversación *f* [dialogo *m*] entre el norte y el sur. ～ 문제 problema *m* de las relaciones entre los países avanzados y los países en desarrollo, problema *m* norte-sur; [한국의] problemas *mpl* coreanos. ～ 통일 unificación *f* norte-sur. ～ 협력(協力) cooperación *f* norte-sur, cooperación *f* intercoreana, cooperación *f* entre Corea del Norte y del Sur. ～ 협력 기본법 ley *f* de fondos para cooperación intercoreana. ～ 협정 acuerdos *mpl* entre el Norte y el Sur.

남북 각료급 회담(南北閣僚級會談) la Conferencia a Nivel Ministerial entre el Norte y el Sur.

남북 공동 성명(南北共同聲明) comunicado *m* conjunto entre Corea del Norte y Corea del Sur (del 4 de julio de 1972).

남북 아메리카(南北 America) la América del Norte y del Sur.

남북적십자회담(一赤十字會談) la Conferencia de la Cruz Roja entre el Norte y el Sur.

남북 전쟁(南北戰爭) [미국의] la Guerra de Sucesión.

남북조절위원회(南北調節委員會) el Comité Coordinante Norte-Sur.

남북한(南北韓) Corea del Norte y Corea del Sur, Seúl y Pyeongyang. ～ 교류(交流) intercambio *m* entre Corea del Norte y Corea del Sur.

남북 협상(南北協商) la Negociación entre el Norte y el Sur.

남비(濫費) derroche *m*, malbarato *m*, disipación *f*, despilfarro *m*, dilapidación *f*. ～하다 malgastar, derrochar, malbaratar, disipar, despilfarrar, dilapidar. 금전(金錢)을 ～하다 malgastar el dinero. 정력(精力)을 ～하다 malgastar la energía.

남빙양(南氷洋) 【지명】 =남극해(南極海).

남빙해(南氷海) 【지명】 =남극해(南極海).

남빛(藍－) añil *m*, índigo *m*, azul *m* denso, color *m* añil obscuro algo violado. ～의 añil. 엷은 ～ añil *m* claro, añil *m* celeste.

남사당(男寺黨) *namsadang*, actor *m* ambulante.
■ ～패(牌) troupe *f* [compañía *f* teatral] de actores ambulantes.

남산¹(南山) [남쪽에 있는 산] montaña *f* (que está en el) sur.

남산²(南山) 【지명】 *Namsan*, el Monte Nam.
■ ～ 딸각발이 sabio *m* muy pobre.

남산골 샌님(南山－) intelectual *m* pobre [pelado].
■ 남산골 샌님이 역적(逆賊) 바라듯 한다 ((속담)) Quien está en situaciones difíciles siempre se queja mucho.

남산종합방송탑(南山綜合放送塔) la Torre Emisora de Namsan, la Torre de Namsan.

남산 타워(南山 tower) =남산종합방송탑.

남상(男相) cara *f* masculina, cara *f* hombruna.
◆ 남상(을) 지르다 tener la cara hombruna.

남상(男像) figura *f* masculina, forma *f* masculina.

남상(南床/南牀) =정자(正字).

남상(濫觴) origen *m* (*pl* orígenes), comienzo *m*, principio *m*, génesis *m*, fuente *f*. 문화(文化)의 ～ origen *m* de la cultura. 연극(演劇)의 ～ origen *m* del drama.

남상거리다 estirar el cuello con avidez (para ver una cosa).
남상남상 estirando el cuello con avidez.

남새 [심어서 가꾸는 나물] hierbas *fpl* comestibles cultivadas, verduras *fpl*.
■ ～밭 huerto *m*, huerta *f*.

남색(男色) =비역(sodomía).
■ ～가(家) pederasta *m*, sodomita *m*, invertido *m*; ((속어)) marica *m*, maricón *m*.

남색(藍色) ① =남빛. ② ((준말)) =남색짜리.
■ ～짜리 novia *f* de unos veinte años con falda coreana de color azul y con el moño

en la cabeza.

남생이【동물】tortuga *f.*

■ 남생이 등에 활 쏘기 ((속담)) Se trata de hacer el trabajo bastante penoso.

남서(南西) sudoeste *m,* suroeste *m.* ~의 sudoeste, suroeste, del sudoeste, del suroeste, sudoccidental. ~에(서) en dirección sudoeste [suroeste].

■ ~미남(微南) sudoeste *m* cuarta al sur. ~쪽 sudoeste *m,* suroeste *m.* ¶~으로 hacia el sudoeste, hacia el suroeste, en dirección sudoeste [suroeste]. ~풍 viento *m* del sudoeste [suroeste]. ~향(向) =서남향(西南向).

남서 아프리카(南西 Africa)【지명】el Africa Sudoeste.

남선북마(南船北馬) viaje *m* constante por todas partes.

남선생(男先生) maestro *m,* profesor *m.*

남성(男性) ① [(성적(性的)의 남자] hombre *m,* varón *m,* macho *m.* ② [일부 외국어에서의 명사의 성의 하나] género *m* masculino. ~의 masculino.

■ ~관(觀) vista *f* masculina. ~답다 (ser) viril, varonil. ¶남성다움 virilidad *f.* ~대명사 pronombre *m* masculino. ~명사 sustantivo *m* masculino, nombre *m* masculino. ~미(美) belleza *f* masculina. ~용 uso *m* masculino; [부사적] para hombres. ¶~화장품 cosméticos *mpl* para hombres. ~유방 유즙 분비 androgalactozemia *f.* ~음욕광(淫慾狂) andromanía *f.* ~ 자궁 útero *m* masculino. ~적 varonil, viril, masculino. ¶~이다 ser del sexo masculino, vestirse por los pies. ~인 문체 estilo *m* masculino. ~인 여자 mujer *f* de espíritu masculino. ~인 스포츠 deporte *m* masculino. 그는 ~이다 El es (muy) viril [varonil · masculino]. 그녀는 ~이다 Ella es una mujer varonil [masculina]. ~ 중심 사회 sociedad *f* androcéntrica. ~증 virilismo *m.* ~지다 (ser) masculino, hombruno. ¶목소리가 ~ tener una voz masculina. ~ 질환 andropatía *f.* ~학 andrología *f.* ~ 호르몬 hormón *m* andrógeno, hormona *f* andrógena. ~ 호르몬 물질 andrógeno *m.* ~화(化) masculinización *f.* ¶ ~하다 masculinizarse, virilizarse.

남성(男聲) voz *f* varonil, voz *f* masculina.

■ ~ 고음(高音) =테너(tenor). ~ 사중창(四重唱) cuarteto *m* masculino. ~ 성가대 coro *m* de voces masculinos, coro *m* masculino. ~ 저음(低音) =베이스. ~ 중음(中音) =바리톤. ~ 중음 가수(中音歌手) barítono *m.* ~ 중창(重唱) canto *m* polofónico masculino. ~합창 coro *m* masculino, coro *m* varonil. ~ 합창곡(合唱曲) coro *m* de voces masculinas.

남성(南星) ((준말)) =천남성(天南星).

남손(男孫) =손자(孫子)(nieto).

남수(男囚) reo *m.*

남수(藍水) el agua *f* del añil.

남술(男-) cuchara *f* para hombres.

남스님(男-) monje *m* [sacerdote *m*] budista.

남승(男僧) monje *m* [sacerdote *m*] budista.

남승(覽勝) vista *f* del buen paisaje. ~하다 ver el buen paisaje.

남시전(南市典) municipalidad *f* de Seúl en la dinastía de *Sila.*

남실(藍實)【한방】semilla *f* del añil.

남실거리다 =넘실거리다.

남실남실 =넘실넘실.

남십자성(南十字星)【천문】=남십자자리.

남십자자리(南十字-)【천문】la Cruz del Sur.

남씨(南-) =남위(南緯).

■ ~금 =남위선(南緯線).

남아(男兒) ① [남자아이] hijo *m,* niño *m.* ② [대장부(大丈夫)] héroe *m,* hombre *m* valiente. 진정한 대한(大韓)의 ~ verdadero coreano *m.*

■ ~ 수독 오거서(須讀五車書) El hombre tiene que leer muchos libros que se pueden cargar en cinco carros. ~ 일언(이) 중천금(重千金) =장부 일언(이) 중천금. ☞장부(丈夫)

남아(南阿)【지명】((준말)) =남아프리카.

남아돌다 ☞남다

남아돌아가다 ☞남다

남아메리카(南 America)【지명】la América del Sur, la Sudamérica, la Sud América.

■ ~ 공동 시장 el Mercado Común del Cono Sur, el Mercosur, el MERCOSUR. ☞ 남미 공동 시장. ~ 사람 sudamericano, -na *mf;* suramericano, -na *mf.* ~ 제국 países *mpl* de la América del Sur.

남아메리카주(南 America 洲)【지명】el Continente de la América del Sur.

남아프리카(南 Africa)【지명】el Africa del Sur, la Sudáfrica. ~의 sudafricano.

■ ~ 사람 sudafricano, -na *mf.*

남아프리카 공화국(南 Africa 共和國)【지명】la República de Sudáfrica, la República de Africa del Sur.

■ ~ 사람 suafricano, -na *mf.*

남아프리카 연방(南 Africa 聯邦)【지명】la Unión Sudafricana.

남안(南岸) costa *f* (del) sur.

남양(南洋) ①【지명】el Mar del Sur. ②【지명】el Océano Pacífico.

남양 군도(南洋群島)【지명】islas *fpl* del Pacífico Meridional.

남양 제도(南洋諸島)【지명】=남양 군도.

남어(纜魚)【어류】pulpo *m.*

남여(藍輿) palanquín *m* abierto.

남온대(南溫帶) zona *f* templada meridional.

남용(濫用) ① [함부로 씀] mal uso *m.* ~하다 hacer mal uso; [공금(公金)을] malversar. ② [(권리나 권한 따위를) 지나치게 행사함] abuso. ~하다 abusar (de). 권력(權力)을 ~하다 abusar de *su* autoridad. 약을 ~하다 abusar de las medicinas. 직권을 ~하다 abusar de la autoridad oficial.

남우(男優) ((준말)) =남배우(男俳優).

남우세 vergüenza *f,* ignominia *f,* oprobio *m.* ~하다 deshonrar(se), humillarse.

남우세스럽다 (ser) vergonzoso, indecente,

indecoroso, escandaloso.
남우세스레 vergonzosamente, indecentemente, desvergonzadamente, escandalosamente, de forma escandalosa, de forma vergonzosa.

남움직씨【언어】=타동사(他動詞).

남원부채(南原－) abanico *m* producido en *Namwon*.

남위(南緯) latitud *f* sur.
■ ~선(線) línea *f* de la latitud sur.

남유럽(南 Europe)【지명】la Europa Meridional, la Europa del Sur.

남의(襤衣) ropa *f* andrajosa, traje *m* andrajoso, vestido *m* andrajoso.

남의나이 edad *f* después de sesenta años.

남의눈 ☞남

남의달 mes *m* siguiente aproximado como el mes de parto.
남의달 잡다 dar a luz a un niño un mes más tarde que el mes de parto.

남의집살이 =고용살이.

남자(男子) hombre *m*, varón *m* (*pl* varones); [청소년] muchacho *m*, chico *m*; [남자다운 사내] hombre *m* varonil. ~의 masculino, varonil. ~들 사이에 entre hombres. 몸집이 작은 ~ hombrecillo *m*, hombre *m* pequeño. 몸집이 큰 ~ hombre *m* grande, hombrón *m* (*pl* hombrones). 땅딸막한 ~ (hombre *m*) rechoncho *m*, retaco *m*. 키가 큰 ~ hombre *m* alto. 키가 작은 ~ hombre *m* bajo. ~ 못지 않은 여자 mujer *f* varonil. 저 ~는 누굴까? ¿Quién será aquel hombre? 이것은 ~의 일이다 Esto es un trabajo de hombres. 그는 ~ 중의 ~다 El es todo un hombre. 그 여자는 ~ 못지 않은 여자다 Ella es una mujer muy varonil. 그렇게 되면 ~로서의 체면을 잃게 된다 De esa manera pierdo mi honor de hombre. 그는 훌륭한 ~라는 평판을 받았다 El demostró su hombría. 내 집에는 일하는 ~가 부족하다 En mi casa falta la mano de un hombre / En mi casa falta un hombre que trabaje. 그는 잘생긴 ~다 El es muy guapo. 그 옷을 입으니 ~가 더 잘나 보인다 El está más guapo con ese traje. ~의 일언(一言)이다 Te doy mi palabra de hombre. 정말로 ~라면 우는 소리를 하지 마라 Si de verdad eres un hombre, no te quejes. 그녀는 ~ 같다 Ella parece un hombre. 그녀는 ~ 목소리를 한다 Ella tiene la voz de hombre. 그녀는 ~라면 넌더리를 내는 여자다 Ella es una mujer que aborrece a los hombres. 내 집안에는 ~밖에 없다 En mi familia solo hay hombre. 너희들 ~들은 모두 같다! ¡Los hombres sois [*AmL* son] todos iguales! 이것은 ~이기에 맛볼 수 있는 행복감이다 Este es un trabajo como para estar agradecido por haber nacido hombre.
남자답다 (ser) varonil, viril, masculino. 남자답게 varonilmente. 남자다움 hombría *f*, masculinidad *f*, virilidad *f*. 남자다운 성격(性格) carácter *m* varonil. 남자다운 남자 verdadero hombre *m*, hombre *m* de verdad. 남자다운 얼굴 semblante *m* varonil. 남자답지 못하다 no ser varonil [viril · digno de un hombre]. 남자답게 행동해라 Pórtate [Compórtate] como un hombre / Sé un hombre [un macho]. 남자답게 그에게 사죄해라 Pídele perdón como un hombre. 울지 마라. 네 남자다운 점은 어디로 갔니? No llores. ¿Dónde está tu hombría?
■ ~ 높이뛰기 salto *m* de altura masculino. ~ 사원(社員) empleado *m* (varón). ~석 asiento *m* para hombres. ~용 uso *m* masculino; [부사적] para hombres; [화장실 등의 게시] Caballeros. ¶이 옷은 ~이다 Este traje es para hombres. ~ 친구 amigo *m*.

남작(男爵) barón *m* (*pl* barones).
■ ~ 부인 baronesa *f*.

남작(濫作) exceso *m* de producción, exceso *m* de escrito. ~하다 producir [escribir] al tuntún.

남장(男裝) disfraz *f* de hombre. ~하다 disfrazarse [vestirse] de hombre. ~의 disfrazado de hombre.
■ ~ 미인(美人) bella mujer *f* disfrazada de hombre. ~ 여인 mujer *f* que se viste de hombre, mujer *f* en atavío de hombre.

남적도 해류(南赤道海流) corriente *f* ecuatorial del sur.

남전북답(南田北畓) Hay arrozales y campos en muchas partes.

남정(男丁) varón *m* (*pl* varones) que pasó quince años de edad.
■ ~네 hombre *m*.

남정(男情) afecto *m* [caridad *f*] de hombres.

남정(南征) subyugación *f* sur. ~하다 subyugar el sur.

남정(南庭) patio *m* (que está en el) sur.

남정석(藍晶石)【광물】cianita *f*.

남제(濫製) superproducción *f*, fabricación *f* excesiva, exceso *m* de producción, exceso *m* de fabricación, fabricación *f* descuidada. ~하다 fabricar excesivamente, producir excesivamente, fabricar con descuido.
■ ~품 producción *f* excesiva de fabricación.

남조(濫造) =남제(濫製).

남조선(南朝鮮) Corea del Sur.

남조선 과도 정부(南朝鮮過渡政府) el Gobierno Provisional de Corea del Sur.

남존여비(男尊女卑) predominio *m* del hombre sobre la mujer, superioridad *f* de los hombres sobre las mujeres.

남종(南宗) ① ((불교)) secta *f* (del) sur, una secta del budismo. ② ((준말)) =남종화.

남종화(南宗畵) pintura *f* china de sud escuela.

남좌여우(男左女右) La izquierda es precios para hombres, la derecha para mujeres.

남주북병(南酒北餠) Se fabrica vino bie debajo del monte Nam, se hace pan bie en la zona norte de Seúl.

남주빈(南主賓) huésped *m* principal.

남주작(南朱雀) 【민속】=주작(朱雀).
남중[1](南中) =남도(南道).
남중[2](南中) 【천문】 culminación f. ~하다 culminar.
남중일색(男中一色) cara f guapa del hombre, hombre m que tiene cara guapa.
남지(南至) =동지(冬至).
남지나(南支那) 【지명】 la China Sur.
남지나해(南支那海) 【지명】 el Mar de la China Sur.
남진(南進) ① [남쪽으로 진출함] avance m hacia el sur. ~하다 avanzar hacia el sur, dirigirse hacia el sur. ② =남하(南下).
남짓 … y pico. 한 달 ~ un mes y pico. 십 년 ~ diez años y pico, diez años o algo así. 백 미터 ~ cien metros y pico. 삼백 명 ~ trescientos y tantos [y pico] hombres. 마흔 살 ~ cuarenta años (de edad) y pico.
남짓하다 haber y pico, haber y tantos. 이 학급에는 학생이 육십 명 ~ En esta clase hay sesenta y tantos [y picos] alumnos.
남쪽(南-) sur m, sud m, mediodía m. ~의 (del) sur, meridional, austral. ~에 en el sur. ~으로, ~을 향하여 hacia el mediodía, al sur. ~ 방향에 en dirección sur. ~ 방향으로 hacia el sur. 그는 ~을 향해 나아갔다 El se dirigió hacia el sur. 수원은 서울의 ~에 있다 Suwon está al sur de Seúl. 그들은 마드리드의 ~에 살고 있다 Ellos viven en el sur de Madrid. ~으로 갑시다 Vayamos [Vamos] al sur. 나는 서반아의 ~ 지방으로 여행했다 Yo viajó al sur [al mediodía] de España. 이러한 습관은 이 나라의 ~ 지방에서는 볼 수 없다 Esta costumbre no se ve en el sur del país.
■ ~나라 ㉮ [남쪽에 있는 나라] país m (pl países) (que está en el) sur. ㉯ ((속어)) *Jeollado*, provincia f (de) *Jeollado*; habitantes mpl de la provincia *Jeollado*.
남창(男唱) ① [여자가 남자 목소리로 부르는 노래, 또는 그 사람] canción f cantada por una mujer en voz masculina; [사람] mujer f que canta en voz masculina. ② [남자가 부르는 노래] canción f del hombre, canción f cantada por un hombre, canción f que canta el hombre.
남창(男娼) hombre m que se prostituye.
남창(南窓) ventana f que da al sur.
남천[1](南天) [남쪽 하늘] cielo m del sur.
남천[2](南天) 【식물】 ((준말)) =남천촉(南天燭).
남천죽(南天竹) 【식물】 =남천촉(南天燭).
남천촉(南天燭) 【식물】 ((학명)) Nandina doméstica.
남천축(南天竺) 【지명】 la India Sur.
남철(藍鐵) hierro m del añil.
남첩(男妾) amado m.
남청(南淸) región f sur de China.
남청(藍靑) añil m. ~색(色) añil m.
남초(南草) 【식물】 tabaco m.
남초(南椒) 【식물】 =산초나무.
남촉초(南燭草) 【식물】 =남천촉(南天燭).
남촌(南村) ① [남쪽에 있는 마을] aldea f (que está en el) sur. ② [서울 안의 남쪽에 있는 동네들] aldeas fpl que están en zona del sur de Seúl.
남측(南側) =남쪽.
남치(南-) ① [남쪽 지방의 산물(産物)] productos mpl de la región sur. ② [남쪽 지방의 생물(生物)] seres mpl vivientes de la región sur.
남치마(藍-) *chima* [falda f coreana] del añil.
남침(南侵) invasión f al sur. ~하다 invadir al sur.
남침(覽寢) =자리보기.
남탕(男湯) baño m para hombres.
남태평양(南太平洋) 【지명】 el Pacífico Sur, el Pacífico Meridional.
남태평양 제도(南太平洋諸島) 【지명】 islas fpl del Pacífico Meridional.
남태평양 철도(南太平洋鐵道) las Líneas del Pacífico Sur.
남토(南土) tierra f sur.
남파(南派) envío m al sur. ~하다 enviar al sur.
■ ~ 간첩(間諜) espía m enviado [espía f enviada] (por el norte) al sur.
남팔남아(南八男兒) espíritu m caballeroso.
남편(男便) marido m, esposo m, barón m (pl barones). ~의 권리(權利) derechos mpl matrimoniales. ~ 있는 몸 mujer f casada, casada f. ~ 없는 soltera. ~을 잃은 내 누이동생 mi hermana viuda. ~을 섬기다 ser obediente a *su* esposo. ~을 깔고 뭉개다 llevar los pantalones. ~을 얻다 casarse (con). ~을 잃다 enviudar, quedar viuda. 그들은 ~과 아내 사이다 Ellos están casados / Ellos son marido y mujer. 그는 (집 안에서) 폭군 같은 ~이다 El es el señor de su casa. 그녀는 스물두 살에 ~을 잃었다 Ella enviudó [se quedó viuda] a los veintidós años (de edad). 그녀는 두 번 ~을 잃었다 Ella enviudó [quedó viuda] dos veces.
남편(南便) parte f sur.
남평양(南平壤) Seúl (en la época de la dinastía de *Goguryo*).
남포 [다이너마이트] dinamita f.
■ ~질 acción f de dinamitar, acción f de volar con dinamita. ¶~하다 dinamitar, volar con dinamita.
남포(영 *lamp*) ((준말)) =남포등.
■ ~등(燈) lámpara f, lámpara f de queroseno. ~ㅅ불 luz f de (la) lámpara.
남포(藍袍) ropa f interior del añil.
남풍(南風) ① [남쪽에서 부는 바람] viento m del sur. ② [남쪽 나라의 세력] influencia f del país sur.
남풍(嵐風) ventisca f, viento m fuerte.
남하(南下) marcha f hacia el sur. ~하다 dirigirse [ir] al [hacia el] sur, marchar hacia el sur.
남하다(濫-) =외람(猥濫)하다.
남학교(男學校) escuela f de niños.
남학생(男學生) alumno m, estudiante m.

남한(南韓) Corea del Sur, Sudcorea. ～의 surcoreano, sudcoreano, de Corea del Sur.
■～ 사람 surcoreano, -na *mf*; sudcoreano, -na *mf*.

남한대(南寒帶) zona *f* glacial meridional.

남항(南航) navegación *f* hacia el sur. ～하다 navegar hacia el sur.

남항(南港) puerto *m* sur.

남해(南海) mar *m* (del) sur; [열대(熱帶)의] mar *m* tropical.

남해고속도로(南海高速道路) la Autopista de Namhae.

남해민란(南海民亂) la Insurrección de Namhae.

남해안(南海岸) costa *f* (del) sur.

남행(南行) ida *f* hacia el sur. ～하다 ir hacia el sur.
■～ 열차(列車) tren *m* hacia el sur.

남행(濫行) actitud *f* lasciva, acto *m* lascivo. ～하다 hacer una actitud lasciva.

남향(南向) ① [남쪽을 향함] mirada *f* al sur. ～의 hacia el sur, con vista al sur. ～한 집 *f* casa que da al sur. 집이 ～하고 있다 La casa da [mira] al sur. ② [남쪽 방향] dirección *f* sur.
◆～집 casa *f* hacia el sur, casa *f* que da [mira] al sur, casa *f* con vista al sur.

남형(男形) aspecto *m* masculino, aspecto *m* del hombre.

남혼(男婚) casamiento *m* de *su* hijo.

남혼여가(男婚女嫁) casamiento *m* de *sus* hijos.

남화(南畵) ((준말)) =남종화(南宗畵).

남회귀선(南回歸線) trópico *m* de Capricornio.

남획(濫獲) [수렵의] caza *f* excesiva; [물고기의] pesca *f* excesiva. ～하다 cazar excesivamente, cazar en demasía, pescar excesivamente.

남흔여열(男欣女悅) armonía *f* matrimonial. ～하다 tener la armonía matrimonial.

납 ①【화학】plomo *m*. ～의 plomoso, plomizo, plomífero. ～을 입힌 cubierto con plomo. ～ 제품의 plomizo, plomoso. ～을 함유한 plomoso, plomizo, plomífero. ～의 광택(光澤) mina *f* plomífera. ② ((준말)) =땜납.
■～중독 ㉮ intoxicación *f* por plomo. ㉯【의학】saturnismo *m*.

납(蠟)【화학】cera *f*. ～을 먹이다 encerar.
■～세공 obra *f* de cera. ～세공물 objeto *m* de cera.

납(臘) ((준말)) =납일(臘日).

납(鑞) =땜납.

납거미【동물】araña *f*.

납골(納骨) acción *f* de poner las cenizas en el osario.
■～당 osario *m*; [가족의] cripta *f* familiar; [교회·묘지의 지하 납골소] cripta *f*. ～항아리 urna *f*.

납공(納貢) =공납(貢納).

납관(一管) tubo *m* de plomo.

납관(納棺) metedura *f* del cadáver en el ataúd. ～하다 meter el cadáver en el ataúd.

납금(納金) pago *m*; [바치는 돈] dinero *m* pagado. ～하다 pagar, abonar.

납기(納期) tiempo *m* de paga, fecha *f* de entrega.

납길(納吉) acción *f* de notificar el día de boda a la casa de la novia.

납덩이 bulto *m* de plomo, lingote *m* de plomo.
납덩이같다 ㉮ [얼굴이 핏기가 없이 하얗게 되어 납덩이 빛깔 같다] estar pálido. ㉯ [몸시 피로하거나 몸이 무겁고 나른함] ser tan pesado como plomo. ㉰ [어떤 분위기가 어둡고 무거워 밝지 못함] ser oscuro.

납도리【건축】viga *f* redonda.

납득(納得) entendimiento *m*, convencimiento *m*, convicción *f*, asenso *m*. ～하다 consentir (en), asentir (a). ～하고 [서로] de común acuerdo, con acuerdo recíproco; [···을 알면서도] a sabiendas de *algo*. ～시키다 convencer [persuadir] (a *uno* de que + *ind*), hacer entender (a *uno* que + *ind*). ···하도록 ～시키다 convencer (a *uno*) para que + *subj*, persuadir (a *uno*) a + *inf*. 서로 ～할 때까지 hasta llegar a común acuerdo, hasta llegar a un perfecto entendimiento recíproco. ～할만한 설명을 하다 dar una explicación convincente [persuasiva · satisfactoria]. ～이 가지 않는 얼굴을 하다 hacer un gesto de perplejidad, poner una cara dudosa. 그의 논증(論證)은 ～이 가지 않는다 No me convence su argumento / No estoy conforme con su argumento. 이제 ～이 간다 Ya (lo) entiendo [veo] / Ahora me lo explico / Ya comprendo / Ya caigo. 네 말은 ～이 가지 않는다 No comprendo lo que dices / No me convence lo que dices. 그의 설명은 도무지 ～이 가지 않는다 Su explicación no me satisface [convence] por completo. 그가 유죄라니 ～이 안 간다 No me convence [Me extraña] que él sea culpable. 결국 부친께서는 우리가 결혼하는 것을 ～하셨다 Al fin mi padre consintió que nos casáramos [nos casásemos]. 그런 이유로는 나를 ～시킬 수 없다 Esa razón no me convence [satisface].

납땜 soldadura *f*, peltre *m*. ～하다 soldar, estañar, religar.
■～ 인두 soldador *m*. ¶전기(電氣)～ soldador *m* eléctrico. ～질 soldadura *f*. ¶～하다 soldar. 수도관이 아직 ～되지 않았다 Todavía no han soldado la cañería.

납량(納涼) goce *m* de la brisa fresca. ～하다 tomar el fresco, disfrutar del aire fresco. 저녁 ～을 하다 tomr el fresco de la tarde.
■～대(臺) banco *m* (para tomar el fresco).

납루(蠟淚) =촉루(燭淚).

납리(臘裏) dentro de diciembre del calendario lunar.

납매(蠟梅)【식물】=새앙나무.

납밀(蠟蜜) =밀초.

납반(臘半) mediados de diciembre del calendario lunar.

납백(納白) =자빡.

납본(納本) presentación *f* de un ejemplar de cada libro editado a las autoridades. ～하다 presentar un ejemplar de cada libro editado a las autoridades.

납부(納付) pago *m*. ～하다 pagar. 세금을 ～하다 pagar la contribución, contribuir.
■～금 suma *f* pagada, dinero *m* pagado. ～기한 plazo *m* de pago. ～량 cantidad *f* de pago. ～서 declaración *f* de pago. ～액 cantidad *f* de pago. ～ 의무자 contribuyente *mf*. ～자 pagador, -dora *mf*. ～증 certificado *m* de pago.

납북(拉北) secuestro *m* [rapto *m*] al norte. ～하다 secuestrar [raptar] al norte. ～되다 ser secuestrado [raptado] al norte.
■～ 어선 barco *m* pesquero secuestrado a Corea del Norte. ～ 어부 pescador *m* secuestrado a Corea del Norte. ～ 인사(人士) persona *f* secuestrada a Corea del Norte.

납빛 color *m* plomizo. ～의 plomizo.

납석(蠟石) 【광물】 alabastro *m*, talco *m*.

납세(納稅) paga *f* de impuestos [de contribución]. ～하다 pagar impuestos, pagar contribución, contribuir.
■～ 고지(서) aviso *m* [notificación *f*] de contribución. ～ 관리인(管理人) administrador, -dora *mf* de paga de impuestos. ～기일 fecha *f* de pagar contribución. ～ 대장(臺帳) lista *f* de contribuyentes. ～ 신고 declaración *f* de la renta. ¶～를 하다 hacer la declaración de la renta. ～ 신고서 declaración *f* de la renta, *AmL* declaración *f* de impuestos. ¶～를 작성하다 hacer la declaración de la renta. ～ 신고서 용지 formulario *m* de Hacienda. ～ 신고 제도 sistema *m* de declaración de la renta. ～액(額) cantidad *f* de contribución. ～ 의무 obligación *f* de pagar contribución. ¶～가 있는 sujeto a contribución, sujeto a impuesto. ～ 의무자 deudor, -dora *mf* fiscal. ～자 contribuyente *mf*. ～ 자격 calificaciones *fpl* de contribuyentes. ～지(地) lugar *m* de paga de impuestos. ～필증 =납세필 증지. ～(필) 증지 [자동차세의] pegatina *f* del impuesto de circulación, adhesivo *m* que indica que se ha pagado el impuesto de circulación.

납승(衲僧) monje *m* budista del templo budista.

납시다 ((궁중말)) salir, aparecer. 상감마마가 ～ salir el rey, aparecer el rey.

납신거리다 decir con mucha palabrería [labia], charlar, parlotear, chacharear.
납신납신 con mucha palabrería, con mucha labia.

납월(臘月) diciembre *m* del calendario lunar.

납유리(-琉璃) vidrio *m* al plomo, cristal *m* de roca.

납육(臘肉) carne *f* de cerdo salada.

납인형(蠟人形) muñeca *f* [figurita *f*] de cera; [등신대의] figura *f* de cera.

납일(納日) sol *m* poniente.

납입(納入) pago *m*, entrega *f*. ～하다 pagar. A에 B를 ～하다 entregar B de A, abastecer [proveer · surtir] a A de B.
■～ 고지(告知) aviso *m* de pago. ～ 고지서 notificación *f* de impuestos. ～금(金) impuesto *m* pagado. ～액(額) importe *m* pagado, monte *m* pagado. ～품 artículo *m* para proveer.

납자(衲子) monje *m* [sacerdote *m*] del templo budista.

납작[1] [얇게 넓은 모양] planamente. ～한 얼굴 cara *f* plana.

납작[2] ① [말대답하거나 무엇을 받아먹을 때 입을 재빨리 딱 벌렸다가 닫는 모양] con *su* boca muy abierta. ～ 받아먹다 tragarse [engullirse] con *su* boca muy abierta. ② [몸을 냉큼 바닥에 바짝 대고 엎드려 뻗치는 모양] planamente, llanamente, bajo. ～ 엎드리다 echarse [acostarse · tenderse · tumbarse] plano.

납작감 caqui *m* redondo y plano.

납작되 =신승(新升).

납작보리 cebada *f* prensada.

납작코 nariz *f* (*pl* narices) chata, narices *fpl* remachadas.

납작하다 (ser) llano, liso, plano, raso, chato. 납작하게 하다 aplastar; [토론 따위로] anonadar. 코가 ～ ser chato, tener una nariz chata [aplastada].
납작이 llanamente, lisamente, planamente, rasamente, chatamente.
납작해지다 hundirse [derrumbarse · desplomarse] (completamente). 충돌로 차가 납작해졌다 El coche quedó completamente destrozado [aplastado] por el choque.

납제(臘祭) servicio *m* funeral de diciembre del calendario lunar.

납죽 =넙죽.

납죽이 chato, -ta *mf*.

납중독(-中毒) ① intoxicación *f* por plomo. ② 【의학】 aturnismo *m*, plumbismo *m*.

납지(蠟紙) papel *m* parafinado, papel *m* de cera.

납지(鑞紙) =은종이(papel de plata).

납질(蠟質) substancia *f* cerosa, substancia *f* parecida a la cera.

납채(納采) regalos *mpl* de boda enviados de la familia del novio a la familia de la novia.

납촉(蠟燭) vela *f*, candela *f*, [교회(敎會)의] cirio *m*. ～을 켜다 encender una vela. ～을 끄다 apagar una vela.
■～대 candelero *m*, cirial *m*; [작은] palmatoria *f*, [큰] candelabro *m*.

납축전지(-蓄電池) acumulador *m* de plomo.

납취(蠟嘴) 【조류】 =고지새.

납취작(蠟嘴雀) 【조류】 =고지새.

납취조(蠟嘴鳥) 【조류】 =고지새.

납치(拉致) secuestro *m*, plagio *m*, rapto *m*, arresto *m*. ～하다 secuestrar, raptar, plagiar, hurtar, robar, llevar consigo forzadamente, apoderarse (de), adueñarse (de),

arrestar. ~되다 ser plagiado, ser secuestrado, ser raptado. 비행기(飛行機)를 ~하다 secuestrar un avión. 어린이를 ~하다 secuestrar a un niño. 악당들은 금년 1월 25일에 ~된 농부의 석방에 3만 뻬소를 요구했다 Los malhechores pidieron treinta mil pesos para la liberación del agricultor plagiado el 25 de enero de este año.
■ ~범(犯) secuestrador, -dora *mf*, raptor, -tora *mf*, plagiario, -ria *mf*.

납평(臘平) =납일(臘日).

납폐(納幣) regalo *m* esponsalicio, regalo *m* de esponsales. ~를 교환하다 cambiar los regalos de esponsales.
■ ~금 regalo *m* en dinero de esponsales.

납품(納品) entrega *f* (de mercancías). ~하다 entregar. ~한 물건 artículos *mpl* entregados.
■ ~서(書) recibo *m* de expedición.

납함(納啣) entrega *f* de la tarjeta al mayor. ~하다 entregar la tarjeta al mayor.

납헌(納獻) =헌납(獻納).

납형(蠟型) molde *m* de cera.

납화(蠟畵) pintura *f* de cera.

납회(納會) ① [그해의 마지막 모임] la última reunión del año. ② 【경제】 [증권 거래소에서] la última sesión del año.

납후(拉朽) facilidad *f* de hacer algo.

낫 [농기구의 하나] hoz *f* (*pl* hoces), siega *f*, [자루가 긴 낫] dalle *m*, guadaña *f*, [풀 베는 큰 낫] machete *m*. ~으로 베다 segar *algo* con un hoz [una guadaña · un machete]. ~으로 사탕수수를 벤다 Se corta la caña de azúcar con machete.
■ 낫 놓고 기역자(字)도 모른다 ((속담)) Es muy ignorante / No sabe [ni · una · ni una] jota / No sabe [entiende] el abecé.

낫다[1] ① [(병이나 상처 따위가) 고쳐져서 그 전대로 되다] ㉮ [환자가] recuperarse, restablecerse, curarse, recobrar [recuperar] la salud. 그의 병은 곧 나았다 El se recuperó pronto / El se repuso [se curó · sanó] pronto de la enfermedad. 그녀는 병이 나았다 Ella sanó de la enfermedad. ㉯ ㄱ) [병이] curarse, sanar. ㄴ) [상처가] curarse, cicatrizarse. ㄷ) [치료되다] ser curable. 나을 수 없는 incurable. 나을 수 있는 curable. 오래 낫지 않은 감기 resfriado *m* pertinaz. 상처가 곧 나았다 La herida sanó pronto. 그의 상처는 나아 간다 La herida se le va curando. ② [괴로움이 덜하여 풀어지다] mitigarse. 통증이 ~ mitigarse el dolor.

낫다[2] [(질이나 수준 따위의 정도가) 어떤 대상보다 더 높거나 앞서 있다] ser mejor, superar (a), ser superior (a). 훨씬~ superar en [con] mucho. 성능(性能)이 ~ ser superior en calidad. …보다 약간 ~ sobrepasar *algo* por un pelo. 나으면 낫지 못하지 않다 no ser jamás inferior (a). 그녀보다 나은 사람은 없다 No hay nadie que la supere a ella. 그보다 나은 기쁨은 없다 No hay mayor placer que eso. 먼 친척보다 가까운 친구가 더 ~ El amigo íntimo es mejor que el pariente lejano. 형이 아우보다 ~ El hermano mayor es mejor que el menor. 좀더 낫게 일할 수 없겠니? ¿No puedes hacer el trabajo un poco mejor? B보다는 A가 ~ A es menos malo que B. 어떤 편지(便紙)라도 오지 않는 것보다는 ~ Cualquier carta es mejor que el silencio. 차라리 죽는 편이 ~ ¡Antes morir [la muerte]! / Prefiero morir. 커피가 홍차보다 오히려 ~ El café es preferible al té. 나는 홍차보다 커피가 ~ Prefiero el café al té. 늦더라도 안하는 것보다 ~ Más vale tarde que nunca.

낫살 ((속어)) ((준말)) =나잇살. ¶~깨나 먹은 사람 답지 않게 a pesar de *su* edad. ~이나 먹다 ser entrado en años, tener [ser de] (una) edad avanzada.

낫우다 hacer sanar de la enfermedad.

낫잡다 [좀 넉넉하게 치다] dejar el margen, dar la medida abundante. 여비를 낫잡아 계산하다 contar el margen abundante para los gastos de viaje.

낫질 acción *f* de segar con hoz. ~하다 segar con hoz [con guadaña], guadañar.

낫표(一標) comillas *fpl* coreanas.

낭가(娘家) =외가(外家).

낭객(浪客) =낭인(浪人).

낭군(郎君) ① [자기 남편] mi marido, mi esposo. ② ((높임말)) su hijo. ③ =귀공자.

낭당(郎當) ① [피로함] fatiga *f*, cansancio *m*. ~하다 estar cansado. ② [(옷이 커서) 어울리지 않게 맞지 않다] acción *f* de no sentar [quedar · venir · caer] bien.

낭도(囊刀) =주머니칼.

낭독(朗讀) lectura *f* en voz alta, recitación *f*, [배우에 의한] declamación *f*. ~하다 leer *algo* en voz alta, recitar; declamar.
◆ 각본(脚本) ~ lectura *f* dramática.
■ ~대(臺) [교회의] atril *m*. ~법 (arte *m* de) recitación *f*, declamación *f*, elocución *f*. ~ 연설 discurso *m* leído. ¶~하다 dar un discurso leído. ~자 lector, -tora *mf*, recitador, -dora *mf*, declamador, -dora *mf*. ~회 lectura *f* pública.

낭떠러지 precipicio *m*, despeñadero *m*, barranco *m*, acantilado *m*, peñasco *m*. ~를 기어올라가다 subir al precipicio. ~에서 아래를 내려다 보다 mirar hacia abajo del precipicio.

낭랑(娘娘) reina *f*, esposa *f* del noble.

낭랑하다(浪浪一) ① [정처없이 떠돌아다니다] vagabundear, vagamundear. ② [눈물이 흐르다] derramarse las lágrimas. ③ [비가 계속 내리다] continuar [seguir] lloviendo, llover continuamente.

낭랑하다(朗朗一) ① [(빛이) 매우 밝다] (ser) muy claro. ② [(소리가) 맑고 또랑또랑하다] (ser) sonoro, resonante. 낭랑한 목소리로 읽다 leer *algo* en [con] una voz sonora [resonante].
낭랑히 sonoramente, resonantemente.

낭루(狼瘻) 【한방】 =감루(疳瘻).

낭리(囊裏) interior *m* del bolsillo.
낭만(浪漫) lo romántico. ～화하다 hacer romántico.
■～적 romántico *adj.* ¶～으로 románticamente, de modo romántico. ～인 사람 persona *f* romántica. ～인 생애(生涯) carrera *f* romántica. ～으로 행동하다 obrar de modo romántico. ～인 생각에 빠지다 entregarse al romanticismo. ～주의 romanticismo *m.* ～주의 문학 Romanticismo *m.* ～주의 소설 novela *f* romántica. ～주의 음악 música *f* romántica. ～주의자 romántico, -ca *mf.* ～주의적 romántico *adj.* ～파(派) escuela *f* romántica, romanticismo *m*; [사람] escritor *m* romántico, escritora *f* romántica; romántico, -ca *mf.* ～파 소설가 novelista *m* romántico, novelista *f* romántica. ～파 시인 poeta *m* romántico, poetisa *f* romántica. ～파 음악 música *f* romántica. ～파 음악가 músico *m* romántico, música *f* romántica.
낭배(囊胚) gástrula *f.*
■～기(期) período *m* de gástrula. ～ 형성 gastrulación *f.*
낭보(朗報) noticia *f* alegre, buenas noticias *fpl.*
낭비(浪費) derroche *m*, gasto *m* inútil, despilfarro *m*, desperdicio *m.* ～하다 [돈·전력(電力)을] derrochar, despilfarrar; [음식을] tirar, desaprovechar, desperdiciar; [재능·노력을] desperdiciar, malgastar; [시간을] perder; [기회를] desperdiciar; [공간(空間)·장소를] desaprovechar, desperdiciar. 돈[시간]의 ～ despilfarro *m* de dinero [tiempo]. 그것은 완전한 ～다 Eso es malgastar el dinero / Eso es arrojar el dinero por la ventana. 그건 시간의 ～다 Eso es una pérdida de tiempo. 우리는 토론을 하면서 시간을 ～했다 Perdimos mucho tiempo discutiendo. 너는 내 시간을 ～하고 있다 Tú me estás haciendo perder el tiempo. 그들과 시간을 ～하지 마라 No pierdas el tiempo con ellos.
■～벽(癖) vicio *m* malgastador. ¶그는 ～이 심하다 El es un despilfarrador [un derrochador·un malgastador]. ～자 malgastador, -dora *mf*; pródigo, -ga *mf*; derrochador, -dora *mf*; manirroto, -ta *mf.*
낭사(浪士) =낭인(浪人).
낭사(浪死) muerte *f* vana. ～하다 morir en vano.
낭상(囊狀) forma *f* de saco, saco *m.* ～의 sacular.
■～관(管) válvula *f* cística, válvula *f* pancreática. ～ 림프절 adenocisto *m.* ～선(腺) glándula *f* sacular. ～ 외골증 exostosis *f* bursata. ～ 인대 ligamento *m* sacular.
낭설(浪說) rumor *m* falso. ～을 퍼뜨리다 circular [correr] el rumor falso.
낭성(狼星)【천문】=천랑성(天狼星)(Sirio).
낭성대 palo *m* largo.
낭세포(娘細胞) bursacito *m.*
낭소(朗笑) risa *f* alegre. ～하다 reír alegremente.
낭속(廊屬) =종붙이.
낭송(朗誦) =낭독(朗讀).
낭연(狼煙/狼烟) =봉화(烽火).
낭영(朗詠) =낭음(朗吟).
낭옹(囊癰)【한방】absceso *m* del testículo.
낭요(廊腰) =복도(複道).
낭원(閬苑) lugar *m* que vive el hechicero.
낭월(朗月) luna *f* clara.
낭유(稂莠)【식물】=강아지풀.
낭음(朗吟) recitación *f*, declamación *f.* ～하다 recitar, declamar.
낭인(浪人) vagabundo, -da *mf* sin empleo, persona *f* sin empleo [sin trabajo]; desocupado, -da *mf.* ～이 되다 vagabundear sin empleo, estar [quedarse] sin empleo. ～으로 생활하다 vivir sin ocupación fija.
낭자 moño *m*, *Méj* chongo *m*, *RPl* rodete *m.*
■～ㅅ비녀 pasador *m* grande y largo para el moño.
낭자(郎子) soltero *m.*
낭자(娘子) ① [처녀(處女)] soltera *f.* ② ((높임말)) (mujer *f*) joven *f.* ③ [어머니] madre *f.* ④ [아내] esposa *f*, mujer *f.* ⑤ [궁녀] dama *f* de la corte. ⑥ [창기(娼妓)] prostituta *f*, ramera *f*, puta *f.*
■～군(軍) ㉮ [여자로 편성된 군대] tropas *fpl* amazónicas. ㉯ [여자들만으로 조직된 선수단이나 단체] las Amazonas.
낭자(浪子) ① =낭인(浪人). ② [방황하는 자식] hijo *m* vagante. ③ [천박하여 일정한 의견이 없는 사람] persona *f* superficial.
낭자(狼藉) ① [매우 어지럽게 여기저기 함부로 흩어져 있음] desorden *m*, confusión *f*, caos *m.* ～하다 estar desordenado, estar en desorden. ② [왁자하고 요란함] alboroto *m*, mucho ruido *m.* ～하다 hacer mucho ruido.
낭자(囊子)【식물】el asca *f.*
■～균(菌) ascomecretos *m.*
낭자 야심(狼子野心) perfidia *f*, deslealtad *f.*
낭재(郎材) =신랑(新郎)감.
낭저(廊底) =행랑(行廊).
낭적(浪跡) paso *m* vagante.
낭종(囊腫)【의학】tumor *m* enquistado, quiste *m.*
■～ 내막(內膜) endoquiste *m.*
낭중(囊中) interior *m* del bolsillo, *su* bolsillo, *su* bolso. ～ 무일푼이다 estar sin un céntimo.
■～물 artículo *m* en *su* mano. ～취물 Se puede obtener con facilidad.
낭지(浪志) idea *f* irrazonable.
낭창(狼瘡)【의학】lupus *m.*
낭창(朗唱) =낭송(朗誦).
낭창거리다 ser maleable, flexible, encorvarse, curvarse, doblarse. 눈의 중량(重量)으로 가지가 낭창거린다 La rama se curva por [cede bajo] el peso de la nieve.
낭창낭창 maleablemente, flexiblemente, ablandando. ～하다 (ser) blando, elástico; [휘어지기 쉬운] flexible, doblegable. ～하게 하다 ablandar, dar flexibilidad (a). ～한

대나무 bambú *m* maleable. ～한 나뭇가지 ramita *f* flexible.
낭창낭창해지다 ablandarse, hacerse flexible, cobrar flexibilidad.

낭충(囊蟲) 【곤충】 cisticerco *m*.

낭탐(狼貪) avaricia *f*. ～하다 (ser) avaro.

낭태(浪太) 【어류】 =양태.

낭태어(浪太魚) 【어류】 =양태.

낭패(狼狽) fracaso *m*, frustración *f*, derrota *f*, preocupación *f*, inquietud *f*, confusión *f*, aturdimiento *m*, pavir *m*, perturbación *f*, perplejidad *f*, pánico *m*; [당혹] consternación *f*. ～하다 molestarse, preocuparse, perder la cabeza, confundirse, consternarse, turbarse, quedarse desconcertado; [상태] estar confuso, estar consternado. ～한 confuso, perplejo, turbado, consternado, aturdido, alterado. ～로 en confusión, desconcertadamente. 머리털이 자꾸 빠져서 ～다 Me preocupo por la caída de pelo.

낭포(囊胞) vesícula *f*.

낭핍(囊乏) bolsillo *m* vacío. ～하다 estar vacío el bolsillo.
■～일전(一錢) No hay ni un céntimo [*AmL* un centavo].

낭하(廊下) ① =행랑(行廊). ② [복도(複道)] corredor *m*, pasillo *m*, pasadizo *m*; [회랑(回廊)] galería *f*. ～를 따라가다 ir a lo largo de corredor.

낭함(琅函) ① [서류 상자] caja *f* para los documentos. ② [남을 높이어 「그의 편지」] su carta.

낭화(狼火) =봉화(烽火).

낭화(浪花) tallarín *m* (*pl* tallarines) de trigo.

낭화(朗話) cuento *m* alegre, historia *f* clara.

낮 ① [해가 뜰 때부터 질 때까지의 동안] día *m*; [정오(쯤)] mediodía *m*. ～에 al día, al mediodía. ～동안 durante el día, de día. ～쯤에 hacia el mediodía. ～ 전(前)에 antes del mediodía. ～ 후(後)에 después del mediodía. ～이나 밤이나 día y noche, de día y de noche. ～에 일하다 trabajar durante el día. ～에는 자고 밤에 일하다 dormir de día y trabajar de noche. ～만큼 밝다 Está luciente así como el día. 우리는 ～에 여행했다 Viajamos durante el día / Viajamos de día. 나는 ～에 해변에 갔다 Fui a pasar el día por la playa. ～에는 하늘이 맑았다 El cielo estuvo claro de día [por el día]. 나는 가끔 ～에 외출한다 Suelo estar fuera durante el día. 나는 내일 ～에 멕시코 시에 도착한다 Yo llegaré a la ciudad de México mañana al mediodía. ～ 기온은 40도로 오른다 La temperatura sube a cuarenta grados durante el día. ～에 대지진이 일어났다 El gran terremoto ocurrió de día. ② ((준말)) =한낮.
■낮에 난 도깨비 ((속담)) persona *f* muy extraña.
■～ 흥행 función *f* de la tarde.

낮거리 coito *m* diurno, cópula *f* diurna, relaciones *fpl* sexuales diurnas, relaciones *fpl* sexuales que el hombre y la mujer tienen al día.

낮결 primera mitad *f* de la tarde. ～에 de día, entre día.

낮교대(一交代) turno *m* diurno, turno *m* del día.

낮다 ① [위아래의 길이가 짧다] (ser) bajo. 낮은 산 montaña *f* baja, monte *m* bajo. 지대가 ～ La zona es baja. 집이 ～ La casa es baja. 천장이 ～ El techo es bajo. ② [(소리·압력·강도 따위가) 약하다] (ser) débil, bajo. 낮은 목소리로 bajo, en voz baja. 낮은 목소리로 말하다 hablar bajo [en voz baja]. 목소리가 ～ La voz es débil [baja]. ③ [(정도나 지위, 또는 수준 따위가) 어떤 기준이나 상대되는 대상보다 아래로 되어 있다] ㉮ [질이 좋지 못하거나 나쁘다] (ser) inferior. ㉯ [(값이나 삯 따위가) 일정한 기준보다 적다] (ser) poco. 품삯이 ～ El jornal es poco. ④ [습도·온도 따위가 높지 못하다] (ser) bajo. 낮은 기온(氣溫) temperatura *f* baja. 기온이 ～ La temperatura es baja.
낮아지다 hacerse bajo.
낮은말 =상말. 비어(卑語).

낮대거리 =낮교대.

낮도깨비 ① [낮에 나타난 도깨비] fantasma *m* [espíritu *m*] embrujado a plena luz del día. ② [체면 없이 난잡한 짓을 하는 사람] bastardo, -da *mf* sinvergüenza.

낮도둑 ① [낮에 남의 물건을 훔치는 도둑] ladrón *m* (*pl* ladrones) diurno [del día]. ② [체면을 가리지 않고 제 욕심만 채우는 사람] explotador, -dora *mf*, persona *f* glotona.

낮때 pleno día *m*, mediodía *m*. ～쯤(에) hacia el mediodía.

낮말 palabra *f* que se dice de día.
■낮말은 새가 듣고 밤말은 쥐가 듣는다 ((속담)) Las paredes tienen ojos / Las paredes tienen oídos / Las paredes oyen / En boca cerrada no entran moscas / El silencio es oro.

낮별 sol *m* del día.

낮보다 ((준말)) =낮추보다.

낮수라 ((궁중말)) almuerzo *m*.

낮술 ① [낮에 마시는 술] vino *m* que se bebe de día. ② [낮에 파는 술] vino *m* que se vende de día.

낮은말 ☞낮다

낮은음자리표(一音一標) 【음악】 clave *f* de fa.

낮은청 ① 【음악】 =베이스. ② 【음악】 =알토.

낮일 trabajo *m* diurno [del día]. ～하다 trabajar de día.

낮잠 siesta *f*, sueño *m* de la tarde. ～을 자다 dormir una siesta, tomor la siesta, sestear, echar(se) siesta, hacer siesta.

낮차(一車) tren *m* diurno.

낮참(一站) merienda *f*. ～을 먹다 merendar, tomar la merienda.

낮추 bajo, abajo.
낮추보다 despreciar, menospreciar.

낮추다 ① [낮게 하다] bajar. 라디오 볼륨을 ～ bajar la radio. 라디오 볼륨을 낮추어라

Baja la radio. ② [남을 깎아내리거나 헐다] despreciar, menospreciar. ③ [(「말씀·말」따위와 함께 쓰이어)「해라」「하게」따위의 말을 쓰다] tutear. 말씀을 낮추게 Tutea.

낮춤말 palabra *f* familiar, términos *mpl* familiares.

낮후(一後) después del pleno día.

낯 ① ㉮ [안면(顔面)] cara *f*, rostro *m*. ㉯ ((성경)) frente *f* (이마), descaro *m* (철면피). ~ 모르는 extraño, desconocido. ~ 모르는 사람 extranjero, -ra *mf*, forastero, -ra *mf*. ~을 씻다 lavarse la cara. ~을 씻기다 lavar la cara (a). ② [체면(體面)·면목(面目)] dignidad *f*, honor *m*. 그 사람을 볼 ~이 없다 No puedo verme en su presencia / Tengo vergüenza de verle.
◆낯(을) 가리다 acobardarse ante un desconocido, ponerse tímido [asustado] ante los desconocidos, amedrentarse de desconocidos. 낯(을) 깎다 perjudicar la dignidad. 낯(을) 내다 estar orgulloso (de). 낯(을) 붉히다 ponerse colorado [rojo], abochornarse, sonrojarse, sonrosearse, mostrar en la cara rubor. 낯(을) 알다 recordar [acordarse de] *su* cara. 낯(을) 익히다 estar familiarizado, cultivar familiaridad (de). 낯(이) 간지럽다 avergonzarse (de), estar avergonzado. 낯(이) 깎이다 perder honor [reputación]. 낯(이) 나다 ganar honor [reputación]. 낯(이) 두껍다 =낯가죽이 두껍다. ☞낯가죽. 낯(이) 부끄럽다 tener vergüenza, avergonzarse. 낯(이) 설다 desconocer, no conocer, resultar desconocido, no ser familiar. ¶낯선 desconocido, nuevo. 낯선 남자 hombre *m* desconocido [extraño], forastero *m*. 낯선 사람 desconocido, -da *mf*. 낯선 얼굴 cara *f* desconocida, rostro *m* desconocido. 식탁의 낯선 손님 comensal *mf*, vecino, -na *mf* de mesa. 한 방에 합숙하는 낯선 손님 compañero, -ra *mf* de cuarto. 한 차에 탄 낯선 손님 compañero, -ra *mf* de viaje. 낯선 땅에서 일하다 trabajar en una tierra desconocida [poco familiar]. 나는 이곳이 낯선 곳이다 [처음이다] Soy forastero aquí / No conozco bien esta tierra / No me oriento bien aquí / [길을 물을 때 대답으로] Soy extranjero aquí. 그 이름은 나한테 낯이 설다 El nombre me resulta desconocido / El nombre no me es familiar. 낯(이) 없다 estar avergonzado (de), avergonzarse. 낯(이) 익다 conocerse, ser conocido [familiar]. ¶낯익은 풍경(風景) paisaje *m* familiar. 그이와는 오래전부터 낯익은 사이다 El y yo somos conocidos [Nosotros nos conocemos] desde hace mucho tiempo.

낯가림 acobardamiento *m* de los niños ante un desconocido. ~하다 acobardarse ante un desconocido. ~을 하지 않다 no intimidarse ante un extraño, no extrañar a nadie. 이 아이는 ~을 한다 Este niño extraña traña a los desconocidos.

낯가죽 cutis *f* de la cara, piel *f* de la cara.
◆낯가죽(이) 두껍다 tener sinvergüenza, (ser) descarado, desvergonzado, impudente, sin vergüenza, fresco. 낯가죽이 두꺼운 여자 mujer *f* muy descarada [desvergonzada·sin vergüenza·imprudente]. 낯가죽이 두꺼운 남자 hombre *m* descarado, hombre *m* desvergonzado.

낯두껍다 ☞낯

낯바닥 ((속어)) =낯.
◆낯바닥이 땅 두께 같다 No sabe avergonzarse nada / Nunca se sabe vergüenza. 낯바닥이 홍당무 [홍동지] 같다 ㉮ [부끄럽거나 무안하여 얼굴이 붉어짐] Se pone colorado [rojo] por la vergüenza. ㉯ [낯이 붉다] La cara es colorada.

낯빛 ① [얼굴색] complexión *f*, color *m*. ② [표정] semblante *m*, rostro *m*, cara *f*. 절망의 ~으로 con cara de desesperación, con cara desesperada.
◆낯빛을 변하다 desmudarse el aspecto del rostro, ponerse rojo la cara. 낯빛을 변하고 con semblante de amenaza. 낯빛이 변하다 desmudarse el rostro, ponerse pálido.

낯설다 ☞낯

낯익다 ☞낯

낯익히다 ☞낯

낯짝 ((속어)) =낯. ¶무슨 ~으로 여기에 나타났느냐? ¿Cómo tienes el descaro de presentarte aquí?

낱 pieza *f*, pedazo *m*, unidad *f*.

낱값 =단가(單價).

낱개(一箇) pieza *f*, unidad *f*. ~로 uno a uno, una a una; uno por uno, una por una; separadamente, al granel, en pieza suelta. ~로 팔다 vender por pieza, vender al granel, vender en piezas sueltas.

낱개비 una pieza de madera.

낱권(一卷) cada tomo.

낱그릇 cada vasija, cada recipiente.

낱근(一斤) cada *gun*.

낱꼬치 cada pincho.

낱낱 uno a uno, uno por uno.
낱낱이 uno a uno, uno por uno, separadamente.

낱내 【언어】 sílaba *f*.

낱눈 【동물】 =홑눈.

낱단 cada ramo.

낱덩이 cada bulto.

낱돈 (dinero *m*) suelto *m*, *AmL* sencillo *m*, *Méj* feria *f*.

낱뜨기 mercancía *f* vendida por la pieza.

낱말[1] [따로따로의 한 말] una palabra, un vocabulario.

낱말[2] [언어의 최소 단위] palabra, vocabulario. 서반아어(西班牙語) ~을 몇 개나 아십니까? ¿Cuántos vocabularios españoles sabe usted?

낱몸 =개체(個體).

낱상(一床) cada mesa.

낱소리글 【언어】 =음소 문자(音素文字).

낱알 cada grano.

낱이삭 cada espiga.

낱자(一字) 【언어】 =자모(字母).
낱잔(一盞) cada copa, cada vaso, cada caña.
낱장(一帳) una hoja (de papel), una copia (de fotografía).
낱흥정 transacción *f* uno a uno.
낳다[1] ① [배 속의 아이나 새끼를 생리 작용에 의하여 몸 밖으로 내놓다] parir, alumbrar, dar a luz, dar nacimiento; [동물이] parir, engendrar, echar al mundo; [알을] poner huevos, aovar. 아내가 사내아이를 낳았다 Mi esposa dio a luz un niño. 지난 월요일에 그녀는 여아를 낳았다 Ella dio a luz una niña el pasado lunes. 이 암탉은 알을 많이 낳는다 Esta gallina pone muchos huevos. 낳기보다 키우기가 더 어렵다 Criar al niño es más difícil que darle a luz. 낳은 정보다 기른 정 Uno se siente más obligado a los que le han eriado que a los que sólo le dieron a luz.
② [(어떤 결과를) 이루다] producir, dar. 걸작을 ~ producir una obra maestra. 영웅을 ~ producir un héroe. 이익(利益)을 ~ producir beneficios. 이자(利子)를 ~ dar interés, producir interés. 좋은 결과를 ~ dar un buen resultado. 전쟁은 파괴와 무질서, 그리고 빈곤을 낳는다 La guerra da la destrucción, el desorden y la pobreza.
낳다[2] ① [솜이나 삼 껍질·털 따위로 실을 만들다] hilar. ② [실 따위로 피륙을 짜다] tejer, entretejer.
-낳이 tejiendo, hilando, tejido en, el tejido de. 봄~ tela *f* tejida en primavera, tejido *m* de primavera.
낳이하다 =길쌈하다.
내[1] [불에 탈 때의 매운 기운] humo *m*. ~로 가득찬 방 habitación *f* llena [cargada] de humo. ~가 자욱하다 estar lleno de humo, echar humo.
내[2] ((준말)) =냄새(olor).
내[3] [물이 흘러가는 길] arroyo *m*, río *m*. ~를 건너다 cruzar [atravesar] el río. 명철한 사람의 입의 말은 깊은 물과 같고 지혜의 샘은 솟쳐 흐르는 ~와 같으니라 ((잠언 14:8)) Aguas profundas son las palabras de la boca del hombre; y arroyo que rebosa, la fuente de la sabiduría / Las palabras del hombre son aguas profundas, río que corre, pozo de sabiduría.
내[4] ① [주격 조사「-가」위에 쓰이는, 제일인칭 대명사「나」의 특수형] yo. 그건 ~가 했다 Yo lo hice. ~가 널 돕겠다 Yo te ayudaré. ② ((준말)) =나의(mi, mío). ¶~ 책 mi libro. ~ 고향(故鄕) mi tierra natal. ~ 사랑하는 아내 mi querida esposa. ~ 사랑하는 아들과 딸에게 [편지 서두에서] Mis *queridos hijos*. ~ *한 친구 un amigo mío*.
■내 것도 내 것, 네 것도 내 것 ((속담)) Lo mío, mío y lo tuyo de entreambos / Lo mío, mío es y lo tuyo también. 내 돈 서 푼이 남의 돈 칠백 량보다 낫다 ((속담)) Más vale pájaro en mano que cien(to) volando / Más vale pájaro en mano que buitre volando / Es mejor lo que uno tiene ahora que lo que puede tener en el futuro. 내 밥 먹은 개가 발 뒤축(을) 문다 ((속담)) Cría cuervos y te sacarán los ojos. 내 배 부르면 종의 밥 짓지 말라 한다 ((속담)) El que se calienta piensa todo así.
내(內) interior *m*; [부사적] en, dentro (de). 1주일 ~에 dentro de una semana. 금주 ~에 en esta semana. 교실 ~ interior *m* de la clase. 공장 ~에서 dentro [en el interior] de la fábrica. 예산 ~에서 dentro del límite de presupuesto.
내(耐) ① [견디다. 배겨내다. 유지하다] tolerar, soportar, durar, conservar, mantener. ② [참다] tener paciencia.
내-(來) que viene, próximo, entrante, que entra, venidero. ~월(月) mes *m* que viene, próximo mes *m*, mes *m* que entra, mes *m* entrante. ~년 (年) año *m* próximo [que viene · que entra · entrante].
-내 [처음부터 끝까지·그동안 죽 내쳐서] todo, de principio a fin. 일년~ todo el año. 일년~ 소식이 없다 No hay noticia todo el año. 겨우~ 눈이 온다 Nieva todo el invierno.
내가(來駕) su visita.
내가다 sacar (de). 금고의 돈을 ~ sacar el dinero de la caja fuerte. 책상을 방에서 ~ sacar el escritorio de la habitación. 네 물건을 내 서랍에서 내가거라 Saca tus cosas de mi cajón.
내각[1](內角) 【수학】 ángulo *m* interno.
내각[2](內角) parte *f* de dentro [*AmL* adentro].
내각(內殼) =속껍데기.
내각(內閣) ① [국가의 행정권을 맡아보는 최고 기관] gabinete *m*, ministerio *m*, consejo *m* de ministros; [정부(政府) gobierno *m*. ~의 경질(更迭) cambio *m* del gabinete. ~의 각원(閣員) ministros *mpl* del gabinete. ~의 와해(瓦解) disolución *f* del gabinete. ~의 위기(危機) crisis *f* del gabinete, crisis *f* ministerial. ~을 개편하다 reorganizar el gabinete. ~을 조직하다 formar [organizar] un gabinete. ~을 타도하다 derribar el gabinete [el gobierno]. ② 【역사】 =규장각.
◆거국 일치 ~ gabinete *m* de coalición nacional. 약체 ~ gabinete *m* decadente. 연립(聯立) ~ gabinete *m* de coalición. 예비(豫備) ~ gabinete *m* fantasma, gabinete *m* en la sombra. 초당파 ~ gabinete *m* suprapartidista.
■~ 각료 miembros *mpl* del gabinete. ~ 개조(改組) remodelación *f* ministerial, remodelación *f* del gabinete. ~ 경질 cambio *m* ministerial, cambio *m* del gabinete, cambio *m* del Ministerio. ~ 고시 제일호 N°. uno del aviso del gabinete. ~ 분열 ruptura *f* [separación *f*] en el gabinete. ~ 불신임안 moción *f* de censura contra el gabinete. ~ 수반 jefe, -fa *mf* del gabinete, primer ministro *m*, primera ministra *f*. ~원 miembros *mpl* del gabinete. ~ 책임제 gobierno *m* parlamentario. ~ 총리 대신

primer ministro *m.* ~ 총사직 dimisión *f* en pleno de los ministros [en bloque del gabinete], resignación *f* general de los ministros. ~ 회의 consejo *m* de ministros, consejo *m* del gabinete.
내간(內間) =아낙.
내간(內艱) =내간상(內艱喪).
■ ~상(喪) muerte *f* de la madre.
내간(內簡) carta *f* que se escribe entre las mujeres.
내갈기다 ① [힘껏 갈기다] pegar*le* (a *uno*), golpear, dar un golpe. 귀퉁이를 ~ dar*le* un sopapo (a *uno*). 뺨을 ~ dar*le* [pegar*le*] una bofetada (a), abofetear (a), pegar*le* en la cara. 채찍으로 ~ [말을] pegar*le* (con la fusta), fustigar; [사람을] azotar; [아이를] dar*le* una paliza [un azote] (a *uno*). 그는 아이의 뺨을 내갈겼다 El le pegó al niño en la cara. 그녀는 핸드백으로 그를 내갈겼다 Ella le pegó [le dio un golpe] con el bolso. ② [글씨를 공들이지 않고 마구 쓰다] garabatear, hacer garabatos; [급히 쓰다] escribir corriendo. 편지를 ~ escribir una carta corriendo. 몇 줄 ~ garabatear unas líneas. 나는 내 아내에게 쪽지에 급히 내갈겨 썼다 Le escribí una notita a mi esposa a las corridas [a las carreras].
내감창(內疳瘡) 【한방】 absceso *m* en la encía superior.
내강(內剛) voluntad *f* fuerte, fuerza *f* interior. ~하다 (estar) resuelto, decidido, tenaz.
■ ~외유(外柔) la fuerza interior y la suavidad exterior.
내강(內腔) cavidad *f* interior.
내개(內開) contenido *m* de la carta sellada.
내개(內概/內槩) contenido *m* principal de la carta.
내객(內客) =안손님.
내객(來客) visitante *mf,* visitador, -dora *mf,* [집합적] visita *f.* ~으로 바빠서 por estar ocupado con una visita. ~이 있다 tener una visita. 많은 ~이 있었다 Hemos tenido muchas visitas. 사장은 ~을 맞고 있다 El presidente está con [está atendiendo a] un visitante [una visita].
내걸다 poner, colocar, llevar. 간판을 ~ poner [colocar] un letrero. 플래카드를 ~ llevar una pancarta.
내경(內徑) diámetro *m* interno.
■ ~측정기(測程器) calibrador *m.*
내경동맥(內頸動脈) arteria *f* carotídea interna. ~ 신경 nervio *m* carotídeo interno.
내경정맥(內頸靜脈) vena *f* yugular interna.
내경험(內經驗) 【철학】 experiencia *f* interna.
내경화증(內硬化症) enosclerosis *f.*
내계(內界) mundo *m* interno.
내고(內告) notificación *f* [aviso *m*] no oficial.
내고(內顧) ansia *f* privada [doméstica · de casa].
내골격(內骨格) endoesqueleto *m.*
내골종(內骨腫) 【의학】 enostosis *f.*
내공(內攻) 【의학】 retrocesión *f,* retroceso *m.* ~하다 retroceder. ~성의 retrocesivo, insidioso. 불만이 ~한다 La insatisfacción corroe el alma.
■ ~성 질환 enfermedad *f* retrocesiva.
내공(內供) ① ((준말)) =내공목(內供木). ② =안찝.
■ ~목(木) algodón *m* de mala calidad para el forro.
내공(來貢) acción *f* de venir a pagar el tributo. ~하다 venir a pagar el tributo.
내공(耐空) resistencia *f* en vuelo, aeronavegabilidad *f.* ~하다 hacer un vuelo de resistencia.
■ ~ 비행 vuelo *m* de resistencia. ~성 aeronavegabilidad *f.* ~ 시간 duración *f* de vuelo. ~ 증명 certificado *m* de aeronavegabilidad.
내공(乃公) ① [(주로 아랫사람에게 쓰이어) 나] yo. ② [그 사람 · 저이] ese hombre, aquella persona.
내과(內科) tratamiento *m* interno, medicina *f* interna, medicina *f* general.
■ ~ 병동 sala *f* médica. ~ 병원 hospital *m.* ~의(醫) internista *mf,* médico, -ca *mf,* físico, -ca *mf.* ~ 의원 hospital *m* (de enfermedades internas). ~ 질환 enfermedad *f* interna. ~ 치료 tratamiento *m* interno. ~학 medicina *f* interna. ~ 환자 caso *m* médico.
내과피(內果皮) 【식물】 endocarpio *m.*
내관(內官) ① =내시(內侍). ② =고자(鼓子).
내관(內棺) =관(棺).
내관(內觀) ① 【심리】 introspección *f,* examen *m* de conciencia, introversión *f.* ~하다 mirar lo interior de alguna cosa, hacer examen de conciencia. ② ((불교)) contemplación *f* interna, meditación *f* interna.
내관(來觀) visita *f,* inspección *f.* ~하다 visitar, inspeccionar, venir y ver.
■ ~자(者) visitante *mf,* visitador, -dora *mf,* [집합적] visita *f.*
내교섭(內交涉) [예비] negociaciones *fpl* preliminares; [약식] negociaciones *fpl* informales. ~하다 mantener negociaciones preliminares.
내구(內舅) =외숙(外叔).
내구(來寇) invasión *f.* ~하다 invadir.
내구(耐久) lo duradero. ~의 duradero, durable, perdurable.
■ ~ 경기 marcha *f* con equipo, marcha *f* deportiva. ~력 durabilidad *f,* (fuerza *f* de) resistencia *f,* duración *f,* [영구(永久)] permanencia *f.* ¶~이 있는 duradero, durable, resistente. ~이 있다 ser duradero. ~을 기르다 desarrollar la resistencia; ((운동)) hacer ejercicios de resistencia. ~ 생산재 bienes *mpl* de producción duraderos. ~성 durabilidad *f,* duración *f,* (fuerza *f* de) resistencia *f.* ¶~이 있는 [물건이] duradero; [물건 · 사람이] resistente. ~ 소비재 bienes *mpl* de consumo duraderos. ~ 시험 prueba *f* de resistencia. ~재(材) bienes *mpl* duraderos.
내국[1](內局) 【역사】 =내의원(內醫院).

내국²(內局) [중앙 관청의 국(局)으로서, 장관·차관의 감독을 직접 받는 국] departamento *m* de relaciones interiores.

내국(內國) interior *m* del país. ~의 del país, nacional, estatal, doméstico, interior, interno.

■~ 공채 bono *m* interno, emprésito *m* [deuda *f*] interior, emprésito *m* nacional. ~ 관세 =국내 관세. ~ 무역 comercio *m* interior. ~법 ley *f* nacional, ley *f* civil. ~ 보안(保安) seguridad *f* interna. ~산(産) productos *mpl* nacionales. ~ 산업 박람회 exposición *f* industrial nacional. ~세(稅) impuesto *m* interno. ~ 시장 mercado *m* interno, mercado *m* nacional, mercado *m* doméstico. ~ 신용장 carta *f* de crédito interna. ~ 우편 correo *m* nacional. ~운송 transporte *m* interno. ~인[민] indígena *mf.* ~제(製) fabricación *f* nacional, producto *m* nacional. ¶~의 nacional, doméstico. ~채(債) deuda *f* interna, emprésito *m* interior, deuda *f* interior, emprésito *m* nacional. ~ 통신 correspondencia *f* interna, correo *m* interno, correo *m* nacional. ~ 항로(航路) línea *f* nacional, navegación *f* nacional. ~ 화물 mercancías *fpl* internas. ~환 giro *m* del país. ~ 회사 compañía *f* nacional, empresa *f* nacional.

내군(內君) su esposa.

내굽다 doblar fuera, flexionar fuera. 팔이 들이굽지 내굽지 않는다 La sangre tira / Los lazos familiares son fuertes.

내규(內規) reglamento *m* interno, regla *f* privada, estatuto *m* particular.

내근(內勤) servicio *m* interior (de oficina). ~하다 trabajar dentro; [의사·간호사가] estar de turno, estar de guardia; [경찰관·소방대원이] estar de servicio.

■~ 사원 empleado, -da *mf* de servicio interior.

내금(內金) pago *m* en cuenta. ~으로 en cuenta. 나는 ~으로 10만 원을 받았다 Yo recibí cien mil wones en cuenta.

내기 apuesta *f*, juego *m*. ~하다 apostar, hacer apuesta, jugar. ~에 이기다 ganar una apuesta. ~에 지다 perder una apuesta. ~에 응하다 aceptar una apuesta. …에 만 원 ~를 하다 apostar diez mil wones a *algo*. 화투로 ~하다 apostar dinero en las cartas [en los *hwatu*]. 야구 시합에서 나는 그와 5천 원 ~를 했다 Le aposté cinco mil wones en un partido de béisbol. 나는 ~에서 2만원을 벌었다 Gané veinte mil wones en la apuesta.

■~돈 apuesta *f*, dinero *m* en juego. ~ 바둑 *baduc m* apostado. ~ 장기 ajedrez *m* apostado.

-내기 ① [고장 사람] habitante *mf* del región. 서울 ~ seulense *mf.* 시골~ campesino, -na *mf*; provinciano, -na *mf.* ② [그 정도의 사람] tal persona *f.* 풋~ novato, -ra *mf*; pardillo, -lla *mf*; persona *f* novata [inexperta · sin experiencia].

내깔기다 descargar con energía. 오줌을 ~ orinar.

내나 al fin, por fin, en fin, finalmente. 그도 ~ 항복했다 El también se rindió.

내남없이 todo el mundo, todos. 그것은 ~ 다 아는 사실이다 Es una verdad conocida a todo el mundo.

내내 todo, por todo el tiempo, siempre, desde el principio hasta el fin, entero, durante, continuamente, sucesivamente, sin interrupción, sin interrumpir, sin descansar, por todo, en todo. ~ 서다 quedarse en pie sin moverse. 나는 서울에서 목포까지 ~ 서 있어야 했다 Tuve que ir (en el tren) de pie desde Seúl hasta Mokpo. 나는 금주 ~ 휴가다 Yo descanso toda esta semana.

내내년(來來年) año *m* después del próximo, dos años después.

내내다 ① [연기를 내다] despedir (el humo). ② [냄새를 내다] despedir. 냄새를 ~ despedir olor.

내내세세(來來世世) otra vida *f* después de la otra.

내내월(來來月) mes *m* después del próximo, dos meses después.

내녀(乃女) su hija de él.

내년(來年) año *m* próximo [que viene · entrante · que entra · venidero], próximo año *m*. ~ 봄 primavera *f* del próximo año. ~ 5월에 en (el mes de) mayo del año próximo, el próximo mayo. ~ 이맘때 estos días del año próximo.

내념(內念) (interior *m* del) corazón *m*.

내놓다 ① [밖으로 꺼내어 놓다] sacar, echar fuera, expulsar; [노출하다] exponer. 가슴을 ~ sacar (el) pecho. 개를 밖에 ~ echar fuera un perro; [산책에] sacar el [al] perro (a pasear). 양지(陽地)에 ~ exponer al sol. 혀를 ~ sacar la lengua. 주머니에서 돈을 ~ sacar dinero del bolsillo. 아이가 배를 내놓고 자고 있다 El niño duerme con el vientre. ② ㉮ [(숨겨진 것을) 드러내다] revelar, develar, desvelar, poner al descubierto, sacar a la luz. ㉯ [(작품이나 저술 따위를) 발표하다] publicar. 걸작을 ~ publicar la obra maestra. 사전(辭典)을 ~ publicar el diccionario. ③ [(물건을) 팔거나 세를 주려고 사람들에게 선보이다] venderse, estar en venta, poner *algo* en venta [a la venta]. 가게를 ~ poner la tienda en venta [a la venta]. 집을 내놓았음 ((게시)) Se vende (la) casa. ④ [가지고 있던 것을 내주거나 차지하고 있던 것에서 물러나오다] entregar, dar. 그는 큰 집을 아들에게 내놓고 이사를 했다 El entregó una casa grande a su hijo y se mudó. ⑤ [일부를 제외하다] excluir, exceptuar, omitir. 내놓고는 menos, excepto, salvo. 나를 내놓고는 모두가 초대받았다 Todos estaban invitados menos [excepto · salvo] yo. 내 일을 내놓는 것을 제외하고는 어떤 일이나 너를 위해 하겠다 Yo haría cualquier cosa por ti, menos [excepto · salvo] dejar mi trabajo. ⑥

[(목숨·명예·재산 따위의) 희생을 무릅쓰다] abandonar, dejar, dimitir, renunciar, presentar su dimisión [su renuncia]. 가족을 위해 목숨을 ~ sacrificar *su* vida por *su* familia. 지위(地位)를 ~ dimitir *su* posición. ⑦ [제출하다] presentar. ⑧ [음식을 제공하다] servir, ofrecer. 나는 손님에게 포도주를 내놓았다 Yo serví vino a los invitados. ⑨ [기부하다] donar, contribuir; [투자하다] invertir. 자금(資金)을 ~ invertir el fondo. ⑩ [짐승을 우리에서] dejar salir, soltar. 나를 여기서 내놓아라 ¡Abreme! / ¡Déjame salir de aquí! 누가 카나리아를 내놓았느냐? ¿Quién soltó al canario? 그녀는 감옥에서 내놓아 주기를 바라고 있었다 Ella esperó que la dejaran salir de la cárcel / Ella esperó que la soltaran pronto.

내다¹ [연기나 불길이 아궁이로 되돌아 나오다] humear, echar humo. 불이 아직 낸다 El fuego humea aún. 불이 내고 있었다 Todavía salía humo de la chimenea / La hoquera todava humeaba.

내다² ① ㉮ [안에 있는 것을 밖으로 나오게 하다] exponer. 화분(花盆)을 밖으로 ~ exponer fuera la maceta. ㉯ [(비료 같은 것을) 밭으로 옮겨 가거나 밭에 주다] abonar, fertilizar. 밭에 거름을 ~ abonar el campo. ② [밖으로 나오게 하다] distinguir. 이름을 ~ distinguirse, destacarse. ③ [틈을 만들다] dedicar. 시간(時間)을 ~ dedicar tiempo (a). 일손을 ~ dedicar mano de obra (a). ④ [발차·출발·출항시키다] tener un servicio (de). 배를 ~ tener un servicio de barcos. 임시 열차를 ~ tener un servicio del tren especial. ⑤ [(서류나 재물 따위를) 제출하거나 바치다] presentar, pagar; [청산하다] liquidar, saldar; [투자하다] invertir; [물자를 공급하다] suministrar, proveer. 보고서를 ~ presentar un informe. 성금을 ~ contribuir (una donación. 세금을 ~ pagar un impuesto. 책값으로 7천 원을 ~ pagar siete mil wones por un libro. 방값으로 월 20만 원을 ~ pagar de habitación doscientos mil wones al mes. 교통비를 3천 원 ~ pagar tres mil wones en concepto de viaje. 수업료를 학교에 ~ pagar la matrícula a la escuela. 세금을 세무서에 ~ pagar los impuestos a la oficina de *impuestos*. 기계를 공장에 ~ suministrar máquinas a la fábrica. 철도 요금을 ~ pagar el viaje de ferrocarril. 얼마 내면 됩니까? ¿Cuánto le debo? 그들은 각자 식대를 냈다 Ellos pagaron cada uno su comida. 내가 집을 비워 이웃이 가스 대금을 냈다 Yo estaba ausente y mi vecino pagó mi recibo del gas. 나는 이 책의 출판에 5백만 원을 냈다 Pagué cinco millones de wones por la publicación de este libro. 그는 이 사업에 1억 원을 냈다 El invirtió en esta empresa cien millones de wones. ⑥ [길을 새로 만들다] abrir. 길을 ~ abrir un camino. ⑦ [구멍을 뚫다] abrir. 구멍을 ~ agujerear, abrir un agujero. 담에 구멍을 ~ agujerear una muralla. ⑧ [(편지나 통지 같은 것을) 보내다] enviar, mandar, despachar. 안내장을 ~ enviar [mandar] la información. 쪽지를 ~ mandar [enviar] un recado. 편지를 ~ mandar [enviar] una carta. ⑨ [새로 더하다] adicionar, añadir. 속력을 ~ acelerarse. ⑩ [일어나게 하다] emitir, hacer. 소리를 ~ hacer un ruido.

내다³ ① [곡식을 팔다] vender. 쌀을 ~ vender el arroz. 묵은 보리를 ~ vender la cebada añeja. ② [남을 대접하려고 제공하다] servir. 한 잔 ~ servir una copa. 차(茶)를 ~ servir el té. 커피 내는 걸 깜박 잊어 버렸다 Se me olvidaba servirte café. ③ [모를 옮겨 심다] transplantar. 모를 ~ transplantar la planta de semillero de arroz. ④ [(빚을) 얻다] conseguir, obtener. 빚을 ~ conseguir el préstamo. ⑤ [(책·신문 따위를) 간행하다] publicar, tirar. 잡지를 ~ publicar una revista. 책을 ~ publicar un libro. 5천 부를 ~ tirar cinco mil ejemplares de un libro. 이 신문은 50만 부를 내고 있다 Esta prensa tira medio millón de ejemplares. ⑥ [살림·영업 따위를 새로 차리다] abrir, tener, poner. 점포를 ~ abrir [tener·poner] una tienda. ⑦ [가지다] tener. 한국은 두 사람의 우승자를 냈다 Corea ha tenido dos campeones. ⑧ [사고를] haber. 이 사고로 15명의 사망자를 냈다 Hubo quince víctimas en este accidente / Perecieron quince personas en este accidente. ⑨ [방사하다] emitir; [발생하다] producir. 열을 ~ emitir calor. 빛을 ~ emitir luz. 전파를 ~ emitir la onda electromagnética. 그을음을 ~ arrojar [echar] hollín. 많은 양의 에너지를 ~ engendrar [producir] gran cantidad de energía. ⑩ [(어떤 상태로) 만들거나 그렇게 되도록 하다] hacer. 박살을 ~ destruirse, matar a palos. 가루를 ~ reducir a polvo.

내다⁴ [(동사 어미 「-아」나 「-어」 아래에 쓰이어) 그 동작이 끝내 이루어짐을 나타냄] hacer a fondo [a conciencia]. 온갖 어려움을 견디어~ aguantar [tolerar·soportar] todas las dificultades. 지갑을 끄집어~ sacar la cartera. 그는 지갑에서 100달러 짜리 지폐를 끄집어냈다 El sacó un billete de cien dólares de su cartera.

내다보다 ① [밖을] mirar. 차창에서 밖을 ~ mirar por la ventana. ② [예측(豫測)하다] prever. 연(年) 10억 원의 매상이 있을 것으로 내다본다 Se espera una venta de mil millones de wones al año.

내다보이다 ① [밖에 있는 것이 안에서 보이다] mirarse. ② [안이] verse. ③ [예견되다] preverse.

내다지 【건축】 hoyo *m* a través del columna.

내닫다 entrar como una flecha, salir como una flecha, salir corriendo. 방으로 ~ entrar como una flecha en una habitación. 방에서 ~ salir como una flecha de una habitación. 그녀는 나를 보고 내닫았다 Ella me vio y salió corriendo.

■내닫기는 주막집 강아지라 ((속담)) persona *f* oficiosa, persona *f* entrometida.

내달(來-) mes *m* próximo [que viene · que entra · entrante · venidero], próximo mes *m.* ~ 10일 el 10 del mes que viene.

내달리다 salir corriendo.

내담(內談) cuento *m* secreto, conversación *f* privada, conferencia *f* privada. ~하다 contar [hablar] secretamente [en secreto], tener una plática personal (con); [비공식의] tener conversaciones [negociaciones] oficiosas [privadas · no oficiosas]; [예비적인] mantener negociaciones [conferencias] preliminares.

내담(來談) entrevista *f*, venida *f* a negociar, venida *f* a hablar del asunto. ~하다 entrevistar, venir a negociar, venir a hablar. ~하기 위하여 para hablar del asunto. 내일 오전에 ~하러 오십시오 Tenga la bondad de venir aquí mañana por la mañana para hablar del asunto. 본인 직접 ~할 것 ((광고)) Diríjase en personas [personalmente].

내당(內堂) =내실(內室).

내대다 hacer*le* el vacío (a), tratar fríamente.

내대자(褦襶子) persona *f* imprudente por su tontería.

내던지다 arrojar, echar, lanzar, dar, entregar, [사표를 내다] renunciar, presentar la dimisión; [바치다] ofrender, consagrar; [희생하다] sacrificar. 생명을 ~ dar [entregar] la vida (por). 직(職)을 ~ renunciar el puesto. 상사(上司)에게 사표를 ~ presentar la dimisión en la cara del superior. 짐을 땅에 ~ arrojar el equipaje al suelo. 침대에 몸을 ~ echarse [tenderse] en la cama. 조국을 위해 생명을 ~ entregar [sacrificar · ofrender] *su* vida por *su* patria. 그는 생명을 내던져 임무를 수행했다 El entregó la vida por cumplir con [en cumplimiento de] su misión. 그녀는 창문으로 몸을 내던졌다 Ella se tiró [*Méj* se aventó] por la ventana. 그는 앞으로 몸을 내던졌다 El se tiró [se echó] hacia adelante.

내도(內道) =불도(佛道).

내도(來到) llegada *f*, venida *f*. ~하다 llegar (a), venir (a).

내도(來島) venida *f* [visita *f*] a la isla. ~하다 venir [visitar] a la isla.

내돋다 aparecer, salir. 여드름이 내돋는다 Los granos salen (en la cara).

내돌리다 pasar [repartir · distribuir] sin la debida atención. 사진을 내돌리지 마세요 No reparta [distribuya] las fotografías sin la debida atención.

내동댕이치다 arrojar. A를 B에 ~ estrellar A contra B. 지면(地面)에 ~ arrojar *algo* al [contra el] suelo. 상사에게 사표를 ~ presentar la dimisión en la cara del superior.

내두르다 ① [이리저리 휘두르다] blandir, balancear. 단도를 ~ blandir la daga. 팔을~ balancear los brazos. 주먹을 함부로 ~ recurrir a la fuerza [violencia]. ② [남을 자기 마음대로 이리저리 움직이게 하다] controlar, gobernar, reinar, tener a *uno* metido en un puño, llevar, conducir, guiar. 당을 마음대로 ~ ser el líder de un partido.

내둘리다[1] [정신이 아찔하여 어지러워지다] estar mareado.

내둘리다[2] [((「내두르다」의 피동)) 내두름을 당하다] ser controlado.

내디디다 ① [발을 바깥쪽 또는 앞으로 밟다] dar un paso adelante, partir. 오른발부터 ~ partir del pie derecho. ② [시작하다. 착수하다] comenzar, empezar, dar un paso. 해결을 위하여 한 걸음 ~ dar un paso para solución. 민주 정치에 제일보를 ~ dar los primeros pasos hacia una política democrática. 그는 정치가로서 제일보를 내디뎠다 El dio primer paso en el mundo como político.

내딛다 ((준말)) =내디디다.

내떨다 ① [붙은 것이 떨어지도록 밖으로 대고 힘있게 떨다] sacudir fuerte, agitar fuerte. ② [남이 붙잡지 못하도록 힘있게 뿌리치다] quitarse de encima, eliminar.

내뚫다 agujerear, perforar. 뚜껑을 내뚫어라 Haga un agujero en la tapa / Agujeree la tapa.

내뚫리다 ser agujereado, ser perforado.

내뛰다 saltar a todas *sus* fuerzas hacia adelante.

내뜨리다 tirar, *Méj* aventar. 휴지를 창문 밖으로 ~ tirar el papel usado por la ventana. 그녀는 맥주를 그의 얼굴에 내뜨렸다 Ella le tiró la cerveza a la cara.

내락(內諾) consentimiento *m* privado [oficioso]. ~하다 consentir privadamente, dar consentimiento privado. ~을 얻다 recibir [obtener] un consentimiento oficioso (de). …하는 ~을 주다 consentir oficiosamente a *uno* + *inf*, dar a *uno* consentimiento oficioso para + *inf.*

내란(內亂) [내전(內戰)] guerra *f* civil; [반란(叛亂)] rebelión *f*, sublevación *f*, sedición *f*. ~을 선동하다 instigar [incitar · provocar] una rebelión. ~을 일으키다 empezar [desencadenar · encender · estallar] una guerra civil, rebelarse, sublevarse. ~을 진압하다 dar fin a la guerra civil, reprimir [suprimir] la rebelión.

■~음모 conspiración *f* de una rebelión. ~죄 (罪) rebelión *f*, traición *f*.

내레이션(영 *narration*) narración *f*.

내레이터(영 *narrator*) narrador, -dora *mf*.

내려가다 ☞내리다

내려앉다 ☞내리다[2]

내력(來歷) [유래(由來)] historia *f* (pasada), vida *f* pasada, cuento *m*; [기원(起源)] origen *m* (*pl* orígenes), procedencia *f*. 이 보석에는 재미있는 ~이 있다 Esta joya tiene una historia interesante. 그 사람이 예의 없는 행동을 하는 ~이 밝혀졌다 Sus gastos descorteses revelaron su origen.

내력(耐力) límite *m* aparente de elasticidad,

límite *m* de deformación.

내륙(內陸) interior *m.* ~의 interior. ~으로 hacia el interior, tierra adentro.

■~ 공업 지대 zona *f* industrial interior. ~국(國) país *m* interior. ~권 círculo *m* interior. ~ 기후 =대륙 기후. ~도(道) provincia *f* interior. ~ 분지(盆地) cuenca *f* interior. ~ 빙하 glaciar *m* interior. ~ 사구(砂丘) duna *f* interior. ~ 수운(水運) transporte *m* de agua interior. ~ 운수(運輸) transporte *m* interior. ~ 유역 cuenca *f* interior. ~ 지방 región *f* interior, zona *f* del interior, interior *m*, el área *f* (*pl* las áreas) interior. ~ 평야 llanura *f* interior. ~ 하천 río *m* interior. ~호(湖) lago *m* interior.

내리 ① [위에서 아래로 향하여] (hacia · para) abajo. 언덕 아래로 ~ 구르다 rodar cuesta abajo. 지붕에서 ~ 구르다 rodar del techo. ② [줄곧 · 계속해서 · 처음에서부터 끝까지] a través, continuamente, enteramente, sin cesar, siempre, de principio a fin. ~ …하다 estar +「현재 분사」(-ando · -iendo) continuamente, seguir [continuar] +「현재 분사」(-ando · -iendo). ~ 일하다 estar trabajando todo el tiempo. 아침부터 ~ 비가 오고 있다 Está lloviendo continuamente [sin cesar] desde la mañana / Desde la mañana sigue lloviendo. 그녀하고는 ~ 함께 근무하고 있다 Trabajo con ella desde hace mucho tiempo.

내리내리 continuamente, siempre.

내리갈기다 azotar, dar un golpe.

내리글씨 =세로글씨.

내리긋다 trazar una línea vertical.

내리기 【생물】=유전(遺傳).

내리까다 dar un golpe fuerte.

내리깎다 ① [값을 사정없이 깎아 내리다] rebajar el precio al azar. ② [남의 인격이나 체면 · 능력 등을 마구 떨어뜨리다] menospreciar.

내리깔기다 orinar arriba y abajo.

내리깔다 ① [시선(視線)을 아래로 보내다] mirar hacia abajo, bajar los ojos. 눈을 내리깔고 말하다 hablar con los ojos bajos, hablar sin atreverse a levantar los ojos. ② [자리를 아래쪽에 깔다] extender la estera abajo.

내리꽂다 ① [위에서 아래로 힘차게 꽂거나 박다] clavar fuete. ② [새나 비행기 따위가 급강하하다] descender en picado, descender repentinamente.

내리누르다 ① [위에서 아래로 힘을 주어 누르다] prensar, presionar. ② [윗사람이 아랫사람을 꼼짝 못하도록 위세를 가하다] oprimir, obligar [forzar] (a *uno* a + *inf*).

내리다¹ ① [탈것에서] apearse, bajar(se). 3층에서 ~ bajar del segundo piso. 버스[차]에서 ~ bajar(se) de un autobús [de un coche]. 여기서 내립니다 [버스에서] ¡Bajan! / [택시에서] Me bajo aquí / Aquí estamos (다 왔습니다). 내리는 사람이 우선 ((게시)) Antes de entrar dejen salir. 여기서 내려 주세요 ¡Déjeme (bajar) aquí, por favor / [택시에서] Aquí estamos. 어느 정류장에서 내려야 합니까? ¿En qué parada debo apearme? ② [낮은 데로 옮아 가거나 옮아 앉다] (hacer) descender, bajar, aterrizar. 비행기가 ~ aterrizar el avión. 기(旗)를 ~ arriar la bandera. ③ [비 · 눈 · 이슬 따위가 오다] [비가] llover; [눈이] nevar; [이슬이] rociar. 비를 내리게 하다 hacer llover; [인공적으로] provocar una precipitación [una caída de lluvia] artificial. 비가 내릴 것 같다 Parece que va a llover. 비가 내렸다 그쳤다 한다 Llueve a intervalos [a ratos]. ④ [값이 떨어지다] bajar. 시세가 내렸다 Los precios han bajado / [급락(急落)하다] Los precios se han desplomado. 값이 내렸다 Bajaron los precios. ⑤ [온도가 낮아지다] bajar. 온도가 내린다 Baja la temperatura. 그는 열이 내렸다 [평상시대로] Se le quitó la fiebre. ⑥ [살이 빠지다] enflaquecer(se), ponerse flaco. ⑦ [소화되다] digerirse. 이 음식은 잘 내리지 않는다 Esta comida se digiere muy mal. ⑧ [부었던 살이 가라앉다] mitigarse, calmarse. El hinchazón se mitigó. ⑨ [신(神)이 몸에 접(接)하다] estar endemoniado, estar poseído (por). 신이 ~ estar poseído por el demonio. 신이 내린 것처럼 como (un) endemoniado, como un poseso. ⑩ [뿌리가 나서 땅에 박히다] echarse. 뿌리가 ~ echarse las raíces.

내리다² ① [(명령 · 지시 · 법령 따위를) 주다] dar, pronunciar, publicar, dictar. 명령을 ~ dar una orden. 판결을 ~ pronunciar la sentencia. 명령이 내렸다 Se da [Se publica] la orden. 판결이 내렸다 Se ha dictado [Se ha pronunciado] la sentencia. ② [(벌이나 상(賞) 따위를) 아랫사람에게 주다] dar, entregar, otorgar, conceder. 상을 ~ entregar el premio. 벌을 ~ castigar, imponer [aplicar] un castigo. ③ [높은 데서 낮은 데로, 위에서 아래로 옮겨 놓다] bajar, rebajar, descontar, hacer bajar, depositar, poner abajo, poner en el suelo, descargar, desembarcar; hacer una reducción; [착륙(着陸)하다] aterrizar. 값을 ~ bajar el precio. 짐을 ~ bajar el equipaje. 품질을 ~ rebajar la cualidad. 임금을 ~ hacer una reducción del salario. 배에서 짐을 ~ desembarcar mercancías. 짐차에서 짚을 ~ descargar la paja del carro, descargar el carro de paja. 트럭에서 짐을 ~ bajar la carga del camión, descargar el camión. 전등을 약간 (밑으로) ~ bajar un poco la lámpara eléctrica. 냉장고의 온도(溫度)를 ~ (hacer) bajar la temperatura del frigorífico. 수업의 수준을 ~ bajar el nivel de las lecciones. 세금을 1% ~ hacer una reducción del uno por ciento en los impuestos. ④ [앞을 가로막아 닫다] colgar, suspender. 커튼을 ~ colgar la cortina. ⑤ [결론(結論)을 짓다] dar. 결론을 ~ dar una conclusión (a). ⑥ [소화하다 · 삭이다] digerir. 먹은 것을 잘 내리기 위해 소화제를

먹었다 Tomé un digestivo para digerir bien la comida. ⑦ [뿌리를] echar raíces, arraigar.
내려가다 ㉮ [높은 데서 낮은 데로] bajar, descender, ir abajo. 강[산·언덕(길)]을 ~ ir río [montaña·cuesta] abajo, bajar el río [la montaña·la cuesta]. 계단을 ~ bajar la escalera. ㉯ [서울에서 지방에 가다] ir al campo. ㉰ [값이 떨어지다] bajar. 기름값이 ~ bajar el precio del aceite [de la gasolina]. 값이 내려갈 기미가 있다 tener tendencia a la baja. 손해는 10억을 내려가지 않는다 Los daños no bajan [no son menos] de mil millones de wones. 주가(株價)가 내려갔다 Las acciones van en baja. ㉱ [온도가 떨어지다] bajar. 기온이 내려갔다 Bajó la temperatura. 나는 열이 내려갔다 [평상시처럼]] Se me quitó la fiebre. ㉲ [먹은 음식이 잘 소화되다] digerir bien. ㉳ [아래쪽으로 옮겨가다] ser bajado de categoría; 【군사】 ser degradado.
내려갈기다 azotar.
내려긋다 trazar una línea vertical
내려깔기다 orinar. 2층에서 오줌을 ~ orinar abajo de arriba.
내려놓다 bajar. 가방을 ~ bajar la maleta.
내려다보다 ㉮ [높은 곳에서] mirar desde lo alto. 그 성은 계곡을 내려다보고 있다 Ese castillo domina el valle. ㉯ [남을 낮추어 보다] menospreciar, mirar por encima del hombro, mirar por abajo.
내려디디다 dar un paso.
내려뜨리다 dejar caer, tirar. 잔을 ~ dejar caer el vaso, tirar el vaso.
내려보다 =내려다보다.
내려비치다 brillar. 달빛이 내리비친다 La luna brilla.
내려서다 dar un paso abajo.
내려쏟다 [액체·시멘트를] verter, echar; [소금·쌀·가루를] echar. 차를 ~ tirar el té.
내려쏟아지다 verterse, echarse, tirarse.
내려쓰다 llevar *algo* calado. 그는 모자를 귀까지 내려썼다 El llevaba el sombrero calado hasta las orejas.
내려앉다 ㉮ [아래로 내려앉다] bajar, sentarse al asiento más bajo; [비행기가] aterrizar, caer (사고로). 비행기가 바다에 내려앉았다 El avión cayó en el mar. ㉯ [낮은 지위에 옮겨 앉다] bajar de categoría. ㉰ [건물·다리·산 같은 것이 무너지다] derrumbarse, desmorongarse, desplomarse; [지붕이] caerse, hundirse, venirse abajo, desplomarse. 내려앉으려 하는 집 casa *f* que va a hundirse. 마루 판자가 그의 무게로 내려앉았다 Las tablas del suelo cedieron bajo su peso.
내려오다 ㉮ [높은 데서 낮은 데로 향해 오다] bajar, descender. 산을[에서] ~ descender de [bajar (de)] la montaña. 삼층에서 ~ bajar del segundo piso. ㉯ [서울에서 시골로 떠나오다] venir al campo, partir para el campo, salir de Seúl al campo. ㉰ [긴 세월을 지나 오늘날까지 전해 오다] ser transmitido. 아버지한테서 아들에게 내려온 기술 arte *m* transmitido de padre a hijo. 대대로 전하여 내려오다 ser transmitido de generación a generación. ㉱ [계통을 따라서 아래로 전해 오다] ser dado, ser mandado. 명령이 ~ la orden es dada.
내려제기다 partir hacia abajo.
내려쫓다 ㉮ [높은 데서 낮은 데로 향해 쫓다] perseguir hacia abajo. ㉯ [서울에서 시골로 쫓다] perseguir hasta hacer abandonar la ciudad.
내려찍다 ㉮ [날붙이로 위에서 아래로 향하여 찍다] cortar hacia abajo. 도끼로 나무를 ~ cortar la madera con el hacha. ㉯ [사진을 위에서 아래로 향해 찍다] sacar una fotografía arriba y abajo. 위에서 내려찍은 사진 una fotografía que se sacó arriba y abajo.
내려치다¹ [아래로 향하여 단단한 바닥에 부딪게 하다] dar un golpe (en), golpear. 주먹으로 책상을 ~ dar un golpe en la mesa con el puño.
내려치다² ㉮ [금이나 줄을 아래쪽에다 그리거나 나타내다] dibujar hacia abajo. ㉯ [그물 따위를 아래쪽에다 치다] tender las redes en el río abajo. ㉰ [셈·값을 함부로 내려 따지다] rebajar el precio al azar.
내리다³ [단단한 가루나 씨알 같은 것이 몹시 작다] (ser) muy pequeño, pequeñísimo.
내리닫다 correr abajo.
내리닫이¹ [어린아이의 옷의 한 가지] túnica *f* [bata *f*] de los niños con una rendija de atrás.
내리닫이² 【건축】 ventana *f* de guillotina.
내리디디다 =내려디디다.
내리뛰다 saltar abajo.
내리뜨다 bajar la vista, bajar los ojos.
내리막 ① [내려가는 길이나 땅의 바닥] declive *m*, cuesta *f* descendente, cuesta *f* abajo, pendiente *f*, descenso *m*, bajada *f*. 여기서부터 길이 ~이다 Desde aquí el camino va para abajo. ② [사물의 한창때가 지나 약해지는 판] declive *m*, decadencia *f*, bajada *f*, declinación *f*. ~으로 되다 [장사가] dejar de florear, venir a menos, ir de mal en peor. 인생의 ~에 접어들다 entrar en el declive de la vida [en la vejez]. 날씨가 ~이다 El tiempo tiende a empeorar. 그의 운수도 이미 ~이다 Su hado ya está en decadencia. 그의 인기는 ~이다 Su popularidad ha empezado a declinar [a bajar].
내리막길 camino *m* en bajada, cuesta *f* abajo.
내리매기다 numerar arriba abajo.
내리먹다 ser numerado arriba abajo.
내리밀다 empujar hacia abajo.
내리받이 =내리막.
내리벋다 extender hacia abajo.
내리붙다 pegarse abajo.
내리붙이기 =누진 교배(累進交配).
내리비추다 iluminar arriba abajo.
내리비치다 brillar arriba abajo.

내리사랑 amor *m* del mayor hacia los miembros jóvenes de una familia.
■내리사랑은 있어도 치사랑은 없다 ((속담)) ㉮ [사랑은 윗사람이 아랫사람에게 하는 법이다] El amor es lo que el mayor da al menor. ㉯ [윗사람은 아랫사람의 작은 과실쯤은 관대히 봐주어야 한다] El mayor tiene que perdonar el error del menor con generosidad.
내리쏘다 disparar [tirar] arriba abajo.
내리쏟다 vertir [echar] arriba abajo.
내리쏟아지다 vertirse [echarse] arriba abajo.
내리쓰기 =세로쓰기.
내리쓰다 escribir arriba abajo.
내리외다 seguir [continuar] aprendiendo de memoria.
내리우다 hacer bajar arriba abajo.
내리읽다 ① [위에서 아래쪽으로 글을 읽다] leer arriba abajo. ② [쉬지 않고 처음부터 끝까지 글을 다 읽다] seguir leyendo todo de principio a fin.
내리지르다 ① [물·바람 같은 것이 아래쪽으로 세차게 흐르거나 불다] [물이] correr fuerte hacia abajo; [바람이] soplar fuerte hacia abajo. ② [발 같은 것으로 위에서 아래로 힘껏 지르다] patalear fuerte, dar patadas fuertes.
내리질리다 ser golpeado, ser dado un golpe.
내리쬐다 arder, quemar, abrasar. 내리쬐는 태양 sol *m* ardiente, sol *m* abrasador. 태양이 내리쬔다 El sol quema [abrasa]. 햇볕이 몹시 내리쬔다 El sol vierte su luz en abundancia / El sol lo baña todo con su luz. 볕이 테라스 위에 내리쬐었다 Los rayos del sol caían abrasadores sobre la terraza.
내리찍다 ① [칼·도끼 따위로 아래로 향해 찍다] cortar hacia abajo (con el hacha o con el cuchillo). 도끼로 장작을 ~ cortar las leñas con el hacha. ② [카메라로, 높은 데서 아래를 향해 찍다] sacar [hacer·tomar] una fotografía hacia abajo de lo alto.
내리치다 ① [아래로 향하여 함부로 때리다] dar golpes hacia abajo. 머리를 ~ dar golpes en la cabeza. ② [비바람이나 번개 따위가 아래로 세차게 내리거나 닥쳐 오다] bajar fuerte, venir fuerte. 번개가 ~ tronar fuerte.
내리키다 ① [위에 있는 것을 아래로 내려지게 하다] bajar, caer. 돛을 ~ bajar la vela. 허리춤을 ~ bajar *su* cinturón. ② [낮은 데로 옮기다] mover abajo.
내리패다 golpear [dar golpes] al azar.
내리퍼붓다 ① [비·눈 같은 것이 계속하여 마구 오다] ㉮ [비가] seguir [continuar] lloviendo a cántaros, diluviar, llover torrencialmente. 며칠째 비가 내리퍼붓고 있다 Sigue lloviendo a cántaros unos días. ㉯ [눈이] seguir [continuar] nevando. 눈이 내리퍼부었다 Seguía [Continuaba] nevando mucho. ② [물 같은 것을 위에서 아래로 마구 쏟다] seguir [continuar] echando (el agua).
내리훑다 ① [아래쪽으로 내려가면서 훑다] quitar bajando hacia abajo. ② [위에서 아래로 순서에 따라 하나하나 빠짐없이 살펴보다] mirar todo arriba abajo.
내릴톱 sierra *f* de cortar al hilo [de hender].
내림[1] =내력(來歷).
내림내림 generaciones *fpl* de herencia.
■ ~족보(族譜) =계보(系譜).
내림[2] 【건축】 [정면] fachada *f*, [앞쪽에서 뒤쪽까지에 대해] ancho *m*, anchura *f*. ~ 8미터의 집 casa *f* de ocho metros de fachada. 이 점포는 ~이 좁다 Esta tienda tiene la fachada angosta.
내림(來臨) su visita. ~하다 visitar.
내림굿 【민속】 *naerimgut*, rito *m* invocador de una aspirante a hechicera.
내림대 varilla *f* usada por la hechicera.
내림세(一勢) tendencia *f* a la baja. ☞하락세
내림차(一次) 【수학】 series *fpl* descendentes.
내림표(一標) 【음악】 bemol *m*.
내립떠보다 echar una mirada [una ojeada·un vistazo] (a).
내막(內幕) condición *f* real, estado *m* real, hecho *m* interno, realidad *f* íntima, verdad *f*, circunstancias *fpl* privadas, secreto *m*, informes *mpl* confidenciales. 정계(政界)의 ~ mundo *m* político entre bastidores. ~을 말하다 contar lo que pasa entre bastidores. ~을 조사하다 investigar los secretos. ~을 폭로하다 descubrir [revelar] los secretos [lo oculto]. ~을 알고 있다 enterarse de los secretos de escena. 시국(時局)의 ~을 알고 있다 estar familiado con la situación interior. 그는 정계(政界)의 ~을 속속들이 알고 있다 El conoce muy bien los secretos del mundo político.
내막(內膜) ① 【해부】 membrana *f* de forro. ② 【식물】 intina *f*, endospora *f*.
내맡기다 dejar, encomendar*le* (*algo* a *uno*), confiar*le* (*algo* a *uno*), confiar el cuidado (de). 내가 내 아들을 당신에게 내맡깁니다 Te encomiendo a mi hijo / Te confío el cuidado de mi hijo. 그는 일을 조수에게 내맡겼다 El le confió la tarea a un asistente [un ayudante].
내면(內面) lo [el] interior, lo [el] íntimo, parte *f* interior, fondo *m*, aspecto *m* interior. ~의 interior, interno, íntimo. 사회(社會)의 ~ aspecto *m* interno de la sociedad. 인간(人間)의 ~ fondo *m* [lo íntimo] de un ser humano. ~이 복잡하다 Debajo de unas razones ocultas, suele haber otras más complejas.
■~ 고찰 introversión *f*. ~ 관찰 vista *f* interior, vista *f* del interior. ~ 묘사(描寫) descripción *f* interior. ~ 생활 vida *f* interior. ~ 세계 mundo *m* interior. ~ 연삭 rectificación *f* interior. ¶~을 하다 rectificar interiormente. ~ 연삭반[연마반] 【기계】 rectificadora *f* para interiores. ~적 interior, interno, íntimo. ¶~으로 interiormente, en lo interior, en lo fondo, en su

fuero interno. 그는 ~으로 무척 치밀하다 El es un hombre muy delicado en el fondo [en su fuero interior]. ~적 지식 conocimiento *m* interior.

내명(內命) orden *f* secreta, orden *f* privada. ~을 내리다 dar (a *uno*) una orden secreta, expedir instrucciones privadas [secretas]. ~을 받다 recibir instrucciones privadas [secretas].

내명년(來明年) el año después del próximo (año).

내모(乃母) ① [그이의 어머니] su madre. ② [네 어미·이 어미] tu mamá, esta mamá.

내목(內目) 【건축】 interior *m* de la columna.

내몰다 expulsar, hacer salir, obligar a salir, echar. 그의 부모는 그를 집에서 내몰았다 Sus padres le han echado de casa. 그들은 적을 강 맞은편으로 내몰았다 Ellos hicieron retroceder al enemigo al otro lado del río. 연기가 나를 집에서 내몰았다 El humo me obligó a salir d la casa.

내몰리다 ser expulsado. 인디오들은 그들의 땅에서 내몰렸다 Los indios fueron expulsados de sus tierras. 그녀는 대학교에서 내몰렸다 La expulsaron de la universidad. 그는 바에서 발길로 채어 내몰렸다 Le echaron [sacaron] del bar a patadas.

내몽고(內蒙古) 【지명】 la Mongolia Interior.

내무(內務) ① [나라 안의 정무(政務)] negocios *mpl* interiores, asuntos *mpl* interiores. ② [어떤 기관의 내부의 사무] asuntos *mpl* interiores. ③ ((준말)) =내무 행정(內務行政). ④ ((준말)) =내무부 장관(內務部長官).
■ ~ 규정 reglamentos *mpl* interiores. ~ 대신 ministro *m* de Asuntos Interiores. ~ 반 cuarteles *mpl*. ~부 el Ministerio del Interior [de Asuntos Interiores · de Negocios Interiores], *ReD* la Secretaría del Interior y Policía, *Méj* la Secretaría del Interior. ~부 장관 ministro, -tra *mf* del Interior [de Asuntos Interiores · de Negocios Interiores · de Gobierno]. ~ 사열 inspección *f* del cuartel. ~ 생활 vida *f* del cuartel. ~성 el Ministerio del Interior, el Ministerio de Asuntos Interiores. ~ 위원회 el Comité [la Comisión] de Asuntos Interiores. ~ 행정(行政) administración *f* de asuntos interiores.

내무(萊蕪) tierra *f* cubierta de hierbajos.

내문(內門) puerta *f* interior.

내밀(內密) reserva *f*, secreto *m*. ~하다 (ser) secreto, confidencial, reservado. ~한 말 [정보] información *f* reservada [secreta], conversación *f* reservada [secreta].
내밀히 confidencialmente, reservadamente, con reserva, en secreto, secretamente, privadamente, a puertas cerradas, en *su* corazón, interiormente, en lo secreto de *su* corazón. ~하다 guardar [llevar] (algo) en secreto. 이것은 ~ 해주십시오 Guarde usted silencio sobre esto / Guarde esta información en secreto / No diga esto a nadie. ~ 드릴 말씀이 있습니다 Tengo algo que decirle en secreto.

내밀다 ① [한쪽 끝이 길쭉하게 나오다] sobresalir, asomar, salir. 내민 [턱이] prominente, saliente; [이가] salido; [손톱·발톱이] que sobresale; [바위·절벽이] que sobresale, saliente. 내민 눈 ojos *mpl* saltones. 내민 이마 frente *f* prominente. 바다로 내민 육지의 곶 lengua *f* de tierra que se adentra en el mar. 그는 귀가 내민다 El tiene las orejas salidas. 허리띠가 그의 배를 내밀게 한다 El cinturón le hace salir la barriga / El cinturón te saca panza. 총이 그의 호주머니에서 내밀고 있는 것을 보았다 Yo vi que le asomaba un revólver del bolsillo. 지갑이 그의 호주머니에서 내밀고 있었다 La cartera le asomaba por el bolsillo. ② [앞으로나 밖으로 나가게 하다] sacar, echar fuera, presentar, alargar, asomar, tender, servir, ofrecer. 손을 ~ tender [extender · alargar · sacar] la mano (a); [악수하기 위하여] dar la mano (a). 가슴을 ~ sacar (el) pecho. 혀를 ~ sacar la lengua. 몸을 앞으로 ~ inclinarse hacia adelante. 창으로 몸을 ~ inclinarse por la ventana. 창문으로 머리를 ~ asomar la cabeza por [a] la ventana. 팔을 (앞으로) ~ lanzar el brazo adelante; [위로] alzar el brazo. 계약서를 ~ presentar (a *uno*) en la cara el contrato. ③ [앞으로 밀고 나아가다] empujar afuera. ④ [남에게 더미씌우다] cargar. 그들은 책임을 우리에게 내밀려고 했다 Ellos trataron de cargarnos la responsabilidad.

내밀리다 ser sacado, ser extendido, ser alargado, ser asomado.

내밀힘 confianza *f* en sí mismo.

내박(來泊) anclaje *m*, ancoraje *m*. ~하다 anclar, ancorar.

내박차다 ① [발길로 힘있게 밀어 차다] sacar a patadas fuerte. ② [힘있게 헤쳐 물리치다. 단호히 거부하다] rechazar rotundamente.

내발뺌 evasión *f*, respuesta *f* evasiva, esquive *m*; [구실] excusa *f*. ~하다 contestar con evasivas, esquivar, soslayar, excusarse, disculparse.

내발진(內發疹) 【의학】 enantema *f*.

내방(內方) interior *m*.

내방(內坊) palacio *m* que vive la esposa del príncipe.

내방(內房) cuarto *m* [habitación *f*] interior.

내방(來訪) visita *f*. ~하다 visitar, hacer una visita. ~을 받다 recibir una visita. 틈이 나는 대로 ~해 주셨으면 합니다 Por favor visíteme cuando usted esté libre.
■ ~자(者) visitante *mf*, visitador, -dora *mf*, [집합적] visita *f*. ~를 맞이하다 recibir a la visita.

내배다 salir, saturar, filtrarse. 그의 상처에서 피가 내배고 있었다 Le salía sangre de la herida. 내 상처에서 고름이 내밴다 La herida me supura.

내배엽(內胚葉) endodermo *m*.

내백(萊伯) 【역사】 gobernador *m* de *Dongrae*.

내뱉다 ① [입밖으로 뱉어 내보내다] arrojar, vomitar. 침을 ~ escupir. 땅에 침을 뱉는 것은 금지되어 있다 Está prohibido escupir al suelo. ② [마음에서 내키지 않는 태도로 말을 툭 해 버리다] decir sobre la espalda (de), decir y dejar sin esperar contestación, cesar de hablar y marcharse. 그는 한마디 내뱉고는 나가 버린다 El dijo una palabra y se marchó.

내버리다 ① [(못 쓸 것을) 영영 아주 버리다] tirar, arrojar, echar. 담배꽁초를 ~ tirar la colilla. ② [그대로 두어 두고 돌보지 않다] abandonar, dejar. 딸을 ~ abandonar [dejar] a *su* hija.
내버려 두다 ㉮ [건드리거나 상관하지 않고 그대로 두다] dejar, desatender. 공부를 ~ desatender *sus* estudios. 일을 내버려 두고 놀러 가다 salir a divertirse dejando su trabajo. 그녀는 청소를 내버려 두고 텔레비전을 보고 있다 Ella está viendo la televisión, descuidando la limpieza. ㉯ [지니고 있거나 데리고 있던 것을 어떤 곳에 두어 두고 돌보지 않다] abandonar, dejar. 처자를 내버려 두고 가다 abandonar [dejar] a *su* esposa y *sus* hijos. 자녀(子女)를 내버려 두고 놀러 나가다 salir a divertirse dejando a su niño solo.

내벽(內壁) 【건축】 pared *f* interior.

내변(內變) accidente *m* interior, desastre *m* interior, problema *m* interior.

내보(內報) información *f* privada [en confianza], informe *m* en confianza, comunicación *f* confidencial [reservada · secreta]. ~하다 comunicar confidencialmente [reservadamente · en secreto].

내보내다 ① [안에서 밖으로 나가게 하다] enviar. 간첩을 ~ enviar un espía. ② [부리던 사람을 그만두게 하거나, 셋집에 살던 사람을 살던 곳에서 아주 나가게 하다] [해고하다] despedir, destituir; [나가게 하다] hacer salir.

내복[1](內服) [속옷] ropa *f* interior.

내복[2](內服) [약을 마시거나 먹음] uso *m* interior. ~하다 tomar *algo* de uso interior. 1일 3회 ~할 것 Será tomado tres veces al día.
▪ ~약(藥) medicina *f* interna, medicina *f* de uso interno, medicamento *m* interno.

내복(內腹) =내포(內包).

내복(來復) =내왕(來往).

내복(萊菔) 【식물】 =무.

내부(乃父) ① [그 아버지] ese padre. ② [아버지가 아들에게, 네 아버지. 이 아버지] tu papá, este papá.

내부[1](內部) interior *m*, parte *f* interna, parte *f* interior. ~의 interior, interno; [국내(國內)의] doméstico, nacional. 집의 ~ interior *m* de la casa. ~에(서) en el interior. ~로 adentro, por dentro. ~에서부터 desde adentro. ~에서 보다 ver desde adentro. 위원회의 ~에서 분쟁이 일어났다 Ocurrió una disputa en el interior del comité. 그는 회사의 ~ 사정에 정통하다 El está bien informado de los asuntos internos de la compañía.
▪ ~ 감각 sensación *f* interior. ~ 감사 inspección *f* interior, control *m* interior [interno]. ~ 경제 economía *f* interior, economía *f* doméstica. ~ 구조(構造) infraestructura *f*, estructura *f* interior. ~ 규율(規律) regulaciones *fpl* interiores. ~ 기생 endoparásito *m*, parasitismo *m* interno. ~ 기생충 parásito *m* interno. ~ 난방 (장치) calefacción *f* interna. ~ 도체 conductor *m* interior; 【전기】 hilo *m* neutro. ~ 마찰(摩擦) rozamiento *m* interno. ~ 방사선 radiación *f* interna. ~ 분열 división *f* interior, fisión *f* interior. ~ 사정 asuntos *mpl* interiores. ~ 압력(壓力) presión *f* interna, tensión *f* interior; 【전기】 voltaje *m* interior. ~ 에너지 energía *f* interna. ~ 저항 resistencia *f* interna. ~적 interno, interior. ~적 환경 medio *m* ambiente interior. ~ 전압 fuerza *f* electromotriz. ~ 질환(疾患) enfermedad *f* interna. ~ 현상 fenómeno *m* interno.

내부[2](內部) 【역사】 el Ministerio de Asuntos Interiores.
▪ ~ 대신 ministro *m* de Asuntos Interiores. ~ 협판 viceministro *m* de Asuntos Interiores.

내부딪다 chocar contra, darse contra. 문에 ~ darse contra la puerta.

내부딪뜨리다 hacer chocar muy fuerte (contra).

내부딪치다 ((힘줌말)) =내부딪다.

내부딪트리다 =내부딪뜨리다.

내부딪히다 ser chocado contra, ser dado contra.

내부치다 abanicar afuera muy fuerte.

내분(內紛) [불화(不和)] discordia *f* [querella *f*] (interna [intestina]); disensión *f*, desavenencia *f*, desacuerdo *m*; [입씨름] disputa *f*; [충돌] choque *m*. 가정에 ~이 있다 Hay disensiones en la familia. 부원(部員) 간에 ~이 그치지 않는다 Hay continuos choques entre los miembros de la sección. 그 정당에서 ~이 일어났다 Se produjo una discordia intestina en ese partido político.

내분비(內分泌) secreción *f* interna, increción *f*.
▪ ~ 결핍증 anincretinisis *f*, falta *f* de una secreción interna. ~ 계통(系統) sistema *m* endocrino. ~ 기관 órganos *mpl* de secreción interna. ~선(腺)[샘] glándula *f* endocrina, glándula *f* de secreción interna. ~액(液) secreción *f* interna, hormona *f*. ~학 endocrinología *f*, incretología *f*. ~ 학자(學者) endocrinólogo, -ga *mf*. ~ 혈관 운동 장애 angiocrinosis *f*. ~ 환자 endocrinopático, -ca *mf*.

내불다 soplar hacia afuera.

내붙이다 fijar, pegar. 결과(結果)를 ~ fijar [pegar] los resultados. 고시(告示)를 ~

fijar [pegar] un aviso.
내비치다 ① [빛이 앞이나 밖을 향하여 비치다] (ser) transparente. ② [짐짓 말을 꺼내어 조금 말하다] insinuar, dar a entender, lanzar indirectas. 그는 아마 마지막 방문이 되리라고 내비쳤다 El nos insinuó [nos dio a entender] que quizás fuera su última visita. 여러 주 동안 우리의 노동 스케줄에 변화가 있을 것이라고 내비치고 있다 Ellos llevan semanas insinuando [dando a entender] que va a haber cambios en nuestros calendarios de trabajo.
내빈(內賓) =안손님.
내빈(來賓) huésped *mf*, visitante *mf*, visitador, -dora *mf*, invitado, -da *mf*, convidado, -da *mf*; [집합적] visita *f*.
■ ~ 각위(各位) señores huéspedes *mpl*. ~ 명부 lista *f* de visitadores. ~석 asientos *mpl* para huéspedes [para los invitados]. ~실 cuarto *m* de recepción. ~용 cosas *fpl* (especiales) para los invitados; [부사적] para los invitados.
내뻗다 extender, alargar, tender.
내뻗치다 salir a borbotones, salir a chorros.
내뿜다 saltar, manar, emanar, chorrear, arrojar, lanzar, escupir, arrojar chorros (de), expulsar chorros (de). 가스가 내뿜는다 El gas emana. 그의 상처에서 피가 내뿜는다 Le mana (la) sangre de la herida. 화구(火口)에서 연기를 내뿜는다 El cráter arroja [lanza] humo.
내사(內事) asunto *m* interno.
내사(內査) inspección *f* secreta, investigación *f* secreta, examen *m* secreto. ~하다 inspeccionar [investigar · examinar] secretamente.
내사(來社) visita *f* a *su* compañía. ~하다 visitar a *su* compañía [*su* oficina].
내사(來事) asunto *m* futuro.
내사면(內斜面) sesgo *m* interior.
내산(耐酸) resistencia *f* a los ácidos.
■ ~성 antiacidez *f*. ¶~의 antiácido, acidorresistente. ~ 페인트 pintura *f* antiácida. ~ 합금(合金) aleación *f* resistente a los ácidos.
내상(內相) ① [남을 높이어「그의 아내」] su esposa, su señora. ②【역사】ministro *m* de Asuntos Interiores. ③ [내무 장관(內務長官)] ministro *m* de Asuntos Interiores.
내상(內喪) luto *m* a *su* esposa, muerte *f* de *su* esposa.
내상(內傷) enfermedad *f* causada por la debilitación.
내새(內鰓) =속아가미.
내색(一色) alusión *f*. ~하다 hacer la alusión. ~도 아니하다 no revelar nada (de *algo*) ni por asomo, no hacer la menor alusión (de).
내생(內生)【생물】endogénesis *f*. ~의 endógeno.
■ ~ 포자【식물】espora *f* endógena.
내생(來生) ((불교)) renacimiento *m*.
내서(來書) =내신(來信).
내서(耐暑) resistencia *f* al calor. ~하다 resistir [soportar · aguantar] el calor. ~의 resistente al calor, refractorio.
내선(內線) ① [내부의 선] línea *f* interna, instalación *f* eléctrica en una casa. ② [구내의 전화선] extensión *f*, interno *m*; [교환대] centralita *f* (telefónica), conmutador *m*. ~을 부르다 llamar a la centralita. ~ 35번을 부탁합니다 (Con) La extensión treinta y cinco, por favor.
■ ~ 번호 número *m* de extensión. ~ 전화 teléfono *m* interior.
내성(內省) ① =반성(反省). ②【심리】introspección *f*, reflexión *f* (de uso interno). ~하다 dedicarse a la introspección, reflexionar, mirar el interior de sí mismo. ~의 introspectivo.
■ ~법 método *m* introspectivo. ~적 introspectivo, reflexivo. ¶~으로 introspectivamente, reflexivamente.
내성(內城) castillo *m* interior; [성곽(城郭)의 내부(內部)] interior *m* del castillo.
내성(耐性)【의학】resistencia *f*.
■ ~균(菌) bacteria *f* resistente.
내세(來世) ((불교)) otra vida *f*, vida *f* futura, otro mundo *m*. ~에서 más allá de este mundo. ~를 믿다 creer en el otro mundo.
■ ~관 vista *f* del otro mundo. ~ 불가대(不可待) No es necesario esperar la cosa futura. ~ 사상 idea *f* del otro mundo.
내세우다 ① [나와 서게 하다] hacer estar de pie. 맨 앞에 ~ hacer estar de pie al frente [a la cabeza]. ② [(어떤 일을 하도록) 나서게 하다] nombrar, designar, proclamar. 후보(候補)로 ~ nominar como un candidato. ③ [어떤 의견이나 문제를 내어놓다] lanzar, dar a conocer. 새로운 정책(政策)을 ~ lanzar una nueva política. ④ [자기의 주장이나 견해를 내놓고 주장하다] insistir (en + *inf* · en que + *subj*). 그는 지불을 내세웠다 El insistió [se empeñó] en pagar. 그는 무죄를 내세우고 있다 El insiste en que es inocente. 나는 그의 보고가 불편 부당하다고 내세웠다 Yo insistí en que su informe era imparcial. 그녀는 내가 그녀와 함께 가자고 내세웠다 Ella insistió [se empeñó] en que yo fuera con ella. 나는 매니저를 만나겠다고 내세운다 Insisto en que quiero ver al director / Exijo ver al director. 당신이 그 음악을 계속 연주하길 내세우면 난 가겠다 Si te empeñas en seguir tocando esa música, yo me voy. ⑤ [내놓고 자랑하거나 크게 평가하다] ufanarse (de · con), enorgullecerse (de · con), vanagloriarse (de · por), estar orgulloso (de). ⑥ [남이 잘 보도록 내어 놓다] poner. 간판을 ~ poner el letrero.
내셔널 리그(영 *National League*) la Liga Nacional.
내셔널리스트(영 *nationalist*) nacionalista *mf*.
내셔널리제이션(영 *nationalization*) [국민화. 귀화] nacionalización *f*.
내셔널리즘(영 *nationalism*) nacionalismo *m*.

내셔널리티(영 *nationality*) [국적] nacionalidad *f.*
내소박(內疏薄) malos tratos *mpl* a *su* esposo. ~하다 maltratar [tratar mal] a *su* esposo. ~당하다 ser separado por *su* esposa que maltrató.
내속(內屬)【철학】inherencia *f.*
내손(乃孫) su nieto (de él).
내손(來孫) hijo *m* del tataranieto.
내솟다 surgir, saltar a chorros.
내수(內需) consumo *m* interior, consumo *m* del país, consumo *m* nacional, consumo *m* doméstico, requerimiento *m* doméstico.
내수(耐水) impermeabilidad *f*, resistencia *f* al agua. ~의 resistente al agua, impermeable, a prueba de agua; [시계가] sumergible.
■ ~복(服) ropa *f* impermeable, prenda *f* impermeaable. ¶~을 입어라 Llévate ropa impermeable. ~성 impermeabilización *f.* ~시계 reloj *m* sumergible. ~지(紙) papel *m* impermeable. ~포(布) tela *f* impermeable.
내수장(內修粧) decoración *f* interior. ~하다 adornar el interior de la habitación, adornar [decorar] la habitación.
내숭 lo traicionero, lo traidor, malas artes *fpl.* ~하다 (ser) taimado, astuto, traicionero, traidor. ~한 사람 persona *f* astuta, persona *f* taimada. ~한 웃음 risa *f* insiduosa.
내숭스럽다 (ser) taimado, astuto, traicionero, traidor, insiduoso. 내숭스런 수단(手段) método *m* taimado.
내숭스레 taimadamente, astutamente, con astucia, traidoramente, a traición.
내쉬다 respirar, espirar, exhalar. 세게 내쉬세요 [usted에게] Respire fuerte / [tú에게] Respira fuerte.
내쉬이다 respirarse.
내습(來襲) asalto *m*, incursión *f*, invasión *f*, ataque *m.* ~하다 atacar de repente, asaltar, hacer una incursión, invadir, atacar. 적군(敵軍)의 ~에 대비하다 prevenir contra asalto del enemigo. 남부 지방에 태풍이 ~했다 El tifón ha atacado la región del sur.
내습(耐濕) resistencia *f* a la humedad. ~의 resistente a la humedad.
내시(內示) anuncio *m* secreto. ~하다 anunciar [indicar] secretamente [en secreto], anunciar oficiosamente.
내시(內侍) eunuco *m.*
내시경(內視鏡) endoscopio *m*, autoscopio *m.*
■ ~ 검사(檢査) endoscopia *f.* ~ 검사법 endoscopia *f.* ~ 생검(生檢) biopsia *f* endoscópica.
내식(耐蝕) resistencia *f* a la corrosión. ~의 resistente a la corrosión.
■ ~성 anticorrosión *f.* ¶~의 anticorrosivo.
내신(內申) reporte *m* reservado.
■ ~서 reporte *m* reservado, informe *m* de los resultados escolares. ~ 제도 sistema *m* del informe de los resultados escolares.
내신(內腎) =콩팥.
내신(來信) carta *f* recibida, comunicación *f*, mensaje *m.* 최근의 ~에 따르면 según una carta que he recibido últimamente.
내실(內室) ① [부녀자(婦女子)들이 거처하는 방] cuarto *m* [la habitaión *f*] para las mujeres. ② [남을 높이어「그의 아내」] su esposa, su señora.
내심(內心) ① [속마음] interior *m* del corazón, intención *f* real. ~으로 en *su* corazón, en *su* fuero interno, en el fondo de *su* corazón, en lo íntimo del alma. ~을 밝히다 revelar *su* intención secreta. ~으로 경멸하다 despreciar en lo íntimo de *su* alma. ~으로는 유감으로 생각하다 lamentar en el fondo de *su* corazón. ② [내심으로] en *su* corazón, en *su* fuero interno, en el fondo de *su* corazón, en lo íntimo del alma, interiormente. ~ 후회하다 arrepentirse en *su* fuero interno. 그는 ~ 별로 만족하지 않고 있다 Interiormente no está muy contento.
내심 왕실(乃心王室) lealtad *f* al país.
내심원(內心圓)【기하】círculo *m* interior.
내쌓다 amontonar [apilar] fuera.
내안근 마비(內眼筋痲痺) oftalmoplejía *f* interna.
내앉다 sentarse adelante. 더 내앉으세요 [usted에게] Siéntese más adelante / [tú에게] Siéntate más adelante. 우리 더 내앉으십시다 Sentémonos más adelante.
내앉히다 hacer sentarse adelante.
내알(來謁) visita *f.* ~하다 visitar, hacer una visita.
내암(嬭癌)【한방】=유암(乳癌).
내야(內野) ① ((야구)) cuadro *m*, cuadro *m* interior, campo *m* interno, infield *ing.m.* ② ((준말)) =내야수(內野手).
■ ~수 jugador, -dora *mf* de cuadro [del cuadro interior]; infielder *ing.mf.* ~ 히트 [안타] golpe *m* de cuadro interior.
내약(內約) promesa *f* particular. ~하다 hacer un convenio no oficial, ponerse de acuerdo oficiosamente, acordar particularmente, hacer un contrato particular, prometer particularmente.
내약(內藥) ① =내복약(內服藥). ② [처음으로 나오는 여자의 월경수(月經水)] sangre *f* menstrual.
내양(內洋) =내해(內海).
내어가다 =내가다.
내어놓다 =내놓다.
내어물전(內魚物廛)【역사】pescadería *f.*
내어쫓다 =내쫓다.
내역(內譯) detalle *m*, partida *f* de una cuenta. ~을 열거하다 cargar por partida, especificar, detallar, particularizar.
내연(內緣) matrimonio *m* clandestino. ~의 처(妻) mujer *f* ilegítima [clandestina], mujer *f* de matrimonio consensual [a yuras]. ~의 관계를 맺다 amancebarse (con), tener relaciones ilícitas (con), contraer matrimo-

nio consensual (con).

내연(內燃) combustión *f* interna.

■ ~ 기관[엔진] motor *m* de combustión interna, motor *m* diesel. ~ 기관차(機關車) locomotora *f* diesel. ~ 터빈 turbina *f* de combustión interna, turbina *f* de gases. ~ 펌프 bomba *f* de combustión interna.

내연골종증(內軟骨腫症) encondromatosis *f*.

내열(耐熱) termorresistencia *f*. ~의 termorresistente, termotolerante.

■ ~강(鋼) acero *m* termorresistente. ~복 ropa *f* termorresistente, vestido *m* refractario [termorresistente]. ~성(性) termorresistencia *f*. ~ 시험(試驗) prueba *f* termorresistente. ~ 유리 cristal *m* [vidrio *m*] termorresistente. ~ 주철 hierro *m* fundido termorresistente. ~ 합금(合金) aleación *f* termorresistente.

내엽(來葉) =후세(後世). 내세(來世).

내오다 sacar. 마당으로 의자를 ~ sacar la silla en el jardín.

내옹(內癰) absceso *m* del interior del cuerpo.

내왕(來往) ① [오고 감] ida y venida. ~하다 ir y venir, venir e ir. ② [서로 사귀며 상종함] trato *m* social, asociación *f*.

내왕간에 viniendo y yendo. ~ 한 번 집에 들르십시오 Pasa por mi casa una vez viniendo y yendo.

■ ~로(路) camino *m* que viene y va. ~인 persona *f* que viene y va.

내외[1](內外) ① [안팎] lo interior y lo exterior, dentro y afuera. ~에 상응하여 interior y exteriormente a la vez. ~의 정세(情勢) circunstancia *f* interior y esterior, situación *f* interior y exterior del país. …의 ~에(서) en el interior y el exterior de *algo*. 쉰 살 ~의 남자 hombre *m* que tiene alrededor de [que raya en los] cincuenta años de edad. ② [국내와 국외] el país y el extranjero. ~의 정세(情勢) situación *f* nacional e internacional. ~로 다사(多事)하다 estar ocupadísimo así con lo interior como con lo extranjero. ③ [부부(夫婦)] marido y mujer, esposos *mpl*, esposo y esposa. ④ ((준말)) =내외간(內外間). ⑤ [약(約)] unos, cerca de, aproximadamente, más o menos. 1주일 ~로 en una semana más o menos, aproximadamente en una semana.

■ ~간(間) ㉮ [안과 밖의 사이] entre lo interior y lo exterior. ㉯ =내외지간. ㉰ =내외[1](內外)❺. ~과 medicina *f* y cirugía. ~과의(科醫) profesión *f* médica general. ~국 *su* país y el extranjero. ~분 marido y mujer, esposo y esposa, esposos *mpl*. ~사조(四祖) padre, abuelo, bisabuelo y bisabuelo materno. ~종(從) primos *mpl*. ~지간(之間) entre marido y mujer. ~척(戚) parientes *mpl* paternales y maternales.

내외[2](內外) [부녀(婦女)가 외간 남자와 바로 얼굴을 대하지 않고 피함] mantenimiento *m* mutuo de la distancia adecuada entre el hombre y la mujer. ~하다 (el hombre y la mujer) mantenerse la distancia adecuada uno de otro.

내용[1](內用) [안살림에 드는 씀씀이] gastos *mpl* en la vida doméstica.

내용[2](內用) =내복(內服).

내용(內容) contenido *m*, materia *f*, asunto *m*, tenor *m*, substancia *f*. ~이 충실한 substancioso, substancial. ~이 충실한 책 libro *m* sólido [denso], obra *f* substancial. ~이 빈약한 insubstancial, insípido, de contenido pobre, pobre de materia, deficiente en contenido. ~이 없는 이야기 propósito *m* inútil. 사건의 ~ detalles *mpl* de un caso. 책의 ~ contenido *m* [asunto *m* · substancia *f*] de un libro. 편지의 ~ tenor *m* [contenido *m*] de una carta. 그의 말은 ~이 없다 Sus palabras son insubstanciales / Sus palabras son insípidas / Sus palabras carecen de contenido. 회담(會談)의 ~은 모른다 Se ignora el contenido de la conferencia.

■ ~ 견본 páginas *fpl* de muestra [de espécimen]. ~ 증명(證明) certificado *m* de documento. ~ 증명 우편 correo *m* certificado de documento. ~ 표기 designación *f* de contenido.

내용(耐用) resistencia *f* al uso.

■ ~ 연수(年數) vida *f* (útil), duración *f*. ¶ 기계의 ~ vida *f* [duración *f*] de una máquina. 정상 상태로 ~ 20년 vida *f* útil de veinte años con uso normal.

내우(內憂) ① =내간상(內艱喪). ② [나라 안의 온갖 걱정] disturbios *mpl* interiores, preocupaciones *fpl* domésticas.

■ ~ 외환(外患) dificultades *fpl* [disturbios *mpl*] interiores y exteriores. ¶~이 번갈아 있다 Alternan las dificultades interiores con las exteriores.

내원(內苑/內園) jardín *m* en el palacio real.

내원(來援) ayuda *f*, auxilio *m*, asistencia *f*, socorro *m*. ~하다 ayudar, auxiliar, asistir, socorrer. ~을 구하다 pedir*le* a *uno* que venga ayuda.

내월(來月) mes *m* próximo [que viene · que entra · entrante · venidero]. ~ 10일 el diez del mes que viene.

내유(內乳) 【식물】 =내배유(內胚乳).

내유(來遊) visita *f*. ~하다 visitar, hacer una visita.

■ ~자(者) visitante *mf*, visitador, -dora *mf*, [관광객] turista *mf*.

내유성(內遊星) 【천문】 planetas *fpl* interiores.

내윤(來胤) =자손(子孫).

내율(內率) 【수학】 =내항(內項).

내응(內應) comunicación *f* secreta con enemigo, traición *f*, felonía *f*, perfidia *f*, deslealtad *f*. ~하다 comunicar secretamente con enemigo.

내의(內衣) ropa *f* interior, camiseta *f*.

내의(內意) [의중(意中)] intención *f* secreta [escondita]; [내명(內命)] orden *f* secreta. ~를 받아서 de [por] orden secreta (de).

내의(來意) objeto *m* [motivo *m*] de *su* visita.

～를 말하다 decir [declarar] el objeto [el motivo] de *su* visita. ～를 묻다 preguntar el objeto [el motivo] de *su* visita.

내이(內耳) 【해부】 oído *m* interno.

■ ～강(腔) vestíbulo *m* del oído. ～염 otitis *f* interna.

내인(內人) =아낙네.

내인(內因) factor *m* interno. ～(성)의 endógeno.

■ ～성 정신병 enfermedad *f* mental endógena.

내인(來人) persona *f* que viene.

■ ～ 거객(去客) persona *f* que viene y va.

내인(耐忍) =인내(忍耐).

내인용부(內引用符) =작은따옴표.

내일(來日) mañana. ～ 오전(에) mañana por la mañana [*AmL* en la mañana]. ～ 오후(에) mañana por la tarde [*AmL* en la tarde]. ～ 저녁 (에), ～ 밤(에) mañana por la noche [*AmL* en la noche]. ～까지 hasta mañana; [늦어도] para mañana. ～부터 de mañana en adelante, desde [a partir de] mañana. ～을 모르는 운명 vida *f* precaria. ～에 대비하다 preparar(se) para mañana. ～ 만납시다 Nos veremos mañana / Hasta mañana. ～ 다시 오겠습니다 Voy a venir mañana otra vez / Volveré a venir mañana. ～은 ～이다 Mañana será otro día. 나는 ～을 알지 못하고 살고 있다 No sé si viviré mañana / Mi vida está pendiente de un hilo. ～을 본 사람은 아무도 없다 ((서반아 속담)) El día de mañana no lo ha visto nadie (내일은 결코 오지 않는다). 오늘 할 수 없는 것은 ～도 할 수 없다 ((서반아 속담)) Lo que hoy no hagas, no lo harás mañana. 친구가 부탁할 때는 ～은 없다 ((서반아 속담)) Cuando el amigo pide, no hay mañana. 하나의 오늘이 열 개의 ～보다 낫다 ((서반아 속담)) Más vale un hoy que diez mañanas (오늘 하나가 내일 열 개보다 낫다).

■ 오늘 할 수 있는 일을 내일로 미루지 마라 ((속담)) No dejes para mañana lo que puedas hacer hoy / No guardes para mañana lo que puedas hacer hoy.

내입(內入) ① [궁중에 물건을 들임] entrega *f* de los artículos al palacio real. ～하다 entregar los artículos al palacio real. ② [갚을 돈 중에서 일부만을 먼저 들여 놓음] pago *m* parcial. ～하다 pagar una parte.

■ ～금(金) pago *m* parcial [a cuenta · de prueba]. ¶～으로 como pago a cuenta. ～을 지불하다 pagar a cuenta. ～으로 백만 원을 지불하다 pagar un millón de wones a cuenta.

내자(乃子) ese hijo.

내자(內子) mi mujer, mi esposa.

내자(內資) capital *m* nacional.

■ ～국(局) departamento *m* de capital nacional. ～ 동원 mobilización *f* de capital nacional.

내자(來者) ① [찾아오는 사람] visitante *mf*, visitador, -dora *mf*; [집합적] visita *f*. ② [장래의 일] cosa *f* futura, lo futuro. ③ =후생(後生).

■ ～물금(勿禁) No se debe prohibir a la visita. ～ 불가대(不可待) No se puede esperar lo futuro. ～ 불가지(不可知) No se puede saber lo futuro.

내자(來玆) año *m* próximo, año *m* que viene.

내장(內粧) adorno *m* interior, decoración *f* interior. ～하다 adorar [decorar] el interior.

내장(內障) 【의학】 ((준말)) =내장안(內障眼).

■ ～안(眼) 【의학】 [백내장] catarata *f*, [흑내장] amaurosis *f*, [녹내장] glaucoma *f*.

내장(內藏) almacenamiento *m* interior. ～하다 almacenar en el interior.

내장(內臟) ① [고등 척추동물의 가슴과 배 속에 있는 여러 가지 기관(器官)] órganos *mpl* internos, intestinos *mpl*, entrañas *fpl*; [장부] vìceras *fpl*; [동물의] tripas *fpl*; [새의] menudillos *mpl*; [새 · 짐승의] asadura *f*. ～의 visceral, esplácnico. ～을 꺼내다 destripar, desentrañar, sacar las tripas (a). ～ 질환을 일으키다 caer víctima de una enfermedad interna. ② =내포(內包).

■ ～ 감각 esplacnestesia *f*, sensibilidad *f* esplacnestética. ¶～의 viscerosensorial. ～강(腔) cavidad *f* visceral. ～ 신경 nervio *m* esplácnico. ～ 외과 cirugía *f* interna. ～ 적출(술) evisceración *f*. ～ 질환(疾患) enfermedad *f* de los órganos internos, enfermedad *f* intestinal [visceral]. ～통(痛) esplacnodinia *f*, dolor *m* visceral. ～ 파열(破裂) ranura *f* visceral. ～ 포층 capa *f* esplácnica. ～ 하수증 esplacnoptosis *f*, visceroptosis *f*. ～학 esplacnología *f*. ～ 해부 esplacnotomía *f*.

내재(內在) inmanencia *f*, inherencia *f*. ～하다 existir inmanente (en), ser inherente (a). 신(神)의 ～ inmanencia *f* divina. 오직(汚職)은 관료 제도(官僚制度)에 ～되어 있다 La corrupción es inherente a [inesparable de] la burocracia.

■ ～ 가치 valor *m* intrínseco. ～ 비평[비판] crítica *f* inmanente. ～성 inmanencia *f*. ～율(律) ley *f* inmanente. ～인 causa *f* inmanente. ～적(的) inmanente, inherente, intrínseco. ～ 철학 filosofía *f* inmanente.

내재봉소(內裁縫所) casa *f* privada que el ama de casa gana dinero como una costurera.

내쟁(內爭) contienda *f* interna, contienda *f* civil.

내저항(內抵抗) 【물리】 resistencia *f* interna.

내적(內的) interior, interno.

■ ～ 경험 experiencia *f* interna. ～ 모순 contradicción *f* interior. ～ 생활 vida *f* interior. ～ 연관 [관련] correlación *f* interna. ～ 요구 requerimiento *m* mental. ～ 요인 factor *m* interno. ～ 중압(重壓) presión *f* interna. ～ 증거 evidencia *f* interna. ～ 필연성 necesidad *f* interior.

내적(內賊/內敵) traidor *m* interior, ladrón *m* (*pl* ladrones) interior.

내전(內典) ((불교)) la Escritura Sagrada del

Budismo.
내전(內殿) ① ((높임말)) reina *f.* ② [궁궐의 안] interior *m* del palacio real.
■ ~ 보살 persona *f* que finge ser ignorante.
내전(內電) telegrama *m*; [해외(海外)에서의] cablegrama *m.* 마드리드의 ~에 따르면 según despacho [cablegrama] desde Madrid. 부에노스아이레스 ~에 …라 하고 있다 Un telegrama de Buenos Aires informa [dice] que + *inf.*
내전(內戰) guerra *f* civil, guerra *f* interna. 그 나라에서는 ~이 일어났다 En ese país tuvo lugar una guerra civil.
내전(來電) ① [전보가 옴] venida *f* del telegrama; [온 전보] telegrama *m* que vino. ② [전화가 옴] venida *f* del teléfono; [온 전화] teléfono *m* que vino.
내절(內切)【수학】¶내접(內接).
내접(內接)【수학】inscripción *f.* ~하다 inscribir.
■ ~ 다각형(多角形) polígono *m* inscrito. ~원 círculo *m* inscri(p)to. ~형(形) figura *f* inscrita.
내젓다 ① [손·손수건·기를] agitar. 그녀는 슬픔에 차서 손을 내저었다 Ella hizo adiós con la mano, llena de tristeza. ② [팔·다리를] balancear. 팔을 앞뒤로 내저으세요 Balancee los brazos hacia atrás y hacia adelante. ③ [몸·병을] agitar. 사용(使用) 전에 잘 내저으세요 Agítese bien antes de usar. ④ [머리·꼬리·손가락을] menear, mover. ⑤ [배의 노를 젓다] remar.
내정(內廷) interior *m* del palacio real.
내정(內定) decisión *f* particular [oficiosa·informal·privada]; [인사의] designación *f* oficiosa. ~하다 decidir *algo* oficiosamente [informalmente], nombrar [designar] oficiosamente (a). 예산이 ~되었다 Se ha fijado oficiosamente el presupuesto. 그는 장관(長官)에 ~되었다 Le han nombrado ministro oficiosamente.
◆ 채용(採用) ~자(者) elegible *mf.*
내정(內政) ① [집안의 살림살이] gobierno *m* de la casa, administración *f* de la casa. ② [국내(國內)의 정치] asuntos *mpl* domésticos [interiores], política *f* interior, administtración *f* doméstica. 다른 나라의 ~에 간섭하다 intervenir en los asuntos domésticos del otro país.
■ ~ 간섭 intervención *f* en los asuntos internos [interiores] (de un país). ¶~하다 intervenir en los asuntos internos [interiores] (de un país). ~ 문제 cuestión *f* de la administración de la casa. ~ 불간섭 la no intervención. ¶~의 원칙 principio *m* de no intervención.
내정(內庭) ① =아낙. ② [안뜰] patio *m,* jardín *m* (*pl* jardines) interior.
내정(內情) situación *f* interna, circunstancias *fpl* privadas, condiciones *fpl* internas; [실정] situación *f* verdadera. ~을 살피다 indagar [averiguar] la situación interna. ~에 밝다 enterarse de la condición interna (de), enterarse de la realidad, estar al corriente de las condiciones internas.
내정(來情) situación *f* futura.
내조(乃祖) ① [그 할아버지] ese abuelo. ② [할아버지가 손자에게] tu abuelito, este abuelito.
내조(內助) ① [내부(內部)에서 부여하는 도움] ayuda *f* interior. ~하다 ayudar en el interior. ② [아내가 남편을 도와줌] ayuda *f* de *su* esposa. ~하다 ayudar a *su* esposo. ~의 공(功)으로 con [por] la ayuda de *su* esposa, por auxilio de *su* esposa [mujer].
내조(來朝) ① [외국인이 우리 나라에 옴] venida *f* a nuestro país. ~하다 venir a nuestro país. ② [지방에 있는 신하가 서울의 임금을 찾아옴] visita *f* al rey. ~하다 visitar al rey.
내종(乃終) =나중.
내종(內從) ((준말)) =내종사촌(內從四寸).
■ ~매(妹) prima *f* menor por la tía paterna. ~ 매부 esposo *m* de la prima mayor por la tía paterna. ~사촌 primo *m* por la tía paterna, hijo *m* de la tía paterna. ~씨 primo *m* mayor por la tía paterna. ~제 primo *m* menor por la tía paterna. ~형 primo *m* mayor por la tía paterna. ~형제 primo *m* por la tía paterna, hijo *m* de la tía paterna.
내종피(內種皮)【식물】=속씨껍질.
내주(內住) residencia *f* interior. ~하다 residir en el interior.
내주(內紬) seda *f* inferior.
내주(來週) próxima semana *f,* semana *f* próxima [que viene·que entra·entrante·venidera].
내주(來駐) acampamento *m.* ~하다 acampar(se).
내주다 ① [가졌던 것을 남에게 건네주다] entregar, hacer entrega (de). 돈을 ~ entregar dinero. 면허장(免許狀)을 ~ conceder [otorgar] un certificado. 급료를 ~ pagar el sueldo [el salario]. 표를 ~ entregar el billete. 서류를 ~ entregar el documento. 이것은 그녀에게 내줄 돈이다 Este dinero es para ella. ② [차지한 자리를 비워서 남에게 넘겨주다] entregar, transferir, ceder, rendir; [사임하다] dimitir, renunciar, presentar *su* dimisión [*su* renuncia]. 도시를 ~【군사】rendir [entregar] la ciudad. 셋방을 ~ entregar la habitación alquilada. 후임에게 자리를 ~ entregar *su* posición a un sucesor. 채권자에게 재산을 ~ transferir [ceder] los bienes al acreedor. 그는 재산(財産)을 딸에게 내주었다 El transfirió [cedió] sus bienes a su hija.
내주방(內廚房) cocina *f* para la comida de la reina.
내주일(來週日) semana *f* que viene, próxma semana *f.*
내주장(內主張) gobierno *m* dominado por mujeres. ~하다 llevar los pantalones [los

calzones] en la casa, mandar [dominar] la mujer. ~의 gurrumino. 저 집은 ~이다 En aquella casa manda [domina] la mujer. 그녀는 ~을 하고 있다 Ella es la que lleva los pantalones [los calzones] en la casa.

내증(內症) enfermedad *f* interna.

내지(內地) interior *m* del país. ~의 interior, doméstico.

내지(內旨) 【역사】 orden *f* secreta del rey.

내지(內池) estanque *m* pequeño en el patio [en el jardín interior].

내지(乃至) ① [얼마에서 얼마까지] de ··· a, desde ··· hasta. 40명 ~ 50명 de cuarenta a cincuenta, entre cuarenta y cincuenta personas. ② [또는 · 혹은] o; [o- · ho-로 시작되는 단어 앞에서] u. 9명 ~ 10명 nueve o diez personas. 7 ~ 8 siete u ocho. 사장 ~는 부사장이 출석할 것이다 Asistirá (o) el presidente o el vicepresidente. 음력설은 우리 나라 ~ 일본과 중국에서 볼 수 있다 Se puede ver el Año Nuevo del calendario lunar en nuestro país, Japón o China.

내지르다 ① [앞이나 밖으로 향하여 힘껏 지르다] dar patadas fuerte, patalear fuerte. ② ((속어)) [소리를 냅다 지르다] gritar a voz en cuello. ③ ((속어)) =낳다. 누다. ¶ 똥을 ~ cargarse, exonerar el vientre.

내직(內職) ① [가정부인으로서의 직업] profesión *f* para las amas de casa. ② [가족이 틈틈이 하는 직업] profesión *f* que la familia trabaja a veces. ③ [(수입을 얻기 위하여) 본직(本職) 이외에 따로 하는 일] trabajo *m* secundario, trabajo *m* suplementario. ~하다 tener un trabajo secundario [suplementario]. ~으로 피아노를 가르치다 aumentar los ingresos dando clases de piano. ④ [일터에 나가지 않고 집안에서 할 수 있는 직업] profesión *f* casera.

내진(內診) 【의학】 examen *m* interno, endoscopia *f*. ~하다 hacer el examen interno.

내진(來診) consulta *f* en la casa del enfermo. ~하다 consultar en la casa del enfermo. ~을 청하다 mandar a buscar a un doctor, *AmL* mandar llamar a un doctor.

내진(耐震) resistencia *f* [prueba *f*] al terremoto. ~의 resistente al terremoto.
■~ 가옥 casa *f* a prueba de terremotos. ~ 건물 *edificio m* a prueba de terremotos. ~ 건축 construcción *f* a prueba de terremotos. ~ 내화 건물 edificio *m* a prueba de terremotos y fuegos. ~력 resistencia *f* contra terremotos.

내질(內姪) hijos *mpl* de los hermanos de *su* esposa.

내쫓기다 ser echado (de), recibir la orden de hacar (a *uno*) salir, echar [despedir] (a *uno* de *un sitio*). 나는 내쫓겼다 Me echaron / Me despidieron. 그는 아파트에서 내쫓겼다 Le hicieron salir [Le echaron · Le despidieron] del apartamiento. 그녀는 사무실에서 내쫓겼다 La destituyeron [alejaron · separaron] del cargo. 그들은 집에서 내쫓겼다 Los echaron [sacaron] de sus casas.

내쫓다 echar (a *uno* de *un sitio*), excluir, dejar (a *uno*) fuera, hacer salir, hacer dejar, sacar, dar [intimar] (a *uno*) la orden de dejar (*un sitio*), espantar, ahuyentar; [라이벌 · 지도자(指導者)를] desbancar; [정부를] derrocar, hacer caer; [퇴거시키다] expulsar, echar, desalojar; [해고하다] despedir, echar, destituir. 방에서 ~ echar de la habitación, negar (a *uno*) la entrada en el cuarto. 외국 제품을 ~ excluir las mercancías extranjeras. 거리로 ~ echar (a *uno*) a la calle. 고양이를 방에서 ~ echar al gato de la habitación. 직장에서 ~ despedir (a *uno*) de la oficina [del cargo]. 하숙인을 ~ arrojar [echar fuera] a un inquilino. 나는 새를 새장에서 내쫓았다 Yo espanté [ahuyenté] a los pájaros de la jaula. 그녀는 고양이를 소파에서 내쫓았다 Ella echó a los gatos del sofá. 나는 아이들을 집 밖으로 내쫓았다 Yo hice salir a los niños fuera de la casa. 가서 그녀를 침대에서 내쫓아라 Ve a sacarla de la cama. 영어는 불란서어를 외교어로 내쫓았다 El inglés ha desplazado [sustituido] al francés como la lengua de la diplomacia.

내찌르다 picar fuertemente hacia adelante.

내차다 patear; [사람을] dar patadas, patalear; [공을] dar*le* una patada (a), dar*le* un puntapié (a); [말을] cocear, dar coces, golpear con pies. 그녀는 문을 내찼다 Ella le dio [le pegó] una patada a la puerta. 그는 내 정강이를 내찼다 El me pegó una patada en la espinilla. 그는 문을 내차 열었다[닫았다] El abrió [cerró] la puerta de una patada. 그는 말한테 내차였다 Le dio una coz un caballo.

내착(來着) llegada *f*. ~하다 llegar (a).

내찰(內札) cartas *fpl* entre las mujeres.

내참(來參) participación *f*. ~하다 participar.
■~자(者) participante *mf*.

내채(內債) ① 【경제】 ((준말)) =내국 공채. ¶~를 발행하다 levantar el empréstito nacional. ② [비밀한 빚] deuda *f* secreta.

내처 continuamente, sin cesar. ~ 똑바로 가십시오 Siga todo derecho.

내처(乃妻) esposa *f* de ese hombre.

내처(內處) residencia *f* en el cuarto interior.

내처서 continuamente, sin cesar.

내척(內戚) pariente, -ta *mf* al lado de su padre.

내첩(來牒) carta *f* enviada.

내청(來聽) asistencia *f*, presencia *f*. ~하다 venir a oir, asistir.
■~자(者) auditorio, -ria *mf*.

내청 동맥(內聽動脈) arteria *f* auditiva interna.

내청 정맥(內聽靜脈) vena *f* auditiva interna.

내초 ① ((은어)) [시골 사람] campesino, -na *mf*; [바보] tonto, -ta *mf*. ② [갓 나온 거지] mendigo *m* recien salido.

내촌(內村) aldea *f* interior.

내추(來秋) otoño *m* próximo [que viene].
내추럴리스트(영 *naturalist*) [자연주의자] naturalista *mf.*
내추럴리즘(영 *naturalism*) [자연주의] naturalismo *m.*
내춘(來春) primavera *f* próxima [que viene].
내출혈(內出血) hemorragia *f* interna.
내측(內側) parte *f* interior.
내측(內廁) servicios *mpl* interiores.
내층(內層) piso *m* interior.
내치(內治) ① [내복약을 써서 병을 고침] cura *f* por la medicina interna. ~하다 curar por la medicina interna. ② [나라 안의 정치] política *f* nacional, administración doméstica, asuntos *mpl* interiores. ③ [가정을 다스림] administración *f* doméstica [interna]. ~하다 administrar internamente. ④ [부인의 할 일] trabajo *m* para las mujeres.
■ ~ 외교(外交) diplomacia *f* de los asuntos interiores.
내치(內痔) 【의학】 =암치질.
내치다[1] ① [냅다 뿌리치다] deshacerse (de), zafarse (de), quitarse de encima, soltarse (de). 그는 그녀한테서 손을 내쳤다 El se soltó de su mano. ② [물체를 들어서 냅다 던지다] arrojar(se) fuertemente, abandonar. ③ [쫓아내거나 물리치다] expulsar, echar.
내치다[2] [한결같이 죽 잇따라 하다] seguir [continuar] trabajando.
내치락들이치락 ① [마음이 내켰다 들이켰다 하는 변덕스러운 모양] caprichosamente, de modo caprichoso. ~하다 (ser) caprichoso, antojadizo. ~하는 사람 persona *f* caprichosa. ~하는 남자 hombre *m* caprichoso. ~하는 여자(女子) mujer *f* caprichosa. ② [병세가 더했다 덜했다 하는 모양] teniendo los altibajos. ~하다 cambiar constantemente, tener *sus* altibajos, tener las vicisitudes, estar en el aire, estar pendiente de un hilo. 그의 병세는 ~했다 Su enfermedad ha tenido sus altibajos / Su enfermedad ha estado en el aire / Su enfermedad ha estado pendiente de un hilo.
내칙(內則) =내규(內規).
내칙(內勅) edicto *m* real.
내친(內親) ① [아내의 친척] pariente, -ta *mf* de *su* mujer. ② [마음속으로 친하게 여김] acción *f* de parecer íntimo en el corazón. ③ =내척(內戚).
내친걸음 el cruzar [el atravesar] el Rubicón. ~이라 물러설 수 없다 Obligado por las circunstancias no puedo retroceder. ~이니 끝까지 해볼 수밖에 De perdidos, al agua / Ya que estamos en el baile, bailemos. 이미 ~이라 물러설 도리가 없다 La suerte está echada.
내친김에 ya que estamos en el baile, ya que cruzamos [atravesamos] el Rubicón.
내친말 palabra *f* que ya he empezado.
내침(內寢) ① [남편이 아내 방에서 잠] lo que el esposo duerme en el cuarto de su esposa. ~하다 El esposo duerme en el cuarto de su esposa. ② =안방.
내켜놓다 poner más adelante.
내키다[1] ① [하고 싶은 마음이 솟아나다] inclinarse (a + *inf*), sentirse muy dispuesto (a + *inf*), tener una inclinación, tener tendencia. 마음이 내키지 않는다 no sentirse muy dispuesto (a + *inf*). 나는 그녀를 도와줄 마음이 내키지 않는다 No me siento muy dispuesto a ayudarla. 나는 차라리 동의하고 싶은 마음이 내킨다 Yo me inclino a pensar lo mismo / Yo creo que estoy de acuerdo. 마음 내킬 때 하십시오 Hágalo cuando quiera usted. ② [하고 싶은 마음이 솟아나게 하다] hacer sentirse muy dispuesto (a + *inf*).
내키다[2] [넓히려고 물리어 내다] hacer sitio. 그들은 나에게 자리를 내키어 주었다 Ellos me hicieron sitio.
내탄(耐彈) resistencia a la bala. ~의 resistente a la bala.
내탐(內探) pesquisa *f* secreta, investigación *f* secreta. ~하다 hacer una pesquisa secreta, pesquisar [investigar] secretamente [en secreto].
내탕(內帑) ① ((준말)) =내탕고(內帑庫). ② ((준말)) =내탕금(內帑金).
■ ~고(庫) depósito *m* para las cosas privadas del rey. ~금[전] dinero *m* gastado particularmente por el rey.
내통(內通) colusión *f*, connivencia *f*, comunicación *f* secreta en enemigo, traición *f*, felonía *f*, deslealtad *f*. ~하다 coludir (con), actuar en colusión (con), actuar en connivencia (con), conspirar, confabular, comunicarse secretamente. …와 ~하고 있다 estar coludido con *uno*, estar en colusión con *uno*, estar en connivencia con *uno*, estar en comunicación [en connivencia] secreta con *uno*. 적(敵)과 ~하다 entenderse [intimar] con el enemigo.
■ ~자(者) traidor, -dora *mf.*
내파음(內破音) 【언어】 =파열음(破裂音).
내팽개치다 echar, descuidar, desatender, dejar *algo* a un lado [de lado]. 밖에 ~ echar (*algo* · a *uno*) fuera. 공부를 ~ desatender *sus* estudios. 일은 내팽개치고 …하다 dejar el trabajo a un lado para + *inf.* 일[자녀]을 내팽개치고 놀러 가다 salir a divertirse dejando su trabajo [a su niño solo]. 그는 숙제를 내팽개치고 놀러 나갔다 El salió para jugar dejando sus deberes. 그녀는 청소를 내팽개치고 텔레비전을 보고 있다 Ella está viendo la televisión, descuidando la limpieza.
내퍼붓다 ① [물 따위를] verter [echar] mucho. ② [비가] llover a cántaros. 비가 억수같이 내퍼부었다 Llovió a cántaros.
내평(內一) estado *m* real (de los asuntos) condiciones *fpl* interiores, historia *f* interna.
내폐(內嬖) concubina *f* amada por el rey.
내포[1](內包) [식용하는 짐승의 내장] tripas *fpl*
■ ~ㅅ국[~탕] caldo *m* [sopa *f*] de tripas.

내포[2](內包) ① [어떠한 뜻을 그 속에 포함함] connotación *f.* ~하다 connotar, abarcar, entrañar, comprender dentro de sí, contener en sí. 가능성을 ~하다 abarcar la posibilidad (de). ② 【논리】 intención *f*, comprensión *f.*

내폭제(耐爆劑) antidetonante *m.*

내폴로 a *su* voluntad, voluntariamente.

내풍인촌(耐風燐寸) =딱성냥.

내피(內皮) ① =속가죽. ② =보늬. ③ 【식물】 endodermo *m*, pericarpio *m.* ④ 【해부】 endotelio *m*, película *f* interna. ~의 endotelial.

■~ 세포 endoteliocito *m.* ~ 조직 tejido *m* endotelial. ~종(腫) endotelioma *m.*

내핍(耐乏) austeridad *f.* ~하다 aguantar [soportar] pobreza, practicar austeridad.

■~ 생활 vida *f* de privación, vida *f* con estrechez, austeridad *f* de la vida. ¶~을 하다 vivir con [en la] estrechez, llevar una vida dura. ~ 예산 presupuesto *m* de austeridad.

내학기(來學期) semestre *m* próximo.

내학년(來學年) año *m* escolar próximo.

내한(耐旱) resistencia *f* a la sequía. ~하다 (ser) resistente a la sequía.

내한(耐寒) resistencia *f* al frío. ~하다 (ser) resistente al frío.

■~ 건전지 pila *f* eléctrica anticongelante. ~ 비행 vuelo *m* a pueba de frío. ~성 ¶~의 a prueba de frío. ~ 시험 prueba *f* resistente al frío. ~ 식물(植物) planta *f* resistente al frío. ~ 작물(作物) cosecha *f* resistente al frío. ~ 장치 acondicionamiento *m* para el invierno. ¶~를 하다 acondicionar para el invierno. ~ 행군(行軍) marcha *f* resistente al frío. ~ 훈련 entrenamiento *m* [ejercicio *m*] contra el frío, entrenamiento *m* en la estación fría, ejercicios *mpl* para soportar bien el frío.

내한(來翰) carta *f* que envió el otro.

내한(來韓) venida *f* [visita *f*] a Corea. ~하다 visitar Corea, venir a Corea.

내항(內航) servicio *m* costanero, navegación *f* interior. ~하다 hacer un servicio costanero, navegar en la costa interior.

■~로 línea *f* [ruta *f*] costanera. ~선(船) barco *m* costanero. ~ 운임 tarifa *f* de flete costanero.

내항(內港) puerto *m* interno.

내항(內項) 【수학】 término *m* interior.

내항(來降) rendición *f.* ~하다 rendirse.

내항(來航) venida *f* [llegada *f*] por el avión [por el mar]. ~하다 venir [llegar] por el avión [por el mar].

내항동물(內肛動物) 【동물】 endoprocta *f.*

내해(內海) ① [육지에 둘러싸여 있으면서 해협을 거쳐서 대양과 통하는 바다] mar *m* interior. ② [큰 호수] lago *m* grande. ③ =입해(入海).

■~ 경비 guardia *f* costera. ~ 문화(文化) cultura *f* en el mar interior.

내행(內行) ① [부인네의 여행] viaje *m* de las mujeres. ② [가정에서의 부녀자의 행실] conducta *f* de una mujer en casa.

■~ 보교(步轎) palanquín *m* para las mujeres.

내향(內向) ① [안으로 향함] acción *f* de volverse hacia adelante. ~하다 volverse hacia adelante. ② 【의학】 aducción *f.* ~의 aductor.

■~성 introversión *f.*

내형(乃兄) ① [그 형] ese hermano (mayor). ② [네 형] tu hermano (mayor).

내형제(內兄弟) ① [외사촌 형제] primos *mpl* maternos. ② [아내의 형제] hermanos *mpl* de *su* esposa.

내호흡(內呼吸) respiración *f* interna.

내혼(內婚) =족내혼(族內婚).

내홍(內訌) disturbio *m* interno, desacuerdo *m* doméstico.

내화(內貨) moneda *f* nacional.

내화(耐火) resistencia *f* al fuego, prueba *f* de fuego. ~의 refractario, a prueba de fuego, a prueba de incendios, ignífugo, resistente al fuego.

■~ 건물 edificio *m* a prueba de fuego. ~ 건축 edificio *m* [constitución *f*] a prueba de fuego. ~ 구조 construcción *f* a prueba de incendios. ~ 금고 caja *f* fuerte resistente al fuego. ~도 temperatura *f* de reblandecimiento. ~ 도료(塗料) pintura *f* resistente al fuego. ~력 resistencia *f* al fuego. ~로(爐) horno *m* resistente al fuego. ~ 목재 madera *f* resistente al fuego. ~물 artículo *m* a prueba de fuego. ~벽돌[연와] ladrillo *m* refractario [resistente al fuego]. ~복 ropa *f* a prueba de fuego. ~ 석재(石材) piedras *fpl* a prueba de fuego. ~성 resistencia *f* al fuego, refractaridad *f.* ¶~의 refractario, ignífugo, resistente al fuego, a prueba de incendios. ~ 시험 prueba *f* resistente al fuego. ~ 장치(裝置) instalación *f* resistente al fuego. ~재(료) material *m* resistente al fuego. ~ 점토 arcilla *f* refractaria. ~지(紙) papel *m* resistente al fuego. ~ 페인트 pintura *f* resistente al fuego.

내환(內患) ① [아내의 병(病)] enfermedad *f* de *su* esposa. ② =내우(內憂).

내황란(內黃卵) 【동물】 =단일란(單一卵).

내회(來會) ① [다음에 오는 모임] reunión *f* próxima. ② [와서 만남] encuentro *m.* ~하다 venir y ver, encontrarse (con). ③ [와서 회합에 참가함] participación *f* a la reunión. ~하다 participar a la reunión.

내후(乃後) =자손(子孫).

내후년(來後年) año *m* después del año siguiente, después de tres años.

내훈(內訓) ① [내밀히 하는 훈령] instrucción *f* secreta. ② [집안의 부녀자들에 대한 훈계·교훈] lección *f* para las mujeres de la casa.

내휘(內諱) ① =부녀자(婦女子). ② maldad *f* doméstica.

내흔들다 agitar, sacudir.

내혼들리다 agitarse, sacudirse.
낼 ((준말)) =내일(來日). ¶~ 다시 만납시다 Nos veremos mañana otra vez.
냄비 pote *m*, marmita *f*, puchera *f*; [얕은] cazo *m*, cacerola *f*; [깊은] olla *f*; [토제] cazuela *f*. ~의 귀 el asa *f* (*pl* las asas). ~의 손잡이 mango *m*. 뜨거운 ~ 드는 기구 [헝겊] agarrador *m*, *AmL* agarradera *f*, *Chi* tomaollas *m.sing.pl.*
■ ~ 뚜껑 cobertera *f* [tapa *f*] de olla [de cazuela]. ~ 요리 cazuela *f*.
냄새 olor *m*; [향기(香氣)] perfume *m*, aroma *m*, fragancia *f*; [악취(惡臭)] hedor *m*, mal olor *m*. ~가 좋은 bienoliento, perfumado, oloroso, fragante. ~가 나쁜 hediendo, que huele mal olor. ~를 뺀 que ha perdido el olor. ~를 발산하다[내뿜다] exhalar [despedir] un olor [un aroma · una fragancia]. ~를 없애다[제거하다] quitar [hacer desaparecer] el olor. ~가 좋다 oler bien, tener buen olor, tener un olor agradable. ~가 고약하다 oler mal, apestar, tener mal olor, tener un olor desagradable. ~를 잘 맡다 tener largas narices, tener narices de perro perdiguero. ~ 참 좋다! ¡Qué bien huele! ~가 고약하군! ¡Qué mal huele! 이 장미는 ~가 좋다 Esta rosa huele mucho [muy bien]. 이 고기는 ~가 고약하다 Esta carne huele mucho / Esta carne tiene un fuerte olor a podrido. 생선 ~가 야채에 배었다 El olor del pescado se ha pegado a las verduras. 그는 늘 강한 향수 ~를 풍기며 다닌다 El siempre anda despidiendo un olor fuerte de perfume.
◆냄새(가) 나다 oler (a), exhalar [despedir] un olor; [향기가 나다] perfumar; [누구에게서] dar*le* a *uno* en la nariz, sospechar. 냄새가 나는 perfumado, oloroso, aromático. 마늘 ~ oler a ajo. 홍차에서 좋은 냄새가 난다 El té exhala [despide] un aroma. 이 것은 썩은 달걀 냄새가 난다 Esto huele a huevos podridos. 무슨 냄새가 난다 Algo huele. 무엇이 타는 냄새가 난다 Huele algo a quemado / Huele algo a chamuscado. 네 입에서 냄새가 난다 Te huele la boca. 네 발에서 냄새가 난다 Te huelen los pies. 이 고기는 고약한 냄새가 나기 시작한다 Esta carne comienza a oler mal. 담배로 입에서 냄새가 난다 El tabaco hace oler la boca. 냄새(를) 맡다 olfatear; [동물이] ventear. 냄새를 맡고 돌아다니다 husmear, oliscar. 잡은 것을 냄새를 맡아 찾아내다 olfatear la caza. 고양이가 생선 냄새를 맡고 찾아낸다 El gato huele el pescado. 그는 그 계획의 냄새를 맡았다 El ha olido ese proyecto..
냅다[1] [연기가 눈이나 목구멍을 자극하여 쓰라린 느낌이 있다] (ser · estar) ahumado, humoso, lleno de humo. 내워서 숨을 못 쉬겠다 Me ahoga el humo. 이 방은 ~ Esta habitación está llena de humo.
냅다[2] [몹시 세차게] muy fuerte, muy fuertemente, violentamente. ~ 던지다 tirar [echar · arrojar] (muy fuerte). ~ 갈기다 golpear muy fuerte hacer un golpe muy fuerte. ~ 밀어붙이다 empujar (a *uno*) violentamente, dar (a *uno*) un empujón. 땅[벽]에 ~ 던지다 tirar (*algo*) al suelo [contra la pared]. 개에게 돌을 ~던지다 tirar una piedra a un perro. 얼굴에 ~ 던지다 arrojar *algo* a la cara (de). 나는 처음에 ~ 달려서 녹초가 되었다 Quedé rendido por haber corrido demasiado al comienzo.
냅뜨다 arriesgarse a salir, aventurarse a salir.
냅킨(영 *napkin*) servilleta *f*. 무릎 위에 ~을 놓다 ponerse la servilleta en el regazo.
■ ~ 꽂이 servilletero *m*.
냇가 orilla *f*, ribera *f*, margen *m*, banda *f* de río. ~를 걷다 andar a lo largo del río.
냇내 olor a humo.
냇둑 dique *m*.
냇물 río *m*. ~을 막다 cerrar un río, poner un dique a un río. ~이 흐르다 correr el río.
냉(冷) ① 【한방】 [아랫배가 늘 싸늘한 병] estómago *m* frío. ② [몸, 특히 아랫도리를 차게 하였을 때 생기는 병] enfriamiento *m*. ③ =대하증(帶下症).
냉-(冷) con hielo, helado, enfriado, frío. ~맥주 cerveza *f* enfriada [fría]. ~밀크 leche *f* fría. ~커피 café *m* con hielo.
냉가슴(冷－) ① 【한방】 [몸을 차게 하여 생기는 가슴앓이] enfriamiento *m*. ② [겉으로는 나타내지 아니하고 속으로 혼자만 끙끙거리며 걱정하는 것] preocupación *f* secreta, agonía *f* desconocida a otro. ~을 앓다 tener problemas estomacales, tener trastornos estomacales.
냉각(冷却) enfriamiento *m*, refrigeración *f*. ~하다 enfriar, refrigerar. ~되다 enfriarse, refrigerarse.
■ ~ 곡선 curva *f* refrigerante. ~관 tubo *m* refrigerante. ~기 refrigerador *m*, enfriadera *f*; [자동차의] radiador *m*. ~기간 tiempo *m* de refrigeración; [신경 안정 기간] tiempo *m* para calmar el nerviosismo; [노사간의] período *m* de reflexión. ¶~을 두다 dejar *algo* de tiempo para calmar el nerviosismo. ~수(水) el agua *f* de enfriamiento, el agua *f* de refrigeración. ~수 펌프 bomba *f* de agua del sistema de refrigeración. ~액 líquido *m* refrigerante. ~장치 ㉮ refrigerador *m*, enfriadera *f*; [자동차의] radiador *m*. ㉯ =냉방 장치. ~재(材) material *m* refrigerante. ~제(劑) refrigerante *m*. ~탑 torre *f* de enfriamiento. ~효과 efecto *m* refrigerante, efecto *m* de refrigeración.
냉간 압연(冷間壓延) laminación *f* de fleje refrigerante.
■ ~ 공장 tren *m* de laminación de fleje refrigerante.
냉갈령 frialdad *f*, indiferencia *f*.
◆냉갈령(을) 부리다 estar frío (con).
냉감증(冷感症) 【의학】 frigidez *f*. ~의 frígido. ~에 걸린 여자 una mujer frígida.
냉과(冷果) fruta *f* enfriada con el agua de

azúcar.
냉과(冷菓) =빙과(氷菓).
냉과리 carbón *m* medio quemado.
냉관(冷官) ① =냉신(冷神). ② [보수가 적고, 지위가 낮은 보잘것없는 벼슬] funcionario *m* público del rango bajo.
냉광(冷光) ① [찬 빛] luz *f* fría. ② 【물리】 luminiscencia *f*.
냉국(冷—) sopa *f* fría.
■ ~국수 *naenggukguksu*, tallarín *m* de sopa fría con varios condimentos.
냉기(冷氣) ① [찬 공기] (aire *m*) frío *m*, frialdad *f*; [서늘한 기운] (aire *m*) fresco *m*. ~가 돌다 hacer frío. ② [한랭(寒冷)한 기후] tiempo *m* frío.
냉난방(冷暖房) acondicionamiento *m* del ambiente, climatización *f*.
■~ 완비 ((게시)) Ambiente climatizado. ~ 장치 aparato *m* acondicionador de ambiente.
냉담하다(冷淡) ① [무관심하다] (ser) indiferente (a), poco entusiasta. 냉담함 indiferencia *f*, desapego *m*, despego *m*, desinterés *m*, falta *f* de entusiasmo, desgana *f*, *AmL* desgano *m*. 냉담한 태도 actitud *f* indiferente. 냉담한 태도를 취하다 tomar una actitud de indiferencia (sobre). 냉담한 얼굴을 하다 mostrarse completamente (a), darse aires de completa indiferencia (ante). 위험(危險)에 ~ ser indiferente al peligro. 정치에 대해 ~ ser indiferente a la política. 그는 내 제안에 완전히 냉담했다 El se mostró totalmente indiferente ante mi propuesta. 그들은 내 청원에 무관심했다 Ellos se mostraron indiferentes a mis súplicas. ② [동정심이 없고 불친절하다. 쌀쌀하다] (ser) frío, insensible, seco, sin corazón, cruel, glacial, duro, poco compasivo. 냉담함 frialdad *f*, insensibilidad *f*, dureza *f*. 냉담한 대답 respuesta *f* fría. 냉담한 대접 trato *m* frío, trato *m* glacial, recepción *f* fría, recepción *f* glacial. 냉담한 성질(性質) temperamento *m* frío, frialdad *f*, insensibilidad *f*. 냉담한 인간(人間) hombre *m* frío, hombre *m* insensible, persona *f* dura, persona *f* poco compasiva. …에 ~ ser frío con *uno*. 냉담한 태도를 취하다 adoptar [tomar] una actitud fría. 냉담한 시선을 보내다 dirigir una mirada fría (a). 냉담하게 대하다 tratar (a *uno*) con frialdad. 냉담하게 대답하다 contestar fríamente (a). 그녀는 나한테 ~ Ella es fría conmigo. 나는 그에게 돈을 빌려달라고 했으나 냉담하게 거절했다 Le pedí prestado dinero, pero me lo negó secamente.
냉담히 ㉮ [무관심하게] indiferentemente, con indiferencia, como quien oye llorar, sin ganas, con poco entusiasmo. ㉯ [동정심이 없고 쌀쌀하게] fríamente, con frialdad, secamente, con sequedad, cruelmente, con crueldad, glacialmente. ~ 대답하다 contestar secamente [con sequedad].
냉대(冷待) trato *m* frío [glacial], recepción *f* fría [glacial], poca hospitalidad *f*. ~하다 tratar fríamente. ~받다 ser tratado fríamente, recibir un trato frío.
냉대(冷帶) =아한대(亞寒帶).
냉동(冷凍) refrigeración *f*, congelación *f*, enfriamiento *m*. ~하다 refrigerar, helar, congelar. ~한 refrigerado, congelado, enfriado. 생선을 ~하다 refrigerar [congelar] pescado.
■ ~ 건조(乾燥) liofilización *f*, desecación-congelación *f*, secado *m* por congelación. ¶~하다 liofilizar. ~된 liofilizado, congelado y después deshidratado en el vacío. ~ 고기 carne *f* congelada. ~ 공장 taller *m* frigorífico. ~기 congelador *m*, refrigerador *m*. ~ 다랑어 atún *m* (*pl* atunes) congelado. ~ 마취(痲醉) anestesia *f* congelada. ~법 método *m* de refrigeración. ~선(船) barco *m* frigorífico. ~수송(輸送) transporte *m* congelado [enfriado]. ~ 식품 alimentos *mpl* congelados. ~실 enfriadero *m*, nevera *f*. ~ 야채 verduras *fpl* congeladas. ~어(漁) pescado *m* frigorífico [congelado · helado]. ~업(業) comercio *m* [negocio *m*] frigorífico. ~육(肉) carne *f* congelada [helada · refrigerada]. ~ 장치 instalación *f* frigorífica. ~제 refrigerante *m*. ~차 vagón *m* (*pl* vagones) frigorífico. ~ 창고 frigorífico *m*. ~품 alimentos *mpl* congelados.
냉랭하다(冷冷—) ① [매우 차겁다] (estar) muy frío, muy glacial. 방바닥이 얼음장같이 ~ El suelo está tan frío como el hielo. ② [푸대접하는 태도가 심하다] (ser) frío, indiferente. 냉랭한 태도 modales *mpl* fríos. 냉랭히 ㉮ [차갑게] fríamente, glacialmente. ㉯ [푸대접하는 태도로] con frialdad, indiferentemente. ~ 대하다 tratar con frialdad.
냉면(冷麪) *naengmyon*, tallarín *m* con mostaza, vinagre, verduras crudas cortadas en pedacitos, carne de vaca cortada fina, sopa fría, y agua con nabo.
냉반(冷飯) comida *f* fría, arroz *m* frío.
냉방(冷房) ① [불을 때지 아니하여 차게 된 방] habitación *f* fría. ② [여름철에 기온을 낮추려고 냉방 장치를 하여 덥지 않게 함] acondicionamiento *m* [refrigeración *f*] de aire, enfriamiento *m* por aire. ~하다 acondicionar [refrigerar] el aire. ~ 완비의 con aire acondicionado, climatizado. 이 가게는 ~이 되어 있다 En esta tienda no está acondicionado [refrigerado] el aire.
■ ~병 acondicioningitis *f* aérea. ~ 장치 acondicionador *m* de aire, aire *m* acondicionado, sistema *m* de acondicionamiento [refrigeración] de aire, refrigeración *f*, equipo *m* de enfriamiento por aire. ¶~가 된 건물 edificio *m* con aire acondicionado. ~가 되다 estar con aire acondicionado, estar climatizado. 이 건물은 ~가 되어 있다 Este edificio tiene refrigeración.
냉병(冷病) complexión *f* friolenta, constitu-

ción *f* friolenta.

냉색(冷色) =한색(寒色).

냉소(冷笑) risa *f* falsa [burlona · desdeñosa · sardónica · burlesa], mofa *f*, burla *f*, irrisión *f*, [조소(嘲笑)] escarnio *m*. ~하다 soltar (a *uno*) una risa sardónica, reir falsamente [desdeñosamente · burlonamente], mofar, ridiculizar, escarnecer, atormentar (a *uno*) con risa burlona, burlar. ~를 당하다 ser objeto de risas sardónicas, exponerse al escarnio (de).
■ ~자(者) cínico, -ca *mf*. ~주의 cinismo *m*. ~주의자 cínico, -ca *mf*.

냉수(冷水) el agua *f* fría.
■ ~마찰 fricciones *fpl* con una toalla mojada [húmeda], frotación *f* con agua fría. ¶~하다 frotar con agua fría, friccionarse [frotarse] el cuerpo con una toalla mojada de agua fría, frotarse [darse] fricciones con una toalla mojada [húmeda]. ~욕 baño *m* de agua fría, baño *m* frío, ducha *f* fría. ¶~하다 bañarse en agua fría, tomar un baño de agua fría, tomar un baño frío.

냉습(冷濕) ① [차고 누짐] el frío y la humedad, humedad *f*. ~하다 (estar) frío y húmedo. ② 【한방】 enfermedad *f* causada por el frío y la humedad, reumatismo *m*.

냉시(冷視) =멸시(蔑視).

냉실(冷室) habitación *f* con aire acondicionado.

냉심(冷心) =냉정(冷情).

냉안(冷眼) mirada *f* fría, indiferencia *f*.
■ ~시(視) mirada *f* fría, mirada *f* con indiferencia. ¶~하다 mirar con indiferencia.

냉암(冷暗) el frío y la obscuridad. ~하다 (ser) frío y obscuro.

냉엄(冷嚴) la gravedad y la severidad. ~하다 (ser) grave y severo. ~한 태도(態度) actitud grave y severa. 패전이라는 ~한 사실에 비추어 en vista de esta grave realidad que es la derrota.
냉엄히 grave y severamente.

냉연(冷然) frialdad e impasibilidad. ~하다 (ser) frío e impasible, glacial, frío, indiferente. ~한 태도로 con una actitud fría e impasible.
냉연히 fría e impasiblemente, fríamente, indiferentemente, glacialmente.

냉열(冷熱) ① [차가움과 더움] temperatura *f*, el calor y el frío. ② [냉담과 열심] el celo y la indiferencia.

냉염(冷艶) belleza *f* fría, hermosura *f* fría.

냉온(冷溫) ① [차가움과 따뜻함] la templanza *y el frío*. ② [낮은 온도(溫度)] temperatura *f* baja.

냉온대(冷溫帶) =아한대(亞寒帶).

냉우(冷雨) lluvia *f* fría.

냉우(冷遇) maltrato *m*, mal trato *m*, recepción *f* fría, trato *m* frío, poca hospitalidad *f*. ~하다 tratar (a *uno*) mal, maltratar (a), recibir (a *uno*) con frialdad, recibir [tratar] fríamente, tratar despiadadamente.

냉육(冷肉) carne *f* fría, carne *f* helada, (carne *f*) fiambre *m*. 송아지 ~ ternera *f* fiambre.
■ ~ 요리 fiambre *m*.

냉음극(冷陰極) 【물리】 cátodo *m* en frío.

냉이 【식물】 bolsa *f* de pastor, pan *m* y quesillo.

냉이벌레 【곤충】 =방패벌레.

냉장(冷腸) falta *f* de amabilidad y crueldad.

냉장(冷藏) conservación *f* en cámara frigorífica. ~하다 conservar en refrigeración.
■ ~고(庫) frigorífico *m*, nevera *f*, *AmL* refrigerador *m*, *RPl* heladera *f*. ¶가스 ~ frigorífico *m* de gas. 전기 ~ frigorífico *m* eléctrico. ~법 refrigeración *f*. ~ 장치(裝置) planta *f* frigorífica, planta *f* de refrigeración. ~ 회사 compañía *f* de almacenamiento frigorífico.

냉전(冷戰) guerra *f* fría.
■ ~ 외교 diplomacia *f* de guerra fría. ~ 정책 política *f* de guerra fría.

냉정(冷情) frialdad *f*, indiferencia *f*. ~하다 (ser) frío, insensible, indiferente. ~한 사람 persona *f* fría, persona *f* insensible. ~한 태도를 보이다 mostrarse indiferente [frío] (con). 마음씨가 ~하다 no tener corazón, tener el corazón frío, ser duro de corazón.
냉정히 fríamente, con frialdad, indiferentemente, con indiferencia, glacialmente. ~ 맞이하다 recibir (a *uno*) glacialmente [fríamente · con frialdad].

냉정(冷靜) tranquilidad *f*, serenidad *f*, calma *f*, sangre *f* fría; [명석] lucidez *f*. ~하다 (ser) sereno, tranquilo, sosegado, de sangre fría, lúcido. ~한 판단(判斷) juicio *m* lúcido. ~을 유지하다[잃다 · 되찾다] mantener [perder · recobrar] la presencia de ánimo [de espíritu].
냉정히 tranquilamente, con tranquilidad, con calma, con sangre fría, con lucidez. ~ 대하다 mostrarse frío (hacia), tratar (a *uno*) con despego; [여자가 남자를] dar calabazas (a). ~ 생각하다 pensar con calma [tranquilamente · serenamente]. ~ 판단하다 juzgar con lucidez [sin pasión]. ~ 하다 mantenerse sereno y tranquilo. ~ 행동하다 actuar con [sin perder el] juicio.

냉주(冷酒) vino *m* frío, licor *m* frío, bebida *f* fría.

냉증(冷症) 【한방】 complexión *f* friolenta, constitución *f* friolenta.

냉지(冷地) ① [찬 땅] tierra *f* fría. ② [기후가 찬 지방] región *f* fría; [토질이 찬 땅] tierra *f* fría.

냉찜질 fomentación *f* fría. ~하다 fomentar fríamente.

냉차(冷茶) té *m* con hielo.

냉채(冷菜) verduras *fpl* con oreja marina, cohombro de mar, pollo, y hielo.

냉처(冷處) lugar *m* fresco, lugar *m* frío.

냉천(冷天) ① [추운 날씨] tiempo *m* frío, clima *m* frío. ② [추운 날] día *m* frío.

냉천(冷泉) ① [물이 찬 샘] pozo *m* con agua fría. ② [수온이 낮은 광천(鑛泉)] manantial *m* frío.
냉철(冷徹) sagacidad *f* fría, frío y trasparente. ~하다 (ser) frío y penetrante, sereno. 냉철히 con una fría perspicacia, con serenidad, serenamente, fría y trasparentemente.
냉초(冷峭) ① [추위가 혹독함] frío *m* severo. ② [말이 날카로움] palabra *f* dura, palabra *f* severa.
냉촉(冷觸) tacto *m* frío.
냉커피(冷 coffee) café *m* con hielo, café *m* (bien) frío.
냉큼 pronto, prontamente, con presteza, en seguida, enseguida, inmediatamente. ~ 꺼져라 Vete inmediatamente / Largo de aquí / ¡Lárgate!
냉큼냉큼 muy pronto, muy prontamente.
냉탕(冷湯) baño *m* con agua fría.
냉평(冷評) crítica *f* sarcástica, criticismo *m* sarcástico, censura *f* fría. ~하다 criticar sarcásticamente, censurar fríamente. ~을 받다 ser acogido con frialdad por la crítica.
냉풍(冷風) viento *m* frío.
냉피해(冷被害) =냉해(冷害).
냉하다(冷-) ① [차다] (ser · estar) frío. 그녀는 냉한 체질(體質)이다 A ella le afecta el frío. ② **【한방】** ㉮ [병으로 아랫배가 차다] El vientre inferior está frío por la enfermedad. ㉯ [약재(藥材)의 성질이 차다] El carácter del material medicinal es frío.
냉한(冷汗) sudor *m* frío.
냉한(冷寒) =한랭(寒冷).
냉항(冷巷) calle *f* solitaria.
냉해(冷害) perjuicio *m* en frío, daños *mpl* causados por el frío. 이 지방(地方)은 ~로 황폐되었다 Esta región ha sufrido los estragos del tiempo frío / El frío ha causado daños a los productos agrícolas en esta región.
냉혈(冷血) sangre *f* fría.
▪~ 동물 animal *m* [criatura *f*] de sangre fría. ~한(漢) hombre *m* de [que tiene] la sangre fría, hombre *m* cruel, hombre *m* sin corazón.
냉혹(冷酷) crueldad *f*, frialdad *f*, inhumanidad *f*, dureza *f*. ~하다 (ser) cruel, insensible, brutal, duro, severo, agrio, adusto. ~한 사나이 hombre *m* cruel [inhumano · brutal]. ~한 취급(取扱) trato *m* agrio, severidad *f*, rigor *m*, crueldad *f*. 그는 무척 ~하다 El es muy duro de corazón / El es un hombre cruel [sin corazón].
냉혹히 cruelmente, con crueldad, inhumanamente, de modo inhumano, severamente, con severidad.
냉회(冷灰) cenizas *fpl* frías.
-냐 ¿ ··· ? 너는 누구~? ¿Quién eres tú? / ¿Cómo te llamas? 너 아프~? ¿Estás enfermo? 너 배고프~? ¿Tienes hambre? 서반아어를 할 줄 아느~? ¿Hablas español? 이것은 무엇이~? ¿Qué es esto?
-냐고 si, que. 몇 시~ 묻다 preguntar la hora [qué hora es]. 그것이 정확하~ 묻다 preguntar si es correcto. 나는 그에게 어디가 아프~ 물었다 Le pregunté qué le dolía. 집에 계시~ 묻더라 Me preguntó si estaba en casa.
냠냠 ① ((소아어)) [맛있는 음식] comida *f* sabrosa [rica · deliciosa]. ② [맛있는 음식을 먹으면서 내는 소리] ñam ñam. ~! ¡Hmm!, ¡qué rico!
냠냠거리다 ① ((소아어)) [맛있게 먹다] comer sabrosamente [ricamente · deliciosamente]. ② ((소아어)) [냠냠 소리를 자꾸 내다] relamerse.
냠냠이 comida *f* que se desea comer, cosas *fpl* ricas, comida *f* exquisita, delicadeza *f*, lo delicado.
냥(兩) ① [돈의 단위] ñ*ang*, unidad *f* de la moneda antigua coreana. 돈 열 ~ diez ñang de dinero. ② [중량의 단위] ñ*ang*, diez *don* (37.5 gramos). 금(金) 한 ~ un ñ*ang* de oro.
냥쭝(兩重) =냥(兩).
너[1] tú. ~의 [명사 앞에서] tu; [명사 뒤에서] tuyo, -ya, -yos, -yas. ~에게 a ti, te. ~를 a ti, te. ~와 함께 contigo. ~ 자신 tú mismo, tú misma. ~의 것 el tuyo, la tuya, los tuyos, las tuyas, lo tuyo. 잘못한 것은 ~다 Es culpa tuya / Tú eres el culpable / Tú tienes la culpa. 그들은 ~에 대해 잘 말한다 Ellos hablan bien de ti. 여봐, ~, 거기서 뭐 하니? Oye, tú, ¿qué haces ahí? 오는 일요일에 ~와 함께 극장에 가고 싶은데 Quisiera ir al cine contigo el domingo que viene.
▪너 자신을 알라 Conócete a ti mismo.
너[2] [넷] cuatro. ~ 돈 cuatro *don*. ~ 말 cuatro *mal*. ~ 푼 cuatro *pun*.
너겁 hojas, polvo o pajas que flota(n) en el agua.
너구리 ① **【동물】** mapache *m*, tejón *m*. ② ((은어)) [요금보다 싸게 기차표를 파는 사람] persona *f* que vende el billete del tren más barato que la tarifa. ③ ((은어)) [열차판매원] vendedor, -dora *mf* en el tren. ④ ((은어)) [도둑] ladrón *m* (*pl* ladrones).
▪~ 굴 tejonera *f*, guarida *f* del mapache.
너그럽다 (ser) generoso, liberal. 너그럽게 봐주다 hacer la vista gorda (ante · a), cerrar los ojos (a), tolerar, pasar por alto. 그 정도의 실패(失敗)는 너그럽게 보아주십시오 Tolere usted un error de tan poca importancia. 이번은 너그럽게 보아주겠다 Se te perdona esta vez. 그는 가난한 사람에게 ~ El es generoso con [para · para con] los pobres.
너그러이 generosamente, liberalmente, con generosidad.
너글너글하다 (ser) generoso. 너글너글한 자세(姿勢)를 보이다 mostrarse generosamente tranquilo.
너나들이 amistad *f* íntima. ~하다 tutear.

너나없이 todos, -das; cada uno; unos de otras, unas de otras; recíprocamente; mutuamente. ～ 같은 말을 하다 alterar [disputar] sin reserva [sin prudencia · sin moderación], argumentar cada uno a *su* gusto. ～ 욕을 하다 censurarse recíprocamente, hablar mal unos de otras.

너나할것없이 =너나없이.

너더댓 unos cuatro o cinco. ～ 사람이 모였다 Se unieron unos cuatro o cinco personas.

▪ ～새 unos cuatro o cinco días. ～째 más o menos cuarto o quinto.

너더분하다 ① [여럿이 뒤섞이어서 지저분하다] estar desordenado, estar (todo) revuelto, estar hecho un lío, estar muy embrollado, estar fuera de lugar. 내 머리카락이 ～ Tengo el pelo hecho un desastre. ② [말이 번거롭고 길다] (ser) largo y aburrido [pesado], aburrido, pesado. 너더분한 말 palabra *f* larga y pesada. 그는 너더분하게 말을 한다 El dice pesadamente.

너더분히 larga y pesadamente, pesadamente, aburridamene.

너덕너덕 disparejamente, desigualmente. ～하다 [색 · 페인트가] (estar) disparejo, poco uniforme; [옷이] estar lleno de remiendo, estar hecho jirones. 페인트가 무척 ～했다 La pintura quedó dispareja.

너덜 ((준말)) =너덜겅.

▪ ～겅 cuesta *f* [pendiente *f*] pedregosa.

너덜거리다 ① [종작이 없이 함부로 말을 지껄이다] charlar, chacharear, parlotear, cotorrear. ② [여러 가닥이 늘어져서 자꾸 흔들리다] oscilar [sacudir] muchas veces.

너덜너덜 andrajosamente. ～하다 [옷이] estar hecho jirones [tiras], estar cubierto de harapos [andrajos], estar harapiento, estar androjoso. estar muy gastado, ser un puro andrajo. 벽이 ～ 떨어졌다 La pared cae hecha pedazos. 사전(辭典)이 ～해졌다 El diccionario se ha estropeado mucho [está muy usado]. 그의 옷은 ～하다 El tiene el vestido hecho jirones / Su vestido es un puro andrajo.

너덧 unos cuatro.

▪ ～째 más o menos turno cuarto.

너도나도 cada uno; unos de otros, unas de otras; recíprocamente, mutuamente. ～ 같은 말을 하다 altercar [disputar] sin reserva [sin prudencia · sin moderación], argumentar cada uno a *su* gusto. ～ 욕을 퍼붓다 hablar mal unos de otros, censurarse recíprocamente.

너도밤나무 【식물】 haya *f.* ～ 열매 hayuco *m*, *fabuco m.*

-너라 ¶빨리 오～ Ven temprano. 이리 나오～ Sal por aquí.

너럭바위 roca *f* ancha y llana.

너르다 ① [넓다] [방이] (ser) ancho, amplio, espacioso; [공원이] grande, extenso. 방이 ～ El cuarto es espacioso [amplio]. 공원이 무척 ～ El parque es muy grande [extenso]. ② [마음이 너그럽다] (ser) generoso.

너르나너르다 (ser) muy amplio, muy espacioso, muy grande, muy extenso.

너르디너르다 =너르나너르다.

너름새 habilidad *f* directiva, recursos *mpl*, inventiva *f.*

너리 【한방】 piorrea alveolar.

◆너리(가) 먹다 sufrir de la piorrea alveolar.

너머 (por) encima, a través (de), por. 담 ～로 내려다보다 asomarse por encima del muro. 벽 ～로 말하다 hablar a través de la pared. 창 ～로 바라보다 mirar por [a través de] la ventana.

너무 demasiado, excesivamente, demasiado mucho. ～ 기뻐서 de tanta alegría, por la gran alegría. ～ 마시다 beber demasiado [excesivamente]. ～ 먹다 comer demasiado. ～ 비싸게 사다 comprar demasiado caro. ～ 젊다 ser demasiado joven. ～지불하다 pagar demasiado (por). ～ …해서 …하다 (ser) tan [tanto] … que. ～ …해서 …할 수 없다 (ser) demasiado … para + *inf*, no + *ind*. 그 사람이 ～ 간청해 오는 바람에 하는 수 없이 용서해 주었다 Tanto rogó, que al fin tuve gua perdonarle a él. 그녀는 ～ 아름다워 성격의 결함을 보충하고도 남는다 Ella es tan hermosa que hasta los defectos de su carácter quedan obscurecidos. 당신의 고통이 ～ 크다는 것을 알고도 남는다 Su dolor supera a toda imaginación / Su pena es mayor de lo que se puede imaginar. 나는 ～ 놀라 입도 뗄 수 없었다 Yo estaba tan sorprendido que no me salían las palabras. 그의 죽음을 ～ 애통해만 할 수 없을 것이다 Nunca no podrá lamentar demasiado de su muerte. 너는 그녀에게 ～ 관심을 가지고 있다 Tú tienes excesivo [demasiado] interés por ella. 술을 ～ 마시면 위를 상한다 El beber demasiado hace daño al estómago. 날씨가 ～ 추운 데 나는 놀랐다 Me sorprendí del excesivo frío que hacía. 어제는 날씨가 ～ 좋아 나는 산책 나갔다 Ayer hizo tan buen tiempo que salía dar un paseo. 나는 ～ 가난해서 학교에 다닐 수 없었다 Yo era demasiado pobre para ir a la escuela / Yo era tan pobre que no pude ir a la escuela.

▪너무 고르다가 눈먼 사위 얻는다 ((속담)) Si se selecciona demasiado, se puede seleccionar lo peor al fin.

너무나 demasiado (mucho), excesivamente. ～ 서둘러서 por estar de tanta prisa. ～ 즐거워서 en el exceso de su alegría. ～ 크다 ser tan grande.

너무너무 ((강조)) =너무.

너무하다 ① [사람 · 행동 · 태도가] (ser) poco razonable, irrazonable. 네 행동은 ～ Tu actitud es muy poco razonable. ② [요구 · 값이] (ser) excesivo, poco razonable. 그것은 ～ Es muy excesivo.

너벅선(一船) chalana *f.*

너벳벳하다 (ser) chato y guapo.
너벳벳이 chata y guapamente.
너볏하다 (ser) simpático y pulcro.
너볏이 simpática y pulcramente.
너부데데하다 tener la cara desagradablemente chata.
너부렁이 ① [헝겊·종이 같은 것의 자그마한 오라기] pedacito *m*, trocito *m*. 직물(織物)의 ~ retales *mpl*, retazos *mpl*. ② [어떤 부류 가운데서 그리 대단할 것이 못되는 존재(存在)] cosas *fpl* triviales.
너부시 ① [천천히 내리는 모양] lentamente. ② [사뿐히 앉거나 엎드리는 모양] suavemente, ligeramente.
너부죽 ((준말)) =너부죽이.
■~이 ㉮ [너부죽하게] algo planamente. ㉯ [천천히 배를 바닥에 대고 엎드리는 모양] postrándose. ~ 엎드리다 postrarse. ~하다 (ser) algo plano.
너불거리다 ondear, agitarse. 종이가 바닥에 너불거렸다 Los papeles cayeron revoloteando al suelo.
너불너불 ondeando y ondeando, agitándose y agitándose.
너붓거리다 soler ondear, soler agitarse.
너붓너붓 soliendo ondear.
너붓하다 (ser) algo plano.
너붓이 algo planamente.
너비 anchura *f*, anchor *m*, ancho *m*. 도로의 ~ anchura *f* de la carretera. ~가 10미터이다 Tiene diez metros de anchura [de ancho].
너비아니 tajadas *fpl* de asado (al horno).
너삼 【식물】 ((준말)) =쓴너삼.
너새[1] 【건축】 ① =당마루. ② [돌기와] pedazo *m* de piedra plana y delgada.
■~ 지붕 tejado *m* con pedazos de piedra plana y delgada. ~집 casa con tejado con pedazos de piedra plana y delgada.
너새[2] 【조류】 ((학명)) Otis tarda dybowskii.
너설 lugar *m* rocoso, lugar *m* escarpado.
너스래미 tiras *fpl* sueltas.
너스레 ① [흙구덩이나 그릇의 아가리 또는 바닥에 이리저리 걸쳐 놓는 막대기] soporte *m* de marco hecho por las ramitas entrecruzadas. ② [남을 농락하려고 늘어놓는 말이나 짓] truco *m*, trampa *f*.
◆너스레(를) 떨다 decir tonterías, decir estupideces, decir disparates, darse importancia, darse inflas, fanfarronear.
너스르르하다 (estar) enmarañado [peludo] y sucio, arrugado, despeinado, alborotado.
너슬너슬하다 =너스르르하다.
너울[1] =면사포(面紗布).
너울[2] [바다의 사나운 큰 물결] gran ola *f* horrible del mar.
◆너울(이) 지다 (ser) horrible en la distancia [en la lejanía · a lo lejos].
너울거리다 [파도가] hincharse; [배·자동차·비행기가] balancearse, bambolear(se), bambonear(se); [나무가] agitarse, mecerse con el viento; [깃발 따위가] ondear, flamear; [머리카락 따위가] ondularse, marcarse; [나무나 풀잎이] balancearse; [나뭇잎이] susurrar. 돛이 바람에 너울거렸다 Las velas se hinchaban al viento. 바람으로 나뭇잎이 너울거렸다 El viento hacía susurrar las hojas.
너울너울 balanceándose, bamboleándose, hinchándose, agitándose, ondeando, flameando, susurrando, ondulándose, marcándose.
너울가지 afabilidad *f*, sociabilidad *f*, amigabilidad *f*. ~가 좋다 (ser) afable, sociable, amigable.
너이 ① [네 사람] cuatro personas. ~ 춤을 춘다 Bailan cuatro personas. ② [넷] cuatro. 모두 ~다 Todos son cuatro.
너저분하다 ser un confuso desorden [un caos], (estar) desordenado, desaliñado, descuidado. 너저분한 desaliñado, descuidado. 너저분한 거리 calle *f* desordenada. 너저분하게 하다 mezclar confusamente, embrollar, emburujar, embarullar. 리마의 거리는 ~ Lima es un confuso desorden [un caos] de casas, edificios y calles. 그녀는 너저분하게 차려입고 나타났다 Ella apareció mal tapada.
너저분히 desaliñadamente, descuidadamente, con un confuso desorden, con un caos.
너절하다 ① [허름하고 추잡스럽다] (estar) (muy) gastado, muy usado; [자동차가] inservible. 너절한 옷 ropa *f* muy gastada. 너절한 환경 ambiente *m* muy sucio. ② [변변하지 못하다] no tener ningún valor, no valer nada. ③ [품격이 낮다] (ser) vil, despreciable, infame, humilde, vulgar, pobre. 너절한 거짓말쟁이 vil mentirioso *m*. 너절한 사람 persona *f* humilde. 너절한 생각 pensamiento *m* humilde. 너절한 취미 gusto *m* vulgar.
너절하게 하다 revolver. 서랍 안을 너절하게 하다 revolver el cajón.
너절히 suciamente, inserviblemente, vilmente, despreciable, humildemene, vulgarmente.
너주레하다 =너절하다.
너즈러지다 [많이 흩어져 있다] haber desparramado [tirado] por todas partes. 옷이 온 방에 너즈러져 있었다 Había ropa desparramada [tirada] por toda la habitación.
너털거리다 ① [여러 가닥이 어지럽게 늘어져 자꾸 흔들거리다] oscilar de manera desordenada. ② [너털웃음을 자꾸 웃다] reírse a carcajadas, carcajearse, soltar risotadas, soltar carcajadas. 그는 크게 너털거렸다 El soltó una gran risotada [carcajada].
너털웃음 risotada *f*, carcajada *f*. ~을 웃다 reírse a carcajadas, carcajearse. 그녀는 ~을 웃었다 Ella soltó una risotada [carcajada]. 나는 크게 ~을 웃었다 Yo solté una gran risotada [carcajada]. 제안(提案)은 ~으로 받아졌다 La sugerencia fue recibida con risotadas.
너테 hielo *m* añadido en el hielo.
너트(영 *nut*) ① [암나사] tuerca *f*; [육각(六

角)의] tuerca *f* hexagonal; [귀가 달린] tuerca *f* de orejas. ② [밤·호두 따위의 견과(堅果)] nuez *f* (*pl* nueces).

너펄거리다 ondear [agitarse] bruscamente.
너펄너펄 ondeando [agitándose] bruscamente.

너푼거리다 ondear [agitarse] ligeramente.
너푼너푼 ondeando [agitándose] ligeramente.

너풀거리다 ① [기 따위가] ondear, agitarse. 잎이 땅바닥에서 너풀거렸다 Las hojas cayeron revoloteando al suelo. ② [새·나비가] revolotear. 새가 너풀거리면서 멀어졌다 El pájaro alejó aleteando.
너풀너풀 ondeando, agitándose, revoloteando.

너희 vosotros, -tras.
너희들 vosotros, -tras. ~의 vuestro. ~에게 a vosotros, os. ~을 a vosotros, os. ~의 것 el vuestro, la vuestra, los vuestros, las vuestras, lo vuestro. ~ 자신 vosotros mismos, vosotras mismas. ~ 자신을 [에게] a vosotros mismos, a vosotras mismas, os. ~과 함께 con vosotros, con vosotras. ~은 어디에 있었느냐? ¿Dónde estabais vosotros?

넉 [넷] cuatro; [넷째] cuarto. ~ 달 cuatro meses. 종이 ~ 장 cuatro hojas de papel. ~ 줄째에 en la cuarta línea (de la página).

넉가래 pala *f* de madera. ~로 모래를 쌓다 amontonar la arena con la pala de madera. 사람들은 ~로 눈 위에 길을 냈다 Abrieron un camino con la pala de madera en la nieve.
■ ~질 palada *f* con la pala de madera. ¶~하다 [석탄을] palear con la pala de madera; [눈을] espalar con la pala de madera.

넉걷이 acción *f* de recoger con un rastrillo en las vides. ~하다 recoger (las hojas) con un rastrillo en las vides.

넉넉 =넉넉히.

넉넉잡다 ¶넉넉잡아 한 시간은 기다렸다 He esperado una larga [buena] hora.

넉넉하다 ① [크기·수효·부피 따위가 모자라지 아니하고 남음이 있다] (ser) abundante, copioso; [충분하다] suficiente, más que suficiente; [많은] muchos, -chas. 쌀이 ~ El arroz es abundante. 만 원이면 넉넉하겠다 Diez mil wones serán suficiente. 시간(時間)은 ~ Nosotros tenemos bastante tiempo. 나는 넉넉한 책을 가지고 있었다 Yo tenía muchos libros. 천 달러면 넉넉할 것이다 Mil dólares deberían ser más que suficientes. ② [살림살이가 유족하다] (ser) rico, adinerado, acaudalado, bueno. 넉넉한 가정(家庭) familia *f* adinerada, familia *f* acaudalada. 넉넉하게 살다 vivir holgadamente [con holgura], tener una posición acomodada [desahogada]. 그들은 ~ Ellos están bien (de dinero) / Ellos son gente acomodada. 그녀는 넉넉한 생활을 즐긴다 Ella lleva una vida desahogada. ③ [도량이 넓다] (ser) generoso, con mentalidad abierta, de criterio amplio, tolerante.
넉넉히 ㉮ abundantemente, en abundancia, copiosamente, suficientemente, más que de ordinario, en una cantidad mayor que de costumbre. 조금 ~ un poco más que de ordinario, en una cantidad un poco mayor que de costumbre. 소금을 조금 ~ 치다[넣다] echar un poco más de sal que de ordinario. 나는 돈은 아직 ~ 있다 Todavía tengo dinero en abundancia. 시간은 아직 ~ 있다 Todavía queda mucho tiempo. 우리들은 식사할 시간은 ~ 있다 Tenemos mucho [bastante] tiempo para comer. ㉯ [살림살이가 유족하게] ricamente, con riqueza, holgadamente, con holgura. ㉰ [도량을 넓게] generosamente, con generosidad, tolerantemente.

넉동 [윷놀이에서] *neokdong*, cuatro *males*, cuarto *mal*.
■ 넉동 다 갔다 ((속담)) Ya (se) acabó.

넉살 audacia *f*, atrevimiento *m*, descaro *m*, insolencia *f*, impudencia *f*, frescura *f*, desvergüenza *f*.
◆ 넉살(을) 부리다 comportarse [portarse] insolentemente [con insolencia · con descaro · con atrevimiento]. 넉살(이) 좋다 (ser) descarado, fresco, desvergonzado, atrevido, insolente. 그런 일이 있은 후에도 그는 ~ El está tan fresco aun después de lo que ha ocurrido. 그는 ~ El es un sinvergüenza. 넉살 좋게 descaradamente, con descaro, con mucha cara, frescamente, con frescura, sin vergüenza, insolentemente. ~ 거짓말하다 mentir descaradamente [frescamente · sin vergüenza].
■ 넉살 좋은 강화(江華)년이다 ((속담)) persona *f* que no tiene dignidad ni honor.
넉살스럽다 (ser) audaz, descarado, fresco, atrevido, desvergonzado, sinvergüenza, lleno de descaro.
넉살스레 audazmente, con audacia, descaradamente, con todo descaro, con frescura.

넉장거리 acción *f* de caerse estirado de espalda. ~하다 caerse estirado de espalda.

넋 ① [혼백(魂魄)] el alma *f* (*pl* las almas), espíritu *m*, fantasma *m*. 죽은 ~ el alma *f* muerta, espíritu *m* muerto. ② [정신이나 마음] espíritu *m*, mente *f*. ~을 빼앗다 fascinar, mirar con admiración; [매료되다] encantarse, quedarse encantado [embelesado] (por). ~을 빼앗기다 ser cautivado (por), ser embelesado (por). 그는 경치의 아름다움에 ~이 나갔다 Lo fascinó la belleza del paisaje.
◆ 넋(을) 놓다 ㉮ =넋을 잃다. ㉯ =낙심하다. 의욕(意慾)을 잃다. 넋(을) 잃다 perder el conocimiento, perder el control, robar el alma, estar loco (de), hallarse transportado (de), quedar cautivado (por), derretirse (por); [기절하다] desmayarse. 넋을 잃고 보다 mirar fijamente, contemplar. 텔레비전

에 ~ mirar la televisión fijamente. 그녀의 아름다움에 나는 넋을 잃었다 Su belleza me robó el alma / Quedé cautivado por su belleza. 나는 기뻐서 넋을 잃고 있었다 Yo me hallaba transportado de alegría. 그녀는 너무 행복해서 넋을 잃고 있다 Ella está que no cabe en sí de la felicidad / Ella está loca de contenta. 나는 하마터면 넋을 잃을 뻔했다 Por poco me desmayo / Casi me da un síncope. 넋(이) 없다 (estar) distraído, despistado. 넋(이) 없이 distraídamente, despistadamente.

넋두리 ① [불평이나 불만을 늘어놓으며 하소연하는 말] quejumbre *f*, queja *f*, refunfuño *m*, lamento *m*, lamentación *f*. ~하다 refunfuñar, gruñir, quejarse (de), lamentarse (de). ~ 잘하는 사람 quejumbroso, -sa *mf*, refunfuñón (*pl* refunfuñones), -ñona *mf*. ② 【민속】 [무당이 죽은 사람의 넋을 대신한다 하여 하는 말] palabras *fpl* de la hechicera expresadas como los del espíritu muerto. ~하다 decir en nombre del espíritu.

넋반(一盤) 【민속】 bandeja *f* para el alma.

넌 ((준말)) =너는. ¶~ 집에 있어라 Está [Quédate] tú en casa.

넌더리 disgusto *m*, aversión *f*, aborrecimiento *m*, odio *m*.
◆넌더리(가) 나다 estar harto (de). 이제 넌더리가 난다 ¡Ya basta! 그런 일을 하는 것에 이제 넌더리가 났다 Nunca volveré a hacer tal cosa. 넌더리(를) 내다 escarmentarse (con), tomar enseñanza de una experiencia. 실패(失敗)에 ~ escarmentarse con *su* fracaso. 넌더리(를) 대다 portarse [comportarse] con asco [con repugnancia].

넌덕 palabra *f* poco sincera y graciosa.
◆넌덕(을) 부리다 tener una labia poco sincera y graciosa, decir con soltura y graciosamente.
넌덕스럽다 (ser) divertido, cómico, gracioso, entretenido.
넌덕스레 divertidamente, graciosamente, cómicamente, con gracia, entretenidamente.

넌덜 ((준말)) =넌더리.

넌떡 =닁큼. 썩. ¶~ 나가거라 Sal de prisa.

넌지시 por insinuación, tácitamente, por sugestión, por alusión, indirectamente, secretamente. ~ 알려주다 insinuar, aludir (a). ~ 주의하다 dar una insinuación (sobre). ~ 떠보다 incitar, tentar. ~ 암시하다 [말하다] insinuar, apuntar, inspirar, sugerir, aludir, hacer alusión, decir con medias palabras. ~ 비난하다 criticar indirectamente [encubiertamente · implícitamente]. ~ 충고하다 amonestar indirectamente [con medias palabras · con palabras encubiertas]. 그의 친구는 그에게 차를 훔치게 ~ 암시했다 Su amigo dio la idea de robar un coche / Su amigo le insinuó que robara un coche. 장관은 양국간에 의견 차이가 있다는 것을 ~ 비쳤다 El ministro hizo alusión a una diferencia de opiniones entre los dos países.

넌출 [포도의] vid *f*, parra *f*; [호박 따위의] zarcillo *m*. 포도 ~ [땅의] vid *f*, [기어오르는] parra *f*.
◆넌출(이) 지다 enredarse.

넌출문(一門) puerta *f* con cuatro puertas.

널[1] ① ((준말)) =널빤지. ② [널뛰기용 널빤지] balanchín *m* (*pl* balanchines), subibaja *f*. ③ [시체를 넣는 관(棺)이나 곽(槨)] ataúd *m*.

널[2] ((준말)) =너를. ¶~ 만나러 왔다 Vengo a verte.

널감 ① [널을 만들 재료] material *m* para el ataúd. ② ((속어)) viejo, -ja *mf* que se acerca la muerte.

널다[1] [(볕을 쬐거나 바래거나 또는 바람을 쬐거나 드러내 보이기 위해) 펼쳐 놓다] extender; [말리기 위해] tender colgar. 곡식을 ~ extender los cereales. 빨래를 ~ tender la ropa lavada. 옷을 볕에 ~ tender la ropa al sol.

널다[2] [(쥐 · 개 따위가) 이로 쏠거나 씹다] roer en tiras.

널다리 pasarela *f* de madera, puente *m* peatonal de madera.

널대문(一大門) puerta *f* principal de tabla.

널따랗다 (ser) bastante ancho, amplio, espacio, muy ancho. 널따란 공지(空地) los espacios abiertos. 널따란 운동장 campo *m* de recreo muy ancho.

널뛰기 columpio *m*, balanchín *m*, subibaja *f*. ~하다 columpiarse.

널름 =날름.

널리 ① [너르게 · 범위가 넓게] ampliamente, extensivamente, en [por] todas partes, universalmente, mundialmente, generalmente, muy, mucho, perfectamente. ~ 읽히는 신문 periódico *m* muy leído. ~ 알리다 avisar por todas partes. ~ 그러나 얕게 배우다 estudiar de todo pero a la ligera. …하는 것이 ~ 알려져 있다 Se sabe perfectamente que + *ind* / Todos saben que + *ind* / Por todas partes se sabe que + *ind*. 그는 ~ 알려져 있다 El es conocido en todas partes / El goza de una reputación mundial [universal]. 주의가 ~ 미쳤다 Todos saben lo que deben observar. 그 소식(消息)은 온 마을에 ~ 퍼졌다 La noticia se difundió [circuló] por todo el pueblo. 이 사실(事實)은 ~ 알려져 있다 Este hecho es ampliamente conocido. 이 잡지는 ~ 읽히고 있다 Esta es una revista ampliamente leída. 이 회사는 해외에도 ~ 거래하고 있다 Esta compañía tiene extensar relaciones comerciales con países extranjeros también. 그는 ~ 여행했다 El ha viajado mucho. ② [너그럽게] generosamente, con generosidad. ~ 용서해 주시기 바랍니다 Espero que usted me perdone generosamente / Haga el favor de perdonarme generosamente [con generosidad].

널리다[1] [넓을 당하다] ser extendido.

널리다[2] [너르게 하다] ampliar, ensanchar. 방

을 ~ ampliar la habitación.
널마루 suelo *m* [piso *m*] de madera.
널문(-門) puerta *f* de madera.
널빈지 postigo *m*. ~를 열다 [닫다] abrir [cerrar] el postigo.
널빤지 tabla *f*, tablero *m*, tablón *m* (*pl* tablones); [흙받이용의] tablestaca *f*. 마루의 ~ tabla *f* del suelo. ~ 담 muro *m* de madera. …에 ~를 붙이다 entablar, revestir de [con] una tabla.
널어놓다 extender, tender.
널음새 forma *f* de extender las cosas. ~가 있어 여러 일에 손을 대다 tener varias [demasiadas] cosas entre manos.
널장 una tabla, un tablón.
널조각 pedazo *m* de tabla.
널쪽 =널조각.
널찍하다 (ser) espacioso, extenso, amplio, abierto; [바지·코트가] amplio, holgado; [핸드백·호주머니가] amplio. 널찍한 마당 jardín *m* (*pl* jardines) extenso. 널찍한 집 casa *f* espaciosa.
널찍이 ampliamente, extensamente, espaciosamente, grande. 구멍을 ~ 파다 excavar el agujero grande.
널판(-板) ① =널판때기. ② [널뛰기용 널] tabla *f* para el columpio.
널판때기 pedazo *m* grande de tabla.
널판자(-板子) =널빤지.
널판장(-板墻) tapia *f* de madera, muro *m* de madera.
널평상(-平床) cama *f* de tabla, cama *f* de madera.
넓다 ① [폭·면적 따위가] (ser) ancho, anchuroso, extenso, vasto, espacioso, dilatado, amplio, holgado. 넓은 거리 calle *f* ancha. 넓은 도로 carretera *f* ancha. 넓은 바지 pantalones *mpl* holgados [anchos]. 넓은 방(房) cuarto *m* espacioso [ancho], habitación *f* espaciosa [ancha]. 넓은 세계 el ancho mundo. 넓은 소매 mangas *fpl* anchas. 넓은 숲 bosque *m* extenso. 넓은 집 casa *f* grande [espaciosa]. 넓은 평원(平原) llanura *f* extensa. 넓은 의미로 en sentido amplio [vasto]. 넓은 지식 conocimiento *m* extenso, amplios conocimientos. 넓은 지식을 가지다 tener amplios conocimientos. ② [마음이] (ser) generoso. 마음이 ~ ser generoso, tener corazón tolerante. 여행은 마음을 넓게 한다 Los viajes amplían los horizontes.
넓디넓다 (ser) muy espacioso, muy amplio, muy extenso.
넓어지다 ensancharse, ampliarse. 도로 폭이 넓어졌다 Se ensanchó el camino.
넓둥글다 (ser) ancho y redondo.
넓삐죽하다 (ser) ancho y afilado.
넓살문(-門) puerta *f* con las tablas gruesas.
넓은잎 hoja *f* ancha y grande.
넓은잎딱총나무 【식물】 saúco *m*, baya *f* de saúco.
넓이 ① [넓은 정도] anchura *f*, anchor *m*, ancho *m*. ~ 10피트 diez pies de anchura. ~ 50미터의 de cincuenta metros de ancho. 양탄자의 ~를 재다 medir el ancho de la alfombra. ~가 얼마나 됩니까? ¿Cuánto tiene [mide] de ancho? 그 책상의 ~는 얼마나 됩니까? ¿Cuánta anchura tiene esa mesa? / ¿Cuánto tiene [mide] esa mesa de ancho? 방은 얼마나 넓습니까? / 방의 ~는 얼마입니까? ¿Qué anchura tiene la habitación? / ¿Cuál es el ancho de la habitación? ~ 1미터 50에 길이가 3미터이다 Tiene [Mide] tres metros de largo por un metro y medio de ancho. ② [면적(面積)] extensión *f*, el área *f* (*pl* las áreas); [표면(表面)] superficie *f*.
넓이뛰기 ☞멀리뛰기
넓적넓적 planamente.
넓적다리 【해부】 muslo *m*; [소의] rodaja *f*; [돼지의] jamón *m* (*pl* jamones). 닭의 ~ muslos *mpl* de pollo. 칠면조의 ~ muslos *mpl* de pavo. 총알이 ~를 관통했다 Una bala atravesó el muslo.
▪ ~마디 articulación *f* de muslo. ~뼈 fémur *m*. ~힘줄 tendón *m* de muslo.
넓적뼈 【해부】 hueso *m* ancho.
넓적스레하다 =넓적스름하다.
넓적스레 =넓적스름히.
넓적스름하다 (ser) algo ancho.
넓적스름히 algo anchamente.
넓적이 persona *f* que tiene cara ancha.
넓적코 nariz *f* (*pl* narices) chata.
넓적하다 (ser) plano, llano; [코가] chato.
넓적이 planamente, llanamente, chatamente.
넓죽이 persona *f* que tiene cara ancha.
넓죽하다 (ser) plano y largo.
넓죽이 plana y largamente.
넓히다 ampliar, extender, alargar, tender; [크게 하다] agrandar; [좁은 것을] ensanchar. 길을 ~ ensanchar el camino [la calle]. 견문(見聞)을 ~ tener más conocimientos del mundo. 사업을 ~ extender el comercio.
넘기다 ① [너비가 있는 것을 뒤집히게 젖히다] hojear. 책장을 ~ hojear el libro. ② [(재산이나 권리·책임 따위를) 딴 사람에게 내어 주다] transferir, traspasar, transmitir, ceder, entregar, cargar. 가게를 친구에게 ~ traspasar la tienda a *su* amigo. 재산을 아들에게 ~ transferir [ceder] *sus* bienes a *su* hija. 그는 그의 딸에게 회사를 넘겼다 El le traspasó la compañía a su hija / El puso la empresa a nombre de su hija. 나는 내 동업자에게 부동산의 소유권을 넘겼다 Yo le transfirió el dominio del inmueble a mi socio. 그녀는 딸에게 주식을 넘겼다 Ella le traspasó sus acciones a su hija. 그들은 우리에게 책임을 넘기려고 했다 Ellos trataron de cargarnos la responsabilidad. ③ [넘어뜨리다] ㉮ [(바로 세워진 것을) 쓰러뜨리다] cortar, talar. 나무를 베어 ~ talar [cortar] el árbol. ㉯ [(승부에서) 상대편을 지게 하다] derribar, hacer caer al suelo, tirar al suelo, lanzar (hacia abajo). 다리를 걸어 ~ ponerle [echarle]

una [la] zancadilla (a), hacer*le* una zancadilla (a). 네가 그녀(의 다리)를 걸어 넘겼다 ¡Le pusiste [echaste] una [la] zancadilla! / ¡Le hiciste una zancadilla! ④ [(어떤 문제나 안건·사건 따위를 처리하기 위하여 절차에 따라 해당 부서에) 맡기어 주다] entregar. 검찰에 ~ entregar a la inspección [al fiscal]. ⑤ [(어떤 기회나 시일 또는 사태를) 지나가게 하거나 벗어나다] conquistar, superar, dominar, vencer. 어려운 고비를 ~ dominar [conquistar] una crisis. 어려운 고비를 넘기게 하다 ayudar*le* a *uno* a solventar una crisis. 이것으로 우리는 다음 달까지는 넘겨야 한다 Con esto debería alcanzarnos para el mes que viene. 나는 그녀가 지불받을 때까지 넘길 수 있도록 백만 원을 빌려 주었다 Le he prestado un millón de wones para que pueda arreglarse hasta que le paguen.

넘겨다보다 ㉮ [남의 것을 욕심내어 마음을 그리로 돌리다] codiciar. 남의 아내를 넘겨다보아서는 안 된다 No codiciarás [desearás] la mujer de tu prójimo. ㉯ [넘어다보다] mirar por encima (de). 나는 담을 넘겨다보았다 Yo miré por encima de la valla.

넘겨쓰다 asumir la responsabilidad (de). 친구의 잘못을 ~ asumir la responsabilidad de la culpa de *su* amigo.

넘겨씌우다 culpar (a), echar*le* la culpa (a). 죄를 ~ culpar a otro, echarle la culpa a otro.

넘겨잡다 prever, pronosticar, conjeturar, adivinar, suponer.

넘겨주다 [(물건이나 권리·책임·일 따위를) 남에게 넘겨주거나 맡기다] entregar, pasar; [양도하다] ceder, transferir, traspasar; 【법률】 enajenar; [유증하다] legar. 편지를 ~ entregar una carta (a). 회사의 권리(權利)를 ~ transferir (a uno) el derecho de la compañía. 권력을 ~ pasar el poder (a). 집을 자식에게 ~ ceder la casa a su hijo. 범인(犯人)을 경찰에 ~ entregar un criminal a la policía. 열쇠를 넘겨주세요 [usted에게] Entrégueme la llave, por favor / [tú에게] Entrégame la llave.

넘겨짚다 ㉮ [지레짐작하다] conjeturar, suponer. ㉯ [(무엇을 떠보려고) 짐작으로 말하다] sonsacar, sondear, tirar (a *uno*) de la lengua.

넘나다 no ser adecuado [apropiado] para *sus* medios (económicos). 그들은 넘난 생활을 하고 있다 Ellos llevan un tren de vida que no se pueden costear / Ellos llevan un tren de vida que sus ingresos no les permiten.

넘나들다 frecuentar, ir con frecuencia a un lugar, visitar aquí y allá, ir y venir a menudo. 극장을 ~ frecuentar el teatro.

넘내리다 oscilar, subir y bajar.

넘노닐다 pasear(se) yendo y viniendo, dar un paseo yendo y viniendo. 우리는 온종일 집과 공원 사이를 넘노닐며 보냈다 Nos pasamos todo el día yendo y viniendo [en idas y venidas] de casa al jardín.

넘놀다 ① [넘나들며 놀다] jugar yendo y viniendo. ② [새가 위아래로 날다] volar de arriba abajo.

넘늘거리다 balancearse, bambolearse, oscilar, flaquear, decaer.

넘늘넘늘 balanceándose, bamboleándose, oscilando, flaqueando.

넘늘다 portarse [decir] humorísticamente sin perder *su* dignidad.

넘다 ① [일정한 범위나 기준 따위를 벗어나다] pasar. 10년이 ~ pasar diez años. 자정이 넘어서까지 hasta pasada la medianoche. 여든 살이 넘은 노인 anciano, -na *mf* que tiene ochenta y tantos años. 스무 살이 ~ tener más de veinte años. 12시가 넘었다 Son las doce y pico. 15일이 조금 넘어 다시 오겠습니다 Vendré de nuevo poco después del día quince. 이 책은 300쪽을 넘는다 Este libro tiene más de trescientas páginas. 그녀는 막 서른을 넘었다 Ella acaba de cumplir (los) treinta. 막 열 시를 넘었다 Acaban de dar las diez. ② [(칼이나 낫 따위 연장을 너무 갈아서) 날이 옆으로 기울어 쏠리게 되다] ser inclinado. 날이 ~ el filo ser inclinado. ③ [속임수나 꾐에 빠지다] caer en una trampa. ④ [낮은 곳에서 높은 곳을 거쳐, 다른 곳으로 가다] atravesar, cruzar. 산을 ~ trasmontar. 담을 타고 ~ trepar por encima de una tapia. 산을 넘고 강을 건너다 trasmontar y cruzar el río. 이 산을 넘어 가면 마을이 있다 Más allá de esta montaña hay un pueblo. ⑤ [수량이나 정도가 한계를 지나다] pasar, exceder (a), sobrepasar, superar. 제한 [한계]을 ~ pasar el límite. 그는 연령 제한을 넘고 있다 El pasa el límite de la edad. 그는 쉰 살이 넘었다 [넘지 않았다] El tiene más [menos] de cincuenta años. 지출이 수입(收入)을 넘었다 Los gastos excedieron a los ingresos. 그것은 내 권한을 넘고 있다 Eso excede a mis facultades. 그것은 십만 원을 넘지 않을 것이다 Eso no excederá a [no pasará de] cien mil wones. 사망자(의 수)는 백 명이 넘었다 El número de los muertos pasó de ciento. 30도를 넘는 더위가 계속되고 있다 Sigue haciendo un calor superior a los treinta grados. 밖은 30도를 넘는 더위다 Fuera el calor supera treinta grados de temperatura. 여비가 3만 원을 넘는다 El importe del viaje excede de (los) treinta mil wones. ⑥ [어떤 물건의 위를 지나다] pasar sobre. 밥상을 넘어다니다 pasar sobre la mesa. ⑦ [어떤 경계선(境界線)을 거쳐 지나가다] pasar, traspasar, atravesar. 국경을 ~ traspasar [cruzar] la frontera. 태평양을 넘어 멕시코에 가다 ir a Méjico [México] atravesando el Pacífico. ⑧ [(고비를) 벗어나다] conquistar, superar, dominar, vencer. 어려움을 ~ superar la dificultad. 죽을 고비를 ~ dominar una crisis. 죽을 고비를 넘게 하다 ayudar a solventar una crisis. ⑨ [(중간의

것을) 건너뛰다] saltar; [생략하다] saltarse, *PRI* saltearse.
넘어가다 ㉮ [넘어서 가다] cruzar, atravesar; [장애물을] saltar, salvar. 다리를 ~ cruzar [atravesar] el puente. 언덕을 ~ cruzar [atravesar] la colina. ㉯ [(곧추서 있던 것이) 한쪽으로 쓰러지거나 쏠리다] caerse; [집·벽이] venirse abajo, derrumbarse; [건물·다리가] derrumbarse, desmoronarse, desplomarse; [지붕이] hundirse, venirse abajo. 집이 ~ venirse abajo la casa, derrumbarse la casa. ㉰ [권리나 책임 따위가 다른쪽으로 옮아가다] traspasar, transferir. ㉱ [제한된 때나 경우가 지나다] dominar, superar. ㉲ [다음 차례나 다른 경우로 옮아가다] volver. 이제 본론으로 넘어갑시다 Volvamos al tema. ㉳ [속임수에 빠지다] ser engañado (por), verse dominado (por), verse vencido (por), sucumbir (a), dejarse vencer (por). 유혹에 ~ verse dominado [vencido] por la tentación, sucumbir a [dejarse vencer por] la tentación. ㉴ [사람이 이편에서 딴 편으로 옮아가다] cambiar (de). ㉵ [다른 사람에게 아주 마음이 쏠리다] ser atraído (por). ㉶ [해·달이] ponerse. 해가 넘어가기 전에 antes de ponerse el sol, antes de la puesta de(l) sol. 해가 넘어간다 El sol se está poniendo. ㉷ [음식물이 목구멍을 지나가다] pasar. 목구멍으로 ~ pasar por la garganta.
넘어다보다 mirar por encima (de). 그녀는 담을 넘어다보고 있었다 Ella miraba por encima de la valla.
넘어박히다 caerse fuerte.
넘어서다 ㉮ [어떤 물건이나 공중을 넘어서 지나다] cruzar, atravesar. 산을 ~ cruzar [atravesar] la montaña. ㉯ [극복하다] vencer, superar, conquistar. 어려운 고비를 ~ superar [pasar] lo peor. 이제 어려운 고비를 넘어섰다 Ya ha pasado lo peor.
넘어오다 ㉮ [저쪽에서 이쪽으로 넘어서 오다] cruzar, atravesar. 국경선을 ~ cruzar la frontera. 산을 ~ cruzar [atravesar] la montaña. ㉯ [선 것이 쓰러져 이곳으로 오다] caerse, venirse abajo, demoler, derribar. 건물이 넘어왔다 El edificio demolió [derribó]. ㉰ [먹은 것이 입으로 도로 나오다] vomitar, devolver, arrojar, lanzar. ㉱ [책임·권리·관심 따위가 이쪽으로 옮겨오다] ser transferido, ser traspasado, ser transmitido. 재산(財産)의 소유권이 ~ ser transferido el dominio del inmueble.

넘버(영 *number*) ① [번호] número *m.* ② [자동차의 번호] (número *m* de) matrícula *f.*
■ ~원 [제일번. 중심 인물] número uno, número primero. ~텐 [최악(의)] el peor.

넘버링(영 *numbering*) ① [번호를 매김] numeración *f.* ② ((준말)) =넘버링머신.
■ ~머신 [번호 찍는 기계] numerador *m.*

넘보다 despreciar, menospreciar. 넘보아 con menosprecio, desdeñosamente. 넘보지 않는 no despreciable, indespreciable.

넘보라살 【물리】 =자외선(紫外線).

넘빨강살 【물리】 =적외선(赤外線).

넘성거리다 curiosear, fisgonear, codiciar, desear. 남의 아내를 ~ codiciar [desear] la mujer del otro.
넘성넘성 curioseando, fisgoneando, codiciando.

넘실거리다 ① [탐이 나서 목을 길게 빼고 슬그머니 자꾸 넘어다보다] codiciar, estar ávido de. 남의 것을 넘실거려서는 안 된다 Tú no codiarás [desearás] lo que pertenece al otro. ② [바다 물결이 무엇을 삼킬 듯이 너울거리다] ondular, levantarse, hincharse, crecer, subir. 돛이 바람에 넘실거렸다 Las velas se hincharon al viento.
넘실넘실 hinchándose, ondulando, creciendo, subiendo, levantándose.

넘어가다 ☞넘다

넘어뜨리다 ① [넘어지게 하다] hacer caer, tumbar, abatir, tirar, echar abajo, derribar (al suelo), echar al suelo, dar (con *uno*) en tierra [en el suelo]. 기둥을 ~ tumbar una columna. 나무를 ~ abatir un árbol. 땅바닥에 ~ derribar (a *uno*) (al suelo), echar (a *uno*) al suelo, dar (con *uno*) en tierra [en el suelo]. 몸을 옆으로 ~ inclinarse de un costado. 의자를 ~ derribar una silla. 정부(政府)를 ~ derribar [volcar·derrocar] el gobierno, hacer caer al gobierno. 바람이 담을 넘어뜨렸다 El viento derrumbó [derribó] el muro. 그는 나를 넘어뜨렸다 El dio conmigo en el suelo. ② [패배시키다] vencer, derrotar, batir. 적(敵)을 ~ derrotar al enemigo. ③ [죽이다] matar.

넘어오다 ☞넘다

넘어지다 ① [한쪽으로 쓰러져 가로눕다] caer(se), tumbarse; [도괴(倒壞)되다] hundirse, derrumbarse, derribarse; [걸려서] tropezar. 의자에 걸려서 ~ tropezar en [contra] una silla. 돌에 걸려 ~ caerse al tropezar con una piedra. 바람에 나무가 넘어진다 El viento derriba los árboles. 내각(內閣)이 넘어졌다 El gabinete cayó [se derrocó]. 넘어질라 조심해라 Vas a caer y ten cuidado. ② [쓰러져 죽다] morir(se) de caída. ③ [어떠한 일에서 실패하거나 패하다] salir mal, fracasar, ser vencido; [파산하다] hacer quiebra, estar en quiebra, estar en bancarrota.

넘치다 ① [(액체 따위가) 가득 차서 힘차게 넘어나다] desbordar(se), rebosar (de), inundarse, embravecerse [agitarse] el mar, levantarse alto, salir de madre, inflarse, extenderse, abundar, estar lleno [repleto] (de); [냇물 따위가] derramarse. 넘칠 만큼의 superabundante, desbordado, lleno hasta el borde. 눈에 눈물이 넘친다 Los ojos están llenos de lágrimas. 비로 냇물이 넘쳤다 Por la lluvia el río se ha desbordado. 비로 강물이 넘쳤다 El río se ha levantado alto por la lluvia. 먼지가 하늘에 넘친다 Una nube de polvo cubre cielo. 회장에는 젊은이들이 넘쳤다 El salón está lleno de

jóvenes / El salón rebosa juventud. 회장(會場)은 손님으로 넘치고 있다 El salón rebosa de visitantes. 저수지는 넘치도록 물이 담겨 있다 El pantano está rebosante de agua. 태풍 때문에 강물이 넘쳤다 A consecuencia del tifón el río se ha desbordado. 맥주가 컵에서 넘칠 듯하다 La cerveza está para rebosar del vaso. 풍작으로 시장에는 고추가 넘치고 있다 Dada la buena cosecha, el mercado rebosa [está inundado] de ajíes.
② [어떤 기준을 벗어나 넘다] exceder (de), sobrepasar, pasar. 분에 넘치는 영광(榮光) honor *m* inmerecido. 그녀는 분수에 넘치게 살고 있다 Ella lleva un tren de vida que no se pueden costear / Ella lleva un tren de vida que sus ingresos no le permiten.
③ [(느껴움이나 기쁨 따위가) 정도에 넘도록 강렬하게 일어나다] enaltecerse. 애교가 넘치는 en una manera muy encantada. 청춘의 피가 ~ enaltecerse la sangre de la juventud.
넘쳐흐르다 ㉮ [액체가] rebosar, desbordar(se) (de), inundarse, levantarse alto. 비로 강물이 넘쳐흐른다 El río se levanta alto por la lluvia. 그녀의 눈에서 눈물이 넘쳐흐른다 Se le derraman las lágrimas. ㉯ [느낌 · 힘 · 기운 따위가] rebosar (de). 힘이 ~ estar rebosante de vitalidad. 기쁨이 ~ estar rebosado de alegría.

넙치 【어류】 platija *f*, rodaballo *m*, pleuronecto *m*; [혀넙치] lenguado *m*, suela *f*.
■ ~눈이 persona *f* bizca.

넛- relación *f* entre el tío materno o la tía materna de *su* padre y sí mismo.

넛손자(-孫子) nieto *m* de *su* hermana.

넛할머니 tía *f* materna de *su* padre.

넛할아버지 tío *m* materno de *su* padre.

넝마 [천] trapo *m*; [의류] andrajos *mpl*, harapos *mpl*.
■ ~장수 trapero, -ra *mf*, chamarilero, -ra *mf*, chatarrero, -ra *mf*. ~전(廛) trapería *f*, *Col*, *PRico* trapera *f*. ~주이 trapero, -ra *mf*, andrajero, -ra *mf*, chamarilero, -ra *mf*, chatarrero, -ra *mf*, *Col* sacabasura *m*. ~쪽 pedazo *m* del paño del trapo.

넣다 ① [속으로 들여보내다] meter, poner, echar, envasar. 주머니에 손을 ~ meter la mano en el bolsillo. 지갑에 돈을 ~ meter dinero en la cartera. 컵에 물을 ~ echar [verter] agua en el vaso. 차고에 차를 ~ meter el coche en el garaje. 커피에 설탕을 ~ echar [poner] azúcar en el café. 각종 물건을 한 상자에 ~ envasar varias cosas en una caja. 나는 가방에 책을 넣었다 Yo metí los libros en la bolsa. 그는 귀에 손가락을 넣었다 El se puso los dedos en los oídos. ② [(은행 따위에) 돈을 입금하다] pagar (en el banco). 적금을 ~ pagar ahorros de mensualidades. ③ [어떤 테두리 안에 포함하다] incluir. 가족은 나를 넣어 다섯 명이다 Incluyéndome a mí, somos cinco de familia. 숙박료는 식대를 넣어 만오천 원이다 El hospedaje me cuesta quince mil wones con las comidas incluidas. ④ [(학교 · 직장 · 단체 따위의) 성원으로 들여보내다] enviar, mandar. 상급 학교에 ~ enviar [mandar] a la escuela superior. 아들을 대학에 ~ enviar [mandar] a *su* hijo a la universidad. ⑤ [씨앗을 심다] plantar. 배추씨를 ~ plantar las semillas del repollo. ⑥ [제삼자를 개입시키다] meter, negociar. 중간에 사람을 ~ meter a la tercera persona. ⑦ [힘을 들이거나 어떤 작용을 하다] ejercer, añadir, aplicar, dar, hacer. 압력을 ~ ejercer [dar · añadir] (una) presión (sobre), apretar. ⑧ [수용하다] tener cabida. 식당은 탁자 스무 개를 넣을 수 있다 El restaurante tiene cabida para unas veinte mesas.

네[1] [너] tú. ~가 가거라 Vete. 그것은 ~가 해라 Hazlo.

네[2] [넷] cuatro. ~ 명(名) cuatro personas. ~ 살 cuatro años de edad. ~ 시간 cuatro horas. 개 ~ 마리 cuatro perros.

네[3] ① [윗사람의 말에 대답하는 말] [긍정 대답] Sí / Está bien / Muy bien // [부정 대답] No // [승낙] Bueno. ~, 가겠습니다 Sí, me voy. 건강하니? — ~, 건강합니다 ¿Estás bien? — Sí, estoy bien. 안 가니? — ~, 안 갑니다 ¿No (te) vas? — No, no (me) voy. 오겠니? — ~ ¿Vienes? — Bueno. ② [되묻는 말] ¿Sí? ~, 벌써 떠났습니까? ¿Sí? ¿Ya se fue?

네[4] ((준말)) =너의(tu, tuyo). ¶~ 것 el tuyo, la tuya, los tuyos, las tuyas, lo tuyo. ~ 동생 tu hermano menor. ~ 책 한 권 un libro tuyo. ~ 말이 옳다 Tú tienes razón.

네거 ((준말)) =네거티브.
■ ~ 필름 ((준말)) =네거티브 필름.

네거리 encrucijada *f*, cruce *m*.

네거티브(영 *negative*) ① [부정. 부정어(否定語)] negación *f*, negativa *f*. ② [사진의 원판] negativa *f*, negativo *m*, placa *f* negativa, prueba *f* negativa. ③ 【전기】 polo *m* negativo. ④ [수학의 음수 · 음량] cantidad *f* negativa. ⑤ [거부권] veto *m*, negación *f*.
■ ~ 이미지 imagen *f* en negativo. ~ 필름 negativo *m*.

네글리제(불 *négligé*) camisa *f* [bata *f*] de dormir, negligé *m*.

네기 ¡Caramba! / ¡Carambita! / *ReD* ¡Coño! ~, 빌어먹을! ¡Caramba! / *ReD* ¡Coño!

네기둥안 ① [각 궁(宮)이나 귀족의 집안] familia *f* del noble. ② =내실(內室). 규중(閨中).

네길 =네기.

네길할 =네기.

네년 tú.

네놈 tú.

네눈박이 perro *m* con la mancha blanca en cada ojo.

네눈이 ((준말)) =네눈박이.

네다리 ① ((속어)) miembro *m*, las piernas y los brazos, cuatro piernas. ② ((은어))

camión *m.*
네다바이 ((속어)) engaño *m*, astuto *m*, estafa *f.*
네다섯 cuatro o cinco.
네댓 más o menos cuatro o cinco.
■ ~새 unos cuatro o cinco días, cerca de cuatro o cinco días. ~째 cuarto o quinto.
네덜란드 【지명】 los Países Bajos, Holanda *f.* ~의 neerlandés, holandés.
■~ 말 neerlandés *m*, holandés *m.* ~ 사람 neerlandés, -desa *mf*, holandés, -desa *mf.* ~ 소스 salsa *f* holandesa.
네뚜리 ① [업신여김] desprecio *m*, menosprecio *m.* ~하다 despreciar, menospreciar. ② [새우젓 한 독을 네 독으로 가르는 일. 또, 가른 몫] un cuarto de una vasija de los camarones conservados en vinagre.
네루다 【인명】 Naftalí Ricardo Reyes Neruda (1904-1973).
◆ 칠레의 시인(poeta chileno)으로 1971년 노벨 문학상(Premio Nóbel de Literatura)을 수상. 주요 작품으로 La canción de la fiesta, Crepusculario, Veinte poemas de amor y una canción desesperada, Canto general, Resistencia en la tierra, Odas elementales, España en el corazón, Memorial de isla Negra 등이 있으며 그의 사후(死後) Confieso que he vivido가 출판됨.
네마토다(영 *Nomatoda*) 【동물】 =원충류.
네메시스(영 *Nemesis*) 【희랍 신화】 [징벌과 보복의 여신] Némesis *f.*
네모 ① [네 개의 모] cuadrado *m*; [직사각형] rectángulo *m*, cuadrilongo *m.* ~로 자르다 cuadrar. ② ((준말)) =네모꼴.
■ ~기둥 【수학】 =사각주. ~꼴 【수학】 = 사각형.
네모나다 cuadrarse. 네모난 cuadrado, rectangular, cuadrilongo. 네모난 목재 madera *f* cuadrada. 네모난 얼굴 cara *f* cuadrada, rostro *m* cuadrado. 네모난 테이블 mesa *f* cuadrada [rectangular]. 네모나게 만들다 cuadrar.
네모지다 ==네모나다.
네미[1] [송아지를 부르는 말] ¡Aquí!
네미[2] ((준말)) =너의 어미. ¶~ 잘 있니? ¿Está bien tu mamá?
네미[3] ((속어)) [맞대하여 욕으로 쓰는 말] ¡Coño! / ¡Mierda! / ¡Caramba!
네바퀴수레 carro *m* con cuatro ruedas.
네발 ① [짐승의 몸에 달린 발 넷] cuatro pies. ② =네다리. ③ ((은어)) taxi *m.*
■ ~짐승 cuadrúpedo *m*, bestia *f.*
네스토르(라 *Nestor*) 【신화】 Nestor *m.*
네안데르탈인(Neanderthal 人) hombre *m* de Neandertal, neandertaloides *mpl.*
네오-(영 *neo-*) [신(新) …, 부활…, 근대의…, 후기…] neo-.
네오나치(영 *Neo-Nazi*) [(1945년 이후의) 신나치주의자] neonazi *mf.*
네오나치즘(영 *Neo-Nazism*) [신(新)나치주의] neonazismo *m.*
네오다위니스트(영 Neo-Darwinist) [신다윈주의자] neodarvinista *mf.*
네오다위니즘(영 *Neo-Darwinism*) [신다윈설] neodarvinismo *m.* ~의 neodarvinista.
네오디뮴(영*Neodymium*) 【화학】 neodimio *m.*
네오딤(독 *Neodym*) 【화학】 neodimio *m.*
네오라마르키즘(영 *Neo-Lamarckism*) neolamarckismo *m.*
네오레알리스모(이 *neo-realismo*) 【영화 · 예술】 neorrealismo *m.*
네오로맨티시즘(영 *neo-romanticism*) [신낭만주의] neorromanticismo *m.*
네오리얼리즘(영 *neorealism*) neorrealismo *m.*
네오마이신(영 *neomycin*) 【약】 neomicina *f.*
네오맬더시아니즘(영 *Neo-malthusianism*) [신말더스 학설] neo-maltusianismo *m.*
네오머컨틸리즘(영 *neo-mercantilism*) [신중상주의] neo-mercantilismo *m.*
네오멘델리즘(영 *Neo-Mendelism*) neo-mendelismo *m.*
네오아이디얼리즘(영 *neo-idealism*) [신이상주의] neoidealismo *m.*
네오앵프레쇼니슴(불 *néo-impressionisme*)[신인상파] neoimpresionismo.
네오이데알리슴(불 *néo-idéalisme*) 【철학】 [신이상주의] neo-idealismo *m.*
네오임프레셔니즘(영 *neo-impressionism*) [신인상파] neoimpresionismo *m.*
네오콜로니얼리즘(영 *neo-colonialism*) [신식민주의] neocolonialismo *m.*
네오클래시시즘(영 *neo-classicism*) [신고전주의] neoclasicismo *m.*
네오프렌(영 *neoprene*) neopreno *m.*
네오프로이디즘(영 *Neo-Freudism*) [신프로이드 학설] neo-freudianismo *m*, neo-freudismo *m.*
네오플라스티시슴(불 *néo-plasticisme*) [신조형(新造形)주의] neo-plasticismo *m.*
네오필리나(라 *neopilina*) 【동물】 neopilina *f.*
네오휴머니즘(영 *Neo-Humanism*) [신인문주의(新人文主義)] neohumanismo *m.*
네온(영 *neon*) 【화학】 neón *m*, neo *m.*
■ ~관(등)[방전관] tubo *m* de vacío de neón. ~사인 anuncio *m* de neón. ~전구 lámpara *f* de neón. ~ 헬륨 레이저 laser *m* de helio-neón.
네올로지(불 *néologie*) =네올로지슴.
네올로지스트(불 *néologiste*) neologista *mf.*
네올로지슴(불 *néologisme*) neologismo *m.*
네우마(라 *neuma*) 【음악】 neuma *m.*
네이블오렌지(영 *navel orange*) 【식물】 naranja *f* nável, *CoS* naranja *f* de ombligo, *Col* naranja *f* ombligona.
네이비블루(영 *navy blue*) azul *m* marino. ~의 azul marino.
■ ~ 리본 cinta *f* azul marino.
네이처리즘(영 *naturism*) [자연주의] naturismo *m.*
네이팜(영 *napalm*) 【화학】 napalm *m.*
■ ~ 폭탄 bomba *f* de napalm. ¶~으로 공격하다 bombardear con napalm.
네이팜탄(napalm 彈) =네이팜 폭탄.
네임(영 *name*) ① [이름] nombre *m.* ② [명성] fama *f*, reputación *f.*
■ ~ 플레이트 ㉮ [명찰. 문패] placa *f* (con

el nombre). ㉯ [자동차의] placa *f* de características.

네잎꽃 【식물】 =사판화(四瓣花).

네커치프(영 *neckerchief*) pañuelo *m*.

네크라인(영 *neckline*) escote *m*.

네크리스(영 *necklace*) collar *m*.

네트(영 *net*) ① [고기잡이나 보호용 그물] red *f*. ② ((준말)) =헤어네트(redecilla). ③ [테니스나 배구 등의 구기의 그물] red *f*. ④ ((준말)) =네트볼. ⑤ [정미(正味)] neto *m*. ⑥ ((준말)) =네트워크. ⑦ [야구의] =백네트. ⑧ [축구·핸드볼·아이스 하키 따위의] red *f*.

■ ~볼 deporte *m* similar al baloncesto jugado especialmente por mujeres. ~워크 ㉮ [(운하·철도 등의) 망상 조직·연락망] red *f*, [가게들의] cadena *f*. ㉯ [텔레비전·라디오의] cadena *f*. ㉰ 【전기】 [회로망] red *f*. ~ 텔레비전 emisiones *fpl* televisivas en cadena.

네팔 【지명】 Nepal *m*. ~의 nepalés, -lesa.

■ ~어 nepalés *m*. ~ 왕국 el Reino de Nepal. ~ 사람 nepalés, -lesa *mf*.

네포티즘(영 *nepotism*) nepotismo *m*.

네활개 cuatro miembros. ~를 뻗다 estirar las piernas y los brazos. ~를 뻗고 자다 [편안히] dormir a sus anchas, dormir más cómodo, dormir más a gusto; [푹 자다] dormir como un tronco, dormir como un lirón, dormir como un bendito.

◆ 네활개(를) 치다 pavonearse, andar [caminar] con aire arrogante. 네활개를 치며 con aire arrogante, pavoneándose, dándose aires. 그들은 네활개를 치며 걸었다 Ellos caminaban erguidos / Ellos caminaban con aire arrogante. 그는 네활개를 치며 바에 들어갔다 El se acercó al bar con aire arrogante. 선원들은 온 시내를 네활개를 치고 다녔다 Los marineros anduvieron pavoneándose por toda la ciudad. 그녀는 네활개를 치며 방에서 나왔다 Ella salió de la habitación pavoneándose [dándose aires]. 그 아이는 네활개를 치며 방으로 들어갔다 El niño entró en la habitación pavoneándose [dándose aires]. 그 청년은 네활개를 치며 지나갔다 El joven pasó de largo toda ufana. 수탉은 네활개를 치며 마당을 돌아다녔다 El gallo se paseaba ufano por el patio.

넥타(그 *nectar*) néctar *m*.

넥타이(영 *necktie*) corbata *f*. 나비~ corbata *f* de lazo, corbatín *m* (*pl* corbatines).

■ ~핀 alfiler *m* de corbata, pisacorbata *f*.

넨장 ① ((준말)) =넨장맞을. ② ((준말)) =넨장칠.

넨장맞을 ㉮ [감탄사] ¡Caramba! / ¡Carambita! / ¡Caray! / ¡Carajo! / *ReD* ¡Coño! ㉯ [형용사적] maldito, condenado, *Méj* pinche. ~ 녀석 tipo *m* maldito, tipo *m* condenado. ~ 놈 같으니! ¡Maldición! / ¡Carajo! / ¡Caray!

넨장칠 =넨장맞을.

넵투누스(라 *Neptunus*) 【신화】 =넵튠.

넵투늄(독 *Neptunium*) neptunio *m*.

넵튠(영 *Neptune*) ① [바다의 신] 【로마 신화】 Neptuno *m*; 【희랍 신화】 Poseidón *m*. ② 【천문】 [해왕성] Neptuno *m*.

넷 cuatro.

넷째 cuarto *m*. ~의 cuarto. ~로 en cuarto lugar. ~ 딸 cuarta hija *f*. ~ 아들 cuarto hijo *m*. ~손가락 dedo *m* anular, dedo *m* médico.

녀(女) ① [계집. 여자] mujer *f*. ② [딸] hija *f*. ③ [처녀] virgen *f* (*pl* vírgenes).

녀석 ① tipo *m*, tío *m*, *Méj* chavo *m*. 나쁜 ~ mal tipo *m*, *Méj* mal chavo *m*. 운 좋은 ~ tipo *m* afortunado, *Méj* chavo *m* afortunado. 그는 좋은 ~이다 El es un tipo simpático / El es un tío majo / *Méj* El es un chavo padre. ② [어린아이를 귀엽게 이르는 말] lindo, -da *mf*.

년 ① =여자. ¶망할 ~ muchacha *f* maldita. 이 개 같은 ~아 ¡Puta! ② =어린아이.

년(年) año *m*. 1~ un año. 5~ cinco años. 2~에 한 번 cada dos años. 2~ 계속해서 dos años seguidos. 10~ 만에 en diez años. 2002~에 en dos mil dos. 1~ 후에 un año después. 그는 2~이나 3~에 한 번 한국에 온다 El viene a Corea una vez cada dos o tres años. 그는 4~간 서반아에 체류했다 El permaneció cuatro años en España. 이 10~ 동안에 서울은 많이 변했다 La ciudad de Seúl ha cambiado mucho en [durante] estos diez años. 이 도시는 8~ 전에 대지진으로 흔들렸다 Un gran terremoto sacudió esta ciudad hace ocho años [ocho años atrás]. 나는 4~ 전부터 그녀를 만나지 못하고 있다 Yo no la veía [había visto] desde hacía cuatro años. 내가 그들을 만나지 못한 지가 20~이 되었다 Hace veinte años que no los veo [he visto · vi].

-년(年) año *m*. 금~ este año. 작~ año *m* pasado. 내~ año *m* próximo, año *m* que viene.

노[1] [실·삼·종이 따위로 가늘게 비비거나 꼰 줄] cordoncillo *m*. ~를 꼬다 torcer papel para hacer un cordoncillo. 종이 ~ cordoncillo *m* de papel.

노[2] ((뱃사람말)) norte *m*.

노[3] ((준말)) =노상. ¶~ 잠만 잔다 Siempre se duerme, nada más.

노(奴) serviente, -ta *mf*, criado, -da *mf*.

노(弩) =쇠뇌.

노(櫓) remo *m*; [국자 모양의] canalete *m*, zagual *m*, pagaya *f*, [함께 젓는] espadilla *f*, [노의 열] palamenta *f*. ~를 젓다 bogar, remar, bogar al remo, manejar el remo. ~를 달다 armar los remos. ~를 벗기다 desarmar los remos. ~를 잡다 remar.

■ ~ 받이 escálamo *m*, tolete *m*.

노(爐) horno *m*, fogón *m* (*pl* fogones) en el suelo, hogar *m*, chimenea *f* francesa; [용광로] fundición *f* (*pl* fundiciones).

◆ 평(平)~ horno *m* de fogón abierto, horno *m* Martín Siemens.

노(露) ((준말)) =노서아(露西亞)(Rusia).

노(영 *no*) no. ~라고 말하다 decir que no.
■~ 스모킹 [금연] ((게시)) Prohibido fumar / No fumar / No fume(n) / Se prohíbe fumar / [형용사적으로, 공항이나 기차에서] Para no fumadores. ~카운트 cuenta *f* nula. ~코멘트 sin comentarios. ¶나는 ~한다 Yo no hago comentarios / Sin comentarios. ~터치 ((게시)) Prohibido tocar / No tocar / No toque(n) / Se prohíbe tocar. ¶나는 그 사건에는 ~다 No tengo nada que ver con el asunto. ~ 팁 ((게시)) No se admiten propinas. ~ 파킹 [주차 금지] ((게시)) Prohibido aparcar / *AmL* Prohibido estacionar / *AmL* Prohibido parquear / *Chi, Méj* Prohibido estacionarse / No aparcar / *AmL* No estacionar / *AmL* No parquear / *Chi, Méj* No estacionarse. ~ 히트 no hit, sin hit.

노-(老) viejo *adj.* ~총각 solterón *m* (*pl* solterones). ~처녀 solterona *f.*

-노 ¿ … ? 너 무엇 하~? ¿Qué haces?

-노(奴) hombre *m*, mujer *f.* 수전~ tacaño, -ña *mf.*

노가(奴家) ① [부인이 자기를 낮추어 하는 말] yo, humilde concubina. ② [남의 첩이 된 여자] concubina *f.*

노가(櫓歌) =뱃노래.

노가리 ①【농업】=산파(散播). ② ((은어)) mentira *f.* ~ 까지 마 No mientes / No digas mentiras.

노가자(老柯子)【식물】=노간주나무.

노가주【식물】=노간주나무.

노가주나무【식물】=노간주나무.

노각(老-) pepino *m* amarillo por la madurez, pepino *m* viejo con el color amarillo.
■~나물 pepino *m* cortado en pedacitos con varios condimentos.

노각(老脚) piernas *fpl* del viejo, paso *m* del viejo.

노간부(老幹部) directivo *m* experimentado, directiva *f* experimentada.

노간주나무【식물】enebro *m*, enebrina *f.*

노객(老客) ① [늙은 손님] huésped *m* viejo, huésped *f* vieja. ② [늙은 사람] persona *f* vieja; [남자] hombre *m* viejo; [여자] mujer *f* vieja.

노거(路車) ① [전날의 제후가 타던 수레] carro *m* que tomaba el señor. ② [큰 수레] carro *m* grande.

노경(老境) =늙바탕.

노경(老鏡) ((준말)) =노안경(老眼鏡).

노계(老鷄) gallina *f* añeja.

노고(老姑) =할미.

노고(勞苦) pena *f*, faena *f*, fatigas *fpl*, trabajo *m*, labor *f*, [노력] esfuerzo *m.* ~에 보답하다 *compensar [corresponder a]* los trabajos. ~를 아끼지 않다 no perdonar [no excusar] esfuerzos.

노고초(老姑草)【식물】=할미꽃.

노곤(勞困) fatiga *f*, cansancio *m*, languidez *f.* ~하다 estar cansado, estar lánguido.
노곤히 con fatiga, con cansancio, con languidez.

노골(老骨) ① [늙은 몸의 뼈] hueso *m* del cuerpo viejo. ② [늙은 몸] cuerpo *m* viejo.

노골(露骨) desnudez *f*, franqueza *f.*
■~ 문학 literatura *f* lasciva. ~적 ㉮ [숨기지 않는] franco, abierto, escueto, rudo, claro, desembarazado; [대담한] intrépido. ¶~으로 francamente, sin ocultar, abiertamente, rudamente, claramente, a las claras, sin rodeos, sin reservas, sin rebozo, sin disimulo. ~인 사람 persona *f* franca. ~인 암시 insinuación *f* abierta, insinuación *f* franca. ~인 태도 actitud *f* franca. ~으로 말하면 francamente dicho, francamente hablando. ~으로 말하다 decir [hablar] francamente [sin rodeos · sin reserva]; llamar al pan, pan y al vino, vino; poner todas las cartas sobre la mesa, no tener pelos en la lengua. ~으로 반대(反對)하다 oponerse abiertamente [públicamente], contradecir sin reserva. ~으로 표현하다 llamar a las cosas por su nombre, expresar sin redeos. ~으로 위법 행위를 하다 violar la ley abiertamente. 아내를 자랑삼아 ~으로 이야기하다 jactarse descaradamente de las calidades de su esposa. ㉯ [음란한] lascivo, indecente. ~으로 lascivamente, indecentemente. ~인 농담(弄談) chiste *m* lascivo. ~인 농담을 하다 contar un chiste lascivo. 그 그림은 지나치게 ~이다 Esa pintura es demasiado insinuante. ㉰ [현저한] destacado, notable, sorprendente, asombroso, llamativo, atractivo, manifiesto, notorio, evidente. ~으로 destacadamente, notablemente, sorprendentemente, asombrosamente, llamativamente, atractivamente, manifiestamente, notoriamente, evidentemente.

노골(顱骨)【해부】=두골(頭骨). 두개골.

노공(老公) ① [늙은이] viejo, -ja *mf*, anciano, -na *mf.* ② [나이가 지긋한 귀인] noble *mf* de muchos años. ③ =환관(宦官).

노광(老狂) locura *f* del viejo.

노구 ((준말)) =노구솥.
■~솥 olla *f* pequeña de latón [de cobre].

노구(老狗) perro *m* viejo.

노구(老嫗) (mujer *f*) vieja *f.*

노구(老軀) cuerpo *m* viejo, cuerpo *m* del viejo, cuerpo *m* decrepito. ~에도 불구하고 a pesar de *su* gran edad.

노국(老菊) crisantemo *m* que va a marchitar.

노국(露國) Rusia *f.*

노군(櫓軍) soldado *m* que boga al remo.

노굴(露掘)【광산】=노천굴(露天掘).

노굿 flores *fpl* de las plantas leguminosas.
◆노굿(이) 일다 las plantas leguminosas florecen.

노궁(弩弓) =예궁(禮弓).

노궁(盧弓) arco *m* negro.
■~노시(盧矢) arco y flecha barnizados.

노규(露葵)【식물】=아욱.

노균병(露菌病)【농업】=버짐병.

노그라지다 ① [몹시 피곤하여 힘없이 되다] (estar) cansado, extenuado, agotado, exhausto, muerto de cansancio, hecho polvo. ② [한군데로 마음이 쏠리어 정신을 못 차리다] estar loco (por). 그녀는 그에게 아주 노그라졌다 Ella está muy loca por él.

노그름하다 ① [약간 노글노글하다] (ser) algo suave. ② [조금 묽다] (ser) algo acuoso. 노그름히 suavemente, acuosamente.

노근(露根) parte *f* de la raíz del árbol que sale en la tierra.

노글노글하다 ① [무르녹게 노긋노긋하다] (ser) muy suave. ② [몸이 뼈가 없이 보들보들하다] ser muy suave sin huesos. ③ [마음이 유순하다] (ser) obediente, dócil, sumiso.

노글노글히 muy suavemente, obedientemente, dócilmente, sumisamente.

노금(露禽) 【조류】 grulla.

노긋노긋하다 ser muy suave.

노긋노긋이 muy suavemente.

노긋하다 ① [물체가 메마르지 아니하고 부드럽다] (ser) suave. ② [성질이 유순하다] (ser) obediente, dócil, sumiso.

노긋이 obedientemente, dócilmente, sumisamente.

노기(老妓) *kisaeng f* vieja, ramera *f* vieja.

노기(老氣) ① [노련한 기운] ánimo *m* experto. ② [늙어서 점점 왕성해지는 기운] fuerza *f* llena de vigor del viejo.

노기(怒氣) cólera *f*, ira *f*, enfado *m*, enojo *m*; [격노(激怒)] rabia *f*, furor *m*, arrebato *m*; [부정에 대한] indignación *f*. ~를 띤 colérico, furioso, indignado. ~로 가득 차서 furiosamente, enojosamente, con indignación. ~를 폭발시키다 dejar estallar *su* ira. ~를 억제(抑制)하다 cortar [reprimir] la cólera, contenerse en *su* ira. ~를 진정시키다 calmar [apaciguar · desarmar] la cólera (de). 부친의 ~가 풀렸다 La ira de mi padre se mitigó [se aplacó] / Mi padre se desenojó [se desenfadó].

■~등등 aire *m* muy furioso [colérico · enfadado · enojado]. ¶~하다 (ser) colérico, furioso, indignado, arder de [en] ira, montar en cólera. ~해서 muy furiosamente, muy enojosamente, con un aire muy furioso [colérico · enfadado], en tono muy furioso [colérico · enfadado], con indignación. ~충천하다 estar muy colérico [furioso · enfadado · enojado].

노기(路岐/路歧) =갈림길.

노기스(독 *Nonius*) calibrador *m*, compás *m* (*pl* compases) de varas, calibre *m*, pie *m* de rey. 슬라이드 ~ calibrador *m* de cursor, pie *m* de rey. 유척 ~ calibre *m* de ninio.

노깃(櫓一) parte *f* del remo que se hunde en el agua.

노끈 ① [노] cordel *m*, cordoncillo *m*, cuerda *f*, agujeta *f*. ~을 묶다 atar las agujetas. ~을 풀다 desatar las agujetas. ② [짧은 노의 토막] trozo *m* [pedazo *m*] del cordel corto.

노나무 【식물】 catalpa *f*.

노남자(魯男子) hombre *m* que no le gusta el deseo sexual.

노네트(영 *nonet*) 【음악】 ① =구중주(九重奏). ② =구중주곡(九重奏曲).

노녀(老女) (mujer *f*) vieja *f*, (mujer *f*) anciana *f*.

노년(老年) ① [늙은 나이] edad *f* vieja, vejez *f*, edad *f* avanzada.. ② [늙은 사람] persona *f* vieja; [남자] hombre *m* viejo; [여자] mujer *f* vieja.

■ ~기(期) vejez *f*, [드묾] senectud *f*. ¶~의 사람 persona *f* senescente. ~에 접어들다 entrar en la vejez. ~층 generaciones *fpl* viejas. ~학(學) gerontología *f*. ~ 학자 gerontólogo, -ga *mf*.

노노(老奴) sirviente *m* viejo, sirvienta *f* vieja.

노농(老農) ① [나이가 많은 농부] agricultor *m* viejo, agricultora *f* vieja. ② [농사일에 경험이 많은 사람] agricultor *m* experimentado en la agricultura.

노농(勞農) el obrero y el agricultor.

■ ~당(黨) partido *m* de los obreros y los agricultores. ~ 동맹(同盟) alianza *f* de los obreros y los agricultores. ~ 러시아 Rusia *f* Soviética. ~ 정부(政府) gobierno *m* Soviético. ~ 정치 reinado *m* soviético. ~ 제휴 colaboración *f* de los obreros y los agricultores.

노놓치다 hacer escapar.

노느다 distribuir, repartir, compartir, dividir. 카드의 패를 ~ repartir [dar] las cartas. 학생들에게 시험지를 ~ repartir los papeles de examen entre los estudiantes.

노느매기 sistema *m* en el cual dos personas comparten un puesto de trabajo, distribución *f*, división *f*.

노느몫 porción *f* compartida.

노느이다 (ser) distribuido, compartido, repartido, dividido.

노는계집 ramera *f*, puta *f*, prostituta *f*.

노닐다 pasear(se), dar un paseo, perder el tiempo, holgazanear. 그들은 해변을 노닐었다 Ellos se paseaban por la playa.

노다지(영 *no touch*) ① [광맥] mina *f* rica. ~를 발견하다 descubrir la mina rica. ② [이익이 쏟아지는 일] bonanza *f*. ~를 발견하다 estar en bonanza.

■ ~판 bonanza *f*, mina *f* que el oro se encuentra.

노닥거리다 soltar el mirlo, arengar.

노닥노닥[1] arengando, soltando el mirlo.

노닥노닥[2] =누덕누덕.

노닥이다 charlar, chacharear, parlotear, cotorrear, hablar, *AmL* conversar, *AmC, Méj* platicar. 노닥임 charla *f*, cháchara *f*, parloteo *m*, *AmL* conversación *f*, *AmC, Méj* plática *f*.

노대(露臺) balcón *m* (*pl* balcones), terraza *f*.

노대가(老大家) autoridad *f* veterana, maestro *m* viejo.

노대국(老大國) gran país *m* senil, viejo imperio *m* en decadencia.

노도(怒濤) olas *fpl* bramadas, onda *f* rabiosa, mar *m* tumultuoso [turbulento]. 적이 ~처럼 몰려들었다 Oleadas de enemigos avanzaron sobre nosotros.

노독(路毒) fatiga *f* del viaje, enfermedad *f* de viaje. ~을 풀다 hacer olvidar la fatiga del viaje, calmar [aliviar · relajar · mitigar] la fatiga del viaje.

노동(老童) ① =오비(O.B.). ② [나이가 많은 운동선수] atleta *m* viejo, atleta *f* vieja; jugador *m* viejo, jugadora *f* vieja.

노동(勞動) labor *f*, trabajo *m*. ~하다 trabajar. ~의 laboral, trabajador, de labor, de trabajo. 8시간 ~ trabajo *m* [jornada *f*] de ocho horas. 주(週) 44시간 ~ trabajo *m* de cuarenta y cuatro horas semanales.

◆강제 ~ trabajo *m* forzoso. 강제 ~ 수용소 campo *m* de trabajos forzosos. 계절~ jornal *m*.

■~가(歌) canción *f* de labor, canto *m* de trabajo. ~ 가치설 teoría *f* de valor laboral. ~ 가치 학설 =노동 학설. ~ 경제 economía *f* laboral. ~ 경제학 economía *f* laboral. ~계 mundo *m* laboral, círculos *mpl* laborales. ~ 계급 clase *f* obrera, clase *f* proletaria. ~ 계약 contrato *m* de labor, contrato *m* de trabajo. ~ 공급 oferta *f* laboral, oferta *f* de trabajo, suministro *m* laboral. ~ 공세 ofensiva *f* laboral. ~ 과잉 excedentes *mpl* laborales. ~ 과학 ciencia *f* laboral. ~ 관계 relaciones *fpl* laborales. ~ 관리(管理) administración *f* laboral. ~국 departamento *m* de labor ~권 derecho *m* laboral. ~ 귀족 aristócrata *mf* laboral. ~ 규약 constitución *f* de unión. ~ 기준법 ley *f* normal del trabajo, ley *f* de condiciones de trabajo. ~ 능률 eficiencia *f* laboral. ~ 단체 organización *f* obrera. ~ 대중 masas *fpl* de trabajadores. ~ 대책 política *f* laboral. ~ 동맹 federación *f* laboral. ~력 población *f* activa, plantilla *f* de personal, fuerza *f* trabajadora, fuerza *f* de trabajo, obreros *mpl*; [넓은 의미로] mano *f* de obra, trabajadores *mpl*. ¶큰 ~을 요하는 que requiere mucha mano de obra. ~ 부족 falta *f* de mano de obra, escasez *f* de mano de obra. ~ 참가 participación *f* de la mano de obra. ~ 참가율 tasa *f* de participación de la mano de obra. 싼 ~ mano *f* de obra barata. ~력 인구(力人口) población *f* activa. ~ 문제 problema *m* laboral, problema *m* de trabajo. ~법 ley *f* laboral, derecho *m* laboral, derecho *m* de(l) trabajo. ¶~ 변호사 abogado, -da *mf* laborista. ~ 법규 leyes *fpl* laborales. ~ 보험 법안 proyecto *m* de ley laboral. ~ 보험 seguro *m* laboral. ~ 보호법 ley *f* de protección laboral. ~복(服) traje *m* de trabajadores. ~ 봉사 servicio *m* laboral. ~부 el Ministerio de Labor, el Ministerio de Trabajo, *Méj* la Secretaría de Trabajo. ~부 장관 ministro, -tra *mf* de Labor, ministro, -tra *mf* de Trabajo, *Méj* secretario, -ria *mf* de Trabajo. ~ 부족(不足) falta *f* [carencia *f* · escasez *f*] de labor. ~ 분배 división *f* de trabajo. ~ 분쟁 conflito *m* colectivo, conflicto *m* laboral, disputa *f* laboral. ~ 불안 inseguridad *f* laboral. ~ 사회학 sociología *f* laboral. ~ 생산성(生産性) productividad *f* del trabajo. ~ 수요 demanda *f* de mano de obra, demanda *f* laboral. ~ 시간 horas *fpl* de trabajo. ~ 시장 mercado *m* laboral, mercado *m* de labor, mercado *m* de trabajo. ~ 시장 경직 rigidez *f* del mercado laboral. ~ 시장 상황 situación *f* del mercado laboral. ~ 시장 정보 información *f* del mercado laboral. ~ 시장 정책 política *f* de mercado laboral. ~ 시장 조사(市場調査) inspección *f* del mercado laboral. ~ 식민 colonización *f* laboral. ~ 심리학 psicología *f* laboral. ~ 연맹 liga *f* del trabajo. ~ 용어 términos *mpl* de labor. ~ 운동(運動) movimiento *m* obrero, laborismo *m*, actividades *fpl* por el trabajo. ~ 원가 coste *m* laboral, coste *m* de labor, coste *m* de trabajo. ~ 위생 higiene *f* laboral. ~ 위원 miembro *mf* del comité de relaciones laborales. ~ 위원회 comisión *f* laboral, comité *m* de relaciones laborales. ~ 위원회법 ley *f* sobre comisión laboral. ~ 은행 banco *m* de trabajadores. ~ 의무 deberes *mpl* laborales. ~ 의학 medicina *f* laboral. ~ 이동 rotación *f* de mano de obra, rotación *f* de personal. ~ 이동률 tasa *f* de rotación de mano de obra. ~ 인구 población *f* activa, población *f* obrera. ~일 día *m* laboral, día *m* de labor, día *m* de trabajo. ~ 임금 salario *m*, sueldo *m*. ~자 obrero, -ra *mf*, trabajador, -dora *mf*; [미성년자] obrero, -ra *mf* de menor de edad; [일당(日當)의] jornalero, -ra *mf*; [인부(人夫)] peón (*pl* peones), -ona *mf*; [노동력] mano *f* de obra. ¶계절 ~ jornalero, -ra *mf*, temporero, -ra *mf*. ~자 계급 clase *f* obrera; [무산 계급] proletariado *m*. ~자 관리 administración *f* de trabajadores. ~자 재해 보상 보험 indemnización *f* por accidentes laborales, enfermedades contraídas en el trabajo etc. ~자 총동맹 la Unión General de Trabajadores. ~자 혁명 revolución *f* de trabajadores. ~ 재판소 tribunal *m* de labor. ~ 재해(災害) accidente *m* laboral, accidente *m* de trabajo. ~ 쟁의 conflicto *m* laboral, conflicto *m* colectivo, conflicto *m* de trabajo, dificultades *fpl* laborales. ~ 쟁의 조정 mediación *f* de dificultades laborales. ~ 쟁의 조정법 ley *f* de mediación de dificultades laborales. ~ 쟁의 중재 arbitración *f* de dificultades laborales. ~ 쟁의 중재법 ley *f* de arbitraje laboral. ~ 전선 frente *m* laboral. ~절 ㉮ [근로자의 날] el Día del Trabajo, el Día de los trabajadores. ㉯ [메이데이] el primero de mayo. ~ 정착 inmovilidad *f* laboral, inmovilidad *f* de labor, inmobilidad *f* de trabajo. ~제(祭) =

메이데이. ~ 조건(條件) condición *f* laboral, condición *f* de labor, condición *f* de trabajo. ~ 조사 inspección *f* laboral. ~ 조합(組合) sindicato *m* (obrero), gremio *m* (obrero), unión *f* obrera, unión *f* de obreros. ¶~에 가입하다 afiliarse a un sindicato, sindicarse. 세계 ~ 연맹 la Federación Mundial de los Sindicatos Obreros. 한국 ~ 총연맹 la Federación Coreana de los Sindicatos Obreros, la Federación de los Sindicatos Obreros de Corea. ~ 조합법 ley *f* de sindicatos. ~ 조합 운동 laborismo *m*, movimiento *m* obrero, movimiento *m* sindicalista. ~ 조합원 miembro *mf* de un sindicato, sindicalista *mf*. ~ 조합주의 sindicalismo *m*, laborismo *m*. ~ 조합 지도자 líder *mf* sindical, dirigente *mf* sindical. ~주(株) acciones *fpl* laborales. ~ 집약 산업 industria *f* con uso intensivo de mano de obra. ~청 la Dirección del Trabajo. ~ 총동맹 la Federación de Labor. ~ 통계(統計) estadística *f* laboral. ~ 행정(行政) administración *f* laboral, gestión *f* laboral. ~ 행정비 gastos *mpl* de la administración laboral. ~ 헌장 la Carta de la Labor. ~ 협동 unión *f* de labor. ~ 협약 acuerdo *m* laboral, convenio *m* de trabajo, contrato *m* colectivo de trabajo. ~ 환경 medio *m* ambiente laboral. ~ 회관 el Salón de los Trabajadores.

노동당(勞動黨) partido *m* laborista, partido *m* laboral. ~ 내각(內閣) gabinete *m* del partido laborista. ~원(員) miembro *mf* del partido laborista.

노두(路頭) calle *f*.

노두(露頭) ① =맨머리. ② 【광물】 afloramiento *m*, basset *m*.

노둔하다(老鈍-) la palabra y la conducta son aburridos debido a la vejez.
노둔히 de manera aburrida, de modo aburrido.

노둔하다(魯鈍/駑鈍-) (ser) torpe, estúpido, tonto, bobo, lerdo.
노둔히 torpemente, estúpidamente, tontamente, como un tonto, bobamente, lerdamente.

노둣돌 bloque *m*, sillar *m*.

노란빛 color *m* amarillo.

노란자위 =노른자위.

노랑 (color *m*) amarillo *m*. 엷은 ~ amarillo *m* claro. 엷은 ~(색)의 amarillo claro, amarilla clara. 짙은 ~실내 장식 재료 tapizado *m* de un amarillo intenso. ~은 청색과 잘 조화를 이룬다 El amarillo combina bien con el azul.
■ ~감투 gorra *f* del doliente. ~꽃 flor *f* amarilla. ~돈 ㉮ moneda *f* amarilla. ㉯ ((속어)) dinero *m* de los niños. ~말 caballo *m* amarillo. ~머리 pelo *m* amarillo, persona *f* que tiene pelo amarillo. ~이 ㉮ [노란빛의 물건] objeto *m* amarillo. ㉯ [털빛이 노란 개] perro *m* pequeño amarillo. ㉰ [도량이 좁고 인색한 사람] tacaño, -ña *mf*, agarrado, -da *mf*, cicatero, -ra *mf*. ¶~짓 tacañería *f*, mezquindad *f*. ~참외 melón *m* (*pl* melones) amarillo, melón *m* dulce.

노랑(老娘) mujer *f* vieja.

노랑(老浪) =노도(怒濤).

노랑나비 【곤충】 mariposa *f* amarilla.

노랑담비 【동물】 =담비.

노랑말잠자리 【곤충】 =왕잠자리.

노랑부리저어새 【조류】 espátula *f*.

노랑연새 【조류】 =황여새.

노랑촉수(-觸鬚) 【어류】 salmonete *m*.

노랗다 ① [새뜻하고 매우 노르다] (ser) amarillo. 노랗게 되다 amarillear, ponerse amarillo, ponerse amarillento. 노랗게 된 amarilleado. 노랗게 만들다 poner (*algo*) amarillo; [물들이다] teñir (algo) de amarillo. 노란 천 tela *f* amarilla. 종이가 오래되어 노랗게 되었다 El papel se había amarillo [amarillento] con el paso del tiempo. ② [(잎이 노랗게 시들 듯) 다시 일어날 가망이 없다] no haber esperanzas de tener éxito otra vez. 싹수가 ~ tener una oportunidad escasa de éxito, no prometerse buen éxito, no tener ninguna posibilidad de tener éxito.

노래 canción *f*, canto *m*; [민요] balada *f*; [서정풍의 서사시] romance *m*. ~하다 cantar, cantar una canción; [시가를] recitar; [찬송가를] salmodiar. ~를 배우다 aprender a cantar. 그녀는 ~를 잘한다 Ella canta bien. ~ 참 잘하는군 ¡Qué bien canta! 나는 그녀가 ~하는 것을 들었다 La oí cantar. 내가 멕시코 ~를 한 곡 부르겠다 Voy a cantar una canción mejicana.
■ ~방 orquesta *f* vacía. ~자랑 concurso *m* de cantantes aficionados, concurso *m* de cantos, concurso *m* de canción para aficionados. ~쟁이 cantor, -tora *mf*, cantante *mf*, cantatriz *f*. ~ㅅ가락 canción *f* popular, canción *f* tradicional; [현대의] canción *f* folk. ~ㅅ말 =가사(歌詞). ~ㅅ소리 canto *m*, voz *f* cantante.

노래(老來) =늘그막.

노래기 【동물】 miriápodo *m*, miriópodo *m*.

노래지다 amarillear, amarillar, ponerse amarillo, ponerse amarillento, amarillecer. 노래진 amarillento, que tira a amarillo.

노략(擄掠) =노략질.
■ ~질 saqueo *m*, pillaje *m*, rapiña *f*. ¶~하다 saquear, pillar, robar, despojar. ~한 물건 objetos *mpl* robados. 그는 ~한 물건을 가지고 도망쳤다 El se escapó con el botín.

노량 lentamente, paso a paso, paso ante paso, paso entre paso, poco a poco.
노량으로 con paso lento.

노량(露量) cantidad *f* que cae el rocío.

노려보다 ☞노리다[2]

노력(努力) esfuerzo *m*. ~하다 esforzarse (por), hacer esfuerzos [un esfuerzo] (por · para), procurar. 성공(成功)을 위해 ~하다 esforzarse [hacer esfuerzos] por el éxito.

최선(最善)의 ~을 하다 hacer todos los esfuerzos, hacer los mayores esfuerzos, hacer todo lo posible. 최후의 ~을 하다 hacer [realizar] de último esfuerzo. 사고 방지를 위해 ~하다 esforzarse por evitar accidentes. 살기 위해 최선의 ~을 하다 hacer los mayores esfuerzos por vivir. 당신의 성공 여하에 따라(서) según los esfuerzos que usted hace. 되도록 ~을 하겠다 Voy a hacer todo lo posible. 우리는 목적을 달성하기 위해 가일층 ~해야 한다 Debemos hacer más [un mayor] esfuerzo para realizar nuestro objetivo.
■ ~가[파] hombre *m* de esfuerzos; esforzado, -da *mf*. ~상 premio *m* galardonado en reconocimiento a [por] los esfuerzos.

노력(勞力) ① [정신적·육체적 힘을 들이어 일함] trabajo *m*, labor *f*, [번거로움] molestia *f*. ~을 아끼다 evitar la molestia (a); [자신의] ahorrarse el trabajo. 그 일을 하는 데 나한테는 많은 ~이 필요하다 Necesito mucho trabajo para hacerlo / Me cuesta mucho trabajo. ② [노동력(勞動力)] mano *f* de obra, trabajadores *mpl*.
■ ~ 동원 movilización *f* de trabajo. ~ 부족 escasez *f* de labor. ~비 gastos *mpl* para labor. ~ 활동 utilización *f* de labor.

노련(老鍊) pericia *f*, experiencia *f*. ~하다 (ser) perito, pericial, experto, experimentado, versado, veterano, machucho, madrigado. ~한 사람 hombre *m* de experiencia; veterano, -na *mf*, perito, -ta *mf*, hombre *m* perito [experto], hombre *m* madrigado.
노련히 peritamente, pericialmente, con experiencia.
■ ~가(家) hombre *m* perito [experto], mujer *f* perita [experta]; perito, -ta *mf*, veterano, -na *mf*, hombre *m* de experiencia. ~미 (味) veteranía *f*.

노렴(蘆簾) cortina *f* de caña.

노령(老齡) vejez *f*, ancianidad *f*, edad *f* senil, edad *f* avanzada. ~의 viejo, anciano, senil, avanzado de [en] edad. ~에도 불구하고 a pesar de *su* vejez.
■ ~기(期) edad *f* senil, vejez *f*. ~선(船) barco *m* viejo, buque *m* viejo. ~ 연금 pensión *f* a la vejez. ~함(艦) buque *m* de guerra viejo.

노록(勞碌) esfuerzo *m* sin cesar.

노루 【동물】 corzo *m*; [암컷] corza *f*.
노루 꼬리만 하다 ser muy corto.
■ 노루 잡기 전에 골뭇감 마련한다 ((속담)) No vendas la piel del oso antes de haberlo muerto.
■ ~발장도리 martillo *m* de orejas. ~잠 siestecita *f*, cabezada *f*. ¶~을 자다 echarse una siestecita [una cabezada]. ~종아리 ㉮ [소반 다리 아래쪽의 새김이 없이 매끈한 부분] parte *f* inferior sin ornamento de la pata de mesa. ㉯ [문살의 가로살이 드물게 있는 부분] parte *f* de un marco de la puerta con los raíles a espacio escaso.

노루(老淚) lágrimas *fpl* del viejo.

노류장화(路柳墻花) ramera *f*, puta *f*, prostituta *f*.

노르께하다 ser algo amarillo.

노르끄레하다 =노르께하다.

노르다 ser amarillo como oro.

노르딕 경기(Nordic 競技) ((스키)) pruebas *fpl* nórdicas.

노르딕 종목(Nordic 種目) ((스키)) =노르딕 경기.

노르마(러 *norma*) ① [기준(基準)] norma *f*. ② cantidad *f* asignada de trabajo. ~를 끝내다 acabar el trabajo asignado.
◆ 생산(生産) ~ norma *f* de producción.

노르만 건축(Norman 建築) arquitectura *f* románica anglonormanda.

노르만 교회(Norman 教會) iglesia *f* románica anglonormanda.

노르만 아치(영 *Norman arch*) arco *m* románico anglonormando.

노르만인(Norman 人) normando, -da *mf*.

노르만 정복(Norman 征服) invasión *f* normanda.

노르말(독 *Normal*) =규정(規定).

노르망디 【지명】 Normandía *f*. ~의 normando.
■ ~ 사람 normando, -da *mf*. ~ 상륙(上陸) desembarco *m* de Normandía.

노르무레하다 (ser) ligeramente amarillo.

노르스레하다 =노르스름하다.

노르스름하다 (ser) amarillento, *Chi* amarilloso. 노르스름하게 굽다 tostar. 노르스름하게 구워진 샌드위치 sándwich *m* tostado, *Chi, Urg* sándwich *m* caliente, *Arg* tostado *m*.
노르스름히 amarillentamente; amarillosamente. ~ 구워져 있다 Está tostado propiamente.
노르스름해지다 ponerse amarillento, amarillear, amarillecer. 노르스름해진 식물(植物) planta *f* que se pone amarillo [que amarillece].

노르웨이 【지명】 Noruega *f*. ~의 noruego.
■ ~어 noruego *m*. ~ 사람 noruego, -ga *mf*.

노른자위 ① [알의 노란빛의 부분] yema *f* (del huevo). ② [사물에서 알짜로 되거나 또는 가장 우수한 것] lo mejor, la crema, la flor y nata. 사회의 ~ la flor y nata de la sociedad, la crema de la sociedad. ~땅 terrano *m* [tierra *f*] de crema.

노름 juego *m*. ~하다 jugar, garitear. 돈내기 ~을 하다 jugar por dinero. 그는 ~을 해서 잃었다 El jugó y perdió.
■ ~꾼 garitero, -ra *mf*, jugador, -dora *mf*, tahur, -ra *mf*. ~방 cuarto *m* de juego. ~빚 deudas *fpl* de juego. ~질 juego *m*. ~판 casa *f* de juego, timba *f*, [불법의] garito *m*. ~패(牌) grupo *m* de los gariteros.

노름하다 =노르스름하다.
노름히 =노르스름히.

노릇 ① [구실] papel *m*, rol *m*, parte *f*. 자식 ~ el papel de la hija. 바보 ~을 하다 hacer parte de tonto. ② [일] trabajo *m*, tarea *f*, cosa *f*. 이 ~도 더 못해 먹겠습니다

No puedo aguantar más esta cosa. ③ [직책·직업] trabajo *m*, empleo *m*. 선생 ~하다 trabajar en la enseñanza. ④ [행세·행동] conducta *f*, comportamiento *m*. ~을 하다 conducirse, comportarse.

노릇노릇 amarillentamente. ~하다 (ser) amarillento. ~한 천 paño *m* amarillento, tela *f* amarillenta.

노릇노릇이 amarillentamente.

노릇하다 =노르스름하다.

노리(老吏) ① [나이 많은 아전] funcionario *m* público viejo. ② [경험을 오래 쌓아 사무에 익숙한 관리] funcionario *m* público experimentado.

노리(老羸) persona *f* vieja y flaca.

노리가늠자 =아들자.

노리개 ① [여자들의 몸치레로 차는 물건] chuchería *f* [baratija *f*] puesta por la mujer. ② [장난감] juguete *m*. ③ ((은어)) dependiente *f* del almacén.

■ ~첩 concubina *f* joven y hermosa. ~감 juguete *m*. ¶그녀는 나를 ~처럼 취급한다 Ella está jugando conmigo.

노리다[1] [(서 있는것을) 칼로 가로로 갈리어 베다] cortar transversalmente [en diagonal].

노리다[2] ① [눈에 독기를 올리어 겨누어 보다] fulminar a *uno* con la mirada, quedarse mirando fijamente [de hito en hito], clavar los ojos, tener los ojos clavados (en). ② [(차지하거나 덮치거나 없앨 목적으로) 벼르다] acechar, espiar; [미행하다] seguir, perseguir; [이용하다] aprovechar (de). 여자를 노리는 남자 hombre *m* que se aprovecha de una mujer fingiendo llevarla a su destino. 누군가가 내 생명(生命)을 노리고 있다 Buscan la ocasión de matarme. 도둑들이 내 보석을 노리고 있다 Los ladrones están al acecho de mis joyas. ③ [기회를 엿보다] acechar, espiar, atisbar, escudriñar. 옆방의 동태를 ~ espiar lo que pasa en el cuarto de al lado. 기회를 ~ acechar la ocasión, buscar la coyuntura. 그것이 바로 그가 노리는 점이다 Eso es justamente lo que busca / De eso justamente trata de sacar partido. 그가 아픈 것은 우리가 노린 점이다 Aprovechémonos [Valgámonos] de su enfermedad.

노려보다 *mirar* feroz *y* penetrante, mirar fijamente, apuñalar con la mirada, aojar, fascinar; [아니꼽게] mirar de reojo; [눈독을 들여] observar, notar, saber por intuición. 무서운 눈으로 ~ mirar airadamente.

노리다[3] ① [털이 타는 냄새가 노래기의 냄새와 같다] (ser) nauseabundo, fétido, hediondo, oler como la grasa quemada. ② [비위가 거슬리도록 마음 쓰는 것이 다랍다] (ser) tacaño, mezquino, agarrado, sórdido, vergonzoso, infame, *AmS* amarrete.

노리착지근하다 (ser) algo fétido.

노리착지근히 algo fétidamente.

노리치근하다 ((준말)) =노리착지근하다.

노린내 olor *m* hediondo, olor *m* fétido, olor *m* nauseabundo, olor *m* apestoso, olor *m* de la grasa quemada. ~ 나다 oler muy mal, apestar.

노린동전(-銅錢) muy poca cantidad *f* de dinero.

노릿하다 (ser) algo fétido, oler a un poco de pelo quemado. 노릿한 냄새 olor *m* algo fétido.

노마(老馬) caballo *m* envejecido, caballo *m* viejo.

노마(怒馬) ① [노한 말] caballo *m* enojado. ② [살찌고 강한 말] caballo *m* gordo y fuerte.

노마(路馬) ① [왕이 타는 말] caballo *m* que toma el rey. ② [몸집이 큰 말] caballo *m* grande.

노마(駑馬) ① [걸음이 느린 말] caballo *m* de paso lento. ② [재능이 둔하고 남에게 빠지는 사람] persona *f* estúpida.

노마님(老-) señorita *f* vieja, señora *f* vieja.

노망(老妄) chochera *f*, chochez *f*, demencia *f* senil, senilidad *f*, decrepitud *f*, debilidad de juicio. ~하다 (estar) chocho, débil de juicio, decrépito, chochear. ~한 노인 viejo *m* [anciano *m*] chocho [que chochea], vieja *f* [anciana *f*] chocha [que chochea].

◆노망(이) 나다 aparecer la chochera, aparecer el síntoma chocho. 노망(이) 들다 chochear, chochar.

■ ~병 presbiofrenía *f*.

노망태기(-網-) bolsa *f* de malla

노면(路面) superficie *f* del camino [de la calle]; [가로(街路)] calle *f*. ~을 보수하다 repavimentar el camino. ~이 얼어 있다 La calle está helada.

■ ~ 전차 tranvía *m* (a nivel). ~ 포장 firme *m*, pavimento *m*. ¶~하다 revestir, recubrir; [아스팔트로] asfaltar.

노명(奴名) nombre *m* del esclavo.

노명(露命) vida *f* efímera como un rocío.

노모(老母) madre *f* vieja. 칠순 ~ madre *f* vieja que tiene setenta años de edad. ~를 봉양하다 atender a la madre vieja.

노모그래프(영 *nomograph*) nomografía *f*.

노모그램(영 *nomogram*) nomograma *m*.

노모성 치매(老耄性癡呆) =노인성 치매.

노모스(그 *nomos*) nomo *m*.

노목(老木) árbol *m* viejo.

노목(怒目) ojos *mpl* enojados.

■ ~시지(視之) vista *f* con ojos enojados.

노무(勞務) trabajo *m*, labor *f*, servicio *m*, negocios *mpl* de la labor. ~를 제공하다 ofrecer *sus* servicios. ~에 종사하다 dar *sus* servicios.

■ ~ 공급 oferta *f* laboral, oferta *f* de trabajo. ~ 공급 사업 proyecto *m* de oferta laboral, proyecto *m* de oferta de trabajo. ~과 sección *f* de dirección de personal. ~관 oficial *mf* de labor. ~ 관리 dirección *f* de personal, administración *f* [manejo *m*] personal [de labor]. ~ 대책 política *f* de trabajo. ~ 동원 movilización *f* de labor. ~ 물자(物資) mercancías *fpl* para labores.

~비 costes *mpl* de mano de obra, costes *mpl* de personal, gastos *mpl* de labor, *AmL* costos *mpl* de mano de obra, *AmL* costos *mpl* de personal. ~ 수급 demanda *f* de mano de obra, demanda *f* laboral. ~ 수첩 tarjeta *f* de labor, folleto *m* de labor. ~ 시찰 inspección *f* de trabajo, inspección *f* de labor. ~ 이동 rotación *f* de mano de obra, rotación *f* de personal, movimiento *m* de labor. ~자[원] obrero, -ra *mf*; trabajador, -dora *mf*; [인부(人夫)] peón *m* (*pl* peones); [날품팔이] jornalero, -ra *mf*. ~ 출자 inversión *f* de labor.

노무력하다(老無力-) no tener fuerza por la vejez.

노무용하다(老無用-) no valer nada por la vejez.

노문(路門) puerta *f* del castillo del rey.

노문(露文) caracteres *mpl* en ruso.

노물(老物) ① [늙어서 쓸모없는 사람] persona *f* que no vale nada por la vejez. ② [낡은 물건] objeto *m* viejo, artículo *m* viejo.

노뭉치 bola *f* de cuerda.

노박이다 ① [계속해서 오래 붙박이다] quedar inmóvil, seguir siendo puesto mucho tiempo. ② [한 가지 일에만 줄곧 들러붙다] pegar continuamente.
노박이로 ㉮ [계속해서 오래 붙박이로] firmemente, con firmeza. ㉯ [끊임없이 줄곧] constantemente, sin cesar, sin parar, continuamente, ininterrumpidamente.

노박하다(魯朴-) (ser) tonto y sencillo. 노박함 la tontería y la sencillez.

노반(路盤) [도로의 기반] infraestructura *f*; [도로의 포장] firme *m*, calzada *f* (de carretera), pavimento *m*; [철로의] terraplén *m*.
▪ ~ 공사 obra *f* de infraestructura.

노반박사(鑪盤博士) 【역사】 moldeador *m*.

노발대발(怒發大發) furia *f*, rabia *f*, cólera *f*. ~하다 enfurecerse, montar en cólera, ponerse hecho una furia, estar furioso, rabiar, expresar *su* furia.

노방(路傍) borde *m* de un camino. ~에서 en el borde de un camino.
▪ ~초 hierba *f* en el borde del camino.

노배(奴輩) hombres *mpl*.

노배(老輩) viejos *mpl*.

노벨 【인명】 Alfredo Nóbel (1833-1896). ~은 스웨덴의 실업가며 화학자로 다이너마이트를 발명했으며 문학, 평화, 의학, 물리와 화학 분야에서 인류에 공헌이 있는 자에게 매년 수여하는 다섯 개의 상을 유언으로 만들었다 Alfredo Nóbel fue industrial y químico sueco, inventor de la dinamita y instituyó en su testamento cinco premios que se conceden anualmente a los bienhechores de la humanidad en los campos siguientes: Literatura, Paz, Fisiología y Medicina, Física y Química.
▪ ~ 문학상(文學賞) Premio *m* Nóbel de Literatura. ~ 물리상 Premio *m* Nóbel de la Física. ~상 Premio *m* Nóbel. ¶~을 수상하다 ser galardonado [laureado] con el Premio Nóbel. 그는 1999년에 ~을 수상했다 El fue galardonado [laureado] con el Premio Nóbel en 1999 / El ganó el Premio Nobel en 1999 / Le dieron el Premio Nobel en 1999. ~상 수상자 ganador, -dora *mf* del Premio Nóbel; laureado, -da *mf* con el Premio Nóbel. ~ 의학상 Premio *m* Nóbel de Medicina. ~ 평화상 Premio *m* Nóbel de la Paz. ¶김대중 대통령은 2000년에 ~을 수상했다 El Presidente Kim Dae Jung fue laureado con el Premio Nóbel de la Paz en 2000 / El Presidente Kim Dae Jung ganó el Premio Nobel de la Paz en 2000 / Al Presidente Kim Dae Jung le dieron el Premio Nobel de la Paz en 2000. ~ 화학상 Premio *m* Nóbel de la Química.

노벨륨(영 *nobelium*) 【화학】 nobelio *m*.

노변(路邊) borde *m* del camino.

노변(爐邊) alrededor [cerca] del hogar [del fogón]. ~에 앉다 sentarse alrededor [cerca] del hogar.

노병(老兵) soldado *m* viejo. ~은 죽지 않고 다만 사라질 뿐이다 El soldado viejo nunca muere, sino se desaparece solamente.

노병(老病) enfermedad *f* senil, decrepitud *f*, enfermedad *f* de vejez. ~으로 죽다 morir de vejez.

노병(勞兵) el obrero y el soldado.

노복(奴僕) sirviente *m*, criado *m*.

노복(老僕) sirviente *m* viejo.

노복(蘆菔) 【식물】 nabo *m*.

노봉(虜鋒) filo *m* de la espada del ejército enemigo.

노부(老父) ① [늙은 아버지] padre *m* viejo. ② [자기의 늙은 아버지] mi padre viejo.

노부(老夫) hombre *m* viejo.

노부(老婦) mujer *f* vieja, señora *f* vieja.

노부모(老父母) padres *mpl* viejos.

노부부(老夫婦) esposos *mpl* viejos.

노부인(老婦人) mujer *f* vieja.

노불[1](老佛) ① [늙은 부처] (estatua *f* de) Buda *m* viejo. ② [늙은 중의 경칭] sacerdote *m* (budista) viejo.

노불[2](老佛) ① [노자와 석가] Lao-Tsé y Shakamuni. ② [도교(道敎)와 불교(佛敎)] el taoísmo y el budismo.

노불[1](露佛) [러시아와 불란서] Rusia y Francia. ~의 ruso y francés.

노불[2](露佛) [노천에 안치한 불상] estatua *f* de Buda en el aire libre.

노비(奴婢) sirvientes *mpl*, siervos *mpl*, siervo y sierva

노비(老婢) criada *f* vieja.

노비(勞費) =노임(勞賃).

노비(路費) =노자(路資).

노비(蘆蜚) 【곤충】 chinche *m*.

노뼈 【해부】 =요골(橈骨).

노사(老士) ① [늙은 선비] sabio *m* viejo. ② [늙은 전사(戰士)] guerrero *m* viejo.
▪ ~숙유(宿儒) sabio *m* viejo y erudito.

노사(老死) muerte *f* de vejez. ~하다 morir

de vejez.

노사(老師) maestro *m* viejo.

노사(勞使) patrones y obreros, obreros y patrones. ~간(間)의 obrero-patronal, entre patrones y obreros. ~의 분쟁 conflicto *m* entre patrones y obreros.

■~ 간담회 conferencia *f* de la mesa redonda entre patrones y obreros. ~ 관계 relaciones *fpl* laborales, relaciones *fpl* entre patrones y obreros, relaciones *fpl* obrero-patronales. ~법 ley *f* laboral. ~ 분규(紛糾) conflicto *m* entre patrones y obreros. ~ 분규 조정 위원회 comité *m* mediador del conflicto entre patrones y obreros. ~ 비율 proporción *f* entre patrones y obreros. ~ 협의회 comisión *f* bilateral empresariado-trabajadores, conferencia *f* conjunta entre patrones y obreros. ~ 협의회법 ley *f* de Comisión Bilateral Empresariado-Trabajadores. ~ 협조 cooperación *f* entre patrones y obreros. ~ 협조 노선 orientación *f* conciliadora entre el patrono y los obreros. ~ 휴전 tregua *f* obrero-laboral.

노사(勞思) inquietud *f*, ansiedad *f*. ~하다 inquietarse (por).

노사(鷺鷥)【조류】=해오라기.

노사등(鷺鷥藤)【식물】=인동덩굴.

노사미(老沙彌) sacerdote *m* budista viejo.

노산(老産) ① [마흔 살이 넘어서 아이를 낳음] parto *m* de la mujer que tiene más de cuarenta años de edad. ② [늙어서 아이를 낳음] parto *m* en la edad anciana [vieja].

노상 siempre, invariablemente, constantemente, por lo general, habitualmente, normalmente. ~…하다 soler + *inf*. ~ 책만 읽다 siempre leer los libros. 그는 ~ 거짓말만 한다 El es un mentiroso habitual. 두 사람은 ~ 싸운다 Los dos siempre se pelean. 그는 ~ 담배만 피운다 El está fumando constantemente / El sigue fumando. 그는 ~ 학교에 지각한다 El llega tarde a la escuela habitualmente. 나는 ~ 사람의 이름을 잊는다 Me olvido constantemente los nombres de la gente. 나는 ~ 그렇게 생각했다 Yo solía pensarlo así. ~ 그렇게 쉽게 우리를 속이도록 두지 않겠다 No dejaremos que sigan engañándonos tan fácilmente. 일이 ~ 바라는 대로 좋은 결과를 주지는 않는다 Las cosas no siempre dan los buenos resultados que uno desea. 그는 정원에서 일하면서 ~ 일요일을 보냈다 El solía pasarse los domingos trabajando en el jardín / Por lo general él se pasaba los domingos trabajando en el jardín.

노상(老相) primer ministro *m* viejo.

노상(路上) (en) el camino, (en) la calle, (en) la vía pública.

■~ 강도 ㉮ [행위(行爲)] salto *m*, robo *m* en los caminos, asalto *m* (en un camino), salteamiento *m*. ¶~를 하다 robar (a *uno*) en el camino, saltear (a *uno*). ㉯ [사람] salteador, -dora *mf* (de camino); bandido *m*; bandolero *m*. ~ 사고 accidente *m* en el camino. ~ 성능 시험 [새 자동차의] prueba *f* de carretera. ¶~을 하다 someter a una prueba de carretera. ~ 시험 운전 prueba *f* de carretera. ~ 실기 시험 [운전 면허 취득을 위한] prueba *f* de carretera. ¶~을 하다 someter a una prueba de carretera. ~ 안면 conocimiento *m* casual. ~ 주차(駐車) aparcamiento *m* [*AmL* estacionamiento *m*] en la vía pública.

노상(路床) =노반(路盤).

노상(魯桑) una especie del moral.

노상(露霜) ① [이슬과 서리] el rocío y la escarcha. ② [늦가을의 서리] escarcha *f* que se congela el rocío en el otoño tardío.

노새【동물】mulo *m*; [암컷] mula *f*.

노색(老色) color *m* conveniente para los ancianos.

노색(怒色) semblante *m* enojado, cara *f* enojada, cólera *f*, enojo *m*, ira *f*, enfado *m*.

노서아(露西亞)【지명】Rusia. ☞러시아

■~어 ruso *m*.

노선(路線) ① [한 지점에서 다른 한 지점에 이르는 도로·선로·자동차 등의 교통선] ruta *f*, recorrido *m*, línea *f*. 근처에 14번 버스 ~이 있다 Está cerca de la ruta [del recorrido] del 14 (catorce). 서울-동경 ~에는 하루에 비행기가 몇 편 있습니까? ¿Cuántos vuelos al día tienen ustedes en la ruta de Seúl-Tokio? ② [일정한 목표를 향하여 나아가는 길. 방침(方針)] línea *f* (de conducta), política *f*, orientación *f*. 협조 ~을 택하다 adoptar una política de cooperación.

◆강경 ~ línea *f* dura. 버스 ~ ruta *f* de los autobuses, recorrido *m* de los autobuses. 정책 ~ línea *f* de política. 정치 ~ línea *f* política. 항공 ~ aerolínea *f*.

■~도 mapa *m* de ruta. ~ 버스 autobús *m* de un trayecto fijo. ~ 설정(設定) alineamiento *m*.

노선생(老先生) ① [늙은 선생님] maestro *m* viejo, maestra *f* vieja. ② [늙고 지위가 높은 사람] persona *f* vieja y del alto grado.

노섬(老蟾) luna *f*.

노성(老成) ① [성숙함] madurez *f*. ~하다 (ser) maduro. 그는 나이에 비해 ~하다 El es muy maduro para su edad. ② [경험이 많은 일] mucha experiencia. ~하다 tener mucha experiencia.

■~인 persona *f* madura, persona *f* que tiene mucha experiencia.

노성(老聲) voz *f* del viejo.

노성(怒聲) voz *f* enojada, grito *m* de cólera.

노성(駑性) carácter *m* estúpido.

노성(櫓聲) sonido *m* de bogar al remo.

노성냥 una especie del fósforo.

노소(老少) los jóvenes y los viejos, los jóvenes y ancianos, los jóvenes o los viejos. ~를 막론하고 인기가 있다 ser popular tanto entre los jóvenes como entre los mayores.

■~간(間) entre los jóvenes y los viejos,

entre los jóvenes y los mayores. ~동락(同樂) lo que se alegran juntos los jóvenes y los viejos. ¶~하다 alegrarse juntos los jóvenes y los viejos.
노소남북(老少南北) 【역사】 cuatro partidos.
노소년(老少年) 【식물】 =색비름.
노속(奴屬) sirvientes *mpl.*
노손(櫓一) mango *m* del remo.
노송(老松) ① [늙은 소나무] pino *m* viejo. ② ((준말)) =노송나무.
노송나무(老松一) 【식물】 (una especie de) ciprés (oriental de hoja delgada); ((성경)) el haya *f* (*pl* las hayas).
노쇠(老衰) decrepitud *f*, chochez *f*, debilidad *f* senil. ~하다 decrepitarse, hacerse senil, padecer debilidad senil, chochear, estar decrépito [chocho · caduco], marchitarse; ((성경)) envejecer. ~로 죽다 morir de vejez. 그녀의 아름다움이 ~하기 시작한다 Su belleza empieza a marchitarse.
■ ~기(期) senectud *f*, época *f* senil. ~목(木) árbol *m* senil. ~사(死) muerte *f* senil.
노수(老手) habilidad *f* experta, persona *f* que tiene habilidad experta.
노수(老叟) viejo, -ja *mf.*
노수(老壽) longevidad *f*, vida *f* larga. ~하다 gozar de una larga vida.
노수(老樹) =노목(老木).
노수(勞嗽) 【한방】 enfermedad *f* que se debilita y tiene tos y escalofrío por la bebida excesiva y la sexualidad excesiva.
노수(路需) =노자(路資).
노수(滷水) =간수(水).
노수(魯叟) 【인명】 Confucio.
노숙(老宿) persona *f* que tiene mucho conocimiento y mucha experiencia.
노숙(老熟) mucha experiencia. ~하다 tener mucha experiencia. ~한 남자 veterano *m*, hombre *m* veterano, hombre *m* que tiene mucha experiencia.
노숙히 con mucha experiencia.
노숙(露宿) vivaque *m*, vivac *m*, campamento *m*. ~하다 vivaquear, acampar.
노스님(老一) sacerdote *m* budista viejo.
노스탈지(불 *nostalgie*) [향수] nostalgia *f.*
노스탤지어(영 *nostalgia*) [향수] nostalgia *f.*
노승(老僧) sacerdote *m* budista viejo, monje *m* budista viejo.
노시(老視) =노안(老眼).
노신(老臣) vasallo *m* viejo.
노신(老身) cuerpo *m* viejo.
노신랑(老新郞) novio *m* viejo.
노신부(老新婦) novia *f* vieja.
노실(路室) posada *f*, fonda *f.*
노실하다(老實一) (ser) maduro y sincero.
노심(勞心) ansiedad *f*, preocupación *f*, ansia *f*, solicitud *f.* ~하다 estar preocupado (por), estar inquieto (por), tener preocupado (por), preocuparse (por), inquietarse (por), devanarse los sesos (para), desvivirse (por).
■ ~초사(焦思) =노심(勞心).
노아(헤 *Noah*) 【인명】 ((성경)) Noé.
■ ~의 방주 ((성경)) el arca *f* de Noé. ~의 홍수 ((성경)) aguas *fpl* de Noé, diluvio *m.*
노아가다 ① [배가 빨리 가다] navegar rápidamente, deslizarse empujado. ② [말이 빨리 달려가다] galopar.
노악 취미(露惡趣味) exhibicionismo *m.*
노안(奴顔) cara *f* vil, rostro *m* servil.
■ ~비슬(婢膝) actitud *f* vil como siervo.
노안(老眼) presbicia *f*, presbiopía *f*, vista *f* cansada, vista *f* senil, ojos *mpl* que tienen la vista débil por la vejez. ~의 présbita, presbíope. ~이 되다 ser afectado de présbita.
■ ~ 유명(猶明) La vista del viejo es más clara. ~자(者) présbita *mf*, presbíope *mf.*
노안(老顔) cara *f* vieja, cara *f* envejecida, rostro *m* viejo, rostro *m* envejecido.
노안(蘆岸) colina *f* al borde del agua cubierta de cañas.
노안(蘆雁) ganso *m* silvestre que posa en el campo de cañas.
노안경(老眼鏡) anteojos *mpl* convexos, gafas *fpl* convexas, gafas *fpl* [lentes *fpl*] de presbita.
노암(露岩) roca *f* saliente en la tierra.
노앞 lado *m* del estribor de un bote.
노앵(老鶯) ruiseñor *m* que canta en la primavera tardía.
노야기 【식물】 =향유(香薷).
노약(老若) viejos y jóvenes.
노약(老弱) ① [늙은이와 연약한 어린이] los viejos y los niños débiles. ② [늙은이와 병약한 사람] los viejos y los enfermizos. ③ [늙어서 기운이 쇠약함, 또는 그런 사람] debilidad *f* por vejez; persona *f* debilitada por vejez.
■ ~자 los viejos y los debilitados. ¶~ 장애자를 위해 비워 둡시다 Dejemos vaciado para los viejos, los debilitados y los minusválidos. ~자 · 장애자(障碍者) (지정)석 (Asiento *m*) Reservado *m.*
노양(老孃) solterona *f*, señorita *f* que pasa de la edad núbil.
노어(魯魚) escritura *f* equivocada.
■ ~지오(之誤) facilidad *f* de escribir equivocadamente.
노어(露語) ruso *m.*
■ ~ 노문학과 departamento *m* de la literatura rusa.
노어(鱸魚) 【어류】 =농어.
노엘(불 *Noël*) ① [크리스마스] la Navidad. ② [크리스마스 축가] villancico *m.*
노여움(怒一) ira *f*, cólera *f*, enojo *m*, enfado *m.* 할아버지의 ~을 사다 incurrir en el enojo de *su* abuelo.
노여워하다(怒一) enfadarse, enojarse, irritarse, enfurecerse.
노역(老役) papel *m* de viejo. ~을 잘 해내다 desempeñar bien el papel de viejo.
노역(勞役) labor *f*, trabajo *m*; [고역(苦役)] pena *f*, fatiga *f*, faena *f* laborisa. ~에 복역하다 obedecer a un trabajo duro.

■ ~장(場) asilo *m* de pobres.
노역(露譯) traducción *f* al ruso. ~하다 traducir al ruso.
노연 분비(勞燕分飛) despedida *f*, separación *f*.
노염(老炎) calor *m* tardío.
노염(怒-) ((준말)) =노여움.
노엽다(怒-) estar ofendido, estar disgustado (con).
노영(老嬴) debilidad *f* por vejez.
노영(露營) vivaque *m*, vivac *m*, campamento *m*. ~하다 vivaquear, acampar(se), poner el campamento.
■ ~지 campamento *m*.
노예(奴隸) esclavo, -va *mf*; siervo, -va *mf*; [집합적] esclavitud *f*, esclavatura *f*. ~의 servil. ~ 같은 esclavizado. 야심의 ~가 된 사나이 hombre *m* esclavo de la ambición. ~로 삼다 esclavizar. ~ 취급하다 tratar como un esclavo. 돈의 ~다 ser esclavo del dinero. 그는 여자를 ~로 삼았다 El tuvo esclavizada a una mujer. 그는 ~로 팔렸다 Le vendieron como esclavo. 이제 나는 당신의 ~가 아니다 ¡Yo no soy tu criado [sirviente]. 그녀는 알코올의 ~다 Ella es esclava del alcohol. ~들은 반란을 일으켰다 Se sublevaron los esclavos. 그는 ~와 같은 생활을 했다 El vivió en esclavitud.
■~ 경제 economía *f* servil. ~ 근성(根性) servilismo *m*, espíritu *m* servil. ~ 노동 trabajo *m* de los esclavos. ¶~으로 건설된 도로 carreteras *fpl* construidas con el trabajo de los esclavos. ~ 매매[무역] comercio *m* [trata *f*·tráfico *m*] de esclavos; [흑인의] tráfico *m* de negros. ~ 상인 negrero, -ra *mf*. ~ 상태 servilismo *m*, estado *m* servil. ~ 생활 esclavitud *f*. ~선 [무역선] barco *m* negrero. ~ 시장(市場) mercado *m* de los esclavos. ~ 신세 esclavitud *f*. ~ 제도 esclavitud *f*. ~ 제도 지지자 esclavista *mf*. ~제 사회 sociedad *f* de esclavitud. ~주(州) [미국의 남북 전쟁 이전에 노예 제도가 합법화되었던 남부의 주] estado *m* esclavista. ~ 폐지 abolición *f* de la esclavitud. ~ 폐지론 abolicionismo *m*. ~ 폐지론자 abolicionista *mf*. ~ 폐지 운동 moción *f* antiesclavista. ~ 해방(解放) emancipación *f* de los esclavos, manumisión *f*.
노오라기 pedazo *m* de cuerda.
노옥(老屋) casa *f* vieja.
노옹(老翁) hombre *m* viejo y venerable, señor *m* de edad avanzada.
노옹수(老翁鬚) 【식물】 madreselva *f*.
노요곡(路謠曲) 【음악】 =길군악.
노욕(老慾) codicia *f* del viejo.
노용 【한방】 =녹용(鹿茸).
노용(路用) gastos *mpl* de viaje.
노우(老友) amigo *m* viejo, amiga *f* vieja.
노우(老優) ① [늙은 배우] actor *m* viejo, actriz *f* vieja. ② [노련한 배우] actor *m* experto, actriz *f* experta.
노웅(老雄) héroe *m* viejo.
노유(老幼) los niños y los viejos.
노유(老儒) confuciano *m* viejo.
노육(努肉) =궂은살.
노은(勞銀) =품삯.
노을 bruma *f*, niebla *f*, calima *f*, neblina *f*.
노이로제(독 *Neurose*) neurosis *f*. ~에 걸린 (사람) neurótico, -ca *mf*. ~에 걸리다 tener una neurosis, padecer una neurosis. ~를 앓다 sufrir de neurosis. 심한 ~에 걸리다 padecer una neurosis fuerte. 그는 ~ 증상이 있다 El tiene síntomas de neurosis / El está algo neurótico.
■ ~ 환자 neurótico, -ca *mf*, psicópata *mf*.
노이무공(勞而無功) esfuerzo *m* vano. ~하다 esforzarse [hacer esfuerzos] en vano.
노익장(老益壯) edad *f* vieja vigorosa. ~을 과시하다 lucir la ageracia. ~을 자랑하다 gozar de la edad vieja vigorosa, ser saludable y fuerte.
노인(老人) viejo, -ja *mf*; anciano, -na *mf*; provecto, -ta *mf*. ~의 geriátrico. ~을 공경하다 respetar a los viejos.
■ ~간(姦) gerontofilia *f*. ~경(鏡) anteojos *mpl* convexos, gafas *fpl* convexas, gafas *fpl* de presbita, lentes *fpl* de presbita. ~무치증(無齒症) anodontia *f* senil. ~병(病) geriatría *f*, enfermedad *f* senil, enfermedades *fpl* de ancianos. ~병 전문의 geriatra *mf*; gerontólogo, -ga *mf*; geriátrico, -ca *mf*. ~병학 geriatría *f*. ~ 산업 industria *f* geriátrica. ~성 gerontal, senil. ~성 각화증(性角化症) queratosis *f* senil. ~성 괴저(性壞疽) presbisfacelo *m*. ~성 난청(性難聽) presbicusis *f*. ~성 소양증(性搔痒症) prurito *m* senil. ~성 심장병 presbicardia *f*. ~성 자궁 내막염 endometritis *f* vetratum. ~성 자반병(性紫斑病) púrpura *f* senil. ~성 질염(性膣炎) vaginitis *f* senil. ~성 치매 demencia *f* senil. ~성 피부 위축 biotripsis *f*. ~성 혈관 확장 ectasia *f* senil. ~성 흑점 lentigo *m* senil. ~ 양생(養生) senicultura *f*. ~의 날 día *m* de los Ancianos. ~ 의학 gerontología *f*, medicina *f* geriátrica, geriatría *f*. ~ 자제(子弟) hijo *m* que el viejo dio a luz. ~ 잔치 banquete *m* para los ancianos. ~장(丈) señor *m* viejo, (hombre *m*) viejo *m*. ~정(亭) pabellón *m* [quiosco *m*] para (los) ancianos. ~ 정신병 psicosis *f* senil. ~ 정신학 geropsiquiatría *f*. ~ 정치 gerontocracia *f*. ~ 정치가 gerontócrata *mf*. ~ 치과 geriatría *f* dental. ~ 치료 gerontoterapia *f*. ~학 gerontología *f*. ~환(環) arco *m* senil.
노인(路人) persona *f* que va por el camino.
노인(路引) 【역사】 pasaporte *m* para los soldados o los vendedores.
노인단풍(老人丹楓) 【식물】 arce *m* coreano.
노인당(老人堂) pabellón *m* [quiosco *m*] para (los) ancianos.
노일(勞逸) la pena y el ocio.
노일(露日) Rusia y Japón. ~의 ruso-japonés.

노일 전쟁(露日戰爭) Guerra Ruso-Japonesa.
노임(勞賃) salario *m*, sueldo *m*, paga *f*, [일당(日當)] jornal *m*. ~을 받다 cobrar el jornal [la paga]. ~을 지불하다 pagar el jornal.
◆최고(最高) ~ jornal *m* máximo. 최저(最低) ~ jornal *m* mínimo.
■~ 인상(引上) subida *f* de jornal. ~ 체불(滯拂) jornal *m* no pagado.
노자(奴子) =노복(奴僕).
노자(老子) ①【인명】Lao-tsé, Laocio. ~는 도가(道家)의 시조(始祖)이다 Lao-tsé es fundador del taoísmo. ②【책】((준말)) =노자도덕경(老子道德經).
노자(勞資) [노동과 자본] capital *m* y trabajo; [노동자와 자본가] trabajadores *mpl* y capitalistas.
■~ 관계 relaciones *fpl* entre el trabajo y el capital [entre los trabajadores y los capitalistas]. ~ 문제 problema *m* entre los trabajadores y los capitalistas. ~ 협조(協助) acuerdo *m* del capital y el trabajo.
노자(路資) pasaje *m*, gastos *mpl* de viaje.
노자(盧子) =눈동자.
노자도덕경(老子道德經)【책】la Sutra de la Moral de Lao-tsé.
노작(勞作) ① [힘써 일함] trabajo *m* (diligente), esfuerzo *m*. ② [역작(力作)] obra *f* laboriosa. 이것은 김 선생의 수년 동안의 ~이다 Esta obra consagró el Sr. Kim muchos años de trabajo / Esta obra es el fruto de los esfuerzos de muchos años del Sr. Kim.
노작지근하다 estar muy cansado.
노장(老壯) los viejos y los jóvenes.
노장(老長/老丈) ① ((불교)) ((준말)) =노장중. ② [늙은 중] sacerdote *m* (budista) viejo.
■~중 sacerdote *m* (budista) viejo y virtuoso.
노장(老將) ① [늙은 장수] general *m* viejo. ② [경험이 많은 노련한 장수] general *m* experto, general *m* de mucha experiencia. ③ [노련한 사람] experto, -ta *mf*, perito, -ta *mf*.
■노장은 병담(兵談)을 아니하고 양고(良賈)는 심장(深藏)한다 ((속담)) El buen hombre no se enorgullece de su talento excelente o su virtud al azar.
노장(虜將) general *m* enemigo.
노장(路葬)【민속】sepultura *f* en el centro del camino del cadáver de los jóvenes. ~하다 sepultar los cadáveres de los jóvenes en el centro del camino.
노장군(老將軍) general *m* viejo.
노재(奴才) ① [열등한 재주] talento *m* inferior. ② [남자 종] esclavo *m*, siervo *m*.
노저(壚邸) taberna *f*.
노적(露積) ① [곡식을 한데 쌓아 둠] amontamiento *m* de los cereales al aire libre, acumulación *f* de granos. ② =노적가리.
■~가리 montón *m* de cereales al aire libre, granos *mpl* acumulados. ~장(場) lugar *m* de amontar los cereales.
노전(鹵田) terreno *m* seco con sal.
노전(路錢) =노자(路資).
노전사(老戰士) guerrero *m* viejo.
노점(露店) puesto *m* (al aire libre), caseta *f*, parada *f*, mesilla *f* de feria [de mercado], *Méj* tenderete *f*. ~을 벌이다 abrir un puesto de calle. 축제에 ~이 많이 섰다 Se han instalado muchos puestos en la fiesta.
■~상 vendedor, -dora *mf* de puesto [en calle], vendedor, -dora *mf* al aire libre.
노점(露點)【물리】punto *m* de rocío.
■~ 습도계 higrómetro *m* de punto de rocío.
노정(路程) ① [길의 이수(里數)] trayecto *m*, distancia *f*. ② [여정(旅程)] itinerario *m*, viaje *m*.
■~계 odómetro *m*. ~기(記) libro *m* de viaje. ~표 tabla *f* de itinerario.
노정(露井) pozo *m* sin techado.
노정(露呈) revelación *f*, descubrimiento *m*. ~하다 revelarse, descubrirse. 모순이 ~되었다 Se reveló una contradicción.
노조(勞組) ((준말)) =노동조합(勞動組合).
노족(老足) pies *mpl* del viejo.
노졸(老卒) =노병(老兵).
노졸(老拙) ① [늙고 못생김] la vejez y la fealdad. ② =노생.
노좌(露坐) estancia *f* al aire libre.
노주(奴主) el amo y el sirviente.
노주(老酒) ① [선달에 담가서 해를 묵혀 떠낸 술] vino *m* [licor *m*] añejo, bebida *f* alcohólica añeja. ② [술로 늙은 사람] persona *f* vieja por el licor.
노주(露珠) gota *f* del rocío.
노중(路中) centro *m* del camino.
노즐(영 *nozzle*) tobera *f*, boquilla *f*.
◆분사(噴射) ~ boquilla *f* [tobera *f*] de inyección.
노증(勞症/癆症)【한방】=폐결핵(肺結核).
노지(露地) terreno *m* descubierto.
■~ 재배(栽培) cultivación *f* en terreno descubierto.
노질(老疾) ① [노병(老病)] enfermedad *f* senil, enfermedad *f* de vejez, decrepitud *f*. ~로 죽다 morir de vejez. ② [늙음과 병듦] la vejez y la enfermedad.
노질(駑質/魯質) carácter *m* estúpido.
노질(櫓-) remo *m*. ~하다 remar. ~로 강을 건너다 cruzar el río a remo. 그는 해안쪽으로 ~했다 El remó hacia la orilla.
노차(路次) =노중(路中).
노차(露次) =노숙(露宿).
노차병(老且病) la vejez y la enfermedad.
노참(勞慘) pena *f* por el cansancio. ~하다 afligirse por el cansancio.
노창(老蒼) ① [늙은이] viejo, -ja *mf*. ② [늙어서 머리가 흼] cana *f* por la vejez. ③ [노성하여 점잖고 의젓함] gentileza *f*, amabilidad *f*.
노처(老妻) mi mujer vieja.
노처(露處) residencia *f* al aire libre. ~하다 residir al aire libre.

노처녀(老處女) solterona *f.*
노천(露天) aire *m* libre. ~에서 al raso, a cielo abierto; [야외에서] al aire libre. ~에서 목욕하다 bañarse al aire libre.
■~ 갑판 cubierta *f* al aire libre. ~ 강당 auditorio *m* al aire libre. ~ 공연 función *f* al aire libre. ~광 alforamiento *m.* ~굴 mina *f* a cielo abierto. ~ 극장 teatro *m* al aire libre. ~상(商) puesto *m* al aire libre. ~ 상인 vendedor, -dora *mf* al aire libre. ~ 수업 clase *f* al aire libre. ~ 시장 mercadillo *m* [mercado *m*] al aire libre. ~ 채굴 mina *f* a cielo abierto.
노체(老體) ① [노구(老軀)] cuerpo *m* viejo. ② [노인(老人)] viejo, -ja *mf.*
노체(爐體) cuerpo *m* del horno.
노초(蘆草) 【식물】 =갈대.
노초(蘆草) plantas *fpl* que se se mojan con el rocío.
노초(露礁) peña *f* del centro del mar sobre la superficie del agua.
노총 secreto *m* de una fecha (fija).
◆노총(을) 지르다 revelar el secreto del tiempo.
노총(勞總) ((준말)) =노동 조합 총연합회.
노총각(老總角) solterón *m* (*pl* solterones).
노추(奴雛) niño, -ña *mf* de los esclavos.
노추(老醜) fealdad *f* por la vejez, la vejez y la suciedad. ~하다 ser feo por la vejez. ~를 드러내다 seguir viviendo como un desagradable hombre viejo.
노출(露出) ① [드러나거나 드러냄] revelación *f*, descubrimiento *m*, exhibición *f.* ~하다 revelar, descubrir, exhibir, exponer desnudo, dejar descubierto; [지표(地表)에] alforar. ~된 expuesto, descubierto, desabrigado, desnudo. 가슴을 ~하고 con el pecho descubierto. 어깨를 ~하고 있다 llevar los hombros descubiertos. ② 【사진】 exposición *f.* ~하다 exponer. 이 사진은 ~이 과도[부족]하다 Esta foto está sobreexpuesta [subexpuesta].
■~계 exposímetro *m*, fotómetro *m.* ~광 exhibicionista *mf.* ~증 exhibicionismo *m.* ~증 환자 exhibicionista *mf.*
노췌(老悴) flaqueza *f* por la vejez. ~하다 ser flaco por la vejez.
노췌(勞瘁) flaqueza *f* por el cansancio. ~하다 ser flaco por el cansancio.
노치(老齒) diente *m* del viejo.
노치(孥稚) *su* esposa y *su* hijo.
노친(老親) ① [늙은 부모] *sus* padres viejos. ② ((높임말)) viejo, -ja *mf.*
노커(영 *knocker*) ① [현관의 문 두드리는 고리쇠] aldaba *f*, llamador *m*, aldabón *m* (*mpl* aldabones). ② [독설가] criticón, -cona *mf.*
노크(영 *knock*) aldabonazo *m*, llamada *f.* ~하다 llamar (a la puerta), golpear.
노킹(영 *knocking*) ① [노크 소리] golpes *mpl.* ② [(엔진의) 노킹·폭연(爆煙)] golpeteo *m*, *AmL* cascabeleo *m.*
노태(老態) chochera *f*, chochez *f.* ~가 나다 chochear; [상태] estar decrépito [chocho·caduco]. ~가 나는 chocho.
노태(駑駘) caballo *m* lento.
노토(壚土) =부식토(腐植土).
노퇴(老退) retirada *f* por la vejez. ~하다 retirarse por la vejez.
노투(怒鬪) pelea *f* cruel por la ira. ~하다 pelear cruelmente por la ira.
노트(영 *knot*) nudo *m.* 15~를 내다 hacer quince nudos. 이 배는 매시 20~로 항해한다 Este barco navega a veinte nudos por hora.
노트(영 *note*) ① [수기(手記)·각서] nota *f*, mensaje *m.* ② [주해(註解)·주석(註釋)] nota *f*, comentario *m.* ③ ((준말)) =노트북. ④ 【음악】[음표(音標)] nota *f.* ⑤ [필기·표기] nota *f.* ~하다 apuntar, anotar.
■~북 ㉮ [공책(空冊)] cuaderno *m.* ㉯ 【컴퓨터】 ordenador *m* portátil, *AmL* computadora *f* portátil, *AmL* computador *m* portátil. ~장(帳) hoja *f* del cuaderno.
노티(老-) =노태(老態).
노파(老婆) vieja *f*, anciana *f.*
■~심(心) solicitud *f* excesiva, precaución *f* inútil, exceso *m* de solicitud. ¶~에서 충고를 드립니다만 … Aunque pensará usted que me meto en lo que no me importa, le aconsejo que + *subj.*
노폐(老廢) decrepitud *f*, senectud *f.* ~하다 ser decrépito, ser inútil por la vejez, no servir para nada por la vejez.
■~물 producto *m* de desecho.
노포(老鋪/老舖) tienda *f* [casa *f* de comercio] de viejo arraigo, antigua tienda *f.*
노폭(路幅) anchura *f* del camino, anchura *f* de la carretera. ~이 넓은 가로(街路) avenida *f*, bulevar *m.*
노표(路標) =도표(道標).
노필(老筆) ① [노련한 글씨] escritura *f* experta. ② [늙은이의 힘없는 글씨] escritura *f* débil del viejo.
노하다(怒-) enfadarse, enojarse, irritarse, encolerizarse, *Méj* encongarse. 노하게 하다 enojar, enfadar, irritar, encolerizar. 노해 있다 estar enfadado [enojado·irritado·furioso].
노하우(영 *know-how*) saber-cómo *m.*
노학(老瘧) 【한방】 =이틀거리.
노학(老學) ① [늙은 학자] erudito *m* viejo, estudioso *m* viejo, sabio *m* viejo. ② [낡은 학문을 수학한 학자] erudito, -ta *mf* que estudia la ciencia vieja. ③ [늙어서 배움] acción *f* de aprender de vejez.
노학(老鶴) grulla *f* vieja.
노학(勞瘧) 【한방】 =기학(氣瘧).
노학생(老學生) estudiante *mf* que tiene mucho más años que el otro.
노학자(老學者) erudito *m* [sabio *m*·estudioso *m*] viejo y experto.
노한(老漢) hombre *m* viejo.
노함(虜艦) buque *m* de guerra enemigo.
노해 campo *m* extendido a la orilla del mar.
노햇사람 persona *f* que vive en el campo

extendido a la orilla del mar.

노현(露現) revelación *f*, descubrimiento *m*. ~하다 revelarse, descubrirse, volar la mina. 그들의 음모가 ~했다 Se ha descubierto su intriga.

노혐(怒嫌) =노여움.
◆ 노혐(을) 타다 =노염(을) 타다. ☞노염

노형(老兄) usted, señor *m*.

노호(怒號) ① [성내어 외치는 것과 같이 큰 소리를 냄, 또는 그 소리] vociferación *f*, bramido *m*, rugido *m*, grito *m* de cólera. ~하다 vociferar, bramar, rugir. ② [바람이나 파도의 세찬 소리] rugido *m* del viento, rugido *m* de la ola.

노호(爐戶) ② =대장간. ② =대장장이.

노혼하다(老昏-) tener la memoria vaga por la vejez.

노화(老化) envejecimiento *m*, avejentamiento *m*. ~하다 envejecer(se), avejentarse. ~된 envejecido, avejentado. ~된 사람 persona *f* envejecida, persona *f* avejentada.
■ ~ 방지제 medicina *f* preventiva de envejecimiento. ~ 작용 (proceso *m* de) envejecimiento *m*. ~ 현상 síntoma *m* de senilidad, retrogradación *f*.

노화(蘆花) =갈대꽃.

노화(爐火) ① =화롯불. ② [장생불사(長生不死)의 약을 달임] decocción *f* del elíxir de larga vida.

노확(猱玃) mono *m* grande.

노환(老患) enfermedad *f* senil.

노회(老會) ((기독교)) conferencia *f* de los pastores y los ancianos.

노회(老獪) astucia *f*, taimería *f*, picardía *f*, sagacidad *f*. ~하다 (ser) astuto, taimado, sagaz (*pl* sagaces), ladino.

노회(爐灰) ceniza *f* del horno.

노회(蘆薈) 【식물】 =알로에.

노획(鹵獲) apresamiento *m*, captura *f*. ~하다 apresar, capturar, tomar a viva fuerza, saquear, pillar.
■ ~물[품] botín *m*, trofeo *m*, despojos *mpl*, presa *f*. ~선 buque *m* capturado.

노획(虜獲) captura *f* viva. ~하다 capturar vivo.

노후(老朽) decrepitud *f*, desgaste *m*, caducidad *f*. ~하다 (estar) decrépito, gastado, desgastado, corroído, viejo, anticuado. 이 공장은 이제 ~하다 Esta fábrica ya está desgastada.
■ ~ 도태 jubilación *f*. ~선 barco *m* [buque *m*] inhabilitado [jubilado · carraco]. ~ 시설 equipo *m* anticuado [gastado]. ~차 coche *m* inhabilitado [jubilado]. ~화(化) deterioración *f*. ¶~하다 deteriorarse.

노후(老後) vejez *f*, ancianidad *f*; [부사적] después de la vejez. ~의 생활 vida *f* de vejez. ~의 안락 pasatiempo *m* [consuelo *m* · consolación *f*] de la vejez. ~에 대비하여 para *su* vejez, en previsión de *su* vejez. ~에 대비하다 prevenirse contra [para] la vejez.
■ ~ 대책 medidas *fpl* para la vejez.

노히트노런(영 *no hit no run*) ((야구)) no golpe no carrera.

녹(祿) ((준말)) =녹봉(祿俸).
◆ 녹(을) 먹다 recibir un estipendio.

녹(綠) ① ((준말)) =동록(銅綠). ② [금속의 표면에 생긴 산화물] orín *m*, moho *m* [óxido *m*] que cría el hierro, herrumbre *f*. ~을 벗기다 desherrubrar, quitar el orín (a). ~을 예방(豫防)하다 preservar (*algo*) del orín.
◆ 녹(이) 슬다 enmohecerse, ponerse mohoso, oxidarse, herrumbrarse, tomarse de orín. 녹슨 oxidado, herrumbrado, mohoso, oriniento, herrumbroso. 녹슬지 않은 inoxidable. 녹슨 쇠 hierro *m* mohoso. 철(鐵)은 녹슬기 쉽다 El hierro es fácil de enmohecerse. 철은 습기로 녹이 슨다 El hierro se enmohece por [con] la humedad. 시계가 녹이 슬어 가지 않느다 El reloj está enmohecido y no anda. 이 자물쇠는 완전이 녹이 슬어 있다 Esta cerradura está completamente enmohecida.
■ ~ 방지 antioxidación *f*. ~ 방지 페인트 pintura *f* anticorrosiva [antioxidante].

녹각(鹿角) ① [사슴의 뿔] el asta *f* (*pl* las astas), cuerna *f*, cuerno *m* del venado. ② =녹채(鹿砦).

녹계(綠溪) valle *m* verde.

녹골(鹿骨) 【한방】 hueso *m* del venado.

녹구(鹿裘) ropa *f* de cuerno del venado.

녹균(綠筠) bambú *m* verde.

녹나무 【식물】 alcanfor *m*.

녹낭(鹿囊) testículo *m* del venado.

녹내(綠-) olor *m* a orín.

녹내장(綠內障) 【의학】 glaucoma *m*.
■ ~성 실명(性失明) glaucosis *f*.

녹녹하다 (estar) húmedo. ☞눅눅하다
녹녹히 húmedamente, con humedad.

녹농소(綠膿素) piocianina *f*.

녹느즈러지다 (ser) suave y suelto.

녹니석(綠泥石) 【광석】 clorito *m*.

녹다 ① [고체가 액체 속에서] disolverse, licuarse, liquidarse; [고체가 액체로 변하다] derretirse, fundirse, deshacerse. 녹은 disuelto, derretido, fundido, deshecho. 녹기 쉬운 금속(金屬) metal *m* fusible. 잘 녹지 않는 금속 metal *m* poco fusible. 얼음이 ~ fundirse el hielo. 엿이 ~ fundirse [derretirse] el caramelo coreano [*Guat* la melcocha]. 연(鉛)은 열에 녹는다 El plomo se funde por el calor. 눈이 (일광으로) 녹는다 La nieve se funde [se derrite] (con el sol). 소금은 물에 녹는다 La sal se disuelve [se licua] en el agua. ② [(추워서 굳은 몸이) 풀리다] calentarse, entrar en calor. 손이 ~ *sus* manos calentarse. ③ [아주 지쳐서 맥이 풀리어 늘어지다] (estar) disipado, disoluto. 주색(酒色)에 ~ arruinar *su* salud con disipación. ④ [(손해 · 타격 · 패배 따위로) 여지없이 망하다] quebrarse, arruinarse, hacer bancarrota. 이번 사고로 그 회사는 쫄딱 녹았다 La compañía quebró completamente debido al accidente de esta vez.

그는 오랜 재판 사건으로 녹아 버렸다 Los costes de un juicio tan largo le arruinaron / Los costes de un juicio tan largo le dejaron en la bancarrota. ⑤ [몹시 반하거나 홀리어 마음이 노그라지다] estar locamente enamorado (de), enamorarse locamente (de), tener fascinado, estar fascinado (con). 나는 그 노래에 녹아 떨어졌다 Yo estaba enamorado de esa canción. 그는 자신의 목소리에 녹아 떨어진다 Le encanta [Le fascina] escucharse. 그는 그 장난감에 녹아 떨어졌다 El juguete lo tenía fascinado / El estaba fascinado con el juguete.
녹는열(熱) =융해열(融解熱).
녹는점(點) =융해점(punto de fusión).
녹을녹말 =가용성 전분(可溶性澱粉).

녹다(綠茶) =녹차(綠茶).

녹다운(영 *knock-down*) ① ((권투)) caída *f* (a tierra), knock-down *ing.m*, derribo *m*. ~시키다 derribar, tumbar, hacer caer. ~되다 ser derribado. 그는 나를 2회전에서 ~시켰다 El me derribó en el segundo asalto. ② ((준말)) =녹다운 수출.
■ ~ 가격 [최저 가격] precio *m* mínimo. ~ 수출 [방식] exportación *f* de knock-down.

녹담(綠潭) estanque *m* verde.

녹동(綠瞳) niña *f* verde.

녹두(綠豆) 【식물】 soja *f* verde, semilla *f* cuyo brote se utiliza en la cocina oriental.
■ ~나물 brotes *mpl* de soja verde. ~누룩 levadura *f* de soja verde. ~다(茶) té *m* de soja verde. ~떡 torta *f* de soja verde. ~묵 jalea *f* de soja verde. ~밤 castaña *f* pequeña y redonda. ~밥 arroz *m* blanco con las sojas verdes. ~비누 soja *f* verde en polvo que se usaba en vez del jabón. ~응이 gachas *fpl* de soja verde. ~전병[전] =빈대떡. ~죽(粥) gachas *fpl* de soja verde.

녹두새(綠豆-) 【조류】 =파랑새.

녹두주(鹿頭酒) 【한방】 licor *m* de zumo de la cabeza del venado.

녹라(綠羅) seda *f* fina verde.

녹렴석(綠簾石) epidote *m*, epidota *f*.

녹렵(鹿獵) caza *f* del venado. ~하다 cazar el venado.

녹로(轆轤) ① =고패. ② [오지그릇을 만드는 데 쓰는 물레] torno *m* de alfarero.

녹록하다(碌碌/錄錄-) (ser) inútil, no servir para nada. 녹록한 사람 inútil *mf*, nadie; cualquiera *m*; hombre *m* de nada. 녹록잖은 적(敵) enemigo *m* formidable.
녹록히 inútilmente.

녹료(祿料) =녹봉(祿俸).

녹림(綠林) ① =불한당(不汗黨). 화적(火賊). ② [푸른 숲] bosque *m* verde.
■ ~당(黨) grupo *m* de ladrones. ~호걸[객·호객] =불한당(不汗黨). 화적(火賊).

녹마(騄馬) =녹이(綠耳).

녹말(綠末) almidón *m*.
■ ~ 당화 효소 diastasa *f*. ~묵 jalea *f* de almidón. ~ 시험지 papel *m* de almidón.

녹명(祿命) fortuna *f* de nacimiento.

녹명(錄名) apunte *m* del nombre. ~하다 apuntar [anotar] el nombre. ~되다 apuntarse [anotarse] el nombre.

녹모(鹿毛) pelo *m* del venado.

녹물 【해부】 =세포액(細胞液).

녹물(綠-) el agua *f* del orín, color *m* del orín.

녹미(鹿尾) ① [사슴의 꼬리] cola *f* del venado. ② [진귀한 음식] comida *f* rara y preciosa.

녹반(綠礬) 【화학】 caparrosa *f*, vitriolo *m* verde, sulfato *m* ferroso, melanterita *f*.

녹발(綠髮) cabello *m* negro y brillante.

녹변(綠便) caca *f* verde, estiércol *m* verde.

녹봉(祿俸) 【역사】 arroz *m* que dieron al funcionario público antes.

녹봉(綠峰) pico *m* verde.

녹비(鹿-) gamuza *f*.
■ ~ 바지 pantalones *mpl* de gamuza.

녹비(綠肥) abono *m* de los árboles verdes, las ramas de los árboles verdes o las hojas de los árboles verdes.
■ ~ 작물 cosecha *f* de abono de los árboles verdes. ~ 종자 semilla *f* de abono de los árboles verdes.

녹빈(綠鬢) cabello *m* hermoso y brillante.
■ ~ 홍안(紅顔) cara *f* de la mujer joven y hermosa.

녹사(綠砂) arena *f* sin secar, arena *f* glauconítica.

녹사(錄寫) copia *f* del documento. ~하다 copiar el documento.

녹사의(綠簑衣) =도롱이.

녹새바람(綠塞-) =높새.

녹새풍(綠塞風) =높새.

녹색(綠色) (color *m*) verde *m*; [초목(草木)의] verdor *m*. ~의 (del color) verde. ~이 되다 verdear, verdecer. ~이 돌다, ~으로 보이다 verdear. ~을 띤 verdoso. ~으로 칠한 pintado de verde. ~ 머리카락 cabellos *mpl* negros y brillantes. 이 천은 ~으로 보인다 Esta tela verdea. 들판이 ~으로 되었다 El campo ha verdeado. 바다가 ~을 띠고 있다 El mar está verdoso. 나무는 봄에 ~이 된다 Los árboles verdecen por primavera.
■ ~ 경보 =해제 경보(解除警報). ~당 el Partido Verde, el Partido Ecologista, los Verdes. ¶~ 당원 verde *mf*, ecologista *mf*. ~등(燈) 【군사】 lámpara *f* verde. ~ 면허 licencia *f* verde. ~ 백혈병 cloroleucemia *f*. ~ 봉투 [서반아의] sobre *m* verde. ~ 색약 deuteranomalía *f*. ~ 식물 planta *f* verde. ~ 신고 declaración *f* verde. ~ 신고 업체 corporación *f* de la declaración verde. ~ 신고 제도 sistema *m* de la declaración verde. ~ 육종(肉腫) clorosarcoma *m*. ~조(藻) =파랑말. ~ 조류(藻類) algas *fpl* verdes, cloroficeas *fpl*. ~ 혁명 revolución *f* verde.

녹색맹(綠色盲) acloroblepsia *f*, acloropsia *f*.
■ ~자(者) deuteranope *mf*.

녹색종(綠色腫) cloroma *m*.

■ ~성 골수종(性骨髓腫) cloromieloma *m.*
녹서(綠嶼) isleta *f* cubieta de las plantas y las hierbas.
녹석류(綠石類) 【동물】 =석산호류(石珊瑚類).
녹선(綠腺) 【동물】 glándula *f* verde.
녹설(鹿舌) ① [사슴의 혀] lengua *f* del venado. ② [진귀한 음식] comida *f* rara y preciosa.
녹수(淥水) el agua *f* clara.
녹수(綠水) el agua *f* clara que corre entre las plantas y las hierbas.
■ 녹수 갈 제 원앙(鴛鴦) 가듯 Nunca se separan los dos / Los dos no se despiden nunca.
■ ~ 청산(青山) el agua clara y la montaña verde.
녹수(綠樹) árbol *m* de las hojas verdes.
녹슨냄비 (mujer *f*) venérea *f.*
녹슬다 ☞녹
녹신(鹿腎) 【한방】 pene *m* del venado.
녹신녹신 suave y flexiblemente, elásticamente. ~하다 (ser) muy suave y flexible, muy elástico.
녹신하다 (ser) blanducho, muelle, pulposo, esponjoso, suave y flexible. 녹신해지다 ponerse blando, ponerse como unas gachas, reblandecerse, ablandarse.
녹신히 blanduchamente, pulposamente, esponjosamente.
녹실녹실 maleablemente. ~하다 (ser) maleable.
녹실하다 (ser) muy blanducho [pulposo · esponjoso].
녹십자(綠十字) cruz *f* verde.
녹아(綠芽) 【식물】 =여름눈.
녹아웃(영 *knock-out*) fuera de combate, nocauto *m* ('녹아웃'이라 읽음), knock-out *ing.m,* K.O. *m* ('까오'라 읽음). ~시키다 desmayar a golpes, hacer salir a golpes, acogotar, derribar, ganar una victoria completa, dejar K.O., noquear, poner fuera de combate. ~으로 이기다 ganar por nocaut, ganar por K.O.
■ ~ 승 victoria *f* por K.O.
녹안(綠眼) ojos *mpl* con niñas verdes.
녹암(綠巖) 【광석】 piedra *f* recién extraída de cantera, glauconita *f,* roca *f* verde, nefrita *f.*
녹야(綠野) campo *m* verde cubierto de las hierbas.
녹야원(鹿野苑) ((불교)) centro *m* predilecto Sākyamuni.
녹양(綠楊) sauce *m* de las hojas verdes.
■ ~ 방초(芳草) el sauce verde y las hierbas hermosas.
녹얼룩점 mancha del orín en el paño.
녹연(綠煙) ① [푸른빛의 연기] humo *m* verde. ② [버들잎의 푸름] lo verde de la hoja del sauce.
녹엽(綠葉) hoja *f* verde.
녹엽녹화초(綠葉綠花草) 【식물】 =등대풀.
녹옥(綠玉) ① [녹색의 구슬] bola *f* verde. ② [에메랄드] esmeralda *f.*
녹용(鹿茸) nueva cuerna *f* blanda del venado [del ciervo].
녹용(錄用) =채용(採用).
녹우(綠雨) lluvia *f* en la estación del verde fresco.
녹운(綠雲) ① [녹색의 구름] nube *f* verde. ② [숱이 많고 검은 여자의 머리] cabello *m* negro y espeso de la mujer.
녹원(鹿苑) ① [사슴을 기르는 뜰] jardín *m* (*pl* jardines) que los venados se crían. ② ((불교)) ((준말)) =녹야원(鹿野苑).
녹육(鹿肉) carne *f* del venado [del ciervo].
녹음(綠陰) sombra *f* verde, enramada *f* sombreadora.
■ ~방초(芳草) las sombras verdes y las plantas fragnantes. ~방초 승화시(芳草勝花時) verano *m* temprano.
녹음(錄音) grabación *f,* registro *m* sonoro. ~하다 grabar, registrar. 디스크에 ~ registro *m* sonoro en disco. 테이프에' ~ registro *m* sonoro en cinta, grabar en la cinta. 필름에 ~ registro *m* sonoro en película. ~으로 방송(放送)하다 hacer una emisión diferida. 노래를 테이프[레코드]에 ~하다 grabar una canción en una cinta magnética [en un disco]. 테이프에 연설을 ~하다 grabar un discurso en la cinta (parlante).
◆ 테이프 ~ registro *m* en cinta magnética.
■ ~기 magnetófono *m,* magnetofón *m,* grabador *m.* ¶와이어식 ~ registradora *f* de alambre, grabador *m* de hilo. 자기식(磁氣式) ~ grabador *m* magnético. 테이프(식) ~ magnetófono *m,* grabador *m* de cinta (magnética). ~기사(技師) ingeniero, -ra *mf* de sonidos. ~ 뉴스 reportaje *m* radiofónico diferido. ~ 방송 emisión *f* diferida, emisión *f* de grabados. ¶~하다 hacer una emisión diferida. ~실 estudio *m* [sala *f*] de grabación. ~ 연설 discurso *m* transcrito. ~ 유언(遺言) testamento *m* transcrito, última voluntad *f* transcrita. ~ 장치 sistema *m* de registro sonoro. ~재생 reproducción *f* de una grabación. ~재생기 máquina *f* de reproducción de una grabación. ~ 재생 장치 aparato *m* para la reproducción del sonido [de una grabación]. ~테이프 cinta *f* magnética [magnetofónica · registradora del sonido · de grabación]. ~ 헤드 cabeza *f* [cabezal *m*] de registro sonoro.
녹의(綠衣) ① [녹색의 옷] ropa *f* verde. ② [연두저고리] blusa *f* de un verde amarillento.
녹의(綠蟻) =술구더기.
녹이다 ① [액체가[에서] 고체를] disolver, licuar, desleír; [열 따위가 고체를] fundir, derretir, deshacer. 소금을 물에 ~ disolver [licuar · deshacer] la sal en el agua. 물은 소금을 녹인다 El agua disuelve la sal. 일광이 눈을 녹인다 El sol derrite [deshace] la nieve. 가솔린은 지방(脂肪)을 녹인다 La gasolina disuelve la grasa. ② [반하게 하

다] cautivar, encantar, hechizar, fascinar. 남자의 마음[간장]을 ~ cautivar [fascinar] a un hombre. 그의 연기는 관중을 녹였다 El público quedó encantado con su actuación / Su actuación cautivó al público. ③ [손이나 몸을] calentarse. 그는 불 앞에서 손을 녹였다 El se calentó las manos junto al fuego. ④ [혼내주다] castigar, sancionar. ⑤ [주색(酒色)으로] arruinar, disipar, dilapidar, trastocar, desbaratar. 주색(酒色)은 젊은 사람들을 녹인다 Las mujeres y la bebida desbaratan a los jóvenes.

녹자(綠瓷/綠磁) porcelana *f* verde.

녹전(綠錢) 【식물】=이끼.

녹정혈(鹿頂血) 【한방】 sangre *f* que sale de la cabeza del venado.

녹주(綠酒) ① [녹색의 술] licor *m* verde. ② [맛 좋은 술] licor *m* sabroso.

녹주석(綠柱石) 【광물】 berilo *m*.

녹주옥(綠珠玉) 【광물】 esmeralda *f*.

녹죽(綠竹) bambú *m* verde.

▪~ 청송(青松) el bambú verde y el pino verde.

녹지(綠池) estanque *m* claro.

녹지(綠地) terreno *m* verde.

▪~ 계획 plan *m* para la forestación. ~대(帶) zona *f* verde. ~ 도시 ciudad *f* de un oasis. ~화 forestación *f*. ¶~하다 forestar, poblar un terreno con plantas forestales.

녹진녹진 todo suave y pegajosamente. ~하다 (ser) todo suave y pegajoso.

녹진하다 (ser) suave y pegajoso.

녹진히 suave y pegajosamente.

녹질(祿秩) =녹봉(祿俸).

녹차(綠茶) té *m* verde.

녹창(綠窓) ① [부녀자가 거처하는 방] habitación *f* para las mujeres. ② [가난한 여자의 방] habitación *f* de la mujer pobre.

▪~ 주호(朱戶) (buena) casa *f* lujosa [de lujo].

녹천(綠天) =파초(芭蕉).

녹청(綠青) ① 【화학】=염기성 초산동. ② [구리에 생기는 녹색의 녹] verdete *m*, cardenillo *m*, verdín *m*, pátina *f*, color *m* de orín. ~이 끼다 mancharse de cardenillo. ~이 나온다 Se forma cardenillo.

녹초 ① [아주 맥이 풀어져 힘을 못쓰고 늘어진 상태] agotamiento *m*, cansancio *m*, fatiga *f*. ② [물건이 오래되고 낡아 아주 결딴이 난 상태] lo muy gastado, lo inservible.

◆녹초(가) 되다 desalentarse, descorazonarse, desanimarse, perder el ánimo, hacer polvo, agotarse [rendirse] completamente. 녹초가 되어 있다 estar agotado [extenuado · rendido · deshecho · completamente cansado], estar muerto de cansancio. 녹초가 되게 취하다 embriagarse. 피곤해서 ~ tener molidos los huesos, rendirse de cansancio, cansarse hasta el extremo, morirse de fatiga, morirse de cansancio, estar agotdo [rendido] de fatiga. 나는 이제 녹초가 되었다 Ya no me queda fuerza alguna para hacer nada / Ya estoy deshecho [hecho polvo · para el arrastre] / Ya no puedo más. 모두가 더위로 녹초가 되어 있다 Todos están extenuados [rendidos] del calor que hace. 그는 녹초가 되어 돌아왔다 El llegó agotado [rendido · hecho polvo].

녹초(綠草) hierba *f* verde.

▪~ 청강(清江) las hierbas verdes y el río claro.

녹총(鹿葱) 【식물】=원추리.

녹취(綠翠) (color *m*) verde *m*.

녹치(綠一) hoja *f* verde del té bien secada.

녹탕(鹿湯) sopa *f* de carne del venado.

녹태(鹿胎) cría *f* del vientre del venado.

녹태(綠笞) musgo *m* verde.

녹턴(영 *nocturne*) [야상곡] nocturno *m*.

녹토(綠土) tierra *f* verde.

녹토바이저(영 *noctovisor*) noctovisor *m*.

▪~ 스캔 exploración *f* con el noctovisor.

녹토비전(영 *noctovision*) noctovisión *f*.

녹파(淥波) onda *f* clara.

녹파(綠波) onda *f* verde.

녹패(鹿牌) grupo *m* de los cazadores de los venados.

녹편(鹿鞭) tendón *m* del pene del venado.

녹편(錄片) recado *m*.

녹포(鹿脯) carne *f* de venado secada.

녹풍(綠風) ① 【한방】 *nokpung*, una de la enfermedad de ojos. ② [초여름의 푸른 잎 사이를 스쳐 부는 바람] viento *m* del verano temprano.

녹혈(鹿血) sangre *f* del venado.

녹화(綠化) plantación *f* de árboles, forestación *f*. ~하다 llenar de árboles verdes, repoblar con árboles, forestar. ~되다 repoblarse con árboles.

▪~ 운동 campaña *f* de repoblación forestal, campaña *f* de forestación.

녹화(錄畵) registro *m* de imágenes, grabación *f* cinematográfica; [텔레비전의] grabación *f* telescópica, telerregistro *m*. ~하다 registrar imágenes en banda magnética, telerregistrar.

▪~기 telerregistrador *m*. ~ 방송 emisión *f* televisada diferida [en diferido]. ~ 장비 equipo *m* telerregistro. ~ 재생기 vídeo *m*, video *m*, magnetoscopio *m*, VCR *m*. ~ 프로그램 telerregistro *m*.

논 arrozal *m*, campo *m* de arroz. ~에 물을 대다 regar el arrozal. ~을 갈다 cultivar [labrar] un arrozal.

◆논(을) 매다 escardar, desherbar, arrancar las malas hierbas de los sembrados. 논(을 · 으로) 풀다 hacer el arrozal.

논(論) ① [논의] discusión *f*, [토론] debate *m*; [논쟁] disputa *f*, [평론] comentario *m*, observación *f*, criticismo *m*; [이론] teoría *f*, [문제] cuestión *f*, problema *m*; [언쟁] pelea *f*, riña *f*, [전문적인] tratado *m*. ~하다 discutir, reñir, pelearse, discutir, debatir, tratar, hablar (de), comentar, observar, hacer comentarios (sobre). 시사(時事)를 ~하다 hacer comentarios sobre el tema corriente. 정치(政治)를 ~하다 discutir la política, hablar de la polítifa. 이 책은 노동 문제를 ~하고 있다 Este libro trata de la cuestión de labor. 법은 사람을 ~하지 않는다 Todo el mundo es igual ante la ley. ② [잘잘못을 따지어 말함. 다투어 말함] interrogatorio *m*, inquisición *f*. ~하다 preguntar, inquirir. ③ [의견. 견해] opinión *f*, parecer *m*. 이 문제에 관하여 여러 가지 ~이 대두되고 있다 La opinión está dividida en esta cuestión. ④ ((준말)) =논설(論說). ⑤ ((불교)) discusión *f*, debate *m*. ¶~하다 discutir, debatir.

논-(non-) no, in-. ~픽션 no ficción *f*.

-논(論) ☞-론(論).

논가(論家) ((불교)) =논사(論師).

논갈이 arado *m* del arrozal. ¶~하다 arar el arrozal.

논객(論客) controversista *mf*, polemista *mf*, discutidor, -dora *mf*.

논거(論據) (base *f* de un) argumento *m*, razonamiento *m*, fundamento *m*. ~가 모호하다 El argumento está poco fundamentado / Tiene poco fundamento.

논결(論決) conclusión *f*, perorata *f*, decisión *f*. ~하다 llegar a una decisión [conclusión], concluir.

논고(論考/論攷) estudio *m* (sobre la literatura coreana).

논고(論告) acusación *f* [juicio *m*] del fiscal, prosecusión *f*. ~하다 entablar juicio (contra), procesar.

논고장 región *f* que hay muchos arrozales.

논곡식(-穀食) cereal *m* que se cultiva en el arrozal, arroz *m*.

논공(論功) valoración *f* de los méritos, examen *m* del servicio, evaluación *f* del acto meritorio. ~하다 valorar [juzgar] el mérito, examinar el servicio, evaluar el acto meritorio.

■ ~행상(行賞) recompensa *f* de mérito, atribución *f* de recompensas según méritos, concesión *f* de premios en consideración de los servicios, concesión *f* [otorgamiento *m*] de premios según *sus* méritos, distribución *f* de honores. ¶~하다 conceder [otorgar · conferir · dar] según *sus* méritos, conferir honores.

논과(論過) refutación *f*.

논구(論究) discusión *f* a fondo. ~하다 discutir a fondo, tratar (sobre), indagar.

논귀 esquina *f* del arrozal.

논급(論及) referencia *f*. ~하다 referir(se) (a), hacer referencia (a), aludir (a), tocar (en), argüir.

논길 *camino m del arrozal*, camino *m* [sendero *m* · senda *f*] entre los arrozales.

논김 deshierba *f* [hierbajo *m*] de arrozal. ~을 매다 deshierbar [desherbar] el arrozal.

논꼬 puerta *f* de irrigación del arrozal.

논농사(-農事) labranza *f*, cultivo *m* (de arrozal), cultivo *m* de arroz. ~하다 cultivar arroz, cultivar el arrozal.

논다니 ramera *f*, puta *f*, prostituta *f*, mujer *f* que mantiene relaciones sexuales con hombres, a cambio de dinero. ~ 노릇을 하다 prostituirse.

논단(論壇) ① [논의나 토론을 할 때 올라서는 단] plataforma *f*, [강연자용] estrado *m*, tribuna *f*, [악단용] estrado *m*. ② [언론계] prensa *f*.

논단(論斷) conclusión *f*. ~하다 concluir.

논담(論談) discusión *f*, debate *m*, disputa *f*, controversia *f*. ~하다 controvertir, discutir, debatir, disputar.

논도랑 zanja *f* alrededor del arrozal.

논두렁 caballón *m* (*pl* caballones) entre los arrozales.

■ ~길 sendero *m* [senda *f*] entre los arrozales. ¶~을 지나가다 pasar por el sendero [la senda] entre los arrozales.

논둑 terraplén *m* alrededor de un arrozal.

논란(論難) crítica *f*, censura *f* de las acciones ajenas, refutación *f* (lógica). ~하다 criticar, acusar, censurar, reprochar, controvertir, refutar. ~의 상대(相對) adversario, -ria *mf* [contrario *mf*] en una discusión.

논리(論理) ① [(문장이나 말에 있어서의) 조리] lógica *f*, razón *f*. ~상 불가능한 일 imposibilidad *f* lógica. ~가 맞지 않다 ser ilógico, ser contrario a la lógica. ②【논리】lógica *f*.

■ ~ 계산 logística *f*. ~성 logicalidad *f*. ~ 실증주의 positivismo *m* lógico. ~적 lógico. ¶~으로 lógicamente. ~적 구문론 sintaxis *f* lógica. ~적 사고 pensamiento *m* lógico. ~적 실증주의 positivismo *m* lógico. ~적 유심론 espiritualismo *m* lógico. ~적 의속[의존] dependencia *f* lógica. ~적 지능 inteligencia *f* lógica. ~주의 logicismo *m*. ~학(學) lógica *f*. ¶귀납 ~ lógica *f* inductiva. 기호 ~ lógica *f* simbólica. 수리(數理) ~ lógica *f* matemática. 순수 ~ lógica *f* pura. 연역 ~ lógica *f* deductiva. 형식 ~ lógica *f* formal. ~학 교습서 lógica *f*. ¶아리스토텔레스의 ~ La lógica de Aristóteles. ~ 학자 lógico, -ca *mf*.

논마늘 ajos *mpl* del arrozal.

논마지기 unos acres de arrozales.

논매기 escarda *f*, escardadura *f*.

논매다 escardar, desherbar, arrancar las malas hierbas.

논맹(論孟) [논어와 맹자(孟子)] las Analectas de Confucio y Mencio.

논머리 un borde de un arrozal.

논문(論文) ensayo *m*, trabajo *m*; [신문 · 잡지의] artículo *m*; [연구 논문] estudio *m*; [연구상의 전문 논문] tesis *f.sing.pl*; [학사 · 석사 · 졸업 논문] tesina *f*, memoria *f*, [리포트] trabajo *m*, redacción *f*. ~의 요지(要旨) resumen *m* [guión *m*] de la tesis. ~을 제출하다 presentar la tesis.

◆ 박사(博士) ~ tesis *f* doctoral, tesis *f* del doctorado. 박사 ~을 제출하다 presentar la tesis doctoral. 졸업(卒業) ~ tesis *f* de graduación.

■ ~ 시험 examen *m* de tesis. ~ 심사(審査) examen *m* de una tesis. ~ 제출(提出) presentación *f* de una tesis. ~ 지도 교수 profesor *m* director de la tesis. ~집 colección *f* de trabajos.

논문서(一文書) escritura *f* de propiedad de un arrozal, título *m* de propiedad de un arrozal, documento *m* de arrozal.

논물 el agua *f* en un arrozal. ~을 대다 irrigar un arrozal.

논바닥 fondo *m* del arrozal.

논박(論駁) contraprotesta *f*, confutación *f*, refutación *f*. ~하다 confutar, contradecir, refutar.

논밭 el arrozal y el campo, campos *mpl*, terreno *m* cultivado, sembrado *m*.

■논밭은 다 팔아먹어도 황로(黃爐) 촛대는 지닌다 ((속담)) Aunque se haga bancarrota, se deja quedar una o dos cosas valuables.

■ ~ 전지(田地) todos los arrozales y los campos que se tiene, los arrozales y los campos secos.

논배미 franja *f* del arrozal, parcela *f* del arrozal.

논법(論法) razonamiento *m*, argumentos *mpl*, lógica *f*, método *m* de la discusión.

논벼 arroz *m* (que se siembra) en el arrozal.

논변(論辯/論辨) =변론(辯論).

논병아리 【조류】 somorgujo *m* pequeño.

논보리 cebada *f* (que se siembra) en el arrozal.

논봉(論鋒) fuerza *f* de una polémica. 예리한 ~ polémica *f* aguda.

논사(論師) ((불교)) interpretador, -dora *mf*, interpretante *mf*, filósofo, -fa *mf*.

논설(論說) ① comentario *m*, artículo *m*, disertación *f*, discurso *m*. ② [신문의 사설(社說)] editorial *m*, artículo *m* de fondo.

■ ~ 기자 periodista *mf* editorial. ~란(欄) columna *f* editorial. ~문(文) oración *f* editorial. ~ 위원 miembro *mf* de editorial; editorialista *mf*. ~체 estilo *m* editorial.

논술(論述) disertación *f*, enunciación *f*. ~하다 disertar (sobre), enunciar.

논스톱(영 *nonstop*) [형용사적으로] [여행에서] directo, sin paradas; [기차에서] directo; [비행에서] sin escalas, directo. ~으로 [일이나 말을] sin parar; [항해나 비행을] sin hacer escalas, sin escalas; [기차를] directamente. ~으로 서울에서 부산까지 운전하다 conducir de Seúl a Busan sin parar.

■ ~ 비행 vuelo *m* sin escalas. ~ 쇼 sesión *f* continua.

논어(論語) Lun Yi, Analectas *fpl* de Confucio. 그는 ~를 읽되 ~를 모른다 Es un sabelotodo y un entendedor de nada / Aunque él ha leído las Analectas de Confucio pero no las sabe.

논외(論外) irrelevancia *f* al tema; [부사적] fuera de la cuestión. ~의 irrelevante, intrascendente. 강연의 대부분이 ~적임 lo poco que gran parte de la conferencia tuvo que ver con el tema. 그것은 ~의 일이다 Eso está fuera de la cuestión / No viene al caso / Eso es irrevelante. 건물의 크기는 ~이다 El tamaño del edificio no tiene ninguna importancia / El tamaño del edificio no viene al caso. 내 의견은 ~인 것 같다 Mi opinión parece no contar para nada.

논의(論意) sentido *m* de la discusión.

논의(論議) discusión *f*, debate *m*. ~하다 discutir, debatir. 정치상의 ~ discusión *f* política. ~할 여지가 없다 (ser) incontestable, indiscutible.

논일 cultivo *m* del arrozal, trabajo *m* en el arrozal. ~을 하다 cultivar el arrozal, trabajar en el arrozal.

논자(論者) polemista *mf*, disputador, -dora *mf*, [필자(筆者)] autor, -tora *mf*.

논쟁(論爭) controversia *f*, debate *m*, disputa *f*, polémica *f*. ~하다 controvertir, disputar, argüir, polemizar. ~의 상대(相對) adversario, -ria *mf* [contrario, -ria *mf*] en una discusión. ~을 시작하다 entablar polémicas. 열띤 ~을 벌이다 discutir ardientemente con *uno*. 격렬히 ~하다 discutir acaloradamente [con mucho ímpetu]. 어떤 일에 관해 ~하다 disputar de [por・sobre・acerca de] un asunto. 아무런 결론(結論)도 내리지 못하고 계속 ~하다 discutir interminablemente, discutir sin llegar a ninguna conclusión. 문학 ~이 시작되었다 Se entabló una polémica literaria.

■ ~가 controversista *mf*. ~자 discutidor, -dora *mf*, polemista *mf*. ~점 punto *m* de debate.

논적(論敵) oponente *mf*, adversario, -ria *mf* (en discusión).

논전(論戰) controversia *f*, disputa *f*. ~하다 controvertir, disputar.

논점(論點) punto *m* en cuestión, asunto *m* en litigio, punto *m* de un argumento, punto *m* que se discute. ~을 명확히 하다 precisar el punto en cuestión. ~을 벗어나다 alejarse del punto en cuestión.

논제(論題) tema *m*, tesis *f*. ~에서 벗어나다 apartarse de *su* tema.

논조(論調) tono *m* del argumento. 격한 ~로 en un tono vehemente de argumento. 신문의 ~에 따르면 según el tono de la prensa.

논죄(論罪) fallo *m*, resolución *f*, juicio *m*, discusión *f*. ~하다 fallar, resolver, decidir.

논증(論證) ① [사물의 옳고 그름을 사리에 맞도록 논술하여 증명함] argumento *m*. ~하다 argumentar. ② 【논리】 prueba *f*, demostración *f*. ~하다 probar, demostrar.

◆간접(間接) ~ demostración *f* indirecta. 직접(直接) ~ demostración *f* directa.

■ ~ 부족의 허위 【논리】 falacia *f* de la consecuencia. ~자 demostrador, -dora *mf*. ~적 discursivo *adj*.

논지(論旨) objeto *m* del argumento, punto *m* en cuestión, lo esencial del argumento, razonamiento *m*. 그의 주장은 ~가 분명치 않다 Su razonamiento no queda claro.

논진(論陣) argumento *m*. ~을 펴다 argüir, argumentar, sostener. 단단한 ~을 치다 presentar argumentos convincentes, elaborar una sólida argumentación.

논집(論集) ((준말)) =논문집(論文集).

논총(論叢) colección *f* de ensayos.

논틀길 sendero *m* serpeante y estrecho a lo largo del caballón entre los arrozales o los campos.

논틀밭틀 sendero *m* serpeante y estrecho a lo largo del caballón entre los arrozales o los campos.

논파(論破) refutación *f*, controversia *f*. ~하다 refutar, controvertir, contradecir, ganar (a *uno*) en una discusión.

논평(論評) criticismo *m*, crítica *f*, comentario *m*, reseña *f*. ~하다 criticar, hacer la crítica (de), comentar, reseñar. 이 문제에 관한 신문 ~ comentarios *mpl* de la prensa sobre este tema. 남의 작품에 ~을 가하다 hacer la crítica de *su* obra.

논풀 malas hierbas *fpl* en el arrozal.

논풀다 cultivar (la tierra) para un arrozal, hacer la tierra para un arrozal.

논풀이 cultivo *m* de la tierra para un arrozal.

논프로 aficionado, no profesional.

논픽션(영 *nonfiction*) no ficción *f*, obra *f* documental, literatura *f* seria.

논하다(論-) [논의(論議)하다] discutir (de·sobre); [평론(評論)하다] comentar (sobre), hacer comentarios (sobre). 문학을 ~ hablar [comentar] sobre la literatura. 사건의 시비를 ~ discutir si se acepta o se rechaza un asunto. 이것은 논할 가치가 없다 Esto no merece la pena de discutirse / No vale la pena (de) discutirlo. 이 문제는 철저히 논했다 Se ha discutido a fondo [exhaustivamente] este problema. 그것은 논할 여지가 없다 Es indiscutible [fuera de toda duda] / No hay que darle vueltas.

논흙 tierra *f* pegajosa y fina del arrozal.

놀[1] ((준말)) =노을.

놀[2] ((뱃사람말)) ola *f* fiera del mar.

놀금 precio *m* bajísimo, precio *m* de saldo.

놀놀하다 =노르스름하다.

놀다[1] ① [놀이를 하거나 하여 즐겁게 지내다] ㉮ [유희] jugar. 아이들과 ~ jugar con los niños. 장난감을 가지고 ~ jugar con los juguetes. 카드를 하며 ~ jugar a las cartas. 우리 무엇을 하고 놀까? ¿A qué vamos a jugar? ㉯ [행락] gozar (de), divertirse, entretenerse, distraerse, recrearse. 놀러 가다 ir de paseo, hacer una excursión; [유흥] ir a [para] divertirse. 친구 집에 놀러 가다 ir a casa de un amigo para pasar un rato divertido. 유럽에 놀러 가다 ir a Europa para pasarlo bien [para divertirse]. 공부를 많이 하고 놀아라 Estudia mucho y diviértete.
② [하는 일 없이 세월을 보내다] perder el tiempo, holgazanear, haraganear, flojear. 노는 사람 holgazán, -zana *mf*, haragán, -gana *mf*, flojo, -ja *mf*. 놀게 하다 [노동자를] dejar en el paro, dejar sin trabajo. 그들은 잡담을 하면서 놀며 보내고 있었다 Ellos pasaban las horas muertas charlando.
③ [실직되다] estar sin trabajo, estar sin tener empleo [puesto·colocación]. 놀고 있다 [노동자가] no tener trabajo, estar sin hacer nada. 직장 폐쇄는 수백 명의 노동자를 놀게 해왔다 El cierre ha dejado sin trabajo a cientos de obreros.
④ [(물자나 시설 따위가) 쓰이지 않고 있다] estar sin cultivar [en barbecho], quedar sin ser utilizado. 놀고 있는 inactivo, ocioso, muerto. 놀고 있는 자본 capital *m* inactivo. 놀고 있는 돈 dinero *m* inactivo. 놀고 있다 [기계가] no funcionar, estar parado; [공장이] estar parado. 밭이 놀고 있다 El campo está sin cultivar [en barbecho]. 돈이 놀고 있다 El dinero queda sin ser utilizado. 왜 네 자동차는 차고에서 놀고 있느냐? ¿Para qué tienes coche si no lo sacas del garaje?
⑤ [박힌 것이 헐거워 움직이다] quedarse flojo, aflojarse, soltarse. 노는 flojo, suelto, holgado, amplio. 이 청바지는 내 허리에서 논다 Estos vaqueros me quedan flojos de cintura. 수갑이 손목에서 논다 Las esposas me quedan flojas. 깃이 그의 목에서 놀았다 El cuello le quedaba flojo [grande]. 이 이가 놀고 있다 Tengo este diente flojo / Se me mueve este diente.
⑥ [이리저리 돌아다니다] deambular, errar, vagabundear, vagamundear, andar vagabundo, andar vagando, vagar, caminar sin rumbo fijo, dar vueltas, andar rondando (por); [순회하다] visitar, hacer visitas; [순찰하다] patrullar, estar de patrulla; [여행하다] viajar, hacer un viaje.
⑦ [태아(胎兒)가 꿈틀거리다] moverse el feto.
⑧ [들떠서 주책없이 행동하다] comportarse con *su* propia manera.
⑨ [주색(酒色)을 일삼다] entregarse a una vida desipada. 노는 데 정신이 팔리다 entregarse a los placeres. 그는 젊었을 때 잘 놀았다 El llevó una vida disipada cuando (era) joven.
놀고 먹다 vivir ociosamente.

놀다[2] [(윷이나 주사위 같은 것을 던지거나 굴리는 따위의) 오락으로 승부를 겨루다] jugar, tirar. 윷을 ~ jugar al *yut*, tirar *yut*.

놀다[3] [드물어서 귀하다] (ser) raro. 전에는 이런 물건은 정말 놀았다 Era raro este artículo antes.

놀라다 ① [뜻밖의 일을 당하여 가슴이 두근거리다] sorprenderse (de·con), asombrarse (de), pasmarse. 놀라서 con sorpresa, con asombro, sorprendido, asombrado. 놀라울 만큼 asombrosamente, maravillosamente. 놀랄만한 increíble, asombroso, alucinante. 내가 놀란 것은 a [para] mi sorpresa, a [para] mi asombro. 놀랍게도 빨리 con una rapidez asombrsa. 놀라게 하다 asombrar. 몹시 ~ quedarse atónito [pasmado · estupefacto · con la boca abierta]. 놀라 말도 못하다 quedarse con la boca abierta de estupor. 놀란 눈으로 보다 mirar con sorpresa. …은 놀라운 일이 아니다 No es de sorprenderse [No es nada sorprendente] que + *subj*. 그는 놀라서 들었다 El escuchó asombrado. 나는 뭐든 쉬 잊는데 놀란다 Me asombro de la facilidad con que lo olvido todo. 우리들은 그의 파렴치한 짓에 놀랐다 Su desfachatez nos ha dejado atónitos. 그가 무죄였다니 놀랐다 Me sorprendí al oir [Supe con sorpresa] que él era inocente / Para mi sorpresa él era inocente. 나는 네가 약간 변한 것에 놀랍다 Estoy asombrado de lo poco que has cambiado. 그들이 이긴 것이 놀랍지 않니? ¿No te asombra que hayan ganado? 그가 실패했다니 놀랐다 Me sorprende que él haya fracasado / ¡Qué sorpresa que él haya fracasado. 그 여자가 제안을 거절해 나는 크게 놀랐다 Ella rechazó la oferta, lo cual me causó gran asombro. 여든 살이라는 놀랄만한 나이에도 불구하고 그 여자는 어느 때보다도 더 좋아 보인다 A la increíble edad de ochenta años, se la ve mejor que nunca. 놀라운 일이군! ¡Caramba! / ¡Caray! / ¡Cáspita! / Es increíble. 이거 놀랐는 걸 ¡Caramba! / ¡Qué sorpresa! / ¡Qué bárbaro! / ¡Qué barbaridad! 내 집사람은 사소한 것에도 놀란다 Mi mujer se espanta por muy poca cosa. 그 남자는 어떤 것에도 놀라지 않는다 Ese hombre no se espanta por nada. 그의 용기에 나는 놀랐다 Su valor me llenó de asombro / Me admiró su valor. 그가 돌아왔다는 것을 알고 그 여자는 놀랐다 Ella se quedó atónita [pasmada] cuando se enteró que él había vuelto.

② [공포(恐怖)] asustarse, espantarse, aterrorizarse. 놀라(서) con espanto. 나는 그때 난 소리에 놀랐다 Me asusté con el ruido que hacía. 그는 너무 놀라 목소리가 나오지 않았다 El se asustó tanto que perdió la voz.

③ [감탄(感歎)하다] maravillarse, admirarse (de · con), espantarse (de). 놀라운 maravilloso, admirable; [센세이셔널한] sensacional. 놀라 maravillado, admirado. 놀라울 만큼 maravillosamente. 놀라운 일 maravilla *f*. 놀라 바라보다 mirar con admiración. 그녀는 놀라울 만큼 노래를 잘 부른다 Ella canta maravillosamente bien. 아버지는 딸의 행동에 놀라지 않았다 El padre no se maravilló de la conducta de su hija. 나는 그가 부지런한 것을 보고 놀랐다 Me espanto de verle tan solícito.

놀라움 ① sorpresa *f*, asombro *m*. 그 소식을 접하고 그의 ~은 엄청났다 Su asombro era grande al oir la noticia. ② [공포(恐怖)] susto *m*, espanto *m*. ③ [경탄(驚歎)] maravilla *f*, admiración *f*.

놀란가슴 corazón *m* palpitante, corazón *m* asustado.

놀란혼(一魂) =놀란가슴.

놀랍다 (ser) sorprendente, asombroso, maravilloso, admirable, sensacional, formidable. 놀랍게도 sorprendentemente, asombrosamente, maravillosamente, admirablemente, formidablemente. 놀라운 무기 el arma *f* (*pl* las armas) formidable. 놀라운 무식(無識) ignorancia *f* asombrosa. 놀라운 소식 noticia *f* sorprendente. 놀라운 학식(學識) conocimientos *mpl* maravillosos. 놀라운 기억력을 가지다 tener una memoria notable, tener memoria de elefante.

놀래다 ① [놀라게 하다] sorprender, asombrar. 당신이 그런 일을 했다니 놀랬다 Me asombra que usted haya hecho tal cosa. 세상 사람들은 그의 재능(才能)에 놀랬다 El asombra a todo el mundo por su genio. 내가 전한 사고 소식에 그녀는 놀랬다 La sorprendí con la noticia del accidente. 그 소식을 듣고 내 아내는 놀랬다 La noticia sorprendió a mi esposa. 그런 질문에 나는 놀랬다 Me ha sorprendido con esa pregunta. 그의 뜻밖의 선물로 우리들은 놀랬다 Nos sorprendió con un regalo imprevisto. 내 갑작스런 방문으로 그는 놀랬다 Le dio una sorpresa con mi esperada visita.

② [공포(恐怖)] asustar, espantar, dar un susto. 개를 ~ asustar a un perro. 나는 그의 큰소리에 놀랬다 Me asutaron sus gritos. 일식(日蝕)은 고대인(古代人)들을 놀랬다 Los eclipses de sol causaban espanto a los antiguos. 그는 놀래 죽을 뻔했다 El casi se murió de susto. 나는 파열음에 놀랬다 El estallido me dio un susto.

③ [경탄(驚歎)] maravillar, admirar. 그의 재능에 모두가 놀랬다 Su talento admiró a todo el mundo. 그의 노래 재능에 나는 놀랬다 Me admiró su talento como cantante. 내부의 호화스러움에 모두가 놀랬다 La suntuosidad del interior maravilló a todos.

놀려대다 soler mofarse (de).

놀려먹다 mofarse al azar de otro.

놀리다[1] ① [조롱하다] reírse (de), mofarse (de), burlarse (de), hacer burla [mofa] (de · a), tomar el pelo (a), dar [decir · gastar] una broma (a), chancearse (de), gastar chanzas (a), ridiculizar, poner en ridículo. 놀리지 마라 No me tome el pelo. 그는 여성과 함께 갔기 때문에 사람들이 놀렸다 Como él iba con una chica, le gastaron bromas.

② [놀게 하다] dejar [hacer] jugar, hacer*le a uno* mucho, permitir pasarse ociosamente, permitir que se pase ociosamente. 나는 아들을 놀릴 수는 없다 No puedo permitir que mi hijo se pase ociosamente. 나는 아이들을 공원에서 놀렸다 Llevé a los niños para que jugaran [jugasen] en el parque.

비가 왔기 때문에 아이들을 집에서 놀렸다 Como estaba lloviendo, dejé que los niños jugaran [jugasen] en casa.
③ [이리저리 움직이게 하다] mover. 손발을 ~ mover el miembro [las manos y los pies].
④ [애를 태우다] impacientar.
⑤ [함부로 말하다] decir sin pensar. 입을 잘못 ~ deslizarse [soltarse] la lengua, decir con descuido lo que no se debe. 나는 무심코 입을 잘못 놀렸다 Se me fue (de) la lengua.
⑥ [돈을] dejar dormir, dejar ocioso. 놀리고 있는 inactivo. 놀리는 돈 dinero *m* inactivo. 놀리는 자본 capital *m* inactivo. 돈을 ~ dejar dormir el dinero. 돈을 놀리지 마십시오 No deje ocioso su dinero / No deje dormir su dinero.
⑦ [논밭 따위를] dejar en barbecho [en reposo], dejar sin prevecho [sin utilizar]. 밭을 ~ dejar el campo en barbecho [en reposo]. 토지를 ~ dejar el terreno sin provecho [sin utilizar].

놀리다² [빤 빨래를 다시 빨다] volver a lavar la ropa lavada.

놀림¹ [조롱하는 짓] mofa *f*, burla *f*, broma *f*, chanza *f*.
■ ~감[거리] objeto *m* de burlas, burla *f*, mofa *f*, hazmerreír *m*. ¶~이 되다 ser objeto de burlas, ser el hazmerreír (de), ponerse [quedar] en ridículo. ~으로 만들다 hacer (a *uno*) objeto de burlas. 그는 동료의 ~이 될 것이다 El será el hazmerreír de sus compañeros. ~조(調) tono *m* [actitud *f*] en broma. ¶~로 en broma. 반 ~로 medio en broma, casi como para tomar el pelo.

놀림² [놀리어 빠는 빨래] ropa *f* lavada de volver a lavar.

놀면하다 (ser) adecuadamente amarillento.

놀부 ①【문학】【인명】*Nolbu*, uno de los protagonistas en Heungbucheon. ② [마음씨 나쁜 사람] persona *f* de mal carácter, persona *f* malhumorada.
■ ~ 심사 maldad *f*, perversidad *f*, mal carácter *m*.

놀소리 balbuceo *m* del bebé. ~하다 balbucear.

놀아나다 ① [얌전한 사람이 방탕해지다] llevar una vida libertina, abusar de disipación, hacerse playboy. ② [실속 없이 들뜬 행동을 하다] actuar [comportarse] imprudentemente [con imprudencia].

놀아먹다 ① [하는 일 없이 놀면서 지내다] vivir ociosamente, *AmS* ociosear. 놀아먹는 생활 vida *f* ociosa. 그는 매일 하는 일 없이 놀아먹는다 El lo pasa todos los días ociosamente. ② [함부로 방탕한 생활을 하다] llevar una vida libertina, correrla. 놀아먹은 사람 libertino, -na *mf*. 그는 젊을 때는 제법 놀아먹은 사람이다 El la corre mientras se se joven.

놀음 ① [어떤 몸짓을 하면서 재미나게 노는 일] juego *m*. ② ((준말)) =놀음놀이.
■ ~놀이 juego *m*, juerga *f*, festejos *mpl*, diversión *f*. ~놀이판 escena *f* de juerga. ~차 ㉮ =화대(花代). ㉯ =해웃값. ~판 ((준말)) =놀음놀이판.

놀이¹ [벌들이, 따뜻한 날에 떼를 지어 제 집 앞에 나와 날아 돌아다니는 일] vuelo *m* de las abejas.

놀이² ① [노는 일] ㉮ [유희(遊戲)] juego *m*. ㉯ [소일(消日)·기분풀이] diversión *f*, entretenimiento *m*, recreación *f*, pasatiempo *m*. ㉰ [행락(行樂)] excursión *f*, paseo *m*. ㉱ [유흥(遊興)] disipación *f*, libertinaje *m*. ~ 가다 ㉮ [행락] ir de paseo, hacer una excursión. ㉯ [유흥] ir a [para] divertirse. 남미(南美)에 ~ 가다 ir a la América del Sur para pasarlo bien [para divertirse]. ~가 성행하다 estar en la edad del juego. ② ((준말)) =놀음놀이.
◆그림찾기 ~ acertijo *m* de figuras entre un dibujo.
■ ~꾼 jugador, -dora *mf*, juerguista *mf*, excursionista *mf*. ~ 상대 compañero, -ra *mf* de juego, compañero, -ra *mf* de diversiones. ¶~가 되다 prestarse al juego. ~ 시간 hora *f* de recreo. ~터 [아이들의] campo *m* de juegos, patio *m* de recreo; [환락장] lugar *m* de diversión.

놀잇배 barco *m* de excursión.

놀지다 el ola (grande) subir.

놀치다 crecer, subir, subir encrespado, encresparse.

놈¹ ① ((낮춤말)) hombre *m*, tipo *m*, sujeto *m*. 고약한 ~ carácter *m* desagradable. 더러운 ~ bastardo *m* sucio. 묘한 ~ tipo *m* excéntrico. 미친 ~ tipo *m* loco, tío *m* loco, excéntrico *m*, chiflado *m*. 불쌍한 놈 el pobre desdichado, el pobre infeliz, el pobre diablo. 재주 좋은 ~ tipo *m* con suerte. 젊은 ~ jovencito *m*. 녹색 옷의 그 ~ ese hombre [tipo] de traje verde. 이 ~아 ¡Eh! / ¡Mira! / ¡Qué haces! ② =사내아이. ¶요 ~은 제 엄마를 그대로 닮았어 Este niño es parecido a su mamá.

놈² [동물이나 물건 따위] cosa *f*, uno, lo. 그 ~을 이리 주오 Pásamelo, por favor.

놈놀이 hombre *m*.

놈팡이 ① =건달. ② [남의「남편」을 얕잡아 이르는 말] su marido.

놉 ① [품꾼] [농장의] jornalero, -ra *mf*; [공장의] obrero, -ra *mf* eventual. ② [품꾼을 부리는 일] trabajo *m* como eventual.
■ ~겪이 empleo *m* del jornalero.

놋 ((준말)) =놋쇠(latón).
■ ~단추 botón *m* de latón. ~ 세공 obra *f* de latón.

놋갓장이 latonero *m*.

놋갓점(一店) latonería *f*.

놋그릇 recipiente *m* de latón, receptáculo *m* de latón.

놋기명(一器皿) =놋그릇.

놋대야 lavabo *m* de latón, lavamanos *m* de latón.

놋대접 tazón *m* de latón, cuenco *m* de latón.
놋방울 campanilla *f* de latón.
놋상(一床) mesa *f* de latón.
놋쇠 latón *m* (*pl* latones), cobre *m* amarillo. ~ 제품의 de latón, de cobre amarillo.
놋숟가락 cuchara *f* de latón.
놋요강(一尿鋼) orinal *m* de latón.
놋점(一店) latonería *f*.
놋젓가락 palillos *mpl* de latón.
놋좆(櫓一) tolete *m*, escálamo *m*.
놋칼 cuchillo *m* de latón, espada *f* de latón.
놋타구(一唾具) escupidera *f* de latón.
농(弄) ① [실없는 장난] travesura *f*, diablura *f*. ~하다 gustar*le* una broma (a). ② ((준말)) =농담.
농(農) ① [농업] agricultura *f*. ② [농군] agricultor, -tora *mf*.
◆농(農)은 천하의 대본(大本) La agricultura es la base de la existencia del país.
농(膿) [고름] pus *m*.
◆농(이) 들다 generar [producir] pus, enconarse, supurar.
농(籠) ① [버들채나 싸리 따위로 함처럼 만들어 종이로 바른 상자] caja *f* de mimbre empapelada. ② =농장(籠欌). ③ ((준말)) =장롱(欌籠).
▪~장수 vendedor, -dora *mf* de armarios.
농-(農) agrícola *adj*. ~기구(機具) maquinaria *f* agrícola.
농-(濃) ① [진한 · 농후한] espeso. ② [빛깔 같은 것이「진한」] oscuro, obscuro, intenso, subido.
-농(農) agricultura *f*, [농부] agricultor, -tora *mf*.
농가(農家) [집] vivienda *f* del granjero, casa *f* de labrador [de labranza], alquería *f*, *PRI* casco *m* de la estancia; [농장(農場)] granja *f*, [가족] familia *f* agrícola. ~의 마당 corral *m*.
▪~ 소득 ingresos *mpl* agrícolas. ~집 familia *f* agrícola.
농가진(膿痂疹) 【의학】 impetigo *m*, impétigo *m*, exantema *m* crónico.
농간(弄奸) treta *f* frauculenta, engaño *m*, fraude *m*, artería *f*, astucia *f*, mañas *fpl*, ardid *m*, truco *m*, artificio *m*.
◆농간(을) 부리다 hacer travesuras, hacer*le* [gastar*le*] una broma (a), engañar.
농객(隴客) 【조류】 =앵무새.
농거(農車) carro *m* para la agricultura.
농경(農耕) cultivo *m*, labor *f*, labranza *f*.
▪~ 민족 pueblo *m* agrícola. ~법 técnica *f* agrícola, método *m* agrícola. ~ 사회(社會) comunidad *f* agrícola, sociedad *f* agrícola. ~ 시대 【역사】 la Edad Agrícola. ~용 가축(用家畜) animales *mpl* domésticos agrícolas. ~용 견인차[트랙터] tractor *m* agrícola. ~작 cultivo *m* agrícola. ~ 적지(適地) tierras *fpl* de cultivo, tierras *fpl* arables, tierras *fpl* cultivables. ~ 지방 región *f* bien cultivada.
농고(農高) ((준말)) =농업 고등 학교.
농곡(農穀) cereales *mpl* cultivados.
농공(農工) ① [농업과 공업] la agricultura y la industria. ② [농부와 직공] el agricultor y el obrero.
▪~상(商) la agricultura, la industria y el comercio. ~업(業) la agricultura y la industria.
농공(農功) =농사일.
농과(農科) departamento *m* de agricultura, curso *m* agrícola, curso *m* de agricultura. ~를 수료하다 completar [terminar] el curso agrícola [de agricultura].
▪~ 대학 facultad *f* de agricultura. ¶~을 졸업하다 graduarse de la facultad de agricultura.
농구(農具) instrumento *m* [utensilio *m*] agrícola [de labranza]; [집합적] herramientas *fpl* agrícolas, aperos *mpl* de labranza.
농구(籠球) baloncesto *m*, *AmL* básketbol *m*, *AmL* básquetbol *m*, juego *m* de balón.
▪~공 balón *m* (*pl* balones) de baloncesto, *AmL* pelota *f* de básquetbol. ~ 선수(選手) jugador, -dora *mf* de baloncesto, baloncestista *mf*, *AmL* basquetbolista *mf*. ~ 시즌 temporada *f* de baloncesto. ~장 campo *m* de baloncesto. ~ 팀 equipo *m* de baloncesto. ~화 zapatillas *fpl* (de deporte), playeras *fpl*.
농군(農軍) agricultor, -tora *mf*, labrador, -dora *mf*.
농극(農隙) =농한(農閑).
농근(農勤) =농사일.
농기(農期) =농사철.
농기(農旗) 【민속】 bandera *f* de la agricultura.
농기(農器) =농구(農具).
농기(農機) maquinaria *f* para la agricultura.
농기구(農器具) maquinaria *f* agrícola, aperos *mpl* de labranza.
농노(農奴) siervo, -va *mf*, siervo, -va *mf* de la gleba; villano, -na *mf*.
▪~ 신분 servidumbre *f*. ~제 servidumbre *f*. ~ 해방 emancipación *f* de los siervos.
농뇨(膿尿) 【의학】 piuria *f*.
농단(壟斷/隴斷) monopolio *m*, monopolización *f*.
농담(弄談) chiste *m*, broma *f*, chanza *f*, chunga *f*, guasa *f*, chuscada *f*, chirigota *f*, [재치 있는] ocurrencia *f*. ~하다 bromear, decir un chiste, decir en broma, chancearse, chunguearse, gastar bromas, contar chistes. ~으로 en broma, en chanza, en chuscada, en chirigota, en burlas. ~은 빼고 bromas aparte. 반 ~으로 en parte por diversión, medio en broma. ~으로 생각하다 tomar a broma. ~이 지나치다 bromear(se) demasiado. ~식으로 말하다 decir a modo de broma. ~으로 얼버무리다 transformar en broma, ridiculizar. ~이 진담(眞談)되다 volverse lanzas las cañas. ~을 해서는 안된다 No te chancees / Déjate de bromas. ~하지 마세요 No se chancee. 당신을 괴롭힐 생각은 추호도 없이 ~으로 그것을 말했습니다 Se lo dije en broma, sin

ánimo de molestarle. 이제 ~ 그만하세요 ¡Basta de bromas! ~에도 정도가 있다 ¡Vaya una broma! / Es una broma pesada [de mal gusto]. ~이 아닙니다 De ninguna manera / ¡Ni en broma vamos! 그의 재치있는 ~은 모두를 웃겼다 Las ocurrencias de él hicieron reír a todos.
■ ~꾼 bromista *mf*.

농담(農談) cuento *m* sobre la agricultura. ~하다 contar sobre la agricultura.

농담(濃淡) matiz *m*, tinte *m*; [명암(明暗)] claro y sombra.
■ ~도(度) profundidad *f*. ~법(法) claroscuro *m*, sombreado *m*, gradación *f*.

농대(農大) ((준말)) =농과 대학(農科大學).

농대석(籠臺石) piedra *f* de soporte del monumento.

농도(濃度) densidad *f*, espesor *m*, espesura *f*, concentración *f*.
■ ~계(計) densímetro *m*. ~ 묘사법(描寫法) densografía *f*.

농독증(膿毒症) 【의학】 piemia *f*.

농땡이 ((속어)) haragán, -gana *mf*, vago, -ga *mf*, *Chi*, *Méj* flojonazo, -za *mf*, *RPI* fiacún, -cuna *mf*.
◆ 농땡이(를) 부리다 eludir [rehuir] *su* deber, holgazanear [haraganear] en *su* trabajo.

농락(籠絡) engatusamiento *m*, zalamería *f*, embaucamiento *m*, seducción *f*, engaño *m*. ~하다 engatusar, embaucar, camelar, seducir, engañar, fascinar. 여자를 ~하다 burlarse de una mujer, engañar a una mujer. 운명에 ~되다 ser el juguete de la fortuna.
■ ~물(物) =놀림감.

농로(農老) persona *f* que tiene mucha experiencia en la agricultura.

농로(農路) camino *m* de labranza.

농루(膿漏) 【의학】 piorrea *f*, blenorrea *f*, blenorragia *f*, pioblenorrea *f*. ~의 piorreal, blenorreal.
◆ 치조 ~ piorrea *f* alveolar.
■ ~성(性) blenorreal *adj*. ~성 귀두염 balanorragia *f*. ~안 blenoftalmía *f*, oftalmía *f* purulenta.

농류(膿瘤) 【의학】 piocele *m*.

농림(農林) la agricultura y la silvicultura.
■ ~부(部) el Ministerio de Agricultura y Silvicultura. ~부 장관 ministro, -tra *mf* de Agricultura y Silvicultura. ~ 사업(事業) industrias *fpl* agrícolas y silviculturales. ~ 수산부 el Ministerio de Agricultura, Silvicultura y Pesca. ~ 수산부 장관 ministro, -tra *mf* de Agricultura, Silvicultura y Pesca. ~업 la agricultura y la silvicultura. ~ 위원회 el Comité de la Agricultura y la Silvicultura. ~ 정책(政策) política *f* de la agricultura y la silvicultura. ~ 학교 [일제 시대의] escuela *f* de agricultura y silvicultura. ~ 행정(行政) administración *f* para la agricultura y la silvicultura.

농림(膿痳) 【의학】 =음식창(陰蝕瘡).

농립(農笠) ((준말)) =농립모(農笠帽).
■ ~모(帽) sombrero *m* para la labranza.

농막(農幕) choza *f* de agricultor, morada *f* humilde.

농말(弄-) =농담(弄談).

농매(聾昧) ignorancia *f*. ~하다 (ser) ignorante.

농맹(聾盲) el sordo y el ciego.

농맹아(聾盲啞) el sordo, el ciego y el mudo.

농목(農木) leña *f* de la familia agrícola.

농목(農牧) la agricultura y el pastoreo.
■ ~민 el agricultor y el pastor. ~장(場) granja *f*.

농무(農務) asuntos *mpl* agrícolas.
■ ~국(局) el Departamento de Asuntos Agrícolas.

농무(濃霧) niebla *f* [neblina *f*] espesa [densa]; [바다 등의] bruma *f* densa. ~가 끼어 있다 Hay una bruma espesa [densa]. ~는 뱃사람들의 가장 무서운 적이다 La bruma densa es el enemigo de los marineros.
■ ~ 경보 aviso *m* de bruma densa.

농묵(濃墨) tinta *f* china espesa.

농민(農民) agricultor, -tora *mf*, labrador, -dora *mf*; [집합적] gente *f* agrícola; [자작농] agricultor, -tora *mf*; cultivador, -dora *mf*; [농촌 사람] campesino, -na *mf*.
■ ~당 partido *m* agrícola. ~ 문예 arte *m* literario campesino. ~ 문학 literatura *f* campesina. ~ 미술(美術) bellas artes *fpl* campesinas. ~ 봉기(蜂起) levantamiento *m* agrario, levantamiento *m* de los labradores. ~ 사회(社會) comunidad *f* rural, comunidad *f* campesina, comunidad *f* agrícola. ~ 생활 vida *f* campesina. ~ 소설 novela *f* campesina. ~ 심리 psicología *f* de labradores. ~ 예술 arte *m* campesino. ~ 운동(運動) campaña *f* de labradores, movimiento *m* campesino. ~ 전쟁 guerra *f* agrícola. ~ 조합 sindicato *m* agrícola. ~ 폭동 levantamiento *m* de los labradores. ~ 해방 emancipación *f* de los labradores. ~ 혁명 revolución *f* agrícola.

농배양(膿培養) piocultura *f*.

농번(農繁) labranza *f* muy ocupada.

농번기(農繁期) temporada *f* de mayor ocupación para labradores, estación *f* de labranza, estación *f* ocupada para labradores.
■ ~ 휴가 permiso *m* por labranza.

농법(農法) ((준말)) =농사법(農事法).

농변(膿便) pioquecia *f*.

농병(農兵) soldados *mpl* agrarios.

농본(農本) acción *f* de adaptar la agricultura como la industria básica.
■ ~국 país *m* de adaptar la agricultura como la industria básica. ~주의(主義) fisiocracia *f*, primer principio *m* agrícola.

농부(農夫) labrador *m*, granjero *m*, labriego *m*; campesino *m*; [자작농] agricultor *m*, cultivador *m*, *CoS*, *Per* chacarero *m*; [큰 농장의 주인] hacendado *m*, *Méj* ranchero *m*, *RPI* estanciero *m*, *Chi* dueño *m* de

fundo; [가축의] ganadero *m*.
■ 농부는 두더지다 ((속담)) El agricultor vive excavando la tierra.
■ ~가(歌) canción *f* campesina, canción *f* de los agricultores.
농부(農父) ① [농사에 전념하는 늙은 아버지] padre *m* viejo que se dedica a la agricultura. ② [농사로 늙은 사람] persona *f* vieja por la agricultura.
농부(農婦) labradora *f*, agricultora *f*.
농불실시(農不失時) No se debe perder el tiempo adecuado para la agricultura.
농사(農事) agricultura *f*, asuntos *mpl* agrícolas, labranza *f*, trabajo *m* [cultivo *m*] en el campo. ~하다 cultivar (la tierra), labrar, trabajar, ser agricultor.
◆ 농사(를) 짓다 cultivar, labrar, trabajar, ser agricultor.
■ ~ 기계 máquinaria *f* agrícola. ~꾼 labrador, -dora *mf*; agricultor, -tora *mf*. ~력 calendario *m* para la agricultura. ~마 caballo *m* para la agricultura. ~법 método *m* de cultivo, método *m* de labranza. ~수입 ingresos *mpl* agrícolas. ~ 시험장 centro *m* experimental de agricultura, granja *f* de experimentos agrícolas, quinta *f* normal. ~원(院) el Instituto de la Agricultura. ~일 trabajo *m* agrícola, trabajo *m* agropecuario, labranza *f*, trabajo *m* en el campo. ¶~하다 cultivar, labrar, trabajar, ser agricultor. ~ 지도 orientación *f* de labranza. ~철 estación *f* de labranza.
농산(農産) ((준말)) =농산물(農産物).
■~ 가공 elaboración *f* agrícola. ~ 가공품(加工品) mercancías *fpl* elaboradas. ~국 departamento *m* agrícola. ~업 agricultura *f*. ~ 자원 recursos *mpl* agrícolas. ~ 제조 producción *f* agrícola.
농산물(農産物) productos *mpl* agrícolas. ~이 풍부하다 ser rico en productos agrícolas.
■ ~ 가격 precios *mpl* agrícolas. ~ 검사법 ley *f* de inspección de productos agrícolas.
농산어촌(農山漁村) el campo, la aldea de pesca y la aldea montañesa.
농상(農相) ministro, -tra *mf* de Agricultura.
농상(農桑) [농업과 양잠업] la agricultura y la sericultura.
■ ~국(局) departamento *m* agrícola y sericícola
농상(農商) ① [농업과 상업] la agricultura y el comercio. ② [농민과 상인] el agricultor y el comerciante.
■ ~무(務) asuntos *mpl* agrícolas y comerciales.
농상(隴上) ① [밭 안의 높은 곳] lugar *m* alto del interior del campo. ② [언덕 위] sobre la colina.
농상공(農商工) la agricultura, el comercio y la industria.
■ ~부(部) 【역사】 el Ministerio de Agricultura, Comercio e Industria. ~부 대신(部大臣) 【역사】 ministro *m* de Agricultura, Comercio e Industria.
농색(濃色) color *m* denso, color *m* espeso.
농서(農書) libro *m* sobre la agricultura.
농서(濃暑) calor *m* severo.
농선지(籠扇紙) papel *m* para el abanico producido en *Yongdam, Cheolado.*
농성(籠城) ① [군사가 머물러 있는 성이 적군에게 에워싸임] sitio *m*. ~하다 sitiar, estar en sitio, quedarse sitiado. ② [성문을 굳게 닫고 성을 지킴] resistencia *f* al sitio [al cerco]. ~하다 resistir el sitio. ③ [어떠한 목적을 위하여 한 집이나 방이나 자리를 떠나지 않고 지킴] sentada *f*, encierro *m*, ocupación *f*, toma *f* (del lugar de trabajo). ~하다 encerrarse, estar encerrado, hacer una manifestación de brazos caídos. ~ 전술을 쓰다 recurrir a la táctica de la sentada [de brazos caídos].
■ ~ 파업 huelga *f* de brazos caídos. ~ 항의[투쟁] sentada *f*, *Méj* sitin *m*.
농수산(農水産) la agricultura y la industria pesquera.
■ ~물 productos *mpl* agrícolas y pesqueros. ~물 유통 및 가격 안정에 관한 법률 ley *f* sobre transacción de productos agrícolas y estabilización de precios. ~부 el Ministerio de Agricultura e Industria Pesquera. ~부 장관 ministro, -tra *mf* de Agricultura e Industria Pesquera. ~ 위원회 el Comité [la Comisión] de Agricultura e Industria Pesquera.
농숙(濃熟) demasiada madurez *f*. ~하다 estar demasiado maduro.
농시(農時) =농사철.
농신(農神) dios *m* de agricultura.
농아(聾兒) niño *m* sordo, niña *f* sorda.
농아(聾啞) sordomudez *f*, [사람] sordomudo, -da *mf*. ~의 sordomudo.
■ ~ 교육 enseñanza *f* para los sordomudos. ~ 문자 lenguaje *m* gestual, lenguaje *m* de gestos. ~ 학교(學校) escuela *f* de sordomudos.
농악(農樂) música *f* instrumental de campesinos.
■ ~대(隊) banda *f* de la música instrumental de campesinos.
농액(濃液) líquido *m* espeso.
농액(膿液) 【의학】 pus *m*.
농약(農藥) medicina *f* agrícola, producto *m* químico para agricultura; [살충제(殺蟲劑)] insecticida *m* agrícola.
농양(膿瘍) 【의학】 absceso *m*, apostena *f*.
농어 【어류】 lobina *f*, lubina *f*, perca *f*, róbalo *m*.
농어촌(農漁村) pueblo *m* agrícola y pesquero.
농언(弄言) =농담(弄談).
농업(農業) agricultura *f*, industria *f* agrícola. ~의 agrícola. ~에 종사하다 dedicarse a [ocuparse en] la agricultura.
◆ 고도 기계화 ~ agricultura *f* bien mecanizada. 조방(粗放) ~ agricultura *f* extensa. 집단(集團) ~ agricultura *f* colectiva. 집약(集約) ~ agricultura *f* intensiva. 혼합

~ agricultura *f* mixta.

■ ~ 개량 mejoras *fpl* agrícolas. ~ 개발 desarrollo *m* agrícola. ~ 개발 계획 proyecto *m* del desarrollo agrícola. ~개발국 Departamento *m* de Desarrollo Agrícola. ~ 경영 administración *f* agrícola. ~ 경영학 agronomía *f*. ~ 경제 economía *f* agrícola. ~ 경제학 ciencias *fpl* económicas agrícolas. ~계 círculos *mpl* agrícolas. ~ 고등학교 escuela *f* superior de agricultura. ~ 공황 pánico *m* agrícola. ~ 과학 agronomía *f*, ciencia *f* agrícola. ~ 관세 derechos *mpl* de aduana agrícolas. ~국 país *m* agrícola. ~ 기계 máquina *f* agrícola; [집합적] maquinaria *f* agrícola. ~ 기계화 mecanización *f* agrícola. ~ 기본법 ley *f* básica de agricultura. ~ 기사(技師) ingeniero, -ra *mf* agrícola. ~ 기상 meteoro *m* agrícola, tiempo *m* agrícola. ~ 기상학 meteorología *f* agrícola, agrometeorología *f*. ~ 기상 학자 agrometeorólogo, -ga *mf*.; meteorólogo, -ga *mf* agrícola. ~ 기술 técnica *f* agrícola. ~ 노동력 labores *fpl* agrícolas. ~ 노동자 peón *m* de labranza; obrero, -ra *mf* agrícola; [날품팔이] jornalero, -ra *mf*, bracero, -ra *mf*. ~ 단체 organización *f* agrícola. ~ 보험 seguro *m* agrícola. ~ 부기 contabilidad *f* agrícola. ~ 생물사(史) historia *f* de la agricultura. ~ 생물학 agrobiología *f*. ~ 생산 agroproducción *f*, producto *m* agrícola. ~ 설비 equipo *m* agrícola. ~ 센서스 censo *m* agrícola. ~ 시대 edad *f* agrícola [de la agricutura]. ~ 시험장 lugar *m* de examen agrícola. ~ 식물 planta *f* agrícola. ~용 기계 máquina *f* agrícola; [집합적] maquinaria *f* agrícola. ~용 비행기 avioneta *f* agrícola. ~ 용수(用水) el agua *f* agrícola. ~ 위기(危機) crisis *f* agrícola. ~ 인구 población *f* agrícola. ~ 자금 대부 préstamo *m* rural. ~ 재해 보상법 Ley *f* de Compensación de Desastre Agrícola. ~ 전화(電化) electrificación *f* agrícola. ~ 정책 política *f* agrícola. ~지 región *f* agrícola. ~ 지대 zona *f* agrícola. ~ 지질학 [지리학] geología *f* agrícola, agrogeología *f*. ~ 지질 학자 agrogeólogo, -ga *mf*. ~ 차관(借款) prestación *f* agrícola, préstamo *m* agrícola. ~ 창고 granero *m*. ~ 측량(測量) agrometría *f*. ~ 측량 기구 agrómetro *m*. ~ 토목 ingeniería *f* civil agrícola. ~ 학교 escuela *f* agrícola, escuela *f* de agricultura, escuela *f* de agronomía.

농업은행(農業銀行) Banco *m* Agrícola.

농업 협동 조합(農業協同組合) (Asociación *f*) Cooperativa *f* Agrícola.

■ ~ *중앙회 la* Federación Nacional de Cooperativa Agrícola.

농염(濃艶) belleza *f* embelesadora, encanto *m* voluptuoso, fascinación *f*. ~하다 (ser) fascinante, encantador, hechicero, voluptuoso. ~한 여인 mujer *f* de una belleza embelesadora, mujer *f* de un encanto voluptuoso.

농예(農藝) tecnología *f* agrícola, la agricultura y la horticultura.

■ ~ 식물학 agrobotánica *f*, botánica *f* agrícola. ~ 화학 agroquímica *f*, química *f* agrícola.

농와(弄瓦) acción *f* de dar a luz una hija.

■ ~지경(之慶) felicidad *f* de dar a luz una hija.

농요(農謠) canción *f* folclórica de los agricultores.

농용(農用) uso *m* para la agricultura.

■ ~림(林) bosque *m* para la agricultura.

농우(農牛) ganado *m* agrícola, buey *m* de tiro.

농운(濃雲) nube *f* densa, nube *f* espesa.

농원(農園) huerta *f*, granja *f*, hacienda *f*. ~에서 일하다 trabajar en una granja.

■ ~주(主) propietario, -ria *mf* de una granja.

농월(弄月) goce *m* de mirar la luna. ~하다 gozar de (mirar) la luna.

농은(農銀) ((준말)) =농업 은행(農業銀行).

농음(濃陰) sombra *f* densa, sombra *f* espesa.

농이(膿耳) 【의학】 enfermedad *f* que el pus sale del oído.

농익다(濃－) (estar) demasiado maduro, pasado.

농인(農人) =농민(農民).

농자(農者) agricultura *f*.

■ ~ 천하지대본(天下之大本) La agricultura es una gran base del mundo.

농자(農資) ((준말)) =농업 자본(農業資本).

■ ~금(金) =영농 자금(營農資金).

농자(聾者) sordo, -da *mf*.

농작(農作) agricultura *f*, labranza *f*, cultivo *m*, cultivo *m* de la tierra.

농작물(農作物) productos *mpl* agrícolas, cosechas *fpl*, cultivos *mpl*. ~을 해치다 dañar lo que se cultiva. 이 비는 ~에 좋을 것이다 Esta lluvia le vendrá bien a los cultivos. ~ 값은 시장에서 안정세를 유지하고 있으나 수요가 더디다 Los precios de los productos agrícolas se mantienen estables en los mercados, pero la demanda es lenta.

농잠(農蠶) la agricultura y la sericultura.

농장(弄杖) =격구(擊毬).

농장(弄璋) acción *f* de dar a luz un varón.

■ ~지경(之慶) felicidad *f* de dar a luz un varón.

농장(農庄) casa *f* cerca de la granja para la administración de la granja.

농장(農莊) 【역사】 terreno *m* agrícola.

농장(農場) [작은] granja *f*, *CoS*, *Chi* charca *f*; [큰] cortijo *m*, hacienda *f*, finca *f*, *Méj* rancho *m*; *RPl* estancia *f*, *Chi* fundo *m*; [플랜테이션] plantación *f*. ~ 안의 주택(住宅) vivienda *f* del granjero, casa *f* de labranza, alquería *f*, *RPl* casco *m* de la estancia. 부속 건물을 포함한 ~ vivienda *f* del granjero y edificios que la rodean. ~을 경영하다 llevar [dirigir · administrar] una granja.

◆ 국영 ~ hacienda *f* estatal. 담배 ~

plantación *f* de tabaco. 실험 ~ granja *f* experimental. 옥수수 ~ plantación *f* de maíz, maizal *m*. 집단 ~ hacienda *f* colectiva. 차(茶) ~ plantación *f* de té. 커피 ~ plantación *f* de café.
■ ~ 경영 administración *f* [dirección *f*] agrícola. ~ 노동자 campesino, -na *mf*, labrador, -dora *mf*, trabajador, -dora *mf* agrícola; peón *m* [mozo *m*] de labranza. ~주 propietario, -ria *mf* de una granja.
농장(濃粧) maquillaje *m* denso.
농장(濃醬) =진간장.
농장(籠欌) armario *m* de dos o tres pisos sin patas.
농절(農節) =농사철.
농정(農政) administración *f* agrícola.
■ ~국(局) departamento *m* de administración agrícola.
농조(弄調) =놀림조.
농조(籠鳥) ① [새장에 가둬 기르는 새] pájaro *m* criado en la jaula. ② ((준말)) =농중조.
■ ~연운(戀雲) corazón *m* que el cautivo desea la libertad.
농주(農酒) licor *m* no refinado para la labranza.
농중조(籠中鳥) ① [새장에 가두어 두고 기르는 새] pájaro *m* criado en la jaula, pájaro *m* enjaulado. ② [자유 없는 신세] cautivo, -va *mf*.
농즙(濃汁) zumo *m* [*AmL* jugo *m*] denso [espeso].
농즙(膿汁) 【의학】 pus *m*.
농지(農地) tierras *fpl* de labranza, terreno *m* agrícola; [전답(田畓)] campo *m*.
■ ~ 개발 explotación *f* de tierras de labranza. ~ 개발법 ley *f* de explotación de tierras de labranza. ~ 개혁 reforma *f* agraria, reforma *f* del terreno agrícola. ~ 개혁법 ley *f* de reforma agraria. ~ 관리 administración *f* de tierras de labranza. ~ 관리국 departamento *m* de administración de tierras de labranza. ~국 departamento *m* de tierras de labranza. ~령(令) ordenanzas *fpl* de tierras de labranza. ~ 문제 problema *m* del agro, problema *m* del terreno agrícola. ~법 ley *f* agraria. ~ 분배 distribución *f* de tierras de labranza. ~세 impuesto *m* sobre terrenos agrícolas. ~ 위원회 comité *m* [comisión *f*] del terreno agrícola. ~의 보전 및 이용에 관한 법률 ley *f* sobre protección y utilización de predios agrícolas. ~ 임대차 관리법 ley *f* de arrendamiento de predios agrícolas. ~ 전용 uso *m* del terreno agrícola para los otros propósitos.
농지거리(弄-) chanza *f*, burla *f*, chiste *m*. ~하다 chancear(se), usar de chanzas.
농차(濃茶) té *m* cargado; [색깔] castaño *m* oscuro.
농창(膿瘡) 【의학】 =심농가진(深膿痂疹).
농채(濃彩) =진채(眞彩).
농처(農處) ① =농토(農土). ② [농사일을 하는 터] lugar *m* de labaranza.
농철(農-) ((준말)) =농사철.
농초(農草) tabaco *m* que el agricultor siembra para *su* propia casa.
농촌(農村) pueblo *m* [aldea *f*] agrícola; [전원(田園)] campo *m*; [농촌 지역] comunidad *f* rural, región *f* rural. ~의 rural, agrícola, rústico, campesino. ~의 공업화(工業化) industrialización *f* rural. ~의 발전(發展) desarrollo *m* de pueblos rurales.
■ ~ 경제 economía *f* rural. ~ 계몽(啓蒙) iluminación *f* rural. ~ 교육 educación *f* rural. ~ 구제 ayuda *f* a las comunidades rurales. ~ 문제(問題) problema *m* rural [agrario]. ~ 봉사 활동 actividades *fpl* de servicio en la comunidad rural. ~ 사회 comunidad *f* rural, sociedad *f* rural. ~ 사회학 sociología *f* rural. ~ 생활 vida *f* rústica [en el campo · del campo · en comunidades rurales]. ~ 시간 [라디오 · 텔레비전의] hora *f* de agricultores. ~ 여성 mujer *f* rural, campesina *f*. ~ 인구 población *f* rural [agraria · agrícola]. ~ 전화(電化) electrificación *f* rural. ~ 지대 el área *f* (*pl* las áreas) rural, región *f* rural. ~ 진흥 mejora *f* rural, desarrollo *m* de comunidades rurales. ~진흥청 la Oficina de Desarrollos Rurales. ~ 청년 joven *m* rural [campesino]. ~형 공업 industria *f* adecuada para las comunidades rurales.
농축(農畜) la agricultura y la ganadería.
농축(濃縮) concentración *f*, condensación *f*, enriquecimiento *m*. ~하다 concentrar, condenar, enriquecer. ~된 concentrado.
■ ~기 condensador *m*. ~액 extracto *m*. ~ 우라늄 uranio *m* enriquecido. ~ 우유 leche *f* condensada. ~ 주스 zumo *m* [*AmL* jugo] concentrado.
농탁(農濁) *makgoli* [licor *m* tradicional coreano] que bebe al trabajar la labranza.
농탁하다(濃濁-) (ser) denso.
농탁히 densamente.
농탕(弄蕩) conducta *f* lasciva, vida *f* lasciva, disipación *f*, vida *f* disipada, vida *f* disoluta, libertinaje *m*.
◆농탕(을) 치다 llevar una vida disipada [disoluta].
농탕(濃湯) sopa *f* hervida muy suavemente.
농터(農-) =농토(農土).
농토(農土) tierras *fpl* de labranza, terreno *m* agrícola, campos *mpl*, terreno *m* destinado a la agricultura. 메마른 ~ tierra *f* estéril [árida · yerma]
■ ~ 개량 mejora *f* de tierras de labranza, mejora *f* de terreno agrícola. ~한(干) agricultor, -tora *mf*.
농투성이(農-) labrador, -dora *mf*, agricultor, -tora *mf*.
농포(農圃) campo *m* para el cultivo agrícola.
농포(膿疱) 【의학】 pústula *f*. ~의 pustuloso.
농피귀라티프(불 *non-figuratif*) [비구상(非具象)의] no figurativo.
농피증(膿皮症) 【의학】 pioderma *f*.
농하다(弄-) bromear. 궤변을 ~ sofisticar.

농하다(濃－) ① [빛깔이] (ser) o(b)scuro. ② [액체가] (ser) denso, espeso.
농학(農學) agronomía *f*, ciencia *f* de la agricultura. ～의 agronómico.
■～ 박사 doctor, -tora *mf* en agricultura. ～부 facultad *f* de agronomía, facultad *f* en agronomía. ～사(士) bachiller, -ra *mf* en agronomía. ～자 agrónomo, -ma *mf*.
농한(農閑/農閒) tiempo *m* libre en la hacienda.
■～기(期) temporada *f* de desocupación para labradores, época *f* desocupada para labradores.
농함(籠檻) jaula *f* de bambú.
농해(籠蟹) 【동물】=농게.
농향(濃香) perfume *m* denso.
농혈(膿血) 【의학】=피고름.
농협(農協) ((준말)) =농업 협동 조합.
농형(農形) situación *f* de la labranza.
농형성(膿形成) piogénesis *f*.
농혼(聾昏) sordo, -da *mf*.
농홍(濃紅) (color *m*) rojo *m* oscuro.
농화(弄火) =불장난.
농화(濃化) densidad *f*.
농활(農活) ((준말)) =농촌 봉사 활동.
농황(農況) situación *f* de los cereales.
농회(農會) [옛날의] Cooperativa *f* Agrícola.
농회색(濃灰色) (color *m*) gris *m* oscuro.
농후(濃厚) espesor *m*, densidad *f*. ～하다 [액체가 묽지 아니하고 짙다] (ser) espeso, denso, pesado; [빛깔이 매우 짙다] oscuro, obscuro; [강렬한] fuerte. ～한 냄새 olor *m* fuerte. ～한 러브 신 escena *f* de amor muy osada. ～한 주스 zumo *m* [jugo *m*] espeso. ～하게 화장하다 empolvarse espesamente. 그는 혐의(嫌疑)가 ～하다 Las sospechas que existen sobre él cobran fuerte.
농후히 espesamente, densamente, pesadamente; fuertemente.
■～ 비료 fertilizante *m* concentrado. ～ 사료 forraje *m* concentrado. ～액 líquido *m* denso.
농흉(膿胸) 【의학】piotórax *m*, empiema *f*, emfisema *f* torácica.
높낮이 lo desnivelado, ondulación *f*, lo alto y lo bajo.
높다 ① [아래에서 위까지 길이가 길다] (ser) alto, elevado. 높은 산(山) montaña *f* alta, monte *m* alto. 높은 집 casa *f* alta. 높은 토지(土地) terreno *m* alto. 해발 1500미터의 높은 지대 zona *f* alta de mil quinientos metros sobre el nivel del mar. 안테나가 ～ La antena es alta.
② [수준이 보통 사람보다 뛰어나다] ㉮ [신분·계급이나 지위가 다른 사람보다 위에 있다] (ser) importante, de importancia, de alta categoría. 높으신 분네들 personas *fpl* de importancia, hombres *mpl* de alta categoría. 높은 학식(學識) conocimiento *m* alto. 지위(地位)가 ～ ser de alta categoría. ㉯ [(기세가) 힘차다] (ser) fuerte. ㉰ [대단하거나 굉장하다] (ser) mucho.
③ [온도·체온·비율·정도 등 도수(度數)나 정도를 표시하는 수치가 크다] ㉮ (ser) alto. 열이 ～ tener la temperatua alta. 기온이 높아진다 La temperatura sube. ㉯ [나이가 많다] tener muchos años. 그는 연세가 ～ El tiene muchos años. ㉰ [값이 비싸다] (ser) caro, costar mucho. 높은 값 precio *m* alto, precio *m* caro. 물가가 ～ El precio es caro. 높은 값으로 팔다 vender caro, vender a alto precio. A사의 주(株)는 500원 ～ Las acciones de la firma A han subido quinientos wones.
④ [소리의 진동수가 많다] (ser) alto. 높은 소리로 en voz alta. 높은 소리로 말하다 hablar en voz alta. 소리가 ～ La voz es alta.
높게 altamente, elevadamente, arriba, en alto; [값을] caro, caramente. ～ 하다 elevar. ～ 되다 hacerse más alto. 벽을 1미터 반 ～ 하다 elevar el muro un metro y medio, hacer el muro un metro y medio más alto. (값이) ～ 치이다 ser costoso, costar mucho, resultar caro, salir caro.
■높은 가지가 부러지기 쉽다 ((속담)) De muy alto grandes caídas se dan. 높은 나무에는 바람이 세다 ((속담)) Gran nave, gran tormenta.
높디높다 (ser) muy alto, altísimo.
높아지다 elevarse, subir; [증대하다] aumentarse. 감정이 ～ emocionarse, sentirse emocionado, experimentar una fuerte emoción. 민족 의식이 ～ desarrollarse la conciencia nacional. 반대 의견이 ～ cobrar fuerza la opinión contraria.
높으락낮으락 desigualmente, de modo irregular, alto y bajo, de arriba abajo
높은기둥 【건축】columna *f* alta, pilar *m* alto.
높다랗다 (ser) bastante alto, altísimo, elevado, imponente.
높드리 ① [골짜기의 높은 부분] parte *f* más alta del valle. ② [높고 메말라서 물기가 적은 곳에 있는 논밭] tierras *fpl* de labranza altas y estériles.
높디높다 ☞높다
높바람 =북북동풍(北北東風).
높새 ((뱃사람말)) =북동풍(北東風).
높새바람 =높새.
높쌘구름 【기상】altocúmulo *m*.
높아지다 ☞높다
높으락낮으락 ☞높다
높은기둥 ☞높다
높은음자리표 【음악】clave *f* de sol.
높은청 【음악】① =테너. ② =소프라노.
높이[1] [높은 정도] altura *f*, alto *m*; [고도(高度)] altitud *f*, elevación *f*, [음(音)·목소리의] tono *m*. ～ 100미터의 탑(塔) torre *f* de cien metros de altura. ～가 15미터다 tener quince metros de alto [de altura]. 한라산의 ～는 1950미터이다 La altitud del monte *Hala* es de mil novecientos cincuenta metros / La montaña *Hala* tiene mil novecientos cincuenta metros de alto. 이 탑자

는 ~가 1미터 반이다 Esta mesa es de [tiene] metro y medio de alto. 이곳은 ~가 얼마입니까? ¿A qué altura estamos?

높이² [부사적] altamente, alto, elevadamente. ~ 날아오르다 [새가] volar alto; [글라이더가] planear; [새·연이] elevarse, remontarse, remontar el vuelo. ~ 던지다 arrojar alto. ~ 치솟다 [산·건물 등이] alzarse, elevarse, erguirse; [값·비용이] dispararse; [희망이] aumentar, renacer; [인기가] aumentar. ~ 던져라 Arroja alto. 건물들이 서울의 도심지에 ~ 솟고 있다 El edificio se alza [se eleva · se yergue] sobre el centro de Seúl.

높이다 ① [높게 하다] alzar, elevar, levantar; [증진하다] promover, acrecentar; [증대하다] aumentar; [개선하다] mejorar. 목소리를 ~ alzar [elevar] la voz. 가치를 ~ aumentar el valor (de). 생활 수준을 ~ alzar [elevar] el nivel de vida. 여자들의 사회적 지위를 ~ mejorar la posición social de las mujeres. ② [(상대편에 대하여) 존경하다] respetar, estimar, apreciar, venerar, reverenciar, adorar. 민족의 은인(恩人)을 높일 줄 알자 Vamos a saber respetar a los bienhechores del pueblo. ③ [(상대편에 대하여) 존경하는 말을 쓰다] usar términos respetuosos.

높이뛰기 salto *m* de altura, salto *m* en alto, salto *m* alto, salto *m* de palanca. ~하다 ejercer salto de altura. ~의 횡목 [바] barra *f*, travesaño *m*, listón *m*. ~의 지주(支柱) poste *m*.
■ ~ 선수 saltador, -dora *mf*.

높임 【언어】 =존칭(尊稱).
■ ~말 términos *mpl* respetuosos, términos *mpl* de respeto. ~을 쓰다 usar términos respetuosos. ~로 하다 hablar en términos de respeto.

높지거니 muy alto, muy altamente.

높직높직 todos muy alto. ~하다 todos son muy altos.
높직높직이 =높직높직.

높직하다 (ser) elevado, considerablemente alto, levemente alto, algo alto. 높직한 언덕 colina *f* pequeña, colina *f* baja.
높직이 considerablemente altamente, algo alto.

높층구름(一層一) 【기상】 altoestrato *m*.

높푸르다 (ser) alto y azul. 아득히 높푸른 가을 하늘 cielo *m* otoñal lejano que es alto y azul.

높하늬 ((뱃사람말)) =북서풍(北北風).

놓다¹ ① [어떤 물건을 어떤 자리에서 다른 자리에 있게 하다] poner, colocar. 선반 위에 책을 ~ colocar [poner] el libro sobre el estante. 책상 위에 화분을 ~ poner el florero en la mesa. 의자를 놓고 앉다 sentarse poniendo la silla. 그것을 어디에 놓을까요? ¿Dónde lo pongo? 탁자 위에 모자를 놓으세요 Ponga el sombrero en la mesa. 네 물건을 아무 데나 놓아라 Pon tus cosas donde quieras. 상 위에 물을 놓으세요 [usted에게] Ponga el agua en la mesa / [tú에게] Pon el agua en la mesa / [ustedes에게] Pongan el agua en la mesa / [vosotros에게] Poned el agua en la mesa. 방바닥에 칼을 놓지 마세요 [usted에게] No ponga el cuchillo en el suelo / [tú에게] No pongas el cuchillo en el suelo / [ustedes에게] No pongan el cuchillo en el suelo / [vosotros에게] No pongáis el cuchillo en el suelo. 컴퓨터를 놓읍시다 Pongamos el ordenador. 컴퓨터를 물 옆에 놓지 맙시다 No pongamos el ordenador junto al agua.
② [(일정한 자리에 기계나 장치 등을) 시설하거나 구조물을 베풀다] instalar, establecer, construir. 전화를 ~ instalar el teléfono. 수도를 ~ tener suministro de agua. 전기를 ~ instalar la electritricidad. 철교를 ~ construir el puente de hierro.
③ [심어 가꾸거나 기르다] plantar; [씨를] sembrar. 뜰에 참외와 호박을 놓았다 Nosotros sembramos el melón y la calabaza en el patio
④ [(주판이나 산가지로) 셈을 하다] calcular. 주판을 ~ calcular en el ábaco. 비용을 ~ calcular los gastos. 값을 ~ ofrecer. 10만 원의 값을 ~ ofrecer cien mil wones.
⑤ [(장기나 바둑에서) 말이나 바둑돌을 밭에 두다] poner. 두 점을 놓고 시작하다 aceptar una desventaja de dos piedras.
⑥ [(물건의 겉면을 아름답게 하기 위하여) 어떤 장식 따위를 하다] adornar, decorar; [자수를] bordar. 기계로 수놓은 bordado a máquina. 금실로 수놓은 드레스 vestido *m* bordado con hilos de oro. 그녀는 그것을 손으로 수놓았다 Ella lo bordó a mano. 그녀는 손수건에 자기 이름 첫 글자의 수를 놓았다 Ella bordó el pañuelo con sus iniciales.
⑦ [(팥·콩 따위 곡식이나 대추나 잣 따위 일정한 과실을) 음식에 섞어 넣다] mezclar. 밥에 콩을 ~ mezclar la soja [la alubia] en el arroz.
⑧ [(이불·방석·옷 따위를 꾸밀 때에, 그 속에 솜이나 털 따위를) 넣다] enguatar, rellenar. 솜을 놓은 버선 *beoseon* enguatado, calcetines *mpl* coreanos enguatados. 그녀는 그것에 깃털을 놓았다 Ella lo rellenó de plumas.
⑨ [가하고 있던 힘을 일부러 풀다] soltar. 로프에서 손을 놓지 마라 No sueltes la mano.
⑩ [말을 존대해서 하지 않고 낮추어서 마구 하다] tutear, hablar a *uno* empleando el pronombre de segunda persona. 우리 말을 놓읍시다 Vamos a tutear.
⑪ [계속되던 일이나 행동이나 상태 따위를 그만두다] dejar (de), parar, cesar (de), abandonar; [사직하다] dimitir, renunciar, resignar. 교편을 ~ abandonar el maestro. 권리(權利)를 ~ abandonar el derecho. 붓을 놓은 지도 어느새 10년이 되었다 Ya hace diez años que dejé de escribir.
⑫ [(일정한 임무를 주어) 보내다] soltar. 고

양이를 놓아 쥐를 잡다 captar la rata soltando el gato.
⑬ [(집이나 물건의 세를 받거나 돈의 이자를 받으려고) 꾸어 주다] prestar; [임대하다] alquilar. 돈을 ~ prestar el dinero.
⑭ [(병을 다스리기 위하여) 바늘로 어떤 액체를 혈관이나 근육 속에 들여보내거나 또는 침을 찌르다] poner; [침을] aplicar. 주사를 ~ inyectar, poner [dar] una inyección. …에 …을 주사 ~ inyectar *algo* en *algo*. …에게 주사를 ~ dar*le* [poner*le*] una inyección a *uno*. 발목에 침을 ~ aplicar la acupuntura en el tobillo. 그는 그것을 근육에 주사를 놓았다 El lo inyectó en el músculo. 그에게 인슐린 주사를 놓았다 Se le inyectó insulina / Le pusieron [dieron] una inyección de insulina.
⑮ [(일정한 상대에게) 어떤 짓을 해 대다] hacer. 방해를 ~ obstruir, obstaculizar, dificultar. 훼방을 ~ contrarrestar, frustar, fallar, desbaratar. 날씨가 우리의 계획을 훼방 놓았다 Nos falló el tiempo / El tiempo frustó [desbarató] nuestros planes.

놓다² ① [불을 붙이거나 지르다] quemar, incendiar, pegar fuego. 불을 ~ pegar fuego, incendiar, quemar, prender*le* fuego a *algo*.
② ㉮ [(빨리 가게 하기 위하여) 힘을 더하다] añadir, adicionar. 속력을 ~ acelerar. 자동차가 전속력을 놓아 모퉁이를 돌아 멀어졌다 El coche se alejó doblando la esquina a toda velocidad. 그는 전속력을 놓아 그의 새 스포츠카로 우리 앞을 지나갔다 El nos pasó a toda velocidad con su nuevo coche deportivo. 보트들이 전속력을 놓아 물 위를 미끄러져 갔다 Los botes se deslizaban sobre el agua a toda velocidad. ㉯ [목을 놓아 울다] llorar desenfrenadamente [sin freno].
③ [(포탄이나 총알을) 쏘아 나가게 하다] disparar. …에게 총을 ~ disparar*le* a *uno*.

놓다³ [(용언의 어미「-아」「-어」나 체언의 어미「-라」의 다음에 붙어, 보조적 구실을 하여) 어떤 동작이나 상태 따위가 현실화 됨을 강조한 말] tener [dejar] +「과거 분사」. 문을 닫아 ~ tener cerrada la puerta. 창문을 열어 ~ tener abierta la ventana. 돈을 받아 ~ tener recibido dinero. 집터를 보아 ~ tener visto el solar de la casa. 주소를 물어 ~ tener preguntada la dirección.

놓아두다 dejar (*algo* [a *uno*] + *inf* [que + *subj*]). 그녀 자신이 끝내도록 놓아두어라 Déjala terminar [que termine] sola. 나를 가만히 놓아두어라 Déjame en paz.

놓아먹다 (estar) sin educación, maleducado. 놓아먹은 자식 hijo *m* maleducado.

놓아먹이다 pastar, pastorear, dejar (ganado) suelto.
놓아먹인 말 persona *f* maleducada, persona *f* difícil de adiestrar.

놓아주다 ① [잡히거나 얽매인 것을] dejar [poner] (a *uno*) en libertad, dejar suelto, soltar, libertar, dejar; [가게 하다] dejar ir; [도망가게 하다] dejar escapar; [도망시키다] hacer escapar. 개를 ~ soltar a un perro, desatar a un perro. 말을 목장에 ~ soltar un caballo en el prado. 새를 ~ soltar un pájaro, dejar volar un pájaro. 손을 놓아주세요 Suélteme la mano, por favor. 나를 놓아주세요 Déjame ir. ② [용서하여 주다] perdonar.

놓이다 ① [(「놓다¹」의 피동) 놓음을 당하다] (ser) puesto, colocado, instalado, construido, plantado, sembrado, adornado, bordado. ② [얹히어 있다] ser puesto, ser colocado. 책상 위에 놓인 꽃 flores *fpl* puestas en la mesa. ③ [안심이 되다] sentirse a *sus* anchas, sentirse cómodo, sentirse a gusto. 마음이 ~ tranquilizarse. 나는 그녀가 마음이 놓이지 않는다 Con ella nunca siento que me puedo relajar / Con ella nunca me siento a mis anchas.

놓치다 ① [모습을] perder de vista, dejar de ver, perder, dejar escapar, no darse cuenta (de), no notar; [대상이 주어] escaparse (a); [보고도 못 본 체하다] pasar por alto, cerrar los ojos (a). 사냥감을 ~ dejar escapar la caza. 범인을 ~ dejar escapar a un criminal. 나는 차를 놓쳤다 Perdí de vista el coche. 놓치지 마세요 No te pierdas. 나는 그 프로그램을 놓쳤다 Me perdí ese programa. 나는 그의 뒤를 쫓았으나 결국 놓쳐 버렸다 Yo le seguí, pero, en fin perdí su pisada. 나는 도둑을 쫓았으나 놓쳤다 Perseguí al ladrón pero lo perdí de vista. 그 시합은 놓쳐서는 안된다 Tengo que ver este partido a toda costa. 단 1분도 놓치지 마세요 No pierda ni tan sólo un minuto. ② [잡거나 얻거나 닥쳐온 것을 되 잃어버리다] perder. 기차를 ~ perder el tren, llegar tarde al tren. 좋은 기회(機會)를 ~ perder una buena oportunidad [ocasión]. 때를 놓치지 않고 sin perder tiempo. 죽음이란 놓쳐버린 삶이요, 화(禍)란 잃어버린 복(福)이다 La muerte es una vida perdida y la calamidad es una fortuna perdida.
■ 놓친 고기가 더 크다 ((속담)) Los peces gordos no se deja pillar fácilmente.

놔 ① [「놓다」의 반말체 명령형] Pon. 거기 ~ Pon ahí. ② ((준말)) =놓아. ¶그대로 ~ 둬 Déjalo.

뇌 【지질】 capa *f* de la piedra desmigajada.

뇌(腦) 【해부】 cerebro *m*, sesos *mpl*; 【의학】 encéfalo *m*. ~의 cerebral, encefálico.
■ ~세포 neurona *f*. ~ 손상 lesión *f* cerebral. ¶~을 입은 con lesión cerebral. 그녀는 ~을 입고 태어났다 Ella nació con una lesión cerebral. ~연화증 encefalomalacia *f*, cerebromalacia *f*. ~작용 acción *f* cerebral. ~ 절개술 encefalotomía *f*. ~졸중 apoplejía *f*.

뇌(惱) ① =괴로워하다. 고민하다. ② =괴롭히다. ③ =괴로움. 고민(苦悶).

뇌각(腦脚) pedúnculo *m* cerebral.

뇌간(腦幹) tronco *m* encefálico, tallo *m* cerebral.
■ ~ 정맥 vena *f* de tronco encefálico.
뇌개(腦蓋) 【해부】 =뇌두개골(腦頭蓋骨).
■ ~골(骨) 【해부】 =뇌두개골(腦頭蓋骨).
뇌거미막(腦-) 【해부】 aracnoides *m*.
뇌격(雷擊) ① 【군사】 torpedeo *m*. ~하다 torpedear. ② [벼락을 침] trueno *m*. ~하다 tronar.
■ ~기(機) 【군사】 avión *m* torpedero.
뇌경(腦鏡) encefaloscopio *m*.
뇌경색(腦梗塞) 【의학】 infarto *m* cerebral.
뇌경화증(腦硬化症) 【의학】 encefalosclerosis *f*, cerebrosclerosis *f*.
뇌공(雷公) ① =뇌신(雷神). ② =우레.
뇌공동증(腦空洞症) 【의학】 siringoencefalia *f*, porencefalia *f*. ~의 porencefálico.
뇌관(雷管) pistón *m* (*pl* pistones), cápsula *f* (fulminante), detonador *m*.
■ ~ 약포(藥包) cartucho *m* de percusión. ~ 장치 llave *f* de percusión. ~ 화약(火藥) polvo *m* de percusión.
뇌괴저(腦壞疽) 【의학】 encefalosepsis *f*.
뇌교(腦橋) 【해부】 puente *m* cerebral.
뇌구(腦溝) anfractuosidad *f*.
뇌궁(腦弓) 【해부】 fórnix *m*.
뇌균상종(腦菌狀腫) fungus *m* [hongo *m*] cerebral.
뇌까리다 repetir la misma palabra de manera desagradable.
뇌꼴스럽다 (ser) asqueroso, repugnante, detestable, oidoso, aborrecible.
뇌꼴스레 asquerosamente, repugnantemente, detestablemente, oidosamente, aborreciblemente.
뇌내 혈관종(腦內血管腫) angioma *m* encefálico.
뇌 노출 기형(腦露出畸形) exencefalia *f*.
뇌농양(腦膿瘍) absceso *m* cerebral.
뇌뇌(磊磊) ① [돌이 쌓인 무더기] montón *m* de piedras amontonadas. ② =뇌락.
뇌다[1] ① [한 번 친 가루를 더 보드랍게 하려고 가는 체에 다시 치다] volver a cribar el polvo que cribó una vez. ② [(한 번 한 말이나 과거의 일을) 거듭 자꾸 말하다] hablar larga y pesadamente (de · sobre), decir de una manera prolija [difusa · redundante].
뇌다[2] ((준말)) =놓이다.
뇌당(腦糖) cerebrosa *f*.
뇌덕(賴德) =소덕(所德).
뇌도(雷鼗) 【악기】 ***noedo***, una especie del instrumento de percusión.
뇌동(雷同) marcha *f* con el flujo común. ~하다 seguir ciegamente a otros, ir con el flujo, resonar.
■ ~자 seguidor, -dora *mf* inconsciente; adicto, -ta *mf*.
뇌동맥(腦動脈) 【해부】 arteria *f* cerebral.
■ ~ 경화(증) arteriosclerosis *f* cerebral. ~ 색전증 embolia *f* cerebral. ~ 엑스선 촬영 encefaloarteriografía *f*.
뇌두개(腦頭蓋) =뇌두개골(腦頭蓋骨).
■ ~골(骨) neurocráneo *m*.
뇌락하다(磊落-) (ser) franco, de gran corazón.
뇌랗다 ponerse pálido, palidecer.
뇌래지다 ponerse pálido.
뇌량(腦梁) 【해부】 callosomarginal *m*, cuerpo *m* calloso. ~의 calloso.
뇌력(腦力) capacidad *f* cerebral, poder *m* cerebral, coeficiente *m* intelectual.
뇌롱(牢籠) =농락(籠絡).
뇌류(腦瘤) encefalocele *m*, exencefalocele *m*.
뇌리(腦裡) cerebro *m*, *su* mente, *su* corazón. ~에 새기다 grabar en su memoria [en su mente]. ~에 깊이 새기다 impresionarse profundamente. ~에 떠오르다 ocurrir [venir] a la mente (de), ocurrirse (a). 그 생각이 ~에서 사라지지 않는다 No se me apartan esos recuerdos de la mente / Esos recuerdos aún persiguen mi memoria. 어머님의 모습이 ~에 박혀 있다 Tengo grabada la imagen de mi madre en mi mente. 그 광경이 내 ~에서 사라지지 않았다 Esa escena quedó hondamente impresa [grabada] en mi corazón.
뇌막(腦膜) 【해부】 meninge *f*.
■ ~염(炎) 【의학】 meningitis *f*.
뇌명(雷鳴) trueno *m*. ~이 울려 퍼지다 retumbar el trueno. ~이 울린다 Truena.
■ ~계(計) brontómetro *m*.
뇌무산소증(腦無酸素症) ántrax *m* cerebral.
뇌문(雷文/雷紋) meandro *m*.
■ ~ 세공(細工) calado *m*.
뇌물(賂物) soborno *m*, cohecho *m*, *CoS, Per* coima *f*, *Méj* mordida *f*. ~로 como soborno, *CoS, Per* de coima, *Méj* de mordida. ~을 쓸 수 없는 insobornable, incorruptible. ~과 부패 el soborno y la corrupción. ~을 주다 sobornar, cohechar, comprar; *CoS, Per* coimear, dar una coima; *Méj* morder; ((속어)) [돈을 쥐어 주다] untar las manos, untar el carro. ~을 받다 aceptar un soborno, dejarse sobornar, recibir un soborno. ~을 제공하다 ofrecer un soborno. ~을 주는 사람 cohechador, -dora *mf*, sobornador, -dora *mf*, corruptor, -tora *mf*. ~로 …을 얻다 obtener *algo* mediante soborno. …에게서 ~을 받다 dejarse sobornar por *uno*. …하기 위해서 …에게 ~을 주다 sobornar a *uno* para que + *subj*. 그들은 ~을 받을 수 있다 [매수되기 쉽다] Se los puede sobornar [cohechar] / Se los puede comprar [*CoS, Per* coimear · *Méj* morder].
■ ~ 수회[수수] aceptación *f* de soborno. ~ 수회자 sobornado, -da *mf*. ~죄 crimen *m* de aceptación de soborno.
뇌민(惱悶) agonía *f* atormentada.
뇌바닥동맥(腦-動脈) arteria *f* basilar.
뇌바닥정맥(腦-靜脈) vena *f* basilar.
뇌반구(腦半球) hemisferio *m*.
뇌발육부전(腦發育不全) atelencefalia *f*.
뇌백질염(腦白質炎) 【의학】 leucoencefalitis *f*.
뇌백질 절개기(腦白質切開機) leucótomo *m*.

뇌변(雷變) calamidad *f* del trueno.
뇌병(腦病) 【의학】 enfermedad *f* cerebral, meningitis *f*, encefalopatia *f*.
■ ~증(症) cerebropatía *f*.
뇌병원(腦病院) =정신 병원(精神病院).
뇌부[1](雷斧) 【식물】 =뇌환(雷丸).
뇌부[2](雷斧) [돌도끼] el hacha *f* (*pl* las hachas) de piedra.
뇌분(雷奔) huida *f* rápida como un relámpago.
뇌빈혈(腦貧血) 【의학】 anencefalemia *f*, anemia *f* [fiebre *f*] cerebral. ~을 일으키다 tener un ataque de anemia cerebral.
뇌사(牢死) =옥사(獄死).
뇌사(雷師) dios *m* del trueno.
뇌사(腦砂) 【해부】 acérvulo *m*.
■ ~종(腫) acervuloma *m*.
뇌사(腦死) muerte *f* cerebral [clínica]. ~의 clínicamente muerto.
■ ~자 persona *f* clínicamente muerta.
뇌사(腦寫) radiofotografía *f* cerebral [del cerebro], encefalografía *f*.
뇌사(賂謝) =뇌물(賂物).
뇌산(雷酸) 【화학】 ácido *m* fulmínico.
뇌산(腦酸) ácido *m* cerebral.
뇌상(酹觴) vaso *m* del tiempo que echa el licor en la tierra.
뇌색전증(腦塞栓症) 【의학】 embolia *f* cerebral.
뇌생(牢牲) =희생(犧牲).
뇌석(腦石) encefalolito *m*.
뇌설(雷楔) 【식물】 =뇌환(雷丸).
뇌성(雷聲) trueno *m*. ~이 울리다 tronar. ~이 울린다 Truena.
■ ~대명(大名) ㉮ [세상에 크게 드날리어 알려진 이름] nombre *m* conocido bien en el mundo. ㉯ [남을 높이어 「그의 명성(名聲)」을 이르는 말] su fama, su reputación. ~벽력 trueno *m* y relámpago. 뇌성벽력은 귀머거리도 듣는다 ((속담)) La verdad evidente la saben hasta los niños.
뇌성 거인증(一巨人症) 【의학】 gigantismo *m* cerebral.
뇌성 마비(一痲痺) 【의학】 parálisis *f* cerebral.
뇌성 소아마비(腦性小兒痲痺) 【의학】 parálisis *f* infantil cerebral.
뇌성 정신병(腦性精神病) 【의학】 encefalopsicosis *f*.
뇌성 탄저(腦性炭疽) 【의학】 ántrax *m* cerebral.
뇌성 편마비(腦性偏痲痺) 【의학】 hemiplejía *f* cerebral.
뇌성혼미(腦性昏迷) 【의학】 encefalonarcosis *f*.
뇌쇄(牢鎖) acción *f* de cerrar bien la cerradura. ~하다 cerrar bien la cerradura.
뇌쇄(惱殺) ① [애가 타도록 몹시 괴로워함] mucho dolor preocupado. ~하다 doler con mucha preocupación. ② [(여성이 그 미모로써) 남성의 마음을 끌어 몹시 괴롭고 애타게 함] fascinación *f*, hechicería *f*. ~하다 fascinar, hechizar, embrujar, atraer irresistiblemente. ~시키는 voluptuoso, seductor, atractivo. ~하는 문구(文句) palabras *fpl* fascineras [que matan el corazón]. 남자(男子)를 ~하다 fascinar al hombre.
뇌수(牢囚) encierro *m* sólido. ~하다 encerrar bien.
뇌수(雷獸) bestia *f* extraña que truena como un trueno.
뇌수(腦髓) encéfalo *m*, seso *m*, cerebro *m*.
뇌수막류(腦髓膜瘤) encefalomeningocele *m*.
뇌수막염(腦髓膜炎) meningitis *f* cerebral, encefalomeningitis *f*, cerebromeningitis *f*.
뇌수면(腦睡眠) sueño *m* cerebral.
뇌수술(腦手術) neurocirugía *f*.
뇌수종(腦水腫) 【의학】 cefalohidrocele *m*, hidrocefalia *f*. ~의 hidrocéfalo.
■ ~ 환자 hidrocéfalo, -la *mf*.
뇌순환 정지(腦循環停止) 【의학】 adiaemorrisis *f*.
뇌신(雷神) 【민속】 dios *m* [espíritu *m*] del trueno.
뇌신(儡身) ① =괴뢰(傀儡). ② [실패하여 영락한 몸] cuerpo *m* arruinado por el fracaso.
뇌신경(腦神經) nervios *mpl* craneales [cerebrales].
■ ~막 neurilema *m*. ~막염 neurilemitis *f*. ~ 세포 célula *f* cerebral. ~ 쇠약(衰弱) encefalastenia *f*, cerebrastenia *f*. ~ 외과(外科) neurocirugía *f*, [병원의] departamento *m* de neurocirugía. ~ 외과의 neurocirujano, -na *mf*. ~절 ganglio *m* cerebral.
뇌실(腦室) 【해부】 ventrículo *m*. ~의 ventricular, ventriculo-.
■ ~경[내시경] ventriculoscopio *m*. ~염(炎) ventriculisis *f*. ~ 촬영법 ventriculografía *f*.
뇌심근염(腦心筋炎) 【의학】 encefalomiocarditis *f*.
뇌압(腦壓) =뇌내압(腦內壓).
뇌압박(腦壓迫) encefalotlipsis *f*.
뇌약(牢約) promesa *f* firme. ~하다 prometer firmemente.
뇌어(雷魚) 【어류】 =가물치.
뇌연화증(腦軟化症) 【의학】 reblandecimiento *m* cerebral.
뇌염(腦炎) 【의학】 encefalitis *f*, cefalitis *f*.
◆유행성(流行性) ~ encefalitis *f* epidémica.
■ ~ 후유증(後遺症) postencefalitis *f*.
뇌옥(牢獄) cárcel *f*, prisión *f*.
뇌외(磊嵬) montaña *f* alta y precipitosa. ~하다 ser alto y precipitoso.
뇌외과(腦外科) sicocirugía *f*.
뇌우(雷雨) aguacero *m* con truenos, tormenta *f* acompañada de truenos, tormenta *f*, chusbasco *m* con tronada. ~의 계절 estación *f* de tronada con chubascos. 나는 ~를 만났다 Me cogió [Fue sorprendido por] una tormenta. 산에는 ~다 La tormenta pasa por [Hay tormenta en] la montaña.
뇌운(雷雲) nubarrón *m* (*pl* nubarrones).
뇌위축(腦萎縮) encefalotrofía *f*.
뇌유(腦油) aceite *m* cerebral de la ballena.
뇌음향도(腦音響圖) ecoencefalograma *m*.
뇌음향 조영 장치(腦音響造影裝置) ecoencefalografía *f*.
뇌일혈(腦溢血) hemorragia *f* [derrame *m*]

cerebral, apoplejía *f.* ~을 일으키다 ser atacado por la hemorragia cerebral, sufrir de la apoplejía.
뇌자(牢子) 【역사】 =군뢰(軍牢).
뇌자(賴者) =무뢰한(無賴漢).
뇌장(腦漿) líquido *m* encefálico.
뇌저 동맥(腦底動脈) arteria *f* basilar.
뇌저부 수막염(腦底部髓膜炎) 【의학】 meningitis *f* basilar.
뇌저 수막염(腦底髓膜炎) 【의학】 meningitis *f* basilar.
뇌저 정맥(腦底靜脈) vena *f* basal.
뇌전(雷電) el trueno y el relámpago.
뇌전 공포증(-恐怖症) 【의학】 tonitrofobia *f.*
뇌전기 기록도(腦電氣記錄圖) electroencefalograma *m.*
뇌전도(腦電圖) 【의학】 electroencefalograma *m.*
■~ 기록기 electroencefalógrafo *m.* ~의학(醫學) electroencefalografía *f.*
뇌전류(腦電流) corriente *f* eléctrica cerebral.
뇌정(雷霆) ((준말)) =뇌정벽력(雷霆霹靂).
■~벽력(霹靂) el trueno y el relámpago fuertes.
뇌조(雷鳥) 【조류】 perdiz *f* blanca [nival].
뇌졸중(腦卒中) 【의학】 apoplejía *f.* ~의 apoplético. ~환자 apoplético, -ca *mf.*
뇌종양(腦腫瘍) 【의학】 encefaloma *m,* rumor *m* cerebral.
뇌중(腦中) centro *m* del cerebro.
뇌증(腦症) 【의학】 encefalopatía *f,* encelopatía *f.*
뇌지(雷芝) 【식물】 =연(蓮).
뇌진(雷震) el trueno y el relámpago. ~하다 tronar y relampaguear.
뇌진탕(腦震蕩) conmoción *f* cerebral, concusión *f* del cerebro.
■~증(症) concusión *f* cerebral, concusión *f* del cerebro.
뇌척수(腦脊髓) ¶~의 cerebroespinal, encefalorraquídeo, cefalorraquídeo.
■~막 meninge *f.* ~막염 meningitis *f* cerebroespinal. ~ 신경(神經) nervio *m* craniospinal. ~액 líquido *m* cerebroespinal, líquido *m* encefálico. ~ 질환 encefalomielopatía *f.*
뇌천(腦天) =정수리.
뇌출혈(腦出血) 【의학】 =뇌일혈(腦溢血).
뇌충혈(腦充血) hiperemia *f* [congestión *f*] cerebral.
뇌탄(雷歎) suspiro *m* grande.
뇌파(腦波) electroencefalograma *m.*
■~계 electroencefalógrafo *m.* ~ 기록법 electroencefalografía *f.* ~도 electroencefalograma *m.*
뇌편(雷鞭) =번개.
뇌하다 (ser) vil y muy sucio.
뇌하수체(腦下垂體) 【해부】 hipófisis *f,* glándula *f* pituitaria.
■~ 기능 부전 hipopituitarismo *m.* ~ 기능 항진(증) hiperpituitarismo *m.* ~ 절제술 hipofisectomía *f,* pituitectomía *f.* ~ 호르몬 hormona *f* pituitaria, hormón *m* pituitario.

뇌혈전(腦血栓) 【의학】 trombosis *f* cerebral.
뇌홍(雷汞) 【화학】 fulminato *m* mercúrico.
뇌화(雷火) ① [천둥과 번개] el trueno y el relámpago. ② [벼락이 떨어져 일어난 불] fuego *m* por el trueno.
뇌환(雷丸) una especie de la seta.
뇌후(腦後) ① =두통수. ② [무덤의 뒤쪽] región *f* trasera de la tumba
뇟보 persona *f* tacaña, persona *f* mezquina.
-뇨 ¿? 그 불이 그다지도 밝으~? ¿Es tan clara la luz?
누 ((준말)) =누구(quién). ¶~가 그런 말을 했느냐? ¿Quién lo dijo?
누(累) turbación *f,* complicidad *f.* …에게 ~를 끼치다 molestar. causar molestias a *uno.* 남에게 ~를 끼치다 inducir turbación a otros, envolver a otros en la complicidad. ~를 끼쳐 죄송합니다 Siento (mucho) haberle molestado
누(婁) 【천문】 =누성(婁星).
누(樓) ① ((준말)) =누각(樓閣). ② =다락집.
누(壘) ((야구)) base *f.*
누-(累) varios, mucho(s). ~만금 mucho dinero. ~세기(世紀) varios siglos. ~천년(千年) mucho tiempo.
누가 ¿quién?; [어떤 사람] alguno, alguna. ~너에게 그것을 선물했느냐? ¿Quién te lo regaló? 여러분 중의 ~ 오늘 그녀를 만나겠습니까? ¿Alguno de ustedes va a verla a ella hoy?
누가(累加) aumento *m* progresivo. ~하다 aumentar progresivamente.
누가(累家) familia *f* heredada de generación en generación.
누가(불 *nougat*) [캔디 종류와 비슷한 양과자] (una especie de) turrón *m* (*pl* turrones) francés.
누가 복음(Luke 福音) ((성경)) El Santo Evangelio según San Lucas.
누각(樓閣) ①=다락집. ②[한식(韓式) 건물에서, 2층이나 3층으로 지은 집] casa *f* con dos o tres pisos (en el edificio coreano).
누간(壘間) ((야구)) entre la base y la base.
누감(累減) disminución *f.*
■~과세[세] impuestos *mpl* decrecientes.
누거(陋居) ① [더럽고 좁은 거처] habitación *f* sucia y estrecha. ② [자기의 거처를 낮추어 일컫는 말] mi habitación.
누거만(累巨萬) mucho dinero, mucha cantidad.
■~금 muchísimo dinero. ~년 mucho tiempo, largo tiempo *m.* ~재(財) muchos bienes.
누견(陋見) ① [좁은 의견] opinión *f* de mentalidad cerrada. ② [제 생각·의견 등을 낮추어 하는 말] mi opinión, mi parecer.
누결석(淚結石) dacriolito *m.*
누경(耨耕) cultivo *m* solamente por la azada (que deshierba).
누계(累計) suma *f* (total). ~하다 sumar, totalizar.
누골(淚骨) hueso *m* lagrimal.
누공(瘻孔) sirinx *m.*

누관(淚管) 【해부】 (conducto *m*) lagrimal *m*. ■ ~염 dacriocanaliculitis *f*, dacriosolenitis *f*. ~ 절개술 lacrimotomía *f*. ~ 조영도 fistulograma *m*. ~ 조영법 fistulografía *f*. ~ 종(腫) dacrioma *m*. ~ 형성 fistulación *f*.

누구 ① [어느 사람인가 물을 때 의문의 뜻을 나타내는 인칭대명사] ¿Quién? ~의 ¿De quién? ~에게, ~를 ¿A quién? ~를 기다리고 계십니까? ¿A quién espera usted? ~십니까? ¿Quién es? // [성함은] ¿Cómo se llama usted? / ¿Cuál es su nombre? / ¿Quién es usted? // [전화에서] ¿Quién habla? [대답은 Habla Minsu] / ¿De parte de quién? [대답은 (De parte) de Minsu] / ¿Quién es? [대답은 Soy Minsu]. 저분은 ~입니까? ¿Quién es aquél? 거기 ~십니까? ¿Quién está ahí? 그런 일을 한 사람은 ~입니까? ¿Quién lo hizo? ~를 찾고 계십니까? ¿A quién busca usted? 그는 ~입니까? ¿Quién es él? // [어떤 종류의] ¿Qué clase de hombre es? // [무엇을 하는] ¿A qué se dedica? / ¿Qué hace él? / ¿Qué colocación tiene él? ~한테 물어보는 것이 좋습니까? ¿A quién es mejor que preguntе? / ¿A quién podría preguntar? 친구 중의 ~를 만났느냐? ¿A cuál de tus amigos has visto? 이것은 ~의 곡입니까? ¿De quién es esta pieza musical? 이것은 ~의 카메라냐? ¿De quién es esta cámara? 그녀는 ~의 딸이냐? ¿De quién es hija?
② [특정한 사람이 아닌 어떤 사람을 두루 이르는 말] alguien; alguno, -na. ~인가 다른 사람 algún otro, alguna otra; alguna otra persona. ~(라)도 cualquiera, quienquiera; [재귀대명사 se가 동사의 3인칭 단수와 함께 쓰여 일반 사람을 나타낼 경우가 있다] se; [모두] todos, todo el mundo. ~를 막론하고 todo el mundo, cada uno, cual uno. ~도 …하지 않다 nadie, ninguno. 나는 ~도 만나지 못했다 No vi a nadie [ninguno]. ~인가 적당한 사람을 저에게 소개해 주십시오 Preséntеme a alguna persona adecuada [conveniente]. ~인가가 너를 부르고 있다 Alguien está llamándote. ~인가가 전화를 받아라 Alguno de vosotos coja el teléfono. ~인가가 우리에게 그 일을 해 줄 것이다 Alguien nos lo hará. ~인지는 몰라도 ~인가 한숨을 쉬었다 Alguno, no se sabe quién, lanzó un suspiro. 그런 일은 ~라도 알고 있다 Eso cualquiera lo sabe. ~라도 결점이 있는 법이다 Todo el mundo tiene defectos. ~나 날마다 새로운 것을 배운다 Cada día se aprende algo nuevo. 오는 사람은 ~라도 들어오게 해라 Deja entrar a quienquiera que venga. ~한테든지 친절하세요 Sea amable con cualquiera [con todo el mundo]. ~도 오지 않았다 Nadie ha venido / No ha venido nadie. (그들 중의) ~ 한 사람 그 문제를 해결하지 못했다 Ninguno (de ellos) ha podido solucionar ese problema. ~ 한 사람 그 일을 모르는 사람은 없다 No hay nadie que no lo sepa / Todo el mundo está al corriente de ello / Nadie lo ignora. 그는 ~인가에 의해 살해되었다 Alguien le mató / El fue matado por un desconocido. ~ 집에 있습니까? ¿Hay alguien en casa? ~ 지원자(志願者) 있습니까? ¿Hay algún voluntario? 이 열쇠는 ~의 것입니까? ¿Esta llave es de alguien? / ¿De quién es esta llave?
누구누구 ¿Quiénes? ~ 구별없이 질문하다 preguntar a cualquiera, preguntar no importa a quién, preguntar sin distinción de personas.

누군 ((준말)) =누구는. ¶~ 모르나 ¿Quién no sabe?
누군들 quienquiera, todos, todo el mundo, alguien.

누굴 ((준말)) =누구를(¿a quién?). ¶~ 보았니? ¿A quién viste?

누그러들다 =누그러지다.

누그러뜨리다 [고통을] aliviar, calmar; [슬픔을] ahogar. 그는 슬픔을 누그러뜨리기 위해 술을 마셨다 El bebía para ahogar las penas.

누그러지다 ① ㉮ [성・홍분이] apaciguarse, calmarse, tranquilizarse, aliviarse, aligerarse, entibiarse, enfriarse, debilitarse. 그녀의 고통이 누그러진다 Se le alivia [aligera] la pena. ㉯ [분위기가] ponerse amistoso, pacificarse. ㉰ [태도가] adoptar una postura conciliadora, hacerse conciliador [menos severo] (con). 조합의 태도가 누그러졌다 El sindicato ha tomado una actitud conciliadora. ② [추위・더위・병세・물가 따위가] mitigarse, aliviarse, atenarse, aligerarse. 통증이 누그러진다 El dolor se mitiga [se alivia]. 추위가 누그러진다 El frío se mitiga [se atenúa].

누그름하다 ablandarse [reblandecerse] un poco.

누글누글하다 (ser) blanducho, muelle, pulposo, esponjoso, suave, blando. 누글누글해지다 ponerse blando, ponerse como unas gachas, reblandecerse, ablandarse. 아스팔트가 더위로 누글누글해졌다 El asfalto está reblandecido por el calor.
누글누글히 suavemente, blandamente, esponjosamente.

누긋누긋하다 =노긋노긋하다.

누긋하다 ① [메마르지 않고 약간 눅눅하다] (estar) algo húmedo. ② [(추위가) 약간 눅다] no estar muy frío. 누긋한 날씨 tiempo *m* no muy frío. 오늘은 날씨가 아주 ~ Hoy no hace nada de frío. ③ [(성질이) 늘어지고 부드럽다] (ser) generoso, tranquilo, apacible, sosegado, afable, dulce, suave. 누긋한 자세를 보이다 mostrarse generosamente tranquilo.
누긋이 tranquilamente, apaciblemente, generosamente, sosegadamente, afablemente, dulcemente, suavemente.

누기(陋氣) ① [탁한 공기] aire *m* impuro, aire *m* contaminado. ② [더러운 기운] ánimo *m* sucio.

누기(漏氣) humedad *f.* 집에 ~ 냄새가 난다 La casa huele a humedad. 천장에 ~ 자국이 있다 Hay manchas de humedad en el techo.
◆누기(가) 차다 (estar) húmedo. ~(가) 찬 방(房) habitación *f* húmeda. 누기(가) 치다 hacerse húmedo. 방에 누기가 친다 La habitación se hace húmeda.

누기(淚器) 【해부】 =눈물 기관.

누끼치다 ☞누(累)

누나 hermana *f* (mayor).

-누나 ¡-ando · -iendo! 가을바람이 불어오~ El viento atoñal está soplando. 아, 함박눈이 내리~ Ah, los copos grandes de nieve están cayendo.

누낭(淚囊) =눈물주머니(dacriocisto).

누년(累年) cada año, todos los años.

누년(屢年) muchos años.

누농(耨農) 【농업】 =유농(遊農).

누누(屢屢) =누누이.
누누이 repetidamente, repetidas veces, frecuentemente, muchas veces, minuciosamente, detalladamente, circunstanciadamente. ~ 설명하다 explicar [explanar] detalladamente.

누님 hermana *f* mayor.

누다 evacuar. 똥을 ~ evacuarse, defecar; [가축이] estercolar. 오줌을 ~ orinar(se), hacer aguas, irse las aguas, mear.

누대(累代) generaciones *fpl* sucesivas, muchas generaciones. ~로 내려온 보물(寶物) reliquias *fpl* de familia.

누대(樓臺) torre *f*, atalaya *f*, puesto *m* de observación, torrecilla *f*, torreta *f*.

누더기 harapos *mpl*, andrajos *mpl*. ~를 두른 andrajoso, harapiento. ~가 된 andrajoso, hecho jirones. ~ 차림으로 · 걸치고 cubierto de harapos [andrajos], andrajoso, harapiento. ~를 걸친 사람 zarrapastroso, -sa *mf*, androjoso, -sa *mf*. ~를 입고 있다 ir vestido de harapos, ir andrajoso, ir con la ropa hecha jirones, ir desastrado.
■ ~옷 ropa *f* andrajosa, ropa *f* hecha jirones.

누덕누덕 con remiendos. ~하다 (ser) andrajoso, (estar) lleno de andrajos, lleno de remiendos. ~ 기운 진(바지) unos vaqueros con [llenos de] remiendos.

누도(淚道) 【해부】 =눈물길.

누도(屢度) muchas veces.

누되다(累-) molestarse.

누두(漏斗) [깔때기] embudo *m*, filtro *m* de Büchner.

누드(영 *nude*) [나체] desnudez *f*, desnudo *m*. ~ 포즈를 취하다 posar desnudo. ~로 일광욕을 하다 tomar el sol desnudo. ~ 수영을 금함 ((게시)) No está permitido bañarse desnudo.
◆완전 ~ desnudo *m* integral. 완전 ~로 나타나다 aparecer en desnudo integral.
■ ~ 댄서 artista *f* de strip-tease. ~ 모델 modelo *f* de desnudo. ~ 사진 desnudo *m*, foto *f* de desnudo. ~ 쇼 strip-tease *m*. ~ 스타킹 medias *fpl* de seda como el color de carne. ~ 신 [영화의] desnudo *m*, escena *f* de desnudo. ~ 화(畵) desnudo *m*.

누들(영 *noodle*) [국수] fideo *m*, tallarín *m* (*pl* tallarines).

누디스트(영 *nudist*) [나체주의자] nudista *mf*.

누디즘(영 *nudism*) [나체주의] desnudismo *m*, nudismo *m*.

누락(漏落) omisión *f*. ~하다 omitirse. 기입이 ~되다 omitirse. 기입을 ~하다 omitir. ~이 많다 Hay muchas omisiones.
◆기입(記入) ~ omisión *f*.

누란(累卵) situación *f* crítica, peligro *m* inminente. ~의 위기에 처하다 estar en peligro, estar pendiente de un hilo. …을 ~의 위기에 놓다 colgar una espada por el pelo sobre la cabeza de *uno*, poner*le* a *uno* en peligro, arriesgar a *uno*.
■ ~지세(之勢)[지위(之危)] situación *f* muy peligrosa, peligro *m* muy inminente.

누래지다 amarillecer, amarillear, amarillarse, ponerse amarillo.

누렁 (color *m*) amarillo *m* oscuro.
■ ~개 perro *m* amarillo. ~물 ㉮ [노란 물] el agua *f* amarilla. ㉯ [더러운 물] el agua *f* sucia. ~우물 pozo *m* del agua sucia. ~이 ㉮ ((속어)) [금(金)] oro *m*. ㉯ ((속어)) [크고 노란 개] perro *m* grande y amarillo. ㉰ ((속어)) artículo *m* amarillo. ㉱ ((속어)) [사슴의 일종] una especie del venado.

누렁개미 【곤충】 hormiga *f* amarilla.

누렇다 (ser) muy amarillo.

누로(淚路) 【해부】 =누도(淚道). 눈물길.

누로(樓櫓) atalaya *f* sin techo.

누룩 levadura *f*, malta *f*.
■ ~ 냄새 olor *m* a levadura. ~ 덩이 masa *f* de levadura. ~ 맛 sabor *m* a levadura. ~밑 malta *f* hecha de arroz apelmazado [glutinoso].

누룩곰팡이 【식물】 aspergillus *m*.

누룩뱀 【동물】 =먹구렁이.

누룽지 *nurungchi*, arroz *m* a quemado, *ReD* concón *m*.

누르께하다 quemarse adecuadamente.

누르는힘 ☞누르다[1]

누르다[1] ① [힘을 가하여 위에서 아래로 밀다] prensar, aprensar, apretar(se), sujetar, oprimir(se). 압정으로 ~ sujetar con chinches. 복부를 ~ oprimirse el vientre. 양손으로 발을 ~ apretar [자신의 apretarse] los pies con las manos. 벽에 ~ apretar contra la pared. 방아쇠를 ~ apretar el gatillo. 아이들은 창문에 코를 눌렀다 Los niños tenían la nariz apretada contra la ventana. ② [무거운 것을 올려 놓다] poner un peso (sobre). ③ [어떤 심리 작용이 일어나지 못하게 하다] dominar, contener, ahogar, refrenar, calmar, apaciguar. 감정을 ~ ahogar el sentimiento. 욕망을 ~ dominar [contener] *sus* deseos. 화를 ~ contener [refrenar] la ira. 흥분을 ~ calmar [apaciguar] la excitación. ④ [남을 꼼짝 못하게 윽박지르다] oprimir, apretar, aplastar,

desanimar. 반대 의견을 ~ oprimir [aplastar] la opinión contraria. 다수의 후보자를 누르고 그는 당선되었다 El salió elegido dejando muy atrás [superando] a numerosos candidatos. ⑤ [누름단추를 밀다] tocar. 초인종을 ~ tocar el timbre. 초인종을 누르세요 Toque el timbre, por favor.
누르는힘 【물리】 =압력(壓力).
누르는힘틀 【물리】 =압력계(壓力計).

누르다² [빛깔이] (ser) amarillo como oro.
누르디누르다 (ser) muy amarillo, amarillísimo.
누르락붉으락 poniéndose colorado con cólera, cambiando de semblante con enfado.
누르락푸르락 poniéndose pálido, cambiando de semblante con enfado.
누른빛 (color *m*) amarillo *m*.

누르무레하다 (ser) ligeramente amarillo.

누르스레하다 =누르스름하다.

누르스름하다 amarillear, (ser) amarillento, amarillejo. 누르스름해지다 amarillecer, ponerse amarillento, amarillear. 누르스름해진 식물 planta *f* que amarillece. 이 천은 ~ Este paño amarillea / Este paño es amarillento.
누르스름히 amarillentamente.

누르퉁퉁하다 (ser) amarillento, cetrino.

누른도요 【조류】 becada *f*, chocha *f*.

누름단추 botón *m* (*pl* botones) (de presión), pulsador *m*; [초인종] timbre *m*.

누름돌 piedra *f* de tener presada la cosa.

누름병(一病) =농병(膿病).

누름새 =압축 강도(壓縮强度).

누름적(一炙) pincho *m* [kebab *m*] bañado en [cubierto de] huevo.

누름하다 =누르스름하다.
누름히 amarillentamente.

누릇누릇 amarillentamente. ~하다 ser amarillento, ser amarillo aquí y allá.
누릇누릇이 amarillentamente.

누리 =우박(雨雹).

누리다¹ [생활에서 그것이 지닌 좋은 점을 즐기다] gozar (de), tener. 장수(長壽)를 ~ gozar de la longevidad. 행복을 ~ gozar de la felicidad. 행복을 누리고 살다 vivir felizmente, vivir la vida feliz.

누리다² ① [냄새가 매우 노리다] (ser) fétido, rancio. 누린 고기 carne *f* fétida. 냄새가 누리다 oler muy mal, apestar. 국이 ~ La sopa huele mal. ② [기름기가 많아 메스꺼운 냄새가 있다] (ser) nauseabundo (por la gordura).

누리척지근하다 parecer ser algo fétido.
누리척지근히 algo fétidamente.

누린내 ① [짐승의 고기에서 나는 기름기의 냄새] fetidez *f*, hedor *m*, olor *m* rancio, olor *m* fétido. 이곳에서는 ~가 고약하다 Aquí huele muy mal / Aquí apesta. ② [동물의 털이 불에 타는 냄새] olor *m* a quemado. ~가 나다 oler a quemado, oler a chamusquina.
◆누린내가 나도록 때리다 golpear muchísimo, dar muchos golpes.

누릿하다 estar doradito. 누릿할 때까지 그것들을 기름에 튀기세요 Fríalos hasta que estén doraditos.

누마루(樓一) suelo *m* [*AmL* piso *m*] superior, desván *m* (*pl* desvanes), buhardilla *f*, ático *m*; *AmS* altillo *m*; *Col* zarzo *m*.

누만(累萬) ① [여러 만] decenas de miles. ② [많은 수] muchos números, muchísimos números.
■~금(金) mucho dinero.

누망(漏網) esperanza *f* muy pequeña.

누명(陋名) deshonor *m*, deshonra *f*, ignominia *f*, infama *f*, mal nombre *m*, mala fama *f*, mala reputación *f*.
◆누명(을) 벗다 borrar [limpiar] el deshonor. 누명(을) 쓰다 ser deshonrado, ser estigmatizado, ser infamado.

누문(漏聞) ¶~하다 oír, saber por rumores.

누문(樓門) 【건축】 portada *f* con pisos altos.

누배(僂背) =곱사등이.

누백(累百) centenares *mpl*.

누범(累犯) ofensa *f* repetida, ofensa *f* cumulativa, reincidencia *f*.
■~자(者) reincidente *mf*.

누벨(불 *nouvelle*) [(중편) 소설] novela *f*.

누벨바그(불 *nouvelle vague*) [새로운 경향·세대] nueva ola *f*, nueva generación *f*.

누보(屢報) muchos avisos. ~하다 avisar muchas veces.

누보(불 *nouveau*) nuevo *adj*.
■~로망 【문학】 =앙티로망. ~식(式) =아르누보.

누비 guateado *m*, acolchado *m*, acolchonado *m*.
■~옷 guateado *m*, acolchado *m*, acolchonado *m*. ~이불 enredón *m* (*pl* enredones), *RPl* acolchado *m*. ¶~(의) 재료 [이불감] guata *f*, tela *f* acolchada, tela *f* acolchonada. ~질 guateado *m*, acolchado *m*, acolchonado *m*. ¶~하다 guatear, acolchar, acolchonar. ~포대기 colchón *m* (*pl* colchones) guateado para los bebés.

누비(陋鄙) vileza *f*, humildad *f*, bajeza *f*. ~하다 (ser) vil, humilde, bajo.

누비다 ① [피륙을] guatear, colchar, acolchar, acolchonar. 누빈 [누벼진] guateado, acolchado, acolchonado. 속을 넣고 ~ enguatar, hacer acolchado. ② [이리저리 뚫고 쏘다니다] vagar (por), deambular (por). 누비고 다니다 abrirse el paso, abrirse el camino (en zigzag). 군중 사이를 누비고 다니다 abrirse el paso entre la multitud. 택시로 시내를 ~ vagar [deambular] por las calles en taxi. ③ =찡그리다.

누빙(鏤氷) esfuerzo *m* inútil.

누사(陋舍) ① [누추한 집] casa *f* humilde. ② [자기의 집을 남에게 이르는 말] mi casa.

누사(樓榭) =누대(樓臺).

누삭(屢朔) varios meses *mpl*.

누산(累算) cuenta *f* del total, total *m*, suma *f*. ~하다 sumar, totalizar.
■~기(機) acumuladora *f*.

누상(樓上) en el desván, en la buhardilla, en

el ático, en la torre, en la torrecilla, en la torreta.

■ ~고(庫) depósito *m* que está en el desván.

누선(淚腺) 【해부】 =눈물샘(glándula lagrimal).

■ ~ 낭종 dacriops *m*. ~ 농양 absceso *m* lagrimal. ~ 동맥 arteria *f* lagrimal. ~염 dacriadenitis *f*, dacrioadenitis *f*, adenoftalmía *f*. ~ 정맥 vena *f* lagrimal. ~통(痛) dacriadenalgia *f*.

누선(樓船) barco *m* [buque *m*] con el desván.

누설(漏泄/漏洩) ① [(액체나 기체 따위가) 밖으로 샘] goteo *m*, filtración *f*. ~하다 gotear, hacer agua. ② [비밀이 새어 나감, 또는 새어 나가게 함] divulgación *f*. ~하다 divulgar. ~되다 divulgarse. ~해서는 안 될 건(件) asunto *m* confidencial, asunto *m* secreto. 국가 비밀의 ~ divulgación *f* de un secreto de Estado. 정보를 ~하다 divulgar la información. 비밀한 이야기를 밖에 ~하다 difundir una confidencia [una cosa confidencial]. 비밀이 외부에 ~된다 Se divulga una información secreta. 누가 비밀을 ~했는지 모르겠다 No sé quién divulgó el secreto. 그것은 ~해서는 안 된다 Llévalo en secreto / No lo reveles a nadie. 나는 결코 그것을 ~하지 않겠다 Lo guardaré en secreto / Juro no revelarlo a nadie.

■ ~자 divulgador, -dora *mf*. ~ 전류(電流) corriente *f* de fugas, corriente *f* de pérdida, corriente *f* de descarga espontánea.

누설(縷說) =누언(縷言).

누성 기관내 치료법(瘻性氣管內治療法) traqueofistulización *f*.

누세(累世) =누대(累代).

누세(累歲) =누년(累年).

누세기(累世紀) muchos siglos.

누소(陋小) la humildad y la pequeñez. ~하다 (ser) humilde y pequeño.

누소관(淚小管) 【해부】 conducto *m* lagrimal delgado.

누속(陋俗) costumbre *f* vil.

누수(淚水) lágrima *f*.

누수(漏水) escape *m* [fuga *f*·derrame *m*·salida *f*] de agua, gotera *f* (en un techo). ~를 막다 impedir el escape de agua. ~되고 있다 *El agua se escapa* / El agua se sale.

■ ~구 agujero *m* que gotea. ~기 reloj *m* de agua. ~증 hidrorrea *f*.

누수(壘手) ((야구)) jugador, -dora *mf* de base. 일[이·삼]루수 jugador, -dora *mf* de primera [segunda·tercera] base.

누습(陋習) costumbre *f* despreciable, hábito *m* vicioso. ~을 타파(打破)하다 abolir las malas costumbres.

누습(漏濕) filtración *f* de la humedad. ~하다 la humedad filtrar.

누승(累乘) 【수학】 =거듭제곱.

누시(累時) horas *fpl* repetidas; [부사적으로] a veces, algunas veces, unas veces, de vez en cuando, de cuando en cuando.

누시누험(屢試屢驗) muchos exámenes y mucha experiencia. ~하다 examinar muchas veces y tener mucha experiencia.

누실(陋室) ① [누추한 방] habitación *f* sucia. ② [자기의 방을 남에게 낮추어 이르는 말] mi humilde habitación.

누실(漏失) pérdida *f*. ~하다 perder.

■ ~량 cantidad *f* de pérdida.

누심(壘審) árbitro *m*, umpire *mf*; *Col* ampáyar *mf*.

누안(淚眼) ① [눈물이 글썽글썽한 눈] ojos *mpl* llorosos. ② 【의학】 *lat* hygro phtalmus.

누액(淚液) lágrima *f*. ~의 lagrimal.

누액(漏液) enfermedad *f* que suele sudar en el sobaco o en los miembros.

누언(屢言) el hablar muchas veces. ~하다 hablar muchas veces.

누언(縷言) palabra *f* detallada. ~하다 hablar [decir] detalladamente.

누에 gusano *m* de seda. ~를 기르다 criar gusano de seda. ~를 떨다 recoger huevos de gusanos de seda en una cartulina.

◆누에(가) 오르다 el gusano de seda comienza a hilar. 누에(를) 치다 criar gusano de seda.

■ ~고치 capullo *m* (de gusano de seda). ¶집이 두 개인 ~ capullo *m* ocal. ~를 실로 만들다 rehilar capullo del gusano de seda, rehilar seda desde capullos del gusano de seda. 누에는 비둘기 알만한 ~를 만든다 El gusano de seda hila un capullo del tamaño de un huevo de paloma. ~농사 cultura *f* de gusano de seda. ~늙은이 persona *f* flaca. ~똥 excremento *m* de gusano de seda. ~머리 pico *m* saliente como una cabeza de gusano de seda. ~머리 손톱 uña *f* del pulgar. ~섶 paja *f* para criar el gusano de seda. ~씨 variedad *f* de gusano de seda. ~알 huevecillo *m* de gusanos de seda. ~채반 cesta *f* para la sericultura. ~치기 sericultura *f*, cultura *f* de gusano de seda.

누에나방 【곤충】 palomilla *f* [mariposa *f* de la luz] de gusano de seda.

누에바 그라나다 공화국(-共和國) 【역사】 la República de Nueva Granada.

누에콩 【식물】 =잠두(蠶豆).

누역(累譯) =이중 번역(二重飜譯).

누열(陋劣) vileza *f*, humildad *f*, bajeza *f*. ~하다 (ser) vil, humilde, bajo, ruin, mesquino, soez, innoble, abyecto, indigno, cobarde. ~한 수단을 쓰다 usar de un medio vil [una treta despreciable].

■ ~한(漢) persona *f* despreciable, persona *f* vil y baja, cobarde *mf*.

누엽(累葉) =누대(累代).

누옥(陋屋) ① [누추한 집] casucha *f*, casuca *f*, casucho *m*, casa *f* pequeña y sucia, domicilio *m* humilde. ② [「자기의 집」을 낮추는 말] mi humilde casa, mi humilde residencia, mi humilde domicilio.

누옥(漏屋) casa *f* que gotea.
누우(陋愚) la vileza y la estupidez. ~하다 (ser) vil y estúpido.
누운다리 =베틀다리.
누운단 dobladillo *m* inferior de la chaqueta.
누운목(-木) algodón *m* puesto en lejía, algodón *m* blanqueado y suavizado.
누운변(-邊) interés *m* pagado al mismo tiempo como el principal.
누운외(-椳) listón *m* (*pl* listones) horizontal.
누워먹다 ① [음식을 누워서 먹다] comer echado [acostado·tendido·tumbado]. ② [거저먹다. 편안하게 놀고먹다] llevar una vida ociosa.
누월(屢月) muchos meses, varios meses *mpl*.
누월 재운(鏤月裁雲) obra *f* mañosa y hermosa.
누유(陋儒) sabio *m* que tiene poco conocimiento.
누유두(淚乳頭)【해부】papila *f* lagrimal.
누의(螻蟻) fuerza *f* pequeña.
누이 hermana *f*.
■ 누이 좋고 매부 좋다 ((속담)) Las ambas partes son buenas.
■ ~동생 hermana *f* menor.
누이다[1] [「눕다[3]」의 피동형] ponerse blanco y suave.
누이다[2] [「누다」의 사역형] [오줌을] hacer orinar; [똥을] hacer defecar.
누이다[3] [「눕다[1]」의 사역형] ① [눕히다] acostar, hacer dormir, poner a lado. ② [꺼꾸러뜨리거나 넘어뜨리다] hacer caer, derribar, derrumbar, echar abajo, tirar, lanzar hacia abajo. 발을 걸어 ~ hacer*le* una zancadilla (a), poner*le* [echar*le*] una [la] zancadilla (a). 네가 나를 누였다 ¡Tú me pusiste [echaste] la [una] zancadilla! / ¡Tú me hiciste una zancadilla!
누일(累日/屢日) muchos días.
누재(累載) =누년(累年).
누적(累積) acumulación *f*, amontonamiento *m*, hacinamiento *m*. ~하다 acumular, amontonar, hacinar. ~되다 acumularse, amontonarse, hacinarse. 적자가 ~된다 Se acumula el déficit.
■ ~ 적자(赤字) déficit *m* acumulado. ~ 투표 votación *f* acumulativa.
누전(累戰) guerra *f* sucesiva.
누전(漏電) fuga *f* eléctrica, escape *m* eléctrico, corto circuito *m*. ~하다 haber escape de electricidad.
■ ~계 indicador *m* de fugas, indicador *m* de tierra.
누전(漏箭) =유시(流矢).
누점(淚點) punto *m* lagrimal, lagrimal *m*.
누정(漏精)【의학】espermatorrea *f*, eyaculación *f* inconsciente sin relaciones sexuales. ~하다 eyacular inconscientemente sin relaciones sexuales.
누조(累祖) antepasados *mpl* de generación en generación.
누조(累朝) muchas cortes.
누주(淚珠) gotas *fpl* de las lágrimas que corren como una bola.
누지(陋地) ① [누추한 곳] lugar *m* sucio; [누추한 방] habitación *f* sucia. ② [다른 사람에게 「자기의 사는 곳」을 낮추어 이르는 말] mi humilde casa (sucia), mi humilde residencia.
누지다 (estar) húmedo.
누진(累進) promoción *f* sucesiva, avance *m* progresivo. ~하다 promoverse sucesivamente, avanzar progresivamente.
■ ~ 과세 imposición *f* progresiva. ~ 대우 trato *m* progresivo. ~세 impuesto *m* progresivo. ~ 세율(稅率) tipo *m* impositivo progresivo, tipo *m* del impuesto progresivo. ~ 세제 sistema *m* progresivo de tributación. ~ 소득세 impuesto *m* progresivo sobre la renta. ~ 소득세제 sistema *m* progresivo de impuesto sobre la renta. ~율 tipo *m* progresivo. ~ 임금 salarios *mpl* progresivos. ~적 progresivo *adj*. ¶~으로 progresivamente. ~제 sistema *m* progresivo. ~ 처우(處遇) trato *m* progresivo.
누진 취영(鏤塵吹影) esfuerzo *m* vano.
누질(陋質) [비천한 태생] nacimiento *m* humilde; [비천한 성질] carácter *m* humilde.
누차(累差) distancia *f* progresiva.
누차(屢次) ① [여러 차례] muchas veces, repetidamente, repetidas veces, a menudo. ② [가끔·때때로] a veces, unas veces, algunas veces, de vez en cuando, de cuando en cuando.
누창(漏瘡)【한방】=감루(疳瘻).
누천(陋淺) experiencia *f* superficial. ~하다 tener la experiencia superficial.
누천(陋賤) humildad *f*. ~하다 (ser) humilde.
누천(累千) millares (de). ~의 사람들 millares de hombres.
누천(漏天) demasiada lluvia *f*.
누천년(累千年) millares de años.
누추(陋醜) ① [지저분하고 더러움] suciedad *f*, porquería *f*, desaseo *m*. ~하다 (estar) desaseado, sucio. ② [자기의 거처 따위를 겸손하게 이를 때 쓰는 말] mi humilde casa, mi humilde residencia. ~한 곳까지 찾아 주셔서 고맙습니다 Muchas gracias por su visita.
누출(漏出) goteo *m*, escape *m*, fuga *f*, huida *f*, derrame *m*. ~하다 gotear, hacer agua, escaparse, fugarse, salirse, derramarse.
누치【어류】((학명)) Hemibarbus labeo.
누치(漏卮) gran bebedor *m*, gran bebedora *f*.
누치(瘻痔)【의학】=치루(痔漏).
누케하다 =누리척지근하다.
누클라인산(독 Nuclein 酸)【화학】=핵산.
누타(壘打) ((야구)) sencillo *m*.
누태(陋態) figura *f* fea.
누택(陋宅) ① [쓸쓸하고 누추한 집] casa *f* solitaria y sucia. ② [자기의 집을 낮추어 이르는 말] mi humilde casa, mi humilde residencia.
누풍(陋風) =누속(陋俗).
누하(淚河) lágrimas *fpl* que derrama como la

corriente.

누하(樓下) debajo del desván.

누항(陋巷) ① [좁고 지저분하며 더러운 거리나 마을] [거리] calle *f* estrecha y sucia; [마을] aldea *f* estrecha y sucia. ② [남에게 대하여 「자기가 사는 거리나 동네」를 낮추는 말] mi humilde calle, mi humilde aldea.

■ ~ 단표(簞瓢) situación *f* de la vida de los pobres.

누혈(漏血) 【한방】 hemorroide *m* que suele sangrar.

누호(淚湖) 【해부】 lago *m* lagrimal.

누호(漏戶) casa *f* omitida en el registro civil.

누회(累回) muchas veces.

누흔(淚痕) huella *f* de las lágrimas.

눅눅하다 humedecerse, mojarse. 눅눅한 húmedo, mojado. 눅눅해지기 쉽다 ser fácil de humedecerse. 눅눅한 날씨 tiempo *m* húmedo. 눅눅한 옷 ropa *f* húmeda.

눅눅히 húmedamente, mojadamente.

눅느지러지다 (estar) fofo, blando, flojo.

눅늘어지다 (estar) fofo, flojo.

눅다 ① [(반죽 같은 것이) 무르다] (ser) suave; [쇠가] dúctil. 반죽이 ~ La masa es suave. 쇠가 ~ El hierro es dúctil. ② [뻣뻣하던 것이 습기를 받아 부드럽다] (ser) húmedo, suave y húmedo. 담배가 ~ El tabaco es húmedo. ③ [(성질이) 너그럽다] (ser) generoso, plácido, apacible, tranquilo. 성질이 눅은 사람 persona *f* plácida. ④ [춥던 날씨가 풀리어 푸근하다] (ser) templado, benigno. 오늘 날씨가 매우 ~ Hoy no hace nada de frío. ⑤ [(값이) 헐하다] (ser) barato, económico, de precio reducido.

눅신눅신 muy suave y flexiblemente, muy elásticamente. ~하다 (ser) muy suave y flexible, muy elástico.

눅신하다 (ser) suave y flexible, elástico.

눅신히 suave y flexiblemente, elásticamente.

눅실눅실 muy elásticamente. ~하다 (ser) muy elástico.

눅실하다 (ser) elástico.

눅이다 ① [(굳은 물건에 물기나 열을 더하거나 하여) 부드럽게 하다] ablandar; [살갗을] suavizar. 반죽을 ~ ablandar la masa. ② [마음을 풀리도록 하다] calmar, apaciguar, tranquilizar, mitigar, atenuar, aliviar, aplacar. 마음을 ~ calmar [tranquilizar] el corazón. 신경을 ~ calmar el nervio. 화(火)를 ~ aplacar la ira. ③ [(건조한 것에) 습기를 더하여 부드럽게 하다] humedecer, mojar. 다림질하기 위해 옷을 ~ humedecer la ropa lavada para plancharla. 카스텔라를 헤레스 백포도주에 ~ humedecer el bizcocho con jerez. ④ [언성을 부드럽게 하다] suavizar, dulcificar, moderar.

눅잦히다 =누그러뜨리다. 가라앉히다.

눅지다 (ser) templado, benigno, no muy frío. 오늘 날씨가 무척 ~ Hoy no hace nada de frío.

눅진눅진 =녹진녹진.

눅진하다 =녹진하다.

눅진히 =녹진히.

눈¹ ① [사람이나 동물의 보는 기능을 맡은 감각 기관] ojo *m*. ~의 ocular, visual, óptico. 눈물을 머금은 ~ ojos *mpl* blandos, ojos *mpl* tiernos. 눈초리가 길게 째진 ~ ojos *mpl* rasgados. 눈초리가 처진 ~ ojos *mpl* hacia abajo. 매력적인 ~ ojos *mpl* mágicos. 반짝반짝한 ~ ojos *mpl* vivos. 부리부리한 ~ ojos *mpl* reventones, ojos *mpl* saltones. 툭 튀어나온 ~ ojos *mpl* de besugo, ojos *mpl* de sapo, ojos *mpl* reventones. ~이 푸른 인형 muñeca *f* de ojos azules. ~에 아른거리다 vislumbrar, hacerse ilusión. ~에서 불이 나다 ver las estrellas. ~으로 말하다 hacer una mirada significante, guiñar; [추파를 던지다] lanzar una mirada amorosa. ~으로 알리다 hacer una seña con los ojos, guiñar. ~을 가늘게 뜨다 entrecerrar los ojos. ~을 깜박이다 parpadear, pestañear. ~을 끌다 atraer la atención, ser atractivo. ~을 부비다 [손으로] restregarse los ojos. ~을 아찔하게 하다 ofuscar. ~을 어둡게 하다 ofuscar, engañar, alucinar. ~을 휘둥글리다 aguzar la vista. ~을 휘둥글리고 con los ojos abiertos de par en par, con admiración. ~이 검다 tener (los) ojos negros. ~을 가늘게 뜨고 보다 mirar entrecerrando los ojos. 둥글고 귀여운 ~을 가지다 tener unos ojos redondos. 자신의 ~으로 확인하다 confirmar con *sus* propios ojos. 아이들의 ~으로 보다 mirar con los ojos de un niño. 나는 ~이 피로하다 Tengo cansados los ojos. 나는 ~에 현기증이 난다 Me mareo / Me da vueltas la cabeza / Me da un vértigo / Tengo vértigo. 눈까풀은 ~을 보호한다 Los párpados defienden los ojos. ~을 보면 마음을 알 수 있다 Los ojos denotan el estado de ánimo. 두 사람은 ~과 ~이 마주쳤다 Se encontraron los ojos de los dos. 그녀의 아름다움은 사람들의 ~을 끌었다 Su belleza atrajo [se llevó] las miradas de la gente. 그녀는 ~을 가늘게 뜨고 보았다 Ella miró por el cañón de la escopeta entrecerrando los ojos. 한쪽 ~은 울고 다른 한쪽 ~은 웃는다 ((서반아 속담)) [상속자들은 고인의 시체 앞에서 슬픈 척하지만 동시에 받을 재산 때문에 즐거워한다는 뜻] Llorar con un ojo, y reír con el otro.

② [시력(視力)] vista *f*, visión *f*. ~이 보이지 않다 no poder ver, perder (la) vista, ser invisible, ser imperceptible. ~에 보이지 않는 노력(努力) esfuerzo *m* oculto. ~이 보이지 않게 되다 perder (la) vista. ~이 나쁘다 tener mala vista, tener muy poca vista, ver mal. ~이 좋다 tener buena vista, tener muy buen ojo. 나는 ~이 나빠졌다 Mi vista se ha debilitado / Tengo ahora la vista débil.

③ [사물을 인식, 판단하는 힘] buena vista *f*, observación *f*, vigilancia *f*. 미술품을 보는

~이 있다 tener buena vista para las obras de arte. 그는 과연 보는 ~이 높다 De veras él tiene buena vista [tiene un ojo fino].
④ [보는 모양이나 태도를 나타내는 말] vista *f.* 부모의 ~으로 보면 en la vista de los padres.
◆눈도 거들떠 보지 않다 despreciar, menospreciar.
◆눈은 눈으로, 이는 이로 갚으라 ((성경)) Ojo por ojo, y diente por diente.
◆눈에 뜨이다 ser conspicuo, ser llamativo, ser imprsionante, ser fantástico, ser brillante, atraer [llamar] la atención. 눈에 띄는 notable, destacado, señalado. ~에 띄지 않는 invisible, imperceptible. 눈에 띄게 a ojos vistos, visiblemente, notablemente, destacadamente, considerablemente, señaladamente; [급속히] rápidamente. 눈에 띄는 색 color *m* llamativo, color *m* chillón. 눈에 띄지 않은 색 color *m* neutral. 환자는 눈에 띄게 좋아지고 있다 El enfermo mejora a ojos vistas. 포스터 한 장이 내 눈에 띄었다 Un cartel me llamó la atención / Noté un cartel. 그가 일하는 모습이 사장의 눈에 띄었다 El director se fijó en él por su manera de excelente trabajar. 그는 아무의 눈에도 띄지 않도록 자리에서 일어났다 El se levantó del asiento de tal manera que no llamara a nadie la atención. 그녀는 눈에 띄는 미녀다 Ella es de una belleza fantástica.
◆눈에 띄다 ((준말)) =눈에 뜨이다
◆눈에 불이 나다 ㉮ [몹시 밉다] (ser) muy feo. ㉯ [몹시 화가 나다] echar fuego por los ojos, echar chispas de cólera.
◆눈에 흙이 들어가다 morir, fallecer, dejar de vivir [existir]. 눈에 흙이 들어가기 전에는 antes (de) que muera, mientras viva.
◆눈(을) 감다 ㉮ [목숨이 끊어지다] morir, fallecer, dejar de vivir. ㉯ [남의 허물이나 잘못을 알고도 모르는 체하다] pasar por alto, cerrar los ojos (a). ㉰ [위아래의 눈시울을 마주 붙이다] cerrar los ojos; [한쪽 눈만을 감다] cerrar un ojo. 눈을 감고 a [con los] ojos cerrados, a cierra ojos.
◆눈을 굴리다 =눈방울을 굴리다.
◆눈(을) 돌리다 ver aparte, estar distraído. 팔방(八方)으로 ~ mirar todas las direcciones, estar alerta.
◆눈(을) 뒤집어쓰다 =눈(이) 뒤집히다.
◆눈(을) 뜨다 ㉮ [감은 눈을 열다] abrir (los) ojos. 눈을 크게 뜨다 abrir mucho los ojos. 눈을 뜨고는 볼 수 없다 estar demasiado lastimoso de verlo. ㉯ [시력이 생기다] *tener* (*la*) vista. ㉰ [글을 알게 되거나 무지에서 벗어나 지식을 얻게 되거나 이치나 사리를 깨달아 알게 되다] despertarse. 눈뜨게 하다 despertar. 현실에 ~ despertar la realidad de la vida. 성(性)에 ~ despertarse a la sexualidad. 그는 양심에 눈을 떴다 El se despertó su conciencia.
◆눈(을) 맞추다 ㉮ [서로 시선을 마주보다] mirarse el uno del otro. ㉯ [서로 사랑하는 뜻을 눈치로 보이다] lanzar una mirada amorosa.
◆눈(을) 부라리다 mirar furiosamente, echar fuego por los ojos. 눈을 부라리고 con una mirada feroz, con ojos coléricos.
◆눈(을) 붙이다 pegar los ojos, dormir un momento [un rato]. 밤새 눈을 붙일 겨를도 없다 no poder dormir en toda la noche [(ni) un momento de noche], no poder conciliar el sueño (un momento). 구름처럼 몰려드는 곤충 때문에 그들은 눈을 붙일 수가 없었다 Las nubes de insectos no les dejaron pegar los ojos.
◆눈(을) 속이다 engañar, soflamar, usar de soflama, chasquear, defraudar un artículo falso como genuino. 눈을 속여서 detrás de espalda, en secreto, secretamente.
◆눈(을) 주다 ㉮ [가만히 약속의 뜻을 보이는 눈짓을 하다] hacer una mirada significante, guiñar. ㉯ [시선을 옮기어 보다] echar una ojeada (a). 눈도 주지 않고 sin echar ni una ojeada (a), sin hacer caso (de).
◆눈(을) 흘기다 mirar (*algo* · a *uno*) de reojo agudo, mirar (*algo* · a *uno*) de soslayo agudo, mirar (*algo* · a *uno*) con recelo.
◆눈(이) 나오다 ㉮ [심하게 꾸지람을 듣다] ser reprendido severamente. ㉯ [대가가 엄청나게 비싸다] (ser) carísimo.
◆눈(이) 높다 ㉮ [수준이 높은 것에만 관심을 두고 여간 것은 시시하게 여길 만큼 거만하다] tener un gusto bien cultivado. ㉯ [사물을 보는 안식이 높다] ser un gran entendido (en), juzgar bien, tener buena vista, tener un buen ojo (para).
◆눈(이) 돌다 estar muy ocupado. 나는 눈이 돌만큼 바쁘다 Estoy ocupadísimo [muy ocupado] / Estoy agobiado de trabajo.
◆눈(이) 뒤집히다 ㉮ [환장을 하다 · 욕심이 동하여 어쩔 줄을 몰라하다] cegarse, ofuscarse, deslumbrarse. 돈에 눈이 뒤집혀서 cegado por el dinero. 그는 돈에 눈이 뒤집혔다 El se ciega [se ofusca] por el dinero / El dinero le ciega [deslumbra · ofusca].
◆눈이 등잔만 하다 tener los ojos muy grandes. 눈이 등잔만 하여 보다 ver todo ojos, clavar los ojos (en).
◆눈(이) 맞다 ㉮ [두 사람의 눈치가 서로 통하다] tropezar con los ojos. ㉯ [남녀간에 서로 마음에 들어 사랑이 통하다] enamorarse uno de otro (de), estar enamorado uno de otro (de). 그들은 눈이 맞아 도망쳤다 Ellos estaban enamorados uno de otro y se escapó juntos.
◆눈(이) 멀다 ㉮ [시력을 잃다] perder (la) vista. 눈 먼 장님 ciego, -ga *mf.* ㉯ [어떤 일에 몹시 마음이 쏠리어 이성을 잃다] ser un esclavo (de). 돈에 ~ ser un esclavo de dinero. 주색(酒色)에 ~ ser un esclavo de bebida y sexo.
◆눈(이) 밝다 tener buena vista.

◆눈이 빠지도록 기다리다 esperar con mucha preocupación.
◆눈(이) 시다 =눈꼴이 사납다. ☞눈꼴
◆눈이 시퍼렇다 estar completamente vivo
◆눈(이) 어둡다 ser ciego. 욕심(慾心)으로 ~ (ser) codicioso, insaciable, avaro, avaricioso.
◆눈이 캄캄하다 ㉮ [정신이 아찔하고 생각이 꽉 막히다] estar mareado, tener vértigo. ㉯ [까막눈이다·판무식이다] no entender [saber] el abecé, ser muy ignorante, ser analfabético.
■눈 가리고 [감고] 아웅(한다) ((속담)) Tapar [Sofocar] un escándalo / Salvar las apariencias. 눈 감으면 코 베어 먹을 세상[인심] ((속담)) Aquí la gente se mete el ojo de una aguja.
눈뜬장님 [소경] ㉮ [물건을 보고도 알지 못하는 사람] persona *f* que no sabe lo que se ve. ㉯ [글자를 모르는 사람] persona *f* iliterata; analfato, -ta *mf*.
눈여겨보다 tener cuidado (de · con), hacer puntería, poner la mira (en).
■~의 날 día *m* de (los) ojos.

눈² 【식물】[싹] brote *m*, yema *f*, capullo *m* (꽃의), pimpollo *m*, vástago *m*.
◆눈이 나오다 =눈(이) 트다.
◆눈(이) 트다 brotar, echar brotes, echar retoños, echar renuevos [pimpollos], retoñar, salir, pimpollecer, pimpollear; [씨앗이] germinar. 식물의 눈이 트고 있다 La planta está echando retoños / La planta está retoñando. 야생 꽃들은 여기저기서 눈이 텄다 Las flores silvestres brotaban por todas partes.

눈³ [자·저울·온도계 따위의] escala *f*.

눈⁴ [그물 따위의] malla *f*. ~이 성긴 그물 malla *f* suelta.

눈⁵ [새하얀 작은 얼음 조각] nieve *f*. 적은 양(量)의 ~ pequeña nevada *f*. ~에 덮인 cubierto de [con] nieve, cargado de nieve. ~처럼 하얀 níveo, tan blanco como la nieve. ~ 덮인 산 montaña *f* cubierta de nieve. ~을 치움 retirada *f* de la nieve. ~을 치우는 삽 pala *f* para la nieve. ~이 많이 오는 지방 país *m* [región *f*] de nieve. 새로 내려 쌓인 ~ nieve *f* fresca [virgen]. ~이 내리다 nevar, hacer nieve. ~이 녹다 desnevar, deshacerse [derretirse] la nieve. ~이 쌓이다 acumularse la nieve. ~으로 덮여 있다 estar cubierto de nieve. 길의 ~을 치우다 retirar [quitar] la nieve del camino. ~이 내릴 듯하다 Parece que va a nevar / Parece que nieva / Amenaza con una nevada. ~이 내릴 듯한 일기 cielo *m* que amenaza con una nevada. ~이 녹는다 La nieve se deshiela [se derrite]. ~이 조금 내린다 Nieva un poco. ~이 녹기 시작한다 Empieza a deshelar / La nieve empieza a derretirse. 우리 나라에서는 겨울에 ~이 많이 내린다 En nuestro país hace mucha nieve en el inverno..

눈가 borde *m* de los ojos. 눈물로 ~가 붉어져 있다 tener el borde de los ojos por las lágrimas.

눈가늠 =눈대중.

눈가루 copo *m* de nieve en polvo.

눈가림 engaño *m*, camuflaje *m*; [미봉책] recurso *m* provisional, medida *f* provisional, *AmL* recurso *m* provisorio, medida *f* provisoria. ~하다 engañar, camuflar, *AmL* camuflajear. ~으로 하는 일 trabajo *m* provisional.

눈가장 borde *m* del ojo.

눈가죽 párpado *m*. ~이 두텁다 tener un párpado grueso.

눈감다 =눈(을) 감다. ☞눈¹
◆눈감아 주다 pasar por alto, cerrar los ojos (a). 나는 그의 과실을 눈감아 주었다 Le perdoné la falta. 이번만은 (저를) 눈감아 주십시오 Perdóneme sólo por esta vez.

눈겨룸 combate *m* de mirada. ~하다 tener un combate de mirada.

눈결 mirada *f*.

눈곱 legañas *fpl*, pitaña *f*, moco *m* de los ojos.
◆눈곱(이) 끼다 ㉮ [눈구석에 눈곱이 모여 나타나다] tener los ojos llenos de legañas. 눈곱 낀 legañoso. ㉯ ((은어)) =궁색하다.
눈곱만하다 ser demasiado pequeño. 악이라곤 눈곱만큼도 없다 No hay ni un ápice de mala intención.

눈구덩이 =눈구멍².

눈구름 ① [눈과 구름] la nieve y la nube. ② [눈을 머금은 구름] nube *f* cargada de nieve.

눈구멍¹ ① ((속어)) =눈¹. ② [눈방울이 박혀 있는 구멍] órbita *f*, cuenca *f* del ojo.

눈구멍² [눈이 많이 쌓인 가운데] ventisquero *m*, hoyo *m* en la nieve acumulada durante una ventisca, acumulación *f* de nieve.

눈구석 rincón *m* (*pl* rincones) del ojo.

눈금 escala *f*, graduación *f*. ~을 새긴 graduado. ~을 읽다 leer los grados (de), marcar con grados. 지도에 ~을 새기다 graduar un mapa.

눈기운 amenaza *f* de nieve [con nevar]. ~이 있는 하늘 cielo *m* que amenaza nieve. 날씨가 ~이 있다 (El tiempo) Amenaza nieve [(con) nevar] / El tiempo está amenazando con nevar.

눈기이다¹ engañar.

눈길¹ [시선] mirada *f*. ~을 돌리다 volver la vista, dirigir la mirada (a), tender la vista (a), mirar. 애정어린 ~로 보다 dirigir (a *uno*) una mirada cariñosa.

눈길² [눈이 쌓인 길] camino *m* cubierto de nieve.

눈까풀 párpado *m*.

눈깔귀머리장군 *nuncalgüimeorichanggun*, una especie de la cometa.

눈깔머리동이 *nuncalmeoridongi*, una especie de la cometa.

눈깔바구니 cesta *f* de calado.

눈깔사탕(一砂糖) =알사탕.

눈깔허리동이 *nuncalheoridongi*, una especie

de la cometa.
눈깜작이 persona *f* parpadeante.
눈꺼풀 párpado *m*.
◆ 윗~ párpado *m* superior. 아래 ~ párpado *m* inferior.
눈껍질막(―膜)【해부】=결막(結膜).
눈꼴 ① [눈의 생긴 모양새] forma *f* del ojo. ② [(바라볼 때의) 눈] ojo *m*.
◆ 눈꼴(이) 사납다 (ser) cursi, afectado, amanerado, presumido, remilgado, dengoso, pedante. 눈꼴사나운 여자 mujer *f* afectada. 눈꼴사나운 옷 vestido *m* cursi. 정말 눈꼴사나워 못 보아 주겠다 ¡Què presumido! / Qué tipo tan cursi!
◆ 눈꼴(이) 시다 =눈꼴(이) 틀리다.
◆ 눈꼴(이) 틀리다 estar harto de ver. 그 소식을 들으니 나는 눈꼴이 틀린다 Yo estoy absolutamente harto [hasta la coronilla] de oír esa noticia. 그 여자 모습에 눈꼴이 틀린다 Esa mujer me tiene harto.
눈꼴사납다 =눈꼴(이) 사납다. ☞눈꼴
눈꼴시다 =눈꼴(이) 시다. ☞눈꼴
눈꼴틀리다 =눈꼴(이) 틀리다. ☞눈꼴
눈꽃 nieve *f* que se ve como si florezca en las ramas del árbol.
눈끔적이 =눈깜작이.
눈끔쩍이 =눈깜작이.
눈나오다 ① =억울하다. ② [놀라서 눈알이 튀어나올 것 같은 느낌이다] tener miedo (a), temer (a).
눈눈이 todos los ojos, cada ojo.
눈높다 =눈(이) 높다. ☞눈[1]
눈다랑어【어류】una especie de la atún.
눈대중 =눈어림.
눈덩이 bola *f* de nieve.
눈독(―毒) ① [욕심을 내어 눈여겨봄] acción *f* de echar el ojo. 재물에 ~을 들이다 echar el ojo a la propiedad. ② [눈의 독기] veneno *m* del ojo.
◆ 눈독(을) 들이다 echar el ojo (a). 나는 그 길에 있는 집에 눈독을 들였다 Yo he echado el ojo a una casa en la calle.
◆ 눈독(을) 쏘다 =눈독(을) 들이다.
◆ 눈독(이) 들다 echarse el ojo (a).
눈동자(―瞳―) niña *f* (del ojo), pupila *f*.
눈두덩 lagrimal *m*, borde *m* del ojo.
눈따기 =결순치기.
눈딱부리 ojo *m* de sapo, ojos *mpl* reventones, ojos *mpl* resaltosos.
눈딱지 ojos *mpl* feos.
눈뜨다 =눈(을) 뜨다. ☞눈[1]
눈뜬장님 ☞눈[1]
눈망울 ① [눈알의 앞쪽의 두두룩한 곳·눈동자가 있는 부분] parte *f* que está la niña. ② =눈알.
눈맞다 =눈(이) 맞다. ☞눈[1]
눈맞추다 =눈(을) 맞추다. ☞눈[1]
눈매 ((준말)) =눈맵시.
눈맵시 formación *f* de los ojos, mirada *f*, expresión *f* de los ojos, fisonomía *f*. 귀여운 ~ bonita formación *f* de los ojos, ojos amables. 무서운 ~ mirada *f* espantosa. ~가 고약하다 tener una mirada torva. ~가 날카롭다 tener una mirada aguda. 의심스런 ~로 보다 mirar con una mirada sospechosa [escudriñadora]. 이 아이는 ~가 아버지를 닮았다 Este niño tiene los ojos muy parecidos a los de su padre.
눈먼 돈 ① [임자 없는 돈] dinero *m* sin dueño. ② [우연히 생긴 공돈] dinero *m* imprevisto, ingresos *mpl* imprevistos, dinero *m* fácil, chollo *m*, ganga *f*.
눈멀다 =눈(이) 멀다. ☞눈[1]
눈모시 =백저(白苧).
눈물[1] ① [눈알 위에 있는 눈물샘에서 나오는 물] lágrima *f*. ~을 글썽거리는 lagrimoso. ~ 섞인 목소리 voz *f* lagrimosa. ~로 범벅이 된 얼굴 rostro *m* bañado [cara *f* bañada] en lágrimas. 거짓 ~ lágrima *f* de cocodrilo. 동정(同情)의 ~ lágrimas *fpl* de compasión. ~로 세월을 보내다 pasarse la vida llorando. ~로 애원하다 implorar. ~로 애원해서 승낙을 얻다 convencer con lágrimas (para que + *subj*). ~로 호소하다 implorar perdón (a), pedir clemencia (a). ~에 잠기다 estar hecho un mar de lágrimas, deshacerse [anegarse] en lágrimas, llorar a lágrima viva. ~ 을 흘리다 derramar lágrimas, verter lágrimas, lagrimear. ~을 흘리면서 con lágrimas, entre lágrimas y lágrimas, derramando lágrimas. ~을 흘리게 하다 arrancar lágrimas (a), provocar llanto (a). ~을 닦다 secarse [enjugarse] las lágrimas. ~을 억제(抑制)하다 contener [reprimir] las lágrimas. ~이 글썽이다 arrasarse de [en] lágrimas; [감동되어] llorar de emoción. ~을 글썽거리며 con lágrimas en los ojos, con los ojos llenos de [arrasados en] lágrimas. ~이 나올 정도로 웃다 morirse de risa, llorar de risa, reir hasta llorar. 감동(感動)의 ~을 흘리다 llorar de emoción. 눈에 ~을 글썽거리다 tener los ojos lagrimosos [llorosos]. 그녀는 ~을 잘 흘린다 Ella es una sentimental que llora por nada. 그녀의 눈에 ~이 글썽거렸다 A sus ojos asomaron [Se le saltaron] las lágrimas. 그의 눈에서는 ~이 쏟아진다 El tiene los ojos bañados en [bañados de · anegados en] lágrimas. ~이 빰에 흐른다 Las lágrimas le caen [corren · resbalan] por las mejillas / [눈물 한 방울이] Un lágrima surca su mejilla. ~을 흘리는 것은 눈의 여러 가지 병의 징후이다 El lagrimeo es síntoma de varias enfermedades de los ojos. 그녀는 ~ 한 방울도 흘리지 않았다 Ella no derramó ni una lágrima. 그녀는 ~을 흘리면서 간청했다 Ella suplicó llorando / Ella suplicó con los ojos llenos de [arrasados en] lágrimas. 그들은 ~을 삼키면서 패배(敗北)를 인정했다 Ellos aceptaron la derrota tragándose las lágrimas.
② [동정심] compasión *f*, lástima *f*, buen corazón *m*. ~이 없는 사람 persona *f* friolera, persona *f* friolenta. 그녀는 ~이 있다 Ella tiene buen corazón.

◆눈물(을) 머금다 lagrimear, arrasarse de [en] lágrimas; [감동되어] llorar de emoción. 눈물을 머금고 tierno de ojos. 그녀는 눈에 ~을 머금었다 Ella tenía los ojos que lagrimeaban. 그런 일을 하면 나중에 ~을 흘리게 될 것이다 Si haces eso después lo vas a sentir.

◆눈물(을) 짓다 llorar, conmoverse con ojos humedecidos, arrasarse de [en] lágrimas; [감동되어] llorar de emoción.

◆눈물(이) 지다 derramarse [verterse] las lágrimas.

눈물겹다 enternecerse, (ser) lloroso, triste, emotivo, conmovedor, patético. 눈물겨운 lloroso, triste, emotivo, enternecedor, patético, conmovedor. 눈물겨운 이야기 historia *f* triste, historia *f* emotiva. 눈물겨운 이별(離別) despedida *f* triste, despedida *f* emotiva. 눈물겹게 하다 enternecer. 눈물겨운 노력을 하다 hacer esfuerzos conmovedores [patéticos].

■~ 고랑 surco *m* lagrimal. ~ 기관 aparato *m* lagrimal. ~길[관] (conducto *m*) lagrimal *m*. ~뼈 갈고리 hamulus *m* lagrimal. ~샘 glándula *f* lacrimal [lagrimal], carúncula *f* lagrimal. ~샘 동맥 arteria *f* lagrimal. ~샘 신경 nervio *m* lagrimal. ~샘 정맥 vena *f* lagrimal. ~ 유두 papila *f* lagrimal. ~점 punto *m* lagrimal. ~주머니 dacriocisto *m*, bolsa *f* lacrimal, saco *m* lagrimal.

눈물² [눈이 녹아서 된 물] nieve *f* deretida, el agua *f* de la nieve.

눈물지다 =눈물(이) 지다. ☞눈물¹

눈물짓다 =눈물(을) 짓다. ☞눈물¹

눈바람 =눈보라.

눈발 copo *m* de nieve. 굵은 ~ copo *m* de nieve grande. ~이 날리다 *Ven* paramar.

눈밝다 =눈(이) 밝다. ☞눈¹

눈방울 globo *m* ocular.

◆눈방울을 굴리다 mirar (*algo* · a *uno*) con los ojos desorbitados, abrir los ojos como platos.

눈밭 tierra *f* cubierta de nieve.

눈벌판 =눈밭.

눈병(-病) 【의학】 oftalmía *f*, inflamación *f* ocular, inflamación *f* de los ojos, dolor *m* de ojo, enfermedad *f* de ojos. ~이 나다 tener dolor de ojo, sufrir de la afección de los ojos..

눈보라 ventisca *f*, tempestad *f* de nieve, borrasca *f* de nieve, tormenta *f* de nieve, ventisquero *m*, nevasca *f*, viento *m* nevoso, *CoS* nevazón *m*. ~가 치다 ventiscar, tener tormenta de nieve, tener ventisca. ~가 휘몰아친다 Se desata una tempestad de nieve. 밤새도록 ~가 몰아쳤다 La ventisca rugió [bramó] toda la noche.

눈부시다 (ser) deslumbrante, deslumbrador, cegador, glorioso, espléndido; [휘황찬란하다] resplandeciente, brillante; [놀랍다] notable. 눈부시게 brillantemente, gloriosamente, espléndidamente. 눈부시게 아름답다 tener una belleza deslumbrante. 눈부신 성공(成功) éxito *m* espléndido. 눈부신 황금(黃金) oro *m* con brillo deslumbrante. 눈부신 아름다움 belleza *f* resplandeciente. 태양[황금]이 눈부시게 빛남 brillo *m* del sol [del oro]. 눈부신 생애를 살다 vivir una vida brillante. 눈부신 최후를 마치다 morir gloriosamente. 눈부신 활약을 하다 mostrar [destacarse por] *sus* brillantes actividades. 눈부신 발전을 하다 hacer un desarrollo notable. 태양이 ~ El sol me deslumbra / El sol brilla deslumbrante [con esplendor]. 바닷가 일광(日光)으로 ~ El mar brilla [centellea] a los rayos del sol. 다이아몬드가 ~ El diamante brilla. 헤드라이트가 눈부시게 빛난다 Los faros despidieron una luz deslumbrante.

눈부처 imagen *f* de la persona reflejada en la niña.

눈분량(-分量) =강설량(降雪量).

눈붙이다 =눈(을) 붙이다. ☞눈¹

눈비 la nieve y la lluva.

눈비음 fingimiento *m*, simulación *f*, apariencia *f* falsa. 그의 친절은 ~이었다 Su amabilidad era fingida [falsa].

눈빛¹ [눈에 나타나는 기색] expresión *f* de los [*sus*] ojos. 성난 ~ expresión *f* enojada. ~이 달라지다 cambiar de la expresión. ~을 변해 덤비다 estrechar con los ojos feroces. ② [안광(眼光)] brillantez *f* del ojo. 어둠 속에 파란 고양이의 ~ brillantez *f* del ojo azul del gato en la oscuridad.

눈빛² [눈의 빛깔] color *m* blanco. ~으로 밝게 보임 reflejo *m* de la nieve.

눈사람 muñeco *m* de nieve, muñeca *f* de nieve, figura *f* de hombre hecho de nieve, *Chi* mono *m* de nieve. ~ 모양으로 en forma de bola de nieve.

눈사태(-沙汰) alud *f*, avalancha *f* de nieve.

눈살 ceño *m*, entrecejo *m*, surco *m*, arruga *f*.

◆눈살(을) 찌푸리다 fruncir las cejas [el entrecejo], arrugar el entrecejo, fruncir el ceño. 눈살을 찌푸리고 con el ceño fruncido, con cejas fruncidas, con sobrecejo, con mirada colérica, coléricamente, airadamente. 그는 불찬성의 표시로 눈살을 찌푸렸다 El frunció el ceño en señal de desaprobación.

눈서리 la nieve y la escarcha.

눈석임 deshielo *m*. ~하다 deshelar. ~이 시작되고 있다 Empieza a deshelar / La nieve empieza a derretirse.

■~물 el agua *f* de nieve (derretida).

눈석잇길 camino *m* fangoso por el deshielo, camino *m* cubierto de nieve medio derretida.

눈설다 =눈(이) 설다. ☞눈¹

눈속이다 =눈(을) 속이다. ☞눈¹

눈속임 engaño *m*, soflama *f*, trampa *f*. ~하다 engañar, soflamar, usar de soflama, chasquear.

눈송이 copo *m* de nieve.

눈시울 lagrimal *m*, ángulo *m* facial del ojo. 손수건으로 ~을 닦다 limpiarse las lágrimas con el pañuelo. ~이 뜨거워진다 Los lagrimales se calientan por el enternecimiento. 그는 ~이 뜨거워졌다 Conmovido, las lágrimas se le subieron a los ojos.

눈싸움[1] [눈겨룸] juego *m* de miradas fijas sin reir.

눈싸움[2] [설전(雪戰)] batalla *f* con bolas de nieve. ~을 하다 jugar arrojándose bolas de nieve.

눈썰미 ojos *mpl* agudos, ojos *mpl* diestros, ojos *mpl* hábiles, observación *f* aguda. ~가 있다 tener ojos agudos, ser rápido en conocimientos visuales. ~가 없다 ser lento en conocimientos visuales.

눈썹 ceja *f*. ~이 짙은 cejijunto. ~이 두터운 cejudo. 짙고 굵은 보기 흉한 ~ cejas *fpl* espesas y tiesas. ~을 그리다 lapizar [pintar] las cejas. ~을 치켜 올리다 arquear [enarcar] las cejas. 그는 ~이 짙다 El tiene las cejas espesas [muy pobladas].

◆눈썹도 까딱하지 않다 no alterarse, no perder la tranquilidad. 눈썹도 까딱하지 않고 sin pestañear, impasiblemente. 그는 어떤 경우에도 눈썹도 까딱하지 않는다 El es un hombre que no se altera [que no pierde la tranquilidad] en ningún caso. 나는 그런 일에는 눈썹도 까딱하지 않는다 No me preocupa nada / No me da ni frío ni calor. 그녀는 그 소식에 눈썹도 까딱하지 않았다 El ni se inmutó con la noticia.

■~먹 lápiz *m* (*pl* lápices) de las cejas, pintura *f* para cejas. ~ 연필 lápiz *m* de cejas. ~차양 toldo *m* estrecho a lo largo del alero.

눈씨 fuerza *f* de *sus* ojos, fuerza *f* de *su* mirada.

눈아(嫩芽) =어린순.

눈알 ①【해부】globo *m* ocular, globo *m* del ojo. ~을 굴리다 mirar con ojos desorbitados. ~이 튀어나올 정도로 비싸다 Es un precio desorbitado [exorbitante · que cuesta un ojo (de la cara)]. ② ((은어)) [보지] vulva *f*, partes *fpl* genitales externas en la mujer.

◆눈알(을) 부라리다 =눈(을) 부라리다.

눈앞 ① [아주 가까운 곳] sitio *m* [lugar *m*] muy cercano. ~에 al ojo. …의 ~에서 a [en] los ojos de *uno*, delante [a los ojos · a la vista · en presencia] de *uno*. ~의 일만 생각하다 pensar sólo en el presente [en lo inmediato]. 나는 그 무서운 광경을 ~에서 보았다 Presencié la terrible escena. 그의 이야기를 듣고 있으면 사건을 ~에서 보는 듯하다 Cuenta la historia de tal manera que uno siente como si la estuviera viendo en realidad. 그것은 내 ~에서 일어났다 Ocurrió delante de mis propios ojos. ② [가까운 장래(將來)] futuro *m* cercano.

◆눈앞이 캄캄하다 ㉮ [아무것도 안 보이다] cegarse, deslumbrarse, ofuscarse. 성이 나서 ~ cegarse de cólera. 불빛 때문에 눈앞이 캄캄했다 La luz me cegó los ojos. 눈앞이 캄캄할 정도의 절벽 [큰돈] precipicio *m* [suma *f* de dinero] que da vértigo. ㉯ [어찌할 바를 모르다] no saber qué hacer.

눈약(—藥) colirio *m*, loción *f* para [de] los ojos, gotas *fpl* para los ojos. ~을 넣다 aplicar gotas a los ojos.

눈어림 estimación *f* general, cálculo *m*. ~하다 estimar generalmente, calcular. ~으로 a ojo (de buen cubero), mediando por vista, por estimación general. ~으로 재다 medir por estimación general. ~이 빗나가다 calcular malo, acabar en fracaso.

눈어둡다 =눈(이) 어둡다. ☞눈[1]

눈어리다 =눈(이) 어리다. ☞눈[1]

눈언저리 labio *m* [borde *m*] de párpado [palpebra].

눈엣가시 cosa *f* que ofenda la vista, obstáculo *m* a la vista. ~가 되다 ofender el ojo, obstruir la vista. 저 집은 ~다 Aquella casa ofenda la vista. 그는 (내) ~다 El es un gran obstáculo para mí.

눈여겨보다 ☞눈[1]

눈엽(嫩葉) hoja *f* joven.

눈요기 deleite *m* de los ojos. ~하다 deleitar los ojos.

눈웃음 sonrisa *f* bajo [con] *sus* ojos.

◆눈웃음(을) 짓다 sonreír bajo [con] *sus* ojos. 눈웃음(을) 치다 sonreír bajo [con] *sus* ojos.

눈은행(—銀行) banco *m* de (los) ojos.

눈인사(—人事) saludo *m* silencioso (con los ojos). ~하다 saludar con la cabeza, saludar con los ojos.

눈자라기 niño, -ña *mf* que todavía no puede ponerse derecho.

눈자위 borde *m* del ojo.

◆눈자위(가) 꺼지다 morir, fallecer, dejar de vivir [existir].

눈접(—接) =아접(芽椄).

눈정기(—精氣) destello *m* [brillo *m*] de *sus* ojos.

눈정신(—精神) =눈총기.

눈조리개【해부】=홍채(虹彩).

눈짐작 =눈대중.

눈짓 guiño *m*. ~하다 guiñar ([한 눈으로] un ojo · [두 눈으로] los ojos), hacer señas con los ojos, cucar un ojo [los ojos]; [서로] cruzarse miradas significativas, guiñarse, intercambiar una mirada (con).

눈초리 ① [눈이 귀쪽으로 째진 구석] rabillo *m* del ojo, ángulo *m* facial del ojo. ~의 주름 patas *fpl* de gallo. ~를 치켜뜨고 con *su* rabillo del ojo alzado. ~가 올라간 [내려간] 사람 persona *f* con ojos (oblicuos) hacia arriba [abajo]. 눈초리가 째진 듯한 눈 ojos *mpl* rasgados. ~가 위로 치켜 올라간 눈이다 tener los ojos hacia arriba. 그는 성난 ~를 던졌다 El echó fuego por los ojos / El lanzó una mirada furiosa. ② =시선(視線).

눈총 mirada *f*, mirada *f* aguda.

◆눈총(을) 맞다 (ser) detestado, odiado,

aborrecido, verse como un adefesio. 뭇사람의 ~ ser un objeto común de odio.

눈총기(-聰氣) agudeza *f* del ojo, fuerza *f* de observación. ~가 있다 tener ojos agudos.

눈치 ① [남의 생각이나 태도를 알아챌 수 있는 힘] sentido *m*, tacto *m*, intuición *f*, perspicacia *f*, agudeza *f*. ~가 빠르다 (ser) listo, sagaz (*pl* sagaces), astuto, artero, vivo, perspicaz (*pl* perspicaces). 그는 ~가 빠르다 El tiene mucho tacto / El tiene mucha intuición / El tiene una percepción rápida / El es (muy) agudo. 그가 만족한 ~다 Se observa [Se nota] lo contento que está él. 그는 ~가 없다 El tiene una percepción lenta / El es lerdo. ② [속으로 생각하는 바가 자연히 겉으로 드러나는 어떤 태도] señal *f*, indicación *f*; [태도] actitud *f*, expresión *f*, mirada *f*.
◆눈치(를) 보다 tratar de leer *su* corazón, sondar *su* motivo.
▪눈치(를) 채다 enterarse (de), notar, observar, advertir, darse cuenta (de). 눈치를 채지 못하고 [못하게] desapercibidamente, sin darse cuenta, sin que se dé cuenta, sin advertir. 아무도 눈치채지 못하게 sin que nadie se entere [lo advierta], sin ser notado [advertido]. 눈치를 채지 못하다 desapercibirse. 나는 그녀가 눈치채지 못하게 조용히 방에서 나갔다 Salí silenciosamente del cuarto sin que ella se enterara [lo notara]. 나는 끝내 눈치를 채지 못하고 말았다 No pasé desapercibido [inadvertido]. 나는 아무도 눈치채지 못하게 방으로 들어갔다 Yo entré en la habitación sin que los demás se dieran cuenta.
눈칫밥 comida *f* para el que no da una calurosa acogida, sal *f* de otro. ~을 먹다 comer la sal de otro.

눈치레 muestra *f* simple, apariencia *f* llamativa.

눈치보다 =눈치(를) 보다. ☞눈치

눈치채다 =눈치(를) 채다. ☞눈치

눈코 los ojos y la nariz.
◆눈코 뜰 새 없다 estar muy ocupado, estar ocupadísimo, no tener tiempo (libre).
눈코 사이 distancia *f* muy cercana.

눈통이 región *f* saltona del lagrimal.

눈트다 =눈(이) 트다. ☞눈[2]

눈표 =안표(眼標).
◆눈표(가) 나다 verse bien.

눈한(嫩寒) frío *m* no severo.

눈흘기다 =눈(을) 흘기다. ☞눈[1]

눋다 quemarse, dorar; [표면·일부가] chamuscarse, socarrarse, tostarse, torrarse; [새까맣게] carbonizarse. 눋은 밥 arroz *m* quemado. 밥이 ~ dorar el arroz blanco, quemarse el arroz blanco. 새까맣게 ~ quemarse a negrura, carbonizarse. 생선이 눌어 버렸다 El pescado se ha quemado. 쌀이 약간 눌으면 양념과 소금물을 치세요 *Cuba* Cuando el arroz esté doradito añádele las especias y el agua con la sal. 쌀이 눋기 시작할 때까지 몇 분 동안 삶으세요 Cocine el arroz durante varios minutos hasta que se empiece a dorar.
◆눌어붙다 ㉮ [뜨거운 바닥에 조금 타서 붙다] quemarse y pegarse. 스튜가 눌어붙었다 El estofado se ha pegado. ㉯ [한 곳에 오래 있으면서 떠나지 아니하다] quedarse en *su* sitio, estar aferrado (a), adherirse (a), pegar. 한자리에 ~ quedarse en la misma posición, quedarse en el mismo lugar.

눌 ((준말)) =누구를(¿A quién?). ¶너는 ~ 사랑하느냐? ¿A quién amas tú? ~ 원망하랴 ¿Con quién me resentiré?

눌눌하다 (ser) amarillento.
눌눌히 amarillentamente.

눌러 ① [그대로 용서하는 너그러운 생각으로] generosamente, con generosidad. ~ 용서해 주십시오 Perdóneme generosamente. ② [「있다」「앉다」와 함께 쓰이어,「계속 머물러」의 뜻을 나타냄] quedándose continuamente, seguir [continuar] + 「현재 분사」(-ando · -iendo). ~ 있다 arraigarse, echar raíces. ~ 살다 establecerse, instalarse, seguir [continuar] viviendo.
눌러 듣다 escuchar generosamente.
눌러 보다 tratar generosamente, perdonar generosamente. 그를 눌러보고 용서하십시오 Perdónele generosamente.
눌러 자다 seguir [continuar] durmiendo.

눌러쓰다 [모자 따위를] encasquetarse, calarse. 모자를 푹 ~ encasquetarse [calarse] el sombrero.

눌러앉다 establecerse, instalarse, seguir [continuar] sentándose; [유임하다] quedarse en la misma posición. 눌러앉아 일하기 시작하다 empezar el trabajo con un propósito firme [de terminarlo]. 손님이 눌러앉아 돌아가지 않는다 El invitado se ha quedado tan ancho que no se marcha. 그는 남의 집에 들러붙어 눌러앉아 있다 El se incrusta en la casa de otro y no se mueve de allí. 그는 사장 자리에 눌러앉아 있다 El sigue ocupando el puesto de presidente.

눌리다[1] [「누르다」의 피동형] apretarse, oprimirse. 얼굴을 창 격자에 ~ apretarse la cara contra la reja.

눌리다[2] [「눋다」의 사역형] quemar, tostar, carbonear, requemar, chamuscar, socarrar, torrar. 나는 담뱃불로 책상을 눌렸다 Quemé la mesa con un cigarrillo.

눌림감각(-感覺) 【심리】 sensación *f* de presión.

눌면하다 (ser) algo amarillo.
눌면히 algo amarillamente.

눌변(訥辯) torpeza *f* en hablar. ~이다 ser lento en hablar; [웅변이 아닌] ser poco elocuente.
▪~가 orador, -dora *mf* [parlador, -dora *mf*] torpe; orador *m* [parlador *m*] desmañado, oradora *f* [parladora *f*] desmañada.

눌어(訥魚) 【어류】 =누치.

눌어붙다 ☞눋다

눌언(訥言) tartamudeo *m*, palabra *f* tartamuda.

눌은내 olor *m* a quemado. 무언가 ~가 난다 Huele algo a quemado.

눌은밥 ① [솥바닥에 눌어붙은 밥찌꺼기에 물을 부어 불려서 긁은 밥] arroz *m* quemado con agua. ② [누룽지] arroz *m* a quemado, arroz *m* chamuscado, *ReD* concón *m*.

눌하다(訥—) tartamudear.

눕다[1] ① [등이나 옆구리를 바닥 위에 대고 몸을 수평이 되게 하다] acostarse, echarse, tenderse, tumbarse, yacer, estar echado. 누워 있다 estar echado [acostado · tendido · tumbado], quedarse en la cama, no levantarse. 아무렇게나 ~ acostarse extendido, tenderse, extenderse, descansarse tendido. 잠깐 눕겠습니다 Voy a echarme [acostarme] un rato. 나는 정오까지 누워 있었다 [잠자리에] Yo me quedé en la cama hasta el mediodía / Yo no me levanté hasta el mediodía. 그는 열 시까지는 누워 있었다 [잠자리에] A las diez ya estaba acostado [en la cama]. ② [병으로 앓아 자리에서 일어나지 못하다] estar en cama. 병으로 ~ estar en cama de enfermo.

■누울 자리 봐 가며 발을 뻗는다 ((속담)) Extender la pierna hasta donde llega la sábana / Cada uno extiende a pierna como tiene la cubierta / No gastes más de lo que tienes / No trates de hacer más de lo que puedas hacer. ☞누울 자리 봐 가며 발을 뻗어라. 누울 자리 봐 가며 발을 뻗어라 ((속담)) (No) Estirar el brazo más que la manga / No comas de lo que tienes / No trates de hacer más de lo que puedas hacer. ☞누울 자리 봐 가며 발을 뻗는다. 누워서 떡 [팥떡] 먹기 ((속담)) Es coser y cantar / Eso es muy fácil / Nada más sencillo / Es sumamente fácil / Es algo infatil / Nada más fácil que eso / Es una cosa sencillísima / Es un juego de niños. ¶그를 속이기는 ~다 Es muy fácil engañarle a él. 누워서 침 뱉기 ((속담)) Al que al cielo escupe en la cara le cae.

눕다[2] [이자(利子)는 치르고 원금(元金)이 그대로 빚으로 있다] quedarse solamente el principal después de pagar el interés.

눕다[3] [(무명이나 모시 · 명주의 생것을) 잿물에 삶아서 물에 빨아 희고 부드럽게 하다] blanquear [hacer blanco] y suavizar [hacer suave].

눕히다 acostar, colocar al través [de través], colocar por el través [de un modo atravesado], poner horizontalmente.

눙치다 calmar, tranquilizar.

눠 ((준말)) =누워. ¶~먹다 comer acostado. ☞누워 먹다

뉘[1] [쓿은 쌀 속에 섞인 겨가 벗어지지 아니한 벼 알갱이] (grano *m* del) arroz *m* sin pelar.

뉘[2] [자손에게 받는 덕(德)] virtud *f* de los descendientes.

◆뉘(를) 보다 recibir la virtud de los descendientes.

뉘[3] ((준말)) =누구. ¶~를 위하여 봄은 오는가? ¿A quién viene la primavera?

뉘[4] ((준말)) =누구의. ¶이 모자는 ~ 것이냐? ¿De quién es este sombrero?

뉘래지다 amarillecer, amarillear, ponerse amarillo.

뉘렇다 (ser) amarillento.

뉘반지기 arroz *m* mezclado mucho con granos de arroz sin pelar.

뉘앙스(불 *nuance*) matiz *m* (*pl* matices). ~를 붙이다 matizar. ~를 파악하다 captar matices. 미묘한 ~의 차이 diferencia *f* sutil de matices.

뉘연히 =버젓이.

뉘엿거리다 ① [해가 곧 지려고 하다] (el sol) va a ponerse. 해가 뉘엿거린다 El sol va a ponerse. ② [게울 듯이 자꾸 속이 메스꺼워지다] asquear, repugnar, sentir asco, sentir náuseas, nausear, tener el deseo de vomitar. 나는 속이 뉘엿거렸다 Me asqueó / Me repugnó / Me dio asco / Me dieron náuseas. 그 음식을 보기만 해도 속이 뉘엿거렸다 Me dieron náuseas de sólo ver la comida.

뉘엿뉘엿 ㉮ [해가] yendo a ponerse. ㉯ [속이] sintiendo náuseas [asco]. 기름기가 많아 속이 ~하다 ser tan grasiento que da asco.

뉘엿대다 =뉘엿거리다.

뉘우쁘다 (ser) penitencial, arrepentido. 뉘우쁜 생각 humor *m* arrepentido.

뉘우치다 arrepentirse (de), sentir. 뉘우친 arrepentido. 자신의 잘못을 ~ arrepentirse de *sus* culpas. 나는 내 행위를 뉘우친다 Me arrepiento de mi conducta. 그녀는 아무것도 뉘우치고 있지 않다 Ella no se arrepiente de nada. 그는 자신의 죄 [행위]를 뉘우치고 있다 El está arrepentido de sus pecados [de su conducta]. 사람은 누구나 늘 뉘우친다 Uno se arrepiente siempre. 그녀는 그것을 말하자마자 뉘우쳤다 Ella se arrepintió en cuanto lo dijo. 뉘우칠 일은 어떤 일도 하지 마라 No hagas nada de lo que te puedas arrepentir.

뉘우침 arrepentimiento *m*. ~ 없이 a pesar de la experiencia amarga, sin arrepentirse; [고집스레] obstinadamente. ~ 없이 …하다 obstinarse + *inf* sin aprender nada de la experiencia.

뉴기니 【지명】 Nueva Guinea *f*.

뉴델리 【지명】 Nueva Delhi *f*.

뉴런(영 *neuron*) [신경 세포] neurona *f*.

뉴스(영 *news*) ① [알림] noticia *f*, novedad *f*, nueva *f*. 오늘의 ~ novedades *fpl* [acontecimientos *mpl*] del día. 그 좋은 ~를 반신반의로 받아들였다 Acogió con incredulidad esa buena nueva. ② [보도(報道)] informaciones *fpl*. ③ [라디오 · 텔레비전의] noticiario *m*.

◆국제 ~ información *f* internacional. 스포츠 ~ información *f* deportiva.

■～ 그룹【컴퓨터】grupo *m* de noticias. ～ 데스크 redacción *f.* ～룸 [신문사·라디오 방송국의] sala *f* de redacción; [도서관의] sala *f* de lectura de los periódicos. ～리더【컴퓨터】lector *m* de noticias. ～릴 [뉴스 영화] nodo *m*, noticiario *m* (cinematográfico), documental *m* de actualidades. ～매스터【컴퓨터】newsmaster *m.* ～ 밸류 valor *m* de noticias. ¶이 사건은 ～가 있다 Este asunto constituye una novedad. ～서버【컴퓨터】servidor *m* de noticias. ～소스 [뉴스의 출처] fuente *f* de información. ¶확실한 ～에 따르면 según una fuente fidedigna. ～ 영화 nodo *m.* ☞뉴스릴. ～ 캐스터 locutor, -tora *mf,* presentador, -dora *mf.* ～페이퍼 periódico *m*; [일간지] diario *m.* ～피드【컴퓨터】alimentador *m* de noticias. ～ 해설 comentarios *mpl* de noticias. ～ 해설자 comentarista *mf* de noticias.

뉴욕【지명】Nueva York *f.* ～의 neoyorquino. ～ 사람 neoyorquino, -na *mf.*

뉴질랜드【지명】Nueva Zelandia *f.* ～의 neocelandés, neozelandés.

■～ 사람 neocelandés, -desa *mf,* neozelandés, -desa *mf.*

뉴 크리티시즘(영 *new criticism*)【문학】nuevo criticismo *m.*

뉴클리오닉스(영 *nucleonics*) [원자핵 공학(原子核工學)] nucleónica *f.*

뉴턴(영 *newton*) [힘의 단위] neutonio *m,* newton *m.*

뉴턴【인명】Isaac Newton (1642-1727). ～의, ～의 학설(學說)의, ～의 발명의 neutoniano, newtoniano. ～은 영국의 저명한 수학자·물리학자·천문학자·철학자였으며 만유인력의 법칙과 빛의 분산을 발견해 불멸의 공적을 남겼다 Newton era ilustre matemático, físico, astrónomo y fliósofo inglés, y también se hizo inmortal gracias a su descubrimiento de las leyes de la gravitación universal y de la descomposición de la luz.

■～ 역학 dinámica *f* neutoniana. ～환(環) anillos *mpl* de Newton.

뉴트론(영 *neutron*) [중성자] neutrón *m.*

■～ 폭탄 bomba *f* de neutrones.

뉴트리노(영 *neutrino*) [중성 미자] neutrino *m.*

느근거리다 serpentear.

느근느근 serpenteantemente.

느글거리다 sentir náuseas.

느글느글 sintiendo náuseas.

느긋거리다 marearse, tener el estómago revuelto.

느긋느긋 mareándose.

느긋하다 (ser) holgado; [쾌적하다] cómodo, confortable. 느긋한 기분이다 sentirse cómodo. 느긋하게 살다 vivir en la abundancia, llevar una vida holgada.

느긋이 sin apresuramiento, lentamente, pacientemente, con paciencia. ～ 기다리다 esperar pacientemente.

느끼다[1] [서러움이 북받쳐서 쉽게 목메어 울다] sollozar. 느끼면서 말하다 decir sollozando, decir entre sollozos. 흑흑 느껴 울다 llorar a lágrima viva.

느끼다[2] ① [감각·지각하다] sentir, tener una sensación (de), experimentar, percibir, estar consciente, darse cuenta (de). 느끼기 쉬운 sensible, impresionable, sentido, sensitivo, susceptible, sentimental. 기쁨을 ～ sentir alegría (por). 공포를 ～ sentir miedo. 불편을 ～ percibir la inconveniencia, experimentar incomodidad. 팔에 통증을 ～ sentir dolor de brazos. 추위[더위]를 ～ sentir frío [calor], tener una sensación de frío [calor]. 피로를 ～ sentir cansancio, sentirse cansado. …에 친밀감[증오심]을 ～ sentir [coger] simpatía [odio] a [por] *uno.* 몸에 위험을 ～ sentir el peligro, sentirse expuesto al riesgo. 심장이 강하게 뛰는 것을 ～ sentir el corazón latir [palpitar·latiendo·palpitando] fuertemente. 나는 행복을 느꼈다 Me sentí feliz. 나는 승강기가 올라가고 있다는 것을 느낀다 Siento [Me doy cuenta de] que sube el ascensor. 가을은 고독을 느끼게 하는 계절이다 El otoño es la estación que nos hace sentir la soledad [nos da la sensación de soledad]. 그녀는 느끼기 쉬운 나이다 Ella está en una edad crítica [sensible]. 나는 공부가 부족함을 느꼈다 Me di cuenta de que me faltaba el estudio. 나는 친절하게 대했지만 그는 느끼지 못한다 Me he portado bien con él, pero él no lo reconoce. 나는 그의 집요함에 느낀 점이 있어 돈을 빌려 주었다 Movido por su insistencia la presté dinero. 그 말을 듣고 나는 슬픔을 느꼈다 Al oírlo sentí tristeza [me sentí triste]. 나는 내 자신의 무식을 뼈에 사무치게 느끼고 있다 Profundamente me da cuenta de la ignorancia. ② [감동하다] conmoverse.

느끼하다 ① [기름기가 많은 음식을 먹은 뒤가 개운하지 않고 비위에 좀 거슬리는 느낌이 있다] darse asco (a). 나는 냄새가 느끼했다 El olor me dio asco / El olor me repugnó. ② [비위에 거슬릴 만큼 음식에 기름기가 많다] ser demasiado graso, estar demasiado condimentado [sazonado]. 느끼하게 먹다 comer hasta la saciedad, estar harto de comer.

느낌 ① [감각] sensación *f,* [촉각(觸覺)] tacto *m.* 까칠까칠한 ～이다 ser áspero al tacto. 귀에 흐뭇한 ～을 주다 producir una sensación agradable al oído. 나는 손이 곱아 아무런 ～이 없다 Tengo las manos entumecidas y no siento nada. ② [인상(印象)] impresión *f.* ～이 좋은 simpático. ～이 나쁜 desagradable, repugnante, antipático. 밝은[어두운] ～의 de un aire alegre [sombrío]. 좋은[나쁜] ～을 주다 dar [hacer·causar·producir] buena [mala] impresión (a). 그는 무척 ～이 좋은 사람이다 El es muy simpático / El me ha hecho muy buena impresión. 그 사람과 이야기할 때

어떤 ~이었느냐? ¿Qué impresión tuviste al [te produjo el] hablar con él? 나는 특별한 어떤 ~도 받지 못했다 No tuve ninguna impresión particular / No me produjo ninguna impresión particular. 이 그림은 가을의 ~을 아주 잘 나타내고 있다 Esta pintura representa muy bien la sensación del otoño. 이 문장은 외국인이 쓴 듯한 ~을 준다 Esta frase me da la impresión de que la ha escrito un extranjero. ③ [감정(感情)] sentimiento *m*. ~을 내어 노래를 부르다 cantar con sentimiento. 그런 일을 하는 것은 어쩐지 허무한 ~을 준다 Hacer una cosa así me causa un sentimiento de vacío.

■ ~꼴 =감탄형. ~씨 =감탄사. ~표 marca *f* de exclamación.

-느냐 ¿ ? 무엇을 보~? ¿Qué miras? 아무도 없~? ¿No hay nadie? 군인(軍人)은 갔~? ¿Se fue el soldado?

느닷없다 (ser) totalmente inesperado [fortuito], caído del cielo.

느닷없이 ㉮ [돌연] repentinamente, de repente, súbitamente, de súbito, impetuosamente, precipitadamente, de pronto, bruscamente. ~ 방문하다 visitar inoponadamente [a la hora menos pensada]. 그녀는 ~ 울기 시작했다 De repente ella rompió a llorar. ② [생각지도 않게] de improviso, inopinadamente, inesperadamente, impensadamente. ③ [예고없이] sin dar aviso, sin previo aviso. ~ 들이닥친 손님 visitante *mf* sin previo aviso. ~ 해고하다 despedir (a *uno*) sin previo aviso. 그는 ~ 나를 만나러 와서 나를 곤혹스럽게 했다 Me molestó que viniera a verme sin previo aviso.

느럭느럭 lentamente, con lentitud, ociosamente. ~ 움직이다 mover ociosamente. ~ 일하다 trabajar lentamente. 밥을 ~ 먹다 comer lentamente.

느런히 en hilera. 나무들이 ~ 심어져 있었다 Los árboles estaban plantados en hilera.

느렁이 =암노루. 암사슴.

느루 먹다 ahorrar [economizar] en prevención de la escasez. 식량(食糧)을 ~ ahorrar [economizar] las provisiones en prevención de la escasez.

느른하다 (ser) lánguido.

느른히 lánguidamente, con languidez.

느릅나무 【식물】 olmo *m*.

■ ~숲 olmeda *f*.

느리광이 rezagado, -da *mf*, lerdo, -da *mf*; persona *f* lenta; persona *f* cachazuda.

느리다 ① [(움직임이) 빠르지 못하고 더디다] (ser) lento (en). 느린 속도로 a una velocidad lenta [moderada]. 매우 ~ ser más lento que una tortuga. 그는 동작(動作)이 ~ El tiene unos movimientos lentos. 그는 일이 ~ El es lento en el trabajo. ② [(짜임새나 꼬임새가) 느슨하거나 성글다] (ser) suelto, holgado, amplio, quedar flojo. 짜임새가 느린 천 fibra *f* suelta.

느림 borla *f*.

느림보 =느리광이.

느릿느릿 lentamente, despacho, con cachaza, perezosamente, con flojedad, a(l) paso de tortuga, a(l) paso de caracol. ~ 걷다 andar despacio. ~ 운전하다 conducir el coche a paso de tortuga. ~ 일어나다 levantarse lentamente. 열차가 ~ 달린다 El tren marcha a muy poca velocidad.

느릿느릿이 lentamente, a paso de tortuga.

느릿하다 (ser) un poco lento. 느릿한 강물의 흐름 corriente *f* lenta.

느물거리다 comportarse [portarse] insidiosamente, actuar [comportarse] con astucia.

느물느물 insidiosamente, con picardía, con astucia, astutamente.

느물다 decir [actuar · comportarse] astutamente [con astucia].

느물대다 =느물거리다.

느슨하다 ① [잡아맨 줄 같은 것이 늘어져서 헐겁다] estar flojo [suelto]. 느슨해지다 aflojarse, relajarse. 느슨하게 하다 aflojar, relajar. 줄을 느슨하게 하다 aflojar [poner floja] una cuerda. 밧줄을 느슨하게 하다 aflojar el cabo. 나사를 느슨하게 하다 aflojar un tornillo. 허리띠를 느슨하게 하다 aflojar el cinturón [*ReD* la correa]. …을 붙잡은 손을 느슨하게 하다 relajar la mano que tiene agarrado *algo*. 줄이 느슨해져 있다 Está floja la cuerda. ② [마음이나 맥이 탁 풀리어 죄어칠 힘이 없고 옹골차지 못하다] languidecer, ser presa de la dejadez, sentir lánguido, aflojarse, debilitarse, no tener ganas de hacer.

느슨히 flojamente, sueltamente.

느즈러지다 ① [졸린 것이 느슨하게 되다] aflojarse, relajarse. ② [기한(期限)이 밀려 나가다] aplazarse, posponerse. ③ [마음이 풀리다] languidecerse, relajarse, aflojarse, debilitarse.

느지감치 bastante tarde. ~ 일어나다 levantarse bastante tarde por la mañana.

느지거니 =느지감치.

느지막하다 (ser) muy tarde.

느지막이 muy tarde.

느직느직하다 (ser) muy tarde.

느직느직이 muy tarde.

느직하다 ① [좀 늦다] (ser) algo tarde. ② [좀 느슨하다] estar algo flojo [suelto].

느직이 algo tarde.

느치 【곤충】 ((학명)) Tenebrioides mauritanicus.

느타리 【식물】 agárico *m*.

느티나무 【식물】 olmo *m*, zelcova *f*.

느헤미야서(Nehemiah 書) ((성경)) Nehemías.

늑간(肋間) 【해부】 entre las costillas. ~의 intercostal.

■ ~ 관절 articulaciones *fpl* intercostales. ~ 신경 nervio *m* intercostal. ~ 신경통 (neuralgia *f* intercostal. ~ 정맥(靜脈) vena *f* intercostal. ~통(痛) dolor *m* intercostal.

늑골(肋骨) 【해부】 costilla *f*. ~의 costal. ~을 삐다 [자신의] fracturarse una costilla.

■ ~통(痛) costalgia *f*.
늑대【동물】lobo *m*. 양의 탈을 쓴 ~ un lobo disfrazado de cordero.
늑대별【천문】=시리우스성(Sirius 星).
늑막(肋膜)【해부】pleura *f*. ~의 pleural.
■ ~강 cavidad *f* pleural. ~ 삼출액 efusión *f* pleural. ~성 폐렴 neumonía *f* pleurogénica. ~염 pleuritis *f*, pleuresía *f*. ¶~의 pleurético. 건성(乾性) ~ pleuresía f seca. 습성(濕性) ~ pleuresía *f* húmeda.
늑목(肋木) espalderas *fpl*.
늑설(勒紲) =말고삐.
늑연골(肋軟骨) costicartílago *m*, cartílago *m* costal.
늑장 actitud *f* lenta.
◆늑장(을) 부리다 holgazanear, haraganear, perder el tiempo, quedarse (un rato), entretenerse (un rato), detenerse, demorarse. 늑장을 부리지 마라 No te entretengas. 그는 여러 시간 일을 늑장 부렸다 El estuvo horas perdiendo el tiempo sin hacer nada de trabajo.
늑줄(을) 주다 relajar el control.
늑탈(勒奪) =강탈(强奪).
는 ¶우리 학교~ 언덕 위에 있다 Nuestra escuela está sobre la colina. 술은 좋아하지만, 담배~ 못하오 Me gusta el vino, pero no fumo. 이 문제에 관해서~ 나중에 이야기합시다 Vamos a hablar después respecto a [con elación a · en relación con] este asunto.
-는 ¶흐르~ 물 el agua corriente [que corre]. 곤하게 자고 있~ 아이 un niño que está durmiendo muy profundamente. 신문을 읽고 있~ 여인 una mujer que está leyendo el periódico. 내 사랑하~ 아내 mi querida esposa.
-는가 ¶그는 어디에 살고 있~ ¿Dónde vive él? 넌 무엇을 하고 있~ ¿Qué haces tú?
는개 llovizna *f* fina.
-는데도 aunque, a pesar de, pese a. 비가 오~ a pesar de la lluvia, pese a la lluvia, aunque llueve.
는실난실 lascivamente, licenciosamente. ~하다 portarse [comportarse] lascivamente, flirtear; [애무하다] acariciarse, estar como dos tórtolos, hacerse carantoñas.
는적거리다 (ser) blanducho, muelle, pulposo, esponjoso.
는적는적 blanduchamente, blandamente, pulposamente, esponjosamente; [피륙 따위가] endeble, poco sólido. ~하다 [케이크·빵이] desmigajarse; [치즈가] desmudezarse fácilmente. ~한 [케이크·빵이] que se desmigaja; [치즈가] que se desmenuza fácilmente. ~해지다 ponerse blando, ponerse como unas gachas.
는정거리다 ser demasiado blanducho [pulposo · esponjoso] a menudo.
는정는정 demasiado blanduchamente [pulposamente · esponjosamente]. ~하다 ser demasiado blanducho [pulposo · esponjoso].
-는지 tal vez, quizá(s), probablemente. 감기가 들었~ 머리가 아프다 Me duele la cabeza; tal vez sea por el resfriado.
는지럭거리다 ser demasiado blanducho.
는지럭는지럭 demasiado blanduchamente.
는지렁이 líquido *m* pegajoso [viscoso · engomado · adhesivo]. ~가 있는 viscoso, pegajoso.
는질거리다 (ser) blanducho, pulposo, esponjoso.
는질는질 blanduchamente, pulposamente.
늘 siempre, constantemente, todo el tiempo; [자주] a menudo, frecuentemente, con frecuencia; [중단 없이] continuamente, incesantemente. ~ 앓다 enfermarse con mucha frecuencia. ~ 노력하다 esforzarse siempre [constantemente]. ~ 독서하다 leer todo el tiempo. 산정(山頂)은 ~ 눈으로 덮여 있다 La cumbre siempre está cubierta de nieve. 이것은 내가 ~ 다니는 길이다 Me es familiar este camino. 그는 ~ 극장에 간다 El va a menudo al cine / El frecuenta el cine.
늘그막 segunda infancia *f*, vejez *f*, *sus* últimos años, ocaso *m* de *su* vida, invierno *m* de *su* vida ~에 en la segunda infancia, en *sus* últimos años, en el ocaso de *su* vida. ~의 사랑 amor *m* otoñal, amor *m* crepuscular. ~에 아들을 보다 obtener un hijo en la segunda infancia [en *sus* últimos años · en *su* vejez · en el ocaso de *su* vida].
늘다 ① [(사물의 수량·크기 같은 것이) 본디보다 더하여지다] aumentar(se), multiplicarse, abultar, incrementarse; [배가 늘다] duplicarse; [번식하다] proliferar. 5에서 10으로 ~ aumentar de cinco a diez. 교통사고가 매년 는다 Los accidentes de tráfico aumentan cada año. 그의 수입은 2년 만에 세 배로 늘었다 Sus ingresos se han triplicado en dos años. 나는 체중이 5킬로 늘었다 Aumenté tres kilos de pesos. 내 가족은 한 사람 늘었다 Mi familia aumentó uno más. 정원의 잡초가 는다 Malas hierbas proliferan en el jardín. 이 도시에는 카페가 늘었다 Las cafeterías se han multiplicado en esta ciudad. ② [(재주·실력·솜씨·기술·기능 같은 것이) 발전하다] avanzar, progresar, adelantar, hacer progresos, mejorar. 서반아어가 ~ hacer progresos en el español. 수완이 ~ mejorar *su* habilidad (en). 나는 내 서반아어가 늘기를 바란다 Yo quiero mejorar mi español. ③ [(생활이) 넉넉해지다] hacerse rico [adinerado · acaudalado]. 는 사람 gente *f* adinerada. ④ [(기간·기한·물체 따위가) 길어지다·연장되다] alargarse, extenderse, prolongarse. 한국 사람의 수명이 늘었다 La vida de los coreanos se ha prolongado.
늘어가다 ir aumentando, estar en aumento, ir en aumento. 급속히 ~ [사업·인구·도시가] crecer rápidamente; [회사·건물·신문이] aparecer [brotar] como hongos, mul-

tiplicarse, *Chi* aprarecer [brotar] como callapas. 자꾸 늘어가는 인구(人口) población *f* que crece desenfrenadamente. 자꾸 늘어가는 도시 ciudad *f* que crece desenfrenadamente. 소비가 늘어간다 El consumo está aumentando [creciendo]. 시내(市內)에 자꾸 건물(建物)이 늘어간다 Los edificios brota [aparece] como hongos en la ciudad. 주문이 다시 늘어가고 있다 Los pedidos están aumentando otra vez. 박수갈채가 점점 세게 늘어갔다 Los aplausos se fueron haciendo cada vez más fuertes.

늘어나다 alargarse, extenderse, expandirse, dilatarse, crecer, estirarse, dar de sí. 내 스웨터는 빨 때 늘어났다 Se me estiró el suéter al lavarlo / Mi suéter dio de sí al lavarlo.

늘어놓다 ㉮ [줄을 대어 벌여 놓다] colocarse [ponerse] en fila. 쇼윈도에 상품이 늘어놓여 있다 En el escaparate hay toda una exhibición de géneros. ㉯ [여럿을 어수선하게 여기저기 두다] esparcir, desparramar. 온 방에 옷이 늘어놓여 있었다 Había ropa desparramada [tirada] por toda la habitación. ㉰ [사업을 여러 곳에서 경영하다] extender su negocio en todas las direcciones. ㉱ [사람을 여기저기 보내어 연락지어 두다] enviar a *uno* aquí y allá. ㉲ [말이나 글을 이것저것 수다스럽게 꺼내어 벌여 놓다] hablar [parlotear] sin parar, enumerar. 남의 결점을 ~ enumerar los defectos de otro. 불평을 ~ quejarse, reclamar. 이야기를 장황하게 ~ hablar prolijamente.

늘어붙다 ㉮ agarrarse (de · a). 가지에 ~ agarrarse de [a] una rama. ㉯ [끈적끈적한 물건이 몹시 들러붙다] pegarse. ㉰ [한 곳에 계속 있다] echar raíces, arraigar(se).

늘어서다 alinearse levantados, colocarse [ponerse] en fila, hacer cola. 늘어세우다 alinear, poner en fila. 거리에 많은 군인이 늘어서 있다 Muchos soldados están en fila en la calle.

늘어앉다 sentarse en fila, ponerse en fila. 단상에 늘어앉아 있는 사람들 los que están alineados en la plataforma.

늘어지다 colgar, pender, estar suspendido. 천장에 줄이 늘어진다 Un cordón cuelga del techo. 가지가 늘어진다 Las ramas cuelgan sobre tierra. 머리카락이 어깨까지 늘어진다 Los cabellos cuelgan [caen] sobre los hombros. 기가 돛대에 늘어져 있다 La bandera cuelga caída sobre el mástil.

늘름 ① [혀끝이나 입술을 경망하게 빨리 내밀었다가 재빠르게 들이는 모양] de un lengüetazo. ② [손을 빨리 내밀어 재빠르게 무엇을 가지는 모양] como una flecha, rápidamente, en un dos por tres. 그는 한 접시를 ~ 먹어 치웠다 El se comió el plato en un dos por tres.

늘름거리다 mover rápidamente. 도마뱀이 혀를 늘름거려 파리를 잡았다 La lagartija atrapó a la mosca de un lengüetazo.

늘름늘름 moviendo rápidamente.

늘름대다 =늘름거리다.

늘리다 multiplicar, aumentar, incrementar, ampliar, acrecentar. 숫자를 ~ aumentar la cifra. 속도(速度)를 ~ aumentar [acelerar] la velocidad. 중량을 ~ aumentar el peso. 종업원을 ~ aumentar el número de empleados. 소를 ~ aumentar el número de toros. 장미를 ~ multiplicar las rosas. 재산을 ~ acrecentar *su* fortuna. 봉사 시간을 ~ ampliar el horario de servicio. 그는 소설의 표현력(表現力)을 늘렸다 Su novela ha cobrado mayor expresividad.

늘보 gandul *mf*, haragán, -gana *mf*, holgazán, -zana *mf*, posma *mf*.

늘보원숭이 【동물】 lorí *m*.

늘비하다 estar en una hilera, ponerse en fila, ser expuesto, ser exhibido, ser presentado, ser formado. 늘비하게 늘어서다 estar de pie en hilera. 거리에 가계가 ~ Hay tiendas puestas en fila a lo largo de la calle.

늘쩡늘쩡 flojamente, sueltamente. ~한 그물 red *f* con mallas grandes.

늘쩡늘쩡히 flojamente, sueltamente.

늘쩡하다 (ser) basto, ordinario, burdo. 늘쩡한 천 tela *f* basta.

늘쩡히 bastamente, ordinariamente, burdamente.

늘씬하다 ① [후리후리하다] (ser) esbelto, delgado; [허리 · 목이] fino, delgado. 날씬함 delgadez *f*, esbeltez *f*, finura *f*. 늘씬한 다리 piernas *fpl* esbeltas. 늘씬한 허리 cintura *f* fina, cintura *f* delgada. 그녀의 다리는 ~ Ella tiene las piernas muy bonitas [muy proporcionadas]. 야, ~! ¡Qué elegante [esbelto]! ② [(「늘씬하게」의 꼴로 쓰이어) 지독하게] mucho, muy, tremendamente. …를 늘씬하게 때려주다 hacer papilla a *uno*, dar*le* una paliza tremenda a *uno*.

늘씬히 tremendamente, mucho, muy.

늘어가다 ☞늘다

늘어나다 ☞늘다

늘어놓다 ☞늘다

늘어뜨리다 dejar colgado, suspender. 다리를 ~ dejar colgao las piernas. 꼬리를 ~ bajar la cola. 머릿단을 이마에 ~ dejar colgado [dejarse] un mechón sobre la frente.

늘어서다 ☞늘다

늘어앉다 ☞늘다

늘어지다 ☞늘다

늘옴치근(一筋) 【해부】 =괄약근(括約筋).

늘옴치래기 cosa *f* elástica, cosa *f* flexible.

늘이넓이 =연면적(延面積).

늘이다¹ [길이를] alargar, extender, prolongar, dilatar, estirar, ensanchar.

늘이다² ① [아래로 길게 처지게 하다] dejar caer, colgar, tender. 그것은 벽에 늘여 있다 Está colgado en la pared. ② [어떤 목적을 위하여 널리 벌여놓다] extender. ③ [(사람을) 여러 군데 파견하다] enviar por varios lugares.

늘인그림 =확대도.
늘인비(比) =확대율.
늘임새 acento *m* caracterizado por la longitud de las vocales.
늘임표(-標)【음악】*ital* fermata.
늘자리 esterilla *f* de junco.
늘쩍지근하다 sentir lánguido, sentir cansado. 더워서 몸이 ~ El calor me hace sentir lánguido.
늘쩍지근히 lánguidamente, cansadamente, con languidez, con cansancio.
늘쩡거리다 ser (muy) ocioso [holgazán · perezoso · grandul] a menudo.
늘쩡늘쩡 ociosamente, con ocio, holgazanamente, perezosamente. ~하다 (ser) holgazán, ocioso, perezoso, gandul. ~한 사람 perezoso, -sa *mf*, holgazán, -zana *mf*, gandul, -la *mf*. ~한 생활을 하다 llevar una vida perezosa, hacer el gandul, gandulear.
늘채다 (ser) supernumerario.
늘컹거리다 (ser) suave y pastoso.
늘컹늘컹 suave y pastosamente.
늘컹하다 =늘컹거리다.
늘큰거리다 portarse suave y pastoso. 늘큰거리는 반죽덩이 masa *f* suave y pastosa.
늘큰늘큰 suave y pastosamente.
늘큰하다 (ser) suave, pastoso, blando. 떡이 무척 ~ El pan coreano es muy pastoso.
늘큰히 suavemente, pastosamente, blandamente.
늘키다 sollozar reprimiendo [conteniendo] lágrimas.
늘푸른나무【식물】=상록수(常綠樹).
늘푸른넓은잎나무【식물】=상록 활엽수.
늘푸른떨기나무【식물】=상록 관목.
늘푸른바늘잎나무【식물】=상록 침엽수.
늘푸른잎【식물】=상록엽(常綠葉).
늘푸른좀나무【식물】=늘푸른떨기나무.
늘푸른큰키나무【식물】=상록 교목.
늘품(-品) carácter *m* prometedor, carácter *m* que promete.
늙다 ① [나이가 많아지다] envejecer(se), aviejarse, avejentarse, hacerse viejo. 늙어 보이는 de aspecto viejo, avejentado. 늙기 시작하다 comenzar a hacerse viejo. 늙은 것 같다 parecer viejo. 늙은 기분이 들기 시작하다 comenzar a tener un aire (de). 늙어가며 더욱 왕성하다 gozar de viejo verde. 나이보다 늙어 보인다 Parece más viejo que la edad. 아직 새파랗게 젊은 사람이 늙게 보인다 Todavía demasiado joven para dejarte envejecer. 그는 늙을수록 강해진다 El está cada vez más vigoroso a pesar de su edad / Se mantiene cada vez más fuerte para lo viejo que es. 그는 실제보다 열 살은 늙어 보인다 El parece diez años más viejo de lo que es. 긴 머리 때문에 그녀는 늙어 보인다 El cabello largo la hace más vieja (de lo que es). ② [한창 때를 지나 늙은이가 되다] hacerse viejo. ③ [오래되다] hacerse viejo.
■늙고 병든 몸은 눈먼 새도 앉지 않는다 ((속담)) Vivir es sufrir / A más años, más daños. 늙으면 아이 된다 ((속담)) Los viejos, a la vejez, se tornan a la niñez. 늙으면 아이탈 쓴다 ((속담)) Los viejos, a la vejez, se tornan a la niñez.
늙어빠지다 ser muy viejo [anciano], envejecer(se), ser más viejo que un palmar, ser chocho, chochear, 늙어빠져 있다 estar decrépito [chocho · caduco].
늙다리 ① [늙은 짐승] animal *m* viejo. ② ((속어)) =늙은이(viejo, anciano).
■ ~소 vaca *f* vieja, toro *m* viejo, buey *m* viejo.
늙바탕 edad *f* vieja, vejez *f*. ~에 접어들다 entrar en años, llegar a la vejez, avanzar en la vida, peinarse canas.
늙수그레하다 (ser) bastante viejo, ser bastante entrado en años, ser de (tener) (una) edad bastante avanzada.
늙숙이 bastante entrado en años.
늙숙하다 (ser) algo viejo y parecer como un caballero.
늙어빠지다 ☞늙다
늙으신네 ((존칭)) viejo, -ja *mf*.
늙은기생(-妓生) *kisaeng f* vieja.
늙은이 persona vieja *f*, viejo, -ja *mf*, anciano, -na *mf*. ~나 젊은이나 tanto los viejos como los jóvenes.
■늙은이 뱃가죽 같다 ((속담)) La cosa se arruga.
늙은이 아이 된다 ((속담)) =늙으면 아이 된다. ☞늙다
늙정이 ((속어)) viejo, -ja *mf*, anciano, -na *mf*.
늙직하다 envejecer, hacerse viejo. 너는 아직 젊은데 늙직하게 되었군 Todavía eres demasiado joven para dejarte envejecer.
늙히다 hacer envejecer, avejentar.
늠(廩) =늠고(廩庫).
늠고(廩庫) almacén *m* para el arroz.
늠균(廩囷) almacén *m* para el arroz.
늠그다 pelar los cereales.
늠렬하다(凜烈-) hacer el frío cortante, hacer muchísimo frío.
늠률(凜慄) estremecimiento *m* de frío.
늠름스럽다(凜凜-) (ser) gallardo, varonil, viril, masculino.
늠름하다(凜凜-) [생김새나 태도가 의젓하고 당당하다] (ser) gallardo, animoso, viril, varonil, masculino, brioso, lleno de vida, imponente, fogoso, viril, vigoroso, fuerte, robusto. 늠름한 기상 semblante *m* varonil. 늠름한 태도 actitud *f* imponente. 늠름하고 젊은 군인(軍人) militar *m* joven y gallardo. 그는 심신(心身)이 ~ El es fuerte física y moralmente. 늠름한 청년(青年)으로 자라다 hacerse un joven fornido.
늠름히 gallardamente, animosamente, varonilmente, masculinamente, virilmente, briosamente, imponentemente. enérgicamente, fuertemente, robustamente, vigorosamente, ~ 살다 vivir enérgicamente.
늠름하다(懍懍-) tener miedo de peligro.

늠실거리다 mirar de reojo.
늠실늠실 mirando de reojo.
늠연하다(凜然－) ① [위엄 있고 기개가 높다] (ser) imponente. ② =늠렬하다.
늠연히 imponentemente.
늠외(凜畏) miedo *m*. ～하다 tener miedo, temer.
늠창(廩倉) almacén *m* (*pl* almacenes) para el arroz.
늠추(凜秋) otoño *m* fresco.
늠호하다(凜乎－) =늠연(凜然)하다.
늡늡하다 (ser) de gran corazón, liberal, magnánimo.
늡늡히 liberalmente, magnánimamente, de gran corazón.
능 bastante reserva *f*, bastante tiempo *m*.
◆ 능(을) 두다 tener bastante tiempo.
능(能) ① =재능(才能). ② =능력(能力).
능(陵) mausoleo *m* (real), tumba *f* real, panteón *m* (*pl* panteones) (real), morón *m* (*pl* morones).
능(稜) 【수학】 =모서리.
능(綾) damasco *m*, una especie de la seda.
능가(凌駕) sobrepujamiento *m*. ～하다 superar, sobrepujar, sobrepasar. 선인(先人)을 ～하다 llegar más allá de sus predecesores. 그것을 ～하는 것은 없다 Eso es lo mejor / Nada mejor que eso. 저 노인은 청년을 ～하는 원기를 가지고 있다 Aquel viejo supera a los jóvenes en vigor. 그의 실력은 스승을 ～한다 Su capacidad sobrepasa a la de su maestro. 인내력에 있어서는 그를 ～할 사람이 없다 Por lo que a paciencia se refiere no le supera nadie.
능간(能幹) habilidad *f*, talento *m*.
능갈맞다 crear pretextos astutos de manera detestable.
능갈치다 crear [concebir] pretextos astutos.
능경(稜鏡) 【물리】 =프리즘.
능고토광(菱苦土鑛) =고토석(苦土石).
능곡지변(陵谷之變) cambio *m* excesivo del mundo.
능관(陵官) funcionario *m* público talento.
능교(凌喬) lo alto, altura *f*.
능구(陵丘) =구릉(丘陵).
능구렁이 ① 【동물】 boa *f*. ② [음흉스런 사람] persona *f* astuta, perro *m* viejo, hombre *m* de mucha experiencia. ～ 영감 viejo *m* zorro, taimado *m*. 그 녀석은 ～다 El es un zorro [un perro viejo].
능그다 pelar la cebada por tercera vez.
능글능글 astutamente, con astucia, arteramente, taimadamente, cucamente. ～하다 (ser) astuto, artero, taimado, impudente, cuco.
능글맞다 (ser) astuto, taimado, zorro, ladino, insidioso. 능글맞은 놈 tipo *m* astuto, tipo *m* taimado, tipo *m* zorro. 능글맞은 웃음 sonrisa *f* insidiosa. 왜 그렇게 능글맞게 웃고 있느냐? ¿Por qué te sonríes tan astutamente?
능금 manzana *f* (silvestre).
■ ～밭 manzanar *m*, manzanal *m*. ～산 (酸) ácido *m* málico. ～주(酒) vino *m* de manzana.
능금나무 【식물】 manzano *m* silvestre.
능긍(凌兢) =전율(戰慄).
능놀다 trabajar lentamente yendo descansando.
능단(綾緞) =능라(綾羅).
능답(陵畓) arrozal *m* anexo a la tumba real.
능답(陵踏) =능멸(陵蔑).
능동(能動) actividad *f*.
■ ～ 면역 inmunidad *f* activa. ～ 면역법 inmunización *f* activa. ～성 lo activo. ～ 수송 transporte *m* activo. ～ 위성 satélite *m* activo. ～적 activo. ¶～으로 activamente. ～적 충혈 hiperemia *f* activa. ～주의 activismo *m*. ～태 voz *f* activa. ～ 통신 위성 satélite *m* activo de comunicaciones.
능두다 dejar bastante espacio.
능라(綾羅) la seda gruesa y la seda fina.
■ ～금수(錦繡) tela *f* de hilo de seda. ～금의(錦衣) ropa *f* de hilo de seda. ～장(匠) sedero, -ra *mf*.
능란하다(能爛－) (ser) experto, hábil, diestro, ingenuo. …에 ～ ser hábil para *algo*·*inf*, ser experto en *algo*·*inf*. 능란한 기수(騎手) experto jinete *m*, experta jinete *f*. 계산이 ～ ser hábil para la cuenta, ser experto en la cuenta. 그녀는 바늘에 ～ Ella es habilidosa con una aguja. 그는 능란한 정원사다 El es un experto jardinero.
능란히 hábilmente, diestramente, con habilidad, con destreza, ingenuamente.
능력(能力) capacidad *f*, facultad *f*, habilidad *f*, [적성(適性)] aptitud *f*, [권한(權限)] competencia *f*. ～이 있는 capaz, hábil; competente. ～이 없는 간부(幹部) dirigente *mf* incompetente. …하는 ～이 있다 tener capacidad de + *inf*. 각자의 ～에 따라 분배하다 distribuir según la habilidad de cada uno. 그 사람도 나이를 먹어 ～이 쇠해졌다 El ha perdido algo de sus facultades mentales. ～에 따라 월 천만 원까지 벌 수 있다 Según [De acuerdo con] la capacidad se podrá ganar hasta diez millones de wones mensuales.
◆ 생산(生産) ～ capacidad *f* productiva. 정신 ～ facultad *f* mental. 지불(支拂) ～ solvencia *f*.
■ ～급 sueldo *m* [salario *m*] según capacidad. ～ 상실(喪失) invalidez *f*, discapacidad *f*, minusvalía *f*. ～ 상실자 discapacitado, -da *mf*; minusválido, -da *mf*. ～자 persona *f* de plena capacidad legal. ～ 테스트 prueba *f* de aptitud. ～표 tabla *f* de aptitud.
능률(能率) eficacia *f*, [사람·조직의] eficiencia *f*, [효율(效率)] rendimiento *m*. ～을 올리다 aumentar [promover] la eficacia. ～을 내리다 disminuir la eficacia. ～이 오른다 [내린다] (Se) Aumenta [(Se) Disminuye] la eficacia.
■ ～급(給) salario *m* eficiente, salario *m* por eficiencia. ～급제 sistema *m* de salario

por eficiencia. ～적 eficaz, eficiente. ¶～으로 eficazmente, eficientemente. ～으로 공부하다 estudiar eficazmente. ～주의 doctrina *f* de eficiencia. ～ 증진 mejora *f* de eficiencia. ～ 향상 기사 ingeniero, -ra *mf* en eficiencia. ～화(化) promoción *f* de eficiencia.

능리(能吏) oficial *mf* competente.

능리(鯪鯉) 【동물】 =천산갑(穿山甲).

능면체 정계(菱面體晶系) 【물리】 =육방정계.

능멸(凌蔑/陵蔑) desprecio *m*, menosprecio *m*. ～하다 despreciar, menospreciar.

능모(凌侮/陵侮) =능멸(凌蔑).

능묘(陵墓) ① [능과 묘] el mausoleo y la tumba. ② =능(陵).

능범(凌犯/陵犯) invasión *f* excesiva. ～하다 invadir excesivamente.

능변(能辯) ① [말솜씨가 능란함. 또, 그 말] locuacidad *f*, facilidad *f* de palabra; [웅변(雄辯)] elocuencia *f*, oratoria *f*. ～하다 (ser) locuaz, elocuente. 그는 ～이다 El tiene facilidad de palabra / El es elocuente. ② ((준말)) =능변가.

■ ～가(家) elocuente *mf*, afluente *mf*.

능사(能士) persona *f* que tiene mucho talento, persona *f* útil.

능사(能事) trabajo *m* adecuado, su competencia. ～로 삼다 considerar como *su* trabajo. 먹고 마시는 것이 인생의 ～가 아니다 Hay algo in la vida además de comer y beber.

능상(陵上) =능(陵).

능서(能書) =능필(能筆).

능선(稜線) cresta *f*.

능선(綾扇) abanico *m* de seda.

능설(能說) explicación *f* hábil. ～하다 explicar hábilmente.

능소(陵所) lugar *m* que hay mausoleo, mausoleo *m* real.

능소능대하다(能小能大－) (ser) versátil, polifacético. 능소능대함 versatilidad *f*. 능소능대한 작가 escritor *m* muy polifacético, escritora *f* muy polifacética; escritor, -ra *mf* de gran versatilidad.

능소니 【동물】 cría *f* del oso; osito, -ta *mf*.

능소지(凌霄志) voluntad *f* más grande que el cielo.

능소회(能所會) =비역.

능수(能手) ① [능한 솜씨] habilidad *f*, capacidad *f*, aptitud *f* talenta. ② [솜씨가 능한 사람] experto, -ta *mf*.

■ ～꾼 experto, -ta *mf*.

능수버들 【식물】 sauce *m* llorón.

능숙(能熟) habilidad *f*, destreza *f*. ～하다 (ser) hábil, experto, diestro, ingenioso, experimentado. 서반아어가 ～하다 hablar muy bien el español, dominar (bien) el español. 필체(筆體)가 ～하다 escribir bien, tener facilidad para escribir. 화술(話術)이 ～하다 tener la lengua suelta; ((속어)) tener mucha labia. …이 ～하다 tener buenas manos para + *inf*, ser hábil en [para] *algo*. 그녀는 문장이 ～하다 Ella es muy hábil en composición. 그는 서반아어 회화가 ～하다 El habla bien español. 그녀는 요리가 ～하다 Ella es una buena cocinera.

능숙히 hábilmente, con habilidad, bien, con facilidad, fácilmente, diestramente, mañosamente, con destreza, muy bien, perfectamente. 젓가락을 ～ 다루다 usar los palillos hábilmente. 그녀는 한글을 ～ 구사한다 Ella habla muy bien el coreano / Ella domina (bien) el coreano / Ella sabe a fondo el coreano. 그녀는 ～ 춤을 춘다 Ella baila bien. 그는 운전을 ～ 한다 El conduce el coche con soltura [con facilidad].

능술(能術) el talento y la técnica.

능시(凌澌) =얼음.

능실(凌室) =빙실(氷室).

능언(能言) =능변(能辯).

능에 【조류】 =너새.

능역(陵域) tumba *f* real, tumba *f* del rey.

능욕(凌辱/陵辱) ① [남을 업신여겨 욕보임] insulto *m*, ultraje *m*, afrenta *f*. ～하다 insultar, ultrajar, afrentar, violar. 국기(國旗)를 ～하다 insultar la bandera nacional. 친구를 ～하다 insultar a un amigo. ② [여자를 강간하여 욕보임] violación *f*, acción *f* de forzar a una mujer. ～하다 violar, forzar a una mujer. 처녀를 ～하다 desflorar, estuprar, violar [corromper · forzar] a una doncella.

능우(凌雨) lluvia *f* fuerte.

능음(凌陰) =빙실(氷室).

능이(能栮) 【식물】 una especie del hongo.

능쟁이 【동물】 una especie del cangrejo.

능전(能戰) guerra *f* hábil. ～하다 combatir hábilmente.

능준하다 (ser) suficiente, abundante.

능준히 suficientemente, abundantemente.

능지(凌遲) ((준말)) =능지 처참(陵遲處斬).

■ ～처참[처사] crucifixión *f*. ¶～하다 crucificar, aspar.

능지기(陵－) conserje *mf* del mausoleo real.

능직(綾織) tela *f* cruzada [asargada], sarga *f*.

■ ～물(物) =능직(綾織).

능참봉(陵參奉) 【역사】 conserje *m* oficial del mausoleo real.

능철(菱鐵) =마름쇠.

■ ～광(鑛) 【광물】 siderita *f*.

능청 astucia *f*, artimañas *fpl*, tretas *fpl*, engaño *m*, hipocresía *f*.

◆능청(을) 떨다[부리다] demostrar astucia.

능청거리다 oscilar, vacilar. 능청거리는 지팡이 bastón *m* (*pl* bastones) elásticos.

능청능청 oscilando, vacilando. ～하다 oscilar, vacilar.

능청맞다 =능청스럽다.

능청스럽다 (ser) astuto, zorro, falso, embustero, insidioso, hipócrita. 능청스러운 사람 perro *m* viejo; zorro, -rra *mf*. 능청스러운 웃음 risa *f* insidiosa. 능청스러운 행동 acto *m* hipócrita.

능청스레 astutamente, con astucia, con picardía, falsamente, embusteramente, con falsedad, insidiosamente, con hipocresía, hipócritamente.

능청이 persona *f* astuta; perro *m* viejo; zorro, -rra *mf*.

능침(陵寢) =능(陵).

능통(能通) perfeccionamiento *m*, maestría *f*, destreza *f*, habilidad *f*, pericia *f*. ~하다 (ser) diestro, hábil, experto, bien versado. …에 ~하다 ser muy versado en *algo*. 그는 영어와 서반아어에 ~ 하다 El es muy versado en inglés y español.

능파(凌波) paso *m* ligero y hermoso de la belleza.

능필(能筆) caligrafía *f* hábil, escritura *f* hábil, buena caligrafía *f*, buena escritura *f*; [사람] calígrafo, -fa *mf*, pendolista *mf*.

능하다(能-) (ser) hábil, experto, perfecto. 그는 만사에 ~ El es un hombre de mundo. 그녀는 문장(文章)에 ~ Ella escribe bien. 그는 불어와 서반아어에 ~ El habla muy bien el francés y el español.
능히 hábilmente, con habilidad, con maña perfectamente.

능학(陵虐/凌虐) =침학(侵虐).

능형(菱形) 【수학】=마름모꼴.

능호(陵號) nombre *m* del mausoleo.

늦- ① [일정한 시간이나 제철이 지난] tardío, postrero, posterior. ~추위 frío *m* tardío. ~곡식 cereales *mpl* tardíos. ② [늙거나 늘그막에 생긴] de *sus* últimos años, del ocaso de *su* vida, de vejez, otoñal, crepuscular. ~바람 disipación *f* en *sus* últimos años, disipación *f* otoñal [crepuscular].

늦가을 parte *f* posterior del otoño, otoño *m* postrero, otoño *m* tardío. ~의 소나기 chubascos *mpl* de finales de otoño.

늦감자 patata *f* tardía.

늦거름 abono *m* tardío.

늦겨울 parte *f* posterior del invierno, invierno *m* postrero, invierno m tardío.

늦김치 *kimchi m* sin pescados salados.

늦다 ① [일정한 때가 지나 뒤져 있다] (ser) tarde. 늦은 오후 tarde *f* tardía. 늦은 시각에 a hora avanzada, a altas horas. 늦은 아침을 들다 tomar el desayuno tarde. 이제 늦었으니 잠자리에 듭시다 Vamos a acostarnos, que ya es tarde. 그는 항상 귀가가 ~ El siempre vuelve (a casa) tarde. 이제 너무 늦었다 Ya es demasiado tarde. 금년에는 봄이 무척 ~ Este año tarda mucho en venir la primavera.
② [속도가] (ser) lento, despacioso. 그는 달리는 것이 ~ El es lento al correr. 그는 이해[답변]가 ~ El es lento para comprender [para contestar]. 이 나라는 진보 [발전]가 ~ Este país es lento en su progreso [*en su desarrollo*] / Este país tarda en progresar [en desarrollar].
③ [지각하다] llegar tarde [atrasado], no llegar a tiempo. 학교에 ~ llegar tarde a la escuela. 열차에 ~ perder el tren. 약속에 10분 ~ llegar diez minutos tarde [con un retraso de diez minutos] a la cita. 우리들은 30분 늦었다 Nos hemos retrasado media hora [treinta minutos]. 늦어서 죄송합니다 Siento mucho llegar tarde.
④ [지연되다] atrasarse, retrasarse, demorarse. 지불이 ~ atrasarse en pagar. 서구제국에 비해 1세기 늦게 con atraso de un siglo en comparación con los países occidentales. 그는 집세의 지불이 늦고 있다 El está atrasado en el pago del alquiler de la casa. 그는 공부 [발육]가 늦고 있다 El va atrasado en sus estudios [en su crecimiento]. 나는 일이 늦고 있다 Llevo atrasado el trabajo. 내 일은 1주일 늦고 있다 Llevo en mi trabajo un retraso de una semana. 이 나라는 공업화가 늦고 있다 Este país está atrasado en su industrialización. 시계(時計)가 ~ El reloj está atrasado. 회답(回答)이 늦어 죄송합니다 Siento no haberte contestado antes. 그는 선두에 가는 사람보다 훨씬 늦게 달리고 있다 El corre rezagado respecto al que va a la cabeza.
⑤ [(줄·멜빵 따위가) 느슨하게 매여 있다] aflojarse, relajarse. 밧줄이 ~ aflojarse la cuerda, ponerse floja la cuerda.
⑥ [자동사로] [일정한 때보다 지나다] (ser) tarde, no tener remedio. 이제 너무 늦었다 Es demasiado tarde. 이제 환자는 때가 늦었다 Ya no tiene remedio el enfermo.
늦게 tarde, fuera de tiempo, pasado mucho tiempo. 밤 ~ tarde por la tarde, a hora avanzada de la noche, muy entrada la tarde. 아침 ~ 일어나다 levantarse tarde. 열차는 20분 ~ 도착할 예정이다 El tren llegará con veinte minutos de retraso [con un retraso de veinte minutos]. 회의는 예정보다 ~ 시작되었다 La reunión empezó más tarde de lo prefijado. 열차는 예정보다 30분 ~ 도착했다 El tren ha llegado con un retraso de una hora [con una hora de retraso]. 그는 밤 ~까지 자지 않고 있었다 El está levantado hasta altas horas de la noche [hasta muy tarde por la noche]. 나는 오늘밤 ~ 귀가할 것이다 Volveré (a casa) tarde esta noche.
늦은씨 =만생종(晩生種).

늦더위 calor *m* del tardío verano. ~가 대단하다 Es severo el calor del tardío verano.

늦되다 ① [(곡식이나 열매 따위가) 제철보다 늦게 익다] madurar tarde. ② [(나이에 비해) 철이 늦게 들다] estar retrasado para *su* edad, tardar en madurar. 우리 아이는 늦된다 Nuestro niño está retrasado para su edad / Nuestro niño tarda en madurar. ③ [어떤 일이 늦게서야 이루어지다] ser realizado tarde.

늦둥이 ① [나이가 많아 늦게 낳은 자식] niño *m* nacido [niña *f* nacida] tarde en *su* vida. ② [박력이 없고 또랑또랑하지 못한 사람] persona *f* retrasada; retrasado, -da *mf* mental.

늦바람 ① [저녁 늦게 부는 바람] brisa *f* de la noche. ② ((뱃사람말)) viento *m* lento. ③ [나이 들어 늦게 나는 난봉이나 호기(豪

氣)] disipación *f* en *sus* últimos años, disipación *f* otoñal [crepuscular]. ~을 피우다 tener un asunto de amor secreto en *sus* últimos años.

늦밤 castaña *f* tardía.

늦배 cría *f* nacida tarde.

늦벼 arroz *m* tardío.

늦복(-福) ① [늘그막에 누리는 복] fortuna *f* que goza en *sus* últimos años. ② [뒤늦게 돌아오는 복] fortuna *f* que viene tarde.

늦봄 parte *f* posterior de la primavera, primavera *f* postrera, primavera *f* tardía.

늦부지런 ① [늙어서 부리는 부지런] diligencia *f* en *sus* últimos años. ② [뒤늦게 서두르는 부지런] diligencia *f* apresurada tarde.

늦사리 cultivo *m* tardío, recogida *f* tardía.

늦새끼 ① [늙어서 난 짐승 새끼] cría *f* nacida del animal viejo. ② [여러 배 치는 짐승의 늦배의 새끼] cría *f* tardía.

늦서리 escarcha *f* tardía.

늦심기 siembra *f* tardía.

늦어도 lo más tarde, a más tardar. 나는 ~ 열두 시까지는 귀가하겠다 Volveré a casa para las doce a más tardar. ~ 하지 않은 것보다 낫다 Más vale tarde que nunca.

늦여름 parte *f* posterior del verano, verano *m* postrero, verano *m* tardío.

늦작물(-作物) cereales *mpl* tardíos.

늦잠 sueño *m* de la mañana. ~을 자다 dormir como un lirón, pegárs*ele* (a *uno*) las sábanas, dormir demasiado, dormir hasta muy tarde por la mañana, levantarsse muy tarde.
늦잠쟁이 dormilón, -lona *mf*, lirón, -rona *mf*.

늦잡죄다 ejercer el control tardío.

늦장(-場) ① =늑장. ② [느직하게 보러 가는 장] plaza *f* que va tarde.

늦장마 estación *f* de las lluvias tardía.

늦추 =늦게. ¶~ 오다 venir tarde.

늦추다 ① [캥겼던 것을 느슨하게 하다] aflojar, relajar, laxar. 줄을 ~ aflojar el cabo. ② [시간을 늦어지게 하다] diferir, dilatar, dejar para otro tiempo, demorar, retardar, atrasar, retrasar. 졸업을 1년 ~ retrasar un año la graduación. 무대의 진행을 ~ retardar la marcha escénica. 계획의 실시를 ~ diferir la ejecución de un plan. 인터뷰 날짜를 늦추었다 Retrasaron la fecha de la entrevista. ③ [느리게 하다] reducir. 속도를 ~ reducir la velocidad.

늦추위 frío *m* tardío.

늦콩 alubia *f* tardía.

늦팥 haba *f* roja tardía.

늦하늬바람 ((뱃사람말)) =서남풍(西南風).

늪 pantano *m*, laguna *f*, ciénaga *f*, fangal *m*, londachar *m*, lodazal *m*.

늪지(-地) ciénaga *f*, terreno *m* pantanoso, tremedal *m*.

닁큼 pronto, rápido, rápidamente.
닁큼닁큼 continuamente rápido.

니그로 ① [흑인종] negroide *m*, raza *f* negra. ② [흑인] negro, -gra *mf*, *AmL* moreno, -na *mf*.

니그로신(영 *nigrosine*) 【화학】 nigrosina *f*.

니그로이드(영 *nigroid*) [흑색 인종] negroide *m*.

니까라구아 【지명】 Nicaragua *f*. ~의 nicaragüense, nicaragüero, nica.
■~ 사람 nicaragüense *mf*, nicaragüero, -ra *mf*, nica *mf*.

니르바나(범 *nirvana*) ((불교)) =열반(涅槃).

니스 barniz *m*. ~를 칠하다 barnizar.

니오베(그 *Niobe*) 【신화】 Niobe *m*.

니오븀(독 *Niobium*) 【화학】 niobio *m*.

니오브(영 *niob*) 【화학】 niobio *m*.

니제르 【지명】 Níger *m*. ~의 nigerino.
■~사람 nigerino, -na *mf*.

니체 【인명】 Federico Nietzche (1844-1900). ~는 독일의 철학자로 「권력에의 의지」 「짜라투스트라는 이렇게 말하였다」 등의 작품이 있다 Nietzche era un filósofo y en sus obras hay *La voluntad de poderío, Así hablaba Zaratustro,* etc.

니카라구아 【지명】 =니까라구아.

니커보커스(영 *knickerbockers*) [무릎 근처에서 졸라매게 된 느슨한 반바지] pantalones *mpl* bombachos, *AmS* bombachas *fpl*; [골프용] pantalones *mpl* de golf.

니케(그 *Nike*) 【그리스 신화】 Nika *f*, Nica *f* (승리의 여신).

니켈(영 *nickel*) 【화학】 níquel *m*. ~을 함유한 niquelífero.
■~강(鋼) acero *m* níquel. ~ 도금 niquelado *m*, niqueladura *f*. ¶~을 하다 niquelar. ~된 niquelado. ~ 도금공 niquelador *m*. ~동(銅) cobre *m* níquel. ~ 시계 reloj *m* de níquel. ~ 크롬강 acero *m* de níquel cromado. ~ 피부염 dermatitis *f* níquel. ~ 합금 aleación *f* de níquel. ~화(貨) (moneda *f* de) níquel *m*.

니코틴(영 *nicotine*) 【화학】 nicotina *f*. ~은 가장 지독한 독(毒) 중의 하나이다 La nicotina es un veneno de los más violentos.
■~산(酸) ácido *m* nicotínico. ~ 중독 nicotismo *m*, nicotinismo *m*. ~ 중독증 tabaquismo *m*.

니크롬(영 *nichrome*) 【화학】 nicromo *m*.
■~선(線) alambre *m* de nicromo.

니트(영 *knit*) ① [옷] vestido *m* de punto. ② [복지 (服地)] géneros *mpl* de punto.

니트라민(영 *nitramine*) 【화학】 nitromina *f*.

니트로(영 *nitro*) 【화학】 nitro *m*.
■~글리세린 nitroglicerina *f*. ~벤젠 nitrobenceno *m*, nitrobenzol *m*. ~셀룰로오스 nitrocelulosa *f*, piroxilina *f*. ~화(化) nitrificación *f*.

니힐(라 *nihil*) nihilidad *f*. ~한 nihilista, sarcástico. ~한 웃음 sonrisa *f* sarcástica. ~한 청년(青年) joven *m* nihilista.

니힐리스트(영 *nihilist*) nihilista *mf*.

니힐리즘(영 *nihilism*) nihilismo *m*.

닉네임(영 *nickname*) [별명] mote *m*, apodo *m*.

님의 침묵(-沈默) 【문학】 El Silencio de la Novia (de Han Yong Un).

님프(영 *Nymph*) ① 【신화】 ninfa *f*. ② [아름다운 소녀] ninfa *f*. ③ 【곤충】 ninfa *f*, crisálida *f*.

ㄷ

다¹ 【음악】 do *m*.
◆내림[올림] ~조【음악】do *m* bemol [sostenido].
■ ~단조[장조] do *m* menor [mayor].
다² ① [있는 대로. 모조리] todo; [사람] todos, todo el mundo; [사물] todas las cosas. ~ 해서 en total. 아이들은 ~ todos los niños. ~ 주어라 Dalo todo. ~ 치워라 Quítalo todo. 가족이 ~ 왔다 Viene toda la familia. ② [남김없이] todo, enteramente, sin excepción. ~ 마시다 bebérselo todo, terminar *su* copa, *AmL* tomárselo todo. ~ 쓰다 terminar de escribir. ~ 써버리다 [공급품·힘을] agotar, consumir; [나머지를] usar, aprovechar. ~ 읽다 terminar de leer. ~ 떨어지다 acabar, agotarse, faltar, consumirse. ~ 마셔라 Bébetelo todo / Termina tu copa / *AmL* Tómatelo todo. 준비가 ~ 되었다 Todo está listo. 식량이 ~ 떨어져 간다 Los víveres nos van faltando / Los víveres se nos van acabando. 그들은 따뜻한 물을 ~ 써버렸다 Habían usado toda el agua caliente. 그녀는 옷을 사 입으라고 받은 용돈을 여행에 ~ 써버렸다 Ella se ha gastado todo el dinero que recibe para ropa en viajar. ③ [어떠한 것이든지] cualquiera. ④ [거의] casi. ~ 죽어 가는 목소리 voz *f* débil, voz *f* apenas perceptible. ⑤ [강조·조소] ¶별꼴 ~ 보겠네 ¡Qué espectáculo! 별말씀 ~ 하십니다 De nada / No hay de qué. ⑥ [있는 것 전부] todos. ~들 어디 갔느냐? ¿A dónde se fueron todos?
■다 닳은 대갈마치라 ((속담)) perro *m* viejo. 다 된 죽에 코 풀기 ((속담)) Cuando se llega a alcanzar casi todo se fracasa por el obstáculo inesperado. 다 팔아도 내 땅 ((속담)) Al fin es su propia ganancia 다 퍼먹은 김칫독 ((속담)) persona *f* con ojos hundidos por la enfermedad o el hambre.
다³ ((준말)) =다가. ¶어디~ 두었소? ¿(En) Dónde pusiste? 여기~ 놓아라 Ponlo aquí / Déjalo aquí.
다⁴ [서술적 조사「이다」의, 받침 없는 체언 뒤에서의 생략형] ser. 너는 용사~ Tú eres un guerrero bravo.
다(多) [많다] ser mucho.
다¹(茶) ((궁중말)) =숭늉.
다²(茶) ① =차나무(té). ② =차(té). ③ [차의 재료] material *m* de té. ④ [차를 넣은 음료] bebida *f* que puso el té.
다-(多) mucho. ~방면 muchas direcciones.
-다 ① [그 말의 원형을 나타내는 어미] ¶가~ ir. 살~ vivir. 먹~ comer. ② [형용사의 어간에 붙어 현재형을 서술할 때 끝맺는 종결 어미] ¶맑~ ser claro. ③【준말】=-다고. ¶돈이 없~ 걱정 마라 No te preocupes por el dinero. ④【준말】=-다가. ¶나는 길을 가~ 친구를 만났다 Yo me encontré con un amigo mío yendo por el camino.
다가 en, sobre. 그것을 어디~ 둘까요? ¿(En) Dónde lo pondré [dejaré]? 나는 그것을 집에~ 두었소 Lo dejé [puse] en la casa.
다가(多價) ¶~의 polivalente, multivalente.
■ ~ 백신 vacuna *f* multivalente. ~성(性) multivalente *adj*. ~ 혈청(血清) suero *m* polivalente.
-다가 ¶··· ~ ··· ~ tan pronto ··· como, lo mismo ··· que, a ratos ··· a ratos. 울~ 웃~ 하다 tan pronto llorar que reír, lo mismo llorar que reír. 비가 내리~ 그치~ 한다 Llueve a intervalos / Llueve y cesa de llover. 환자가 좋아졌~ 악화됐~ 했다 El enfermo a ratos está bien, a ratos mal.
다가가다 ☞다그다
다가놓다 ☞다그다
다가들다 acercarse (a), aproximarse (a).
다가앉다 ☞다그다
다가오다 ☞다그다
다각(茶角) ((불교)) servicio *m* de té a muchas personas.
다각(多角) ①【수학】diversos ángulos *mpl*. ② [여러 방면이나 여러 부문] diversas direcciones *fpl*, diversas partes *fpl*. ~의 diverso, versátil, múltiple, multilateral.
■ ~ 경영(經營) administración *f* multiple, administración *f* variada, empresa *f* variadda, manejo *m* diverso. ~ 농업[영농] policultivo *m*, cultivo *m* diversificado. ~ 무역 comercio *m* multilateral. ~ 재배 cultivos *mpl* diversificados. ~적 multilateral, versátil, multilatereal, diversificado. ¶~으로 de manera multilateral. ~인 취미 intereses *mpl* de diversas partes. ~으로 검토하다 examinar de manera multilateral. ~형 polígono *m*. ¶~의 poligonal. 정(正)~ polígono *m* regular. ~화 diversificación *f*. ¶ ~하다 diversificar.
다갈색(多褐色) color *m* moreno, color *m* pardo. ~ 의 moreno, pardo, castaño.
다갈증(多渴症)【의학】anadipsia *f*, polidipsia *f*.
다감(多感) sensibilidad *f*, impresionabilidad *f*, sentimentalismo *m*. ~하다 (ser) sensible, impresionable; [감상적인] sentimental. ~한 소녀(少女) chica *f* sentimental. ~한 청년(青年) joven *m* impresionable.
■ ~다정(多情) =다정다감(多情多感).
다거(茶居) =다관(茶館).
다겁하다(多怯-) tener mucho miedo, temer

mucho.

다고(多故) muchos obtáculos. ~하다 tener muchos obstáculos.

-다고 ① [「-다 라고」「-다 하고」의 뜻으로 남의 말을 인용하거나, 때로는 그것을 빈정거리는 뜻을 나타내는 연결 어미] que. 그는 머리가 아프~ 말하고 있다 El dice que le duele la cabeza. 나는 우리가 출발해야 한~ 생각한다 Yo pienso que debemos partir. ② [반문할 경우] ¿ ? 밖에 비가 온~? ¿Dices que llueve fuera?

다공(多孔) muchos agujeros.
■ ~성(性) prosidad *f.*

다공(茶供) servicio *m* del té que hirvió.

다과(多寡) mucho y [o] poco; [양(量)] cantidad *f*, [수(數)] número *m*. 기부금의 ~ importe *m* de la donación. 팁의 ~에 따라 대우를 달리하다 tratar de muy distinto modo [de manera muy diferente] según la cantidad de propina.

다과(茶果) el té y la fruta.

다과(茶菓) el té y el pastel [los dulces], pastel *m* para el té, dulces *mpl* [pasteles *mpl*] que se sirve con el té, refrescos *mpl*, refresco *m* ligero. ~를 제공하다 [내놓다] servir té y dulces, ofrecer pequeño refrigerio.
■ ~점 pastelería *f*, dulcería *f*, confitería *f*, [빵집] panadería *f*. ~회 tertulia *f*, fiesta *f* [guateque *m*] (de los estudiantes), (reunión *f* para tomar) té *m*.

다관(茶館) lugar *m* de las relaciones sociales de los chinos.

다관(茶罐) =차관(茶罐).

다구(茶臼) molinillo *m* de té.

다구(茶具) =차제구(茶諸具).

다구(多口) habladuría *f*, parladuría *f*. ~하다 (ser) hablador, parlador.

다국어(多國語) muchas lenguas.

다국적(多國籍) multinación *f*. ~의 multinacional.
■ ~군(軍) fuerza *f* multinacional. ~ 기업 empresa *f* multinacional.

다그다 ① [(물건 따위를) 어떤 방향으로 가까이 옮기다] acercar, arrimar, traer cerca. 책을 ~ traer el libro más cerca. 창문 앞으로 꽃병을 ~ acercar [arrimar] el florero delante de la ventana. 의자를 책상에 다그어라 Acerca [Arrima] la silla a la mesa. 히터를 내 가까이 다가 주세요 Acérqueme el calentador. ② [(시간이나 날짜 따위를) 예정보다 앞당기다] adelantar. 기일을 ~ adelantar la fecha. ③ [(일을 보다 빨리 하려고) 몰아치다] hacerlo todo enseguida. ④ [(숨을) 몹시 가쁘게 들이쉬다] jadear, resollar. 나는 숨을 다그 쉬면서 선도자의 뒤를 달렸다 Yo corría, jadeando, detrás de los primeros. ⑤ [어떤 대상이 있는 방향으로 가까이 움직이다] mover (más) cerca.
다가가다 acercarse (a), aproximarse (a), ir avanzando (hacia). 바싹바싹 ~ acercarse poco a poco (a), ir avanzando poco a poco (hacia). 그는 경관에게 다가가 길을 물었다 El se acercó al policía y le preguntó el camino. 배가 해안으로 다가갔다 El barco se acercó [se aproximó · se arrimó] a la playa.
다가놓다 acercar, arrimar, traer cerca, poner más cerca. 책을 ~ acercar [arrimar] el libro, poner el libro más.
다가들다 ㉮ [더 가까이 옮겨 가거나 옮겨오다] mover más cerca. ㉯ [맞서서 덤벼들다] echársele encima a *uno*, abalanzarse sobre *uno*.
다가붙다 pegarse más cerca.
다가서다 acercarse (a), aproximarse (a), apelotonarse, visitar (a uno) de paso. 군중(群衆)은 경관 (警官)의 주위에 다가섰다 La multitud se apelotonó alrededor de los agentes de policía.
다가쓰다 gastar por adelantado, gastar por anticipado. 봉급(俸給)을 ~ cobrar [recibir] el salario por adelantado.
다가앉다 sentarse más cerca, tomar asiento más cerca. 비좁으니 다가앉아 주십시오 Siéntense más cerca, que no hay espacio dejado.
다가오다 aproximarse (a), acercarse (a).

다그치다 acosar, apresurar (a *uno* a + *inf*), apurar (a *uno* a + *inf*). 다그쳐 묻다 matar [importunar] (a *uno*) con preguntas, acosar (a *uno*) a preguntas.

다극(多極) multipolaridad *f*. ~의 multipolar.
■ ~ 발전기 generador *m* multipolar.

다급(多級) muchas clases.

다급하다 [미처 어떻게 할 여유가 없을 만큼 몹시 급(急)하다] (ser) inminente, urgente, apremiante. 다급한 문제 cuestión *f* urgente. 다급한 용무로 por negocio urgente. 다급한 경우에는 en caso de emergencia. 다급해지자 …하다 verse tan apurado que + *ind*, no tener más remedio que + *inf*. 그는 다급해지자 자백했다 El se vio forzado a confesar / El no tuvo más remedio que confesar. 그는 다급해져야 공부한다 El no estudia hasta que se ve apurado [forzado].
다급히 inminentemente, con inminencia, urgentemente, con urgencia.

다기(多技) mucha habilidad. ~하다 (ser) muy hábil.

다기(多岐) diversidad *f*, degresión *f*, divagación *f*. ~의 diverso. 의논(議論)이 ~했다 Se discutieron muchos puntos.

다기(多氣) audacia *f*, intrepidez *f*, arrojo *m*.
다기지다 (ser) valeroso, valiente, varonil, bravo, corajudo. 다기진 사람 persona *f* valiente.
다기지게 valerosamente, bravamente, valientemente, varonilmente. ~ 싸우다 combatir [pelear] valientemente.
다기차다 (ser) muy valeroso, valiente, varonil, bravo.

다기(茶器) ((불교)) vaso *m* del agua clara para el Buda.

다난(多難) muchas dificultades. ~하다 (ser) muy difícil, estar lleno de dificultades. 이

계획은 아직 ~하다 Este plan tiene todavía muchas dificultades que superar.
다남(多男) muchos hijos. ~하다 tener muchos hijos.
다남자(多男子) =다남(多男).
다녀가다 ☞다니다
다녀오다 ☞다니다
다년(多年) muchos años, largos años.
■ ~간(間) por [durante] muchos años. ¶ ~에 걸쳐 durante muchos años. ~의 희망(希望) deseo *m* acariciado desde hace muchos años. ~의 신고(辛苦) 후 con trabajo y paciencia de muchos años. ~의 노고(勞苦)가 보답되었다 La labor de tantos años ha tenido su recompensa. ~근(根) raíz *f* (*pl* raíces) perenne. ~생【식물】= 여러해살이. ¶~의 perenne, vivaz. ~생 식물(生植物)【식물】planta *f* perenne. ~생 야채(生野菜) vegetales *mpl* perennes. ~생 초본(生草本)【식물】hierba *f* perenne. ~초(草)【식물】hierba *f* perenne.
다뇨증(多尿症)【의학】poliuria *f*.
다뉴브 강(Danube 江)【지명】el Danubio.
-다는 que. 만병(萬病)에 좋~ 약 una medicina que es el curalotodo. 신문에서 당신이 외국에 간~ 것을 알았다 Yo supe a través del periódico que usted va al extranjero.
다능(多能) genio *m* multiforme. ~하다 (ser) polifacético, de genio multiforme.
다니다 ① [(일터나 학교 따위에) 늘 나갔다 오다] acostumbrarse a ir (a), ir regularmente (a), frecuentar, asistir, atender. 학교에 ~ asistir a la escuela. 버스로 학교에 ~ (acostumbrarse a) ir a la esculea, ir y venir de la escuela.
② [(일정한 곳을) 지나가고 지나오고 하다] ir. 차가 다닐 수 있는 길 camino *m* transitable para coches. 배가 다닐 수 있는 강(江) río *m* navegable. 왼쪽으로 ~ mantener *su* izquierda. 오른쪽으로 다니십시오 ((게시)) Mantenga su derecha. 저 마을에는 버스가 다닌다 A aquella aldea van los autobuses / A aquella aldea hay servicio de autobuses. 이 길은 다닐 수 없다 Este camino es intransitable / Este camino no es transitable.
③ [드나들다] frecuentar, acostumbrarse a ir, ir regularmente. 늘 다니는 길 camino *m* familiar, camino *m* frecuentado.
④ [(어떤 곳에) 들러서 오다] pasar (por). 올 때 시장에도 다녀 오너라 Ven pasando por el mercado cuando vuelvas.
⑤ [(볼일이 있어서) 왔다갔다하다] visitar, ir (de). 구경을 ~ visitar los puntos [los sitios · los lugares] de interés [interesantes]. 사냥을 ~ ir de caza. 낚시질을 ~ ir de pesca.
다녀가다 pasar por. 목포에 ~ pasar por *Mokpo*. 오후에 제 사무실을 다녀가십시오 Pase por mi oficina por la tarde.
다녀오다 estar de vuelta. 늦어도 열 시까지는 다녀오겠습니다 Estaré de vuelta para las diez.
다니엘서(Daniel 書)【성경】Daniel.
다니엘 습도계(Daniell 濕度計)【물리】=노점 습도계.
다니엘 전지(Daniell 電池)【물리】pila *f* de Daniell.
다님 luna *f*.
다다 ① [될 수 있는 대로] lo pronto posible, todo lo (que sea) posible, lo mejor posible, hasta cuanto pueda. ☞되도록 ② [오직 · 단지] sólo, solamente. ~ 공부만 하면 된다 Tú tienes que estudiar sólo.
다다르다 ① [목적한 곳에 이르러 닿다] llegar. 현장에 ~ llegar a la escena. 적군이 성문(城門)에 다다랐다 El enemigo llegó a la puerta del castillo. ② [어떤 기준에 이르러 미치다] alcanzar. 절정에 ~ alcanzar a la cumbre [la cima].
다다미(일 たたみ 疊) estera *f* (gruesa de paja cubierta con un tejido de juncos japoneses), tejido *m* de esparto, tejido *m* de juncos. ~를 깔다 esterar, tender esteras en el suelo. 방바닥에 ~가 깔렸다 Se cubrió con esteras el suelo de las habitaciones.
다다미방(房) habitación *f* con esteras.
다다이스트(불 *dadaiste*) dadaísta *mf*.
다다이즘(불 *dadaisme*) dadaimo *m*.
다다익선(多多益善) Cuanto más, mejor.
다다하다(多多一) ser muchísimo.
다닥다닥 en grupo. 모든 호텔이 역 주위에 ~ 모여 있다 Todos los hoteles están agrupados [concentrados] alrededor de la estación.
다닥뜨리다 =다닥치다.
다닥치다 acercarse (a), estar próximo. 연말이 다닥친다 El fin de año se acerca. 개통일이 다닥쳤다 Se acercaba el día de la inauguración / El día de la inauguración estaba próximo. 시험이 다닥친다 El examen se acerca / El examen está próximo.
다단(多段) fases *fpl* múltiples, etapas *fpl* múltiples, varias etapas *fpl*.
■ ~ 로켓 =다단식 로켓. ~식(式) etapas *fpl* múltiples, fases *fpl* múltiples, varias etapas *fpl*. ~의 multigradual, poliescalonado, plurifásico, secuencial, de etapas múltiples, de fases múltiples, de varias etapas. ~식 로켓 cohete *m* de etapas múltiples. ~식 미사일 misil *m* de fases múltiples. ~식 압축기 compresor *m* de varias etapas. ~식 원심 압축기(式遠心壓縮機) compresor *m* centrífuco de varias etapas. ~식 축 압축기(式軸壓縮機) compresor *m* axial multigradual. ~식 펌프 bomba *f* de varias etapas. ~ 증폭기(增幅器) amplificador *m* de varias etapas.
다 단조(一短調)【음악】do *m* menor.
다단하다(多端一) ① [일이 흐트러져 가닥이 많다] Hay muchas bifurcaciones. ② [사건이 많다] Hay mucho accidente. ③ [일이 바쁘다] estar ocupado.
다달거리다 tartamudear.
다달다달 tartamudeando.

다달이 todos los meses, cada mes. ~ 한 번씩 una vez cada mes.
다담(茶啖) ((불교)) =차담(茶啖).
다당류(多糖類) 【화학】 polisacárico *m.*
다당제(多黨制) multipartidismo *m.* ~의 multipartidista. 우리 나라에서는 ~가 1948년에 제정되었다 El multipartidismo fue instaurado en 1948 en nuestro país.
다대 [해어진 옷에 덧대고 깁는 헝겊 조각] remiendo *m,* parche *m.* ~를 댄 바지 pantalones *mpl* remendados.
다대(多大) gran cantidad *f,* gran número *m,* gran volumen *m* (*pl* grandes volúmenes). ~하다 (ser) mucho, considerable, grande; [비상하다] serio, grave. ~한 이익 mucha ganancia, utilidad grande. ~한 은혜를 입다 recibir un gran favor. 이 지방은 태풍으로 ~한 손해를 입었다 El tifón causó daños considerables en esta región.
▪ ~수(數) =대다수(大多數).
다도(茶道) (arte *m* [reglas *fpl*] para [de] la) ceremonia de(l) té. ~를 알고 있다 conocer el arte de la ceremonia de té. ~에 정통한 사람 experto, -ta *mf* en la ceremonia del té.
다도해(多島海) archipiélago *m.*
다독(多讀) mucha lectura. ~하다 leer mucho.
▪ ~가(家) gran lector *m* (*pl* grandes lectores), gran lectora *f* (*pl* grandes lectoras); hombre *m* bien leído, mujer *f* bien leída.
다독거리다 recoger *algo* y presionar*lo* en orden.
다독다독 recogiendo y presionando en orden.
다 되다 ① [완성하다. 완결되다] acabarse, terminarse, llevarse a cabo. 이제 다 됐다 Ya está. 저녁밥이 다 됐다 Ya está hecha [preparada · lista] la cena.
② [다 닳다 · 다 없어지다 · 끝장이 나다] agotarse, acabarse, consumirse; [기한(期限)이] expirarse, vencer. 커피가 다 됐다 Está agotada la provisión de café. 이 여권은 기한이 다 됐다 Este pasaporte está expirado (de plazo). 오늘로 계약 기간이 다 된다 El contrato expira hoy. 식량이 다 되었다 Las provisiones se ha agotado. 우리는 식량이 다 되었다 Se nos han agotado los víveres. 탄약이 다 됐다 Ya se acabaron las municiones. 화제(話題)가 다 됐다 Se agotan los temas de conversación.
다듬거리다 tartamudear. ☞더듬거리다
다듬다 ① [맵시 있게 손질하거나 매만지다] alisar, arreglar, adornar, recortar, elaborar, intrincar, complicar.
② [(매만지고 손질하여) 필요 없는 부분을 떼어 내어 쓸모있게 만들다] [나무 · 돌 등을] podar, cortar, quitar; [대패로] allanar, acepillar, alisar; [칼로] cortar, recortar, afeitar. 나무를 ~ podar el árbol. 무를 ~ limpiar una naba. 푸성귀를 ~ cortar [recorar] las verduras.
③ [잘 짜이게 손질하여 고치다] refinar, pulir, perfeccionar, adornar, elaborar. 말을 ~ pulir la lengua. 문장을 ~ pulir *su* escritura. 시를 ~ adornar el poema. 나는 서반아어를 다듬기 위해 서반아에 갔다 Yo me he ido a España a perfeccionar [mejorar] el español.
④ [거친 바닥이나 거죽을 고르고 곱게 만들다] nivelar, aplanar, allanar, emparejar. 길을 ~ allanar el camino. 땅을 ~ allanar el terreno. 바닥을 ~ nivelar [aplanar · allanar] el suelo. 판자(板子)를 ~ nivelar la tabla.
⑤ [(옷감 따위를) 방망이를 두드려서 구김살을 펴고 반드럽게 하다] curtir, curtir pieles en blanco. 명주를 ~ curtir la seda.
다듬이 ① ((준말)) =다듬잇감. ② ((준말)) =다듬이질.
▪ ~질 curtidura *f.* ~하다 curtir, curtir pieles en blanco, adobar. ~하는 여인 curtidora *f.* ~ㅅ감 material *m* para la curtidura. ~ㅅ돌 *dadeumidol,* bloque *m* de piedra usado para aporrear la tela. ~ㅅ방망이 porra *f* para aporrear la tela. ~ㅅ방석(方席) cojín *m* para *dadumidol.*
다듬작거리다 seguir nivelando [aplanando · allanando].
다듬작다듬작 siguiendo nivelando.
다듬질 toque *m* final. ~하다 dar*le* los últimos toques (a *algo*).
다디달다 ☞달다
다따가 de repente, repentinamente, de súbito, súbitamente, de pronto.
다라니(陀羅尼) ((불교)) *sáns* dhárani.
다라수(茶羅樹) 【식물】 acebo *m.*
다라엽(茶羅葉) hoja *f* de acebo.
다라지다 (ser) audaz, atrevido, osado, temerario, intrépido.
다라진살 flecha *f* delgada y pesada.
다락 【건축】 ① alto piso *m.* ② =다락집.
◆ 다락같다 ㉮ [물건 값이 매우 비싸다] ser muy caro, costar mucho. ㉯ [덩치가 크다] (ser) muy grande, corpulento. 다락같은 말 caballo *m* corpulento.
▪ ~마루 suelo *m* alto como el alto piso. ~방(房) ㉮ desván *m,* buhardilla *f.* ㉯ =고미다락. ~장지 portada *f* con pisos altos. ~집 casa *f* alta.
다락다락 importunamente.
다람쥐 【동물】 esquirol *m,* ardilla *f.*
▪ 다람쥐 쳇바퀴 돌듯 ((속담)) Se continúa repitiendo para siempre pero no hay conclusión.
다랍다 ① [때가 묻어 깨끗하지 못하다] (estar) sucio, manchado, puerco. 다라운 손 manos *fpl* sucias [manchadas]. ② [인색하다] (ser) mezquino, avaro, tacaño. 그는 ~ El es un mezquino. 다랍게 굴지 마라 No seas tacaño / Sé más generoso.
다랑귀 exigencia *f,* insistencia *f.*
◆ 다랑귀(를) 뛰다 ㉮ [매달리다] estar aferrado (a). ㉯ [조르다] exigir, insistir (en), ejercer presión, hacer rabiar, fastidiar.
다랑논 *darangnon,* arrozal *m* con los arroza-

ㄷ

les pequeños en capas.

다랑어(—魚) 【어류】 atún *m* (*pl* atunes).

다랑이 arrozales *m* pequeños en capas.

다랑전(—田) =다랑논.

다래[1] ① 【식물】 [다래나무의 열매] fruto *m* de Actinidia arguta. ② [목화의 덜 익은 열매] cápsula *f* verde del algodón.

다래[2] ((준말)) =말다래.

다래끼[1] [아가리가 좁고 바닥이 넓은 바구니] nasa *f*.

다래끼[2] 【의학】 orzuelo *m* (del ojo), blefaritis *f*. 나는 ~가 났다 Ma ha salido un orzuelo.

다래다래 colgando en racimos. 마당에 있는 감나무에 감이 ~ 열렸다 El caqui en el jardín ha dado muchos frutos.

다랭이 【어류】 atún *m*.

다량(多量) gran cantidad *f*, abundancia *f*, copia *f*, llenura *f*. ~의 mucho, abundante, una gran cantidad de. ~으로 abundantemente, copiosamente, en gran cantidad, en abundancia. 쌀을 ~으로 수입하다 importar arroz en gran cantidad.

■ ~ 구입(購入) compra *f* de cantidad. ~ 구입자 comprador, -dora *mf* de cantidad. ~ 수요(需要) fuerte demanda *f*. ~ 주문(注文) pedido *m* importante.

다력(多力) fuerza *f* fuerte, mucha fuerza. ~하다 (ser) muy fuerte.

다례(茶禮) =차례(茶禮).

다로(茶爐) hornillo *m* para el té.

다루(茶樓) =다관(茶館).

다루깨 canasta *f* de bambú.

다루다 ① [사람이나 일이나 물건을 맡아서 처리하거나 대하다] dominar, tratar, gobernar, manejar; [손으로] trabajar; [조작 · 처리하다] manejar, conducir. 다루기 쉬운 domable, fácil de manejar, sumiso. 다루기 어려운 indomable, difícil de manejar, inmanejable. 다루기 힘들다 ser de dura cerviz. 자유롭게 ~ gobernar (a *uno*) a *su* antojo. 포로로 ~ tratar (a *uno*) como prisionero. 이 건(件)은 다루기가 힘든다 Este es un asunto delicado / Este asunto es difícil de tratar. 그는 다루기 쉬운 사람이다 El es un hombre fácil de manejar / El es un hombre difícil e manejar. 어린이를 소홀히 다루지 마라

② [일이나 물건을 취급하여 이용하다] jugar, usar, manejar; [마차를] guiar. 다루기 쉬운 fácil de manejar. 다루기 어려운 difícil de manejar, inmanejable. 다루기 쉬운 기계(機械) instrumento *m* manejable. 악기(樂器)를 ~ jugar el instrumento musical. 칼을 ~ manejar los cuchillos, manejar la espada. 그는 칼을 잘 다루었다 El jugaba bien la espada. 이 도구는 다루기가 쉽다 Esta herramienta es fácil de manejar.

③ [가죽 따위 빳빳하고 거친 물건을 잘 매만져서 부드럽게 만들다] curtir, zurrar, adobar, aderezar. 가죽을 ~ curtir pieles.

다룸 domadura *f*, dominación *f*, tratamiento *m*, gobierno *m*, manejo *m*, conducción *f*, [무두질] curtidura *f*. ~하다 domar, tratar, manejar; curtir. 짐승 ~을 잘하다 dominar bien el animal. 기계를 ~하는 솜씨가 좋다 manejar bien la máquina.

다룸가죽 piel *f* curtida.

다르다 ser diferente [distinto] (de), diferir (de), diferenciarse (de); [변화하다] variar; [일치(一致)하지 않다] no corresponder (a), no ser correspondiente (a), no estar de acuerdo (con). 의견이 ~ diferir en la opinión. …와 의견이 ~ no ser de la misma opinión que *uno*, tener otro parecer que *uno*. 전문가에 따르면 해석이 ~ La interpretación difiere según los especialistas. 나는 그와 나이가 ~ Su edad y la mía son diferentes / No tengo la misma edad que él. 그의 말은 행동과 ~ Sus palabras no corresponden a su actitud. 아는 것과 가르치는 것은 ~ El saber y el enseñar son dos cosas distintas / El saber algo es una cosa, y enseñarlo es otra. 그 경우에는 말은 ~ En ese caso, la cosa cambia [es otra cosa · es diferente]. 전에 생각했던 것과는 꽤 ~ Es bastante distinto a lo que suponía antes. 인생은 생각보다 달라 보였다 La vida parecía distinta de lo que creía. 그 색은 표지(表紙)의 색과 ~ Su color es diferente del de su cubierta. 이 점에서 당신과 나는 의견이 ~ En este punto diferenciamos usted y yo. 이 사원(寺院)들의 건축 양식은 아주 ~ El estilo arquitectónico de estas catedrales difieren mucho. 이 점에 관해서는 당신과 내 의견은 완전히 ~ En este punto discrepamos completamente usted y yo. 내 의견은 당신과는 약간 ~ Mi opinión es un poco diferente de la suya. 우리들은 당신들과는 습관이 ~ Diferimos de ustedes en las costumbres / Nuestras costumbres difieren [se diferecian] de las de ustedes. 행복의 관념은 시대에 따라 ~ La noción de la felicidad difiere [varía] mucho según los tiempos.

다른 otro; [틀린] diferente, distinto, variado; [불일치한] discrepante. ~ 사람들 (los) otros (hombres). ~ 누구 algún otro, alguna otra; cualquier otra persona. 어떤 ~ 장소에서 en algún otro sitio, en alguna otra parte. ~ 곳에 en otro sitio, en otro lugar, en otra parte. ~ 방법으로 연구하다 estudiar con otro método. ~ 종이에 쓰다 escribir en otra hoja. ~ 물건으로 바꾸어 주세요 Cámbiemelo con [por] lo distinto. 펜을 ~ 새것과 바꿔 주세요 Cámbieme la pluma con [por] otra nueva [참고: 종류가 같은 다른 것을 표현할 경우에는 otro를 사용함]. ~ 예가 없다 No hay otro caso semejante. ~ 가게에 갑시다 Vamos a otra tienda. 이 넥타이는 마음에 들지 않습니다. ~ 것을 보여 주세요 No me gusta esta corbata. Enséñeme otra. ~ 세 사람은 외국인이었다 Los otros tres eran extranjeros. ~ 것에 관해 이야기합시다 Vamos a hablar de otra cosa. ~ 누구도 모른다 Ninguna otra persona lo sabe. ~ 질문 없습니까? ¿No tienen ustedes alguna otra pregunta? 내가 할 ~ 것은 없습니까? ¿No tiene usted otra cosa que quiere que haga yo? ~ 일을 해도 괜찮습니까? ¿Qué otra cosa podré [he de] hacer? 이것 말고는 ~ 것은 없다 No hay nada más que esto / Sólo hay esto. 또 ~ 것은? ¿Algo más? / ¿Alguna otra cosa? 오늘은 네가 ~ 사람으로 보인다 Hoy te encuentro otro. ~ 곳을 찾아보셨습니까? ¿Lo ha buscado en otra parte? / ¿Ha mirado usted otro sitio? ~ 답이 있을 수 있다 Es posible otra respuesta. 나는 그이와 ~ 계획이 있다 Tengo un plan diferente del suyo. 집회 장소는 ~ 곳으로 옮겼다 El lugar de la reunión se ha trasladado a otro sitio. 이번에는 ~ 사람이 왔다 Esta vez ha venido otra persona.

다른나 【철학】 =타아(他我).

다름 diferencia *f*.

다름(이) 아니라 no otro. ~ 자네의 부탁이니 … Ya [Puesto] que tú me lo has pedido, y no otro ….

다름(이) 없다 (ser) igual; el mismo, la misma; no ser distinto [diferente]. 완성한 것이나 ~ estar prácticamente terminado. 그렇다면 나는 죄인이나 ~ Así, en nada me diferencio de un crimina. 그는 거지나 ~ El es igual a [es prácticamente] un mendigo. 끝난 것이나 ~ Casi ha terminado, por decirlo así.

다름없이 igualmente, (por) igual, equitativamente, de la misma manera, de la misma forma, de igual modo, del mismo modo, de modo parecido, de modo similar, asimismo, como siempre, como de costumbre. 전과 ~ 아름답다 ser tan hermoso como siempre. 전이나 ~ 애호해 주십시오 Por favor favorézcame como siempre [como de costumbre].

다리[1] ① ㉮ 【해부】 pierna *f*, [동물의] pata *f*, [발톱이 있는 동물의 앞다리] garra *f*, [다리가 긴 새의, 비유적으로 인간이나 동물의] zanca *f*, [오징어의] tentáculo *m*; [발] pie *m*. ~가 짧은 pateco. ~가 긴 de piernas largas; [동물이] zancudo. ~가 큰 patón (*pl* patones). 한쪽 ~가 없는 사람 hombre *m* que no tiene una pierna, persona *f* de una sola pierna, persona *f* coja de una pierna. 한 ~로 서다 tenerse sobre una pierna. 한 ~로 서 있다 estar de pie sobre una pierna. 한 ~로 뛰다 saltar a la pata coja. ~가 길다 [짧다] tener las piernas largas [cortas]. ~ 가 통통하다 [날씬하다] tener las piernas gordas [esbeltas]. ~가 크다 [작다] [발] tener los pies grandes [pequeños]. ~가 무겁다 sentir pesados pies. ~가 뻣뻣하다 tener los pies cansados y tiesos como un palo, sentir [tener] las piernas rígidas. ~가 닿는 곳에서 수영하다 nadar en un lugar donde se hace pie. ~를 뻗다 estirar las piernas. ~를 포개다 cruzar las piernas. 진흙탕에 ~가 빠져 옴짝달싹 못하다 atascarse [atollarse] en el fango. 그는 ~가 뻣뻣해질 때까지 걸었다 El anduvo hasta que se le pusieron los pies cansados y tiesos como un palo. ㉯ [양·돼지의] pierna *f*, *Col* pernil *m*; [닭의] pata *f*, muslo *m*. ② [물체의] pata *f*, pie *m*. ~가 짧은 옷장 cómoda *f* baja con patas cortas. ~가 셋 달린 탁자 mesa *f* de tres pies. ③ [안경알의 테와 연결되어 귀에 걸게 된 기다란 부분] patilla *f* (de los anteojos).

■ ~걸이 【유도·씨름】 (llave *f* de) tijera *f*. ~고리 【해부】 asa *f* [ansa *f*] peduncular. ~맥(脈) pulso *m* de la pierna. ~뼈 【해부】 hueso *m* de la pierna. ~살 【해부】 región *f* interior del muslo. ~씨름 lucha *f* de las piernas. ~ 운동(運動) ejercicio *m* de las piernas. ~ 재간(才幹) talento *m* de la pierna. ~ 정맥(靜脈) vena *f* peduncular. ~털 pelo *m* de la pierna. ~통 circunferencia *f* de la pierna. ~품 andar *m*, manera *f* de caminar, manera *f* de andar. ¶~(을) 팔다 ㉮ [길을 많이 걷다] caminar mucho, andar mucho. ㉯ [품삯을 받고 길을 다녀오다] estar de vuelta recibiendo el dinero. ~ㅅ마디 articulación *f* de la pierna. ~ㅅ심 piernas *fpl*. ¶~이 강하다 [약하다] tener buenas [malas] piernas. ~을 강하게 하다 fortalecer las piernas. 나는 ~이 약해졌다 Se me han debilitado las piernas. 그는 ~이 튼튼하다 El anda con pasos firmes. ~ㅅ짓 movimiento *m* de la pierna.

다리[2] ① [교량(橋梁)] puente *m*. ~ 옆에 cerca del comienzo del puente, junto al puente. ~를 놓다 construir el puente. ~의 개통식 inauguración *f* oficial de un puente. ② [중개. 매개] mediación *f*.

◆ 다리(를) 건너다 cruzar [atrevesar] el puente. 다리(를) 놓다 meditar.

■ ~놓기 =가교(架橋). ~받침 =교대(橋臺). ~턱 =교대(橋臺). ~파수막(把守幕) =교두보(橋頭堡). ~ㅅ기둥 【건축】 =다릿발. ~ㅅ돌 peldaño *m*, cada uno de las piedras que se colocan para cruzar un arroyo [un pantano]. ~ㅅ목 camino *m* al puente. ~ㅅ목병참(兵站) =교두보(橋頭堡). ~ㅅ몸 =교체(橋體). ~ㅅ발 【건축】 pilar *m* (de un puente).

다리[3] [월자(月子)] peluca *f*, postizo *m*, cabello *m* artificial, cabello *m* falso. ~를 쓰다 ponerse el cabello falso, ponerse la peluca. ~를 쓰고 있다 llevar peluca.

다리다 planchar. 바지를 ~ planchar los pantalones. 갓 다린 흰 와이셔츠 camisa *f* blanca recién planchada.

다리미 plancha *f*.

◆ 전기(電氣) ~ plancha *f* eléctrica.

■ ~질 planchado *m*. ¶~하다 planchar, alisar. 바지를 ~하다 planchar [alisar] los pantalones. ~한 옷 ropa *f* planchada, ropa *f* por planchar. ~판 tabla *f* de planchar.

ㄷ

다리쇠 trébedes *fpl*.
다림 fontanería *f*, plomería *f*, *Chi*, *Per* gasfitería *f*.
◆다림(을) 보다 ㉮ [어떤 것을 겨냥대고 살펴보다] sondar, sondear, aplomar. ㉯ [이해 관계를 노려 살펴보다] calcular *su* propio interés por adelantado.
■ ~줄 【건축·측량】 plomada *f*, ((성경)) plomada *f* de albañil. ~추(錘) 【건축·측량】 plomada *f*, plomo *m*. ~판(板) nivel *m* de carpintero.
다림방(一房) =관(館).
다릿골독 jarra *f* muy grande.
다마금(多摩錦) 【식물】 *damagum*, una especie del arroz.
다마루(영 *damaru*) 【악기】 damaru *m*, uno del tambor indio.
다마스쿠스 【지명】 Damasco (시리아의 수도). ~의 damasceno. ~ 사람 damasceno, -na *mf*.
다마스크(영 *damask*) [다마스크 천·문직(紋織)] damasco *m*.
■ ~ 실크 damasco *m* de seda.
다만 ① [오직 그 뿐] sólo, solamente, únicamente. ~ 한 번 sólo una vez. ② [단(但)] pero, sin embargo, mas.
다망(多忙) muchas ocupaciones, muchos quehaceres. ~하다 (estar) muy [tan] ocupado, ocupadísimo. ~하신데 죄송합니다 Dispénseme usted de una molestia que le voy a dar / Siento mucho molestarle a usted cuando usted está tan ocupado.
다망(多望) gran esperanza *f*. 전도(前途) ~한 청년 joven *m* (*pl* jóvenes) prometedor.
다매(多賣) muchas ventas. ~하다 vender mucho.
다면(多面) diversos aspectos *mpl*, diversos puntos *mpl*, diversos ángulos *mpl*.
■ ~각(角) ángulo *m* poliédrico. ~적(的) ((준말)) =다방면적. ~체(體) 【수학】 poliedro *m*. ¶~의 poliédrico. ~ 유리 cristal *m* poliédrico. 정(正)~ poliedro *m* regular.
-다면 si + *subj*. 그 사람이 돈이 많~ 얼마나 많으랴? ¿Cuánto dinero tendría él si tuviera mucho dinero? 만일 내가 돈이 많~ 고급 자동차를 한 대 살 텐데 Si yo tuviera mucho dinero, compraría un coche de lujo.
다모(多毛) mucho pelo.
■ ~ 공포증 【의학】 hipertricofobia *f*. ~성조숙증(性早熟症) 【의학】 hirsutismo *m*. ~증(症) 【의학】 hipertricosis *f*, pilosis *f*.
다모(茶母) 【역사】 sierva *f* vil de la oficina gubernamental.
다모객(多謀客) persona *f* astuta, hombre *m* astuto.
다모작(多毛作) cultivo *m* múltiple.
다모토리 ① [큰 잔으로 파는 소주] aguardiente *m* que se vende con un vaso grande. ② ((준말)) =다모토릿집. ③ [큰 잔으로 술을 마시는 일] acción *f* de beber con un vaso grande.
■ ~ㅅ집 taberna *f*, bar *m*.
다모하다(多毛一) tener mucho pelo en el cuerpo.
다목(茶木) 【식물】 =차나무.
다목다리 pierna *f* que es roja oscura por el frío.
다목적(多目的) muchas aplicaciones *fpl*, muchos fines *mpl*. ~의 polivalente, plurivalente, con muchas aplicaciones; universal.
■ ~ 기계(機械) máquina *f* universal. ~댐 embalse *m* polivalente, embalse *m* con muchos fines, embalse *m* que sirve para muchas cosas. ~ 원자로 reactor *m* de múltiple finalidad. ~ 위성(衛星) satélite *m* polivalente.
다문(多聞) mucha información, lo bien informado.
■ ~ 다독 다상량(多讀多商量) mucha información, mucha lectura y mucho pensamiento. ~ 박식(博識) mucha información y conocimiento amplio.
다문다문 =드문드문.
다물다 cerrar. 입을 ~ callarse, dejar de hablar, quedar silencio. 입을 다물고 있다 estar callado, no decir nada, guardar silencio, permanecer en silencio. 나는 기가 막혀 입을 다물어 버렸다 Me quedé boquiabierto [pasmado · sin habla].
다미(를) 씌우다 ((준말)) =안디미(를) 씌우다 (cargar). ¶죄를 …에게 ~ culpar a *uno*, echar*le* la culpa a *uno*. 네가 처벌받으면 나에게 다미를 씌우지 마라 No me eches la culpa a mí si te metes en líos / No me culpes a mí si te metes en líos.
다민족(多民族) multiraza *f*. ~의 multiracial.
■ ~ 국가 país *m* multiracial.
다박나룻 barba *f* descuidada. ~을 기르고 있다 llevar la barba descuidada, llevar una barba de varios días.
다박머리 pelo *m* despeinado, pelo *m* alborotado.
다박수염(一鬚髥) =다박나룻.
다반(茶飯) ((준말)) =항다반(恒茶飯).
■ ~사(事) ((준말)) =항다반사(恒茶飯事).
다반(茶盤) bandeja *f*.
다발 atado *m*, lío *m*, mazo *m*, envoltorio *m*, paquete *m*; [꽃 따위의] manojo *m*; [장작 따위의] gavilla *f* (manojo 보다 크고 haz 보다 작은 것), haz *f*, fajo *m*. 편지의 ~ paquete *m* de cartas. 시금치 한 ~ un manojo de espinacas. 만 원 짜리 지폐 열 ~ diez fajos de billetes de diez mil wones.
■ ~나무 leña *f* atada en haz.
다발(多發) ① [많이 발생함] ocurrencias *fpl* frecuentes. ~하다 ocurrir frecuentemente, ocurrir en muchos lugares. ~의 múltiple, múltiplex. ② [발동기의 수가 많음] muchos motores *mpl*.
■ ~기(機) avión *m* de muchos motores.
다방(多方) muchas direcciones, muchas partes.
다방(茶房) ① [찻집] *dabang*, café *m*, cafetería *f*, salón *m* de té, sala *f* de té, *RPl* confitería *f*. 늘 만나는 그 ~에서 만납시다

Nos encontraremos en la cafetería de siempre. ② 【역사】 =약방.
다방면(多方面) muchas direcciones, diversas direcciones, muchos lados. ~의 de muchos lados. ~에 지식을 가진 사람 persona *f* de muchos conocimientos, polifacético. ~으로 활동하다 ocuparse en diversas actividades, trabajar en diversos campos de actividad.
■ ~적(的) desde diversos ángulos, bajo diversos aspectos [puntos], de muchos lados, de muchas direcciones, de diversas direcciones. ¶~인 연구 investigación *f* desde diversos ángulos. ~으로 조사하다 examinar bajo diversos aspectos [puntos].
다번하다(多煩-) ① [번거로움이 많다] tener muchos problemas. ② [매우 많다] (ser) muchísimo.
다변(多辯) locuacidad *f*, charlatanería *f*, habladuría *f*, verborrea *f*, verborragia *f*. ~의 locuaz (*pl* locuaces), charlatán (*pl* charlatanes), parlanchín. ~에 능사 없다 Mucho hablar y poco dar / A los habladores se les va la fuerza por la boca.
■ ~가(家) charlatán, -tana *mf*; parlachín, -china *mf*; hablador, -dora *mf*; locuaz *mf*; persona *f* locuaz.
다변(多變) muchos cambios, muchas variedades, muchas alternaciones.
다변 조약(多邊條約) =일반 조약(一般條約).
다변형(多邊形) 【수학】 =다각형(多角形).
다병(多兵) muchos soldados.
다병(多病) muchas enfermedades, enfermedades *fpl* frecuentes.
다보(多寶) ((불교)) ((준말)) =다보여래.
■ ~여래(如來) ((불교)) tesoros *mpl* abundantes, muchas joyas, Buda *m* antiguo.
다보록하다 =더부룩하다.
다복(多福) bendición *f*, gran felicidad *f*, gran fortuna *f*. ~하다 (ser) muy feliz, bienaventurado.
■ ~다남(多男) muchas felicidades y muchos hijos, buena suerte *f*. ~하다 bendecir, tener buena [feliz] suerte.
다복스럽다 tener mucha fortuna, ser muy feliz, ser bienaventurado.
다복스레 felizmente, con mucha suerte, con mucha fortuna.
다복다복 en ramos, en boquecillos, espesamente, densamente. ~한 지역(地域) zona *f* de espesos bosques. 소나무가 ~한 산(山) monte *m* de espesos bosques con los pinos.
다복솔 pino *m* joven espeso.
■ ~밭 pinar *m* del pino joven espeso.
다부(多夫) ① [한 여자가 동시에 둘 이상의 남편과 사는 일] covivencia *f* con más de dos maridos. ② [여러 남편] varios maridos *mpl*.
■ ~ 일처(一妻) poliandria *f*. ~의 poliandro.
다부닐다 confraternizar, fraternizar, hacer mucha vida social, tener trato social.
다부지다 ① [벅찬 일을 능히 견디어 낼 강단이 있다] (ser) decidido, resuelto, firme, sólido, actuar con resolución [decisión]. ② [보기보다 옹골차다] ser fuerte. 다부진 여자 mujer *f* (de carácter) fuerte.
다북쑥 【식물】 =쑥.
다분(多分) mucha cantidad, gran cantidad *f*. ~하다 (ser) mucho, tener gran [mucha] cantidad.
다분히 ㉮ [꽤 많이] bastante mucho. 그는 ~ 과대망상의 경향이 있다 El tiene gran tendencia a la megalomanía. ㉯ [아마] tal vez, quizá(s), probablemente. 이번 여행은 너도 ~ 만족할 거야 Tal vez tú también estarás contento con este viaje / [불확실한 경우] Tal vez tú estés contento con ests viaje. 내일은 ~ 비가 올 것이다 Probablemente llueva [lloverá] mañana.
다분야(多分野) muchos aspectos.
다불과(多不過) como máximo, a lo sumo, al máximo, con mucho. ~ 천 원 mil wones a lo sumo.
다불다불 abundantemente, en abundancia, con abunadancia, lujosamente, suntuosamente; [머리털이] en mechones. ~한 머리털 pelo *m* abundante. 금발이 ~한 소녀 muchacha *f* con pelo rubio abundante.
다붓다붓 densamente, compactamente, espesamente, en corto intervalo.
다붓하다 (ser) denso, espeso.
다붓이 densamente, espesamente.
다붙다 acercarse (a), aproximarse (a). 옆에 바싹 ~ quedarse juntos, no separarse, mantenerse unidos.
다붙이다 hacer quedarse juntos.
다비(多肥) mucho abono.
■ ~ 농업 agricultura *f* con mucho abono. ~성 작물 cosecha *f* con mucho abono.
다비(茶毘/茶毗) ((불교)) cremación *f*, incineración *f*. ~하다 incinerar (un cadáver), cremar, consignar a la flama, quemar.
■ ~법(法) ((불교)) método *m* de cremación. ~소(所) ((불교)) crematorio *m*. ☞화장터
다뿍 hasta el borde. 잔을 ~ 채워라 Llena el vaso [la copa] hasta el borde.
다뿍다뿍 hasta el borde, rebosantemente.
-다뿐 ¡Por supuesto! / ¡Cómo no! / ¡Ya lo creo! / ¡Claro! 우리와 같이 가겠나? — 가~이겠나 ¿Quieres ir con nosotros? — ¡Cómo no!
다사(多士) muchos sabios, hombres *mpl* de talento.
■ ~제제(濟濟) muchos sabios excelentes, muchos hombres de talento.
다사(多事) acontecimientos *mpl* reunidos. ~하다 ㉮ [일이 많다] tener mucho trabajo. ㉯ [바쁘다] estar ocupado. ㉰ [긴하지 않은 일에도 간섭하기를 좋아하다] gustar*le* intervenir a *uno*.
다사다난하다 (estar) ocupadísimo [muy ocupado] y tener muchas dificultades.
다사다단하다 (estar) agitado, accidentado, movido; [바쁘다] ocupado. 다사다단한 날

día agitado. ～하실지라도 … Aunque ustedes estén muy ocupados ….
다사다망하다 (estar) ocupadísimo [muy ocupado] por mucho trabajo.
다사분주하다 (estar) ocupado por mucho trabajo.

다사(多思) muchos pensamientos. ～하다 pensar mucho.

다사(多謝) ① [깊이 감사함] muchas gracias, mucha gratitud, mucho reconocimiento, profundo reconocimiento *m*, mucho agradecimiento. ～하다 agradecer mucho, dar muchas gracias. ② [깊이 사과함] mucha [profunda] disculpa *f* [apología *f*·excusa *f*]. ～하다 disculpar [excusar] mucho [profundamente], apologizar mucho.

다사롭다 hacer un poco de calor.

다산(多産) ① [아이나 새끼를 많이 낳음] fecundidad *f*, productibilidad *f*. ～하다 dar a luz mucho. ～의 fecundo, prolífico, fértil; [1회에] multípara. ② [물품을 많이 생산함] mucha producción. ～하다 producir mucho.
■～계(系) familia *f* prolífica. ¶내 집은 ～다 Soy de una familia prolífica. 그녀는 ～의 여자다 Ella es una mujer prolífica. ～녀(女) mujer *f* prolífica. ～모(母) madre *f* prolífica. ～형(型) tipo *m* prolífico.

다상(多相) 【전기】 diversas fases *fpl*.
■～ 교류(交流) 【전기】 corriente *f* polifásica. ～성 인격 personalidad *f* múltiple. ～유전증(遺傳症) pleotropismo *m*. ～ 전동기(電動機) motor *m* polifásico. ～ 전류(電流) corriente *f* eléctrica polifásica.

다색(多色) diversos colores *mpl*; 【광물】 policroísmo *m*. ～의 policromo, multicolor. ～으로 칠하다 policromar.
■～성(性) pleocromatismo *m*, policromía *f*. ～성 상태(性狀態) pleocroísmo *m*. ～ 세포종(細胞腫) pleocroocitoma *m*. ～소 혈증(素血症) policromemia *f*. ～쇄(刷) 【인쇄】 ＝다색 인쇄(多色印刷). ～시(視) policromatopsia *f*. ～ 인쇄(印刷) impresión *f* multicolor. ～ 인쇄기(印刷機) máquina *f* de imprimir multicolor. ～ 장식(裝飾) policromía *f*. ～판(版) edición *f* multicolor; placa *f* multicolor, plancha *f* multicolor. ～ 화법(畵法) policromía *f*.

다색(茶色) ① [차(茶)의 빛깔] color *m* marrón, color *m* castaño, marrón *m*, castaño *m*. ～의 marrón, castaño. ～ 눈 ojos *mpl* castaños. ～ 구두 zapatos *mpl* marrones [en marrón]. ～ 머리털 pelo *m* castaño. ② [차의 종류] especie *f* del té.

다생(多生) ① [많이 남] muchos nacimientos. ～하다 nacer mucho. ② ((불교)) muchos nacimientos, muchas producciones, muchas reencarnaciones.

다서(多書) muchos libros.

다선 의원(多選議員) miembro *m* del Congreso elegido [miembro *f* del Congreso elegida] por muchos términos.

다섯 cinco. ～ 남자 cinco hombres. ～ 여자 cinco mujeres. ～ 달 cinco meses. ～ 살 cinco años (de edad). 공책 ～ 권 cinco cuadernos. 연필 ～ 자루 cinco lápices. 사과 ～ 개 주십시오 Quiero cinco manzanas / Cinco manzanas, por favor.
■～모 【수학】 ＝오각(五角). ～무날 el catorce y el veintinueve del mes. ～ 배(倍) quíntuplo *m*, cinco veces. ¶～의 quíntuplo. ～로 하다 quintuplicar, multiplicar por cinco. ～ 번(番) cinco veces. ～잎꽃 【식물】 ＝오판화(五瓣花). ～줄 【음악】 ＝오선(五線). ～째 quinto *m*. ¶～의 quinto. ～날 quinto día *m*, día, día *m* quinto. 여기서 ～집 la quinta casa de aquí.

다성부 음악(多聲部音樂) 【음악】 polifonía *f*.

다성악(多聲樂) 【음악】 ＝다성부 음악.

다성 음악(多聲音樂) 【음악】 ＝다성부 음악.

다세(多世) muchas generaciones.

다세(多勢) muchos personales.

다세대(多世帶) muchas familias.
■～ 주택(住宅) vivienda *f* de muchas familias.

다세포(多細胞) policélula *f*. ～의 policelular.
■～ 생물(生物) criatura *f* policelular. ～선(腺) 【해부】 glándula *f* policelular. ～ 식물(植物) 【식물】 planta *f* policelular.

다소(多少) ① [(분량이나 정도의) 많음과 적음] mucho y [o] pequeño; [수(數)] número *m*; [양(量)] cantidad *f*, [액수(額數)] suma *f*. 주문(注文)의 ～에 관계없이 cualquiera que sea la cantidad de pedido. 희망자의 ～에 따라 según el número de aspirantes. ② [조금] un poco, algo; [어느 정도] hasta cierto punto. ～의 un poco de, más o menos, algo de. ～라도 경험이 있는 사람은 누구나 cualquier persona que tenga un poco de experiencia. 서반아어를 ～ 하다 hablar un poco de español. 과학에 관해 ～ 알고 있다 saber algo de la ciencia, tener algún conocimiento de la ciencia. ～에 불문하고 귀사(貴社)의 주문(注文)을 받게 되길 간청합니다 Rogamos a ustedes que nos favorezcan con su pedido que sea de grueso o de pequeño. 그것에 대해 ～ 알고 있다 Yo sé algo de eso. 아직 나에게는 ～ 희망(希望)이 남아 있다 Todavía me queda algo de esperanza. 그이에게 ～라도 권한을 주세요 Otórguele algún poder. ～의 손해는 불가피하다 Son evitables algunos daños. 돈을 ～ 가지고 있지만 많지는 않습니다 Tengo un poco de dinero, pero no mucho. ③ ((준말)) ＝다소간(多少間).
■～간(間) ㉮ [많고 적음의 정도] mayor o menor grado. ㉯ [부사적] más o menos, en mayor o menor grado. 사람은 ～ 이기적이다 El hombre es egoísta, en mayor o menor grado / El hombre es más o menos egoísta.

다소(茶素) 【화학】 ＝카페인.

다소곳 ＝다소곳이. ☞다소곳하다

다소곳하다 ① [고개를 좀 숙이고 말이 없다] (ser) cortés con la cabeza bajada. ② [온순한 태도가 있다] (ser) modesto, dulce, delicado, obediente. 다소곳한 태도 actitud *f*

cortés y obediente.
다소곳이 ㉮ [고개를 숙이고] con *su* cabeza bajada. ㉯ [온순하게] modestamente, dulcemente, delicadamente, obedientemente, con obediencia. ~ 남의 말을 듣다 escuchar el consejo de otro obedientemente. 수줍은 신부(新婦)가 ~ 앉아 있다 La novia tímida está sentada silenciosa con ojos bajos.

다소득(多所得) mucha ganancia, muchos ingresos.

-다손치더라도 aun cuando, a pesar de que, aunque, por mucho [más] que, por +「형용사」que + *subj.* 네가 내 말에 동의하지 않는~ aun cuando [a pesar de que · aunque] tú no estás de acuerdo conmigo. 그렇게 말했~ aun cuando [a pesar de que · aunque] uno dijo así. 아무리 크 [싸 · 높]~ por grande [barato · alto] que sea. 아무리 돈이 많~ por mucho dinero que tuviera. 네가 아무리 열심히 노력했~ por más que tú tratabas. 자물쇠가 아무리 단단하~ las cerraduras, por fuertes que sean. 아무리 요리가 잘못 되었~ 그것은 음식이라 나는 배가 고파 죽을 지경이었다 Por mal hecha que estuviera, era comida y yo estaba muerto de hambre. 내가 아무리 노력한~ 너는 만족하지 않을 것이다 Por mucho que me esfuerce, nunca estás satisfecho.

다솔(多率) ① [많은 식구를 거느림] acción *f* de tener muchas familias *fpl.* ~하다 tener muchas familias. ② [많은 사람을 거느림] acción *f* de guiar muchas personas. ~하다 guiar muchas personas.
■~ 식구(食口) acción *f* de tener muchas familias. ~ 하인 acción *f* de tener muchos esclavos.

다수(多數) muchos números; [대부분] mayoría *f*, gran [mayor] número *m*, gran [mayor · buena] parte *f*. ~의 muchos, numerosos; [대부분의] la mayoría de, la gran [mayor · buena] parte de. 최대 ~의 최대 행복 la felicidad mayor de la mayoría absoluta. ~를 점하다 tener una mayoría. ~의 의견에 따르다 seguir la opinión de la mayoría. 절대(絶對) ~를 따르다 conseguir una mayoría absoluta. ~의 사람들이 …라 생각하고 있다 Mucha gente piensa que + *ind.* 희망자가 ~ 나타났다 Se presentaron muchos voluntarios.
다수히 numerosamente, con gran número.
■~ 가결(可決) =다수결. ~결(決) decisión *f* por mayoría. ¶~로 결정하다 decidir por mayoría. ~결의 원칙[원리] principio *m* de la mayoría, gobierno *m* mayoritario, gobierno *m* de la mayoría. ~당(黨) partido *m* mayoritario, partido *m* de mayoría. ¶민주당은 국회에서 ~의 지위를 상실했다 El Partido Demócrata perdió su mayoría en la Asamblea Nacional. ~파(派) secta *f* mayoritaria.

다수굿하다 (ser) obediente. ☞다소곳하다
다수굿이 obedientemente. ☞다소곳이

다수확(多收穫) mucha cosecha, alto rendimiento *m*, alta producción *f*, rendimiento *m* [producción *f*] abundante.
■~왕 rey *m* [reina *f*] de mucha cosecha. ~ 작물 cereales *mpl* de mucha cosecha.

다스(영 *dozen*) docena *f.* 한 ~ una docena. 두 ~ dos docenas. 반 ~ media docena *f.* 반 ~ 들어 있다 contener media docena. 연필 열~ diez docenas de lápices. ~로 팔다 vender por docena. 한 ~에 3천원 tres mil wones la docena. 한 ~에 3천 원에 팔다 vender a tres mil wones la docena.

다스리다 ① [(국가나 집안 등의 일을) 보살펴 통제하거나 관리하다] gobernar, mandar, manejar, administrar; [군림하다] reinar, dominar. 나라를 ~ gobernar el país; [국왕(國王)이] reinar en el país. ② [(일정한 목적에 따라) 잘 다듬어 정리하거나 다루어 처리하다] arreglar. 포도원을 ~ arreglar un viñedo [una viña]. ③ [(혼란한 사태를) 수습하거나 평정하여 바라보다] sofocar, aplastar, reprimir, sojuzgar, dominar, someter, subyugar. 난리(亂離)를 ~ sofocar una rebelión. ④ [(병을 보살펴) 증세가 없어져 낫게 하다 · 병을 고치다] curar; [상처를] cicatrizar, cerrar. 병을 ~ curar una enfermedad. 상처를 ~ cicatrizar una herida, cerrar una herida llaga. ⑤ [저지른 죄의 사실을 밝혀서 처리하다] castigar.

다스하다 (ser · estar) templado, tibio, cálido, calentito. 다스한 옷 ropa *f* de abrigo. 집에서 제일 다스한 방 la habitación más caliente de la casa. 이 장갑은 아주~ Estos guantes son muy calentitos. 다스할 때 먹어라 / 식기 전에 먹어라 Cómetelo antes de que se enfríe. 다스한 바람이 불었다 Soplaba una brisa cálida. 날씨가 다스하기 시작했다 Ya empezaba a hacer más calor. 시체는 아직 다스했다 El cadáver estaba todavía caliente. 방이 다스하게 문을 닫아라 Cierra la puerta para que no se vaya el calor la habitación / Cierra la puerta para que no se enfríe la habitación.

다슬기 【동물】 ((학명)) Semisulcospira libertina.

다습 cinco años (del caballo y la vaca).

다습(多濕) mucha humedad. ~하다 (estar · ser) muy húmedo.

다습다 (ser · estar) un poco templado.

다시 ① [(하던 것을) 되풀이하여 또 · 거듭 또] repetidamente, repetidas veces. ~ 한 번 otra vez, una vez más. ~ 한 번 말씀해 주세요 [usted에게] Dígamelo otra vez / Repítamelo / Otra vez, por favor // [tú에게] Dímelo otra vez / Repítemelo / Otra vez.
② [새로이 · 고쳐서 또] otra vez, de nuevo, nuevamente, re-. ~ …하다 volver a + *inf.* ~ 하다 [만들다] hacer otra vez [de nuevo · nuevamente], volver a hacer, rehacer. ~ 세우다 reconstruir, reedificar; [재건하

다] restablecer. 계획을 ~ 세우다 replantear, rehacer el proyecto. ~ 만들어라 Hazlo otra vez. 나는 ~ 오겠다 Volveré a venir / Vendré otra vez. 그는 ~ 선거에 출마했다 El volvió a presentar su candidatura para las elecciones. 나는 두 번 ~ 실수를 되풀이하지 않을 것이다 Jamás repetiré la falta.
③ [이전 상태로 · 전과 같이] como antes.
④ [다음에 또 · 있다가 또] luego. ~ 만나자 Hasta luego / Hasta la vista. 내일 ~ 만납시다 Hasta mañana / Nos veremos mañana.
⑤ [(하다가 그친 것을) 또 잇대어] continuamente.
⑥ [그밖에 또] además, por otra parte. 그는 공부하고 ~ 전 시간제의 일을 하고 있다 El estudia y además tiene un trabajo de jornada completa.
다시없다 (ser) único, sin igual, sin par, incomparable, inigualable, sin paralelo, sin precedentes, sin parangón. 이런 아름다운 집은 다시없을 것이다 No habrá otra casa tan bonita como ésta. 나는 다시없는 기회를 놓쳤다 Perdí una buena ocasión que nunca volverá a presentarse. 우리 호텔은 다시없는 전망을 자랑하고 있다 Nuestro hotel disfruta de unas vistas incomparables.
다시없이 únicamente, incomparablemente, inigualablemente, sin igual, sin par.

다시(多時) mucho tiempo, muchas horas.

다시금 ((힘줌말)) =다시.

다시다 ① [음식을 먹을 때와 같이 침을 삼키며 입을 열었다 닫았다 하며 놀리다] relamerse. 입맛을 ~ relamerse, pasarse la lengua por los labios. ② [음식을 조금「먹다」] comer un poco.

다시마 laminaria *f*, alga *f* (marina), planta *f* marina, kelp *m*; 【학명】 Laminaria japonica.
■ ~ㅅ국 sopa *f* de kelp.

다시없다 ☞다시

다시증(多視症) 【의학】 poliopía *f*.

다식(多食) glotonería *f*, gula *f*, voracidad *f*. ~하다 comer demasiado, sobrealimentarse, glotonear, comer glotonamente. ② 【의학】 polifagia *f*.
■ ~증(症) 【의학】 polifagia *f*.

다식(多識) mucho conocimiento. ~하다 conocer mucho.

다식(茶食) caramelo *m* hecho de ajonjolí, castaña, miel etc.

다신교(多神教) politeísmo *m*. ~의 politeísta.
■ ~도(徒) politeísta *mf*.

다신론(多神論) politeísmo *m*.
■ ~자(者) politeísta *mf*.

다실(茶室) =다방(茶房).

다심(多心) meticulosidad *f*. ~하다 (ser) demasiado cauto [cauteloso], escrupuloso, demasiado meticuloso, estar nervioso, ponerse nervioso.
다심스럽다 (ser) demasiado cauto, escrupuloso.
다심스레 cautelosamente, escrupulosamente.

다액(多額) gran cantidad *f*, gran suma *f*. ~의 de suma considerable, una gran cantidad de. ~의 기부(寄附) una gran cantidad de donativos. ~의 비용(費用) gastos *mpl* fuertes. ~의 유산(遺産) una gran herencia, una sólida fortuna heredada. ~의 자금(資金) grandes fundos *mpl*. ~의 자본(資本) gran capital *m*. ~을 쓰다 gastar mucho (en). ~의 자본을 투자하다 invertir gran capital.
■ ~ 납세자(納税者) gran contribuyente *mf* municipal.

다양(多樣) variedad *f*, diversidad *f*. ~하다 (ser) diverso, variado.
■ ~ 선택법(選擇法) 【심리】 =다항 선택법. ~성(性) diversidad *f*, variedad *f*. ~화(化) diversificación *f*. ¶~하다 diversificarse. 소비재(消費財)의 ~ diversificación *f* de los artículos de consumo. 기술 혁신은 매번 ~되었다 Las innovaciones técnicas se han diversificado cada vez más.

다언(多言) ① [말수가 많음] locuacidad *f*, verborrea *f*, verbosidad *f*, pico *m*, palabrería *f*. ② [여러 말] muchas palabras. 이 건(件)을 설명하기 위해서는 ~이 필요없다 No se necesitan muchas palabras para explicar este asunto.
■ ~자(者) charlatán, -tana *mf*, parlanchín, -china *mf*.

다염기산(多鹽基酸) 【화학】 ácido *m* polibásico.

다엽(茶葉) =찻잎.

다예(多藝) versatilidad *f*, cultura *f* artística. ~의 polifacético, de versatilidad. 아주 ~한 작가 un escritor muy polifacético, un escritor de gran versatilidad.

다오[1] [줄 것을 청하거나 요구하다] da. 물 한 잔 ~ Dame un vaso de agua.

다오[2] [그 행동을 하여 줄 것을 청하거나 요구하다] deja + *inf*. 날 좀 도와 ~ Ayúdame. 날 좀 지나가게 해 ~ Déjame pasar.

-다오 [「해라」할 자리에 쓰이는 끝맺는 어미] ¶모두 떠나 버렸~ Todos se fueron.

다옥하다 (ser) frondoso.

다욕(多慾) mucha codicia, mucha avaricia. ~하다 (ser) muy codioso, muy avaro.

다용(多用) mucho uso. ~하다 usar mucho.

다우(多雨) mucha lluvia. ~하다 llover mucho.
■ ~ 지대(地帶) zona *f* lloviosa.

다우 존스 지수(Dow Jones 指數) 【증권】 índice *m* (de) Dow Jones.

다운(영 *down*) ① [내림] baja *f*. 코스트 ~ baja *f* de los precios. ② ((권투)) caída *f*. ~되다 caerse. ~시키다 caer a la lona. ③ ((속어)) [완전히 지쳐서 떨어짐] derribo *m*. ~되다 bajar. ~시키다 tumbar, derribar. 그는 이틀 밤을 철야한 후 드디어 ~되었다 Después de pasar dos noches en vela, finalmente cayó rendido. ④ 【컴퓨터】 abajo,

caído. ～되다 dejar de funcionar, *AmL* descomponerse.
■～타운 centro *m* (de la ciudad). ¶～의 식당 restaurante *m* céntrico, restaurante *m* del centro. ～에 가다 ir al centro. ～에서 살다 vivir en el centro.

다운 증후군(Down 症候群) síndrome *m* de Down, mongolismo *m*. ～에 감염된 아이 niño *m* afectado por el síndrome de Down, niño *m* mongólico.

다원(多元) pluralidad *f*, 【철학】 pluralismo *m*.
■～론(論) pluralismo *m*. ～론자(論者) pluralista *mf*. ～론적(論的) plural, pluralista. ～ 묘사(描寫) descripción *f* de punto de vista diferente. ～ 방송(放送) [라디오의] radiodifusión *f* [TV의] televisión *f* de origen múltiple. ～ 방정식 ecuación *f* plural. ～적(的) plural, pluralista. ～적 결정(的決定) decisión *f* plural. ～적 국가론[국가관] concepción *f* pluralista del estado.

다원(茶園) plantación *f* de té, huerta *f* del té.

다윈 【인명】 Carlos Roberto Darwin (1809-1882) (영국의 박물학자·생리학자).
■～주의(主義) darwinismo *m*. ～주의자 darwinista *mf*, darvinista *mf*.

다윗(영 *David*) 【인명】 ((성경)) David.
■～성(城) ((성경)) ciudad *f* de David. ～왕(王) ((성경)) rey *m* David. ～의 열쇠 ((성경)) llave *f* de David, llave *f* del rey David. ～의 자손(子孫) ((성경)) casa *f* de David, descendiente *m* del rey David.

다육(多肉) gordura *f*. ～하다 (ser) gordo, rollizo; [식물 따위가] carnoso.
■～경(莖) tallo *m* carnoso. ～경 식물(莖植物) planta *f* carnosa. ～근(根) raíz *f* (*pl* raíces) carnosa. ～부(部) parte *f* carnosa. ～ 식물(植物) planta *f* carnosa. ～엽(葉) hoja *f* carnosa. ～질(質) carnosidad *f*.

다음 ① [어떤 차례의 바로 뒤] próximo, que viene, que entra, entrante, siguiente; [제2의] segundo. ～에 después, a continuación; [두번째로] en segundo lugar. ～ 페이지 la página siguiente [que sigue]. ～ 일요일(에) el domingo siguiente [que viene], el próximo domingo. ～ 9월 30일에 al día siguiente, treinta de septiembre. (이) ～ 번(에) la próxima vez, la vez próxima. ～ 번부터 desde la próxima vez. ～ 번 어머님을 만날 때 la próxima vez que vea a mi madre. 한 집 건너 ～ 집 la casa contigua a la siguiente, la segunda casa (a partir de aquí). ～과 같은 조건(條件)으로 con las siguientes condiciones. ～에는 더 잘해라 Hazlo mejor la próxima vez. ～은 네 차례다 Tú eres el próximo. ～ 역에서 내립니다 Bajo en la próxima estación. ～ 분 부탁합니다 ¡El siguiente [El que sigue], por favor! ～과 같이 결정되었다 Se ha determinado lo siguiente. 그는 ～과 같이 대답했다 El contestó así [lo siguiente]. 그런 경우에 나는 ～ 것을 하겠다 En ese caso, yo haría lo siguiente.
② [어떤 일이 끝난 뒤] después. …한 ～(에) después de *algo* [de + *inf*·(de) que + *subj*]. 일을 끝낸 ～ 쉬어라 Descansa después de terminar el trabajo. 부산은 서울 ～으로 큰 도시다 Busan es la ciudad más grande después de Seúl. 축사가 있고, ～에 건배했다 Después de felicitaciones hubo brindis.
③ [일정한 시간이 지난 뒤] luego. ～에 또 만납시다 Hasta luego / Hasta la vista. 그것은 ～으로 미뤄 주십시오 Déjelo para otra ocasión.
④ [버금] segundo, próximo, después. 과장(課長) ～의 직위(職位) puesto *m* próximo del jefe de la sección. 이번 여행으로 서반아는 교황 요한 2세가 그의 조국 폴란드 ～으로 많이 방문한 나라로 된다고 지방 신문들은 자랑스럽게 단언했다 Los periódicos locales declararon con orgullo que con este viaje España se convierte en el país que el papa Juan Pablo II ha visitado más después de Polonia, su tierra natal
⑤ [부사적] la próxima vez, otra vez, en otra ocasión, de nuevo. 요 ～ 올 적에는 꼭 가지고 오겠다 La próxima vez que yo venga [Cuando yo venga la próxima vez], lo traeré sin falta. 요 ～ 올 적에는 누이를 데리고 오너라 La próxima vez que vengas, trae a tu hermana. ～에는 더 잘하겠다 Lo haré mejor otra vez / La próxima vez lo haré mejor.
다음가다 ser segundo, ser en el segundo puesto. 부산은 서울 다음가는 큰 도시다 Busan es la ciudad más grande después de Seúl.
다음날 día *m* siguiente; [훗날] otro día, un día. ～에 el [al] día siguiente. 도착한 ～ 아침에 a la mañana siguiente de la llegada.
다음다음 siguiente al [a la] que viene. ～ 주(週)에 la semana siguiente a la que viene. ～ 달[해]에 el mes [el año] que viene después del que sigue, el mes [el año] siguiente al que viene. 내년이나 ～ 해에 el año que viene o el siguiente. ～ 주 월요일에 갑니다 Voy el lunes, no de la semana siguiente sino de la que viene.
다음달 próximo mes *m*, mes *m* próximo [que viene · que entra · entrante].
다음주(週) próxima semana *f*, semana *f* próxima [que viene · que entra · entrante].
다음해 próximo año *m*, año *m* próximo [que viene · que entra · entrante].

다음(多淫) lascivia *f*, mucho sexo, mucho acto sexual, mucho contacto sexual, muchas relaciones sexuales. ～하다 tener muchas relaciones sexuales, ser lascivo.

다음(多飮) mucha bebida. ～하다 beber mucho.

다음(多音) polifonía *f*.
■～자(字) polífono *m*. ～절(節) polisílabo *m*. ～절어(節語) polisílabo *m*, palabra *f* polisilábica.

다의(多義) muchas significaciones.

ㄷ

■ ~어(語) palabra *f* con muchas significaciones, vocablo *m* polisemo, polisemia *f.*

다의(多疑) mucha duda. ~하다 dudar mucho.

다이(多異) mucha diferencia. ~하다 (ser) muy diferente.

다이끼리(서 *daiquiri*) [꾸바의 칵테일의 일종으로 헤밍웨이가 생전에 즐겨 마신 술] daiquiri *m.*

다이내믹(영 *dynamic*) dinámico *adj.* ~하다 (ser) dinámico.

다이너마이트(영 *dynamite*) 【화학】 dinamita *f.* ~를 설치하다 colocar [instalar] dinamita (en). ~로 폭파하다 dinamitar, volar con dinamita, reventar con dinamita.

다이너모(영 *dynamo*) dínamo *m.*

■ ~미터 dinamómetro *m.*

다이빙(영 *diving*) saltos *mpl*, zambullida *f*, buceo *m.* ~하다 zambullirse.

◆ 규정(規定) ~ salto *m* obligatorio. 자유형(自由型) ~ salto *m* libre.

■ ~ 경기(競技) saltos *mpl* acrobáticos. ~대 trampolín *m*, plataforma *f*, palanca *f.* ~탑 torre *f* de saltos.

다이아 ① =다이어그램❷. ② ((준말)) =다이아몬드.

다이아나(영 *Diana*) 【신화】 Diana *f.*

다이아몬드(영 *diamond*) ① ㉮ 【광물】 diamante *m.* ~의 diamantino, de diamante. ~ 같은 [모양의·비슷한] diamantado, adiamantado. ~가 나는 diamantífero. ~가 박힌 diamantífero. 세공[가공]하지 않은 ~ diamante *m* en bruto. ~ 비슷하게 만들다 diamantar. ~로 장식하다, 다이아몬드를 박다 adornar con diamantes. ㉯ [절단용] brillante *m*, diamante *m*, cortavidrios *m.* ② ((야구)) [베이스 안쪽 지역] losange *m*, diamante *m*; [필드 전체] campo *m* (de béisbol). ③ [트럼프의] diamante *m.* ~10 el diez de diamante. ④ [약 4·5 포인트의 작은 서양 활자] tipo *m* muy pequeño. ⑤ [마름모꼴] rombo *m.*

◆ 공업용(工業用) ~ diamante *m* industrial.

■ ~ 게임 damas *fpl* chinas. ~ 드릴 [(광산용) 검정 다이아몬드 시추기] sonda *f* de diamantes, perforadora *f* de puntos de diamante, trépano *m* adiamantado. ~바늘 [전축의] aguja *f* [*RPl* púa *f*] de diamante, diamante *m.* ~ 반지 anillo *m* [sortija *f*] de brillantes [diamantes]. ~ 분말(粉末) [연마용] brujido *m*, polvo *m* de diamante. ~ 산지(産地) campo *m* diamantífero. ~식(式) =다이아몬드 혼식. 회혼례. ~ 안테나 antena *f* rómbica. ~ 연마공 diamantista *mf.* ~ 채굴지 campo *m* diamantífero. ~ 천공기 perforadora *f* de diamantes. ~ 혼식(婚式) bodas *fpl* de diamante.

다이아진(영 *diazine*) 【약】 ((준말)) =술파다이아진.

다이어그램(영 *diagram*) ① [도표·도식] diagrama *m.* ② [열차 운행표] horario *m* de ferrocarriles, horario *m* de trenes. 과밀한 ~ horario *m* apretado.

다이얼(영 *dial*) [전화의] disco *m*; [라디오의] dial *m*; [시계의] esfera *f*; [(계량기·라디오 등의) 표시판] cuadrante *m.* ~을 돌리다 [전화기의] marcar (el número), *AmL* discar; [금고 등의] girar el disco de combinación. ~을 A국에 맞추다 [라디오의] sintonizar la radio A. 마드리드에 직접 ~을 돌리실 수 있습니다 Usted se puede llamar a Madrid directamente / *AmL* Hay discado directo con Madrid.

■ ~식 전화(式電話) teléfono *m* de disco.

다이얼로그(영 *dialogue*) [대화] diálogo *m.*

다이오드(영 *diode*) 【물리】 diodo *m.*

다이제스트(영 *digest*) [개요] compendio *m*, resumen *m* (*pl* resúmenes), selección *f*, recopilación *f.*

다이 캐스팅(영 *die casting*) 【야금】 moldeo *m* en concha, fundición *f* en coquilla, fundición *f* inyectada. ~하다 fundir en matriz, fundir a troquel, fundir a presión, presofundir.

다인(영 *dyne*) 【물리】 dina *f.*

다인수(多人數) muchos números, muchas personas.

다일(多日) muchos días.

다자(多子) [많은 남자] muchos hombres.

다자녀(多子女) muchos hijos. ~하다 tener muchos hijos. 갑돌이네는 ~한 집안이다 La familia de Gapdol tiene muchos hijos.

다자손(多子孫) muchos descendientes.

다작(多作) ① [(작품 같은 것을) 많이 창작함] fecundidad *f.* ~하다 (ser) fecundo, prolífico. ② [(농산물이나 물품을) 많이 만듦] producción *f* abundante. ~하다 producir abundantemente.

■ ~가(家) escritor *m* fecundo [prolífico], escritora *f* fecunda [prolífica].

다잡다 ① [감독을 철저히 하여 힘써 일하게 하다] ejercer el control severo [estricto], ejercer la supervisión rígida, hacer más rígido [estricto] el control. 학생들을 ~ poner a los alumnos bajo la disciplina estricta. ② [마음을 써서 일을 처리하다] fortalecerse, cobrar ánimo. ③ [헛된 마음이나 들뜬 마음을 버리다] dejar el corazón vano.

다잡이 supervisando estrictamente, ejerciendo la supervisión estricta.

다장조(一長調) 【음악】 do *m* mayor.

다재(多才) ① [재주가 많음] talentos *mpl* variados, muchos talentos *mpl*, versatilidad *f.* ~하다 (ser) versado en muchas cosas, de talentos variados, polifacético, versátil, multilátero, talentoso, habilidoso. ~한 인물(人物) persona *f* polifacética. ② [인재(人才)가 많음] muchos hombres *mpl* de habilidad.

■ ~다병(多病) El hombre polifacético tiene muchas enfermedades pequeñas a causa de la debilidad corporal.

다전(多錢) mucho dinero. ~하다 tener mucho dinero.

■ ~선고(善賈) Si se tiene mucho capital,

se puede hacer buenos negocios.

다점(多點) ① [많은 점수] muchas notas. ~하다 ser muchas notas. ② [많은 점] muchos puntos. ~하다 tener muchos puntos.

다점(茶店) =다방(茶房).

다정(多情) ① [인정이 많음] afabilidad *f*, amabilidad *f*, atención *f*, cortesía *f*, afecto *m*, cordialidad *f*, dulzura *f*, simpatía *f*, sociabilidad *f*, sentimiento *m*, sentimentalismo; [감정] emoción *f*. ~하다 (ser) afable, amable, atento, cortés, afectuoso, cariñoso, agradable, placentero, cordial, simpático, tratable, sociable, sencillo, asequible, sentimental, sensible, enamoradizo, caprichoso, lascivo, salaz, inconstante. ~한 사람 persona *f* afectuosa, persona *f* cariñosa. ~한 남자 hombre *m* afectuoso, hombre *m* cariñoso. ~한 여자 mujer *f* carioñosa [afectuosa · inconstante · voluble]. ~한 청년(青年) joven *m* (*pl* jóvenes) de carácter emotivo.
② [교분이 두터움] amistad *f* (estrecha), intimidad *f*. ~하다 (ser) íntimo, familiar, cercano. ~한 친구 amigo *m* íntimo, amiga *f* íntima. ~하게 지내다 ser amigo (con), tener intimidad (con).
다정히 afablemente, amablemente, con afabilidad, con amabilidad, cortésmente, simpáticamente, cordialmente.
■ ~다감(多感) carácter *m* emotivo, sentimentalismo *m*. ¶~하다 (ser) sentimental, apasionado, emocional, ardiente. ~한 사람 sentimental *mf*; persona *f* emocional. ~다한(多恨) sensibilidad *f*, vulnerabilidad *f*, sentimentalidad *f*. ~의 지사(志士) patriotas *mpl* emocionales; patriotas *mpl* ardientes; [사이비의] chovinista *mf*; patriotero, -ra *mf*. ~불심(佛心) bondad *f*, buen corazón *m*, compasión *f*.
다정스럽다 (ser) bondadoso, de buen corazón.
다정스레 sentimentalmente, sensiblemente, bondadosamente.

다정(多精) muchos espermatozoos.
■ ~ 수정(受精) fecundación *f* por más de dos espermatozoos.

다정(茶精) 【화학】 cafeína *f*.

다정자(茶亭子) mesa *f* de té.

다조(－調) 【음악】 *tono m* en do.

다조기(多照期) período *m* que las horas que hace sol son largas.

다조지다 acosar, apremiar, ejercer el control estricto. ☞닦뜨리다

다조하다(多照－) tomar mucho sol.

다족(多足) ① [많아서 넉넉함] abundancia *f*. ~하다 (ser) abundante. ② 【동물】 [발의 수효가 많음] muchas patas. ~하다 tener muchas patas.

다족(多族) muchos parientes, muchos parentescos. ~하다 tener muchos parientes.

다족류(多足類) 【동물】 miriáp1odos *mpl*.

다종(多種) muchas clases, muchas especies; gran variedad *f*. ~하다 tener muchas especies. ~의 상품을 갖추다 tener un buen surtido de artículos.
■ ~다양(多様) gran variedad *f*, diversidad *f*. ¶~하다 tener gran variedad (de), ser muy diverso. ~한 varios, diversos, variados, una gran variedad de.

다종(茶種) =찻종.

다종류(多種類) muchas clases, muchas especies, muchas variedades.

다종목(多種目) muchas clasificaciones.

다죄(多罪) ① [죄가 많음] muchos crímenes. ~하다 tener muchos crímenes. ② =다사(多謝).

다죄다 apretar tensamente.

다중(多重) lo múltiple. ~의 múltiple, multi-, múltiplex.
■ ~권선(捲線) arrollamientos *mpl* múltiples. ~(식) 방송(式放送) multiemisión *f*. ~인격(人格) personalidad *f* múltiple. ~ 전신(電信) 【무선】 multitelegrafo. ~ 전신법(電信法) 【무선】 multitelegrafía *f*. ~ 전화(電話) multiteléfono *m*. ~ 채널 multicanal *m*, canal *m* múltiple. ~ 채널 마이크로웨이브 microonda *f* de canales múltiples. ~ 채널 안테나 antena *f* multicanal. ~ 채널 장비 equipo *m* multicanal. ~ 처리기[처리 장치] multiprocesador *m*. ~탑(塔) =다층탑(多層塔). ~ 통신(通信) multicomunicación *f*. ~ 프로그램 【컴퓨터】 multiprogramación *f*.

다중(多衆) muchedumbre *f*, multitud *f*, gentío *m*.

다즙(多汁) jugosidad *f*. ~하다 (ser) jugoso.
■ ~질(質) jugosidad *f*.

다지(多智) mucha sabiduría *f*, mucha inteligencia *f*. ~하다 (ser) muy sabio, muy inteligente.

다지기 picadura *f*.

다지다 ① [(무른 것이나 떠들썩한 것을) 누르거나 치거나 밟아서 단단하게 하다] endurecer. 다져지 다 endurecerse. 터를 다지고 집을 짓다 endurecer el solar y construir la casa. 땅을 굳게 ~ endurecer el terreno sólidamente. ② [음식물에 고명을 더하여 눌러 잠이 자서 고르게 하다] apretar la comida condimentada [sazonada]. ③ [(어떤 일에 뒷탈이 없도록 단단히 다잡아) 아퀴를 지어 확인하거나 강조하다] asegurarse (de), cerciorarse (de), insistir (en), exigir. 나는 사실을 다지고 싶다 Quiero cerciorarme del hecho. 나는 모든 것을 가지고 있다고 생각하지만 확실히 다지겠다 Creo que lo tengo todo pero voy a asegurarme [a cerciorarme]. 나는 그에게 답해 달라고 다졌다 Insistí en que me diera una respuesta / Exigí que me diera una respuesta. ④ [(허전하거나 약한 것을) 굳고 튼튼하게 강화하다] endurecer, afianzar. ⑤ [(마음을) 굳게 가다듬다] hacerse fuerte. 너는 마음을 다지고 그녀에게 가라고 말해야 한다 Tú tienes que hacerte fuerte y decirle a ella que se vaya. ⑥ [(고기나 야채 같은 것을) 칼질을 하여서 잘게 만들다] [고기를] picar, moler; [양파 · 과실을] picar (en trozos menudos). 다진 고기 carne *f* picada, carne *f* molida, carne *f* picada de pescado crudo, picadillo. 잘게 다진 고기 carne *f* picadita, picadillo *m*. 다진 고기 요리 plato *m* de carne y verduras picadas y doradas. 다진 양고기 carne *f* de cordero picada [molida]. 고기를 다지는 기계 máquina *f* de picar carne, máquina *f* de moler la carne.

다지르다 =다지다❺.

다지 선택법(多肢選擇法) =다항 선택법.

다지 선택식 시험(多枝選擇式 試驗) examen *m* de de opción múltiple.

ㄷ

다지증(多指症) polidactilismo *m*.

다지하다(多智－) tener mucha inteligencia.

다질리다 (ser) exigido, insistido.

다짐 ① promesa *f*, juramento *m*. ～하다 prometer, jurar, hacer (un) juramento. 그들은 도움을 ～받았다 Se les ha prometido ayuda. 나는 그들에게 아무에게도 말하지 않겠다고 ～했다 Yo les prometí que no se lo diría a nadie. 그는 매일 편지하겠다고 ～했다 El prometió escribir todos los días / El prometió que escribiría todos los días. 아무에게도 말하지 않겠다고 나에게 ～해라 Prométeme que no se lo dirás a nadie. 그들은 여왕에게 복종을 ～했다 Ellos juraron obediencia a la reina. ② ((준말)) =다짐기(記).

■ ～기(記) documento *m* de promesa.

다짜고짜 =다짜고짜로.

다짜고짜로 por [a la] fuerza, de grado, por fuerza, sin ensayo, sin preparación. ～ 노래하다 cantar sin ensayo [sin preparación]. ～ 연설하다 improvisar un discurso. 그는 ～ 나를 밀어냈다 El me empujó fuera por fuerza.

다채롭다(多彩－) (ser) variado, diverso, jaspeado, pintarrajado, pintoresco, abigarrado; multicolor; [풍부하다] abundante, mucho, muchísimo. 다채로운 행사 atracciones *fpl* variadas. 다채로운 행사가 있다 Hay muchísimo actos públicos.

다채로이 variadamente, diversamente, pintorescamente; abundantemente.

다처(多妻) ① [한 남자가 동시에 둘 이상의 아내와 사는 일] residencia *f* con más de dos mujeres simultáneamente. ② [여러 아내] muchas esposas.

◆ 일부(一夫)～(제) poligamia *f*. 일부～의 polígamo. 일부～자 polígamo *m*.

■ ～교 =모르몬교. ～제(制) poligamia *f*.

다축(多畜) muchos animales domésticos.

■ ～농(農) ((준말)) =다축 농가(多畜農家). ～ 농가(農家) hacienda *f* con muchos animales domésticos.

다축 관절(多軸關節) 【해부】 =다축성 관절.

다축삭신경세포(多軸索神經細胞) poliaxón *m*.

다축성 관절(多軸性關節) 【해부】 articulación *f* multiaxial, articulación *f* poliaxial.

다출혈(多出血) mucha hemorragia; [산후(産後)의] inundación *f*.

다취(多趣) muchos gustos, muchas aficiones. ～하다 tener muchos gustos.

다층(多層) muchos pisos; [지층이 많은] multicapa *f*.

■ ～ 아파트 apartamento *m* de muchos pisos. ～ 건물(建物) edificio *m* de muchos pisos. ～집 casa *f* de muchos pisos. ～탑(塔) pagoda *f* de muchos pisos.

다치다 ① [부딪치거나 맞거나 하여 상하다] herir(se), lastimarse. 다친 herido, lesionado, lastimado. 다치게 하다 herir, lesionar, lastimar. 머리를 ～ herir en la cabeza. 넘어져 왼쪽 발을 ～ lastimarse [타박상 magullarse] el pie izquierdo al caerse. 목을 ～ tener la garganta irritada. 선글라스를 쓰지 않아 눈을 ～ irritarse los ojos por no llevar gafas de sol. 그녀는 머리를 다쳤다 Ella le hirió en la cabeza. 그는 다리를 다쳤다 El se lastimó una pierna / El se hizo una herida en la pierna. 다치지 않으셨습니까? ¿No se ha hecho daño? 그 사고로 많은 사람이 다쳤다 Muchos resultaron heridos en el accidente. ② [(손을 대서) 건드리다] tocar. 진열장의 물건을 다치지 마시오 No toque los artículos del escaparate.

-다치더라도 aun cuando, aunque. ☞-다손치더라도

다카 【지명】 Dacca (방글라데시의 수도).

다카르 【지명】 Dakar (세네갈의 수도).

다큐멘터리(영 *documentary*) documental *m*.

■ ～ 영화 (película *f*) documental *f*. ～ 프로그램 programa *m* documental.

다크(영 *dark*) [어두운] oscuro, obscuro, sombrío, moreno.

■ ～호스 ㉮ 【경마】 [실력 미지수의 말] caballo *m* desconocido. ㉯ [(경기·선거 등에서) 의외의 강력한 경쟁 상대] [후보자] candidato *m* improviso, candidata *f* improvisa; candidato *m* inesperado, candidata *f* inesperada; vencedor *m* inesperado, vencedora *f* inesperada; ganador, -dora *mf* sorpresa.

다탁(茶卓) mesita *f* para el té.

다탕(茶湯) ① [홍차] té *m*. ② [차·과일·과자 같은 간단한 음식] comida *f* ligera.

다태 임신(多胎姙娠) embarazo *m* múltiple.

다태 출산(多胎出産) parto *m* múltiple.

다투다 ① [싸우다·다투다·서로 옥신각신하다] reñir (con), pelear, habérselas (con), disputar; [서로] reñirse, pelearse, venir [llegar] a las manos. 그들은 다투고 헤어졌다 Ellos se separaron por una pelea. 그는 사소한 일로 그의 형과 다투었다 El riñó terriblemente con su hermano por una insignificancia. 나는 그들 전부와 다투었다 Me la hube con todos.

② [(세력 따위를 차지하려고 하거나 이기려고 하거나) 서로 맞서서 힘을 쓰거나 애를 써 겨루다] competir, contender, rivalizar. 다투어 a competencia, a porfía, cual más o a cual mejor. 기능(技能)을 ～ contender [rivalizar] en destreza (con). …와 1위를 ～ competir con *uno* por ganar el primere puesto. …와 사장 자리를 놓고 ～ competir con *uno* por el presidente de la compa-

ñía. 두 소녀는 아름다움을 다투고 있다 Las dos chicas rivalizan [compiten] en belleza. 그들은 1등을 하기 위해 다투어 공부하고 있다 Ellos trabajan a porfía por conseguir el primer puesto.
③ [늦잡죄일 수 없이 아주 절박하다] acercarse (a), apremiar. 시간을 다투고 있다 El tiempo apremia. 시각을 다툴 때다 No hay tiempo de perder.

다툼 riña *f*, pelea *f*, querella *f*; [말다툼] disputa *f*, altercado *m*, camorra *f*; [때리며] pelea *f* a brazo partido. ~하다 reñir, pelearse, disputar.

다툼질 [불화(不和)] disensión *f*, desvenencia *f*, discordia *f*, desacuerdo *m*; [입씨름] disputa *f*; [충돌(衝突)] choque *m*. ~하다 disentir; disputar; chocar. 정치 문제로 다른 사람과 ~하다 disentir de otro en el problema político.

다팔거리다 ondear, agitarse.
다팔다팔 ondeando, agitándose.

다팔머리 pelo *m* ondeante.

다하다 ① [(있던 것이 다 없어져) 더는 남아 있지 않거나 계속되지 아니하게 되다] acabar(se), agotarse, faltar, consumirse. 힘이 ~ agotarse la fuerza. 목숨이 ~ ser salvado, librarse de un peligro. 우리는 수단(手段)을 다했다 Se nos han agotado todos los recursos. 식량이 다해 간다 Los víveres nos van faltando / Los víveres se nos van acabando. 그의 운(運)이 다했다 Se le acabó la suerte / Le abandonó la suerte. 그들에게 시간이 다하고 있다 Les queda poco tiempo / Se les está acabando el tiempo.
② [(어떤 일을 위해서 필요한 물자나 심력 등을) 있는 대로 다 들이다] agotar, consumir, usar, aprovechar. 전력을 ~, 있는 힘을 ~ hacer *sus* mejores [máximos] esfuerzos, esforzarse a más no poder. 효도를 ~ servir a *sus* padres con devoción.
③ [마치다] verificar, efectuar, completar, concluir, llevar a cabo; realizar; [직책을] desempeñar; [약속을] cumplir. 책임을 ~ llevar a cabo su responsabilidad.

다한(多恨) muchos pesares *mpl*, muchos arrepentimientos *mpl*, gran descontento *m*.

다한증(多汗症) 【의학】 hiperhidrosis *f*.

다항 선택법(多項選擇法) sistema *m* de elección múltiple.

다항식(多項式) 【수학】 expresión *f* integral, polinomio *m*.
■ ~ 정리 teorema *m* polinómico.

다핵 거대 세포(多核巨大細胞) policariocito *m*.

다핵 백혈구(多核白血球) polileucocito *m*, leucocito *m* polinuclear.

다핵성(多核性) polinuclear *adj*.
■ ~ 백혈구(白血球) leucocito *m* polinuclear. ~ 혈구 증가증(血球增加症) polinucleosis *f*.

다핵심(多核心) ¶~의 policéntrico.

다행(多幸) suerte *f*, buena suerte *f*, buena fortuna *f*, buena ventura *f*. ~하다 (ser) afortunado, dichoso, venturoso. ~입니다 Menos mal. 왕림해 주시면 ~이겠습니다 Me dará mucho placer si usted pudiera venir aquí. 바로 회답을 주시면 ~이겠습니다 Le agradecería mucho que se sirviera darme su respuesta a vuelta de correo. 귀하에게 쓸모가 있으면 ~이겠습니다 ¡Ojalá que le sirva de alguna utilidad! / Me sentiré muy feliz si le sirvo de alguna utilidad. 날씨가 좋아 ~이었다 Por suerte ha hecho buen tiempo. 건강하시다니 ~입니다 Me alegro de que usted esté bien.
다행히 afortunadamente, por suerte, felizmente, dichosamente, por fortuna, por dicha. ~ 도망치다 huir sin perder la ocasión. ~ 비가 그쳤다 Afortunadamente [Por fortuna] ha cesado de llover. ~ 그는 그 사고를 피했다 Por suerte él escapó [Fue una suerte que él escapara · Tuvo la suerte de escapar] del accidente. ~ 늦게 일어나 그는 사고를 피했다 El tuvo la feliz casualidad de despertarse tarde, con lo cual escapó al accidente. ~ 나는 버스 시간에 댔다 He tenido la suerte de llegar a tiempo para tomar el autobús. ~ 날씨가 좋아 작물이 좋다 Gracias a buen tiempo, tenemos buena cosecha. ~ 수술이 성공했다 Afortunadamente, la operación tuvo un buen resultado.
다행스럽다 (ser) feliz, afortunado, dichoso, estar bien. 그건 다행스런 일이다 Eso está bien.
다행스레 felizmente, afortunadamente, dichosamente.

다행증(多幸症) 【의학】 euforia *f*.

다혈(多血) plétora *f*, lo sanguíneo, lo rubicundo. ~의 sanguíneo, rubicundo, pletórico, apasionado, ardiente.
■ ~성(性) =다혈질(多血質). ¶~의 pletórico. ~증(症) plétora *f*. ~질(質) temperamento *m* sanguíneo, constitución *f* sanguínea. ¶~의 pletórico, (de temperamento) sanguíneo. ~한(漢) tipo *m* apasionado, tipo *m* ardiente.

다혈구증(多血球症) policitosis *f*.

다혈구 혈증(多血球血症) policitemia *f*.

다형(多型) pleotipo *m*.

다형(多形) multiforma *f*. ~의 variforme, multiforme, polimorfo.
■ ~성 장애(性障碍) polidisplasia *f*. ~ 세포(細胞) polimorfocélula *f*. ~ 피부증(皮膚症) poiquilodermia *f*. ~핵(核) núcleo *m* polimorfo. ~핵구(核球) polimorfonuclear *m*. ~핵 백혈구(核白血球) policito *m*.

다홍(一紅) ((준말)) =다홍빛.
■ ~빛[색] carmesí *m*. ¶~의 carmesí. ~사(絲)[실] hilo *m* carmesí. ~치마 falda *f* carmesí.

다화(茶話) conversación *f*, charla *f*, plática *f*.
■ ~회(會) reunión *f* de té, tertulia *f*, mitin *m* de conversación.

닥 ① 【식물】 =닥나무. ② [닥나무의 껍질] cáscara *f* de moral.

ㄷ

닥나무 【식물】 moral *m.*
닥닥 ① [금이나 줄을 연해 힘있게 긋는 모양] rayando fuerte, siguiendo rayando. ② [물이 모두 세차게 얼어 붙는 모양] (helar) sólidamente. ~ 얼다 helar sólidamente. ③ [소리가 나도록 연해 긁는 모양] siguiendo arañando. ~ 긁다 seguir arañando.
닥뜨리다 ① [직면하다] estar frente a [ante], verse frente a [ante]. 곤란에 ~ estar [verse] frente a [ante] la dificultad. 우리들은 심각한 문제에 닥뜨리고 있다 Estamos [Nos vemos] frente a [ante] un grave problema. ② [함부로 다조지다] acosar, apremiar. …에게 …하라고 ~ acostar [apremiar] a *uno* para que + *subj*. 돈을 빨리 갚으라고 ~ acostar [apremiar] a *uno* para que pague dinero. 그는 나에게 돈을 빨리 갚으라고 닥뜨렸다 El me acostó [apremió] para que pagara dinero.
닥작닥작 cubriendo densamente [mucho · copiosamente].
닥지닥지 ＝덕지덕지.
닥채 rama *f* blanda del moral pelado.
닥쳐오다 ☞닥치다
닥치다[1] [일이나 물건이 가까이 다다르다] acercarse, aproximarse, estar a borde (de), estar junto (a). 재난이 ~ acercarse la calamidad.
닥쳐오다 ser inminente, aproximarse, acercarse. 적진(敵陣)에 ~ aproximarse a la posición enemiga. 출발이 닥쳐왔다 La partida es inminente / Se acerca la hora de partir. 위험이 닥쳐온다 Es inminente el peligro. 그녀에게 위험이 닥쳐오고 있었다 El peligro le rondaba a ella.
닥치는 대로 a la ventura, al azar, sin orden ni concierto, a lo loco, a ciegas, ciegamente. ~ 하다 improvisar lo todo, confiar en la providencia, despachar al improviso. 적(敵)을 ~ 모조리 베다 derribar a sablazos a todos los enemigos. 책을 ~ 읽다 leer todos los libros que caen en sus manos. 그는 ~ 물건을 던진다 El tira todo lo que tiene a mano. 나는 ~ 책을 읽는다 Yo leo todo lo que me viene a mano. 나는 감히 사업을 ~ 하지 않는다 No atrevo a meterme en el negocio a ciegas.
닥치다[2] [입을 다물다. 말을 그치다] quedarse callado, callarse, hacer silencio. 입 닥쳐! ¡Cállate (la boca)! / ¡Cierra el pico!
닥터(영 *doctor*) ① [박사(博士)] doctor, -tora *mf*. ② [의사(醫師)] médico, -ca *mf*; doctor, -tora *mf*.
■ ~ 코스 curso *m* de doctorado.
닦다 ① [(겉면의 먼지나 때 따위를) 문지르거나 훔치거나 씻어서 깨끗하게 하다] enjuagar, secar, limpiar, quitar, frotar. 먼지를 ~ quitar el polvo (de). 유리를 ~ limpiar el cristal. 방바닥을 ~ limpiar el suelo. 입을 ~ limpiarse la boca. 몸을 ~ enjuagarse el cuerpo. 접시를 ~ secar un plato. 타월로 손을 ~ secarse las manos con una toalla. 손수건으로 이마(의 땀)을 ~ enjuagarse [secar] (el sudor de) la frente con un pañuelo. 손수건으로 바지의 오물을 ~ limpiar la mancha de los pantalones con un pañuelo.
② [윤기가 흐르도록 문지르다] pullir, pulimentar, alisar; [금속(金屬)을] bruñir, esmerar, dar lustre, dar brillo, lustrar; [연마제(研磨劑)로] apomazar; [솔로] cepillar. 구두를 ~ dar lustre a zapatos. 닦아서 윤을 내다 pullir, perfeccionar, dar la última mano. 냄비를 ~ dar brillo a la cazuela.
③ [(터나 길 따위를) 평평하게 고르고 다져 만들다] nivelar, aplanar, allanar, emparejar, mejorar. 터를 ~ nivelar el solar. 길을 ~ mejorar el camino.
④ [(토대나 기초를) 새로 개척하여 든든히 마련하다] solidificar, preparar [allanar] el terreno (para).
⑤ [셈을 맞추어서 명세를 밝히다] contar, tener una cuenta. 셈을 ~ hacer una cuenta, contar.
⑥ [(학식 · 기예 등을] 힘써 연구하고 배워 익혀 잘 알도록 하다] estudiar, aprender, refinar, perfeccionarse en la ciencia, entrenar, mejorar, cultivar, instruir, practicar, capacitar. 기술을 ~ mejorar *su* habilidad, practicar el arte. 덕(德)을 ~ cultivar *su* carácter, mejorar *su* virtud. 도(道)를 ~ estudiar la doctrina.
⑦ ((준말)) ＝훌닦다.
닦달 ＝닦달질.
닦달질 ① [갈아서 다듬는 짓. 들부셔서 닦음] pulimiento *m*, pulidez *f*, limpieza *f*. ~하다 pulir, pulimentar, limpiar. ② [남을 몹시 욱대기는 짓] reprimenda *f*, regañina *f*, regañiza *f*. ~하다 reprender, regañar, reñir.
닦음질 [깨끗하게 닦는 일] limpieza *f*. ~하다 limpiar.
닦이다 ① [((「닦다」의 피동)) [닦음을 당하다] (ser) limpiado, pulido. 이 접시는 잘 닦이었다 Este plato es bien limpiado. ② ((준말)) ＝훌닦이다.
닦이장이(一匠一) lustrador, -dora *mf*; bruñidor, -dora *mf*.
닦이질 pulimiento *m*, pulidez *f*, limpieza *f*, bruñidura *f*, bruñimiento *m*. ~하다 pulir, pulimentar, bruñir, abrillantar, sacar lustre, sacar brillo.
단[1] ① [짚 · 땔나무 · 푸성귀 같은 것의 묶음] haz *m*, atado *m*, lío *m*. ~을 묶다 atar, liar. ② [짚 · 푸성귀 따위의 묶음을 세는 말] haz *m*, atado *m*. 장작 세 ~ tres haces de leña. 짚 한 ~ un haz de paja.
단[2] ((준말)) ＝옷단.
단(段) ① [책이나 신문 따위 출판물의 지면을 가로나 세로로 평행하게 나누는 구획] columna *f*. 2~ 기사(記事) artículo *m* en dos columnas. 3~을 거르고 a tres columnas. ② [운동이나 바둑 등의 등급(等級)] *dan*, grado *m*. 그는 태권도 9~이다 El tiene noveno *dan* de taekwondo / El es noveno dan *en* taekwondo. ③ [계단의 턱을 이룬 그 낱개] escalón *m* (*pl* escalones),

grada *f*, peldaño *m*. 계단을 두 ~씩 올라가다 subir las escaleras de dos en dos. 선반 상~에 책을 놓다 poner libros en el estante de arriba. ④ [땅의 넓이를 나타내는 단위] *dan*, trescientos *pyong*, 9.917 áreas.

단(團) cuerpo *m*, grupo *m*, partido *m*; [도둑·범인의] pandilla *f*, banda *f*; [젊은이들의] pandilla *f*; [경기단] equipo *m*. 일~의 군중(群衆) una muchedumbre de gente, una multitud de gente, un gentío. 일~의 도적 una banda de ladrones. 일~이 되어 en bloque, en grupo.

단(緞) ((준말)) =비단(緋緞).

단(壇) estrado *m*; [교단(教壇)] tarima *f*; [연단(演壇)] tribuna *f*; [교회(教會)의] púlpito *m*; [제단(祭壇)] altar *m*; [오케스트라 지휘자의] podio *m*. ~ 위에서 내려오다 bajar del podio.

단(斷) decisión *f*, resolución *f*, juicio *m*, discreción *f*. ~을 내리다 decidir, determinar. 최후의 ~을 내리다 tomar la decisión final.

단(單) sólo, solamente, simplemente. ~ 한 번 solamente una vez, una sola vez. 나는 ~ 한 번도 가지 않았다 Yo no iba ni una sola vez. 그는 나보다 ~ 한 살 연상(年上)이다 El es sólo un año mayor que yo. 우리는 아들이 ~ 하나뿐이다 Nosotros no tenemos más que un hijo / Sólo tenemos un hijo.

단(但) pero, sin embargo, no obstante, aunque. 나는 그녀에게는 그다지 기대하지 않는다. ~, 그녀의 실력은 인정한다 No puedo esperar mucho de ella aunque reconozco su capacidad.

단- ① [맛이] dulce. ~술 vino *m* dulce, bebida *f* dulce. ② [깊은. 곤한] profundo. ~잠 sueño *m* (bien) profundo.

단-(單) [하나·홑] uno, solo, simple, uni-. ~세포 célula *f* simple.

-단(團) cuerpo *m*, grupo *m*. 교수~ cuerpo *m* de profesores. 기술~ cuerpo *m* facultativo. 소년~ explorador *m*. 외교~ cuerpo *m* diplomático.

-단(壇) mundo *m*, círculos *mpl*.
◆문(文)~ mundo *m* de literatura, círculos *mpl* literarios.

단가(單家) familia *f* pequeña.
■~살이[살림] vida *f* de una familia pequeña, casa *f* de una familia pequeña.

단가(短歌) ① **【문학】** *danga*, *sicho*, una especie del poema folclórico coreano. ② **【음악】** *danga*, voz *f* de la pieza corta antes de *pansori*.

단가(單價) coste *m* unitario, precio *m* por pieza, precio *m* por unidad, precio *m* unitario, *AmL* costo *m* unitario. ~ 천 원으로 a mil wones pieza [unidad].
◆노동 ~ coste *m* unitario del trabajo, *AmL* costo *m* unitario del trabajo. 생산 ~ coste *m* unitario de la producción, *AmL* costo *m* unitario de la producción.

단가(團歌) himno *m* de un grupo.

단가(檀家) casa *f* del fiel adscrito a un templo budista.

단각술(斷角術) método *m* de cortar el cuerno.

단간(短簡) carta *f* corta, carta *f* sencilla.

단간(斷簡) ((준말)) =단편잔간(短篇殘簡).

단간잔편(斷簡殘篇) =단편잔간(短篇殘簡).

단갈(短碣) lápida *f* pequeña y redonda.

단감 caqui *m* dulce.

단감나무 【식물】 caqui *m* dulce.

단강(鍛鋼) acero *m* forjado.
■~ 밸브 válvula *f* de acero forjado.

단개(單個) una sola pieza.

단거(單擧) recomendación *f* de una sola persona. ~하다 recomendar una sola persona.

단거리 ① [단으로 묶어 말린 잎나무] árbol *m* secado atado en haz. ② [큰 단으로 흥정하는 땔나무] leña *f* de regatear en haz grande.

단거리(單一) ① [(딴 것은 통 없고) 오직 그것 하나뿐인 재료] un solo material que se tiene. ② =단벌.
■~ 서방(書房) esposo *m* más favorito.

단거리(短距離) ① [짧은 거리] corta [poca · escasa] distancia *f*, corto alcance *m*. ~의 [미사일·무기] de corto alcance; [비행기·비행선·기구·헬리콥터] de autonomía limitada, de corto radio de acción; [예보] a corto plazo. ~를 달리다 correr la corta distancia. ② ((준말)) =단거리 달리기. ③ ((준말)) =단거리 경영(短距離競泳).
■~ 경영(競泳) natación *f* de cincuenta metros o doscientos metros. ~달리기[경주] carrera *f* de velocidad, carrera *f* de corta distancia. ~달리기 선수(選手) corredor, -dora *mf* de cortas distancias; (e)sprinter *mf*. ~ 선수(選手) =단거리달리기 선수. ~ 이착륙기(離着陸機) avión *m* de despegue y aterrizaje de corto radio de acción. ~ 탄도 미사일[탄도 유도탄] mísil *m* balístico de corto alcance. ~ 폭격기 bombardero *m* de corto radio de acción.

단건(單件) =단벌.

단검(短劍) daga *f*, puñal *m*, espadín *m* (*pl* espadines), estilete *m*.

단것 los dulces, caramelo *m*, golosina *f*, *Chi*, *Méj* dulce *m*. ~은 피하십시오 Evite los dulces. ~을 먹지 않도록 노력하십시오 Procure no comer dulces. 그녀는 ~을 너무 먹는다 Ella come demasiados caramelos [demasiadas golosinas].

단견(短見) ① [얕은 식견(識見)이나 좁은 소견] conocimiento *m* superficial, mentalidad *f* cerrada, opinión *f* [vista *f*] corta de miras, opinión *f* [vista *f*] con poca visión de futuro. ② [자기 의견] mi opinión; [자기 식견(識見)] mi propio conocimiento.
■~자(者) persona *f* corta de miras, persona *f* con poca visión de futuro.

단결(團結) unión *f*, consolidación *f*, asociación *f*, federación *f*, liga *f*, coalición *f*, solidaridad *f*, unidad *f*. ~하다 unirse, juntarse, coalizarse, asociarse, coligarse. ~된 unido, asociado, coligado. ~하여 firmemente, sólidamente, en unión, en un cuerpo, en combinación. 국민의 ~ solidaridad *f* nacional. ~을 공고히 하다 sellar [consolidar] la unión. ~을 유지하다 conservar la unión [la cohesión]. 굳게 ~하여 적에게 대항하다 consolidar la unión para enfrentarse al enemigo. ~은 힘이다 La unión hace la fuerza. 우리들은 ~하여 그들에게 대항했다 Nosotros nos hemos asociado contra ellos.

■ ~권(權) derecho *m* de unión, derecho *m* de organización. ~력(力) facultad *f* de unirse. ~심(心) espíritu *m* de unidad, espíritu *m* cooperativo.

단결에 inmediatamente, ahora mismo, sin parar, de una vez, de una sentada, de (un) golpe, de un trago. 일을 ~ 하지 않다 no hacer absolutamente nada, no dar golpe, no pegar golpe. ~ 모두 먹지 마라 No te lo comas todo de una vez [de una sentada]. 나는 ~ 맥주를 들이켰다 Yo me terminé la cerveza de un trago. 쇠뿔도 ~ 빼다 actuar de inmediato. 쇠뿔도 ~ 빼는 것이 더 좋다 Lo mejor es actuar de inmediato / Lo mejor es sobre el pucho / La escupida.

■ 쇠뿔도 단결[단김]에 빼라 ((속담)) A hierro caliente, batir de repente.

단경(短徑) 【수학】 eje *m* menor.

단경(端境) ((준말)) =단경기(端境期).

■ ~기(期) destiempo *m*, época *f* de agotamiento [escasez] de un producto.

단경(斷經) 【한방】 suspensión *f* de la menstruación por vejez. ~하다 la menstruación suspender por vejez.

■ ~기(期) 【한방】 menopausia *f*.

단계(段階) grado *m*, etapa *f*, [국면(局面)] fase *f*. 조사 준비(調査準備) ~ etapa *f* de investigaciones y preparativos. ~를 밟아 por grados, por etapas, progresivamente. 현 ~로는 en la etapa actual. 교섭의 현 ~에 en el momento actual de las negociaciones. 첫째 ~로 en la primera etapa. 전쟁은 최후의 ~에 접어들었다 La guerra ha entrado en su última etapa [fase]. 사건은 새로운 ~로 접어들었다 El incidente ha entrado en nueva fase.

단고(單袴) =고의(袴衣).

단곡(短曲) pieza *f* corta de música [de poesía], fragmento *m* de música.

단골[1] ① [늘 정해 놓고 거래하는 곳, 또는 그 사람] parroquia *f*, cliente, -ta *mf*, [집합적으로] clientela *f*. 이곳은 내 ~ 카페테리아다 Esta es mi cafetería (favorita) / Este es el café que frecuento [a donde vengo a menudo]. 그들은 슈퍼마켓에 ~을 빼앗겼다 Ellos han perdido clientes [clientela] por culpa del supermercado. 나는 ~을 그만두겠다 Dejaré de ser su cliente. 그들은 우리를 ~로 놓치기를 원하지 않는다 Ellos no nos quieren perder como clientes. ② 【민속】 ((준말)) =단골무당. ③ ((준말)) =단골집.

■ ~무당 【민속】 *su* hechicera *f* regular. ~손님 parroquiano, -na *mf*, cliente, -ta *mf*, [집합적] clientela *f*. ~술집 taberna *f* asidua, taberna *f* habitual. ~집 casa *f* [tienda *f*] habitual [asidua].

단골[2] 【건축】 teja *f* de medio tamaño.

단골(短骨) hueso *m* corto.

단공(短筇) bastón *m* (*pl* bastones) corto.

단공(鍛工) forja *f*, [사람] forjador *m*. ~하다 forjar. ~할 수 있는 forjable.

■ ~로(爐) horno *m* de forja. ~장(場) taller *m* de forja.

단공류(單孔類) 【동물】 ((학명)) Monotremata.

단과(丹果) fruta *f* del color rojo.

단과 대학(單科大學) facultad *f*, universidad *f* de una sola facultad.

단관(丹款) =적심(赤心). 단심(丹心).

단관절(單關節) articulación *f* simple. ~의 monoarticular.

■ ~염(炎) 【의학】 monartritis *f*.

단광(單光) 【물리】 =단색광(單色光).

단괴(團塊) aglomeración *f*.

단교(斷交) ① =절교(絶交). ② [국가간(國家間)의 외교 관계(外交關係)를 끊음] ruptura *f* [rompimiento *m*] de las relaciones diplomáticas. ~하다 romper las relaciones [negociaciones] diplomáticas (con un país). 양국간에 ~는 피할 수 없다 Ya es inevitable el rompimiento de relaciones diplomáticas entre ambos países.

단교(斷橋) puente *m* cortado.

단구(段丘) terraza *f*.

단구(短句) frase *f* corta.

■ ~집(集) libro *m* de frases.

단구(單球) linfomonocito *m*.

단구(短晷) [짧은 낮] día *m* corto; [짧은 해] sol *m* corto.

단구(短軀) estatura *f* corta [baja].

단구(斷口) =단면(斷面).

단국 el agua *f* de la sopa dulce.

단국(檀國) 【역사】 =배달나라.

단국지(單局地) ciudad *f* con una sola oficina de teléfono.

단군(檀君) *Tangun*, primer rey de *Gochoson*, fundador de la raza coreana.

■ ~교(敎) *tangunismo*, religión *f* del fundador de Tangun. ~ 기원(紀元) era *f* de *Tangun*. ~ 신화 mitología *f* de *Tangun*. ~ 왕검(王儉) =단군(檀君).

단굴근(短屈筋) breviflexor *m*.

단권(單券) ((준말)) =단권책(單券冊).

■ ~책(冊) libro *m* de un solo tomo.

단궤(單軌) monocarril *m*, monorriel *m*.

■ ~ 철도(鐵道) monoferrocarril *m*.

단극(單極) 【전기】 unipolar *m*, monopolar *m*. ~의 unipolar, monopolar.

■ ~ 개폐기(單極開閉器) interruptor *m* unipolar. ~ 계전기(繼電器) 【전기】 relé *m* unipolar. ~ 전위(單極電位) 【물리】 potencial *m* eléctrico unipolar. ~ 퓨즈 fusible *m* unipolar.

단근(單根) ① 【생물】 raíz *f* simple. ② 【화학】 radical *m* simple.

단근질 tortura *f* con el hierro al rojo vivo. ～하다 torturar con el hierro al rojo vivo.
단금(單衾) un solo colchón, colchón *m* fino.
단금(斷金) amistad *f* íntima.
■ ～우(友) amigo, -ga *mf* con amistad íntima. ～지계(之契) amistad *f* muy íntima. ～지교(之交) amistad *f* íntima.
단금(鍛金) oro *m* caliente.
단급(單級) una clase.
■ ～ 학교(學校) escuela *f* de una sola clase.
단기(段碁) talento *m* del grado; persona *f* con el talento del grado.
단기(單技) un solo talento.
단기(單記) ① [한 장에 하나만 기입(記入)] una sola anotación en un papel. ～하다 anotar sólo uno en un papel. ② [그 일만 적음] anotación *f* sobre esa cosa solamenmente. ～하다 anotar solamente esa cosa. ③ ((준말)) ＝단기 투표(單記投票).
■ ～명(名) escrutinio *m* uninominal. ¶투표는 ～으로 행해진다 La votación se hace por escrutinio uninominal. ～명 투표(名投票)【법률】＝단기 투표. ～ 투표 votación *f* uninominal. ～하다 votar uninominalmente.
단기(短氣) ①【한방】impaciencia *f*, irascibilidad *f*. ～의 impaciente, irascible. ～를 일으키다 perder la paciencia. ② [담력이나 힘이 모자람] falta *f* de la fuerza, falta *f* de la bravura. ③ [너그럽지 못한 성질] mezquindad.
단기(短期) término *m* corto, corta duración *f*, corto plazo *m*, corto tiempo *m*. ～의 de término corto, de corta duración, a corto plazo. ～로 a corto plazo.
■～ 거래(去來) ((준말)) ＝단기 청산 거래. ～ 계약(契約) contrato *m* a corto plazo. ～ 계획(計劃) planificación *f* a corto plazo. ～ 공채(公債) bono *m* de término corto. ～ 금리(金利) interés *m* a corto plazo. ～ 금융(金融) finanzas *fpl* a corto plazo. ～금융 시장(金融市場) mercado *m* monetario a corto plazo. ～ 금융 시장 증서(金融市場證書) instrumento *m* del mercado de dinero a corto plazo. ～ 금융업(金融業) negocio *m* de finanzas a corto plazo. ～ 금융 회사(金融會社) compañía *f* de finanzas a corto plazo. ～ 노동자 trabajador, -dora *mf* temporal. ～ 대부(貸付) préstamo *m* a corto plazo. ～ 대학(大學) colegio *m* universitario para los dos primeros años. ～ 동요(動搖) fluctuaciones *fpl* a corto plazo. ～ 목적(目的) objetivo *m* a corto plazo. ～ 부채(負債) deuda *f* [obligaciones *fpl*] a corto plazo. ～ 사채(社債) empréstito *m* [obligación *f*] a corto plazo. ～ 선납(先納) ＝단기 선불. ～ 선불(先拂) anticipio *m* a corto plazo. ～ 선불금(先拂金) anticipio *m* a corto plazo. ～ 소멸 시효(消滅時效) prescripción *f* extintiva a término corto. ～ 손실(損失)【주식】pérdida *f* a corto plazo. ～ 손해(損害) ＝단기 손실. ～ 수익(收益) beneficio *m* a corto plazo, ganancia *f* a corto plazo. ～ 수형자(受刑者) prisionero, -ra *mf* a corto tiempo. ～ 시장【주식】mercado *m* a corto plazo. ～ 시효 prescripción *f* de corta duración. ～ 신용(信用) crédito *m* a corto plazo. ～ 신용 대부 crédito *m* a corto plazo. ～ 신탁(信託) fideicomiso *m* a corto plazo. ～ 약속 어음 pagaré *m* a corto plazo. ～ 어음 letra *f* a corto plazo. ～ 어음 발행 제도 sistema *m* de emisión de un pagaré a corto plazo. ～ 예금(預金) depósito *m* a corto plazo. ～ 예보(豫報) pronóstico *m* (del tiempo) de corta duración ～ 유가 증권 obligaciones *fpl* a corto plazo. ～ 융자 financiación *f* a corto plazo. ～ 이율(利率) tipo *m* de interés a corto plazo. ～ 이율 선물 계약(利率先物契約) contrato *m* de futuros de tipo de interés a corto plazo. ～ 임대차 arrendamiento *m* a corto plazo. ～ 자금(資金) fondo *m* a corto plazo. ～ 자본(資本) capital *m* a corto plazo. ～ 자유형(自由刑) prisión *f* a corto tiempo. ～전(戰) juego *m* de corta duración. ～ 차관(借款) préstamo *m* a corto plazo. ～ 차입금 préstamo *m* [deuda *f*] a corto plazo. ～채(債) ＝단기 채권. ～ 채권 bono *m* [título *m*] a corto plazo. ～ 채무 deuda *f* a corto plazo. ～ 청산 거래 transacción *f* a corto plazo. ～ 투자(投資) inversión *f* a corto plazo. ～ 투자 유가 증권(投資有價證券) cartera *f* de inversiones a corto plazo. ～ 투자 자산 activo *m* líquido a corto plazo.
단기(單旗) una sola bandera.
단기(團旗) bandera *f* de asociación.
단기(檀紀)【준말】＝단군기원(檀君紀元).
단기간(短期間) corta duración *f*, corto tiempo *m*, corto período *m*, poco tiempo *m*, corto plazo *m*. ～에 en poco tiempo, en un corto período de tiempo, a corto plazo.
단김에 ＝단결에.
단꿈 feliz sueño *m*. ～을 꾸다 soñar un feliz sueño, soñar con los angelitos. 잘 자고 ～ 꾸어요 Buenas noches y que sueñes con los angelitos.
단내 ① [높은 열에 눌어서 나는 냄새] olor *m* a quemado. ～가 나다 oler a quemado [ahumado · chamusquina], oler a papel [paño] quemado. 이 밥은 ～가 난다 Huele algo a quemado. ② [몸의 열이 몹시 높거나 숨이 매우 가쁠 때에 콧구멍에서 나는 냄새] olor *m* viciado de su ventana de la nariz.
단념(丹念) ＝성심(誠心).
단념(斷念) abandono *m*, resignación *f*, renunciación *f*, conformidad. ～하다 abandonar, dejar, resignarse, renunciar (a), desistir (de), conformarse; [설득하여] persuadir (a), dejar de (+ *inf*). ～시키다 disuadir (de). 과감하게 ～하다 resignarse resueltamente (a). 떠나는 것을 ～시키다 disuadir a *uno* de marcharse. 그는 선뜻 ～하지 못한다 El es indeciso [irresoluto]. 그는 곧 ～한다 El se resigna pronto. 우리들은 여

ㄷ

행을 ~했다 Nosotros desistimos (de la idea) del viaje. 나는 외국에 가는 것을 ~했다 He abandonado idea de ir al extranjero. 날씨가 나빠 여행을 ~하는 것이 좋겠다 Es mejor dejar el viaje porque hace mal tiempo. 그는 ~할 줄 안다 El sabe resignarse. 그는 어렵사리 ~한다 El se resigna difícilmente. 그렇다면 ~하겠다 Si es así me conformo [me resigno · desisto]. 나는 그녀를 ~할 수 없다 No puedo renunciarla a ella. 그녀는 그것을 운명이라 생각하고 ~했다 Ella se resignó considerándolo su destino. 세상살이 그런 것이라고 나는 ~하고 있다 Estoy hecho a la idea de que el mundo es así. ~할 줄 아는 것은 인생의 첫 번째 교훈이다 Saber resignarse es la primera lección de la vida. 나는 그가 떠나는 것을 ~시켰다 Le disuadí de marcharse [para que no se marchara].

단녕(單寧) 【화학】 =타닌산(tannin 酸).
■ ~산(酸) 【화학】 =타닌산(tannin 酸).

단뇌(端腦) 【해부】 telencéfalo *m*.

단단막(一膜) 【해부】 =각막(角膜).

단단상약(斷斷相約) promesa *f* firme, promesa *f* solemne. ~하다 prometer firmemente [solemnemente].

단단하다 ① [굳다] (ser) firme, sólido, duro, tieso, adamantino, diamantino. 단단한 가구(家具) muebles *mpl* sólidos. 단단한 토대(土臺) base *f* firme, base *f* sólida. 기둥처럼 ~ estar tieso como un poste. 철(鐵)은 ~ El hierro es duro. 지면(地面)이 ~ El terreno es sólido [duro]. 땅이 얼어 ~ El suelo está endurecido por la helada. 이 빵은 ~ Este pan está muy duro.
② [속이 차서 야무지다] (ser) sólido, firme, tenaz, acérrimo. 단단하게 sólidamente, firmemente, tenazmente. 단단한 사람 hombre *m* de carácter firme. 단단한 성품 carácter *m* acérrimo.
③ [굳세다] (ser) fuerte.
④ [느슨하지 않다] (ser) fuerte. 단단하게 묶다 atar firmemente. 단단하게 동여매다 asegurar bien. 매듭이 ~ El nudo está muy apretado. 단단하게 묶어야 한다 Hay que atarlo fuerte.
⑤ [미덥다] ser de carácter firme. 단단한 인물(人物) persona *f* de entereza, persona *f* de carácter. 단단한 여인(女人) mujer *f* que vale mucho, mujer *f* que sabe donde pisa. 내 자식은 단단한 아이이다 Mi hijo es un muchacho de carácter firme [que se defiende bien].
⑥ [쉽게 변하지 않다] (ser) firme, sólido. 단단한 결심(決心) decisión *f* firme.
⑦ [확실하다] (ser) seguro, cierto. 단단한 장사 negocios *mpl* seguros. 그에게 50표는 ~ Seguro que él puede contar con cincuenta votos (por lo menos).
단단히 ㉮ [견고히] sólidamente, firmemente, fijamente, fuerte(mente), a pie firme, estrechamente, bien. ~ 묶다 atar fuerte. ~ 동여매다 asegurar bien. ~ 조르다 apretar fuertemente, estrechar. 나사를 ~ 조르다 apretar los tornillos. ㉯ [굳게] firmemente, estrictamente, rigurosamente. ㉰ [크게] grandemente, magnánimamente, severamente. ㉱ [잘] bien. 문을 ~ 잠그다 cerrar bien las puertas. ~ 붙잡다 agarrarse bien (a). ~ 공부해라 Estudia bien [asiduamente · de firme]. ㉲ [크게] severamente, con severidad. ~ 꾸짖다 reprender severamente. ~ 꾸지람을 듣다 ser reprendido severamente. ~ 재미 보다 divertirse, pasarlo bien, pasársela bien.

단당류(單糖類) 【화학】 monosacárido *m*.

단대목(單一) momento *m* decisivo, momento *m* crucial, momento m crítico. ~에 가서 포기하다 abandonar en el momento decisivo [crucial · crítico].

단대위법(單對位法) contrapunto *m* simple.

단덕(斷德) ((불교)) rompimiento *m* de la agonía.

단도(短刀) puñal *m*, daga *f* corta, espada *f* corta. ~로 찌르다 dar una puñalada (a), apuñalar (a).

단도(單刀) una sola espada.

단도직입(單刀直入) franqueza *f*, sencillez *f*.
■ ~적(的) directo, recto, franco, sin rodeos, precipitado, atropellado, rotundo, categórico. ¶~으로 directamente, francamente, con franqueza, abiertamente, sin preámbulo, sin rodeos, sin ambigüedades, rectamente, inmediatamente, rotundamente, categóricamente, de plano, a boca de jarro. ~으로 말하면 francamente hablando. ~인 질문(質問) pregunta *f* directa. ~으로 거절하다 negar rotundamente [categóricamente]. ~으로 묻다 preguntar sin preámbulo, preguntar a boca de jarro. ~으로 본론으로 들어가다 ir al grano, entrar en el asunto sin rodeos.

단독(丹毒) 【의학】 erisipela *f*. ~성의 erisipeltoso.

단독(單獨) ① [단 하나] solo uno. ~의 solo. ~으로 solo. ② [단 한 사람] una sola persona. ~의 individual. ~으로 a solas, individualmente; [혼자 힘으로] por sí mismo, independientemente, en solitario, sin (la) ayuda de nadie. ~으로 비행하다 volar a solas. ~으로 행동하다 actuar independientemente, actuar por *su* cuenta. 내가 ~으로 그 일을 하겠다 Lo haré yo solo [por mí mismo]. 이 일은 그 사람이 ~으로 했다 Esto lo hizo él solo. 그녀는 대서양을 ~으로 항해할 생각이다 Ella piensa cruzar el Atlántico en solitario. 그는 ~으로 세계일주 항해를 했다 El dio la vuelta al mundo navegando en solitario. ③ [일방적으로 혼자] independiente.
■ ~ 강화(講和) paz *f* por separado, paz *f* separado. ~를 체결하다 firmar la paz por separado (con un país). ~ 개념 concepto *m* simple, concepto *m* individual, concepción *f* independiente. ~ 경영(經營) admi-

nistración *f* independiente. ~ 경제(經濟) economía *f* independiente. ~ 기관(機關) organización *f* exclusive. ~ 내각(內閣) gabinete *m* formado por un solo partido. ~범(犯) crimen *m* [delito *m*] cometido sin complicidad. ~ 비행 solo vuelo *m*. ¶~을 하다 volar solo. ~ 비행가 solo aviador *m*, sola aviadora *f*. ~ 운영(運營) operación *f* unilateral. ~ 일신(一身) persona *f* sin parientes. ~적(的) solo, individual, independiente, simple. ¶~으로 individualmente, independientemente. ~ 정범(正犯) crimen *m* [delito *m*] cometido sin complicidad. ~ 주택(住宅) casa *f*. ~ 책임(責任) sola responsabilidad *f*. ~ 해손(海損) avería *f* particular [simple]. ~ 해손 담보(海損擔保) con avería particular. ¶~에 대한 약관 cláusula *f* de proporcionalidad. ~ 해손 부담보(海損不擔保) libre de avería simple, libre de avería particular. ~ 행동(行動) acción *f* independiente. ~ 행위(行爲) acción *f* individual, acción *f* unilateral. ~ 회견(會見) entrevista *f* exclusive.

단돈(單一) muy poco dinero *m*. ~ 100원으로는 아무것도 살 수 없다 Con sólo cien wones no se puede comprar nada.

단두(短頭) 【인류】 braquicefalia *f*. ~의 braquicéfalo.

단두(斷頭) decapitación *f*. ~하다 decapitar.

단두대(斷頭臺) guillotina *f*, cadalso *m*, patíbulo *m*. ~로 목을 자르다 guillotinar, decapitar a los reos con la guillotina. ~의 이슬로 사라지다 perecer en el patíbulo, morir en el cadalso, ser guillotinado.
◆단두대에 오르다 subir (a) la guillotina, subir al patíbulo.

단둘 sólo los dos.

단둘이 solos, -las. ~ 있을 때 말씀드리겠습니다 Se lo diré cuando estemos solos.

단락(段落) ① [일의] conclusión *f*, terminación *f*, término *m*, fin *m*. ② [문장의] párrafo *m*, calderón *m*, signo *m*; 【시학】 cesura *f*, [구두점] puntuación *f*. 말의 ~ pausa *f* [intervalo *m*] de una charla. ~을 짓다 dividir, cortar, separar. 이 문장은 두 개의 ~으로 나누어졌다 Este pasaje está dividido en dos párrafos.
◆단락(을) 짓다 terminar, concluir, poner término [fin] (a). 일은 이것으로 단락을 지었다 Con esto hemos terminado una etapa del trabajo / La obra se ha concluido por el presente.

단락(短絡) 【전기】 cortocircuito *m*, corto circuito *m*. ~하다 cortocircuitar. ~시키다 cortocircuitar. ~된 cortocircuitado.
▪ ~기(器) cortocircuitador *m*, conmutador *m* de puesta en cortocircuito. ~ 브레이크 freno *m* de cortocircuito. ~ 스위치 interruptor *m* de cortocircuito. ~ 시험(試驗) prueba *f* de cortocircuito. ~ 전압(電壓) voltaje *m* de cortocircuito, tensión *f* en cortocircuito. ~ 코드 código *m* de cortocircuito. ~ 키 llave *f* de cortocircuito.

단란(團欒) harmonía *f*, intimidad *f* familiar, grupo *m* amistoso. ~하다 hacer un grupo amistoso, sentarse al redondo (en un círculo). ~한 가정의 행복 felicidad *f* del hogar pacífico. 일가가 ~하다 gozar de la intimidad familiar, gozar de la vida de familia.
▪ ~지락(之樂) felicidad *f* de la intimidad familiar.

단량(丹良) =반딧불.

단량체(單量體) 【화학】 =모노머(monomer).

단려(短慮) imprudencia *f*, falta *f* de reflexión. ~하다 (ser) imprudente, irreflexivo.

단려(端麗) gracia *f*, elegancia *f*, belleza *f*. ~하다 (ser) elegante, atractivo, estar lleno de gracia.

단련(鍛鍊) ① [쇠붙이를 불에 달구어 두드림] forja *f*, temple *m*. ~하다 forjar, templar. 쇠를 ~하다 forjar el hierro. ② [(시련이나 수련 따위를 통해서) 몸과 마음을 굳세게 닦음] entrenamiento *m*, ejercicio *m* duro, disciplina *f*, práctica *f* asidua. ~하다 entrenarse, ejercitarse, hacer ejercicio duro, practicar asiduamente. ~이 잘된 근육(筋肉) músculo *m* bien formado. 담력을 ~하다 tener más entereza de ánimo. 몸을 ~하다 fortificar el cuerpo, aguerrirse. 솜씨를 ~하다 amaestrar [adiestrar] su arte. 심신(心身)을 ~하다 fortificar, robustecer, forjar, ejercitar el cuerpo y el espíritu. 신입회원(新入會員)을 ~시키다 entrenar al nuevo miembro. 나는 매일 운동을 해서 몸을 ~시키고 있다 Fortifico el cuerpo haciendo ejercicio cada día. 그는 그렇게 지내면서 심신을 ~했다 Esa forma de vida le fortificó el espíritu y el cuerpo. ③ [(배운 것을 실천을 통해서) 익숙하게 익힘] ejercicio *m*. ~하다 ejercitarse, practicar. ④ [고통스럽거나 귀찮은 시달림. 연단(鍊鍛)] ((성경)) prueba *f*.

단류기(斷流器) 【전기】 interruptor *m*.

단리(單利) 【경제】 interés *m* simple. ~로 계산하다 calcular a interés simple.

단리(短籬) cerca *f* baja.

단마비(單痲痺) 【의학】 monoplegia *f*.

단막(單幕) un acto, una escena.
▪ ~극(劇) drama *m* de un acto, drama *m* de una escena. ~물(物) pieza *f* [obra *f*] de un acto [de una escena].

단말(端末) ① =끝. ② [처음과 끝] el principio y el fin. ③ ((준말)) =단말기(端末機) (terminal).
▪ ~ 기억 장치(記憶裝置) 【컴퓨터】 memoria *f* de terminal. ~ 서버 【컴퓨터】 servidor *m* de terminales. ~ 세션(session) 【컴퓨터】 sesión *f* de terminales. ~ 스트림(stream) 【컴퓨터】 banda *f* de terminal. ~ 윈도(window) ventana *f* de terminal. ~ 장치 【컴퓨터】 adaptador *m* de terminal. ~ 제어기(制御機) 【컴퓨터】 controladora *f* de cláster.

단말기(端末機) 【컴퓨터】 terminal *m*.
▪ ~ 망(網) 【컴퓨터】 red *f* de terminal. ~

어댑터【컴퓨터】adaptador *m* de terminal, adaptadora *f* de terminal. ~ 프로토콜 protocolo *m* de terminal.

단말마(斷末魔) última respiración *f*, *su* último momento. ~의 고통(苦痛) agonía *f*, congoja *f* de muerte. ~의 고함을 지르다 dar un grito de agonía.

단맛 dulzura *f*, sabor *m* dulce, gusto *m* dulce, sabor *m* azucarado. ~이 있다 tener un sabor dulce. ~이 나다 ser dulce. ~이 도는 suave. ~이 도는 술 vino *m* suave [ligero]. ~이 없는 포도주 vino *m* seco. 꿀의 ~ dulzura *f* de la miel. ~을 내다 dulzurar. 액체는 ~이 있었다 El líquido tenía sabor [gusto] dulce. 그는 쓴맛 ~을 다 알고 있다 El se las sabe todas.

■단맛 쓴맛 다 보았다 ((속담)) Tener mucha experiencia / Ser un perro viejo / Conocer la vida. 나는 단맛 쓴맛 다 보았다 Tengo mucha experiencia / Soy un perro viejo / Conozco la vida.

단매(單—) látigo *m* que golpea una sola vez.

단면(斷面) sección *f*, corte *m*. 사회의 한 ~ una escena [una fase · un aspecto] social, una muestra de la vida actual.

◆종(縱)~ sección *f* vertical. 횡(橫)~ sección *f* cruzada, perfil *m* [corte *m*] transversal.

■~도(圖) plano *m* seccional, corte *m* transversal.

단명(旦明) =여명(黎明).

단명(短命) vida *f* corta, efimeridad *f*. ~의 de vida corta, efímero. ~의 정부 gabinete *m* efímero. ~으로 죽다 morir joven [prematuramente].

■~ 회사(會社) compañía *f* efímera.

단몌(短袂) manga *f* corta.

단모(旦暮) la mañana y la noche.

단모(短毛) pelo *m* corto.

단모금(單—) un trago. 그는 ~에 맥주를 마셔버렸다 El se terminó la cerveza de un trago.

단모음(單母音)【언어】vocal *f* breve.

단목(丹木)【식물】=다목.

단목(椴木)【식물】=피나무.

단목(檀木)【식물】=박달나무.

단묘(端妙) la decenia y la extrañeza. ~하다 (ser) decente y extraño.

단무지 *danmuchi*, rábano *m* curado en salmuera, nabo *m* secado con sal.

단무타려(斷無他慮) No hay ni un poco de preocupación.

단문(短文) ① [짧은 글] frase *f* corta; [작문(作文)] redacción *f* breve, composición *f* breve. ② [글 아는 것이 넉넉하지 못함] poco conocimiento *m*, conocimiento *m* superficial.

단문(單文)【언어】oración *f* simple, frase *f* simple.

단문(端門) puerta *f* principal (de la sala de audiencias del rey).

단문(斷紋) =문편(紋片).

단문류(單門類)【동물】=단공류(單孔類).

단물 ① [짠맛이 없는 맹물] el agua *f* pura. ② [단맛이 있는 물] el agua *f* dulce. ~을 빨다 sacar jugo. ③ [알짜나 긴요한 잇속 있는 부분] la mejor parte. ~을 혼자서 다 빨아먹다 tomar la mejor parte. ④【화학】=연수(軟水).

◆단물(이) 나다 gastar, ser gastado, ser raído, estar cubierto de harapos [andrajos], estar harapiento, estar andrajoso.

■~고기 =민물고기.

단물(單—) =첫물.

단물나다 ☞단물

단미(斷尾) corte *m* de la cola del animal. ~하다 cortar la cola del animal.

단박 en seguida, enseguida, inmediatamente, de inmediato, directamente, instantemente, sin tardanza, sin dilación, rápidamente, con prontitud, *AmL* sin demora. ~ 낫다 curar inmediatamente.

단박에 ((힘줌말)) =단박. ¶철수는 많은 일을 ~ 해치웠다 Cheolsu se terminó mucho trabajo inmediatamente.

단발(單發) ① [총알이나 포탄의 한 발] un tiro. ② [단 한 번의 발사] tiro *m* único. ③ ((준말)) = 단발총(單發銃). ④ ((준말)) =단발기(單發機). ⑤ [하나의 발동기] un motor.

■~기(機) monomotor *m*. ~총(銃) fusil *m* de tiro único.

단발(斷髮) corte *m* de pelo [de cabello]. ~하다 cortar cabellos, demochar [cercenar] el pelo, cortar el pelo, cortar la coleta. (여성 뒷머리의) 밑을 짧게 치는 ~ corte *m* a la [a lo] garçonne [garçon]. 뒷머리의 밑을 짧게 ~하다 cortar a la [a lo] garçonne [garçon]. ~을 하고 있다 tener el pelo [el cabello] corto.

■~랑(娘) mujer *f* joven del pelo corto. ~머리 cabeza *f* de pelo corto y redondeado [de pelo a lo paje]. ~ 미인(美人) belleza *f* joven del pelo corto.

단발성(單發性)【의학】mono-.

■~ 신경염(神經炎) mononeuritis *f*.

단밤 castaña *f* dulce.

단밥 comida *f* de buen paladar.

단방(單方) ① [단 한 가지 약만을 쓰는 방문(方文)] prescripción *f* de única medicina. ② [신통하게 효력이 좋은 약] medicina *f* eficaz.

■~문(文) =단방(單方)❶. ~약(藥) única medicina *f* de curar la enfermedad.

단방(單放) ① [(총을 쏠 때의) 단 한 방] un solo tiro. ② [(뜸을 뜰 때의) 단 한 자리] un solo lugar del cauterio de moxa. ③ =단번.

■~치기 ㉮ [마지막의 한 번] una vez final. ㉯ [어떤 일을 단방에 해치움] un solo esfuerzo, un solo intento, una sola tentativa.

단방(斷房) cesación *f* de la cópula. ~하다 cesar la cópula.

단배 apetito *m* fuerte, deseo *m* fuerte de comer.

◆단배(를) 주리다 (ser) subalimentado, desnutrido, pasar hambre a pesar del buen apetito.

단배(單拜) un solo saludo. ~하다 saludar una sola vez.

단배(團拜) saludo *m* en grupo. ~하다 saludar en grupo.

■~식(式) celebración *f* del día de Año Nuevo (de una organización).

단백(蛋白) ① [(알이나 달걀의) 흰자위] clara *f*, albúmina *f*. ② [단백질로 된 물건] albúmina *f*. 오줌에서 ~이 섞여 나오다 tener albúmina en la orina. ③ ((준말)) = 단백질(蛋白質).

■~계(計)[계량기] albuminímetro *m*, albuminómetro *m*. ~ 과다 혈증(過多血症) albuminosis *f*. ~광(光) opalescencia *f*. ~뇨(尿) albuminuria *f*. ¶~의 proteinúrico. ~뇨 공포증(尿恐怖症) albuminurofobia *f*. ~뇨성 흑내장 amaurosis *f* albuminúrica. ~뇨증(尿症) proteinuria *f*, albuminuria *f*. ~뇨 촉진제(尿促進劑) albuminurético *m*. ~담즙증(膽汁症) albuminocolia *f*. ~ 분해(分解) ¶~의 proteolítico. ~ 분해 효소(分解酵素) enzima *f* proteolítica. ~상(像) proteinograma *m*. ~색(色) color *m* lechoso. ~석(石) ópalo *m*. ¶~의 opalino. ~ 섬유소(纖維素) albuminofibrina *f*. ~성 항원(性抗原) proteantígeno *m*. ~성 호르몬 proteohormona *f*. ~ 소화 효소(消化酵素) enzima *f* proteopéptica. ~식 공포증(食恐怖症) proteinfobia *f*. ~ 염뇨증(鹽尿症) albuminaturia *f*. ~ 용해소(溶解素) albuminolisina *f*. ~유(乳) leche *f* albuminosa. ~ 인견(人絹) rayón *m* albuminoso. ~증(症) proteinosis *f*. ~지(紙) 【화학】 = 계란지(鷄卵紙). ~ 치료법(治療法) proteinoterapia *f*. ~ 혈증(血症) proteinemia *f*. ~ 효소(酵素) proteasa *f*. ~ 효소원(酵素原) pepsinógeno *m*.

단백질(蛋白質) albúmina *f*, proteína *f*. ~의 proteínico, proteico. ~을 함유한 albuminoso, que contiene proteína.

■~ 공학(工學) proteinología *f*. ~ 대사(代謝) proteometabolismo *m*. ~ 변성(變性) denaturación *f* proteínica. ~ 분해(分解) proteolisis *f*. ~ 분해 효소(分解酵素) proteinasa *f*. ~ 소화(消化) proteopepsis *f*. ~원(原) preproteína *f*. ~ 융해소 proteolisina *f*. ~학(學) proteinología *f*.

단번(單番) una sola vez.

단번에 [단 한 번에] de una vez, de un golpe; [즉시] inmediatamente, en seguida, enseguida. ~ 맥주 한 병을 마시다 beber(se) una botella de cerveza de una vez.

단벌(單—) [단 한 벌] un solo [único] vestido [traje]. ~로 no teniendo nada que lo puesto, en estado de no tener más que lo puesto. ~로 도망하다 escaparse con lo que está vestido.

단벌 가다 =유일무이하다.

■~치기 ㉮ [옷 한 벌만으로 지내는 사람] persona *f* de pasar con un solo traje. ㉯ [한 벌만의 옷으로 지내는 일] lo que pasa con un solo traje.

단벽(丹碧) =단청(丹靑).

단변리법(單邊利法) 【경제】 =단리법(單利法).

단병(短兵) el arma *f* (*pl* las armas) blanca de usar para el combate cuerpo a cuerpo.

■~전(戰) combate *m* cuerpo a cuerpo. ~접전(接戰) combate *m* cuerpo a cuerpo.

단복(團服) uniforme *m* (de una organización).

단본위(單本位) mononorma *f*.

■~제(制) monometalismo *m*. ~ 화폐(貨幣) moneda *f* circulante monometálica.

단봇짐(單褓—) bulto *m* cómodo, bulto *m* fácil de usar.

단봉(丹鳳) ① [임금의 말] palabra *f* del rey. ② [궁궐(宮闕)] palacio *m* real.

단봉낙타(單峰駱駝) 【동물】 dromedario *m*.

단봉약대(單峰—) 【동물】 =단봉낙타.

단봉타(單峰駝) 【동물】 =단봉낙타.

단분수(單分數) 【수학】 fracción *f* simple.

단분자층(單分子層) =일분자층(一分子層).

단불 fuego *m* muy vivo.

◆단불에 나비 죽듯 persona *f* de morir débilmente.

단불요대(斷不饒貸) =단불용대(斷不容貸).

단불용대(斷不容貸) lo que nunca perdona [permite · admite].

단비 lluvia *f* oportuna.

단비(單比) 【수학】 ratio *m* simple.

단비(單婢) una sola sierva.

단비(短臂) falta *f* del talento. ~하다 faltar [carecer] del talento.

단비(斷碑) lápida *f* sepulcral rota.

단비(斷臂) corte *m* del brazo. ~하다 cortar el brazo.

단비례(單比例) 【수학】 proporción *f* simple.

단사(丹砂) 【광물】 =주사(朱砂).

단사(單舍) ((준말)) =단사리별(單舍利別).

단사(單絲) un solo hilo.

단사(斷絲) hilo *m* cortado.

■~율(率) tasa *f* del hilo cortado.

단사리별(單舍利別) jarabe *m* simple.

단산(斷産) ① [아이 낳던 여자가 아이를 못 낳게 됨] cesación *f* natural de parto [alumbramiento]. ~하다 cesar de dar a luz naturalmente. ② [아이 낳는 것을 끊음] suspensión *f* de *su* parto [alumbramiento]. ~하다 suspender *su* parto [alumbramiento]. 내 아내는 몸이 허약해서 스물아홉에 ~했다 Mi esposa paró su parto a la edad de veintinueve [a los 29 años] porque ella era débil.

단살(單—) una sola flecha.

단삼(丹蔘) 【식물】 ((학명)) Salvia miltriorrhiza.

단삼(單衫) =적삼.

단상(單相) ① [단 하나의 위상(位相)] monofase *f*. ~의 monofásico. ② ((준말)) =단상 교류. ③ ((준말)) =단상 회로(單相回路).

■~ 교류 corriente *f* [alterna *f*] monofásica. ~ 전동기 【전기】 motor *m* monofásico. ~ 회로(回路) circuito *m* monofásico.

단상(壇上) estrado *m*, tribuna *f*. ~에 오르다

subir al estrado [a la tribuna].

단상(斷想) pensamiento *m* fragmentario.

단색(丹色) (color *m*) rojo *m*.

단색(單色) ① [단 한 가지 빛깔] monocromo *m*, monocromía *f*, tinte *m* simple. ~의 monocromático, unicolor. ② [단일한 빛] único color *m*.

■ ~광(光) luz *f* monocromática. ~광 필터 filtro *m* de luz monocromática. ~ 인쇄(印刷) imprenta *f* monocromática. ~판(版) edición *f* monocromática. ~화(畵) pintura *f* monocromática, imagen *f* monocromática. ~ 흡수(吸收) absorción *f* monocromática.

단서(丹書) ① [금석에 새긴 글] escritura *f* grabada en el monumento de piedra. ② [임금의 조서] edicto *m* real.

단서(但書) estipulación *f*, cláusula *f* condicional, condición *f*.

단서(端緖) ① [일의 실마리] indicio *m*, guía *f*, señal *f*, punto *m* de partida, origen *m*; [흔적] huella *f*, pista *f*, vestigio *m*. 문제 해결의 ~ clave *f*, llave *f* para resolver la cuestión. ~를 주다 dar*le* una pista (a). …의 ~를 남기다 dar origen [lugar] a *algo*, marcar el punto de partida de *algo*. 해결의 ~를 찾다 encontrar indicios de solución, encontrar una pista que puede llevar a la solución. 그것이 해결의 ~가 되었다 Resultó ser una pista para la solución / Resultaron ser los primeros indicios de solución. 그녀의 일기는 그녀의 행방에 관한 ~를 줄 수 있다 Su diario puede dar una pista acerca de su paradero. 경찰에서는 이미 범인의 ~를 입수해 가지고 있다 La policía ya tiene una pista de criminal. 지문(指紋)을 ~로 수사(搜査)가 시작되고 있다 Se inicia la investigación tomando como pista las huelllas digitales. ② [일의 시초] comienzo *m*, origen *m*, principio *m*. ~를 열다 comenzar, originar, principar.

단서법(斷敍法)【수사】anacolutia *f*.

단석(旦夕) ① [아침과 저녁] la mañana y la noche. ② [위급한 시기나 상태가 절박한 모양] emergencia *f*, urgencia *f*

단석(端石)【광물】((준말)) =단계석(端溪石).

단선(單船) un solo barco.

단선(單線) ① [외줄] una sola línea, línea *f* única. ② ((준말)) =단선 궤도. ③ ((준말)) =단선 철도.

■ ~ 궤도[철도] vía *f* única, una sola vía, un solo carril.

단선(短線) línea *f* corta.

단선(團扇) abanico *m* redondo.

단선(斷線) ruptura *f* del cable eléctrico, rotura *f* de alambre, desunión *f*. ~하다 romper la línea, interrumpir la línea. 강풍으로 ~됐다 El fuerte viento cortó el cable.

단섬유(短纖維) fibra *f* corta.

단성(丹誠) sinceridad *f*, devoción *f*.

단성(單性)【생물】unisexualidad *f*. ~의 unicelular.

■ ~ 생식(生殖) reproducción *f* unisexual, parnenogénesis *f*. ~ 잡종(雜種) monohíbrido *m*. ~화(花) flor *f* unisexual.

단성(單聲) voz *f* simple.

단세(短世) =단명(短命).

단세포(單細胞)【생물】célula *f* simple. ~의 unicelular.

■ ~ 동물(動物) animales *mpl* unicelulares. ~ 생물(生物) mónada *f*, unicelulares *mpl*, organismo *m* unicelular. ~ 식물 plantas *fpl* unicelulares.

단소(短小) lo corto y lo pequeño. ~하다 (ser) corto y pequeño.

단소(短所) =단처(短處).

단소(短簫)【악기】*danso*, flauta *f* corta de bambú.

단소(壇所) lugar *m* que hay altar.

단속(團束) control *m*; [규제(規制)] regulación *f*, dirección *f*; [감시(監視)] supervisión *f*, inspección *f*, vigilancia *f*; [방어(防禦)] defensa *f*, protección *f*. ~하다 controlar; [규제하다] reglamentar, disciplinar; [감시하다] supervisar, vigilar; [방어하다] defender, proteger. 선거법 위반의 ~ supervisión *f* de las violaciones de la ley electoral. ~을 강력히 하다 fortificar, reforzar la defensa. 가사(家事)를 ~하다 gobernar una casa. 경찰의 ~을 강화하다 reforzar [intensificar] el control de la policía. 밀수를 ~하다 vigilar el contrabando. 반(反)정부 언론을 ~하다 ejercer el control sobre las opiniones antigubernamentales.

단속(斷續) intermitencia *f*, interrupción [suspensión *f*] temporal. ~하다 intermitir(se).

■ ~기(器) interruptor *m*. ~ 기어 engranaje *m* intermitente. ~음(音) sonido *m* intermitente. ~적 intermitente. ¶~으로 intermitentemente, a [por] intervalos. ~ 전류 corriente *f* intermitente. ~ 호흡(呼吸) respiración *f* de la rueda dentada.

단속곳(單─) *dansokgot*, combinación *f* de mujer, enaguas *fpl*.

단손(單─) ① [단지 한 번 쓰는 손] mano *f* de usar una vez. ② =혼잣손. ¶~으로 uno mismo, personalmente, de un golpe, a la vez. …을 ~으로 하다 hacer *algo* uno mismo [personalmente]. ~으로 때려 눕히다 derribar de un golpe.

단손에 solo. 나는 ~ 이 일은 할 수 없다 Yo no puedo hacer estas cosas solo.

단솥 olla *f* de hierro calentada.

단수(段數) ① [단의 수] número *m* de las columnas. ② [술수를 쓰는 재간의 정도] grado *m* de talento que usa el truco mágico.

◆단수가 높다 El truco mágico es hábil.

단수(短袖) manga *f* corta.

단수(短壽) =단명(短命).

단수(單數) ① [단일한 수] un solo número. ②【언어】singular *m*. ~의 singular. ~(형)으로 하다 poner en singular. 3인칭 ~ tercera persona *f* (del) singular.

■ ~ 명사(名詞) sustantivo *m* [nombre *m*] singular.

단수(端數) fracción *f*, suma *f* fraccionaria,

número *m* quebrado.

단수(斷水) suspensión *f* del suministro de agua. ~하다 suspender el suministro de agua. ~ 중이다 El agua está cortada. 9시부터 10시까지 ~함 ((게시)) Habrá un corte de agua desde las nueve hasta las diez.

단수(斷袖) =비역.

단수로(短水路) piscina *f* de la longitud de veinte y cinco metros.

단순(丹脣) labios *mpl* rojos (hermosos de la mujer joven).
■ ~호치(皓齒) los labios rojos y los dientes blancos, cara *f* muy hermosa de la mujer.

단순(單純) simplicidad *f*, sencillez *f*, llaneza *f*, ingenuidad *f*. ~하다 (ser) simple, sencillo, cándido, ingenuo, mero, puro. ~한 생각 idea *f* simple. ~한 우연(偶然) la mera casualidad. ~한 생활을 하다 llevar una vida sencilla. 그것은 ~한 구실이다 Es un simple pretexto. 그것은 ~한 추측에 불과하다 Es una simple [mera] suposición.
단순히 simplemente, sencillamente, meramente, puramente, con sencillez.
■ ~ 가설(假說)【심리】hipótesis *f* simple. ~ 개념(概念) concepto *m* [idea *f*] simple. ~골절(骨折) fractura *f* simple. ~ 과반수(過半數) mayoría *f* simple. ~국(國)【법률】=단일국(單一國). ~ 기계(機械) máquina *f* simple. ~림(林) bosque *m* puro. ~ 림프관종 linfangioma *m* simple. ~ 박자(拍子)【음악】tiempo *m* simple. ~ 사회(社會) sociedad *f* simple. ~샘[선] glándula *f* simple. ~성(性) simplicidad *f*. ~성 갑상선종(性甲狀腺腫) bocio *m* simple. ~성 농가진(性膿痂疹) impétigo *m* simple. ~성 양진(性痒疹) prurito *m* simple. ~성 어린선(性魚鱗蘚) ictiosis *f* simple. ~성 자반병(性紫斑病) purpura *f* simple. ~성 천재성 위궤양(性淺在性胃潰瘍) exulceratio *m* simple. ~성 포진(性疱疹) herpes *mpl* simples. ~성 혈관종(性血管腫) hemangioma *m* simple. ~성 활막염(性滑膜炎) sinovitis *f* simple. ~성 황달(性黃疸) ictiosis *f* simple. ~ 승인(承認) reconocimiento *m* simple. ~ 심내막염(心內膜炎) tromboendocarditis *f*. ~ 요도염(尿道炎) uretritis *f* simple. ~ 운동(運動) moción *f* simple. ~ 탈구(脫臼) dislocación *f* simple. ~ 포진(疱疹) herpes *mpl* simples. ~ 피부염(皮膚炎) haplodermatitis *f*. ~ 현미경(顯微鏡) microscopio *m* simple. ~화(化) simplificación *f*. ~하다 simplificar. ~ 흑점(黑點) lentigo *m* simple, peca *f* simple.

단술 *dansul*, bebida *f* dulce de arroz fermentado.

단숨에(單-) de un tirón, de un golpe, todo seguido, de una vez, de un trago. ~ 마셔 버리다 beber(se) [tomarse] de un golpe [de un trago · de un tirón]. ~ 편지를 쓰다 escribir una carta de un golpe. ~ 책을 읽어 버리다 leer un libro de un tirón [de una tirada · todo seguido]. ~ 언덕을 내려가다 bajar la colina de una corrida. 그는 맥주를 ~에 끝내 버렸다 El se terminó la cerveza de un trago.

단승(單勝) ((준말)) =단승식(單勝式).

단승식(單勝式)【경마 · 경륜】sistema *m* ganador.

단시(短時) ((준말)) =단시간(短時間).

단시(短詩) corto verso *m*, corto poema *m*, soneto *m*.
■ ~ 작가(作家) escritor, -tora *mf* de verso corto.

단시(檀施) ((불교)) =보시(布施).

단시간(短時間) poco tiempo *m*, corto tiempo *m*.

단시일(短時日) pocos días, unos días. ~에 en pocos días.

단시조(短時調) corto *sicho*, corto verso *m*.

단시합(單試合) =단식 경기(單式競技).

단식(單式) ① [단순한 형식이나 방식] método *m* simple, sistema *m* simple. ② ((준말)) =단식 부기. ③ ((준말)) =단식 경기(單式競技). ④ ((준말)) =단식 탁구. ⑤ ((준말)) =단식 인쇄. ⑥【수학】expresión *f* simple.
■ ~ 경기 individuales *mpl*, *AmL* singles *mpl*. ¶남자 ~ los individuales *mpl* masculinos, *AmL* los singles *mpl* de caballeros. 여자 ~ los individuales *mpl* femeninos, *AmL* los singles *mpl* de damas. ~ 부기(簿記) contabilidad *f* por partida simple. ~ 시합(試合) (partido *m* de los) individuales *mpl*, *AmL* (partido *m* de los) singles *ing.mpl*. ~ 인쇄(印刷) monotipia *f*. ~ 정구 individuales *mpl*, *AmL* singles *mpl*. ~ 탁구 individuales *mpl*, *AmL* singles *mpl*. ~ 화산(火山) volcán *m* conoidal.

단식(斷食) ayuno *m*, abstinencia *f*, inedia *f*. ~하다 ayunar, practicar [observar] el ayuno, abstenerse de cualquier alimentos. 10일간 ~을 하다 ayunar [practicar el ayuno · destinar el ayuno] por siete días.
■ ~ 기도(祈禱) oración *f* [rezo *m*] por ayuno. ~ 동맹(同盟) ayuno *m* en grupo. ~ 요법(療法) dieta *f* absoluta, curación *f* por ayuno, pinoterapia *f*, limoterapia *f*. ~ 투쟁(鬪爭) huelga *f* de hambre.

단식구(單食口) familia *f* de uno.

단식증(單食症) monofagia *f*.

단신(單身) solo, persona sin acompañante. ~의 solo, sin acompañante, solitario; [총(銃)의] de un cañón. ~으로 solo; [혼자 힘으로] sin ayuda de nadie, por sí mismo. ~으로 여행하다 viajar solo.

단신(短身) (cuerpo *m* de) la estatura [talla] baja, cuerpo *m* pequeño.

단신(短信) ① [짤막하게 쓴 편지] carta *f* corta. ② [짤막하게 전해지는 뉴스] nueva *f* corta, noticia *f* corta.

단실(單室) un solo cuarto, una sola habitación.
■ ~ 자방(子房)【식물】=홑씨방.

단심(丹心) devoción *f*, sinceridad *f*.

단심가(丹心歌)【문학】canción *f* de devoción.
단아(單芽) ＝홑눈.
■ ～구(球) monoblasto *m*.
단아하다(端雅－) (ser) elegante, gracioso. 단아함 elegancia *f*, gracia *f*. 단아한 용모(容貌) semblante *m* elegante.
단악(丹堊) pared *f* pintada de rojo.
단안(單眼) ①【동물】estema *m*, ocelo *m*. ～의 monóculo. ② [단 하나의 눈] un solo ojo.
단안(斷岸) colina *f* precipitosa.
단안(斷案) ① [결정(決定)] decisión *f*. ～을 내리다 decidir, llegar a decisión. ② [결론] conclusión *f*. ～을 내리다 concluir, formar un juicio.
단안경(單眼鏡) monóculo *m*.
단애(斷崖) precipicio *m*; [산의] despeñadero *m*; [해안의] acantilado *m*.
■ ～ 절벽(絶壁) precipicio *m* escarpado, acantilado *m* escarpado, risco *m* precipitoso.
단야(短夜) [짧은 밤] noche *f* corta; [여름밤] noche *f* veraniega.
단야(鍛冶) forja *f*, forjadura *f*. ～하다 forjar. ～하는 사람 forjador, -dora *mf*. 뜨겁게 ～하다 forjar en caliente.
■ ～ 강철(鋼鐵) acero *m* de forja, acero *m* pudelado. ～ 공장 taller *m* de forja. ～기(機) forjadora *f*. ～공(工) forjador, -dora *mf*. ～ 집게 tenazas *fpl* de forja, tenazas *fpl* de fragua.
단약(丹藥) ＝선단(仙丹).
단양(端陽) ＝단오(端午).
단양 팔경(丹陽八景) ocho lugares de interés en *Danyang*.
단어(單語) vocablo *m*, palabra *f*, vocabulario *m*, léxico *m*.
■ ～ 문자(文字) ＝표의 문자(表意文字). ～장(帳) cuaderno *m* de palabras. ～집(集) vocabulario *m*, glosario *m*. ～ 카드 ficha *f* de vocabulario.
단언(斷言) declaración *f*, [확언] afirmación *f*, aserción *f*. ～하다 declarar, decir terminantemente [rotundamente · categóricamente]; afirmar (de una manera tajante), asertar, asegurar. 감히 …라 ～하다 atreverse a afirmar que + *ind*. ～을 할 수는 없지만 … No puedo decir positivamente, pero … / No estoy muy seguro de que + *subj*. 꼭 성공하겠다고 그는 ～했다 El declaró estar seguro del éxito. 내일은 비가 멈출 것이라고 어떻게 ～할 수 있습니까? ¿Cómo puede usted afirmar [asegurar] que dejará de llover mañana?
단역(端役) ①【연극 · 영화】[대수롭지 않은 역] papel *m* insignificante [secundario]. ～을 하다 hecer el papel insignificante [no importante]. ② ＝단역 배우.
■ ～ 배우 extra *mf*, actor, -triz *mf* que hace un papel secundario, personaje accesorio.
단연(斷煙) abstinencia *f* de tabaco. ～하다 dejar de fumar.
단연(斷然) ＝단연히.
단연코 ((힘줌말)) ＝단연히.
단연하다 (ser) firme, resuelto, actuar con resolución [decisión].
단연히 categóricamente, decididamente, resueltamente, positivamente, afirmativamente, rotundamente, firmemente, con firmeza, con decisión, con resolución, a toda costa, por todos los medios, cueste lo que cueste. ～ 우수성을 발휘하다 mostrar una superioridad indiscutible [absoluta]. 그가 ～ 빠르다 El es con mucho el más rápido. 그것이 ～ 우수하다 Sin duda alguna esto es lo mejor. ～ 끝내고야 말겠다 A toda costa lo voy a terminar / Acabaré cuest lo que cueste.
단열(單列) una línea.
단열(斷熱) suspensión *f* del calor. ～하다 suspender el calor.
■ ～도(圖) diagrama *m* adiabático. ～ 변화(變化) cambio *m* adiabático. ～ 상승(上昇) subida *f* adiabática. ～선(線) línea *f* adiabática. ～ 압축(壓縮) compresión *f* adiabástica. ～ 엔진 motor *m* adiabático. ～ 유출(流出) flujo *m* adiabático. ～재(材) aislante *m* térmico. ～적(的) adiabático *adj*. ～적 냉각(的冷却) refrigeración *f* adiabática. ～ 전류(電流) corriente *f* adiabática. ～ 체감(遞減) caída *f* adiabática. ～ 트랩 trampa *f* adiabática. ～ 팽창(膨脹) expansión *f* adiabática.
단열로(鍛熱爐) ＝단공로.
단엽(單葉) ①【식물】＝홑잎. ②【식물】＝홑꽃잎. ③【항공】((준말)) ＝단엽 비행기(單葉飛行機). ④ [잎사귀 한 개를 도안화한 무늬] figura *f* de un hoja.
■ ～기(機) ((준말)) ＝단엽 비행기. ～ 비행기(飛行機) monoplano *m*.
단영(丹楹) ＝단주(丹柱).
단오(端午)【민속】*dano*, el cinco de mayo del calendario lunar, quinto día *m* del quinto mes del calendario lunar, quinto día de la quinta luna.
■ ～야(夜) noche *f* del cinco de mayo del calendario lunar. ～절(節) fiesta de *dano*.
단옷날 día *m* de *dano*, el cinco de mayo del calendario lunar.
단운(斷雲) nubes *fpl* dispersas.
단원(單元) ① [단일한 근원] un solo origen. ②【철학】mónada *f*. ③ [학습 단위] unidad *f*, parte *f* de un programa de estudio.
■ ～론(論) monadismo *m*, monadología *f*. ～설(說)【철학 · 생물】＝단원론(單元論).
단원(團員) miembro *mf* (de una corporación · de un equipo).
단원(團圓) ① [둥근 것] lo redondo. ② [가정이 원만함] armonía *f* de una familia, familia *f* armoniosa, feliz familia *f*. ③ [결말. 끝] conclusión *f*, fin *m*.
단원(檀園) *Danwon*, seudónimo *m* del Sr. Kim Hong Do.
단원제(單院制) sistema *m* unicameral, unicameralismo *m*.

단원 제도(一制度) =단원제(單院制).
단월(端月) enero *m* del calendario lunar.
단월(檀越) ((불교)) =시주(施主).
단위(單位) ① [기준 수치] unidad *f.* ~로 por unidad. 길이의 ~ unidad *f* de longitud. 5분 ~로 cada cinco minutos. ~가 틀리다 equivocarse de la unidad. 천 원 ~로 값을 매기다 cotizar en unidades de mil wones. 백만 원을 ~로 하다 computar por un millón, computar de un millón en un millón. ② [어떤 조직을 구성하는 기본적 사물] unidad *f,* grupo *m,* núcleo *m.* 가족을 사회의 ~로 인정하다 tomar la familia como la unidad de sociedad. ③ [일정한 학습량] unidad *f* [punto *m*] de valor [valuación]. 그는 ~가 부족하다 A él le faltan unidades. ④【수학·물리·의학】unidad *f.* ◆가족(家族) ~ grupo *m* familiar, núcleo *m* familiar, familia. 면적(面積) ~ unidad *f* de superficie. 화폐[통화] ~ unidad *f* monetaria.
▪~ 노동 조합(勞動組合) unión *f* obrera local. ~ 면적(面積) superficie *f* de unidad. ~ 부대(部隊) unidad *f.* ~ 조합(組合) unión *f* local.
단위 생식(單爲生殖)【생물】=단성 생식.
단음(短音)【음악】sonido *m* corto.
단음(單音) ①【물리】sonido *m* simple. ②【음악】tono *m* monocorde. ③【언어】monotonía *f.*
▪~ 문자(文字) letra *f* monótona. ~ 창가(唱歌) canto *m* monótono.
단음(斷飮) =금주(禁酒).
단음계(短音階)【음악】escala *f* menor.
단음악(單音樂) música *f* monófona, monofonía *f.*
단음절(單音節) monosílabo *m.* ~의 monosílabo, monosilábico.
▪~ 단어(單語) palabra *f* monosílaba. ~어 monosílabo *m,* lengua *f* monosilábica.
단음정(短音程)【음악】intérvalo *m* menor.
단의(單衣) ① =홑옷. ② =속곳.
단의(短衣) ropa *f* corta.
단인자 잡종(單因子雜種)【생물】=단성 잡종.
단일(單一) ① [단 하나] unidad *f.* ~의 único, solo, unitario. ② [복잡하지 않음] simplicidad *f.* ~의 simple. ③ [다른 것이 섞이지 않음] puridad *f.* ~ 의 puro.
▪~ 경작(耕作) monocultivo *m,* monocultura *f.* ~국(國)[국가] estado *m* unitario. ~ ~ 기계(機械) máquina *f* simple. ~물(物) objeto *m* único. ~ 민족 raza *f* unitaria. ~ 민족 국가 estado *m* de raza unitaria. ~ 변동 환율(變動換率) sistema *m* unitario de divisas de fluctuación. ~ 본위(本位) =단본위제(單本位制). ~성(性) unidad *f,* similicidad *f.* ~ 세율(稅率) tipo *m* del impuesto único. ~ 시장(市場) mercado *m* único. ~ 신교(神敎) henoteísmo *m.* ~제(制) sistema *m* unitario. ~ 조합(組合) sindicato *m* independiente. ~ 진자(振子)【물리】=단진자. ~현 운동(弦運動)【물리】=단진동(單振動). ~ 호봉(號俸) nómina *f* única, *AmL* planilla *f* única. ~ 호봉표(號俸表) planilla *f* única. ~화(化) unificación *f,* simplificación *f.* ¶~하다 unificar, simplificar. ~ 환율 tipo *m* de cambio único. ~ 후보 candidato *m* único, candidata *f* única.
단일(短日) sol *m* corto (del invierno).
단일월(短日月) =단시일(短時日).
단일현 운동(單一絃運動)【물리】=단진동 운동(單振動運動).
단자[1](單子) [부조하는 물건의 품목과 수량을 적은 종이] lista *f* de los regalos.
단자[2](單子)【철학】mónada *f.*
▪~론(論) monadismo *m,* monadología *f.*
단자(單字) [글자] una letra, un carácter; [단어] una palabra.
단자(短資) préstamo *m* a corto plazo, préstamo *m* a la vista. ☞콜론(call loan)
▪~ 시장(市場) mercado *m* a corto plazo. ~ 업자(業者) comerciante *mf* de préstamo a la vista. ~율(率) tasa *f* de préstamo de amortización.
단자(端子)【전기】borna *f,* borne *m,* terminal *m.*
▪~ 전압(電壓) tensión *f* entre bornes. ~판[1](板)【전기】regleta *f* de bornas. ~판[2](板) cuadro *m* de bornas, tablero *m* de bornes.
단자(團子/團餈) bola *f* de harina de arroz amasada, bola *f* hervida de harina de arroz.
▪~병(餠) =단자(團子).
단자(緞子) damasco *m* de seda, damasco *m* de raso [satén].
단자방(單子房)【식물】=홑씨방.
단자엽(單子葉)【식물】=외떡잎.
▪~식물(植物)【식물】=외떡잎식물. ~ 종자(種子)【식물】=외떡잎 씨앗.
단자예(單雌蕊)【식물】=홑암술. 홑암꽃술.
단자음(單子音) consonante *f* única.
단작(單作) monocultivo *m,* monocultura *f.*
▪~ 농업(農業) agricultura *f* monocultural.
단작스럽다 (ser) sucio. ☞던적스럽다
단작스레 suciamente, con suciedad.
단잔(單盞) [한 잔] una copa, un vaso, una caña.
단잠 sueño *m* profundo. ~을 자다 dormir profundamente. 내가 방문했을 때 그는 ~을 자고 있었다 El dormía profundamente cuando yo le visité.
단장(丹粧) [화장(化粧)] aseo *m,* acto *m* de vestirse, modo *m* de vestir; [장식(裝飾)] ornamento *m,* adorno *m,* decoración *f.* ~하다 embellecer, ornamentar, adornar, decorar. 정성들여 한 ~ arreglo *m* muy elaborado. 새로 ~하다 remodelar, reformar.
▪~ 상자(箱子) =화장 상자(化粧箱子). ~실(室) cuarto *m* de aseo.
단장(短長) ① [짧고 긺] lo corto y lo largo. ② [단점과 장점] el demérito y el mérito.
단장(短杖) bastón *m* (*pl* bastones). ~을 짚다 andar con bastón. ~을 휘두르다 dar bastonazos.
단장(短墻) muro *m* bajo y pequeño.

단장(團長) jefe, -fa *mf* de grupo [de equipo]; [극단 따위의] director, -ra *mf*. A씨를 ~으로 하는 사절단(使節團) delegación *f* encabezada por el señor A, delegación *f* que tiene a la cabeza al señor A.
단장(斷章) fragmento *m*.
단장(斷腸) congoja *f*, sufrimiento *m*, corazón *m* herido [roto · lacerado]. ~의 acongojado, traspasado de dolor. ~의 비애(悲哀) gran pena *f*, desgarramiento *m* del corazón. ~의 비애를 느끼다 sentir gran pena, tener el corazón roto, hacer*le* a sentir como si despedazase el corazón.
단장화(斷腸花)【식물】=추해당(秋海棠).
단재(短才) poca inteligencia *f*, poco talento *m*, falta *f* de talento.
단재(斷裁) =마름질.
■ ~기(機) =재단기(裁斷機).
단적(端的) franco, directo, claro, sin rodeos.
단적으로 francamente, directamente, sin rodeos, sin ambigüedades. ¶~ 말하면 그것은 잘못이다 Francamente hablando, eso es un error.
단전(丹田) ① [하단전(下丹田)] hipogastrio *m*, músculos *mpl* del bajo vientre, abdomen *m*, vientre *m*. ~에 힘을 주다 tensar los músculos del bajo vientre. ② ((준말)) =삼단전(三丹田).
단전(短箋) carta *f* corta.
단전(短箭) flecha *f* corta, saeta *f* corta.
단전(斷電) suspensión *f* de suministro de energía. ~하다 suspender el suministro de energía, cortar la electricidad.
단전(斷箭) flecha *f* rota, saeta *f* rota.
단전타음(短前打音)【음악】*ital* acciaccatura
단절(短折) ① [일찍 부러짐] rompimiento *m* temprano. ~하다 romperse temprano. ② =요절.
단절(斷折) =절단(切斷).
단절(斷絶) ruptura *f*, interrupción *f*, quebrantamiento *m*, rotura *f*, rompimiento *m*; [멸망] extinción *f*, arruinamiento *m*, caída *f*, decadencia *f*. ~하다 romperse, interrumpirse, quebrarse, separarse, llegar a ruptura, cortarse; [가계(家系) 등이] extinguirse. ~된 가문(家門) familia *f* extinguida. 세대(世代)의 ~을 느끼다 sentir la ruptura [la brecha] de generaciones. 국교(國交)가 ~되었다 Las relaciones diplomáticas han llegado a la ruptura.
단절(斷截/斷切) =절단(切斷/截斷).
■ ~기(機) =절단기(切斷機).
단절류(單節類)【동물】=단체촌충류.
단점(短點) defecto *m*, falta *f*, demérito *m*, deficiencia *f*, punto *m* flaco. ~을 고치다 reparar *sus* defectos. 그 남자에게는 ~이 많다 El está lleno de los defectos. ~이 있으면 장점도 있다 Si hay defectos, también hay virtudes.
단접(鍛接) soldadura *f*. ~하다 soldar.
단정(丹頂)【조류】=두루미.
단정(丹精) =단성(丹誠).
단정(端正) decencia *f*, rectitud *f*, integridad *f*, sublimidad *f*, probidad *f*. ~하다 (ser) decente, recto, íntegro, sublime, probo, honrado. ~하지 못한 desordenado, desarreglado, desaliñado, disoluto, descuidado. ~하지 못한 여인 mujer *f* disoluta. 옷차림이 ~하다 mantenerse aseado. 그녀는 너저분하고 ~하지 못한 차림으로 나타났다 Ella apareció mal tapada.
단정히 decentemente, rectamente, íntegramente, sublimemente, correctamente, dignamente, honradamente. ~ 하다 arreglar, ordenar, poner en orden. ~ 앉다 sentarse correctamente. 몸차림을 ~ 하고 있다 estar aseado [bien arreglado]. 복장을 ~ 하다 vestirse correctamente, arreglar los vestidos.
단정(端整) limpieza *f*. ~하다 (estar) aseado, limpio. ~한 용모(容貌) rasgos *mpl* nobles y proporcionados. 그녀는 ~한 것을 좋아한다 Ella es una mujer aseada / Ella es una mujer que le gusta la limpieza.
단정(端艇/短艇) ① =보트. ② =보트 레이스.
■ ~ 경조(競漕) regata *f*. ~ 훈련(訓練) instrucción *f* de salvamento marítimo.
단정(斷定) aserción *f*, afirmación *f*, [결정] decisión *f*, determinación *f*, [결론(結論)] conclusión *f*. ~하다 afirmar, asegurar, decidir (que + *ind*), determinar (que + *ind*), juzgar. ~을 내리다 tomar una determinación (sobre), sacar una conclusión (de). 그는 그것은 불가능하다고 ~했다 El aseguró [sacó la conclusión de] que eso era imposible.
■ ~적(的) tajante, categórico. ¶~으로 tajantemente, categóricamente.
단정(斷情) rompimiento *m* de amor. ~하다 romper el amor.
단정학(丹頂鶴)【조류】=두루미.
단조(單調) monotonía *f*, uniformidad *f*.
단조롭다 (ser) monótono, poco variado, prosaico; [규칙적인] acompasado; [지루한] aburrido. 단조로운 풍경(風景) paisaje *m* monótomo [uniforme]. 단조로운 생활을 하다 llevar una vida monótona.
단조로이 monótonamente, en tono llano, en un tono monótono. ~ 읽다 leer en un tono monótono, leer de una manera monótona.
단조(短調)【음악】menor *m*. ~의 선율(旋律) melodía *f* en menor.
단조(鍛造) forja *f*, forjamiento *m*. ~하다 forjar. 차게 ~하다 forjar en frío. 뜨겁게 ~하다 forjar en caliente.
■ ~공(工) forjador, -dora *mf*. ~ 공장(工場) taller *m* de forja. ~ 기계(機械) forjadora *f*, prensa *f* de forjar, máquina *f* forjadora. ~품(品) artículo *m* de forjar. ~ 해머 martillo *m* de forja.
단조림젖 =가당연유(加糖煉乳).
단족(單族) familia *f* solitaria sin influencia.
■ ~국(國) país *m* de la raza única.
단종(斷種)【의학】esterilización *f*, castración *f*. ~하다 esterilizar, castrar.

■ ~법(法) esterilización *f.* ~ 수술(手術) esterilización *f.* ¶~을 하다 esterilizar.

단좌(單坐) ① [혼자 앉음] acción *f* de sentarse solo. ~하다 sentarse solo. ② [단 하나의 좌석] un solo asiento.

■ ~기(機) monoplaza *m.* ~식 비행기(式飛行機) monoplaza *m.*

단좌(端坐) acción *f* de sentarse bien. ~하다 sentarse bien, sentarse derecho.

단좌(團坐) acción *f* de sentarse redondamente. ~하다 sentarse redondamente [alrededor].

단죄(斷罪) condenación *f,* juicio *m* de crimen; [참수(斬首)] decapitación *f,* degollación *f,* degüello *m.* ~하다 condenar, declarar culpable. ~되다 ser condenado.

단주(丹朱) ① [붉은빛] (color *m*) rojo *m.* ② 【광물】 =진사(辰砂).

단주(丹柱) columna *f* pintada de roja.

단주(單舟) un solo barco.

단주(短珠) rosario *m* corto de menos de cincuenta y cuatro cuentas.

단주(端舟) barca *f,* barco *m* pequeño.

단주(端株) paquete *m* de menos de cien acciones, pequeño lote *m.*

■ ~ 공매(空賣) 【주식】 venta *f* en descubierto de pequeños lotes. ~ 공매율(空賣率) 【주식】 proporción *f* de venta en descubierto de pequeños lotes. ~ 구입자(購入者) 【주식】 =단주 투기자. ~ 단기 예측 판매(短期豫測販賣) 【주식】 venta *f* en descubierto de pequeños lotes. ~ 단기 예측 판매율 【주식】 proporción *f* de venta en descubierto de pequeños lotes. ~ 딜러 operador, -dora *mf* de lotes sueltos. ~ 투기자 [투자자] 【주식】 corredor, -dora *mf* de paquete pequeño.

단주(斷酒) =금주(禁酒).

단주(斷奏) 【음악】 *ital* staccato.

단죽(短竹) =곰방대.

단지 jarro *m,* jarra *f,* cántaro *m,* pote *m.* ~에 넣다 echar en un pote.

단지(段地) terreno *m* con capas.

단지(短枝) rama *f* corta de los árboles.

단지(短智) ① [변변치 않은 지혜] inteligencia *f* superficial. ② [짧은 지혜] inteligencia *f* corta. ~하다 la inteligencia ser corta.

단지(團地) urbanización *f,* complejo *m* habitacional, complejo *m* de viviendas subvencionadas, promoción *f* de la vivienda, gran conjunto *m* [grandes bloques *mpl*] de pisos (de alquiler moderado), grupos *mpl* de viviendas, urbanización *f* de viviendas de alquiler subvencionadas por el ayuntamiento, *Méj* colonia *f.* ~에 살다 vivir en grandes bloques de pisos.

■ ~ 생활 vida *f* en grandes bloques de pisos. ~ 아파트 piso *m* del complejo habitacional.

단지(端志) corazón *m* honrado.

단지(斷指) corte *m* del dedo. ~하다 cortar el dedo.

단지(但只) sólo, solamente, meramente, simplemente. ~ …뿐만 아니라 no sólo [solamente] … sino (también). ~ …라는 이유로 simplemente porque + *ind,* simplemente por razón de *algo.* 나는 ~ 취미로 연구하고 있을 뿐이다 Yo estudio simplemente por gusto [por afición]. 그것은 ~ 시간 문제다 Es simplemente una cuestión de tiempo. 그는 ~ 연구자일 뿐만 아니라 훌륭한 교육자이기도 했다 El fue no sólo un investigador, sino un buen pedagogo. 그는 ~ 돈을 벌 뿐만 아니라 돈을 쓸 줄도 안다 El no sólo gana dinero, sino que sabe cómo usarlo. ~ 당신을 만나고 싶어 왔을 뿐이요 Vengo con el solo deseo de verte.

단지증(短指症) 【의학】 focomelia *f.*

단진동 운동(單振動運動) moción *f* sinusoidal.

단짝 pareja *f,* íntimo [buen] amigo *m,* gran amigo *m;* [여자] íntima [buena] amiga *f.* …와 ~을 이루다 emparejarse con *uno,* formar [hacer] pareja con *uno.* …와 ~이다 estar en buenas amistades [en buenos términos] con uno. 두 사람은 ~이다 Los dos son íntimos [buenos] amigos / Los dos hacen [forman] una buena pareja.

■ ~ 동무 gran amigo, -ga *mf.* ¶그는 내 ~이다 El es un gran amigo mío. ~패(牌) =단짝.

단찰(短札) ① [짤막한 편지] carta *f* corta. ② [자기의 편지] mi carta.

단참(單站) continuación *f* sin parar. 단참에 sin parar.

단창(單窓) ventana *f* corta.

단창(短槍) lanza *f* corta.

단채(單彩) color *m* monocromático.

■ ~유(釉) porcelana *f* monocromática. ~화(畵) pintura *f* monocromática. ~ 화가(畵家) pintor *m* monocromático, pintora *f* monocromática. ~ 화법 arte *m* de pintura monocromática.

단처(短處) defecto *m,* falta *f,* tacha *f,* [단점(短點)] punto *m* débil, punto *m* flaco, lado *m* flaco. ~를 보충하다 remediar un defecto.

단척(短尺) pedazo *m* de la tela corta de la longitud normal.

단천(短淺) conocimiento *m* superficial. ~하다 tener conocimiento superficial.

단철(單鐵) ((준말)) =단선 철도(單線鐵道).

단철(煅鐵/鍛鐵) hierro *m* forjado, hierro *m* batido.

단청(丹靑) [채색(彩色)] color *m;* [그림] pintura *f.* ~하다 dar los colores. ~의 묘(妙) belleza *f* exquisita de la pintura.

단체(單體) 【화학】 substancia *f* simple, elemento *m* simple.

단체(團體) corporación *f,* comunidad *f,* cuerpo *m,* partido *m,* asociación *f,* sociedad *f,* colectividad *f,* organización *f,* entidad *f,* grupo *m;* [동업(同業)의] gremio *m.* ~로 en grupo. ~를 만들다 formar un grupo [una entidad], organizar un cuerpo, agruparse. ~를 해산하다 disolver la organización.

◆자선(慈善) ~ organización *f* benéfica, organización *f* de beneficiencia.

■~ 경기(競技) deporte *m* en equipo, competición *f* en equipos. ~ 경주(競走) carrera *f* de equipo. ~ 계약(契約) contrato *m* colectivo. ~ 관람(觀覽) exposición *f* en grupo, visita *f* en grupo. ~ 교섭(交涉) negociación *f* gremial, negociación *f* colectiva, convenio *m* colectivo, negociación *f* para los contratos colectivos. ¶노동 조합은 경영자측과 ~에 들어갔다 El sindicato laboral entró en negociaciones con la patronal. ~ 교섭권(交涉權) derecho *m* de negociación colectiva. ~법(法) ley *f* de corporación. ~ 보험(保險) seguro *m* colectivo. ~상(賞) premio *m* colectivo. ~ 생활(生活) vida *f* en grupo. ¶~을 하다 vivir en grupo. ~ 승차권(乘車券) billete *m* de grupo. ~ 여행(旅行) viaje *m* colectivo, viaje *m* en grupo. ¶~을 하다 viajar en grupo. ~ 운동(運動) movimiento *m* colectivo. ~ 유희(遊戱) =매스 게임. ~ 쟁의(爭議) disputa *f* colectiva. ~전(戰) =단체 경기. ~ 정신(精神) espíritu *m* de equipo. ~ 체조(體操) gimnasia *f* colectiva. ~ 표(票) =단체 승차권. ~ 할인(割引) reducción *f* para un grupo, descuento *m* por partido. ~ 행동(行動) acto *m* colectivo, acto *m* en grupo. ¶~을 하다 actuar [comportarse] conjuntamente. ~ 협약(協約) convenio *m* colectivo, acuerdo *m* colectivo. ~ 활동(活動) actividad *f* en grupo. ~ 훈련(訓練) entrenamiento *m* en masa.

단촉하다(短促-) ① [시일이 촉박하다] (ser) urgente, emergente. ② [음성이 짧고도 급하다] (ser) corto y urgente.

단총(短銃) ① [짧막한 총] escopeta *f* corta. ② [권총] pistola *f*, revólver *m*, mosquetón *m* (*pl* moquetones).

단추[1] ① botón *m* (*pl* botones); [장식] tachón *m* (*pl* tachones); [커프스] gemelos *mpl*. 떨어진 ~ botón *m* desprendido. ~를 끼우다 abrochar. ~를 채우다 abotonar. ~를 벗기다 desabotonar. ~를 달다 poner [pegar] un botón (a). 오버의 ~를 채우다 [벗기다] abotonarse [desabotonarse] el abrigo, abrocharse [desabrocharse] los botones del abrigo. 와이셔츠의 ~를 달아 주세요 Pégueme un botón a la camisa. 와이셔츠의 ~가 하나 떨어졌다 Ha saltado [Se ha quitado · Se ha desprendido] un botón de la camisa. 그의 웃옷 ~가 벗겨져 있다 Lleva su chaqueta desabotonada. 네 가슴의 ~가 하나 벗겨져 있다 Tienes un botón suelto [desabrochado] / Te *falta un botón en la pechera.* ~가 맞지 않는다 El botón no se ajusta al ojal. ② ((준말)) =누름단추(botón, timbre). ¶~를 누르다 apretar [pulsar] botón (del timbre), tocar el timbre.

■~ 가게 botonería *f*. ¶~ 주인 botonero, -ra *mf*. ~ㅅ고리 anillo *m* de abrochar. ~ㅅ구멍 ojal *m*.

단추[2] [단으로 묶은 푸성귀] verduras *fpl* atado en haz.

단축(短軸)【수학】eje *m* menor.

단축(短縮) acortamiento *m*; [축소] disminución *f*, reducción *f*, [요약] abreviación *f*, contracción *f*. ~하다 acortar, disminuir, reducir, abreviar, contraer. 기간을 ~하다 abreviar el plazo. 노동 시간의 ~을 요구하다 requerir una reducción de horas de trabajo. 노동 시간을 한 시간 ~하다 reducir en una hora el horario laboral. 거리를 50 미터로 ~하다 disminuir [acortar] la distancia a cincuenta metros. 그 일은 시간을 ~했다 El trabajo abrevió las horas.

■~ 노동 labor *f* reducida. ~ 수업(授業) hora *f* de clase abreviada. ~형(形)【언어】forma *f* contraída.

단출하다 ① [식구가 적어 홀가분하다] (la familia) ser pequeño. 단출한 식구 familia *f* pequeña. 그는 식구가 ~ El tiene una familia pequeña / Su familia es pequeña. ② [간편하다] (ser) sencillo, práctico, conveniente. 단출한 옷 prenda *f* práctica, prenda *f* conveniente. 단출한 가정 familia *f* sencilla, hogar *m* sencillo.

단출히 sencillamente, prácticamente, convenientemente.

단충(丹忠) lealtad *f* verdadera, devoción *f* total [absoluta · completa].

단충(丹衷) =단성(丹誠).

단취(團聚) unión *f* harmónica de la familia [de las relaciones íntimas].

■~력(力) =단결력(團結力).

단층(單層) ① [단 하나의 층] un solo piso, una sola planta. ② ((준말)) =단층집.

■~집 casa *f* de un solo piso.

단층(斷層) falla *f*, dislocación *f*.

■~ 건성 엑스선 촬영법 xerotomografía *f*. ~곡(谷) valle *m* dislocado. ~면(面) plano *m* de la falla. ~ 분지(盆地) cuenca *f* de la falla. ~ 사진(寫眞) tomograma *m*. ~ 사진법(寫眞法) tomografía *f*. ~ 산맥 cordillera *f* de la falla. ~ 엑스선 사진 laminagrama *m*. ~ 엑스선 촬영기 laminógrafo *m*. ~ 엑스선 촬영법 laminagrafía *f*. ~ 운동(運動) movimiento *m* de la falla. ~ 지진(地震) terremoto *m* dislocado. ~ 촬영(법) tomografía *f*, planografía *f*. ~ 해안(海岸) costa *f* de la falla. ~ 형성(形成) laminación *f*. ~호(湖) lago *m* de la falla.

단칠(丹漆) laca *f* roja, pintura *f* roja.

단침(丹忱) =단성(丹誠).

단침(短針) ① [짧은 바늘] aguja *f* corta, aguja *f* pequeña. ② [시침(時針)] (aguja *f*) horaria *f*, horarario *m*.

단칭(單稱) singular *m*.

■~ 명제(命題)【논리】=단칭 판단. ~ 판단(判斷)【논리】preposición *f* singular.

단칸(單-) ① [단 한 칸] una sola habitación, un solo cuarto. ② ((준말)) =단칸방.

■~마루 suelo *m* de seis pies cuadrados. ~방(房) habitación *f* de seis pies cuadrados, una sola habitación. ~살림[살이] vida

f en una sola habitación, casa *f* de una sola habitación.
단칼(單－) un solo golpe de espada.
단칼에 con un solo golpe de espada. ～에 베어 죽이다 matar con un solo golpe de espada.
단타(單打) ((야구)) sencillo *m*, sencillo jit *m*.
단타(短打) ((야구)) jit *m* corto. ～를 치다 golpear la pelota.
단테【인명】Dante Alighieri (1265-1321).
～는 이탈리아의 시인으로 그의 주요 저서는 신곡(神曲)이다 Dante era un poeta italiano y su obra importante es Divina Comedia.
단파(短波)【물리】onda *f* corta.
▪ ～ 무전(無電) radio *f* de onda corta. ～ 발진기 oscilador *m* de onda corta. ～ 방송(放送) transmisión *m* en onda corta, radioemisión *f* de onda corta, emisión *f* radiofónica] de onda corta. ¶～을 하다 transmitir en onda corta. ～ 송신기(送信機) transmisor *m* de onda corta. ～ 수신기(受信機) (radio *m*) receptor *m* [radiorreceptor *m*] de onda corta. ～ 안테나 antena *f* de onda corta. ～ 요법(療法) terapia *f* de onda corta. ～장(長) longitud *f* de onda corta. ～ 채널 변환기 convertidor *m* de onda corta.
단판(單－) una sola jugada, una sola partida, una sola mano. ～으로 하다 jugar [echar] una sola partida. ～으로 이기다 [지다] ganar [perder] un punto.
▪ ～ 승부(勝負) partida *f* de una sola jugada, un solo juego *m* [asalto *m*]. ～싸움 un solo [único] desafío. ～씨름 lucha *f* de un solo asalto [round].
단판(單瓣)【식물】＝홑꽃잎.
▪ ～화(花)【식물】＝홑꽃.
단팥죽(－粥) *danpatchuk*, gachas *fpl* dulces de judías con bola de masa de arroz, *ReD* sopa *f* dulce de [con] habichuelas con bola de masa de arroz.
단패(－牌) ＝단짝.
단패(單牌) un solo par, una sola pareja.
단편(短篇) ① [짤막하게 지은 글] obra *f* [pieza *f*] corta; [짤막한 영화] producción *f* de corto metraje. ② ((준말)) ＝단편 소설.
▪ ～극(劇) drama *m* corto. ～ 소설(小說) novelita *f*, cuento *m*, narración *f* corta, relato *m* breve, novela *f* de pieza corta. ～ 소설 작가(小說作家) cuentista *mf*. ～ 소설집(小說集) colección *m* de cuentos. ～ 영화(映畵) (película *f* de) cortometraje *m*. ～ 작가(作家) cuentista *mf*. ～집(集) ＝단편 소설집.
단편(短鞭) látigo *m* corto.
단편(斷片) fragmento *m*, pedazo *m*, trozo *m*, fracción *f*, menuzo *m*.
▪ ～적(的) fragmentario, quebrado, poco sistemático; [부분적인] parcial. ～으로 fragmentariamente, a trozos. ～인 개혁(改革) reforma *f* poco sistemática. ～인 지식(知識) conocimiento *m* fragmentario. 우리들은 오직 ～인 정보만을 얻을 수 있었다 Sólo hemos podido conseguir algunos datos aislados.
단평(短評) crítica *f* corta, criticismo *m* corto, breve comentario *m*.
◆시사(時事) ～ comentarios *mpl* breves de sucesos corrientes.
단폐(丹陛) ① [붉은 칠을 한 층층대] escalera *f* pintada de rojo. ② ＝궁궐(宮闕).
단포(單胞) ((준말)) ＝단세포(單細胞).
단포상(短布裳) ＝몽당치마.
단표 누항(簞瓢陋巷) vida *f* sencilla del campo.
단풍(丹楓) ① ((준말)) ＝단풍나무. ② [단풍잎] hojas *fpl* amarillas, hojas *fpl* coloradas [otoñales], hojas *fpl* otoñales matizadas, follaje *m* carmesí. 산들은 온통 ～이 들어서 마치 불바다와 같다 Los montes arden [están en llamas] de tintes otoñales. 당신은 그 산의 아름다운 ～에 감탄할 것입니다 Usted se maravillará del follaje carmesí [otoñal] hermoso de ese monte. 설악산은 가을 ～으로 유명하다 El monte Seorak es conocido por los tintes gloriosos de su follaje otoñal.
◆단풍(이) 들다 estar matizado de rojo, colorarse. 단풍(이) 지다 ponerse colorado.
▪ ～놀이 excursión *f* para la admiración de las hojas rojas del otoño. ¶～ 가다 ir a admirar las hojas rojas del otoño. ～잎 ㉮ ＝단풍❷. ㉯ [단풍나무의 잎] hoja *f* del arce.
단풍나무(丹楓－)【식물】arce *m*, ácere *m*, meple *m*, maple *m*.
단필(短筆) ＝졸필(拙筆).
단하(壇下) debajo del estrado, debajo de la plataforma.
단학(癉瘧)【한방】＝열학(熱瘧).
단합(團合) unión *f*. ～하다 unirse. ☞단결(團結)
단항식(單項式)【수학】monomio *m*.
단해(壇垓) altar *m* alto.
단핵(單核) mononúcleo *m*.
▪ ～구(球) mononuclear *adj*. ～구계(球系) series *fpl* monocíticas. ～구증(球症) ＝단핵 세포 증가증. ～ 백혈구 증가증 ＝단핵 세포 증가증. ～ 세포(細胞) célula *f* mononuclear. ～ 세포 증가증 mononucleosis *f*. ～식 세포계 sistema *m* fagocítico mononuclear. ～증(症) ＝단핵 세포 증가증. ¶전염성 ～ mononucleosis *f* infecciosa [contagiosa].
단행(單行) ① [한 가지만으로 된 출판] publicación *f* de una sola clase. ② [한 번만 한 행동] actitud *f* de una sola vez. ③ [혼자서 하는 행동] actitud *f* de una sola persona. ④ [단독 여행] un solo viaje.
▪ ～범(犯)【법률】ofensa *f* simple. ～법(法) ley *f* especial. ～본(本) volumen *m* separado, volumen *m* independiente, publicación *f* en un libro. ¶～으로 출판하다 publicar en un volumen separado [en forma de libro].
단행(端行) actitud *f* honrada.

단행(斷行) acción *f* decisiva, ejecución *f.* ~하다 ejecutar [realizar] con resolución, realizar con decisión, tomar la decisión (de + *inf*), decidir (+ *inf*), decidirse (a + *inf*). 내각은 국회 해산을 ~했다 El gabinete tomó la decisión de disolver el congreso.
단향(壇享) ritos *mpl* expiatorios en el altar.
단향(檀香) ① 【식물】 ((준말)) =단향목. ② [단향목의 목재] madera *f* del acederaque.
■ ~목(木) 【식물】 acederaque *m*, cinamomo *m*.
단향매(檀香梅) 【식물】 =생강나무.
단현(斷絃) ① [(현악기의) 줄이 끊어짐] corte *m* de la cuerda; [끊어진 줄] cuerda *f* cortada. ② [아내가 죽음] muerte *f* de *su* esposa.
단현 운동(斷絃運動) 【물리】 ((준말)) =단일현 운동(單一絃運動).
단형시(短形詩) poema *m* de la forma corta.
단형 시조(短形時調) =단시조(短時調).
단호(短狐) 【동물】 =물여우.
단호하다(斷乎-) (ser) firme, decisivo, rotundo. 단호한 태도(態度) actitud *f* firme [decidida · resuelta]. 단호한 태도로 en actitud firme. 단호한 조치를 취하다 adoptar [tomar] una medida positiva [decisiva], tomar medidas enérgicas [rigurosas], cruzar [atravesar] el Rubicón. 단호한 태도를 취하다 tomar una actitud firme [resuelta] (hacia).
단호히 resueltamente, decididamente, firmemente, con firmeza, decisivamente, rotundamente, determinadamente, positivamente, a todo trance, con un tono decidido, claramente, categóricamente, abiertamente. ~ 거절하다 rehusar claramente [categóricamente · abiertamente · rotundamente], dar una repulsa positiva, renunciar (a *algo* · a + *inf*) sin ningún remordimiento, negarse rotundamente [categóricamente] (a). ~ 말하다 decir claramente [resueltamente], hablar con un tono decidido. ~ 밝히다 renunciar resueltamente [decididamente]. ~ 반대하다 oponerse firmemente (a).
단혼(單婚) casamiento *m* de la poligamia.
단혼(斷魂) =단장(斷腸).
단홍(丹紅) ((준말)) =단홍색(丹紅色).
■ ~빛[색] (color *m*) rojo *m*.
단화(丹花) ① [빛깔이 붉은 꽃] flor *f* roja. ② [미인의 입술이 붉고 아름다움] labios *mpl* rojos y hermosos de la mujer bella.
단화(短話) cuento *m* corto, cuento *m* sencillo.
단화(短靴) zapatos *mpl*, calzados *mpl*.
단화(端華) naturaleza *f* honrada. ~하다 (ser) honrado, honesto, bueno.
단화과(單花果) fruto *m* simple.
단화산(單火山) 【지질】 =단식 화산(單式火山).
단환(團環) redondo *m*.
단황(丹黃) el color rojo y el amarillo.
단황(蛋黃) =노른자위.
단회(團會) reunión *f* feliz, mitin *m* (*pl* mítines) feliz.
닫다[1] [달리다] [사람이] correr; [말이] galopar. 빨리 닫는 말 caballo *m* veloz. 전속력으로 ~ correr a toda velocidad.
달아나다 ㉮ [빨리 내닫다] irse, moverse, correr rápidamente. ㉯ [도망치다] escapar, huir, evitar, largarse, poner pies en polvorosa. 걸음아 날 살려라 하고 ~ apelar a los pies para salvarse. ㉰ [(본디 온전한 것이) 사라져 없어지거나 덜어지다] gastarse ㉱ [(어떤 생각이나 의욕 따위가) 사라지다] desaparecer(se). ㉲ [(시간이) 빨리 경과하다] pasar rápido.
닫다[2] ① [열린 것을] cerrar. 문을 ~ cerrar la puerta. 창문을 ~ cerrar la ventana. 가게를 ~ cerrar la tienda. 문을 닫아 두다 dejar cerrada la puerta. 그는 문을 닫고 잔다 El duerme con las puertas cerradas. 나는 문을 쾅 닫았다 Yo cerré la puerta de un portazo. 문을 좀 닫아 주시겠습니까? ¿Puede usted cerrar la puerta? 문을 닫아도 될까요? — 예, 그렇게 하십시오 ¿Se puede cerrar la puerta? / ¿Puedo cerrar la puerta? — Sí, con mucho gusto. 날씨가 추우니 문을 닫아라 Cierra, que hace frío. 문을 닫아라 [tú에게] Cierra la puerta / [vosotros에게] Cerrad la puerta. 문을 닫으십시오 [usted에게] Cierre la puerta / [ustedes에게] Cierren la puerta. 문을 닫지 마라 [tú에게] No cierres la puerta / [vosotros에게] No cerréis la puerta. 문을 닫지 마세요 [usted에게] No cierre la puerta / [ustedes에게] No cierren la puerta. 문을 닫읍시다 Cerremos la puerta / Vamos a cerrar la puerta. 문을 닫지 맙시다 No cerremos la puerta.
② [(입을) 다물다] callar(se), no hablar, dejar de hablar, guardar silencio, cerrar la boca.
③ [하루의 일에서 잠깐 쉬다. 경영하던 것을 그만두다] cerrar. 가게를 ~ cerrar la tienda. 공장을 ~ cerrar la fábrica. 사무실을 ~ cerrar la oficina. 몇 시에 닫습니까? ¿A qué hora cierran? 우리는 점심 시간에(도) 닫지 않습니다 No cerramos al mediodía. 월요일은 닫습니다 ((게시)) Cerramos los lunes.
④ [(회합 따위를) 끝내다] terminar. 회의는 이만 닫겠습니다 Ya terminaremos la sesión.
닫아걸다 cerrar. 문을 안으로 [밖으로] ~ cerrar la puerta por dentro [por fuera].
닫집 【건축】 dosel *m*, baldaquín *m* (*pl* baldaquines), baldaquino *m*.
닫치다 ((힘줌말)) =닫다[2] ❶.
닫히다 cerrar(se). 문이 ~ cerrar(se) la puerta. (문이) 저절로 닫히다 cerrarse solo. 문이 닫혀 있다 La puerta está cerrada. 문이 저절로 닫힌다 Se cierra la puerta. 문이 저절로 닫혔다 La puerta se cerró sola. 문이 쾅 닫혔다 La puerta se cerró de golpe. 문이 잘 닫히지 않는다 La puerta no cierra bien. 이 병은 잘 닫히지 않는다 Esta bote-

lla no cierra bien. 문이 아무래도 닫히지 않는다 La puerta no se cierra de ningún modo.

닫힌 회로(-回路) circuito *m* cerrado. ☞폐쇄 회로

■~ 텔레비전 televisión *f* en circuito cerrado. ☞폐쇄 회로 텔레비전

달[1] 【천체】 luna *f.* ~의 lunar. 지는 ~ luna *f* pálida en alba. ~ 없는 하늘 cielo *m* sin luna. ~이 뜬다 La luna sale. ~이 진다 [기운다] La luna se pone. ~이 떠 있다 Hay [Hace] luna.

◆보름~ luna *f* llena. 초승~ luna *f* nueva.

◆달이 이그러지다 decrecer [menguar] la luna. 달이 이그러진다 La luna decrece [mengua]. 달(이) 차다 crecer la luna. 달이 찬다 La luna crece.

■~세계(世界) luna *f,* mundo *m* lunar. ~의 여신(女神)【신화】Diana *f.* ~착륙(着陸) alunizaje *m,* aterrizaje *m* en la luna. ¶~하다 alunizar, aterrizar en la luna.

달[2] ① [달빛] luna *f,* luz *f* de la luna. ~이 없는 falto de la luz de la luna. ~에 비춰진 iluminado por la luna. 오늘 밤은 ~이 밝다 Hace buena luna esta noche.

② [한 해를 열둘로 나눈 것의 하나] mes *m.* ~마다 cada mes, todos los meses. 한 ~에 한 번 una vez al mes. 한 ~에 네 번 cuatro veces al mes. 세 ~마다 cada tres meses, de tres en tres meses. 몇 ~ 전에 hace algunos meses. …하는 데 몇 ~ 걸립니까? ¿Cuántos meses necesita [se tarda en] + *inf*? 이곳에 머무신 지 몇 ~ 되었습니까? ¿Cuántos meses hace que lleva [permanece] usted aquí? 그녀를 만난 지가 몇~ 되었다 Hace meses que no la veo. 이 마을에는 ~이 지난 잡지밖에는 읽지 않는다 En este pueblo todas las revistas nos llegan con un mes de retraso. 1년은 열두 ~이다 Un año tiene doce años / En un año hay doce años.

③ [해산(解産)할 달] mes *m* del parto.

◆달(이) 차다 [만삭이 되다. 해산할 달이 다 되다] cumplir el tiempo (previsto), estar en el último mes de embarazo, ser prematuro. 달이 차지 않은 아이 niño *m* prematuro, niño *m* nacido prematuramente, niña *f* prematura, niña *f* nacida prematuramente. 달이 차지 않은 해산(解産) parto *m* prematuro. 달이 차서 그녀는 사내아이를 낳았다 Cumplido el tiempo (previsto), ella dio a luz a un hijo [un varón]. 이 아이는 달이 차지 않아서 출생했다 Este niño ha nacido antes de tiempo.

■달도 차면 기운다 ((속담)) La flor de la belleza es poco duradera.

달로 cada mes, todos los meses, de mes en mes.

달[3] 【식물】 una especie del junco silvestre.

달[4] [연 만드는 데 쓰이는 대오리] marco *m* para la cometa.

달[5] [30일 또는 31일을 한 단위로 세는 단위] mes *m.* 석 ~ 열흘 tres meses diez días. 한 ~ 만에 만나다 ver a *uno* dentro de un mes.

달가닥 con un golpe violento, con estrépito.

달가닥거리다 hacer chic [clic].

달가닥달가닥 siguiendo haciendo chic.

달가당 con un sonido metálico, con tintineo.

달가당거리다 sonar, repicar, tintinear. 우리는 잔을 달가당거렸다 Entrechocamos los vasos.

달가당달가당 sonando, repicando, tintineando.

달가시다 el mes infeliz pasar por la muerte humana.

달갑다 ① [마음에 들어 흐뭇하다] (ser) deseable, oportuno, agradable, grato. 달갑지 않은 손님 visita *f* importuna [poco grata · molesta · indeseable · [사이가 나쁜] inoportuna]. 달갑지 않은 소식 noticia *f* desagradable [poco grata]. 달갑지 않은 제안(提案) sugerencia *f* inoportuna, sugerencia *f* fuera de lugar. 달갑지 않은 제안을 하다 hacer una sugerencia inoportuna [fuera de lugar]. ② [거리낌 없다 · 불만이 없다] no vacilar, no titubear, estar contento.

달강어(達江魚) 【어류】 rubio *m.*

달개 ático *m,* penthouse *ing.m.*

달개비 【식물】 =닭의장풀.

달갯집 =달개.

달걀 huevo *m.* 갓 낳은 ~ huevo *m* fresco. 날 ~ hueveo *m* crudo. 반숙한 ~ huevo *m* suave pasado por agua. 부침 ~, 프라이 한 ~ huevo *m* frito, *Méj* huevo *m* estrellado. 삶은~ huevo *m* pasado por agua, huevo *m* duro, huevo *m* cocido. 지진 ~, 휘저어 볶은 ~ huevo *m* revuelto, *Col* huevo *m* perico. 썩은 ~ huevo *m* podrido. 삶은 ~ 담는 컵 [식탁용] huevera *f.* ~을 깨다 romper el huevo. ~을 낳다 poner un huevo, aovar. ~을 부치다 freír el huevo. ~을 부화하다 incubar los huevos. ~을 삶다 cocer los huevos. ~을 풀다 batir un huevo. ~을 품다 sentarse en huevos.

■~가루 huevo *m* en polvo. ~ 그릇 [식탁용] huevera *f.* ~ 껍질 cáscara *f* de huevo. ~꼴 forma *f* oval. ~노른자 ㉮ [달걀 속의 노란 부분] yema *f* (de huevo). ㉯ [제일 중요한 부분] parte *f* importante. ~ 모양 forma *f* oval. ¶~의 oval, ovado. ~밥 *dalgyalbab,* arroz *m* con huevos. ~부침 tortilla *f* francesa, omelette *f* francesa, tortilla *f* de huevos; [프라이 달걀] huevo *m* frito. ~빛[색] color *m* amarillento claro. ~빵 pan *m* de huevo. ~술 ponche *m* de huevo, flip *m,* bebida *f* compuesta de leche, huevos, azúcar y un licor espirituoso, *AmC, Méj* rompón *m,* rompope *m, CoS* candeal *m, Chi* cola *f* de mono.. ~죽(粥) gachas *fpl* de huevos. ~형(形) forma *m* oval. ¶~의 oval, ovado. ~흰자 clara *f* (de huevo).

달거리 ①【의학】fiebre *f* mensual. ② =월경(月經).

달게 굴다 [붙잡고 매달려 몹시 조르다]

fastidiar, hacer rabiar, dar*le* la lata (a).

달견(達見) ① [사리에 통달한 견식] previsión *f*, gran lucidez *f*, perspicacia *f*, perspicacidad *f*. ② [뛰어난 의견] opinión *f* excelente, ideas *fpl* excelentes, vistas *fpl* excelentes.

달곰삼삼하다 (ser) algo dulce y insípido.

달곰새금하다 (ser) dulce y ácido.

달곰쌉쌀하다 (ser) dulce y amargo.

달곰씁쓸하다 (ser) agridulce.

달곰하다 (ser) dulce, tener el sabor dulce. 달곰하게 하다 endulzar, azucarar. 설탕을 넣어서 달곰하게 하다 endulzar [azucarar] *algo* con azúcar.
달곰히 dulcemente, con dulzura.

달관(達官) alto rango *m*, dignatario *m*.

달관(達觀) ① [사물에 대한 통달한 관찰] observación *f* versada. ～하다 observar versadamente. ② [활달하여 세속을 벗어난 높은 견식] conocimiento *m* profundo, sabiduría *f* profunda. 사물을 ～하다 ver las cosas con sabiduría [con filosofía · filosóficamente].

달구 [롤러식의] rulo *m*, *Arg* ruejo *m*, ruello *m*.
■ ～질 apisonamiento *m*. ～하다 apisonar la tierra. ～ㅅ대 palo *m* pegado al rulo.

달구다 calentar, poner. 쇠를 벌겋게 ～ calentar [poner] el hierro al rojo vivo [candente]. 불에 달구어 끊다 romper [recortar] con [por medio de] fuego.

달구리¹ [이른 새벽의 닭이 울 때] al cantar el gallo en la madrugada temprana.

달구리² *dalguri*, una especie del arroz precoz.

달구지 carro *m*, carreta *f*, carromato *m*, carruaje *m*.
■ ～꾼 carrero, -ra *mf*, carretero, -ra *mf*.

달구치다 corregir, infligir, amonestar.

달궁이 【어류】 ＝달강어.

달그락 haciendo ruido, traqueando, repiqueteando.
달그락거리다 hacer ruido, chacolotear, traquetear; [타자기가] repiquetear. 기차가 다리를 달그락거리며 지나갔다 El tren pasó traqueteando por el puente.
달그락달그락 siguiendo haciendo ruido, siguiendo traqueando, siguiendo repiqueteando.

달그랑 sonando, repicando.
달그랑거리다 sonar, repicar, tintinear. 달그랑거리게 하다 hacer sonar, tocar.
달그랑달그랑 siguiendo repicando, siguiendo tintineando.

달근달근하다 (ser) jovial y satisfactorio.

달금하다 (ser) apropiadamente dulce.

달기(疸氣) 【한방】 ＝황달(黃疸).

달꼴 ① [달의 모양] forma *f* lunar. ② [초승달 모양] forma *f* creciente.

달나라 ① [달] luna *f*. ② [달의 세계] mundo *m* lunar.

달님 la Luna.

달다¹ ① [(음식을 끓이거나 약을 달일 때) 물이 바짝 졸아붙다] ser cocinado demasiado, ser recocido, ser dejado pasar, ser tostado. 단 음식 comida *f* recocida. 단 야채 verduras *fpl* recocidas. 달게 하다 cocinar demasiado, recocer, dejar pasar. 국물이 다 달았다 La sopa es tostada. ② [(쇠나 돌 따위가) 몹시 뜨거워지다] calentarse, arderse. 시뻘겋게 단 쇠 hierro *m* ardiente. ③ [(속이 타거나 부끄럽거나 열이 나서) 몸이 화끈해지다] arder. 나는 볼이 달았다 Me ardían las mejillas. 발이 단다 Sudan los pies. ④ [(뜻대로 되지 않거나 불안을 느껴) 몹시 안타깝고 조마조마하다] preocuparse, inquietarse, (estar) inquieto, preocupado, nervioso, ponerse nervioso, (ser) impaciente, desear, estar ansioso (por + *inf*), estar irritado (por *algo* · con *uno*). 마음을 달게 하다 preocupar, molestar, irritar. 연인이 보고 싶어 몸이 ～ desear ver a *su* novio [novia]. 시간이 가지 않아 애가 ～ ser impaciente que el tiempo pase. 그녀는 무척 몸이 달았다 Ella se puso nerviosísima. 몸 달아 하지 마라 ¡Tranquilízate! 그렇게 몸 달지 마라 No seas tan impaciente. 그녀는 아이들 때문에 몸이 달아 있다 Ella no tiene nada de paciencia con los niños / Ella es muy impaciente con los niños. 내 아내는 당신과 인사하고 싶어 몸이 달아 있다 Mi esposa está deseando conocerte / Mi esposa está ansiosa por conocerte. 그는 일이 잘되지 않아 마음이 달았다 La fracasa le molestó [irritó] mucho. ⑤ [살이 얼어서 부르터 터지다] ampollarse (por la heladura). 그는 손이 달았다 Se le ampollaron las manos / Se le hicieron ampollas en las manos..
달아오르다 encendérsele a uno la sangre, sentir caliente, arder, tener sensación vehemente, acalorarse. 나는 얼굴이 달아올랐다 Se me ha ruborizado la cara / Se me ha puesto roja la cara.

달다² ① [(물건을) 높이 걸어 늘어뜨리다] colgar, suspender, izar, llevar. 국기(國旗)를 ～ izar la bandera. 플래카드를 ～ llevar una pancarta. 천장에서 [창에] 커튼을 ～ colgar la cortina del techo [en la ventana]. 그는 가슴에 훈장을 많이 달고 있다 El lleva muchas condecoraciones en el pecho.
② [(물건을) 일정한 곳에 붙이다] llevar, poner, colocar; [옷에 단추 등을] coser, pegar, hacer. 간판을 ～ poner [colocar] un letrero. 이 단추 좀 달아 주겠어요? ¿Me puedes coser [pegar] este botón, por favor?
③ [죽 잇대어 붙이다] ligar, enlazar, poner. 열차에 식당차를 ～ enlazar [poner] el coche comedor [el vagón restaurante] al tren.
④ [가설하다] instalar. 전기를 ～ instalar la electricidad.
⑤ [(말이나 글에) 토 · 주석 · 제목 따위를 덧붙이다] anotar, poner notas (en un escrito · una cuenta · un libro]. 주석(註釋)이 달린 교과서 libro *m* de texto anotado. 동

끼호떼의 주(註)가 달린 판(版) edición *f* anotada del Quijote. 제목을 ~ titular, poner un título.
⑥ [(장부에) 셈을 기록하여 올리다] cargar. 외상을 ~ cargar *algo* a *su* cuenta, comprar *algo* con tarjeta [de crédito].
⑦ [저울로 무게를 헤아리다] pesar. 체중을 ~ pesarse. 달아 팔다 vender al peso. 정량 이상을 ~ dar medida excesiva, medir en exceso, dar peso demasiado.
달아매다 ㉮ [높이 걸어 드리워지도록 잡아매다] suspender en lo alto. ㉯ [딴 데로 가지 못하게 움직이지 않은 물건에 묶다] atar, *AmL* amarrar (*RPI* 제외). 나무에 소를 ~ atar [*AmL* amarrar] la vaca al árbol.
달아보다 ㉮ [저울로 무게를 떠보다] pesar, controlar el peso. ㉯ [사람의 드레를 시험해 보다] entender, comprender, juzgar, evaluar, dilucidar. 역량을 ~ evaluar *su* habilidad.

달다³ [(불완전 타동사로, 「달라」 「다오」로만 쓰이어) 남에게 무엇을 주기를 청하다] da. 책을 다오 Dame el libro. 자유가 아니면 죽음을 달라 (Danos) Libertad o muerte.

달다⁴ ① [맛이 꿀이나 설탕과 같다] (ser) dulce, azucarado. 단 것 [음식] dulces *mpl*. 달게 하다 endulzar, azucarar, dulcificar, poner dulce. 달아지다 dulcificarse, ponerse dulce. 꿀처럼 ~ ser dulce como la miel. 이 주스는 너무 ~ Este jugo [zumo] está demasiado dulce. 이 국은 ~ Esta sopa sabe [está] dulce. 나는 너무 단 커피는 싫어한다 No me gusta el café demasiado dulce [azucarado]. 단 음식은 뭐든지 피하십시오 Procure no comer dulces.
② [입맛이 당기게 좋다] tener buen apetito. 달게 먹다 comer con un buen apetito. 음식을 참 달게 먹었습니다 Yo gozo de [disfruto de] mi comida.
③ [마음에 들다] gustar (a). 나는 포도주 [음악]가 ~ Me gusta el vino [la música].
④ [잠이 달다] (ser) profundo, satisfactorio, grato. 단잠 sueño *m* profundo, sueño *m* dulce. 달게 자다 dormir profundamente.
◆ 달게 받다 conformarse, aceptar contento [con resignación], someterse (a). 운명을 ~ resignarse [conformarse] con *su* destino, aceptar la suerte sin queja ni protesta. 나는 견책을 달게 받겠다 Estoy dispuesto a aceptar su reprensión con gusto. 그는 대다수의 의견을 달게 받았다 El se sometió a la opinión de la mayoría.
◆ 달게 여기다 considerar dócilmente [obedientemente]
◆ 달다 쓰다 말이 없다 no decir (ni) chus ni mus.
■ 달면 삼키고 쓰면 뱉는다 ((속담)) Se busca sólo su propio interés sin tener confianza.
다디달다 (ser) demasiado dulce [azucarado], muy meloso, dulzón.

달단 【역사】 tártaro, -ra *mf*.

달달¹ [단단한 바닥에 굳은 바퀴 따위가 구르는 소리] rodando, haciendo sonar.
달달거리다 rodanr, hacer sonar. 체인이 바람에 달달거렸다 El viento hacía sonar la cadena.

달달² [무섭거나 추워서 몸을 떠는 모양] temblando. ~ 떨다 temblar. 나는 무서워서 ~ 떨었다 Yo temblaba de miedo. 나는 다리[손]가 ~ 떨렸다 Me temblaban las piernas [las manos].
달달거리다 temblar.

달달³ ① [콩·깨 등을 휘저어 가며 볶거나 맷돌에 가는 모양] tostando, moliendo. ② [사람을 못 견디게 볶는 모양] molestando. ③ [물건을 이리저리 들쑤셔 가며 뒤지는 모양] revolviendo, hurgando.
달달볶다 ㉮ [깨나 콩 같은 것을 휘저어 가며 볶다] tostar. ㉯ [사람을 몹시 들볶다] molestar, irritar, fastidiar.

달달하다 ser algo dulce.

달떡 *dalteok*, tarta *f* de arroz redonda.

달뜨다 =들뜨다.

달라 [불완전 동사 「달다」의 해라체 명령형] da. 빵을 ~ [나에게] Dame pan / [우리에게] Danos pan. 우리에게 자유를 ~ Danos la libertad.

달라다 pedir, solicitar, mendigar. 해 달라는 대로 a petición *suya*, *AmL* a pedido *suyo*. 내가 해 달라는 대로 a petición mía. 김 선생님께서 해 달라는 대로 a petición del Sr. Kim, *AmL* a pedido del Sr. Kim. 관중(觀衆)이 해 달라는 대로 a petición del público, *AmL* a pedido del público. 나는 그에게 전화번호를 달랬다 Yo le pedí el número de teléfono. 그들은 나에게 도와 달랬다 Ellos me pidieron que les diera una mano.

달라붙다 ① [끈기있게 찰싹 붙다] adherirse (a), pegarse (fuerte), rondar (fuerte), ser pegajoso. 내 발에 스커트가 (착) 달라붙는다 La falda se me pega a [me ciñe] las piernas. 그는 벽에 달라붙어 있다 Pega con la pared. 껌이 옷에 달라붙었다 El chicle se pegó al vestido. 거머리가 내 발에 달라붙었다 Una sanguijuela se pegó a mi pierna.
② [(대항하거나 항거하여) 가까이 덤벼 대들다] atacar.
③ [(사람이나 동물이) 붙좇아 가까이 따르다] agarrar (a), pegarse (a), asir (a). 달라붙어 가다 correr parejas [a las parejas], marchar lado a lado. 아이가 어머니에게 (착) 달라붙는다 El niño se pega [se agarra] a la falda de su madre. 나는 그에게 달라붙어 떨어질 줄 몰랐다 Me pegué a él como una lapa. 이 아이는 어머니에게 달라붙어 떨어지지 않는다 Este niño no se despega de su madre.
④ [끈기있게 어떤 일에 열중하다] pegarse, adherirse, agarrarse, asirse. 책상에 달라붙어 공부하다 estudiar pegado. 책에만 ~ no dejar el libro, permanecer pegado a los libros. 온종일 텔레비전에 달라붙어 있다 estar pegado a la televisión todo el día.

⑤ [귀찮게 조르다] importunar (a).

달라이 라마 【인명】 Dalai Lama (라마교의 수장).

달라지다 cambiar(se), variar. 달라지지 않다 no cambiar, no variar, ser el mismo, ser constante. 의견이 ~ desviarse de opinión. 주소가 ~ tener *su* dirección cambiada. 세상이 많이 달라졌다 El mundo ha cambia-biado mucho / Nosotros estamos en en el mundo diferente ahora. 서울의 거리도 많이 달라졌다 Seúl ha cambiado mucho. 그는 이제 사람이 아주 달라졌다 El es completamente otro hombre ahora. 바람결이 달라졌다 El viento cambió. 메뉴가 메일 달라진다 El menú varía cada día. 값이 주마다 달라진다 El precio varía de una semana a la otra. 그녀는 전혀 달라지지 않았었다 Ella no había cambiado para nada. 나는 마을이 수년간 달라지지 않은 것을 알았다 Yo encontré la aldea tal como lo había dejado años antes. 의식(儀式)이 여러 세기(世紀)동안 달라지지 않았다 La ceremonia se ha celebrado de la misma forma durante siglos. 환자의 상태가 달라지지 않는다 El estado del paciente es estacionario. 대화(對話)가 섹스의 주제 쪽으로 달라졌다 La conversación se desvió hacia el tema del sexo.

달랑[1] ① [작은 방울이 한 번 흔들려 나는 소리] tintineando. ② [침착하지 못하고 까불거나, 늬큼 행동하는 모양] frívolamente, displicentemente. ③ [갖거나 딸린 것이 적어 단출한 모양] con una familia pequeña. ④ [여러 사람 가운데서 단 혼자 남아 있는 모양] solo, -la.
달랑거리다 tintinear; ser frívolo; ser una familia pequeña; ser solo.
달랑달랑 [방울이] tintineando. ~하다 tintinear.
달랑이다 (ser) frívolo.
■ ~쇠[이] frívolo, -la *mf*.

달랑[2] [겁나는 일을 갑자기 당하여 가슴이 뜨끔하게 울리는 모양] sorprendido. ~하다 (ser) asustado, horrorizado, indignado, escandalizado, temer, tener miedo.

달랑달랑하다 ① =달랑거리다. ② [밑천 등이 떨어질 듯하다] ir a acabarse. 나는 돈이 달랑달랑한다 Se me va a acabar el dinero.

달래 ((준말)) =달라고 해(Pide). ¶물 좀 ~ Pide que dé agua. 밥을 ~ Pide que dé la comida.

달래다 ① ㉮ [진정시키다] apaciguar, calmar, tranquilizar, aquietar. 그는 노하신 부친을 달랬다 El calmó a su enfadado padre. ㉯ [어르다] mecer, agradar, complacer, engatusar, halagar, acariciar, dar gusto, mimar, dar los ojos a un rorro. 달래다가 위협하다가 engatusando ora amenazando. 속이다가 달래다가 ya engañando ya halagando. 어린아이를 ~ mecer a un bebé en los brazos. 우는 아이를 ~ mimar [acariciar] a un niño que llora. 기분을 ~ distraerse (con · en) [+현재분사], divertirse [recrearse · entretenerse] (con · en) [+현재분사]. 독서로 기분을 ~ distraerse en la lectura, distraerse leyendo un libro. 술로 슬픔을 ~ ahogar *su* pena en el alcohol [en la bebida]. 싸우는 사람을 ~ poner en razón. 불행을 술로 ~ ahogar en vino *sus* penas [*su* desgracia · *su* fracaso]. ② [좋고 옳은 말로 잘 이끌어 꾀다] pretender, cortejar, galantear, sacudir. 여자를 ~ pretender a una mujer. ③ [간청하다] solicitar, persuadir, importunar.

달러(영 *dollar*) dólar *m*. ~로 지불하다 pagar en dólar.
◆미국 ~ dólar *m* estadounidense, dólar *m* norteamericano. 호주 ~ dólar *m* australiano. 홍콩 ~ dólar *m* de Hong Kong.
■~ 갭 brecha *f* de dólares. ~ 균일 특매일(均一特賣日) días *mpl* en que los artículos de un negocio se venden por un dólar o por una cantidad fija de dólares. ~ 기호(記號) signo *m* del dólar, símbolo *m* del dólar. ~ 박스 mina *f* de oro. ¶그녀는 레코드 회사의 ~다 Ella es una mina de oro para la compañía de discos. ~ 부족(不足) escasez *f* del dólar. ~ 블록 bloque *m* del dólar. ~ 비율 cambio *m* del dólar. ~ 스탠더드 patrón *m* dólar. ~ 시세(時勢) cambio *m* de tasa del dólar, cotización *f* de dólares. ~ 영향권(影響圈) el área *f* (*pl* las áreas) de influencia del dólar. ~ 입찰(入札) oferta *f* de compra de dólares. ~ 외교(外交) diplomacia *f* del dólar, diplomacia *f* a golpe de dólar. ~ 위기(危機) crisis *f* del dólar. ~ 잔고(殘高) saldo *m* en dólares. ~ 제국주의 imperialismo *m* del dólar. ~ 지역(地域) zona *f* del dólar. ~ 지폐(紙幣) billete *m* de un dólar. ~ 프리미엄 prima *f* del dólar.

달려가다 ☞달리다[3]

달력(-曆) calendario *m*, almanaque *m*. ~상으로는 봄이다 Según el calendario ya estamos en primavera.

달로 cada mes, todos los meses, de mes en mes.

달로켓(-rocket) cohete *m* lunar.
■~ 발사(發射) lanzamiento *m* de una nave espacial a la luna.

달리 de otro modo, de otra manera; [틀리게] diferentemente, de manera [modo] diferente. ~ 방법이 없다 No hay otra manera / No hay más remedio. 택시로 가는 것 말고는 ~ 방법이 없다 No hay otro medio [más remedio] que ir en taxi. 통증을 참는 수밖에 ~ 방법이 없었다 No tuve más remedio que aguantar el dolor.

달리 【인명】 Salvador Dalí (1904-1989) (서반아의 화가로 초현실파 회화의 대표적 화가이며 환상적인 화풍의 창조자).

달리기 carrera *f*, corrida *f*. ~를 하다 hacer una carrera, competir en una carrera.
■~경주(競走) =달리기. ~ 선수 corredor, -dora *mf*.

달리다[1] ① [(물건의 한 끝이) 높이 걸리거나 붙은 채 아래로 처지다] colgar(se), pender. 천장에 전선이 달려 있다 Del techo cuelga [pende] un cordón eléctrico.
② [열려서 붙어 있다] estar colgado. 배나무에 배가 열 개나 달려 있다 Diez peras están colgadas en un peral.
③ [어떤 관계에 좌우되다] depender (de). 네 행복은 네 행동에 달렸다 Tu felicidad depende de tu conducta. 그것은 그의 말에 달렸다 Depende de lo que dice él. 성공은 노력에 달렸다 El éxito depende del esfuerzo. 무거운 책임이 내 몸에 달려 있다 Una grave responsabilidad pesa sobre mí.
④ [매이거나 딸리다] tener personas a *su* cargo. 당신의 아이들과 달린 식구 sus hijos y otras personas a su cargo, sus hijos y otras cargas familiares. 달린 식구가 많다 tener muchas personas a *su* cargo. 그는 달린 식구가 몇 명이나 됩니까? ¿Cuántas personas tiene él a su cargo?

달리다² ① [힘에 부치다·재주가 미치지 못하다] no ser igual (a), no ser bastante, no ser suficiente, ser inferior, faltar, carecer de. 능력(能力)이 ~ faltar*le* habilidad, ser incapaz (de). 수학 실력이 ~ ser pobre [insuficiente] en matemáticas. 그녀는 경험이 달린다 A ella le falta experiencia.
② [뒤를 잇대지 못하게 모자라다] encontrarse apurado (de), encontrarse falto [corto] (de). 돈이 ~ encontrarse apurado de dinero, encontrarse falto [corto] de medios.

달리다³ ① [빨리 가게 하다] correr; [말이] galopar. 쏜살같이 ~ correr como una flecha. 달리기 시작하다 echar(se) a correr, escaparse, huir. 달려 올라가다 subir corriendo. 달려 내려가다 bajar corriendo. 달려 나가다 salir corriendo. 달려 들어가다 entrar corriendo. 계단을 달려 올라가다 [내려가다] subir [bajar] la escalera corriendo, correr escalera arriba [abajo]. 비탈길을 달려 내려가다 bajar la cuesta corriendo.
② [빨리 가게 하다·뛰어 가게 하다] hacer correr; [말을] hacer galopear. 말을 ~ hacer galop(e)ar a un caballo. 차를 급히 ~ acudir en coche a toda prisa (a). 시속 100 킬로로 ~ correr a cien kilómetros por hora.
달려가다 correr, ir corriendo. 급히 ~ ir volando (a toda prisa). 급히 현장에 ~ acudir al lugar. 회사에 ~ ir corriendo a la oficina. 말을 달리게 하다 hacer galopar a *su* caballo.
달려오다 venir corriendo, venir volando. 급히 ~ venir volando a toda prisa. 급히 현장에 ~ acudir al lugar.
달려들다 ㉮ [와락 대들다] acercarse corriendo (a), lanzarse [precipitarse] (a·sobre·contra). ㉯ [(어떤 일에) 끼어들다·참견하다] entremeterse.

달리다⁴ ① [느른하여 기운이 없어지다] flaquear, decaer, estar cansado, sentir lánguido. 더워서 몸이 달린다 Yo siento lánguido por el calor.
② [피곤하여 눈이 뒤로 당기게 되다] sentir pesado. 잠을 자지 못해서 눈이 달린다 Mis ojos sienten pesado por la falta de sueño.

달리아(영 *dahlia*) 【식물】 dalia *f.*

달리하다 diferenciarse de otro, variar, desviarse. 의견을 ~ discrepar [disentir] (de *uno* en *algo*), no estar de acuerdo (con). 이 점에서 그는 나와 의견을 많이 달리하고 있다 En este punto su opinión difiere mucho de la mía / El discrepa [disiente] mucho de mí [de mi opinión] en este punto.

달마¹(達磨)(범 *dharma*) ley *f*, verdad *f.*

달마²(達磨; 범 *Bodhidharma*) 【인명】 Dharma. 달마상(像) imagen *f* de Dharma.

달마 대사(達磨大師) 【인명】 =달마²(達磨).

달마중 =달맞이.

달막거리다 =들먹거리다.

달맞이 admiración *f* de la belleza de la luna, goce *m* de la claridad de la luna. ~하다 admirar la belleza [gozar de la claridad] de la luna.

달맞이꽃 【식물】 onagra *f.*

달무리 halo *m*, halón *m*, corona *f.*
◆달무리(가) 서다 la luna tener halo.

달문(達文) composición *f* escrita claramente.

달밤 noche *f* iluminada por la luz de la luna, noche *f* de luna. ~의 iluminado por la luna. ~만은 아니다 No en todas las noches tenemos la luna / ¡Me la pagarás!

달변(一邊) interés *m* mensual.

달변(達辯) elocuencia *f*, oratoria *f.*
▪ ~가(家) (orador *m*) elocuente *m*, (oradora *f*) elocuente *f.*

달별 ① 【천문】 [달과 별] la luna y las estrellas. ② =위성(衛星).

달병(疸病) 【한방】 =황달(黃疸).

달빛 luz *f* [brillo *m*·fugor *m*] de la luna, (claro *m* de (la)) luna, claridad *f* de la luna. ~에 en la claridad de la luna, al claro de luna, a la luz de la luna. ~을 받아 bañado a la luz de la luna. ~을 받으며 a la luz de la luna, al claro de luna. ~으로 정원의 샛길이 잘 보인다 Al claro de la luna se distingue bien la senda del jardín.

달삯 salario *m* mensual, sueldo *m* mensual.

달서(達曙) =밤새움.

달성(達成) ejecución *f*, consecución *f*, logro *m*; [실현(實現)] realización *f.* ~하다 ejecutar, realizar, llevar a cabo, lograr, conseguir; [도달하다] alcanzar. 금년의 ~ 목표 meta *f* a alcanzar (en) este año. 계획을 ~하다 realizar el plan. 목적[목표]를 ~하다 alcanzar *su* objetivo.

달소(達宵) =밤새움.

달식(達識) gran perspicacia *f.*

달싹 sacudiendo, agitando.
달싹거리다 sacudir, agitar.
달싹달싹 siguiendo sacudiendo.
달싹이다 =달싹거리다.

달싹하다 mover ligeramente [levemente],

moverse. 몸이 아파 달싹도 할 수 없다 Estoy enfermo y no me puedo mover. 바위가 달싹도 하지 않는다 La roca no se mueve un poco.
달아나다 ☞닫다[1]
달아매다 ☞달다[2]
달아보다 ☞달다[2]
달아오르다 ☞달다[1]
달아진살 flecha *f* delgada y pesada.
달야(達夜) ＝밤새움.
달음박질 corrida *f*, marcha *f* rápida. ～하다 correr.
◆달음박질(을) 하다 correr.
달음질 ① [빨리 뛰어 닫는 발걸음] paso *m* rápido. ～하다 andar con paso rápido. ② [달리기 경기] carrera *f*. ③ ((준말)) ＝달음박질.
◆달음질(을) 하다 andar con paso rápido.
달음질치다 correr.
달이다 ① [(어떤) 액체를 끓여서 진하게 만들다] hervir, preparar, hacer. 차를 ～ hacer [preparar] té. 간장을 ～ hacer [preparar] la salsa de soja [soya]. ② [(액체나 약초 따위를) 물에 넣어 끓여서 우러나도록 하다] hacer una decocción, poner en infusión [una tisana] (de). 달인 약(藥) decocción *f*, infusión *f*, tisana *f*.
달인젖 ＝연유(煉乳).
달인(達人) experto, -ta *mf*, périto, -ta *mf*, hombre *m* excelente, gran maestro *m*, gran maestra *f*, [전문가(專門家)] especialista *mf*, [직업인(職業人)] profesional *mf*, hombre *m* de profesión. 그는 자기 분야의 ～이다 El es un experto en su campo. 그의 그림은 ～의 경지에 달해 있다 Ni siquiera un pintor profesional pinta tan bien como él. 그의 예술은 ～이라는 평을 받고 있다 Su arte es tenido en gran estima por los expertos.
달자(達者) ＝달인(達人).
달작(達作) ＝걸작(傑作).
달장 casi un mes. ～이나 소식이 없다 no tener noticias casi un mes.
■～간(間) ＝달장. ～근(近) un mes más o menos, un mes aproximadamente. ¶그가 떠난 지 ～이나 된다 Hace un mes más o menos que él salió.
달존(達尊) persona *f* respetable.
달증(疸症) 【한방】 ＝황달(黃疸).
달짝지근하다 tener un poco de sabor dulce, ser algo dulce.
달차근하다 ((준말)) ＝달착지근하다.
달착지근하다 tener un poco de sabor dulce, ser algo dulce.
달창(이) 나다 ① [물건을 오래 써서 해지거나 구멍이 나다] gastarse. ② [많던 물건이 조금씩 써서 다 없어지게 되다] acabarse.
달초(撻楚) ＝초달(楚撻).
달치다 ① [뜨거운 기운이 지나치도록 달다] calentarse mucho, estar bien [muy]. caliente. ② [바싹 졸아들도록 끓이다] quedarse sin agua.
달카닥 haciendo clic, con un clic.
달카닥거리다 hacer clic, hace un ruido seco.
달카닥달카닥 siguiendo haciendo clic.
달카당 dando un portazo. 그는 문을 ～ 닫았다 El cerró la puerta dando un portazo.
달카당거리다 seguir dando un portazo.
달카당달카당 siguiendo dando un portazo.
달칵 ((준말)) ＝달카닥.
달캉 ((준말))＝달카당.
달콤새큼하다 (ser · estar) agridulce.
달콤하다 ① [맛이] (ser) algo dulce, dulzón, azucarado. ② [감미롭다] (ser) meloso, dulce, cariñoso, suave. 달콤한 말 palabras *fpl* adulatorias [dulces · melosas · cariñosas]. 달콤한 목소리 voz *f* dulce [melosa · suave]. 달콤한 어조로 con un tono meloso. 달콤한 말로 유혹하다 dirigir palabras dulces [melosas · cariñosas · adullatorias], lisonjear, adular.
달콤히 dulcemente, melosamente, cariñosamente, con cariño, suavemente, adulatoriamente.
달큼하다 (ser · estar) bastante dulce.
달큼히 bastante dulcemente.
달통(達通) ＝통달(通達).
달팔십(達八十) vida *f* lujosa.
달팽이 【동물】 caracol *m*, cóclea *f*. ～의 coclear. ～ 껍질 모양의 caracoleado. ～ 모양의 cocleariforme.
◆달팽이 뚜껑 덮는다 no decir ni una palabra, callarse, quedarse callado, quedarse en silencio.
■～ 걸음 paso *m* de tortuga. ¶～으로 a paso de tortuga. ～으로 걷다 andar a paso de tortuga. ～관(管) conducto *m* coclear. ～구멍 heliocotrema *f*. ～ 껍질 caparazón *m* [carapacho *m*] de caracol. ～ 미로(迷路) laberinto *m* coclear. ～ 뿔 cuernos *mpl* de caracol. ～ 소관 정맥 vena *f* acueductal coclear. ～ 신경(神經) nervio *m* coclear. ～ 요리(料理) caracolada *f*, guisado *m* de caracoles. ～ 장수 caracolero, -ra *mf*. ～창(窓) ventana *f* coclear.
달포 más de un mes. 그녀가 고향을 떠난 지 ～가 된다 Hace más de un mes que ella salió del pueblo natal.
달품 trabajo *m* pagado por el mes.
달필(達筆) ① [썩 잘 쓴 글씨] buena caligrafía *f*, buena letra *f*, buena mano *f*, [숙달된 초서] mano *f* corrida. ～의 caligráfico. ～이다 escribir bien, tener buena caligrafía. ② [글씨나 글을 몹시 빠르게 잘 쓰는 사람] calígrafo, -fa *mf*, pendolista *mf*, pendolario, -ria *mf*, perito, -ta *mf* en caligrafía; persona *f* que escribe con letra gallarda.
달하다 ① [(일정한 표준이나 수량 · 정도에) 이르다] alcanzar, ascender (a). 기준에 ～ alcanzar el nivel determinado. 목표에 ～ alcanzar el objetivo. 평균 수준에 ～ alcanzar el nivel medio. 피해는 1억 원에 달했다 Los daños subieron [ascendieron] a cien millones de wones. 매상 총액이 천만 원에 달했다 Las ventas alcanzaron un total de

diez millones de wones. 예금액은 5백만 원에 달했다 Los depósitos ascendieron a cinco millones de wones. 불입 자본금(拂入資本金)은 10억 원에 달한다 El capital pagado asciende a mil millones de wones. 산 높이는 8천 미터에 달한다 La montaña alcanza una altura de [La cumbre se eleva a] ocho mil metros. ② [(일정한 장소에) 다다라 이르다] llegar (a). 목적지에 ~ llegar a *su* destino. 정상(頂上)에 ~ llegar a la cima. ③ [목적을 이루다] cumplir, alcanzar. 소망(所望)을 ~ cumplir [alcanzar] el deseo.

닭 ①【조류】[수컷] gallo *m*; [암컷] gallina *f*, [병아리] polluelo *m*, pollito *m*;【학명】Gallus domesticus. ~ 울 때 ((성경)) al canto del gallo. ~을 굽다 asar un pollo. ~을 잡다 matar una gallina [un pollo]. ~을 사육하다 criar gallinas. 멀리서 ~ 우는 소리가 들렸다 Se oyó el canto lejano de un gallo. ~이 먼저냐 달걀이 먼저냐의 문제다 ¿Qué es [fue] primero, el huevo o la gallina? ②【민속】=유(酉).
■닭 벼슬이 될망정 소의 꼬리는 되지 마라 ((속담)) Más vale ser cabeza de ratón que cola de león.
■~의 대가리 persona *f* estúpida. ~장수 gallinero, -ra *mf*.

닭고기 pollo *m*, carne *f* de gallina.
■~ 수프 sopa *f* de pollo.

닭고집(一固執) tipo *m* terco [testarudo · tozudo].

닭구이 pollo *m* asado.

닭국 sopa *f* [caldo *m*] de pollo.

닭날 el Día de la Gallina.

닭똥 =닭의똥.

닭띠 nacimiento *m* del año de la Gallina.

닭백숙(一白熟) pollo *m* cocido [hervido].

닭볶음 *dakbokeum*, pollo *m* asado cortado.

닭살 carne *f* de gallina, piel *f* de gallina. ~이 돋다 ponerse la carne de gallina. 나는 ~이 돋았다 Se me ponía la carne de gallina.

닭싸움 pelea *f* de gallos, *AmS* riña *f* de gallos.

닭어리 =닭의어리.

닭울녘 al cantar el gallo.

닭의똥 estiércol *m* de la gallina.

닭의어리 gallinero *m*.

닭의장 gallinero *m*, gallinería *f*.

닭의장풀【식물】((학명)) Commelina communis.

닭의홰 percha *f*, palo *m*.

닭장(一欌) gallinero *m*.

닭적(一炙) pincho *m* de pollo.

닭죽(一粥) gachas *fpl* de pollo.

닭튀김 ① pollo *m* frito. ② =통닭튀김.

닭해【민속】el Año de la Gallina.

닮다 parecerse (a), asemejarse (a), ser parecido [similado] (a). 닮은 parecido, semejante; *AmL* pintado. 닮은 얼굴 retrato *m*, rostro *m* parecido, cara *f* parecida. 아주 ~ ser muy parecido, no quitar pinta. 많이 ~ parecerse mucho. 꼭 ~ parecerse como dos gotas de agua. 전혀 닮지 않다 ser lejos de semejanza, ser enteramente diferente, ponerse como un huevo a una castaña. 그는 그의 아버지를 닮았다 El se parece [ha salido] a su padre / El es parecido a su padre. 남남끼리 닮았다 Es un extraño que se le parece. 그녀는 어머니를 닮고 태어났다 Ella salió pintada a la madre. 순자와 순이는 닮았습니까? — 네, 많이 닮았습니다. 그녀들은 자매입니다 ¿Se parecen Suncha y Suni? — Sí, mucho: son hermanas.

닳다 ① [해지다] gastar(se), romperse, desgastarse (por el frotamiento), consumirse, cortarse [gastarse] por el roce. 닳은 gastado, desgastado, raído, usado; [구두 밑바닥이] destaconado. 닳은 옷 vestidos *mpl* usados. 무척 ~ desgastarse en trapos. 구두가 ~ desgastarse los zapatos; [밑바닥이] destaconarse. 이 옷은 팔꿈치가 닳아 떨어졌다 Este traje está raído por los codos. 구두의 밑바닥이 완전히 닳았다 Se han desgastado completamente las suelas de los zapatos. ② [액체가 졸아들다] reducirse.
닳고닳다 ㉮ [오래 써서] desgastarse de trapos. ㉯ [세파에 시달려서] volverse desvergonzado. 닳고닳은 depravado, perverso, desvergonzado, maleado, descarado, impudente. 닳고닳은 여자(女子) pícara *f*, mujer *f* desvergonzada [maleada · descarada · impudente]; [불량한] tunanta *f*, granuja *f*. 닳고닳지 않은 ingenuo, cándido. 그녀는 아직 닳고닳지는 않았다 Ella todavía está maleada. 그는 세파(世波)에 시달려 닳고닳아 있다 El es un hombre maleado del mundo.

닳리다 gastar (por el roce), desgastar (por el frotamiento), desgastar los tacones del calzado.

담[1] [돌 따위의] tapia *f*, muralla *f*, muro *m*, pared *f*, cerca *f* (판자 따위의), seto *m*, valla *f*, vallado *m*, palizada *f*, [생울타리] seto *m* vivo. ~을 두르다 tapiar, cercar con una tapia. ~을 둘러싸다 cercar valla. ~ 구멍(을) 뚫다 robar.
◆돌~ muralla *f* de piedra.
◆담(을) 쌓다 construir una cerca, erigir una barrera.

담[2] [빗에 빗기는 머리털의 결] peinadura *f*. ~이 좋다 peinar bien.

담[3] ① ((준말)) =다음(luego). ¶~부터는 이런 짓을 절대로 않겠습니다 Nunca lo haré desde luego. ② ((준말)) =다음에(luego). ¶요~ 만날 때 돌려 줄게 Devuélvemelo cuando nos encontremos luego.

담[4] =창병(瘡病).

담(痰) [가래] escupitajo *m*, esputo *m*, gargajo *m*;【의학】flema *f*. ~을 뱉다 escupir, esputar, espectorar, gargajear. 목에 ~이 생기다 tener flemas en la garganta.
■~약(藥) expectorante *m*.

담(曇)【기상】estado *m* nublado.

담(膽) ①【해부】=쓸개. ② ((준말)) =담력.

-담(談) entrevista *f*, conversación *f*, charla *f*, cuento *m*, rondalla *f*, narración *f*. 정치~을 하다 hablar de política.

담가(譚歌) =발라드(ballade).

담가(擔架) camilla *f*, andas *fpl*, angarillas *fpl*, parihuelas *f(pl)*. ~로 운반하다 llevar en camilla. 부상자를 ~로 운반하다 llevar un herido en una camilla.

담갈색(淡褐色) color *m* moreno [pardo · castaño] claro. ~의 marrón claro. ~ 눈 ojos *mpl* marrón claro, ojos *mpl* de color avellano].

담결석(膽結石)【의학】=담석(膽石).

담관(膽管)【해부】((준말)) =수담관(輸膽管).
■~ 간암(肝癌) colangiohepatoma *f*. ~ 개구술(開口術) colangiotomía *f*. ~염(炎) colangitis *f*.

담그다 ① [액체 속에 집어넣다] mojar, bañar, meter, remojar. 물이나 소금에 ~ echar en remojo. 펜을 잉크에 ~ mojar la pluma en tinta. 손가락을 물에 ~ meter un dedo en agua. 알코올에 ~ conservar en alcohol. 요리사는 강낭콩을 물에 담갔다 El cocinero echó los frijoles en remojo. 마른 콩을 사용하려면 콩을 덮을 만큼 충분한 찬물에 밤새도록 담가 두세요 Si utiliza las sojas, déjelas toda la noche en remojo en agua fría suficiente como para cubrirlas.
② [(술 · 간장 · 김치 · 젓갈 따위를 만들 때) 익거나 삭게 하려고 재료를 버무려 넣다] conservar en vinagre, adobar, conservar en adobo, *Chi* conservar en escabeche, encurtir; [절이다] escabechar. 담근 김치 *kimchi m* encurtido, encurtidos *mpl*. 김치를 ~ encurtir *kimchi*. 오이를 ~ adobar pepinos.

담금질 temple *m*, endurecimiento *m*. ~하다 templar. ~이 좋은 [나쁜] de buen [mal] temple.

담기(膽氣) valor *m*, coraje *m*.

담기다[1] [「담다」의 피동형] ser puesto; [맥주 · 술이] ser embarrilado; [술 · 맥주 · 우유가] ser embotellado; [목욕통 · 수족관 등이] llenarse (de). 서반아에서 (병에) 담긴 embotellado en España. 한국에서 병에 담긴 맥주 [우유] cerveza *f* [leche *f*] en [de] botella en Corea. 병에 담긴 물 el agua *f* embotellada.

담기다[2] [「담그다」의 피동형] ser conservado en vinagre, ser adobado.

담남색(淡藍色) =하늘빛.

담낭(膽囊)【해부】vejiga *f* de hiel [bilis], vesícula *f* biliar, colecisto *m*. ~의 biliar.
■~ 엑스선 사진 colecistograma *m*. ~염 colecistitis *f*. ~염통(炎痛) colecistalgia *f*. ~ 절제술(切除術) colecistectomía *f*.

담녹색(淡綠色) (color *m*) verde *m* claro.

담다 ① [그릇 속에 넣다] poner; [병에] embotellar, enfrascar, poner en botellas [en frascos]; [통에] embarrilar. 나무 상자에 담긴 식사(食事) comida *f* puesta en una caja de madera fina.
② [(어떤 내용을) 회화나 문장 등에 나타내다] poner (en); [사상 · 계획을] incorporar; [포함하다] incluir, comprender. …을 A에 ~ incorporar *algo* a A. …을 A로 ~ amalgamar *algo* con A. 정성을 담은 선물(膳物) regalo *m* [obsequio *m*] con *sus* mejores deseos, regalo *m* con muchos saludos [recuerdos].

담담하다(淡淡—) (ser) simple; [집착(執着)없이] despegado, desinteresado. 그는 담담한 어조로 말했다 El habló con un tono equilibrado [calmado].
담담히 simplemente, desinteresadamente, despegadamente.

담당(擔當) ① [(어떤 일을) 맡음] cargo *m*, (plaza *f* a) servicio *m*. ~하다 encargarse (de), hacerse cargo (de), tomar a *su* cargo. ~시키다 encargar (a *uno* de *algo*). 그것은 그의 ~이 아니다 Eso no es de su cargo. 나는 서반아어를 ~하고 있다 Estoy encargado del español. 그것은 그에게 ~하도록 합시다 Vamos a encargárselo a él [a encargarle a él de eso]. 이 반의 ~은 그녀이다 Esta clase está [corre] a cargo de ella. 이 학생은 내 ~이다 Estoy encargado de este alumno. 내가 ~하던 일이 바뀔 것이다 Voy a hacerme cargo [a encargarme] de otro trabajo. 그 분이 이 건(件)을 ~하고 있다 El está encargado [se encarga] de este asunto. 그가 서반아어[1학년]를 ~하고 있다 El es el profesor encargado de dar el español [de los alumnos de primero]. 그는 사태의 ~을 맡았다 El se hizo cargo de la situación. 그녀는 손님 ~을 맡았다 Ella se encargó de los invitados. 그는 음식 매입(買入) ~을 맡았다 El se encargó de comprar la comida.
② ((준말)) =담당자(擔當者). ¶그는 회계 ~이다 El es el encargado de caja.
◆올림픽 ~ 장관 ministro *m* encargado [ministra *f* encargada] de los Juegos Olímpicos.
■~관(官) funcionario *m* encargado (de), funcionaria *f* encargada (de). ~ 구역(區域) zona *f* que está a cargo (de *uno*), distrito *m* asignado (a *uno*), distrito *m* de servicio (de *uno*). ~ 변호사 abogado, -da *mf* responsable. ~ 시간(時間) [교사의] *sus* horas de clase. ~ 의사 médico, -ca *mf* responsable. ~자(者) encargado, -ga *mf*, persona *f* encargada. ¶~에게 말씀해 주십시오 Hable al encargado. ~가 없기에 대답해 드릴 수 없어 죄송합니다 Siento (mucho) no poder contestarle a usted porque no está la persona encargada.

담대(膽大) audacia *f*, coraje *m*, arrojo *m*. ~하다 (ser) audaz, atrevido, osado, temerario. 그는 ~한 사람이다 El es un hombre de gran coraje / El es audaz.
담대히 audazmente, con audacia, osadamente, con osadía, con coraje, con arrojo.

담락(湛樂) alegría *f* pacífica. ~하다 alegrarse pacíficamente.

담략(膽略) coraje *m* y recursos. ~이 있다 (ser) corajudo y de recursos.

담력(膽力) audacia *f*, bravura *f*, coraje *m*, valor *m*, osadía *f*, valentía *f*. ~ 있는 animoso, denodado, valiente, corajudo, con coraje, audaz (*pl* audaces), osado. ~이 약한 cobarde, medroso, tímido, temeroso. ~을 시험하다 poner el valor (de), poner el coraje a la prueba, jugar a ver quién es más gallito. ~을 기르다 cultivar audacia. 그는 ~이 있다 El tiene valor [muchos hígados].
■~ 시험(試驗) prueba *f* de valentía.

담록(淡綠) ((준말)) =담녹색(淡綠色).

담록소(膽綠素) 【의학】 biliverdina *f*.

담론(談論) discusión *f*, discurso *m*. ~하다 argüir, debatir, discutir.

담륜동물(膽輪動物) 【동물】 =윤형동물.

담묵(淡墨) color *m* de tinta china.
■~색(色) =담묵(淡墨).

담미(淡味) sabor *m* simple.

담박(淡泊/澹泊) ① [욕심이 없고 마음이 조촐함] simplicidad *f*, sencillez *f*, indiferencia *f*. ~하다 (ser) simple, sencillo, indiferente, poco apegado, franco, natural, abierto. ~하게 simplemente, sencillamente, con sencillez, indiferentemente, francamente, naturalmente. ~한 사람 persona *f* franca. 돈에 ~하다 ser indiferente [poco apegado] al dinero. 돈에 ~한 사람 persona *f* despreocupada del dinero. ~한 결혼식을 하다 celebrar la boda con sencillez. 그는 성품이 ~하다 El tiene un carácter franco. ② [맛이나 빛이 산뜻함] sencillez *f*, ligereza *f*, suavidad *f*. ~하다 (ser) sencillo, ligero, poco graso, nada empalagoso. ~하게 sencillamente, ligeramente, suavemente. ~한 맛 sabor *m* ligero. ~한 색(色) color *m* suave. ~한 식사 comida *f* ligera. 이 디자인은 ~하다 Este es un diseño sencillo. 이 요리는 맛이 ~하다 Este plato tiene un sabor ligero.

담반(膽礬) ① 【광물】 chalcantita *f*. ② [약재로 쓰이는 황산동] sulfato *m* hidratado de cobre.

담방 =덤벙(salpicando).
담방거리다 seguir salpicando.
담방담방 siguiendo salpicando.
담방이다 seguir salpicando.

담배 ① 【식물】 tabaco *m*; 【학명】 Nicotiana tabacum. ② [담뱃잎을 말려서 만든 기호품] tabaco *m*; [궐련] cigarrillo *m*, pitillo *m*, cigarro *m* de papel; [여송연] cigarro *m*, cigarro *m* puro; [썹는 담배] tabaco *m* picado, *PRico* tabaco *m* hilado. ~ 한 갑 un paquete de cigarrillos, *AmL*, *ReD* una caja de cigarrillos. ~ 한 대 un cigarrillo. 순한 ~ cigarrillo *m* rubio, tabaco *m* rubio. 독한 ~ cigarrillo *m* negro, tabaco *m* negro. ~를 피우다 fumar(se) (cigarrillo), *AmL*, *ReD* fumar [chupar] cachimbo, *Col* tabaquear; [여송연(呂宋煙)을] fumar un cigarro (habano). ~를 피우는 사람 fumador, -dora *mf*. ~를 끊다 abstenerse [privarse] del tabaco, dejar de fumar. ~ 피우십니까? — 네, 피웁니다 [아니오, 안 피웁니다] ¿Fuma usted? — Sí, fumo [No, no fumo]. 그는 ~를 좋아한다 Es un gran fumador. 그는 줄~를 피운다 El fuma como una chimenea. ~의 과용은 칭찬할 일은 아니다 El abuso del tabaco no es recomendable. 이곳에서 ~를 피워도 됩니까? — 물론입니다 ¿Se puede fumar aquí? — Desde luego. 나는 10년 전에 ~를 끊었다 Yo dejé de fumar (el cigarrillo) hace diez años / Hace diez años que dejé de fumar.
◆가루 ~ tabaco *m* en polvo. 마는 ~ tabaco *m* [picadura *f*] para liar [envolver] cigarrillos. 잎 ~ tabaco *m* de hoja, tabaco *m* en rama. 파이프 ~ tabaco *m* de pipa.
■~ 가게 estanco *m*, tabaquería *f*, tienda *f* de artículos para fumador, *AmL* cigarrería. ~꼬투리 ㉮ [마른 담뱃잎의 단단한 줄기] tallo *m* de la hoja seca del tabaco. ㉯ =담배꽁초. ~꽁초 colilla *f*, pitillo *m*. ~물부리 pipa *f*. ~밭 tabacal *m*. ~ 산업(産業) industria *f* tabacalera. ~설대 caña *f* de bambú de una pipa. ~쌈지 cigarrera *f*, petaca *f*, estuche *m* para el tabaco. ~ 장수 estanquero, -ra *mf*, tabaquero, -ra *mf*, cigarrero, -ra *mf*. ~ 중독(中毒) tabaquismo *m*, nicotismo *m*, intoxicación *f* por el tabaco. ~칼 cuchillo *f* para cortar las hojas del tabaco. ~케이스 tabaquera *f*. ~통(筒) ㉮ [담배 설대에 맞추어 담배를 담는 통] tabaquera *f*. ㉯ [살담배를 넣어 두는 통] cigarrera *f*. ~합(盒) ((준말)) =담뱃서랍. ~ㅅ가루 polvo *m* del tabaco. ~ㅅ갑 tabaquera *f*, cigarrera *f*, pitillera *f*, cigarrillera *f*, estuche *m* [paquete *m*] de cigarrillos. ~ㅅ값 ㉮ [담배의 값] precio *m* de los cigarrillos. ㉯ [담배를 살 돈] dinero *m* para comprar el tabaco. ㉰ [적은 돈] un poco de dinero. 그만한 돈이 어디 있나, ~도 없는 형편인데 No tengo tanto dinero. No tengo ni un poco de dinero [ni un centavo]. ㉱ ((속어)) un poco de remuneración. ¶~이라도 좀 드리고 부탁하게 Pide un favor dando un poco de remuneración. ~ㅅ대 pipa *f* (para el tabaco), boquilla *f*, chibuquí *m*, cachimba *f*, *AmL*, *ReD* cachimbo *m*. ¶~로 담배를 피우다 fumar en pipa, pipar. ~를 물고 con una pipa en la boca. ~ㅅ대꽂이 enchupe *m* para pipa. ~ㅅ불 fuego *m* (de cigarrillos); [붙이기 전] fuego *m* para cigarrillos. ~ 좀 얻읍시다 Déme fuego / Préstame fuego / Déjeme encender el cigarrillo / *Cuba* Déme para prender el cigarrillo. 담뱃불에 언 쥐를 쬐어 가며 벗길 놈 ((속담)) persona *f* tacaña y inútil. ~ㅅ서랍 cigarrera *f*, petaca *f*, tabaquera *f*. ~ㅅ순(筍) brote *m* del tabaco. ~ㅅ재 ceniza *f* de cigarrillos. ~ㅅ재털이 cenicero *m*. ~ㅅ진(津) nicotina *f*.

담백하다(淡白－) [성질이] (ser) simple; [음식물이] sencillo, poco graso. 담백함 simplicidad *f*, sencillez *f*. 담백하게 sencillamente, simplemente. 돈에 ~ ser indiferente [poco apegado] al dinero.

담벼락 ① [담이나 벽의 겉으로 드러난 부분] (superficie *f* de) una pared. ② [사물을 아주 이해하지 못하는 사람] burro, -rra *mf*; bruto, -ta *mf*.
■ 담벼락하고 말하는 셈이다 ((속담)) Es inútil decir con un burro.

담벽(淡碧) =담벽색(淡碧色).

담벽색(淡碧色) azul *m* oscuro ligero.

담변(潭邊) borde del muro.

담병(痰病)【한방】=담증(膽症).

담보(擔保) fianza *f*, prenda *f*, seguridad *f*, garantía *f*;【법률】hipoteca *f*, empeño *m*. ~하다 hipotecar, empeñar, dar en prenda, dar en fianza, prendar, tomar [depositar] en garantía. ~로 sobre prenda. …을 ~로 하여 en prenda de *algo*, bajo [con] garantía de *algo*. ~로 잡다 tomar en prenda. ~를 잡고 돈을 빌려주다 prestar dinero sobre prenda [sobre hipoteca]. ~로 돈을 빌리다 tomar prestado dinero con garantía. ~에 넣다 hipotecar. ~를 해제하다 levantar una hipoteca.
◆ 부동산(不動産) ~ hipoteca *f* sobre los bienes raíces. 상품(商品) ~ garantía *f* de defectos comerciales. 인적(人的) ~ garantía *f* personal.
■ ~ 계약(契約) garantía *f*. ~권(權) derecho *m* sobre prendas. ~금(金) fianza *f*, prenda *f*, garantía *f*. ~ 대부(貸付) préstamo *m* hipotecario. ~물(物) seguridad *f*, prenda *f*, hipoteca *f*, garantía *f*; [증권 담보 없는] garantía *f* subsidiaria [colateral]. ~ 물권 seguridad *f* real, derecho *m* sobre prendas. ~부 공채(附公債) bono *m* con garantía, bono *m* hipotecario. ~부 대부(附貸付) préstamo *m* hipotecario, préstamo *m* con garantía. ~부 대부금 préstamo *m* sobre prendas. ~부 사채(附社債) bonos *mpl* hipotecarios. ~부 신용장(附信用狀) crédito *m* hipotecario, crédito *m* con garantía. ~부 채권(附債券) bono *m* con garantía, bono *m* hipotecario. ~ 어음 letra *f* hipotecaria. ~자[인] avalista *mf*, garante *mf*. ~ 조약(條約)【법률】tratado *m* de garantía. ~ 증서(證書) escritura *f* de garantía. ~ 책임 responsabilidad *f* para garantía. ~품(品) =담보물(擔保物).

담부(擔夫) =짐꾼.

담북장(－醬) *dambukchang*, pasta *f* de soja hecha por mezclar y cocinar al vapor la pasta de soja en polvo.

담불[1] [마소의 열 살] diez años.

담불[2] [곡식이나 나무를 쌓은 무더기] montón *m* de cereales.

담비【동물】marta *f*;【학명】Martes melampus coreensis. ~의 가죽 piel *f* de marta [cebellina]. 검은 ~ (marta *f*) cebellina *f*. 아메리카산 ~ visón *f* (*pl* visones). 흰 ~ armiño *m*.

담뿍 ((준말)) =담뿍이. ¶~ 마시다 beber *algo* hasta saciarse. ~ 먹다 comer *algo* hasta saciarse. ~ 붓다 llenar *algo* hasta el borde. 돈을 ~ 벌다 ganar mucho dinero.
담뿍담뿍 completamente lleno.
담뿍이 lleno; [많이] mucho.
담뿍하다 (estar) lleno [repleto · rebosante · desbordante] (de). 그것은 금(金)으로 담뿍했다 Estaba repleto de oro. 그녀의 눈은 눈물로 담뿍했다 A ella se le saltaban las lágrimas / Ella tenía los ojos llenos de lágrimas.

담사(潭思) pensamiento *m* profundo. ~하다 pensar profundamente.

담사(禫祀) =담제(禫祭).

담산 담수(談山談水) debate *m* sobre la montaña y el agua.

담상(潭上) borde *m* del estanque, alrededor del estanque.

담상담상 =듬성듬성.

담색(淡色) color *m* claro.

담석(儋石) ① [얼마되지 않는 분량의 곡식] cereales *mpl* de poca cantidad. ② [적은 분량] poca cantidad *f*.
■ ~지록(之祿) poco sueldo *m* [salario *m*]. ~지저(之儲) poco ahorro *m*.

담석(膽石) cálculo *m* biliar, piedra *f* biliar.
■ ~ 절개술(切開術) colelitotomía *f*. ~증(症)【의학】colelitiasis *f*, litiasis *f* biliar, mal *m* de piedra, colecistolitiasis *f*. ~통(痛)【의학】=담석증(膽石症). ~ 파쇄술(破碎術) colelitotripcia *f*.

담설(談說) =담화(談話).

담세(擔稅) pago *m* de impuestos.
■ ~력(力) capacidad *f* de pagar impuesto. ~자(者) contribuyente *mf*.

담소(談笑) conversación *f* informal, plática *f*, charla *f*, confabulación *f*. ~하다 charlar [conversar] amigablemente, hablar informalmente, confabular, platicar, charlar. ~하는 가운데 사건을 해결하다 arreglar un asunto en el curso de conversación amistosa.
■ ~자약(自若) tranquilidad *f* [calma *f*] como de costumbre. ~하다 tranquilizar [calmar] como de costumbre.

담소(膽小) timidez *f*. ~하다 (ser) tímido, cobarde, miedoso.

담수(淡水) el agua *f* dulce.
■ ~란(卵) =물수란. ~ 양식(養殖) cría *f* de agua dulce. ~어(魚) pez *m* (*pl* peces) de agua dulce. ~ 어업(漁業) pesca *f* de agua dulce. ~조(藻) el alga *f* marina de agua dulce. ~ 진주(眞珠) perla *f* de agua dulce. ~호(湖) lago *m* de agua dulce.

담수(淡愁) preocupación *f* ligera.

담수(潭水) el agua *f* llena del lago [del estanque].

담수(擔獸) animal *m* para el cargo.

담수수모(淡水水母)【동물】=민물해파리.

담수해면(淡水海綿)【동물】=민물해면.

담시(譚詩)【문학】balada *f*, romance *m*.
■ ~곡(曲)【음악】balada *f*, copla *f*.
담식(淡食) ① [싱겁게 먹음] comida *f* insípida. ~하다 comer insípidamente. ② [느끼한 음식을 많이 먹지 않음] acción *f* de no comer mucho la comida grasa. ~하다 no comer mucha comida grasa.
담심(潭心) centro *m* del estanque profundo.
담심(潭深) ① [못이 깊음] profundidad *f* del estanque. ② [학문 따위에 대하여 연구가 깊음] estudio *m* profundo. ~하다 estudiar profundamente.
담쌓다 ① [담을 만들다] poner un muro, cercar con un muro [una tapia], amurallar, fortificar. ② [교제를 끊다] romper (con), terminar (con). 나는 그 집 사람들과는 담쌓았다 Yo he terminado con esa familia. 그녀와 담쌓은 지 이미 오래다 Hace mucho (tiempo) que yo he terminado con ella.
담쑥 =듬쑥.
담쑥담쑥 =듬쑥듬쑥.
담아하다(淡雅-) (ser) claro y elegante.
담액(膽液) =담즙(膽汁).
담약(膽弱) debilidad *f* del ánimo. ~하다 (ser) débil del ánimo, tímido, cobarde.
담여(談餘) =여담(餘談).
담연(淡煙) humo *m* neblinoso.
담연(痰涎) la flema y la saliva.
담연(淡淵) estanque *m* profundo.
담연하다(淡然-) (ser) generoso y limpio.
담요(毯-) manta *f*, *AmL* frazada *f*, *AmL* cobija *f*.
담용(膽勇) coraje *m*. ~하다 (ser) valiente, corajudo.
담운(淡雲) nube *f* clara.
담월(淡月/澹月) luna *f* brumosa.
담임(擔任) ① ㉮ [어떤 일을 책임지고 맡아 봄] cargo *m*, cuidado *m*. ㉯ [어떤 일을 책임지고 맡아보는 사람] encargado, -da *mf*, maestro, -tra *mf* de cargo. ~하다 tener cargo (de), encargarse (de). 이 학급의 ~이다 ser [estar] encargado de esta clase. 수학 ~은 김 선생이시다 El señor Kim es nuestro profesor de matemâticas / El señor Kim nos enseña matemáticas. 나는 서반아어를 ~하고 있다 Estoy encargado del español. ② ((준말)) =담임 교사. 담임 선생.
■ ~ 선생[교사] profesor, -sora *mf* responsable; profesor *m* encargado, profesora *f* encargada; [초등학교의] maestro, -tra *mf* responsable [en cargo]. ~자(者) encargado, -da *mf*.
담자(淡姿) figura *f* elegante.
담자색(淡紫色) violeta *m* claro, púrpura *m* claro.
담장(-墻) =담.
담장나무【식물】=송악.
담쟁이【식물】((준말)) =담쟁이덩굴.
담쟁이덩굴【식물】yedra *f*, hiedra *f*. ~로 덮인 cubierto de hiedra. ~이 벽을 휘감고 있다 La yedra trapa por la pared.
담적색(淡赤色) (color *m*) rosa *m*, color *m* de rosa.
담죽(淡竹)【식물】bambú *m* negro.
담즙(膽汁)【해부】bilis *f*, [동물의] hiel *f*. ~의 biliar, biliario.
■ ~ 감소(減少) hipocolia *f*. ~ 구토증(嘔吐症) colemesis *f*. ~ 누출(漏出) colerragia *f*. ~ 배설(排泄) colequinesis *f*. ~ 배출 물질(排出物質) colagogo *m*. ~ 분비 결핍증(分泌缺乏症) anacolia *f*. ~ 분비 과다(分泌過多) policolia *f*. ~ 분비 과잉(分泌過剩) hepatorrea *f*. ~ 분비 물질(分泌物質) colerético *m*. ~ 분비 이상(分泌異常) paracolia *f*. ~ 분비 정지(分泌停止) colestasis *f*. ~ 분비 촉진제(分泌促進劑) clorético *m*. ~산(酸) ácido *m* biliar. ~산 배설 촉진(酸排泄促進) colaneresis *f*. ~ 색소(色素) pigmento *m* biliar. ~ 색소 증다(色素增多) colecromeresis *f*. ~ 생성(生成) colepoyesis *f*. ~ 생성 촉진제 colanopoyético *m*. ~성 뇌증(性腦症) encefaloaptía *f* biliaria. ~성 복막염(性腹膜炎) coleperitoneo *m*. ~성 수액(性髓液) biliraquia *f*. ~ 요증(尿症) biliuria *f*. ~ 요법(療法) coleterapia *f*. ~ 울체(鬱滯) colestegnosis *f*. ~ 울체성 간염 hepatitis *f* colestática. ~ 유출(流出) colerragia *f*. ~질(質) temperamento *m* bilioso [colérico]. ¶~의 (사람) bilioso, colérico. ~ 형성(形成) biligénesis *f*.
담증(痰症)【한방】enfermedad *f* de flema.
담지(膽智) ánimo *m* y inteligencia.
담집 ((준말)) =토담집.
담차다 (ser) audaz, atrevido.
담채(淡彩) ①【미술】colores *mpl* claros, colorido *m* delicado. ② ((준말)) =담채화.
■ ~화 lavado *m*, pintura *f* de colores claros.
담채(淡菜)【조개】① =섭조개. ② =홍합.
담천(曇天) tiempo *m* [cielo *m*] nublado, nubosidad *f*.
담청색(淡青色) (color *m*) azul *m* claro.
담초자(曇硝子) vidrio *m* lechoso, vidrio *m* como la leche.
담타(痰唾) la flema y la saliva.
담타기 =덤터기.
담통(膽-) =담보.
담판(談判) negociación *f*, conversación *f*, conferencia *f*, discusión *f*. ~하다 entablar [entrar en] nogociaciones (con), negociar, conferir, discutir. …와 강하게 ~하다 ir a protestar a *uno* (contra · de · por). 한국은 그 문제에 대해 서반아와 ~을 재개했다 Corea ha reabierto la negociación con España sobre el problema.
◆ 강화(講和) ~ negociación *f* de la paz. 외교(外交) ~ negociación *f* diplomática.
담하(淡霞) =경하(輕霞).
담하다(淡-) ① [빛이 엷다] (ser) claro. ② [욕심이 적다] tener el poco deseo. ③ [맛이 느끼하지 않다] no ser graso.
담학(潭壑) valle *m* profundo.
담합(談合) conferencia *f*, consulta *f*, [비밀의] confabulación *f*. ~하다 conferenciar, conferir, consultar; [비밀리에] confabular. 말

이 어긋나지 않도록 서로 사전에 ~하다 convenir de antemano (para no contradecir mutuamente). 입찰에 관해 ~하다 conferir la licitación.
■~ 도급(都給) contrato *m* preestablecido. ~ 입찰(入札) licitación *f* preestablecida. ~ 행위(行爲) acto *m* preestablecido.
담해(痰咳) ① [가래와 기침] la flema y la tos. ② [가래가 나오는 기침] tos *f* que sale la flema.
담향(淡香) perfume *m* claro.
담호(淡湖) =담수호(淡水湖).
담호호지(談虎虎至) Hablando del rey de Roma, por la puerta asoma / El ruin, cuando lo mientan, luego viene / Burro nombrado, burro presentado.
담홍(淡紅) =담홍색(淡紅色).
담홍색(淡紅色) color *m* rosa, rosa *f* pálida. ~의 rojo claro, de (color) rosa, (de) salmón, de rosa pálida.
담화(淡畵) cuadro *m* claramente pintado.
담화(痰火) 【한방】 ① [담으로 말미암아 나는 열] fiebre *f* causada por la flema. ② [심히 나오는 가래] flema *f* muy severa; [가래가 심히 나오는 병(病)] enfermedad *f* que sale mucha flema.
담화(談話) comunicación *f* oficiosa, comentario *m* oficioso, conversación *f*, charla *f*, plática *f*, confabulación *f*, diálogo *m*. ~하다 conversar, platicar, charlar. ~를 발표(發表)하다 hacer un comentario oficioso. ~ 형식(形式)으로 발표하다 manifestar en la forma de diálogo. 사장은 내객과 ~ 중이다 El presidente está con una visita.
■~문(文) declaración *f*, comunicado *m*. ¶~을 발표하다 hacer un comentario oficioso, dar a conocer un comunicado. 특별 ~ declaración *f* especial. ~실(室) sala *f* de reunión, sala *f* de charla, sala *f* social. ~체(體) estilo *m* de conversación, estilo *m* coloquial. ¶~의 coloquial. ~회(會) reunión *f* de conversación.
담황색(淡黃色) amarillo *m* limón. ~의 amarillo limón (남녀 동형). ~ 천 tela *f* amarillo limón.
담흑색(淡黑色) (color *m*) negro *m* claro.
답(畓) [논] arrozal *m*.
답(答) ① ((준말)) =대답(對答). ¶묻는 말에 ~하다 contestar a la pregunta. ② ((준말)) =해답(解答). ¶계산기가 ~을 낸다 La calculadora da la solución. 다음 물음에 ~하시오 Conteste a la pregunta siguiente / Solucione el problema siguiente. ③ ((준말)) =회답(回答). ¶…에 ~하여 en contestación de [a] *algo*. 즉각 ~을 보내 주기를 바랍니다 Espero que usted me mande la contestación inmediata.
답곡(畓穀) =논곡식.
답농(畓農) =논농사.
-답다 parecer, ser digno (de). -답지 않다 ser indigno (de), ser impropio (de), no ser digno (de). 사내다운 varonil, masculino, viril. 여자다운 femenino. 꽃~ revestirse de primavera. 신사답지 않은 행동(行動) acción *f* indigna [impropia] de un caballero. 신사답지 않은 짓을 하다 hacer una cosa indigna de un caballero. 사내답게 굴어라 Sé un hombre. 학생이면 학생답게 굴어라 Si tú eres un estudiante, pórtate como el estudiante.
답답하다 ① [(근심이나 걱정 따위로) 애가 타고 답답하다] (ser) impaciente, (estar) irritado (por *algo*·con *uno*), preocupado, inquieto. 답답하게 con impaciencia, impacientemente, con inquietud, inquietamente. 답답하게 여기다 inquietar, preocupar. 그는 답답한 녀석이다 El es lento de un modo irritante. 집에서 소식이 없어 ~ No hay cartas de mi casa, y por eso yo estoy preocupado por mi familia [me preocupa mi familia.
② [(사정이나 심정을 몰라 주어) 안타깝다] dar rabia, (ser) impaciente, lamentable. 답답하게 irritantemente, amargamente, tristemente, lamentablemente, de manera lamentable. 그는 답답할 정도로 무능(無能)하다 El es lamentablemente [tristemente] incompetente. 우물우물하고 있어 정말 ~ Yo soy impaciente con tu lentitud. 편지를 다시 써야 하다니 무척 ~ Da mucha rabia tener que escribir la carta otra vez. 답답하게도 우리들은 다시 돈을 내야 했다 Tuvimos que volver a pagar, lo cual nos dio mucha rabia.
③ [(가슴이 시원하지 못하고) 숨을 쉬기가 가쁘다] (ser) pesado, opresivo, ponderoso, sentir opresión, tener la respiración fatigosa, respirar con dificultad; [통풍이 잘 안되어] (ser) mal ventilado, estar cargado, faltar el aire, estar viciado; [코가] tapado. 답답한 기분 atmósfera *f* pesada [cargada·sofocante]. 답답한 방(房) habitación *f* viciada, habitación *f* mal ventilada, cuarto *m* mal ventilado. 가슴이 ~ sentir opresión en el pecho. 방안이 답답하니 창문을 좀 열자 Vamos a abrir la ventana, que el cuarto es mal ventilado. 이곳은 ~ Aquí falta el aire / Está muy cargado el ambiente. 이 방은 더워서 ~ En este cuarto hace un calor sofocante [agobiante]. 코가 아주 ~ Mis narices están muy tapados. 이 바지는 허리가 ~ Estos pantalones me aprietan en la cintura. 그이와 이야기하고 있으면 ~ Al hablar con él, me siento cohibido.
④ [사람됨이 너무 고지식하여 딱하다] (estar) acartonado, estirado; [생각 등이 케케묵다] retrógrado. 그들의 파티는 무척 ~ En sus fiestas hay que andar con mucha ceremonia.
답답히 impacientemente, con impaciencia, inquietamente, con inquietud, irritantemente, de manera lamentable, lamentablemente, amargamente, tristemente.
답례(答禮) devolución *f* de saludo, [선물(膳物)] regalo *m* para corresponder; [방문(訪

問)] visita *f* para corresponder. ~하다 responder al saludo, devolver el saludo, regalar en cambio, devolver el regalo, visitar en reciprocidad, devolver la visita. ~로 a cambio (de). ~로 나는 당신에게 아무것도 드릴 수 없습니다 Yo no le puedo ofrecer nada a cambio. 그들은 침묵의 ~로 그에게 일부분을 주었다 Ellos le ofrecieron una parte a cambio de su silencio. ~로 당신에게 무엇을 드릴까요? ¿Qué le daré a cambio de su regalo?

답문(答問) contestación *f* [respuesta *f*] a la pregunta. ~하다 contestar [responder] a la pregunta.

답방(答訪) visita *f* para corresponder. ~하다 visitar en reciprocidad, devolver la visita.

답배(答一) contestación *f* a *su* inferior. ~하다 contestar la carta de *su* inferior.

답배(答拜) devolución *f* de saludo. ~하다 responder al saludo, devolver el saludo.

답변(答辯) contestación *f*, respuesta *f*. ~하다 contestar, responder. ~을 요구하다 pedir [demandar] a una respuesta. ~에 궁하다 no saber cómo [qué] contestar. 어떻게 ~해야 좋을지 모르겠다 No sé cómo decirle a usted / No sé qué responder.

■ ~서(書) escrito *m* de respuesta. ~자(者) respondedor, -dora *mf*.

답보(答報) =회보(回報).

답보(踏步) =제자리걸음.

■ ~ 상태(狀態) (estado *m* de) estancamiento *m*. 생산은 ~이다 La producción atraviesa un período [se encuentra en un estado] de estancamiento.

답사(答辭) respuesta *f*, discurso *m* en respuesta. ~하다 pronunciar [dar] un discurso de respuesta. ~를 읽다 leer un discurso de respuesta.

답사(踏査) exploración *f*, reconocimiento *m*; [측량(測量)] medición *f*. ~하다 explorar, reconocer; catear, medir, examinar personalmente. 장소를 ~하다 reconocer el sitio [el lugar].

답삭 =덥석.

답서(答書) respuesta *f*, contestación *f*. ~를 보내다 responder la carta.

답수(答酬) =수답(酬答).

답습(踏襲) sucesión *f*. ~하다 suceder, seguir, imitar (a), seguir las pisadas (de). 전(前) 내각의 정책을 ~하다 seguir la política del gabinete anterior. 전통적인 방법을 ~하다 seguir [continuar] el método tradicional.

답신(答申) informe *m*. ~하다 informar. ~을 내다 presentar un informe.

■ ~서(書) informe *m*, reporte *m*.

답신(答信) respuesta *f*, contestación *f*.

답안(答案) contestación *f* (responsable), papel *m* de examen. ~을 쓰다 contestar a las preguntas del examen. ~을 채점하다 examinar [calificar] las hojas del examen. 이 ~은 잘되었다 Estas respuestas están bien hechas.

■ ~지(紙) papel *m* de examen.

답응(答應) =응답(應答)

답인(踏印) acción *f* de poner sellos. ~하다 franquear, poner*le* sellos (a), sellar, *AmL* estampillar, *Méj* timbrar.

답잡(沓雜) =잡답(雜沓).

답장(答狀) contestación *f*, respuesta *f*. ~하다 contestar, responder. ~을 내다 contestar por carta. 편지에 ~을 쓰다 contestar a una carta. …로부터 ~이 있다 recibir una respuesta de *uno*. 조속히 ~을 주십시오 Déme pronto su respuesta / Contésteme pronto. 그에게 편지를 보냈으나 아직 ~이 없다 Le he escrito una carta pero todavía no me ha contestado [no he recibido contestación].

답전(答電) contestación *f* telegráfica, telegrama *m* en retorno [contestación · respuesta]. ~하다 contestar telegráficamente, contestar por telegrama.

답주(畓主) dueño *m* del arrozal.

답지(答紙) =답안지(答案紙).

답지(遝至) afluencia *f*, avalancha *f*, diluvio *m*, torrente *m*, desbandada *f* general; [물건의] entrada *f*; [생각의] llegada *f*. ~하다 llegar una avalancha (de), afluir mucho, acudir en masa, llover, inundar, entrar en tropel (a). 주문의 ~ avalancha *f* de pedidos. 주말에 해변에 ~ la desbandada general hacia la playa del fin de semana. 편지가 ~했다 Llegó una avalancha de cartas. 주문이 ~했다 Hubo una avalancha de pedidos. 추천서가 전국에서 ~했다 Llegó una avalancha de cartas de recomendación de todo el país. 신청이 우리에게 ~했다 Nos han inundado de solicitudes / Nos han llovido las solicitudes. 돈이 나라 안으로 ~했다 Afluyó mucho dinero al país. 모든 사람이 출구(出口)로 ~했다 Todo el mundo se precipitó hacia la salida. 군중이 스타디움 안으로 ~했다 La multitud entró en tropel al estadio. 팬들이 운동장으로 ~했다 Los hinchas entraron en tropel al estadio. 사람들이 스타디움 밖으로 ~했다 Grandes cantidades de personas salían del estadio. 사람들이 대통령이 지나가는 것을 보기 위해 ~했다 La gente acudió en masa a ver al presidente pasar.

-답지 못하다 (ser) indigno (de), impropio (de), no ser digno (de). 여성답지 못한 행동(行動) acción *f* indigna [impropia] de una mujer.

-답지 않다 =-답지 못하다.

답찰(答札) =답장(答狀).

답청절(踏青節) el tres de marzo del calendario lunar.

답치기 acto *m* imprudente [insensato · temerario].

◆답치기 놓다 actuar [comportarse] imprudentemente [de modo temerario].

답토(畓土) arrozal *m*.

답파(踏破) caminata *f*, recorrido *m* a pie. ~하다 recorrerse a pie. 그들은 전 서반아를 ~했다 Ellos se recorrieron toda España a

pie. 나는 당신을 찾아 온 시내를 ~했다 Yo me recorrí toda la ciudad buscándote.
답품(畓品) =손실 답험(損失答驗).
답하다(答－) ① ((준말)) =대답하다. ② ((준말)) =해답하다. ③ ((준말)) =회답하다.
답험(踏驗) =손실 답험(損失踏驗).
닷 cinco. ~ 되 cinco *doe*, diez litros. ~ 냥 cinco monedas. ~ 말 cinco *mal*.
닷곱 cinco *gob*, un litro.
■ ~되 medida *f* de un litro. ~장님 persona *f* que tiene la vista débil.
닷새 ① [다섯 날] cinco días. 그 일을 끝내는데 ~ 걸렸다 Yo tardé cinco días en terminarlo. ② ((준말)) =닷샛날. 초닷샛날. ¶ 오늘이 시월 ~입니다 Hoy es el cinco de octubre.
닷샛날 el cinco (del calendario lunar).
당(唐) 【역사】 dinastía *f* de Tsing.
당(堂) ① ((준말)) =당집. ② =대청(大廳). ③ =서당.
당(糖) ① ((준말)) =당류(糖類). ② ((준말)) =자당(蔗糖).
당(黨) ① [정당(政黨)] partido *m*. ~의 결정(決定) decisión *f* del partido. ~에 가입하다 afiliarse a un partido. ~을 결성하다 formar un partido. ② [무리·동아리] pandilla *f*, facción *f*. ~을 만들다 formar una facción, apandillarse. ③ [친척과 인척] pariente, -ta *mf*, parentesco, -ca *mf*, [집합적] parentela *f*. ④ ((준말)) =붕당(朋黨).
■ ~ 노선(路線) línea *f* del partido. ~ 대회(大會) convención *f* [congreso *m*] del partido. ¶민주~ la Convención [el Congreso] del Partido Demócrata. ~ 본부(本部) sede *f* del partido, oficina *f* central del partido. ~원(員) miembro *mf* del partido. ~위원회(委員會) comité *m* del Partido. ~ 정책(政策) política *f* del partido.
당-(堂) primo, -ma *mf*, entre el tío y el sobrino, entre la tía y la sobrina.
당-(唐) chino. ~피리 flauta *f* china.
당-(當) ① [그] ese, esa, esos, esas; [바로 그] ese mismo; [이] este, esta, estos, estas; [지금의] de ahora, presente; [우리들의] nuestro, nuestra. ~ 회사(會社) esta compañía, nuestra compañía. ② [그 당시의 나이] de entonces. ~ 18세 diez y ocho años (de edad) de entonces.
-당(堂) *dang*, tienda *f*. 고려~ Koryodang. 사명~ Sa Myong Dang.
-당(當) por. 시간~ por hora. 1일 [1개월]~ por día [mes]. 하루~ por día. 킬로~ 운임(運賃) tarifa *f* por kilómetro. 킬로~ 5천 원 cinco mil wones el kilo. 사과 한 개~ 천 원 mil wones por una manzana. 1인~ 만 원의 회비(會費) cuota *f* de diez mil wones por persona.
당가(唐家) 【건축】 =닫집.
당가(當家) [이 집] esta casa, esta familia; [그 집] esa casa, esa familia; [우리의 집] nuestra casa, nuestra familia. ~에서는 en nuestra casa.
당가(黨歌) himno *m* del partido.
당각(當刻) ese mismo momento.
당견(黨見) opinión *f* del partido.
당경(唐鏡) espejo *m* chino.
당계(當季) esta estación, este tiempo.
당고(堂鼓) tambor *m* grande.
당고(當故) acción *f* de estar de luto por *su* padre, acción *f* de guardar luto por *su* padre.
당고모(堂姑母) tía *f* (que es prima de *su* padre).
당고모부(堂姑母夫) esposo *m* de *su* tía (que es prima de *su* padre).
당공약(黨公約) plataforma *f* del partido.
당과(當窠) puesto *m* conveniente a ese hombre.
당과(糖菓) =캔디.
■ ~류(類) dulces *mpl*.
당괴(黨魁) cabecilla *mf* del partido.
당교(當校) esta escuela *f*, este colegio *m*.
당구(堂狗) perro *m* que se cría en *Seodang*.
■ 당구 삼 년(三年)에 폐풍월(吠風月) ((속담)) =서당 개 삼 년에 풍월한다. ☞서당(書堂)
당구(撞球) billar *m*. ~하다 [당구를 치다] jugar al billar.
■ ~공[알] billa *f*, bola *f* (de billar), mingo *m*; [붉은] bola *f* roja; [흰] bola *f* blanca. ~대(臺) mesa *f* de billar. ~봉[큐] taco *m* (de billar); [짧은] retaco *m*; [긴] mediana *f*. ¶~으로 치기 tacada *f*. ~장(場) salón *m* de billar, sala *f* de billar.
당구(鐺口) ((불교)) olla *f* grande.
당국(當局) autoridades *fpl*, autoridad *f* competente. ~의 명령에 의해 por orden de las autoridades. ~에 계출하다 informar a las autoridades. 이 문제는 관계 ~에 의해 토의될 것이다 Este asunto será discutido por las autoridades competentes. ~은 이 문제를 해결하려고 노력하고 있다 Las autoridades están tratando de resolver este problema.
◆군(軍)~ autoridades *fpl* militares. 시(市)~ autoridades *fpl* municipales. 학교 ~ dirección *f* de la escuela, autoridades *fpl* de la escuela.
■ ~자(者) autoridades *fpl* (competentes).
당국(當國) ① [이 나라] este país, esta nación. ② =당사국(當事國). ③ [나라의 정무(政務)를 맡음] administración *f* de asuntos estatales.
당국화(唐菊花) 【식물】 =과꽃.
당궁(唐弓) arco *m* chino.
당권(黨權) heguemonía *f* [hegemonia *f*] del partido.
당궤(唐机) ① [중국제 책상] mesa *f* en China. ② [중국풍의 책상] mesa *f* del estilo chino.
당귀(當歸) 【한방】 raíz *f* de la angélica.
■ ~주(酒) vino *m* de raíces de la angélica. ~차(茶) té *m* de brote de la angélica con el agua de miel.
당규(黨規) reglamento *m* del partido. ~를 어기다 violar el reglamento del partido.

당그렇다 =덩그렇다.
당극(幢戟) lanza *f* con bandera.
당근 【식물】 zanahoria *f*.
■~ 즙 zumo *m* [*AmL* jugo *m*] de zanahoria.
당금(唐錦) seda *f* de la dinastía de Tsing.
◆당금 같다 (ser) muy precioso, valioso, de gran valor.
당금(當今) ahora mismo, estos días, ahora, hoy.
당금지지(當禁之地) tierra *f* que se prohibe que sepulten.
당기(當期) término *m* corriente; [주식의] este término *m*.
■~ 배당 dividendo *m* para este término. ~ 순이익(純利益) ganancia *f* neta del término corriente [de este término].
당기(黨紀) disciplina *f* del partido. ~를 깨뜨리다 romper [arruinar] la disciplina de partido.
■~ 문란(紊亂) rompimiento *m* [quebranto *m*] de la disciplina del partido. ~ 위원회(委員會) comité *m* de la disciplina del partido.
당기(黨旗) bandera *f* del partido.
당기다[1] ① [끌어서 가까이 오게 하다] acercar, arrimar, tirar. 재떨이를 앞으로 ~ acercar el cenicero adelante. 그 의자를 좀 더 테이블에 당겨 주십시오 Acerque esa silla más a la mesa. 당신의 의자를 불 가까이 당기세요 Acerca [Arrima] la silla al fuego. ② [줄을 팽팽하게 하다] estirar. 활시위를 ~ estirar la cuerda del arco. ③ [어떤 방향으로 잡아끌다] apretar. 방아쇠를 ~ apretar el gatillo. ④ [정한 기일이나 시간을 다그다] avanzar. 날짜를 ~ avanzar la fecha.
당길힘 =견인력(牽引力).
당기다[2] [입맛이 돋우어지다] estimular. 입맛을 ~ estimular *su* apetito. 입맛이~ (*su* apetito) se estimula. 입맛이 당기는 계절 estación *f* que se estimula *su* apetito. 환자가 입맛이 당기기 시작했다 El paciente empezaba a tener su apetito.
당까마귀(唐-) 【조류】 =떼까마귀.
당나귀(唐-) 【동물】 asno, -na *mf*, burro, -rra *mf*, borrico, -ca *mf*, [작은] borriquillo, -lla *mf*, 【학명】 Equus asinus. ~가 울다 rebuznar.
■당나귀 귀 치레 ((속담)) maquillaje *m* inútil y poco favorecedor. 당나귀 찬물 건너가듯 ((속담)) Se lee con fluidez [con soltura]. 당나귀 하품한다고 한다 ((속담)) Es sordo.
당나귀기침(唐-) tos *f* como un rebuzno.
당나발(唐喇叭) trompa *f* algo más grande que la ordinaria.
◆당나발 불다 decir mentiras absurdas.
당내 ① [살아 있는 동안] mientras se vive, mientras se está vivo. ② [벼슬하고 있는 동안] mientras se entra en el servicio gubernamental.
당내(堂內) ① [팔촌 이내의 일가] parientes *mpl* menos del octavo grado de consanguinidad. ② [불당·사당 등의 안] interior *m* del santuario budista.
■~지친(之親) ㉮ [팔촌 이내의 친척] parientes *mpl* menos del octavo grado de consanguinidad. ㉯ [가장 가까운 일가] parientes *mpl* más cercanos.
당내(黨內) interior *m* del partido; [부사적] dentro del partido. ~ 문제를 해결하다 resolver los asuntos del partido.
■~ 민주주의 democracia *f* dentro del partido. ~ 알력(軋轢) conflicto *m* dentro del partido. ~ 파벌(派閥) facción *f* dentro del partido.
당녀(唐女) ((낮춤말)) mujer *f* china.
당년(當年) ① [그해] ese año. ② [금년(今年)] este año. ~ 27세의 청년(青年) joven *m* que tiene veintisiete años de edad este año. 그는 ~ 만 서른 살이다 Este año él ha cumplido treinta años. ③ [그 시대·연대] ese tiempo, esa época.
■~작(作) productos *mpl* agrícolas que cosechan ese año. ~초(草) ㉮ 【식물】 =한해살이풀. ㉯ [한 해 동안밖에 쓰지 못하는 물건] artículo *m* que se puede usar un año solamente. ~치 artículo *m* que se cosecha ese año. ~치기 =당년초㉯.
당뇨(糖尿) glicosuria *f*, glucosuria *f*, glicopoliuria *f*, glucorrea *f*.
■~증(症) melituria *f*. ~진(疹) diabétide *m*.
당뇨병(糖尿病) 【의학】 diabetes *f*, glucosuria *f*. ~의 diabético, glucosúrico. ~에 걸린 glucosúrico. ~의 징후(徵候) síntoma *m* diabético. ~에 걸리다 ser diabético.
■~ 괴저(壞疽) gangrena *f* diabética. ~ 발생(發生) ¶~의 diabetógeno. ~성(性) diabético *adj*. ~성 귀두염 balanitis *f* diabética. ~성 당뇨(性糖尿) glicosuria *f* diabética. ~성 망막증 retinopatía *f* diabética. ~성 산성증 precoma *m* diabético. ~성 산증(性酸症) acidosis *f* diabética. ~성 수포증 bulosis *f* diabética. ~성 신경 병증(神經病症) neuropatía *f* diabética. ~성 신사구체 병증(性腎絲毬體病症) glomerlulopatía *f* diabética. ~성 피부 병증 dermopatía *f* diabética. ~성 황색종 xantoma *m* de los diabéticos. ~ 식이(食餌) dieta *f* diabética. ~이(耳) oreja *f* diabética. ~ 전기(前期) prediabetes *f*. ~ 환자(患者) diabético, -ca *mf*, glucosúrico, -ca *mf*. ¶그녀는 ~이다 Ella es diabética.
당달봉사(-奉事) =청맹과니.
당닭(唐-) ① 【조류】 gallina *f* de Bantam. ② [키가 작고 몸이 똥똥한 사람] rechoncho, -cha *mf*.
당당(堂堂) =당당히.
당당하다 (ser) imponente, majestuoso, magnífico, grandioso, eminente, excelso, soberbio, augusto, sublime. 당당한 체격(體格) estatura *f* imponente. 당당한 저택(邸宅) magnífica mansión *f*. 겉모양이 당당한 집 casa *f* (de apariencia) grandiosa [impo-

nente]. 그는 남을 위압하는 듯한 당당한 사람이다 El es un hombre que impone.
당당히 imponentemente, majestuosamente, soberbiamente, magníficamente, heroicamente; [정정당당히] con aire majestuoso, con dignidad; [공연히] públicamente. ~ 반론(反論)하다 replicar valientemente [con valor]. ~ 싸우다 luchar heroicamente. ~ 행동하다 jugar a cartas vistas.

당대(當代) ① [그 시대] esa época, *su* época, *su* tiempo. ~의 영웅 héroe *m* de *su* época [de *su* tiempo]. ② [이 시대] nuestra época, esta época. ~ 제일의 작곡가 el mejor compositor actual [de nuestra época].
■ ~발복(發福) ¶~하다 hacerse rico en *su* propia vida.

당도(當到) llegada *f.* ~하다 llegar, arribar, alcanzar. 목전(目前)에 ~한 위기 peligro *m* apremiante. 그는 길을 잃었으나 결국 그 집에 ~하기에 이르렀다 El se perdió pero al fin logró llegar a esa casa.

당도(當塗) =당로(當路).

당도리 barco *m* grande de madera.
■ ~선(船) =당도리.

당돌하다(唐突-) (ser) audaz, atrevido, impertinente, directo, franco, rotundo, categórico. 당돌한 아이 niño, -ña *mf* audaz. 당돌한 언사 lengua *f* franca. 당돌하게 굴다 portarse [comportarse] audazmente.
당돌히 audazmente, con audacia, francamente, directamente.

당두(當頭) =박두(迫頭).

당락(當落) resultado *m* de la elección, buen éxito *m* [resultado *m*] o derrota *f* [anulación *f*] en matrícula. ~ 선상의 후보자 candidato, -ta *mf* de cuyo triunfo o fracaso se duda. ~은 오늘 판명된다 El resultado de la elección se sabrá hoy.

당랑(螳螂) 【곤충】 predicador *m*, mantis *f*, mantis *f* religiosa, rezadora *f*.
■ ~력(力) fuerza *f* muy débil.

당래(當來) ((불교)) =내세(來世).

당략(黨略) ① [당을 위한 계략] estratagema *f* para el partido. ② [정당(政黨)에서 쓰는 정략(政略)] política *f* del partido.

당량(當量) 【화학】 equivalente *m*.

당로(當路) ① [정권을 잡음] acción *f* de tomar el poder. ② [요로에 있음] acción *f* de estar en la posición importante. ③ ((준말)) =당로자.
■ ~자(者) =당국자(當局者).

당론(黨論) plataforma *f* [programa *m* · opinión *f*] del partido.

당론(讜論) =정론(正論).

당료(糖料) material *m* del azúcar.

당류(糖類) sacárido *m*.

당륜(黨倫) moral *f* del partido.

당리(黨利) interés *m* del partido, política *f* partidista. ~를 도모하다 promove los intereses del partido. ~ 당략(黨略)에 따르다 no pensar sino en el interés de *su* propio partido. ~ 당략을 일삼다 jugar la política partidista.

당마루(堂-) 【건축】 =너새.

당먹(唐-) varita *f* de tinta china.

당면(唐麵) *dangmyeon*, fideo *m* [tallarín *m*] de patata [papa] en polvo.

당면(當面) ① [(일이) 바로 눈앞에 당함] acción *f* de hacer frente. ~하다 hacer frente. ~의 presente, urgente, apremiante. ~의 급선무(急先務) necesidad *f* urgente [apremiante]. ~의 목적 fin *m* [objetivo *m*] inmediato. ~한 문제(問題) problema *m* inmediato, cuestión *f* presente, asunto *m* en mano, cuestión *f* en mano; [급한] problema *m* urgente. 대학의 ~한 과제(課題) problema *m* importante al que se enfrenta la universidad. ~한 큰 일을 위해서는 다른 일에는 일체 마음을 쓸 수 없다 La necesidad no tiene ley. ② =대면.

당명(黨名) nombre *m* del partido.

당명(黨命) orden *f* del partido.

당모시(唐-) cáñamo *m* chino.

당목(唐木) artículos *mpl* de algodón chino.
■ ~ 세공(細工) ebanistería *f.*

당목(撞木) palo *m* de tocar la campana.

당목면(唐木綿) =당목(唐木).

당목어(撞木魚) 【어류】 =귀상어.

당무(當務) cargo *m*.
■ ~자(者) persona *f* en cargo.

당무(黨務) asuntos *mpl* del partido. ~를 처리하다 administrar los asuntos del partido.
■ ~ 위원(委員) miembro *m* ejecutivo [miembro *f* ejecutiva] del partido. ~ 위원회(委員會) comisión *f* directiva del partido, comité *m* ejecutivo del partido. ~자(者) encargado, -da *mf* de los asuntos del partido. ~ 회의(會議) =당무 위원회.

당밀(糖蜜) almíbar *m*, sirope *m*, melaza *f*, melote *m*, jarabe *m*.
■ ~주(酒) ron *m*.

당방(當方) ① [우리들. 우리 쪽] nosotros. ② [이 쪽] nuestra parte.

당방초(唐防草) ladrillo *m* del estilo chino.

당배(黨輩) grupo *m*.

당백(當百) 【역사】 =당백전(當百錢).
■ ~전(錢) 【역사】 *dangbaekcheon*, moneda *f* de la dinastía de *Choson* que se emitió en 1866.

당백사(唐百絲) ① [중국산의 흰 무명실] hilo *m* de algodón blanco producido en China. ② [당백사로 만든 연줄] cuerda *f* de la cometa hecha de hilo de algodón blanco producido en China.

당번(當番) turno *m* (de servicio); [사람] persona *f* en turno. ~하다 empezar el turno, empezar la guardia. ~이다 tocar*le* a *uno*; [경찰관 · 소방수가] estar de servicio; [의사 · 간호사가] estar de turno, estar de guardia. ~이 끝나다 acabar el turno, acabar la guardia. 야간 ~을 하다 hacer el turno nocturno. 내일 ~은 누구입니까? ¿A quién le toca el turno para mañana? 내가 청소 ~이다 A mí me toca el turno de la limpieza. 그는 오전 (내내) ~이다 [의사 · 간호사] El está de turno

[de guardia] toda la mañana / [경찰관·소방수] El está de servicio toda la mañana.
■~ 교사(敎師) maestro, -tra *mf* en turno [de servicio]. ~ 명부 lista *f* de guardias. ~ 장교(將校) oficial *mf* de servicio. ~제(制) sistema *m* de servicio.

당벌(黨閥) facción *f*, pandilla *f*, camarilla *f*, asociación *f* exclusivista, compadraje *m*.

당별(黨別) distinción *f* del partido.

당본(唐本) =당책(唐冊).

당봉(撞棒) =큐(cue).

당부 pedido *m*. ~하다 pedir*le* a *uno* (que + *subj*), decir*le* a *uno* (que + *subj*). ~받다 decirse, pedirse. 신신 ~하다 pedir de todo corazón. 나는 그들에게 떠나라고 ~했다 Les pedí que se fueran. 그는 나에게 머무르라고 ~했다 El me pidió que me quedara. ~받은 대로 해라 Haz lo que se te dice. 고객들은 전시품을 만지지 말아 달라고 당부받았다 Se ruega a los señores clientes no tocar las mercancías expuestas. 한가지 ~할 일이 있습니다 ¿Puedo pedirle un favor?

당부(當否) justicia e injusticia, propiedad o impropiedad, conveniencia o incoveniencia. 인선(人選)의 ~ conveniencia *f* [idoneidad *f*] de selección del personal.

당부당(當不當) justicia e injusticia.

당분(糖分) porcentaje *m* de azúcar. ~을 함유한 azucarado. ~을 취하다 tomar azúcar. ~을 함유하다 (ser) azucarado, dulce, contener azúcar.
■~ 검량계[측정기] glucómetro *m*, sacarímetro *m*, sacarómetro *m*.

당분간(當分間) por el momento, por ahora, durante [por] algún tiempo. ~ 필요한 물건 artículos *mpl* necesarios de momento. 서반아에 머무는 ~(은) durante los primeros días de *su* estancia en España. ~의 일밖에 생각하지 않다 no tener en la mente más que las cosas del momento. ~ 더위가 계속될 것이다 El calor seguirá por algún tiempo. ~은 이것으로 충분하다 Basta con esto por el momento. 나는 ~ 용돈으로는 충분히 가지고 있다 Tengo bastante dinero para hacer los pequeños gastos del momento.

당붕(黨朋) =붕당(朋黨).

당비(黨費) gastos *mpl* de partido. ~를 기부하다 contribuir para gastos de partido. ~를 납부하다 pagar los gastos de partidos.

당비름(唐-)【식물】=색비름.

당사(唐絲) hilo *m* de algodón de China.

당사(堂舍) la casa grande y la pequeña.

당사(當寺) este templo budista.

당사(當社) esta compañía, esta firma, nuestra compañía, nuestra firma, nosotros. ~의 nuestro, de nuestra compañía, de nuestra firma. ~의 주문(注文) nuestro pedido.

당사(當事) participación *f* directa en ese asunto. ~하다 participar directamente en ese asunto.
■~국(國) país *m* (*pl* países) interesado.

당사(黨史) historia *f* del partido.

당사(黨舍) edificio *m* del partido, oficina *f* central del partido.

당사기(唐砂器) porcelana *f* china.

당사자(當事者) partes *fpl* interesadas; interesado, -da *mf*; parte *f*; factor *m*. 모든 ~ todos los interesados. ~와 직접 교섭하다 negociar personalmente con el interesado.
■~ 능력(能力) capacidad *f* para ser parte. ~ 신문(訊問) interrogatorio *m* de las partes. ~ 일동(一同) todos los interesados. ~주의(主義) principio *m* de la parte. ~ 참가(參加) participación *f* de las partes.

당사향(唐麝香) almizcle *m* chino.

당삭(當朔) ① [이 달] este mes. ② =임삭(臨朔).

당산(堂山) monte *m* que hay dios custodio de la aldea.
■~제(祭) ritos *mpl* funerales al dios de la montaña.

당상(堂上) sobre el suelo.

당상(當喪) =당고(當故).

당서(唐書) =당책(唐冊).

당석(當席) el mismo asiento.

당선(唐扇) abanico *m* chino.

당선(唐船) barco *m* [buque *m*] chino.

당선(當選) ① [선거에 뽑힘] (triunfo *m* en la) elección *f*. ~되다 ser elegido. ~ 가능성이 있는 후보자(候補者) candidato, -ta *mf* que tiene probabilidad de triunfo [de ser elegido]. 국회의원에 ~되다 ser elegido a las cortes, ser elegido miembro de la Asamblea Nacional. 시장에 ~되다 ser elegido alcalde. ② =입선(入選). ¶~되다 obtener el premio. 일등에 ~되다 ganar [lograr] el primer puesto (en).
■~권 ¶~에 들다 estar entre los elegidos. ~무효(無效) anulación *f* de *su* elección. ~자[인] elegido, -da *mf*; [입상자] laureado, -da *mf*; premiado, -da *mf*; galardonado, -da *mf*; ganador, -dora *mf* (de un premio). ~작(作) obra *f* galardonada [premiada]. ~ 작가(作家) escritor *m* galardonado, escritora *f* galardonada. ~ 증서(證書) certificado *m* galardonado.

당세(當世) ① [그 시대, 또는 그 세상] esa época, ese mundo. ② [지금의 시대, 또는 지금의 세상·당대(當代)] esta época, este mundo. ~에는 ahora, actualmente, en la actualidad; [요즈음] estos días, recientemente. ~의 유행(流行) moda *f* actual [de hoy]. ~풍의 a la moda, de moda. ~의 젊은이들 los jóvenes de hoy día. …하는 것은 ~의 유행이다 Está de moda + *inf*.

당세(當歲) este año.

당세(黨勢) influencia *f* del partido. ~ 확장을 기대하다 trabajar para ampliar la influencia de un partido. ~가 흔들리고 있다 La influencia del partido va de capa caída.
■~ 팽창(膨脹) extensión *f* de influencia de partido.

당세풍(當世風) modernismo *m*, última moda *f*, estilo *m* a la moda.

당소(當所) ① [이 곳] este lugar, este sitio. ② [이 사무소] esta oficina; [이 연구소] este instituto, este centro; [이 영업소] esta oficina.
당수 *dangsu*, una de las comidas tradicionales de nuestro país.
당수(唐手) karate *m*.
■ ~ 선수(選手) karateca *mf*.
당수(黨首) presidente, -ta *mf* [jefe, -fa *mf*] del partido.
당숙(堂叔) =종숙(從叔).
당숙모(堂叔母) =종숙모(從叔母).
당승(唐僧) ① [당나라 때의 중] sacerdote *m* budista de la época de la dinastía de los Tsing. ② [중국의 중] sacerdote *m* budista chino.
당시(唐詩) poema *m* de los poetas de la dinastía de los Tsing.
당시(當時) en aquellos días, en aquellos tiempos, en aquella época, de aquellos tiempos, entonces, en aquel entonces, en esos días, de entonces. ~의 대통령 el entonces presidente, la entonces presidenta; el presidente [la presidenta] de entonces; el presidente [la presidenta] de aquel tiempo. ~의 사람들 gente *f* de entonces. 종전(終戰) ~ 그는 다섯 살이었다 El tenía cinco años cuando terminó la guerra.
■ ~ 승상(丞相) el entonces primer ministro.
당시(黨是) política *f* del partido.
당시선(唐詩選) colección *f* de poesías de los Tsing.
당신(當身) ① [「하오」할 자리에서 상대되는 사람에게] tú. ~의 [명사 앞에서] tu, tus; [명사 뒤에서] tuyo, tuya, tuyos, tuyas. ~에게 · 을 te, a ti. ~ 자신 tú mismo, tú misma. ~의 것 el tuyo, la tuya, los tuyos, las tuyas, lo tuyo. ~들 vosotros, vosotras. ~들의 [명사 앞이나 뒤에서] vuestro, vuestra, vuestros, vuestras. ~들에게 · 을 os, a vosotros. ~들 자신 vosotros mismos, vosotras mismas. ~들의 것 el vuestro, la vuestra, los vuestros, las vuestras, lo vuestro. ~은 서반아 사람입니까? ¿Eres tú español? 이것은 ~의 것입니까? ¿Es esto tuyo? / ¿Es esto de ti? 어떤 것이 ~의 것입니까? ¿Cuál es (el) tuyo? ~의 가방이 보이지 않소 No encuentro tu cartera. ~을 부장님에게 소개하겠소 Te presento al jefe de la sección. 이 책을 ~에게 주겠소 Te doy este libro. ~은 ~의 것으로 만족해야 한다 Tú tienes que estar contento con lo tuyo. ② [부부간에 서로 상대방을 일컫는 말] tú. ③ [그 자리에 없는 웃어른을 높여 일컫는 제3인칭 대명사] él, ella. ~의 su; [명사 뒤에서] suyo, suya, suyos, suyas. 그 어른은 생전에 ~ 자식보다도 너를 더 귀해하셨다 El te quería más que su hijo mientras vivía.
당신께서도 또한 그러하시기를 Igualmente. 새해 복 많이 받으십시오 — 감사합니다. ~ ¡Feliz Año Nuevo! — Gracias, igualmente. 부인에게 안부 전하여 주십시오 — 감사합니다. ~ Saludos a tu mujer — Gracias, igualmente. 부모님께 안부 전하십시오 — 감사합니다. ~ Muchos recuerdos a tus padres — Gracias, igualmente. 즐거운 시간을 가지세요 — ~ ¡Que lo pases muy bien! / ¡Que te diviertas mucho! — Igualmente.
당실 =덩실.
당싯거리다 =덩싯거리다.
당싯당싯 =덩싯덩싯.
당아욱(唐—)【식물】malva *f* (hortense).
당악(唐樂) música *f* de los Tsing.
당악기(唐樂器) ① [당나라 때의 악기] instrumento *m* musical de los Tsing. ② [당악을 연주하는 악기] instrumento *m* musical de tocar la música de los Tsing.
당야(當夜) esa noche.
당약(唐藥) medicina *f* china.
당약(當藥) =당제(當劑).
당약재(唐藥材) medicinas *fpl* chinas.
당양지지(當陽之地) tierra *f* soleada.
당양하다(當陽—) (ser) soleado, estar lleno de la luz del sol.
당언(讜言) palabra *f* razonable, palabra *f* recta.
당연(當然) lo natural. ~하다 tener razón, ser muy razonable, ser natural [lógico · justo · juicioso · propio · merecido]. ~한 결과(結果) resultado *m* natural. ~한 일 cosa *f* natural. …하는 것은 ~하다 Es natural [justo] + *inf* [que + *subj*]; [확실하다] Es cierto [seguro · evidente] que + *ind*, No hay duda de que + *ind*. ~합니다 Es natural / Naturalmente / Claro está. ~한 일이다 Es natural / Es evidente / Claro está. ~한 말씀입니다 Tiene usted razón. 아이들이 놀기 좋아하는 것은 ~하다 Es natural que los niños quieran jugar. 행복하기를 바라는 것은 인간으로서 ~하다 Es muy natural que el hombre quiera ser feliz. 그이가 노여워하는 것은 ~하다 El tiene razón suficiente para enfadarse. 당신이 노하는 것도 ~하다 Con razón usted se enoja. ~하지만 그는 대환영을 받았다 Se le ha dado el espléndido recibimiento que era natural [que merecía]. 죄인이 벌을 받는 것은 ~하다 Es lógico [justo · natural] que el criminal sea castigado. 그가 시험에 합격한 것은 ~하다 Es natural [No es sorprendente · No es de sorprender · No tiene nada de extraño] que él haya salido bien en el examen. 나는 ~한 것을 했을 뿐이다 No hice más que lo que debía hacer. 그는 극히 ~한 말밖에 하지 않는다 El sólo dice perogrulladas. 그것은 극히 ~한 일이다 Eso no ofrece duda / Esto cae de su peso. 그는 ~한 일을 되씹는 버릇이 있다 El tiene el vicio oratorio de perogrullo. 누구나 언젠가는 죽는다는 것은 ~하다 Es seguro que todos moriremos (más) tarde o temprano. 그의 성공은 ~하다 No

hay duda de que él tendrá éxito.
당연히 ㉮ naturalmente, lógicamente, como una cosa natural, merecidamente, por misma mesmedad. 그는 ~ 처벌받아야 한다 El merece un castigo / El merece ser castigado. ㉯ [정당하게] justo, justamente. ㉰ [필연적으로] necesariamente, forzosamente. ㉱ [불가피하게] inevitablemente. ㉲ [분명히] evidentemente, claramente.
■ ~지사(之事) una cosa natural. ¶~로서 como una cosa natural.

당연하다(瞠然-) quedarse mirando con ojos como platos.

당오(當五)【역사】((준말)) =당오전(當五錢).

당오전(當五錢)【역사】*dangocheon*, moneda *f* que circuló de 1883 a 1895.

당우(堂宇) la casa grande y la pequeña.

당우(戇愚) estupidez *f*, tontería *f*, torpeza *f*, torpedad *f*. ~하다 (ser) estúpido, tonto, torpe.

당원(糖原)【화학】=글리코겐(glykogen).
■ ~병(病) enfermedad *f* de escasez de glucógeno. ~ 분해(分解) glucogenólisis *f*. ~ 분해 과도(分解過度) hiperglucogenólisis *f*. ~ 분해 저하(分解低下) hipoglucogenólisis *f*. ~ 저장병(貯藏病) amilopectinosis *f*. ~ 저장증(貯藏症) glucogénesis *f*. ~질(質) =글리코겐. ~ 형성(形成) glucogénesis *f*.

당원(黨員) partidario, -ria *mf*; miembro *mf* (del partido). ~이 되다 afiliarse [adherirse] a un partido.
■ ~ 명부 lista *f* de miembros del partido. ~증(證) carné *m* [carnet *m*] del partido, certificado *m* del partido.

당월(當月) este mes, el mes presente [corriente · actual], el mes en curso.

당유(糖乳) =연유(煉乳).

당의(唐衣) *dang-ui*, una especie del traje de gala para las mujeres.

당의(糖衣) baño *m* [capa *f*] del azúcar, garapiña *f*. ~를 입힌 cubierto de azúcar.
■ ~정(錠) pasta *f* [tableta *f*] azucarada [con un baño de azúcar].

당의(黨意) opinión *f* del partido.

당의(黨議) consejo *m* del partido, principio *m* [política *f*] del partido; [당의 결정] decisión *f* del partido. ~에 상정하다 someter al consejo del partido. ~에 따르다 someterse a la decisión del partido.

당의(讜議) =정론(正論).

당인(唐人) chino, -na *mf*.

당인(當人) =당사자(當事者).

당인(黨人) =당원(黨員).
■ ~ 근성(根性) espíritu *m* partisano, espíritu *m* del partido.

당일(當日) el mismo día, ese día; [지정일] el día señalado. ~의 de ese día, del día. 운동회의 ~ el (mismo) día de la fiesta atlética. 부산에 갔다 ~ 되돌아오다 ir a Busan y volver el mismo día. 선거 ~에 개표했다 Se ha procedido al escrutinio el mismo día de las elecciones. ~ 한(限) 통용표 billete *m* válido sólo el día de su despacho.
■ ~치기 regreso *m* [vuelta *f*] en el mismo día. ¶~하다 volver en el mismo día, hacer viaje de una jornada. ~로 서울에 여행하다 hacer un viaje de un día a la capital. ~로 갈 수 있다 Es un viaje que se puede hacer en una jornada. ~치기 여행 viaje *m* de un día, excursión *f* de un día. ¶해변으로 ~을 하다 ir a pasar el día a la playa. ~치기 여행자(旅行者) excursionista *mf*; dominguero, -ra *mf*. ~ 판매표(販賣票) billete *m* [*AmL* boleto *m*] puesto en venta el día de la presentación.

당자(當者) ① [바로 그 사람] la misma persona. ② =당사자(當事者).

당작설(唐雀舌) té *m* lujoso chino.

당장(當場) mismo, en seguida, enseguida, inmediatamente, al instante, ahora, al momento, en el acto, a la vista. ~은 por el momento, por lo [por de] pronto, por ahora. 내일 ~ mañana mismo. 오늘 ~ hoy mismo. 지금 ~ ahora mismo, inmediatamente, ahora mismo. ~ 필요한 물건 cosas *fpl* necesarias por el momento, cosas de uso inmediato. ~ 해결하다 resolver en el acto. ~ 변화는 없다 No hay a la vista ningún cambio. ~은 그것으로 충분하다 Basta con eso por ahora. ~ 나가라 Sal ahora mismo. ~ 시작하라 Empiézalo sin tardanza. 나는 돈이 ~ 필요하다 Yo quiero dinero ahora mismo.

당재(唐材) medicinas *fpl* chinas.

당쟁(黨爭) contienda *f* de partidos, disputa *f* faccionaria.

당저(唐苧/唐紵) =당모시.

당저(唐笛)【악기】=당적(唐笛).

당저(當宁) el entonces rey, rey *m* de entonces, rey *m* de aquel tiempo.

당저고리(唐-) =당의(唐衣).

당적(唐笛) una de las flautas.

당적(黨的) partisano, del partido.

당적(黨籍) registro *m* [matrícula *f*] de partido, lista *f* de los miembros del partido. ~을 떠나다 alejarse del partido, dejar su partido. …의 ~을 박탈하다 borrar el nombre de *uno* [quitar *uno* · excluir a *uno*] de la lista de los miembros del partido.

당전(唐錢) moneda *f* antigua china.

당전(堂前) delante del santuario, delante del suelo.

당절(當節) =제철.

당점(當店) esta tienda, nuestra tienda, nosotros. ~에서는 이 물건을 취급하지 않습니다 Nosotros no tratamos de este género en nuestra tienda.

당정(黨政) el partido gubernamental y el gobierno.

당정(黨情) condición *f* del partido.

당제(唐制) sistema *m* chino.

당조(唐朝) dinastía *f* de los Tsing.

당조(當朝) ① [이 조정(朝廷)] esta corte. ② [이 왕조(王朝)] esta dinastía. ③ =당대(當代).

당조짐하다 supervisar estrictamente.
당좌(當座) 【경제】 ((준말)) =당좌 예금.
■~ 계정(計定) cuenta *f* corriente. ~ 대부(貸付) préstamo *m* temporal, préstamo *m* provisional. ~ 대부금(貸付金) préstamo *m* a la vista. ~ 대월(貸越) giro *m* en descubierto, crédito *m* disponible. ~ 수표(手票) cheque *m.* ~ 예금(預金) (depósito *m* en) cuenta *f* corriente.
당주(當主) dueño *m* de ahora.
당지(唐紙) papel *m* de arroz.
당지(當地) este lugar [sitio]; [지방] esta región. ~의 산물(産物) producto *m* de esta región. ~ 체류 중에 durante su estancia aquí [en este lugar]. ~에 도착하다 llegar aquí.
당지기(堂直一) sacristán *m.*
당직(當直) servicio *m*; [감시 · 선박의] guardia *f.* ~하다 servir, guardar. ~이다 estar de servicio [de guardia].
■~ 사관(士官) oficial *mf* de guardia [de servicio]; [선박의] oficial *mf* de la cubierta. ~ 수당(手當) pago *m* del servicio nocturno. ~ 일지(日誌) diario *m* de servicio. ~자[원] persona *f* de servicio; [선박의] marinero *m* de cubierta.
당직(當職) ① [이 직무] este servicio. ② [현재의 직업] profesión *f* actual. ③ [직무를 담당함] cargo *m* de servicio.
당직(黨職) puesto *m* del partido.
■~ 개편(改編) reorganización *f* de la jerarquía del partido. ~자(者) autoridad *f* suprema del puesto del partido.
당질(堂姪) =종질(從姪).
당질(糖質) material *m* azucarado.
당질녀(堂姪女) =종질녀(從姪女).
당질부(堂姪婦) =종질부(從姪婦).
당질서(堂姪壻) =종질서(從姪壻).
당집(堂一) templo *m*, relicario *m*, santuario *m*; [기독교의] capilla *f*, iglesia *f.*
당차(唐茶) té *m* chino.
당차다 (ser) pequeño pero fuerte.
당착(撞着) contradicción *f*, falta *f* de coherencia. ~하다 (ser) contradictorio, incoherente. 상호 ~하는 가정(假定) hipótesis *f* incoherente.
당찮다 ((준말)) =당치아니하다. ¶당찮은 생각 idea *f* absurda. 당찮은 짓 acto *m* irrazonable, acto *m* poco razonable. 당찮은 소리! ¡Absurdo! / ¡Tonterías! / ¡Qué ridículo!
당창(唐瘡) 【한방】 =창병(瘡病).
당창포(唐菖蒲) 【식물】 =글라디올러스.
당책(唐冊) libro *m* chino.
당처(當處) ① [일을 당한 그 자리] ese mismo lugar. ② [그곳] ese lugar, ese sitio, allí. ③ [이곳] este lugar, este sitio, aquí.
당척(唐尺) medida *f* de los Tsing.
당천(當千) lo que una persona iguala a mil personas. 일기(一騎)~ guerrero *m* sin par.
당철(當一) =제철.
당첨(當籤) premio *m* (de una suerte), suerte *f* premiada; [당첨권] billete *m* de lotería premiado, billete *m* [número *m*] que lleva premio. 복권에 ~되다 sacar un premio en la lotería [en la rifa], tocar*le* a *uno* la lotería [la rifa]. 복권의 ~ billete *m* de lotería que lleva premio. 일등 복권에 ~되다 ganar el primer premio, tocar*le* a *uno* el primer premio. 그는 복권 1등에 ~되었다 Le tocó el primer premio.
◆일등 ~ (premio *m*) gordo *m.*
당첨금(金) premio *m* (en metálico).
당첨 번호(番號) número *m* afortunado, número *m* premiado.
당첨자(者) ganador, -dora *mf.*
당청(唐靑) tinte *m* azul de China.
당초(唐草) ((준말)) =당초문(唐草紋).
당초 무늬 (diseño *m* de) arabesco *m.*
당초문(紋) =당초 무늬.
당초와(瓦) teja con arabesco.
당초(唐椒) 【식물】 =고추.
당초(當初) principio *m*, principios *mpl*, comienzo *m.* ~부터 desde principio, desde los principios. ~부터 잘못했다는 생각이 들었다 Desde un principio me pareció que estaba equivocado.
당초에 al principio, a los principios, en un principio, al empezar. ~는 훌륭한 생각이 들었다 Al principio me pareció magnífico. ~는 그 일이 쉬운 것 같았다 Al principio me parecía fácil el trabajo.
당치아니하다 (ser) poco razonable, irrazonable, absurdo, insensato, disparatado, bárbaro, extravagante. 당치아니함 lo poco razonable, lo irrazonable. 당치않게 행동(行動)하다 actuar [portarse · comportarse] de manera poco razonable. 당치않은 말을 하다 decir extravagancias. ~! ¡De ninguna manera! / ¡De ningún modo! / ¡Nunca! / ¡No me diga! / ¡Quién lo hubiera creído! / ¡Ni hablar! 네 행동(行動)은 정말 ~ Tu actitud es muy poco razonable. 그렇게 많이 기대하는 것은 ~ Es poco razonable esperar tanto. 당치않은 말을 하지 마라 No seas botarate [bárbaro]. 나는 그런 당치않은 일은 할 수 없다 No puedo dar tal escándalo. 당치않은 녀석이다 Tiene una audacia increíble. 그녀는 당치않은 희망을 품고 있다 Ella abriga una esperanza desmesurada.
당치않다 ((준말)) =당치아니하다.
당칙(黨則) regla *f* [reglamento *m*] del partido.
당침(唐針) aguja *f* china.
당탑(堂塔) el santuario y la pagoda.
당태(唐一) algodón *m* de China.
당태솜 =당태.
당토(唐土) ① [당나라 땅] tierra *f* de los Tsing. ② [옛날 중국의 호칭] China.
당파(黨派) partido *f*, clan *m*; [분파(分派)] secta *f*, facción *f.* ~를 만들다 formar un partido. 많은 ~로 나누어지고 있다 Se dividen en muchos partidos.
◆초~ 외교 diplomacia *f* superpartidista.

■ ～심[근성] espíritu *m* del partido. ～싸움 querellas *fpl* intrapartidarias, querellas *fpl* entre facciones. ～적(的) partidario, partidista, partidarista.
당판(堂板) ＝마루청.
당포(唐布) ＝당모시.
당풍(黨風) moral *f* del partido.
당피리(唐－) 【악기】 flauta *f* de los Tsing.
당피마자(唐皮麻子) 【한방】 sésamo *m* chino.
당필(唐筆) pluma *f* china.
당필률(唐觱篥) 【악기】 ＝당피리.
당하(堂下) debajo del suelo.
당하(當下) ese mismo lugar.
당하(幢下) ＝휘하(麾下).
당하다(當－) ① [(일을) 만나다·겪다] tener, encontrar, encontrarse con, experimentar, sufrir. 패배를 ～ sufrir una derrota, ser derrotado. 불행을 ～ encontrar [encontrarse con] el desastre, experimentar la catástrofe. 상(喪)을 ～ tener la muerte en la familia. 모욕을 ～ sufrir el insulto. 고통을 ～ padecer [sufrir] la pena. 그는 작은 난(亂)을 피하려다 큰 난을 당했다 El salió de Guatemala para meterse en Guatepeor. 그녀는 이혼으로 많은 고통을 당했다 Ella sufrió mucho con el divorcio.
② [능히 이겨내다·대적하다·해내다·감내하다] competir, igualar, comparar. 나는 테니스에서 그를 당할 수 없다 No estoy a su altura en tenis / No puedo competir con él en tenis. 그를 당할 테너 가수는 없다 Es un tenor sin igual / No hay tenor que le iguale. 오래된 기계는 속도와 능률에서 새것에 당할 수 없다 La máquina vieja no se puede comparar con la nueva en (cuanto a) velocidad y eficacia. 어느 누구도 결단력과 스태미너에서 이 주자(走者)를 당할 수 없다 Nadie puede competir con este corredor en (cuanto a) determinación y resistencia.
③ [사리에 맞다·합당하다] (ser) razonable, apropiado, adecuado, correcto.
-당하다(當－) ser +「과거 분사」. 거절(拒絶)～ ser rechazado. 결박～ ser atado. 공격～ ser atacado. 구타～ ser golpeado. 무시～ ser despreciado. 부상～ ser herido.
당학(唐瘧) 【한방】 ＝이틀거리.
당학(唐學) ① [당나라 때의 학술] ciencia *f* de los Tsing. ② [중국 학문] estudios *mpl* chinos.
당한(當限) ① [기한이 닥쳐옴] llegada *f* a *su* fin. ～하다 llegar [acercarse] a su fin.
② 【경제】 entrega *f* del mes corriente.
당한(當寒) llegada *f* del frío. ～하다 el frío llegar, el frío acercarse.
당항라(唐亢羅) gasa *f* de seda producida en China.
당해(當該) ¶～의 [문제의] en cuestión; [소관의] competente.
■～ 관청(官廳) autoridades *fpl* competentes. ～ 사항(事項) dicho asunto *m*. ～ 조합(組合) sindicato *m* en cuestión
당헌(黨憲) constitución *f* del partido.
당형제(堂兄弟) ＝종형제(從兄弟).
당혜(唐鞋) calzado *m* de cuero.
당호(堂號) ＝호(號).
당혹(當惑) turbación *f*, confusión *f*, perplejidad *f*. ～하다 turbarse, confundirse, quedar perplejo. ～해서 en confusión. ～한 태도로 con un aire confuso [perplejo]. ～한 얼굴을 하고 있다 parecer apurado.
당혼(當婚) llegada *f* casadera, llegada *f* a la edad de casarse. ～하다 llegar a [alcanzar] la edad de casarse.
당홍(唐紅) color *m* escarlata fuerte.
당화(唐畵) ① [당나라 때의 그림] pintura *f* de los Tsing. ② [중국 사람이 그린 그림] pintura *f* que pintó el chino; [중국식 그림] pintura *f* a la china.
당화(糖化) sacarificación *f*. ～하다 sacarificar.
당화(黨禍) calamidad *f* causada [desastre *m* causado] por la contienda de partidos.
당황(唐黃) fósforo *m*.
당황망조(唐慌罔措) confusión *f*, desorden *m*, tumulto *m*, caos *m*, embarazo *m*. ～하다 (estar) confuso, confundido.
당황하다(唐慌－) desorientarse, desconcertarse, turbarse, aturdirse, confundirse, quedar(se) confuso [perplejo·embarazado], atolondrarse, precipitarse, perder la serenidad, perder la presencia de ánimo. 당황함 confusión *f*, aturdimiento *m*, desorden *m*. 당황해서 atolondradamente, aturdidamente, confusamente, de manera confusa, turbadamente, precipitadamente, apresuradamente, con turbación, en confusión, en desorden. 당황하지 않고 serenamente, con calma, con serenidad, con tranquilidad, muy sosegadamente. 당황하지 아니하다 mantenerse sereno [calmado·inmutable], mantener calma, guardar *su* presencia de ánimo. ～하게 하다 embarazar, aturdir. 당황해 있다 estar atolondrado [desconcertado·aturdido·perplejo]. 당황해서 잊다 olvidar por haberse precipitado. 당황해서 밖으로 뛰어나가다 precipitarse [lanzarse precipitadamente] a la calle. 당황해서 옷을 입다 vestirse precipitadamente. 당황해서 어떻게 대답할지 모르다 no saber qué contestar. 당황해서 어찌할 바를 모르다 quedarse perplejo [completamente confundido]; [상태] estar desconcertado. 매우 놀라 ～ perder la cabeza [la serenidad], turbarse. 나는 완전히 당황했다 Quedé completamente confuso. 당황하지 마라 ¡No te atolondres! / ¡No te alarmes! / ¡No te precipites! / ¡Calma! 당황해서 우산을 놓고 왔다 Con las prisas, dejé olvidado el paraguas. 시험 직전이 되면 당황해서 아무것도 손에 잡히지 않는다 No sirve de nada ponerse nervioso antes del examen. 나는 열차에 늦지 않으려고 당황해서 집을 나갔다 Salí disparado [disparadamente] de casa para no perder el tren. 그녀는 당황해 대답할 수 없었다 Perturbada, ella no pudo contestar. 그의 태도는 나를 당황하게 한다

Su actitud me desconcierta. 그런 말투는 나를 당황케 한다 Ese modo de hablar me deja en el aire [sin saber qué hacer]. 그는 당황해 대답할 수 없었다 El balbució y no pudo contestar.
당황히 confusamente, en confusin, perplejamente, embarazadamente, atolondradamente, aturdidamente.

당회(堂會) ((기독교)) reunión *f* de los pastores y los ancianos (en una iglesia).
■ ~장(長) presidente, -ta *mf* de la reunión de los pastores y los ancianos.

닻 el ancla *f* (*pl* las anclas), áncora *f*, [작은] arpeo *m*, anclote *m*. 닻 내리는 곳 ancladero *m*, anclaje *m*. ~에 배를 매다 anclear.
◆닻(을) 감다 levar anclas. 닻(을) 내리다 echar anclas, anclar, fondear. 닻을 내리고 있다 estar anclado. 배가 항구에 닻을 내리고 있다 El buque está anclado en el puerto. 닻(을) 올리다 levar anclas, zarpar, levarse, levantar ancla. 닻을 주다 echar anclas, anclar, fondear.

닻가지 gancho *m* del extremo del ancla.

닻감다 ① [닻줄을 감아 끌어올리다] levar anclas. ② [하던 일을 단념하다] abandonar.

닻고리 anillo *m* para el estacha.

닻돌 piedra *f* para el ancla.

닻별【천문】=카시오페이아자리.

닻올리다 levar anclas, zarpar. ☞닻

닻장 madera *f* para la estacha.

닻주다 echar anclas, anclar, fondear.

닻줄 estacha *f*, cable *m*, estay *m*, cadena *f* de ancla.

닻채 región *f* del mango del ancla.

닻혀 borde *m* del gancho del extremo del ancla.

닻혹구(-黑球) globo *m* de ancla.

닿다 ① [(어떤 목적한 곳에) 가서 이르다] llegar, arribar. 닿게 하다 hacer llegar, enviar, mandar, despachar. 집[학교]에 ~ llegar a casa [a la escuela]. 국경(國境)에 ~ llegar a [alcanzar] la frontera. 배가 강변에 닿았다 El barco llegó a la orilla. 이 기차는 오후 네 시에 서울에 닿는다 Este tren llega a Seúl a las cuatro de la tarde. 그것을 댁에 닿게 하겠습니다 Lo haré llegar a su casa.
② [(어떤 곳이나 정도에까지) 미치다] tocar, alcanzar. 돌을 던져 닿을 곳에 a tiro de piedra. 소리가 닿을 곳에 al alcance de la voz. 손이 닿은 곳에 al alcance de la mano, a *su* alcance. 손이 닿지 않는 곳에 fuera de *su* alcance. 손이 쉽게 닿는 곳에 muy a mano. 나는 천장에 손이 닿는다 Alcanzo el techo. 머리가 천장에 닿을락말락한다 La cabeza casi toca el techo. 성냥을 아이들의 손이 닿지 않는 곳에 두어라 Coloca las cerillas fuera del alcance de los niños. 이 사닥다리는 지붕까지 닿는다 Esta escalera llega al tejado. 이곳은 발이 닿는다 [물속에서] Aquí se hace pie. 나는 그것에 닿기 위해 상자 위에 올라갔다 Me subí en la caja para alcanzarlo. 나는 손이 쉽게 닿는 곳에 책을 두기를 좋아한다 Me gusta tener los libros muy a mano.
③ [(서로 관련이) 맺어지다] tener relación [conexión] (con), ponerse [mantenerse] en contacto (con). 내가 어떻게 선생님과 연락이 닿을 수 있습니까? ¿Cómo me puedo poner en contacto con usted? / ¿Cómo le puedo contactar?

닿소리【언어】=자음(子音).

닿치다 contactar fuerte, ponerse en contacto fuerte.

대[1] ① [식물의 줄기] tallo *m*, tronco *m*. ~가 생기다 echar tallos, entallecer(se). ② [가늘고 긴, 막대기 같은 것] palo *m*, bastón *m* (*pl* bastones), barra *f*. ③ ((준말)) =담뱃대. ④ =자루. ⑤ ((준말)) =줏대.
◆대(가) 내리다【민속】=손대 내리다.
■대 끝에서도 삼 년이라 ((속담)) Se aguanta la dificultad.

대[2]【식물】bambú *m* (*pl* bambúes). ~로 만든 de bambú.
■~ 껍질 vaina *f* de brote de bambú. ~ 빗자루 escoba *f* de bambú. ~ 세공(細工) [제품] objeto *m* de bambú. ~ 회초리 vara *f* de bambú.

대[3] ① [담배통에 담배를 담는 분량, 또는 담배를 피우는 번수를 세는 말] cigarrillo *m*, pitillo *m*. 담배 한 ~ un cigarrillo, un pitillo. 담배 한 ~ 피우다 fumar un cigarrillo. ② [주사나 침의 맞는 번수를 세는 말] inyección *f*, aguja *f*. 주사 한 ~ una inyección. ③ [쥐어박거나 때리는 횟수] golpe. 한 ~ 먹이다 dar un golpe.

대[4] [다섯] cinco. ~ 자가웃 cinco *cha* y media.

대(大) ① [큼] grandeza *f*. ~는 소(小)를 겸한다 Lo más comprende lo menos / Quien puede con lo más puede con lo menos. ② [큰 달] mes *m* grande. ~ 3월, 소 4월 marzo grande y abril pequeño.
■대를 살리고 소(小)를 죽이다 ((속담)) Se renuncia lo pequeño para conseguir lo grande.

대(代) ① ((준말)) =대신(代身). ② [시대] época *f*, edad *f*, [치세(治世)] reinado *m*. ③ [세대(世代)] generación *f*. 내 아버님 ~에는 en generación de mi padre, en los días de mi padre. 10~ 자손(子孫) séptima generación *f*. ~를 잇다 heredar (de *uno algo*), suceder (a *uno* de *algo*). 그는 몇 ~ 대통령입니까? — 3~입니다 ¿Qué número de presidente hace él? — Hace el tercero. 이 가게는 ~가 바뀌었다 El hijo ha sucedido a su padre en la tienda. 가게의 경영자는 ~가 바뀌었다 El administrador de la tienda es ahora el hijo.
◆대(를) 물리다 heredar. 대물려 받은 heredado, hereditario, patrimonial. 대물려 받은 재산(財産) patrimonio *m*, herencia *f*, bienes patrimoniales. 그의 재능(才能)은 부모로부터 대(를) 물려 받은 것이다 Su talento lo ha heredado de sus padres. 아버님이 돌아가실 때 약간의 재산을 대물려 받

왔다 A la muerte de mi padre heredé alguna fortuna. 아버님은 나에게 토지(土地)를 대물려 주셨다 Mi padre me dejó una heredad.

대(垈) ((준말)) =대지(垈地).

대(隊) ① [일단(一團)] equipo *m*, grupo *m*. ~를 만들다 formar un equipo. ~를 만들어 en equipo, en grupo. ② [대오(隊伍)] formación *f*; [군대의] tropa *f*. ~를 만들어 en fila. ~를 만들다 [정렬하다] ponerse en fila.

대(對) ① [서로 비슷하거나 같은 짝이나 상대] parejo a taz a taz, par *m*, pareja *f*, homólogo, -ga *mf*. ~를 이루다 formar pares (con).
② [사물들이 서로 상대·대립·대비됨] a, contra, versus, entre, por, frente a, en oposición a. 2 ~ 4 dos a cuatro. 한국 ~ 서반아의 시합(試合) el partido entre Corea y España. 3 ~ 1 비율 la razón de tres por uno. 도시 생활 ~ 시골 생활 la vida de ciudad frentre a [en oposición a] la del campo. 5 ~ 0으로 이기다 ganar por cinco a cero, ganar con un tanteo de cinco contra cero. 법안(法案)은 30 ~ 15로 가결되었다 Se aprobó el proyecto de ley por treinta contra quince.

대(臺) ① [(흙이나 돌 같은 것으로 높이 쌓아 올리어) 사방을 바라볼 수 있는 곳] altar *m*. ② [물건을 받치거나 올려놓는 물건] soporte *m*, pie *m*, base *f*, fundamento *m*. ③ [자동차나 항공기 및 기계 같은 것의 수를 세는 데 사용함] unidad *f*. 라디오 두 ~ dos radios. 비행기 다섯 ~ cinco aviones. 열 ~ 가격 10만 달러 diez unidades con valor de cien mil dólares. ④ [수(數)·연수(年數)·액수(額數) 따위의 다음에 쓰임] nivel *m*. 십만 원~가 되다 elevarse al [rebasar el·exceder el·sobrepasar el] nivel de cien mil wones. 만 원~로 내리다 descender del nivel de diez mil wones.

대- un, una. ~번 una vez.

대-(大) grande, magnífico, enorme, gigante, colosal, vasto, extenso, inmenso, excelente, tremendo. ~가족 familia *f* grande. ~학자 gran sabio *m*, gran sabia *f*. ~서울 Gran Seúl.

대-(貸) Se alquila. ~점포(店鋪) Se alquila la tienda. ~보트 Se alquila el bote.

대-(對) con, para con. ~일(日) 무역 comercio *m* con el Japón. 한국의 ~미(美) 정책 política *f* de Corea para con los Estados Unidos de América.

-대(代) ① [연대(年代)나 연령의 대강의 범위를 나타낼 때 쓰는 말] período *m*, era *f*, época *f*, edad *f*. 십~에 antes de cumplir veinte años. 1990년~에 por los años noventa, en la década del noventa. 이십~의 청년(青年) joven *m* (*pl* jóvenes) entre los veinte y veintinueve años. 사십~의 여인(女人) mujer *f* de unos cuarenta años. 칠십~의 남자 hombre *m* setentón. 2002년~의 유행 moda *f* de los años ochenta. 십~이다 tener edad de los dieces. 십~를 넘다 tener más de los dieces. 그는 아직 이십~를 넘지 않았다 El aun no llega a treinta años. 나는 벌써 육십~다 Ya soy sesentón [sexagenario]. ② [지질 시대를 나타내는 말] era *f*. 신생(新生)~ cenozoico *m*, era *f* cenozoica. 고생(古生)~ paleozoico *m*, era *f* paleozoica. ③ [호주(戶主)나 어떤 지위를 이어 받은 순서를 나타내는 말] orden *m*. 제9~ 대한민국 대통령 el noveno presidente de la República de Corea. 케네디는 미국의 몇~ 대통령입니까? ¿Qué número en el orden de los presidentes estadounidenses es Lincoln? ④ [대금(代金)] precio *m*, tarifa *f*. 신문~ precio *m* de suscipción de un periódico.

-대(帶) zona *f*. 열(熱)~ zona *f* tropical. 화산(火山)~ zona *f* volcánica.

대가(大家) ① [거장(巨匠)] gran maestro *m* (*pl* grandes maestros), gran maestra *f* (*pl* grandes maestras); [권위자] autoridad *f*; [음악의] virtuoso, -sa *mf*, gran maestro *m*, gran maestra *f*. 문단(文壇)의 ~ gran maestro *m* del mundo literario, persona *f* de mayor importancia en el mundo literario. …의 ~이다 ser un gran maestro de *algo*. 그는 그 일의 ~이다 El es maestro en la materia. ② [명가(名家)] familia *f* distinguida, familia *f* noble, célebre familia *f*. ③ [큰 집] casa *f* grande.
■ ~ㅅ집 familia *f* distinguida.

대가(大加) 【역사】 jefe *m* de la tribu de la dinastía *Koguryo*.

대가(大架) tren *m* de aterrizaje.

대가(大駕) =어가(御駕)(palanquín real).

대가(代價) ① [물건 값] precio *m*, valor *m*, importe *m*; [비용(費用)] coste *m*. 비싼 ~의 de alto precio, caro. ~를 치르다 pagar el precio. 어떤 ~를 치르더라도 a cualquier precio, a toda costa. 그는 고가(高價)의 ~를 치렀다 El lo ha pagado muy caro. ② [무엇을 희생하여 얻은 결과] precio *m*. 그들은 많은 희생의 ~로 승리를 획득했다 Pagaron muy cara la victoria / Obtuvieron la victoria a costa de mucho sacrificios. 승리의 ~로 많은 피를 흘렸다 Se pagó con mucha sangre. 우리는 어떤 ~를 치르더라도 평화를 원한다 Queremos la paz cueste lo que cueste [a toda costa]. 우리들은 장차 많은 ~를 치르게 될 것이다 Lo pagaremos muy caro en el futuro. 독립을 위해 그것은 충분한 ~가 될만하다 Bien vale la pena ese sacrificio para ser independiente.

대가(貸家) casa *f* de alquiler. ~! ((게시)) Por alquiler / Alquiler / Se alquila la casa.

대가(對價) equivalente *m*, compensación *f*, precios *mpl*, ganancia *f* en la propiedad.

대가(臺架) soporte *m*.

대가(臺駕) vehículo *m* de la persona noble.

대가극(大歌劇) 【음악】 gran ópera *f*.

대가다 ① [정한 시간에 목적지에 이르다] llegar a tiempo. ② [배를 「오른쪽으로 저어 가다」의 뱃사람의 말] remar hacia la derecha.

대가람(大伽藍) gran templo *m* (budista), gran monasterio *m*.

대가리 ① ((속어)) [머리] cabeza *f*. ② [짐승의 머리] cabeza *f*. 돼지 ~ cabeza *f* del cerdo [del puerco]. ③ [어떤 사물의 머리가 되는 앞부분이나 꼭대기] cabeza *f*. 못~를 때리다 golpear la cabeza de un clavo.
◆생선 ~ cabeza *f* (del pescado). 소~ cabeza *f* de la vaca. 콩나물~ puntas *fpl* de brotes de soja.
▪대가리의 피도 마르지 않다 ((속담)) Todavía es muy joven.

대가사(大家舍) casa *f* (construida) grande.

대가연하다(大家然-) fingirse gran maestro.

대가족(大家族) familia *f* grande.
▪~ 제도 sistema *m* de familia grande. ~주의 principio *m* de familia grande.

대각 haciendo ruido, traqueteando, rajando.
대각거리다 hacer ruido, traquetear, rajar, cascar, romper, partir.
대각대각 siguiendo haciendo ruido, siguiendo traquetenado.

대각[1](大角) 【동물】 venado *m*, ciervo *m*.

대각[2](大角) 【건축】 madera *f* cuadrada de más de treinta centímetros.

대각[3](大角) 【천문】 *lat* Arcturus.

대각[4](大角) 【악기】 uno de los instrumentos musicales en el campamento militar..

대각(大覺) ① ((불교)) [크게 도를 깨침. 또, 그 사람] Ilustración *f*, logro *m* de la ilustración divina, percepción *f* de la verdad absoluta; [사람] Iluminado *m*. ~하다 lograr la ilustración divina, percibir la verdad absoluta. ② ((불교)) =부처(Buda). ③ [크게 깨달음. 또, 그 사람] gran ilustración *f*, [사람] iluminado, -da *mf*. ④ 【인명】 = 대각 국사(大覺國師).
▪~ 세존(世尊) ((불교)) Buda *m*.

대각(對角) 【수학】 ángulos *mpl* opuestos. ~ 방향으로 diagonalmente.
▪~면(面) plano *m* diagonal. ~선(線) (línea *f*) diagonal *f*. ¶~의 diagonal. ~적으로 diagonalmente. ~을 긋다 trazar la (línea) diagonal.

대각(臺閣) ① =누각(樓閣). ② =내각(內閣).

대간(大奸/大姦) persona *f* muy astuta.

대간첩(對間諜) contraespionaje *m*.
▪~ 작전 operación *f* de contraespionaje. ~ 작전 대책 본부 la Oficina Central de la Operación de Contraespionaje.

대갈[1] ((준말)) =대가리.
▪~못 remache *m*, roblón *m*. ~장군(將軍) persona *f* de la cabeza grande.

대갈[2] [말굽에 박는 징] clavo *m* de herradura.
▪~마치 ㉮ [대갈을 박는 작은 마치] martillo *m* de herrero. ㉯ [세파를 겪어 아주 야무진 사람] persona *f* instruida en la adversidad.

대갈(大喝) grito *m* fuerte. ~하다 gritar fuerte.
▪~ 일성(一聲) un grito fuerte.

대감(大監) Su Excelencia, Vuestra Excelencia.
▪~마님 =대감(大監).

대감독(大監督) ① [이름난 감독] gran director *m*, gran directora *f*. ② ((기독교)) arzobispo *m*, primado *m*.

대갓 =대삿갓.

대강(大江) ① [큰 강] río *m* grande. ② =양자강.
▪~ 장류(長流) río *m* grande y largo.

대강(大綱) ① [대강령(大綱領)] principio *m* fundamental. ② [대체의 줄거리] resumen *m* (*pl* resúmenes). ③ [부사적] casi, poco menos de, en general, brevemente, sucintamente, en resumen, sumariamente, más o menos. ~ 보다 dar una vista, hojear el libro. ~ 이야기하다 decir en breve, resumir, hablar en líneas generales. ~ 합의하다 llegar a un acuerdo en líneas [en rasgos] generales (acerca de). ~ 놀아라 No te diviertas demasiado. 그는 선박(船舶)에 관해서는 ~ 알고 있다 Referente a los barcos hay poco que él no sepa. 피해는 ~ 10억 원이다 Los daños ascienden a más o menos mil millones de wones.
대강대강 =대충대충.

대강(代講) acción *f* de enseñar [dar una clase] como un suplente, acción *f* de dar una conferencia como un suplente. ~하다 enseñar [dar una clase · dar una conferencia] como un suplente, enseñar en lugar de otro como sustituto. …의 ~을 하다 enseñar en lugar de *uno*, enseñar en vez de *uno*.

대강당(大講堂) ① [넓은 강당] gran salón *m* (*pl* grandes salones) de actos. ② ((불교)) gran salón *m* de actos para aprender la Escritura Budista.

대강령(大綱領) principio *m* fundamental.

대갚음 pago *m*, recompensa *f*, [보복] represalias *fpl*, contaataque *m*. ~하다 pagar, corresponder, devolver; [보복하다] tomar represalias (contra), contraatacar. 폭격의 ~으로 en [como] represalia por el bombardeo. 귀하의 너그러우신 처분에 어떻게 ~할 수 있을지 모르겠습니다 No sé cómo voy a poder corresponder a su generosidad. 이게 네가 나에게 ~하는 것이군! ¡Así me lo pagas! 그들의 친절에 ~하고 싶습니다만 Quisiera corresponder a su amabilidad. 야당(野黨)의 ~은 눈 깜짝할 사이에 이루어졌다 El contraataque [La respuesta] de la oposición no se hizo esperar.

대개(大槪) ① [대부분] la gran parte (de), la buena parte (de), mayoría. ② [대체의 줄거리] resumen *m*. ③ [부사적] [주로 · 일반적으로] por lo general, en general, generalmente, comúnmente, por lo común, principalmente, en conjunto, mayormente, en la mayor parte, casi siempre; [아마] probablemente, tal vez, quizá(s); [거의] casi, más o menos. ~의 general, común (*pl* comunes), ordinario. ~의 경우에 generalmente, las más veces. ~의 사람 los más de los hombres. 나는 ~ 다섯 시에 일어난다 Me levanto a las cinco por lo general. 나는 아침에는 ~ 빵 하나에 커피 한 잔을 마신다 Generalmente yo tomo una taza de café con un pan por la mañana.

대개(薹芥)【식물】=평지.

대개념(大概念) concepto *m* mayor.

대객(待客) recepción *f*, entretenimiento *m*. ~하다 recibir (al visitante), entretener (al visitante), tener entretenido (al visitante).

대객(對客) enfrentamiento *m* con el visitante. ~하다 enfrentarse con el visitante.

■~초인사(初人事) ofrecimiento *m* del tabaco primero al enfrentarse con el visitante.

대거(大擧) en masa, en gran número, en tropel, en gran fuerza. 그들은 ~ 은행(銀行)에 몰려갔다 Acudieron en tropel al banco.

대거리(代一)=교대(交代).

대거리(對一) ① [대갚음을 하는 짓] recompensa *f*. ~하다 recompensar. ② [상대하여 대듦] contradicción *f*. ~하다 contradecir.

대거처(大居處)=도회지(都會地).

대검(大劍) espadón *m* (*pl* espadones), espada *f* grande.

대검(大檢) ((준말))=대검찰청(大檢察廳).

대검(帶劍) ①=패검(佩劍). ②【군사】[소총의 총구 끝에 꽂는 칼] cuchillo *m* puesta en la punta de la boca de la pistola.

대검찰청(大檢察廳) la Fiscalía del Tribunal Supremo.

대겁(大怯) gran temor *m*, gran miedo *m*, gran cobardía *f*, terror *m*. ~하다 tener*le* terror [pavor] (a), temer, tener*le* miedo (a), ser muy cobarde. 나는 치과에 가는 것을 ~한다 Le tengo terror [pavor] al dentista.

대것기 el (día) seis y el (día) veintiuno.

대게(大一)【동물】((학명)) Chionoecetes opilis.

대견스럽다 (estar) muy orgulloso.
대견스레 muy orgullosamente, con mucho orgullo.

대견하다 ① [아주 소중하거나 대단하다] (ser) muy importante, extraordinario, excelente, sobresaliente. ② [마음에 퍽 흡족하고 자랑스럽다] (estar) suficiente y orgulloso (de).
대견히 importantemente, extraordinariamente, excelentemente, sobresalientemente, suficiente y orgullosamente.

대결(代決) decisión *f* como un suplente. ~하다 decidir como un suplente.

대결(對決) confrontación *f*, careo *m*. ~하다 confrontarse (con), enfrentarse (con). ~시키다 traer cara a cara (con), hacer carear. A와 B를 ~시키다 confrontar [enfrentar] a A y a B.

대겸(大歉) acción *f* de tener mal cosecha.

■~년(年)=대살년(大殺年).

대경(大經) ① [큰 법칙] gran regla *f*, gran ley *f*. ② ((불교)) [가장 근본되는 경전(經典)] la Escritura Budista más principal.

대경(大慶) gran asunto *m* feliz.

대경(大驚) gran sorpresa *f*. ~하다 sorprender mucho.

■~실색(失色) palidez *f* de horror. ¶~하다 palidecer [ponerse pálido] de horror. 그는 ~했다 El palideció de horror.

대경(對境)=대상(對象).

대경대법(大經大法) principios *mpl* limpios y leyes limpias.

대계(大戒) ((불교)) mandamientos *mpl* completos de Hinayãna y Mahãyãna.

대계(大系) resumen *m*, esquema *m*.
◆세계사 ~ resumen *m* de la historia universal.

대계(大界) ① [큰 세계] mundo *m* grande. ② [천지 (天地)] el cielo y la tierra.

대계(大計) plan *m* a largo plazo, proyecto *m* de gran envergadura. 국가 백년~를 세우다 trazar un proyecto de gran envergadura para el futuro del Estado.

대계(大薊)【한방】raíz *f* (*pl* raíces) de cardo.

대고 continuamente, constantemente, repetidamente, repetidas veces, una y otra vez, pertinazmente, importunamente, insistentemente, incesantemente, sin cesar. ~ 조르다 importunar.

대고(大故) ① [부모의 상사(喪事)] luto *m* de *sus* padres, muerte *f* de *sus* padres. ② [큰 사고] accidente *m* grande.

대고(大賈) gran comerciante *mf*.

대고(大鼓) ① [큰 북] bombo *m*, tambor *m* grande. ②【악기】*daego*, uno del instrumento de percusión.

대고리 cesta *f* de mimbre.

대고모(大姑母) tía *f* de *su* padre.
■~부(夫) esposo *m* de la tía de *su* padre.

대고조(大高潮) ①=한사리. ② [기세가 왕성함] prosperidad *f* de espíritu.

대곡(大哭) llanto *m* grande. ~하다 llorar en voz alta.

대곡(代哭) llanto *m* en vez del doliente principal. ~하다 llorar en vez del doliente principal.

대곤(大棍) palo *m* grande.

대골반(大骨盤)【해부】pelvis *f* mayor.

대공【건축】columna *f* principal.

대공(大工) gran maestro *m*.

대공(大公) ① [유럽에서, 군주(君主) 집안의 남자] príncipe *m*. ② [유럽 소국의 군주의 호칭] gran duque *m*.
■~국(國) Principado *m*. ¶리히텐슈타인 ~ el Principado de Liechtenstein.

대공(大孔) agujero *m* grande.

대공(大功) gran mérito *m*, mérito *m* grande, servicio *m* extraordinario. 국가(國家)에 ~이 있는 사람 persona *f* que ha hecho servicios extraordinarios al Estado.

대공(大空) cielo *m* alto y extenso, firmamento *m*.

대공(對共) anticomunista *adj.*
■ ～ 사찰(査察) inspección *f* [investigación *f*] anticomunista.
대공(對空) antiaéreo *adj.*
■ ～ 감시병 observador *m* antiaéreo. ～ 기구(氣球) globo *m* cautivo, globo *m* de barrera. ～ 레이더 radar *m* de vigilancia aérea. ～ 미사일 misil *m* antiaérea. ～ 방어(防禦) defensa *f* antiaérea. ～ 사격(射擊) descarga *f* antiaérea. ～ 속도(速度) velocidad *f* aérea. ～ 십자포화 barrera *f* de fuego antiaérea. ～전(戰) guerra *f* antiaérea. ～ 진지(陣地) posición *f* antiaérea, emplazamiento *m* antiaéreo. ～포(砲) cañón *m* (*pl* cañones) antiaéreo. ～ 포화(砲火) cañonazo *m* antiaéreo. ～ 화기(火器) el arma *f* (*pl* las armas) de fuego antiaérea.
대공세(大攻勢) gran ofensiva *f.*
대공업(大工業)【경제】＝공장제 공업.
대공연(大公演) gran representación *f,* gran función *f.*
대공지정(大公至正) limpieza *f* y justicia. ～하다 (ser) limpio y justo.
대공지평(大公至平) ＝공명정대(公明正大).
대공포(大恐怖) gran temor *m.*
대공황(大恐慌)【경제】el Gran Pánico.
대과(大過) gran error *m,* error *m* grave. ～없이 sin gran error, sin error grave.
대과거(大過去)【언어】pluscuamperfecto *m.*
대관(大官) ①【역사】＝대신(大臣). ②【역사】[높은 벼슬] alto puesto *m* gubernamental, alto rango *m* oficial.
대관(大觀) ① [대국을 널리 관찰함] vista *f* general, perspectiva *f* general. ～하다 extender el vista. ② [큰 경치] paisaje *m* grande.
대관(代官) gobernador *m* bajo el mando directo.
대관(戴冠) coronación *f.* ～하다 coronar.
■ ～식(式) (ceremonia *f* de la) coronación *f.* ¶～을 거행하다 celebrar la coronación. ～ 행진(行進) marcha *f* de coronación.
대관절(大關節) [의문문에서, 의문사와 함께 쓰여] diablos, demonios, ocurrírsele. ～ 넌 누구냐? ¿Quién diablos [demonios] eres tú? ～ 그이는 언제 올까? ¿Cuándo diablos [demonios] vendrá él? ～ 누가 그것을 믿겠는가? ¿Quién diablos [demonios] se va a creer eso? ～ 그는 무슨 소리를 하고 있는 겁니까? ¿Qué diablos [demonios] significa él? ～ 왜 나에게 알리지 않았습니까? ¿Por qué diablos [demonios] no me avisaste? ～ 누가 이런 시간에 찾아올까? ¿A quién puede ocurrírsele venir de visita a estas horas?
대괄호(大括弧) paréntesis *mpl* angulares([ ]).
대괴(大塊) ① [큰 덩어리] bulto *m* grande. ② [하늘과 땅] el cielo y la tierra. ③ [천지간의 대자연] la (Madre) Naturaleza.
대괴(大魁) ① [(어떤 조직의) 우두머리] jefe, -fa *mf.* ② ＝장원 급제(壯元及第).
대교(大橋) gran puente *m,* puente *m* grande.
대교(對校) ① [학교끼리 대항하는 일] rivalidad *f* [competencia *f*] entre dos escuelas. ② [대조하면서 교정 보는 일] revisión *f* contrastando.
■ ～ 경기 competición *f* entre las escuelas. ～ 시합 competición *f* entre dos escuelas.
대교구(大教區) ((천주교)) gran parroquia *f.*
대교회(大教會) ((천주교)) gran iglesia *f.*
대구(大口)【어류】bacalao *m,* abadejo *m,* merluza *f,*【학명】Gadus macrocephalus.
■ ～ 간유(肝油) aceite *m* de hígado de bacalao. ～구이 balacao *m* asado. ～ 기름 aceite *m* de (hígado de) balacao. ～ 새끼 cría *f* de bacalao. ～알 huevas *fpl* de bacalao. ～어(魚)【어류】＝대구. ～ 어선(漁船) barco *m* pesquero de bacalao. ～ 유어(幼魚) cría *f* de bacalao. ～입 persona *f* que tiene la boca grande, boca *f* grande. ～잡이 pesca *f* de bacalaos. ～저냐 tortilla *f* de balacao. ～죽(粥) gachas *fpl* de bacalao bien secado en polvo. ～찌개 sopa *f* de balacao. ～포(脯) bacalao *m* seco, pezpalo *m,* pejepalo *m,* estocafía *f.* ～회(膾) bacalao *m* crudo en pedacitos. ～ㅅ국 sopa *f* de bacalao.
대구(對句) [대조적인] antítesis *f,* [유사(類似)의] paralelismo *m.* ～를 이루다 formar [hacer] una antítesis.
대구루루 rodando. ～하다 rodar. ～ 굴리다 hacer rodar.
대국(大局) situación *f* [condición *f*·estado *m*] general. ～을 관망(觀望)하다 observar el estado general. ～에 변화가 없다 No hay ningún cambio en la situación general.
■ ～적(的) de situación general, amplio. ¶～으로 보면 en su totalidad. ～ 견지에서 정세를 보다 ver la situación desde un punto de vista amplio. ～으로 판단하다 considerar la situación general de cosas.
대국(大國) gran país *m,* país *m* grande; [강국] potencia *f,* nación *f* poderosa, estado *m* fuerte.
◆ 초(超)～ superpotencia *f.*
대국(對局) ① [어떤 형편이나 시국(時局)에 당면하여 대함] acción *f* de estar frente a una situación. ～하다 estar [verse] frente a una situación. ② [마주앉아 바둑이나 장기를 둠] acción *f* de jugar (al ajedrez o al *baduc*) (con), juego *m,* contienda *f.* ～하다 jugar (al ajedrez o al *baduc*) (con).
대국민(大國民) ① [강한 나라의 국민] pueblo *m* de la potencia. ② [뛰어나고 훌륭한 국민] pueblo *m* sobresaliente; [도량이 넓은 국민] pueblo *m* generoso.
대군(大君) ①【역사】príncipe *m.* ② [군주(君主)] monarca *m,* soberano *m.*
대군 사부(師傅) maestro *m* del príncipe.
대군(大軍) gran [numeroso] ejército *m.*
대군(大郡) *Gun* grande, pueblo *m* grande.
대군(大群) multitud *f,* grupo *m* grande; [동물의] gran manada *f.* 메뚜기의 ～ nube *f* de langostas. 새의 ～ bandada *f.* 정어리의 ～ gran banco *m* de sardinas. 코끼리의 ～

gran manada *f* de elefantes.

대굴대굴 rodando continuamente, siguiendo rodando. ~ 구르다 seguir rodando. 솔방울이 ~ 굴러 온다 Una piña viene rodando.

대궁 las sobras de la comida, los restos de la comida, lo que quedaba de la comida.
■ ~밥 =대궁.

대궁(大弓) arco *m* grande. ~을 쏘다 tirar el arco grande.
■ ~술(術) ballestería *f.* ~장(場) campo *m* de ballestería.

대권(大卷) libro *m* de muchas páginas.

대권(大圈) gran círculo *m.*
■ ~ 코스 ortodromia. ~ 항로(航路) ruta *f* de gran círculo. ~ 항법(航法) navegación *f* de gran círculo, ortodromia *f.*

대권(大權) prerrogativa *f* real. ~을 발동하다 usar la prerrogativa real.

대궐(大闕) =궁궐(宮闕)(palacio real).

대규(大叫) grito *m* fuerte. ~하다 gritar en voz alta, dar un grito fuerte.

대규모(大規模) gran escala *f,* escala *f* mayor, gran envergadura *f.* ~의, ~로 a [en] gran escala, en gran envergadura. ~의 토목 공사(土木工事) obra *f* pública de gran envergadura. ~로 사업을 하다 negociar extensivamente, negociar a [en] gran escala; [많은 업종으로] traficar en muchos ramos. 그는 모든 것을 ~로 한다 Ellos todo lo hacen a [en] gran escala.
■ ~ 작전(作戰) operaciones *fpl* a [en] gran escala. ~적(的) a [en] gran escala, de escala grande [mayor], de gran envergadura. ~ 집적 회로 integración *f* a gran escala.

대그락 chacoloteando, matraqueando, tableteando.
대그락거리다 chacolotear, matraquear, tabletear.
대그락대그락 siguiendo chacoloteando. ~하다 seguir [chacolotando · matraqueando · tableteando].

대그르르하다 (ser) algo grueso [grande] (de las cosas delgadas [pequeñas]).

대그릇 recipiente *m* de bambú.

대극(大極) trono *m,* puesto *m* real.

대극(對極) polo *m* opuesto [contrario].

대근(代勤) servicio *m* como un suplente. ~하다 servir como un suplente.

대근하다 (ser) intolerable, insufrible, insoportable, inaguantable.

대글대글하다 (ser) algo grueso [grande] de todas las cosas delgadas [pequeñas].

대금[1](大金) [액수가 많은 돈] dineral *m,* gran cantidad *f* de dinero, suma *f* [calidad *f*] grande de dinero. ~을 투자하다 invertir una gran cantidad de dinero (en), gastar un capitalazo (en). ~을 투자하여 입수하다 obtener por una suma grande. 1억 원은 ~이다 Cien millones de wones es un dineral. 나한테는 백만 원은 ~이다 Para mí un millón de wones es mucho dinero.

대금[2](大金) 【악기】 *daegum,* instrumento *m* de percusión semejante al gongo.

대금(大笒) 【악기】 una especie de la flauta.

대금(大禁) ① [전국적으로 금함] prohibición *f* a escala nacional. ~하다 prohibir a escala nacional. ② [중한 금제(禁制)] prohibición *f* importante.

대금(代金) precio *m,* costo *m,* coste *m,* importe *m.* ~을 지불하다 pagar el importe (de). ~을 받다 cobrar el importe. ~을 치르고 찾다 desempeñar,
■ ~ 상환(償還) entrega *f* al contado. ~ 지불 보증(支拂保證) crédere *m.*

대금(貸金) empréstito *m,* dinero *m* prestado, préstamo *m.* ~을 회수하다 recobrar *su* préstamo, recuperar un crédito.
◆ 단기 ~ dinero *m* prestado de término corto. 장기(長期) ~ dinero *m* prestado de término largo. 정기(定期) ~ préstamo *m* a plazo. 회수 불능 ~ deuda *f* fallida, deuda *f* incobrable, insolvencia *f.*
■ ~업(業) =돈놀이(usura). ~업자 =돈놀이꾼(prestamista, usurero). ~ 인환(引換) entrega *f* contra reembolso. ~ 주선료(周旋料) comisión *f* de prestamista. ~ 취급소(取扱所) oficina *f* de préstamo.

대급(大急) mucha prisa. ~하다 tener mucha prisa.

대급(貸給) =대여(貸與).

대기(大忌) aversión *f* fuerte, aborrecimiento *m.* ~하다 tener la aversión fuerte (a), detestar, aborrecer.

대기(大起) =한사리.

대기(大氣) atmósfera *f,* [공기(空氣)] aire *m.* ~(중)의 atmosférico, aéreo. ~중에 en el aire. ~의 압력(壓力) presión *f* atmosférica.
■ ~ 굴절(屈折) refracción *f* atmosférica. ~권(圈) atmósfera *f,* aerosfera *f.* ~론(論) aerología *f.* ~ 발열 요법(發熱療法) aerotermoterapia *f.* ~ 방사(放射) descarga *f* atmosférica. ~ 방전(放電) descarga *f* atmosférica. ~압(壓) presión *f* atmosférica. ~ 오염(汚染) contaminación *f* de la atmósfera [del aire]. ~ 오염 방지법(汚染防止法) ley *f* de control de contaminación del aire. ~ 요법(療法) terapia *f* atmosférica. ~ 정역학(靜力學) aerostática *f.* ~지(誌) aerografía *f.* ~차(差) refracción *f* astronómica. ~층(層) capa *f* atmosférica. ~학(學) aerología *f.* ~ 환경 보전법(環境保全法) ley *f* de protección de medio ambiental.

대기(大碁) =대상(大祥).

대기(大期) =임월(臨月).

대기(大旗) bandera *f* grande.

대기(大器) ① [큰 그릇] vasija *f* grande. ② [뛰어난 넓은 기량(器量)] gran talento *m,* capacidad *f* excelente; [뛰어난 기량을 가진 사람] hombre *m* de gran talento, gran genio *m.* ③ [신령(神靈)에게 제사 지낼 때 쓰는 그릇] vasija *f* para el servicio fúnebre al dios.
■ ~만성(晩成) Fruta que pronto madura, poco dura / Un gran talento suele madu-

rar lentamente / Gran talento se madura tarde. ¶~형의 de madurez tardía.

대기(大饑) carestía *f* [escasez *f*] grande.

대기(待機) [어떤 때나 기회를 기다림] espera *f* (del tiempo o la oportunidad). ~하다 esperar el tiempo [la oportunidad], esperar y ver, estar a la espectiva; [경찰 등이] estar en alerta. ~를 명령하다 ordenar [mandar] (a *uno*) que espere nueva orden. ~하고 있다, ~ 중이다 [군이 공격을] estar preparado para el ataque; [의사가] estar listo para acudir; [승객이] estar en lista de espera. 준비를 충분히 하고 ~하다 esperar a que madure la oportunidad. 24시간 이내에 출발하기 위해 ~하고 있다 estar listo para partir dentro de veinticuatro horas.

■~ 기간(期間) período *m* de espera; 【주식】 plazo *m* de carencia. ~료(料) precio *m* para el tiempo de espera. ~ 명령(命令) orden *f* de espera. ~ 상태(狀態) estado *m* stand-by. ~선(線) [공항 등의] línea *f* de espera. ~소(所) lugar *m* de espera. ~ 손님 [항공기 등의 예약 취소로 생긴 좌석을 기다려 타는 손님] (pasajero *m*) stand-by *m*; pasajero, -ra *mf* de la lista de espera; pasajero, -ra *mf* que está en la lista de espera. ~ 시간(時間) tiempo *m* de espera. ~실(室) sala *f* de espera, antecámara *f*, antesala *f*; [국회 의원의] pasillo *m*. ~자(者) [항공기 등의 예약 취소로 생긴 좌석을 기다리는 사람] persona *f* que está en la lista de espera. ~자 명단(者名單) lista *f* de espera. ¶~에 있다 estar en lista de espera. ~ 차관(借款) crédito *m* de disposición inmediata, crédito *m* de reserva. ~표(票) billete *m* stand-by, billete *m* en [de] lista de espera, *AmL* pasajero *m* stand-by.

대기 속도(對氣速度) velocidad *f* aerodinámica, velocidad *f* relativa.

대기업(大企業) empresa *f* [compañía *f*] grande [importante]. 자동차 회사의 5대 ~ cinco compañías de las más grandes [importantes] de la industria automovilística.

대기음(帶氣音) 【언어】 consonante *f* aspirada.

대길(大吉) gran dicha *f*, felicidad *f*, gran fortuna *f*.

■~일(日) día *m* de gran dicha [fortuna].

대깍 =데꺽.

대꼬챙이 espetón *m* (*pl* espetones) de bambú, asador *m* de bambú.

대꾸 =말대꾸.

대꾼하다 (estar) hundido y inanimado.

대끼다[1] [무슨 일에 경험을 얻을 만큼 많이 시달리다] pasar, ser sometido (a). 세상 풍파에 ~ pasar las vicisitudes de vida.

대끼다[2] [애벌 찧은 보리나 수수 같은 곡식을 마지막으로 깨끗이 찧다] descascarillar [descascar·(옥수수를) quitar*le* la farfolla (a)] bien por última vez.

대나무 bambú *m* (*pl* bambúes)..

대난(大難) calamidad *f*, desastre *m* serio, grandes dificultades *fpl*.

대남(對南) contra el Sur, antisur, hacia el Sur.

■~ 간첩(間諜) espía *mf* contra el Sur. ~ 공작(工作) operaciones *fpl* contra el Sur. ~ 방송(放送) radiodifusión *f* hacia el Sur.

대납(代納) pago *m* por poderes, pago *m* por otro, pago *m* adelantado. ~하다 pagar por poderes, pagar por otro, pagar en lugar de otra persona.

■~금 dinero *m* pagado por poderes [por otro].

대납회(大納會) =납회(納會).

대낮 pleno día *m*, plena luz *f* (del día); [정오(正午)] mediodía *m*. ~에 a plena luz (del día), a pleno día, en el día, a(l) mediodía. ~의 태양(太陽) sol *m* de mediodía. ~같이 밝다 ser tan claro como luz del día. ~같이 밝은 달빛 luna *f* clara como la luz del día. ~도 무색할 만큼 밝다 Hay una luminosidad como la del día.

대내(隊內) dentro de la compañía de los soldados.

대내(對內) lo interior, lo interior del país. ~의 interior, doméstico, casero.

■~ 문제(問題) asuntos *mpl* domésticos [interiores]. ~외적(外的) interior y exterior. ~적(的) interior, interino; [국내(國內)의] doméstico, del país. ~ 정책 política *f* interior, política *f* doméstica. ~ 주권(主權) soberanía *f* interior.

대내리다 ((준말)) =손대내리다.

대내전근(大內轉筋) gran músculo *m* aductor.

대농(一籠) cómoda *f* de bambú.

대농(大農) ① [대규모의 농업] agricultura f a gran escala, cultivo *m* mayor, labranza *f* extensiva; [사람] labrador *m* rico, labradora *f* rica. ② =호농(豪農).

■~가(家) casa *f* del cultivo mayor. ~ 경영(經營) gran explotación *f* agrícola.

대농(大籠) cómoda *f* grande.

대농지(大農地) terreno *m* del cultivo a gran escala.

대뇌(大腦) 【해부】 cerebro *m*. ~의 cerebral.

■~각(脚) pedúnculo *m* cerebral. ~ 동맥 arteria *f* cerebral, arteria *f* de cerebro. ~막(膜) membrana *f* cerebral. ~ 반구(半球) hemisferio *m* cerebral. ~ 생리학(生理學) cerebrofisiología *f*. ~엽(葉) lóbulo *m* cerebral. ~ 절개술(切開術) cerebrotomía *f*. ~ 정맥(靜脈) vena *f* cerebral. ~ 제거(除去) decerebración *f*. ~증(症) encefalosis *f*, macroencefalia *f*. ~ 촬영법(撮影法) encefalografía *f*. ~ 피질(皮質) corteza *f* cerebral. ~학(學) encefalología *f*. ~핵(核) núcleo *m* cerebral.

대님 ligas *fpl*.

대다[1] ① [(무엇을 어디에) 닿게 하다] tocar, aplicar, poner. 이마에 손을 ~ [자신의] ponerse la mano en la frente. 귀에 손을 대고 듣다 escuchar con la mano detrás de la oreja. 수화기를 귀에 ~ aplicar el auricular a la oreja. 손을 대지 마시오 ((게

시)) No toque / No tocar / Se prohíbe tocar / Prohibido tocar. 작품에 손을 대지 마세요 ((게시)) No tocar las obras / No toque las obras / Prohibido [Se prohíbe] tocar las obras. ② [서로 맞대어 비교하다] comparar. 누가 더 큰가 대 보자 Vamos a comparar quién es más alto. ③ [서로 연결이 되게 하다] comunicar, unir, conectar. ④ [(정해진 시간에) 가 닿다] llegar a tiempo. 열차 시간에 ~ llegar a tiempo al tren, coger [alcanzar] el tren. 시간에 ~ llegar a tiempo. 원고 마감 시간에 ~ entregar el original para el cierre del plazo. 열차 시간에 대지 못하다 perder el tren, llegar tarde al tren. 문 닫을 시각에 대지 못하다 llegar tarde a [no volver para] la hora de cierre (de la puerta). 기차 시간에 대려면 바쁘겠다 Estaré ocupado para llegar a la hora del tren. 나는 그녀를 환송하기 위해 시간에 댔다 He llegado a tiempo para despedirla a ella. 우리는 아마도 회합에 대지 못할 것이다 Probablemente llegaremos tarde a la reunión. 나는 회합에 충분히 대서 왔다 Vine con bastante anticipación a la hora de reunión. ⑤ [(노름·내기 등에서) 돈이나 물건을 걸다] apostar. 만원을 ~ apostar diez mil wones. ⑥ [어떤 것을 목표로삼고 겨누거나 또는 향하다] apuntar. ⑦ [물을 어느 곳으로 들어가게 하거나 끌어들이다] regar. 논에 물을 ~ regar el arrozal. ⑧ [(돈이나 물건 같은 것을) 마련하여 주다] preparar; [돈을] recaudar. 천만 원을~ recaudar diez millones de wones. ⑨ [알고자 하는 것을 말하여 일러 주다] avisar, confesar, decir. 사실대로 ~ decir la verdad. 정보를 대어 주다 avisar la información. ⑩ [(어떤 명사와 함께 쓰이어 그 명사가 나타내는 것을) 하여 나서다] poner, buscar. 핑계를 ~ poner excusas, buscar pretextos. ⑪ [뒤를 보살펴 주다] ayudar, auxiliar, socorrer, asistir, amparar, proteger, cooperar, coadyuvar, secundar, apoyar, favorecer. ⑫ [도착시키다] arrimar, parar, detener. 차를 …에 ~ detener [parar] un coche junto a *un sitio*. 보트를 해안에 ~ arrimar un bote a la orilla, acostar un bote.

대오다 [이미 정한 시간에 맞추어 오다] venir a tiempo.

대다² [동사의 어미「-아」「-어」 등의 다음에 쓰이어 동작의 정도가 심함을 나타냄] (hacer) terriblemente, (hacer)「형용사」+ ísimo. 놀려~ mofarse mucho. 먹어~ comer muchísimo. 울어~ llorar muchísimo. 웃어~ reír mucho, reírse a carcajadas.

대다수(大多數) (gran) mayoría *f*, mayor parte *f*, gran parte *f*, buena parte *f*. ~의 la mayor [gran·buena] parte de, la mayoría de. ~로 con gran mayoría, con la mayor número. ~의 소년은 야구를 좋아한다 La mayoría de los niños son aficionados al béisbol. 한국의 집은 ~가 목재로 되었다 La mayor parte de las casas coreanas es de madera.

대단원(大單元) unidad *f* grande.

대단원(大團圓) ① [일의 끝] final *m*, fin *m*, cabo *m*; [비극의] catástrofe *f*. 심의(審議)는 ~에 가까워지고 있다 La deliberación se acerca a su término. ② [영화나 연극 따위의] desenlace *m*. ~에 이르다, ~의 막을 내리다 llegar al desenlace.

대단찮다 no ser mucho [grande], (ser) ordinario, común (*pl* comunes), corriente, mediocre, trivial, no ser serio, no ser grave. 대단찮은 돈 un poco de dinero. 대단찮은 변화 un pequeño cambio. 대단찮은 병(病) enfermedad *f* leve. 대단찮은 사건(事件) acontecimiento *m* común. 대단찮은 열(熱) un poco de fiebre. 대단찮은 일 nimiedad *f*, insignificancia *f*, asunto *m* nimio [insignificante·sin importancia]. 대단찮은 추위 una racha [un período] de un poco de frío. 손해가~ No hay mucha pérdida.

대단찮이 ordinariamente, comúnmente, corrientemente, trivialmente, nimiamente. ~여기다 considerar comúnmente.

대단하다 ① [비할 바 없이 심하거나 많다] (ser) considerable, inmenso, enorme, severo, intensivo, serio, extraordinario, grave, grande, mucho, tremendo, violento, espantoso. 대단한 재산(財産) fortuna *f* considerable. 대단한 눈 mucha nieve *f*. 대단한 추위 frío *m* severo. 대단한 더위 calor *m* extraordinario, calor *m* terrible. 대단한 바람 viento *m* tremendo. 대단한 인기(人氣) gran popularidad *f*. 대단한 더위다 Hace un calor terrible [horroroso·exorbitante]. 대단한 추위다 Hace un frío espantoso [severo·horroroso]. 대단한 병은 아니다 No es una enfermedad grave. 대단한 일은 아니다 No es gran cosa / No es grave / No es mucho / No es cosa de cuidado. 대단한 차이는 아니다 No hay gran diferencia. 서울 대학교에 합격했다니 그는 ~ Es notable que él haya salido bien en el examen de ingreso de la Universidad Nacional de Seúl. 그는 대단한 욕심쟁이다 El es un avaro de espanto.

② [출중하게 뛰어나다] (ser) extraordinario, sobresaliente, excelente, sensacional, imponente, maravilloso, admirable, estupendo, magnífico, estupendo. 대단한 미녀(美女) mujer *f* de una belleza extraordinaria, belleza *f* [beldad *f*] maravillosa; [속어로] mujer *f* imponente. 그녀는 대단한 미녀다 Ella es muy guapa [hermosa·bella] / Ella es una belleza extraordinaria. 그는 대단한 인물이다 El es una persona extraordinaria. 그는 태권도에 있어서는 대단한 선수다 El es un taekwondoísta extraordinario / El es un jugador de taekwondo sensacionable / El juega bárbaro al taekwondo. 대단한 사람이 나왔다 Hay una barbaridad de gente. 대단하군요! ¡Qué bárbaro! 대단한 식사[자동차]다 Es una comida [co-

che] formidable [colosal].
③ [아주 중요하다] ser muy importante. 그것은 대단한 문제는 아니다 Eso no es un problema importante. 대단한 일은 아니다 [실패(失敗) 따위가] No tiene importante.
대단히 muy, mucho, muchísimo, extremadamente, sumamente, terriblemente, horriblemente, considerablemente, enormemente, severamente, inmensamente, seriamente, tremendamente, violentamente, espantosamente, de lo lindo. ~ 아름다운 경치 paisaje *m* muy hermoso, vista *f* muy hermosa. ~ 큰 남자 hombre muy alto. ~ 큰 여자 mujer *f* muy alta. ~ 큰 사람 persona *f* muy alta. ~ 가난하다 ser muy pobre, ser tan pobre como un ratón de sacristía. ~ 부자다 ser muy rico, ser riquísimo, ser millonario. ~ 아름답다 ser muy hermoso, ser hermosísimo. ~ 고맙습니다 Muchas [Muchísimas] gracias. ~ 대담하군! ¡Qué audacia [valor]! ~ 뻔뻔스럽군! ¡Qué frescura! ~ 즐거웠습니다 Nos divertimos de lo lindo. ~ 미안합니다 Perdóneme / Lo siento mucho. ~ 맛이 있다 Es muy sabroso [delicioso · rico]. ~ 재미있었다 Lo pasó bien / Me divertí mucho. 나는 ~ 피곤하다 Me muero de fatiga. 그는 ~ 좋은 사람이다 El es muy buen hombre. 그는 ~ 세다 El es terriblemente [extremadamente] fuerte. 이 소설은 ~ 재미있다 Esa novela es muy interesante. 열쇠들을 잃어버렸기 때문에 그는 ~ 화를 내고 있다 Le da mucha rabia haber perdido las llaves. 당신이 올 수 있다니 ~ 기쁩니다 Me alegra mucho que tú puedas venir / Estoy encantado de que tú puedas venir / ¡Cuánto me alegro de que tú hayas podido venir!. 그 말을 들으니 ~ 기쁩니다 No sabes cuánto [cómo] me alegro. 그의 성공에 나는 ~ 기뻤다 Su éxito me causó una enorme alegría / Su éxito me llenó de alegría. 내 아내는 그 결과에 ~ 만족하고 있다 Mi esposa está muy contenta [satisfecha] con los resultados. 내가 받은 대접에 대해 나는 ~ 화가 난다 Estoy muy enfadado [enojado] por cómo me han tratado. 당신을 만나게 되어 ~ 기쁩니다 [처음 뵙겠습니다] Encantado (de conocerle) / Mucho gusto / Tengo mucho gusto en conocerle. 우리들은 그녀의 임명(任命)에 대해 ~ 기뻐했다 Nos alegramos mucho de su nombramiento.
대단핵 세포(大單核細胞) macrófago *m.*
대담(大談) =큰소리. 큰 장담.
대담(大膽) osadía *f*, audacia *f*, atrevimiento *m*, denuedo *m*, braveza *f*, intrepidez *f*. ~하다 (ser) osado, audaz (*pl* audaces), atrevido, intrépido, arrojado, denodado, temerario. ~하게 osadamente, audazmente, atrevidamente, intrépidamente, resueltamente. ~한 거짓말 mentira *f* atrevida. ~한 복장(服裝) traje *m* atrevido. ~하게 의견(意見)을 말하다 tener el valor de opinar. ~하게도 …하다 tener la audacia de + *inf*, atreverse a + *inf*. ~한 행동을 하다 tomar acciones extremas, obrar con audacia. ~한 조치를 취하다 tomar una determinación enérgica, recurrir a una disposición decisiva [grave]. 나는 ~하게 그에게 그것을 고백하겠다 Me voy a atrever a confesárselo (a él). 야 참 ~하군요! ¡Qué audacia!
대담히 osadamente, audazmente, atrevidamente, con osadía, con audacia.
대담스럽다 tener la actitud audaz, (ser) audaz, osado, atrevido, intrépido.
대담스레 con audacia, audazmente, osadamente, con osadía.
대담(對談) diálogo *m*, conversación *f*, coloquio *m*; [인터뷰] entrevista *f*. ~하다 dialogar (con), tener una entrevista (con), entrevistarse.
■ ~자(者) interlocutor, -tora mf; entrevistador, -dora *mf.*
대답(對答) contestación *f*, respuesta *f*, réplica *f*, *Méj*, *RPl* contesto *m*. ~하다 contestar, responder, replicar. …에 대한 ~으로 en contestación a *algo*. ~할 수 있는 contestable. 만족할 만한 ~ una contestación satisfactoria. 질문(質問)에 ~하다 contestar [responder] a la pregunta, replicar. ~이 난처하다, 어떻게 ~해야 할지 모르다 no saber cómo [qué] contestar [responder]. ~에 주저하다 titubear en la respuesta, no saber que responder [contestar]. 네 질문에 ~하겠다 Contestaré tus preguntas. 그는 몇 마디 ~을 했다 El contestó pocas palabras. 그는 아니라고 ~했다 El respondió que no. 나는 그에게 아무 ~도 하지 않았다 No le respondí nada. 선생님이 너의 의문에 ~해 주실 것이다 El maestro responderá a tu duda. 원할 때에 오는 것이 좋으리라고 나는 그에게 ~해 두었다 Le he respondido que puede venir cuand quiera. 그것에 어떻게 ~해야 할지 몰랐다 No sabía cómo responder [responder · replicar] a eso. 나는 내일 가겠다고 ~했다 Respondí que iría al día siguiente. 초인종을 눌렀으나 아무도 ~이 없다 Nadie contesta al timbre. 아무리 불러도 ~이 없다 No contesta nadie por mucho que llamen.
■ ~질 =말대답질.
대당(大唐) dinastía *f* de Tsing.
대당(對當) ① [서로 걸맞아서 낫고 못한 것이 없음] correspondencia *f*. ~의 correspondiente, equivalente, homólogo. ② 【논리】 =대당 관계(對當關係).
■ ~ 관계(關係) oposición *f*. ~액 cuenta *f* [suma *f*] correspondiente [equivalente].
대대(大帶) cinturón *m* ancho.
대대(大隊) [보병] batallón *m* (*pl* batallones); [기병 · 기갑의] escuadrón *m*; [포병 · 공군 등] grupo *m*.
◆공병 ~ batallón *m* de ingeniería. 비행 ~ escuadrón *m*. 포병 ~ grupo *m* de artillería.
■ ~기(旗) bandera *f* de batallón. ~ 부관

(副官) ayudante *mf* de batallón. ～장(長) jefe, -fa *mf* [comandante *mf*] de batallón. ¶비행 ～ comandante *mf* de escuadrón.

대대(代代) sucesiones *fpl*, generaciones *fpl* (sucesivas). ～의 hereditario, sucesivo. ～의 묘(墓) sepulcro *m* de familia, tumba *f* familiar, tumba *f* hereditaria. 선조 ～의 보물 tesoro *m* hereditario [familiar], bienes *mpl* [muebles *mpl*] heredados.
■대대 곱사등이 ((속담)) Se parece a la culpa de su padre por generaciones.
대대로 por [para] generaciones, de generación en [a] generación, hereditariamente, de padre a hijo. (선조) ～ 내려오며 de [por] juro de heredad. 그의 집안은 ～ 의사다 En su casa se sigue la medicina por generaciones.
■～ 손손(孫孫) descendientes *mpl* hereditarios.

대대로 según el desarrollo de situación.

대대적(大大的) grande, espléndido, enorme, vasto. ～으로 a [en] gran escala, a [de] escala grande, espléndidamente. ～으로 보도하다 [신문에] publicar en grandes titulares. ～으로 선전하다 hacer propaganda en gran escala, dar publicidad a bombo y platillos (a). 사업(事業)을 ～으로 하다 entregarse a negocios de escala grande.

대덕(大德) ① [넓고 큰 인덕(仁德)] gran benevolencia *f*, gran virtud *f*. ② ((불교)) = 부처(Buda). ③ ((불교)) =고승(高僧).

대도(大刀) espadón *m*, espada *f* grande, cuchillón *m*, cuchillo *m* grande.

대도(大度) generalidad *f*. ～하다 (ser) generoso.

대도(大盜) gran ladrón *m*.

대도(大道) ① [큰 길] carretera *f* (principal), camino *m* real. ② [행정 구역에서 큰 도(道)] provincia *f* grande. ③ [사람이 마땅히 해야 할 바른 길] gran moral *f* principal, gran principio *m*. 박애(博愛)는 인륜(人倫)의 ～이다 La benevolencia es el gran principio de humanidad.

대도(帶刀) =패검(佩劍).

대도교(大道敎) ((종교)) gran taoísmo *m*, una secta del *Donghak*.

대도시(大都市) metrópoli *f*, ciudad *f* principal, ciudad *f* grande, cabeza *f* de la provincia [Estado]; 【고어】 metrópolis *f*. ～의 metropolitano.
■～권(圈) el área *f* (*pl* las áreas) metropolitana.

대도회(大都會) =대도시(大都市).

대독(大毒) mucho veneno, mucha ponzoña.

대독(代讀) lectura *f* por poder(es). ～하다 leer por poder(es), leer en nombre de *uno*.
■～자(者) lector, -tora *mf* por poder(es).

대돈변(一邊) préstamo *m* de interés de diez por ciento mensual.

대동 carnicero, -ra *mf*.

대동[1](大同) ① [큰 세력이 합동함] unión *f* de gran fuerza. ～하다 unir entre grandes fuerzas. ② [천하가 번영하여 화평하게 됨] paz *f* del mundo con prosperidad. ～하다 (ser) pacífico con prosperidad mundial. ③ [조금 차이는 있으나 대체로 같음] igualdad *f* general. ～하다 (ser) igual generalmente.
■～ 단결(團結) unión *f*, formación *f* de una coalición. ¶～하다 unir, formar una coalición. ～하라 Sed unidos. ～합시다 Seamos unidos. ～ 소이(小異) casi lo mismo, prácticamente semejantes en el punto principal, substancialmente igual, tal para cual, Pedro para Juan, hay muy poca diferencia. ¶～하다 Es casi [prácticamente] lo mismo / No hay más que una pequeña diferencia. ～지론(之論) opinión *f* pública del pueblo. ～지역(之役) labor *f* forzosa que todo el mundo hace juntos. ～지환(之患) desgracia *f* que todo el mundo sufre juntos.

대동[2](大同) 【역사】 *daedong*, uno de tres impuestos, sistema *m* que pagó arroz o algodón según el terreno.

대동(大東) Corea, nuestro país.

대동(大洞) ① [한 동네의 전부] toda la aldea. ② [큰 동네] aldea *f* grande, barrio *m* grande.

대동(帶同) acompañamiento *m*. ～하다 acompañar.

대동맥(大動脈) ① 【해부】 aorta *f*. ～의 aórtico. ② [한 나라의 교통의 가장 중요한 간선] arteria *f*.
■～류(瘤) 【해부】 aneurisma *f* aórtica. ～병증(病症) 【의학】 aortopatía *f*. ～병 체질(病體質) aortismo *m*. ～ 신경 【해부】 nervio *m* aórtico. ～염(炎) 【의학】 aortitis *f*. ～통 aortalgia *f*. ～판(瓣) 【해부】 válvula *f* aórtica. ～ 판막 【해부】 válvula *f* aórtica.

대동사(代動詞) 【언어】 pro-verbo *m*.

대두(大斗) *daedu*, medida *f* de veinte litros. ～ 닷 말 cinco *mal* según *daedu*.

대두(大豆) 【식물】 =콩[1].
■～ 냉수(冷水) sopa *f* de soja. ～박(粕) torta *f* de soja. ～유(油) aceite *m* de soja.

대두(擡頭) subida *f*, encumbramiento *m*. ～하다 encumbrarse, obtener [cobrar] fuerza. 민족주의가 ～되었다 Ha cobrado fuerza el nacionalismo.

대두뇌(大頭腦) =대머리.

대두리 ① [큰 다툼] gran disputa *f*. ② [일이 크게 벌어진 판] agravación *f*, circunstancia *f* agravante.

대두정(大頭釘) =대갈못.

대둔근(大臀筋) 【해부】 glúteo *m* mayor.

대득(大得) buen resultado *m* inesperado. ～하다 obtener un buen resultado inesperadamente.

대들다 oponer, desafiar, resistir, revelarse, revolucionar, sublevarse, levantarse (contra), volverse (contra); [항의하다] protestar violentamente; [반론(反論)하다] replicar violentamente. 대드는 투로 agriamente, agresivamente, en tono acre [agrio·agresivo]. 여론에 ～ desafiar opinión pública. 윗사람에게 ～ objetar [replicar] agresivamente [violentamente] a *su* superior.

대들보(大一) ① [큰 들보] viga *f*, (transversal), cuartón *m* (*pl* cuartones), madero *m* grueso, soporte *m* principal. ② [한 집안이나 한 나라를 이끌어 가는 중요한 사람] pilar *m*, apoyo *m*, sostén *m*. 집안의 ~ sostén *m* de la familia. 내 아내는 집안의 ~이다 Ella es la que mantiene [sostiene] a la familia. 그는 집안의 유일한 ~이다 El es el único sostén de la familia. 그녀는 위기의 순간에 그의 ~였다 Ella era su apoyo [sostén] en momentos de crisis.

대등(大登) gran año *m* abundante.

대등(代登) entrada *f* en escena en vez de *uno*. ~하다 aparecer [entrar en escena] en vez de *uno*.

대등(對等) igualdad *f*, paridad *f*, base *f* igual. ~하다 (ser) igual, parejo, de base igual, a término igual. ~하게 con igualdad, igualmente. ~한 사람 igual *mf*. …과 ~하다 igualar a *uno*. ~한 조건으로 en igualdad de condición, en igual condición. ~한 입장에서 en un pie de igualdad. ~하게 하다 igualar, equilibrar, equiparar. ~하게 경기하다 jugar un partido sin desventaja. ~한 권리를 가지다 tener igualdad de derechos. 이곳에서는 누구나 ~하다 Aquí todos son iguales. 내 사장님은 나를 그와 ~한 사람으로 대해 준다 Mi jefe me trata como a su igual [como a un igual·de igual a igual]. 이 회사에서는 남녀를 ~하게 취급한다 En esta compañía se da un tratamiento igual a los empleados de ambos sexos. 모든 사람은 법 앞에서 ~하다 Todos somos iguales ante la ley. 하나님 앞에서 우리 모두가 ~하다 ((서반아 속담)) Ante Dios todos somos iguales.
 ■~ 교섭 negociaciones *fpl* como iguales. ~ 권리(權利) derecho *m* igual. ~ 조건(條件) condiciones *fpl* iguales. ~ 조약(條約) tratado *m* de condiciones iguales.

대등거리 chaqueta *f* sin mangas de bambú.

대뜰 patio *m* estrecho y largo.

대뜸 en seguida, enseguida, inmediatamente, de inmediato, instantemente, de manera improvisado, así de pronto, (así) de improvisto, sin preparación, en este momento, espontáneamente. ~ 의견을 말하다 decir la opinión espontáneamente. 초청을 ~ 승낙(承諾)하다 aceptar la invitación inmediatamente.

대란(大亂) ① [크게 어지러움] gran disturbio *m*. ② [큰 난리(亂離)] gran rebelión *f*, gran conmoción *f*, levantamiento *m*.

대래(貸來) venida *f* a prestar dinero. ~하다 venir a prestar dinero.

대략(大略) ① [큰 계략] gran estratagema *f*, gran plan *m*, gran complot *m*, gran ardid *m*, gran maña *f*. ② [대체의 개략(概略)] resumen *m* (*pl* resúmenes), sumario *m*; [부사적] sumariamente; [약(約)] casi, algo, más o menos, aproximadamente, unos, cerca de, alrededor de. ~ 십만 명 unas [alrededor de] cien mil personas. ~ 오천 년 전 hace unos cinco mil años. ~ 5분도 되지 않는 동안에 en menos de cinco minutos.

대량(大量) ① [많은 분량이나 수량] gran masa *f*, gran cantidad *f*, gran número *m*. ~의 de (gran) masa(s), colectivo, masivo, en masa, (una) gran cantidad de, gran número de, generalizado, mucho, a gran escala. ~으로 en (gran) cantidad, en serie, en masa, a [en] gran escala, (de) por junto. 발행 부수(發行部數)가 ~인 신문(新聞) periódico *m* de circulación masiva. 나는 기름을 ~으로 가지고 있다 Tengo por junto el aceite. 위조표(僞造票)가 ~으로 발견되었다 Han sido hallados gran número de billetes falsos. ② [큰 도량(度量)] gran generosidad *f*.
 ■~ 거래 transacción *f* [operación *f*] a gran escala. ~ 검거(檢擧) arresto *m* masivo. ~ 관찰(觀察) observación *f* masiva. ~ 구입(購入) compra *f* a granel. ~ 구입자 comprador, -dora *mf* de graneles. ~ 생산(生産) producción *f* en serie [masa], producción *f* en [de] gran escala, fabricación *f* en serie. ~하다 fabricar en serie. ¶~의[된] fabricado en serie. ~의 법칙(法則) ley *f* de producción en gran masa. ~ 소비(消費) consumo *m* de masas. ~ 수요(需要) demanda *f* de masas. ~ 실업(失業) desempleo *m* masivo. ~적(的) masivo, de masas, colectivo. ~ 정보 매체(情報媒體) medios *mpl* de comunicación, medios *mpl* de comunicación al público. ~ 주문(注文) pedido *m* importante. ~ 파괴(破壞) destrucción *f* masiva. ~ 파괴 무기(破壞武器) el arma *f* (*pl* las armas) de destrucción masiva. ~ 학살(虐殺) matanza *f*, masacre *m*, carnicería *f*, genocidio *m*. ¶~하다 masasrar, matar. ~ 학살 무기(虐殺武器) el arma *f* (*pl* las armas) de genocidio. ~ 학살자(虐殺者) autor, -tora *mf* de una matanza; genocida *mf*. ~ 해고(解雇) despido *m* colectivo.

대량(大樑) 【건축】 =대들보.
 ■~목(木) madero *m* cachizo para la viga.

대력(大力) fuerza *f* hercúlea. ~이 있다 tener una fuerza hercúlea.

대렵(大獵) gran presa *f*.

대령(大領) 【군사】 [육군] coronel, -la *mf*; [해군] capitán *m* (*pl* capitanes) de navío; [공군] coronel, -la *mf*; [해병대] coronel, -la *mf*. ~의 직(위) coronelía *f*.

대령(大靈) ① [근본되는 신령] espíritu *m* divino básico. ② [위대한 신령] espíritu *m* divino importante.

대령(待令) espera *f* de la orden. ~하다 esperar la orden.

대례(大禮) ① [(왕조 때) 조정(朝廷)의 중대한 의식] ceremonia *f* importante; [즉위식] (ceremonia *f* de la) coronación *f*. ② [혼인을 치르는 큰 예식] (gran) ceremonia *f* de boda.

■ ~ 미사 ((천주교)) misa *f* de ceremonia. ~복(服)【역사】traje *m* de ceremonia, traje *m* escotado.

대렛술(大禮-) vino *m* para ceremonia.

대로 ① [어떤 뜻에 따라] según, conforme a. 규칙~ conforme a las reglas. 명령~ conforme a [en sujeción a · en obediencia a] la orden. 세상은 뜻~ 되지 않는다 El mundo no va a nuestra merced / El mundo no anda como nosotros queremos. ② [(어떤 말이 뜻하는) 그 모양과 같이] según, conforme, tal como. 지시한 ~ 행동하다 obrar según [conforme a] las instrucciones (de). 배운 ~ 해라 Hazlo según lo aprendiste. 들은 ~ 말하겠다 Te lo voy a contar según [conforme · tal como] lo oí. 당신이 말한 ~였다 Fue exactamente como usted dijo. 너에게 말한 ~였지? ¿A que fue como yo te dije? / ¿No te lo dije? 나에게 말한 ~ 하겠다 Lo haré como me lo han dicho / Actuaré según las indicaciones dadas. 내가 너에게 명령한 ~ 해라 Hazlo como te lo mandé. 그는 무엇이든 하고 싶은 ~ 한다 Hace todo lo que quiere / Lo hace todo como quiere / Lo hace todo a su gusto. ③ [각각 · 따로따로] separado, solo, por separado, separadamente, a *su* propia manera. 그것들을 그것들~ 두십시오 Manténgalos separados. 그들은 그들~ 수년간을 살고 있다 Hace ya algunos años que ellos viven separados. 자네는 자네~ 일하고, 나는 나~ 공부를 하지 Tú trabajas a tu propia manera y yo estudio a mi propia manera. ④ [(어떤 동작을 하거나 상태가 나타나는) 그 족족] siempre que. 너는 도움이 필요한 ~ 요청해라 Siempre que tú necesites ayuda, no tienes más que pedir. 가능한 ~ 나는 기차로 가겠다 Siempre que puedo, voy en tren. 그는 하는 ~ 실패(失敗)했다 El fracasó siempre que intentó. 그는 마음 내키는 ~ 경솔하게 행동한다 El se comporto precipitadamente lo que quiera.

대로[1](大老) [존경받는 어진 노인(老人)] buen viejo *m* estimable.

대로[2](大老) [흥선 대원군의 호] *Daero*, seudónimo *m* de *Heungseon Daewongun*.

대로(大怒) ira *f*, cólera *f*, furia *f*. ~하다 estar enojado [enfadado], montar en cólera, ponerse hecho una furia [una fiera]. ~한 나머지 en el fragor de *su* pasión. 그녀는 ~하여 말이 없었다 Ella estaba muda de ira [de rabia]. 그녀는 ~하여 집에 돌아오곤 했다 El volvía a casa furiosa [hecha] una furia.

대로(大路) ① [폭이 넓은 큰 길] bulevar *m*, carretera *f*, camino *m* real, calle *f* principal, calle *f* mayor, vía *f* pública. ② [(어떤 목적을 향하여 나아가는) 발전이나 활동의 큰 방향] camino *m* real. 민주주의(民主主義) ~ camino *m* real de democracia.

대로(大鷺)【조류】((준말)) =대백로.

대로(代勞) trabajo *m* en vez de otros. ~하다 trabajar en vez de otros.

대롱 tubo *m* fino de bambú.
■ ~꼴 forma *f* del tubo fino de bambú.

대롱거리다 pender, colgar, suspenderse, balancearse, columpiarse, *RPl* hamacarse. 대롱대롱 de *su* peso. ~ 매달리다 pender [colgar · suspenderse] de su peso.

대료(代料) ① =대금(代金). ② [대신 사용하는 재료 (材料)] material *m* que usa como un substituto.

대료(貸料) precio *m* prestado.

대류(對流)【물리】convección *f*.
◆ 난방(暖房) ~기(器) estufa *f* [calentador *m*] de convección.
■ ~ 굴절(屈折) refracción *f* convectiva. ~권(圈)【기상】troposfera *f*. ¶~의 troposférico. ~ 전파(電波) propagación *f* troposférica. ~ 방열기(放熱器) convector *m*, radiador *m* por convección. ~ 방전(放電) descarga *f* eléctrica de convección. ~ 전류(電流) corriente *f* de convección. ~ 지면(止面)【기상】tropopausa *f*.

대륙(大陸) continente *m*. ~의 continental.
◆ 신(新)~ el Nuevo [Viejo] Mundo. 구(舊) ~ el Viejo Mundo. 아메리카 ~ el Continente Americano. 아시아 ~ el Continente Asiático. 유럽 ~ el Continente Europeo.
■ ~간 사정 핵로켓 cohete *m* nuclear de alcance intercontinental. ~간 유도탄 ((준말)) =대륙간 탄도 유도탄. ~간 탄도 유도탄(間彈道誘導彈) proyectil *m* [misil *m*] balístico intercontinental. ~간 탄도탄 ((준말)) =대륙간 탄도 유도탄. ~ 기후【기상】clima *m* continental. ~ 대지(臺地) meseta *f* continental. ~도(島) isla *f* continental. ~ 문학(文學) literatura *f* continental. ~법(法) ley *f* continental. ~붕(棚) plataforma *f* continental. ¶~에 관한 조약 la Convención sobre la Plataforma Continental. 한일 ~ 공동 개발 협정 el Acuerdo del Desarrollo Conjunta de la Plataforma Continental entre Corea y Japón. ~붕 선언(棚宣言) la Declaración de la Plataforma Continental. ~ 빙하【지질】=내륙 빙하(內陸氷河). ~ 사람 continental *mf*. ~ 사면(斜面)【지질】=내륙판(內陸坂). ~ 사상(思想) continentalismo *m*. ~성(性) continental *adj*. ~성 기후【기상】=대륙 기후. ~ 여행 viaje *m* continental. ~ 이동(移動) deriva *f* [movimiento *m*] de los continentes. ~ 이동설(移動說) teoría *f* de la deriva [del movimiento] de los continentes. ~적(的) continental. 중국 사람은 어딘지 모르게 ~인 기풍이 있다 Los chinos son algo continental en manera. ~적 기후(的氣候)【기상】=대륙 기후. ~적 사상(的思想) continentalismo *m*. ~ 정책(政策) política *f* continental. ~주의(主義) continentalismo *m*. ~ 표류설【지질】=대륙 이동설. ~풍(風) continentalismo *m*. ~ 횡단 고속 도로 carretera *f* de costa a costa. ~ 횡단 철도 ferrocarril *m* transcontinental.

대륙(大戮) ① =사형(死刑). ② [큰 치욕·큰 굴욕] gran humillación *f.*
대륙 봉쇄(大陸封鎖)【역사】el Bloqueo Continental.
대륙 회의(大陸會議)【역사】Congreso Continental.
대륜(大倫) gran principio *m* moral.
대륜(大輪) corola *f* grande. ~의 grande, grandiflora, de flor grande. ~의 국화(菊花) crisantemo *m* de corola grande.
대리(大利) gran ganancia *f.*
■ ~월(月) mes *m* de la buena suerte.
대리(代理) [행위(行爲)] delegación *f,* agencia *f,* representación *f;* [사람] representante *mf;* su(b)stituto, -ta *mf;* reemplazante *mf;* suplente *mf;* apoderado, -da *mf.* ~하다 su(b)stituir, reemplazar, suplir, encargarse, actuar, hacer en nombre de otro, ejecutar como el apoderado (de). ~의 delegado, encargado, apoderado, substitutivo; [임시의] interino. ~로 por poderes, por poder. …의 ~로 en nombre de *uno,* de parte de *uno.* …의 ~로 해서 substituyendo a *uno,* como [a título de] suplente a *uno.* ~로 투표하다 votar por poderes [poder]. ~를 세우다 designar a un apoderado. …의 ~가 되다 representar a *uno,* obrar con poder de *uno.* 과장(課長) ~로 오다 venir a título de jefe de sección.
◆ 교장(校長) ~ director *m* interino, directora *f* interina. 주교(主敎) ~ vicario *m* del obispo. 학장(學長) ~ rector *m* inerino, rectora *f* interina.
■ ~ 결혼(結婚) casamiento *m* por poderes [por poder]. ~ 경작(耕作) cultivo *m* por poderes. ~ 공사(公使) encargado, -da *mf* de negocios. ~권(權) poder *m,* representación *f,* agencia *f.* ¶어떤 회사의 ~을 가지다 llevar la representación de una sociedad, [una compañía]. 나는 그에게 내 이름으로 활동하도록 ~을 주었다 Le di poder(es) para que actuara en mi nombre. ~ 대사(大使) encargado, -da *mf* de negocios (de la embajada). ~모(母) madre *f* suplente, madre *f* de alquiler. ~ 목사(牧師) suplente *mf* de un pastor. ~ 소송(訴訟) pleito *m* por poderes. ~ 씨받이 =대리모. ~업(業) negocio *m* suplente. ~ 업자(業者) agente *mf.* ~ 영사 cónsul *m* interino, cónsul *f* interina. ~ 위임권 poder *m* general, poder *m* legal. ~ 위임장(委任狀) carta *f* de poder. ~ 의사(醫師) suplente *mf* de un médico. ~인(人) agente *mf;* representante *mf;*【법률】procurador, -dora *mf,* [법정의] abogado, -da *mf.* ¶법정 ~ representante *mf* legal. 전권 ~ agente *mf* universal. 총~ agente *mf* general. 특별 ~ representante. ~자(者) = 대리인(代理人). ~ 전쟁 guerra *f* por poderes. ~점(店) agencia *f,* representante *m.* ¶~ 계약 contrato *m* de agencia [de representante]. ~ 독점 협정 acuerdo *m* de agencia exclusivo. 판매 ~ agente *m* vendedor. ~ 투표(投票) votación *f* [voto *m*] por poderes [por poder].
대리(對理)【법률】=대심(對審).
대리석(大理石)【광물】mármol *m.*
■ ~ 기둥 pilar *m* de mármol. ~석상(像) estatua *f* de mármol.
대림절(待臨節)【천주교】Adviento *m.*
대립(對立) oposición *f,* confrontación *f,* careo *m;* [적대(敵對)] antagonismo *m.* ~하다 oponerse (a), ser opuesto (a), ser incompatible (con), ponerse cara a cara, ponerse frente a frente, confrontarse, afrontar, acarear, haceer frente (a); [서로] oponerse, ser opuestos, ser incompatibles. 양자(兩者)의 ~이 격화된다 Se intensifica el antagonismo entre los dos. 그들은 의견이 ~되고 있다 Tienen opiniones opuestas.
■ ~ 감정 sentimiento *m* de confrontación. ~ 개념(槪念) concepto *m* coordinado. ~ 교황(敎皇)【천주교】papa *m* falso. ~성(性)【유전】alelomorfismo *m.* ~ 유전자(遺傳子)【유전】alelomorfo *m.* ~ 의견(意見) opinión *f* contraria, opinión *f* opuesta. ~ 의무(義務) obligación *f* opuesta al derecho. ~ 인자(因子)【유전】=대립 유전자. ~자(者) [체제·정책의] opositor, -tora *mf;* [토론의] adversario, -ria *mf,* oponente *mf.* ¶ 정부의 방어 정책의 ~들 los opositores de [quienes se oponen a] la política de defensa del gobierno. ~적 범죄【법률】=대향범(對向犯). ~절(節)【언어】=대등절(對等節). ~처(處) lugar *m* puesto cara a cara. ~ 형질(形質)【유전】alelomorfo *m.*
대마(大馬) *daema,* grupo *m* grande de piedras en *baduc.*
■ ~ 불사(不死) *Daema* nunca se muere. ~ 상전(相戰) lucha *f* entre dos *daema.*
대마(大麻)【식물】cannabis *m,* cáñamo *m* índico, cáñamo *m* de la India. ☞삼
■ ~사(絲) hilo *m* de cáñamo. ~유(油) aceite *m* de semilla de cannabis. ~인(仁) grano *m* de semilla de cannabis.
대마(大魔) diablo *m* grande.
대마루 ① [지붕 위의 가장 높게 마루진 부분] caballete *m.* ② ((준말)) =대마루판.
대마루판 momento *m* crucial [decisivo·crítico].
대마비(對痲痺)【의학】paraplejía *f.*
대마 천우(大麻天牛)【곤충】=삼하늘소.
대마초(大麻草) marijuana *f,* marihuana *f,* cannabis *m.*
■ ~ 관리법(管理法) ley *f* de control sobre la marihuana. ~ 밀매자(密賣者) traficante *mf* ilegal de marihuana. ~ 사범(事犯) infractor, -tora *mf* de la ley de control sobre la marihuana. ~ 흡연자(吸煙者) fumador, -dora *mf* de marihuana.
대막대기 palo *m* de bambú, bastón *m* (*pl* bastones) de bambú.
대만(臺灣)【지명】Taiwan. ~의 taiwanés.
■ ~미(米) arroz *m* de Taiwan. ~ 사람 taiwanés, -nesa *mf.* ~차(茶) té *m* de Taiwan. ~ 해협(海峽) estrecho *m* de

Taiwan.

대만원(大滿員) público *m* atestado [abarrotado · lleno de gente], gran concurrencia *f.* ～의 atestado, abarrotado, lleno de gente, de gran concurrencia. 해변은 ～이다 La playa se llena de gente. 이곳은 ～이다 Hay demasiada gente aquí. 오페라 극장(劇場)은 ～이었다 El teatro estuvo abarrotado [desbordado] de espectadores. 그 작품은 ～ 이다 La obra tiene un lleno total.

대말 caballo *m* de bambú. ☞죽마(竹馬).

대망(大望) (gran) ambición *f,* aspiración *f,* gran deseo *m.* ～을 이루다 realizar [lograr] *su* gran ambición. ～을 품다 abrigar [guardar · tener] una ambición, estar lleno de ambición. ～을 품고 con [abrigando] una ambición. ～을 품은 사람 hombre *m* ambicioso. 그는 ～을 품고 있다 El aspira a mucho / El tiene [abriga · guarda] una ambición. 그는 ～을 이루지 못한 채 세상을 떠났다 El murió sin lograr [realizar] su gran ambición.

대망[1](大網) ① 【해부】 omento *m* (mayor).

대망[2](大網) ((불교)) principios *mpl* principales del budismo.

대망(待望) esperanza *f.* ～하다 esperar. ～의 muy [tan] esperado, ansiado, apetecido, que se espera [esperaba]. ～의 비가 내리기 시작했다 Comenzó a caer la tan esperada lluvia.

대망막(大網膜) 【해부】 epiplón *m.*

■ ～염(炎) epiploítis *f.* ～ 절제(切除) epiplectomía *f.*

대매[1] [단 한 번 때리는 매] un solo látigo.

대매[2] [내기 따위에서, 승부를 마지막으로 결정하는 일] juego *m* final.

대매(大罵) gran reprensión *f.* ～하다 reprender mucho.

대매출(大賣出) ganga *f,* grandes ventas *fpl,* gran venta *f* abierta, gran realización *f,* venta *f* muy barata; [정리(整理)] liquidación *f,* saldo *m.* ～하다 vender a bajo precio, liquidar. ～(합니다) ((게시)) Grandes rebajas / Liquidación / Oferta.

대맥(大脈) 【의학】 pulso *m* grande.

대맥(大麥) 【식물】 cebada *f.*

대맥(代脈) 【한방】 acción *f* de pulsar como suplente; [사람] persona *f* de pulsar como suplente. ～하다 pulsar como un suplente.

대맹선(大猛船) barco *m* grande de tres pisos con las ventanas en cuatro lados.

대머리 ① [상태(狀態)] calvicie *f,* calvez *f,* cabeza *f* calva. ～의 calvo, de cabeza calva, *AmC, Méj* pelón (*pl* pelones), *CoS* pelado. 젊은 ～ calvicie *f* precoz. ～가 되다 quedarse calvo. ～ 벗어지다 encalvecer, encalvar, perder el pelo; [산 따위가] quedar desnudo. ～가 된다 Los cabellos se retroceden de la frente. 그는 ～가 되었다 El se quedó calvo [pelón]. ② [사람] calvo, -va *mf.* 그는 ～다 El es calvo.

■ ～병(病) alopecia *f.*

대머리(大－) la parte más importante de una cosa.

대머릿장(大－欌) arcón *m* (*pl* arcones) grande con un solo cajón a *su* cabecera.

대면(對面) entrevista *f.* ～하다 entrevistarse (con), tener una entrevista (con), confrontarse. ～시키다 presentar. A에게 B를 ～시키다 presentar a A a B. 두 사람을 ～시키다 concertar una entrevista de [entre] las dos personas. …와 얼굴을 ～하다 tropezar [encontrarse] casualmente con *uno.* 10년 후에 부자간이 ～했다 El padre y el hijo volvieron verse después de diez años. 너를 과장(課長)에게 ～시키겠다 Voy a presentarte al jefe. 당신의 아드님을 ～시켜 주십시오 Déjeme ver a su hijo, por favor. 나는 그를 ～할 처지가 못된다 No tengo cara para presentarme delante de él.

■ ～ 교통(交通) ＝대면 통행(對面通行). ～ 통행(通行) circulación *f* de los peatones en sentido contrario al de los vehículos por los caminos donde no hay aceras.

대명(大名) *su* nombre.

대명(大命) orden *f* del rey.

대명(待命) ① [명령을 기다림] espera *f* de la orden. ～하다 esperar la orden. ② ＝대기명령.

대명(臺命) orden *f* del noble.

대명사(大名辭) 【논리】 ＝대개념(大概念).

대명사(代名詞) 【언어】 pronombre *m.* ～의 pronominal.

◆관계 ～ pronombre *m* relativo. 소유 ～ pronombre *m* posesivo. 의문 ～ pronombre *m* interrogativo. 인칭 ～ pronombre *m* personal. 지시 ～ pronombre *m* demostrativo.

대명일(大名日) gran fiesta *f.*

대명전(大明殿) el Palacio de *Daemyong,* palacio *m* real en *Gaeseong.*

대명죽(大明竹) 【식물】 una especie de bambú.

대명천지(大明天地) mundo *m* muy claro.

대모(大謀) gran complot *m,* gran conspiración *f.*

대모(代母) ((천주교)) madrina *f.* …의 ～가 되다 amadrinar a *uno,* actuar de madrina de *uno.*

대모(玳瑁/瑇瑁) ① 【동물】 carey *m.* ② ((준말)) ＝대모갑(玳瑁甲).

■ ～갑(甲) carapazón *m(f).*

대모한 ① [중요한] importante, vital. ② [주요한] principal, esencial.

대목 ① [설이나 추석 같은 것을 앞둔 긴요한 시기] tiempo *m* más importante, momento *m* decisivo, momento *m* de vital importancia. 섣달 ～ precisamente el fin del año. 위험한 ～에서 en el momento crucial [clave]. ～에 가서 앓다 estar enfermo precisamente en el momento decisivo. ② [가장 긴요한 고비 또는 경우] momento *m* [ocasión *f*] más importante.

■ ～장(場) feria *f* precisamente al fin del año.

대목[1](大木) ① [큰 건축물을 잘 짓는 기술을 가진 목수] carpintero *m* maestro, carpintero *m* que tiene técnica de construir bien el edificio grande. ② =목수(木手).
대목²(大木) [큰 나무] árbol *m* grande.
대목(臺木) trozo *m* grande de madera; [접목(接木)의] tronco *m*, patrón *m*. ~에 접목을 하다 injertar en el tronco.
대못 clavo *m* de madera.
대못(大一) clavo *m* largo y grueso.
대못박이 idiota *mf*, tonto, -ta *mf*, bobo, -ba *mf*, bobalicón, -cona *mf*.
대몽(大夢) ① [크게 길한 꿈] sueño *m* muy afortunado ② [큰 꿈] gran sueño *m*.
대묘(大廟) =종묘(宗廟).
대묘(大錨) ancla *f* grande.
대무(大務) cargo *m* grande.
대무(大霧) =농무(濃霧).
대무(代務) procuración *f*, manejo *m* de los negocios por otro. ~하다 manejar los negocios por otro, administrar por otro.
■ ~인(人) procurador, -dora *mf*.
대무(對舞) contradanza *f*.
■ ~곡(曲) 【음악】 contradanza *f*.
대무관(大廡官) pueblo *m* grande; [큰 고을의 원] jefe *m* del pueblo grande.
대무지년(大無之年) =대살년(大殺年).
대문(大文) ① [주해가 있는 글의 본문] cuerpo *m*, texto *m*. ② [글의 한 동강이나 단락] pasaje *m*.
대문대문 =대문대문이.
대문대문이 cada pasaje, todos los pasajes.
대문(大門) puerta *f* (principal), entrada *f* principal, puerta *f* del frente.
■ 대문 밖이 저승이라 ((속담)) Cuando menos se piensa, la muerte llega / La muerte puede sobrevenir en cualquier momento y siempre está al acecho. 대문이 가문(家門) ((속담)) Por alto y bueno que sea el linaje, no hay dignidad alguna si la casa es pequeña y la puerta principal es baja debido a la pobreza.
■ ~간(間) espacio *m* vacío en el interior de la puerta (principal). ~띠 travesaño *m* de la puerta (principal). ~짝 una puerta (de la puerta principal). ¶~만하다 (ser) muy grande. 대문짝만한 명함(名銜) tarjeta *f* muy grande. ~채 casa *f* con la puerta principal.
대문(大蚊) 【곤충】 =각다귀.
대문(大紋) figura *f* grande.
대문(帶紋) =띠무늬.
대문자(大文字) (letra *f*) mayúscula *f*. ~ 에이 una A mayúscula. ~로 쓰다 escribir con mayúsculas. ~로 프린트하다 imprimir con mayúsculas. 귀하의 성명을 ~로 써 주십시오 Escriba (usted) su nombre y apellido con mayúsculas.
대문장(大文章) ① [훌륭하고 썩 잘된 글] escritura *f* autoritaria. ② [글을 훌륭하게 썩 잘하는 사람] gran escritor *m*, gran escritora *f*.
대물(大物) artículo *m* grande, cosa *f* grande.
대물(代物) sucedáneo *m*.
■ ~ 판제(辨濟)[판상(辨償)] pago *m* en sucedáneos.
대물(貸物) objeto *m* [artículo *m*] prestado.
대물(對物) ¶~의 real, objetivo.
■ ~경(鏡) 【물리】 objetivo *m*. ~ 계약(契約) contrato *m* real. ~ 담보(擔保) prenda *f* conta una cosa. ~ 대부(貸付) préstamo *m* bajo prenda. ~ 렌즈 【물리】 =대물경(對物鏡). ~ 방위(防衛) defensa *f* contra una cosa. ~세(稅) 【법률】 =물세(物稅). ~ 소송(訴訟) 【법률】 acción *f* real. ~ 신용(信用) crédito *m* real.
대물리다(代一) ☞대(代)
대물부리 pipa *f* de bambú.
대미(大米) arroz *m* (*pl* arroces).
대미(大尾) fin *m*, final *m*.
대미(對美) con [hacia] los Estados Unidos de América.
■ ~ 관계(關係) relación *f* con los Estados Unidos de América. ~ 무역 comercio *m* con los Estados Unidos de América. ~ 일변도(一邊倒) dependencia *f* total hacia los Estados Unidos de América. ~ 정책 política *f* con los Estados Unidos de América. ~ 환율 tipo *m* de cambio sobre los Estados Unidos de América.
대미(黛眉) cejas *fpl* pintadas por el lápiz de cejas.
대미사(大 misa) ((천주교)) gran misa *f*.
대미사일 방어(對 missile 防禦) defensa *f* contra misil.
대민(大民) hidago *m* de rango alto.
대바구니 cesto *m* de bambú.
대바늘 aguja *f* de bambú.
대박(大舶) ① [큰 배] barco *m* grande. ② [큰 물건] cosa *f* grande.
대반(大半) =태반(太半).
대반(大盤) ① [큰 소반] bandeja *f* grande. ② [많이 잘 차린 음식] comida *f* muy bien preparada.
대반(對盤) recepcionista *mf* que sirve al lado de los novios.
◆대반(을) 앉다 hacer el papel de recepcionista que sirve al lado de los novios.
대반석(大盤石) ① [큰 바위] peñasco *m*, roca *f* grande, risco *m* enorme. ~이다 estar tan firme como una roca grande. ② [물건이 견고하여 움직이지 않음] lo inamovible.
대반석(臺盤石) roca *f* para el fondo de la pagoda de piedra.
대반야경(大般若經) *sáns* Mahã-prajñã-páramitã sutra *f*.
대반야바라밀다경(大般若波羅蜜多經) =대반야경(大般若經).
대반야바라밀다심경(大般若波羅蜜多心經) =대반야경(大般若經).
대받다 contradecir. 네가 어떻게 감히 내 말을 대받니? ¿Cómo te atreves a contradecirme? 그녀는 내가 말하는 것은 무엇이나 대받는다 Ella me contradice en todo lo que digo.
대받다(代一) ☞대(代)
대발 persiana *f* de bambú, zarzo *m*, valla *f*,

cañizo *m.*

대발(大發) 【경제】 primera sesión *f* del año nuevo.

대발회(大發會) 【경제】 =발회(發會).

대발 bosquecillo *m* de bambú.

대배(大杯/大盃) vaso *m* grande.

대백(大白) vaso *m* grande.

대백로(大白鷺) 【조류】 gran garceta *f.*

대번 ((준말)) =대번에.

대번에 [곧] en seguida, enseguida, inmediatamente, directamente, instantemente; [쉽사리] fácilmente, con facilidad; [단숨에] de (un) golpe; [서슴지 않고] sin vacilación. ~ 알아맞히다 adivinar en seguida. 그는 ~ 잔을 비웠다 El vació el vaso de una vez. 그 물건은 ~ 팔릴 것이다 Ese artículo encontrará rápidamente a los compradores.

대번(代番) acción *f* de estar de turno. ~하다 [간호사·의사가] estar de turno, estar de guardia; [경찰·소방사가] estar de servicio. 그는 오전 내내 ~했다 El está de turno [de guardia] toda la mañana / [경찰·소방사로] El está de servicio toda la mañana.

대범(大犯) =대죄(大罪).

대범(大凡) =무릇.

대범스럽다(大汎/大泛-) =대범하다.

대범스레 =대범히.

대범하다(大汎/大泛-) (ser) generoso, de gran corazón, con mentalidad abierta, de criterio amplio, tolerante, a manos llenas.

대범히 generosamente, con generosidad, de gran corazón, con mentalidad abierta.

대법[1](大法) ① [가장 중요한 법규(法規)] la ley más importante, ley *f* inmutable, ley *f* de la nación. ~에 어긋나다 ser contrario a [ir en contra de] la ley de la nación. ② ((준말)) =대법원(大法院).

대법[2](大法) ① ((불교)) [뛰어난 부처의 교법(教法)] gran Dharma, gran Ley *f.* ② ((불교)) =대승(大乘).

대법관(大法官) juez *mf* del Tribunal Supremo.

▪~ 회의(會議) conferencia *f* de los jueces del Tribunal Supremo.

대법원(大法院) la Corte Suprema, la Tribunal Supremo.

▪~ 도서관 biblioteca *f* del Tribunal Supremo. ~장(長) presidente, -ta *mf* de la Corte Suprema (de Justicia), presidente, -ta *mf* de la Tribunal Supremo. ~ 판사(判事) =대법관(大法官). ~ 판사 회의(判事會議) =대법관 회의.

대법회(大法會) ((불교)) gran misa *f* budista, misa *f* budista sublime.

대변(大便) excremento *m*, mierda *f*, deyecciones *fpl*, heces *fpl*, evacuación *f* de vientre, cargada *f*, defecación *f*, deposición *f*, aguas *fpl* mayores, necesidad *f* mayor; [배설(排泄)] evacuación *f.*

◆대변(을) 보다 evacuar (el vientre), hacer de vientre, cargar. 대변을 보러 가다 hacer del cuerpo, ir al excusado.

▪~ 검사(檢査) examen *m* del excremento. ~ 불리(不利) desigualdad *f* del excremento. ~불통(不通) estreñimiento *m*, *Chi* estitiquez *f.*

대변(大辯) =능변(能辯). 달변(達辯).

대변(大變) calamidad *f*, accidente *m* terrible, desastre *m.*

대변(代辯) procuración *f*, representación *f*, agencia *f*, substitución *f*, delegación *f.* ~하다 representar, ejecutar (por), hablar (por), hablar en nombre de, substituir, ser delegado. 신문은 여론을 ~한다 El periódico es portavoz de la opinión pública. ~인[자] portovoz *mf*; *AmL* vocero, -ra *mf.* ¶외교통상부 ~ portavoz *mf* del Ministerio de Asuntos Exteriores y Comercio. ~지(紙) órgano *m.* ¶정부(政府) ~ órgano *m* del gobierno.

대변(貸邊) 【경제】 haber *m*, crédito *m.* ~의 계좌 haber *m.* 차변과 ~ debe *m* y haber. ~에 기장하다 acreditar [abonar] en cuenta.

▪~ 계정(計定) cuenta *f* acreedora, crédito *m*, haber *m.* ¶금액을 귀하의 ~에 기입하다 dejar acreditado a usted en crédito la suma, sentar al crédito de usted la suma. ~ 잔고(殘高) saldo *m* al haber. ~ 전표(傳票) nota *f* de crédito.

대변(對邊) 【기하】 lado *m* opuesto.

대변(對辯) respuesta *f*, contestación *f.* ~하다 responder, contestar.

대변혁(大變革) gran revolución *f*, gran cambio *m*, gran reforma *f.*

대별(大別) clasificación *f* general. ~하다 hacer una clasificación general. 2종으로 ~하다 clasificar [dividir] en dos clases principales.

대병(大兵) =대군(大軍).

대병(大柄) gran poder *m.*

대병(大病) enfermedad *f* grave [seria]. ~을 앓다 ser gravemente enfermo, estar muy grave.

대병풍(大屛風) gran biombo *m.*

대보(大寶) ① [귀중한 보물] tesoro *m* precioso. ② [임금의 자리] trono *m* real. ③ [임금의 도장] sello *m* real, sello *m* del rey. ④ ((불교)) Gran Joya *f*, cosa *f* más preciosa, ley *f* de Buda.

대보다 comparar. 키를 서로 ~ compararse la estatura uno del otro.

대보름(大-) ((준말)) =대보름날.

▪~날 *daeborumnal*, el quince de agosto del calendario lunar.

대보리(大菩提) 【불교】 gran bodhi, Mahāyāna-Ilustración, Buddha-Ilustración.

▪~심(心) ((불교)) =대보리(大菩提).

대보살(大菩薩) ((불교)) *sáns* Bodhisattva-mahāsattva, gran Bodhisattva.

대보수(大補修) arreglo *m* [reparación *f*] a escala grande. ~를 하다 arreglar [reparar] a escala grande.

대복(大福) gran suerte *f*, gran fortuna *f*,

felicidad *f* grande.
대복덕(大福德) la gran suerte y virtud.
대복석(臺覆石) 【건축】 =대갑석(臺甲石).
대본(大本) fundamento *m* (grande e) importante, base *f* principal, principios *mpl* básicos.
대본(貸本) libro *m* de préstamo, libro *m* prestado.
■ ~ 서점(書店) biblioteca *f* pública (que permite sacar libros en préstamo). ~업(業) negocio *m* de prestar libros. ~점(店) biblioteca *f* pública, librería *f* circulante [que presta libros (por dinero)]. ☞대본 서점.
대본(臺本) [연설의] texto *m*; [오페라의] libreto *m*; [연극·영화·방송의] guión *m* (*pl* guiones). ~ 을 쓰다 [연극·영화·방송의] escribir el guión; [연설의] redactar.
◆영화 ~ guión *m* (de cine). 텔레비전 ~ guión *m* (de televisión).
■ ~ 작가(作家) guionista *mf*.
대본당(大本堂) basílica *f*.
대본산(大本山) ((불교)) sede *m* de una secta.
대본영(大本營) cuartel *m* general.
대본원(大本願) ((불교)) gran promesa *f* de Buda.
대봉(大封) gran feudo *m*, gran territorio *m* feudal.
대부(大斧) el hacha *f* (*pl* las hachas) grande.
대부(大富) millonario, -ria *mf*, billonario, -ria *mf*.
대부(代父) ① 【천주교】 padrino *m*. …의 ~가 되다 apadrinar a *uno*, actuar de padrino de *uno*. 그는 아이의 ~가 되는 것을 수락했다 El aceptó ser padrino del niño. ② [마피아의] padrino *m*.
대부(貸付/貸附) préstamo *m*, crédito *m*, empréstito *m*. ~하다 prestar, hacer [dar · facilitar] un préstamo (a), hacer un anticipo (a), anticipar dinero, pagar adelantado. ~를 신청(申請)하다 solicitar un préstmo. 부정하게 ~하다 prestar ilícitamente. 은행에서 ~를 받다 recibir un préstamo del banco. 은행에 ~를 의뢰하다 solicitar el crédito a un banco. 나는 아들 결혼 때문에 은행에서 ~를 받았다 He recibido un préstamo del banco para la boda de mi hijo.
◆단기 [중기·장기] ~ crédito *m* a corto [medio·largo] plazo. 담보부 ~ préstamo *m* colateral [con garantía]. 당좌 ~ préstamo *m* a la vista. 무담보(無擔保) ~ préstamo *m* a descubierto [sin garantía · sin caución]. 부정(不正) ~ préstamo *m* ilícito. 신용(信用) ~ préstamo *m* a descubierto. 예금(預金) ~ préstamo *m* de depósito. 은행(銀行) ~ préstamo *m* bancario. 익일불(翌日拂) ~ préstamo *m* nocturno. 저리 ~ préstamo *m* a bajo precio. 정기 ~ préstamo *m* a plazo fijo.
■ ~ 가능 자금 한도 disponibilidades *fpl*. ~계(係) sección *f* de préstamo. ~ 계원(係員) prestador, -dora *mf*, cobrador, -dora *mf* de préstamo. ~ 계정(計定) cuenta *f* de del préstamo, cuenta *f* de empréstitos. ~ 규제(規制) control *m* de crédito. ~금 préstamo *m*, empréstito *m*, adelanto *m*. ~ 기한(期限) plazo *m* de préstamo. ~료(料) gastos *mpl* de préstamo. ~ 시장(市場) mercado *m* de préstamos. ~ 신탁(信託) fideicomiso *m* de préstamo. ~ 어음 letra *f* de préstamo. ~ 원부(原簿) libro *m* de préstamos. ~ 은행(銀行) inmobiliaria *f*. ~ 이식(利殖) rentas *fpl* de préstamo. ~ 이식률 tasa *f* de intereses en préstamo. ~ 자본(資本) capital *m* de empréstito. ~ 잔고(殘高) saldo *m* deudor. ~ 한도(限度) límite *m* de créditos. ~ 허가(許可) otorgamiento *m* de crédito.
대부대(大部隊) gran tropa *f*.
대부등(大不等) madera *f* de tamaño grande.
■ 대부등에 곁낫질이라 [낫걸이라] ((속담)) Un solo golpe no derriba un roble.
대부모(大父母) padrino *m*.
대부모(代父母) ((천주교)) padrinos *mpl*, padrino y madrina.
대부분(大部分) ① [전체에 가까운 수효나 분량] la mayor parte (de), la mayoría (de), la buena parte (de), la gran parte (de). …의 ~은 La mayor parte [La mayoría] de … [동사는 de의 뒤에 오는 명사의 수에 일치하는 경우가 많다]. ~의 경우(境遇) la mayoría de las veces, las más de las veces. 라틴 아메리카의 ~은 열대와 아열대에 있다 La mayor parte de (la) América Latina está en las zonas tropicales y subtropicales. ~의 참석자들은 이미 돌아갔다 La mayor parte de los asistentes se han ido ya. 그는 재산의 ~을 잃었 다 La mayor parte de sus bienes se perdió. ~의 사람들은 무언가 취미를 가지고 있다 La mayoría de los hombres tienen sus propias aficiones. ~의 한국인들은 외국인과 어울릴 줄 모른다 Una gran parte de los coreanos no saben tratar con los extranjeros.
② [부사적, 거의 다] en *su* mayoría, en *su* mayor parte, casi todo(s), mayormente, sobre todo, principalmente, más que nada, en general. 그것은 ~ … 때문이다 Es principalmente [más que nada] porque …. 그녀의 친구들은 ~ 학생들이다 La mayoría de sus amigos son estudiantes / Sus amigos son en su mayoría estudiantes / Casi todos sus amigos son estudiantes. 땅은 ~ 평평하다 El terreno es en su mayor parte llano. 그는 ~ 밤에 일한다 El trabaja sobre todo por las noches. 우리들은 ~ 토마토를 재배한다 Nosotros cultivamos principalmente [más q2ue nada] tomates. ~ 음식은 좋았다 En general, la comida era buena.
대부서(大部書) libro *m* voluminoso, libro *m* de muchos volúmenes.
대부석(臺覆石) 【건축】 =대갑석(臺甲石).

대부인(大夫人) [남을 높이어 '그의 어머니'] su (estimada) madre.
대북(對北) contra el norte, hacia el norte.
■～ 방송 radiodifusión *f* (de propaganda) hacia el norte [Corea del Norte].
대북(臺北) 【지명】 Taipei.
대분(大分) división *f* en gran parte. ～하다 dividir en gran parte.
대분(大墳) tumba *f* grande, sepulcro *m* grande.
대분수(帶分數) 【수학】 número *m* mixto, fracción *f* mixta.
대불(大佛) gran estatua *f* de Buda, imagen *f* (*pl* las imágenes) colosal de Buda. 불국사의 ～ la Gran (Estatua) Buda del templo budista Bulguc.
■～ 개안(開眼) ㉮ ((불교)) [불상을 만들어 다 이루어져 갈 때 행하는 의식] ceremonia *f* de dar los últimos toques en una estatua de Buda. ㉯ [최후의 완성] último toque *m*, toque *m* final. ～ 공양(供養) ofrecimiento *m* de la comida a la gran estatua de Buda ～전(殿) santuario *m* que hay una gran estatua de Buda.
대불핍인(代不乏人) Hay talento en alguna época.
대불행(大不幸) gran desgracia *f*, calamidad *f*, gran infelicidad *f*.
대붕(大鵬) el ave *f* imaginaria (*pl* las aves imaginarias) que dicen que vuela treinta y seis kilómetros al día. ～의 웅지(雄志) gran ambición *f*.
대비 escoba *f* de bambú fino.
대비(大一) escoba *f* grande.
대비(大妃) reina *f* madre.
대비(大悲) ① ((불교)) *sáns* Mahākaruna, gran piedad *f*, gran compasión *f*. ② ((불교)) =대비보살.
대비(貸費) préstamo *m*, crédito *m*, empréstito *m*, gastos *mpl* prestados, beca *f* de préstamo.
■～생 estudiante *mf* de la beca de préstamo. ～ 자금 fondo *m* préstamo. ～ 제도(制度) sistema *m* de beca.
대비(對比) ① [비교(比較)] comparación *f*; [대비] contraste *m*. ～하다 comparar, contrastar. A를 B와 ～하다 comparar A con B, contrastar A con B. ② 【심리】 correlación *f*. ～하다 correlacionar, establecer una correlación (entre).
■～ 광도계(光度計) fotómetro *m* de contraste. ～ 논법(論法) 【논리】 analogía *f*. ～ 현상(現象) fenómeno *m* de correlación.
대비(對備) preparación *f*, provisión *f*, prevención *f*. ～하다 preparar(se) (para), hacer preparación (para), prevenir (a). ～없이 desprevendio, sin preparación, sin prevención. 만일에 ～해서 para prevenirse contra una emergencia [contra cualquier eventualidad]. 만일에 ～하다 prevenirse contra una emergencia, prevenirse contra cualquier eventualidad. 비상시(非常時)에 ～하다 prevenir a [contra] la emergencia, preparar para lo peor. 전쟁(戰爭)에 ～하다 precaverse contra la guerra. 노후(老後)에 ～해서 저축하다 ahorrar dinero en prevención de la vejez. 겨울이 오는 것을 ～해서 식량을 비축하다 guardar víveres en previsión de la llegada del invierno.
대빈(大賓) invitado *m* de honor, invitado *m* importante, invitado *m* especial.
대빗 peine *m* de bambú.
대사(大士) ((불교)) persona *f* fiel.
대사(大寺) gran templo *m* (budista), gran monasterio *m*.
대사(大祀) =국사(國祀).
대사(大社) =태사(太社).
대사(大事) cosa *f* [asunto *m*] grave, gran cosa *f*, cosa *f* [asunto *m*] importante, asunto *m* serio, negocio *m* grave, secreto *m* capital; [위기(危機)] crisis *f*; [대례(大禮)] ceremonia *f* de bodas. 이것은 ～ 앞의 작은 일이다 Esto es un momento importante [un pequeño sacrificio] dentro de la gran empresa que nos ocupa.
대사(大使) embajador, -dora *mf*; enviado, -da *mf*. ～를 특파하다 enviar [despachar] a un enviado especial. 정부는 그를 서반아 주재 ～로 파견했다 El gobierno le ha acreditado embajador en España.
◆대리(代理) ～ encargado, -da *mf* de negocios. 전권(全權) ～ embajador *m* plenipotenciario, embajadora *f* plenipotenciaria. 주미(美) ～ embajador, -dora *mf* en los Estados Unidos de América. 주서반아 ～ embajador, -dora *mf* en España. 주한 아르헨띠나 ～ embajador, -dora *mf* de la Argentina en la República de Corea. 특명 전권 ～ embajador *m* extraordinario y plenipotenciario. ～급회담 conferencia *f* a nivel de embajadores. ～ 내외(內外) embajadores *mpl*. ～ 대리(代理) encargado *m* de negocios. ～ 부인(夫人) embajadora *f*. ～ 일행(一行) grupo *m* del embajador.
대사(大砂) arena *f* gruesa.
대사[1](大師) 【역사】 =태사(太師).
대사[2](大師) ① ((불교)) =불보살(佛菩薩). ② [덕이 높은 선사(禪師)] gran instructor *m* del budismo, santo budista *m*. ③ [남자중] sacerdote *m* budista, monje *m* budista.
대사(大蛇) serpiente *f* grande, boa *f*.
대사(大赦) 【법률】 amnistía *f*, indulto *m* general. ～하다 amnistiar. ～를 행하다[내리다] conceder una amnistía, conceder un indulto general.
■～령(令) decreto *m* de amnistía. ¶～을 내리다 conceder una amnistía.
대사(大寫) 【영화 · 사진】 primer plano *m*. ～로 en primer plano.
대사(代謝) 【준말】 =신진대사(新陳代謝).
대사(臺詞/臺辭) diálogo *m*; [긴] parlamento *m*, texto *m*; papel *m*, parte *f*. ～의 표현 솜씨 declamación. ～를 말하다 recitar *su* parlamento, decir *su* parte. ～를 외우다 aprender su parte. ～를 틀리다 decir equivocadamente. 그의 ～ 솜씨가 훌륭하다 Su

declamación es excelente / El tiene una magnífica declamación.
◆ 독백(獨白) ~ monólogo *m*, sololoquio *m*.
대사(臺榭) mirador *m*.
대사관(大使館) embajada *f*. 한국 ~에 가려면 어디로 가면 됩니까? ¿Por dónde se va a la Embajada de (la República de) Corea?
◆ 멕시코 주재 대한민국 ~ la Embajada de la República de Corea en los Estados Mexicanos. 서반아 주재 대한민국 ~ la Embajada de la República de Corea en España. 주한 서반아 ~ la Embajada de España en la República de Corea.
■ ~부 육군 무관(附陸軍武官) agregado *m* militar de la embajada. ~부 문정관(附文政官) agregado, -da *mf* cultural de la embajada. ~부 상무관(附商務官) agregado, -da *mf* comercial de la embajada. ~부 해군 무관(附海軍武官) agregado *m* naval de la embajada. ~ 사무국(事務局) cancillería *f*. ~ 사무국 직원(事務局職員) [집합적] legación *f* (diplomática), cancillería *f*. ~ 삼등 서기관(三等書記官) tercer secretario *m* [tercera secretaria *f*] de la embajada. ~ 서기관(書記官) secretario, -ria *mf* de la embajada. ~원(員) =대사관 직원. ~ 이등 서기관(二等書記官) segundo secretario *m* [segunda secretaria *f*] de la embajada. ~ 일등 서기관(一等書記官) primer secretario *m* [primera secretaria *f*] de la embajada. ~ 직원(職員) miembro *mf* de la embajada; empleado, -da *mf* de la embajada; [집합적] cancillería *f*. ~ 참사관(參事官) consejero, -ra *mf* de la embajada.
대사리【조개】=다슬기.
대사리(大一) =한사리.
대사립 puerta *f* de bambú.
대사무소(貸事務所) alquiler de oficinas, se alquilan oficinas, *Méj* renta de oficinas, *Andes* Se arriendan oficinas.
대사문(大沙門) ①【불교】=석가모니여래(釋迦牟尼 如來)(Buda). ② =승가(僧家). ③ =비구(比丘).
대사상(大四相)【불교】=사상(四相).
대사전(大赦典) gracia *f* especial de amnistía.
대사전(大辭典) gran diccionario *m*.
◆서한(西韓) ~ el Gran Diccionario Español-Coreano. 한서(韓西) ~ el Gran Diccionario Coreano-Español.
대사제(大司祭) ① ((천주교)) =예수 그리스도. ② =대제사장(大祭司長).
대사회(大社會) gran sociedad *f* [comunidad *f*]
대살(代殺) ejecucún *f*. ~하다 ejecutar (al asesino).
대살년(大殺年) gran año *m* de escasez.
대살지다 (ser) flaco, delgado.
대삿갓 ① [중이 쓰는 삿갓] sombrero *m* cónico de bambú para los monjes (budistas). ② [속대로 엮어 만든 삿갓] sombrero *m* de corazón de bambú.
대상(大祥) segundo aniversario *m* de la muerte.
대상(大商) gran comerciante *mf*.
대상(大喪) fallecimiento *m* [muerte *f*] del rey, luto *m* para el rey.
대상(代償) compensación *f*, recompensa *f*, remuneración *f*, indemnización *f*, resarcimiento *m*, desagravio *m*. …의 ~으로 en compensación de *algo*.
■ ~ 견인(牽引) contraextensión *f*. ~ 과도(過度) sobrecompensación *f*. ~ 부전(不全) decompensación *f*. ~ 비대(肥大) hipertrofia *f* compensatoria. ~ 수입(輸入) importación *f* equivalente. ~ 신경증(神經症) neurosis *f* de compensación. ~ 월경(月經) menometastasis *f*. ~ 작용 compensación *f*. ¶~하다 compensar.
대상(隊商) caravana *f*.
■ ~로(路) camino *m* de la caravana.
대상(臺上) sobre del altar alto.
대상(對象) objeto *m*, sujeto *m*; [목표] blanco *m*. ~의 objetivo. 공격(攻擊)의 ~ blanco *m* de los ataques. 연구(硏究)의 ~ objeto *m* del estudio. 조사(調査)의 ~ objeto *m* de la investigación. 야당의 공격의 ~ blanco *m* de los ataques de la oposición. 비판(批判)의 ~이 되다 hacerse objeto de crítica. 이 잡지는 학생을 ~으로 하고 있다 Esta revista está destinada a los alumnos. 그의 연구 ~은 의학이다 La medicina es objeto de sus estudios.
■ ~ 감정(感情) sentimiento *m* objetivo. ~ 개념(概念) concepto *m* objetivo. ~ 논리학(論理學) lógica *f* objetiva.
대상 부동(大相不同) mucha diferencia.
대상자(一箱子) caja *f* de bambú.
대생(對生)【식물】=마주나기.
■ ~아(芽)【식물】=마주나기눈.
대생치(對生齒) =간니.
대서(大書) escritura *f* grande. ~하다 escribir grande.
■ ~특기(特記) =대서특필(大書特筆). ~특서(特書) =대서특필(大書特筆). ~특필(特筆) noticias *fpl* sensacionales. ¶~하다 dar noticias sensacionales (sobre). 오직(汚職) 사건이 주간지에 ~되어 있다 Una revista semanal informa sensacionalmente sobre el escándalo de soborno.
대서(大暑) ① [24 절후(節候)의 하나] *daeseo*, grandes calores, día *m* del más calor en verano (alrededor del veintitrés de julio del calendario solar); canícula *f*. ② [몹시 심한 더위] calor *m* muy intensivo.
대서(代序) acción *f* de escribir el prólogo como un suplente. ~하다 escribir el prólogo como un suplente.
대서(代書) ① [남을 대신하여 글씨나 글을 씀] escribanía *f*, escritura *f* por otro. ~하다 escribir (por), hacer de escribano. ② =대서업(代書業). ③ =대서인(代書人). ④ =대필(代筆).
■ ~료(料) honorarios *mpl* de escribano. ~방(房) =대서소(代書所). ~사(士) =대서인(代書人). ~소(所) despacho *m* de amanuense, oficina *f* de escribano profesional, oficina *f* de pendolista público, puesto *m*

de solicitud por escrito. ～업(業) profesión *f* de amanuense. ～인(人) amanuense *mf*, escribiente *mf*, escribano, -na *mf*, pendolista *mf*, tagarote *mf*, memorialista *mf*, plumista *mf*, [공증인] notario, -ria *mf*.

대서(代署) firma *f* como un suplente.

대서다 ① [뒤를 따라 서다] estar de pie detrás (de otro). …의 뒤에 대서서 가다 ir detrás de *uno*. ② [바짝 가까이 서다] estar de pie cerca. ③ [달려들어 대항하다] ponerse [volverse] en contra (de), desafiar (a *uno* a que + *subj*).

대서양(大西洋)【지명】el Océano Atlántico, el Atlántico. ～의 atlántico.

◆남～ el Atlántico Sur. 북～ el Atlántico Norte.

■～연안(沿岸) costa *f* atlántica. ～ 조약(條約) el Tratado del Atlántico. ¶북～ el Tratado del Atlántico Norte. 북～ 기구 la Organización del Tratado del Atlántico (del) Norte, la Organización para el Tratado del Atlántico Norte, O.T.A.N. *f*, OTAN *f*. ～ 함대(艦隊) la Flota Atlántico. ～ 항로(航路) línea *f* atlántica. ～ 회담(會談) la Conferencia Atlántica. ～ 횡단 비행 vuelo *m* transatlántico.

대서양 헌장(大西洋憲章) la Carta del Atlántico.

대석(臺石) pedestal *m*, peana *f*, piedra *f* grande.

대석(貸席) alquiler *m* de asientos, Se alquilan asientos. ～하다 alquilar asientos.

대석(臺石) ① =댓돌. ② [동상(銅像) 같은 것의 밑받침] base *f*.

대석(對席) acción *f* de sentarse cara a cara. ～하다 sentarse cara a cara.

대선(大仙) ① [뛰어난 신선] brujo *m* excelente. ② ((불교)) =석가여래(釋迦如來).

대선(大船) ① [큰 배] barco *m* [buque *m*] grande. ② ((불교)) barco *m* grande de salvación.

■～사(師) ((불교)) capitán *m* del barco grande, Buda *m*.

대선거구(大選擧區) gran distrito *m* electoral, gran circunscripción *f* electoral.

■～제(制) sistema m de gran distrito eletoral.

대설[1](大雪) [24절기의 하나] *daeseol*, (temporada *f* de) gran nevada *f* (alrededor del siete de diciembre del calendario solar).

대설[2](大雪) [많은 눈] nieve *f* fuerte, gran nevada *f*, nevada *f* densa, nevada *f* copiosa. ～이 내린다 Nieva copiosamente [densamente].

■～ 경보(警報) alarma *f* de gran nevada. ～ 주의보(注意報) aviso *m* de gran nevada.

대설대 =담배설대.

대성(大成) ① [크게 이룸] éxito *m* completo, acabamiento *m*, conclusión *f*. ～하다 concluir con buen éxito, completar. ② [큰 인물이 됨] llegada *f* a ser hombre de categoría. ～하다 llegar a ser hombre de categoría, concluir con buen éxito. ～할 인물 hombre *m* prometedor.

■～자(者) persona *f* de buen éxito.

대성(大姓) gran apellido *m*.

■～ 가문(家門) familia *f* del gran apellido.

대성(大盛) gran prosperidad *f*. ～하다 (ser) muy próspero.

대성(大聖) ① [지극히 거룩한 사람] gran sabio *m* (*pl* grandes sabios), gran sabia *f* (*pl* grandes sabias); mahatma *m*. ～ 간디 Gandhi el Mahatma. ～ 소크라테스 Socrates el Sabio. ② = 공자(孔子)(Confucio). ③ [석가처럼 올바른 깨달음을 얻은 사람] ilustrado, -da *mf*.

대성(大聲) voz *f* grande, voz *f* fuerte, vozarrón *m*. ～으로 fuerte, en voz alta, alto, a voz en grito, a voz en cuello. ～을 지르다 vociferar, desgañitarse, gritar, dar a gritos, berrear, chillar. 나한테 ～을 지르지 마라 No me grites. 너는 ～을 지를 필요가 없다 No hace falta que grites. 그는 그들에게 멈추라고 ～을 질렀다 El les gritó que se detuvieran.

■～일갈(一喝) =대성질호(大聲叱呼). ～질호(叱呼) reprensión *f* en voz alta. ¶～하다 reprender en voz alta, bramar, rugir. 그는 ～로 명령했다 El dio la orden a voz en cuello [a voz en grito]. 꺼져 라고 그는 ～했다 ¡Fuera de aquí! — bramó [rugió] él. ～통곡(痛哭) llanto *m* fuerte. ～하다 llorar fuerte, lamentar [llorar] amargamente.

대성(戴星) salida *f* de casa muy temprano por la mañana y vuelta a casa muy tarde por la noche.

■～마(馬) caballo *m* con la frente con las manchas blancas. ～지행(之行) vuelta *f* a casa de la tierra extranjera por la noche al oír la muerte de *sus* padres.

대성공(大成功) gran éxito *m*. ～하다 tener gran éxito. ～을 거두다 lograr [ganar] un gran éxito.

대성당(大聖堂) catedral *f*.

대성성(大猩猩)【동물】=고릴라.

대성전(大聖殿) ((천주교)) basílica *f*.

대성황(大盛況) gran prosperidad *f*, condición *f* próspera, gran éxito *m*. ～을 이루다 hacer *su* agosto. 과일장수들은 ～을 이루고 있었다 Los vendedores de frutas estaban haciendo su agosto. 우리들은 크리스마스 카드를 ～리에 팔았다 Nosotros estamos vendiendo tarjetas de Navidad como pan caliente [como rosquillas].

대세(大勢) ① [대체의 형세] situación *f* general, tendencia *f* general, corriente *f*, muchedumbre *f*, multitud *f*. ～의 muchos. ～로 en gran número. ～에 따르다 seguir la tendencia general, dejarse llevar por la corriente, seguir la corriente. ～가 우리에게 유리하다 La situación general nos es favorable. 전쟁의 ～는 결정되어 있다 La suerte de la guerra está decidida. 이 사건은 ～에 영향을 주지 않을 것이다 Este acontecimiento no cambiará apenas la

situación general.
② [세상이 돌아가는 형편. 국가 또는 천하의 추세] situación *f*, tendencia *f*. 세계의 ~ situación *f* internacional. 천하(天下) ~를 살피다 estudiar la tendencia del mundo.
③ [큰 권세(權勢)] poder *m*, influencia *f*. ~를 쥐다 tomar el poder, hacerse con el poder, llegar [subir] al poder.
④ [병이 위급한 형세] condición *f* grave [crítica · seria], estado *m* crítico.

대소(大小) lo grande y lo pequeño, dimensión *f*, tamaño *m*. 사회의 ~ 사건 acontecimiento *m* grande y pequeño de la sociedad. ~ 각양각색의 de varios tamaños. ~를 막론하고 sin mirar tamaño. 일의 ~를 불문하고 sin hacer caso de la dimensión del asunto. ~ 스무 개의 접시가 있다 Hay veinte platos de diferentes tamaños.
■ ~가(家) ㉮ [한 집안의 큰 집과 작은 집] la casa de *su* hermano mayor y la de *su* hermana menor. ㉯ [큰 마누라의 집과 작은 마누라의 집] la casa de la primera esposa y la de la segunda esposa; [큰 마누라와 작은 마누라] la primera esposa y la segunda esposa. ~기(朞) =대소상(大小祥). ~댁(宅) =대소가(大小家). ~민(民) todo el pueblo. ~변(便)[피(避)] el excremento y la orina, necesidades *fpl*. ¶~을 보다 hacer *sus* necesidades, orinar. ~의 시중을 들다 ayudar (a *uno*) a satisfacer *sus* necesidades naturales. ~사(事) asunto *m* grande y pequeño, todo tipo [toda clase] de asuntos. ~상(祥) dos primeros aniversarios de la muerte. ~역(疫) la viruela y el sarampión. ~월(月) meses *mpl* impares y pares del año. ~장(腸) el intestino grueso y el delgado.

대소(大笑) risotada *f*, carcajada *f*. ~하다 risotear, reír(se) a carcajadas [a mandíbula batiente], soltar [echar · lanzar] una carcajada; 【속어】 carcajearse.

대소(代訴) litigio *m* por poderes. ~하다 poner pleito por poderes [en vez de otro].

대소(對訴) =맞고소.

대소(對蘇) contra [hacia] la Unión Soviética. 한국의 ~ 정책 política *f* de la República de Corea hacia La Unión Soviética.

대소동(大騷動) ① [혼란(混亂)] confusión *f*, desorden *m*. ② [소동(騷動)] alboroto *m*, tumulto *m*, revuelta *f*, revuelo *m*, bullicio *m*, guirigay *m*. ~을 벌이다 alborotar mucho, promover un gran tumulto, hacer [meter] mucho ruido. 아무 소용도 없는 일에 ~을 벌이다 alborotar por nada. ~을 벌일 만한 일이 아니다 No vale la pena tanto alboroto / No vale la pena (de) alborotar tanto. 도시는 그 사건으로 ~이다 La ciudad está muy agitada con ese suceso / Ese suceso causó un gran alboroto [revuelo] por toda la ciudad. 아이가 없어져 ~이 났다 La pérdida del niño armó [causó] un enorme revuelo. 마시고 노래부르고 ~이다 Están armando un gran alboroto bebiendo y cantando.

대소쿠리 cesto *m* de bambú.

대속(代贖) ((성경)) rescate *m*, lugar *m*. ~하다 redimir, dar como rescate.
■ ~물(物) ((성경)) rescate *m*, precio *m* por la libertad.

대손(大損) estrago *m*, daño *m* grande, perjuicio *m* grande.

대손(貸損) crédito *m* incobrable, cuenta *f* mala.
■ ~ 충당금 reserva *f* para cuentas malas, *Méj* reserva *f* para cobros dudosos.

대솔(大-) pino *m* grande.
■ ~잎 hojas *fpl* del pino grande. ~ 장작(長斫) leña *f* del pino grande. ~하리지 leña *f* de las ramas del pino grande.

대솔(帶率) ① =영솔(領率). ② ((준말)) =대솔 하인.
■ ~하인(下人) ㉮ [귀인을 모시고 다니는 하인] serviente *m* que atiende al hombre noble. ㉯ [하인을 거느림] acción *f* de tener los servientes.

대송(大松) pino *m* grande.
■ ~작(斫) =대솔장작. ~장작(長斫) =대솔장작.

대송(代送) envío *m* por poderes. ~하다 enviar por poderes.

대송(對訟) =응소(應訴).

대수 asunto *m* importante, gran cosa *f*.
대수로이 importantemente, preciosamente, estimablemente, útilmente.
대수롭다 (ser) importante, precioso, estimable, útil.
대수롭지 않다 (ser) insignificante, sin importancia, no importante, de poca monta.
대수롭지 않게 여기다 no hacer caso (de), menospreciar, tener en poco [en menos].
이런 점포의 매상은 별로 ~ Las ventas en una tienda como ésta son insignificante. 그는 그런 일은 대수롭지 않게 생각한다 No le importa [No se le da] un bledo / (No) Le importa un pepino [tres pepinos].

대수(大水) inundación *f*.

대수(大壽) =장수(長壽).

대수(大數) ① [큰 수(數)] número *m* grande. ② =대운(大運). ③ [물건의 수가 많음] muchos números de las cosas.
■ ~의 법칙(法則) ley *f* de números grandes.

대수(大樹) ① [큰 나무] árbol *m* grande. ② ((준말)) =대수장군(大樹將軍).
■ ~장군(將軍) =장군(將軍).

대수[1](代數) ① 【수학】 ((준말)) =대수학(代數學). ② =환(環)(anillo).
■ ~ 곡면(曲面) 【수학】 superficie *f* algebraica. ~ 곡선(曲線) 【수학】 curva *f* algebraica. ~ 기하학(幾何學) geometría *f* algebraica. ~ 기호(記號) signo *m* algebraico. ~ 방정식 【수학】 ecuación *f* algebraica. ~ 법칙(法則) ley *f* algebraica. ~식(式) expresión *f* algebriaca. ~학(學) 【수학】 algebra *f*, aritmética *f* universal. ¶~의

algebraico, algébrico. ～ 학자 algebrista *mf.*

대수²(代數) [세대의 수효] número *m* de las familias.

대수(對手) ＝적수(敵手).

대수(對酬) ＝응수(應酬).

대수(對數) ((구용어)) ＝로그.
■ ～척(尺) ((구용어)) ＝로그자. ～표(表) ((구용어)) ＝로그표. ～ 함수(函數) ((구용어)) ＝로그 함수.

대수리(大修理) reparación *f* a [en] gran escala. ～하다 reparar a [en] gran escala.

대수선(大修繕) reparación *f* a [en] gran escala. ～하다 reparar a [en] gran escala.

대수술(大手術) operación *f* mayor, gran operación *f.* ～하다 hacer una gran operación.

대순 ＝죽순(竹筍).

대숲 arbusto *m* [matorral *m*] de bambúes, espesura *f* de bambúes.

대승(大乘) ((불교)) *sáns* Mahāyāna.
～경(經) ((불교)) sutras *fpl* de Mahāyāna. ～계(戒) ((불교)) mandos *mpl* [prohibiciones *fpl*] para bodhisattvas y monjas. ～교(敎) ＝대승 불교(大乘佛敎). ～기(基) ((불교)) fundamento *m* de Mahāyāna. ～ 기신론(起信論) *sáns* Mahāyāna-sraddhotpāda-sāstra. ～론(論) ((불교)) *sáns* Abhidharma de Mahāyāna. ～묘경(妙經) ((불교)) sutra *f* de Loto. ～방등경전(方等經典) ((불교)) sutras *fpl* y escrituras de Mahāyāna. ～ 불교(佛敎) Mahāyāna, gran vehículo *m.* ～ 사과(四果) cuatro frutas en Mahāyāna. ～ 선근계(善根界) reino *m* de las buenas raíces de Mahāyāna. ～심(心) ((불교)) corazón *m* de Mahāyāna. ～이종성불(二種成佛) ((불교)) dos especies de Mahāyāna del budismo. ～인(因) ((불교))causa *f* de Mahāyāna. ～적(的) clemente, imparcial. ～적 견지(的見地) punto *m* de vista imparcial. ¶～에서 en el punto de vista imparcial. ～종(宗) ((불교)) escuela *f* de Mahāyāna ～천(天) ((불교)) *sáns* Mahāyāna-deva, título *m* dado a Hsüan-tsang.

대승(大勝) gran victoria *f,* victoria *f* aplastante, victoria *f* gloriosa. ～하다 alcanzar una victoria aplastante (contra).

대승리(大勝利) gran victoria *f.* ～하다 conseguir una gran victoria. 우리는 ～를 했다 Hemos conseguido una gran victoria.

대승정(大僧正) arzobispo *m.*

대시(大始) ＝태초(太初).

대시(영 *dash*) ① [돌진(突進)] sprint *ing.m.* ～하다 (e)sprintar. ② [기호(記號)] guión *m* (−); [보다 긴] raya *f,* [기호 (′)] prima. A ～ [A′] A prima. ((참고: A″는 A prima doble, A‴는 A prima triple)).

대식(大食) glotonería *f,* gula *f,* voracidad *f,* adefagia *f,* intemperancia *f,* tragonería *f,* tragazón *m,* avidez *f,* insaciabilidad *f,* apetito *m,* golosina *f.* ～하다 glotonear, comer mucho, comer vorazmente; [과식하다] sobrecargar el estómago con comida. ～의 glotón, voraz.
■ ～가(家) glotón (*pl* glotones), -tona *mf,* comilón (*pl* comilones), -lona *mf,* tragón (*pl* tragones), -gona *mf,* tragaldabas *m.sing.pl.* ～한(漢) hombre *m* glotón, hombre *m* comilón.

대식(對食) ① [마주 앉아 먹음] acción *f* de comer sentándose cara a cara. ～하다 comer sentándose cara a cara. ② [전날의] ＝동성연애(同性戀愛). ③ ＝밴대질.

대식국(大食國) 【역사】 Arabia *f.*

대식세포(大食細胞) ＝대단핵 세포.

대신(大臣) ministro *m* [secretario *m*] de Estado, ministro *m* de gabinete. ～의 ministerial. ～의 직 (職) cartera.

대신(大神) 【민속】 ① diablo *m* horrible. ② dios *m* alto. ③ ＝무당.

대신(代身) ① [남의 일을 대행함] reemplazo *m,* sustitución *f,* [사람] su(b)stituito, -ta *mf,* suplente *mf,* reemplazante *mf.* ～하다 sustituir(se), reemplazar, suceder, suplir. ～으로 por poderes, por poder. …의 ～으로 en vez de *uno,* en lugar de *uno,* su(b)stituyendo a *uno,* por *uno.* 그이의 ～에 en lugar suyo, en su lugar, en vez [lugar] de él. …의 ～이 되다 ocupar el lugar [el puesto] de *uno;* [희생] sacrificarse en lugar de *uno.* ～해서 하다 sacrificiarse por otro. …에게 ～ 맡기다 hacerse reemplazar por *uno.* 내 ～을 보내겠다 Te enviaré un substituto mío. 아버지 ～ 어머니가 출석하신다 En vez de mi padre asiste mi madre. 아버님을 ～해서 감사드립니다 Se lo agradezco en nombre de mi padre. 부친을 ～해서 그가 회사를 경영한다 El administra la empresa en sustitución de su padre. 우리 집에서는 형이 아버지를 ～한다 En casa, mi hermano mayor substituye al [hace el papel de] padre. 아버님이 안 계실 때는 내가 ～한다 Cuando mi padre está ausente, lo suplo yo. 현 회장을 ～할 사람이 없다 No hay nadie que pueda substituir al actual presidente de la sociedad. 나는 위원직을 그에게 ～ 맡겼다 Me hice reemplazar por él [Hice que él me reemplazase] en el cargo de comisionado.
② [(다른 것의) 대체 · 대용] su(b)stituitivo *m.* ～하다 su(b)stituir, reemplazar, suceder, suplir. … ～에 en vez [lugar] de *algo,* su(b)stituyendo a *algo.* 쌀 ～ 보리를 먹다 comer cebada en vez de arroz. 버터 ～ 마가린을 사용하다 su(b)stituir la mantequilla por margarina; [버터가 없는 경우에는] suplir la mantequilla con margarina. 이것은 의자 ～이다 Esto puede hacer las veces de una silla / Esto sirve de silla. 석탄 ～ 석유가 사용되 고 있다 Se emplea el petróleo en lugar del carbón.
③ (어떤 사정이나 일을) 다른 것으로 때움] cambio *m,* compensación *f.* ～하다 compensar. ～ 다른 물건을 보내겠습니다 Le enviaremos otro artículo en compensación. 도와줄 테니 그 ～ 먹을 것을 주라 Dame de comer y yo te ayudaré a [en] cambio. 이

책을 줄 테니 그 ~ 무엇을 주겠느냐? ¿Qué me das a cambio de este libro? 약속을 어긴 ~ 말씀하신 것을 무엇이든지 하겠습니다 Haré todo lo que me diga usted para compensar mi falta de palabra. 오늘은 바쁘지만 그 ~ 내일은 종일 한가합니다 Hoy estoy ocupada, y mañana, en cambio, estaré libre todo el día.

대실(大失) gran desilusión *f.*
■ ~ 소망(所望) gran desilusión de lo que la cosa esperada resultó en vano.

대실(貸室) alquiler *m* de habitaciones / Se aquilan habitaciones / *Méj* renta *f* de habitaciones / *Andes* Se arriendan habitaciones.

대심(對審) 【법률】 confrontación *f* [careo *m*] de la parte.
■ ~ 판결(判決) 【법률】 =대석 판결.

대심원(大審院) la Corte Suprema, la Suprema Corte de Justicia, el Tribunal Supremo.
■ ~장(長) presidente, -ta *mf* del Tribunal Supremo.

대싸리 【식물】 ((학명)) Kochia scoparia.

대아(大牙) ① =뒤어금니. ② [사나운 동물의 송곳니] colmillo *m* de la bestia feroz.

대아(大我) ① 【철학】 ser *m* más alto. ② ((불교)) ser *m* más grande, personalidad *f* verdadera, *sáns* Atman.

대아(大兒) niño *m* grande.

대악(大惡) ① [매우 못된 짓] atrocidad *f*, atentado *m.* ② [끔찍한 악인] villano *m* consumado, villana *f* consumada.
■ ~ 무도(無道) gran atrocidad *f.*

대악(大岳/大嶽) montaña *f* grande.

대악상(大惡象) ((불교)) gran elefante *m* salvaje, corazón *m* indómito.

대악인(大惡人) hombre *m* muy malvado.

대안(大安) mucha paz. ~하다 (ser) muy pacífico.

대안(代案) segundo proyecto *m*, plan *m* sustitutivo, proyecto *m* sustitutivo.

대안(對岸) orilla *f* [ribera *f*] opuesta, otra orilla *f*, otro lado *m* del río, banda *f* de allá del río.

대안(對案) contraproyecto *m*, contraproposición *f.*

대안(臺顔) =존안(尊顔).

대안검(大眼瞼) 【해부】 macroblefaria *f.*

대안경(對眼鏡) 【물리】 =대안렌즈.

대안구(大眼球) 【해부】 macroftalmía *f.*

대안렌즈(對眼 lens) 【물리】 ocular *m.*

대안증(大眼症) 【의학】 oftalmacrosis *f.*

대안증(大顔症) 【의학】 macroprosopia *f.*

대액(大厄) gran calamidad *f*, gran desastre *m*, año *m* climatérico.

대야 jofaina *f*, palangana *f*, cubo *m* grande.

대약(大約) =개략(概略).

대양(大洋) océano *m.* ~의 oceánico. ~ 한가운데서 en el centro [en (el) medio · en la mitad] del océano. ~을 항해하다 navegar por el océano.
■ ~도(島) isla *f* en el océano. ~만(灣) golfo *m* oceánico. ~ 문화(文化) cultura *f* oceánica. ~저(底) fondo *m* del océano. ~적 기후(的氣候) =해양성 기후(海洋性氣候). ~학(學) oceanografía *f.* ~ 항로(航路) línea *f* oceánica. ~ 항로선(航路船) crucero *m.* ~ 횡단 비행(橫斷飛行) vuelo *m* transoceánico.

대양주(大洋洲) 【지명】 la Oceanía. ~의 oceánico. ~ 사람 oceánico, -ca *mf.*

대어(大魚) pez *m* (*pl* peces) grande [gordo]. ~는 쉬 잡히지 않는다 Los peces gordos no se deja pillar fácilmente.
◆대어를 낚다 obtener un hombre muy talentoso. 대어를 놓치다 desperdiciar la ocasión [la oportunidad] capital.

대어(大語) jactancia *f.* ~하다 jactarse, fanfarronear.

대어(大漁) buena redada *f.*

대언(大言) jactancia *f.* ~하다 jactarse, fanfarronear.
■ ~장담(壯談) fanfarronada *f*, fanfarronería *f*, jactancia *f.* ~하다 fanfarronear, jactarse. ~하는 사람 fanfarrón (*pl* fanfarrones), -rrona *mf.*
대언장어(壯語) =대언장담(大言壯談).

대언(代言) el habla *f* por poderes. ~하다 hablar por poderes, hablar en vez de *uno.*

대업(大業) ① [큰 사업] gran negocio *m*, gran obra *f.* ~을 성취하다 realizar una gran obra. ② =홍업(洪業).

대여(大輿) andas *fpl* grandes.

대여(貸與) préstamo *m*, empréstito *m*, prestación *f.* ~하다 prestar, dar prestado, prestar dinero, hacer usar una cosa; [학생에게] prestar dinero como ayuda para sus estudios.
■ ~곡(穀) cereales *mpl* prestantes. ~금(金) dinero *m* prestante. ~ 금고(金庫) caja *f* de seguridad. ~물(物) artículo *m* prestante. ~자(者) prestante *mf.* ~ 장학금(奬學金) beca *f* prestante. ~ 장학금법(奬學金法) ley *f* de la beca prestante. ~ 장학생(奬學生) estudiante *mf* que recibe una beca en forma de préstamo.

대여섯 unos cinco o seis.
■ ~째 quinto o sexto.

대역(大役) cometido *m* importante, cargo *m* de mucha responsabilidad. ~을 완수(完遂)하다 desempeñar un cometido importante. 나는 ~을 맡았다 Me han dado un cargo de mucha responsabilidad.

대역(大逆) (gran) traición *f.*
■ ~무도(無道) traición *f* atroz. ~하다 (ser) delincuente de traición. ~부도(不道) =대역무도(大逆無道). ~ 사건(事件) caso *m* de traición atroz. ~죄(罪) delito *m* [crimen *m*] de lesa majestad [de alta traición], alta traición *f.*

대역(代役) deber *m* [cargo *m* · misión *f*] importante, su(b)stituto *m*, suplencia *f*, [사람] testaferro *m*, hombre *m* de paja, suplente *mf*, 【연극】 sobresaliente *mf*, 【영화】 doble *m.* ~하다 suplir, su(b)stituir. ~

을 쓰다 utilizar el testaferro [un hombre de paja]. ～을 완수하다 cumplir *su* cargo importante.

대역(對譯) traducción *f* [versión *f*] paralela [colateral]. ～하다 traducir paralelamente. ■～본(本) libro *m* de traducción paralela, texto *m* bilingúe. ¶서한(西韓) ～ texto *m* bilingüe español-coreano. ～ 시리즈 serie *f* de traducción [versión] paralela. ～판(版) edición *f* bilingüe, edición *f* interlineal.

대연(大宴) banquete *m*, gran fiesta *f*.

대연습(大演習) grandes maniobras *fpl*.

대연화(大蓮華) ((불교)) gran loto *m* blanco.

대열(大悅) gran alegría *f*, mucha alegría. ～하다 alegrarse mucho (de).

대열(大熱) ① ＝고열(高熱). ② [심한 더위] calor *m* sofocante [muy severo].

대열(隊列) filas *fpl*, líneas *fpl*, formación *f*. ～을 지어 en fila, en formación. ～을 정돈하여 en buen orden. ～을 이탈해서 en desorden, a la desbandada. ～을 짓다 formar las filas. ～을 흩뜨리다 desordenar las filas, desbandarse.

대염불(大念佛) ((불교)) acción *f* de invocar el Buda con una voz alta, acción *f* de medtiar sobre el Buda con concentración continua.

대염열(大炎熱) ((불교)) infierno *m* de gran calor, el séptimo de los ocho infierno caliente.

대엽성 폐렴(大葉性肺炎) 【의학】 neunomía *f* lobular.

대엽 폐기종(大葉肺氣腫) 【의학】 enfisema *m* lobular.

대엿 ((준말)) ＝대여섯.
■～새 unos cinco o seis días.

대엿샛날 el cinco o el seis.

대영(大營) gran cuartel *m*.

대영(大瀛) ＝대해(大海).

대영(對英) con [contra · hacia] la Inglaterra.

대영광송(大榮光頌) ((천주교)) la Gloria.

대영국(大英國) la Gran Bretaña.

대영 박물관(大英博物館) el Museo Británico.

대영 백과 사전(大英百科事典) la Enciclopedia Británica.

대영 제국(大英帝國) Gran Bretaña.

대오(大悟) ① ilustración *f* espiritual. ② ((불교)) Ilustración *f* Divina.

대오(隊伍) filas *fpl*, formación. ～를 지어 en formación. ～를 짓다 formar filas. ☞대열(隊列)

대오다 ☞대다

대오리 tira *f* de bambú.

대옥(大屋) casa *f* grande, mansión *f*, palacio *m*.

대왐풀 【식물】 aspidistra *f*.

대왕(大王) ① 【역사】 ((높임말)) ＝선왕(先王). ② [훌륭하고 뛰어난 임금] gran rey *m*, el Grande, Magno. 세종 ～ Sechong el Grande. 알렉산더 ～ Alejandro Magno.
■～대비(大妃) abuela *f* del rey.

대왕 수술(大王手術) 【의학】 ＝제왕 절개 수술(帝王切開手術).

대외(對外) con [contra · hacia] el exterior. ◆통화 ～ 가치 valor *m* externo de la moneda.
■～ 강경론자(强硬論者) jingoíta *mf*. ～ 거래(去來) transacciones *fpl* extranjeras. ～ 관계(關係) asuntos *mpl* exteriores, relaciones *fpl* exteriores, relación *f* internacional. ～ 권익 derechos *mpl* y intereses exteriores. ～ 무역(貿易) comercio *m* exterior. ～ 무역법(貿易法) ley *f* de comercio exterior. ～ 문제(問題) asuntos *mpl* internacionales. ～ 방송(放送) radiodifusión *f* al exterior. ～비(秘) secreto *m* exterior. ～적(的) exterior; [국제적] internacional. ¶～으로 exteriormente, de cara al exterior. 그것은 ～으로 재미없다 Eso no es conveniente de cara al exterior. ～ 원조(援助) ayuda *f* para el exterior. ～ 정책(政策) política *f* exterior, política *f* internacional, política *f* con el extranjero. ～ 지불(支拂) pagos *mpl* exteriores. ～ 채권(債券) crédito *m* exterior. ～ 채무(債務) deuda *f* exterior. ～ 친선 promoción *f* de relaciones íntimas con los países extranjeros. ～ 투자(投資) inversión *f* extranjera.

대요(大要) resumen *m* (*pl* resúmenes), compendio *m*, sumario *m*; [학술의] principio *m* general; [부사적] en resumen. ～를 말하다 exponer en resumen, resumir.

대요근(大腰筋) 【해부】 músculo *m* de psoas mayor.
■～염(炎) 【의학】 psoitis *f*.

대욕(大辱) vergüenza *f* grande.

대욕(大慾/大欲) avaricia *f*, codicia *f*, sordidez *f*. ～의 avaricioso, avariento, codicioso.

대용(大勇) gran coraje *m*, gran valor *m*.

대용(代用) su(b)stitución *f* [reemplazo *m*] provisional. ～하다 su(b)stituir, usar en lugar (de). ～할 수 있는 su(b)stituible. A를 B로 ～하다 su(b)stituir provisionalmente A por B, suplir A con B. …의 ～이 되다 ser utilizable en vez de *algo*, poder hacer las veces de *algo*, ser substituto, reemplazar *algo*, suministrar en lugar de *algo*, servir al propósito de *algo*.
■～ 가죽 imitación *f* piel, piel *f* sintética, piel *f* artificial. ～물(物) substitutivo *m*. ～식(食) alimento *m* sucedáneo, alimento *m* substitutivo, víveres *mpl* substitutivos. ～어(語) 【언어】 substituto *m*. ～ 연료 자동차(燃料自動車) ＝대연차(代燃車). ～작(作) ㉮ 【농업】 ＝대파(代播). ㉯ ＝대용 작물. ～ 커피 substituto *m* de café. ～품(品) substitutivo *m*, su(b)stituto *m*, sucedáneo *m*, artículo *m* [producto *m*] sucedáneo, mercadería *f* substituible. 수입(輸入) ～ substituto *m* de importación. 커피 ～ sucedáneo *m* del café, sustituto *m* [substituto *m*] del café. 이것이 설탕의 ～으로 잘 쓰였다 Esto se utilizaba mucho como substitutivo del azúcar. ～ 화폐(貨幣) ＝기호 화폐(記號貨幣).

대용(貸用) préstamos *mpl*. ～하다 pedir [so-

licitar] préstamos [créditos].
대우 =사이짓기. 간작(間作).
■ ~깨 ajonjolí *m* sembrado en hileras de cebadal o trigal. ~콩 sojas *fpl* sembradas en hileras de cebadal o trigal. ~팥 habas *fpl* rojas en hileras de cebadal o trigal.
대우(大雨) lluvia *f* torrencial, turbión *f*, chaparrón *m*.
대우(大愚) estupidez *f*; [사람] persona *f* estúpida.
대우(大憂) ansiedad *f* grande.
대우(大優) =대도(大度).
대우(待遇) tratamiento *m*, trato *m*, acogida *f*; [여관 등의] servicio *m*, recepción *f*; [급료] salario *m*, sueldo *m*. ~하다 tratar, recibir, acoger. ~가 좋은 hospitario, bien recibido, de buen sueldo. ~가 나쁜 inhospitario, mal recibido, de mal sueldo. ~가 좋다 [내객 등에게] tratar bien. 친구로 ~하다 tratar como amigo. 손님 ~가 좋다 ser hospitalario; [점원이] tratar [atender] bien a los clientes. 정중한 ~를 받다 recibir un trato afable. 저 호텔은 ~가 좋다 [나쁘다] En la compañía nos pagan bien [mal]. 그는 중역 ~를 받고 있다 Le dan el trato de director. 그는 채권자를 잘 ~해서 보냈다 El despidió con buenas palabras al acreedor.
■ ~ 개선(改善) mejoramiento *m* de tratamiento; [급료의] aumentación *f* de sueldo. ~하다 mejorar las condiciones. 노동자(勞動者)의 ~을 하다 mejorar las condiciones laborales.
대우(對偶) ① =짝. ②【수학】contraposición *f*. ③【논리】oposición *f*. ④【철학】antítesis *f*. ⑤【문학】antítesis *f*.
■ ~법(法)【문학】antítesis *f*. ~ 법칙(法則) ley *f* de contraposición. ~ 정리(定理) contraposición *f*. ~ 주제(主題) contrasujeto *m*.
대우주(大宇宙) ①【철학】macrocosmos *m*. ② [천지(天地)] el cielo y la tierra; [세계] mundo. ③ =고왕금래(古往今來). ④ [공간과 시간] el espacio y el tiempo.
대운(大運) buena suerte *f*, mucha suerte *f*, gran fortuna *f*.
◆ 대운(이) 트이다 llegar una gran suerte.
대운하(大運河) canal *m* grande.
대울타리 cerca *f* de bambúes.
대웅(大雄) ((불교)) gran héroe *m*, título *m* de Buda.
■ ~봉(峯) ((불교)) algún pico *m* extraordinario.
대웅성(大熊星)【천문】la Osa Mayor.
■ ~좌(座)【천문】la Osa Mayor.
대웅전(大雄殿) ((불교)) el Gran Templo, el Templo Principal, el Edificio Principal del Templo.
대웅좌(大熊座)【천문】la Osa *f* Mayor.
대원(大圓) [큰 원] círculo *m* grande.
대원(大願) ① [큰 소원] gran deseo *m*. ② ((불교)) gran voto *m* de Buda.
■ ~ 성취(成就) súplica *f* ansiosa que ha sido otorgado, grandes deseos *mpl* cumplidos. 나는 ~ 했다 Mi más ardiente [acariciado] deseo se ha cumplido.
대원(代員) =대리인(代理人).
대원(隊員) miembro *mf* (del equipo).
◆ 탐험(探險) ~ miembro *mf* de una expedición.
대원각(大圓覺) ((불교)) ilustración *f* grande y perfecta, sabiduría *f* de Buda.
대원경지(大圓鏡智)【불교】gran sabiduría *f* perfecta de espejo.
대원군(大院君) ① [임금의 친아버지에게 내리던 작위] *daewongun*, título *m* [dignidad *f*] de lord que dieron al padre del rey. ② ((준말)) =홍선 대원군.
대원수(大元帥) generalísimo *m*; [육군의] generalísimo *m* militar; [해군의] generalísimo *m* naval.
대원위(大院位) =홍선 대원군.
대원훈(大元勳) hombre *m* que tiene el mérito grande.
대월(大月) mes *m* de treinta y un días.
대월(貸越) ① créditos *mpl* vigentes, cuenta *f* pendiente, suma *f* pagada más que el límite; [은행의] descubierto *m*, balance *m* descubierto, adelantos *mpl* en cuenta corriente, cuenta *f* corriente de descubierto, sobregiros *mpl*. ~이 되어 있다 quedar [restar] por pagar, estar en descubierto, estar sobregirado. ② ((준말)) =당좌 대월.
■ ~금(金) cantidad *f* en descubierto. ~ 잔금(殘金) saldo *m* acreedor.
대위(大位) dignidad *f*, alto puesto *m*.
대위(大尉)【군사】[육군] capitán *mf* (*pl* capitanes); [해군] teniente *mf* de navío [de marina], capitán *mf* de corbeta; [공군] capitán *m*; [해병대] capitán *m*..
대위(代位)【법률】subrogación *f*. ~하다 subrogar.
■ ~ 납부(納付) pago *m* en subrogación. ~ 납부 의무자(納付義務者) subrogador *m*. ~ 변제(辨濟) subrogación *f*. ~ 상속(相續) =대습 상속(代襲相續). ~선(船) barco *m* subrogado. ~ 소송(訴訟)【법률】=대표 소송(代表訴訟). ~ 판제(辨濟)【법률】=대위 변제.
대위 개념(對位槪念)【논리】=동위 개념.
대위법(對位法)【음악】contrapunto *m*.
◆ 이중(二重) ~ contrapunto *m* doble.
■ ~ 작곡가(作曲家) contrapuntista *mf*.
대유(大猷) ① [큰 계획] gran plan *m*. ② =대도(大道).
대유(大儒) gran sabio *m*, gran confuciano *m*.
대유년(大有年) año *m* de buena cosecha.
대유성(大遊星)【천문】=대행성(大行星).
대유행(大流行) gran boga *f*, gran moda *f*, toda la moda.
대윤도(大輪圖) gran aguja *f* magnética.
대율(大律) =대법(大法).
대은(大恩) gran favor *m*, gran obligación *f*.
■ ~ 교주(敎主) ((불교)) el Señor de gran gracia y maestro de los hombres, el Buda.
대음(大音) voz *f* alta, voz *f* grande.

대음(大飮) mucha bebida; [사람] gran bebedor *m*, gran bebedora *f*.
대음(對飮) =대작(對酌).
대음극(對陰極) 【물리】 anticátodo *m*.
대음순(大陰脣) 【해부】 labio *m* mayor.
대읍(大邑) pueblo *m* grande.
대응(對應) correspondencia *f*, homología *f*. ~하다 corresponder (a). 실상에 ~하는 방책을 세우다 tomar medidas de acuerdo con la situación verdadera. 서반아어에는 이 어법에 ~하는 것이 없다 En español no hay nada que corresponda a este giro.
■ ~각(角) 【수학】 ángulo *m* homólogo. ~무역(貿易) 【경제】 contracomercio *m*. ~변(邊) 【수학】 lado *m* homólogo. ~부(部) contrapartida *f*. ~ 수출(輸出) contraexportación *f*. ~ 악절(樂節) 【음악】 antítesis *f*. ~점(點) 【수학】 punto *m* homólogo. ~책(策) contramedida *f*, contramaniobra *f*, contraataque *m*. ¶(반대의) ~을 강구하다 preparar una contramaniobra.
대의(大衣) ((불교)) traje *m* de remiendo de monje.
대의(大意) idea *f* principal [general], substancia *f* de un escrito, esquema *m*, resumen *m* (*pl* resúmenes). 강연(講演)의 ~ resumen *m* de la conferencia. ~를 파악하다 enterarse de las ideas principales (de). …의 ~를 간추리다 resumir *algo*, contar [referir] *algo* a grandes rasgos.
대의(大義) gran obligación *f* de moral, santa causa *f*, lealtad *f* y patriotismo.
■ ~명분(名分) la santa causa y la obligación de cada uno. 그것은 ~이 없다 Eso va en contra de todos los derechos y principios / Eso no puede justificarse.
대의(大疑) mucha duda. ~하다 dudar mucho.
대의(大儀) ceremonia *f* grande.
대의(大醫) gran médico, -ca *mf*.
대의(代議) representación *f*.
■ ~원(員) representante *mf*, delegado, -da *mf*. ~원단(員團) delegación *f*. ~ 정치(政治) gobierno *m* representativo. ~제[제도] sistema *m* representativo, sistema *m* parlamentario. ~제 민주주의) democracia *f* representativa.
대이름씨(代―) 【언어】 =대명사(代名詞).
대이증(大耳症) 【의학】 macrotia *f*.
대인(大人) ① =거인(巨人). ② =성인(成人)(adulto). ③ ((준말)) =대인 군자(大人君子). ④ [높은 관직에 있는 사람] alto funcionario *m*. ⑤ ((높임말)) [아버지] padre *m*. ⑥ ((높임말)) [당신] usted, vuestra merced.
대인(代人) substituto, -ta *mf*, representante *mf*, apoderado, -da *mf*.
대인(代印) selladura *f* por otro. ~하다 poner sello por otro.
대인(待人) [사람을 기다림] acción *f* de esperar a una persona; [기다리는 사람] persona *f* de esperar.
■ ~난(難) mucha dificultad de esperar a una persona.
대인(對人) ¶~의 personal.
■ ~ 고권(高權) 【법률】 =대인 주권(對人主權). ~ 공포(恐怖) apantropia *f*. ~ 공포증 fobia *f* social, antropofobia *f*. ~ 관계(關係) relaciones *fpl* personales. ~권(權) derecho *m* personal. ~ 논증(論證) demostración *f* personal. ~ 담보(擔保) 【법률】 prenda *f* personal, rehenes *mpl*. ~ 무기(武器) el arma *f* (*pl* las armas) antipersonal. ~ 방어법(防禦法) defensa *f* de hombre a hombre. ~신용(信用) crédito *m* personal. ~ 주권(主權) soberanía *f* personal. ~ 행동(行動) acción *f* personal.
대인기(大人氣) gran popularidad *f*, gran fama *f*, gran reputación *f*.
대인물(大人物) gran hombre *m* (*pl* grandes hombres), magnate *m*; [추상적으로] gran personaje *m*. 그렇게 하면 너는 ~이 될 수 없을 것이다 Así, no podrás llegar a ser un gran hombre.
대인법계(大忍法界) ((불교)) gran reino *m* para aprender la paciencia, este mundo.
대일(大日) ((준말)) =대일여래.
■ ~여래(如來) ((불교)) *sáns* Mahāvairocana.
대일(對日) con [hacia · sobre · contra] el Japón.
■ ~ 감정(感情) sentimiento *m* hacia el Japón. ¶한국에서는 ~이 나쁘다 En Corea se siente [se tiene] antipatía hacia el Japón. 이 나라에서는 ~이 좋다 En este país se siente [se tiene] simpatía hacia el Japón. ~ 강화 조약 tratado *m* de paz con el Japón. ~ 관계(關係) relaciones *fpl* con el Japón. ~ 무역(貿易) comercio *m* con el Japón. ~ 외교 정책(外交政策) política *f* diplomática hacia el Japón. ~ 재산 청구권(財産請求權) reclamaciones *fpl* de la propiedad hacia el Japón. ~ 전승 기념일(戰勝紀念日) [제이차 세계 대전의 항복 조인일인 1945년 9월 2일] día *m* de la victoria aliada sobre el Japón.
대임(大任) misión *f* importante; [중책(重責)] mucha responsabilidad *f*. ~을 다하다 cumplir (con) una misión importante.
대임(貸賃) alquiler *m*, arriendo *m*. ~하다 alquilar, arrendar. 자전거의 ~을 받다 cobrar el alquiler de la bicicleta.
대입(代入) 【수학】 substitución *f*. ~하다 substituir.
■ ~법(法) 【수학】 substitución *f*.
대자[1] [대나무로 만든 자] regla *f* [medida *f*] de bambú.
대자[2] [다섯 자] cinco medidas.
대자(大字) ① [큰 글자] letra *f* grande. ② [대문자(大文字)] (letra *f*) mayúscula *f*.
■ ~특서(特書) =대서특필(大書特筆).
대자(大慈) 【불교】 gran misericordia *f* [caridad *f* · clemencia *f* · compasión *f*].
■ ~대비(大悲) gran misericordia *f* y compasión. ~하다 ser el más misericordioso y compasivo.

대자(帶磁) 【물리】 =자화(磁化). 자기화(磁氣化).
대자리 estera *f* de bambú.
대자보(大字報) [중국의] cartel *m*.
대자연(大自然) la (Madre) Naturaleza.
대자재(大自在) ① [커다란 자유] gran libertad *f*. ② ((불교)) ((준말)) =대자재천.
■ ~궁(宮) ((불교)) residencia *f* de Mahesvara. ~천(天) ((불교)) lord *m* (*pl* lores) del universo actual.
대작(大作) ① [뛰어난 작품] obra *f* monumental, gran obra *f*; [걸작] obra *f* maestra. ② [규모가 큰 작품] obra *f* de gran tamaño.
대작(大斫) leña *f* gruesa y grande.
대작(大爵) alto título *m* nobiliario.
대작(代作) ① [남을 대신한 작품] obra *f* artística escrita por otro. ~하다 escribir (una obra artística) por otro, escribir *algo* para otro, escribir de negro. 논문을 ~하다 escribir la tesis por otro. 책을 ~하다 escribir un libro por [para] otro. …의 연설[책]을 ~하다 escribir el discurso [el libro] de *uno*. 한 신문 기자가 그의 자서전을~했다 Un periodista le escribió la autografía. ② 【농업】 =대파(代播).
■ ~물(物) ㉮ [대신하여 만든 물건] artículo *m* hecho por otro. ㉯ [대파한 곡식] cereales *mpl* que siembran la planta substitutiva en el arrozal seco. ~자(者) negro, -gra *mf*, persona *f* que escribe un libro firmado por otro.
대작(對酌) acción *f* de beber (vino) juntos. ~하다 beber juntos, beber cara a cara, beber frente a frente. 그들은 술을 ~했다 Ellos bebieron juntos / Ellos bebieron cara a cara [frente a frente].
대잔(大盞) vaso *m* grande, copa *f* grande.
대잠(對潛) anti-submarino.
■ ~ 공격기(攻擊機) avión *m* (*pl* aviones) de ataque antisubmarino. ~ 무기[병기] el arma *f* (*pl* las armas) anti-submarina. ~ 미사일 misil *m* antisubmarino. ~ 헬리콥터 helicóptero *m* antisubmarino.
대장 ((준말)) =대장장이.
■ 대장의 집에 식칼이 논다 ((속담)) =대장간에 식칼이 논다.
■ ~간(間) herrería *f*. 대장간에 식칼이 논다 ((속담)) En casa del herrero, cuchillo de palo / En casa de herrero, cuchara de palo / En casa del herrero badil de madero / Esposa de sastre está de mal vestido. ~일[질] herrería *f*. ~장이 herrero *m*. 대장장이의 집에 식칼이 논다 ((속담)) =대장간에 식칼이 논다.
대장(大庄) muchos arrozales y campos.
대장(大將) ① 【군사】 capitán *m* (*pl* capitanes) general. ② [한 무리의 우두머리] jefe, -fa *mf*. ③ [일부 명사와 결합하여] jefe, -fa *mf*, rey *m*, reina *f*. 거짓말 ~ mentiroso, -sa *mf*. ~기(旗) 【역사】 bandera *f* del general. ~인(印) 【역사】 sello *m* del general.
대장(大腸) 【해부】 intestino *m* grueso.
~염(炎)[카타르] 【의학】 catarro *m* crónico, colitis *f*.
대장(大檣) palo *m* mayor.
대장(大藏) ((불교)) =대장경(大藏經).
대장(隊長) capitán *m* (*pl* capitanes); comandante *mf*; caudillo *m*; jefe, -fa *mf*.
대장(臺長) director, -tora *mf*. 기상~ director *m* de la estación meteorológica. 천문~ director *m* del observatorio astronómico.
대장(臺帳) libro *m* mayor, libro *m* de contabilidad. ~에 기입하다 inscribir en el libro mayor. 토지(土地) ~ catastro *m*.
대장경(大藏經) 【불교】 el Canon Budista, colección *f* completa de las Sutras Budistas.
■~ 목록(目錄) ((불교)) catálogo *m* del Canon Coreano. ~판(板) ((불교)) plancha *f* de madera de la colección completa de las Sutras Budistas.
대장균(大腸菌) colibacilo *m*.
■~ 결장염(結腸炎) colicolitis *f*. ~ 독소(毒素) colitoxina *f*. ~ 독혈증(毒血症) colitoxemia *f*. ~성 방광염(性膀胱炎) colicistitis *f*. ~성 신염(性腎炎) colinefritis *f*. ~성 신우염(性腎盂炎) colipielitis *f*. ~속(屬) echeriquia *f*. ~ 요증(尿症) coliuria *f*. ~ 융해소(融解素) colilisina *f*. ~ 중독증(中毒症) colitoxicosis *f*. ~증(症) colibacilosis *f*.
대장부(大丈夫) héroe *m*, hombre *m* cabal, hombre *m* de honor.
대장부답다 tener el aire majestuoso como un héroe. 대장부답게 굴어라 Compártate como un hombre.
대재(大才) gran talento *m*.
대재(大災) gran calamidad *f*, gran desastre *m*.
대재상(大宰相) gran primer ministro *m*.
대저(大著) gran obra *f*, obra *f* maestra.
대저(大抵) generalmente, en general, comúnmente, por lo común.
대저울 (balanza *f*) romana *f*.
대저작(大著作) =대저(大著).
대적(大賊) ① [큰 도둑] gran ladrón *m* (*pl* grandes ladrones). ② [떼도둑] ladrones *mpl* en grupo.
대적(大敵) enemigo *m* formidable, enemigo *m* fuerte, enemigo *m* numeroso.
대적(對敵) rivalidad *f*. ~하다 igualar (a), rivalizar (con), parangonarse (con). 나는 그와 ~할 수 없다 No puedo rivalizar con él / El es demasiado fuerte para mí. 수영에서는 그를 ~할 사람이 아무도 없다 No hay nadie que le gane en natación [que le iguale nadando].
■ ~ 행동(行動) acción *f* hostil, hostilidades *fpl*.
대전(大全) enciclopedia *f*, [전집(全集)] colección *f* completa.
대전(大典) ① [나라의 중하고 큰 의식] ceremonia *f* importante y grande del país; [즉위식] ceremonia *f* de la coronación. ② [중대한 법전(法典)] código *m* importante.
대전(大殿) ① [임금이 거처하는 궁전(宮殿)]

palacio *m* real. ② ((높임말)) rey *m*.
■~ 마마(媽媽) ((높임말)) rey *m*.

대전(大戰) gran guerra *f*, guerra *f* grande, batalla *f* grande.
◆제이차(第二次) ~ la Gran Guerra Segunda (II). 제일차(第一次) ~ la Gran Guerra Primera (I). 제일차 세계(第一次大戰) ~ la Guerra Mundial Primera (I), la Primera Guerra Mundial. 제이차 세계 ~ la Guerra Mundial Segunda (II), la Segunda Guerra Mundial. ~ 기념비(紀念碑) cenotafio *m*, monumento *m* a la guerra.

대전(代錢) ① [물건 대신으로 주는 돈] dinero *m* que da en vez del artículo. ② =대금(代金).

대전(垈田) ① =텃밭. ② [집터와 밭] terreno *m* [solar *m*] y campo.

대전(帶電) electrización *f*, carga f eléctrica. ~하다 electrizarse. ~시키다 electrizar.
■~ 미립자(微粒子) corpúsculo *m* cargado. ~체(體) 【물리】 cuerpo *m* cargado.

대전(臺前) delante del altar.

대전(對戰) ① [서로 맞서 싸움] batalla *f* entre rivales. ~하다 combatir, luchar, batallar. ② [경기(競技) 따위에서 맞서 겨룸] competencia *f*, partido *m*. ~하다 competir, disputarse, jugar una partida. 좋은~ buen partido *m*. A팀과의 ~성적(成績) resultado *m* de los encuentros con el equipo A. 서반아팀과 ~하다 jugar [disputarse] con un equipo español.

대전복(大全鰒) oreja *f* marina grande.

대전어(大錢魚) 【어류】 molleja *f*.

대전제(大前提) 【논리】 premisa *f* mayor.

대전차(對戰車) antitanque *m*.
■~ 병기(兵器) el arma *f* (*pl* las armas) antitanque. ~ 지뢰(地雷) mina *f* antitanque. ~포(砲) cañón *m* antitanque. ~호(壕) trinchera *f* antitanque.

대전투(大戰鬪) gran combate *m*.

대절(大節) gran principio *m*, gran causa *f*.

대절(貸切) ((구칭)) =전세(專貰).
■~ 버스 autobús *m* chárter. ~ 비행기 avión *m* chárter. ~석(席) asiento *m* reservado. ~ 열차(列車) tren *m* chárter. ~차(車) coche *m* reservado. ~취급(取扱) consignación *f* cargada. ~취급 운임 tarifa *f* de vagón completo, tarifa *f* por vagón completo. ~ 취급 화물 mercancís *fpl* por vagón cargado.

대점(貸店) alquiler de tienda, Se alquila tienda, *Méj* renta de tienda, *Andes* Se arrienda tienda.
■~포(鋪) =대점(貸店).

대접 [소의 사타구니에 붙은 고기] carne *f* del ingle de la vaca.
■~살 =대접. ~자루 una especie de la carne del ingle de la vaca.

대접(大楪) [운두가 낮은 그릇] cuenca *f*, taza *f*. 국 ~ cuenca *f* [taza *f*] de [para] la sopa. ~감 caqui *m* [kaki *m*] grande. ~받침 【건축】 capitel *m*. ~젖 pecho *m* semejante a la cuenca.

대접(待接) ① [마땅한 예로써 대함] trato *m*, tratamiento *m*, recepción *f*, recibimiento *m*, acogimiento *m*, acogida *f*, [환대(歡待)] hospitalidad *f*. ~하다 tratar, recibir, acoger. ~을 잘[잘못]하다 dar bien [mal] trato. 후하게 ~하다 hacer buena acogida (a), recibir (a *uno*) con hospitalidad, dar hospitalidad (a). 정중(鄭重)한 ~을 하다 tratar [acoger] cortésmente. 후(厚)한 ~을 받다 recibir una acogida calurosa, ser acogido con hospitalidad. 우리들은 성대한 ~을 받았다 Nos obsequiaron mucho / Nos dieron un banquete espléndido.
② [음식을 차려서 손님을 접대함] servicio *m*, ofrecimiento *m*. ~하다 servir, ofrecer, agasajar. 식사를 ~하다 servir, ofrecer una comida, invitar a comer. 코냑을 ~하다 invitar a una copa de coñac. 진수성찬을 ~하다 invitar a una buena [rica] comida. 나는 다과를 ~받았다 Me sirvieron [Me agasajaron con] té y dulces. 그는 모두에게 저녁 식사를 ~했다 El invitó a todos a cenar. 그는 손님을 ~하는 법을 모른다 El no sabe cómo tratar a los huéspedes. 저 가게는 손님 ~이 좋다 La tienda nos atiende con servicio esmerado. 특별한 ~할 것은 없습니다만… Aunque no tenemos nada especial que ofrecerle a usted ….

대정(大釘) clavo *m* grande.

대정각(對頂角) 【수학】 =맞꼭지각.

대정맥(大靜脈) 【해부】 vena *f* cava.
■~공(孔) agujero *m* de vena cava. ~동(洞) seno *m* de vena cava. ~ 심방(心房) venoaurícula *f*. ~염(炎) 【의학】 celoflebitis *f*, cavitis *f*.

대정자(大正字) mayúscula *f* en letra redonda.

대제(大帝) gran emperador *m*, el Grande. 까를로스 ~ Carlomagno.

대제(大祭) gran fiesta *f*, (gran) banquete *m*.

대제사(大祭司) ((성경)) =대제사장(大祭司長).

대제사(大祭祀) 【역사】 =대제(大祭).

대제사장(大祭司長) ((성경)) primer sacerdote *m*, sumo sacerdote *m*.

대제전(大祭典) fiesta *f* próspera.

대제학(大提學) 【역사】 primer puesto *m* gubernamental de la segunda clase de *Hongmungwan* o *Yemungwan*.

대조(大棗) =대추².
■~ 조각(糙角) =대추 주악.

대조(大潮) marea *f* viva, aguas *fpl* mayores.
■~차(差) diferencia *f* de marea viva.

대조(帶鳥) 【조류】 =때까치.

대조(對照) contraste *m*; [비교(比較)] comparación *f*; [조합(照合)] colación *f*. ~하다 contrastar, comparar, colacionar, cotejar, confrontar. …과 ~ 해서 en contraste con *algo*. 흑(黑)과 백(白)의 ~ contraste *m* de [entre el] negro y blanco. ~를 이루다 formar un contraste, ofrecer un contraste (con); [주어가 복수일 때] hacer contraste. 원장(元帳)과 ~하다 cotejar con el libro mayor. …과 ~를 하다 contrastar con *algo*, formar [hacer · estar en] contraste con *algo*.

■ ~ 계정(計定) contrapartida *f*. ~ 실험 experimento *m* controlado, prueba *f* controlada. ~적(的) contraste. ¶A와 B의 성격은 ~이다 El carácter de A contrasta vivamente con el de B. ~표(表) lista *f* de control, lista *f* de comprobación.

대족(大族) gran familia *f*, clan *m* poderoso.

대졸(大卒) ① ((준말)) =대학 졸업(大學卒業). ② ((준말)) =대학 졸업자(大學卒業者).

대종(大宗) ① [대종가의 계통] linaje *m* de familia principal. ② [사물의 주류(主流)] corriente *f* dominante, línea *f* central. 현대 문학 비평의 ~ corriente *f* dominante de la crítica literaria actual.

■ ~가(家) familia *f* principal. ~손(孫) heredero *m* de la familia principal. ~중(中) grandes familias *fpl* del mismo clan.

대종(大種) ((불교)) los cuatro grandes elementos (que entran en todas las cosas): tierra 흙, agua 물, fuego 불 y viento 바람.

대종(大腫) absceso *m* grande.

대종(大鐘) campana *f* grande.

대종(岱宗) =태산(泰山).

대종교(大倧敎) 【종교】 *Daechonggyo*, una religión tradicional coreana.

대종상(大鐘賞) el Premio *Daechong*, el Premio de Gran Campana.

대좌(大佐) [일제 시대의] coronel *m*.

대좌(對坐) acción *f* de sentarse frente a frente [cara a cara]. ~하다 sentarse cara a cara [frente a frente], acarearse, confrontarse.

대좌(臺座) pedestal *m*, peana *f*; [소형의] basa *f* de un busto; [기계 등의] soporte *m*.

대죄(大罪) gran crimen *m* (*pl* grandes crímenes), delito *m* grave, gran delito *m*; [종교·도덕상의] pecado *m* capital [mortal]. 일곱 가지 ~ los siete pecados capitales.

■ ~인(人) gran criminal *mf*; gran pecador, gran pecadora *mf*; persona *f* que ha cometido un delito grave.

대죄(待罪) acción *f* de esperar el juicio. ~하다 esperar la decisión oficial del castigo, esperar el juicio.

대주(大洲/大州) =대륙(大陸). ¶오대양과 육~ cinco océanos y seis continentes.

대주(大酒) =고래술. 호주(豪酒).

■ ~가[객] gran bebedor *m*, gran bebedora *f*; borrachín (*pl* borrachines), -china *mf*; borracho, -cha *mf*; tumbacuartillos *m*.

대주(代走) corrida *f* por reemplazo. ~하다 correr por reemplazo.

■ ~자(者) corredor, -dora *mf* suplente.

대주(貸主) acreedor, -dora *mf*; prestador, -dora *mf*; prestamista *mf*; arrendante *mf*; arrendador, -dora *mf*; comodante *mf*; [집·토지의] propietario, -ria *mf*.

대주교(大主敎) ((천주교)) arzobispo *m*. ~의 arzobispal, arquiepiscopal. ~의 직(職) dignidad *f* arzobispal.

■ ~관(館) el Palacio Arzobispal, el Palacio Arquiepiscopal. ~구(區) arzobispado *m*, arquidiócesis *m*.

대주다 ① [끊이지 않게 잇대어서 주다] proveer (a *uno* de *algo*), suministrar*le* (*algo* a *uno*), proporcionarle (*algo* a *uno*). 아들에게 학비(學費)를 ~ proveer a *su* hijo de gastos escolares. 우리들은 그들에게 음식과 담요를 대주었다 Los proveímos de comida y mantas / Les suministramos comida y mantas / Les proporcionamos comida y mantas. 국가가 오케스트라에 자금을 대준다 El estado subvenciona la orquestra. ② [방향이나 주소 같은 것을 가르쳐 주다] decir, avisar. 범인의 집을 ~ decir la casa del criminal. ③ [그릇이나 자루 같은 것을 갖다 대거나 벌리어 물건을 넣게 하다] abrir. 자루를 ~ abrir el saco.

대주 시장(貸株市場) 【주식】 mercado *m* de préstamos de acciones.

대주자(代走者) 【야구】 corredor *m* de relevo.

대주재(大主宰) ((성경)) Señor *m*, soberano *m*.

대주주(大株主) accionista *m* mayoritario.

대줄거리(大―) puntos *mpl* esenciales, puntos *mpl* fundamentales, resumen *m*, esquema *m*, lo esencial, lo fundamental.

대줄기(大―) ((준말)) =대줄거리.

대중 ① [겉으로 대강 어림함] cálculo *m* aproximado. ~하다 hacer un cálculo aproximado. ② [어떠한 표준] estándar *m*.

◆대중(을) 잡다 ㉮ [어림하다] hacer un cálculo aproximado. ~을 잡아 haciendo un cálculo aproximado. ㉯ [기준을 정하다] distinguir, entender. 무슨 말인지 대중을 잡을 수가 없다 No entiendo lo que él dice.

■ ~말 【언어】 =표준어(標準語). ~소리 =표준음(標準音).

대중없다 (ser) inconsecuente, inconstante, irregular, imprevisible, falto de estándar.

대중없이 de manera irregular, de manera imprevisible. 그는 ~ 일어나 갔다 Cuando menos me lo esperaba, se levantó y se fue. 그녀의 말은 ~ Sus comentarios son inconstantes.

대중치다 estimar.

대중(大衆) ① [많은 인민들] multitud *f*, masas *fpl*, pueblo *m*, público *m*; [군중(群衆)] gentío *m*. ~의 popular, de masas, masivo. ~에게 호소하다 apelar [recurrir] a la multitud. ~의 마음에 들다 gustar a la masa, agradar al gusto popular. ~의 인기(人氣)를 노리다 buscar la popularidad entre la masa, pretender halagar al pueblo [el gusto popular]. ② [특히 노동자·농민들의 일반 근로 계급] clase *f* obrera, masa *f* obrera. ③ ((불교)) [많은 스님] muchos monjes *mpl* budistas. ④ ((불교)) [모든 사람] todo el mundo, gran asamblea *f*, todos presentes.

■ ~ 가요(歌謠) canción *f* popular, canto *m* folclórico. ~ 과세(課稅) impuesto *m* de masas. ~ 교육(敎育) educación *f* pública, educación *f* de masas. ~ 데모크라시 democracia *f* popular. ~ 매체(媒體) =대중

전달 매체. ~ 목욕탕(沐浴湯) baño *m* público. ~ 문예(文藝) arte *m* literario popular. ~ 문학(文學) literatura *f* popular. ~ 문화(文化) cultura *f* popular. ~물(物) historia *f* popular. ~ 미술(美術) bellas artes *fpl* populares. ~ 사회(社會) sociedad *f* en masa. ~성(性) popularidad *f*. ¶이 소설은 ~이 있다 Esta novela es accesible a todos. 예술의 ~ popularidad *f* de artes. ~ 소설(小說) novela *f* popular. ~ 소설가(小說家) novelista *mf* popular. ~ 시장(市場) mercado *m* de masas. ~ 식당(食堂) casa *f* de comidas, bodegón *m* (*pl* bodegones), restaurante *m* barato, restaurante m de baja clase. ~ 심리(心理)【심리】=군중 심리. ~ 오락(娛樂) entretenimiento *m* de masas. ~용(用) para las masas, para todo el mundo, popular, para el uso popular. ¶~ 시계 reloj *m* para el uso popular. ~ 운동[투쟁] movimiento *m* popular. ~인(印) ((불교)) sello *m* de un monasterio. ~ 작가(作家) escritor, -tora *mf* popular. ~ 잡지(雜誌) revista *f* popular. ~적(的) popular, para las masas. ¶~으로 판단하다 criticar en público. ~ 전달(傳達) comunicación *f* de masas. ~ 전달 매체(傳達媒體) medios *mpl* de comunicación en masa, medios *mpl* de comunicaciones al público, medios *mpl* masivos de difusión. ~ 정당(政黨) partido *m* de masas. ~ 정책(政策) política *f* hacia las masas. ~ 집회(集會) concentración *f*. ¶정치적 ~ mitín *m* (*pl* mitines), mítin *m* (*pl* mítines). ~판(版) edición *f* popular. ~화(化) universalización *f*, popularización *f*. ¶~하다 universalizar, popularizar. 컴퓨터의 ~ popularización *f* de ordenador. ~되다 universalizarse, popularizarse.

대중(對中) con [contra · hacia] China. 한국의 ~ 관계 relaciones *fpl* coreanas con China.
■ ~ 정책(政策) política *f* hacia China.

대증(對症) alopatía *f*.
■ ~ 약제(藥劑) medicina *f* alopática. ~ 요법(療法) alopatía *f*, heteropatía *f*. ¶~의 alopático. ~으로 alopáticamente. ~을 쓰는 alópata. ~ 요법 의사 alópata *mf*, médico, -ca *mf* alópata.

대지(大旨) =대의(大意).

대지[1](大地) ① [땅] *tierra f*, tierra *f* firme. 만물(萬物)의 근원(根源)인 ~ tierra *f* madre, madre tierra *f*. ② [좋은 묏자리] buen lugar *m* para la tumba. ③ ((불교)) gran tierra *f*, toda la tierra, todas partes, todos lados.
■ ~ 측량(測量) medición *f* de la tierra.

대지[2](大地)【책】la Buena Tierra (de Pearl Buck).

대지(大指) pulgar *m*, dedo *m* pulgar, dedo *m* gordo.

대지(大智) ① gran sabiduría *f*, [사람] sabio *m*. ② ((불교)) (범 *Mahãmati*) la Gran Sabiduría.
■ ~ 여우(如愚) Quien tiene gran sabiduría es igual al tonto a causa de la opinión profunda..

대지(代指)【한방】divieso *m* de la punta del dedo.

대지(垈地) terreno *m*, solar *m*. ~를 사다 [팔다] comprar [vender] un terreno.

대지(貸地) alquiler *m* de terreno.

대지(對地) antitierra *adj*.
■ ~ 공격(攻擊) ataque *m* antitierra. ~ 속도(速度) velocidad *f* antitierra.

대지(臺地) meseta *f*, rasa *f*.

대지(臺紙) cartón *m* (*pl* cartones), cartulina *f*. 사진을 ~에 붙이다 pegar una foto en un cartón, montar una fotografía.

대지르다 =대들다.

대지주(大地主) gran hacendado, -da *mf*, gran terrateniente *mf*.

대지진(大地震) gran terremoto *m*, terremoto *m* severo, sacudida *f* terrible.

대지팡이 bastón *m* (*pl* bastones) de bambú.

대직(大職) puesto *m* del rango alto.

대진(大陣) gran campamento *m*.

대진(大震) gran terremoto *m*.

대진(代診) examen *m* a un enfermo por otro doctor. ~하다 examinar a un enfermo por [en lugar de] otro doctor.
■ ~ 의사(醫師) médico *m* [doctor *m*] adjunto, médica *f* [doctora *f*] adjunta.

대진(對陣) campamento *m* frente a frente. ~하다 acampar [asentar los reales] frente a frente.

대진재(大震災) calamidad *f* por la gran terremoto. 동경 ~ 때 많은 교포(僑胞)가 학살되었다 En la calamidad por la gran terremoto de Tokio asesinaron [fueron asesinados] muchos residentes coreanos.

대질(對質) ① =무릎맞춤. ②【법률】afrontamiento *m*, acareamiento *m*. ~하다 afrontar, acarear.
■ ~ 신문(訊問) repreguntas *fpl*, *Chi* contrainterrogación *f*. ¶~하다 repreguntar, *Chi* contrainterrogar.

대질리다 ser desacatado.

대집경(大集經)【불교】*sáns* Mahásamghatasutra.

대집행(代執行)【법률】ejecución *f* por poderes.

대짜 el más grande, el tamaño más grande.
■ ~배기 la cosa más grande. ~로 con una cosa grande, en gran escala. ~로 한잔하다 beber en una taza grande.

대쪽 pieza *f* [pedazo *m*] de bambú. 성미가 ~ 같은 사람 persona *f* resuelta, persona *f* decidida, persona *f* franca, persona *f* sin dobleces, hombre *m* de corazón recto [franco], hombre *m* de disposición franca.

대차(大車) carro *m* grande.

대차(大差) gran diferencia *f*. ~로 이기다 ganar por una gran diferencia. 두 사람은 ~가 없다 No hay gran diferencia entre los dos. 그의 기술은 전문가와 ~가 없다 Su técnica no difiere mucho de la de un profesional. 이 두 제품은 품질면에서 ~가

있다[없다] Hay una gran [poca] diferencia de calidad entre estos dos productos.

대차(貸借) ① 【경제】 debe *m* y haber. ~를 청산하다 liquidar cuentas. ② [꾸어 줌과 꾸어 옴] préstamo *m* y pedido prestado. ~하다 prestar y pedir prestado. 이것으로 우리는 ~가 없다 Ahora estamos en paz.
■ ~ 계약서(契約書) chárter *ing.m.*
~ 계정(計定) cuenta *f* corriente.
~ 관계(關係) relaciones *fpl* financieras.
~ 기한(期限) término *m* [límite *m*] de un préstamo.
~ 대조표(對照表) balance *m*, balance *m* de ejercicio, balance *m* de situación, balance *m* general. ¶비교(比較) ~ balance *m* general comparativo. 연차(年次) ~ balance *m* anual. 총(總) ~ balance *m* general consolidado. ~ 대조표 계정 cuenta *f* de balance. ~ 소송(訴訟) proceso *m* por deuda. ~차인(人) deudor *m* y acreedor.

대차륜(大車輪) rueda *f* grande.

대찬(大讚) alabanza *f* grande. ~하다 alabar mucho.

대찰(大札) su carta.

대찰(大刹) gran templo *m* budista, monasterio *m* budista.

대창 intestino *m* grueso de la bestia.

대창(一槍) lanza *f* de bambú.

대창(大昌) gran prosperidad *f*. ~하다 prosperar mucho, ser muy próspero.

대창(大漲) inundación *f*, diluvio *m*. ~하다 inundar.

대책(大冊) libro *m* de muchas páginas.

대책(大責) mucha reprensión. ~하다 reprender mucho.

대책(對策) medidas *fpl*, contramedidas *fpl*. ~을 세우다 tomar unas medidas (para). 물가 상승에 직면하여 ~을 강구하다 tomar medidas para hacer [tomar contramedidas] frente a la subida de los precios.

대처(大處) =도회지(都會地).

대처(帶妻) matrimonio *m*, casamiento *m*. ~하다 casarse con una mujer.
■ ~승(僧) ((불교)) sacerdote *m* budista casado. ~ 식육(食肉) ((불교)) acción *f* de casarse con una mujer y comer la carne como el sacerdote budista. ¶~하다 casarse con una mujer y comer la carne como el sacerdote budista. ~육식(肉食) = 대처식육(帶妻食肉). ~자(者) (hombre *m*) casado *m*.

대처(對處) medidas *fpl* oportunas. ~하다 tomar medidas (para), hacer frente (a), tratar (con). 난국(難局)에 ~하다 contender con situación difícil. 새로운 사태에 ~하다 tomar medidas para [hacer frente a] una situación nueva.

대척(對蹠) oposición *f* diametral; [지구상의] antipodismo *m*. ~의 antípoda.
■ ~자(者) antípoda *m*. ~점(點) antípoda *m*. ~지(地) antípoda *m*.

대천(大川) [큰 내] río *m* grande; [이름난 내] río *m* conocido, célebre río *m*.

대천(大天) ((불교)) =대천세계.
■ ~계(界) ((불교)) ((준말)) =대천세계. ~세계(世界) ((불교)) universo *m*.

대천(戴天) vida *f* debajo del cielo, vida *f* en este mundo.
■ ~지수(之讎) ((준말)) =불공대천지수. ~지원수(之怨讐) ((준말)) =불공대천지원수.

대천바다(大千一) mar *m* inmenso, mar *m* muy grande y extenso.

대천사(大天使) ((천주교)) archiángel *m*.

대첩(大捷) gran victoria *f*, gran triunfo *m*. ~하다 ganar una gran victoria.
◆한산도 ~ la Gran Victoria de la Isla Hansan.

대청 membrana *f* blanca del interior de bambú.

대청(大廳) 【건축】 habitación *f* principal recubierta de tabla, gran salón *m* (*pl* grandes salones).
■ ~마루 【건축】 =대청(大廳).]

대청소(大淸掃) limpieza *f* general. ~를 하다 hacer limpieza general. 집안 ~를 하다 hacer limpieza general de la casa.

대체(大體) lo principal, lo esencial, resumen *m*. ~의 general, principal, esencial, sumario, aproximado. ~의 시간(時間) hora *f* aproximada.
대체로 [일반적으로] en general, generalmente, por lo general, por regla general; [보통] de ordinario, por lo común; [대부분] en la mayor parte, en la mayoría. 수확은 ~ 양호하다 La cosecha es buena en término medio. 한국 사람은 ~ 키가 작다 Los coreanos, en general, son bajos de estatura. 서반아 사람은 ~ 포도주를 마신다 Los españoles en general beben vino. 문제는 ~ 해결되었다 El problema se ha resuelto casi totalmente. ~ 말하자면 서울의 도로는 잘되어 있다 En términos generales se han mejorado las calles de Seúl. 일은 ~ 끝났다 La obra está casi terminada / La obra está para terminar. 학생들은 ~ 출석하고 있다 Práticamente todos los estudiantes asisten. ~ 그럴 것이다 Es así poco más o menos.
대체적(的) aproximado, sumario, general, principal, esencial. ~ 시간(時間) hora *f* aproximada.

대체(代替) su(b)stitución *f*, reemplazo *m*, cambio *m* de propiedad [de dueño]. ~하다 su(b)stituir, reemplazar, suceder, suplir, reponer, cambiar. A를 B로 ~하다 reemplazar A por B. 오래된 카메라를 더 좋은 새것으로 ~하다 reemplazar la vieja cámara fotográfica por una nueva mejor. 이 부품(部品)은 ~할 수 없다 No es posible reemplazar [reponer] esta pieza. 담임 선생이 ~된다 Al profesor encargado de la clase le substituye otro / Cambiará el profesor encargado de la clase. 현 사장에 ~될 사람이 없다 No hay nadie que pueda substituir al actual presidente.

■ ~물(物) sucedáneo *m*, su(b)stitutivo *m*, substituto *m*, su(b)stitución *f*. ~ 법칙(法則) principio *m* de su(b)stitución. ~ 식량(食糧) comida *f* de su(b)stitución. ~ 에너지 energía *f* alternativa. ~ 원칙(原則) principio *m* de su(b)stitución. ~지(地) terreno *m* su(b)stitutivo. ~ 직업(職業) ocupación *f* alternativa. ~ 집행(執行)【법률】=대집행(代執行). ~ 효과(效果) efecto *m* de su(b)stitución.

대체(對替) transferencia *f*, traspaso *m*. ~하다 transferir, traspasar. ~로 송금하다 enviar dinero por transferencia. 당좌 예금에서 정기 예금으로 ~하다 transferir una suma de la cuenta corriente al depósito fijo.

◆우편(郵便) ~ transferencia *f* postal. 은행간 ~ transferencia *f* bancaria. 전보 ~ transferencia *f* cablegráfica [telegráfica · de telegrama].

■ ~ 계정(計定) cuenta *f* de transferencia (postal). ~ 계정 계좌 transacción *f* de cuenta de transferencia. ~ 계좌(計座) ((준말)) =대체 저금 계좌. ~ 수표 cheque *m* de transferencia. ~ 예금(預金) ahorros *mpl* de transferencia. ~ 예금 계좌 transacción *f* de ahorros de transferencia. ~ 용지(用紙) papel *m* de transferencia. ~ 저금(貯金) (ahorros *mpl* de) transferencia *f* (postal). ~ 저금 계좌 transacción *f* de (ahorros de) transferencia. ~ 전표(傳票) nota *f* de transferencia. ~ 제도(制度) sistema *m* de transferencia. ~ 화폐(貨幣) moneda *f* de transferencia.

대초(大一) candela *f* [vela *f*] grande.

대초(大草)【언어】(letra *f*) mayúscula *f*.

대초열 지옥(大焦熱地獄) ((불교)) el séptimo de los ocho infiernos.

대초원(大草原) pampa *f*, pradera *f*, llanura *f*, estepa *f*, llano *m*, erial *m*, yermo *m*.

대촌(大村) aldea *f* grande.

대총(大塚) gran tumba *f* antigua.

대총통(大總統) generalísimo *m*.

대추[1] [남이 쓰다 물려 낸 물건] prenda *f* usada, prenda *f* heredada, cosa *f* usada, cosa *f* de segunda mano. 그녀는 항상 언니의 ~를 입고 다녔다 Ella siempre iba vestida con ropa heredada de su hermana.

대추[2] ① [대추나무의 열매] azufaifa *f*. ②【한방】 azufaifa *f* secada.

대추(待秋) espera *f* del otoño. ~하다 esperar el otoño.

대추나무【식물】azufaifo *m*, dátil *m*.

■대추나무에 연 걸리듯 ((속담)) Se tiene muchas deudas acá y allá.

대추야자(一椰子) ①【식물】=대추야자나무. ② [열매] dátil *m*.

대추야자나무(一椰子一) datilera *f*, palmera *f* datilera, palma *f* datilera.

대축(對軸) =대폭(對幅).

대춘(待春) espera *f* de la primavera. ~하다 esperar la primavera.

대춘지수(大椿之壽) longevidad *f*, vida *f* larga.

대출(貸出) (servicio *m* de) préstamo *m*. ~하다 prestar, arrendar, conceder el uso (de). 도서관에서 책을 ~하다 sacar [tomar] un libro prestado de la librería. 그 도서관에서는 도서의 관외(館外) ~을 하고 있다 En esa biblioteca permiten llevarse (a casa) los libros prestados. ~ 금지 ((게시)) Se prohíbe [Prohibido] el préstamo // [도서의] Para referencia sólo / Excluido de préstamo.

◆단기(短期) ~ préstamo *m* a corto plazo. 담보부(擔保付) ~ préstamo *m* con garantía, préstamo *m* hipotecario. 무담보(無擔保) ~ préstamo *m* a descubierto, préstamo *m* sin garantía. 부당(不當) ~ préstamo *m* ilegal. 비상(非常) ~ préstamo *m* de emergencia [necesidad urgente]. 신용(信用) ~ préstamo *m* a descubierto, préstamo *m* fiduciario. 유가 증권(有價證券) 담보 ~ préstamo *m* sobre título [valores]. 장기 ~ préstamo *m* a largo plazo. 저리 ~ préstamo *m* a bajo precio.

■ ~금(金) dinero *m* prestado, préstamo *m*, adelanto *m*. ¶~을 회수하다 recobrar *su* préstamo, recuperar un crédito. ~ 금리(金利) tipo *m* de interés sobre crédito. ~ 능력(能力) poder *m* bancario. ~ 담당자(擔當者) encargado, -da *mf* del servicio de préstamo. ~ 도서(圖書) libro *m* prestado que se pueda llevarse. ~부(簿) libro *m* de préstamos. ~액(額) cantidad *f* de préstamos. ~원(員) =대출 담당자. ~ 이자(利子) interés *m* de préstamo. ~자(者) prestador, -dora *mf*. ~ 초과(超過) préstamo *m* excesivo.

대충 casi, cerca de, poco menos de, en general, generalmente, brevemente, sucintamente, en resumen, sumariamente, por encima, globalmente, someramente, a la ligera. ~ 설명으로 con una explicación aproximada. ~ 견적(見積)하다 estimar aproximadamente [en grueso], hacer un presupuesto aproximado (de), calcular en números redondos. ~ 청소하다 hacer una limpieza general. 신문을 ~ 읽다 hojear el periódico, leer el periódico a la ligera. 조사 결과를 ~ 나타내다 mostrar a groso modo [en líneas generales · de un modo sumario] el resultado de la investigación. 나는 책을 ~ 훑어보았다 Leí el libro muy por encima. 일은 ~ 끝났다 El trabajo ya está casi terminado. 그의 말은 ~ 이해가 됩니다 Puedo entender poco más o menos [en líneas generales] lo que ha dicho él.

대충대충 a carga cerrada.

대충(大蟲)【동물】=범.

대충(代充) complemento *m* con substitutos. ~하다 complementar con substitutos.

대충 자금(對充資金) fondo *m* de contrapartida.

대취(大醉) borrachera *f* completa, embriaguez *f* completa. ~하다 estar completamente borracho, ser como una cuba. ~한 상태로 en estado de borrachera completa.

대치(代置) sustitución *f*, reemplazo *m*. ~하다 sustituir, reemplazar.

대치(對峙) confrontación *f*, oposición *f*. ~하다 confrontarse, hallarse cara a cara, estar frente a frente. 적과 ~하다 confrontarse con el enemigo, hallarse cara a cara con el enemigo, verse opuesto.

대치(對置) acción *f* de poner frente a frente. ~하다 poner frente a frente.

대침(大侵) inundación *f*, diluvio *m*.

대침(大針) ① [큰 바늘] aguja *f* grande, agujón *m*, *Ven* agujeta *f*. ② [시계의 분침] minutero *m*.

대침(大鍼) aguja *f* larga con la punta redonda.

대칭(大秤) báscula *f* grande.

대칭(對稱) ①【언어】segunda persona *f*. ②【수학】simetría *f*. ~의 simétrico.
■ ~ 도형(圖形) figura *f* simétrica. ~률(律) ley *f* simétrica. ~면(面) plano *m* simétrico. ~ 배열(配列) arreglo *m* simétrico. ~식(式) expresión *f* simétrica. ~심(心)【수학】((준말)) =대칭 중심. ~ 중심[점]【수학】punto *m* de simetría. ~축【수학】eje *m* de simetría. ~ 함수(函數)【수학】función *f* simétrica. ~형(形)【수학】=대칭 도형(對稱圖形).

대칼 espada *f* de bambú.

대컨 =대저(大抵).

대타(代打) ((야구)) revelo *m*.
■ ~자(者) ((야구)) bateador, -dora *mf* de emergencia; bateador, -dora *mf* de revelo; paleador, -dora *mf* de revelo. ~로 나서다 batear de emergencia.

대탁(大卓) ① [성대히 차린 음식상] mesa *f* para el servicio. ② [성대한 대접] buen servicio *m* a otros.

대탈(大頉) accidente *m* grande.

대택(大宅) ① =천지(天地)(el cielo y la tierra). ② [도가에서] =인면(人面).

대테 aro *m* de bambú.

대토(代土) ① [팔고 대신 산 땅] terreno *m* que compraron después de venderlo. ② [땅을 서로 바꿈] cambio *m* del terreno. ~하다 cambiar del terreno.

대톱(大-) ① [큰 동가리톱] sierra *f* de través grande. ② [큰톱] serrón *m*.

대통(-筒) pieza *f* de bambú.
◆대통에 물 쏟듯 하다 hablar con fluidez.

대통(-桶) [담뱃대의 담배 담는 부분] cazoleta *f*, hornillo *m* de pipa.

대통(大通) acción *f* de abrir bien. ~하다 abrir bien, abrir grande, estar abierto. 운수 ~하다 tener una racha de buena suerte extrema.
■ ~운(運) buena suerte *f* extrema.

대통(大桶) [큰 통] tubo *m* grande.

대통(大統) línea *f* real. ~을 잇다 subir al trono, heredar la línea real.

대통령(大統領) presidente, -ta *mf*. ~의 presidencial. ~에 선출되다 ser elegido presidente. ~에 취임하다 tomar posesión de *su* cargo de Presidente del Estado. …를 ~으로 선출하다 elegir a *uno* presidente. 그는 ~에 선출되었다 El fue elegido presidente / Le eligieron presidente. 당신은 누구를 ~으로 선출했습니까? ¿A quién he elegido usted presidente?
■ ~ 거부권 poderes *mpl* de veto presidencial. ~ 경호실(警護室) la Oficina de la Seguridad Presidencial. ~ 경호실장(警護室長) jefe *m* de la Oficina de la Seguridad Presidencial. ~ 관저(官邸) palacio *m* presidencial, residencia *f* oficial del Presidente, mansión *f* presidencial. ~ 교서(教書) mensaje *m* presidencial. ~ 권한 대행(權限代行) presidente *m* interino, presidenta *f* interina. ~ 당선자(當選者) el presidente electo, la presidenta electa. ~령(令) decreto *m* presidencial, orden *f* presidencial. ~배(盃) copa *f* del Presidente. ~ 부인(夫人) presidenta *f*, primera dama *f*, esposa *f* del presidente. ~ 비서(秘書) secretario, -ra *mf* presidencial; secretario, -ria *mf* del Presidente. ~ 비서실(秘書室) la Secretaría Presidencial. ~ 비서실장(秘書室長) jefe, -fa *mf* de la Secretaría Presidencial. ~상(賞) premio *m* del Presidente. ~ 선거(選擧) elección *f* presidencial. ¶~에 출마하다 presentar como candidato a Presidente. ~ 선거법(選擧法) ley *f* de elección del Presidente de la República. ~ 선거인(選擧人) diputados *mpl* del colegio electoral presidencial. ~ 선거인단(選擧人團) colegio *m* electoral (presidencial). ~ 선거인(단) 선거(選擧人(團)選擧) elección *f* (de los diputados) del colegio electoral presidencial, votación *f* electoral presidencial. ~ 연두 교서(年頭教書) mensaje *m* de Año Nuevo del Presidente, mensaje *m* presidencial sobre el estado de la Nación. ~ 영부인(令夫人) esposa *f* del presidente, primera dama *f*, presidenta *f*. ~ 임기(任期) mandato *m* presidencial, período *m* presidencial, término *m* (de servicio) presidencial. ~장(章) condecoración *f* del Presidente. ~ 전용기(專用機) avión *m* presidencial. ~제(制) presidencialismo *m*, sistema *m* presidencialista, república *f* presidencial. ~ 주최 만찬회(主催晩餐會) cena *f* [*AmL* comida *f*] del Estado. ~ 중심제(中心制) presidencialismo *m*, sistema *m* presidencialista. ~ 지위(地位) presidencia *f*. ~직(職) presidencia *f*. ~ 책임제(責任制) =대통령제(大統領制). ~ 취임식(就任式) ceremonia *f* de toma de posesión del presidente. ~ 취임 연설(就任演說) discurso *m* inaugural del presidente del Estado. ~ 특별 보좌관(特別輔佐官) ayudante *mf* especial al presidente. ~ 특사(特使) enviado, -da *mf* especial del presidente, enviado, -da *mf* presidencial. ~ 후보(候補) candidatura *f* presidencial, candidatura *f* para la presidencia; [사람] cadidato, -ta *mf* presidencial. ¶그

는 ~를 철회했다 El ha retirado su candidatura para la presidencia. 그는 ~로 다시 출마할 것이다 El va a volver presentar como candidato a Presidente. 당신은 선거에서 ~로 출마할 것입니까? ¿Se va a presentar como candidato presidencial a las elecciones? ~ 후보자(候補者) candidato, -ta *mf* presidencial [a la presidencia].

대통로(大通路) bulevar *m.*

대퇴(大腿) 【해부】 muslo *m.* ~의 외측면(外側面) *lat* facies lateralis femoris. ~의 전면(前面) *lat* facies anterior femoris. ~의 후면(後面) *lat* facies posterior femoris.

■ ~골(骨) 【해부】 fémur *m.* ~의 femoral. ~ 관절(關節) articulación *f* femoral. ~근(筋) 【해부】 músculo *m* femoral. ~ 동맥(動脈) arteria *f* femoral. ~부(部) región *f* femoral. ~ 신경(神經) nervio *m* femoral. ~ 절단 amputación *f* bajo la región femoral. ~ 정맥(靜脈) 【해부】 vena *f* femoral. ~ 혈관(血管) vasos *mpl* femorales.

대투매(大投賣) ganga *f* al por mayor.

대파(大波) ola *f* grande.

대파(大破) gran deterioro *m*, ruina *f*, daño *m* serio, estrago *m*, destrucción *f.* ~하다, ~되다 ser gravemente dañado, quedar medio destruido. 배가 ~했다 El barco fue gravemente dañado.

대파(代播) siembra *f* de la planta substitutiva en el arrozal seco. ~하다 sembrar la planta substitutiva en el arrozal seco.

대판(大-) ① ((준말)) =대판거리. ¶~으로 en [a] gran escala. ~으로 싸우다 tener una gran pelea, pelearse furiosamente [con furia]. ② [큰 도량(度量)] generosidad *f* grande.

■ ~거리 gran escala *f*, escala *f* grande. ~싸움 gran pelea *f.*

대판(大板) pedazo *m* de tabla gruesa.

대판(大版) [종이의] tamaño *m* grande; [책의] formato *m* grande. ~의 de tamaño grande.

대판(代辦) agencia *f*, comisión *f.*

■ ~업(業) agencia *f.* ~인(人) agente *mf.*

대팔초어(大八梢魚) 【어류】 =문어(文魚).

대패 cepillo *m*; [큰] garlopa *f*; [골 파는] cepillo *m* bocel. ~로 밀다 cepillar, acepillar, alisar con el cepillo.

■ ~질 acepilladura *f.* ¶~하다 acepillar, cepillar. ~ㅅ날 cuchilla *f.* ~ㅅ밥 virutas *fpl*, laminillas *fpl* de madera. ~ㅅ집 caja *f.*

대패(大敗) ① [큰 실패] gran fracaso *m.* ② [싸움에서 크게 패함] derrota *f* completa, derrota *f* seria. ~를 당하다 sufrir una derrota seria [completa], tener una pérdida enorme.

대편(大篇) gran obra *f.*

대평소(大平簫) ① 【역사】 [대평수] trompetero *m.* ② 【악기】 =나발. ③ 【악기】 =날라리. 새납.

대평수(大平手) 【역사】 =대평소(大平簫)❶.

대평원(大平原) pampa *f*, llanura *f.* ~의 pampeño. ~에 사는 사람 pampeano, -na *mf.*

대폐(大弊) daño *m* [perjuicio *m*] grande.

대포(大-) vaso *m* grande. ~로 마시다 beber con el vaso grande.

■ ~ㅅ술 vino *m* que se bebe con vaso grande. ~ㅅ잔 vaso *m* grande. ~ㅅ집 taberna *f*, bodegón *m* (*pl* bodegones).

대포(大砲) ① 【군사】 cañón *m* (*pl* cañones), pieza *f* de artillería; [집합적] artillería *f.* ~를 쏘다 descargar un cañón, disparar un cañón, cañonear(se). ~의 소리 estruendo *m* del cañonazo. ② [거짓말·허풍] mentirón *m*, mentira *f* como una casa, jactancia *f*, expresión *f* de ostentación, arrogancia *f*, vanagloria *f.*

◆대포(를) 놓다 jactarse, vanagloriarse, pavonearse, engreírse, alabarse, prorrumpir en alabanzas propias.

■ ~알 bala *f* del cañón. ~쟁이 mentiroso, -sa *mf*; embustero, -ra *mf.*

대포자(大胞子) 【식물】 macroespora *f.*

대폭(大幅) ① [큰 폭] ancho *m* grande, anchura *f* grande, gran envergadura *f*, gran escala *f.* ② [썩 많이] bruscamente, considerablemente, marcadamente, fuertemente. 가격이 ~ 올랐다 Los precios se dispararon.

■ ~ 삭감(削減) reducción *f* brusca, rebaja *f* brusca. ~ 인상(引上) aumento *m* brusco, el alza *f* (*pl* las alzas) brusca. ~적(的) de gran envergadura, a [en] escala grande, a gran escala. ¶값이 ~으로 오른다 Los precios suben considerablemente. 규칙이 ~으로 변했다 Los reglamentos han cambiado mucho. ~적 가격 인상 gran subida *f* de los precios. ~적 가격 인하 gran bajada *f* de los precios. ~적 변동 fluctuación *f* de gran escala. ~적 초과 superávit *m* de gran envergadura.

대폭(對幅) contraeje *m*, contraárbol *m.*

대표(代表) ① [개인이나 단체를 대신하여 그의 의사(意思)를 외부에 나타냄] representación *f*, delegación *f.* ~하다 representar. ~시키다 delegar. …을 ~해서 en nombre de *algo.* 졸업생을 ~해서 en nombre de todos los graduados. 학급을 ~해서 en representación de la clase, representando a la clase. 우인(友人) 일동을 ~해서 en nombre de todos *sus* amigos. 정부를 ~하다 representar al gobierno. ② ((준말)) =대표자(代表者).

◆노동자(勞動者) ~ delegado *m* obrero, delegada *f* obrera. 자본가(資本家) ~ delegado *m* patronal, delegada *f* patronal. 졸업생 ~ [고별사를 하는] alumno, -na *mf* que da el discurso de despedida al final de curso. 졸업생 ~ 고별 연설 discurso *m* de despedida pronunciado en ceremonias de graduación.

■ ~권(權) derecho *m* representativo. ~단(團) delegación *f*, representación *f.* ~ 민주제(民主制) democracia *f* representativa. ~번호(番號) número *m* centralita. ~부(部)

misión *f.* ¶무역(貿易) ~ misión *f* comercial. 유엔 대한민국 ~ la Misión de la República de Corea en las Naciones Unidas. ~ 사원(社員) socio *m* representativo, socia *f* representativa; socio, -cia *mf* en funciones. ~ 이사(理事) director, -tora *mf* general; presidente, -ta *mf* de mesa directiva; presidente, -ta *mf* de la junta directiva; presidente, -ta *mf* del consejo de administrración. ~자(者) representante *mf*, delegado, -da *mf.* ¶한국의 ~ representante *mf* de Corea. ~를 파견하다 delegar [despachar · enviar] un representante. ~작(作) obra *f* maestra. ¶세르반떼스의 ~은 동끼호떼이다 La obra maestra de Cervantes es El Ingenioso Hidalgo Don Quijote de la Mancha. ~적(的) representativo; [전형적] típico. ¶~인 메이커 fabricante *m* representativo. ~인 한국인 coreano *m* típico. 조선조의 ~인 정원 jardín *m* típico de la época de la dinastía *Choson.* ~ 질문(質問) interpelación *f* hecha en nombre de un partido.

대표제(大標題/大表題) gran titular *m.*

대푼 muy poco dinero *m.*

■ ~변(邊) interés *m* de uno por ciento. ~짜리 artículo *m* de poco valor. ~쭝 peso *m* de uno por ciento.

대푼거리질 =푼거리질.

대품(大一) trabajo *m* de cambio.

대품(代品) =대용품(代用品).

대풍(大風) viento *m* fuerte, viento *m* violento, ventarrón *m*, huracán *m*; [비 · 천둥 · 번개를 동반한] turbonada *f.* ~이 분다 Hace un ventarrón / Está soplando un viento fuerte.

대풍(大豊) cosecha *f* abundante, cosecha *f* récord. 올해 쌀농사는 ~이다 La cosecha de arroz es muy abundante este año.

대풍년(大豊年) gran año *m* abundante, gran año *m* récord.

대풍창(大風瘡) 【한방】 lepra *f.*

대피(待避) desvío *m.* ~하다 desviar, ponerse a cubierto.

■ ~로(路) [자동차 도로의] el área *f* (*pl* las áreas) de reposo. ~선(線) desviadero *m*; 【철도】 apartadero *m*, vía *f* muerta. ~소(所) refugio *m.* ~호(壕) refugio *m.* ¶방공(防空) ~ refugio *m* antiaéreo. 핵(核) ~ refugio *m* atómico.

대필(大筆) ① [큰 붓] pluma *f* china grande. ② [썩 잘 쓴 글씨] caligrafía *f*, muy buena escritura *f*; [사람] calígrafo, -fa *mf.* ③ [크게 쓰는 붓글씨] escritura *f* grande escrita con la pluma china.

대필(代筆) escritura *f* por otro. ~하다 hacer de negro, escribir por [en vez de] otro, escribir un libro firmado por otro, escribir un libro para otro.

■ ~자(者) negro, -gra *mf*, persona *f* que escribe un libro firmado por otro; amanuense *mf.*

대하(大河) gran río *m.*

■ ~ 소설(小說) novela *f* río, novelón *m.*

대하(大廈) casa *f* grande, edificio *m* grande.

■ ~ 고루(高樓) edificio *m* grandioso.

대하(大蝦) 【동물】 langosta *f.*

대하(帶下) ① [냉(冷)] leucorrea *f*, [월경(月經)] menstruación *f.* ② ((준말)) =대하증(帶下症).

■ ~증(症) 【의학】 leucorrea *f.*

대하(臺下) debajo del altar.

대하다[1](對一) [상대하다. 응하다] oponerse (a), encararse; [대상으로 하다. 관하다] referirse (a). …에 대해서 sobre, acerca de, con respecto a. 적에 대한 공격 ataque *m* al [contra el] enemigo. 조국에 대한 사랑 amor *m* a la patria. 이 질문(質問)에 대한 그의 대답 la respuesta de él a esta pregunta. 사회에 대한 책임(責任) responsabilidad *f* para con la sociedad. 우리들에 대한 세간의 평가(評價) estimación *f* que el pueblo tiene de nosotros. 통화 문제(通貨問題)에 대한 한국의 입장 posición *f* de Corea en [respecto a] los asuntos monetarios. 물 1리터에 대해 소금 5그램 cinco gramos de sal por un litro de agua. …의 공적(功績)에 대해 상품을 수여하다 conceder un premio a *uno* por *sus* méritos. 국가에 대해 반역하다 traicionar [hacer traición] a la patria. 여성에 대해 친절하다 ser amable (para) con las mujeres. 그것은 그 사람에 대한 실례다 Eso es una falta de educación para con él. 나는 그 사람에 대해 책임이 있다 Soy responsable ante él. 회사가 그를 해고했다. 그래서 이 결정(決定)에 대해 그는 고소할 것이다 La compañía le despidió, y él presentará pleito ante esta decisión. 정원 500명에 대해 응모자가 20배였다 Hubo veinte veces más aspirantes que las quinientas plazas disponibles. 비용에 대해서는 걱정하지 마십시오 En cuanto [En lo que se refiere] a los gastos, no se preocupe.

대하다[2](對一) [마주 보다] presentarse. 나는 부친을 대할 낯이 없다 No me atrevo a presentarme ante mi padre.

대하다[3](對一) =접대(接待)하다(tratar, servir, recibir, agasajar). ¶손님을 반갑게 ~ recibir muy bien a un invitado. 그녀의 가족은 나를 반갑게 대했다 Su familia me recibió con los brazos abiertos / Su familia me dio una calurosa acogida.

대학[1](大學) ① [종합 대학교] universidad *f.* ~의 universitario. ~에 입학하다 ingresar [entrar] en la universidad. ~을 졸업하다 graduarse en [de] la universidad. 그는 하버드 ~을 졸업했다 El se había graduado de [en] la Universidad Harvard. 그는 얼마 전에 ~을 졸업했다 El se había graduado hacía poco en la universidad. ② =단과 대학(單科大學)(facultad).

◆ 서반아의 대학은 disciplinas básicas (기초 과정) · especialización (전문 과정) · docencia (박사 과정)으로 나누어진다.

◆ 공과(工科) ~ facultad *f* de ingeniería. 공

업 전문(工業專門) ~ escuela *f* de formación profesional, politécnico *m*, universidad *f* laboral. 국립(國立) ~ la Universidad Nacional. 멕시코 국립 자치 ~ la Universidad Nacional Autónoma de México. 문과(文科) ~ facultad *f* de humanidades. 방송(放送) ~ la Universidad Nacional de Educación a Distancia, universidad *f* a distancia. 법과(法科) ~ facultad *f* de derecho. 사년제(四年制) ~ universidad *f* (de cuatro años). 의과(醫科) ~ facultad *f* de medicina. 이과(理科) ~ facultad *f* de ciencias exactas, físicas y naturales.
■ ~가(街) barrio *m* universitario, ciudad *f* universitaria. ~ 교수(敎授) catedrático, -ca *mf*, profesor, -sora *mf* de universidad. ¶~ 회의(會議) reunión *f* de profesores. ~ 교수단(敎授團) profesorado *m*. ~ 교육(敎育) enseñanza *f* superior, educación *f* universitaria. ~ 교육 심의 위원회(敎育審議委員會) la Comisión Investigadora de la Educación Universitaria. ~ 노트 cuaderno *m* de tamaño grande. ~ 도서관(圖書館) biblioteca *f* de universidad. ~ 도시(都市) ciudad *f* universitaria. ~모(帽) gorra *f* académica, kepis *m* académico. ~ 병원(病院) hospital *m* universitario [de universidad]. ~ 분쟁[분규] conflicto *m* universitario, agitación *f* universitaria. ~ 사년생(四年生) estudiante *mf* del último año [curso]. ~ 삼년생(三年生) estudiante *mf* de tercer año. ~생(生) (estudiante *mf*) universitario, -ria *mf*. ~ 생활(生活) vida *f* universitaria. ~ 설치 심의회(設置審議會) el Consejo de Estatutos de la Universidad. ~ 수학 능력 시험(修學能力試驗) examen *m* [prueba *f*] de aptitud académica de la universidad. ~원(院) Escuela *f* de Pos(t)grado. ¶통역번역~ Escuela *f* de Posgrado de Interpretación y Traducción. ~원생 estudiante *mf* de (la Escuela de) Posgrado. ~의 자치(自治) autonomía *f* de la universidad. ~ 이년생(二年生) estudiante *mf* de segundo año [curso]. ~ 인사 위원회(人事委員會) la Comisión de Personal de Universidad. ~ 일년생(一年生) estudiante *mf* de primer año. ~ 입시(入試) examen *m* de ingreso en la universidad. ¶그는 ~에 세 번 낙방했다 El ha salido tres veces mal en el examen de ingreso en la universidad. ~ 입학 학력 고사(入學學力考査) examen *m* nacional de logro académico para el ingreso en la universidad. ~ 자치제(自治制) autonomía *f* universitaria. ~ 졸업(卒業) graduación *f* de una universidad. ~ 졸업생(卒業生) posgraduado, -da *mf*, graduado, -da *mf* de una universidad; [기초 과정의] diplomado, -da *mf*, [전문 과정의] licenciado, -da *mf*. ~ 총장(總長) presidente, -ta *mf* [rector, -tora *mf*] de (la) universidad. ~ 출신자(出身者) graduado, -da *mf* de una universidad. ~학생 클럽 asociación *f* estudiantil ~ 학장 decano, -na *mf*, rector, -tora *mf*.

대학²(大學) 【책】 Los Grandes Conocimientos.

대학(大壑) mar *m*.

대학교(大學校) universidad *f*. ☞대학(大學)¹❶
◆국립 서울 ~ la Universidad Nacional de Seúl. 한국 외국어~ la Universidad Hankuk de Estudios Extranjeros.

대학자(大學者) hombre *m* sabio [docto]; hombre *m* de erudición; erudito, -ta *mf*.

대한(大旱) sequía *f* severa, sequedad *f* severa, gran sequía *f*.
■대한 칠년(七年) 비 바라듯 ((속담)) Se desea algo sinceramente [de todo corazón].

대한(大寒) ① [지독한 추위] frío *m* severo. ② [24 절후(節候)의 마지막 절후] *daehan*, gran frío *m*, vigesimocuarta estación *f* del año, última estación *f* del año. 춥지 않은 소한(小寒) 없고 푹하지 않은 ~ 없다 No hay *sohan* que no hace frío ni *daehan* que no es templado.
■대한이 소한(小寒)의 집에 가서 얼어 죽는다 ((속담)) Alrededor de *sohan* hace más frío que en *daehan*.

대한(大韓) ① ((준말)) =대한민국(大韓民國). ② ((준말)) =대한 제국(大韓帝國).
■~ 사람 coreano, -na *mf*.

대한 간호 협회(大韓看護協會) la Asociación de Enfermeras de Corea.

대한 무역 진흥 공사(大韓貿易振興公社) la Corporación de Promoción del Comercio de Corea.

대한 무역 투자 진흥 공사(大韓貿易投資振興公社) =대한 무역 진흥 공사.

대한민국(大韓民國) la República de Corea. ■ 서반아 주재 ~ 대사 embajador, -dora *mf* de la República de Corea en España. 서반아 주재 ~ 대사관 la Embajada de la República de Corea en España.
■~ 문화 예술상(文化藝術賞) el Premio de la Cultura y de las Artes de la República de Corea. ~ 인접 해양의 주권에 관한 대통령의 선언 la Declaración Presidencial sobre Soberanía de Mar Adyacente de la República de Corea. ~ 재외 공관(在外公館) las embajadas y las legaciones en el extranjero de la República de Corea. ~ 체육상(體育賞) el Premio de Atletismo de la República de Corea. ~학술원(學術院) la Academia Nacional de la República de Corea. ~ 학술원법(學術院法) ley *f* de la Academia Nacional de la República de Corea. ~ 헌법(憲法) la Constitución de la República de Corea.

대한민국 미술 전람회(大韓民國美術展覽會) la Exposición de las Bellas Artes de la República de Corea.

대한민국 임시 정부(大韓民國臨時政府) el Gobierno Provisional de la República de Corea.

대한민국장(大韓民國章) la Medalla de la República de Corea.

대한 변호사 협회(大韓辯護士協會) la Asociación de Abogados de Corea.

대한 부인회(大韓婦人會) la Asociación de

Mujeres de Corea.
대한 상공 회의소(大韓商工會議所) la Cámara de Comercio e Industria de Corea.
대한 석유 공사(大韓石油公社) la Corporación de Petróleo de Corea.
대한 석탄 공사(大韓石炭公社) la Corporación de Carbones de Corea.
대한 성서 공회(大韓聖書公會) la Sociedad Bíblica de Corea.
대한 소년단(大韓少年團) el Explorador de Corea, el Boy Scout de Corea.
대한 재보험 공사(大韓再保險公社) la Corporación de Reaseguro de Corea.
대한 적십자사(大韓赤十字社) la Sociedad de Cruz Roja de Corea.
대한 제국(大韓帝國) el Imperio Coreano.
대한 조선 공사(大韓造船公社) la Corporación de la Construcción Naval.
대한 주택 공사(大韓住宅公社) la Corporación de las Viviendas de Corea.
대한 중공업 공사(大韓重工業公社) la Corporación de la Industria Pesada de Corea.
대한 증권 거래소(大韓證券去來所) la Bolsa de Valores de Corea.
대한 청년단(大韓青年團) la Asociación de los Jóvenes de Corea.
대한 체육회(大韓體育會) la Asociación Atlética para los Aficionados de Corea.
대한해(大韓海) 【지명】 el Mar de Corea.
대한 해운 공사(大韓海運公社) la Corporación de la Transporte Marítimo de Corea.
대한 해협(大韓海峽) 【지명】 el Estrecho de Corea.
대할인 판매(大割引) gran liquidación *f*, gigantescas rebajas *fpl*, colosales rebajas *fpl*.
대함(大喊) gritería *f* [vocería *f*] grande.
대함(大艦) buque *m* de guerra grande.
대합(大蛤) 【조개】 almeja *f*.
■ ~젓 almeja *f* salada.
대합실(待合室) sala *f* de espera; [병원 따위의] antesala *f*, [극장 등의] vestíbulo *m*, hall *ing.m*; [극장의] foyer *m*.
대항(對抗) oposición *f*, confrontación *f*, [적대(敵對)] antagonismo *m*; [경쟁] rivalidad *f*. ~하다 oponerse (a・contra), rivalizar, competir, emularse, confrontar, rivalizar, contender, resistir, hacer frente (a), levantarse (contra), alzarse (contra). 적(敵)에 ~하는 공격 ataque *m* al [contra el] enemigo. A사에 ~해서 신제품을 발매하다 poner un nuevo artículo a la venta en competencia con la firma A. 웅변가로서 그에게 ~할 수 있는 사람은 없다 Como orador, nadie puede competir con él. 그는 이번에 나에게 ~했다 Luego se lanzó *contra mí*. 그에게 ~할 상대가 없다 No hay quien se le ponga delante a él / Para él no hay enemigo.
■ ~ 경기(競技) =대항 시합. ~력(力) poder *m* opuesto. ~ 생활(生活) enantiobiosis *f*. ~ 시합(試合) partido *m*. ¶한일(韓日) ~ partido *m* entre Corea y Japón, partido *m* coreano-japonés. ~ 운동(運動) contramovimiento *m*. ~자(者) antagonista *mf*, contrincante *mf*, opositor, -tora *mf*, adversario, -ria *mf*, oponente *mf*, rival *mf*. ~ 작용(作用) antagonismo *m*. ~책(策) contratreta *f*, contramedida *f*. ¶~을 강구하다 tomar la contramedida. ~품(品) artículos *mpl* competitivos. ~ 행위(行爲) contrarresto *m*.
대항의(大抗議) gran protestación *f*.
대해(大害) muchos daños *mpl*, grandes daños *mpl*, muchas [grandes] pérdidas *fpl*.
대해(大海) océano *m*.
■ ~일적(一適) =창해일속(滄海一粟).
대행(大行) gran virtud *f*.
대행(代行) reemplazo *m*. ~하다 reemplazar, ejecutar en nombre (de), actuar como poder(es); 【법률】 actuar como procurador. 사무(事務)를 ~하다 reeplazar en sus funciones.
■ ~ 기관(機關) agencia *f*. ~ 업무(業務) negocios *mpl* de agencia. ~ 업자(業者) agente *mf*, representante *mf*. ¶수입(輸入) ~ agente *mf* de importación, comisionista *mf* de importación. 수출 ~ agente *mf* de exportación, comisionista *mf* de exportación. ~ 이사(理事) director *m* interino, directora *f* interina. ~자(者) poder habiente *mf*, mandatario, -ria *mf*, representante *mf*, apoderado, -da *mf*. ¶학장(學長) ~ rector *m* interino [actuante・en funciones], rectora *f* interina [actuante・en funciones]. ~ 회사(會社) 【주식】 sociedad *f* de acciones cotizadas en bolsa.
대행성(大行星) planetas *mpl* mayores.
대향(大享) =대제(大祭).
대향(大饗/大享) =대제(大祭).
대헌(大憲) gran legislación *f*.
대헌장(大憲章) la Carta Magna.
대혁명(大革命) ① [큰 혁명] gran revolución *f*. ② =불란서 혁명(佛蘭西革命).
대혁신(大革新) gran reforma *f*.
대현(大絃) *daehyon*, nombre *m* de la tercera cuerda de *gomungo*.
대현(大賢) sabio *m*, hombre *m* de gran sabiduría.
대협곡(大峽谷) gran desfiladero *m*, *Méj* gran cañón *m* (*pl* grandes cañones).
대형(大兄) [편지에서] amigo *m*.
대형(大刑) ① [무거운 형벌] pena *f* capital, pena *f* de muerte, castigo *m* grave. ② [무거운 죄] crimen *m* grave.
대형(大形/大型) tipo *m* [modelo *m*] grande, gran dimensión *f*, tamaño *m* grande, gran tamaño *m*. ~의 de gran tamaño, grande. ~의 배 barco *m* grande, buque *m* grande.
■ ~기(機) avión *m* (*pl* aviones) grande, avión *m* de gran tamaño. ~ 기계(機械) máquina *f* de gran tamaño. ~차(車) coche *m* (de model) grande. ~ 태풍(颱風) tifón *m* de grandes dimensiones.
대형(隊形) formación *f*, orden *m* (*pl* órdenes). 전투 ~으로 있다 estar en orden de batalla.

대혜(大慧) ((불교)) la Gran Sabiduría.
대호(大戶) familia *f* que tiene vida abundante y muchos hijos.
대호(大呼) llamada *f* en voz alta. ~하다 llamar en voz alta.
대호(大虎) tigre *m* grande.
대호(大湖) lago *m* grande.
대호(大豪) millonario, -ria *mf*; multimillonario, -ria *mf*; archimillonario, -ria *mf*; persona *f* muy rica. ~되다 hacerse millonario.
대호(對壕) contravalación *f*.
대호지(大好紙) una especie del papel de *Choson*.
대혹(大惑) ¶~하다 estar muy enamorado (de).
대혹성(大惑星)【천문】=대행성(大行星).
대혼(大婚)【역사】matrimonio *m* real.
▪ ~식 ceremonia *f* del matrimonio real.
대홍수(大洪水) diluvio *m*.
대화(大火) ① [큰 화재] gran incendio *m*, incendio *m* desastroso [grande], gran conflagración *f*. 마을은 ~로 파괴됐다 Un gran incendio devastó el pueblo. ②【천문】=심성(心星).
대화(大禾) =가화(嘉禾).
대화(大禍) gran desastre *m*, calamidad *f*.
대화[1](對話) diálogo *m*, plática *f*, coloquio *m*; [회화] conversación *f*. ~하다 dialogar, conversar. 두 사람의 ~ diálogo *m*. 언어(言語)의 ~【책】El Diálogo de la Lengua (de Juan de Valdés). ~를 재개하다 reiniciar el diálogo. 남한 대표단을 이끌고 있는 통일부 차관은 그의 북한 파트너와 ~를 중단하는 것은 ~를 깨뜨리는 것을 뜻하지는 않는다고 말했다 El viceministro de la Unificación que encabeza la delegación surcoreana dijo que la suspensión de las pláticas con su colega norcoreano no significa el rompimiento del diálogo.
▪ ~극(劇) drama *m* dialogístico. ~문(文) dialogístico *m*, oración *f* dialogal, oración *f* conversacional]. ~법(法) manera *f* [modo *m*] de hablar. ~술(術) dialogismo *m*. ~자(者) interlocutor, -tora *mf*. ~체(體) dialogismo *m*, estilo *m* dialogal, estilo *m* conversacional, diálogo *m*. ¶~의 dialogal, dialogístico, escrito en un diálogo. ~의 작품 diálogo *m*. ~로 쓰다 dialogar, dialogizar, escribir *algo* en forma de diálogo. ~편(篇) diálogos *mpl*. ~ 형식(形式) forma *f* de diálogo. ¶소설을 ~으로 쓰다 escribir una novela en forma de diálogo.
대화[2](對話)【책】Los Diálogos.
◆애정(愛情)의 ~【책】Los Diálogos de Amor (de León Hebreo).
대화상(大和尙) ((불교)) (gran) monje *m* [sacerdote *m*] budista.
대환(大患) ① [큰 재난(災難)] calamidad *f*, aflicción *f*, desastre *m*. 국가의 ~ gran peligro *m* de la nación. ② [큰 병(病)] enfermedad *f* grave [seria].
대환영(大歡迎) calurosa acogida *f*, bienavenida *f*. ~을 하다 dar*le* la bienavenida (a), dar una calurosa acogida.
대황봉(大黃蜂)【곤충】=말벌.
대회(大會) ① reunión *f*, congreso *m*; [총회] asamblea *f* general; [회의] conferencia *f*, convención *f*; [스포츠의] competición *f* deportiva, juego *m*. ~를 열다 celebrar una reunión. 공산당(共産黨) ~ congreso *m* del partido comunista. ② ((불교)) asamblea *f* general.
◆국민(國民) ~ reunión *f* de ciudadanos. 기념(紀念) ~ reunón *f* conmemorativa. 당(黨) ~ convención *f* [congreso *m*] del partido. 전국(全國) ~ [정당의] la Convención Nacional.
▪ ~장(場) sala *f* de la convención. ~중(衆) ((불교)) asamblea *f* general de los santos.
대회전(大回轉) ((스키)) =대회전 경기.
대회전 경기(大廻轉競技) ((스키)) slalom *m* gigante.
대효(大孝) ① [지극한 효도] gran piedad *f* [devoción *f*] filial. ② [부상(父喪)에 있는 사람에게 편지할 때의 존칭] usted.
대효(大效) gran eficacia *f*. ~가 있다 ser muy eficaz.
대후(待候) espera *f* de la orden del superior. ~하다 esperar la orden del superior.
대후두공(大後頭孔) *lat* foramenmagnum.
대후두 신경(大後頭神經) nervio *m* occipital mayor.
대후비개 varilla *f* de limpieza para la pipa.
대훈(大訓) =훈고(訓告).
대훈(大勳) ① [가장 높은 훈위(勳位)] la Gran Cruz del Orden de Crisantemo. ② ((준말)) =대훈로.
대훈로(大勳勞) mérito *m* muy grande.
대훈위(大勳位) =대훈(大勳)❶.
대휴(代休) día *m* de descanso compensatorio por haber trabajado en día de fiesta.
대흉(大凶) ① [몹시 흉함] mucha fealdad. ② [큰 흉년] gran año *m* de mala cosecha.
대흉근(大胸筋)【해부】gran pectoral *m*.
대흉년(大凶年) gran año *m* de mala cosecha.
대흉일(大凶日) gran día *m* aciago.
대흑(黛黑) tinta *f* china para las cejas.
대희(大喜) gran placer *m* [alegría *f*·gozo *m*·júbilo *m*·regocijo *m*]. ~하다 alegrarse [regocijarse] mucho, no caber en sí de alegría, sentirse muy feliz.
댁(宅) ① [남을 높이어 그의 집이나 가정] su casa, su residencia, su familia, su hogar. ② [(지난날) 양반들이 하인들 앞에서 말할 때 「자기 집」을 이르던 말] mi casa. ③ [남편의 성과 직함 다음에 붙이어, 그의 아내를 뜻함] su esposa, su señora. 김 씨 ~ la esposa del Sr. Kim. ④ [출가한 여자의 친정 동네 이름 아래 붙이어 그곳에서 온「부인」의 뜻] la mujer natural de *un sitio*. 한밭 ~ la mujer natural de Hanbat. ⑤ [아랫사람에게] tú. ~은 뉘시오? ¿Quién eres tú? ~은 어디 사십니까? ¿Dónde vives tú?
댁내(宅內) su familia. ~ 두루 평안(平安)하

십니까? ¿Todos están bien en su casa? / ¿Toda su familia está bien?
댁네(宅—) *tu* mujer, *tu* esposa.
댁대구루루 rodando. ~ 구르다 revolcarse. 우리들은 모래 위에서 ~ 굴렀다 Nos revolcamos en la arena.
댄서(영 *dancer*) bailarín, -rina *mf*; danzante, -ta *mf*; [플라멩코의] bailador, -dora *mf* (de flamenco).
◆누드 ~ bailarina *f* desnuda.
댄스(영 *dance*) baile *m*, danza *f*. ~하다 bailar, danzar. 죽음의 ~ la danza de la muerte. 그들은 밤새도록 ~를 추었다 Ellos bailaron durante toda la noche. 그녀는 ~를 무척 좋아한다 A ella le encanta bailar / A ella le gusta mucho bailar. 그녀의 ~는 환상적이다 Ella baila de maravilla.
■~ 교사 profesor, -sora *mf* de baile. ~ 교습(教習) clase *f* de baile. ~ 교습소(教習所) escuela *f* de baile. ~ 밴드 orquesta *f* de baile. ~ 슈즈[화] zapatos *mpl* de baile; [발레용] zapatillas *fpl* de baile. ~ 음악(音樂) música *f* de baile. ~ 파티 baile *m*. ~ 플로어 [무도장] pista *f* de baile. ~ 홀 sala *f* [salón *m*] de baile, sala *f* de fiestas.
댄싱(영 *dancing*) =댄스.
■~ 걸 corista *f*, bailarina *f* profesional. ~ 파트너 pareja *f* de baile.
댈도랑 =도수로(導水路).
댐(영 *dam*) dique *m*, presa *f*, embalse *m*, *AmS* represa *f*. ~을 건설하다 poner un dique (a), construir una presa, *AmS* represar.
◆다목적 ~ embalse *m* polivalente. 수력발전용 ~ embalse *m* hidroeléctrico.
댐나무 pedazo *m* de madera pegado al instrumento de madera para prevenir las marcas al darle martillazos.
댑싸리 【식물】 ceñiglo *m* (de jardín), millo *m* de escoba.
■~비 escoba *f* de ceñiglo.
댓 unos cinco. ~ 사람 unas cinco personas.
댓가지 rama *f* del bambú.
댓개비 pedazo *m* delgado del bambú cortado.
댓구멍 agujero m de la pieza de bambú. ~같이 막히다 (ser) intolerante, de mentalidad cerrada.
댓닭 【조류】 una especie del gallo de pelea [*AmS* de riña].
댓돌(臺—) pedestal *m*.
댓바람 de (un) golpe, a la vez, inmediatamente, de inmediato, ahora mismo, fácilmente, con facilidad, pronto, rápido, rápidamente. …를 ~에 때려 눕히다 derribar*le* [hacer*le* caer · tirar*le* al suelo] a *uno* de un golpe. 일을 ~에 해놓다 terminar *su* trabajo inmediatamente.
댓살배기 niño, -ña *mf* que tiene alrededor de cinco años.
댓새 unos cinco días, cinco días más o menos.
댓잎 hoja *f* del bambú.
댓조각 pedazo *m* del bambú.
댓줄기 tallo *m* del bambú.
◆댓줄기처럼 쏟아지는 빗발 lluvia *f* gruesa que cae a cántaros.
댓진(—津) nicotina *f* acumulada en la pipa. ~이 끼다 estar atascado (de).
댓집 agujero *m* entre el tallo y la cazoleta de una pipa.
댕 dando el ruido ensordecedor, dando el ruido metálico.
댕가리 tallos *mpl* secados del nabo con las semillas.
댕가리지다 (ser) astuto, ladino, taimado, zorro.
댕강 =댕그랑.
댕그랑 tintineando.
댕그랑거리다 tintinear,
댕그랑댕그랑 siguiendo tintineando.
댕글댕글 fluentemente, con fluidez.
댕기 *daengki*, cinta *f* [moña *f*] de coletas. ~를 매다 ponerse la cinta de coletas.
댕기다 ① [불이 옮아 붙다] prender fuego. 불은 이웃집에 댕겼다 La casa vecina [La casa de al lado] prendió fuego / Las llamas cogieron el edificio de al lado. ② [불을 옮아 붙게 하다] encender [preparar] el fuego.
댕기물떼새 【조류】 el ave *f* (*pl* las aves) fría.
댕댕 repiqueteando, repicando, dando ruidos engordecedores [metálicos]. 종이 ~ 울린다 La campana repiquetea [repica].
댕댕거리다 hacer estruendo [ruido], producir ruidos metálicos, producir estruendo, hacer ruidos ensordecedores.
댕댕하다 ① =옹골차다. ② [팽팽하다] (ser) elástico, gelatinoso. ③ =다부지다.
댕돌같다 (ser) muy firme, sólido, robusto, ser tan sólido como un ladrillo.
댕돌같이 firmemente, sólidamente, robustamente.
더 más; [아직] todavía; [더 많은 시간] más tiempo. …보다 ~ más que *algo*. ~ 중요한 más importante. ~ 보태다 añadir, agregar. ~ 늘이다 alargar. 잔에 포도주를 ~ 따르다 echar más vino en el vaso. ~공부해라 Estudia más. ~ 주세요 Déme más. 필요한 것이 ~ 있습니까? ¿Algo más? 잠깐만 ~ 기다려 주십시오 Espere usted un momento más. ~ 상세히 말씀해 주십시오 Hable más detalladamente. ~ 천천히 말해라 Habla más despacio. 나는 ~ 놀고 싶다 Quiero jugar todavía [un poco más]. 3일 ~ 기다려 주십시오 Haga el favor de esperar tres días más [otros tres días]. 종이를 열 장 ~ 주라 Dame diez hojas más. 그는 나보다 키가 ~ 크다 El es más alto que yo. 이 산이 높은 것은 사실이지만, 백두산이 ~ 높다 Es verdad que este monte es alta, pero el *Baekdu* es más alto. 그녀는 누구보다도 ~ 네 일을 걱정하고 있다 Ella se preocupa de ti más que nadie. 없는 것보다 조금이라도 있는 것이 ~ 낫다 ((서반아 속담)) Más vale algo que nada. 잘못 말하는 것보다 침묵이 ~ 낫다 ((서반

아 속담)) Más vale callar que mal hablar. 부(富)보다 건강이 ~ 가치가 있다 ((서반아 속담)) Más vale la salud que la riqueza. 힘보다는 꾀가 ~ 가치가 있다 ((서반아 속담)) Más vale maña que fuerza. 남의 돈 천 냥보다 제 돈 한 냥이 ~ 낫다 / 수중의 새 한 마리가 숲 속의 새 두 마리보다 ~ 실속이 있다 ((서반아 속담)) Más vale pájaro en mano que ciento volando. 훔치는 것보다 구걸이 ~ 낫다 ((서반아 속담)) Más vale pedir que hurtar. 죽은 사자보다 산 개가 ~ 낫다 ((서반아 속담)) Más vale perro vivo que león muerto. 슬퍼하기보다는 미리 예방하는 것이 ~ 낫다 ((서반아 속담)) Más vale prevenir que lamentar. 사자의 꼬리보다 쥐의 머리가 되는 것이 ~ 낫다 ((서반아 속담)) Más vale ser cabeza de ratón que cola de león. 나쁜 동료와 함께 하는것보다 혼자가 ~ 낫다 ((서반아 속담)) Más vale solo que mal acompañado. 나쁜 결혼보다는 독신이 ~ 낫다 ((서반아 속담)) Más vale soltero andar que mal casar. 멀리 있는 형제보다 가까이 있는 친구가 ~ 낫다 ((서반아 속담)) Más vale un amigo cercano que un hermano lejano.

더 가다 ① [더 비싸다] (ser) más caro. 금강석이 백금보다 그 값이 더 간다 El diamante es más caro que el platino. ② [더 빠르다] (ser) más rápido.

더구나 ((준말)) =더군다나.

더군다나 además; por añadidura; encima; … y, además [encima]; en adición; e incluso; [그 위에 더 나쁜 것은] … y, para colmo …. 그녀는 건강하고 ~ 총명하다 Ella tiene buena salud y, además, es inteligente. 그는 나를 모욕했다. ~ 사람들 앞에서 El me insultó, y para colmo [y lo que es peor] en público. 날은 어둡고 ~ 비가 내리기 시작했다 Anochecía, y además [y para colmo] empezó a llover.

더그매 espacio *m* vacío entre el tejado y el techo, desván.

더글러스 낭 농양(Douglas 囊膿瘍) absceso *m* de Douglas.

더글러스 와(Douglas 窩) bolsa *f* de Douglas.

더글러스 주름(Douglas－) liegue *m* de Douglas.

더글러스 함수(Douglas 函數) función *f* de Douglas.

더금더금 en montones. ~ 올리다 amontonarse alto, acumularse alto.

더기 meseta *f*.

더껑이 película *f*, capa *f* de suciedad.

더께 capa *f* de polvo.

더끔더끔 =더금더금.

더넘 ((준말)) =더넘이.

더넘이 preocupación *f* entregada por otros.

더넘스럽다 (ser) demasiado grande de usar. 더넘스레 demasiado grande.

더느다 enhebrar en dos pilas.

더더구나 ((준말)) =더더군다나.

더더군다나 ((힘줌말)) =더군다나.

더더귀더더귀 pegajosamente. ~ 칠하다 pintarrajar, pintarrajear, pintorrear. ~ 화장하다 pintarrajearse. 얼굴에 ~ 화장하다 pintarrajearse la cara.

더덕 【식물】 ((학명)) Codonopsis lanceolata.

더덕더덕 ((준말)) =더더귀더더귀.

더듬감각(－感覺) =촉각(觸角).

더듬거리다 ① [말을] tartamudear, balbucear, balbucir; [외국어를] chapurrear, chapurrar. 더듬거리며 balbuciendo, con balbuceos. 더듬거리는 한글 coreano *m* chapurreado. 서반아어를 ~ chapurrear español, hablar un español pobre. ② [잘 보이지 않다] titubear, tentar. 더듬거리며 걷다 andar a tientas, caminar trabajosamente.

더듬다 ① [손으로] palpar, tentar, buscar. 어둠 속에서 성냥을 ~ buscar cerilla a obscuras (en donde no se ve). 호주머니를 ~ palpar el bolsillo. 머리맡을 ~ tentar la cabecera. 지팡이로 더듬으면서 걷다 avanzar a tientas con el bastón. (어두운 곳을) 발로 더듬으면서 걷다 avanzar a tientas. ② [말을] tartamudear. 말을 더듬는 사람 tartamudo, -da *mf*. 그는 심히 더듬는다 El tartamudea mucho. ③ [어렴풋한 생각이나 기억을] recordar (*su* memoria). 기억을~ tratar de recordar, recordar *su* memoria. 어린 시절을 ~ recordar memorias de *su* niñez. 역사(歷史)를 ~ examinar [analizar] paso a paso la historia. 옛일을 ~ llevar el pasado, recordar los tiempos antiguos.

더듬더듬 ① [깜깜한 곳에서] a tientas. ~하는 que se hace con mucha dificultad. ~ 읽다 deletear. ② [말이 순하게 나오지 않고] balbuciendo, con balbuceos. ~ 말하다 balbucear, balbucir. 서반아어를 ~ 말하다 chapurrear el español.

더듬이[1] ((준말)) =말더듬이.

더듬이[2] 【동물】 =촉각(觸角).

▪ ~질 tiento *m*. ¶~하다 tentar, palpar. ~로 a tientas, a ciegas. 어둠속을 ~로 걷다 palpar las tinieblas, andar a tientas en la oscuridad.

더듬적거리다 tentar [palpar] a menudo. 더듬적더듬적 siguiendo tentando a menudo.

더듬질 ((준말)) =더듬이질.

더디 tarde, lentamente. ~ 오다 tardar en llegar, tardarse. 회신(回信)이 ~ 닿다 llegar tarde la respuesta. 목적지에 ~ 가 닿다 llegar tarde al destino. 노하기를 더디하는 자는 크게 명철하여도 마음이 조급한 자는 어리석음을 나타내느니라 ((잠언 14:29)) El que tarda en airarse es grande de entendimiento; mas el que es impaciente de espíritu enaltece la necedad / Ser paciente es muestra de mucha inteligencia; ser impaciente es muestra de gran estupidez.

더디더디 muy tarde, muy lentamente.

더디다 [느리다] ser lento; [늦다] ser tarde, tardarse. 걸음이 ~ tardar en andar. 일손이 ~ ser lento, trabajar despacio. 비록 더딜지라도 기다리라 ((하박국 2:3)) Aunque tardare, espéralo / Tú espera, aunque parezca tardar.

-더라 Dicen que, Se dice que, Oí decir que, Yo encontré que. 그는 다음 주에 서반아에 간다~ Dicen [Se dice] que él va a España la semana que viene. 그녀는 고아라고 하~ Dicen [Se dice] que ella es huérfana. 그가 사무실에 있~ Yo le encontré en la oficina. 광장에 한 사람도 없~ No había un alma en la plaza.

-더라도 aunque + *subj*, aun cuando, a pesar de que. 그렇~ aun así. 그는 겨우 열 살이다. 그렇다. 그렇~ … El tiene apenas diez años — Sí, pero aun así …. 나는 그것을 세 번이나 설명했지만 그렇~ 그들은 어려웠다 Lo expliqué tres veces pero aun así ellos tuvieron problemas. 그 일이 한 달이 걸리~ 우리는 그 일을 할 것이다 Lo haremos aunque lleve meses. 설령 내가 그것을 알~ 너에게 말하지 않겠다 Aunque yo lo supiera, no te lo diría.

-더라면 si + *subj*. 좀더 일찍 갔~ 좋았을걸 Si yo hubiera ido más temprano, habría mejor.

더러[1] ① [어쩌다] de vez en cuando, de cuando en cuando, algunas veces, de tarde en tarde, a veces, ocasionalmente, por contingencia. ② [얼마쯤] unos, un poco.

더러[2] [회화체에서, 「-에게」] a. 그 친구~ 도와 달라고 부탁해라 Pide a ese amigo que te ayude.

더러움 suciedad *f*, mancha *f*, marca *f* manchada.

더러워지다 ☞더럽다

더럭 de repente, repentinamente, de súbito, súbitamente. 겁이 ~ 나다 tener miedo de repente.

더럭더럭 importunamente, pertinazmente, insistentemente, tenazmente, con tenacidad, con perseverancia, perseverantemente. ~ 조르다 importunar.

더럼 ((준말)) =더러움.
◆더럼(을) 타다 ser fácil de ensuciar [manchar].

더럽다 ① [물건에 때·찌끼 따위가 많아 지저분하다] (ser·estar) sucio, cochino, inmundo, asqueroso; ensuciarse. 더러운 옷 ropa *f* sucia. 더러운 손 mano *f* sucia, mano *f* manchada. 더럽게 하다 ensuciar, manchar. ② [추잡하다] (ser) indecente, obsceno, impuro, guarro, verde, picante, colorado. 더러운 계집 mujer *f* indecente [obsceno·impuro]. 더러운 화제 conversación *f* indecente [guarra·verde·picante·colorada]. ③ [야비하다] (ser) abyecto, innoble, vil, bajo. 마음이 더러운 사람 persona *f* de corazón vil, hombre *m* de carácter bajo. ④ [비겁하고 인색하다] insultar, ofender; (ser) tacaño, mezquino, mísero, sórdido, tener ansias de dinero, estar ávido de dinero. 입이 ~ insultar [ofender] con palabras groseras y viloentas. 돈 쓰는 게 ~ gastar dinero frugalmente. 그것은 듣기에도 ~ Eso ofende los oídos. 사람이 돈을 많이 가지면 가질수록 인색해진다 Cuánto más se tiene, más tacaño se es. ⑤ [비겁하다] (ser) bajo, sucio, injusto, desleal. 더럽게 이기다 ganar por juego sucio.
더러워지다 ponerse sucio, emporcarse, ensuciarse, mancharse, contaminarse. 더러워진 ensuciado, emporcado, manchado, sucio, inmundo.

더럽히다 ① [(물건에 때를 묻히거나 하여) 더럽게 하다] manchar, ensuciar, mancillar, emporcar, contaminar. 나는 진흙탕으로 더럽혀진 손을 씻고 싶었다 Yo quise lavarme las manos emporcadas de lodo. ② [(정조·위신·명예·지조 따위를) 더럽게 하거나 떨어지게 하다] deshonrar, violar, blasfemar, profanar, manchar. 무척 더럽혀진 식탁보 un mantel muy manchado. 가명(家名)을 ~ manchar el nombre de *su* casa, deshonrar a *su* familia. 몸을 ~ perder *su* castidad [puridad], manchar *su* virtud. 신(神)을 ~ blasfemar contra [profanar a] una deidad. …으로 더럽혀져 있다 estar manchado de *algo*. 너는 집안의 명예를 더럽혔다 Tú has manchado el honor de la familia.

더리다 ① [격(格)에 안 맞아 떠름하다] (ser) torpe, inepto, incompetente. ② [싱겁고 어리석다] (ser) tonto, bobo, necio. ③ [다랍고 야비하다] (ser) tacaño, mezquino, bajo, sucio.

더미 montón *m* (*pl* montones), pila *f*. 쌀 ~ montón *m* de arroz. 장작 다섯 ~ cinco montones de leña. 나는 할 일이 산~처럼 쌓여 있다 Yo tengo muchas cosas que hacer. 나는 숙제가 산~처럼 쌓여 있다 Yo tengo montones [un montón] de deberes / *AmS* Yo tengo pilas [una pila] de deberes.

더미씌우다 echar*le* la culpa (a), culpar. …에게 …을 ~ culpar a *uno* de *algo*, echar*le* la culpa de *algo* a *uno*. 말썽이 나면 나에게 더미씌우지 마라 No me eches la culpa a mí si te metes en líos / No me culpes a mí si te metes en líos. 그들은 그녀에게 모두 더미씌웠다 Ellos la culparon a ella de todo / Ellos le echaron la culpa de todo a ella.

더버기 montones *mpl* (de), pilas *fpl* (de). …~가 되다 estar cubierto de *algo*, embadurnarse de [con] *algo*, tener manchado de *algo*. …을 …로 ~를 만들다 embadurnar *algo* de *algo*, untar *algo* con *algo*. 아이는 거울에 페인트로 ~를 만들었다 El niño embadurnó todo el espejo de pintura. 그는 빵에 버터를 얇게 ~를 씌웠다 El untó el pan con la capa fina de mantequilla. 그녀는 얼굴을 크림으로 ~를 만들었다 Ella se embadurnó la cara de [con] crema. 벽이 때로 ~가 되어 있었다 Las paredes estaban cubiertas de mugre. 그의 얼굴은 피로 ~가 되었다 El tenía la cara manchada de sangre / Ella tenía la cara ensangrentada.

더벅거리다 =터벅거리다.
더벅머리[1] [(전날의) 웃음과 몸을 팔던 갈보] puta *f*, ramera *f*, prostituta *f*.
더벅머리[2] [더부룩하게 난 머리털] cabello *m* despeinado [desgreñado · despeluchado · desmelenado · alborotado]; [더부룩하게 머리털이 난 아이] niño *m* despeinado [desmelenado], niña *f* despeinada [desmelenada].
더부룩더부룩 poniendo una borla, poniendo un penahco, acolchando. ~하다 poner una borla, poner un penacho, acolchar.
더부룩하다 (ser) abundante, copioso, extenso, extensivo, dilatado, espacioso, vasto; [털이 많은] peludo, velludo, largo y tupido [y espeso]. 더부룩한 머리 cabeza *f* desgreñada [despeinada · despeluchada]. 더부룩한 머리털 cabello *m* despeinado [desgreñado · despeluchado · desmelenado]. 더부룩한 풀이 있는 뜰 jardín *m* [patio *m*] cubierto de hierbas crecidas. 수염이 더부룩한 얼굴 cara *f* con bigote y barba crecidos. 더부룩한 털 [동물의] pelos *mpl* largos y tupidos [y espesos]. 머리가 ~ tener el cabello abundante [copioso].
더부룩이 con exuberancia. 머리를 ~ 하고 있다 tener el cabello hirsuto, estar despeinado. 풀이 ~ 자라고 있다 Las hierbas crecen con exuberancia. 그는 머리털을 ~ 하고 다닌다 El tiene el cabello muy crecido.
더부살이 ① [남의 집에] vivienda *f* en la otra casa; [주인의 집에] vivienda *f* en la casa de *su* patrón. ~하다 vivir en la otra casa; [주인의 집에] vivir en la casa de su patrón. ② [나무나 풀에 기생하는 식물] planta *f* parásita.
■ 더부살이 환자(還子) 걱정 ((속담)) preocupación *f* innecesaria.
■ ~벌 【곤충】 =기생벌. ~뿌리 【식물】 =기생뿌리.
더북더북 =다복다복.
더북이 ((준말)) =더부룩이.
더불다 [항상 조사「와 [과]」아래에서「더불어」의 꼴로 쓰임] con. 나는 아우와 더불어 낚시를 즐겼다 Yo gocé de pescar con mi hermano.
더불어 con, juntos. 나이와 ~ con *sus* años de edad, con *su* edad. ~ 살다 vivir juntos. ~ 일하다 trabajar juntos. ~ 행동하다 cooperar (con), colaborar (con), actuar [comportarse] conjuntamente (con), actuar [comportarse] de común acuerdo (con).
더블(영 *double*) ① [두 겹 · 두 갑절] doble *m*. ~로 주문하다 doblar los pedidos. ~로 지불하다 pagar el doble. ② =더블즈.
■ ~ 베드 cama *f* de matrimonio, *AmL* cama *f* de dos plazas. ~ 베이스 ((악기)) contrabajo *m*, violón. ~ 보기 ((골프)) bogey *m* doble. ~ 펀치 ((권투)) puñetazo *m* doble. ~ 폴트 ((테니스)) doble falta *f*. ¶ 서브를 ~하다 cometer (una) doble falta. ~ 플레이 doble juego *m*, doble matanza *f*. ¶~ 하다 dar doble matanza. ~ 헤더 dos partidos jugados sucesivamente, dos encuentros consecutivos entre los mismos equipos.
더블린 【지명】 Dublin (아일랜드의 수도).
더블유더블유더블유(영 *WWW, World Wide Web*) 【컴퓨터】 Telaraña *f* mundial.
더블유비시(영 *WBC, World Boxing Council*) [세계 권투 평의회] el Consejo Mundial de Boxeo, el WBC.
더블유비에이(영 *WBA, World Boxing Association*) [세계 권투 협회] la Asociación Mundial de Boxeo, la WBA.
더블유시(영 *W.C., water closet*) [화장실] servicios *mpl*, aseos *mpl*, baño *m*, WC *m*.
더블유아이피오(영 *WIPO, World Intellectual Property Organization*) [세계 지적 재산 기구] la Organización Mundial para la Propiedad Intelectual.
더블유에이치오(영 *WHO, World Health Organization*) [세계 보건 기구] la Organización Mundial de la Salud, la OMS.
더블유에프유엔에이(영 *WFUNA, World Federation of United Nations Associations*) [세계 유엔 협회 연맹] la Federación Mundial de Asociaciones de las Naciones Unidas, la FMANU.
더블유에프티유(영 *WFTU, World Federation of Trade Unions*) [세계 노동 조합 연맹] la Federación Mundial de Sindicatos.
더블유티시(영 *WTC, World Trade Center*) [세계 무역 센터] el Centro del Comercio Mundial.
더블유티오(영 *WTO, World Trade Organization*) [세계 무역 기구] la Organización del Comercio Mundial.
더블릿(영 *doublet*) [허리가 잘쏙한 남자의 웃옷] jubón *m* (*pl* jubones).
더블스(영 *doubles*) ((테니스 · 탁구)) dobles *mpl*. 남자 ~ los dobles masculinos [caballeros]. 여자 ~ los dobles femeninos [damas]. 혼성 ~ los dobles mixtos. ~로 합시다 Juguemos (un partido de) dobles.
■ ~ 선수 jugador, -dora *mf* de (los) dobles. ~ 챔피언 campeón, -peona *mf* de (los) dobles. ~ 챔피언십 campeonato *m* de (los) dobles. ~ 파트너 pareja *f* de (los) dobles.
더비(영 *Derby*) [더비 경마] carrera *f* de caballos de Derby, el Derby, el clásico de Epsom..
더빙(영 *dubbing*) [영화 · 텔레비전의] doblaje *m*. ~하다 doblar. 영화는 한글로 ~되어 있었다 La película estaba doblada al coreano.
더뻑 [앞을 헤아리지 않고 경솔하게 덮치듯이 행동하는 모습] precipitadamente, sin reflexionar, imprudentemente, de modo temerario. 그는 돈을 ~ 썼다 El derrochaba [despilfarraba] el dinero.
더뻑거리다 actuar [comportarse] sin reflexionar.
더뻑더뻑 sin reflexionar, imprudentemente.

～ 행동하다 ser imprudente (sin reflexionar), actuar [comportarse] imprudentemente [sin reflexionar].

더새다 pasar la noche, quedarse durante la noche.

더없이 el más, sumamente. ～ 아름답다 ser el más hermoso.

더욱 más, más y más, tanto más, más aún. en creciente, con creces. ～ 노력하다 hacer más esfuerzo. ～ 연구에 정진하다 avanzar aún más [profundizar más] en la investigación. 그건 ～ 나쁘다 Es peor aún / Es tanto peor. 그렇다면 나에게는 ～ 좋다 Eso me conviene más aún / Si es así tanto mejor para mí. 비가 ～ 심하게 내렸다 Ha apretado la lluvia / Arreció la lluvia. 나는 그것 때문에 그녀에게 ～ 애정을 느끼게 되었다 Por eso llegué a sentir más cariño a ella.

더욱더 más, más y más, tanto más, más aún. ～ 양호해져 가다 ir cada vez mejor. ～ 악화되어 가다 ir cada vez peor [de mal en peor]. ～ 아름다워지다 hacerse cada vez más hermoso, hacerse más y más hermoso. 통증이 ～ 심해졌다 El dolor se me hace cada vez más intenso. 인플레 추세가 ～ 기승을 발한다 El proceso inflacionario cobra cada día más fuerza. 그의 한마디로 그들의 사기는 ～ 충천했다 Una palabra suya les levantó aún más el ánimo. 그는 수술을 받은 후 ～ 악화되었다 Después de sufrir una operación (se) empeoró aún más.

더욱더욱 más y más, cada vez más. ～ 위험한 cada vez más peligro.

더욱이 además, por otra parte, es más, especialmente, particularmente. ～ 곤란한 것은 para colmo (de males). ～ 우리들은 그의 동기를 생각할 필요가 있다 Además [Es más], tenemos que considerar sus móviles. ～ 날씨가 좋지 않았다 Además, el tiempo fue malo / Además, hizo mal tiempo.

더욱이나 ㉮ =가뜩이나. 하물며. ㉯ ((힘줌말)) =더욱이.

더운무대 =난류(暖流).

더운물 el agua *f* caliente, el agua *f* roja.

더운물베개 【의학】 almohada *f* del agua caliente.

더운밥 arroz *m* blanco que acaba de cocer.

더운색(－色) =난색(暖色).

더운약(－藥) 【한방】 medicina *f* que calienta el estómago.

더운점심(－點心) almuerzo *m* que acaba de cocer.

더운죽(－粥) gachas *fpl* que acaba de cocer.

더운찜질 =온엄법(溫罨法).

더운피 =온혈(溫血).

▪ ～동물(動物) =온혈동물(溫血動物).

더운흐름 =난류(暖流).

더워하다 tener calor, sentir el calor.

더위 ① [여름철의 더운 기운] calor *m*. 숨막히는 ～ calor *m* sofocante [bochornoso · terrible · ahogante · asfixiante]. ～를 (참고) 견디어 내다 soportar [sobrellevar] el calor. ～를 견디어 내기 위해서 para sobrellevar [para guantar · para olvidar] el calor. ～에 약하다 ser poco resistente al calor, soportar mal el calor. ～에 지치다 sucumbir al calor. ～가 굉장하다 Hace muchísimo calor. 나는 ～에 지쳤다 El calor me ha rendido / Me ha dejado sin fuerzas el calor. 지독한 ～군요 ¡Qué calor! / Hace un calor (terrible) de mil demonios. 오늘은 ～가 심하군 ¡Cuánto calor hace hoy! 숨막히는 ～다 Hace un calor sofocante [terrible]. ～로 숨이 막힐 듯하다 El calor me sofoca. 2층에서는 바람이 많이 불어 ～를 느끼지 못한다 No me siento el calor por mucha brisa en el primer piso. ② [여름에 너무 더워서 생긴 병] insolación *f*, enfermedad *f* interna producida por una exposición excesiva a los rayos solares.

◆더위(가) 들다 =더위(를) 먹다. 더위(를) 먹다 sufrir del calor, estar afectado por insolación, ser afectado por el calor, tener insolación. 더위 먹은 소 달만 보아도 헐떡인다 ((속담)) El gato escaldado, del agua fría huye / De los escarmentados nacen los avisados. 더위(를) 타다 ser (demasiado) sensible al calor, sufrir de calor, sofocar, achicharrar, quedar abrumado de calor. 더위를 타는 사람 hombre *m* demasiado sensible al calor. 그는 더위를 탄다 El es muy sensible al calor / El (se) siente mucho el calor.

▪ ～해(害) daño *m* por el calor.

더위잡다 agarrar.

더위잡히다 agarrarse, ser agarrado.

더위지기 =사철쑥.

더치다 agravarse, empeorar(se). 병이 더친다 La enfermedad se agrava [(se) empeora]. 내 병은 더쳤다 Se me ha empeorado [agravado] la enfermedad / Se me ha complicado la enfermedad. 내 감기는 더쳤다 Mi resfriado se ha empeorado [agravado].

더티 플레이(영 *dirty play*) juego *m* sucio.

더펄개 perro *m* peludo, perro *m* lanudo.

더펄이 cabeza *mf* loca; alocado, -da *mf*, cabeza *mf* de chorlito; despistado, -da *mf*, atolondrado, -da *mf*.

더하고빼기 =가감(加減).

더하기 adición *f*. ～하다 sumar, hacer una adición.

더하다[1] ① [전보다 더욱 심하여지다] [격화되다] intensificarse, incrementarse, arreciar(se), recrudecir; [악화되다] agravarse, empeorar; [증가하다] aumentar, crecer. 속도를 ～ acelerar. 공포가 더해 간다 El miedo aumenta. 노기(怒氣)가 더해 간다 Arrecia la furia. 병세(病勢)가 더해 간다 La condición del enfermo empeora / Se agrava la enfermedad. 더위가 더해 간다 El calor va aumentando / Arrecia el calor. 어려움이 더해 간다 Las dificultades se incrementan.

바람이 더해 간다 Arrecia la furia del viento. 폭풍우가 더해 갔다 Arreció [Se recrudeció] la tormenta. 하루하루 추위가 더해 가고 있다 Hace cada día más frío. 그의 그녀에 대한 애정은 날이 갈수록 더해 간다 El amor que siente por ella aumenta con los días. ② [이전보다 더욱 많이 하거나 세게 하다] hacer más, hacer más fuerte. 공부를 ~ estudiar más, hacer más estudio.

더하다² [보태다] añadir, agregar, sumar, adicionar, juntar. 20에 30을 ~ añadir treinta a veinte. 원금(元金)에 이자를 ~ añadir el interés al capital. 계약에 한 항목을 ~ añadir un artículo en el contrato. 둘에 둘을 더하면 넷이다 Dos y dos son cuatro.

◆더할 나위 없다 (ser) perfecto, impecable, no dejar nada que desear. 더할 나위 없는 명예 un honor supremo, el honor más grande. 더할 나위 없는 조건 condición *f* inmejorable. 더할 나위 없는 결과를 얻다 conseguir muy buen resultado. 더할 나위 없이 건강하다 estar perfectamente bien de salud, estar en plena [rebosante de] salud, ser la salud en persona. 더할 나위 없이 기쁩니다 Me es un gran placer / Tengo una gran alegría / Me alegro infinito. 건강은 더할 나위 없습니다 Estoy muy bien de salud. 그것은 더할 나위 없는 복(福)이다 Es un beneficio que no merezco. 그녀는 더할 나위 없이 아름답다 Ella es bellísima / Ella es sumamente hermosa. 나는 더할 나위 없이 행복했다 Yo llevaba una vida sumamente feliz. 이 호텔의 설비는 ~ Las instalaciones de este hotel son perfectas [no dejan nada que desear]. 그는 나에게 더할 나위 없는 친절을 베풀었다 El me prodigó toda clase de atenciones.

더하임수(一數) 【수학】 =피가수(被加數).

더한층(一層) más, más y más. ~ 노력하다 esforzarse más, hacer más esfuerzos. ~ 중요하다 ser todavía importante. 그쪽이 ~ 적합하다 Eso me conviene más aún [aún más].

덕¹ [나뭇가지 사이나 양쪽에 버티어 놓은 나무 위에 막대기를 걸치어서 맨 시렁] balda *f* para secar el grano.

덕² ((준말)) =더기(meseta). ¶이곳 산악 지방에는 ~이 많다 Aquí en la región montañosa hay muchas mesetas.

덕(德) ① [공정하고 포용성 있는 마음이나 품성] virtud *f*, moralidad *f*. ~이 있는 virtuoso. ~이 높은 virtuoso, de alta virtud. ~이 있는 사람 hombre *m* virtuoso. ~을 닦다 cultivar las virtudes. ② =덕분(德分). 덕택(德澤). ③ =은혜(恩惠). ④ ((준말)) =공덕(功德). ⑤ =이익(利益). 이득(利得). ⑥ =목성(木星).

덕교(德敎) enseñanza *f* [docencia *f*] moral [ética].

덕국(德國) 【지명】 Alemania *f*. ~의 alemán.

덕금(德禽) gallina *f*.

덕금 어미 잠 persona *f* que se acostumbra a ser perezoso.

◆덕금 어미냐 잠도 잘 잔다 dormilón, -lona *mf*.

덕기(德氣) virtud *f*, semblante *m* virtuoso, bondad *f*. ~가 있다 ser virtuoso, tener el semblante virtuoso.

덕기(德器) ① [덕과 재능] la virtud y el talento. ② [덕량과 기국(器局)] el corazón generoso y la generosidad.

덕담(德談) palabras *fpl* que se desea la felicidad.

덕대¹ [아이의 시체를 겨우 비바람을 가릴 정도로 허술하게 묻은 무덤] tumba *f* desigualmente cavada para el niño.

덕대² 【광산】 minero *m* que aquila una parte de la mina para trabajar.

덕대(德大) =덕대².

덕량(德量) mentalidad *f* abierta, criterio *m* amplio, tolerancia *f*.

덕륭망존(德隆望尊) alta virtud *f* y alta popularidad. ~하다 ser muy virtuoso y muy popular.

덕망(德望) influencia *f* moral, alta reputación *f*. ~가(家) persona *f* de alta reputación.

덕문(德門) familia *f* de alta reputación.

덕분(德分) favor *m*, gracia *f*. 선생님 ~으로 gracias a usted. 지도하여 주신 ~으로 성공했습니다 Yo tuve éxito gracias a su enseñanza.

덕불고(德不孤) El hombre virtuoso no es solitario.

■~ 필유린(必有隣) El hombre virtuoso no es solitario y sin duda le ayuda apareciendo el otro.

덕사(德士) ((높임말)) monje *m* budista, sacerdote *m* budista.

덕석 estera *f* de paja para cubrir la espalda de la vaca.

■~밤 castaña *f* llana y grande.

덕성(德性) moralidad *f*, virtud *f*, natural *m* bondadoso, natural *m* moral, carácter *m* moral. ~을 기르다 cultivar la moralidad [las virtudes].

덕성스럽다 (ser) bueno, de natural bondadoso, virtuoso, bondadoso, de buen corazón.

덕성스레 bondadosamente, virtuosamente.

덕성(德星) ① 【천문】 =목성(木星). ② =서성(瑞星).

덕성(德聲) buena reputación *f*, buena fama *f*.

덕수궁(德壽宮) 【고적】 el Palacio *Deoksu*.

덕스럽다(德一) (ser) virtuoso, benigno, decente, respetable, gentil, cortés. 덕스럽게 생기다 tener facciones virtuosas [rasgos virtuosos].

덕업(德業) logro *m* virtuoso.

덕용(德用) lo económico, lo conveniente y útil para el uso. 이것들이 훨씬 ~이다 Estos son más económicos.

■~품(品) artículo *m* económico.

덕용(德容) rostro *m* generoso y virtuoso.

덕우(德友) amigo, -ga *mf* de confianza.

덕위(德威) el favor y la autoridad.

덕육(德育) educación *f* moral, instrucción *f* moral, cultura *f* moral.

덕음(德音) ① [도리에 맞는 착한 말] buena palabra *f* razonable. ② [좋은 소문이나 명망] buena reputación *f*. ③ [임금을 높이어 「그의 음성」] su voz. ④ ((높임말)) [상대방의 「편지」 또는 「안부」] su carta, sus recuerdos, sus saludos.

덕의(德義) moralidad *f*, integridad *f*.
■ ～심(心) sentido *m* moral, moralidad *f*.

덕인(德人) ① [덕이 높은 사람] persona *f* de alta virtud. ② [독일인] alemán, -mana *mf*.

덕적덕적 densamente cubierto. 때가 ～ 묻다 estar densamente cubierto de mugre.

덕정(德政) administración *f* benevolente [benigna], gobierno *m* benevolente [benigno]. ～을 베풀다 gobernar con benevolencia.
■ ～비(碑) monumento *m* a *su* administración benevolente.

덕조(德操) fidelidad *f* firme.

덕지덕지 pegajosamente, viscosamente; [일면에] por toda superficie; [두텁게] espesamente, pesadamente, profusamente; [무궤도하게] descuidadamente. ～하다 (ser) pegajoso, viscoso, volverse pegajoso. 분을 ～ 바른 copiosamente empolvado, pesadamente pintado.

덕택(德澤) favor *m*, gracias *fpl*, ayuda *f*, asistencia *f*. 근면 [노력]의 ～ fruto *m* de un esfuerzo constante. …의 ～으로 gracias a *uno*. ～으로 아주 건강합니다 Estoy muy bien, gracias. 선생님 ～에 잘 있습니다 Estoy muy bien, gracias a usted. ～에 더욱 건강해졌습니다 Gracias a Dios, estoy mucho mejor. ～에 상처(傷處)가 나았습니다 Gracias a Dios, se ha curado la herida. 헤엄칠 줄 알았던 ～에 나는 살아났다 Gracias a que sabía nadar, me salvé. 그가 성공한 것은 노력의 ～이다 Su éxito procede del esfuerzo constante. 연습한 ～에 시합을 이겼다 Gracias al entrenamiento de todos los días gané el partido.

덕행(德行) virtud *f*, conducta *f* [acción *f*] virtuosa. ～이 높은 사람 persona *f* virtuosa, hombre *m* virtuoso.

덕혜(德惠) el favor y la gracia.

덕화(德化) influencia *f* moral, refoma *f* moral. ～시키다 reformar por el ejemplo virtuoso.

덖다[1] [때가 올라서 몹시 찌들다] estar manchado (de), estar ensuciado. 때가 ～ ensuciarse.

덖다[2] [약간 물기 있는 음식들을 볶아서 익히다] [커피콩을] tostar, torrefaccionar; [고기·감자·밤을] asar; [땅콩을] tostar.

던적스럽다 [비열하다] (ser) tacaño, mezquino, abyecto, innoble, vil, despreciable, infame; [추잡스럽다] indecente, obsceno, soez, guarro, verde, picante, colorado. 던적스러운 사람 hombre *m* de mal carácter, persona *f* despreciable. 던적스러운 행실 conduta *f* despreciable.
던적스레 vilmente, innoblemente, despreciablemente, indecentemente, obscenamente.

던져두다 ① [방치하다] dejar a un lado, dejar. 책을 방구석에 ～ dejar un libro al rincón de la habitación. ② [하던 일을] dejar a un lado. 하던 일을 ～ tener *su* trabajo inacabado.

던지기 lanzamiento *m*.
◆ 원반～ lanzamiento *m* del disco. 창～ lanzamiento *m* de la jabalina, lanzamiento *m* del dardo. 포환～ lanzamiento *m* del peso, lanzamiento *m* de bala. 해머～ lanzamiento *m* del martillo.

던지다 ① [물건을 공중을 향해 내어 보내어 다른 곳에 다다르게 하다] tirar, echar, arrojar, lanzar. 공을 ～ tirar una bola [una pelota]. 돌을 ～ tirar una piedra. 불에 ～ tirar [echar] al fuego. 던져 올리다 echar [lanzar·tirar] al aire. 돌을 던지며 놀다 jugar lanzando piedras. 눈을 못 뜨게 모래를 ～ tirar arena a los ojos (de). 선반 위에 던져 올리다 echar sobre el estante. ② [자신의 몸을] arrojarse, echarse, tirarse, meterse. 바다에 몸을 ～ arrojarse [echarse] al mar. 강에 몸을 ～ arrojarse [tirarse] al río. 정계(政界)에 몸을 ～ meterse en el mundo político. ③ [투표하다] votar, dar *su* voto, elegir por votación. 깨끗한 한 표를 ～ emitir *su* voto limpio [honesto]. ④ [내버리다] tirar. 양심을 헌신짝같이 ～ tirar la conciencia como un zapato viejo.

던지럽다 (ser) tacaño, mezquino, abyecto, vil, innoble, despreciable. ☞던적스럽다

덜 ① [어떤 한도에 미치지 못하게] menos. ～ 먹다 comer menos. 그는 나보다 ～ 먹는다 El come menos que yo. 그는 전보다 돈을 ～ 쓴다 El gasta menos que antes. 나는 내 아내보다 재주가 ～하다 Yo soy menos hábil que mi esposa. 그 여자는 동생보다 ～ 예쁘다 Ella es menos guapa que su hermana. 내 동생은 나보다 다섯 살 ～ 먹었다 Mi hermano tiene cinco años menos que yo.
② [불충분하거나 불완전하게] poco, medio. ～ 구운 poco hecho, poco cocido. ～ 마른 medio seco, medio mojado. ～ 삶은 poco cocido. ～ 익은 과일 fruta *f* verde, fruta *f* que no está madura. 이 고기는 ～ 익혔다 Esta carne está poco hecha. 나는 잠을 ～ 자서 피곤하다 Esty cansado por falta de sueño.

덜거덕 haciendo mucho ruido, vibrando, ruidosamente, convulsivamente. 문이 ～하다 la puerta vibrar.
덜거덕거리다 hacer mucho ruido, matraquear. 버스가 덜거덕거린다 El autobús traquetea / El autobús da tumbos.
덜거덕덜거덕 siguiendo haciendo mucho ruido.

덜거덩 golpeteando, temblando.
덜거덩거리다 golpetear, temblar, traquetear, hacer sonar, hacer ruido, vibrar. 덜거덩거리는 의자 silla *f* tambaleante [inesta-

ble · desvecijada]. 바람으로 창문이 덜거덩거린다 El viento hace temblar la ventana / La ventana golpetea con el viento. 바람으로 쇠사슬이 덜거덩거렸다 El viento hacía sonar la cadena. 기차가 다리 위를 덜거덩거리면서 지나갔다 El tren pasó traqueteando por el puente.
덜거덩덜거덩 siguiendo golpeteando, siguiendo temblando.

덜걱 ((준말)) =덜거덕.
덜걱거리다 hacer mucho ruido, matraquear, traquetear, repiquetear.
덜걱덜걱 siguiendo traqueteando [repiqueteando].

덜걱마루 suelo *m* de madera desvencijado [destartalado].

덜그럭 =달그락.
덜그럭거리다 =달그락거리다. ¶나는 열쇠가 자물통에서 덜그럭거리는 소리를 들었다 Yo oí el ruido de la llave en la cerradura.

덜그렁 =달그랑.

덜기【수학】=빼기(menos). ¶15 ~ 5는 10이다 Quince menos cinco son diez.

덜께기 [늙은 수꿩] faisán *m* (*pl* faisanes) viejo.

덜다 ① [빼다] substraer, restar. 백에서 열을 ~ substraer [restar] diez de ciento. ② [감(減)하다] reducir, aligerar, mitigar. 고통을 ~ mitigar *su* dolor.

덜덜[1] [무섭거나 추워서 몸을 떠는 모양] con estrépido agudo. ~ 떨다 temblar, temblequear, estremecerse, amilanarse. ~ 떨게 하다 aterrar, arredar, horrorizar, aterrorizar, amilanar. ~ 떨리다 tiritar [temblar] convulsivamente, temblar, estremecerse, temblequear, calofiar, temblar nerviosamente. 공포로 ~ 떨다 temblar de terror. 추위로 ~ 떨다 estremecerse de frío. 그는 그 소식을 듣고 ~ 떨었다 La noticia le estremeció. 그의 목소리를 듣자 나는 ~ 떨었다 Al oir su voz me estremecía. 나는 추워서 이가 ~ 떨린다 Los dientes me castañetean de frío.
덜덜거리다[1] [춥거나 무서워서] temblar, estremecerse. 무서워 ~ temblar de terror. 추위로 ~ estremecerse de frío.

덜덜[2] [단단한 바닥에 수레바퀴 등이 굴러 나는 소리] traqueteando, vibrando.
덜덜거리다[2] traquetear, vibrar, hacer ruido. 자동차에서 약간 덜덜거린다 Hay algo en el coche que está haciendo ruido [que está vibrando].

덜되다 ① [다 되지 않다] (ser · estar) incompleto, inacabado, sin terminar, inconcluso. 아직 덜된 연구 estudios *mpl* inconclusos [sin terminar]. 아직 덜된 원고(原稿) manuscrito *m* inconcluso. 덜된 채 두다 quedar inacabado [inconcluso · sin terminar]. 일이 아직 ~ el trabajo todavía no ser completo. 건물은 아직 덜되었다 El edificio todavía está sin terminar 밥이 아직 덜되었다 El arroz todavía no ha cocido [ha preparado]. 식사는 디저트 없이는 덜될 것이다 No sería una comida completa sin un postres. 우리는 다루어야 할 덜된 일이 조금 있다 Tenemos unos asuntos pendientes que tratar.
② [사람 됨됨이가 경솔하고 건방지다] no ser bueno, (ser) malo, inútil, no servir para nada. 덜된 녀석 tipo *m* inútil, tipo *m* que no sirve para nada. 덜된 수작을 하다 decir tonterías [estupidez · disparates].

덜렁[1] ① [큰방울 따위가 흔들리거나 또는 단단하고 큰 물건이 서로 맞닿아 흔들릴 때 울리어 나는 소리] tintineando.
② [침착하지 못하여 행동하는 모양] atolondrando.
덜렁거리다 ㉮ [소리가] tintinear. ㉯ [행동이] (ser) inquieto, brusco, rudo, impolítico, atolondrado, aturdido, mal criado, maleducado, rústico, agreste, descortés, impaciente, comportarse [portarse] displicentemente, actuar [comportarse] frívolamente.
▪ ~꾼 =덜렁쇠. ~덜렁 siguiendo tintineando. ~쇠 =덜렁이. ~이 frívolo, -la *mf*, ligero, -ra *mf*, imprudente *mf*, atolondrado, -da *mf*, aturdido, -da *mf*, apresurado, -da *mf*, despistado, -da *mf*, cabeza *mf* de chorlito.
덜렁이다 (ser) inquieto, mal criado. ☞덜렁거리다

덜렁[2] [갑자기 겁나는 일을 당했을 때 가슴이 뜨끔하게 울리는 모양] sorprendiendo mucho.. ~하다 sorprenderse (de que + *subj*), asustarse (con · de · por). ~하게 하다 sorprender mucho, asustar mucho, sobresaltar mucho. 나는 …이 ~하다 Me sorprende [Me extraña] que + *subj*. 나는 큰 소리에 ~했다 Me asustaron sus gritos. 그녀는 그때의 소리에 ~했다 Ella se asustó con el ruido que hacía. 나는 그의 사망 소식을 듣고 ~했다 Me sorprendió mucho enterarme de su muerte. 그녀가 받아들였다니 ~하다 Me sorprende [Me extraña] que ella haya aceptado.
▪ ~말 caballo *m* asustadizo.

덜름하다 [옷이] (ser) corto. 바지가 ~ Los pantalones son cortos. 그녀는 덜름한 웃옷을 입고 있다 Ella lleva una chaqueta demasiado corta.

덜리다 ser reducido, ser mitigado.

덜먹다 actuar [comportarse] indecorosamente y caprichosamente.

덜미[1] ((준말)) =뒷덜미. 목덜미.
◆덜미(를) 짚다 ㉮ [덜미잡이를 하다] agarrar por el pescuezo [por el cogote], coger alrededor del cuello. ㉯ [덜미를 잡아 누르듯이 몹시 재촉을 하다] insistir, exigir, instar.
▪덜미에 사잣(使者)밥을 짊어졌다 ((속담)) Se está en una encrucijada de vida o muerte.
▪ ~잡이 ¶~하다 agarrar por el pescuezo, agarrar por el cogote.

덜미[2] ((민속)) =꼭두각시놀음.

덜밉잖다 ((준말)) =덜밉지않다.

덜밉지않다 (ser) algo guapo.
덜밋대문(–大門) puerta *f* trasera, puerta *f* de atrás.
덜어내다 sacar (de). 가마니에서 쌀을 ~ sacar el arroz del saco de arroz de paja. 그릇에서 밥을 ~ sacar un poco de arroz del tazón.
덜커덕 repiqueteando.
덜커덕거리다 repiquetear.
덜커덕덜커덕 siguiendo repequeteando.
덜커덩 aporreando, golpeando.
덜커덩거리다 aporrear, golpear. 문을 ~ aporrear la puerta.
덜커덩덜커덩 siguiendo aporreando.
덜컥 ① ((준말)) =덜커덕. ② [몹시 놀라거나 무서울 때 가슴이 내려 앉는 듯한 모양] con sobresalto, con susto. 가슴이 ~하다 asustarse, sobresaltarse, entremecerse, tener un sobresalto, sobrecogerse. ~ 놀란 sobrecogedor. ③ [어떤 사태가 매우 갑자기 진행되는 모양] de repente, repentinamente, de súbito, súbitamente. 그는 병석에서 ~ 숨을 거두었다 El se murió en el lecho de enfermo de repente.
덜컥거리다 traquetear, traquear, moverse mucho. 덜컥거림 traqueteo *m*, tráqueo *m*. 버스가 덜컥거려 그 여자는 멀미를 했다 Ella se mareó con el traqueteo del autobús.
덜컥덜컥 con el traqueteo.
덜컹 temblando, bamboleándose, traqueteando.
덜컹거리다 temblar, bambolearse, traquetear, desvencijarse, estar movedizo, estar destartalado, matraquear, moverse [funcionar] con ruido desapacible.
덜컹덜컹 siguiendo traqueteando.
덜퍽스럽다 (estar) con mucho busto [pecho], bien dotada, pechugona.
덜퍽스레 con mucho busto, con mucho pecho, pechugonamente.
덜퍽지다 (ser) abundante, rico; [몸집이] con mucho busto, con mucho pecho, pechugón, corpulento, rellenito, regordete, gordo.
덜하다[1] ① [전보다 조금 적어지다] mitigarse, calmar(se), moderarse, suavizarse, sosegarse. 병세(病勢)가 ~ mitigarse la enfermedad. 통증이 ~ mitigarse el dolor. 바람이 덜했다 Calmó el viento. ② [줄이다 · 감하다] reducir. 일을 ~ reducir el trabajo.
덜하다[2] [(견주어 보아) 심하지 않거나 적다] (ser) menos. 그는 너보다 수입이 ~ El gana menos que tú. 그의 마지막 작품은 재미가 ~ Su última obra es menos divertida / Su última obra no es tan divertida. 상황이 전보다 덜하지 않다 La situación sigue siendo tan grave como antes. 네가 연습을 덜하면 할수록 그것은 더 어렵게 된다 Cuanto menos practicas, más difícil te resulta. 이제 추위가 ~ Ya hace menos frío.
덤 extra *f*, adición *f*, adehala *f*, [선물] regalo *m*, obsequio *m*, *AmC* alipego *m*, *AmS* yapa *f*, ñapa *f*, feria *f*. …에 ~으로 끼워주다 añadir un extra a *algo*. 그는 나에게 필름 한 통을 ~으로 준다 Le doy un rollo de película como regalo [obsequio]. 나는 ~으로 지우개를 받았다 De premio me dieron una goma de borrar. 이것은 ~이다 Esto es extra / Esto es cortesía de la casa.
덤덤탄(dumdum 彈) bala *f* dum–dum.
덤덤하다 ① [아무 표정도 나타내지 않고 묵묵하다] enmudecer, (ser) taciturno, guardar silencio, callarse, contenerse, permanecer en silencio, permanecer callado, no decir ni pío. 아무 말 없이 덤덤하게 앉아 있다 sentarse en silencio, sentarse sin decir nada. ② [(일을 당하여도) 아무 느낌이 없다] no tener ninguna sensación. ③ [(음식 맛이) 싱겁고 밍밍하다] (estar) insípido, falto de sabor delicado, de poco sabor. 국 맛이 ~ La sopa está insípida.
덤받이 hijo, –ja *mf* del primer matrimonio de la segunda esposa o de la concubina.
덤벙 salpicando.
덤벙거리다 seguir salpicando.
덤벙덤벙 siguiendo salpicando.
덤벙이다 seguir salpicando.
덤벨(영 *dumbell*) pesa *f*, halterio *m*, halteras *fpl*, palanqueta *f* de gimnasia.
덤벼들다 ((준말)) =덤비어들다.
덤부렁듬쑥 densamente. ~하다 ser denso, estar lleno de maleza.
덤불 arbusto *m*, mata *f*, [숲] maleza *f*, cañaveral *m*; [넓은] matorral *m*; [가시의] zarzal *m*.
■ ~김치 *kimchi* de hojas y tallos de nabo. ~혼인(婚姻) casamiento *m* [matrimonio *m*] entre los parientes políticos. ☞겹혼인
덤비다 ① [대들다] desafiar (a), volverse (contra); [항의하다] protestar violentamente; [말대답하다] replicar violentamente; [싸움하다] buscar camorrea. 덤벼라 ¡Venga! / ¡Ven! / ¡Lánzate! 두 사람이 동시에 나에게 덤볐다 Los dos se lanzaron sobre mí a la vez. 내 자식에게 덤빌 수는 없다 No puedo con mi hijo. ② [서둘다] apresurar, darse prisa. 덤비지 마라 No te des prisa.
덤벼들다 ((준말)) =덤비어들다.
덤비어들다 saltar, echarse, arrojarse, lanzarse (sobre), abalanzarse, echar las manos al cuello (de). …의 목에 ~ echarse al cuello de *uno*. 적에게 ~ lanzarse contra el enemigo. 개가 포획물에 덤비어든다 El perro salta [se arroja] sobre su presa.
덤뻑 precipitadamente, sin reflexionar, imprudentemente, de modo temerario. ~ 내닫다 irse corriendo.
덤터기 preocupación *f* culpada a otro [a sí mismo].
◆덤터기(를) 쓰다 ser culpado. 덤터기(를) 씌우다 culpar (a *uno*), echarle la culpa (a *uno*). 나에게 덤터기를 씌우지 마라 No me eches la culpa a mí / No me culpes a mí.
덤턱스럽다 (ser) grande y copioso [abun-

dante].
덤턱스레 grande y copiosamente.
덤퍼(영 *dumper*) ① [쓰레기 치는 인부] basurero, -ra *mf*. ② [투매(投賣)하는 사람] persona *f* de inundar el mercado con mercancías a bajo precio. ③ =덤프트럭.
덤프차(dump 車) =덤프트럭.
덤프카트(영 *dumpcart*) =덤프트럭.
덤프트럭(영 *dumptruck*) dumper *m*, volquete *m*, carro *m* de volteo, *Méj* camión *m* (*pl* camiones) de volteo, *RPl* camión *m* volteador, *Col* volqueta *f*.
덤핑(영 *dumping*) dumping *m*, dúmping *m*, inundación *f* del mercado con mercancías a bajo precio, vaciamiento *m* de mercaderías a precios bajos, venta con rebaja, liquidación. ~하다 inundar el mercado con mercancías a bajo precio, hacer dúmping, vaciar mercaderías a precios bajos, vaciar mercaderías de golpe, vender con rebaja, liquidar. 해외 시장(海外市場)에서 ~하다 vaciar mercaderías de golpe en el mercado extranjero.
■ ~관광(觀光) turismo *m* de dumping. ~관세(關稅) derechos *mpl* de aduana antidumping.
덥다 [기후가] hacer calor; [몸이] tener calor; [음식이] estar caliente. 더운 caluroso, cálido. 더운 기후 tiempo *m* cálido. 더운 나라 país *m* (*pl* países) caluroso. 더운 날 día *m* caluroso. 더운 한낮에 cuando el sol aprieta, en las horas de más calor. 타는 듯 ~ quemar, calentar mucho. 덥게 하다 calentar; [집을] calefaccionar. 찬 국을 덥게 하다 calentar la sopa fría. 날씨가 몹씨 ~ hacer calor sofocante [bochornoso · asfixiante], hacer muchísimo calor; [몸이] tener mucho calor. 날씨가 무척 덥습니다 Hace mucho calor. 나는 (몸이) ~ Tengo calor. 더워 죽겠다 Me muero de calor. 정말 덥군요 [날씨가] ¡Qué calor (hace)! / [몸이] ¡Qué calor tengo! 오늘 오후는 날씨가 무척 ~ El sol quema esta tarde / Hace mucho calor esta tarde. 밖이 ~ Hace calor fuera. 이 방은 ~ Hace calor en este cuarto. 오늘은 ~ Hace calor hoy. 여기는 날씨가 ~ Aquí hace calor. 어제는 날씨가 더웠다 Ayer hizo calor.
더워지다 calentarse. 매일 날씨가 더워진다 Cada día hace más calor.
덥석 rápido, rápidamente, de repente, de súbito, repentinamente, súbitamente; [단단히] firmemente, con firmeza, fuerte, bien. 손을 ~ 쥐다 agarrar *su* mano de repente. 그는 ~ 잡는다 El agarra con fuerza. 그녀는 그의 팔을 ~ 잡았다 Ella lo tenía agarrado [asido] fuertemente del brazo.
덥적 ① [왈칵 덤벼 급히 움직이는 모양] de repente, repentinamente, de súbito, súbitamente, dando sacuididas. ~ 덤비다 atacar [asaltar] de repente. ② [무슨 일에나 쉽게 나서거나 참견하는 모양] entrometiéndose, metiéndose, inmiscuyéndose. ~ 나서다 entrometerse (en), mangonear (en). ③ [남에게 붙임성 있게 구는 모양] afablemente, amablemente.
덥적거리다 entrometerse (en), mangonearse (en). 덥적거리는 entrometido, oficioso, mangoneador. 덥적거리기 좋아하는 사람 persona *f* entrometida; entremetido, -da *mf*, metomentodo *mf*, mangoneador, -dora *mf*, *AmL* metiche *mf*, *AmS* metido, -da *mf*, *RPl* meterete, -ta *mf*. 그는 덥적거리는 사람이다 El es un tipo oficioso [entormetido · pesado]. 아무데나 덥적거리지 마세요 No se meta donde no le llaman / No se entrometa en lo que no le importa // [tú에게] No te metas donde no te llaman / No te entrometas en lo que no te importa.
덥적덥적 ㉮ [남의 일에] entrometidamente, importunamente. ~ 나서다 entrometerse (en), interferir (en), inmiscuirse (en). 그녀는 평소와 같이 ~ 나서기 시작했다 Ella empezó a entrometerse, como de costumbre. ㉯ [붙임성 있게] afablemente, amablemente.
덥적이다 ① [왈칵 덤벼서 급히 움직이다] mover rápidamente asaltando de repente. ② [무슨 일에나 쉽게 나서거나 참견하다] entrometerse (en), inmiscuirse (en), interferir (en), mangonearse (en). ③ [남에게 붙임성 있게 굴다] comportarse afablemente.
덥절덥절하다 (ser) afable, amable, cordial.
덧 tiempo *m* muy corto.
덧- doble, más.
덧가지 rama *f* doble.
덧거름 fertilizante *m* dado a las plantas que está creciendo. ☞뒷거름.
덧거리 ① [일정한 수량 밖에 더 얹힌 물건] cosa *f* adicional, cosa *f* extra. ② [없는 사실을 보태서 말하는 일] exageración *f*. ~하다 exagerar.
덧거리질 ㉮ [덧얹음] acción *f* de poner en la cosa adicional. ~하다 poner en la cosa adicional. ㉯ [말의] exageración *f*. ~하다 exagerar.
덧거칠다 (ser) ingrato, malévolo, maligno, duro. 덧거칠 것은 아무것도 없다 Todo es bueno.
덧걸다 colgar en la otra cosa.
덧걸리다 ① [한 가지 일에 다른 일이 겹쳐 걸리다] ser añadido [agregado] en la otra cosa. ② [걸리어 있는 것 위에 겹쳐 걸리다] ser colgado en la otra cosa.
덧걸이【씨름】 *deotgori*, zancadilla *f* de llave de brazo. ~하다 echar*le* [poner*le*] una [la] zancadilla a *uno* con una llave de brazo, hacer*le* una zancadilla (a *uno*) con una llave de brazo.
덧게비 cosa *f* extra, carga *f*, fastidio *m*, lata *f*, pesadez *f*.
덧게비치다 entrometerse, inmiscuirse.
덧그리다 calcar. 이 그림을 덧그리십시오 Calque usted este dibujo.
덧그림 cuadro *m* calcado.

덧깔다 extender *algo* en otra cosa. 요 위에 담요를 ~ extender la manta en el colchón.
덧깔리다 ser extendido en otra cosa.
덧꽂다 clavar (*algo* en otra cosa). 손가락에 바늘은 덧꽂았다 Clavé la aguja en el dedo.
덧끼다 ponerse (*algo* en otra cosa). 손가락에 반지를 ~ ponerse el anillo en el dedo.
덧끼이다 ser puesto *algo* en otra cosa.
덧나다[1] ① [병을 잘못 다루어 더치다] inflamarse, agravarse, madurar. 병[상처]이 ~ agravarse la enfermedad [la herida]. 종기(腫氣)가 덧났다 El furúnculo se ha inflamado [se ha agravado]. ② [노염이 일어나다] irritarse, enfadarse, enojarse, subírsele la sangre a la cabeza. 이렇게 많은 부당한 일을 보면 나는 덧난다 Se me sube la sangre a la cabeza cunado veo tanta injusticia.
덧나다[2] [덧붙어 나다] salir [crecer] encima [arriba], crecer extra. 이가 ~ crecer un diente salido.
덧날 cuña *f*, calce *m*, calzo *m*. ~이 달린 대패 cepillo *m* con una cuña.
덧내다 hacer más grave de lo que era, hacer peor, agravar, inflamar. 상처[병]를 ~ agravar la herida [la enfermedad].
덧놓다 poner *algo* en otra cosa.
덧놓이다 ser puesto *algo* en otra cosa.
덧니 diente *m* salido; [부러진 이 뿌리] raigón *m* (*pl* raigones).
덧니박이 persona *f* con diente salido.
덧대다 añadir [agregar] *algo* en otra cosa.
덧덮다 cubrir *algo* en otra cosa.
덧덮이다 ser cubierto en otra cosa.
덧두리 complemento *m* de dinero efectivo.
덧드러나다 ser descubierto, salir.
덧들다 estar desvelado, desvelarse, ser difícil de dormir otra vez.
덧들이다 ① [남을 건드려서 노하게 하다] ofender, indignar, dar*le* rabia (a), provocar, irritar, enfadar, enojar. ② [잠을 덧들게 하다] hacer desvelarse.
덧머리 =가발(假髮).
덧문(—門) ① puerta *f* movediza, puerta *f* deslizadera, puerta *f* corrediza exterior. ~으로 나르다 llevar sobre una puerta corrediza. ② [덧창] contraventana *f* corrediza.
덧물 el agua *f* formada en la superficie de hielo.
덧방붙이다 añadir el pedazo de costura.
덧버선 calcetines *mpl* exteriores.
덧붙다 adherirse [pegarse] (a *algo*) además.
덧붙이 ((준말)) =덧붙이기.
덧붙이기 acción *f* de adherir [pegar] además.
덧붙이다 ① [말을] añadir, agregar, adicionar, anejar, anexionar, adjuntar, suplir. 한마디를 ~ añadir una palabra (a·en). 덧붙여서 말하면 a propósito, dicho sea de paso. 그것은 덧붙인 것에 불과하다 No es nada más que una añadidura / Es sólo una añadidura / No es sino algo accesorio. ② [있는 위에 더 붙게 하다] pegar, sujetar, fijar, clavar. 나는 벽에 널판자를 덧붙였다 Yo fijé la tabla en la pared.
덧셈 adición *f*, suma *f*. ~하다 sumar, hacer una adición. ~과 뺄셈을 배우다 aprender a sumar y restar.
■ ~ 기호[부호] =덧셈표. ~법 【수학】 método *m* de sumar. ~표(標) 【수학】 signo *m* de más, más *m*.
덧소금 sal *f* recubierta.
덧수(—數) =가수(加數).
덧신 chanclo *m*, *Arg*, *Chi* galocha *f*, [서반아 북부 Asturias 지역에서 밭에서 습기 방지용으로 신 위에 신는 나무로 된 것] madrileña *f*.
덧신다 ponerse *algo* en *sus* zapatos.
덧쌓다 amontonar *algo* en otra cosa.
덧쌓이다 ser amontonado *algo* en otra cosa.
덧쓰다 ponerse *algo* en *su* sombrero.
덧씌우다 recubrir. A를 B에 ~ recubrir A de B. 나무는 은(銀)으로 덧씌워져 있다 La madera está recubierta de plata.
덧양말(—洋襪) calcetines *mpl* exteriores.
덧없다 ① [(알지 못하는 사이에) 흐르는 시간이 허무하게 빠르다] (ser) fugaz, efímero. 덧없는 세월 tiempo *m* fugaz [mometáneo]. ② [허전하고 헛되다] (ser) vano, inútil, transitorio, malogrado, infructuoso, triste, pesaroso, trágico. 덧없는 인생 (人生) vida *f* transitoria. 덧없는 짓을 하다 escribir sobre la arena. ③ [갈피를 잡을 수 없다] no tener ni pies ni cabeza, no lograr entender.
덧없이 en vano, inútilmente, transitoriamente, fugazmente, momentáneamente. 그는 ~ 패했다 El sufrió una decepcionante derrota. 세월이 ~ 지나간다 El tiempo corre fugazmente [momentáneamente].
덧입다 ponerse (un abrigo) en una prenda.
덧입히다 hacer ponerse (un abrigo) en una prenda.
덧저고리 bata *f*, túnica *f*, [어부·농부·예술가의] blusón *m* (*pl* blusones), bata *f*, [임산부의] vestido *m* premamá, vestido *m* de futura mamá, *Chi* vestido *m* maternal; [어린이의] vestido *m* con canesú de nido de abeja.
덧짐 carga *f* añadida.
덧창(—窓) =겉창.
덩 【역사】 palanquín *m* para la princesa.
◆덩을 타다 casarse (con *uno*) de mayor categoría social.
덩거칠다 (ser) espeso, denso con vides.
덩굴 enredadera *f*, sarmiento *m*; [감기는] zarcillo *m*; [땅을 기는] parra *f*, serpa *f*, tallo *m* delgado. 포도 ~ vid *f*, parra *f*.
■ ~나무 árbol *m* enredadero. ~손[수염] 【식물】 hiedra *f*, yedra *f*, 【학명】 Hedera rhombea. ~(성) 식물(植物) 【식물】 enredadera *f*. ~줄기 tallo *m* enredadero. ~지다 trepar. ~풀 【식물】 bejuco *m*, liana *f*, [총칭] enredadera *f*, [기어오르는] planta *f*

trepadora; [땅을 기는] estolón *m* (*pl* estolones), planta *f* rastrera.

덩그렇다 ① [높이 솟아 헌거롭다] (ser) alto y grande. 덩그렇게 잘 지은 집 casa *f* bien construida alto y grande. ② [큰 건물의 안이 텅 비어 쓸쓸하다] (ser) grande y hueco. 덩그렇게 빈 집 casa *f* grande y vacía.

덩달다 seguir [imitar] ciegamente [a ciegas]. 덩달아 ciegamente, a ciegas. ~ 하다 seguir [imitar] ciegamente [a ciegas].
덩달아서 =덩달아.

덩더꿍이 소출(一所出) Así como viene se va / Los dineros del sacristán, cantando vienen y cantando van / Lo que el agua trae, el agua lleva / modo *m* de vida despreocupado

덩덕새머리 pelo *m* enmarañado, pelo *m* greñudo.

덩덩그렇다 ① [헌거롭다] (ser) muy alto y grande. ② [텅비다] (ser) enorme y vacío.

덩두렷하다 (ser) notable, sorprendente, llamativo, manifiesto, notorio, evidente, obvio, claro.
덩두렷이 notablemente, sorprendentemente, de forma muy llamativa, notoriamente, evidentemente, manifiestamente, obviamente, claramente.

덩둘하다 ① [매우 둘하고 어리석다] (ser) tonto, bobo, torpe, estúpido, estólido, atontado, borrego, boto, ganso, corto, cernícalo, majadero, inepto, mentecato, paleto, simple, tonticano, tontiloco, tontón, tontucio, tontuelo, tocho, zopenco. 덩둘하게 tontamente, bobamente, torpemente, estúpidamente, estólidamente, con estupidez, con estolidez. 덩둘한 얼굴로 con cara estúpida. ② [어리둥절하여 멍하다] (ser) atónito, estupefacto, pasmado, suspenso, asombrado, maravillado, enajenado, turulato, patitieso, patidifuso, helado. 덩둘하게 atónitamente.

덩드럭거리다 darse aires, *CoS* mandarse la(s) parte(s).

덩실 bailando, saltando.
덩실거리다 bailar, saltar. 덩실거리며 기뻐하다 bailar [saltar] de gozo, no caber en sí de gozo.
덩실덩실 siguiendo bailando.

덩실하다 (ser) grandioso.

덩싯거리다 no dar golpe perezosamente, revolcarse. 종일 누워 ~ no dar golpe perezosamente en *su* habitación [*su* cama] todo el día.

덩어리 ① [크게 뭉쳐진 덩이] masa *f*, bulto *m*, mole *m*; [돌 따위의] bloque *m*; [빵 따위의] trozo *m*, pedazo *m*; [흙·설탕 따위의] terrón *m* (*pl* terrones); [피의] cuajarón *m*, grumo *m*; [지방(脂肪)·버터 따위의] pella *f*. 고기 ~ trozo *m* de carne. 소금 ~ terrón *m* de sal. 그는 욕심 ~이다 El es la avaricia personificada. ② [한 뜻이 되어 뭉쳐진 집단] masa *f*, grupo *m*. 한 ~가 되어 en masa, en grupo.

덩어리꼴뿌리 【식물】 =덩이뿌리.

덩어리꼴줄기 【식물】 =덩이줄기.

덩어리돈 =목돈.

덩어리지다 agruparse, concentrarse, formar una masa, conglomerarse.

덩이 masa *f*, bulto *m*, pepita *f*, terrón *m* (*pl* terrones), pedazo *m*, trozo *m*. 금(金)~ una pepita de oro.
덩이덩이 muchos bultos, muchas masas, muchas pepitas, muchos terrones.

덩이뿌리 【식물】 tubérculo *m*.

덩이줄기 【식물】 =괴근(塊根).

덩이지다 conglomerarse, agruparse, concentrarse.

덩저리 ① [물건의 부피] volumen *m* (*pl* volúmenes), tamaño *m*. ② ((속어)) =덩치.

덩치 cuerpo *m*, corpachón *m*, estatura *f*, tipo *m*, figura *f*, tamaño *m*, volumen *m* (*pl* volúmenes). ~가 큰 [짐이] voluminoso, grande; [사람이] corpulento, de cuerpo gigantesco. ~가 큰 사람 persona *f* corpulenta, persona *f* gigantesca. ~가 큰 짐 equipaje *m* voluminoso, equipaje *m* grande. ~만 크고 아무 쓸모없는 사람 hombrón *m* (*pl* hombrones) inútil y holgazán. 그는 ~는 크지만 움직이 둔하다 Su cuerpo es gigantesco, pero tiene poca agilidad de movimientos.

덩칫값 palabra *f* y actitud adecuadas a *su* cuerpo.

덩크 슛(영 *dunk shoot*) chut *m* de machacar.

덫 ① [짐승을 꾀어 잡는 기구] trampa *f*, cepo *m*, garito *m*; [그물의] red *f*, lazo *m*; [바구니의] armadijo *m*. ~을 놓다 tender [armar] una trampa (a). ~에 걸리게 하다 poner trampa (a), coger con lazo, hacer caer en la trampa. ~에 걸리다 caer(se) en la trampa [en el lazo · en el garito]. 곰이 ~에 걸렸다 Un oso cayó en la trampa. ② [남을 헐뜯고 모함하기 위한 계교] trampa *f*, ardid *f*, treta *f*, maña *f*. ~에 걸려 들다 [빠지다] caerse en la trampa. ~을 파놓다 armar trampa.
◆쥐~ ratera *f*, ratonera *f*.
■덫에 치인 범이요, 그물에 걸린 고기라 ((속담)) situación *f* inevitable en un punto muerto [en un impasse], situación *f* inevitable en callejón sin salida.

덮개 ① [이불·처네 등 덮는 물건의 총칭] funda *f*; [호주머니의] cartera *f*; [포장 용지의] envoltura *f*; [봉투의] solapa *f*. ② ((불교)) codicia *f*, avaricia *f*, avidez *f*, voracidad *f*. ③ [뚜껑] tapa *f*, tapadera *f*, cubierta *f*, cubertura *f*. ~가 없는 descubierto. ~를 하다 tapar, cubrir, poner la tapa (a), poner el tapón (a). ~를 벗기다 [떼다·빼다] destapar, descubrir, levantar la tapa (de), quitar el tapón (de), quitar la cubierta (a).

덮다 ① [(겉으로 드러나지 않게 뚜껑 따위를) 씌우거나 위에 얹어 놓아 가리다] cubrir, tapar. 쓰레기 더미에 흙을 ~ cubrir de tierra el montón de basura. 커피가 식지 않도록 뚜껑을 덮으세요 Tape usted el café para que no se enfríe.

② [(보호하기 위하여 위를) 가리다] cubrir, tapar, poner, extender. …에게 모포를 덮어주다 abrigar [tapar·cubrir] a *uno* con una manta. 아이에게 모포를 ~ cubrir al niño con una manta. 식탁보를 ~ poner [extender] un mantel.
③ [펼친 책을 다시 닫다] cerrar. 책을 ~ cerrar el libro. 책을 덮어 두다 tener [dejar] cerrado el libro.
④ [일정한 구역을 무엇이 빈 데 없이 꽉 채우다] cubrir. 구름이 하늘을 덮고 있다 Las nubes cubren el cielo. 도시는 눈으로 덮여 있다 La ciudad está cubierta de nieve.
⑤ [잘못 따위를] disfrazar. 잘못을 덮어 주다 disfrazar la falta. 사실[책임]을 덮어 숨기다 encubrir [ocultar] el hecho [la responsabilidad].
덮어놓고 atrevidamente, ciegamente, temerariamente, sin reserva. ~ 낙관하다 estar demasiado optimista.
■덮어놓고 열넉[열엿] 냥 금 ((속담)) juicio *m* aleatorio.
덮어놓다 =덮어두다.
덮어두다 ㉮ [일의 내용을 따지거나 잘잘못을 따져 문제삼지 않다] disculpar, dejar pasar. 잘못을 ~ disculpar *su* defecto. ㉯ [하던 일을 그만두다] parar, abandonar, cesar de + *inf*, dejar de + *inf*. ㉰ [비밀로 하다] mantener en secreto, guardar el secreto. 이것은 그에게는 덮어둡시다 No le diremos nada sobre esto / Vamos a ocultárselo a él.
덮어쓰다 ㉮ [속긋을 덮어서 글씨를 쓰다] calcar. 글씨본을 ~ calcar los modelos caligráficos. ㉯ [억지로 억울한 누명을 쓰다] cargársela. 모두의 죄를 나 혼자 덮어썼다 Me la he cargado por todos. ㉰ [위로부터 써서 가리다] cubrirse [taparse] con un velo.
덮어씌우다 echar, atribuir, achacar, imputar. 죄를 ~ echar [atribuir·achacar·imputar] la culpa (a), culpar. 책임(責任)을 ~ atribuir [achacar] la responsabilidad (a).
덮이다 cerrarse, cubrirse. 덮인 cerrado, cubierto. 덮여 있다 estar cerrado, estar cubierto. 눈으로 덮여 있다 estar cubierto de nieve. 책이 덮여 있다 estar cerrado el libro.

덮두들기다 acariciar [mimar] (a un niño) cariñosamente.

덮밥 arroz *m* tapado (con).
◆계란 ~ arroz *m* tapado con huevos. 장어 ~ arroz *m* tapado con anguilas cocidas.

덮씌우다 ((준말)) =덮어씌우다.

덮어쓰다 ☞덮다

덮이다 ☞덮다

덮치기 red *f* grande del cazador de aves.

덮치다 ① [위에 겹쳐 누르다] sujetar. ② [여러 가지 일이 한꺼번에 닥치다] suceder todo al mismo tiempo. 엎친 데 덮친다 Las desgracias nunca vienen solas / Nunca parecen venir solas las desgracias porque se suceden una tras otra. ③ [뜻밖에, 또는 갑자기 들이치다] ㉮ ㄱ) [공격하다] atacar, embestir (contra·con). ㄴ) [습격하다] asaltar, caer (sobre); [경찰 등이] entrar violentamente [con fuerza] (en). 강도가 은행을 덮쳤다 Un ladrón armado asaltó un banco. ㉯ [재해(災害) 따위가] sorprender, venir (sobre), asaltar, azotar, sobrevenir (a). 열병(熱病)이 나를 덮쳤다 La fiebre me asaltó. 태풍이 남부 지방을 덮쳤다 Un tifón azotó [embestió contra] el distrito del Sur. 냉해(冷害)가 영남 지방을 덮쳤다 El tiempo frío ha hecho estragos en la comunidad de *Yeongnam*.

데 ① [곳·장소] lugar *m*, sitio *m*, punto *m*; [부분(部分)] parte *f*, [특징(特徵)] figura *f*, aspecto *m*. 강한 ~ punto *m* fuerte. 약한 ~ punto *m* débil. 어려운 ~ punto *m* [parte *f*·pasaje *m*] difícil. 갈 ~가 없다 no haber un lugar donde ir. 죽을 ~를 찾다 buscar un sitio donde morir. 이 논문에는 배울 ~가 많다 Este ensayo está lleno de sugerencias. 그곳이 중요한 ~다 Ahí está el punto importante. 그 사람한테는 신경질적인 ~가 있다 El es algo nervioso. 그에게는 이기적인 ~가 있다 El tiene un algo de egoísmo. 그의 나쁜 성질은 부친 닮은 ~가 많다 Se parece mucho a su padre en el mal genio que tiene él. 그 사람이 달리는 방법은 그의 형을 닮은 ~가 있다 Su manera de correr recuerda a [es parecida a la de] su hermano.
② [경우·처지] caso *m*, circunstancia *f*, situación *f*. 배 아픈 ~ 잘 듣는 약 medicina *f* eficaz en el caso de tener dolor de estómago.
③ [일·것] cosa *f*. 그는 그림을 잘 그릴 뿐만 아니라 운동하는 ~도 소질이 있다 El no sólo pinta bien, sino también tiene disposición para hacer ejercicio.

데- imperfecto, insuficiente. ~삶다 dar un hervor.

-데 se dice, dicen. 불국사는 명찰(名刹)이~ Se dice [Dicen] que el Templo Budista Bulguk es un templo famoso. 그 영화가 참 잘됐~ Dicen [Se dice] que esa película es muy buena.

데걱 chacoloteando, haciendo ruido.
데걱거리다 seguir chacoloteando, seguir haciendo ruido.
데걱데걱 siguiendo chacolotando, siguiendo haciendo ruido.

데구루루 rodando. 언덕 아래로 ~ 구르다 rodar cuesta abajo. 우리는 모래 위에서 ~ 굴렀다 Nos revolcamos en la arena.

데굴데굴 siguiendo rodando, rodando continuamente, rodando repetidas veces. ~ 구르다 rodarse, rodar rítmicamente. 계단에서 ~ 굴러 떨어지다 caerse rodando por la escalera. 바구니가 언덕 아래로 ~ 굴러 갔다 La cesta se fue rodando cuesta abajo.

데그럭 con susurro.
데그럭거리다 susurrar, crujir.

데그럭데그럭 seguir crujendo, seguir susurrando.

데꺽 ① [단단하고 큰 물건이 부딪쳐 나는 소리] chisporroteando, crepitando, crujendo, con un ruido, con un chasquido. 지팡이가 ~ 부러지다 *su* bastón romperse con un chasquido. 그녀는 뚜껑을 ~ 닫았다 Ella cerró la tapa de un golpe. ② [서슴지 않고 곧] sin problemas algunos, fácilmente, con facilidad, rápida y fácilmente. ~ 승낙하다 consentir con facilidad.

데꺽거리다 seguir chisporroteando, seguir crepitando.

데꺽데꺽 siguiendo chisporroteando.

데꾼하다 Los ojos son hundidos [huecos] y pierden los sentidos por mucho cansancio.

데님 dril *m* de algodón, arpillera *f*. ~ 바지 pantalones *mpl* de dril.

데다[1] ① [불이나 뜨거운 기운으로 말미암아 살이 상하다] quemarse, escaldarse. 나는 혀를 데었다 Me quemé la lengua. 나는 김에 손을 데었다 Me escaldé la mano con el vapor. 다리미에 데지 않도록 조심해라 Ten cuidado, no vayas a quemarte con la plancha. ② [(어떤 일에 (몹시 고통을 당하여) 그 일에 진저리가 나다] tener la experiencia amarga, saber por experiencia propia, temblar (de miedo). ③ [타동사로, 불이나 뜨거운 기운에 살을 상하다] quemar, escaldar. 다리를 ~ quemar la pierna. 손을 ~ quemar una mano.

■국에 덴 놈 냉수 보고도 분다 ((속담)) Gato escaldado del agua fría huye / De los escarmentados hacen los avisados.

덴가슴 memoria *f* pesadillesca, memoria *f* de pesadilla.

데다[2] ((준말)) =데우다(calentar). ¶솥에 물을 ~ calentar el agua en la olla.

데데하다 (ser) pobre, barato, de porquería, malo, inútil, insatisfactorio, poco satisfactorio, que no sirve para nada, sin ningún valor, no valer nada, tener ningún valor. 데데한 사람 persona *f* inútil, persona *f* que sirve para nada. 데데한 수작 comentario *m* inútil, tonterías *fpl*, estupideces *fpl*. 데데한 수작을 하다 decir tonterías, decir estupideces, decir disparates, hacer un comentario inútil.

데되다 ser insatisfactorio en calidad, ser algo defectuoso [deficiente].

데드(영 *dead*) muerto *adj*.

■ ~라인 fecha *f* límite [tope], plazo *m* de entrega. ~ 볼 pelota *f* muerta, pelotazo *m*. ¶~을 받다 [주다] recibir [pegar] el pelotazo.

데려가다 ☞데리다

데려오다 ☞데리다

데리다 [「데리고」 「데리러」 「데리어」 꼴로만 쓰임] llevar. 데리고 나가다 llevar fuera, sacar. …를 …에 데리고 들어가다 llevar a *uno* a *un sitio*. 산책 데리고 나가다 sacar [salir] para dar un paseo, llevar de paseo. 그녀는 아들을 데리고 갔다 Ella iba acompañada de su hijo. 그는 개를 데리고 산책 나갔다 El salió de paseo con su perro.

데려가다 llevar, acompañar, conducir, dirigir, guiar; [상태] estar acompañado (de). 그는 나를 홀로 데려갔다 El me introdujo en el salón. 나는 아이를 의사에게 데려갔다 Llevé al niño al médico. 나를 극장에 데려가세요 Llévame al cine. 부친께서는 나를 오페라 극장에 데려가셨다 Mi padre me llevó al teatro. 그를 다시 병원에 데려갔다 Volvieron a llevarle al hospital / El fue llevado de nuevo al hospital.

데려오다 llevar, acompañar, traer.

데릭(영 *derrick*) ① [배 등에 화물을 싣는 기중기] grúa *f*. ② [(석유갱의) 유정탑(油井塔)] torre *f* de taladar, torre *f* de perforación, torre *f* de sondeo.

■ ~ 기중기(起重機) grúa *f* de brazo móvil.

데릴사위 hombre *m* que se casa con heredera, yerno *m* que entra por adopatación en la casa del suegro para heredarle. ~를 볼 딸 heredera *f*, hija *f* que posee una casa como herencia. ~가 되다 casarse con una herencia. ~로 들어가다 casarse con una heredera (y vivir en la casa de *sus* suegros).

데릴사윗감 ㉮ [범절이 썩 얌전한 사람] joven *m* (*pl* jóvenes) de buena conducta. ㉯ [남의 귀염을 받지 못한 사람] tipo *m* detestable [odioso · aborrecible].

데림추 seguidor, -dora *mf*, parásito *m*; adlátere *mf*, esbirro *m*.

데마 ((준말)) =데마고그(Demagog).

데마고고스(그 *demagogos*) ① [민중 지도자] demagogo, -ga *mf*. ② [민중 선동자] demagogo, -ga *mf*.

데마고그(독 *Demagog*; 영 *demagog*) ① [선동 정치가] demagogo, -ga *mf*. ② [(옛날의) 민중 지도자] demagogo, -ga *mf*.

데마고기(독 *Demagogie*) ① [(터무니없는) 선동 · 선전] demagogia *f*. ② [(인신 공격, 또는 모략중상의) 유언비어] rumor *m* falso, noticia *f* falsa. ~를 퍼뜨리다 esparcir [propagar] rumores falsos. ~가 퍼지고 있다 Corren [Circulan] rumores falsos.

데마고기스무스(독 *Demagogismus*) [민중 선동] demagogía *f*.

데먼스트레이션(영 *demonstration*) [데모. 시위 운동] manifestación *f*.

데면데면하다 ① [성질이 꼼꼼하지 않아 사물에 조심성이 없다] (ser) descuidado, poco cuidadoso, distraído. 데면데면한 사람 persona *f* descuidada, persona *f* poco cuidadosa. ② [붙임성이 없고 대수롭지 않게 대하다] (ser) desagradable, áspero, desabrido, descortés, intratable, antipático, brusco, adusto, hosco, incivil, displicente, esquivo. 데면데면하게 대하다 tratar ásperamente [intratablemente].

데면데면히 descuidadamente, destraídamente, ásperamente, antipáticamente, desagradablemente, descortésmente, intratablemente.

데모 ((준말)) =데먼스트레이션. ¶~하다 manifestarse, hacer una manifestación. (당국의) 사전 허가를 받지 않은 ~ manifestación *f* sin autorización previa. ~에 참가하다 asistir a una manifestación. ~를 해산시키다 despersar una manifestación. …의 지지(支持) ~를 하다 manifestarse en apoyo de *algo · uno*. …의 반대 데모를 하다 manifestarse en contra de *algo · uno*. 전쟁 반대 ~ (행진)을 하다 manifestarse públicamente contra la guerra, hacer una manifestación pública contra la guerra. 우리들은 토요일 오후에 ~에 참가했다 Asistimos a la manifestación. 어제 서울에서는 만 명 이상이 ~를 했다 Más de diez mil personas se manifestaron ayer en Seúl.
■ ~대(隊) grupo *m* de manifestantes, manifestación *f*. ~ 대원(隊員) manifestante *mf*. ¶가두(街頭) ~ manifestantes *mpl* callejeros.

데모크라시(영 *democracy*; 그 *demokratia*) ① [민주주의] democracia *f*. ② [민주 정치] democracia *f*, política *f* democrática. ③ [민주 정체] democracia *f*.

데밀다 =들이밀다.

데배(－杯) =데이비스 컵(Davis Cup).

데본계(Devon 系) sistema *m* devoniano, sistema *m* devónico.

데본기(Devon 紀) período *m* devoniano, período *m* devónico, devoniano *m*, devónico *m*. ~의 devoniano, devónico.

데뷔(불 *début*) estreno *m*, debut *m* (*pl* debuts), primera actuación *f* de un artista. ~하다 estrenarse, debutar, principiar, realizar *su* primera actuación en cualquier cosa.

데살로니가 전서(Thessalonica 前書) ((성경)) Primera Epístola del Apóstol San Pablo a los Tesalonicenses.

데살로니가 후서(Thessalonica 後書) ((성경)) Segunda Epístola del Apóstol San Pablo a los Tesalonicenses.

데삶기다 ser dado un hervor, ser hervido suavemente..

데삶다 dar un hervor (a), hervir suavemente. 데삶은 poco hecho, poco cocido. 데삶은 달걀 huevo *m* poco cocido. 달걀을 ~ hervir el huevo suavemente.

데생(불 *dessin*) boceto *m*, bosquejo *m*, esbozo *m*. ~하다 bosquejar, esbozar.

데생각하다 (ser) imprudente, indiscreto.

데생기다 (ser) inmaduro.

데설궂다 (ser) grueso, maleducado.

데설데설하다 (ser) grueso en natural.

데스마스크(영 *deathmask*) [사면(死面)] mascarilla *f* (que se saca del rostro de un cadáver). ~를 뜨다 sacar la mascarilla del rostro de un cadáver.

데스크(영 *desk*) ① [책상] mesa *f* de despacho, mesa *f* de trabajo, escritorio *m*; [학교의] pupitre *m*. ② [신문사 편집국의] sección *f*. ③ [호텔의 접수처] recepción *f*.

데시-(라 *deci-*) deci-.

데시그램(영 *decigram*) decigramo *m*.

데시기다 comer de mala gana, comer a regañadientes.

데시리터(영 *deciliter*) decilitro *m*.

데시미터(영 *decimeter*) decímetro *m*.

데시벨(영 *decibel*) 【물리】 decibel *m*, decibelio *m*.

데시아르(영 *deciare*) deciárea *f*.

데식다 (estar) agotado, exhausto, cansado.

데알다 saber superficialmente. 데아는 사람 el que sabe un cosa superficialmente, tonto que presume de sabio, pelele. 데아는 일 conocimiento *m* superficial, erudición *f* a la violeta. 그는 많은 것을 데알고 있다 El sabe muchas cosas de oídos.

데억지다 [지나치게 크다] ser demasiado grande; [지나치게 많다] ser demasiado mucho. 음식을 데억지게 마련하다 preparar demasiado mucha comida.

데우다 calentar. 다시 ~ volver a calentar, calentar otra vez. 수프를 ~ calentar la sopa. 식은 것을 ~ calentar lo que estaba frío.

데우스(라 *Deus*) [신. 하느님] Dios *m*.

데유(－油) aceite *m* de sésamo silvestre espeso.

데이비스컵(영 *Davis Cup*) la Copa de Davis.
■ ~전(戰) campeonato *m* de la Copa de Davis.

데이비 안전등(Davy 安全燈) lámpara *f* aflogística, lámpara *f* de Davy, lámpara *f* de seguridad.

데이지(영 *daisy*) 【식물】 maya *f*, margarita *f*.

데이터(영 *data*) ① [자료] dato(s) *m*(*pl*); [사실. 정보. 지식] información *f*. 한국에 관한 ~ datos *mpl* sobre Corea. ~를 수집하다 colegir [juntar · reunir · coleccionar] datos (sobre), recopilar información (sobre). ~를 공급하다 suministrar información (sobre). 우리는 ~가 부족하다 Carecemos de datos. ② 【컴퓨터】 datos *mpl*.
◆ 기초(基礎) ~ datos *mpl* básicos.
■ ~ 네트워크 【컴퓨터】 red *f* de datos. ~ 단말 장치 【컴퓨터】 equipo *m* (de) terminal de datos. ~ 망(網) 【컴퓨터】 red *f* de datos. ~ 뱅크 【컴퓨터】 banco *m* de datos. ~ 베이스 【컴퓨터】 base *f* de datos. ~ 베이스 서비스 【컴퓨터】 servicio *m* de base de datos. ~ 비트 【컴퓨터】 bitio *m* de datos. ~ 수집(收集) 【컴퓨터】 captación *f* de datos, recogida *f* de datos; [단말 장치에서의] captura *f* de datos, toma *f* de datos. ~ 아웃풋 【컴퓨터】 salida *f* de datos. ~ 엔트리 【컴퓨터】 ingreso *m* de datos, entrada *f* de datos. ~ 유출(流出) 【컴퓨터】 flujo *m* de datos. ~ 입력[인풋] 【컴퓨터】 introducción *f* de datos. ~ 저장 almacenamiento *m* de datos. ~ 전송(電送) transmisión *f* de datos. ~ 처리(處理) 【컴퓨터】 procesamiento *m* de datos, proceso *m* de datos. ~ 처리 기계(處理機械) 【컴퓨터】 máquina *f* de procesamiento de datos. ~ 처리 시스템 【컴퓨터】 sistema *m* de

procesamiento de datos. ~ 처리 장치(處理裝置) procesador *m* de preceso de datos. ~ 출력(出力) 【컴퓨터】 salida *f* de datos. ~ 커뮤니케이션 comunicación *f* de datos. ~ 카드 【컴퓨터】 ficha *f* de datos. ~ 콜렉션 【컴퓨터】 recogida *f* de datos. ~ 통신(通信) comunicaciones *fpl* de datos. ~ 통신 서비스 servicio *m* de comunicación de datos. ~ 파일 fichero *m* de datos. ~ 프로텍션 【컴퓨터】 protección *f* de datos. ~ 필드 【컴퓨터】 campo *m* de datos.

데이트(영 *date*) ① [날짜] fecha *f*, data *f*. ② [이성(異性)의 친구와의 약속] cita *f*. ~하다 tener una cita (con). ~ 약속을 하다 citar (a), dar cita (a); [주어가 복수일 때] darse cita. 나는 오후 일곱 시에 그녀와 ~ 약속이 있다 Tengo una cita con ella a las siete de la tarde.

데익다 =설익다.

데치다 ① [끓는 물에 슬쩍 삶아 내다] cocer ligeramente, hervir, saltear, rehogar, freir ligeramente [con poco aceite · con agua caliente], dar un hervor (a). 시금치를 ~ saltear [cocinar] la espinaca. 야채를 ~ saltear las legumbres en [con] agua caliente, cocer la verdura. 양배추는 벌써 데쳤다 La col ya está cocida. ② [단단히 타일러 혼을 내어 풀이 죽게 하다] castigar severamente, reprender, reprobar.

데카(그 *deca*) deca-, decá-.

데카그램(영 *decagram*) decagramo *m*.

데카당(불 décadent) [퇴폐적인] decadente.
■ ~ 문학(文學) [퇴폐 문학(頹廢文學)] literatura *f* decadente. ~ 아트 [퇴폐적인 예술] arte *m* decadente.

데카당스(불 *décadence*) ① [퇴폐] decadencia *f*. ② =데카당.

데카당티슴(불 *décadentisme*) [퇴폐주의] decadentismo *m*.

데카르트 【인명】 René Descartes (1596-1650). ~는 불란서의 철학자 · 수학자 · 물리학자이다 René Descartes es filósofo, matemático y físico francés.
■ ~ 좌표(座標) =평행 좌표(平行座標).

데카리터(영 *decalitre*) decalitro *m*.

데카메론(이 *Decameron*) 【문학】 Decamerón.

데카미터(영 *decameter*) decametro *m*.

데커레이션(영 *decoration*) ① [장식(裝飾)] decoración *f*, adorno *m*. ② [훈장(勳章)] orden *f*.

데탕트(불 *détente*) [긴장 완화] relajación *f* de la tensión.

데퉁맞다 (ser) muy torpe, muy patoso.

데퉁바리 zoquete *mf*, zopenco, -ca *mf*.

데퉁스럽다 (ser) torpe, patoso.
데퉁스레 torpemente, con torpeza, patosamente.

데퉁하다 (ser) estúpido, torpe, tonto, bobo, idiota.

데포르마시옹(불 *déformation*) deformación *f*.

데포름(불 *déform*) ① deformidad *f*. ② 【회화 · 조각】 deformación *f*. ~하다 deformar.

덱(영 *deck*) ① [갑판(甲板)] cubierta *f*. ② [기차나 전차의 바닥] plataforma *f*. ③ 【컴퓨터】 lote *m*, paquete *m*.

덱데구르르 rodando. ☞데구루루

덱데굴덱데굴 siguiendo rodando.

덴가슴 ☞데다[1]

덴겁하다 (estar) confundido, turbado, ponerse nervioso, aturullarse, ser lanzado en confusión. 덴겁해서 en confusión, atropelladamente, a la desbandada.

덴덕스럽다 (estar) indignado, asqueado 덴덕스럽게 하다 indignar. 나는 그들의 행동이 덴덕스러웠다 Me indignó su actitud. 그녀는 그에게 덴덕스러워한다 Ella está indignada [furiosa] con él. 그녀는 자신에게 덴덕스러워한다 Ella está furiosa consigo misma.
덴덕스레 con indignación, con asco, con repugnancia. 나는 매우 ~ 그곳에서 나왔다 Yo salí allí asqueado.

덴덕지근하다 sentir muy asqueado [indignado].

덴둥이 ① [불에 덴 사람] persona *f* escaldada (por el fuego). ② [미운 사람] persona *f* fea.

덴마크 【지명】 Dinamarca *f*. ~의 dinamarqués, danés.
■ ~ 사람 danés, -nesa *mf*; dinamarqués, -quesa *mf*. ~어 dinamarqués *m*. ~ 왕국 el Reino de Dinamarca. ~ 체조 gimnasia *f* danesa.

덴바람 ((뱃사람말)) viento *m* (del) norte.

델리킷(영 *delicate*) ① [미묘함] delicadeza *f*, sutileza *f*. ~하다 (ser) sutil, delicado. 그것은 ~한 문제다 Es una cuestión delicada [sutil]. ② [섬세함] fineza *f*. ~하다 (ser) fino.

델린저 현상(dellinger 現象) fenómeno *m* de Dellinger.

델타(영 *delta*) ① [그리스어 알파벳의 넷째자 Δ,δ] delta *f*. ② [(하구의) 삼각주] delta *f*. ③ 【전기】 triángulo *m*.
■ ~ 날개 el ala *f* (pl las alas) en (forma de) delta. ¶~ 전투기(戰鬪機) un caza con ala en delta.
■ ~ 네트워크 red *f* en delta. ~ 메탈 metal *m* delta. ~미터 deltámetro *m*. ~ 변조 modulación *f* (en) delta. ~선(線) rayo *m* (en) delta. ~ 함수(函數) función *f* delta.

뎅 dindán, tintin.

뎅겅 ((준말)) =뎅그렁.

뎅그렁 tintineando.
뎅그렁거리다 tintinear.
뎅그렁뎅그렁 siguiendo tintineando.

뎅기 바이러스(영 *dengue virus*) virus *m* del dengue.

뎅기열(dengue 熱) fiebre *f* dengue.

뎅뎅 repicando, sonando.
뎅뎅거리다 seguir repicando.

도[1] [윷놀이에서] *do*.

도[2] ① [및] y, e; [···도 역시] también; [···도 ···이 아니다] (no ···) tampoco, no ··· ni, ni siquiera; [···까지도] aun, hasta, incluso;

[부정문에서] ni. 나~ 피곤하다 Yo también estoy cansado. 나는 가겠다 – 나~ Me voy – Yo también. 나는 가지 않겠다 나~ Yo no me voy – Yo tampoco. 나는 블랙커피를 좋아한다 – 나~ Me gusta el café solo – A mí también. 나는 현대 음악을 좋아한다 – 나~ No me gusta la música moderna – A mí tampoco. 이 사전과 그것~ 필요하다 Hace falta este diccionario y también ése. 나는 맥주~마시겠다 Beberé también cerveza. 나~ 그를 믿고 싶습니다만 A mí también me gustaría creer en él. 선생~ 틀릴 수 있다 Incluso [Aun] el profesor puede equivocarse. 원숭이~ 나무에서 떨어진다 Nadie es perfecto. 그것쯤이야 나~ 할 줄 안다 Lo que es eso, también lo sé hacer yo. 아무~ 죽기를 원하지 않는다 Nadie quiere morir. 그들 중 한 사람~ 진실을 말하지 않았다 Ninguno de ellos dijo la verdad. 그것은 아이들~ 안다 Aun [Hasta] un niño lo sabe [entiende]. 천재~ 가끔 틀린다 Aun los genios yerran a veces. 나는 밥 먹을 시간~ 없다 No tengo tiempo ni para comer. 그는 나에게 인사~ 안 한다 Ni siquiera me saluda. 그렇게 말하는 그 사람~ 그 사람이다 El, que habla de tal modo, también tiene la culpa. 아이~ 아이지만 부모~ 부모다 El niño es el niño pero sus padres también se las traen. 그는 1주일~ 계속해서 집에 없다 El no se queda en casa ni siquiera una semana seguida. 나는 한 시간~ 채 자지 못했다 Apenas [Casi no] he dormido una hora. ② […도 …도] y, y también, así … como; [부정문 에서] no [ni] … ni. A~ B~ A y B, tanto [así] A como B; [부정문에서] no [ni] A ni B. 젊은이~ 노인~ jóvenes y viejos, así jóvenes como viejos. 그는 서반아어~ 불어~ 말한다 El habla español y también francés. 이 새는 소리~ 자태~ 아름답다 Tanto el canto como el plumaje de este pájaro son preciosos. 나는 시간~ 돈~ 없다 No tengo (ni) tiempo ni dinero. 그는 아버지~ 어머니~ 없다 El no tiene (ni) padre ni madre / Ni padre ni madre tiene él / El es huérfano. 그녀~ 나~ 그것을 모르고 있었다 No lo sabíamos ni yo ni ella. 그곳에 김 군~ 있었고 이 군~ 있었다 Estuvieron allí no sólo Kim, sino Yi también. 그곳에는 김 군~ 없었고 이 군~ 없었다 No estuvieron allí (ni) Kim ni Yi. 그는 부자~ 권력자~ 아니다 El no es rico ni poderoso. 나는 일로 너무 바빠서 머리를 긁을 여유~ 손톱을 깎을 여유~ 없다 ((El Quijote)) La ocupación de mis negocios es tan grande, que no tengo lugar para rascarme la cabeza, ni aun para cortarme las uñas.

도(度) ① [각도·온도의] grado *m.* 45~의 각(角) ángulo *m* de cuarenta y cinco grados. 기온이 섭씨 15~이다 La temperatura es de quince grados centígrados. 환자의 열이 40~이다 El enfermo tiene cuarenta grados de fiebre. ②【물리·화학】[경도(硬度)·비중·농도(濃度) 같은 것의 단위] grado *m.* (알코올 함유 도수) 43~의 브랜디 coñac *m* (cuya graduación es) de cuarenta y tres grados. ③ [시력(視力)이나 안경의 강약을 나타내는 단위] ~가 강한 안경 gafas *fpl* [anteojos *mpl*] de cristales gruesos. 그는 근시(近視)의 ~가 심하다 El se ha agudizado su miopía. ④ [음정을 나타내는 단위] grado *m.* 2~ segunda. 3~ tercera. 4~ cuarta. 5~ quinta. 6~ sexta. 7~ séptima. 8~ octava. 장[단] 6~ sexta mayor [menor]. 완전 5~ quinta justa. 증[감] 3~ tercera aumentada [disminuida]. ⑤ [정도·한도] grado *m,* medida *f,* extensión *f.* ~를 넘다 ser exceso, excederse, pasar el límite, traspasar el límite, traspasarse, pasar de la raya, ir demasiado lejos, ir más lejos, ir más allá, sobrepasar la medida. ~가 지나친 excesivo, demasiado, inmoderado. ~가 지나친 비판을 하다 hacer una crítica dura [excesiva·demadiado severa]. 이건 ~가 지나치다 Esto es demasiado. ~가 지나치면 신세를 망칠 수 있다 Se puede pecar por exceso como por defecto / Tanto es lo de más como lo de menos. ⑥ [지구의 경도·위도의 단위] grado *m.* 50~ cincuenta grados. ⑦ [화상(火傷)의 정도] grado *m.* 3~ 화상(火傷) quemaduras *fpl* de tercer grado. ⑧ [거듭되는 횟수] vez *f* (*pl* veces). ⑨ ((불교)) =제도(濟度). ⑩ ((불교)) =득도(得道).

도[1](道) [행정 구역의 하나] provincia *f, Méj* estado *m, Per* departamento *m.* ~의 provincial, prefectural, administrado por la diputación provincial.

도[2](道) ① [마땅히 지켜야 할 도리] razón *f,* justicia *f.* ② [종교상으로, 교의에 깊이 통하여 알게 되는 이치, 또는 깊이 깨달은 지경] camino *m,* enseñanza *f,* doctrina *f.* ~를 깨닫다 experimentar el despertamiento espiritual. ~를 가르치다 moralizar. ③ [기예나 방술(方術)·무술 등에서의 방법] arte *m(f).*

도(이 *do*)【음악】do *m.*

도-(都) jefe *m.* ~목수 jefe *m* de los carpinteros.

-도(度) [그 해의 연도] año *m,* término *m.* 금년~ este año. 내년~ el año próximo, el año que viene.

-도(島) isla *f.* 완~ la isla Wando.

-도(徒) persona *f,* grupo *m.*

-도(渡) [나루] embarcadero *m.*

-도(道) provincia *f.* 전라남~ provincia *f* (de) *Jeollanamdo.* 충청북~ provincia *f* (de) *Chungcheongbukdo.*

-도(圖) ilustración *f,* grabado *m.* 설계~ plano *m,* proyecto *m.* 평면~ plano *m,* planta *f,* proyecto *m* fundamental.

도가(棹歌) =뱃노래.

도가(都家) ① [동업자들이 모여 계(契)나 그 밖의 장사에 대해 의논을 하는 집] casa *f*

club de los negociantes en el mismo campo. ② =세물전(貰物廛). ③ =도매상(都賣商). ¶술~ casa *f* mayorista de vino.
■ ~ㅅ집 =도가(都家)❶❸.

도가(道家) ① [중국 선진(先秦) 시대의 노장(老莊) 일파의 허무·무위(無爲)의 설을 따르는 학파] escuela *f* taoísta. ② ((준말)) =도가자류(道家者流).
■ ~자류(者流) taoísta *mf*.

도가니[1] ① ((준말)) =무릎도가니. ② [소의 볼기에 붙은 고깃덩어리] carne *f* de bola, carne *f* de cadera.

도가니[2] ① [우묵한 그릇] crisol *m*. ② [강한 흥분·감격 따위로 여러 사람이 열광적으로 들끓는 상태] escena *f*. 열광(熱狂)의 ~ (una escena de) gran entusiasmo *m*. 흥분의 ~가 되다 convertirse en una escena de gran excitación. 관객(觀客)을 흥분의 ~로 만들다 causar una gran excitación en los espectadores.

도가니탕(一湯) *doganitang*, una especie de la sopa típica coreana.

도가머리 【조류】 cresta *f*.

도각(倒閣) derribamiento *m* del gabinete. ~하다 derribar el gabinete. ~되다 derribarse el gabinete.
■ ~운동(運動) movimiento *m* de derribar el gabinete, gestión de echar abajo el gabinete. ¶~(을) 하다 hacer un movimiento de derribar el gabinete, echar abajo el gabinete. ~을 일으키다 lanzar una campaña para derribar el gabinete.

도감(圖鑑) enciclopedia *f* ilustrada, diagrama *m* explicativo, libro *m* con láminas.
◆곤충~ diagrama *m* explicativo de insectos. 동물 ~ enciclopedia *f* ilustrada de animales. 식물 ~ enciclopedia *f* ilustrada de plantas.

도강(渡江) (a)travesía *f* [pasado *m*] de un río. ~하다 atravesar [cruzar] el río.
■ ~ 작전(作戰) 【군사】 =도하 작전(渡河作戰). ~증(證) carné *m* de cruzar el río. ~훈련(訓練) ejercicio *m* de cruzar el río.

도개 garrote *m* pequeño para hacer la cerámica.

도개교(跳開橋) puente *m* basculante [levadizo·giratorio·soliviadura].

도거(徒鋸) la espada y la sierra.

도거(逃去) huida *f*, escape *m*. ~하다 huir, escapar.

도거리 grandes cantidades *fpl*, masa *f*. ~로 en grandes cantidades, al por mayor, en masa, en conjunto, de una vez. 그는 밀가루를 ~로 산다 El compra la harina en grandes cantidades / El compra la harina al por mayor.

도검(刀劍) espada *f*, armas *fpl* blancas.
■ ~상(商) ㉮ [가게] espadería *f*, armería *f*. ㉯ [사람] espadero, -ra *mf*, negociante *mf* de espadas.

도경(道經) sutra *f* del taoísmo.

도경(道警) ((준말)) =도 지방 경찰청.(道地方警察廳)(Jefatura Regional de Policía).

도계(道界) frontera *f* provincial, límite *m* provincial. 전라도와 경상도의 ~ límite *m* provincial de la provincia *Jeollado* y la provincia *Gyeongsangdo*.

도고(都庫) =일수 판매.

도고(道高) ① [도덕적 수양이 높음] alta cultura *f* moral. ~하다 la cultura moral ser alta. ② [스스로 높은 체하여 교만함] arrogancia *f*, altivez *f*, soberbia *f*, altanería *f*, orgullo *m*, desprecio *m*, desdén *m*, engreimiento *m*. ~하다 (ser) arrogante, altanero, altivo, orgulloso, soberbio, imperioso, despreciativo, desdeñoso, engreído.
도고히 arrogantemente, altaneramente, altivamente, orgullosamente, soberbiamente.

도공(刀工) espadero *m*, forjador *m* de espadas [de sables].

도공(陶工) alfarero, -ra *mf*, ceramista *mf*, cerámico, -ca *mf*; artista *m* cerámico, artista *f* cerámica.
■ ~술(術) alfarería *f*, cerámica *f*. ~용 녹로(用轆轤) torno *m* de alfarero

도공(圖工) ① [도화(圖畫)와 공작(工作)] el dibujo y la labor. ② =제도공(製圖工).

도관(陶棺) ataúd *m* de cerámica.

도관(道冠) gorra *f* del maestro espiritual en el budismo.

도관(道觀) templo *m* del taoísmo.

도관(導管) (tubo *m* de) conducto *m*, tubo *m*, caño *m*, cañuto *m*, cañería *f*, tubería *f*, arcaduz *f*.
■ ~ 조직(組織) 【식물】 tejido *m* vascular.

도관병(導管病) =물관병.

도광지(塗壙紙) papel *m* blanco para las cuatro paredes de la tumba.

도괴(倒壞) caída *f*, hundimiento *m*, derrumbe *m*. ~하다 caer, hundirse, derrumbarse.
■ ~ 가옥(家屋) casa *f* destruida [hundida]. ~물(物) [(돌·벽돌 등의) 파편] escombros *mpl*; [비행기·배의] restos *mpl*; [찌꺼기. 폐물] desechos *mpl*.

도교(桃膠) 【한방】 pez *f* del melocotonero.

도교(道敎) ((종교)) taoísmo *m*. ~의 taoísta.
■ ~ 신자(信者) taoísta *mf*.

도교육위원회(道敎育委員會) Junta de Educación Provisional.

도구(渡口) =나루.

도구(渡歐) ida *f* a Europa, salida *f* para Europa. ~하다 ir a Europa; [출발하다] salir para Europa.

도구(道具) ① [연장] instrumento *m*, útiles *mpl*; [공구(工具)] herramienta *f*, [가재 도구] utensilios *mpl*; [가구(家具)] muebles *mpl*. ~를 사용하다 usar un instrumento. ② ((불교)) utensilios *mpl* usados en los servicios budistas. ③ [어떤 목적을 이루기 위해 이용하는 수단이나 방법] medio *m*, instrumento *m*, vehículo *m*. 선전을 ~로 하다 aprovechar para la propaganda. …의 ~로 사용하다 [사람을] usar a *uno* como instrumento (para).
■ ~ 상자(箱子) caja *f* herramental, caja *f* de herramientas. ~ 이론(理論) teoría *f*

instrumenal. ~ 자루 bolsa *f* de herramientas. ~ 제작(製作) fabricación *f* de herramientas. ~ 제작공(製作工) obrero *m* especializado en la fabricación de herramientas. ~주의(主義) 【철학】 instrumentalismo *m*. ~화(化) instrumentalización *f*. ¶~하다 instrumentalizar.

도구(賭具) cosas *fpl* de usar en el lugar de juego.

도구 염불(徒口念佛) =공염불(空念佛).

도국(島國) país *m* isleño [insular · de isla].
■~ 근성(根性) espíritu *m* insular. ~민(民) pueblo *m* del país isleño ~성(性) carácter *m* insular.

도굴(盜掘) ① [광업권이 없는 사람이 몰래 광물을 채굴하는 일] extracción *f* ilegal. ~하다 extraer ilegalmente. ② [고분 같은 것을 허가 없이 파내는 일] robo *m* de la tumba. ~하다 robar la tumba.
■~범(犯) ladrón, -drona *mf* de la tumba.

도궁주(跳弓奏) 【음악】 =스피카토(spiccato).

도궤(倒潰) =도괴(倒壞).

도규(刀圭) ① 【고제도】 cuchara *f* para la medicina en polvo. ② =의술(醫術).
■~가(家) médico, -ca *mf*. ~계(界) mundo *m* médico, sociedad *f* médica. ~술(術) =의술(醫術).

도규(度揆) regla *f*, reglamento *m*, orden *m* (*pl* órdenes).

도그마(그 *dogma*) dogma *m*.

도극(刀戟) la espada y la lanza.

도금(鍍金) baño *m*, enchapado *m*, chapado *m*, chapeado *m*; [전기 도금(電氣鍍金)] galvanización *f*, [금도금] doradura *f*, dorado *m*; [은도금] plateadura *f*, plateado *m*. ~하다 bañar, recubrir (*algo* de *algo*), planchear, chapear; [금도금하다] dorar; [은도금하다] platear; [니켈 도금하다] niquelar; [전기 도금하다] galvanizar. ~한 dorado, plateado, planchado, chapeado, niquelado, galvanizado. 금(으로) ~한 enchapado en oro. 은(으로) ~한 enchapado en plata. A를 B로 ~하다 bañar A con B. ~이 벗겨진다 Se despega [quita] el dorado.
■~공(工) [금속의] chapista *mf*; [금의] dorador, -dora *mf*; [은의] plateador, -dora *mf*; [니켈의] niquelador, -dora *mf*. ~상(像) estatua *f* chapeada. ~술(術) arte *m* de chapado [금 dorado · 은 plateado · 니켈 niquelado]. ~액(液) solución *f* de chapado. ~ 제품(製品) objetos *mpl* enchapados, artículos *mpl* enchapados. ~칠(漆) pintura *f* enchapada. ~판(板) chapa *f* galvanizada.

도급(都給) contrata *f*, destajo *m*. ~을 맡다 contratar, destajar. ~으로 일하다 trabajar por contrata, trabajar a destajo. 1억 원에 집의 건축을 ~하다 contratar la construcción de una casa en cien mil millones de wones.
◆도급(을) 맡다 contratar. ☞도급맡다. 도급(을) 주다 hacer contratar, dar una contrata. 공사를 건축 회사에 ~ dar una contrata para una obra a una compañía de construcción.
■~ 가격(價格) precio *m* de contrata. ~ 경비(經費) gastos *mpl* de contrata. ~ 계약(契約) contratación *f*. ¶공공 시설 ~ contratación *f* de obras y servicios públicos. ~을 맺다 hacer una contratación (con *uno* para *algo*). ~ 공사(工事) trabajos *mpl* [obras *fpl*] por contrata. ~금(金) dinero *m* de contrata. ~맡다 contratar, destajar, tomar a *su* cargo, tomar por *su* cuenta. ¶10억 원으로 건물의 건축을 ~ contratar la construcción de un edificio en diez mil millones de wones. ~ 보증금(保證金) fianza *f* de contrata. ~업(業) trabajo *m* por contrata. ~ 업자(業者) contradista *mf*, destajista *mf*. ~인(人) contratista *mf*, destajista *mf*. ~일 trabajo *m* por contrata, (trabajo *m* a) destajo *m*. ~ 입찰(入札) licitación *f* (de contrata). ~제(制) sistema *m* de contrata.

도기(陶器) [토기] vajilla *f* de baro (cocido), loza *f*, china *f*, (objetos *mpl* de) porcelana *f*, vajilla *f*; [오지그릇] cerámica *f*. ~한 점 una pieza de cerámica. 유약 없이 저열에 구운 ~ bizcocho *m*, loza *f* no vidriada. ~를 굽다 cocer la cerámica.
■~공(工) alfarero, -ra *mf*. ~ 공장(工場) alfarería *f*, taller *m* de cerámica. ~ 녹로(轆轤) torno *m* de alfarero. ~류(類) objetos *mpl* de cerámica, cerámicas *fpl*. ~ 사진(寫眞) fotografía *f* de cerámicas. ~ 사진술(寫眞術) fotocerámica *f*. ~상(商) [사람] comerciante *mf* de cerámica; [점포] tienda *f* de cerámicas. ~술(術) alfarería *f*, cerámica *f*. ~점(店) tienda *f* de cerámicas. ~ 제조(製造) alfarería *f*, fabricación *f* de cerámicas. ~ 제조소(製造所) alfarería *f*, taller *m* de cerámica. ~ 제조술(製造術) cerámica *f*, alfarería *f*. ~ 타일 [벽용] azulejo *m*; [바닥용] baldosa *f* (de cerámica).

도깨비 ① [잡귀신] fantasma *m*, apariciones *fpl*, espectro *m*, duende *m*, trasgo *m*, monstruo *m*. 저 집에서는 ~가 나온다 Aquella casa está embrujada. ② [주책없이 망나니짓을 하는 사람] pícaro, -ra *mf*, pillo, -lla *mf*, bribón (*pl* bribones), -bona *mf*.
■~굴[집] casa *f* embrujada, casa *f* encantada, vivienda *f* de un trasgo. ~놀음 juego *m* de duende. ~망방이 la lámpara de Aladino. ~불 fuego *m* fatuo. ~ 장난 juego *m* de duede. ~춤 danza *f* macabra.

도꼬마리 【식물】 penacho *m*.

도끼 el hacha (*pl* las hachas); [큰 도끼] hachote *m*; [작은] hachuela *f*, [손도끼] hacheta *f*. 등산용 얼음 깨는 ~ el hacha de alpinista. 날이 두 개인 ~ el hacha americana. ~로 치기 hachazo *m*. ~로 깎다[자르다] hachear, *AmL* hachar.
■도끼는 날 달아 써도 사람은 죽으면 그만이다 ((속담)) La muerte todo lo ataja / La muerte es gran remediadora.
■~눈 ojos *mpl* de lince, ojos *mpl* rasga-

dos; [시선] mirada *f* escrutadora. ~을 한 사람 persona *f* con ojos de lince. ~으로 con los ojos de lince. ~으로 보다 fulminar a *uno* con la mirada escrutadora, tener el ceño fruncido, fruncir el ceño, poner mala cara.

■~질 acción *f* de blandir el hacha. ¶~하다 hachear, *AmL* hachar. ~하는 사람 hachero, -ra *mf.* ~ㅅ자루 el asta *f* (*pl* las astas) [mango *m*] de hacha. ¶A 씨는 신선놀음에 ~ 썩는 줄 모른다 El señor A no sabe que el asta del hacha ha pudrido, por estar tan distraído en el juego de los ángeles.

도나캐나 ① [무엇이나] cualquiera. ② [되는 대로 마구] al azar.

도난(盜難) robo *m*, asalto *m*. ~당하다 ser robado, ser víctima de un robo. ~ 방지의 contra (el) robo. 나[너·그·우리들·너희들·그들]는 시계를 ~당했다 Me [Te·Le·Nos·Os·Les] han robado el reloj. 나는 지갑을 ~당했다 Me han robado la cartera / Se me robó la cartera. 우리 집은[우리는] ~당했다 Nos entraron ladrones en casa / Nos entraron a robar.

■~ 경보기(警報器) alarma *f* antirrobo, alarma *f* contra los ladrones. ¶~는 도둑들을 설득시키기 위해 쓰일 수도 있다 Una alarma antirrobo puede servir para disuadir a los ladrones. ~계(屆) =도난 신고(盜難申告). ~ 방지 자물쇠 cerradura *f* a prueba de robos, cerradura *f* antirrobo. ~ 보험(保險) seguro *m* contra (el) robo. ¶~에 들다 asegurar contra el robo. ~ 사건(事件) robo *m*. ~ 신고(申告) declaración *f* del robo. ¶~하다 declarar un robo a la policía. ~ 예방 장치(豫防裝置) dispositivo *m* de seguridad contra el robo; [자동차의] antirrobo *m*. ~ 탐지기(探知機) alarma *f* para ladrón que escale una casa. ~품(品) objeto *m* robado, artículo *m* robado. ~ 피해자(被害者) víctima *f* de robo.

도내(道內) interior *m* de la provincia. ~의 provincial, de la provincia. ~에(서) en la provincia.

도넛(영 *doughnut*) buñuelo *m*, rosquilla *f*.

■~반(盤) disco *m* de cuarenta y cinco rotaciones.

도뇨(導尿) cateterización *f*, cateterismo *m*.

■~관(管) 【해부】 uréter *m*. ~법(法) cateterismo *m*.

도능독(徒能讀) lectura *f* sin saber el sentido. ~하다 leer sin saber el sentido.

도닐다 pasear(se) (por), andar (por).

도다녀가다 pasar y volver pronto, pasar (por aquí) por poco tiempo.

도다녀오다 pasar y volver pronto, pasar (por allí) por poco tiempo.

도단(道斷) ((준말)) =언어도단(言語道斷).

도달(到達) llegada *f*, arribo *m*; [위치의] logro *m*, consecución *f*, [목적(지)의] logro *m*; [야망의] realización *f*, logro *m*; [행복의] conquista *f*. ~하다 llegar (a), arribar (a); alcanzar, lograr, conseguir; [목적(지)에] alcanzar, lograr; [야망에] realizar, lograr; [행복에] conquistar; [나이에] llegar (a), alcanzar. ~할 수 있는 alcanzable. 완벽의 경지(境地)에 ~하다 alcanzar la perfección. 당신과 같은 결론에 ~하다 llegar a la misma conclusión que la suya.

■~ 거리(距離) alcance *m*; [항속의] autonomía *f*. ¶비행 ~ autonomía *f* de vuelo. ~점(點) ㉮ =도달 지점. ㉯ [최후에 도달한 결과] conclusión *f*. ~주의(主義) 【법률】 =수신주의(受信主義). ~ 지점 lugar *m* de) destino *m*.

도담도담 (creciendo) muy bien. 아이가 ~ 자라고 있다 El niño crece muy bien.

도담스럽다 crecer muy bien.

도담스레 creciendo muy bien.

도담하다 (ser) atractivo y robusto. 도담한 아이 niño *m* atractivo y robusto, niña *f* atractiva y robusta.

도당(徒黨) pandilla *f*, banda *f*, facción *f*; [분파(分派)] secta *f*; [이해를 같이하는] clan *m*. ~의 faccionario. 반목(反目)하는 ~, 서로 싸우는 ~ facciones *fpl* antagónicas. ~을 짓다 reunirse en [formar una] pandilla, formar [agruparse en] una liga, conspirar juntos, abanderizarse; [비밀로] armar una cábala.

■~ 근성(根性) exclusivismo *m*. ~ 선동자(煽動者) faccioso, -sa *mf*. ~주의(主義) exclusivismo *m*, faccionalismo *m*.

도대체(都大體) ahora bien, pues bien; [의문문에서] demonios, diablo(s). ~ 인간이란 동물은 … Ahora bien, el animal que se llama, hombre …. ~ 이것은 뭘까? Pero ¿qué será esto? / ¿Qué diablo será esto? ~ 넌 어디서 나타났지? ¿De dónde demonios has salido tú? ~ 그는 무슨 일이오? ¿Qué demonios le ha pasado a él? / Pero ¿qué tiene él? ~ 그놈은 어떤 사람이야? ¿Quién diablos es ese tipo? / ¿Qué clase de hombre es? ~ 이게 무슨 꼴이람 ¡Qué diablos! ~ 여기가 어디야? ¿Dónde diablos estoy? 그 이야기는 ~ 사실입니까? Vamos a ver, ¿es verdad esa historia? ~ 왜 당신은 나에게 그 일을 알리지 않았습니까? ¿Por qué diablos [demonios] no me lo avisó? ~ 누가 이런 시간에 방문하러 왔을까? ¿A quién puede ocurrírsele venir de visita a estas horas?

도덕[1](道德) moral *f*, moralidad *f*, virtud *f*, modales *mpl*, educación *f*, [공덕심(公德心)] civismo *m*. ~을 존중하다 respetar la moral. 학교에서는 너에게 ~을 가르치지 않았느냐? ¿No te enseñaron modales en la escuela?

◆공중(公衆) ~ moral *f* pública. 교통(交通) ~ modales *mpl* de tráfico. 근본(根本) ~ principios *mpl* morales. 사회(社會) ~ moralidad *f* social. 상업 ~ moralidad *f* comercial.

■~가(家) moralista *mf*, ético, -ca *mf*, persona *f* de alta moralidad, hombre *m* de virtud, hombre *m* virtuoso, persona *f* virtuosa. ~ 감각(感覺) sentido *m* moral. ~계 mundo *m* moral, círculos *mpl* morales. ~ 과학(科學) ciencia *f* de morales. ~관(觀) moralidad *f*. ~ 관념(觀念) concepto *m* moral ~ 교육 educación *f* moral, enseñanza *f* moral. ~군자(君子) =도학군자(道學君子). ~률(律) 【윤리】 código *m* moral. ~ 문제(問題) problema *m* moral. ~법 【윤리】 código *m* moral. ~ 법칙(法則) 【윤리】 código *m* moral. ~ 사회학(社會學) sociología *f* moral. ~상(上) moralmente, éticamente. ¶~의 moral, ético. ~성(性) moralidad *f*. ~심(心) espíritu *m* moral, moralidad *f*, sentido *m* moral, sentimiento *m* moral. ¶~이 없다 no tener ninguna moralidad, carecer de sentido moral. ~을 앙양시키다 moralizar. ~ 원리(原理) principio *m* moral. ~ 의무(義務) deber *m* [obligación *f*] moral. ~ 의식(意識) conciencia *f* moral. ~재무장운동(再武裝運動) el Movimiento de Rearme Moral. ~적(的) moral; [윤리적] ético; [교훈적] edificante. ¶~으로 moralmente, éticamente, virtuosamente. ~으로 결여된 사회 sociedad *f* en la bancarrota social. ~으로 좋지 않다 no ser bueno moralmente, no ser bueno desde el punto de vista moral]. ~적 신학(的神學) teología *f* moral. ~적 위험(的危險) riesgo *m* moral. ~적 이성(的理性) razón *f* moral. ~적 정조(的情操) sentimiento *m* moral. ~적 증명(的證明) argumentos *mpl* morales. ~적 판단(的判斷) juicio *m* moral. ~ 철학(哲學) ética *f*, filosofía *f* moral. ~ 철학자 moralista *mf*; filósofo, -fa *mf* moral. ~학(學) ética *f*.

도덕[2](道德) ((불교)) la religión y la virtud, poder *m* de religión.

도덕교(道德敎) ((종교)) =도교(道敎).

도도록도도록 lleno de bultos.

도도록하다 (ser) hinchado, inflamado, elevado. 도도록한 선(腺) ganglios *mpl* inflamados 도도록한 젖가슴 pecho *m* hinchado, pecho *m* lleno, pecho *m* rico. 종기가 ~ El furúnculo se hinchado.
도도록이 hinchadamente, inflamadamente.

도도하다 (ser) arrogante, altivo, orgulloso, altanero, soberbio. 도도한 태도 aire *m* altivo.
도도히 arrogantemente, altivamente, orgullosamente, altaneramente, soberbiamente. ~굴다 comportarse arrogantemente.

도도하다(陶陶-) (ser) feliz, jovial, alegre; (estar) satisfecho, contento. 취흥(醉興)이 ~ ser alegre con vino, emborracharse con vino, estar gloriosamente borracho.
도도히 felizmente, jovialmente, alegremente, con satisfacción, contentamente.

도도하다(滔滔-) ① [물이 그들먹하게 퍼져 흐르는 모양이 힘차다] (ser) rápido, veloz. 도도하게 흘러가는 강물 un río de corriente rápida. ② [말하는 모양이 거침없다] (ser) elocuente, con fluidez, con soltura.
도도히 ㉮ [넓은 물줄기의 흐름이] rápido, rápidamente, velozmente, con rapidez, con prontitud, impetuosamente. ~ 흐르다 correr impetuosamente, correr en corriente rápida. ㉯ [연설이나 발언이] elocuentemente, con elocuencia, con fluidez, con soltura. ~ 말하다 hablar elocuentemente [con elocuencia]. 서반아어를 ~ 말하다 hablar español con fluidez [con soltura]. 그는 불란서어로 ~ 말했다 El habló con fluidez en francés. 그녀는 아주 ~ 이탈리아어를 말한다 Ella habla italiano con mucha fluidez [soltura].

도독(渡獨) ida *f* [visita *f*] a Alemania. ~하다 ir [visitar] a Alemania.

도독도독 ((준말)) =도도록도도록.

도독하다 ① [조금 두껍다] (ser) algo grueso. ② ((준말)) =도도록하다.
도독이 algo gruesamente.

도돌이표(-標) 【음악】 guión *m* (*pl* guiones), señal *f* [barra *f*] de repetición.

도두 alto. 둑을 ~ 쌓다 construir el dique alto. 볏가리를 ~ 쌓다 amontonar las gavillas de arroz alto.
도두뛰다 saltar tan alto como se puede.
도두보다 ver con un ojo favorable, ver mejor.
도두보이다 verse mejor

도둑 ① [도둑질] robo *m*, hurto *m*. ② [사람] ladrón (*pl* ladrones), -drona *mf*, atracador, -dora *mf*; [강도(强盜)] salteador, -dora *mf*, bandido, -da *mf*; [빈집을 노리는 도둑] ratero, -ra *mf* (que entra en una casa durante la ausencia de los moradores). ~이 들다 entrar un ladrón. 그의 집이 빈 것을 이용해 ~이 들었다 Entró un ratero aprovechando que no había nadie en su casa. 내 집에 ~이 들었다 Han robado en mi casa / Un ladrón ha entrado a robar en mi casa. 사람을 보거든 ~이라 생각해라 ¡No confíes en los extraños! ~이야! ¡Ladrón!
◆개~ ladrón, -drona *mf* de perros. 말~ ladrón *m* de caballos, cuatrero *m*. 소~ ladrón *m* de vacas. 자동차 ~ ladrón, -drona *mf* de coches, *Col* jalador, -dora *mf* de carros.
◆도둑(을) 맞다 sufrir un robo, robar*le* a *uno*, robarse, ser robado, ser hurtado. 나는 지갑을 도둑맞았다 Se me ha robado la cartera / Me han robado la cartera. 나[그]는 보석을 도둑맞았다 Me [Le] han robado joyas. 내 부친은 시계를 도둑맞았다 Se le ha robado a mi padre el reloj / Le robaron a mi padre el reloj. 도둑맞은 그림은 정확한 액수는 알려지지 않았으나 수백만 원이 나간다 Los cuadros robados valen millones de wones aunque la cantidad precisa no fue anunciada.
■도둑맞고 사립 [빈지] 고친다 ((속담)) Después del caballo hurtado, cerrar la caballeriza / Una vez muerto el burro, la cebada al rabo / Después de la vaca

huida, cerrar la puerta / Después de ido el pájaro, apretar la mano / A buenas horas mangas verdes / Cavar un pozo después de incendiado la casa. 도둑에도 의리가 있고 딴꾼에도 꼭지가 있다 ((속담)) Aun hay etiquetas entre ladrones. 도둑은 도둑이 잡게 해라 ((속담)) Nada mejor que un ladrón para atrapar a otro ladrón. 도둑의 때는 벗어도 화냥의 때는 못 벗는다 ((속담)) Quien se prostituye una vez se prostituye diez [siempre]. 도둑의 씨가 따로 없다 ((속담)) La ocasión hace al ladrón. 도둑이 제 발 저리다 ((속담)) Cree el ladrón que todos son de su condición / El que ha cometido una falta cree que todos han hecho como él y sospecha. 바늘 도둑이 소도둑 된다 ((속담)) Quien hurta la onza, hurta la arroba / Quien roba una vez roba diez / El que hace un cesto hace ciento.

■ ~개 ㉮ [주인 없는] perro *m* callejero, perro *m* vago. ㉯ [길을 잃은] perro *m* perdido. ~고양이 ㉮ [주인 없는] gato *m* callejero, gato *m* vago, gato *m* vagabundo, gato *m* cimarrón, gato *m* ladrón. ㉯ [길을 잃은] gato *m* perdido. ~ 근성(根性) carácter *m* ladronesco, carácter *m* de ladrón. ~년 ladrona *f*. ~놈 ladrón *m* (*pl* ladrones). ~눈 nieve *f* que cayó por la noche sin que se notara. ~벌 =도봉(盜蜂). ~장가 casamiento *m* secreto con una mujer. ¶~를 들다 casarse con una mujer secretamente. ~질 ㉮ [남의 물건을 훔치거나 빼앗거나 하는 짓] robo *m*, hurto *m*, latrocinio *m*; [약탈] salteamiento *m*, saqueo *m*, pillaje *m*. ¶~하다 robar, hurtar, cometer robo, ratear; [강탈하다] arrebatar; [날치기하다] saltear; [약탈하다] saquear, pillar. ㉯ [남의 눈에 띄지 않게 하는 짓] actitud *f* en oculto, actitud *f* a escondidas, actitud *f* secreta. ~한 물이 달고 몰래 먹은 떡이 맛이 있다 ((잠언 9:17)) Las aguas hurtadas son dulces, y el pan comido en oculto es sabroso / El agua robada es más sabrosa; el pan comido a escondidas sabe mejor. ~질 현장(現場) robo *m* flagrante. ~합례(合禮) casamiento *m* secreto. ¶~하다 casarse secretamente.

도둑벌레【곤충】=야도충.

도둔(逃遁) huida *f*, escape *m*. ~하다 huir(se), escapar(se).

■ ~부득(不得) lo que no se puede huir secretamente.

도드라지다 ① [겉으로 드러나서 또렷하다] (ser) destacado, prominente, importante, notable; [현저하다] extraordinario, excepcional. ② [도도록하게 내밀다] sobresalir, hincharse. 도드라진 saltón (*pl* saltones); [턱이] prominente; [이가] salido; [손톱이] que sobresale. 도드라진 눈 ojos *mpl* saltones. 지갑이 내 호주머니에서 도드라졌다 La cartera me asomaba por el bolsillo. 육지가 바다에 도드라진다 La tierra se adentra en el mar. 길 가운데가 도드라졌다 El centro del camino es alto.

도드미 criba *f*, tamiz *m* (*pl* tamices).

도떼기시장(一市場) mercado *m* irregular.

도뜨다 ser irreprochable [intachable] en palabra y obra.

도라지【식물】campanilla *f* (china).

도락(道樂) ① [취미(趣味)] pasatiempo *m*, afición *f*, gusto *m*, distracción *f*, diversión *f*, diletantismo *m*. ~으로 그림을 그리다 pintar por afición [por gusto]. 그는 항아리 수집이 ~이다 El es un coleccionista apasionado de vasijas / El es muy aficionado a la colección de vasijas. ② [방탕(放蕩)] libertinaje *m*, desenfreno *m*. ~에 빠진 아들 hijo *m* libertino, hijo *m* calavera. ~에 빠지다 dedicarse al libertinaje, entregarse al libertinaje.

■ ~자(者) libertino, -na *mf*, calavera *m*; hombre *m* vicioso.

도란(독 *Dohran*) pintura *f* grasienta. ~을 바르다 maquillarse (con pintura grasienta).

도란거리다 murmurar juntos, hablar en voz baja en grupo, cuchichear en grupo.

도란도란 murmurando juntos, bajo, en voz baja.

도랑 riacho *m*, riachuelo *m*, arroyuelo *m*, acequia *f*, zanja *f*, foso *m*, cuneta *f*, sumidero *m*; [연못의 배수구] arbollón *m* (*pl* arbollones), albañal *m*, desagüe *m*; [하수관] atarjea *f*; [배수관] desaguadero *m*; [수로(水路)] canal *m*; [가축 탈출 방지용 도랑] rejilla *f* en la carreterra que permite pasar a los vehículos pero no al ganado.. ~을 파다 abrir zanjas, hacer zanjas; [관개용] hacer acequias; cavar una cuneta. ~에 빠지다 caerse en la zanja. ~을 치다 limpiar la zanja. ~에 빠지게 하다 hacer volcar en la cuneta.

■ 도랑 치고 가재 잡는다 ((속담)) ㉮ [한 번의 노력으로 두 가지 소득을 본다] Matar dos pájaros con una piedra [de un tiro]. ㉯ [일의 순서가 뒤바뀌었다] Invertir el orden.

■ ~물 el agua *f* del riacho. ~창 riacho *m* [riachuelo *m* · arroyuelo *m*] sucio.

도랑도랑하다 (ser) muy claro, clarísimo.

도랑이 sarna *f* del perro.

도랑치마 *chima m* corto, falda *f* corta.

도래 cierre *m* [broche *m*] de madera fina.

■ ~떡 *doraeteok*, tarta *f* redonda de arroz de tamaño grande. ~매듭 nudo *m* doble. ~목정 carne *f* dura de la región superior del cuello de vaca. ~방석(方席) cojín *m* (*pl* cojines) redondo. ~샘 pozo *m* arremolinante. ~샘물 =도래샘. ~솔 pinos *mpl* alrededor de la tumba. ~송곳 taladro *m* de doble filo.

도래(到來) llegada *f*, venida *f*, advenimiento *m*. ~하다 llegar, venir, arribar, advenir, aportar. 죽음의 ~ llegada *f* de muerte. 기회가 ~하다 sobrevenir la oportunidad, presentarse oportunidad. 호기(好機)가 ~했

다 Se presenta una buena ocasión.

도래(渡來) [사람의] visita *f*, [새의] migración *f*, [사물의] introducción *f* (del extranjero), importación *f*. ~하다 introducirse, venir (del extranjero). 불교의 ~ introducción *f* del budismo. 인도(印度) ~의 procedente *m* de la India.
■ ~종(種) especie *f* de introducción.

도량[1](度量) ① [마음이 너그러움] generosidad *f*, magnanimidad *f*, nobleza *f*, liberalidad *f*. ~이 넓다 (ser) generoso, dadivoso, magnánimo, de gran corazón, desprendido, liberal, tolerante, munífico. ~이 좁다 (ser) mezquino, tacaño, soez, bajo, apocado, iliberal, miserable. ~이 크다 tener un espíritu magnánimo y tolerante. ② [길이와 용적] la longitud y la capacidad.

도량[2](度量) [재거나 되거나 하는 따위 방법으로 사물의 양을 따짐] medida *f*. ~하다 medir.

도량(跳梁) proliferación *f*, dominación *f*. ~하다 (ser) rampante, dominante, frecuente, corriente.

도량(道場) ① ((불교)) [석가가 성도한 땅] lugar *m* de Ilustración. ② [불도를 닦는 곳] lugar *m* donde logra la ilustración. ③ ((불교)) [좌선(坐禪)·염불·수계(授戒) 등을 하는 방] sala *f* del zen.
■ ~ 교주(敎主) ((불교)) =관세음보살. ~수(樹) ((불교)) árbol *m*, debajo de que el Buda logró el Ilustración. ~신(神) ((불교)) deidades *fpl* protectoras de los lugares religiosas budistas. ~ 창옷 ((불교)) =두루마기.

도량형(度量衡) pesa(s) y medida(s).
■ ~ 검사관(檢査官) verificador *m* de pesas y medidas. ~ 검정소(檢定所) el Instituto de Examen de Pesas y Medidas. ~기(器) instrumentos *mpl* de medir. ~기 검사인(器檢査人) almotacén *m*. ~기 검사소(器檢査所) almotacén *m*. ~ 동맹(同盟) alianza *f* de pesas y medidas. ~ 사무국(事務局) secretaría *f* de pesas y medidas. ~ 원기(原器) prototipo *m* de pesas y medidas. ~제(制) sistema *m* prototípico. ~표(表) tablas *fpl* de pesas y medidas. ~학(學) metrología *f*.

도레미(이 *do re mi*) ① 【음악】 do re mi. ② ((속어)) música *f*.
■ ~국 ((은어)) =콩나물국. ~탕(湯) ((은어)) =콩나물국. ~파 【음악】 escala *f* musical, solfa *f*. ¶~로 노래하다 cantar solfa. ~를 연습하다 practicar las escalas. ~파국 ((은어)) =콩나물국.

도려내다 vaciar, ahuecar, cavar, excavar, escoplear, talatrar con cuchillo; [구멍을] agujerear, abrir un agujero. 도려서 꺼내다 sacar, arrancar; 【외과】 estirpar. 눈알을 ~ sacar los ojos. 사과의 심(芯)을 ~ sacar el corazón de la manzana. 나무를 도려내어 배를 만들다 hacer un barco ahuecando un árbol. 단도로 옆구리를 ~ abrir el costado (a *uno*) con el cuchillo. 사람들은 나무의 몸통을 도려내 카누를 만들었다 Vaciaron el tronco para hacer una canoa.

도려빠지다 ☞도리다.

도련(刀鍊) recorte *m*.
◆ 도련(을) 치다 recortar. 끝만 좀 도련을 쳐 주세요 Recórteme sólo las puntas, por favor.
■ ~칼 cuchillo *m* de recortar el papel, tenazas *fpl* de papel.

도련님 ① ((높임말)) =도령[2]. ② [형수가 결혼하지 아니한 시동생] cuñado *m*, hermano *m* político.
■ ~ 천량(千兩) dinero *m* ahorrado [buena suma *f* ahorrada] por frugalidad.

도련지(擣練紙) papel *m* calendrado.

도렷하다 (ser) claro, evidente, obvio, lógico. 도렷이 claramente, evidentemente, obviamente, lógicamente.

도령[1] 【민속】 *doryeong*, rito *m* de exorcismo de chamán para el viaje del alma de la persona muerta al otro mundo.
◆ 도령(을) 돌다 practicar una danza ritual para el reposo del muerto.

도령[2] [총각] solterón *m*, muchacho *m*.
■ ~ 귀신(鬼神) 【민속】 =몽달귀. ~차(車) ((장기)) soldado *m*.

도령(道令) [일제 시대의] decreto *m* provincial.

도로 ① [되돌아서서] volver a + *inf*. 도중에서 ~ 가다[오다] volver a mitad de camino. ② [본래와 같이 다시·먼저와 다름이 없이] volver a + *inf*. ~ 주다 volver a dar. ③ [또 다시] otra vez, de nuevo, nuevamente, re-. ~ 더워진다 Se recrudece [Vuelve · Recobra su fuerza] el calor.
도로 오다 volver, regresar. 집에 ~ volver a casa.
도로 가다 volver, regresar(se), *AmL* devolverse (*RPI* 제외). 일하러 ~ volver al trabajo. 나는 우산을 가지러 집에 도로 가야 했다 Tuve que volver [*AmL* regresarme] a buscar el paraguas. 나는 언젠가 서반아에 도로 갔으면 싶다 Me gustaría volver a España.

도로(徒勞) esfuerzo *m* vano, esfuerzo *m* [inútil]. ~하다 esforzarse en vano [inútilmente].
■ ~무공(無功) resulto *m* vano. ~무익(無益) esfuerzo *m* vano.

도로(道路) camino *m*; [가로(街路)] calle *f*, [자동차 전용의] carretera *f*, [한길] camino *m* real. ~를 따라서 a lo largo de la carretera. ~ 위에서 en la calle. ~를 만들다 construir una carretera.
◆ 자동차 ~ autovía *f*, autopista *f*. 콘크리트 ~ camino *m* de hormigón. 한국 ~ 공사 la Corporación de Carreteras de Corea.
■ ~ 건설(建設) construcción *f* de carreteras. ~ 경주(競走) carrera *f* de carretera. ~ 계획(計劃) plan *m* de carretera. ~ 공사(工事) construcción *f* de un camino, obras *fpl* de carretera; [도로 보수] reparación *f* de camino, mejoramiento *m* de ca-

lle. ¶~하다 construir un camino, trabajar en obras de carretera. ~과(課) sección *f* de carretera. ~ 교통(交通) circulación *f* por carretera, circulación *f* vial. ~ 교통법(交通法) ley *f* de tránsito vial.~ 교통 사고 희생자(交通事故犧牲者) víctimas *fpl* de accidentes en carretera. ~국(局) departamento *m* de carretera. ~망(網) red *f* de carreteras. ~법(法) ley *f* de vialidad. ~변(邊) =길가. ~ 사용세(使用稅) =도로세. ~ 성능 시험(性能試驗) prueba *f* de carretera. ¶~을 하다 someter a una prueba de carretera. ~세(稅) impuesto *m* por el uso de carreteras. ~수(樹) =가로수(街路樹). ~ 수송(輸送) transporte *m* por carretera. ~ 수송 차량(輸送車輛) vehículo *m* de transporte por carretera. ~ 수송 협회(輸送協會) la Asociación de Transportes por Carretera. ~ 수송 회사(輸送會社) compañía *f* de transporte por carreteras. ~ 안전(安全) seguridad *f* en la carretera. ~ 인부(人夫) (peón *m*) caminero *m*. ~ 전용권(專用權) exclusiva *f* de carretera. ~ 지도(地圖) mapa *m* de carreteras. ~ 포장(鋪裝) =길단장. ~ 표지(標識) señal *f* de circulación.

도로아미타불(一阿彌陀佛) Así pierdo todo cuanto he ganado / Buscar una aguja en un pajar. ~이 되다 Lo que se pierde en una cosa se gana en la otra.

도록(圖錄) libro *m* ilustrado.

도록(圖籙) =도참(圖讖).

-도록 ① [목적] para, a, para que + *subj*. 우리말이 들리지 않~ 문을 닫아라 Cierra la puerta para que no nos oigan. 내가 걱정하~ 그는 그것을 말했다 El lo dijo que yo me preocupara. ② [···때까지] hasta, hasta que + *ind*·*subj*. 밤이 늦~ hasta muy entrada la noche. 아침 늦~ hasta la última hora de la mañana.

도론(徒論) discusión *f* vana, discusión *f* inútil.

도롱뇽【동물】salamandra *f* gigante, salamanquesa *f*,【학명】Hynobius leechi.

도롱 삿갓 sombrero *m* impermeable de paja.

도롱이 *dorong-i*, capa *f* impermeable de paja, impermeable *m* de paja.

도롱태[1] ① [나무로 만든 수레] carro *m* de madera. ② [바퀴·굴렁쇠] aro *m*, rueda *f*.
■~ 놀이 juego *m* del aro. ~를 하다 jugar a la rueda, jugar al aro.

도롱태[2]【조류】① =쇠황조롱이. ② =새매.

도료(塗料) pintura *f*, materia *f* de tinte. 이 벽의 ~는 아직 마르지 않았다 La pintura de esta pared todavía no está seca.

도룡지기(屠龍之技) talento *m* vano [inútil].

도루(盜壘) robo *m* [hurto *m*] de base. ~하다 robar [hurtar] la base.

도루묵【어류】((학명)) Arctoscopus japonicus.

도류(道流) ① ((준말)) =도가자류(道家者流). ② ((불교)) corriente *f* de la Verdad, escuela *f* de Ch'an.

도륙(屠戮) matanza *f*, carnicería *f*. ~하다 matar atrozmente, hacer una carnicería. 한 가족을 ~하다 matar atrozmente una familia.

도르다[1] ① [먹은 것을 게우다·토하다] vomitar. ② [몫몫이 나누어 돌리다] repartir, distribuir. 카드의 패를 ~ repartir [dar] las cartas. ③ [(일·물건·돈을) 이리저리 형편에 맞추어 돌려대다] anticipar, adelantar. ···에게 ···을 ~ anticipar*le* [adelantar*le*] *algo* a *uno*. 돈을 A에게 ~ anticipar [adelantar] el dinero a A. ④ [남을 속이다] engañar. ⑤ [남의 것을 몰래 빼어돌리다] esconder(se), tener una reserva secreta (de), esconder secretamente. 돌라 둔 보물 tesoro *m* escondido. 구두쇠의 돌라 둔 돈 dinero *m* escondido de un avaro. 나는 초콜릿을 돌라 두었다 Tengo una reserva secreta de chocolate. ⑥ [어떤 대상의 둘레를 빙 돌거나 또는 돌게 하다] rodar, hacer rodar.
돌라가다 robar, ratear, hurtar. 우산을 ~ robar un paraguas.
돌라내다 esconder a hurtadillas.
돌라놓다 ㉮ [각기의 몫으로 둥글게 벌여 놓다] poner en círculo. ㉯ =돌려놓다.
돌라대다 ㉮ =변통하다. ㉯ =둘러대다.
돌라막다 cercar, vallar.
돌라맞추다 sustituir, reemplazar.
돌라매다 ㉮ [새끼를] atar alrededor. ㉯ [변리를 본전(本錢)에 얹어매다] convertir el interés en el capital.
돌라방치다 sustituir, reemplazar.
돌라버리다 vomitar adrede [a propósito].
돌라보다 =둘러보다.
돌라붙다 =둘러붙다.
돌라서다 estar de pie en círculo.
돌라싸다 =둘러싸다.
돌라쌓다 =둘러쌓다.
돌라앉다 sentarse alrededor. ☞둘러앉다.
돌라주다 distribuir.
돌라치다【준말】=돌라방치다.

도르래 ① [장난감의 한 가지] molinete *m*, molinillo *m*, *Chi*, *Urg* remolino *m*, *Col* ringlete *m*. ②【물리】polea *f*, garrucha *f*. ~의 줄 maesilla. ③ =롤러스케이트. ④ ((준말)) =도르래바퀴.
◆고정(固定) ~ polea *f* fija. 이동식(移動式) ~ polea *f* movible.
■~가시 espina *f* troclear. ~바퀴 rueda *f* de la polea. ~신경 nervio *m* troclear. ~아래신경 nervio *m* infratroclear. ~위신경 nervio *m* supratroclear. ~위정맥 vena *f* supratroclear.

도르르[1] [말렸던 종이 따위가 풀렸다가 절로 다시 말리는 모양] redondo y redondo, enrollando. ~ 감기다 enrollarse [enroscarse] alrededor de *algo*.

도르르[2] [조그마한 바퀴 따위가 굴러가며 울리는 소리] rodando.

도리[1]【건축】viga *f*, travesaño *m*.
■~나무[목] madero *m* para la viga.

도리[2] =도리머리.
도리도리 ¡Sacude la cabeza!

도리도리도리 ¡Sigue sacudiendo la cabeza!
■ ~머리 ㉮ [머리를 좌우로 흔들어 「부(否)」의 뜻이나 싫다는 뜻을 표하는 짓] acción *f* de sacudir la cabeza como una señal de negación. ㉯ =도리질.
■ ~질 cabeceamiento *m*, cabeceo *m*. 싫다고 ~하다 [유아가] cabecear, negar con la cabeza.

도리(桃李) ① [복숭아와 자두] el melocotón y la ciruela. ② [남이 천거한 어진 사람] buena persona *f* que el otro recomenó.

도리(道理) ① [(어떤 입장에서) 마땅히 행하여야 할 바른 길] camino *m* recto, razón *f*, justicia *f* (정의), verdad *f* (진리), principio *m* (원리). ~상 con razón. ~에 맞는 razonable, puesto en razón, juicioso, racional; [논리적] lógico. ~에 맞지 않는·어긋난 irrazonable, desrazonable, irracional, absurdo, ilógico, contrario a la razón. ~에서 벗어난 desviado [extraviado] del camino recto, equivocado. ~에 따르다 seguir a la razón. ~를 분별하다 actuar razonablemente. ~에서 벗어난 짓을 하다 actuar sin rectitud [indiscretamente], cometer un desliz. 나에게 항의하는 것은 ~에 어긋난다 Es injusto protestarme a mí.
② [(나아갈) 방도] remedio *m*, medio *m*. 어찌할 ~가 없는 아이 niño, -ña *mf* intratable. 어찌해 볼 ~가 없다 no poder hacer nada, no saber qué hacer, quedarse sin recursos. ~에 어긋난다 ¡De ninguna manera! / ¡De ningún modo! / ¡Nunca! / ¡No me diga! / ¡Quién lo hubiera creído! / ¡Ni hablar! 돈이 없으니 어찌할 ~가 없다 Puesto que no tengo dinero, no puedo pagar aunque quiera. 어쩔 ~가 없다 Es inevitable / No hay remedio / No queda ningún medio. 그는 어찌할 ~가 없는 장난꾸러기다 El es un pícaro indominable. 도망칠 수밖에 ~가 없다 Se han agotado todos los medios / No queda remedio / Por más vueltas que se le dé la cosa no tiene remedio / Nada puede hacerse. 그 녀석은 하도 게을러 어찌할 ~가 없다 El es un tipo perezoso que no sirve para nada [que no tiene remedio]. 나는 너무 바빠서 어떻게 할 ~가 없다 Estoy tan ocupado que no tengo tiempo para nada.

도리기 invitación *f* a escote, *AmL* invitación *f* a la americana, *Chi* invitación *f* a la inglesa. ~하다 pagar a escote, *AmL* pagar [ir] a la americana, *Chi* pagar [ir] a la inglesa.

도리깨 mayal *m*, batidor *m*.
■ ~아들 =불효자식(不孝子息). ~질 trilladura *f* a mano. ¶~하다 trillar a mano. ~채 el asta *f* (*pl* las astas) [mango *m*] del mayal. ~침 saliva *f* de apetito. ~ㅅ장부 =도리깨채.

도리다 ① [돌려서 베어 내다] sacar. ② [글이나 장부의 어떤 줄에 꺾자를 쳐서 지워 버리다] borrar.

도리반거리다 hacer vagar la vista, mirar con ojos inseguros. 주위(周圍)를 ~ recorrerlo todo con la mirada.

도리반도리반 con ojos inseguros, con la mirada.

도리사(―絲) telaraña *f* de cáñamo de China.

도리스식(Doris 式) estilo *m* dórico. ~의 dórico. ~ 건축(建築) arquitectura *f* dórica.

도리암직하다 (ser) atildado, pulcro.

도리어 [반대로] al contrario, por el contrario; [오히려] antes (bien), más bien. ~ 나빠지다 contrariamente sale bien. 나는 약을 마셨으나 ~ 병세가 악화되었다 Tomé la medicina sólo para ponerme peor. 아이들은 너무 나무라면 ~ 버린다 Si se regaña demasiado a los niños, lejos de hacerles bien, se los estropea. 그의 지나친 고지식은 ~ 사람들의 반감을 산다 Su demasiada seriedad, lejos de inspirar simpatía, causa antipatía a la gente. 생각하면 할수록 ~ 그 문제는 어려워졌다 Cuanto más pensaba, tanto más difícil se hacía el problema. 그를 도와주려고 시도했지만 ~ 그의 괴로움만 더했다 Aunque pretendía ayudarle, mi ayuda resultó más bien una molestia. ~ 그것을 하지 않은 것이 나았을 것이다 Habría sido mejor no hacerlo / Hubiera hecho mejor en no hacerlo. 그는 겁내지 않고~ 적에게 대들었다 El no se acobardó, antes se encaró con el enemigo. 나는 전보다 ~ 더욱 그녀를 사랑한다 La quiero aún más que antes. 그녀가 ~ 그보다 일을 더 한다 Ella trabaja todavía más que él.

도리어내다 =도려내다.

도린결 lugar *m* apartado, lugar *m* poco conocido.

도림 =묶음표.

도림(桃林) ① [복숭아나무 숲] bosque *m* de los melocotoneros. ② [소] vaca *f*.
■ ~처사(處士) =도림(桃林)❷.

도림장이 engrabador, -dora *mf* de madera.

도림질 grabado *m*.

도립(倒立) =물구나무서기. ¶~하다 hacer el pino, hacer la vertical, *AmL* pararse de manos.
■ ~ 운동(運動) =물구나무서기 운동.

도립(道立) establecimiento *m* provincial. ~의 provincial, prefectural.
◆ ~ 고등 학교 instituto *m* provincial de segunda enseñanza, escuela *f* superior provincial. ~ 공원(公園) parque *m* provincial. ~ 병원 hospital *m* provincial.

도마 tajo *m* (de cocina), tabla *f* de picar, picador *m*, tajador *m*; [정육점용] tabla *f* de carnicero, tajo *m*.
◆ 도마에 오른 고기 oveja *f* en el matadero, pez *m* fuera del agua. 나는 도마 위에 오른 고기나 같은 신세다 Estoy como una oveja en el matadero. 도마 위[조상(俎上)]에 올려 놓다 someter *algo* a crítica, poner *algo* sobre el tapete. ¶문제를 ~ poner un problema sobre el tapete.

도마(跳馬) ((체조)) salto *m* de potro, salto *m* de caballo.

도마름(都－) supervisor *m* de cabeza de los arrendatarios.
도마뱀【동물】lagarto *m*; [암컷] lagarta *f*, [작은] lagartija *f*.
■ ～자리【천문】Lagarto *m*.
도마뱀붙이【동물】geco *m*.
도마뱀속(－屬)【동물】gecónidos *mpl*.
도막 pedazo *m*, fragmento *m*, trozo *m*, corte *m*; [고기의] tajada *f*, [나무의] astilla *f*, [빵의] rebanada *f*, [케이크의] trozo *m*, pedazo *m*; [치즈의] trozo *m*, pedazo *m*, tajada *f*, [양파・오이의] rodaja *f*, [햄의] tajada *f*, loncha *f*, lonja, *RPl* feta *f*, [참외의] raja *f*. ～을 낸 [양파를] picado; [고기를] picado, molido. ～을 낸 빵 pan *m* de molde cortado en rebanadas. 가늘게 ～을 낸 토마토 tomates *mpl* en rodajas finas. 가는 ～으로 en pedacitos, en trocitos. ～을 내다 hacer pedazos [añicos] *algo*; [빵을] cortar en rebanadas; [고기를] cortar en tajadas; [케이크를] cortar en trozos; [나무를] cortar; [고기・사과를] cortar en trozos pequeños; [레몬・오이를] cortar en rojadas; [양파를] picar; [햄을] cortar en lonchas. ～으로 부수다 romper *algo* en pedazos. 둘로 ～을 내다 cortar *algo* en dos. 반으로 ～을 내다 cortar *algo* por la mitad. 그는 고기를 ～을 냈다 El cortó la carne en pedacitos / El cortó una tajada de carne.
도막도막 ㉮ [여러 도막으로 끊는 모양] en pedazos, en trozos; [빵을] en rebanadas; [고기를] en tajadas; [케이크를] en trozos; [레몬・오이를] en rodajas; [햄을] en lonchas. ～ 자르다 cortar en pedazos [en rebanadas (빵을)・en tajadas (고기를)・en trozos (케이크를)・en rodajas (레몬・햄을)・en lonchas (햄을)]. ㉯ [도막마다] cada pedazo, cada rebanada, cada tajada, cada trozo, cada rodaja, cada loncha, todos los pedazos, todas las rebanadas, todas las tajadas, todos los trozos, todas las rodajas, todas las lonchas.
도막이 ① [시골의 지주(地主)] terrateniente *mf* del campo. ② [시골의 늙은이] viejo *m* campesino, vieja *f* campesina.
도말(塗抹) ① [발라서 가림] cubrimiento *m* (con pintura). ～하다 pintar. 페인트로 ～하다 cubrir con pintura. ② [이리저리 임시변통으로 발라 맞추어 꾸밈] arreglo *m* provisional. ～하다 [지붕・가구를] hacer*le* un arreglo a (provisionalmente); [옷을] remendar, *AmL* parchar. ③ ((성경)) borradura *f*. ～하다 borrar, raer.
■ ～ 연고(軟膏)[제(劑)] ungüento *m*, pomada *f*. ～ 표본(標本) frotis *m*. ～ 표본 검사(標本檢査) citología *f*, frotis *m* cervical, *AmL* Papanicolau *m*.
도망(逃亡) fuga *f*, huida *f*, escape *m*, escapada *f*, afufa *f*, evasión *f*. ～하다 fugarse, huir, escaparse, evadirse, largarse, afufar(se).
◆ 도망(을) 가다 huir, escaparse, fugarse, evadirse, lagarse, irse por (sus) pies, afufar(se), tomar las afufas.
■ ～꾼 ＝도망자(逃亡者). ～ 범죄인(犯罪人) delincuente *m* [criminal *m*] fugitivo, delincuente *f* [criminal *f*] fugitiva. ～ 범죄인 인도(犯罪人引渡) extradición *f*. ～병(兵) desertor *m*, soldado *m* fugitivo. ～자(者) fugitivo, -va *mf*, [탈주자] desertor, -tora *mf*. ～죄(罪) crimen *m* fugitivo. ～질 huida *f*, escape *m*, fuga *f*, afufa *f*. ¶～하다 huir, escaparse, fugarse, afufar(se).
도망질치다 huir [fugarse・escaparse] en secreto, irse por (*sus*) pies, echar [ponerse] a huir, darse a la fuga, poner pies en polvorosa, recurrir a la fuga, coger [tomar] las de Villadiego, tomar las afufas. 국외로 ～ huir [escaparse・fugarse] al extranjero, refugiarse en el extranjero. 형무소에서 ～ fugarse en una prisión.
도망치다 ((준말)) ＝도망질치다. ¶도망쳐 들어가다 refugiarse [guarecerse] (en [bajo]), buscar refugio [asilo] (en). 멀리 ～ huir lejos [a un sitio muy distante]. 도망칠 준비를 하다 prepararse para huir, hacer los preparativos de [para] la fuga, estar sobre las afufas. 수도원에 도망쳐 들어가다 refugiarse en un monasterio, acogerse a [al amparo de] un monasterio. 도망치려고 허둥대다 ir desesperadamente de un sitio a otro [acá y allá] tratando de huir [escaparse]. 여기저기 도망쳐 다니다 andar huyendo de un sitio a otro, buscar refugio acá y allá. 도망쳐 종적이 묘연하다 fugarse, escaparse, huir, desaparecer(se). 도망치는 발걸음이 빠르다 ser muy rápido para huir [en la fuga], huir veloz y rápidamente. 도망쳐 귀가하다 volver a casa huyendo. 도망치려고 하다 disponerse a [prepararse para] huir. 도망치는 범인(犯人)을 쫓다 perseguir al criminal que huye. 도망칠 것 같은 태도를 취하다 tomar una actitud evasiva. 나는 도망치려고도 숨으려고도 하지 않는다 Ni estoy tratando de huir ni de esconderme / Nadie está aquí tratando de huir. 이제 도망칠 방법이 없다 Ya no hay más remedio que huir / Ya no nos queda ninguna escapatoria. 죄수가 도망쳤다 Se han escapada presos. 새가 새장에서 도망쳤다 El pájaro ha escapado de la jaula. 너희들 도망쳐라 ¡Huid! / ¡Escapaos! / [각자의 판단에서] Sálvese quien pueda. 도망치려고 하지 말고 내 질문에 대답하세요 Conteste usted a mi pregunta sin (andar(se) con) rodeos / Responda usted directamente a mi pregunta sin tratar de buscar evasivas. 내 포획물이 나한테서 도망쳤다 Se me escapó la presa (de la mano). 그의 아내가 그에게서 도망쳤다 Se le escapó la mujer / Su mujer lo abandonó / Fue abandonado por su mujer.
도망칠 곳 ㉮ [장소] refugio *m*, asilo *m*. ㉯ [길] lugar por donde huir, escapatoria, salida. ～을 잃다 no tener lugar por donde huir, perder la escapatoria [la salida]. ～을

찾다 buscar una escapatoria [una salida].

도맡다 [책임을] asumir; [일을] hacerse cargo (de), dirigirlo todo. 일을 혼자 ~ encargarse de todo el trabajo. 그는 이 가게를 도맡고 있다 El lo dirige todo en esta tienda. 나는 책임을 도맡았다 Yo asumí todas responsabilidades sólo.

도매(都買) compra *f* al por mayor. ~하다 comprar al por mayor.

도매(都賣) venta *f* al por mayor, *Arg, Chi, Méj* mayoreo *m*. ~하다 vender al por mayor. ~의 al por mayor. ~로 (al) por mayor, (de) por junto. ~로 사다 comprar al por mayor. ~로 팔다 vender al por mayor. ~로 팔리다 venderse al por mayor. ~로만 팔았다 Vendía sólo al por mayor.

■ ~가격[ㅅ값] precio *m* al por mayor. ~가격 인플레이션 inflación *f* de los precios al por mayor. ~ 매입(買入) compra *f* al por mayor. ~ 물가 지수(物價指數) índice *m* de precios al por mayor. ~상(商) [가게] casa *f* mayorista; [장사] comercio *m* al por mayor; [장수] mayorista *mf*, comerciante *mf* al por mayor, comerciante *mf* mayorista. ~ 상업(商業) comercio *m* al por mayor. ~ 상품(商品) mercancías *fpl* al por mayor. ~ 시세(時勢) situación *f* actual al por mayor. ~ 시장(市場) mercado *m* al por mayor. ~업(業) comercio *m* al por mayor, agencia. ~ 업자(業者) negociante *mf* al por mayor, mayorista *mf*. ~ 은행(銀行) banco *m* mayorista. ~ 은행업 banca *f* al por mayor, banca *f* mayorista, *AmL* banca *f* al mayoreo. ~인(人) comerciante *mf* al por mayor. ~점(店) tienda *f* de comercio al por mayor. ~ 제조 confección *f* al por mayor, *AmL* confección *f* al mayoreo. ~ 제조 업자(製造業者) confeccionador, -dora *mf* al por mayor. ~ 출하(出荷) entrega *f* al por mayor.

도매(盜賣) venta *f* del artículo robado. ~하다 vender el artículo robado.

도면(圖面) dibujo *m*, diseño *m*, plano *m*, mapa *m*. 상세한 ~ dibujo *m* detallado, plano *m* de detalles.

도명(徒命) vida *f* inútil.

도모(圖謀) plan *m*, proyecto *m*, designio *m*. ~하다 formar un plan, proyectar, trazarse un plan, formar proyectos.

도목수(都木手) jefe *m* de los carpinteros.

도묘(都墓) 【고제도】 =도무덤.

도무덤 【고제도】 gran tumba *f* (*pl* grandes tumbas) de los caídas en la guerra.

도무지 no por cierto, nada de eso, de ninguna manera. ~ 생각이 나지 않는다 No tengo ninguna [ni la menor] idea. 나는 ~ 이해하지 못한다 No entiendo nada. 나는 ~ 모른다 No lo sé en absoluto. 그에게서 ~ 소식이 없다 El no me escribe ni una línea / No tengo ninguna noticia suya. ~ 잘 안된다 Por más que lo intento no me sale bien.

도문(到門) llegada *f* a la puerta. ~하다 llegar a la puerta.

도문(倒文) =도치문(倒置文).

도문(睹聞) la vista y la escucha. ~하다 ver y escuchar.

도물(徒物) artículo *m* vano, artículo *m* inútil.

도물(盜物) objeto *m* robado, artículo *m* robado.

도미 【어류】 besugo *m*.

■ ~구이 besugo *m* asado. ~백숙(白熟) besugo *m* cocido. ~어(魚) 【어류】 =도미. ~저냐 tortilla *f* de besugo. ~젓 besugo *m* salado. ~ㅅ국 sopa *f* de besugo.

도미(渡美) ida *f* [visita *f*] a los Estados Unidos de América. ~하다 ir [visitar] a los Estados Unidos de América; [출발하다] salir para los Estados Unidos de América.

도미노(영 *domino*) dominó *m*.

■ ~ 이론(理論) teoría *f* de dominó. ~ 현상(現象) fenómeno *m* de dominó.

도미누스(라 *dominus*) ① [주(主)] Señor *m*. ② [소유자(所有者). 주인(主人)] propietario *m*, dueño *m*.

도미니까 공화국(Dominica 共和國) 【지명】 la República Dominicana. ~의 dominicano.

■ ~ 사람 dominicano, -na *mf*. ~ 방언 dominicanismo *m*.

도미니카 【지명】 Dominica. ~의 dominicano. ~는 영연방에 속하고 1978년에 독립했다 Dominica pertenece al Commonwealth y es un país que se independizó en 1978.

■ ~ 사람 dominicano, -na *mf*.

도미니카 공화국(Dominica 共和國) 【지명】 = 도미니까 공화국.

도민(島民) habitante *mf* de la isla; isleño, -ña *mf*, pueblo *m* isleño.

도민(道民) habitante *mf* provincial; habitante *mf* de la provincia. 그는 경기(京畿) ~이다 El es (orginario · nativo) de la provincia de *Gyeongki*.

■ ~증(證) carné *m* [carnet *m*] de identidad provincial. ~회(會) asociación *f* de los habitantes provinciales [de la provincia].

도박(賭博) ① [돈이나 재물을 걸고 따먹기를 다투는 짓. 노름] juego *m*, partido *m*; [내기] apuesta *f*. ~하다 jugar; [내기하다] apostar. ~을 열다 tener una sesión de juego. ~으로 파산하다 perder la fortuna en el juego. 그는 ~을 해서 돈을 많이 잃었다 El jugó y perdió mucho dinero. 인생은 ~이다 La vida es una lotería. 결혼은 커다란 ~이다 El matrimonio es una lotería [una tómbola]. ② [요행수를 바라고 위험한 일이나 가능성이 없는 일에 손을 대는 일] especulación *f*, aventura *f*, riesgo *m*. ~하다 jugar, especular, arriesgarse. 그는 주식 거래소에서 ~하다 especular en la Bolsa, jugar a la Bolsa.

◆사기(詐欺) ~ juego *m* fraudulento.

■ ~ 계약(契約) contrato *m* de juego. ~꾼 jugador, -dora *mf*, garitero, -ra *mf*, tahur, -ra *mf*, tahúr, -ra *mf*. ¶강박 관념에 사로

잡힌 ~, 상습(常習) ~ jugador *m* empedernido, jugadora *f* empedernida. ~배(輩) =도박꾼. ~범(犯) criminal *mf* de juego. ~성(性) inclinación *f* a juego. ~자(者) = 도박꾼. ~장(場) casa *f* de juego, timba *f*, [비합법의] garito *m*; [카지노] casino *m*. ~죄(罪) crimen *m* de juego. ~판 =노름판.

도발(挑發) provocación *f*, incitación *f*, excitación *f*, estímulo *m*, incentivo *m*. ~하다 provocar, excitar, seducir, incitar, sugerir. 싸움을 ~하다 desafiar, retar, provocar. 호기심을 ~하다 excitar la curiosidad.
■ ~자(者) provocador, -dora *mf*. ~적(的) provocativo, provocante, incitante. ¶~으로 provocativamente, de un modo provocativo, seductivamente, seductoramente, sugestivamente. ~ 소설 novela *f* sugestiva.

도배(徒輩) grupo *m*, compañía *f*.

도배(塗褙) empapelado *m*. ~하다 empapelar, entapizar, *Méj* tapizar.
■ ~장이 empapelador, -dora *mf*. ~지(紙) papel *m* pintado, papel *m* de empapelar, papel *m* de entapizar, papel *m* tapiz, papel *m* para el empapelado. ¶(벽에) ~를 바르다 empapelar paredes.

도백(道伯) 【고제도】 gobernador *m*.

도벌(盜伐) corte *m* de árboles de monte a hurtadillas. ~하다 derribar árboles en secreto.

도범(盜犯) [죄] robo *m*, asalto *m*; [범인] ladrón (*pl* ladrones), -drona *mf*.

도법(圖法) dibujo *m*, gráfica *f*, esquema *m*.
◆평면(平面) [투명(透明)] ~ proyección *f*.

도벽(陶壁) =오지벽돌.

도벽(盜癖) cleptomanía *f*, tendencia *f* impulsiva al hurto, manía *f* del hurto, hábito *m* de hurtar. ~이 있는 cleptomaniaco, cleptomaníaco, cleptómano, largo de manos [de uñas], listo de manos. ~이 있는 사람 cleptomaniaco, -ca *mf*, cleptomaníaco, -ca *mf*, cleptómano, -na *mf*, persona *f* que padece cleptomanía. ~이 있다 ser cleptómano, tener la manía del robo. 그녀에게는 ~이 있다 Ella tiene la manía del robo / Ella es una cleptómana.

도벽(塗壁) empapelado *m*. ~하다 empapelar, entapizar.
■ ~사(師) empapelador, -dora *mf*.

도별(道別) clasificación *f* por provincia.
■~ 인구표(人口表) tabla *f* de población por provincia.

도병(刀兵) las armas blancas y los soldados.

도병(刀柄) mango *m* de cuchillo.

도보(徒步) andadura *f*. ~로 a pie, andando, caminando, paseando, pedestremente. ~로 가다 ir a pie, ir andando, ir caminando. ~로 오다 venir a pie, venir andando, venir caminando. 학교는 여기서 ~로 20분 거리에 있다 La escuela está a veinte minutos de aquí a pie.
■ ~ 경주(競走) pedestrismo *m*, carrera *f* pedestre. ~ 여행(旅行) viaje *m* pedestre, excursión *f* a pie, caminata *f*. ~하다 hacer un viaje pedestre. ~ 여행가 viajero, -ra *mf* pedestre; vagabundo, -da *mf*. ~ 운동 ejercicio *m* pedestre. ~자 peatón, -tona *mf*. ~주의 pedestrismo *m*.

도보(圖報) =도감(圖鑑).

도복(道服) ① [도사(道士)가 입는 옷] vestimenta *f* de los taoístas. ② [무도 수련 때 입는 운동복] ropa *f* de deporte para el entrenamiento (del arte marcial)

도본(圖本) =도면(圖面).

도부[1](到付) [떠돌아다니며 물건을 팖] venta *f* en las calles, venta *f* de puerta en puerta, buhonería *f*. ~하다 vender en las calles, vender de puerta en puerta.
◆도부(를) 치다 vender en las calles, vender de puerta en puerta.
■ ~꾼 =도붓장수. ~ㅅ길 camino *m* que el vendedor ambulante iba a vender de puerta en puerta. ~ㅅ장사 buhonería *f*, comercio *m* de la venta de puerta en puerta. ~ㅅ장수 vendedor, -dora *mf* ambulante; buhonero, -ra *mf*, mercachifle *mf*.

도부[2](到付) [공문이 도달함] llegada *f* del documento oficial. ~하다 llegar el documento oficial.

도부(都府) capital *f*, Seúl.

도불(渡佛) ida *f* [visita *f*] a Francia. ~하다 ir [visitar] a Francia.

도비(徒費) gasto *m*. ~하다 gastar.

도비(都鄙) la capital y el campo.

도사(徒死) muerte *f* vana [inútil]. ~하다 morir en vano [inútilmente].

도사(倒死) muerte *f* de caerse en la calle. ~하다 morir(se) de caerse en la calle.

도사(悼詞) =조사(弔詞).

도사(屠肆) =푸주.

도사(道士) ① [도를 닦는 사람] persona *f* aplicada al budismo. ② ((불교)) budista *m* iluminado. ③ [도교(道教)를 믿고 수행하는 사람] taoísta *mf*. ④ ((속어)) experto, -ta *mf*, perito, -ta *mf*.

도사(導師) ① ((불교)) [(부처·보살 등) 중생을 인도하여 불도·오계(悟界)로 제도(濟度)하는 이] maestro *m* espiritual en el budismo. ② ((불교)) [법회(法會)나 장의(葬儀)에서 여러 중을 거느리고 의식을 지도하는 중] sacerdote *mf* que preside.

도사공(都沙工) jefe *m* de los barqueros.

도사기(圖寫器) pantógrafo *m*.

도사리 ① [저절로 떨어진 풋 실과] fruta *f* caída del árbol que no está madura. ② [못자리에 난 어린 잡풀] hierbajos *mpl* [malas hierbas *fpl*] que ha brotado en el semillero.

도사리다 ① [두 다리를 꼬부려서 서로 어긋매껴 앉다] sentarse con las piernas cruzaddas (en el suelo). ② [들뜬 마음을 가라앉히다] tranquilizar, calmar. 나는 마음을 도사리기 위해 한 잔 들었다 Me tomé un copa para tranquilizarme [calmarme].

도산(逃散) dispersión *f*. ~하다 dispersar.

도산[1](倒産) [파산(破産)] quiebra *f*, bancarrota

f. ～하다 quebrar, hacer quiebra, hacer bancarrota.
■ ～자(者) bancarrotero, -ra mf.

도산²(倒産) 【의학】 [산모가 출산할 때 아이를 거꾸로 낳음] parto m de nalgas.
■ ～ 아이 un bebé que viene de nalgas.

도산매(都散賣) venta f al por mayor y al por menor. ～하다 vender al por mayor y al por menor. ～되다 venderse al por mayor y al por menor.
■ ～상(商) mayorista mf y menorista.

도살(屠殺) ① [도륙(屠戮)] matanza f. ～하다 matar. ② [(육식을 위하여 육축(六畜)을) 잡아 죽임] carnicería f. ～하다 hacer una carnicería, matar reses.
■ ～ 업자(業者) carnicero m. ～자(者) matachín m, carnicero m. ～장(場) matadero m.

도살(盜殺) ① [남몰래 사람을 죽임] asesinato m. ～하다 asesinar. ② [가축(家畜)을 허가 없이 몰래 도살함] matanza f secreta. ～하다 matar en secreto.

도상(刀傷) herida f por la espada.

도상(途上) ① [일이 진행되는 과정에 있음] proceso m. 개발 ～에 있다 estar en vías [en proceso de] de desarrollo. ② [길 위] en el camino.
◆ 개발 ～국(國) país m (pl países) en vías [en proceso] de desarrollo.

도상(道上) en el camino.

도상(道床) ① [철도의 자갈층] capa f de las gravas (en el ferrocarril). ② =길바닥.

도상(圖上) en el mapa, en el plano.
■ ～ 연습[실습] maniobras fpl militares en el mapa. ～ 작전 operaciones fpl militares en el mapa.

도색(桃色) ① [연분홍빛] (color m) rosa m. ～의 rosado, róseo, (de color) rosa. ② [젊은 남녀간의 색정적인 것] amorío m, obscenidad f, pornografía f, indecencia f, deshonestidad f, indecorosidad f. ～의 pornográfico, verde, porno, obsceno, lascivo, impúdico, inmoral, colorado, licencioso, grosero, amarillo.
■～ 문학(文學) pornografía f, literatura f obscena, literatura f pornográfica. ～ 문학 작가(文學作家) pornógrafo, -fa mf. ～ 사건 amorios mpl, aventura f, romance m, escándalo m amoroso. ～ 사진(寫眞) fotografía f obscena. ～ 신문(新聞) prensa f amarilla [amarillista · sensacionalista]. ～ 영화(映畵) película f pornográfica. ～ 유희(遊戱) amoríos mpl. ～ 잡지(雜誌) revista f pornográfica.

도생(倒生) ¶～의 inverso.

도생(圖生) ¶～하다 ganarse la vida [el sustento]..

도서(島嶼) islas fpl; [군도] archipiélago m.
■ ～군(群) grupo m isleño.

도서(道書) libro m sobre el taoísmo.

도서(圖書) ① [책] libro m. ～를 수집하다 coleccionar los libros. ② [그림과 글씨] el cuadro y la escritura.
◆ 교양 ～ libros mpl culturales. 번역 ～ libros mpl traducidos. 성인 ～ libros mpl para adultos. 수입(輸入) ～ libros mpl importados. 신간 ～ nuevos libros mpl. 아동(兒童) ～ libros mpl para niños. 외국 ～ libros mpl extranjeros. 일반 ～ libros mpl generales. 전문 ～ libros mpl especiales. 참고 ～ obra f de referencia, obra f de consulta, libros mpl de referencia. 학술 ～ libros mpl académicos.
■ ～ 담당자(擔當者) bibliotecario, -ria mf. ～ 대출(貸出) préstamo m de libros. ～명(名) nombre m de los libros. ～ 목록 catálogo m de publicación, catálogo m de libros. ¶신간(新刊) ～ catálogo m de nueva publicación. 신착(新着) ～ libro m de adquisición. ～ 목록법(目錄法) ley f de catálogos de libros. ～부(部) departamento m de libros. ～ 분류(分類) clasificación f de los libros. ～ 분류법(分類法) (sistema m de) clasificación f de los libros ～비(費) presupuesto m de los libros. ～실(室) biblioteca f. ～ 열람료(閱覽料) entrada f de la biblioteca. ～ 열람실(閱覽室) sala f de lectura. ～ 열람 용지(閱覽用紙) ficha f de préstamo. ～ 열람자(閱覽者) lector, -tora mf, visitante mf (a la biblioteca). ～ 전시회(展示會) feria f de libros. ～ 청구표(請求票) ficha f de préstamo. ～ 출판(出版) publicación f (de los libros). ～ 출판사(出版社) editorial f, casa f editorial, casa f editora, empresa f editorial, compañía f editorial. ～ 출판자(出版者) editor, -tora mf. ～ 출판 회사(出版會社) =도서 출판사. ～ 카드 ficha f, tarjeta f de lector, Méj credencial f del lector. ～학(學) bibliografía f. ～ 해제(解題) bibliografía f.

도서(圖署) todos los sellos que sellan en los libros, cuadros y las escrituras.

도서관(圖書館) biblioteca f.
◆ 공공(公共) ～ biblioteca f pública. 국립(國立) ～ biblioteca f nacional. 국회(國會) ～ la Biblioteca de la Asamblea Nacional. 대학 ～ biblioteca f universitaria. 도립(道立) ～ biblioteca f provincial. 무료(無料) ～ biblioteca f libre. 순회(巡廻) ～ biblioteca f circulante. 시립(市立) ～ biblioteca f municipal. 참고(參考) ～ biblioteca f de referencia. 학교 ～ biblioteca f escolar.
■ ～ 교육(敎育) educación f de biblioteca. ～법(法) ley f de bibliotecas. ～원(員) bibliotecario, -ria mf. ～장(長) director, -tora mf de la biblioteca. ～판(版) edición f especial para bibliotecas. ～학(學) biblioteconomía f, bibliotecología f. ～ 행정(行政) administración f de la biblioteca.

도서다¹ ① [바람이 방향을 바꾸다] cambiar, cambiar de dirección. 바람이 북쪽으로 도섰다 El viento cambió al norte. ② [가던 길에서 돌아서다] volver, regresar. ③ [해산할 때 태아가 자위를 떠서 돌다] moverse, sentir los movimientos del feto. ④ [해산한 뒤 젖멍울이 풀리고 젖이 나기 시작하

다] (la leche de la madre) empezar a derramarse después del parto.

도서다² [마마의 고름이 꺼덕꺼덕하여지다] (la viruela) cicatrizar, cerrarse.

도석(陶石) ＝도토(陶土).

도석(道釋) el taoísmo y el budismo.

도선(渡船) transbordador *m*, ferry *ing.m*, barco *m* [vapor *m*] de transporte, barca *f* de pasaje; [작은] balsa *f*, barca *f*.
 ■ ~장(場) embarcadero *m*.

도선(導線) 【물리】 alambre *m* [cable *m*] conductor, alambre *m* principal.

도선(導船) pilotaje *m*. ~하다 pilotar. 배를 ~하다 pilotar un barco.
 ■ ~구(區) zona *f* de pilotaje. ~료(料) derechos *mpl* de pilotaje. ~법(法) ley *f* de pilotaje. ~사(士) piloto *m*. ~선(船) barco-piloto *m*.

도설(塗說) ＝뜬소문.

도설(圖說) ilustración *f*, diagrama *m* explicativo; [책] libro *m* ilustrado.

도섭 capricho *m*, antojo *m*, maña *f*.
 ◆도섭(을) 부리다 comportarse caprichosamente.
 도섭스럽다 (ser) caprichoso, antojadizo.
 도섭스레 caprichosamente, de modo caprichoso.
 ■ ~장이 caprichoso, -sa *mf*.

도섭(徒涉) acción *f* de cruzar el agua a pie. ~하다 cruzar el agua a pie.

도섭(渡涉) acción *f* de cruzar el agua. ~하다 cruzar el agua.

도성(都城) ① [서울] capital *f*, Seúl. ② [도읍 둘레에 둘린 성곽(城郭)] muralla *f* alrededor de la capital.
 ■ ~지(址) ruinas *fpl* de la capital con muralla.

도성(濤聲) ruido *m* de la ola.

도성도(都城圖) mapa *m* de la capital.

도성 실어증(導性失語症) ＝전도 실어증(傳導失語症).

도세(渡世/度世) vida *f* del mundo. ~하다 vivir en el mundo.

도세(道稅) impuesto *m* provincial.

도소주(屠蘇酒) *dosochu*, bebida *f* sazonada que se prepara para celebrar el Año Nuevo.

도속(徒屬) ＝도당(徒黨).

도솔(兜率) ((불교)) ((준말)) ＝도솔천.
 ■ ~가(歌) La canción *f* de Dosol. ~만다라(曼陀羅) ((불교)) cuadro *m* solemne de la Tierra Pura del Buda ~ 왕생(往生) ((불교)) lo que nace en la Tierra Pura de *Maitreya* después de la muerte. ~천(天) ((불교)) Tierra *f* Pura [Paraíso *m* del Oeste] de *Maitreya*. ~ 천자(天子) ((불교)) príncipe *m* de Tusita.

도수(度數) ① [횟수(回數)] (número *m* de) veces *fpl*, frecuencia *f*. ② [(각도・온도・광도(光度) 등의) 크기나 높낮이 등을 나타내는 수] grado *m*. 안경의 ~ poder *m* de las gafas. ~가 높은 안경 gafas *fpl* fuertes, gafas *fpl* con lentes pesadas. ③ [어떠한 정도] contenido *m* de alcohol, porcentaje *m* de alcohol en el líquido. 술 ~가 높다 tener el porcentaje alto de alcohol.
 ■ ~계(計) registro *m* de llamada. ~료(料) precio *m* de llamada. ~ 분포(分布) distribución *f* de frecuencias. ~ 분포도(分布圖) tabla *f* de distribución de frecuencias. ~제(制) sistema *m* de frecuencias.

도수(徒手) ＝맨손(manos vacías). ¶~로 con las manos vacías.
 ■ ~ 공권(空拳) ((강조)) ＝맨손. ¶~으로 성공하다 tener éxito sin un céntimo [con las manos vacías]. ~ 체조(體操) ＝맨손 체조.

도수(道水) ((불교)) el agua *f* de la verdad que limpia la profanación.

도수(都數) ＝도합(都合).

도수(屠獸) matanza *f*. ~하다 matar.
 ■ ~장(場) matadero *m*.

도수(導水) guía *f* del agua hacia la dirección regular.
 ■ ~거(渠) canal *m* [zanja *f*] interior. ~관 conducto *m* [tubo *m*] para suministrar el agua. ~교(橋) instalaciones *fpl* para suministrar el agua. ~로(路) vía *f* fluvial para suministrar el agua. ~제(堤) malecón *m* para controlar la corriente del agua.

도수리구멍 ajugero *m* de fuego de al lado del horno.

도숙붙다 tener la frente estrecha.

도순도순 ＝오순도순.

도술(道術) mágica *f* taoísta.

도스(영 *DOS, disc-operating system*) 【컴퓨터】 DOS *m*.
 ■ ~ 박스 【컴퓨터】 caja *f* DOS.

도스르다 prepararse (para *algo*・+ *inf*).

도습(蹈襲) ＝답습(踏襲).

도승(道僧) sacerdote *m* budista que logró la ilustración espiritual.

도승지(都承旨) 【고제도】 jefe *m* de los secretarios reales.

도시(都市) ciudad *f*, población *f*, [수도] capital *f*, [대도시] metrópoli *f*. ~의 municipal, urbano. 큰 ~ gran ciudad *f* (*pl* grandes ciudades). ~의 미(美) hermosura *f* [belleza *f*] de una ciudad. ~의 중심지 centro *m* de la ciudad. 세계의 주요 ~들 ciudades *fpl* principales del mundo.
 ◆공업(工業) ~ ciudad *f* industrial. 국제(國際) ~ ciudad *f* cosmopolita. 대(大)~ gran ciudad *f*. 대학 ~ ciudad *f* universitaria. 매머드 ~ megalópolis *f*. 상업 ~ ciudad *f* comercial, ciudad *f* de negocios. 중소 ~ ciudades *fpl* pequeñas.
 ■ ~ 가스 gas *m* de ciudad. ~ 개량(改良) mejora *f* cívica. ~ 개발(開發) desarrollo *m* urbano. ~ 개조(改造) renovación *f* urbana. ~ 거주자(居住者) gente *f* de (la) ciudad. ~ 경관(景觀) paisaje *m* urbano. ~ 경제(經濟) economía *f* urbana. ~ 계획(計劃) planificación *f* urbana, urbanización *f*, (plan *m* de) urbanismo *m*, plan *m* de hacer

ciudad. ~ 계획과 sección *f* de planificación urbana. ~ 계획법 ley *f* de planificación urbana. ~ 계획세(計劃稅) impuesto *m* de planificación urbana. ~ 계획 위원회(計劃委員會) la Comisión de Planificación Urbana. ~ 계획자(計劃者) urbanista *mf.* ~ 공원법(公園法) ley *f* de parques urbanos. ~ 공학(工學) ingeniería *f* urbana. ~ 공학과 departamento *m* de ingeniería urbana. ~ 공해(公害) contaminación *f* urbana. ~ 교통(交通) comunicaciones *fpl* urbanas. ~ 교통 기관(交通機關) sistemas *mpl* de tránsito urbano. ~ 국가(國家) ciudad *f* estado. ~ 기후(氣候) tiempo *m* urbano. ~ 대항 야구 (시합) partido *m* de béisbol entre las ciudades. ~병(病) enfermedad *f* urbana. ~ 사회주의(社會主義) socialismo *m* urbano. ~ 사회학(社會學) sociología *f* urbana. ~ 생활(生活) vida *f* urbana, vida *f* de ciudad. ~ 생활자(生活者) habitante *m* urbano. ~ 시설(施設) instalaciones *fpl* urbanas. ~ 위생(衛生) condiciones *fpl* de salubridad urbana, higiene *f* urbana. ~ 은행(銀行) banco *m* urbano. ~인(人) habitante *mf* de la ciudad), vecino, -na *mf* de la ciudad. ~ 재개발(再開發) redesarrollo *m* urbano, reconstrucción *f* urbana. ~ 재개발법(再開發法) ley *f* de reconstrucción urbana. ~ 재정(財政) finanzas *fpl* municipales. ~ 전입(轉入) afluencia *f* [entrada *f*] en las áreas urbanas. ~ 중심지(中心地) centro *m* urbano. ~ 지구(地區) áreas *fpl* urbanas, distritos *mpl* urbanos. ~ 집중(集中) concentración *f* urbana. ~ 풍경(風景) paisaje *m* urbano. ~ 행정(行政) administración *f* municipal. ~화(化) urbanización *f.* ¶~하다 urbanizar.

도시(圖示) ilustración *f.* ~하다 ilustrar.
■ ~ 마력(馬力) caballo *m* (de fuerza) indicado. ~법(法) método *m* gráfico. ~ 효율(效率) eficiencia *f* indicada.

도시(都是) ① =도무지. 전연. ② [모두 합해서] en total. ③ =본시. 원래.

도시다 cepillar, tallar.

도시락 ① [흔히 점심밥을 휴대하는 데 쓰이는, 고리 버들이나 대오리로 엮은 타원형의 작은 고리짝] caja *f* de mimbre. ② [플라스틱이나 간편하게 휴대하여 다닐 수 있도록 만든 음식 그릇] fiambrera *f.* ☞도시락통. ③ ((준말)) =도시락밥.
■ ~값 precio *m* para merienda, asignación *f* para merienda. ~밥 *dosirakbab*, almuerzo *m* servido en una caja, merienda *f*, almuerzo *m* en la fiambrera. ~ 상자(箱子) fiambrera *f*, portaviandas *m.sing.pl*, caja *f* para llevar merienda. ~ 장수 proveedor, -dora *mf* [abastecedor, -dora *mf*] de merienda. ~통 fiambrera *f*, merendero *m*, *Col*, *PRico*, *Ven* portacomidas *m.sing.pl*, *Méj* portaviandas *m.sing.pl*, *CoS* vianda *f.*

도식(徒食) vida *f* perezosa, vida *f* holgazana. ~하다 vivir en ociosidad.
■ ~배(輩) haraganes *mpl.* ~자(者) haragán (*pl* haraganes), -gana *mf.*

도식(倒植) 【인쇄】 carácter *m* invertido, letra *f* invertida.

도식(圖式) esquema *m*; [그래프] diagrama *m*, gráfico *m*. ~의 esquemático.
■ ~ 계산(計算) algebra *f* gráfica, gráficos *mpl.* ~ 역학(力學) dinámica *f* gráfica. ~ 주의(主義) 【철학】 esquematismo *m.* ~ 해법(解法) solución *f* gráfica. ~화(化) esquematización *f.* ¶~하다 esquematizar.

도신(刀身) hoja *f* de espada.

도신(逃身) escapada *f*, huida *f*, fuga *f.* ~하다 escapar, huir, fugar.

도신(盜臣) vasallo *m* que roba.

도신(道神) dios *m* del camino.

도실(刀室) vaina *f.*

도실(桃實) melocotón *m* (*pl* melocotones).
■ ~주(酒) vino *m* de melocotón.

도심(悼心) corazón *m* doloroso.

도심(都心) centro *m* de la ciudad.
■ ~지(地) ((준말)) =도심 지대(都心地帶). ~ 지대[지역] zona *f* central de la ciudad, centro *m* de la ciudad.

도심(盜心) propensión *f* al robo, manía *f* por hurto.

도심(道心) ① [덕성(德性)] moralidad *f*; [신앙(信仰)] peidad *f.* ② ((불교)) corazón *f* que busca la ilustración.
■ ~자(者) hombre *m* de gran peidad.

도심질 entalladura *f*, entallamiento *m*, talladura *f*, cepilladura *f*, acepilladura *f.* ~하다 tallar, entallar, cepillar, acepillar.

도안(圖案) diseño *m*, dibujo *m*, croquis *m*, esbozo *m*, boceto *m*, trazado *m*, bosquejo *m.* ~하다 deseñar, hacer un diseño, dibujar, trazar. 이 접시는 ~이 좋다 Este plato lleva un buen dibujo.
■ ~가(家) diseñador, -dora *mf*; dibujante *mf.* ~과(科) curso *m* de diseño, departamento *m* de diseño. ~ 용지(用紙) papel *m* de diseño. ~자(者) diseñador, -dora *mf.* ~집(集) colección *f* de diseños.

도액(度厄) 【민속】 =액막이.

도야(陶冶) ① [타고난 품성이나 재능을 온전한 것으로 만들기 위해 잘 가르치거나 단련함] cultivación *f*, educación *f*, capacitación *f*, entrenamiento *m.* ~하다 cultivar, entrenar, educar. 인격을 ~하다 formar [cultivar] el carácter. ② [도자기를 구워 만드는 일과 주물(鑄物)을 만드는 일] cerámica *f*, fundición *f.*
■ ~성(性) educabilidad *f.*

도약(跳躍) ① [뛰어오름] salto *m*; 【항공】 despegue *m*, *AmL* descolaje *m.* ~하다 saltar, brincar, cabriolar, cabriolear, despegar, descolar. 비행기가 ~을 준비하고 있다 El avión está listo para despegar [*AmL* descolar]. 경제가 ~하려는 찰나다 La economía está a punto de levantar vuelo / El país está listo para el despegue económico.
② ((운동)) [뛰기 경기] pruebas *fpl* de sal-

tos. ③ ((운동)) [뜀뛰기 운동] ejercicio *m* de saltos.

■ ~ 경기(競技) ((운동)) [뛰기 경기] pruebas *fpl* de saltos. ~대(臺) pista *f* de despegue. ~ 선수(選手) saltador, -dora *mf*. ~ 운동(運動) ((운동)) ejercicio *m* de saltos. ~ 종목(種目) pruebas *fpl* de saltos. ~판(板) ((체조)) trampolín *m*, plancha *f* de muelle; ((육상)) listón *m* de llamada [de salida].

도양(渡洋) transoceánico *adj*.

■ ~ 작전(作戰) operaciones *fpl* transoceánicas. ~ 폭격(爆擊) bombardeo *m* transoceánico.

도어(刀魚) 【어류】 =갈치.

도어(徒御) caballos, vehículos y esclavos.

도어(倒語) inversión *f*, trasposición *f*, transpposición *f*.

■ ~법(法) 【언어】 =도치법(倒置法).

도어(영 *door*) [문] puerta *f*; [자동차의 문] portezuela *f*.

■ ~매트 [(문 앞의) 구두 흙털개] felpudo *m*. ~맨 [(백화점·호텔 등의] 현관 안내인] portero *m*. ~벨 [문간의 초인종] timbre *m*.

도언(徒言) palabra *f* vana [inútil].

도업(陶業) =요업(窯業).

도역 유도(盜亦有道) Los ladrones también tienen moral.

도연(度緣) =도첩(度牒).

도연(陶然) embriaguez *f*. ~하다 embriagarse (con·de), quedar embelesado (con). 나는 그 여인의 아름다움에 ~되었다 Su belleza me encantó [embelesó] / Quedé embelesado con [ante] su belleza.

도연하다(徒然—) (ser) tedioso, aburrido, fastidioso, insípido, insulso. 도연한 세월 vida *f* diaria insípida.

도연히 tediosamente, aburridamente, fastidiosamente, insípidamente.

도열(桃茢) 【민속】 escoba *f* de las ramas del melocotonero y de espigas de cañas.

도열(堵列) formación *f* de una fila. ~하다 ponerse en fila, formar fila, hacer cola. 그들은 선생님 뒤에 ~했다 Ellos se pusieron en [formaron] fila detrás del maestro.

도열병(稻熱病) añublo *m* de arroz.

도영(島影) sombra *f* de la isla.

도영(渡英) ida *f* [visita *f*] a la Inglaterra. ~하다 ir [visitar] a la Inglaterra.

도예(陶藝) (arte *f*) cerámica *f*.

■ ~가(家) ceramista *mf*.

도와(陶瓦) =질기와.

도와주다 ((힘줌말)) ☞돕다

도왜(渡倭) ida *f* [visita *f*] al Japón. ~하다 ir [visitar] al Japón.

도외시(度外視) ¶~하다 no hacer caso (de), hacer la vista gorda, pasar por alto, omitir de consideación, marginar. ~되다 marginarse. 채산(採算)을 ~하고 sin consideración a las ganancias.

도요(陶窯) horno *m* de cerámica. ~지(址) ruinas *fpl* del horno de cerámica.

도요(桃夭) =도요 시절(桃夭時節).

■ ~ 시절(時節) ㉮ [처녀가 나이로 보아 시집가기에 알맞은 시절] tiempo *m* bien casadero. ㉯ [(봄에 복숭아꽃이 요염하게 필 무렵의) 혼인(婚姻) 지내기 좋은 시절] buen tiempo *m* de casamiento.

도요새 【조류】 agachadiza *f*, becada *f*, chocha *f*.

도용(陶俑) muñeca *f* de tierra para la tumba.

도용(盜用) uso *m* fraudulento; [표절(剽竊)] plagio *m*; [편취] peculado *m*. ~하다 hacer un uso fraudulento (de), plagiar. 아이디어를 ~하다 plagiar [apropiarse de] una idea.

■ ~자(者) plagiario, -ria *mf*.

도우(屠牛) matanza *f* de la vaca. ~하다 matar la vaca.

■ ~장(場) matadero *m*. ~탄(坦) carnicero *m*.

도우미 ayudante, -ta *mf*; asistente, -ta *mf*; auxiliador, -dora *mf*. ~ 두 사람이 필요함 ((게시)) Se necesitan dos ayudantes.

도움 ayuda *f*, auxilio *m*, asistencia *f*, salvación *m*, socorro *m*, amparo *m*, cooperación *f*, favor *m*, protección *f*; [지원(支援)] apoyo *m*. …의 ~을 얻어 con la ayuda de *uno*. 신(神)의 ~으로 con la ayuda de Dios. ~을 주다 ayudar, auxiliar, socorrer, asistir, amparar, proteger, cooperar, soadyuvar, secundar, apoyar, favorecer, prestar auxilios (a), dar la [echar una] mano (a). ~을 주는 사람 ayudante *mf*; asistente, -ta *mf*; auxiliador, -dora *mf*. ~이 되다 ser una ayuda. ~을 호소하다 pedir socorro [auxilio·ayuda], suplicar auxilio. …에게 ~을 청하다 pedir [solicitar] ayuda a *uno*. 나는 그에게 ~을 청하겠다 Le pediré a él ayuda / Le pediré que me ayude. 제가 무언가 ~을 드릴 수 있다면 Si puedo servirle [ayudarle] a usted en algo. 우리들은 그의 ~을 빌렸다 El nos prestó su ayuda. 이 책은 공부에 많은 ~이 된다 Este libro me sirve mucho para estudiar. 이것으로 가계(家計)에 많은 ~이 될 수 있다 Con esto podemos ahorrar muchos gastos de familia. 감사합니다. 무척 ~이 됐습니다 Muchas gracias por su ayuda / Gracias a usted he salido del apuro. 그의 ~은 나에게는 단비였다 Su ayuda me ha venido como agua del cielo. 이제 ~이 될 수 있다. 돈이 왔다 Ya puedo respirar tranquilo. Ha venido el dinero. 금년 겨울은 따뜻해서 크게 ~이 되겠다 Con un invierno tan templado nos estamos librando de muchas molestias.

■ ~말 palabra *f* ayudante. ~벌레 【곤충】 =익충(益蟲). ~움직씨 【언어】 =보조 동사(補助動詞). ~의 은총 ((천주교)) gracia *f* auxiliar.

도원(桃園) ① [복숭아나무가 많은 정원] jardín *m* con muchos melocotoneros. ② [복숭아 밭] melocotonar *m*.

■ ~ 결의(結義) formación *f* de lazos fraternales. ~를 맺다 formar lazos fraternales.

도원(桃源) ((준말)) =무릉도원(武陵桃源).
■ ~경(境) ㉮ [무릉도원처럼 아름다운 지경(地境)] paraíso *m* terrenal, Arcadia. ㉯ =이상향(理想鄕)(utopía).
도월(度越) más excelencia que los otros. ~하다 ser más excelente que los otros.
도월(涂月) diciembre *m*.
도월(桃月) marzo *m* del calendario lunar.
도위(徒爲) lo inútil, inutilidad f.
도위(都尉) ((준말)) =부마도위(駙馬都尉).
도유(導誘) =유도(誘導).
도유림(道有林) bosque *m* provincial.
도음(導音) 【음악】 subtónica *f*.
도읍(都邑) capital *f*, Seúl.
■ ~지(地) capital *f* de un país.
~하다 establecer la capital.
도의(道義) moral *f*, moralidad *f*, ética *f*, virtud *f* moral. ~의 퇴폐(頹廢) degeneración *f* [depravación *f*] de la moralidad pública. ~에 반(反)하다 contrariar [faltar] a la moral. ~를 중시하다 tener un sentido moral elevado, respetar los preceptos de la moralidad.
■ ~심(心) sentido *m* moral, sentido *m* de moralidad. ¶그는 ~이 없다 Le falta [El no tiene] el sentido moral. ~적(的) moral, ético. ¶~으로 moralmente, éticamente. ~으로 보아 그의 행위는 용납되지 않는다 Su acto es moralmente inadmisible. ~적 책임(的責任) responsabilidad *f* moral.
도의(道議) ((준말)) =도의회(道議會).
도의원(道議員) =도의회 의원(道議會議員).
도의회(道議會) asamblea *f* provincial, asamblea *f* prefectural, diputación *f* provincial.
■~ 의원(議員) consejal, -la *mf*, miembro *mf* de la asamblea provincial.
도이(島夷) japonés, -nesa *mf*, nipón, -pona *mf*.
도이지란(島夷之亂) =임진왜란(壬辰倭亂).
도이체 방크(독 *Deutche Bank*) [독일 은행] el Banco de Alemania.
도이치말(Deutsch－) alemán *m*.
도이칠란트(독 *Deutschland*) 【지명】 Alemania. ~의 alemán. ☞독일(獨逸)
도인(刀刃) ① [칼날] filo *m* de cuchillo. ② [칼] cuchillo *m*, espada *f*.
도인(島人) isleño, -ña *mf*.
도인(桃仁) 【한방】 semilla *f* del melocotón.
■~주(酒) aguardiente *m* de semilla del melocotón con azúcar.
도인(陶人) =도공(陶工).
도인(陶印) sello *m* de tierra.
도인(道人) ① =도사(道士). ② ((천도교)) fiel *mf*.
도인(導引) =인도(引導).
도인사(都人士) seulense *mf*, habitante *mf* de Seúl.
도일(度日) el pasar del tiempo. ~하다 pasar el tiempo.
도일(渡日) ida *f* [visita *f*] al Japón. ~하다 ir [visitar] al Japón.
도일 기념일(道日記念日) ((천도교)) aniversario *m* de la toma de posesión del cuarto jefe supremo.
도임(到任) llegada *f* a *su* nuevo puesto. ~하다 llegar a *su* nuevo puesto.
도입(導入) introducción *f*, inducción *f*, [수입] importación *f*. ~하다 introducir, inducir, meter; importar. 신기술(新技術)을 ~하다 introducir las nuevas técnicas. 어떤 산업을 한 나라에 ~하다 introducir una industria en un país. 그들은 현대적 기계를 ~했다 Introdujeron maquinarias modernas. 이 공사는 최신 기술을 ~했다 En esta obra se han aplicado las técnicas más modernas.
◆외국 기술(外國技術) ~ introducción *f* de tecnologías extranjeras. 외자(外資) ~ introducción *f* de inversiones extranjeras.
■ ~ 과정(課程) curso *m* introductor. ~부(部) 【음악】 introducción *f*. ~선 【전기】 línea *f* de inducción. ~종(種) =외래종(外來種).
도자(刀子) cuchillo *m* pequeño, cuchilla *f*.
■ ~전(廛) cuchillería *f*.
도자(道者) ((불교)) el que practica el budismo.
도자(陶瓷/陶磁) la china y la porcelana.
도자(屠者) carnicero, -ra *mf*.
도자기(陶瓷器/陶磁器) cerámica *f*, porcelana *f*, china *f*, cacharro *m*, loza *f*, [집합적] loza *f* y porcelana. ~ 하나 una cerámica, una porcelana, un objeto de porcelana.
■ ~ 가게 tienda *f* de cerámica, tienda *f* de porcelana, cacharrería *f*, alfarería *f*. ~공(工) ceramista *mf*. ~관(管) tubo *m* de cerámica, tubo *m* de porcelana. ~병(瓶) florero *m* de cerámica, florero *m* de porcelana. ~ 인형(人形) muñeca *f* de porcelana. ~ 전시회(展示會) exposición *f* de porcelana. ~ 접시 plato *m* de cerámica. ~ 제조(製造) fabricación *f* de cerámicas. ~ 제조법(製造法) cerámica *f*.
도자성(導磁性) 【물리】 permeabilidad *f*.
도자율(導磁率) 【물리】 permeabilidad *f* (magnética).
도작(盜作) plagio *m*, obra *f* hurtada. ~하다 plagiar. 어떤 책에서 ~하다 plagiar un libro.
■ ~자(者) plagiario, -ria *mf*.
도작(盜斫) =도벌(盜伐).
도작(稻作) cultivo *m* del arroz, cosecha *f* del arroz. ~하다 cosechar el arroz, cultivar el arroz.
도장(刀匠) cuchillero *m*.
도장(盜葬) =암장(暗葬).
도장(倒葬) acción *f* de enterrar a los descendientes en la parte superior de la tumba de *su* antepasado. ~하다 enterrar a los descendientes en la parte superior de la tumba de *su* antepasado.
도장(屠場) matadero *m*, *Ven* matanza *f*.
도장(盜葬) =암장(暗葬).
도장(道場) salón *m* (*pl* salones) de ejercicio, escuela *f*, gimnasio *m*, club *m* (*pl* clubs). ¶검도(劍道) ~ salón *m* de esgrima. 태권도 ~ gimnasio *m* [escuela *f*·salón *m*·

club *m*] de taekwondo.

도장(塗裝) pintura *f.* ~하다 pintar, cubrir con pintura.

■~공(工) pintor, -tora *mf.* ~ 공사(工事) pintura *f,* obra *f* de pintor. ~공장(工場) taller *m* de pintura. ~ 재료 materiales *mpl* de pintura.

도장(道藏) sutra *f* del taoísmo.

도장(圖章) sello *m,* estampa *f,* sigilación *f,* marca *f,* señal *f.* ~을 찍다 poner sello, sellar.

◆인감(印鑑) ~ sello *m* registrado.

■~방(房) =도장포(圖章舖). ~주머니 =도장집㉯. ~집 ㉮ =도장포(圖章舖). ㉯ [도장을 넣어 두는 작은 주머니] bolsa *f* para el sello. ~칼 [돌의] cincel *m*; [목재의] formón *m* (*pl* formones), escoplo *m*; [동판의] cuchillo *m* grabador, cuchillo *m* de grabado. ~포(舖) tienda *f* del (grabador del) sello.

도장(賭場) =도박장(賭博場).

도장관(道長官) [전날의] prefecto *m,* gobernador *m.*

도장나무(圖章-) 【식물】 =회향목.

도장원(都壯元) =장원(壯元).

도저하다(到底-) ① [썩 잘되어 대단히 좋다] (ser) excelente, bueno, magnífico. ② [바르고 곧아서 훌륭하다] (ser) recto, honrado, honesto.

도저히 de ninguna manera, de ningún modo. ~…할 수 없다 Es absolutamente [en absoluto] imposible + *inf* [que + *subj*]. ~ 그 시각에는 도착할 수 없다 Es imposible en absoluto llegar a esa hora. 그는 ~ 성공할 가망이 없다 (A él) No le queda la menor posibilidad de tener éxito / El no se puede esperar que tenga éxito. ~ 즐거워할 기분이 나지 않는다 No me entran ganas de alegrarme. ~ 믿을 수 없다 Eso es increíble por completo.

도적(盜賊) =도둑.

도적(圖籍) ① [지도와 호적(戶籍)] el mapa y el registro. ② [그림과 책] el cuadro y el libro. ③ =도서(圖書).

도전(刀錢) =도화(刀貨).

도전(挑戰) desafío *m,* reto *m,* duelo *m,* provocación *f.* ~하다 desafiar (*algo* a *uno*), retar (a *uno* por *algo*); [결투하다] arrojar el guante (a). ~을 받아들이다 aceptar el desafío [el reto], recoger el guante. 세계 기록에 ~하다 desafiar el récord mundial. 겨울 산에 ~하다 atacar las montañas en invierno. 적에게 ~하다 desafiar al enemigo. 한 기사(騎士)가 다른 기사에게 ~했다 Un caballero desafió [retó] al otro. 아무도 지도자들에게 ~할 수 없다 Nadie puede hacer peligrar la posición de los líderes. 다음 선거에서는 그들은 제휴로 ~을 받을 것이다 En las próximas elecciones se les enfrentará una coalición.

■~자(者) desafiador, -dora *mf,* retador, -dora *mf,* contendiente *mf,* rival *mf,* [선수권의] aspirante *mf.* ~장(狀) carta *f* [cartel *m*] de desafío. ¶~을 내다 expedir un cartel de desafío. ~적 desafiante, agresivo, provocativo. ¶~ 태도로 나오다 actuar desafiantemente.

도전(徒錢) dinero *m* gastado en vano.

도전(倒顚) =전도(顚倒).

도전(盜電) hurto *m* de corriente eléctrico. ~하다 hacer uso subrepticio de electricidad.

도전(稻田) el arrozal y el campo para el arroz.

도전(導電) 【물리】 conducción *f* eléctrica.

■~율(率) conductividad *f.* ~체(體) conductor *m* eléctrico.

도절(盜竊) =절도(竊盜).

도정(道政) administración *f* provincial.

도정(道程) itinerario *m* [trayecto *m*] de viaje, distancia *f,* jornada *f,* largueza *f* de camino, distancia *f* recorrida.

■~표(表) =이정표(里程標).

도정(盜情) corazón *m* que quiere robar.

도정(搗精) moledura *f* de los cereales. ~하다 moler los cereales.

■~ 공장(工場) fábrica *f* de moler los cereales. ~료(料) precio *m* de moler los cereales. ~업(業) industria *f* de moler los cereales.

도제(徒弟) aprendiz (*mpl* aprendices); [문하생(門下生)] pupilo, -la *mf,* [제자(弟子)] discípulo, -la *mf.* ~로 들어가다 [삼다] entrar [meter a *uno*] de aprendiz.

■~ 교육(教育) educación *f* de aprendizaje. ~ 기간(期間) aprendizaje *m.* ~ 양성(養成) capacitación *f* de aprendizaje. ~ 제도(制度) sistema *m* de aprendizaje. ~ 학교(學校) escuela *f* de aprendizaje.

도제(陶製) fabricación *f* cerámica. ~의 cerámico, de barro.

■~ 파이프 pipa *f* de cerámica, pipa *f* de barro.

도조(刀俎) el cuchillo y el tajo.

도조(賭租) cereales *mpl* de participación.

도졸(徒卒) =보병(步兵).

도주(逃走) huida *f,* fuga *f,* escape *m,* afufa *f.* ~하다 huir, fugarse, escaparse, desertar, zafarse, tomar soleta, darse a la fuga. ~시키다 poner en fuga (a), hacer huir (a).

■~병(兵) =도망병(逃亡兵). ~자(者) =도망자(逃亡者).

도주의돈(陶走猗頓) millonario, -ria *mf,* billonario, -ria *mf,* multimillonario, -ria *mf.*

도주의돈지부(陶走猗頓之富) millonario, -ria *mf,* billonario, -ria *mf,* multimillonario, -ria *mf.*

도중(島中) interior *m* de la isla.

도중(徒衆) multitud *f* de personas.

도중(途中/道中) mitad *f* del camino, medio camino *m,* medio *m* del camino. ~에(서) en el camino, en mitad del camino, en medio del camino; [중도에서] a medio camino. …의 ~에서 a medio camino de *algo,* en medio de *algo,* a [en] mitad de *algo.* 여행 ~에 en el viaje. 학교에 가는 ~에 en el camino a la escuela. ~에서 멈

추다 dejar a medio hacer. ~에서 하차하다 bajar del [dejar el] tren en medio camino. ~에서 돌아오다 volverse en la mitad del camino. ~에서 계획을 포기하다 abandonar el plan a medio camino, dejar el plan a medio terminar. ~까지 함께 가다 acompañar a uno hasta medio camino. 대화 ~에 자리를 뜨다 irse en medio de la conversación. 말씀 ~에 죄송합니다만 … Perdone que lo interrumpa, pero …. 그는 아직 공부하는 ~이다 El todavía está estudiando. 나는 ~에서 친구를 만났다 Me encontré con un amigo mientras yo paseaba [cuando yo daba un paseo]. ~까지 함께 갑시다 Te acompaño hasta la mitad del camino. 이 열차는 ~의 역에서는 서지 않는다 Este tren no para en las estaciones intermedias.

■ ~기(記) ㉮ [여행의 일기] diario *m* del viaje. ㉯ [여행의 안내기] guía *f* de viaje. ~ 전도 무효(前途無效) En caso de interrupción del viaje, el billete pierde su validez. ~하차(下車) bajada *f* en medio camino. ¶~하다 bajar del tren en medio camino. 대전에서 ~하다 interrumpir su viaje en *Daecheon*.

도중(盜衆) grupo *m* de los ladrones.

도중 예미(塗中曳尾) El sabio vive en su tierra natal con pobreza sin el puesto gubernamental.

도지(島地) tierra *f* que se forma la isla.

도지(道智) ((불교)) sabiduría *f* religiosa, sabiduría *f* que entiende los principios de mãrga 도(道).

도지(桃枝) rama *f* del melocotonero.

도지(賭地) tierra *f* de los cereales de participación.

■ ~ 농사(農事) =소작농(小作農).

도지다[1] ① [병이] recaer, reincidir, tener [sufrir] una recaída, recrudecerse. 그는 병이 도졌다 (A él) Se le ha recrudecido la enfermedad / El ha tenido una recaída. ② [(가라앉혔던 노여움이) 다시 나다] volver a caer, volver. 노여움이 ~ volver a caer en la cólera. 나쁜 버릇이 ~ volver a los malos hábitos.

도지다[2] ① [매우 심하고 호되다] (ser) extremo, intenso, severo. 도지게 때리다 golpear [dar un golpe] severamente. ② [몸이 여무지고 단단하다] (ser) fuerte, sólido. 쇳덩이처럼 도진 몸 cuerpo *m* sólido como el hierro.

도지 볼(영 *dodge ball*) dodge pelota *f*, juego *m* de dodge.

도지사(道知事) gobernador, -dora *mf*.

도진(渡津) =나루.

도진(都塵) polvo *m* de la ciudad.

도질토기(陶質土器) barro *m* (cocido) de fango, vajilla *f* de barro cocido de fango, vasija *f* de fango.

도차지 monopolio *m*. ☞독차지

도착(到着) llegada *f*, arribo *m*. ~하다 llegar, arribar, alcanzar; [우연히] advenir; [항구(港口)에] aportar. ~하는 대로 al llegar, en llegando, en cuanto llegue. …에 ~하다 llegar a *un sitio*. 서울에 ~하다 llegar a Seúl. 마드리드에 ~할 때 al llegar [llegando] a Madrid. 오후 3시 열차로 ~하다 llegar en el tren de las tres de la tarde. 그에게 편지가 ~했다 Le ha llegado una carta. 연락이 그에게 ~했다 El recibió una comunicación. 그의 편지는 오늘 아침에 ~했다 Su atenta (carta) me llegó esta mañana. 열차는 몇 시에 ~합니까? ¿A qué hora llega el tren? 열차는 10시 30분에 ~할 것이다 El tren llegará a las diez y media. 리마에 ~하는 대로 당신한테 편지하겠소 En llegando [En cuanto llegue] a Lima te escribiré. 그녀가 ~하자마자 저에게 알려 주세요 Avíseme en cuanto ella llegue.

■ ~ 가격(價格) coste, seguro y flete; *AmL* costo, seguro y flete; CI&F. ~불(拂) pago *m* a la entrega, pago *m* al recibo de la mercancía. ¶~로 지불하다 pagar a la entrega, pagar al recibo de la mercancía. ~ 선객 명부(船客名簿) lista *f* de llegada. ~ 성명(聲明) comunicado *m* de llegada. ~순(順) orden *m* de llegada. ¶~으로 por orden de llegada. ~ 승객 pasajero *m* de llegada [de entrada]. ~ 승객 명부(乘客名簿) lista *f* (de pasajeros) de llegada. ~ 시간(時間) hora *f* de llegada. ~역(驛) estación *f* de llegada, destino *m*. ~ 열차(列車) tren *m* de llegada. ~ 예정 시간(豫定時間) hora *f* prevista de llegada. ~점(點) =도달점(到達點). ~지(地) destino *m*, lugar *m* de llegada. ~항(港) puerto *m* de llegada.

도착(倒錯) ① [(위아래가) 거꾸로 되어 바뀜] inversión *f*. ~하다 invertir. ② [본능이나 감정의 이상(異常) 및 덕성(德性)의 이상으로 사회와 도덕에 어그러진 행동을 나타냄] perversión *f*, inversión *f*, aberración *f*.

◆ 성적(性的) ~ perversión *f* sexual; [동성애(同性愛)] inversión *f* sexual. 성적 ~자 perverso, -sa *mf*, invertido, -da *mf*, [남성의] sodomita *m*; [여 성의] lesbiana *f*. 정신 ~ aberración *f* mental.

도찰(塗擦) ungimiento *m*, linimento *m*, embrocación *f*, inunción *f*. ~하다 ungir, embrocar.

■ ~ 요법(療法) tratamiento *m* de inunción. ~제(劑) embrocación *f*, linimento *m*.

도참(圖讖) mágica *f* de predecir la fortuna futura; [책] libro *m* de predecir la fortuna futura.

■ ~설(說) =참위설(讖緯說).

도창(刀創) =도흔(刀痕).

도창(刀槍) la espada y la lanza.

도채장이(塗彩匠−) pintor, -tora *mf*.

도처(到處) todas partes *fpl*. ~에 en [por] todas partes, en cualquier lugar [sitio], donde quiera, aquí y allí. ~로 por todas partes. 나라 ~에 por todo el país. 세계 ~에 por todas partes [por todos los rincones] del mundo. ~에서 같은 일이 일어나

고 있다 En todas partes cuecen habas. 이 도시에는 ~에 공원이 있다 En esta ciudad hay parques en [por] todas partes. 그 책에는 ~에 오류(誤謬)가 있다 Ese libro tiene errores por todas partes. 우리 나라 ~에 온천이 있다 Hay termas por todo nuestro país.

■~ 낭패(狼狽) fracaso *m* en el todo intento ¶~하다 fracasar [salir mal] en el todo intento.

도척(盜跖) persona *f* muy maligna.

■~이 =도척(盜跖).

도천(渡天) ida *f* [visita *f*] a la India. ~하다 ir [visitar] a la India.

도첨(刀尖) punta *f* del cuchillo.

도첩(度牒) carné *m* [carnet *m*] de identidad de los sacerdotes budistas (de la época de la dinastía de *Koryo*).

도첩(圖帖) =그림첩.

도청(盜聽) escucha *f* clandestina, escucha *f* a hurtadillas; [전화 도청] escucha *f* telefónica. ~하다 escuchar clandestinamente [secretamente], escuchar a hurtadillas, escuchar a las puertas, oir a ocultas; colocar micrófonos ocultos (en). 전화(電話)를 ~하다 intervenir (el teléfono), interceptar secretamente mensajes telefónicos. 그들은 내 전화를 ~하도록 명령했다 Ellos ordenaron que se me interviniera el teléfono. 그들의 대화는 군당국(軍當局)에 의해 ~되고 녹음된다고 확신하고 있다 Ellos aseguran que sus conversaciones son escuchadas y grabadas por los militares.

■~기(機) micrófono *m* oculto. ¶~를 설치하다 colocar micrófonos ocultos (en). ~ 방지(防止) teleseguridad *f*. ~ 사건(事件) escándalo *m* de intervenir (el teléfono). ~ 마이크 =도청기(盜聽機). ~ 장비 aparato *m* de escucha clandestina. ~ 장치(裝置) escuchas *fpl* telefónicas.

도청(道廳) oficina *f* provincial [de la provincia], oficina *f* del gobierno provincial, sede *m* del gobierno provincial.

■~ 소재지(所在地) capital *f* de la provincia.

도청 도설(道聽塗說) rumor *m* de las calles.

도체(導體) conductor *m*, médium *m*, agente *m*. 반~ semiconductor *m*.

도추(刀錐) ① [칼과 송곳] el cuchillo y la lezna. ② [작은 이익] ganancia *f* pequeña, poca ganancia *f*.

도축(屠畜) carnicería *f*, matanza *f*. ~세(稅) impuesto *m* de la carnicería. ~자(者) carnicero *m*. ~장(場) matadero *m*.

도취(陶醉) ① [술이 거나하게 취함] embriaguez *f*, borrachera *f*. ~하다 embriagarse, emborracharse. ~되어 있다 estar embriagado (con · de). ② [좋아하거나 즐기는 것에 마음이 빠져 취하다시피 됨] embelesamiento *m*, éxtasis *m*. ~하다 extasiarse (con · de), encantarse, quedar encantado [extasiado]. ~되어 있다 estar extasiado (con · de). 그는 경치의 아름다움에 ~되었다 El lo fascinó la belleza del paisaje.

◆자기(自己) ~(증) narcisismo *m*. 자기 ~자 narcisista *mf*.

■~경(境) estado *m* de éxtasis.

도치(倒置)【언어】inversión *f*. ~하다 invertir. ~되다 invertirse. 주어와 동사를 ~하다 invertir el orden del sujeto y del verbo.

■~문(文) oración *f* invertida. ~법(法) inversión *f*.

도칠기(陶漆器) cerámica *f* laqueada.

도침(陶枕) ① [자기(瓷器)로 만든 베개] almohada *f* de cerámica. ② [도자기를 굽는 가마 그릇을 구울 적에 그릇을 괴는 데 쓰는 물건] soporte *m* para los recipientes.

도침(搗砧) mercerización *f*. ~하다 mercerizar.

◆도침(을) 맞다 ser mercerizado.

■~장(匠) mercerizador, -dora *mf*.

도킹(영 *docking*)【물리】acoplamiento *m*. ~하다 acoplarse. ~시키다 acoplar.

도탄(塗炭) miseria *f*, angustia *f*, aflicción *f*. 백성을 ~에서 구하다 salvar al pueblo de la miseria.

◆도탄에 빠지다 sumirse [caerse] en una miseria extremada.

도탑다 (ser) afectuoso, cariñoso.

도타이 afectuosamente, cariñosamente.

도태(淘汰/陶汰) ① [여럿 중에서 불필요한 부분이 줄어 없어짐] eliminación *f*, destitución *f* de los ineficaces; [인원(人員)의] reducción *f* de los números de oficiales. ~하다 eliminar, escoger, dejar lo inútil, enttresacar, deponer, destituir. ②【생물】selección *f*. ~하다 seleccionar.

◆성(性)~ selección *f* sexual. 인위(人爲) ~ selección *f* artificial. 자연(自然) ~ selección *f* natural. 자웅(雌雄) ~ selección *f* sexual.

도토(陶土) arcilla *f* (figulina), barro *m* de alfarero, caolín *m* (*pl* caolínes).

도토리【식물】bellota *f*.

■도토리 키 재기 ((속담)) No hay nada de escoger entre ellos / No hay mucha diferencia entre ellos / Hay poco que escoger entre ellos / Son tal para cual.

■~깍정이[받침] copa *f* de la bellota. ~묵 gelatina *f* de almidón de bellota. ~밭 bellotal *m*.

도토리나무【식물】=상수리나무.

도톨도톨 desigualmente, irregularmente, desniveladamente, *AmL* disparejamente. ~하다 (estar) desigual, irregular, desnivelado, *AmL* disparejo; [바위 · 산 · 해안(海岸)이] escarpado; [지형이] accidentado, escabroso; [여드름 따위가] lleno de granos; [조직 · 표면 따위가] granular, granulado; [나무껍질이] rugoso. ~한 나무껍질 corteza *f* rugosa. ~한 땅 terreno *m* desnivelado [desigual · *AmL* disparejo]. ~한 표면(表面) superficie *f* desigual [irregular · *AmL* dispareja]. ~한 발진 (發疹) erupción *f* granular. 여드름이 ~하게 난 얼굴 cara *f* llena de granos.

도톨밤 pequeña castaña *f* parecida a la bellota.

도톰하다 [오동포동하다] (ser) rollizo, regordete; [뚱뚱하다] gordiflón, gordinflón; [살이 많이 찌다] corpulento; [땅딸막하다] rechoncho, barrigón, amondongado, panzudo. 그녀는 무척 ~ ¡Qué corpulenta es ella!
도톰히 rollizamente, regordetemente, gordiflonamente, corpulentamente, rechonchamente, panzudamente.

도통(都統) ① =도합(都合). ② ((준말)) =도통사(都統使). ③ [부사로] =도무지. 도대체.
■ ~사(使) 【고제도】 general *m*.

도통(道通) ilustración *f* espiritual. ~하다 lograr la ilustración, ser espiritualmente iluminado.

도투락 ((준말)) =도투락댕기.
■ ~댕기 cinta *f* de pelo puesta por la muchachita.

도투마리 viga *f* de urdimbre de la telar.
■ 도투마리 잘라 넉가래 만들기 ((속담)) Es muy fácil de hacer.

도툴어 =도파니.

도파(濤波) =파도(波濤).

도파니 en total. ~ 손님이 열다섯 명 있었다 Había quince invitados en total.

도판(圖板) ilustración *f*, grabado *m*, lámina *f*, diagrama *m*, gráfica *f*, esquema *m*.

도편(刀鞭) la espada y el azote.

도편수(都一) jefe *m* [maestro *m*] de los carpinteros.
◆ 부(副)~ subjefe *m* de los carpinteros.

도폐(刀幣) =도화(刀貨).

도포(塗布) aplicación *f*, baño *m*. ~하다 aplicar (*algo* a *algo*), bañar. 환부에 연고를 ~하다 aplicar el ungüento a la zona afectada.
■ ~약[제] ㉮ [연고] ungüento *m*. ㉯ [물약] linimento *m*.

도포(道袍) ① [통상 예복으로 입던 겉옷] *dopo*, atuendo *m* de gala coreano (en tiempos antiguos). ② ((성경)) manto *m*.

도포수(都砲手) jefe *m* de los cazadores.

도폭(都幅) =화폭(畵幅).

도표(道標) ① [길표] poste *m* indicador, hito *m*, mojón *m* (*pl* mojones). ② =지침(指針). 지표(指標). ③ [이정표(里程標)] hito *m*, mojón *m*, mojón *m* kilométrico.

도표(圖表) diagrama *m*, gráfica *f*, gráfico *m*, esquema *m*, tabla *f*. ~로 설명하다 explicar con un gráfico.
◆ 면적(面積) ~ tabla *f* [diagrama *m*] de área. 문법(文法) ~ tabla *f* de gramática. 사망률(死亡率) ~ gráfica *f* de la mortalidad. 선(線)~ gráfico *m* de línea. 역사(歷史) ~ tabla *f* histórica. 점(點) ~ diagrama *m* de punto. 통계(統計) ~ tabla *f* estadística. 판매(販賣) ~ gráfico *m* de ventas.
■ ~선(線) línea *f* de diagrama. ~학(學) nomografía *f*.

도품(盜品) objeto *m* robado.

도피(桃皮) ① [복숭아 껍질] cáscara *f* del melocotón. ② [복숭아나무 껍질] cáscara *f* del melocotonero.
■ ~피리 【악기】 flauta *f* de alrededor del siglo VI de la dinastía de *Koguryo*. ~ 필률(篳篥) flauta *f* de cáscara del melocotón de las dinastías de *Koguryo* y *Baekche*.

도피(逃避) escape *m*, huida *f*, fuga *f*, escapada *f*, escapatoria *f*, evasión *f*, salida *f*. ~하다 escapar, huir, fugarse, afufar(se), refugiarse, tomar las afufas, hacer una escapatoria. 외화(外貨)의 ~ fuga *f* de divisas. 자본(資本)의 ~ evasión *f* [fuga *f*·huida *f*] de capitales. 자본의 해외 ~ fuga *f* de capitales al extranjero. 현실에서 ~하다 huir [escapar] de la realidad.
◆ 현실(現實) ~ escapismo *m*.
■ ~ 결혼(結婚) casamiento *m* fugitivo. ~ 문학(文學) literatura *f* de escape, literatura *f* escapista. ~ 생활(生活) vida *f* de escape del mundo. ~성(城) ((성경)) ciudad *f* de refugio. ~소(所) (lugar *m* de) refugio *m*. ~ 여행(旅行) viaje *m* de escape. ~자(者) fugitivo, -va *mf*, refugiado, -da *mf*. ~ 장소(場所) santuario *m*, refugio *m*; [도적들의] escondrijo *m*. ~주의(主義) escapismo *m*. ¶~의 escapista. ~주의자(主義者) escapista *mf*. ~지(地) refugio *m*, santuario *m*. ¶망명자 ~ santuario *m* [refugio *m*] de refugiados políticos. ~처(處) guarida *f*. ¶안전(安全)한 ~ guarida *f* segura. ~ 행각(行脚) fuga *f*. ¶연인들의 ~ fuga *f* de los amantes.

도필(刀筆) cuchillo *m* para esculpir las letras en bambú.

도핑(영 *doping*) [금지 약물 복용] dopaje *m*, doping *ing.m*, drogado *m*.
■ ~ 컨트롤 control *m* antidoping. ~ 테스트 prueba *f* antidoping.

도하(都下) ① [서울 지방] distrito *m* metropolitano, distrito *m* de Seúl, región *f* seulense, región *f* de Seúl. ② [서울 안] (interior *m* de) Seúl, capital *f*, metrópoli *f*.

도하(渡河) =도강(渡江). ¶~하다 cruzar el río.
■ ~ 작전(作戰) operación *f* de vado.

도학(道學) ① [도덕에 관한 학문] filosofía *f* moral, moral *f*, ética *f*. ② =유학(儒學). ③ =심학(心學). ④ ((종교)) =도교(道敎). ⑤ =성리학. 주자학.
■ ~자[가] moralista *mf*, ético, -ca *mf*.

도한(盜汗) 【한방】 sudor *m* nocturno. ~을 흘리다 sudar durante la noche.

도한(屠漢) carnicero *m*.

도함수(導函數) 【수학】 derivada *f*.

도합(都合) total *m*, suma *f* total. 여행에 참가했던 사람은 ~ 스무 명이었다 El total de los participante en la excursión fue de diez / Fueron diez en total que participaron en la excursión.

도항(都巷) calle *f* de Seúl.

도항(渡航) viaje *m* por el mar, navegación *f*, travesía; [외국으로] viaje *m* al extranjero.

～하다 viajar por el mar, navegar, ir al extranjero. ～ 수속(手續)을 하다 cumplir las formalidades para ir al extranjero.
■～ 면장(免狀) pasaporte *m*. ～자(者) navegante *mf*; viajero, -ra *mf* por el mar que va al extranjero. ～ 증명서(證明書) certificado *m* de navegación.

도항(塗巷) [거리] calle *f*; [세상] mundo *m*.

도해(渡海) travesía *f* del mar. ～하다 atravesar [cruzar] el mar.

도해(圖解) explicación *f* gráfica, ilustración *f*, diagrama *m* explicativo. ～하다 ilustrar.
■～ 백과 사전 enciclopedia *f* ilustrada. ～법(法) iconografía *f*. ～ 사전(辭典) diccionario *m* ilustrado. ～집(集) libro *m* ilustrado.

도해(蹈海) ① [고결한 절조] integridad *f* noble. ② [위험을 무릅쓰고 바다를 항해함] navegación *f* marítima aventurada. ～하다 navegar por el mar arriesgándose [aventurándose].

도행(徒行) ＝보행(步行).

도형(圖形) figura *f*, diagrama *m*.
■～ 기하학(幾何學) geometría *f* descriptiva.

도형(徒刑) (pena *f* de) trabajos *mpl* forzados.
■～수(囚) presidario, -ria *mf*; forzado, -da *mf*; reo *mf*; delincuente *mf*; criminoso, -sa *mf*. ～장(場) presidio *m*.

도호부(都護府) 【역사】 virreinato *m*.
■～사(使) 【역사】 virrey *m*.

도혼(倒婚) ＝역혼(逆婚).

도홍(桃紅) ((준말)) ＝도홍색(桃紅色).
■～빛[색] (color *m*) rosa *m*, color *m* de rosa. ～의 rosa (남녀 동형), rosado, de color de rosa.

도화(刀貨) moneda *f* de la forma de espada.

도화(桃花) flor *f* del melocotonero.
■～분(粉) polvos *mpl* (de tocador) rosas. ～빛[색] ＝도홍색(桃紅色). ～수(水) el agua *f* de arroyo de la primavera. ～주(酒) vino *m* de flores de melocotonero.

도화(陶畫) cuadro *m* en la porcelana.

도화(圖畫) ① [그림과 도안] el cuadro y el dibujo. ② [그림을 그림] el pintar, el dibujar.
■～ 연필(鉛筆) lápiz *m* para dibujar. ～지(紙) papel *m* para dibujar, papel *m* de dibujo.

도화(導火) ① [폭약을 터지게 하는 불] fuego *m* para explotar el explosivo. ② [사건 발생의 동기] motivo *m*.
■～선(線) ㉮ [폭발물의] cebo *m*, espolota *f*, pebete *m*; [램프 따위의] mariposa *f*, yesca *f* [reguero *m*] (de pólvora); [가스 기구 따위의] piloto *m*. ¶가스의 ～에 불을 당기다 encender el piloto de gas. ㉯ [유인(誘引)] estímulo *m*, impulso *m*, incentivo *m*, motivo *m*, móvil *m*. ¶그 사건(事件)이 ～이 되어 전쟁이 일어났다 Es acontecimiento constituyó la chispa que encendió la guerra.

도화곡(道化曲) 【음악】 obra *f* burlesca.

도화심목(桃花心木) 【식물】 ＝마호가니.

도회(都會) ((준말)) ＝도회지(都會地).
■～ 문학(文學) literatura *f* urbana. ～병(病) enfermedad *f* urbana. ～ 생활(生活) vida *f* urbana. ☞도회지 생활. ～인(人) ciudadano, -na *mf*; habitante *mf* de la ciudad; urbano, -na *mf*. ～ 정서(情緖) atmósfera *f* urgana. ～지(地) ciudad *f*, pueblo *m*, población *f*, distrito *m* urbano, áreas *fpl* urbanas, división *f* administrativa de un condado que abarca varios centros urbanos. ¶～의 urbano, ciudadano, municipal. ～에서 자란 criado en la ciudad. ～에 가다 ir a la ciudad. ～에 살다 habitar [residir・vivir] en una ciudad. ～지 생활(地生活) vida *f* urbana, vida *f* en la ciudad. ¶그는 ～에 닳고 닳았다 El ha sufrido malas influencias de la ciudad. ～지화(地化) urbanización *f*. ¶～하다 urbanizar. ～처(處) ＝도회지(都會地). ～풍(風) modales *mpl* urbanos, urbanidad *f*. ¶～의 urbano. ～으로 urbanamente. ～으로 하다 urbanizar. ～화(化) ＝도회지화.

도회(韜晦) disímulo *m* de *su* verdadero pensamiento. ～하다 disimular su verdadero pensamiento.

도회계(都會計) suma *f* total.

도흔(刀痕) cicatriz *f* de la espada.

도홍정(都一) transacción *f* al por mayor.

독 jarro *m*, jarra *f*, pote *m*, tinaja *f*; [큰] cántaro *m*. 밑 빠진 ～에 물 붓기다 ser como si echara agua sobre el suelo sediente, ser acto poco efectivo.
■독 안에 든 쥐 ((속담)) Un ratón caído en la trampa / No hay escaparatoria. 그는 이제 ～다 Ya es un ratón caído en la trampa / Ya no hay escaparatoria para él.

독(毒) ① [건강을 해롭게 하거나 생명을 위태롭게 하는 성분] veneno *m*, ponzoña *f*, hierbas *fpl*; [동물의] veneno *m*; 【의학】 tóxico *m*. ～을 넣은 envenenado. ～이 있는 venenoso, ponzoñoso. ～을 마시다 beber veneno. ～을 먹이다 propinar una ponzoña (a), envenerar (a), emponzoñar (a). ～의 유무(有無)를 확인하다 probar un plato para ver si lleva mezclado veneno. …에 ～을 넣다 echar veneno a *algo*. ～으로 ～을 제거하다 curar el mal con el mal, quitar el efecto de un veneno por otro veneno. ～이 그의 온몸에 돌았다 El veneno le circuló por todo el cuerpo. ～으로 ～을 다스려라 Nada mejor que un ladrón para atrapar a otro ladrón. ② [해(害)] daño *m*, perjuicio *m*, injuria *f*, agravio *m*, mal efecto *m*. ～이 있는 [유해(有害)한] dañoso, perjudicial, pernicioso, nocivo, dañino, malo, malsano, insalubre. ③ ((준말)) ＝해독(害毒). ④ ((준말)) ＝독약(毒藥). ⑤ ((준말)) ＝독살(毒殺). ⑥ ((준말)) ＝독기(毒氣).
◆독이 오르다 (ser) malicioso, malo, rencoroso, venenoso.

독(獨) ((준말)) ＝독일(獨逸)(Alemania).

독(영 *dock*) astillero *m*, dique *m* que carena *f*, dársena *f*. ~에 들어가다 entrar al dique [a la dársena]. ~에 넣다 poner en dique. ~에 있다 estar en dique. 배를 ~에 넣다 poner [meter] un barco en dique.
◆ 건(乾)~ dique *m* seco. 부(浮)~ dique *m* flotante.
■ ~료(料) muellaje *m*.

독-(獨) solo, -la.

독가스(毒 gas) gas *m* tóxico, gas *m* venenoso, gas *m* sofocado. ~를 사용하다 usar el gas tóxico. ~로 공격하다 gasear, someter a la acción de gases asfixiantes, tóxicos, lacrimógenos, etc. ~로 적을 공격하다 gasear el enemigo.
■ ~ 공격(攻擊) ataque *m* de gas tóxico. ~ 공격 경보 alarma *f* de gas (tóxico). ~ 마스크 máscara *f* antigas, careta *f* antigas. ~ 사형 집행실(死刑執行室) cámara *f* de gas. ~전(戰) guerra *f* de gas. ~ 제거 마스크 máscara *f* para gases. ~탄(彈) granada *f* de gas, proyectil *m* tóxico, granada *f* química.

독각(獨脚) única pierna *f*.

독감(毒感) ① [매우 지독한 감기] resfriado *m* severo. ② 【의학】 influenza *f*, gripe *f*.

독개미(毒-) hormiga *f* venenosa.

독거(獨居) soledad *f*, vida *f* solitaria. ~하다 vivir solo.
■ ~ 감방(監房) celda *f* (aislada). ☞독방. ~성 동물(性動物) animal *m* solitario. ~제(制) =독방제(獨房制).

독거미(毒-) araña *f* venenosa.

독견(獨見) *su* sola opinión.

독경(讀經) ((불교)) salmodia *f* [lectura *f*·recitación *f*] de una sutra budista. ~하다 salmodiar las sutras, recitar las sutras.
■ ~자(者) salmodiador, -dora *mf*, recitador, -dora *mf* de las sutras.

독계(毒計) mala estratagema *f*, estratagema *f* maligna.

독공(獨工) estudio *m* [trabajo *m*] sin ayuda de nadie. ~하다 estudiar [trabajar] sin ayuda de nadie.

독과(督過) reprensión *f* del error. ~하다 reprender el error.

독과점(獨寡占) acaparamiento *m*, el monopolio y el oligopolio. ~하다 acaparar. 상품(商品)의 ~ acaparamiento *m* de mercancías, acaparamiento m de bienes.
■ ~ 사업(事業) negocio *m* monopolístico y oligopolístco. ~ 품목(品目) artículos *mpl* monopolísticas y oligopolísticos. ~ 회사(會社) compañía *f* monopolística y oligopolística.

독국(獨國) 【지명】 Alemania *f*.

독균(毒菌) fungo *m* venesoso.

독기(毒氣) ① [독의 성분이나 기운] toxicidad *f*, virulencia. ② [사납고 모진 기운] malicia *f*, malevolencia *f*, acrimonia *f*. ~를 품은 malicioso, malévolo, acrimonioso. ~ 있는 말 palabras *fpl* maliciosas.

독나방(毒-) 【곤충】 palomilla *f* de mata de hierba oriental; 【학명】 Euproctis flava.

독나비(毒-) 【곤충】 =독나방.

독납(督納) cobranza *f* de impuestos. ~하다 acosar [apremiar] a *uno* para que pague los impuestos.

독녀(獨女) =외딸.

독농(篤農) agricultor, -tora *mf* [labrador, -dora *mf*] fiel.
■ ~가(家) agricultor, -tora *mf* [labrador, -dora *mf*] diligente; agricultor *m* patriótico, agricultora *f* patriótica; campirano, -na *mf*.

독니(毒-) colmillo *m* venenoso [ponzoñoso].

독단(獨斷) ① [자기 혼자의 결정·판단(判斷)] decisión *f* arbitraria, juicio *m* arbitrario. ② 【철학】 dogma *m*.
■ ~가(家) persona *f* obstinada; dogmatizador, -dora *mf*, dogmatista *mf*. ~론 【철학】 dogmatismo *m*. ~ 비평(批評) criticismo *m* dogmático. ~적(的) arbitrario, arbital, dogmático. ¶~으로 por *su* propia decisión, arbitrariamente, sin consultar a nadie, arbitralmente, dogmáticamente. ~으로 결정하다 decidir por su propio juicio. ~으로 의논하다 dogmatizar. ~주의(主義) dogmatismo *m*. ~주의자 dogmatista *mf*.

독담당(獨擔當) cargo *m* exclusivo, responsabilidad *f* exclusiva. ~하다 hacerse el cargo exclusivo (de), asumir la responsabilidad exclusvia.

독담쟁이(毒-) 【식물】 zumaque *m*.

독대 red *f* para pescar con dos bambúes cortos.

독대(獨對) sola entrevista *f*. ~하다 entrevistarse solo (con), tener una sola entrevista (con). 대통령과 ~하다 entrevistarse solo con el presidente (de la República), tener una sola entrevista con el presidente.

독두(禿頭) =대머리.
■ ~병(病) 【의학】 alopecia *f*.

독려(督勵) ánimo *m*, estimulación *f*. ~하다 estimular, animar, alentar, incitar, espolear.

독력(獨力) *su* propia fuerza. ~의 independiente, de sí solo, que no tiene ayuda. ~으로 con *su* propia fuerza, sin ayuda ajena, sin ayuda de nadie, por sí solo. ~으로 성공하다 obtener buen éxito sin ayuda ajena. ~으로 일을 끝내다 terminar el trabajo con *su* propia fuerza.

독로(篤老) mucha vejez. ~하다 ser muy viejo.

독료(讀了) terminación *f* de la lectura. ~하다 terminar [acabar] (de leer) un libro.

독룡(毒龍) dragón *m* (*pl* dragones) venenoso.

독립(獨立) independencia *f*. ~하다 independizarse, emanciparse. ~의 independiente, autónomo. ~해서 por *su* propia cuenta, independientemente. ~된 방(房) habitación *f* [cuarto *m*] independiente. ~시키다 independizar. ~을 획득하다 obtener la independencia. ~해서 생활하다 vivir independiente(mente), vivir separado de familia.

~해서 장사를 시작하다 independizarse y emprender un nuevo negocio. 부모한테서 ~하다 independizarse de los padres. 대한민국은 1945년에 ~했다 La República de Corea se independizó en 1945. 제이 차 세계 대전 후에 ~이 선포되었다 Tras la Segunda Guerra Mundial fue declarada independiente.

■~ 가옥(家屋) casa *f* separada. ~ 거주제 sistema *m* de vivienda separada. ~ 관청 oficina *f* gubernamental separada. ~ 구문(構文) construcción *f* absoluta. ~국(國) estado *m* [país *m*·nación *f*] independiente. ~군(軍) tropas *fpl* independientes. ~권(權) autonomía *f*, independencia *f*. ~ 규제위원회(規制委員會) la Comisión de Regulación Independiente. ~ 기관(機關) órgano *m* independiente. ~ 기념일(紀念日) el Día de Independencia, el 15 de Agosto. ~ 독행(獨行)[독보(獨步)] independencia *f*, autoayuda *f*, autofinanciación *f*, autofinanciamiento *m*. ~ 변수(變數) variable *m* independiente. ~ 부정사(不定詞) infinitivo *m* absoluto. ~ 사상(思想) idea *f* independiente. ~ 선언 declaración *f* de (la) independencia. ~ 선언문(宣言文) =독립 선언서. ~ 선언서(宣言書) la Declaración de Independencia. ¶~에 서명하다 firmar la Declaración de Independencia. ~성(性) lo independiente. ~심(心) espíritu *m* de independencia. ¶~이 강한 여자(女子) mujer *f* llena de espíritu de independencia. ~ 운동(運動) movimiento *m* de independencia. ~ 자영 농민(自營農民) agricultor, -tora *mf* económicamente independiente. ~ 자존(自尊) independencia *f* y amor propio. ¶~의 independiente. ~의 정신(精神) espíritu *m* de independencia y amor propio, espíritu *m* independiente. ~ 자존주의(自尊主義) principios *mpl* de independencia y amor propio. ~적(的) independiente. ¶~으로 independientemente. ~제(祭) fiesta *f* de la independencia. ~주의(主義) separatismo *m*, secesionismo *m*. ¶~의 separatista, secesionista. ~주의자 separatista *mf*, secesionista *mf*. ~ 주택(住宅) casa *f* separada. ~ 채산제(採算制) (sistema *m* de) autofinanciamiento *m*, autofinanciación *f*, autonomía *f* financiera.

독립관(獨立館) la Casa de Independencia, el Pabellón de Independencia.

독립국 공동체(獨立國共同體) la Comunidad de Estados Independientes, CEI *f*.

독립당(獨立黨) el Partido de Independencia.

독립 신문(獨立新聞) El Diario Independiente.

독립 전쟁(獨立戰爭) la Guerra de Independencia, la Guerra Revolucionario.

독립 협회(獨立協會) la Asociación de Independencia.

독메(獨－) montaña *f* solitaria, monte *m* solitario.

독목(禿木) árbol *m* con las hojas caídas.

독목교(獨木橋) =외나무다리.

독무(獨舞) sola danza *f*.

독무대(獨舞臺) ① [혼자서 연기하기] sola representación *f*. ② [한 사람의 연기가 특히 뛰어남] sobresaliente *m* de una representación. 그 연주회는 그의 ~였다 En el concierto él sobresalió entre todos los músicos. ③ [경쟁자가 없음] esfera *f* incomparabale [inigualable] de actividad, *su* monopolio. ~의 incomparable, inigualable, sin igual.

독물 color *m* azul oscuro.

독물(毒－) el agua *f* del veneno.

독물(毒物) ① [독이 들어 있는 물질] substancia *f* tóxica, tóxico *m*. ~을 검출(檢出)하다 detectar la substancia tóxica. ② [성질이 악독한 사람이나 짐승] persona *f* maligna; [짐승] animal *m* maligno.

■~ 검출 detección *f* de substancia tóxica. ~ 공포증(恐怖症) toxicofobia *f*. ~광(狂) toxicomanía *f*. ~ 중독(中毒) toxicomanía *f*. ~ 중독자(中毒者) toxicómano, -na *mf*. ~학(學) toxicología *f*. ¶~의 toxicológico. ~ 학자(學者) toxicólogo, -ga *mf*.

독물(讀物) lectura *f*.

독미(牘尾) margen *m* del documento.

독미나리(毒－) 【식물】 cicuta *f* acuática.

독바늘(毒－) 【곤충】 =독충(毒蟲).

독발(禿髮) calvicie *f*, calvez *f*.

독방(獨房) ① [혼자서 쓰는 방] habitación *f* sencilla, habitación *f* simple. ② [(교도소·구치소 따위에서) 한 사람만 수용하는 방] celda *f* (aislada), celda *f* (separada). ~에 넣다 meter en el calabozo. ~에 감금되어 있다 estar incomunicado.

■~ 감금(監禁) reclusión *f* solitaria. ~ 거처(居處) vida *f* de la celda aislada. ~제(制) sistema *m* de la celda aislada.

독배(毒盃/毒杯) vaso *m* del veneno.

◆독배를 들다[마시다] beber [tomar] veneno [ponzoña].

독백(獨白) ① 【연극】 monólogo *m*, soliloquio *m*. ~하다 monologar, soliloquiar. ② [혼자서 중얼거림] el habla *f* a solas. ~하다 hablar a solas [consigo mismo·para sí]. …라 ~하다 decir para sí (mismo) que + *ind*.

■~극(劇) monodrama *m*. ~체(體) estilo *m* de monólogo.

독버섯(毒－) hongo *m* venenoso, seta *f* venenosa, hongo *m* no comestible.

독벌(毒－) abeja *f* venenosa.

독벌레(毒－) insecto *m* venenoso.

독법(獨法) ley *f* alemana.

독법(讀法) manera *f* [modo *m*] de lectura.

독별나다(獨別－) (ser) solo distintivo.

독보(獨步) ① [홀로 걸음] el caminar solo. ~하다 caminar [andar] solo. ② [남이 따를 수 없게 뛰어남] lo único, lo incomparable.

■~적(的) solo, sin igual, sin par, incomparable, sin rival, único. 그것은 동서고금을 통해 ~이다 Es único en todas las épocas.

독보리(毒－) 【식물】 cebada *f* venenosa.

독본(讀本) libro *m* de lectura.
◆ 부(副)~ lectura *f* suplementaria [adicional].

독봉(毒蜂) abeja *f* venenosa.

독부(毒婦) mujer *f* malvada, diabla *f*, mujer *f* depravada, vampirosa *f*.

독부(獨夫) ① [외로운 남자] hombre *m* solitario. ② [독신(獨身)인 남자] soltero *m*.

독불 장군(獨不將軍) fanfarrón *m* (*pl* fanfarrones), fantasmón *m*.

독사(毒死) muerte *f* por el veneno. ~하다 morirse de veneno.

독사(毒蛇) ① [이빨에 독이 있어 독액(毒液)을 분비하는 뱀] serpiente *f* venenosa. ② [살무사] víbora *f*.

독사진(獨寫眞) *su* sola fotografía *f*.

독산(禿山) monte *m* [montaña *f*] sin árboles.

독산(獨山) ＝독메.

독살(毒殺) ① [독약으로 죽임] envenenamiento *m*, emponzoñamiento *m*. ~하다 envenenar, emponzoñar, atosigar, matar con veneno. ~되다 ser matado por envenenamiento, morir envenenado. ② [독한 마음을 먹은 살기] ponzoña *f*, veneno *m*, malevolencia *f*.
◆ 독살(을) 부리다 portarse con maldad. 독살(을) 피우다 portarse con maldad, portarse malignosamente.
■ ~ 사건 caso *m* de envenenamiento. ~스럽다 (ser) ponzoñoso, malicioso, maligno, malintencionado, estar lleno [cargado] de veneno. ¶독살스런 혀 lengua *f* viperina [maliciosa]. ~스레 con malevolencia, maliciosamente, malignamente. ~자 envenenador, -dora *mf*. ~풀이 acción *f* de dar rienda suelta a rencor. ¶~하다 dar rienda suelta a rencor.

독살림(獨-) vida *f* independiene (sin ayuda de *sus* padres). ~하다 vivir independiente

독생자(獨生子) 【성경】 unigénito *m*, Hijo *m* unigénito, Hijo *m* único.

독서(牘書) [문서] documento *m*; [편지] carta *f*.

독서(讀書) lectura *f*. ~하다 leer (el libro). ~를 많이 하는 사람 una persona muy leída, una persona de amplia cultura. ~를 좋아하다 ser aficionado a la lectura. ~로 하루를 보내다 pasar el día leyendo. ~에 몰두하다 absorberse [entregarse] a la lectura, enfrascarse en la lectura. 내 취미는 ~다 Tengo afición a la lectura. 나는 가벼운~를 좋아한다 Me gusta leer cosas fáciles y amenas. 그것은 ~하기가 쉽다 Es fácil de leer. 나는 ~를 통해 라틴 아메리카에 관심을 갖기 시작했다 A través de mis lecturas empecé a interesarme por la América Latina.
◆ 독서 백편 의자통(一百遍義自通) ＝독서 백편이면 뜻이 저절로 통한다. 독서 백편(百遍)이면 뜻이 절로 통한다 Si se lee un libro cien veces, se entiende el sentido automáticamente.
■ ~가(家) aficionado, -da *mf* a la lectura. ~계(界) el público lector, los lectores. ~광(狂) ratón *m* (*pl* ratones) de biblioteca, maniaco, -ca *mf* por la lectura. ~대(臺) atril *m*. ~력(力) habilidad *f* de leer. ~ 방법(方法) método *m* de lectura. ~벽(癖) manía *f* de leer, hábito *m* de lectura. ~ 삼매(三昧) absorción *f* a la lectura. ~ 삼여(三餘) tres tiempos libres para la lectura, es decir el invierno, la noche y cuando llueve. ~ 삼품과(三品科) ＝독서 출신과. ~ 상우(尙友) Se puede ser amigo con los sabios antiguos, si se lee los libros. ~실(室) sala *f* de lectura. ~열(熱) deseo *m* para la lectura. ~용 램프 lámpara *f* portátil. ~인 persona *f* aficionada a la lectura; aficionado, -da *mf* a la lectura. ~ 인구(人口) población *f* de lectura. ~ 주간 la Semana de la Lectura. ~ 출신과 【고제도】 el Sistema de Adoptación para los Jóvenes de los Nobles. ~회(會) círculo *m* de lectura. ¶~를 개최하다 abrir un círculo de lectura.

독서당(獨書堂) escuela *f* privada para una sola familia.

독선(獨船) barco *m* de alquiler.
◆ 독선(을) 잡다 alquilar el barco.

독선(獨善) confidencia *f* excesiva en sí, amor *m* propio, presunción *f* (ciega y sorda), egotismo *m*, fariseísmo *m*, pretensiones *fpl* de superioridad moral, autosuficiencia *f*, engreimiento *m*. 그는 ~에 빠져 있다 El está poseído de sí mismo.
■ ~가(家) persona *f* farisaica, persona *f* con pretensiones de superioridad moral. ~광 egomanía *f*, [사람] egomaníaco, -ca *mf*. ~적(的) arbitrario, egocéntrico, excesivamente confidente en sí, engreído, presumido, autosuficiente, con pretensiones de superioridad moral, farisaíco, de superioridad moral. ¶~으로 arbitrariamente, en tono de superioridad moral. ~주의(主義) pretensiones *fpl* de superioridad moral, fariseísmo *m*.

독선생(獨先生) maestro, -tra *mf* que enseña a un solo niño.
◆ 독선생(을) 앉히다 invitar al maestro que enseña a *su* propio niño solamente.

독설(毒舌) acrimonia *f*, palabras *fpl* injuriosas, palabra *f* rencorosa [maliciosa], lengua *f* maliciosa, lengua *f* viperina, calumnia *f*, maldición *f*. ~을 퍼붓다 hablar con acrimonia, tronar, usar [emplear] la lengua maliciosa.
■ ~가(家) lengua *f* viperina, lengua *f* de víbora.

독성(毒性) [독이 있는 성질] virulencia *f*, toxicidad *f*. ~이 있는 virulento, tóxico, venenoso, ponzoñoso.
■ ~ 가스 gas *m* tóxico. ~ 궤양(潰瘍) úlcera *f* virulenta. ~ 글로불린 toxoglobulina *f*. ~ 알부민 toxalbúmina *f*. ~ 완화(緩和) relajación *f* de virulencia. ~ 완화제(緩和

劑) calmante *m* de virulencia. ~ 효소(酵素) toxenzima *f*.
독성(瀆聖) ((천주교)) sacrilegio *m*. ~하다 cometer sacrilegio.
독성분(毒成分) ingrediente *m* venenoso.
독소(毒素) ① [독] veneno *m*, ponzoña *f*,【의학】toxina *f*, [사체] ptomaina *f*. ② [해로운 요소] elemento *m* tóxico.
◆세포내(細胞內) ~ toxina *f* intercelular.
독소(獨蘇) [독일과 소련] la Alemania y la Unión Soviética.
독수(禿樹) árbol *m* que se cayeron todas las hojas.
독수(毒水) agua *f* venenosa.
독수(毒手) =독아(毒牙).
독수(獨守) ① [혼자 지킴] sola defensa *f*. ~하다 defender solo. ② =독숙(獨宿).
■~ 공방(空房) soledad *f* [vida *f* solitaria] en la ausencia de *su* esposo; [별거(別居)·사별(死別)] vida *f* soliraria en separación, viudez *f*, viudedad *f*, [독거(獨居)] vida *f* solitaria. ~하다 vivir separada, vivir como la viuda, pasar la vida solitaria, vivir en soledad sin *su* esposo.
독수(獨修) =독습(獨習).
독수(讀數) número *m* de veces de la lectura.
독수리(禿-)【조류】el águila *f* (*pl* las águilas); [새끼] aguilucho;【학명】Accipitridae. ~의, ~ 같은 aguileño. ~처럼 눈이 날카로운 de ojo avizor. ~의 둥우리 aguilera *f*, nido *m* de águila. ~는 가파른 바위에 둥지를 짖는다 El águila edifica su nido en las rocas escarpadas.
■독수리는 파리를 못 잡는다 ((속담)) Cada uno tiene su propia aptitud / Se tiene su capacidad.
■~자리【천문】el Aguila. ~좌【천문】= 독수리자리. ~집 nido *m* del águila.
독숙(獨宿) el dormir solo.
■~공방(空房) =독수공방(獨守空房).
독순법(讀脣法) =독순술(讀脣術).
독순술(讀脣術) labiolectura *f*, arte *m* de interpretar el movimiento de los labios. ~로 이해하다 leer en los labios.
독습(獨習) estudio *m* sin maestro. ~하다 estudiar sin maestro, aprender solo [a solas], aprender sin ayuda de nadie. ~의 autodidacto. 나는 불란서어를 ~했다 Yo aprendí francés solo [por mi cuenta].
■~ 목수(木手) carpintero *m* autodidacto. ~서(書) manual *m* sin maestro. ¶서반아어 ~ manual *m* de español sin maestro. ~ 예술가(藝術家) artista *m* autodidacto, artista *f* autodidacta. ~자(者) persona *f* autodidacta. ~ 피아니스트 pianista *m* autodidacto, pianista *f* autodidacta. ~ 화가(畵家) pintor *m* autodidacto, pintora *f* autodidacta.
독시(毒矢) flecha *f* envenenada.
독시(毒弑) matanza *f* con el veneno. ~하다 matar con el veneno.
독식(獨食) ① [혼자서 먹음] comida *f* a solas. ~하다 comer solo. ② [이익을 혼자서 차지함] posesión *f* exclusiva de la ganancia. ~하다 poseer la ganancia exclusivamente.
독신(獨身) ① [형제 자매가 없음] el único hijo. ② [배우자가 없는 사람] soltero, -ra *mf*, [노총각·노처녀] solterón, -rona *mf*. 언제까지나 ~으로 있는 남자 soltero *m* empedernido, solterón *m* (*pl* solterones). 그는 아직 ~이다 El es [está] todavía soltero. 나는 ~이다 Soy [Estoy] soltero [soltera *f*]. ③ [독신 생활] soltería *f*, celibato *m*, vida *f* solitaria, vida *f* de soltero. 일생을 ~으로 지내다 pasar la vida soltera, quedarse soltero, vivir soltero, vivir en el estado de celibato.
■~녀(女) célibe *f*, soltera *f*, manceba *f*, chica *f* soltera, solterona *f*. ~ 생활(生活) soltería *f*, vida *f* soltera [solitaria·sin compañía·de soltero], celibato *m*, estado *m* de soltero. ~하다 vivir en el estado de celibato, vivir soltero, quedarse soltero. 수도자(修道者)들의 ~ el celibato de los religiosos. 그녀는 ~을 하고 있다 Ella vive sola.
■~자 célibe *mf*, soltero, -ra *mf*, mancebo, -ba *mf*, solterón, -rona *mf*, persona *f* soltera [célibe]. ~자 생활(生活) vida *f* de soltero [soltera], soltería *f*. ~자 아파트 piso *m* de soltero, departamento *m* de soltero. ~주의(主義) principio *m* célibe. ~주의자(主義者) célibe *mf* por principio.
독신(篤信) fieldad *f*, creencia *f* devota. ~하다 (ser) fiel, creer devotamente [fielmente].
■~자(者) fiel *mf*, religioso, -sa *mf*, devoto, -ta *mf*, creyente *mf*, [기독교 신자] cristiano, -na *mf*, [천주교 신자] católico, -ca *mf*, [개신교 신자] protestante *mf*.
독신(瀆神) profanación *f*, sacrilegio *m*, blasfemia *f*. ~하다 profanar, cometer sacrilegio, blasfemar.
독실(獨室) habitación *f* individual [sencilla].
독실(篤實) sinceridad *f*, rectitud *f*, probidad *f*. ~하다 (ser) sincero, probo, recto; [신앙심이] fiel, devoto. ~한 신자(信者) fiel *mf*, devoto, -ta *mf*.
독실히 sinceramente, probamente, rectamente; fielmente, devotamente.
독심(毒心) malicia *f*, corazón *m* maligno. ~이 있는 malicioso, maligno.
독심(篤心) corazón *m* fiel, corazón *m* devoto, mente *f* fiel, mente *f* devota.
독심술(讀心術) adivinación *f* del pensamiento, arte *m* de leer el pensamiento.
독아(毒牙) ① [독니] colmillo *m* venenoso, colmillo *m* ponzoñoso. ② [남을 해치려는 악랄한 수단] medida *f* maligna. ~에 걸리다 caer en las garras (de), ser víctima (de).
독아(毒蛾)【곤충】=독나방.
독아론(獨我論)【철학】=독재론(獨在論).
독안(獨眼) un solo ojo, tuerto *m*. ~의 monóculo, tuerto.

■ ～룡(龍) héroe *m* tuerto, héroe *m* de un solo ojo.

독액(毒液) líquido *m* tóxico; [동물의] veneno *m*.

독야청청하다(獨也青青－) ① [홀로 푸르다] (ser) verde solo [a solas]. ② [홀로 높은 절개를 드러내고 있다] conservar [mantener] la sola integridad alta. 백설이 만건곤 할 때 독야청청하리라 Yo solo mantendré la integridad alta cuando todo el mundo está cubierto de la nieve blanca.

독약(毒藥) veneno *m*, ponzoña *f*. ～을 (넣어) 먹이다 envenenar (a), poner veneno (a). ～을 마시다 tomar veneno [ponzoña].

■ ～학(學) toxicología *f*.

독어(毒魚) pescado *m* venenoso.

독어[1](獨語) [혼잣말] palabra *f* para sí; [독백(獨白)] soliloquio *m*, monólogo *m*. ～하다 hablar para sí, soliloquiar.

독어[2](獨語) [독일어] alemán *m*, lengua *f* alemana, idioma *m* alemán.

독언(毒言) ① [남의 명예를 손상하는 말] palabra *f* perjuicial al honor. ② ＝독설(毒舌).

독언(獨言) ＝혼잣말.

독연(毒煙) humo *m* venenoso.

독연(獨演) monólogo *m*, sola representación *f*, desempeño *m* de un papel por un solo personaje. ～하다 representar solo, desempeñar un papel por un solo personaje.

～회(會) función *f* dada por un autor [ejecutante] solo, sesión *f* musical por un solista, recital *m*. ～를 개최하다 dar un recital.

독연극(獨演劇) ＝모노드라마.

독염(毒焰) ① [독기를 내뿜는 불꽃] llama *f* venenosa, llama *f* ponzoñosa. ② [악독한 무리들이 피우는 독살스러운 기세] actitud *f* maligna.

독영(獨泳) sola natación *f*.

독영(獨英) [독일과 영국] la Alemania y la Inglaterra. ～의 alemán-inglés.

독오(瀆汚) suciedad *f*. ～하다 ser sucio.

독옹(禿翁) viejo *m* calvo.

독와사(毒瓦斯) gas *m* tóxico.

■ ～사탄(彈) bomba *f* de gas tóxico.

독우(篤友) ① [도타운 우애(友愛)] amistad *f* íntima. ② [독실한 벗] amigo *m* íntimo, amiga *f* íntima.

독우(犢牛) novillo *m*.

독우물 pozo *m* de jarra.

독음(獨吟) recitación *f* del poema a solas. ～하다 recitar un poema a solas.

독이(毒栮) seta *f* venenosa, hongo *m* [champiñón *m*] venenoso.

독이(獨－) solo, -la; a solas.

독인(毒刃) filo *m* venenoso.

독인(獨人) [독일 사람] alemán, -mana *mf*.

독일(獨逸) Alemania *f*. ～의 alemán, germano, germánico. ～을 좋아하는 (사람) germanófilo, -la *mf*. ～계 한국인 coreano *m* alemán, coreana *f* alemana.

◆동부(東部) ～ la Alemania Oriental, la Alemania del Este. 서부(西部) ～ la Alemania Occidental, la Alemania del Oeste, la República Federal de Alemania.

■ ～어(語) alemán *m*, idioma *m* alemán, lengua *f* alemana. ～인(人) alemán, -na *mf*, germano, -na *mf*. ～학(學) germanística *f*, estudio *m* alemán. ～화(化) germanización *f*. ¶～하다 germanizar.

독일무이(獨一無二) ＝유일무이(唯一無二).

독일주의(獨一主義) 【법률】 ＝고정주의(固定主義).

독자(獨子) ① [외아들] hijo *m* único, solo hijo *m*. 그의 ～ su hijo único. ② ＝독신(獨身).

독자(獨自) ¶～의 [독특한] original, singular; [개인적인] personal, individual; [자신의] propio. ～의 판단으로 según *su* propio criterio. ～의 행동을 하다 actuar independiente, seguir su propio camino. ～의 견해를 가지다 tener una opinión original [personal].

■ ～성(性) originalidad *f*, singularidad *f*, individualidad *f*. ～적(的) original, singular, personal, individual, propio. ¶～으로 originalmente, singularmente, personalmente, individualmente. ～ 고안 idea *f* personal.

독자(讀者) lector, -tora *mf*, leyente *mf*, [신문의 정기 구독자] abonado, -da *mf*, subscriptor, -tora *mf*, [집합적] público *m*.

■ ～란(欄) columna *f* de lectores. ～수(數) [신문 등의 독자의 총수] lectores *mpl*. ～층(層) público *m*. ¶그의 작품은 ～이 넓다 Su obra tiene un público vasto.

독작(獨酌) saboreo *m* sin compañero de una bebida. ～하다 beber solo, beber sin compañero, gozar del vino escanciándolo por sí mismo.

독장(毒瘴) ＝독기(毒氣).

독장사 comercio *m* de las jarras.

독장수 jarrero, -ra *mf*, comerciante *mf* de las jarras.

■ ～셈 cuento *m* de la lechera. ¶그것은 ～이다 Eso es el cuento de la lechera.

■ 독장수셈을 하지 마라 ((속담)) No cantes victoria antes de hora / Hijo no tenemos y nombre le ponemos / No hay mujer tan ladina, que cuente los huevos en el culo de la gallina.

독장(을) 치다 ＝독판(을) 치다.

독재(獨裁) ① dictadura *f*, despotismo *m*, autocracia *f*. ～하다 tener (un país) bajo *su* dominio despótico. 군사(軍事) ～를 강요하다 imponer una dictadura militar. ② ((준말)) ＝독재 정치.

◆개인(個人) ～ dictadura *f* personal. 무산계급(無産階級) ～ dictadura *f* proletaria.

■ ～가(家) ＝독재자(獨裁者). ～ 국가(國家) estado *m* despótico. ～ 군주(君主) monarca *m* despótico. ～ 군주국(君主國) monarquía *f* absoluta. ～자(者) dictador, -dora *mf*, autócrata *mf*, déspota *mf*, [폭군(暴君)] tirano *m*. ～적(的) dictatorial, autocrático, despótico. ～으로 dictatorialmente, autocráticamente, despóticamente. ~ 정치(政治) autocracia *f*, gobierno *m* absoluto, despotismo *m*. ~제(制) autocracia *f*, régimen *m* autocrático, dictadura *f*. ~주의(主義) régimen *m* dictatorial.

독재론(獨在論) 【철학】 solipsismo *m*.
■ ~자(者) solipsista *mf*.

독전(毒箭) =독시(毒矢).

독전(督戰) instancia *f* a los soldados para que combatan más vigorosamente. ~하다 instar a los soldados a que combatir más vigorosamente.
■ ~대(隊) ejército *m* superintendente.

독전(牘箋) papel *m* para las cartas o las poesías.

독점(-店) tienda *f* de las cerámicas, alfarería *f*.

독점(獨占) monopolio *m*, monopolización *f* (exclusiva); [전유(專有)] acaparamiento *m*, posesión *f* exclusiva. ~하다 monopolizar; acaparar, tener posesión exclusiva (de), tomar la parte del león. 이익을 ~하다 monopolizar la ganancia. 판매를 ~하다 monopolizar la venta. …의 애정을 ~하고 있다 monopolizar el amor de uno. 그는 방을 혼자 ~하고 있다 El solo ocupa el cuarto.
◆수요(需要) ~ monopsonio *m*. 순수(純粹) ~ monopolio *m* puro. 완전(完全) ~ monopolio *m* completo.
■ ~가(家) =독점자(獨占者). ~ 가격(價格) precio *m* de monopolio, precio *m* monopolizado. ~ 경쟁(競爭) competencia *f* monopolística. ~ 과세(課稅) imposición *f* exclusiva. ~권(權) (derecho *m* de) monopolio *m*, derecho *m* exclusivo. ¶~을 얻다 monopolizar. ~ 금융 자본(金融資本) =독점 자본. ~ 금지법(禁止法) ley *f* (del) antimonopolio. ~ 기업(企業) empresa *f* monopolista. ~ 대리점(代理店) representación exclusiva. ~도(度) grado *m* de monopolización. ~력(力) poder *m* monopolístico, fuerza *f* monopolizada (monopolística), monopolio *m*. ~ 사업(事業) empresa *f* monopolítica. ~욕(慾) deseo *m* de posesión exclusiva. ~ 이윤(利潤) beneficio *m* del monopolio. ~ 인가(認可) licencia *f* exclusiva. ~ 인가장(認可狀) licencia *f* exclusiva. ~ 임대(賃貸) alquiler *m* de monopolio. ~자(者) monopolista *mf*; acaparador, -dora *mf*. ~ 자본(資本) capital *m* monopolista, capital *m* monopolítico. ~ 자본가(資本家) monopolista *mf*. ~ 자본주의 capitalismo *m* monopolista. ~적(的) monopolístico, exclusivo, privativo. ¶~으로 exclusivamente. ~적 경쟁 competencia *f* monopolística. ~주의(主義) monopolismo *m*. ~ 판매(販賣) venta *f* exclusiva, única agencia *f*, monopolio *m*. ~ 판매 계약(販賣契約) contrato *m* de venta exclusivo. ~ 판매인 representante *m* único [exclusivo], representante *f* única [exclusiva]. ~ 판매점(販賣店) representación *f* exclusiva. ~ 허가(許可) licencia *f* exclusiva. ~화(化) monopolización *f*. ¶~하다 monopolizar. ~ 회견(會見) entrevista *f* exclusiva. ~ 회사(會社) (compañía *f* de) monopolio *m*.

독정(禿丁) sacerdote *m* budista, monje *m* budista.

독정(禿頂) calvicie *f*.

독정(毒政) política *f* severa.

독제(毒劑) 【한방】 medicina *f* venenosa, veneno *m*.

독존(獨存) sola existencia *f*. ~하다 existir solo.

독종(毒種) persona *f* maligna.

독종(毒腫) absceso *m* venenoso.

독주(毒酒) ① [독한 술] bebida *f* [licor *m*] fuerte, licor *m* de sabor fuerte. ② [독을 탄 술] bebida *f* venenosa [envenenada], licor *m* venenoso [envenenado].

독주(獨走) corrida *f* sola. ~하다 correr solo, dejar otros corredores muy a la zaga, dejar muy atrás a otros corredores, obrar a su antojo.

독주(獨奏) solo *m*, recital *m*. ~하다 tocar solo, ejercer solo. 바이올린 ~는 A씨이다 El señor A tocará el solo de violín.
■ ~가 solista *mf*. ~곡 solo *m*. ~회 recital *m*, solo *m*, sesión *f* musical por un solista.

독지(篤志) benevolencia *f*, caridad *f*.
■ ~가(家) persona *f* caritativa [benévola].

독직(瀆職) prevaricación *f*, malversación *f*. ~하다 prevaricar. ~의 malversado, desmoralizado, prevaricado.
■ ~ 사건(事件) caso *m* de prevaricación. ~자(者) prevaricado, -da *mf*. ~죄(罪) prevaricato *m*.

독차지(獨-) monopolio *m*, monopolización *f*, posesión *f* exclusiva. ~하다 monopolizar, acaparar, llevarse, ocupar, tomar. 인기를 ~하다 acaparar la popularidad. 상금을 ~하다 llevarse el premio. 그는 넓은 방을 혼자 ~하고 있다 El solo ocupa una habitación muy espaciosa. 그녀는 학급의 인기를 ~하고 있다 Ella monopoliza la popularidad de la clase. 그는 혼자서 이익을 ~했다 El ha tomado toda la ganancia para sí mismo.

독창(禿瘡) 【의학】 querion *m*.

독창(毒瘡) divieso *m* venenoso.

독창(獨窓) ventana *f* con una puerta.

독창(獨唱) solo *m*, recital *m*. ~하다 cantar solo [recital].
■ ~곡(曲) solo *m*. ~ 미사 misa *f* rezada. ~자 solista *m.f*. ~회(會) recital *m*.

독창(獨創) originalidad *f* iniciativa, invención *f*, invento *m*. 이 방법은 그의 ~에 의한 것이다 Este método se debe a una idea original suya.
■ ~력(力) facultad *f* creadora, ingenio *m*, inventiva. ¶~이 풍부하다 ser inventivo. ~성(性) originalidad *f*, idea *f* original. ~적(的) original, creativo, creador, inventivo.

독채(獨-) casa *f* independiente.

독책(督責) ① =독촉. ② [매우 책망함] reproche *m* severo. ~하다 reprochar severamente.
독처(獨處) sola residencia *f*, sola morada *f*. ~하다 vivir [residir · morar] solo.
독초(毒草) ① [독풀] hierba *f* [planta *f*] venenosa. ② [쓰고 독한 담배] tabaco *m* amargo y venenoso. ~를 피우다 fumar el tabaco amargo y venenoso.
독촉(督促) apremio *m*. ~하다 apremiar; [요구하다] exigir, pedir. 지불을 ~하다 requerir [intimar] el pago (a). 대답을 ~하다 exigir una respuesta (a). 빚을 갚으라 ~하다 pedir la devolución de la deuda (a).
■ ~장(狀) recordatorio *m*, requerimiento *m*, intimación *f*; [세금 등의] aviso *m*; [차용금의] carta *f* de cobranza. ¶지불 ~ recordatorio *m*.
독충(毒蟲) ① [독벌레] insecto *m* venenoso, bicho *m* venenoso. ② 【동물】=살무사.
독충(篤忠) lealtad *f* [fidelidad *f*] sincera.
독취(毒臭) olor *m* venenoso.
독침(毒針/毒鍼) ① 【곤충】[벌의] aguijón *m* venenoso, *Andes*, *Méj* lanceta *f* venenosa. ~에 쏘이다 ser picado. ② [남을 해치거나 자살하기 위한, 독을 묻힌 바늘이나 침] aguja *f* envenenada. ~으로 찌르다 pinchar [*Méj* picar] con la aguja envenenada.
독침(獨寢) acción *f* de dormir solo. ~하다 dormir solo.
독탕(獨湯) baño *m* privado. ~하다 tomar un baño privado.
독트린(영 *doctrine*) doctrina *f*.
◆ 몬로 ~ doctrina *f* Monroe.
독특(獨特) peculiaridad *f*. ~하다 (ser) peculiar, especial, particular, típico, característico; [특이하다] original, único, singular. ~한 기능 habilidad *f* especial. ~한 방법으로 a *su* modo particular. 한국의 ~한 풍습 costumbre *f* peculiar de Corea. 한국인의 ~한 풍습 costumbre *f* particular de los coreanos. 그의 ~한 태도 su manera peculiar [característica] de actuar, manera *f* de actuar que es propia de él. 이 지방의 ~한 요리 plato *m* típico de esta región. 그는 걷는 법이 ~하다 El tiene su manera peculiar de caminar.
독특히 peculiarmente, especialmente, particularmente, típicamente, característicamente, originalmente, únicamente, singularmente.
■ ~성(性) peculiaridad *f*, particularidad *f*.
독파(讀破) lectura entera [completa]. ~하다 leer entero, recorrer completamente, leer todo un libro voluminoso.
독판(獨－) monopolio *m*.
◆ 독판(을) 치다 luchar con un adversario imaginario, luchar contra molinos de viento, monopolizar.
■ ~치기 lucha *f* con un adversario imaginario, lucha *f* contra molinos de viento.
독풀(毒－) hierba *f* venenosa.
독풀이(毒－) ((준말)) =독살풀이.
독필(禿筆) ① =몽당붓. ② mi oración.
독필(毒筆) pluma *f* aguijoneada. ~을 휘두르다 manejar la pluma aguijoneada, remojar la pluma en hiel.
독하다(毒－) ① [독기가 있다] (ser) venenoso, ponzoñoso, tóxico, emponzonado, deletéreo; [해독이 있다] dañoso, nocivo. 독한 가스 gas *m* venenoso. ② [진하다] (ser) fuerte. 독한 술 bebida *f* [licor *m*] fuerte. 독한 담배 tabaco *m* fuerte. ③ [잔인하다] (ser) malicioso, maligno, malévolo. 독한 여자(女子) mujer *f* malévola [maliciosa · maligna]. ④ [굳세다] (ser) firme. 독한 마음 resolución *f* firme. ⑤ [맹렬하고 호되다] (ser) fuerte, terrible, severo, intenso. 독한 감기 resfriado *m* [catarro *m* · frío *m*] fuerte. 독한 냄새 olor *m* fuerte. 독한 추위 frío *m* severo [muy fuerte].
독학(督學) inspección *f* de la administración escolar. ~하다 inspeccionar la administración escolar.
독학(篤學) ① [독실하게 공부함] estudio *m* asiduo. ~의 estudioso, asiduo, que tiene mucho interés en el estudio. ② [학식이 독실한 사람] estudioso, -sa *mf*.
독학(獨學) estudio *m* sin maestro, instrucción *f* por sí mismo, autodidáctica, autodidaxia. ~하다 estudiar sin maestro, estudiar por sí mismo, instruir por sí mismo. ~의 autodidacto.
■ ~생 estudiante *mf* que estudia sin maestro. ~자(者) persona *f* que estudia sin maestro; autodidacto, -ta *mf*.
독한(獨韓) Alemania y Corea. ~의 de Alemania y Corea, alemán-coreano.
독항(獨航) solo viaje *m*. ~하다 viajar solo.
■ ~선(船) barco *m* pesquero [de pesca] independente.
독해(毒害) =독살(毒殺).
■ ~물(物) objeto *m* venenoso.
독해(獨害) daño *m* sufrido solamente solo.
독해(讀解) comprensión *f* de lectura. ~하다 comprender la lectura.
■ ~력(力) habilidad *f* de leer y comprender, comprensión. ¶서반아어의 ~을 배우다 aprender a leer los textos españoles.
독행(篤行) buena acción *f* [conducta *f*], acción *f* generosa.
독행(獨行) ① [혼자서 길을 감] solo viaje *m*, sola ida *f*. ~하다 viajar solo, ir solo. ② [독자적으로 행동함] independencia *f*. ~하다 ejecutar independientemente, actuar [comportarse] independientemente, ser independiente.
독혈(毒血) mala sangre *f* venenosa.
■ ~증(症) 【의학】 toxemia *f*.
독호(獨戶) pobre familia *f* vieja sin hijos.
독화술(讀話術) =독순술(讀脣術).
독회(讀會) lectura *f*.
◆ 제1 [2 · 3]~ primera [segunda · tercera] lectura.
독효(篤孝) piedad *f* filial devota.
독후(讀後) después de leer, después de la

lectura.
■ ~감(感) impresión *f* después de leer.

독후하다(篤厚-) (ser) sincero [honrado] y afectuoso.

독흉(獨凶) solo año *m* de mala cosecha en el año de abundancia de una comarca.
■ ~년(年) =독흉(獨凶).

돈[1] ① [상품 교환의 매개물로서] dinero *m*; [동전] moneda *f*; [지폐(紙幣)] billete *m*; *AmL* plata *f*. ~ 씀씀이가 좋은 dadivoso, desinteresado, generoso, liberal. ~에 인색한 agarrado, avariento, tacaño, mezquino, miserable, avaro. ~을 들인 costoso. ~을 들여서 costosamente, a mucho coste. ~의 힘으로 a fuerza del dinero. ~만 아는 사람 sacacuartos *mf*, sacadinero(s) *mf*. ~을 지불하다 pagar (dinero). ~을 벌다 ganar dinero, hacer dinero. ~을 쓰다 gastar dinero; [낭비하다] derrochar [despilfarrar · dilapidar · malgastar] *su* dinero. ~을 내다 ofrecer dinero (a); [투자하다] invertir *su* dinero (en); [융자하다] financiar, proveer fondos (para). ~을 모으다 acumular [amontomar · juntar · reunir] dinero. ~에 어려움을 겪다 andar [estar] escaso [mal · apurado] de dinero. ~이 있다 tener dinero. ~이 없다 no tener dinero, tener poco dinero. ~이 벌리다 ganarse, ser ganancioso [provechoso · beneficioso · productivo · lucrativo]. ~이 벌리지 않다 ser perdidoso [perdedor]. ~이 넘칠 정도로 많다 tener dinero a montones, estar podrido [forrado] de dinero, nadar en dinero. 가진 ~을 전부 털다 vaciar la cartera, gastar hasta el último centavo, vaciar *su* monedero [el bolsillo] hasta el último céntimo. 가진 ~을 전부 털어 gastando hasta el último céntimo. ~을 투자하다 invertir [poner] dinero (en). ~을 물 쓰듯 하다 gastar dinero como si fuera agua. ~이 썩을 만큼 [얼마든지] 있다 tener dinero de sobra. 급히 ~이 필요하다 necesitar dinero urgentemente. 시계를 팔아 ~을 마련하다 hacer algún dinero vendiendo un reloj. 마지못해 ~을 내다 soltar [aflojar] la mosca. 약간의 ~을 모으다 hacer una pequeña fortuna. 오늘은 ~이 없다 Hoy no tengo dinero / [전혀 없다] Hoy no tengo ningún dinero [dinero ninguno · dinero alguno] / Hoy no tengo ni un céntimo [ni una chica · ni una gorda · *AmL, ReD, Cuba* ni un céntavo]. 나는 ~을 좀 바꿔야 한다 Tengo que cambiar dinero. 한 달에 ~을 얼마나 버십니까? ¿Cuánto gana [saca] por mes? 나는 지금 ~을 잘 번다 Ahora estoy ganando un buen sueldo / Ahora estoy ganando bien. ~이 벌린다고는 할 수 없다 Aún no podemos decir que estamos ganando. 이 집을 짓는 데 ~을 많이 들였다 Se ha invertido mucho dinero [Se ha gastado mucho] en la construcción de esta casa. 이렇게 놀려면 ~이 많이 든다 Esta diversión sale muy cara. 이 사업은 ~이 벌린다 [별로 벌리지 않는다] Este negocio es [no es muy] lucrativo. 너는 ~ 걱정은 할 필요가 없다 No tienes que preocuparte por el dinero. 행복은 ~으로 살 수 없다 La felicidad no se compra con dinero. 내가 ~이 많다면 고급 자동차를 한 대 샀을 텐데 Si yo hubiera tenido mucho dinero, yo habría comprado [hubiera comprado · hubiese comprado] un coche de lujo.
② [(물건의) 값] precio *m*. 물건을 샀으면 ~을 치르고 가거라 Paga el precio si compraste el artículo.
③ [재산이나 재물] bienes *mpl*, propiedad *f*, fortuna *f*, riqueza *f*, hacienda *f*, tesoros *mpl*. ~이 많다 tener bienes, ser rico, ser acaudalado, ser adinerado. ~이 없다 tener pocos bienes, ser pobre.
◆ 돈을 치르다 pagar el dinero, pagar el precio. 돈(이) 썩다 [반어적으로] tener mucho dinero.
■ 돈 나는 모퉁이 죽는 모퉁이 ((속담)) El ganar dinero es muy difícil. 돈만 있으면 개도 멍첨지라 ((속담)) El dinero hace al hombre entero / No hay tan buen compañero como el dinero / Aunque sea humilde, reciben muy preciosamente cuando tenga dinero. 돈만 있으면 귀신도 부릴 수 있다 [사귄다] ((속담)) Poderoso caballero es don dinero / El dinero cambia de manos / Como tengo dinero, tengo cuanto quiero / El dinero responde a todo / Por el dinero se mueve el mundo entero / Quien dinero tiene, logra cuanto apetece / Quien dineros tuviere, hará lo que quisiere / Quien tiene dineros pinta panderos / Todo lo puede el dinero. 돈만 있으면 처녀 불알도 산다 ((속담)) El oro es la mejor ganzúa del diablo / No hay cerradura donde es oro la ganzúa / Quien dinero tiene, logra cuanto apetece / Como tengo dinero, tengo cuanto quiero / Quien dineros tuviere, hará lo que quisiere / El dinero lo compra y lo puede todo. 돈에 침 뱉는 놈 없다 ((속담)) Se considera el dinero muy preciosamente. 돈은 돌고 돈다 ((속담)) El dinero cambia de manos. 돈은 모든 악의 근원이다 ((속담)) El dinero es la causa de todos los males / El dinero es el origen de todos los males / La avaricia es la raíz de todos los males. 돈은 벌기는 어려워도 쓰기는 쉽다 ((속담)) El dinero es volandero. 돈은 세상을 움직인다 ((속담)) Por el dinero se mueve el mundo entero. 돈은 신사를 만든다 ((속담)) El dinero hace caballero. 돈은 유일한 제왕(帝王)이다 ((속담)) Más manda el oro que el rey. 돈은 전쟁[사랑]의 원동력이다 ((속담)) El dinero es el nervio de la guerra. 돈은 편리한 것이지만 잘못 사용하면 큰일 난다 ((속담)) El dinero es tan mal amo como buen criado / El dinero es buen servidor, pero como amo no lo hay peor. 돈을 쓸데없이 낭비하지 마라 ((속담)) A quien no le

sobra pan, no crie can. 돈의 애착은 악의 근원이다 ((속담)) La raíz de todos los males es el afán de lucro. 돈이 돈을 번다 ((속담)) Dinero llama dinero / Dinero hace dinero / Dinero, ¿a dónde vas? A donde hay más / El que tiene mucho dinero, gana mucho / Cuánto más dinero se tiene, tanto más se gana. 돈이라면 배 속의 아이도 나온다 ((속담)) El oro es la mejor ganzúa del diablo / No hay cerradura donde es oro la ganzúa / El dinero lo puede todo. 돈이 많으면 장사를 잘하고 소매가 길면 춤을 잘 춘다 ((속담)) Dinero llama dinero / Dinero hace dinero. 돈이 사람을 만든다 ((속담)) El dinero hace al hombre entero / Hombre sin dinero, pozo sin agua. 돈이 양반이다 ((속담)) Poderoso caballero es don dinero. 돈이 없으면 적막강산(寂寞江山)이요, 돈이 있으면 금수강산(錦繡江山)이라 ((속담)) El dinero hace al hombre libre en todas partes [en todos lados]. 돈이 원수다 ((속담)) El dinero es la causa de todos los males / La avaricia es la raíz de todos los males. 돈이 장사(壯士)라 ((속담)) Poderoso caballero es don dinero / Todo lo puede el dinero / Donde el oro habla, la lengua calla / Con dinero se puede hacer todo [cualquier cosa]. 돈이 전부는 아니다 ((속담)) El dinero no lo es todo (en la vida) / El dinero no hace la facilidad. 돈이 제갈량 ((속담)) ＝돈이 장사(壯士)라.

돈² [무게의 단위] *don*, medida *f* coreana de peso que equivale a 0.1325 onzas o 3.7565 gramos.

돈(頓) ((준말)) ＝돈수(頓首).

돈견(豚犬) ① [돼지와 개] el cerdo y el perro. ② [미련하고 못난 사람] persona *f* estúpida. ③ [남에 대해「자기 아들」] mi hijo.

돈구멍 fuente *f* de ingresos, fuente *f* de ganancias, fuente *f* de dinero.

돈궤(－櫃) hucha *f*, alcancía *f*; [금고(金庫)] caja *f* fuerte, caja *f* de caudales.

돈꿰미 cuerda *f* para ensartar las monedas con agujero.

돈끈 cuerda *f* para atar las monedas después de ensartarlas.

돈끼호떼 Don Quijote. ☞동끼호떼

돈나무 【식물】＝섬엄나무.

돈내기 ① [돈을 걸고 다투는 내기] apuesta *f*. ～하 다 apostar. ② ＝도박(賭博).

돈냥(－兩) un poco de dinero, unos céntimos, *AmL* unos centavos. ～이나 있는 집안 familia *f* con buena fortuna, familia *f* adinerada, familia *f* acaudalada.

돈놀이 usura *f*. ～하다 hacer usura, dedicarse a la usura.
■～꾼 prestamista *mf*; [고리 대금 업자(高利貸金業者] usurero, -ra *mf*.

돈단독(豚丹毒) 【의학】 erisipela *f* de cerdo.

돈단무심하다(頓斷無心－) no prestar atención, no atender.

돈담무심하다(頓淡無心－) ＝돈단무심하다.

돈답다 valer como dinero.

돈대(墩臺) terreno *m* elevado, altura *f*, loma *f*, eminencia *f*.

돈더미 montón *m* (*pl* montones) de dinero.
◆돈더미에 올라 앉다 ganar mucho dinero súbito y hacerse rico.

돈독(－毒) mal gusto *m* para dinero. ～이 오른 사람 sacacuartos *m*, sacadinero *m*. ～이 들다 adquirir el mal gusto para dinero.

돈독하다(敦篤－) ＝돈후(敦厚)하다.

돈돈 dinero *m* pequeño, un poco de dinero.
■～쭝(重) peso *m* equivalente a unos gramos.

돈만(－萬) mucho dinero, bastante dinero *m*.

돈맛 gusto *m* para dinero, amor *m* de dinero. ～을 들이다 amar dinero, adquirir el gusto para dinero. ～을 알다 llegar a amar dinero.

돈머리 cantidad *f* del dinero.

돈모(豚毛) ＝저모(豬毛).

돈목하다(敦睦－) ① [정이 두텁고 화목하다] (ser) cordial, afable. 돈목함 cordialidad *f*, afabilidad *f*. ② ＝돈친(敦親)하다.

돈바르다 (ser) intolerante, de mentalidad cerrada.

돈반(－半) un *don* y medio (unos 5.6 gramos). ～짜리 금반지 anillo *m* de oro con el peso de 5.6 gramos.

돈방석(－方席) ((속어)) acción *f* de tener bastante dinero.
◆돈방석에 앉다 vivir en paz teniendo bastante dinero.

돈백(－百) centenares de monedas.

돈벌다 ganar dinero, hacer dinero.

돈벌이 el ganar dinero, lucro *m*, ganancia *f*, prosperidad *f*. ～하다 hacer dinero, ganar dinero, lucrarse, hacer una fortuna. ～가 좋다 ser hábil para [en] ganar dinero.

돈벼락 riqueza *f* súbita [inesperada · imprevista].
◆돈벼락(을) 맞다 hacerse rico súbitamente.

돈변(－邊) ((준말)) ＝돈변리.

돈변리(－邊利) interés *m* de la deuda.

돈복(－福) suerte *f* con dinero.

돈사(豚舍) ＝돼지우리.

돈사(頓死) muerte *f* súbita [brusca · repentina]. ～하다 morir bruscamente [de repente].

돈세(頓稅) ＝톤세.

돈수(頓首) Atentamente / Los saludo atentamente / Reciba mi más atento saludo / Saludo a usted con atenta consideración.

돈수(頓數) tonelaje *m*. ☞톤수
■～ 증서(證書) certificado *m* de tonelaje.

돈아(豚兒) mi hijo.

돈어(豚魚) ① [돼지와 물고기] el cerdo y el pez. ② [못생긴 사람] persona *f* fea.

돈오(頓悟) ((불교)) ilustración *f* súbita. ～하다 (ser) súbitamente ilustrado.

돈유(豚油) aceite *m* de cerdo.

돈육(豚肉) carne *f* de cerdo.

돈장초(豘腸草)【식물】=메꽃.
돈저냐 torta *f* salteada redonda cubierta de huevos con carne de vaca, carne de pescado, tofu, y puerro.
돈절(頓絶) interrupción *f* súbita. ~하다 interrumpir súbitamente.
돈점(-占)【민속】=척전(擲錢).
돈점박이(-點-) ① [몸에 돈짝만한 점이 박힌 말] caballo *m* manchado, caballo *m* pinto. ② =표범.
돈좌(頓挫) punto *m* muerto, impasse *m*. ~하다 estar en un punto muerto, estar en un impasse.
돈주머니 bolsa *f*, bolso *m*, bolsillo *m*, monedero *m*, portamonedas *m.sing.pl*, cartera *f*, *AmS* billetera *f*.
돈줄 filón *m* (*pl* filones), mina *f* de oro. ~을 잡다 descubrir una mina de oro, encontrar un filón.
돈지(豚脂) aceite *m* de puerco, aceite *m* de cerdo.
돈지(頓智) inteligencia *f*, ingenio *m*. ~가 있는 ingenioso, agudo, ocurrente.
돈지갑 ① [지폐용] cartera *f*, billetero *m*, billetera *f*. 나는 ~이 비었다 Tengo la cartera vacía / No tengo dinero. ② [동전용] monedero *m*, portamonedas *m.sing.pl*. ③ [주머니] bolso *m*. ~을 차고 있는 건 그녀다 Ella lleva las riendas financieras.
돈지랄 gasto *m* de dinero en manera loca. ~하다 gastar dinero en manera loca.
돈쭝 unidad *f* de la balanza para medir la medicina o el oro.
돈책(豚柵) =돼지우리.
돈천(-千) miles de dinero.
돈친하다(敦親-) (ser) bondadoso, de buen corazón.
돈키호테(서 *Don Quijote*) =동끼호떼.
■ ~형(型)【심리】tipo *m* quijotesco.
돈표(-票) cheque *m*. ~를 발행하다 *AmC*, *Antillas* chequear. ~를 현금으로 만들다 hacer efectivo un cheque. 횡선을 그은 ~ cheque *m* cruzado. 5000뻬쏘짜리~ cheque *m* por cinco mil pesos. ☞수표(手票)
돈푼 suma *f* pequeña de dinero. ~이나 모으다 ahorrar la suma pequeña de dinero.
돈피(豚皮) piel *f* del puerco [del cerdo].
돈하다 ①[매우 도지다] (ser) robusto, macizo. ② [엄청나게 무겁다] (ser) muy pesado.
돈환(서 *Don Juan*) =돈 후안.
돈후(敦厚) sinceridad *f*, veracidad *f*, realidad *f*, candidez *f*, franqueza *f*, ingenuidad *f*, pureza *f*, rectitud *f*, familiaridad *f*, lealtad *f*, honradez *f*. ~하다 (ser) sincero, franco, veraz, verdadero, leal, justo, cándido, puro, candoroso, honrado.
돈 후안(서 *Don Juan*) ①【인명】Don Juan. ②【음악】Don Juan (de Richard Strauss). ③ [바람둥이] donjuán *m*, Don Juan *m*. ~ 같은 donjuanesco. ~ 같은 행동[짓] donjuanismo *m*. 그는 ~이다 El es un Don Juan.
돋구다 excitar, estimular, incitar, provocar, despertar, suscitar. 식욕을 ~ estimar el apetito.
돋다[1] ① [해 · 달이] salir. 해가 돋는다 Sale el sol. ② [싹 등이] brotar, germinar. 싹이 돋는다 Las hojas brotan. 나무들이 싹이 돋기 시작한다 Los árboles brotan. 밀은 봄에 싹이 돋는다 El trigo germina por primavera. ③ [(어떤 기색이) 표정에 나타나다] aparecer. 덕은 마음속에서 싹이 돋는 법이다 La virtud germina en su corazón. ④ [입맛이 무척 당기다] abrirse. 식욕이 ~ abrirse el apetito, abrirse la gana de comer. 구미 돋을 음식을 장만하다 preparar la comida que se abre apetito.
돋다[2] ((준말)) =돋우다.
돋되기 =진화(進化).
돋들개 =보청기(補聽器).
돋보기 ① =노인경(老人鏡). ② [근시경과 원시경] las gafas de miopía y las gafas contra la hipermetropía. ③【물리】=확대경(擴大鏡).
■ ~눈 =원시안(遠視眼). ~ 안경 =노인경(老人鏡).
돋보다 ((준말)) =도두 보다.
돋보이다 destacar(se). 돋보이는 que tiene buena apariencia [buena vista · buen aspecto], vistoso, llamativo, de efecto. 돋보이지 않은 que no tiene buena apariencia [buena vista · buen aspecto], no vistoso. 과학, 사회 혹은 인도주의 어느 분야에서나 노력이 ~ destacar por *su* esfuerzo en cualquier campo científico, social o humanitario. 그녀는 돋보이는 옷을 입고 있다 Ella lleva un traje vistoso. 그는 키가 돋보인다 El se destaca por su estatura.
돋우다 ① [위로 끌어올리거나 높아지게 하다] levantar, alzar, subir, izar. 심지를 ~ subir la mecha. ② [도도록하게 만들다] levantar, subir, amontonar. 땅을 ~ levatar el terreno, amontonar el camino. ③ [(기분 · 느낌 · 의욕 등의 감정을) 자극하여 일으키다] excitar, entusiasmar, estimular, despertar, incitar, instigar, provocar, agravar. 기운(氣運)을 ~ animarse. 용기를 ~ animar, alentar, envalentonar, dar coraje.
돋움 soporte *m*, fieltro *m* que se pone debajo de las alfombras.
돋을볕 sol *m* de la mañana.
돋을새김 relieve *m*. ~을 넣다 dar relieve (a), poner de relieve, realzar. 이 보고는 환경 오염의 공포를 ~했다 Esta información ha puesto de relieve lo terrible de la contaminación ambiental.
■ ~ 세공 relieve *m*, adorno *m* saliente.
돋을양지(-陽地) lugar *m* soleado que hace sol de la mañana.
돋치다 ((힘줌말)) =돋다.
돌[1] ①[난 뒤에 한 해씩 차서 해마다 돌아오는 그 날] aniversario *m*, un año lleno. 다섯~ quinto aniversario *m*. ② ((준말)) =첫돌. ¶오늘이 아들의 ~이다 Hoy es el primer aniversario de mi hijo. ③ [어느 시

점으로부터 만 1년이 되는 날] aniversario *m*, un año lleno [completo]. 내가 고향을 떠난 지 한 돌이 된다 Hace un año completo que yo salí de la tierra natal.

돌² ① [바위의 조각으로 모래보다 큰 것] piedra *f*, [자갈] guija *f*, guijarro *m*; [둥근 자갈] china *f*, [돌맹이] matacán *m* (*pl* matacanes). ～이 많은 pedregoso, guijarreño, guijoso. ～을 깐 empedrado. ～집 la casa de piedra. ～투성이의 길 camino *m* pedregoso. ～투성이의 땅 terreno *m* pedregoso [guijarreño]. ～을 던져 a pedradas. …에 ～을 깔다 empedrar un sitio con quijarros. ～을 던져 개를 쫓다 ahuyentar a pedradas a un perro. ～을 던져 사람을 죽이다 matar a un hombre a pedradas. 그는 이마에 ～을 맞았다 El recibió una pedrada en la frente. ② ＝석재(石材). ③ ((준말)) ＝바둑돌. ④ ((준말)) ＝라이터돌. ⑤ ((준말)) ＝쳇돌. ⑥【의학】＝담석(膽石). 신석(腎石).

돌³ ((준말)) ＝도랑.

돌- malo, silvestre. ～감 caqui *m* silvestre. ～능금 manzana *f* silvestre.

돌가루 piedra *f* en polvo.

돌감 caqui *m* [kaki *m*] silvestre.

돌감나무【식물】caqui *m* silvestre.

돌감람나무(－橄欖－)【식물】olivo *m* silvestre.

돌개바람 torbellino *m*, remolino *m*.

돌게【동물】＝가재.

돌격(突擊) ataque *m*, acometida *f*, embestida *f*, asalto *m*, arremetida *f*, carga *f*. ～하다 atacar, acometar, embestir, asaltar, arremeter, hacer un ataque impetuoso, cargar. ～! ¡Al ataque! / [총검으로] ¡A la bayoneta!

■ ～대(隊) tropas *fpl* de asalto, cuerpo *m* embestidor. ～대원 soldado *m* de las tropas de asalto. ～전(戰) asalto *m*, ataque *m*, incursión *f*.

돌결 grano *m* de una piedra. ～이 곱다[거칠다] La piedra tiene el grano fino [grueso].

돌계단(－階段) escalón *m* de piedra.

돌계집 ＝석녀(石女).

돌고기【어류】((학명)) Pungtungia herzi.

돌고드름【광물】estalactita.

돌고래¹【동물】delfín *m* (*pl* delfines), cerdo *m* marino, puerco *m* marino, marsopa *f*. 옛날 사람들은 ～를 인간의 친구처럼 여겼었다 Los antiguos consideraban al delfín como amigo del hombre.

■ ～수족관 delfinario *m*. ～자리【천문】Delfín *m*.

돌고래² [돌로만 쌓아 놓은 방고래] salida *f* humos de piedra (del hipocausto coreano)

돌곰기다 enconarse dentro.

돌공이 mano *f* de mortero de piedra.

돌관(－棺) ataúd *m* de piedra.

돌관(突貫) embestida *f*, acometida *f*. ～하다 acometer, embestir, arrojarse con ímpetu.

■ ～공사(工事) obra *f* urgente, obra *f* de construcción rápida.

돌구멍 hoya *f*.

돌구멍안 interior *m* de Seúl.

돌구유 pesebre *m* de piedra.

돌그릇 ＝석기(石器).

돌기(突起) resalte *m*, salida *f*, protuberancia *f*, excrecencia *f*, [신체의] apéndice *m*, apófisis *f*. ～하다 resalir, sobresalir, estar prominente, formarse una resalte.

돌기둥 columna *f* de piedra.

돌기와 teja *f* de piedra.

■ ～집 casa *f* de teja de piedra.

돌길 ① ＝궤도(軌道). ② [돌이 많은 길] camino *m* pedroso [guijarroso].

돌김【식물】*dolkim*, el alga *f* (*pl* las algas) marina que crece sobre la piedra del mar.

돌깔기 empedramiento *m*. ～를 하다 empedrar.

돌꼇잠 sueño *m* inquieto, sueño *m* agitado. ～을 자다 dormir muy mal.

돌난간(－欄干) baranda *f* de piedra.

돌날 día *m* del primer aniversario (de su niño).

돌너덜 ＝너덜겅.

■ ～길 cuesta *f* pedregosa.

돌능금 manzana *f* silvestre.

돌다 ① [회전하다] girar, dar vueltas, doblar, torcer, revolverse; [공·바퀴가] rodar, hacer rodar sobre un eje. 축의 주위를 ～ girar [dar vueltas] sobre [alrededor de] su eje. 모터가 돌고 있다 El motor está funcionando [andando·en marcha]. 세 번째 모퉁이에서 왼쪽으로 도세요 Gire [Doble·Tuerza·Dé la vuelta] a la izquierda en la tercera esquina. 지구는 태양의 주위를 돈다 La tierra gira [da vueltas·se revuelve] alrededor del sol.

② [순환하다] circular; [순회하다] rondar (por), hacer vuelta [rodeo·giro·rotación], dar una vuelta (por), hacer una ronda (por). 단골집을 ～ hacer visitas a sus clientes. 구역을 ～ dar una vuelta por el barrio. 연못의 주위를 ～ dar una vuelta alrededor del estanque. 수위가 공장 안을 돈다 El vigilante hace su ronda en la fábrica. 그 극단은 지방을 돌고 있다 La compañía teatral realiza una gira por la provincia. 나는 서반아를 돌았다 Yo he viajado por [he recorrido] toda España.

③ [(소문이나 돌림병 따위가) 퍼지다] correr, salir, divulgarse, rumorear(se); [병이] propagarse, extenderse. 병이 돌고 있는 지역(地域) la zona donde la enfermedad está extendida. 민중 사이에서 어수선한 소문이 돌았다 Un rumor confuso salió del público. 정책이 변한다는 풍문이 돌고 있다 Corre el rumor de que va a cambiar la política.

④ [(금전·물건 따위가) 융통되거나 유통되다] circular. 돈이 ～ circular dinero. 달러는 전세계에 돈다 El dólar circula por todo el mundo.

⑤ [일정한 기능을 나타내어 움직이다] mover, funcionar, manejar, actuar. 맥이 다시

돌고 있다 El pulso vuelve a recobrar el latido.
⑥ [(무엇이) 표면에 나타나거나 생기다] aparecer (en la superficie). 군침이 ~ hacérse*le* la boca agua, hacérse*le* agua la boca. 냄새가 군침을 돌게 했다 Se me hizo la boca agua / *AmL* Se me hizo agua la boca con el olor. 그는 군침이 돌았다 Se le hizo la boca agua / *AmL* Se le hizo agua la boca.
⑦ [바탕에 어떤 빛이나 윤기가 나타나다] aparecer el lustre [el brillo]. 취기(醉氣)가 ~ embriagarse, emborracharse. 이 술은 취기가 빨리 돈다 Este vino se sube pronto a la cabeza / Este vino embriaga muy rápidamente. 온몸에 독이 돈다 El veneno hace [producto] su efecto en todo el cuerpo.
⑧ [(눈이나 머리 따위가) 정신을 차릴 수 없을 정도로 아찔해지다] estar mareado. 눈이~ desmayarse, sentir vaquido.
⑨ [방향을 바꾸다] doblar. 배가 갑을 돈다 El barco dobla el cabo.
⑩ [(이제까지의 사상이나 처지 따위를 버리고) 반대편으로 옮다] virar, pasar. 반대파로~ virar [pasar] a la oposición, dar una vuelta hacia la oposición.
⑪ [정신 상태에 이상이 생기다] estar loco, perder la cabeza. 돌았군, 한겨울에 부채질을 하다니! Está loco que se abanica en el pleno invierno.

돌다리¹ [도랑에 놓은 조그마한 다리] puente *m* pequeño sobre la acequia.

돌다리² [돌로 놓은 다리] puente *m* de piedra.
■돌다리도 두들겨 보고 건너라 ((속담)) Toda precaución es poca / A mayor riesgo, mayor cautela / Anda [Vete] con pies de plomo / Por un clavo se pierde la herradura.

돌단(突端) punta *f* saliente.

돌담 muro *m* (de piedra); [성(城)의] muralla *f*; [시멘트나 모르타르를 사용하지 않고 자연석으로 쌓은] muro *m* de mampostería sin mortero.

돌담불 montón *m* (*pl* montones) de piedras (en las montañas o en los campos).

돌대 【물리】 =회전축(回轉軸).

돌대가리 ① ((속어)) persona *f* muy tonta [estúpida · torpe · boba], cabeza *f* dura, persona *f* de cortos alcances. ~이다 tener la cabeza dura, ser persona de cortos alcances. 그는 ~이다 Su cabeza es tan dura como una roca / El tiene la cabeza muy dura.
② [융통성이 없고 완고한 사람] cabezón (*pl* cabezones), -zona *mf*, cabezota *mf*, cabezudo, -da *mf*. ~이다 ser muy estricto respecto a los principios. 그녀는 ~이다 Ella es dura de mollera / Ella es una cabezuda / Ella es una cabezota.

돌덩어리 =돌덩이.

돌덩이 una piedra, un pedazo [un trozo] de pan.

돌도끼 【역사】 el hacha *f* (*pl* las hachas) de piedra.

돌돌 ① [여러 겹으로 둥글게 말리는 모양] enrollando, enroscando. 종이를 ~ 말다 enrollar el papel. 철사를 ~ 말다 enroscar el alambre. ② [둥근 물건이 가볍고 빨리 구르는 소리] rodando. ~ 구르다 rodar.

돌돌하다 (ser) inteligente. 돌돌한 사내아이 niño *m* inteligente. 돌돌한 여아(女兒) niña *f* inteligente.
돌돌히 inteligentemente.

돌등 parte posterior de la piedra.

돌떡 *dolteok*, tarta *f* [pan *m* coreano] hecha para *su* primer cumpleaños.

돌띠 cinturón *m* (*pl* cinturones) de abrigo alrededor de la cintura del niño.

돌라가다 ☞도르다
돌라내다 ☞도르다
돌라놓다 ☞도르다
돌라대다 ☞도르다
돌라막다 ☞도르다
돌라맞추다 ☞도르다
돌라매다 ☞도르다
돌라방치다 ☞도르다
돌라버리다 ☞도르다
돌라보다 ☞도르다
돌라붙다 ☞도르다
돌라서다 ☞도르다
돌라싸다 ☞도르다
돌라쌓다 ☞도르다
돌라앉다 ☞도르다
돌라주다 ☞도르다
돌라치다 ☞도르다

돌려나기 【식물】 verticilo *m*.

돌려짓기 =윤작(輪作).

돌리다¹ [이치에 그럴싸한 일로 남에게 속다] ser engañado.

돌리다² ① [회전시키다] dar vuelta(s) (a), hacer girar, voltear. 열쇠를 ~ dar vuelta a la llave. 나사를 ~ dar vueltas al tornillo. 버튼을 ~ dar vueltas al botón. 바퀴를 ~ dar vueltas a la rueda. 지팡이를 빙빙 ~ voltear el bastón. 배를 반대 방향으로 ~ virar el barco en redondo. 서반아에서는 카드놀이를 할 때 오른쪽에서 왼쪽으로 돌린다 Al jugar a los naipes españoles el turno va de derecha a izquierda.
② [위치나 방향을 다른 쪽으로 바꾸다] dirigir. 눈을 ~ dirigir una mirada (a). 유럽으로 돌려 수출하다 exportar para [con destino a] Europa.
③ [어떤 것의 둘레로 둥글게 움직이게 하다] hacer mover redondo.
④ [여기저기 돌아다니게 하다] hacer recorrer. 순찰을 ~ hacer patrullar.
⑤ [융통해 주거나 배당하여 보내다] distribuir.
⑥ [융통하다] [빌려 주다] dejar, prestar; [빌리다] pedir prestado.
⑦ [(노염이나 좋지 않은 감정을) 풀다] cambiar, tranquilizar, calmar. 마음을 ~ cambiar *su* mente. 노여움을 ~ calmar *su*

cólera.
⑧ [(기계 따위가) 기능을 제대로 발휘하게 되다] hacer funcionar.
⑨ [(영화·환등 따위를) 보이게 하다] hacer verse. 영화의 필름을 ~ hacer ver el filme.
⑩ [고립시키다·따돌리다] hacerle el vacío (a), aislar, no dejar que acercarse, rechazar, rehuir, evitar. 그의 직장 동료들은 그를 돌렸다 Sus compañeros de trabajo le hacían el vacío. 너는 그녀를 나한테서 돌리는 것이 더 낫다 Más vale que no dejes que se me acerque.
⑪ [(하고자 하는 말의 내용을) 완곡하게 말하다] insinuar, decir con rodeos, decir con circunloquios. 그는 그것을 무척 돌려서 말했다 El lo dijo con muchos rodeos [circunloquios].
⑫ [어떤 테두리 안에서 차례로 전하다] circular, hacer circular; [넘기다] pasar, entregar. 보고서를 각 부서에 ~ hacer circular el informe a cada departamento. 사진을 순서대로 ~ dejar pasar [dejar correr] una foto de mano en mano. 회계(과)에 돌려 주세요 Pase usted a la caja.
⑬ [(관심이나 주의를) 다른 데 쏠리게 하다] desviar, eludir, cambiar (de). 화제를 ~ cambiar de conversación, cambiar el tema de la conversación. 질문을 ~ eludir una cuestión, esquiar la respuesta. …에서 눈을 ~ desviar los ojos de *algo*. …의 주의를 ~ desviar la atención de *uno*.
⑭ [남에게 차지하게 하다·미루다] atribuir, imputar, achacar. …을 …로[에게] ~ atribuir*le* [imputar*le*] *algo* a *algo* [*uno*]. 그 발견을 우연의 결과로 ~ atribuir el descubrimiento a la casualidad.
⑮ [물건을 임자에게 보내거나 갚아주다] devolver. 나는 그에게 이 책을 돌려 주어야 한다 Tengo que devolverle este libro.

돌리다³ ① [뒤로 미루다] demorar, retardar, aplazar, diferir, posponer. 목요일까지 ~ posponer [aplazar] hasta el jueves. 오늘 할 수 있는 일을 내일로 돌리지 마라 No dejes para mañana lo que puedas hacer hoy / No guardes para mañana lo que puedes hacer hoy.
② [(소문 따위를) 널리 퍼지게 하다] hacer correr. 이상한 소문을 ~ hacer correr el rumor extraño.
③ [한 무리 가운데서 고립되다] ser aislado entre un grupo.
④ [(시간·여유·능력 따위를) 쪼개어 쓰다] asignar, destinar, dedicar. 화요일을 휴일로 ~ destinar el martes para (el) día de descanso. 급료의 일부를 차용금에 ~ asignar una parte del sueldo para pagar la deuda. 공지(空地)의 일부를 주차장으로 ~ dedicar una parte del terreno vacío para apartamente.
돌려내다 ㉮ [남을 꾀어, 있는 곳에서 빼돌려 내다] obtener *algo* por truco fraudulento, estafar, timar. ㉯ [한 동아리에 안 넣고 따돌리다] hacer*le* al vacío (a), aislar.
돌려놓다 ㉮ [방향을 다른 쪽으로 바꿔 놓다] volver. 그녀는 그들에게서 등을 돌려놓았다 Ella les volvió [dio] la espalda. ㉯ [고립시키거나 제외·도외시하다] aislar.
돌려보내다 ㉮ [가져온 것을 도로 보내다] rehusar, rechazar. 선물을 ~ rehusar el regalo (de). 뇌물을 ~ rechazar un soborno. ㉯ [(찾아온 사람을) 그냥 보내다] hacer volver (a), hacer regresar (a). 나는 아내를 고향으로 돌려보냈다 Hice que mi mujer volviera [Mandé a mi mujer] a su pueblo natal.
돌려보다 ver por turnos. 책을 ~ leer un libro por turnos.
돌려쓰다 pedir prestado. 돈을 ~ pedir prestado (dinero). 나는 그에게서 백만 원을 ~ Le pedí prestado un millón de wones.
돌려주다 ㉮ [도로 보내 주다] devolver. 빌려간 책을 나에게 돌려주었다 Me devolvieron el libro que había prestado. 나는 그에게 이 책을 돌려주어야 한다 Tengo que devolverle este libro a él. 곧 돌려줄 테니 책을 좀 빌려다오 Préstame el libro, que te lo devolveré enseguida. 일전에 빌린 책을 돌려드립니다 Aquí tiene usted el libro que me llevé prestado el otro día. 구입하신 물건에 이상이 있으면 돈을 돌려줍니다 Si no queda satisfecho de su compra, le devolveremos su dinero. ㉯ [돈을 융통해 주다] dejar, prestar, anticipar, adelantar.

돌림 ① [차례대로 돌아가는 일] turno *m*, rotación *f*. ~으로 por turnos. ② ((준말)) =돌림병. ③ =항렬(行列).
■ ~감기(感氣) =인플루엔자. ~ 노래【음악】=윤창(輪唱). ~면 =회전면. ~병(病) =유행병(流行病). ~자(字) una parte del nombre que es común a la misma generación de una familia. ☞ 항렬자. ~쟁이 paria *mf*. ¶사회의 ~ marginado *m* de la sociedad. ~가 되다 quedarse al margen. ~체【수학】=회전체(回轉體). ~턱 trato *m* dado por turnos. ~통 ㉮ [시기] período *m* de preponderancia de una epidemia. ㉯ [병] epidemia *f*. ~판(板) =회람판. ~ 편지(便紙) carta *f* circular.

돌말【식물】=규조(珪藻).

돌매 =맷돌.

돌멘(영 *dolmen*) =고인돌.

돌멩이 piedra *f*, pedrejón *m* (*pl* pedrejones), guijarro *m*, matacán *m* (*pl* matacanes).
■ ~질 pedrada *f*.

돌모란(一牧丹)【동물】=말미잘.

돌무더기 montón *m* de piedras.

돌무덤 tumba *f* [sepultura *f*] de piedra.

돌무지 terreno *m* pedregoso.
■ ~무덤【역사】=적석총(赤石冢).

돌문(一門) ① [돌로 만든 문] puerta *f* de piedra. ② =석문(石門).

돌미나리【식물】perejil *m* silvestre.

돌미륵(一彌勒) Maitreya *m* de piedra.

돌바닥 suelo *m* de piedra.

돌반지기 arroz *m* mezclado mucho por las

piedrecitas y las arena.

돌발(突發) estallido *m*, sobrevenida *f*, venida *f* imprevista. ~하다 sobrevenir, estallar, ocurrir de improviso, ocurrir de repente. 사고가 ~했다 Sobrevino un accidente. 파티가 한창일 때 예기치 못한 사건이 ~했다 En mitad de la fiesta sobrevino un inesperado incidente / Cuando se celebraba la fiesta ocurrió un repentino incidente.

■ ~ 사건(事件) emergencia *f*, suceso *m* inesperado, suceso *m* imprevisto. ~ 사고(事故) accidente *m* (imprevista). ~성(性) eventualidad *f*, calidad *f* de eventual ~적(的) repentino, improviso, impensado, inesperado. ¶~으로 repentinamente, de repente, de súbito, súbitamente, inesperadamente. ~인 사고 acontecimiento inesperado. ~으로 사건이 발생했다 Ocurrió el suceso inesperadamente.

돌방(一房) habitación *f* [cuarto *m*] de piedra.

돌방무덤(一房一) 【역사】 =석실분(石室墳). 석실묘.

돌방아 =연자매.

돌배[1] 【식물】 pera *f* silvestre.

돌배[2] 【민속】 barco *m* de piedra.

돌배나무 【식물】 peral *m* silvestre.

돌변(突變) cambio *m* completo [repentino · inesperado]. ~하다 cambiar completamente [repentinamente · inesperadamente]. ~에 대비(對備)하다 preparar para emergencia. 태도를 ~하다 cambiar completamente de actitud, adoptar una actitud por completo diferente. 그는 태도를 ~해 착실한 사람이 되었다 El ha cambiado completamente y se ha hecho un hombre serio.

돌보다 ① [보살피다] cuidar, tener cuidado, atender (a), hacerse cargo (de), encargarse (de); [환자(患者)를] atender (a), cuidar (de); [어린이를] cuidar (a · de), ocuparse (de), encargarse (de); [애완동물 · 식물을] cuidar; [기계 · 자동차를] cuidar; [자신의 몸을] cuidarse. 극진히 ~ colmar de atenciones, tratar con miramientos, tratar con consideración. 자신의 몸을 극진히 ~ cuidarse (bien). 노인들을 극진히 ~ tratar a los ancianos con consideración. 나는 가족을 돌볼 겨를이 없다 No tengo tiempo de mirar por mi familia. 그녀는 건강을 돌보지 않는다 Ella descuida [no cuida] la salud. 나는 내 몸을 돌볼 줄 안다 Yo sé cuidarme. 너는 네 몸을 더 잘 돌보아야 한다 Tú debes cuidarte más. 너무 바빠서 아이들을 돌볼 수 없다 Estoy tan ocupado que no puedo atender a los niños. 잘 돌보아드리지 못해 죄송합니다 Siento mucho no haberle atendido debidamente / Dispense que no le haya atendido bien. 한가지 일에 열중하는 사람은 다른 일을 돌보지 않는다 El hombre avaro sólo tiene ojos para las ganancias. ② [도와주다] ayudar, asistir, auxiliar, socorrer amparar, cooperar, apoyar, favorecer. 죽을 때까지 그 사람을 ~ mojar los labios [asistir] al moribundo.

돌부리 punta *f* de una piedra.

■ 돌부리를 차면 발부리만 아프다 ((속담)) No des coces contra el aguijón / No tengas una actitud rebelde.

돌부처 ① ((불교)) estatua *f* de Buda de piedra. ② [감각이 둔하거나 고집이 센 사람] (hombre *m*) caprichoso *m* y insensato, persona *f* terca [testaruda · tenza]. ~ 같다 estar como el convidado de piedra.

돌비(一碑) monumento *m* de piedra; [묘의] lápida *f* de piedra. ~를 세우다 erigir un monumento de piedra; [묘에] erigir una lápida de piedra.

돌비늘 【광물】 =운모(雲母).

돌비알 colina *f* de piedra escarpada.

돌뽕나무 【식물】 moral *m* silvestre.

돌사닥다리 camino *m* pedregoso y rocoso en el monte.

돌사람 =석인(石人).

돌사막(一砂漠) desierto *m* de piedras y rocas.

돌산(一山) monte *m* pedrogoso y rocoso, montaña *f* pedrogosa y rocosa.

돌산호류(一珊瑚類) 【동물】 =석산호류.

돌삼(一蔘) 【식물】 ginseng *m* [ginsén *m*] silvestre.

돌상(一床) mesa *f* puesta en la celebración del primer aniversario de un niño.

돌상(突傷) herida *f* por el cuchillo [el pincho].

돌샘 pozo *m* de roca.

돌소금 【광물】 sal *f* de piedra, sal *f* de gema.

돌솜 【광물】 =석면(石綿).

■ ~실 =석면사(石綿絲).

돌송(突誦) lectura *f* afluente. ~하다 leer aflentemente.

돌솥 olla *f* de piedra.

■ ~밥 *dolsotbab*, arroz *m* cocido en la olla de piedra.

돌순(一筍) 【광물】 estalagmita *f*.

돌싸움 =석전(石戰).

돌쌓기 amontonamiento *m* de las piedras.

돌아가다 ① [오던 길이나 처음 떠나온 곳으로 다시 가다] volver, regresar, retornar, irse, marcharse. 집에 ~ volver a casa. 돌아갈 때 al volver, cuando se regresa [se vuelve]; [미래에] cuando se regrese [se vuelva]. 돌아가는 길에 camino de casa, en el camino de vuelta [de regreso] (de). 돌아가는 길에 물건을 사다 hacer compras camino de casa [al volver a casa]. 돌아갈 준비를 하다 prepararse para volver. 서둘러 ~ apresurarse [darse prisa] a volver. 고향에 ~ volver a *su* tierra natal [a *su* pueblo natal · a *su* suelo natal]. 돌아가는 길은 이곳입니다 La salida, por aquí. 그는 벌써 집에 돌아갔습니다 Ya ha vuelto a casa. 이제 돌아가겠습니다 Tengo que irme [marcharme · volver] ya / Ya es (la) hora de despedirme. 벌써 돌아가십니까? ¿Ya se va usted? 관객이 돌아가려 하고

있다 El público está a punto de salir. 당장 돌아가거라 ¡Vete ahora mismo! / ¡Lárgate (pronto)! 같은 방법으로 계속하는 것은 의미가 없다고 믿기 때문에 우리는 서울로 돌아가기로 결정했다 Creemos que carece de sentido continuar de la misma manera, por lo que hemos decidido retornar a Seúl.
② [회전하다] girar.
③ [일정한 방향으로 에돌아 가다] doblar, torcer, tomar. 왼쪽[오른쪽]으로 ~ torcer [torcer] a la izquierda [a la derecha].
④ [둘러서 가다] pasar (por).
⑤ [움직이다 · 가동하다] funcionar.
⑥ [차례로 전달되어 가다] ir entregando por turno. 각 대학에서 돌아가며 회를 엽시다 Vamos a celebrar el congreso por turno en cada una de las universidades.
⑦ [죽다] morir, fallecer, perecer, fenecer, finar, sucumbir, expirar, finir, quedarse, dar fin, estirar las piernas, cerrar los ojos, dejar este mundo, dejar de existir. 제 부친께서는 돌아가신 지 3년 되었다 Hace tres años que mi padre falleció.
⑧ [어떤 결과로 끝나다] conducir, esfumarse, fracasar, venir a parar. 결국 마찬가지로 돌아간 셈이다 Después de esto, da lo mismo. 계획은 실패로 돌아갔다 El plan no ha conducido a nada / El plan se ha esfumado / En fin, el plan ha fracasado. 승리는 그의 손으로 돌아갔다 La victoria vino a parar en su mano.

돌아내리다 ① [마음이 있으면서 일부러 사냥하다] fingir vacilación. ② [연 같은 것이 빙빙 돌며 떨어지다] vacilar dando vueltas alrededor.

돌아눕다 darse la vuelta en la cama. 왼쪽으로 돌아누우세요 Acuéstate a la izquierda.

돌아다니다 ① [여기저기 쏘다니다] recorrer, correr. 그는 세계를 절반이나 돌아다녔다 El ha corrido medio mundo. 그 여행자는 서반아 방방곡곡을 돌아다녔다 El viajero recorrió toda España. ② [널리 유행하다] estar extendido. 독감(毒感)이 돌아다닌다 La influenza está extendido.

돌아다보다 ① [뒤돌아보다] volverse para mirar, mirar hacia atrás. …을 돌아보지도 않고 sin mirar *algo* [a *uno*] siquiera. 그녀는 나를 돌아보지도 않았다 Ella no me hace caso / Ella no me dirige ni (siquiera) una mirada. ② [지나온 행적을 반성해 보다] reflexionar (sobre · en). 자신을 ~ reflexionar sobre sí mismo, examinar su propia conducta. 나는 되돌아보아도 한 점 부끄럼이 없다 No tengo nada que reprocharme [nada de que avergonzarme].

돌아들다 ① [돌고 돌아서 다시 제자리로 오다] volver, regresar. 새들이 제집으로 돌아든다 Los pájaros vuelve a volar a sus nidos. ② [흐르는 물 같은 것이 굽이를 꺾어서 들어오다] entrar describiendo una curva.

돌아보다 ① [몸이나 고개를] volverse (para mirar), volver la cabeza, mirar hacia atrás, mirar alrededor de sí, mirar a todos lados. 사람을 ~ volverse para mirar (a). 돌아보지도 않고 sin dirigir ni una mirada.
② [지난 일을] refexionar (sobre · en). 과거를 ~ reflexionar sobre el pasado. 자신을 ~ reflexionar sobre sí mismo, examinar su propia conducta. 내 자신을 돌아볼 때 부끄러운 점이 하나도 없다 No tengo nada que reprocharme / No tengo nada de que avergonzarme. 돌아보면 20년도 지난 옛일이다 Echando una mirada hacia atrás, ya hace veinte años que pasó aquello.
③ [두루 돌아다니며 살피다] visitar, hacer visitas, ir de visita, patrullar, estar de patrulla.
④ [돌보다] cuidar, tener cuidado, atender (a). 입장(立場)을 돌아보지 않고 sin consideración para su posición, no teniendo en cuenta su posición. 나는 가족을 돌아볼 겨를이 없다 No tengo tiempo de mirar por mi familia. 그는 건강을 돌아보지 않는다 El descuida la salud / El se descuida de [en] la salud. 그는 다른 사람들의 번거로움을 돌아보지 않는다 El no se preocupa por las molestias de los demás.

돌아서다 ① [뒤로 향하고 서다] volverse. 그녀는 내 쪽으로 돌아섰다 Ella se volvió hacia mí.
② [관계를 끊고 멀리하다] alejar [distanciar] (a *uno* de *uno* [*algo*]), discrepar (de [con] *uno* [de *algo*]). 돌아섬 alejamiento *m*, distanciamiento *m*. 그의 돌아선 아내 su mujer, de quien está separado. 그들은 지금 돌아서 있다 Ellos están separados ahora. 그녀는 남편과 돌아서 있다 Ella vive [está] separada de su marido. 그의 최근 행동으로 말미암아 많은 친구들이 그로부터 돌아서고 말았다 Su conducta reciente ha alejado de muchos de sus amigos.
③ [배신하다] traicionar. 그들은 조국에 돌아섰다 Ellos traicionaron a la patria.
④ [(병세나 기세가) 점점 나아가거나 회복되다] mejorar. 그의 건강이 돌아섰다 Su salud ha mejorado / El ha mejorado de salud. 날씨가 돌아서기를 바랍시다 Esperemos que mejore el tiempo. 그녀는 혼자 산 이래 돌아섰다 Ella ha mejorado [está mejor] desde que vive sola. 그의 일은 믿을 수 없을 만큼 돌아섰다 Su trabajo ha mejorado increíblemente.

돌아앉다 sentarse hacia la otra dirección.

돌아오다 ① [떠났던 자리로 다시 오다] volver, regresar. …에서 돌아와서 de regreso [vuelta] de *un sitio*. 서반아에서 방금 돌아온 recién vuelto [que acaba de volver] de España. 돌아오는 길에 camino *m* de casa, en el camino de vuelta [de regreso] (de *un sitio*); [돌아올 때] al volver, cuando se vuelve. 한국으로 돌아오기 전에 antes de mi vuelta a Corea, antes (de) que yo vuelva a Corea. 집으로 ~ volver [regresar] a casa. 외국에서 ~ volver del (país)

extranjero. 돌아오지 못할 사람이 되다 [죽다] dejar este mundo, partir al otro mundo, pasar a mejor vida, morir, fallecer, dejar de existir. 돌아오는 길에 물건을 사다 hacer compras camino de casa [al volver a casa]. 그는 언제나 늦게 [빨리] 돌아온다 El siempre vuelve [regresa] tarde [temprano]. 오늘은 늦게 돌아옵니다 Hoy vuelvo tarde. 지금 학교에서 돌아오는 길이다 Ahora vuelvo del colegio [de la escuela]. 돌아올 때는 택시를 탑시다 De regreso [De vuelta · A la vuelta · Para la vuelta], tomaremos un taxi / Tomaremos un taxi al volver. 그는 외국에 가서 돌아오지 않는다 El se fue al extranjero y no vuelve. 곧 돌아오겠습니다 Volveré [Voy a volver] pronto. 돌아올 때는 길이 헷갈렸다 Al volver, no sabía qué camino tomar. 그는 아침에 나가서 돌아오지 않는다 El no ha vuelto desde que salió esta mañana.
② [차례나 차지가 되다] tocar(*le* a *uno*). 내[네 · 그의 · 우리의 · 너희들의 · 그들의] 차례가 돌아왔다 Me [Te · Le · Nos · Os · Les] toca el turno.
③ [(가까운 길을 두고 먼길로) 우회하여 오다] venir dando un rodeo.
④ [(무엇을 중심으로 그 둘레를 따라) 둘러서 오다] venir pasando (por *algo*).

돌아치다 =돌아가다

돌알[1] [수정으로 만든 안경알] lente *f* de cristal.

돌알[2] [삶은 계란] huevo *m* duro.

돌여(突如) =돌연(突然).

돌연(突然) [갑자기] de repente, repentinamente, bruscamente, de súbito, de pronto, súbitamente, de golpe; [불의에] inesperadamente, improvisadamente, de improviso. ~의 repentino, súbito, inesperado, inpensado. ~의 사고(事故) accidente inesperado [repentino]. 그는 ~ 습격당했다 El fue atacado de improviso. 그것은 ~ 일어난 일이어서 잘 기억할 수 없다 Fue una casa tan inesperada que no puedo recordar bien. ~ 그 생각이 떠올랐다 Se me ocurrió de repente la idea.
돌연히 de repente, repentinamente, de súbito, súbitamente.
■ ~변이(變異) mutación *f*. ~변이설(變異說) teoría *f* de mutación. ~ 변이종(變異種) especies *fpl* mutantes. ~변이체(變異體) 【생물】 mutante *m*. ~변이체 유전자 gen *m* [gene *m*] mutante. ~ 변종(變種) mutante *m*.

돌연모 instrumento *m* de piedra.

돌옷 musgo *m* de roca.

돌우물 pozo *m* de piedra.

돌이키다 ① [(몸이나 고개를) 돌리다, 또는 돌리게 하다] darse la vuelta, volverse, *AmL* voltearse (*CoS* 제외), *CoS* darse vuelta. ② [(지난 일을) 회상하거나 생각하다] recordar. ③ [본디의 모습으로 돌아가다] recuperar, recobrar, restablecer. 돌이킬 수 없는 irreparable, irremediable, irrecuperable. 돌이킬 수 없는 손해를 주다 [입히다] hacer [causar] un daño irreparable (a). 한 번 행해진 일은 돌이킬 수 없다 Lo hecho una vez es irremediable. ④ [마음을 고쳐 달리 생각하다] cambiar. 돌이켜 생각건대 pensándolo bien. 돌이켜 생각건대 그것은 그렇게 좋은 생각 같지 않다 Pensándolo bien, no parece tan buena idea. 심각하게 돌이켜 생각한 뒤 나는 받아들이기로 결정했다 Después de pensarlo [meditarlo] seriamente, he decidido aceptar.

돌이킴대이음씨(—代—) 【언어】 =재귀대명사.

돌입(突入) penetración *f*. ~하다 penetrar, acometer, lanzarse, ir, entrar impetuamente. 전쟁에 ~하다 lanzarse a la guerra. 파업에 ~하다 ir a la [entrar en] huelga. 성채(城砦)에 ~하다 acometer (contra) el fuerte.

돌자갈 grava *f*, gravilla *f*.

돌잔치 banquete *m* [fiesta *f*] (del día) del primer aniversario.

돌잡이 ① [첫돌날에 돌상을 차리어 놓고, 아이로 하여금 마음대로 골라잡게 하는 일] lo que hace escoger a *su* gusto. ~하다 hacer escoger a *su* gusto (al niño). ② =돌쟁이.

돌잡히기 =돌잡이❶.

돌잡히다 hacer escoger las comidas a *su* gusto al niño en la mesa del primer aniversario.

돌장이 =석수(石手).

돌재악 =자갈.

돌쟁이 niño, -ña *mf* del primer aniversario.

돌절구 mortero *m* [molino *m*] de piedra.
■ 돌절구도 밑 빠질 때가 있다 ((속담)) Nadie es perfecto.

돌제(突堤) espigón *m*, malecón *m*, rompeolas *m.sing.pl*, dique *m*; [부두] muelle *m*.

돌중방(—中枋) antepecho *m* de piedra en la entrada del callejón.

돌진(突進) lanzamiento *m*, arranque *m*, avance *m*, acometida *f*. ~하다 lanzarse, abalanzarse, arrojarse, echarse, arrancarse. 사람들이 출구로 ~했다 La gente se lanzó para la salida. 그는 적을 향해 ~했다 El se abalanzó sobre los enemigos.

돌집 casa *f* de piedra.

돌짬 grieta *f* entre las rocas.

돌쩌귀[1] [문돌쩌귀] gozne *m*, charnela *f*, bisagra *f*, charneta *f*.

돌쩌귀[2] [연의 하나] *dolcheogüi*, una especie de la cometa.

돌차간(咄嗟間) duración *f* muy corta, instante *m*, momento *m*.

돌창자 parte *f* inferior del intestino delgado.

돌촉(—鏃) =석촉(石鏃).

돌출(突出) ① [갑자기 쑥 나가거나 나옴] salida *f* súbita. ~하다 salir súbitamente. 골목에서 ~한 도둑 ladrón *m* (*pl* ladrones) que sale súbitamente del callejón. ② [쑥 내밈 · 쑥 불거짐] resalte *m*, saliente *f*(*m*). ~하다 sobresalir, volar, salir afuera, resalir, resaltar. ~된 saliente, (en) saledizo,

prominente, (en) voladizo. 바다로 ~하다 sobresalir al mar, adentrarse en el mar. 발코니가 길에 ~해 있다 El balcón cuelga sobre la calle. 육지가 바다로 ~하고 있다 La tierra se adentra en el mar.
■ ~물(物) saliente *f(m)*. ~부(部) ㉮ saliente *m*, prominencia *f*. ㉯【건축】saledizo *m*. ~ 부분(部分) [주택가 등의 속도 제한을 위한 도로상의] rompecoches *m.sing.pl*. ~점(點) punto *m* saliente.

돌층계(-層階) escalera *f* de piedra; [현관의] escalinata *f* (de piedra).

돌칼 cuchillo *m* de piedra.

돌탄(咄嘆) =돌차(咄嗟).

돌탑(-塔) pagoda *f* de piedra, torre *f* de piedra.

돌턴【인명】Juan Dalton (1766-1844) (영국의 물리학자·화학자·박물학자).
■ ~의 법칙(法則)【물리】ley *f* de Dalton. ~ 정률(定律)【물리】=돌턴의 법칙.

돌파(突破) ruptura *f*, rompimiento *m*. ~하다 romper, abrir paso, vencer la dificultad, subir más de. 적진(敵陣)을 ~하다 romper las líneas enemigas. 백만을 ~하다 subir más de un millón. 천 원 대를 ~하다 subir más de mil wones en nivel.

돌파구(突破口) brecha *f*. ~를 열다 abrir brecha.

돌팔매 pedrada *f*. ~하다 lanzar las piedras.
■ ~질 pedrada *f*, guijarrazo *m*.

돌팔이 ① [떠돌아다니며 점이나 기술 또는 물건을 팔아 가며 사는 사람] [점쟁이] adivino, -na *mf* [기술자 artesano, -na *mf*·장사꾼 vendedor, -dora *mf*] ambulante ② [제대로 자격을 갖추지 못한 엉터리 실력으로 전문직에 종사하는 사람] [의사] curandero, -ra *mf*.
■ ~무당 hechicera *f* ambulante. ~선생 maestro, -tra *mf* incompetente. ~의원[의사] matasanos *m.sing.pl*; curandero, -ra *mf*, medicastro, -tra *mf*, medicucho, -cha *mf*, *Per* médico *m* boliviano, médica *f* boliviana.

돌팥 judía *f* [haba *f*] roja silvestre [pequeña de mala calidad].

돌풍(突風) ráfaga *f* de viento, racha *f*, ventolera *f*. ~이 분다 El viento sopla en ráfagas.

돌피【식물】mijo *m* silvestre.

돌핀(영 *dolphin*) [돌고래] delfín *m*.

돌하르방【민속】*dolhareubang*, estatua *f* de piedra que los habitantes de la Isla *Chechu* creen como el dios de la guarda.

돌함(-函) caja *f* de piedra.

돌합(-盒) receptáculo *m* de piedra para la comida.

돌홀(突忽) =돌연(突然).

돌확 mortero *m* de piedra.

돔 ((준말)) =도미.

돔(영 *dome*) cúpula *f*, *Arg* domo *m*.

돔바르다 ① [인색하다] (ser) tacaño, mezquino. ② [무정하다] (ser) frío, insensible, sin corazón.

돕다 ① [조력(助力)하다] ayudar, dar la mano (a), echar una mano (a); [지원하다] apoyar, asistir; [보좌하다] auxiliar, prestar auxilios (a); [구제하다] salvar, prestar socorro; [기여하다] contribuir. 서로 ~ ayudarse (uno a otro·uno de otro), ayudarse [prestarse ayuda] mutualmente. 아들의 숙제를 ~ ayudar al hijo a hacer sus deberes. 친구의 일을 ~ ayudar a un amigo en su trabajo. 노인이 길을 건너게 ~ ayudar a un anciano a cruzar la calle, prestar la mano a un anciano al travesar la calle. 그는 부모의 일을 돕고 있다 El ayuda a sus padres en su trabajo. 하늘은 스스로 돕는 자를 돕는다 ((서반아 속담)) Ayúdate y el cielo te ayudará / A quien se ayuda, Dios le ayuda. 하나님은 일찍 일어나는 사람을 돕는다 ((서반아 속담)) A quien madruga, Dios le ayuda (부지런해야 수가 난다).
② [(약품·음식 같은 것으로 몸의 기운이나 기능을) 좋아지게 하다] promover, contribuir. 원기를 ~ promover el ánimo. 소화(消化)를 ~ promover la digestión. 성공을 ~ contribuir al éxito. 평화 유지를 위해 ~ contribuir para conservar la paz.
도와주다 ayudar, asistir, prestar socorro. …을 일어나게 ~ ayudar a *uno* a levantarse. 나를 도와주십시오 [usted에게] Ayúdeme, por favor / [tú에게] Ayúdame. 날 잠깐 도와주라 Ayúdame un poco [un rato] / Echame una mano. 이 약은 소화를 도와준다 Esta medicina facilita la digestión. 도와줄까요? ¿Le ayudo a usted? / ¿Quiere usted que le ayude yo?

돗바늘 aguja *f* para la estera.

돗자리 estera *f* (de paja). ~를 깔다 tender una estera. ~에 싸다 envolver en estera.

돗짚요 =다다미.

돗총이【동물】caballo *m* legendario con pelo azul oscuro.

돗틀 bastidor *m* de estera.

동[1] [굵게 묶어서 한 덩어리로 만든 묶음] lío *m*, fardo *m*, *AmL* atado *m*; [신문·편지의] paquete *m*; [돈의] fajo *m*; [나무토막·나뭇가지] haz *m*, *AmL* atado *m*.

동[2] ① [논리나 사물 또는 시간이나 공간의 한 토막] [조리] razón *f*, lógica *f*, [일관성] hilo *m* de conexión. ~이 닿는 요구 demanda *f* razonable. ~이 닿지 않는다 [조리가] (ser) ilógico, injustificable, irrazonable, poco razonable; [일관성이] incoherente, contradictorio, inconsecuente, irrelevante, intrascendente. ~이 닿지 않는 말을 하다 decir incoherentemente. 그것은 ~이 닿지 않는다 Eso no viene no viene al caso. ② [동안] período *m*, invervalo *m*. ③ =동거리. ④ [한복의 웃옷의 소매 부분, 또는 소매에 이어 댄 조각] puño *m*, punta *f*.
◆동(을) 자르다 ㉮ [관계를 끊다] romper la relación. ㉯ [(긴 것을) 토막을 내서 끊다] cortar en pedazos. 동(이) 나다 ㉮ [(늘 있던 것이) 다 떨어져 없어지다) agotarse,

faltar, escasear; [사람이 주어일 때] carecer (de). 생활필수품이 동이 난다 Escasean los artículos de primera necesidad. ㉯ [(상품이) 남김없이 다 팔리다] venderse todo. 동(이) 닿다 [조리가] (ser) razonable, lógico, justificable; [일관성이] coherente, consecuente, relevante. 동이 뜨다 tener un intervalo entre, tener un espacio entre.

동³ [(상추 따위의) 꽃이 피는 줄기] tallo *m* [caña *f*] de lechuga.

동(同) ((준말)) =동일(同一). 동등(同等). ¶경리 부장(經理部長)과 ~부 차장(次長) el director del departamento de contabilidad y el subdirector del mismo. 140편(便)이 사고를 일으켰다. ~기(機)에는 300명의 승객이 탑승하고 있다 El vuelo número ciento cuarenta ha tenido un accidente. En dicho avión viajan trescientos pasajeros.

■ ~ 번지(番地) el mismo número de casa. ~ 회사(會社) la misma compañía [empresa · corporación], la dicha compañía [empresa · corporación]

동(東) [동쪽] este *m*, oriente *m*, levante *m*. ~의 este, oriental, del este.

◆동(이) 트다 amanecer, empezar a clarear el día, romper el alba, romper el día. 동이 틀 무렵에 al amanecer, al romper el alba, al romper el día, al rayar el alba, a la aurora, al salir el sol, al despuntar el día. 동이 튼다 Alborea el cielo hacia el este / Alborean los cielos orientales. 겨울에는 늦게 동이 튼다 Amanece tarde en invierno.

동(垌) malecón *m* (*pl* malecones) grande.

동(洞) ① [마을] aldea *f*, pueblo *m*. ② [행정구역의 하나] *Dong*. ③ [동사무소] oficina *f* de *Dong*.

■ ~장(長) jefe, -fa *mf* de Dong; *ReD* alcalde, -desa *mf*.

동(胴) ① [격검(擊劍)할 때 가슴을 가리는 물건] armadura *f* (del cuerpo), coraza *f* (del cuerpo). ② [동부(胴部)] tronco *m* del cuerpo, cuerpo *m*.

동(動) movimiento *m*, cambio *m*.

동(童) [족보에서] soltero *m*, hombre *m* que no se ha casado todavía.

동(銅) 【광물】 cobre *m*.

■ ~관(管) tubo *m* [pipa *f*] de cobre. ~광(鑛) mina *f* de cobre. ~광석(鑛石) mineral *m* de cobre. ~도금(鍍金) encobrado *m*. ~메달 medalla *f* de cobre. ~색(色) color *m* de cobre. ¶~의 cobrizo. ~세공 trabajo *m* [labor *f*] de(l) cobre; [물건] objeto *m* [artículo *m*] de cobre. ~세공인(細工人) herrero, -ra *mf* de cobre. ~암모니아 레이온 rayón *m* cuproamoniacal. ~제(製) producción *f* de cobre. ¶~의 de cobre. ~판(版) [인쇄의] plancha *f* de cobre. ¶~처럼 깨끗한 초서체 letra *f* inglesa. 그는 그것을 마치 ~ 인쇄한 것처럼 깨끗이 썼다 El lo escribió con su mejor caligrafía. ~화(貨) moneda *f* de cobre.

동(棟) *dong*, casa *f*, edificio *m*. 10~ diez casas, diez edificios. 다섯 ~의 아파트 cinco edificios de apartamentos. 스무 ~의 가옥(家屋) veinte casas.

동가(同家) ① [같은 집안] la misma familia. ② [같은 집] la misma casa. ③ [그 집] esa casa; [그 가정] esa familia.

동가(同價) el mismo precio.

동가(東家) ① [동쪽에 있는 이웃집] casa *f* vecina del este. ② [머물러 있는 집의 주인] dueño, -ña *mf* de la casa que se hospeda.

■ ~구(丘) Kong-Fu-Tse, Confucio.

동가(動駕) salida *f* [visita *f*] del carro del rey. ~하다 salir [visitar] de casa el carro del rey.

동가(童歌) =동요(童謠).

동가리톱 sierra *f* de través.

동가식서가숙(東家食西家宿) vagabundeo *m*, vagabundería *f*, vagabundez *f*, vagabundaje *m*, vagamundería *f*; [사람] vagabundo, -da *mf*; vagamundo, -da *mf*, trotamundos *mf*, hombre *m* sin domicilio fijo. ~하다 vagabundear, vagamundear, llevar la vida vagabunda, no tener domicilio fijo, ser vabundo.

동간(胴間) longitud *f* del cuerpo.

동감(同感) ① [같은 느낌] igual [mismo] sentimiento *m*, misma opinión *f*. ~이다 ser de la misma opinión, tener igual sentimiento, tener el mismo sentimiento. ② [동의(同意)] asentimiento *m*, acuerdo *m*, avenencia *f*, concordia *f*, convenio *m*. ~이다 estar de acuerdo, ponerse de acuerdo, acordar (con), avenirse (a); [일치하다] concordar. 너와 ~이다 Estoy de acuerdo conmigo. ③ [동정] afecto *m*, simpatía *f*.

동갑(同甲) la misma edad. 그와 나는 ~이다 El y yo somos de la misma edad / El y yo tenemos la misma edad.

■ ~내기 los [las] de la misma edad. ¶나는 그와 ~이다 Tengo la misma edad que él. 두 사람은 ~이다 Los dos tienen [son de] la misma edad. ~네 =동갑내기. ~숲 =동령림(同齡林).

동갓 una especie de la mostaza.

동강 pedazo *m*, trozo *m*, parte *f*. 세 ~ tres pedazos, tres trozos, tres partes.

◆동강(을) 내다 romper en dos pedazos. 동강(을) 치다 romper en dos pedazos. 동강(이) 나다 romperse en dos pedazos.

동강동강 en pedazos. ~ 자르다 cortar en pedazos. ~ 부러지다 romperse en pedazos.

동강이 =동강.

동강치마 *donggangchima*, falda *f* corta.

동개 carcaj *m*, aljaba *f*.

■ ~살 flecha *f* con plumas grandes para el arco de caballería. ~장(匠) artesano, -na *mf* del carcaj. ~활 arco *m* de caballería.

동갱(銅坑) mina *f* de cobre.

동거(同居) convivienda *f*, cohabitación *f*. ~하다 covivir, cohabitar, vivir en una misma casa, vivir [habitar] con otra persona, residir con otro. 두 가족이 ~하고 있다 Dos familias cohabitan bajo el mismo techo.

■ ~인[자] coviviente *mf*, huésped, -da *mf*, inquilino, -na *mf*, [방을 빌려 사는 사람] alquilador, -dora *mf* de una habitación.

동거리 pedazo *m* de hierro que cubre la punta de la pipa de tabaco.

동거리(同距離) la misma distancia.

동검(銅劍) espada *f* de cobre.

동격(同格) ① [동등한 지위] el mismo rango, la misma categoría, el mismo estado, la misma posición social. ~으로 igualmente, en mismo, a la par. …과 ~이다 ocupar el mismo rango que *uno*, ser del mismo nivel que *uno*. ② 【언어】 aposición *f*. ~의 apositivo.

■ ~ 명사(名詞) nombre *m* en aposición, nombre *m* apositivo. ~어(語) palabra *f* apositiva, palabra *f* puesta en aposición.

동견(洞見) =통견(洞見).

동결(凍結) ① [얼어붙음] congelación *f*. ~하다 [냇물 등이] helarse, congelarse. ~된 congelado. ~할 수 있는 congelable. 호수가 ~되었다 Se ha helado el lago. ② 【경제】 congelación *f*. ~하다 [자산(資産) 등을] congelar. 물가와 임금을 ~하다 congelar los precios y los sueldos.

◆가격(價格) ~ congelación *f* de precios. 임금(賃金) ~ congelación *f* salarial.

■ ~ 건조(乾燥) 【물리】 liofilización *f*. ¶~하다 liofilizar. ~된 liofilizado. ~ 마비(痲痺) crianestesia *f*, crioanestesia *f*. ~ 부식기(腐蝕器) criocausterio *m*. ~ 수술(手術) criocirugía *f*. ~ 정액(精液) esperma *f* congelada. ~ 차관(借款) deuda *f* congelada.

동경(同庚) =동갑(同甲).

동경(同慶) felicidad *f* común, congratulación *f* mutua. ~하다 alegrarse juntos. ~하는 바입니다 Comparto su alegría / Le acompaño en su regocijo. 좋은 결과에 ~합니다 Nos congratulamos del buen fin.

동경(東京) 【지명】 Tokio (일본의 수도).

동경(東經) longitud *f* este. ~ 30도 15분 treinta grados quince minutos de longitud este.

동경(銅鏡) espejo *m* de cobre.

동경(憧憬) deseo *m* ardente, deseo *m* vehemente, anhelo *m*, aspiración *f*, golondro *m*, sueño *m* dorado, adoración *f*, [숭배] admiración *f*. ~하다 anhelar, desear vehemencia, ansiar, admirar, adorar, suspirar (por), mirar (por). 내가 ~하는 나라 país *m* (*pl* países) de mi ensueño. 도시 생활을 ~하다 anhelar la vida de la ciudad, anhelar la vida urbana. 부(富)를 ~하다 anhelar la riqueza, tener sed de riquezas. 어떤 영화배우를 ~하다 admirar a una estrella de cine. 그녀는 우리의 ~의 대상이다 Ella es el objeto de nuestra admiración.

■ ~자(者) admirador, -dora *mf*, anhelante *mf*.

동경개(東京-) 【동물】 =동경이.

동경이(東京-) 【동물】 perro *m* con cola corta.

동계(冬季) estación *f* invernal, estación *f* del invierno. ~의 invernal, de(l) invierno.

■ ~ 대회(大會) los Juegos de Invierno. ~ 방학(放學) vacaciones fpl de invierno. ~ 올림픽 대회 los Juegos Olímpicos de Invierno, la Olimpiada de Invierno. ~ 휴가(休暇) vacaciones *fpl* de invierno, vacación *f* de pascuas.

동계(同系) el mismo linaje, el sistema idéntico. ~의 consanguineo, del mismo tronco. …과 ~색의 del mismo tono que *algo*, de un color análogo al de *algo*.

■ ~ 교배(交配) endogamia *f*. ~ 회사(會社) compañía *f* asociada, compañía *f* filial, sociedad *f* filial, empresa *f* afiliada, filial *f*. compañía *f* del [perteneciente al] mismo grupo financiero.

동계(凍鷄) pollo *m* congelado.

동계(動悸) palpitaciones *fpl*, latidos *mpl* del corazón. ~하다 palpitar, latir, agitarse. ~가 격(激)하다 tener palpitaciones rápidas. ~가 있다 Tengo palpitaciones / Me palpita el corazón.

동고(同苦) acción *f* de sufrir juntos. ~하다 sufrir juntos.

■ ~동락(同樂) acción *f* de sufrir y disfrutarse juntos. ~하다 sufrir y disfrutarse juntos.

동고(棟高) 【건축】 altura *f* del suelo.

동고(銅鼓) 【악기】 =꽹과리.

동고 곡선(同高曲線) =수평 곡선(水平曲線).

동고리 cesta *f* de sauce pequeña y redonda.

동고비 【조류】 trepador *m*.

동고선(同高線) =등고선(等高線). 수평 곡선.

동고향(同故鄕) la misma tierra natal.

동곳 alfiler *m* para el moño. ~을 꽂다 ponerse la horquilla en el moño.

◆동곳(을) 빼다 rendir, capitular.

■ ~잠(簪) pasador *m* de jade en forma de moño.

동공(同工) la misma habilidad.

■ ~이곡(異曲) lo que la técnica es excelente, pero el contenido es diferente. ¶~이다 Los dos tienen parte de la culpa. 그의 소설은 어느 것이나 ~이다 Todas sus novelas son prácticamente iguales [están cortadas con el mismo patrón]. ~이체(異體) =동공이곡(同工異曲).

동공(同功) el mismo mérito.

■ ~견(繭) =쌍고치. ~일체(一體) el mismo mérito y el mismo puesto.

동공(洞空) =공동(空洞).

동공(瞳孔) 【해부】 pupila *f*, niña *f* (del ojo), guinilla *f*. ~의 pupilar. ~ 사이의 interpupilar.

■ ~막(膜) membrana *f* pupilar. ~ 성형술(成形術) coremorfosis *f*. ~ 수축증(收縮症) miesis *f*. ~ 절개술(切開術) corectomía *f*. ~ 절제도(切除刀) coréctomo *m*. ~ 축소 miosis *f*, reducción *f* de la pupila. ~ 축소증(縮小症) corestenoma *f*. ~ 측정(測定) pupilometría *f*. ~ 협착(狹窄) estenocoria *f*.

～ 확대(擴大) dilatación *f* de la pupila, midriasis *f*.

동과(同科) ① [동등한 등급] la igual clasificación. ② [시험에 함께 합격한 사람] coaprobados *mpl* en el examen. ③ [같은 죄과(罪科)] el mismo crimen. ④ [(대학에서의) 같은 학과] el mismo departamento. ⑤ [(동식물 따위의 분류에 있어서의) 같은 과(科)] la misma familia. ～의 congénere.
 ■～ 식물(植物) plantas *fpl* congéneres.

동관(同官) colega *mf*, compañero, -ra *mf* (de trabajo).

동광(銅鑛) ① [구리를 캐는 광산] mina *f* de cobre. ② [구리를 함유한 광석] mineral *m* de cobre.

동구(東歐) ①【지명】la Europa Oriental. ② [동유럽의 사회주의 진영 국가들을 두루 이르는 말] países *mpl* socialistas de la Europa Oriental.
 ■～권(圈) bloque *m* de la Europa Oriental. ～ 위성국(衛星國) país *m* (*pl* países) satélite de la Europa Oriental, bloque *m* de la Europa Oriental.

동구(洞口) ① [동네의 길목 첫머리] entrada *f* de la aldea. ② ((불교)) entrada *f* del templo budista.

동구라파(東歐羅巴)【지명】＝동구(東歐).

동국(冬菊) crisantemo *m* invernal [de(l) invierno].

동국(同國) ① [같은 나라] el mismo país. ② [그 나라] ese país; [이 나라] este país.
 ■～인(人) compatriota *mf*, conciudadano, -na *mf*, paisano, -na *mf*.

동국(東國) ① [동쪽의 나라] país *m* oriental. ② [우리 나라] nuestro país *m*, Corea.

동군(東君) ① [태양의 신(神)] dios *m* del sol. ② [태양] sol. ③ ＝청제(靑帝).

동군(洞君/洞軍) joven *m* de la aldea.

동굴(洞窟) cueva *f*, caverna *f*, cavidad *f* subterránea; [자연(自然)의] gruta *f*.
 ◆알타미라 ～ la Cueva de Altamira. 천연(天然) ～ cueva *f* natural.
 ■～ 동물(動物) animal *m* en la cueva. ～ 미술(美術) bellas artes *fpl* rupestres. ～ 벽화(壁畵) pintura *f* rupestre. ～어(魚) pez *m* (*pl* peces) en la cueva. ～ 연구(硏究) espeleología *f*, estudio *m* espeleológico. ～ 유적(遺跡) ruinas *fpl* en la cueva. ～ 탐험(探險) espeleología *f*. ～ 탐험가(探險家) espeleólogo, -ga *mf*. ～학(學) espeleología *f*. ～ 학자(學者) espeleólogo, -ga *mf*. ～ 협회(協會) sociedad *f* espeleológica. ¶한국 ～ Sociedad *f* Espeleológica de Corea.

동궁(彤弓) arco *m* pintado rojo.

동궁(東宮)【고제도】① ＝황태자(皇太子). ② ＝왕세자(王世子). ③ ＝태자궁(太子宮). ④ ＝세자궁(世子宮).
 ■～마마(媽媽) ＝세자(世子). ～ 전하(殿下) Su Alteza el Príncipe Heredero. ～비 전하(妃殿下) Su Alteza la Princesa Heredera.

동권(同權) derechos *mpl* iguales, mismos derechos *mpl*. 남녀는 ～이다 Los dos sexos tienen los mismos derechos / Los dos sexos gozan de derechos iguales.
 ◆남녀(男女) ～ igualdad *f* de los derechos de ambos sexos. 남녀 ～주의(主義) feminismo *m*. 남녀 ～주의자(主義者) feminista *mf*.

동규(冬葵)【식물】malva *f*.
 ■～자(子)【한방】semilla *f* de la malva.

동귤(童橘)【식물】＝금귤(金橘).

동그라미 ① [원(圓)] círculo *m*, redondel *m*, *Chi*, *Per* redondela *f*. ～를 그리다 trazar un círculo. …에 ～를 그리다 marcar *algo* con un círculo. 맞는 답에 ～, 틀린 답에 가위표를 표시하는 시험 examen *m* en el que las respuestas correctas con un círculo y las incorrectas con una cruz. ② ＝동그라미표. ③ ((속어)) dinero *m*, *AmL* plata *f*. 나는 요즈음 ～가 없다 No tengo dinero estos días.
 ■～표(標) símbolo *m* del círculo.

동그라지다 caerse.

동그람에이 @

동그랑쇠 ① ＝굴렁쇠. ② ＝삼발이.

동그랗다 (ser) redondo, circular. 아주 동그란 perfectamente redondo. 동그란 눈 ojos *mpl* redondos. 동그란 얼굴 cara *f* redonda.

동그래지다 hacerse redondo.

동그마니 ① [홀가분하게] fácilmente, ligeramente. ② [외따로 오똑하게] solo.

동그스레하다 ＝동그스름하다.

동그스름하다 ser algo redondo.

동극(動極) ＝동물극(動物極).

동근(同根) ① [근본(根本)이 같음] el mismo origen, la misma fuente, la misma base. ② [그 자라난 뿌리가 같음] las mismos raíces. ③ [형제(兄弟)] hermano *m*.

동글갸름하다 (ser) redondo y algo largo. 동글갸름한 얼굴 cara *f* redonda y algo larga.

동글납대대하다 (ser) redondo y algo plano.

동글납작하다 (ser) redondo y plano. 동글납작한 얼굴 cara *f* redonda y plana.

동글다 (ser) redondo. 동근 눈 ojos *mpl* redondos. 눈을 동글게 뜨다 abrir los ojos de par en par [como platos].

동글동글 ① [동그라미를 그리며 연해 돌아가는 모양] rodando. ② [여럿이 모두 둥근 모양] perfectamente redondo. 감들이 ～하다 Los caquis son perfectamente redondos.

동글리다 hacer en círculo.

동글반반하다 (ser) redondo y plano. 동글반반히 redonda y planamente.

동글붓 cepillo *m* con punta redonda.

동금(同衾) ＝동침(同寢).

동금(胴金) ① [쇠가락지] anillo *m* de hierro. ② [창이나 칼의 자루의 중간쯤에 끼우는 둥근 쇠붙이의 테] aro *m* de hierro redondo.

동급(同級) ① [같은 등급] el mismo grado. ② [같은 학급] la misma clase. 나는 그녀와 ～이다 Ella es mi compañera de clase / Ella y yo estudiamos en la misma clase / Yo estoy en la misma clase con ella.
 ■～생(生) condiscípulo, -la *mf*, compañero, -ra *mf* de clase. ～체(體)【물리】isolog

m. ¶~의 isologoso.

동기(冬期) invierno *m*, estación *f* invernal.

■~ 강습(회) curso *m* de(l) invierno, escuela *f* de(l) invierno. ~ 방학[휴가] vacaciones *fpl* de invierno. ~ 휴업(休業) descanso *m* de trabajo de invierno.

동기(同氣) hermanos *mpl*. 어린 ~가 있는 아이들 los niños que tienen hermanos [hermanas] menores.

■~간(間) entre los hermanos. ¶~의 적대(敵對) rivalidad *f* entre hermanos. ~지친(之親) afección *f* entre los hermanos.

동기(同期) ① [같은 시기] el mismo período, la misma época, período *m* correspondiente. ~의 del mismo período, de la misma época, del mismo año; sincrónico. 작년 ~에 en el período correspondiente del año pasado. 작년 ~와 관련해서 30퍼센트의 증가 incremento *m* de un treinta por ciento en relación con igual período del año pasado. 우리들은 ~이다 Somos de la misma promoción. ② 【물리】 sincronismo *m*. ~의 síncrono. ③ ((준말)) =동기생(同期生).

■~ 발전기(發電機) generador *m* sincrónico. ~ 변류기(變流機) 【전기】 =회전 변류기. ~ 복임신(複姙娠) 【생리】 superfecundación *f*. ~생(生) condiscípulo, -la *mf*, compañero, -ra *mf* de clase [promoción]. ~ 위성(衛星) satélite *m* geoestacionario, satélite *m* síncrono.

동기(動氣) =동계(動悸).

동기(動機) motivo *m*. …이 ~가 되어 motivado por *algo*. 범행의 ~는 돈이었다 El dinero fue el motivo del crimen / El crimen tenía por motivo el dinero.

■~론[설] 【철학】 motivismo *m*.

동기(童妓) *kisaeng f* muy joven, bailarina *f* joven.

동기(銅器) vasija *f* [utensilios *mpl*] de cobre.

■~류(類) cobres *mpl*. ~ 시대(時代) 【역사】 edad *f* de cobre.

동끊기다 ① [동안이 끊어지다] romper, ser interrumpido, hacer una pausa, detenerse. ② [뒤가 계속되지 못하고 끊어지다] dejar de + *inf*, ser parado, ser detenido.

동끼호떼(서 *Don Quijote*) ① 【문학】 El Quijote; [원제목] El ingenioso hidalgo don Quijote de la Mancha (라 만차 마을의 재치 있는 시골 양반 끼호떼). ② [현실을 무시한 공상적 이상가(理想家)] quijote *m*.

◆미겔 데 세르반떼스 사아베드라의 작품 (obra de Miguel de Cervantes Saavedra).

■~식(式) quijotismo *m*. ¶~의 quijotesco. ~으로 quijotescamente. ~형(型) quijotismo *m*, quijotería *f*, tipo *m* quijotesco. ¶~의 quijotesco.

동나다 acabarse, agotarse; [상품이] agotar, agotar las existencias (de). 우리들은 돈이 동났다 Nos hemos quedado sin dinero / Se nos ha acabado el dinero. (우리는) 빵이 동났습니다 No nos queda pan / Se nos ha agotado el pan. 붉은 것은 토요일에 벌써 동났습니다 El sábado ya se habían agotado los rojos / El sábado ya no quedaban en rojo. 그 물건은 동났습니다 No nos queda ese artículo / Ese artículo se ha agotado / Ese artículo está agotado. 나는 차를 끓이려고 갔으나 동나 버린 것을 알았다 Fui a hacer té, pero me encontré con que se nos había acabado.

동나무 leña *f* vendido por el haz [el atado].

동날(東-) =동경(東經).

동남(東南) ① [동쪽과 남쪽] el este y el sur. ② [남동(南東)] sudeste *m*, sureste *m*. ~의 sudeste, sureste, del sudeste, del sureste, sudoriental. ~ 으로, ~을 향하여, ~부에[로] hacia el sudeste, hacia el sureste, en dirección sudeste, en dirección sureste.

■~간(間) entre el este y el sur. ~동(東) estesudeste *m*. ~서북(西北) norte, sur, este y oeste. ~ 지방 sudeste *m*, sureste *m*, región *f* sudeste [del sudeste], región *f* sureste [del sureste]. ~풍(風) viento *m* (del) sudeste [sureste]. ~향(向) dirección *f* hacia el sudeste.

동남(童男) niño *m*, muchacho *m*.

■~동녀(童女) niño *m* y niña, niños *mpl*.

동남아(東南亞) 【지명】 ((준말)) =동남아시아.

동남아 방위 조약 기구(東南亞防衛條約機構) =동남아시아 조약 기구.

동남아시아(東南 Asia) 【지명】 el Sudeste de Asia, el Sudeste Asiático, el Asia del Sureste.

■~ 제국(諸國) países *mpl* del Sudeste de Asia, países *mpl* del Asia Sudoriental.

동남아시아 경제 개발 각료 회의(東南 Asia 經濟開 發閣僚會議) la Conferencia Ministerial para el Desarrollo Económico del Sudeste de Asia.

동남아시아 국가 연합(東南 Asia 國家聯合) la Asociación de Naciones del Sudeste de Asia, la Asociación de Naciones del Sureste Asiático, ASEAN *f*.

동남아시아 연합(東南 Asia 聯合) la Asociación del Sudeste de Asia.

동남아시아 제국 연합(東南 Asia 諸國聯合) =동남아시아 국가 연합.

동남아시아 조약 기구(東南 Asia 條約機構) la Organización del Tratado del Sudeste de Asia.

동남아 조약 기구(東南亞條約機構) =동남아시아 조약 기구(東南 Asia 條約機構).

동납월(冬臘月) noviembre *m* y diciembre del calendario lunar.

동내(洞內) [동네의 안] interior *m* de la aldea.

동내의(冬內衣) ropa *f* interior para el invierno.

동냥 ① mendiguez *f*, mendicidad *f*. ~하다 mendigar. ② ((불교)) limosna *f*. ~하다 pedir limosna.

■~아치 mendigo, -ga *mf*. ~자루 saco *m* para la mendiguez, saco *m* del mendigo. ~중 sacerdote *m* [monje *m*·bonzo *m*] budista mendicante. ~질 mendiguez *f*, mendicidad *f*. ¶~하다 mendigar, pedir limosna.

동네 aldea *f*, población *f* pequeña, pueblo *m* de corto vecindario. ~에서 멀리 떨어진 lejano de aldeas. 저희 ~에 오신 것을 환영합니다 Bienvenido a nuestra aldea.
동네방네 ㉮ [온 동네] toda la aldea, todo el pueblo. ㉯ [이 동네 저 동네 온통] todas las aldeas, todos los pueblos.
■ ~ㅅ집 casa *f* en la aldea.

동녀(童女) ① [계집아이] niña *f*, chica *f*, muchacha *f*. ② ((준말)) =동정녀(童貞女).

동년(同年) ① [같은 해] el mismo año. 2000년 1월과 ~ 6월에 en enero de 2000 y en junio del mismo año. ② [같은 나이] la misma edad. 나는 너와 ~이다 Soy de la misma edad que tú / Tengo el mismo año que tú. ③ =동방(同榜).
■ ~배(輩) los mismos años, la misma edad. ¶그는 나와 거의 ~이다 El tiene casi los mismos años que yo / El y yo tenemos casi los mismos años / Somos de la misma edad.

동녘(東-) este *m*. ~ 하늘이 밝아 온다 Alborea el cielo hacia el este / Alborea los cielos orientales.
■동녘이 훤하면 세상인 줄 안다 ((속담)) persona *f* estúpida y ignorante.

동뇌(凍餒) =동아(凍餓).

동단(東端) extremo *m* del este.

동당 =둥덩.
동당거리다 =둥덩거리다.
동당동당 =둥덩둥덩.

동당(同黨) ① [그 당] ese partido; [같은 한 당] el mismo partido. ② [한 동아리] el mismo grupo.

동당이(를) 치다 ① [힘차게 내던지다] lanzar fuerte. ② [하던 일을 결단코 그만두다] cesar (de), dejar de + *inf*.

동닿다 ① [끊이지 않고 이어지다] seguir sucesivamente. ② [조리(條理)가 맞다] (ser) razonable, lógico, justificable, relevante. 동닿지 않다 (ser) irrazonable, poco razonable, ilógico, incoherente, irrelevante.

동대(同大) el mismo tamaño, igualdad *f* del tamaño. ~하다 el tamaño es igual.

동대(銅帶) =탄대(彈帶).

동대구(凍大口) bacalao *m* congelado en el invierno.

동대다 ① [끊이지 않고 잇닿게 하다] seguir, continuar; [제공하다] enviar regularmente; [지불하다] pagar regularmente. 이자(利子)를 동대어 갚다 pagar el interés regularmente [puntualmente]. ② [새 물건이 나올 때까지 잇대서 떨어지지 않게 하다] durar, no agotarse. 연말(年末)까지 ~ no agotarse hasta el fin de año. ③ [앞뒤의 조리가 맞게 하다] hacer razonablemente [lógicamente].

동댕이치다 ① [힘차게 내던지다] tirar (a la basura), arrojar, lanzar. 화가 나서 책을 ~ arrojar [tirar] el libro con ira [con furia] (contra). ② [하던 일을 딱 잘라 그만두다] abandonar, dejar, renunciar. 일을 ~ abandonar el trabajo.

동덕(同德) ((천도교)) hermano, -na *mf*.

동도(同道) ① [같은 도] la misma provincia. ② [그 도] esa provincia; [이 도] esta provincia. ③ [동행(同行)] acompañamiento *m*. ~하다 acompañar, ir con [juntos], ir en compañía (con).

동도(東道) ① ((대종교)) [천산의 동쪽 지방] región *f* del este de la montaña *Baekdu*. ② ((대종교)) [동쪽의 길] camino *m* del este.

동도지(東桃枝) 【민속】 rama *f* del melocotonero hacia el este.

동독(東獨) 【지명】 ((준말)) =동독일(東獨逸).

동독일(東獨逸) 【지명】 la Alemania Oriental.

동동[1] [발을] pataleando. 발을 ~ 구르다 patear, patalear. 분해서 발을 ~ 구르다 patear [patalear] de despecho. 이제 와서 발을 ~ 굴러 보아야 소용없다 Ya de nada sirve el pataleo.
동동거리다 patear, patalear.

동동[2] ((준말)) =동실동실.

동동[3] =둥둥.

동동주(-酒) *dongdongchu*, licor *m* que flota los granos de arroz.

동두민(洞頭民) anciano, -na *mf* de la aldea.

동두부(凍豆腐) tofu *m* congelado, cuajada *f* de soja congelada.

동두철신(銅頭鐵身) persona *f* terca [tenaz · obstinada].

동두철액(銅頭鐵額) =동두철신(銅頭鐵身).

동둑(垌-) =동(垌).

동등(冬等) la cuarta de cuatro clasificaciones.

동등(同等) igualdad *f*. ~하다 (ser) igual, el mismo (que); [가치가 같은] equivalente; [같은 수준의] del mismo nivel. ~하게 igualmente, por igual, con igualidad, en igual término, al igual, equitativamente. ~한 권리(權利) igual derecho *m*, el mismo derecho, igualdad *f* de derechos. ~한 기회(機會) igualdad *f* de oportunidades. ~하게 하다 igualar, hacer nivelación. ~하게 되다 igualarse. 다른 산업과 ~하게 al igual que otras industrias. …와 ~한 조건으로 en igualdad de condiciones con *uno*. …과 ~하다 ser igual a *algo*. A를 B와 ~하게 취급하다 tratar A de la misma manera que B. …과 학력(學歷)이 ~하다 tener el mismo nivel de inteligencia que *uno*. 국가 원수와 ~한 대우를 받다 recibir el mismo tratamiento que un jefe de Estado. 이 시험으로 고졸(高卒)과 ~한 자격을 얻는다 Se convalida el título de bachiller con este examen. 그는 당신과 ~하다 [지위가] El es su igual. 내 사장님은 나를 자기와 ~하게 대한다 Mi jefe me trata como a su igual [como a un igual · de igual a igual]. 나는 그 사람과 경험과 재능이 ~하다 Yo tengo tanta experiencia y talento como él. 그녀는 젊은이와 노인을 ~하게 좋아한다 Ella gusta a los jóvenes y a los mayores por igual / Ella gusta tanto a los jóvenes

como a los mayores. 모든 사람은 교육에 ~한 권리를 가지고 있다 Todo el mundo tiene igual [el mismo] derecho a la educación. 우리 모두는 법(法) 앞에서 ~하다 Todos somos iguales ante la ley. 하나님 앞에서는 우리 모두가 ~하다 ((서반아 속담)) Ante Dios somos todos iguales.
▪ ~관(官) puesto *m* del mismo rango. ~권(權) igual derecho *m*, el mismo derecho.

동떨어지다 distar, estar lejos, estar alejado, alejarse, estar a lo lejos, estar distante, ser muy diferente. 사회에서 동떨어진 생활을 하다 vivir en completo aislamiento en la sociedad, vivir apartado en la sociedad. 원문(原文)의 뜻과 동떨어져 있다 Es muy diferente del sentido original. 이 번역은 원문의 의미와 동떨어져 있다 Esta traducción dista mucho [está muy lejos] del original. 내 성적은 그의 성적에 동떨어진다 Hay mucha diferencia entre mis notas y las suyas.
동떨어진 소리 comentarios *mpl* absurdos, comentarios *mpl* poco razonables.

동뜨다 ① [다른 것보다 훨씬 뛰어나다] (ser) superior, mucho mejor, extraordinario, excepcional. 동뜨게 extraordinariamente, excepcionalmente. 학급에서 성적이 ~ ser el mejor estudiante de la clase. 그는 키가 동뜨게 크다 El es excepcionalmente alto. ② [동안이 뜨다] estar lejos. 두 동네 사이가 동떠 있다 Las dos aldeas están lejos del uno al otro.

동라(銅鑼)【악기】gong *m*, gongo *m*, batitín *m* (*pl* batitines).

동락(同樂) acción *f* de divertirse juntos. ~하다 divertirse juntos, compartir *su* alegría (con).

동란(冬卵) =지속란(持續卵).

동란(動亂) disturbio *m*, tumulto *m*, alboroto *m*, confusión *f*, desorden *m* (*pl* desórdenes), motín *m* (*pl* motines), agitación *f*, [폭동(暴動)] rebelión *f*, sublevación *f*, [전쟁(戰爭)] guerra *f*. 국내의 ~ disturbio *m* internal [interno]. 세계적(世界的) ~ cataclismo *m* mundial [del mundo]. ~에 참여한 죄수들 los presos que participaron en el motín [en el amotinamiento]. ~이 일어나다 agitarse, disturbar en conmoción. ~을 일으키다 causar disturbios [desórdenes]; [죄수가] amotinarse. ~을 진압하다 sofocar [aplastar] los disturbios [los desórdenes]. 거리에서 ~이 있었다 Hubo disturbios [desórdenes] callejeros.
◆한국 ~ la Guerra Coreana, la Guerra de Corea, disturbio *m* en Corea.

동래(東來) venida *f* del este. ~하다 venir del este.

동량(棟樑) ① [기둥과 들보] el poste y la viga. ② ((준말)) =동량지재(棟樑之材). ¶ 장래의 국가 ~ líder *m* futuro del Estado.
▪ ~재(材) ((준말)) =동량지재(棟樑之材). ~지재(之材) gran habilidad *f*, pilar *m*.

동려(同侶) =반려(伴侶).

동력(同力) cooperación *f*.

동력(動力) ①【기계】potencia *f*, energía *f*, poder *m*, fuerza *f* motriz; [기관(汽罐)] motor *m*;【역학】fuerza *f* dinámica;【물리】momento *m* de fuerzas. ~의 공급(供給) suministro *m* de energía, fuente *f* de energía. ~으로 움직이는 accionado mecánicamente, motorizado. ② =원동력.
▪ ~ 경운기(耕耘機) =자동 경운기(自動耕耘機). ~계(計) dinamómetro *m*. ~ 공급 suministro *m* de energía, fuente *f* de energía. ~ 공급 연결기(供給連結器) conector *m* de alimentación. ~ 공급용 필터 filtro *m* para fuente de alimentación. ~기(機) =동력 기계(動力機械). ~ 기계(機械) máquina *f* de potencia. ~로(爐) reactor *m* de potencia. ~료(料) precio *m* de energía. ~ 사정(事情) condición *f* de energía. ~삽(鍤) pala *f* mecánica. ~선(船) lancha *f* a motor, lancha *f* de motor, lancha *f* motora, motora *m*. ~선(線) línea *f* de alto voltaje, electroducto *m*, línea *f* de energía. ~ 에너지 fuerza *f* viva, energía *f* cinética. ~용 원자로(用原子爐) reactor *m* de potencia. ~원(源) fuente *f* de energía. ~ 자원(資源) recursos *mpl* de energía. ¶한국 ~ 연구소 el Instituto de Recursos de Energía de Corea. ~ 자원부(資源部) el Ministerio de Recursos de Energía. ¶~ 장관 ministro, -tra *mf* de Recursos de Energía. ~ 장치(裝置) grupo *m* motor, grupo *m* turbomotor, planta *f* generadora, planta *f* motriz, central *f* de energía. ~차(車) coche *m* de energía, coche *m* de potencia. ~ 측정(測定) dinamometría *f*. ~ 측정법(測定法) dinamometría *f*. ~톱 sierra *f* mecánica. ~학(學) dinámica *f*. ~화(化) motorización *f*. ¶~하다 motorizar. ~화 부대 unidad *f* motorizada. ~ 회선(回線) circuito *m* de potencia, circuito *m* de energía.

동렬(同列) ① [같은 줄] la misma fila. ② [같은 수준이나 위치] el mismo nivel, la misma posición. A를 B와 ~로 취급하다 tratar A de la misma manera que B. ③ [같은 반열(班列)] el mismo rango.

동령(同齡) la misma edad.
▪ ~림(林) bosque *m* de la misma edad.

동로(凍露) escarcha *f* helada.

동로마 제국(東 Roma 諸國)【역사】el Imperio Romano Oriental.

동록(銅綠) verdín *m*, cardenillo *m*.
◆동록이 슬다 formar verdín.

동론(同論) la misma discusión.

동뢰(同牢) lo que los esposos comen juntos.

동뢰연(同牢宴) fiesta *f* [banquete *m*] de matrimonio.
▪ ~ 과부(宴寡婦) mujer *f* que se hizo viuda tan pronto como se casó, viudita *f*.

동료(同僚) colega *mf*, compañero, -ra *mf*, socio, -cia *mf*, camarada *mf*. 속마음을 이해할 수 없는 ~ extraño compañero *m*, extraña compañera *f*. 그는 나의 ~이다 El es mi colega [mi compañero].

동류(同流) ① [물의 같은 흐름] la misma corriente del agua. ② [같은 유파(流派)] la misma escuela. ③ [같은 유풍(流風)] el mismo estilo. ④ =동배 (同輩).

동류(同類) ① [동종(同種)] igual clase *f*, igual especie, la misma clase, la misma especie. ② [같은 무리] semejante *mf*, [공모자(共謀者)] cómplice *mf*. 그들은 모두 ~이다 Ellos todos son de la misma ralea [calaña].

■ ~ 상종(相從) Cada oveja con su pareja / Dios los cría y ellos se juntan. ~ 의식(意識) conciencia *f* de especie. ~ 의식설(意識說) teoría *f* de conciencia de especie. ~항(項) 【수학】 términos *mpl* semejantes.

동류(東流) el correr hacia el este. ~하다 correr hacia el este.

동륜(動輪) rueda *f* motriz.

동률(同率) la misma proporción, empate *m*.

동률(動律) 【음악】 =절주(節奏).

동리(洞里) ① [마을] aldea *f*. ② [동(洞)과 리(里)] *Dong* y *Ri*.

동리(凍梨) ① [언 배] pera *f* congelada. ② [노인의 피부색] color *m* de la cutis del viejo. ③ [90세의 노인] nonagenario, -ria *mf*, noventón, -tona *mf*.

동리군자(東籬君子) crisantemo *m*.

동마루(棟-) caballete *m* de un tejado.

동매 cuerda *f* [soga *f*] de paja.

동맥(動脈) arteria *f*, vaso *m* que lleva la sangre desde el corazón a las demás partes del cuerpo. ~의 arterial, arterioso. ~이 많은 arterioso, abundante en arterias.

◆ 소(小)~ arteriola *f*, arteríola *f*, arteria *f* pequeña. 대(大)~ aorta *f*.

■ ~관(管) conducto *m* arterial. ~관(冠) coronaria *f*. ~류(瘤) aneurisma *f*. ¶~의 aneurismático. ~압(壓) tensión *f* arterial. ~염(炎) arteritis *f*, inflamación *f* de las arterias. ~ 절개술(切開術) arteriotomía *f*, arterectomía. ~ 절제술 arterectomía *f*. ~학(學) arteriología *f*. ~ 해부학(解剖學) arteriología *f*. ~혈(血) sangre *f* roja, sangre *f* arterial. ¶~로 바꾸다 arterializar, transformar la sangre venosa en sangre arterial en los pulmones. ~은 정맥혈보다 더 붉다 La sangre arterial es más roja que la venosa. ~ 혈전(血栓) trombo *m arterial*. ~ 협착(狹窄) *arteriostenosis f*, arteriarctia *f*. ~ 확장(擴張) arteriectasia *f*.

동맹(同盟) alianza *f*, liga *f*, unión *f*, confederación *f*. ~하다 ligarse, aliarse, confederarse, unirse (a), formar una alianza. …과 ~하여 en alianza con *uno*.

◆ 노동(勞動) ~ sindicato *m* de trabajadores. 만국 우편 ~ la Unión Postal Universal. 한미(韓美) ~ la Alianza Coreano-Estadounidense.

■ ~국(國) países *mpl* aliados, potencias *fpl* aliadas, los Aliados. ~군(軍) fuerzas *fpl* aliadas, ejércitos *mpl* aliados, los aliados. ~자(者) aliado, -da *mf*. ~ 조약(條約) tratado *m* [pacto *m*] de alianza. ¶~을 맺다 concluir un pacto de alianza [pactar una alianza] (con un país). ~ 태업(怠業) sabotaje *m*, saboteo *m*. ¶~하다 sabotear. ~ 태업자(怠業者) saboteador, -dora *mf*. ~ 파공(罷工) =스트라이크. ~ 파업(罷業) huelga *f*, paro *m*, huelga *f* de obreros. ¶~하다 hacer huelga, parar el trabajo, declararse en huelga. ~ 중이다 estar en [de] huelga, *AmL* estar en [de] paro. 임금 인상을 요구하면서 ~에 들어갔다 Se han declarado en huelga reclamando el aumento del sueldo. ~ 파업자 huelganista *mf*, huelguista *mf*. ~ 휴교[휴학] huelga *f* de estudiantes. ¶~하다 hacer huelga, declararse en huelga. ~ 중이다 estar en [de] huelga, *AmL* estar en [de] paro. ~ 휴교자(休校者) huelguista *mf*. ~ 휴교 파괴자 rompehuelgas *mf.sing.pl*. ~ 휴업(休業) ㉮ =동맹 파업(同盟罷業). ㉯ = 동맹 휴교.

동메달(銅-) medalla *f* de bronce [de cobre].

동면(冬眠) hibernación *f*, sueño *m* hibernal, adormecimiento *m* invernal, invernada *f*, encierro *m* de invierno. ~하다 hibernar, invernar, pasar el invierno, confinarse durante el invierno. ~의 hibernante. ~ 중이다 estar en hibernación. ~에 들어가다 entrar en estado de hibernación.

■ ~ 동물(動物) animal *m* hibernante, animal *m* invernante. ~ 마취(痲醉) =저온 마취(低溫痲醉). ~ 요법(療法) terapia *f* hibernante.

동면(東面) ① [(앞면이) 동쪽으로 향한 면] lado *m* hacia el este. ② [동쪽에 있는 면] lado *m* en el este.

동명(同名) el mismo nombre. ~의 del mismo nombre.

■ ~ 이물(異物) homónimo *m*. ~ 이인(異人) homónimo, -ma *mf*, tocayo, -ya *mf*. ~인(人) tocayo, -ya *mf*.

동명(洞名) nombre *m* de la aldea, nombre *m* de *Dong*.

동명사(動名詞) 【언어】 gerundio *m*.

동명수(同名數) hombre *m* del mismo número.

동명태(凍明太) abadejo *m* congelado.

동모(同謀) conspiración *f*. ~하다 conspirar.

■ ~자(者) conspirador, -ra *mf*.

동모란(冬牧丹) 【식물】 peonía *f* invernal.

동목(冬木) árbol del que caen las hojas en el invierno.

동몽(童蒙) niño, -ña *mf*, chico, -ca *mf*, muchacho, -cha *mf*.

동몽(艟艨) =병선(兵船).

동무 ① [늘 친하게 함께 어울려 노는 사람] amigo, -ga *mf*. ~가 되다 hacerse amigo. ~가 없다 no tener amigo. ② [동지(同志)] compañero, -ra *mf*, camarada *m*. ~해서 갑시다 Vamos juntos.

■ ~ 장사 negocio *m* asociado.

동무(童舞) baile *m* de los infantes.

동문(同文) ① [같은 글·문장] la misma escritura, el mismo contenido, el mismo texto. ② ((준말)) = 동문 전보(同文電報).

■ ~동궤(同軌) ((준말)) =거동궤서동문. ~ 동종(同種) la misma letra y la misma raza. ~ 전보(電報) telegrama *m* del mismo contenido [texto]. ¶~를 치다 poner un telegrama del mismo contenido [texto]. ~ 통첩(通牒) nota *f* idéntica, nota *f* circular.

동문(同門) ① [같은 학교나 같은 스승 밑에서 배움 또 그 동무] estudio *m* con el mismo maestro; compañero, -ña *mf* de estudios; discípulo, -la *mf* de estudios; compañero, -ra *mf* de clase; [졸업생] ex-alumno, -na *mf*. 우리는 같은 학교를 나온 ~이다 Nosotros fuimos a la misma escuela / Nosotros somos compañeros de estudios. ② [같은 종파(宗派). 또 그 사람] la misma secta *f*; [사람] sectario, -ria *mf*.

■ ~ 동학(同學) =동문 수학(同文修學). ~생(生) discípulo, -la *mf* de la misma escuela; discípulo, -la *mf* de estudios; compañero, -ra *mf* de clase. ~ 수업(修業) =동문 수학(同門修學). ~ 수학(修學) estudio *m* bajo el mismo maestro. ¶~하다 estudiar bajo el mismo maestro. ~회(會) la Asociación de Ex-alumnos.

동문(東門) puerta *f* en [hacia] el este.

동문(洞門) ① [동굴의 입구] entrada *f* de la cueva. ② [동네 입구에 세운 문] puerta *f* en la entrada de la aldea.

동문서답(東問西答) respuesta *f* [contestación *f*] irrelevante [intrascendente · incoherente · muy garrafal]. ~하다 responder [contestar] irrelevantemente [intrascendentemente · incoherentemente · con incoherencia · de manera incoherente].

동물(動物) animal *m*; [집합적으로 한 시대나 한 지방의] fauna *f*. ~의 animal. ~ 모양의 zooide.

■ ~ 검역(檢疫) cuarentena *f*, inspección *f* médica de los animales. ~계(界) reino *m* animal. ~ 계통학(系統學) zootaxia *f*. ~ 공원(公園) parque *m* zoológico. ~ 공포(恐怖) zoofobia *f*. ~ 공포증(恐怖症) zoofobia *f*. ~ 구조학(構造學) zoofísica *f*. ~권(權) derechos *mpl* de los animales. ~극(極) polo *m* animal. ~ 기생체(寄生體) zooparásito *m*. ~ 문학(文學) literatura *f* animal. ~ 바탕 =동물질(動物質). ~ 발생론(發生論) zoogenia *f*, zoogonía *f*. ~ 배우자(配偶者) zoogameto *m*. ~ 번식학(繁殖學) teriogenología *f*. ~ 병리학(病理學) zoopatología *f*. ~병 분류학(病分類學) zoonosología *f*. ~ 분류학(分類學) zootaxia *f*, taxonomía *f* zoológica. ~ 분포(分布) distribución *f* zoológica. ~ 사육법(飼育法) zootecnia *f*. ~ 사육자(飼育者) zootécnico, -ca *mf*. ~ 사육장(飼育場) vivario *m*. ~상(相) fauna *f*. ~ 생리학(生理學) zoofisiología *f*, fisiología *f* animal. ~ 생식(生殖) zoogénesis *f*, zoogenia *f*, zoogonía *f*. ¶~의 zoógeno. ~ 생태학(生態學) zoonomía *f*, zooecología *f*. ~ 섬유(纖維) fibra *f* animal. ~성(性) animalidad *f*; [수성(獸性)] estado *m* de animal. ¶~의 animal. ~성 기름 =동물유(動物油). ~성 단백질 proteína *f* animal. ~성 독소(性毒素) zootoxina *f*. ~성 섬유(性纖維) fibra *f* animal. ~성 식품(性食品) comida *f* animal. ~성유(油) =동물유(動物油). ~성 지방(性脂肪) grasa *f* animal. ~ 세포(細胞) zooblasto *m*, célula *f* animal. ~ 숭배(崇拜) zoolatría *f*, adoración *f* de animal. ¶~의 zoolátrico, zoolátra. ~ 숭배자(崇拜者) zoólatra *mf*. ~숯 carbón *m* (*pl* carbones) animal. ~ 시험[실험] examen *m* animal. ¶~을 하다 ensayar con animales. ~ 심리학(心理學) zoopsicología *f*, psicología *f* animal. ~애(愛) =동물 애호. ~ 애호(愛護) zoofilismo *m*. ~ 애호가 aficionado, -da *mf* del animal. ~ 애호 협회(愛護協會) la Asociación [la Sociedad] Protectora de Animales. ~ 약리학(藥理學) zoofarmacología *f*. ~ 역학(力學) zoodinámica *f*. ~ 예방(豫防) zooprofilaxis *f*. ~ 우화(寓話) fábula *f* animal. ~원(園) parque *m* zoológico, jardín *m* zoológico, zoo *m*. ~유(油) aceite *m* animal. ~ 유지(油脂) =동물유(動物油). ~ 유행병(流行病) epizootia *f*, enfermedad *f* epizoótica. ¶~의 panzoótico. ~ 유행병학 epizoología *f*, epizootiología *f*. ~ 이식(移植) injerto *m* animal. ~ 자기(磁氣) zoomagnetismo *m*, magnetismo *m* animal. ~적(的) animal *adj*. ¶~ 본능(本能) instinto *m* animal. ~ 전기(電氣) electricidad *f* animal. ~ 전분(澱粉) zooamilina *f*. ~ 전염병학(傳染病學) epizootiología *f*. ~ 조직(組織) tejido *m* animal. ~ 조직 이식(組織移植) zooplastia *f*. ~주의(主義) =야수주의(野獸主義). ~증(症) zoosis *f*. ~지(誌) zoografía *f*, fauna *f*. ~지 학자(誌學者) zoógrafo, -fa *mf*. ~ 지리학(地理學) zoogeografía *f*. ~질(質) natural *m* animal. ~질 비료(質肥料) abono *m* animal. ~질 요법(質療法) sarcoterapéutica *f*. ~ 질환(疾患) zoonosis *f*. ~체(體) ㉮ [동물의 몸] cuerpo *m* animal. ㉯ =동물(動物). ~ 측정학(測定學) zoometría *f*. ~탄(炭) =동물숯. ~ 편모충류(鞭毛蟲類) zoomastigofora *f*. ~ 플랑크톤 zooplancton *m*. ~학(學) zoología *f*. ¶~의 zoológico. ~ 학대(虐待) crueldad *f* de animales. ~ 학대 방지회(虐待防止會) Sociedad *f* Protectora de Animales. ~ 학자(學者) zoólogo, -ga *mf*. ~ 해부(解剖) zootomía *f*. ¶~의 zootómico. ~ 해부자(解剖者) zootomista *mf*. ~ 해부학(解剖學) zootomía *f*. ~ 형상(形相) zoomorfismo *m*. ¶~의 zoomorfo. ~ 호르몬 zoohormón *m*. ~화(化) animalización *f*. ¶~하다 animalizar. ~되다 ser animalizado. ~화(畵) pintura *f* animal. ~ 화가(畵家) pintor, -tora *mf* animal. ~화 망상(化妄想) zoantropía *f*. ~화 망상증 환자 zoántropo, -pa *mf*. ~ 화석(化石) zoolito *m*. ~ 화학(化學) zooquímica *f*. ~ 환시(幻視) zoopsia *f*.

동민(洞民) habitante *mf* de *Dong*, habitante *mf* del barrio [de la aldea].

동바리 ①【건축】columna *f* corta. ②【광

산】[갱목] entibo *m.* ③【건축】=동자 기둥.

동반(同伴) acompañamiento *m.* ~하다 acompañar, ir juntos, ir en compañía (de), ir con. …을 ~해 con *uno,* compañado por *uno,* en compañía de *uno.* 부인 ~으로 en compañía de *su* esposa, con *su* esposa, acompañando por [de] *su* esposa. 그는 가족을 ~하고 왔다 El vino con su familia.

■ ~자(者) acompañador, -dora *mf,* acompañante *mf,* compañero, -ra *mf.*

동반(同班) ① [같은 반] la misma clase. ② =동렬(同列).

동반(東班)【역사】=문관(文官).

동반(銅盤) bandeja *f* de cobre.

동반구(東半球) hemisferio *m* este.

동반장(洞班長) jefe, -fa *mf* de Dong y Ban.

동발 ① =지겟다리. ②【건축】【광산】=동바리.

동발(銅鈸)【악기】=제금(提琴).

동방(同邦) el mismo país.

동방(同房) el mismo cuarto, la misma habitación.

동방(東方) ① [동쪽] este *m,* oriente *m,* levante *m.* ~의 (del) este, oriental, ortivo. ② [동부 지역] región *f* (del) este, región *f* oriental.

■ ~ 교회(敎會) ((기독교)) =그리스 정교회. ~ 박사(博士) los tres Reyes Magos. ~예의지국(禮儀之國) Corea. ~예의지방(禮儀之邦) =동방예의지국.

동방(東邦) ① [동쪽의 나라] país *m* (*pl* países) (del) este, país *m* oriental. ② [우리 나라] nuestro país, Corea.

동방(洞房) ① [침실] dormitorio *m,* alcoba *f.* ② ((준말)) =동방화촉(洞房華燭).

■ ~화촉(華燭) ceremonia *f* de dormir en la habitación de *su* novia por la noche nupcial después de las bodas. ¶~을 밝히다 dormir [acostarse] en la habitación de *su* novia por la noche nupcial después de las bodas. 동방화촉 노(老)도령이 숙녀 만나 즐거운 일 ((속담)) lo que se alegra mucho.

동방견문록(東方見聞錄)【책】El libro de Marco Polo.

동방구리 tinaja *f* panzuda.

동방 무역(東方貿易) comercio *m* oriental.

동방 문제(東方問題) problema *m* oriental.

동배(同輩) igual *mf,* camarada *mf,* compañero, -ra *mf,* colega *mf.* ~로 취급하다 tratar a *uno* de igual a igual.

■ ~간(間) entre los camaradas, entre los compañeros, entre los amigos. ¶우리는 ~이다 Somos iguales [amigos].

동백(冬柏) ① [동백나무의 열매] fruto *m* de camelia. ② =동백나무.

■ ~기름[유] aceite *m* de camelia. ~꽃[화] (flor *f* de) camelia *f.*

동백나무(冬柏一)【식물】camelia *f.*

동백하(冬白蝦) camarón *m* pequeño en el invierno.

■ ~젓 camarones *mpl* a base de encurtidos en la sal.

동법(同法) ① [같은 방법] el mismo método. ② [같은 법률] la misma ley.

동변(東邊) ① [동편(東便)가] borde *m* del este. ② [동쪽] este *m,* oriente *m,* levante *m.*

동변(童便)【한방】orina *f* del niño de menos de doce años de edad.

동병(同病) la misma enfermedad.

■ ~상련(相憐) simpatía *f* mutua, reciprocidad *f.* ¶~하다 Quienes de la misma enfermedad padecen, se compadecen / Los que sufren la misma enfermedad se compadecen mutuamente / Compañeros de sufrimientos se compadecen mutuamente. 가난한 사람은 ~이다 Los pobres deben ayudarse (mutuamente).

동병(凍餠) *teok* [pan coreano] congelado.

동병(動兵) mobilización *f* militar. ~하다 mobilizar (el ejército).

동보(洞報) informe *m* de la aldea a la oficina gubernamental.

동복(冬服) ropa *f* [traje *m*·vestido *m*] invernal [para invierno·de invierno].

동복(同腹) nacimiento *m* uterino; [사람] niño *m* uterino [nacido de la misma madre].

■ ~ 누이 hermana *f* uterina. ~ 동생(同生) hermano *m* (menor) uterino. ~ 아우 hermano *m* (menor) uterino. ~ 자매(姉妹) hermanas *fpl* uterinas. ~ 형제(兄弟) hermanos *mpl* uterinos.

동복(僮僕/童僕) esclavo *m.*

동본(同本) familia *f* ancestral, origen *m* familiar.

동봉(同封) adjunción *f,* [동봉물] adjunto *m,* incluso *m;* [동봉 서류] carta *f* adjunta [incluida], formulario *m* adjunto [que se adjunta·que se acompaña]. ~하다 adjuntar, acompañar; [동봉해서 보내다] incluir. ~의 adjunto, incluso, acompañado, contenido, bajo cubierta, que se adjunta, que (se) acompaña. ~으로 en la presente (carta), en la misma carta. 견본을 ~해 보내다 remitir adjunta una muestra. 본서(本書)에 ~하다 adjuntar con la presente. 어음을 ~하여 보내다 enviar junta la letra. …의 ~ 송장(送狀)을 받으실 겁니다 Adjunta encontrará usted la factura de *algo.* 견본이 ~되어 있습니다 Va adjunta una muestra. 복사를 ~합니다 Adjunto una copia / Le remito adjunta una copia. 송장을 ~합니다 Una factura va adjunta. 귀사(貴社)에 송장[견본]을 ~합니다 Les adjuntamos una factura [una muestra]. 본 서신에 ~합니다 Nos tomamos la libertad de incluirle a usted en la presente. ~한 서식(書式)(의 빈칸)을 채워 주십시오 Sírvase rellenar el formulario adjunto que se adjunta·que se acompaña]. ~ 송장에 의해 아리랑호 편으로 기계류를 선적했습니다 Según factura inclusa, he cargado en el vapor Arirang la maquinaria. 선적 증권 및 잡비 계정서가 ~되어 있습니다 Van adjuntos el conocimiento de embarque y mi cuenta de gastos. 서류 세 통 ~(함) Tres inclusas.

◆사진 ~ 편지 carta *f* acompañada de un foto, carta *f* adjunta a una foto.

■~ 메모 adjunto *m* volante. ~물(物) incluso *m*, adjunto *m*. ~ 주문서(注文書) nota *f* de pedido inclusa. ~ 편지(便紙) carta *f* adjunta, carta *f* inclusa.

동봉(動蜂)【곤충】=일벌.

동봉(銅棒) barra *f* de cobre.

동부【식물】=광저기.

동부(東部) parte *f* este, parte *f* oriental.

■~전선(戰線) frente *f* de batalla oriental.

동부(胴部) [신체의] cuerpo *m*, tronco *m*; [상반신(上半身)] medio cuerpo *m* de arriba; [의복의] cuerpo *m*; [악기의] caja *f*; [흉갑(胸甲)] plastrón *m* (*pl* plastrones), pechera *f*; [선박(船舶)의] casco *m*. ~가 길다 [짧다] ser largo [corto] de (medio) cuerpo (de arriba). ~가 두텁다 tener el cuerpo grueso. ~가 호리호리하다 tener el cuerpo delgado, tener un tallo esbelto. ☞동체(胴體)

동부(動部) parte *f* movedora.

동부(銅斧) el hacha *f* (*pl* las hachas) de cobre.

동부동(動不動) sin falta. 차표를 끊었으니 ~ 오늘 갈 수밖에 Sin falta debo ir, que saqué el billete.

동부새(東－) viento *m* (del) este.

동부인(同夫人) acompañamiento *m* con *su* esposa. ~하다 acompañarse con [de] *su* esposa.

동북(東北) ① [동쪽과 북쪽] el este y el norte. ② [북동(北東)] nordeste *m*, noreste *m*. ~의 nordeste, noreste, del nordeste, del noreste, nororiental. ~으로 hacia el nor(d)este, en dirección nor(d)este.

■~간(間) la dirección entre el este y el norte. ~방(方) nordeste *m*, noreste *m*. ~지방(地方) nordeste *m*, noreste *m*, distrito *m* nordeste, comarca *f* nordeste, región *f* nordeste, provincias *fpl* nordestes. ~쪽 nordeste *m*, noreste *m*. ~풍(風) lesnordeste *m*, temporal ventarrón *m* del nordeste, viento *m* del nor(d)este. ~향(向) dirección *f* hacia el nordeste.

동북동(東北東) estenordeste *m*.

■~풍(風) (viento *m* del) estenordeste *m*.

동북미동(東北微東) nor(d)este *m* cuarta al este.

동북미북(東北微北) nor(d)este *m* cuarta al norte.

동북아시아(東北 Asia)【지명】el Asia Nordeste.

동분(同分) igual división *f*. ~하다 dividir igualmente.

동분리(同分利) igual división *f* de la ganancia. ~하다 dividir la ganancia igualmente.

동분모(同分母) el mismo denominador.

동분서주(東奔西走) paseo *m* sin rumbo fijo, vagancia *f* por las calles. ~하다 andar ocupado de un lado a otro, ocuparse de ir desde un lugar a otro, pasear sin rumbo fijo, vagar por las calles, patear.

동붕(同朋) amigo *m* (íntimo), amiga *f* (íntima).

동빙(凍氷) =결빙(結氷).

■~가절(可折) El carácter del hombre también cambia según la corriente de la época. ~한설(寒雪) el hielo helado y la nieve fría, el frío severo.

동사(同社) ① [같은 회사] la misma compañía. ② [그 회사] esa compañía.

동사(同舍) la misma residencia.

동사(同事) =동업(同業).

동사(東史) historia *f* de Corea.

동사(凍死) muerte *f* de [por el] frío. ~하다 morir(se) de frío. 지난 밤에 한 거지가 거리에서 ~했다 Un mendigo (se) murió de frío en la calle anoche.

■~자(者) muerto, -ta *mf* de frío.

동사(動詞)【언어】verbo *m*. ~의 verbal.

◆자(自)~ verbo *m* intransitivo. 재귀(再歸) ~ verbo *m* reflexivo. 타(他)~ verbo *m* transitivo.

■~구(句)【언어】frase *f* verbal. ~ 활용(活用) conjugación *f* del verbo. ¶~하다 conjugar el verbo.

동사(銅絲) alambre *m* (delgado) de cobre.

동사무소(洞事務所) oficina *f* de *Dong* [un barrio · una aldea]. ☞동(洞)

동산(東山) ① [마을 앞이나 뒤에 있는 자그마한 산] montecillo *m* (cerca de la aldea) ② [큰 집의 울안에 풍치로 만들어 놓은 작은 언덕이나 숲] jardín *m* (*pl* jardines).

■~바치 jardinero, -na *mf*.

동산(動産) bienes *mpl* muebles, bienes *mpl* mobiliarios, propiedad *f* movible. ~의 mobiliario.

◆부(不)~ bienes *mpl* raíces, bienes *mpl* inmuebles.

■~ 차압(差押) embargo *m* (de bienes muebles).

동산(童山) monte *m* desolado sin plantas e hierbas.

동산(銅山) mina *f* de cobre.

■~ 금혈(金穴) recursos *mpl* inagotables.

동살(東－) rayos *mpl* débiles del alba, sol *m* débil del amanecer.

◆동살(이) 잡히다 el cielo ponerse blanco rompiendo el alba, el cielo este ponerse gris. 동살이 잡히기 시작했다 El cielo este se pone gris gradualmente / El alba comenzó a blanquear el cielo.

동삼(冬三) ① [겨울] invierno *m*. ② =동삼삭(冬三朔).

동삼(童蔘) ((준말)) =동자삼(童子蔘).

동삼삭(冬三朔) tres meses del invierno: octubre, noviembre y diciembre del calendario lunar.

동상(同上) ídem, como el anterior, lo mismo (que arriba), indicado.

동상(同床/同牀/同廂) su nuevo yerno.

■~각몽(各夢) =동상이몽(同床異夢). ~이

몽(異夢) ㉮ [기거(起居)를 함께 하면서 서로 다른 생각을 함] acción *f* de pensar diferentemente viviendo juntos. ㉯ [같은 입장·일인데도 목표가 저마다 다름] objetivo *m* diferente en la misma situación.

동상(東上) salida *f* del este. ~하다 salir del este.

동상(東床/東牀/東廂) *su* nuevo yerno, *su* nuevo hijo político.

■ ~례(禮) servicio *m* de la comida a los aldeanos y los amigos en la casa de la novia. ¶~하다 servir la comida a los aldeanos y los amigos en la casa de la novia.

동상(凍傷) sabañón *m*, inflamación *f* acompañada de comezón causada por el frío, quemadura *f* por el frío, congelación *f*. ~에 걸린 congelado; 【식물】 quemado. ~에 걸리다 tener un sabañón, ser congelado, ser quemado. 그는 손에 ~이 걸려 있다 El tiene las manos heladas [quemadas] por el frío.

■ ~ 식물(植物) planta *f* quemada (por el frío). ~자(者) persona *f* que tiene un sabañón, persona *f* congelada, caso *m* de congelación [sabañón].

동상(銅像) estatua *f* de bronce. ~을 세우다 erigir [levantar·elevar] una estatua (de bronce) (a *uno*·en honor de *uno*). 전몰자(戰歿者)를 위해 ~을 세웠다 Levantaron [Erigieron] la estatua (de bronce) a los caídos.

동상전(東床廛) [지난날의] tienda *f* de mercaderías misceláneas (que está detrás del Campanario de *Chonggak* en *Chongro*, Seúl.

동색(同色) ① [같은 빛깔] el mismo color. ② [같은 당파의 동아리] grupo *m* del mismo partido, la misma facción.

■ 가재는 게 편이요, 초록(草綠)은 동색이라 ((속담)) Cada oveja con su pareja / Dios los cría y ellos se juntan.

동색(銅色) color *m* cobre, color *m* cobrizo, color *m* cobreño. ~의 cobrizo.

■ ~ 인종(人種) raza cobriza.

동생(同生) ① [아우와 손아랫누이] hermano, -na *mf* menor. ② [함께 삶] cohabitación *f*, covivienda *f*. ~하다 cohabitar, covivir.

■ ~공사(共死) acción *f* de compartir la misma suerte con otros. ¶~하다 compartir la misma suerte con otros, estar en la misma situación. 우리는 모두 ~의 운명이다 Todos estamos en la misma situación.

동서(同書) el mismo libro, dicho libro *m*; [같은 작품] la misma obra; [그 책] ese libro; [문제의 책] libro *m* en cuestión. ~에서 인용(引用) Ibídem, ibíd.

동서(同棲) [동거(同居)] cohabitación *f*, covivienda *f*, concubinato *m*. ~하다 cohabitar, convivir, vivir juntos, vivir de concubinato. 부부로서 ~하다 vivir juntos como marido y mujer.

■ ~ 생활(生活) covivienda *f*. ~자(者) conviviente *mf*. ☞동거인(同居人)

동서(同壻) cuñado, -da *mf*; concuñado, -da *mf*; hermano *m* político, hermana *f* política.

◆ 맏~ cuñado, -da *mf* mayor.

■ ~간(間) relación *f* de cuñados; [부사적] entre los cuñados.

동서(東西) ① [동쪽과 서쪽] el este y el oeste. 이 강(江)은 도시를 ~로 관통하고 있다 Este río atraviesa la ciudad de este y oeste. ② [동양과 서양] el Oriente y el Occidente. ③ [동서 양진영(兩陣營)] el Oeste y el Este, el campo occidental y el campo comunista.

◆ 동서를 모른다 ㉮ [영문을 모른다] no saber el porque [la razón]. ㉯ [앞뒤를 분간할 줄 모르다] no pensar las consecuencias.

■ ~고금(古今) en cualquier lugar, siempre. ~남북(南北) ㉮ [동쪽·서쪽·남쪽·북쪽, 곧 사방] puntos cardinales; norte, sur, este y oeste; ((성경)) norte, sur, oriente y occidente; oriente, occidente, norte y sur. ㉯ [동서와 남북] el este y el oeste, y el sur y el norte. ~ 대취(貸取) =동추서대(東推西貸). ~ 무역(貿易) comercio *m* entre el Oeste y el Este ~분주(奔走) =동분서주(東奔西走). ~불변(不辨) ignorancia *f* completa [absoluta·total].

동서양(東西洋) el Oriente y el Occidente.

동석(同席) ① =동석차(同席次). ② [자리를 같이 함] presencia *f* delante de otro [otros]. ~하다 sentarse a la misma mesa (que *uno*), presenciar. 나는 그녀와 ~해서 기뻤다 Yo gocé enormemente de su compañía en la reunión.

■ ~자(者) los presentes. ¶~ 일동(一同) todos los presentes; [회식자(會食者)] todos los comensales. ~차(次) la misma posición, la misma clasificación; [좌석의] orden *m* de asientos.

동석(凍石) 【광물】 esteatita *f*.

동선(冬扇) ((준말)) =동선하로(冬扇夏爐).

■ ~하로(夏爐) el abanico en el invierno y el brasero en el verano, cosa *f* inútil inoportuna.

동선(同船) ① [같은 배] el mismo barco [buque]. ② [배를 같이 탐] embarque *m* [viaje *m*] en el mismo barco. ~하다 embarcar [viajar] en el mismo barco (que *uno*).

동선(銅線) alambre *m* conductor, cable *m* conductor, alambre *m* de cobre.

동설(同說) la misma opinión, el mismo dictamen. ~이다 ser de la misma opinión.

동설(銅屑) polvo *m* de cobre.

동섬서홀(東閃西忽) acción *f* de recorrer apresuradamente aquí y allá.

동성(同性) ① [같은 성질(性質)] el mismo carácter. ② [(남녀·암수의) 같은 성] el mismo sexo, homogeneidad *f*. ~의 del mismo sexo, homosexual, homogéneo.

■ ~애(愛) homosexualidad *f*, [여성간의] lesbianismo *m*. ~애자(愛者) homosexual *mf*, sodomita *m*; lesbiana *f*. ~ 연애(戀愛) amor *m* homosexual, amor *m* homogéneo, homosexualidad *f*. ~체(體) =동위 원소(同位元素).

동성(同姓) el mismo apellido, el mismo nombre familiar.

■~ 동명(同名) el mismo apellido y el mismo nombre, el mismo nombre con el mismo apellido. ~ 동본(同本) el mismo origen familiar con el mismo apellido. ~ 불혼(不婚) prohibición *f* matrimonial entre los consanguíneos. ~ 이인(異人) personas *fpl* diferentes del mismo nombre. ~ 할머니 *su* abuela, madre *f* de *su* padre. ~ 할아버지 *su* abuelo, padre de *su* padre. ~혼(婚) matrimonio *m* entre los consanguíneos.

동성(同聲) ① [같은 목소리] la misma voz; [같은 의견·견해] la misma opinión. ② =단성(單聲).

■~ 합창(合唱)【음악】=단성 합창(單聲合唱).

동성(銅星) emblema *m(f)* estrellar de cobre.

동성명(同姓名) =동성 동명(同姓同名).

동소(同所) ① [같은 장소] el mismo lugar [sitio], la misma dirección. ② [그 장소] ese lugar [sitio]; [앞서 말한 장소] el lugar mencionado arriba. ~에 [상기 인용문 중에] en el lugar citado.

동소(同素) ① [같은 소질(素質)] la misma disposición. ②【화학】el mismo elemento.

■~체(體)【화학】alotropía *f*.

동소(洞訴) pleito *m* de la aldea.

동소임(同所任) el mismo cargo.

동속(同俗) la misma costumbre.

동속(同屬) la misma familia.

동수(同數) el mismo número. 찬반 ~이다 Hay tantos pros como contras. 양팀은 ~이다 Los dos equipos son iguales en números. A는 B와 ~의 선수를 보낸다 A envía el mismo número de jugadores que B.

동수(洞首) =동장(洞長).

동수(童竪/僮竪) chico *mf* de los mandados, mandadero, -ra *mf*, mensajero, -ra *mf*.

동수어(凍秀魚) =동숭어.

동숙(同宿) vivienda *f* [hospedería *f*] en el mismo hotel. ~하다 alojarse en el mismo hotel (que *uno*), hospedarse en el mismo hotel (con *uno*); [하숙집에] alojarse en la misma pensión (que *uno*). …와 한 방에 ~하다 compartir la habitación con *uno*.

~자(者) compañero, -ra *mf* de hotel [de pensión]; inquilino, -na *mf* del mismo hotel [de casa de huéspedes · de casa de pupilos].

동승(同乘) acción *f* de tomar [montar] en el mismo coche [en el mismo tren]. ~하다 subir en el mismo coche, ir montado en un mismo coche [automóvil].

동승(童僧) =동자(童子)중.

동시(同時) el mismo tiempo, la misma época, el mismo período. ~의 simultáneo, sincrónico; [병발의] concurrente, contemporáneo, coetáneo. ~에 하다 simultanear. 나의 질문과 그의 대답은 거의 ~였다 Mi pregunta y su respuesta fueron casi simultáneas. 동시에 al mismo tiempo, a la vez, simultáneamente. ¶~ 일어나다 ocurrir al mismo tiempo, concurrir (con), sincronizar (con). ~ 두 가지의 일을 하다 hacer dos trabajos simultáneamente [a la vez]. 대담한 ~ 세심하다 ser tan intrépido como prudente. ~ 두 개의 행동을 하는 것은 곤란하다 Es difícil ejecutar dos acciones simultáneas. 나는 그녀와 ~ 출발했다 Yo salí al mismo tiempo que ella. 두 사람은 ~ 골인했다 Los dos alcanzaron [llegaron a] la meta al mismo tiempo. 그는 현상을 설명하고 ~ 방침을 제기했다 El explicó la situación del momento, y al mismo tiempo propuso la dirección a tomar. 이 영화는 재미있고 ~ 교육적이다 Esta película es interesante e instructiva a la vez [tan instructiva como interesante]. 그 소식을 들음과 ~ 그녀는 기절했다 No bien oyó esa noticia, ella se desmayó. 자동차는 편리하지만 ~ 위험하다 Los vehículos son útiles, pero, al mismo tiempo [por otra parte], peligrosos. 이 두 가지 음식을 ~ 먹으면 탈이 난다 Estos dos alimentos, comidas a la vez, hacen mal a estómago. 그는 작가인 ~ 가수이다 El es cantante y escritor a la vez. 나는 그녀에게 매력을 느끼는 ~ 반발을 느낀다 Siento hacia ella atracción y al mismo tiempo repulsa. 그것은 여름에도 사용하고 ~ 겨울에도 사용할 수 있다 Puede usarse tanto en invierno como en verano.

■~ 녹음 grabación *f* simultánea, sincronización *f*. ~ 대비(對比)【심리】contraste *m* simultáneo. ~ 묘사(描寫)【문학】descripción *f* simultánea. ~ 발생(發生) sincronismo *m*, simultaneidad *f*. ~ 방송(放送) emisión *f* simultánea. ~ 보험(保險) seguro *m* simultáneo. ~ 설립(設立)【경제】=단순 설립(單純設立). ~성(性)【철학】sincronismo *m*, simultaneidad *f*, sincronización *f*. ¶음(音)과 영상(映像)의 ~ sincronización *f* de sonidos e imágines. ~적(的) simultáneo *adj*. ~적 대비(的對比)【심리】=동시 대비. ~ 통역(通譯) interpretación *f* [traducción *f*] simultánea.

동시(同視) =동일시(同一視).

동시(東詩) poema *m* en chino escrito por los poetas coreanos.

동시(凍屍) cadáver *m* muerto de frío.

동시(童詩) verso *m* infantil.

동시낙양인(同是洛陽人) seulense *mf* igual que se encuentra en la tierra extrajera.

동시대(同時代) la misma época. ~의 contemporáneo. 두 사람은 ~에 활약했다 Los dos desplegaron su actividad de la misma época.

■~성(性) contemporaneidad *f*. ~인(人) contemporáneo, -a *mf*. A는 B와 ~이다 A es contemporáneo de B.

동식(同食) comida *f* en la misma mesa. ～하다 comer juntos, comer en la misma mesa.

동식물(動植物) animales *mpl* y vegetales, animales *mpl* y plantas; [어느 지역·시대의] fauna *f* y flora.

■ ～계(界) reino *m* animal y vegetal, reino *m* de los animales y los vegetales. ～바탕 natural *m* animal y vegetal.

동신(童身) virginidad *f*, cuerpo *m* virginal.

동신(銅神) dios *m* de cobre.

동실(同室) ① [동일한 방] la misma habitación. ② [그 방] esa habitación; [이 방] esta habitación.

■ ～ 거생(居生) cohabitación *f* bajo el mismo techo. ¶～하다 cohabitar [covivir] bajo el mismo techo.

동실 ＝둥실.

동실동실 flotantemente, boyantemente. 배가 ～ 뜬다 El barco flota boyantemente.

동실동실하다 (ser) rellenito [regordete] y redondo, regordete, gordinflón (*pl* gordinflones), rechoncho. 동실동실한 어린이 niño *m* gordinflón, niña *f* gordinflona.

동심(冬心) corazón *m* solitario como el invierno.

동심(同心) ① [같은 마음] el mismo corazón, el mismo sentimiento; [일치(一致)] acuerdo *m*, unanimidad *f*. ② 【수학】 concentricidad *f*.

■ ～각(角) 【수학】 ángulo *m* concéntrico. ～원(圓) 【수학】 círculos *mpl* concéntricos. ～ 협력(協力) cooperación *f* armonioso, cooperación *f* con el mismo corazón. ¶～하다 cooperar en armonía, cooperar con el mismo corazón.

동심(動心) movimiento *m* del corazón.

동심(童心) corazón *m* infantil, corazón *m* de un niño, candidez *f* infantil [de infancia], sentimiento *m* infantil [de infancia], inocencia *f*. ～을 상하다 herir el corazón de un niño. ～을 상하게 하다 ofender el sentimiento infantil. ～으로 돌아가다 recobrar la candidez de *su* infancia, volver a ser niño, volver a la niñez, volver a la infancia. 그의 ～에도 그것은 슬펐다 Eso le entristeció su corazón de niño.

동씨(同氏) la sobredicha persona.

동아 【식물】 calabaza *f* blanca.

■ ～김치 *kimchi m* de calabaza blanca. ～ㅅ국 sopa *f* de calabaza blanca.

동아(冬芽) 【식물】 ＝겨울눈.

동아(東亞) ((준말)) ＝동아시아.

동아(凍餓) el frío y el hambre.

동아(童牙) ＝젖니.

동아(筒兒) ＝동개.

동아리[1] [큰 물건의 한 부분] una parte. 아랫～ parte *f* inferior. 윗～ parte *f* superior.

동아리[2] [한 패를 이룬 무리] partidario, -ria *mf*, conspirador, -dora *mf*, compañero, -ra *mf*, camarada *mf*, amigo, -ga *mf*, [회원] socio, -cia *mf*, [협력자] colaborador, -dora *mf*, [공범자] cómplice *mf*, [집합적] grupo *m*, facción *f*, asociación *f*, comapñía *f*, banda *f*. 우리의 ～에서는 entre nosotros. …과 ～가 되다 asociarse a [con] *uno*. …의 ～이다 ser compañero de *uno*. …의 ～에 들어가다 entrar en *un sitio*, unirse al grupo de *un sitio*, hacerse mienmbro de la asociación de *un sitio*. …의 ～로 만들다 admitir a *uno* en un sitio, asociar a *uno* a un sitio. ～에서 제외되다 dejar fuera (a), apartar (a), boicotear (a). 대화의 ～에 끼다 intervenir en una conversación. 대국(大國)의 ～에 끼다 clasificarse entre las grandes potencias. 쿠데타의 한 ～에 끼다 tomar parte en el golpe de estado. 그는 강도단의 한 ～이다 El es uno de los bandidos. 그는 우리들의 ～이다 El es nuestro compañero. 그들은 ～가 갈라져 있다 Ellos están desunidos [separados]. 그는 ～ 안에서 그다지 평판이 좋지 않다 El es poco popular entres sus amigos.

동아세아(東亞細亞) 【지명】 ＝동아시아.

동아시아(東 Asia) 【지명】 el Asia Oriental, el Asia (del) Este.

동아줄 soga *f*, mamora *f*, cuerda *f*, cabo *m*, cordel *m*, estrenque *m*, guindaleta *f*, crizneja *f*, liñuelo *m*; [굵은 줄] sirga *f*, toa *f*, [배를 끄는 줄] cabo *m* de remolque; [종의 줄] soga *f* [cuerda *f*] de campana.

동안 ① [기간] período *m*, periodo *m*, duración *f*. ② [부사적] por, durante, mientras (que). 오랫～ (por) mucho [largo] tiempo. 10년 ～ (por) diez años. 세종 대왕(世宗大王)의 통치 ～ durante el reinado de *Sechong* Magno. 약 20분 ～ 계속 durante unos veinte años. 그들은 장시간 ～ 이야기했다 Ellos hablaron por un largo rato. 그는 최근 5년 ～ 이 사무소에 근무했다 El trabaja en esta oficina desde hace cinco años / El ha trabajado en esta oficina durante estos últimos cinco años. 내가 공부하고 있는 ～ 그는 놀고 있다 El juega mientras yo estudio. ③ [간격(間隔)] intervalo *m*, espacio *m*. ～을 띄우다 dejar espacio (entre).

◆동안(이) 뜨다 tener mucho tiempo, tener espacio, estar lejos (de), estar a intervalos (entre).

동안(同案) ① [같은 안건(案件)] el mismo proyecto. ② [그 안건] ese proyecto; [이 안건] este proyecto.

동안(東岸) costa *f* (del) este, costa *f* oriental; [강(江)의] orilla *f* [ribera *f*] (del) este.

동안(童顔) cara *f* [rostro *m*·semblante *m*] juvenil [de niño], cara *f* aniñada, rostro *m* aniñado. ～이다 tener una cara [un rostro·un semblante] juvenil [de niño], tener una cara aniñada [un rostro aniñado].

동압(動壓) presión *f* dinámica.

동액(同額) la misma suma [cantidad], el mismo importe, dinero *m* de la misma cantidad.

동야(冬夜) noche *f* invernal, noche *f* del invierno.

동야(同夜) la misma noche.

동야(凍野) tundra *f.*

동양(同樣) la misma forma.

동양(東洋) 【지명】 Oriente *m*, Este *m*. ~의 oriental, del Oriente, del Este. ~의 신비 misterio *m* del Oriente. ~의 평화(平和) paz *f* en el Oriente. 나는 마치 ~의 한 천국에 와 있는 듯이 느꼈다 Yo me sentía como si estuviera en una especie de paraíso oriental.

■ ~구(區) 【생물】 región *f* orinental. ~ 문명(文明) civilización *f* oriental. ~ 문학(文學) literatura *f* oriental. ~ 문화 cultura *f* oriental. ~미(美) belleza *f* oriental. ~ 미술(美術) arte *m* oriental. ~사(史) historia *f* oriental. ~ 사상(思想) orientalismo *m*, idea *f* oriental. ~식(式) estilo *m* oriental. ¶~으로 a lo oriental. ~ 음악(音樂) música *f* oriental. ~인(人) oriental *mf.* ~ 인종(人種) raza *f* oriental. ~적(的) oriental. ¶~으로 orientalmente. ~ 제국(諸國) países *mpl* orientales. ~ 철학(哲學) filosofía *f* oriental. ~ 철학자(哲學者) filósofo, -fa *mf* oriental. ~ 취미(趣味) orientalismo *m*. ~풍(風) orientalismo *m*, estilo *m* oriental. ~학(學) orientalismo *m*, estudios *mpl* orientales. ~ 학자 orientalista *mf.* ~화(化) orientalización *f.* ¶~하다 orientalizar. ~화(畵) pintura *f* oriental. ~ 화가(畫家) pintor, -tora *mf* oriental.

동양(動陽) impulso *m* sexual del hombre.

동어(-魚) 【어류】 mújol *m* joven.

동어(同語) la misma palabra.

■ ~ 반복(反覆) 【논리】 tautología *f.*

동업(同業) [직종의] la misma profesión; [업종의] el mismo comercio. 그와 나는 ~이다 El es de la misma profesión que yo.

■ ~자(者) socio, -cia *mf*; compañero, -ra *mf* de oficio [de negocio·de comercio]. ~ 조합(組合) gremio *m*. ¶~의 gremial. ~ 타사(他社) otras compañías *fpl* en la misma línea de negocios.

동여매다 ① [묶어서 흩어지지 않게 하다] atar, *AmL* amarrar; [곡식을] agavillar; [두르다. 감다] envolver. 기둥에 ~ atar al poste. 그들의 손발을 동여맸다 Los ataron [amarraron] de pies y manos. 그녀는 목에 스카프를 동여맸다 Ella se ató un pañuelo al cuello. 그들은 머리를 터번으로 동여맨다 Ellos se envuelven la cabeza con turbantes. 그는 개를 나무에 동여맸다 El ató el perro al árbol. ② =속박(束縛)하다(contener, refrenar).

동역학(動力學) 【물리】 dinámica *f.*

동연(同硯) =동접(同接).

동연(洞煙) humo *m* que sale de la cueva.

동연(同然) =동연히.

동연하다 (ser) igualmente así.

동연히 igualmente así.

동연 개념(同延概念) 【논리】 =등가 개념.

동연배(同年輩) =동년배.

동온 하정(冬溫夏凊) razón *f* de servir a los padres.

동옷 chaleco *m* del vestido coreano.

동왕(同王) el mismo rey.

동요(動搖) trepidación *f*, estremecimiento *m*, temblor *m*; [급격한] sacudida *f*; [심리적인] disturbio *m*, turbación *f*, perturbación *f*, agitación *f*; 【의학】 fluctuación *f.* ~하다 trepidar, estremecerse, temblar, oscilar, vacilar, turbarse, perturbarse, perder *su* calma, agitarse. 사회(社會)의 ~ perturbación *f* [agitación *f*] social. ~하는 기색도 없이 sin perder la sangre fría. ~시키다 sacudir, agitar, menear. 마음을 ~시키다 mover el corazón (de), conmover (a). 그 사고(事故)로 사람들은 ~했다 El accidente perturbó [agitó] los sentimientos [el espíritu] de la gente. 그의 표정에 ~의 빛이 보인다 Se nota una turbación en su rostro. 그는 일을 당하여 (결코) ~하지 않는다 El nunca pierde la sangre fría [los estribos].

■ ~계(計) oscilómetro *m*. ~관절(關節) articulación *f* agitadora. ~병(病) cinesia *f.* ~성 보행(性步行) marcha *f* miopática. ~시(視) oscilopsia *f.* ~ 제지 장치(制止裝置) estabilizador *m*; [자동차의] amortiguador *m*.

동요(童謠) canción *f* infantil, canción *f* de [para] niños, rimas *fpl* de niño.

■ ~ 작가(作家) escritor, -tora *mf* de canciones infantiles. ~집(集) canciones *fpl* infantiles, libro *m* de rimas para niños.

동우(冬雨) lluvia *f* de(l) invierno.

동우(同友) amigo, -ga *mf* de ideas afines; compañero, -ra *mf*, camarada *mf.*

■ ~회(會) asociación *f* de compañeros.

동우(凍雨) lluvia *f* muy fría de(l) invierno.

동우 각마(童牛角馬) irracionalidad *f*, lo irracional.

동운(同韻) igual ritmo *m*.

동운(東雲) ① [동쪽에 뜬 구름] nube *f* (que sale al) este. ② =새벽녘.

동운(彤雲) nube *f* roja.

동운(凍雲) nube *f* fría del cielo invernal.

동운초(東雲草) =박새.

동원(凍原) 【지질】 tundra.

동원(動員) movilización *f.* ~하다 movilizar. 응원에 ~되다 ser movilizado para ayudar. 조사하기 위해 부하를 ~하다 movilizar a *sus* subordinados para que lleven a cabo las investigaciones.

■ ~ 계획(計劃) plan *m* de movilización. ~력(力) poder *m* de movilización. ~령(令) orden *f* de movilización. ¶~을 발하다 dar la orden de movilización. ~ 연습(練習) ejercicio *m* de movilización. ~ 해제(解除) desmovilización *f.* ¶~하다 desmovilizar. 군대(軍隊)를 ~하다 desmovilizar a las tropas.

동월(冬月) luna *f* de la noche invernal.

동월(同月) ① [같은 달] el mismo mes. ~ 동일(同日)에 en el mismo mes y día. ② [그 달] ese mes, mes *m* del curso, mes *m* correspondiente.

동위(同位) la misma posición, el mismo puesto, el mismo rango.
■ ~각(角)【수학】ángulo *m* correspondiente. ~ 개념(概念)【논리】concepto *m* coordinado. ~ 염색체(染色體) isocromosoma *f.* ~ 원소(元素)【화학】isótopo *m.* ¶ 방사선 ~ isótopo *m* radiactivo. ~ 효소(酵素) isoenzima *f.*

동위도(同緯度) la misma latitud.

동유(桐油)【화학】aceite *m* de paulonia [de madera de China].
■ ~지(紙) papel *m* aceitado. ~칠(漆) óleo *m.*

동유(童幼) niño, -ña *mf.*

동유럽(東 Europe)【지명】la Europa Oriental, la Europa del Este.

동유수(桐油樹)【식물】= 유동(油桐).

동음(同音) la misma voz;【음성학】homofonía *f.*
■ ~어(語) = 동음 이의어(同音異議語). ~ 이의(異義) homofonía *f,* homonimia *f.* ~ 이의어(異義語) homonimia *f.* ~ 이자(異字) homófono *m,* letra *f* homófona.

동읍(同邑) ① [같은 읍] el mismo pueblo. ② [그 읍] ese pueblo; [이 읍] este pueblo.

동의(冬衣) = 동복(冬服).

동의(同義) la misma significación, el mismo sentido. ~의 sinónimo.
■ ~성(性) sinonimia *f.* ~어(語) sinónimo *m.* ¶ ~의 sinonímico. ~어 사전(語辭典) diccionario *m* de sinónimos. ~어 연구(語研究) sinonimia *f.* ~ 인자(因子) factores *mpl* múltiples.

동의(同意) ① [같은 뜻] la misma significación. ② [같은 의견] la misma opinión. ③ [(어떤 일에 대하여) 의견을 같이 함] asentimiento *m,* consentimiento *m,* asenso *m;* [승인] aprobación *f,* sí. ~하다 asentir (a), acceder (a), consentir (en · en que + *subj*); [승인하다] aprobar; [머리를 위아래로 끄덕이다] afirmar con la cabeza, decir que sí con la cabeza. …의 ~없이 sin el consentimiento de *uno.* ~하게 하다 persuadir (a *uno* a + *inf*), convencer (a *uno* de [para] que + *subj*). ~를 구하다 pedir el consentimiento (de). 그들은 내 의견에 ~했다 Ellos asintieron a mi opinión. 나는 주저없이 ~한다고 말했다 Di que sí sin vacilación. 그는 쉽게 ~하지 않는다 El no da su consentimiento fácilmente. 그는 우리들과 일하는 것을 ~했다 El asintió [accedió] a trabajar con nosotros. 그는 내가 일하는 것을 ~했다 El consintió en [aprobó] que trabajara yo / El me consintió trabajar. 그는 그 집을 나에게 팔 것을 ~했다 El consintió en venderme la casa. 독일은 영국의 제안에 ~했다 Alemania ha asentido a la propuesta británica. 부모님은 우리의 결혼에 ~하시지 않는다 Mis padres no consienten a nuestro matrimonio. 나는 그에게 금연을 ~하게 했다 Le persuadí a dejar de fumar / Le convencí de [para] que dejara de fumar.
■ ~어(語)【언어】= 동의어(同義語).

동의(同議) la misma discusión, la misma disputa.

동의(胴衣) ① = 동옷. ② [조끼] chaleco *m* del vestido coreano.

동의(動議) moción *f,* proposición *f.* ~를 가결하다 adoptar una moción. ~를 부결하다 rechazar [retirar] una moción. ~에 찬성하다 secundar una moción. ~가 성립되었다 La moción está llevada.
◆ 긴급(緊急) ~ moción *f* urgente.

동의리(同義理) la misma obligación.

동의안(動議案) moción *f.* ~을 제출하다 presentar una moción, *AmC, Caribe, Méj, Ven* mocionar.
■ ~ 제출자(提出者) obsequiador *m* [presentador *m* · autor *m*] de una moción.

동이 tarro *m,* bote *m,* jarro *m,* jarra *f.*

동이(同異) ① [같음과 다름] la igualdad y la diferencia. ② [서로 같지 않음] diferencia *f* mutua.

동이(東夷) bárbaro *m* oriental.

동이다 atar, amarrar, liar, ligar, anudar; [끈으로] atar con cuerda; [사슬로] encadenar; [가죽으로] atar [sujetar] con una correa, *AmL* amarrar con una correa (*RPI* 제외). 끈으로 짐을 ~ atar el atado con cuerda.

동인(同人) ① [같은 사람] la misma persona. ② [앞서 말한 그 사람] esta [dicha · susodicha] persona *f.* ③ [문예의] miembro *mf* de un círculo [de un grupo] literario, colaborador, -dora *mf* de una revista de camaradas. ④ ((준말)) = 동인회(同人會).
■ ~ 잡지(雜誌) revista *f* de un círculo literario, revista *f* literaria de camaradas. ~전(展) exhibición *f* de camaradas. ~지(誌) = 동인 잡지(同人雜誌). ~회(會) asociación *f* de camaradas.

동인(同仁) benevolencia *f* universal.

동인(同寅)【고제도】compañero *m,* colega *m,* camarada *m.*

동인(東人) ① [동국(東國)의 사람] coreano, -na *mf.* ②【역사】*Dong-in,* una de las camarillas.

동인(動人) movimiento *m* del corazón.

동인(動因) ① [(어떤 현상의) 변화나 발생에 작용하는 직접적인 원인] causa *f* motiva, motivo *m.* ②【철학】= 동력인(動力因).

동인(銅人)【한방】forma *f* del hombre de cobre para la acupuntura.
■ ~도(圖)【한방】anatomía *f* del cuerpo humano para la acupuntura.

동인(銅印) sello *m* de cobre.

동인도(東印度)【지명】las Indias Orientales.

동일(冬日) día *m* del invierno.

동일(同一) igualdad *f,* identidad *f,* homogeneidad *f.* ~하다 (ser) igual, mismo, idéntico. ~하게 하다 igualar. 두 사람을 ~하게 다루다 igualar a dos personas. 두 개는 완전히 ~한 물건이다 Ambos son idénticos. 영(靈)과 혼(魂)은 ~하다 El espíritu es uno [idéntico] al alma.

■ ~ 개념(槪念)【논리】concepto *m* idéntico. ~ 노동 동일 임금(勞動同一賃金) igual remuneración *f* por igual trabajo. ~률【논리】principio *m* de identidad. ~법(法) [같은 방법] el mismo método. ~설【철학】= 동일 철학(同一哲學). ~성(性)【철학】identidad *f*. ~성 논리【논리·철학】lógica *f* idéntica. ~시(視) identificación *f*, asimilación *f*. ¶A를 B와 ~하다 identificar A con B, asimilar A a B. ~ 원리【논리】principio *m* de identidad. ~인(人) identidad *f*. ¶~임을 증명하다 comprobar la identidad. 그녀가 ~이라는 것을 증명하기 위해 나를 불렀다 Me llamaron para atestiguar la identidad de ella. ~ 철학(哲學) filosofía *f* idéntica. ~체(體) ㉮ [같은 몸] el mismo cuerpo. ㉯ [동일한 관계] la misma relación.

동일(同日) el mismo día. 전(前) 달의 ~ este día del mes pasado. 다음 달의 ~ este día del mes que viene [próximo · que entra · entrante].

동임(洞任) encargado, -da *mf* del trabajo de la aldea.

동자 trabajo *m* de la cocina, cocina *f*, guiso *m*, cocina *f* de arroz. ~하다 trabajar en la cocina, cocinar, guisar, cocinar arroz.
■ ~아치 pinche *f*, ayudanta *f* de cocina. ~치 ((준말)) =동자아치.

동자(同字) la misma letra.

동자(童子/僮子) niño *m*, muchacho *m*.
■ ~군(軍) [중국의] =보이스카우트. ~기둥 poste *m*. ~목(木) madera *f* estrecha para el cajón del armario. ~ 보살 ㉮ [사내아이의 죽은 귀신] espíritu *m* muerto del niño. ㉯ [사람의 두 어깨에 있다는 신] dios *m* que está en dos hombros del hombre. ~부처【민속】=동자 보살❷. ~삼(蔘) ginsén *m* [ginseng *m*] que tiene forma del niño. ~석(石) piedra *f* de la forma del niño levantada delante de la tumba. ~승(僧) =동자중. ~정(釘) clavo *m* pequeño. ~주(柱) ㉮【건축】=동자기둥. ㉯ =동자석. ~중 monje *m* joven, sacerdote *m* joven.

동자(瞳子) pupila *f*, niña *f* del ojo.
■ ~ 부처 =눈부처.

동작(同作) obra *f* de la misma persona.

동작(東作) agricultura *f* primaveral.
■ ~ 서성(西成) agosto *m* otoñal después del cultivo primaveral.

동작(動作) movimiento *m*, acción *f*, gesto *m*. ~하다 mover, accionar, gestionar. 가벼운 ~으로 ágilmente, con agilidad. ~이 민첩하다 ser ágil en *sus* movimientos. ~이 둔하다 *ser torpe en sus* movimientos. ~이 부자유스럽다 tener dificultad de movimiento. 그는 ~이 둔하다 Se le han entorpecido los movimientos.
◆몸 ~ ademán *m*, andares *mpl*, porte *m*.
■ ~류(流) =활동 전류(活動電流). ~적 사고(的思考)【철학】=직관적 사고. ~ 전류(電流) =활동 전류(活動電流).

동장(洞長) ① [동네의 우두머리] jefe, -fa *mf* de una aldea. ② [행정 구역의] jefe, -fa *mf* de *Dong*, jefe, -fa *mf* de un barrio.

동장(銅匠) artesano, -na *mf* de cobre.

동장(銅章) ① =동인(銅印). ② [구리 휘장] emblema *m(f)* de cobre.

동장군(冬將軍) invierno *m*, gran nevada *f*, frío *m* muy severo del invierno.

동재(桐梓) buen madero *m*.

동저(冬菹) *kimchi m* para el invierno.

동저고리 ((속어)) =동옷.
■ ~ㅅ바람 acción *f* de vestirse sin el abrigo exterior. ¶~으로 en mangas de camisa.

동적(洞籍) registro *m* de los habitantes de Dong.
■ ~부(簿) libro *m* de registro de los habitantes de Dong.

동적(動的) dinámico, cinético.
■ ~ 계획(計劃) plan *m* dinámico. ~ 동일 조건【항공】similiaridad *f* dinámica. ~ 밀도(密度) [인구의] densidad *f* dinámica. ~ 안전(安全)【법률】seguridad *f* dinámica.

동전(同前) el mismo (como arriba), ídem *m*.

동전(銅錢) moneda *f* de cobre.

동전기(動電氣)【물리】electricidad *f* dinámica [corriente · voltaica · cinética].

동전력(動電力)【물리】=전동력(電動力).

동절(冬節) invierno *m*.

동점(同點) la misma nota; [시합에서] empate *m*. ~이 되다 empatarse, estar empatado, empatar el juego. …과 ~이다 empatar con *uno*. ~ 기록을 내다 conseguir el mismo récord que el oficial. 시합은 2 대 2의 ~으로 끝났다 El partido tereminó en [con] empate a dos. 그들은 시험에서 ~이었다 Sacaron la misma nota en el examen. 두 후보자가 ~을 얻었다 Los dos candidatos obtuvieron el mismo número de votos.
■ ~ 결승 시합(決勝試合) ㉮ [무승부 · 동점일 때의) 결승 시합] desempate *m*. ㉯ [(시즌 종료 후의) 우승 결정전 시리즈] [미식 축구 등에서] las finales; [축구에서] la promoción.

동점(東漸) progreso *m* que va hacia el este.

동점(銅店) mina *f* de cobre.

동접(同接) compañero, -ra *mf* de estudios.

동정 tirilla *f* de camisa; [접는] solapa *f*, cuello *m*; [옷의] collar *m*.

동정(冬淸) =동온 하정(冬溫夏淸).

동정(同情) compasión *f*, lástima *f*, simpatía *f*, conmiserción *f*, piedad *f*. ~하다 tener compasión (de), compadecer (de); [입장(立場)을 이해하다] comprender la situación (de). ~을 느끼다 sentir compasión [lástima] (por · de). ~을 보이다 mostrar [manifestar] (la) compasión (a). 빈민(貧民)을 ~하다 tener compasión a los pobres. 세인(世人)의 ~을 환기시키다 hacer despertar la simpatía pública. …의 불행(不幸)을 보고 ~하다 afectarse dolorosamente al ver [sentirse lleno de compasión por · tener compasión de] la desgracia de *uno*.

■ ~금(金) limosnas *fpl*, fondo *m* benéfico. ~심(心) compasión *f*, piedad *f*, delicadeza *f*; [위로하는 마음] miramiento *m*, consideración *f*. ~이 있는 benévolo, compasivo, compadeciente, condoliente. ~이 없는 frío, duro, severo, adusto. ~이 있는 말 palabras *fpl* benévolas, palabras *fpl* compasivas. ~을 느끼다 sentir compasión [lástima] (por · de). ~을 느끼게 하다 mover a compasión, infundir [inspirar] compasión (en · a). ~을 느끼게 하는 시선으로 con ojos compasivos [misericordiosos], con una mirada compasiva. 그의 말을 들으면 [그를 보면] 나는 ~이 일어났다 El oírlo [El verlo] me mueve a compasión. 그는 부하에게 ~이 있다 El es muy considerado con sus subordinados. 그는 부하에게 전혀 ~이 없다 El no tiene consideración alguna con sus subordinados. 실업자(失業者)들에게는 ~보다도 직장이 필요하다 Los desocupados necesitan el trabajo más que la compasión [la lástima]. ~자(者) simpatizante *mf*. ~적(的) compasivo, simpático, compadeciente, simpatizante. ¶~으로 compasivamente, simpáticamente, con simpatía, sensiblemente. ~으로 바라보다 mirar con compasión [con simpatía]. ~ 파업[스트라이크] huelga *f* por simpatía. ¶~을 하다 declararse de huelga por simpatía. ~표(票) voto *m* [votación *f*] de simpatía. ¶~를 부탁하다 pedir una votación.

동정(東征) conquista *f* del oriente. ~하다 conquistar el oriente.
■ ~ 서벌(西伐) conquista *f* [subyugación *f*] de muchos países. ¶~하다 subyugar [conquistar] muchos países.

동정(東庭) patio *m* oriental.

동정(動靜) [움직임] movimiento *m*; [상황] situación *f*. 정계(政界)의 ~ condición *f* del mundo político, perspectiva *f* de situación política. ~을 살피다 indagar [averiguar] los movimientos.

동정(童貞) ① [이성(異性)과 아직 성적(性的) 관계를 가진 일이 없는 상태나 사람] ㉮ [상태] castidad *f*, virginidad *f*. ~을 잃다 perder [romper] *su* castidad [*su* virginidad]. ~을 지키다 guardar [mantener] *su* castidad [*su* virginidad]. ㉯ [사람] virgen *mf* (*pl* vírgenes); hombre *m* casto [virgen], mujer *f* casta [virgen]. ② ((천주교)) =수도자(修道者). ③ =동정남(童貞男).
■ ~남(男) virgen *m*, hombre *m* virgen [casto]. ~녀(女) virgen *f*, mujer *f* virgen [casta].

동정식(洞庭式) covivienda *f* [cohabitación *f*] bajo el mismo techo. ~하다 covivir [cohabitar] bajo el mismo techo.

동정 춘색(洞庭春色) bebida *f*, licor *m*, alcohol *m*.

동제(東帝) ① [동방의 임금] rey *f* oriental. ② [봄을 맡고 있다는 동쪽의 신(神)] dios *m* oriental de primavera.

동제(東第) residencia *f* real.

동제(童帝) emperador *m* joven.

동제(銅製) fabricación *f* de cobre.
■ ~ 메달(medal) medalla *f* de cobre. ~품(品) artículo *m* [objeto *m*] de cobre.

동조(冬鳥) 【조류】 pájaro *m* del invierno.

동조(同祖) el mismo antepasado.
■ ~ 동근(同根) el mismo antepasado y la misma raíz.

동조(同朝) la misma corte.

동조(同調) ① 【문학】 el mismo tono y ritmo. ② 【음악】 la misma melodía. ③ [찬동] acuerdo *m*, simpatización *f*. ~하다 ponerse de acuerdo (con), simpatizar (con), ponerse del lado (de), adoptar [tomar] el partido (de). 그는 나의 의견에 ~했다 El estuvo de acuerdo conmigo / El se adhirió a mi opinión. ④ [무전 · 라디오의] sintonización *f*, sintonía *f*. ~하다 sintonizarse. ~시키다 sintonizar.
■ ~자(者) partidario, -ria *mf*, simpatizante *mf*. ~ 행동(行動) 【심리】 conformidad *f*. ~ 회로(回路) circuito *m* de sintonización.

동족(同族) [일족(一族)] la misma familia, la misma sangre; [종족(種族)] la misma tribu, la misma raza; [혈족] la misma sangre, consanguinidad *f*, consanguineidad *f*.
■ ~ 결혼(結婚) endogamia *f*. ¶~의 endogámico. ~ 관계(關係) homología *f*. ¶~의 homólogo. ~ 상잔(相殘) guerra *f* fratricida, guerra *f* implacable, guerra *f* despiadada, pelea *f* y matanza entre la misma raza. ¶~하다 devorarse [comerse] uno a otro [*f* una a otra] entre la misma raza, dedicarse a la guerra fratricida. ~의 비극을 겪다 experimentar la tragedia de guerra fratricida. 이곳에서는 ~을 하고 있다 Aquí se despedazan unos a otros. ~성(性) analogía *f*. ¶~의 análogo. ~애(愛) amor *m* fraternal, amor *m* fraterno. ~열(列) 【화학】 series *fpl* homólogas. ~열 화합물(列化合物) homológeno *m*. ~ 원소(元素) elementos *mpl* emparentados. ~ 이식(移植) trasplante *m* singenesioplástico. ~ 조직 이식(組織移植) singenesiotrasplante *m*. ~체(體) análogo *m*. ~ 회사(會社) compañía *f* familiar, negocio *m* familiar; [동계 회사] compañía *f* asociada, compañía *f* filial, sociedad *f* filial, empresa *f* afiliada, filial *f*..

동족(凍足) pies *mpl* congelados.

동종(同宗) ① [같은 일가] la misma familia. ② [같은 종파(宗派)] la misma secta.

동종(同種) ① [동류(同類)] la misma especie, la misma clase, el mismo género. ~의 상품(商品) artículos *mpl* del mismo género. ~의 congénere. ~의 식물(植物) plantas *fpl* congéneres. ② [같은 인종(人種)] la misma raza. ③ [그 종류] esa especie, esa clase, ese género.
■ ~ 독요법(毒療法) isoterapia *f*. ~ 동문(同文) la misma raza y la misma letra. ~ 면역(免疫) isoinmunización *f*. ~물(物) cosa *f* igual. ~ 발효(醱酵) homofermentación *f*.

～ 부동시(不同視) homoanisometropia *f.* ～ 세포(細胞) isocélula *f.* ¶～의 isocelular. ～ 식피술(植皮術) isotrasplante *m.* ～ 요법(療法) homeopatía *f*, homeoterapia *f.* ～ 용혈(溶血)【의학】isohemolisis *f.* ～ 용혈소(溶血素) isolisina *f*, homolisina *f.* ～ 용혈 현상(溶血現象)【의학】isolisis *f.* ～ 응집소(凝集素)【의학】isoaglutinina *f.* ～ 응집원(凝集原)【의학】isoaglutinógeno *m.* ～ 이식(移植) homotrasplante *m.* ～ 이식 조직(移植組織) homotrasplante *m*, isotrasplante *m.* ～ 이식편(移植片) homoinjerto *m*, injerto *m* homólogo, injerto *m* homoplástico. ～ 조직 이식술(組織移植術) homoplastia *f.* ～ 항원(抗原)【면역】antígeno *m* homólogo, aloantígeno *m*, isoantígeno *m.* ～ 항체(抗體) isoanticuerpo *m.* ～ 혈구 응집(血球凝集) isohemaglutinación *f.* ～ 혈구 응집소(血球凝集素) isohemaglutinina *f.*

동좌(同坐/同座) ＝동석(同席).

동죄(同罪) el mismo crimen.

동주(同舟) ＝동선(同船).

동주(銅柱) columna *f* de cobre.

동줄기 cuerda *f* de albarda.

동중(同衆) el mismo grupo, la misma compañía.

동중(洞中) ① ＝동내(洞內). ② [한 동네] una aldea.

동중체(同重體)【화학】isobara *f.* ～의 isobaro.

동지(冬至) ① [이십사 절후의 하나] *dongchi*, solsticio *m* hiemal, solsticio *m* de invierno, el día más corto del año. ② ((준말)) ＝동짓달.

■～ 두죽(豆粥) ＝동지 팥죽. ～받이 cardumen *m* [banco *m*] de los abadejos que se reúnen en la costa de *Hamgyeongdo* hacia el quince de noviembre del calendario lunar. ～사(使)【고제도】*dongchisa*, enviado *m* que enviaban a China en el noviembre del calendario lunar cada año. ～ 상사(上使)【고제도】jefe *m* de los enviados que enviaban a China en el noviembre del calendario lunar cada año. ～선(線)【천문】trópico *m* de Capricornio. ～섣달 noviembre y diciembre del calendario lunar. ～점(點)【천문】punto *m* de solsticio invernal. ～ 팥죽(粥) *dongchi patchuk*, gachas *fpl* de haba roja que se come en el solsticio hiemal. ～ㅅ날 día *m* del solsticio hiemal. ～ㅅ달 mes *m* de noviembre del calendario lunar. ～ㅅ죽(粥) ＝동지 팥죽.

동지(同旨) el mismo propósito.

동지(同地) ① [같은 땅] la misma tierra. ② [(어떤 지방을 두고 말할 때) 그곳] ese lugar, ese sitio.

동지(同志) ① [뜻이 서로 같음] la misma intención, el mismo corazón. ② ((준말)) ＝동지자(同志者). ¶～를 규합하다 reunir hombres bajo *su* bandera. 김 ～ el compañero Kim; [부를 때] ¡Compañero Kim!.

■～애(愛) compañerismo *m*, amistad *f* entre compañeros [camaradas], camaradería *f*, fraternidad *f*, amor *m* fraternal, amor *m* fraterno.

■～자(者) camarada *mf*; compañero, -ra *mf*; personas *fpl* de la misma idea.

동지(動止) ① [움직이는 일과 멈추는 일] el movimiento y la parada. ② ＝행동거지. 거동(擧動).

동지나해(東支那海)【지명】el Mar de China Este.

동직(同職) ① [같은 직업] la misma profesión, la misma ocupación; [같은 직무] el mismo cargo, el mismo oficio. ② [그 직무] ese cargo; [이 직무] este cargo.

동진(東進) marcha *f* hacia el este. ～하다 marchar hacia el este.

동질(同質) la misma calidad, homogeneidad *f.* ～의 de misma calidad, homogéneo. ～이 되게 하다 homogeneizar.

■～ 다상(多像) ＝동질 이상(同質異像). ～량 원소(量元素)【물리·화학】isóbaro *m.* ～ 삼상(三像) isotrimorfismo *m.* ～성(性) homogeneidad *f.* ～ 요인(要因)【심리】＝유동 요인(類同要因). ～ 이상(異像) polimorfismo *m.* ¶～의 polimorfo. ～ 이체(異體) ＝동질 이형. ～ 이형(異形) isomorfismo *m*, alotropía *f.* ～적(的) homogéneo. ～ 접합(接合) autosinapsis *f.* ～ 접합체【생물】＝동형 접합체.

동쪽(東－) este *m*, oriente *m*, levante *m.* ～의 (del) este, oriental, ortivo. ～에 al este. ～으로 al este. ～을 향해 hacia el este. 한국의 ～에 있는 도시 ciudad *f* del este [en el este] de Corea. ～으로 가는 que va hacia el este [en dirección este]. 그것은 서울의 ～에 있다 Está al este de Seúl. 바람이 ～에서 분다 El viento sopla [viene] del este. 내 집은 ～으로 면하고 있다 Mi casa da al [está orientada] al este. 우리는 ～ 방향의[으로 가는] 기차를 탔다 Tomamos el tren hacia el este [en dirección este]. 해는 ～으로 떠서 서쪽으로 진다 El sol sale por el este y se pone por el oeste.

■～ 문(門) la puerta este.

동차(同次)【수학】homogéneo *m.*

■～ 방정식(方程式) ecuación *f* homogénea. ～식(式)【수학】expresión *f* homogénea.

동차(童車) ＝유모차(乳母車).

동차(動車) ＝기동차(汽動車).

동착(同着) llegada *f* al mismo tiempo. ～하다 llegar al mismo tiempo.

동참(同參) ① [(어떤 식이나 모임에) 함께 참가함] coparticipación *f.* ～하다 coparticipar (en). ② ＝동료(同僚).

동창(同窓) ① [같은 학교에서 배움] estudio *m* en la misma escuela. 그녀는 나와 ～이다 Ella estudió en la misma escuela que yo. ② ((준말)) ＝동창생(condiscípulo). ¶ 그녀는 나와 ～이다 Ella era compañera de colegio mía.

■～생(生) condiscípulo, -la *mf*; compañero, -ra *mf* de colegio; [졸업생] graduado,

-da *mf* (en la misma escuela). ~회(會) ㉮ [조직] asociación *f* de graduados (de una misma escuela). ㉯ [회합] reunión *f* de antiguos alumnos.

동창(東窓) ventana *f* que da al este.

동창(凍瘡) 【의학】 sabañón *m*.

동처(同處) ① [같은 곳] el mismo lugar [sitio], arriba mencionado lugar *m*, lugar *m* en cuestión. ② [동거] convivienda *f*, cohabitación *f*. ~하다 convivir, cohabitar.

동척(童尺) regla *f* de madera corta.

동척(銅尺) regla *f* de cobre.

동천(冬天) cielo *m* del invierno.

동천(東天) cielo *m* (del) este.

동천(洞天) sitio *m* [lugar *m*] de buen paisaje rodeado de las montañas y los ríos.

동철(冬鐵) raqueta *f*, barajón *m*.

동철(銅鐵) el cobre y el hierro.

동첩(童妾) ① [아주 나이 어린 첩] concubina *f* muy joven. ② [동기(童妓) 출신의 첩] concubina *f* que era de bailarina joven.

동청(冬青) 【식물】 =사철나무.

동청(動聽) =경청(傾聽).

동청(銅青) =동록(銅綠).

동청수(冬青樹) 【식물】 =사철나무.

동체(同體) ① [같은 한 몸] el mismo cuerpo. ② [같은 한 물체] el mismo artículo.

■~ 이명(異名) el mismo cuerpo y el otro nombre.

동체(胴體) ① [몸] cuerpo *m* (humano), tronco *m*. ② 【항공】 fuselaje *m*.

■~ 착륙(着陸) aterrizaje *m* de panza, aterrizaje *m* sobre la panza, barrigazo *m*. ¶~하다 aterrizar sobre la panza.

동체(動體) ① [움직이는 것] movimiento *m*. ② =유동체(流動體).

동체(童體) cuerpo *m* del niño.

동초(動哨) centinela *m*.

동촌(同村) ① [같은 마을] la misma aldea, el mismo pueblo. ② [그 마을] esa aldea, ese pueblo.

동촌(東村) ① [동쪽 마을] aldea *f* (del) este, aldea *f* oriental. ② [서울 안에서 동쪽으로 있는 동네] aldea *f* (del) este de Seúl.

동총(動冢) cavadura *f* para mover la tumba. ~하다 cavar para mover la tumba.

동추 서대(東推西貸) deuda *f* de muchas personas.

동축(動軸) husillo *m* móvil, husillo *m* giratorio.

동취(同趣) ① [같은 냄새] el mismo olor. ② [같은 취미를 가진 동아리] grupo *m* de la misma afición.

동취 서대(東取西貸) =동추 서대(東推西貸).

동치(同値) equivalente *m*.

동치(同齒) la misma edad.

동치(童稚) niño, -ña *mf*.

동치미 *dongchimi*, *kimchi m* de nabo [de rábano] con el agua de sal.

■~ㅅ국 el agua *f* de *dongchimi*.

동치서주(東馳西走) =동분서주(東奔西走).

동치회(凍雉膾) carne *f* fina cruda del faisán.

동침(-鍼) 【한방】 aguja *f* para la acupuntura, aguja *f* larga para curar a los enfermos.

동침(同寢) acción *f* de acostarse con otro. ~하다 acostarse juntos, dormir con otro en el mismo lecho.

동침 동금(同枕同衾) acción *f* de acostarse con la misma cama y la misma almohada.

동키 ① 【동물】 [당나귀] burro, -rra *mf*, asno, -na *mf*. ② [바보] burro, -rra *mf*, tonto, -ta *mf*, bobo, -ba *mf*, torpe *mf*, estúpido, -da *mf*.

동탑 산업 훈장(銅塔産業勳章) la Medalla Industrial de la Torre de Cobre.

동탕하다(動蕩-) tener la cara llena y hermosa.

동태(凍太) ((준말)) =동명태(凍明太).

■동태나 북어나 ((속담)) Todo es el mismo.

■~찌개 *dongtaechike*, sopa *f* densa de abadejo congelado en trozos con ají en polvo y nabo. ~ㅅ국 *dongtaeguk*, sopa *f* de abadejo congelado con nabo.

동태(動態) movimiento *m*.

■~ 경제(經濟) economía *f* dinámica. ~ 분석(分析) análisis *m* dinámico. ~ 비율(比率) =회전율(回轉率). ~ 통계(統計) estadística *f* dinánica. ¶인구 ~ estadística *f* dinámica de población.

동토(東土) ① [동쪽의 땅] tierra *f* del este, tierra *f* oriental. ② [동방의 나라] país *m* (*pl* países) oriental. ③ [중국에 대하여 우리 나라] Corea.

동토(凍土) tierra *f* helada, suelo *m* helado.

■~대(帶) tundra *f*.

동통(疼痛) dolor *m* sordo, redolor *m*. ~을 느끼다 ㉮ [아픈 데가 주어일 때] doler*le* a *uno* sordamente. ㉯ [사람이 주어일 때] sentir dolor sordo (de). 허리에 ~을 느끼다 sentir el dolor sordo de la cintura, tener dolor sordo de cintura, doler*le* a *uno* sordamente la cintura.

동퇴서비(東頹西圮) caída *f* por todas las partes. ~하다 caer por todas las partes.

동트기(東-) amanecer *m*, amanecida *f*, el alba *f*.

동트다(東-) amanecer, clarear, alborear. 동틀 때 al rayar [romper] el alba, al amanecer, al clarear [despuntar] el día. ☞동(東)[2]

동티 ① [흙을 잘못 다루어 지신(地神)을 노하게하여 받은 재앙] castigo *m* de los dioses de tierra. ② [공연히 건드려서 스스로 걱정이나 해를 입음] problemas *mpl* causados por *sí* mismo.

◆동티(가) 나다 ㉮ [동티가 생겨 집안에 재앙이 일어나다] sufrir la cólera de los dioses de tierra. ㉯ [공연히 건드려 일이 잘못되다] meterse en problemas, meterse en líos.

◆동티(를) 내다 ㉮ [재앙이 생기게 하다] hacer sufrir la cólera de los dioses de tierra. ㉯ [공연히 건드려 일을 잘못되게 하다] meter a *uno* en problemas [líos].

동파(冬－) ＝움파.
동파(同派) la misma facción, la misma escuela, el mismo partido, la misma secta.
동판(銅板) lámina *f* de cobre, plancha *f* [chapa *f*] de cobre.
동판(銅版) imprenta *f* de plancha *f* de cobre, grabado *m* a media tinta.
■～ 인쇄(印刷) grabado *m* en cobre, calcografía *f*, grabado *m* en metales; [에칭] grabado *m* al agua fuerte. ¶～하다 grabar en cobre, calcografiar, estampar por medio de la calcografía. ～ 조각(彫刻) grabado *m* de plancha de cobre, grabado *m* a media tinta, calcografía *f*. ～ 조각가(彫刻家) grabador, -dora *mf* de plancha de cobre; calcógrafo, -fa *mf*. ～화(畵) pintura *f* de grabado en cobre.
동패(銅牌) medalla *f* (de premio) de cobre.
동패 서상(東敗西喪) fracaso *m* [derrota *f*] en todas las partes.
동편(東便) lado *m* (del) este.
동편(銅片) pieza *f* de cobre.
동편사(洞便射) 【민속】 ＝골편사.
동편제(東便制) 【음악】 *dongpyeonche*, una escuela de *pansori*.
동폐(洞弊) todos los vicios de la aldea.
동포(同胞) ① [동기(同氣). 형제 자매] hermanos *mpl*. ② [같은 겨레] compatriota *mf*, conciudadano, -na *mf*, compatricio, -cia *mf*, paisano, -na *mf*. ～는 외국(外國)에서 서로 도와야 한다 Los compatriotas deben ayudarse en el extranjero. 칠 천만 ～에게 고하노라 Una palabra a setenta millones de compatriotas. 칠천만 ～여 일어나라 Levantaos, vosotros setenta millones de compatriotas.
◆사해(四海) ～ fraternidad *f* mundial, fraternidad *f* universal.
■～ 교회 secta *f* religiosa del protestantismo. ～애(愛) fraternidad *f*, confraternidad *f*, hermandad *f*.
동표(同表) ① [같은 도표] la misma gráfica. ② [같은 표] la misma marca.
동표(同標) ① [같은 표지] la misma señal. ② [그 표] esa señal.
동표서랑(東漂西浪) vagabundeo *m*, vagabundería *f*, vagabundez *f*, vagabundaje *m*, vagamundería *f*. ～하다 vagabundear, vagamundear, andar vagando.
동품(同品) ① [같은 품계] el mismo rango. ② [같은 물품] el mismo artículo. ③ [그 물품] ese artículo.
동풍(東風) ① [동쪽에서 불어 오는 바람] viento *m* este, viento *m* del este, subsolano *m*. ② ＝곡풍(谷風).
동필(同筆) escritura *f* de la misma persona.
동하다(同－) ser el mismo. 위와 ～ Es el mismo que arriba mencionado.
동하다(動－) ① [움직이다] moverse; [군대가] hacer entrar en acción. ② [(어떤 감정이) 일어나다] sentir, titubear, vacilar, morirse (por). 동하지 않는 마음 corazón *m* imperturbable. 식욕이 ～ sentir el apeitito (de comer). 그는 그녀에게 그것을 말하고 싶어 마음이 동했다 El estaba que se moría por decírselo. 그녀는 텔레비전에 나가고 싶어 마음이 동한다 El se muere por salir en la televisión. ③ ＝도지다.
동학(同學) ＝동문(同門). 동창(同窓).
동학(東學) ＝천도교(天道敎).
■～교(敎) ＝천도교(天道敎). ～군(軍) tropas *fpl* de grupo de los fieles de *Cheondogyo*. ～ 농민 운동(農民運動) el Movimiento de los Cheondoístas y los Agricultores (en 1894). ～당(黨) grupo *m* de los chondoístas, grupo *m* de los fieles de *Cheondogyo*. ～란(亂) ＝동학 혁명(東學革命). ～ 혁명(革命) la Revolución de *Donghak*.
동학(洞壑) ① ＝동천(洞天). ② [깊고 큰 골짜기] valle *m* profundo y grande. ③ ＝동혈(洞穴).
동한(冬寒) frío *m* del invierno.
동한(同閈) vivienda *f* en la aldea vecina. ～하다 vivir en la aldea vecina.
동한(凍寒) frío *m* muy severo [intenso].
동합금(銅合金) aleación *f* de cobre.
동항(同行) la misma generación. ～이다 pertenecer a (ser de) la misma generación.
동항(凍港) puerto *m* bloqueado por el hielo.
동해(東海) ① [동쪽의 바다] mar *m* (del) este. ② 【지명】 el Mar del Este. ③ ((성경)) el Mar Muerto.
■～안(岸) ㉮ [육지의 동쪽에 있는 해안] costa *f* este de la tierra. ㉯ [우리 나라 동해의 연안] litoral *m* del Mar Este (de nuestro país). ～안 지방(岸地方) región *f* litoral que da al Mar Este de Corea. ～양진(揚塵) cambio *m* del mar en la tierra.
동해(凍害) daño *m* causado por el frío.
동해(童孩) niño, -ña *mf*, chico, -ca *mf*.
동해(銅海) ((기독교)) vasija *f* del agua para lavarse las manos.
동해 부인(東海夫人) 【조개】 ＝홍합(紅蛤).
동행¹(同行) [어떤 곳에 함께 감] acompañamiento *m*. ～하다 acompañar (a), ir con, viajar juntos. …를 ～하여 en compañía de *uno*; [함께] juntos. 그들은 부모 자식이 ～하여 외출했다 Ellos salieron juntos padres e hijos. 경찰서까지 ～해 주십시오 Acompáñenos, por favor, a la comisaría. 경찰관은 나에게 ～을 요구했다 El policía me pidió ir con él [que le acompañera].
■～ 명령(命令) orden *f* de acompañamiento. ～ 명령 거부(命令拒否) veto *m* de la orden de acompañamiento. ～ 명령장(命令狀) orden *f* judicial de acompañamiento. ～자[인] acompañante *mf*, acompañador, -dora *mf*, compañero, -ra *mf* de viaje; cortejo, -ja *mf*. ¶～ 세 사람 grupo *m* de tres personas. ～장(狀) orden *f* de llevar al menor al tribunal. ～ 친구(親舊) compañero, -ra *mf* de viaje.
동행²(同行) [문장에서 글자의 같은 줄] la misma línea (de la oración).
동행³(同行) ((불교)) ① [불교의 수행이 같음]

lo que practican el budismo juntos. ② [같은 수행을 하는 사람] los que practican el budismo juntos.

■ ~자(者) ((불교)) =동행(同行)❷. ~중(衆) ((불교)) persona *f* [fiel *mf*] de la misma religión.

동행(東行) ida *f* hacia el este. ~하다 ir hacia el este.

■~서주(西走) vagabundeo *m*, vagabundería *f*, vagabundaje *m*. ~하다 vagar.

동향(同鄕) la misma tierra natal, el mismo suelo natal, el mismo país. …과 ~이다 ser de la misma tierra natal [del mismo suelo natal] que *uno*, ser paisano de *uno*.

■ ~인(人) paisano, -na *mf*; conciudadano, -na *mf*.

동향(東向) ① [동쪽으로 향함] hacia el este. ② [동쪽 방향] dirección *f* (del) este.

■ ~ 대문(大門) puerta *f* principal hacia el este. ~집 casa *f* hacia el este. ~판 solar *m* hacia el este.

동향(動向) tendencia *f*, inclinación *f*, movimiento *m*. 경제(經濟) ~ tendencias *fpl* económicas. 상품의 ~ movimiento *m* de mercancías. 세계의 ~ marcha *f* [tendencia *f*·curso *m*] del mundo.

■ ~ 사찰(查察) inspección *f* de tendencias.

동헌(東軒) 【역사】 casa *f* de gobernador.

■동헌에서 원님 칭찬한다 ((속담)) ㉮ [헛된 칭찬] Se alaba en vana. ㉯ [아첨함] Se adula.

동혈(同穴) ① [같은 구덩이] el mismo agujero. ② [부부가 한 구덩이에 묻힘] acción *f* que los esposos se entierran en el mismo agujero.

동혈(洞穴) caverna *f*, cueva *f*, gruta *f*.

■ ~학(學) espeleología *f*. ~ 학자(學者) espeleólogo, -ga *mf*.

동혈(動血) aparición *f* de la alegría, el enojo, la tristeza y el placer en la cara.

동형(同形) ① [사물의 형식이 같음. 형상이 같음] la misma forma. ~의 de la misma forma. …과 ~ 이다 ser del misma forma que *algo*. ② 【화학】 isomorfismo *m*. ~의 isomorfo. ~이다 [주어가 복수일 때] ser isomorfos.

동형(同型) ① [타입(이 같음] el mismo tipo. ~의 del mismo tipo. …과 ~이다 ser del mismo tipo que *algo*. ② [그 타입] ese tipo.

동호(同好) la misma afición, el mismo gusto; [사람] persona *f* de la afición similar.

■ ~인[자] persona *f* de la misma afición, persona *f* de la afición similar. ~회(會) sociedad *f* de aficionados, sociedad *f* [grupo *m*] de personas de ideas afines. ¶ 미술 ~ sociedad *f* de aficionados a las bellas artes. 음악(音樂) ~ sociedad *f* de aficionados a la música.

동혼(童婚) =유아 결혼(幼兒結婚).

동혼식(銅婚式) decimoquinto aniversario *m* de bodas.

동화(同化) asimilación *f*, asimilabilidad *f*, semejanza *f*, adaptación *f*, integración *f*; 【생물】 anabolismo *m*. ~하다 asimilar, adaptarse (a). ~시킬수 있는 asimilable. 한국인은 외국 사회에 쉽게 ~하지 않는다 Los coreanos no se adaptan con facilidad a la sociedad extranjera. 유태인은 다른 민족과 ~되지 않는다 Los judíos no se asimilan con otros pueblos.

■ ~근(根) 【식물】 =동화뿌리. ~ 녹말(綠末) 【식물】 =동화 전분(同化澱粉). ~력(力) poder *m* asimilativo, fuerza *f* asimilativa, anabolergía *f*. ¶~이 있는 asimilativo, adaptativo. ~뿌리 【식물】 raíz *f* (*pl* raíces) de asimilación. ~성(性) asimilabilidad *f*. ~세포(細胞) célula *f* de asimilación. ~수(水) 【생물】 el agua *f* metabólica. ~ 에너지 anabolergía *f*. ~ 작용(作用) 【식물】 (procedimiento *m* de) asimilación *f*, asimilabilidad *f*, adaptación *f*; [세포의] metabolismo *m*; [음식물의] anabolismo *m*. ~ 전분(澱粉) almidón *m* de asimilación. ~ 정책(政策) política *f* de asimilación. ~ 조직(組織) tejido *m* de asimilación. ~주의(主義) principio *m* de asimilación. ~주의자(主義者) asimilista *mf*.

동화(同和) co-armonización *f*, co-armonía *f*. ~하다 armonizar juntos.

동화(動畫) [만화 영화] animación *f*, película *f* de dibujos animados.

■ ~ 제작자(製作者) animador, -dora *mf*.

동화(童話) cuento *m* infantil, cuento *m* de hadas, cuento *m* para niños, cuento *m* de niños. ~의 나라 país *m* (*pl* países) de las hadas.

■ ~극(劇) cuento *m* de hadas dramatizado, drama *m* infantil, teatro *m* infantil. ~작가(作家) escritor, -tora *mf* de cuentos infantiles. ~집(集) colección *f* de cuentos infantiles. ~책(冊) libro *m* infantil, libro *m* de cuentos infantiles.

동화(童畫) dibujo *m* infantil.

동화(銅貨) moneda *f* de cobre. 500원짜리 ~ moneda *f* de quinientos wones.

동활자(銅活字) tipo *m* de cobre.

동활차(銅滑車) =움직도르래.

동홰 percha *f* grande.

동횃불 antorcha *f* grande.

동회(洞會) ① [마을의 회의] reunión *f* de la aldea. ② ((구칭)) =동사무소(洞事務所).

■ ~장(長) ㉮ jefe, -fa *mf* de la reunión de la aldea. ㉯ =동장(洞長).

동휴(冬休) vacaciones *fpl* de invierno.

돛 vela *f*, [큰] velacho *m*; [집합적] velaje *m*, velamen *m*; [주(主) 돛] vela *f* mayor; [앞돛] trinquete *m*; [뒷 돛대의 세로 돛] mesana *f*, [가로 돛] vela *f* al tercio; [삼각돛] vela *f* latina; [사각 돛] vela *f* cuadrada; [마스트의 돛] vela *f* tarquina; [부챗살 모양의 돛] vela *f* de abanico. ~을 올리고 a vela. ~을 모두 올리고 con las velas desplegadas. ~에 바람을 듬뿍 안고 a toda vela, a todas velas, a velas desplegadas, a velas llenas, a velas tendidas. ~을 감다

aferrar [encoger] la vela. ~을 내리다 recoger velas, bajar [arriar] velas. ~을 올리다 izar velas; [요트의] hacerse a la vela; [출범하다] zarpar, hacerse a la mar. ~을 줄이다 [속도를 늦추기 위하여] reducir velas. ~을 펴다 velajar.

◆ 돛(을) 달다 levantar velas, alzar velas, izar velas; [출범하다] hacer a la vela, hacerse a la vela, dar (la) vela, darse a la vela, largar las velas, salir del puerto un barco de vela. 돛을 달고 a la vela. 순풍(順風)에 ~ tender (las) velas.

돛단배 navío *m* velero, velero *m*, barco *m* de la vela.

돛대 mástil *m*, palo *m*, árbol *m*; [앞의] trinquete *m*. ~가 세 개인 배 barco *m* de tres mástiles. ~ 위의 망대 cofa *f* de vigía, torre *f* de vigía. ~ 의 줄 cabo *m*; [집합적] cordaje *m*.

돛배 vela *f*, barco *m* [buque *m*] de (la) vela.

돛베 =돛천.

돛자리 【천문】 Vela *f*.

돛천 paño *f* de vela.

돛폭(一幅) anchura *f* de la vela.

돼 ((준말)) =되어. ¶일이 잘 ~ 갔다 El trabajo se fue bien.

돼가다 ((준말)) =되어가다.

돼먹다 ((준말)) =되어먹다.

돼지 ① 【동물】 cerdo, -da *mf*, puerco, -ca *mf*, guarro, -ra *mf*, cochino, -na *mf*, marrano, -na *mf*, tocino, -na *mf*, verraco, -ca *mf*, *AmL* chancho, -cha *mf*, *AmC* tunca *f*, *Sal* cuchi *m*; *Per* cuchí *m*, *ReD* choncho, -cha *mf*, chonchi *m*; [새끼 돼지] gorrino *m*, lechón *m*, cochinillo *m*, *AmL* chanchito *m*; [거세한 돼지] cerdo *m* castrado. ~를 치는 사람 porquerizo, -za *mf*, porquero, -ra *mf*. ~를 치다 criar los cerdos. ② [욕심쟁이] avaricioso, -sa *mf*, codicioso, -sa *mf*, [많이 먹는 사람] comilón, -lona *mf*, [미련둥이] persona *f* estúpida. ③ [뚱뚱한 사람] gordo, -da *mf*. ~같이 살찐 tan gordo como el cerdo.

▪ 돼지 목에 진주(眞珠) ((속담)) No se deben echar margaritas a los cerdos. 그슬린 돼지가 달아맨 돼지 타령한다 ((속담)) Dijo la sartén al cazo: quítate que me tiznas.

▪ ~갈비 chuleta *f* de cerdo. ~갈비구이 chuleta *f* de cerdo asada. ~고기 carne *f* de cerdo, carne *f* de puerco. ~기름 manteca *f* [*RPI* grasa *f*] de cerdo. ~날 【민속】 el Día del Cerdo. ~띠 【민속】 nacimiento *m* del Año del Cerdo. ~비계 manteca *f* de cerdo, *RPI* grasa *f* de cerdo. ~ 사육자(飼育者) criador, -dora *mf* de cerdos [porcinos] ~우리 pocilga *f*, porqueriza *f*, *AmL* cochiquera *f*, *AmL* cochiquero *m*, establo *m* para el ganado de cerda. 이 집은 ~다! ¡Esta casa está hecha una pocilga [*AmL* cochiguero]! ~우릿간(間) = 돼지우리. ~치기 =양돈(養豚). ~콜레라 (cholera) cólera *m* porcuno. ~해 【민속】 Año *m* del Cerdo. ~ㅅ국 sopa *f* de carne de cerdo.

돼지감자 【식물】 cotufa *f*.

돼지벌레 【곤충】 =잎벌레.

돼지여치 【곤충】 =여치.

됐다 ☞되다[1]

되[1] [곡식·액체 등의 분량을 되는 데 쓰는 그릇] *doe*, medida *f* coreana de capacidad.

▪ 되로 주고 말로 받는다 ((속담)) Quien siembra vientos recoge tempestades / Meter aguja, y sacar reja.

되[2] [곡식·액체 등의 분량을 헤아리는 단위] *doe*, dos litros. 쌀 한 ~ un *doe* de arroz, dos litros de arroz. 보리 두 ~ dos *does* de cebada, cuatro litros de cebada.

되[3] ① [옛날 두만강 근처에 살던 미개 민족] raza *f* bárbara que vivía alrededor del *Duman*; [만주인] manchú, -chúa *mf*, [중국인] chino, -na *mf*. ② =오랑캐.

되- ① [다시. 도로] volver a + *inf*, otra vez, de nuevo, re-. ~묻다 volver a preguntar, preguntar otra vez. ~사다 volver a comprar, comprar de nuevo. ~돌아가다 volver, regresar. ~씹다 volver a mascar [masticar], rumiar. ② [도리어] al contrario, todo lo contrario, por el contrario.

-되 ①[앞말의 사실을 인정하면서 뒷말로 조건을 붙이려 할 때나, 뒷말의 사실이 앞말의 사실에 구속되지 아니함을 보일 때에 쓰는 말] aunque, a pesar de que, pero, sin embargo. 그녀는 아름답기는 하~ 지성미(知性美)가 없다 Aunque ella es hermosa, le falta la belleza intelectual. 그는 학자이~ 상식이 없다 El es un erudito, por cierto, pero no tiene sentido común. ② [조건] si, cuando + *subj*, pero. 보기는 보~ 만지지는 마라 Tú puedes mirarlo, pero no lo toques. ③ [부연] y lo. 그는 그것을 하~ 훌륭하게 해냈다 El lo hizo, y (lo hizo) muy bien.

되가웃 un *doe* y medio, tres litros.

되가지다 volver a poseer, poseer de nuevo.

되갈다 ① [논밭을 다시 갈다] volver a arar, arar de nuevo, arar otra vez. ② [가루 등을 다시 갈다] volver a moler [machacar], moler [machacar] de nuevo [otra vez].

되감다 rebobinar, volver a bobinar, bobinar de nuevo [otra vez].

되강오리 【조류】 =농병아리.

되개고마리 【조류】 =되때까치. 홍때까치.

되걸리다 tener [sufrir] una recaída. 감기에 ~ volver a coger un resfriado, volver a resfriarse. 그는 과로로 말미암아 병에 되걸렸다 El tenía [sufría] una recaída por el demasiado trabajo.

되게 muy, mucho, sumamente, extremadamente, extraordinariamente, severamente, con severidad, 「형용사」 + ísimo. ~ 걱정하다 preocuparse mucho. ~ 나무라다 reprender mucho, vituperar (mucho). ~ 덥다 hacer mucho calor. ~ 춥다 hacer mucho frío. 날씨가 ~ 춥다 Hace mucho frío. 날씨가 ~ 덥다 Hace mucho calor. 나는 ~

춥다 Me afectó mucho el frío / Tengo mucho frío.

되고말고 =되는대로. 함부로.

되곱쳐 otra vez, de nuevo, nuevamente.

되깎이 acción *f* de volver al sacerdocio; [사람] sacerdote *m* [monje *m*] restituido en el cargo.

되깔다 volver a cubrir, cubrir de nuevo.

되나마나 =되고말고.

되나오다 volver a salir, aparecer.

되넘기 reventa *f*, corretaje *m*. ～하다 revender, hacer corretaje (de).

■～ 장사 corretaje *m*. ～ 장수 agente *mf*; corredor, -dora *mf*.

되넘기다 revender.

되넘다 volver a cruzar [atravesar], cruzar [atravesar] de nuevo.

되놈 ① [오랑캐] salvaje *m*, bárbaro *m*. ② [중국 사람] chino, -na *mf*. ③ [만주 사람] manchú, -chúa *mf*.

되놓다 poner otra vez [de nuevo · nuevamente], volver a poner.

되뇌다 hablar larga y pesadamente (de · sobre), decir de una manera prolija [difusa · redundante].

되는대로 al azar, sin pensar, a (la) buena ventura, sin orden ni concierto, al (buen) tuntún, sin ton ni son, a la buena de Dios; [계획없이] sin plan fijo. ～ 때리다 dar golpes a diestro y siniestro [*AmL* a diestra y siniestra]. ～ 말하다 disparatar, decir disparates. ～ 지껄이다 decir irresponsablemente [de modo irresponsable].

되다[1] ① [직업 · 신분 따위] hacerse [(llegar a) ser] +「명사」(관사 없이). 사회주의자가 ～ hacerse socialista. 대통령이 ～ hacerse presidente. 국왕이 ～ hacerse rey, subir al trono. 아버지가 ～ llegar a ser padre, llegar a tener un hijo. 식료품점 주인이 ～ hacerse vendedor de comestibles. 의사가 ～ hacerse médico. 장관(長官)이 ～ ser designado ministro. 학자가 ～ hacerse sabio, (llegar a) ser sabio. 변호사가 되기 위해 공부하다 estudiar para (ser · hacerse) abogado. 크면 무엇이 되고 싶으냐? ¿Qué quieres ser cuando mayor? 나는 화가가 되고 싶다 Quiero hacerme [ser] pintor. 그는 훌륭한 외교관이 될 것이다 El se hará [será] un buen diplomático.

② [상태] volverse, ponerse, quedar. 슬프게 ～ volverse triste. …하게 ～ llegar [venir] a + *inf*, acabar por + *inf*, comenzar [empezar · ponerse] a + *inf*. 서반아어를 잘하게 ～ llegar a hablar bien (el) español. 날씨가 좋게 될 것이다 El tiempo se volverá bueno. 종이가 누렇게 된다 El papel se pone amarillo. 나무가 크게 된다 El árbol crece. 그 갓난아이는 걷게 되었다 El nene empezó [comenzó] a andar. 부상자는 걷게 되었다 El herido se ha puesto de [en] pie. 그녀는 하마터면 넘어지게 되었다 Ella estuvo a punto de caerse / Por poco se cae ella. 이 모자를 세탁하면 새것처럼 될 것이다 Limpiando este sombrero, quedará como nuevo.

③ […로 변하다] cambiarse [convertirse · trasformarse · transformarse] (en +「명사」(관사 없이)). 얼음이 물로 된다 El hielo se convierte en agua. 모충(毛蟲)이 나비가 된다 La oruga se tra(n)sforma en mariposa.

④ [결과가 …이 되다] resultar, hacerse, ser, seguir. 그는 어떻게 될 것인가? ¿Qué habrá sido [se habrá hecho] de él? 실험은 어떻게 됐느냐? ¿Cómo resultó la prueba? 교섭이 어떻게 됐는지 나는 모른다 No sé en qué resultaron las negociaciones / No sé el resultado de las negociaciones.

⑤ [시간 · 수량 따위가] ser, hacer(se), cumplir. 봄 [여름 · 가을 · 겨울]이 되면 en (la) primavera [(el) verano · (el) otoño · (el) invierno]. 곧 다섯 시가 될 것이다 Son cerca de las cinco / Dentro de poco serán las cinco. 벌써 시간이 많이 되었다 Se ha hecho tarde ya. 그는 쉰 살이 되었다 El ha cumplido cincuenta años (de edad). 이곳에 오신 지 몇 년이나 되었습니까? ¿Cuántos años lleva usted aquí? / ¿Cuántos años hace que lleva usted aquí? / ¿Cuántos años hace que vino usted aquí? 나는 그녀와 작별한 지 20년이 되었다 Hace veinte años que me despedí de ella. 나는 당신을 뵙지 못한 지가 오래되었습니다 Hace mucho (tiempo) que no te veo [vi]. 그들이 결혼한 지 곧 30년이 될 것이다 Dentro de poco hará treinta años que ellos se casaron [que ellos están casados]. 며칠 있으면 여름 방학이 된다 Dentro de pocos días comenzarán las vacaciones de verano. 5 더하기 5는 10이 된다 Cinco y cinco son diez. 전부 얼마나 됩니까? ¿Cuánto cuesta [vale] en total? / ¿Qué vale en total? / ¿Cuánto le debo en total?

⑥ [구성되다] formarse (de), componerse (de), constituirse (se). 20명으로 된 위원회 comité *m* constituido [comisión *f* constituida por [de] veinte miembros. 이 책은 다섯 개의 단편으로 되어 있다 Este libro consta [está formado] de cinco cuentos. 물은 산소와 수소로 되어 있다 El agua se compone de oxígeno e hidrógeno.

⑦ [기타] servir. 이것은 의자로도 된다 Esto sirve también de [como] silla. 될 대로 되어라! No importa / Pase lo que pase.

■되면 더 되고 싶다 ((속담)) Cuánto más se tiene, más se quiere.

됐다 ¡Vale! / ¡Bien!, ¡Bien! / ¡Que suerte! / ¡Qué bien! / ¡Bravo! ～, 버스가 온다 ¡Bien!, ¡Bien!, allí viene un autobús. ～, 좋은 아이디어가 떠올랐다 Bravo, se me ocurre una buena idea. 이제 ～ (No, gracias.) No quiero más / ¡Ya está bien! / (Ya) Basta! 그것으로 ～ ¡Vale! / ¡Eso basta! / ¡Está bien así! / Con eso (me) basta. 여기까지 왔으니 ～ Ya la cosa está en el bote / Ya está chupado / Ya es cosa hecha. 그는 그 소식을 듣고 ~고 기뻐했다 Al oírlo, él bendijo su suerte y se alegró.

되다² [말이나 되 따위로] medir. 쌀[보리]을 ~ medir arroz [cebada].

되다³ [논밭을 되갈다] volver a arar, arar de nuevo [otra vez].

되다⁴ ① [동사나 형용사의 「-게」 활용형 밑에 쓰이어] ser, hacerse. 예쁘게 ~ hacerse hermoso. ② [(동사의 「-도[-어도]」 활용형 밑에 쓰이어) 괜찮다 · 가능[가당]하다] poder. 이제 가도 됩니까? ¿Puedo irme [marcharme]? 들어가도 됩니까? ¿Se puede (entrar)? 전화 좀 써도 됩니까? ¿Se puede [Puedo] usar el teléfono?

되다⁵ ① [힘에 겹다] (ser) duro, penoso, pesado, fuerte. 된 일 trabajo *m* duro [penoso · pesado]. 된 훈련 entrenamiento *m* fuerte [duro]. 일이 너무 ~ El trabajo es demasiado duro [pesado]. ② [지어 놓은 밥 따위가] (ser) espeso, denso, duro. 죽이 ~ Las gachas son espesos. 밥이 ~ El arroz es duro. ③ [(줄 같은 것이) 몹시 켕겨서 팽팽하다] (ser) tenso. 되게 동이다 atar fuerte. 줄을 되게 죄어라 Tensa la cuerda. 그것을 되게 매야 한다 Hay que atarlo fuerte. ④ [호되다] (ser) severo, intenso, duro, fuerte, pesado. 된 추위 frío *m* severo [intenso · duro]. 되게 얻어맞다 ser golpeado fuerte [mucho].

-되다 [동사적 명사에 붙어서] se, ser +「과거분사」, hacerse. 걱정~ estar preocupado, tener preocupado, preocuparse, inquietarse. 살해(殺害)~ ser asesinado. 나는 그녀의 건강이 걱정된다 Su salud me tiene algo preocupada / Estoy algo preocupado por su salud. 나는 그 소식을 들었을 때 그들의 안전이 걱정되었다 Cuando oí la noticia me preocupé [me inquieté] por ellos.

되다랗다 ser muy espeso [denso].

되대패 cepillo *m* de carpintero redondo, cepillo *m* circular.

되도록 todo lo posible, lo más posible, en [dentro de] lo posible, con todo posible, lo mejor posible, hasta cuanto pueda, tan … como posible, tan … como pueda. ~ 빨리 [시기적으로] cuanto (más) antes, lo más pronto posible, lo antes posible, tan pronto como posible [pueda]. ~ 늦게 lo más tarde posible. ~ 노력(努力)하다 esforzarse lo más posible, hacer todos los esfuerzos posibles. ~ 많은 책을 읽다 leer cuantos libros sean posibles, leer todos los libros posibles, leer los más libros posibles. ~ 빨리 돌아오너라 Vuelve a casa cuanto antes. ~ 빨리 돌아오겠습니다 Regresaré [Volveré] tan pronto como pueda [lo más pronto posible · cuanto antes]. ~ 빨리 오너라 Ven cuanto antes. ~ 많이 내게 주시오 Déme usted tanto como pueda. 젊은 시절에 ~ 많은 책을 읽어라 Lee cuantos libros sean posibles en tu juventud. ~ 내가 오겠소 Haré lo posible para venir acá. ~ 빨리 그에게 그것을 알려 드리겠습니다 Se lo avisaré cuanto antes. 나는 ~ 많은 사람을 만나고 싶다 Quiero ver el mayor número posible de personas. ~ 싸고 좋은 하숙집을 가르쳐 주실 수 있으신지요? ¿Podría usted indicarme una pensión buena y económica en lo posible? ~ 해보려고 준비하고 있다 Estoy dispuesto a hacer lo más posible [(todo) lo posible · cuanto pueda].

되돌리다 soplar del sentido opuesto, rechazar, rehusar; [원래 장소로] devolver, reponer, volver; [빌린 물건을] devolver; [원상대로] [평화 · 질서를] restablecer; [신용 · 건강을] devolver; [연락 · 통신을] restablecer; [군주국 · 오락을] restaurar, restablecer; [계획을 바꾸다] echarse atrás, volverse atrás. 숨을 ~ resucitarse. 자동차를 ~ dar [hacer] marcha atrás. 태엽을 ~ aflojar el muelle. 시곗바늘을 5분 ~ atrasar [retrasar] el reloj cinco minutos. 되돌려 놓다 volver a poner. 되돌려 보내다 reenviar. 일심(一審)으로 되돌려 보내다 reenviar el asunto al tribunal de primera instancia. 우리는 되돌릴 수 없다 No podemos echarnos [volvernos] atrás. 이것을 본래의 장소에 되돌려 주십시오 Ponga usted esto donde estaba. 그것을 발견한 장소에 되돌려 놓아라 Vuelve a ponerlo donde lo encontraste.

되돌아가다 volver, regresar, volver pie atrás, *AmL* devolverse (*RPI* 제외). 도중에서 ~ volver [regresar] a mitad de camino. 배는 폭풍 때문에 부산으로 되돌아갔다 El barco regresó [volvió] a Busan debido a la tempestad.

되돌아들다 regresar, volver.

되돌아오다 volver, devolver. 본심(本心)으로 ~ volver a los primeros propósitos. 잃어버린 물건이 주인에게 되돌아왔다 El artículo perdido devolvió a *su* amo. 빌려준 돈이 전부 되돌아왔다 Todos los préstamos fue pagados de nuevo.

되돌이 운동(一運動) 【물리】 =반사 운동.

되돌이표(一標) 【음악】 =도돌이표.

되되이 cada medida, todas las medidas.

되들다¹ [다시 들거나 도로들다] volver a entrar, entrar de nuevo.

◆되들고 되나다 seguir [continuar] entrando y saliendo.

되들다² [얄밉게 얼굴을 쳐들다] levatar [alzar] la cara con actitud desafiante.

되디되다 ser muy denso [espeso · duro].

되때까치 【조류】 alcaudón *m* (*pl* alcaudones).

되똑 tambaleándose.

되똑거리다 tambalearse. 노인이 되똑거리면서 우리에게 접근했다 El viejo se nos acercó tambaleándose.

되똑되똑 siguiendo [continuando] tambaleándose.

되똥 tambaleándose.

되똥거리다 tambalearse.

되똥되똥 siguiendo tambaleándose.

되뜨다 (ser) irracional, ilógico, poco razona-

ble, irrazonable.
되록거리다 =뒤룩거리다.
되록되록하다 ① [군살이] (ser) rollizo, regordete 되록되록한 팔 brazo *m* rollizo. ② =뒤룩뒤룩하다.
되롱거리다 colgar, pender, balancearse; [그네에서] columpirarse. 사과가 바람에 되롱거리고 있다 Las manzanas están balanceando con el viento. 등이 바람에 되롱거린다 La linterna se balancea con el viento.
되롱되롱 colgando, pendiendo, balanceándose; [그네에서] columpiándose.
되룽거리다 (ser) altivo, altanero.
되리 mujer *f* sin vello púbico.
되매기 peine *m* rescatado.
되먹다 volver a comer, comer de nuevo, comer otra vez.
되먹임 realimentación *f*.
되먹히다 volver a ser estafado, ser estafado de nuevo.
되모시 virgen *f* falsa, divorciada *f* que pretende ser una virgen..
되묻다 ① [다시 묻다] volver a preguntar, preguntar de nuevo, repetir la pregunta. ② [물음에 답하지 않고 도리어 묻다] preguntar por contestación, contestar con una pregunta. 왜 그런 것을 묻는가고 그는 나에게 되물었다 El me preguntó a su vez por qué le había hecho semejante pregunta.
되밀다 volver a empujar, empujar de nuevo.
되바라지다 ① [(나이 어린 사람이) 언행이 신중하지 못하고 지나치게 똑똑(한 체)하다] ser precoz y impertinente, descarado, insolente, sofisticado, fresco. 되바라진 사람 persona *f* descarada. 되바라진 남자 hombre *m* descarado. 되바라진 여자 mujer *f* descarada. 나이에 비해 ~ hablar como un adulto para *su* edad. 그녀는 나이에 비해 되바라졌다 Ella tiene mucha experiencia para su edad / Ella habla como un adulto para su edad. ② [너그럽지 못하고 포용성이 없다] (ser) de mentalidad cerrada, intolerante, intransigente, avaro, egoísta, mezquino. ③ [아늑한 맛이 없다] (ser) incómodo.
되박다 reimprimir, volver a imprimir.
되박이 reimpresión *f*, segunda edición *f*.
되박이다 reimprimirse.
되받다 ① [도로 받다] devolver, volver una cosa a *su* estado primitivo o restituirla a *su* dueño, volver a recibir. 되받아 차다 devolver de una patada. 공을 되받아 차다 devolver la pelota de una patada. 라켓으로 공을 되받아 치다 devolver la pelota con la raqueta. ② [꾸짖음에 대하여 반항하다] volver a reprender.
되부르다 volver a llamar, rellamar, llamar otra vez [de nuevo].
되살다 ① [먹은 음식이 삭지 않고 도로 보깨어 오르다] (ser) pesado, indigesto. 렌즈콩이 무척 되산다 Las lentejas son muy pesadas [indigestas]. ② [거의 죽을 듯한 것이 도로 살아나다] resucitar, revivir, renacer, reanimar. 그는 인공호흡으로 되살아났다 La respiración artificial le volvió a la vida [le resucitó]. 이런 시원한 바람이 불면 되살아나는 기분이 든다 Con esta brisa fresca siento como si reviviera. 그는 인공호흡으로 되살아났다 El volvió en sí gracias a la respiración artificial.
되살리다 [사람을] resucitar, volver a la vida; [경제를] reactivar, estimular; [희망·흥미·우정을] hacer renacer, reavivar.
되살피다 volver a examinar, examinar de nuevo.
되새 【조류】 pinzón *m* de las montañas.
되새기다 ① [입맛이 없어 내씹다] volver a mascar, mascar de nuevo, mascar otra vez. ② [반추(反芻)하다] rumiar. ③ [골똘하게 연해 생각하다] meditar (sobre), reflexionar, recordar, acordarse (de).
되새김 =반추(反芻). 새김질(rumia).
▪ ~동물(動物) 【동물】 =되새김질동물. ~밥통 【동물】 =새김위. ~위(胃) 【동물】 =새김위. ~질 【동물】 rumia *f*. ~질동물(動物) 【동물】 =새김질동물.
되생각하다 volver a pensar, pensar otra vez [de nuevo].
되세우다 volver a levantar.
되솔새 【조류】 ((학명)) Acanthopneuste tenellipes.
되술래잡다 contraatacar, replicar.
되술래잡히다 ser contraatacado [replicado].
되쌓다 volver a amontonar.
되쏘다 ① =반사(反射)하다. ② [다시 쏘다] volver a disparar [tirar].
되쏨 ① 【물리】 =반사(反射). ② [되쏘는 일] acción *f* de volver a disparar.
되쏨거울 【물리】 =반사경.
되쏨빛살 【물리】 =반사 광선(反射光線).
되쓰다 volver a escribir, escribir otra vez [de nuevo].
되씌우다 culpar a *uno*, echar*le* la culpa a *uno*.
되씹다 ① [한 말을 연해 자꾸 되풀이하다] reiterar, repetir, insistir sobre la misma cosa. ② =되새기다.
되알지다 ① [힘주는 맛이나 억짓손이 몹시 세다] (ser) coactivo, coercitivo, agresivo, arbitrario, prepotente. 되알지게 coactivamente, coercitivamente, agresivamente, arbitrariamente, prepotentemente. ② [힘에 벅차서 괴롭다] no ser de *su* competencia.
되양되양하다 (ser) frívolo, poco serio, ligero, imprudente, displicente, indiferente.
되어가다 ① [일이나 물건이 거의 이루어져 가다] llegar a ser, estar acercándose, desarrollarse, tomar forma. 잘 ~ salir bien, resultar bien. 모든 것이 잘 되어갔다 Todo salió [resultó] bien. 팀은 어떻게 되어갑니까? ¿Qué tal marcha [va] el equipo? ② [어떤 때가 거의 다 되다] acercarse (a).
되올라가다 ① [낮은 데로 내려오다가 도로 올라가다] volver a subir, subir de nuevo [otra vez]. ② [값이 내리다가 다시 올라가

다] volver a alzar, volver a subir, alzar [subir] de nuevo [otra vez].
되외다 volver a aprender de memoria.
되우 muy, mucho. ~ 앓다 estar muy enfermo, doler mucho, tener mucho dolor (de).
되우새 【조류】 =가창오리.
되우 치다 【고제도】 golpear mucho, dar un golpe fuerte.
되작거리다 [방 · 서랍을] revolver; [집 · 건물을] registrar (de arriba a abajo). ☞뒤척거리다
되작되작 revolviendo, registrando.
되작이다 =되작거리다.
되잖다 ((준말)) =되지 아니하다((ser) inútil, no servir para nada, sin ningún valor, absurdo, pobre, malo, insignificante, sin importancia). ¶되잖은 수작 comentario *m* absurdo, tonterías *fpl*, estupideces *fpl*. 되잖은 일 plan *m* sin ningún valor, asunto *m* insignificante, asunto *m* sin importancia. 되잖은 핑계 pobre [mala] excusa *f*.
되잡다 volver a coger, coger de nuevo [otra vez].
되잡히다 volver a ser cogido.
되지기[1] [찬밥으로 다시 지은 밥] arroz m recalentado.
되지기[2] [볍씨 한 되를 뿌릴 만한 논밭의 넓이] arrozal *m* [campo *m*] muy pequeño.
되지못하다 ① [잘 이루어지지 못하다] no ser terminado, no ser logrado. 식사가 다 ~ la comida no está lista. ② [사람답지 못하다] no servir para nada, ser inútil, no ser decente [decoroso]; [건방지다] descarado, impudente, impertinente. 되지못한 녀석 inútil *m*, fracaso *m*, tipo *m* impertinente.
되지빠귀 【조류】 ((학명)) Turdus hortulorum.
되직하다 (ser) algo espeso, algo denso. 풀이 ~ El engrudo es algo espeso.
되질 medida *f* con un *doe*. ~하다 medir con un *doe*.
되짚어 volviendo pronto [dentro de poco].
되짚어 가다 volver sobre *sus* pasos pronto, volver [regresar] pronto.
되짚어 보내다 hacer volver pronto [inmediatamente].
되착거리다 =뒤척거리다.
되착되착 =뒤척뒤척.
되착이다 =뒤척이다.
되찾다 recobrar, recuperar; [명성 · 재산 따위를] reconquistar, revindicar. 돈을 ~ recobrar [reembolsarse] el dinero. 자신(自身)을 ~ recobrar [recuperar] la confianza en sí mismo. 잃어버린 시간을 ~ recuperar el tiempo perdido. 우세(優勢)를 ~ volver a llevar ventaja. 나는 강도에게 빼앗긴 돈을 되찾았다 Recuperé el dinero que me había robado el bandido.
되채다 enunciar clara y fácilmente.
되처 otra vez, de nuevo, nuevamente. ~ 묻다 preguntar otra vez.
되치기 =반격(反擊). 반공(反攻).
되치이다 ser contraatacado.
되통스럽다 (ser) torpe, chapucero, patoso, obtuso. 되통스러운 사람 chapucero *m*. 그가 하는 짓마다 ~ El hace todo de manera torpe.
되틀다 retorcer, volver a torcer.
되티티 【조류】 =되지빠귀.
되팔다 volver a vender, vender de nuevo, *Méj* rescatar.
되풀다 ① [묶은 것을] volver a desatar. ② [다시 해결하다] volver a resolver, resolver de nuevo.
되풀리다 ser desatado de nuevo; ser resuelto de nueno.
되풀이[1] [반복] repetición *f*, reiteración *f*, [노래 · 시 (詩)의] estribillo *m*. ~하다 repetir, reiterar. ~해서 repetidamente, repetidas veces. ~되다 repetirse. 옛날 일을 ~하다 tocar de nuevo [revivir · machacar] un asunto antiguo. ~해서 말하다 repetir, repetir repetidas veces. ~해서 경고하다 advertir reiteradamente; [재차(再次)] volver a advertir. 죄를 ~하다 repetir los delitos, cometer un crimen después de otro, amontonar delitos. 역사는 되풀이된다 La historia se repite. ~해서 말하지만 나한테 편지 쓰는 일을 잊지 마라 Te repito que no dejes de escribirme. 그의 이름은 r를 ~해서 쓴다 Su nombre se escribe con r doble. 이런 과오는 ~되어서는 안 된다 No se debe repetir esta falta.
되풀이[2] ① [되로 계산] cálculo *m* por el *doe*. ~하다 calcular por el *doe*. ② [곡식을 되로 파는 일] venta *f* por el *doe*. ~하다 vender por el *doe*.
된- ① [물기가 아주 적은] poco húmedo, espeso, denso. ~죽 gachas *fpl* espesas, gachas *fpl* poco húmedas. ~밥 arroz *m* espeso, arroz *m* poco húmedo. ② [몹시 심한] muy severo [intenso · fuerte]. ~바람 viento *m* muy fuerte. ~서리 escarcha *f* muy severa. ③ 【언어】 fuerte. ~소리 sonido *m* fuerte.
된똥 excremento *m* duro.
된마파람 ((뱃사람말)) =동남풍(東南風).
된매 paliza *f* severa.
된바람 ① [빠르고 세게 부는 바람] viento *m* muy fuerte. ② ((뱃사람말)) =북풍(北風).
된밥 arroz *m* recocido, arroz *m* cocido demasiado.
된비알 cuesta *f* muy empinada.
된새 ((뱃사람말)) =북동풍(北東風).
된새바람 =된새.
된서리 escarcha *f* severa [pesada].
◆된서리(가) 때리다 la escarcha pesada caer en los árboles y las hierbas. 된서리(를) 맞다 ㉮ [되게 내린 서리를 맞다] sufrir de la escarcha pesada. ㉯ [모진 재앙을 당해 풀이 꺾이다] sufrir un gran golpe, pasar necesidades, sufrir un gran revés. 우리의 계획은 된서리를 맞았다 Nuestros planes han sufrido un gran revés.
된서방 esposo *m* severo.
◆된서방(에) 걸리다 =된서방(을) 맞다. 된서방(을) 맞다[만나다] sufrir un gran revés.

된소리 sonido *m* fuerte.
된장(－醬) *doenchang*, pasta *f* de soja [soya] fermentada, masa *f* fermentada de soja [soya].
■～국 *doenchangguk*, sopa *f* de soja fermentada. ～떡 *doenchangtok*, torta *f* mezclada con pasta de soja fermentada. ～찌개 *doenchangchigue*, estofado *m* de olla de pasta de soja fermentado.
된침(－針) aguja *f* dolorosa.
된통 ＝되우.
된풀 engrudo *m* espeso.
된하늬 ((뱃사람말)) ＝북서풍(北西風).
될뻔댁(－宅) persona *f* que perdió la oportunidad de éxito por un escaso margen.
될성부르다 (ser) prometedor, CoS auspicioso.
■될성부른 나무는 떡잎부터 알아본다 ((속담)) La primera impresión es la más duradera / Los genios se revelan ya en su tierna infancia.
될성싶다 ＝될성부르다.
됨됨이 ① [사람의] *su* carácter, *su* personalidad, *su* disposión, *su* natural. 그는 ～가 정직하다 El es de natural honrado / El es honrado en carácter. ② [물건의] composición *f*, naturaleza *f*, factura *f*; [옷의] confección *f*. 그 가구의 ～가 멋있다 El juego de mueble es de excelente factura.
됨새 【농업】＝작황(作況).
됨직하다 ＝될성부르다.
됫글 conocimiento *m* superficial, conocimiento *m* poco aprendido.
됫밑 grano *m* sobrante después de medir con el *doe*.
됫박 ① [되 대신으로 쓰는 바가지] tazón *m* (*pl* tazones) de calabaza usado como una medida. ② ((속어)) ＝되[1].
■～질 medida *f* con un tazón de calabaza. ¶～하다 medir con un tazón de calabaza.
됫박벌레 【곤충】＝무당벌레.
됫밥 arroz *m* cocido con un *doe* de arroz.
됫수(－數) cantidad *f* de medir con un *doe*.
됫술 ① [한 되쯤의 술] vino *m* de un *doe* más o menos, vino *m* de unos dos litros. ② [되로 되어서 파는 술] vino *m* vendido con el *doe*.
두 [둘] dos, un par (de). ～ 배 dos veces. ～ 번 dos veces. ～ 내외(內外) marido y mujer, esposos *mpl*. ～사람 dos personas, dos hombres. 책 ～ 권 dos libros, un par de libros. 같은 실패를 ～ 번 거듭하지 마라 No repitas el mismo fracaso.
■두 손뼉이 맞아야 소리가 난다 ((속담)) Cuando uno no quiere, dos no riñen / Cuando uno no quiere, dos no barajan.
두[1](斗) 【천문】((준말)) ＝두성(斗星).
두[2](斗) [곡식이나 액체를 되는 단위] *du*, dos litros.
두[1](頭) ((속어)) ＝골치. ¶아이고 ～야 ¡Qué dolor de cabeza! / ¡Cuánto me duele la cabeza! / ¡Cuánto tengo dolor de cabeza!
두[2](頭) [짐승의 수효를 세는 단위] cabeza *f*. 말 다섯 ～ cinco caballos. 소 천한 ～ mil una vacas. 가축 오백 ～ quinientas cabezas de ganado.
두가리 vajilla *f* de madera.
두각(頭角) coronilla *f* (de cabeza), prominencia *f*, ilustración *f*.
◆두각을 나타내다 distinguirse, señalarse, sobresalir (entre otros). 그는 정치가로 두각을 나타냈다 El salió como político. 그는 머리가 좋은 점에서 두각을 나타내고 있다 El sobresale [se distingue] (entre todos) por su inteligencia.
두개(頭蓋) 【해부】cráneo *m*, caja *f* ósea.
■～봉합(縫合) sutura *f* craneal. ～성형술(成形術) craneoplastia *f*. ～연화증(軟化症) craneotabes *f*. ～염(炎) cranitis *f*. ～진찰(診察) craneoscopia *f*. ～촬영 장치(撮影裝置) craneógrafo *m*. ～측정기(測程器) cefalómetro *m*. ～폐쇄증(閉鎖症) craneostenosis *f*. ～표근(表筋) músculo *m* epicráneo. ～혈종(血腫) cefalohematoma *m*.
두개골(頭蓋骨) 【해부】cráneo *m*, calavera *f*. ～의 craneal.
■～막(膜) pericráneo *m*. ¶～의 pericraneal. ～막염(膜炎) pericramitis *f*. ～상학(相學) craneognomía *f*. ～수술(手術) trepanación *f*. ～측정(測程) craneometría *f*. ～측정기(測程器) craneómetro *m*. ～파열(破裂) craneosquisis *f*. ～학 craneografía *f*.
두건(頭巾) capote *m*, toca *f*, capucha *f*, capirote *m*, caperuza *f*, cofia *f*. ～을 쓰다 ponerse un capote [una caperuza]. ～을 벗다 quitarse un capote.
■～동(童) niño *m* a que dio a luz estando de luta.
두겁 ① [가늘고 긴 물건의 끝에 씌우는 물건] tapa *f* ornamental en la punta del objeto delgado y largo. ② ((준말)) ＝붓두껍.
두견(杜鵑) ①【조류】＝두견이(cuco, cuclillo). ②【식물】＝진달래(azalea).
■～화(花) ＝진달래꽃. ～화전(花煎) tortilla *f* de flor de azalea.
두견새(杜鵑－) 【조류】＝두견이.
두견이(杜鵑－) 【조류】cuclillo *m*, cuco *m*, cucú *m*.
두겹창(－窓) ＝겹창.
두고두고 ① [여러 번에 걸쳐서] muchas veces. ～ 먹다 comer muchas veces. ② [오래도록] (por) mucho tiempo. ～ 후회하다 arrepentirse mucho tiempo. ③ [영원히] para siempre, eternamente.
두곡(斗穀) ＝말곡식.
두골(頭骨) ①【해부】＝머리뼈. ② ((준말)) ＝우두골.
■～백숙(白熟) seso *m* de la cabeza de vaca cocinado con agua. ～이상(異常) discefalia *f*.
두그루부치기 【농업】＝이모작(二毛作).
두그루심기 【농업】＝이모작(二毛作).
두그르르 rodando, retumbando, cayéndose.
두근거리다 palpitar, latir, agitarse, ponerse tictac. 가슴이 ～ palpitar [latir] el corazón, tener el corazón palpitante.
두근두근 con una rápida sucesión de gol-

pecitos. ~하다 [심장이 주어] palpitar, latir. 심장 [가슴]이 ~해서 con palpitaciones en el corazón. 그 소리를 듣자 심장이 ~했다 Al oírlo sentí que el corazón me latía con fuerza. 그는 그녀의 문 가까이 갔을 때 가슴이 ~했다 El corazón le latía con fuerza al acercarse a su puerta.

두근대다 =두근거리다.

두글두글 rodando continuamente, siguiendo rodando.

두길마보기 doble juego *m*, duplicidad *f*, oportunismo *m*.

두길마(를) 보다 sentarse a horcajadas (sobre).

두길보기 =두길마보기.

두길(을) 보다 =두길마(를) 보다.

두꺼비 【동물】 sapo *m*; 【학명】 Bufo gargarizans.

◆두꺼비 꽁지만 하다 ser pequeñísimo, ser superficial en *su* conocimiento. 두꺼비 파리 잡아먹듯 comerse algo en un abrir y cerrar de ojos, en un periquete.

■ ~기름 【한방】 aceite *m* de sapo. ~씨름 empate *m*. 두꺼비씨름 같다 ㉮ [승부가 나지 않다] empatar(se). ㉯ [누가 옳고 그름이 없이 피차일반이다] dar lo mismo. ~집 【전기】 ((속어)) =안전 개폐기.

두껍다 (ser) grueso, voluminoso; [벽 따위가] espeso. 두꺼운 책 libro *m* voluminoso [grueso]. 두꺼운 벽 pared *f* espesa [gruesa]. 두꺼운 판자(板子) tabla *f* gruesa, tablón *m* (*pl* tablones); ((성경)) viga. 두꺼운 천 tela *f* gruesa, género *m* grueso. 두꺼운 컵 vaso *m* grueso, copa *f* gruesa. 두꺼운 철판(鐵板) tablón *m* [plancha *f* gruesa] de hierro. 두꺼운 유리판 plancha *f* de vidrio, cristal *m* laminado grueso. 두껍게 자른 빵 pan *m* de corte grueso. 두꺼운 천으로 만든 커튼 cortina *f* de tela gruesa. 두꺼운 천으로 만든 웃옷 chaqueta *f* de tela gruesa. 빵을 두껍게 자르다 cortar el pan en trozos gruesos [en rebanadas gruesas]. 책이 ~ El libro es grueso [voluminoso].

두껍디두껍다 ser muy grueso [voluminoso · espeso].

두껍다랗다 ser más grueso [voluminoso · espeso] de lo que se cree [piensa].

두껍다리 puente *m* de piedra pequeño.

두껍닫이 bolsillo *m* de puerta de corredera, caja *f*.

두께 espesor *m*, espesura *f*, densidad *f*, grosor *m*, grueso *m*; [직경(直徑)] diámetro *m*. ~가 10센티미터이다 tener diez centímetros de espesor, tener un espesor de diez centímetros. ~가 1미터이다 tener un metro de diámetro. 손가락 ~이다 ser del grueso de un dedo.

두끼 dos comidas. 하루에 ~만 먹는다 comer sólo dos comidas al día.

두남(斗南) todo el mundo, todo el universo.

두남두다 tener debilidad (por), ser aficionado (a), demostrar favoritismo [parcialidad] (a), ser parcial [tendencioso · partidista].

두뇌(頭腦) ① [머릿골] cerebro *m*, seso *m*. ~의 cerebral. 냉정한 ~ cerebro *m* no apasionado. 인간(人間)의 ~ cerebro *m* humano. ② ㉮ [머리] cabeza *f*. ㉯ [지성(知性)] inteligencia. ~적인 intelectual. ~를 써서 de una manera intelectual. ~가 명석하다 tener la inteligencia clara [lúcida], ser perspicaz, ser inteligente. 그의 ~는 실무에 적합하지 않다 El no tiene cabeza para negocios prácticos.

■ ~ 노동(勞動) trabajo *m* intelectual. ~ 노동자(勞動者) trabajador, -dora *mf* intelectual [mental]; intelectual *mf*. ~ 유출(流出) fuga *f* de cerebros. ~ 집단(集團) gabinete *m* estratégico, comité *m* asesor.

두다[1] ① [일정한 곳에 있게 놓다] poner, colocar. 손을 무릎 위에 ~ poner las manos en las rodillas. 짐을 문 앞에 ~ poner el equipaje delante de la puerta. 의자를 창 옆에 ~ colocar la silla junto a la ventana. …을 둘 곳이 없다 No hay lugar para (poner) *algo*. 그것을 탁자 위에 두십시오 [usted에게] Póngalo (usted) en la mesa / [tú에게] Ponlo en la mesa / [ustedes에게] Pónganlo (ustedes) en la mesa / [vosotros에게] Ponedlo en la mesa. 그것을 탁자 위에 두지 마세요 [usted에게] No lo ponga usted en la mesa / [tú에게] No lo pongas en la mesa / [ustedes에게] No lo pongan ustedes en la mesa / [vosotros에게] No lo pongáis en la mesa. 그것을 탁자 위에 둡시다 Pongámoslo [Vamos a ponerlo] en la mesa. 그것을 탁자 위에 두지 맙시다 No lo pongamos en la mesa.

② [일정한 곳에 있게 하다] dejar. 편지를 그의 집에 두고 오다 dejar la carta en su casa. 집에 아이들을 두고 나가다 salir dejando a los niños en casa. 시계를 책상 위에 두고 왔다 Dejé el reloj en el escritorio.

③ [일정한 상태로 있게 하다] dejar. 나를 가만히 두세요 [usted에게] Déjeme tranquilo [en paz] / [tú에게] Déjame tranquilo [en paz].

④ [설치하다] poner, instalar, asentar, fundar. 길 모퉁이에 파출소를 ~ instalar un puesto de policía en la esquina. 부산에 지점을 ~ fundar [instalar] una sucursal en Busan. 입구에 보초를 ~ colocar [poner] un guarda a la entrada.

⑤ [고용하거나 거느리다] tener, emplear. 여비서를 ~ tener [emplear] una secretaria. 삼 남매를 ~ tener tres hijos. 운전사를 ~ tener [emplear] un chófer (privado · personal). 그는 집에 하녀를 세 명 두고 있다 El tiene (empleadas) tres criadas en su casa.

⑥ [유숙하게 하다] cuidar, hospedar, alojar. 그녀는 하숙인을 다섯 명 두고 있다 Ella cuida a cinco huéspedes / Hospeda a cinco personas.

⑦ [마음속에 간직하거나 기억하다] recordar. 염두에 ~ tener presente, tener en cuenta; [고려하다] considerar, tener en

consideración, pensar (en). 혐의(嫌疑)를 ～ sospechar.
⑧ [사이에 끼우거나 넣거나 섞다] insertar, meter, poner, mezclar.
⑨ [(「두고」의 꼴로 쓰이어) 다루는 대상으로 하다] ¶그는 「두고 보자」는 말을 던지고 나가 버렸다 El se marchó soltando la amenaza: "Me las pagarás".
⑩ [시간적·공간적·신분적 거리나 간격을 남겨 놓거나 걸치다] dejar (un intervalo). 사이를 두고 a intervalos. 긴 사이를 두고 a largos intervalos. 5분[5미터] 간격을 두고 a intervalos de cinco minutos [metros]. 10년을 두고 못 보았다 no haber ver por diez años.
⑪ [솜을 넣다] rellenar. 이불에 솜을 ～ rellenar de algodón el edredón.
⑫ [바둑·장기 따위를 놀다] jugar. 바둑을 ～ jugar al baduc.
⑬ [방임하다] dejar + *inf.* ·「현재 분사」·「과거 분사」; tener +「현재 분사」·「과거 분사」. 기다리게 ～ dejar [tener] esperando. 물을 흐르게 ～ dejar correr el agua. 울게 ～ dejar llorando. 조용하게 ～ tener callado. 창문을 열어 ～ tener [dejar] abierta la ventana. 책을 펴 ～ tener [dejar] abierto el libro. 돈을 탁자 위에 던져 ～ dejar tirado el dinero sobre la mesa. 양동이에 물을 가득 채워 ～ tener [mantener] un cubo lleno de agua. 그것을 아무한테도 말하지 않고 두겠다 Me guardaré de decírselo a nadie.
⑭ [미리 …하다] tener +「과거 분사」. 음료를 준비해 ～ tener preparadas bebidas. 전화를 걸어 ～ telefonear [llamar (por teléfono)] de antemano.
⑮ [수결(手決)하다] firmar.

두다² ① [제외(除外)] [부사적] excepto, salvo, fuera de. …을 두고(는) excepto, salvo, fuera de. 그를 두고는 적임자가 없다 Fuera de él no hay persona más apropiada.
② [거르다] saltarse, *RPl* saltearse. 한 행(行)을 두고 쓰다 escribir a doble espacio [a dos renglones]. 여기서 10미터를 두고 기(旗)를 세우다 colocar una bandera a diez metros (de distancia) de aquí. 일주일을 두고 와 주십시오 Venga usted otra vez dentro de ocho días [ocho días después].

두담(斗膽) hiel *f* muy grande.

두대박이 barco *m* grande con dos mástiles.

두더지 【동물】 topo *m*.
■ ～굴 topera *f*, topinera *f*.

두덜거리다 refunfuñar, gruñir, regañar, murmurar, rezongar, mascullar, mascujar, bufar, hablar entre dientes.
두덜두덜 refunfuñando, gruñendo, murmurando.

두덜대다 =두덜거리다.

두렁 terraplén *m*; [논의] dique *m*.
■ 두렁에 누운 소 ((속담)) Es afortunado siendo cómodo.
■ ～뼈 【해부】 =치골(恥骨). ～톱 sierra *f* redonda con hoja corta.

두도막 형식(－形式) 【음악】 forma *f* binaria.

두동지다 (ser) contradictorio, incoherente, inconsecuente. 그것은 그의 이상(理想)과 두동진다 Es incoherente con su ideal.

두두룩하다 (estar) sobresaliente, repleto, protuberante, hinchado, inflamado, crecido; [눈이] saltón (*pl* saltones). 두두룩한 지갑 monedero *m* repleto.
두두룩이 mucho, en abundancia, abundantemente, de manera satisfactoira, satisfactoriamente. 돈을 ～ 주다 dar mucho dinero.

두두 물물(頭頭物物) todo tipo, toda clase.

두둑 surco *m*; [두렁] dique *m*.

두둑하다 ① [매우 두껍다] (ser) muy grueso [volumioso · espeso]. ② [넉넉하다·풍부하다] (ser) suficiente, abundante, bastante, mucho, satisfactorio. 두둑한 돈 bolsillo *m* lleno de dinero. 두둑한 사례(謝禮) recompensa *f* abundante. 돈은 두둑하니 많이 먹게 Come mucho, que tengo bastante dinero. ③ ((준말)) =두두룩하다.
두둑이 gruesamente, voluminosamente, espesamente; mucho, suficientemente, abundantemente, bastante, satisfactoriamente.

두둔 protección *f*. ～하다 proteger, resguardar, defender, secundar, respaldar, apoyar, ponerse de parte (de). 죄인(罪人)을 ～하다 refugiarse [guarecerse] al culpable. 약자(弱者)를 두둔해 말하다 hablar a [en] favor de los débiles. 그는 후보자를 ～해서 말했다 El habló a [en] favor del candidato. 친구가 나를 두둔해 주었다 Mi amigo me defendió.

두둥실 flotando ligeramente [suavemente]. ～날아 내리다 saltar ligeramente. ～뜨다 flotar. 깃털이 미풍에 ～ 떠서 들어왔다 Una pluma entró flotando con la brisa.

두드러기 【한방】 urticaria *f*. ～가 나다 salir urticaria.

두드러지다 destacarse, distinguirse, sobresalir, descollar. 두드러지게 하다 destacar, realzar. 두드러진 destacado, descollante, sobresaliente, notable, considerable, evidente, singular; [급속한] rápido. 두드러지게 notablemente, evidentemente, considerablemente; rápidamente. 두드러진 인물(人物) personalidad *f* destacada. 두드러진 발전(發展) progreso *m* notable. 두드러진 차이(差異) diferencia *f* notable [manifiesta]. 두드러진 특징(特徵) característica *f* singular. 두드러지게 발전하다 hacer el progreso notable [considerable]. 두드러지게 키가 크다 sobresalir por *su* estatura, ser extremadamente alto de estatura. 그의 연설은 두드러졌다 Su discurso atrajo mucha atención. 그의 성적(成績)은 두드러진다 El saca unas notas sobresalientes [descollantes]. 그의 성적은 두드러지게 좋았다 El mejoró notablemente en sus estudios. 그는 두드러진 능력이 있다 El tiene una destacada habilidad. 우리는 원료가 두드러지게 부족하다 Acusamos una falta extraordinaria de materias primas. 그는 서반아어에 두드러지게 발전했다 El ha adelantado notablemente en el estudio de español / El ha progresado mucho en español. 그는 재계(財界)에서 두드러진 존재다 El es un personaje destacado [se distingue] en los círculos económicos. 동료들의 평범함이 그의 재능을 두드러지게 한다 La mediocridad de sus compañeros hace destacar su talento. 나무들의 푸르름 속에서 붉은 지붕이 두드러지게 보인다 Se destaca el tejado rojo entre el verde de los árboles.

두드리다 ① [소리가 나도록 여러 번 치거나 때리다] llamar, llamar a la puerta, tocar. 문을 ~ llamar a la puerta. ② [타격을 가하다 · 때리다] golpear, dar un golpe, pegar, batir; [가볍게] tocar, golpear ligeramente, dar una palmadita; [주먹으로] aporrear, dar*le* una paliza (a); [벌로] azotar, dar*le* una paliza (a); [손바닥으로 빰을] pegarle [darle] una bofetada (a), abofetear; [몽둥이 · 채찍으로] golpear; [도리깨로] trillar. 등을 ~ dar*le* una palmada [una palmita] a *uno* en la espalda. ③ [(어떤 동사와 함께 두드려로 쓰이어) 마구 · 함부로] a la ventura, por acaso, a diestro y siniestro. 두드려 맞다 hacerse las narices. 두드려 패다 golpear a la ventura. 두드려 먹다 comer a la ventura..

두들기다 azotar, apalear, golpear, dar un golpe (a), dar de golpes, pegar, batir, sacudir. 두들겨 내쫓다 echar fuera [a patadas], arrojar; [추방하다] expulsar, expeler. 두들겨 넘어뜨리다 echar por tierra de un golpe, derribar. 두들겨 맞다 hacerse las narices. 두들겨 부수다 derribar, demoler, despedazar. 두들겨 자르다 cortar de un golpe, tajar. 불을 두들겨 끄다 extinguir [apagar] el fuego a golpetazos. 두들겨 죽이다 matar a palos. 죽을 정도로 ~ apalear hasta dejarlo medio muerto. 비가 창 유리를 두들긴다 La lluvia golpea [azota] los cristales de la ventana.

두등(頭等) primera clase *f*, primera categoría *f*.

두락(斗落) =마지기.

두란(杜蘭) 【식물】=목련(木蓮).

두란노 서원(-書院) ((성경)) escuela *f* de Tirano.

두량(斗量) medida *f*. ~을 잘 주다 hacer una buena medida. ~을 속이다 engañar al cliente en el peso.

두럭 ① [놀기 위해 여러 사람이 모인 떼] grupo *m* de juego. ② [여러 집들이 한데 모인 집단] grupo *m* de casas.

두런거리다 murmurar. 두런거리는 소리 murmullo *m*, susurro *m*. 그는 동의한다고 [불찬성한다고] 두런거렸다 El murmuró que aceptaba [no estaba de acuerdo]. 아이가 자면서 두런거리고 있었다 El niño murmuraba algo en sueños. 나는 네가 두런거리는 소리를 듣고 싶지 않다 No quiero oír ni un murmullo.

두런두런 murmurando. ~ 말하다 hablar en voz baja, hablar murmurando.

두런대다 =두런거리다.

두렁 dique *m*, caballón *m* (*pl* caballones), terraplén *m* (*pl* terraplenes) de arrozal.
■ ~길 senda *f* [sendero *m*] de dique.

두렁이 pañales *mpl*, falda *f* de niño,

두레[1] [농사꾼들이 농번기에 협력하기 위하여 이룬 모임] *dure*, grupo *m* cooperativo de los agricultores.
◆두레(를) 먹다 ㉮ [여러 사람이 둘러앉아 먹다] mucha gente come en círculo. ㉯ [음식을 장만하고 농군들이 모여 놀다] los agricultores juegan después de preparar la comida.
두레꾼 agricultor, -tora *mf* que participa en el grupo cooperativo de los agricultores.

두레[2] [논에 물을 퍼붓는 나무로 된 기구] *dure*, gubia *f* de agua usada en irrigación.
■ ~질 irrigación *f* por el sacar el agua con *dure*. ~ㅅ논 arrozal m que trabajan con *dure*.

두레박 acetre *m*, cubo *m* de pozo. ~으로 우물에서 물을 긷다 sacar el agua del pozo con un acetre.
■ ~줄 cuerda *f* para el pozo. ~질 ¶~하다 sacar el agua del pozo con un acetre.

두레상(-床) mesa *f* para mucha gente.

두레우물 pozo *m* profundo (que usa el acetre).

두려빠지다 El área entera se hunde.

두려움 temor *m*, miedo *m*, terror *m*, pavor *m*, horror *m*, espanto *m*, timidez *f*, pavidez *f*, pavura *f*, pánico *m*; ((은어)) canguelo *m*. ~을 모르는 temerario, que no tiene miedo, que no conoce el miedo. 겨울 산의 ~ horror *m* de las montañas en invierno. ~으로 벙어리가 되다 quedarse mudo de pavor. ~으로 얼굴이 창백해지다 palidecer de terror. 죄의 ~에 떨다 estremecerse por el horror del crimen. 국민들은 국왕의 잔학함에 ~을 갖고 있다 El pueblo está aterrorizado de [por] las atrocidades del rey. 군중들은 총소리에 ~을 갖고 도망쳤다 La multitud huyó espantada de [por] los disparos. 내가 회장에 선출될 수 있다고 생각하니 어쩐지 ~이 앞선다 Me horroriza pensar yo pueda ser elegido presidente.

두려워하다 ① [겁을 내다] temer, tener miedo (a · de), recelar, atemorizarse, espantarse, asustarse, poner miedo, amedrentarse; ((은어)) canguelar. …을 두려워해서 por (el) temor de *algo*, por temor a *algo*, por miedo de *algo*. 두려워하게 하다 espantar, amedrentar, aterrorizar. 죽음을 ~ tener miedo a [de] la muerte. 실패하는 것을 ~ tener miedo a [de] salir mal. 모두가 그를 두려워하고 있다 El es temido de [por] todos / Todos le temo. 그는 어두움을 두려워한다 Le tiene miedo a la oscuridad. 너는 두려워할 것이 아무것도 없다 Tú no tienes nada que temer. 나는 죽음을 두려워

하지 않는다 No temo a la muerte / No tengo miedo a [de] la muerte. 그녀는 아무것도 아무도 두려워하지 않는다 No le tiene miedo [No le teme] a nada ni a nadie. 나는 기차를 놓칠까 두려워했다 Yo tenía miedo de perder el tren. 당신은 무엇을 두려워하고 있습니까? ¿De qué tiene usted miedo? ② [공경하고 어려워하다] temer. 저곳은 생활은 빈곤하지만 하나님을 두려워하고 있다 Allí se vive pobre pero se teme a Dios.

두렴증(—症) =공포증(恐怖症).

두렵다 ① [마음에 꺼려 무섭다] temer, tener miedo. 두려워서 tímidamente, con miedo, con temor, medrosamente. 나는 두렵지 않다 Yo no temo / Yo no tengo miedo. 나는 그녀가 오지 않을까 ~ Temo que ella no venga. 장래가 두려운 아이이다 ¡Qué va a ser de este niño! ② [염려스럽다] estar preocupado (por), tener preocupado. 나는 너의 건강이 좀 ~ Tu salud me tiene algo preocupada / Estoy algo preocupado por tu salud. ③ [위풍이 있어 송구한 느낌이 있다] sentirse sobrecogido (por), sentirse intimidado. 그들은 경치의 아름다움이 두려웠다 Ellos se sintieron sobrecogidos por la belleza del paisaje.

두렷하다 (ser) claro, nítido. ☞뚜렷하다

두렷이 claramente, con claridad. ☞뚜렷이

두령(頭領) líder *mf*; dirigente *mf*; jefe, -fa *mf*.

두루 ① [빠짐없이 골고루] sin excepción, perfectamente; [전면적으로] en todo, por todas partes, todo alrededor (de); [일반적으로] generalmente, universalmente. 세상을 ~ 돌아다니다 recorrer todo el mundo. 세계를 ~ 돌아다니는 사람 trotamundos *m.sing.pl.* 나는 너를 ~ 찾았다 Te he estado buscando por todas partes. 그들은 세계를 ~ 여행했다 Ellos viajaron por todo el mundo. ② =널리(anchamente, extensamente).

두루두루 ㉮ [강조한 말] =두루. ¶팔도강산을 ~ 여행하다 viajar por todo el país. ㉯ [(사람들과의 관계에서) 모나지 않고 둥글게] sociablemente.

▪ ~춘풍(春風) persona *f* que tiene un carácter apacible a todos.

두루마기 *durumaki*, abrigo *m* típico coreano.

두루마리 papel *m* de carta enrollado, rollo *m* de papel [de pergamino · de escritura], papel *m* enrollada para escribir carta, rollo *m*.

▪~ 그림 pintura *f* en rollo. ~ 수건(手巾) toalla *f* de rodillo. ~ 화장지 rollo *m* de papel higiénico, papel *m* higiénico en rollo.

두루마리구름 【기상】 estratocúmulos *mpl.*

두루뭉수리 ① [어떤 일이나 형체가 꼭 이루어지지 못하고 함부로 뭉쳐진 사물] desorden *m*, revoltijo *m*. ② [변변치 못한 사람] persona *f* que no sirve para nada, persona *f* inútil, persona *f* despreciable.

두루뭉실하다 ① [모나지도 둥글지도 않고 그저 둥그스름하다] (ser) algo redondo. ② [언행 · 성격 따위가 또렷하지 않다] no ser claro.

두루미[1] 【조류】 grulla *f*; 【학명】 Grus japonensis.

▪ ~자리 【천문】 Grulla *f*.

두루미[2] [큰 병의 한가지] botella *f* grande con boca estrecha, cuello largo y vientre panzudo.

두루이름씨 【언어】 =보통 명사(普通名詞).

두루주머니 bolsa *f*, monedero *m*, portamonedas *m*.

두루치기[1] [한 가지 물건을 이리저리 둘러 쓰는 짓] uso *m* de una cosa para varios propósitos.

두루치기[2] [조개나 낙지 등을 데쳐서 양념한 음식] guiso *m* condimentado con mariscos y pulpos cocidos.

두루치기[3] [지난날, 낮은 계층의 여인들이 입던, 폭이 좁고 길이가 짧은 치마] falda *f* estrecha y corta.

두룽다리 gorra *f* de piel.

두르다 ① [싸서 가리거나 휘감아 싸다] ponerse, llevarse, arrollarse, ceñirse, envolverse, cubrirse, sujetar, enroscarse [enrayarse] alrededor; [울타리를] cercar. 울타리를 두른 토지(土地) cercado *m*, campo *m* [terreno *m*] cercado. 몸에 누더기를 ~ envolverse de andrajos. 끈을 열십자로 ~ sujetar con cuerdas cruzadas [en forma de cruz]. 판자로 ~ cercar con tablas. 밭 주위에 울짱을 ~ cercar la huerta, rodear la huerta con cerca.

② [공간으로 빙 원을 그리거나 또는 그러하듯이 손으로 돌리다] (hacer) girar. 물레를 ~ girar la rueda.

③ [없는 것을 이리저리 주선하다] pedir prestado. 금전을 ~ pedir dinero prestado. 십만 원을 둘러 주다 prestar cien mil wones.

④ [(사람을) 마음대로 다루다] controlar, manejar, dirigir, administrar; [칼을] blandir, empuñar, usar, manejar. 사람을 마음대로 ~ tener la gente bajo el control perfecto. 칼을 ~ blandir [empuñar] la espada. 나는 그에게 칼과 포크를 두르는 법을 가르쳐 주었다 Yo le enseñé a usar [manejar] los cubiertos.

⑤ [남을 그럴듯하게 속이다] engañar.

둘러대다 ㉮ [그럴듯한 말로 꾸며 대다] paliar, encubrir, disculparse (de), usar paliativos, arreglárselas. 둘러대는 paliativo, paliatorio. 그는 그 자리를 모면하기 위해 둘러대지 않았다 El no usó de paliativos. 그는 자신의 실패를 교묘히 둘러댔다 El palió [encubrió] bien su fracaso. ㉯ ㄱ) [융통하다] procurar, abastecer. 돈을 ~ (encontrar la medida de) procurarse dinero. 돈을 둘러대어 주다 abastecer [procurar] dinero (a). 백만 원만 둘러댈 수 없겠나? ¿No podrías ingeniártelas para reunirme un millón de wones? 돈 좀 둘러댈 수 있겠습니까? ¿Puede prestarme un poco de dinero? ㄴ) [변통하다] arreglar(se) (para + *inf*). 그는 시간을 둘러대 모임에 참석했다 El arregló el tiempo para poder asistir a la reunión. 시간을 둘러대어 찾아뵙겠습니다 Buscaré el tiempo [Me las arreglaré] para visitarle a usted. 나는 시간을 둘러댈 수가 없다 No puedo arreglarme para encontrar tiempo. 기회를 둘러대는 대로 찾아뵙겠습니다 Le visitaré en la primera opotunidad [ocasión]. 어떻게 해서든지 둘러대어 출석하겠다 Procuraré encontrar tiempo [Me las arreglaré] para asistir.

둘러막다 rodear, encerrar, cercar. 높은 산으로 둘러막힌 계곡 valle *m* rodeado [circundado] de altas montañas. 그의 호위자들이 그를 즉시 둘러막았다 Inmediatamente le rodearon sus guardaespaldas.

둘러막히다 ser rodeado [circundado · encerrado · cercado]. 높은 산들로 둘러막힌 계곡 valle *m* rodeado [circundado] de altas montañs.

둘러메다 echarse en los hombros. 나는 재킷을 어깨에 둘러멨다 Me eché la chaqueta en los hombros.

둘러보다 mirar, ver, inspeccionar. 공장(工場)을 ~ inspeccionar la fábrica. 차내(車內)의 사람들을 ~ mirar a las personas en el coche. 집을 좀 둘러보아도 될까요? ¿Podríamos ver la casa? 자동차를 결정하기 전에 좀더 둘러보고 싶습니다 Quiero mirar un poco más antes de decidirme por un coche.

둘러붙다 cambiarse de bando.

둘러서다 estar de pie en un círculo.

둘러싸다 rodear, envolver, cercar, circundar, vallar, tapiar, emparedar, conservar. 물가 문제를 둘러싼 토론회 debate *m* sobre el problema de los precios. 김 씨를 둘러싼 의혹 sospecha *f* en torno al señor Kim. 난로를 ~ rodear una estufa. 담으로 ~ cercar [tapiar · vallar] (un sitio). 테이블을 둘러싸고 앉다 sentarse alrededor de una mesa. 선생님을 둘러싸고 이야기하다 charlar [platicar] con un profesor. 그는 항상 팬에 둘러싸여 있다 El está siempre rodeado de sus admiradores. 군중(群衆)이 그를 둘러싸고 있다 La muchedumbre le rodea.

둘러싸이다 rodearse, envolverse, ser rodeado, ser envuelto. 둘러싸여 있다 estar rodeado (de). 설탕으로 둘러싸인 밤 castaña *f* envuelta en azúcar. 산으로 둘러싸인 마을 pueblo *m* que está rodeado de montañas. 적(敵)에게 둘러싸여 있다 estar rodeado de enemigos. 마을은 사방이 산으로 둘러싸여 있다 El pueblo está rodeado de montañas por todos lados [por todas partes].

둘러쌓다 amontonar [apilar · hacer un montón con · hacer una pila con] *algo* en un círculo.

둘러쓰다 ㉮ [둘러서 뒤집어 쓰다] ponerse alrededor de *su* cabeza. 담요를 ~ envolverse en la manta. ㉯ [물건이나 돈을 변통하여 쓰다] pedir prestado. 돈을 여기저기서 ~ pedir dinero prestado aquí y allá.

둘러앉다 sentarse en un círculo, sentarse alrededor de (una mesa).

둘러엎다 ㉮ [들이부수어서 엎어버리다] darle la vuelta (a), *CoS* dar vuelta. 밥상을 ~ dar la vuelta a la mesa (de comedor). ㉯ [하던 일을 중단하고 떠엎어 버리다] abolir, suprimir. 살림을 ~ abolir la casa.

둘러차다 atar *algo* alrededor de *su* cintura.

둘러치다 ㉮ [휘둘러서 세차게 내던지다] tirar fuerte. ㉯ [메 · 몽둥이 등을 휘둘러서 세차게 때리다] golpear fuerte. ㉰ [병풍 · 그물 등을 둘러놓다] poner alrededor (de *algo*), rodear, encerrar. 병풍을 ~ poner el biombo alrededor.

◆ 둘러치나 메어치나 일반이지 ((속담)) El resultado da lo mismo.

두르르¹ [말렸던 것이 펴졌다가 탄력 있게 다시 말리는 모양] rizándose, ondulándose.

두르르² [바퀴가 구르는 소리] rodando.

두르풍(一風) capa *f*, chal *m*, mantón *m*.

두름 cordel *m*. 굴비 한 ~ un cordel de veinte corvinas secadas.

두름길 camino *m* por que pasa.

두름성(一性) recursos *mpl*, inventiva *f*, versatilidad *f*, capacidad *f*, capacidad *f* de adaptación, adaptabilidad *f*, habilidad *f*. ~이 있는 de recursos, capaz, hábil, ingenioso, adaptable, versátil. ~이 없는 incapaz, inhábil. ~ 있는 사람 persona *f* de recursos, persona *f* con inventiva, persona *f* adaptable, persona *f* ingeniosa.

두름손 habilidad *f* de tratar bien el trabajo.

두릅 retoño *m* de la aralia

두릅나무 【식물】 aralia *f* cordata.

두릅나무과(一科) 【식물】 araliáceas *fpl*.

두리기 acción *f* de comer juntos en la bandeja grande y redonda.

■ ~상(床) mesa *f* (de comedor) redonda que muchas personas comen juntos.

두리기둥 columna *f* redonda.

두리넓적하다 (ser) redondo y llano.

두리넓적히 redonda y llanamente.

두리둥실 =둥실둥실.

두리목(一木) madero *m* redondo.

두리반(一盤) bandeja *f* grande y redonda.

두리번거리다 mirar con asombro, estar alerta, tener vigilancia, hacer vagar la vista. 주위를 ~ mirar alrededor con mirada inquieta [con ojos nerviosos], recorrerlo todo con la mirada.

두리번두리번 con miradas asustadizas [inquietas · desasosegadas], con ojos inseguros. ~하다 estar lleno de miradas asustadizas, mirar con ojos inseguros.

두리번대다 =두리번거리다.

두리함지박 plato *m* de madera redonda.

두림주(豆淋酒) bebida *f* de soja.

두릿그물 red *f* de pescar después de rodear

두말 duplicidad *f*, lengua *f* doble, equivocación *f*. ~하다 faltar a su palabra, mentir, decir mentiras. ~ 않고 francamente, con toda franqueza, con toda sinceridad, honradamente, con honradez, honestamente, con honestidad, sinceramente, sin queja, sin objeción, inmediatamente. ~할 것 없이 claro, desde luego, por supuesto, sin decir más. ~하는 사람 hombre *m* de dos caras. ~하지 않는 사람 hombre *m* de (*su*) palabra, hombre *m* de hecho.

두말 말고 inmediatamente, en seguida, enseguida, el presente, el momento. ~ 어서 돈을 내라 Págame dinero inmediatamente.

두말 없이 sin decir más, sin queja alguna; [즉석에서] inmediatamente; [즉시] en seguida, enseguida; [주저하지 않고] sin vacilación alguna. ~ 승낙하다 consentir de buena gana.

◆두말할 나위 없다 (ser) fijo, determinado; [명백한] claro; [당연한] evidente, natural; [규칙적인] regular; [단조로운] monótono. 두말할 나위 없는 일 perogrullada *f.* 그것은 두말할 나위 없는 일이다 Eso no ofrece duda / Eso cae de su peso / Eso es perogrullada. 그는 두말할 나위 없는 말만 한다 El sólo dice perogrulladas.

두매한짝 cinco dedos.

두멍 ① [큰 가마 · 독] caldera *f* grande, horno *m* grande, jarro grande. ② [큰 동이 · 통] cubo *m* grande, cántaro *m* grande.

두메 aldea *f* remota [apartada · solitaria], lugar *m* [sitio *m*] remoto [lejano · apartado · solitario · aislado], región *f* montañosa lejana *f* de la ciudad. ~에 살다 vivir en la aldea remota.

■ ~산골 distrito *m* montañoso lejano de la ciudad, tierra *f* doblada. ~ㅅ구석 aldea *f* remota. ~ㅅ길 senda *f* en el distrito montañoso. ~ㅅ놈 ㉮ ((낮춤말)) =두멧사람. ㉯ [새로운 풍조나 유행에 어두운 사람] persona *f* pasada de moda. ~ㅅ사람 habitante *mf* de un bosque; paleto, -ta *mf.* ~ㅅ집 casa *f* en el distrito montañoso.

두면(痘面) cara *f* variólica.

두면(頭面) la cabeza y la cara.

두목(頭目) jefe *m*, cabecilla *m*, líder *m*, dirigente *m*, cabeza *f*, caudillo *m*, cacique *m*, *AmL* gamonal *m*. ~이 되다 ir a la cabeza, encabezar, dirigir a los otros. ~은 나다! ¡Soy yo el que manda!

두묘(痘苗) 【의학】 vacuna *f* antivariólica.

두무날 el once y el veintiséis del calendario lunar.

두문(杜門) encierro *m* en el cuarto.

■ ~불출(不出) reclusión *f*, encierro *m* en el cuarto. ¶~하다 encerrarse (en), recluirse (en). 방에서 ~하다 estar encerrado en el cuarto. ~사객(辭客) persona *f* que está encerrada en el cuarto.

두문자(頭文字) ① [성명의] letra *f* inicial. ② [대문자(大文字)] letra *f* mayúscula.

두미(斗米) ① [한 말의 쌀] veinte litros de arroz. ② [얼마 되지 않는 쌀] un poco de arroz; [얼마 되지 않는 봉급] un poco de sueldo [salario].

두미(頭尾) ① [머리와 꼬리] la cabeza y la cola. ② [시작과 끝] el comienzo y el fin, alfa y omega.

◆두미(가) 없다 (ser) incoherente, falto de coherencia [ilación], no concluyente, inconcluyente. 두미 없는 이야기를 하다 decir la historia incoherente.

두미없이 incoherentemente, con inherencia, sin ilación, de manera incoherente, sin llegar a un resultado, sin llegar a una conclusión.

두민(頭民) hombre *m* anciano y sabio (de la aldea).

두바이 【지명】 Dubai (아랍 에미리트 연방의 하나; 그 수도).

두박(豆粕) torta *f* de soja.

두발(頭髮) pelo *m*, cabello *m*.

■ ~ 탈락증(脫落症) alopecia *f.*

두발당성 patada *f* con dos pies.

두방망이질 golpe *m* con ambas manos.

두백(杜魄) 【조류】 =소쩍새.

두 번(-番) [2회] dos veces; [재차] otra vez, de nuevo, nuevamente; [두 번째] segunda vez.

두번짓기 【농업】 =이기작(二期作).

두벌갈이 segunda siembra *f*, segunda cosecha *f.* ~하다 sembrar dos veces, cosechar dos veces.

두벌솎음 lo que se hace ralo las verduras por segunda vez. ~하다 hacerse ralo [hacerse menos denso] las verduras por segunda vez.

두벌주검 cadáver *m* disecado. ~하다 hacer la autopsia de un cadáver, disecar, anatomizar.

두병(豆餠) torta *f* de soja.

두병(痘病) 【의학】 =두창(痘瘡).

두부(豆腐) tofu *m*, cuajada *f* de soja, requesón *m* de soja, queso *m* de soja.

■ ~장수 vendedor, -dora *mf* de tofu. ~점(點) pedacito *m* cortado del tofu. ~찌개 sopa *f* de tofu. ~콩 soja *f* para el tofu.

두부(頭部) ① 【해부】 cabeza *f.* ~의 cefálico. ② [물건의 윗부분] parte *f* superior.

■ ~ 기형아(畸形兒) perocéfalo *m* ~ 백선(白癬) 【의학】 tiña *f* tonsurante. ~ 외상(外傷) 【의학】 trauma *m* cefálico. ~ 지수(指數) índice *m* cefálico. ~ 질환 【의학】 cefalopatía *f.* ~ 침식(浸蝕) 【의학】 diabrosis *f* cefálica.

두부어(杜父魚) 【어류】 ① =볼락. ② =횟대.

두블린 【지명】 Dublín (아일랜드의 수도).

두비(豆肥) abono *m* de soja.

두 사람 dos personas; los dos, las dos; [부부(夫婦)] pareja *f*, esposos *mpl*, marido y mujer. ~ 모두 ambos, -bas *mf*; uno y otro, una y otra; los dos, las dos; [부정] ni uno ni otro, ni una ni otra; ninguno de los dos. ~씩 dos por dos. 단 ~만의 세계 el mundo de los dos solos. …와 ~만 되다 [남다] quedarse solo con *uno*. ~ 모두 그곳에 있었다 Los dos estuvieron allí. 그들은 ~이 함께 여행을 떠났다 Ellos salieron juntos de viaje. 나는 그녀와 ~이서 산책했다 Di un paseo con ella / Ella y yo dimos un paseo juntos. 그들은 ~만 이야기하고 있다 Ellos hablan a solas / Ellos hablan los dos solos. 나와 친구는 그 방에서 ~만 남았다 Mi amigo y yo quedamos solos en el cuarto. 저런 미녀는 ~이 없다 Es una belleza sin par [sin igual]. 자전거 한 대에 ~이 타는 것은 위험하다 Es peligroso montar dos en una bicicleta.

두사이 espacio *m* entre dos cosas; [두 사람 사이] relaciones *fpl* entre dos personas.

두상(頭上) ① [머리] cabeza *f.* ② [머리 위] coronilla *f* de la cabeza. ~에 en la cabeza. ~에 떨어지다 caer en la cabeza.

두상(頭狀) forma *f* de la cabeza humana.
■ ~화(花) 【식물】 cabezuela *f.*

두새바람 ((뱃사람말)) ＝동동남풍(東東南風).

두서(頭書) ① ＝머리말. ② [본문(本文)에 앞서 모든 요소를 포함시켜 적은 부분] sobrescrito. ~의 arriba mencionado, mencionado arriba, susodicho, sobredicho.

두서(頭緖) ① [일의 단서] pista *f.* ② [조리(條理)] lógica *f,* razón *f.*
두서없다 (ser) incoherente, prolijo y confuso, deshilvanado. 두서없는 이야기 divagaciones *fpl.* 두서없는 연설이었다 Fue un discurso lleno de divagaciones.
두서없이 sin ton ni son, sin orden ni concierto. ~ 말하다 hablar sin ton ni son, charlar sin orden ni concierto.

두서너 dos, tres o cuatro; unos, unas. ~가량 unos, dos o tres.
■ ~째 el segundo, el tercero o el cuarto.

두서넛 dos, tres o cuatro; unos, unas.

두석(豆錫) 【화학】 latón *m.*
■ ~장(匠) 【고제도】 latonero *m.*

두설(頭屑) ＝비듬.

두성(斗星) ＝북두성(北斗星).

두성(頭聲) voz *f* de cabeza.

두세 dos o tres. ~ 번 dos o tres veces. ~ 사람 dos o tres personas. 나는 그 책을 ~ 권 가지고 있다 Tengo dos o tres libros.

두셋 dos o tres.
■ ~째 el segundo o el tercero.

두소(斗筲) ① [나라의 녹봉이 얼마 되지 않음] un poco de sueldo. ② [도량이 작음] mezquindad *f,* tacañería *f.* ~하다 (ser) mezquino, tacaño, soez.
■ ~소인(小人) persona *f* mezquina [tacaña]. ~지기(之器) habilidad *f* superficial, talento *m* superficial; [사람] persona *f* que tiene talento superficial. ~지인(之人) ＝두소소인(斗筲小人). ~지재(之才) talento *m* superficial.

두손들다 ① [완전히 포기하거나 체념하다] resignarse, fastidiar, molestar, cansar. 나는 그녀한테는 두손들었다 Ella me fastidió. 그 일에는 두손들었다 Me cansé e eso. ② [아주 항복하다] rendirse, someterse, tirar la toalla.

두손매무리 chapucería *f,* chapuza *f,* trabajo *m* hecho con descuido. ~하다 trabajar descuidadamente, chapucear.

두송(杜松) 【식물】 ＝노간주나무.

두수(斗數) ＝말수.

두수(頭首) ＝우두머리. 두목.

두수(頭數) ① [짐승의 수효] número *m* de cabezas [de bestias · de los animales grandes]. 말의 ~ número *m* de caballos. ② [사람의 수효] número *m* de personas.

두수없다 No hay otro remedio.

두습 dos años de edad del caballo o de la vaca.

두신(痘神) 【민속】 ＝호구별성(戶口別星).

두실(斗室) ＝두옥(斗屋).

두아(豆芽) ＝콩나물.

두아르떼 【인명】 Juan Pablo Duarte (1813-1876) (도미니까 공화국의 애국자로 아이티 지배에 대항해 비밀 결사 단체인「라 뜨리니따리아(La Trinitaria)」를 결성했으며 1844년 도미니까 공화국 건설자 중의 한 사람).

두어 unos dos, un par de. ~ 마디 unas palabras. 책 ~ 권 unos dos libros.

두어두다 ☞두다

두어서너 entre unos dos o unos tres.

두어서넛 unos dos o unos tres.

두억시니 demonio *m,* diablo *m.*

두엄 abono *m* orgánico [vegetal], abono *m* (de estiércol y de orina del ganado con hierbas y pajas).
■ ~간(間) establo *m* para el abono. ~걸채 estante *m* de abono orgánico. ~더미 montón *m* (*pl* montones) de abono orgánico. ~발치 hoyo *m* para estropear el abono orgánico. ~터[자리] vertedero *m* de abono orgánico. ~풀 hierbas *fpl* para el abono orgánico.

두엇 unos dos, dos más o menos.

두여머조자기 【식물】 ＝천남성(天南星).

두옥(斗屋) choza *f,* cabaña *f,* barraca *f,* chabola *f,* chamizo *m.*

두우(斗宇) todo el mundo, mundo *m* entero, universo *m,* cosmos *m,* cielo *m* y tierra.

두우(杜宇) 【조류】 ＝소쩍새.

두운(頭韻) aliteración *f.* 이 두 낱말은 ~을 이루고 있다 Estas dos palabras forman una aliteración.

두유(豆油) aceite *m* de soja.

두유(豆乳) sopa *f* densa de soja.

두이레 decimocuarto día *m* después del nacimiento del niño.

두장(斗帳) cortina *f* pequeña.

두장(豆醬) salsa *f* de soja.

두장(痘漿) pus *m* de viruelas.

두저(斗儲) un poco de ahorro.

두전(頭錢) ＝구문(口文).

두절(斗絶) escarpa *f.* ~하다 (ser) escarpado.

두절(杜絶) interrupción *f,* cesación *f,* cese *m.* ~하다 interrumpir. ~되다 interrumpirse, cesar, parar. 교통이 ~되다 interrumpirse la circulación. 교통이 ~되어 있다 La circulación está interrumpida.

두정(頭頂) vértice *m.*

두정골(頭頂骨) 【해부】 parietal *m,* hueso *m*

parietal. ~의 내면(內面) facies *f* interna del hueso parietal. ~의 대뇌면(大腦面) facies *f* cerebral del hueso parietal. ~의 두정면(頭頂面) facies *f* parietal del hueso parietal. ~의 외면(外面) facies *f* externa del hueso parietal.

두제곱 【수학】 =제곱.

두족(頭足) ① [짐승의] la cabeza y cuatro piernas. ② 【동물】 pies *mpl* de los cefalópodos.

두족류(頭足類) 【동물】 cefalópodos *mpl*.

두주(斗酒) barril *m* de vino.
■ ~불사(不辭) ¶~하다 beber como un cosaco, chupar como una esponja.

두주(頭註) nota *f* de margen superior. ~를 달다 poner una nota al margen superior de la página.

두죽(豆粥) ① =콩죽. ② =팥죽.

두지(頭指) dedo *m* índice.

두진(痘疹) ① [천연두의 드러난 증세] sítoma *m* de viruela *f*. ② [천연두와 마진] la viruela y el sarampión.

두쪽 [두 편] dos partes.

두찬(杜撰) ① [전거(典據)가 확실하지 못한 저술] obra *f* literaria inexacta. ② [틀린 곳이 많은 작품] obra *f* con muchos errores.

두창(痘瘡) 【의학】 viruela *f*.
■ ~ 백신 【의학】 vacuna *f* antivariólica.

두창(頭瘡) 【의학】 divieso *m*.

두탁(投託) =투탁(投託).

두태(豆太) ① [콩과 팥] la soja y la haba roja. ② 【해부】 riñón *m* (*pl* riñones).

두텁다 (ser) cordial, cariñoso, afectuoso, benigno, caritativo, misericordioso, franco, sencillo, amable, afable, hospitalario, compasivo, humano, blando, ardiente, fiel; [신앙(信仰)이] piadoso, devoto, religioso, pío. ferviente, místico. 그는 우정이 ~ El es un amigo fiel / El es capaz de mantener la amistad. 그녀는 신앙이 ~ Ella es piadosa [devota].
두터이 cordialmente, cariñosamente, con cariño, afectuosamente, benignamente, afablemente, amablemente, fielmente; piadosamente, devotamente, religiosamente.

두텁떡 *duteobteok*, una especie de los panes típicos coreanos.

두통(頭痛) dolor *m* de cabeza; [편두통] jaqueca *f*; 【의학】 cefalalgia *f*, [만성 두통] cefalea *f*. ~의 cefalálgico. ~이다 tener dolor de cabeza, dolerle a *uno* la cabeza. ~이 오래가다 tener jaqueca crónica, estar sujeto a la jaqueca. 머리가 빠개질 듯한 ~을 앓다 padecer un dolor de cabeza muy agudo. 나는 ~이다 Tengo dolor de cabeza / Me duele la cabeza.
◆ 두통(을) 앓다 estar enojado [enfadado].
■ ~거리 ㉮ molestia *f*, causa *f* del problema, perplejidad *f*, oveja *f* negra; [부담] carga *f*, peso *m*. ¶~를 덜다 quitarse de encima. 그것은 ~이다 Eso es un quebradero de cabeza / Eso no va a traer sino preocupaciones. ㉯ [사람] hombre *m* intratable, hombre *m* difícil (de tratar).

두통고(頭痛膏) emplasto *m* para el dolor de cabeza.

두툴두툴 desigualmente, desniveladamente, disparejamente. ~하다 (ser) desnivelado, desigual, disparejo.

두툼하다 ① [좀 두껍다] (ser) muy grueso, voluminoso. 두툼한 책 libro *m* voluminoso. ② [어지간히 넉넉하다] (ser) bastante suficiente.
두툼히 gruesamente, voluminosamenete.

두트레방석(-方席) almohadón *m* redondo y grueso de paja.

두피족(頭皮足) la cabeza, la piel y cuatro patas de la vaca que matan.

두한족열(頭寒足熱) Hay que mantenerse la cabeza fría y los pies calientes para la salud.

두해(頭骸) 【해부】 =골통뼈.

두해(蠹害) pérdida f causada por las polillas.

두해살이 =이년생(二年生).
■ ~뿌리 raíz *f* (*pl* raíces) bienal. ~식물 [풀] 【식물】 planta *f* bienal.

두혈종(頭血腫) cefalohematoma *m*.

두형(頭形) forma *f* de la cabeza.
■ ~ 측정법(測定法) cefalometría *f*.

두호(斗護) protección *f*, patrocinio *m*, auspicio *m*. ~하다 proteger, patrocinar, auspiciar. ~ 아래 bajo el patrocinio. 약자(弱者)를 ~하다 proteger a los débiles. 그는 나를 ~해 주었다 El me defendió.

두화(頭花) 【식물】 =두상화(頭狀花).

두활개 ((강조)) =활개.

두황(豆黃) polvo *m* de sojas.

두흉(頭胸) la cabeza y el pecho.
■ ~ 결합 기형(結合畸形) prosoposternodimia *f*. ~ 결합체(結合體) prosopotoracópago *m*. ~부(部) cefalotórax *m*, regiones *fpl* de la cabeza y del pecho. ~부 유착제(部癒着劑) cefalotoracópago *m*.

두흔(痘痕) (marca *f* de) viruela *f*. ~이 있는 picado de viruela(s). 그녀의 얼굴은 ~으로 얼룩졌다 Ell tiene la cara picada de viruela(s).

둑 orilla *f*, ribera *f*, magen *m* (*pl* márgenes), banda *f*, ribazo *m*; [인공(人工)의] dique *m*, malecón *m*. 강(江)의 ~ banda *f* de río. ~을 만들다 represar, construir una presa.

둑길 paso *m* elevado, carretera *f* elevada, camino *m* del malecón.

둑새풀 【식물】 =뚝새풀.

둔각(鈍角) 【수학】 ángulo *m* obtuso.
■ ~삼각형 【수학】 triángulo *m* obstángulo.

둔감(鈍感) insensibilidad *f*, falta *f* de sensibilidad física o moral, impasibilidad *f*, indiferencia *f*, indolencia *f*, dureza *f*, endurecimiento *m*, apatía *f*, frialdad *f*, inercia *f*, imperturbabilidad *f*, torpeza *f*, estolidez *f*. ~하다 (ser) insensible, poco sensible, indiferente, impasible, duro, frío, sordo, empedernido, endurecido, apático, tranquilo, estúpido, torpe, estólido, soso. 불행에 아주 ~을 보이다 mostrar gran insensibilidad ante la desgracia.

둔갑(遁甲) 【민속】 transformación *f*, disfraz *f*, desaparición *f*. ～하다 transformar, desaparecer, disfrazarse. …로 ～하여 disfrazado de *algo*. 여우로 ～하여 disfrazado de zorra.

■ ～술[법] arte *m* de invisibilidad, arte *m* de hacerse invisible.

둔기(鈍器) el arma *f* (*pl* las armas) desafilada [contundente · que no tiene punta], instrumento *m* embotado, el arma *f* blanca sin punta.

둔덕 lugar *m* [sitio *m*] empinado, colina *f*, cerro *m*, collado *m*.

둔도(遁逃) huida *f*, escape *m*. ～하다 huir, escapar.

둔도(鈍刀) espada *f* desafilada, espada *f* embotada, hoja *f* embotada de espada.

둔리(鈍利) ① [무딤과 날카로움] lo desafilado y lo afilado. ② [행운과 불운] la dicha y la desgracia.

둔마(鈍馬) caballo *m* lento.

둔물(鈍物) hombre *m* estúpido, caballo *m* estúpido.

둔박하다(鈍朴—) (ser) estúpido y sencillo. 둔박히 estúpida y sencillamente.

둔병(屯兵) ① [주둔한 군사] tropas *fpl* estacionarias, guarnición *f*. ② 【역사】 ((준말)) =둔전병.

둔보(鈍步) paso *m* lento, paso *m* de tortuga.

둔부(臀部) nalgas *fpl*, ancas *fpl*, caderas *fpl*, asentaderas *fpl*.

둔사(遁辭) excusa *f*, pretexto *m*, evasión *f*, respuesta *f* evasiva. 좋은 ～를 찾아내다 encontrar una buena excusa.

둔석(窀穸) hoyo *m* de la tumba.

둔세(遁世) ① [세상을 피해 삶] aislación *f* del mundo, escape *m* [retiro *m*] del mundo. ～하다 recluirse, aislarse, escaparse del mundo. ② [세속을 피하여 불문(佛門)에 들어감] entrada *f* en la familia budista escapándose del mundo. ～하다 entrar en la familia budista escapándose del mundo.

■ ～자(者) ermitaño, -ña *mf*.

둔속(遁俗) =둔세(遁世)❷.

둔열하다(鈍劣—) (ser) torpe, lerdo, estúpido.

둔영(屯營) campamento *m* militar, cuartel *m* militar. ～하다 ser acuartelado, ser alojado.

둔완(鈍腕) estupidez *f*, necedad *f*, torpeza *f*, estolidez *f*, tontería *f*, bobería *f*, estulticia *f*. ～하다 (ser) estúpido, torpe, necio, tonto, estólido, estulto.

둔위(臀圍) circunferencia *f* de las caderas.

둔육(臀肉) carne *f* de las caderas.

둔자(鈍者) persona *f* estúpida, persona *f* tonta, persona *f* torpe.

둔재(鈍才) ① [재능이 굼뜸] torpeza *f*, estupidez *f*, necedad *f*. ② [재능이 굼뜬 사람] persona *f* estúpida [torpe · tonta].

둔전(屯田) 【고제도】 terreno *m* para el alimento militar o los gastos gubernamentales.

■ ～병(兵) 【고제도】 soldado *m* que cultivaba el terreno para el alimento militar en el tiempo de paz.

둔전답(屯田畓) 【고제도】 el terreno y el campo para el alimento militar o los gastos gubernamentales.

둔종(臀腫) 【한방】 absceso *m* en [alrededor de] las caderas.

둔주(遁走) huida *f*, escape *m*, fuga *f*. ～하다 huir, fugarse, evadirse.

■ ～곡(曲) 【음악】 fuga *f*.

둔중(鈍重) lerdeza *f*, lerdera *f*. ～하다 (ser) lerdo, torpe, estúpido, pesado.

둔지(鈍智) =둔재(鈍才).

둔질(鈍質) talento *m* estúpido.

둔총(鈍聰) inteligencia *f* lerda.

둔치 ribera *f*, orilla *f*, litoral *m*, costa *f*, playa *f*.

둔탁(鈍濁) pesadez *f*, torpeza *f*, estupidez *f*, lentitud *f*, sordez *f*. ～하다 (ser) pesado, torpe, estúpido, lento, sordo. ～한 소리 sonido *m* sordo.

둔테 【건축】 =문둔테.

둔팍하다 (ser) lento y lerdo. 노파의 둔팍한 행동 actitud *f* lenta y lerda de la vieja.

둔폄(窀窆) entierro *m* del cadáver. ～하다 enterrar el cadáver.

둔피(遁避) aislación *f* [escape *m* · retiro *m*] del mundo. ～하다 aislarse [retirarse] del mundo.

둔필(鈍筆) mala letra *f*. 그는 무척 ～이다 El tiene muy mala letra.

둔하다(鈍—) ① [깨우침이 늦고 재주가 없다] (ser) lerdo, torpe, estúpido, tonto, bobo, imbécil. 둔한 사람 hombre *m* estúpido [lerdo · tonto · bobo · torpe · imbécil]. 둔해진 embotado. 머리의 회전이 ～ ser lerdo [torpe · tonto · torpe]. 그는 둔한 남자다 El es un zoquete / El es un hombre muy torpe. ② [동작이 느리다] (ser) lento. 그는 동작이 ～ El es lento en sus movimientos. ③ [(기구가) 육중하고 투박하다] (ser) falto de filo obtuso, sin filo. ④ [감수성이 느리다 · 이해가 늦다] (ser) torpe, inhábil, obtuso. 그이도 이제는 둔해졌다 El ha perdido su antigua perspicacia [agudeza] / El no es ya el hombre astuto que solía ser. ⑤ [(소리가) 무겁고 무디다] (ser) pesado y brusco.

둔한(鈍漢) =아둔패기.

둔해지다 hacerse torpe; hacerse desafilado, no tener punta; [약해지다] debilitarse, flaquear. 술을 마시면 머리가 둔해진다 El beber ahogar el sentido. 팔림새가 둔해졌다 La venta se hizo floja.

둔화(鈍化) entorpecimiento *m*, debilitación *f*, debilidad *f*. ～시키다 embotar, enromar, entorpecer, enervar, debilitar. ～되다 [지능 · 정신력 · 힘 · 감각 따위가] embotarse; [속도가] bajar. 힘이 ～되다 perder *su* fuerza. 경제 성장을 ～시키다 frenar el crecimiento económico. 나는 더위로 의욕이 ～되었다 Con el calor se me ha embotado la voluntad. 나는 손가락의 감각이 ～되었

다 Se me ha embotado la sensibilidad de los dedos.

둘 ① [하나에 하나를 더한 수] dos. ~ 다 [모두] ambos, -bas *mf*; los dos, las dos; [부정으로] ni uno ni otro, ni una ni otra. ~씩 dos por dos, de dos en dos. ~ 걸러 a cada tres. ~ 중 하나 uno de los dos. ~로 나누다 dividir en dos, partir en dos. ~로 부러뜨리다 romper en dos. ~로 접다 doblar, torcer. 쇠를 ~로 접다 doblar un hierro. 그는 ~ 다 먹었다 El se comió ambos. 나는 ~ 다 먹지 않았다 No he comido ni uno ni otro [ninguno de los dos]. ~로 접지 마십시오 Se ruega no doblar / No doble.
② [토「-이」와 함께 쓰일 경우] dos personas. ~이 앉아 있다 Los dos están sentados. ~이서 이야기합시다 Vamos a hablar personalmente [entre los dos] / Hablemos cara a cara.
◆둘도 없다 ㉮ [오직 그것뿐이다] (ser) sin igual, sin par, incomparable, irreemplazable, insustituible, sólo, único (en *su* género). 둘도 없이 sólo, solamente, únicamente. 둘도 없는 친구 el mejor amigo, la mejor amiga. 그는 내 둘도 없는 친구다 El es mi mejor amigo. 이런 아름다운 도시는 둘도 없을 것이다 No habrá otra ciudad tan bonita como ésta. 나는 둘도 없는 좋은 기회를 놓쳐 버렸다 Me perdí una buena ocasión que nunca volverá a presentarse. 생명이란 둘도 없는 소중한 것이다 La vida es inestimable. ㉯ [아주 귀중하다] (ser) preciosísimo, muy precioso. 둘도 없는 외아들 único hijo *m* muy precioso.
▪둘이 먹다가 하나가 죽어도 모르겠다 ((속담)) ☞둘이

둘- estéril, infecundo. ~암탉 gallina *f* estéril. ~암소 vaca *f* estéril. ~암캐 perra *f* estéril.

둘되다 (ser) estúpido, torpe, tonto, bobo, lerdo.

둘둘 ① [물건을 여러 겹으로 마는 모양] rodando. ~ 감다 ovillar, enrollar. ② [물건이 가볍고도 빨리 구르는 소리] rodando.

둘러대다 ☞두르다

둘러막다 ☞두르다

둘러막히다 ☞두르다

둘러메다 ☞두르다

둘러보다 ☞두르다

둘러붙다 ☞두르다

둘러서다 ☞두르다

둘러싸다 ☞두르다

둘러싸이다 ☞두르다

둘러쌓다 ☞두르다

둘러쓰다 ☞두르다

둘러앉다 ☞두르다

둘러엎다 ☞두르다

둘러차다 ☞두르다

둘러치다 ☞두르다

둘레 circunferencia *f*, periferia *f*, alrededor *m*. ~에 al rededor, en rededor, a la redonda. 연못의 ~ circunferencia *f* del estanque. ~ 10미터 diez metros de circunferencia. 그 나무는 둘레가 4미터이다 El árbol tiene una circunferencia de cuatro metros. 나는 호수 ~를 걸었다 Yo caminé alrededor del lago. 집 ~에 나무가 많이 자라고 있다 Muchos árboles están creciendo alrededor de la casa.

둘레둘레 a *su* alrededor, en círculo. ~ 보다 mirar, ver. ~ 앉다 sentarse en círculo. 그녀는 ~ 쳐다보았다 Ella miró a su alrededor.

둘리다¹ [그럴듯한 꾐에 속다] ser engañado.

둘리다² ① [둘러서 막히다] ser rodeado. 사방이 산으로 둘린 마을 aldea *f* rodeada por las montañas en todas partes. ② [둘러싸이다] ser envuelto, ser puesto alrededor (de). 머리에 수건을 ~ llevar [tener puesto] una toalla alrededor de *su* cabeza, *su* cabeza es envuelta en una toalla. ③ [휘두름을 당하다] ser controlado, ser blandido, ser empuñado.

둘소 =둘암소.

둘암소 vaca *f* estéril.

둘암캐 perra *f* estéril.

둘암탉 gallina *f* estéril.

둘암퇘지 puerca *f* [cerda *f*] estéril.

둘이 ① [두 사람] dos personas, los dos. ~ 서로 껴안았다 Los dos se abrazaron uno a otro. ② [두 사람이서] juntos. ~ 같이 가자 Vámonos juntos.
▪둘이 먹다가 하나가 죽어도 모르겠다 ((속담)) Es muy sabroso [delicioso · rico] / Es sabrosísimo [deliciosísimo · riquísimo] / ¡Qué sabroso [delicioso · rico] (es)! / ¡Qué exquisito [suculento] (es)! / *ReD* ¡Coño!

둘째 segundo *m*. ~의 segundo. ~로 segundo, en segundo lugar. ~ 아들 segundo hijo *m*. ~ 딸 segunda hija *f*.
▪둘째가라면 섧다 [서러워 · 노여워]하겠다 ((속담)) Vale la pena de ser primero. 둘째 며느리 삼아 보아야 맏며느리 착한 줄 안다 ((속담)) Es difícil de saber el verdadero valor si no hay cosa comparable.
▪~가리킴【언어】=이인칭(二人稱). ~밥통(桶)【해부】=벌집위. ~손가락 dedo *m* índice, dedo *m* mostrador, dedo *m* saludador. ~아버지 segundo *m* de los hermanos de *su* padre, segundo tío *m*. ~어머니 ㉮ [둘째아버지의 아내] esposa *f* del segundo de los hermanos de *su* padre, segundo tío *m*. ㉯ [아버지의 후취] segunda esposa *f* de *su* padre, madrastra *f*. ~ㅅ집 casa de *su* segundo hermano (menor).

둘치 ① [생리적으로 새끼를 낳지 못하는 동물] animal *m* estéril. ② [생리적으로 아이를 낳지 못하는 여자] mujer *f* estéril.

둘하다 (ser) estúpido, torpe, tonto, bobo, lerdo.

둥¹【음악】segunda nota *f* de la escala musical típica coreana.

둥² [용언의 관형사형 어미「-ㄴ · -은 · -는 · -ㄹ · -을」등의 아래에 쓰이어,「것과 같음」의 뜻을 나타냄.「…둥 …둥」과 같이

겹치는 꼴로 쓰이며, 뒤는「말 둥」·「마는 둥」따위로 호응함] después de … apresurado, no bien terminar. 그는 아침을 드는 ~ 마는~ 집을 나섰다 Después de un desayuno apresurado [No bien terminó su desayuno], él salió de casa.

둥³ [북 같은 것을 치거나 거문고 따위를 타는 소리] tam-tam.

둥개다 luchar (por), pasar esmero (en), esforzarse (en). 나는 그들에게 그것을 설명하려고 무척 둥갰다 Yo puse mucho esmero [me esforcé mucho] en explicárselo.

둥개둥개 =둥둥³.

둥구나무 árbol *m* grande y viejo plantado alrededor del pabellón.

둥구미 ((준말)) =멱둥구미.

둥굴대 rasero *m* redondo.

둥굴이 tronco *m* descortezado.

둥그러미 =동그라미.

둥그러지다 caerse. 나는 돌에 치여 둥그러졌다 Yo tropecé con una piedra y me caí.

둥그렇다 (ser) redondo, circular.
둥그러니 en círculo. 그들은 ~ 앉았다 Ellos se sentaron en círculo.

둥그레모춤 cuatro puñados de la planta de semillero de arroz atados en un fardo.

둥그스레하다 =둥그스름하다.

둥그스름하다 (ser) un poco redondo. 둥그스름해지다 redondarse, hacerse redondo. 둥그스름한 redondo. 둥그스름해진 redondeado.
둥그스름히 redondamente, en redondo.

둥근천장(—天障) cúpula *f*.

둥근파 【식물】 cebolla *f*.

둥글넓적하다 (ser) redondo y llano.
둥글넓적이 redonda y llanamente.

둥글넙데데하다 (ser) redondo, llano y largo.

둥글다 ① [모가 없이 보름달이나 바퀴 같다] (ser) redondo, circular; [구형(球形)의] esférico, globoso. 둥글게 en redondo, en círculo, redondamente, circularmente. 둥근 눈 ojos *mpl* redondos. 둥근 얼굴 cara *f* redonda, cara *f* de luna llena, cara *f* de pan, rostro *m* redondo. 둥근 탁자 mesa *f* redonda. 눈이 둥근 de ojos redondos. 얼굴이 둥근 carirredondo, de cara redonda, de cara de luna llena, con cara de pan; [볼이 토실토실한] mofletudo, carrilludo. 둥글게 자른 것 rodaja *f*. 레몬 껍질을 둥글게 자른 것 loncha *f* de limón. 둥글게 자르다 cortar en rodajas. 지구는 ~ La Tierra es redonda. 그녀는 놀라 눈을 둥글게 했다 Ella puso los ojos en blanco de asombro / Se le saltaron los ojos por la sorpresa. ② [모가 없이 원만하다] (ser) pacífico, amistoso. 둥글게 pacíficamente, amistosamente. 그의 성격은 ~ Su carácter es amistoso.
둥근귀 madero *m* redondo.
둥근꼴 =원형(圓形).
둥근꼴뿌리 【식물】 =알뿌리.
둥근꼴줄기 【식물】 =알줄기.
둥근끌 cincel *m* redondo.
둥근대패 cepillo *m* redondo.
둥근톱 sierra *f* redonda.
둥글부채 abanico *m* redondo.

둥글둥글 ① [여럿이 모두 둥근 모양] en círculo, redondamente. ~하다 redondearse. ~하게 하다 redondear. ~하게 썰다 cortar en círculo. ② [원을 그리며 연해 돌아가는 모양] redondeando. 물레방아가 ~ 잘도 돈다 El molino de agua gira bien. ③ [모가 없이 원만한 모양] amigablemente, cordialmente, pacíficamente, de forma no violenta, suavemente, sin problemas, sin complicaciones, armoniosamente, en armonía, satisfactoriamente, de manera satisfactoria, felizmente, con felicidad. ~하다 (ser) amigable, cordial, pacífico, suave, armonioso, satisfactorio, feliz. ~한 가정 hogar *m* feliz. ~ 살다 vivir en armonía.

둥글리다 redondear, alisar. 그는 책상 모서리를 둥글렸다 El alisó los rincones de la mesa.

둥글뭉수레하다 (ser) redondo y romo.

둥글번번하다 (ser) redondo y llano.
둥글번번히 redonda y llanamente.

둥글삐죽하다 (ser) redondo y saliente.

둥긋하다 ((준말)) =둥그스름하다.
둥긋이 ((준말)) =둥그스름히.

둥당거리다 tocar los instrumentos musicales y hacer el ruido golpeando las cosas.
둥당둥당 rataplán *m*. 북을 ~ 치다 tocar el tambor fuertemente.

둥덩거리다 seguir tocando el tambor.
둥덩둥덩 siguiendo tocando el tambor.

둥덩산같다(—山—) ① [수북하게 쌓여 많다] estar amontonado, estar amontonado lleno. ② [아이 밴 부인의 배를 두고 이르는 말] ser como un monte.
둥덩산같이 muchísimo, como un montón, como un monte.

둥덩실 flotando alto en el aire, flotantemente, boyantemente.

둥덩이 carne *f* de la pata delantera de vaca.

둥둥¹ [큰 북을 계속해 치는 소리] rataplán *m*. 북을 ~울리다 tocar el tambor fuertemente.
둥둥거리다 seguir tocando el tambor fuertemente.

둥둥² ((준말)) =둥실둥실.

둥둥³ [어린 아기를 어르는 소리] ¡Cucú! 우리 아기 ~ ¡Cucú, bebé mío!

둥실 flotando alto en el aire, flotantemente, boyantemente, ligeramente. 달이 ~ 떠 있다 La luna está flotando alto en el cielo.
둥실둥실 flotantemente, boyantemente, flotando alto en el aire, ligeramente, suavemente. 구름이 하늘에 ~ 떠 간다 Las nubes van ligeramente por el cielo. 보트가 바다에 ~ 떠 있다 El bote está flotando ligeramente en el mar.

둥실둥실하다 (ser) rellenito, llenito, regordete, rechoncho, corpulento, voluminoso. 둥실둥실한 얼굴 cara *f* rellenita, cara *f* regordete. 둥실둥실한 사람 persona *f* rechoncha [voluminosa · corpulenta]. 둥실둥실하게 살찌다 (ser) regordete, rellenito, corpulento, gordo.

둥싯거리다 mover lentamente [con lentitud · perezosamente].
둥싯둥싯 lentamente, con lentitud, perezosamente. ~ 걷다 caminar [andar] lentamente [con lentitud · perezosamente].

둥어리막대 estante *m* de albarda.

둥우리 ① [댑싸리나 짚으로 바구니 비슷하게 엮어 만든 그릇] cesta *f* (de paja · de bambú). 대~ cesta *f* de bambú. ② [새 따위가 알을 낳거나 깃들이도록 둥글게 만든 집] ㉮ [야생 새의] nido *m* (artificial) de pájaros. ㉯ [꿀벌의] colmena *f*.
▪ ~장수 vendedor, -dora *mf* de cesta.

-둥이 niño, -ña *mf*; hijo, -ja *mf*. 귀염~ niño *m* precioso, niña *f* preciosa. 막내~ hijo *m* menor. 해방~ niño *m* nacido [niña *f* nacida] en el año de la Liberación de Corea en 1945.

둥주리 cesta *f* de paja grande y gruesa.

둥주리감 *dungchurigam*, una especie de un kaki en forma redonda.

둥지 [새 · 파충류의] nido *m*; [말벌의] avispero *m*; [개미의] hormiguero *m*; [쥐의] ratonera *f*, nido *m*. ~를 찾으러 가다 ir a buscar nidos.
◆ 둥지(를) 치다[틀다] anidar, hacer *su* nido. 독수리가 가장 가파른 바위에 둥지를 친다 El águila anida en las rocas más escarpdas.

둥치 base *f* del árbol grande.

둥치다 ① [휩싸서 동이다] atar juntos, envasar, empaquetear, embalar. ② [너절너절한 것을 깎아 버리다] cortarse la parte inútil.

둬[1] ((준말)) =두어. ¶~ 달 후면 그 애도 졸업을 한다 Ese muchacho se graduará unos dos meses después. ~ 주일 푹 쉬게 Descansa bien unas dos semanas

둬[2] ((준말)) =두어. ¶그냥 놔 ~ Déjalo. 뒀다가 다음에 가져가거라 Deja y lleva luego.

둬두다 ((준말)) =두어두다.

뒈지다 ((낮은말)) =죽다. ¶뒈져라! ¡Vete al cuerno! / ¡Vete al diablo! / ¡Vete a la mierda! 그 여자는 그에게 뒈지라고 말했다 Ella le mandó al cuerno [al diablo · a la mierda].

뒝벌 【곤충】 abejorro *m*.

뒤 ① [등이 있는 쪽 · 정면(正面)의 반대쪽] parte *f* trasera, parte *f* de atrás, parte *f* posterior; [등] espalda *f*; [꽁무니] zaga *f*. ~의 de detrás; [뒷부분의] trasero, de atrás, posterior. ~로 · 에 atrás, detrás, tras, para atrás, hacia atrás. …의 ~에 detrás de *algo*, tras *algo*. ~로 넘어지다 caer [dar] de espaldas. ~로 물러나다 [후퇴하다] moverse hacia atrás, dar marcha atrás, retroceder. ~로 돌아가다 dar (un paso) atrás, retroceder. ~에서 따라가다 ir tras (*uno*), seguir (a *uno*). ~를 돌아보다 volverse (hacia) atrás. ~에 남다 quedarse (atrás). ~를 추적하다 seguir (a *uno*), correr (tras *uno*). ~에서 공격하다 atacar por detrás, atacar por la espalda. ~에서 바람을 받다 recibir el viento por la espalda. 연기를 ~에 남기고 dejando atrás el humo. 고향을 ~로 하다 dejar su tierra natal. 문 ~에 숨다 esconderse detrás de [tras] la puerta. 담 ~에 숨다 ocultarse detrás del muro. 한 발 ~로 물러서다 dar un paso atrás. 행렬의 ~에 붙다 ponerse en cola. 집 ~는 밭이다 Por detrás de la casa se extiende el campo. 집 ~로 기차가 지나간다 Por detrás de la casa pasa el tren. 그는 내 ~에서 온다 El viene detrás de mí. 택시가 내 ~를 받았다 Un taxi me chocó por detrás. 그는 칸막이 ~에 숨었다 El se escondió detrás de una mampara. 마치 그의 ~에서 듣는 것처럼 그의 말을 들었다 Lo oí como si oyera detrás de él. 적은 우리를 ~에서 공격했다 Los enemigos nos atacaron por atrás. 한 발도 ~로 물러서지 마세요 No dé usted ni un paso atrás. 한 발 ~로 물러서십시오 Retroceda un paso más. 이 종이는 당신의 ~에 있는 분께 넘겨 주십시오 Entregue usted este papel al que está detrás de usted. ~를 보아라 ¡Mira hacia atrás! 내 ~에 개가 따라온다 Me sigue un perro. 당신의 바로 ~에서 가고 있습니다 Le sigo a usted muy de cerca. ~에서 보니 당신은 아버지를 많이 닮았습니다 Visto por la espalda tú te pareces mucho a tu padre. 쥐가 옷장 ~에서 나타났다 Apareció una rata por detrás del armario. 그는 아내의 ~를 따르듯 아내보다 조금 ~에 죽었다 El murió poco después que su esposa como si hubiera querido seguir sus pasos.
② [나중 · 미래] futuro *m*, porvenir *m*. ~의 […보다] posterior a …; [다음의] siguiente, próximo. (그) ~에 luego, después, más tarde. …의 ~에 después de *algo*, tras (de) *algo*. 일주일 ~에 a los ocho días, una semana después. 이 ~ 열차 el próximo tren. 결혼한 ~의 주소(住所) dirección de después de casarse. ~에 만납시다 Hasta luego / Nos veremos. ~에 전화하겠습니다 Luego [Más tarde] le llamaré [telefonearé]. 내 생일은 그녀보다 하루 ~이다 Mi cumpleaños es un día posterior al suyo. 폭풍우 ~에 무지개가 떴다 Apareció el arco iris después de la tormenta. 5일 ~에 크리스마스다 Faltan cinco días para las Navidades / Dentro de cinco días llegan las Navidades. 나는 1년 ~에 대학교를 졸업한다 Dentro de un año me graduaré en la universidad. 나는 집을 나온 ~에야 물건을 두고 온 것을 알았다 Después de haber salido de casa, me di cuenta de que había olvidado una cosa. ~에 불평해 보아야 아무 소용없다 Es inútil que te quejés después. 그 무리가 ~에까지 나에게 영향을 미쳤다 Aquel esfuerzo excesivo me afectó hasta mucho más

tarde. 그 ~ 나는 그를 다시 만나지 못했다 No le he vuelto a ver después. 그의 그 ~의 소식은 알지 못한다 No sé lo que pasó después con él. 그 ~ 어떠세요? ¿Cómo sigue usted?
③ [(차례에서) 다음·나중] final, último. 한 사람 ~에 또 한 사람 uno tras otro. ~로 돌리다 [선임자를 승급(昇級) 서열에서] postergar. ~로 미루다 posponer, postergar, aplazar. ~에 처지다 quedarse atrás, rezagarse. 맨 ~에 가다 ir al final, ir después de todos los demás. 열의 ~에 서다 ponerse al final de la cola. 그는 나보다 ~에 도착했다 Ell llegó después que yo. 그는 맨 ~에 노래를 불렀다 El cantó el último / El fue el último que cantó. 그 말은 ~로 미룹시다 Eso lo dejaremos para más tarde. 공부는 ~로 미루고 놀러 가자 Abandonando el estudio por el momento, vamos a jugar. 그들은 그 착상을 뒤로 미루었다 Ellos aparcaron la idea por el momento / Ellos dejaron la idea en suspenso por el momento.
④ [어떤 일이 끝난 다음] después (de). 식(式)이 끝난 ~ después de terminar la ceremonia.
⑤ [어떤 일의 결과(結果)] consecuencia *f*. ~를 너에게 맡기겠다 Te dejo al cargo. ~는 내가 맡겠다 Yo me encargo después. ~는 옷의 단추를 다는 일만 남았다 El vestido está a falta de [Al vestido sólo le falta] pegar los botones. ~는 네 상상에 달렸다 Lo demás, lo dejó a tu imaginación. ~는 다음 주까지 두고 봅시다 Lo que sigue lo dejaremos hasta la semana que viene. 그 ~가 어렵다 Lo difícil está en lo que viene a continuación. 그 사람을 화나게 하면 ~에 너에게 돌아온다 Si le enfadas, tendrás que pagar las consecuencias. 그 사건은 아직도 ~를 끌고 있다 El caso aún arrastra cola. ~에야 될 대로 되어라 Lo que pase después me tiene sin cuidado / Tras mí, el diluvio.
⑥ [행적·흔적·자취] rastro *m*, huella *f*, vestigio *m*, pisada *f*. ~에서 욕하다 hablar mal (de *uno*) en su ausencia.
⑦ [배후·이면·사회적 배경] fondo *m*, espalda *f*, revés *m*, lado *m* reverso. ~를 조종하다 manejar [manipular] entre bastidores. ~가 있는 실력자 hombre *m* influyente entre bastidores.
⑧ [(어떤 일을 해나가는 데 필요한) 돈·자금] dinero *m*, fondo *m*, capital *m*.
⑨ [가계를 이을 대(代)] herencia *f*, sucesión *f*, generación *f*. ~를 잇다 suceder. ~가 끊기다 extinguirse de la sucesión, llegar a *su* extinción. 나에게는 ~를 이을 만한 아들이 없다 No tengo hijos que suceden.
⑩ [(어떤 일을 다할 수 있게) 대주거나 이바지하는 힘] apoyo *m* (económico), respaldo *m*, ayuda *f* (económica). ~를 대다 sostener, mantener, sustentar.
⑪ [똥] estiércol *m*, excremento *m*, mierda *f*, [아이의] caca *f*. ~를 보다 excrementar, deponer [arrojar] los excrementos.
⑫ [엉덩이] ancas *fpl*, caderas *fpl*.
⑬ [지난날] pasado *m*. ~를 돌아보다 volver la vista atrás, pensar en el pasado.
◆뒤가 구리다 (ser) culpable, no ser inocente. 뒤가 급하다 parecer que el excremento va a salir. 뒤가 꿀리다 ㉮ [자신의 약점 때문에 떳떳하지 못하고 마음이 켕기다] (ser) sospechoso debido a *su* defecto. ㉯ =뒤가 딸리다. 뒤가 딸리다 faltar el capital [el dinero·el fondo]. 뒤가 무르다 ㉮ [고집이 없다] (ser) remiso, dócil. ㉯ [일을 끝까지 해내는 힘이 없거나 처리가 철저하지 못하다] (ser) inestable, débil. 뒤가 저리다 sentir nervioso. 뒤가 켕기다 inquietar [remorder] la conciencia. ¶그는 그것이 뒤가 켕긴다 Eso le inquieta [remuerda] la conciencia. 뒤가 터지다 perder el control de *sus* intestinos. 뒤를 노리다 esperar la oportunidad para investigar *su* defecto. 뒤(를) 대다 ㉮ [공급하다] suministrar, abastecer (de), proveer (de), sostener, mantener, sustentar, financiar. ¶아들의 학비를 ~ proveer de los gastos escolares a *su* hijo. ㉯ [잘못 전하다] informar mal, *RPI* malinformar. 뒤를 돌보다 ayudar en secreto. 뒤(를) 돌아보다 ㉮ [뒤쪽을 돌아보다] volverse, volver la cabeza, volver la mirada, volver la vista atrás, devolver la mirada. ¶미녀가 지나가 나는 뒤를 돌아보았다 Me volví [Volví la cabeza] para ver a una mujer guapa que pasaba. 뒤돌아보니 한 남자가 있었다 Me volví y había allí un hombre. ㉯ [지난 일을 돌이켜 생각해 보다·앞서 생긴 일을 살펴보다] reflexionar (en·sobre). ¶과거를 ~ reflexionar [pensar] en el pasado. 자신의 행동을 ~ reflexionar sobre [examinar retrospectivamente] su conducta. 뒤(를) 두다 ㉮ [다음 날로 미루다] salvar, ahorrar. ¶내일 것으로 뒤두자 Vamos a ahorrarlo para mañana. ㉯ [나중을 생각하여 여유를 두다] reservar, guardar, conservar. 뒤(를) 따라가다 seguir, ir en [a la] zaga. 뒤(를) 따라오다 seguir, venir en [a la] zaga. 뒤(를) 따르다 perseguir, seguir como *su* sombra, rastrear, seguir la pista. 뒤를 받치다 =후원하다. 뒤를 밟다 seguir*le* la pista (a), perseguir, pisar*le* los talones (a). ¶경찰관이 도둑의 ~ seguirle la pista al ladrón. 뒤(를) 보다[1] [용변을 보다] excrementar, deponer [arrojar] los excrementos. 뒤(를) 보다[2] ((준말)) =뒤(를) 보아주다. 뒤(를) 보아주다 [환자를] atender (a), cuidar (de); [아이를] cuidar (a·de), ocuparse (de), encargarse (de); [개·식물을] cuidar; [기계·자동차를] cuidar; [돕다] ayudar. ¶공부하는 아우의 ~ ayudar a *su* hermano con los gastos escolares. 자금 융통은 은행이 뒤를 보아준다 La financiación es ayudada por el banco / El banco ayuda la

financiación. 뒤를 조지다 asegurarse (de), enfatizar, poner énfasis (en), volver a mirar, verificar dos veces, confirmar. 뒤를 쫓다 ㉮ perseguir, seguir, correr atrás, correr (a *uno*). ¶범인의 ~ perseguir al criminal. ㉯ =추종하다. 뒤를 캐다[파다] investigar minuciosa y secretamente.
■뒤에 난 뿔이 우뚝하다 ((속담)) El joven es más grande que el anciano / Hay postreros que serán primeros / Algunos de los que ahora son los últimos serán los primeros.

뒤구르다 ① [일의 뒤끝을 말썽 없도록 단단히 하다] cerrar [fijar · poner fin] con cuidado. ② [총포를 쏜 뒤에 그 자체가 반동으로 몹시 울리다] retroceder, dar un culatazo, dar una coz, dar una patada.

뒤까불다 comportarse precipitadamente [sin reflexionar · imprudentemente].

뒤꼍 patio *m* trasero, jardín *m* (*pl* jardines) trasero, *RPl* fondo *m*.

뒤꽁무니 =꽁무니.

뒤꽂이 adorno *m* de pelo.

뒤꿈치 ((준말)) =발뒤꿈치.

뒤끓다 ① [뒤섞여 끓다] hervir, silbar. 주전자의 물이 뒤끓는다 La tetera hierve [silba] ② [많은 수효가 같은 곳에서 움직이다] estar atestado [abarrotado], estar en confusión (excesiva), bullir. 백화점은 손님으로 뒤끓고 있다 El almacén está atestado [abarrotado] de gente. 도시는 관광객으로 뒤끓고 있었다 La ciudad estaba plagada de turistas. 군중이 승강장 주변에서 뒤끓고 있었다 La multitud bullía en el andén. 광장은 시위자(示威者)들이 뒤끓는 장소였다 La plaza era un hervidero de manifestantes.

뒤끝 fin *m*, conclusión *f*, resultado *m*, último trabajo *m*. ~을 맺다 resolver, solucionar, poner fin (a), poner punto final (a). ~이 나다 llegar a una conclusión, ser resuelto, ser solucionado. ~이 안 좋다 tener resaca. 이 술은 ~이 안 좋다 Este vino se sube muy pronto a la cabeza.

뒤낭 【인명】 Enrique Dunant (1838-1910) (스위스의 자선 사업가. 적십자(赤十字)의 창설자. 1901년에 노벨 평화상을 받음).

뒤내다 incumplir. 그는 약속을 뒤냈다 El faltó a su promesa / El no cumpló su promesa.

뒤넘기치다 ① [뒤로 넘겨뜨리다] lanzar, tirar. ② [뒤집어 엎다] [잔 등을] volcar; [우유 · 내용물을] derramar; [보트를] volcar; [탁자 · 보트를] dar*le* la vuelta (a), *CoS* dar vuelta. 식탁을 ~ dar la vuelta a la mesa.

뒤넘다 [엎어지다] dar*le* la vuelta (a), *AmL* voltear (*CoS* 제외), *RPl* dar vuelta; [넘어지다] [사람 · 그림 · 나무가] caerse; [집 · 벽이] venirse abajo, derrumbarse. 병풍이 뒤넘었다 El biombo ha dado la vuelta.

뒤넘스럽다 ① (ser) impertinente, atrevido, descarado, insolente, fresco. 뒤넘스레 impertinentemente, atrevidamente, descaradamente, insolentemente.

뒤놀다 ① [이리저리 몹시 흔들리다] [손 · 목소리가] (ser) tembloroso, tembleque, temblar; [나뭇가지가] agitarse; [글씨가] de trazo poco firme; [배 · 비행기 · 자동차가] balancearse [bambolearse] mucho. 뒤노는 의자 silla *f* inestable, silla *f* poco firme, silla *f* poco segura. 책상 다리가 뒤논다 Las patas de la mesa son inestables. ② [마음대로 돌아다니다] pasear, deambular, vagar, caminar sin rumbo fijo, errar. 거리를 ~ vagar [deambular] por las calles.

뒤놓다 volcar, derramar, dar*le* la vuelta (a), *CoS* dar vuelta.

뒤놓이다 ser volcado, ser derramado.

뒤늦다 llegar demasiado tarde, llegar muy tarde. 뒤늦게 demasiado tarde. 뒤늦게나마 aunque tardíamente, aunque muy tarde, aunque demasiado tarde. 기차 시간에 뒤늦게 오다 llegar demasiado tarde al tren. 그는 뒤늦게나마 회의에 참석했다 El participó en la reunión demasiado tarde [con retraso].

뒤다[1] [판자가] combarse; [궁형(弓形)으로] arquearse. 나무 상자가 볕을 쬐어 ~ combarse la caja de madera al sol.

뒤다[2] ((준말)) =뒤지다.

뒤대 [북쪽 지방] distrito *m* norte, parte *f* norte, tierra *f* norte. ~에서 피난 온 사람 el refugiado del norte.

뒤대다 ☞뒤[1]

뒤덮다 cubrir, taparse [cubrirse] con un velo, velarse. 뒤덮은 얼굴 cara *f* tapada [cubierta] con un velo. 먼지를 뒤덮어 쓰다 estar cubierto de polvo.

뒤덮이다 estar cubierto (de). 산은 눈으로 뒤덮여 있다 La montaña está cubierta de la nieve.

뒤돌아보다 ☞뒤[1]

뒤두다 ☞뒤[1]

뒤둥그러지다 ① [뒤틀려서 우그러지다] (ser) deformado, torcido. ② [생각이나 성질이 비뚤어지다] (ser) retorcido, avieso, deshonesto.

뒤듬바리 persona *f* estúpida, aburrida y cruel.

뒤따라가다 ☞뒤[1]

뒤따라붙다 =따라붙다.

뒤따라오다 ☞뒤[1]

뒤따르다 ☞뒤[1]

뒤딱지 tapa *f* trasera.

뒤떠들다 armar lío, meter cizaña, hacer mucho ruido, hablar en voz alta.

뒤떨다 temblar. 무서워서 ~ temblar de miedo. 나는 무서워서 몸을 와들와들 뒤떨었다 Yo temblaba de miedo.

뒤떨어지다 ① [뒤에 처지다] quedarse atrás, rezagarse. 뒤떨어지지 마세요 [usted에게] No se quede atrás / No se rezague // [tú에게] No te quedes / No te rezagues // [ustedes에게] No se queden atrás / No se rezaguen / [vosotros에게]. No os quedéis atrás / No os rezagéis. 작은 그룹은 다른 그룹에 뒤떨어졌다 Un pequeño grupo iba a la zaga de los demás. ② [뒤에 남아 있다] quedarse atrás. ③ [남만 못하다] ir en zaga, quedarse en zaga, atrasarse, quedar atrás, rezagarse. 남에게 ~ ir [quedarse] en zaga a otro, ser inferior. 정세의 변화에 ~ atrasarse en el cambio de situaciones. 이 분야에서는 한국은 서반아보다 많이 뒤떨어진다 Corea lleva mucho retraso en este campo con respecto a España. 나는 기억력에서는 남에게 뒤떨어지지 않는다 No cedo a ninguno en memoria / En memoria no hay quien me gane. 우리는 아직도 자동차 생산에서 일본에 뒤떨어져 있다 Aún estamos a la zaga al Japón en producción automovilística. ④ [시대에 맞지 않다] no estar al día, rezagarse del tiempo.

뒤뚝 tambaleándose, haciendo eses.
뒤뚝거리다 tambalearse, hacer eses. 나는 뒤뚝거리며 방으로 들어갔다 Yo entré en la habitación tambaleándose [haciendo eses]. 그는 뒤뚝거리며 침대에 다가갔다 El se acercó a la cama tambaleándose [haciendo eses].
뒤뚝뒤뚝 siguiendo tambaleándose.

뒤뚱 tambaleándose.
뒤뚱거리다 tambalearse. 노인이 뒤뚱거리면서 우리에게 다가왔다 El viejo se nos acercó tambaleándose.
뒤뚱뒤뚱 inseguramente, vacilantemente, apeonando, andando a pie. ~ 걸어가다 caminar con paso inseguro [vacilante], apeonar, andar a pie.
뒤뚱발이 persona *f* insegura [vacilante]

뒤뜨다 ① [뒤틀려서 들뜨다] alabear [combar] y estar suelto. ② [뒤받아 항거(抗拒)하다] oponer, resistir.

뒤뜨락 =뒤뜰.

뒤뜰 patio *m* posterior, patio *m* de detrás, jardín *m* [*pl* jardines] detrás de una casa; [주로 닭 따위를 사육하는] corral *m*. 건물의 ~ patio *m* de detrás del edificio.

뒤란 jardín *m* (*pl* jardines) de detrás.

뒤로돌기 acción *f* de dar media vuelta. ~를 하다 dar media vuelta.

뒤로돌아【군사】¡Media vuelta!

뒤로하다 (dejar y) salir. 고국(故國)을 ~ salir de la patria.

뒤룩거리다 [눈을] desorbitar los ojos a menudo.

뒤룩뒤룩 ① [뚱뚱한 몸에 군살이 흉하게 처진 모양] gordamente, corpulentamente, obesamente. ~하다 (ser) gordo (y grasa), corpulento, obeso. ② [부리부리한 눈에 열기를 보이며 부릅뜨고 굴리는 모양] con unos ojos muy abiertos y desafiantes, con los ojos desorbitados. 눈망울을 ~하다 desorbitar los ojos. ③ [성난 기색을 거친 행동으로 나타내 보이는 모양] sacudiendo con ira.

뒤룽거리다 hacer oscilar.

뒤룽뒤룽 haciendo oscilar.

뒤미처 pronto, dentro de poco, inmediatamente, de inmediato, ahora mismo, sin demora. 점심 후에 ~ 그는 일을 시작했다 El comenzó a trabajar inmediatamente después del almuerzo. 그는 서울에 도착하자 ~ 남산 공원에 갔다 Tan pronto como él llegó a Seúl, fue al Parque de Namsan.

뒤바꾸다 invertir. 뒤바꾸어 al contrario, por el [lo] contrario, al revés, de un modo opuesto; [순서를] con el orden invertido; [위아래를] de arriba abajo. 순서를 ~ invertir el orden. 바지를 앞뒤 뒤바꾸어 입다 ponerse los pantalones al revés.

뒤바꾸이다 =뒤바뀌다.

뒤바뀌다 invertirse, ser invertido. 순서가 ~ ser invertido el orden. 카드의 순서가 뒤바뀌었다 Las fichas no están en orden. 너는 사람들이 너에게 말한 것과는 뒤바뀐 방향으로 나갔다 Fuiste en sentido contrario al [del] que te dijeron.

뒤바람 viento *m* norte.

뒤바르다 espolvorear. A에 B를 ~ espolovorear A con B. 밀가루를 ~ enharinar. 설탕을 ~ espolvorear con azúcar. 고기에 밀가루를 ~ enharinar la carne.

뒤받다 replicar, contestar.

뒤발하다 correrse, estar cubierto (de), embadurnar (*algo* de *algo*), untar (*algo* con *algo*), tener manchado (de).

뒤밟다 ☞뒤[1]

뒤버무리다 mezclar, mezclar juntos. 한데 ~ mezclarlo todo.

뒤범벅 confusión *f*, mezcla *f* (desordenada), revoltillo *m*, enrodo *m*, embrollo *m*, fárrago *m*. ~이 된 farragoso. ~이 된 원문 texto *m* farragoso. ~을 만들다 mezclar, confundir, trabucar. ~이 되다 confundirse, entremezclarse [mezclarse] en confusión. 정보(情報)가 ~이 되어 있다 Se confunden diversas informaciones. 아군과 적군이 ~이 되어 싸운다 Los amigos y los enemigos combaten mezclados en confusión.

뒤변덕스럽다 (ser) muy caprichoso, antojadizo, veleidoso, inconstante, voluble. 변덕스러운 여인 (女人) mujer *f* veleidosa.
뒤변덕스레 muy caprichosamente, antojadizamente, veleidosamente.

뒤보다[1] ☞뒤[1]

뒤보다[2] [잘못 생각하여 빗보다] confundir, leer mal, interpretar mal, malinterpretar, juzgar mal. 날짜를 ~ confundir la fecha. 사람을 ~ tomar por otra persona, confundir con otra persona. 진의(眞意)를 ~ leer mal *su* intención.

뒤보다[3] =뒤보아주다.

뒤보아주다 ☞뒤[1]

뒤서다 ① [남의 뒤를 따르다] seguir. 당신이 먼저 가세요. 그러면 내가 당신 뒤서겠습니다 Tú ve delante que yo te sigo. ② 뒤지다[1]❶.

뒤섞다 mezclar confusamente. 뒤섞어서 alternadamente. 맥주와 소주를 뒤섞어 마시다 tomar cerveza y aguardiente alternadamente. 여러 가지 과자를 뒤섞어 내놓다 ofrecer diversos dulces combinados.

뒤섞이다 entremezclarse, mezclarse, confundirse, complicarse. 뒤섞여서 confusamente.

뒤숭숭 confusión *f* excesiva, lío temible. ～하다 (ser) inseguro, peligroso, inquietador, inquietante, tubulento, farragoso. 지금은 ～하기 때문에 como estoy ocupado ahora. ～한 세상이다 Vivimos en un mundo inquietador [tubulento]. 축제로 온 도시가 ～하다 Toda la ciudad hierve (de bullicio) por la fiesta.

뒤스럭거리다 ① [변덕을 부리다] (ser) caprichoso, veleidoso. ② [손을 연해 이리저리 뒤치다] revolver, hurgar, rebuscar, buscar a tientas y a ciegas, registrar de arriba a abajo, *Col*, *Méj* esculcarse. 그는 호주머니를 뒤스럭거렸다 El revolvió [hurgó] en sus bolsillos. 그는 열쇠를 찾느라 호주머니를 뒤스럭거렸다 El hurgó en mis bolsillos buscando las llaves / *Col*, *Méj* El se esculcó los bolsillos para encontrar las llaves. 그녀는 어둠속에서 무언가를 뒤스럭거리고 있었다 Ella buscaba algo a tientas y a ciegas en la oscuridad. 나는 고서(古書)들을 뒤스럭거렸다 Yo rebusqué [hurgué] entre los libros viejos.
뒤스럭뒤스럭 revolviendo, hurgando, rebuscando, buscando a tientas y a ciegas, registrando de arriba a abajo.

뒤스럭스럽다 (ser) frívolo.

뒤스르다 arreglar, disponer, poner *algo* en orden, ordenar.

뒤안길 ① [한길이 아닌 뒷골목의 길] camino *m* del callejón. ② [햇볕을 못 보는 초라하고 음침한 생활] vida *f* melancólica.

뒤어내다 ☞뒤져내다

뒤어보다 ☞뒤져보다

뒤어쓰다 ① [눈알이 위쪽으로 몰려서 흰자위만 나타나게 뜨다. 눈을 흡뜨다] mostrar todo el blanco de *sus* ojos. ② ＝들쓰다.

뒤얽다 enredar, complicar, enmarañar, embrollar.

뒤얽히다 [실 따위가] enredarse; [일이] complicarse, enmarañarse, embrollarse. 뒤얽힌 complicado, enmarañado, intrincado. 이야기가 뒤얽힌다 El asunto se complica. 후반이 되자 이야기의 줄거리가 뒤얽힌다 El argumento se complica en la segunda parte de la historia.

뒤엉키다 ① [밧줄·실 따위가] enredarse (en). 뒤엉킨 실을 풀다 deshacer [desatar] el nudo enredado. 내 머리카락이 뒤엉키었다 Se me enredó el pelo. 그의 발은 그물로 뒤엉켰다 Se le enredaron los pies en la red. ② [이야기 따위가] confundirse, mezclarse; [사건 따위가] enredarse, complicarse. 뒤엉킨 일 asunto *m* enredado, asunto *m* complicado. 일이 아직도 더 뒤엉키어 있다 Las cosas están todavía más enredadas.

뒤엎다 ① [전복하다] revolver, revolcar, volcar, voltear, trastumbar, trastornar, trastrocar; [계획 따위를] perturbar, desarreglar, desordenar. 판단(判斷)을 ～ perturbar [trastornar] el juicio. 악천후가 우리의 계획을 뒤엎었다 El mal tiempo estropeó nuestro plan. ② [거꾸로] poner al revés, echar abajo, volver de arriba abajo, zozobrar, subvertir. ③ [타도하다] derribar.

뒤엎이다 ser revuelto [revolcado · volcado · volteado], ser perturbado; ser puesto al revés; ser derribado.

뒤웅박 calabaza *f* (seca empleada como vasija), *AmS* mate *m*, *AmC*, *Col*, *Méj* jícara *f*, *Méj* guaje *m*.
■뒤웅박 차고 바람 잡는다 ((속담)) Se comporta asurda y increíblementen.

뒤웅스럽다 (ser) estúpido, torpe; feo.
뒤웅스레 estúpidamente, torpemente, feamente. ～ 생겨 먹다 tener facciones feas.

뒤잇다 seguir, suceder. 누가 그를 뒤이었습니까? ¿Quién le sucedió? / ¿Quién fue su sucesor? 그녀는 아버지를 뒤이어 사장이 되었다 / 그녀는 아버지의 사장직을 뒤이었다 Ella sucedió a su padre en la presidencia.

뒤재주치다 ① [물건을 함부로 내던지다] arrojar, lanzar, tirar. ② [물건을 함부로 뒤집어 놓다] dar*le* la vuelta al azar, *AmL* voltear al azar (*CoS* 제외), *CoS* dar vuelta al azar.

뒤적거리다 [방·서랍을] revolver; [집·건물을] registrar (de arriba a abajo); rebuscar, hurgar. 서랍을 ～ revolver el cajón. 이 책 저 책을 ～ rebuscar [hurgar] entre los libros. 호주머니를～ rebuscar [hurgar] en *sus* bolsillos. 그녀는 잡지를 뒤적거리고 있었다 Ella estaba hojeando una revista.
뒤적뒤적 revolviendo, registarndo, rebuscando, hurgando, hojeando.

뒤적이다 revolver. ☞뒤적거리다

뒤져내다 ☞뒤지다[2]

뒤져보다 ☞뒤지다[2]

뒤조지다 ☞뒤[1]

뒤좇다 seguir (detrás de *uno*).

뒤좇아가다 [뒤를 지체하지 않고 따라가다] seguir, perseguir; [사냥개와 함께] cazar con perros. 그는 전속력으로 그녀를 뒤좇아 갔다 El salió corriendo detrás de ella [tras ella] tan rápido como pude. ② [남의 뜻을 따라 그대로 하다] hacer *algo* según la voluntad del otro.

뒤좇아오다 venir siguiendo (detrás de *uno*).

뒤주 arcón *m* (*pl* arcones) de arroz.

뒤죽박죽 confusión *f*, desorden *m*, tumulto *m*, disturbio *m*, alboroto *m*, discrepancia *f*, imparidad *f*; [부사구] sin orden ni concierto, de cualquier manera, desordenadamente, en desorden, en confusión, confusamente. ～되다 discrepar, perder el compañero. ～이다 (estar) desordenado, patas (para) arriba. ～한 사이에 en la confusión del momento, aprovechándose de la confusión. ~ 말하다 contar confusamente, contar en confusión. ~ 자다 dormir revueltos [acostarse en desorden] en un cuarto. 모든 것이 ~이다 Todo está desordenado [patas (para) arriba]. 세상이 ~이군! ¡El mundo está loco! 이 책은 ~이다 Este libro está descompaginado. 옷이 가방에 ~ 넣어져 있다 Habían metido ropa en las maletas desordenadamente [sin orden ni concierto]. 그들은 바다로 ~ 돌진했다 Ellos corrieron en tropel hacia el mar. 침실이 ~이었다 El dormitorio estaba todo desordenado [patas para arriba].

뒤쥐 【동물】 musgaño *m*, musrana *f*.

뒤지(—紙) papel *m* higiénico, *Chi* papel *m* confort; [두루마리로 된] rollo *m* de papel higiénico.

뒤지다[1] ① [뒤떨어지다] atrasarse, quedar atrás, rezagarse. 정세(政勢)의 변화에 ~ atrasarse en el cambio de situaciones. 시세(市勢)에 ~ no estar al día, rezagarse del tiempo. 남보다 뒤지지 않다 no ser inferior, no ir [quedarse] en zaga a otro. 그 입후보는 약간 뒤졌다 Ha presentado la candidatura un poco tarde. 그 분야에서는 한국이 유럽 국가보다 훨씬 뒤져 있다 Corea lleva mucho retraso en ese campo con respecto a los países europeos. 그의 서반아어는 누구한테도 뒤지지 않는다 En español él no cede a nadie. 달리기라면 나는 누구한테도 뒤지지 않는다 En correr, a mí, nadie me gana. ② [미치지 못하다] estar fuera del alcance (de), no alcanzar.

뒤지다[2] ① [들추거나 헤치다] registrar, palpar, tentar. 호주머니를 ~ [남의] registrar el bolsillo; [자기의] palpar el bolsillo. ② [(책갈피나 서류를) 한 장 한 장 뒤적이다] hojear. 사진첩을 ~ hojear el album.

뒤져내다 revolver, rebuscar, hurgar. 서랍에서 ~ revolver [hurgar] en el cajón.

뒤져보다 buscar, revolver, rebuscar, hurgar. 돈이 있나 서랍을 ~ revolver [hurgar] en el cajón a ver si hay dinero. 나는 당신을 찾기 위해 사방을 뒤져보았다 Yo te he estado buscando por todas partes.

뒤집개질 acción *f* de dar la vuelta.

뒤집고핥다 saber a fondo [a conciencia], entender completamente [perfectamente].

뒤집다 ① [안이 겉으로 드러나고, 겉은 속으로 들어 가게 하다] dar*le* la vuelta (a), *AmL* voltear, *RPl* dar vuelta. 뒤집어 입다 ponerse al [del] revés. 셔츠를 뒤집어 입다 ponerse la camiseta al revés. 그는 스웨터를 뒤집어 입고 있다 El lleva el jersey del revés.

② [(일의 순서 따위를) 뒤바꿔다] invertir. 순서를 ~ invertir el orden. 단어의 순서가 뒤집어져 있다 El orden de los vocablos está invertido.

③ [뒷면이나 뒤쪽을 아래로 하거나 거꾸로 하게 하다] echar abajo, poner boca abajo, volver (al revés). 그림을 뒤집어 걸다 colocar el cuadro invertido. 트럼프를 뒤집어 나누다 repartir los naipes boca abajo 뒤집어 말하면 desde el punto de vista opuesto. 컵을 뒤집어 놓다 poner un vaso boca abajo. 뒤집어 읽다 leer opuesto volviéndolo al revés. 단도(短刀)를 뒤집어 쥐다 empuñar una daga con la punta hacia abajo. 답안지를 뒤집어 주십시오 Ponga el papel del examen boca abajo.

④ [(일이나 계획을) 변경하거나 취소하다] cambiar, alterar, modificar, corregir; cancelar, abolir. 계약을 ~ cancelar el contrato.

⑤ [(말이나 태도를) 번복하다] cambiar, invertir.

⑥ [(형세를) 역전시키다] invertir, trocar. 형세를 ~ invertir la situación.

⑦ [전복시키다] trastornar, volcar, zozobrar; [정부 등을] derribar, derrocar. 정부를 ~ derribar [derrocar] al gobierno. 정설(定說)을 ~ derribar [echar abajo] la teoría admitida. 판결을 뒤집었다 Se ha revocado la sentencia. 열차가 뒤집어졌다 El tren volcó.

⑧ [(종전의 학설이나 이론을) 무효화하다] anular, invalidar.

뒤집어쓰다 ㉮ [몸에 보이지 않게 덮다] cubrirse, ponerse, taparse. 오버를 머리까지 ~ cubrirse [taparse] con el abrigo. 모포를 머리에서부터 뒤집어쓰고 자다 dormir cubriéndose [tapándose] todo el cuerpo con la manta. ㉯ [머리에 덮거나 쓰는 것을 되는대로 쓰다] ponerse, cubrirse, envolverse, arroparse, enrollarse. 모자를 ~ ponerse el sombrero, cubrirse. 모자를 뒤집어쓰고 있다 estar con el sombrero puesto. 모포(毛布)를 뒤집어쓰고 자다 acostarse envuelto en una manta. ㉰ [남의 허물을 대신 맡다] ser objeto (de). 비난을 ~ ser objeto de críticas [de reproches]. 죄를 ~ atribuirse [echarse · cargar con · tomar sobre sí] la culpa (de). ㉱ [(액체나 가루 따위를) 온몸에 받다] llenarse (de), cubrirse (de), echarse sobre sí, salpicar. 물을 ~ echarse (el) agua, tomar un baño, bañarse; [젖다] mojarse; [배가] encapillarse. 먼지를 ~ cubrirse [llenarse] de polvo, empolvarse todo el cuerpo. 햇볕을 ~ exponerse a la luz del sol, ponerse al sol; [일광욕하다] tomar un baño de sol. 술로 ~ beber a boca de jarro, beber como una esponja [como una cuba]. 보트는 파도를 뒤집어쓰고 침몰했다 Aplastado [Sofocado] por un golpe de mar, el bote se hundió. 그는 바지에 물을 뒤집어썼다 La salpicó el agua (en) los pantalones. ㉲ [생김새가 아주 닮다] ser muy parecido (a), parecerse (a). 제 애비를 뒤집어썼군 El está muy parecido a su papá. ㉳ [책임을 억지로 맡게 되다] forzar a encargarse.

뒤집어씌우다 achacar, imputar, echar. 죄를 ~ achacar [imputar · echar] la culpa.

뒤집어엎다 =뒤집다.

뒤집히다 invertirse, trocarse, voltear, dar un

salto mortal, saltar en salto mortal. 뒤집히는 듯한 소란 gran confusión *f*, consternación *f*, pánico *m*, fuga *f* precipitada. 눈이 ~ perder la cabeza, enloquecer, volverse loco. 형세가 뒤집혔다 Se ha invertido la situación. 바람으로 쓰고 있던 우산이 뒤집혔다 El viento volteó mi paraguas.

뒤쪽 parte *f* de atrás. 건물의 ~으로 돌다 pasar a la parte de atrás del edificio. 광이 집 ~에 있다 La trastera está detrás de la casa. ☞뒷면.

뒤쫓다 ☞뒤[1].

뒤쫓아가다 perseguir, seguir, ir a la zaga (de), seguir la pista (de), correr (tras). 앞차를 ~ seguir al coche que va adelante. 그는 연인을 멕시코까지 뒤쫓아갔다 El fue hasta México siguiendo a [corriendo tras] su novia.

뒤쫓아오다 perseguir, seguir. 나를 뒤쫓아오지 마라 No me sigas.

뒤차(一車) [다음 차] tren *m* próximo, vehículo *m* que sigue [que viene detrás]; [끝차] los últimos vagones del tren.

뒤창 =뒤축.

뒤채[1] [뒤편에 있는 집채] casa *f* de atrás, casa *f* trasera.

뒤채[2] ① [가마・상여 따위의 뒤에서 매는 채] manillar *m* de atrás del palanquín [de la silla de manos]. ② =뒷마구리.

뒤채다 (ser) superabundante, superfluo, estar en exceso.

뒤처리(一處理) arreglo *m* [limpieza *f*] (de un suceso o una fiesta), orden, despacho. ~하다 arreglar, despachar, retirar, proceder a limpieza, volver a poner en orden. 사건을 ~하다 arreglar los restos del asunto. 밥상을 ~하다 retirar la mesa. 서류를 ~하다 [정리하다] ordenar los papeles. 자리를 뜰 때는 ~를 깨끗이 해라 Cuida de que todo quede bien ordenado, cuando te vas de un lugar.

뒤척거리다 [물건을 찾느라고 들추어 가며 뒤지다] revolver, rebuscar, hurgar, buscar. ☞뒤적거리다
뒤척뒤척 revolviendo, rebuscando, hurgando.

뒤척이다 =뒤적이다.

뒤쳐지다 ser dado la vuelta.

뒤축 ① [(신이나 버선 따위의) 발뒤꿈치가 닿는 부분] ㉮ [신의] tacón *m* (*pl* tacones). ~이 높은[낮은] 구두 zapatos *mpl* de tacón alto [bajo]. 구두 ~을 갈다 cambiar el tacón a los zapatos. ㉯ [양말 따위의] talón *m* (*pl* talones). 스타킹의 ~ talón *m* de medias. ② ((준말)) =발뒤축.

뒤치다 dar*le* la vuelta (a), *AmL* voltear (*CoS* 제외), *CoS* dar vuelta; [책장을] hojear.

뒤치다꺼리 ① [뒤에서 일을 보살펴서 도와주는 일] cuidado *m*, atención *f*. ~하다 atender (a *uno*), cuidar (de *uno*); [어린아이를] cuidar (a・de *uno*). 어린이를 ~ cuidar a [de] un niño. ② =뒷수쇄. ③ [지불] pago *m*. ~하다 pagar el disparate (de). 그는 친구의 빚 ~를 해야 한다 El ha tenido que pagar la deuda que su amigo había contraído. ~하는 것은 언제나 나다 Siempre soy yo quien lo paga.

뒤치락거리다 seguir dando la vuelta.

뒤치락엎치락 =엎치락뒤치락.

뒤칸 último vagón *m* (*pl* últimos vagones). 기차의 ~ último vagón *m* del tren.

뒤탈(一頉) segunda siega *f*. ~이 나다 costar mucho lo que ha hecho uno sufrir de la segunda siega. ~을 없애기 위해 para no tener complicaciones después.

뒤탈리다 =뒤틀리다.

뒤터지다 ☞뒤[1]

뒤통수 【해부】 occipucio *m*, región *f* occipital, parte *f* trasera de la cabeza.
◆뒤통수(를) 보이다 ㉮ [져서 달아나다] escaparse por la derrota. ㉯ [상대방에게 약점을 보이다] verse *su* defecto. 뒤통수(를) 치다 ㉮ [뒷머리를 때리다] pegar*le* a *uno* en la parte trasera de la cabeza. ㉯ [바라던 일이 실패하여 매우 낙심하다] desesperar [perder las esperanzas] (debido al fracaso).

뒤퉁스럽다 (ser) torpe, estúpido, inconsciente, sin sentido.
뒤퉁스레 torpemente, estúpidamente, inconscientemente.

뒤트레방석(一方席) almohadón *m* [cojín *m*] de paja.

뒤틀다 ① [꼬아서 비틀다] torcer; [몸을] retorcerse. 고통으로 몸을 ~ retorcerse de dolor. ② [일이 올곧게 나가지 못하도록 하다] frustrar, despistar, desbaratar. 계획을 ~ frustrar [desbaratar] el plan.

뒤틀리다 ① [「뒤틀다」의 피동] ㉮ [꼬아서 비틀리다] torcerse, retorcerse, encorvarse. ㉯ [일이] ser frustrado, ser desbaratado. 날씨 때문에 우리의 계획이 뒤틀렸다 Nos falló el tiempo / El tiempo frustró [desbarató] nuestros planes. ② [감정이나 심사가 사납고 험해지다] (estar) retorcido, avieso. 세상과 뒤틀려 등지다 (ser) cínico, misántropo.

뒤틀어지다 ① [물건이] combarse, torcerse, enrollarse, enroscarse. ② [일이] fallar, fracasar, frustrarse, desbaratarse. 의도(意圖)가 ~ fallar [fracasar] en *su* intento.

뒤틈바리 persona *f* estúpida y grosera.

뒤판싸움 ((운동)) =후반전(後半戰).

뒤편(一便) parte *f* de atrás, trasera *f*, trasero *m*. 건물의 ~으로 돌다 pasar a la parte de atrás del edificio. 집 ~에 있다 estar detrás de la casa.

뒤편짝(一便一) =뒤편.

뒤폭(一幅) ① [옷의 뒤편 조각] pedazo *m* trasero de ropa. ② [나무로 짜는 세간의 뒤쪽에 대는 널조각] pedazo *m* trasero de una caja. ③ [물건의 뒤의 나비] anchura *f* trasera de una cosa.

뒤품 anchura *f* de *su* brazo de la ropa.

뒤흔들다 ① [마구 흔들다] estremecer, sacudir, hacer oscilar, hacer temblar. 대지(大地)를 ~ hacer temblar la tierra. …의 권위(權威)를 ~ estremecer la autoridad de *uno*. …의 신념(信念)을 ~ hacer vacilar la convicción a *uno*. ② [충격적인 영향을 미치게 하다] trastornar. 사회를 밑바닥부터 ~ trastornar la sociedad desde *sus* cimientos.

뒤흔들리다 estremecerse, sacudirse; trastornarse.

뒴들다 discutir, reñir, pelearse.

뒷- [의자·바퀴 등] trasero, de atrás; [정원·뜰·방·문 등] de atrás; [마지막의] último. ~방 habitación *f* de atrás, cuarto *m* de atrás. ~줄 la última fila.

뒷가지[1] [길마의] palo *m* trasero de la albarda.

뒷가지[2] 【언어】 =접미사(接尾辭)(sufijo).

뒷간(-間) baño *m*, servicio *m*, váter *m*, aseo *m*, retrete *m*, excusado *m*. ~에 가다 ir al baño, ir al váter [al servicio].

■ 뒷간과 사돈집은 멀어야 한다 ((속담)) El servicio y la casa de los suegros deben estar lejos. 뒷간 기둥이 물방앗간 기둥을 더럽다 한다 ((속담)) Dijo la sartén al cazo: quítate que me tiznas.

뒷갈망 arreglo *m*, liquidación *f*. ~하다 enderezar, poner derecho, ordenar, arreglar, liquidar, cerrar.

뒷갈이 arado *m* posterior.

뒷감당(-堪當) =뒷갈망.

뒷거래(-去來) =암거래(暗去來).

뒷거름 ① [사람의 똥] estiércol *m* humano; [사람의 오줌] orina *f* humana. ② =웃거름. 덧거름.

뒷걱정 preocupación *f* posterior. ~하다 preocuparse después.

뒷걸음 retroceso *m*.

◆ 뒷걸음(을) 치다 ㉮ =뒷걸음질(을) 하다. ☞뒷걸음질. ㉯ =퇴보하다.

뒷걸음질 ① [뒷걸음을 치는 짓] retroceso *m*, desandamiento *m*, vuelta *f* (hacia) atrás, paso m atrás. ~하다 retroceder, dar (un paso) atrás. ② [질병의] recaída *f*. ~하다 recaer, tener recaída. ③ [퇴보] reversión *f*, retrogresión *f*, degeneración *f*. ~하다 retroceder, volver hacia atrás; [퇴보하다] retrogradar, desandar.

◆ 뒷걸음질(을) 치다 echarse (para) atrás, dar (un paso) atrás, retroceder, vacilar. 그는 위기에 직면해서도 뒷걸음질을 치지 않는다 El no se echa atrás ante el peligro.

뒷겨드랑이 región *f* trasera del sobaco.

뒷결박(-結縛) =뒷짐결박.

뒷경과(-經過) desarrollo *m* posterior.

뒷고대 región *f* trasera del cuello.

뒷고방(-庫房) =뒷골방.

뒷골 =뒤통수.

뒷골목 calle *f* de atrás, callejuela *f*, callejón *m*. ~의 초라한 거리 callejuelas *fpl*.

뒷공론(-公論) ① [일이 끝난 뒤에 공연히 하는 평론] discusión *f* ociosa. ~하다 discutir ociosamente. ② [겉으로 나서지 않고 뒤에서 이러니저러니 하는 짓] [소문] chismorreo *m* privado; [험담] murmuraciones *fpl*, *AmL* viboreo *m*. ~하다 hablar mal (de). 없는 사람의 ~을 하는 게 아니다 No hables mal del ausente.

뒷구멍 ① [뒤쪽에 있는 구멍] agujero *m* de atrás. ② =똥구멍(ano). ~의 병(病) enfermedad *f* anal. ③ [숨겨서 넌지시 행동하는 길이나 수] puerta *f* falsa, vía *f* injusta, secreto *m*, clandestinidad *f*. ~ 영업(營業) negocio *m* clandestino, negocio *m* secreto. ~으로 입학하다 ingresar en una escuela por la puerta falsa [por vía injusta].

뒷귀 poder *m* de entender el sentido.

◆ 뒷귀(가) 먹다 (ser) estúpido, torpe. 뒷귀(가) 밝다 entender bien. 뒷귀(가) 어둡다 entender mal, malentender.

뒷글 ① =발문(跋文). ② =어깨넘엇글. ③ [배운 글을 익히려고 뒤에 다시 읽는 글] estudio *m* de volver a leer.

뒷길[1] ① [집채나 마을의 뒤에 난 길] camino *m* apartado [vecinal], carretera *f* secundaria [vecinal]. ② [지난날의] provincia *f* occidental, provincia *f* septentrional.

뒷길[2] [뒷날을 기약하는 희망의 길] *su* futuro, *su* porvenir.

뒷길[3] ① [부정하거나 부당한 수법] método *m* ilícito [clandestino]. ② [떳떳하지 못한 삶의 방식] vida *f* airada.

뒷길[4] [웃옷의 뒤쪽에 대는 길] pedazo *m* trasero de la prenda superior.

뒷날 ① [다음날] día *m* siguiente. ② [장래] futuro *m*, porvenir *m*; [부사적] otro día, en el futuro. ~ 다시 들르겠습니다 Vuelvo a pasar otro día.

뒷내 río *m* detrás de la casa.

뒷눈질 mirar hacia atrás. ~하다 mirar hacia atrás.

뒷다리 ① [짐승의] patas *fpl* traseras. ~로 서다 levantarse sobre las patas traseras; [말 따위가] encabritarse; *AmS* abalanzarse. ② [두 다리를 앞뒤로 벌렸을 때 뒤에 놓인 다리] pierna *f* de atrás. ③ [책상이나 의자 따위의 뒤쪽의 다리] pata *f* de atrás.

◆ 뒷다리(를) 잡히다 caer [estar] en las garras (de *uno*).

뒷담 muro *m* de atrás.

뒷담당(-擔當) =뒷갈망.

뒷대문(-大門) puerta *f* (principal) trasera.

뒷대야 bidé *m*, bidet *m*, bidel *m*.

뒷덜미 nuca *f*, cogote *m*.

뒷도랑 zanja *f* trasera.

뒷돈 [자금] capital *m*, fondo *m*; [비상금] dinero *m* de reserva, fondo *m* extra.

뒷동산(-東山) colina *f* (que hay) detrás (de casa).

뒷들 campo *m* (que hay) detrás (de casa).

뒷등 ((힘줌말)) =등.

뒷마감 terminación *f*, finalización *f*, conclusión *f*. ~하다 terminar, finalizar, acabar, concluir, completar. 일을 ~하다 terminar *su* obra.

뒷마당 patio *m* trasero, patio *m* que hay

detrás (de casa).

뒷마루 suelo *m* trasero, suelo *m* de atrás.

뒷마을 aldea *f* de atrás.

뒷막이 ① [세간 따위의] pedazo *m* trasero (del mueble).

뒷말 =뒷공론.

뒷맛 ① [음식을 먹고 난 뒤에 입에서 느끼는 맛] dejo *m*, regusto *m*, sabor *m* de boca, raborete *m* que queda de haber comido o bebido. ~이 나쁘다 dejar resabio [saborete] desagradable, tener un dejo desagradable. ~이 좋다 tener un dejo agradable. ☞ 뒷입맛. ② [어떤 일을 끝마친 뒤의 느낌] dejo *m*, resabio *m*, regusto *m*, sabor *m* de boca. ~이 쓰다 saber a cuerno quemado, tener un dejo [un regusto] desagradable. 그것은 ~이 나쁜 사건이었다 Fue un incidente que dejó un mal sabor de boca [un regusto desagradable].

뒷맵시 apariencia *f* [figura *f*] de espalda, figura *f* de detrás. ~가 아름답다 tener una bella apariencia de espalda. 그의 ~가 보인다 Se ve su figura de espalda. 그는 ~가 그의 형과 몹시 닮았다 Por la espalda se aparece mucho a su hermano.

뒷머리 ① [넓이가 있는 크고 긴 물건의 뒤쪽] parte *f* trasera, parte *f* posterior, parte *f* de atrás. 책상 ~ parte *f* trasera de la mesa. ② [행렬의 뒷부분] retaguardia *f*, final *m*, fin *m*. 행렬의 ~ retaguardia *f* de un desfile. ③ =뒤통수. ④ [머리의 뒤쪽에 난 머리털] pelo *m* trasero.

뒷면(-面) reverso *m*, revés *m*, dorso *m*; [화폐(貨幣)의] cruz *f*; [복지(服地)의] envés *m*, contrahaz *f*; [서류의] respaldo *m*; [발(足)의] planta *f*; [레코드의] segunda cara *f*. 달의 ~ parte *f* invisible [de atrás] de la luna. 레코드의 ~을 틀다 poner la segunda cara del disco. ~에 계속(됨) ((게시)) Continúa al dorso. ~을 보십시오 Véase la vuel- ta [el dorso]. ~입니까 앞면입니까? [동전을 던지면서] ¿Cara o cruz? 이것이 천의 ~이다 Este es el envés de la tela. 동전을 던질 때 ~이 나왔다 Al echar la moneda, salió (la) cruz. 종이의 ~에 이름을 써 주십시오 Escriba su nombre al dorso [a la vuelta de la hoja].

뒷모습(-貌襲) aspecto *m* de atrás.

뒷모양(-模樣) ① [뒤로 드러내는 모양] aspecto *m* de atrás. 그는 ~이 그의 아버지와 같다 El se parece a su padre de atrás. ② [일의 끝난 뒤의 체면] honor *m*, prestigio *m*. ~이 안 되다 desprestigiarse, quedar mal.

뒷목 restos *mpl* del grano.

뒷몸 parte *f* trasera del cuerpo.

뒷무릎 【해부】 =오금.

뒷문(-門) ① [집의 뒤쪽이나 옆으로 난 문] puerta *f* trasera, puerta *f* dorsal, puerta *f* de atrás, puerta *f* de detrás, puerta *f* posterior, puerta *f* en la parte trasera; [통용구] puerta *f* de servicio; [뒷입구] entrada *f* trasera. ~으로 들어오다[나가다] entrar [salir] por la puerta trasera. 그는 ~으로 나갔다 El salió de la puerta trasera. ~으로 나가 주십시오 Salga usted por la puerta posterior. ② [정당하지 못한 수단·방법으로 해결하는 길] método *m* ilícito, resolución *f* incorrecta..

■ ~거래(去來) transacción f ilícita.

뒷물 el agua *f* que lava el ano o el pene del hombre, lavado *m* del ano o del pene del hombre.

■ ~대야 jofaina *f* para el agua que lava el ano o el pene del hombre.

뒷밀이 empuje *m* por detrás. ~하다 empujar por detrás.

뒷바닥 parte *f* trasera de la suela de zapatos.

뒷바라지[1] [방의 뒷벽에 있는 바라지] ventanita *f* de la pared trasera de la habitación.

뒷바라지[2] [뒤에서 보살피며 주선하여 도와 주는 일] patrocinio *m*, ayuda *f*, asistencia *f*, subvención *f*, atención *f*, auspicios *mpl*; [공급] suministro *m*, aprovisionamiento *m*, provisión *f*. ~하다 patrocinar, ayudar, atender (a), cuidar (de), subvencionar, auspiciar; [공급하다] proveer (a *uno* de *algo*), suministrar*le* (*algo* a *uno*), proporcionar*le* (*algo* a *uno*). …의 ~로 bajo los auspicios de *uno*, patrocinado [subvencionado] por *uno*. 자식 ~하다 cuidar a [de] *sus* niños. 옷 ~하다 proveer a *uno* de la ropa. 아들 살림의 ~를 하다 proveer a *su* hijo de los artículos de primera necesidad. 그 여자는 아이들의 ~로 바쁘다 Ella está ocupada en el cuidado de sus niños.

뒷바퀴 rueda *f* trasera, *AmL* rueda *f* de atrás.

뒷받침 respaldo *m*, apoyo *m* (económico), ayuda *f* (económica); [사람] partidario, -ria *mf*. ~하다 respaldar, apoyar, mantener, ayudar, sostener, sustentar. 그는 내 사업에 ~이 되어 주었다 El me respaldó en mi negocio.

뒷발 ① [네발짐승의 뒤에 달린 두 발] patas *fpl* traseras. ~로 서다 [말이] encabritarse; [개가] ponerse en dos patas. ~로 일어서다 levantarse con las patas traseras. ② [뒤로 차는 발길] acción *f* de cocear con *su* talón.

뒷발굽 casco *m* trasero, casco *m* de atrás.

뒷발질 acción *f* de cocear con la pata trasera [*su* talón]. ~하다 cocear [dar coces] con la pata trasera [*su* talón].

뒷발톱 ① [마소의] casco *m* trasero. ② =며느리발톱.

뒷방(-房) habitación *f* de atrás, habitación *f* en la parte trasera, habitación *f* en la parte atrás. 건물의 ~ habitación *f* en la parte trasera [en la parte de atrás] del edificio.

■ ~공론(公論) =뒷공론. ~마누라 esposa *f* empujada en la habitación de atrás.

뒷밭 campo *m* detrás de la casa.

뒷배 respaldo *m*, apoyo *m*, ayuda *f*. ~를 부

탁하다 pedir el apoyo.
◆ 뒷배(를) 보다 respaldar, apoyar, ayudar.

뒷벽(－壁) pared *f* trasera, pared *f* de atrás.

뒷보증(－保證) endoso *m*. ¶～하다 endosar.

뒷북치다 ir de acá para allá [correr de un lado para otro] en vano después del acontecimiento.

뒷사람 ① [뒤에 있는 사람] persona *f* de atrás. ② [뒤에 오는 세대의 사람] persona *f* de la generación que viene.

뒷산(－山) montaña *f* detrás de la casa [la aldea].

뒷생각 ① [나중에 대한 생각] pensamiento *m* futu- ro. ② [일이 끝난 다음에 일어나는 마음 또는 느끼는 의견] corazón *m* ocurrido [opinión *f* sentida] después de terminar el trabajo.

뒷설거지 ① ＝설거지. ② [큰 일을 치른 다음에 하는 뒤처리] arreglo *m* después de terminar el gran trabajo.

뒷세상(－世上) ((불교)) ＝미래세(未來世).

뒷소리 ① ＝뒷말. ② [뒤에서 응원하는 소리] grito *m* para animar a un equipo.
◆ 뒷소리(를) 치다 aplaudir [gritar entusiamadamente] para un equipo, gritar para animar a un equipo.

뒷소문(－所聞) chismorreo *m* sobre unos acontecimientos pasados. ☞후문(後聞)

뒷손[1] [겉으로는 사양하는 체하고 뒤로는 슬그머니 벌려서 받는 손] alcance *m* ilegal, mano *f* sucia para dinero, aceptación *f* a hurtadillas.
◆ 뒷손(을) 벌리다[내밀다] pedir dinero fingiendo rehusar cortésmente, aceptar a hurtadillas [a escondidas].

뒷손[2] [뒷수쇄하는 손] mano *f* que atiende al otro.

뒷손가락질 ¶～하다 señalar con el dedo. ～을 당하다 ser objeto de maledicencia, dejarse señalar con el dedo.

뒷손없다 (ser) descuidado, poco cuidadoso, negligente.
뒷손없이 descuidadamente, sin la debida atención, negligentemente.

뒷수쇄(－收刷) ＝뒤치다꺼리.

뒷수습(－收拾) acuerdo *m*, convenio *m*, pago *m* de disparate ajeno. ～하다 acordar, pagar disparate ajeno.

뒷심 respaldo *m*, apoyo *m*, ayuda *f* de atrás. ～이 든든하다 tener el buen respaldo.

뒷이야기 ① [계속되는 이야기의 뒷부분] continuación *f* (de una historia). ② ＝후일담(後日譚).

뒷일 asuntos *mpl* futuros; [사후(死後)의] asuntos *mpl* después de la muerte. ～은 너에게 맡기겠다 Te dejo al cargo. ～은 내가 맡겠다 Yo me encargo después.

뒷입맛 dejo *m*, regusto *m*, sabor *m* de boca; ((속어)) deje *m*. ～이 좋다 [나쁘다] tener un dejo agradable [amargo].

뒷자락 cola *f* trasera, cola *f* de atrás.

뒷자리 asiento *m* trasero [de atrás · en la trasera].

뒷자손(－子孫) ＝후손(後孫).

뒷장 ＝뒷일. 뒤끝.

뒷전 ① [뒤쪽이 되는 부분] parte *f* trasera, parte *f* de atrás, fondo *m*; [자동차의] asiento *m* de atrás, asiento *m* en la trasera. 홀의 ～ el fondo de la sala. 자동차의 ～ la parte trasera [de atrás] del coche. 집의 ～ la parte de atrás de la casa. 버스의 ～에 앉다 tomar asiento en la trasera del autobús. 우리들은 ～에 앉았다 Nos sentamos al fondo. 나는 ～에 앉았다 [자동차의] Yo me siento detrás [(en el asiento de) atrás]. ～에 뜰이 있다 Hay un patio atrás. 우리들은 줄의 ～에 섰다 Nos pusimos al final de la cola. ② [(차례로 보아서) 나중 또는 마땅히 앞세워질 것이 뒤서게 된 사물] dilatación *f*, retardación *f*, postergación *f*, posposición *f*. ～으로 미루다 diferir, retardar, aplazar, postergar posponer. ～으로 돌리다 descuidar, desatender, dejar a un lado [de lado]. 일은 ～으로 돌리고 …하다 dejar el trabajo a un lado para + *inf*. ③ [뱃전의 뒷부분] popa *f*. ④ ＝배후(背後). 이면(裏面). ⑤ [선후 차로 보아 나중의 위치] posición *f* trasera.
◆ 뒷전(을) 놀다 ㉮ ＝뒤치다꺼리하다. ㉯ [무당이] practicar la última escena de un exorcismo.

뒷정리(－整理) arreglo *m* para la conclusión. ～하다 arreglar a concluir, poner *algo* en orden; [청소하다] limpiar; [식사의] levantar la mesa.

뒷조사(－調査) investigación *f* minuciosa [meticulosa]. ～하다 investigar minuciosamente [meticulosamente]. ＝내사(內査).

뒷좌석(－座席) asiento *m* trasero, asiento *m* de atrás. ～에 앉다 sentarse en el asiento trasero. 그녀는 ～에 앉아서 갔다 Ella iba sentada atrás / Ella iba sentada en el asiento trasero.

뒷주머니 [바지의] bolsillo *m* trasero (del pantalón).

뒷줄 línea *f* trasera, cola *f* trasera.

뒷지느러미 【어류】 aleta *f* anal.

뒷질 cabezada *f*. ～하다 cabecear.

뒷짐 acción *f* de sujetarse el uno al otro detrás de *su* espalda.
◆ 뒷짐(을) 지다[짚다] juntar las manos detrás de *su* espalda. 뒷짐(을) 지우다 hacer*le* juntar las manos detrás de *su* espalda.
■ ～결박(結縛) ¶～하다 atar las manos detrás de *su* espalda. 도둑은 ～당했다 El ladrón tiene las manos atadas detrás de su espalda.

뒷집 casa *f* de detrás, *AmL* casa *f* de atrás. 건물의 ～ casa *f* de detrás del edificio.
■ 뒷집 마당 벌어진 데 솔뿌리 걱정한다 ((속담)) En vano uno se preocupa por [con · de · en] otros.

뒷창자 【해부】 intestino *m* trasero.

뒷항(－項) ＝후항(後項).

뒹굴다 rodar, darse vuelta, revolcarse; [사람

이] caerse de costado; [물건이] caer de lado; [눕다] acostarse. 풀 위에 ~ acostarse se sobre las hierbas. 돈이 뒹굴어 들어오다 nadar en la abundancia. 나는 뜨거운 목욕물에 뒹굴기를 좋아한다 Me encanta estarme horas disfrutando de un baño caliente. 하마가 진흙에서 뒹굴고 있다 Los hipopótamos se revuelca en el lodo.

■ 뒹굴 자리 보고 씨름에 나간다 ((속담)) Extender la pierna hasta donde llega la sábana / Cada uno extiende la pierna como tiene la cubierta / (No) Estirar el brazo más que la manga / No comas más de lo que puedas digerir / No prometas más de lo que puedas dar.

듀공(영 *dugong*) 【동물】 tritón *m*, sirena *f*.

듀랄루민(영 *duralumin*) 【화학】 duraluminio *m*.

듀스(영 *deuce*) 【테니스】 deuce *ing.m*, cuarenta iguales.

듀어병(Dewar 瓶) =보온병(保溫瓶).

듀엣(영 *duet*) 【음악】 dúo *m*, düeto *m*. ~을 연주하다 tocar un dúo. 그들은 ~으로 노래를 불렀다 Ellos cantaron a dúo.

듀오(영 *duo*) 【음악】 [이중주(곡)] dúo *m*.

드- muy, mucho. ~넓은 동해여! ¡El Mar Oriental muy extenso! ~높은 조국의 푸른 하늘이여! ¡El cielo azul muy alto de nuestra patria!

드골 【인명】 Charles de Gaulle (1890-1970) (불란서의 장군 · 정치가).

■ ~주의(主義) gaullismo *m*. ¶~의 gaullista. ~주의자(主義者) gaullista *mf*.

드나나나 si se entra o se sale, si se está en casa o se sale de casa. 나는 ~ 걱정뿐이다 Yo me preocupa sólo si estoy en casa o salgo de casa.

드나들다 ① [출입하다] entrar (en) y salir (de); [방문하다] visitar frecuentemente, frecuentar. ② [바뀌다] cambiarse frecuentemente. ③ [고르지 못하고 들쭉날쭉하다] zigzaguear, estar sinuoso, estar lleno de curvas, estar curvado, estar torcido, estar recortado, estar accidentado. 드나든 해안선(海岸線) el litoral recortado [accidentado].

■ 드나드는 개가 꿩을 문다 ((속담)) El que hace el esfuerzo constantemente sale bien / A quien madruga, Dios le ayuda.

드난살다 vivir en una familia como una servienta [una criada].

드날리다[1] [손으로 들어서 날리다] volar; [글라이더 · 기구 등을] pilotar; [연을] hacer volar, *Andes* encumbrar, *RPI* remontar..

드날리다[2] =들날리다.

드넓다 ser muy extenso. 드넓은 들판 campo *m* muy extenso.

드높다 ser muy alto. 드높은 소리로 노래하다 cantar en voz alta.

드높이 muy alto, altamente. ~ 올리다 levantar muy arriba. 종이 ~ 울린다 Se dan campanadas sonoras.

드다르다 (ser) muy diferente.

드던지다 lanzar al azar.

드디어 finalmente, al fin, en fin, por fin. ~ 나는 해냈다 Al fin lo conseguí. ~ 네가 왔군! ¡Por fin tú llegas! ~ 내일 판결이 난다 Por fin se dictará la sentencia mañana. ~ 공사가 끝나가고 있다 Ya está cerca el fin de las obras. 그는 ~ 결심했다 Por fin él se decidió / El acabó por decidirse. ~ 이 재판도 끝날 때가 가까웠다 Por fin este juicio se acerca a su fin.

드라곤(그 *drakôn*; 라 *draco*; 영 *dragon*; 불 *dragon*) [용(龍)] dragón *m* (*pl* dragones).

드라마(라 *drama*; 불 *drame*) drama *m*, teatro *m*.

드라마틱(영 *dramatic*; 불 *dramatique*) dramático, teatral. ~하다 ser dramático.

드라세나(영 *dracaena*) 【식물】 drácena *f*.

드라이(영 *dry*) ① [가뭄] sequedad *f*, sequía *f*, seca *f*. ② ((준말)) =드라이클리닝. ③ = 금주(禁酒).

■ ~ 독 [건독] dique *m* seco. ¶~에 있다 estar en dique seco. ~에 들어가다 [넣다] entrar en dique seco. ~ 밀크 leche *f* en polvo. ~ 샴푸 champú *m* seco. ~아이스 hielo *m* seco, hielo *m* carbónico. ~클리닝 limpieza *f* [lavado *m* · lavadura *f*] en seco, limpieza *f* química. ¶~을 하다 limpiar [lavar] en seco. ~을 권합니다 Se recomienda la limpieza en seco. ~만 합니다 ((게시)) Limpiar en seco. 나는 내 오버를 ~를 보냈다 Mandé el abrigo a la tintorería [al tinte].

드라이버(영 *driver*) ① [운전수] conductor, -tora *mf*; [직업 운전수] chófer *mf*, chofer *mf*; [경주 자동차의] piloto *mf*. ② [나사돌리개] destornillador *m*. ③ ((골프)) madera *f* número uno.

◆ 택시 ~ taxista *mf*.

■ ~스 라이선스 [운전 면허증] permiso *m* de conducción, licencia *f* de conducción, licencia *f* de conducir, *AmC*, *Col*, *Ven* licencia *f* de manejar.

드라이브(영 *drive*) paseo *m* [viaje *m* · excursión *f*] en coche, paseo *m* en automóvil. ~하다 pasearse [dar un paseo] en coche. ~ 가다 ir de paseo en coche (a). ~ 나가다 salir de paseo en coche.

■ ~웨이 [(도로에서 현관까지의) 차도(車道)] entrada *f* (para coches).

드라이브인(영 *drive-in*) [차에 탄 채 이용할 수 있는 영화관 · 은행 · 백화점 · 간이 식당 등] [영화관] autocine *m*, *Méj* autocinema *m*; [식당] drive in *ing.m*; [은행] autobanco *m*.

■ ~ 극장 autocine *m*, *Méj* autocinema *m*. ~ 식당(食堂) drive in *ing.m*. ~ 은행(銀行) autobanco *m*.

드라이어(영 *drier*) secador *m*.

◆ 헤어~ secador *m* (del cabello).

드라크마(그 *drakhmê*) [그리스의 전 화폐] dracma *f*.

드래건(영 *dragon*) =드라곤(dragon).

드램(영 *dram*) unidad *f* de peso equivalente a 3.88 gr. (en los EE. UU.) y a 1.77 gr.

(en el RU).

드러나다 ① [세상에] revelarse, descubrirse, hacerse público. 그녀의 출생의 비밀이 세상에 드러났다 Se ha revelado el secreto de su nacimiento. 이 소설은 작가(作家)의 인격이 드러난다 En este novela se trasluce [se revela · se clarea] la personalidad del autor. ② ((성경)) hacerse notorio, aparecer, *su* fama correr por todas partes. 드러나게 abiertamente, en público. ~말하다 confesar, decir en público.

드러내다 mostrar, manifestar(se), exponer; [비밀을] descubrir, revelar, delatar. 이를 ~ mostrar los dientes [los colmillos]. 감정을 드러내어 놓고 sin ocultar *su* sentimiento. 가슴을 드러내어 놓고 con el pecho descubierto [desnudo]. 세상(世上)에 ~ revelar, descubrir, poner al descubierto, sacar a la luz [al público]. 실력을 만천하(滿天下)에 ~ manifestar [hacer notar] *su* capacidad ante todo el mundo.

드러눕다 acostarse, echarse, tenderse, tumbarse, reposar. 드러누워 있다 estar tendido, yacer. 그는 가끔 정오(正午)까지 드러누워 있다 Con frecuencia él se queda en la cama hasta el mediodía. 가만히 드러누워 있어라 ¡Quédate quieto! 나는 움직이지 않고 땅바닥에 드러누워 있었다 Yo estaba tendido en el suelo sin moverse. 나는 여러 시간 깨어나 드러누워 있었다 Yo estuve horas sin poder dormir. 피곤해 잠깐 드러눕겠습니다 Voy a acostarme un rato, que estoy muy cansado. 그녀는 사흘간 혼수상태로 드러누워 있었다 Ella estuvo tres días en coma. 그는 반듯이 드러누워 있었다 El estaba tendido [acostado] de espaldas.

드러눕히다 acostar, tender, tumbar. 나를 드러눕혀 주세요 Acuésteme.

드러머(영 *drummer*) [고수(鼓手)] [팝송 · 재즈의] batería *mf*, *AmL* baterista *mf*; [군(軍)의] tambor *m*.

드러쌓이다 acumularse, amontonarse.

드러장이다 amontonarse, acumularse.

드럼(영 *drum*) ① 【악기】 tambor *m*. ② ((준말)) =드럼통.

■ ~ 가죽 parche *m* (del tambor). ~소리 son *m* del tambor. ~ 채 patillo *m* (de tambor), baqueta *f*. ~통(桶) bidón *m*, tonel *m* de metal.

드렁거리다 ① [우렁차게 울리는 소리를 연해 내다] seguir sonando fuerte. ② [코를 짧게 고는 소리를 연해 내다] roncar.

드렁드렁 siguiendo roncando.

드레 [인격적으로 점잖은 무게] dignidad *f*.

드레나다 [바퀴가 헐거워 흔들흔들하면서 돌다] bailar.

드레드레 [물건이 매달려서 흔들리는 모양] haciendo oscilar.

드레스(영 *dress*) vestido *m*. ~ 한 벌 분의 천 corte *m* de vestido.

■ ~ 리허설 [(무대 의상을 입고 정식으로 하는) 총연습] ensayo *m* general. ~ 메이커 [양재사] modista *mf*, [디자이너] modisto, -ta *mf*, sastre, -tra *mf* de señoras.

드레싱(영 *dressing*) ① =복장(服裝). 화장(化粧). 장식(裝飾). ② [소스의 일종] salsa *f* (para ensalada), aderezo *m*. ③ [상처의 치료] cura *f* de la herida.

드레지다 ① [점잖아 무게가 있다] (ser) digno, circunspecto. ② [물건의 무게가 가볍지 않다] (ser) pesado.

드로잉(영 *drawing*) ① [제도(製圖)] dibujo *m*. ~하다 hacer un dibujo (de). ② [경기에서 참가팀의 대전 편성을 위해 하는 추첨] sorteo *m*.

◆ 목탄(木炭) ~ dibujo *m* al carbón. 연필 ~ dibujo *m* a lápiz. 펜 ~ dibujo *m* a tinta.

■ ~ 나이프 [(양쪽에 자루가 달린) 앞으로 당겨서 깎는 칼] plana *f*. ~ 룸 sala *f*, salón *m* (*pl* salones). ~ 보드 [제도판] tablero *m*, mesa *f* de dibujo. ~ 페이퍼 [도화지. 제도 용지] papel *m* de dibujo. ~ 핀 [제도용 핀] chincheta *f*, chinche *f*.

드르렁 roncando, ronquido ruidoso.

드르렁거리다 roncar.

드르렁드르렁 siguiendo roncando, ronquido ruidoso. ~ 코를 골다 roncar ruidosamente [fuertemente · como un fuelle · dando resoplidos].

드르르¹ ① [큼직한 물건이 미끄럽게 구르는 소리] rodando, sin parar. ② [큼직한 물건이 연하게 떠는 모양] temblando ligeramente.

드르르² [일이나 글을 읽을 때 막힘 없이 내려가는 모양] fluentemente, con fluidez, fácilmente, con facilidad, suavemente, sin dificultad.

드르륵 [코가 막혔을 때의 코고는 소리] roncando.

드르륵거리다 seguir roncando.

드르륵드르륵 siguiendo roncando.

드르릉 =드르렁.

드릉거리다 ① [우렁차게 울리는 소리가 연해 나다] seguir sonando fuerte. ② [코를 연방 짧게 골며 소리를 내다] seguir roncando.

드릉드릉 siguiendo sonando fuerte; siguiendo roncando.

드리다¹ ((준말)) =드리우다.

드리다² ① [윗사람에게 물건을 주다] dar, presentar, servir; [선물하다] obsequiar, regalar. 이것 얼맙니까? — 당신이기 때문에 만 원에 드리겠습니다 ¿Cuánto es [vale · cuesta] esto? — Por ser para usted, se lo dejo en diez mil wones. 차(茶) 드릴까요? ¿Le sirvo té?

② [신 · 하나님 · 부처에게 정성을 바치다] ofrecer, dedicar. 기도를 ~ rezar, orar. 기도를 드립시다 Oremos / Vamos a orar. 그들은 하나님께 기도를 드린다 Rezamos a Dios. 우리는 희생자를 위해 기도를 드렸다 Rezamos [Oramos] por las víctimas.

③ [윗사람에게 말씀을 여쭈다] decir, preguntar (por). 문안을 ~ preguntar (por), mandar saludos [recuerdos], visitar cortésmente, hacer una visita de cortesía.

드리다[3] [가게의 문을 닫다] cerrar. 평상시보다 일찍 ~ cerrar la tienda antes de la hora ordinaria. 가게의 문을 닫을 시간이다 Es hora de cerrar la tienda.
드리다[4] [곡식을 바람에 날려 검불·티·쭉정이 등을 없애다] aventar las ahechaduras del grano.
드리다[5] [두 가닥 이상으로 꼬다] trenzar. 밧줄을 ~ trenzar la cuerda. 머리카락을 ~ trenzar el pelo.
드리다[6] [집 지을 때 방·마루 등의 구조물을 만들다] instalar, poner, establecer, hacer, construir. 가게를 ~ instalar la tienda.
드리다[7] [동사 어미 「-아 [-어]」 밑에 쓰임] servir. 무엇을 해 드릴까요? ¿En qué puedo servirle? 제 차로 모셔다 드리겠습니다 Si le parece, le llevaré en mi coche.
드리블(영 *dribble*) 【운동】 dribling *m*, regateo *m*. ~하다 driblar, driblear, regatear.
드리없다 (ser) irregular, variable, cambiante. 드리없이 irregularmente, variablemente.
드리우다 dejar colgado, suspender. 드리워지다 estar suspendido, colgar. 줄이 천장에서 드리워지고 있다 Un cordón cuelga del techo. 가지가 드리워진다 Las ramas cuelgan sobre tierra. 머리카락이 어깨까지 드리워져 있다 Los cabellos cuelgan [caen] sobre los hombros.
드릴(영 *drill*) ① [송곳] taladro *m*, taladradora *f*. ② [드릴의 끝부분] broca *f*. ③ [학습의 연습] ejercicio *m*.
드릴러(영 *driller*) perforadora *f*, barrenadora *f*, taladradora *f*.
드림[1] 【역사】 [기(旗)드림] pendón *m*, banderola *f*.
드림[2] [증정] presentación *f*.
드림(영 *dream*) sueño *m*.
▪~ 리그 la Liga de Sueño.
드림새 =막새.
드림셈 plan *m* de financiación. ~으로 가구를 사다 comprar el mueble a plazos, *AmL* comprar el mueble en cuotas.
드림흥정 transacción *f* a plazos [en cuentas]. ~하다 comprar a plazos [*AmL* en cuotas].
드맑다 ser muy claro. 드맑은 하늘 cielo *m* muy claro.
드문드문 difusamente, de modo poco denso; [산재(散在)해] esporádicamente; [가끔가끔] a veces, algunas veces, unas veces, de vez en cuando, de cuando en cuando. ~하다 (ser) raro, poco denso; [산재하다] disperso, esparcido; [부족하다] escaso. ~한 머리카락 pelo *m* raro. ~치는 박수 aplausos *mpl* escasos. 거리는 인적이 ~ 있다 Se encuentra muy poca gente en la calle / La calle está casi desierta. 이 지역은 인가가 ~ 있다 Esta zona está poco poblada / Esta zona está escasamente salpicada de casas. 청중이 ~ 모이기 시작했다 El público ha empezado a llegar poco a poco. 비가 ~ 내리기 시작했다 Ha empezado a chispar. 관중 속에 여자가 ~ 보인다 Entre los espectadores hay [se ven] algunas mujeres. 내 머리에 ~ 백발이 나타나기 시작한다 En mi cabello empiezan a aparecer las canas / Sus caballos se vuelven grises. 그에 대한 이야기가 ~ 들린다 De vez en cuando oigo hablar de él. 인가(人家)가 ~ 보인다 Se ven casas acá y allá.
드물다 (ser) raro, poco común (*pl* comunes), poco frecuente; [이상하다] extraordinario, inusitado; [예외적이다] excepcional. 드문 물건 cosa *f* rara, objeto *m* raro, curiosidad *f*. 드문 일 rareza *f*, excepción *f*. …하는 것은 ~ Es (muy) raro + *inf* [que + *subj*]. 그가 지각하는 것은 ~ Es muy raro que él haya llegado tarde. 나는 드문 휴가를 이용해 드라이브 나갔다 Aprovechando un día de fiesta poco frecuente, fui de excursión en coche.
드물게 raramente, raras veces, poco a menudo; extraordinariamente, inusitadamente, excepcionalmente; [때때로] a veces, de vez en cuando, de cuando en cuando, unas veces, algunas veces. 아주 ~ muy de vez en cuando, de Pascuas a Ramos, de higos a peras [brevas], *Arg* cada muerte de obispo. ~ 보는 재능(才能)이 있는 사람 hombre *m* de talentos extraordinarios [pocos comunes]. ~ 좋은 날씨다 Hace un tiempo excepcionalmente bueno. 그는 ~ 온다 El viene sólo raramente / El no viene más que muy de vez en cuando. 최소한 ~라도 여행할 수 있다면 좋으련만 ¡Si al menos pudiera viajar de vez en cuando!
드므 jarra *f* ancha.
드바쁘다 (estar) muy ocupado, ocupadísimo. 드바삐 muy ocupadamente.
드새다 pasar la noche (en el hotel).
드세다 (ser) poderoso, fuerte, influyente. 그는 당내에서 상당히 세력이 ~ El tiene mucho poder [mucha influencia] en el partido.
드스하다 estar algo caliente, estar tibio.
드시다 tomar; [마시다] beber. 어서 드세요 Sírvase usted, por favor. 무얼 드시겠습니까? ¿Qué quiere usted [va a] tomar? 더 드시겠습니까? ¿No quiere usted repetir [tomar] más? / ¿Quiere usted servirse más?
드잡이 acción *f*. ~ 장면(場面) escena *f* de acción.
드티다 ① [자리나 날짜가] ser extendido, ser prolongado. ② [자리나 날짜를] extender, prolongar.
득 ① [금·줄을 세차게 긋는 모양] trazando fuerte. ② [물이 갑자기 부쩍 어는 모양] helándose sólidamente, congelándose sólidamente. ③ [세차게 긁는 모양] raspando fuerte.
득[1](得) [이익] ganancia *f*, beneficio *m*, lucro *m*; [유리(有利)] ventaja *f*. ~이 있는 ganancioso, provechoso, ventajoso. ~을 얻다 ganar, lucrarse, beneficiarse, sacar provecho. …하는 편이 ~이다 Es más prove-

choso + *inf.* 이 사업으로 그는 상당한 ~을 보았다 Con este negocio él ha sacado beneficios considerables. 외국어를 알면 ~을 본다 Es provechoso conocer las lenguas extranjeras. 거짓말하는 것은 아무런 ~이 없다 El mentir no nos traerá ningún beneficio. 그것은 아무 ~이 없다 No ganamos nada con eso. 그것이 당신에게 더 ~이다 Eso es más ventajoso para usted. 가스가 전기보다 더 ~이다 El gas es más económico que la electricidad. 양(量)으로 사면 ~이 상당할 것이다 Si compra usted en cantidad, será bastante económico. 그 일을 해서 무슨 ~이 있느냐? ¿Qué vas a adelantar haciendo [con hacer] eso?

득²(得) 【민속】 =혈(穴).

득계(得計) =득책(得策).

득공(得功) éxito *m*. ~하다 tener éxito, salir bien.

득남(得男) adquisición *f* [engendro *m*] del varón. ~하다 adquirir varón, tener un hijo varón, engendrar un hijo. 내가 여호와로 말미암아 ~하였다 (창세기 4:1) Por la voluntad de Jehová he adquirido varón / Ya tengo un hijo varón. El Señor me lo ha dado.

득녀(得女) adquisición *f* [engendro *m*] de la hija. ~하다 adquirir una hija, tener una hija, engendrar una hija.

득도(得度) ((불교)) ordenación *f* al sacerdocio, nirvana *f*, conocimiento *m* de la verdad absoluta. ~하다 descubrir la verdad absoluta, entrar en el sacerdocio budista. ~의 경지에 들다 llegar a participar [al conocimiento] de la verdad absoluta.

■ ~식(式) ceremonia *f* de ordenación.

득도(得道) logro *m* de Nirvana, ilustración *f* espiritual. ~하다 lograr la ilustración espiritual, lograr la Nirvana.

득돌같다 (ser) muy satisfactorio, perfecto.
득돌같이 muy satisfactoriamente, perfectamente.

득득 ① [금이나 줄을 자꾸 세차게 긋는 모양. 또, 그 소리] firmemente, con firmeza, convincentemente, con energía, enérgicamente. ② [물이 갑자기 부쩍 얼어붙는 모양. 또, 그 소리] sólidamente. ~ 얼어붙다 ser congelado sólidamente. ③ [세차게 긁는 모양. 또, 그 소리] rascando fuerte. 솥바닥을 ~ 긁다 rascar fuerte el fondo de la olla.

득롱망촉(得隴望蜀) codicia *f* [avaricia *f*] sin límites / Darle a uno el pie y tomarse la mano / Al villano dale el pie y tomará la mano.

득리(得利) ¶~하다 sacar ganancias, obtener beneficios, beneficiarse (de), sacar provecho (de).

득명(得名) ¶~하다 ganar la fama [la reputación].

득물(得物) ¶~하다 obtener la cosa.

득병(得病) ¶~하다 caerse enfermo, estar enfermo, estar mal, estar malo.

득보기 burro, -rra *mf*, bruto, -ta *mf*, idiota *mf*, estúpido, -da *mf*.

득부상부(得斧喪斧) No hay ganancia ni pérdida.

득부실부(得斧失斧) =득부상부.

득상(得喪) =득실(得失).

득세(得勢) ¶~하다 ㉮ [세력을 얻다] ganar [adquirir] el poder. ㉯ [시세가 좋게 되다] ganar la oportunidad.

득송(得訟) =승소(勝訴).

득수(得數) 【수학】 =몫.

득승(得勝) victoria *f*, triunfo *m*, éxito *m*. ~하다 ganar, triunfar, obtener triunfo, conseguir la victoria. 시합에서 ~하다 ganar el partido.

득시글거리다 aglomerarse, apiñarse, pulular, bullir, hormiguear, abundar, enjambrar. 사람들이 노점 주변에 득실거린다 La gente se aglomeraba [se apiñaba · pululaba] alrededor de los puestos. 악어를 잡는 일은 쉽다. 위험이 따르지 않기 때문이다. 그러나 해충이 득시글거리는 늪지에 들어가야 한다 Matar cocodrilos es fácil, porque no hay peligro en ello; pero hay que internarse en lugares pantanosos, donde abundan los insectos dañinos.
득시글득시글 en [a] manadas, enjambrado, aglomerándose, apiñándose, pululando. ~하다 bullir, hormiguear, pulular, apiñarse. 부엌에 모기가 ~하다 En la cocina bullen las moscas. 숲에 뱀이 ~하다 El bosque hierve en serpientes. 광장에 사람이 ~하다 La plaza es un hormiguero de la gente / La plaza hierve de gente. 개미가 설탕에 ~하다 Las hormigas se apiñan en torno al azúcar.

득실(得失) ventaja *f* y desventaja, pro y contra, mérito *m* y demérito. ~을 논하다 discutir sobre las ventajas y las desventajas (de). ~을 생각하다 considerar las ventajas y las desventajas relativas, tener en cuenta el pro y el contra (de).

득실거리다 ((준말)) =득시글거리다.

득실득실 ((준말)) =득시글득시글.

득의(得意) ① [성공] prosperidad *f*. ~의 절정에 있다 estar en *su* gloria. ② [자랑 · 자만(自慢)] orgullo *m*, engreimiento *m*, soberbia *f*, arrogancia *f*, altivez *f*, altanería *f*, ensoberbecimiento *m*, endiosamiento *m*, elación *f*, inflación *f*, infatuación *f*, fatuidad *f*, hinchazón *m*, presunción *f*, vanidad *f*, vanagloria *f*, envanecimiento *m*, jactancia *f*, ostentación *f*, pretensión *f*. ~의 orgulloso, engreído, arrogante, altivo, soberbio, hinchado, infatuado, jactancioso, ufano, presumido, fanfarrón. ~의 미소를 짓다 reír entre dientes.

■ ~만면(滿面) cara *f* rebosante de orgullo, aire *m* triunfante. ¶~하여 con la cara rebosante de orgullo, con aire triunfante. ~이다 estar orgulloso (de), enorgullecerse (de). ~해 있다 estar en el apogeo de la

gloria. ～양양(揚揚) orgullo *m*. ¶～하다 estar más contento que unas pascuas, estar orgulloso (de), jactarse (de). ～해 있다 estar orgulloso de sí mismo. ～한 얼굴로, ～하게 altivamente, con aire altivo, triunfantemente, con aire triunfante, ostentosamente, presuntuosamente.
득의연하다 estar muy orgulloso.

득점(得點) puntos *mpl* (obtenidos); ((운동)) tantos *mpl* (ganados), puntos *mpl*; [두 팀의] tanteo *m*; [시험 등의] nota *f*, marca *f*. ～하다 marcar (un punto), meter, hacer, obtener puntos, ganar puntos, ganar tantos en un juego, meter un gol, *AmL* anotar(se). ～이 높은[낮은] 경기 un partido en el que se marcaron [se hicieron] muchos [pocos] goles. 10～을 얻다 hacer diez tantos, ganar diez puntos. ～을 세다 tantear, contar los puntos. 1～을 하다 apuntarse un tanto. ～이 없었다 No hubo goles [tantos]. ～은 어떻게 되고 있느냐? ¿Cómo van? / ¿Cómo va el marcador? 30분 만에 A는 2대1의 ～으로 이겼다 A los treinta minutos de juego el A ganaba (por) 2 a 1 / A los treinta minutos de juego iban 2 a 1 en favor del A. 그들은 빨리 ～을 해야 한다 Ellos tienen que marcar [meter un gol] ya. 너는 그것으로 15 ～을 한다 Eso te da quince puntos. A 팀은 첫 라운드에서 많은 ～을 했다 El equipo A consiguió muchos puntos en la primera vuelta.
■～ 게시판(揭示板) marcador *m*, tanteador *m*. ～ 기록원(記錄員) persona *f* encargada del marcador; tanteador, -dora *mf*. ～자(者) jugador, -dora *mf* que marca uno o más tantos, tanteador, -dora *mf*; anotador, -dora *mf*. ¶팀의 최다 ～ jugador, -dora *mf* que más goles ha marcado. 이번 시즌의 최다 골 ～ el máximo goleador de esta temporada. ～는 누구누구였습니까? ¿Quiénes marcaron? / ¿Quiénes hicieron los goles? / ¿Quiénes fueron los anotadores? ～표(表) tarjeta *f* (en que se anota la puntuación en deportes como el boxeo y el golf), tanteador *m*.

득책(得策) medida *f* provechosa, procedimiento *m* ventajojo. ～의 provechoso, útil. …하는 것이 최상의 ～이다 Lo mejor es + *inf*. 나가지 않는 것이 ～이다 Es mejor no salir.

득표(得票) votos *mpl* ganados, votos *mpl* (obtenidos).
■～수(數) números *mpl* de votos (obtenidos).

득하다 hacer frío de súbito.

득하다(得－) sacar ganancias, obtener beneficios.

득효(得效) ¶～하다 tener el efecto.

든 ((준말)) ＝든지. ¶전화～ 편지～ 알리다 comunicar sea [bien] por teléfono, sea [bien] por carta. 교사～ 부모～ 상담하세요 Consulte ya [bien] con su profesor, ya [bien] con sus padres.

-든 ((준말)) ＝-든지. ¶죽～ 살～ (o) morir o vivir. 사～ 빌리～ 하다 (o) comprar o pedir prestado.

든거지 ((준말)) ＝든거지난부자.

든거지난부자(－富者) ☞들다³

든난벌 ropa *f* de casa y ropa de calle.

든든하다 ① [무르지 않고 아주 굳다] (ser) fuerte, sólido, firme, robusto, corpulento, durable. 든든한 사람 persona *f* fuerte.
② [속이 배서 여무지다·속이 차서 오달지다] (ser) fuerte, sólido, maduro. 든든한 나무 madera *f* sólida. 든든한 사람 hombre *m* de mucho espíritu, hombre *m* de mucho temple.
③ [약하지 않고 굳건하다] (ser) resistente, sólido, fuerte. 든든한 구두 zapatos *mpl* fuertes. 든든한 기둥 columna *f* sólida, pilar *m* sólido. 든든한 문 puerta *f* sólida. 든든한 줄 cuerda *f* resistente.
④ [마음이 허수하지 않고 미덥다] (ser) seguro, fidedigno, fiable, fiel, leal, digno de confianza, tranquilizador. 든든한 자리 posición *f* segura. 그는 나에게 훨씬 더 든든했다 El me dejó mucho más tranquilo. 네가 와 준다면 우리의 마음이 든든하겠다 Si tú vienes nuestra fuerza se centuplicará.
⑤ [(음식을 먹어) 배가 부르다] estar lleno [harto].
⑥ [잘못이나 모자람이 없다] no cometer error, no faltar.
든든히 ㉮ [굳세게] fuerte, fuertemente, sólidamente, robustamente, firmemente, con firmeza. ㉯ [미덥게] seguramente, con seguridad. ㉰ [배부르게] enteramente, satisfactoriamente, con satisfacción, con hartazgo. ～먹다 tomar la comida su(b)stancial, comer con hartazgo; [포식하다] darse un hartazgo (de). ～먹었습니다 Estoy harto / Estoy lleno.

든번(－番) *su* turno.

든벌 ropa *f* de casa.

든부자난거지(－富者－) ☞들다³

든손 ① [일을 시작한 손] mano que empieza el trabajo. ～에 mientras (que), cuando, como, a propósito, por cierto, al mismo tiempo. ～에 내 편지도 좀 써 주십시오 Mientras usted está escribiendo, escríbame la carta. ② [망설이지 않고 곧] sin parar, sin descansar, enseguida, en seguida, ahora mismo, como muy pronto, como máximo, inmediatamente. ～으로 마셔 버리다 vaciar la copa de un trago. 그는 ～으로 맥주를 마셔 버렸다 El se terminó la cerveza de un trago.

든지 o (… o …), sea (… sea …), bien (… bien …). 배～ 사과～ 맘대로 사게 Compra sea peras sea manzanas.

-든지 o (… o …), sea (… sea …), bien (… bien …). 죽～ 살～ vivir o morir. 그가 가～ 안 가～ vaya o no vaya. 네가 남～ 출발하～ si te quedas como si sales. 내일은 비가 오～ 눈이 오～ 하겠다 Mañana llover á o nevará. 바다에 가~ 산에 가~ 빨리 결정합시다 Decidimos pronto si vamos a la montaña o a la playa. 그가 가~ 가지 않~ 나는 여기에 남아 있기로 작정하고 있다 Vaya él o no vaya, no me moveré de aquí por nada del mundo. 그는 어느 모로 보~ 사나이다 El es un hombre en todos los sentidos.

든직하다 (ser) tranquilo, sereno, dueño en *sí* (mismo), sosegado. 든직한 사람 persona *f* serena, persona *f* dueña en sí mismo. 든직한 태도 modales mpl tranquilos.

든직히 tranquilamente, serenamente.

든침모(-針母) costurera *f* residente.

듣그럽다 (ser) ruidoso, vociferante, tumultuoso, clamoroso, estrepitoso, no gustar*le* oir el ruido. 듣그럽겠지만 들어야 할 때다 No le gusta oir el ruido, pero es tiempo de que él lo oiga.

듣기 escucha *f*, oído *m*. ~를 잘하다 tener buen oído, ~를 잘못하다 tener mal oído. 내 ~는 더욱 나빠진다 Cada vez oigo peor.

■ ~감각(感覺)【심리】=청각(聽覺). ~ 시험(試驗) examen *m* de dictado, ejercicio *m* de comprensión oral. ~신경(神經)【해부】=청신경(聽神經). ~ 신경 마비【의학】=청신경 마비.

듣다[1] ① [귀로 소리를 느끼다] oír, escuchar. 라디오를 ~ escuchar [oír] la radio. 음악을 ~ escuchar [oír] la música. 레코드를 ~ escuchar [oír] un disco. 간접적으로 ~ oír de segunda vez, oír decir. 간접적으로 들어서 알다 saber de oídas. 들어서 알다 saber, tener noticia (de), saber por rumores, tener información (de). 들어만 두다 tener en consideración. 들어서 아는 바와 같이 como sabe usted. 듣는 편이 되다 hacerse oyente. 얻어 ~ recoger información (sobre), informarse (sobre), tener información (de). 잘못 ~ oír mal, no oír. 전해 들은 바에 의하면 de oídos. 귀 기울여 ~ aguzar los oídos, abrir el oído, escuchar con atención [con interés]. 소문을 우연히 듣고 알아 husmeando [olfateando] el rumor, metiendo las narices en el rumor. …의 말을 ~ escuchar [oír] a *uno*. …가 노래하는 것을~ oír cantar a uno. …가 노래하고 있는 것을 ~ oír a *uno* cantando. 강연을 들으러 가다 asistir a una conferencia. 내가 들은 바에 의하면 según yo he oído, según tengo entendido. 듣는 바에 의하면 …다 Dicen que … / Se dice que … / Oigo [He oigo] decir que …. 내 말을 좀 들어보세요 Escúcheme. 그것은 들을만한 이야기다 He oído una buena noticia. 의견을 들었으면 싶습니다 Quisiera oír su opinión. 그 말은 벌써 들었습니다 Ya lo he oído. 나는 그녀가 결혼했다는 소식을 들었다 Tuve noticia de su casamiento. 들은 바에 의하면 그는 병중이다 Dicen que él está enfermo. 들은 중에서 가장 아름다운 경치다 Es un paisaje más hermoso de lo que se dice. 그것은 그냥 듣고 넘길 수 없다 Eso es algo que yo no puedo pasar por alto. 나는 그 프로그램을 들을 기회를 놓쳤다 No escuché [Me perdí] ese programa. 네가 잘못 들었다 Tú has oído mal. 나는 그의 말을 귀담아 듣지 않았다 Le oí como quien oye llover / Le dejé decir [hablar] sin prestar atención / Sus palabras me entraban por un oído y me salían por otro. 청중은 그의 노래에 넋을 잃고 들었다 El público escchaba embelesado [fascinado] su canción. 네 말을 들으면 그녀는 미녀임에 틀림없다 Por lo que me dices, ella debe de ser muy guapa.

② [칭찬이나 꾸중을 받다] tener (en). 내 꾸지람이 그에게 듣는 것 같다 Parece que mi reprimen- da ha tenido en él.

③ [이르거나 시키는 말에 잘 따르다] obedecer, escuchar, seguir. 부모의 말을 ~ obedecer a los padres. 충고를 ~ seguir el consejo. 충고를 듣지 않고 sin escuchar los consejos.

④ [소원·청 따위를] aceptar, tener en cuenta, hacer caso (de). 내 충고를 듣지 않고 sin tener en cuenta mis consejos. 그는 내가 원하는 것을 조금도 듣지 않는다 El nunca hace caso de mis ruegos. 그는 내가 멈추라는 말을 듣지 않고 달리기 시작했다 El echó a correr sin prestarme oídos [sin hacerme caso].

듣다못해 no pudiendo tolerar más, estando cansado de escuchar.

듣다[2] ① [약 따위가 효험을 나타내다] tener [hacer·surtir·producir] efecto. …에 잘 듣다 ser eficaz [bueno] para *algo*, ir bien a *algo*. …에 잘 듣는 약(藥) medicina *f* eficaz [buena] para *algo*, medicina *f* que va bien a *algo*. 이 약은 감기에 잘 듣는다 Esta medicina es buena [eficaz] para el resfriado. 약이 듣고 있다 La medicina está haciendo efecto. 약은 이제 듣지 않는다 La medicina ya no produce [tiene·surte] efecto.

② [(기계나 기구 또는 장치 따위가) 제 구실대로 움직이다] funcionar, marchar bien, responder. 몸을 말을 듣지 않는다 tener los miembros impedidos, estar paralizado, estar baldado. 다리가 말을 듣지 않는다 tener las piernas baldadas, estar baldado de las piernas. 그는 왼손이 잘 듣는다 El es zurdo. 기계가 안 듣는다 No funciona la máquina / El freno no funciona [no marcha bien·no responde].

듣다[3] [액체가 방울져 떨어지다] gotear, caer gota a gota. 수도꼭지에서 물이 뚝뚝 듣는다 El agua gotea del grifo.

듣보기장사 negocio *m* especulativo, especulación *f* eventual, riesgo *m*, actividad *f* comercial arriesgada, operación *f* empresarial con riesgo;【주식】especulación *f* eventual.

듣보다 buscar, examinar, mirar.

듣잡다 oír, escuchar, saber, decirse. ☞듣다[1]

들[1] [벌판] campo *m*; [평야(平野)] llano *m*, llanura *f*, [초원(草原)] pradera *f*, *AmL* [대초원(大草原)] pampa *f*, sabana *f*, [황야(荒野)] yermo *m*; [농지(農地)] heredad *f*, finca *f* de abranza; [초지(草地)] prado *m*. ~에서 일하다 trabajar en el campo. 산 넘고 ~ 넘어 atravesando los campos y las montañas.

들[2] [등(等)·따위] etcétera. 소, 말, 돼지, 개, 닭 ~을 가축이라 한다 Dicen que la vaca, el caballo, el cerdo, el perro y la gallina son animales domésticos.

들-[1] [매우] muy, mucho; [마구] al azar. ~볶다 molestar, maltratar.

들-[2] [들에서 자라는] [동물] salvaje; [식물] silvestre. ~장미 rosa *f* silvestre. ~국화 crisantemo *m* silvestre. ~깨 sésamo *m* silvestre. ~짐승 animal *m* salvaje.

-들 –(e)s, muchos. 아이~ los chicos, los niños. 너희~ vosotros, –tras. 우리~ nosotros, –tras. 그~ ellos. 그녀~ ellas. 나무~ los árboles. 어서~ 오십시오 Bienvenidos. 빨리~ 떠나게 Idos pronto. 자, 모두 들어오시게~ Pasad todos.

들개 【동물】 gozque *m*.

들것 camilla *f*, andas *fpl*, angarillas *fpl*, parihuelas *fpl*. 부상자를 ~으로 운반하다 llevar un herido en una camilla.

들고나다 ① [남의 일에 참견하여 일어나다] meterse (en), entrometerse (en), inmiscuirse (en), interferir (en). 그녀는 무슨 일에든지 들고난다 Ella se mete [se entromete · se inmiscuye] en todo. 내 일에 들고나지 마라 ¡No te metas [entrometas · inmiscuyas] en mis asuntos! ② [궁하거나 난봉이 나서, 집안의 물건을 팔려고 가지고 나가다] llevar para vender los artículos de la casa.

들고뛰다 ((속어)) =달아나다.

들고버리다 ((속어)) =달아나다.

들고빼다 ((속어)) =달아나다.

들고일어나다 ① [세차게 일어나다] levantarse violentamente. ② [어떤 일에 항의하여 궐기하고 나서다] levantarse (contra), alzarse (contra).

들고주다 ① ((속어)) =달아나다. ② [난봉이 나서 있는 재물을 함부로 쓰다] despilfarrar, derrochar, disipar, dilapidar, gastarse.

들고튀다 ((속어)) =달아나다.

들고파다 dedicarse (a), estudiar mucho, investigar, estudiar como loco, empollar. 들고파는 사람 empollón (*pl* empollones), –llona *mf*, *Col* pilo, –la *mf*, *Chi* mateo, –tea *mf*, *Per* chancón (*pl* chancones), –cona *mf*, *RPl* traga *mf*.

들국화(–菊花) 【식물】 crisantemo *m* silvestre, santimonias *fpl*, pajitos *mpl*, margarita *f*, aster *m*, camomilla *f* silvestre, manzanilla *f* silvestre.

들기름 aceite *m* de sésamo silvestre.

들길 camino *m* del campo.

들까부르다 aventar briosamente.

들까불거리다 seguir aventando briosamente.

들까불다 ((준말)) =들까부르다.

들까불대다 =들까불거리다.

들까불리다 ser aventado briosamente.

들깨 【식물】 sésamo *m* silvestre.
 ■ ~죽(粥) gachas *fpl* de sésamo silvestre.
~잎 hoja *f* de sésamo silvestre.

들꽃 flor *f* silvestre.

들끓다 pulular, hormiguear, abundar, multiplicarse, bullir.

들꿩 【조류】 faisán *m* (*pl* faisanes) salvaje.

들끓다 agitarse, alborotarse, hervir, bullir, pulular, abundar. 들끓고 있다 estar atestado [abarrotado], estar en confusión (excesiva). 사람으로 ~ hervir de gente. 관중(觀衆)이 들끓는다 Se entusiasma el público. 회장(會場)이 들끓고 있다 La agitación [La efervescencia] domina [reina en] la sala / La sala está alborotada [agitada]. 경기장은 환성으로 들끓었다 El estadio vibraba bajo las aclamaciones. 가게는 손님으로 들끓고 있다 La tienda está atestada [abarrotada] de gente.

들날리다 hacer célebre, ser popular, ganar la fama, ganar la reputación, ser conocido. 명성을 전세계에 ~ ser conocido por todo el mundo.

들내 olor *m* a sésamo silvestre.

들녘 campo *m*, llanura *f*, llano *m*.

들놀다 balancearse, hacerse oscilar.

들놀리다 burlarse (de), reírse (de).

들놀이 excursión *f*, picnic *ing.m*. ~하다 hacer una excursión. ~ 가다 ir de excursión, ir de picnic.

들놓다[1] [들었다 놓다] tomar y poner.

들놓다[2] [끼니때가 되어 논밭의 일손을 멈추고 쉬거나, 집으로 헤져 가다] descansar, ir a casa.

들다[1] ① [오던 비나 눈이 그치어 날이 개다·청명해지다] despejarse, aclararse, serenarse. 날이 ~ despejarse el tiempo. 날씨가 활짝 들었다 Se ha despejado el tiempo. 하늘이 활짝 들었다 Se ha despejado el cielo. ② [(땀이) 식다·그치다] dejar de sudar.

들다[2] [(칼·톱 따위) 연장의 날이 잘 베어지다] cortar. 잘 ~ cortar bien, estar afilado. 잘 들지 아니하다 no cortar bien, estar embotado, estar desafilado, cortar mal. 잘 드는가 시험하다 probar el corte [el filo]. 낫이 잘 든다 La hoz corta bien. 이 칼은 잘 들지 않는다 Este cuchillo no corta bien.

들다[3] [나이가 웬만큼 되다] tener muchos años. 드는 나이는 이겨내지 못하다 agobiarse de [por · con] los años. 그는 드는 나이를 이겨내지 못했다 Le agobiaron los años.

들다[4] ① [들어가다·들어오다] entrar (en). 방으로 ~ entrar en el cuarto [en la habitación]. 잠자리에 ~ acostarse, meterse en la cama. ② [어떤 절기나 때가 되거나 돌아오다] comenzar, empezar, venir. 겨울철에 ~ empezar [comenzar] el invierno. 금년에는 풍년이 들 것 같다 Tal vez nosotros tendremos una buena cosecha esta año. ③ [(그릇이나 자루에) 담기다] contener, ser incluido. 쌀 한 가마가 ~ contener un saco de arroz. ④ [병이 생기다] caerse enfermo, coger, sufrir de, tener. 감기가 ~ tener un resfriado, resfriarse, contraer un resfriado, coger [agarrar · pescar] el resfriado. 감기에 들어 있다 estar resfriado. ⑤ [품질이나 성질이 알맞게 되다] madurar, saber. 맛이 ~ tener (un) sabor [gusto]. 철이 ~ venir a tener el buen sentido. 김치맛이 들었다 El kimchi ha madurado. 음식이 맛이 들기 시작한다 La comida empieza a tener (un) sabor [gusto]. ⑥ [버릇이나 마음에 어떤 상태가 생기다] sentir, tener. 서로 애정이 ~ tenerse el amor [el cariño]. 정이 ~ enamorarsese (de), estar enamorado (de). ⑦ [뿌리 같은 것이 살이 올라 굵어지다] hacerse grande. 감자가 ~ Las patatas se hacen grande. ⑧ [빛깔이 옮거나 배다] teñirse. 까맣게 ~ teñirse negro. 이 천은 물감이 잘 들지 않는다 Esta tela no se tiñe bien. ⑨ =입주하다. ⑩ [숙소를 정하다] elegir [escoger] alojamiento. ⑪ [입학하다 · 가입하다 · 합격하다] ingresar (en), entrar (en); afiliarse (a), hacerse miembro (de), inscribirse (en), incorporarse (a), ser aprobado (en), tener éxito (en), salir bien (en). 대학교에 ~ ser aprobado en la universidad. ⑫ [(금융 기관에) 저축하다] ahorrar. ⑬ [여럿 사이에 끼이다] meterse, entremeterse. ⑭ [(음식을) 먹다 · 마시다] tomar, comer, beber, servir, apetecer. 어서 드십시오 [usted에게] Sírvase, por favor / [tú에게] Sírvete, por favor. / [ustedes에게] Sírvanse, por favor / [vosotros에게] Servíos, por favor. 차린 것은 없지만 많이 드세요 ¡Buen apetito!/ ¡Buen provecho! / ¡Que aproveche! / *ReD* Que le aproveche. 좀 드십시오 [식사 중인 사람이] *ReD* A buen tiempo. 과자 드시겠습니까? – 예, 들겠습니다. 감사합니다 ¿Le apetece comer dulces? – Sí, me apetece. Gracias. 무얼로 드시겠습니까? – 약간 이른 것 같습니다 ¿Qué le apetece tomar? – Parece un poco tiempo. 제가 직접 들겠습니다 Me serviré yo mismo. 많이 들었습니다 [식사를 끝마쳤을 때나 자꾸 먹으라고 권할 때] Estoy (muy) lleno [여자 llena] / Estoy harto [여자 harta] / Comí bien [mucho]. 차 한 잔 더 드시겠습니까? – 아닙니다. 됐습니다 ¿Toma otra taza de té? – No, gracias. 잔뜩 들었습니다 Estoy muy satisfecho [여자 satisfecha] / Ya he tomado [Me he servido] bastante. 나는 아침을 드는 둥 마는 둥 하고 집을 나섰다 Después de un desayuno apresurado [No bien terminé mi desayuno], yo salí de casa. ⑮ [소요되다] costar. 여행 경비로 2백만 원이 들었다 Me costó con dos millones de wones para los gastos de viaje / Los gastos de viaje me costaron dos millones de wones.

든가난난부자(富者) =든거지난부자.

든거지 ((준말)) =든거지난부자.

든거지난부자(富者) persona *f* que parece rica pero en realidad es pobre.

든부자(富者) ((준말)) =든부자난거지.

든부자난가난 =든부자난거지.

든부자난거지 persona *f* que parece pobre, pero en realidad es rica.

들다⁵ ① [놓인 것을 잡아 위로 올리다] levantar, alzar, elevar, subir. 한 손을 들고 con la mano en alto. 양손을 ~ levantar las manos. 얼굴을 ~ levantar la cara. 그는 머리를 들고 말했다 El levantó la cabeza y dijo.
② [(어떤 물건을) 손에 쥐다] llevar (en la mano), tener [llevar] a mano, tomar, coger. 들고 가다 llevar(se) consigo. 책을 ~ tomar un libro. 손으로 ~ tener en la mano. 손에 가방을 ~ llevar un maletín en la mano. 우산을 들고 외출하다 salir (de casa) con pagaguas. 그는 양손에 과자를 잔뜩 들고 있다 El tiene las manos llenas de dulces. 그는 늘 지팡이를 들고 다닌다 El lleva siempre el bastón.
③ [사실 · 예를 인용하다] dar, citar, mencionar, alegar. 이유(理由)로 …을 ~ alegar *algo* como razón. 증거(證據)로 …을 ~ dar *algo* como prueba.
◆드나 놓으나 하나뿐이다 ser sólo uno, ser único. 나에게는 드나 놓으나 하나뿐인 외동이오 El es único hijo para mí.
▪드는 돌에 낯 붉는다 ((속담)) Muerto el perro se acabó la rabia.

들대 campo *m* cercano.

들돌 piedra *f* de barra (para pesas).

들두드리다 dar*le* una poliza (a), aporrear.

들두들기다 aporrear [dar una poliza] al azar.

들뒤지다 revolver, registrar de arriba a abajo.

들들 ① [콩 · 깨 같은 것을 휘저어 가며 볶거나 맷돌에 가는 모양] removiendo, *AmL* revolviendo, *Col* rebullendo, *Méj* meneando. 깨를 ~ 볶다 tostar los ajonjolíes removiéndolos. ② [사람을 마구 들볶는 모양] hasta el aburrimiento, importunamente, pertinazmente, insistentemente. 사람을 ~ 볶다 molestar a *uno*, importunar a *uno*. 왜 사람을 볶느냐? ¿Por qué me molesta tanto? ~ 볶지 마라 ¡No me molestes más! / ¡Deja ya de dar la lata! 이분이 당신을 ~ 볶고 있느냐? ¿Te está molestando este señor? ③ [물건을 들쑤셔 가며 뒤지는 모양] revolviendo, registrando de arriba a abajo. 집안을 ~ 뒤지다 registrar la casa de arriba a abajo.

들들볶다 ① [콩 · 깨 등을 휘저어 가며 볶다] tostar *algo* removiendo. 깨를 ~ tostar los ajonjolíes removiendolos. ② [사람을 몹시 들볶다] molestar mucho. 나를 그렇게 들들볶지 마시오 ¡No me molestes tanto! 아이는 아이스크림을 사달라고 나를 들들볶는다 El niño no hace más que darme la lata para que le compre un helado. 그는 질문으로 나를 들들볶는다 El me acosa con preguntas.

들때리다 aporrear, dar*le* una poliza (a).

들때밑 criado *m* arrogante y maligno de la casa influyente.

들떠들다 hacer ruido. 그렇게 들떠들지 마라 ¡No hagas tanto ruido!

들떼(어) 놓고 indirectamente, dando un rodeo, insinuantemente, con rodeos, con circunloquios. ～ 말하다 decir con rodeos, decir con circunloquios, insinuar, sugerir, proponer, lanzar*le* una indirecta (a), andarse con rodeos. ～ 빈정거리다 satirizar. 그는 그것을 무척 ～ 말했다 El lo dijo con muchos rodeos [circunloquios]. 그는 온종일 ～ 말하고 있다 El está todo el día lanzando indirectas [insinuándolo]. 잔디를 잘라야 한다고 그에게 ～ 말해라 Insinúale a él que habría que cortar el césped. ～ 말하는 것을 그만둬라 ¡Déjate de rodeos!

들떼리다 ofender, hacer daño, lastimar.

들뛰다 correr continuamente.

들뜨다 ① [틈이 생기다] despegarse. 벽지가 들떠 있다 El papel de empapelar está despegado. ② [마음이] alegrarse, animarse. …의 마음을 들뜨게 하다 levantar el espíritu de *uno*, animar a *uno*. 그는 마음이 들떠 있다 Le falta seriedad / El está en plan juguetón. ③ [살빛이 누르고 부석부석하게 되다] hacerse amarillo y hinchado. 들뜬 얼굴 cara *f* amarilla y hinchada.

들뜨리다 ((준말)) ＝들이뜨리다.

들뜨이다 morirse (por).

들띄다 ((준말)) ＝들뜨이다.

들락거리다 ＝들랑거리다.

들락날락 entrando y saliendo incesantemente, en sucesión rápida, uno después otro. ～하다 entrar y salir incesantemente [frecuentemente], venir e ir incesantemente. 저 집엔 무시로 많은 사람들이 ～한다 La casa es frecuentada por muchos visitantes.

들랑거리다 frecuentar, seguir entrando y saliendo.

들러리 [신랑의] padrino *m* (de boda), testigo *m*, amigo *m* que acompaña al novio el día de la boda; [신부의] madrina *f* (de boda), dama *f* de honor; [소녀 들러리] niña *f* que acompaña a la novia.

◆들러리(를) 서다 servir como un padrino [una madrina].

들러붙다 adherirse (a), pegarse (a), aglutinarse (a). agarrar, tenerse; [남녀가] coquetearse. 착 ～ pegarse [adherirse] tenazmente, agarrar fuerte. 들러붙어 가다 seguir (a), ir detrás (de). 껌이 내 손에 들러붙었다 Se me ha pegado el chicle a la mano. 철(鐵)은 자석에 들러붙는다 El hierro se adhiere a [es atraído por el] imán. 이 풀은 쉬 들러붙는다 Este engrudo pega fácilmente.

들레다 (ser) bullicioso, ruidoso; [회합에서] acalorado. 이곳은 들렌다 Aquí hay tanto ruido.

들려주다 ☞들리다³.

들르다 pasar (por); [배가] tocar (en); [항공기·선박이] hacer escala (en). 이곳에 들르시면 꼭 찾아 주세요 Si pasa por aquí, no deje de visitarnos. 서울에 오시면 꼭 저희 집에 들러 주세요 Cuando venga usted a Seúl, no deje de pasar por nues- tra casa. 귀댁을 들러도 될까요? ¿Puedo ir a verle a [pasar por] su casa?

들러 가다 pasar (por). 오늘 오후에 내 집에 들러 가거라 Pasa por mi casa esta tarde.

들리다¹ [(나쁜 귀신·넋·도깨비 따위가) 들러붙다] estar poseído. 귀신이 ～ estar poseído por el demonio.

들리다² [물건이 뒤가 끊여서 다 없어지다] gastarse. 밑천이 ～ gastarse el capital.

들리다³ [「듣다」의 피동형] [사람이 주어일 때] oír; [소리가 주어일 때] oírse; [소문이] se dice que, dicen que. 잘 ～ oír [entender] bien. 들리지 않는 척하다 hacer [tener] oídos de mercader, hacer oídos sordos, desentenderse. 귀가 들리지 않다 ensordecer, perder el sentido del oído. 잡음이 심해 라디오가 잘 들리지 않는다 Son tantas las interferencias en la radio que no se oye bien. 여기서 옆방의 소리가 잘 들린다 Se pueden oír los ruidos del cuarto contiguo desde aquí. 밤에는 시계 소리가 잘 들린다 En la noche se oye bien el tic-tac del reloj. 사람의 말소리가 들린다 Se oye la voz de la gente. 그의 말소리가 들린다 Yo le oigo a él hablar. 갓난아이의 울음소리가 들렸다 Se oía llorar a un bebé. 소음이 들리지 않았다 Los ruidos dejaron de oírse. 이곳에서는 종소리가 들리지 않는다 Desde aquí no se puede oír el sonido de las campanas. 잘 들리지 않습니다 [전화에서] No le oigo bien / No se oye bien. 그렇게 작은 소리는 사람에게는 들리지 않는다 El oído humano no percibe un ruido tan débil. 그는 한쪽 귀가 잘 들리지 않는다 El no oye con uno de sus oídos.

들려주다 ㉮ [소리나 말을 듣게 하여 주다] hacer oír; [노래하다] cantar. …에게 노래를 [글을 읽어] ～ cantar [leer] para *uno*. 자신의 노래 솜씨를 ～ hacer admirar su buena voz. 노랫소리를 좀 들려주렴 Me haces oír tu canción / Cántame / Canta para mí. 너에게 레코드를 들려주겠다 Te voy a poner un disco. ㉯ [말하여 알려주다] decir, informar, noticiar, comunicar, anunciar, avisar, contar, dar aviso, notificar.

들리다⁴ [「들다⁵①」의 피동형] ser levantado, ser alzado, levantarse, alzarse. 무거워 들리지 않는다 No se puede levantar por el peso.

들리다⁵ [「들다⁵①②」의 사역형] hacer levantar, hacer llevar.

들리다⁶ [「들다⁴⑥」의 피동형] sufrir de, caerse enfermo, estar enfermo. 감기가 ～ estar resfriado, resfriarse. 그녀는 중병이 들렸다 Ella está seriamente enferma.

들맞추다 halagar, adular, seguir*le* la corrien-

te (a).
들머리 punto *m* de entrada.
들머리판 quiebra *f*, bancarrota *f*.
◆들머리판(을) 내다 hacer quebrar, llevar a la quiebra, llevar a la bancarrota.
들먹거리다 seguir temblando. ☞들먹이다[1]①
들먹들먹 siguiendo temblando.
들먹다 (ser) deshonesto, obstinado, terco.
들먹이다[1] ① [묵직한 물건이 들렸다 가라앉았다 하다] mover(se) de arriba abajo, temblar, tembalearse. 집의 기초가 들먹인다 La base de la casa se tembalea. ② [마음이 흔들리다] ponerse nervioso [excitado · agitado], agitarse. 들먹이지 마라 No te agites / No te pongas nervioso. ③ [어깨나 궁둥이가 아래위로 움직이다] menear de arriba abajo.
들먹이다[2] ① [묵직한 물건을 올렸다 내렸다 하다] mover [sacudir] de arriba abajo. ② [남의 마음을 흔들리게 하다] instigar, incitar, provocar, excitar, entusiamar. 몇몇 극단 분자들은 폭동을 들먹였다 Unos pocos extremistas fueron los instigadores [incitadores] de la revuelta. ③ [어깨나 궁둥이를 아래위로 움직이다] menear *sus* nalgas. ④ [남을 들추어 말하다] mencionar, referir. 그 사람까지 들먹일 필요야 없지 않니 Tú no debes mencionar su nombre.
들메 ¶~하다 atar las sandalias de paja a los pies.
■~끈 cordel *m* usado para atar las sandalias de paja a los pies.
들메나무 【식물】 fresno *m*.
■~ 목재(木材) (madera *f* de) fresno *m*.
들메다 atar (las sandalias de paja) a los pies.
들무새 ① [무엇을 만드는 데 쓰이는 재료] material *m*. ② [남의 막일을 힘껏 도움] ayuda *f* vigorosa. ~하다 ayudar a hacer un trabajo difícil.
들바람 viento *m* del campo.
들병이(-瓶-) ((속어)) vendedora *f* ambulante de vino de botella.
들병장수(-瓶-) vendedor, -dora *mf* ambulante de vino de [en] botella.
들보[1] [남자의 다리샅에 병이 생겼을 때 샅에 차는 헝겊] taparrabo *m*, taparrabos *m*. ~를 차다 ponerse el taparrabos.
들보[2] 【건축】 viga *f*, madero *m* largo y grueso, cruzado *m* de viga.
들볶다 maltratar, molestar, fastidiar, dar*le* la lata (a), atormentar, vejar, afligir, dar tormento, torturar, remorder, meterse (con). 자녀들을 ~ maltratar a *sus* hijos [a *sus* niños]. 며느리를 들볶아 집을 나가다 maltratar a *su* nuera para que deje la casa. 나를 들볶지 마라 ¡Deja de molestarme [de fastidiarme · de darme la lata].
들볶이다 maltratarse, molestarse.
들부드레하다 (ser) algo dulce.
들부딪다 chocar fuerte (con · contra). 벽에 ~ chocar con [contra] la pared. 트럭이 나무에 들부딪쳤다 El camión chocó con [contra] un árbol.
들부셔내다 limpiar. 네 뒤를 들부셔내기에 지쳤다 Estoy harto de limpiar lo que tú ensucies.
들부수다 ((준말)) =들이부수다.
들불 fuego *m* en el campo.
들불놀이 juego *m* de fuego en el campo.
들붓다 ((준말)) =들이붓다.
들붙다 ((준말)) =들붙다.
들비들기 paloma *f* silvestre.
들비비다 restregar, refregar.
들뽕나무 moral *m* silvestre.
들살 puntal *m*, soporte *m*.
들새 【조류】 pájaro *m* silvestre, el ave *f* (*pl* las aves) silvestre.
들소 【동물】 bisonte *m*, toro *m* cimarrón, toro *m* mejicano, cíbolo *m*.
들손 el asa *f* (*pl* las asas).
들쇠 ① [겉창 · 분합 등을 떠올려 거는 갈고리] gancho *m* de hierro. ② [서랍 · 문짝 등에 박는 반달 모양의 손잡이] tirador *m*, manija *f*.
들숨 aspiración *f*, inspiración *f*, inhalación *f*.
들숨 날숨 la aspiración y la respiración.
◆들숨 날숨 없다 no poder mover ni una pulgada, estar en un dilema, atascarse en el barro.
들썩거리다 seguir poniéndose inquieto. 그는 의자에서 들썩거렸다 El no se estaba quieto en la silla / El se movía inquieto en la silla. 그렇게 들썩거리지 마라 No seas tan inquieto. 맞은편 아이들이 잠깐 들썩거렸다 El niño de enfrente no se estaba quieto un momento.
들썩들썩 nerviosamente. 그들은 자리에서 ~했다 Ellos se revolvían nerviosamente [nerviosos · inquietos] en sus asientos.
들썩이다[1] [자동사] ① [물건이 들렸다 가라앉았다 하다] levantarse y caerse. ② [마음이 흔들리다] (estar) nervioso, ponerse inquieto. 들썩이지 마라 ¡Estáte quieto! ③ [어깨나 궁둥이가 가벼이 아래위로 움직이다] menearse, contonearse.
들썩이다[2] [타동사] ① [갭직한 물건을 들었다 놓았다 하다] levantar y poner. ② [남의 마음을 흔들리게 하다] hacer ponerse inquieto. ③ [어깨나 궁둥이를 가벼이 아래위로 움직이다] (hacer) menear, contonear. 궁둥이를 ~ contonearse, contonear [menear] las caderas.
들썩하다 ① ((준말)) =떠들썩하다[1·2]. ② [말이 이치에 닿아 그럴듯하다] (ser) verosímil, especioso. 들썩하게 verosímilmente, especiosamente. 들썩하게 거짓말을 하다 mentir como la verdad.
들썽거리다 seguir siendo impaciente
들썽들썽 impacientemente, picantemente, ansiosamente, afanosamente, anhelantemente.
들썽하다 [들뜬 마음이 가라앉지 않다] (ser) impaciente, nervioso, morirse por. 그는 그녀에게 말하고 싶어 들썽했다 El estaba que se moría por decírselo. 그는 텔레비전

에 나가고 싶어 들썽했다 El se moría por salir en la televisión.
들쑤시다 ((준말)) =들이쑤시다.
들쑥날쑥 =들쭉날쭉.
들쓰다 ponerse, cubrirse (con), echarse sobre sí. 먼지를 ~ cubrirse de polvo, empolvarse todo el cuerpo. 모자를 ~ ponerse el sombrero, cubrirse. 비난을 ~ ser objeto de críticas [de reproches].
들씌우다 echar (sobre). 물을 ~ echar el agua.
들앉다 ((준말)) =들어앉다.
들앉히다 ((준말)) =들어앉히다.
들어가는곳 entrada *f*.
들어가다 ① [안으로] entrar. 방안으로 ~ entrar en el cuarto [en la habitación]. 아무도 집안으로 들어가지 말 것 Que nadie entre en casa. ② [입학하다] ingresar (en), entrar (en), pasar (a). 초등학교에 ~ pasar a [ingresar en · entrar en] la escuela primaria. ③ [가입하다] asociar, agregarse, incorporarse (a), unirse (a), alistarse. 군(軍)에 ~ alistarse en el ejército. 정당(政黨)에 ~ alistarse en el partido político. ④ [들어차다] caber. 이 방에는 열 명이 들어간다 Caben diez hombres en este cuarto. 이 강당에는 오천 명이 들어간다 En este salón caben cinco mil personas. 책들은 상자 안에 잘 들어갔다 Los libros cupieron bien en la caja. 이 종이 한 장에 모두 들어가도록 쓰십시오 Escríbase de manera que quepa todo dentro de esta hoja. 책이 가방에 들어가지 않는다 El libro no cabe en el estuche. 더 이상 들어가지 않습니다 [배가 차서] No me cabe más. 이 곳은 열 사람은 들어가지 않는다 Aquí no hay capacidad para diez personas / Aquí no caben diez personas. ⑤ [침입하다] penetrar, rebasar, invadir, traspasar los límites. 그 집은 누가 들어가 있습니까? ¿Está ocupada la casa?
들어맞다 ① [틀리지 않고 꼭 맞다] estar de acuerdo (con *uno · algo*), coincidir, concordar, cuadrar. ② [빈틈이 없이 꽉 차게 끼이다] [옷 · 신발이] quedar perfecto, quedar bien; ajustar(se); [구멍 · 소켓 · 열쇠 등이] encajar (en). 들어맞게 하다 hacer ajustar, hacer encajar. 두 뚜껑이 꼭 들어맞는다 Las dos tapas se ajustaron perfectamente. 재킷이 나에게 들어맞지 않는다 La chaqueta no me queda bien. 이 구두는 들어맞지 않는다 Estos zapatos no me quedan bien. 옷이 당신한테 들어맞는다 El vestido te queda perfecto. 열쇠가 자물통에 들어맞지 않는다 La llave no encaja en la cerradura. ③ [제자리에 명중하다] acertarse. 과녁의 중앙에 ~ acertarse en el centro del blanco.
들어맞추다 hacer coincidir.
들어먹다 [돈을] despilfarrar, derrochar; [재산을] dilapidar. 가산(家産)을 모두 ~ dilapidar *su* fortuna. 돈을 다 ~ despilfarrar [derrotar] todo *su* dinero.
들어박이다 =들어박히다.
들어박히다 encerrarse, resguardarse. 방에만 ~ encerrarse en *su* habitación [*su* cuarto]. 집에 ~ encerrarse en casa [entre cuatro paredes].
들어붓다 ① [비가 퍼붓듯이 쏟아지다] llover a cántaros, llover fuerte. 들어붓는 비 lluvia *f* fuerte, aguacero *m*, chaparrón *m*. 비가 사뭇 들어부었다 Llovió a cántarros. ② [술을 퍼붓듯이 들이마시다] beber mucho, chupar, tomar [beber] a grandes tragos, beber como un cosaco, chupar como una esponja. 술을 들어붓는 사람 gran bebedor *m*, gran bebedora *f*, bebedor *m* empedernido, bebedora *f* empedernida; borrachín, -china *mf*. ③ [그릇에 담긴 물건을 들어서 다른 그릇에 옮겨 쏟다] verter, echar. 기름을 그릇에 들어부으세요 Vierta [Eche] el aceite en un bol. 내 아내는 커피를 개수통에 들어부었다 Mi esposa tiró el café por el fregadero.
들어서다 ① [밖에서 안으로] entrar (en). 구내에 ~ entrar en el local. ② [들어차다 · 자리잡다 · 들어앉다] llenarse (de), estar lleno [abarrotado · atestado] (de), construirse. 빌딩이 많이 들어섰다 Se han construido muchos edificios. 회관에는 사람이 많이 들어섰다 La sala se llena de gente / La sala está llena [abarrotada · atestada] de gente. ③ [막 대들고 버티고 서다] acercarse (a). ④ [계통을 잇다] establecerse, formarse. 정부가 establecerse [formarse] el gobierno. ⑤ [어느 시기에 접어들다] llegar (a). 장마철에 ~ llegar a la temporada de lluvia.
들어앉다 ① [안으로 다가앉다] sentarse más cerca. 내 옆으로 들어앉아라 Siéntate más cerca junto a mí [a mi lado]. ② [자리를 차지하고 앉다] asumir, empezar a desempeñar, ponerse a trabajar, establecerse (en), echar raíces (en). 그녀가 이사로 새 역할에 들어앉았을 때 cuando ella asumió [empezó a desempeñar] sus funciones de directora. 그는 공장에 일을 얻어 들어앉았다 El se puso a trabajar en una fábrica. 너는 직업을 얻어 들어앉을 것이다 Tú deberías conseguirte un trabajo y establecerte [echar raíces] en algún sitio. ③ [직장을 그만두고 집안에 있다] jubilarse, retirarse; [군대에서] retirarse (del servicio activo); [운동 선수가] retirarse; [사직하다] dimitir (*algo*), renunciar (a *algo*), dimitir *su* cargo (en *algo*), presentar *su* dimisión [renuncia].
들어오다 ① [밖에서 안으로] entrar, penetrar, pasar; [선박이] llegar. 창문으로 ~ entrar por la ventana. 들어오세요 Pase (usted) / Adelante / Entre. 바람이 들어오도록 창문을 열어 주세요 Abre la ventana para que entre el aire. 배가 내일 들어옵니다 El barco llegará mañana. 일광(日光)이 창으로 들어온다 Los rayos del sol entran por la ventana. 방으로 바람이 들어온다 El viento

penetra en la habitación. ② [가입하다] asociar, agregarse, incorporarse, unirse, alistarse. 군에 ~ alistarse en el ejército. 그에게 취직 제의가 들어왔다 Ha recibido una propuesta de colocación. ③ [이해가 되다] entender, comprender. ④ [수입이 생기다] ingresar, ganar. 오늘 백만 원이 들어올 것이다 Hoy ingresarán un millón de wones.

들어올리기 ((운동)) =인상(引上).

들어올리다 levantar, elevar, alzar, subir. 손으로 ~ levantar con la mano. 눈보다 높이 ~ alzar más arriba de los ojos, levantar más alto que el nivel de los ojos.

들어주다 ① [남이 드는 것을 대신 들다] comer [tomar · beber] en vez de los otros [demás]. ② [청원(請願) 따위를] admitir, adoptar, aceptar, tener en cuenta; [요구(要求)를] acceder (a), consentir (en), convenir (con · en); [충고(忠告) 따위를] obedecer, escuchar, seguir. 충고를 ~ conseguir el consejo (de). 의견을 ~ adoptar una opinión. 아버지는 자식의 소원을 들어주었다 El padre accedió a la súplica del hijo. 하나님은 그의 소원을 들어주셨다 Dios escuchó su plegaria. 그는 내 소원을 조금도 들어주지 않는다 El nunca no hace caso de mis ruegos.

들어차다 llenarse, estar lleno [abarrotado · atestado] (de). 유익한 정보가 들어찬 책 un libro lleno de datos útiles. 집이 꽉 ~ estar lleno [abarrotado · atestado] de casas.

들엉기다 coagularse.

들엎드리다 encerrarse (en), estar confinado (a). 비 때문에 그들은 집에 들엎드려 있었다 La lluvia los obligó a permanecer en la casa.

들여가다 ☞들이다²

들여놓다 ☞들이다²

들여다보다 ☞들이다²

들여디디다 ☞들이다²

들여보내다 ☞들이다²

들여앉히다 ☞들이다²

들여오다 ☞들이다²

들오다 ((준말)) =들어오다.

들오리 pato *m* silvestre, ánade *m*. ~ 새끼 cerceta *f*.

들온말 =외래어(外來語).

들온씨 =외래종(外來種).

들완두(-豌豆) 【식물】 guisante *m* silvestre.

들은귀 experiencia *f* cogida.

들은풍월(-風月) saber *m* [conocimientos *mpl*] por el oído, ideas *fpl* cogidas de otros.

들음직하다 valer la pena de oír. 들음직한 것 cosa *f* que vale la pena. 그의 연설은 정말 ~ Su discurso vale la pena de oír por supuesto.

들이[1] =용적(容積).

들이[2] ① ((준말)) =들입다. ¶소나기가 ~ 퍼붓는다 Llueve a cántarros.

들이- ① [함부로 · 막 · 몹시 · 들입다] al azar, mucho. ~덤비다 desafiar. ② [갑자기 · 별안간] de repente, repentinamente, de súbito, súbitamente. ~닥치다 acercarse [aproximarse] de repente. ③ [안을 향하여] hacia adentro. ~마시다 [술을] tomar [beber] a grandes tragos; [숨을] respirar, aspirar.

-들이 capacidad *f*. …~의 con capacidad de *algo*, que contiene. 2리터~ 병 botella *f* que contienen dos litros, botella *f* con capacidad de dos litros.

들이갈기다 golpear fuerte, dar un golpe fuerte.

들이곱다 torcerse hacia adentro.

들이굽다 torcerse hacia adentro.
■ 팔이 들이굽지 내굽나 ((속담)) La sangre tira / Los lazos familiares son fuertes.

들이긋다[1] [병독이 밖으로 풍기지 않고 몸 안으로 몰리다] sobrevenir hacia adentro.

들이긋다[2] [안으로 금을 긋다] trazar hacia adentro.

들이끌다 tirar hacia adentro.

들이끼다 =들이끼우다.

들이끼우다 atascar, poner *algo* entre.

들이끼이다 estar atascado. 나는 두 자동차 사이에 들이끼여 나올 수가 없었다 Yo estaba atascado entre dos coches y no podía salir.

들이다[1] [「들다[1]②」의 사역형] [땀을 그치게 하다] hacer cesar el sudor.

들이다[2] ① [안으로 들게 하다] introducir (a), meter (a), hacer entrar (a), hacer pasar (a). 집안으로 ~ introducir [meter · hacer entrar] en casa. 방으로 ~ introducir [hacer entrar] en la sala, hacer pasar al cuarto. 아무도 집안에 들이지 마라 No hagas entrar a nadie en casa.
② [물자 · 자금 · 인력 · 공(功) 따위를] invertir, gastar, emplear, tener en cuenta, hacer caso (de). 작업에 30일 [10인] ~ invertir treinta días [emplear diez personas] en la obra. 돈을 듬뿍 들여서 고미술품을 수집하다 coleccionar obras antiguas de arte sin tener en cuenta los [sin hacer caso de] gastos. 시간을 충분히 들여서 장편 소설을 읽다 dedicar el tiempo libre a la lectura de [emplear el tiempo libre en leer] una novela larga.
③ [습관으로 굳어지게 하다] domar, domesticar. 사자의 길을 ~ domar a un león. 가구에 길을 ~ dar [sacar] brillo al mueble.
④ [물감을 옮겨 배게 하다] teñir. 빨간물을 ~ teñir de rojo. 옷에 검정 물감을 ~ teñir la ropa de negro. 그는 천에 붉은물을 들였다 El tiñó la tela de rojo. 그녀는 머리카락을 금발로 물을 들인다 Ella se tiñe el pelo de rubio.
⑤ [들어와 살게 하다] alquilar, arrendar. 세(貰)를 ~ alquilar, arrendar. 하숙생을 ~ alquilar habitaciones.
⑥ [가입시키다] hacer afiliarse.
⑦ [사람을 고용하다] emplear. 양자로 ~하

다 adoptar a *uno* por hijo, ahijar a *uno*. 새 식모를 ~ emplear a una nueva cocinera.
⑧ [잠이 들게 하다] invitar a dormir. 자장가를 불러서 어린애를 잠을 ~ dormir al niño arrullado.
⑨ [맛이 붙게 하다] adquirir el sabor (para), gustar de. 열차 여행에 맛을 ~ gustar de viajar en tren. 독서에 맛을 ~ gustar de leer.

들여가다 ㉮ [밖에서 안으로 가져 가다] llevar (en). 밥상을 방으로 ~ llevar la mesa en la habitación. ㉯ [가게에서 물건을 사서 집으로 가져 가다] comprar. 쌀을 ~ comprar el arroz. 좀 들여가지요 ¿Compra un poco, por favor?

들여놓다 ㉮ [밖에 있던 것을 안으로 갖다 놓다] traer, llevar (*algo* en *un sitio*). 책상을 이 방으로 들여놓아라 Trae la mesa en esta habitación. ㉯ [물건을 사서 집안에 마련해 두다] poner *algo* en casa después de comprarlo. ㉰ [관계를 맺다 · 진출하다] tener relaciones, tomar. 악(惡)의 길에 발을 ~ tomar el camino del vicio.

들여다보다 atisbar, mirar a hurtadillas. 속을 빤히 ~ leer en el corazón (de), adivinar las intenciones (de).

들여다보이다[1] [속의 것이 눈에 뜨이다] transparentarse. 들여다보이는 transparente. 들여다보이는 옷 vestido *m* que se transparenta. 속셈이 빤히 들여다보이는 거짓말을 하다 decir una mentira obvia. 그의 속셈이 들여다보였다 Se transparentaban sus intenciones.

들여다보이다[2] [들여다보게 하다] hacer atisbar, hacer mirar a hurtadillas.

들여다뵈다 ((준말))=들여다보이다[1].

들여대다 hacer acercarse.

들여디디다 pisar. 나는 웅덩이를 들여디뎠다 Yo pisé un charco.

들여보내다 [안으로나 속으로 들어가게 하다] hacer entrar (a). 수인(囚人)에게 차입물을 ~ llevar un regalo a un preso.

들여쌓다 =들이쌓다.

들여앉히다 ㉮ [여자의 나다니는 직업을 그만두게 하고 집안에 있게 하다] hacer a una mujer establecerse en casa. 아내를 집에 ~ hacer a su esposa ㉯ [첩 등을 집에서 살도록 데려오다] traer a una concubina a la casa.

들여오다 ㉮ [밖에 있는 물건을 안쪽으로 가져오다] traer *algo* en, llevar *algo* en. 상을 방안으로 ~ llevar la mesa en la habitación. ㉯ [물건을 장만하여 집이나 나라 안에 가져오다] [사다] comprar; [수입하다] importar; [주문하다] encargar (a). 고철을 미국에서 ~ importar la chatarra de los Estados Unidos de América. 외국(外國)에서 ~ encargar al extranjero. 채소는 모퉁이의 채소 가게에서 들여온다 Nosotros compramos las verduras de la verdulería en la esquina.

들이닥치다 acercarse, aproximarse, estar próximo. 들이닥친 위험 peligro *m* urgente. 적병(敵兵)이 ~ ser atacado de repente por el enemigo. 뜻하지 않은 손님이 ~ ser visitado por los invitados inesperados. 시험이 들이닥친다 El examen está próximo / El examen es acerca. 개업일이 들이닥쳤다 Se acercaba el día de la inauguración / El día de la inauguración estaba próximo.

들이대다 ① [부드럽지 않은 말로 자꾸 대들다] resistir abiertamente, desafiar, ataca. 윗사람에게 ~ desafiar a *su* superior. ② [물건을 가져다가 마주대다] dirigir, apuntar, echar delante, poner delante de las narices (de). 권총을 ~ dirigir [apuntar] una pistola. 칼을 ~ dirigir una espada. 권총을 들이대고 위협하다 amenazar a punta de pistola. ③ [남의 뒤를 돈이나 물건으로 잇대어 주다] suministrar [abastecer · proveer] continuamente. 자본을 ~ proveer continuamente del fondo.

들이덤비다 ① [남에게] desafiar, retar. 상관(上官)에게 ~ desafiar [retar] a *su* superior. ② [서둘다] comportarse muy apresuradamente.

들이덮치다 pasar [suceder · ocurrir · acaer] inmediatamente.

들이떨다 sacudir fuerte.

들이뛰다 ① [밖에서 안으로 뛰어가다] ir corriendo hacia adentro. ② [급하게 빨리 달려가다] correr rápidamente.

들이뜨리다 lanzar [tirar] informalmente [de manera informal]. 돈을 서랍에 ~ tirar el dinero en el cajón.

들이마시다 [기체를] respirar, inspirar, aspirar, inhalar, tomar; [액체를] beberse [tomarse] de un trago, sorber (빨대로); [술 따위를] tomar [beber] a grandes tragos, chupar. 공기를 ~ aspirar el aire. 깊이 ~ respirar hondo, inspirar profundamente. 꽃의 향기를 ~ aspirar el perfume de la flor. 단숨에 ~ beber(se) [tomar(se)] a grandes tragos [de un trago]. 산소를 ~ inhalar el oxígeno. 연기를 ~ [담배를 피울 때] tragarse el humo. 그는 숨을 깊이 들이마셨다 El inspiró profundamente / El respiró hondo. 숨을 깊이 들이마시세요 [usted에게] Inspire profundamente / Respire hondo // [tú에게] Inspira profundamente / Respira hondo.

들이맞추다 fijar.

들이먹다 ① [계속 먹다] seguir comiendo, comer continuamente. ② [들입다 먹다] comer al azar.

들이몰다 ① [안으로 향해 몰다] conducir [*AmL* manejar] hacia adentro. ② [몹시 심하게 몰다] conducir [*AmL* manejar] violentamente.

들이밀다 ① [안으로 또는 한쪽으로 밀다] empujar hacia adentro. ② [함부로 몹시 밀다] empujar al azar.

들이박다 ① [안쪽으로 다가서 박다] clavar más adentro. ② [속으로 깊이 들어가게 박다] clavar profundamente.

들이박히다 ser clavado más adentro, ser clavado profundamente.

들이받다 darse [chocar] (contra); [뿔로] cornear, dar una cornada [cornadas]. 나는 나무에 들이받쳤다 Me di contra un árbol.

들이부수다 hacerse pedazos, romper en pedazos, destrozar, aplastar, machacar, pisar, prensar.

들이불다 ① [바람이 안으로 불다] soplar (en · hacia adentro). ② [바람이 몹시 불다] soplar mucho.

들이붓다 ① [물 따위를] echar (el agua) (sobre), arrojar. ② [포탄을] tirar copiosamente (balas).

들이비치다 penetrar (en). 볕이 방안까지 들이비친다 Los rayos del sol penetran hasta en la habitación.

들이빨다 chupar, inhalar, beber, ingerir. 담배를 ~ tragarse el humo. 젖을 ~ mamar. 갓난아이가 젖을 들이빨고 있었다 El bebé estaba mamando. 나는 연기를 들이빨지 않고 담배를 피운다 Yo doy caladas [chupadas] al cigarrillo sin tragarse el humo.

들이쉬다 respirar, inspirar, aspirar, inhalar.

들이쌓다 amontonar, acumular, coleccionar. 그녀는 접시에 음식을 들이쌓았다 Le llenó el plato de comida.

들이쌓이다 amontonarse, acumularse, coleccionarse.

들이쏘다 ① [안으로 향해 쏘다] disparar hacia adentro. ② [들입다 쏘다] disparar al azar.

들이쏨 【물리】 =입사(立射).

■~ 빛살 【물리】 =입사 광선(入射光線).

들이쑤시다 ① [들입다 쑤시듯이 아프다] escoser, picar, arder, doler, tener dolor (de). 골머리가 ~ doler*le* la cabeza (a), tener dolor de cabeza. ② [남을 가만히 있지 못하게 들썩이다] provocar. ③ [무엇을 찾으려고 샅샅이 헤치다] rebuscar, hurgar.

들이울다 ① [계속 울다] llorar continuamente, seguir [continuar] llorando. ② [들입다 울다] llorar al azar.

들이웃다 ① [계속 웃다] reír continuamente, seguir [continuar] riendo; [미소짓다] sonreír continuamente, seguir [continuar] sonriendo. ② [냅다 웃다] reír a carcajadas.

들이조르다 importunar [asediar] sin cesar.

들이지르다 ① [들이닥치며 세게 지르다] golpear fuerte, dar un golpe fuerte; [발로] patalear, dar patadas. ② [닥치는 대로 흉하게 많이 먹다] comer vorazmente [con voracidad], devorar. ③ [큰 소리를 마구 내다] gritar, dar un grito.

들이찧다 ① [계속 찧다] majar [machacar] continuamente, seguir [continuar] majando. ② [들입다 찧다] majar [machacar] al azar.

들이차다 ① [안으로] dar patadas hacia adentro. ② [세게 차다] dar patadas fuertes.

들이치다[1] [(비나 눈 따위가) 안으로 세게 뿌려 치다] penetrar (por), entrar (por), golpear. 비[바람]가 창문에 들이친다 La lluvia [El viento] golpea la ventana / La lluvia [El vieno] penetra [entra] por la ventana.

들이치다[2] [막 들어가면서 세차게 치다] atacar fuerte, asaltar.

들이켜다 beberse. 단숨에 ~ beberse de un tirón. 컵[술]을 ~ apurar [agotar] la copa [la caña].

들이트리다 =들이뜨리다.

들이퍼붓다 ① [비나 눈이 마치 퍼서 붓듯이 마구 쏟아지다] caerse mucho. 비가 ~ llover a cántaros. ② [액체를 그릇에 마구 퍼붓다] verter [echar] fuerte.

들일 labor *f* [trabajo *m*] de campo.

들입다 por la fuerza, violentamente, fuerte, fuertemente; [계속적으로] continuamente, sin cesar. ~ 패다 golpear mucho. ~ 달아나다 corretear, irse correteando. ~ 마시다 beber(se) uno tras otro.

들장대(ㅡ長ㅡ) palo m suplementario para un palanquín.

들장미(ㅡ薔薇) 【식물】 agavanza *f*, agavanzo *m*, rosa *f* silvestre; 【학명】 Rosa multiflora.

들쥐 【동물】 ratón *m* (*pl* ratones) de campo.

들짐승 animal *m* salvaje.

들쩍지근하다 (ser) algo dulce.

들쭉 【경제】 =차변(借邊).

들쭉 arándano *m*.

■~술 vino *m* de arándano.

들쭉나무 【식물】 arándano *m*.

들쭉날쭉 desigual, de modo irregular, de modo poco uniforme. ~하다 (ser) desigual, irregular, desnivelado, *AmL* disparejo; [바위 · 절벽이] recortado, con picos; [암층(岩層)이] accidentado, escarbroso; [바위 · 산 · 해안이] escarpado; [칼 · 칼날이] serrado, dentado; [잎이] dentado. ~한 해안 un litoral recortado [accidentado]. 가장자리가 ~한 잎 hojas *fpl* detadas. 톱니가 ~하다 El diente (de la sierra) hace una muesca. 타일이 ~놓였다 Han colocado las baldosas torcidas. 그는 내 머리카락을 ~잘랐다 El me dejó el pelo desigual.

들차다 (ser) fuerte y firme.

들창(ㅡ窓) tragaluz *m*, claraboya *f*, lumbrera *f*; [지하실의] ventana *f* del sótano.

■~눈이 persona *f* con párpados superiores levantados. ~문(門) =들창. ~코 nariz *f* respingona [respingada].

들척지근하다 ser *algo* dulce.

들추다[1] [지난 일 · 숨은 일 등을 끄집어 일으키다] revelar. 남의 비밀을 ~ revelar *su* secreto.

들추다[2] [물건을 찾으려고 자꾸 뒤지다] hurgar, rebuscar.

들추어내다 exponer desvergonzadamente a la vista, revelar, divulgar, descubrir. 비밀을 ~ revelar el secreto.

들치근하다 ((준말)) =들척지근하다.

들치기 ① [행위] hurto *m* (en las tiendas), ratería *f* (en las tiendas). ② [사람] ladrón (*pl* ladrones), -drona *mf* (que roba en las tiendas); ((은어)) mechero, -ra *mf*.

들치다 sacar, levantar.

들큰거리다 decir desagradable.
들큰들큰 desagradablemente, de un modo irritante, exasperantemente.

들큼하다 ser algo dulce.
들큼히 algo dulcemente.

들키다 ser visto; [발견되다] descubrirse, revelarse, hallarse, encontrarse, enseñar [sacar] la [su] pata. 그는 도둑질하는 순간에 들켰다 Fue sorprendido en el momento del robo. 나는 그들에게 들키지 않으려고 아침 일찍 나갔다 Salí muy de mañana para que no me vieran ellos. 그는 아무한테도 들키지 않고 도망쳤다 El se escapó sin ver visto por nadie / El se escapó sin que le viera nadie.

들타작(-打作) trilla *f* en los campos.

들통(-桶/筒) cubo *m*, balde *m*, *Méj* cubeta *f*.
◆들통(을) 내다 hacer trascender. 들통(이) 나다 ㉮ [들판이 나다] trascender, echar la soga tras el caldero, enseñar [sacar] la [*su*] pata. 그의 계획(計劃)이 들통났다 Se ha trascendido su proyecto. ㉯ ((은어)) = 들키다.

들트리다 ((준말)) =들이트리다.

들틀 =기중기(起重機).

들판¹ ((준말)) =들머리판.
◆들판(이) 나다 =들통(이) 나다. ☞들통

들판² [벌판] campo *m*, llanura *f*, páramo *m*, prado *m*, pradera *f*. 풀이 마른 ~ campo *m* seco.

들풀 hierbas *fpl* silvestres.

들피 extrema delgadez *f* de hambre, escualidez *f* de hambre.
◆들피(가) 지다 estar escuálido [consumido · descarnado] de hambre.

듬뿍 ((준말)) =듬뿍이.
듬뿍듬뿍 muy abundantemente.
듬뿍이 a montones, en [con] abundancia, abundantemente, mucho, copiosamente; [충분히] suficientemente. ~ 먹다 comer en abundancia. ~ 벌다 obtener pingües beneficios, hacer *su* agosto. ~ 마시다 beber a boca de jarro, beber como una esponja [como una cuba]. 접시에 ~ 채우다 llenar un plato hasta arriba [hasta el borde]. 돈은 아직 ~ 있다 Todavía tengo dinero en abundancia. 시간은 아직 ~ 있다 Todavía queda mucho tiempo. 우리는 식사할 시간이 ~ 있다 Tenemos mucho [bastante] tiempo para comer.
듬뿍하다 ser abundante, abundar, haber gran cantidad (de).

듬성듬성 aquí y allá, a grandes trechos, esparcidamente, no densamente, no espesamente.

듬쑥 plenamente, llenamente, con gula, con glotonería. ~ 손을 잡다 tener firmemente agarrado.

듬쑥하다 =듬직하다.

듬직하다 ① [말이 잦지 아니하고 경솔하지 아니하여 사람됨이 수더분하다] (ser) bonachón (*pl* bonachones, *f* bonachona), buenazo. 듬직한 사람 persona *f* bonachona; bonachón, -chona *mf*, buenazo, -za *mf*, pedazo *m* de pan, pastaflora *f*. 그는 ~ El es un bonachón [una pastaflora] / El tiene un corazón blando / El es más bueno que el pan / El se cae de bueno. ② [나이가 제법 많다] tener bastantes años (de edad). 나이가 듬직한 청년들 jóvenes *mpl* de bastantes años de edad.

듭시다 ① ((존댓말)) [들어가다] entrar (en), meterse (en). 임금께서 침소에 듭신다 El rey se mete en la cama. ② [들어갑시다] Vamos a entrar / Entremos. ③ [먹읍시다] Vamos a tomar [comer] / Tomemos / Comemos.

듯¹ [「-ㄴ·-은·-는·-ㄹ·-을」 등의 뒤에 쓰이어] si … o no, casi no. 너무 적어서 먹은 ~ 만 ~하다 Yo comí demasiado poco, así que casi no estoy satisfecho. 짙은 안개로 앞이 보일 ~ 말~ 했다 Casi no pudimos ver por la niebla espesa.

듯² =듯이.

-듯 ((준말)) =-듯이.

듯싶다 parecer. 비가 올 ~ Parece que va a llover. 이미 간 ~ Parece que ya ha ido. 그는 공부하는 ~ Parece que él estudia.

듯이 con aire + *adj*. 고통스러운 ~ con ansia, con aire dolorido, en ademán doloroso.

-듯이 como si + *subj*. 그는 자기에게 하는 험담을 모르~ 행동한다 El se comporta fingiendo ignorar [como si no supiera nada de] las críticas que le hacen.

듯하다 parecer +「명사」[*inf* · que + *ind* [*subj*] · como], ser … como, asemejarse (a). … 듯한 parecido como …, asemejado a …. 미친 듯한 사내 hombre *m* maniático [lunático · excéntico]. 슬픈 듯한 목소리로 con una voz triste. 미친 ~ asemejarse a locura. 눈이 내릴 ~ Parece que va a nevar. 그는 운동에 자질이 없는 ~ No parece que tenga aptitud para los deportes / Parece que no tiene aptitud para los deportes. 그녀는 독신인 듯하지 않다 No parece que sea soltera. 걱정할 것은 아무것도 없는 ~ Parece que no hay nada de que preocuparse.

등 [신체의] espalda *f* (주로 복수형으로 사용됨); [동물의] lomo(s) *m*(*pl*); [의자의] respaldo *m*; [옷의] espalda *f*, [손의] dorso *m*. ~의 dorsal. ~의 폭(幅) anchura *f* de espaldas. 의자의 ~ respaldo *m*. 짐승의 ~ lomo *m*. 책의 ~ lomo *m*. ~을 맞대고 espalda contra [con] espalda. 벽에 ~을 돌리고 con *su* espalda hacia la pared. 새우 ~을 한 cargado de espaldas. ~에 짊어지다 llevar a cuestas. ~을 똑바로 하다 enderezar la espalda. …의 ~을 씻어 주다 lavar a *uno* la espalda. 적에게 ~을 보이다 [도망치다] volver la espalda al enemigo. 그는 ~이 구부러졌다 El tiene la espalda encorvada. 노파는 자루를 ~에 멨다 La vieja le puso el saco sobre la espalda. 그는 등을 대고 누워 있었다 El estaba tumbado boca arriba. 그는 문에 등을 대고 서 있었다 El estaba (de pie) de espaldas a la puerta.

◆등(을) 돌리다 ㉮ [외면하다] volver el rostro [la cara], dar [volver] las espaldas, volverse de espaldas. 등을 돌리고 걷다 andar de espaldas hacia atrás. 세상에 ~ dar [volver] las espaldas al mundo. 그녀는 그에게 등을 돌렸다 Ella le dio [volvió] la espalda. 나는 벽에 등을 돌리고 앉았다 Me senté de espaldas a la pared. ㉯ =결별하다. ㉰ =배신(背信)하다. 배척(排斥)하다. 등(을) 맞대다 dar la espalda,juntar por los respaldos. 의자의 ~ juntar las sillas por los respaldos. 나는 그녀와 등을 맞대고 앉았다 Me senté dándole la espalda a ella. 등을 벗겨 먹다 =등(을) 쳐먹다.

등(을) 쳐먹다 hacer chantaje (a). 친구에게서 담배를 ~ mendigar [sacar de gorra] unos cigarrillos a un amigo. 등(을) 쳐먹는 사람 chantajista *mf*; chulo; rufián (*pl* rufianes).

■등이 따스우면 배부르다 ((속담)) Si la ropa es buena, se estará llena hasta el estómago.

■~근육(筋肉) músculo *m* dorsal.

등(登) una especie del vaso antiguo.

등[1](等) ① ((준말)) =등급(等級). ¶콩쿠르에서 1[2·3]~이다 ser primero [segundo·tercero] en un concurso. 6~까지 상이 있다 A los sextos se les dan premios. ② ((준말)) =등내.

등[2](等) =들[2].

등(燈) luz *f* (*pl* luces), lámpara *f*, farol *m*, linterna *f*. ~을 밝히다 encender la luz. ~을 밝혀라 Encienda la luz.

등(橙) ① ((준말)) =등자(橙子). ② ((준말)) =등자나무.

등[1](藤) ① [등나무의 줄기] tallo *m* del mimbre. ② ((준말)) =등나무.

■~덩굴 enredadera *f* de mimbre. ~의자(椅子) silla *f* de mimbre.

등[2](藤) 【식물】 mimbre *m*, ratán *m*, rota *f*.

등가(等價) ① 【경제】 equivalencia *f*, mismo precio *m*, mismo valor *m*. ~의 equivalente; [가격이] del mismo precio; [가치가] del mismo valor. …과 ~이다 ser del mismo precio que *algo*, equivaler [ser equivalente] a *algo*. ② 【화학】 equivalencia *f*.

■~ 개념(概念) 【논리】 =등치 개념. ~ 계수(係數) coeficiente *m* equivalente. ~량(量) 【화학】 equivalente *m*. ~물(物) cosa *f* equivalente. ~ 원리(原理) principio *m* de equivalencia. ~ 자극(刺戟) 【심리】 estímulo *m* equivalente.

등가(登假) fallecimiento *m* del emperador.

등가(燈架) =등경걸이. 등잔걸이.

등가구(藤家具) mueble *m* de mimbre.

등가죽 piel *f* de la espalda.

◆등가죽(을) 벗기다 =등골(을) 뽑다. ☞등골

등각(等角) 【수학】 ángulos *mpl* iguales. ~의 equiángulo.

■~다각형(多角形) 【수학】 isógono *m*. ~선(線) línea *f* isogonal. ~형(形) figura *f* equiángular.

등각류(等脚類) 【동물】 isópodos *mpl*.

등각삼각형(等脚三角形) 【수학】 triángulo *m* isósceles.

등간(燈竿) =등대.

등갈(藤葛) =갈등(葛藤).

등갈비 chuleta *f* [costilla *f*] de lomo.

등갓(燈-) pantalla *f* (de lámpara).

등강(登降) =승강(昇降).

등거리 chaqueta *f* sin mangas.

등거리(等距離) distancia *f* igual, equidistancia *f*. ~의 equidistante. …과 ~이다 ser equidistante de *algo*, estar a la misma distancia de *algo*, equistar de *algo*. 내 집에서 역과 학교는 ~이다 La estación y la escuela equidistan de mi casa.

등걸 tocón *m* (*pl* tocones), cepa *f*. ~을 캐내다 cavar el tocón de un árbol.

■~불 fuego *m* de tocón. ~숯 carbón *m* (*pl* carbones) hecho de tocones.

등걸문(-文) ((준말)) =등글월문.

등걸음치다 ① [시체를 옮겨 가다] quitar el cadáver. ② [덜미를 짚어 몰아가다] arrastrar por el pescuezo [por el cogote].

등걸잠 sueño *m* con ropa sin cubierta.

등겨 barcia *f* [ahechaduras *fpl*·granzas *fpl*] de arroz.

등경(燈檠) =등경걸이.

■~걸이 portalámparas *m.sing.pl.*

등계(鶴雞) 【조류】 =뜸부기.

등고(登高) =등척(登陟).

등고(等高) altura *f* igual.

■~ 곡선(曲線) =등고선. ~선(線) curva *f* [línea *f*] de nivel, cota *f*. ~선 지도(線地圖) mapa *m* acotado, mapa *m* topográfico.

등골[1] ① 【해부】 =척추골. 등골뼈. ② [척수(脊髓)] espina *f* dorsal. ③ [등 뒤 한가운데로 고랑이 진 곳] surco *m* central de la espalda.

◆등골(을) 뽑다[빨아먹다] explotar, desplumar. 노동자의 ~ explotar a los trabajadores. 마지막 한 푼까지 ~ chupar*le* la sangre (a *uno*). 등골(을) 서늘하게 하다 poner*le* a *uno* los pelos de punta. 등골(이) 빠지다 sentirse débil del trabajo duro. 등골(이) 서늘하다 tener [sentir] frío en la espalda. 등골이 오싹하다 estremecerse. 생각만해도 ~ ¡No quiero ni pensar! / ¡Me dan escalofríos de sólo pensarlo! 나는 그 생각에 등골이 오싹했다 Me estremecí al pensarlo. 나는 그녀가 무엇을 하고 있을까 하는 생각만으로도 ~ Tiemblo de [con] sólo pensar qué estará haciendo.

■~뼈 columna *f* espinal [vertebral]; [인간 이외의] espinazo *m*, espina *f* dorsal *m*, raquis *m*. ¶~의 raquídeo.

등골(鐙骨) 【해부】 =등자뼈(estribo).

등공(騰空) =승천(昇天).

등과(登科) 【고제도】 aprobado *m* del examen del servicio alto.
등관(燈管) ((준말)) =등화관제(燈火管制).
등광(燈光) luz *f* de la lámpara.
등교(登校) asistencia *f* [ida *f*] a la clase. ~하다 ir [asistir] a la escuela. ~ 도중이다 estar en el camino de la escuela.
■ ~시(時) cuando se va a la escuela, al ir a la escuela.
등교기봉(騰蛟起鳳) hombre *m* que tiene muchos talentos.
등교의(籐交椅) =등의자(籐椅子).
등귀(騰貴) el alza *f*, subida *f*, encarecimiento *m*. ~하다 alzar, subir los precios, encarecerse. 물가의 ~ el alza *f* [subida *f*] de los precios. 환시세의 ~ el alza *f* de cambio. 땅값이 ~한다 Sube [se eleva] el precio de los terrenos.
■ ~세(勢) =오름세.
등극(登極) ascensión *f* al trono. ~하다 ascender el trono.
■ ~령(令) reglamento *m* gobernante de la ascensión al trono.
등근(等根) 【수학】 raíces *fpl* iguales.
등글개첩(一妾) concubina *f* joven del viejo.
등글기 [행위] copia *f* de la pintura; [작품] pintura *f* copiada.
등긁이 rastrillo *m* muy pequeño de bambú para rascarse la espalda, rascador *m*.
등급(等級) ① [신분·값·품질 따위의] clase *f*, grado *m*, clasificación *f*, graduación *f*, rango *m*; [계급] categoría *f*. ~을 매기다 clasificar. 상품에 ~을 매기다 elevar a una categoría superior. ~을 내리다 bajar a una categoría inferior. ~을 나누다 clasificar, señalar la clase [el rango]. …을 우량품으로 ~을 매기다 clasificar *algo* de artículu superior. ② [별의] magnitud *f*. ③ [급이 같음] igualdad *f* de la clase.
■ ~ 개념(概念) 【논리】 =등위 개념(等位概念). ~ 선거(選擧) =차등 선거(差等選擧).
등기(登記) ① [민법상의 권리나 사실의 존재를 공시하기 위해 일정 사항을 등기부에 기재하는 일] registro *m*, inscripción *f*, asiento *m*. ~하다 registrar, inscribir (en un registro), proceder al registro (de), certificar una carta, matricular, protocolar, encartar, asentar un libro. ~된 registrado, certificado. ~되다 certificarse, registrarse. ② ((준말)) =등기 우편(登記郵便). ¶편지를 ~로 보내다 enviar una carta certificada, certificar una carta.
■ ~ 공무원[관리] funcionario *m* encargado [funcionaria *f* encargada] del registro. ~과(課) departamento *m* de registro. ~ 관리(官吏) =등기 공무원. ~료(料) derechos *mpl* de la certificación, derechos *mpl* del registro. ~ 말소(抹消) cancelación *f* de(l) registro, anulación *f* del registro. ~ 명의인(名義人) persona *f* registrada. ~ 번호(番號) número *m* de registro, número *m* registrado, número *m* de matrícula. ~법(法) ley *f* del registro. ~부(簿) (libro *m* de) registro *m*. ~부 등본(部謄本) copia *f* del registro. ~ 사항(事項) cosa *f* a registrar, cosa *f* a inscribir, asuntos *mpl* requeridos a ser registrado. ~선(船) buque *m* registrado. ~소(所) oficina *f* de Registros Civiles, oficina *f* del registro. ~ 수속(手續) formalidades *fpl* de registro. ~ 용지(用紙) fórmula *f* de registro, boletín *m* (*pl* boletines) de inscripción. ~ 우편(郵便) (correo *m*) certificado *m*; [겉봉에] Certificado. ¶편지를 ~으로 보내다 certificar una carta, enviar [mandar] una carta certificada. 소포를 ~으로 보내다 mandar un paquete por correo certificado, enviar una encomienda certificada. ~ 우편 소포 paquete *m* certificado, encomienda *f* certificada. ~ 우편 속달(郵便速達) certificado *m* urgente. ¶~로 por certificado urgente. ~ 우편 요금 franqueo *m* [porte *m* · tasa *f*] de certificados. ~ 자본(資本) =공칭 자본(公稱資本). ~ 증서(證書) certificado *m* registrado. ~필(畢) Registrado. ~필증(畢證) certificado *m* registrado. ~ 효력(效力) efecto *m* del registro.
등기(謄記) =등초(謄抄).
등꼬부리 viejo *m* cargado [vieja *f* cargada] de espaldas.
등꽃이 =등경걸이.
등꽃 glicina *f*, glicinia *f*, flor *f* de ratán, flor *f* de mimbre, *Chi* flor *f* de la pluma.
등나무 【식물】 ratán *m* (*pl* ratanes), rota *f*, mimbre *m*; 【학명】 Wistaria japonica.
■ ~ 의자(椅子) silla *f* de mimbre [de rejilla]. ~ 지팡이 roten *m*, bastón *m* (*pl* bastones) de mimbre.
등날 columna *f* vertebral.
등널 respaldo *m*.
등놀이(燈一) =관등(觀燈).
등단(登壇) subida *f* a la tribuna [a la plataforma]. ~하다 subir a la tribuna [a la plataforma].
등달(騰達) =입신출세(立身出世).
등달다 (ser) nervioso, ponerse nervioso, esforzarse demasiado (por + *inf*), preocuparse, inquietarse. 그렇게 등달지 않아도 된다 ¡Tranquilízate tanto!
등닿다 ① [말이나 소의 등이 길마에 닿아 가죽이 상하다] rasparse, rasguñarse. ② [뒤를 봐 줄 사람이 있다] tener respaldo, apoyarse (en), depender (del hombre influyente).
등대(等待) espera *f*. ~하다 esperar, aguardar.
등대(等對) igualdad *f*. ~하다 ser igual.
등대(燈臺) [항로 표지의 하나] faro *m*.
◆ 부동(浮動) ~ faro *m* flotante, buque-faro *m*.
■ ~선(船) buque *m* faro. ~세(稅) derechos *mpl* de faro. ~원(員) farero, -ra *mf*.. ~지기[수] guardián *m* de faro; torrero, -ra *mf*, farero, -ra *mf*, *Col* guardafaro *mf*. ~ㅅ불 luces *fpl*, luz *f* de(l) faro.
등대다 depender de, apoyarse en. 미국에 등

댄 정권 régimen *m* apoyado por los Estados Unidos de América. 아들에게 ~ apoyarse en *su* hijo.

등덜미 parte *f* superior de la espalda. ~를 붙잡다 agarrar por el pescuezo [por el cogote].

등뒤 espalda *f.* ~에서 a *sus* espaldas. 그들은 그의 ~에서 그를 비웃었다 Ellos se ríen de él a sus espaldas.

등등(等等) etcétera (약자: etc.), y otras cosas por el estilo; ((드묾)) y otras hierbas. 김 씨 ~ el señor Kim y otros señores. A, B, C, ~ A, B, C, y así por el estilo. 달리와 피카소 ~의 화가(畵家) tales pintores *mpl* como Dalí y Picasso. 화제 ~의 경우에는 en caso de incendio, por ejemplo. 고기와 야채 ~의 식료품 comestibles *mpl* como carne, verduras, etc. 신문, 텔레비전 ~으로 보도하다 anunciar por medio de la prensa, la televisión, etc. 책이나 공책이나 연필 ~을 사다 comprar libros, cuadernos, lápices y otras cosas por el estilo. 호세는 퍽 신사인데다, 아주 다정스럽고, 마음도 후하고, 이 밖의 ~ José es muy caballero, muy galán, muy donoso y otras hierbas.

등등거리(藤－) camisa *f* de ratán.

등등하다(騰騰－) [서슬푸르다] (ser) poderoso, influyente; [의기양양하다] triunfador, jubiloso, exultante (de energía); [도도하다] imperioso, dominante, autoritario. 기세 ~ estar muy animado, estar de buen humor.

등딱지 caparazón *m* (*pl* caparazones), caparacho *m,* concha *f,* cáscara *f.*

등락(騰落) fluctuación *f,* oscilación *f,* la subida y la bajada. ~하다 subir y bajar, oscilar, fluctuar. ~하는 물가(物價) precios *mpl* fluctuantes.

등량(等量) ① [같은 양] la misma cantidad. ~의 소금을 첨가하다 añadir [adicionar] la misma cantidad de sal. ② 【화학】 equivalencia *f.* ~의 equivalente.

등렬(等列) el mismo rango.

등록(登錄) registro *m,* inscripción *f,* matrícula *f,* matriculación *f,* asiento *m,* anotación *f,* apuntación *f.* ~하다 registrar, inscribir, matricular, asentar, anotar, protocolar. 자신의 이름을 ~하다 inscribirse, matricularse. 자기 당의 후보자의 ~을 요구하다 pedir la inscripción de *sus* candidatos. 이름을 명부에 ~하다 inscribir el nombre en la lista. 상표를 ~하다 registrar una marca de fábrica. 이 도시에는 100만 대의 자동차가 ~되어 있다 En esta ciudad están matriculados un millón de automóviles. 그는 대학에 ~했다 El se matriculó en una universidad.

◆금전 ~기 caja *f* registradora. 주주 ~ registro *m* de accionistas. 회원 ~ registro *m* de miembros, registro *m* de socios.

■ ~ 공채(公債) bono *m* registrado. ~과(課) departamento *m* del registro. ~금(金) matrícula *f* del curso, derechos *mpl* de registro, derechos *mpl* de matrícula. ¶~을 내다 pagar la matrícula del curso [los derechos de matrícula]. ~료(料) derechos *mpl* de certificación. ~ 말소(抹消) cancelación *f* de la inscripción. ~ 번호(番號) número *m* de registro, número *m* de matrícula. ~부(簿) registro *m,* matrícula *f.* ~ 상표(商標) marca *f* registrada, marca *f* industrial registrada. ~선[선박] buque *m* registrado. ~ 선수 jugador *m* inscrito, jugadora *f* inscrita. ~세(稅) derecho *m* de registro. ~ 세법(稅法) ley *f* del derecho de registro. ~소(所) oficina *f* del Registro Civil. ~ 의장(意匠) diseño *m* registrado. ~자[인] registrador, -dora *mf.* ~제(制) sistema *m* de registro. ~ 주식(株式) acción *f* registrada. ~증(證) certificado *m* de inscripción. ~질(質) ＝영업질(營業質). ~ 톤 tonelaje *m* registrado. ~ 톤수 tonelaje *m* registrado ~필(畢) Registrado, Matriculado.

등롱(燈籠) linterna *f,* lámpara *f* portátil; [종이를 바른] lámpara *f* de pie con pantalla hecha de papel.

등롱초(燈籠草) 【식물】 ＝꽈리.

등룡문(登龍門) ＝등용문(登龍門).

등류(等類) la misma clase, la misma especie, el mismo género.

등류(藤柳) 【식물】 ＝갯버들.

등륙(登陸) ＝상륙(上陸).

등륜(等倫) ＝동배(同輩).

등리(藤梨) 【식물】 ＝다래나무.

등림(登臨) ① ((준말)) ＝등산 임수(登山臨水). ② [높은 곳에 오름] montañismo *m* a lo alto.

등마루 columna *f* espinal.

등명(燈明) luz *f* sagrada, luz *f* para el Buda.

■ ~대(臺) candelero *m* para el Buda. ~선(船) ＝등선(燈船). ~ 접시 plata *f* para encender.

등물(等物) objeto *m* de la misma especie.

등반(登攀) trepa *f,* subida *f*; [바위의] escalada *f*; [등산] alpinismo *m,* montañismo *m,* *AmL* andinismo *m.* ~하다 trepar, escalar, subir. 초보자에게 어려운 ~ una subida difícil para principiantes.

■ ~대(隊) grupo *m* de alpinismo, partida *f* de trepa [subida]. ~자(者) trepador, -dora *mf,* [바위의] escalador, -dora *mf,* [등산가. 등산자] alpinista *mf,* *AmL* andinista *mf.*

등받이 ① ＝등거리. ② [의자에 앉을 때 등에 닿는 부분] respaldo *m* de silla.

등방성(等方性) 【물리】 isotropismo *m,* isotropía *f.* ~의 isotropo, isotrópico.

등방위각선(等方位角線) isógona *f,* línea *f* isógona [isogonal].

등방위선(等方位線) ＝등방위각선(等方位角線).

등방체(等方體) 【물리】 cuerpo *m* isotrópico, cuerpo *m* isotropo.

등배(等輩) ＝동배(同輩).

등번호(－番號) número *m* del jugador.

등변(等邊) lados *mpl* iguales, lados *mpl* equiláteros. ~의 equilátero, equilateral.

■ ~사각형(四角形) 【수학】 ＝마름모꼴. ~

삼각형(三角形) 【수학】 triángulo *m* equilátero. ～쌍곡선 【수학】 ＝직각쌍곡선. ～형(形) figura *f* equilátera [equilateral].

등본(謄本) copia *f* certificada, copia *f* de registro, duplicado *m*; 【법률】 tenor *m*.
◆ 공인(公認) ～ copia *f* oficial. 인증(認證) ～ ejemplificación *f*. 호적(戶籍) ～ copia *f* del registro de domicilio.

등분(等分) división *f* en partes iguales. ～하다 dividir en partes iguales. ～으로 igualmente, en partes iguales. 2～하다 dividir en dos (partes iguales). 재산(財産)을 자식들에게 ～하다 dividir *su* propiedad [*sus* bienes] igualmente entre *sus* hijos. 우리들은 비용을 ～해서 분담했다 Nos dividimos los gastos en partes iguales.
◆ 삼(三)～ trisección *f*, división *f* en tres partes iguales. 삼～하다 trisecar, cortar en tres partes.

등불(燈－) luz *f* (*pl* luces), lámpara *f*, iluminación *f*, alumbrado *m*, luz *f* de (la) lámpara. ～을 켜다 encender la lámpara. ～을 끄다 apagar la lámpara. 방에 ～이 켜져 있다 Está alumbrado [iluminado] el cuarto. 거리에 ～이 켜져 있다 Se encienden las luces de la calle. 거리의 ～이 모두 꺼졌다 Se apagó toda la luz de la calle. 이 방의 ～은 어둡다 La luz de este cuarto es débil / Este cuarto tiene una iluminación [un alumbrado] débil.
■ ～놀이 ＝관등(觀燈).

등불베짱이(燈－) 【곤충】 ＝베짱이.

등비(等比) 【수학】 razón *f* de igualdad, ratio *m* igual, ratio *m* geométrico, analogía *f*.
■ ～ 급수 【수학】 series *fpl* geométricas, progresión *f* geométrica. ¶～적으로 증가하다 aumentar en progresión geométrica. ～ 수열(數列) 【수학】 progresión *f* geométrica.

등빙(登氷) ¶～하다 atravesar sobre el hielo.

등빛(燈－) ＝등색.

등뼈 espina *f* dorsal, columna *f* dorsal, espinazo *m*; [물고기 등의] esquena *f*.
■ ～ 동물(動物) vertebrado *m*, animal *m* vertebrado.

등사(謄寫) reproducción *f*, copia *f*, transcripción *f*. ～하다 reproducir, copiar, reproducir copias, transcribir.
■ ～기(機) mimeografía *f*, policipia *f*. ¶～로 인쇄하다 mimeografiar. ～로 인쇄한 mimeografiado. ～물(物) material *m* mimeografiado. ～ 원지(原紙) esténcil *m*. ～ 인쇄기(印刷機) multicopista *f*. ～지(紙) papel *m* para copia. ～판(板) ＝등사기.

등산(登山) alpinismo *m*, montañismo *m*, *AmL* andinismo *m*. ～하다 practicar el alpinismo [el montañismo], hacer alpinismo, escalar montañas, subir a la montaña, *AmL* hacer andinismo. ～ 가다 hacer alpinismo, hacer andinismo. 도봉산에 ～ 하다 subir al monte Dobong.
■ ～가(家) alpinista *mf*, montañista *mf*, montañero, -ra *mf*, alpino, -na *mf*, escalador, -dora *mf*, *AmL* andinista *mf*. ¶한국의 ～인 고상돈 씨는 에베레스트 산의 정상을 정복했다 El Sr. Go Sang Don, el alpinista coreano conquistó la cumbre del Monte Everest.
■ ～객(客) alpinista *mf*, montañista *mf*, *AmL* andinista *mf*. ～기(期) temporada *f* para el montañismo. ～대(隊) ＝등반대(登攀隊). ～도끼 pickel *m*, piolet *m*. ～로(路) sendero *m* para los alpistas. ～망(網) cuerda *f* alpinista. ～모 gorra *f* alpinista, sombrero *m* Tyrol. ～병(病) 【의학】 mal *m* de altura, puna *f*, *Bol*, *Col*, *Per* soroche *m*. ～복(服) ropa *f* de alpinistas. ～ 설비 acomodaciones *fpl* para los alpinistas. ～열(熱) manía *f* de alpinismo. ～ 용구 equipo *m* [artículo *m*] de alpinista. ～용 장비(用裝備) equipo *m* de alpinista. ～자(者) alpinista *mf*, *AmL* andinista *mf*, [바위의] escalador, -dora *mf*. ～ 준비 equipo *m* para subir a una montaña. ～ 지팡이 bastón *m* (*pl* bastones) alpino, bastón *m* montañero, alpenstock *m*. ～ 철도(鐵道) ferrocarril *m* de cremallera [montaña]; [케이블카] funicular *m*. ～ 클럽 club *m* (*pl* clubs) alpinista. ～화(靴) botas *fpl* de alpinista.

등살 espina *f* dorsal, espinazo *m*.

등상(等像) ＝등신(等神).

등색(橙色) color *m* azafrán, amarillo *m* azafrán. ～의 de color azafrán, amarillo azafrán, azafranado.

등서(謄書) ＝등초(謄抄).

등석(藤蓆) estera *f* de mimbre.

등선(登船) ＝승선(乘船).

등선(燈船) buque *m* faro, barco *m* [buque *m*] farol, buque *m* fanal.

등성마루 ((준말)) ＝산등성마루(cadena).

등성이 ① [등성마루의 위] sobre la cadena. ② ((준말)) ＝산등성이.

등성 잡종(等性雜種) ＝중간 잡종(中間雜種).

등세(騰勢) ＝오름세.

등세공(籐細工) obra *f* de ratán [mimbre].
■ ～품(品) obra *f* de ratán [mimbre].

등소(等訴) ＝등장(等狀).

등속(等速) velocidad *f* uniforme.
■ ～선 línea *f* uniforme, velocidad *f* constante. ～ 운동(運動) 【물리】 moción *f* [movimiento *m*] uniforme. ～ 원운동(圓運動) moción *f* circular uniforme. ～ 직선 운동(直線運動) 【물리】 ＝등속 운동.

등솔기 costura *f* de la espalda del abrigo.

등수(等數) ① [차례] orden *m*, rango *m*, clase *f*; [성적의] graduación *f*. ～를 매기다 graduar. ～를 정하다 clasificar. 그녀는 ～안에 든다 Ella está dentro de la graduación. ② [같은 수] número *m* igual. 찬반(贊反)이 ～이다 El voto es dividido igualmente.

등시(等時) la misma hora, igual duración *f*. ～의 isócrono, de igual duración.
■ ～성(性) 【물리】 isocronismo *m*. ～ 운동(運動) movimientos *mpl* isócronos.

등시(燈市) mercado *m* de las linternas.

등시류(等翅類) 【곤충】 isópteros *mpl.*

등식(等式) 【수학】 igualdad *f.*
◆ 절대적 ~ igualdad *f* absoluta. 조건부 ~ igualdad *f* condicional.

등신(等身) tamaño *m* natural. ~이 큰 de cuerpo entero, de tamaño de estatura.
■ ~대(大) ¶~의 de tamaño natural. ~의 상(像) estatua *f* de tamaño natural. ~불(佛) estatua *f* de Buda de tamaño natural. ~상(像) estatua *f* de tamaño natural, estatua *f* [figura *f*] de cuerpo entero.

등신(等神) estúpido, -da *mf,* tonto, -ta *mf,* bobo, -ba *mf,* torpe *mf.*

등심(一心) lomo *m* de vaca [de buey]; [쇠고기] solomillo *m,* solomo *m,* filete *m,* preciado corte *m* de carne vacuna del cuarto trasero.
■ ~구이 filete *m* [solomillo *m*] asado de vaca *AmS, ReD* filete *m* asado de res. ~살 solomillo *m,* filete *m,* solomo *m.*

등심(燈心) [심지] mecha *f,* torcida *f,* pabilo *m.*

등심초(燈心草) 【식물】 junco *m.*

등쌀 molestia *f,* fastidio *m,* irritación *f,* acoso *m.* 그 사람 ~에 못 견디겠다 Yo estoy muy enfadado [anojado] con él / Me enfadé [Me enojé] con él / El me molesta mucho y no puedo tolerar [aguantar] más.
◆ 등쌀(을) 대다 tratar cruelmente, burlarse (de), reírse (de), molestar, fastidiar, irritar, acosar.

등아(燈蛾) 【곤충】 =불나방.

등압(等壓) igual presión *f.*
■ ~선(線) isobara *f,* líneas *fpl* isobáricas.

등에 【곤충】 tábano *m,* moscardón *m.*

등영(燈影) sombra *f* de la luz de la lámpara.

등온(等溫) la misma temperatura. ~의 isotermo.
■ ~대(帶) zona *f* isotérmica. ~ 동물(動物) =온혈 동물. ~ 변화(變化) cambio *m* isotermo. ~선(線) isoterma *f,* línea *f* isoterma, isotérmico *m.* ¶~의 isotérmico. ~ 압축(壓縮) 【기상 · 물리 · 화학】 compresión *f* isotérmica. ~층(層) capa *f* isotérmica, región *f* isotérmica. ~ 팽창(膨脹) 【기상 · 물리 · 화학】 expansión *f* isotérmica.

등외(等外) ¶~의 fuera de selección. 그는 ~가 되었다 El quedó fuera de selección / El quedó eliminado / El no consiguió ningún premio.
■ ~상(賞) premio *m* no clasificado, premio *m* fuera de selección. ~ 작품(作品) obra *f* no clasificada [fuera de selección]. ~품(品) artículo *m* no clasificada [fuera de selección].

등용(登用/登庸) adoptación *f,* [임용] nombramiento *m;* [승진(昇進)] promoción *f.* ~하다 adoptar; [임용하다] nombrar (a [para] un puesto); [승진하다] promover. ~되다 nombrarse, ser nombrado. 인재를 ~하다 adoptar a los talentos a posiciones importantes, abrir todos los oficiales públicos a los talentos. 광범위하게 인재를 ~하다 abrir una carrera profesional para los hombres de talento.
◆ 공무원 ~ 시험 examen *m* de los candidatos a los cargos civiles.

등용(燈用) uso *m* para la lámpara.
■ ~ 가스 gas *m* de iluminación. ~ 석유 petróleo *m* de alumbrado, keroseno *m,* petróleo *m* lampante.

등용문(登龍門) puerta *f* del éxito [del triunfo], camino *m* de la gloria. 이 시험은 고급 관료가 되기 위한 시험이다 El éxito en este examen abre el camino para llegar a ser altos funcionarios.

등우량선(等雨量線) isoyeta *f.*

등원(登院) asistencia *f* al parlamento. ~하다 ir al parlamento.

등월(燈月) abril *m* del calendario lunar.

등위(登位) =등극(登極).

등위(等位) ① [등급(等級)] clase *f,* grado *m,* graduación *f,* posición *f* social. ② [같은 위치] la misma posición.
■ ~각(角) 【수학】 =동위각(同位角). ~ 개념(概念) 【논리】 =동위 개념(同位概念). ~절(節) 【언어】 oración *f* [cláusula *f*] coordinante. ~접속사(接續詞) 【언어】 conjunción *f* coordinante.

등유(燈油) quesoreno *m,* kesoreno *m,* querosén *m,* kerosén *m,* querosín *m,* querosina *f,* querosene *m,* aceite *m* [petróleo *m*] para lámpara.

등의자(藤椅子) silla *f* de mimbre [de roten · de rejilla].

등자(橙子) naranja *f.*
■ ~꽃 azahar *m,* flor *f* del naranjo. ~색(色) (color *m*) anaranjado *m.*

등자(藤子) 【동물】 =광삼(光蔘).

등자(鐙子) estribo *m.* ~에 발을 걸다 ponerse de estribo.
■ ~뼈 【해부】 estribo *m.*

등자나무(橙子一) 【식물】 bigarada *f.*

등잔(燈盞) aceitera *f* (para la luz), copilla *f* de aceite, recipiente *m* para la luz de lámpara, ricipiente *m* de lámpara de aceite.
■ 등잔 밑이 어둡다 ((속담)) El que está cerca es el que ve menos.
■ ~걸이 portalámparas *m.sing.pl.* ~ 기름 aceite *m* de la lámpara. ~불 luz *f* (*pl* luces) de (la) lámpara

등장(登場) aparición *f,* [연극 등의] entrada *f* en escena, salida *f.* ~하다 salir, entrar en escena; [나타나다] aparecer. 햄릿 ~ [각본에서] Entra Hamlet. 문단(文壇)에 ~하다 hacer *su* entrada [*su* aparición] en el mundo literario. 텔레비전 ~이래 desde la aparición de la televisión. 이 작품에서 그녀는 매춘부 역으로 ~한다 En esta obra ella representa el papel de una prostituta. 이 소설에는 사라 발렌수엘라라는 아가씨가 ~한다 En esta novela sale una joven que se llama Sara Valenzuela.
◆ 재(再)~ reentrada *f* en escena, reaparición *f.*

■～ 인물(人物) personaje *m*. ¶먼 곳에서 온 ～의 일부는 부(富)를 찾아 또 다른 일부는 삶과 싸우다 잃어버린 평화를 찾아 아마존 밀림으로 간다 ((El oro y la paz)) A la selva amazónica van personajes de lugares lejanos, unos en busca de riquezas y otros en busca de la paz que perdieron en la lucha por la vida.

등재(登梓) =판각(板刻).

등재(登載) registro *m*, récord *m*. ～하다 registrar, anotar.

등적색(橙赤色) =주홍빛.

등전(燈前) delante de la luz de lámpara.

등절(燈節) ((준말)) =연등절(燃燈節).

등정(登頂) subida *f* a la cumbre. ～하다 subir [llegar] a la cumbre. 초(初)～을 하다 llegar [subir] primero a la cumbre.

등정(登程) salida *f*, partida *f*, ida *f* al viaje. ～하다 salir, partir, ir al viaje.

등정각(等正覺) ((불교)) =등각(等覺).

등제(等儕) =동료(同僚). 친구(親舊).

등조(登祚) =등극(登極).

등종자(燈種子) =등종지.

등종지 recipiente *m* para la luz de lámpara.

등주(燈炷) mecha *f* de la lámpara.

등줄기 partes *fpl* prominentes de columna (vertebral). ～가 오싹했다 Por la espalda sentí un escalofrío de miedo.

등줄쥐【동물】=들쥐[2].

등지(－紙) =등종이.

등지(等地) (y) tales lugares *mpl*. 서울과 부산 ～ Seúl, Busan, y tales lugares.

등지느러미 aleta *f* dorsal.

등지다 ① [남과 사이가 틀어지다] contrariar, oponerse (a). 형제간(兄弟間)에 등지고 살다 vivir oponiéndose entre hermanos. ② [무엇을 등뒤에 두어 의지하다] apoyar (*algo* contra *algo*·*uno*). 그는 벽을 등지고 있었다 El estaba apoyado [se apoyaba] contra la pared. 그녀는 벽을 등졌다 Ella apoyó la espalda contra la pared / Ella se apoyó contra la pared. 탑이 산을 등지고 서 있다 La torre tiene a su espalda las montañas. ③ [배반하다] traicionar, ponerse [volverse] en contra de. 나라를 ～ traicionar a *su* país. 조국을 ～ traicionar a *su* patria. ④ [(관계하지 않고) 멀리하다] alejarse (de); [등지고 있다] estar alejado (de), estar distanciado (de). 정계(政界)를 ～ alejarse de la política. 그는 잠시 정계를 등지고 싶어했다 El quería alejarse de la política por un tiempo. 그녀는 남편과 등지고 있다 Ella vive [está separada] de su marido. ⑤ =떠나다.

등진 도선(等震度線) =등진선.

등진선(等震線) isoseísmica *f*, isosísmica *f*.

등질(等質) homogeneidad *f*. ～의 homogéneo. ～로 homogéneamente. ～이 되게 하다 homogeneizar.

등짐 carga *f* llevada en *su* espalda, mochila *f*. ～을 지고 con la carga en *su* espalda. ～을 지다 llevar la carga en *su* espalda. ～을 지고 도보 여행하다 viajar con mochila, *RPI* mochilear.

■～장수 vendedor, -dora *mf* ambulante.

등쪽【해부】dorsal *m*.

등차(等差) ① [등급의 차이] diferencia *f* del grado. ②【수학】igual diferencia *f*.

■～ 곡선(曲線) loxodromia *f*. ～ 급수(級數)【수학】progresión *f* aritmética. ～세(稅) impuesto *m* discriminante. ～ 수열(數列)【수학】serie *f* aritmética. ～ 중항(中項)【수학】razón *f* aritmética.

등창(－瘡)【한방】carbunco *m*, absceso *m* en *su* espalda. ～이 나다 producírse*le* a *uno* el carbunco. 나는 ～이 났다 Se me produjo el carbunco.

등척(登陟) subida *f* a la altura. ～하다 subir a la altura.

등척성 수축(等尺性收縮) contracción *f* isométrica.

등척 운동(等尺運動) ejercicio *m* isomérico.

등천(登天) =승천(昇天).

등청(登廳) [부처(部處)에] ida *f* al ministerio; [시청에] ida *f* al ayuntamiento. ～하다 ir al ministerio, ir al ayuntamiento, ir al palacio gubernamental.

등쳐먹다 ☞등

등초(謄抄/謄草) copia *f*, reproducción *f*, transcripción *f*. ～하다 copiar, reproducir, transcribir. ～되다 copiarse, reproducirse.

등촉(燈燭) luz *f* de (la) lámpara y la de una vela.

등출(謄出) =등초(謄抄).

등측류(等測類)【동물】=유판류(有板類).

등치(等値) =동치(同値).

등치기 lanzamiento *m* de hombro.

등치다 ① [어루만지는 태도로 남의 등을 두드리다] dar*le* una palmada [una palmadita] a *uno* en la espalda. ② [위협하여 남의 재산을 빼앗다] chantajear, hacer*le* chantaje (a), intimidar, amenazar con chantaje. 등치는 사람 chantajista *mf*; chulo *m*; rufián *m*.

등친(等親) =친등(親等).

등침대(籐寢臺) cama *f* de mimbre.

등태 almohadilla *f* de espalda.

등토시(藤－) muñequera *f* de ratán.

등판(登板) ((야구)) subida *f* al montículo. ～하다 subir al montículo.

등편 각선(等偏角線) =등방위 각선.

등표(等標)【수학】=등호(等號).

등표(燈標) =등부표(燈浮標).

등피(－皮) piel *f* de espalda.

등피(燈皮) pantalla *f* (de lámpara).

등하(登遐/登霞) muerte *f* del rey. ～하다 morir el rey.

등하(燈下) debajo de la luz de (la) lámpara.

■～불명(不明) =등잔 밑이 어둡다. ☞등잔

■～색(色) relaciones *fpl* sexuales debajo de la luz de la lámpara.

등한(等閒/等閑) negligencia *f*, descuido *m*. ～하다 (ser) negligente, descuidado.

등한히 negligentemente, con descuido. ～하다 desatender, descuidar. 일을 ～ 하다 descuidar *su* trabajo.

■ ~시(視) negligencia *f*, descuido *m*. ¶~하다 descuidar, desatender, no hacer caso, menospreciar, dejar intacto, ser negligente, hacer caso omiso (de).
등행(登行) subida *f* a la altura. ~하다 subir a la altura.
등허리 ① [등과 허리] la espalda y la cintura. ② [등의 허리 부분] región *f* de la cintura de la espalda.
등호(等號) signo *m* de igualdad.
등화(燈火) =등불.
■ ~가친(可親) Es bueno para leer libros cerca de la luz de lámpara, que hace mucho fresco en otoño. ¶~하다 tener ganas de leer libros cerca de la luz de lámpara en otoño. ~가친지절(可親之節) buena estación *f* para leer libros cerce de la luz de lámpara, buena estación *f* para familiarizarse con los libros. 가을은 ~이다 El otoño es bueno para familiarizarse con libros. ~관제(管制) control *m* [restricción *f*] del alumbrado, apagón *m*, oscurimiento *m*. ¶~를 하다 apagar el alumbrado.
등화(燈花) rapé *m* de la mecha.
등화(藤花) =등꽃.
등황(橙黃) =자황(雌黃).
■ ~색(色) (color *m*) anaranjado *m*.
등후(等候) =등대(等待).
디기탈리스(라 *digitalis*) 【식물】 digital *f*, fedalera *f*.
디나르 [요르단·쿠웨이트의 화폐 단위] dinar *m*. 요르단 ~ 화(貨) dinar *m* jordano.
디너(영 *dinner*) cena *f*, *AmL* comida *f*. ~를 들다 cenar, *AmL* comer. ~를 들기 위해 앉다 sentarse a cenar.
■ ~ 댄스 cena *f* con baile, *AmL* comida *f* bailable, *Méj* cena-baile *m*. ~ 타임 hora *f* de cenar, *AmL* hora *f* de comer; [정오에] hora *f* de almorzar, hora *f* de comer. ~ 테이블 mesa *f*. ~ 파티 cena *f*, *AmL* comida *f*.
디단조(D 短調) 【음악】 (tono *m* de) re *m* menor. ~로 en (tono de) re menor.
디데이(영 D-day/D-Day) ① [공격 개시 예정일] el día D. ~로 como el día D. ② [계획 실시 예정일] el día señalado.
디도서(Titus 書) ((성경)) La Epístola del Apóstol San Pablo a Tito / Carta de San Pablo a Tito.
디디다 ① [밟다] pisar, dar un paso, apoyar. 발을 땅바닥에 ~ apoyar el pie en el suelo. ② [반죽한 누룩이나 메주 등을 싸서 발로 밟아 덩어리를 만들다] pisar la pasta de trigo malteada en tarta.
디디티(영 *D.D.T.*) 【약】 diclorodifenil *m* tridoroecano, D.D.T. *m*, DDT *m*.
디딜방아 rueda *f* de andar.
디딤돌 pasadera *f*, estriberón *m*.
디렉터(영 *director*) [교장. 감독. 지휘자. 사장. 지배인. 학과장] director, -tora *mf*.
디렉트 메일(영 *direct mail*) [(회사·백화점에서) 직접 소비자에게 우송하는 광고 인쇄물] publicidad *f* por correo.
디룽거리다 balancearse, columpiarse. 디룽디룽 balanceándose, columpiándose.
디모데 전서(Timotheos 前書) ((성경)) la Primera Epístola del Apóstol San Pablo a Timoteo / Primera Carta de San Pablo a Timoteo.
디모데 후서(Timotheos 後書)((성경)) la Segunda Epístola del Apóstol San Pablo a Timoteo / Segunda Carta de San Pablo a Timoteo.
디밀다 ((준말)) =들이밀다.
디버거(영 *debugger*) 【컴퓨터】 corrección *f* de errores, depurador *m*.
디버그(영 *debug*) 【컴퓨터】 depurar.
■ ~ 에이즈 【컴퓨터】 ayudantes *mpl* de depuración.
디버깅(영 *debugging*) 【컴퓨터】 eliminación *f* de errores.
디스인플레이션(영 *disinflation*) 【경제】 deflación *f*.
디스카운트(영 *discount*) [할인] descuento *m*, rebaja *f*. ~하다 descontar, rebajar. 나에게 10% ~를 해 주었다 Me hicieron un descuento del 10% [un 10% de descuento].
■ ~ 레이트 [어음 할인율] tasa *f* de descuento, redescuento *m*. ~ 마켓 [어음 할인 시장] mercado *m* de descuento. ~ 브로커 [어음 할인 중개인] corredor, -dora *mf* de préstamos. ~ 세일 [할인 판매] venta *f* especial, venta *f* de saldos, almoneda *f*. ~ 센터 centro *m* de descuento. ~ 하우스 [할인 상점] tienda *f* de descuento, tienda *f* de saldos, sociedad *f* mediadora en el mercado de dinero.
디스켓(영 *diskette*) disquete *m*.
디스코(영 *disco*) ① ((준말)) =디스코텍 (discoteca). ② ((준말)) =디스코 댄스. ③ ((준말)) =디스코 뮤직. ④ =고고(gogo).
■ ~ 댄스 baile *m* disco, baile *m* de discoteca. ~ 뮤직 música *f* disco.
디스코텍(불 *discothéque*) discoteca *f*.
디스크(영 *disk/disc*) ① [원반(圓盤)] disco *m*. ② [축음기의 레코드] disco *m*. ~에 취입하다 grabar un disco. ③ 【해부】 [추간 연골] cartílago *m* intervertebral. ④ ((속어)) [추간 연골 헤르니아] hernia *f* de cartílago intervertebral.
■ ~ 드라이버 controlador *m* de disco. ~ 드라이브 unidad *f* de disco. ~ 디렉터리 directorio *m* de discos. ~ 메모리 memoria *f* en disco. ~ 서버 servidor *m* de disco. ~ 자키 jockey *ing.mf*, pinchadiscos *mf*. ~ 재킷 funda *f* del disco. ~ 존 zona *f* azul, zona *f* donde es obligatorio el uso del disco de estacionamiento. ~ 카피 copia *f* de discos. ~ 팩 paquete *m* de discos.
디스크 대상(disque 大賞) el Gran Premio de Disco.
디스토마(라 *distoma*) 【동물】 dístoma *f*, duela *f*, saguaipé *m*.
디스프로슘(영 *Dysprosium*) 【화학】 [희토류 원소의 하나] disprosio *m*.
디스플레이(영 *display*) exposición *f*, muestra

f, show *ing.m*; 【컴퓨터】 pantalla *f*.
■~ 보드 Tarjeta *f* de vídeo. ~ 사이클 ciclo *m* de visualización. ~ 스크린 pantalla *f* de visualización. ~ 어댑터 adaptador *m* de pantalla. ~ 카드 trajeta *f* gráfica. ~ 터미널 terminal *f* de visualización.

디아나(영 *Diana*) 【신화】 Diana *f*.

디아스타아제(독 *Diastase*) diastasa *f*, amilasa *f*.

디엔에이(영 *DNA*; *dioxyribonucleic acid*) ácido *m* desoxirribonucleico, ADN *m*, DNA *ing.m*.
■~ 분석(分析) análisis *m* del ADN. ¶~에 의한 검증술 técnica *f* de identificación por medio del análisis del ADN.

디엠지(영 *DMZ*; *demilitarized zone*) [비무장지대] zona *f* demilitarizada.

디옥시리보 핵산(deoxyribo 核酸) ácido *m* deoxirribonucleico.

디옵터(영 *diopter*) dioptra *f* (D).

디옵트리(독 *Dioptrie*) dioptría *f*.

디자이너(영 *designer*) diseñador, -dora *mf*; dibujante *mf*; [복식(服飾)의] modista *mf*; modisto *m*. 유명한 ~의 이름이 붙은 [의류의] de diseño; [가구 따위의] de diseño. 디오르와 같은 대(大) ~ los grandes modistos [diseñadores] como Dior. 그녀는 유명한 ~의 라벨이 붙은 옷만 입는다 Ella sólo usa ropa muy exclusiva.
◆가구(家具) ~ diseñador, -dora *mf* de muebles. 공업(工業) ~ diseñador, -dora *mf* industrial. 무대(舞臺) ~ escenógrafo, -fa *mf*. 산업(産業) ~ diseñador, -dora *mf* industrial. 상업(商業) ~ diseñador, -dora *mf* industrial. 의상(衣裳) ~ diseñador, -dora *mf* de ropa. 자동차(自動車) ~ diseñador, -dora *mf* de automóviles. 패션 ~ diseñador, -dora *mf* de modas.

디자인(영 *design*) diseño *m*, dibujo *m*, boceto *m*. ~하다 diseñar, dibujar. ~이 잘된 기계[의자] máquina *f* [silla *f*] bien diseñada [de buen diseño]. 참신하게 ~된 옷 vestido *m* de novísmo diseño. ~을 공부하다 estudiar diseño. 이 차의 ~은 선이 멋있다 Este coche tiene una línea preciosa. 가방에 넣기에 적당하게 ~되어 있다 Está diseñado para que quepa en un maletín.

디 장조(D 長調) 【음악】 =라 장조.

디저트(영 *dessert*) postre *m*. ~로 de postre. ~로 …을 먹다 comer [tomar] *algo* de postre. ~로 무엇이 있습니까? ¿Qué hay de postre? ~로 무엇을 드시겠습니까? ¿Qué quiere [desea] de postre? 우리(는) ~로 무엇을 들까요? ¿Qué tomaremos [vamos a tomar] de postre? 나는 ~로 아이스크림을 든다 De postre tomo helado.
■~용 접시 plato *m* de postre. ~용 포도주 vino *m* de postre. ~ 코스 los postres.

디제이(영 *DJ*) ① [디스크 자키] pinchadiscos *mf*, disc-jockey *ing.mf*. ② [디너 재킷] esmoquín *m*, smoking *ing.m*. ③ [김대중(金大中)의 영문 첫 자] letra *f* inicial de Kim Dae Jung.

디젤(영 *Diesel*) Diesel *m*, diesel *m*.
■~ 기관(機關) motor *m* Diesel, motor *m* diesel. ~ 기관차(機關車) locomotora *f* diesel. ~ 동차(動車) automóvil *m* de Diesel. ~ 엔진 =디젤 기관. ~ 자동차(自動車) automóvil *m* de Diesel. ~ 전기 기관차 locomotora *f* eléctrica (de) diesel. ~차(車) locomotora *f* diesel.

디즈니 【인명】 Walt Disney (1901-1966) (미국의 영화 제작자. 만화 영화 미키 마우스의 창안자)

디즈닐랜드 【지명】 Disneylandia *f*.

디지털(영 *digital*) digital, dedalera.
■~ 계산기 ordenador *m* digital, *AmL* computadora *f* digital, *AmL* computador *m* digital. ~ 녹음(錄音) grabación *f* digital. ~ 데이터 서비스 servicio *m* de datos digital. ~ 디스플레이 visualización *f* digital. ~ 디엔에이 Digital DNA *m*. ~ 방송(放送) emisión *f* digital. ~ 방송 위성 satélite *m* de emisión digital. ~ 비디오 디스크 disco *m* de vídeo digital. ~ 비디오 디스크 롬 disco *m* de vídeo digital ROM. ~ 사진(寫眞) fotografía *f* digital. ~ 사인 firma *f* digital. ~ 서비스 Servicios *mpl* Digitales. ~ 시계(時計) reloj *m* digital. ~ 시그널[1] señal *f* digital. ~ 시그널[2] Digital Signal *m*. ~ 시그널 프로세서 [디지털 시그널 처리 장치] procesador *m* digital de señal. ~ 시험(試驗) prueba *f* digital. ~ 오디오 디스크 disco *m* de sonido digital. ~ 위성 방송 emisión *f* digital de satélite. ~ 증명(證明) certificado *m* digital. ~ 증명서(證明書) certificado *m* digital. ~ 카메라 cámara *f* digital. ~ 캐시 [전자 화폐] dinero *m* electrónico. ~ 컴퓨터 ordenador *m* digital, *AmL* compudor *m* digital, *AmL* computadora *f* digital. ~ 텔레비전 televisión *f* digital. ~ 텔레비전 방송 emisión *f* de televisión digital. ~ 텔레비전 방송 채널 canal *m* de emisión de televisión digital. ~ 텔레비전 시장 mercado *m* de televisión digital. ~ 통신(通信) comunicaciones *fpl* digitales.

디폴트(영 *default*) ① 【경제】 [채무 불이행] mora *f*, falta *f* de pago. ② 【컴퓨터】 asignación *f* implícita.
■~ 옵션 【컴퓨터】 opción *f* por defecto. ~ 위기(危機) 【경제】 crisis *f* de mora. ~ 이자(利子) interés *m* en demora; [은행의] interés *m* por falta de pago.

디프레션(영 *depression*) 【경제】 depresión *f*.

디프테리(독 *Diphterie*) 【의학】 =디프테리아.

디프테리아(영 *diphtheria*) 【의학】 difteria *f*. ~의 diftérico.
■~균 독소(菌毒素) difterina *f*. ~균 보균자(菌保菌者) portador, -dora *mf* de corinebacterium difteriae. ~ 독소(毒素) difteriotoxina *f*, toxina *f* de difteria. ~막(膜) membrana *f* diftérica. ~ 보균자(保菌者) portador, -dora *mf* de difteria. ~성 결막염(性結膜炎) conjuntivitis *f* difterítica [difterial]. ~ 혈청 suero *m* antiditérico.

디플레 ((준말)) =디플레이션(deflation).
디플레이션(영 *deflation*) 【경제】 deflación *f.* ~의 deflacionario.
◆진행성 ~ espiral *m* deflacionaria.
■~ 경향(傾向) tendencia *f* deflacionaria. ~ 정책(政策) política *f* deflacionista, política *f* deflacionaria.
디피[1](영 *D.P.*; *displaced person*) [(전쟁·압제 때문에 고국에서 추방된) 난민·유민(流民)] desplazado, -da *mf.*
디피[2](영 *D.P.*) ((준말)) =디피이(D.P.E.).
■~점(店) tienda *f* de D.P.
디피이(영 *D.P.E.*; *development*, *printing*, *enlargement*) desarrollo, impresión y ampliación.
딕터폰(영 *dictaphone*) dictáfono *m.*
딛다 ((준말)) =디디다.
딜러(영 *dealer*) corredor, -dora *mf* de bolsa [de valores].
◆외환(外換) ~ agente *mf* de cambio.
딜럭스(영 *de luxe*) lujo *m.* ~의 de lujo, lujoso; [부사적] en clase de lujo.
■~판(版) edición *f* de lujo. ~ 호텔 hotel *m* de lujo.
딜레마(라 *dilemma*) ① =양도 논법(兩刀論法). ② [진퇴유곡의 난처한 지경] dilema *m.* ~에 빠지다 caerse en un dilema. ~에 빠져 있다 encontrarse [verse] en [ante] un dilema. 나는 가정과 일 사이에서 ~에 빠져 있다 Yo me encuentro en un dilema entre la familia y el trabajo. 그는 아내와 어머니 사이에서 ~에 빠져 있다 Entre su esposa y su madre le tienen a mal traer.
딜레탕트(불 *dilettante*) [애호가. 도락가(道樂家)] diletante *mf.*
딜레탕티즘(불 *dilettantisme*) [애호. 도락. 취미] diletantismo *m.*
딩굴다 ① [누워서 이리저리 구르다] rodar. ② [별로 하는 일 없이 빈둥빈둥 놀다] holgazanear, haraganear, flojear. ③ [여기저기 널려 굴다] (estar) dispersado, desperdigado, diseminado.
딩딩하다 ① [힘이 세다] (ser) fuerte, robusto, poderoso, corpulento, potente, saludable, fuerte como un roble, con una salud de hierro. 그 노인은 아직도 ~ El viejo todavía es fuerte como un roble. ② [마주 켕겨 핑핑하다] (quedarse) apretado, ajustado, ceñido. 배가 불러 ~ tener el estómago lleno. ③ [본바탕이 튼튼하다] (ser) estable, seguro, firme. 딩딩한 부자(富者) rico *m* adinerado, rica *f* adinerada. 살림이 ~ ser adinerado.
따갑다 ① [몹시 더운 느낌이 있다] (estar) caliente, tener calor. ☞뜨겁다. ② [바늘같이 뾰족한 끝으로 찌르는 듯한 느낌이 있다] sentir [tener] un cosquilleo [un hormigueo], hacer escocer, *CoS* hacer arder, escocer, arder. 따갑게 하다 hacer sentir un cosquilleo [un hormigueo] (en). 눈이 따가웠다 Me escocían [ardían] los ojos. 손가락이 ~ Tengo [Siento] un cosquilleo [un hormigueo] en los dedos. 얼굴이 추위로 따가웠다 La cara me ardía del frío. 그것은 당신의 얼굴을 따갑게 한다 Te hace sentir un cosquilleo [un hormigueo] en la cara. 벌에 쏘인 데가 ~ Siento [Tengo] un cosquilleo [un hormigueo] en el lugar picado por la abeja.
따개 abridor *m*; [병따개] abrebotellas *m*; [깡통 따개] abrelatas *m.sing.pl.*
따귀 ((준말)) =뺨따귀. ¶~를 때리다 pegar*le* [dar*le*] una bofetada.
◆따귀(를) 떨다 pegar*le* en la cara. 따귀(를) 맞다 ser dado un sopapo.
따꼬(서 *taco*) [멕시코의 전통 음식으로 또르띠야(tortilla)에 여러 가지를 넣어 쌈처럼 먹는 음식] *Méj*, *Guat* taco *m.* 맛있는 ~ ricos tacos *mpl*, sabrosos tacos *mpl*, deliciosos tacos *mpl.* 크고 먹음직한 ~ supertaco *m.*
■~ 데 깔라바사 이 세보야 [호박과 양파 쌈] taco *m* de calabaza y cebolla. ~ 데 렝구아 데 세르도 [돼지 혀 쌈] taco *m* de lengua de cerdo. ~ 데 롱가니사 [순대쌈] taco *m* de longaniza. ~ 데 리뇨네스 [신장(腎臟)쌈] taco *m* de riñones. ~ 데 살치차 [소시지쌈] taco *m* de salchicha. ~ 데 우에보 [계란쌈] taco *m* de huevo. ~ 데 치차론 [돼지 비계쌈] taco *m* de chicharón. ~ 전문 식당 taquería *f.* ~집 taquería *f.*
따끈따끈 =뜨끈뜨끈.
따끈하다 (estar) todavía caliente, tibio. 아주 ~ ser muy caliente. 따끈한 커피 한 잔 una taza de café tibio. 김이 모락모락 나는 따끈한 수프 한 접시 un plato de sopa humeante.
따끈히 calientemente. 물을 ~ 끓이다 hervir el agua calientemente. 술을 ~ 데워 마시다 beber vino de arroz caliente. 우유를 ~ 데우다 calentar la leche.
따끔거리다 picar, escocer. 연기 때문에 눈이 따끔거린다 Me pican [escuecen] los ojos con el humo.
따끔따끔 picando y picando, escociendo y escociendo. ~하다 picar, escocer. ~한 느낌 picazón *m.* ~한 통증 escozor *m*, dolor *m* que escuece. 연기로 눈이 ~하다 El humo pica los ojos. 스웨터가 많이 닳아 ~하다 El jersey irrita [me pica] la piel / El jersey hace que sienta picazón en la piel. 손가락이 ~ 아프다 Los dedos me dan punzadas. 벌이 팔을 ~하게 쏘았다 Una abeja me picó en el brazo. 상처가 ~하다 Me escuece la herida. 햇볕에 탄 등이 ~하다 Me pica la espalda tostada al sol.
따끔령(-令) orden *f* estricta.
따끔하다 ① [(상처나 헌데가) 찔리거나 또는 살이 꼬집히는 듯한 아픈 느낌이 있다] escocer, picar, tener [sentir] un cosquilleo [hormigueo] (en), *CoS* arder. 상처가 아직 ~ La herida escuece todavía. 후추로 혀가 ~ La pimienta escuece en la lengua. 나는 얼굴이 추위로 따끔했다 La cara me ardía del frío. 손가락이 ~ Tengo [siento] un cosquilleo [hormigueo] en los dedos. 그것

이 네 피부를 따끔하게 한다 Te hace sentir un cosquilleo [hormigueo] en la piel. ② [(정신적으로 몹시 자극되어) 따가운 듯한 느낌이 있다] (ser) cruel, duro, severo. 따끔한 말 palabras *fpl* duras. 따끔한 벌 castigo *m* severo, castigo *m* duro. 따끔한 비평(批評) criticimo *m* duro. 따끔한 맛을 보다 tener las experiencias amargas, pasar mal. 따끔한 맛을 보이다 tratar mal, maltratar. 따끔하게 충고하다 aconsejar severamente [con severidad].

따끔히 severamente, con severidad, duramente, cruelmente.

따님 su hija. ~께 안부 전해 주십시오 Dé mis recuerdos a su hija.

따다[1] ① [(자연적으로 달렸거나 붙었거나 돋은 것을) 잡아떼다] recoger, recolectar, cosechar. 감을 ~ recoger un kaki. 고추를 ~ recoger los ajíes [los chiles]. 미역을 ~ recoger alga marina [comestible]. 차(茶)를 ~ recoger té. 사과를 따러 가다 ir a recoger manzanas. ② [진집을 내거나 찔러서 터트리다] abrir (con lanceta), sajar, cortar, eliminar. 종기(腫氣)를 ~ abrir un absceso. ③ [붙었거나 막힌 것을 뜯거나 트다] abrir, descorchar. 병마개를 ~ abrir [descortar] una botella. 포도주를 한 병 ~ abrir [descorchar] una botella de vino. ④ [(어떤 글이나 사실에서 필요한 부분을) 골라 뽑아 쓰다] citar, elegir, escoger, extraer, resumir, sintetizar. ⑤ [(노름이나 내기 따위에서 이겨) 돈이나 물건을 손에 넣다] ganar, obtener, conseguir. 노름판에서 돈을 많이 ~ ganar mucho dinero en el juego. ⑥ [(자격이나 점수 따위를) 얻거나 받다] sacar, obtener, recibir. 박사 학위(博士學位)를~ obtener el doctorado. 100점을 ~ sacar cien marcas. 나는 수학에서 A를 땄다 Yo saqué una A en matemáticas. ⑦ [(전체에서) 한 부분을 떼어내다] cortar, separar.

따다[2] ① [집에 찾아온 사람을 만나 주지 않다] fingirse salir, hacer como si no estar, negarse a ver. 친구를 ~ negarse a ver a *su* amigo. ② [(필요 없거나 싫은 사람을 돌려내서) 그 일에 관계가 없게 하다] excluir, no incluir. 나를 땄다 Me daban de lado.

따돌리다 despistar, poner en cuarentena, excluir, expulsar, excomulgar, dejar al margen [a un lado]. 따돌림을 당하다 quedarse al margen. 따돌림을 당하는 사람 individuo *m* repugnante [fastidioso · desagradable], manzana *f* podrida, oveja *f* negra. 그는 가는 곳마다 따돌림을 당한다 El causa repugnancia [Resulta desagradable] dondequiera que va. 그는 누구한테나 따돌림 당했다 Todos le dejaron al margen. 나는 그들에게 따돌림을 당했다 Se marcharon dejándome atrás. 빨리 준비해라. 그렇지 않으면 너를 따돌리겠다 Prepárate pronto, o te dejaré aquí. 마을 사람들은 그와 그의 가족을 따돌렸다 Los habitantes del pueblo han puesto en cuarentena a él y su familia.

따다[3] [다르다 · 같지 아니하다] (ser) diferente, distinto, otro, separado, irrelevante, intrascendente. 딴 사람 otra persona *f*. 딴 남자 otro hombre *m*. 딴 여자 otra mujer *f*. 딴 서랍에 넣다 poner en el otro cajón. 그것은 딴 문제다 Eso es otra cues- tión [cosa]. 너는 그를 내 딴 친구와 혼동하고 있다 Le confundes con otro amigo mío. 우리는 딴 의자가 두 개 필요하다 Nos hacen falta otras dos sillas [dos sillas más].

따다쓰다 plagiar, cometer plagio. 남의 글을 ~ plagiar un libro ajeno.

따돌리다 ☞따다[2]

따뜻하다 ① [온도 · 날씨가] (ser) templado; [물이] tibio; [(기후나 날씨가) 화창하다] cálido, apacible. 따뜻한 겨울 invierno *m* templado. 따뜻하게 입은 bien abrigado. 집에서 제일 따뜻한 방(房) la habitación más caliente de la casa. (방 따위를) 따뜻하게 하다 calentar, caldear. 몸을 따뜻하게 하다 [자신의] calentarse. 따뜻해지다 hacerse caliente [templado], calentarse. 몸이 따뜻해지다 calentarse, entrar en calor. 따뜻하게 자다 acostarse bien abrigado. 불로 따뜻해지다 calentarse al fuego. 방을 따뜻하게 하다 calentar [caldear] la habitación. 국을 따뜻하게 하다 calentar la sopa. 난롯불에 손을 따뜻하게 하다 calentarse las manos a [en] la estufa. 따뜻한 곳에 앉다 sentarse donde está agradable, sentarse donde está calentito. 날씨가 ~ El tiempo es templado / Hace un tiempo dulce [agradable]. 이번 겨울은 ~ Tenemos un invierno templado / Este invierno no es [está] templado. 나는 오버를 입어서 ~ No siento frío como llevo puesto el abrigo. 물이 따뜻해졌다 Se ha entibiado el agua. 날씨가 갈수록 따뜻해진다 Los días se vuelven cada vez más templados. 뜨거운 목욕으로 몸이 따뜻해졌다 Se me ha calentado el cuerpo con el baño caliente. 따뜻한 곳으로 들어오너라 Entra, que aquí está calentito. 몸이 따뜻해지도록 뜨거운 것을 들어라 Tómate algo caliente para entrar en calor. 따뜻하게 입어라 ¡Abrígate bien! 따뜻하게 하기 위해 우리는 떼지어 몰렸다 Nos acurrucamos juntos para darnos calor. 그는 불 앞에서 손을 따뜻하게 했다 El se calentó las manos junto al fuego. 아직 따뜻할 때 드십시오 Tómeselo antes de que se enfríe. 방이 따뜻함을 유지하도록 문을 닫아라 Cierra la puerta para que no se vaya el calor [para que no se enfríe la habitación]. 시체가 아직 따뜻했다 El cadáver estaba todavía caliente. 따뜻한 바람이 불었다 Soplaba una brisa cálida. 벌써 날씨가 따뜻해지기 시작한다 Ya empieza a hacer más calor. 이 장갑은 아주 ~ Estos guantes son muy calentitos [*Andes, Méj* abrigadores · *PRI* abrigados]. 불 옆에 앉아서 몸을 따뜻하게 해라 Siéntate junto al

fuego, así entrarás en calor. 장작을 패면 몸이 곧 따뜻해진다 Cortando la leña enseguida se entra en calor. 네 몸이 따뜻한 것이 틀림없느냐? ¿Seguro que no tendrás frío?
② [(감정이나 분위기가) 정답고 포근하다] (ser) afectuoso, cordial, afable, cariñoso, de corazón tierno, benigno, apacible, benévolo, bondadoso, compasivo, humano, piadoso, clemente, complaciente, amable, amigable, amistoso, hospitalario, franco, placentero, alegre, feliz, dulce. 따뜻한 가정(家庭) hogar *m* placentero [alegre · feliz · dulce]. 따뜻한 사람 persona *f* afectuosa, hombre *m* afectuoso. 따뜻한 우정(友情) sentimiento *m* amigable [amistoso], amistad *f* cariñosa [afabel · de corazón tierno]. 따뜻한 환영(歡迎) cordial bienvenida *f*. 마음을 따뜻하게 하는 이야기 historia *f* emocionante. 따뜻하게 맞이하다 acoger [recibir] cordialmente, dar una cordial bienvenida. 그는 마음이 따뜻한 사람이다 El es un hombre de corazón afectuoso [acogedor]. 그는 가정의 따뜻함을 모른다 El no conoce la felicidad [la afectuosidad] hogareña.
따뜻이 afectuosamente, cordialmente, afablemente, cariñosamente, con cariño [ternura · cordialidad · afabilidad], benignamente, amistosamente, amigablemente, amistosamente, templadamente, hospitalariamente, francamente, placenteramente, alegremente, felizmente, dulcemente. ~ 맞이하다 recibir cariñosamente [cordialmente].

따라 ((준말)) =따라서.
따라서 por eso, por (lo) tanto, por consiguiente, de modo [de manera] que + *ind*, luego. 과음은 몸에 해롭다. ~ 과음은 삼가야 한다 Beber demasiado es perjudicial para la salud. Por eso hay que abstenerse de beber excesivamente.

따라가다 ☞따르다[1]

따라다니다 ☞따르다[1]

따라오다 ☞따르다[1]

따라지 ① [체구가 작은 사람] enano, -na *mf*. ② [노름판에서, 한 끗] un punto. ③ [따분한 존재] existencia *f* miserable.
▪ ~목숨 ㉮ [비참한 목숨] vida *f* miserable. ㉯ [밑바닥 인생] vida *f* en el nivel social más bajo.

따로 separadamente, distintamente, individualmente, a parte, uno por otro, uno tras otro. ~하다 separar, dividir.
따로나다 hacer una familia separada.
따로내다 hacer establecer una familia separada.
따로따로 separadamente, uno por [de] otro, una por [de] otra, aparte. ~ 되다 separarse uno de otro [una de otra]. 그들에게 ~ 방을 두 개 주었다 Les dieron dos habitaciones aparte. 그들은 ~ 집에 돌아왔다 Ellos volvieron a casa separadamente. 두 사람은 ~ 방을 가지고 있다 Los dos tienen sus cuartos respectivos. 이 두 개의 의제는 ~ 심의되어야 한다 Estos dos temas deben ser sometidos a discusión separadamente.
▪ ~풀이 =각론(各論).

따르다[1] ① [남의 뒤를 좇다] seguir, acompañar, seguir el ejemplo (de). 바짝 ~ pisar los talones (de). 미국이 찬성하면 다른 나라도 따를 것이다 Si los Estados Unidos de América lo aprueban, otros países seguirán su ejemplo. 그는 주인을 따라서 여행을 갔다 El fue de viaje acompañando a su señor. 나를 따르라 [usted에게] Sígame / [tú 에게] Sígueme.
② [어떤 것을 본떠서 그와 같이 하다 · 어떤 것에 의거하다] seguir, conformarse (con); [지키다] observar; [의거(依據)하다] depender (de). …에 따라 según *algo*, de acuerdo con *algo*, conforme a *algo*, en conformidad con *algo*; [비례해서] en razón de *algo*, en proporción a *algo*. 상황에 따라 según [de acuerdo con · en conformidad con] las circunstancias, dependiendo del caso. 양심에 따라(서) de acuerdo con su conciencia. 지시에 따라(서) según las indicaciones. 예산(豫算)에 따라 según [de acuerdo con] el presupuesto. 주문에 따라 según [de acuerdo con] el pedido. 충고에 ~ seguir el consejo. 당신의 명령에 따라(서) conforme a su orden. 방침에 따라(서) con arreglo al [según el · conforme al] principio. 결정에 ~ seguir las decisiones. 도리(道理)에 ~ entregarse a la razón. 법률에 ~ obedecer [observar] la ley. 양심에 ~ escuchar (la voz de) la conciencia. 다수의 의견에 ~ seguir [adoptar] la opinión de la mayoría. …의 요구에 ~ conformarse con la exigencia de *uno*. …의 의견에 ~ ponerse de acuerdo con la opinión de uno. 아내의 성(姓)을 ~ llevar el apellido de su esposa. 수입에 따라 생활하다 vivir según el [conforme al] sueldo. 일의 양에 따라 급료를 지불하다 pagar según el [en razón del] volumen del trababjo. 나는 당신의 생각을 따를 수 없소 Yo no puedo seguir su pensamiento.
③ [복종하다] obedecer; [굴복(屈服)하다] someterse. 내 말을 따라라 Haz lo que yo te digo.
④ [남을 좋아하여 가까이 붙좇다] encariñarse (a · con), tomar afecto [cariño] (a). 이 아이는 새로 부임한 선생님을 쉬 따르지 않는다 Este niño no se encariña fácilmente con el nuevo profesor. 이 고양이는 사람을 잘 따른다 Este gato se hace querer de las personas.
⑤ [아울러 이루어지거나 함께 나아가다] seguir. …을 따라서 a lo largo de algo, bordeando algo. …을 따라서 가다 ir a lo largo de *algo*, bordear *algo*, ir por la orilla de *algo*. 냇물을 따라 가는 길 camino *m* que sigue el curso del río. 도로를 따라

서 늘어선 집들 casas *fpl* a lo largo de la calle. 강을 따라 가다 ir a lo largo [ir por la orilla] del río. 지붕을 따라 도망치다 huir de tejado en tejado. 돈을 버는 일은 모험을 따라서 온다 Ganar dinero lleva consigo riesgo.
따라가다 acompañar, seguir, ir con. 그를 따라가시오 Vaya con él. 이 강줄기를 따라 가면 바다가 나온다 Se llega al mar siguiendo la corriente de este río.
따라다니다 seguir, perseguir, ir pisando los talones, hacer la rueda. 나쁜 남자가 그녀를 따라다닌다 Un hombre malo la persigue [la sigue]. 망상(妄想)이 나를 따라다닌다 Una obsesión me persigue. 돈을 버는데 모험이 따라다니기 마련이다 Ganar dinero lleva consigo riesgo. 빈곤에는 나태가 따라다닌다 La pobreza es la amiga [la compañera] de la pereza.
따라붙다 adelantar, pasar; superar, tomar*le* la delantera.
따라오다 seguir, ir detrás, seguir como sombra.
따라잡다 alcanzar, dar alcance; [점차] aproximarse. 다른 학생들의 수준을 따라잡기 위해 더욱 공부하다 estudiar aún más para alcanzar el [para llegar al] nivel de los otros alumnos. 나는 그를 따라잡을 수가 없었다 Yo no podía alcanzarle a él. 달려가면 그들을 따라잡을 것이다 Si tú corres, los alcanzarás.

따르다² [(그릇을 기울여) 액체를 조금씩 흐르게 하다] echar, verter. 물을 ~ echar el agua. 술을 ~ echar el vino [la bebida], servir el vino [la bebida]. 기름을 ~ echar el aceite. A를 B에 ~ echar A en [a] B; [주입(注入)하다] verter A en B. 커피를 찻잔에 ~ echar el café en la taza. 물을 컵에 ~ verter [echar] agua en un vaso. 병에 포도주를 ~ llenar una botella de vino.

따르르¹ ① [작은 물건이 미끄럽게 구를 때 세차게 나는 소리] rodando. ~ 구르다 revolcarse. ② [작은 물건이 세차게 떠는 모양. 또, 그 소리] vibrando.

따르르² ① [글을 줄줄 읽어 내려가는 모양] con fluidez, con soltura. ~ 읽다 leer con fluidez [con soltura]. ② [어떠한 일에 막힘이 없이 잘 통하는 모양] sin cesar.

따르릉 tintín *m*. ~ 소리가 울리다 tintinear, tintinar.

따름 sólo, solamente, meramente, simplemente, solo. 그는 일개 학생일 ~이다 El es un simple [mero] estudiante / El no es más que estudiante. 나는 내 의무를 다했을 ~입니다 Yo no he hecho más que mi deber. 그 일을 해낼 사람으로는 오직 그가 있을 ~이다 El solo puede hacerlo / El es el único hombre que puede hacerlo. 하나님은 단지 한 분만 있을 ~이다 Hay solamente un Dios.

따름수(一數) 【수학】 =함수(函數).

따리 =아첨(阿諂). ¶너는 ~로는 아무것도 얻지 못할 것이다 Con halagos no vas a conseguir nada.
◆ 따리(를) 붙이다 =아첨하다(halagar).
■ ~꾼 adulador, -dora *mf*.

따먹다 ① [과실을 따서 먹다] coger [recoger] las frutas y comerlas. ② [장기·바둑 따위에서] tomar, coger, apoderarse (de). ③ ((속어)) [정조를 유린하다] deshonrar, violar, seducir.

따발총(多發銃) ((속어)) metralleta *f*.

따분하다 aburrirse. 따분한 tedioso, aburrido; [단조로운] monótono. 따분함 tedio *m*, aburrimiento *m*; [단조로움] monotonía *f*. 따분하게 하다 aburrir, molestar, cansar. 따분함을 달래기 위하여 para matar el tiempo. 따분한 시간을 보내다 matar el tiempo, distraerse. 따분해서 견디지 못하다 [죽다] morirse de aburrimiento. 그건 따분한 말이다 Es una historia soporífera. 나는 너무 [굉장히] ~ Estoy más aburrido que una ostra. 아주 따분한 영화다 Es una película extremadamente aburrida. 그 녀석은 따분한 놈이다 Me canso con aquel tío. 나는 할 일이 없어 ~ Estoy aburrido por no tener nada que hacer. 오늘은 할 일이 없어 ~ Hoy no tengo trabajo y no sé qué hacer. 내가 너를 따분하게 하고 있지 않지? No te estaré aburriendo, ¿no? 오페라는 나를 엄청나게 따분하게 한다 La ópera aburre mortalmente [soberanamente]. 강연은 따분해 죽을 맛이었다 La conferencia fue aburrísima / La conferencia me aburrió hasta decir basta.

따비 arado *m* pequeño.
■ ~밭 campo *m* pequeño de poder arar con un arado pequeño.

따사롭다 =다사롭다.
따사로이 =다사로이.

따삽다 =따스하다.

따순감각(一感覺) =온각(溫覺).

따스하다 (ser) algo templado.

따습다 (ser) suficientemente templado.

따오기 【조류】 ibis *m*.

따옴말 =인용어(引用語).

따옴법(一法) =인용법(引用法).

따옴월 =인용문(引用文).

따옴표(一標) =인용부(引用符).

따위 y otras cosas por el estilo, y otros, y tal cosa, etcétera (약자 etc.). 나 ~에게는 tanto a mí como a otro. 테이블이나 의자 ~를 팔다 vender mesas, sillas y otras cosas. 책이나 공책 ~를 사다 comprar libros, cuadernos y otras cosas por el estilo. 생선이랑 고기랑 야채 ~의 식료품 comestibles *mpl* como pescado, carne, verduras etc. 이것 ~는 재미있는 이야기다 Esta, por ejemplo, es una historia interesante. 나는 그~ 거짓말은 하지 않는다 Yo no miento nunca. 그는 「필히 시험에 합격하겠다」~의 말을 나에게 했다 El me decía algo así como: Estoy seguro de que sadré bien en los exámenes. 너는 그의 일 ~는 걱정하지 않아도 된다 No tienes por qué preocuparte por sus asuntos.

나 ~와 같은 사람은 도저히 이해하지 못하겠다 Un hombre como yo no entiende absolutamente nada.

따지다 ① [수를 계산하다] calcular, contar, computar. 이자를 ~ contar el interés. 위성의 궤도를 ~ computar la órbita de satélite. ② [시비를 밝히어 가르다] poner en tela de juicio, distinguir entre lo que está bien y lo que está mal. 잘잘못을 ~ distinguir entre lo que está bien y lo que está mal. 뉴스의 진위(眞僞)를 ~ verificar [comprobar] la noticia.
따져 묻다 averiguar [indagar] preguntando.

따짐의논(－議論) ＝토의(討議).

따짝거리다 arañar.
따짝따짝 siguiendo arañando.

딱[1] ① [단단한 물건이 부딪치거나 부러질 때 나는 소리] con un golpe seco. 주먹으로 ~ 머리를 때리다 golpear con un puño la cabeza. 손뼉을 ~ 치다 dar palmadas. ② [가늘고 단단한 것이 부러지면서 나는 소리, 또는 그 모양] con un chasquido. ~ 부러지다 romperse con un chasquido. ③ [단단한 것을 좀 세게 한 번 두드리는 소리] golpeando fuerte. ④ [몹시 들어붙거나 들러붙는 모양] justo, justamente. ~ 끼이다 [맞다] encajar, ajustar(se), atascarse. 바퀴가 배수구에 ~ 끼었다 La rueda se atascó en la cuneta. 나사가 ~ 맞았다 Se ha ajustado bien el tornillo. 문이 문얼굴에 ~ 끼지 않는다 La puerta no encaja en su marco. ⑤ [활짝 바라지거나 크게 벌리는 모양] mucho. ~ 벌어진 어깨 hombros *mpl* robustos [mazinos]. 눈을 ~ 뜨다 abrir los ojos de par en par. 입을 ~ 벌리다 abrir mucho la boca. 입을 ~ 벌리고 있다 quedarse boquiabierto, estar con la boca abierta. 입을 ~ 벌리고 con la boca distraídamente abierta, boquiabierto.

딱[2] ① [(행동이나 말을) 단호하게] decisivamente, rotundamente, determinadamente, positivamente, a todo trance. ~ 잘라 결론짓다 no vacilar en tratar un problema. ~ 잘라 생각하는 방법을 취하다 tener una manera de pensar resoluta y racional. ② [아주. 매우] muy, mucho. ③ [한정해서 꼭. 그뿐] sólo, solamente. ~ 한 잔 sólo una copa [un vaso · una caña]. ~ 두 개비의 담배 sólo dos cigarrillos. 작은 잔으로 ~ 한 잔만 들겠소 Tomaré sólo una copita nada más.

딱다그르르 rodando, haciendo un ruido sordo, retumbando, con gran estruendo. ~ 하는 소리 estruendo *m*, ruido *m* sordo.

딱따구리[1] 【조류】 (pájaro *m*) carpintero *m*, picamaderos *m.sing.pl*, picaposte *m*.

딱따구리[2] ((은어)) ＝야경꾼.

딱따기 ① ＝야경꾼(sereno). ② [밤에 야경꾼이 치는 나무토막] bloque *m* de madera.

딱따깨비 【곤충】 una especie del saltamontes.

딱딱 ① [단단한 물건이 연해 마주치는 소리] batiendo, castañeteando. 손뼉을 ~ 치다 batir palmas, dar una palmada. 음악에 맞추어 손뼉을 ~ 치다 dar palmadas al compás de la música. 이를 ~ 울리다 castañetear los dientes. 그는 기뻐서 손뼉을 ~ 쳤다 El batió palmas de alegría / El dio palmadas de alegría. ② [단단한 물건이 계속해서 꺾어지는 소리. 또, 그 모양] con un chasquido. 나뭇가지를 ~ 부러뜨리다 romper las hojas con un chasquido.

딱딱거리다 hablar severamente [con severidad · con rigor · con dureza]. 그렇게 딱딱거리지 마라 No hables tan severamente.

딱딱하다 ① [매우 굳고 단단하다] (ser · estar) duro, endurecido, rígido, sólido, firme, resistente, consistente, compacto, fuerte. 딱딱한 캔디 hinchabocas *m*. 몸이 ~ carecer de flexibilidad. 이 빵은 ~ Este pan está muy duro. ② [(태도나 말씨가 또는 분위기 따위가) 거칠고 격격하다] (ser) formal, rígido, tieso, desmañado, demasiado serio, duro, severo, torpe, desagradable, ceremonioso, amanerado. 딱딱하지 않은 sin ceremonia, sin formalidad, sin cumplido. 딱딱한 동작(動作) movimiento *m* rígido. 딱딱한 문장(文章) estilo *m* duro. 딱딱한 인사는 생략하고 prescindiendo de los saludos ceremoniosos [de los saludos de ocasión]. 딱딱한 태도를 취하다 tomar una actitud ceremoniosa, darse aires de ceremonioso [cumplido · cortés]. 그 표현은 ~ Esa expresión es dura [amanerada]. 그렇게 딱딱하게 생각하지 마세요 No se lo tome al pie de la letra. 이곳의 규칙(規則)은 무척 ~ El reglamento de aquí es muy severo [rígido].
■ 딱딱하기는 삼년 묵은 물박달나무 같다 ((속담)) Es tenaz [terco · pertinaz · obstinado · inflexible] / Se casa con su opinión.
딱딱이 rígidamente, duramente, sólidamente, firmemente, resistentemente, consistentemente, fuertemente; formalmente, rígidamente, tiesamente, severamente, desagradablemente, ceremoniosamente.

딱딱해지다 ① [매우 굳고 단단해지다] endurecerse, endurarse, atiesarse, ponerse tieso. 딱딱해진 rígido, tieso, duro, endurecido, yerto. 딱딱해진 얼굴로 con una cara de tensión. 딱딱해져 있다 estar [quedar(se)] estirado [duro · rígido · endurecido]. 나는 추위로 몸이 딱딱해져 있다 Me quedé yerto de frío / El frío me dejó yerto. ② [태도나 말씨가 또는 분위기 따위가] ponerse reservado, quedarse duro [rígido · tieso].

딱바라지다 ((강조)) ＝바라지다.

딱부릅뜨다 ((강조)) ＝부릅뜨다.

딱부리 ((준말)) ＝눈딱부리.

딱새 【조류】 papamoscas *m*, moscareta *f*.

딱성냥 una especie de la cerilla.

딱정벌레 【곤충】 escarabajo *m*.

딱지[1] ① [헌데나 상한 자리에 피나 진물이 말라붙어 생기는 껍질] costra *f*, postilla *f*, escara *f*. ~가 떨어지다 descamarse. ~가 앉다 encostrarse, formarse una costra. (내 몸의) 상처에 ~가 앉는다 Se me forma una costra. ～가 떨어진다 Se me quitan [caen] las costras. ② [종이에 붙은 티] mota *f* en papel. ③ [게·소라·거북 따위의 겉껍질] cáscara *f*. 호두의 ～ cáscara *f* de nuez. ④ [몸시계나 손목시계의 겉뚜껑] caja *f*. 금～ 시계 reloj *m* de oro.

딱지² ＝퇴짜.

◆딱지(를) 놓다 ＝퇴짜(를) 놓다. ☞퇴짜. 딱지(를) 맞다 ＝퇴짜(를) 맞다. ☞퇴짜.

딱지(－紙) ① [우표] sello *m*, estampilla *f*, [수입인지] timbre *m*; [상표(商標)] etiqueta *f*, marbeta *f*, rótulo *m*. ② ((준말)) ＝놀이딱지. ③ ((준말)) ＝궐련 딱지.

◆딱지(를) 떼다 ㉮ [시작하다] empezar, comenzar; [사용하기 시작하다] empezar [comenzar] a usar. ㉯ [교통 순경이 빨간 딱지를 발행하여 교부하다] expedir la tarjeta roja y entregarla.

■～놀이 juego *m* con figura. ～ 장수 ((속어)) ㉮ [암표상] revendedor, -dora *mf*. ㉯ [아파트 입주권·부정 수표·어음·입장 표 등을 부정 매매하는 사람] vendedor, -dora *mf* ilegal. ～치기 juego *m* con figura.

딱총(－銃) ① petardo *m*; [연속해서 울리는] buscapies *m.sing.pl*. ② [장난감 권총] pistola *f* del juguete.

딱총나무(－銃－) 【식물】 saúco *m*.

딱하다 (ser) deplorable, lamentable, lastimoso, doloroso, penoso, miserable. 딱한 행위 acción *f* deplorable. 딱하게 생각하다 compadecer, compadecerse (de), tener compasión (de), sentir compasión (por), sentir piedad (por). 정말 딱한 일이다 ¡Qué cosa tan deplorable! 딱하기 이를 데 없다 Es lo más ridículo que hay / Me muero de risa. 그는 너무 말라 보기에 ～ El está tan delgado que da lástima (de) verlo / El está lasti- mosamente delgado. 그것을 보기만 해도 ～ Sólo verlo da pena / Es una gran pena verlo. 그녀가 혼자 고생하는 것을 보면 ～ Me da compasión [pena] verla sufrir sola. 정말 딱합니다 Lo siento mucho. 그는 딱한 사람이다 El es un pobre tipo [hombre]. 딱하게도 그 아이는 고아가 되었다 El pobre niño es quedó huérfano.

딴¹ 【역사】 ＝딴꾼.

딴² [자기로는 아무쪼록 잘한다는 주제. 이유가 될 만한 생각] en *su* parte, a *su* juicio, con la *suya*, como, en cuanto a, respecto a. 내 ～은 en cuanto a mí, en lo que a mí respeta, en mi parte, a mi juicio.

딴- [다른·틀린] otro, diferente, distindo. ～뜻 opinión diferente. ～사람 otro hombre *m*, otra persona *f*, hombre *m* distinto, persona *f* diferente.

딴가루받이 【식물】 ((준말)) ＝딴꽃가루받이.

딴것 el otro, la otra; otra cosa *f*. ～을 보여주세요 Enséñeme otro.

딴기(－氣) tendencia *f* de arriesgarse [aventurarse] a salir.

◆딴기(가) 적다 (ser) débil, vacilante, endeble.

딴꽃가루받이 【식물】 polinización *f* cruzada. ～하다 polinizar mediante polinización cruzada.

딴꽃정받이(－精－) fecundación *f* cruzada. ～하다 fecundar mediante fecundación cruzada.

딴꾼 ① 【역사】 ayudante *m* del policía. ② [언행이 거칠고 예모가 없는 사람] persona *f* descortés.

딴따라패(－牌) ((은어)) ＝연예인(演藝人).

딴딴하다 (ser) duro, endurecido, sólido, firme, resistente, fuerte.

딴딴히 duramente, con dureza, sólidamente, firmemente, fuertemente.

딴뜻 ① [이견(異見)] opinión *f* diferente. ② [악의(惡意)] malicia *f*, mala intención *f*.

딴마음 ① [딴 것을 생각하는 마음] otro motivo *m*, otra intención *f* ② [배반하는 마음] traición *f*, intención *f* traidora [traicionera], negras intenciones *fpl*, doble juego *m*. ～이 있는 traicionero, traidor, maniobrero. ～이 없는 sincero, devoto, leal. ～을 품다 abrigar negras intenciones, albergar la intención traicionera. 그는 늘 ～을 가지고 있다 El siempre (se) anda con dobles juegos.

딴말 palabra *f* absurda, palabra *f* irrelevante, mentira *f*. ～하다 hacer una palabra absurda [irrelevante], mentir, decir mentiras. ～하지 마라 Tú dices tonterías [estupideces·disparates] / No cambies de tema.

딴맛 ① [(본디의 맛과) 달라진 맛] sabor *m* diferente. ② [색다른 맛] sabor *m* raro [extraño·particular.

딴머리 peluca *f*.

딴사람 ① [다른 사람] otro hombre *m*, otra persona *f*. ② [전과 달라진 사람] persona *f* diferente (que antes), hombre *m* distinto (que antes). 전혀 ～ 같다 completamente parece otra persona. ser muy otro. 화장한 그녀는 전혀 ～ 같다 Con su maquillaje, ella parece una persona totalmente distinta. 그는 완전히 ～이었다 El era completamente otra persona. 그는 이제 ～이었다 El ya no era el mismo de antes.

딴사설(－辭說) otra historia *f*, otro cuento *m*.

딴살림 vida *f* separada; [부부의 별거] separación *f*, divorcio *m* limitado. ～을 하다 vivir en una casa separada, vivir por separado, vivir aparte. 형제는 각기 ～을 한다 Cada hermano tiene su propia casa.

딴생각 ① [엉뚱한 생각] segunda intención *f*, motivo *m* oculto. ② [다른 대로 쓰는 생각] otra idea *f*, otro plan *m* [concepto *m*·motivo *m*].

딴소리 ＝딴말.

딴은 bueno, bien, de veras, no me digas, ya lo creo. ～ 그렇소 De veras tú tienes razón.

딴전 palabras *fpl* irrelevante.

◆딴전(을) 보다[벌이다] hacer otro trabajo, desatender [faltar a·no cumplir con] *su* deber principal. 딴전(을) 부리다 ＝딴전(을) 보다. 딴전(을) 치다[펴다] ＝딴전(을) 보다.

딴죽 corchete *m* de pierna.
◆딴죽(을) 걸다 poner una [la] zancadilla (a).

딴쪽 otra dirección *f*, otro lado *m*.

딴판 ① [전혀 다른 판] estado *m* completamente diferente de asuntos. ~이다 ser muy diferente. 성격이 아주 ~이다 Sus caracteres se opone [está en contra] el uno al otro [세 사람부터 unos a otros]. ② [부사적] [아주 다른 모양] muy, completamente. 그들 형제는 얼굴이 ~ 다르다 Las caras de sus hermanos son muy diferentes.

딸 [여자로 태어난 자식] hija *f*. 첫~ primera hija *f*. 막내~ última hija *f*. 귀염둥이 ~ hija *f* favorita. ~을 시집보내다 casar a *su* hija.
■딸이 셋이면 문 열어 놓고 잔다 ((속담)) Si se tiene tres hijas, se gastan todos los bienes.

딸가닥 ((센말)) =달가닥.

딸각 ((준말)) =딸가닥.

딸기【식물】fresa *f*, *AmS* frutilla *f*. ~ 한 접시 un plato de fresas. 크림 ~ 한 접시 주세요 Sírvanme un plato de fresas con nata, por favor.
■ ~나무【식물】fresera *f*, fresa *f*. ~물 el agua *f* de fresas. ~ 밭 fresal *m*. ~소주 aguardiente *m* de zumo de fresa. ~송이 racimo *m* de fresas. ~술 vino *m* de zumo de fresas. ~ 잼 mermelada *f* de fresas.
~혀【의학】=매설(莓舌).

딸깍발이 ① [가난한 선비] sabio *m* pobre. ② [일본 사람] japonés, -nesa *mf*, niponés, -sa *mf*.

딸꼭단추 =똑딱단추.

딸꾹거리다 hipar.
딸꾹딸꾹 siguiendo hipando.

딸꾹질 hipo *m*. ~하다 tener [padecer] hipo, hipar, dar*le* a *uno* hipo. 나[너 · 그 · 우리 · 너희들 · 당신들]는 ~이 멈추지 않는다 No se me [te · le · nos · os · les] va el hipo. 나는 ~을 했다 Me dio hipo. ~은 방심 상태이거나 놀랄 때 곧잘 멈춘다 El hipo suele cesar con cualquier distracción o sorpresa.

딸내미 hijita *f*.

딸년 ① [내 딸] mi hija. ② [딸] hija *f*.

딸따니 hijita *f*.

딸리다 [어떤 것에 매이거나 붙다] tener, ser de, pertener a. 딸린 식구 cargas *fpl* familiares. 나에게 딸린 식구 mi (propia) familia. 자식이 딸린 이혼녀 divorciada *f* que tiene hijos. 그녀에게는 자식이 셋이나 딸렸다 Ella tiene tres hijos. 그에겐 식구가 많이 딸려 있다 El tiene mucha familia a su cargo. 그것은 그 여자에게 딸린 것이다 Es suyo / Es de ella / Le pertenece (a ella). 이것은 당신에게 딸린 것입니까? ¿Esto es tuyo? 우리들은 같은 클럽에 딸려 있다 Somos socios del mismo club.

딸림마디【언어】=종속절(從屬節).

딸림월【언어】=종속문(從屬文).

딸림음(-音)【음악】dominante *f*, superdominante *f*.

딸림조각【언어】=종속절(從屬節).

딸림화음(-和音)【음악】acuerdo *m* dominante.

딸보 enano, -na *mf*, pigmeo, -a *mf*.

딸아기 *su* hija.

딸아이 ① [아이인 딸] hija *f*. ② [남에게 자기의 딸을 이르는 말] mi hija, mi hijita.

딸애 ((준말)) =딸아이.

딸자식(-子息) ① [딸인 자식] hija *f*. ② [남에게 자기의 딸을 이르는 말] mi hija, mi hijita.

땀 ① [(더울 때에) 피부에서 나는 액체] sudor *m*. ~에 젖어서 sudoroso, profusamente sudado. ~으로 흥건한 손 mano *f* pegojosa con sudor. 손에 ~을 쥐고 sudando en las palmas, ansiosamente. ~을 훔치다 enjugar(se) el sudor. ~이 나고 있다 estar sudando, estar nadando en sudor. ~ 냄새가 나다 oler a sudor. ~ 냄새가 나는 속옷 ropa *f* interior que huele a sudor. ~으로 목욕하다 estar bañado [empapado] en sudor. ~으로 목욕하고 왔다갔다 하다 trajinar bañada [empapado] en sudor. 손에 ~을 쥔 것 같은 excitante, emocionante, acalorado. ~을 빼기 위해 샤워하다 tomar una ducha para quitarse el sudor. 피부가 ~이 있다 tener la piel sudorosa. 나는 축구 경기를 했더니 온몸이 ~으로 범벅이 됐다 Como jugué al fútbol quedé todo empapado en sudor. 그의 이마에서 ~이 흐른다 Le chorrea [corre] el sudor por la frente.
② [노력] esfuerzo *m*, paliza *f*. ~을 흘려 재산을 모으다 amontonar riquezas asiduamente [diligentemente · con esfuerzo]. 이것은 내가 ~ 흘려 번 돈이다 Este dinero lo he ganado con el sudor de mi frente.
◆땀(을) 내다 sudar. 땀을 내서 감기를 낫게 하다 quitarse un resfriado sudando. 땀(을) 들이다 ㉮ [땀이 날 때 몸을 서늘하게 하다] secar *su* sudor. ㉯ [잠시 휴식하다] descansar un rato [un momento]. 땀(을) 빼다 sudar la gota gorda, deslomarse trabajjando. 땀(을) 흘리다 sudar, traspirar, transpirar(se). ¶땀을 흘리는 sudoroso, audado, sudoso, traspirado, transpirado. 몹시 ~ sudar [traspirar · transpirar] mucho. 땀을 많이 흘리는 남자 el hombre [el] que transpira mucho, hombre sudoroso. 땀(이) 나다 sudar, traspirar, transpirar(se). ¶나는 손에 땀이 났다 Me sudaron las manos. 땀(이) 빠지다 ㉮ [진땀이 나다] sudar la gota gorda, deslomarse trabajando. ㉯ [진땀이 나도록 애를 많이 쓰다] esforzarse mucho.
■ ~ 얼룩 mancha *f* de sudor.

땀[2] [바느질할 때 실을 꿴 바늘로 한 번씩 뜬 것] punto *m*, puntada *f*.

땀구멍 agujero *m* de sudor.

땀국 sudor *m* de la ropa ensuciada.

땀기(-氣) un poco de sudor.

땀나다 ＝땀(이) 나다. ☞땀[1]
땀내 olor *m* a sudor. ～ 나다 oler a sudor. ～ 나는 몸 cuerpo *m* que huele a sudor, cuerpo *m* sudoroso.
땀내다 ＝땀(을) 내다. ☞땀[1]
땀들이다 ＝땀(을) 들이다. ☞땀[1]
땀등거리 camiseta *f* (interior) para sudor.
땀땀이 cada punto, cada puntada.
땀띠 【의학】 erupción *f* provocada por el sudor. ～가 나다 [생기다] salpullirse. 이마에 ～가 나다 tener salpullido en la frente.
■ ～약(藥) polvos *mpl* de talco, polvo *m* perfumado. ¶～을 바르다 polvorearse.
땀받이 camiseta *f* (interior) para sudor.
땀방울 gotas *fpl* de sudor. 그녀의 이마에 ～이 맺혔다 Ella tenía la frente perlada de sudor. 그의 이마에서 ～이 떨어졌다 De su frente corrieron gotas de sudor / El sudor chorreó por su frente. 이마에서 ～이 떨어진다 Caen gotas de sudor de la frente. 그의 얼굴은 ～로 얼룩졌다 El tenía la cara cubierta de gotas de sudor.
땀샘 glándula *f* sudorípara. ☞한선(汗腺)
땀수(－數) número *m* del punto.
땀수건(－手巾) toalla *f* para sudor.
땅 ① [바다를 제외한 지구의 겉면·뭍·육지] tierra *f*, globo *m* terráqueo [terrestre], mundo *m*. ～이 있는 동안에는 심음과 거둠과 추위와 더위와 여름과 겨울과 낮과 밤이 쉬지 아니하리라 Mientras el mundo exista, habrá siembra y cosecha; hará calor y frío, habrá invierno y verano y días con sus noches. ② [영토] territorio *m*. 독도(獨島)는 경상북도 울릉군에 딸린 우리 나라 ～이다 *Dokdo* es el territorio de nuestro país que pertenece a *Ulneung-gun, Gyeongsangbuk-Do*. ③ [지방·곳] región *f*, comarca *f*, lugar *m*, sitio *m*, localidad *f*, tierra *f*. ～ 끝까지 hasta el último rincón [hasta los confines] del mundo. 조상(祖上)의 ～ tierra *f* de sus antepasados. 고국 ～을 밟다 pisar la tierra nativa. 외국 ～을 밟다 pisar la tierra extranjera. 그는 만년에 이 ～에서 보냈다 Los últimos años de su vida los pasó aquí [en esta tierra]. ④ [논과 밭] el arrozal y el campo. ⑤ [대지·토지·토양] terreno *m*, suelo *m*, tierra *f*. 비옥한 ～ tierra fértil. 메마른 ～ tierra estéril. ～을 파다 cavar [perforar] la tierra. ～을 덮다 cubrir de la tierra. ～이 걸다 La tierra es fértil. 명성이 ～에 떨어지다 perderse la reputación completamente. 그의 명성은 ～에 떨어졌다 Su fama se ha venido abajo / Su fama se ha hundido [ha caído] por los suelos.
◆땅(을) 파다 cultivar el terreno, cultivar, labrar, trabajar, ser agricultor, ser ganadero. 땅(을) 파먹다 cavar para la vida.
■ 땅 짚고 헤엄치기 ((속담)) Huevo de Colón de Juanelo / Es una cosa muy fácil.
땅가뢰 【곤충】 ＝가뢰.
땅가물 sequedad *f*, aridez *f*.
땅강아지 ① 【곤충】 grillo *m* real, grillotalpa *f*, grillo *m* cebollero, cortón *m*, alacrán *m* cebollero. ② ((은어)) ＝육군.
땅개 ① ((속어)) [키가 몹시 짤막한 개] perro *m* de aguas, perro *m* muy bajo. ② [키가 작고 됨됨이가 단단하며, 잘 싸다니는 사람] persona *f* baja y vagabunda.
땅거미[1] crepúsculo *m* vespertino. ～가 질 때 al atardecer, al ponerse el sol. ～ 중에 en el crepúsculo. ～가 지다 Atardece / Va a atardecer.
땅거미[2] 【동물】 araña *f* de tierra.
땅겉 【지질】 ＝지표(地表).
땅고루기 【농업】 ＝정지(整地).
땅고름 allanamiento *m* (del suelo). ～하다 allanar, poner llano [igual], allanar el suelo. ～하는 allanador. ～하는 기계 [롤러] allanador *m*. ～하는 사람 allanador, -dora *mf*.
땅고집 obstinación *f* [terquedad *f*] severa.
땅광 ＝지하실(地下室).
땅구멍 registro *m*, pozo *m* de inspección.
땅굴(－窟) ① túnel *m* subterráneo. ② ＝토굴(土窟).
땅그네 columpio *m*, *RPl* hamaca *f*.
땅기다 tener un calambre (en), tener una punzada (en), tener un dolor agudo (en). 옆구리가 ～ tener una punzada [un dolor agudo] en el costado. 그는 발의 근육이 땅겼다 El tuvo un calambre en la pierna / (A él) Se le crisparon los nervios de la pierna.
땅껍질 【지질】 ＝지각(地殼).
땅꽂이 【지질】 ＝지축(地軸).
땅꾼 cogedor, -dora *mf* del serpiente.
■ ～자리 【천문】 Opiuco *m*.
땅내 olor *m* a tierra.
◆땅내(를) 맡다 adaptarse (a), establecerse (en), echar raíces (en).
땅덩굴줄기 【식물】 ＝기는줄기.
땅덩어리 ＝땅덩이.
땅덩이 ① [국토(國土)] territorio *m*. 아르헨띠나는 ～가 크다 La Argentina tiene un territorio grande. ② [대륙(大陸)] continente *m*. ③ [지구(地球)] tierra *f*.
땅두릅 【식물】 ＝땃두릅.
땅두릅나무 【식물】 ＝땃두릅나무.
땅딸막하다 (ser) rechoncho, regordete, cachigordo, tozo, gorde y bajo, barrigón, amondongado. 땅딸막한 사나이 hombrecito *m* rechoncho. 땅딸막한 남자 hombre *m* rechoncho. 땅딸막한 여자 mujer *f* rechoncha.
땅딸보 (hombre *m*) rechoncho *m*, retaco *m*.
땅땅[1] [연하여 총이나 포를 쏠 때에 나는 소리] teniendo un sonido metálico, haciendo estruendo.
땅땅거리다 seguir teniendo un sonido metálico.
땅땅[2] [쇠붙이를 연해 몹시 칠 때에 나는 소리] repicando, sonando.
땅땅거리다 seguir sonando [repicando].
땅땅[3] [기세 좋게 으르대는 모양] alardeando, jactándose, vanagloriándose.
땅땅거리다 alardear (de), jactarse (de),

vanagloriarse (de), fanfarronear, andar con aire arrogante.

땅뙈기 parcela *f* [terreno *m* · solar *m*] del arrozal.

땅뚫이 【기계】 =시추기(試錐機).

땅뜀 el levantar *algo* de la tierra.
◆ 땅뜀(도) 못하다 ㉮ [무거운 것을 조금도 들어 올리지 못하다] no poder levantar nada. ㉯ [조금도 알아내지 못하다] no poder entender nada. ㉰ [감히 생각조차 못하다] atreverse a pensar.

땅마지기 unos acres del campo, *ReD* unas tareas.

땅문서(-文書) escritura *f* del terreno, documento *m* de la tierra, título *m* de propiedad, el área *f* inscrita en la realidad de título.

땅밀줄기 【식물】 =땅속줄기.

땅바닥 terreno *m*, suelo *m*, tierra *f*. ~에 앉다 sentarse a tierra, sentarse en el suelo. ~에 넘어지다 caer a tierra. 우리는 ~에 앉았다 Nos sentamos en el suelo.

땅버들 【식물】 =갯버들.

땅버섯 【식물】 seta *f*, *AmL* hongo *m*, *Chi* callampa *f*.

땅벌 【곤충】 abejorro *m*, abejarrón *m*.
■ 땅벌 집 보고 꿀 돈 내어 쓴다 ((속담)) No vendas la piel del oso antes de haberlo muerto.

땅벌레 【곤충】 larva *f*, gorgojo *m*.

땅볼 roletazo *m*, rola *f*, *Ven* rolling *ing.m*.

땅세(-稅) renta *f* de terreno, alquiler *m* de la tierra.

땅속 =지하(地下). ¶~에 묻다 enterrar.
■ ~물 =지하수. ~뿌리 【식물】 raíz *f* (*pl* raíces) subterránea. ~줄기 【식물】 tallo *m* subterráneo.

땅온도(-溫度) temperatura *f* de la tierra.

땅울림 fragor *m* de la tierra, sonido *m* retumbante, retumbo *m*. ~하다 rugir la tierra. ~한다 Ruge la tierra.

땅윗물 =지표수(地表水).

땅임자 terrateniente *mf*, propietario, -ria *mf* de tierra.

땅재주 voltereta *f*. ~를 넘다 dar volteretas.

땅질성(-性) 【식물】 =배지성(背地性).

땅차(-車) niveladora *f* [removedora *f*] a tracción.

땅켜 【지질】 =지층(地層).

땅콩 【식물】 cacahuete *m*, *Méj* cacahuate *m*, *AmS* maní *m*. 소금기를 한 ~ cacahuete *m* [maní *m*] salado.
■ ~기름 aceite *m* de cacahuete [de maní]. ~버터 mantequilla *f* de cacahuete [*Méj* de cacahuate · *AmS* de maní], *RPI* manteca *f* de maní. ~ 장수 cacahuetero, -ra *mf*.

땅토란(-土卵) 【식물】 =토란(土卵).

땅파기 ① [땅을 파는 일] cavadura *f*. ② [아주 어리석어 사리를 모르는 사람] idiota *mf*, tonto, -ta *mf*.

땅파다 cavar (el terreno).

땅파먹다 cultivar, labrar, trabajar como un agricultor.

땋다 trenzar, hacer trenzas, hacer una trenza. 땋은 머리 cabello *m* [pelo *m*] trenzado, trenza *f*. 땋아 빗은 머리 peinado *m* en trenzas. 뒤로 땋아 늘인 머리 cola *f* de cabello. 머리를 ~ trenzar el pelo [el cabello], arreglar el pelo [el cabello] (a); [자신의] trenzarse, peinarse. 소녀의 머리를 ~ trenzar el pelo a una niña. 그녀는 머리를 땋고 다녔다 Ella llevaba trenzas. 그녀는 땋은 머리를 하고 있다 Ella tiene el pelo trenzado. 내 누이는 자기 머리를 땋았다 Mi hermana se trenzó el pelo. 그녀는 뒤로 땋아 늘인 머리를 하고 있다 Ella tiene su pelo atado en cola de caballo. 어머니가 딸의 머리카락을 땋았다 La madre trenzó el pelo a su hija. 내 머리를 좀 땋아 주겠니? ¿Me trenzas el pelo? / ¿Me haces trenzas [una trenza]?

때[1] ① [시간의 어떤 점이나 부분] [시간] tiempo *m*; [시각] hora *f*; [시점] momento *m*; [부사절을 이끌 때] cuando. …할 ~에 en el momento de *algo*, al + *inf*, cuando + *ind* [미래의 경우: + *subj*], mientras (que) + *ind*; […라면] si + *ind*. 내가 이 그림을 보았을 ~의 감동 emoción *f* profunda que sentí cuando vi este cuadro. 출발할 ~에 en el momento de salir [de la salida]. 어릴 ~부터 desde *su* infancia, desde *su* niñez, desde pequeño, desde niño. 그 ~에 en aquel entonces, en aquella época. 그 ~부터 desde entonces, desde aquella época. 내가 어렸을 ~ cuando (yo era) joven, en mi juventud, en mis días de juventud. 영화를 볼 ~ 자다 dormirse viendo una película. …할 ~이다 (Ya) Es hora de + *inf* [de que + *subj*]. 아직 …할 ~가 아니다 Aún no es el momento de + *inf* [de que + *subj*]. 이제 그가 올 ~이다 Ya es hora (de) que venga él / Ya vendrá. 지금은 의논할 ~가 아니다 No es momento de discusiones / No es éste el momento de discutir. 내가 서울에 도착했을 ~ 비는 이미 그쳤다 Cuando llegué a Seúl [Al llegar yo a Seúl], ya había parado de llover. 그가 돌아왔을 ~ 나는 텔레비전을 보고 있었다 Yo estaba viendo la televisión, cuando entró él. 그는 여행할 ~ 잠을 잘 잘 수 없다 El no puede dormir bien cuando está de viaje. 그가 집에 왔을 ~ 나는 책을 읽고 있었다 Yo leía un libro cuando vino a mi casa. 내가 밥을 먹고 있을 ~ 전화벨이 울렸다 Cuando yo estaba comiendo, sonó el teléfono. 우리가 만날 ~ 그것을 너한테 말해 주겠다 Te hablaré de eso cuando nos veamos. 다음에 올 ~는 미리 알려 주세요 La próxima vez que venga usted, avíseme antes. 내가 마드리드에 있었을 ~의 일을 기억하고 있다 Recuerdo cuando estaba en Madrid / Recuerdo los días pasados en Madrid. 나는 1998년에 서반아에 갔는데 그 ~ 세비야랑, 꼬르도바랑, 그라나다를 방문했다 En 1998 fui a España y en esa ocasión visité Sevilla, Córdoba, y

Granada. 그가 귀국할 ~, 나도 따라가겠다 Cuando él se vaya para su país, yo también lo acompañaré. 이번에 만날 ~는 그에게 그것을 주겠다 Se lo entregaré la próxima vez que le vea. 지금은 참아야 할 ~이다 Este es el momento de tener paciencia. 젊을 ~ 여행해라 Viaja mientras eres joven / Viaja en la juventud. 매사(每事)는 ~가 있는 법이다 Cada cosa tiene su tiempo. 그는 궁핍할 ~ 청년기를 보냈다 El pasó sus días juveniles en la miseria. 그는 기쁠 ~나 슬플 ~ 나에게 많은 지원을 해왔던 분이다 El me ha apoyado tanto en los momentos difíciles y fáciles.
② [좋은 기회나 운수, 알맞은 시기] (buena) ocasión *f*, (buena) oportunidad *f*, buena suerte *f*, momento *m* favorable. ~를 만나 en el apogeo de la gloria. ~를 놓치지 않고 sin perder tiempo, sin pérdida de tiempo, sin más tardar; [즉시] en seguida, enseguida, inmediatamente. ~를 놓치지 않고 …하다 no tardar en + *inf.* ~를 기다리다 esperar una oportunidad, guardar la oportunidad [la ocasión]. ~를 놓치다 perder la oportunidad.
③ [끼니] comida *f*, [끼니를 먹는 시간] hora *f* de comer.
④ [어떤 경우] caso *m*, ocasión *f*. …할 ~에는 en caso de *algo*, en (el) caso de que + *subj*. ~와 경우에 따라 según los casos, según las circunstancias. 그런 ~에는 en tal caso. 적당한 ~에 en tiempo, a *su* tiempo, oportunamente. 강도에게 습격을 당할 ~에는 소리를 크게 질러라 En el caso de que te ataque un ladrón grita fuerte.
⑤ ㉮ [시대. 연대] época *f*, período *m*, tiempo *m*. …의 ~에 en la época de *algo*. 어렸을 ~에 desde *su* niñez. 내가 젊었을 ~에는 cuando yo era joven, en mis días de juventud. 내가 열 살 ~(에)(는) cuando yo tenía diez años. 스무 살 ~ 나는 처음으로 서울에 갔다 A los veinte años, fui a Seúl por primera vez. ㉯ [그 당시] entonces, aquella época, aquel tiempo. 그 ~의 de entonces, de aquella época, de aquel tiempo. 그 ~의 국무총리 primer ministro *m* de entonces [de aquel tiempo].
⑥ [운이 트이어 누리는 영화] prosperidad *f*, gloria *f*.
때맞다 (ser) oportuno. 때맞은 말 palabra *f* oportuna. 때맞은 바람 viento *m* oportuno.
때없이 en algún tiempo, irregularmente, a intervalos irregulares, a espacios irregulares. ~ 밥을 달라 하다 pedir la comida en algún tiempo.

때² ① [몸이나 옷에 묻은 더러운 것, 또는 피부의 분비물과 먼지 따위가 섞이어 앉은 것] suciedad *f*, pringue *m*; [기름의] mugre *f*, [선저(船底)의] el agua *f* de pantoque [de sentina]. ~가 더덕더덕 낀 muy sucio, lleno de mugre. 자신의 ~를 씻어 버리다 quitarse la mugre, limpiarse. ② [불순하고 속된 것] grosería *f*, vulgaridad *f*, ordinariez *f*. ③ [까닭없이 뒤집어쓴 더러운 이름] difamación *f*, tacha *f* [mancha *f*] en *su* honor, vergüenza *f*, deshonra *f*, deshonor *m*. ④ [어린 티나 시골티] tosquedad *f*, patanería *f*, tochedad *f*, rudeza *f*, incultura *f*, basteza *f*, ignorancia *f*. ~를 벗다 hacerse elegante, refinarse. ~를 벗은 refinado, delicado, elegante. ~를 벗지 못한 tosco, rústico, basto, rudo, inculto, vulgar, grosero, poco elegante, patán.
◆ 때(가) 끼다 ensuciarse, mancharse, emporcarse, enmugrarse, enmugrecer. 때(가) 묻다 (ser · estar) mugriento, sucio. 때(가) 벗다 = 땟물(을) 벗다. 때(가) 빠지다 = 땟물(을) 벗다. 때(가) 오르다 = 때(가) 묻다. 때(를) 벗다 ㉮ [누명을 벗다] disipar [quitar] *su* deshonra, quitar el cargo falso. ㉯ = 땟물(을) 벗다. 때(를) 씻다 [누명을 씻다] limpiar el deshonor.

때까치 【조류】 alcaudón *m*, pega *f* reborda.

때깍 ((센말)) = 대각, 대깍, 때각.

때깔 el color y el encanto.

때꼽재기 un poco de suciedad, un poco de mugre.

때다¹ ((낮은말)) = 잡히다.

때다² [불을] hacer fuego. 아궁이에 불을 ~ hacer fuego en la cocina. 방에 불을 ~ calefaccionar la habitación (con hipocauto).

때다³ ((준말)) = 때우다.

때때 ((준말)) = 때때옷.
■ ~신 calzado *m* pintoresco para niños. ~옷 vestido *m* [traje *m*] pintoresco para niños, vestido *m* lleno de colores para niños.

때때로 a veces, unas veces, algunas veces, de vez en cuando, de cuando en cuando; [드문드문] raras veces; [어떤 경우에는] en ciertos casos, en ciertas circunstancias. 그는 ~ 좋은 작품을 쓴다 El escribe algunas veces obras buenas. 그는 ~ 밤늦게 돌아온다 A veces vuelve a casa bien entrada la noche. ~ 있는 일이다 Eso sucede a veces / No es nada del otro mundo.

때려부수다 ☞때리다

때로 ① [경우에 따라] en ciertos casos, en ciertas circunstancias. ② [이따금] algunas veces, a veces, una veces, de vez en cuando, de cuando en cuando. 그녀는 ~ 좋은 작품을 썼다 Ella escribía algunas veces obras buenas. 나는 ~ 버스로 ~ 열차로 여행했다 He viajado a veces en autobús, a veces en tren / He viajado unas veces en autobús / He viajado unas veces en autobús y otras (veces) en tren.
때로는 ((강조)) = 때로.

때리다 ① [(아픔을 느끼도록) 맨손으로나 손에 쥔 물건으로 치다] golpear, dar un golpe, pegar, batir, dar la lata, dar el rato; [손바닥으로] dar una bofetada; [주먹으로] dar un puñetazo, dar de puñetazos; [가볍게] tocar, golpear ligeramente, dar una palmita. 머리를 ~ dar un golpe [un coscorrón] en la cabeza. 세게 ~ dar golpes fuertes, tundir a golpes, golpear duramente. 몽둥이로 ~ dar un golpe con un palo, dar un golpe [un bastonazo · de palos]. 아이의 뺨을 ~ dar una bofetada al niño. 그는 내 얼굴을 때렸다 El me golpeó (en) la cara. 그는 몽둥이로 내 머리를 때렸다 Con un palo él me dio un golpe en la cabeza. 비가 창유리를 때린다 La lluvia golpea [azota] los cristales de la ventana. 파도가 해안을 때렸다 Las olas azotan la orilla. ② [비난하다] atacar, criticar. 신문에서 ~ ser atacado en la prensa. ③ [물건을 살 사람이 그 값을 놓아 부르다] rebajar, descontar.

때려누이다 =때려눕히다.

때려눕히다 derribar (a puñetazos), echar abajo. 몽둥이로 ~ derribar a palos.

때려부수다 derribar, demoler, despedazar.

때려죽이다 matar a golpes, golpear de muerte. 몽둥이로 ~ matar a palazos.

때려치우다 ((속어)) =그만두다. 결단내다.

때마침 oportunamente, a buena hora, en tiempo oportuno, convenientemente, favorablemente, a la sazón, (precisamente) en ese momento [en ese instante · entonces]; [다행히] felizmente, afortunadamente; [시기가 나쁘게] inoportunadamente; [불운하게도] desgraciadamente, por desgracia. ~ 비가 내리기 시작했다 (Precisamente) En ese momento [En ese instante · A la sazón · Entonces] comenzó a llover. ~ 비가 잘 오는군 ¡Qué buena [grata] lluvia! / ¡Qué agua tan bienhechora! ~ 그가 도착했다 El llegó a buena hora. ~ 그가 집에 없었다 Por desgracia él estaba ausente.

때맞추다 (ser) oportuno, puntual.

때매김 【언어】 =시제(時制).

때문 por; [전치사구] a causa de, por causa de, debido a, por [a] consecuencia de, con motivo de, por razones de, en cuenta de; [접속사] como, puesto que, porque, pues, que. 멀기 ~에 a causa de la lejanía. 병(病) ~에 por causa de la enfermedad, por motivos [por razones] de salud. 비 ~에 por causa de la lluvia, a consecuencia de la lluvia. 사고(事故) ~에 por [debido a] un accidente. 부주의 ~에 por descuido. 건강상의 이유 ~에 por razón de salud. 소홀한 관리 ~에 debido a una mala administración. 공복 ~에 죽다 morir(se) de hambre. 사소한 동기 ~에 싸우다 reñir por motivo trivial. 피로 ~에 쉬고 싶다 Quiero descansar porque estoy cansado. 시간이 늦었기 ~에 서둘러라 Date prisa, que es tarde. 그의 병은 과로 ~이다 Su enfermedad viene del exceso de trabajo. 그는 명령을 위반했기 ~에 벌을 받았다 El fue castigado por faltar a la orden. 태풍 ~에 강이 범람했다 A consecuencia del tifón el río se ha desbordado. 그는 술 ~에 몸을 망쳤다 A fuerza de beber él perdió la salud. 비 ~에 나는 집에 있겠다 Como llueve, estaré [me quedaré] en casa. 비가 내리기 ~에 여행을 그만둡시다 Como está lloviendo suspendamos el viaje. 그가 늦게 왔기 ~에 나는 집에 돌아와 있었다 Yo había ido a casa porque él vino muy tarde. 너를 생각하기 ~에 이렇게 생각하는 것이다 Si te doy un consejo es sólo por tu bien. 그는 그것을 단념했기 ~에 무척 즐거웠다 El se alegró tanto más cuanto que ya lo había dado por perdido. 그는 서반아에 오래 있기 ~에 서반아어를 잘한다 Como él lleva mucho tiempo en España, habla muy bien el español / El habla español tan bien porque lleva mucho tiempo en España. 그는 오지 않았습니까? – 예, 병 ~입니다 ¿No ha venido él? – No, porque está enfermo. 당신이기 ~에 알려드립니다 Por ser usted le doy esta información.

때묻다 ① [무엇에 때가 묻어 더러워지다] ensuciarse. 때묻은 옷 ropa *f* ensuciada. ② [너무 인색하게 굴어 더러워지다] (ser) tacaño, mezquino, mísero, roñoso. ③ [순수성을 잃거나 마음이 더러워지다] (ser) corrupto, impuro. 때묻은 사람 persona *f* corrupta.

때물 lo poco refinado, lo poco pulido, rusticidad *f*, tosquedad *f*, zafiedad *f*, grosería *f*, suciedad *f*, mugre *f*. ~ 벗은 소녀 muchacha *f* libre de vulgaridad. ~을 벗다 (ser) refinado, urbano, elegante, pulido, bruñido.

때아닌 [철 아닌] inoportuno, intempestivo, extemporal, inpropio de la estación, extemporáneo, fuera de estación; [예기치 않은] inesperado; [돌연한] repentino, súbito. ~ 개화(開花) floración *f* inpropia de la estación. ~ 천둥이 울렸다 Se produjo un trueno extemporáneamente.

때없이 ☞때[1]

때우다 ① [뚫리거나 깨진 곳을 다른 조각으로 대어 막다] ㉮ [깨어진 곳을] soldar. 솥을 ~ soldar la olla. ㉯ [깁다] remendar, *AmL* parchar. ② [간단한 음식으로 끼니를 넘기다] contenerse (con), pasar(se), sustituir, reemplazar. …없이 ~ pasar(se) sin *algo*, prescindir de *algo*. 하루 한 끼니로 ~ contenerse con una comida por día. 나는 아침은 빵으로 때운다 Yo desayuno con (tomar) pan. ③ [(어떤 일을) 다른 수단을 써서 간단히 해치우다] arreglar, pasar(se). …없이 ~ pasar(se) sin *algo*, prescindir de *algo*. 시담(示談)으로 ~ arreglar amistosamente. 안이하게 ~ adoptar un recurso [una solución] fácil. 나는 금년 겨울은 오버 없이 때웠다 Me pasé sin abrigo este invierno. ④ [큰 액운을 작은 괴로움으로 면하다] dispensarse (de + *inf*), excusarse (de + *inf*), eximirse (de). 그에게 인사로 때울 수밖에 없다 No puedo excusarme de saludarle / No puedo menos de saludarle.

때찔레 【식물】 =해당화(海棠花).

땔감 combustible *m*, leña *f*. ~을 공급(供給)하다 abastecer de combustible. 불에 ~을

넣다 echar leña al fuego.
땔거리 ＝땔감.
땔나무 [장작] leña *f* (para la lumbre); [짚단을 묶은 것] gavilla *f*, [나뭇조각] astilla *f*, [섶] matorral *m*. ～ 한 단 un haz de leña. ～를 빠개다 cortar la leña.
■～꾼 leñador, -dora *mf*. ～ 하치장(荷置場) leñera *f*.
땜[1] ((준말)) ＝땜질(soldadura).
■～가게 taller *m* de soldadura. ～납 soldadura *f*. ¶～으로 붙이다 soldar. ～인두 ((준말)) ＝납땜인두. ～일 soldadura *f*. ¶～하다 soldar. ～장이 calderero, -ra *mf*, [땜납의] soldador, -ra *mf*. ～질 ㉮ [깨어지거나 뚫어진 것을 때워 고치는 일] soldadura *f*. ¶～하다 soldar. ㉯ [떨어진 옷을 깁는 일] remiendo *m*, arreglo *m*, *AmL* parche *m*. ¶～하다 remendar, arreglar, *AmL* parchar. ㉰ [한 부분만 고치는 일] reparación *f* de una parte. ¶～하다 reparar solamente una parte.
땜[2] [(어떤 액운을) 넘기거나 또는 다른 고생으로 대신 때우는 일] escape *m* (del desastre). ～하다 prevenir (el desastre) con el menor sacrificio.
땜에 ((준말)) ＝때문에.
땟국 suciedad *f*, mugre *f*, roña *f*. ～이 낀 mugriento, roñoso, guarrísimo, *Chi*, *Méj* mugroso. 얼굴에 ～이 끼다 tener suciedad en la cara.
땟물 ① [겉으로 나타나는 자태] figura *f*, forma *f*, aparición *f*. ～이 훤하다 ser guapo, apuesto, bien paracido, *AmL* buen mozo *m*, buena moza *f*. 그녀는 ～이 훤하다 Ella es una mujer / *AmL* Ella es muy buena moza. ② [때를 씻어낸 물] el agua *f* sucia.
땟솔 cepillo *m* de baño, cepillo *m* de fregar.
땡[1] ① ((준말)) ＝땡땡구리. ② [뜻밖에 좋은 수가 나오는 일] un golpe de suerte imprevista.
◆땡(을) 잡다 adquirir súbitamente una gran suerte, hacer *su* agosto, sacarse la lotería, sacarse el gordo.
땡[2] [얇고 작은 쇠붙이의 그릇을 칠 때에 나오는 소리] con gran estruendo, con sonido metálico (fuerte).
땡감 kaki *m* [caqui *m*] menos maduro.
땡땡이 ① [아이들의 장난감] una especie de sonajero. ② ((속어)) campana *f*. ③ ((은어)) tranvía *m*.
■～중 monje *m* (budista) mendicante.
땡땡구리 el escoger el igual naipe.
땡땡하다 ＝댕댕하다.
땡잡다 ☞땡[1]
땡전(一錢) ((속어)) poco dinero. ～ 한 푼도 없다 no tener ni un céntimo [un centavo].
땡추 ((준말)) ＝땡추중.
■～절 templo *m* budista controlado por los monjes indignos. ～중 monje *m* indigno.
떠가다 ☞뜨다[1]
떠꺼머리 ① [혼인할 나이가 넘은 총각·처녀가 땋아 늘인 긴 머리] trenza *f*. ② ((준말)) ＝떠꺼머리총각. ③ ((준말)) ＝떠꺼머리처녀.
■～처녀(處女) solterona *f* (con trenza). ～총각(總角) solterón *m* (con trenza).
떠나다 ① [자리를 옮기려고 뜨다] abandonar, dejar, apartarse (de), marcharse (de). 고향을 ～ abandonar la tierra natal. 자, 떠나세 ¡Ea! Vamos a marcharnos / Vamos a irnos / Vámonos.
② [목적지를 향하여 가다] salir, partir, ponerse en marcha. 나는 내일 마드리드로 떠난다 Mañana salgo para Madrid.
③ [어떤 일과 관계를 끊다] dejar aparte; [은퇴하다] retirarse. 금전 문제를 떠나서 dejando aparte la cuestión del dinero. 무대를 ～ retirarse de la escena.
④ [사라지다] desaparecer, dejar de aparecer, dejar de verse.
⑤ [죽다] morir, fallecer, perecer, fenecer, finar, sucumbir, expirar, finir, dar fin, estirar las piernas, cerrar los ojos, dejar este mundo, llamarlo Dios, extinguirse, acabarse, quedarse. 세상(世上)을 ～ fallecer, morir, irse de este mundo, dejar este mundo cerrar los ojos, llamarlo Dios. 이 세상을 떠나기 전에 한 번 더 바다를 보았으면 싶은데 Desearía ver el mar una vez más antes de despedirme de este mundo.
떠내다 ☞뜨다[5]
떠는잠(一簪) ＝떨잠.
떠다니다 ☞뜨다[1]
떠다밀다 ① [손으로 세게 밀다] empujar fuerte. ② [제 일을 남에게 넘기다] cargar a otro.
떠돌다 ① [정처 없이 이리저리 돌아다니다] vagabundear, errar, andar vagando, andar vagabundo, vagamundear. 시내를～ errar por la ciudad. ② [(물위나 공중에) 떠서 이리저리 움직이다·떠다니다] flotar, sobrenadar, derivarse. 배가 큰바다를 떠돌아다녔다 El barco estaba [iba] a la deriva en el océano. ③ [(분위기나 표정에) 어떤 기미가 나타나다] un secreto aparecer en *su* semblante. ④ [(소문 따위가) 근거도 없이 여러 사람의 입에 오르내리다] correr. 소문이～ correr el rumor.
떠돌뱅이 ＝떠돌이.
떠돌아다니다 errar (por), vagar (por), andar [pasar] de un sitio al otro, ambular, vagabundear, vagamundear. 떠돌아다니는 ambulante, feriante.
떠돌이 vagabundo, -da *mf*, vagamundo, -da *mf*, hombre *m* sin domicilio fijo, persona *f* ambulante [feriante]. 그는 ～이다 El es un vagabundo. ～ 가수(歌手) cantor *m* callejero, cantora *f* callejera. ～노동자(勞動者) obrero *m* vagabundo [migratorio]. ～ 연예인 satimbanqui *mf*, ambulante *mf*.
떠돌이별 【천문】 ＝유성(遊星).
떠돌이새 el ave *f* [*pl* las aves] emigrante.
떠돌이생활(生活) vida *f* errante.

떠돌이 유태인(猶太人) el Judío Errante.
떠둥그뜨리다 levantar el rincón de una cosa y lanzar hacia abajo.
떠둥그리다 ((준말)) =떠둥그뜨리다.
떠들다[1] ① [(큰 소리로) 시끄럽게 지껄이다] hacer un ruido, alborotar, agitar, causar sensación (en · a), escandalizar, meter ruido, armar algarabía, hacer estrépito; [불만으로] protestar, alborotarse; [즐거워서] armar [meter] bulla [juerga · jolgorio], hacer [dar] una escena. 아이들이 밖에서 떠든다 Los niños están de juerga fuera. 사람들이 떠드는 소리가 들린다 Se oye la algarabía de la gente. 그 사건은 신문(新聞)에서 많이 떠들었다 La prensa se ocupó mucho del suceso. ② [(소문이나 여론 따위가) 크게 나거나 일다] hacerse pasar (por). 그는 귀족 출신이라고 떠들었다 El se hizo pasar por aristócrata.
떠들어대다 echar una arenga, hablar por los codos, soltarse la lengua.
떠들다[2] [(덮이거나 가린 것의 한 부분을) 조금 걷어 쳐들거나 잦히다] levantar el rincón de una cosa. 나는 뚜껑을 떠들고 설탕 한 숟가락을 넣었다 Yo levanté la tapa y puse una cucharada de azúcar.
떠들썩하다[1] ① [(물건이 잘 덮이거나 가려지지 아니하여 한 부분이) 떠들려 있다] ser levantado. ② [(붙인 곳의 한 부분이 떨어져) 조금 들썩하다] ser quitado.
떠들썩하다[2] ① [즐겁다] (ser) jovial, alegre. 떠들썩하게 alegremente, con alegría. 떠들썩한 웃음 (소리) risa alegre y ruidosa. ② [활기차다] (estar) animado; [시끄럽다] bullicioso, alborotador, tumultuoso, ruidoso; [갈채 · 노여움 · 축하 등으로] poner el grito en el cielo. 떠들썩하게 bulliciosamente, ruidosamente, con mucha animación. 떠들썩하게 하다 alborotar, agitar, causar sensación (en · a), escandalizar. 떠들썩한 거리 calle *f* muy animada [concurrida]. 떠들썩한 사람 hombre *m* bullicioso [alborotador]. 떠들썩하게 다루다 [기사(記事)를] dar noticias sensacionales (sobre). 거리가 ~ Se está armando un barullo en la calle / Hay mucho ruido en la calle. 세상이 ~ El mundo está agitado. 도시는 축제로 ~ La ciudad hierve (de bullicio) por la fiesta. 공원은 일요일마다 ~ En el parque hay mucha animación (todos) los domingos. 그 사건은 세상을 떠들썩하게 했다 El suceso causó mucha sensación en el mundo. 그 오직(汚職) 사건이 주간지에 떠들썩하게 다루어져 있다 Una revista semanal informa sensacionalmente ese escándalo de soborno. ③ [사람이 많이 다니다] ser de mucho tránsito, muy frecuentado, muy concurrido.
떠들어대다 ☞떠들다[1]
떠들치다 ① [조금 힘있게 들치다] levantar. ② [남의 비밀을 들추어내다] revelar, divulgar.
떠듬거리다 =더듬거리다.
떠듬떠듬 =더듬더듬.
떠름하다 ① [맛이] (ser) áspero, de sabor astringente. ② [말 · 행동이] (ser) vago, indistinto; [기분이] sombrío. 떠름한 대답 respuesta *f* adusta. 떠름한 생각 pensamientos *mpl* vagos, ideas *fpl* confusas. 떠름한 얼굴을 하다 poner (la) cara de desgrado.
떠맡기다 cargar. 빚을 ~ cargar *su* deuda.
떠맡다 recibir [guardar] en depósito [en consignación]; [담당하다] encargarse (de), echarse sobre las espaldas; [남의 대신으로] encargarse de *algo* en lugar [en vez] (de), asumir, reemplazar (a *uno* en *algo*). 빚을 ~ encargarse de la deuda (de). 책임을 ~ asumir [tomar] la responsabilidad (en lugar de). 짐을 ~ guardar el equipaje en depósito [en consigna]. 아이를 ~ encargarse de un niño. 싸움을 ~ encargarse de calmar la riña. 집안 살림을 ~ sostener [mantener] su familia. 많은 자녀를 떠맡고 있다 tener a *su* cuidado muchos hijos, tener muchos hijos que mantener. 정부가 떠맡을 문제 problemas a que se enfrenta el gobierno. 그는 그 일을 떠맡았다 Se lo echó sobre las espaldas. 그는 집안 살림을 떠맡고 있다 El es el sostén de la familia / El lleva a sus espaldas la carga de la familia. 그는 떠맡은 일로 머리를 감싸고 있다 El trabajo le tiene preocupado. 그는 너무 많은 일을 떠맡고 있다 El tiene demasiado trabajo encima. 모두 내가 떠맡겠다 Me encargo [Me hago responsable] de todo.
떠먹다 ☞뜨다[5]
떠받다 [염소가] embestir, topetar; [머리로] dar*le* un topetazo [cabezazo] a.
떠받들다 ① [번쩍 쳐들어 위로 올리다] levantar, alzar. 그는 그 돌을 한 손으로 떠받들었다 El levantó la piedra con una mano. ② [공경하여 섬기다] servir fielmente, atender bien, cuidar bien (de). 남편을 ~ atender bien a *su* esposo, tener devoción por *su* esposo, tener mucho cariño a *su* esposo. 스승으로 ~ servir fielmente como *su* maestro. ③ [소중히 다루다] apreciar mucho.
떠받들리다 ser levantado; ser servido fielmente, ser atendido bien; ser apreciado mucho.
떠받치다 sostener, apoyar, soportar. 지붕을 ~ sostener el tejado. 지붕은 여섯 개의 기둥으로 떠받쳐지고 있다 El tejado descansa sobre en seis columnas / El tejado se apoya en seir columnas. 의자는 그의 무게를 떠받칠 수 없다 La silla no pudo aguantar [resistir] su peso.
떠받히다 ser embestido. 황소에게 ~ ser embestido por el buey.
떠버리 charlatán (*pl* charlatanes), -tana *mf*; parlanchín (*pl* parlachines), -china *mf*; tarabilla *mf*.
떠벌리다 ① [지나친 과장(誇張)으로 떠들어 놓다] fanfarronear, exagerar, alardear (de),

jactarse (de). 소문을 ~ exagerar un rumor. ② [굉장한 규모로 차리다] levantar [erigir] en gran escala.

떠보다 ☞뜨다[10]

떠세하다 refugiarse bajo la influencia del otro.

떠안다 =도맡다.

떠엎다 ☞뜨다[5]

떠오다 ☞뜨다[1]

떠오르다 ① [부상(浮上)하다] emerger, surgir, ponerse a flote; [비행기가] despegar(se). 공항을 ~ despegar(se) del aeropuerto. 해가 ~ salir el sol. 기름이 수면(水面)에 떠오른다 El aceite flota enla superficie del agua. 잠수함이 수면(水面)에 떠오른다 El submarino emerge en la superficie del mar. ② [(생각·기억 따위가) 나다] ocurrir, perfilarse, acudir [venir] al pensamiento [a la cabeza], traer a la memoria [a las mentes], recordar, acordarse (de), avocar. 갑자기 생각이 ~ ocurrirse*le a uno*. 명안(名案)이 떠올랐다 Se me ocurrió [Se me ha ocurrido] una buena idea. 기억이 떠오른다 Me vienen a la mente los recuerdos. 머리에 떠오른 것을 나는 늘 적는다 Siempre apunto lo que se me ocurre. 고향의 풍경이 떠오른다 Recuerdo [Evoco] el paisaje de mi pueblo natal. 어머니의 상(像)이 떠오른다 Acude a mi mente la imagen de mi madre. 용의자들 중에서 진범(眞犯)이 떠오른다 Se perfila entre los sospechosos el criminal verdadero. 내[너·그의·우리의·너희들의·그들의] 머리에는 기발한 아이디어가 떠오른다 Me [Te·Le·Nos·Os·Les] ocurren las ideas graciosas. 어제 네가 두고 간 책을 읽을 때 문득 머리에 떠올랐다 Se me ocurrió al leer el libro que me dejaste ayer. 이 심각한 문제를 해결할 생각이 전혀 떠오르지 않는다 No se me ocurre nada para resolver este grave problema.

떠죽거리다 ① [젠체하고 되지못한 소리로 지껄여 대다] alardear, jactarse, vanagloriarse, darse importancia, darse infulas, fanfarronear, presumir, sacar pecho. ② [싫은 체하고 사양하다] fingir que no le gusta.
떠죽떠죽 de manera jactanciosa, con fanfarronería.

떠지껄하다 (ser) ruidoso, vociferante, bullicioso, escandaloso, hacer mucho ruido.

떡[1] *teok*, torta *f* de arroz (glutinoso) ;((성경)) pan *m*. ~ 먹듯 muy fácilmente, con mucha facilidad.
◆떡(을) 치다 ㉮ [(흰떡이나 찰떡을 만들려고) 떡메로 치다] machacar arroz para hacer tortas (de arroz). ㉯ [방사(房事)하다] copularse, juntarse carnalmente, tener relaciones sexuales.
▪떡으로 치면 떡으로 치고 돌로 치면 돌로 친다 ((속담)) Ojo por ojo y diente por diente. 떡 줄 놈 [사람]은 생각도 [아무 말도] 않는데 김칫국부터 마신다 ((속담)) Contar los pollos antes de empollarse / No vendas la piel del oso antes de haberlo matado / Hijo no tenemos y nombre le pondremos.
▪~고물 *teokgomul*, capa *f* [baño *m*] para la torta de arroz.

떡[2] ((속어)) [마음이 유순하고 무던히 좋은 사람] persona *f* obediente y buena.

떡[3] [버티는 꼴] firmemente; [벌리는 꼴] muy abierto. ☞딱

떡가래 ① [가래떡의 낱개] un pedazo de la torta de arroz. ② ((은어)) estiércol *m*, mierda *f*.

떡가루 torta *f* de arroz en polvo. ~를 반죽하다 amasar la torta de arroz en polvo. ~를 빻다 machacar arroz en polvo. ~를 찌다 cocinar [cocer] al vapor la torta de arroz en polvo.

떡가지나무 【식물】 =감탕나무.

떡갈나무 【식물】 roble *m*, encina *f*.
▪~ 숲 encinar *m*, encinal *m*.

떡국 *teokguk*, caldo *m* coreano con torta de arroz, sopa *f* de tortas de arroz del Día del Año Nuevo.
▪~점 pedazo *m* de torta de arroz.

떡느릅나무 【식물】 =느릅나무.

떡두꺼비같다 (ser) robusto, macizo, corpulento, de construcción sólida, de físico robusto. 떡두꺼비같은 아들 hijo *m* de físico robusto, hijo *m* de construcción sólida.

떡메 mazo *m* para martillar la torta de arroz.

떡무거리 arroz *m* en polvo áspero tamizado siendo poco apropiado para hacer las tortas de arroz.

떡방아 molino *m* de arroz en polvo.
◆떡방아 소리 듣고 김칫국 찾는다 ((속담)) No hagas la salsa antes de que hagas cogido el pez.

떡벌어지다 ① [넓게 퍼지다] (ser) muy ancho. 떡벌어진 어깨 hombros *mpl* anchos, espaldas *fpl* anchas. 어깨가 떡벌어진 ancho de hombros, ancho de espaldas. 어깨가 ~ ser ancho de hombros, ser ancho de espaldas, tener los hombros anchos, tener las espaldas anchas. ② [소문이 널리 나다] divulgarse el rumor. ③ [틈이 크게 나다] agrietarse bien. 떡벌어진 밤송이 racimo *m* de castaña bien agrietado. ④ [잔치가 크게 열리다] (el banquete) ser celebrado.

떡벌이다 ① [넓게 퍼지게 하다] hacer divulgar. ② [소문을 널리 내다] correr el rumor. ③ [잔치를 크게 열다] celebrar el banquete.

떡보 persona *f* que come bien la torta de arroz.

떡보(-褓) paño *m* de envolver para las tortas de arroz.

떡볶이 *teokboki*, pedazo *m* de torta de arroz tostado con carne y condimento.

떡산적(-散炙) pincho *m* de torta de arroz.

떡살 *teoksal*, diseño *m* de la torta de arroz

de madera.
떡소 *teokso*, relleno *m* de la torta de arroz.
떡쇠 =탄소강.
떡시루 vaporera *f* de barro para la torta de arroz.
떡심 ① [억세고 질긴 근육] tendones *mpl* y partes duras de carne. 쇠고기의 ~ tendones *mpl* y partes duras de carne de vaca. ② [성질이 검질긴 사람] persona *f* fuerte.
◆떡심(이) 좋다 ser muy fuerte. 떡심(이) 풀리다 (estar) cansado, agotado, exhasuto.
떡쌀 arroz *m* para la torta.
떡잎 【식물】 cotiledón *m*, brote *m*, retoño *m*, hoja *f* de semillas.
■될성부른 나무는 떡잎부터 알아본다 ((속담)) El genio ya expone en la niñez.
떡조개 【조개】 oreja *f* marina pequeñita.
떡충이(−蟲−) =떡보.
떡치다 ☞떡[1]
떡판(−板) ① [기름떡을 올려 놓는 판] tabla *f* de hacer la torta de arroz [pan coreano]. ② =절편판. ③ ((속어)) [여자의 엉덩이] nalgas *fpl* de la mujer.
떡팥 alubia *f* roja [haba *f* roja] cocida para rellenar en la torta de arroz
떤꾸밈음(−音) 【음악】 trino *m*.
떨거지 parentela *f*, parientes *mpl*.
떨겅거리다 ((센말)) =덜겅거리다.
떨겅떨겅 ((센말)) =덜겅덜겅.
떨그럭 ((센말)) =덜그럭.
떨그렁 ((센말)) =덜그렁.
떨기 [한 송이] un ramo, un racimo; [한 뿌리] una raíz, una planta. 한 ~ 꽃 un ramo de flores, *Méj* un bonche de flores; [작은] un ramillete de flores.
떨기나무 【식물】 arbusto *m*; [작은] mata *f*.
떨꺼덕 ((센말)) =덜거덕.
떨꺼덩 ((센말)) =덜거덩.
떨꺼둥이 persona *f* dejada fuera en el frío.
떨다[1] ① [(물체가) 작은 폭으로 흔들려 움직이다] temblar, retemblar. 떠는 목소리로 con voz temblorosa. ② [간지러울 만큼 인색하여 몹시 잔달게 굴다] (ser) mezquino, avaro, tacaño. ③ [두려워하다] temer, tener miedo. ④ [(경련·흥분·추위·공포 따위로 온 몸이나 그 일부를) 작은 폭으로 자꾸 되풀이하여 흔들다] temblar, estremecer(se); [추위로] tiritar; [오한이 들다] calofriarse, sentir calofríos; [부들부들] temblequear; [흥분하여] vibrar. 공포(恐怖)로 ~ temblar de miedo. 노해서 몸을 ~ temblar [estremecerse] de cólera. 추위로 ~ temblar de frío. 추위로 벌벌 ~ estremecerse de frío. 그는 노해서 목소리[입술]를 떨었다 Su voz tiembla [Sus labios tiembla] de cólera. 그의 목소리를 들었을 때 나는 떨었다 Al oír su voz me estremecía. 그런 불행한 이야기를 들어도 그의 마음은 떨지 않았다 No vibró su corazón al oír el relato de tanta desgracia. 그는 무서워[추위·화가 나서] 떨고 있었다 El estaba temblando de miedo [de frío·de rabia]. ⑤ [(일부 명사의 뒤에 쓰이어) 그 명사가 나타내는 성질이나 행동을 자꾸 경망스럽게 하다] actuar, hacer. 애교(愛嬌)를 ~ halagar (a), hacer*le* un cumplido (a). ⑥ [(음성 따위의) 울림을 심하게 일으키다] gorgoritear, temblar. 목소리를 떨면서 이야기하다 hablar temblando la voz.
떨다[2] ① [(붙은 것을) 떨어지게 하다] sacudir. 먼지를 ~ sacudir el polvo. ② [(전체의 계산에서 일부를) 덜어내거나 빼내다] deducir, descontar. 세금을 떨고 십만 원의 수입 ingresos *mpl* de cien mil wones después de deducir el impuesto. ③ [(돈·재물 등을) 죄다 써서 없애다·탕진하다] [돈을] despilfarrar, derrochar; [재산을] dilapidar. ④ [(팔다 남은 것을) 죄다 팔거나 사다] [팔다] agotar, agotar las existencias, liquidar; [사다] comprarse todas las existencias (de). ⑤ [(남의 재물을) 훔치거나 부당한 방법으로 빼앗거나 짜내다] robar, privar.
떨떠름하다 ① [마음이 내키지 아니하다] (ser) vago, indistinto; [기분이] sombrío. 떨떠름한 대답 respuesta *f* adusta. 떨떠름한 얼굴을 하다 poner (la) cara de desagrado. 두 사람은 떨떠름한 관계를 계속 유지했다 Los dos mantuvieron relaciones vagas. ② [맛이 매우 떠름하다] (ser) muy áspero, de sabor astringente.
떨떠름히 ㉮ vagamente, indistintamente, de mala gana, a disgusto, a regañadientes. ~ 수락하다 aceptar de mala gana. ㉯ ásperamente, con aspereza.
떨떨하다 ① [격에 맞지 않아 좀 천하다] (ser) humilde, modesto. ② [마음에 조금 흡족하지 못한 듯하다] sentirse inclinado (a).
떨떨히 humildemente, modestamente.
떨뜨리다 comportarse altivo [altanero], darse aires.
떨리다[1] [떨다[1] ①과 ④의 피동형] temblar, estremecerse; [추위·발열(發熱)로] tiritar; [진동하다] vibrar. 떨린 필적(筆跡) escritura tembona. 떨리는 목소리로 con voz temblorosa [temblona·trémula]. 떨리는 손으로 con manos temblorosas. 가슴이 ~ [감동하다] temblar de emoción, quedarse emocionado. 추워서 ~ tiritar, temblar de frío. 성이 나서 ~ temblar de cólera. 공포로 ~ temblar de miedo. 그의 다리[입술]가 떨리고 있다 Le tiemblan las piernas [los labios]. 나는 손이 떨려 쓸 수 없다 No puedo escribir porque me tiemblan las manos. 감격해서 그의 목소리가 떨렸다 Su voz temblaba de emoción. 창유리가 떨린다 Vibran los cristales de la ventana. 나뭇잎이 떨린다 Tiemblan las hojas de los árboles. 내 손은 어린아이의 손처럼 떨렸다 Mis manos temblaron como las de un niño. 그의 목소리는 가볍게 떨렸다 Le temblaba ligeramente la voz.
떨리다[2] [「떨다[2]」의 피동형] sacudirse. 먼지가 ~ sacudirse el polvo.
떨림 estremecimiento *m*, temblor *m*. ~이 오다 estremecerse, tener un ataque de estremecimiento.

떨림너비 【물리】 = 진폭(振幅).
떨새 adorno *m* de plata de la forma de pájaro en el gorro ceremonial de mujer.
떨어내다 sacudir(se). 카펫에서 먼지를 ~ sacudir el polvo de la alfombra.
떨어뜨리다 ① [(위에서 아래로) 떨어지게 하다] caer, hacer caer. 차서 tirar a patadas [a puntapies]. 나는 그것을 떨어뜨렸다 Lo caí / Lo dejé caer. ② ㉮ [(매달렸던 것을) 떨어지게 하다] hacer caer. 밤나무에서 밤을 ~ hacer caer las castañas del castaño. ㉯ [(붙은 사이를) 틈이 벌게 하다] hacer agrietarse [grietarse]. ③ [(가졌던 물건을) 흘리다·빠뜨리다] caer, dejar caer. 손수건을 ~ dejar caer un pañuelo. 나는 어디에선가 지갑을 떨어뜨렸다 Perdí la cartera en algún lugar. 여보세요, 지갑을 떨어뜨렸습니다 Oiga, se le ha caído la cartera. ④ [뒤에 처지게 하다] dejar detrás. ⑤ ㉮ [값을 싸게 하다] rebajar, descontar. ㉯ [질을 나쁘게 하다] bajar, rebajar. 품질을 ~ rebajar la calidad. ⑥ [고개를 숙이다·시선을 아래로 내리깔다] bajar. 고개를 ~ bajar la cabeza. 시선을 ~ bajar la vista, bajar los ojos. ⑦ [(옷이나 신발 따위를) 해져서 못쓰게 하다] gastar. ⑧ [밴 아이를 지우다] abortar, hacerse un aborto, practicar un aborto. ⑨ [명예나 위신 따위에 흠이 가게 하다] hacer el defecto en el honor. ⑩ [(시험·선거·입찰 등에서) 뽑히지 못하게 하다] eliminar; [경매에서] rematar. 시험에서 지원자의 반수를 ~ eliminar la mitad de los aspirantes por medio de exámenes. ⑪ [좋지 못한 상태에 빠지게 하다] caer en el mal estado. ⑫ [쓰이고 있는 물품의 뒤가 달리게 하다] agotar, consumir. ⑬ [줄 물품 중에서 얼마를 남기다] dejar algo. ⑭ [속력 따위를 줄이다] aflojar el paso, aminorar la marcha. 속력을 ~ reducir la velocidad. ⑮ [온도를 낮추다] bajar la temperatura. 체온을 ~ bajar la temperatura.
떨어먹다 [돈을] despilfarrar, derrochar, gastarse (todo), vaciar; [재산을] dilapidar.
떨어버리다 eliminar. 걱정을 ~ eliminar la preocupación.
떨어지다[1] ① [(공중에 뜬 것이나 위에 놓인 것이) 아래로 내려지다] caer(se); [특히 꽃잎이] deshojarse; [전락(轉落)하다] precipitarse, derrumbarse, derrocarse; [허물어지다] desplomarse; [방울이] gotear, chorrear; [해·달이 지다] ponerse. 계단에서 ~ caer(se) por la escalera. 강에 ~ caer en el río. 잎이 떨어진다 Las hojas caen [se desprenden] de los árboles. 벽이 떨어진다 Se desmorona la pared. 지붕이 떨어졌다 Se desplomó el tejado. 벚꽃이 떨어진다 Las flores de cerezo caen deshojadas [se deshojan]. 해[달]가 떨어진다 Se pone el sol [la luna]. 이마에서 땀이 떨어진다 El sudor chorrea de [por] la frente.
② [붙었던 것이] quitarse, despegar, desprenderse, ser arrancado, arrancarse, romperse. 인형의 머리가 떨어졌다 Se le cayó la cabeza a la muñeca. 냄비의 손잡이가 떨어졌다 Se le ha quitado [ha caído] el mango a la cacerola.
③ [(돈·물품 따위가) 빠지다] tirarse. 길에 떨어진 돈 dinero *m* tirado en la calle. 길에 돈이 떨어졌다 Encontré dinero (tirado) en la calle.
④ [(시험·입찰·선거·선발 따위에서) 뽑히지 못하다] salir mal (en), no tener éxito (en). 시험에 ~ salir mal en el examen, ser suspendido, no ser aprobado.
⑤ [(옷·신발·소지품 따위가) 해어지다] (estar) gastado, raído, desgastado. 떨어진 옷 ropa *f* gastada. 떨어진 구두 zapatos *mpl* gastados.
⑥ [값이 내리다] bajar. 값이 떨어질 기미가 보이다 tener tendencia a la baja. 주가(株價)가 떨어진다 Las acciones van en baja.
⑦ [이익이 나다] ganar, ganar la ganancia [los ingresos · las rentas].
⑧ [공간적으로 멀다] (ser) remoto, distante, lejano, alejarse (de), apartarse (de). 열(列)에서 ~ apartarse de la fila. 나는 그와 15미터 떨어져 있었다 Yo estaba de pie a unos quince metros de él. 두 마을은 약 2킬로미터 떨어져 있다 Los dos pueblos están dos kilómetros separados. 학교는 여기서 500미터 떨어진 곳에 있다 La escuela está situada a quinientos metros de aquí. 이곳은 역에서 얼마나 떨어져 있습니까? ¿A qué distancia estamos de la estación? 서울은 여기서 300킬로미터 떨어져 있다 Hay una distancia de trescientos kilómetros de aquí a Seúl / Seúl es encuentra a una distancia de trescientos kilómetros [a trescientos kilómetros de distancia] de aquí / Seúl dista trescientos kilómetros de aquí. 떨어지지 말고 나를 따라오십시오 Sígueme sin alejarte. 약간 더 떨어져 주십시오 Póngase un poco más separado / Apártese un poco más. 그의 체격(體格)은 보통 한국인보다 떨어지지 않는다 Su situación física sobresale de la del coreano regular.
⑨ [헤어지다] separarse (de), despedirse (de). 떨어진 separado. 가족과 떨어져 살다 vivir separado de la familia.
⑩ [쓰던 물품이나 돈의 뒤가 달리다] agotarse, acabarse, terminar(se), consumirse. 쌀이 ~ agotarse el arroz. 재료가 ~ [사람이 주어일 때] tener escasez (de); [물건이 주어일 때] estar agotado. 우리는 식량이 떨어졌다 Se nos han agotado los víveres. 탄약이 떨어졌다 Ya se acabaron las miniciones. 화제(話題)가 떨어졌다 Se agotan los temas de conversación. 쌀이 떨어지지 않도록 노력하세요 Procura que no se agote el arroz.
⑪ [(수준·정도 따위가 어떤 기준에 비교하여 보아) 감퇴 [감소]하다·더 낮아지다·더 못해지다] bajar. 호수의 수위(水位)가 떨어졌다 Ha bajado el nivel de agua del lago.
⑫ [임신한 아이가 지다·유산하다] abortar,

tener un aborto, sufrir un aborto, perder el niño, perder el bebé.

떨어지다[2] [(수준이나 정도 따위가) 못하다] bajar. 그는 인기가 떨어졌다 El bajó su popularidad. 그의 학교 성적이 떨어졌다 Bajaron sus notas escolares / Le han bajado las notas (escolares) / Han bajado sus notas (escolares). 학생들의 학력(學力)이 떨어졌다 Ha bajado el nivel de conocimiento de los alumnos. 이 천은 품질이 저것보다 떨어진다 Esta tela es de calidad inferior a aquélla.

떨이 venta *f* de saldos, liquidación *f*. ~하다 liquidar (las existencias).
■ ~ 물건(物件) saldo *m*.

떨잠(–簪) una especie de la horquilla *f* ornamental [decorativa].

떨치다[1] [위세가 널리 알려지다] ejercer. 위세를 전 세계에 ~ ejercer la influencia por todo el mundo. ② [위세를 일으켜 널리 알게 하다] ganar. 명성(名聲)을 ~ ganar la fama [la reputación]. 그는 악평을 떨치고 있다 Su mala fama es conocida por todo el mundo.

떨치다[2] ① [세게 흔들어서 떨어지게 하다] hacer caer. ② [(명예나 욕심 따위를) 버리다] abandonar. 명예를 ~ abandonar el honor.

떨판(–板) =진동판(振動板).

떫다 ① [맛이 거세어서 입안이 부득부득하다] (ser) áspero, astringente. 떫게 되다 asperear. 떫은 차(茶) té *m* amargo. ② [(하는 짓이) 덜되고 떨떨하다disgustar, causar disgusto. 떫은 표정을 하다 poner cara de vinagre, poner mala cara, tener un aire disgustado, mostrar su disgusto.
떫디떫다 (ser) muy áspero, muy astringente.
떫은감 caqui *m* [kaki *m*] áspero [astringente].
떫은맛 astringencia *f*, asperete *m*, tanino *m*, amargor *m*.

떰치 estera *f* de paja debajo de la albarda.

떳떳하다 (ser) honorable, limpio, justo, legítimo, franco, sentirse orgulloso. 떳떳하지 못한 생활을 하다 llevar una vida airada. 마음속에 꺼림한 것이 있어 떳떳하지 못하다 tener la conciencia sucia [culpable], no tener la conciencia tranquila. 그는 떳떳하지 못한 짓을 하고 있다 El está comprometido en algo turbio [sospechoso]. (나는 아무것에도 걸리지 않고) 양심이 ~ Tengo la conciencia tranquila / He actuado honradamente.
떳떳이 públicamente, en público, a los ojos de todo el mundo, honorablemente, de manera honorable, con integridad. ~ 부부가 되다 casarse con el aplauso de todos.

떵떵거리다 vivir en el estilo de lujo, vivir bien.

떼[1] [한데 많이 몰린 것] [무리] grupo *m*; [군집(群集)] muchedumbre *f*, tropa *f*; [폭도(暴徒) 따위의] banda *f*, horda *f*; [야생 동물의] manada *f*; [가축의] rebaño *m*, hato *m*, manada *f*; [나는 새의] bandada *f*; [날지 못하는 새의] manada *f*; [어군(魚群)] banco *m*, cardumen *m*; [고래의] grupo *m*; [벌레의] enjambre *m*. 돼지의 ~ manada *f* de cerdos. 비둘기의 ~ bandada *f* de palomas. 양의 ~ rebaño *m* [hato *m*·grey *m*] de ovejas. 타조의 ~ manada *m* de avestruces. 이리의 ~ manada *f* de lobos. 그들은 그녀를 보기 위해 ~로 몰려왔다 Ellos llegaban a verla en [a] manadas.
■ 떼(를) 짓다 agruparse, reunirse en grupo, aglomerarse, formar un grupo. 떼를 지어 agrupándose, en grupo(s), en muchedumbe, en tropa, en [a] manada, en [a] bandada.

떼[2] [뿌리째 떠낸 잔디] tepe *m*, *Andes* champa *f*; [잔디] césped *m*, céspede *m*. ~를 뜨다 recortar el césped. ~를 입히다 cubrir de césped.

떼[3] =뗏목.

떼[4] [(이치에 맞지 않는 말이나 행동으로) 의견이나 요구를 억지로 고집하는 짓] importunidad *f*, porfía *f*.
◆ 떼(를) 쓰다 importunar, porfiar, obstinarse. 떼를 쓰는 아이 niño *m* mimado, niña *f* mimada.

떼거리[1] ((속어)) =떼[1]. ¶~로 덤벼들다 atacar todos a la vez.

떼거리[2] ((속어)) =떼[4].
떼거리 쓰다 ((속어)) =떼(를) 쓰다.

떼거지 ① [떼를 지어 다니는 거지] mendigos *mpl* en grupo. ② [재변(災變)으로 졸지에 많이 생긴 거지] mucha gente que se hizo mendigos debido a la calamidad natural, nación *f* de mendigos.

떼걸다 desvincularse (de).

떼과부(–寡婦) muchas viudas. 전쟁으로 ~가 생겼다 La guerra dejó viudas a muchas mujeres / Muchas mujeres enviudaron [quedaron viudas] por la guerra.

떼꾸러기 =떼쟁이.

떼꿩 faisanes *mpl* que vuelan en grupo.
■ 떼꿩에 매를 놓기 ((속담)) De deseos nunca vi saco lleno / La codicia rompe el saco / Codicia mala, saco rompe / Quien todo lo quiere, todo lo pierde / La codicia lo quiso todo, y púsose del lodo / Los ambiciosos que lo quieren todo acaban sin nada.

떼다[1] ① [붙어 있는 것을 떨어지게 하다] despegar, apartar, desprender cosas pegadas. 떼어지다 despegarse. 열차에서 차량을 ~ separar [desacoplar] un vagón del tren. 이 두 문제는 떼어서 다루어야 한다 Hay que tratar estos dos problemas por separado. 우표는 뜨거운 물로 떼어졌다 El sello se despegó con agua caliente.
② [한 동아리로 있는 두 사이를 갈라놓다] separar. 뗄 수 없는 inseparable. 두 사람은 뗄 수 없는 관계에 있다 Los dos están unidos por relaciones inseparables.
③ [봉한 것을 떼어서 열다] despegar. 봉투

를 ~ despegar un sobre.
④ [아기를 유산시키다] abortar, hacer un aborto. 태아(胎兒)를 ~ hacer un aborto provocado, abortar provocadamente.
⑤ [걸음을 옮기어 놓다] mover. 발걸음을 ~ mover el paso.
⑥ [말을 하려고 입을 열다] abrir. 입을 ~ abrir la boca.
⑦ [첫머리를 시작하다] comenzar, empezar, abrir. 허두(虛頭)를 ~ abrir palabras, comenzar [empezar] a decir.
⑧ [전체에서 한 부분을 덜어내다] restar (*algo* de *algo*), deducir [descontar] (*algo* de *algo*). 봉급에 서 ~ deducir del sueldo.
⑨ [나쁜 버릇이나 병을 고치다] mejorar, enmendar, corregir; [병을] curar.
⑩ [먹던 것을 못 먹게 하다, 또 아니 먹다] prohibir comer, no comer.
⑪ [배우던 것을 끝내다] terminar, acabar. 독본(讀本)을 ~ terminar un libro de texto.
⑫ [(수표·어음·증명서 따위) 문서를 만들어 주다·받다] emitir. 수표를 ~ emitir el cheque.
⑬ [계속하던 [관계하던] 것을 그만두다] apartar. 그는 책에서 눈을 떼지 않았다 El no apartó la vista del libro. 나는 너무 바빠서 이 일에서 손을 뗄 수 없다 Estoy tan ocupado con este trabajo que no puedo hacer otra cosa. 갓난애한테서 눈을 떼서는 안된다 No se puede apartar la atención del nene.
떼먹다 ((준말)) =떼어먹다.
떼버리다 ((준말)) =떼어버리다.
떼어놓다 ㉮ [합친 것을 갈라놓다] separar, desunir, partir, apartar, despartir; [멀리하다] alejar. 연인을 ~ separar a los novios [a una pareja de amantes]. 싸움을 ~ separar a dos personas en lucha. 의자를 탁자에서 조금 떼어놓아 주십시오 Aparte un poco la silla de la mesa. ㉯ [뒤에 처지게 두다·남겨놓다] reservar; [경주에서] distanciar, dejar detrás [atrás]. 나는 예기치 못한 비용을 위해 약간의 돈을 따로 떼어놓고 싶다 Quiero reservarme algún dinero para los gastos imprevistos. 그는 제일 좋은 자리를 자기 몫으로 떼어놓았다 El se reservó el mejor asiento. 그는 2착을 20미터 떼어놓고 골인했다 El alcanzó la meta dejando atrás al segundo veinte metros.
떼어먹다 ㉮ [(갚아야 할 빚 따위를) 갚지 아니하다] no pagar. 빚을 ~ dejar sin pagar *su* deuda, engañar al acreedor, hacer caso omiso de las deudas. 음식 값을 떼어먹고 달아나다 escaparse sin pagar la comida. ㉯ [(부당하게) 중간에서 가로채다·횡령하다] arrebatar, interceptar, usurpar, desfalcar. 일부를 사전에 ~ deducir [descontar] previamente el porcentaje [una parte de la ganancia].
떼어버리다 despegarse, apartarse, desprender las cosas pegadas.

떼다² [하고서도 아니한 체하다] fingir no hacer. 시치미를 ~ fingir ignorancia.

떼도둑 grupo *m* de ladrones.

떼도망(一逃亡) huida *f* en grupo.

떼돈 mucho dinero inesperado.

떼떼 =말더듬이.

떼먹다 ☞떼다¹

떼몰이 acción *f* de ir en balsa. ~하다 ir en balsa.

떼밀다 empujar, echar. (사람을) 밖으로 떼밀어 내다 empujar [echar] afuera.

떼살이 【생물】 gregarismo *m*, vida *f* gregaria.

떼새 ① 【조류】 pájaros *mpl* que vuelan en bandada. ② ((준말)) =물떼새.

떼섬 =군도(群島).

떼이다 ① [빌려준 것을 못 받게 되다] resultar irrecuperable. 그 돈은 떼였다 Aquel dinero resultó irrecuperable. ② [뗌을 당하다] ser despegado. 명찰을 ~ ser despegada la etiqueta.

떼쟁이 persona *f* insistente.

떼짓다 formar un grupo. ☞떼¹

떼춤 =군무(群舞).

떼치다 ① [(달라붙은 것을) 떼어 물리치다] sacudirse, arrancar, sacar, dejar plantado, plantar, dar calabazas. 애인을 ~ dejar plantado a *su* fiancé [*su* amante], dar calabazas a *su* amante. 컴퓨터 앞에서 그를 떼칠 방법이 없다 No hay manera de arrancarle [sacarle] de delante del ordenador [*AmL* del computador · *AmL* de la computadora]. ② [(붙잡는 것을) 뿌리치다] deshacerse (de), zafarse (de). ③ [(요구 따위를) 딱 잘라 거절하다] rehusar, rechazar, no aceptar. ④ [(생각이나 정의(情誼) 같은 것을) 딱 끊어버리다] cortarse, renunciar.

떼판 =군락(群落).

뗀석기(一石器) =타제 석기(打製石器).

뗏말 manada *f* de caballos.
▪ 뗏말에 망아지 ((속담)) persona *f* que acompaña con el grupo.

뗏목 balsa *f*, almadía *f*. ~으로 운반하다 llevar en una balsa. ~을 엮다 construir una balsa. ~을 흘려 보내다 conducir una balsa aguas abajo. ~ 타는 사람 balsero, -ra *mf*; almadiero, -ra *mf*.

뗏밥 tierra *f* dada en el césped de una tumba para fertilización.
◆ 뗏밥(을) 주다 esparcir la tierra en el césped de una tumba.

뗏일 trabajo *m* que cubre de césped.

뗏장 tepe *m*, *Andes* champa *f*.

뗑 ((센말)) =뎅.

뗑겅 ((센말)) =뎅겅.

뗑그렁 ((센말)) =뎅그렁.

뗑뗑 ((센말)) =뎅뎅.

또 otra vez, de nuevo, nuevamente; [반복해서] repetidamente, repetidas veces; [그 위에] y, además; [한편] cambio; [별개의] otro, otra. ~ 한 번 otra vez, una vez más. ~ 한 잔 드세요 Sírvase usted otro vaso. 그는 ~ 형제가 있다 El tienes otro hermano. 맥주 한 잔 ~ 주세요 Otra caña, por favor. 그는 ~ 우승했다 El ganó otra vez / El se llevó otra victoria.

또그르르 rodando. ~ 구르다 revolcarse.

또깡또깡 con claridad, claramente, con precisión. ~하다 (ser) claro, preciso.

또는 o; [o-·ho-로 시작하는 단어 앞에서] u.

또다른 otro, segundo. ~ 부정 otra negación *f*, segunda negación *f*.

또다시 ① [두 번째. 재차] segundo, por segunda vez, otra vez, de nuevo. ~ …하다 volver a + *inf.* ~ 자랑을 하다 orgullecerse (de), estar orgulloso (de). ~ 일어나다 volver a ocurrir, volver a suceder, repetirse, volver a aparecer, volver a presentarse, renovar, reanudar. ~ 시작하다 reanudar. ~ 하다 repetir, hacer otra vez. 같은 실수를 ~ 저지르다 repetir el mismo error. ② [한 번 더] otra vez, de nuevo, una vez más.

또닥거리다 dar un toque (en), dar un golpecito (en), dar un golpe, dar*le* palmaditas (a); [손으로 다지다] apisonar con las manos; [비가] golpetear, tamborilear. 문을 ~ llamar a la puerta. 코드를 ~【컴퓨터】teclear un código. 그는 그녀의 어깨를 또닥거렸다 El le dio un toque [un golpecito · unas palmaditas] en el hombro. 그는 손가락으로 테이블을 또닥거리고 있었다 El tamborileaba con los dedos sobre la mesa. 식물 주위의 흙을 잘 또닥거려라 Apisone bien la tierra alrededor de la planta con las manos. 비가 지붕을 또닥거리며 온다 La lluvia está golpeteando [tamborileando] en el tejado.

또닥또닥 dando un golpecito, dando palmaditas.

또드락장이 batidor *m* de oro.

또라젓 entrañas *fpl* saladas del mújol.

또랑또랑하다 (ser) muy claro. 어린이의 또랑또랑한 목소리 voz *f* clarísima del niño.

또래 (de) la edad, (del) tamaño *m*. 고 ~ 몇몇이 찾아왔었다 Un grupo de los niños de la edad vino a verme. 그 ~를 몇 개 더 사다 주세요 Cómprame unos de ese tamaño más. 모두 그 ~ 다 Todos de ellos son de la misma edad.

또렷또렷 todo claramente, todo vistosamente, todo vívidamente.

또렷하다 (ser) claro, vivo, distinto, nítido. 또렷한 색 color *m* vivo [fresco · resplandediente. 또렷한 인상(印象) impresión *f* viva. 또렷이 claramente, vivamente, distintamente, vistosamente, vívidamente, gráficamente. 하늘에 ~ 나타나다 destacarse [dibujarse · recortarse] en el cielo.

또르띠야(서 *tortilla*) ① [오믈렛] tortilla *f*. 불란서식 ~ tortilla *f* a la francesa. ② [옥수수 가루 부침개] *Méj*, *AmL* tortilla *f*.

또바기 correctamente, exactamente, con exactitud, con precisión, puntualmente. 이자를 ~ 내다 pagar el interés puntualmente [con exactitud]. 시간을 ~ 지키다 guardar la hora puntualmente [con exactitud].

또박거리다 caminar [andar] con aire arrogante.

또박또박[1] [또박거리는 모양] con aire arrogante. 그는 ~ 걸었다 El caminó erguidos [con aire arrogante].

또박또박[2] ① [한 마디 한 마디 똑똑하게 말을 하거나 글을 읽는 모양] articuladamente, con pronunciación clara y distinta. ~ 말하다 hablar articuladamente. ② [어떤 규칙이나 차례 따위를 어기지 아니하고 하나하나 그대로 따르는 모양] puntualmente, exactamente, con exactitud, correctamente. 집세를 ~ 내다 pagar el alquiler de casa puntualmente [exactamente · con exactitud]. 이자를 ~ 물다 pagar el interés exactamente.

또아리 *toari*, almohadilla *f* de la cabeza de la forma de anillo. 뱀이 또아리치다 la culebra enrollarse [enroscarse].

또한 ① [마찬가지로] también. 나 ~ 그렇다 También soy yo. ② [그 위에 더] y, además, y además, y también. 그는 영어도 하고 ~ 서반아어도 한다 El habla español además de inglés. 그는 수학자이면서 ~ 예술가이기도 하다 El es un matemático y, también, un artista.

똑[1] [좀 작은 것이 떨어지는 소리, 또는 그 모양] con un golpe, con un toque. 눈물이 ~ 떨어졌다 Cayó una (gota de) lágrima. 그녀의 볼에서 눈물이 ~ 떨어진다 A ella le cae una lágrima por la mejilla. 단추가 ~ 떨어졌다 Se me cayó un botón.

똑[2] [아주 틀림없이] exactamente, precisamente, puntualmente, completamente. 둘이 ~ 닮았다 Los dos son completamente parecidos / Los dos son como dos gotas de agua.

똑같다 (ser) igual, (exactamente) parecido, ser como dos gotas de agua. 똑같은 날에 en el mismo día. 똑같은 두 그룹으로 나누어진 divididos en dos grupos iguales. 그들은 쌍둥이지만 똑같지 않다 Ellos son mellizos, pero no se parecen / Ellos son mellizos, pero no son parecidos. 너희들은 똑같구나! ¡Sois todos iguales! 우리들은 똑같은 액을 받았다 Recibimos igual [idéntica · la misma] cantidad de dinero.

똑같이 igual, igualmente; [같은 양으로] por igual, equitativamente; [한결같이] del mismo modo, equitativamente, en [a] partes iguales; [공평하게] imparcialmente, de la misma manera, de la misma forma, (por) igual, equitativamente; [차별 없이] sin discriminación. 그녀는 젊은이나 노인에게서 ~ 사랑을 받고 있다 Ella gusta a los jóvenes y a los mayores por igual / Ella gusta tanto a los jóvenes como a los mayores. 그녀는 모든 시험을 ~ 쉽게 통과했다 Ella aprobó todos los exámenes con igual [con la misma] facilidad.

똑딱 dando un golpe.

똑딱거리다 dar un golpe, tabletear; [굽이 높은 구두가] taconear; [컴퓨터 키보드 등

을] teclear; [비가] golpetear, tamborilear. 비가 가볍게 똑딱거리는 소리 el suave golpeteo [tamborileo] de la lluvia. 나는 문을 똑딱거렸다 Llamé a la puerta. 그는 망치로 똑딱거렸다 El dio unos golpes con el martillo. 나는 컴퓨터의 키보드를 똑딱거리고 있었다 Yo estaba tecleando el teclado del ordenador.

똑딱단추 [옷의] (cierre *m*) automático *m*, broche *m* de presión; [핸드백이나 목걸이의] broche *m*.

똑딱똑딱 tictac *m*, tableteando, dando unos golpes; [굽이 높은 구두가] taconeando.

똑딱선(一船) lancha *f* motora, motora *f*, vapor *m*, buque *m* de vapor, gasolinera *f*.

똑똑 ① [작은 물건이 연해 떨어지며 나는 소리] gota a gota, tamborileando, dando golpes ligeros. ~ 떨어지다 gotear (de), caer gota a gota (de); […위에] caer tamborileando (en), caer dando golpes ligeros (en). 그의 얼굴에서 땀이 ~떨어진다 Grandes gotas de sudor le caen por la cara. ② [작고 단단한 물건이 끊어지거나 떨어지거나 부러질 때 나는 소리] con chasquido, con ruido seco. ~ 부러지다 romperse, *AmL* quebrarse. ③ [조금 단단한 물건을 가볍게 연해 두드릴 때 나는 소리] dando unos golpecitos. 문을 ~ 두드리다 llamar [golpear] a la puerta.

똑똑하다 ① [소리가 매우 또렷하다] (ser) claro, evidente, nítido. 똑똑한 구분 distinción *f* clara. 똑똑하지 않은 소리 ruido *m* silencioso [sordo]. 똑똑한 발음 pronunción *f* clara. 똑똑한 목소리로 en voz clara. ② [사리에 밝고 야물다] (ser) inteligente, listo, brillante, genial. 그 아이는 매우 똑똑한 소녀다 Ella es una niña muy inteligent [lista]. ③ [분명하고 정확하다] (ser) evidente y exacto.

똑똑히 ㉮ [분명히] vivamente, claramente, distintamente, con claridad, perfectamente. ¶~ 말하다 hablar claramente [con claridad]. 얼굴에 ~ 보이다 verse claramente en la cara. 지금은 ~ 들린다 Ahora se oye bien. 나는 너에게 말했던 것을 ~ 기억하고 있다 Me acuerdo perfectamente [muy bien] de que te lo dije. 그는 마드리드 말투로 ~ 발음했다 El tenía un inconfundible *acento madrileño*. ㉯ [영리하게. 현명하게] inteligentemente, bien. 일처리를 ~ 하다 despachar el asunto inteligentemente.

똑바로 ① [(한쪽으로 치우치거나 굽거나 숙은 데가 없이) 곧바로] derecho, erguido, directamente; [직선으로] en línea recta; [수직으로] verticalmente. ~ 위에 justamente arriba. ~ 하다 poner derecho, enderezar; [자신의 몸을] ponerse derecho, enderezarse. ~ 놓다 colocar de pie [vertical]. ~ 서다 poner de pie [vertical]. ~ 앉다 sentarse derecho. ~ 앞을 보다 mirar derecho hacia adelante. ~ 일어서다 levantarse de su pie. ~ 얼굴을 쳐다보다 mirar (a *uno*) [a la] cara. 손을 ~ 위로 올리다 levantar las manos verticalmente hacia arriba. ~ 앉아라 Siéntate derecho. ~ 가십시오 Siga (todo) derecho / Vaya usted todo derecho / *AmL* Siga directo. 그는 식전(式典) 내내 ~ 있었다 El mantuvo erguido durante toda la ceremonia. ② [(조금도 틀림없이) 아주 바른 대로] honradamente, honestamente, francamente. 거짓없이 ~ 말하라 Dime la verdad sin mentiras.

똘기 fruta *f* inmadura [inmatura · verde]..

똘똘 ① [물건을 여러 겹으로 마는 모양. 또 여러 겹으로 뭉쳐진 모양] liando, envolviendo, arrollando. ~ 말다 liar, envolver, arrollar. 담배를 ~ 말다 liar el cigarrillo. 옷을 ~ 말다 liar la ropa. 실을 북에 ~ 말다 envolver el hilo a la bobina. ② [물건이 가볍고도 세게 구르는 소리] rodando.

똘똘이 niño, -ña *mf* inteligente; niño *m* sabio, niña *f* sabia.

똘똘하다 (ser) inteligente, sabio. 그 아이는 무척 ~ El niño es muy inteligente.

똘똘히 inteligentemente.

똘만이 ① ((속어)) =부하. ② ((속어)) =아이. 거지 어린애. ③ ((속어)) muchacho, -cha *mf* de la casa de huéspedes.

똘배 pera *f* silvestre.

똘배나무 【식물】 peral *m* silvestre.

똥 ① [동물이 먹은 것이 삭아 똥구멍으로 나오는 찌끼] [사람이나 동물의] estiércol *m*, excremento *m*, fimo *m*, aguas *fpl* mayores, freza *f*, mierda *f*; [어린이의] caca *f*; [새·파리의] excremento *m*; [소 따위의] boñigas *fpl*, bosta *f*, caca *f*; [말의] cagajón *m*; [마소의] bosta *f*; [개의] canina *f*, heces *fpl*; [닭의] gallinaza *f*; [해조(海鳥)의] guano *m*; [산양·토끼·사슴·쥐 등의 둥글둥글한 것] cagarruta *f*, caca *f*. 개가 ~을 싼다 Un perro hace heces. ~이나 처먹어라 ¡Váyase [Vete] a la mierda! / ¡Al diablo! / ¡Maldito seas! / ¡Mierda! 낙타의 ~은 사막에서 연료로 사용된다 El excremento de camello usa como combustible en el desierto. ② =먹똥. ③ ((은어)) [금] oro *m*.

◆똥(을) 누다 cargarse, exonerar el vientre, hacer de vientre, excrementar, deponer los excrementos, excretar, expeler el excremento.

◆똥(을) 싸다 ((속어)) [몹시 힘이 들다] pasarlo mal, tener la experiencia amarga. ¶그는 군대에서 똥을 쌌다 El lo pasó mal en el ejército. 똥이 마렵다 tener ganas de cargarse [de excrementar · exonerar el vientre · excretar · hacer de vientre].

■똥 묻은 개[돼지]가 겨 묻은 개[돼지] 나무란다 [흉본다] ((속담)) El puchero dijo que a la sartén: Apártate de mí, que me tiznas / Dijo la sartén al cazo: quítate que me tiznas / Dijo la sartén a la caldera, quítate allá, que me tiznas / Dijo el asno al mulo: tira allá, orejudo. 똥이 무서워 피하나 더러워 피하지 ((속담)) Por medio de gorriones no se dejan de sembrar caña-

mones.
똥갈이 =자리갈이.
똥값 precio *m* muy barato.
똥개 perro *m* criollo.
똥거름 fimo *m*, fiemo *m*, excremento *m*.
■ ~ 장수 vendedor, -dora *mf* de excremento.
똥구멍 ano *m*.
■ 똥구멍으로 호박씨[수박씨] 깐다 ((속담)) Pretender la ignorancia mientras tiene vergüenza. 똥구멍이 찢어지게 가난하다 ((속담)) Es muy [extremadamente] pobre [pobrecito] / Es tan pelado como una rata / Es más pobre que las ratas [una rata] (en la iglesia) / Es tan pobre como un ratón de sacristía.
똥그라미 ((센말)) =동그라미.
똥그랑땡 ((속어)) =돈저냐.
똥그랗다 ((센말)) 동그랗다.
똥그래지다 ((센말)) =동그래지다.
똥그스름하다 ((센말)) =동그스름하다.
똥그스름히 ((센말)) =동그스름히.
똥글똥글 ((센말)) =동글동글.
똥기다 informar, avisar(*le* a), dar*le* un chivatazo (a), *CoS* pasar*le* el dato (a).
똥끝 punta *f* de excremento.
◆똥끝(이) 타다 preocuparse, inquietarse, estar preocupado, ponerse inquieto.
똥누다 =똥(을) 누다. ☞똥
똥독 jarra *f* para el estiércol.
똥독(-毒) veneno *m* de estiércol.
똥똥이 persona *f* gorda, hombre *m* gordo, mujer *f* gorda.
똥똥하다 (ser) muy gordo, gordísimo, rechoncho. 똥똥한 아이 niño *m* gordísimo, niña *f* gordísima; *Cuba*, *ReD* barrigudo, -da *mf*. 배가 똥똥한 사람 hombre *m* panzudo, mujer *f* panzuda; panzón, -zona *mf*, barrigón, -gona *mf*, barrigudo, -da *mf*.
똥똥히 gordamente.
똥마렵다 =똥이 마렵다. ☞똥
똥물 ① [똥이 풀려 섞인 물] el agua *f* excremental. ② [구토가 심할 때 나오는 누르스름한 물] el agua *f* amarillenta al vomitar mucho.
똥바가지 calabaza *f* de estiércol.
똥배 bariga *f*, panza *f*, *Chi* guata *f*. bariga *f* protuberante, barigón *m*, panzón *m*, guatón *m*.
똥싸개 niño, -ña *mf* que no puede controlar su evacuación (intestina).
똥싸다 =똥(을) 싸다. ☞똥
똥오줌 el estiércol y la orina, excrementos *mpl*. 환자의 ~을 받아내다 cuidar los excrementos de un enfermo.
똥요강 *deposición f*, orinal *m* para estiércol.
똥자루 estiércol *m* largo y grueso.
똥주머니 escoria *f*, tonto, -ta *mf*, inútil *mf*, calamidad *f*.
똥줄 (tronco *m* de) estiércol *m* de pasar evacuaciones incontrables rápidamente.
◆똥줄(이) 나다 =똥줄(이) 빠지다. 똥줄(이) 당기다 tener miedo, estar asustado. ¶그녀는 똥줄이 당긴다 Ella está que se muere de miedo / Ella está con un miedo [un susto] que se muere. 똥줄(이) 빠지다 huirse de prisa temblando de miedo. 똥줄(이) 타다 =똥끝(이) 타다. ☞똥끝
똥집 ① ((속어)) =대장(大腸)(intestino grueso). ② =체중(體重)(peso). ③ =위(胃)(estómago).
◆똥집(이) 무겁다 quedarse más de la cuenta, abusar de *su* hospitalidad.
똥차(-車) ① [똥을 실어나르는 차] coche *m* que transporta el estiércol. ② ((속어)) =고물차.
똥창 una parte de las entrañas de la vaca.
◆똥창(이) 맞다 ser del mismo parecer, tener la misma opinión.
똥치 ① ((은어)) ramera *f*, prostituta *f*, puta *f*. ② ((은어)) mujer *f* que tenía relaciones sexuales con muchos hombres.
똥칠(-漆) mancha *f* en su reputación.
똥칠하다 ㉮ [똥을 묻히다] hacer embadurnar [untar] el excremento. ㉯ [치욕을 당하다] deshonrarse, deshonorarse, deshonestarse. 얼굴에 ~ manchar *su* reputación, deshonrar, desacreditar, deshonrar el nombre (de). 여러 사람 앞에서 얼굴에 ~ manchar *su* reputación en público. 그는 이 사건으로 얼굴에 똥칠했다 El ha manchado su reputación en este asunto.
똥탈(-頉) ((낮은말)) =배탈.
◆똥탈(이) 나다 ㉮ [똥탈이 생기다] tener dolor de estómago. ㉯ [급한 탈이 나다] tener un ataque de una enfermedad aguda.
똥털 vello *m* del borde del ano.
똥통(-桶) ① [똥을 담는 통] cubo *m* de estiércol. ② [좋지 않거나 낡아 빠진 것] mala cosa *f*, cosa *f* vieja.
똥파리 ① [똥에 모이는 파리] moscas *fpl* de acudir en el estiércol. ② 【곤충】 mosca *f* de estiércol. ③ [아무 일에나 함부로 간섭하는 사람] entremetido, -da *mf*. ④ ((은어)) [신문 기자] periodista *mf*. ⑤ ((은어)) [경찰관] policía *mf*, agente *mf*.
똥항아리 ① =똥요강. ② [지위만 높고 아무 재능이 없는 사람] persona *f* inútil en la posición superior. ③ [먹기만 하고 하는 일이 없는 사람] persona *f* que sólo come y no trabraja.
똬리 rodete *f*.
■ ~굴(窟) ((준말)) =또아리굴. ~쇠 【기계】 arandela *f*.
뙈기 ① [논밭의 한 구획] una sección del campo o del arrozal. ② [작은 한 조각] un pedacito, un trocito.
뙤다 ① [그물코나 바느질 땀 등이 터지다] partirse, romperse. 그물코가 뙨다 La malla de una red se rompe. 바늘귀가 뙨다 El ojo de una aguja se rompe. ② [물건의 귀가 깨어져 떨어지다] romperse. 책상 귀가 뙨다 La punta de una mesa se rompe.
뙤뙤 tartamudeando, gagueando.
뙤뙤거리다 tartamudear, gaguear.
뙤약볕 sol *m* fuerte [abrasador · deslum-

brante · resplandeciente · que encandila]. ~을 쪼이다 exponerse al sol abrasador. ~을 쪼이며 bajo el sol abrasador.

뙤창(－窓) ((준말)) ＝뙤창문.

■ ~문 ventanita *f*, ventana *f* pequeña, puerta *f* con una ventanita.

뚜[1] ((준말)) ＝뚜쟁이.

뚜[2] [기적 · 나팔 등의 외마디 소리] pitando, tocando el claxon [la bocina]. ~(하고) 울리다 pitar, tocar el claxon [la bocina].

뚜껑 ① [(물건이나 그릇 따위의) 아가리를 덮는 제구(諸具)] tapa *f*, tapadera *f*, tapón *m* (*pl* tapones), tapador *m*, cubierta *f*, cobertera *f*, solapa *f* (봉투의), cartera *f* (호주머니의), portezuela *f* (호주머니의); [만년필 · 연필의] capuchón *m* (*pl* capuchones). ~을 덮다 tapar, taponar, cubrir, poner una tapa (a), poner el tapón (a). ~을 열다 destapar, levantar la tapa (de), quitar el tapón (de). ~을 덮어 두다 mantener *algo* tapado. 두 ~이 꼭 들어맞는다 Las dos tapas se ajustaron perfectamente. ② ((속어)) [모자] gorra *f*, gorro *m*, sombrero *m*.

뚜껑돌 【역사】 ＝개석(蓋石).

뚜껑밥 comida *f* que puso los cereales cocidos abajo y el arroz cocido encima.

뚜껑이불 edredón *m* enguatado sin sábanas.

뚜덕거리다 dar un golpe, dar un golpecito, dar un toque; [문을] llamar, *AmL* golpear, *AmL* tocar. 문을 ~ llamar [*AmL* golpear · *AmL* tocar] a la puerta.

뚜덕뚜덕 dando unos golpecitos, llamando.

뚜뚜 siguiendo pitando, siguiendo sonando. 기적을 ~ 울리다 pitar, tocar un silbato [pito]. 나팔을 ~ 불다 tocar la trompeta.

뚜렷하다 [명백하다] (ser) evidente, claro, obvio, nítido, vívido, manifiesto, visible; [확실하다] cierto, seguro, confirmado. 뚜렷한 기억 recuerdo *m* vívido. 뚜렷한 대답(對答) respuesta *f* segura [definitiva]. 뚜렷한 목소리 voz *f* clara. 뚜렷한 사실(事實) hecho *m* claro. 뚜렷한 실수(失手) error *m* manifiesto. 뚜렷한 증거 prueba *f* evidente [innegable · positiva]. 뚜렷하게 하다 aclarar, poner en claro. …하는 것은 ~ Es evidente [claro] que + *ind.* 의미가 아주 ~ El significado está bien claro. 이유가 뚜렷하지 않다 La razán no está clara.

뚜렷이 evidentemente, vivamente, claramente, obviamente, distintamente, con claridad; ciertamente, seguramente, bien. 얼굴에 ~ 보이다 verse claramente en la cara. 이제 ~ 들립니다 Ahora se oye bien.

뚜벅거리다 caminar [andar] con aire arrogante, caminar erguido.

뚜벅뚜벅 con aire arrogante. 나는 ~ 걸었다 Caminé erguido [con aire arrogante].

뚜쟁이 proxeneta *mf*, chulo *m* (de putas); alcahuete, -ta *mf*, rufián, -fiana *mf*, traficante *mf* de mujeres públicas; rufiancete *m*; rufianejo *m*; [집합적] rufianesca *f*. ~의 proxenético.

■ ~ 노릇[짓] alcahuetería *f*, alcahuetazgo *m*, alcahotería *f*, proxenetismo *m*, rufianería *f*. ¶~하다 alcahuetear, alcahuetar, alcahotar, rufianear.

뚝[1] ① [좀 큰 것이 떨어지는 소리, 또는 그 모양] con estrépito. 호박이 ~ 떨어진다 La calabaza cae con estrépito. ② [굵고 단단한 것이 단번에 부러지면서 나는 소리, 또는 그 모양] bruscamente. ~ 부러지다 romperse [cortarse] bruscamente.

뚝[2] ① [계속되던 것이 갑자기 그치는 모양] decidamente, de una vez para siempre, en seco, de repente. 술을 ~ 끊다 dejar de beber decididamente [de una vez para siempre]. 실이 ~ 끊겼다 Se cortó en seco el hilo. 전화가 ~ 끊겼다 Se cortó la línea de repente. ② [(거리 · 순위 · 성적 따위를) 두드러지게 떨어지는 모양] de un golpe. 그는 성적이 ~ 떨어졌다 Sus notas bajaron mucho de un golpe.

뚝[3] [(행동이나 말을) 단호하게] con firmeza, firmemente, con resolución, con decisión, resueltamente.

뚝감자 【식물】 ＝뚱딴지.

뚝나무 【식물】 ＝느릅나무.

뚝딱 ① [무엇을 거침없이 시원스럽게 해치우는 모양] rápido, rápidamente, en un abrir y cerrar de ojos. 밥 한 그릇을 ~ 해치우다 comer un cuenco [un tazón] en un abrir y cerrar de ojos. ② [단단한 물건을 계속 두드릴 때에, 한 번 나는 소리] repiqueteando, chacoloteando.

뚝딱거리다 ㉮ [좀 단단한 것을 연해 뚜드릴 때 울려서 소리가 나다. 또 그런 소리를 내다] hacer ruido, chacolotear, repiquetear. ㉯ [갑자기 놀라거나 겁이 났을 때 가슴이 두근거려 뛰다] latir con fuerza, palpitar. 그녀의 문에 가까이 갔을 때 나는 가슴이 뚝딱거렸다 El corazón me latía con fuerza al acercarme a su puerta. 나는 흥분으로 뚝딱거리는 가슴으로 그녀를 기다렸다 Yo la esperaba con el corazón palpitante de emoción.

뚝뚝[1] ① [큰 것이 연해 떨어지는 모양이나 소리] goteando, gota a gota, a gotas esparcidas, en granos [piezas · pizcas · gruesos · pedazos]. ~ 떨어지다 caer agitándose; [비가] hacer ruido acompasado; [눈물이] escurrir. ~ 흘리다 caérse*le* a *uno* sucesivamente, desprenderse (de). 밥을 ~ 흘리다 derramar arroz. 눈물을 ~ 떨어뜨리다 dejarse caer lágrimas a gotas, llorar con lágrimas gruesas. 피가 ~ 떨어진다 La sangre cae en gotas gruesas. 비가 ~ 떨어지기 시작한다 Ha empezado a chispear. 피가 ~ 흐른다 La sangre chorrea / Sale [Mana] la sangre a borbotones. 상처에서 피가 ~ 흐른다 La sangre gotea de la herida. 그의 이마에서 땀이 ~ 떨어진다 El sudor le chorrea por la frente. 나뭇잎이 ~ 떨어진다 Las hojas del árbol caen balanceándose en el aire. 그녀는 눈물을 ~ 흘렸다 Grandes lágrimas le caían [rodaban] por sus mejillas.

② [굵거나 큰 물건이 연해 부러지며 나는 소리] con chasquido, con ruido seco. 지팡이가 ~ 부러졌다 El bastón se rompió con chasquido.
③ [단단한 것이 연해 뚜드려 내는 소리] dando unos golpecitos. 그는 계속 문을 ~ 두드렸다 El siguió llamando a la puerta.

뚝뚝² ① [여럿 사이의 거리가 현저하게 떨어져 있는 모양] mucho, muy. 사이를 ~ 떼어놓다 alejarse [distanciarse] mucho el intervalo. ② [값·순위 같은 것이 계속해서 현저하게 떨어지는 모양] mucho, muy. 물건 값이 ~ 떨어지고 있다 El precio sigue bajando mucho.

뚝뚝하다 ① [나긋나긋한 맛이 없이 거세고 단단하다] (ser) duro, fuerte, resistente. 뚝뚝한 말씨 expresión *f* dura. ② [인정미가 없이 굳기만 하다] (ser) duro, severo, insociable, poco sociable, huraño. 뚝뚝한 사람 persona *f* insociable, persona *f* poco sociable. 사람이 너무 ~ ser muy insociable, ser poco sociable.
뚝뚝이 sin rodeos, rotundamente, de manera cortante.

뚝발이 ① ((준말)) =절뚝발이. ② ((은어)) [소] vaca *f*. ③ ((은어)) [쇠고기] carne *f* de vaca. ④ ((은어)) [돼지고기] cerdo *m*, puerco *m*. ⑤ ((은어)) [전쟁 부상병] invlido *m* de guerra.

뚝배기 tazón *m* [cuenco *m* · bol *m*] de barro.
◆ 뚝배기(를) 차다 hacer bancarrota y pedir limosna.
■ 뚝배기보다 장맛이 좋다 ((속담)) Las apariencias engañan / So vaina de oro, cuchillo de plomo / Mucho ojo, que la vista engaña / No te fíes de las apariencias.

뚝버들 【식물】 =버드나무.

뚝별나다 (ser) irascible, colérico, iracundo, furioso, de genio vivo, de mucho genio, de mal genio, susceptible, irritable, malhumorado, desagradable.

뚝별씨 irascibilidad *f*, genio *m* vivo, mal genio *m*; [사람] persona *f* irascible [colérica · iracunda · de genio vivo · de mal genio · de mucho genio].

뚝심 fuerza *f* física, resistencia *f*, aguante *m*; [당해 내는 힘] entereza *f*, fortaleza *f*. ~이 센 사람 hombre *m* de fuerza poderosa. 그는 ~이 무척 세다 El es muy fuerte.

뚝하다 ((준말)) =뚝뚝하다.

뚤뚤 rodando. ~ 말다 rodar.

뚫다 ① [구멍을 내다] agujerear, perforar, taladrar, ahuecar, barrenar, punzar, horadar, hacer una perforación, hacer, abrir; [관통하다] atravesar. 4인치 철갑판(鐵甲板)을 뚫을 수 있는 포탄 proyectiles *mpl* que pueden atravesar un blindaje de cuatro pulgadas. 뚫고 나가다 atravesar, traspasar. …에 구멍을 ~ hacer un agujero en *algo*, agujerear *algo*. 뚜껑에 구멍을 뚫으십시오 Haga un agujero en la tapa / Agujeree la tapa. 탄환이 내 다리를 뚫고 나갔다 Una bala me atravesó la pierna. 그들은 바위에 구멍을 뚫었다 Ellos hicieron una perforación en la roca. 못이 타이어에 구멍을 뚫었다 Un clavo había pinchado el neumático. 갈빗대가 그의 폐에 구멍을 뚫었다 La costilla le perforó el pulmón. 그녀는 귀에 구멍을 뚫었다 Ella se ha hecho hacer agujeros en las orejas. 그들은 석유 탐사를 위해 구멍을 뚫고 있다 Ellos están haciendo perforaciones en busca de petróleo. ② [(막힌 것을 헤치거나 갈라) 통하다] abrir. 산길을 ~ abrir el camino en la montaña. 우리들은 군중 사이로 길을 뚫었다 Nos abrimos paso entre la muchedumbre. ③ [(어떤 장애나 난관 따위를) 헤치다] superar, dominar, vencer, salvar. 장애(障碍)를 ~ vencer [superar · salvar] obstáculos. 숱한 고난을 뚫고 나가다 vencer una serie de sufrimientos. 입시(入試)의 난관을 ~ vencer [superar · salvar] la barrera del examen de ingreso. 나는 시련을 뚫었다 Yo no sucumbí a la tentación. ④ [(어떤 일을 위한) 길을 찾아내다] buscar. 일자리를 ~ buscar el trabajo [el puesto]. 권력 있는 사람을 ~ buscar a la persona con poder e influencia, buscar a la persona poderosa e influyente.
뚫어내다 agujerear, abrir un agujero. 판자에 구멍을 ~ abrir un agujero en la tabla.
뚫어뜨리다 agujerearse, perforarse.
뚫어지다 ㉮ [구멍이나 틈이 생기어지다] agujerear(se), perforar(se), ser agujereado, ser perforado. 이 송곳이면 잘 뚫어진다 Este taladro (se) perfora bien. ㉯ [길이 통하여지다] abrirse, ser abierto. ㉰ [이치를 통하게 되다] entenderse, ser entendido. ㉱ [어느 곬을 찾게 되다] ser buscado.
뚫어지게 보다 tragarse con la vista, fijarse (en), concentrar la mirada (en), fijar la vista [los ojos] (en), mirar con avidez y fijeza, devorar con la mirada [con los ojos · con la vista].
뚫어트리다 =뚫어뜨리다.

뚫리다 abrirse, agujerearse, perforarse. ☞뚫어지다
뚫린골 ((준말)) =뚫린골목.
뚫린골목 callejón *m* transitable.

뚱 ((준말)) =뚱딴지.

뚱기다 ① [현악기 따위의 줄을 탄력 있게 튀기어 진동하게 하다] rebotar. 가야금 줄을 rebotar las cuerdas de *gayagum*. ② [슬쩍 귀띔해 주다. 암시해 주다] infromar, avisar.

뚱기치다 rebotar fuerte.

뚱딴지¹ ① [완고하고 우둔하며 무뚝뚝한 사람] persona *f* franca, persona *f* directa, persona *f* estúpida. ~ 같은 [터무니없는] absurdo, ridículo; [불합리한] absurdo; [우스꽝스러운] risible, de risa, ridículo; [어리석은] tonto, idiota, estúpido, bobo, torpe; [몰상식한] inconsciente, sin sentido; [되지 모한] disparatado, absurdo; [뜻밖의] inesperado, imprevisto. ~ 같이 absurdamente, ridículamente, risiblemente, estúpidamente,

sin ninguún sentido. 우리가 그것을 사는 것은 ~ 같은 일이 될 것이다 No tendría sentido que lo compráramos. ② =뚱보. ③ =애자(礙子).
◆뚱딴지 같은 소리 tonterías *fpl*, estupideces *fpl*, disparates *mpl*. ~ 하지 마라 ¡No digas tonterías!

뚱딴지² 【식물】 cotufa *f*, especie de girasol.

뚱뚱보 =뚱뚱이.

뚱뚱이 persona *f* gorda [corpulenta · regordete]; gordo, -da *mf*, gordito, -ta *mf*, rellenito, -ta *mf*, saco *m*.

뚱뚱하다 (ser) gordo, gordezuelo, gordete, grueso, corpulento, inflado, barrigón, barrigudo, amondongado, rechoncho; [포동포동하다] regordete, rellenito. 뚱뚱하게 하다 engordar, cebar, poner gordo. 뚱뚱해지다 engordar(se), ponerse gordo. 나는 뚱뚱해지기 싫다 No quiero engordar. 그는 배가 ~ El es panzudo [panzón · barrigón].
뚱뚱히 gordamente, corpulentamente, barrigonamente, regordetemente.

뚱보 ① [심술난 것처럼 뚱해서 붙임성이나 인정이 적은 사람] persona *f* callada y lúgubre, persona *f* taciturna [cabizbaja · apesadumbrada · poco comunicativa · reservada]. ② ((준말)) =뚱뚱보.

뚱하다 ① [말수가 적고 붙임성이 없다] (ser · estar · quedarse) taciturno, silencioso, callado. 뚱한 남자 hombre *m* callado y lúgubre. 뚱해 있다 quedarse callado. ② [못마땅하여 시무룩하다] (ser) poco sociable, huraño, hosco. 그녀는 ~ Ella es poco acogedora / Ella es hosca.

뛰놀다 dar saltitos, brincar saltitos, retozar. 아이들이 운동장에서 뛰놀고 있다 Los niños están dando saltitos en el patio (de recreo).

뛰다¹ ① [자기 몸을 위로 솟게 하여 오르다] saltar. 껑충껑충 ~ rezotar, saltar, brincar. 기뻐서 껑충껑충 ~ saltar [brincar · dar saltos] de alegría. 높이 ~ saltar alto. 아이들이 침대 위에서 껑충껑충 뛰었다 Los niños saltaban [brincaban] sobre la cama. 나는 이층에서 뛰었다 Yo salté del [desde el] primer piso. 그는 도랑을 뛰어 건넜다 El cruzó la zanja de un salto. 말은 울타리를 뛰어 넘었다 El caballo saltó la verja. 그는 길에서 깡충깡충 뛰어 갔다 El iba brincando [dando saltitos] por el camino.
② [(맥이나 심장 따위가) 벌떡벌떡 움직이다] latir, palpitar. 나는 맥박이 무척 빨리 뛰는 것을 느꼈다 Yo sentía que el corazón me latía muy rápido.
③ [매우 세게 위로 흩어져 오르다] saltar.
④ [탄력 있게 계속 튕기어 오르다] saltar. 공이 잘 뛴다 La pelota salta bien.
⑤ [빨리 달리다] correr (rápido).
⑥ 【속어】 =도망하다(huir, escapar).
⑦ [(값 따위가) 갑자기 크게 오르다] subir vertiginosamente. 물가가 자꾸 뛰어 오른다 Los precios suben vertiginosamente.
⑧ [(순서를) 차례대로 거치지 않고 거르거나 넘기다] saltar(se), omitir. 나는 한 줄을 뛰고 읽었다 Me he saltado un renglón. 작가는 한 테마에서 다른 테마로 뛰었다 El escritor saltó de un tema a otro.
⑨ [(무엇을 부인하거나 애매하거나 할 때에) 아주 굳센 태도를 보이다] saltar. 화가 나서 펄쩍 ~ saltar con cólera.
뛰어가다 precipitarse, acudir. 현장(現場)에 ~ acudir [precipitarse] a la escena. 차로 ~ darse una vuelta [un paseo] en coche. 뛰어가서 담배를 사오겠다 Voy en una corrida a comprar tabaco.
뛰어나다 superarse, excederse, sobresalir, distinguirse, destacarse, encimarse, ser excelente (en), aventajar, superar, sobrepujar; [어떤 일에서만] pintarse solo para + *inf*, ser fuerte (en), ser hábil (en). 뛰어난 extraoridinario, excepcional, excelente, selecto, sobresaliente, primoroso, relevante, distinguido, eminente, célebre. 뛰어난 건축가(建築家) maestro, -tra *mf* en obras. 뛰어난 인물(人物) persona *f* extraordinaria. 뛰어난 재능 talento *m* extraordinario. 뛰어난 학생 estudiante *mf* [alumno, -na *mf*] sobresaliente. 뛰어난 재능을 가지다 tener unas dotes extraordinarias. 어학(語學)에 ~ excederse en lenguaje. 피아노에 ~ tocar muy bien el piano. 그는 영어에 ~ El es fuerte en ingés / El sabe mucho inglés. 그의 서반아어 실력은 ~ El sobresale entre todos por sus conocimientos de español. 그녀의 수학(數學) 실력은 ~ Ella es excelente en matemáticas. 그녀의 노래는 ~ Ella es una cantante extraordinaria. 그는 서반아어에서는 학급에 뛰어난다 El aventaja [supera] en español a todos los de su clase. 그는 여러 면에서 나보다 ~ El me aventaja [El es superior a mí] en varios puntos. 그는 뛰어난 과학자이다 El es un científico excelente. 그는 돈 버는 데만 ~ El se pinta solo para ganar dinero. 그는 뛰어난 기억력을 지니고 있다 El está dotado de una memoria excepcional / El se distingue por su notable memoria. 이 아이는 음악에 뛰어난 재질이 있다 Este niño tiene talento para la música.
뛰어나게 extraordinariamente, excepcionalmente, sumamente. 그는 ~ 머리가 좋다 El sobresale (entre todos) por su inteligencia / El aventaja [supera] a todos en inteligencia. 그는 ~ 발이 빠르다 El tiene unos pies mucho más ligeros que nadie.
뛰어나가다 salir precipitadamente, lanzarse, abalanzarse, saltar; [별안간 나타나다] aparecer repentinamente [de repente]. 방에서 ~ salir precipitadamente del cuarto. 창으로 ~ salir por la ventana. 개가 길에 뛰어나갔다 De repente apareció un perro en la calle.
뛰어나오다 salir precipitadamente, lanzarse, abalanzarse, saltar; [별안간 나타나다] aparecer repentinamente [de repente]. 아이가 골목에서 ~ aparecer de repente un niño

de la callejuela.
뛰어내리다 saltar. 열차에서 ~ saltar del tren. 이층에서 ~ saltar del [desde el] primer piso. 지면(地面)에 ~ saltar a tierra. 창문에서 ~ saltar por la ventana. 뛰어내려 자살하다 suicidarse tirándose [arrojándose] (desde).
뛰어넘다 saltar. 담[도랑]을 ~ saltar una cerca [una zanja].
뛰어다니다 recorrer (por), correr de una parte a otra, travesear, juguetear, andar saltando.
뛰어들다 ㉮ [(날래게 움직이어) 빨리 들어오거나 들어가다] pisar hacia el interior. ㉯ [(예기치 아니한 순간에) 갑자기 들어오거나 들어가다] entrar de repente. ㉰ [(어떤 일에) 무조건 마구 달려들다] entrar por fuerza, entrar de rondón [con ímpetu] (en), penetrar, invadir, revasar [traspa- sar] los límites. ㉱ [(남의 일에) 참견하여 끼어들다] entremeterse. 대화에 ~ entremeterse en una conversación. ㉲ [높은 데서] zambullirse (en), chapuzarse (en), arrojarse (a), echarse (a), saltar (a). 물에 ~ zambullirse [chapuzarse] en el agua, arrojarse [echarse · saltar] al agua.
뛰어 들어가다 entrar corriendo, entrar precipitadamente (en), precipitarse (en). 방으로 ~ entrar precipitadamente [precipitarse] en el cuarto.
뛰어 들어오다 entrar precipitadamente (en), precipitarse (en). 집 안으로 ~ entrar precipitadamente [precipitarse] en casa.
뛰어오다 venir corriendo.
뛰어오르다 subir de un salto, saltar, dar saltos, brincar. 단 위에 ~ subir de un salto a la tarima. 열차에 ~ tomar el tren a toda prisa. 문을 막 닫으려고 할 때에 열차에 ~ subir al tren corriendo cuando está a punto de cerrar las puertas.

뛰다² ① [그네에 올라서서 몸짓을 하며 앞으로 나갔다 물러났다 하다] hacer oscilar. 그네를 ~ columpiarse, *RPI* hamacarse. ② [(널 한복판을 괴고 양쪽에 서서) 몸을 위쪽으로 솟게 하여 올라갔다 내려왔다 하다] columpiarse. 널을 ~ columpiarse.

뛰어가다 ☞뛰다[1]

뛰엄젓 ranas *fpl* saladas.

뛰엄줄기 =기는줄기.

뜀 ① [두 발을 모으고 앞으로 뛰어나가는 짓] carrera *f*, corrida *f*. ② [몸을 달리어 높은 데에 오르거나 넘는 짓] salto *m*. ③ [빨리 뛰는 짓] carrera *f* rápida.
◆ 뜀(을) 뛰다 saltar, dar un salto.

뜀뛰기 salto *m*.
■ ~ 경기(競技) pruebas *fpl* de saltos. ~ 선수(選手) saltador, -dora *mf*. ~ 운동(運動) ejercicio *m* de saltos. ~ 종목(種目) pruebas *fpl* de saltos. ~판(板) trampolín *m* (*pl* trampolines).

뜀뛰다 saltar. ☞뜀

뜀박질 ① [뜀을 뛰는 짓] salto. ~하다 saltar. ② [달음박질] carrera *f*, jogging *ing.m*. ~하다 correr.

뜀질 ((준말)) =뜀박질.

뜀틀 trampolín *m* (*pl* trampolines).
■ ~ 운동 【체조】 salto *m* de trampolín.

뜨개바늘 ((준말)) =뜨개질바늘.

뜨개질 punto *m*, labor *m* [trabajo *m*] de punto, punto *m* de media, labor *f*, [특히 *AmL*] tejido *m*. ~하다 hacer calceta, hacer punto (de aguja), hacer ganchillo, tejer a punto de aguja, *AmL* tejer. ~한 옷 géneros *mpl* de punto. ~의 코 puntada *f*, punto *m*. 내 누이는 ~하기를 정말 좋아한다 Me encanta hacer punto / Me encanta hacer calceta / [특히 *AmL*] Me encanta tejer.

뜨개질바늘 aguja *f* de hacer punto, *AmL* aguja *f* de tejer, *Chi* palillo *m*; aguja *f* de gancho para hacer crochet, aguja *f* de medias [de punto], aguja *f* de hacer medias.

뜨갯것 géneros *mpl* de punto, artículos *mpl* de punto.

뜨겁다 ① [열이 몹시 나다] (estar) caliente, tener calor. 뜨거울 때에 en caliente. 뜨거운 물[차(茶)] agua *f* [té *m*] caliente. 뜨거운 요리 plato *m* [cocina *f*] caliente. 뜨겁게 하다 calentar; [작열하다] caldear. 지나치게 ~ quemar, calentar mucho. 뜨거운 눈물을 흘리다 derramar lágrimas de emoción. 국이 ~ La sopa está caliente. 햇볕이 ~ El sol está caliente. 난로가 ~ La estufa da mucho calor. 물이 무척 ~ El agua está ardiendo / El agua está muy caliente / El agua está que pela. 커피가 너무 ~ El café está demasiado caliente. 모터가 뜨겁게 되었다 Se ha calentado el motor. 내 이마가 ~ Me arde la frente. 수프가 너무 뜨거워 먹을 수 없다 La sopa quema y no puedo comer. 아이, 뜨거워! ¡Ay [Auch], qué calor! 그것을 만지지 마라. ~ No lo toques, está caliente. 두 사람은 뜨거운 사이다 Los dos se quieren locamente / Los dos están muy amorados el uno del otro. 나는 뜨거운 음식이 좋다 Me gusta la comida caliente. ② [(심한 심리적 자극으로) 얼굴이 몹시 화끈하다] arder. 낯이 뜨거워지다 arder*le* la cara a *uno*. ③ [열정에 차다 · 감격에 넘치다] estar lleno de ardor.
뜨거워지다 ponerse caliente, calentarse. 솥이 ~ calentarse la olla. 화덕이 ~ calentarse el horno. 여자에게 ~ enamorarse [prendarse] de una mujer.
뜨거워하다 sentir el calor.
뜨겁디뜨겁다 estar muy caliente.

뜨끈뜨끈 tiernamente, calientemente.
뜨끈뜨근하다 (ser) recién sacado del horno (화덕에 갓 꺼내다); tierno, caliente. 뜨끈뜨끈한 빵 pan *m* tierno. 뜨끈뜨끈한 밤 castañas *fpl* calientes.

뜨끈하다 (estar) bastante caliente. 뜨끈한 물 el agua *f* bastante caliente.
뜨끈히 bastante calientemente.

뜨끔거리다 doler, tener dolor (de).

뜨끔하다 ① [찔리거나 맞아서 아픈 느낌이 있다] pinchar, *Méj* picar. 수염이 ~ pinchar*le* [*Méj* picar*le*] con la barba a *uno.* ② [양심에 자극되어 뜨거운 느낌이 있다] sentir el aguijón (de), tener remordimientos (de). 양심이 ~ sentir el aguijón de la conciencia, tener remordimientos de la conciencia.

뜨내기 trotamundos *mf.sing.pl;* vagabundo, -da *mf.*
■ ~손님 cliente *m* pasajero, cliente *m* de paso, cliente *f* pasajera, cliente *f* de paso. ~장사 negocio *m* casual, negocio *m* temporal.

뜨다[1] ① [가라앉지 않고 물 위에 있다] flotar, sobrenadar. 뜨게 하다 hacer flotar, poner a flote; [물 위에] 【수영】 hacer la plancha. 철은 수은 위에 뜬다 El hierro flota sobre el azogue. 기름은 물 위에 뜬다 El aceite sobrenada en el agua. 꽃잎이 물에 떠 흘러가고 있다 Los pétales corren flotando en el agua. 하늘에 구름이 떠 있다 Hay nubes en el cielo.
② [공중으로 솟아오르다] salir; [이륙하다] despegarse. 비행기가 ~ despegarse el avión. 해가 ~ salir el sol. 달이 ~ salir la luna.
③ [착 달라붙지 않고 공간이 생기다] quedar flojo; [벽지가] despegarse.
④ [가라앉거나 차분하게 되지 못하고 들썽하게 되다] tener el gusanillo (de). 그는 여행하고 싶어 마음이 떠 있었다 El tenía el gusanillo de los viajes. 그는 그 여자에게 말하고 싶어 마음이 떠 있었다 El estaba que se moría por decírselo. 그 여자는 텔레비전에 나갈 생각에 마음이 떠 있었다 Ella se muere [se pirra] por salir en la tele.
⑤ [(꾸어준 돈이나 물건이) 못 받게 되다] acabarse, no quedar nada (de). 돈이 모두 떠 버렸다 Se ha acabado el dinero / No queda nada de dinero.
떠가다 [공중을] ir volando; [물위를] ir flotando.
떠내려가다 llevarse, ser arrastrado (por las aguas). 홍수로 다리가 떠내려갔다 La riada se llevó el puente. 바람으로 보트가 떠내려갔다 El bote fue arrestrado por el viento. 젊은 선교사의 성경과 수첩과 옷이 물에 떠내려갔다 La biblia, las libretas de notas y la ropa del joven misionero fueron arrastradas por las aguas.
떠다니다 ㉮ [(하늘이나 물위를) 떠서 오가다] flotar, sobrenadar. ㉯ [정처없이 이리저리 다니다] errar, vagar, vagabundear, vagamundear.
뜬구름 ㉮ [하늘에 떠다니는 구름] nube *f* flotante, nube *f* errante. 하늘에는 한 조각의 ~도 없다 No hay ni una nube flotante en el cielo. ㉯ [덧없는 세상일] mutabilidad *f,* fugacidad *f,* lo efímero. ~ 같은 인생(人生) vida *f* fugaz [efímera · pasajera], fugacidad *f* de vida humana. 인생은 ~과 같은 것이다 La vida es un sueño vacío / Nada es cierto in este mundo / Todo es vanidad en vida.
뜬돈 dinero *m* ganado de imprevisto, dinero *m* caído como llovido del cielo.
뜬생각 =공상(空想).
뜬소문(所聞) rumor *m* infundado.
뜬인물(人物) =헛인물.
뜬재물(財物) ganancia *f* inesperada, ganga *f,* cosa *f* llovida del cielo.
뜬저울 【물리】 aerómetro *m,* hidrómetro *m,* gravímetro *m,* densímetro *m* de líquidos,

뜨다[2] ① [(물기 있는 물체가 답쌓여서) 제 몸의 훈김에 썩으려고 변하다] hacerse rancio, oler a humedad, oler a moho. ② [(메주나 누룩이) 발효하다] fermentar, sufrir la fermentación. 뜨게 하다 hacer producir la fermentación. ③ [(병 따위로) 얼굴빛이 누르고 살갗이 부푼 것 같이 되다] hacerse amarillento [cetrino].

뜨다[3] [(이승에서 또는 있던 곳이나 자리에서) 떠나다] ausentarse. 자리[고향]에서[를] ~ ausentarse del asiento [de la tierra natal].
◆ 세상(을) 뜨다 morir, fallecer, dejar este mundo, estirar las piernas, cerrar los ojos.

뜨다[4] [병을 다스리기 위하여 약쑥을 비벼 혈에 놓고 불을 붙여 태우다] cauterizar, dar cauterio, cauterizar con moxa. 뜸을 ~ aplicar la moxa, cauterizar con moxa.

뜨다[5] ① [(전체에서 일부를) 떼어내다] recortar, cortar, eliminar. 뗏장을 ~ recortar el tepe. 석탄을 삽으로 ~ palear el carbón mineral. 눈을 삽으로 ~ espalar con la pala. ② [(물건을 많은 양에서) 일정한 양으로 퍼서 들다] sacar, coger, recoger. 물을 ~ sacar el agua. 삽으로 ~ recoger con una pala. 손으로 물을 떠서 마시다 beber agua cogiéndola en [con] las manos. 삽으로 모래를 떠 올리다 recoger arena con una pala. ③ [(옷감을) 피륙에서 끊어서 사다] comprar. 저고릿감을 ~ comprar una pieza de tela para la blusa. ④ [(죽은 짐승의 몸뚱이를) 일정한 크기로 떼어내다] cortar en partes; [고기의 살을 얇게 저미다] cortar. ⑤ [(물 위나 물 속에 있는 것을) 건져내다] coger. 그물로 물고기를 ~ coger peces con una red. ⑥ [(종이나 김을) 틀에 펴서 낱장으로 만들다] fabricar. 종이를 ~ fabricar papel.
떠내다 ㉮ [퍼서 내다] recoger, coger, tomar, sacar. 수저로 우유의 위에 뜬 것을 ~ sacar [recoger] la nata de la leche con una cuchara. 손으로 물을 떠서 마시다 beber agua cogiéndola en [con] las manos. 삽으로 모래를 떠내 올리다 recoger arena con una pala. 망으로 고기를 ~ coger peces con una red. ㉯ [도려내다] extraer. 돌을 ~ extraer piedras de una cantera.

뜨다[6] [(감거나 감겨진 눈을) 벌리다, 또는 잃었던 시력을 되찾다] abrir; [시력을 되찾다] recuperar [recobrar] la vista. 눈을 ~ abrir los ojos. 봉사가 눈을 떴다 El ciego recobró [recuperó] la vista.
뜬눈 ojos *mpl* abiertos. ~으로 밤을 새다

velar, pasar la noche [trasnochar] en vela [sin pegar los ojos · sin dormir ni un instante].
뜬소경 =눈뜬장님.

뜨다[7] ① [(실·노·말총 따위로 코를 얽어서 그물·장갑·탕건 등을) 만들다] tejer, entretejer. 손으로 뜬 스웨터 jersey *m* hecho a mano. 그물을 ~ entretejer una red, hacer una red. 장갑을 ~ hacer guantes de punto, tejer el guante. 실로 양말을 ~ tejer los calcetines con [de] hilo. 새끼줄을 ~ hacer sogas de paja. ② [(실을 꿴 바늘로) 한 땀씩 바느질을 하다] coser. 터진 데를 한두 바늘 ~ dar unas puntadas en un rasgón [desgarrón]. ③ [(살갗에 먹실을 꿰어 그림·글자 등을) 그려 넣거나 자취를 내다] tatuar, grabar dibujos en la piel humana.

뜨다[8] ① [(놓여 있는 무거운 물건을) 위로 쳐들어 올리다] levantar, alzar. ② ((씨름)) [상대편을 번쩍 들다] levantar.

뜨다[9] ① [(본을 받아서) 그와 똑같게 하다] copiar, imitar. 수본(繡本)을 ~ copiar el dibujo de bordado del modelo original. 아버지 본을 ~ imiar a *su* padre, seguir el ejemplo de *su* padre. ② [도면을 그리거나 지형(紙型)·연판(鉛版) 따위를 만들다] dibujar, trazar, copiar.

뜨다[10] ① [(저울로 물건의 정도를) 헤아리다] pesar. 쇠고기를 저울로 ~ pesar la carne con balanza. ② [상대방의 속마음을 알아보려고, 어떤 말이나 행동을 넌지시 걸어보다] sondear, tantear.
떠보다 ㉮ [무게를] pesar. ㉯ [(어떤 방법으로) 사람을 달아 보다·넌지시 알아보다] inquirir [investigar] tácitamente. ㉰ [남의 속마음을 넌지시 알아보다] sondear, tantear, buscar la intención (de).

뜨다[11] ① [(움직이거나 나아가거나 또는 발육 상태가) 느리거나 더디다] (ser) lento. 피곤해서 걸음이 ~ El paso es lento con cansancio [con fatiga]. ② [느낌이 둔하다] (ser) torpe, lerdo, lento, corto de entendederas. ③ [(입이 무겁거나 하여) 말수가 적다] (ser) taciturno. 말이 뜬 아가씨 señorita *f* taciturna. ④ [(칼날 같은 것이) 날카롭지 못하고 무디다] (ser) romo, embotado, desafilado, sin filo, sin corte; [연필이] desafilado, que no tiene punta, *AmL* mocho. 칼날이 뜬다 El filo de un cuchillo es desafilado. ⑤ [(다리미·인두 같은 쇠붙이가 불에) 다는 성질이 둔하다] ser lento a calentarse. ⑥ [공간적으로 거리가 있거나 시간적으로 기간이 오래다] estar lejos, estar separado, hacer mucho tiempo. 그의 사이가 뜬 아내 su esposa, de quien está separado. 그녀는 남편과 사이가 떠 있다 Ella vive [está] separada del marido. 그들은 지금 사이가 떠 있다 Ellos están separado ahora. ⑦ [시간적으로 동안이 생기다] tener un intervalo.

뜨더귀 destrozo *m* en pedazos. ~하다 destrozar [romper · rasgar] en pedazos, desmontar, desmantelar, desarmar.
■ ~판 escena *f* de desmantelar.

뜨덤뜨덤 titubeando, balbuceando, con dificultad, difícilmente. 글을 ~ 읽다 leer titubeando [con dificultad].

뜨듯하다 =뜨뜻하다.

뜨뜻미지근하다 (estar) tibio. 국물이 ~ La sopa está tibia.

뜨뜻하다 (estar) tibio, templado, caliente. 뜨뜻한 옷 ropa *f* de abrigo, ropa *f* templada. 집에서 제일 뜨뜻한 방 la habitación más caliente de la casa. 이제 점점 뜨뜻해지기 시작한다 Ya empieza a hacer más calor. 아직 뜨뜻할 때 먹어라 Cómetelo antes de que se enfríe. 방이 뜨뜻하도록 문을 닫아라 Cierra la puerta para que no se vaya el calor [para que no se enfríe] la habitación. 음식이 아직 뜨뜻했다 La comida estaba todavía caliente. 뜨뜻한 미풍이 불었다 Soplaba una brisa cálida. 이 장갑은 아주 ~ Estos guantes son muy calentitos.
뜨뜻이 tibiamente, templadamente. ~ 감싸라 ¡Abrígate bien! 불 옆에 앉아 몸을 ~ 녹이시오 Siéntate junto al fuego, así entrarás en calor.

뜨막하다 hacer mucho tiempo, tener un intervalo largo.

뜨물 ① [쌀 씻은 물] el agua *f* que ha estado lavado el arroz. ② =진딧물.

뜨문뜨문 =드문드문.

뜨스하다 estar templado.

뜨습다 estar muy caliente.

뜨악하다 (ser) reacio, renuente, sentirse inclinado (a + *inf*), no querer + *inf*, no estar dispuesto a + *inf*.

뜨음하다 disminuir, (estar) ralo, poco denso; [산재하다] disperso, esparcido; [부족하다] escaso. 뜨음하게 difusamente, de modo poco denso; esporádicamente. 뜨음한 박수 aplausos escasos. 발길이 ~ ir menos frecuentemente. 거리는 인적이 ~ Se encuentra muy poca gente en la calle / La calle está casi disierta. 이 지역은 인가가 ~ Esta zona está poco poblada / Esta zona está escasamente salpicada de casas. 비가 약간 뜨음했다 La lluvia ha disminuido un poco.
뜨음해지다 amainar, calmarse.

뜨이다 ① [감았던 눈이 열리다] abrir, despertar(se) ser abierto. 깊은 잠에서 눈이 ~ despertar de un sueño profundo. 성(性)에 눈이 ~ despertar del sexo. ② [몰랐던 사실이나 숨겨졌던 본능을 깨닫게 되다] aguzar el oído, *AmL* parar la oreja. 그녀는 한국에 관한 이야기를 듣자 귀가 번쩍 뜨였다 Ella aguzó el oído [*AmL* paró la oreja] al oír hablar de Corea. ③ [눈에 들어오다. 또 발견되다] (ser) manifiesto, notorio, evidente, hacerse abrir (los ojos), atraer la atención (de). 그것은 내 눈을 뜨이게 했다 Me hizo abrir los ojos. ④ [두드러지게 드러나다] (ser) llamativo. 눈에 뜨이는 미인(美人) belleza *f* llamativa. 눈에 뜨이는 특

징 característica *f* llamativa.

뜬것 [떠돌아다니는 못된 귀신] demonio *m* [espíritu *m*] ambulante.

뜬계집 mujer *f* que uno tiene un asunto casual.

뜬구름 ☞뜨다[1]

뜬눈 ☞뜨다[6]

뜬돈 ☞뜨다[1]

뜬뜬하다 ① [약하지 않고 굳세다] (ser) fuerte, vigoroso, firme, robusto. ② [속이 차서 야무지다] (ser) firme, sólido. ③ [매우 흡족하여 허수하지 않다] (ser) bastante, suficiente, satisfactorio. ④ [무르지 않고 굳다] (ser) duro.

뜬말 ☞뜨다[1]

뜬세상(-世上) ☞뜨다[1]

뜬소경 ☞뜨다[6]

뜬소문(-所聞) ☞뜨다[1]

뜬숯 tizón *m* de madera [de carbón].

뜬재물(-財物) ☞뜨다[1].

뜬저울 ☞뜨다[1]

뜯게 ropa *f* muy gastada.

뜯기다 ① [빈대·모기 등에 물리다] ser picado. ② [남에게 무엇을 빼앗기다] ser extorsionado, ser sacado. ③ [내기에 지다] perder de apuesta. ④ [마소에게 풀을 뜯어 먹게 하다] pastar, pacer. ⑤ [머리털 따위를] (ser) desplumado, depilado, arrancado.

뜯다 ① [붙은 것을 떼다] quitar, sacar; [기계를] desmontar; [건축장의 발판을] desmantelar, desmontar; [가구를] desmontar, desarmar; [선박·건물을] desmantelar; [풀을] pastar, pacer; [털 따위를] desplumar, depilarse. 공장(工場)을 ~ desmantelar una planta. ② [노름판에서 돈을 얻다] sablear (a), dar sablazas (a). ③ [남을 졸라서 조금씩 얻어오다] extorsionar. ④ [이로 물어 떼다] morderse. 갈비를 ~ morderse la costilla. ⑤ [물것들이 물다] picar. 모기가 뜯었다 Picaron los mosquitos. ⑥ [현악기의 줄을 퉁겨 소리를 내다] tocar. 거문고를 ~ tocar el *gomungo*.

뜯어고치다 reconstruir; [문장(文章) 따위를] adaptar.

뜯어내다 ㉮ [붙어 있는 것을 떼어내다] quitar, sacar, eliminar, desplumar. ㉯ [조각조각 떼어내다] quitar en pedazos. ㉰ [졸라서 무엇을 얻어 내다] ganar [recibir] pidiendo con insistencia. ㉱ [돈을] extorsionar.

뜯어말리다 ㉮ [어울려 싸우는 것을 떼어 못하게 말리다] separar. ㉯ [풀 등을 베어 말리다] cortar y secar

뜯어먹다 ㉮ [마소가 풀을 뜯어서 먹다] pacer. 소가 풀을 뜯어먹는다 Una vaca pace. ㉯ [이로 물어서 떼어먹다] morderse y comer. 갈비를 ~ morderse la costilla. ㉰ [붙은 것을 떼어먹다] quitar y comer. ㉱ [남을 조르거나 압력을 넣어 얻어먹다] sablear (a), dar sablazos (a).

뜯어버리다 quitarse, sacarse, eliminar.

뜯어벌이다 ㉮ [벌리어 놓다] desmontar. ㉯ [이야기를] decir en una manera desagradable.

뜯어보다 ㉮ [봉한 것을 헤치고 그 속을 살피다] abrir y mirar. ㉯ [살펴보다] mirar de hito en hito, examinar, inspeccionar, revisar. ㉰ [겨우 읽다] leer con dificultad, descifrar.

뜯적거리다 rascar, arañar.

뜯적뜯적 rascando, arañando.

뜰 patio *m*, jardín *m* (*pl* jardines). ~에는 꽃이 많이 피어 있다 Tenemos muchas flores en el patio.

뜰먹거리다 =들먹거리다.

뜰먹뜰먹 =들먹들먹.

뜰먹이다 =들먹이다.

뜰썩거리다 =들썩거리다.

뜰아랫채 edificación *f* anexa, edificio *m* anexo.

뜰아랫방(-房) habitación *f* en el edificio anexo separado por un jardín del edificio principal.

뜰채 red *f* barredera.

뜰층계(-層階) escalón *m* (*pl* escalones) del patio a la galería [la veranda].

뜸[1] 【화학】=발효(醱酵).

뜸[2] [띠·부들 같은 것의 풀로 거적처럼 엮어 만든 물건] estera *f* de junco.

뜸[3] 【한방】moxa *f*, moxiterapia *f*.

◆뜸(을) 뜨다[놓다] aplicar la moxa, cauterizar con moxa.

▪~쑥 moxa *f*. ¶요즈음 ~의 사용이 무척 잦아졌다 El uso de las moxas es muy frecuente. ~자리 moxa *f*.

뜸[4] [무엇을 찌거나 삶거나 익힐 때에 흠씬 열을 가한 뒤에 푹 익게 하는 일] el reposar (bien).

◆뜸(을) 들이다 dejar reposar. ¶밥을 ~ dejar reposar el arroz cocido. 밥에 뜸을 잘 들여라 Deja reposar bien el arroz cocido. 뜸(이) 들다 reposar bien. ¶밥이 뜸이 들었다 El arroz cocido ha reposado bien.

뜸[5] [한 마을 안에서 몇 집씩 따로 한군데 모여 사는 구역(區域)] sección *f* residencial, edificio *m* de casas.

뜸깃 material *m* para hacer la estera de junco.

뜸꼴돌기(-突起) 【동물】=방적돌기.

뜸단지 ☞부항단지

뜸밑 【화학】=효소(酵素).

뜸베질 embestida *f*, topetazo *m*. ~하다 embestir, topetar.

뜸부기 【조류】rascón *m*, gallareta *f*.

▪~구이 rascón *m* asado, gallareta *f* asada.

뜸씨 【화학】=효소(酵素).

뜸지근하다 (ser) algo lento y digno.

뜸직뜸직 lentamente, solemnemente, gravemente, con gravedad. 말을 ~하다 decir palabras graves. 걸음을 ~ 걷다 andar lentamente.

뜸직하다 (ser) digno, moderado, mesurado, comedido. 뜸직한 말 palabras *fpl* moderadas. 뜸직한 성격 carácter *m* moderado.

뜸직이 despacho, lentamente, pausadamente, gravemente, seriamente, solimnemente, moderadamente, mesuradamente.

뜸질 cauterización *f*, moxa *f*, moxiterapia *f*. ~하다 cauterizar, dar cauterio, cauterizar con moxa.

뜸집 choza *f* [cabaña *f*・barraca *f*] cubierta de paja, choza *f* con tejado de junco.

뜸팡이 ①【식물】=효모균. ②【화학】=효소.

뜸하다 ((준말)) =뜨음하다.

뜻 [의향(意向)] intención *f*, idea *f*; [의지(意志)] voluntad *f*, mente *f*, deseo *m*; [목적(目的)] propósito *m*, objeto *m*, fin *m*, objetivo *m*; [희망(希望)] esperanza *f*; [야망(野望)] ambición *f*, aspiración *f*. 하나님의 ~, 신(神)의 ~ voluntad *f* de Dios. 자신의 ~에 반(反)해 contra *su* voluntad, contra *su* gusto, de mala gana. ~에 따르다 rendirse [someterse] (a *uno*・a la voluntad de *uno*), rendir [someter] *su* voluntad (a), obedecer (a). ~을 어기다 desobedecer (a), oponerse a la intención (de). …에 ~을 두다 intentar + *inf*, tener la intención de + *inf*, proponerse + *inf*, aspirar a + *inf*. ~을 이루다 conseguir *su* objetivo, realizar [llevar a cabo] *su* aspiración. 의사(醫師)에 ~을 두다 aspirar a ser médico. 학문(學問)에 ~을 두다 pretender seguir el camino de la ciencia. 우리들은 ~을 같이하고 있다 Tenemos una misma voluntad. 그에게 당신의 ~을 전하겠다 Se lo diré (a él) de parte suya. 그는 일이 ~대로 되지 않았다 El resultado [La realización] ha desmentido sus ambiciones / Sus ambiciones han resultado frustrado. 그 건(件)은 내 ~에 어긋난다 El asunto está fuera de mi alcance / El asunto escapa a mis posibilidades. 나는 그곳에 갔지만 내 ~이 아니었다 Fui allí, pero no por mi libre albedrío. 나는 그 일을 하고 싶은 ~은 간절하지만 시간이 없다 Quiero hacerlo, pero no tengo tiempo / Voluntad para hacerlo sí que tengo, pero tiempo no. 네 ~이 잘 되지 않을 거다 Esperas demasiado / Eso es lo que tú piensas / Ese gallo no va a cantar.

◆뜻(을) 받다 obedecer. ¶…의 뜻을 받들어 obedeciendo a *uno*. 부모의 ~ obedecer a *sus* padres. 뜻(을) 세우다 proponerse un fin en la vida. 뜻(이) 깊다 [의미 있다] (ser) expresivo, elocuente, significativo, importante; [유익하다] útil, provechoso; [가치 있다] valer la pena (de + *inf*); [함축성 있다] sensible, significativo, con sentido, coherente. 뜻이 깊게 sensiblemente, perceptiblemente. 뜻이 깊은 미소를 띠고 con una sonrisa sensible. 뜻(이) 맞다 congeniar. ¶두 사람은 뜻이 맞지 않다 Los dos no congenian.

■뜻이 있는 곳에 길이 있다 ((속담)) Querer es poder / Donde hay querer todo se hace bien / Más hace el quiere que no el que puede / Donde hay una voluntad, hay un camino.

뜻글【언어】((준말)) =뜻글자.

뜻글자【언어】=표의 문자(表意文字).

뜻대로 ① [마음 먹은 대로] como *su* voluntad. ~ 되다 salirse con la suya. 그는 내 ~ 된다 Lo tengo en el bolsillo / Hago con él lo que quiero. ② [의미와 같이] como la significación, como el significado, como el sentido. 이 글의 ~ como la significación de esta oración.

뜻밖 sorpresa *f*, repentón *m*, lance *m* inesperado [imprevisto]. ~의 inesperado, impensado, imprevisto, no prevendido, inopinado, repentino, contingente, que no se esperaba, contrario a la expectación. ~의 공명(功名) hazaña *f* casual, hazaña *f* fortuita. ~의 기쁨 alegría *f* inesperada. ~의 사건(事件) emergencia *f*, accidente *m*, desastre *m*, desgracia *f*, evento *m* impevisto. ~의 사고(事故) accidente *m* imprevisto. ~의 재앙 desastre *m*, calamidad *f*. ~의 죽음 muerte *f* repentina, muerte *f* inopinada. ~의 행운(幸運) buena suerte *f* [oportunidad *f*] inesperada, feliz ventura *f*, merced *f* divina. ~의 죽음을 당하다 morir accidentalmente, tener una muerte repentina. 나는 ~의 변을 당했다 Tuve una experiencia terrible. 그것은 ~의 행운이다 Es una ganga / Es una suerte inesperada. 그가 외출하다니 ~의 행복이군 ¡Qué suerte que esté fuera!

뜻밖에 inesperadamente, de imprevisto, sin pensarlo, inopinadamente, de una manera inesperada [imprevista], como llovido, por casualidad, casualmente; [갑자기] repentinamente, de repente. ~ 이곳에 오게 되었다 He acertado a venir aquí. ~ 그녀를 만났다 Por casualidad me encontré con ella. ~ 축제일이었다 Acertó a ser día de fiesta. ~도 쉽다 Es más fácil de lo que se creía. ~ 두 사람은 같은 의견(意見)이었다 Por casualidad [Casualmente] los dos tenían la misma opinión. ~ 친구가 나를 만나러 왔다 Un amigo vino a verme inesperadamente / [집에] Un amigo cayó en mi casa.

뜻하다 ① [뜻을 세워서 마음에 지니다] [계획하다] planear, planificar, programar, aspirar, esperar; [결심하다] decidir, determinar. 외교관이 되기를 ~ aspirar a ser diplomático. 실업계에서 성공할 것을 ~ esperar salir bien en el mundo de negocios. ② [의미하다・뜻하다] significar, querer decir. 이것은 무엇을 뜻합니까? ¿Cómo se dice esto? / ¿Qué quiere decir esto? 이것은 서반아어로 무엇을 뜻합니까? ¿Qué quiere decir [significa] esto en español? / ¿Cómo se dice esto en español? ③ [(부정하거나 반문 형식으로 쓰이어) 미리 생각하거나 헤아리다; 주로 「아니하다」와 함께 쓰임] planear, intentar. 뜻하지 않은 곳에서 뜻하지 않은 일이 나타났다 Nos ha ocurrido una cosa inesperada.

띄다[1] ① ((준말)) =뜨이다[1]. ¶눈에 잘 ~ ser

visible. 눈에 잘 띄는 넥타이 corbata *f* visible. ② ((준말)) =띄우다.

띄다² ((준말)) =띄우다².

띄어쓰기 palabras *fpl* espaciadas.

띄어쓰다 escribir dejando espacios (entre palabras), dejar espacios.

띄엄띄엄 a intervalos, con interrupciones, a trechos, de trecho a [en] trecho, entrecortadamente; [여기저기] aquí [acá] y allá; [아무렇게나] al alzar; [느릿느릿] lentamente, con lentitud. ~ 말하다 hablar entrecortadamente. ~ 읽다 leer lentamente, leer saltando algunos pasajes. 돌을 ~ 놓다 colocar piedras a trechos. 그는 ~ 과거지사(過去之事)를 말했다 El contó su pasado interrumpiéndose de vez en cuando [entrecortadamente · con frases entrecortadas]. 청중이 ~ 모이기 시작했다 El público ha empezado a llegar poco a poco. 옆방의 대화가 ~ 들렸다 Se oía entrecortadamente la conversación de la habitación contigua [del cuarto contiguo]. 행렬은 ~ 계속하고 있다 La procesión continúa a intervalos [con interrupciones].

띄우기 【화학】 =발효(醱酵).

띄우다¹ ① [사이가 뜨게 하다] espaciar, poner espacio (a). 책상과 책상 사이를 ~ espaciar los pupitres. 두 행(行)씩 띄워 타자를 치다 escribir a máquina a tres renglones. ② [편지를] mandar, enviar. 나는 매월 한 차례 어머니께 편지를 띄웠다 Yo mandaba la carta a mi madre cada mes.

띄우다² ① [「뜨다¹」의 사역형] hacer flotar [volar], poner a flote. 호수(湖水)에 배를 띄워 낚시질하다 pasear en un bote en el lago. ② [연을 날리다] hacer volar la cometa. ③ [메주 따위를 뜨게 하다] fermentar. 누룩을 ~ fermentar la levadura.

띄움저울 =부칭(浮秤).

띄움표(-標) =부표(浮漂).

띠¹ ① [옷 위로 가슴이나 허리를 둘러매는 끈] faja *f*, apretador *m*, ceñidor *m*, alezo *m* (임산부의), pretina *f*, banda *f*; [허리띠 · 태권도나 유도 등의] cinturón *m* (*pl* cinturones), cinto *m*, *Méj* cinta; [장식용] fajín *m* (*pl* fajines); [책의] faja *f*; [연장용의] cinturón *m* para herramientas; [탄띠] cartuchera *f*, canana *f*; [총의] cinturón *m* (con pistolera.); [기계의] correa *f*; [컨베이어 벨트] cinta *f* [*Méj* banda] transportadora; [(자동차의) 팬벨트] correa *f* [*Méj* banda] del ventilador. 검은 ~ [태권도 · 유도 등의] cinturón *m* [cinto *m*] negro, *Méj* cinta negra; [사람] cinturón *mf* [*Méj* cinta *mf*] negro [negra *f*]. 청색 ~ [태권도 · 유도 등의] cinturón *m* [cinto *m*] verde, *Méj* cinta *f* verde; [사람] cinturón *mf* [*Méj* cinta *mf*] verde. ~를 동여매다 ponerse la faja [el cinturón], ceñirse la faja, fajarse. ~를 묶다 [느슨하게 하다] ponerse [aflojarse] la faja. ~를 매다 abrocharse el cinturón. ~을 꽉 죄다 apretarse el cinturón. ~를 풀다 desfajarse. ~를 두르다 [입후보가] ponerse la faja. ~를 띠다 [배에] ponerse la cinta de maternidad; [임신 중에] estar en cinta; arrollar, enrollar. ② [주로 아이를 업을 때 띠는, 너비가 넓고 기다란 천] paño *m* ancho y largo para los niños.

띠² 【식물】 cañavera *f*. ~로 인 지붕 tejado *m* de cañavera, techado *m* barbado.

띠³ [활터에서] grupo *m* dividido en unas personas entre una multitud.

띠⁴ [사람이 난 해의 지지(地支)를 동물 이름으로 상징하여 이르는 말] signo *m* zodiacal nacida. 나는 소~, 동생은 말~ Yo nací en el Año de la Vaca y mi hermano nació en el Año del Caballo.

띠글띠글 ((센말)) =디글디글.

띠다 ① [띠를 감거나 두르다] ponerse, ceñir. 띠를 ~ ponerse la faja [el cinturón]; [임산부가] ponerse la cinta de maternidad. 칼을 띠고 있다 El lleva la espada el cinto. ② [물건을 지니고 있다] llevar, tener. ③ [용무나 사명을 가지다] cargar (con), ser investido (con); [상태] estar a cargo (de), estar encargado (de). 중대한 임무를 띠고 investido con una misión importante. 관명(官命)을 띠고 por [bajo] órdenes gubernamentales. ④ [어떤 빛깔을 조금 가지다] tener, llevar. 붉은빛을 띤 rojizo. 붉은빛을 ~ ser rojizo, estar matizado de rojo. ⑤ [표정을 겉으로 나타내다] tener, poner, presentar, asomar. 미소를 ~ sonreír. 노기(怒氣)를 ~ enojarse, enfadarse, irritarse, tener cara enfadada. 그녀는 눈에 희색(喜色)을 띠고 있다 Sus ojos tienen una expresión alegre / En sus ojos aflora la alegría. 그는 얼굴에 미소를 띠고 있다 El pone la cara risueña. ⑥ [사상적 빛깔이 좀 섞여 있다] tomar, tener, llevar. 국제색(國際色)을 ~ tener [tomar · adquirir] un matiz [un cariz] internacional.

띠방(-榜) 【건축】 travesaño *m*, barrote *m* transversal.

띠씨름 lucha *f* con cinturón.

띠앗머리 fraternidad *f*, unión *f* y buena correspondencia entre hermanos, amistad *f* entre hermanos.

띠엄띠엄 =띄엄띄엄.

띠자 medida *f* métrica.

띠톱 sierra *f* de cinta, sierra *f* sin fin.
▪ ~날 afiladora *f* de sierras de cinta. ~반(盤) sierra *f* mecánica de cinta.

띳집 casa *f* cubierta de cañavera.

띵하다 tener dolor sordo, doler*le* a *uno* sordamente. 골이 ~ tener dolor de cabeza sordo, doler*le* a *uno* sordamente la cabeza. 나는 머리가 ~ Tengo dolor de cabeza sordo / Me duele sordamente la cabeza.

ㄹ

ㄹ ((준말)) =를. ¶날 믿어라 Créeme / Confíame.

-ㄹ donde, que, de. 갈 곳 el sitio donde ir. 올가을 otoño *m* que viene. 그 박물관은 한번 찾아가 볼 만하다 El museo vale la pena (de) visitar / El museo merece la pena de visitar. 누가 그것을 할 것인가? ¿Quién lo hará?

-ㄹ 것 같다 [···같이 보이다] parecer; [···이 아닐까 걱정이다] temer que + *subj*; [아마 ···일 것이다] tal vez, quizá(s). 비가 올 것 같다 Parece que va a llover. 그는 늦을 것 같다 Parece que él llegue tarde.

-ㄹ까 *inf* + -é, -ás, -á, -emos, -éis, -án. 내일 비가 올까? ¿Lloverá mañana? 그녀는 무엇을 좋아할까? ¿Qué querrá ella? 누구일까? ¿Quién será? 무엇일까? ¿Qué será?

-ㄹ세 ser. 오늘이 구월 열이렐세 Hoy es el diecisiete de septiembre.

-ㄹ망정 pero, sin embargo, mas, aunque. 그는 나이는 어릴망정 유능한 변호사다 Aunque él es joven, es un abogado competente / El es joven, pero es un abogado competente.

-ㄹ뿐더러 no sólo [solamente] ··· sino (también), así como, también como, tanto como, lo mismo que. 그는 서반아어를 말할 뿐더러 불어도 한다 El habla no sólo el español sino el francés / El habla francés como español.

-ㄹ지 si (o no). 그가 올지 (어떨지) 모르겠다 No sé si vieno (o no) / No sé si vendrá.

-ㄹ지라도 aunque + *subj*, aun cuando + *subj*. 비가 올지라도 나는 외출하겠다 Aunque [Aun cuando] llueva, yo saldré. 아무리 돈이 많을지라도 그것을 사지 않았을 것이다 Aunque yo hubiera tenido bastante dinero, no lo habría comprado. 내일 운동회는 비가 내릴지라도 열린다 La fiesta de deportes tendrá lugar mañana, aunque llueva. 내가 아무리 돈을 많이 가지고 있을지라도 그런 물건은 사지 않겠다 Por mucho dinero que tenga yo, no compraré tal cosa. 넌 좋을지라도 난 그렇지 않다 Aunque sea bueno para ti, para mí no lo es. 그 계획이 실패할지라도 나는 단념하지 않겠다 Aunque fracase el proyecto, no me daré por vencido.

라(이 *la*) 【음악】 la *m*. ~장조 la *m* mayor. ~단조 la *m* menor.

-라 ① [서술적] 게으름 피우다간 낙제할~ Si fueras perezoso te suspenderían. ② [권하거나 명령] 조심해~ Ten cuidado. 얌전히 굴어~ Sé bueno. 비가 올 것 같으니 우산을 가지고 가거~ Lleva el paraguas contigo, porque parece que va a llover.

-라고 ① [내용] que. ···~ 하다 [부르다] llamarse. 마리아~ 하는 여자 mujer *f* llamada María. 라 만차의 동끼호떼~ 하는 유명한 기사(騎士) ((El Quijote)) un caballero famoso llamado don Quijote de la Mancha. ② [말하다] decir, hablar, expresar. ···~ 신문에 씌어 있다 Se dice en el periódico que + *ind*. ③ [전해지다] Dicen [Se dice] que + *ind*.

라고스 【지명】 Lagos (나이지리아의 전 수도).

라놀린(영 *lanolin*) 【화학】 lanolina *f*.

라는 ((준말)) =라고 하는. ¶이것이 장미~ 꽃이다 Esta flor se llama rosa.

-라는 llamado. 안또니오~ 소년 un muchacho llamado Antonio. 창수~ 여섯 살 먹은 소년 un muchacho de seis años llamado Changsu.

라니냐(서 *La Niña*) 【기상】 La Niña.

라단조(−短調) 【음악】 (tono *m* de) re *m* menor.

-라도 ① [조차도] aun, aun cuando. 언제~ 오십시오 Venga usted cualquier día / Venga usted cuando quiera. ② [또] también, lo mismo da, igualmente. ③ [마저] aunque, bien que. 선생님이~ 그것을 모를 것이다 Aunque sea el maestro, no lo sabría. ④ [그러나] pero, mas, sin embargo, no obstante, a pesar de eso.

라돈(영 *radon*; 불 *radon*) 【화학】 radón *m* (Rn).

■ ~계(計) 【물리】 radonoscopio *m*.

라듐(라 *radium*) 【화학】 radio *m*, rádium *m* (Ra).

■ ~ 광천 manantial *m* de radio. ~ 광천 요법 tratamiento *m* de manantial de radio. ~ 방사능 radiactividad *f*, radioactividad *f*. ~ 방사선 rayo *m* de dadio. ~ 외과 요법 radiocirugía *f*. ~ 요법 radioterapia *f*. ~천(泉) fuente *f* mineral de radio, manantial *m* de agua de radio. ~ 폭탄 bomba *f* de radio.

라디안(영 *radian*) 【수학】 radián *m*.

라디에이션(영 *radiation*) radiación *f*.

라디에이터(영 *radiator*) radiador *m*. ~ 쇠그물 rejilla del radiador, calandria.

라디오(영 *radio*) ① [방송] radio(difusión) *f*. ~를 듣다 escuchar [oir] la radio. ~로 방송하다 emitir por radio. 나는 그것을 ~로 들었다 Lo oí por el [la] radio. 휴대용 ~ radio *f* portátil, radio *f* a transistores, transistor *m*. ② =무선 전화(無線電話). 무선 전신. ③ ((준말)) =라디오 수신기.

■ ~ 겸용 축음기 radiogramófono *m*. ~ 공학 radiotecnología *f*, radiotécnica *f*. ~그래머폰 radiogramola *f*. ~그램 radiograma *m*, radiotelegrama *m*, radiografía *f*. ~ 네트

ㄹ

red *f* radioeléctrica. ~ 네트워크 red *f* de emisoras. ~ 드라마 =방송극(放送劇). ~ 디텍터 [검파기] radiodetector *m*. ~ 리사이틀 radiorecital *m*. ~ 모니터 monitor *m* de radio. ~미터 [복사계(輻射計)] radiómetro *m*. ~ 발표 radiomensaje *m*. ~ 방송 radiodifusión *f*, radioemisora *f*. ~ 방송국 radiodifusora *f*, emisora *f* de radio, radioemisora *f*, radio *f*, radiofonía *f*. ~ 방송망 red *f* [cadena *f*] de emisoras. ~별 radioestrella *f*. ~부이 radioboya *f*. ~ 비컨 radiofaro *m*, radiobaliza *f*. ~ 빔 radioonda *f*, onda *f* radioeléctrica. ~성(星) radioestrella *f*. ~ 세트 [수신기] radio *f*, aparato *m* [receptor *m*] de radio, *AmL* radio *m*, *RPl* radio *f*. ~ 송신기 radioemisor *m*, radiotransmisor *m*. ~ 스캐너 explorador *m* de radio. ~스펙트럼 espectro *m* radioeléctrico. ~ 시그널 señal *f* transmitida por radio, radioseñal *f*. ~ 아나운서 radiolocutor, -tora *mf*. ~웨이브 [전파] onda *f* radioeléctrica, onda *f* hertziana, onda *f* de radio. ~ 주파수(周波數) radiofrecuencia *f*. ~ 청취료 derechos *mpl* radiofónicos. ~ 청취자(聽取者) radioyente *mf*, radioescucha *mf*. ~ 체조 ejercicio *m* gimnástico radiodifundido. ~ 카세트 radiocassette *m*. ~ 컨트롤 control *m* remoto, radiomando *m*, radiotelemando *m*, teledirección *f*. ~ 컨트롤 비행기 aeromodelo *m* teledirigido, avión *m* (*pl* aviones) radioguiado. ~ 컨트롤 택시 radiotaxi *m*. ~ 테스터 probador *m* de aparatos de radio. ~ 텔레그램 radiotelegrama *m*. ~텔레폰 radioteléfono *m*. ~ 통신(通信) radiocomunicación *f*, telecomunicación *f* radioeléctrica. ~ 튜너 sintonizador *m* de radio. ~ 팬 radioyente *mf*, radioescucha *mf*. ~폰 radioteléfono *m*. ~ 햄 radioaficionado, -da *mf*.

라디오존데(독 *Radiosonde*) 【기상】 radiosonda *f*.

라디오카본(영 *radiocarbon*) radiocarbono *m*, radioisódopo *m* del carbono.

라마(영 *Lama*) lama *m*.
■ ~교(教) lamaísmo *m*. ~교도 lamaísta *mf*. ~교 사원 lamasería *f*. ~ 교주 Dalai Lama. ~승 lama *m*.

라마(서 *llama*) 【동물】 llama *f*. ☞야마.

라벤더(영 *lavender*) 【식물】 lavanda *f*, espliego *m*.
■ ~유(油) aceite *m* de lavanda [espliego].

라벨(불 *label*) etiqueta *f*, marbete *m*, rótulo *m*.

라보엠(이 *La Boheme*) 【음악】 La Boheme.

라비(헤 *rabbi*) ((유대교)) rabí *m*, rabino *m*.

라빠스 【지명】 La Paz (볼리비아의 수도).
■ ~ 사람 paceño, -ña *mf*.

라쁠라따 강(La Plata 江) 【지명】 el Río de la Plata.

라스트(영 *last*) último *adj*, final *adj*.
■ ~ 스퍼트 esfuerzo *m* final, (e)sprint *m* final. ~ 신 última escena *f*. ~ 이닝 última entrada *f*, última manga *f*.

라우드스피커(영 *loudspeaker*) [확성기] altavoz *f* (*pl* altavoces), *AmS* altoparlante *m*.

라우에그램(영 *lauegram*) diagrama *m* de Laue.

라우에 반점(Laue 斑點) 【물리】 =라우에 점무늬.

라우에 점무늬(Laue 點-) 【물리】 mancha *f* de Laue.

라운드(영 *round*) [회전] vuelta *f*, ((권투)) asalto *m*, round *ing.m* (*pl* rounds); ((골프)) recorrido *m*. 3~ 싸우다 combatir tres vueltas.
■ ~ 테이블 mesa *f* redonda.

라운지(영 *lounge*) salón *m*, sala *f* de descanso.

라이너(영 *liner*) ① ((야구)) pelota *f* raza, bola *f* voleada horizontalmente. ② [정기선(定期船)] buque *m* (de pasaje · de pasajeros); [대서양 횡단의] transatlántico *m*. ③ =정기 항공기. ④ [눈에 선을 긋는 아이라이너] delineador *m* (de ojos).

라이노타이프(영 *linotype*) 【인쇄】 linotipia *f*.

라이닝(영 *lining*) 【기계】 forro *m*, revestimiento *m*.

라이벌(영 *rival*) rival *mf*, competidor, -dora *mf*.

라이보리(rye-) 【식물】 =호밀.

라이브러리(영 *library*) ① [도서관] biblioteca *f*. ② [자료실] [책의] biblioteca *f*, [사진의] archivo *m* fotográfico; [영화 필름의] filmoteca *f*, [레코드의] discoteca *f*, [신문의] hemeroteca *f*.

라이선스(영 *license*) permiso *m*, licencia *f*. ~를 획득하다 obtener licencia.
◆수입(輸入) ~ permiso *m* de importación. 수출(輸出) ~ permiso *m* de exportación.
■ ~ 생산 producción *f* por licencia.

라이스(영 *rice*) [쌀] arroz *m* (*pl* arroces).
■ ~ 페이퍼 [얇은 고급 종이의 일종] papel *m* de arroz.

라이온(영 *lion*) [사자] león *m* (*pl* leones); [암컷] leona.

라이온스 클럽(영 *Lions Club*) el Club de Leones. 국제 ~ el Club Internacional de Leones, el Club Lions Internacional. 한국 ~ el Club de Leones de Corea.

라이터(영 *lighter*) encendedor *m*, mechero *m*.
■ ~돌 piedra *f* para [de] encendedores. ~ 심지 mecha *f* para encendedores. ~용 가스 gas *m* para encendedores ~용 기름 líquido *m* para encendedores.

라이트(영 *light*) ① [빛] luz *f* (*pl* luces); [램프] lámpara *f*. ② =조명등(照明燈). ③ [형용사로, 가벼운] ligero, liviano. ④ ((준말)) =헤드라이트. ⑤ ((은어)) [눈] ojo *m*. ⑥ [저칼로리 맥주] cerveza *f* de bajo contenido calórico. ⑦ [낮은 타르 함유량의 담배] cigarrillo *m* de bajo contenido en alquitrán.
■ ~급 peso *m* ligero [*AmL* liviano]. ¶~ 챔피언 campeón *m* de (los) peso(s) ligero(s). ~ 뮤직 música *f* ligera. ~ 미들급

peso *m* superwelter [medio ligero]. ~ 오페라 opereta *f.* ~ 웰터급 peso *m* super [welter] ligero. ~ 플라이급 peso *m* mosca ligera. ~ 헤비급 peso *m* pesado ligero, peso *m* semipesado.

라이트(영 *right*) ① [정의(正義)] justicia *f.* ② [권리] derecho *m.* ③ [오른쪽] derecha *f,* mano *f* derecha. ④ [라이트필드] campo *m* derecho. ⑤ [라이트필더] exterior *f* derecha.
■ ~ 백 defensa *f* derecha. ~ 윙 [정치의] derecha *f,* [운동의] extremo *f* derecha, el ala *f* derecha. ~ 인사이드 interior *m* derecho. ~ 잽 corto *m* [jab *m*] derecho. ~ 필더 exterior *f* derecha. ~ 필드 campo *m* derecho. ~ 하프 medio *m* derecho. ~ 훅 gancho *m* de derecha.

ㄹ

라이플(영 *rifle*) rifle *m,* carabina *f.*
◆소구경(小口徑) ~ 복사 [삼자세] rifle *m* pequeño, tumbado *m* tres posiciones.
■ ~총 rifle *m,* fusil *m.*

라인(영 *line*) ① [줄·선(線)] línea *f,* raya *f,* fila *f,* hilera *f,* cola *f.* ② =행(行)(línea). ③ =항로(航路)(línea). ④ [복식(服飾)에서] =윤곽(輪郭)(línea). ⑤ =계열(系列)(línea).
■ ~업 alineación *f,* formación *f.*

라인 강(Rhein 江) el Rhein.

라일락(영 *lilac*) 【식물】 lila *f.*

라장조(-長調) 【음악】 re *m* mayor.

라조(-調) 【음악】 re *m.*

라켓(불 *raquette*) raqueta *f,* ((탁구)) pala *f.* ~을 휘두르다 blandir la raqueta.

라텍스(영 *latex*) látex *m.sing.pl.*

라토스카(불 *La Tosca*) 【음악】 La Tosca.

라트라비아타 【음악】 La Traviata.

라트비아(영 *Latvia*) 【지명】 Latvia *f,* Letonia *f.* ~의 letón, latvio.
■ ~ 사람 letón, -tona *mf,* latvio, -via *mf.* ~어 letón *m,* latvio *m.*

라틴(라 *Latin*) latín *m.* ~의 latino.
■ ~계 국가 nación *f* latina. ~ 문학(文學) literatura *f* latina. ~ 뮤직 música *f* latina. ~ 민족 raza *f* latina, pueblos *mpl* latinos. ~풍(風) latinismo *m.* ~화(化) latinización *f.* ¶~하다 latinizar.

라틴 아메리카(영 *Latin America*) 【지명】 la América Latina, la América Española, la Hispanoamérica, la Latinoamérica. ~의 latinoamericano.
■ ~ 사람 latinoamericano, -na *mf.* ~ 언어학 학회 ALFAL *f,* la Asociación de Lingüística y Filología de La América Latina. ~ 자유 무역 연합 ALALC *f,* la Asociación Latinoamericana de Libre Comercio. ~ 협회 la Sociedad Latinoamericana, la Asociación Latinoamericana.

라틴어(Latin 語) latín *m.* ~는 서반아어의 모어(母語)이다 El latín es la lengua madre del español.
◆고전(古典) ~ latín *m* clásico. 근세(近世) ~ latín *m* moderno. 속(俗) ~ latín *m* vulgar [rústico]. 저(低) ~ bajo latín *m.*
■ ~ 학자 latinista *mf.*

-라 하면 si (+ *subj*), en (el) caso (de) que (+ *subj*), a condición de que (+ *subj*). 만일 내가 새~ 너에게 날아갈 텐데 Si yo fuera un pájaro, te volaría.

락타제(독 *Laktase*) 【화학】 =유당 분해 효소.

락토겐(독 *Laktogen*) =가루 우유.

락토오스(영 *lactose*) 【화학】 lactasa *f,* azúcar *m* de leche.

락토제(독 *Laktose*) 【화학】 =락토오스.

-란 ((준말)) =-라 하는(llamado). ¶나는 청허~ 스님을 뵈었습니다 Yo vi al sacerdote budista llamado *Cheongheo.*

-란(卵) huevo *m.* 수정(受精)~ huevo *m* fecundado.

-란(亂) guerra *f.* 임진(壬辰)~ la Guerra de *Imchin.*

-란(欄) columna *f.* 광고(廣告)~ columna *f* de anuncios. 문예(文藝)~ columna *f* literaria.

란다 ① ((준말)) =-라 한다(se dice). ② [받침 없는 체언 밑에서] ser. 내 말이 곧 진리~ Mi palabra es una verdad. 이 책은 값진 고서(古書)~ Este es un libro antiguo precioso.

란도셀(네 *ransel*) mochila *f,* morral *m,* cartera *f.* ~을 매다 llevar al hombro una mochila [cartera].

란세타(이 *lancetta*) 【의학】 lanceta *f.*

란셋(영 *lancet*) 【의학】 lanceta *f.*

란제리(불 *lingerie*) lancería *f,* ropa *f* blanca [interior] de mujer.

란체라(서 ranchera) [라틴 아메리카의 여러 나라의 민요·민속춤] ranchera *f.*

란타늄(라 *lanthanium*) 【화학】 lantano *m.*

람 ((준말)) =-라면. ¶나더러 가~ 가겠다 Si tú me dices que voy, iré.

랍비(헤 *rabbi*) 【성경】 rabí *m.*

랍소디(영 *rhapsody*) 【음악】 rapsodia *f.*

랑데부(불 *rendez-vous*) cita *f,* [선박 따위의] reunión *f.* ~하다 citar, reunir.

-래 Se dice que …, Dicen que …, He oído decir que …. 그 사람의 동생은 학자~ Se dice [Dicen · He oído decir] que es sabio su hermano. 그 사람이 뭐~? ¿Qué dijo él?

-래(來) desde hace. 그와는 10년~의 친구다 El y yo somos amigos desde hace diez años. 그는 30년~의 친구다 El es un amigo de treinta años. 50년~의 한파(寒波)다 Es la temperatura más baja en estos diez años / Es el frío más grande que hemos tenido durante los últimos diez años.

-래서 porque, pues. 그가 그 책을 달~ 주었다 Le di el libro, porque me lo pidió.

-래요 Se dice que …, Dicen que …, He oído decir que …. 그이는 부자~ Dicen [Se dice · He oído decir] que él es rico.

래커(영 *lacquer*) laca *f,* barniz *f.* ~를 칠하다 laquear, barnizar.

랜덤 샘플링(영 *random sampling*) selección *f* al azar.

랜드 [남아프리카 공화국의 화폐 단위] rand *m.*

랜딩(영 *landing*) [착륙] aterrizaje *m;* [착수

(着水)] recalada *f*.
■~ 그라운드 [발착장. 경비행장] campo *m* de aterrizaje. ~ 기어 ㉮ [비행기의 발착 장치] aterrizador *m*, tren *m* de aterrizaje. ㉯ [로켓의 발착 장치] dispositivo *m* de un paracaídas y el mecanismo de disparo para el descenso a tierra después del vuelo.

랜싯(영 *lancet*) lanceta *f*.

랜턴(영 *lantern*) lanterna.

랠리(영 *rally*) ① [탁구·테니스 따위의] ataque *m* sostenido. ② [자동차 경주] recuperación *f*, recobro *m*.

램(영 *RAM, random access memory*)【컴퓨터】RAM.

램제트(영 *ram-jet*) estatorreactor *m*.

램프(영 *lamp*) lámpara *f*, linterna *f*, farol *m*. ~의 갓 pantalla *f* de lámpara. ~의 등피(燈皮) tubo *m* de lámpara. ~의 빛 luz *f* de lámpara. 광부(鑛夫)의 ~ linterna *f* de minero. ~를 켜다 encender la lámpara. ~를 끄다 apagar la lámpara.
◆가스~ lámpara *f* de gas. 석유~ lámpara *f* de petróleo [de aceite · de gasolina]. 전기~ lámpara *f* eléctrica.
■~ 갓 pantalla *f*. ~ 그을음 negro *m* de humo. ~ 불 luz *f* de (la) lámpara. ~ 심지 mecha *f* de lámpara. ~ 오일 aceite *m* lampante, petróleo *m* lampante. ~ 전구 bombilla *f* eléctrica. ~ 제조자 lamparero, -ra *mf*.

랩소디(영 *rhapsody*)【음악】rapsodia *f*.

랩 타임(영 *lap time*) tiempo *m* de cada etapa, tiempo *m* por vuelta. 100미터의 ~ tiempo *m* a cien metros.

랭군【지명】Rangún, Rangoon.

랭크(영 *rank*) rango *m*, grado *m*, clase *f*, [순위(順位)] lugar *m*. 그는 3위에 ~되었다 El se clasificó en tercer lugar.

랭킹(영 *ranking*) clasificación *f*. ~ 1위를 차지하다 ocupar el primer lugar en la clasificación.

량(輛) un coche, un vagón. 화차(貨車) 20~ veinte vagones de carga.

-량(量) volumen *m* (*pl* volúmenes), cantidad *f*, peso *m*. 교통(交通)~ tráfico *m*. 생산(生産)~ (cantidad *f* de) producción *f*. 분자(分子)~ peso *m* molecular. 원자(原子)~ peso *m* atómico.

-러 para, a, de. 보~ 가다 ir a ver, visitar. 낚시하~ 가다 ir de pesca. 사냥하~ 가다 ir de caza. 일하~ 가다 ir a trabajar. 장보~ 가다 ir de compras.

러너(영 *runner*) corredor, -dora *mf*.

러닝(영 *running*) corrida *f*, carrera *f*.
■~메이트 compañero, -ra *mf* de candidatura; [대통령 출마자의] candidato, -ta *mf* a la vicepresidencia. ~셔츠 camiseta *f* (de gimnasia).

러브(영 *love*) ① [사랑·애정(愛情)] amor *m*, cariño *m*, afecto *m*. ② [애인·연인] amante *mf*. ③ ((테니스)) [무득점(無得點)] cero *m*. 30-~ trentia-cero. 그는 여섯 경기를 ~로 이겼다 Ella ganó por seir juegos a cero.
■~ 게임 ((테니스)) juego *m* en blanco, juego *m* a cero. ~ 레터 [연애 편지] carta *f* de amor, carta *f* amorosa. ~ 세트 ((테니스)) set *m* en blanco, set *m* a cero. ~ 송 canción *f* de amor. ~ 스토리 [사랑의 이야기] historia *f* de amor; [연애 소설] novela *f* de amor. ~ 식 [상사병] enfermedad *f* de amor; [형용사적, 사랑에 애태우는] enfermo de amor, perdidamente [locamente] enamorado. ~ 신 [사랑의 장면(場面)] escena *f* de amor. ~ 올 ((테니스)) cero-cero.

러시(영 *rush*) ① [돌진(突進)] acometida *f*, embestida *f*. ② [쇄도(殺到)] afluencia *f* (de gente), riada *f*. ③ ((축구)) ataque *m*; ((럭비)) carga *f*.
■~아워 hora *f* punta, hora *f* de mayor [más] tránsito [tropel], hora *f* de mayor afluencia; *AmL* hora *f* pico.

러시아【지명】Rusia *f*. ~의 ruso. ~를 좋아하는 (사람) rusófilo, -la *mf*.
■~ 문자 caracteres *mpl* rusos. ~ 문학 literatura *f* rusa. ~ 문화 cultura *f* rusa. ~어 ruso *m*. ~인 ruso, -sa *mf*. ~화 rusificación *f*. ~ 황제 zar *m*.

러시아 소비에트 연방 사회주의 공화국(Rusia Soviet 聯邦社會主義共和國) la República Socialista Federativa Soviética Rusa.

러시안룰렛(영 *Russian roulette*) ruleta *f* rusa.

러키(영 *lucky*) buena fortuna *f*, buena suerte *f*, dicha *f*, ventura *f*. ~하다 (ser) afortunado, dichoso, venturoso, con suerte, *Méj* suertudo.
■~ 세븐 séptimo *m* dichoso. ~ 존 zona *f* afortunada. ~ 펀치 puñetazo *m* afortunado.

럭비(영 *rubby*) rugby *m*. ~를 하다 jugar al rugby.
■~공 pelota *f* de rugby. ~ 리그 rugby *m* que se juega con trece jugadores en cada equipo. ~ 선수 jugador *m* de rugby. ~식 축구 rugby *m*. ~ 학교 escuela *f* de rugby. ~화(靴) botines *mpl* de rugby.

럭스(영 *lux*) lux *m*.
■~ 미터 [조도계(照度計)] luxómetro *m*.

런던【지명】Londres. ~의 londinense.
■~ 사람 londinense *mf*.

런던 교향악단(London 交響樂團) la Orquesta Sinfónica de Londres.

런던탑(London 塔) la Torre de Londres.

런던 필하모니 관현악단(London Philharmony 管絃樂團) la Orquesta Filarmónica de Londres.

런치(영 *lunch*) comida *f*, almuerzo *m* (ligero), merienda *f*, bocadillo *m*; [정식(定食)] cubierto *m*. ~를 들다 comer, almorzar, tomar un bocadillo. ~를 들러 갑시다 Salgamos a comer [almorzar].
■~룸 comedor *m*, refectorio *m*. ~ 박스 fiambrera *f*, *AmL* lonchera *f*. ~ 타임 hora *f* de la comida [del almuerzo], hora *f* de

comer [de almorzar]. ~ 타임 콘서트 concierto *m* de mediodía.

럼주(rum 酒) ron *m*; [물을 탄] bebida *f* de ron y agua, brebaje *m*.

레(이 *re*) 【음악】 re *m*.

레귤러(영 *regular*) ① [규칙적] regular. ② ((준말)) =레귤러 플레이어.
■~ 멤버 miembro *mf* regular; miembro *mf* permanente. ~ 포지션 posición *f* regular. ~ 플레이어 jugador, -dora *mf* regular.

레그혼(영 *leghorn*) leghorn *m*.

레늄(영 *rhenium*) 【화학】 renio *m*.

레닌 【인명】 Vladimir Ilich Lenin(1870-1924).
■~주의 leninismo *m*. ~주의자 leninista *mf*.

레닌그라드 【지명】 Leningrado (1924-1991); [현재의] San Petersburgo.

레더(영 *leather*) ① [무두질한 가죽] cuero *m*; [인공 가죽] cuero *m* artificial, cuero *m* de imitación. ② ((준말)) =레더 클로스.
■~ 코트 abrigo *m* de cuero. ~ 클로스 tela *f* de cuero.

레디메이드(ready-made) [기성품의] ya hecho, confeccionado. ~복(服) traje *m* confeccionado.

레모네이드(영 *lemonade*) [레몬수] limonada *f*, el agua *f* de limón.

레몬(영 *lemon*) 【식물】 limón *m* (*pl* limones).
■~나무 limonero *m*. ~산(酸) ácido *m* cítrico. ~색 color *m* de limón. ¶~의 limón, limonado, de color de limón. ~수(水) limonada *f*, el agua *f* de limón. ~ 스쿼시 limonada *f* (con gas). ~ 압착기 exprimidor *m* de limón, prensa-limones *m*. ~유 esencia *f* de limón. ~즙[주스] zumo *m* [*AmL* jugo *m*] de limón. ~차 té *m* de limón.

레미제라블(불 *Les Misérables*) 【문학】 Los Miserables.

레미콘(영 *remicon, ready mixed concrete*) hormigón *m* (*pl* hormigones) ya mezclado; [차] hormigonera *f*, mezcladora *f*.

레바논 【지명】 (el) Líbano. ~의 libanés, -nesa. ~ 사람 libanés, -nesa *mf*.

레버(영 *lever*) [지레] palanca *f*. ~를 올리다 alzar la palanca. ~를 내리다 bajar la palanca. ~를 밀다 empujar la palanca. ~를 잡아당기다 tirar de la palanca.

레벨(영 *level*) [수준] nivel *m*. ~을 높이다 elevar el nivel (de). ~을 내리다 bajar el nivel (de).

레소토 【지명】 Lesotho. ~의 de Lesotho, basuto. ~ 사람 basuto, -ta *mf*.

레스토랑(불 *restaurant*) restaurante *m*, *AmS* restorán *m* (*pl* restoranes). ~에서 식사를 하다 comer en un restaurante.

레슨(영 *lesson*) lección *f*. ~을 받다 tomar lecciones. …한테서 피아노 ~을 받다 tomar lecciones de piano con *uno*.

레슬러(영 *wrestler*) [레슬링 선수] luchador, -dora *mf*. 프로 ~ luchador *m* profesional [de catch].

레슬링(영 *wrestling*) lucha *f*, match *m*. ~을 하다 luchar.
■~ 선수 luchador, -dora *mf*. ~ 시합 combate *m* de lucha (libre), combate *m* de match.

레시버(영 *receiver*) receptor *m*.

레아[1](영 *Rhea*) 【신화】 Rea *f*.

레아[2](영 *Rhea*) 【천문】 Rea *f*.

레아[3](영 *rhea*) 【조류】 ñandú *m*.

레오나르도 다 빈치 【인명】 Leonardo de Vinci (1452-1519).

레용(불 *rayon*) rayón *m*.

레우(루 *reu*) [루마니아의 화폐 단위] reu *m*.

레위기(Levi 記) ((성경)) (el Libro Tercero de Moisés) Levítico *m*.

레이(영 *lei*) gran collar *m* de flores. …의 목에 ~를 걸다 poner a *uno* un gran collar de flores.

레이(루 *lei*) [루마니아의 화폐 단위의 하나] lei *m*.

레이더(영 *radar*) radar *m*. ~의 radárico, de radar. ~는 적선(敵船)이 있는 것을 포착했다 El radar cogió la presencia de barcos enemigos.
■~ 기지 estación *f* de radar. ~망 red *f* de radar. ~ 안테나 antena *f* de radar. ~ 탐지 detección *f* radárica. ¶~를 하다 radariscopizar.

레이디(영 *lady*) dama *f*, señora *f*.
◆퍼스트(first) ~ [대통령의 부인] primera dama *f* (de la nación).
■~ 킬러 conquistador *m*, tenorio *m*, donjuán *m*, castigador *m*. ~ 퍼스트 prioridad *f* a las damas.

레이서(영 *racer*) [경기용의 자동차·오토바이·요트·동물 따위. 또, 그 경기자] [자동차] coche *m* de carrera(s); [자전거] bicicleta *f* de carrera(s); [말] caballo *m* de carrera(s); [개] perro *m* de carrera(s); [경기자] corredor, -dora *mf*.

레이스(영 *lace*) puntas *fpl*, encaje *m*; [견(絹)] blonda *f*. ~를 달다 adornar con encaje. ~를 짜다 hacer encaje.
■~사[실] hilo *m* de encaje. ~ 장갑 guantes *mpl* de encaje. ~ 장식 entrelazamiento *m*.

레이스[1](영 *race*) ① [경주(競走)] carrera(s) *f*(*pl*). ~를 하다 competir en la carrera, efectuar carreras. ~에 출전하다 tomar parte en las carreras. ② =경조(競漕).
◆보트 ~ regata *f*. 사이클 ~ carrera *f* ciclista. 카 ~ carrera *f* automovilística, carrera *f* de coches. 호스 ~ [경마] carrera *f* de caballos.

레이스[2](영 *race*) [민족. 인종] raza *f*.
◆블랙 ~ la raza negra. 화이트 ~ la raza blanca. 휴먼 ~ el género humano.

레이싱 카(영 *racing car*) [경주용 자동차] coche *m* de carrera(s).

레이아웃(영 *layout*) ① [집의] distribución *f*. ②[(도시·정원의) 배치(도)·설계(법)] trazado *m*, plan *m*. ③ [(책·신문·잡지·광고 등의] diseño *m*, maquetación *f*, disposición *f*. 포스터의 ~을 하다 disponer los

caracteres (y los dibujos) en el cartel. 우리는 커버용 ~을 시도했다 Hemos probado varios diseños para la portada.
■ ~ 아티스트 maquetador, -dora *mf*, diagramador, -dora *mf*.

레이오프(영 *layoff*) ① [일시적 해고] despido *m*; [일시적 강제 휴업] suspensión *f* temporal por falta de trabajo. ② [(선수 등의) 시합[활동] 중지 기간] paro *m*, período *m* de desempleo, *Chi* cesantía *f*.

레이온(영 *rayon*) rayón *m*, seda *f* artificial.
■ ~ 펄프 pulpa *f* de rayón.

레이윈(영 *rawin*) 【기상】 [송신기를 단 기구에 의한 고층풍(高層風) 측정] radiosondeo *m*, radioviento *m*.

레이저(영 *laser*) 【물리】 láser *m*, laser *ing.m*, máser *m* óptico. ~의 lasérico.
■ ~ 광선 rayo *m* (de) láser. ~ 내시경 endoscopio *m* láser. ~ 무기 el arma *f* (*las* armas) láser. ~ 수술 cirugía *f* con láser. ~ 카메라 cámara *f* lasérica.

레인보(영 *rainbow*) [무지개] arco *m* iris.

레인지(영 *range*) ① [(가스·전기·전자) 레인지] cocina *f* económica. ② [사격장] campo *m* de tiro. ③ [범위. 사정] alcance *m*. ④ [거리] distancia *f*.

레인코트(영 *raincoat*) impermeable *m*, ropa *f* impermeable, ropa *f* para lluvia, *Arg* piloto *m*, *Urg* pilot *m*; [두꺼운 복지의] gabardina *f*.

레일(영 *rail*) raíl *m*, riel *m*, rail *m*, carril *m*; [노선(路線)] vía *f* ferrea; [철도] ferrocarril *m*. ~을 깔다 poner raíles, poner carriles.

레임덕(영 *lame duck*) fracaso *m*, caso *m* perdido.
■ ~ 대통령 presidente *m* que no ha sido reelegido, en los últimos meses de su mandato.

레저(영 *leisure*) [여가(餘暇)] tiempo *m* libre, tiempo *m* desocupado y de descanso; [오락(娛樂)] pasatiempo *m*. ~를 즐기다 gozar de las horas desocupadas.
■ ~ 복 ropa *f* deportiva, chandal *m*. ~ 붐 auge *m* de recreación. ~ 산업 industria *f* de recreación, industria *f* del ocio, sector *m* del ocio. ~ 센터 centro *m* deportivo, polideportivo *m*, centro *m* recreativo, centro *m* de ocio. ~ 스포츠 deporte *m* del ocio. ~ 시설 instalaciones *fpl* para el ocio. ~ 타임 tiempo *m* libre, ratos *mpl* libres, momentos *mpl* de ocio.

레종 데타(불 *raison d'Etat*) [국가 이유] razón *f* de Estado.

레종 데트르(불 *raison d'etre*) [존재 이유] razón *f* de estar.

레쥐메(불 *résumé*) resumen *m*.

레즈비언(영 *lesbian*) [동성애에 빠진 여자] lesbiana *f*, [행위(行爲)] homosexualidad *f* femenina.

레즈비어니즘(영 *lesbianism*) [여성 동성애(女性同性愛)] lesbianismo *m*.

레지 moza *f* de la cafetería.

레지스탕스(불 *résistance*) [저항] resistencia *f*. ~의 투사(鬪士) resistente *mf*.
◆ 불란서 ~ la Resistencia francesa.
■ ~ 문화 cultura *f* de resistencia. ~ 운동 resistencia *f*.

레지스터(영 *register*) ① [금전 등록기] caja *f* (registradora). ② [(생사 등의 공적인) 기록(記錄)] registro *m*; [학교의] lista *f*. ③ 【음악】 [성역. 음역(音域)] registro *m*. ④ 【언어】 [언어 사용역] registro *m* (idiomático). ⑤ 【컴퓨터】 registro *m*.

레지옹 도뇌르(불 *Légion d'honneur*) [레지옹 도뇌르 훈장] la Legión de Honor.

레커차(wrecker 車) grúa *f* remolque.

레코드(영 *record*) ① [음반(音盤)] disco *m*. ~에 en disco. ~를 틀다 tocar disco, poner un disco. ~를 만들다 hacer un disco. ~를 취입하다 grabar un disco. 노래를 ~에 취입하다 grabar una canción en disco. 엘피 ~ disco *m* microsurco. 엠피 ~ disco *m* de surco medio. 에스피 ~ disco *m* de surco stándard. ② [기록] récord *m*. ~를 작성하다 establecer un récord. ~를 깨뜨리다 batir un récord. ~를 보유하다 mantener un récord. ③ [녹음] grabación *f*, registro *m*.
■ ~ 수집가 discófilo, -la *mf*. ~ 음악(音樂) música *f* de discos. ~점 tienda *f* de discos, disquería *f*, casa *f* de música. ¶~ 주인·판매원 vendedor, -dora *mf* de discos. ~ 콘서트 concierto *m* de discos. ~판 disco *m*. ~ 플레이어 [전축] tocadiscos *m.sing.pl*. ~ 헤드 【컴퓨터】 cabeza *f* de registro. ~ 회사(會社) compañía *f* discográfica, empresa *f* discográfica.

레코딩(영 *recording*) ☞리코딩

레퀴엠(라 *requiem*) réquiem *m*.

레크리에이션(영 *recreation*) recreo *m*, recreación *f*, diversión *f*, entretenimiento *m*.
■ ~ 센터 centro *m* de recreo.

레탕모데른(불 *Les Temps modernes*) Los Tiempos Modernos.

레터(영 *letter*) ① [편지] carta *f*. ② [서류] documento *m*. ③ [글자] letra *f*.

레터르(네 *letter*) marbete *m*, etiqueta *f*, rótulo *m*. ~를 달다 dar (a *uno*) la etiqueta (de).
◆ 레터르(를) 붙이다 pegar una etiqueta (a), poner una etiqueta (a), rotular.

레트로바이러스(영 *retrovirus*) retrovirus *m*.

레판토 해전(Lepanto 海戰) la Guerra Naval de Lepanto.

레퍼렌덤(영 *referendum*) [국민 투표] referéndum *m*, plebiscito *m*, referendo *m*.

레퍼리(영 *referee*) árbitro *mf*, *AmL* réferi *mf*, referí *mf*. ~를 맡다 [보다] arbitrar, hacer de árbitro.

레퍼토리(영 *repertory*) repertorio *m*. ~가 넓다[좁다] tener un repertorio vasto [limitado].

레포츠(영 leisure+sports) el tiempo libre y los deportes.

레프라(라 *lepra*) 【의학】 ＝한센병.

레프트(영 *left*) ① [왼쪽] izquierda *f*. ② ＝좌

익. ③ ((준말)) =레프트 윙. ④ ((준말)) = 레프트 필드. ⑤ ((준말)) =레프트 필더. ⑥ ((준말)) =레프트 하프.

■ ~ 백 defensa *f* izquierda. ~ 윙 [정치의] la izquierda, *el* ala *f* izquierda; [운동의] banda *f* izquierda, el ala *f* izquierda, extremo *m* izquierdo. ¶~에서 경기하다 jugar en la banda [el ala] izquierda. ~ 윙어 extremo *mf* [alero *mf*] izquierdo. ~ 인너 exterior *f* izquierda. ~ 인사이드 interior *m* izquierdo. ~ 잽 corto *m* [jab *m*] izquierdo. ~ 필더 [좌익수] jardinero *m* izquierdo, jardinera *f* izquierda. ¶~로 경기하다 jugar de jardinero izquierdo. ~ 필드 campo *m* izquierdo, jardín *m* izquierdo; ((야구)) exterior *f* izquierda. ~ 하프 medio *m* izquierdo. ~ 훅 gancho *m* de izquierda.

ㄹ

레프티스트(영 *leftist*) [좌파 (사람)] izquierdista *mf*.

렉시콘(영 *lexicon*) léxico *m*, diccionario *m*.

렌즈(영 *lens*) lente *m(f)*, vidrio *m* óptico; [카메라의] objetivo *m*. ~를 맞추다 enfocar la cámara (a). ~를 조이다 diafragmar, disminuir el diafragma.

■ ~ 덮개 parasol *m*. ~ 조리개 (apertura *f* del) diafragma *m*.

렌치(영 *wrench*) llave *f*, desvolvedor *m*.

렌터카(영 *rent-a-car*) coche *m* de alquiler.

렘밍(영 *lemming*) 【동물】 lemming *m*.

렘삐라 [온두라스의 화폐 단위] lempira *m*.

렙톤(영 *lepton*) 【물리】 [경입자] leptón *m*.

-려고 a, para. 산보하~ 나가다 salir de casa para dar un paseo. 무엇하~ 왔니? ¿A qué viene? 그는 떠나~ 한다 El va a marcharse.

-려나 ir a + *inf*. 넌 언제 떠나~? ¿Cuándo va a salir?

-려네 ir a + *inf*. 난 자~ Yo voy a acostarme. 자네가 가면 나도 가~ Yo también iré si tú vas. 나는 내년에 외국에 가~ Yo iré al extranjero el año que viene.

-려느냐 ¿vas a + *inf*? 무엇을 하~? ¿Qué vas a hacer? 어디를 가~? ¿Adónde vas? 언제 돌아오~? ¿Cuándo vas a volver? / ¿Cuándo volverás?

-려는가 ¿vas a + *inf*? 너는 무엇을 하~? ¿Qué vas a hacer? 언제 떠나~? ¿Cuándo saldrás? ¿Cuándo vas a salir? 얼마나 이곳에 머무르~? ¿Cuánto tiempo permanecerás aquí? / ¿Cuánto tiempo vas a quedarte aquí?

-려는지 ir a + *inf*. 무엇을 주~ 모르겠다 Yo no sé qué me dará [va a dar].

-려면 si. 가~ 한 번 만나 보고 가거라 Si tú vas, ve después de que me vea una vez.

-려면야 si + *subj*. 하~ 할 수 있지만 Si yo hiciera [hiciese], lo podría. 이기~ 이길 수 있지만 Yo podría ganar, si yo ganara [ganase].

-려무나 ¶빨리 오~ Ven pronto.

-려야 ¶나는 웃지 않으~ 웃지 않을 수 없었다 No pude menos de reírme. 난 잊으~ 잊을 수 없다 Nunca olvidaré.

-려오 voy a + *inf*, *inf* + -é. 다시는 그런 짓을 하지 않으~ No lo haré otra vez. 당신이 가면 나도 따라가~ Si tú vas, yo también te acompañaré. 나라를 위해서는 힘을 다 바치~ Haré algo por mi patria / Me moriré por mi patria.

-력(力) [능력(能力)] habilidad *f*, capacidad *f*, competencia *f*, eficiencia *f*; [힘] poder *m*, fuerza *f*, potencia *f*, vigor *m*. 경제~ poder *m* económico. 영도(領導)~ liderazgo *m*. 이해~ comprensión *f*, entendimiento *m*, sentido *m*. 정치~ poder *m* político, influencia *f* política.

-력(曆) calendario *m*. 태양(太陽)~ calendario *m* solar.

-련 ¿vas a + *inf*? 언제 가~ ¿Cuándo vas (a ir)?

-련다 voy a + *inf*, *inf* + -é. 내일은 쉬~ Mañana descansaré / Mañana voy a descansar.

-련마는 ¶너는 더 주의를 했어야 하~ Hubieras haber tenido más cuidado. 넌 그 사람을 잊어 버리는 것이 좋으~ Sería mejor que te olvidaras de él.

-련만 ((준말)) =-련마는.

-렬 ((준말)) =-려 할. ¶밤길을 누가 가~ 사람이 있나 ¿Hay gente que va a salir por la noche?

-렴 ((준말)) =-려무나. ¶마음대로 해보~ Haz como quieras.

-렵니까 ¿va a + *inf*? 언제 떠나시~? ¿Cuándo sale usted? 저와 같이 영화를 보러 가시지 않으시~? ¿No quiere usted ir al cine conmigo? 댁에 계시~? ¿Estará usted en casa? 신문을 좀 빌려주시~? ¿Podría usted prestarme el periódico un momento?

-렵니다 voy a + *inf*, *inf* + -é. 교사가 되~ Voy a ser maestro.

-령(領) territorio *m*. 서반아~ territorio *m* español.

-령(嶺) paso *m*, puerto *m*. 추풍~ paso *m* (de) *Chupung*.

-례(例) ejemplo *m*.

로 ① [수단·도구·기구] en, a, con, por. 기차[비행기·버스·지하철·택시]~ en tren [avión·autobús · metro·taxi]. 도보~ a pie, andando. 서반아어~ en español, en castellano. 전화~ por teléfono. 연필~ 쓰다 escribir con lápiz. 잉크~ 쓰다 escribir con tinta. 만년필~ 쓰다 escribir con pluma estilográfica. 난로~ 방을 덥히다 calentar la habitación con la estufa. 사다리~ 나무에 오르다 subir a un árbol con ayuda de una escalera. 의안(議案)은 150대 129~ 가결되었다 El proyecto de ley ha sido aprobado por ciento cincuenta contra ciento veinte y nueve.

② [이유·원인] de, por, a [por] causa de, a consecuencia de, debido a, por motivos de, por razones de. 부주의~ por descuido. 건강상의 이유~ por una razón de salud.

나쁜 관리~ debido a una mala administración. 사소한 동기~ 다투다 reñir por un motivo trivial. 나는 일~ 그를 만났다 Yo le vi a él por un negocio. 공사~ 통행 금지 ((게시)) Prohibido [Cerrado] el paso por obra.
③ [재료·원료] de. 포도~ 포도주를 만들다 hacer vino de las uvas. 이 집은 나무~ 만들어졌다 Esta casa es de madera. 버터는 우유~ 만든다 La mantequilla se hace de la leche. 청주(清酒)는 쌀~ 빚는다 El *cheongchu* se hace de arroz.
④ [신분·자격] como, por, en calidad de. 대표~ como representante. 기사~ 고용하다 emplear como ingeniero. 아내~ 맞이하다 recibir por esposa.
⑤ [한정된 시간·때] con. 12월 31일~ 계약을 철회하다 abolir el contrato con el (día) treinta y uno de diciembre.
⑥ [방향] a, para. 해변가~ 가다 ir a la playa. 서울~ 떠나다 salir [partir] para Seúl.
⑦ [비율·기준] por, según. 무게 [타·낱개]~ 팔다 vender por peso [por docena·por pieza].
⑧ [판단의 기준] por. 그가 말하는 걸~ 판단해서 a juzgar por lo que dice él. 그의 얼굴~ 거짓말을 하고 있다는 것을 판단했다 Juzgué por su semblante que estaba mintiendo.
⑨ [경유(經由)] por. 비상구~ 나오다 salir por la salida de emergencia.
⑩ [양태(樣態)] en. 무례한 태도~ en actitud descortés. 타박하는 어조(語調)~ en tono de reproche.
⑪ [평가(評價)] por. 내 삼촌은 부자~ 알려져 있었다 Mi tío pasaba por rico.
⑫ [기타] por, de, como. 법률~ 금지되어 있다 estar prohibido por la ley.

로(영 *law*) [법. 법률] ley *f*, derecho *m*.
■~ 스쿨 [법과 대학. 법률 학교] facultad *f* de Derecho.

-로 [명사 밑에 붙어서 부사를 만든다] ¶때때~ a veces, unas veces, algunas veces, de vez en cuando, de cuando en cuando. 진실~ de veras, verdaderamente.

-로(路) ① [길] calle *f*, camino *m*. 교차~ cruce *m*, encrucijada *f*, intersección *f*, calle *f* traviesa. ② [큰 도로를 둔 동네의 이름을 이루는 접미어] Avenida *f*. 세종~ Avenida *f* (de) *Sechong*.

로고(영 *logo*) logo *m*, logotipo *m*.

로고(영 *LOGO*) 【컴퓨터】 lenguaje *m* de programación destinado a la enseñanza y que recurre especialmente a los gráficos.

-로고 ¶참으로 뻔뻔스런 놈이~ ¡Que imprudente es!

로고스(그 *logos*) ① =말. 언어(言語). ② =논리(論理). ③ =오성(悟性). ④ ((기독교)) =성자(聖子).

-로구먼 ¶ 벌써 열 시~ Ya son las diez. 정말 재미있는 쇼~ ¡Que espectáculo gracioso es!

-로군 ¶정말 아름다운 여자~ ¡Que hermosa es ella! 그것 참 좋은 생각이~ Es muy buena idea.

로그(영 *log*) 【수학】 logaritmo *m*.
■~자 escala *f* logarítmica. ~표 tabla *f* de logaritmos. ~함수 función *f* de logaritmo.

로는 para. 초심자~ 그는 좋은 편이다 Para ser un principiante él está bastante bien.

-로는 en. 내 견해~ en mi opinión [parecer]. 서반아어~ 이것을 무엇이라 합니까? ¿Qué significa [quiere decir] esto en castellano [español]?

-로다 ser. 그이야말로 참된 애국자~ El es un patriota verdadero.

로댕 【인명】 Augusto Rodin (1840-1917). ~은 불란서의 조각가로 그의 주요 작품은 「입맞춤」「생각하는 사람」「지옥의 문」「발작」「성당」「행진하는 사람」 등이다 Rodin es un escultor francés y sus obras principales son *El beso, El pensador, La puerta del infierno, Balzac, La catedral, El hombre que marcha*, etc.

로 더불어 (junto) con. 그~ 서반아에 가다 ir a España con él.

로데오(서 *rodeo*) rodeo *m*, función *f* de vaqueros.

로도 en. 그곳은 기차~ 자동차~ 갈 수 있다 Usted puede ir allí o en tren o en coche. 이 길은 학교~ 통해 있다 Este camino da a la escuela.

로듐(영 *rhodium*) 【화학】 rodio *m*.

로드(영 *road*) [길. 거리. 도로] camino *m*, calle *f*, carretera *f*.
■~ 레이스 [(자동차의) 도로 경주] carrera *f* sobre carretera. ~ 롤러 [노면(路面)을 다지는 롤러] apasionadora *f*, máquina *f* apasionadora. ¶~로 땅을 고르다 apasionar. ~맵 [(특히 자동차 여행용) 도로 지도] mapa *m* de carreteras. ~ 사인 [도로 표지] señal *f* de tráfico. ~ 쇼 [독점 개봉 흥행] estreno *m* (especial), espectáculo *m* callejero; [라디오의] programa *m* de emisiones del equipo móvil desde distintas localidades; [극장의] gira *f* de una compañía de teatro. ¶대통령 선거의 해 ~ la gira del Presidente en su campaña electoral. ~ 극장 sala *f* de estreno. ~ 영화 película *f* de estreno. ~ 워크 [컨디션 조절을 위한 장거리 러닝] parte *f* del entrenamiento de un deportista que consiste en trotar por carretera.

로디지아 【지명】 Rhodesia, Rodesia. ~의 rodesiano. ~ 사람 rodesiano, -na *mf*.
◆현재 북 로디지아는 독립하여 잠비아라는 이름을 채택했음(Actualmente Rhodesia del Norte es independiente y ha adoptado el nombre de Zambia).

로딩 브리지(영 *loading bridge*) 【항공】 [탑승교(搭乘橋)] puente *m* de carga.

로렌슘(영 *lawrencium*) 【화학】 laurencio *m*.

로르카 【인명】 Federico García Lorca (1898-1936). 주요 작품: 시집으로 Romancero Gitano (1928), Llanto por la muerte de

ㄹ

Ignacio Sánchez Mejías 등과 극작품으로 Bodas de Sangre (1928) 등이 있음.

로마 ① 【지명】 Roma *f.* ~의 romano. ~는 하루아침에 이루어지지 않았다 No se ganó Zamora en una hora / Roma no se construyó en un solo día / No se fundó Roma en una hora. ~에서는 ~ 사람처럼 행동해라 Cuando a Roma fueres, haz lo que vieres. 모든 길은 ~로 통한다 Todos los caminos llevan [conducen · van] a Roma / Por todas partes se va a Roma. ② ((준말)) =로마 제국. ③ ((준말)) =로마 가톨릭 교회.
◆고대(古代) ~ la Roma antigua.
▪~ 가톨릭교 catolicismo *m.* ~ 가톨릭 교도 [천주교도] católico, -ca *mf.* ~ 가톨릭 교회 la Iglesia Católica romana, la Iglesia Católica (Apostólica Romana). ~ 교황 el Papa, el Santo Padre. ~ 교황청 la Santa Sede, el Vaticano. 로마 교황청 대사 el Nuncio. 로마 교황청 대사관 la Nunciatura (de la Santa Sede), la Nuncia Apostólica Romana. ~력 calendario *m* romano. ~법 ley *f* romana. ~ 법전 código *m* de las leyes romanas. ~ 사람 romano, na *mf.* ~ 숫자 números *mpl* romanos. ~식 【건축】 orden *m* romano. ~자 letra *f* romana, letra *f* latina, caracteres *mpl* romanos. ¶~로 쓰다 escribir en letras latinas, escribir en alfabeto romano, deletrear con letras romanas.

로마네스크(불 *Romanesque*) románico *adj.*
▪~식 estilo *m* románico.

로마서(Roma 書) ((성경)) La Epístola del Apóstol San Pablo a los Romanos.

로마 제국(Roma 帝國) el Imperio Romano.

로만파 음악(Roman 派音樂) música *f* romántica.

로망(불 *roman*) 【문학】 novela *f.*

로망스(불 *Romance*) episodio *m* romático.

로망스어 (Romance 語) romance *m,* lenguas *fp* romónticas, lenguas *fpl* romances. ~ 연구 estudios *mpl* románticos. ~ 학자 roman(c)ista *mf.*

로망티슴(불 *romantisme*) romantismo *m.*

로망 플뢰브(불 *roman fleuve*) 【문학】 novela *f* río, novelón *m.*

로맨스(영 *romance*) ① [전기담] romance *m,* novela *f.* ② [연애 (사건)] amor *m,* aventura *f* (sentimental), amorío *m.* 두 사람 간에는 ~가 싹텄다 Ha nacido el amor entre ellos. ③ 【음악】 romanza *f.* ④ [로망스] episodio *m* romántico, cuento *m* de amor, cuento *m* de enamorados, historia *f* de amor.
▪~ 그레이 hombre *m* atractivo de pelo entrecano.

로맨티시스트(영 *romanticist*) romántico, -ca *mf.*

로맨티시즘(영 *romanticism*) romanticismo *m.*

로맨틱(영 *romantic*) romántico, encantado. ~하다 ser romántico. ~한 생애 carrera *f* romántica. ~한 음악 música *f* romántica.

로미오와 줄리엣(영 *Romeo and Juliet*) 【문학】 Romeo y Julieta.

로봇(영 *robot*) [인조 인간] autómata *m,* robot *m;* máquina *f* automática; [허수아비 같은 사람] títere *m,* figura *f* decorativa. 그는 ~ 사장이다 El presidente es un mero robot. 그는 ~처럼 행동한다 El se comporta como un autómata. 그는 ~에 불과하다 El no es más que una figura decorativa. 그는 쉬지 않고 일한다. ~ 같다 El trabaja sin descanso. Parece un robot.
▪~ 공학 robótica *f.* ~ 운전 robotización *f.* ¶~ 하다 robotizar. ~ 작동 robotización *f.* ¶~하다 robotizar. ~컨트롤 언어 lenguaje *m* de control de robots. ~ 파일럿 piloto *m* automático. ~화 robotización *f,* automatización *f.* ¶~하다 robotizar, automatizar.

로부터 de, por contra, a. …~ 빼앗다 quitar a uno. 모두~ 사랑을 받다 ser amado de [por] todos. 추위~ 몸을 보호하다 defenderse contra el frío. 김 씨~ 전화가 왔다 Ha habido una llamada (telefónica) del señor Kim. 나는 그녀~ 재미있는 이야기를 들었다 A ella le oí una historia interesante.

로비(영 *lobby*) ① [대합실 · 복도 · 현관 · 응접실 따위를 겸한 넓은 방] vestíbulo *m,* salón *m* (*pl* salones); [극장의] foyer *m,* salón *m* de descanso; salón *m* [sala *f*] de entrada de un hotel; pasillo *m,* antecámara *f.* ② [국회의] sala *f* donde el público puede entrevistarse con los representantes de un cuerpo legislativo; [정치 압력 단체] cabilderos *mpl,* grupo de prisión, lobby *m.* ~를 하다 presionar, ejercer presión (sobre). …을 얻기 위해 ~를 하다 presionar [cabildear · ejercer presión] para obtener *algo.* 낙태 반대 ~ el grupo de presión [el lobby] anti-abortista. 그들은 보조금을 증액하도록 시당국에 ~하고 있다 Están presionando al ayuntamiento para que aumente las subvenciones.
▪~ 활동(活動) cabildeo *m.* ¶~을 하다 cabildear. ~ 활동가 cabildero.

로비스트(영 *lobbist*) miembro *mf* de un grupo de prisión.

로빈 후드(영 *Robin Hood*) [전설상의 인물] Robin Hood, Robín de los Bosques.

로뻬 데 베가 【인명】 Félix Lope de Vega y Carpio (1562-1635).
◆서반아의 시인으로 전 장르에서 재능을 보였으나 특히 연극에 뛰어나 1,500 이상의 코미디 작품을 썼으며 그 중 서반아 연극의 걸작에 드는 작품이 많다(Poeta español. Cultivó todos los géneros, pero sobresalió esencialmente en el teatro, para el que escribió más de mil quinientas comedias, numerosas de las cuales se cuentan entre las obras maestras de la escena española. 주요 작품: El caballero de Olmedo, Fuenteovejuna, Peribáñez y el Comendador de Ocaña, El mejor alcalde, La estrella de

Sevilla, El perro del hortelano, El anzuelo de Fenisa, La dama boba, La discreta enamorada, El acero de Madrid, El villano en su rincón, Lo cierto por lo dudoso, Rimas divinas y humanas, El Isidro, La Circe, La Filomena, La Adrómeda, La Arcadia, Los pastores de Belén 등.

로사리오(포 *rosario*) ((천주교)) rosario *m*. ~의 기도 rosario *m*.

로서 ① [어떠한 자격·지위·신분을 가지고] como, por, en calidad de. 대표~ como representante. 나~는 por lo que toca a mí, en cuanto a mí, por lo que a mí respecta. 친구~ 충고하다 aconsejar como amigo. 학자~ 발언하다 hablar como sabio. ② [어떤 동작이 「그곳으로부터 시작됨」] de. 바람이 남쪽 바다~ 불어왔다 El viento soplaba del mar (del) sur.

로세 ser. 쉬운 일이 아니~ No es cosa fácil. 훌륭한 문장이~ Es la oración excelente.

로션(영 *lotion*) loción *f*.

로스(영 *loss*) [상실. 손실] pérdida *f*.

로스구이 solomillo *m*, carne *f* asada, rosbif *m*.

로스앤젤레스 【지명】 Los Angeles.

로스터(영 *roaster*) [통닭의] asador *m*; [빵의] fuente *f* de horno (para asados), *RPI* asadera *f*.

로스트(영 *roast*) asación *f*; [요리(料理)] asado *m* (al horno), carne *f* de vaca asada, carne *f* asada, rosbif *m*. ~하다 asar.

■~ 비프 asado *m*, carne *f* asada. ~ 치킨 pollo *m* asado.

로스트 러브(영 *lost love*) amor *m* perdido.

로스트 제너레이션(영 *Lost Generation*) Generación *f* Perdida.

로스트 타임(영 *lost time*) tiempo *m* perdido.

로써 con, a. 용기~ con coraje. 칼~ 얻은 자 칼로 망한다 Quien a hierro mata, a hierro muere.

로열 로드(영 *royal road*) [지름길] atajo *m*, camino *m* más corto.

로열 박스(영 *royal box*) palco *m* real.

로열 젤리(영 *royal jelly*) jalea *f* real.

로열티(영 *royalty*) [저작권의] derechos *mpl* de autor; [특허권의] derechos *mpl* de invento.

로열 필하모닉 오케스트라(영 *Royal Philharmonic Orchestra*) la Real Orquestra Filarmónica.

로이드 선급 협회(Lloyd船級協會) el Registro Lloyd.

로이터 통신(Reuter 通信) la Agencia de Noticias de Reuter.

로제타석(Rosetta 石) rossita *f*, piedra *f* de Rossita.

로즈(영 *rose*) [장미꽃] rosa *f*, 【식물】 rosal *m*; [색] color *m* rosa.

로즈메리(영 *rosemary*) 【식물】 romero *m*.

로카(영 *ROKA*, *Republic of Korea Army*) [대한 민국 육군] el Ejército de la República de Corea.

로커(영 *locker*) [자물쇠 달린 서랍이나 반닫이 따위] armario *m* (ropero), trapuilla *f*, *AmL* locker *ing.m*; cajón *m* (*pl* cajones) con llave; [역이나 버스 터미널·공항 등의] (casilla *f* de la) consigna *f* (automática).

■~룸 vestuario *m* (con armarios·con casilleros).

로컬(영 *local*) ① [지방의. 고장의] local *adj*. ② [교외 열차. 보통 열차] tren *m* de cercanías. ③ [노선 버스] autobús *m* de línea. ④ ((준말)) =로컬 방송. ⑤ [지역 야구 팀] equipo *m* local.

■~ 거번먼트 [지방 자치 단체] administración *f* municipal. ~ 뉴스 noticias *fpl* locales. ~ 방송[프로그램] emisión *f* local. ~ 컬러 [지방색] color *m* local. ~ 크레디트 crédito *m* local. ~ 타임 [지방 시간. 현지 시간] hora *f* local. ~판 edición *f* local.

로케 ((준말)) =로케이션(location).

로케이션(영 *location*) rodaje *m* exterior, rodaje *m* fuera del estudio. 이 영화의 ~은 지리산에서 행해졌다 Esta película ha sido rodada en Chirisan.

로켓(영 *rocket*) ① cohete *m*. ② [우주선] cohete *m* espacial. ③ [미사일] cohete *m*, misil *m*.

◆구명(救命) ~ cohete *m* de salvamento. 삼단식(三段式) ~ cohete *m* trietápico [de tres etapas·de tres tramos]. 우주 ~ cohete espacial. 지대지(地對地) ~ cohete *m* tierra-tierra.

■~ 공격 ataque *m* con cohetes. ¶~을 하다 atacar con cohetes. ~ 공장 cohetería *f*, taller *m* [fábrica *f*] donde se hacen cohetes. ~ 기술자 cohetero, -ra *mf*. ~ 모터 propulsor *m* de cohete, motor *m* cohético. ~ 미사일 proyectil *m* teledirigido. ~ 발사 cohetería *f*, disparo *m* de cohetes. ~ 발사기 lanzacohetes *m.sing.pl*, lanzamisiles *m.sing.pl*. ~ 발사 시험장 base *f* de lanzamiento de cohetes. ~ 발사탑 torre *f* de lanzamiento. ~ 사용 cohetería *f*, uso *m* de los cohetes. ~ 사용술 [전쟁 등에서] cohetería *f*, arte *m* de emplear cohetes. ~ 실험 cohetería *f*. ~ 엔진 motor *m* cohético, propulsor *m* de cohete. ~ 연구(硏究) cohetería *f*, estudio *m* de los cohetes. ~ 천문학 astronomía *f* de cohetes. ~ 추진(推進) propulsión *f* a cohete, propulsión por cohete. ~ 추진 시스템 sistema *m* de propulsión del cohete. ~ 추진식 비행기 avión *m* de propulsión cohética, avión *m* propulsado por cohete. ~탄 (proyectil *m*) cohete *m*. ~포(砲) lanzacohetes *m.sing.pl*, canón *m* cohete. ~학 cohetería *f*.

로코코(불 *rococo*) rococó *m*.

■~ 양식 estilo *m* rococó. ~ 예술 arte *m* rococó. ~ 음악 música *f* rococó.

로큰롤(영 *rock'n'roll*) 【음악】 rocanrol *m*, rock and roll *m*. ~ 가수 rockero, -ra *mf*.

로큰롤러(영 *rock'n'roller*) ① [로큰롤 가수] rockero, -ra *mf*. ② [로큰롤 팬] rockero, -ra *mf*, rocanrolero, -ra *mf*. ③ [노래] rock *m*.

로터리(영 *rotary*) glorieta *f*, plaza *f* circular, *AmL* rotonda *f*, *Per* óvalo *m*.
■ ~ 회원 rotariano, -na *mf*.
로터리 클럽(영 *Rotary Club*) el Club de Rotarios, la Sociedad Rotaria, el Rotary Club.
◆ 국제 ~ el Rotary Club Internacional.
■ ~ 회원 rotariano, -na *mf*.
로테이션(영 *rotation*) rotación *f*, alternación *f*. ~으로 por turno. 일의 ~ rotación *f* de trabajos [de puestos].
로프(영 *rope*) [줄. 끈] cuerda *f*, soga *f*; [금속제(金屬製)의] cable *m*.
로 하여금 a, para. …~ …하게 하다 hacer [dejar] a *uno* + *inf*. 나는 그~ 그 일을 하게 했다 Yo le hice trabajarlo.
로힐(영 *low-healed shoes*) zapatos *mpl* de tacón bajo.
록[1](영 *rock*) [바위] roca *f*; [돌] piedra *f*.
■ ~클라이머 escalador, -dora *mf* (de rocas). ~ 클라이밍 (técnica *f* de) escalada *f* (de roca).
록[2](영 *rock*) 【음악】 =로큰롤.
■ ~ 그룹 grupo *m* de rock. ~ 앤드 롤 = 로큰롤.
록(영 *ROK, The Republic of Korea*) [대한민국] la República de Corea.
론 【준말】 =로는. ¶어린이~ 어려운 문제다 Es un problema difícil al niño.
론(영 *loan*) [차관(借款)] préstamo *m*, empréstito *m*, crédito *m*. ~으로 사다 comprar a plazos.
◆ 뱅크 ~ préstamo *m* [crédito *m*] bancario.
■ ~ 자금 fondos *mpl* de préstamo.
-론(論) ① [그것에 관해 논술한 것임을 나타냄] ensayo *m*, tratado *m* (sobre). 작가~ tratado *m* sobre el autor. ② [주장·의견·의논] teoría *f*, -ismo. 원자~ teoría *f* atómica. 유물~ materialismo *m*. 진화~ teoría *f* de la evolución.
론도(이 *rondo*) 【음악】 [윤무곡(輪舞曲)] ronda *f*, [회선곡(回旋曲)] rondó *m*.
■ ~ 형식 forma *f* rondó.
롤(영 *roll*) ① [두루마리] rollo *m*, arrollador *m*. ② [롤러] cilindro *m*, rodillo *m*, allanador *m*, rodillo *m*. ③ [코일] bobina *f*.
◆ 압면 ~ cilindro *m* de laminar.
■ ~빵 panecillo *m*, francesilla *f*, mollete *m*. ~지 (紙) papel *m* en rollos. ~ 축(軸) eje *m* de rodillo. ~ 테이블 mesa *f* de rodillos, mesa *f* de laminar. ~ 필름 película *m* en rollo, bobina *f* en rollo; 【사진】 película *f* en carrete.
롤러(영 *roller*) rodillo *m*, cilindro *m*, allanador *m*, aparato *m* enrollador, arrollador *m*, aplanador *m*, apisionadora *f*, máquina *f* apisionadora; laminador *m*; 【사진】 rodillo *m* de caucho. ~로 땅을 고르다 apisionar.
■ ~ 베어링 cojinete *m* de rodillos, rodamiento *m* de rodillos, *RPI* rulemán *m*. ~ 스케이터 patinador, -dora *mf* (sobre ruedas). ~스케이트 patín *m* (*pl* patines) de ruedas. ¶~를 타다 patinar (sobre ruedas). ~ 타러 가다 ir a patinar. ~스케이트 경기 patinaje *m* (con patines de ruedas). ~스케이트장 pista *f* de patinaje (sobre ruedas). ~스케이팅 patinaje *m* (sobre [de] ruedas).
롤링(영 *rolling*) balanceo *m*, lodamiento *m*, rodadura *f*, enrollamiento *m*, laminación *f*, cuneo *m*. ~하다 balancearse.
롤백 정책(roll-back 政策) policía *f* de reducción (a un nivel anterior).
롬(영 *ROM, ready only memory*) 【컴퓨터】 ROM *f*, memoria *f* indeleble.
■ ~ 메모리 memoria *f* de sólo lectura.
롭스터(영 *lobster*) [바닷가재] bogavante *m*, langosta *f*.
롱런(영 *longrun*) 【영화·연극】 representación *f* de larga duración, larga temporada *f* de representaciones. ~을 계속하고 있다 mantenerse [seguir] mucho tiempo en la cartelera.
롱 톤(영 *long ton*) tonelada *f* larga (2,240 파운드); gran tonelada *f* (1,016 킬로그램).
롱 플레이(영 *long play*) larga duración *f*.
■ ~ 디스크 disco *m* de larga duración. ~ 레코드 disco *m* de larga duración.
롱플레잉 레코드(영 *long-playing record*) [엘피판 (LP板)] disco *m* microsurco de larga duración..
롱 히트(영 *long hit*) jit *m* largo.
뢴트겐(독 *Röentgen*; 영 *roentgen*) Röentgen *m*, roentgen *m*, roentgenio *m*.
■ ~ 검사 examen *m* radiográfico; [투시에 의한] examen *m* radioscópico, radioscopio *m*. ¶~를 받다 hacerse una radiografía. ~과 radiología *f*, roentgenología *f*. ~과 기사 radiógrafo, -fa *mf*; radiólogo, -ga *mf*. ~과 의사 radiólogo, -ga *mf*; roentgenólogo, -ga *mf*. ~ 단층 사진 tomograma *m*. ~ 단층 촬영기 tomógrafo *m*. ~ 사진 fotografía *f* de rayos X, radi(o)grafía *f*, roentgenograma *m*. ¶~을 찍다 sacar una radiografía (a), radiografiar (a). ~ 사진술 radiografía *f*. ~선 rayos *mpl* X, rayo *m* de Röentgen. ~선 투시기 roentgenoscopio *m*. ~선 촬영기 roentgenógrafo *m*. ~선 촬영법 roentgenografía *f*. ~선학 roentgenología *f*. ~ 요법(療法) roentgenoterapia *f*, radioterapia *f*. ~ 촬영 roentgenografía *f*. ~ 촬영법 roentgenografía *f*. ~ 화상(火傷) quemadura *f* por el rayo de Röentgen.
-료(料) ① [요금] precio *m*, honorario *m*. 입장~ (precio *m* de) entrada *f*. ② [재료] material *m*. 조미~ condimento *m*, sazón *m*.
-료(寮) dormitorio *m*. 대학~ dormitorio *m* de la universidad.
루(樓) torre *f*, edificio *m* alto, restaurante *m*, casa *f* de dos pisos.
루마니아 【지명】 Rumania *f*. ~의 rumano.
■ ~ 사람 rumano, -na *mf*. ~어 rumano *m*.
루머(영 *rumour*) [소문] rumor *m*.
루멘(영 *lumen*) lumen *m.sing.pl.* (*pl* lúmenes

도 있음).
루미네선스(영 *luminescence*) luminiscencia *f.*
루블(영 *rouble*; 러 *rubl'*) [러시아의 화폐 단위] rublo *m.*
루비(영 *ruby*)【광물】rubí *m* (*pl* rubís 또는 rubíes). ~의 de rubí. ~와 같은 rúbeo.
■~ 반지 anillo *m* de rubí. ~색 rojo *m* rubí, color *m* de rubí. ~혼식(婚式) [결혼 40주년] bodas *fpl* de rubí.
루비듐(영 *rubidium*)【화학】rubidio *m.*
루안다【지명】Luanda (앙골라의 수도).
루완다(영 *Rwanda*)【지명】=르완다.
루주(불 *rouge*) colorete *m,* afeite *m* que se ponen en el rostro las mujeres. ~를 바르다 pintarse, dar colorete (a), ponerse colorete (en).
루터【인명】Martín Lutero (1483-1546).
■~파(派) luteranismo *m.* ~파 교리(派敎理) luteranismo *m.* ~파 교회 la Iglesia Luterana. ~파 신자 luterano, -na *mf.*
루테늄(영 *ruthenium*)【화학】rutenio *m.*
루테튬(영 *lutetium*)【화학】lutecio *m.*
루트(영 *root*)【수학】raíz *f* (cuadrada), radical *m.*
루트(영 *route*) ruta *f,* vía *f.* 정규 ~로 por la vía oficial. 새로운 판매 ~를 찾다 buscar una nueva ruta de venta.
루페(독 *lupe*) lupa *f.* ~를 보다 mirar con lupa.
루프(영 *loof*) lazo *m,* alamar *m,* presilla *f,* recodo *m,* vuelta, rizo *m.*
■~선 línea *f* ferroviaria que describe un círculo. ~ 안테나 antena *f* de cuadro.
루피(영 *rupee*) [인도의 화폐 단위] rupia *f.*
룩셈부르크【지명】Luxemburgo *m.* ~의 luxemburgués, -guesa.
◆대(大)~ 공국(公國) el Gran Ducado de Luxemburgo.
■~ 사람 luxemburgués, -guesa *mf.* ~어 luxemburgués *m.*
룰(영 *rule*) [규칙] regla *f.* ~을 지키다 respetar [observar] las reglas. ~을 어기다 violar las reglas, infringir las reglas.
룰러(영 *ruler*) ① [통치자. 주권자] gobernante *mf,* soberano, -na *mf.* ② [자] regla *f.*
룰렛(영 *roulette*) ruleta *f.*
룸(영 *room*) [방] cuarto *m,* habitación *f.*
◆원 ~ 하우스 casa *f* de una habitación. 투 ~ 하우스 casa *f* de dos habitaciones.
■~메이트 compañero, -ra *mf* de habitación [de cuarto]. ~서비스 servicio *m* a las habitaciones, servicio *m* de habitaciones, servicio *m* de comida en la habitación. ¶~를 부탁하다 hacerse servir la [pedir un servicio de] comida en la habitación. ~ 쿨러 acondicionador *m* de aire, aparato *m* de acondicionamiento de aire.
룸바(서 *rumba*) [쿠바의 춤·곡] rumba *f.*
룸펜(독 *Lumpen*) vago, -ga *mf,* vagabundo, -da *mf.*
룻기(Ruth 記) ((성경)) Rut.
-류(流) ① [형(型)] estilo *m,* tipo *m,* moda *f,* forma *f,* modo *m,* manera *f.* ② [유파(流波)] escuela *f,* estilo *m,* sistema *m.* ③ [등급(等級)] clase *f,* grado *m,* rango *m,* clasificación *f.*
-류(類) ① [종류(種類)] especie *f,* clase *f,* variedad *f,* género *m,* tipo *m,* descripción *f.* ②【생물】[강(綱)] clase *f,* [목(目)] orden *m.*
류머티즘(영 *rheumatism*) reumatismo *m,* reuma *f,* reúma *f.* ~의 reumático. ~에 걸리다 padecer reumatismo. ~에 걸린, ~에 걸리기 쉬운 reumático.
◆급성(急性) ~ reumatismo *m* agudo. 만성(慢性) ~ reumatismo *m* crónico.
■~성 폐렴 neumonía *f* reumática. ~ 환자 reumático, -ca *mf.*
류트(영 *lute*)【악기】laúd *m.*
륙(六) seis.
륙(陸) [뭍. 육지] tierra *f.*
륙색(독 *Rucksack*) mochila *f* (de lona), barjuleta *f,* saco *m* de excursista, *Col, Ven* morral *m.* ~을 매다 cargarse una mochila. ~을 매고 con una mochila a hombros.
륜(輪) ① [바퀴] rueda *f.* ② [수레] coche *m.* ③ [회전하다] girar, dar vueltas, rotar, rodar.
-률(律) ley *f,* código *m.* 도덕~ ley *f* moral, código *m* ético.
-률(率) tipo *m,* tasa *f,* porcentaje *m,* nivel *m.* 합격~ porcentaje *m* de éxito.
르네상스(불 *Renaissance*) Renacimiento *m.* ~의 renacentista, del Renacimiento.
■~ 건축 arquitectura *f* renacentista [del Renacimiento]. ~ 미술 el arte renacentista [del Renacimiento]. ~ 양식 estilo *m* renacentista [del Renacimiento].
르몽드(불 *Le Monde*) Le Monde.
르완다【지명】Ruanda *f,* Rwanda *f.* ~의 ruandés, rwandés, ruanés.
■~ 사람 ruanés, -nesa *mf,* ruandés, -desa *mf,* rwandés, -desa *mf.*
르포 ((준말)) =르포르타주.
르포르타주(불 *reportage*) reportaje *m.*
를 a, por, que. 우표~ 수집하다 coleccionar los sellos. 나에게 시계~ 다오 Entrégame el reloj. 나~ 보라 Mírame (a mí). 나는 매일 거리~ 산책한다 Doy un paseo por la calle todos los días. 나는 바다~ 보기~ 원한다 Quiero contemplar el mar. 나는 네가 서반아어~ 배우기~ 원한다 Quiero que tú aprendas español. 서반아어~ 배웁시다 Aprendamos [Vamos a aprender] español. 마리아는 나~ 사랑했다 María me amó (a mí). 나는 그대~ 사랑하오 Yo te amo [quiero].
리(里) *ri,* unos cuatrocientos metros. 십(十) ~ cuatro kilómetros. 백(百) ~ cuarenta kilómetros. 천(千) ~ cuatrocientos kilómetros.
리(理) razón *f,* posibilidad *f.* 그이가 알 ~가 있나 ¿Cómo puede él saberlo? 그녀가 올 ~가 없다 Es seguro [cierto] que no vendrá ella.
리(厘/釐) *ri,* un décimo por ciento.

-리 en, -mente. 빨~ rápidamente.
-리(里) *ri*, pueblecito *m*, aldea *f*. 금계~ Keumgye-*ri*.
-리(裡) en, -mente. 비밀~에 en secreto, secretamente. 극비~에 en secreto absoluto. 암암~에 tácitamente, implícitamente.
-리(利) interés *m*. 5푼~ interés *m* del cinco por ciento.
리겔성(Rigel 星) 【천문】 Rigel *m*.
리골레토(이 *Rigoletto*) 【음악】 Rigolleto *m*, ópera *f* en cuatro actos, libreto *m* italiano del escritor Piave, música *f* de Verdi (1851).
리그(영 *league*) liga *f*. ~의 de liga. 우리 팀은 ~에서 세 번째다 Nuestro equipo va tercero en la liga [en la clasificación].
◆대 ~ la Liga Mayor. 소 ~ la Liga Menor.
■~전 juego *m* de [en] liga, campeonato *m* de liga. ~ 챔피언 campeón *m* de liga.
리기다소나무(ligida-) 【식물】 ((학명)) Pinus rigida.
-리까 ¿voy a + *inf* ?, ¿*inf* + é?, ¿puedo + *inf*? 무얼 도와드리~ ¿En qué puedo servirle? 나는 어찌하오~ ¿Qué seré yo? 내일 찾아뵈오~ ¿Puedo visitarle mañana? 지금 당장 가오~ ¿Puedo ir ahora mismo?
리넨(영 *linen*) hilo *m*, lino *m*.
리놀륨(영 *linoleum*) linóleo *m*.
-리니 porque, pues, que. 그 사람이 오~ 잠깐 기다려 보게 Espera un momento, que él vendrá.
-리다 ir a + *inf*, *inf* + -é · -ás · -á · -emos · -éis · -án. 곧 돌아오~ Volveré [Voy a volver] pronto. 필시 도둑이~ Sin duda será ladrón.
리더(영 *leader*) [지도자] líder *mf*, jefe *mf*, director, -tora *mf*, [정당(政黨) 따위의] dirigente *mf*.
■~십 liderazgo *m*, dirección *f*, caudillaje *m*, jefatura *f*, (dotes *mpl* de) mando *m*, liderato *m*; [능력] calidades *fpl* de mando. ¶~을 발휘하다 asumir la dirección, tomar el mando.
리더(영 *reader*) ① [독자. 읽는 사람] lector, -tora *mf*. ② [(출판사의) 교정자] lector, -tora *mf*. ③ [독본] libro *m* de lectura, libro *m* de texto. ~ 제삼 권 tercer tomo *m* del libro de lectura.
리덕션 기어(영 *reduction gear*) 【기계】 [감속장치] engranaje *m* de reducción.
리드[1](영 *lead*) ① [지도 · 지휘 · 앞섬] posición *f* de mando, dirección *f*. ~하다 guiar, dirigir, conducir. 상대방을 ~하다 [댄스에서] guiar los pasos de *su* pareja, dirigir el baile. ② [선두 · 수위 · 우세] ventaja *f*. ~하다 [득점 따위를] llevar (a *uno*) la delantera, ir ganando. 3점 ~하다 llevar una ventaja de tres puntos. 1정신(艇身) ~하다 [보트 경기에서] llevar (a otro bote) una ventaja de una eslora. ③ [신문의 머리글] primer párrafo *m*.
리드[2](영 *reed*) 【음악】 lengüeta *f*.
■~ 악기 instrumento *m* de lengüeta. ~ 오르간 órgano *m* de lengüeta.
리드미컬(영 *rhythmical*) rítmico *adj*. ~하다 ser rítmico. ~하게 rítmicamente.
리듬(영 *rhythm*) ritmo *m*. 같은 ~으로 al mismo ritmo. ~ 감각이 있다 tener el sentido del ritmo. 경제 발전의 ~을 가속화하다 acelerar el ritmo del desarrollo económico.
■~ 댄스 baile *m* rítmico. ~ 체조(體操) gimnasia *f* rítmica.
리딩(영 *reading*) lectura *f*.
리딩 배터(영 *leading batter*) =수위 타자.
리딩 히터(영 *leading hitter*) =수위 타자.
리라(그 *lyra*) 【악기】 lira *f*.
리라(이 *lila*) [이탈리아의 전 화폐 단위] lila *f*.
-리라 ir a + *inf*, *inf* + -é, -ás, -á, -emos, -éis, -án. 사흘 후면 오~ Vendrá en tres días. 저분이 아마 할아버지~ Quizás aquél será mi abuelo.
-리로다 ir a + *inf*. 눈물로 고향을 떠나~ Yo voy a salir de la tierra natal con lágrimas.
리리시즘(영 *lyricism*) [서정시체] lirismo *m*.
리리컬(영 *lyrical*) [서정적인] lleno de lirismo.
리릭(영 *lyric*) [서정의] lírico *adj*.
■~ 소프라노 soprano *m* lírico. ~테너 tenor *m* lírico.
리마 【지명】 Lima (뻬루의 수도). ~의 limeño. ~ 사람 limeño, -ña *mf*.
리모나드(불 *limonade*) =레모네이드.
리모컨 ((준말)) =리모트 컨트롤.
리모트 컨트롤(영 *remote control*) [원격 조작 · 제어] mando *m* a distancia, telecontrol *m*, telemando *m*, teledirección *f*. ~하다 telemandar, teledirigir, dirigir a distancia, teleaccionar.
■~식 장난감 juguete *m* teledirigido, juguete *m* dirigido a distancia].
리무진(불 *limousine*) limusina *f*.
리밋(영 *limit*) límite *m*.
리바이벌(영 *revival*) resucitación *f*, reanimación *f*, restauración *f*, restablecimiento *m*; [극장의] reposición *f*, [종교의] despertamiento *m* religioso.
리버럴(영 *liberal*) liberal *adj*. ~하다 ser liberal.
■~ 아트 las humanidades, las artes liberales.
리버럴리스트(영 *liberalist*) [자유주의자] liberalista *mf*.
리버럴리즘(영 *liberalism*) [자유주의(自由主義)] liberalismo *m*.
리버티(영 *liberty*) [자유] libertad *f*.
리베(독 *Liebe*) [연인] amante *mf*, novio, -via *mf*.
리베리아 【지명】 Liberia *f*. ~의 liberiano.
■~ 사람 liberiano, -na *mf*.
리베이트(영 *rebate*) reembolso *m* como descuento de una venta, bonificación *f*, [뇌물] soborno *m*, *Méj* mordidas *fpl*, *CoS* coima *f*. ~를 내다 hacer un reembolso. ~를 받다 recibir un reembolso.

리벳(영 *rivet*) remache *m,* roblón *m* (*pl* roblones). ~을 박다 clavar [golpear] un remache. ~을 조이다 remachar.
■ ~공(工) remachador *m.*
리보플라빈(영 *riboflavin*) riboflavina *f.*
리보 핵산(一核酸) ARN *m,* RNA *m,* ácido *m* ribonucleico.
리본(영 *ribbon*) cinta *f,* listón *m* (*pl* listones); [매듭] lazo *m,* moña *f,* moño *m.* 녹색 ~ cinta *f* verde. ~을 달다 amarrar con una cinta, encintar; [자신의] ponerse un lazo. ~을 단 encintado. ~으로 묶다 atar con una cinta. 그 소녀는 머리에 ~을 달고 있다 La niña lleva un lazo en el cabello.
리볼버(영 *revolver*) revólver *m.*
리뷰(영 *review*) [비평(批評)] crítica *f,* [잡지] revista *f.*
리비도(독 *Libido*) libido *m.*
리비아【지명】la Libia. ~의 libio, líbico.
■ ~ 사람 libio, -bia *mf,* líbico, -ca *mf.*
리빙 룸(영 *living room*) salón *m* (*pl* salones), sala *f* (de estar).
리빙 키친(영 *living kitchen*) cocina-sala *f* de estar, cocina-salón *m.*
리사이틀(영 *recital*)【음악】recital *m.* 바이올린 ~을 열다 dar un recital de violín.
리셉션(영 *reception*) recepción *f.* ~을 열다 dar [organizar] una recepción.
리스(영 *lease*) arriendo *m,* arrendamiento *m.* ~하다 arrendar; [빌려주다] dar en arriendo; [빌리다] tomar en arriendo.
■ ~ 계약 contrato *m* de arrendamiento. ~ 보험 seguro *m* de arrendamiento. ~ 산업 industria *f* de arrendamiento.
리스트(영 *list*) lista *f.* ~를 작성하다 hacer una lista. ~에 오르다 aparecer [figurar] en la lista. ~에 올라 있다 estar en la lista.
리시버(영 *receiver*) ① ((테니스·탁구)) restón *m,* resto *m.* ② =무선 수신기(無線受信機). 라디오. ③ [음성 전류를 소리로 바꾸는 장치로, 직접 귀에 대어서 쓰는 것] audífono *m.*
리시브(영 *receive*) ① [받는 일] recibo *m.* ② ((테니스·탁구·배구)) resto *m.* ~하다 restar; ((발레)) recibir.
리아스식 해안(rias 式海岸) costa *f* tipo rías.
리액터(영 *reactor*) reactor *m,* reactor *m* nuclear, motor *m* de reacción.
리어엔진(영 *rear engine*) motor *m* trasero.
■ ~ 버스 autobús *m* (*pl* autobuses) con motor trasero.
리어카(영 *rear-car*) carro *m* remolcado, remolque *m* (para bicicleta). ~를 끌다 arrastrar un remolque (con bicicleta).
리얼(영 *real*) real. ~하다 ser real.
리얼리스트(영 *realist*) realista *mf.*
리얼리스틱(영 *realistic*) realista *adj.*
리얼리즘(영 *realism*) realismo *m.*
■ ~ 문학 literatura *f* realista.
리얼리티(영 *reality*) realidad *f.*
리우 데 자네이루【지명】Rio de Janeiro.
리졸(독 *Lysol*) lisol *m.*
리치(영 *reach*) ((권투)) envergadura *f.*
리케차(영 *rickettsia*)【의학】rickettsias *fpl.*
리코더(영 *recorder*) ① [옛날 플루트의 일종] flauta *f* dulce. ② [(영국의) 지구 법원 판사] abogado *m* que actúa como juez a tiempo parcial. ③ [녹음기] grabadora *f.* ④ [기록기] contador *m,* indicador *m.* ⑤ [기록 담당자] archivero, -ra *mf,* archivista *mf.* ⑥ [디스크 녹음 예술가] artista *mf* que graba discos.
◆ 사운드 ~ grabadora *f.* 스피드 ~ indicador *m* de velocidad. 테이프 ~ magnetófono *m,* magnetofón *m, AmL* grabadora *f.*
리코딩(영 *recording*) registro *m,* registro *m* acústico, grabación *f.*
리콜제(recall 制) (sistema *m* de la) retirada *f* (del mercado).
리퀘스트(영 *request*) petición *f,* instancia *f.* …의 ~에 의해 a petición [a instancia] de *uno.*
■ ~곡 música *f* solicitada (por un radioyente). ~ 프로그램 programa *m* solicitado (por un radioyente o un televidente).
리큐어(영 *liqueur*) [식물성 향료·단맛 등을 가한 강한 알코올 음료] licor *m.*
리터(영 *liter*) litro *m.*
리터치(영 *retouch*) retoque *m.* ~하다 retocar.
리턴 매치(영 *return match*) (partido *m* de) desquite *m,* revanda *f.*
리투아니아【지명】Lituania *f.* ~의 lituano.
■ ~어 lituano *m.* ~ 사람 lituano, -na *mf.*
리튬(영 *lithium*)【화학】litio *m.*
리트(독 *Lied*)【음악】lied *m* (*pl* lieder).
리트머스(영 *litmus*)【화학】tornasol *m.*
■ ~ (용)액 tintura *f* de tornasol. ~ 종이 [시험지] papel *m* de tornasol.
리트미크(불 *rythmique*)【음악】rítmico.
리퍼블릭(영 *republic*) [공화국] república *f.*
■ ~ 오브 코리아 [대한민국] la República de Corea.
리포터(영 *reporter*) reportero, -ra *mf,* repórter *ing.mf,* [연구 발표자] ponente *mf.*
리포트(영 *report*) reportaje *m,* reporte *m,* informe *m;* [구두(口頭)의] relación *f,* [학교의] redacción *f,* [연구 리포트] trabajo *m.*
리프린트(영 *reprint*) ①【출판】reimpresión *f.* ~하다 reimprimir. ~되다 ser reimpreso. ②【사진】copia *f.* ~하다 hacer una copia (de).
리프트(영 *lift*) levantamiento *m,* alzamiento *m;* [승강기] ascensor *m,* elevador *m;* [화물 승강기] montacargas *m.sing.pl;* [스키장의] telesilla *m,* telesquí *m.* ~에 오르다 subir a un telesilla.
리플레이션(영 *reflation*) reflación *f.*
리플렉스 앵글(영 *reflex angle*) ángulo *m* cónvaco.
리플렉스 카메라(영 *reflex camera*) (cámara *f*) réflex *f.*
리허설(영 *rehearsal*) ensayo *m,* recitación *f.* …의 ~을 하다 ensayar, recitar. 이 작품은

많은 ~이 필요하다 Esta obra hay que ensayarla mucho / Esta obra necesita mucho ensayo.

리히텐슈타인 【지명】 Liechtenstein *m*.
■ ~공국(公國) Principado de Liechtenstein. ~ 사람 liechtensteinse *mf*.

린네르(불 *liniére*) lino *m*, lienzo *m*.

린스(영 *linse*) aclarado *m*; [액] líquido *m* [ampolla *f*] para aclarar.

린치(영 *lynch*) linchamiento *m*. ~를 가하다 linchar. 그들은 범죄자(犯罪者)들에게 자주 ~를 가했다 Ellos solían linchar a los autores de crímenes.

릴(영 *reel*) ① [철사·실·테이프용] carrete *m*. ② [필름의] rollo *m*. ③ [낚싯대의 손잡이 쪽에 다는] carrete *m*, carretel *m*, *RPI* reel *ing.m*.
◆ 코튼 ~ carrete *m* de hilo.
■ ~낚시 pesca *f* con caña de pescar con carrete. ~낚싯대 caña *f* de pescar con carrete.

릴레이(영 *relay*) ① [릴레이 경주] carrera *f* de tanda [relevos], (carrera *f* de) relevos *mpl*. ~하다 suceder. ② 【방송】 [중계] repetidor *m*, relé *m*. ③ 【전자】 [계전기] relé *m*.
◆ 400미터 ~ los cuatrocientos metros relevos. 800미터 자유형 ~ cuatro por doscientos metros relevos libres.
■ ~ 경주[레이스] (carrera *f* de) relevos *mpl*. ~ 선수 corredor, -dora *mf* de relevos.

릴리(영 *lily*) 【식물】 [백합] liliácea *f*.
◆ 화이트 ~ [흰백합] azucena *f*, lirio *m* blanco.

릴리프(영 *relief*) relieve *m*.

-림(林) bosque *m*. 보호~ bosque *m* reservado.

림보(라 *limbus*) limbo *m*.

림프(영 *lymph*) linfa *f*.
■ ~관 conducto *m* linfático, vaso *m* linfático. ~샘[선] glándula *f* linfática. ~선염 linfadenitis *f*. ~액 linfa *f*. ~ 음낭 escroto *m* linfático. ~종 linfoma *m*, linfocitoma *m*. ~학 linfatología *f*.

립스틱(영 *lipstick*) ① [(막대꼴의) 입술 연지] pintalabios *m.sing.pl*, lápiz *m* (*pl* lápices) de labios, barra *f* de labios, *AmL* lápiz *m* labial. ② [내용물] rouge *m*, carmín *m*, colorete *m*. ~을 바르다 llevar [tener] los labios pintados, pintarse los labios. 그녀는 ~을 바르고 있었다 Ella llevaba [tenía] los labios pintados / Ella se había pintado los labios.

링(영 *ring*) ① [고리 (모양의) 가락지] anillo *m*; [여자의 반지] anillo *m*, sortija *f*. ② [권투 따위의] cuadrilátero *m*, ring *ing.m*. ~에 오르다 subir al cuadrilátero. ③ [서커스의] pista *f*. ④ [피임용] dispositivo *m* intrauterino; [코일 모양의] espiral *f*. ⑤ [피스톤의] aro *m*, segmento *m*. ⑥ [열쇠 고리] llevero *m*. ⑦ [연기·불의] anillo *m*. ⑧ [새·커튼용의] anilla *f*. ⑨ ((체조)) anilla *f*.
■ ~사이드 lados *mpl* de ring, cercanías *fpl* del cuadrilátero, ringside *ing.m*. ~에서 junto al cuadrilátero, junto al ring. ~사이드 좌석 [권투 경기에서] asiento *m* junto al cuadrilátero; [다른 행사의] asiento *m* [butaca *f*] de primera fila.

링거(영 *Ringer*) ((준말)) =링거액.
■ ~액 solución *f* [líquido *m*] de Ringer. ~주사 inyección *f* de solución de Ringer.

링게르(독 *Ringer*) =링거.

링귀스트(영 *linguist*) [언어학자] lingüista *mf*.

링귀스틱(영 *linguistic*) [언어의] lingüístico.

링귀스틱스(영 *linguistics*) [언어학] lingüística *f*.

링컨 【인명】 Abraham Lincoln (1809-1865).

링크[1](영 *link*) ① 【경제】 vínculo *m*, lazo *m*, enlace *m*; 【주식】 relación *f*. ② [연결. 유대. 관련] vínculo *m*, lazo *m*. 두 나라 사이의 문화적 ~ los vínculos [los lazos] culturales entre ambos países. ③ [(사슬의) 고리] eslabón *m*. ④ [커프스 버튼] gemelo *m*, *Col* mancorna *f*, *Chi* collera *f*, *Méj* mancuernilla *f*, mancuerna *f*. ⑤ 【컴퓨터】 enlace *m*, montaje *m*.
■ ~ 제도 sistema *m* de cadena, sistema *m* que consiste en condicionar una o más operaciones a la realización de otra operación.

링크[2](영 *rink*) [스케이트장] patinadero *m*, pista *f* [sala *f*] de patinaje [patinar].
◆ 스케이팅 ~ pista *f* de patinaje. 아이스 ~ pista *f* de hielo.

링크스(영 *links*) [골프장] campo *m* de golf.

ㅁ

마¹ 【음악】 mi *m.* ~장조(長調) mi *m* mayor. ~단조(短調) mi *m* menor.
마² ((뱃사람말)) sur *m.*
마³ 【식물】 ñame *m.*
마¹(馬) [장기짝의 하나] *ma,* caballo *m,* una de las piezas del ajedrez coreano.
마²(馬) 【동물】 caballo *m.*
마(痲) 【식물】 cáñamo *m.*
마(魔) ① [일이 잘되지 않도록 헤살을 부리는 요사스런 방해물] diablo *m,* demonio *m,* mal augurio *m.* ~의 건널목 paso *m* a nivel del diablo. ~의 산(山) montaña *f* del diablo. ~가 씌다 ser poseído del demonio. ~가 씌어서 poseído del demonio, sugeriendo por algún espíritu malo, tentado por el demonio. 그는 ~가 씌어 도둑질을 했다 Tentado por el demonio él cometió un robo. ② ((준말)) =마라(魔羅). ③ ((준말)) =마귀.
◆마(가) 들다 dar un paso siniestro, levantarse con el pie izquierdo [con mala pie], encontrarse con un mal augurio.
마(碼) yarda *f.*
-마 ir a + *inf, inf* + -é, con mucho gusto. 오후에 네 사무실에 가~ Iré [Voy · Voy a ir] a tu oficina por la tarde.
-마(魔) diablo *m,* demonio *m;* [형용사적] diabólico, perverso. 살인~ asesino *m* diabólico, asesina *f* diabólica. 색(色)~ flirteador *m* masculino.
마가(헤 *Mark*) 【인명】 ((성경)) Marcos.
마가린(영 *margarine*) margarina *f.*
마가목 【식물】 acafresna *f,* serbal *m,* serbo *m.*
마가복음(Mark 福音) ((성경)) El (Santo) Evangelio según San Macos.
마각(馬脚) [말의 다리] pata *f* del caballo.
◆마각을 드러내다 enseñar [asomar] la oreja, revelar el mal carácter. 마각이 드러나다 revelarse.
마갈궁(馬蝎宮) 【천문】 Capricornio *m.*
마감 cierre *m,* clausura *f,* cesación *f,* conclusión *f,* acabamiento *m,* terminación *f,* fin *m* límite; [기한(期限)] plazo *m,* término *m.* ~하다 cerrar, acabar, concluir, terminar, poner fin (a). ~을 연기하다 prolongar [prorrogar] el plazo. 수사(搜査)를 ~하다 poner fin a la investigación. 당사(當社)는 30일 ~입니다 Cerramos la cuenta a treinta del mes. 입후보자의 신청은 내일 ~된다 La lista de candidatos se cerrará mañana. 등록 ~은 3월 25일임 ((게시)) Vence el plazo de registro el (día) veinticinco de marzo. 예약은 ~됐습니다 Se ha cerrado la suscripción.
■~ 기일 día *m* determinado, fecha *f* límite. ~ 날 plazo *m,* límite *m,* término *m.* ~ 시간 hora *f* de cerrar.
마개 [병의] tapón *m* (*pl* tapones); [코르크 제품의] corcho *m;* [수도 · 가스 · 통 따위의] llave *f* de paso, llave *f* de cierre; [욕조 따위의] tapón *m;* [술통의] botana *f.* ~를 하다 taponar. ~를 빼다 destapar, destaponar, descorchar. ~를 열다 [닫다 · 돌리다] abrir [cerrar · girar] la llave de paso. 수도꼭지의 ~를 틀다 [닫다] abrir [cerrar] el grifo.
■~뽑이 abridor *m;* [코르크 마개의] sacacorchos *m.sing.pl,* tirabuzón *m,* quitatapón *m;* [깡통의] abrelatas *m.sing.pl;* [병의] abrebotellas *m.sing.pl.*
마계(魔界) mundo *m* del diablo.
마고자 *magocha,* abrigo *m* exterior puesto por el hombre sobre sus chaquetas.
마광(磨光) pulimento *m,* bruñidura *f.* ~하다 pulir, pulimentar, bruñir.
마괴(魔魁) satán *m,* satanás *m,* diablo *m.*
마구 ① [함부로] temerariamente, imprudentemente, al azar, a lo loco, a la diabla, descuidadamente, desatentamente, negligentemente, a viva fuerza, a ciegas, a tontas y locas, a diestro y siniestro, sin ton ni son, excesivamente, extraordinariamente, locamente. ~ 날뛰는 파도 oleada *f* enfurecida. ~ 돌진하다 lanzarse a ciegas. ~ 말하다 decir disparates. ~ 비난하다 censurar [acusar] acerbamente [despiadamente]. ~ 욕을 퍼붓다 insultar groseramente, insultar descomedidamente, colmar de insultos. ~ 팔다 malbaratar, vender a bajo precio. ~ 퍼마시다 beber demasiado [excesivamente · sin ton ni son]. ~ 날뛰다 desencadenarse, desenfrenarse, enfurecerse. 돈을 ~ 쓰다 despilfarrar [derrochar] dinero. 남의 집에 ~ 들어가다 entrar en una casa ajena sin pedir permiso. ② [몹시] duro, fuerte, mucho; [대량으로] en gran cantidad. 비가 ~ 퍼붓고 있었다 Llovía a cántaros.
마구(馬具) arreos *mpl,* guarniciones *fpl,* arneses *mpl,* jaeces *fpl,* atelaje *m.* ~를 붙이다 enjaetar, atalajar; [끈을 걸다] acollarar; [마차에] poner atelaje; [승마에] ensillar. ~를 풀다 remover los arreos, desensillar.
■~류(類) arnés *m,* arreos *mpl,* jaeces *mpl.* ~상(商) guarnicionero, -ra *mf,* talabartero, -ra *mf.* ~ 일습(一襲) juego *m* de arreos. ~ 제조(製造) guarniciones *fpl,* arreos *mpl.* ~ 제조소 guarnicionería *f,* talabartería *f.* ~ 제조업 guarnicionería *f.* ~ 제조인 guarnicionero, -ra *mf,* talabartero, -ra *mf.*

마구(馬廐) ((준말)) =마구간(馬廐間).
■ ~간 pesebre *m*, establo *m*, cuadra *f*; [경마장의] caballeriza *f*. ~ 발치 parte *f* trasera del pesebre.

마구리 ① [물건의 양쪽 머리의 면] parte *f* final. ② [길쭉한 물건의 양끝에 덮어 끼우는 쇠붙이 같은 것] tapas *fpl* en ambos bordes.
■ ~판 artefacto *m* para cuadricular la parte final de la pieza de madera.

마구발방 la palabra maleducada y la conducta hecha totalmente al azar.

마구잡이 conducta *f* hecha al azar.

마군(馬軍) 【역사】 =기병(騎兵).

마군(魔軍) ((불교)) soldados *mpl* del Satanás.

마굴(魔窟) ① [마귀가 있는 곳] guarida *f* [cubil *m*] de los diablos. ② [못된 무리들이 모여 있는 곳] guarida *f* (de los ladrones). ③ [매음녀·아편 중독자 등이 있는 곳] distritos *mpl* de brudel.

마권(馬券) billete *m* de apuestas mutuas, billete *m* del concurso hípico; [연승식] billete *m* de apuesta emparejada.
■ ~ 매표소 taquilla *f* de apuestas. ~세 impuesto *m* de hípica, impuesto *m* de carreras de caballos.

마귀(魔鬼) ① demonio *m*, diablo *m*, espíritu *m* malo, el alma *f* (*las* almas) mala. ~같은 diabólico, demoníaco. desenfrenado, cruel, inhumano. ~ 같은 인간 demonio *m* encarnado, demonio *m* personificado. ~가 물러나다 estar exorcizado. ~에게나 가거라! ¡Vete al diablo! ② ((기독교)) Satán *m*, Satanás *m*, diablo *m*. ③ ((성경)) diablo *m*. 그때에 예수께서 성령에게 이끌리어 ~에게 시험을 받으러 광야로 가사 ((마태복음 4:1)) Entonces Jesús fue llevado por el Espíritu al desierto, para ser tentado por el diablo / Luego el Espíritu llevó a Jesús al desierto, para que el diablo lo pusiera a prueba.
◆마귀(가) 들다 estar posído [abseso] de un espíritu maligno.
■ ~굴 =복마전(伏魔殿). ~못 estanque *m* encantado. ~할멈 ogra *f*, vieja *f* mal, bruja *f*.

마그나 카르타(라 *Magna Carta*) [대헌장] la Magna Carta.

마그네사이트(영 *magnesite*) 【광물】 magnesita *f*.

마그네슘(영 *magnesium*) magnesio *m*.
■ ~광(光) luz *f* de magnesio. ~ 산화물 óxido *m* de magnesio (MgO). ~ 석회 cal *f* magnésica. ~ 전지 pila *f* de magnesio.

마그네시아(독 *Magnesia*) 【화학】 magnesia *f*.

마그마(영 *magma*) 【지질】 magma *m*.

마기 =막상.

마나구아 【지명】 Managua (니까라구아의 수도).

마나님 [나이 많은 여자] señora *f* mayor, señora *f* de edad, anciana *f*; [호칭] señora *f*, señorita *f*.

마냥 ① [한없이] infinitamente, perpetuamente, interminablemente, continuamente. ② [실컷] completamente, enteramente, en pleno, hasta la saciedad, a la completa satisfacción (de). 밥을 ~ 먹다 comer hasta la saciedad, tomar la comida hasta la saciedad. ③ [늦잡아] lentamente, en toda su extensión.

마냥모 [늦게 심은 모] planta *f* de semillero de arroz transplantado tarde.

마네킹(영 *mannequin*) ① maniquí *m*, figurín *m*. ② ((준말)) =마네킹 걸.
■ ~ 걸 [여자 패션 모델] maniquí *f*, modelo *f*.

마녀(魔女) bruja *f*, hechecera *f*. ~의 비약(秘藥) brebaje *m*.
■ ~ 사냥 caza *f* de brujas.

마노(瑪瑙) 【광물】 ágata *f*.

마누라 ① [중년 이상된 아내] esposa *f*, mujer *f*. 여보 ~, 저 둥근 달을 좀 보오 Querida mujer, mira aquella luna llena. ② [중년이 넘은 여자] mujer *f*, señora *f*.

마는 pero, sin embargo, aunque, mientras, sólo, solamente; [시어(詩語)·고어(古語)에서] mas. 이번에~ 성공하고야 말겠다 Esta vez sí que tendré éxito. 나는 서반아어를 읽을 수는 있지~ 말은 못한다 Yo puedo leer el español, pero no lo hablo. 돈은 있지~ 빌려줄 수는 없다 Aunque tengo dinero, no puedeo prestárselo. 나이는 어리지~ 그는 대사업가이다 El, aunque es joven, es un gran hombre de negocios.

마늘 ① 【식물】 ajo *m*. ② [조미료로의] ajo *m*. ~ 냄새가 나는, ~ 맛이 나는 a ajo. ~ 냄새 olor *m* a ajo. ~ 한 쪽 un diente de ajo. ~ 두 쪽 dos dientes de ajo.
■ ~모 forma *f* trigonal. ~빵 pan *m* con mantequilla y ajo. ~장아찌 ajos *mpl* conservados en vinagre y salsa. ~종 tallo *m* del ajo. ~쪽 diente *m* del ajo.

마니교(摩尼教) maniqueísmo *m*.
■ ~도(徒) maniqueo, -a *mf*.

마니아(라 *mania*) ① [열광·열중] manía *f*. ② [열광자] maniaco, -ca *mf*, maníaco, -ca *mf*.

마닐라 【지명】 Manila (필리핀의 수도). ~의 manileño. ~ 사람 manileño, -ña *mf*.
■ ~ 로프 soga *f* de Manila. ~ 섬유 fibra *f* de Manila, abacá *m*. ~지(紙) papel *m* (de) Manila.

마닐라삼 【식물】 cáñamo *m* de Manila, abacá *m*. ② [마닐라삼에서 채취한 섬유] abacá *m*, fibra *f* de Manila.

마닐마닐하다 (ser) blando, suave. 마닐마닐한 바나나 plátano *m* blando.

마님 dama *f*, señora *f*, señorita *f*.

-마님 Su Excelencia, milord, señor. 대감 [영감·나리]~ Milord, Señor.

마다[1] [못 쓰도록 오그라뜨리거나 부스러뜨리다] moler, destrozar, romper, hacer añicos.

마다[2] [하나하나를 빠뜨리지 않고 모두] cada; todos los +「남성 복수 명사」, todas las +「여성 복수 명사」; [부사절을 이끌 때] cada vez que, siempre que. 날~ cada día, todos los días. 달~ cada mes, todos los meses. 해~ cada año, todos los años. 30분~ cada treinta minutos, cada media hora. 시간~ cada hora. 이틀~ cada dos días. 이삼 주~ cada dos o tres semanas. 도(道)~ en cada provincia. 기업~ en cada empresa. 그룹~ 모이다 reunirse en grupos. 그는 만나는 사람~ 인사했다 El saludó a cada persona [a todas las personas] que encontraba. 그 팀은 시합 때~ 강하게 한다 Cada vez que el equipo juega un partido se hace más fuerte. 그는 가는 곳~ 열렬한 환영을 받았다 En todas partes, él era recibido con entusiasmo. 연락이 올 때~ 저에게 알려 주십시오 Cada vez que lleguen noticias, haga el favor de avisármelo. 틈새~ 빛이 들어온다 Por los intersticios penetra la luz. 그는 외국에 갈 때~ 물건을 많이 산다 El compra muchas cosas siempre que [cada vez que] va al extranjero.

마다가스카르【지명】Madagascar. ~의 malgache, malgacho.
■ ~사람 malgache *mf*; malgacho, -cha *mf*. ~어 malgache *m*.

마다다 ((준말)) =마다하다.

마다하다 hacer caso (de), escatimar, decir que no (querer), rechazar, rehusar. 돈을 ~ rechazar [rehusar] dinero. 노고를 마다하지 아니하다 no escatimar trabajos. 원로(遠路)[혹한(酷寒)]를 마다하지 아니하고 sin hacer caso del largo viaje [del frío severo].

마단조(-短調)【음악】mi *m* menor.

마담(불 *madame*) ① [부인(婦人)] madama *f*, señora *f*. ② [술집이나 다방, 또는 여관 따위의 안주인] tabernera *f*, dueña *f*, el ama *f* (*las* amas), gerente *f*, encargada *f*.
◆ 얼굴 ~ gerente *f*, encargada *f*. 유한(有閑) ~ dama *f* [señora *f*] de ocio.

마당[1] ① [집의] patio *m*, jardín *m* (*pl* jardines). ② [어떤 일이 진행되는 자리나 장소] lugar *m*, sitio *m*.
■ ~과부 viudita *f* que su marido murió inmediatamente después de las nupcias. ~길 sendero *m* en un jardín. ~발 pies *mpl* planos. ~비 escoba *f* para el patio. ~질 trilla *f* en el patio. ¶~하다 trillar en el patio.

마당[2] [「판소리」를 세는 단위] *madang*. 판소리 다섯 ~ cinco *madang* de *pansori*.

마당조개【조개】=백합(白蛤).

마대(麻袋) costal *m* de cáñamo, saco *m* de yute.

마도로스(네 *matross*) marinero *m*.
■ ~ 파이프 pipa *f* (del marinero).

마도요【조류】zarapito *m* indio.

마도위(馬-) agente *mf* de caballos.

마돈나(이 *Madonna*) ① [성모 마리아] Nuestra Señora. ② [성모 마리아의 화상(畵像)] madona *f*. ③ [기품 있는 여자나 애인] madona *f*.

마되 *mal* y *doe*, medida *f*.
■ ~질 medida *f*. ¶~하다 medir.

마두(馬頭) [말의 머리] cabeza *f* del caballo.

마드리드【지명】Madrid (서반아의 수도). ~의 madrileño. ~ 사람 madrileño, -ña *mf*.

마드무아젤(불 *mademoiselle*) [양(孃). 아가씨] señorita *f*.

마들가리 ① [나무의 가지가 없는 줄기] ramita *f*. ② [땔나무의 잔 줄거리] tallito *m* de la leña. ③ [해진 옷의 남은 솔기] costura *f* del vestido muy gastado. ④ [새끼나 실 같은 것이 훑여 맺힌 마디] curva *f* [vuelta *f*] del hilo [cuerda de paja].

마들다(魔-) =마(가) 들다. ☞마(魔)

마디 ① [나무나 풀의 줄기에 가지나 잎이 붙은 자리] nudo *m*. ~투성이의 nudoso. ~가 없는 sin nudos. ② [길쭉한 물체에서, 사이를 두고 고리처럼 도드라지거나 잘록한 곳] lugar *m* fino. ③ [관절(關節)] articulación *f*, juntura *f*; [손가락의] nudillo *m*. ④【언어】=절(節). ⑤ [노래나 말 따위의 한 도막] un tono, una palabra, una frase, una canción. ⑥【음악】=소절(小節).
◆ 마디(가) 지다 tener nudos, haber nudos, estar lleno de nudos. 마디진 [목재] nudoso, lleno de nudos; [나무] retorcido; [손·손가락의] nudoso. 마디진 솔 pino *m* retorcido.
마디마디 ㉮ [모든 마디] (todas las) articulaciones. 나는 몸의 ~가 아프다 Me duelen las articulaciones. ㉯ [부사적] [마디마다] cada articulación, todas las articulaciones.

마디다 ① [쓰는 물건이 잘 닳거나 없어지지 아니하다] durar mucho, (ser) durable, duradero. 이 비누는 ~ Este jabón dura mucho. ② [(자라는 정도가) 더디다·느리다] (ser) crecer despacio. 떡갈나무는 무척 마디게 자라는 나무다 Los robles crecern muy despacio.

마디풀【식물】((학명)) Polygonum aviculare.

마따나 como. 자네 말~ 그것이 더 좋겠네 Sería mejor como tú dices.

마땅찮다 ((준말)) =마땅하지 아니하다 (no ser oportuno).

마땅하다 ① [(대상이나 상태가) 잘 어울리거나 알맞다] (ser) conveniente, oportuno. 마땅한 시기에 en el momento oportuno [propicio]. ② [정도가 알맞다] (ser) competente, capaz (*pl* capaces). 마땅한 사람의 중개로 por mediación de una persona competente. ③ [(이치로 보아) 그렇게 되어야 옳다] (ser) debido. 마땅한 시기에 en *su* debido tiempo. 마땅한 형(形)으로 en debida forma. 마땅한 이유없이 sin razón debida. 당신은 그에게 사의를 표했어야 ~ Usted tendría que agradecérselo. 그는 비난받아 ~ El debería ser reprochado / El merecería ser recriminarlo.
마땅히 como es debido, debidamente, convenientemente. ~ …해야 한다 Es imperativo [Se impone] que + *subj*. 만사에 ~ 처신하시길 부탁드립니다 Le pido que actúe a su discreción en mi favor. 나는 ~ 너에

게 감사해야 할 기회가 없었다 No he tenido oportunidad de agradecértelo como es debido.

마뜩잖다 ((준말)) =마뜩하지 아니하다(ser desagradable).

마뜩하다 (ser) satisfactorio, agradable, simpático, aceptable. 마뜩하지 아니하다 (ser) desagradable, ofensivo.
마뜩이 satisfactoriamente, agradablemente, simpáticamente, aceptablemente.

마라톤(영 *Marathon*) ① 【지명】 Maratón. ¶ ~의 maratoniano. ② ((준말)) =마라톤 경주.
■ ~ 경주 (carrera *f* de) maratón *m(f)*. ~ 사람 maratoniano, -na *mf*. ~ 선수 maratonista *mf*; corredor, -dora *mf* de maratón.

마량(馬糧) alimento *m* del caballo.

마력(馬力) fuerza *f* de caballo. 150~의 엔진 motor *m* de ciento cincuenta caballos (de vapor).

마력(魔力) poder *m* mágico, fuerza *f* mágica. ~이 있는 que tiene fuerza mágica.

마련 ① [준비하여 갖춤] preparación *f*. ~하다 preparar. 돈을 ~하다 hacer [preparar · disponer · reunir] (el) dinero, conseguir dinero, agenciárselas [agenciarse · arreglárselas · arreglarse] para juntar dinero. 추가 자금(追加資金)을 ~하다 agenciarse cantidades adicionales de dinero. 돈을 ~하려고 뛰어다니다 [동분서주하다] correr por todos lados para proporcionarse dinero, matarse [afanarse] por conseguir dinero. 돈 ~에 어려움이 많다 no encontrar medios para conseguir dinero. 우리 집의 가계는 형의 급료로 ~하고 있다 Se cubren los gastos de mi casa con el sueldo de mi hermano. 이익으로 경비를 ~하지 못한다 Las ganancias no cubren los gastos. ② [어떤 일을 하려고 궁리를 함] deliberar (sobre), considerar. ③ [「-이다」 앞에서만 쓰이어) 「당연히 그러할 것임」 의 뜻] (ser) propio, razonable, natural. 인간의 근본은 착하기 ~이다 El ser humano es bueno naturalmente. 봄이 되면 꽃이 피기 ~이다 Es natural florecer en la primavera.

마렵다 tener el sentimiento de querer orinar o evacuar. 오줌이 ~ ir a orinar, ir a hacer pipé, ir a hacer aguas, tener que orinar. 똥이 ~ ir a excrementar, ir a deponer los excrementos, ir a excretar, ir a expeler el excremeto, tener que defecar. 엄마, 오줌 마려워 Mamá, quiero hacer pipí.

마로니에(불 *marronnier*) 【식물】 castaño *m* (de Indias); [열매] castaña *f* de Indias.

마루 ① [널빤지를 깔아 놓은 곳] piso *m*, suelo *m*. ~를 깔다 *entablar el* suelo. ~가 떨어진다 Se desprende el suelo. ② [길게 등성이가 이루어진 지붕이나 산의 꼭대기] [지붕] caballete *m*; [산의 꼭대기] cresta *f*, cadena *f*. ③ [일의 한창인 고비] la parte más importante del acontecimiento.
■ ~방 habitación *f* [cuarto *m*] de suelo de tablas. ~청 tabla *f* del suelo del salón principal. ~터기 cima *f*, cúspide *f*, cumbre *f*, pico *m*. ~판 tabla *f* (del suelo). ~ㅅ구멍 agujero *m* entre la viga y la viga transversal. ~ㅅ귀틀 marco *m*. ~ㅅ대[도리] parhilera *f*, cumbrera *f*. ~ㅅ바닥 suelo *m* (de tablas).

마르다¹ ① [물기가 날아가 없어지다] secarse, enjugarse, marchitarse, ahornagarse, morirse. 마른 seco, desecado, muerto. 마른 나무 árbol *m* marchito. 이 가지는 말라 간다 Esta rama se está muriendo. 페인트가 마르지 않았다 La pintura no está seca. 바람이 많이 불어 세탁물이 잘 마른다 Como hace mucho viento la ropa se seca fácilmente. ② [갈증이 나다] tener sed. 목이 ~ tener sed. 목이 말라 죽을 지경이다 Me muero de sed / Estoy muerto de sed / Tengo una sed que me muero. ③ [(내 · 못 · 강 따위의 물이) 줄어들어 없어지다] secarse. 냇물이 ~ secarse el río. 말라서 갈라지다[터지다] resquebrajarse [abrirse · henderse] por la sequía. 가뭄으로 우물이 말랐다 Se ha secado el pozo a causa de la sequía. ④ [(몸이) 여위어지다] adelgazar(se), ponerse flaco [delgado], enflaquecerse, demacrarse, trasijar. 마른 flaco, delgado, enjuto, magro. 더위로 ~ demacrarse por el calor de verano. 그녀는 몸이 무척 말라 가고 있다 Ella está adelgazando mucho. 마른 말 rocín *m* (flaco), rocinante *m*, matalón *m*, caballo *m* flaco, caballería *f* trasijada. ⑤ [써서 없어지다] gastarse, desaparecer. 돈이 ~ gastarse dinero. 시장의 외래품이 씨가 ~ desaparecer los artículos extranjeros del mercado.
마른갈이 arado *m* del arrozal mientras está seco.
마른강(江) río *m* que permanece seco excepto en la estación de las lluvias.
마른걸레 trapo *m* seco.
마른걸레질 limpiadura *f* con un trapo seco. ~을 하다 limpiar con un trapo seco.
마른고기 carne *f* secada; [마른 생선] pescado *m* secado.
마른국수 ㉮ tallarín *m* [fideo *m*] seco; [말린] tallarín *m* [fideo *m*] secado. ㉯ [국물이 없는] tallarín *m* [fideo *m*] sin sopa.
마른기침 tos *f* seca; [고의적으로 내는] tos *f* fingida. 그는 ~을 했다 El tosió secamente / El fingió que tenía tos.
마른나무 ㉮ [물기가 없이 마른 나무] madera *f* seca. ㉯ [죽어 시든 나무] árbol *m* marchito.
마른날 día *m* aclarado.
마른논 =건답(乾畓).
마른눈 nieve *f* sin lluvia.
마른못자리 =건(乾)못자리.
마른반찬(飯饌) carne *f* secada [pescado *m* secado] que se come con arroz como acompañamientos [guarniciones]
마른밥 ㉮ =주먹밥. ㉯ [국 없이 반찬만으로 먹는 밥] comida *f* que se come sin

sopa.
마른버짐 empeine *m* (escamoso).
마른번개 rayo *m* en el cielo azul y despejado.
마른신 ㉮ [기름으로 결지 않은 가죽신] zapatos *mpl* de piel sin aceite. ㉯ [마른 땅에 신는 신] zapatos *mpl* para el buen tiempo
마른안주(按酒) trozos *mpl* de carne secada [pescado secado], carne *f* secada [pescado *m* secado] de comer como tentempié bebiendo.
마른옴 【한방】 picor *m*, picazón *m*.
마른일 trabajo *m* del ama de casa hecho sin mojar *sus* manos.
마른입 ㉮ [국물을 먹지 아니한 입] boca *f* reseca. ㉯ [잔입] boca *f* hambrienta.
마른자리 asiento *m* sin humedad.
마른천둥 trueno *m* en el cielo azul y despejado.
마른침 saliva *f* con poca humedad.
마른풀 hierbas *fpl* secadas.
마른하늘 cielo *m* despejado, cielo *m* sin nubes..
▪ 마른하늘에 날벼락 ((속담)) Cuando menos se piensa, salta la liebre / Lo menos esperado, más pronto llegado.
마른행주 paño *m* de cocina seco.
말라붙다 [강물이] secarse (completamente); [자금이] agotarse.
말라비틀어지다 secarse.
말라빠지다 adelgazarse mucho, enflaquecerse mucho.
말라죽다 [초목이] marchitarse.
말려 죽이다 [초목을] marchitar.

마르다² [옷감을] cortar. 스커트를 ~ cortar una falda.

마르띠 【인명】 ☞마르티

마르모트(불 *marmotte*) 【동물】 marmota *f*.

마르세유(불 *Marseille*) 【지명】 Marsella.

마르크(독 *Mark*) [독일의 전 화폐 단위] marco *m*.

마르크스 【인명】 Carlos Marx (1818-1883). ~는 독일의 철학자·사회학자·경제학자였으며 과학 사회주의의 창시자로 그의 대표작은 「자본」이다 Carlos Marx es filósofo, sociólogo y economista alemán y fundador del socialismo científico y su obra maestra es *El capital*.
▪ ~레닌주의 marxismo-leninismo *m*. ~주의 marxismo *m*. ~주의자 marxista *mf*.

마르티 【인명】 José Martí (1853-1895). ~는 꾸바의 시인·작가·변호사였으며 꾸바 독립의 사도로 현재는 꾸바의 국부(國父)이다 José Martí era poeta, escritor y abogado cubano y apóstol de la independencia de su país y ahora es Padre de la Patria de su país.

마름¹ [이엉을 엮어서 말아 놓은 단] atado *m* de paja tejido para el tejado de paja.

마름² 【식물】 castaña *f* de agua.

마름³ [소작 관리인] supervisor, -sora *mf* del cortijo arrendatario

마름모(꼴) 【기하】 rombo *m*.

마름쇠 caltropo *m*.

마름자 regla *f* que mide una yarda para el corte de la ropa.

마름질 corte *m*. ~하다 cortar (un vestido).

마리¹ [짐승·물고기·벌레 따위를 세는 단위] *mari*, número *m* de los animales o los insectos. 개 한 ~ un perro. 개미 한 ~ una hormiga. 암소 두 ~ dos vacas.

마리² [시(詩)의 편수를 세는 단위] =수(首).

마리아(그 *Maria*; 영 *Mary*) 【인명】 María.
◆성모 ~ la Virgen, la Santísima Virgen.

마리오네트(불 *marionette*) [인형. 꼭두각시] títere *m* [marioneta *f*] (al que se mueve con cuerdas).

마리화나(서 *marijuana*) marijuana *f*, mariguana *f*, marihuana *f*. ~를 피우다 fumar la marijuana.

마림바(서 *marimba*) 【악기】 marimba *f*.

마마¹(媽媽) ① 【한방】 ((속어)) [천연두(天然痘)] viruela *f*. ② ((준말)) =별성마마(別星媽媽). ③ ((준말)) =손님마마. ④ ((준말)) =역신마마(疫神媽 媽).
▪ ~균 virus *m* de viruela. ~꽃 pústulas *fpl* de viruela. ~ 환자 caso *m* de viruela. ~ㅅ자국 (marca *f* de) viruela, hoyos *mpl* de viruelas. ¶~이 있는 picado de viruelas, virolento. ~이 있는 얼굴 cara picada de viruelas.

마마²(媽媽) 【역사】 ① [아주 존귀한 사람을 부를 때 칭호 밑에 붙여 이르는 말] Su Majestad. 상감~ Su Majestad el Rey. ② [벼슬아치의 첩] concubina *f* del funcionario público.

마마(영 *mamma*) ((소아어)) mamá *f*.
▪ ~보이 niño *m* de mamá, nene *m* de mamá.

마멀레이드(영 *marmalade*) mermelada *f*, marmelada *f*.

마멋(영 *marmot*) 【동물】 marmota *f*.

마멸(磨滅) desgaste *m*, merma *f*. ~시키다 mermar, gastar (por el roce), desgastar (por el frotamiento). ~되다 desgastarse, mermarse.
▪ ~ 시험(試驗) prueba *f* de abrasión. ~제(劑) abrasivo *m*.

마모(磨耗) desgaste *m*, abrasión *f*. ~하다 gastar. ~되다 gastarse.

마무르다 ① [물건의 가장자리를 꾸며 마치다] hacer*le* el dobladillo (a). ② [일의 뒤끝을 맺다] acabar, terminar; [완성하다] perfeccionar; [소설 따위를] concluir; [그림 따위를] dar el último toque (a), dar la última mano (a). 논문을 ~ terminar la tesis.

마무리 última etapa *f* antes de la terminación, fase *f* final, orden *m*, arreglo *m*, acabado *m*, fin *m*, ajuste *m*, terminación *f*, [그림 따위의] retoque *m*, mano *f*. ~하다 terminar, acabar, arreglar, ordenar; [완성하다] perfeccionar; [소설 따위를] concluir; [그림 따위를] dar el último toque, dar la última mano. 세심한 ~ acabado *m* cuidadoso, hechura *f* cuidadosa, retoque *m* minuicioso. ~ 단계에 들어가다 entrar en la última etapa antes de la terminación, entrar en la fase final. 사건(事件)을 ~하다 arreglar los restos del asunto. 서류를 ~하다 [정리하다] ordenar los papeles. 논문(論文)을 ~하다 terminar la tesis. 마지막 ~를 하다 dar el último toque [la última mano] (a). 와이셔츠 세탁이 완전히 ~되었다 La camisa ha quedado perfectamente lavada [limpiada]. 이 그림은 방금 ~되었다 Este cuadro acaba de ser pintado [terminado]. 이제 ~만 남았다 Ya sólo me queda dar la última mano. ~가 중요하다 Lo importante es el acabado.

■ ~공(工) probador, -dora *mf*, acabador, -dora *mf*. ~ 공장 taller *m* de ajuste. ~기계 máquina *f* de acabado. ~대(臺) banco *m* de ajuste. ~ 대패 cepillo *m* (de carpintero) de acabado. ~ 연장 herramienta *f* de ajuste, herramienta *f* de acabado. ~ 줄 lima *f* de pulir.

ㅁ

마물(魔物) espíritus *mpl* malignos; tentador, -dora *mf*.

마미(馬尾) ① [말의 꼬리] cola *f* del caballo. ② =말총(crin).

■ ~단(緞) crin *m*.

마바리 cosecha *f* de cereales de dos *som* [cuatrocientos litros] en un *machiki* [seiscientos sesenta metros cuadrados].

마바리(馬-) ① [짐 싣는 말] caballo *m* de carga. ② [말에 싣는 짐] carga *f* llevada por el caballo de carga.

■ ~꾼 carretero *m* del caballo de carga.

마방(馬房) ① [마구간 설비가 있는 주막집] taberna *f* con instalaciones de cuadra. ② [절의 말을 매어 두는 곳] cuadra *f* en el templo budista.

■ ~집 caballeriza *f* (donde se pueden alquilar caballos).

마법(魔法) magia *f*, hechicería *f*, brujería *f*. ~의 mágico. ~으로 por arte de magia. ~을 걸다 hechizar, encantar. ~을 사용하다 emplear [practicar] la magia.

■ ~사(師) mago, -ga *mf*. ☞요술쟁이

마병 ① [헌 물건] artículo *m* usado. ② =넝마.

■ ~장수 vendedor, -dora *mf* de los artículos usados.

마병(馬兵) 【역사】 caballería *f*.

마부(馬夫) ① [말을 부리는 사람] cochero *m*, arriero *m*, postillón *m* (*pl* postillones). ② [말구종] lacayo *m*.

◆소년[소녀] ~ mozo *m* [moza *f*] de cuadra.

마분(馬糞) estiércol *m* del caballo.

■ ~지 cartón *m* (*pl* cartones) piedra.

마분(磨紛) pulidor *m*, bruñidor *m*.

마비(痲痺/麻痺) 【의학】 parálisis *f*, perlesía *f*, paralización *f*, entumecimiento *m*, anestesia *f*. ~되다 paralizarse, entumecerse, adormecerse, entorpecerse; [무감각하게 되다] insensibilizar. ~시키다 paralizar, causar parálisis, entumecer. ~된 paralizado, entropecido, entumecido, aterido, adormecido. 사지(四肢)를 ~시키다 paralizar el miembro. 그는 하반신이 ~되어 있다 El está paralizado de medio cuerpo para abajo / El tiene paralizada la mitad inferior del cuerpo. 파업으로 철도가 ~ 상태에 있다 La huelga paralizó el transporte ferroviario. 국가 경제가 총파업으로 ~되었다 La economía nacional quedó paralizada por la huelga general. 몇 분간 교통(交通)이 ~되었다 El tránsito se paralizó por algunos minutos.

■ ~광(狂) demencia *f* paralítica. ~ 상태 estado *m* paralítico. ~성 보행 불능증 abasia *f* paralítica. ~성 성문 경련 laringismo *m* paralítico. ~성 실어증 afonia *f* paralítica. ~성 치매 parálisis *f* progresiva, demencia *f* paralítica. ~성 파상풍 tétanos *m* paralítico. ~약 narcótico *m*. ~증 환자 paralítico, -ca *mf*. ~ 치료약 antiparalítico *m*.

마비저(馬鼻疽) 【수의학】 muermo *m*.

마비풍(馬脾風) 【의학】 difteria *f*.

마사(馬事) asuntos *mpl* del caballo.

■ ~회 asociación *f* de asuntos del caballo. ¶한국 ~ la Asociación de Asuntos del Caballo de Corea.

마사(磨砂) arena *f* pulidora.

마사지(영 *massage*) ① =안마(按摩). ② [살갗을 문질러 건강하게 하는 미용법의 한 가지] masaje *m*. ~하다 masajear, masar, efectuar el masaje, dar masajes, dar friegas, friccionar. 어깨를 ~ 받아라 Haz [Vea] que te den masajes en los brazos. ③ ((은어)) [입맞춤] beso *m*. ~하다 besar. ④ ((은어)) [싸움] pelea *f*. ~하다 pelear.

■ ~사(師) masajista *mf*.

마삭나무 【식물】 ((학명)) Trachelospermum asiaticum var. intermedium.

마삭줄 【식물】 =마삭나무.

마삯 precio *m* para el alquiler de un caballo.

마상(馬上) sobre el caballo. ~에서 a caballo, en [sobre] el caballo. ~의 상(像) estatua *f* ecuestre.

■ ~객(客) jinete *mf*, amazona *f*.

마상이 bote *m*, barca *f*, esquife *m*, canoa *f*.

마샬 【지명】 Marshall (미크로네시아의 군도).

마석(磨石) ① =맷돌. ② [돌이나 돌로 된 물건을 반드럽게 하기 위해 갊] pulimento *m* de la piedra; [갑판용] piedra *f* bendita. ~으로 닦다 limpiar (la cubierta) con piedra bendita.

마성(魔性) diablura *f*, lo diabólico. ~의 diabólico, demoníaco. ~을 지닌 여자(女子) vampiresa *f*, mujer *f* diabólica, tentadora *f*.

마소 el caballo y la vaca.

마속 capacidad *f* de *mal* que mide los cereles.

마손(摩損) desgaste *m*. ~하다 desgastarse.

■ ~ 위험 하주 부담(危險荷主負擔) 【보험】 responsabilidad *f* del armador de rozadura.

마수 ① [첫번에 상품이 팔리는 것으로 미루어 말하는, 그날 영업의 운수] suerte *f* del

día considerada de la primera venta. ～가 좋다 [나쁘다] La primera venta presagia [augura] la buena [mala] suerte para el negocio del día. ② ((준말)) =마수걸이.
◆마수(를) 걸다 hacer la primera venta del día, vender por primera vez.
■～걸이 primera venta *f* del día, transacción *f* [operación *f*] comercial en el principio de un negocio. ～하다 hacer la primera venta del día.

마수(一數) capacidad *f* de *mal*.

마수(馬首) ① [말의 머리] cabeza *f* del caballo. ② [말이 향하는 쪽] dirección *f* hacia que el caballo vuelve.

마수(魔手) diablura *f*, mano *f* de asesino, mala influencia *f*. ～를 뻗치다 intentar apoderarse (de), meter mano (a), hacer diablura. ～에 걸려들다 [걸리다] caer en las garras (de), ser preso por las garras (de), caerse víctima de asesinato.

마술(馬術) ((준말)) =승마술(乘馬術)(equitación, habilidad ecuestre, hipismo). ¶그는 ～의 달인(達人)이다 El es un buen jinete.
■～ 경기(競技) prueba *f* hípica. ～ 경마장 método *m* de adiestramiento de caballos para que ejecutan ciertas maniobras. ～사(師) maestro, -tra *mf* de cabalgata, maestro, -tra *mf* de equitación.

마술(魔術) magia *f*, brujería *f*, el arte *f* mágica, hechicería *f*, magia *f* negra; [요술(妖術)] juego *m* de mano. ～을 쓰다 practicar brujería, usar magia, escamotear magia.
◆마술(을) 걸다 hechizar, embrujar.
■～사[쟁이] mago, -ga *mf*, mágico, -ca *mf*, nigromante *mf*, [요술쟁이] juglar *mf*, jugador, -dora *mf* de manos, prestidigitador, -dora *mf*.

마스코트(영 *mascot*) mascota *f*. 이 개는 팀의 ～이다 Este perro es la mascota del equipo.

마스크[1](영 *mask*) ① ㉮ [탈] máscara *f*, careta *f*, [큰 탈] mascarón *m* (*pl* mascarones). ～를 쓰다 ponerse máscara. ～를 벗다 quitarse la máscara. 방독(防毒) ～ máscara *f* antigás. 산소(酸素) ～ máscara *f* de oxígeno. 카니발의 ～ máscara *f* de carnaval. ㉯ [펜싱·아이스하키의] careta *f*, [의사·간호원의] mascarilla *f*, [다이빙용의] gafas *fpl* [anteojos *mpl*] de bucear [de buceo]; [먼지·연기용의] mascarilla *f*. ② [감기 방지용의] mascarilla *f*. 위생(衛生) ～ mascarilla *f* higiénica. ③ [얼굴 모양] rasgo *m*, facción *f*, apariencia *f*, aspecto *m*. 그는 ～가 좋다 El tiene buenas facciones / El tiene buen corte de cara. ④ [위장(僞裝)] disfraz *f*. ⑤ ((준말)) =데드마스크. ⑥ =방독면(防毒面). ⑦【사진】ocultador *m*. ⑧【컴퓨터】máscara *f*. ⑨ [탈을 쓴 사람. 가장자(假裝者)] enmascarado, -da *mf*.
◆도미노 ～ antifaz *m* (*pl* antifaces).
■～ 비트【컴퓨터】bit *m* de máscara.

마스크[2](불 *masque*) mascara *f*, careta *f*. ☞마스크[1]

마스크[3](영 *masque*)【연극】[가면극(假面劇)] mascarada *f*.

마스터(영 *master*) ① [우두머리] jefe, -fa *mf*, [장관(長官)] ministro, -tra *mf*, *Méj* secretario, -ria *mf*. ② [술집 등의 남자 주인] amo *m*, dueño *m*, patrón *m* (*pl* patrones), señor *m*, propietario *m*. ③ [학장(學長)] rector, -tora *mf*, [교장(校長)] director, -tora *mf*, [선생(先生)] maestro, -tra *mf*. ④ [(일반적으로) 대가(大家)·명장(名匠)] maestro, -tra *mf*. ⑤ [석사(碩士)] licenciado, -da *mf*. ⑥ [선장(船長)] capitán *m* (*pl* capitanes). ⑦ [통달(通達)] dominación *f*, sabiduría *f* a fondo. ～하다 dominar, saber a fondo, conocer a fondo, llegar a ser maestro [perito] (en), perfeccionarse (en). 서반아어를 ～하다 dominar [saber a fondo] el español. 외국어를 이삼 년에 ～하는 것은 불가능하다 Es imposible dominar [saber a fondo] una lengua extranjera en dos o tres años. ⑧【컴퓨터】terminal *m* maestro; [복사용] original *m*. ⑨ [석사 학위] mastería *f*, master *m*.
■～ 카드【컴퓨터】tarjeta *f* maestra. ～키 ㉮ [(여러 자물쇠에 맞는) 걸쇠·맞쇠] (llave *f*) maestra *f*. ㉯ [(난문제 등의) 해결의 열쇠] llave *f* maestra principal. ㉰【컴퓨터】clave *f* maestra. ～ 파일(file)【컴퓨터】archivo *m* maestro. ～ 플랜 [종합 계획] plan *m* general, plan *m* maestro, proyecto *m* básico.

마스토돈(라 *mastodon*)【동물】mastodonte *m*.

마스트(영 *mast*) [돛대] mástil *m*, árbol *m*; [앞의] trinquete *m*; [뒤의] palo *m* de mesana. ～가 세 개인 배 barco *m* de tres palos.

마시다 ① [액체를 목구멍으로 넘기다] beber, tomar; [삼키다] tragar, engullir. 커피 한 잔 ～ tomar una taza de café. 술잔으로 술을 ～ beber vino con copita. 우물에서 물을 ～ beber [tomar] agua en el pozo. 밤새도록 ～ pasar la noche bebiendo. 주전자에 입을 대고 ～ beber la tetera a pico [a boca] de jarro. 돌려 가며 ～ pasar la botella para beber a morro por turno. 술을 마실 줄 알다 (poder) beber. 나는 그렇게 많이 마신다고 할 수 없다 No se puede decir que yo beba tanto. 그는 술을 마실 줄 안다 El es un bebedor. 너 술 마실 줄 아니? ¿Tú bebes? ② [공기 등을 빨아들이다] aspirar. 신선한 공기를 ～ aspirar el aire fresco.
마셔버리다 beberse. 단숨에 ～ tragar [beberse] de un tirón.

마애(磨崖/摩厓) escultura *f* en la roca. ～하다 esculpir en la roca.
■～불 (estatua *f* de) Buda *m* esculpido en la roca.

마야(서 *Maya*)【역사】Maya *m*. ～의 maya.
■～ 문명(文明) civilización *f* maya. ～ 문화 cultura *f* maya. ～어 maya *m*. ～인 maya *mf*. ～족 los mayas.

ㅁ

마약(痲藥) droga *f*, estupefaciente *m*, narcótico *m*; [마취약] anestésico *m*; [환각제] (droga *f*) estimulante *f* [excitante *f*]. ～의 narcótico. ～을 상용(常用)하다 usar habitualmente drogas, drogarse.
■～ 남용(濫用) toxicomanía *f*. ～ 남용자 toxicómano, -na *mf*. ～ 단속 control *m* narcótico, inspección *f* de droga. ～ 단속법 ley *f* de control narcótico. ～ 단속자 inspector, -tora *mf* de droga. ～ 밀매(密賣) contrabando *m* [tráfico *m*] de drogas. ～ 밀매자 contrabandista *mf* de drogas, traficante *mf* (de drogas). ～법 ley *f* de drogas. ～ 상용자(常用者) toxicómano, -na *mf*, drogadicto, -ta *mf*. ～ 중독(中毒) toxicomanía *f*, narcotismo *m*. ～ 중독자(中毒者) toxicómano, -na *mf*, drogadicto, -ta *mf*.

마어(麻魚) 【어류】 =삼치.

마오쩌둥 【지명】 Mao Tse-Tung, Mao Zedong (1893-1976) (중국의 정치가).
■～주의 maoísmo *m*. ～주의자 maoísta *mf*.

마왕(魔王) Satán *m*, Satanás *m*, Diablo *m*, Demonio *m*.

마요네즈(불 *mayonnaise*) (salsa *f*) mayonesa *f*.

마우스피스(영 *mouthpiece*) ① 【음악】 boquilla *f*. ② [송화기(送話機)의 수화기(受話器)] micrófono *m*. ③ ((권투)) protector *m* bucal [de dentadura].

마운드(영 *mound*) ① ((야구)) puesto *m* del lanzador, lomita *f*, montículo *m*. ② [무덤] tumba *f*, sepulcro *m*.

마유(馬乳) leche *f* de caballo.

마유(麻油) =삼씨기름.

마유(魔乳) primer leche *f* que sale del pecho.

마육(馬肉) carne *f* de caballo.

마을[1] ① [동리(洞里)] aldea *f*, pueblecito *m*, pueblo *m*, lugar *m*. ～에서 떨어진 retirado, apartado. ～(에서) 가까이에[주변에] alrededor [cerca] de la aldea. ② [이웃에 놀러 가는 일] ida *f* a jugar a la vecindad, visita *f* a la vecindad. 밤낮 ～만 다닌다 ir a jugar a la vecindad día y noche.
마을가다 ir a jugar a la vecindad, visitar a la vecindad [al vecindario].
■～꾼 visitador *m* asiduo [visitadora *f* asidua] habitual; mujer *f* que nunca se queda en casa. ～ 문고(文庫) biblioteca *f* pequeña en la aldea. ～ 사람 [큰 마을의] vecino, -na *mf*, habitante *mf* del pueblo; [작은 마을의] aldeano, -na *mf*.

마을[2] 【역사】 =관아(官衙)(oficina gubernamental).

마음 ① {사람의 몸에 깃들여서 지식·감정·의지 등의 정신 활동을 하는 것, 또는 그 바탕이 되는 것] el alma *f* (*pl* las almas), corazón *m* (*pl* corazones), mente *f*, [정신] espíritu *m*; [심상] mentalidad *f*, [생각] idea *f*, pensamiento *m*; [기질] naturaleza *f*, índole *m*, disposición *f*. ～이 좋은 afable, afectuoso, cariñoso, de corazón tierno, de carácter amable. ～이 넓은 magnánimo, tolerante, generoso, abierto de espíritu. ～이 좁은 estrecho de espíritu, estrecho de corazón, poco indulgente. ～이 편(便)한 despreocupado, libre de preocupaciones, negligente, desenfadado. ～ 편히 sin preocupaciones, cómodamente, desenfadadamente, sin reserva, sin tener ansia, libremente, en restricción. ～으로부터·에서 de (todo) corazón, de veras, cordialmente, sinceramente. ～으로부터의 cordial; [성의 있는] sincero. ～ 가운데에 en sí mismo, entre sí, dentro del corzazón. ～ 깊숙이에서 en el fondo [en lo más recóndito · en los repligues más íntimos · en las entretelas] de *su* corazón, en lo más profundo de *sí* mismo. ～을 써서 con cuidado, con atención. …과 한 ～으로 al unísono, en íntima cooperación, con un solo corazón. …과 ～을 함께하여 en armonía con *uno*. ～의 평화 paz *f* del alma. ～을 감동시키는 이야기 relato *m* que conmueve el corazón. ～에서 우러나온 환영 acogida *f* cordial. 온 ～을 바친 선물 regalo *m* ofrecido de todo corazón. ～에 그리다 figurarse, imaginarse. ～에 품다 concebir. ～을 가라앉히다 tranquilizarse, calmarse, serenarse. ～이 아프다 entristecerse, afligirse, tener el corazón afligido. ～이 괴롭다 atormentarse (de · por), preocuparse (de · por), sufrir (de). ～이 동요하다 turbarse, perder la serenidad, vacilar. ～을 열다 abrirse (a · con), abrir el corazón [el alma] (a). ～을 간파(看破)하다 leer [adivinar] el pensamiento] (de). ～을 빼앗다 cautivar, arrobar, arrebatar. ～을 어지럽히다 turbar el ánimo. ～을 다해 스웨터를 짜다 hacer un jersey con todo (su) corazón. ～ 편히 살다 vivir sin problemas, vivir a su aire. …에 ～이 끌리다 ser [sentirse] atraído (por), sentir (un) atractivo (por). …의 ～을 아프게 하다 partir*le* el corazón a *uno*. 건강에 ～을 쓰다 velar por [cuidar de · tener cuidado con] la salud (de). 그는 ～이 넓다 El tiene un espíritu [un corazón] abierto. ～에서 우러나오는 축하를 보냅니다 Le felicito de todo corazón [sinceramente]. 어떤 생각이 그의 ～에 떠올랐다 Se le ocurrió una idea. 그녀는 ～에도 없는 말을 했다 Ella dijo lo que no sentía. 노인들은 젊은이들의 ～을 이해하지 못한다 Los viejos no comprenden el corazón de los jóvenes. 나는 그의 누이에게 ～이 끌린다 Me siento atraído por su hermana / Se hermana me atrae. 나는 그녀에게 온통 ～을 빼앗겼다 Ella me cautivó completamente / Ella me robó el corazón. 나는 그 그림의 아름다움에 ～을 빼앗겼다 Yo quedé fascinado [encantado · cautivado] por la belleza. 그는 ～ 편한 사람이다 El es un hombre desenfadado [sin problema].
② [심정(心情)] corazón *m* (*pl* corazones); [감정] sensación *f*, sentimiento *m*, sensibi-

lidad *f*, compasión *f*, pasión *f*; [기분] estado *m* anímico. ~에 드는 favorable, grato, agradable, deseable. ~에 드는 인상(印象) impresión *f* favorable, impresión *f* agradable, buena impresión *f*. ~에 들지 않은 인상(印象) impresión *f* desfavorable, impresión *f* desagradable, mala impresión *f*. ~에 들지 않은 인물(人物) hombre *m* indeseable; 【외교】 persona *f* no grata. ~이 든든하다 sentirse animado [tranquilo]. ~이 울적하다 sentirse deprimido [desanimado]. …와 ~이 (잘) 맞다 congeniar [llevarse bien · avenirse · hacer buenas migas] con *uno*. 나는 그녀와 ~이 맞지 않는다 Yo no congenio con ella. 그것 때문에 내 ~이 든든하다 Eso me anima [tranquiliza · infunde fortaleza]. 당신이 와 주면 ~이 든든하겠다 Si estás conmigo, me siento tranquilo / Tu presencia me inspira gran confianza. 나는 그의 솔직함이 ~에 든다 Me gusta su franqueza / Su franqueza me hace buena impresión.

③ [충심(衷心)] corazón *m*, todo corazón *m*. ~뿐인 선물(膳物) pequeño regalo *m*. 이것은 제 ~의 표시입니다 Esto es sólo una pequeña muestra de mi agradecimiento. 당신의 ~으로 충분합니다 Me basta con su voluntad, gracias / Te agradezco la intención.

④ [사려(思慮)] pensamiento *m*; [인정(仁情)] consideración *f*, simpatía *f*, compasión *f*, conmiseración *f*, comprensión *f*.

⑤ [유의(留意) · 주의(注意)] atención *f*, interés *m* (*pl* intereses), cuidado *m*; [기억(記憶)] memoria *f*. ~의 준비(準備) actitud *f* [preparación *f*] mental (para). ~의 준비를 하다 prepararse [disponerse] mentalmente (para). 시합에 임하여 ~의 준비가 되어 있다 estar dispuesto mentalmente para el partido. ~이 괴롭다 sentir pena, estar pesaroso, dar*le* a *uno* pena. 이런 부탁을 하게 되어 ~이 괴롭습니다 Siento pedirle a usted este favor. 그걸 생각하면 ~이 괴롭다 Me da pena pensar en eso.

⑥ [의지(意志)] voluntad *f*; [의향(意向)] intención *f*, designo *m*, inclinación *f*; [취미(趣味) · 기호(嗜好)] gusto *m*, afición *m*. ~을 떠보다 sondear, tantear, buscar la intención (de). ~에 차지 않다 [사물이 주어일 때] dejar mucho que desear, no acabar de satisfacer; [사람이 주어일 때] no estar satisfecho [contento] (de). 세상은 우리의 ~ 같지 않다 El mundo no va a nuestra merced / El mundo no anda como queremos. ~에 차지 않은 점이 약간 있다 Hay algunos puntos que no nos acaban de satisfacer. 그는 죽여도 ~에 차지 않을 만큼 얄미운 놈이다 El es un tipo aborrecible que merecería toda clase [todo tipo] de castigos.

⑦ [성의(誠意) · 정성(精誠)] cuidado *m*, esmero *m*, sinceridad *f*. ~을 다하다 cuidar con esmero, tener mucho cuidado.

◆마음에 걸리다 [사물이 주어일 때] preocupar, pesar, causar pena, causar muchos dolores de cabeza; [사람이 주어일 때] sentir + *inf*. 가족이 마음에 걸린다 Me preocupa mi familia. 그녀를 만날 수 없었던 것이 마음에 걸린다 Siento no haber podido verla a ella. 나는 마음에 걸린 것이 아무것도 없다 No me queda ningún pesar / Estoy tranquilo.

◆마음에 두다 recordar [acordarse de] (*algo*) (sin olvido), no olvidar, guardar (*algo*) en *su* memoria; [유의하다] tener [tomar] en cuenta, tener presente.

◆마음에 들다 [사물이 주어일 때] gustar [agradar · satisfacer] (a *uno*); [사람이 주어일 때] estar contento [satisfecho] (de), encontrar a *su* gusto. …의 ~에 들려고 (노력)하다 tratar de agradar a *uno*, buscar el favor de uno. 나는 이 호텔 [도시]이 마음에 든다 Me gusta este hotel [esta ciudad]. 그 물건은 마음에 드십니까? ¿Le gusta [agrada · satisface] ese artículo? 그의 태도가 내 마음에 들지 않는다 A mí no me gusta [Me desagrada] su actitud. 마음에 드는 책을 골라라 Elige el libro que te guste. 모든 사람의 마음에 드는 여행 계획은 세울 수 없다 No se puede proyectar un viaje que agrade [satisfaga] a todo el mundo. 네 마음에 드는 대로 해라 Haz como quieras [te plazca].

◆마음에 없다 no querer, no desear, no tener ganas (de + *inf*).

◆마음에 접어 두다 [명심하다] grabar en *su* corazón [en *su* mente].

◆마음에 짚이다 [짐작이 가다] saber (de), tener inicio [idea] (de); [예감이 들다] presentir, tener presentimiento (de).

◆마음에 차다 [만족하다] estar satisfecho, estar contento.

◆마음을 끌다 hacer tener el interés, atraer el interés, atraer (a), ganar el corazón (de).

◆마음(을) 내다 intentar (a + *inf*).

◆마음(을) 놓다 confiar(se) (en), poner confianza (en), fiarse (de), sosegarse, tranquilizarse, quedarse tranquilo; [방심하다] descuidarse. 마음놓고 …할 수 없다 no poder + *inf* tranquilamente [con calma]. 이 길은 차가 많이 다니기 때문에 마음놓고 산책할 수 없다 Como por este camino pasan muchos coches no se puede pasear tranquilamente. 이 남자에게 마음놓아서는 안됩니다 No ponga confianzar en este hombre.

◆마음(을) 먹다 [의도하다] intentar + *inf*, tener la intención de + *inf*, pensar + *inf*, desear + *inf*, proyectar + *inf*, ir a + *inf*; [결심하다] decidir + *inf*. 그리하기로 ~ intentar hacerlo. 나가기로 ~ intentar salir. 나는 여러 차례 담배를 끊으려고 마음먹었지만 안됐다 Intenté varias veces dejar de fumar, pero no lo pude.

◆마음(을) 쓰다 prestar atención, preocuparse, estar nervioso. 마음쓰지 마세요

ㅁ

[usted에게] No se preocupe usted / [tú에게] No te preocupes / [ustedes에게] No se preocupen ustedes / [vosotros에게] No os preocupéis.

◆마음(을) 잡다 calmarse, tranquilizarse, sosegarse. 마음을 잡지 못하다 estar [ponerse] nervioso. 마음을 잡고 일하다 ponerse a trabajar.

◆마음(을) 졸이다 preocuparse, inquietarse, temer, tener miedo (de), tener un miedo enorme. 나는 네가 헛디딜까 마음을 졸였다 Yo temía [tenía un miedo enorme] que él diera un paso en falso. 나는 또 실패하지 않을까 마음 졸이고 있다 Tengo miedo de salir mal otra vez. 그의 모친은 그의 장래에 관해 몹시 마음 졸이고 있다 Su madre está muy preocupada por su futuro. 그는 시험 결과에 대해서 마음 졸이고 있다 El está preocupado por los resultados del examen.

◆마음(이) 내키다 tener ganas (de + *inf*), tener interés (en · por), interesarse (por), estar interesado (en). 그는 그 계획에 온통 마음이 내켜 있다 El está entusiasmado con el plan. 나는 그것에 별로 마음이 내키지 않는다 No muestro mucho interés en eso. 마음 내키는 일이 아무것도 없다 No tengo ganas de hacer nada / Me fastidia cualquier cosa que hago. 외출하는 것이 마음 내키지 않는다 Me es malesto [Me da pereza · No tengo ganas de] salir de casa. 이 일은 마음이 내키지 않는다 No puedo entusiasmarme con este trabajo / No me tienta [apetece] nada este trabajo.

◆마음(이) 들뜨다 sentirse [estar] alegre. 마음이 들떠 신이 나다 alegrarse. 벚꽃 놀이객들이 마음이 들떠 모였다 Concurren alegres los admiradores de las flores de cerezo.

◆마음(이) 조이다[죄다] [애타다] impacientarse, irritarse; [긴장하다] estirar, tensar; [염려하다] preocuparse.

▪마음에나 있어야 꿈을 꾸지 ((속담)) Ojos que no ven, corazón que no llora. 마음이 화합하면 부처도 본다 ((속담)) Querer es poder / Donde hay querer todo se hace bien.

마음가짐 [태도(態度)] actitud *f* [postura *f*] mental; [각오(覺悟)] preparación *f*, [결심] resolución *f*, determinación *f*. ~이 좋은 prudente, cuerdo, precavido. 매월 저축하는 것은 ~이 좋다 Es prudente que ahorres dinero todos los meses. 습관적으로 ~이 부족해 그에게 그런 일들이 일어난다 Dada su habitual falta de precaución le ocurren esas cosas.

마음결 natural *m*, carácter *m*, genio *m*, temperamento *m*, manera *f* de ser, modo *m* de ser. ~이 좋은 bondadoso, de buen corazón, de natural bondadoso, bueno. ~이 나쁜 de mal carácter, desagradable, malo. ~이 곱다 tener muy buen carácter [genio]. ~이 곱지 않다 tener muy mal carácter [genio]. 그는 ~이 좋다 El es de natural bondadoso / El tiene muy buen corazón.

마음껏 sin reserva, satisfactoriamente, con satisfacción, como quiera, hasta que esté contento, a *su* voluntad propia, al máximo, a *sus* anchas, con toda libertad. ~ 즐기다 gozar [disfrutar] (de *algo*) hasta la saciedad. ~ 마시다 beber hasta saciarse. …을 ~ 먹다 comer *algo* hartamente [hasta saciarse · con hartura]. 인생(人生)을 ~ 즐기다 disfrutar de la vida al máximo. 그들은 ~ 즐겼다 Se divirtieron hasta la saciedad. ~ 드십시오 Sírvase, por favor / Tome [Coma] cuanto quiera.

마음대로 a voluntad, a *su* disposición, a discreción, francamente, con franqueza. 제 차를 ~ 쓰세요 Tiene usted mi coche a su disposición. ~ 드세요 Sírvase usted a su discreción.

마음밭 ① ((불교 · 기독교)) =마음. 정신(精神). ② =심지(心地).

마음보 naturaleza *f*, disposición *f*, espíritu *m*, temple *m*, humor *m*, genio *m*. ~가 사나운 사람 persona *f* desagradable, persona *f* de mal caráter. ~ 사나운 여자 mujer *f* de mal carácter, mujer *f* maliciosa, mujer *f* malévola. ~가 나쁘다 (ser) malicioso, malévolo. ~가 사납다 (ser) de mal carácter, desagradable, malhumorado. ~ 사납게 굴다 comportarse [portarse] maliciosamente.

마음성(一性) disposición *f*, naturaleza *f*, temperamento *m*. ~이 좋다 (ser) bueno, de natural bondadoso, tener una buena disposición. 어머니의 ~을 닮다 heredar la disposición de *su* madre.

마음속 *su* corazón, *su* mente, fondo *m* del corazón. ~의 sincero, cordial, de corazón. ~으로 en *su* corazón, en secreto, secretamente, en el interior, interiormente, en lo secreto de *su* corazón. ~에서 desde el fondo del corazón, de (todo) corazón, de veras, cordialmente, sinceramente. ~ 깊숙이(에) en el fondo [en lo más recóndito · en los repligues más íntimos · en las entretelas] de *su* corazón, en lo más profundo de *sí* mismo. ~으로 기다리다 esperar, estar a la expectativa [a la espera] (de). ~으로 웃다 reír(se) en el fondo [para *sus* adentros · para *su* coleto]. 나는 아버님이 돌아오시기를 ~으로 기다렸다 Yo estoy a la expectativa de la vuelta de mi padre.

마음씨 corazón *m* (*pl* corazones), carácter *m* (*pl* caracteres), natural *m*, disposición *f*, naturaleza *f*, temperamento *m*. ~ 좋은 de buen corazón, de buen carácter, bondadoso, de buen natural, de carácter amable [generoso · manso], de un natural amable. ~ 나쁜 de mal carácter, desagradable, malicioso, malintencionado. ~가 비열한 de carácter vil. ~가 부드러운 사람 persona *f* de natural suave.

마음자리 carácter *m*, natural *m*, genio *m*, temperamento *m*, corazón *m*, mente *f*. ~가 좋은 사람 persona *f* de natural bondadoso, buena persona *f*. ~가 바로 박이다 tener el temperamento buenísimo. ~가 삐뚜로 박이다 (estar) retorcido, (ser) deshonesto.

마음 좋다 ① [인정이 있다·동정심이 있다] (ser) bondadoso, de buen corazón, cariñoso, afectuoso, comprensivo. ② [너그럽다·양심적이다] (ser) generoso.

마의(馬醫) médico *m* veterinario [médica *f* veterinaria] que cura la enfermedad de caballo.

마의(麻衣) =삼베옷.

마이너 리그(영 *minor league*) liga(s) *f(pl)* menor(es). ~의 선수 jugador *m* de la liga menor.

마이너스(영 *minus*) ① 【수학】 [음수] menos *m*. ~10도 [빙점하] diez grados bajo cero. 10 ~ 3은 7 Diez menos tres son siete / Diez menos siete, tres. ② [뺌] substracción *f*, resta *f*. ③ [음전극·음전하, 또는 그 기호인「—」] signo *m* (de) menos, menos *m*, signo *m* de substracción, signo *m* de resta. ④ ㉮ [적자(赤字)] déficit *m*. ㉯ [손실(損失)] pérdida *f*. 그것은 당신의 출세에 ~이다 Es un impedimento para su ascenso. ㉰ [불이익] desventaja *f*, contra *m*.
■~ 기호 signo *m* (de) menos, signo *m* de substracción. ~ 성장(成長) crecimiento *m* en menos. ~ 전기(電氣) electricidad *f* negativa.

마이동풍(馬耳東風) indiferencia *f* muy grande. ~으로 como si dijera truco. ~이다 hacerse ensordo [sordo], entrar*le* por un oído y salir*le* por otro, hablar a las piedras. 뭐라고 말해도 그는 ~이었다 Se hizo ensordo a todo lo que le dije / Todo lo que le dije le entró por un oído y le salió por otro.

마이스터(독 *Meister*) ① =거장(巨匠). 대가(大家). 명인(名人)(maestro). ② =스승.

마이신(영 *mycine*) 【약】 ((준말)) =스트렙토마이신.

마이크 ① 【물리】 ((준말)) =마이크로폰. ¶~를 통해서 por micrófono. ~ 앞에 서다 ponerse al micrófono. ~ 앞에 서 있다 estar al micrófono. …에 ~를 숨겨놓다 colocar micrófonos ocultos en *un sitio*. ② ((은어)) [입] boca *f*.
◆도청(盜聽) ~ micrófono *m* oculto.

마이크로(영 *micro-*) micro-.
■~그램 microgramo *m*. ~리더 microlector *m*. ~미크론 micromicrón *m*. ~미터 micrómetro *m*. ~바 microbar *m*. ~버스 microbús *m*. ~볼트 microvoltio *m*. ~볼트미터 microvoltímetro *m*. ~ 암페어 microamperio *m*. ~와트 microvatio *m*. ~ 웨이브 [극초단파] microonda *f*, onda *f* ultracorta. ~칩 (micro)chip *m*, pastilla *f* de silicio. ~컴퓨터 microordenador *m*, *AmL* microcomputadora *f*, microprocesador *m*. ~퀴리 microcurio *m*. ~톰 microtomo *m*. ~패럿 microfaradio *m*, microfarad *m*. ~폰 micrófono *m*. ~필름 microfilme *m*, microfilm *m*.

마일(영 *mile*) milla *f* (1, 609 metros).
■~표 [이정표] mojón *m* (*pl* mojones).

마일리지(영 *mileage*) [여행 거리] distancia *f* recorrida (en millas), kilometraje *m*; [비행에서] millaje *m*. 내 연평균 ~는 10,000이다 Hago un promedio de 10,000 millas al año.

마작(麻雀) mayón *m*, ma(h)-jong *m*. ~하다 jugar al mayón [ma(h)-jong].
■~꾼 jugador, -dora *mf* de mah-jong. ~패 ficha *f* de ma(h)-jong.

마장 *machang*, distancia *f* corta de cuatro kilómetros más o menos, un *ri*. 반(半) ~ medio *ri*, dos kilómetros más o menos.

마장(馬場) ① [조마장(調馬場)] campo *m* de equitación, picadero *m*. ② [경마장(競馬場)] hipódromo *m*.

마장수 buhonero, -ra *mf*, revendedor, -dora *mf*.

마장스럽다(魔障—) ser un obstáculo.

마장조(—長調) 【음악】 mi *m* mayor.

마저[1] [남김없이] sin resto, todo, lo … todo. 일을 ~ 하고 가겠다 Iré después de hacer todo trabajo.

마저[2] [까지도] aun, hasta, incluso, el mismo [la misma] +「명사」; [부정의 경우] ni siquiera, ni aun. 저 산에는 여름에~ 눈이 온다[쌓여 있다] En esta montaña hay nieve aun en (el) verano. 그런 일은 아이들~ 할 수 있다 Aun [Hasta] los niños pueden hacerlo. 부친~ 그것을 모르고 계셨다 No lo sabía ni el mismo padre. 그녀는 나한테~ 숨기고 있다 Incluso para mí ella tiene secretos. 그는 이제 걷는 것~ 할 수 없었다 Ya no podía ni andar siquiera.

마적(馬賊) bandidos *mpl* de montaña.

마적[1](魔笛) [마법의 피리] flauta *f* mágica.

마적[2](魔笛) 【음악】 La flauta mágica (de Mozart).

마전 decoloración *f*. ~하다 decolorar; [태양에] blanquear; [표백제로] poner en lejía, poner en blanqueador. ☞표백(漂白)
■~장이 blanqueador, -dora *mf*. ~터 lugar *m* de blanquear.

마제(馬蹄) ① =말굽(herradura). ② 【건축】 =말굽추녀.
■~석 obsidiana *f*. ~형 forma *f* de herradura.

마제 석기(磨製石器) ((구용어)) =간석기.

마젤란 【인명】 Fernando de Magallanes (¿1480?-1521) (포르투갈의 항해가).

마젤란 해협(Magellan 海峽) estrecho *m* de Magallanes.

마조(—調) 【음악】 tono *m* mi.

마주 opuesto, de enfrente, cara a cara. ~ 대하다 estar [encontrarse] cara a cara, estar frente a [por] frente; […과] estar enfrente de *algo*, estar frente a [de] *algo*. 마주 놓다 poner al lado opuesto.

마주 보다 mirar uno a otro, estar [encontrarse] cara a cara, estar frente a [por] frente; [···과] estar frente a [de] *algo*, estar enfrente de *algo*. 마주 보고 앉다 sentarse frente a frente [cara a cara]. ···과 마주 보고 앉다 sentarse frente a *uno*. 마주 보아 우측에서 두 번째 사람 la segunda persona de la derecha 마주 보고 말하다 hablar sentados frente a frente. 우리들은 마주 보고 앉았다 Nos sentamos cara a cara. 두 영화관은 마주 보고 있다 Los dos cines están frente a frente. 카페테리아는 호텔과 마주 보고 있다 La cafetería está enfrente del hotel. 그것은 마주 보아 당신의 왼쪽입니다 Está a su izquierda.
마주 서다 hacerse cara a cara, estar(se) (de pie) cara a cara, tener(se) cara a cara, hallarse cara cara, estar opuesto (a), confrontar, enfrentar.
마주 앉다 sentarse cara a cara, sentarse frente (a). 그들은 마주 앉았다 Se sentaron cara a cara.
마주 잡다 tomarse, cogerse. 손을 ~ tomarse las manos. 마주 잡고 싸우다 pelear a brazo partido (con), llegar a las manos, llegar a las manos; [서로] pelearse [agarrarse] cuerpo a cuerpo. 손을 마주 잡고 울다 llorar cogidos las manos.
마주잡이 andas *fpl* llevadas por dos portadores.
마주치다 [뜻밖에 만나다] encontrar (a), encontrarse (con), verse (con), tropezar (con). 나는 길에서 친구와 마주쳤다 En la calle me encontré (casualmente) con un amigo.
마주하다 poner enfrente. 책상을 마주하고 앉다 sentarse enfrente de la mesa. 우리들은 책을 마주하고 앉아 있었다 Nosotros estábamos sentados enfrente de la mesa.

마주(馬主) dueño, -ña *mf* del caballo.

마주르카(폴 *mazurka*) 【음악】 mazurca *f*.

마죽(馬粥) =말죽.

마중 ida *f* [salida *f*] a ver, encuentro *m*, reunión *f*, sesión *f*, mitin *m* (*pl* mítines). ~하다 recibir. ~하러 가다 ir a buscar [a recibir] (a). 많은 사람들이 그를 ~ 나갔다 Muchos vinieron a su encuentro / El fue recibido por una muchedumbre de gente.

마지기 *machiki*, parcela *f* del arrozal o del campo de necesitar un *mal* de semilla, *ReD* tarea *f*. 논 한 ~ una parcela de arrozal, *ReD* una tarea de arrozal. 밭 열 ~ diez parcelas de campo, *ReD* diez tareas de campo.

마지노선(Maginot 線) línea *f* de Maginot.

마지막 [일이나 차례의 맨 나중·끝·최종·최후] fin *m*, final *m*, el último, lo último; [임종(臨終)] el último momento, (*su*) muerte *f*; [형용사적] último, final, postrero [남성 단수 명사 앞에서] postrer. ~까지 hasa el fin. ~으로 por último, al fin, finalmente, en último lugar. ~에서 두 번째의 penúltimo. ~ 한 방울까지 hasta la última gota. ~ 날 el último día. ~ 승리(勝利) la última victoria, la victoria final. ~ 안간힘 esfuerzo *m* supremo del último momento, sprint *ing m*. 그의 ~ 작품(作品) su última obra. 이 사전의 ~ 세 쪽 las tres últimas páginas de este diccionario. ~ 순간에 en el último momento. ~ 5분간에 en los últimos cinco minutos. ~에서 열 번째 줄의 자리 el asiento de la décima fila a contar desde la última [desde atrás]. ~에서 네 번째 차량(車輛) el cuarto vagón contando desde el último [desde la cola]. 편지의 ~에 al terminar la carta. 이 세상의 ~에 al despedirse de este mundo por última vez. ~ 힘을 쏟다 hacer *sus* últimos esfuerzos. ~ 수단을 쓰다 tomar la última medida. ~에서 두 번째로 골인하다 llegar a la meta en penúltimo lugar, llegar el penúltimo a la meta. 그것이 그이와는 ~이었다 Esa es la última vez que lo vi. 이것이 이 세상과 ~이다 Este es mi último día con vida. 그는 (모두의) ~으로 노래를 불렀다 El cantó después de todos. 그와 ~으로 만난 것은 3일 전이었다 Hace tres días que le vi la última vez. 그이를 ~ 만난 것은 마드리드에서였다 La última vez que le vi fue en Madrid. ~으로 강조하고 싶은 것은 다음과 같습니다 Finalmente [Para terminar] quiero subrayar lo siguiente: …. 이 일은 ~으로 돌리겠다 Esta tarea la dejaré para el fin [para última hora]. 그 싸움은 ~에 어떻게 되었습니까? ¿Qué ha sido de la pelea al fin? 그는 그 일을 ~으로 은퇴했다 Terminada esa tarea, él se retiró. 나는 ~까지 희망을 버리지 않겠다 No perderé la esperanza hasta el final.
▪ ~숨 último aliento *m*, última respiración *f*.

마지못하다 (ser) inevitable, ineludible, obligatorio, reglamentario.
마지못해 [부득이하여] inevitablemente, ineludiblemente; [마음에도 없이] de [a] mala gana, a [con] disgusto, a regañadientes, sin querer, de mal aire [talante], a contrapelo, con repugnancia, contra *su* voluntad [su deseo], a duras penas, con sorna. ~ 먹다 comer sin ganas. ~ 수락하다 aceptar de mala gana. ~ 일하다 trabajar de mala gana [con sorna]. 그는 ~ 동의했다 El dio su consentimiento a mala gana / El asintió a regañadientes.

마지아니하다 no saber cómo + *inf*. 감사하여 ~ no saber cómo manifestar el agradecimiento. 귀하께 축하해 ~ desearle a usted muchas felicidades.

마지않다 ((준말)) =마지아니하다.

마직(麻織) =마직물(麻織物).
▪ ~물(物) cañamar *m*.

마진(痲疹) 【한방】 sarampión *m*, rubéola *f*, alfombrilla *f*.

마진(영 *margin*) margen *m*; 【주식】 cobertura *f*. 적은 ~으로 con un pequeño margen.

ㅁ

■ ～제(制) sistema *m* de margen.
마질 acción *f* de medir con un *mal*. ～하다 medir con un *mal*.
마차(馬車) carruaje *m*, coche *m*, carro *m*, carromato *m*; [의식용] carroza *f*; [승합] diligencia *f*; [1두 마차] berlina *f*; [두 바퀴 짐마차] carretón *m*; [4인승 지붕 없는 마차] birlocho *m*. ～로 가다 ir en coche.
■ ～ㅅ길 camino *m*. ～꾼[부] cochero *m*, carretero *m*, auriga *m*. ～꾼자리 Cochero *m*, Carretero *m*, Auriga *m*. ～말 caballo *m* de tiro, caballo *m* de carruaje. ～삯 precio *m* de carruaje.
마찬가지 [동일(同一)] igualdad *f*, identidad *f*, monotonía *f*; [유사(類似)] semejanza *f*, parecido *m*, aire *m*, retrato *m*. ～의 mismo, igual, semejante, uniforme, equivalente. ～로 igualmente, también, asimismo, además. 형제와 ～로 대우하다 tratar como *su* hermano. 그녀는 옛날이나 ～다 Ella sigue (siendo) el mismo. 그녀도 어머니와 ～로 미녀다 Ella es tan bella como su madre. 아프리카는 아시아와 ～로 풍부하지 않다 Africa es tan poca rica como Asia / Tanto Africa como Asia no son ricas. 농무(濃霧)의 경우에 비행기는 착륙할 수 없다. 대설(大雪)의 경우도 ～이다 En caso de niebla densa los aviones no pueden aterrizar y lo mismo ocurre en caso de fuertes nevadas. 사회가 예술에 영향을 주는 것과 ～로 예술도 사회에 영향을 준다 Como la sociedad influye en el arte, así [de la misma manera] el arte influye en la sociedad.
마찰(摩擦) fricción *f*, rozamiento *m*, roce *m*; [행위] frotamiento *m*, frotamiento *m*, frote *m*; [알력] desavenencia *f*, rozamiento *m*. ～하다 friccionar, frotar, restregar. 두 사람 사이에 ～이 생겼다 Se produjo una desavenencia entre los dos.
■ ～계 tribómetro *m*. ～ 계수[상수] coedificiente *m* de rozamiento *m*. ～력 fuerza *f* de fricción. ～ 마력(馬力) caballo *m* (de fuerza) de fricción. ～면(面) superficie *f* de fricción. ～ 물리학 tribofísica *f*. ～ 밴드 cinta *f* de fricción, freno *m* de cinta. ～부(部) parte *f* que hace fricción. ～ 부식 (작용) corrosión *f* por rozamiento. ～ 브레이크 freno *m* de friccio ～ 손실 pérdida *f* por rozamiento. ～ 시험(試驗) prueba *f* de fricción. ～열 calor *m* por rozamiento. ～ 용접 soldeo *m* por frotamiento. ～음(音) sonido *m* de fricción; 【음성학】 friativa *f*. ～ 저항(抵抗) resistencia *f* en fricción, resistencia de rozamiento. ～ 전기(電氣) electricidad *f* estática, electricidad *f* friccional, electricidad *f* en fricción. ～층(層) capa *f* de fricción; [공항 활주로의] capa *f* de rozamiento; [기체 역학의] capa *f* límite.
마천(摩天) tanta altura *f* como el alcance al cielo.
■ ～루[각] rascacielos *m.sing.pl.*
마철(馬鐵) herradura *f*.
마초(馬草) forraje *m*. ～를 주다 dar forraje (a).
마취(痲醉) anestesia *f*, narcotismo *m*, narcotización *f*, estupefacción *f*. ～하다 anestesiar (a), narcotizar, aplicar anestesia. ～의 anestésico, narcótico. ～시키다 anestesiar, narcotizar. ～시키는 narcotizante, narcotizador. ～에서 깨어나다 despertarse de la anestesia. 에테르로 ～시키다 eterizar.
■ ～계(計) anestesímetro *m*. ～과 sección *f* anestésica, sección *f* de anestesia. ～과 의사 anestesiólogo, -ga *mf*; anestesista *mf*. ～광(狂) narcomania *f*. ～기 máquina *f* de anestesia. ～ 기록지 gráfico *m* de anestesia. ～법 método *m* de anestesia, narcosis *f*. ～ 분석(分析) narcoanálisis *f*. ～사(士) anestesista *f*. ～ 상태 narcotismo *m*. ～ 암시법 narcosugestión *f*. ～약(藥) ㉮ [마취에 쓰이는 약제] anestésico *m*, narcótico *m*, opiato *m*. ㉯ ＝마약(痲藥). ～ 에테르 éter *m* anestético. ～ 요법 narcoterapia *f*. ～용 에테르 éter *m* para anestesia. ～의(醫) anestesista *mf*; anestesiólogo, -ga *mf*. ～자(者) narcotizador, -dora *mf*. ～ 자극제 narcoestimulante *m*. ～ 작용 narcosismo *m*. ～ 전문 의사 anestesiólogo, -ga *mf*. ～제(劑) anestésico *m*, estupefaciente *m*, narcótico *m*, opiato *m*. ¶국소(局所) ～ anestésico *m* local. 전신 ～ anestésico *m* general. ～ 중독자 narcomaníaco, -ca *mf*. ～ 지수 índice *m* anestético. ～ 진단 narcoplexis *m*. ～총 fusil *m* anestético. ～ 최면(법) narcohipnosis *f*. ～ 최면 분석법 narcohipnoanálisis *f*. ～ 최면 상태(催眠狀態) narcohipnosis *f*. ～학 anestesiología *f*. ～ 학자 anestesiólogo, -ga *mf*.
마치¹ [쇠로 만든 작은 손연장] [망치] martillo *m*, macito *m*, martinete *m*, gatillo *m*, bandarria *f*, pilón *m* (*pl* pilones); [작은] martillejo *m*; [장도리] maza *f*; [큰] mazo *m*, machota *f*, mallo *m*.
■ ～질 martilleo *m*, martillazo *m*. ～하다 martillar, martillear.
마치² como si, cual si, así, como por decirlo así. ～ 자기의 딸처럼 como si fuera su propia hija. ～ …와 같다 ser justamente así como …. ～ 전쟁 같다 Es cual si una guerra. 인생은 ～ 아침 이슬 같다 La vida así como una gota de rocío matinal. 그는 ～ 궁궐 같은 집에서 산다 El vive una casa como un palacio. 그는 나를 ～ 친자식처럼 대한다 [대했다] El me trata [trató] como si fuera [hubiera sido] su hijo. 그는 ～ 내가 그런 짓을 했던 것처럼 나를 비난한다 [비난했다] El me critica [criticó] como si yo lo hubiera [hubiese] hecho. 당신은 이런 옷을 입으니 ～ 광녀(狂女) 같다 Con este vestido pareces una loca. 그는 급하면 ～ 헤엄치듯 걷는다 Cuando él tiene prisa anda como si estuviera nadando.
마치다¹ [결리다] sentirse apurado, pasar apuros, pellizcar.
마치다² ① [끝내다] terminar, acabar, cum-

ㅁ

plir, concluir, finalizar. 계산을 ~ [지불의] pagar (*su* cuenta), ajustar. 일을 ~ terminar [acabar · despachar] *su* tarea [el trabajo]. 무용을 ~ concluir la danza. 법과(法科)를 ~ terminar la carrera de Derecho. 숙제를 ~ terminar sus deberes. 저녁을 마치고 después de la cena [de cenar]. 의무 교육을 ~ terminar la enseñanza obligatoria. 책 읽기를 ~ terminar [acabar] de leer un libro. 회의를 ~ terminar la sesión. 이것으로 제 축사를 마치겠습니다 Con esto, pongo fin a mis palabras de felicitación. ② [완성하다] completar, consumar, llevar a cabo, perfeccionar; [수행하다] acompañar; [졸업하다] graduarse (de). 대학을 ~ graduarse de la universidad.

마침[1] =종지(終止).

■ ~표(標) punto *m*.

마침[2] justo, justamente, oportunamente, en el momento oportuno [conveniente · adecuado]. ~ 그때에 justo entonces. ~ 준비되어 있는 요리 plato *m* preparado con lo que hay. ~ …하다 empezar a + *inf.* ~ 가지고 있다 llevar [tener] consigo. ~ 그 자리에 있다 estar presente, hallarse, encontrarse. 그는 ~ 그곳에 있었다 El estaba presente [se hallaba · se encontraba] allí. ~ 나는 돈이 없다 No llevo dinero conmigo / No tengo dinero a mano. ~ 있는 것이지만 어서 어서 드세요 Sírvase, por favor, aunque sólo le ofrezco lo que he podido encontrar a mano. ~ 해가 지고 있다 El día empieza a caer. ~ 다리가 무너지려 하고 있다 El puente está a punto de caerse. 그 말이 입에서 ~ 나오려 한다 Por poco se me escapa esa palabra. ~ 열차가 철교를 지나가고 있다 El tren empieza a pasar el puente.

■ ~가락 la misma cosa querida. ¶~으로 en el mismo [preciso] momento, por suerte, afortunadamente.

마침내 finalmente, al fin, en fin, por fin, (al fin y) al cabo. ~ …하게 되다 acabar por [en] + *inf*, [결과가] resultar (+ *adj*); […하기에 이르다] llegar [venir] a + *inf*, [수미(首尾)를 잘 …하다] lograr [conseguir] + *inf.* ~ 와 있어 만나다 venir [llegar] casualmente; [우연히 만나다] encontrarse por casualidad. 공사(工事)는 ~ 완성되었다 La construcción se ha acabado (al fin). ~ 작품이 완성되었다 Al fin mi obra se ha acabado. 영업 부진의 결과 ~ 도산하고 말았다 La inactividad de los negocios condujo a la quiebra. 나는 그가 결백하다는 것을 ~ 확신하게 되었다 He llegado a creer en su inocencia. 교섭 결과 우리는 ~ 계약을 해냈다 Conseguimos un contrato como resultado de las negociaciones. 우리들이 모여 있는 장소에 그이도 ~ 와 있었다 El llegó casualmente adonde estamos reunido. 사고 현장에 그가 ~ 와 있었다 El se encontraba por casualidad en el lugar del accidente. 그는 너무 일해 ~ 병에 걸렸다 El trabajó tanto que acabó por caer enfermo.

마카로니(불 *macaroni*) macarrones *mpl.*

■ ~ 샐러드 ensalada *f* con macarrones.

마카오 【지명】 Macao.

마케도니아 【지명】 Macedonia *f.* ~의 macedónico, macedonio. ~ 사람 macedonio, -nia *mf.*

마케팅(영 *marketing*) mercadotecnia *f*, mercadeo *m*, marketing *ing.m.*

■ ~ 리서치 estudio *m* de mercado, investigación *f* de mercados. ~부 departamento *m* de marketing, departamento *m* de comercialización. ~ 부장(部長) director, -tora *mf* de mercadotecnia; director, -tora *mf* de marketing. ~ 정책 política *f* comercial. ~ 플랜 planificación *f* de mercados.

마켓(영 *market*) [시장] mercado *m.*

■ ~ 리서치(research) [시장 조사] estudio *m* de mercado. ~ 셰어 [시장 점유율] cuota *f* de mercado, participación *f* en el mercado. ~ 프라이스 [시장 가격] precio *m* de mercado.

마크(영 *mark*) ① [기호 · 상표 · 표지] señal *f*, signo *m*, marca *f.* ~하다 [감시] fijar la atención (en). 좋은 ~ buena marca *f.* 100 미터를 10초에 ~하다 establecer el récord de diez segundos para los cien metros. ② ((준말)) =트레이드마크.

마크로(영 *macro*) 【컴퓨터】 macro *m*, macroinstrucción *f*, [형용사적] macro.

■ ~경제학 [거시 경제학] macroeconomía *f.* ~ 분석 macroanálisis *m.*

마키아벨리주의(-主義) maquiavelismo *m.* ~의 maquiavélico, maquiavelista. ~자 maquiavelista *mf.*

마키아벨리즘(영 *Machiavellism*) maquiavelismo *m.* ~의 maquiavélico, maquiavelista.

마타리 【식물】 valeriana *f.*

마탁(磨琢) =탁마(琢磨).

마태(馬太) soya *f* [soja *f*] para el alimento del caballo.

마태복음(Matthew 福音) ((성경)) El Santo Evangelio según San Mateo.

마투리 unos *males* sueltos.

마파람 viento *m* (que sopla) del sur.

■ 마파람에 게 눈 감추듯 ((속담)) (Se come) en un abrir y cerrar de ojos.

마판(馬板) ① [마구간의 바닥에 깐 널빤지] tabla *f* del suelo de la caballeriza. ② [마소를 매어 두는 한데의 터] potrero *m.*

마패(馬牌) rótulo *m* redondo de hierro de cobre.

마편(馬鞭) fusta *f*, *AmL* fuete *m.*

마편초(馬鞭草) 【식물】 verbena *f.*

■ ~속 식물 verbenáceas *fpl.*

마포(麻布) =삼베.

마피(麻皮) corteza *f* del cáñamo.

마피(馬皮) piel *f* del caballo.

마피아(영 *Mafia*) mafia *f.* ~의 mafioso.

■ ~ 단원(團員) mafioso *m.*

마필(馬匹) ① [(수를 헤아릴 때의) 말] caballo *m.* 집에 ~깨나 있겠는데 Habría caballos en casa. ② [말] caballo *m*. ～을 돌보다 cuidar al caballo.

마하(독 *Mach*) mach *adj*. ～ 3 tres Mach. ～2로 비행하다 volar a dos Mach.

■ ～수(數) (número *m* de) Mach *m*.

마호가니(영 *mahogany*) 【식물】 caoba *f*.

마호메트 【인명】 Mahoma (570?-632) (이슬람교의 창시자). ～의 mahometano, mahomético.

■ ～교 mahometismo *m*. ☞이슬람교. ～교도 mahometano, -na *mf*, mahometista *mf*.

마흔 cuarenta. ～ 명 cuarenta personas. ～ 살 cuarenta años (de edad).

■～ 번째 cuadragésimo *m*. ¶～의 cuadragésimo.

막[1] [이제 방금] ahora mismo, en este mismo instante, hace poco, recientemente. ～ …하려 하다 estar para + *inf*, estar a [en] punto de] + *inf*, ir a + *inf*, comenzar [empezar] a + *inf*. ～ 나가려고 할 때 cuando yo estaba a punto de salir, cuando yo iba a salir. ～ 전쟁이 발발하려 했다 La guerra estuvo a punto de estallar. 그녀는 ～ 울 듯한 얼굴을 하고 있다 Ella tiene una cara llorosa. ～ 비가 내릴 듯하다 Parece que va a llorar de un momento a otro / Está amenazando (con) llover. ～ 나를 죽이려 한다고 생각했다 Temí que me fueran [fuesen] a matar de un momento a otro. 손님들이 ～ 떠나려 한다 Los invitados ya están para marcharse. 이 물고기는 ～ 죽으려 한다 Este pez está para morir. 그의 병은 ～ 가시려 하고 있다 Su enfermedad está a punto de desaparecer. ～ 잠이 들려고 할 때 친구가 찾아왔다 Iba a dormirme, cuando visitó un amigo mío. 그는 ～ 익사하려 했다 Por poco se ahogaba él. 이 집은 ～반이 지어졌다 Esta casa está medio acabada. 내가 ～ 나가려는 참에 그녀가 나를 만나러 왔다 Justo cuando yo iba a salir, ella vino a verme. ～ 숨을 거두려 했다 Estaba a punto de morir [de perder la vida]. 열차가 ～ 떠나려 했다 El tren estaba a punto de salir. 그들이 도착했을 때 우리는 ～ 출발하려던 참이었다 Estábamos a punto de salir cuando ellos llegaron.

막[2] ((준말)) ＝마구.

막(幕) ① [막사(幕舍)] barraca *f*, cobertizo *m*, caseta *f* provisional. ② [장막(帳幕)] cortina *f*. ③ 【연극】 telón *m* (*pl* telones). ～이 열린다 Se levanta el telón. ～이 오른다 Se alza el telón. ～이 내린다 Cae [Baja] el telón. 식전(式典)은 퍼레이드로 ～이 열렸다 Se dio comienzo a la ceremonia con un desfile. ④ [장면(場面)] acto *m*. 제 1～ el primer acto. 2～물(物) obra *f* [teatro *m*] de dos actos.

◆막을 내리다[닫다] ㉮ [무대의 공연을 마치다] bajar el telón. ㉯ [(주로 공중을 상대로 한) 큰 행사나 일을 마치다] terminar, acabar.

◆막을 올리다[열다] ㉮ [무대의 공연을 시작하다] levantar [alzar] el telón. ㉯ [(주로 공중을 상대로 한) 큰 행사나 일을 시작하다] empezar, comenzar.

막(膜) ① 【해부】 membrana *f*. ② [표피] película *f*, capa *f*, [액체의 표면에 끼는 막] nata *f*. 우유의 ～ capa *f* de nata. 표면에 ～이 형성된다 Se forma una capa en la superficie. 우유에 ～이 생긴다 Se forma nata en la leche.

막가다 actuar [comportarse] con bravuconería.

막간(幕間) entreacto *m*, intermedio *m*. ～에 en el entreacto, para llenar el intervalo [la laguna].

■ ～극[물] entreacto *m*, intermedio *m*.

막강(莫强) poder *m*, poderío *m*, vigor *m*. ～하다 (ser) poderoso, potente, vigoroso, enorme, grande, tener el poder más grande. ～한 군사력 gran fuerza *f* militar. ～한 전함(戰艦) acorazado *m* poderoso.

■ ～지국(之國) país *m* muy poderoso. ～지궁(之弓) arco m muy fuerte. ～지병(之兵) ejército *m* muy poderoso.

막걸리 *makgoli*, una especie de las bebidas alcohólicas no refinadas, bebida *f* tradicional coreana.

막고춧가루 ají *m* [chile *m*] en polvo grande y tosco.

막골(膜骨) 【해부】 hueso *m* de la membrana.

막깎다 cortar corto. 머리를 ～ cortarse el pelo corto.

막나이 muselina *f* tosca.

막내 el hijo menor, el menor de los hijos, benjamín *m* (*pl* benjamines).

■ ～둥이 ＝막내. ～딸 la hija menor, la menor de las hijas. ～며느리 la nuera menor, esposa *f* del hijo menor. ～아들 el hijo menor, el menor de los hijos, benjamín *m*. ～아우 el hermano menor. ～ㅅ누이 la hermana menor. ～ㅅ동생 el hermano menor. ～ㅅ사위 el yerno menor, esposo *m* de la hija menor. ～ㅅ삼촌 el tío menor. ～ㅅ손자 el nieto menor, el menor de los nietos. ～ㅅ자식 ＝막내.

막노동(－勞動) ＝막일.

막다 ① [통하지 못하게 하다] cerrar, impedir, estorbar, poner un obstáculo (a); [장애물로] bloquear. 가는 길을 ～ estorbar [impedir] el paso (a). 입구를 막지 마십시오 No obstruya, por favor, la entrada. ② [가리거나 둘러싸다] cerrar, tapar, obstruir. 벽의 구멍을 ～ cerrar [tapar] el agujero de la pared. 입을 ～ [다른 사람의] tapar (a *uno*) la boca. 귀를 ～ [자기의] taparse los oídos. 귀를 막고 싶을 정도로 너무 무시무시한 이야기다 Es un relato tan espantoso que le dan a uno ganas de taparse los oídos. ③ [남의 뜻을 받아들이지 아니하다] no aceptar. 비난의 소리에 귀를 ～ no prestar oído a la censura. ④ [맞서 버티다] defenderse. 적(敵)의 침입을 ～ defenderse contra [resistir a] la invasión del enemigo. 도시를 적의 공격에서 ～ defender la ciu-

ㅁ

dad contra el ataque del enemigo. ⑤ [무엇이 미치지 못하게 하다] proteger(se), detener, interceptar. 추위를 ~ protegerse el frío. 바람을 ~ detener la corriente del aire. 빛을 ~ interceptar la luz. ⑥ [예방하다] prevenir, tomar precaución (contra); [방지하다] impedir. 전염병의 감염(感染)을 ~ prevenir la infección de una enfermedad contagiosa. 화재의 확산을 ~ impedir la extensión del incendio.
막아내다 defender (de), proteger, detener, parar, reducir, frenar, impedir, soportar. 물가의 상승을 ~ frenar [impedir] el alza de los precios. 연소(燃燒)를 ~ detener [parar] la propagación del fuego. 적의 공격을 ~ soportar el ataque del enemigo. 적의 진격(進擊)을 ~ detener [parar] la marcha de los enemigos. 피해를 최소한으로 ~ reducir al mínimo los daños.

막다르다 ① [더 나아갈 수 없게 막혀 있거나 끊겨 있다] no tener salida. 막다른 sin salida. 막다른 곳 fondo *m*, extremo *m*. 막다른 곳에서 왼쪽으로 굽어지십시오 En el fondo tuerza [Al fondo] a la izquierda. 이 길은 막다른 길이다 Esta calle no tiene salida. ② [일이 더는 어찌할 수 없는 형편에 있다] verse en una situación apurada, llegar a un punto muerto [a un callejón sin salida]. 막다른 지경 situación *f* apurada. 교섭이 막다른 지경에 이르렀다 Las negociaciones han llegado a un punto muerto. 교섭이 막다른 지경에서 타개되었다 Las negociaciones han salido de su punto muerto [de su estancamiento]. 이 회사는 경영이 막다른 지경에 이르르고 있다 La administración de esta compañía anda mal.
막다른골 ((준말)) =막다른골목.
막다른골목 ㉮ [골목] callejón *m* sin salida(s). ~에 들어가다 meterse en un callejón sin salida. ~으로 몰다 acorralar (a *uno*) en un callejón sin salida. ㉯ [사태] situación *f* apurada. ~에 몰리다 verse en una situación apurada.
막다른집 última casa *f* del callejón sin salida.

막달 mes *m* de parto [de alumbramiento].

막담배 tabaco *m* de mala calidad.

막대 ((준말)) =막대기.
■ ~자석 imán *m* de barra. ~잡이 ㉮ [소경에게] *su* derecha. ㉯ =길라잡이.

막대(莫大) inmensidad *f*. ~하다 (ser) inmenso, colosal, enorme, descomunal. ~한 재산 enorme fortuna *f*. 그것은 ~한 비용이 든다 Eso cuesta muchísimo dinero [requiere enormes gastos].
막대히 enormemente, inmensamente.

막대기 palo *m*, bastón *m*, barra *f*; [가는] varilla *f*, vara *f*; [장대높이뛰기의] pértiga *f*.

막대패 garlopa *f*.

막되다 ① [(언행이) 경우도 예절도 없이 사납고 우악하다] (ser) mal educado, descortés, inculto, desatento, desconsiderado, grosero, descomedido, desabrido. ② [거칠고 나쁘다] (ser) rudo, basto, tosco, grosero, burdo, patán, rústico, vulgar.

막된놈 patán *m*, zoquete *m*, paleto *m*, palurdo *m*, pataco *m*, pardal *m*, payo *m*, cateto *m*.

막둥이 ① [나이가 어린 잔심부름을 하는 사내아이] muchacho *m* mensajero. ② =막내아들.

막론하다(莫論-) [주로 「막론하고」의 꼴로 쓰임] ① [의논을 중지하다] parar argumento. ② [말할 나위 없다] no hay necesidad de + *inf*, no tener necesidad de + *inf*. 청우(晴雨)를 ~하고 llueva o haga sol, con lluvia o con sol.

막료(幕僚) ① [참모 장교] oficial *mf* de estado mayor. ② 【역사】=비장(裨將).

막막(漠漠) vastedad *f*, amplitud *f*, espaciosidad *f*, extensión *f*. ~하다 (ser) vasto, amplio, espacioso, extenso, infinito, limitado. ~한 사하라 사막 el (Desierto) Sáhara vasto y sin límites.
■ ~대해 océano *m* extenso y lejano.

막막강궁(莫莫强弓) arco *m* muy fuerte.

막막강병(莫莫强兵) ejército *m* muy poderoso.

막막궁산(莫莫窮山) monte *m* solitario, profundo y alto.

막막하다(寞寞-) (ser) solitario, aislado, desierto, desolado. 막막한 생활(生活) vida *f* solitaria.
막막히 solitariamente.

막말 el habla brusca [violenta · tosca]. ~하다 hablar al azar [a diestro y siniestro], decir bruscamente [de manera violenta · toscamente · mal].

막무가내(莫無可奈) tozudez *f*, terquedad *f*, inflexibilidad *f*.
막무가내로 tercamente, obstinadamente, testarudamente, tozudamente, porfiadamente, contumazmente, tenazmente, tesonudamente, inflexiblemente, con tenacidad, con tozudez, con terquedad, llanamente, absolutamente, sin animación ni interés. ~ 거절(拒絶)하다 negar de plano, negar rotundamente, rehusar obstinadamente, no querer aceptar por nada del mundo.

막바지 ① [막다른 곳] callejón *m* sin salida, fin *m* de un cambio. ~의 que no tiene salida. ~에 이르다 llegar al fin de un camino. 이 길은 ~이다 Este callejón no tiene salida. ② [극한] extremidad *f*, límite *m*, confín *m*, lindero *m*; [절정(絶頂)] clímax *m*, culminación *f*, cenit *m*, crisis *f*, punto *m* crítico.

먹벌다 trabajar como un jornalero, ganar el sueldo [el salario] como un jornalero.

막벌이 ganancia *f* del sueldo como un jornalero. ~하다 ganar el sueldo como un jornalero, trabajar como un jornalero.
■ ~꾼 jornalero, -ra *mf*, hombre *m* que hace pequeños trabajos o arreglos. ~판 trabajo *m* de ganar el sueldo como un jornalero.

막베 tela *f* basta.
막베먹다 comer(se). 이것은 내 상당한 저금을 막베먹었다 Esto me comió buena parte de los ahorros.
막부[1](幕府) 【지명】 =모스크바.
막부[2](幕府) 【역사】 gobierno *m* feudal japonés.
막부득이(莫不得已) ((힘줌말)) =부득이.
막불겅이 ① [불경이보다 품질이 좀 낮은 썬 담배] tabaco *m* cortado de calidad inferior. ② [잘 익지 않은 고추] ají *m* [chile *m*] no bien madurado.
막사(幕舍) ① [막집·천막집] casa *f* provisional, casa *f* de tienda. ② 【군사】 cuartel *m*, campamento *m*.
막사리 marea *f*.
막살다 guiar la vida anodina, pasar sin comodidades. 나는 산골에 있을 때에는 한동안 막살았다 Yo pasé sin comodidades un rato [un ratito] en la aldea montañesa.
막살이 vida *f* dura [anodina · inconsciente · irresponable · imprudente · insensata]. ～하다 vivir una vida irregular.
막상 [급기야] últimamente, al fin y al cabo; [실제로] actualmente, realmente, en realidad. 일이란 ～ 당해 보지 않으면 모르는 것이다 El movimiento se demuestra andando.
막상(莫上) el mejor, (lo) máximo, (lo) sumo.
 ▪ ～막하(幕下) igualdad *f*, semejanza *f*, similitud *f*, parecido *m*. ¶～로 igualmente, semejantemente, tan … como, tanto … como. A와 B는 ～이다 A y B son igualmente [a cuál más] competentes / A es tan competente como B. 두 사람은 골프를 ～로 잘 친다 Los dos son igualmente buenos golfista / Los dos juegan igualmente bien al golf.
막새 ① [처마 끝을 잇는 수키와] tejas *fpl* covexas en el borde de alero. ② [보통 기와로 처마 끝에 나온 암키와와 수키와] tejas *fpl* cóncavas y covexas en el borde de alero.
 ▪ ～기와 =막새.
막서다 ① [싸울 것같이 대들다] hacer frente (a), afrontar, enfrentarse (a), arrostar, dar (a), mirar (hacia). 막서서 대들다 pelear [luchar] contra (una persona). ② [어른 아이를 가리지 않고 겨루며 대항하다] desafiar, desacatar, desobedecer. 어른에게 버릇없이 ～ desobedecer a *su* anciano groseramente.
막술 última cuchara *f* de la comida.
막시류(膜翅類) 【곤충】 ((학명)) Hymenoptera.
막시목(膜翅目) 【곤충】 ((학명)) Hymenoptera.
막심(莫甚) exceso *m*, enormidad *f*, inmensidad *f*, seriedad *f*. ～하다 (ser) excesivo, extremo, inmenso, enorme, tremendo, serio, pesado. ～한 손해 pérdida *f* seria. ～한 충혈(充血) hemorragia *f* [sangradura *f* · sangría *f* · flujo *m* de sangre] excesiva.
 막심히 excesivamente, extremamente, inmensamente, enormemente, tremendamente, seriamente, pesadamente.
막아내다 ☞막다
막엄(莫嚴) mucha severidad *f*, mucha rigurosidad *f*. ～하다 (ser) muy severo [estricto · riguroso].
 막엄히 severamente, con severidad, rigurosamente, con rigurosidad.
 ▪ ～지지(之地) lugar *m* muy solemne, residencia *f* del rey..
막역(莫逆) intimidad *f*, familiaridad *f*, confianza *f*, llaneza *f*, trato *m* confianzudo, relaciones *fpl* íntimas. ～하다 (ser) íntimo, familiar, estrecho, conocido, confianzudo. ～한 사이 relaciones *fpl* íntimas. ～한 친구 amigo *m* íntimo, amiga *f* íntima.
 막역히 íntimamente, con intimidad.
 ▪ ～지간(之間) relaciones *fpl* muy íntimas como amigos. ～지교(之交) relacion *f* muy perfecta. ～지우(之友) amigo *m* muy íntimo, amiga *f* muy íntima.
막연(漠然) vaguedad *f*. ～하다 (ser) vago, impreciso, confuso, ambiguo, equívoco, oscuro, obscuro. ～한 대답 respuesta *f* ambigua. 나는 어머니에 대해 ～한 기억을 하고 있다 Tengo un vago recuerdo de mi madre.
 막연히 vagamente, confusamente, ambiguamente, o(b)scuramente.
막이 protección *f*, prevención *f*.
막일 trabajo *m* manual, trabajo *m* a mano, trabajos *mpl* dispares, trabajo *m* duro, trabajo *m* penoso. ～하다 trabajar, trabajar duro.
 ▪ ～꾼 trabajador, -dora *mf* manual [a mano]; hombre *m* que hace pequeños trabajos o arreglos.
막자 mano *f* (de almirez). ～로 빻다 moler con la mano (de almirez).
막잠 último sueño *m* del gusano de seda.
막잡이 artículo *m* basto.
막장 ① [갱도의 막다른 곳] lugar *m* sin salida en la galería de mina. ② [갱도 끝에서의 채굴하는 일] minería *f* en el extremo de la galería de mina.
 ▪ ～꾼 minero, -ra *mf*; excavador, -dora *mf*. ～ 일 trabajo *m* en (el extremo de) la galería de mina.
막중(莫重) preciosidad *f*, mucha importancia. ～하다 (ser) muy precioso, sin precio, inapreciable, muy importante, no tener precio. ～한 물건 objetos *mpl* de valor. ～한 시간 tiempo *m* sin precio, tiempo *m* precioso. ～한 인명(人命) vida *f* preciosa. 우리는 ～한 시간을 잃었다 Perdimos un tiempo precioso. 나에게는 시간이야말로 ～하다 El tiempo es la primera consideración para mí. 그의 우정은 나에게 ～한 것이다 Su amistad me es muy preciosa. 그는 ～한 사명을 띠고 있다 El tiene una misión preciosísima.
 막중히 preciosísimo, muy preciosamente, muy importantemente, importantísimo.
 ▪ ～ 국사(國事) asuntos *mpl* muy impor-

ㅁ

tantes del Estado. ~ 대사(大事) asuntos *mpl* muy importantes.

막지르다 ① [앞길을 막다] interrumpir, afrontar, enfrentar, hacer frente (a), bloquear, impedir, cortar. 길을 ~ impedir el paso, bloquear el paso. 너는 내 길을 막지르고 있다 Me estás impidiendo [bloqueando] el paso. 나무가 우리의 길을 막지르고 있었다 Un árbol grande nos cortaba [bloqueaba · impedía] el paso. ② [함부로 냅다 지르다] dar (al azar); [발로] patalear, dar patadas; [칼로] apuñalar, acuchillar; [소리를] gritar alto, gritar en voz alta. 소리를 ~ gritar, chillar. 도와 달라고 소리를 ~ pedir ayuda a gritos, gritar pidiendo auxilio. 그녀는 팔꿈치로 그의 갈빗대를 막질렀다 Ella le dio un codazo en las costillas. 그는 손가락으로 내 팔을 막질렀다 El me dio en el brazo con el dedo. 그는 그들에게 멈추라고 소리를 막질렀다 El les gritó que se detuvieran. 그녀는 나에게 방에 들어오라고 소리를 막질렀다 Ella me gritó que entrara en la habitación.

막질(膜質) disposición *f* membranosa. ~의 membranoso.

막질리다 ① [앞을] ser impedido, ser interrumpido. ② [함부로] ser dado al azar, ser pataleado. 그는 칼로 막질려 죽었다 El había muerto apuñalado [acuchillado] / Le habían matado a puñaladas [cuchilladas · a navajazos].

막차(一車) último tren *m* [autobús *m*] (del día).

막청【음악】=소프라노(soprano).

막초(一草) tabaco *m* tosco, tabaco *m* de mala cualidad, tabaco *m* barato, tabaco *m* cortado de cualidad inferior.

막치 artículo *m* [objeto *m*] tosco.

막판 [마지막판] escena *f* final; [중대한 때] momento *m* crítico. ~에 와서 en el momento crítico.

막필(一筆) cepillo *m* de escribir basto.

막하(幕下) subordinado *m* del jefe. 그는 지금 김 장군의 ~로 일하고 있다 El es [trabaja como] un subordinado del general Kim.

막후(幕後) detrás de la cortina, en el fondo, en los antedecentes. ~의 인물 hombre *m* detrás de la escena.

▪ ~교섭 negociaciones *fpl* detrás de la escena.

막히다 [구멍 · 관(管) 따위가] cerrarse, obstruirse, atascarse; [장애물로] ser bloqueado; [말이] balbucear; [가슴에] sentir cargado el estómago; [숨이] ahogarse, sofocarse. 말이 ~ no saber qué decir, atragantarse al hablar, cortarse hablando. 가슴이 ~ [음식물로] sentir pesadez de estómago, hacer mal la digestión. 돈이 ~ estar escaso [apurado] de dinero. 관(管)이 막힌다 Se atasca el tubo. 코가 막힌다 Se tabican las narices. 나는 담배 연기로 숨이 막혔다 El humo del tabaco me sofocó. 길이 눈으로 막혀 있다 El camino está cerrado de [por la] nieve. 그는 생선 가시로 목구멍이 막혔다 Una espina se le ha clavado en la garganta. 나는 목소리가 목구멍에 막혀 나오지 않는다 La voz se me atascaba en la garganta y no salía. 나는 감동해 가슴이 막힌다 Estoy lleno de emoción / Me siento oprimido por la emoción. 그는 감동해서 가슴이 막혔다 La emoción le hace un nudo en la garganta. 도로는 차로 막혀 있다 La carretera está bloqueada de coches. 나는 고기 토막으로 목구멍이 막혔다 Un trozo de carne se me ha atragantado.

막힘없이 [술술] corrientemente, fluidamente, con fluidez. 그는 서반아어를 ~ 말한다 El habla español corrientemente [fluidamente · con fluidez].

만[1] [동안이 얼마 계속되었음을 나타내는 말] después de … de ausencia. 3년~에 귀국하다 volver a *su* país después de tres años de ausencia. 나는 10년~에 그녀를 만났다 La vi después de diez años de ausencia [de separación]. 30년~의 추위다 Hace un frío que no habíamos experimentado en estos últimos treinta años / No hemos experimentado tanto frío durante treinta años / Este es el frío más duro que (jamás) hemos tenido desde hace treinta años.

만[2] [단지] sólo, solamente, simplemente, no … más que, pero. 한 번~ solamente una vez, nada más que una vez. 꼭 한 번~ sólo una vez, una sola vez, una vez nada más. 이번~은 por esta vez. 본 것~으로 a simple [primera] vista. 그 일을 생각~해도 나는 떨린다 Sólo pensar en eso me aterriza. 이삼일 쉬는 것~으로 충분하다 Sólo un par de días de descanso es suficiente para mí / Me basta descansar sólo unos dos días. 학문~으로는 성공할 수 없다 No se puede triunfar en la vida únicamente con estudiar mucho. 나는 빵과 우유~ 있으면 충분하다 Me basta sólo con pan y leche / Con tal que haya pan y leche me basta. 연습~ 하면 너는 나아진다 No tienes más que entrenarte para adelantar. 그가 오기~ 하면 문제는 해결될 수 있을 텐데 Solamente con [Con sólo] que viniera ella, se solucionaría el problema. 네가 주의~ 했더라면 그런 일이 일어나지 않았을 것이다 No te habría pasado esto, si hubieras tenido un poco más de cuidado. 최소한 시간~ 있다면 좋았을 텐데 ¡Si por lo menos tuviéramos tiempo! 날씨~ 좋으면 출발하자 Saldremos, siempre que [con tal que · con sólo que] haga buen tiempo. 그녀는 울기~ 한다 Ella no hace sin [no hace más que] llorar.

만[3] [그러나] pero. 받기는 받는다~ 달갑지 않다 Lo recibo, pero no me siento bien. 그는 사람은 좋지~ 쓸모가 없다 El es un buen hombre, pero nada más. 넌 하고 싶은 대로 할 수 있지~ 몸조심해라 Puedes hacer lo que quieras, pero cuídate de tu salud.

만(卍) ((불교)) esvástica *f*, cruz *f* gamada *f*; [표지(標識)] cruz *f* budista.

만(萬) diez mil. 1~ 번째의 diez milésimo. …은 ~에 하나의 가능성도 없다 No existe la menor posibilidad de que + *subj*.

만(蠻) bárbaro *m* sur.

만(灣) golfo *m*; [작은] bahía *f*, ensenada *f*.

만(滿) completo, entero. ~ 하루 todo el día, un día completo [entero]. ~ 세 시간 tres horas completas [enteras · largas]. ~ 1년 todo el año, un año completo [entero]. ~ 10년 diez años completos [enteros · largos]. ~ 스무 살이다 tener veinte años cumplidos, cumplir veinte años. 나는 이 달 20일에 ~ 18세가 된다 Cumplo dieciocho años el veinte de este mes. 그 사람이 죽은 지 ~ 10년이 되었다 Ya hace diez años cumplidos que murió él.

만가(挽歌/輓歌) ① 【민속】 canción *f* funeral. ② [죽은 사람을 애도하는 시가(詩歌)] elegía *f*, réquiem *m*, epicedio *m*.

만감(萬感) diluvio *m* de emoción. ~이 북받쳤다 Se amontonan mil emociones en el corazón.

만강(萬康) paz *f*, tranquilidad *f*, seguridad *f*, sanidad *f*, salud *f*, bienestar *m*. ~하다 (ser) pacífico, saludable, sano, seguro, tranquilo.

만강(滿腔) ¶~의 incondicional, de todo corazón, sin reservas.

만개(滿開) ① [만발(滿發)] plena floración *f*, plenitud *f*. 꽃이 ~했다 Las flores están en su plenitud. 벚꽃이 ~했다 El cerezo está todo florido [está en plena floración · está completamente florido]. ② [활짝 열어 놓음] acción *f* de abrir la puerta completamente.

만건곤(滿乾坤) acción *f* de estar lleno en el cielo y la tierra. ~하다 estar lleno en el cielo y la tierra.

만겁(萬劫) ((불교)) largo tiempo *m*.

만경(晩景) ① [해질 무렵의 경치(景致)] escena *f* de la puesta de(l) sol, paisaje *m* a la caída de la tarde. ② [저녁 햇빛이나 햇살] sol *m* a la caída de la tarde. ③ [철이 늦은 때의 경치] escena *f* [paisaje *m*] de la estación tardía.

만경(晩境) =늙바탕. 말년(末年). 모경(暮境).

만경(萬頃) inmensidad *f*.

■ ~유리(琉璃) mar *m* tan hermoso y llano como el cristal. ~징파(澄波) ola *f* azul sin límites. ~창파(蒼波) extensión *f* infinita del agua.

만경되다 *sus* ojos hacerse sin brillo.

만경타령(一打令) negligencia *f*, descuido *m*, incuria *f*, dejadez *f*, abandono *m*.

만고(萬古) ① [매우 오랜 옛적] antigüedad *f*, tiempo *m* antiguo, tiempo *m* remoto, época *f* antigua; [영원(永遠)] eternidad *f*, perpetuidad *f*, permanencia *f*. ~에 en la antigüedad, en el mundo antiguo. ~로부터 de la antigüedad inmemorial, desde tiempos inmemoriales. ~로부터 내려오는 진리(眞理) verdad *f* eterna. ② [(「만고」「만고에」로 쓰이어) 오랜 세월을 통하여] por toda generación. ~에 유(類)가 없다 ser único por toda generación. ③ [(「만고」「만고의」로 쓰이어) 세상에 다시 그 유례(類例)가 없는] eterno, por todas edades, por todos siglos. ~의 영웅(英雄) héroe *m* por todas edades, héroe *m* por todos siglos.

■ ~ 불멸(不滅) inmortalidad *f*, eternidad *f*, ser *m* eterno, sempiterna *f*, perpetuidad *f*. ¶~하다 (ser) inmortal, permanente, eterno. ~ 불변(不變) inmutabilidad *f*, eternidad *f*, ser *m* eterno, sempiterna *f*, constancia *f*, permanencia *f*. ¶~하다 (ser) inmutable, eterno. ~ 불역(不易) eternidad *f*, ser *m* eterno, inmutabilidad *f*, perpetuidad *f*, sempiterna *f*. ¶~하다 (ser) eterno, perpetuo. ~ 불후 inmortalidad *f*, eternidad *f*. ¶~하다 (ser) inmortal, eterno. ~의 명예 honor *m* eterno. ~의 명작(名作) obra *f* inmortal. ~ 상청(常靑) verdor *m* eterno. ¶~하다 ser siempre verde. ~ 역적 traidor *m* sin precedentes. ~ 잡놈 mujeriego *m* [tenorio *m*] sin precedentes. ~ 절담(絶談) refrán *m* inmortal, verdad *f* eterna, máxima *f* indiscutible. ~ 절색(絶色) belleza *f* [hermosura *f*] sin igual [sin par]. ~ 절창(絶唱) cantor, -tora *mf* [cantante *mf*] sin paralelo [sin par · sin igual]. ~ 천추(千秋) tiempo *m* eterno. ~ 풍상[풍설] todas las dificultades, aflicción *f*, dolor *m*. ¶~을 겪다 sufrir todas las dificultades, pasar todas penurias.

만고(萬苦) todas las aflicciones, todos los dolores.

만곡(彎曲) curvatura *f*, curva *f*, cumba *f*, combadura *f*, corva *f*; [아치형의] arqueo *m*. ~하다 encorvarse, combarse, doblarse.

■ ~부(部) parte *f* encorvada.

만공(滿空) acción *f* de estar lleno en el aire. ~하다 estar lleno en el aire.

만구(灣口) entrada *f* de la bahía.

만국(萬國) todas las naciones del mundo, el mundo entero, todo el mundo; ((성경)) naciones *fpl*, todas las naciones. ~의 universal, internacional, del mundo. ~에 en todo el mundo, por toda la haz de la tierra. ~을 통해서 por todo el mundo.

■ ~기(旗) banderas *fpl* de todas las naciones [todos los países] (del mundo), lanilla *f* (para banderas), estameña *f*, banderas *fpl*. ~ 도성(都城) ciudades *fpl* de todas las naciones del mundo. ~ 박람회 la Exposición Internacional, la Exposición *f* Universal, la Feria Internacional, la Feria Mundial, la Feria Universal. ~사 historia *f* universal. ~ 선박 신호 señal *f* del código internacional. ~ 우편 연합(郵便聯合) la Unión Postal Universal, UPU *f*. ~ 지도(地圖) mapa *m* universal. ~ 통신(通信) comunicación *f* internacional. ~ 표준시 hora

ㅁ

f normal universal. ~ 회의(會議) conferencia *f* internacional.

만군(萬軍) ① [많은 군사(軍士)] muchos soldados. ② ((성경)) todo el ejército, los ejércitos.

만군(滿軍) ejército *m* manchú.

만군(蠻軍) ejército *m* salvaje.

만굴(彎屈) =만곡(彎曲).

만궁(彎弓) acción *f* de tensar el arco. ~하다 tensar el arco.

만권(萬卷) [만 권의 책] diez mil libros; [매우 많은 권수(卷數)] volúmenes *mpl* incontables, gran biblioteca *f*.

만귀잠잠하다(萬鬼潛潛—) ser muy tranquilo.

만근(萬斤) peso *m* muy pesado.

만근(輓近) =근래(近來). 요즈음.

■ ~ 이래 desde unos años hasta ahora.

만금(萬金) mucho dinero, suma *f* inmensa de dinero. ~을 투자하다 invertir la suma inmensa.

ㅁ

만기(萬機/萬幾) todos los asuntos del Estado. ~를 총람하다 asumirse el manejo del gobierno.

만기(滿期) vencimiento *m* (del plazo), cumplimiento *m*, expiración *f*. ~의 vencido, de vencimiento. 보험 증권(保險證券)의 ~ expiración *f* de la póliza. 어음의 ~ vencimiento *m* de la letra [del efecto · del giro]. ~에 al vencimiento. ~가 되다 vencer, cumplirse un plazo, expirar. ~가 가깝다 estar próximo al vencimiento. ~로 제대하다 obtener la licencia (del servicio militar). 9월 30일이 ~이다 El plazo vence el treinta de septiembre. 약속 어음은 3개월로 ~가 된다 El pagaré vence en tres meses. 어음은 ~가 되었다 La letra ha vencido.

◆불확정 ~ vencimiento *m* indeterminado. 확정 ~ vencimiento *m* fijo.

■ ~ 배당 dividendo *m* de vencimiento. ~ 병(兵) soldado *m* vencido. ~ 부채(負債) deuda *f* vencida. ~ 불(拂) pago *m* al vencimiento. ~ 상환 amortización *f* del vencimiento. ~ 석방 liberación *f* [puesta *f* en libertad] en la expiración del período de castigo. ~ 어음 letra *f* vencida. ~일(日) (día *m* de) vencimiento, fecha *f* de vencimiento, día *m* de expiración, plazo *m*. ~ 제대 baja *f* en la expiración de término de servicio. ~ 채권 obligación *f* vencida. ~ 출옥(出獄) puesta *f* en libertad en la expiración del período de castigo.

만끽(滿喫) pleno gozo *m*, pleno disfrute *m*. ~하다 gozar [disfrutar] plenamente (de), saborear suficientemente, saciarse (de).

만나(영 *manna*) ((성경)) maná *m*.

만나다 ① [사람을] ver (a), encontrar (a); [우연히] encontrarse [topar] (con); tener una entrevista (a); [방문자를] recibir (a); [서로] verse, entrevistarse, reunirse, encontrarse. 만날 장소 [시간] lugar [hora] de cita. 길에서 ~ encontrarse [topar] (con uno) en el camino. 기분 나쁜 놈을 ~ encontrarse con un tipo desagradable. 만나러 가다 ir a ver (a), visitar (a). 만나기로 하다 citarse (con), dar una cita (a). …와 만날 약속을 하다 dar una cita a uno. …와 오전 10시에 만나기로 하다 citarse con uno para [a] las diez de la mañana. 거리에서 그를 만났다 Me encontré con él en la calle. 만나 뵙게 되어 반갑습니다 Me alegro de verle a usted // [처음 만나 인사할 경우] [남자] Encantado / [여자] Encantada / (Tengo) mucho gusto (en conocerle a usted). 만나 뵙게 되어 기뻤습니다 [헤어지면서] Mucho [Muchísimo] gusto / Encantado / Encantado de haberle conocido. 만나 뵙게 된다면 정말로 기쁘겠습니다 Me alegraría [alegraré] mucho de verle a usted. (늘 만난) 그 카페테리아에서 만납시다 Vamos a reunirnos en la cafetería de simpre. 거기서 가까운 카페테리아에서 만납시다 Vamos a vernos en una cafetería cerca de ahí. 오전 열 시에 에이 카페에서 만납시다 Encontrémonos en el café A a las diez de la mañana. 우리 어디서 만날까? ¿Dónde quedamos)? / ¿Dónde nos encontramos? / ¿Dónde nos vemos? 어디서 언제 만날까요? ¿Dónde y cuándo nos vemos? 나는 그녀를 오랫동안 만나지 못했다 Hace mucho (tiempo) que no la veo. 내일 당신을 만나러 가겠다 Voy a verte mañana. 그들은 1년에 한 번 만난다 Ellos se reúnen una vez al año. 누가 만나러 와도 나는 만나지 않는다 No recibo a nadie aunque venga a verme. 나는 신문 기자들을 만나기로 되어 있다 Tengo una entrevista con los periodistas. 만남은 이별의 시작이다 El encuentro es ya el comienzo de la despedida. 우리들은 우연히 경기 중에 만났다 Nos encontramos en el partido (por casualidad). 우리들은 오후 4시에 만나기로 되어 있다 Quedamos en encontrarnos a las tres de la tarde. 두 대통령은 십일월에 만날 것이다 Los dos presidentes se entrevistarán en noviembre. 나는 어제 은행에 가다가 그녀를 만났다 Me encontré con ella ayer cuando iba al banco. 나는 김 양을 토요일에 종로에서 만날 것이다 Me voy a encontrar con la señorita Kim el sábado en *Chongro*. 두 대의 자동차가 모퉁이에서 만나 충돌했다 Los dos coches chocaron al doblar la esquina. 또 만납시다 / 또 만나 뵙겠습니다 [헤어지면서 하는 인사] ¡Hasta la vista!

② [비바람을 맞게 되다] encontrarse (con), coger. 비를 ~ encontrarse con lluvia. 나는 소나기를 만났다 Me cogió un chaparrón.

③ [어떤 일을 겪게 되다] pasar, sufrir, padecer, esperimentar; [재난이 주어일 경우] coger (a). 슬픔을 ~ encontrarse con la tristeza. 고통(苦痛)을 ~ experimentar un dolor.

만나이(滿—) edad *f* cumplida.

만난(萬難) todos los obstáculos, todas las dificultades. ~을 무릅쓰고 venciendo todos los obstáculos, a todo trance, cueste lo que cueste, a toda costa, superando todas las dificultades [todos los obstáculos]. 뜻이 있으면 ~을 극복할 수 있다 Más hace el que quiere que no el que puede.

만날(萬一) [늘] siempre, constantemente; [매일] todos los días, cada día.

만냥(萬兩) mucho dinero.

만년(晩年) ① [늙은 나이 · 노년(老年)] vejez *f.* ② [인생의 끝 시기] últimos años (de la vida). ~에 en edad avanzada, en *sus* últimos años. 행복한 ~을 보내다 pasar *sus* últimos años felices. 우나무노의 ~ los últimos años de Unamuno, Unamuno en sus últimos años.

만년(萬年) ① [썩 많은 햇수] muchos años. ② [매우 오랜 세월] largo [mucho] tiempo *m*, eternidad *f*.
■ ~락(樂) felicidad *f* de toda la vida. ~력(曆) calendario *m* perpetuo, almanaque *m* perpetuo. ~빙[얼음] casquete *m* polar, hielo *m* perpetuo [permanente]. ~설[눈] ventisquero *m*, nieve *f* perpetua [permanente]; [높은 산의] casquete *m* glaciar, casquete *m* de hielo. ¶극지(極地)의 ~ casquete *m* polar. ~지택(之宅) casa *f* bien construida. ~ 처녀 belleza *f* inmarchitable, mujer *f* eternamente joven, mujer *f* perennemente juvenil, mujer *f* que no pasan los años. ~ 청년(青年) hombre *m* de juventud perenne, hombre *m* eternamente joven, hombre *m* que no pasan los años, hombre *m* que no pierde *su* vigor juvenil, joven *m* eterno.

만년필(萬年筆) (pluma *f*) estilográfica *f*, *AmL* pluma *f* fuente, *CoS* lapicera *f*. ~용의 estilográfico. ~용 잉크 tinta *f* estilográfica. ~로 쓰다 escribir con la estilográfica. ~에 잉크를 채우다 llenar la pluma estilográfica. ~의 잉크가 떨어졌다 La pluma estilográfica se ha quedado sin tinta / A la pluma estilográfica se le ha acabado la tinta.

만능(萬能) omnipotencia *f*. ~의 omnipotente, todopoderoso; [여러 용도의] multiuso, para todo uso, universal, versátil. 지금은 황금(黃金) ~의 세상이다 Poderoso caballero es don Dinero ahora.
■ ~ 가방 maleta *f* multiuso. ~ 공구(工具) instrumento *m* multiuso. ~ 공작 기계 máquina *f* herramienta multiuso. ~ 급혈자(給血者) persona *f* de O (en el grupo sanguíneo). ~ 기계 máquina *f* universal. ~ 믹서 licuadora *f* versátil. ~ 보결 선수 jugador, -dora *mf* versátil. ~ 분쇄기[마멸기] esmeriladora *f* universal. ~ 선반 torno *m* de tornear universal. ~ 선수 atleta *m* completo, atleta *f* completa; jugador *m* completo, jugadora *f* completa. ¶그는 ~다 El juega bien en todas las posiciones. ~ 숫돌 piedra *f* de afilar universal. ~약(藥) panacea *f* (universal), (remedio *m*) curalotodo *m*. ~ 연삭반[연마반 · 연삭기] máquina *f* de pulir universal, pulverizador *m* universal. ~칼 cuchillo *m* multiuso.

만다라(曼荼羅/曼陀羅) ① ((불교)) [부처가 증험한 것을 그린 불화(佛畵)] pintura *f* budista, *sáns* mandala. ② ((불교)) [제단(祭壇)] altar *m*. ③ [여러 가지 빛깔] varios colores *mpl*.

만단(萬端) todo, todos los preparativos, todas las preparaciones, todo lo necesario. ~의 준비가 되어 있다 Ya se han hecho todos los preparativos / Todo está preparado / Todas las preparaciones están hechas / Todo está listo ya.
■ ~ 설화(說話) todo tipo de cuentos, toda clase de cuentos, cuentos de todo tipo, cuentos de toda clase, todo género de cuentos, toda suerte de cuentos, varios cuentos *mpl*. ~ 수심(愁心) todo tipo de preocupaciones, toda clase de preocupaciones, muchas preocupaciones. ~ 애걸(哀乞) todo tipo de súplica. ~ 정회(情懷) todo tipo de recuerdo cariñoso.

만달 【미술】 diseño *m* arabesco.

만담(漫談) cuento *m* cómico, historieta *f* cómica, charla *f* cómica, charla *f* teatral, plática *f*, charla *f*, chuscada *f*, bufonada *f*, diálogo *m* cómico, bufones *mpl*, chiste *m*, broma *f*, gag *ing.m*. ~하다 bromear, chunguearse, contar un chiste.
■ ~가[장이] recitador, -dora *mf* profesional de cuentos cómicos; bromista *mf*, cómico, -ca *mf*.

만당(滿堂) toda la casa, toda la compañía, todo el salón, todo el público, todo el auditorio. ~하다 estar lleno. ~하신 신사 숙녀 여러분 ¡Damas y caballeros! / ¡Señoras y señores! / ¡Señores!

만대(萬代) todas las generaciones, todas las edades, eternidad *f*, perpetuidad *f*; [부사적] por siglos sin fin. ~에 para siempre, eternamente, perpetuamente. ~ 불변(不變)의 eterno.
■ ~ 영화(榮華) prosperidad *f* eterna, gloria *f* eterna. ~ 유전(遺傳) herencia *f* eterna.

만덕(萬德) muchas virtudes, buena conducta *f* numerosa.

만도(晩到) llegada *f* tardía. ~하다 llegar tarde.

만도(晩稻) arroz *m* tardío.

만도(滿都) toda la ciudad.

만도린 【악기】 mandolina *f*, *AmL* bandolín *m*, *AmS* bandolina, *Chi* mandolino *m*.

만동(晩冬) ① [늦겨울] invierno *m* tardío, parte *f* posterior del invierno, invierno *m* postrero. ② [음력 12월] diciembre *m* del calendario lunar.

만두(饅頭) *mandu*, ravioles *mpl* [canalones *mpl*] coreanos (de forma cilíndricas), bollo *m* rellenado de pasta de judías azucaradas, torta *f*.
◆고기 ~ bollo *m* rellenado con carne y vegetales condimentados.
■ ~국 sopa *f* de ravioles. ~소 relleno *m*

de ravioles.

만득(晩得) ① [늙어서 자식을 낳음] engendramiento *m* de un niño en *su* vejez. ～하다 engendrar a un niño en su vejez. ② = 만득자.

■ ～자(子) hijo *m* que engendró en *su* vejez.

만들다 ① [창조하다] crear. 강좌를 ～ crear una catédra. 하나님께서 하늘과 땅을 만드셨다 Dios creó el cielo y la tierra. ② [제작·제조하다] hacer, fabricar, manufacturar, elaborar, preparar; [생산하다] producir. 만들어지다 hacerse, fabricarse, producirse. 빵은 밀가루로 만든다 El pan se hace de trigo. 청주는 쌀로 만든다 El chonchu se hace con arroz. 이 사전은 잘 만들어졌다 Este diccionario está bien hecho. ③ [양조(釀造)하다] hacer, fabricar, destilar, preparar (la bebida). 맥주를 ～ fabricar cerveza. ④ [작성하다] hacer, formar, componer; [논문·서류를] redactar; [책을] escribir. 졸업논문을 ～ redactar la tesis de licenciatura. 교향곡을 ～ componer una sinfonía. ⑤ [건축·건조하다] construir, edificar, fabricar, fundar, establecer. 다리를 ～ construir un puente. 이 집은 벽돌로 만들어졌다 Esta casa es de ladrillos. 이 집은 나무로 만들어졌다 Esta casa está hecha de madera. 이 학교는 언제 만들었습니까? ¿Cuándo se fundó esta escuela? ⑥ [설계하다] trazar, proyectar, diseñar. ⑦ [재배하다] cultivar. 쌀을 ～ cultivar el arroz. ⑧ [주조(酒造)하다] acuñar, batir. 돈을 ～ acuñar [batir] moneda. ⑨ ㉮ [형성하다] hacer, formar. ㉯ [구성·조직·조성하다] construir, formar, organizar, establecer. 학교를 ～ establecer la escuela [el colegio]. 클럽을 ～ organizar el club. 새 내각(內閣)을 ～ formar el nuevo gabinete. 규칙을 ～ establecer reglamentos. ⑩ [양성·육성·도야하다] criar, fomentar, favorecer, cultivar, desarrollar. 건강한 몸을 ～ desarrollar un cuerpo sano. 좋은 습관을 ～ cultivar las buenas costumbres. ⑪ [장만·마련하다] preparar, hacer, reunir, organizar. 돈을 ～ hacer [preparar · reunir] dinero. 재산을 ～ hacer (una) fortuna. 주연(酒宴)을 ～ organizar un banquete (para). ⑫ [상처 따위를 내다] herir, dañar, lastimar, lesionar, causar lesión (a), causar daño (a), perjudicar, rasguñar, arañar, rascar, rayar (유리 따위를), escarbar (땅을). ⑬ [조작하다] inventar. 만든 이야기 invención *f*, historia *f* inventada, historia *f* forjada; [픽션] ficción *f*. ⑭ [조리(調理)하다] preparar, guisar, cocinar, cocer, asar, preparar. 요리를 ～ preparar la comida. 어머님께서 아침을 만들고 계셨다 *Mi madre* preparaba el desayuno. 내가 집에 도착했을 때 어머님께서는 저녁을 만들고 계셨다 Mi madre preparaba la cena cuando yo llegué a casa. ⑮ [···이 되게 하다] hacer; [···으로 바꾸다] convertir en, cambiar ··· por. A를 B로 ～ hacer B de A, convertir A en B. 아들을 의사로 ～ hacer de *su* hijo un médico, hacer a *su* hijo médico. 물을 증기로 ～ convertir el agua en vapor. 내가 당신을 행복하게 만들겠다 Yo te haré feliz.

만들어내다 producir, dar, crear, construir, dar la última mano, perfeccionar, retocar. 걸작(傑作)을 ～ producir una obra maestra. 좋은 결과를 ～ dar un buen resultado.

만듦새 trabajo *m* (habilidoso · esmerado), ejecución *f*, hechura *f*, factura *f*, confección *f*, artesanía *f*. ～가 좋다 [나쁘다] estar bien [mal] hecho. 이 도자기는 ～가 훌륭하다 Esta porcelana está estupendamente hecha.

만등(萬燈) muchas lámparas para la ofrenda a Buda.

■ ～ 공양(供養) ofrenda *f* de diez mil lámparas a Buda. ～회(會) ceremonia *f* de la ofrenda de diez mil lámparas a Buda.

만려(萬慮) varios pensamientos *mpl*. ～하다 pensar en varias cosas.

만록(萬綠) todos los bosques verdes.

■ ～ 총중 홍일점(叢中紅一點)이라 ㉮ [평범한 수많은 것 가운데 독특한 것이 하나 낀 경우] una cosa peculiar entre muchas cosas ordinarias. ㉯ [많은 남자들 가운데 단 한 사람의 여자가 낀 경우] una sola mujer entre muchos hombres.

만뢰(萬雷) muchos truenos. ～의 박수 aplauso *m* tronante.

만료(滿了) terminación *f*, acabamiento *m*, vencimiento *m*, expiración *f*. ～하다 terminarm, acabar(se), vencer, expirar. 기한은 오늘 ～한다 Hoy vence el término. 대통령은 내년 2월에 임기가 ～된다 El presidente termina su mandato el próximo febrero. 계약은 이달로 ～된다 El contrato expira este mes. 이 환어음은 ～되었다 Esta letra de cambio está expirada (de plazo). 내 여권은 2006년 3월 14일에 ～된다 La fecha de expiración de mi pasaporte es el (día) catorce de marzo de 2006 / Mi pasaporte expira el (día) catorce de marzo de(l año) dos mil y seis.

■ ～일(日) fecha *f* de expiración.

만루(滿壘) ((야구)) bases *fpl* llenas.

■ ～ 홈런 ((야구)) jonrón *m* con casa llena, jonrón *m* barrebases.

만류(挽留) detención *f*. ～하다 detener.

만류(灣流) corriente *f* de golfo.

◆ 멕시코 ～ la Corriente del Golfo de México.

만리(萬里) ① [천리의 열 갑절] diez mil *ri*, cuatrocientos kilómetros. ② [매우 먼 거리] distancia *f* muy lejana, muy larga distantancia *f*.

■ ～경(鏡) telescopio *m*. ～길 camino *m* muy lejano. ～ 동풍(同風) paz *f* del mundo por la unificación. ～성(城) muralla *f* muy larga. ～수(愁) ansiedad *f* infinita. ～옥야(沃野) campo *m* extenso y fértil. ～장서(長書) muy larga carta *f*. ～ 장설(長

舌) palabra *f* tediosa. ~장성(長城) ㉮ [크고 긴 성] muralla *f* grande y larga. ㉯ [중국 북쪽의 성] la Gran Muralla. ~장천(長天) cielo *m* alto. ~전정(前程) futuro *m* prometedor, futuro *m* lleno de esperanzas. ~지임(之任) cargo *m* en la región lejana.

만리장성(萬里長城)【지명】la Gran Muralla.

만만(萬萬) ① [일억(一億)] cien millones. ② [많은 수] muchos números, numerosidad *f*, multitud *f*. ③ [절대로] absolutamente, en absoluto.

▪ ~출세 aparición *f* de muchos Budas según el orden.

만만띠(중 慢慢的) lentamente.

만만세(萬萬歲) ¡Viva!

만만쟁이 blandengue *mf*, persona *f* fácil de tratar.

만만찮다 ((준말)) =만만하지 아니하다 (no ser fácil de tratar). ¶만만찮은 사람 perro *m* viejo.

만만하다 ① [연하고 부드럽다] (ser) suave, dulce, tierno, dócil, manejable. 만만한 음식 comida *f* tierna. ② [다루기 쉽다] (ser) fácil de tratar. 만만한 일 obra *f* fácil, trabajo *m* fácil. ③ [대수롭지 않다] (ser) insignificante, despreciable, trivial, de poca importancia.

만만히 suavemente, dulcemente, tiernamente, dócilmente; fácilmente, con facilidad; insignificantemente, despreciablemente, trivialmente.

▪ 만만한 데 말뚝 박는다 ((속담)) Se menosprecia a los débiles / Se desprecia a los débiles.

만만하다(滿滿-) estar lleno (de). 야심~ estar lleno de ambición.

만만히 llenamente, con abundancia, abundantemente.

만망(萬望) deseo *m* sincero, esperanza *f* sincera. ~하다 desear [esperar] sinceramente [con sinceridad].

만면(滿面) (toda la) cara *f*, (todo el) rostro *m*. 그녀는 ~에 웃음을 함빡 머금었다 Ella tiene la cara muy sonriente.

▪ ~ 수색(愁色) ansiedad *f* llena de la cara. ~ 수참(羞慚) vergüenza *f* llena de la cara. ~ 희색(喜色) alegría *f* llena de la cara.

만모(晩暮) ① [저녁] noche *f*. ② [노년(老年)] vejez *f*.

만모(慢侮) desprecio *m*, menosprecio *m*. ~하다 despreciar, menospreciar.

만목(萬目) ojos *mpl* de la multitud.

만몽(滿蒙) la Manchuria y la Mongolia.

만무(萬無) nada absoluto. ~하다 (ser) imposible, increíble, no poder ser, no hay razón (que). 그럴 리가 ~하다 Eso no puede ser el caso / Eso es imposible / Eso no es posible. 때지 않은 굴뚝에서 연기날 리 ~하다 Cuando el río suena, agua lleva / Donde fuego se hace, humo sale / Cuando hay señales de que algo ocurre es por algún motivo / Cuando la gente murmura, por algo será. 그것은 진실일 리가 ~ Eso no puede ser verdadero. 그녀가 그런 어리석은 말을 할 리가 ~ Ella no ha podido decir tal cosa tonta. 네가 그것을 모를 리 ~ Es imposible que tú no lo sepa.

만무방 bribón, -bona *mf*; sinvergüenza *mf*.

만문(漫文) ① =수필. ② =만필(漫筆).

만물 última deshierba *f* del arrozal del año.

만물(萬物) ① [우주에 존재하는 모든 것] todo lo creado, todos los seres, creación *f*, naturaleza *f*, universo *m*. ② [온갖 물건] todas las cosas, todos los artículos.

▪ ~ 박사 sabelotodo *mf*; enciclopedia *f* [diccionario *m*] ambulante; enciclopedia *f* [diccionario *m*] viviente; enciclopedia *f* [diccionario *m*] andante; dije *m*; hombre *m* que toda clase de oficios; polimático, -ca *mf*. ~상(商) [장사] comercio *m* de artículos diversos; [가게] tienda *f* de comestibles, almacén *m*. ~ 상점 almacén *m*. ~의 영장(靈長) señor *m* de todo lo creado, rey *m* de la creación. ¶인간은 ~이다 El hombre es el señor de todo lo creado / El hombre es el rey de la creación. ~지변 cambio *m* de todo lo creado. ~탕 sopa *f* mezclada de carne, pescado y verduras etc.

만물상(萬物相)【지명】el Monte de Rocas (en el Monte *Gumgang*).

만민(萬民) [모든 백성] todo el pueblo, toda la nación; [전인류(全人類)] toda la humanidad, todos los hombres. ~의 자유(自由) libertad *f* de toda la humanidad. ~의 행복(幸福) felicidad *f* de todos.

만반(萬般) todas las preparaciones, todas las cosas, todos asuntos. ~의 todo, cada. ~의 준비를 갖추다 estar bien preparado (para), preparar perfectamente. ~의 준비를 하고 적을 기다리다 estar al acecho del enemigo.

만반(滿盤) ¶~하다 estar lleno en la mesa.

▪ ~ 진수(珍羞) comida *f* sabrosa llena de la mesa.

만발(滿發) plena floración *f*. ~하다 estar en plena floración.

만방(萬方) todas direcciones *fpl*, todas partes *fpl*.

만방(萬邦) todas las naciones, todos los países, naciones *fpl* del mundo, todo el mundo, mundo *m* entero.

만백성(萬百姓) todo el pueblo, toda la gente.

만병(萬病) toda clase de enfermedades, cualquiera enfermedad *f*, todas las enfermedades. 감기는 ~의 근원이다 Un simple resfriado puede ser origen de cualquier enfermedad.

▪ ~ 통치(痛治) cura *f* perfecta de todas las enfermedades. ~ 통치약 panacea *f*, curalotodo *m.sing.pl*, sanalotodo *m.sing.pl*

만보 cupón *m* de salario.

만보(漫步) callejeo *m*, paseo *m*. ~하다 callejear, pasearse, deambular.

만복(晩福) fortuna *f* que goza en vejez.

만복(萬福) toda suerte *f* de felicidades, todas las bendiciones, muchas bendiciones, prosperidad *f*. 귀하의 ~을 빕니다 Le deseo toda suerte de felicidades / Yo le deseo a usted que tenga la prosperidad [la bendición].

만복(滿腹) hartura *f*, estómago *m* lleno. ~하다 hartarse, estar lleno, estar harto, estar saciado, estar con el estómago lleno, no poder comer más. ~이 될 때까지 먹다 comer hasta hartarse [hasta satisfacer el apetito · hasta tener el estómago lleno].
■ ~감(感) sentido *m* [sensación *f*] de plenitud (después de la comida).

만부당(萬不當) ((준말)) =천부당만부당. ¶~하다 (ser) absurdo, irrazonable, poco razonable, enteramente [absolutamente] injusto. ~한 말 comentarios *mpl* absolutamente irrazonables.

만부득이(萬不得已) inevitablemente. ~한 사정(事情) circunstancias *fpl* inevitables.

만분(萬分) división *f* en diez mil. ~하다 dividir en diez mil.
■ ~ 다행 muy buena fortuna *f*. ¶~하다 tener muy buena fortuna [buena suerte]. ~ 위중(危重) condición *f* muy crítica, enfermedad *f* muy peligrosa [crítica]. ¶~하다 estar en la condición muy crítica. ~지일(之一) un diezmilésimo. ¶~이라도 은혜에 보답하고 싶습니다 Quisiera recompensarle siquiera poquito para corresponder a su amabilidad.

만사(萬事) todo, lo todo, todas las cosas. ~가 끝났다 Todo está perdido / Todo se ha perdido / Todo se acabó. ~가 순조롭다 Todo va [marcha] bien. ~는 마음 쓰기에 달렸다 Todo depende de la manera de ver las cosas. 일사(一事)가 ~이다 Un ejemplo que supone todo lo demás / El león es conocido por sus garras. 하나가 잘되면 ~가 잘된다 Lo que más éxito tiene es el éxito mismo. ~가 돈이다 ((서반아 속담)) Poderoso caballero es don Dinero / El dinero es todo.
■ ~여의(如意) ¶~하다 Todo va bien. ~하였다 Todo fue bien conmigo. ~ 태평 = 무사 태평. ~ 형통 ¶~하다 todo va bien, ser próspero en todo. ~하였다 Todo marchó bien [tal como deseaba · sobre ruedas] / Todo salió a pedir de boca. ~ 휴의(休矣) ¶~다 Toda esperanza ya se ha perdido / Ya ha pasado lo peor.

만삭(滿朔) mes *m* de parto [de parturición]. ~의 여인(女人) mujer *f* parturienta.

만산(晩産) engendramiento *m* de un niño tardío. ~하다 engendrar a un niño más tarde que el tiempo programado.

만산(滿山) ① [온 산(山)] todo el monte, toda la montaña. ② ((불교)) [절 전체] todo el templo budista; [절에 있는 모든 중] todos los sacerdotes en el templo budista.
■ ~ 수엽(樹葉) hojas *fpl* llenas en todo el monte. ~ 편야(遍野) lo cubierto llenamente en el monte y el campo.

만산중(萬山中) fondo *m* de la montaña.

만상(晩霜) escarcha *f* que cae en la primavera tardía.

만상(萬狀) todas las formas.

만상(萬祥) todos los agüeros felices.

만상(萬象) forma *f* de todos los artículos.

만새기 【어류】 delfín *m* (*pl* delfines).

만생(晩生) =만득(晩得).
■ ~종(種) tardíos *mpl*.

만생 식물(蔓生植物) liana *f*.

만서도 pero, sin embargo. 사고는 싶다~ Quiero comprarlo, pero …. 나이는 어리지~ El es joven, pero ….

만석(萬石) ① [곡식의 일만 섬] diez mil sacos (de cereales). ② [썩 많은 곡식] bastantes cereales *mpl*.
■ ~꾼 multimillonario, -ria *mf*. ~들이 los arrozales y los campos que se puede cosechar diez mil sacos de cereales.

만선(滿船) carga *f* completa [llena]; [배] barco *m* [buque *m*] lleno de gente [peces].
■ ~기(旗) bandera *f* con carga completa. ~ 항해 navegación *f* con carga completa [llena].

만성(晩成) maduración *f* tardía, maduramiento *m* tardío. ~하다 madurar tarde.

만성(萬姓) ① [온갖 성] todos los apellidos. ② =만민(萬民).
■ ~보(譜) árbol *m* genealógico de todos los apellidos.

만성(慢性) estado *m* crónico, achaque *m*. ~의 crónico, inveterado. ~으로 되다 ponerse crónico, echar raíces, arraigarse, pasar al estado crónico. 이 기업에서는 노사 분쟁이 ~화되어 있다 En esta empresa están permanentemente en disputa la dirección y los obreros / En esta empresa los conflicttos laborales son algo crónico.
■ ~ 기관지염 bronquitis *f* crónica. ~ 방광염(膀胱炎) blenocistitis *f*. ~병 enfermedad *f* crónica, cronicismo *m*. ~병 환자 inválido *m* crónico, inválida *f* crónica. ~ 염증 inflamación *f* crónica. ~ 위장병[위장염] dispepsia *f* inveterada. ~ 인플레이션 inflación *f* crónica. ~적 crónico. ¶국제 수지의 ~ 적자 déficit *m* exterior crónico. ~적 불황 depresión *f* crónica. ~적 실업(的失業) desempleo *m* crónico. ~ 전염병 epidemia *f* crónica. ~ 질환 mal *m* crónico, enfermedad *f* crónica. ~ 충수염 apendicitis *f* crónica. ~ 피로 fatiga *f* crónica.

만성(蠻性) =야만성(野蠻性).

만성절(萬聖節) ((천주교)) día *m* de Todos los Santos.

만세(萬世) vida *f* eterna, eternidad *f*, mucho tiempo, todas las generaciones, todas las edades.
■ ~ 무강(無疆) ㉮ [오랜 세대에 걸쳐 끝이 없음] infinidad *f* por mucho tempo. ㉯ = 만수 무강(萬壽無疆). ~ 불망(不忘) recuerdo *m* eterno. ¶~하다 recordar [acordarse] mucho tiempo, no olvidar mucho tiempo.

～ 불변 constancia *f* eterna, permanencia *f* eterna. ～ 불역(不易) eternidad *f*, perpetuidad *f*. ¶～의 eterno, perpetuo.

만세¹(萬歲) ① [만년] diez mil años. ② [영원히 삶] vida *f* eterna; [길이 번영함] prosperidad *f* eterna. ③ [귀인의 사거(死去)] fallecimiento *m* del noble.

▪～ 동락(同樂) co-disfrute *m* eterno. ～후(後) después del fallecimiento del rey actual.

만세²(萬歲) ((감탄사)) ¡Viva! ～를 부르다 vitorear, aplaudir con vítores. ～ 삼창(三唱)을 하다 dar tres (veces) vivas. 대한민국 ～ ¡Viva (la República de) Corea!

만세(晩歲) ＝만년(晩年).

만세계(萬世界) todo el mundo.

만수(萬水) muchos ríos, río *m* que tiene muchos afluentes.

만수(萬愁) todas las ansiedades.

▪～ 우환(憂患) todas las ansiedades y preocupaciones.

만수(萬壽) longevidad *f*, vida *f* larga.

▪～ 무강 longevidad *f*, vida *f* larga. ¶～하다 vivir mucho tiempo, divertirse de longevidad. ～을 빌다 rezar [rogar] por la longevidad.

만수(萬樹) numerosos árboles *mpl*.

만수(滿水) el agua *f* llena. ～가 되다 estar lleno de agua.

만수산(萬壽山) monte *m* Mansu, otro nombre *m* del monte Song-ak en Gaeseong.

▪만수산에 구름 모이듯 ((속담)) Se reúnen las cosas innumerables.

만숙(晩熟) madurez *f* tardía (sexual).

만승(萬乘) ① [일만 대의 병거] diez mil coches. ② [천자(天子)] emperador *m*; [천자의 자리] trono *m* del emperador.

▪～지국(之國) país *m* que reina el emperador. ～지군(之君) soberano *m*, emperador *m*. ¶～의 지위에 오르다 ascender al trono (del emperador). ～지위(之位) puesto *m* alto del emperador. ～지존(之尊) puesto *m* alto del emperador. ～천자(天子) soberano *m*, emperador *m*.

만시(晩時) acción *f* de ser más tarde que la hora fijada.

▪～지탄(之歎) acción *f* de arrepentirse de perder la oportunidad.

만식(晩食) comida *f* tardía. ～하다 comer más tarde que la hora fijada.

▪～ 당육(當肉) A pan duro diente agudo.

만식(晩植) plantación *f* tardía. ～하다 plantar tarde.

만신 exorcista *f*, hechicera *f*, bruja *f*.

만신(滿身) todo el cuerpo. ～의 힘을 다해 con todas *sus* fuerzas.

▪～창(瘡) 【한방】 divieso *m* de todo el cuerpo. ～창이(瘡痍) ㉮ [온몸이 성한 데가 없이 상처투성이임] todo el cuerpo lleno de heridas. ¶그는 ～가 되었다 Todo su cuerpo está cubierto de heridas. ㉯ [성한 데가 없을 만큼 결함이 많음] muchos defectos.

만실(滿室) habitación *f* llena. ～하다 estar lleno de la habitación. ～이 되다 llenarse.

▪～ 우환 Hay muchos enfermos en una familia.

만심(慢心) orgullo *m*, engreimiento *m*, soberbia *f*, altivez *f*, altanería *f*, ensoberbecimiento *m*, presunción *f*, arrogancia *f*, envanecimiento *m*, vanagloria *f*, jactancia *f*, ostentación *f*. ～하다 enorgullecerse (de), estar orgulloso [engreído · altivo · soberbio · arrogante · altanero · jactancioso] (de), envanecerse (de · con), engreírse (de · con). 그는 좋은 지위를 얻고 나서 ～하고 있다 El está engreído de haber ocupado un buen puesto / El está vanidoso porque consiguió un buen puesto.

만심(滿心) corazón *m* lleno de alegría. ～하다 estar lleno de alegría.

▪～ 환희 alegría *f* satisfactoria.

만안(萬安) ＝만강(萬康).

만약(萬若) si, en caso (de) que + *subj*. ～ 내가 돈이 많다면, 자동차를 한 대 사겠는데 Si yo tuviera mucho dinero, compraría un coche.

만억(萬億) muy muchos números.

▪～년(年) años *mpl* infinitos, tiempo *m* eterno, eternidad *f*.

만연(蔓延/蔓衍) ① [(돌림병이나 어떤 병폐 따위가) 널리 번져 퍼짐] propagación *f*, extensión *f*, difusión *f*. ～하다 propagarse, extenderse, pervalecer, pulular, abundar. 질병이 ～한 지방에서 en zonas donde la enfermedad está extendida. 콜레라가 몇 지방에서 ～되고 있다 El cólera se extiende por algunas regiones. 이 지방에는 부패가 ～되고 있다 La corrupción prevalece en esta región. 유행병(流行病)이 전국에 ～하고 있다 La epidemia está extendiéndose por todo el país. ② [식물의 줄기가 널리 뻗음] lo que el tallo de la planta extiende por todas partes

만연하다(漫然－) (ser) hecho o dicho al azar, casual, aleatorio; [목적 없이 되는대로 하는 태도가 있다] sin rumbo, sin norte, que no conduce a nada.

만연히 ociosamente; [목표 없이] sin rumbo (fijo), sin objeto, sin norte, sin ton ni son. ～ 시간을 보내다 pasar el tiempo ociosamente. ～ 걷다 caminar [andar] sin rumbo. ～ 살다 vivir sin objeto. ～ 이야기하다 decir sin ton ni son.

만열(滿悅) delicia *f*, placer *m*, éxtasis *m*, complacencia. ～하다 alegrarse mucho, causar una enorme alegría, llenar de alegría, estar muy satisfecho, hallarse transportado de alegría.

만염(晩炎) calor *m* tardío.

만엽(萬葉) ＝만세(萬世).

만왕(萬王) ① [우주 만물의 왕] Dios *m*, dirigente *m* del universo. ② ((성경)) todos los reyes.

▪～의 왕(王) ((성경)) rey *m* de reyes.

만용(蠻勇) temeridad *f*, atrevimiento *m*, osadía *f*, vigor *m* brutal, ferocidad *f*. ～을 부리다 abusar el vigor brutal. ～을 부려 … 하다 osar [atreverse a] + *inf*.

만우절(萬愚節) día *m* de (los) Inocentes, día *m* de los Santos Inocentes.

만원(滿員) un lleno completo [total]; ((게시)) Lleno / Completo / [표·좌석의] No hay billete [localidades] / [빈자리 없음] No hay lugar. ～이 되다 llenarse (de gente). 호텔이 ～이다 El hotel está totalmente lleno [completo] / No hay cuartos en el hotel. 그의 가게는 항상 손님으로 ～이다 Su tienda está siempre llena de clientes. ～이라 등록 신청은 받지 않습니다 Ya está completo y la inscripción está cerrada. 열차가 ～ 이다 El tren está atestado [lleno] / El tren va de bote en bote.
■ ～ 버스 autobús *m* repleto [atestado (de gente)]. ～ 열차 tren *m* completo [lleno].

만월(滿月) ① [가장 완전하게 둥근 달] luna *f* llena, plenilunio *m*. ～이다 La luna está llena. 지난밤은 ～이었다 Anoche hubo plenilunio / Anoche hacía la luna llena. ② ＝만삭(滿朔).

만유(萬有) todas las cosas, creación *f*, natura *f*, universo *m*.
■ ～신교(神敎) panteísmo. ～ 신교자(神敎者) panteísta *mf*. ～신론(神論) panteísmo *m*. ～신론자(神論者) panteísta *mf*. ～심론(心論) panteísmo *m*. ～인력 gravitación *f* universal, atracción *f* universal. ～인력의 법칙 ley *f* de la gravitación universal. ～재신론(在神論) panenteísmo *m*, krausismo *m*.

만유(漫遊) excursión *f*, viaje *m* de recreo. ～하다 ir de excursión, recorrer, hacer un viaje de recreo. ～를 시작하다 emprender un viaje de recreo. 세계를 ～하다 dar la vuelta al mundo, recorrer todo el mundo.
■ ～자(者) turista *mf*, excursionista *mf*.

만이(蠻夷) bárbaro *m*, salvaje *m*.

만인(萬人) mucha gente, todo el mundo.
■ ～지상(之上) puesto *m* del primer ministro. ～ 총중(叢中) entre mucha gente.

만인(滿人) manchú, -chúa *mf*.

만인(蠻人) bárbaro, -ra *mf*, salvaje *mf*, hombre *m* primitivo.

만인간(萬人間) todo el mundo.

만인계(萬人契) asociación *f* financiera mutua a escala grande.

만일(萬一) ① [행여나 하는 미심스러운 경우] acaso, si acaso + *ind*, si por casualidad + *ind*, si por ventura + *ind*, si + *subj*, quizá, quizás, por casualidad. ～의 경우에는 por si acaso, en caso de emergencia [urgencia], cuando haya emergencia, cuando peor, en caso de que sea peor; [···에 어떤 일이 있을 때] en caso de que ocurra algo a *uno*; [사건이 일어날 때] si llega de los casos. ～을 모르니·을 생각해서 por si [acaso] + *ind*, por miedo de que + *subj*, para que no + *subj*, no sea que + *subj*, para no + *inf*. ～의 사건이 터질지라도 aunque ocurra un accidente [una emergencia] inesperado. ～의 경우에 대비하다 prevenirse contra toda eventualidad, prepararse para una eventualidad [para una emergencia], preparar para el peor estado. ～을 모르니 우산을 가지고 가거라 Lleva el paraguas contigo por si llueve [no sea que llueva]. ～을 모르니 [감기라도 들지 모르니] 두툼하게 입어라 Abrígate bien para que no cojas un resfriado.
② [어떠한 가정의 조건을 전제로 함을 나타냄] si, cuando + *subj*, en caso (de) que + *subj*, con tal (de) que + *subj*; [가정하여] dado que + *subj*. ～ 비가 오면 si llueve. ～ 돈을 가지고 있다면 [현재 사실의 반대] Si tuviera [tuviese] dinero. ～ 날씨가 좋으면 외출하겠다 [실현 가능] Si hace buen tiempo, saldré [salgo]. ～ 날씨가 좋다면 외출하겠는데 [현재 사실의 반대] Si hiciera buen tiempo, saldría yo. ～ 어제 날씨가 좋았다면 외출했을 텐데 Si hubiera [hubiese] hecho buen tiempo ayer, yo habría [hubiera] salido. 만일 충분한 돈이 있었다면 집을 샀을 텐데 [과거 사실의 반대] Si yo hubiera [hubiese] tenido bastante dinero, yo habría [hubiera·hubiese] comprado una casa. ～ 내가 당신이었다면 그런 일을 하지 않았을 텐데 En su lugar [Si yo hubiera sido usted·Yo que usted], no lo habría hecho. ～ 내가 남자라면 그 일을 기꺼이 착수할 텐데 Si yo fuera [fuese] un hombre, emprendería ese trabajo con mucho gusto.
③ [만분의 일] un diez milésimo.

만입(灣入) penetración *f* a la bahía. ～하다 penetrar a la bahía.

만자(卍字) cruz *f* gamada.
■ ～기(旗) bandera *f* de cruz gamada. ～창(窓) ＝완자창.

만자천홍(萬紫千紅) ＝천자만홍(千紫萬紅).

만작(晩酌) vino *m* que se bebe con la cena, bebida en cada cena. ～하다 beber vino con la cena, beber en cena.

만장 ＝고미다락.

만장(萬丈) altura *f* infinita, gran altura *f*, gran hondura *f*. ～의 de gran altura, de gran hondura, tremendo. ～의 기염을 토하다 echar brabatas.
■ ～봉(峯) pico *m* muy alto. ～ 절애(絶崖) precipicio *m* [despeñadero *m*] muy alto.

만장(萬障) todos los obstáculos, mil [muchas] dificultades.

만장(滿場) todos los asistentes, todo el público [auditorio], toda la sala [asamblea]. ～의 박수갈채 aplausos *mpl* estrepitosos de toda la sala. ～을 매료하다 encantar a todo el auditorio.
■ ～일치(一致) unanimidad *f*, acuerdo *m* total de las opiniones, pareceres *mpl*, sufragios *mpl*. ¶～의 únanime. ～로 por unanimidad, de común acuerdo, según la opinión unánime, unánimemente, de modo unánime. ～로 채택된 제안(提案) proposi-

ción *f* adoptada unánimemente. 그를 ~로 의장으로 추대했다 Le aclamaron presidente por unanimidad.

만장(輓章/挽章/挽丈) elegía *f*, treno *m*, oda *f* funeral.

만장이 barco *m* de madera.

만재(滿載) carga *f* llena, capacidad *f* llena, carga *f* completa. ~하다 estar completamente cargado (de), estar abarrotado (de), estar lleno por completo (de). 재미있는 기사를 ~한 잡지 revista *f* que está llena de [que abunda en] artículos divertidos. 철을 ~한 배 barco *m* atestado de hierro. 트럭은 짐을 ~하고 간다 El camión va completamente cargado.

■ ~ 하중(荷重) gravamen *m* (pesada) de carga llena. ~ 항해(航海) navegación *f* con carga completa. ~ 흘수선 línea *f* de carga.

만적(滿積) amontonamiento *m*. ~하다 amontonar.

만적(蠻狄) ＝오랑캐.

만적거리다 [손가락으로] manosear, tocar repetidamente con la mano, marrar; [가지고 장난하다] jugar.

만적만적 manoseando, tocando repetidamente con la mano.

만적이다 manosear ligeramente con la mano.

만전(萬全) integridad *f*, perfección *f*. ~의 perfecto, completo. ~의 준비 preparación *f* perfecta, todos los preparativos necesarios. ~을 기하다 prever [prevenirse contra] toda eventualidad. ~을 기해서 para la máxima seguridad. ~의 조치를 취하다 adoptar todas las medidas [las disposiciones] necesarias. 당사(當社)는 안전 대책에 ~을 기하고 있다 En esta empresa tenemos tomadas todas las medidas posibles de [para la] seguridad.

■ ~지계[지책] medidas *fpl* segurísimas, todas las medidas posibles. ¶~를 강구하다 tomar todas las medidas posibles (para).

만점(滿點) calificación *f* máxima, máxima puntuación *f*, marca *f* completa, todos los puntos. ~을 받다 obtener la máxima puntuación, adquirir la marca completa. 수학에서 ~을 받다 sacar la calificación máxima en matemáticas. 100점 ~에서 95점을 받다 sacar noventa y cinco puntos del máximo de ciento. 이 호텔은 서비스가 ~이다 El servicio es perfecto en este hotel. 그는 ~을 받았다 El obtuvo la máxima puntuación.

만정(滿庭) ① [온 뜰] todo el jardín, todo el patio. ② [뜰에 가득 참] llenada *f* en el patio [el jardín].

만조(滿朝) ① [온 조정] toda la corte (real). ② ＝만조 백관(滿朝百官).

■ ~ 백관(百官) todos los oficiales de la corte.

만조(滿潮) plenamar *m*, marea *f* alta, mar *f* llena, mar *f* plena, aguas *fpl* llenas. ~ 때에 a la pleamar. ~가 된다 Crece [Sube] la marea. 지금 ~이다 Está subiendo la marea.

■ ~시(時) hora *f* de plenamar.

만조하다 (estar) gastado, muy usado, desastrado, abandonado, mugriento, sucio.

만족(滿足) ① [바라던 대로 이루어져 흐뭇함] satisfacción *f*, contento *m*; [만열(滿悅)] complacencia *f*. ~하다 satisfacerse (con · de), contentarse (con · de), saciarse (con · de), estar contento (con). ~시키다 satisfacer, dar satisfacción (a), contentar, complacer, contemplar. ~해서 con satisfacción, contentamente. ~할 줄 모르는 insaciable. ~을 주다 dar satisfacción. ~해 있다 estar satisfecho [contento] (con · de). ~할 때까지 먹다 comer hasta hartarse [hasta la saciedad · hasta la hartura · hasta el hartazgo]. ~의 뜻을 표하다 expresar [manifestar] *su* satisfacción. 야심을 ~시키다 complacer la ambición. 조건을 ~시키다 llenar [satisfacer] los requisitos. 욕망을 ~시키다 satisfacer [saciar] el deseo. 호기심을 ~시키다 satisfacer *su* curiosidad. 조금으로 ~하다 satisfacerse [contentarse · saciarse] con poco. 매우 ~하다 estar muy contento, estar como niño con zapatos nuevos. 매우 ~한 것 같다 parecer estar contento, tener aire satisfecho. 만일 ~시키는 품질이라면 si me satisface la cualidad. 그는 욕심이 많아 ~할 줄 모른다 El es un avaro insaciable. 나는 그것으로 ~하고 있다 Estoy satisfecho con ello. 나는 내 것으로 ~하고 있다 Estoy contento con lo mío. 나는 내 아들에게 ~하고 있다 Estoy satisfecho con [de] mi hijo. 그는 그것으로는 ~하지 않을 것이다 Con ello él no se contentará [no quedará contento]. 그는 학교 교사로 ~하고 있다 El está satisfecho [contento] con su puesto de una escuela. 그는 현재의 지위에 ~하고 있다 El está contento con su puesto actual. 너는 가진 것으로 ~해야 한다 Tú debes contentarte [estar contento] con lo que tienes. ② [충분하고 넉넉함] suficiencia *f*, abundancia *f*. ~하다 (ser) suficiente, abundante. 만 원으로 ~하다 estar suficiente con diez mil wones.

만족스럽다 (ser) satisfactorio. 만족스러운 조치(措置) arreglo *m* satisfactorio. 만족스러운 대답(對答) contestación *f* [respuesta *f*] satisfactoria [favorable]. 만족스러운 기분으로 con aire satisfactorio. 별로 만족스럽지 못한 회답을 받다 recibir una contestación poca satisfactoria. 그의 대답은 만족스러웠다 Su respuesta era satisfactoria. 나는 네 일에 만족스럽다 Estoy satisfecho de tu trabajo. 그 소식을 듣고 만족스러운 얼굴을 했다 El puso cara de satisfacción al oírlo.

만족스레 satisfactoriamente. 그는 편지 한 통도 ~ 쓰지 못한다 El no sabe redactar debidamente ni una carta.

만족히 con satisfacción, contentamente;

suficientemente.

■ ～감(感) sentido *m* [sentimiento *m*] satisfecho, satisfacción *f*. ¶～을 느끼다 sentirse [dar por] satisfecho.

만족(蠻族) bárbaros *mpl*, tribu *f* salvaje.

만종(晩種) ① ((준말)) =만생종(晩生種). ② [늦벼] arroz *m* tardío.

만종[1](晩鐘) [저녁때 절이나 교회(敎會) 같은 데서 치는 종] campanada *f* de anochecer, toque *m* de queda.

만종[2](晩鐘) 【미술】 El Angelus (de Millet).

만좌(滿座) todos los asistentes, toda la concurrencia, público *m*, toda la compañía, toda la asamblea. ～중 delante de todos los asistentes delante de toda la concurrencia, en público.

만주(滿洲) 【지명】 la Manchuria. ～의 manchú, -chúa.

■ ～ 문자(文字) caracteres *mpl* manchúes. ～ 사람 manchú (*pl* manchúes, manchús), -chúa *mf*. ～어 manchú *m*. ～족 manchúes *mpl*.

만지(蠻地) tierra *f* salvaje, región *f* bárbara, tierra *f* que viven los salvajes.

만지다 ① [손을 대어 이리저리 서서히 문지르거나 주무르다] tocar, palpar, sentir; [스치다] pacer, apacentar, rozar; [흐트러진 머리카락을] peinar. 만지지 마십시오 No toque (usted) / No tocar / Prohibido tocar / Se prohíbe tocar. ② [다루거나 손질하다] alterar, modificar. 그는 줄곧 규약을 만지고 싶어한다 El quiere alterar [modificar] a cada paso los estatutos.

만지작거리다 manosear, tocar repetidamente con la mano.

만지작만지작 manoseando.

만질만질하다 ser suave. 만질만질한 명주(明紬) seda *f* suave.

만찬(晩餐) ① [저녁 식사] cena *f*, comida *f*. ② ((성경)) la Cena.

■ ～회 banquete *m*, fiesta *f*. ¶～를 열다 preparar [celebrar] el banquete.

만천(滿天) ① [온 하늘] todo el cielo. ② [하늘에 가득함] llenada *f* en el cielo. ～하다 estar lleno en el cielo.

만천하(滿天下) todo el mundo, universo *m*. ～의 동정(同情) simpatía *f* universal. ～에 알려져 있다 estar conocido en todo el mundo. ～에 고하다 avisar al todo el mundo.

만초(蔓草) bejuco *m*, liana *f*.

만추(晩秋) otoño *m* tardío, fin(es) *m(pl)* [últimos días *mpl*] del otoño, parte *f* posterior del otoño, otoño *m* postrero.

만춘(晩春) primavera *f* tardía, parte *f* posterior de la primavera, primavera *f* postrera.

만취(滿醉) borrachez *f*, embriaguez *f*, borrachera *f*, ebriedad *f*, emborrachamiento *m*. ～하다 emborracharse, embriagarse, tomarse del vino, alumbrarse, achisparse, ahumarse, ajumarse, chispearse, alegrarse. ～가 되어 있다 estar ebrio [borracho · embriagado · emborrachado], *AmL* estar en bomba.

만큼 tan + *adj* · *adv* + como, tanto +「명사」+ como, 「동사」+ tanto como; [어느 정도] ¿Cuánto (tiempo)?; […할 만큼의] tanto +「명사」+ cuanto. 시간이 얼마～ 걸리느냐? ¿Cuánto (tiempo) se tarda? 그는 나～ 키가 크다 El es tan alto como yo. 나는 후안～ (몸집이) 크다 Yo soy tan grande como Juan. 이것은 쇠～ 단단하다 Este es tan duro como el hierro. 그녀는 어머니～ 키가 크다 Ella es tan alta como su madre. 나는 너～ 많은 책을 가지고 있다 Tengo tantos libros como tú. 자네가 원하는 ～ 일을 주겠다 Te daré tanto trabajo cuanto quieras. 필요한 ～ 가지고 가거라 Llévate cuanto necesitas. 그는 평이 난 ～ 많이 알지는 못한다 El no sabe como dicen. 네가 많이 가지고 있으면 그～ 가치가 있다 Tanto vales cuanto tienes. 태양은 모든 사람을 비추는 것～ 나도 비추고 있다 El sol brilla tanto para mí como para todo. 김씨의 작품이니～ 굉장할 수 있다 Es una obra maravillosa, y con razón porque es del señor Kim / Como puede esperarse del señor Kim, es una obra maravillosa. 그가 자만할 ～ 굉장한 집이다 Tiene razón en orgullecerse de su casa porque es, en realidad, magnífica / Tiene bastante razón para enorgullecerse de lo estupenda que es su casa. 그 사람～ 그것을 상세히 아는 사람은 없다 El lo sabe mejor que nadie. 한국인～ 참을성이 없는 국민은 없다 Ningún pueblo es tan impaciente como el coreano. 그것은 값이 비싸지만 그런 ～ 가치가 있다 Cuesta mucho, pero lo vale. 그는 몸이 약한 ～ 부모는 그를 귀여워한다 Le miman sus padres tanto más cuanto que tiene poca salud. 나는 쉴 짬도 없을 ～ 일이 바쁘다 Estoy tan ocupado [Tengo tanto trabajo] que apenas tengo tiempo para descansar. 그녀는 알아보지 못할 ～ 변했다 Ella ha cambiado tanto que parece otra / Ella estaba tan cambiada que apenas la reconocí. 일박(一泊)을 더 하기로 결정할 ～ 경주는 내 마음에 들었다 *Gyeongchu* me encantó de tal manera que decidí permanecer un día más. 난롯불을 피울 ～ 춥지 않다 No hace tanto frío como para encender la estufa. 나는 그 사람～ 부자가 아니다 No soy tan rico como él. 나는 지금～ 경험이 없었다 Yo no tenía tanta experiencia como ahora. 나는 이전～ 그를 자주 만나지 못한다 No le veo tantas veces como antes / Le veo menos a menudo que antes. 죄가 컸던 ～ 벌도 컸다 El castigo fue tan grande como grande fue la culpa. 거의 잠을 잘 틈도 없을 ～ 우리는 일하고 있다 Trabajamos tanto que apenas podemos dormir.

만태(萬態) ① [여러 가지 형태] varias frases *fpl*, varias formas *fpl*. ② ((준말)) =천자만태.

만파(萬波) muchas olas.

만파(萬派) muchas sectas.

만판 ① [마음껏] cuanto se quiere [quiera], a lo más, todo lo posible, cuanto pueda uno. 부귀영화를 ~ 누리다 gozar de la riqueza y la prosperidad cuanto se quiera. ② [마냥] enteramente, totalmente, por completo, por entero, simplemente, meramente, puramente, sólo, solamente, nada más que, siempre.

만평(漫評) crítica *f* literaria, chisme *m* errante, chisme *m* literario. ~하다 criticar literariamente.

만풍(晩風) viento *m* de la tarde, viento *m* tardío.

만풍(蠻風) costumbre *f* bárbara [salvaje · inculta].

만풍년(滿豊年) =대풍년(大豊年).

만필(漫筆) notas *fpl*, ensayos *mpl*, apunte *m*.
■ ~가 columnista *mf*, articulista *mf*. ~화(畵) =만화(漫畵).

만하(晩夏) verano *m* tardío, verano *m* postrero, parte *f* posterior del verano.

만하(晩霞) niebla *f* [bruma *f*] de la tarde.

만하다 ① [가치가 있다] valer la pena (de) + *inf*, merecer la pena (de) + *inf*. 감상할 만한 apreciable, digno de admiración, que vale la pena de (leer). 가볼 ~ Vale la pena de visitar. 이 책은 읽을 ~ Este libro vale [merece] la pena de leer. 그는 믿을 만한 남자다 Merece [Es digno de] confianza / Vale la pena (de) confiar en él. 그럴 ~ ¡Vale la pena! 나는 그것을 살 만한 돈이 없다 No tengo bastante dinero para comprarlo. 나는 당신을 도울 만한 힘이 없다 No tengo el poder suficiente para ayudarle a usted. 나는 재산이라고 할 만한 것은 아무것도 없다 No tengo nada que en realidad pueda llamarse propiedad. 그것은 살 만한 것이 못된다 No vale la pena (de) comprarlo.
② [가능하다] ser probable [apto · adecuado · apropiado · conveniente]. 먹을 ~ ser bueno para comer. 그는 키가 나 ~ El es tan alto como yo.

만학(晩學) estudio *m* tardío, el aprender tardío, educación *f* tardía, enseñanza *f* tardía. ~하다 estudiar [aprender] tarde en *su* vida. 저 사람은 ~이다 El salió el estudio tardío en su vida. 그의 서반아어는 ~이다 Ya no era joven cuando estudió el español / El empezó a estudiar español cuando ya era mayor.

만학(萬壑) valle *m* profundo.
■ ~ 천봉(千峰) los valles profundos y los picos numerosos.

만행(萬幸) buena suerte *f*, buena fortuna *f*.

만행(蠻行) conducta *f* salvaje [violenta], salvajismo *m*, barbarie *f*.

만호(萬戶) muchas casas.
■ ~ 장안(長安) capital *f* [Seúl] que hay muchas casas. ~ 중생(衆生) mucha gente, muchas personas, muchos seres humanos. ~후(侯) príncipe *m* feudal muy influente, príncipe *m* feudal de mucha influencia].

만혼(晩婚) matrimonio *m* tardío, matrimonio *m* contraído ya en vejez. 그는 ~이었다 El se casó tardíamente / El contrajo un matrimonio tardío.

만홀(漫忽) negligencia *f*, descuido *m*, incuria *f*, dejadez *f*, abandono *m*. ~하다 (ser) negligente, dejado, descuidado, falto de cuidado.
만홀히 negligentemente, descuidadamente.

만화(萬化) ((준말)) =천변만화(千變萬化).
■ ~ 방창(方暢) crecimiento *m* lujoso de todas las cosas en primavera. ¶~하다 todas las cosas crecer lujosamente en primavera.

만화(萬花) varias flores *fpl*.

만화(萬貨) muchos artículos, muchas riquezas, muchos bienes, mucha propiedad, mucha fortuna.

만화(漫畵) caricatura *f*, dibujo *m* cómico; [연재 만화] historieta *f* (cómica), tira *f* cómica. ~의, ~같은 caricatural, caricaturesco. ~같은 이야기 relato *m* caricaturesco. ~를 그리다 dibujar una caricatura, caricaturar, caricaturizar, hacer una caricatura.
■ ~가 caricaturista *mf*, dibujante *mf* de caricaturas. ~ 영화 (película *f* de) dibujos *mpl* animados. ~ 잡지 tebeo *m*, revista *f* de tiras cómicas, revista *f* de historietas, *RPl* revista *f* de chistes, *AmS* muñequitos *mpl*; [성인용] comic *ing.m*. ~책 libro *m* de historietas, comic *ing.m*.

만화경(萬華鏡) calidoscopio *m*, caleidoscopio *m*. 인생(人生)의 ~ calidoscopio *m* de la vida.

만회(挽回) recobro *m*, recuperación *f*, restauración *f*. ~하다 recobrar, recuperar, restaurar. ~ 불능의 irrecobrable, irrecuperable, irreparable. 명예를 ~하다 recuperar su honor. 세력을 ~하다 recobrar [recuperar] otra vez las fuerzas. 손실을 ~하다 recuperar la pérdida. 형세를 ~하다 enderezar la situación. 손쉽게 ~하지 못할 손해를 보다 llevar [tener] qué rascar.

만휘 군상(萬彙群象) todas las cosas del mundo.

많다 ① ㉮ [수(數)가] (ser) muchos, numeroso, más que agua, un gran número (de). ㉯ [양(量)이] (ser) mucho, mucha, la gran cantidad (de). ㉰ [풍부하다] (ser) abundante, copioso, suficiente, rico, profuso. ㉱ [무수하다] (ser) innumerable, un sinnúmero (de). 많은 사람 mucha gente, muchas personas, muchos hombres, mucha alma; [군집(群集)] gentío *m*, muchedumbre *f*. 많은 사망자 muchos muertos. 많은 손해 muchos daños, muchas pérdidas. 돈이 ~ tener mucho dinero, ser muy rico. 자식이 ~ tener muchos hijos. 할 일이 ~ tener mucho que hacer. 사람이 ~ Hay mucha gente / Hay más gente que agua. 그는 친구가 ~ El tiene muchos amigos. 한국은 산이 ~ Corea abunda en montañas / Corea es un país montañoso / Corea tiene muchas montañas / En Corea hay muchas montañas. 책장에 책이 ~ Hay numerosos [muchos] libros en el estante. 이 호수에는 고기가 ~ En este lago abundan los peces. 오늘은 할 일이 ~ Hoy tengo mucho [muchas cosas] que hacer. 금년에는 사고가 ~ Este año hay muchos accidentes. 이달에는 비가 ~ Este mes hay mucha lluvia / Tenemos mucha lluvia este año / Ha llovido mucho este año. 오늘은 손님이 ~ Hay muchas visitas hoy. 이 책에는 오식(誤植)이 ~ Hay muchas erratas en este libro. 세상에는 그런 사람이 ~ En el mundo hay mucha gente de esa especie. 그렇게 생각하고 있는 사람이 ~ Hay mucha gente que piensa así. 기부금은 많으면 많을수록 더욱 높이 평가되는 법이다 La donación, cuanto mayor sea, tanto más se aprecia. 우리들 중의 많은 사람이 말라리아에 걸렸다 Muchos de nosotros padecíamos el paludismo. 그는 그 건(件)에 대해 많은 것을 이야기했다 El habló mucho del asunto. 나는 그에게 많은 것을 바라지 않는다 Yo no espero mucho de él. ② [잦다] (ser) frecuente, repetido a menudo. 이맘때는 화재(火災)가 ~ El fuego es frecuente a estas horas del año.

많아야 a lo más, a lo sumo. 출석자는 ~ 20명일 것이다 Los asistentes serán veinte a lo más / El número de asistentes llegará, a lo más, a veinte. 이 마을의 주민은 ~ 천 명일 것이다 En este pueblo habrá a lo más mil habitantes. 그는 ~ 서른 살 정도일 것이다 A lo sumo él tendrá treinta años (de edad). ~ 서너 시간 걸릴 것이다 Tardará tres o cuatro horas a lo sumo.

많이 ① [다수] mucho, bastante, abundantemente, en abundancia, en gran número, fluentemente, afluentemente, copiosamente, ricamente, opulentamente. 눈비가 ~ 내린 해 año *m* que llueve y nieva mucho. ~ 벌다 ganar mucho [en abundancia]. 그는 돈을 ~ 쓴다 El gasta mucho dinero. 올 여름에는 비가 ~ 왔다 Este verano llovió mucho / Este verano ha llovido mucho / Tuvimos mucha lluvia en este verano. 그는 고생을 ~ 했다 El sufrió mucho / El pasó [experimentó] grandes dificultades. ~ 기다리게 해서 죄송합니다 Siento [Perdóneme por] haberle hecho esperar mucho. 아닙니다. ~ 먹었습니다 No, gracias. Ya he comido bastante. 그 이야기는 ~ 들어 신물이 난다 Ya estoy harto de escuchar esas historias. 관광객이 ~ 왔다 Los turistas vinieron en gran número. 사람은 가지면 가질수록 ~ 가지고 싶어진다 Cuánto más se tiene, más se quiere. ② [자주] frecuentemente, con frecuencia, a menudo.

맏- mayor, primero. ~아들 hijo *m* mayor, primogénito *m*. ~며느리 primera nuera *f*, nuera mayor *m*.

맏누이 hermana *f* mayor.

맏동서(一同壻) hermano *m* político mayor, cuñado *m* mayor.

맏딸 hija *f* mayor, (hija *f*) primogénita *f*, [적녀(嫡女)] hija *f* heredera.

맏며느리 primera nuera *f*, nuera *f* mayor, esposa *f* de *su* hijo primogénito.

맏물 primera espiga *f* de arroz, primera fruta *f* [cosecha *f*] de la sazón.

맏배 primera cría *f* del animal.

맏사위 hijo *m* político mayor, yerno *m* mayor, marido *m* de *su* hija mayor.

맏상제(一喪制) enlutado *m* [doliente *m*·plañidero *m*] mayor, hijo *m* mayor del muerto.

맏손녀(一孫女) nieta *f* mayor.

맏손자(一孫子) nieto *m* mayor.

맏아들 (hijo *m*) primogénito *m*, hijo *m* mayor; [적남(嫡男)] hijo *m* heredero.

맏언니 hermana *f* mayor.

맏이 ① [여러 형제나 자매 중 맨 손위] el (hijo) mayor, la (hija) mayor. ② [손윗사람] superior *mf*, anciano, -na *mf*, mayor *mf*, jefe *m* de familia.

맏자식(一子息) [맏아들] (hijo *m*) primogénito *m*; [맏딸] (hija *f*) primogénita *f*, [적자(嫡子)] hijo *m* heredero; [적녀(嫡女)] hija *f* heredera.

맏잡이 ((속어)) =맏아들. 맏며느리.

맏조카 sobrino *m* mayor, sobrina *f* mayor; hijo *m* [hija *f*] mayor de *su* hermano mayor.

맏파(一派) descendientes *mpl* del hijo primogénito.

맏형(一兄) hermano *m* mayor.

맏형수(一兄嫂) esposa *f* de *su* hermano mayor, cuñada *f* mayor.

말¹ 【동물】 caballo *m*; [암컷] yegua *f*, [새끼] potro, -tra *mf*, [작은 말] caballito *m*, caballo *m* pequeño; [조랑말] jaca *f*, [종마(種馬)] caballo *m* padre, semental *m*; [승마용] caballo *m* de montar, caballo *m* de silla; [경마용] caballo *m* de concurso; [준마(駿馬)] corcel *m*, caballo *m* muy ligero; [귀부인용] palafrén *m*; [여윈 말] rocín *m* (*pl* rocines), rocinante *m* (동끼호떼가 타던 말의 이름에서 유래됨), penco *m*, jamelgo *m*, matalón *m* (*pl* matalones); 【학명】 Equus caballus. ~을 잘 타는 사람 caballista *mf*. 재갈을 풀어 놓은 ~ caballo *m* desbocado, caballo *m* fogoso. ~을 타다 montar a caballo, cabalgar. ~에서 내리다 desmontar, bajarse [apearse] del caballo. ~을 타고 가다 ir a caballo. ~에 올라타다 montar a horcajadas. ~에서 떨어지다 caerse del caballo. ~을 달리게 하다 hacer correr a un caballo. ~을 묶다 atar a un caballo. ~을 멈추다 detener a un caballo. ~에서 흔들려 떨어지다 caerse sacudido del caballo. ~이 울다 relinchar. ~의 울음소리 relincho *m*.

▪말 갈 데 소 간다 ((속담)) ㉮ [아니 갈 데를 간다] Se va adonde no se puede ir.

㉯ [남이 할 일이면 자기도 할 수 있다] Si el otro puede hacer, yo también puedo hacerlo. 말 갈 데 소 갈 데 다 다녔다 ((속담)) Se recorrió todas las partes. 말 고기를 다 먹고 무슨 냄새 난다 한다 ((속담)) Uno se queja inútilmente después de llenar toda la codicia. 말꼬리에 파리가 천 리 간다 ((속담)) Se cobra ánimo con la influencia del otro. 말 머리에 태기가 있다 ((속담)) Se tiene la oportunidad de obtener la ganancia desde el principio del trabajo. 말 삼은 소 신이라 ((속담)) Es absolutamente imposible. 말 잃고 소 외양간 고친다 ((속담)) Después del caballo hurtado, cerrar la caballeriza / Una vez muerto el burro, la cebada al rabo / Después de la vaca huida, cerrar la puerta / Después de ido el pájaro, apretar la mano / A buenas horas mangas verdes. 말 타면 경마 잡히고 싶다 ((속담)) Cuanto más se tiene, más se quiere. 말 타면 종 두고 싶다 ((속담)) ＝말 타면 경마 잡히고 싶다. 말 태우고 버선 깁는다 ((속담)) Era tarde preparar.

■ ～가죽 cuero *m* de caballo. ～고기 carne *f* de caballo. ～도둑 ladrón *m* (*pl* ladrones) cuatrero, *Andal* caballista *mf*.

말² ①【식물】lenteja *f* de agua;【학명】Potamogeton axyphyllus. ② ((준말)) ＝바닷말.

말³ ① [언어(言語)] palabra *f*, vocablo *m*, término *m*, dicción *f*, lenguaje *m*, lengua *f*, idioma *m*, el habla *f* (*pl* las hablas); [이야기] cuento *m*, narración *f*, relato *m*, historia *f*, [대화(對話)] dialecto *m*; [연설(演說)] discurso *m*; [강연(講演)] conferencia *f*, [담화(談話)·회화(會話)] conversación *f*, plática *f*, [목소리] voz *f*, [잡담(雜談)] charla *f*, cháchara *f*, [화제(話題)] tema *m*, tópico *m*; [보고(報告)] información *f*, [소식(消息)] noticia *f*. ～이 통하는 entendido, comprensivo. 두 가지 이상의 뜻을 갖는 ～ palabra *f* de doble sentido, juego *m* de palabras, paronomasia *f*. 발음하기 어려운 ～ trabalenguas *m.sing.pl*. ～이 통하지 않는 나라 país *m* (*pl* países) donde no se entiende la lengua. ～뿐인 약속(約束) promesa *f* sólo de palabra. 달콤한 ～로 con palabras embaucadoras [engatusadoras], con palabras seducoras [mañosas], con zalamerías, lisonjeramente. ～이 빠르다 [총알 같다] hablar rápidamente [de prisa · como una ametralladora]. ～을 교환하다 cambiar unas palabras (con), *AmS* platicar (con). ～을 남기다 dejar dicho. ～을 머뭇거리다 vacilar en hablar, titubear, balbucear, mascar las palabras. ～을 바꾸다 cambiar de tema. ～을 바꾸면 cambiando de tema, hablando de otra cosa. ～을 바꾸어 말하면 en otras palabras, en otros términos. 그의 ～을 빌리면, 그의 ～에 의하면 en [según] sus palabras, según lo que dice él, según informa él, según dice él. A씨의 ～에 의하면 según (dice) el señor A. 세르반떼스의 ～을 빌리면 según Cervantes, citando las palabras de Cervantes. ～을 시작하다 empezar [comenzar] la conversación. ～을 잘하다 expresarse bien, tener facilidad de palabra, ser buen conversador. ～을 못하고 말다 perder la ocasión de decir. ～을 흐리다 [대답에서] dar contestación vaga. ～도 꺼내지 않다 [사물이 주어일 때] ser indescriptible [indecible · inexpresable]; [사람이 주어일 때] no tener [no encontrar] palabras para expresar. …와 ～을 하다 hablar con *uno*. …의 [에 관한] ～을 하다 hablar [tratar] de [sobre] *algo* · *uno*. …의 ～을 믿다 creer en la palabra dada por uno. 경제(經濟)에 관해 ～을 하다 tratar de la [hablar de] economía. 아이들에게 ～을 하다 contar un cuento a los niños. 우아한 ～을 쓰다 usar una palabra elegante, hablar un lenguaje culto, tener una dicción elegante. 속된 ～을 쓰다 usar una palabra vulgar, hablar un lenguaje vulgar, tener una dicción vulgar. 사람들의 ～에 의하면 …라 하더라 Se dice [Dicen] que + *ind*. 그는 ～이 소용없다 [통하지 않는다] No le sirven palabras. 그는 ～뿐이다 El no es más que [no es sino] un fanfarrón / El no es tan valiente como dice. 좋은 ～이 있다 Tengo una buena noticia. 무슨 ～을 하시는 겁니까? ¿De qué se trata? / ¿De qué están hablando? ～이 활기를 띤다 Se anima la conversación. 그들의 ～은 끝이 없다 Su conversación va para largo / Dura mucho [largo] tiempo la conversación. 이제 그것에 대한 ～은 그만둡시다 Dejemos ya de hablar de eso. 잠깐 드릴 ～이 있습니다 Tengo algo [una cosa] que decirle / Quiero hablar un momento con usted. 복잡한 ～은 싫다 No quiero asuntos complicados. 무슨 재미있는 ～은 없습니까? ¿No tienes algo [nada] interesante que contar? 그는 ～을 할 줄 모른다 El no sabe hablar bien / Se expresa mal. 그는 ～을 빨리 알아듣는다 El es comprensivo. 그런 조건으로는 ～이 되지 않는다 Con esas conversaciones ni hablar. 너는 함부로 ～을 한다 Tú dices lo que quiere / Tú dices lo que te viene en gana. 그는 그～을 내뱉고 가버렸다 El soltó la conversación y se marchó / Diciendo eso, se marchó. 넌 ～이 지나치다 Te has pasado (de la raya). 당신은 내 ～에 오해를 하고 계십니다 Permítame decirle que usted me entiende mal. 그는 나더러 일에 신경을 쓰라는～을 남기고 나갔다 El salió dejando dicho que yo me ocupara del trabajo. 그는 가족을 부탁한다는 ～을 남기고 죽었다 El murió pidiendo que cuidaran de la familia. 그는 ～뿐이고 실행은 하지 않는다 El habla mucho pero no lo demuestra con hechos / A él todo se le va en palabras. ～은 쉬우나 행하기는 어렵다 Del dicho al hecho hay [va] mucho [gran] trecho. 이

건(件)을 설명하기 위해서는 여러 ~이 필요없다 No se necesitan muchas palabras para explicar este asunto. 그 ~은 내가 할 말이다 Si está bien que uno lo haga, está bien que lo haga cualquiera.
② [속담(俗談)] refrán *m* (*pl* refranes), proverbio *m*, adagio *m*, aforismo *m*, sentencia *f*, máxima *f*, apotegma *m*, axioma *m*, dicho *m*, paremia *f*, precepto *m*, moraleja *f*, pensamiento *m*. 헌 짚신도 제 짝이 있다는 ~이 있다 Hay un refrán que dice: Cada uno con su pareja.
③ [소문(所聞)] rumor *m*. 나쁜 ~ mal rumor *m*. …라는 ~이 있다 Dicen [Se dice · Se rumorea] que + *ind*.
④ [꾸중. 잔소리] regaño *m*, trepe *m*, reprensión *f*, reprimenda *f*, reconvención *f*, reñidura *f*, admonición *f*, sermón *m*, amonestación *f*, repasata *f*, sepancuantos *mpl*.
⑤ [전갈] recado *m*, mensaje *m* (verbal). 아버지의 ~을 전하다 dar un recado de parte de *su* padre. 무슨 전하실 ~이라도 있습니까? ¿Quiere usted dejar algún recado?
⑥ [주장] demanda *f*, reclamación *f*.
⑦ [뜻] sentido *m*, significación *f*, significado *m*.
⑧ [이유. 원인] razón *f*, causa *f*, motivo *m*.
⑨ [명령] orden *f* (*pl* órdenes), mandato *m*, mandamiento *m*, precepto *m*, ordenanza *f*, decreto *m*.
말 그대로 =문자 그대로. ☞문자
말없이 silenciosamente, en silencio, sin una palabra; [무단으로] sin (pedir) permiso, sin noticia; [이의없이] sin objeción; [얌전히] domadamente, dócilmente. ~ 있다 no decir nada, quedarse [permanecer] silencioso [callado]; [사람에게] ocultar, permanecer con la boca cerrada; [대답하지 않다] no responder nada. 사람들이 아무리 비난해도 그는 ~ 있었다 Por mucho que le criticaban permanecía callado. 이 문제는 ~ 있는 편이 낫다 Este asunto es mejor callarlo. 이제 ~ 있을 수 없다 Ya no puedo permanecer impasible [callado].
◆말(을) 건네다 dirigirse [hablar · dirigir la palabra] (a).
◆말(을) 듣다 [기계 따위가 마음대로 잘 다루어지다] responder, funcionar. 그의 손이 말을 듣지 않을 것이고, 그의 눈이 말을 듣지 않을 것이고, 그의 아무것도 말을 듣지 않을 것이다 Las manos no le responderían, los ojos no le responderían y nada le respondería.
◆말(이) 막히다 dejar (repentinamente) de hablar, parar de hablar, quedarse sin palabras.
◆말(이) 많다 hablar mucho, no tener pepita en la lengua. 말이 많은 사람 halagador, -dora *mf*; charlatán, -tana *mf*; parlanchín, -china *mf*; hablanchín, -china *mf*; hablantín, -tina *mf*; lisonjero, -ra *mf*; marrullero, -ra *mf*.
◆말(이) 아니다 ir muy mal; [이치에 맞지 않다] (ser) absurdo, rídiculo, disparatado. 말 아닌 요구 (要求) demanda *f* absurda. 그건 ~ Eso es absurdo / ¡Imposible! / ¡Absurdo! 경기가 ~ Las cosas van muy mal / Corren malos vientos / El negocio está muy flojo.
◆말(이) 없다 callarse, guardar silencio.
■말로 온 공을 다 갚는다 ((속담)) Una buena lengua es una buena arma. 말이 많으면 실언(失言)이 많다 ((속담)) Quien habla mucho, mucho se equivoca. 말이 많으면 쓸 말이 적다 ((속담)) Si se habla mucho, casi no hay palabras útiles. 말 잘하고 징역가랴 ((속담)) Una buena lengua es una buena arma. 말 한마디에 천냥 빚도 갚는다 ((속담)) Cortesía de boca, mucho vale y poca cuesta. 가는 말이 고와야 오는 말이 곱다 ((속담)) Cortesía de boca, gana mucho y poco cuesta / Más apaga la buena palabra que caldera de agua. 낮 말은 새가 듣고 밤 말은 쥐가 듣는다 ((속담)) Las paredes oyen / En consejas las paredes han orejas / Hay que ser discreto al hablar porque todo se oye y todo se sabe.
말⁴ ① [곡식 · 액체 · 가루 따위의 분량을 되는 데 쓰는 그릇] *mal*, medida *f* de unos dieciocho litros. ② [곡식 · 가루 · 액체 따위의 분량을 헤아리는 단위. 되의 열 갑절임. 두(斗)] *mal*, dieciocho litros más o menos. 쌀 열 ~ diez *mal* de arroz, unos ciento ochenta litros.
■말 위에 말을 얹는다 ((속담)) Se amontonan muchas ansiedades.
말⁵ ((준말)) =마루목.
말⁶ ① [장기 · 고누 · 윷 등에 군사로 쓰는 물건] pieza *f*. ② [장기짝의 하나] caballo *m*.
말⁷ [톱질하거나 먹줄을 칠 때에 받쳐 쓰던 나무] caballete *m*, burro *m* (para serrar).
말⁸ ((준말)) =마을.
말⁹ [십이지(十二支)의] Caballo *m*.
말- grande. ~매미 cigarra *f* grande. ~벌 abejón *m* (*pl* abejones).
말(末) ① =끝(fin). ② =말세(末世)(edad corrupta). ③ =하위(下位)(posición subordinada). ④ =가루(polvo).
-말(末) ① [끝] fin *m*. 연~에 al fin de(l) año. 5월 ~에 a fines [al fin · a últimos] de marzo. 월~ 에 al fin del mes. 학기~에 al fin del semestre. 20세기~ 경에 a fines [a finales] del siglo XX (veinte). ② [가루] polvo *m*. 붕산(硼酸)~ polvo *m* del ácido bórico. 분~ 밀크 leche *f* en polvo.
말간(一間) establo *m*, cuadra *f*, caballeriza *f*.
말갈【언어】 =어학(語學).
말갈기 crin *f*.
말갛다 ① [깨끗하고 맑다] (ser) claro, limpio, puro. 말간 물 el agua *f* clara. 말갛게 하다 clarificar, aclarar, clarear. ② [(의식이) 분명하다] (ser) obbio, claro. ③ [(눈이) 말똥말똥하다] tener los ojos abiertos de par en par.

말개미【곤충】 =왕개미.
말개지다 clarificarse, aclararse, clarear(se).
말거리 ① =말썽거리. ② [화제(話題)] tema *m*, asunto *m*, materia *f*. 이것은 ~가 된다 Esto puede ser tema de conversación.
말거머리【동물】 sanguijuela *f* borriquera.
말결 curso *m* de conversación.
말경(末境) ① [말년(末年)] edad *f* avanzada. ② [끝판] fin *m*, conclusión *f*, final *m*, terminación *f*.
말고 no … sino, en vez de, en lugar de, excepto, salvo, menos, a excepción de. 너 ~ 누가 그런 짓을 했겠느냐? ¿Quién podía hacerlo sino tú?
-말고 ciertamente, seguramente, indudablemente, no hay duda, sin duda, desde luego, no faltaba más, en efecto, es más, verdaderamente, claro, más bien, mejor, primero, antes algo, bastante. 그렇고~ ¡Claro! / ¡Claro que sí! / ¡Desde luego! / ¡Por supuesto! / ¡Eso es! / Tienes razón. 하고~ Claro que lo hago / Sin duda lo haré. 아무렴, 오고~ Desde luego, vendré ciertamente.
말고기 carne *f* de caballo.
말고기자반 persona *f* con la cara colorada por la borrachez.
말고삐 brida *f*, rienda *f*, freno *m*.
말곡식(-穀-) cereales *mpl* de unos dieciocho litros.
말공대(-恭待) expresiones *fpl* corteses, lengua *f* cortés. ~하다 hablar en lengua cortés.
말관(末官) =미관(微官). 말직(末職).
말괄량이 doncella *f* pizpireta y respingona, señorita *f* charlatana.
말구유 pesebre *m*, comedero *m*.
말구종(-驅從) mozo *m* de cuadra [caballo].
말굴레 brida *f*, freno *m* de caballo. ~를 씌우다 embridar, enfrenar.
말굽 casco *m*, pezuña *f* del caballo.
■~ 소리 pisadas *fpl* del caballo, ruido *m* de cascos. ¶~가 들린다 Se oyen las pisadas del caballo. ~쇠 herradura *f*. ~은(銀) barra *f* de plata de la forma de casco. ~(쇠)자석 imán *m* (*pl* imanes) que tiene forma de herradura. ~추녀 vigas *fpl* de la forma de herradura puestas en los ambos aleros.
말권(末卷) último volumen *m*, último tomo *m*.
말귀 ① [말뜻을 알아듣는 총명] sentido *m*, oído *m*, audición *f*, comprensión *f*, entendimiento *m*. ~가 무디다 tener mal oído. ~가 밝다 tener buen oído. ~가 빠르다 ser rápido entender lo que se dice. ~가 어둡다 ser duro de oído, no oír bien. ② [말이 뜻하는 내용] sentido *m* [significado *m*·significación *f*] de una palabra.
말그스름하다 ser algo claro.
말그스름히 algo claramente.
말기 pretina *f* [cinturilla *f*] superior de la falda coreana.
말기(末技) técnica *f* poco atractiva, técnica *f* falta de atractivo.
말기(末期) último período *m*, fin *m*, final *m*; [최종 단계] última etapa *f*, ocaso *m*, artículo *m* de la muerte. 조선조(朝鮮朝) ~에 al final de la Era [de la dinastía] de *Choson*.
말기름 aceite *m* de caballo.
말꼬리 ① [말의 꼬리] cola *f* del caballo. ② [말끝] fin *m* de *sus* palabras.
◆말꼬리(를) 잡다 pararse en una expresión de poco importancia (de), coger la palabra, saltar sobre la palabra (de).
말꼬투리 =말꼬리❷.
말꼴 heno *m*, pienso *m*, forraje *m*. 푸른 ~ heno *m* verde. ~을 주다 dar forraje al caballo.
말꾸러기 ① [잔말이 많은 사람] parlanchín (*pl* parlanchines), -china *mf*; charlatán (*pl* chalatanes), -tana *mf*; tarabilla *mf*. ② =말썽꾼.
말꾼[1] ((준말)) =말몰이꾼.
말꾼[2] ((준말)) =마을꾼.
말끄러미 firmemente, fijamente, con ojos fijos. 순이를 ~ 쳐다보다 mirar a Suni fijamente, contemplar a Suni bien, echar una mirada fija a Suni.
말끔 todo, completamente, enteramente, por completo, totalmente, a fondo. 지난 일을 ~잊다 olvidar(se) completamente lo pasado.
말끔하다 (ser) limpio, pulcro, ordenado, puro, sin mezcla.
말끔히 claramente, evidentemente, limpiamente, aseadamente. ~ 씻다 limpiar lavándolo [문질러서 fregándolo]. 벽의 얼룩을 ~ 씻다 limpiar la mancha de la pared (fregándola). 나는 여행의 피로를 뜨거운 목욕물로 ~ 없앴다 Me quité la fatiga del viaje tomando un baño caliente.
말끝 ① [말꼬리] fin *m* de *sus* palabras, lapsus linguae. ~에 en conclusión. ② [말의 첫머리] principio *m* de *sus* palabras.
◆말끝(을) 잡다 =말꼬리(를) 잡다. ¶남의 실수한 말끝을 잡아 트집잡다 tomar lapsus linguae, coger. ☞말꼬리
◆말끝(을) 흐리다 dar una contestación vaga.
말날 ①【민속】 Día *m* del Caballo. ②【민속】 [음력 시월의 말날] día *m* del caballo de octubre del calendario lunar.
말남(末男) hijo *m* menor.
말녀(末女) hija *f* menor.
말년(末年) ① [일생의 마지막 무렵] última etapa *f* de *su* vida, ocaso, artículo *m* de la muerte. ② [말기(末期)] último período *m*.
말다[1] [피륙·종이 따위를] enrollar, arrollar, liar; [포장하다] envolver; [끈 따위로] atar con cuerda, poner las cuerdas (a); [실을] devanar. 돗자리를 ~ enrollar la estera. 담배를 ~ liar un pitillo [un cigarrillo]. 융단을 ~ enrollar la alfombra. 지도(地圖)를 ~ arrollar el mapa. 이 잡지는 말아도 됩니까?

¿Se puede enrollar esta revista? 말아 올리다 levantar con un torno. 바람이 먼지를 말아 올린다 El viento levanta el polvo.

말다² [(국수·밥 따위를) 물이나 국물에 넣어 풀다] mezclar, meter. 국수를 ~ meter el tallarín en el agua de la sopa. 밥을 국에다 ~ meter el arroz blanco en la sopa.

말다³ [(어떤 일을) 그만두다] cesar, parar, ceder, renunciar, discontinuar, interrumpir, dejar de + *inf*, suspender. 먹다 만 밥 comida *f* no acabada de comer. 먹다 만 사과 manzana *f* empezada. 나는 이 책을 읽다 말았다 No he terminado de leer este libro.

말다⁴ [금지] no, abstenerse (de). …하지 말 것 Prohibido [No · Se prohíbe] + *inf*, No + *subj*. 나를 잊지 마라 No me olvides. 거짓말을 하지 마라 No digas mentiras / Di verdad. 가지 마세요 No (se) vaya. 가지 마라 No (te) vayas. 길에서 놀지 말고 집에서 놀아라 No juegues en la calle, sino en casa. 오지 말라고 그에게 말씀해 주십시오 Dígale a él que no venga. 작품에 손대지 말 것 Prohibido [Se ruega no] tocar los objetos expuestos. 잔디밭에 들어가지 말 것 No pisar el césped / No entre en el gramal.

말다(末茶/抹茶) té *m* en polvo.

말다래 solapa *f* de la silla de montar.

말다툼 disputa *f*, riña *f*, altercado *m*, altercación *f*. ~하다 disputar, reñir. …와 …에 대하여 ~하다 disputar [altercar] con *uno* sobre [de] *algo*.

말단(末端) punta *f*, cabo *m*, extremidad *f*. ~의 terminal, extremo.
■~ 공무원 funcionario *m* público [funcionaria *f* pública] menor. ~ 관절(關節) articulación *f* terminal. ~ 기구(機構) ramos *mpl* inferiores de la organización. ~ 동맥(動脈) arteria *f* terminal. ~망 tejido *m* terminal. ~ 벼슬아치 (funcionario *m*) subalterno *m* [subordinado *m*], (funcionaria *f*) subalterna [subordinada *f*]; inferior *mf*. ~부(部) acroteria *f*. ~ 비대(증) hiperpituitarismo *m*. ~ 사원(社員) empleado, -da *mf* menor. ~ 행정 administración *f* de la oficina subordinada.

말대(末代) =말세(末世).

말대가리 ① ((은어)) =미싱. ② ((은어)) =권총(拳銃).

말대꾸 =말대답.

말대답(-對答) réplica *f*. ~하다 replicar; [반론(反論)하다] oponer, objetar, contradecir. ~하지 마라 ¡No me repliques! / Nada de replicar / Nada de réplica. 나는 그것에는 어떻게 ~할지 몰랐다 No supe cómo replicar [contestar] a eso.

말더듬이 tartamudo, -da *mf*, farfulla *mf*.

말동무 =말벗.

말등자(-鐙子) =등자(鐙子).

말떼【언어】=어군(語群).

말똥 ① [말의 똥] cagajón *m* (*pl* cagajones), estiércol *m* del caballo. ② ((은어)) =교도소장. ③ ((은어)) [전날의] =육군 소령.
■말똥도 모르고 마의(馬醫) 노릇 한다 ((속담)) Se encarga de un asunto no sabiéndolo. 말똥에 굴러도 이승이 좋다 ((속담)) El vivir es mejor que el morir, aunque se pase un trago amargo.

말똥가리【조류】halcón *m* coreano.

말똥거리다 mover (los ojos) con expresión ausente.
말똥말똥 fijamente, bien, con una mirada fija. ¶~하다 tener los ojos abiertos de par en par. ~ 바라보다 mirar fijamente, contemplar bien, echar una mirada fija. 눈이 ~해지다 estar desvelado y no poder dormir.

말똥구리【곤충】=쇠똥구리.

말뚝 ① estaca *f*; [작은] estaquilla *f*. ~을 박다[세우다] estacar, clavar [poner] estacas (en). ~을 빼다 sacar estacas. 토지를 ~으로 치다 cercar la tierra con estacas. ~ 박는 기계 martinete *m*, martillo *m* pilón. ② =말뚝잠.
말뚝박다 ((은어)) excrementar, deponer los excrementos.
■~잠 sueño *m* ligero, sueño *m* poco profundo, duermevela *f*. ¶~을 자다 dormitar, descabezar [echarse] un sueño, echar [dar] una cabezada. 라디오를 들으면서 ~을 자다 dormitar [dar una cabezada] oyendo la radio. ~잠(簪) una especie del pasador metal.

말뜨다 ☞말³

말뜻 significado *m* de una palabra.

말띠【민속】nacimiento *m* del Año del Caballo.

말라가시 공화국(-共和國)【지명】la República de Malagache. ☞마다카스카르

말라게냐(서 *malagueña*) [서반아 말라가의 민요] malagueña *f*. ~를 부르다 cantar malagueñas.

말라기서(Malachi 書)【성경】Malaquías.

말라깽이 persona *f* muy flaca; [남자] hombre *m* muy flaco; [여자] mujer *f* muy flaca.

말라리아(영 *malaria*)【의학】malaria *f*, paludismo *m*. ~에 걸린 malario.
■~열(熱) fiebre *f* palúdica. ¶~ 환자 palúdico, -ca *mf*. ~ 요법(療法) terapia *f* palúdica.

말라리아모기【곤충】=학질모기.

말라붙다 ☞마르다¹

말라비틀어지다 ☞마르다¹

말라빠지다 (estar) enjuto, delgado, flaco, flacucho. 말라빠진 사람 persona *f* flaca [delgada], esqueleto *m* vivo. 그녀는 불면 날아갈 만큼 말라빠졌다 Ella es tan flaca como la lámina.

말라죽다 marchitarse.

말라위【지명】Malawi, Malaui. ~의 malauiano. ~ 사람 malauiano, -na *mf*.

말랑거리다 sentir suave [tierno].
말랑말랑 sintiendo suave [tierno].

말랑하다 ① [물건이 야들야들하게 보드랍고 무르다] (ser) suave, tierno, maduro. 말랑

한 감 caqui *m* maduro. 말랑한 살 carne *f* tierna. ② [사람의 성질이 무르고 맺힌 데가 없어 만만하다] (ser) tierno. 말랑한 사람 galleta *m*, cagueta *m*; blandengue *mf*; mariquita *mf*.

말랭이 ((준말)) ＝무말랭이.

말레산(male 酸)【화학】ácido *m* málico.

말레이 ① ((준말)) ＝말레이 반도. ② ((준말)) ＝말레이 군도.

■～군도 Archipiélago *m* Malayo. ～반도 Península *f* Malaya. ～어 malayo *m*. ～인 malayo, -ya *mf*.

말레이 공화국(Malay 共和國)【지명】la República Malaya.

말레이시아【지명】Malaisia *f*; [대륙 지방] Malasia *f*. ～의 malaisio, malasio.

■～사람 malaisio, -sia *mf*; [대륙 지방의] malasio, -sia *mf*. ～연방 la Federación de Malaisia.

말레이지아【지명】Malaisia, Malasia. ☞말레이시아

말려들다 ① [감기어 안에 들어가다] ser atrapado, ser llevado. 기계에 ～ ser atrapado por una máquina. 파도에 ～ ser llevado por las olas. ② [사건 따위에] comprometerse, envolverse, implicarse, ser envuelto. 분쟁(紛爭)에 ～ implicarse en un enredo. 사건에 ～ verse implicado [enredado] en un suceso. 나는 그 분쟁에 말려들고 싶지 않다 No quiero verme envuelto en ese conflicto. 그들은 반대파에 말려들고 있다 Ellos están conquistados por la oposición.

말로(末路) última parte *f* de la vida, última fase *f*, parca *f*, fin *m*. 영웅의 슬픈 ～ fin *m* miserable de un héroe.

말류(末流) ① ＝하류(下流). ② ＝말세(末世). ③ [자손] descendientes *fpl*. ④ [말파(末派)] sucesores *mpl*, discípulos *mpl*, ramo *m* menor. ⑤ ＝아류(亞流).

■～지폐(止弊) abuso *m* de raíz profunda.

말리(末利) un poco de ganancia.

말리(茉莉)【식물】jazmin *m* (*pl* jázmines).

말리【지명】Malí. ～의 maliense.

■～사람 maliense *mf*.

말리다[1] [감기다] enrollarse, arrollarse, envolverse, liarse, devanar.

말리다[2] [말게 하다] hacer enrollar, hacer envolver, hacer devanar.

말리다[3] [남이 하는 행동을 못하게 하다] impedir, estorbar, disuadir (a・de), parar, detener, hacer parar. 싸움을 ～ impedir una riña. …의 계획을 ～ impedir el plan de *uno*. 만일 내가 말리지 않았더라면, 두 사람은 치고받았을 것이다 Si yo no lo hubiera impedido, se habrían pegado [se hubiese pegado] los dos.

말리다[4] [건조시키다] secar, agostar, enjugar; [바닥이 나도록] resecar; [괸물을] desecar, dejar seco; [바람을 넣어서] airear. 말린 고기 [육류] carne *f* secada; [생선] pescado *m* secado. 꿰어 말린 정어리 sardinas *fpl* secadas enfiladas por los ojos. 마르게 내버려 두다 dejar secar, dejar morir. 바람에 ～ airear. 볕에 ～ secar al sol. 볕에 옷을 ～ secar la ropa al sol, airear [secar] ropa. 약한 불로 ～ secar a fuego lento. 연못을 ～ desecar el estanque, agotar [desaguar・desecar] el pantano. 잡초를 ～ secar la mala hierba. 접시를 ～ secar los platos. 젖은 옷을 ～ secar la ropa mojada.

말린과실(－果實) fruta *f* secada.

말린꼴 heno *m* secado.

말림 ① [산에 있는 나무나 풀을 베지 못하게 말리어 가꿈] protección *f* [conservación *f*] del medio ambiente. ② ((준말)) ＝말림갓.

■～갓 bosque *m* reservado, reserva *f* forestal. ～틀 ＝건조기(乾燥機).

말마디 una palabra, una frase; [꾸지람] regaño *m*, trepe *m*, reprensión *f*.

말막음 impedimiento *m* de la palabra. ～하다 ocultar, mantener secreto, acallar, callar. ～으로 주는 돈 precio *m* del silencio (de una persona).

말말뚝 poste *m* del caballo.

말매미【곤충】una especie de la cigarra.

말머리 ① [말의 첫머리] abertura *f* de palabras. ② [화제] sujeto *m*, tema *m*. ～를 돌리다 cambiar *su* sujeto [tema].

■～아이 niño *m* que concibe inmediamente y da a luz tan pronto como se casa.

말먹이 pienso *m*, forraje *m*, heno *m* para el caballo.

말목(抹木) pilar *m*.

말몫 parte *f* del cereal del inquilino.

말몰이 ① [말을 몰고 다니는 일] espoleo *m*, acción *f* de espolear un caballo. ② ((준말)) ＝말몰이꾼.

■～꾼 cochero *m* de caballo de carga.

말문(－門) *su* boca al decir.

◆말문(을) 막다 impedir que diga.

◆말문(을) 열다[떼다] empezar [comenzar] a decir.

◆말문이 막히다 quedarse atónito, quedarse boquiabierto, cortarse, cohibirse. 말문이 막히게 하다 dejar sin habla. 우리는 그 소식에 말문이 막혔다 Nos quedamos atónitos con la noticia / La noticia nos dejó sin habla. 그는 그녀가 옆에 있으면 말문이 막힌다 El se cohíbe [se corta] cuando está ella. 나는 불란서어를 하려 하면 말문이 막힌다 Se me traba la lengua cuando trato de hablar francés. 나는 그 초상화를 보았을 때 말문이 막혔다 Me quedé boquiabierto cuando vi el retrato. 그의 신경질에 말문이 막혔다 Su desfachatez me dejó boquiabierto. 그녀가 그렇게 나를 공격했을 때 나는 말문이 막혔다 Me quedé boquiabierto cuando me agredió de esa manera.

말미 ＝휴가(休暇).

말미(末尾) ① [(책이나 문서 따위의) 끝 부분] pie *m*. 본 서한(書翰)의 ～에 al pie de la presente. 서류의 ～에 서명하다 firmar al pie de un documento. ② [말단(末端)] fin *m*, final *m*, término *m*, conclusión *f*. ～의

final, terminal, último.

말미암다 venir de, surgir (a raíz) de, obtenerse de, prevenir de, tener *su* origen de, derivar(se) de. …으로 말미암아 debido a *algo*, a causa de *algo*, por *algo*. 폭풍우로 말미암아 por la tormenta, a causa de la tormenta, debido a la tormenta. 이 활동으로 말미암은 이익 los beneficios que se obtienen de esta actividad. 의견의 불일치는 오해에서 말마암았다 El desacuerdo surgió (a raíz) de un malentendido. 모든 항공편은 악천후로 말미암아 취소되었다 Se cancelaron todos los vuelos debido al mal tiempo. 그녀는 병으로 말미암아 결근했다 Ella faltó por enfermedad. 부모님께서는 폭설로 말미암아 오실 수 없었다 Mis padres no pudieron venir debido a la nieve fuerte. 내 실패는 태만으로 말미암은 것이다 Mi fracaso se debió a la negligencia.

말미잘 【동물】 estrellamar *m*, actinia *f*, anemona *f* de mar, hongo *m* marino.

말밑[1] [어떤 분량의 곡식을 말로 되고 남는 부분] cereal *m* sobrante después de medir con un *mal*.

말밑[2] ① 【언어】 =어원(語源). ② ((준말)) = 말밑천.

말밑천 ① [말의 뒤를 이어갈 수 있는 자료] material *m* de conversación, sujeto *m*, elocuencia *f*, habilidad *f* verbal. ② [말하는 데 들인 노력] esfuerzo *m* gastado para decir.

말반(末班) funcionarios *mpl* subalternos.

말밥[1] arroz *m* (*pl* arroces) cocido por el arroz de unos dieciocho litros.

말밥[2] =구설수(口舌數).

말방울 campanilla *f* del caballo.

말뱃대끈 sobrecincha *f*.

말버둥질 toque *m* con la pata en el aire.
◆ 말버둥질(을) 치다 tocar con la pata en el aire.

말버릇 hábito *m* en habla, frase *f* favorita. ~처럼 되다 siempre decir que …, decir casi invariablemente que ….

말버짐 【의학】 tiña *f*, empeine *m*, fungo *m*, hongo *m*.

말벌 【곤충】 avispa *f*; 【학명】 Vespa japonica.
▪ ~의집 【한방】 colmena *f*.

말법(-法) =어법(語法).

말벗 compañero, -ra *mf* de conversación; interlocutor, -tora *mf*. …의 ~이 되다 hacer compañía a *uno* en la conversación. 그는 ~이 없다 El no tiene (compañero) con quien hablar. 그녀는 내 좋은 ~이다 Ella es una buena compañera de charla para mí.

말보[1] [노상 이야기거리가 많은 사람] hablador, -dora *mf*, charlatán (*pl* charlatanes), -tana *mf*, charlador, -dora *mf*, hablanchín (*pl* hablanchines), -china *mf*, hablantín (*pl* hablantines), -tina *mf*.

말보[2] [쌓여 있는 말] palabra *f* amontonada por mucho tiempo.

말본 ① [어법(語法)·문법(文法)] gramática *f*, fraseología *f*, dicción *f*. ② =말본새.

말본새 ① [말의 본새] naturaleza *f* de la palabra. ② =말투.

말불버섯 【식물】 bejín *m* (*pl* bejines).

말뼈 ① [말의 뼈] hueso *m* del caballo. ② [성질이 거세고 빳빳한 사람] persona *f* violenta [bruta·ruda·bronco].

말사(末寺) ((불교)) templo *m* budista subordinado.

말살(抹殺) ① [(있는 사실을) 부인하여 뒤집어 없애 버림] raspadura *f*, borradura *f*, liquidación *f*, eliminación *f*, tachón *m*. ~하다 borrar, raspar, tachar, cancelar, eliminar, anular, liquidar. 명부에서 그의 이름을 ~하다 borrar su nombre de la lista. 역사에서 ~하다 borrar de la historia. 민주파를 ~하다 eliminar los partidarios de la democracia. 반대 의견을 ~하다 suprimir toda opinión contraria. ② [남의 존재를 면목없이 하여 버림] difamación *f*. ~하다 arruinar [malogar] su honor, arruinar *su* dignidad.
말살스럽다 (ser) indiferente, sin corazón, cruel.
말살스레 indiferentemente, con indiferencia, con crueldad, cruelmente.

말상(-相) cara *f* caballuna, cara *f* de caballo; [사람] persona *f* con la cara caballuna.

말상대(-相對) =말벗.

말석(末席) ① [좌석의] asiento *m* ulterior, último asiento *m*. ~에 앉다 sentarse en el extremo [al cabo] de la mesa. ~을 차지하다 ocupar el último asiento. ② [사회적 지위나 직장의] puesto *m* inferior, último puesto *m*, último sitio *m*.

말선두리 【곤충】 =물방개.

말세(末世) últimos tiempos *mpl* (de una dinastía), época *f* [edad *f*] de decadencia, fin *m* del mundo, edades *fpl* futuras; [최후의 심판일] día *m* del juicio universal.

말세기(末世紀) =세기말(世紀末).

말소(抹消) borradura *f*, raspadura *f*, borrador *m*, canceladura *f*, anulación *f*, cancelación *f*, [상쇄(相殺)] compensación *f*. ~하다 borrar, cancelar, abolir, anular, tachar, expurgar; compensar. ~되다 borrarse, cancelarse, abolirse, anularse. 빚의 ~를 요구하다 pedir la anulación de la deuda. 이 걸로 네 빚은 ~되었다 Con esto se cancela tu deuda para conmigo.

말소리 voz *f* (*pl* voces), voz *f* hablante [parlante]; [속삭임] murmullo *m*, susurro *m*, cuchicheo *m*. ~가 높다 tener la voz alta. 옆방에서 ~가 들린다 Se oye hablar en el cuarto contiguo / Se oye hablar en la habitación contigua.
▪ ~갈 【언어】 =음성학(音聲學).

말속 sentido *m* de *sus* palabras, *su* intención.

말속(末俗) mala costumbre *f*, costumbres *fpl* degeneradas.

말손(末孫) descendiente *m* lejano, descendiente *mf*, vástago *m*; [집합적] posteridad *f*.

말솜씨 expresión *f*, circunlocución *f*, dicción *f*, locución *f*, modo *m* de hablar. ~가 좋은 meloso, elocuente. ~가 서툰 사람 el que habla desmañadamente. ~가 없는 사람 pobre hablador *m*, pobre habladora *f*. ~가 없다 no saber expresarse bien, tener dificultad en darse a entender.

말수[1](-數) [말로 된 수량] cantidad *f* medida por el *mal*.

말수[2](-數) [말의 수효, 또는 말하는 횟수] número *m* de palabras, número *m* de boca, el habla *f* (*pl* las hablas). ~가 많은 locuaz (*pl* locuaces), hablador, charlatán (*pl* charlatanes), de charla. ~가 적은 taciturno, de pocas palabras, sobrio de palabras, callado, silencioso, poco comunicativo, de silencio. ~가 많은 사람 persona *f* locuaz; parlanchín, -china *mf*, hablador, -dora *mf*, hablanchín (*pl* hablanchines), -china *mf*, charlatán (*pl* charlatanes), -tana *mf*, charlador, -dora *mf*. 그는 ~가 적다 El habla poco / El es poco hablador. ~가 적은 사람은 그 속을 알 수 없으므로 항상 경계해야 한다 Quien habla mucho, poco mordedor.

말술 ① [한 말 가량의 술] bebida *f* de unos dieciocho litros. ② [많은 술] mucha bebida, mucho vino, muho alcohol. ~로 마시다 beber como un pez.

말승냥이 ① =늑대. ② [키가 볼품없이 크고 성질이 사나운 사람] persona *f* alta y violenta.

말시초(-始初) comienzo *m* de palabras.

말실수(-失手) =실언(失言).

말싸움 =말다툼.

말싸움질 =말다툼질.

말쌀 arroz *m* de la cantidad de unos dieciocho litros.

말썽 disputa *f*, querella *f*, complicación *f*, riña *f*, pendencia *f*, dificultad *f*, inconveniente *m*, pega *f*. ~없이 sin queja, sin protesta; [이의없이] sin hacer objeción; [무사히] bien, a [en] salvo; [원만히] amigablemente, amistosamente. ~을 일으키다 tener complicaciones después, tener dificultades (con), causar problemas, armar líos. ~을 일으키지 않기 위해 para no tener complicaciones después. 두 사람 사이에 ~이 일어났다 Ha surgido una querella entre los dos.

◆ 말썽(을) 부리다 causar problemas, armar líos, quejarse, reclamar.

▪ ~거리 dificultad *f*, pega *f*, inconveniente *m*, riña *f*, disputa *f*, pendencia *f*. ~꾼[꾸러기] alborotador, -dora *mf*; agitador, -dora *mf*; molestia *f*; causa *f* del problema; perplejidad *f*; oveja *f* negra; [부담] carga *f*, peso *m*.

말쑥하다 ① [말끔하고 깨끗하다] (estar · ser) limpio, aseado, límpido, pulcro. 말쑥한 집 casa *f* bonita y aseada. ② [세련되고 아담하다] (ser) elegante, gallardo, galano, gracioso, dandi. 말쑥한 복장을 하고 있다 estar [ir] muy bien vestido, estar [ir] vestido con mucha elegancia. 그는 말쑥한 몸매를 하고 있다 El está pulcramente vestido / El lleva un vestido aseado.

말쑥히 limpiamente, aseadamente, elegantemente, pulcramente, esmeramente. ~ 차려 입고 나서다 ir pulcramente [esmeradamente] vestido.

말씀 ① ((높임말)) =말. ¶선생님의 (지금 하신) ~대로 하겠습니다 Yo haré como usted dice. (무슨 ~을 할지는 모르지만) 선생님의 ~대로 하겠습니다 Yo haré como usted diga. ② [상대방을 높이어 「자기의 말」] mi (humilde) palabra. 제가 한 ~드리겠습니다 Yo le diré una palabra. ③ ((성경)) Verbo *m*, Palabra *f*, palabra *f*, dicho *m*, mensaje *m*. ~하시다 decir.

말씨 expresión *f*, dicción *f*, lenguaje *m*, maneras *fpl*, modales *mpl*, ademán *m* (*pl* ademanes), manera *f* de hablar, dialecto *m*, fraseología *f*. ~가 똑똑하지 않다 no poder articular correctamente, ser torpe en articular. ~가 난폭하다 tener un lenguaje poco educado. ~를 신중히 하다 medir *sus* [las] palabras, hablar con mucha prudencia. ~에 조심하세요 Cuídese del lenguaje.

◆ 서울 ~ dialecto *m* de Seúl.

말씨름 =입씨름.

말씬말씬하다 (ser) muy suave, muy tierno.

말씬하다 (ser) suave, tierno.

말씬히 suavemente, tiernamente.

말씹조개 【조개】 =말조개.

말아웃 un *mal* y medio, veinte y siete litros.

말약(末藥) =가루약.

말없이 en silencio, calladamente, sin una palabra; [조용히] silenciosamente; [무단으로] sin permiso, sin aviso; [말썽 없이] sin problemas algunos. ~ 보고 있다 mirar en silencio. 그는 아무 ~ 이 물건을 놓고 갔다 El dejó este artículo sin explicación. 저 부부는 ~ 잘 살고 있다 Aquella pareja se lleva muy bien sin problemas algunas. 그는 아무 ~ 결석했다 El se ausentó de la escuela sin aviso.

말엽(末葉) ① [말기(末期)] fin *m*, fines *mpl*, finales *mpl*. 20세기 ~에 a fines del siglo veinte (XX). ② =후손(後孫).

말예(末裔) =후예(後裔).

말예(末藝) =말기(末技).

말오줌나무 【식물】 (baya *f* de) saúco *m*.

말일(末日) ① [(어떤 시기나 기한의) 마지막 날] último día *m*. ② [그믐날] último día *m* del mes. 늦어도 9월 ~까지는 para el último día [para el fin] de septiembre.

말자(末子) hijo *m* menor.

말잠자리 【곤충】 =왕잠자리.

말잡이 el que mide el grano.

말장난 juegos *mpl* de palabras, *Méj* albur *m*. ~하다 hacer juegos de palabras, *Méj* alburear.

말재간(-才幹) =말재주.

말재기 parlanchín, -china *mf*, charlatán (*pl* charlatanes), -tana *mf*, hablador, -dora *mf*,

charlador, -dora *mf*; hablanchín (*pl* hablachines), -china *mf*; chismoso, -sa *mf*; cotilla *mf*.
말재주(-才-) talento *m* de hablar; [능변(能辯)] elocuencia *f*, labia *f*. ~가 없다 ser muy mal orador. 그는 ~가 있다 El es muy buen orador / El tiene mucha labia / El tiene un pico de oro.
■ ~꾼 buen orador *m*, buena oradora *f*.
말쟁이[1] =말잡이
말쟁이[2] ① =말재기. ② ((속어)) [말을 잘하는 사람] persona *f* elocuente; [남자] hombre *m* elocuente; [여자] mujer *f* elocuente.
말전주 (el) ir con el soplo, (el) acusar. ~하다 contar secretos, ir con el soplo.
■ ~꾼 acusica *mf*, acusón, -sona *mf*, soplón, -lona *mf*, correveidile *mf*, correvedile *mf*.
말절(末節) último párrafo *m*.
말제(末弟) hermano *m* menor.
말제(末劑) =가루약.
말조심(-操心) cuidado *m* de hablar. ~하다 tener cuidado de *su* habla, usar prudencia en habla.
말좌(末座) =말석(末席).
말주변 talento *m* de hablar, (manera *f* de) expresión *f*, giro *m* (de la frase); [능변(能辯)] elocuencia. ~이 없다 no saber expresarse bien, tener dificultad en darse a entender. 그는 ~이 좋다 El se expresa bien [hábilmente] / El habla con tacto / El sabe expresarse bien. 그는 ~이 없다 El se expresa mal [desmañadamente] / El no sabe expresarse bien.
말죽(-粥) comidas *fpl* mezcladas con muchos alimentos para el caballo.
■ ~통 pesebre *m*, comedero *m*.
말증(末症) enfermedad *f* incurable [fatal]. ~을 앓다 sufrir de la enfermedad incurable.
말직(末職) puesto *m* inferior, posición *f* más baja.
말질 [이러니저러니하여 시비를 다투는 짓] riña *f*, disputa *f*, altercado *m*, argumento *m*, querella *f*. ~하다 reñir, disputar, altercar.
말질(末疾) =말증(末症).
말집 【건축】 casa *f* con aleros en todos los lados.
말짜 ① [가장 나쁜 것] lo peor, cosa *f* de la cualidad más baja. ② [버릇없이 구는 사람] persona *f* maleducada, persona *f* descortés.
말짱하다[1] ① [흠이 없고 온전하다] (ser) impecable, irreprochable, intachable. ② [지저분하지 않고 깨끗하다] (estar) limpio, ordenado, bien cuidado, arreglado. 말짱한 옷 ropa *f* limpia. ③ [정신이 맑고 또렷하다] (ser) claro, evidente. ④ [속셈이 있고 약삭빠르다] (ser) astuto. ⑤ [전혀 터무니 없다] (ser) absurdo.
말짱히 impecablemente, irreprochablemente, intachablemente, limpiamente, claramente, evidentemente, astutamente.
말짱하다[2] [사람의 성질이 부드럽고 만만하다] (ser) suave, tierno.
말짱히 suavemente, con suavidad, tiernamente.
말째 último *m*, fondo *m*.
말차(抹茶) té *m* hecho de los brotes jóvenes en polvo del té.
말참견(-參見) comentario *m* impertinente. ~하다 meter el pico (en) todo, meterse en camisa de once varas, meter el hoz en mieses ajena, cortar la palabra, entrometerse (en), hacer un comentario impertinente (sobre), intervenir en la conversación (de), meter baza; [간섭하다] intervenir (en), meterse (en), meter cuchara (en). 집사람은 내가 하는 것은 일일이 ~하고 싶어한다 Mi mujer se quiere meter en todo lo que hago yo. 쓸데없는 ~하지 마라 ¡No te metas donde no te llaman! / No te metas en lo que no te va ni te viene / ¿Por qué te metes en lo que no te importa? / No seas intruso / No te meta en lo que no te importa.
말채찍 fusta *f*, *AmL* fuete *m*. ~하다 pegar*le* con la fusta.
말체(-體) =회화체(會話體).
말초(末梢) ① [나뭇가지의 끝] copa *f* de árbol. ② [사물의 말단. 끝부분] punta *f*, [지팡이·우산의] contera *f*, regatón *m* (*pl* regatones). ③ [사소한 일. 하찮은 일] cosa *f* sin (ningún) valor, cosa *f* inútil, cosa *f* que no sirve para nada, friolera *f*, fruslería *f*, trivialidad *f*. ④ 【해부】 periferia *f*. ~(부)의 perifiérico.
■ ~ 기관 órgano *m* final. ~ 신경 nervio *m* periférico, periferia *f* nerviosa. ~신경계(통) sistema *m* nervioso periférico, sistema *m* de periferia nerviosa. ~적 insignificante, de poca importancia, de poca monta, trivial, menor. ¶~인 것 friolera *f*, fruslería *f*, trivialidades *fpl*. ~ 혈관 확장증 telangiectasia *f*, telangiectasis *f*.
말총 crin *m* de caballo.
말치레 uso *m* de las palabras melosas. ~하다 usar las palabras melosas.
말치장(-治粧) =말치레.
말캉거리다 (ser) suave.
말캉말캉 suavemente, con suavidad. ~하다 (ser) muy suave.
말캉하다 (ser) suave.
말코[1] [베틀에 속한 제구] rodillo *m* de telar.
말코[2] ① [말의 코] hocico *m* del caballo. ② [말코처럼 코끝이 둥글넓적하고 콧구멍이 커서 벌름벌름하는 사람의 코. 또, 그런 사람] hocico *m* de la forma como el del caballo; [사람] persona *f* con hocico de la forma como el del caballo..
말코지 gancho *m* de madera.
말콧균병(-菌病) 【의학】 =마비저.
말타기 놀이 salto *m* de potro. ~하다 jugar al salto de potro.
말타아제(독 *Maltase*) 【화학】 maltasa *f*.
말토오스(영 *maltose*) 【화학】 maltosa *f*.

말투 manera *f* de razonar [de hablar], expresión *f*, [어조(語調)] tono *m*. 능란한 ~ expresión *f* hábil. 낡은 ~지만 aunque es una expresión gastada. 아버지의 ~처럼 como dice mi padre. 그는 나를 아는 듯한 ~였다 El habló como si me conociera. 그는 ~가 예의 바르다 El es cortés en su manera de hablar. 더 좋은 ~는 없느냐? ¿No hay otra expresión mejor? 그의 ~는 못마땅하다 No me hace gracia su manera de razonar [de hablar]. 무슨 ~가 그래! ¡Qué palabras son ésas! / ¡Qué manera de hablar! / ¡Qué salida! / ¡Cómo te atreves a decir eso! 그것은 멕시코식 ~다 Eso es un mejicanismo [mexicanismo · modismo mexicano].

말판 tabla *f* de juego, tabla *f* de dado.

말편자 herradura *f*.

말하기 el habla *f* (*pl* las hablas), modo *m* de hablar, manera *f* de hablar.

말하다 ① [느낌이나 생각을 말로 나타내다] decir, hablar; [표현하다] expresar; [언급하다] referirse (a), mencionar, tratar (de). 이루 말할 수 없는 inefable, indecible, indescriptible, indefinible, inexplicable, incalificable. 무어라고 말할 수 없는 공포(恐怖) horror *m* incalificable [indescriptible]. 말하기 주저하면서 con titubeos, con vacilación. …에 대해 ~ decir [hablar] de *algo* · *uno*. 좋게 ~ hablar bien (de). 나쁘게 ~ hablar mal (de), denignar (a); [중상(中傷)하다] calumniar (a). 서반아어로 ~ hablar en español. 서반아어를 ~ hablar español [castellano]. 문학을 ~ hablar sobre [de] la literatura. 고쳐 ~ corregirse, decir en otras palabras. 빙빙 돌려서 ~ andar(se) con rodeos, hablar con circunloquios. 감히 …라 ~ atreverse a decir *algo*. 알아듣게 ~ hacer comprender; [설득하다] inculcar, persuadir. 사정을 잘 알아듣게 ~ hacer comprender las circunstancias. 단념하라고 알아듣게 ~ persuadir a resignarse. 입에서 나오는 대로 ~ expresar, exponer, manifestar. 말하기 거북하다 no poder decir, no atreverse a decir. 말하기 시작하다 empezar a hablar, empezar [comenzar · ponerse] a decir. 말하기를 꺼리다 vacilar en hablar (de), no tener valor para decir. 말하는 것을 잊다 olvidar [olvidarse de] decir [manifestar]. 말하기 어렵다 ser difícil [desagradable · penoso] de hablar, ser delicado de expresar; [발음(發音)하기가 어렵다] ser difícil de pronunciar. 급히 말하기 시작하다 saltar (con). 전부 말해 버리다 decirlo [hablarlo] todo (sobre), no dejar nada por decir (sobre). …라고 ~ Se dice que + *ind* / Dicen que + *ind*. … 은 말할 가치도 없다 Excusado es decir [Ni que decir tiene · Es indiscutible · Huelga decir] que + *ind*. 그가 말한 것에 의하면 según él (dice), al decir de él. 그가 이것을 말하자마자 en cuanto dijo esto, dicho esto. 그의 호의(好意)를 좋게 말하는 사람이 아무도 없다 Nadie habla en su favor. 그는 죽었다고들 [죽은 사실을] 말하고 있다 Dicen [Se dice] que él murió. 나는 무어라 말할지 모르겠다 No encuentro palabras para expresarlo. 어떻게 말해야 할지 모르겠다 No sé cómo decir [expresarme]. 내 기분을 잘 말할 수 없다 No me puedo explicar [expresar] bien. 말씀하세요 [전화에서] Diga / Dígame / ¿Dígame? / ¡Hola! / ¿Aló? / *Cuba* Oigo. 말하는 법(法)에 조심해라 Ten cuidado con tu manera de hablar. 빙빙 돌려서 말하지 맙시다 Dejémonos de rodeos. 그의 말하는 법은 웃긴다 El tiene un hablar gracioso. 아무한테도 말하지 마세요 No lo diga a nadie / [tú에게] No lo digas a nadie. 역으로 가는 길을 말해 주십시오 Perdón. Haga el favor de decirme [de enseñarme] el camino a la estación. 그는 머리가 아프다고 말한다 El dice que le duele la cabeza. 나는 A씨에 관한 것을 말하고 있다 Me refiero al Sr. A. 그것에 대해서는 아무것도 말하지 않겠다 Guardaré silencio sobre eso / No diré nada de eso / Lo callaré. 나는 자세한 것을 말하지 않았다 Omití los detalles. 너에게 그것을 말하지 않았나? ¿No te lo dije? / ¿No ves? 너 잘 말했다 Tienes razón / Dices bien / Es como tú dices. 나는 잘 말했다 Yo tenía ra- zón. 그는 놀라 말하지 못했다 El ha quedado mudo de sorpresa / No puede hablar de sorpre- sa. 그것은 말할 것도 없다 Se cae de [por] su (propio) peso. 그것은 말할 가치도 없다 Eso cae de su peso / Eso ni que decir tiene / Eso ni siquiera vale la pena mencionarlo. 그는 영어는 물론이고 서반아어까지 말한다 El habla inglés, desde luego, y además español. 그는 서반아어는 말할 것도 없고 영어도 말하지 못한다 El no habla inglés y menos aún [mucho menos] español. 아르헨띠나에 관해 말하면 즉시 탱고가 생각난다 Hablando de la Argentina, en seguida me acuerdo del tango. 그는 얼굴은 말할 것도 없고 손도 더럽다 Tanto su cara como sus manos están sucias. 내일이라 말할 것도 없이 오늘 당장 출발합시다 Salgamos hoy mismo. 나로 말하면 늘 도망쳤다 (En) Cuanto a mí [Yo por mi parte], siempre me escapaba. 나로 말하면 아직 시간이 있습니다 Lo que es yo, todavía tengo para rato. A씨로 말하면 지금 어디 살지요? A propósito del señor A, ¿dónde vive ahoar? 이상하다고 말하면 확실히 이상하다 Lo parecía, y en realidad era extraño. 그것이 좋다고 말하면 좋은 것이다 Gustarme, sí me gusta. 10분이라고 말하면 짧습니다만 … Si bien parece que diez minutos son cortos …. 그렇지 않다고 말하기가 거북하다 no puedo decir que no. 나는 무엇이라 말하기 거북하다 No puedo decir nada / No estoy en posición de poder decir nada. 그녀는 결백하다고 말하고 있다 Ella dice que es inocente. 그것은 한마디로 말하기가

도저히 어렵다 Es imposible decirlo [explicarlo] todo en dos palabras. 그걸로 전부 말하고 있다 Eso lo dice todo / Está dicho todo con eso. 뭐라고 말할 수 없다 No hay otra expresión / No se puede decir de otro modo. 그것은 말하기에 달려 있다 Depende de cómo se diga. 그는 처에게 집에서 나가라고 단호히 말했다 El dijo terminantemente a su mujer que se fuera de casa. 그는 무책임하게 자기를 믿어 달라고 말했다 El dijo irresponsablemente que a él se lo confiaran. 아이들은 선생님이 틀렸다고 말하면서 웃었다 Los niños se rieron del maestro diciendo que había cometido un error. 그는 말하는 것과 행동하는 것이 다르다 Hay contradicción entre sus dichos y hechos / Sus acciones no concuerdan con sus palabras / Es muy distinto lo que dice de lo que hace. 그는 행동만큼 말하는 것도 사리에 맞지 않는다 Es irracional tanto en sus palabras como en sus acciones. 그는 마치 내가 훔치기나 한 것처럼 말하듯 나를 쳐다 보았다 El me miró como si yo lo hubiera robado. 말하는 것과 실천하는 것은 다르다 Del dicho al hecho hay [va] mucho trecho.
② [기별하여 알리다] decir, contar, informar, anunciar, denunciar, delatar, avisar, advertir, proponer. 말하려 하다 ir a decir, estar para decir. 너에게 말할 것이 있다 Tengo una cosa que decirte / Quiero decirte una cosa. 시골 계신 어머니가 오신다고 영희에게 말해줘 Dile a Yonjui que venga la madre en el campo. 그는 내일 오겠다고 나에게 말한다 El me dice que vendrá mañana. 그는 내일 오겠다고 말했다 El me dijo que vendría [vendrá] mañana. 그녀는 아무것도 몰랐다고 말한다 Ella dice que no sabía nada. 그는 등산하자고 말했다 El propuso subir a la montaña. 말하고 싶은 것을 말하게 해라 Déjale decir lo que quiera. 나는 아내에게 사실을 말했다 Conté la verdad a mi mujer. 아무에게도 이 비밀을 말하지 마세요 No revele usted a nadie este secreto. 더 이상 말할 것이 아무것도 없다 No tengo nada más que decirte. 그의 태도는 우리에게 돌아가라고 말하고 있는 듯하다 Su actitud parece estar diciendo [pidiendo] que nos marchemos. 그는 편지로 돈이 부족하다고 나에게 말했다 El me escribió [En la carta me decía] que le faltaba dinero. 모든 것을 준비한 후에 급히 그는 오지 말라고 말했다 Después que ya estaba todo arreglado, saltó con que no venía. 어머님께서는 물건을 사오라고 나에게 말씀하셨다 Mi madre me dijo que hiciera la compra. 내 감사의 표시를 어떻게 말해야 좋을지 모르겠습니다 No sé cómo expresarle mi agradecimiento / No tengo palabras para expresarle mi agradecimiento. 말하기는 섭섭하지만 퇴직해 주십시오 Siento mucho decirlo, pero [Dispénseme usted que le diga que] no venga más a trabajar. 넌 그런 까다로운 것을 나에게 말하는 걸 보니 대담하구나 Tú tienes el atrevimiento de decirme una cosa tan delicada. 만나는 장소를 말하는 것을 잊었다 Me olvidé de mencionar el lugar de la cita.
③ [부탁하다] decir (que + *subj*), aconsejar [recomendar] (que + *subj*); [명령하다] mandar hacer, ordenar [mandar · disponer] (a *uno* + *inf* [que + *subj*]. 집을 지키라로 ~ mandar guardar la casa. 의사는 나에게 절식(節食)하라고 말했다 El médico me dijo [aconsejó] que me moderase en la comida. 의사는 그에게 담배를 끊으라고 말한다 El médico le dice que no fume [deje de fumar]. 대장은 돌격하라고 말했다 El jefe mandó abrir fuego. 내가 말하는 것을 따르십시오 Siga usted mis consejos. 그가 나에게 말한 대로 하겠다 Haré lo que me dice / [무어라 말할지는 아직 모르지만] Haré lo que me diga. 그는 무언가 말하려 했으나 입을 다물었다 El iba a decir algo, pero se calló. 무엇이든 원하는 것을 말해 주십시오 Mándeme lo que quiera / Dígame en qué puedo servirle / Estoy a su órdenes [a su disposición] / ¡Servidor!
④ [(남의 행동을) 평하거나 논하다] comentar, criticar. 그의 행동을 좋게 말하는 사람은 별로 없다 Casi no hay personas que critican [comentan] bien su conducta.
⑤ [지적하거나 뜻하다] significar, querer decir, decirse. 이것은 서반아어로 무엇이라고 말합니까? ¿Cómo se dice esto en español? / ¿Qué significa [quiere decir] esto en español?
⑥ [어떤 사실이 어떤 뜻이나 현상을 스스로 나타내 보이다] aparecer, mostrarse.
말하자면 por así decirlo, por decirlo así, digamos, dijéramos, como (si) dijéramos; [한 마디로 말하면] en una palabra. 그는 ~ 애어른이다 El es, por así decirlo, un niño maduro. 그와 나는 ~ 형제나 마찬가지다 El y yo somos, por decirlo así, como dos hermanos. 남산은 ~ 서울의 상징이다 El monte Namsan es, por decirlo así, el símbolo de Seúl. ~ 이곳은 서반아의 경주라고 하는 곳이군요 Esta ciudad, por decirlo así, la Gyongchu de España.
말할 것도 없다 Por supuesto / Ni que decir tiene / [분명하다] Eso cae de su peso.
말할 것도 없이 claro, desde luego, por supuesto, de más está decir (que), huelga decir (que). ~ 아무도 나한테 묻지 않았다 De más está decir [Huelga decir] que nadie me preguntó.
말할 수 없는 incalificable, indescriptible, inefable, inenarrable, indefinible, inexplicable, increíble. ~ 기쁨 alegría *f* indescriptible [inefable]. ~ 잔인함 crueldad *f* incalificable [atroz].
말할 수 없이 indescriptiblemente, indefini-

blemente, inexplicablemente, inefablemente, incalificablemente, insoportablemente.

말항(末項) última cláusula *f.*

말해 el Año del Caballo.

말행(末行) última línea *f.*

말향(抹香) incienso *m.*

말향경(末香鯨) 【동물】 =향유고래.

말향고래(抹香－) 【동물】 cachalote *m.*

말허두(－虛頭) =말머리.

말허리 centro *m* [medio *m* · mitad *f*] de la palabra.

◆말허리를 끊다 cortar la palabra, interrumpir. 그는 내 말허리를 끊었다 El me interrumpió / El me cortó la palabra.

말혁(－革) riendas *fpl* pegadas a los ambos lados de una silla de montar como decoración.

맑다 ① [(유리나 물 같은 것이) 투명하다] (ser) claro, transparente, cristalino, limpio, aclararse, clarificarse, ponerse transparente. 맑은 강물 corriente *f* clara. 맑은 눈 ojos *mpl* limpios. 맑은 물 el agua *f* clara [transparente]; 【시어】 el agua *f* cristalina. 맑은 유리창 ventana *f* limpia. 맑게 하다 aclarar, clarificar. 흐린 물을 맑게 하다 aclarar el agua turbia. 탁한 포도주를 맑게 하다 aclarar vino turbio. 물이 ～ El agua es clara. 달빛이 맑게 빛난다 La luna brilla esplendorosamente. 그녀의 눈은 ～ Sus ojos son limpios / Ella tiene unos ojos limpios.

② [날씨가 흐리지 않아 밝다] aclararse, ponerse claro el tiempo. 맑은 하늘 cielo *m* claro. 맑게 갠 5월의 하늘 cielo *m* de mayo que se aclara. 날씨가 맑아지면 외출(外出)하겠다 Saldré cuando (se) aclare.

③ [상쾌하고 신선하다] (ser) fresco. 맑은 바람 viento *m* fresco. 맑은 꽃향기 perfume *m* [aroma *m*] de flor fresco.

④ [잘 트이어 탁한 맛이 없다] (ser) claro, cristalino. 맑은 목소리 voz *f* cristalina, voz *f* clara. 맑은 음색(音色) sonido *m* claro. 맑지 않은 음색(音色) sonido *m* sordo, sonido *m* opaco.

⑤ [조촐하고 순진하다] (ser) inocente. 맑고 아름다운 마음씨 corazón *m* inocente.

⑥ [(정신이) 초롱초롱하다 · 또렷하다] (ser) vivo, muy expresivo. 맑은 정신으로야 그런 짓을 했겠소 ¿Hizo tal cosa con el espíritu vivo?

⑦ [(경제면에서) 어수룩하게 후한 면이 없이 빠듯하다] (ser) escaso, exiguo, precario, indigente, pobre. 맑은 살림 vida *f* escasa.

▪맑은 샘에서 맑은 물 난다 ((속담)) La más ruin oveja sigue a la buena / Ovejas bobas, por do va una van todas.

맑디맑다 (ser) muy claro, clarísimo.

맑은소리 voz *f* clara.

맑은술 vino *m* claro.

맑은장국 sopa *f* clara sazonada con soja.

맑스 【인명】 =마르크스.

맑스그레하다 (ser) jugoso.

맑히다 hacer despejar, purificar, depurar, potabilizar, limpiar, lavar, aclarar, clarificarse. 물을 ～ purificar el agua. 정신을 ～ refrescar el corazón.

맘대로 ((준말)) =마음대로.

▪～근(筋) músculo *m* voluntario. ～운동(運動) movimiento *m* voluntario.

맘마 ((소아어)) comida *f*, arroz *m*. ～하다 comer.

맘모스(영 *mammoth*) =매머드.

맘보(서 *mambo*) 【음악】 mambo *m*. ～를 추다 bailar el mambo.

▪～ 바지 pantalones *mpl* pitillo.

맛¹ ① [혀를 자극하는 사물의 성질] sabor *m*, gusto *m*, paladar *m*, sazón *m*. ～이 좋은 sabroso, rico, delicioso, agradable, gustoso, suculento, exquisito, apetitoso, de buen sabor [paladar]. ～이 나쁜 desabrido, de sabor [gusto] desagradable. 좋은 ～ buen sabor *m*, gusto *m* agradable [exquisito]. 강한 마늘 ～ un fuerte sabor [gusto] a ajo. 귤 같은 ～ sabor *m* a naranja. 본래의 ～ sabor *m* [gusto *m*] propio. 깊은 ～이 있는 그림 cuadro *m* de un sabor profundo. ～이 좋다 saber bien, ser de buen sabor [gusto], dar buen gusto al paladar. ～이 나쁘다 saber mal, tener un gusto desagradable. ～이 달다 tener (un) sabor [gusto] dulce, saber dulce. ～이 쓰다 tener (un) sabor [gusto] amargo, saber amargo. ～이 변하다 ranciarse, enranciarse; [시게] volverse agrio ～이 떨어지다 perder sabor. ～을 잃다 perder el sabor [el gusto]. … ～이 나다 saber a *algo*, tener sabor a *algo*, tener gusto a *algo*. 이 그림은 깊은 ～이 있다 Este cuadro tiene un sentido profundo. 정말 ～이 좋군요! ¡Qué rico [sabroso · delicioso]! 이것은 ～이 좋다 Esto está delicioso [riquísimo · sabroso]. (다른 사람은 몰라도) 나는 ～이 좋다 A mí me sabe bien / Para mi gusto está bien. 이 포도주는 ～이 좋다 El sabor de este vino es delicioso. 마늘 ～이 난다 Sabe a ajo / Tiene sabor [gusto] a ajo. 그건 냄새도 ～도 없는 물질이다 Es una substancia sin olor ni sabor. 보기는 좋으나 ～이 없다 Tiene buen aspecto, pero no sabe a nada. 나는 감기로 아무 ～도 모르겠다 La comida no me sabe a nada porque estoy resfriado. 이 요리는 재료가 본디 지닌 ～을 잘 지니고 있다 Este plato conserva bien el sabor propio de los ingredintes.

② [어떤 사물 · 현상에서 느껴지는 느낌이나 기분] gusto *m*. ～을 알다 tomar*le* el gusto a *uno*. 여자의 ～을 알고 있다 tener conocimiento carnal de mujer. 나는 살림 ～을 알았다 Le he tomado el gusto al gobierno de la casa.

③ [제격으로 여겨지는 만족스런 느낌] gusto *m*.

◆맛(을) 내다 sazonar, condimentar. 당신은 음식 맛을 아주 잘 낸다 Tú sazonas muy bien las comidas. 내 아내는 맛을 내는 솜

씨가 훌륭하다 Mi esposa sazona muy bien los platos.
◆맛(을) 들이다 sazonar, condimentar, dar el sabor.
◆맛(을) 보다 ㉮ [음식의] probar, catar, saborear, gustar, paladear. 요리를 ~ probar [catar] el plato. 포도주를 ~ saborear el vino. 이것을 맛보세요 Prueba esto. 우리 고장에서 제일 좋은 포도주를 맛보러 오십시오 Venga a saborear los mejores vinos de nuestra tierra. ㉯ [몸소 겪어 느끼어 보다] experimentar, tener experiencia, saborear. 고뇌를 ~ sufrir una amargura, pasar trabajos [penalidades]. 그는 승리를 맛보았다 El saboreaba el triunfo. ㉰ [몹시 혼나다] tener una experiencia amarga.
◆맛(을) 부리다 comportarse insulsamente.
◆맛(을) 피우다 =맛(을) 부리다.
◆맛(이) 나다 ㉮ =맛(이) 있다. ㉯ [좋은 맛이 생기다] saber (a), tener sabor [gusto] (a · de). 이것은 커피 맛이 난다 Esto sabe a café. 국에서 생선 맛이 나지 않는다 La sopa no me sabe a pescado / No le encuentro sabor a pescado a la sopa / *AmL* No le siento gusto a pescado a la sopa.
◆맛(이) 들다 hacerse sabroso, madurar.
◆맛(이) 없다 ㉮ [음식이] sin sabor, no sabroso, no rico, soso, insípido. 이 수프는 ~ Esta sopa no está buena. ㉯ [재미가 없다] no ser interesante [divertido]. ㉰ [하는 짓이 싱겁다] (estar) aburrido, (ser) sin personalidad, pesado. 맛이 없는 사람 persona *f* sin personalidad, persona *f* aburrida.
맛없이 sin sabor, sosamente, insípidamente, con pesadez, pesadamente.
◆맛(이) 있다 (ser) sabroso, delicioso, rico, exquisito, suculento, gustoso, agradable al gusto, de buen sabor [gusto · paladar]. 맛이 있는 것 같은 apetitoso, que parece sabroso, que tiene buena cara. 정말 맛(이) 있군요! ¡Qué sabroso [rico · delicioso]! 맛있었습니다 ¡Qué rico estaba! 맛있게 먹었습니다 He comido muy a gusto / He comido a mi (gran) gusto. 이 과실은 정말로 맛이 있군요 Esta fruta está riquísima [muy deliciosa · muy sabrosa]. 수프가 맛있습니다 La sopa sabe a gloria [está muy buena]. 그가 과자를 먹는 것이 맛있어 보인다 Come el pastel apetitosamente. 아플 때는 어떤 것을 먹어도 맛있는 것 같지 않다 Cuando uno está enfermo, nada le parece sabroso.
맛² 【조개】 navaja *f*.
■ ~젓 navajas *fpl* encurtidas, navajas *fpl* saladas.
맛감각(一感覺) =미각(味覺).
맛깔 sabor *m*, gusto *m*.
맛깔스럽다 ㉮ [맛이 입에 맞다] (ser) de muy buen paladar, agradable, sabroso, delicioso, rico, apetitoso, comestible, comible, pasable. 맛깔스런 음식 comida *f* agradable, comida *f* de muy buen paladar. ㉯ =맛깔지다.
맛깔스레 agradablemente, sabrosamente, deliciosamente, ricamente.
맛나다 (ser) sabroso, delicioso, rico, de muy buen paladar. 맛난 요리 plato *m* sabroso [delicioso · rico · de muy buen paladar]
맛난이 ① [음식의 맛을 돋우기 위해 치는 장물] salsa *f*, condimento *m*, sazón *m*. ② [맛이 있는 음식] comida *f* sabrosa [deliciosa · rica]. ③ =화학 조미료(化學調味料).
맛맛으로 según *su* gusto [placer].
맛매 =풍미(風味).
맛문하다 estar muy cansado.
맛바르다 querer comer más, tener su apetito insatisfecho todavía, no haber comido bastante.
맛배기 pedido *m* especial.
맛보다 ☞맛¹
맛부리다 ☞맛¹
맛살 ① [맛조개의 속에 든 살] carne *f* dentro de la navaja. ② ((준말)) =가리맛살.
맛신경(一神經) 【해부】 =맛감각신경.
맛없다 ☞맛¹
맛있다 ☞맛¹
맛장수 persona *f* insulsa.
맛적다 ① [음식의 맛이 적다] (ser) insípido, soso, desabrido. 맛적은 음식 comida *f* insípida [sosa · desabrida]. ② [재미 · 흥미가 적다] (ser) aburrido, soso, desagradable. 맛적은 사람 persona *f* aburrida [sosa], persona *f* desagradable.
맛젓 navajas *fpl* encurtidas.
맛조개 【조개】 =긴맛.
맛피우다 ☞맛¹
망(望) ① [상대방의 동정을 살피는 일] guardia *f*, vigilancia *f*, desvelo *m*. ② ((준말)) =명망(名望). ③ ((준말)) =천망(薦望).
◆망(을) 보다 guardar, custodiar.
◆망(을) 서다 hacer guardia, montar la guardia. 망을 서 있다 poner un guarda.
망(望/朢) ① [만월(滿月)] luna *f* llena. ② [음력 보름] el quince del mes (del calendario) lunar.
망(網) red *f*; [투망] esparavel *m*; [수렵용의] red *f* de cazar; [철망] tela *f* metálica. ~에 걸리다 caer en la red. ~으로 고기를 건지다 sacar peces con la red. ~을 뜨다 hacer redes. ~을 던지다 lanzar [arrojar] la red. ~을 치다 colocar [tender] la red. 두 나무 사이에 ~을 치다 tener una cuerda entre dos árboles. 창문에 ~이 쳐져 있다 La ventana está protegida por una tela metálica.
-망(網) ① [그물처럼 얽혀진 체계] red *f*. 도로~ red *f* de caminos. 방송~ red *f* de emisoras. 첩보~ red *f* de espionaje. 판매~ red *f* de ventas. ② [그물] red *f*. 저인~ red *f* barredera.
망가(亡家) casa *f* arruinada.
망가뜨리다 romper, quebrar, destruir, quebrantar, infringir, violar. 꽉 쥐어 ~ aplastar en la mano. 계획을 ~ destruir [echar

abajo] el proyecto. 그의 한마디는 모든 것을 망가뜨렸다 Una sola palabra suya lo destruyó [lo echó a perder] todo.

망가지다 romperse, quebrarse, destruirse, quebrantarse, hundirse. 계획이 망가졌다 El proyecto se hundió.

망각(妄覺)【심리】percepción *f* falsa.

망각(忘却) olvido *m*, descuido *m*. ～하다 olvidar.

■～곡선(曲線) curva *f* olvidada.

망간(독 *Magan*)【화학】manganeso *m*. ～의 mangánico. ～을 함유(含有)한 manganésico, manganesífero. ～을 함유한 철 hierro *m* manganesífero.

■～강(鋼) acero *m* al manganeso. ～ 과산화물 manganesa *f*. ～광 manganesia *f*. ～산염 manganato *m*. ～ 염산 manganato *m*. ～철 acero *m* al manganeso.

망객(亡客) ＝망명객(亡命客).

망거(妄擧) tentativa *f* imprudente, intento *m* imprudente.

망건(網巾) tocado *m*.

■～장이 fabricante *mf* de tocados. ～집 caja *f* para el tocado.

망견(望見) mirada *f* lejana. ～하다 mirar la lejanía.

망계(妄計) plan *m* [ardid *m*] imprudente.

망고 ① [연을 날릴 때 얼레의 줄을 전부 풀어 줌] acción *f* de soltar la cuerda de la cometa. ② ＝파산(破産). ③ [무엇이나 마지막이 되어 끝판에 이름] fin *m*, conclusión *f*. ～하다 llegar a *su* fin, terminarse.

■～ㅅ살 diente *m* de un carrete después de que todas las cuerdas de la cometa se han soltado

망고(서 *mango*) ①【식물】mango *m*. ②[열매] mango *m*.

망고스틴(영 *mangosteen*)【식물】mangostán *m* (*pl* mangostanes); [열매] mangostán *m*.

망구(望九) ochenta y un años de edad.

망구다(亡－) hacer arruinar.

망구순(望九旬) ＝망구(望九).

망국(亡國) ① [나라가 망함] ruina *f* del país, decaimiento *m* [decadencia *f*·ruina *f*] nacional. ② [망한 나라] país *m* (*pl* países) arruinado, nación *f* (*pl* naciones) conquistada.

■～(지)민 pueblo *m* sin patria. ～민족 raza *f* sin patria. ～적 ruinoso al Estado, decadente. ¶～ 문학 literatura *f* decadente. ～지음(之音) música *f* vulgar. ～지탄(之歎) lamentación *f* [lamento *m*] sobre la ruina nacional.

망군(亡君) monarca *m* muerto, difunto rey *m*.

망군(望軍) ＝요망군(瞭望軍).

망그러뜨리다 romper, destruir, demoler, derribar, echar abajo. 기계를 ～ romper la máquina.

망그러지다 romperse, destruirse. 망그러진 솥 olla *f* rota.

망그지르다 ＝망그러뜨리다.

망극(罔極) ① [임금이나 부모의 은혜가 워낙 커서 갚을 길이 없음] inconmensurabilidad *f*, inmensidad *f*, inestimabilidad *f*. ～하다 (ser) inconmensurable, inestimable, inapreciable, inpenetrable, inmenso, grande. ～한 은혜 gran favor *m* de *sus* padres [*su* rey]. ② ((준말)) ＝망극지통(罔極之痛).

■～지통(之痛) el mayor dolor, el mayor pesar, la mayor aflicción.

망꾼(望－) sereno, -na *mf*; guarda *mf*; guardia *m*; vigilante *mf*; [보초] centinela *f*;【군사】vigilia *f*.

망나니 ① [언행이 막된 사람] rufián, -fiana *mf*; canalla *m*; libertino, -na *mf*. ②【고제도】[사형 집행인] ejecutor *m*, verdugo *m*. ③【동물】＝노래기.

망녀(亡女) ① [죽은 딸] hija *f* muerta, difunta hija *f*. ② [망골(亡骨)의 계집] mujer *f* libertina.

망년(忘年) ① [나이를 잊거나 또는 그 해를 잊음] olvido *m* de la edad, olvido *m* del año. ② [그해의 온갖 괴로움을 잊음] olvido *m* de todas las aflicciones.

■～지우(之友) amigo, -ga *mf* joven de los viejos. ～회 banquete *m* para despedida del año, reunión *f* de despedida al año que se va, fiesta *f* de fin de año.

망념(妄念) pensamiento *m* depravado, pensamiento *m* inmortal.

망념간(妄念間) entre el quince y el veinte del mes (del calendario) lunar.

망녕그물 red *f* para cazar el faisán o el liebre.

망대(望臺) ＝망루(望樓).

망동(妄動) acción *f* imprudente. ～하다 portarse imprudentemente, portarse ciegamente.

망동어(望瞳魚)【어류】＝망둥이.

망두석(望頭石)【민속】＝망주석(望柱石).

망둑어(－魚)【어류】＝망둥이.

망둥이【어류】gobio *m*.

■망둥이 제 동무 잡아 먹는다 ((속담)) Se riñen uno a otro entre los parientes.

망라(網羅) inclusión *f* por entero. ～하다 incluir [comprender·contener] todo algo, abarcar; [수집하다] recoger todo algo. 총～된 completo, exhaustivo, comprensivo. 이 사전에는 속어가 모두 ～되어 있다 Este diccionario contiene [incluye] todas las palabras vulgares [todo vulgarismo]. 인간공학은 과학의 전분야를 ～한다 La cibernética abarca todas las ramas de la ciencia.

망령(亡靈) espíritu *m* muerto, el alma *f* (*pl* las almas) en pena; [유령] aparición *f*, fantasma *m*, espíritu *m*.

망령(妄靈) chochera *f*, chochez *f*, noñez *f*, segunda niñeza *f*, decrepitud *f*, viejo chocho *m*.

◆망령(이) 들다 chochear, aniñarse, hacerse decrépito, caducar. 망령이 든 노인(老人) viejo *m* [anciano *m*] chocho. 망령이 들어 있다 estar chocho. 노인들은 자주 ～이 든다 Los viejos suelen chochear.

망령되다 aniñarse.
망령되이 aniñadamente.
망령스럽다 (ser) infantil, pueril. 그렇게 망령스런 짓을 하지 마라 ¡No seas tan infantil! / ¡No seas niño!
망령스레 de una manera infantil [pueril], como un niño.

망론(妄論) vista *f* absurda, argumento *m* infundado [irracional], opinión *f* irracional [infundada]. ~을 하다 hacer un comentario absurdo, hacer una observación absurda.

망루(望樓) atalaya *f*, vigía *f*, torre *f* albarrana. ~를 지키는 사람 cuerpo *m* de estación de señal.
◆소방(消防) ~ atalaya *f* de bomberos, torre *f* para vigilar los incendios.

망륙(望六) cincuenta y un años de edad.

망막(茫漠) vastedad *f*, extensión *f*. ~하다 ㉮ [넓고 멀다] (ser) vasto, extenso. ~한 평원(平原) llanura *f* vasta. ㉯ [뚜렷한 구별이 없다] (ser) vago, impreciso, oscuro, obscuro. ~한 전도(前途) perspectivas *fpl* vagas.

망막(網膜) 【해부】 retina *f*. ~의 retiniano, retinal.
■~ 검시경(檢視鏡) retinoscopio *m*. ~ 검시법 retinoscopia *f*. ~ 광상 optograma *m*. ~ 교종 retinocitoma *m*. ~ 맥락막 retinocoroides *f*. ~ 박리 retinodialisis *f*. ~ 분리 retinosquisis *f*. ~상(像) imagen *f* retiniana, imagen *f* retinal. ~ 상피종(上皮腫) dictioma *m*. ~ 세포 retinula *f*. ~염 retinitis *f*, inflamación *f* de la retina. ~ 외피(外皮) ectoretina *f*. ~종(腫) dictioma *m*. ~증 retinosis *f*, retinopatía *f*. ~ 출혈 hemorragia *f* retinal. ~ 화상(火傷) quemadura *f* retinal.

망망(茫茫) inmensidad *f*. ~하다 (ser) vasto, extenso, amplísimo. ~한 바다 océano *m* sin límites.
망망히 extensamente, ampliamente, infinitamente.
■~ 대해[대양] mar *m* sin límites.

망망하다(忙忙—) estar muy ocupado, tener mucho que hacer.

망명(亡命) expartriación *f*, exilio *m*, destierro *m*. ~하다 expatriarse, exiliarse, exilarse. 미국에 ~하다 exiliarse a [en] los Estados Unidos de América.
◆임시 ~ exilio *m* temporal. 정치적 ~처 asilo *m* político.
■~가[객·자] exiliado, -da *mf*; exilado, -da *mf*; expatriado, -da *mf*; refugiado *m* político, refugiada *f* política. ~ 정권 régimen *m* exiliado. ~ 정부 gobierno *m* en (el) exilio. ~지 (lugar *m* de) exilio *m*, destierro *m*.

망모(亡母) difunta madre *f*, madre *f* muerta.

망발(妄發) el habla *f* ignominiosa, el habla absurda [imprudente·insensata·irrazonable·poco razonable]. ~하다 hacer el habla ignominiosa.

망배(望拜) adoración *f* de la distancia. ~하다 adorar de la distancia.

망백(望百) noventa y un años de edad.

망보다(望—) ☞망(望)

망부(亡父) difunto padre *m*, padre *m* muerto.

망부(亡夫) difunto esposo *m*, esposo *m* muerto.

망부(亡婦) ① [죽은 며느리] nuera *f* muerta, difunta nuera *f*. ② =망처(亡妻).

망부석(望夫石) *mangbuseok*, fiel esposa *f* legendaria que murió y se convirtió en una piedra de esperar a su esposo

망사(網紗) gasa *f*, cendal *m*. 명주(明紬) ~ gasa *f* de seda.
■~창(窓) ventana *f* de gasa.

망사(網絲) hilo *m* para la red.

망상(妄想) obsesión *f*, fantasía *f* (libre), quimera *f*, idea *f* quimérica, idea *f* falsa, idea *f* fantástica, idea *f* imposible, delusión *f*, ilusión *f*, embelesamiento *m*, arrobamiento *m*, pensamiento *m* vano, morosa delectación *f*. ~하다 embelesarse, arrobarse, extasiarse. ~에 잠기다 hacerse morosa delectación. ~을 그리다 quimerizar. ~을 품다 tener una obsesión. 그는 아내가 무엇인가 숨기고 있다는 ~을 품고 있다 El tiene quimera de que su mujer le oculta algo.
■~가 quimerista *mf*. ~광 ㉮ 【의학】 paranoia *f*. ㉯ [사람] paranoico, -ca *mf*. ~증 síntoma *m* quimérico. ~ 치매 demencia *f* quimérica.

망상(望床) ① [잔치용 큰 상] mesa *f* grande para la fiesta. ② [혼인 잔치용 큰 상] mesa *f* grande para el banquete de bodas.

망상(網狀) forma *f* de la red. ~의 reticular, reticulado, retiforme.
■~대 zona *f* reticular. ~막 retículo *m*, membrana *f* reticular. ~선 retículo *m*. ~상 섬유 retículo *m*. ~질 pseudoestructura *f*. ~판 lamina *f* reticular.

망상스럽다 (ser) astuto, vivo, zorro, frívolo, descarado, insolente.
망상스레 con picardía, con astucia, astutamente, frívolamente, descaradamente, con descaro.

망새 gárgola *f*.

망석중이 ① [꼭두각시] marioneta *f*, títere *m*. ② [사람] marioneta *f*, títere *m*.
■~놀이[극] (función *f* de) títere *m*.

망설(妄舌) mentira *f*, palabra *f* vana.

망설(妄說) ① [망령된 생각이나 주장(主張)] opinión *f* abusiva, cuento *m* absurdo, opinión *f* absurda, rumor *m* falso, rumor *m* infundado. ② =망언.

망설거리다 vacilar, titubear. ☞망설이다
망설망설 vacilaciones *fpl*, titubeos *mpl*; [부사적] vacilando, titubeando.

망설이다 hesitar, vacilar, titubear, oscilar, dudar, quedar(se) confuso [perplejo·embarazado], no saber qué hacer. 망설이게 하다 embarazar, aturdir. …하는 데 ~ vacilar [dudar·titubear] en + *inf* [en *algo*]. …

하는 데 망설이고 있다 estar vacilante [indeciso] en + *inf* [en *algo*]. A와 B 사이에서 ~ vacilar [fluctuar · dudar] entre A y B. 판단에 ~ vacilar en la decisión [en el juicio]. 수차 망설인 후에 después de muchas vacilaciones. 망설이지 않고 sin vacilar, sin vacilaciones. 망설이지 않고 …하다 no vacilar en + *inf*. 어떻게 대답해야 할지 ~ no saber qué responder [contestar]. 말하는 데 ~ vacilar en hablar [decir]. 선택하는 데 ~ vacilar en la selección, no saber qué decisión tomar. 망설이면서 말하다 hablar con apuro [con inseguridad · con timidez]. 나는 완전히 망설였다 Quedé completamente confuso. 그는 새로운 일에 망설이고 있다 El está desorientado con [en] su nuevo trabajo. 그는 두 당(黨) 사이에서 망설이고 있었다 El oscilaba entre dos partidos. 그는 그것을 찬성할까 반대할까 망설이고 있다 El duda si aprobarlo o no. 위협에도 불구하고 그는 진실을 말하는 데 망설이지 않았다 A pesar de las amenazas, él no hesitó en decir la verdad. 그녀는 무엇을 고를지 망설이고 있다 Ella está indecisa sobre cuál escoger. 나는 그 집을 살까 말까 망설이고 있다 Dudo si comprar la casa o no. 망설이는 자는 기회를 놓친다 ((서반아 속담)) La ocasión la pintan clava / (La) Ocasión, asirla por el guedejón.

망쇄(忙殺) agobio *m*. ~하다 (estar) ocupadísimo, muy ocupado, agobiado (de), abrumado (de). 나는 일로 ~하고 있다 Estoy agobiado [abrumado] del trabajo.

망신(亡身) vergüenza *f*, deshonra *f*, deshonor *m*, infamia *f*, ignominia *f*, oprobio *m*, humillación *f*, afrenta *f*. ~을 당하다 sufrir una humillación, dar espectáculo, dar espectáculo. ~을 주다 poner el pie sobre el cuello [sobre el pescuezo], humillar. 거리에서 울어 사람들한테서 ~을 당하지 마라 No des un espectáculo llorando en la calle.

망신스럽다 (ser) vergonzoso, humillante

망신스레 con vergüenza, con humillación, humillantemente.

망신시키다 humillar.

■ ~감[거리] deshonra *f*, deshonor *m*. ~살 mala suerte *f* de traer la deshonra.

망신(妄信) creencia *f* ciega, credulidad *f*. ~하다 creer ciegamente, ser crédulo.

망실(亡失) pérdida *f*. ~하다 perder(se).

망실(亡室) =망처(亡妻).

망실(忘失) ① [잃어버림] pérdida *f*. ~하다 perderse. ② =망각(忘却)(olvido).

망아(亡兒) niño *m* muerto, niña *f* muerta; hijo *m* muerto, hija *f* muerta.

망아(忘我) el olvidar a sí mismo.

망아지 potro *m*, potrillo *m*.

망야(罔夜) =철야(徹夜).

망양(茫洋/芒洋) extensidad *f*. ~하다 (ser) extenso, vasto. ~한 들판 campo *m* muy extenso.

망양보뢰(亡羊補牢) =소 잃고 외양간 고친다. ☞소

망양지탄(亡羊之歎) El camino de la ciencia es mucho y es muy difícil conseguirlo.

망양지탄(望洋之嘆) lamentación *f* [lamento *m*] de la incapacidad.

망양탄(亡羊歎) =망양지탄(亡羊之歎).

망어(亡魚) 【어류】 =삼치.

망어(妄語) ① [거짓말] mentira *f*. ② ((불교)) [헛된 말] palabra *f* inútil [vana].

망언(妄言) palabra *f* absurda, palabra *f* insensata, palabra *f* imprudente. ~하다 decir absurdamente.

■ ~다사(多謝) mi humilde escritura.

망얽이 red *f* de cuerdas.

망연자실(茫然自失) perplejidad *f*. ~하다 no saber qué hacer, quedar perplejo, atontarse, quedar atontado. ~하여 con aire perplejo, perplejamente. 그는 그 소식에 ~해져 있다 El está atónito con [por · de] la noticia.

망연하다(茫然一) ① [넓고 멀어서 아득하다] (ser) vasto, infinito, sin límites, extenso. ② [아무 생각 없이 멍하다] (estar) distraído, despistado, perplejo.

망연히 distraídamente, perplejamente.

망외(望外) ¶~의 inesperado, imprevisto. ~의 기쁨 sorpresa *f* agradable, sorpresa *f* grata. ~의 성공 éxito *m* inesperado.

망우(亡友) difunto amigo *m*, difunta amiga *f*, amigo *m* muerto, amiga *f* muerta.

망우(忘憂) ① [근심을 잊는 일] olvido *m* de la ansiedad. ② =망우물(忘憂物).

■ ~물 bebida *f*, licor *m*, alcohol *m*. ~초(草) tabaco *m*; [궐련] cigarrillo *m*; [여송연] cigarro *m*.

망우초(忘憂草) 【식물】 =원추리.

망운(亡運) fortuna *f* de arruinar.

망울 ① [작고 둥글게 엉기어 뭉쳐진 덩이] [혹 · 결절] bulto *m*; [머리에 생긴 혹] chichón *m* (*pl* chichones); [석탄 · 쇠 · 진흙 · 치즈 따위의] trozo *m*, pedazo *m*; [설탕의] terrón *m*. 목에 생긴 ~ nudo *m* en la garganta. 설탕 ~ azúcar *m* en terrones. 나는 목에 ~을 느꼈다 Se me hizo un nudo en la garganta. 소스에 ~이 있었다 Había grumos en la salsa. ② ((준말)) =꽃망울. ③ ((준말)) =눈망울. ④ 【의학】 =임파선종(淋巴腺腫).

망울망울 [망울마다] cada bulto, cada nudo.

망울지다 ㉮ tener un bulto, tener un nudo. ㉯ [임파선염이] tener linfadenitis.

망원(望遠) larga vista *f*.

■ ~경 [지상용] catalejo *m*; [천체용] telescopio *m* (astronómico). ¶~으로 보다 observar con el catalejo. 감마선 ~ telescopio *m* de rayos gamma. 광학 ~ telescopio *m* óptico. 굴절 ~ telescopio *m* de refracción. 반사 ~ telescopio *m* de reflexión. 전파 ~ radiotelescopio *m*. 조준 ~ anteojo *m* de alza. 지상 ~ telescopio *m* terrestre, catalejo *m*. 천체(天體) ~ telescopio *m* astronómico. 태양 관측용 ~ helioscopio *m*. ~ 가늠자 goniómetro *m* de puntería, mira *f* telescópica, el alza *f* telescópica. ~ 렌즈 teleobjetivo *m*. ~ 사진 telefoto *f*. ~초(哨) atalaya *f* para el lugar lejano. ~ 초소 sitio *m* que hay atalaya para el lugar lejano.

망월[1](望月/望月) luna *f* llena. ~ 보고 절한다 saludar mirando la luna llena.

망월[2](望月) mirada *f* de la luna. ~하다 mirar la luna.

망은(忘恩) ingratitud *f*. ~하다 perder *su* gratitud. ~의 ingrato. ~한 사람 persona *f* desagradecida [ingrata · malagradecida]; ingrato, -ta *mf*; desagradecido, -da *mf*.

망인(亡人) difunto, -ta *mf*; muerto, -ta *mf*; fallecido, -da *mf*.

망일(亡日) día *m* de la muerte.

망일(望日) ① [망(望)이 되는 날] día *m* de la luna llena. ② [보름날] el quince del mes (del calendario) lunar.

망자(亡子) hijo *m* muerto, difunto hijo *m*.

망자(亡者) ((불교)) difunto, -ta *mf*; muerto, -ta *mf*; fallecido, -da *mf*.

망자(芒刺) =까끄라기. 가시.

망자 존대(妄自尊大) arrogancia *f*, altivez *f*, altanería *f*, (auto)suficiencia *f*, engreímiento *m*, presunción *f*, pomposidad *f*, desdén *m*. ~하다 darse aires de un gran hombre.

망제(亡弟) hermano *m* (menor) muerto.

망조(亡兆) ((준말)) =망징 패조(亡徵敗兆). ¶ ~가 들다 ser de mal agüero, mostrar [enseñar] el señal de ruina.

망족(望族) familia *f* reputada.

망종(亡終) tiempo *m* [hora *f*] de la muerte, última hora *f* de *su* vida, lecho *m* de muerte.

망종(亡種) villano, -na *mf*; rufián *m*.

망종(芒種) ① [까끄라기가 있는 곡식] grano *m* con aristas, las espigas tienen aristas. ② [24절기의 하나] *mangchong*, estación *f* de la cosecha de cebada; uno de los 24 períodos solares, que comienza hacia el 6 de junio.

망주석(望柱石) un par de postes de piedra delante de la tumba.

망중(忙中) en medio de *su* ocupada vida.
▪ ~한(閑) momento *m* de descanso en medio de *su* ocupada vida. ¶그는 ~을 즐기고 있다 El goza de un momento de descanso en medio de su ocupada vida.

망지 소조(芒知所措) =갈팡질팡. 허둥지둥.

망집(妄執) obsesión *f*. ~에 사로잡히다 estar obseso [poseído] (de).

망처(亡妻) esposa *f* muerta.

망측(罔測) fealdad *f*, antipatía *f*, suciedad *f*, indecencia *f*, lascivia *f*, repugnancia *f*, aversión *f*, vulgaridad *f*, abominación *f*. ~하다 [꼴사납다] (ser) feo; [추잡하다] antipático, desagradable, mal intencionado, sucio, indecente, lascivo; [불쾌하다] ofensivo, repugnante, asqueroso, provocativo; [상스럽다] bajo, vulgar, abominable. ~한 짓을 하다 propasarse, tomarse libertades. ~한 말을 하다 decir cosas feas [impropias]. ~한 시선(視線)을 하다 echar una mirada lujuriosa [provocativa].
망측히 feamente, antipáticamente, desagradablemente, suciamente, indecentemente, lascivamente; ofensivamente, repugnantemente, asquerosamente; vulgarmente, abominablemente.

망치 martillo *m*; [큰] mazo *m*, maceta *f*; [작은] martillejo *m*. ~로 때리기 martillazo *m*, martillada *f*. ~로 두들기다 amartillar, martillar, martillear, golpear con el mazo, extender [aplastar] a martillazos.
▪ ~뼈 martillo *m*. ~질 martilleo *m*, martillazo *m*. ¶~하다 martillar, martillear. ~하는 (사람) martillador, -dora *mf*; martilleador, -dora *mf*.

망치(忘置) =망각(忘却)(olvido).

망치다(亡-) ① [집안 · 나라 등을] 망하게 하다] arruinar, destruir. 집안을 ~ arruinar el hogar. ② [잘못하여 아주 그르치게 하다] estropear, echar a perder, arruinar, destruir, dañar, perjudicar. 건강을 ~ perder la salud. 계획(計劃)을 ~ estropear [frustrar] el plan. 몸을 ~ arruinarse. 신세를 ~ desviarse, descarriarse. 일생(一生)을 ~ arruinar su carrera. 조합(組合)을 ~ destruir el sindicato. 그는 여자(女子)로 몸을 망쳤다 Le arruinaron los amorios. 그는 술 때문에 몸을 망쳤다 A fuerza de beber él perdió su salud. 그녀는 자신의 건강을 망치고 있다 Ella está arruinando su propia salud.

망친(亡親) difuntos padres *mpl*, padres *mpl* muertos.

망칠(望七) sesenta y un años de edad.

망태기(網-) bolsa *f* de malla.

망토(불 *manteau*) manto *m*; [소매 없는] capa *f*; *Méj* rebozo *m*.

망판(網版) 【인쇄】 =사진 동판(寫眞銅版).

망팔(望八) setenta y un años de edad.

망평(妄評) crítica *f* injusta, criticismo *m* injusto.

망하다[1](亡-) [제구실을 못하고 끝장이 나다] deteriorar, echar a perder; [파산(破産)하다] hacer bancarrota, quebrar, arruinarse. 회사가 망했다 Ha quebrado la compañía. 그렇게 계속하면 우리 둘 다 망한다 Si seguimos así, nos arruinamos los dos. 본사의 도산(倒産)으로 자회사도 망했다 La bancarrota de la compañía matriz trae consigo la de su compañía filial.

망하다[2](亡-) [몹시 고약하다. 꼴사납다] (ser) muy feo, indecoroso; [다루기가 힘들다] difícil de tratar. 보기가 ~ parecer feo. 이 책은 읽기 ~ Este libro es difícil de leer.

망해(亡骸) =유골(遺骨).

망향(望鄕) nostalgia *f*, añoranza *f*, morriña *f*.
▪ ~가(歌) canción *f* de nostalgia. ~병(病) =향수병(nostalgia). ¶~에 걸리다 echar de menos a *su* familia [*su* país].

망형(亡兄) hermano *m* (mayor) muerto.

망혼(亡魂) espíritu *m* [el alma *f*] del muerto, difunto espíritu *m*, fantasma *m*, espíritu *m.*

맞- ① [서로 마주 대하는 뜻을 나타내는 말] que da (a), frente (a), opuesto, frente a frente, cara a cara. ～대면 entrevista *f* cara a cara. ② [서로 어슷비슷함을 나타내는 말] igual, equivalente, rival. ～먹다 ser igual (a), ser equivalente (a).

맞각(－角) 【수학】 =대각(對角).

맞갖다 (ser) agradable, simpático, satisfactorio, sabroso, apetitoso, rico, delicioso. 맞갖은 여자(女子) mujer *f* simpática. 맞갖은 음식 comida *f* rica [deliciosa · sabrosa · apetitosa].

맞갖지 아니하다 (ser) desagradable, mal gusto, ofensivo, insatisfactorio, poco satisfactorio, deficiente.

맞갖잖다 ((준말)) =맞갖지 아니하다. ¶맞갖잖은 음식 comida *f* desagradable. 맞갖잖은 사람 persona *f* desagradable.

맞갖잖이 desagradablemente, insatisfactoriamente.

맞걸다 jugarse. 그것에 마지막 한 푼까지 맞걸겠다 Me jugaría el último céntimo a que es así.

맞겨루다 rivalizar, competir, contener. 나는 스포츠에서 너와 맞겨룰 수 없다 No puedo competir contigo en el deporte.

맞계약(－契約) =수의 계약(隨意契約).

맞고소(－告訴) contrademanda *f*, contradenuncia *f*, reconvención *f*. ～하다 reconvenir.

맞교군(－轎軍) palanquín *m* (*pl* palanquines), silla *f* de manos.

맞구멍 perforación *f*.

맞꼭지각(－角) 【수학】 ángulo *m* opuesto [vértical], ángulos *mpl* opuestos por el vértice.

맞남여(－藍輿) =맞교군.

맞다[1] ① [(눈이나 총알이나 화살 따위가) 어떤 것에 닿거나 닿음을 당하다] acertar (en), dar (en). 화살이 과녁에 ～ La flecha da en el blanco. 그는 다리에 탄환을 맞았다 Una bala le hirió en la pierna. ② [어떤 일이 헤아렸던 대로 되다] acertar, realizarse. 예언이 맞았다 Se realizó su predicción.

맞다[2] ① [오는 사람을 기다려 예로 받아들이다] recibir, acoger. 손님을 ～ recibir a la visita. 반가이 ～ dar la bienvenida (a). 기쁨으로 ～ recibir con los brazos abiertos [con agrado]. 맞으러 가다 ir a buscar [recibir · recoger], ir al encuentro (de); [부르러 가다] ir a llamar. 맞으러 나가다 salir a recibir. 맞으러 오다 venir al encuentro (de). 맞으러 보내다 enviar (por), mandar (por), mandar buscar (a). 나는 그녀를 맞으러 아들을 보냈다 Mandé a mi hijo buscarla / Envié a mi hijo a buscarla. 역까지 나를 맞으러 오라고 누구한테 말해 주세요 Manda a alguien que venga a esperarme [a recogerme] a la estación. 지배인은 손님을 맞으러 입구까지 나갔다 El director salió personalmente a recibir al cliente en la puerta.

② [(시간의 흐름에 따라 어떤 때가) 오는 것을 당하다] llegar, dar comienzo. 장년기를 ～ llegar a la edad madura. 곤란한 시기를 ～ atravesar un período difícil. 우리들은 3월에 신학기를 맞는다 En marzo nosotros damos comienzo al nuevo semestre.

③ [(남편 · 아내 · 사위 · 며느리를) 예를 갖추어 데려오다] ser recibido, recibir, adoptar, invitar, dar*le* la bienvenida (a), dar*le* la acogida (a). 며느리를 ～ ser recibido como nuera. 사위를 ～ ser recibido como yerno. 아내를 ～ casarse. 양자(養子)를 ～ adoptar a un hijo. 대학에서 교수로 ～ ser recibido como catedrático en la universidad. 내 가족은 나를 따뜻하게 맞아 주었다 Mi familia me dio una calurosa acogida. 우리들은 그를 쌍수로 맞았다 Nosotros le recibimos con los brazos abiertos. 그는 문으로 달려가 그들을 맞았다 El corrió a la puerta y los hizo pasar dándoles la bienvenida.

④ [때림을 당하다] ser golpeado, ser pegado, ser azotado. 빰을 ～ recibir un golpe en la mejilla, ser dado un sopapo en la mejilla. 볼기를 ～ recibir un golpe en las nalgas. 종아리를 ～ ser dado una paliza [un azote] en la pantorilla. 나는 빰을 맞았다 Me dieron un sopapo en la mejilla.

⑤ [도둑을 당하다] ser robado. 나는 시계를 도둑 맞았다 Me han robado el reloj.

⑥ [퇴짜를 당하다] ser rechazado.

⑦ [야단을 당하다] ser reprendido.

⑧ [주사(注射) · 침 따위의 놓음을 당하다] ser inyectado. 침을 ～ ser aplicado una acupuntura. 나는 주사를 맞았다 Me pusieron la inyección. 그는 침을 맞았다 Le aplicaron un acupuntura.

⑨ [(서명 날인을) 찍어 받다] ser firmado y sellado.

⑩ [성적 평점을 받다] ser calificado, ser puesto nota.

⑪ [떨어지거나 날아온 것을 몸에 받다] exponer; [비를] mojarse. 비를[에] ～mojarse por [bajo] la lluvia, estar expuesto a la lluvia. 비바람을 맞으면서 expuesto a la imtemperie.

맞아들이다 invitar (en), recibir, invitar a entrar, adoptar. 양자를 ～ adoptar a un hijo.

맞다[3] ① [틀리거나 어긋남이 없다] (ser) correcto, exacto, tener razón. 당신의 말이 ～ Tiene usted razón. 네 말이 ～ Tienes razón / Llevas razón en lo que dices. 계산이 잘 맞지 않는다 La cifra está mala / La cuenta no balancea / La proporción está mal calculada. 시계가 잘 맞지 않는다 El reloj no anda bien. 열쇠가 맞지 않다 La llave no se casa.

② [서로 어긋나지 않고 일치하다] concordar, convenir, acordar, estar de acuerdo.

③ [(어떤 사실이나 정도가) 알맞다] venir bien, estar bien, sentar bien, corresponder,

ajustar, compadecerse, compaginarse. 구두가 당신한테 잘 맞습니다 Los zapatos te están [sientan · vienen] bien.
④ [(감정 · 마음 · 입맛 따위에) 들다] venir*le* bien (a), convenir*le* (a), ser conveniente (a), ser apropiado (para), ser apto (para). 매우 입에 맞는 포도주 un vino de muy buen paladar. 입에 ~ ser agradable. 열 시가 당신한테 맞습니까? ¿Le viene bien a las nueve? / ¿Le resulta conveniente a las nueve? 그 프로그램은 어린이들에게 맞지 않다 El programa no es apropiado [apto] para niños.
맞아떨어지다 coincidir, concordar, cuadrar, ser correcto. 계산이 맞아떨어진다 El cálculo es correcto.

맞닥뜨리다 estar [verse] frente a [ante]. 우리는 심각한 문제에 맞닥뜨리고 있다 Estamos [Nos vemos frente a [ante] un grave problema.

맞닥치다 encontrar, encontrarse (con), topar, toparse (con), tropezar (con), encontrarse cara a cara, estar frente a frente. 난관에 ~ verse enfrentado (a). 우리는 결국 맞닥쳤다 Finalmente nos encontramos cara a cara / Finalmente estuvimos frente a frente. 경찰은 데모 참가자들과 맞닥쳤다 La policía se vio enfrentada a un grupo de manifestantes.

맞담 muro *m* de piedra.

맞담배 cigarrillo *m* que fuma en presencia de *su* mayor [superior].
◆맞담배(를) 피우다 fumar en presencia (de).
맞담배질 actitud *f* que fuma en presencia de su mayor [superior]. ~하다 fumar en presencia (de). 어른과 ~하다 fumar en presencia de su mayor.

맞당기다[1] [양쪽으로 끌리다] tirarse de ambos lados.

맞당기다[2] [서로 마주 잡아당기다] tirar de ambos lados [extremos].

맞닿다 tocar uno a otro. 그들의 손과 손이 맞닿았다 Ellos se tocaron las manos.

맞대다 ① [마주 대다] hacer frente (a), afrontar. ② [서로 마주 대하다] mirar cara a cara [frente a frente · mano a mano]. 무릎을 맞대고 이야기하다 tener un vis a vis, conversar cara a cara [frente a frente · mano a mano]. ③ [같은 자격으로 비교하다] comparar.

맞대매 desempate *m*, finales *fpl*, promoción *f*. ~하다 jugar el desempate, jugar la promoción. 두 팀은 ~할 것이다 Los dos equipos jugarán la promoción.

맞대면(一對面) entrevista *f* cara a cara. ~하다 entrevistar cara a cara.

맞대하다(一對一) estar frente a frente, encontrarse cara a cara, hacer frente a [enfrentar · afrontar] uno a otro.

맞돈 dinero *m* contante, dinero *m* (en) efectivo. ~으로 바꾸다 cambiar en dinero contante. ~으로 지불하다 pagar en dinero contante [al contado]. ~으로 사다 [팔다] comprar [vender] al contado.
■~ 지불(支拂) pago *m* al contado.

맞들다 ① [두 사람이 물건을 마주 들다] levantar juntos. 책상을 ~ levantar la mesa juntos. ② [힘을 합하다. 협력하다] colaborar, cooperar, trabajar juntos.

맞뚫다 penetrarse.

맞먹다 ① [상당하다] ser igual [equivalente] (a), corresponder (a). ② [필적하다] rivalizar (con), comparar, hacer comparación.

맞무역(一貿易) =교역(交易).

맞물다 engranar, endentar.

맞물리다 [톱니바퀴가] engranarse, endentarse.

맞물림 [톱니바퀴의] engranaje *m*.

맞바꾸다 trocar, cambalachear, canjear, trujamanear

맞바느질 cosido *m* con dos agujas. ~하다 coser con dos agujas.

맞바둑 partido *m* de *baduc* de no asignar una desventaja. ~을 두다 jugar al *baduc* en la base igualada.

맞바라보다 mirarse el uno al otro.

맞바람 viento *m* opuesto [contrario], viento *m* de frente; 【항해】 viento *m* por la proa. ~을 받다 tener viento contrario.

맞바리 reventa *f* de leña.

맞받다 ① [정면으로 받다] recibir de frente. ② [어떤 노래나 말을 곧 이어받다] responder inmediatamente. ③ [마주 들이받다] chocar frontalmente [de frente].

맞받이 lado *m* opuesto. ~에 justamente al frente (de), justamente contra. ~의 집 casa *f* de enfrente.

맞발기 documentos *mpl* comerciales guardados por tanto entre el comprador como entre el vendedor

맞버티다 rivalizar (con), hacer competencia (con). 양 대국의 세력은 맞버티고 있다 Las dos grandes naciones mantienen un equilibrio de fuerzas [rivalizan en poder].

맞버팀 rivalidad *f*, competencia *f*. ~하다 rivalizar (con), hacer competencia (con).

맞벌이 trabajo *m* de los esposos para ganar la vida. ~하다 ganar por ambos. 저 부부는 ~다 Aquel matrimonio trabaja [Marido y mujer trabajan] para ganarse la vida.
■~ 가정 familia *f* de ingresos duales. ~ 부부 esposos *mpl* de contribuir con los ingresos de la familia, pareja *f* de dos cheques del sueldo.

맞벽(一壁) capa *f* exterior de la pared de dos capas.

맞변(一邊) 【수학】 =대변(對邊).

맞보기 gafas *fpl* transparentes [planas].

맞부딪치다 chocar (con · contra), topar(se) (con · contra), chocar un golpe (con), encontrarse (con). 전봇대에 ~ chocar [tocar] con un poste eléctrico.

맞부딪히다 ser chocado (un golpe).

맞붙다 ① [서로 마주 닿아서 붙다] no separarse, quedarse juntos, pegarse [adherir-

se·ceñirse] bastante bien. 두 점포가 맞붙어 있다 Las dos tiendas se quedan juntos. 그들은 언제나 맞붙어 다닌다 Ellos siempre no se separan. 눈꺼풀이 맞붙어 떨어지지 않는다 Yo no puedo abrir los ojos. ② [(내기·싸움에서) 서로 어울려 붙다] rivalizar, competir, contendere, luchar (contra). 스포츠에서 ~ competir en el deporte. 다음 시합에서 나는 그와 맞붙는다 En el póximo partido lucho contra él.
맞붙어 cuerpo a cuerpo. ~ 싸우다 luchar cuerpo a cuerpo. ~ 싸움 lucha *f* a brazo partido. ~ 깔아 눕히다 echar abajo, tirar por tierra luchando.

맞붙들다 cogerse el uno al otro, agarrar juntos, detenerse el uno al otro. 어깨를 양쪽에서 ~ agarrar por ambos hombros.

맞붙이 ① [다른 사람을 통하지 않고 직접 대면하여 처리함] entrevista *f*, encuentro *m* cara a cara, encuentro *m* frente a frente, negociación *f* directa. ② [솜옷을 입어야 할 때에 입은 겹옷] prenda *f* (de ropa) forrada sin el relleno de algodón.

맞붙이다 ① [마주 붙이다] unir. A를 B에 ~ unir A a B. 관(管)을 ~ unir tubos. ② [(두 사람을) 서로 만나보게 하다] enfrentar. A와 B를 ~ [대결시키다] poner a A frente a B.

맞붙잡다 agarrarse el uno al otro.

맞비겨떨어지다 hacer el balance (de).

맞상대(一相對) enfrontamiento *m* directo, confrontación *f* directa, lucha *f* de hombre a hombre, combate *m* individual.

맞서다 ① ((준말)) =마주서다. ② [마주 겨루다] enfrentarse (con), rivalizar (con), competir (con), contender (con), resistir, desafiar. 권력(權力)에 ~ resistir la autoridad, rebelarse contra la autoridad. ③ [(어떤 상황을) 직접 겪게 되다] hacer frente (a), confrontar (a), afrontar (a). 위기와 ~ hacer frente al peligro. 적(敵)과 ~ afrontar a los enemigos. 적에 ~ enfrentarse al [con el] enemigo, desafiar [dar la cara] al enemigo. 나는 강적에 맞서 고전을 했다 Combatí desesperadamente al enfrentarme con un enemigo formidable.

맞선 entrevista *f*, careo *m*, entrevista *f* de los jóvenes casaderos, que ha sido desconocidos. ~을 보다 ser presentado (en vistas a un posible matrimonio).
▪~ 결혼 matrimonio *m* [casamiento *m*] arreglado.

맞소송(一訴訟) oposición *f*.

맞수 ((준말)) =맞적수.

맞싸움 lucha *f* de hombre a hombre.

맞쐬다 comparar (*algo* [a *uno*] con *algo* [*uno*]).

맞씨름 lucha *f* cuerpo a cuerpo. ~하다 luchar cuerpo a cuerpo (con).

맞아들이다 ☞맞다[2]

맞아떨어지다 ☞맞다[3]

맞욕(一辱) contestación *f* con insultos. ~하다 contestar con insultos.

맞은바람 viento *m* contrario, viento *m* en contra.

맞은바래기 lado *m* de enfrente.

맞은쪽 lado *m* opuesto, otro lado *m*.

맞은편(一便) [마주 상대되는 편] lado *m* opuesto, otro lado *m*; [상대편] otro partido *m*, partido *m* oponente. ~에 al otro lado (de). ~ 집 casa *f* de enfrente. 그의 집은 학교의 바로 ~에 있다 Su casa está frente por frente [exactamente enfrente] de la escuela. 내 집은 우체국의 ~에 있다 Mi casa está enfrente de la oficina de correos.

맞이 reunión *f*, sesión *f*, encuentro *m*, recepción *f*, cita *f*, bienvenida *f*, acogida *f*. ~하다 encotrar, encontrarse (con); [접대하다] recibir; [환영하다] dar la bienvenida (a), acoger, aceptar, aprobar, saludar.

맞잡다 ① ((준말)) =마주 잡다(tomarse, cogerse). ☞마주. ② [서로 협력하다] cooperar, colaborar, trabajar juntos, ayudarse el uno al otro.

맞잡이 ① [서로 힘이 대등한 두 사람] igual *mf*, par *mf*. ② [서로 같다는 뜻을 나타내는 말] igualdad *f*.

맞장구 afirmación *f* oportunamente dicha.
◆맞장구(를) 치다 afirmar con palabras agudas y oportunas, concordar (con), asentir (a). 그는 내 말에 맞장구를 쳤다 El asintió a mis palabras.

맞적수(一敵手) buen rival *m*, buena rival *f*, par *mf*, igual *mf*, 【바둑】jugador, -dora *mf* de *baduc* con habilidad igual.

맞절 saludo *m* mutuo, saludo *m* el uno al otro, reverencia *f* mutua. ~하다 saludarse (el uno al otro), hacer una reverencia mutua.

맞접다 doblar juntos.

맞줄임 【수학】=약분(約分).

맞총질(一銃一) =응사(應射).

맞추다 ① [적합하게 하다] ajustar, aplicar, adaptar. A를 B에 ~ ajustar [aplicar·adaptar] A a B. 환경에 자신을 ~ ajustarse [adaptarse] a las circunstancias, aclimarse (a). 계획을 너에게 적당하게 맞추겠다 Ajustaré el plan según [de acuerdo con] la conveniencia.
② [대조하다] confrontar, cotejar. 번역을 원문과 ~ confrontar [cojetar] la traducción con el original.
③ [어떤 것을 무엇에 맞게 하다] adaptar, adecuar, arreglar, conformar, ajustar, poner, sintonizar. 라디오를 KBS에 ~ poner [sintonizar (con)] la KBS. 몸에 맞추어 옷을 만들게 하다 mandar hacer(se) el traje a la medida. 넥타이를 옷에 ~ hacer que la corbata vaya bien con el traje. 곡(曲)에 맞추어 춤추다 bailar al compás [al ritmo] de la música. 피아노에 맞추어 바이올린을 켜다 tocar el violín al son del piano.
④ [조립하다] congregar, allegar, juntar, reunir, convocar.
⑤ [옷 따위를] hacer(se), encargar. 옷을 ~

encargar [hacerse] el traje. 신발을 ~ mandar hacer un par de zapatos.
⑥ [주문하다] pedir, dar un pedido. 맞춘 hecho de encargo, hecho a la medida(s).
⑦ [접합시키다] juntar, unir.
⑧ [약속하다] prometer, comprometer, hacer una promesa, dar su palabra, designar, fijar. 날짜를 ~ designar [fijar] la fecha. 그들은 다음 회합 날짜를 맞추었다 Ellos fijaron [designaron] una fecha para la próxima reunión.

맞춤 [주문] pedido *m*; [주문한 물건] (artículo *m*) pedido *m*. 이 양복은 A점의 ~이다 Mandé hacer este traje en A / Me hicieron este traje en la tienda A. 이 구두는 ~이다 Estos zapatos los he mandado hacer / Estos zapatos son de encargo.
▪ ~복(服) traje *m* (hecho) a (la) medida.

맞춤법(-法) ortografía *f*.
◆ 한글 ~ ortografía *f* de Hangul. 현행(現行) ~ ortografía *f* actual, sistema *m* ortográfico actual.
▪ ~ 통일안 proyecto *m* para la ortografía unificada. ~ 학자 ortógrafo, -fa *mf*.

맞혼인(-婚姻) matrimonio *m* [casamiento *m*] con la parte igual de gastos entre dos familias.

맞흥정 regateo *m* cara a cara [frente a frente]. ~하다 hacer un regateo directo, regatear directamente.

맞히다[1] [물음에 옳은 답을 대다] responder correctamente. 답을 ~ hacer una respuesta correcta.

맞히다[2] ① [적중시키다] acertar, atinar, dar, pegar, golpear, chocar, tocar. 화살로 과녁을 ~ acertar, dar en el blanco. 과녁을 맞히지 못하다 errar el tiro [el blanco], no dar en el blanco. 나는 돌을 나무에 맞혔다 He atinado con la piedra en el árbol. ② [비나 눈 따위에] exponerse. 비에 ~ mojarse por [bajo] la lluvia. 시원한 바람에 ~ exponerse al [tomarse] aire fresco. ③ [추측하다] adivinar, acertar, dar en el clavo. 그의 나이를 맞혀 보아라 A ver, adivina [acierta] su edad / ¿Cuántos años le echas? ④ [알아맞히다] acertar, adivinar, *Méj* atinar. 못 ~ equivocarse. 어떻게 맞히었지? ¿Cómo adivinaste? 내가 누구인지 맞히어 보아라 Adivina quién soy.

맡기다 confiar, depositar, delegar, encargar, dejar, consignar, encomendar al cuidado (de), dar en cargo (de), confiar en depósito, poner bajo cuidado (de). …에게 …을 ~ confiar [encargar] *algo* a [en] *uno*, dejar *algo* en manos de *uno*, encargar *algo* a *uno*. 경영을 ~ dejar el manejo en la mano (de). 일체(一切)를 ~ dejar todo. 짐을 ~ consignar el equipaje, dejar el equipaje a cuidado (de). 아이를 ~ confiar al niño. 남에게 ~ dejar en manos ajenas, dejar a otros, descargarse de algo a alguien. 책임을 ~ depositar la responsabilidad (en). 몸을 ~ [여자가] entregarse (a). 운명에 몸을 ~ confiarse a la suerte. …에게 일을 ~ confiar [encargar] un trabajo a *uno*. 은행에 1천만 원[증권]을 ~ depositar diez millones de wones [los valores] en el banco. 환자를 돌보아 달라고 ~ encargar el cuidado del enfermo. 당신의 판단에 맡기겠습니다 Lo dejo a su juicio. 네 상상에 맡긴다 Lo dejo a tu imaginación. 나한테 맡겨 주십시오 Déjeme hacerlo / Déjelo de mi parte. 그는 나한테 모든 것을 맡겼다 Me ha dado carta blanca en todo. 그것은 그에게 맡깁시다 Vamos a encargárselo [a encargarle de eso]. 운에 맡깁시다 Actuemos según las circunstancias del momento.

맡다[1] ① [보관하다] guardar [recibir] en depósito [en consigna · en consignación]. 하물(荷物)을 ~ guardar el equipaje en depósito [en consigna]. 잠깐 이 하물을 맡아 주십시오 Haga el favor [Tenga la bondad] de guardar un momento este equipaje. ② [담당하다. 감독하다] encargarse (de). 싸움을 진정시키는 것을 ~ encargarse de calmar la riña. 아이[부엌]를 ~ encargarse de un niño [de la cocina]. 의장(議長)의 역할을 ~ hacer de presidente. 나는 성의를 다해 그의 설득을 맡았다 Yo traté de persuadirlo con sinceridad. ③ [면허나 증명, 허가, 승인 따위를 얻다] obtener. 면허를 ~ obtener la licencia. 허가를 ~ obtener el permiso.

맡다[2] ① [코로 냄새를 느끼다] oler, olfatear. 장미 냄새를 ~ oler una rosa. 꽃 향기를 ~ oler las flores. 개가 내 손의 냄새를 맡는다 El perro me olfatea la mano. ② [낌새를 알다] husmear, olerse, escamarse, olfatear, sorber por la nariz. 냄새를 맡고 다니다 andar a la husma [husmeo]. 사냥에서 잡은 짐승의 냄새를 맡고 다니다 husmear la caza.

맡아보다 dirigir. 그는 이 가게를 전부 맡아보고 있다 El lo dirige todo en esta tienda.

매[1] [때리는 막대기] látigo *m*, azote *m*; [회초리] vara *f*, varilla *f*, vara *f* pequeña.
◆ 매(를) 맞다 ser azotado. 나는 어렸을 때 매를 많이 맞았다 Me azotaron mucho cuando yo era niño.
▪ 매를 아끼는 자는 그의 자식을 미워함이라 ((성경)) Quien ahorra la vara odia a su hijo. 귀엽거든 매를 아끼지 마라 ((속담)) La letra con sangre entra / Niño mimado, niño ingrato / Niño mal vezado, difícilmente enmendado.

매[2] ① ((준말)) =맷돌(muela, piedra de molino, rueda de molino). ② ((준말)) =매통 (molino de moler).

매[3] [소렴(小殮) 때의 헝겊] paño *m* de envolver el cadáver.

매[4] ① ((준말)) =매끼. ② [(맷고기나 맷담배 따위의) 한 묶음] un atado.

매[5] 【건축】 ((준말)) =매흙.

매[6] 【조류】 halcón *m* (*pl* halcones), azor *m*, cernícalo *m*, geriflate *m*, halcón *m* peregrino. ~처럼 tan rápido como relámpago. 눈이 ~같이 무서운 con ojos de lince, con ojos de águila, con vista de águila, con vista de lince. ~를 잡다 cazar con halcón.

■~ 사냥 halconería *f*, cetrería *f*. ~ 사냥꾼 halconero, -ra *mf*, cetrero, -ra *mf*. ~파(派) halcón *m*; partidario, -ria *mf* de la línea dura.

매⁷ [젓가락의 한 쌍] un par de palillos.

매⁸ [염소 따위의 울음소리] balido *m*. 염소가 ~울다 balar, dar balidos. 염소가 ~하고 울었다 La cabra balaba / La cabra daba balidos.

매⁹ [매우 심하게 공을 들이어] bien, mucho. ~ 묶다 atar bien. ~ 찧다 moler bien.

매(枚) =장(張)(hoja).

매- completamente, perfectamente, bastante, absolutamente. ~한가지다 Hay poca diferencia.

매-(每) cada, todo (lo), todos (los), todas (las). ~년 cada año, todos los años. ~달 cada mes, todos los meses. ~시간 cada hora, todas las horas. ~일 cada día, todos los días. ~일요일 todos (los) domingos. ~주(週) cada semana, todas las semanas. ~학기(學期) cada semestre.

-매¹ [맵시] figura *f*, forma *f*, apariencia *f*, aspecto *m*, aparición *f*, elegancia *f*. 옷~ forma *f* de *su* ropa. 눈~ forma *f* de *sus* ojos, *su* mirada. 몸~ *su* forma, *su* figura.

-매² [원인·근거를 나타냄] por, porque, que. 집이 가난하~ 어진 아내를 생각한다 Se piensa a su buena esposa, porque la familia es pobre.

매가(每家) cada casa, todas las casas.

매가(買價) precio *m* de compra; [매겨진 가격] precio *m* de oferta; [원가(原價)] precio *m* de coste.

매가(賣價) precio *m* de venta.

매가(賣家) venta *f* de casa, casa *f* en venta. ~하다 vender la casa. 이 집은 ~다 Esta casa está en venta.

매가리 【어류】 =전갱이.

매각(賣却) venta *f*. ~하다 vender, despachar.

■~ 공고 aviso *m* público de venta. ~(대)금 lo recaudado de venta. ~손(損) pérdida *f* en venta. ~인 vendedor, -dora *mf*. ~ 조건 condiciones *fpl* de la venta. ~ 통지 aviso *m* de venta. ~필(畢) Vendido.

매갈이 [벼를] acción *f* de quitar las cáscaras de arroz. ~하다 quitar las cáscaras de arroz.

■~꾼 persona *f* de quitar las cáscaras de arroz. ~ㅅ간(間) molino *m* de quitar las cáscaras de arroz.

매개 situación *f*, curso *m*, desarrollo *m*, evolución *f*. ~(를) 보다 mirar [observar] la situación.

매개(每個/每箇) cada uno, cada una, cada pieza. 이 참외는 ~ 당 천 원이다 Este melón cuesta mil wones cada uno.

매개(媒介) mediación *f*, intervención *f*, transmisión *f*. ~하다 mediar, actuar como mediador, transmitir. …을 ~로 해서 por medio [mediación] de *algo*·*uno*, por mediación por conducto de *algo*·*uno*. 전염병을 ~하다 transmitir una epidemia.

■~ 개념 concepto *m* medio. ~ 동물 [전염병의] vector *m*; portador, -dora *mf*. ~물 [체] médium *m*, agencia *f*, [병독(病毒)의] vector *m*; portador, -dora *mf*, vehículo *m*. ~ 변수 parámetro *m*. ~ 세포 célula *f* auxiliar. ~자 mediador, -dora *mf*; medianero, -ra *mf*; interesor, -ra *mf*, [전염병의] vector *m*; portador, -dora *mf*, vehículo *m*.

매개념(媒概念) **【논리】** concepto *m* medio.

매거(枚擧) numeración *f*. ~하다 numerar, contar, mencionar. 일일이 ~할 수 없다 tener demasiado numeroso para mencionarse, ser innumerable. 여권의 도난 사건은 ~할 수 없다 Son innumerables los robos de pasaportes.

매고르다 ① [모두 비슷하다] todo ser parecido. ② [모두 가지런하다] (ser) uniforme, regular, constante.

매골 mala aparición *f*.

매골(埋骨) entierro *m* de los huesos. ~하다 enterrar [sepultar] los huesos.

매관(賣官) =매관매직(賣官賣職).

■~매직 corrupción *f* en la administración de personal gubernamental, tráfico *m* de puestos oficiales. ¶~하다 traficar en posiciones gubernamentales.

매국(賣國) traición *f* a la patria. ~하다 traicionar a *su* país [a la patria].

■~노 traidor, -dora *mf* a la patria; traicionero, -ra *mf*. ~적(的) desleal con [a] la patria. ~적(敵) traidor, -dora *mf* desleal a la patria. ~ 행위(行爲) acto *m* antipatriótico.

매기 cruce *m* entre un cerdo macho y una vaca.

매기(每期) [기간] cada período, cada término; [회기] cada sesión; [지불의] plazo *m*.

매기(買氣) tendencia *f* de compra, interés *m* comprador; [경향] tendencia *f* alcista.

■~ 부족 falta *f* de interés.

매기(賣氣) tendencia *f* de venta.

매기다 ① [일정한 평가를 하여 정하다] decidir, fijar; [과하다] imponer, cargar. 값을 ~ tasar, fijar el precio (de). 등급을 ~ clasificar, calificar, dar (una) calificación (a). 눈금을 ~ graduar, calibar. 관세(關稅)를 ~ imponer derechos aduaneros. ② [기록하여 놓다] marcar, anotar, tomar nota (de). 점수를 ~ marcar una nota [un tanto·un gol].

매기단하다 terminar, acabar, concluir, finalizar. 일의 끝을 ~ terminar bien el fin de trabajo.

매꾸러기 niño *m* travieso que tiene que ser azotado constantemente.

매끄러지다 resbalar(se). 얼음 위를 ~ resbalar por el hielo. 매끄러지지 않도록 조심하다 tener cuidado con (no) resbalar(se).

매끄럽다 ① [반드럽다] (ser) liso, suave, terso; [미끄럽다] resbaladizo, resbaloso, escurridizo; [막힘이 없다] corriente, ligero; [음성이] suave; 【생물】 glabro. 매끄럽게 suavemente, con suavidad; [막힘없이] corrientemente, con fluidez, ligemente, sin pega, sin problema. 매끄럽게 하다 suavizar, alisar. 매끈한 곡선 curva *f* suave. 매끈한 표면 superficie *f* lisa. 매끈한 피부 piel *f* suave [tersa · aterciopelada]. 혀에 감촉이 ~ ser suave (al paladar). 매끄럽게 회전하다 girar ligeramente, dar vueltas ligeras [ágiles]. 표면을 매끄럽게 하다 suavizar [pulir] la superficie. 피부를 매끄럽게 하다 suavizar el cutis. 그의 발음은 ~ Su pronunciación es suave [fluida]. ② [(사람이) 수더분하지 못하고 붙임성 없이 약바르다] (ser) astuto, sagaz, perspicaz, taimado, pícaro, zorro, ladino, artero, cuco, vivo. 매끄러운 사람 persona *f* astuta [sagaz · perspicaz · pícara · taimada].

매끈거리다 (ser) resbaladizo.
매끈매끈 lisamente, suavemente. ¶~하다 (ser) liso, suave, resbaladizo. ~한 길 camino *m* resbaladizo. ~한 피부(皮膚) cutis *m* liso [suave]. 이 돌은 표면이 ~하다 La superficie de esta piedra es lisa. 길이 ~해서 위험하다 El camino está resbaladizo y peligroso.

매끈하다 (ser) suave, resbaladizo; [머리카락 · 모피가] lacio y brillante.
매끈히 suavemente, resbaladizamene, lacia y brillantemente.

매끼 tira *f* de cuerda de paja.

매나니 ① [맨손] mano *f* vacía. ② [반찬이 없는 밥] comida *f* sin plato que acompaña el principal, comida *f* sencilla.

매너(영 *manner(s)*) modales *mpl*, maneras *fpl*, costumbres *fpl*, educación *f*. ~가 좋다 [나쁘다] tener buena [mala] educación (en).

매너리즘(영 *mannerism*) manerismo *m*, amaneramiento *m*, movimiento *m* característicco. ~의 amanerado. ~에 빠지다 amanerarse. ~에 빠진 manerista. ~에 빠진 사람 manerista *mf*. 그의 작품은 최근 ~에 빠졌다 Sus obras recientes se han amanerado.

매년(每年) cada año, todos los años. ~의 anual. ~ 네 번 cuatro veces al año. ~ 8월에 todos los años en agosto. ~ 봄에 todos los años en primavera. 그는 ~ 두 차례 해외(海外)에 나간다 El va al extranjero todos los años dos veces.

매니저(영 *manager*) [회사 · 백화점의] director, -tora *mf*; gerente *mf*; [상점 · 식당의] gerente *mf*; encargado, -da *mf*; [자금 등의] administrador, -dora *mf*; [팝그룹이나 권투 등의] manager *mf* (*pl* managers); [스포츠의] entrenador, -dora *mf*; *AmL* director *m* técnico, directora *f* técnica; [흥행의] empresario, -ria *mf*. 수출 [생산 · 광고] 담당 ~ director, -tora *mf* [gerente *mf*] de exportaciones [de producción · publicidad].

매니큐어(영 *manicure*) manicura *f*. ~를 하다 arreglarse las manos [las uñas], hacerse la manicura. ~를 해주다 arreglar*le a uno* las manos [las uñas], hacer*le a uno* la manicura. 그녀는 내 손톱에 ~를 해주었다 Ella me arregló las uñas / Ella me hizo la manicura. ~를 했으면 합니다만 Quisiera hacerme la manicura.
▪ ~사 manicuro, -ra *mf*; *AmC* manicurista *mf*. ~ 세트 estuche *m* de manicura (de uñas). ~액 esmalte *m* de uñas. ~액 제거제 quitaesmalte *m*. ~용 손톱솔 cepillo *m* de uñas.

매다[1] =쩔쩔매다.

매다[2] ① [끈이나 줄 따위의 두 끝을 엇걸어 잡아당겨 마디를 만들다] atar, ligar, trabar. 끈으로 ~ atar con cuerdas, enlazar. ② [(어떤 물건을) 꾸미어 만들다] [장정하다] encuadernar; [클립(clip)으로] unir con un clip; [호치키스로] coser con grapas. 책을 ~ encuadernar un libro. ③ [달아나거나 떨어지지 못하게 무엇에 끈이나 줄로 연결시키다] amarrar. 배를 부두에 ~ amarrar [atar] un barco al muelle.

매다[3] [논 같은 데 난 잡풀을 뽑아 없애다] escardar, desyerbar. 김을 ~ escardar, desyerbar, desherbar, sachar, arrancar, extirpar.

매다[4] ((준말)) =매기다.

매달(每—) cada mes, todos los meses; [부사적] mensualmente. ~의 mensual. ~의 비용 gastos *mpl* mensuales. ~의 송금 remesa *f* mensual. ~의 지불 pagos *mpl* mensuales, cuotas *fpl* mensuales. ~ 백만 원을 지불하다 pagar un millón de wones mensualmente.

매달다 colgar, suspender. 천장에 램프를 ~ colgar la lámpara del techo.

매달리다 ① [「매달다」의 피동형] colgarse, suspenderse. 매달려 있다 estar colgado [suspendido], pender. 액자(額字)는 약한 못에 매달려 있었다 El cuadro estaba suspendido de un débil clavo. 열매가 가지에 매달려 있다 Los frutos penden de las ramas. 줄이 천장에 매달려 있다 Una cuerda cuelga [está pendiente] del techo. 천장에 전깃줄이 매달려 있다 Del techo cuelga [pende] un cordón eléctrico. ② [붙잡고 늘어지다] abrazar(se), agarrar(se), aferrarse, asirse, sujetarse, estar aferrado (a). 나무에 ~ abrazarse a un árbol. 난간(欄干)에 ~ agarrarse a la barandilla, apoyarse en la barandilla. 난로에 ~ arrimarse a la estufa. 목에 ~ agarrarse al [colgarse del] cuello (de). 팔에 ~ agarrarse al brazo (de). 어머니에게 ~ abrazarse a *su* madre. 어머니의 팔에 ~ agarrarse a los brazos de *su* madre. 가지를 붙잡고 ~ agarrarse a una rama. 그 아이는 어머니의 치맛자락에 매달렸다 El niño estaba aferrado a las faldas de su madre. ③ [어떤 일에 깊이 관계하여 몸과 마음을 기울이다] estar (completamente) ocupado (en · con). 책상에 매

달려 공부하다 estudiar pegado a la mesa. 책에 ~ no dejar el libro, permanecer pegado a los libros. 노상 사전에 매달려 consultando el diccionario a cada paso. 그는 일에만 매달린다 El está ocupadísimo [completamente ocupado] con su trabajo. 나는 온종일 환자를 돌보는 데만 매달렸다 Estuve todo el día ocupado cuidando al enfermo. ④ [어느 것에 붙어 힘을 입다] depender (de), apoyarse (en), recurrir (a), buscar ayuda (en). 지팡이에 ~ apoyarse en el bastón. 하나님[신]한테 ~ buscar ayuda en Dios, recurrir a Dios. ⑤ [애원하다] suplicar, implorar, rogar, pedir (con súplicas).

매대기 untadura *f*, untamiento *m*, untura *f*.
◆매대기(를) 치다 [페인트·기름을] embadurnar (*algo* de *algo*), pintarrajear; [버터를] untar (*algo* con *algo*). 아이가 거울에 페인트로 매대기를 쳤다 El niño embadurnó todo el espejo de pintura. 그는 빵에 버터를 얇게 매대기쳤다 El untó el pan con una capa fina de mantequilla. 그녀는 얼굴을 크림으로 매대기쳤다 Ella se embadurnó la cara de [con] crema. 벽들은 오물로 매대기쳐져 있었다 Las paredes estaban cubiertas de mugre. 그녀의 얼굴은 피로 매대기쳐져 있었다 Ella tenía la cara manchada de sangre / Ella tenía la cara ensangrentada.

매도(罵倒) injuria *f* brutal [violenta], insulto *m*, crítica *f* acerba, ultraje *m*. ~하다 decir injurias, injuriar violentamente, insultar, criticar acerbamente, jurar, echar palabrotas [injurias].

매도(賣渡) venta *f* (y entrega). ~하다 vender (y entregar), deshacerse (de). 그는 나에게 그림을 ~했다 El me vendió el cuadro. 나는 가재도구를 전부 ~했다 Yo vendí todo el mobiliario de la casa.
■~ 계약 contrato *m* de venta. ~인 vendedor, -dora *mf*. ~ 증서 certificado *m* de venta.

매독(梅毒)【의학】sífilis *f*, avariosis *f*, gálico *m*, enfermedad *f* venérea. ~의 sifilítico. ~에 걸리다 hallarse de sífilis.
◆선천성 ~ sífilis *f* congénita. 양성 ~ sífilis *f* florida [positiva]. 유전성 ~ sífilis *f* hereditaria. 제일 [제이·제삼]기 ~ sífilis *f* primera [segunda·tercera].
■~ 감염(感染) sifilización *f*. ~ 공포증 sifilifobia *f*. ~ 광(狂) sifilomanía *f*. ~ 궤양 sifilelcosis *f*. ~균 보균자 portador, -dora *mf* de sífilis. ~균 혈증 sifilemia *f*. ~ 발생학 sifilogenesis *f*. ~성 sifilítico *adj*. ~성 가성 마비 pseudoparalisis *f* sifilítica. ~성 관절염 artritis *f* sifilítica. ~성 농가진 impétigo *m* sifilítico. ~성 동맥염 arteritis *f* sifilítica. ~성 동맥 경화증 arteriosclerosis *f* sifilítica. ~성 모발증 tricosifilis *f*. ~성 백반 leucodermia *f* sifilítica. ~성 안질환 sifilidoftalmia *f*. ~성 임파선염 linfangitis *f* sifilítica. ~성 정신병 sifilopsicosis *f*. ~성 좌창 acné *f* sifilítica. ~성 척추염 espondilitis *f* sifilítica. ~성 피부염 dermatitis *f* sifilítica. ~원(原) sifilogen *m*. ~증(症) sifilopatía *f*, sifilosis *f*. ~진(疹) sifilide *f*. ~학(學) sifilografía *f*. ~ 학자(學者) sifilógrafo, -fa *mf*. ~ 환자 sifilítico, -ca *mf*.

매듭 ① [마디를 이룬 것] nudo *m*, atadura *f*. ~을 느슨히 하다 aflojar el nudo. ② [(어떤 일에서) 쉽사리 풀리지 않고 맺히거나 막힌 부분] punto *m*. ③ [일에 대한 결속] fin *m*, conclusión *f*.
◆매듭(을) 짓다 ㉮ [매듭을 만들다] anudar, atar con nudos, hacer un nudo. ㉯ [결말을 짓다] ajustar, liquidar, saldar, arreglar, terminar, concluir, resolver, poner fin (a). 매듭을 지어 en conclusión. 매듭을 짓는 말 palabras *fpl* finales. 이쯤에서 매듭을 지읍시다 Vamos a cerrar aquí el trato / Vamos a poner fin aquí a las negociaciones. 십만 원에서 매듭을 짓겠습니다 [팔 때] Se lo diré en [por] cien mil wones.
◆매듭(을) 풀다 desatar, deshacer el nudo.
매듭지어지다 concluirse, terminar, arreglarse, dar fin, llegar a una conclusión. 이 문제는 아직 매듭지어지지 않았다 Este asunto está por decidir [está en suspenso] / Aún no hemos llegado a una conclusión en el asunto. 그 건(件)은 아직 매듭지어지지 않고 있다 El asunto todavía está pendiente.

매력(魅力) encanto *m*, atractivo *m*, atracción *f*, gracia *f*, fascinación *f*. ~이 없는 sin encanto; [순진한] inocente. 여성적인 ~ atractivo *m* femenino. ~이 있는 웃음 sonrisa *f* cautivadora. ~이 넘치는 여인 mujer *f* voluptuosa, mujer *f* muy atractiva. ~이 없는 여자 mujer *f* fea. ~이 있다 (ser) encantador, atractivo, cautivador, precioso, glamoroso, seductor. ~이 없다 no tener atractivo. ~을 느끼다 estar fascinado (con), ser atraído (por). 이 일은 ~이 있다 Me atrae este trabajo / Este trabajo tiene su encanto. 낚시질은 별로 ~이 없다 Pescar no tiene mucho atractivo.
■~적 encantador, atractivo, fascinador, seductor, gracioso, fascinante; [섹시한] voluptuoso.

매련 estupidez *f*, tontería *f*. ~하다 (ser) estúpido, tonto.
매련히 estúpidamente, con estupidez, tontamente, con tontería.
매련스럽다 (ser) estúpido.
매련스레 con estupidez, estúpidamente.
■~쟁이 idiota *mf*, tonto, -ta *mf*. ~퉁이 persona *f* estúpida, persona *f* tonta.

매료(魅了) encanto *m*, fascinación *f*, hechicería *f*, seducción *f*. ~하다 encantar, fascinar, cautivar, hechizar, seducir. ~되다 quedarse encantado [embelesado] (por). 나는 그녀의 아름다움에 ~되었다 Quedé cautivado por su belleza. 나는 그녀의 미성(美聲)에 ~되었다 Su bonita voz me encantó.

매리(罵詈) difamación *f*, injuria *f*, insulto *m*, invectiva *f*. ~하다 infamar, injuriar, insultar.

매립(埋立) entierro *m*, sepultura *f*, terraplén *m*, terraplenamiento *m*. ~하다 [땅에] enterrar, sepultar, soterrar; [구덩이 따위를] llenar, rellenar, explanar, terraplenar. 해면(海面)의 ~ terraplenamiento *m* del suelo de mar. 늪을 ~하다 desecar un pantano. 바다를 ~하다 ganar terreno al mar. 구덩이에 쓰레기를 ~하다 enterrar la basura en el hoyo. 연못을 ~하다 terraplenar un estanque.

■~ 공사 obras *fpl* de terraplenamiento obras *fpl* de terraplenación, obras *fpl* de saneamiento, obras *fpl* de desecación. ~지(地) terreno *m* terraplenado; [해안의] tierra *f* ganada al mar.

매만지다 ① [가다듬다] adjustar, arreglar, ordenar, poner en orden. ② [손질하다] cuidar, tener cuidado. 머리카락을 매만져 위로 올리다 recogerse el pelo. 머리를 포마드로 곱게 ~ alisarse el pelo con pomada.

매맛 amargor *m* del azote. ~을 보이다 azotar, dar*le* una paliza (a), dar*le* un azote (a), darle latigazos (a). ~을 보다 ser azotado.

매매[1] [몹시 심하게 자꾸] muy, mucho, seriamente, severamente, bien. ~ 묶다 atar bien.

매매[2] [양·염소 따위가 계속해 우는 소리] balidos *mpl*. ~울다 balar, dar balidos.

매매(賣買) compraventa *f*, [거래] comercio *m*, negocio *m*, tráfico *m*, transacción *f*. ~하다 comprar y vender, traficar, comerciar, negociar. 주(株)의 ~ operaciones *fpl* de bolsa, compraventa *f* de acciones. 그는 토지의 ~에 종사하고 있다 El se dedica a la compraventa de terrenos.

■~ 가격 precio *m* de venta. ~ 계약(契約) contrato *m* de compraventa, contrato *m* comercial, contrato *m* de venta, compraventa *f*. ~ 계약증 nota *f* de contrato. ~ 기준 가격 cotización *f*. ~ 당사자(當事者) factores *mpl* de compraventa. ~장(帳) librito *m* de compraventa. ~ 조건 condiciones *fpl* de venta. ~ 조직 organización *f* de mercado. ~ 증서 nota *f* de contrato. ~ 차익금 margen *m*. ~ 통제 control *m* del mercado.

매머드(영 *mammoth*) ①【동물】mamut *m* (*pl* mamuts, mamutes). ② [거대한 (것)] gigantesco, mastodonte, super-, enorme, colosal, de titanes.

■~ 계획 proyecto *m* colosal. ~ 기업(企業) empresa *f* gigantesca. ~ 대학 universidad *f* enorme. ~ 도시(都市) ciudad *f* enorme. ~ 빌딩 edificio *m* colosal. ~ 탱커 superpetróleo *m*.

매머드나무【식물】secoya *f*, sequoia *f*.

매명(每名) cada persona, cada uno, cual uno.

매명(賣名) propaganda *f* de un nombre. ~을 목적으로 con el fin de darse a conocer, con el objeto de hacer publicidad [propaganda] de sí mismo.

■~가(家) autoanunciante *mf*. ~주의 principio *m* de autoanuncio. ~ 행위(行爲) autobombo *m*, propaganda *f* de sí mismo.

매명사(媒名辭)【논리】término *m* medio.

매목(埋木) madera *f* fósil.

■~ 세공(細工) objeto *m* de madera fósil, mosaico *m*. ~ 세공물 objeto *m* de madera fósil, mosaico *m*.

매몰(埋沒) entierro *m*. ~하다 enterrar, sepultar. ~되다 enterrarse, sepultarse. 집이 토사(土砂)에 ~되어 있다 La casa está sepultada bajo tierra y arena.

매몰스럽다 (ser) frío, cruel, despiadado, indiferente, insensible, sin calor. 매몰스런 사람 persona *f* insensible.

매몰스레 fríamente, cruelmente, con crueldad, despiadadamente, indiferentemente, insensiblemente. ~ 굴다 tratar fríamente. ~ 말하다 hablar cruelmente.

매몰차다 ① [매우 매몰하다] (ser) cruel, atroz, frío, despiadado, desalmado, sin calor, sin corazón. 매몰찬 사람 persona *f* sin corazón. 그녀는~ Ella no es nada sentimental / Ella es práctica [realista]. ② [목소리가 높고 날카로우며 옹골차다] (la voz) ser alta, fina y sólida.

매몰하다 (ser) frío, helado, glacial, hélido, insensible, indiferente, seco, cortante. 매몰하게 fríamente, insensiblemente, indiferentemente, secamente, de manera cortante, cruelmente, amargamente, con poca amabilidad. 매몰한 대답 respuesta *f* seca. 매몰하게 굴다 tratar fríamente, ser poco amable (a·con·para·para con).

매무새 apariencia *f* de *su* ropa, elegancia *f* de *su* traje, atuendo *m*, atavio *m*, vestido *m*. ~가 좋다 [나쁘다] estar bien [mal] vestido. ~를 고치다 [옷의] adjustar *su* ropa; [머리의] arreglarse *su* pelo. 그녀는 옷~가 형편없다 Ella es desaliñada en su vestido / Ella va vestida con desaliño.

매무시 acicalamiento *m*, acicaladura *f*. ~하다 acicalarse.

매문(賣文) venta *f* de *su* escritura. ~하다 ganarse la vida con *su* pluma, vender *su* conocimiento.

■~가(家) escritorzuelo *m* literario, escritorzuela *f* literaria; escritor, -tora *mf* de pocotilla.

매물(每物) cada artículo, cada objeto.

매물(賣物) artículo *m* [objeto *m*] en venta. ~로 내놓다 poner en venta. ~ 맨션을 사다 comprar un piso de ocasión. 이 카메라는 ~이 아니다 No se vende esta cámara fotográfica [máquina de fotos]. 무슨 좋은 ~ 있습니까? ¿Hay alguna ganga? ~! ((게시)) Se vende / En venta.

매미【곤충】cigarra *f*, chicharra *f*. ~의 허물 camisa *f* [piel *f*] de cigarra. ~가 운다 Las cigarras cantan.

■~채 matacigalas *m.sing.pl.*

매발톱꽃 【식물】 columbino *m.*

매방(每放) cada tiro; [한 방 한 방] tiro a tiro.

매방 선택(買方選擇) opción *f* de comprador.

매번(每番) cada vez; [언제나] siempre; [자주] frecuentemente, cada frecuencia, muchas veces, a menudo. 그는 ~ 싸운다 Siempre él riñe. ~ 고맙습니다 Bueno, muchas gracias.

매복(埋伏) acecho *m*, emboscada *f*, asechanza *f.* ~하다 acechar, emboscarse. ~시키다 emboscar. ~하고 기다리다 emboscarse, tender una emboscada (a).

■~ 장소 emboscadura *f*, emboscada *f.* ~전 combate *m* de emboscada. ~치(齒) 【해부】 diente *m* impactado.

매부(妹夫) cuñado *m*, hermano *m* político, esposo *m* de *su* hermana.

매부리[1] [매를 부리는 사람] halconero, -ra *mf*; cetrero, -ra *mf.*

매부리[2] [매의 부리] pico *m* del halcón.

■~징 tachuela *f.* ~코 ㉮ [코] nariz *f* (*pl* narices) aguileña, nariz *f* de pico de loro. ② [사람] persona *f* aguileña, persona *f* de nariz aguileña.

매사(每事) todo, cada cosa, cada caso. ~에 a cada cosa, en cada caso, en todo. ~에 반대하다 oponer a cada cosa. ~를 냉정히 판단해야 한다 Hay que juzgar las cosas con calma. ~는 사물을 보는 방법에 달렸다 Todo depende de la manera de ver las cosas. 두 사람은 ~에 대립했다 Los dos se enfrentaron en todo / No había nada en que los dos estuvieran de acuerdo. 그는 ~에 빈틈이 없다 El es muy cuidadoso con todo.

■~ 불성(不成) fracaso *m* de cada trabajo. ~ 매사(媒辭) 【논리】 =중개념(中概念).

매사냥 halconería *f*, cetrería *f.* ~은 중세(中世)에는 매우 인기 있는 스포츠였다 La halconería era deporte muy apreciado en la edad media.

■~꾼 halconero *m.*

매삭(每朔) cada mes, todos los meses; [부사적] mensualmente.

매상(買上) compra *f*, adquisición *f.* ~하다 comprar, adquirir.

■~ 가격 precio *m* de compra. ¶정부 ~ precio *m* de compra del gobierno. ~곡(穀) cereales *mpl* de compra. ~미(米) arroz *m* de compra. ~ 상환(償還) reembolso *m* de compra.

매상(賣上) venta *f*, ingreso *m* (diario). ~하다 vender. ~된 것 중에서 수수료를 받다 cobrar una comisión por lo que se vende. 지금이 ~이 많을 때이다 Este es el período de mayor actividad en el negocio. 당사(當社)의 1일 ~은 천만 원으로 올랐다 La venta diaria de nuestra empresa ascendió a diez millones de wones.

◆순(純)~ producto *m* neto, importe *m* neto de ventas. 총(總)~ importe *m* bruto de ventas.

■~ 계산서 cuenta *f* de venta. ~ 계정(서) cuenta *f* de ventas. ~고 suma *f* vendida. ~금 importe *m* de (las) ventas. ~ 반품 devolución *f* sobre venta. ~ 보고서 relación *f* de venta. ~ 원가 costo *m* de la mercancía vendida. ~ 원장 libro *m* mayor de ventas. ~ 장부 libro *m* de ventas. ~ 책임액 cantidad *f* de venta a *su* cargo. ~ 총이익 utilidad *f* bruta. ~ 할인 descuento *m* sobre ventas.

매색(賣色) =매음(賣淫).

매석(賣惜) retención *f* sin vender. ~하다 retener sin vender.

매설(埋設) instalación *f* subterránea, instalación *f* debajo de la tierra. ~하다 instalar [poner · colocar] debajo de la tierra.

매섭다 (ser) severo, violento, feroz, furioso, intenso, recio. 매서운 눈초리 mirada *f* feroz.

매세(賣勢) asno *m* cubierto con piel de león. 권력을 믿고 ~하다 abrigarse bajo la autoridad, esconderse detrás de la autoridad. 위광(威光)을 믿고 ~하다 ampararse bajo [en] la influencia (de).

매소(賣笑) prostitución *f.* ~하다 prostituirse.

■~부(婦) prostituta *f*, ramera *f*, puta *f*, cortesana *f*, mujer *f* pública, mujer *f* de calle. ~ 헌미(獻媚) adulación *f*, halago *m*, lisonja *f*, carantoña *f*, coba *f*, pelotilla *f*, incienso *m*, servilismo *m.*

매수(枚數) número *m* de hojas. 필요한 종이의 ~ número *m* de hojas de papel necesarias.

매수(買收) ① [(물건을) 사들임] compra *f.* ~하다 comprar. 정부는 그 토지를 ~했다 El gobierno expropió el terreno. ② [금품으로 사람의 환심을 삼] soborno *m*, cohecho *m.* ~하다 sobornar, cohechar. ~할 수 없는 incorruptible, insobornable. 저 공무원은 업자에게 ~되었다 Aquel funcionario está sobornado por el industrial.

매수(買受) compra *f.* ~하다 comprar.

■~ 대금(代金) importe *m* pagado. ~인 comprador, -dora *mf.*

매스(영 *mass*) masa *f*, montón *m.*

■~ 게임 manifestación *f* gimnástica de masa. ~ 미디어 los medios de comunicación (de masas · en masa), los medios masivos de difusión. ~ 커뮤니케이션 comunicación *f* en masa, prensa *f*, periodismo *m.* ~컴 ((준말)) =매스 커뮤니케이션. ~ 프러덕션 fabricación *f* [producción *f*] en serie [en gran escala], producción *f* masiva [en masa].

매시(每時) ((준말)) =매시간(每時間).

매시간(每時間) cada hora, por hora. ~ 80킬로미터로 a ochenta kilómetros por hora.

매시근하다 (estar) lánguido, fatigado, endeble, abatido, decaído, desanimado, descaecido, flojo, flaco, débil, apático, indiferente. 매시근히 lánguidamente, fatigadamente, endeblemente, abatidamente.

매식(買食) cena *f* (a)fuera, acción *f* de comer en el restaurante. ～하다 cenar (a)fuera, comer en el restaurante.
매실(梅實) ciruela *f*.
■ ～주 vino *m* [licor *m*] de ciruelas.
매실나무 【식물】 ciruelo *m*.
매실매실하다 (ser) astuto, taimado, socarrón, disimulo, solapado, artero.
매실매실히 astutamente, con astucia, taimadamente.
매씨(妹氏) *su* hermana.
매암 acción *f* de dar vueltas.
◆ 매암(을) 돌다 ㉮ [원을 그리면서 빙빙 돌다] girar, dar vueltas, rodar. ㉯ [제자리에서서 몸을 뺑뺑 돌리다] girarse en *su* lugar. ㉰ [하는 일이 진전은 없이 제자리걸음하듯 하다] incubarse, estar latente. 아직 문제가 매암돌고 있다 El problema queda por resolver / Aún se incuba [está latente] el problema.
◆ 매암(을) 돌리다 girar, hacer girar, hacer rodar, girar sobre los talones.
매암매암 chirriando, piando, gorjeando. ～ 울다 chirriar, gorjear, piar, cantar. 매미가 ～ 운다 La cigarra canta [chirria].
매약(賣約) promesa *f* [contrato *m*] de venta. ～하다 prometer a vender, negociar.
■ ～필(畢) Vendido.
매약(賣藥) ① [약을 팖] venta *f* de medicina. ～하다 vender la medicina. ② [약국이나 약방에서 조제하여 파는 약] medicamento.
■ ～상 boticario, -ria *mf*; farmacéutico, -ca *mf*; droguero, -ra *mf*; droguista *mf*. ～ 행상인 vendedor, -dora *mf* ambulante de medicinas.
매양(每樣) siempre, cada vez; cuandoquiera que, siempre que, cada vez que.
매연(煤煙) ① [그을음 연기] hollín *m*, negro *m* de humo. ～에 오염된 holliniento, manchado con hollín. ～으로 꽉 차 있다 estar lleno de hollín. ② [석탄의 그을음] humo *m* de carbón. ③ ＝철매.
■ ～ 농도계 indicador *m* de óxido de carbono en el humo. ～ 차량 vehículo *m* que descarga en humo de escape.
매염(媒染) 【화학】 mordancia *f*.
■ ～ 물감[염료] tinte *m* mordente. ～성 mordancia *f*. ～제[료] mordente *m*.
매옴 sabor *m* algo picante. ～하다 (ser) algo picante.
매우 muy, mucho, -ísimo. ～ 잘 muy bien. 그는 서반아어를 ～ 잘한다 El habla muy bien el español [espanol muy bien]. 나는 ～ 기뻤다 Me alegré mucho. 나는 당신을 만나니 ～ 기쁩니다 Me alegro mucho de verle (a usted). 당신을 만나면 ～ 기쁘겠습니다 Me alegraré mucho de verle. 나는 그녀를 만나 ～ 기뻤습니다 Me alegré mucho de verla. 이 영화는 ～ 재미있다 Esta película es muy interesante [interesantísimo].
매우(梅雨) lluvias *fpl* entre mediados de junio y principios de julio.
■ ～기[시] temporada *f* [estación *f*] de (las) lluvias. ～수(水) el agua *f* llovediza de la temporada de lluvias.
매우치다 golpear mucho, dar un golpe severo.
매욱하다 (ser) estúpido, tonto, idiota.
매운맛 sabor *m* picante, picante *m*. ～을 내다 hacer picante; [후춧가루로] salpimentar. ～이 나는 picante.
매운바람 viento *m* cortante.
매운탕(一湯) *maeuntang*, sopa *f* [guiso *m*] de pescado picante.
매움 sabor *m* algo picante. ～하다 (ser) algo picante.
매워하다 sentir el sabor picante.
매원(梅園) huerta *f* de ciruelos.
매월(每月) cada mes, todos los meses; [부사적] mensualmente. ～의 mensual, de cada mes. ～ 한 번 una vez al mes. ～ 두 번 dos veces al mes. ～ 두 번째 토요일에 el segundo sábado de cada mes. ～ 첫 번째 일요일에 el primer domingo de cada mes.
매음(賣淫) prostitución *f*, acción *f* de prostituirse, vida *f* y acciones de la prostituta. ～하다 prostituirse, vender la gracia, ganar dinero andando por las calles, ganar con su cuerpo.
■ ～굴 prostíbulo *m*, burdel *m*, lupanar *m*, casa *f* de trato, casa *f* llana, casa *f* pública, casa *f* de putas, casa *f* de camas, casa *f* de citas, casa *f* de prostitución. ～녀[부] prostituta *f*, ramera *f*, puta *f*. ～ 행위(行爲) prostitución *f*.
매이다 ① [맴을 당하다] ser atado, ser sujetado. ② [남에게 딸려, 부림·구속을 받게 되다] ser encadenado. 매이어 있다 estar encadenado. 목을 ～ ser estrangulado, ser ahogado. 그들은 창문 격자에 매이어 있었다 Ellos estaban encadenados a las rejas. 나는 온종일 집에 매이어 있고 싶지 않다 No quiero estar todo el día metida [encerrada] en casa.
매인목숨 subordinado, -da *mf*; subalterno, -na *mf*; esclavo, -va *mf*. ～이다 Yo no soy mi propio patrón.
매인(每人) cada persona, cada uno, cual uno.
■ ～당(當) por capita, por persona.
매일(每日) todos los días, cada día; [부사적] diariamente, a [de] diario; [나날이. 매일매일] día tras día, de día en día. ～의 diario; [일상의] cotidiano. ～의 사건 sucesos *mpl* diarios. ～ 아침[오전](에) todas las mañanas. ～ 오후(에) todas las tardes, cada tarde. ～ 밤(에) todas las noches, cada noche. ～ 여덟 시에 todos los días a las ocho. ～ 목욕하다 bañarse diariamente [todos los días]. 나는 방과 후 ～ 세 시간 일한다 Trabajo después de la escuela tres horas diarias.
매일같이 [날마다] todos los días, cada día; [거의 날마다] casi todos los días.
■ ～열(熱) amfemera *f*. ～열 말라리아 malaria *f* cotidiana, paludismo *m* cotidiano.
매일반(一一般) todo el mismo. 엎어지나 잦혀

지나 ~이다 Los dos tienen parte de la culpa.

매입(買入) compra *f*, adquisición *f*; [조달] abastecimiento *m*. ~하다 comprar, adquirir, hacer una compra (de), hacer adquisición (de), conseguir; [상업하다] negociar. 면화를 ~하다 comprar [adquirir] (el) algodón, hacer una compra de algodón. 밀을 아르헨띠나에서 ~하다 comprar trigo a la Argentina. ~ 가격 이하로 팔다 vender a un precio más bajo que el de compra. 나는 만 원으로 그것을 ~했다 Yo lo compré por diez mil wones. 그는 그 집을 1억 원에 ~했다 El consiguió la casa por [al precio de] cien millones de wones.

▪~ 가격 precio *m* de compra. ~ 담당자 encargado, -da *mf* del surtido de mercancías. ~ 동기 motivo *m* de compra. ~ 상환 amortización *f* por compra. ~ 행위 comportamiento *m* de compra [de las compras].

매자(媒子) =중매(仲媒).

매작지근하다 (estar) tibio.
매작지근히 tibiamente.

매잡이[1] ① [매듭의 단단한 정도] grado *m* de lo apretado del nudo. ② [일을 맺어 마무리하는 일] terminación *f*.

매잡이[2] ① [매를 잡는 사람] halconero, -ra *mf*. ② [매를 잡는 사냥] halconería *f*. ~하다 cazar el halcón.

매장(埋葬) ① [시체를 땅속에 묻어 장사를 지내는 일] entierro *m*, inhumación *f*, sepultura *f*. ~하다 enterrar, inhumar, sepultar, dar sepultura (a). ② [못된 짓을 한 사람을 사회에 용납되지 못하게 함] ostracismo *m* social. 사회에서 ~되다 ser entregado al olvido.

▪~꾼 trabajador *m* sepultador. ~비(費) gastos *mpl* de entierro. ~식 entierro *m*, exequias *fpl*, funeral *m*, ritos *mpl* fúnebres, ritos *mpl* funerarios. ~인 sepultero, -ra *mf*. ~지(地) lugar *m* de enterrar, cementerio *m*, *Per* panteón *m* (*pl* panteones). ~ 허가서 permiso *m* de enterramiento *m* (subterráneo), licencia *f* [certificado *m*] de entierro.

매장(埋藏) ① [묻어서 감추어 둠] escondimiento *m* en la tierra. ~하다 esconder en la tierra. ② [(지하자원이) 땅속에 묻힘] entierro *m* en la tierra, depósito *m* de minerales. ~하다 enterrar en la tierra.

▪~량 reservas *fpl*. ¶석유 ~ reservas de petróleo. ~ 문화재 patrimonio *m* enterrado [bienes *mpl* culturales enterrados] en la tierra. ~물 propiedad *f* enterrada; [광물의] depósitos *mpl*; 【법률】 tesoro *m* (escondido). ~지(地) lugar *m* enterrado, lugar *m* escondido. ~ 지대 (地帶) [석탄·석유 등의] yacimiento *m*.

매장(賣場) cuarto *m* de ventas, mostrador *m*; [카페의] barra *f*, [은행·우체국의] ventanilla *f*, [백화점 따위의] sección *f*, departamento *m*.

◆식료품 ~ sección *f* [departamento *m*] de comestibles. 화장품 ~ mostrador *m* de perfumería.

▪~ 주임 jefe, -fa *mf* de sección, jefe, -fa *mf* de departamento. ~ 판매원 dependiente, -ta *mf* de tienda.

매절(賣切) agotamiento *m* de existencias. ~하다 agotar. ~되다 agotarse, acabarse. 달걀은 ~되었다 Se han agotado los huevos. 그녀는 꽃을 ~할 때까지 돌아갈 수 없다 Ella no puede volver hasta que (no) venda todas las flores. 오늘은 ~되었습니다 Está agotado por hoy.

매점(買占) acopio *m*, acaparamiento *m*, monopolio *m*. ~하다 acopiar, acaparar, monopolizar. 상품을 ~하다 acaparar los artículos. 관람석을 ~하다 reservar todos los palcos. 주(株)를 ~하다 acaparar [monopolizar] alas acciones de una compañía. ~해서 모아두다 hacer provisión, abastecerse, proveerse, aprovisionarse.

▪~ 매석 acaparamiento *m* y acumulación. ¶~ 하다 acaparar y acumular. ~자 acaparador, -dora *mf*.

매점(賣店) puesto *m*, tenderete *m*; [신문(新聞)·꽃·청량음료 등의] quiosco *m*, kiosco *m*. 신문 ~ quiosco *m* [puesto *m*] de periódicos.

매정스럽다 (ser) insensible, cruel, duro de corazón, despiadado.
매정스레 insensiblemente, cruelmente, con insensibilidad, con crueldad, con dureza de corazón, despiadadamente.

매정하다 (ser) frío, cruel, seco, desabrido, adusto, duro, inhumano, despiadado, indiferente, insensible, empedernido, sin calor. ~하게 fríamente, duramente, insensiblemente. 매정한 남자 hombre *m* sin corazón, hombre duro de corazón. 매정한 노인 anciano *m* duro de corazón, viejo *m* despiadado [miserable]. 매정한 마음 corazón *m* frío. 매정한 처사(處事) tratamiento *m* frío. 매정한 짓을 하다 comportarse despiadadamente. 매정하게 대하다 tratar fríamente, mostrarse duro (con). 매정하게 말하다 hablar cruelmente, decir cosas despiadadas, hablar sin piedad.
매정히 fríamente, con frialdad, secamente, duramente, cruelmente, despiadadamente. ~ 대하다 tratar fríamente [con frialdad], ser [estar] duro (con). 나는 그에게 돈을 빌려달라고 부탁했지만 ~ 거절했다 Le pedí prestado dinero, pero me lo negó secamente.

매제(妹弟) cuñado *m*, hermano *m* político, esposo *m* de *su* hermana menor.

매조지 toque *m* final.

매조지다 terminar, completar.

매주(每週) cada semana, todas las semanas. ~의 semanal. ~ 금요일에 cada viernes, todos los viernes. ~ 세 번 tres veces cada semana.

매주(買主) comprador, -dora *mf*; [총] demanda *f*; [증권의] alcista *mf*; especulador, -dora *mf* al alza; [손님] cliente *mf*. ~가 없다 No hay compradores. 이 차는 쉽게 ~가 나타날 것이다 Este coche se venderá fácilmente. 그 상품은 ~가 없다 El artículo no tiene demanda [salida].

매주(賣主) vendedor, -dora *mf*.
■ ~ 시장 mercado *m* de vendedores.

매죽(梅竹) el ciruelo y el bambú.

매지구름 nubes *fpl* de lluvia, nubes *fpl* de precipitación, nubarrón *m*; 【기상】 nimbo *m*.

매지근하다 (estar) tibio, templaducho, calentucho.
매지근히 tibiamente, templaduchamente, calentuchamente.

매지매지 en varias partes.

매직(賣職) =매관 매직(賣官賣職).

매직(영 *magic*) [마술] magia *f*; [마술의] mágico *adj*.
■ ~ 아이 ojo *m* mágico, tubo *m* electrónico. ~ 잉크 roturador *m*, color *m* [pintura *f*] para marcar.

매진(賣盡) agotamiento *m*, éxito *m* de taquilla. ~하다 agotar, venderlo todo. ~되다 agotarse. 즉시 ~되었다 Enseguida se agotaron las localidades. 토요일에 이미 ~되었다 El sábado ya se había agotado / El sábado ya no quedaba. 폐점은 빵이~되었습니다 No nos queda pan / Se nos ha agotado el pan. (좌석) ~! ((게시)) Agotadas las localidades.

매진(邁進) avance *m*, lucha *f* por alcanzar, esfuerzo *m* por alcanzar. ~하다 avanzar, seguir adelante, luchar [esforzarse] por alcanzar, actuar decididamente. 사업의 발전을 위해 ~하다 luchar [actuar decididamente] para desarrollar el negocio. 새 한국의 건설에 ~하자 Vamos a esforzarse por alcanzar la construcción de Corea nuevo.

매질[1] ① [매로 때리는 일] azotaina *f*, zurra *f* de azotes, vapuleo *m*, paliza *f*. ~하다 azotar, dar azotes, dar una paliza, dar látigazos. ~하는 사람 azotador, -dora *mf*. ② [선도하기 위한 비판이나 편달(鞭撻)] crítica *f*, criticismo *m*, ánimo *m*, aliento *m*. ~하다 criticar, animar, alentar. 그녀는 늘 나에게 ~을 많이 했다 Ella me siempre ha alentado mucho. 그녀는 어떤 ~도 필요하지 않다 No (le) hace falta que la animen a hacerlo.
■ 매질을 아끼면 자식을 망친다 ((속담)) La letra con sangre entra / Niño mimado, niño ingrato.

매질[2] =매흙질.

매질(媒質) 【물리】 médium *m*.

매차(每次) cada vez, todas las veces; cada turno, todos los turnos.

매체(媒體) medio *m*, médium *m*, vehículo *m*.

매초(每秒) cada segundo, todos los segundos. ~ 5미터 속도로 a cinco metros de velocidad al [por] segundo.

매초롬하다 poseer la belleza sana.

매축(埋築) construcción *f* en terreno ganado al mar. ~하다 construir en terreno ganado al mar.
■ ~ 공사(工事) obra *f* construida en terreno ganado al mar. ~지(地) terreno *m* ganado al mar.

매춘(賣春) prostitución. ~하다 prostituirse. ~시키다 prostituir.
■ ~ 금지법 ley *f* contra la prostitución. ~부 prostituta *f*, ramera *f*, puta *f*. ~ 생활 vida *f* de prostitución. ~ 행위 prostitución *f*.

매출(賣出) venta *f*, saldo *m*, liquidación *f*; [증권 따위의] emisión *f*. ~하다 vender.
◆ 염가 대~ ganga *f*, saldo *m*, liquidación *f*. 특가(特價) ~ venta *f* especial.
■ ~ 가격 precio *m* de ventas. ~ 개시(開始) puesta *f* en marcha de la venta.

매치[1](영 *match*) [성냥] cerilla *f*, fósforo *m*, *Méj* cerillo *m*.

매치[2](영 *match*) ① [시합. 경기] combate *m*, match *ing.m*, partido *m*, juego *m*. ~하다 competir, emparejar. ② [좋은 적수(敵手)] buen rival *m* (*pl* buenos rivales), buen competidor *m* (*pl* buenos competidores). ③ [조화를 이룸] armonía *f*, concordia *f*. ~하다 pegar (con), hacer juego (con), armonizar (con).
■ ~ 포인트 última jugada *f*, [득점] punto *m* decisivo.

매치광이 ① [매친 사람] loco, -ca *mf*. ② [언행이 미친 사람처럼 방정맞은 사람] persona *f* frívola.

매치다 volverse loco.

매캐하다 ① [연기의 냄새가] (ser) humeante, humoso. ② [곰팡내가] (ser) mohoso, enmohecido, rancio, oler a humedad.

매콤하다 (ser) algo picante, fuerte. 매콤한 냄새 olor *m* algo picante.

매큼하다 (ser) algo picante. 매큼한 냄새 olor *m* algo picante.

매탄(煤炭) carbón *m* (*pl* carbones)..

매태(莓苔) 【식물】 =이끼.

매토(買土) compra *f* del terreno [de bienes raíces]. ~하다 comprar el terreno [bienes raíces].

매토(賣土) venta *f* del terreno [de bienes raíces]. ~하다 vender el terreno [bienes raíces].

매통 molino *m* de moler de madera.

매트(영 *mat*) ① [돗자리. 거적] estera *f*, esterilla *f*. ② [신의 흙을 털기 위한 현관의 깔개] felpudo *m*, esterilla *f*, *Col* tapete *m*. ③ [욕실 바닥의] alfombrilla *f*, alfombrita *f*, tapete *m* del baño. ④ [개인용 탁자의] (mantel *m*) individual *m*; [식탁의 중앙의 접시나 꽃병 등의 밑에 까는] salvamanteles *m.sing.pl*, *RPI* posafuentes *m.sing.pl*. ⑤ ((체조)) colchoneta *f* de salto; ((레슬링)) colchoncillo *m* de lucha; ((권투)) lona *f*.
◆ 고무 ~ colchoneta *f*.

■～ 운동 ((체조)) ejercicio *m* de suelo, gimnasia *f* en el suelo; [남자의] movimiento *m* masculino en el suelo; [여자의] ejercicios *mpl* femeninos en el suelo.

매트리스(영 *mattress*) colchón *m* (*pl* colchones). 스프링이 들어 있는 ～ colchón *m* de muelles.

매파(一派) gavilanes *mpl*.

매파(媒婆) casamentera *f* vieja.

매판 esterilla *f* para el molinillo.

매판(買辦) comprador *m*.

■～ 자본 capital *m* comprador.

매팔자(一八字) circunstancias *fpl* fáciles. ～이다 estar en circunstancias fáciles.

매표(買票) compra *f* de billetes; [투표의] compra *f* de votos. ～하다 comprar billetes; comprar votos.

매표(賣票) venta *f* de billetes. ～하다 vender billetes [*AmL* boletos]. ～를 시작했다 [역에서] La taquilla está abierta.

■～구 taquilla *f*, ventanilla *f*. ～소 [탈것의] mostrador *m* [taquilla *f*] de venta de pasajes [billetes]; [극장의] taquilla *f*, *AmL* boletería *f*. ～원 taquillero, -ra *mf*. ～ 창구 ventanilla *f*.

매품(賣品) mercaderías *fpl* en venta; ((게시)) En venta.

■～팔이 venta *f* de mercaderías en venta.

매한가지 igualdad *f*, identidad *f*. ～의 igual, mismo. ～로 igualmente, en la manera igual, también, asimismo. ～다 dar lo mismo. 새것이나 ～이다 ser como nuevo. 엎어지나 잦혀지나 ～다 Los dos tuvieron parte de la culpa. 우리 그 일을 오늘 할까 내일 할까? － ～다 ¿Lo hacemos hoy o mañana? － Da lo mismo. ☞마찬가지. 매일반

매합(媒合) afición *f* a casar a los demás. ～하다 entreponerse (entre), mediar (entre).

매해(每一) cada año, todos los años.

매향(梅香) aroma *m* de la flor de ciruelo.

매혈(買血) compra *f* de sangre. ～하다 comprar sangre.

매혈(賣血) venta *f* de sangre. ～하다 vender sangre.

매형(妹兄) cuñado *m*, hermano *m* político, esposo *m* de *su* hermana mayor.

매호(每戶) cada casa, todas las casas.

매호(每號) cada número, todos los números.

매혹(魅惑) atractivo *m*, atracción *f*, encanto *m*, fascinación *f*, seducción *f*. ～하다 atraer, encantar, fascinar, seducir. 나는 그녀의 미모에 ～되었다 Yo quedé encantado de su hermosura de ella.

■～적 encantador, atractivo, fascinante, seductivo, voluptuoso. ¶～으로 encantadoramente, atractivamente, fascinantemente, seductivamente, voluptuosamente.

매화(梅花)【식물】① ＝매화나무. ② ＝매화꽃.

■～꽃 flor *f* de ciruelas. ～림 bosque *m* de ciruelos. ～주(酒) vino *m* [licor *m*] de ciruelas. ～죽 gachas *fpl* de ciruelas. ～차 [다] té *m* de ciruelas secadas.

매화나무(梅花一)【식물】ciruelo *m*.

매회(每回) cada vez, todas las veces; [토너먼트·퀴즈의] cada vuelta; [복싱·레슬링의] cada asalto, cada round; [골프의] cada vuelta, cada recorrido; [야구의] cada entrada, cada manga.

매흙 greda *f* gris fina.

■～모래 arena *f* gris fina. ～질 revoque *m* de la pared con la greda gris fina. ¶～하다 revocar la pared con la greda gris fina.

맥(脈) ①【해부】((준말)) ＝혈맥(血脈). ② ((준말)) ＝맥박(脈搏). ③【광물】＝광맥. ④ ((준말)) ＝맥락(脈絡). ⑤【식물】＝잎맥. ⑥【풍수지리】[지맥(地脈)] sitio *m* [lugar *m*] favorable topográficamente. ⑦ [기운이나 힘] espíritu *m*, ánimo *m*, vigor *m*, energía *f*. ～이 빠져 축 늘어지다 doblar la cerviz.

◆맥(을) 못 추다 ㉮ [맥이 풀려 힘을 못 쓰다] (estar) cansado, exhausto. 맥을 못 추고 지다 ser vencido sin oponer la menor resistencia. ㉯ [무엇에 정신을 빼앗겨 이성을 잃다] perder *su* razón.

◆맥(을) 짚다 pulsar (a), tomar el pulso (a).

◆맥(이) 없다 (ser·estar) enervante, enervadizo, débil, flojo.

맥(이) 없이 ㉮ [아무 기운도 없이] enervantemente, débilmente, tenuemente, flojamente, con desaliento, hecho migas, abatido, abatidamente, desanimadamente, descorazonadamente, con la cabeza gacha, triste y desanimado, abatida y tristemente. ¶그는 ～ 귀가했다 El ha vuelto descorazonado. ㉯ [아무 이유도 없이] sin razón, sin motivo. ¶그녀는 ～ 울고 있다 Ella está llorando sin motivo. ㉰ [쉽게] fácilmente, con facilidad. ～ 지다 ser vencido fácilmente. ¶시합에 ～ 지다 perder el partido muy fácilmente. ～ 사기당하다 ser engañado fácilmente. ㉱ [갑자기] súbitamente, repentinamente, de repente, de súbito. ¶～ 죽다 morir súbitamente [repentinamente·de repente·de súbito].

맥(貘)【동물】tapir *m*, danta *f*.

맥고(麥藁) paja *f*.

■～ 모자 sombrero *m* de paja. ～지 papel *m* de fibra de paja.

맥관(脈管)【해부】vaso *m* sanguíneo. ～의 vascular. ～간(間)의 intervascular. ～내(內) intravascular. ～상(狀)의 vasiforme. ～외(外)의 extravascular.

■～근(筋) músculo *m* vascular. ～병(病) vasculopatía *f*, angiopatía *f*. ～염 angitis *f*, vasculitis *f*. ～ 운동 angiokinesis *f*. ～통 vasalgia *f*. ～학 angiología *f*.

맥노(麥奴) tizón *m*, tizoncillo *m*.

맥놀이(脈一) pulsación *f*, heterodino *m*.

맥농(麥農) cultivo *m* de cebada.

맥도(脈度) número *m* de pulsaciones, frecuencia *f* de pulso.

맥동(脈動) moción *f* pulsátil [pulsativo·la-

tiente], latido *m*, pulsación *f*, palpitación *f*.
■ ~ 용접 soldadura *f* por impulsos de corriente. ~ 전류 =맥류(脈流).
맥락(脈絡) hilo *m* (de argumento), coherencia *f*, [관련(關聯)] conexión *f*, relación *f*. ~ 없는 deshilvanado, incoherente. ~ 없는 것을 말하다 decir cosas deshilvanadas.
■ ~ 모세관막 membrana *f* coriocapilar.
맥락막(脈絡膜) 【해부】 coroides *f*, membrana *f* coroidea.
■ ~염(炎) coroiditis *f*. ~ 홍채염(虹彩炎) coroidoiritis *f*.
맥량(麥凉) tiempo *m* frío en la temporada de la cosecha de cebada.
맥량(麥糧) cebada *f* para el uso del verano.
맥류(脈流) 【전기】 corriente *f* pulsatoria.
맥류(麥類) cebada *f*, trigo *m*.
맥리(脈理) ① [글·사물의] contexto *m*, conexión *f*, relación *f*, combinación *f*, coherencia *f*. ② 【한방】 teoría *f* diagnóstica del pulso. ③ 【화학】 estría *f*.
맥망(麥芒) arista *f*, raspa *f*.
맥맥하다 ① [코가 막혀서] (estar) mal ventilado, ahogado, cargado, de bochorno. 맥맥한 코 nariz *f* mal ventilada. ② [생각이] (estar) perplejo, no saber qué hacer.
맥맥히 continuamente, enteramente, sin interrupción, ininterrumpidamente. 4천 년 이상이나 ~ 이어온 전통 tradición *f* continua de más de cuatro mil años. 민주주의는 ~ 이어지고 있다 La democracia se sucede de generación en generación.
맥무병(麥無病) 【의학】 acrotismo *m*.
맥박(脈搏) pulso *m*, pulsación *f*, latido *m*. ~의 efígmico. 미약한 ~ pulso *m* formicante. 불규칙한 ~ pulso *m* arrítmico. 정상적 ~ pulso *m* normal [regular]. 천천히 규칙적으로 뛰는 ~ pulso *m* sentado. ~을 보다 pulsar, tomar el pulso. ~을 재다 pulsar, tomar el pulso (a). ~이 뛰다 palpitar, latir las arterias. ~이 뛰는 pulsativo, pulsante. ~이 빠르다 [늦다·약하다·불규칙하다] tener el pulso rápido [lento·débil·intercadente]. ~은 정상이다 El pulso es normal. ~이 늦어진다 El pulso baja. ~이 없다 El pulso deja de latir. ~이 고르지 않다 El pulso es irregular. ~에 이상이 없다 El pulso es normal. ~이 약간 빠르다 El pulso está algo agitado. ~ 좀 봅시다 A ver el pulso / Vamos a ver el pulso. 아직 ~이 있군요 Todavía hay esperanza de que se venga a buenas. 그는 ~이 100이다 El tiene cien pulsaciones por minuto. 의사는 환자의 ~을 재어 보았다 El médico pulsó al enfermo. 열은 ~을 높인다 La fiebre acelera las pulsaciones.
■ ~ 결여(缺如) ausencia *f* de pulso. ~계 pulsímetro *m*, efigmómetro *m*. ~ 곡선 curva *f* de pulso. ~ 기록기 efigmógrafo *m*. ~ 발성기 esfigmófono *m*. ~ 부정(不整) intercadencia *f*. ¶~의 intercadente. ~ 시진법(視診法) esfigmoscopia *f*. ~ 청진기 esfigmófono *m*. ~ 촉진(觸診) esfigmopalpación *f*. ~학 esfigmología *f*.
맥박치다 palpitar. 심장이 맥박친다 El corazón palpita. 정의감이 그의 가슴에 맥박치고 있다 El lleva el espíritu de justicia en la sangre.
맥반(麥飯) =보리밥.
맥분(麥粉) ① [밀가루] harina *f* (de trigo). ② [보리의 가루] cebada *f* en polvo, harina *f* de cebada.
맥비(麥肥) fertilizante *m* para el cultivo de cebada.
맥빠지다 ① [피곤하다] (estar) cansado, agostado, exhausto. 너는 맥빠진 얼굴을 하고 있군 Tú tienes cara de estar agotado. ② [낙심하다] (estar) desanimado, desalentado.
맥석(脈石) 【광물】 ganga *f*.
맥소(脈所) ① 【의학】 sitio *m* donde se toma el pulso. ② [사물의 급소] punto *m* vital.
맥시(영 *maxi*) maxifalda *f*.
■ ~스커트 maxifalda *f*.
맥시류(脈翅類) 【곤충】 neurópteros *mpl*.
맥아(麥芽) malta *f*.
■ ~당 maltosa *f*. ~ 분유 batido *m* de leche malteada, leche *f* malteada. ~ 식초 vinagre *f* de malta. ~ 위스키 whisky *m* de malta. ~ 엑스트랙트 extracto *m* de malta. ~주(酒) cerveza *f*.
맥암(脈巖) 【광물】 roca *f* filoniana.
맥압(脈壓) presión *f* de pulso.
■ ~계 energómetro *m*.
맥우(麥雨) lluvia *f* que cae en la temporada de cosecha de la cebada.
맥작(麥作) [재배] cultivo *m* de cebada; [수확] cosecha *f* de cebada.
맥주(麥酒) cerveza *f*. ~의 cervecero. ~ 한 잔 un vaso de cerveza, una (caña de) cerveza. 김빠진 ~ cerveza *f* estropeada [agriada]. 독한 ~ cerveza *f* fuerte [doble]. 싱거운 ~ cerveza *f* floja. ~를 제조하다 elaborar [fabricar] cerveza. 나는 ~의 쓴맛을 싫어한다 No me gusta lo amargo de la cerveza.
◆생~ cerveza *f* sacada del barril. 흑~ cerveza *f* de marzo, cerveza *f* parda, cerveza *f* negra.
■ ~박[찌끼] pozos *mpl* de cerveza. ~병(甁) ㉮ [맥주의 병] botella *f* de cerveza. ㉯ [헤엄을 칠 줄 모르는 사람] el que no nada. ~ 양조 cerveceo *m*. ~ 양조자 cervecero, -ra *mf*. ~ 양조장 cervecería *f*. ~ 제조 elaboración *f* [fabricación *f*] cervecera. ~ 제조업 industria *f* cervecera. ~ 제조 회사 cervecería *f*. ~홀 cervecería *f*. ¶~ 주인 cervecero, -ra *mf*. ~ 효모균(酵母菌) hongo *m* de lavadura de cerveza. ~ㅅ집 cervecería *f*.
맥줄(脈—) arteria *f*.
맥진(驀進) carrera *f* corta. ~하다 lanzarse, precipitarse, correr a toda velocidad, correr a toda prisa.
맥쩍다(脈—) ① [열없고 계면쩍다] (estar) vergonzoso, ignoninioso, deshonroso, es-

candaloso; [서술적] tener vergüenza, avergonzarse (de). 자네를 만나기가 ~ Me avergüenzo de verte. ② [심심하고 흥미가 없다] (estar) aburrido, pesado, cansado, fastidioso, molesto. 맥쩍게 앉아 있다 estar sentado aburridamente.

맥차(麥茶) té *m* de cebada tostada.

맥추(麥秋) ① cosecha *f* de cebada. ② ((성경)) siega *f* de los trigos, cosecha *f* de trigo.

맥파(脈波) onda *f* pulsáitil. ~ 모양의 esfigmoideo.

■ ~계[묘사기] esfigmógrafo *m*.

맨[1] [오로지] exclusivamente, justamente, ni más ni menos, exactamente, precisamente, sólo, solamente, no más, apenas. ~ 외국 서적뿐이다 Son los libros extranjeros solamente.

맨[2] [가장] el más, extremo. ~ 밑의 el más bajo. ~ 뒤의 postrero, último. ~ 위의 el más alto, predominante.

맨- desnudo, vacío. ~발 pies *mpl* desnudos. ~발의 descalzado. ~손 manos *fpl* desnudas [vacías]. ~주먹 puños *mpl* vacíos.

맨 꼭대기 el más alto.

맨 꼴찌 el más último.

맨꽁무니 sin reservas, con las manos vacías; [사람] persona *f* con las manos vacías.

맨 끝 fin *m*, terminal *f*. ~의 final. 한국의 ~ 마을 aldea en los confines de Corea. 소설을 ~까지 읽다 terminar de leer la novela.

맨 나중 fin *m*, último *m*; [부사적] finalmente, por último. ~의 final. ~에 en conclusión, finalmente, por último.

맨눈 =육안(肉眼).

맨둥맨둥하다 (ser) peludo, calvo, sin árboles. 맨둥맨둥한 산 monte *m* [montaña *f*] sin árboles.

맨둥맨둥히 peludamente, calvamente, sin árboles.

맨 뒤 fin *m*.

맨드라미 【식물】 amaranto *m*, gallocresta *f*, cresta *f* de gallo, moco *m* de pavo.

맨드리 ① [옷을 입고 매만진 맵시] *su* aparición. ② [물건의 만들어진 모양새] forma *f*.

맨땅 suelo *m* desnudo.

맨땅바닥 terreno *m* (desnudo).

맨망떨다 comportarse frívolamente.

맨망스럽다 (ser) frívolo, caprichoso.

맨망스레 frívolamente,

맨망하다 (ser) frívolo, caprichoso, veleidoso, voluble, inconstante.

맨망히 frívolamente, caprichosamente, de modo caprichoso.

맨머리 cabeza *f* pelada, cabeza *f* calva; [모자를 쓰지 않은 머리] cabeza *f* sin sombrero. ~로 나가다 salir sin sombrero.

맨 먼저 [최초] principio *m*, comienzo *m*; [최초에] al principio; [무엇보다 먼저] ante todo, antes de (que) nada. ~의 primero, principal, delantero. ~ 말해 둘 것은 en primer lugar, para empezar. 순자가 ~ 왔다 Suncha vino la primera.

맨몸 ① [벌거벗은 몸] piel *f* (desnuda), cuerpo *m* desnudo, cueros *mpl*, desnudez *f*, desnudo *m*. ~의 (completamente) desnudo. ~으로 en cueros (vivos), en pelota, en carnes. ~이 되다 quedar en cueros, desnudarse completamente, quitarse [despojarse de] toda la ropa. ~으로 만들다 desnudar (a *uno*) completamente, dejar [poner] (a *uno*) en cueros [en pelota]. ~에 입다 ponerse un traje directamente sobre la carne. ② [아무것도 지니지 아니한 몸] el estar sin un céntimo, cuerpo *m* que no tiene nada. ~으로 만들다 despojar (a *uno*) de todas *sus* posesiones, desplumar, pelar. 나는 ~이다 Estoy sin un céntimo [un centavo].

맨 밑 el más bajo, el fondo más bajo.

맨바닥 suelo *m* raso.

맨발 descalcez *f*, pies *mpl* desnudos; ((성경)) pie *m* descalzo, descalzo *m*. ~의 descalzo. ~로 descalzamente. ~로 걷다 andar descalzo.

맨션(영 *mansion*) mansión *f*, casa *f* de piso, *Méj* casa *f* de condominios; [한 구획] piso *m*, apartamento *m*, palacio *m*, residencia *f* señorial, edificio *m* de pisos.

맨손 manos *fpl* vacías, manos *fpl* desnudas; [무기 없는 손] mano *f* sin armas. ~의 manivacío, desarmado. ~으로 sin armas, con las manos vacías, manivacíamente. ~으로 막다 defencderse sin tener armas. ~으로 돌아오다 volver con las manos vacías; [성과 없이] volver fracasado. ~으로 뜨거운 냄비를 잡다 coger la olla caliente con las manos desnudas.

■ ~바닥 palma *f* de la mano vacía. ~ 체조 ejercicios *mpl* gimnásticos, gimnasia *f* sueca.

맨송맨송하다 ① [몸에 털이 없이 반반하다] (ser) pelón, calvo, peludo, desnudo. 턱이 ~ (ser) imberbe, barbilampiño, desbarbado, no tener barba. ② [(산에 나무가 없이 반반하다] (ser) pelado, sin árboles. 맨송맨송한 산 monte *m* [montaña *f*] sin árboles. ③ [술을 마신 뒤에 취하지 아니하다] (estar) sobrio, despejado. 나는 아주 ~ Estoy perfectamente sobrio [despejado]. 맨송맨송할 때 돌아오너라 Vuelve cuando estés sobrio [cuando se te haya pasado la borrachera · cuando te hayas despejado]. 네가 맨송맨송할 때 그것을 이야기하자 Lo hablaremos cuando estés sobrio [cuando se te haya pasado la borrachera · cuando te hayas despejado].

맨송맨송히 sobriamente, con sobriedad.

맨숭맨숭하다 =맨송맨송하다.

맨숭맨숭히 =맨송맨송히.

맨 아래 el fondo más bajo. ~의 (el) más bajo.

맨 앞 cabeza *f*, vanguardia *f*, (el) primero. ~의 delantero, primero. principal, más destacado.

맨 위 cima *f*, cumbre *f*, pico *m*, cúspide *f*,

máximum *m*, máximo *m*, ápice *m*; [머리의] corona *f*. ~의 (el) más alto.

맨입 estómago *m* vacío, boca *f* vacía. ~에 술을 마시다 beber en el estómago vacío. ~으로 자다 acostarse con el estómago vacío.

맨주먹 puño *m* desnudo, mano *f* vacía. ~의 desarmado. ~으로 sin armas.

맨 처음 principio *m*, comienzo *m*, primero *m*. ~의 primero, inicial. ~부터 desde el principio. ~에 al principio, en un principio. ~에 무엇을 할까요? ¿Qué haremos primero?

맨투맨(영 *man-to-man*) de hombre a hombre; [스포츠의] individual. ~으로 de hombre a hombre; [스포츠의] con un marcaje individual.

■~ 디펜스 [(경기의) 대인 방어] defensa *f* individual. ~ 오펜스 ofensiva *f* individual.

맨틀[1](영 *mantel*) =맨틀피스.

■~피스 [벽난로 앞면 주위의 장식 구조 전체] repisa *f* de la chimenea.

맨틀[2](영 *mantle*) ① 【지학】 [지구 내부의 지각(地殼)과 핵(核)과의 중간층] manto *m*, sima *f*. ② ((준말)) =가스맨틀.

맨 파워(영 *man power*) personal *m*, recursos *mpl* humanos; [인간의 노동력] mano *f* de obra.

맨홀(영 *manhole*) registro *m*, pozo *m* de inspección, boca *f* de alcantarilla.

■~ 뚜껑 tapa *f* de registro, tapa *f* de boca de alcantarilla.

맬다이브 공화국(-共和國) 【지명】 la República de Maldivas.

맬다이브어(Maldive 語) maldivo *m*.

맬다이브인(Maldive 人) maldivo, -va *mf*.

맴 ((준말)) =매암.

맴돌이 ① [맴을 도는 일] acción *f* de dar vueltas. ② 【수학】 =회전체. ③ 【물리】 =와동(渦動).

■~ 전류(電流) 【전기】 =푸코 전류.

맴맴 ((준말)) =매암매암.

맵다 ① [고추나 겨자의 알알한 맛이나 냄새와 같다] (ser) picante, acre, a pimienta. 매운 소스 salsa *f* acre. 매운 양념 condimento *m* [sal *f* y pimienta] picante. 매운 카레 요리 curry *m* picante. 그것은 너무 ~ Sabe demasiado a pimienta / Está demasiado picante. 국이 무척 ~ La sopa tiene (un) sabor [gusto] picante / La sopa sabe picante. ② [(성미가) 사납고 독하다] (ser) severo, estricto, intenso, duro. 매운 추위 frío *m* severo. ③ [결기가 있고 몹시 야무지다] (ser) robusto, corpulento, firme, tenaz; [줄이] resistente, fuerte; [문이] sólido. ④ [매우 춥다] hacer mucho frío. 살을 에는 듯한 매운 바람 viento *m* cortante. 맵디맵다 ser muy picante. 맵디매운 고추 chile *m* [ají *m*] muy picante.

맵살스럽다 (ser) odioso, aborrecible. 맵살스레 odiosamente, aborreciblemente.

맵시 elegancia *f*, forma *f* hermosa, forma *f* atractiva, (lo) guapo, belleza *f*, hermosura *f*, figura *f*, hechura *f*, forma *f* de aparición, apariencia *f*, [옷 따위의] estilo *m*. ~ 있는 guapo, hermoso, generoso, elegante, encantador, de buen estilo, a la moda, bien formado, coquetón, galán, refinado y de buen gusto. ~ 없는 desgarbado, mal hecho, desmañado, informe, sin forma. 걷는 ~ figura *f* andante. 몸 ~ *su* figura. 옷~ estilo *m* de vestirse. 우아한 맵시 figura *f* elegante. ~가 나는 옷 traje *m* que sienta bien. ~ 있게 입다 vestirse bien. 그녀는 옷을 ~ 있게 입을 줄 안다 Ella sabe vestir(se) bien.

맵싸하다 (ser) picante, acre; [공기 따위가] irritante, agrio. 목구멍이 ~ Tengo la garganta irritada / Tengo carraspera.

맵자하다 tener una forma firme [sólida].

맵짜다 (ser) picante y salado.

맷가마리 el que merece una paliza.

맷고기 trocitos *mpl* de la carne de vaca separadamente vendida.

맷돌 mortero *m*, molino *m* a mano, molinillo *m* (de especias), piedra *f* molar, muela *f*, piedra *f* de molino, rueda *f* de molino, molino *m* de piedra, *Arg* ruejo *m*. ~에 갈다 moler. 커피를 ~에 갈다 moler el café.

■~ 중쇠 pivote *m* y gorrón de molinillo. ~질 moledura *f*. ¶~하다 moler.

맷맷하다 =밋밋하다.

맷맷이 =밋밋이.

맷방석(-方席) colchón *m* (*pl* colchones) redondo de paja que está extendido debajo del molinillo.

맷손 mango *m* de molinillo.

맷수쇠 pivote *m* de molinillo.

맷중쇠(-中-) ((준말)) =맷돌 중쇠.

맷집 cuerpo *m* que tolera bien el azote.

◆맷집(이) 좋다 ㉮ [심한 매를 맞아도 끄떡없다] (ser) fuerte a pesar del azote muy severo. 맷집 좋은 권투 선수 boxeador *m* fuerte a pesar de mucho azote muy severo. ㉯ [때려 볼만하게 살 집이 좋다] la carnosidad es buena para que valga la pena de azotar. 맷집 좋은 계집 mujer *f* muy carnosa que vale la pena de azotar.

맹-(猛) muy violento, furioso, impetuoso. ~공격(攻擊) ataque *m* muy violento.

맹견(猛犬) perro *m* feroz [fiero]. ~ 주의! ¡Cuidado con el perro feroz [fiero]!

맹공(猛攻) =맹공격(猛攻擊).

맹공격(猛攻擊) ataque *m* violento [intenso · feroz · furioso · vigoroso]. ~하다 atacar violentamente [intensamente · ferozmente · furiosamente · vigorosamente · fuertemente] ~을 가하다 lanzar un ataque intenso [feroz · violento · furioso · vigoroso]. ~을 받다 sufrir un ataque intenso [feroz · violento · furioso · vigoroso].

맹그로브(영 *mangrove*) 【식물】 mangle *m*.

맹근하다 (ser · estar) algo tibio. 맹근히 algo tibiamente.

맹금(猛禽) 【조류】 el ave *f* (*pl* las aves) de rapiña, ave *f* rapaz.

■~류 rapaces *fpl*.

맹꽁맹꽁 graznando, croando. ～하다 graznar, croar.
맹꽁이 ①【동물】una especie de la rana pequeña. ② [됨됨이가 답답한 사람] idiota *mf.* ③ ((은어)) ＝자물쇠. 열쇠. ④ ((은어)) ＝수갑.
◆맹꽁이 따다[떼다] ((은어)) abrir la cerradura.
■～ 자물쇠 candado *m.* ¶～로 잠그다 cerrar con condado, echar el candado.
맹눈(盲－) analfabeto, -ta *mf.*
맹도견(盲導犬) perro *m* lazarillo.
맹독(猛毒) veneno *m* mortal [violento], ponzoña *f* violenta.
맹동(孟冬) ① [초겨울] invierno *m* temprano, principio *m* de invierno. ② [음력 시월] octubre *m* del calendario lunar.
맹동(萌動) germinación *f.* ～하다 germinar.
맹랑하다(孟浪－) ① [허망하다] (ser) falso, postizo, ficticio. ② [근거(가) 없다] (ser) infundado, sin fundamento, falto de motivo [de razón]. ③ [터무니없다] (ser) absurdo, fabuloso, desatinado, disparatado. ④ [믿을 수 없다] (ser) increíble. 맹랑한 사람 persona *f* increíble. 맹랑한 남자 hombre *m* increíble. 맹랑한 여자 mujer *f* increíble. 맹랑한 이야기 cuento *m* increíble.
맹랑히 falsamente, infundadamente; absurdamente, fabulosamente; increíblemente.
맹렬하다(猛烈－) (ser) violento, furioso, impetuoso; ((성경)) duro, salvaje, fuerte, recio. 맹렬함 violencia *f.* 맹렬한 공격 ataque *m* violento, ataque *m* furioso. 맹렬한 더위 calor *m* glacial [severo · intenso].
맹렬히 violentamente, furiosamente, impetuosamente, como loco(s); ((성경)) grande, mucho. ～ 공부하다 dedicarse intensamente al estudio, estudiar con ahinco, estudiar como loco, empollar, amarrar. ～ 연습하다 entrenarse intensamente. 그들은 ～ 일했다 [달렸다 · 싸웠다] Ellos trabajaron [corrieron · lucharon] como locos.
맹롱아(盲聾兒) el niño ciego, sordo y mudo.
맹목(盲目) ceguedad *f,* ceguera *f.* ～의 ciego.
■～ 비행 vuelo *m* por [con] instrumentos. ～적 ciego. ¶～으로 ciegamente, a ciegas. ～인 사랑 amor *m* ciego. ～인 사랑을 하다 amar ciegamente.
맹문 situación *f,* circunstancias *fpl,* caso *m,* detalles *mpl,* pormenores *mpl.*
◆맹문 모르다 no tener la comprensión de la situación, no entender las circunstancias nada, no tener sentido. 맹문 모르고 sin saber el caso. 맹문 모르고 덤벼들지 마라 No te precipites [No tomes ninguna decisión precipitada] sin saber el caso.
맹문이 persona *f* que no entiende nada el caso.
맹물 ① [아무것도 타지 않은 물] el agua *f* sin mezclar nada. 맛이 ～이다 [국이] Es un aguachirle // [커피가] Sabe a chicoria / *CoS* Tiene gusto a jugo de paraguas / *Méj* Tiene a gusto a té de calcetín. 이것은 술이 아니고 ～이다 Este no es vino, sino agua de fregar [de lavar] los platos. ② [하는 짓이 싱겁고 야물지 않은 사람] persona *f* insulsa; persona *f* sosa; soso, -sa *mf.* 그 사람은 ～이다 El es un soso.
맹방(盟邦) ＝동맹국(同盟國).
맹사(盲射) disparos *mpl* al azar. ～하다 disparar al azar.
맹사(猛射) disparos *mpl* pesados, disparos *mpl* severos [calientes]. ～하다 disparar severamente. 적에게 ～를 퍼붓다 llover disparos pesados sobre el enemigo.
맹성(猛省) reflexión *f* seria. ～을 촉구하다 incitar la reflexión seria.
맹세 juramento *m,* jura *f,* promesa *f;* [신(神)에 대한] voto *m.* ～하다 juramentarse, jurar, prestar juramento, hacer (un) juramento; [약속하다] prometer, hacer una promesa; [신에게] hacer voto. 거짓 ～ juramento *m* falso. 평화의 ～ 아래 bajo promesa [bajo juramento · bajo voto] de paz. ～하게 하다 hacer prestar juramento; ((성경)) hacer jurar. ～를 저버리다 romper *su* juramento [*su* voto]. ～를 지키다 mantener *su* juramento. …에 걸고 ～하다 jurar sobre *algo.* …으로 하여금 ～하게 하다 tomar*le* juramento (a), juramentar*le* (a). …할 것을 ～하다 jurar [prometer] + *inf* [que + *inf*]. 충성을 ～하다 jurar fidelidad. 복수하겠다고 ～하다 jurársela(se). 진실을 말할 것을 ～하다 jurar decir la verdad. 변함없는 사랑을 서로 ～하다 jurarse amor eterno, jurarse fidelidad. ～합니다 ¡Lo juro! / ¡Palabra de honor!
■～지거리 juramento *m* en lengua vulgar, juramento *m* profano, maldición *f.* ¶～하다 jurar profanamente, maldecir. ～코 Dios es testigo (de que), pongo a Dios por testigo (de que), lo juro;【법률】bajo juramento. ～ 나는 죄가 없습니다 Soy inocente, lo juro / Dios es testigo de que soy inocente / Pongo a Dios por testigo de que soy inocente.
맹수(猛獸) fiera *f,* bestia *f* feroz; [고양잇과의] bestia *f* félida.
■～ 사냥 caza *f* de bestias feroces. ～ 사육사 domador, -dora *mf.*
맹습(猛襲) ataque *m* furioso, asalto *m,* acometida *f* impetuosa. ～하다 atacar furiosamente.
맹신(盲信) credulidad *f,* fe *f* ciega, confianza *f* ciega. ～하다 ser crédulo, creer ciegamente.
■～자(者) persona *f* crédula.
맹아(盲兒) niño *m* ciego, niña *f* ciega.
맹아(盲啞) el ciego y el mudo, el ciego y el (sordo)mudo.
■～ 교육(教育) educación *f* de ciegos y sordomudos. ～자(者) el minusválido y el sordomudo. ～ 학교 escuela *f* de ciegos (y sordomudos).
맹아(萌芽) ① [싹틈] germinación *f.* ② [싹] germen *m,* yema *f,* simiente *m,* brote *m,*

retoño *m*, botón *m*. ③ [시초] indicio *m*, germen *m*. 위기의 ~ germen *m* de crisis.
■ ~기 embrión *m*, estado *m* embrionario. ~림 bosque *m* de brotes.

맹약(盟約) compromiso *m* de honor; [동맹(同盟)] pacto *m* de alianza, alianza *f*, confederación *f*, liga *f*, coalición *f*; [서약(誓約)] promesa *f*. ~하다 confederar, convenir, pactar, reunir en confederación, unir, estar de acuerdo. ~을 맺다 concluir el pacto.
■ ~국(國) =동맹국(同盟國).

맹연습(猛練習) entrenamiento *m* [ensayo *m*] intensivo [severo]. ~하다 entrenarse [ensayarse] intensivamente (en) ~을 과하다 someter a un entrenamiento [a un ensayo] intensivo.

맹우(猛雨) lluvia *f* torrencial.

맹우(盟友) amigo, -ga *mf* leal [firme · confidencial], camarada *mf*.

맹위(猛威) violencia *f*, furor *m*, ferocidad *f*. ~를 떨치다 rabiar, enfurecer. 태풍이 제주도에서 ~를 떨치고 있다 Se enfurece [Se desata · Se desencadena] el tifón en la Isla de Chechudo. 전염병 (傳染病)이 이 지방(의 아이들)에 ~를 떨쳤다 Una enfermedad epidémica hizo estragos en esta región (entre los niños).

맹이 marco *m* de la silla de montar.

맹인(盲人) ciego, -ga *mf*, persona *f* ciega.
■ ~ 교육 educación *f* para los ciegos. ~용 점자 우편 correo *m* en braille para los ciegos.

맹자[1](孟子) 【인명】 Mencio (B.C. ¿372?-289).

맹자[2](孟子) 【책】 las Obras de Mencio.

맹장(盲腸) 【해부】 intestino *m* ciego, apéndice *m*. ~의 염증(炎症) inflamación *f* de la apendicitis.
■ ~ 결석증 tiflolitiasis *f*. ~성 담낭염 tiflocolecistitis *f*. ~ 수술 operación *f* para apendicitis. ¶~을 받다 tener una operación para apendicitis. ~염 apendicitis *f*, tiflitis *f*. ¶급성 ~ apendicitis *f* aguda. ~염 수술 apendicectomía *f*, operación *f* para apendicitis. ~ 절개 cecotomía *f*. ~ 절개 수술 tiflectomía *f*. ~ 절개술 tiflotomía *f*. ~ 절제술 cecectomía *f*, caececomía *f*, tiflectomía *f*.

맹장(猛將) caudillo *m* bravo [audaz], general *m* bravo.

맹장자(盲障子) =맹장지.

맹장지(盲障－) puerta *f* corrediza de papel.

맹장질(盲杖－) azote *m* severo, castigo *m* severo. ~하다 azotar severamente.

맹점(盲點) punto *m* ciego. 법(法)의 ~을 이용하다 aprovechar [sacar partido de] las oscuridades de la ley.

맹졸(猛卒) soldado *m* bravo.

맹종(盲從) obediencia *f* ciega. ~하다 obedecer [seguir] ciegamente. …에게 ~하다 seguir a *uno* como borregos.
■ ~자(者) seguidor *m* ciego, seguidora *f* ciega.

맹주(盟主) jefe *m*, líder *m*, dirigente *m*, poder *m* dirigente; [나라] nación *f* dirigente.

맹진(猛進) arremetida *f* intrépida. ~하다 arremeter intrépidamente.

맹추 tonto, -ta *mf*; bufón, -fona *mf*; simplón, -plona *mf*; gaznápiro, -ra *mf*; bobalicón, -cona *mf*.

맹추(孟秋) ① [초가을] otoño *m* temprano. ② [음력 칠월] julio *m* del calendario lunar.

맹춘(孟春) ① [초봄] primavera *f* temprana. ② [음력 일월] enero *m* del calendario lunar.

맹타(猛打) ① [몹시 세게 때림] golpe *m* muy fuerte. ② ((운동)) golpes *mpl* fuertes y seguidos.

맹탕[1](－湯) ① [맹물처럼 싱거운 국] sopa *f* insípida [sosa · insulsa · desabrida]. ② [싱거운 일이나 사람] persona *f* lerda.

맹탕[2](－湯) [터무니없이 마구] al azar. ~ 나무라다 culpar al azar.

맹폭(盲爆) bombardeo *m* ciego. ~하다 bombardear ciegamente [a ciegas].

맹폭(猛爆) ((준말)) =맹폭격(猛爆擊).

맹폭격(猛爆擊) bombardeo *m* intensivo [pesado]. ~하다 bombardear intensivamente [pesadamente].

맹풍(盲風) =질풍(疾風).

맹풍(猛風) viento *m* violento [severo].

맹하(孟夏) ① [초여름] verano *m* temprano. ② [음력 사월] abril *m* del calendario lunar.

맹학교(盲學校) =농아 학교(聾啞學校).

맹호(猛虎) ① [사나운 범] tigre *m* feroz [fiero · furioso]. ② [매우 사나운 사람] persona *f* feroz [fiera].

맹화(猛火) llama *f* rabiosa, llama *f* furiosa, fuego *m* espantoso, fuego *m* vidento, fuego *m* devorador; [겁화(劫火)] fuego *m* de infierno; [화재(火災)] incendio *m* violento.

맹활동(猛活動) actividad *f* [acción *f*] vigorosa.

맹활약(猛活躍) gran actividad *f*, actividad *f* notable. ~하다 desplegar [mostrar] gran actividad.

맹훈련(猛訓練) entrenamiento *m* intensivo [duro]. ~하다 entrenar intensivamente [duramente]. 신입생을 ~하다 entrenar duramente a los nuevos estudiantes.

맹휴(盟休) ① ((준말)) =동맹 휴학(同盟休學). 동맹 휴교(同盟休校). ② ((준말)) =동맹 휴업(同盟休業).

맺다 ① [끈이나 실 따위의 끝과 끝을 엇걸어서 매듭지게 하다] anudar, enredar. ② [어떤 형태를 이루다] producir. 열매를 ~ dar fruto. ③ [계속해 오던 일을 마무리하다 · 끝내다] terminar, acabar, concluir. …의 결말을 경구로 끝을 ~ concluir *algo* con un epigrama. 그 책은 다음과 같은 말로 끝을 맺는다 El libro concluye con estas palabras. ④ [사람이나 조직 따위가 서로 어떤 관계를 짓거나 이루다] formar, hacer, unir, ligar, trabar, enlazar. 맺어지다 ligrase, unirse. 우정(友情)을 ~ contraer [trabar] amistad. 조약(條約)을 ~ contraer un pacto [un tratado]. 친척 관계를 ~ contraer parentesco. 혼약(婚約)을 ~ contraer matrimonio. 그와 그녀는 결국 맺어졌다 El y ella se unieron por fin en matrimonio. 그들은 파티에서 맺은 인연으로 결혼했다 Ellos se conocieron con ocasión de una fiesta y se casaron. 그들은 금전[우정(友情)]으로 맺어져 있다 Ellos están ligados por el dinero [la amistad] / Los liga el dinero [la amistad].

맺음말 =결론(結論).

맺히다 ① [열매가] darse fruto, frutar, fructificar. ② [매듭이] formarse nudos, hacerse nudos. ③ [원한(怨恨) 따위가] estar reprimido, estar contenido. 원한이 ~ estar lleno de rencor. ④ [눈물·이슬 따위가] formarse. 이슬 맺힌 rociado, húmedo. 이슬 맺힌 풀잎 brizna *f* de hierba rociada. 눈물이 ~ formarse la lágrima. 이슬이 ~ formarse el rocío. ⑤ [꼭 다물리다] cerrarse. 꼭 맺힌 입 boca *f* bien cerrada. ⑥ [(살 속의 피가) 뭉치다] coagularse. 피가 ~ coagularse la sangre.

맺힌 데 ㉮ [피가 맺혀 있는 부분] parte *f* coagulada. ㉯ [꽁하고 야무지게 한 번 품은 감정이 좀처럼 풀리지 않는 부분] reserva *f* fría; [악감정] animosidad *f*. 그들은 ~가 있다 Ellos mantienen una reserva fría. 두 사람 사이에는 ~가 풀렸다 Ha desaparecido la reserva fría que existía entre los dos.

맬갛다 (ser) clarísimo, muy claro.

머 ((준말)) =무어. 무엇. 뭐. ¶~ 어쨌다고? ¿Qué pasó? / ¿Qué hiciste?

머금다 ① [입속에 넣어 삼키지 않은 채로 있다] tener. 입에 물을 ~ tener el agua en la boca. ② [(눈에 눈물을) 글썽거릴 뿐 흘리지 아니하다] tener, tener lleno, asomar, deja asomar. 눈에 눈물을 ~ tener lágrimas en los ojos, tener los ojos llenos de lágrimas, dejar asomar las lágrimas a los ojos. 그는 눈에 눈물을 머금고 있다 Le asoman las lágrimas a los ojos / Se le saltan las lágrimas. ③ [(생각 따위를) 품다] guardar. 앙심(怏心)을 ~ guardar rencor. 나는 앙심을 머금은 사람이 없다 No guardo rencor nadie. ④ [지니거나 띠다] llevar. ⑤ [어떤 감정을 조금 나타내다] radiar, aparecer. 만면에 웃음을 머금고 radiando la cara con sonrisa. 그녀는 입가에 웃음을 머금고 있었다 La sonrisa aparecía a flor de labios.

머다랗다 estar bastante lejos.

머드팩(영 *mudpack*) [(미용의) 산성백토(白土) 팩] mascarilla *f* facial.

머루 ①【식물】parra *f* silvestre. ② =왕머루. ③ =산포도(山葡萄).

머름【건축】revestimiento *m* de paneles de madera, boiserie *f*.

머리[1] ① [사람의 목 위의 부분으로 뇌·눈·코·입·귀가 있는 부분] [두부(頭部)] cabeza *f*, [두개골] cráneo *m*. ~ 위에 sobre la cabeza, encima de la cabeza; [위쪽] arriba. ~가 큰 cabezudo, cabezón. ~끝에서 발끝까지 de pies a cabeza, de alto a alto. ~를 긁다·긁적이다 rascarse la cabeza. ~를 끄덕이다 [긍정의 뜻, 위아래로] afirmar con la cabeza, decir que sí con la cabeza. ~를 들다 levantar [alzar] la cabeza. ~를 들 수 없다 no poder levantar la cabeza (ante). ~를 부수다 romper la cabeza (a), abrir la cabeza. ~를 숙이다 bajar la cabeza, ponerse cabizbajo. ~를 숙이고 걷다 andar cabizbajo. ~를 숙이고 말하다 hablar con la cabeza baja. ~를 처박다 meter la cabeza (en). ~부터 떨어지다 caerse de cabeza. ~ 위를 바라보다 mirar (hacia) arriba. ~ 위에 떨어지다 caer sobre la cabeza (de). 나는 ~가 아프다 Tengo dolor de cabeza / Me duele la cabeza. 물가고(物價高) 때문에 ~가 아프다 La subida de los precios me causa quebraderos [me trae] de cabeza / Ando con dolor de cabeza por la subida de los precios. 제비가 ~ 위를 난다 Un golondrina vuela por encima de mi cabeza. ~에는 뇌와 여러 감각이 있다 La cabeza contiene el cerebro y los órganos de varios sentidos. 그는 ~를 위아래로 흔들었다 El movió la cabeza de arriba abajo / El afirmó con la cabeza / El dijo que sí con la cabeza. ~를 창으로 내밀지 마라 No saques la cabeza por la ventana. ② [사람의 목 위 부분 가운데서 얼굴 이외의 부분] cabeza *f*. ~에 머리카락이 하나도 없다 No hay ni un pelo en la cabeza / La cabeza no tiene ni un pelo. ③ [일부 짐승의 대가리] cabeza *f*. 소 ~ cabeza *f* de la vaca. ④ ((준말)) =머리털(pelo, cabello). ¶ ~를 감다 lavarse el pelo. ~를 밀다 raparse la cabeza. 내 동생은 ~를 박박 밀었다 Mi hermano tiene la cabeza rasurada. ⑤ [두뇌] cerebro *m*; [뇌수(腦髓)] seso *m*. ~를 쓰는 일 trabajo *m* intelectual. ~ 회전이 빠른 inteligente, de na inteligencia rápida. ~ 회전이 느린 de una comprensión lenta, duro de molleras [de entenderas]. ~가 좋다 ser inteligente [listo], tener la cabeza clara. ~가 나쁘다 tener la cabeza hueca, ser poco inteligente, ser torpe. ~가 비다 no tener sesos, tener la cabeza vacía [hueca · llena de viento]. ~가 변하다 estar tocado de la cabeza. ~가 명석한 것을 보여주다 mostrar *su* inteligencia. ~에 스치다 pasar por la cabeza [la mente] (de · a), ocurrirse (a). ~ 회전이 빠르다 tener rapidez mental, ser muy vivo (de inteligencia), ser muy despierto. ~ 회전이 느리다 tener poca rapidez mental, ser lento (de inteligencia). 그는 시험에 관한 일이 ~에서 떠나지 않고 있다 El está obsesionado con el examen / El examen no se le aparta de la cabeza. 그 생각을 도저히 ~에서 지울 수 없다 De ninguna manera puedo quitarme esa idea en la cabeza. ⑥ [(어떤 물체의)

꼭대기] cumbre *f*, cima *f*. ⑦ [(어떤 집단의) 우두머리] jefe, -fa *mf*, líder *mf*, dirigente *mf*, capitán *m* (*pl* capitanes). ⑧ [맨 처음] principio *m*, comienzo *m*. ⑨ [일부 물건의 앞부분] parte *f* delantera. ⑩ [어떤 일의 시작] comienzo *m*, principio *m*.

◆머리(가) 가볍다 sentir ligero en la cabeza, *su* cabeza sentir ligero.

◆머리(가) 굳다 ㉮ [생각이 완고하고 보수적이다] tener ideas anticuadas. ㉯ [기억력 따위가 무디다·둔하다] tener la cabeza dura, ser cabezón [testarudo · terco].

◆머리(가) 굵다 tener la cabeza grande, ser grande la cabeza.

◆머리(가) 돌다 ㉮ [(임기응변으로) 생각이 잘 움직이거나 미치다] el pensamiento alcanzar bien. ㉯ [정신이 비정상적으로 되다] volverse loco, enloquecer, romperse la cabeza, estar más loco que una cabra.

◆머리가 돌아가다 ser muy listo [inteligente].

◆머리(가) 무겁다 cargarse la cabeza. 나는 ~ Tengo pesadez de cabeza / Siento pesado de cabeza.

◆머리(가) 크다 crecer, hacerse adulto.

◆머리를 가로 흔들다 =고개를 가로 흔들다. ☞고개¹.

◆머리(를) 감다 lavarse el pelo [el cabello]. 머리를 감기다 lavar el pelo (a). 머리를 감아라 Lávate el pelo.

◆머리(를) 굽히다 ceder, rendirse, someterse, darse por vencido.

◆머리(를) 깎다 ㉮ [이발하다] cortar el pelo. ㉯ [중이 되다] hacerse monje [bonzo · sacerdote] budista.

◆머리(를) 숙이다 ㉮ [탄복하여 수긍하거나 경의를 표하다] presentar [mostrar] *su* respeto(s) (a), inspirar respeto. 그 사람에게는 머리가 숙여진다 El me inspira respeto. ㉯ =머리를 굽히다.

◆머리(를) 식히다 ㉮ [휴식하다] descansar, hacer un descanso. ㉯ [마음을 안정시키다] tranquilizarse, calmarse, poner tranquilo. 머리를 식히세요 [usted에게] Tranquílice usted / Cálmese // [tú에게] Tranquízate / Cálmate.

◆머리(를) 썩이다 preocuparse (por).

◆머리(를) 쓰다 usar la cabeza.

◆머리(를) 얹다 [(처녀가) 시집가다] (la señorita) casarse.

◆머리(를) 얹히다 [시집보내다] casar.

◆머리(를) 짜다 calentrarse los sosos [la cabeza], devanarse los sesos.

◆머리(를) 흔들다 [거절하거나 부인하는 뜻으로 머리를 좌우로 젓다] agitar [sacudir · mover] la cabeza en señal de negativa, decir que no con la cabeza.

◆머리에 들어가다[들어오다] comprender, entender, recordar, acordarse (de), meter en la cabeza. 그는 머리에 잘 들어가도록 아주 쉽고 재미있게 가르쳐 주다 El nos lo enseña muy fácil e interesantemente para que le entendamos [comprendamos] bien. 그는 수업이 머리에 들어가지 않는다 No le entra en la cabeza la lección.

◆머리의 피도 마르지 않다 =대가리의 피도 마르지 않다. ☞대가리¹

■~가슴 ㉮ [머리와 가슴] la cabeza y el pecho. ㉯【곤충】=두흉부(頭胸部). ~가지 =접두사. ~그물 redecilla *f*. ~글자 (letra *f*) inicial *f*, [대문자(大文字)] (letra *f*) mayúscula *f* [capital *f*]. ~꾸미개 ornamento *m* de pelo. ~끄덩이 mechón *m* de pelo. ¶~를 잡다 agarrar del pelo. ~끝 extremo *m* del pelo, coronilla *f* de la cabeza. ~띠 filete *m*, prendedero *m*, cinta *f*, lista *f*, tira *f*. ~말[글] prefacio *m*, introducción *f*, prólogo *m*, preámbulo *m*. ~맡 cabecera *f*, lado *m* de cama. ¶~ 탁자 mesita *f* de noche, *AmS* velador *m*, *RPI* mesa *f* de luz. ~모양 peinado *m*, corte *m* [estilo *m*] de(l) pelo. ~빗 cepillo *m* (del pelo). ~쓰개 tocado *m*, sombrero *m*, gorro *m*, casco *m*, capucha *f*, velo *m*. ~채 mechón *m* largo de pelo. ~ 치장 adorno *m* para el cabello. ¶~하다 adornar para el cabello. ~카락 cabello *m*, pelo *m*. ¶~을 묶다 arreglar el pelo [el cabello]. ~을 빗다 peinar el pelo [el cabello]; [자신의] peinarse el pelo [el cabello]. ~을 자르다 cortar el pelo [el cabello]. ~을 풀다[헝클다] despeinarse. ~을 헝클어뜨리다 despeinar. ~을 짧게 깎다 pelar corto (a). ~핀 horquilla *f*, *AmS* gancho *m*, pasador *m*. ~형 peinado *m*, tocado *m*, corte *m* de pelo. ¶~을 바꾸다 [자신의] cambiarse de peinado, peinarse de distinta manera. ~ㅅ골¹ ㉮ =뇌수(腦髓). 뇌(腦). 두뇌(頭腦). ㉯ ((속어)) =머리¹. ~ㅅ골² [기름 짜는] prensa *f* de aceite. ~ㅅ기름 aceite *m* [loción *f*] para el cabello; [포마드] pomada *f*. ~ㅅ기사 artículo *m* de primera plana. ~ㅅ내 olor al cabello. ~ㅅ돌 piedra *f* principal, cabeza *f* de ángulo. ~ㅅ방 habitación *f* pequeña de atrás. ~ㅅ병풍 biombo *m* para la cabecera. ~ㅅ살 cuerda *f* del nervio en la cabeza. ¶~ 아프다[어지럽다] tener dolor de cabeza. ~ㅅ솔 cepillo *m* (del [para el] pelo). ~ㅅ수 ㉮ [사람의 수] número *m* de personas; [의회의] quórum *m*. ¶~를 채우다 completar el número de personas. ㉯ [돈의 액수] cantidad *f* de dinero. 돈의 ~를 채우다 llenar la cantidad de dinero. ~ㅅ수건 toalla *f* para el pelo. ~ㅅ장(欌) cómoda *f* pequeñita a la cabecera. ~ㅅ줄 ㉮ [종이 연의 머릿달 양 끝을 잡아당겨 맨 줄] cuerda *f* atada entre dos extremos del polo de arriba de la cometa. ㉯ [장음 표시로 글자 위에 긋는 줄] signo *m* diacrítico que indica que la vocal es larga.

머리² ((준말)) =돈머리.

-머리 ① [한쪽 끝·한쪽 가장자리] borde *m*. ② [어떤 철의 첫 시기] primer tiempo *m*. ③ [어떤 명사 어근을 속되게 나타냄] ¶소갈~ disposición *f*, intención *f*.

머리악(을) 쓰다 hacer todo lo posible, hacer todo el esfuerzo posible.

머리털 cabello *m*, pelo *m*, pelos *mpl* de la cabeza; [집합적] cabellera *f*. ~이 많은 cabelludo, que tiene mucho cabello. ~이 긴 con [de] cabello [pelo] largo. ~이 짧은 con [de] cabello [pelo] corto. ~이 아름다운 de cabellera hermosa. ~이 짙은 [드문] de abundante [escasa] cabellera. 부드러운 ~ cabello *m* fino. 빳빳한 ~ cabello *m* duro. ~을 빗다 [자신의] peinarse, desenredarse el pelo. ~을 감다 [자신의] lavarse la cabeza. ~을 헝클어뜨리다 despeinarse, desgrañarse, desmelenarse. ~을 풀다 [자신의] despeinarse. ~을 길게[짧게] 하고 있다 llevar el cabello largo [corto]. ~이 빳빳하다[부드럽다] tener el pelo duro [suave]. …의 ~을 잡다 asir a *uno* por los cabellos. 금발의 ~이다 tener el cabello rubio. ~이 자란다 Crece el cabello. 그는 ~을 많이 기르고 있다 Su cabello ya está muy crecido. 바람으로 내 ~이 헝클어진다 El viento me despeina el pelo. 나의 [너의·그의] ~은 백발이 되었다 Se me [te·le] ha puesto blanco el cabello / Yo he [Tú has·El ha] encanecido / Mis [Tus·Sus] cabellos han encanecidos. 흑인의 ~은 늘 곱슬곱슬하다 Los cabellos de los negros [los morenos] suelen estar ensortijados. 나는 ~이 무척 많다 Yo tengo mucho cabello / Yo soy muy cabelludo.

머릿니 【곤충】 piojuelo *m*.

머무르다 quedarse, permanecer; [움직이지 아니하다] parar; [남아 있다] quedar; [유숙(留宿)하다] alojarse, hospedarse; [거주하다] habitar, morar, residir; [정박하다] anclar. 집에 ~ quedarse en casa. 그곳에 더 머물러라 Quédate más ahí / No te muevas de ahí más. 나는 그 나라에서 삼 개월 머물렀다 Yo me quedé tres meses en el país / Yo permanecí tres meses en el país.

머무적거리다 vacilar, titubear.
머무적머무적 vacilantemente, de modo vacilante, titubeantemente. ~하다 mostrarse vacilante [nerviosamente·inquieto], quedarse confuso, encontrarse [estar] violento; [망설이다] vacilar, titubear; [부끄러워하다] avergonzarse. ~거리면서 con un [el] aire confundido. 얼굴이 붉어져 ~하다 ponerse colorado de confusión [de vergüenza].

머뭇거리다 ((준말)) =머무적거리다.
머뭇머뭇 ((준말)) =머무적머무적.

머슴 mozo *m* de labranza, peón *m* (*pl* peones) de labranza, sirviente *m*, criado *m*, servidor *m*, doméstico *m*, empleado *m*, lacayo *m*, labrador *m*.
◆머슴(을) 살다 servir como un mozo de labranza.
■~방 habitación *f* [cuarto *m*] para el mozo de labranza. ~살이 vida *f* de un mozo de labranza. ¶~하다 trabajar como un mozo de labranza. ~살이꾼 mozo *m* de labranza. ~아이 niño *m* que trabaja como un mozo de labranza.

머시[1] [사물의 이름이 얼른 생각나지 않을 때 그 이름 대신으로나 군소리로 하는 소리] [물건] algo; [사람] alguien. 김 ~라는 이 un cierto Kim. 그녀는 여성부의 무엇인가 하는 자리에 있다 Ella es algo en el Ministerio de Igualdad Sexual.

머시[2] ((준말)) =무엇이(qué). ¶~ 어째 ¿Qué dices?

머쓱하다 ① [어울리지 않게 키가 크다] (ser) desgarbado, larguirucho. 머쓱한 사나이 hombre *m* larguirucho. 그는 키가 머쓱하니 크다 El es alto y larguirucho. ② [기가 죽어 있다. 기를 펴지 못하고 있다] (estar) desanimado, desalentado.
머쓱히 desgarbadamente, larguiruchamente; desanimadamente, desalentadamente.

머쓱해지다 poner una cara acobardada.

머위 【식물】 fárfara *f*, tusilago *m*, petasites *m* común; 【학명】 Petasites japonicus.

머줍다 (ser) estúpido, lerdo, torpe, tardo, perezoso, morozo.

머지않아 [불원간(不遠間)] dentro de unos días; [이윽고] pronto, dentro de poco (tiempo), poco después, en un futuro cercano. ~ 날이 길어질 것이다 Pronto [Dentro de poco] empezarán a hacerse más largos días. ~ 봄이 될 것이다 Ya falta poco para (que empiece) la primavera. 그는 ~ 돌아올 것이다 El volverá pronto [dentro de poco]. 그녀는 ~ 퇴원할 것이다 Ella abandonará el hospital poco después. 나는 ~ 해외에 간다 Yo voy al extranjero pronto [en el futuro cercano·dentro de poco]. ~ 우리들은 그녀를 만나게 될 것이다 Pronto la veremos. ~ 더 많은 변화가 있을 것이다 Hay más cambios en perspectiva / Se avecinan más cambios.

머츰하다 parar un momento [un rato]. 비가 ~ Deja de llover un momento. 열이 ~ La fiebre se calma.

머큐로크롬(영 *mercurochrome*) mercurocromo *m*.

머큐리(영 *Mercury*) ① 【신화】 Mercurio *m*. ② 【천문】 [수성(水星)] Mercurio *m*. ③ 【화학】 [수은] mercurio *m*.

머플러(영 *muffler*) ① [목도리] bufanda *f*, tapaboca *f*. ~를 목에 감다 ponerse la bufanda en el cuello. ~를 목에 감고 있다 llevar la bufanda en el cuello. ② [소음기(消音器)] silenciador *m*.

먹 ① [고형(固形)의] *meok*, barra *f* de tinta china. ~을 갈다 frotar la barra para hacer la tinta china. 붓에 ~을 적시다 mojar el pincel en tinta. ② ((준말)) =먹물. ¶~으로 쓰다 escribir con tinta china.

먹- (color *m*) negro *m*.

먹감 caqui *m* negro, kaki *m* negro.

먹감나무 【식물】 caqui *m* negro.

먹거리 comida *f*, alimento *m*; [식량(食糧)]

provisiones *fpl*, combustibles *mpl*.

먹고무신 zapatos *mpl* de caucho negros.

먹고살다 vivir, ganarse la vida. 음악으로 먹고살기는 어렵다 Es difícil vivir de la música / Es difícil ganarse la vida como músico. 그녀는 먹고살기 위해 일할 필요가 없다 Ella no tiene que trabajar para vivir. 너는 일하지 않고 먹고살 권리가 없다 Tú no tienes derecho a vivir sin trabajar.

먹구렁이【동물】serpiente *f* grande negro, boa *f* negra;【학명】Elaphe dione.

먹구름 nube *f* negra, nubes *fpl* oscuras. ~이 하늘을 덮고 있다 El cielo está cubierto con las nubes oscuras / El cielo está extendido con las nubes negras.

먹그림 ① [먹으로만 그린 그림] dibujo *m* a tinta china, pintura *f* hecha con tinta china. ② =묵화.

먹놓다 escribir con tinta china.

먹는샘물 el agua *f* de manantial potable.

먹다¹ [귀가 소리를 듣지 못하게 되다] quedarse sordo. 귀를 ~ [일시적으로] estar sordo de un oído; [영구적으로] ser sordo de un oído.

먹다² ① [(대패·톱·맷돌·씨아 따위가) 어떤 재료를 갈거나 자르거나 깎거나 하다] serrar, aserrar, cortar bien. 대패가 잘 ~ El cepillo de carpintero sierra bien. ② [(물이나 풀·화장품 따위가 피륙이나 살갗 등에) 잘 배거나 고르게 퍼지다] [물감이] teñir; [풀이] almidonar; [화장이] arreglarse. 이 천은 물감이 잘 먹지 않는다 Esta tela no se tiñe bien. ③ [(노력·금전·물자(物資) 따위가) 소요되다·쓰이다·들다] gastar. 휘발유를 엄청나게 먹는 자동차 coche *m* gastado demasiado petróleo. 재료를 너무 많이 ~ gastar demasiados materiales. 이 엔진은 기름을 너무 많이 먹는다 Este motor gasta demasiado gasolina. ④ [어떤 사물의 몸이, 벌레에 의하여 헐어 들어가다] carcomer, roer. 좀먹은 옷 traje *m* carcomido [roído] por la polilla.

먹은금 [실비] gastos *mpl* actual; [원가] precio *m* de coste, *AmL* precio *m* de costo.

먹다³ ① [(음식 등을) 입을 거쳐 배 속으로 들여보내다] comer, tomar. 먹을 수 있는 comestible. 먹을 것을 주다 dar de comer; [유아 등에게] ayudar a comer; [목축에게 풀을] hacer pacer. 먹을 것을 찾다 buscar para comer. 먹는 것이 귀찮다 ser exigente [difícil] en la comida. 먹을 만하다 (ser) delicioso, bueno, excelente, bonito. 먹고살기가 어렵다 no tener ni siquiera con que vivir. 먹느냐 먹히느냐의 싸움을 하다 sostener una lucha a muerte, luchar [pelear] a muerte. 밥을 ~ comer, tomar la comida. 과일을 ~ comer la fruta. 아침을 ~ desayunar, tomar el desayuno; *Galicia* almorzar, tomar el almuerzo. 점심을 ~ almorzar, tomar el almuerzo. 저녁을 ~ cenar, tomar la cena. 풀을 ~ [가축이 목장 따위에서] pacer, comer hierba el ganado en prados o dehesas. 급히 ~ comer de prisa, tragar, engullir. 서서 ~ comer de pie. 맛이 어떻습니까? – 먹을 만합니다 ¿Qué tal el sabor? – No es malo / Es bueno. 잘 먹었습니다 [초대받아 식사를 끝낸 뒤에 하는 인사] Estoy (muy) satisfecho [여자 satisfecha]. 배불리 먹었습니다 Estoy (muy) lleno [여자 llena]. 더 못 먹겠습니다 No puedo más. 먹는 것에 조심해라 Ten cuidado con la comida [con lo que comes] / Presta atención a la comida. 나는 너무 늦게 도착해서 저녁을 먹지 못했다 Llegué tan tarde que me quedé sin cenar. 그는 먹다 굶다 하는 생활을 하고 있다 El vive en la mayor indigencia. 나는 오늘 아침부터 아무것도 먹지 않았다 Desde esta mañana no he comido nada. 나는 아침으로 빵과 계란 토스트를 먹는다 Para desayunar tomo [Desayuno] pan y tostada con huevos. 우리 한국인은 쌀을 주식으로 먹는다 El arroz es el alimento principal de nosotros los coreanos. 오늘 밤은 밖에서 먹는다 Esta noche voy a cenar. 소가 풀을 먹는다 La vaca pace.

② [(담배나 아편 등을) 피우다] fumar. 담배를 ~ fumar (un cigarrillo).

③ [(재물을 따거나 받거나 하여) 자기의 것으로 하거나 차지하다] apropiarse (de). 뇌물(賂物)을 ~ recibir el soborno.

④ [(어떤 수입되는 이익으로 해서) 제 것으로 차지하다] ganar. 1할을 먹는 장사 negocio *m* que gana un diez por ciento.

⑤ [(마음·뜻·생각 따위를) 품다] abarcar, fijar, hacer, pensar + *inf*, intrigar, conspirar. 앙심을 ~ tener*le* [guardar*le*] rencor (a *uno*).

⑥ [(어떤 나이에) 이르다] tener años (de edad). 네 살 먹은 아들 hijo *m* que tiene años de edad.

⑦ [(남을 비방하거나 모략을 쓰거나 하여, 어떤 자리나 지위나 처지에서 몰아내거나 하려고) 해를 입히다] hacer*le* daño (a), perjudicar.

⑧ [(꾸지람·욕·원망·책망 따위를) 당하거나 듣다] (ser) reprendido, reñido, insultado, ofendido.

⑨ [(공포감이나 위협감을) 느끼다] sentir, tener. 겁을 ~ tener*le* terror [pavor] (a), temer, tener*le* miedo (a). 나는 어두움에 겁을 먹는다 Me tiene miedo a la oscuridad. 너는 겁을 먹을 일이 아무것도 없다 No tienes nada que temer. 그는 아무것에도 아무에게도 겁을 먹지 않고 있다 No le tiene miedo [No le teme] a nada ni a nadie.

⑩ [구기(球技) 따위 경기에서, 점수를 잃다] perder. 한 점을 더 ~ perder un punto más.

⑪ [(더위와 같은 병에) 걸리다] ser afectado. 더위를 ~ ser afectado por el calor.

⑫ ((은어)) [성교(性交)하다] copular (con), coitar (con), tener relaciones sexuales (con).

⑬ ((속어)) ＝처먹다.

◆먹고 닮다 ser muy parecido, parecerse mucho.

먹는작물(作物) ＝식용 작물(食用作物).

먹어 치우다 comer(se) todo sin dejar ni pizca, comer(se) enteramente.

먹도미【어류】dorada *f.*

먹두루마기 prenda *f* de ropa embadurnada de tinta china.

먹똥 ① [먹물이 말라 붙은 검은 찌꺼기] poso *m* secado de la tinta china. ② [먹물이나 그 방울이 튀어 난 자국] manchas *fpl* de tinta china.

먹머리동이 *meokmeoridongi*, cometa *f* con el papel negro en la cabeza.

먹먹하다 (estar) sordo. 귀가 ~ estar sordo.

먹물 ① [벼루에 먹을 갈아 까맣게 만든 물] el agua *f* de tinta china. ② [먹빛같이 검은 물] tinta *f*, sepia *f.* 오징어의 ~ tinta *f* del calamar.

■ ~뜨기 ＝입묵(入墨). ~주머니 bolsas *fpl* de tinta.

먹반달(－半－) cometa *f* de forma de media luna.

먹병(－瓶) botella *f* para la tinta china.

먹보 ① [식충이] comilón, -na *mf.* ② [탐심(貪心)이 많은 사람] codioso, -sa *mf;* avaro, -ra *mf.*

먹빛 color *m* negro.

먹사과【식물】una especie de melón.

먹새 ((준말)) ＝먹음새.

먹성(－性) apetito *m*, capacidad *f* para comer. 그는 ~이 좋다 El tiene el buen apetito / El es omnívoro / El es muy comelón / El come mucho.

먹수건(－手巾) paño *m* que limpia el agua de tinta china.

먹실 hilo *m* teñido por la tinta china.

먹어나다 acostumbrarse [habituarse] (a *algo*·a ＋*inf*). 먹어난 음식 comida *f* [plato *m*] a que uno se acostumbra.

먹어대다 ① [계속해서 많이 먹다] seguir [continuar] comiendo mucho. ② [남을 해롭게 하려고 헐어 말하다] hacer*le* daño, perjudicar, hablar mal (de).

먹은금 ☞먹다[2]

먹을거리 comida *f*, alimento *m.*

먹을알 ① [노다지는 아니나 금이 많이 박힌 광석이나 광맥] mineral *m* de oro de buena cualidad. ② [그다지 힘들이지 않고 생기거나 차지하게 되는 소득] ganancia *f* fácil.

먹음먹이 ☞먹음새[1]

먹음새 ① [음식을 먹는 태도] actitud *f* que toma la comida, manera *f* [modo *m*] de comer. ~가 좋다 comer bien, comer con ganas. ② [음식을 만드는 범절] etiqueta *f* que prepara la comida.

먹음직스럽다 (ser) apetecible, apetitoso, apetitivo, sabroso. 먹음직스런 요리 plato *m* apetitoso.

먹음직스레 apetitosamente, apeteciblemente, apetitivamente, sabrosamente.

먹음직하다 ＝먹음직스럽다.

먹이 ① [사료(飼料)] ceba *f*, alimento *m.* ~를 주다 cebar. 도토리를 ~로 주다 cebar con bellotas. 돼지에게 ~를 주다 cebar cerdos, echar comida a los cerdos. 이 풀은 토끼의 ~가 될 수 있다 Esta hierba puede ser alimento para los conejos. ② [꼴] forraje *m*, pienso *m.* ③ [낟알] granos *mpl.* ④ [고기] carnaza *f.* ⑤ [양식거리] comida *f.* ~를 주다 echar comida, dar de comer. 새에게 ~를 주다 dar de comer al pájaro.

■ ~ 사슬[연쇄] cadena *f* alimenticia, cadena *f* trófica. ~ 피라미드 pirámide *m* alimenticio.

먹이다[1] ① [화살을 시위에 메다] encordar el arco, poner las cuerdas al arco. ② [마주하여 톱질을 할 때, 맞은편 쪽으로 톱을 밀어 주다] dar empujando la sierra hacia el lado de enfrente. ③ [(노래에서) 상대편 사람이 받아 할 수 있도록 먼저 부르다] cantar primero. ④ [(가축을) 치다] criar.

먹이다[2] ① [먹게 하다] hacer comer; [유아 등에게] ayunar a comer; [목축에게 풀을] hacer pacer. 약(藥)을 입으로 옮겨서 ~ hacer tomar un medicamento pasándolo de su propia boca. ② [가축을 기르다] criar. 그들은 가축을 먹였다 Ellos se dedican a la cría de ganado. ③ [금품을 주다] sobornar, cohechar, comprar, *Méj* morder, *CoS, Per* coimear. 돈을 ~ sobornar. ④ [욕되게 하다. 겁나게 하다] imponer, aplicar, infligir, asustar, amedrentar, aterrar, aterrorizar, amenazar. 겁을 ~ intimidar. ⑤ [더위로 인한 병이 나게 하다] causar la enfermedad. ⑥ [(물감·풀·물 따위가) 스며들게 하다] [물감을] teñir; [풀을] almidonar; [초를] encerar; [기름을] dar*le* aceite (a). 그는 천에 붉은 물을 먹였다 El tiñó la tela de rojo. 그녀는 머리카락에 브론드 색을 먹인다 Ella se tiñe el pelo de rubio. ⑦ [솜틀이나 씨아의 솜을 넣어 주다] introducir. ⑧ [돈·자금을 들이다] gastar. 자금을 ~ gastar el fondo. 비용으로 10만 원을 ~ gastar cien mil wones en gastos. ⑨ [(작두 따위 연장에) 썰 것을 대어 주다] poner. ⑩ [(주먹이나 발길로) 치다] pegar, dar. 한 대 ~ pegar [dar] un golpe (a).

◆먹여 살리다 dar de comer, alimentar, mantener, sostener. 가족을 ~ mantener a la familia.

먹자 escuadra *f* del carpintero para trazar las líneas de tinta.

먹자골목 callejón *m* (*pl* callejones) de la calle ocupada que hay muchos restaurantes.

먹자판 gran banquete *m.*

먹장 pedazo *m* de tinta china.

■ ~ 구름 nube *f* densa y negra, nube *f* oscura.

먹종이 ＝복사지(複寫紙).

먹줄 cordel *m* remojado en tinta (para linear).

■ ~꼭지 punta *f* de la línea de tinta.

먹지(−紙) =복사지(複寫紙).

먹초 cometa *f* negra con la parte superior blanca.

먹치마 *meokchima*, cometa *f* que la mitad de la parte inferior es negra.

먹칠(−漆) ① [먹을 칠함] acción *f* de embadurnar la tinta china. ~하다 embadurnar la tinta china. ② [명예를 더럽힘] daño *m*, deshonor *m*, afrenta *f*. ~하다 dañar, deshonrar.

먹통(−桶/筒) ① [목공 ∴ 석공들이 곧은 금을 긋는 데 쓰는 도구] caso *m* de tampón. ② [먹물을 담아 두는 통] tintero *m*. ③ [바보] tonto, -ta *mf*, idiota *mf*.

먹투성이 persona *f* embadurnada por la tinta china.

먹황새 【조류】 cigüeña *f* con cabeza negra.

먹히다 ① [먹음을 당하다] (ser) comido, devorado, tragado, consumido. 먹느냐 먹히느냐의 싸움 lucha *f* de vida o muerte, guerra *f* de sobrevivencia, guerra *f* de supervivencia. 밥이 잘 ~ tener un buen apetito, poder comer mucho arroz. 개구리가 뱀에게 먹힌다 La rana es comida por la serpiente. ② [금전·노력 따위가] costar. 여비는 10만 원 먹혔다 Me costó con cien mil wones para el viaje / El viaje me costó cien mil wones. ③ [빼앗기다] (ser) estafado, engañado, timado, perder. 그들은 땅을 먹혔다 Los estafaron [engañaron · timaron] quitándoles las tierras.

먼가래 entierro *m* provisional de una persona que murió en la tierra extranjera.

먼가래질 ¶~하다 tirar la tierra lejos en el trabajo preparatorio.

먼길 viaje *m* lejano, distancia *f* lejana, camino *m* lejano. ~을 가다 hacer un viaje lejano, ir a un camino lejano.

먼나라 país *m* (*pl* países) lejano.

먼눈[1] [소경의 눈] ojos *mpl* ciegos.

먼눈[2] [먼 곳을 바라보는 눈] ojos *mpl* que mira el lugar lejano. 나는 ~이 밝다 Tengo una vista estupenda / Veo bien desde muy lejos.

◆먼눈(을) 팔다 =한눈을 팔다. ☞한눈

먼데 ① [거리가 먼 곳] lugar *m* lejano, sitio *m* lejano. ~에서 de lejos, desde lejos. ~서 오다 venir desde lejos. 어린애를 높이 들어 ~를 보여 주다 brincar. ~서는 잘 보이지 않는다 No se ve claramente a distancia. 그는 ~서 잘 듣는다 El entiende [oye] bien desde lejos. 나는 이렇게 ~서는 그것을 잘 읽을 수 없다 No lo puedo leer a esta distancia. 우리들은 ~서 왔다 Hemos venido de lejos. ② [뒷간] excusado *m*, retrete *m*, común *m*, wáter *m*.

◆먼데(를) 보다 ㉮ [거리가 먼 곳을 보다] mirar el lugar lejano, ver a lo lejos. ㉯ [눈앞의 것에 주의하지 아니하고 딴전 보다] hacer otro trabajo, desatender [faltar a · no cumplir con] *su* deber principal. ㉰ [뒤보다·뒷간에 가다] excrementar, ir al excusado.

■먼데 점이 맞는다 ((속담)) La intimidad reduce la fama.

먼동 cielo *m* oriental del alba.

◆먼동(이) 트다 amanecer, empezar a clarear el día, romper el alba [el día]. 먼동이 틀 때 al amanecer, al rayar [romper] el alba, al alba. 먼동이 트기 전 antes de amanecer [alba]. 먼동이 틀 때부터 해가 질 때까지 de sol a sol, de la mañana a la noche.

먼먼 muy lejano. ~ 옛날부터 desde tiempos *mpl* muy antiguos.

먼물 el agua *f* bebible.

먼발치 ① ((준말)) =먼발치기. ¶~에(서) en la distancia, en la lejanía, a lo lejos. ~에서 그는 젊게 보였다 De lejos él parecía joven. ② [먼 인척 관계] relación *f* pariente lejana.

먼발치기 lugar *m* lejano, sitio *m* lejano.

먼빛 vista *f* lejana, lugar *m* lejano. ~으로 de la distancia [lejanía]

먼산(−山) monte *m* lejano, montaña *f* lejana.

■~바라기 persona *f* con la vista lejana en los ojos.

먼우물 pozo *m* bebible.

먼일 lo futuro, el futuro. ~을 보지 않고 sin el pensamiento del futuro. ~을 생각하다 pensar el futuro. ~을 예상하다 esperar el futuro.

먼저 ① [순위] primero, primeramente, antes, en primer lugar, ante todo. 무엇보다도 ~ antes de todo, antes que nada, ante todo. 당신이 ~ 하세요 Usted primero. 승리하기 위해서는 ~ 연습을 해야 한다 Para ganar se impone ante todo el entrenamiento. ~ 가십시오 Pase (delante) / Pase usted (primero) / Usted primero / Vaya usted delante. ~ 가십시오 — 아닙니다, 당신이 ~ 가세요 Pase usted — No, después de usted. ~ 실례하겠습니다 Con su permiso. 이쪽 열차가 ~ 출발합니다 Este tren sale antes. 그는 누구보다도 ~ 도착했다 El llegó antes que nadie. 이 건(件)을 ~ 토의합시다 Discutamos primero [ante todo] este tema. ② [이전에] hace, antes, anteriormente, temprano, recientemente, últimamente. ~ 떠나다 salir [partir] más temprano. 그의 아내가 5년 ~ 죽었다 Su esposa había muerto cinco años antes. 그들은 해외에서 먼저 돌아왔다 Ellos han vuelto recientemente del extranjero / Ellos han vuelto del extranjero hace poco. ③ [미리] por adelantado, por anticipado. 돈을 ~ 치르다 pagar por adelantado, pagar por anticipado.

■먼저 난 머리보다 나중 난 뿔이 무섭다 ((속담)) El menor es más excelente que el mayor.

■~께 el otro día, hace poco; [요즈음] recientemente, últimamente. ¶~의 reciente, último. ~는 고마웠습니다 Gracias por el otro día.

먼젓번(−番) =지난번.

먼지 polvo *m*; [자욱한 먼지] polvareda *f*. ~투성이의 polvoriento, cubierto de polvo. ~로 가득찬 lleno [cubierto] de polvo. ~를 털다 limpiar el polvo, quitar el polvo (a), desempolvar; [흔들어서] sacudir el polvo (de), despolvar. ~투성이로 만들다 empolvar. ~투성이가 되다 empolvarse. ~를 일으키다 levantar polvo, levantar una nube de polvo [una polvareda]. ~를 뒤집어쓰다 cubrirse de polvo, empolvarse. ~가 일어난다 Se levanta polvo. 내 [네 · 그의] 오른쪽 눈에 ~가 들어갔다 Se me [te · le] ha metido polvo en un ojo derecho. 방(房)은 ~로 덮여 있었다 La habitación estaba cubierta [llena] de polvo / Se amontonaba el polvo en la habitación. 가구에 ~가 끼어 있다 El polvo cubre [está acumulado en] los muebles. 이 시기에는 도로가 ~투성이가 된다 En esta época se empolva mucho la carretera.
▪ ~떨이 sacudidor *m*, recogedor *m*, zorros *mpl*. ~ 지붕 capa *f* del polvo.

먼지떨음 ① [어린아이들을 엄포로 때리는 것] azote *m* liviano. ② [오래간만에 나들이하는 일] salida *f* (de casa) después de quedarse en casa mucho tiempo.

먼촌(—寸) pariente *m* lejano, parienta *f* lejana.

먼촌(—村) aldea *f* aislada.

멀거니 distraídamente, con expresión ausente, estúpidamente. ~ 바라보다 mirar con expresión ausente. ~ 생각하다 abstenerse, pensar distraídamente. ~ 앉아 있다 estar sentado distraídamente. ~ 무엇을 생각하니? ¿En qué piensas distraído? 노인들은 공원의 벤치에 ~ 앉아 있다 Los ancianos están sentados ociosamente en los bancos del parque.

멀건이 persona *f* distraída.

멀겋다 ① [흐릿하게 맑다] (ser) neblinoso, brumoso, de calima. 멀건 하늘 cielo *m* neblinoso, cielo *m* brumoso. 하늘이 멀겋게 개다 El cielo despeja un poco. ② [(눈에) 생기가 없어 멍청하다] estar pálido. ③ [몹시 묽다] [수프 · 소스가] (ser) muy claro, poco espeso, *RPl* chirle; [포도주가] de poco cuerpo, aguado; [맥주가] aguado, *CoS* aguachento; [물처럼] acuoso. 멀건 우유 *leche f muy clara, leche f aguada*. 국이 ~ La sopa es muy clara [poco espesa].

멀게지다 estar claro un poco.

멀고멀다 ☞멀다²

멀그스레하다 ＝멀그스름하다.
멀그스레 ＝멀그스름히.

멀그스름하다 (ser) algo claro.
멀그스름히 algo claramente.

멀끔하다 (ser) claro y limpio.
멀끔히 clara y limpiamente.

멀다¹ [시력(視力)을 잃다] ser ciego, perder la vista. 눈 먼 사람 ciego, -ga *mf*, persona *f* ciega. 눈이 ~ cegar, perder la vista. 돈에 눈이 ~ ser ciego por dinero. 이렇게 강한 빛은 눈을 멀게 한다 Me ciega esa luz tan fuerte.

멀다² ① [(공간적으로) 거리가 많이 떨어져 있다] estar lejos. 먼 lejano, remoto, distante, alejado. 먼 나라 país *m* (*pl* países) lejano. 먼 도시 ciudad *f* alejada [remota · lejana]. 먼 곳에 en la distancia, en la lejanía, a lo lejos. 거기서 별로 멀지 않은 곳에 no muy lejos de allí, a poca distancia de ese lugar. 먼 곳에서 오다 venir de un lugar [un sitio] lejano, venir de muy lejos. 역은 아직 ~ La estación queda todavía muy lejos. 학교는 이곳에서 ~ La escuela está muy lejos de aquí. 우리는 이사를 해서 이제 학교까지는 ~ Con habernos mudado de casa la escuela queda ahora lejos. ② [(시간적으로) 동안이 오래다] (ser) lejano, remoto. 먼 옛날에 en el pasado remoto. 먼 장래에 en el futuro lejano [remoto]. 그것은 먼 옛날의 일이다 Ocurrió en un pasado muy remoto [hace mucho tiempo]. 머지않아 우리가 서로 만날 때가 올 것이다 Dentro de poco vendrá el tiempo en que nosotros nos veamos el uno del otro. ③ [소리가 또렷하지 아니하고 약하다] (ser) débil. ④ [관계가 멀다] (ser) distante. 멀고도 가까운 것은 남녀의 사이다 Distante y, a pesar de todo, muy estrecha es la relación entre el hombre y la mujer. ⑤ [혈연 관계가 멀다] (ser) remoto, lejano. 먼 조상 antepasados *mpl* remotos. 먼 친척 pariente *m* remoto, pariente *m* lejano.
▪ 가까운 무당보다 먼 데 무당이 영하다 ((속담)) El nuevo vale más que el conocido. 먼 데 단 냉이보다 가까운 데 쓴 냉이 ((속담)) Lo lejano vale más que lo cercano, aunque lo lejano es peor que lo cercano realmente. 먼 사촌보다 가까운 이웃이 낫다 ((속담)) Se puede obtener mucha ayuda a los vecinos. 먼 친척보다는 이웃 사촌이 낫다 ((속담)) Más vale un amigo cercano que un hermano lejano. 자주 안 보면 마음조차 멀어진다 ((속담)) Larga ausencia causa olvido / Del mirar nace el amor, y del no ver, olvidar / Ojos que no ven, corazón que no llora.
머나멀다 estar muy remoto [lejos]. 머나먼 옛날 tiempos remotos [antiguos]. 머나먼 고향 산천 tierra *f* natal muy lejana, *su* montaña y *su* río.
멀고멀다 estar muy lejos.

멀대같다 (ser) alto y estúpido.

멀떠구니 buche *m*.

멀뚱거리다 tragarse con la vista.
멀뚱멀뚱¹ distraídamente, con la vista. ~하다 (ser) distraído. ~ 쳐다보다 tragarse con la vista.
멀뚱멀뚱히 distraídamente.

멀뚱멀뚱² ① [눈만 멀거니 뜨고 정신 없이 있는 모양] sin comprender. ~ 바라보다 mirar a *uno* sin comprender. ② [국물 같은 것이 묽어서 어울리지 않는 모양] claramente, acuosamente, aguadamente. ~하다

(ser) aguado, acuoso, claro.

멀리 lejos. ~(에) [보다·듣다] a lo lejos, a gran distancia, en la lejanía. 매우 ~ muy lejos, en el quinto pino. …에서 ~(에) 살다 vivir lejos de *un sitio*. ~ 가다 ir lejos. ~ 보다 ver a lo lejos. ~서 에워싸다 cercar a distancia. ~(에)서 부르다 llamar desde [de] lejos. ~(에) 집이 한 채 보인다 Se ve una casa a lo lejos [en la lejanía]. ~서 개 짖는 소리가 들린다 Se oye un ladrido en la lejanía. 나는 근무처에서 ~ 살고 있다 Yo vivo lejos de mi trabajo. ~ 있으면서도 더 가까이 있는 듯 느껴질 겁니다 Estando lejos, usted se sentirá más cerca. 그의 집은 우리 집에서 ~에 있다 Su casa está muy lejos de la nuestra. 이렇게 ~까지는 잘 보이지 않는다 No se ve claramente a esta distancia.

멀리하다 ㉮ [거리를 두다] alejar. 사람을 멀리하고 en secreto, en privado. A에서 B를 ~ alejar B de A. ㉯ [피하거나 관계를 끊다] alejar, mostrarse indiferente [frío] (a · con). 담배를 ~ dejar de fumar. 나쁜 친구를 ~ alejar al mal amigo.

멀어지다 lejarse (de). 열차가 멀어진다 Se aleja el tren.

멀리뛰기 salto *m* de longitud, salto *m* largo. ~를 하다 dar un salto de longitud.

멀마늘【식물】 una especie del narciso.

멀미 ① [배·비행기·차 등의 흔들림을 받아서 일어나는 어질증] mareo *m*. ~하다 marearse, tener mareo. 나는 ~한다 Estoy mareado / Tengo mareo. 배가 출발하기 시작하자 나는 ~했다 Al empezar a marchar el barco me mareé. ② [진저리가 나게 싫은 증세] aversión *f*, asco *m*, repugnancia *f*. ~하다 dar*le* asco (a), no gustar.

◆ 뱃~ mareo *m* (en los viajes por mar). 비행기 ~ mareo *m* (al viajar en avión). 차(車)~ mareo *m* (por viajar en coche).

멀미(가) 나다 marearse, sentir mareo.

■ ~약(藥) pastilla *f* [píldora *f*] contra el mareo.

멀쑥하다 ① [멋없이 크고 묽게 생기다] (ser) desgarbado, larguilucho, delgado y alto. ② [물기가 많아 되지 않고 묽다] (ser) acuoso, aguado, poco espeso. 멀쑥한 국물 sopa *f* poco espesa. 죽이 ~ Las gachas son acuosas. ③ [지저분함이 없고 멀끔하다] (ser) bonito, lindo, limpio, arreglado, cuidado. 멀쑥한 얼굴 cara *f* limpia, rostro *m* limpio.

멀쑥이 limpiamente, bonitamente, lindamente; poco espesamente.

멀어지다 ① [소원하다] estar separado, vivir separado. 그의 멀어진 아내 su esposa, de quien está separado. 사이가 서로 ~ estar separado el uno al otro. 우리들은 지금 멀어졌다 Ahora estamos separados. 그는 아내와 멀어져 있다 El está separado de su mujer. ② [거리가] irse perdiendo en la distancia. 우리가 차를 몰고 감에 따라 산들이 멀어졌다 A medida que nos alejábamos, las montañas se iban perdiendo en la distancia. ③ [소리가] irse apagando, irse extinguiendo. 그의 목소리가 멀어졌다 Su voz se fue apagando [extinguiendo].

멀었다 ① [시간적으로나 공간적으로 멀다] (estar) lejos. 서울까지는 아직 ~ Todavía está lejos hasta Seúl. ② [능력·재주 등이 훨씬 못 미치다] faltar. 그는 재능이 ~ Le falta un talento.

멀쩡하다 ① [흠이 없이 온전하다] (ser · estar) entero, completo, intacto, impecable, en buenas condiciones. 멀쩡한 그릇 plato *m* entero, plato *m* en buenas condiciones. 멀쩡한 옷 ropa *f* impecable, ropa *f* sin defecto. 꽃병은 아직 멀쩡했다 El jarrón de flores todavía estaba intacto. ② [몸에 탈이 없이 성하다] (ser) sano, fuerte. ③ [겉보기와는 달리 엉뚱하다] (ser) extraordinario, extravagante, fantástico, irrazonable, poco razonable, vergonzoso, escandaloso, atroz, indignante, absurdo, ridículo. 멀쩡한 생각 idea *f* extravagante. ④ [부끄러워하는 빛이 없이 뻔뻔스럽다] (ser) descarado, desvergonzado, sinvergüenza, inasolente, disfrazado. 그것은 멀쩡한 사기다 Es un fraude disfrazado.

멀쩡한 거짓말 mentira *f* disfrazada.

멀쩡히 descaradamente, con (todo) descaro, insolentemente, con insolencia.

멀찌가니 =멀찍이.

멀찌감치 =멀찍이.

멀찌막하다 (estar) bastante lejos.

멀찌막이 bastante lejos.

멀찍멀찍 en la buena distancia.

멀찍멀찍이 =멀찍멀찍.

멀찍하다 estar bastante lejos.

멀찍이 bastante lejos, a lo lejos, en la distancia, en la lejanía. 저리 ~ 가거라 Vete allá bastante lejos. 우리들은 ~서 왔다 Hemos venido de bastante lejos.

멀티-(영 *multi-*) multi-, múltiple.

■ ~렌즈 objetivo *m* múltiple. ~스피드 velocidad *f* variable. ~와이어 안테나 antena *f* multifilar. ~채널 multicanal *m*, canal *m* múltiple. ~채널 안테나 [텔레비전의] antena *f* multicanal. ~채널 마이크로웨이브 microonda *f* de canales múltiples. ~채널 마이크로웨이브 중계 장치 sistema *m* de enlace múltiple por microondas. ~트랙 multivía *f*, multipista *f*. ~트랙 헤드 cabeza *f* multipista. ~프로그래밍 multiprogramación *f*. ~프로세서 multiprocesador *m*. ~플레이어 multijugador, -dora *mf*.

멀티플(영 *multiple*) múltiplo *m*; [형용사적] múltiple.

■ ~ 밸브 lámpara *f* compleja. ~ 배터리 batería *f* de pilas. ~ 사운드 트랙 pista *f* múltiple, pista *f* sonora múltiple. ~ 스위치 interruptor *m* múltiple. ~ 스캐닝 exploración *f* entrelazada, escansión *f* entrelazada; [TV의] exploración *f* múltiple. ~ 시스템 sistema *m* múltiple. ~ 안테나 antena *f* múltiple. ~ 이미지 imagen *m* múltiple. ~

채널 canal *m* múltiple, pluricanal *m*. ~ 텔레비전 채널 canal *m* múltiple de televisión. ~ 필드 [전기 통신 공학의] campo *m* múltiple; [전자기학의] campo *m* multipolo.

멈추다 ① [(어떤 사물이) 행동을 그만두게 하다] parar(se), detenerse; [···하는 것을 멈추다] dejar de + *inf*. 멈춰 서다 pararse, detenerse. 급히 멈춰 서다 pararse de repente. 잠시 멈춰 서다 estar de pie [detenerse · pararse] un rato. 울음소리가 ~ dejar de llorar. 방해물에 걸려 ~ detenerse en [con] los obstáculos. 시계가 멈추었다 El reloj (se) paró. ② [(눈 · 비 등이) 그치다] cesar, suspenderse, terminar. 비가 ~ cesar la lluvia. 바람이 ~ cesar el viento. ③ [(움직이던 사물이나 하던 일을) 멎도록 하다] parar, detener; [···하는 것을 멈추다] cesar de + *inf*. 차를 ~ parar [detener] el coche. 달리기를 ~ cesar de correr. 발길을 ~ detenerse, pararse. 일을 ~ cesar en el trabajo, cesar de trabajar. 싸움이 멈췄다 Cesó la disputa. 자동차 한 대가 집 앞에 멈추었다 Un coche se detuvo delante de mi casa. 눈이 멈추지 않고 내렸다 Nevaba sin cesar. 멈추지 마십시오 [통로 따위에서] ¡Circulen, por favor! ④ [무엇을 보다] mirar, fijarse (en). 시선을 ~ fijarse.

멈칫 parando repentinamente un momento. ~하다 parar repentinamente un momento, estremecerse, hacer un gesto de dolor. 하던 말을 ~하다 repentinamente dejar de decir un momento. 비가 ~한다 Ha parado de llover un momento.

멈칫거리다 moverse nerviosamente [inquieto], encontrarse [estar] violento; [부끄러워하다] avergonzarse; [망설이다] vacilar, titubear. 얼굴이 붉어져 ~ ponerse colorado de confusión [de vergüenza]. 방에 들어오지 않고 ~ quedarse [entretenerse] un rato en la puerta. 그는 복도에서 멈칫거렸다 El se quedó [se entretuvo] un rato en el pasillo. 천천히 그러나 멈칫거리지 말고 말하려고 노력해라 Trata de hablar despacio, pero sin vacilar [titubear]. 나는 들어가기 전에 멈칫거렸다 Dudé [Vacilé] antes de entrar.

멈칫멈칫 con titubeos, vacilantemente, con el [un] aire confundido, lentamente, despacio. ~ 말하다 hablar con titubeos. ~ 움직이다 mover(se) vacilantemente.

멈칫멈칫거리다 tambalearse. 그는 그 질문에 멈칫멈칫거렸다 El se quedó perplejo ante esa pregunta.

멋 ① [세련된 몸매] elegancia *f*, estilo *m*; [맵시 부리기] afectación *f*, sutileza *f*, dandismo *m*. ~을 내다 cubrir las apariencias. ~으로 안경을 쓰다 llevar los gafas por coquetería [por afección]. 그것을 ~이나 호기심으로 하는 것이 아니다 No lo hago por divertirme [por capricho]. ② [풍취] gusto *m*, encanto *m*, atractivo *m*, elegancia *f*, sabor *m*.

◆멋(이) 들다 (ser) encantador, cautivador, atractivo, fascinante. 멋이 든 계집 muchacha *f* excitante, muchacha *f* gallarda.

◆멋(이) 없다 no ser elegante, (ser) tosco, grosero, vulgar. 멋없는 남자 hombre *m* vulgar. 멋없는 생활 vida *f* prosaica. 멋없는 짓 하지 마라 No te les eches de listo. 그의 넥타이는 ~ El lleva la corbata de mal gusto.

멋없이 torpemente, con torpeza. ~ 굴다 comportarse torpemente, ser torpe, ser desgarbado, ser impropio, ser indecoroso.

◆멋(이) 있다 (ser) elegante, magnífico, maravilloso, fino, refinado, de buen gusto. 멋있는 옷 traje *m* de gusto fino. 멋있게 지은 숙박소 albergue *m* construido con buen gusto. 멋있게 만들어진 책 libro *m* hecho com primor. 그의 옷은 ~ El lleva un traje de buen gusto.

멋대로 [좋을대로] a *su* capricho, a *su* guisa, a *su* modo, a *su* antojo, a *sus* anchos; [자유로이] libremente, con toda libertad; [독단(獨斷)으로] arbitrariamente; [무단(無斷)으로] sin permiso, autoritariamente; [자발적] por *su* propia voluntad, por *sí* mismo. ~하는 caprichoso; [이기적(利己的)] egoísta; [독단적(獨斷的)] arbitrario. ~ (하게) 두다 dejar + *inf*. ~ 행동하다 obrar a *su* guisa, portarse a *su* antojo [a *sus* anchos · a *sus* anchas]. ~ ···해도 좋다 tener la libertad de + *inf*, poder + *inf* como quieras, ser libre de + *inf*. ~ 말하지 마라 No seas tan caprichoso / Déjate de caprichos. 그놈은 ~ 노는군 ¡Qué tipo tan egoísta! / Ese tipo cree que todo le está permitido. ~ 하게 그를 놔 두어라 Déjale hablar. 네 ~ 해라 ¡Haz lo que quieras! / ¡Vete al diablo! / Me importa un bledo / Haz lo que te dé la gana. 아무 말도 하기 싫거든 ~ 해라 Si no quieres decirme nada, allá tú. ~ 드십시오 Sírvase, por favor. 네 ~ 일을 하지 마라 No trabajes arbitrariamente [a tu arbitrario].

멋거리 afectación *f*.

멋거리지다 ser afectado.

멋들어지다 (ser) espléndido, magnífico, maravilloso, soberbio, excelente, lleno de esplendor, brillante, estupendo. 멋들어지게 maravillosamente, magníficamente, espléndidamente, con gran esplendor, con brillantez, brillantemente, estupendamente. 멋들어진 미인(美人) (gran) belleza *f*, guapa *f*. 멋들어진 생각 buena idea *f*, idea *f* estupenda. 멋들어진 성공(成功) éxito *m* espectacular, éxito *m* extraordinario. 멋들어진 승리 victoria *f* brillante. 멋들어진 요리(料理) plato *m* espléndido. 멋들어진 풍채(風采) presencia *f* que impone. 멋들어지군! ¡Estupendo! 그는 멋들어지게 그 일을 해냈다 El lo hizo magníficamente bien. 그는 서반아어를 멋들어지게 한다 El domina el español.

멋모르다 no saber, no saber nada, ser ignorante, no tener idea. 멋모르고 inadvertidamente, sin saberlo, sin dar*se* cuenta. 나는 멋모르고 비밀을 밝혔다 Sin darme cuenta revelé el secreto. 나는 멋모르고 그녀를 모욕했다 Sin saberlo la insulté.

멋쟁이 dandi *m*; elegante *mf*; majo, -ja *mf*; petimetre, -tra *mf*; pisaverde *m*; presumido, -da *mf*. 그녀는 ~이다 Ella es una mujer que le gusta presumir [estar guapa] / Ella va siempre muy peripuesta.

■ ~ 미남자 dandi *m*, hombre *m* apuesto, hombre *m* bien parecido. ~ 아가씨 muchacha *f* apuesta, muchacha *f* bien parecida. ~ 양복 traje *m* con mucho estilo, traje *m* elegante.

멋지다 (ser) muy elegante, gracioso, peripuesto, petimetre, presumido, magnífico, maravilloso, brillante, magistral, estupendo, coquetón, galán, refinado y de buen gusto. 멋지게 brillantemente, maravillosamente, espléndidamente, de lo lindo. 멋진 기술(技術) técnica *f* magistral. 멋진 남성(男性) chico *m* [tío *m*] estupendo. 멋진 솜씨 destreza *f* magistral. 멋진 연기(演技) maravillosa actuación *f*. 멋진 작품(作品) obra *f* maravillosa. 멋진 장미원(薔薇園) maravilloso jardín *m* de rosas. 멋진 차(車) coche *m* estupendo. 멋진 최후(最後) fin *m* glorioso. 멋지게 일을 끝내다 terminar bien un trabajo. 멋지게 이기다 vencer brillantemente [diestramente]. 옷차림이 ~ vestirse elegantemente [con gusto]. 멋지게 차려 입고 있다 ir muy bien vestido. 멋진 연주다 ¡Magnífica [Maravillosa] interpretación! 멋진 표현이다 ¡Qué bien expresado! / ¡Qué bien te expresa! 멋진 생각이 있다 Tengo una muy buena idea. ~! ¡Bien! / ¡Bravo! / ¡Espléndido! / ¡Vale! 야 참 ~! ¡Estupendo! / ¡Qué bien! / ¡Magnífico! / ¡Formidable! / ¡Qué elegante! 그것 참 ~! ¡Pero qué bien! / Eso es estupendo.

멋질리다 ser de petimetre.

멋쩍다 ① [(하는 짓이나 모양새가) 어울리지 않고 이상하다] (ser) extraño. ② [쑥스럽고 어색하다] (estar) concertado, confuso. 멋쩍게 con (un) aire confuso, vergonzosamente, ruborosamente. 멋쩍음을 감추려고 para disimular *su* confusión, para camuflar [para disfrazar] *su* turbación, para ocultar *su* vergüenza. 그렇게 칭찬을 받으니 ~ Estoy avergonzado de recibir tantos elogios.

멍[1] ① [맞거나 부딪쳐서 피부 속에 퍼렇게 맺힌 피] morado *m*, moretón *m*, cardenal *m*, magulladura *f*, moradura *f*, contusión *f*. 그녀의 팔은 ~투성이였다 Ella tenía los brazos llenos de morados [moretones · cardenales]. ② [일의 내부(內部)에 탈이 생긴 것] problema *m*, daño *m*, perjuicio *m*.

◆ 멍(이) 들다[지다] ㉮ ser contusionado, tener un morado. 눈에 ~ tener un ojo negro. 얻어맞아 ~ ser contusionado por el golpe. 멍이 들도록 때리다 dar*le* una tremenda paliza (a *uno*). ㉯ tener un problema. 사랑에 가슴이 ~ estar enfermo de amor, estar perdidamente [locamente] enamorado, suspirar por *su* amor.

멍[2] ((준말)) =멍군.

멍이야 장이야 =멍군 장군. ☞멍군

멍게 【동물】 ascidia *f*.

멍구럭 red *f* de paja de mallas grandes.

멍군 defensiva *f* contra un (jaque) mate. ~하다 hacer un movimiento defensivo contra un (jaque) mate.

멍군 장군 Es difícil decir cuál de dos está equivocado.

멍들다 ☞멍

멍멍 ¡Guau-guau! ~ 짖다 hacer guau-guau.

멍멍개 guau-guau *m*.

멍멍거리다 ladrar a menudo, frecuentar ladrar.

멍멍하다 estar [quedar] aturdido.

멍멍히 aturdidamente, con aturdimiento, silenciosamente, en silencio, calladamente, distraídamente, con expresión ausente.

멍석 estera *f* (de paja).

■ ~자리 asiento *m* de estera de paja. ~짝 estera *f* de paja individual.

멍에 ① [마소의 목에 가로 얹는 막대] yugo *m*. 소한테 ~를 씌우다 poner el yugo al buey. ② [억누름과 고통스러운 구속] yugo *m*. ~를 벗다 liberarse del yugo. 일본 제국주의의 ~를 벗다 liberarse del yugo del imperialismo japonés.

◆ 멍에(를) 메다[쓰다] estar bajo el yugo.

멍엣줄 límite *m* de una página impresa.

멍울 ① [우유나 풀 따위의 작고 둥글게 엉기어 굳은 덩이] bulto *m*. ② =임파선염.

◆ 멍울(이) 서다 tener el bulto.

멍울멍울 cada bulto. ~하다 estar lleno de bultos.

멍청이 persona *f* estúpida; tonto, -ta *mf*; bobo, -ba *mf*; idiota *mf*; torpe *mf*; bobalicón, -cona *mf*; imbécil *mf*.

멍청하다 (ser) estúpido, tonto, bobo, idiota, torpe, necio, imbécil. 멍청한 사람 persona *f* estúpida. 멍청한 얼굴로 con un semblante estúpido. 멍청한 짓을 하다 hacer una tontería. 참 멍청하구나! ¡Qué tonto [estúpido]!

멍청이 estúpendamente, con estupidez, con tontería, tontamente.

멍청하니 =멍청이.

멍추 persona *f* estúpida; idiota *mf*; tonto, -ta *mf*; persona *f* olvidadiza; persona *f* desmemoriada; persona *f* retrasada mental.

멍키 렌치(영 *monkey wrench*) llave *f* inglesa.

멍키 스패너(영 *monkey spanner*) llave *f* inglesa.

멍텅구리 【어류】 =뚝지. ② =멍청이. ③ [예쁘게 생기지 아니한 한 되들이 병] botella *f* mal formada.

멍하다 despistarse, distraerse, estar despistado, estar distraído; [지각(知覺)이] chochear, llegar a la decrepitud. 멍한 눈으로 con ojos distraídos. 멍해서 con un aire de extrañeza. 멍해 있다 estar en el limbo, estar en las nubes, estar distraído, quedarse extrañado [atontado]. 자고 난 뒤 머리가 ~ tener la cabeza confusa con el sueño. 멍해 있지 마라! ¡No te despistes! / ¡Pronto, rápido, despierta, hombre! 멍하게 걷다가는 차에 치인다 Si andas distraído te atropellará un auto.

멍하니 ㉮ [방심(放心)하여] fuera de sí, con cara inexpresiva, en vago, vagamente, estúpidamente, atontadamente, con estupor, con la mirada perdidida. ~ 있다 estar distraído [ausente · discuidado], quedarse absorto [atontado · atolondrado], estar en la luna; [입을 딱 벌리고] estar con la boca abierta, quedarse boquiabierto; [한가로이] estar ocioso. ~ 생각에 잠기다 abstraerse, pensar distraídamente. 용철이는 ~ 교실 창문을 바라보고 있었다 Yongcheol miraba distraídamente por la ventana de la clase. ~ 무엇을 생각하고 계십니까? ¿En qué piensa usted distraído? ~ 있지 마라. 차가 온다 ¡Cuidado, ahí viene un coche! 그는 ~ 화재를 바라보고만 있었다 El no hacía sino contemplar distraído [con la mirada vacía] el incendio. 사건이 너무 비참해 나는 ~ 있었다 Yo quedé atónito con lo trágico que resultó el suceso / El suceso fue tan trágico que me dejó atónito [boquiabierto · sin saber qué hacer]. 그는 휴일에는 집에서 ~ 보낸다 El pasa los días feriados en casa sin hacer nada en particular. 그녀는 ~ 나를 기다리고 있었다 Ella me esperaba sin hacer nada, solitaria y vagamente. ㉯ [하는 일 없이] con pereza, perezosamente, ociosamente. 저 젊은이는 매일 공원의 벤치에 ~ 앉아 있다 Aquel joven está sentado ociosamente en el banco del parque todos los días.

멍히 =멍하니.

멍해지다 quedar atontado [atónito · suspenso], volverse loco, enloquecerse.

멎다 parar(se), detenerse. 열차가 멎는다 Se para el tren. 대설(大雪)로 열차가 멎었다 El tren se detuvo a causa de la gran nevada.. 비가 멎는다 Deja [Cesa · Para] de llover / Escampa. 바람이 멎는다 Cesa [Se calma] el viento.

메¹ [무엇을 치거나 박을 때에 쓰는 물건] mazo *m*, pisón *m*, pilón *m*, maza *f*, mandarria *f*, aplanadera *f*, martillo *m*. ~로 치다 golpear con el mazo.

메² ① =제삿밥. ② ((궁중말)) =밥.

메³ 【식물】 convólvulo *m*, enredadera *f*, volúbilis *m*. 삼색(三色) ~ convólvulo *m* tricolor.

메⁴ [산(山)] monte *m*, montaña *f*.

메- no apelmazado. ~조 mijo *m* no apelmazado. ~떡 tarta *f* hecha de grano no apelmazado.

메가- mega-. ~사이클 megaciclo *m*.

메가뉴턴(영 *meganewton*) meganewtonio *m*.

메가래드(영 *megarad*) megarrad *f*.

메가뢴트겐(영 *megaroentgen*) megarroentgenio *m*.

메가루멘(영 *megalumen*) megalumn *m*.

메가마일(영 *megamile*) megamilla *f*.

메가미터(영 *megameter*) megámetro *m*.

메가바(영 *megabar*) megabario *m*.

메가바이트(영 *megabyte*) 【컴퓨터】 megaocteto *m*.

메가볼트(영 *megavolt*) megavoltio *m*.

메가볼트암페어(영 *megavoltampere*) megavoltio-amperio *m*.

메가비트(영 *megabit*) 【컴퓨터】 [기억 용량의 단위] megabidígito *m*, megadígito *m* binario, megabit *ing.m*.

메가사이클(영 *megacycle*) megaciclo *m*.

메가암페어(영 *megampere*) megamperio *m*.

메가와트(영 *megawatt*) megavatio *m*, megawatio *m*, megawatt *m*.
■ ~미터 megavatímetro *m*.

메가전자볼트(mega 電子 volt) megaelectrón-voltio *m*.

메가큐리(영 *megacurie*) megacurio *m*.

메가킬로미터(영 *megakilometer*) megakilómetro *m*.

메가톤(영 *megaton*) megatón *m*, megatonelada *f*.
■ ~ 무기(武器) el arma *f* (*pl* las armas) megatónica. ~ 에너지 energía *f* megatónica.

메가트론(영 *megatron*) megatrón *m*.

메가패럿(영 *megafarad*) megafaradio *m*.

메가폰(영 *megaphone*) megáfono *m*, portavoz *m*, altavoz *m*.

메가헤르츠(영 *megahertz*) megahercio *m*, megahertzio *m*, megahertz *m*.

메그옴(영 *megohm*) 【물리】 megaohmio *m*.
■ ~ 마이크로패럿 megaohmiomicrofaradio *m*. ~ 미터 megaohmímetro *m*.

메기 【어류】 siluro *m*.
◆메기(를) 잡다 ㉮ [허탕을 치다] hacer esfuerzos vanos. ㉯ [비를 맞거나 물에 빠져 옷이 흠뻑 젖다] mojarse mucho. 비에 옷을 ~ mojarse mucho la ropa con la lluvia.
■ ~구이 siluro *m* asado. ~입 boca *f* grandote [enorme · muy grande]. ~지짐이 guiso *m* de siluro.

메기다¹ ① [두 편이 노래를 주고받고 할 때, 한편이 먼저 부르다] una parte cantar primero. ② [둘이 마주 잡고 톱질할 때 한 사람이 톱을 밀어 주다] tomar la delantera en la sierra de dos hombres.

메기다² [화살을 시위에 물리다] poner [meter · fijar] la flecha en el arco, asestar.

메기장 【식물】 mijo *m* no apelmazado.

메꽂다 ☞메다³

메꽃 ① 【식물】 =메³. ② =돈장초(豘腸草).

메꿎다 (ser) terco.

메뉴(영 *menu*) menú *m*, lista *f* de platos, carta *f* (de platos). 오늘의 ~ menú *m* del día. ~ 좀 부탁드립니다 El menú, por favor. ~를 보여 주십시오 Enséñeme la carta, por favor.

메다¹ [패거나 뚫리거나 구멍 따위가 가득 차거나 막히다] atascarse, obstruirse, clavarse. 가슴이 ~ [음식물로] sentir pesadez de estómago, hacer mal la disgestión. 목이 ~ no saber qué decir, atragantarse al hablar. 그는 가시가 목구멍에 메었다 Una espina se le ha clavado en la garganta. 나는 목소리가 목구멍에 메어 나오지 않았다 La voz se me atascaba en la garganta y no salía. 그는 감동되어 가슴이 메었다 La emoción le hace un nudo en la garganta.

메다² ((준말)) =메우다¹. ¶구멍을 ~ llenar el hoyo.

메다³ ① [(어깨에) 물건을 올렸거나 걸치다] llevar [cargar] al hombro, llevar a los hombros, cargar sobre los hombros [al hombro], llevar a las cuestas, suspender de *su* hombro. 등에 ~ cargar(se) [poner] sobre [en · a] las espaldas, echarse a la espalda [sobre las espaldas]. 어깨에 ~ cargar(se) [poner] sobre [en · a] las espaldas. 총을 ~ cargar el fusil al hombro. 짐을 어깨에 메고 달리다 correr con el equipaje sobre los hombros. 등에 메고 나가다 llevar afuera sobre las espaldas. 카메라를 어깨에 메고 con una máquina fotográfica al [suspendida de *su*] hombro. 메어 총! ((구령)) ¡Al hombro armas! ② [어떠한 책임을 지거나 임무를 맡다] asumir. 중책(重責)을 ~ asumir una alta responsabilidad.
메어붙이다 tirar a *uno* por encima del hombro.
메어치다 tirar a *uno* por encima del hombro.

메달(영 *medal*) medalla *f*, [큰] medallón *m*. ~을 가슴에 달다 ponerse una medalla en el pecho. ~을 가슴에 달고 있다 llevar una medalla en el pecho.
◆금~ medalla *f* de oro. 은~ medalla *f* de plata. 동~ medalla *f* de bronce, medalla *f* de cobre.
■~ 획득자 medallista *mf*.

메달리스트(영 *medalist*) medallista *mf*, medallero, -ra *mf*, persona *f* condecorada con una medalla.
◆금~ medallista *mf* de oro. 은~ medallista *mf* de plata. 동~ medallista *mf* de bronce. 올림픽 ~ medallista *m* olímpico, medallista *f* olímpica.

메들리(영 *medley*) ①【음악】popurrí *m*. ② ((준말)) =메들리 릴레이.
■~ 릴레이[레이스] ㉮ [육상 경기에서] relevos *mpl* combinados. 400미터 ~ cuatrocientos metros relevos combinados. ㉯ [혼계영] 4 x 400m estilos.

메디나(영 *Medina*)【지명】Medina (사우디 아라비아의 도시; 이슬람 교도의 성도).

메디컬 센터(영 *Medical Center*) el Centro Médico.

메딱따구리【조류】=청딱따구리.

메떡 tarta *f* hecha de grano no apelmazado.

메떨어지다 (ser) rústico, tosco, zafio, grosero, no refinado, sin refinar.

메뚜기¹ [탕건 · 책갑 · 활의 팔찌 같은 것에 달아서 물건이 벗어지지 못하도록 하는 기구] cierre *m* (de cuerno).

메뚜기² ①【곤충】saltamontes *m.sing.pl.* ② ((준말)) =벼메뚜기.
■메뚜기도 오뉴월[유월]이 한 철이다 ((속담)) ㉮ [제때를 만난 듯이 날뛰는 사람] persona *f* con aire arrogante como si se encontrara en tiempo adecuado. ㉯ [모든 것이 전성기(全盛期)는 매우 짧다] La flor de la belleza es poco duradera.

메렝게(서 *merengue*) [카리브해 지역의 춤] merengue *m*.

메르코수르(서 *MERCOSUR*) [남미 공동 시장] Mercosur *m*, MERCOSUR *m*, el Mercado Común del Cono Sur.

메리노(영 *merino*) ①【동물】merino, -na *mf*. ② [메리노 양모] lana *f* merino. ③ ((준말)) =메리노 나사(羅紗). ④ ((준말)) =메리노 모사(毛絲).
■~ 나사(羅紗) tela *f* de lana de merino. ~ 모사(毛絲) hilo *m* de merino.

메리야스(서 *medias*) tela *f* de punto.
■~공 mediero, -ra *mf*, calcetero, -ra *mf*. ~ 공장 fábrica *f* [taller *m*] de punto. ~기(機) máquina *f* de hacer punto de medias. ~ 셔츠 camisa *f* de punto, camiseta *f*. ~ 제품 artículo *m* [géneros *mpl*] de punto.

메마르다 ① [땅이] (ser) seco, árido; [불모(不毛)의] estéril, infecundo, erial. 메마른 땅 tierra *f* árida, tierra *f* estéril. 메마르게 하다 secar, empobrecer, depauperar. ② [피부 따위가] (ser) reseco, muerto de sed. ③ [마음이] (ser) empedernido, cruel, inhumano, insensible, severo, seco. 인정(人情)이 ~ tener el corazón seco.

메모(영 *memo*) ① ((준말)) =메모랜덤. ② [잊지 않기 위해 적음] apunte *m*, notas *fpl*. ~하다 apuntar, anotar.
■~ 용지 papel *m* para borrador. ~장 [한 장씩 떼어 쓰는 것] bloc *m* de notas. ~판 ㉮ =전언판. ㉯ [메모하기 위한 소형 흑판] pizarra *f* pequeña para el apunte.

메모랜덤(영 *memorandum*) [비망록(備忘錄). 메모 각서] memorándum *m*.

메모리(영 *memory*) ① [기억(력)] memoria *f*. ②【컴퓨터】[기억 장치] archivo *m* electrónico de datos.
■~ 뱅크 banco *m* de memoria. ~ 칩 chip *m* de memoria. ~ 카드 tarjeta *f* de memoria. ~ 프린트 impresión *f* de la memoria.

메밀【식물】alforfón *m*, trigo *m* sarraceno [rubión · negro].
■~가루 harina *f* de alforfón, alforfón *m* en polvo. ~국수 fideos *mpl* [tallarines *mpl* · espaguete *m*] de alforfón. ~ 껍데기 barcia *f* de alforfón. ~꽃 flor *f* de alforfón. ~나깨 salvado *m* de alforfón. ~누룩 levadura *f* de alforfón. ~ 떡 pan *m* coreano de alforfón. ~묵 pasta *f* [gelatina *f*] de alforfón. ~밥 comida *f* de alforfón, alforfón *m* cocido. ~부침 tortilla *f* de alforfón. ~소주 aguardiente *m* de alforfón. ~수제비 *sujebi* [fideos *mpl* coreanos] de

alforfón.

메벼 arroz *m* con cáscara no apelmazado.

메부수수하다 (ser) rudo, rústico, grosero; [교양이 없다] inculto. 그의 태도는 ~ Es grosero en su comportamiento / Su actitud es rústica [inculta].
메부수수히 rústicamente, groseramente, incultamente.

메숲지다 (ser) espeso, denso, exuberante, lujuriante. 메숲진 숲 bosque *m* espeso.

메스(네 *mes*) bisturí *m* (*pl* bisturíes), escalpelo *m*, cuchillo *m*; [종기의 절개] apostemero *m*.
◆메스(를) 가하다 ㉮ [수술하다] cortar [abrir] con bisturí. ㉯ [단호한 수단을 쓰다] aplicar el bisturí. 재정 상태에 ~ aplicar el bisturí a la situación financiera.

메스껍다 estar mareado, tener ganas de vomitar [de devolver], sentir náuseas, tener náuseas, tener asco; [주어가 사물] dar*le* a *uno* asco. 너는 나를 메스껍게 하는군! ¡Me das asco!

메슥거리다 tener [sentir] náuseas, tener [sentir] asco; [주어가 사물일 때] dar*le* a *uno* [producir*le* a *uno*] náuseas [asco]. 나는 냄새 때문에 속이 메슥거린다 Ese olor me da [me produce] náuseas [asco].
메슥메슥 sintiendo náuseas, sintiendo asco, teniendo asco. ~하다 sentir náuseas muchas veces.

메시아(헤 *Messiah*) [구세주] Mesías *m*. ~의 mesiánico.
■~ 사상[신앙] mesianismo *m*.

메시지(영 *message*) mensaje *m*; [짧은] recado *m*; [성명(聲明)] declaración *f*. ~를 보내다 enviar [mandar · dirigir] un mensaje. ~를 남기시겠습니까? ¿Quiere usted dejar algún recado [*AmL* mensaje]? / *Chi, RPl* ¿Quiere dejar algo dicho?

메신저(영 *messenger*) mensajero, -ra *mf*.
■~ 보이 recadero *m*, *AmL* mandadero *m*.

메아리 eco *m*; [숲의 요정(妖精)] deríada *f*. ~가 돌아왔다 El eco ha vuelto [repetido · respondido].
메아리치다 repetir, hacerse eco (de). 내 목소리가 계곡에 메아리쳤다 El eco de mi voz resonó por la calle.

메어다꽂다 ☞메다[3]

메우다[1] ① [구멍 · 빈곳 따위를] cerrar, llenar, rellenar, tapar, obstruir, explanar, terraplenar, colmar; [장애물로] bloquear. 그라운드를 꽉 메운 관중 público *m* que llene el campo de juegos. 구멍을 ~ llenar el hoyo. 구덩이를 쓰레기로 ~ enterrar la basura en el hoyo. 시간을 메우기 위해서 para pasar [para matar] el tiempo. 벽의 구멍을 ~ cerrar [tapar] el agujero de la pared. ② ㉮ [부족을] proveer, suministrar, surtir. 부직으로 생계를 ~ ayudar a la economía casera con un trabajo suplementario. ㉯ [손실 따위를] cubrir, subsanar, liquidar, saldar. 적자(赤字)를 ~ cubrir el déficit. 빚의 구멍을 ~ cubrir la deuda. 원료 부족을 수입으로 ~ cubrir la falta de materiales primas con la importación. 수입이 지출을 충분히 메울 수 있다 Los ingresos cubren los gastos. ㉰ [여백(餘白) 따위를] rellenar, cubrir. 컷으로 여백을 ~ rellenar el blanco con un dibujo. 방석을 짚으로 ~ rellenar de paja el cojín. 숙박부를 메워 주십시오 Haga el favor de rellenar [Rellene] el registro de viajeros. ㉱ [결원(缺員)을] suplir, cubrir. 결원을 ~ llenar (los puestos) vacantes. 창고지기의 결원을 임시 고용원으로 ~ llenar [cubrir] la vacante de almacenero por un interino.

메우다[2] ① [테를] enarcar, enzunchar. ② [멍에를] uncir. ③ [활의 시위를 얹다] extender la cuerda del arco.

메이다 [「메다[3]」의 피동형] llevarse [cargarse] al hombre.

메이저(영 *major*) ① 【음악】 [장조(長調)] mayor. 비(B) ~ si *m* mayor. 시(C) ~ do *m* mayor. ② 【음악】 [장음계] la clave mayor. ③ 【군사】 [육군 소령(陸軍少領)] comandante *mf*, *AmL* mayor *mf*.

메이저(영 *maser*) 【전자】 [분자 증폭기] máser *m*, amplificación *f* de microondas por emisión estimulada de radiación. ~의 masérico.

메이커(영 *maker*) (compañía *f*) fabricante *f*, [제조자] fabricante *mf*, manufacturero, -ra *mf*.

메이크업(영 *make-up*) ① [분장(扮裝)] maquillaje *m*. ~하다 maquillarse, pintarse, hacerse el maquillaje. ~을 지우다 quitar el maquillaje. 그녀는 ~을 하지 않는다 Ella no se maquilla / Ella no se pinta. ~을 지우는 사람 desmaquillador, -dora *mf*. ② [화장품. 분장품] cosméticos *mpl*. ③ [무슨 일을 끝맺음 · 조직(組織)] composición *f*. ④ 【인쇄】 [조판(술)] composición *f*, compaginación *f*. ~하다 componer, compaginar.
■~ 예술가 maquillador, -dora *mf*.

메조 mijo *m* no apelmazado.

메조(이 *mezzo*) 【음악】 [조금. 약간] mezzo, medio, semi.
■~소프라노 mezzo soprano *f*, medio soprano *f*, [가수] mezzosoprano *f*.

메주 *mechu*, sojas *fpl* [soyas *fpl*] fermentadas. ~를 쑤다 hervir sojas [soyas]. 재주가 ~다 ser una persona corta de entender, ser una persona torpe. 콩으로 ~를 쑨대도 믿지 않다 deliberadamente negar la verdad de lo que fue dicho, hacer oídos sordos (a *uno* · *algo*).
■~콩 sojas *fpl*, soyas *fpl*. ~ㅅ덩이 masa *f* de sojas fermentadas. ~ㅅ물 el agua de sojas fermentadas.

메지 pausa *f*, fin *m*, conclusión *f*.
◆메지(가) 나다 llegar a la conclusión.
◆메지(를) 내다 terminar una cosa, concluir, resolver, solucionar.

메지다 no ser apelmazado. 메진 쌀 arroz *m* no apelmazado.

메지메지 dividiendo varias porciones. ~ 나누다 dividir varias porciones.
메질 martilleo *m*, martillazos *mpl*. ~하다 martillar, golpear.
■ ~꾼 martilleador, -dora *mf*.
메찰떡 tarta *f* de arroz apelmazado y no apelmazado.
메추라기 【조류】 codorniz *f* (*pl* codornices).
메추리 ((준말)) =메추라기.
■ ~구이 asado *m* de codorniz con condimento.
메치다 ((준말)) =메어치다.
메카(영 *Mecca*) ① 【지명】 la Meca. ② [귀의(歸依)·숭배의 대상이 되는 곳] meca *f*. 스포츠의 ~ la Meca del deporte. 영화 산업의 ~ la meca [la Meca] del cine. 몬테카를로는 도박꾼들의 ~이다 Montecarlo es la meca de los jugadores.
메케하다 ① [연기 냄새가 나다] echar humo. 메케한 que echa humo, humeante. 방이 ~ La habitación es humeante. ② [곰팡내가 나다] oler a humedad, oler a moho. 메케한 que huele a humedad [a moho]. 메케한 냄새가 나다 oler a humedad, oler a moho. 방이 ~ La habitación huele a humedad.
메탄(영 *methane*) 【화학】 metano *m*.
■ ~ 가스 grisú *m*, (gas *m* de) metano *m*.
메탄올(영 *methanol*) metanol *m*, alcohol *m* metílico.
메탈로이드(영*metalloid*) 【화학】 metaloide *m*.
메탕(-湯) ① ((높임말)) =국. ② =갱(羹).
메토끼 =산토끼.
메트로놈(영 *metronome*) 【음악】 metrónomo *m*.
메틸(영 *methyl*) 【화학】 metilo *m*.
■ ~알코올 =메탄올.
멕시코 【지명】 los Estados Unidos Mexicanos, Méjico, México. ~의 mejicano, mexicano.
■ ~만(灣) Golfo *m* de México. ~ 사람 mejicano, -na *mf*, mexicano, -na *mf*.
멕시코 시티(영 *Mexico City*) 【지명】 (ciudad *f* de) México, Méjico; [멕시코에서] el Distrito Federal, DF.
멘델 【인명】 Juan Gregorio Mendel (1822-1884) (오스트리아의 종교가·식물학자).
■ ~ 법칙 mendelismo *m*. ~의 mendeliano.
멘스 ((준말)) =멘스트루아찌온
멘스트루아찌온 [월경] menstruación *f*.
멘탈 테스트(영 *mental test*) prueba *f* mental.
멘히르(영 *menhir*) 【고고학】 menhir *m*.
멜대 palanca *f*, polo *m*, pértiga *f*. ~로 메다 cargar con un balanchín.
멜로드라마(영 *melodrama*) melodrama *m*..
멜로디(영 *melody*) melodía *f*.
멜론(영 *melon*) 【식물】 melón *m*.
■ ~ 밭 melonar *m*.
멜빵 ① [짐을 어깨에 메는 줄] parihuelas *fpl*, cargaderas *fpl*, bandolera *f*. ② [바지나 치마 따위가 흘러내리지 않도록 어깨에 걸치는 끈] tirantes *mpl*, *Arg* tiradores *mpl*, *Chi* suspensores *mpl*.
멜채 =멜대.
멤버(영 *member*) miembro *mf*, [클럽의] socio, -cia *mf*, afiliado, -da *mf*, [회원의 수] número *m* de socios, número *m* de afiliados. 테니스 클럽의 ~ 가 되다 hacerse miembro del club de tenis. 그는 당 [노동조합]의 ~이다 El está afiliado al partido [al sindicato]. 전 ~가 반대 투표를 했다 Todos los miembros [afiliados] votaron en contra. 협회의 ~는 2천 명이 넘는다 La sociedad tiene más de dos mil socios / *AmL* La sociedad tiene una membresía de más de dos mil. 한국은 에이펙(APEC)의 ~이다 Corea es miembro de la Cooperación Económica Asiático-Pacífica. 서반아는 유럽 공동체의 ~이다 España es miembro de la Comunidad Europea.
■ ~ 체인지 revelo *m* de miembro.
멤버십(영 *membership*) socios *mpl*, calidad *f* de miembro [de socio], sociedad *f*, asociación *f*, número *mf* de miembros [de socios · de afiliados]. ~에 신청하다 solicitar el ingreso [la admisión] en un club [en un partido]. 클럽의~ 은 주민만이 가입할 수 있다 Sólo los residentes pueden hacerse socios del club. 그녀는 당의 ~을 포기했다 Ella dejó de pertenecer al partido. 유럽 공동체의 ~은 많은 이익을 가져왔다 El pertenecer a la CE ha reportado muchos beneficios.
■ ~ 리스트 lista *f* de socios, lista *f* de afiliados. ~ 카드 carné *m* de socio.
멥새 =멧새.
멥쌀 arroz *m* ordinario.
멧괴새끼 persona *f* bruta.
멧굿 exorcismo *m* con acompañamiento musical.
멧나물 =산나물.
멧닭 【조류】 urogallo *m*, gallo *m* lira.
멧대추 datil *m* silvestre.
맷대추나무 【식물】 datilero *m* silvestre.
멧도요 【조류】 becada *f*, chocha *f*.
멧돼지 【동물】 (puerco *m*) espín *m*, jabalí *m*.
■ 멧돼지 잡으러 갔다가 집돼지 잃었다 ((속담)) La codicia excesiva se pierde hasta lo que se tiene ahora.
멧미나리 【식물】 perejil *m* silvestre.
멧밭쥐 【동물】 =들쥐.
멧부리 pico *m* más alto de la montaña.
멧부엉이 palurdo *m*, paleto *m*, patán *m*.
멧새 【조류】 gorrión *m*, triguero *m*.
맷종다리 【조류】 ((학명)) Prunella montanella.
멧줄기 =산줄기.
멧짐승 =산짐승.
멧토끼 【동물】 =산토끼.
멨다붙이다 ☞메다[3]
며 y, e. 나무~ 바다~ los árboles y el mar.
-며 ① [열거] y, e; o, u. 그녀는 얼굴도 고우~ 행실도 얌전하다 Ella es guapa y tiene buena conducta. ② [···면서] mientras, entre, durante, con, -ando, -iendo. 미소하~ con sonrisa, sonriendo.

울~ 말하다 decir entre lágrimas y lágrimas. 한 잔 하~ 이야기하다 charlar mientras toma una copa.

며느님 su nuera, su hija política.

며느리 nuera *f*, hija *f* política.
■ 며느리가 미우면 손자까지 밉다 ((속담)) Quién quiere a Beltrán, quiere a su can. 며느리 자라 시어미 되니 시어미 티 더 난다 ((속담)) La suegra no recuerda [se acuerda de] que ella era la nuera.
■ ~발톱 espolón *m*.

며느리서까래 【건축】 =부연(附椽).

며늘아기 nuerita *f*, hijita *f* política.

며루 【곤충】 larva *f* de la típula.

며칟날 qué día del mes. 오늘이 ~입니까? ¿Cuál es la fecha de hoy? / ¿A cuántos estamos hoy?

며칠 ① ((준말)) =며칟날. ¶결혼식은 ~이냐? ¿En qué día es la boda? ② [몇 날] ¿Cuántos días? ~ 동안 서울에 머물고 계십니까? ¿Cuánto tiempo [Cuántos días] lleva usted en Seúl?

멱[1] 【해부】 garganta *f*, gaznate *m*, esófago *m*.
◆ 멱(을) 따다 matar, degollar, cortar el cuello (a). 산양의 ~ degollar una cabra.

멱[2] ((준말)) =멱서리.

멱[3] ((준말)) =미역[1].

멱[4] 【식물】 =미역[2].

멱(冪) 【수학】 potencia *f*.

멱감다 ((준말)) =미역감다.

멱둥구미 cesta *f* de paja.

멱미레 papada *f*.

멱부리 gallina *f* con una agalla como pluma.

멱부지(一不知) ajedrecista *mf* que no sabe las reglas del juego; persona *f* insensata, persona *f* imprudente.

멱살 ① [사람의 멱 부분의 살, 또는 그 부분] garganta *f*. ② [사람의 멱이 닿는 옷의 깃 부분] cuello *m*. ~을 잡다 agarrar*le* por el pecho de *su* ropa, apercollar*le*, asir*le* [coger*le*] por el cuello.

멱서리 saco *m* de paja, fardo *m*.

멱수(冪數) 【수학】 exponente *m*.

멱신 zapatos *mpl* tejidos de paja.

멱통 ((준말)) =산 멱통.

면[1] [개미·쥐·게 등이 갉아 파내어 놓은 보드라운 가루 흙] tierra *f* en polvo suave cavado por hormigas, ratas y cangrejos.
◆ 면(을) 내다 ㉮ [개미·쥐·게 등이 구멍을 뚫느라고 보드라운 가루 흙을 파내어 놓다] cavar, mordisquear, roer. ㉯ [남의 물건을 조금씩 훔쳐내다] robar [hurtar] poco a poco.

면[2] =미동(美童).

면[1](面) ① [얼굴] cara *f*, rostro *m*, faz *f*. ~전에서 en presencia, ante, frente. ② [물체의 면] cara *f*. ③ [표면] superfie *f*, sobrefaz *f*. ④ [체면] prestigio *m*, dignidad *f*, honor *m*, reputación *f*. ⑤ [평면] plano *m*. ⑥ [방면] aspecto *m*, plano *m*, punto *m*; [국면] fase *f*, [측면] lado *m*, perfil *m*. 그의 알려지지 않는~ su perfil desconocido. 재정(財政) ~에서는 en el plano financiero, desde el punto de vista financiero. 어떤 ~에서 생각해서 considerando desde algún punto [aspecto · lado · modo]. 문제를 여러 ~에서 검토하다 considerar el problema en todos los aspectos, discutir el problema desde todos los ángulos [desde todos los puntos de vista]. 사물의 좋은 ~과 나쁜 ~을 보다 ver los lados buenos y malos [lo bueno y lo malo] de las cosas. 한 ~은 희고 다른 한 ~은 검다 Un lado es blanco y el otro negro. ⑦ [면전(面前)] frente *m*, faz *f*, cara *f*. ⑧ [가면(假面)] máscara *f*, antifaz *m*; [그로테스크한] careta *f*, [가면극 따위의] carátula *f*. ~을 쓰다 enmascararse, ponerse la máscara. ~을 벗다 quitarse la máscara. ⑨ ((검도)) carilla *f*, careta *f*. ⑩ [지면(紙面)] página *f*. ⑪ [다면체의] el área *f* (*las* áreas); [보석의] faceta *f*, bezoar *m*. ⑫ [부면(部面)] aspecto *m*, esfera *f*.

면[2](面) [행정 구역의 하나] *Myon*.

면(眠) [누에의 잠] sueño *m*.

면(綿) ① [무명] algodón *m*. ~의 algodonero. ② [무명실] hilo *m* de algodón.

면(麵) fideo *m*, tallarín *m*, espagueti *m*.

면-(綿) algodón *m*. ~내의(內衣) ropa *f* interior de algodón.

-면 si, cuando, en tanto que + *subj*, mientras + *subj*; [부정(否定)] si no, a menos que + *subj*, a no ser que + *subj*. 비가 오~ si llueve; [혹시] cuando llueva. 혹시 친구가 오~ cuando venga mi amigo. 만일에 내가 천만 원이 있다~ si yo tuviera diez millones de wones. 내가 부자~ 사람들이 알랑거릴 것이다 En tanto que [Mientras] yo sea rico, me adularán. 그녀가 돌아오지 않으~ 나는 먹지 않겠다 No voy a comer hasta que (no) vuelva ella. 그이를 만나~ 빨리 오라고 전해 주세요 Cuando le vea, dígale que venga pronto. 서두르~ 열차를 탈 수 있을 거야 Si te das prisa, podrás tomar el tren. 서두르지 않으~ 열차를 놓칠 것이다 Vas a perder el tren si no te das prisa / Date prisa, o perderás el tren. 오른쪽으로 돌~ 큰길이 나옵니다 Si usted dobla a la derecha, saldrá a una avenida. / Doble usted a la derecha, y saldrá a una avenida. 두 사람이 함께 나가~ 걱정할 필요는 없다 Si salen los dos juntos no tenemos que preocuparnos. 내가 너 같았으~ 좋으련만! ¡Si yo fuera como tú! 내가 다시 태어나~, 다시 선생이 되겠다 Si yo volviera a nacer sería otra vez maestro. 비가 오~ 외출하지 않겠다 Si llueve, no saldré. 다 읽으~ 돌려다오 Devuélvemelo cuando lo hayas leído. 그이가 있으~ 좋으련만! ¡Qué bien si estuviera él! / ¡Ojalá (que) estuviera él! 돈이 있으~ 그것을 살 텐데 (못 산다) Cuando yo tuviera [tuviese] dinero, lo compraría. 돈이 있었다~ 그것을 샀을텐데 (못 샀다) Si yo hubiera [hubiese] tenido dinero, lo habría [hubie-

.ra · hubiese] comprado.
-면(面) *Myon*. 학산~ Haksan Myon.
-면(綿) algodón *m*. 탈지~ algodón *m* absorbente.
면경(面鏡) espejo *m* pequeño.
면계(面界) límite *m* entre *Myon* y *Myon*.
면관(免官) =면직(免職).
면괴(面愧) vergüenza *f*, aborchonamiento *m*.
면괴스럽다 (estar) avergonzado, abochornado, *AmL* apenado (*CoS* 제외).
면괴스레 con vergüenza, *AmL* con pena (*CoS* 제외).
면구(面灸) =면괴(面愧).
면구스럽다 (ser) vergonzoso, avergonzado, corrido; [서술적] tener vergúenza, avergonzarse (de). 그런 자식을 두어 면구스럽습니다 Me avergüenzo de mi hijo. 나는 그들의 다정한 모습이 ~ Me dan cierta envidia las muestras de cariño que se prodigaban.
면구스레 vergonzosamente, con vergüenza.
면급하다(免急—) escapar un peligro.
면나다(面—) ① [체면이 서다] ganar honor, ser un honor, sentirse honorado. ② [외면(外面)이 빛나다] brillar, relucir, ser prominente.
면내다 =면(을) 내다. ☞면[1]
면담(面談) entrevista *f*. ~하다 tener una entrevista (personal) (con), entrevistar, hablar personalmente, hablar a solas. 주인과 ~하고 싶소 Quiero hablar con su patrón.
면대(面對) =대면(對面).
면도(面刀) ① [얼굴의 잔털이나 수염을 깎는 일] afeitado *m*. ~하다 afeitar; [자신이] afeitarse. ~ 좀 해라 Te afeitarás / Aféitate. ~를 하십시오 Aféitese, por favor. 제 얼굴의 ~를 해주세요 Aféiteme. 이 면도날을 사용하면 말끔하게 ~가 된다 Con esta hoja se obtiene un perfecto afeitado. ② ((준말)) =면도칼.
■ ~기 afeitadora *f*. ¶안전 ~ maquinilla *f* de afeitar. 전기 ~ maquinilla *f* de afeitar (eléctrica), máquina *f* de afeitar, afeitadora *f* eléctrica, *Méj* máquina *f* de rasurar, *Méj* rasuradora *f* (eléctrica). ~날 ㉮ [면도칼의 날] hoja *f* de navaja. ¶갈아끼우는 ~ hoja *f* de repuesta. ㉯ [안전 면도기에 끼워서 쓰는 칼날] hoja *f* [cuchilla *f*] de navaja de afeitar (de seguridad). ~발 parte *f* afeitada en la cara con la mancha azul. ~ 상처 escocedura *f* producida al afeitarse. ¶~를 입다 escocerse al afeitarse. ~솔 cepillo *m* [brocha *f*] de [para] afeitar. ~질 afeitado *m*. ¶~하다 afeitar; [자신이] afeitarse. ~칼 navaja *f*, navaja *f* de afeitar, *Méj* navaja *f* (de rasurar). ¶~ 같은 afilado como una navaja. ~로 찌르기 navajonazo *m*. ~ 사용의 헤어커트 corte *m* (de pelo) a la navaja. 안전 ~ cuchilla *f* [máquina *f* · maquinilla *f*] de afeitar, *Méj* rastrillo *m*. ~ 칼날 cuchilla *f*, hoja *f* de afeitar, gillete ®. ~칼 집 navajero *m*.
면려(勉勵) ① [스스로 힘씀] diligencia *f*, asiduidad *f*, constancia *f*, aplicación *f*; [노력(努力)] (mucho) esfuerzo *m*. ~하다 (ser) diligente, asiduo, hacer un esfuerzo. ② [남을 힘쓰게 함] fomento *m*, estímulo *m*, ánimo *m*, aliento *m*, incentivo *m*. ~ 하다 fomentar, estimular, animar, alentar.
면류(麵類) fideos *mpl*, tallarines *mpl*.
면류관(冕旒冠) diadema *f*, corona *f* de laurel, laurel *m*, lauro *m*, corona *f*.
면마(面痲) (marca *f* de) viruela *f*, marca *f* picada en la cara, cicatriz *f*.
면면(面面) ① [각 방면] todas las direcciones, todos los aspectos. ② [(여러 사람들의) 얼굴들] todos y cada uno, miembros *mpl*, personal; [배역] reparto *m*. 새 내각(內閣)의 ~ los ministros [los integrantes] del nuevo gabinete. 참석자들의 ~ cada una de las personas presentes. 언제나 같은 ~이 모였다 Se reunieron los miembros de siempre. ③ =면면이.
면면이 cada uno, cada cual.
■ ~ 촌촌(村村) =방방 곡곡.
면면하다(綿綿—) ① [끊이지 아니하고 끝없이 이어 있다] (ser) continuo, ininterrumpido, incesante, interminable, infinito, inagotable, sin límite. ② =미세(微細)하다.
면면히 continuamente, sin interrupción, incesantemente, sin cesar. 그들의 말은 ~ 끊이지 않는다 Se pasan las horas muertas hablando.
면모(面貌) ① [얼굴의 모양] semblante *m*, cara *f*, rostro *m*. ② [모습이나 상태] aspecto *m*, apariencia *f*.
면모(綿毛) plumón *m*.
면목(面目) ① [낯] cara *f*, rostro *m*. ② [체면] honor *m*, honra *f*, [명성(名聲)] fama *f*, reputación *f*, [자존심(自尊心)] amor *m* propio, pundonor *m*. ~을 세우다 ganar el honor, elevar *su* reputación, ganar mucho crédito, salvar las apariencias. ~을 깎이다 bajar *su* reputación, perder crédito. 그는 ~을 세웠다 El se ha ganado el honor. ③ [태도나 모양] aspecto *m*, apariencia *f*. ~을 일신하다 cambiar completamente de aspecto [de apariencia], transformarse totalmente.
◆면목을 잃다 perder el honor [la cara · la apariencia · la reputación].
◆면목(이) 없다 tener vergüenza, avergonzarse de sí mismo (de), sentirse avergonzado (de).
면목없이 con un aire avergonzado, vergonzosamente.
■ ~부지(不知) desconocimiento *m* mutuo, ignorancia *f* mutua. ¶~하다 desconocerse el uno al otro, no saberse el uno al otro.
면민(面民) habitantes *mpl* de *Myon*.
면밀(綿密) minucia *f*, minuciosidad *f*. ~하다 (ser) minucioso, detallado. ~한 계획을 세우다 planear minuciosamente [detalladamente, hacer un proyecto minucioso (de). 그는 일에서 무척 ~하다 El es minucioso

en su trabajo.
면밀히 minuciosamente, detalladamente.
■ ~성(性) minuciosidad *f.*
면바르다(面—) (ser) suave, liso, terso, nítido, muy cuidado. 면바르게 suavemente. 면바르게 생긴 atractivo, guapo. 그는 면바르게 생긴 젊은이다 El es un joven atractivo.
면박(面駁) refutación *f* [confutación *f*] a *su* cara. ~하다 reprochar [refutar · rebatir] a *su* cara.
면방적(綿紡績) hilandería *f* de algodón.
■ ~기(機) máquina *f* de hilar.
면벽(面壁) meditación *f* que da a la pared.
면보다(面—) mantener el aspecto.
면부(面部) región *f* facial, cara *f*, rostro *m.*
면부득하다(免不得—) (ser) ineludible, inexorable, inevitable. 그것은 ~ No se puede ayudar. 천재(天災)는 ~ El desastre es inevitable.
면분(面分) conocimiento *m* causal.
면사(免死) fuga *f* [huida *f*] de la muerte. ~하다 escapar(se) [fugarse] de la muerte.
면사(面紗) ((준말)) =면사포(面紗布).
■ ~포[보] velo *m* nupcial, velo *m* de bodas.
면사(綿絲) hilo *m* de algodón.
면사무실(面事務室) oficina *f* de *Myon*, casa *f* [oficina *f*] consistorial.
면상(面上) ① [얼굴의 위] sobre [en] la cara. ~에 미소를 띠고 con una sonrisa en la cara. (감정이) ~에 나타나다 notárs*ele* en la cara. 의심이 그의 ~에 나타났다 Se le notó que no estaba muy convencido. ② [얼굴의 바닥] *su* cara.
면상(面相) aspecto *m*, semblante *m*, cara *f*, rostro *m*, aire *m*, ademán *m* (*pl* ademanes), fisonomía *f*, facciones *fpl*. 무서운 ~ semblante *m* horrible. ~이 좋지 않은 사람 persona *f* con mal aspecto.
면새(面—) ① [편평한 물건의 겉모양] superficie *f*, aparición *f*. ② ((속어)) =체면.
-면서 ① [어떤 동작이나 상태가 동시에 겸함] 「현재 분사」(-ando, -iendo), con +「명사」. 웃으~ sonriéndose, con sonrisa. 노래부르~ 행진하다 marchar cantando. 노래부르~ 일하다 trabajar cantando. 껌을 씹으~ 걷다 caminar [andar] mascando chicle. 자~ 라디오를 듣다 oir la radio acostándose. 웃으~ 대답하다 contestar sonriendo [con una sonrisa]. 주의하~ 운전하다 conducir con cuidado. ② [그렇지만] no obstante, a pesar de (que), aunque, con, sin embargo. 가난하~ no obstante de la pobreza. 부자~ con [a pesar de] ser rico. 그는 많은 재능이 있으~ a pesar de que él tiene tanto talento. 그는 오겠다고 약속을 했으~ 오지 않았다 El no vino aunque lo había prometido.
면서기(面書記) oficial *mf* de *Myon.*
면세(免稅) exención *f* de impuestos [de tasas], exención *f* de tributo libre, exención *f* de franco de derechos, franquicia *f*. ~의 libre de impuestos, sin pagar impuestos, libre [exento] de franco de derechos, exento de derechos de aduana, de franquicia aduanera. ~로 libre de impuestos, sin pagar impuestos. ~시키다 eximir de impuestos. 어떤 상품이 ~될 수 있습니까? ¿Qué artículos tienen exención de impuestos?
■ ~ 기간 período *m* libre de impuestos. ~ 수입품 bienes *mpl* libres de impuestos. ~점(店) tienda *f* libre (de impuestos), *Méj* tienda *f* sin impuestos. ~점(點) límite *m* de exención, punto *m* libre de impuestos. ~지(地) región *f* libre de impuestos. ~ 지역 zona *f* libre, zona *f* franca. ¶공업 ~ zona *f* franca industrial. ~ 통과 tránsito *m* libre de impuestos. ~품 artículo *m* [producto *m*] libre de impuestos [de derecho]. ~품 허가량 cantidades *fpl* autorizadas de productos libres de impuestos.
면세(面稅) impuestos *mpl* de *Myon.*
면소(免訴) 【법률】 absolución *f*, sobreseimiento *m*. ~하다 absolver. ~되다 absolverse.
면솔(面—) cepillo *m* pequeño para el cabello.
면수(免囚) prisionero *m* libertado, prisionera *f* libertada.
면수(面數) ① [행정 구역의 면의 수효] número *m* de *Myon*. ② [책 같은 페이지의 수효(數爻)] número *m* de las páginas.
면숙(面熟) familiaridad *f*. ~하다 estar familiarizado (con).
면식(面識) conocimiento *m* (personal). ~이 있는 conocido. ~이 있는 사람 persona *f* conocida; conocido, -da *mf*. ~이 없는 사람 desconocido, -da *mf*; forastero, -ra *mf*. ~이 있다 conocer (a), conocer de vista. 나는 그녀와 ~이 있다 La conozco / Es una conocida mía. 나는 그 사람과 일~도 없다 No le conozco de nada / El me es completamente desconocido. 나는 그녀를 ~으로 알고 있을 뿐이다 Sólo la conozco de vista.
면식(眠食) ① =침식(寢食). ② [자신의 기거(寄居)] mi vida diaria
면실(棉實) semilla *f* de algodón.
■ ~유(油) aceite *m* de semilla de algodón.
면양(綿羊/緬羊) 【동물】 carnero *m*; [암컷] oveja *f*; [집합적] ganado *m* lanar.
면업(綿業) ① industria *f* algodonera, industria *f* de algodón. ② =방적업(紡績業).
면역(免役) [병역의] exención *f* del servicio militar. ~하다 eximir del servicio militar. ~되다 eximirse del servicio militar.
면역(免疫) 【의학】 inmunidad *f*. ~의 inmunológico. ~하다 inmunizar (contra). ~되다 inmunizarse. ~되어 있다 estar inmune (a · contra). 천연두를 ~하다 inmunizar contra la viruela.
◆ 인공(人工) ~ suero *m* medicinal.
■ ~ 강화 inmunopotenciación *f*. ~ 결핍 inmunodeficiencia *f*. ~계(系) sistema *m* inmunizante [inmune]. ~ 반응(反應) inmunoreacción *f*, reacción *f* inmune. ~법 inmunización *f*. ~성 inmunidad *f*. ¶~의

inmune, inmunitario. ~을 주다 dar inmunidad (a un paciente). ~을 강하게 하다 aumentar inmunidad. 후천 ~ inmunidad *f* adquirida. ~성 전염병 epidemia *f* inmune. ~ 세포(細胞) célula *f* inmune. ~ 요법(療法) inmunoterapia *f*, sueroterapia *f*. ~ 유전학 inmunogenética *f*. ~자 persona *f* inmune. ~ 주사 inoculación *f*. ~체 cuerpo *m* inmune, anticuerpo *m*. ¶자가(自家) ~ auto-cuerpo *m* inmune. ~학 inmunología *f*. ~ 학자 inmunologista *mf*. ~ 혈청 suero *m* inmune.

면욕(面辱) humillación *f* personal, insulto *m* personal. ~하다 humillar a *su* cara.

면욕(免辱) huida *f* de humillación. ~하다 huir la humillación

면우(面友) conocimiento *m* simple [mero].

면의원(面議員) miembro *mf* de la asamblea de *Myon*.

면의회(面議會) asamblea *f* de *Myon*.

면작(棉作) cultivo *m* del algodón.

면장(免狀) ① ((준말)) =면허장. ② ((준말)) =사면장 (赦免狀). ③ ((속어)) =졸업장.

면장(面長) alcalde, -desa *mf*; jefe, -fa *mf* de *Myon*.

면적(面積) extensión *f*, el área *f* (*pl* las áreas), superficie *f*. 광대(廣大)한 ~ superficie *f* enorme. 이 토지의 ~은 얼마나 됩니까? ¿Cuál es la superficie de este terreno? 이 정원의 ~은 250 평방미터이다 La superficie de este jardín es de ciento cincuenta metros cuadrados / Este jardín tiene ciento cincuenta metros cuadrados de extensión. 그 도시의 ~은 80 제곱킬로미터이다 La ciudad abarca un área aproximada de ochenta kilómetros cuadrados.

■ ~계 planímetro *m*. ~ 속도 velocidad *f* areal.

면전(面前) presencia *f*. ~에서 delante (de), a la vista, en *su* presencia, ante, a las barbas (de), a *su* vista, en *su* cara. 사람들의 ~에서 en presencia de [delante de] la gente. ~에서 [에 대고] 욕하다 reprenderle (a *uno*) en cara.

면접(面接) ① [대면(對面)] entrevista *f*. ~하다 recibir para una entrevista, entrevistar, tener entrevista (con), ver, recibir. ② ((준말)) =면접 시험(面接試驗).

■ ~시간 horas *fpl* de entrevista. ~시험 examen *m* (*pl* exámenes) oral.

면제(免除) exención *f*, exoneración *f*, franquicia *f*, dispensa *f*. ~하다 exentar, eximir, dispensar, librar. 병역을 ~하다 exentar*le* (a *uno*) el servicio militar. 부채를 ~하다 indultar*le* (a *uno*) del pago de una deuda. 조세(租稅)를 ~하다 exentar*le* (a *uno*) la tributación. 그의 일을 ~했다 [그는 일을 ~받았다 Le eximieron del trabajo.

◆세금 ~ exención *f* de impuestos. 우편세 ~ franquicia *f* postal [de porte].

면제품(綿製品) artículos *mpl* de algodón.

면조(免租) exención *f* del impuesto sobre la tierra. ~하다 exentar la tierra del impuesto.

■ ~지(地) tierra *f* exenta del impuesto.

면종(面從) obediencia *f* disfrazada. ~하다 disfrazar la obediencia.

■ ~ 복배(伏拜) obediencia *f* traidora [traicionera], beso *m* de Judas.

면종(面腫) 【의학】 carbunco *m* [carbunclo *m*] en la cara.

면죄(免罪) absolución *f*, exoneración *f*, exculpación *f*, [종교상의] remisión *f* de pecado; ((천주교)) jubileo *m*, perdón *m*, indulgencia *f*. ~하다 descargar, absolver, exonerar, exculpar.

■ ~부(符) indulgencia *f*.

면지(面紙) 【인쇄】 guarda *f*.

면직(免職) desposición *f*, destitución *f* del servicio, destitución *f* del empleo; [해고(解雇)] despedida *f*. ~하다 destituir, deponer, despedir, descargar. ~되다 ser destituido [depuesto · despedido], recibir calabazas.

면직(綿織) ((준말)) =면직물(綿織物).

■ ~물(物) tela *f* [tejido *m*] de algodón.

면질(面叱) reprimenda *f*. ~하다 reprender a la cara.

면질(面質) enfrentamiento *m*, confrontación *f*, controversia *f* cara a cara [frente a frente]. ~하다 preguntar cara a cara.

면책(免責) ① [책임을 면함] exención *f* de responsabilidad [de obligación]. ~하다 exentar la responsabilidad. ② [책망을 면함] exención *f* de reproche. ~하다 exentar el reproche. ③ 【법률】 [채무를 면함] exención *f* de deuda. ~하다 exentar la deuda.

■ ~ 조항 cláusula *f* de exención. ~ 증권 certificado *m* de exención. ~ 특권 [외교관의] inmunidad *f* diplomática.

면책(面責) reconvención *f* [reproche *m*] personal. ~하다 reprobar [reprender] personalmente, vituperar, echar [reprochar] en cara, proferir injurias [insultas] en la cara.

면치다(面－) recortar la superficie (de una tabla).

면치레(面－) acción *f* de vestir bien. ~하다 lucirse, vestir bien.

면포(綿布) =무명.

■ ~전(廛) tienda *f* de algodón.

면피(面皮) ① [낯가죽] piel *f* de cara. ② [남을 대하는 면목] honor *m*, dignidad *f*, semblante *m*, rostro *m*.

면하다(面－) hacer frente, encararse, hacer cara, afrontar, dar (a), mirar (a). …에 면한 enfrente de *algo*, frente a [de] *algo*. 대로(大路)에 면한 방 habitación *f* que da a la calle mayor. 태평양에 면한 제국(諸國) los países sobre el Océano Pacífico. 북쪽에 면해 있다 dar [mirar] al norte. 그의 집은 바다에 면해 있다 Su casa hace frente al mar / Su casa mira al mar. 창문은 남쪽으로 면해 있다 La ventana da al sur.

면하다[1](免－) ① [벗어나다] escapar(se) (de), librarse (de), huir. 죽음을 ~ escapar la muerte. 위험을 ~ escapar(se) [librarse] de un peligro. 화를 ~ escaparse [huirse] de desastre. 그는 아슬아슬하게 익사를 면했다 El se escapó por los pelos de ahogarse. ② [회피하다] evitar, esquivar, eludir. ③ [면제하다] dispensarse (de), eximirse (de). …을 면한 exento [libre] de *algo*. 책임을 ~ eximirse [dispensarse] de la responsabilidad.

면하다²(免―) ① [관직을] deponer, destituir, relevar, despedir. ② [세금이나 벌금 따위를] exentar, libertar, exceptuar, dispensar. 세금을 ~ exentar de impuestos.

면학(勉學) estudio *m*, persecución *f* de conocimiento [de estudios], persecución *f* académica. ~하다 estudiar, perseguir el estudio [el conocimiento]. ~을 위하여 para el estudio.

■~ 분위기 atmósfera *f* académica. ¶~를 조성하다 crear una atmósfera académica.

면허(免許) autorización *f*, licencia *f*, permiso *m*, carné *m* (*pl* carnés), carnet *m*. ~하다 licenciar, dar licencia [permiso]. ~를 얻다 [받다] sacar el carné [la licencia] (de). ~를 받은 autorizado, licenciado; [개업 의사·변호사 등] autorizado para ejercer; [점포·식당 등] autorizado para vender bebidas alcohólicas. ~를 내주다 autorizar, otorgar un permiso [una licencia].

■~ 감찰 placa *f* (de la matrícula). ~계약 contrato *m* de licencia. ~료 honorarios *mpl* de licencia. ~법(法) ley *f* para la concesión de licencias. ~세 impuesto *m* de licencia. ~ 소지자 titular *mf* de un permiso [una licencia]. ~ 시험 examen *m* para licencia, examen *m* para la concesión de licencias. ~ 어업 pesca *f* licenciada. ~ 영업 negocio *m* licenciado. ~장 diploma *m*, patente *f*, [허가증] licencia *f*, permiso *m*, autorización *f*, [증서] certificado *m*. ¶~을 교부하다 expedir una licencia. ~을 소지하고 있다 tener una licencia. ~을 압수하다 confiscar una licencia. ~을 얻다 tomar [sacar] una licencia, obtener un diploma. ~을 주다 licenciar. 1개월간 ~행사를 정지당하다 tener una licencia suspendida por un mes. ~장 소지자 licenciado, -da *mf*, titular *mf* de un permiso [una licencia]. ~증 =면허장. ¶운전 ~ carnet *m* [carné *m*·licencia *f*] de conducir [de conductor], *Cuba* licencia *f* de conducción. ~ 취소 anulación f de licencia. ¶~를 당하다 anulárse*le* la licencia.

면화(免禍) huida *f* [escape *m*] del desastre. ~하다 huirse [escaparse] del desastre.

면화(棉花) 【식물】 =목화(木花).

■~ 공업(工業) industria *f* algodonera. ~씨 semilla *f* de algodón. ~씨 기름 aceite *m* de semilla de algodón. ~ 재배 cultivo *m* de algodón.

면화약(綿火藥) algodón *m* pólvora.

면회(面灰) mortero *m* con cal para la capa final. ~하다 dar la capa final del mortero con cal.

면회(面會) entrevista *f*, visita *f*. ~하다 ver, entrevistarse (con), tener una entrevista (con), visitar. ~를 신청하다 solicitar una entrevista. 언제든지 ~가 가능하다 ser accesible siempre. 누구를 ~하시겠습니까? ¿Con quién quiere usted hablar [desea entrevistarse]? 장관께서는 지금 ~를 받을 수 없습니다 El ministro no puede recibir visitas ahora. ~ 사절(함) ((게시)) Se prohíbe la visita / Se prohiben las visitas.

■~ 시간 hora *f* de recepción. ~실 sala *f* de recepción; [형무소·수도원의] locutorio *m*. ~인 visita *f*. ~일 día *m* de recepción. ~자 visitante *mf*; [집합적] visita *f*.

멜 【식물】 una especie de pementero.

멸각(滅却) extinción *f*, destrucción *f*. ~하다 extinguir, destruir. 자신을 ~하다 renunciarse a sí mismo, despojarse de sí mismo.

멸공(滅共) extirpación *f* de comunismo.

■~ 정신 firme espíritu *m* anticomunista.

멸구 【곤충】 ((학명)) Cicadella viridis.

멸균(滅菌) esterilización *f*, pasterización *f*, pasteurización *f*. ~하다 esterilizar, pasterizar, pasteurizar.

■~ 가제 gasa *f* esterilizada. ~기 esterilizador *m*. ~법 método *m* de esterilización. ~수(水) el agua *f* esterilizada. ~용 가압솥 autoclave *f*(*m*). ~유(乳) leche *f* esterilizada. ~ 작용(作用) acción *f* [poder *m*] esterilizante. ~제(劑) esterilante *m*, antiinfectivo *m*.

멸도(滅度) ((불교)) nirvana *m*.

멸도(滅道) ((불교)) extinción *f* de sufrimiento y el modo de extinción.

멸망(滅亡) caída *f*, hundimiento *m*, derrumbamiento *m*; [괴멸(壞滅)] aniquilación *f*. ~하다 caerse, arruinarse, extinguirse; [몰락하다] decaer. ~시키다 arruinar; [괴멸시키다] destruir, exterminar, aniquilar. ~한 왕조(王朝) dinastía *f* caída. 백제(百濟)의 ~ caída *f* de (la dinastía) *Baekche*. 로마 제국의 ~ caída *f* del Imperio romano. 나라를 ~시키다 arruinar [destruir] un país. 적을 ~시키다 destruir al enemigo.

멸문(滅門) exterminio *m* de toda la familia. ~하다 exterminar toda la familia, ser exterminada toda la familia.

■~지화[지환] desastre *m* que extermina toda la familia.

멸사봉공(滅私奉公) aniquilación *f* de *sí* mismo para *su* país, sacrificio *m* por *su* patria, sacrificio *m* de *su* propio interés por el bienestar público. ~하다 sacrificarse por *su* patria.

멸시(蔑視) desprecio *m*, menosprecio *m*. ~하다 despreciar, menospreciar, subestimar, desdeñar, mirar de arriba a abajo [con desdén]. ~하는 듯한 미소를 띠다 sonreír con ironía [con desdén].

멸적(滅敵) destrucción *f* del enemigo. ~하다 destruir [conquistar] al enemigo.

멸절(滅絶) exterminio *m*, extirpación *f*, aniquilación *f*. ~하다 aniquilar, anonadar, ex-

tirpar.
멸족(滅族) extirpación *f* [exterminio *m* · aniquilación *f*] de toda la familia. ～하다 extirpar [exterminar · aniquilar] toda la familia. ～되다 extinguirse, exterminarse, desaparecer. 그 부족(部族)은 ～되었다 Se extinguió esa raza.
■ ～지화(之禍) desastre *m* que se extermina toda la familia.
멸종(滅種) extinción *f*, extirpación *f* de la raza. ～하다 extirpar la raza. ～되다 extinguirse, exterminarse, desaparecer. ～된 extinto. ～된 종 (種) especies *fpl* extintas. ～ 위기의 종(種)에 속한 오스트레일리아의 개구리 rana *f* australiana perteneciente a una especie en peligro de extinción. 바다 거북의 ～을 피하다 evitar la extinción de tortugas marinas.
멸치 【어류】 anchoa *f*.
■ ～젓 anchoas *fpl* saladas.
멸하다(滅－) destruir, exterminar, extirpar. 나라를 ～ arruinar [destruir] la nación. 적을 ～ destruir [conquistar] al enemigo.
명 ((준말)) ＝무명.
명[1](名) [이름] nombre *m*.
명[2](名) [사람의 수] persona *f*. 백 ～ cien personas. 학생 만 ～ diez mil estudiantes.
명[1](明) 【역사】 Ming (1368-1644).
■ ～왕조 la dinastía Ming.
명[2](明) [사물의 이치를 판단하는 지력(智力)] inteligencia *f*, capacidad *f* intelectual.
명(命) ① ＝목숨. ¶～이 짧다 La vida es corta. ～이 길면 욕되는 일이 많다 Deja que la vida sea corta, o la vergüenza será muy larga. ② ((준말)) ＝운명(運命). ③ ((준말)) ＝명령(命令). ¶～에 의해 por orden (de), según el mandato (de). ④ ((준말)) ＝임명(任命)(nombramiento).
◆명(이) 길다 vivir mucho tiempo, tener la vida larga, gozar de la longevidad.
명(銘) [기념비] monumento *m*; [비문(碑文)] inscripción *f*; [묘비] epitafio *m*; [도검 따위의] signatura *f*; [경계의 말] moto *m*.
명-(名) [뛰어난] excelente, bueno; [유명한] célebre, ilustre, famoso, notable, sabio. ～선수 buen jugador *m*, buena jugadora *f*. ～연설 discurso *m* excelente. ～연주가 célebre ejecutante *m*, ejecutante *m* famoso. ～탐정 célebre detective *mf*.
-명(名) nombre *m*. 학교～ nombre *m* de una escuela.
명가(名家) buena familia *f*, familia *f* famosa, célebre familia *f*.
■ ～ 자제 hijo *m* de la buena familia.
명가(名歌) buena canción *f*, canción *f* célebre, célebre canción *f*.
명가(名價) fama *f*, reputación *f*, valor *m* nominal.
명가수(名歌手) cantor *m* [cantante *m*] famoso, cantatriz *f* famosa; célebre cantor, -tante *mf*.
명감(明鑑) nómina *f*, lista *f*, directorio *m*.
명감독(名監督) director *m* famoso, directora *f* famosa; célebre director, -tora *mf*.
명개 marga *f* a lo largo de la orilla del río.
명검(名劍) espada *f* excelente, espada *f* famosa.
명견(名犬) [이름난 개] célebre perro *m*; [훌륭한 개] buen perro *m* (*pl* buenos perros).
명견(明見) opinión *f* sabia, opinión *f* clara.
■ ～ 만리(萬里) perspicacia *f* honda, capacidad *f* de visión.
명결하다(明潔－) (ser) claro y limpio.
명경(明鏡) ① [맑은 거울] espejo *m* muy claro. ② [분명한 증거] evidencia *f* clara.
■ ～ 지수(止水) ㉮ [맑은 거울과 고요한 물] el espejo claro y el agua tranquila, el corazón claro y tranquilo. ㉯ ((불교)) corazón *m* honrado.
명계(冥界) ((불교)) ＝명도(冥途).
명곡(名曲) música *f* famosa, clásicas músicas *fpl*, obra *f* maestra de música, fragmento *m* de música célebre. ～을 감상하다 apreciar la música famosa.
■ ～ 감상 apreciación *f* de la música famosa. ～집(集) colección *f* de músicas famosas.
명공(名工) ＝명장(明匠).
명공(名公) primer ministro *m* famoso, primera ministra *f* famosa.
명과(銘菓) buen dulce *m* confeccionado especialmente con marca de fábrica particular, dulce *m* excelente.
명관(名官) gobernador *m* reputado.
명관(明官) gobernador *m* sabio.
명관(冥官) ＝염라대왕(閻羅大王).
명관(鳴管) 【조류】 ＝울대.
명구(名句) sentencia *f*, aforismo *m*.
■ ～집(集) colección *f* de sentencias.
명군(明君) rey *m* [monarca *m*] sabio.
명궁(名弓) ① ((준말)) ＝명궁수(名弓手). ② [이름난 썩 좋은 활] arco *m* renombrado.
■ ～수 buen arquero *m*, buena arquera *f*, arquero *m* experto, arquera *f* experta; famoso arquero *m*, famosa arquera *f*.
명금(鳴禽) 【조류】 el ave *f* canora.
명기(名妓) *kisaeng* *f* célebre [renombrada · famosa], célebre *kisaeng* *f*..
명기(名器) ① [진귀한 그릇] vasija *f* famosa, vasija *f* rara. ② [유명한 악기] instrumento *m* músico famoso.
명기(明記) anotación *f* [apuntación *f*] clara, apunte *m* claro. ～하다 anotar [apuntar · escribir] claramente [precisamente], consignar. 계약서에는 …라 ～되어 있다 Consta en el contrato que + *ind*. 귀하의 우편물에 우편 번호를 ～해 주십시오 Consigne en sus envíos el código postal.
명기(明氣) ① [맑고 경치 좋은 산천(山川)의 기운] tendencia *f* de las montañas y los ríos con el paisaje hermoso. ② [환하고 명랑한 얼굴빛] tez *f* brillante y alegre.
명년(明年) el año próximo [que viene · que entra · entrante], el próximo año.
명념(銘念) ＝명심(銘心).
명단(名單) lista *f* de nombres [de personas].

명단(明斷) juicio *m* evidente [claro · exacto]. ～하다 juzgar [considerar] evidentemente [claramente · exactamente].

명담(名談) palabra *f* ingeniosa [aguda · graciosa · famosa].

명답(名答) respuesta *f* acertada [ingeniosa]. ～입니다 Eso es / Exactamente.

명답(明答) ＝확답(確答).

명답변(名答辯) respuesta *f* excelente, contestación *f* excelente.

명답안(名答案) papel *m* de examen sobresaliente.

명당(明堂) ① [좋은 뫼자리] lugar *m* [sitio *m*] propicio para la tumba. ② [좋은 자리] lugar *m* [sitio *m*] ideal [excelente]. ③【관상】frente *f* del hombre.

명도(名刀) espada *f* [sable *m*] excelente [célebre]; espada *f* famosa.

명도(明刀)【역사】＝명도전(明刀錢).

명도(明度) luminosidad *f*.

명도(命途) ＝명수(命數).

명도(明渡) entrega *f*, evacuación *f*. ～하다 entregar, evacuar. 집을 ～하다 evacuar la casa.

명도(冥途) ((불교)) otro mundo *m*, Hades *m*; [지옥(地獄)] infierno *m*.

명도(銘刀) espada *f* que esculpe la signatura.

명도전(明刀錢)【역사】moneda *f* de cobre con la forma del cuchillo pequeño.

명동(鳴動) ruido *m* sordo, estruendo *m*. ～하다 hacer un ruido sordo, retumbar.

명란(明卵) ① [명태의 알] hueva *f* del abadejo. ② ((준말)) ＝명란젓.

▪～젓 hueva *f* del abadejo salada.

명랑(明朗) jovialidad *f*, alegría *f*. ～하다 (ser) jovial, alegre, risueño, de buen humor, festivo. ～하게 jovialmente, alegremente, con jovialidad, con alegría. 명랑한 소년 muchacho *m* alegre. ～한 마음 corazón *m* alegre. ～한 음악 música *f* alegre. ～해지다 alegrarse, aliviarse, ponerse de buen humor. ～한 성격이다 tener un carácter alegre [jovial]. 그는 ～한 얼굴을 하고 있다 El tiene la carar alegre. 그녀는 ～하고 활발하다 Ella es una joven alegre y activa. 범죄가 퇴치되자 거리는 ～해졌다 Desterrados todos los crímenes, devolvieron la alegría a la ciudad. 그 소리를 듣자 그의 얼굴은 ～해졌다 Al oírlo él se puso alegre [se le alegró la cara].

명랑히 jovialmente, alegremente, gozosamente.

명령(命令) orden *f* (*pl* órdenes), mandato *m*, mando *m*, mandado *m*, precepto *m*, mandamiento *m*; [훈련 · 지시] dirección *f*, instrucciones *fpl*; [취소 명령] contraorden *f*. ～하다 ordenar, mandar, decretar. ～에 따라 conforme a la orden, de [en] conformidad con la orden. ～에 의해 por orden. ～에 거역해 contrariamente a [en contra de] la orden. ～이 한 번 떨어지자 a (oída) la orden. ～을 내리다 dar órdenes [la orden] (de). ～을 받다 recibir una orden. ～을 수행하다 cumplir la orden. ～에 따르다 seguir [obedecer] la orden, conformarse a la orden. ～에 불복(不服)하다 desobedecer la orden. ～ 받은 대로 해라 Hazlo como te han mandado [dicho]. 경찰은 데모대에게 해산하라고 ～했다 La policía mandó a los manifestantes que se disolviesen [se disolvieran]. 나는 그에게 가까이 오라고 ～했다 Le mandé que se acercara [se acercase].

▪～ 계통 línea *f* de mando. ～문 oración *f* exhortativa. ～법 (modo *m*) imperativo *m*. ～서 orden *f*, directriz *f*, *AmL* directiva *f*;【법률】orden *f* judicial, precepto *m*. ～위반 violación *f* de una orden. ～적 imperativo, perentorio. ¶～으로 imperativamente, perentoriamente. ～ 항로 línea *f* subvencionada. ～형 forma *f* imperativa.

명론(名論) opinión *f* excelente, argumento *m* excelente, argumento *m* bien fundado.

▪～ 탁설(卓說) argumentación *f* brillante.

명료(明瞭) claridad *f*, lucidez *f*. ～하다 (ser) claro, lúcido, distinto.

명료히 claramente, con claridad, lúcidamente, distintamente. ～ 하다 aclarar, hacer claro, clarificar.

▪～도(度) articulación *f*. ¶～ 지수(指數) índice *m* de articulación. ～성 claridad *f*.

명류(名流) personas *fpl* célebres; [집합적으로] celebridad *f*.

명리(名利) fama *f* [honor *m*] y riqueza, ricos *mpl* y honor, nombre *m* y fortuna. ～에 초연하다 ser indiferente al honor y a la riqueza, estar por encima de las ansias del honor y de la riqueza.

▪～심(心) ambición *f* carnal.

명마(名馬) buen caballo *m*, caballo *m* estupendo [renombrado].

명망(名望) alta reputación *f* [fama *f*]; [인망(人望)] popularidad *f*. ～ 있는 reputado, popular. ～을 얻다 ganar fama. ～을 잃다 perder *su* popularidad.

▪～가(家) persona *f* de alta reputación, hombre *m* popular.

명매기【조류】＝칼새.

명맥(命脈) vida *f*, hilo *m* de vida, existencia *f*. ～을 이어가다 mantener vivo, quedarse con vida, quedar en existencia. ～이 짧다 (ser) efímero, fugaz, durar poco, tener una vida corta. 그는 겨우 ～을 유지하고 있다 El apenas tiene vida / El tiene poca vida / Le sustenta un hilo de vida.

명멸(明滅) parpadeo *m*. ～하다 parpadear, pestañear, oscilar, temblar, vacilar. ～하는 빛 [등불] luz *f* intermitente [parpadeante · trémula].

명명(命名) denominación *f*, bautizo *m*. ～하다 denominar, nombrar, llamar, bautizar. ～되다 ser denominado, ser nombrado, ser bautizado. 배는 광개토왕(廣開土王)이라 ～되었다 El barco fue bautizado con el nombre de *Gwanggaetowang*. 그 인공위성을 아리랑이라 ～했다 A ese satélite artifi-

cial le pusieron el nombre de *Arirang*.
■ ~법 nomenclatura *f.* ~식 ceremonia *f* de bautismo [bautizo], bautismo *m.* ~자 padrino *m.*

명명(明明) claridad *f,* evidencia *f.* ~하다 (ser) claro, evidente.
명명히 claramente, evidentemente, con claridad, con evidencia.
■ ~백백 mucha claridad. ¶~하다 (ser) obvio, claro, evidente. ~히 de claro en claro, muy claramente, muy obviamente, muy evidentemente.

명모(明眸) ① [맑고 아름다운 눈동자] pupilas *fpl* claras y hermosas. ② [미인(美人)] belleza *f,* hermosura *f,* mujer *f* hermosa.
■ ~ 호치(皓齒) ㉮ [눈동자가 맑고 눈이 희다] las pupilas claras y los dientes blancos. ㉯ [미인(美人)] belleza *f,* hermosura *f,* mujer *f* hermosa.

명목(名木) ① [수목(樹木)] árbol *m* precioso; [목재(木材)] madera *f* preciosa. ② [유서 깊은 나무] árbol *m* de mucha historia. ③ [향목(香木)] madera *f* preciosa de incienso.

명목(名目) ① [표면상의 이름] nombre *m,* título *m.* ~상의 nominal. …의 ~으로 a título de *algo.* 자선 사업의 ~으로 a título de obra de caridad. 대 발견의 ~으로 calificando de gran descubrimiento. 다른 나라를 시찰한다는 ~으로 관광 여행하다 hacer turismo a título de inspección de otros países. 여행 비용이라는 ~으로 사례금을 지불하다 pagar los honorarios a título de gastos de viaje. ② [구실(口實)] pretexto *m,* excusa *f.* …의 ~으로 a [con · so] pretexto de *algo.*
■ ~ 가격 precio *m* [valor *m*] nominal. ~ 계정(計定) importe *m* nominal. ~론 nominalismo *m.* ~론자 nominal *mf,* nominalista *mf.* ~ 비용 coste *m* nominal, *AmL* costo *m* nominal. ~ 사원(社員) empleado, -da *mf* nominal. ~ 성장(成長) crecimiento *m* nominal. ~ 세율(稅率) tipo *m* impositivo nominal. ~ 소득[수입] ingreso *m* nominal. ~ 원장(元帳) libro *m* mayor nominal. ~ 이율 tasa *f* nominal de interés, tipo *m* de interés nominal. ~ 이자(利子) interés *m* nominal. ~ 임금(賃金) salario *m* nominal, sueldo *m* nominal. ~ 자본(資本) capital *m* nominal. ~ 자산 activo *m* nominal. ~적 nominal. ¶~으로 nominalmente. ~주의 nominalismo *m.* ~ 지불 pago *m* nominal. ~ 학설 nominalismo *m.* ~ 화폐 moneda *f* nominal.

명문(名文) prosa *f* bella, pasaje *m* excelente, oración *f* escrita bien, escritura *f* excelente.
■ ~가 estilista *mf,* prosista *m* famoso, prosista *f* famosa. ~ 대작(大作) gran obra *f* bella. ~집(集) antología *f,* selección *f* de textos; [교재용의] crestomatía *f.*

명문(名門) ① [이름 있는 집안] casa *f* ilustre, familia *f* célebre [distinguida · noble]. ~의 linajudo. ~ 출신이다 ser de una familia distinguida, ser descendiente de una familia linajuda. ② ((준말)) =명문교(名門校).
■ ~가 casa *f* [familia *f*] solariega. ~ 거족(巨族) el linaje renombrado y la familia próspera. ~교(校) célebre escuela *f,* escuela *f* célebre.

명문(名聞) reputación *f* del mundo.
■ ~이양(利養) la reputación y la ganancia del mundo. ~천하 fama *f* [reputación *f*] mundial. ¶~하다 ser mundialmente famoso, ganar la fama mundial.

명문(明文) ① [밝힘글] texto *m* formal. ② =증서(證書).
■ ~화(化) formalización *f,* formulación *f.* ¶~하다 formalizar, formular. ~되다 formalizarse, formularse.

명문구(名文句) frase *f* célebre.

명문장(名文章) oración *f* célebre, oración *f* escrita bien.

명물(名物) ① =명산물(名産物). ② [유명하거나 특별히 있는 물건] producto *m* especial [famoso]. ③ [유별난 특징이 있어 인기 있는 사람] hombre *m* popular, favorito *m* de la gente.

명미(明媚) hermosura *m* del paisaje. ~하다 (ser) hermoso, bello, lindo, pintoresco.

명민(明敏) sagacidad *f,* perspicacia *f,* inteligencia *f,* clarividencia *f.* ~하다 (ser) sagaz, perspicaz, inteligente, clarividente.

명반(明礬) 【화학】 alumbre *m.*
■ ~석(石) 【광물】 alunita *f.*

명배우(名俳優) gran actor *m* (*pl* grandes actores), gran actriz *f* (*pl* grandes actrices); actor *m* célebre, actriz *f* célebre; estrella *f* célebre.

명백(明白) evidencia *f,* claridad *f.* ~하다 (ser) evidente, claro, manifiesto, patente; [의문의 여지가 없는] obvio, indudable. ~한 사실 verdad *f* evidente, perogrullada. …은 ~하다 Es evidente + *inf* / Es evidente que + *ind.* 그에게 죄가 있다는 것은 ~하다 Es evidente que el tiene la culpa / No cabe la menor duda de que la culpa es suya. 그에게 죄가 없다는 것은 ~하다 Es evidente que él es inocente.
명백히 evidentemente, claramente, desnudamente, obviamente, indudablemente.
■ ~성 evidencia *f,* claridad *f,* carácter *m* evidente.

명복(冥福) [사후(死後)의 행복] felicidad *f* después de la muerte. 고인(故人)의 ~을 빌다 rogar por el descanso [el reposo] del alma de un difunto, orar [rezar] por un difunto. 그의 ~을 빕니다 Descanse en paz.

명부(名簿) lista *f,* nómina *f,* rol *m;* [등록부(謄錄簿)] matrícula *f,* registro *m.* ~를 작성하다 hacer una lista. …의 이름을 ~에 기재하다 inscribir el nombre de *uno* en la lista, alistar a *uno,* matricular a *uno.* ~에 기재되어 있다 estar inscrito en la lista. …의 이름을 ~에서 지우다 tachar [borrar] el nombre de *uno* de la lista.
◆급료 지불 ~ nómina *f* de pagos. 선객(船

客) ~ nómina *f* de viajeros. 선원(船員) ~ nómina *f* de tripulantes. 임원(任員) ~ nómina *f* de directores. 직원 ~ nómina *f* de empleados.

명부(冥府) ① =저승. ② ((불교)) corte *f* del otro mundo.

명분(名分) *su* obligación moral; [정당성(正當性)] justificación *f*, justicia *f*; [이유(理由)] causa *f* justa.

명사(名士) ① [이름난 선비] sabio *m* célebre. ② [명성이 널리 알려진 인사] personalidad *f*, personaje *m* distinguido; [집합적] celebridades *fpl*, notables *mpl*. 의학계의 ~ celebridad *f* del mundo médico.

명사(名詞) 【언어】 sustantivo *m*, substantivo *m*, nombre *m*.
■ ~구 frase *f* del substantivo. ~ 어미 sufijo *m* del substantivo. ~절 oración *f* del substantivo.

명사(名辭) 【논리】 término *m*.
◆ 대(大)~ término *m* mayor. 소(小)~ término *m* menor. 절대(絶對) ~ término *m* absoluto. 중(中) ~ término *m* medio.
■ ~주의 terminismo *m*.

명사수(名射手) buen tirador *m*, buena tiradora *f*; [활의] buen arquero *m*, buena arquera *f*.

명산(名山) montaña *f* [monte *m*] notable [célebre · famosa].
■ ~ 대찰(大刹) el monte famoso y el gran templo budista. ~ 대천(大川) el monte famoso y el río espléndido.

명산(名産) ((준말)) =명산물(名産物).
■ ~물 producto *m* especial [notable · célebre · famoso]. ~지(地) región *f* del producto célebre.

명상(冥想/瞑想) meditación *f*, contemplación *f*. ~하다 meditar, contemplar. ~에 젖다 absorberse [sumerigirse] en la meditación.
■ ~가(家) meditador, -dora *mf*. ~곡 meditación *f*. ~력 poder *m* meditabundo. ~록 meditaciones *fpl*. ~적 meditabundo, contemplativo, sensativo, meditativo.

명색(名色) nombre *m*, título *m*, designación *f*.

명석(明晳) inteligencia *f*, perspicacia *f*, claridad *f*, lucidez *f*, distinción *f*. ~하다 (ser) inteligente, prudente, talentudo, juicioso, penetrante, perspicaz, claro, lúcido, distinto, largo de vista. 두뇌가 ~한 despejado. 두뇌가 ~한 소년 muchacho *m* despejado [inteligente].

명성(名聲) reputación *f*, fama *f*, renombre *m*, prestigio *m*. ~이 있는 reputado, famoso, renombrado, célebre. 세계적 ~으로 de fama mundial. ~을 얻다 obtener [ganar · adquirir · cobrar] buena reputación [gran renombre]. ~을 잃다 perder la reputación. ~을 떨치다 gozar de buena fama. ~을 높이다 realzar reputación. ~은 재산보다 낫다 El nombre rige al hombre

명성(明星) ①【천문】 =샛별. ② [학문과 기예가 뛰어난 사람] estrella *f*. 문단(文壇)의 ~ estrella *f* literaria.

명세(明細) ① [분명하고 자세함] detalle *m*. ~하다 (ser) detallado, minucioso. ② =속가름.
명세히 detalladamente, minuciosamente, con todo detalle.
■ ~서 especificación *f*, detalle *m*. ¶지출 ~ relación *f* detallada de gastos. ~장(帳) libro *m* especificado.

명소(名所) lugar *m* [sitio *m*] interesante [de interés], lugar *m* [sitio *m*] famoso [célebre].
■ ~ 안내서(案內書) la Guía de los Lugares Interesantes.

명수(名手) experto, -ta *mf*, maestro, -tra *mf*, virtuoso, -sa *mf*, perito, -ta *mf*, hombre *m* [mujer *f*] de gran talento. 사격의 ~ excelente tirador *m*, excelente tiradora *f*. 피아노의 ~ virtuoso, -sa *mf* del piano.

명수(名數) número *m* de personas.

명수(明水) el agua *f* clara y limpia.

명수(命數) [운명과 재수] el destino y la fortuna; [수명(壽命)] duración *f* de *su* vida; [운명(運命)] destino *m*.
■ ~법 numeración *f*.

명승(名勝) ① [훌륭하고 이름난 자연 경치] paisaje *m* natural pintoresco. ② =명승지.
■ ~ 고적(古蹟) el paisaje natural pintoresco y las ruinas, famoso lugar *m* histórico, sitio *m* célebre e histórico. ¶~을 탐방하다 visitar los sitios célebres e históricos. ~지 lugar *m* [sitio *m*] interesante [de interés], lugar *m* [sitio *m*] de paisaje hermoso.

명승(名僧) sacerdote *m* budista eminente [célebre · distinguido].

명시(名詩) poema *m* célebre.
■ ~선(選) coleccón *f* de obras poéticas célebres.

명시(明示) amotestación *f* [indicación *f*] clara, elucidación *f*. ~하다 aclarar, especificar, manifestar, elucidar, indicar claramente, ilustrar, explicar, dilucidar.

명시(明視) visión *f* clara.
■ ~거리 distancia *f* de punto visual.

명신(名臣) vasallo *m* célebre.

명실(名實) nombre *m* y realidad, fama *f* y hecho.
■ ~ 공히 de hecho lo mismo que de nombre; así en nombre como en realidad [palabra y hecho]; no sólo en nombre, sino también en realidad. ¶그는 ~ 훌륭한 [뛰어난] 정치가이다 El es un político a la altura de su reputación / Sus facultades de político están a la altura de su fama.
명실 상부하다 ser verdadero al nombre.

명심(銘心) grabación *f* en *su* corazón. ~하다 grabar en *su* corazón [en *su* mente]. …을 ~해서 penetrado de *algo*, llevando *algo* grabado en *su* corazón. 만사(萬事)를 ~하다 guardar todo dentro del pecho. 이것을 ~해라 ¡Ten presente todo esto! / Fija esto en tu cabeza.

■ ~ 불망(不忘) recuerdo *m* largo en *su* corazón. ¶~하다 recordar [acordarse de] mucho tiempo en *su* corazón, no olvidar(se) mucho tiempo en *su* corazón.

명아주【식물】pata *f* de gallo.

명안(名案) buena idea *f*, excelente idea *f*, plan *m* magnífico. ~이 있다 tener una buena [excelente] idea. 그것은 ~이다 Es una buena [excelente] idea.

명암(明暗) luz *f* y sombra, claridad *f* y oscuridad; 【미술】claroscuro *m*. 인생의 ~ el haz y envés de la vida, el aspecto bueno y malo de la vida.

■ ~도(度) ㉮ [별의] brillo *m*, resplandor *m*. ㉯【미술】lo vivo. ㉰【사진】intensidad *f* ligera. ~ 등[광] intermitente *m*, *Col*, *Méj* direccional *f*, *Chi* señalizador *m*. ~법(法) claroscuro *m*.

명야(明夜) mañana *f* por la noche.

명약(名藥) medicina *f* bien reputada.

명약 관화(明若觀火) lo meridiano, lo obvio. ~하다 (ser) meridiano, obvio. ~한 사실 verdad *f* meridiana.

명언(名言) dicho *m* acertado [docto], palabra *f* acertada; [유명한 말] frase *f* célebre; [기억할 만한 말] dicho *m* inmortal, palabra *f* memorable. 만고(萬古)의 ~ dicho *m* inmortal. 그것은 ~이다 ¡Qué bien dicho!

■ ~집(集) colección *f* de frases célebres.

명언(明言) afirmación *f*, declaración *f*, enunciación *f*. ~하다 afirmar [declarar · asegurar] (definitivamente), manifestar expresamente.

명역(名譯) traducción *f* excelente [apta], buena traducción *f*.

명연기(名演技) representación *f* excelente.

명예(名譽) ① [세상에서 훌륭하다고 일컬어지는 이름] honor *m*, honra *f*, fama *f*, reputación *f*, dignidad *f*, prestigio *m*, blasón *m*. ~를 존중하는 사람 hombre *m* de honor. ~를 걸고 bajo palabra de honor. ~로 알다 tener a honra. ~와 관계되다 afectar *su* honor, arriesgarse de *su* honor. ~를 얻다 adquirir reputación, afamarse, obtener mucho crédito. ~를 훼손하다 perjudicar la reputación, disfamar, desacreditar. ~를 잃다 perder la fama. ~를 더럽히다 manchar honor, mancillar [comprometer] el honor (de), deshonrar; [자신의] deshonrarse. ~를 회복하다 rehabilitar; [자신의] rehabilitarse. ~를 존중하다 respetar el honor, tener juicio de honor, apreciar la fama. ~를 잃지 않도록 조심하다 no dormirse sobre *sus* laureles. …을 ~로 생각하다 tener el honor de *algo*. ~를 걸고 맹세하다 dar *su* palabra de honor, jurar por *su* honor. …의 ~이다 ser (un) gran honor para *uno*. 이미 얻은 ~에 만족하다 dormirse sobre *sus* laureles. …하는 것은 나에게는 크나큰 ~이다 Es un gran honor para mí + *inf*. ~가 걸린 문제다 Es un asunto de honor. 우리는 ~만을 중시해서는 안된다 Nada debemos estimar más que la honra.

② [어떤 공로나 권위에 대한 존경을 표시하는 뜻으로 특별히 주는 칭호] honoris causa, honorario *m*. ~ 총재(總裁) [회장(會長)] presidente *m* honorario [de honor], presidenta *f* honoraria [de honor].

명예롭다 (ser) honroso, honorario, glorioso, honorífico. 명예롭게 honoríficamente. 명예로운 지위(地位) honores *mpl*, posición *f* honoraria [honrosa]. 명예로운 전사(戰死)를 하다 morir gloriosamente en la lucha, morir [caer] en el campo del honor.

명예로이 honrosamente, honorariamente, honoríficamente.

명예스럽다 (ser) honorable, honroso.

명예스레 honorablemente, honrosamente, honoríficamente.

■ ~ 교수 catedrático *m* honorario [honoris causa], catedrática *f* honoraria [honoris causa]. ~ 문학 박사 doctor, -tora *mf* honoris causa en letras [en humanidades]. ~ 박사 doctor, -tora *mf* honoris causa. ~ 박사 학위 doctorado *m* honoris causa. ~ 법 ley *f* honoraria. ~ 시민 ciudadano *m* honorario [de honor], ciudadana *f* honoraria [de honor]. ~심[욕] deseo *m* [sed *f*] de honor, amor *m* de la gloria, apetito *m* por fama, ambición *f*. ~ 영사(領事) cónsul *m* honorario [ad honorem], cónsul(a) *f* honoraria [ad honorem]. ~ 제대 licencia *f* del servicio militar honoraria. ~ 제도 sistema *m* honorario. ~직 puesto *m* honorario. ~ 총영사 cónsul *m* general honorario [ad honorem], cónsul(a) *f* general honoraria [ad honorem]. ~ 학위 título *m* honoris causa. ~형(刑) pena *f* de privación del derecho. ~ 회복(回復) rehabilitación *f*. ~ 회원 miembro *m* honorario, miembro *f* honoraria. ~ 훼손(毁損) difamación *f*, infamación *f*, calumnia *f*. ~ 훼손 소송 pleito *m* por difamación.

명왕성(冥王星)【천문】Plutón *m*.

명우(名優) ((준말)) =명배우(名俳優).

명운(命運) =운명(運命).

명월(明月) ① [밝은 달] luna *f* clara. ② [음력 팔월 보름날 밤의 달] luna *f* llena (de agosto del calendario lunar).

■ ~ 청풍(淸風) la luna clara y el viento claro, el viento fresco de la noche con la luna clara.

명유(名儒) sabio *m* muy versado en el confucianismo.

명의[1](名義) [이름] nombre *m*. ~상의 nominal. …의 ~로 변경하다 transferir *algo* al nombre de *uno*.

■ ~ 개서(改書) traspaso *m* (de acciones), transferencia *f* de nombre. ~ 대여(貸與) obligación *f* de una persona que permite a otra persona hacer negocios en *su* nombre. ~ 도용 uso *m* ilegal del otro nombre. ~ 변경 transferencia *f* de nombre. ~ 변경 대리인 agente *mf* de transferencia. ~ 변경료 derechos *mpl* de transferencia. ~ 변

경 증서 escritura *f* de transmisión. ~ 이전 transferencia *f* nominal. ~인 testaferro *m*; [대표자] representante *mf*, [소유자] titular *mf*, tenedor, -dora *mf*.

명의²(名義) [명분과 의리] la justificación moral y la integridad.

명의(名醫) gran médico *m*, gran médica *f*, médico, -ca *mf* ilustre [célebre]; médico *m* renombrado, médica *f* renombrada.

명인(名人) experto, -ta *mf*, maestro, -tra *mf*, virtuoso, -sa *mf*, perito, -ta *mf*, diestro, -tra *mf*, mano *f* maestra; persona *f* renombrada. ~의 솜씨를 보이다 demostrar su gran maestría.
 ▪ ~ 기질 espíritu *m* de los grandes artistas. ~전(戰) serie *f* de campeonato de los jugadores del *baduc* profesional.

명일(名日) ① =명질. ② =명절(名節).

명일(明日) mañana. ~ 오전에 만납시다 Nos veremos [Hasta] mañana por la mañana.

명일(命日) día *m* de aniversario de la muerte (de *uno*).

명자(名字) ① [널리 알려진 이름] nombre *m* muy conocido. ② [세상의 소문이나 평판] reputación *f* mundial. ③ [사람의 이름 자(字)] nombre *m*.

명작(名作) obra *f* maestra [excelente · sobresaliente · famosa], célebre obra *f*.
 ▪ ~ 소설 novela *f* sobresaliente, célebre novela *f*.

명장(名匠) (gran) maestro *m*, gran artesano *m*, maestro *m* ilustre, artesano *m* experto [perito].

명장(名將) gran general *mf*, general *mf* ilustre.

명장(明匠) ① [학문 · 기술에 뛰어난 사람] maestro, -tra *mf*. ② [중] sacerdote *m* budista, monje *m* budista.

명재경각(命在頃刻) estar a punto de morir, estar al borde de la muerte, estar en vísperas de morir.

명재명간(明再明間) entre dos días de mañana o pasado mañana.

명재상(名宰相) gran primer ministro *m*, primer ministro *m* célebre, primer ministro *m* célebre.

명저(名著) libro *m* excelente, obra *f* excelente, obra *f* magistral, célebre libro *m*, libro *m* famoso.

명절(名節) día *m* festivo, *AmL* día *m* feriado.
 ▪ ~빔 nueva ropa *f* que uno se pone el día festivo.

명정(酩酊) borrachera *f*, borrachez *f*, embriaguez *f*, ebriedad *f*, emborrachamiento *m*. ~하다 (estar) borracho, ebrio, embriagado.

명정(銘旌/明旌) banderín *m* (*pl* banderines) funeral, banderín *m* con una inscripción del nombre y el rango del difunto.

명제¹(命題) 【논리】 proposición *f*, tesis *f*.
 ◆ 가언(假言) ~ proposición *f* condicional [hipotética]. 긍정(肯定) ~ proposición *f* afirmativa. 단칭(單稱) ~ proposición *f* singular. 동일 ~ proposición *f* idéntica. 부정 ~ proposición *f* negativa. 제약 ~ proposición *f* condicional. 전칭(全稱) ~ proposición *f* universal. 특칭(特稱) ~ proposición *f* particular.

명제²(命題) [글의 제목] tema *m* dado para una composición.

명조¹(明朝) [내일 아침] mañana por la mañana.

명조²(明朝) ① 【역사】 [명나라의 조정] dinastía *f* (de) Ming; [명나라] Ming. ② 【인쇄】 ((준말)) =명조체(明朝體). 명조 활자(明朝活字).
 ▪ ~체[자체] letra *f* de imprenta de estilo de Ming. ~ 활자(活字) tipo *m* de imprenta de Ming.

명조(冥助) favor *m* divino, providencia *f*.

명주(明紬) seda *f*. ~ 같은 sedoso, sedeño.
 ▪ 명주 자루에 개똥 ((속담)) Cara del ángel, garra del gato.
 ▪ ~바람 viento suave. ~실 hilo *m* de seda. ~ 옷 ropa *f* de seda.

명주(銘酒) licor *m* de una marca famosa, licor *m* de cualidad alta, bebida *f* renombrada [fina].

명주잠자리(明紬—) 【곤충】 hormiga *f* león.

명줄(命—) ① [(혈육으로서) 대를 잇는 줄] línea *f* de generación. ② ((속어)) =수명.

명중(命中) acierto *m*, acertamiento *m*, blanco *m*, diana *f*, impacto *m*. ~하다 dar en el blanco, acertar (en), dar (en), hacer impacto. 탄환을 ~시키다 acertar la bala en el blanco. 과녁을 ~시켰다 Acertó al blanco. 화살이 과녁에 ~한다 La flecha da en el blanco. 그는 화살에 ~되었다 Se le clavó la flecha. 그는 탄환에 오른쪽 다리가 ~되어 크게 다쳤다 La bala le dio en la pierna derecha, causándole una herida grave [y (se) quedó gravemente herido]. 그는 잘 ~시킨다 [사격에서] El tiene buena puntería.
 ▪ ~률 porcentaje *m* de acierto. ~수(數) número *m* de los blancos. ~탄 balazo *m* [certero · bien asestado]; [사격에서] blanco *m*; [활에서] blanco *m*, diana *f*, [대포에서] impacto *m*.

명증(明證) ① [명백한 증거] evidencia *f* clara, prueba *f* positiva. ~하다 probar claramente. ② 【철학】 evidencia *f*.

명지(名地) célebre lugar *m*, región *f* famosa.

명질 【민속】 día *m* festivo (del calendario lunar).

명질날 día *m* festivo (del calendario lunar).

명징(明澄) limpieza *f* y claridad. ~하다 (ser) limpio y claro.

명찰(名札) tarjeta *f*, tarjeta *f* de negocios (상용의), plancha *f* con el nombre, etiqueta *f* de nombre, etiqueta *f* de identificación, placa *f* con nombre; [가슴에 다는] etiqueta *f*, chapa *f* de identificación; [옷에 바느질한] etiqueta *f* con el nombre. ~을 달다 etiquetar, poner*le* una etiqueta (a), poner plancha con el nombre.

명찰(名刹) célebre templo *m* budista, célebre convento *m* (budista), templo *m* famoso, convento *m* famoso.

명창(名唱) ① [노래를 잘 부르는 사람] gran cantante *m*, gran cantatriz *f*; célebre cantante *m* [cantatriz *f*]; buen cantante *m*, buena cantatriz *f*. ② [매우 잘 부르는 노래] canción *f* famosa.

명창(名娼) célebre prostituta *f* [ramera *f*・puta *f*].

명철(明哲) sagacidad *f*, perspicacia *f*, inteligencia *f*, prudencia *f*, sutileza *f*, astucia *f*, penetración *f*. ~하다 (ser) sagaz, perspicaz, inteligente, prudente, sutil, astuto, brillante.
명철히 sagazmente, con sagacidad, perspicazmente, con perspicacia, inteligentemente, con inteligencia, prudentemente, con prudencia, sutilmente, con sutileza, astutamente, con astucia.
■~ 보신(保身) buen mantenimiento *m* de *su* propio cuerpo con sagacidad.

명추(明秋) otoño *m* próximo [que viene・que entra・entrante], próximo otoño *m*.

명춘(明春) primavera *f* próxima [que viene・que entra・entrante], próxima primavera *f*.

명충(螟蟲) **【곤충】** ① =마디충. ② ((준말)) =명충나방.

명충나방(螟蟲－) **【곤충】** ((학명)) Chilo suppressalis.

명치 **【해부】** epigastrio *m*. ~ 위가 아프다 Me duele encima del estómago.
■~끝 extremo *m* del epigastrio. ~뼈 hueso *m* encima del epigastrio.

명칭(名稱) nombre *m*, título *m*, nomenclatura *f*, denominación *f*. …의 ~으로 bajo el nombre [el título] de *algo*. ~을 붙이다 [회사・도시에] poner*le* nombre (a); [선박에] bautizar, poner*le* nombre (a); designar, nombrar. ~을 바꾸다 cambiar el nombre, dar un nuevo nombre (a).

명콤비(名－) buena pareja *f*, pareja *f* excelente. ~를 이루다 hacer una buena pareja.

명쾌(明快) claridad *f* y precisión. ~하다 (ser) claro y preciso, nítido, lúcido, bien definido. ~한 동작 movimiento *m* vivo [ágil・activo]. ~한 문장(文章) estilo *m* vivo [incisivo]. ~한 설명 explicación *f* clara. ~한 판단 juicio *m* claro.
명쾌히 claramente, con claridad, nítidamente.

명탐정(名探偵) célebre detective *mf*, detective *mf* renombrado.

명태(明太) **【어류】** abadejo *m* (de Alaska).

명태어(明太魚) **【어류】** =명태(明太).

명토(名－) señalamiento *m*, indicación *f*.
◆명토(를) 박다 señalar, indicar.

명토(冥土) otro mundo *m*; [지옥(地獄)] infierno *m*.

명투(明透) maestría *f*. ~하다 ser muy versado (en).

명판(名判) ① [훌륭하게 내린 판결, 또는 판단] buen juicio *m*, juicio *m* excelente. ② ((준말)) = 명판관(名判官). ③ [기관의 이름・직명・성명 등을 새겨 놓은 물건] objeto *m* de esculpir el nombre del órgano, el nombre del puesto o el nombre y apellido.

명판관(名判官) juez *mf* (*pl* jueces) excelente.

명패(名牌) ① =문패(etiqueta con la dirección). ② =명찰(名札)(etiqueta de identificación).

명편(名篇) libro *m* bien escrito, buen libro *m*; buena obra *f*, obra *f* excelente, célebre obra *f*.

명필(名筆) ① [매우 잘 쓴 글씨] buena caligrafía *f*. ② ((준말)) =명필가(名筆家). ¶한석봉은 누구나 아는 ~이다 Han Seok Bong es un calígrafo.
■~가 calígrafo, -fa *mf*, pendolista *mf*, pendolario, -ria *mf*, maestro, -tra *mf* de caligrafía.

명하다(名－) nombrar.

명하다(命－) ① [명령하다] mandar, ordenar. 지불을 ~ mandar*le* (a *uno*) pagar. 부하에게 자료 준비를 ~ mandar a un subordinado preparar los materiales. ② [임명하다] nombrar, designar.

명하다(銘－) grabar.

명함(名銜/名啣) ① [성명・주소・신분 등을 적은 종이쪽] tarjeta *f* (de visita); [상용(商用)의] tarjeta *f* de negocios. ~의 교환(交換) tarjeteo *m*, cambio *m* frecuente de tarjetas. ~을 두고 가다 dejar *su* tarjeta. ~을 제시하다 [건네다] pasar [presentar] la tarjeta (de visita). ~을 교환하다 tarjetearse, cambiar la tarjeta (con). 그분이 당신 드리라고 ~을 놓고 갔습니다 Ese señor me ha dejado su tarjeta para usted. ② [높이어 말할 사람의「이름」] su estimado nombre.
■~곽 tarjetero *m*, *AmL* tarjetera *f*. ~지 ㉮ =명함(名銜). ㉯ [명함용 종이] papel *m* para la tarjeta. ~판 tamaño *m* de la tarjeta de visita. ~판 사진 fotografía *f* de tamaño de la tarjeta.

명현(名賢) ① sabio *m* notable. ② ((성경)) [동방 박사] los Reyes Magos.

명호(名號) ① =명목(名目). ② [이름과 호] nombre *m* y sobrenombre.

명화(名花) ① [(썩 아름다워) 이름난 꽃] célebre flor *f*, flor *f* famosa. ② [아름다운 여자] mujer *f* hermosa, belleza *f*, [기생] *kisaeng*.

명화(名畵) ① [유명한 그림] célebre cuadro *m*, pintura *f* célebre [notable]. ② [유명한 화가] pintor *m* famoso, pintora *f* famosa. ③ [유명한 영화] célebre película *f*, obra *f* maestra de cine; [우수한 영화] película *f* excelente, buena película *f*.

명확(明確) claridad *f*, certeza *f*, exactitud *f*, precisión *f*, certidumbre *f*. ~하다 (ser) cierto, evidente, preciso, claro, exacto, puntual, positivo, indubitable, indudable; [결정적인] decisivo.
명확히 claramente, ciertamente, evidente-

mente, precisamente, exactamente, puntualmente, terminantemente, indubitablemente, indudablemente; decisivamente.

명후년(明後年) ＝내후년(來後年).

명후일(明後日) pasado mañana.

몇 ① [(의문문에 쓰여) 확실하지 않은 수효를 물을 때 씀] ¿Cuánto?, ¿Cuánta?, ¿Cuántos?, ¿Cuántas?, ¿Qué? 너는 ~ 살이냐? ¿Cuántos años (de edad) tienes? / ¿Qué edad tienes? 지금 ~ 시입니까? ¿Qué hora es ahora? 모두 ~ 사람이냐? ¿Cuántos son todos? / ¿Cuántas personas son todas? 방에 모인 친구가 ~이야? ¿Cuántos son los amigos que se reunen en el cuarto? 계란을 ~ 개나 원하십니까? ¿Cuántos huevos quiere [desea] usted? 그는 스물 ~개의 점포를 경영하고 있다 El dirige veinte y tantas tiendas. ~ 개나 있다 Hay muchos. ~ 개 없다 Hay pocos / No hay muchos. ~ 개든지 드십시오 Tome usted cuanto quiera. 그는 서른 ~살이다 El tiene algo más de treinta años. ② [얼마 안 되는 수] unos, unas; algunos, algunas; varios, varias. 방에 ~ 사람, 바깥에 ~ 사람 있다 Unas personas están en el cuarto y unas fuera (del cuarto).

몇몇 [「몇」을 강조하는 말] unos, unas; un poco de; varios, varias. 응접실에는 ~ 사람 앉아 있었다 Unas personas estaban sentadas en el salón de recepciones.

모[1] ① [옮겨심기 위해 기른 어린 벼] arroz *m* joven con cáscara. ~를 심다 plantar arroz joven con cáscara. ② ＝모종. 묘목(苗木).

모[2] [윷놀이에서] *mo*, cinco puntos hechos tirando los cuatro *yut*.

모[3] ① [물건의 거죽으로 튀어나온 뾰족한 끝] ángulo *m*. ② [성질·행동 따위에서 특히 두드러지게 나타난 점] insociabilidad *f*, rudeza *f*. ③ [사물을 보는 측면이나 각도] lado *m*, flanco *m*. ④ ＝각 (角). ⑤ ＝모서리. ⑥ [두부모나 묵모] pastilla *f*. 두부 한 ~ un tofu, una pastilla de tofu.

◆모(가) 나다 ㉮ [물건의 거죽에 모가 생기다] hacer ángulo. 모가 난 돌 piedra *f* angular, piedra *f* de ángulo. ㉯ [하는 말이나 짓·성질이 원만치 못하다] (ser) áspero, agresivo, rígido, inflexible, rudo. 모가 난 사람 persona *f* insociable [arisca·ruda]. 그렇게 말하면 모가 난다 Si habla así, se encontrará [se envenenará] la conversación. 그는 나이를 먹으면서 모난 점이 없어졌다 El se ha hecho afable con los años.

▪모 난 돌이 정 맞는다 ((속담)) No se arrojan piedras si no al árbol cargado de frutos.

모[4] ((준말)) ＝모이.

모[1](毛) [털] pelo *m*, cabello *m*, lana *f*.

모[2](毛) 【수학】[이(厘)의 10분의 1이며 분(分)의 100 분의 1] un *mo*, un décimo de *ri*, un céntimo de *bun*.

모(母) ① [어머니] madre *f*. 갑돌 ~는 김씨래요 Se dice que el apellido de la madre de *Gobdol* es Kim. ② [「어머니」를 「어미」로 홀하게 이르는 말] madre *f*. 또순이 ~ madre *f* de Tosuni. 쇤네야! 너의 ~는 오늘 왜 못 왔니? Soenne, ¿Por qué no ha venido tu madre hoy?

모(矛) lanza *f* larga con la punta encorvada.

모(茅) atado *m* de las hojas de pino en la arena de la vasija.

모(某) ① [아무개] cierta persona, don Fulano de Tal. ~ 부인·~ 양(孃) Fulana de Tal. ② [아무·어떤] un, una; cierto, -ta; no sé cuantos. ~ 가(家) cierta familia. ~ 소년 un muchacho. 김 ~ un (tal) Kim. ~ 신문에 따르면 según informa un periódico. 그때 ~ 배우가 왔다 El actor no sé cuantos llegó entonces.

-모(帽) gorro *m*, gorra *f*, sombrero *m*. 운동 ~ gorro *m* deportivo.

모가디슈 【지명】Mogadishu (소말리아 수도).

모가비 [괴수(魁首)] jefe, -fa *mf* de una banda; jefe, -fa *mf*.

모가지 ① ((낮은말)) ＝목. ② ((속어)) ＝면직. 파면.

모가치 *su* parte.

모감주나무 【식물】((학명)) Koelreuteria paniculata.

모개로 en total. 이 사과 ~ 얼마입니까? ¿Cuánto valen [cuestan·es] estas manzanas en total?

모경(暮景) paisaje *m* nocturno.

모경(暮境) ＝늙바탕.

모계(母系) línea *f* materna.

▪~ 가족 familia *f* materna. ~ 유전(遺傳) herencia *f* materna. ~ 제도 matriarcado *m*. ~ (중심) 사회 sociedad *f* matriarcal. ~ 혈족[친] parientes *mpl* consanguíneos maternos.

모계(謀計) ① [꾀와 계교] el ingenio y la confabulación. ② [군사상의 이익을 위하여 적을 속임] trampa *f*, ardid *m*, truco *m*, estratagema *f*, artificio *m*, complot *m*, conspiración *f*. ~를 꾸미다 conspirar (para + *inf*), conspirar (contra *algo*). 그들은 그녀를 죽이기 위해 ~를 꾸몄다 Ellos conspiraron para matarla.

모골(毛骨) el pelo y el hueso.

◆모골이 송연(竦然)하다 estremecerse.

모공(毛孔) poro *m*.

▪~진(疹) foliclis *f*.

모과(木瓜) 【식물】membrilla *f* china, papaya *f*.

모과나무(木瓜－) 【식물】membrillo *m* chino, papayo *m*; 【학명】Cydonia sinensis.

모관(毛管) ① ((준말)) ＝모세관. ② ((준말)) ＝모세 혈관(毛細血管).

모교(母校) el alma *f* máter.

모국(母國) patria *f*, madre *f* patria, nación *f* progenitora. ~의 patrio. ~을 방문하다 visitar *su* madre patria.

▪~ 관광단 equipo *m* de turistas visitantes de *su* patria. ~애 patriotismo *m*, amor *m* a la patria. ~어 lengua *f* materna; [그 나라의 언어] lengua *f* nativa. ¶그는 서반아어를 ~처럼 말한다 El habla español

como su lengua nativa.
모국(某國) un país, cierto país.
모군[1](募軍) [인부(人夫)] peón *m* (*pl* peones); culí *mf*, trabajador, -dora *mf* de construcción.
◆ 모군(을) 서다 hacerse trabajador [trabajadora *f*] de construcción, trabajar como un culí.
■ ~삯 paga *f* del trabajador de construcción. ~ 일 trabajo *m* de construcción.
모군[2](募軍) =모병(募兵).
모권(母權) derecho *m* materno, autoridad *f* materna.
■ ~ 사회 sociedad *f* matriarcal. ~설(說) teoría *f* de metronimia. ~제(도) matriarcado *m*.
모근(毛根) raíz *f* (*pl* raíces) del pelo.
모금 [액체] bocanada *f*; [약] dosis *f*; [담배] cigarillo *m*, pitillo *m*. 담배 한 ~ un cigarrillo, un pitillo. 술 한 ~ una bocanada de bebida. 나는 술을 한 ~도 못한다 No bebo ni una gota de alcohol. 담배 한 ~ 피웁시다 Quiero fumar un cigarrillo [un pitillo]. 그것은 한 ~의 청량제다 Es como una bocanada de aire fresco.
모금모금 cada bocanada.
모금(募金) colecta *f*, recaudación *f*, petición *f* de donativos. ~하다 colectar, recaudar. ~에 응하다 contribuir a una colecta.
■ ~ 운동 campaña *f* para la recaudación de donativos. ¶~하다 recorrer un distrito [una comarca] solicitando dinero para subscripción. 이재민 구재 ~을 하다 hacer una colecta para socorrer a los damnificados.
모기 【곤충】 mosquito *m*, cínife *m*, *AmL* zancudo *m*. ~가 물다 picar el mosquito. ~에 물리다 ser picado por los mosquitos [zancudos]. ~에 물린 상처 picadura *f*. ~가 내는 소리로 con una débil voz, con una voz imperceptible [endeble · casi desvanecida]. 나는 ~에 물렸다 Me picaron [han picado] los mosquitos.
■ 모기도 모이면 천둥소리 낸다 ((속담)) La unión hace la fuerza.
■ ~떼 nube *f* de mosquitos. ¶~가 날아든다 Se está levantando una nube de mosquitos. ~장 mosquitera *f*, mosquitero *m*. ¶~을 치다 colgar un mosquitero. ~향 incienso *m* de mosquitos, incienso *m* contra los mosquitos, matamosquitos *m*, palitos *mpl* matamosquitos. ~ㅅ불 humo *m* para fumigar.
모기둥 ① [모가 난 기둥] prisma *f*. ② 【수학】 prisma *f*.
모꼬지 recolección *f*, recaudación *f*, reunión *f*, asamblea *f*, muchedumbre *f*. ~하다 reunir, allegar, acumular, recolectar.
모나다 ☞모
모나무 =묘목(苗木).
모나코[1] 【지명】 Mónaco *m*. ~의 monegasco.
■ ~ 공국(公國) el Principado de Mónaco. ~ 사람 monegasco, -ca *mf*. ~어(語) monegasco *m* (이탈리아어와 불란서어의 혼합).
모나코[2](불 *Monaco*) 【지명】 [모나코의 수도] Mónaco (관광의 중심지이며 카지노로 유명함).
모낭(毛囊) 【생물】 folículo *m* piloso.
■ ~염 foliculitis *f*. ~ 주위염 epifoliculitis *f*.
모내기 trasplante *m* [plantación *f*] del arroz, el plantar del arroz. ~하다 trasplantar el arroz.
■ ~노래 canción *f* del trasplante del arroz. ~철 temporada *f* del trasplante del arroz.
모내다 ① [벼의] trasplantar el arroz. ② [각을] hacer ángulo.
모녀(母女) madre e hija.
■ ~간(間) (relación) entre madre e hija.
모년(某年) un año, cierto año.
모노드라마(영 *monodrama*) monodrama *m*.
모노레일(영 *monorail*) monorriel *m*, monocarril *m*, línea *f* monorriel.
모노타이프(영 *monotype*) monotipo *m*.
모놀로그(불 *monologue*) monólogo *m*.
모눈 cuadrícula *f*. ~의 cuadricular.
■ ~종이 papel *m* cuadricular.
모니터(영 *monitor*) ① [(텔레비전 송신 상태의) 감시용 텔레비전 화면] monitor *m*. ~하다 radiocaptar. ② [(라디오 · 텔레비전의) 모니터] monitor, -tora *mf*. ③ [라디오 청취자] radioescucha *mf*. ④ 【물리】 =방사능 탐지기. ⑤ 【컴퓨터】 monitor *m*.
■ ~ 데스크 mesa *f* de escucha. ~ 스크린 pantalla *f* exploradora, pantalla *f* de control. ~ 시스템 sistema *m* monitor. ~ 카운터 monitor *m* contador. ~ 헤드 cabeza *f* monitora.
모닝(영 *morning*) ① [아침. 오전] la mañana. ② ((준말)) =모닝 코트(morning coat).
■ ~ 드레스 chaqué *m*, traje *m* de chaqué, frac *m*, *CoS* jaquet *m*. ~ 커피 café *m* de la mañana. ~ 코트 chaqué *m*, frac *m*, *CoS* jaquet *m*, *Méj* jaqué *m*.
모다 ((준말)) =모으다.
모다기- de repente, de todos lados.
모다기모다기 en grupos.
모다기영(-令) orden *f* que viene de todas partes de repente.
모다깃매 golpes *mpl* de todos lados.
■ ~질 paliza *f* [azotaina *f*] de todos lados.
모닥모닥 ((준말)) =모다기모다기.
모닥불 hoguera *f*, fogata *f*, alcandora *f*. ~을 지피다 hacer fuego (al aire libre), encender la hoguera.
모당(母堂) =대부인(大夫人).
모당(母黨) pariente *m* materno.
모더니스트(영 *modenist*) modernista *mf*.
모더니즘(영 *modernism*) modernismo *m*.
모던(영 *modern*) [현대의. 근대의] moderno. ~하다 (ser) moderno.
■ ~ 댄스 danza *f* moderna. ~ 디자인 diseño *m* moderno. ~ 발레 baile *m* moderno. ~ 아트 el arte *f* moderna. ~ 재즈 jazz *m* moderno. ~ 히스토리 [근대사(近代

史)] historia *f* moderna.

모데라토(이 *moderato*) 【음악】 moderato.

모델(영 *model*) ① [모형(模型)] modelo *m*. ~의 ejemplar, modelo. ~을 바꾸다 modificar el [cambiar de] modelo (de). ② [본보기·모범] ejemplo *m*. 그는 인내의 ~이다 El es un modelo de paciencia. ③ 【미술·문학】 modelo *mf*. 사진의 ~이 되다 servir de modelo de una foto. ~을 사용해 그림을 그리다 dibujar según un [una] modelo. 화가의 ~이 되다 ofrecerse como modelo a un artista. 그녀가 이 소설 주인공의 ~이다 Ella sirve de modelo del protagonista de esta novela. ④ 【건축】 modelo *m*. ⑤ ((준말)) =패션 모델.

■ ~ 소설 novela *f* a base de un modelo. ~ 스쿨 escuela *f* modelo. ~ 양 modelo *f*. ~ 직업 profesión *f* de modelo. ~ 케이스 ejemplo *m* [caso *m*] a seguir. ~ 하우스 casa *f* en miniatura, casa *f* a escala.

모도(母道) maternidad *f*.

모도록 densamente, exuberantemente. ~하다 (ser) denso, exuberante, lujuriante.

모도리 persona *f* astuta [sagaz · viva].

모독(冒瀆) profanación *f*, envilecimiento *m*, corrupción *f*, contaminación *f*, polución *f*; [신성 모독] blasfemia *f*. ~하다 profanar, envilecer, degradar, corromper, viciar, contaminar; [신성 모독] blasfemar. 십자가를 ~하다 blasfemar (contra) la cruz. 존엄성을 ~하다 profanar la dignidad. 하나님을 ~하다 blasfemar contra Dios, blasfemar contra [profanar a] una deidad.

모동(暮冬) invierno *m* tardío.

모되 medida *f doe* cuadrada.

모두 todo, lo todo, todos; [사람] todo el mundo, todos, todos los hombres; [물건] todas las cosas; [함께] todos juntos; [합계] total *m*; [부사적] en total, en todo, totalmente, enteramente, íntegramente, del todo, sin excepción; [모두 중에서] entre todos; [일치해서] unánimemente, por unanimidad. ~에게 안부 전하여 주십시오 Recuerdos [Saludos] a todos. 부모님, 형제들 ~ 잘 있습니다 Mis padres, mis hermanos, todos están bien. ~ 아주 잘 준비되어 있습니다 Todo está muy bien preparado. 우리들은 ~ 열 명입니다 Nosotros somos diez / En total diez personas. ~ 조국을 위해 일어납시다 Levantémonos todos para la patria. 우리들은 ~ 그 의견에 찬성했다 Todos (nosotros) estuvimos de acuerdo con esa opinión / (Nosotros) Todos aprobamos la opinión. 그의 친구 다섯 명이 ~ 결혼했다 Todos sus cinco amigos están casados.. 나는 돈을 ~ 도둑맞았다 Me robaron todo el dinero. 그는 재산을 ~ 잃었다 El ha perdido toda la fortuna. 나는 가진 것을 ~ 잃었다 Yo perdí cuanto [todo lo que] tenía. 그들은 ~ 성적이 좋았다 Ellos han sacado todos buenas notas. 그의 계획은 ~ 실패했다 Su proyecto fracasó íntegramente. 나는 책들과 공책과 만년필 ~를 가져왔다 Yo he traído todo: los libros, el cuaderno, la pluma estilográfica. 나는 그에게 ~ 털어놓았다 Le he confesado todo [de plano]. 그녀에게는 돈이 ~다 El dinero es todo para ella / La única cosa que cuenta para ella es el dinero. 책임은 ~ 나에게 있다 Yo tengo toda la responsabilidad. ~ 당신에게 맡기겠다 Lo dejo todo en sus manos. 식량이 ~ 떨어졌다 Las provisiones se han agotado. 이것이 ~입니다 Esto es todo / Nada más. 우리들은 빵[샐러드]을 ~ 먹었다 Nos comimos todo el pan [toda la salada]. 동의하는 사람은 ~ 손을 드십시오 Todos los que estén de acuerdo, que levanten la mano. 우리 네 사람 ~가 갔다 Fuimos los cuatro.

■ ~뜀 salto *m* con dos pies.

모두(冒頭) principio *m*, comienzo *m*, encabezamiento de columna. ~에 al principio.

■ ~ 절차 procedimiendo *m* de apertura. ~ 진술 alegación *f* de apertura, declaración *f* de apertura.

모둠매 =뭇매.

모듈(영 *module*) módulo *m*.

모듈레이션(영 *modulation*) 【음악】 modulación *f*.

모드(불 *mode*) ① [수단(手段)·양식(樣式)·방식(方式)·형식(形式)] medio *m*, modo *m*. ② 【수학】 modo *m*. ③ 【음악·철학·언어】 modo *m* ④ [유행] moda *f*. 금년 가을 ~ moda *f* de este otoño. ~ 가게 tienda *f* de modas. 파리의 ~ moda *f* de París. ⑤ 【컴퓨터】 modalidad *f*, modo *m*.

■ ~ 잡지 revista *f* de modas.

모드라기풀 【식물】 =끈끈이주걱.

모드레(를) 짚다 nadar a crol.

모든 todo, toda, todos, todas; toda clase de. ~ 것 todo. ~ 사람 todos, todos los hombres, todo el mundo, toda la gente. ~ 남자(男子) todos los hombres. ~ 여자 todas las mujeres. ~ 종류의 사람들 todo tipo de gente. ~ 종류의 주류(酒類) todo tipo de bebidas. ~ 참석자 todos los presentes, la totalidad de los presentes. ~ 기회에 en todas las ocasiones [opotunidades]. ~ 방향으로 por todas las partes [direcciones]. ~ 점에서 en todos los puntos, en todos los aspectos. ~ 것이 준비되었다 Todo está listo / Todo está preparado. ~ 것이 허사다 Todo es en vano. 그녀는 ~ 소년[소녀]들을 초청했다 Ella invitó a todos los niños [a todas las niñas]. ~ 사람은 동등하다 Todos los hombres son iguales. ~ 훌륭한 선생님들은 그것을 알고 있다 Todo buen profesor lo sabe.

모들뜨기 persona *f* bizca, persona *f* bisoja.

모들뜨다 biscar, bizquear, mirar bizco.

모듬냄비 sopa *f* [guiso *m*] de pescado.

모뜨기 =모심기.

모뜨다 ① [흉내내어 하다] imitar, seguir, copiar. ② =모하다.

모라토리엄(라 *moratorium*) 【법률】 moratoria *f*. ~을 선언하다 declarar una moratoria.

~을 요청하다 pedir una moratoria.

모락모락 ① [힘차게 잘 자라는 모양] rápido, rápidamente, bien. ~ 자라다 criarse bien. ② [연기·냄새 따위가 치밀어 오르는 모양] densamente, espesamente, pesadamente. 김이 ~ 나다 echar vapor denso, oler a vapor densamente.

모란(牧丹) 【식물】 peonía *f*, peonia *f*.
■ ~꽃 peonía *f*. ~ 꽃밭 jardín *m* (*pl* jardines) de peonías. ~병(屛) biombo *m* que se pintan las peonías. ~병(餠) pastel *m* coreano de la forma de la peonía.

모란설(牧丹雪) copos *mpl* grandes de nieve.

모란채(牧丹菜) 【식물】 col *f*, berza *f* decorativa.

모랄(영 *morale*) morales *fpl*, éticas *fpl*.

모래 arena *f*. ~가 많은 arenoso. ~가 섞인 arenisco. 가는 ~ arena *f* fina, arenilla *f*. 굵은 ~ arena *f* gruesa, arenaza *f*. 굵지도 가늘지도 않은 ~ arena *f* entrefina. 사막의 뜨거운 ~ las ardientes arenas *fpl* del desierto. ~로 닦다 arenar, refregar con arena; [목재나 가구를] lijar; [바닥을] pulir. ~로 덮다 cubrir con arena. ~로 덮이다 [묻히다] enterrarse en arena. ~를 뿌리다 arenar, enarenar. ~를 섞다 enarenar. ~의 먼지를 일으키다 levantar una polvareda [una nube de polvo]. ~ 위에 세우다 hacer castillos de naipes. ~ 장난을 하다 jugar con la arena. 분사기로 ~를 뿜어 닦다 pulir [limpiar] con un chorro de arena. 정원에 ~를 뿌리다 arenar [enarenar] el jardín.
■ 모래로 방천(防川)한다 ((속담)) Se siembra en la arena. 모래 위에 물 쏟는 격 ((속담)) Se hace el trabajo en vano / Se siembra en la arena. 모래 위에 쌓은 성(城) ((속담)) Castillo de naipes / Castillo edificado sobre la arena.
■ ~강변 ㉮ [모래가 깔려 있는 강가] orilla *f* (de un río) de arena. ㉯ =모래톱. ~곶 cabo *m* con arena. ~ 놀이터 [어린이의] cajón *m* de arena para juegos infantiles. ~땅 terreno *m* arenoso, terreno *m* arenisco *m*, arenal *m*. ~ 무더기 montones *mpl* de arena. ~밭 ㉮ =모래톱. ㉯ [흙에 모래가 많이 섞인 땅] terreno *m* arenoso. ~벌판 arenal *m*, playa *f*, arenas *fpl*. ~ 부대 saco *m* de arena, saco *m* terrero. ~빛 color *m* arena. ~ 사막 desierto *m* de arena. ~ 상자(箱子) salvadera *f*, arenillero *m*, depósito *m* de arena, caja *f* de enarenar; [어린이 놀이터의] cajón *m* (*pl* cajones) de arena (en parques y jardines); 【철도】 arenero *m*. ~성 castillo *m* de arena. ~시계 reloj *m* de arena, ampolleta *f*. ~알 grano *m* de arena. ~언덕 colina *f* de arena; [해안의] duna *f*, médano *m*. ~자갈 gravilla *f*, grava *f* fina. ~주머니 ㉮ [모래를 담은 포대] saco *m* de arena, saco *m* terrero. ㉯ [새 따위의] molleja *f*, ventrículo *m*. ㉰ 【군사】 saco *m* de tierra. ~찜 baño *m* de arena. ~찜 요법 tratamiento *m* por el baño de arena. ~찜질 baño *m* de arena. ¶~하다 bañar en arena. ~ 채취(採取) extracción *f* de arena. ~ 채취자 persona *f* de extraer la arena. ~채취장 mina *f* de arena. ~톱[사장] banco *m* de arena; [강어귀 등의] barra *f* (de arena). ~통(桶) [증기기관차의] arenero *m*. ~펄 marisma *f* arenosa, marisma *f* cubierta de arena. ~흙 terreno *m* arenoso. ~ㅅ길 ㉮ [모래 위에 난 길] camino *m* sobre la arena. ㉯ [모래가 깔려 있는 길] camino *m* de arena, camino *m* cubierto con la arena. ~ㅅ논 arrozal *m* arenoso. ~ㅅ돌 arenisca *f*. ~ㅅ바닥 fondo *m* cubierto con la arena.

모래무지 【어류】 gobio *m*, coto *m*.

모래집 【해부】 amnios *m.sing.pl*.

모래집물 【생리】 =양수(羊水).

모략(謀略) intriga *f*, estratagema *f*, ardid *m*, treta *f*, artificio *m*. ~을 꾸미다 intrigar, urdir una estratagema.
■ ~가 intrigante *mf*, maquinador, -dora *mf*. ~ 선전(宣傳) propaganda *f* taimada. ~적 intrigante *adj*.

모레 pasado mañana. ~ 아침 [오후·밤](에) pasado mañana por la mañana [por la tarde·por la noche].

모로 ① [비스듬히] diagonalmente, oblicuamente, al sesgo. ~ 자르다 cortar diagonalmente. ② [옆으로] de lado, de costado, de reojo, de soslayo, de refilón. ~ 걷다 andar de lado [de costado]. ~ 눕다 acostarse [tenderse·tumbarse] de lado [de costado]. ~ 보다 mirar de reojo [de soslayo·de refilón].
■ 모로 가도 서울만 가면 된다 ((속담)) El fin justifica los medios / El fin lo hace todo.

모로코 【지명】 Marruecos *m*. ~의 marroquí, marroquín.
■ ~ 가죽 marroquí *m*, tafilete *m*. ~인 marroquí *mf* (*pl* marroquíes).

모록하다(耄碌—) envejecerse, hacerse viejo.

모롱이[1] [산·언덕의] espuela *f* (del monte·de la colina).

모롱이[2] ① 【어류】 [웅어의 새끼] cría *f* de Coilia ectenes. ② 【어류】 =모쟁이[2].

모루 yunque *m*; [양쪽 끝이 뾰족한] bigornia *f*.

모르다 ① [알지 못하다] no saber, desconocer, no conocer, ignorar, ser ignorante (en), no estar enterado (de), no estar informado [al tanto·al corriente] (de), estar en ignorancia (de). 모르는 곳 tierra *f* extraña, lugar *m* [sitio *m*] desconocido, país *m* (*pl* países) extranjero. 전쟁을 모르는 세대(世代) generación *f* que no ha conocido la guerra. 전혀 ~ no saber nada. 아무도 ~ no saber nadie, nadie saber. 어찌할 바를 ~ no saber qué hacer. 아무것도 모르고 sin darse cuenta, sin saberlo, inconscientemente. 그런 줄은 모르고 sin saberlo. 모르고 죄를 범하다 pecar por ignorancia. 나는 서반아어를 조금밖에

모른다 Puedo hablar español sólo un poco. 아무도 모른다! ¡Dios sabe! 난 모른다 No sé / ¡Qué sé yo! 나는 그것에 대해서 아무 것도 모른다 No sé nada de ello / No tengo la menor idea de ello. 그것을 모르는 사람이 없다 No hay nadie que no lo sepa. 그는 영화에 대해서는 모르는 것이 없다 En cuanto al cine no hay nada que él no sepa / El no ignora nada en materia del cine. 모르는 사이에 내가 죄를 범한 것 같다 Sin notarlo [Sin darme cuenta] parece que he cometido un delito. 네가 그런 것을 생각하리라고는 모르고 있었다 Yo no sabía que tú pensaras en tal cosa. 나는 그것을 모르고 있었다 Yo no lo sabía. 그 건(件)이 어떻게 된 것인지 나는 모른다 A mí no me interesa [importa] lo que pase de ese asunto. 나는 이곳을 잘 모른다 [초행(初行)이다] No conozco bien este lugar / Soy forastero [extranjero] aquí. ② [이해하지 못하다] no entender, no comprender. 나는 모르겠다 No puedo entender. 그가 무슨 말을 하는지 모르겠다 No le puedo comprender. 네 말은 너무 빨라서 무슨 소린지 모르겠다 Hablas tan rápidamente que no puedo comprenderte. ③ [인식하지 못하다] ignorar, no reconocer. 돈을 ~ ser indiferente de dinero, no apreciar el valor de dinero. 중요성을 ~ no conocer la importancia. 저를 모르시겠습니까? ¿No puede usted reconocerme? 그가 누군지 모르겠다 No reconozco quién es él. ④ [안면이 없다] no conocer, desconocer, ser extranjero. 모르는 얼굴 cara *f* desconocida [extraña]. 모르는 사람 [남자] (hombre *m*) desconocido *m*, forastero *m*. 모르는 여자 (mujer *f*) desconocida *f*, forastera *f*. 나는 그것을 모른다 No me es familiar. ⑤ [깨닫지 못하다] ser inconsciente. 자기도 모르게 inconscientemente, sin saberlo, sin darse cuenta. ⑥ [느끼지 못하다] no sentir, ser insensible. 부끄러움을 ~ ser desvergonzado. ⑦ [경험이 없다] no tener experiencia. 세상을 ~ no saber nada del mundo. ⑧ [기억하지 못하다] no recordar, no acordarse (de), olvidar. 그 당시의 일은 전혀 모르겠다 No puedo recordar nada de entonces. ⑨ [관계가 없다] no tener relación (con), no tener interés (en), estar interesado [metido] (en), interesarse (por), preocuparse (de · por).

◆모르면 모르되 [몰라도] ni tengo razón, en toda posibilidad. ~ 그녀는 서른 살일 것이다 Ella tendrá treinta años ni tengo razón.

▪모르면 약이요, 아는 게 병(病) ((속담)) Quien no te conozca, que te compre.

모른체 ㉮ [어떤 일에 관계가 없는 체함, 또는 그러한 태도] fingimiento *m* de so saber, ignorancia *f* fingida, indiferencia *f*, desembarazo *m*, desenfado *m*, desparpajo *m*. ~하다 hacer como que no saber, fingir [simular] que no saber. ~하고 con sangre fría, indiferentemente. 나는 그것을 ~했다 Yo hice como [fingí] que no lo sabía / Yo me hice el tonto [el ignorante]. ㉯ [알면서도 모른체함] fingimiento *m* ignorante. ~하다 fingirse ignorante, hacerse el [del] ignorante, hacerse de nuevas, afectar ignorancia; [나쁜 일을 하고] fingirse inocente; [사람을 만나] hacerse el sueco. 그는 ~하고 남의 물건을 사용한다 El usa las cosas ajenas con frescura. 그들은 길에서 만나도 ~한다 Cuando se encuentran en la calle, se hacen los desconocidos.

몰라보다 ㉮ [알아보지 못하다] olvidar, no (poder) reconocer. ㉯ [무시하다] no hacer caso (de), desatender, descuidar.

모르모트【동물】=기니피그(guinea pig).

모르몬교(-教) ((종교)) mormonismo *m*. ~의 mormón, mormónico.

▪~도 mormón, -mona *mf*.

모르쇠 ignorancia *f* fingida.

◆모르쇠로 잡아 떼다[가다] fingir ser ignorante.

모르타르(영 *mortar*)【화학】mortero *m*, argamasa *f*. ~를 바른 untado de mortero, argamasado, estucado.

모르핀(영 *morphine*)【약】morfina *f*.

▪~광 morfinomanía *f*, [사람] morfinómano, -na *mf*. ~ 상용 morfinomanía *f*. ~ 상용자 morfinómano, -na *mf*. ~ 중독(中毒) morfinismo *m*. ~ 중독 환자 morfinómano, -na *mf*, morfinomaniaco, -ca *mf*.

모름지기 por supuesto, ¡cómo no!; necesariamente; [사람이 주어] deber + *inf*, tener que + *inf*. ~ 학생들은 공부를 해야 한다 Los estudiantes tienen que estudiar.

모름하다 (estar) pútrido, pasado, putrefacto, no fresco, roto, malo.

모리(牟利/謀利) lo provechoso, rentabilidad. ~하다 servir (a), aprovechar (a), ser útil (a).

▪~(지)배 especulador, -dora *mf*, logrero, -ra *mf*, logrón (*pl* logrones), -grona *mf*.

모리셔스【지명】Mauricio *m*. ~의 mauriciano. ~ 사람 mauriciano, -na *mf*.

모리타니【지명】Mauritania *f*. ~의 mauritano. ~ 사람 mauritano, -na *mf*.

모맥(麰麥/牟麥) el trigo y la cebada.

모면(謀免) escape *m*, evasión *f*, fuga *f*, escapatoria *f*. ~하다 escapar(se), evadirse, fugarse, eludir, evitar, esquivar. ~할 수 없는 inevitable, ineludible, ineluctable. 죽음을 ~하다 escapar a la muerte. 그 당장을 ~하다 salvar las apariencias, paliar. 위험을 ~하다 escapar [librarse] de un peligro. 나는 아슬아슬하게 익사를 ~했다 Me escapé por los pelos de ahogarse.

모면지(毛綿紙) papel *m* de mala cualidad hecho en China.

모멸(侮蔑) desprecio *m*, menosprecio *m*, desdén *m*, desacato *m*. ~하다 despreciar, menospreciar, desacatar, desestimar, desdeñar.

▪~감 sentido *m* despreciativo, sensación *f*

despreciativa. ~적 despreciativo, desdeñoso. ¶~ 언사(言辭) palabra *f* desdeñosa [despreciativa].

모모(某某) fulano (de tal). ~한 notable, distinguido, conocido, famoso, célebre, ilustre. ~한 인사(人士) alguien; [저명 인사] persona *f* distinguida, personalidad *f*, persona *f* notable. 장안의 ~한 인사가 다 모였다 Se reunieron todas personas distinguidas del país.

■ ~(제)인 cierto número *m* de personas.

모물(毛物) ① [모피(毛皮)] piel *f*. ② [털로 만든 물건] objeto *m* de pelo.

■ ~전(廛) tienda *f* de objetos de pelo.

모물질(母物質) 【원자 물리】 material *m* fértil.

모반(一盤) mesa *f* (de comedor) pequeña hexagonal.

모반(母斑) 【의학】 marca *f* [mancha *f*] de nacimiento, antojo *m*.

모반(謀反/謀叛) ① [반란(反亂)] rebelión *f*, levantamiento *m*, sublevación *f*, revuelta *f*, agitación *f*. ~하다 rebelarse, amotinarse, levantarse. ~을 일으키다 alzarse en armas. ~을 기도(企圖)하다 conspirar una rebelión (contra), rebelarse (contra). ② [반역(叛逆)] traición *f*, insurrección *f*. ~하다 traicionar, insurreccionarse. ③ [음모(陰謀)] conspiración *f*. ~하다 conspirar.

■ ~심 espíritu *m* de rebelión, espíritu *m* rebelde, espíritu *m* insurrecto. ~인[자] rebelde *mf*, insurgente *mf*, traidor, -dora *mf*, conspirador, -dora *mf*. ~죄 traición *f*, crimen *m* rebelde.

모발(毛髮) cabello *m*, pelo *m*.

■ ~ 건조증 xerasia *f*. ~ 검사 tricoscopia *f*. ~ 발육 이상 tricosis *f*. ~병 tricosis *f*. ~ 색소 결핍증 acromotriquia *f*. ~ 세포 célula *f* pilosa. ~ 습도계[온도계] polímetro *m*. ~ 영양 tricotropia *f*. ~ 영양제 tónico *m* piloso. ~ 탈락 alopecia *f*, tricorrisis *f*. ~학 tricología *f*, pilología *f*.

모발진드기(毛髮一) 【곤충】 =털진드기.

모방(模倣) imitación *f*, [모작(模作)] copia *f*. ~하다 imitar, copiar. ~할 수 없는 inimitable. …을 ~해서 a imitación de *algo*, sobre el modelo de *algo*. 이 그림은 피카소의 ~이다 Este cuadro es una imitación de Picasso.

■ ~론적 비평 criticismo *m* mimético. ~물 remedo *m*. ~ 본능 instinto *m* de imitación. ~설 teoría *f* de la imitación. ~ 예술 el arte *f* imitativa. ~자 imitador, -dora *mf*, imitante *mf*, copiador, -dora *mf*, copista *mf*. ~적 imitativo.

모범(模範) modelo *m*, ejemplo *m*, ejemplar *m*, paradigma *m*. ~이 되다 servir de modelo [ejemplo]. ~을 보이다 dar ejemplo (a). mostrar un ejemplo. …을 ~으로 삼다 seguir el ejemplo de *algo*·*uno*; tomar *algo* [a *uno*] como modelo [como ejemplo]. …을 ~으로 삼아 tomando *algo* [a *uno*] como ejemplo, a ejemplo de *uno*. A를 B의 ~으로 삼다 poner A de ejemplo a B. ~ 연기를 행하다 representar una demostración. ~을 후세(後世)에 남기다 dejar un ejemplar a la posteridad. 그는 의사의 ~이다 El es un médico ejemplar. 그는 ~으로 삼기에 충분하다 El es un hombre digno de ser seguido [de seguir su ejemplo].

■ ~ 경기 partido *m* de exhibición. ~ 공무원 funcionario, -ria *mf* del Estado ejemplar. ~ 농장 cortijo *m* modelo, hacienda *f* modelo. ~ 부락 aldea *f* modelo, aldea *f* ejemplar. ~생 estudiante *mf* ejemplar, estudiante *mf* modelo. ~수(囚) preso *m* a quien conceden algunos privilegios por su buena conducta, prisionero *m* que se considera merecedor de ciertos privilegios. ~ 시민 ciudadano, -na *mf* ejemplar [moddelo]. ~ 아동 niño, -ña *mf* modelo; niño, -ña *mf* ejemplar. ~ 용사(勇士) soldado *m* ejemplar. ~ 운전사 conductor, -tora *mf* ejemplar. ~ 인물 personaje *m* ejemplar. ~적 ejemplar. ¶~으로 ejemplarmente. ~인 생활 vida *f* ejemplar. ~인 품행 conducta *f* ejemplar. 그녀는 ~인 생활을 하고 있다 Ella lleva una vida ejemplar. ~ 청년 joven *m* de vida ejemplar. ~촌 villa *f* [aldea *f*] modelo. ~ 학교 escuela *f* modelo. ~ 학생(學生) =모범생. ~ 해답(解答) corrección-modelo *f*, modelo *m* de corrección.

모법(母法) ley *f* madre.

모병(募兵) recluta *f*, conscripción *f*, alistamiento *m* de conscripto. ~하다 reclutar, alistar.

■ ~관(官) reclutador *m*.

모본(模本) ① =본보기(ejemplo). ② =모형(模型)(modelo). ③ =모방(模倣)(imitación).

모본단(模本緞) una especie de la seda china.

모붓다 sembrar las semillas de arroz.

모비행기(母飛行機) avión *m* nodriza.

모빌유(mobile 油) aceite *m* automotriz, aceite *m* para partes móviles.

모사(毛絲) hilo *m* de lana, hilaza *f* de lana, estambre *m*. ~로 짠 스타킹 medias *fpl* de estambre, medias *fpl* de lana. ~로 짠 양말 calcetines *mpl* de lana. ~로 짜다·편물로 하다 hacer obras de punto con estambre, tejar con hilo de lana.

■ ~ 스웨터 jersey *m*, suéter *m*.

모사(茅舍) ① =모옥(茅屋). ② ((낮춤말)) mi (humilde) casa.

모사(模寫) copia *f*, reproducción *f*. ~하다 copiar, reproducir, duplicar, imitar.

■ ~본 libro *m* imitado. ~설 teoría *f* de copia. ~ 전송(電送) facsímil *m*, facsímile *m*. ¶~의 facsimilar. ~하다 facsimilar.

모사(謀士) [좋은 뜻으로] táctico, -ca *mf*, estratega *mf*, estratégico, -ca *mf*, [나쁜 뜻으로] intrigante *mf*, maquinador, -dora *mf*, maquiavelista *mf*.

모사(謀事) planificación *f*. ~하다 planear, planificar, proyectar, trazar, tramar, intrigar.

■ 모사는 재인(在人)이요, 성사(成事)는 재천

(在天)이라 ((속담)) El hombre propone y Dios dispone / El hombre propone y la mujer descompone.
■~꾼 intrigante *mf.* ~ 재인(在人) El hombre propone.
모사탕(-砂糖) =각사탕. 각설탕.
모살(謀殺) asesinato *m* premeditado. ~하다 asesinar, matar alevosamente, acochinar.
■~ 미수(未遂) atentado *m* de homicidio. ~ 미수범(未遂犯) atentador, -dora *mf* de homicidio. ~범 asesino, -na *mf.* ~ 사건 acontecimiento *m* de asesinato, caso *m* de asesinato. ~자 asesino, -na *mf*; criminal *mf*; homicida *mf.*
모상(母喪) ((준말)) =모친상(母親喪).
모새 [썩 잘고 고운 모래] arena *f* fina y suave.
모색(暮色) anochecimiento *m*, crepúsculo *m* vespertino, nochecita *f.*
모색(摸索) investigación *f.* ~하다 tentar (el camino), requerir, buscar a tientas, tantear, palpar. … 을 ~하여 en busca de *algo.* 영구 평화의 ~ investigación *f* para la paz permanente. 문제의 해결책을 ~하다 tratar de hallar la solución del problema. 화해(和解)의 실마리를 ~하다 buscar a tientas la clave de la reconciliación.
모샘치 【어류】 gobio *m*; 【학명】 Gobio gobio.
모생약(毛生藥) regenerador *m* del cabello.
모서리 borde *m*, margen *m*, orilla *f*, esquina *f*, ángulo *m*; [암석 따위의] diente *m*, púa *f*, mella *f*, 【건축】 arista *f.* 책상의 ~ esquina *f* [punta *f*] de la mesa. ~가 서다 (ser) afilado, angular, *AmL* filoso, *Chi, Per* filudo. 책상의 ~에 부딪치다 golpearse contra la esquina [contra la punta] de la mesa.
모선(母船) buque *m* madre, buque *m* factoría, buque *m* nodriza, madre *f* de barcos.
◆포경(捕鯨) ~ buque *m* nodriza de balleneros.
모선(母線) 【수학】 generadora *f*, generatriz *f.*
모성(母性) maternidad *f.*
■~ 검진 examen *m* prematrimonial. ~ 면역 inmunidad *f* maternal. ~ 보건 salud *f* maternal. ~ 보호(保護) protección *f* de la maternidad. ~ 본능 instinto *m* maternal. ~애 amor *m* materno [maternal], cariño *m* maternal, afecto *m* maternal, maternidad *f.* ¶~로 maternalmente. ~ 옹호 protección *f* de la maternidad. ~ 옹호 투쟁 lucha *f* de protección de la maternidad. ~ 위생 higiene *f* maternal. ~ 유전 herencia *f* maternal. ~적 materno, maternal. ¶~인 사랑 amor *m* materno [maternal]. ~학 maternología *f.*
모세(영 *Moses*) 【인명】 ((성경)) Moisés. ~의 moisíaco, mosaico, de Moisés.
■~교 la Religión Mosaica. ~의 십계 los diez mandamientos (de Moisés). ~의 율법 la Ley Mosaica [de Moisés]. ~의 자리 cátedra *f* de Moisés, ley *f* de Moisés. ~의 책(冊) ((성경)) libro *m* de Moisés.
모세관(毛細管) ① 【해부】 =모세 혈관(毛細血管). ② 【물리】 tubo *m* capilar.
■~벽 pared *f* capilar. ~ 분석 análisis *m* capilar. ~수(水) el agua *f* capilar. ~ 인력 atracción *f* capilar. ~ 작용 acción *f* capilar. ~ 전위(電位) electrómetro *m* capilar. ~ 현상 capilaridad *f*, fenómeno *m* capilar.
모세포(母細胞) blasto *m.*
■~종(腫) blastoma *m.*
모세 혈관(毛細血管) 【해부】 vasos *mpl* capilares. ~의 capilar.
■~성 출혈 hemorragia *f* capilar. ~염 capilaritis *f*, telangitis *f*, tricodangitis *f.* ~종(腫) telangioma *m.* ~증 telangiosis *f.* ~질환 capilaropatia *f.* ~ 충혈 inyección *f* capilar. ~ 현미경 angioscopio *m.* ~ 현미경 검사법 capilaroscopia *f.* ~ 확장(擴張) angiotelectasis *f*, hemotelangiosis *f.* ~ 확장증 capilarectasia *f.*
모션(영 *motion*) movimiento *m*; [몸짓] gesto *m*, moción *f.*
◆모션(을) 걸다 cortejar, hacer la corte, hacer el amor, galantear, requebrar.
모소(某所) =모처(某處).
모손(耗損) gasto *m*, rozamiento *m*, fricción *f*, abrasión *f.* ~하다 gastar.
모수(母樹) árbol *m* de siembra.
모순(矛盾) ① [창과 방패] la lanza y la adarga. ② =자가당착(自家撞着). ③ 【논리】 contradicción *f*, incompatibilidad *f*, contradictoria *f*, discrepancia *f*; [불일치] desacuerdo *m.* ~되다 contradecirse (con), estar en contradicción (con), ser inconsistente [incompatible · inconsecuente], discrepar, desavenirse, discordarse. ~된 inconsistente, incompatible, inconsecuente, contradictorio. ~된 말을 하다 contradecirse. ~을 내포하고 있다 envolver [implicar] contradicción. 사실과 ~되다 contradecirse con los hechos. A와 B 사이에는 ~이 있다 Hay una contradicción entre A y B.
■~ 개념 concepto *m* contradictorio. ~ 대당(對當) contradicción *f*, (oposición *f*) contradictoria *f.* ~ 명사(名辭) término *m* contradictorio. ~성 lo contradictorio. ~율 [원리] ley *f* de contradicción, principio *m* de contradicción. ~적 contradictorio.
모숨 un puñado.
모스 【인명】 Samuel Morse (1791-1872) (미국의 화가 · 물리학자 · 전신기 발견자).
■~ 부호 alfabeto *m* [código *m*] Morse, telegrafía *f* de Morse. ~식 전신기 telégrafo *m* eléctrico Morse.
모스크(영 *mosque*) mezquita *f.*
모스크바 【지명】 Moscú, Moscobvia. ~의 moscovita. ~ 사람 moscovita *mf.*
모스키토 급(mosquito 級) peso *m* mosquito.
모슬렘(영 *Moslem*) musulmán, musulmana *mf*, mahometano, -na *mf.*
모슬린(불 *mousseline*) =메린스(merinos).
모습 ① [생김새] figura *f*, forma *f*, imagen *m*, postura *f*, efigie *f*, vestigio *m*, huella *f*,

señal *f.* 변해 버린 ~ figura *f* muy decaída. 미친한 ~으로 pobremente vestido, con una apariencia miserable. 인간의 ~을 한 악마(惡魔) diablo *m* con apariencia *f* de un ser humano. 한국의 진짜 ~ visión *f* real de Corea. 설악산의 아름다운 ~ la bella figura del monte *Seolak*. ~을 바꾸다 cambiar de figura, disfrazarse. ~을 감추다 desaparecer, desvanecerse, esconderse, ocultarse. ~을 나타내다 aparecer, presentarse. …의 ~을 그리다 retratar a *uno*, pintar a *uno*, pintar el retrato de *uno*. 거울에 ~을 비추다 mirarse en un espejo. 여자의 ~으로 변장하다 disfrazarse de mujer. 그는 경찰관의 ~을 보자 도망쳤다 El huyó al ver al policía [a la vista de un policía]. ~이 그의 아버지를 많이 닮았다 Es bien parecido a su padre en altura y figura. 그의 옛~을 알 사람이 없다 Ya no queda nadie que conozca su antigua imagen. 그녀의 얼굴에는 모친의 ~이 있다 En su rostro se puede percibir la imagen de su madre. 그는 아직도 소년 시절의 ~이 남아 있다 Todavía se pueden observar en él trazas de su niñez. 그에게는 옛날의 ~이 없다 El no es sino una sombra de lo que era. 도시에는 옛 ~이 남아 있다 En la ciudad quedan todavía vestigios de los días pasados / En la ciudad permanece [queda] un no sé qué de ambiente antiguo. 이런 ~으로 죄송합니다 Perdone que le reciba así [con esta facha]. ② [체격] tipo *m*, talle *m*, planta *f.* ③ [윤곽] silueta *f*, contorno *m*, perfil *m.* ④ [양상] aspecto *m*, aire *m*, apariencia *f*, presentación *f.* 노동자 ~을 한 남자 hombre *m* que parece un obrero. ⑤ [복장(服裝)] indumentaria *f*, vestimenta *f.*

모시 ① tejido *m* de ramio, textura *f* de ramio. ②【식물】((준말)) =모시풀.

모시(某時) cierta hora *f*, cierto tiempo *m.*

모시다 ① [섬기다] servir, asistir, atender, servir (como) criado, presentar *sus* respetos (a). 모시고 가다 acompañar. 모셔다 드리겠습니다 Le acompaño a usted. ② [지위에] nombrar, designar, elevar, recibir, tener. 김 씨를 회장으로 ~ recibir [tener] al señor Kim como presidente. 우리는 그를 회장으로 모셨다 Le nombramos presidente. ③ [신령으로 받들다] deificar, endiosar. 현충사는 이순신 장군을 모시고 있다 El santuario Hyeonchungsa está dedicado al almirante Lee Sun Sin. ④ [인도하다] conducir, guiar, dirigir. ⑤ [초청하다] invitar. 선생님을 회의에 ~ invitar al maestro a la reunión.

모시조개【조개】almeja *f.*

모시풀【식물】ramio *m.* ~밭 ramial *m.*

모신(謀臣) estratega *m*, estratégico *m*, táctico *m*, intrigante *m*, maquinador *m.*

모심기 trasplante *m* [plantación *f*] del arroz, el plantar de arroz.

모심다 trasplantar el arroz, plantar el arroz.

모싯대【식물】((학명)) Adenophora remotiflora.

모씨(某氏) Fulano *m*, Fulano *m* de Tal, cierto señor *m*, cierto caballero *m.* ~의 말에 의하면 según dice un señor [don Fulano de Tal].

모아들다 congregarse, reunirse, juntarse, enjambrar, apiñarse, pulularse, revolotear, acudir. 떼를 지어 ~ venir en tropel, venir en masa. 모두가 시장의 말을 들으러 모아들었다 Todo el mundo acudió a escuchar al alcalde. 많은 사람들은 카니발을 위해 도시로 모아들었다 Muchísima gente vino [acudió] a la ciudad para los carnavales. 팬들은 그들의 우상 주위에 모아들었다 Los fans rodearon a su ídolo. 많은 고객들이 모아들었다 Ha venido un gran número de clientes.

모아브【인명】((성경)) Moab.

■~ 땅 ((성경)) tierra *f* de Moab, región *f* de Moab. ~ 사람 ((성경)) moabita *mf.* ~왕 ((성경)) rey *m* de Moab.

모암(母巖)【광물】matriz *f.*

모야(暮夜) medianoche *f*; [부사적] tarde por la noche.

모양(模樣/貌樣) ① [형태] forma *f*, apariencia *f*, aire *m*, aspecto *m*, diseño *m*, figura *f*, dibujo *m*, trazo *m*; [몸의] físico *m*, postura *f.* 집의 ~ apariencia *f* de una casa. ~이 나쁜 mal hecho, mal formado; [옷의] de mala hechura; [몸이] mal proporcionado, de mal talle. ~이 좋은 bien hecho, bien formado; [옷이] de buena hechura; [몸이] bien proporcionado, de mal talle. ~이 나쁜 구두 zapatos *mpl* feos [mal hechos · deformes]. ~이 좋은 [나쁜] 자동차 coche *m* estupendo [formidable]. …과 ~을 달리하다 tener un aspecto diferente de *algo*; [성질을] ser de una naturaleza [de una categoría] diferente de *algo*, pertenecer a un molde distinto de *algo*. ~을 내다 cubrir las apariencias. 혼자 파티에 가는 것은 ~이 좋지 않다 No está bien visto [Resulta un poco raro] ir solo al baile. 이 천은 ~이 좋다 Esta tela tiene un buen dibujo. ② [동태(動態)] signo *m*, apariencia *f*, aspecto *m*, condición *f.* 오늘은 비가 올 ~이다 Parece que va a llover hoy. 내일은 눈이 내릴 ~이다 Puede (ser) [Hay posibilidad de] que nieve mañana. 그녀는 오지 않을 ~이다 Es posible [probable] que no venga ella. ③ [상태(狀態)] estado *m* de asuntos; [방법(方法)] modo *m*, manera *f.* 이 ~으로 en esta manera, en este modo.

◆모양(을) 내다 adornarse, aderezarse, engalanarse, ataviarse. 모양을 내고 있다 ir muy bien vestido. 그녀는 모양을 내고 나갔다 Ella salió toda engalanada.

◆모양(이) 사납다 (ser) feo, mal hecho, mal formado, deforme.

◆모양(이) 있다 (ser) bien hecho, bien formado.

■~새 ㉮ [모양의 됨됨이] forma *f*, figura

f, apariencia *f*. ④ ((속어)) [체면] honor *m*, dignidad *f*, decencia *f*, decoro *m*, cara *f*, rostro *m*.

모어(母語) ① ＝모국어. ② 【언어】 lengua *f* madre. 라틴어는 서반아어의 ~이다 El latín es la lengua madre del castellano.

모여들다 concurrir, pulular, hormiguear, agolparse, apiñarse, congregarse, infestarse. 설탕에 개미가 모여든다 Las hormigas pululan en el azúcar. 그들의 주위에 비둘기들이 모여들었다 En torno a ellos se congregaban las palomas. ☞모아들다

모역(謀逆) ＝모반(謀反/謀叛).

모오리돌 guijaro *m*, adoquín *m*.

모옥(茅屋) ① [초가집] cabaña *f* de paja; [초라한 집] choza *f*. ② ((낮춤말)) mi humilde casa.

모와(牡瓦) teja *f* convexa.

모욕(侮辱) insulto *m*, ofensa *f*, agravio *m*, afrenta *f*, ignominia *f*, infamia *f*. ~하다 insultar, ofender, injuriar, afrentar, infamar. ~을 당하다 recibir [sufrir] un insulto. 나는 그에게서 ~을 당했다 El me insultó. 그건 심한 ~이다 Es el colmo de la impertinencia / Eso es un grave insulto para mí.

■ ~적 insultante, ofensivo, injurioso. ~죄 desacato *m*. ¶법정 ~ desacato *m* al tribunal. 그는 법정 ~를 범했다 El había cometido desacato al tribunal.

모우(牡牛) [거세하지 않은 소] toro *m*; [거세한 소] buey *m*.

■ ~자리 【천문】 Tauro *m*.

모우(暮雨) lluvia *f* que se cae al anochecer.

모월(某月) un mes, cierto mes.

■ ~ 모일(某日) el xxx del mes de xxx, un cierto día de un cierto mes.

모유(母乳) leche *f* materna, pecho *m* de madre. ~로 기르다 criar un niño dándole *su* pecho. 이 아이는 ~로 자랐다 Este niño ha sido criado con la leche de la madre [ha crecido a los pechos].

모으다 ① [(흩어진 것을) 한 곳에 합쳐 놓다] reunir, unir, recoger, juntar, compilar, allegar, recolectar, cosechar, coger. 모아서 en conjunto, en grueso, a bulto. 학생을 강당에 ~ reunir a los estudiantes en el salón de actos. 힘을 ~ unir las fuerzas; [협력하다] cooperar (con), colaborar (con). 힘을 모아 en cooperación (con), en colaboración (con). 손을 ~ juntar las manos. 모아서 사다 comprar en grueso [por junto]. 하나로 ~ reunir [juntar] en un todo. 먼지를 ~ juntar [acumular] polvo. 두 손 모아 빌다 pedir juntando las manos. 종이 두 장을 모아 자르다 cortar dos papeles juntos. 두 발을 모아 뛰다 saltar a pie juntillas. 학생들을 세 그룹으로 ~ reunir [juntar] a los alumnos en tres grupos. 다섯 편의 단편을 한 권으로 ~ compilar cinco cuentos en un libro. 나는 1주일 분의 신문을 (한데) 모아 읽었다 Leí los periódicos de la semana pasada todos juntos. 얘야, 내 두 손을 모은 것보다 더 큰 거대한 나비란다 Son mariposas enormes, bambino, más grandes que mis dos manos juntas.

② [한 곳에 오게 하다·모집하다] buscar, abrir suscripción (de); [병사(兵士)·노무자 등을] reclutar, hacer una leva [una recluta] (de). 학생을 ~ abrir suscripción de alumnos. 병사를 ~ reclutar soldados.

③ [집중시키다] concentrar, atraerse, gozar (de). 관심을 ~ atraerse la atención. 인기를 ~ gozar de la gran popularidad, atraerse la popularidad. 볼록 렌즈는 태양 광선을 모은다 El lente convexo concentra los rayos solares.

④ [돈이나 재물 따위를 벌어서 축적하다] ahorrar, amontonar, acumular, ganar, recaudar; [절약하다] economizar; [저장하다] almacenar, poner en reserva; [비축하다] amasar. 돈을 ~ ganar [ahorrar] dinero. 재산을 ~ enriquecerse. 저수지에 물을 ~ almacenar agua en un estanque.

⑤ [수집하다] coleccionar, juntar, hacer un colección (de). 우표를 ~ coleccionar sellos. 수석(壽石)을 ~ coleccionar las piedras maravillosas y hermosas. 나는 우표를 모으고 있다 Estoy coleccionando sellos (de correo). 그는 책을 천 권 이상 모았다 El juntó más de mil volúmenes.

⑥ [나무쪽을 한데 맞추어 무엇을 만들다] reunir, unir, pegar, juntar, acoplar. 탑을 ~ pegar la torre. 성(城)을 ~ pegar la castilla.

모음(母音) 【언어】 vocal *f*. ~의 vocal, bocálido.

◆강(强)~ vocal *f* fuerte. 개(開)~ vocal *f* abierta. 기본(基本) ~ vocal *f* cardinal. 단(短)~ vocal *f* breve. 반(半)~ semivocal *f*. 삼중(三重) ~ triptongo *m*. 약(弱)~ vocal *f* débil. 이중(二重) ~ diptongo *m*. 폐(閉)~ vocal *f* cerrada.

■ ~ 변화(變化) gradación *f* vocálica. ~자(字) vocal *f*. ~ 조화 armonía *f* vocálica. ~화(化) vocalización *f*. ¶~하다 vocalizar.

모의(毛衣) prenda *f* de piel.

모의(模擬) simulacro *m*, imitación *f*, remedo *m*. ~의 simulado, fingido.

■ ~ 국회(國會) asamblea *f* nacional fingida, parlamento *m* fingido [simulado], cortes *fpl* de imitación. ~ 법정 corte *f* de prueba, corte *f* de práctica. ~ 비행 장치 simulador *m* de vuelo. ~ 시험[고사] examen *m* de prueba, examen *m* de práctica, examen *m* supuesto. ~ 올림픽 경기 대회 simulacro *m* de los Juegos Olímpicos. ~ 재판 juicio *m* de práctica, juicio *m* de prueba. ~전(戰) simulacro *m*. ~ 투표 sondeo *m* informal de opinión. ¶~를 하다 hacer un sondeo informal de opinión.

모의(模擬) complot *m* (*pl* complots), conjura *f*, conspiración *f*, intriga *f*. ~하다 tramar un complot, conjurarse, conspirar, intrigar.

모이 alimento *m*; [사료] cebo *m*, alimento *m*; [곡식] cereales *mpl*, granos *mpl*. ~를 주

다 dar de comer. 새에게 ~를 주다 dar de comer al pájaro. 닭한테 ~를 주다 dar granos a la gallina, dar de comer a la gallina.

■ ~통(桶) [새의] comedero *m* para pájaros. ~ㅅ그릇 comedero *m* para pájaros.

모이다¹ ① [회의 등에] reunirse, congregarse, juntarse, agruparse, aglomerarse, atroparse, emjambar. 모여 나가다 salir juntos [en grupo]. 떼지어 ~ agruparse, reunirse en grupo, aglomerarse. 주변에 모이는 도적 bandidos *mpl* que tienen sus garidas en las alrededores. 모여라! ¡Agrúpense! / ¡Reúnanse! / ¡Alinéense! 사람이 떼지어 모인다 La gente se aglomera. 새가 떼지어 모인다 Se reúne una bandada. 그들은 탁자 주위에 모였다 Ellos se reunieron [se agruparon] en torno a la mesa. 폭풍우가 될 구름이 모였다 Se avecinaba la tormenta. 관중들이 광대의 주변에 떼지어 모였다 Los espectadores forman círculo alrededor del juglar. 여기저기에 병사들이 모여 있다 Los soldados se reúnen en pequeños grupos acá y allá. 사람들이 밖에 모였다 La gente se aglomeró afuera. 사람들이 여기저기에 모여 서 있다 La gente está de pie en grupos acá y allá. 아이들이 어머니의 주변에 모였다 Se juntaron los niños en torno a la madre. 팬들이 그의 주위에 모였다 Los admiradores se aglomeraron a su alrededor. 사람들이 외치며 파는 장사꾼의 주위에 모였다 La gente se aglomeraba alrededor del pregonero. 군중이 역전에 모여 있다 Frente a la estación hay congregada una multitud de gente. 다음에는 언제 모입니까? ¿Cuándo nos reuniremos la próxima vez? 우표가 많이 모였다 Se han reunido muchos sellos. 모두 모였습니까? — 아직 모두 모이지 않았습니다 ¿Están ya todos? — Todavía no están reunidos todos / Todavía faltan algunos. 이 학교에는 우수한 선생들이 모여 있다 Esta escuela cuenta con un profesorado excelente. ② [집중되다] concentrarse. 이 거리에는 은행들이 모여 있다 En esta calle se concentran los bancos. 동정 [관심]이 그에게 모이고 있다 El es (el) objeto de compasión [de interés]. ③ [금전 등이] acumularse, amontonarse. 돈이 모인다 El dinero se acumula. 옛날 잡지가 모인다 Las revistas viejas se acumulan. 회비가 잘 모이지 않는다 No se cobra bien la cuota.

모이다² [작고도 여무지다] (ser) pequeño y robusto.

모인(某人) un tal; un tal señor, una tal señora; una persona, cierta persona.

모인(拇印) =손도장.

모일(某日) un día, cierto día.

모임 reunión *f*, asamblea *f*, junta *f*, mitin *m* (*pl* mítines); [친한 사람들끼리의] tertulia *f*, [밤의] velada *f*. ~에 많이 [적게] 참석했다 Fue numerosa [poca] la asistencia a la reunión. 오늘 밤 주민의 ~이 있다 Los vecinos de la aldea celebran esta noche una reunión. 모금(募金)의 ~이 만족스러웠다 La colecta ha dado resultados satisfactorios / Se ha hecho una buena colecta.

◆가족(家族) ~ reunión *f* familiar.

모자(母子) madre *f* e hijo. ~가 모두 건재하다 La madre y el hijo [Tanto el hijo como la madre] están sanos [en buen estado].

■ ~ 가정 familia *f* de viuda [sin padre]. ~간 entre la madre y *su* hijo. ~원(院) residencia *f* para familias sin padre.

모자(母慈) amor *m* materno, amor *m* maternal, cariño *m* materno, cariño *m* maternal.

모자(帽子) ① [머리에 쓰도록 만든 쓰개] sombrero *m*; [차양이 있는] gorra *f*; [테가 없는] gorro *m*; [파나마모자] panamá *m* (*pl* panamáes); [학생·기수·군인의] gorra *f*; [간호사의] coña *f*; [법관의] birrete *m*; [추기경의] birrete *m*, birreta *f*, solideo *m*; [총칭] tocado *m*. ~의 리본, ~의 상장(喪章) cinta *f* del sombrero. 여자 ~의 핀 alfiler *m* de sombrero. ~를 쓰다 ponerse un sombrero. ~를 벗다 quitarse el sombrero, descubrirse. ~를 쓰고 있다 tener un sombrero puesto. ~를 쓰지 않고 con la cabeza descubierta. ~를 쓰지 않고 있다 ir con la cabeza descubierta. ~를 벗고 인사하다 saludar quitándose el sombrero. 모자를 쓰고 계십시오 Siga con su sombrero puesto. ~를 벗으십시오 Quítense el sombrero. 그는 늘 ~를 벗어 부인들에게 인사한다 El siempre saluda a las señoras quitándose el sombrero / *AmL* El siempre se descubre ante las damas. ② ((준말)) =갓모자.

◆골프 ~ gorra *f* de golf. 수영 ~ gorro *m* [*AmL* gorra *f*] de baño. 야구 ~ gorra *f* de béisbol.

■ ~걸이 percha *f* (para sombreros); [가지가 있는] perchero *m*. ¶모자는 ~에 걸어 놓으세요 Ponga su sombrero en la percha. ~ 상자 sombrerera *f*. ~점 sombrerería *f*; [여자용] modistería *f*. ¶~ 주인 sombrerero, -ra *mf*; modista *mf*. ~챙 el ala *f* (*pl* las alas) (del sombrero). ~표(標) escarapela *f*, insignia *f* de gorro [de gorra · de kepis · de quepis].

모자라다 ① [부족하다] carecer (de), faltar. 모자라는 escaso, pobre; [불충분한] insuficiente. 모자라는 봉급 sueldo *m* escaso. 모자라는 자원(資源) recursos *mpl* insuficientes. …이 ~ carecer de *algo*; [사물이 주어일 때] faltar*le* a *uno*, hacer*le* falta a *uno*. 좀 모자란 듯 먹다 abstenerse de comer demasiado. 나는 식량이 모자란다 Me faltan los víveres. 그들은 아무것도 모자라지 않다 No les faltan (de) nada. ② [지능이 정상적인 사람보다 낫다] (ser) lerdo, estúpido, tonto, torpe, mantecato, necio, simple, bobalicón (*pl* bobalicones). 모자라는 남자 hombre *m* simple [inocente].

모자반 【식물】 saigazo(s) *m(pl)*.

모자이크(영 *mozaic*) mosaico *m*. ～하다 cortar y encajar. ～의 mosaico.
모작(模作) imitación *f* de la obra de otro. ～하다 imitar [copiar] la obra de otro.
모잘록병(－病) enfermedad *f* que las hojas y el tallo se marchitan de repente.
모잠비크 【지명】 Mozambique *m* (아프리카 동남 해안에 위치한 나라). ～의 mozambiqueño.
■～ 사람 mozambiqueño, -ña *mf*.
모잡이 persona *f* de plantar el arroz.
모장(帽章) ＝모자표(帽子標).
모재(母材) material *m* principal.
모쟁이[1] [모낼 때 모춤을 별러 돌리는 일꾼] trabajador, -dora *mf* de distribuir la planta del arroz joven.
모쟁이[2] [숭어의 새끼] cría *f* de salmonete.
모전(毛廛) ＝과물전(果物廛).
모전(毛氈) alfombra *f*, tapiz *m* (*pl* tapices); [소형의] tapete *m*. ～을 깐 alfombrado. ～을 깔다 tender alfombra, alfombrar.
모정(母情) amor *m* materno, cariño *m* materno, afecto *m* materno.
모정(慕情) anhelo *m*, ansia *f*, ansiedad *f*, añoranza *f*, amor *m*, cariño *m*, afecto *m*.
모조(模造) ① [모방하여 만듦] imitación *f*. ～하다 imitar. ～의 de imitación; [위조의] falso; [인공의] artificial. ② ((준말)) ＝모조품(模造品). ③ ((준말)) ＝모조지(模造紙).
■～ 가죽 cuero *m* artificial. ～금 oro *m* de imitación. ～ 다이아몬드 diamante *m* falso. ～ 대리석 similimármol *m*, imitación *f* de mármol. ～ 보석 joya *f* de imitación. ～지(紙) vitela *f*. ～ 진주(眞珠) perla *f* de imitación, perla *f* artificial. ～품 imitación *f*, objeto *m* imitado, artículo *m* contrahecho; [위조품] falsificación *f*, objeto *m* falsificado.
모조리 todo, enteramente, totalmente, cualquier cosa y todo, de pe a pa, lo más posible, cuanto pueda, con todo, todo lo que haga, todo lo que, cuanto hay, todo en corporación, todos, unánimemente, en cuerpo, todas las personas, en agrupación, sin excepción. 돈을 ～ hasta el último centavo. ～ 반대하다 oponer en masa. ～ 사직하다 resignar en cuerpo. 상대(相對)를 ～ 이기다 derribar [derrumbar] (a) todos los adversarios, triunfar sobre todos sus adversarios. 사건에 대해 ～ 이야기하다 no perdonar ni un pormenor del suceso, contar el asunto de pe a pa. 사건을 ～ 자백하다 confesar todo lo referente al suceso, confesar el suceso sin reserva [de pe a pa]. 돈을 ～ 가지고 가다 llevarse [arramblar con] todo el dinero. 그는 나에게 ～ 자백했다 El me ha confesado todo [de plano]. 책임은 ～ 너한테 있다 Tú tienes toda la responsabilidad. 식량은 ～ 떨어졌다 Las provisiones se han agotado.
모종(苗種) plantón *m* (*pl* plantones), planta *f* de semillero; [나무의] árbol *m* joven, pimpollo *m*. ～하다 plantar, sembrar, plantar unos plantones. 배추를 ～하다 trasplantar repollos [coles].
■～비 lluvia *f* oportuna para trasplantar la planta de semillero. ～삽 desplantador *m*, palita *f*. ～ 순 retoño *m* para trasplantar la planta de semillero.
모종(某種) cierto género, cierta clase, cierta especie. ～의 cierto. ～의 이유로 por cierta razón.
모주 ((준말)) ＝모주망태.
■～망태[꾼] borracho, -cha *mf*, ebrio, -bria *mf*, borrachín, -china *mf*, gran bebedor, -dora *mf*.
모주(母酒) ① ＝밑술. ② ＝재강.
■～집 tienda *f* de licor crudo.
모지(某地) cierta tierra *f*, cierto lugar *m*.
모지(拇指) (dedo *m*) pulgar *m*.
모지다 ① [뾰족하다] (ser) angular, cuadrado; afilado, *AmL* filoso, *Chi*, *Per* filudo. 모진 기둥 pilar *m* [columna *f*] angular, pilar *m* cuadrado, columna *f* cuadrada. 모진 턱 mandíbula *f* angular [cuadrada]. ② [성질·일 따위가] (ser) anguloso, muy marcado.
모지라지다 gastarse. 붓 끝이 ～ gastarse la punta de la pluma china.
모지락스럽다 (ser) muy duro, severo. 모지락스레 duramente, severamente.
모지랑붓 pluma *f* china gastada.
모지랑비 escoba *f* gastada.
모지랑이 artículo *m* gastado.
모직(毛織) género *m* [tejido *m*·tela *f*] de lana. ～의 de lana, lanero.
■～ 공업(工業) industria *f* lanera. ～ 공장 fábrica *f* de lanas. ～물(物) género *m* [paño *m*·tejido *m*] de lana, textura *f* de lana, paño *m*. ～물 공업 industria *f* manufacturera de lana. ～물 공장 fábrica *f* de tejidos de lana. ～물업 industria *f* textil de lana. ～물 제조업자 fabricante *mf* de lana. ～상[물상] lanero, -ra *mf*, comerciante *mf* de lana.
모진목숨 ☞모질다.
모질다 ① [잔인하다] (ser) despiadado, implacable, sañudo, cruel, atroz, bruto, animal, salvaje, monstruo. 모질게 cruelmente, atrozmente, brutamente. 모진 사람 persona *f* dura de corazón, persona *f* despiadada. 모질게 대하다 tratar mal [cruelmente·brutamente·atrozmente]. 모진 짓을 하다 hacer una cosa cruel, cometer crueldad. ② [배겨내다] (ser) paciente, perseverante, persistente, porfiado, tenaz. 모진 사람 intransigente *mf*. 마음을 모질게 먹다 endurecerse el corazón. ③ [심하다] (ser) violento, fuerte, feroz, furioso, recio, intenso. 모진 더위 calor *m* intenso. 모진 추위 frío *m* intenso.
■모진 놈 옆에 있다가 벼락맞는다 ((속담)) Pagan a las veces justos por pecadores. 모진목숨 vida *f* condenada [despreciable·deleznable], vida *f* desdichada [desgraciada·miserable]

모진바람 viento *m* muy fuerte, viento *m* muy severo.

모질음 persistencia *f*, aspereza *f*, brusquedad *f*, discordancia *f*, dureza *f*, rigor *m*, severidad *f*.
◆모질음(을) 쓰다 esforzarse por tolerar una aflicción.

모집(募集) ① [병사(兵士)·노무자 등의] recluta *f*, reclutamiento *m*, leva *f*; [지원자 등의] busca *f*. ~하다 reclutar, hacer una leva [una recluta] (de), buscar. ~을 개시하다 [예약 등의] abrir una suscripción (de); [학교가] comenzar el reclutamiento de alumnos [de aspirantes]. 병(兵)을 ~하다 reclutar soldados. 사무원을 ~하다 hacer una convocatoria para puestos de oficinistas. 지원자를 ~하다 reclutar aspirantes. 참가자를 ~하다 buscar participantes. 학생을 ~하다 abrir suscripción de estudiantes [alumnos]. 현상 도안(懸賞圖案)을 ~하다 ofrecer un premio para el mejor dibujo. 논문을 ~하고 있다 Queda abierta la participación de ponencias. 학생을 ~함 ((게시)) Se aceptan alumnos. ② [기금 등의] solicitación *f*. ~하다 juntar. 기부금을 ~하다 juntar donaciones. 사채(社債)를 ~하다 emitir bonos. 공채(公債)를 ~하다 emitir [hacer] un emprésito.
■~ 광고(廣告) anuncio *m* [aviso *m*] de reclutamiento [de suscripción]. ¶직공 ~ aviso *m* de buscar obreros. ~ 방법 método *m* de reclutamiento. ~ 액(額) cantidad *f* de coleccionar(se). ~ 요항(要項) prospecto *m*, folleto *m* informativo. ~ 인원 número *m* de reclutamiento, número *m* de aspirantes admitidos. ~ 지역 zona *f* de reclutamiento.

모집다 ① [허물을 맹백하게 지적하다] señalar explícitamente. 남의 허물을 ~ señalar el defecto de otro explícitamente. ② [모조리 집다] agarrarlo todo.

모집단(母集團) 【통계】 población *f*, universo *m*.

모짝 de repente, repentinamente.

모쪼록 =아무쪼록.

모찌기 acción *f* de quitar [sacar] las plantas de arroz jóvenes del semillero.

모착하다 (ser) rechoncho.

모채(募債) emisión *f* de empréstitos, empréstito *m* de flotación. ~하다 emitir un empréstito.
■~ 가격 precio *m* de emisión. ~액(額) cantidad *f* de empréstito. ~ 인수 reaseguro *m*. ~ 정책 política *f* de empréstito. ~ 조건 condiciones *fpl* de flotación de empréstito.

모처(某處) cierto lugar *m* [sitio *m*]. 서울 ~에서 en cierto lugar de Seúl.

모처럼 ① [오래간만에] a largos intérvalos, después de mucho tiempo. ~의 내 충고에도 불구하고 a pesar de mi consejo. ~의 기회니 서반아도 방문합시다 Aprovecharemos esta preciosa oportunidad para visitar España. ② [벼른 끝에] con esfuerzos, con dolores; [각별히] en especial, especialmente. 그는 어머니가 ~ 준비한 식사를 들지 않는다 El no quiere probar la comida que se ha tomado el trabajo de prepararle su madre. ~의 일요일에 비가 내렸다 La lluvia echó a perder el esperado domingo. ③ [친절하게] amablemente, de buen grado. ~의 amable, bondadoso. ~ 주시는 것이니 감사히 받겠습니다 Muchas gracias por su regalo amable. 일전에는 ~ 오셨는데 집에 없어서 죄송합니다 Siento no haber estado en casa el otro día cuando tuviste la amabilidad de visitarme. ~ 후의(厚誼)를 베푸신 것이니 받아들이겠습니다 Ya [Puesto] que es usted tan amable de dármelo, lo acepto. ~의 후의를 베푸시는데 받아들일 수 없어 죄송합니다 Es usted muy amable, pero siento decirle que no puedo aceptar eso.

모체(母體) ① [(아이나 새끼 밴) 어미 되는 몸] cuerpo *m* de la madre. ② [기원(起源)] origen *m*, procedencia *f*. A당(黨)의 ~는 B이다 El partido (político) A ha nacido de la sociedad B. 그의 선출 ~는 A 노조(勞組)이다 La organización que le ha delegado para la elección es el sindicato B.
■~ 발아(發芽) viviparidad *f*. ~ 전염(傳染) transmisión *f* hereditaria.

모춤 un haz de la planta de semillero de arroz.

모춤하다 llenarse y sobrar [quedar], (ser) algo demasiado mucho, algo demasiado largo.

모충(毛蟲) oruga *f*.

모친(母親) madre *f*. ~께서는 안녕하십니까? ¿Cómo está su madre?
■~상(喪) muerte *f* de *su* madre, luto *m* de *su* madre. ¶~을 당하다 estar de luto de *su* madre, perder *su* madre.

모코 blusa *f* corta.

모탕 bloque *m* que la madera se corta.

모태(母胎) ① [어미의 태 안] seno *m* [vientre *m*] materno, matriz *f* [útero *m*] de madre. ~로 돌아가고 싶은 욕망 deseo *m* de regresar al seno [al vientre] materno. ~에서 자라는 태아 feto *m* [engendro *m*] que se cría en el seno materno. ② [어떤 일의 토대] fundación *f*, base *f*.

모택동(毛澤東) 【인명】 Mao Tse-tung. ☞마오쩌둥
■~주의 maoísmo *m*. ~주의자 maoísta *mf*.

모터(영 *motor*) ① [전동기. 발동기] motor *m*. ~를 작동시키다 arrancar [hacer·funcionar] un motor. ② [자동차] automóvil *m*.
■~보트 (lancha *f*) motora *f*, lancha *f* a motor, bote *m* de motor, gasolinera *f*, autobote *m*, lancha *f*. ~보트 경기 carrera *f* [regata *f*] de (lanchas) motoras. ~보트 경기 선수 piloto *m* de carrera de motoras. ~보트 경기용 보트 canoa *f* de carreras. ~보트장 canal *m* [piscina *f*] para carreras

de (lanchas) motoras. ～사이클 motocicleta *f.* ～사이클 선수 motociclista *mf,* motorista *mf.* ～ 쇼 exposición *f* de automóviles, salón *m* del automóvil. ～카 automóvil *m.* ～ 풀 aparcamento *m.*

모텔(영 *motel*) [자동차 여행자용의 여관] parador *m,* motel *m.*

모토(영 *motto*) lema *m,* mote *m,* divisa *f,* [신조(信條)] principio *m.* 거짓말하지 않는 것이 내 ～이다 Tengo por principio no mentir / El no mentir es mi principio. 그의 ～는「손님을 만족시키는 것」이다 Su lema es: Satisfacer al cliente.

모투저기다 ahorrar el dinero poco a poco.

모퉁이 ① [구부러지거나 꺾여져 돌아간 자리] esquina *f,* rincón *m* (*pl* rincones), ángulo *m,* recodo *m.* 길 ～ esquina *f,* rincón *m.* 위험한 ～ vuelta *f* [curva *f*] peligrosa. 길 ～에서 en la esquina de la calle. ～에 있는 가게 tienda *f* de la esquina [que hace esquina]. ～에 있는 집 casa *f* que hace esquina. ～에서 세 번째 집 tercera casa *f* a partir de la esquina. ～를 도는 곳에 a la vuelta de la esquina. ～를 오른쪽에서 돌다 doblar la esquina a la derecha. ② [(복판을 기준으로 하였을 때의) 구석진 곳이나 가장자리] esquina *f.*
■ ～의 머릿돌 ((성경)) cabeza *f* del ángulo, piedra *f* principal. ¶건축자의 버린 돌이 집 ～이 되었나니 ((시편 118:22)) La piedra que desecharon los edificadores ha venido a ser cabeza del ángulo / La piedra que los constructores despreciaron se ha convertido en la piedra principal.
■ ～ㅅ돌 ㉮ =주춧돌. ㉯ ((성경)) esquina *f,* columna *f.*

모티브(영 *motive*) motivo *m,* móvil *m.*

모판(－板) semillero *m,* almácigo *m.*
■ ～흙 tierra *f* de semillero.

모포(毛布) manta *f,* cobertor *m* de lana. ～를 덮고 자다 dormir tapado [cubierto] con la manta. ～를 뒤집어쓰고 자다 dormir envuelto en la manta.

모표(帽標) ((준말)) =모자표(帽子標).

모풀 abono *m* verde para los semilleros de arroz.

모피(毛皮) piel *f,* pellejo *m,* forro *m* de pieles. ～로 만든 장갑 guantes *mpl* de cuero forrados de piel.
■ ～모자 sombrero *m* de piel. ～ 목도리 bufanda *f* de piel; [여자용의] boa *m(f).* ～상 ㉮ [장사] negocio *m* de piel. ㉯ [장수] peletero, -ra *mf.* ～ 오버 abrigo *m* de piel. ～ 외투 abrigo *m* de piel, abrigo *m* de cuero forrado de piel. ～점 peletería *f,* cuerería *f.* ～ 제품 pieles *fpl,* pedazo *m* de piel. ～ 코트 abrigo *m* de piel(es).

모필(毛筆) pincel *m* (chino), cepillo *m* de escribir. ～로 쓰다 escribir con pincel.
■ ～화 pintura *f* que se pinta con pincel.

모하다(模－) ① [본을 뜨다] moldear, sacar molde (a), hacer un patrón [molde · modelo]. ② [본보기로 그리다] dibujar como un ejemplo. ③ =모방하다(imitar).

모하메드(아랍 *Mohammed*)【인명】=마호메트.

모하메드교(－敎) ((종교)) =이슬람교.

모함(母艦) ① ((준말)) =항공모함(portaaviones). ② ((준말)) =잠수 모함(ténder submarino).

모함(謀陷) calumnia *f,* difamación *f.* ～하다 calumniar, difamar, hacer caer en la trampa, atrapar. 그는 남을 ～하려다가 자기가 도리어 구렁에 빠졌다 Le salió el tiro por la culata.

모항(母港) puerto *m* de origen, puerto *m* familiar, puerto *m* madre. ～을 설치하다 establecer un puerto madre.

모해(謀害) complot *m* [conspiración *f*] de hacer daño. ～하다 tramar hacer daño.
■ ～심 espíritu *m* de complot.

모험(冒險) aventura *f.* ～하다 aventurarse, arriesgarse, jugarse el todo por el todo, correr [tener] una aventura. ～을 좋아하는 aventurero. 그 계획은 ～이다 Ese proyecto es arriesgado. 그것은 약간 ～이다 Es algo peligroso. ～을 하지 않는 자는 바다를 건너지 못한다 ((서반아 속담)) Quien no se aventura no pasa la mar (범굴에 들어가야 범을 잡는다). ～을 하지 않았던 자는 아무것도 얻지 못했다 ((서반아 속담)) Quien no se aventuró, ni perdió ni ganó (범굴에 들어가야 범을 잡는다).
■ ～가 aventurero, -ra *mf.* ～담 aventura *f,* relatos *mpl* [cuento *m*] de aventuras. ¶～을 하다 contar [relatar · narrar] *sus* aventuras. ～ 사업(事業) empresa *f* peligrosa [arriesgada]. ～ 생활 vida *f* aventurera. ～ 소설 novela *f* de aventura. ～심 espíritu *m* aventurero, espíritu *m* de aventura. ～적(的) aventurero. ¶～으로 aventureramente. ～ 정신(精神) espíritu *m* aventurero. ～주의 aventurismo *m,* *AmL* aventurerismo *m.* ～주의자 aventurista *mf,* *AmL* aventurerista *mf.*

모형(母型)【인쇄】matriz *f,* molde *m.*

모형(模型/模形) ① [같은 형상의 물건을 만들기 위한 틀] molde *m.* ② =새끼꼴. ③ =모형(母型). ④ =그림본. ⑤ =수본(繡本). ⑥【미술】modelo *m.*
◆군함 ～ modelo *m* de buque de guerra.
■ ～ 군함(軍艦) buque *m* de guerra en miniatura, buque *m* de guerra a escala. ～ 비행기 aeromodelo *m,* planeador *m,* aeroplano *m* modelo. ～ 비행기 경기 aeromodelismo *m.* ～선 buque *m* en miniatura, buque *m* a escala. ～ 자동차 automodelo *m.* ～ 자동차 경기 automodelismo.

모호하다(模糊/模糊－) (ser) vago, ambiguo, equívoco, evasivo; [불확실한] incierto, inseguro; [의심스러운] dudoso. 모호함 vaguedad *f,* imprecisión *f,* ambigüedad *f.* 모호한 기억 memoria *f* incierta. 모호한 대답을 하다 dar una contestación vaga [evasiva · ambigua], contestar vagamente [evasivamente · ambiguamente]. 그의 말은 언제나 모호하다 Es difícil saber lo que quiere

decir cuando habla.
모호히 vagamente, con ambigüedad, equívocamente, evasivamente, inciertamente, inseguramente, dudosamente. ~ 쓰다 escribir equívocamente. ~ 대답하다 responder evasivamente.

모회사(母會社) compañía *f* principal, compañía *f* matriz, compañía *f* propietaria de acciones, sociedad *f* de control.

모후(母后) madre *f* del rey.

목[1] ①【해부】[척추동물의 머리와 몸통을 잇는 잘록한 부분] [사람의] cuello *m*; [동물의] cuello *m*, pescuezo *m*. ~이 긴 사슴 ciervo *m* que tiene largo cuello. 수건으로 ~을 동이다 atar el cuello con la toalla. ② ((준말)) =목구멍(garganta). ¶나 [너·그·우리·너희들·그들]는 ~이 아프다 Me [Te·Le·Nos·Os·Les] duele la garganta. 그것은 ~ 아픈 데 좋다 Es bueno para el dolor de garganta. ③ [(어떤 사물의 목] gollete *m*, cuello *m*; [현악기의] clavijero *m*, mástil *m*. 병의 ~ cuello *m* de botella. 바이올린의 ~ clavijero *m* del violín. ④ [통로의 딴 곳으로는 빠져나갈 수 없는 중요하고 좁은 곳] posición *f* importante. ⑤ ((준말)) =목소리.

◆목(을) 걸다 ㉮ [목숨을 걸고 내기나 시합을 하다] apostar el cuello (a). 네가 그 일을 하지 못하는 쪽에 목을 걸겠다 Apuesto el cuello a que no lo haces. ㉯ [위험을 무릅쓰고 일을 하다] trabajar con peligro [arriesgando·aventurando].

◆목(을) 따다 cortar *su* garganta.

◆목(을) 매달다 ahorcar; [자신의] ahorcarse, ahogarse. 목을 매달아 죽다 estrecharse, estrangularse. 목을 매달아 자살(自殺)하다 ahorcarse. 목을 매달아 자살한 사람 ahorcado, -da *mf*. 포로의 목을 매달았다 Ahorcaron al preso.

◆목(을) 빼들다 alargar el cuello. 목을 빼들고 창 밖을 보다 mirar fuera asomándose por la ventana, alargar el cuello y mirar fuera de la ventana.

◆목(을) 자르다 ㉮ [목을 베다] mutilar la cabeza, decapitar, decabezar, degollar. ㉯ [(직장에서) 쫓아내다] despedir, desponer, destituir, echar, dar calabazas.

◆목(이) 곧다 (ser) contumaz, obstinado, porfiado, tenaz, terco.

◆목(이) 달아나다 ser despedido.

◆목(이) 마르다 ㉮ [물이 마시고 싶어지다] tener sed. 목이 말라 죽겠다 Me muero de sed / Tengo mucha sed / Tengo muchas ganas de beber agua. ㉯ [애타게 바라다] desear con inquietud.

◆목(이) 맺히다 gimotear, sofocarse por el humo, ahogarse. 눈물에 ~ ahogarse con llanto. 담배 연기로 ~ sofocarse por el humo de tabaco.

◆목(이) 메다 ㉮ [설움이 북받쳐] hacerse [atravesarse] un nudo en la garganta. 목이 메어 울다 sollozar, ahogarse [sofocarse] de [en] lágrimas. 그는 목이 메었다 Se le hizo un nudo en la garganta. ㉯ [(음식물 따위로) 목구멍이 막히다] atragantarse (con), tener un nudo en la garganta. 가시로 ~ atragantarse con una espina.

◆목(이) 붙어 있다 ㉮ [살아 남다] sobrevivir. ㉯ [해고(解雇)당하지 않고 머물러 있다] quedarse sin ser despedido.

◆목(이) 빠지게 [빠지도록] [(「기다리다」와 함께 쓰여) 몹시 안타깝게·애타게] con preocupación, con impaciencia. ~ 기다리다 esperar con impaciencia.

◆목(이) 쉬다 enroquecer(se), ponerse ronco. 목이 쉰 ronco. 목쉰 소리 voz *f* ronca [bronca·áspera]. 목쉰 소리로 con voz ronca [cascada]. 목쉰 소리로 외치다 gritar con voz ronca [cascada]. 목이 쉬도록 외치다 gritar con voz ronca [cascada]. 나는 목이 쉬었다 (Me) He enronquecido.

◆목(이) 잘리다 ser despedido [destituido]. 당신은 이제 목이 잘렸다 Tú estás despedido / Hemos terminado.

◆목(이) 잠기다 ponerse ronco, enroquecerse.

◆목(이) 타다 ㉮ [물이 몹시 마시고 싶다] tener mucha sed. 목이 타 죽겠다 ¡Me muero de sed! ㉯ [몹시 애타게 기다리다] desear con inquietud, tener sed (de), tener ansias (de), estar sediento (de). 지식에 목이 탄 사람들 los que tienen sed [ansias] de saber, quienes están sedientos de saber. 복수(復讐)에 목이 탄 사람 el que tiene sed [ansias] de venganza, quien está sediento de venganza.

목[2]【역사】=결(結).

목[3]【광물】escombro *m*, escoria *f*.

목[1](木) ① =무명. ②【민속】este *m*, oriente *m*. ③【민속】primavera *f*. ④【민속】color *m* azul.

목[2](木) ((준말)) =목요일(jueves).

목[3](木)【악기】instrumento *m* de fricción de madera.

목(目) ① [항목(項目)] artículo *m*, párrafo *m*. ②【생물】orden *m*. ③ ((바둑)) punto *m*.

목(牧)【역사】provincia *f*.

목-(木) de madera; de algodón. ~그릇 vasija *f* de madera. ~양말 calcetines *mpl* de algodón.

목가(牧歌) pastorela *f*, pastoral *m*, bucólica *f*, égloga *f*, idilio *m*.

■ ~적 pastoral, pastoril, bucólico. ¶~으로 pastorilmente. ~인 음악 música *f* pastoril.

목각(木刻) ① [나무에 새김] entalladura *f* [talladura *f*·tallado *m*·escultura *f*] en madera. ~하다 tallar en madera. ~의 esculpido en madera. ② ((준말)) =목각화(木刻畫). ③ ((준말)) =목각 활자.

■ ~ 인형 muñeca *f* de madera. ~판 tabla *f* tallada en madera. ~화(畫) grabado *m*, tallado *m* en madera. ~ 활자 (letras *fpl*) mayúsculas *fpl* de imprenta.

목간(木幹) tallo *m* del árbol.

목간(木簡) pedazo *m* de madera que se escribe la carta [el documento].

목간(沐間) ① ((준말)) ＝목욕간(沐浴間). ② [목욕함] acción *f* de bañar. ～하다 bañar.
■～문 puerta *f* del cuarto de baño. ～통 bañera *f*.
목갑(木匣) caja *f* de madera.
목객(木客) ① ＝나무꾼(leñador). ② [산도깨비] fantasma *f* montañesa.
목거리 enfermedad *f* de cuello.
목걸이 collar *m*; [짧은] gargantilla *f*. 진주(眞珠) ～ collar *m* de perlas. 개의 ～ collar *m* de perros.
목검(木劍) espada *f* de madera, bastón *m*.
목격(目擊) observación *f*, presencia *f*. ～하다 presenciar, asistir (a), ser testigo (de), ver, observar. 범인을 ～하다 ver (con los propios ojos) al criminal. 그는 그 사건을 ～했다 El es el testigo de ese incidente / El presenció el incidente. 나는 그 사고를 ～했다 Yo presencié ese accidente.
■～담 historia *f* de observación. ～자 testigo *mf*; testigo *mf* ocular [presencial · de vista]; mirón (*pl* mirones), -rona *mf*. 경찰은 사고의 ～가 나타나기를 기다리고 있다 La policía está esperando que aparezcan testigos del accidente.
목계(木階) escalera *f* de madera.
목곧다 ＝목(이) 곧다. ☞목[1]
목곧이 persona *f* obstinada [pertinaz · porfiada · testaruda · terca · tenaz], contumaz *mf*.
목골통이(木－) pipa *f* de madera (para el tabaco).
목공(木工) ① [목재를 다루어서 물건을 만드는 일] trabajo *m* en [de] madera, artesanía *f* en madera, carpintería *f*, ebanistería *f*. 이 집은 ～ 일이 잘 되었다 La carpintería de esta casa es de primera. ② [목수(木手)] carpintero, -ra *mf*; ebanista *mf*; obrero, -ra *mf* de madera; maderero, -ra *mf*.
■～ 공사(工事) (obra *f* de) carpintería *f*, ebanistería *f*, maderaje *m*. ～구 utensilios *mpl* para trabajos en madera. ～ 기계 máquina *f* para trabajos en madera. ～ 기술 carpintería *f*, silvicultura *f*. ～ 도구 heramientas *fpl* de carpintero. ～ 선반 torno *m* para la carpintería. ～소 tienda *f* de carpintero. ～품 objeto *m* [obra *f*] en [de] madera.
목공(木公) pino *m*.
목과(木瓜) 【한방】＝모과(木瓜).
목과(木果) fruto *m* (del árbol).
목곽(木槨) pared *f* de tumba del príncipe heredero.
■～분[묘] tumba *f* del ataúd de madera.
목관(木棺) ataúd *m* de madera.
목관(木管) ① [나무로 만든 관] pipa *f* [tubo *m*] de madera. ② ＝조방기(粗紡機).
목관(牧官) 【고제도】＝목사(牧使).
목관악기(木管樂器) 【악기】 instrumentos *mpl* de viento de madera, instrumento *m* de viento-madera; [총칭] maderas *fpl*.
■～악기부(部) [관현악단의] sección *f* del instrumento de viento de madera.
목교(木橋) puente *m* de madera.
목구(木毬) pelota *f* de madera pintada rojo.
목구멍 garganta *f*, [식도(食道)] estómago *m*. ～의 gutural. ～이 아프다 dolerle a *uno* la garganta, tener dolor de garganta. 나는 ～이 아프다 Tengo dolor de garganta / Me duele la garganta.
■목구멍이 포도청 ((속담)) La pobreza es un enemigo de los buenos modales.
■～소리 sonido *m* gutural, gutural *m*. ¶ ～로 guturalmente, con sonido gutural.
목궁(木弓) arco *m* de moral silvestre.
목귀질하다 recortar los rincones de un pedazo de madera.
목근(木根) raíz *f* (*pl* raíces) de un árbol.
목근(木槿) 【식물】＝무궁화(無窮花).
목금(木琴) 【악기】 xilófono *m*, xilórgano *m*. ～을 켜다 tocar el xilófono.
■～ 연주가[연주자] xilofonista *mf*.
목금(目今) ahora.
목기(木器) tazón *m* (*pl* tazones) de madera, vajilla *f* de madera.
■～전(廛) tienda *f* de tazones de madera.
목농(牧農) ① [목축과 농업] la ganadería y la agricultura. ② ((준말)) ＝목축농업(牧畜農業).
목누름 prensa *f* de nuca.
목눌(木訥) sencillez *f* y taciturnidad, sinceridad *f* y pocas palabras. ～하다 (ser) sencillo y taciturno, sincero y de pocas palabras. ～한 남자 hombre *m* sencillo y taciturno, hombre *m* sincero y de pocas palabras.
목다리(木－) muleta *f*. ～로 걷다 andar con muletas.
목단(牧丹) ① 【식물】＝모란(peonía). ② 【식물】((준말)) ＝목단피(牧丹皮).
■～피(皮) 【한방】 cáscara *f* de la raíz de peonía.
목달아나다 ＝목(이) 달아나다. ☞목[1]
목달이 calcetines *mpl* muy gastados.
목담 muro *m* construido de las rocas sin mena.
목대야(木－) palangana *f* de madera.
목대접(木大楪) cuenca *f* de madera.
목덜미 nuca *f*, cogote *m*, cerviz *f* (*pl* cervices), pescuezo *m*; [의복의] cuello *m*, escote *m*. ～를 잡다 asir [coger] por la nuca [por el cuello]; [동정을] agarrar por el cuello. ～가 예쁘다 tener la nuca muy bella. 그녀는 ～까지 분을 바르고 있다 Ella está empolvada hasta la nuca.
목도(木刀) ① ＝목검(木劍). ② 【미술】＝예새.
목도(木桃) melocotón *m* grande.
목도(目睹) ＝목격(目擊).
목도리 bufanda *f*, tapaboca *f*, chupete *m*, chalina *f*, toquilla *f*, embozo *m*; [숄] chal *m*; [깃털 · 털의 (부인용)] boa *m*(*f*). ～를 두르다 ponerse la bufanda. ～를 목에 감다 liarse la bufanda al cuello, abrigarse el cuello con la bufanda.
목도장(木圖章) sello *m* de madera.

목돈 cifra *f* redonda, cantidad *f* importante [considerable], bastante dinero *m*, buena cantidad *f* de dinero.
목돌림 dolor *m* de garganta infeccioso.
목동(牧童) pastor *m*, pastorcillo *m*, zagal *m*; [소의] vaquero *m*; [거세한 소의] boyero *m*; [양의] ovejero *m*; [산양의] cabrero *m*; *Arg*, *Urg* gaucho *m*.
■ ~자리【천문】Pastor *m*.
목두(木頭) =두절목(頭切木).
■ ~ㅅ개비 fragmento *m* de madera.
목두기 ① ((준말)) =목둣개비. ② [무엇인지 모르는 귀신의 이름] fantasma *m* anónimo.
목등뼈【해부】vértebra *f* cervical.
■ ~뼈신경 nervio *m* de vértebra cervical.
목랍(木蠟) cera *f* vegetal.
목력(目力) =안력(眼力).
목련(木蓮)【식물】magnolio *m*.
■ ~화(花) magnolia *f*.
목례(目禮) saludo *m* silencioso (con los ojos). ~하다 saludar con los ojos [con la cabeza · silenciosamente].
목로(木櫨) mesa *f* para los vasos del licor en la taberna.
■ ~ 술집[주점] taberna *f*, bar *m*, tasca *f*, *AmS* cantina *f*.
목록(目錄) catálogo *m*; [리스트] lista *f*; [재산의] inventario *m*; [문헌 따위의] repertorio *m*; [목차의] contenido *m*; [선수의] certificado *m*. ~에 싣다 inscribir en el catálogo, catalogar. ~을 작성하다 hacer lista (de), preparar un catálogo (de), catalogar. 장서의 ~을 만들다 catalogar una librería.
◆통신 판매 ~ catálogo *m* de venta por correspondencia.
■ ~ 작성(作成) catalogación *f*. ~ 작성자 catalogador, -dora *mf*; cataloguista *mf*. ~함(函) caja *f* de catálogos.
목리(木理) ① =나뭇결. ② =나무테.
목리(木履) =나막신.
목마(木馬) caballo *m* de madera, caballo *m* mecedor (장난감); [회전목마] tiovivo *m*. 트로이의 ~ caballo *m* de Troya.
목마(牧馬) [일] pastos *mpl* de caballo; [말] caballo *m* de pastar.
목마르다 =목(이) 마르다. ☞목[1]
목마름 =갈증(渴症).
목말 montadura *f* [sentada *f*] sobre los hombros (de los otros).
◆목말(을) 타다 montar sobre los hombros (de). 목말(을) 태우다 llevar (a *uno*) sobre los hombros.
목매기 송아지 ternero *m* atado [amarrado].
목매달다 =목(을) 매달다. ☞목[1]
목매아지 potro *m* atado [amarrado].
목메다 =목(을) 매다. ☞목[1]
목면(木棉/木綿) ①【식물】algodonero *m*, algodón *m* (*pl* algodones). ② [무명] algodón *m* (*pl* algodones).
■ ~물 tejido *m* de algodón. ~사(絲) hilo *m* de algodón. ~직(織) =면직(綿織). ~포(布) =무명.
목목이 en todos los puntos estratégicos, en las posiciones importantes en el camino. ~ 지키다 vigilar los todos puntos estratégicos.
목문(木門) puerta *f* de madera.
목문(木紋) fibra *f*, hebra *f*.
목물 ① [사람의 목에까지 닿을 만한 깊이의 물] el agua *f* que llega hasta el cuello. ② [(바닥에 엎드려서) 허리에서 목까지를 물로 씻는 일, 또는 그 물] *mokmul*, baño *m* ligero, el agua *f* del baño ligero. ~하다 bañar ligeramente, tomar un baño ligero.
목물(木物) artículo *m* de madera.
목민(牧民) reinado *m* [dominio *m*] sobre el pueblo. ~하다 gobernar al pueblo, reinar sobre el pueblo.
■ ~(지)관 gobernador *m*.
목밑샘【해부】=갑상선(甲狀腺).
목발(木-) muleta *f*. ~을 짚고 걷다 andar con muletas.
목본(木本)【식물】árbol *m*.
목부(牧夫) guarda *m* de ganado, manadero *m*, vaquero *m*, boyero *m*, ranchero *m*, ganadero *m*, hacendado *m*.
목부용(木芙蓉)【식물】((학명)) Hibiscus mutabilis.
목불(木佛) Buda *m* de madera.
목불식정(目不識丁) =일자무식(一字無識). ¶ 낫 놓고 기역자도 모르는 ~ no entender [saber] el abecé, ser muy ignorante.
목불인견(目不忍見) acción *f* de ser insoportable el ver. ~이다 no poder (aguantar) mirar.
목비 un período de lluvia fuerte en la estación de plantar el arroz.
목비(木碑) lápida *f* [monumento *m*] de madera.
목뼈 hueso *m* de la nuca;【해부】vértebra *f* cervical. ~를 삐다 desnucar, dislocar [romper] los huesos de la nuca. ~가 삐다 desnucarse, dislocarse [romperse] los huesos de la nuca. ~가 부러지다 desnucarse, romperse los huesos de la nuca.
목사(木絲) =무명실.
목사(目四) ((은어)) persona *f* con gafas [anteojos], hombre *m* [mujer *f*] que se pone los anteojos.
목사(牧使)【고제도】gobernador *m*.
목사(牧舍) establo *m* de la granja.
목사(牧師) ((기독교)) pastor, -tora *mf*. 기독교의 ~ pastor, -tora *mf* protestante. 김~님 Reverendo pastor Kim.
■ ~관(館) residencia *f* [casa *f*] de pastor, vicaría *f*. ~직 clerecía *f*, vicariato *m*; [특히 천주교에서] ministerio *m* sacerdotal, sacerdocio *m*.
목사리 brida *f* de buey.
목산(目算)【수학】=암산(暗算).
목산호(木珊瑚)【식물】=호깨나무.
목상(木商) ① [장작·재목의 도매상] mayorista *mf* de leñas [de maderas]. ② ((준말)) =재목상(材木 商).
목상(木像) ① [목우(木偶)] imagen *f* [estatua *f*] de madera. ② [나무로 만든 조각] escul-

tura *f* de la estatua en madera.
목상자(木箱子) caja *f* de madera.
목새[1] [물에 밀려 한 곳에 쌓인 보드라운 모래] arena *f* fina y suave.
목새[2] [벼의 이삭이 팰 때, 줄기와 잎이 누렇게 죽는 병] fiebre *f* de arroz.
목석(木石) ① [나무와 돌] el árbol y la piedra; [생명이 없는 것] objetos *mpl* inanimados. ② [감정이 무디고 무뚝뚝한 사람] persona *f* insensible. ~도 눈물이 있다 Los hombres más duros también vierten lágrimas. 나는 ~이 아니다 Soy hecho de la carne y de la sangre.
◆목석(과) 같다 no tener corazón, ser de piedra, ser insensible.
▪~ 간장 corazón *m* insensible. ~ 불부[난득·난부] situación *f* de tristeza y desamparo por soledad y pobreza. ~ 초화 naturaleza *f*. ~한(漢) hombre *m* insensible.
목선(木船) barco *m* [buque *m*] de madera.
목성(一聲) voz *f* (*pl* voces).
목성(木性) =나뭇결.
목성(木星) 【천문】 Júpiter *m*.
목성(木城) castillo *m* de madera, fuerte *m* de madera, fortaleza *f* de madera.
목성(木聲) 【민속】 voz *f* ronca.
목세공(木細工) (obra *f* de) carpintería *f*, ebanistería *f*, maderaje *m*.
목세루(木一) sarga *f* de algodón.
목소리 ① [사람의 목구멍으로 내는 소리] voz *f* (*pl* voces). 높은 [큰] ~ voz *f* alta. 낮은 [작은] ~ voz *f* baja. 쉰 ~ voz *f* ronca. 아름다운 ~voz *f* dulce. 음악적인 ~ voz *f* música, voz *f* musical, voz *f* melodiosa. 퉁명스런 ~ voz *f* seca. 성난 [화난] ~ grito *m* de colera. 민중(民衆)의 ~ voz *f* del pueblo. ~가 들리는 곳에 al alcance de la voz. ~가 들리지 않는 곳에 más allá del alcance de la voz. ~를 크게 하다 levantar la voz. ~를 작게 하다 bajar la voz. ~를 높이다 levantar [alzar] la voz. ~를 죽이다 contener *sus* palabras, quedar sin voz, ahogar un grito. ~가 좋다 tener una voz dulce [agradable]. 큰 ~로 말하다 hablar alto [en voz alta]. 작은 ~로 말하다 hablar bajo [en voz baja]. 큰 ~로 읽다 leer en voz alta. 약한 ~로 말하다 hablar con voz débil. 날카로운 ~로 말하다 hablar con voz enfadada [de enfado]. ~가 잠기다 enroquederse. 쉰 [잠긴] ~로 계속 외치다 seguir gritando con la voz ronca. 그는 ~가 작다 Su voz es baja / El tiene la voz baja. 그녀는 ~가 크다 Ella tiene la voz alta. 그는 본래 ~가 크다 El tiene la voz fuerte de nacimiento / La voz fuerte es innata [natural] en él. ~가 작아서 그의 강의는 거의 들리지 않는다 El da la clase en voz tan baja que casi no se le oye. 나는 감기로 ~가 나오지 않는다 Estoy acatarrado y no me sale la voz. ~가 크다! ¡Silencio, que te oyen! / ¡Chist, habla más bajo! ~가 살아났다 La voz se ha animado. 그의 ~는 쩡쩡 울린다 Su voz es muy penetrante [sonora]. 「불이야」 하는 ~가 들렸다 Se oyó un grito de ¡Fuego! 나는 ~를 너무 크게 냈더니 목이 아프다 Grité tanto que me duele la garganta.
목수(木手) carpintero, -ra *mf*. ~의 carpinteril. ~의 연장 herramienta *f* carpinteril [de carpintero].
▪목수가 많으면 집을 무너뜨린다 ((속담)) Obra de común, obra de ningún / Muchos componedores descomponen la olla / Barco que mandan muchos pilotos, pronto va a pique.
▪~ 도구 herramientas *fpl* de carpintero. ~ 업[일] carpintería *f*. ¶~을 하다 carpintear, trabajar la madera, hacer el trabajo de carpintero.
목수(木髓) =고갱이.
목수건(木手巾) toalla *f* de algodón.
목숨 vida *f*. 귀한 ~ vida *f* preciosa. 초로(草露) 같은 ~ vida *f* frágil [que bradiza · deleznable · débil], vida *f* [existencia *f*] como gota de rocío. ~에 관계되는 mortal. ~을 걸고 a riesgo de *su* vida, desesperadamente, a la desesperada. ~을 건지다 salvarse de milagro, salvarse por un pelo, escapar de [a] la muerte. ~을 구하다 salvar la vida (de · a). ··의 ~을 구하다 salvar*le* la vida a [de] *uno*. ~을 잃다 perder *su* [la] vida, morir, fallecer, cerrar los ojos, dejar este mundo, llamarlo Dios, estirar las piernas. ~을 바치다 dedicar *su* vida (a), sacrificar *su* vida (por). ~을 버리다 abandonar *su* [la] vida. ~을 내놓다 arriesgar [exponer] *su* [la] vida (por). ~을 단축시키다 abreviar [acortar] su vida. 지닌 것을 팔아 겨우 ~만 이어 오다 vender las prendas personales para seguir viviendo. 내 ~이 붙어 있는 한 그를 돕겠다 Voy a ayudarle a él mientras (que) viva. 그것은 ~ 다음으로 중요한 것이다 Es la cosa más importante después de la vida. 그는 운이 좋게도 ~이 길다 El tiene siete vidas como los gatos. ~보다 귀한 것은 없다 / ~이 있는 한[곳에] 희망은 있다 ((서반아 속담)) Donde hay vida, hay esperanza / Mientras hay vida, hay esperanza.
◆목숨(을) 거두다 morir, fallecer, dar fin, dejar de vivir, dejar este mundo, estirar las piernas, cerrar los ojos, perecer, fenecer, llamarlo Dios, acabarse, extinguirse.
◆목숨(을) 걸다 arriesgar la vida. 목숨을 걸고 por [a costa de] *su* vida, con [a] riesgo [con peligro] de *su* [la] vida, hasta *su* [la] muerte. 목숨을 건 일 trabajo *m* con riesgo de la vida. 우승에 목숨을 걸고 싸우다 enfrentarse por el campeonato. 목숨을 걸고 연구에 전념하다 dedicarse en cuerpo y alma a *sus* estudios.
◆목숨(을) 끊다 ㉮ [죽다] morir, fallecer, dejar este mundo. ㉯ [죽이다] matar, quitar la vida.
◆목숨을 도모하다 salir con vida, salvar la vida. 나는 목숨을 도모할 수 있었다 Yo

pude salvar mi vida / Yo escapé [salí] con vida.
■ ~앗이 =천적(天敵).
목쉬다 =목(이) 쉬다. ☞목[1]
목슬(木蝨) 【곤충】 =나무진디.
목식(木食) ¶~의 lignícola.
목식충(木食蟲) insecto *m* lignícola.
목신(木神) fantasma *m* del árbol, dios *m* del árbol.
목신(牧神) 【신화】 Fauno *m*.
목실(木實) fruto *f*, nuez *f* (*pl* nueces), baya *f*.
목안 interior *m* de la garganta.
목앓이 =후두염(喉頭炎).
목야(牧野) pastos *mpl*, pastizales *mpl*, pradera *f*.
목양(牧羊) cría *f* de ovejas. ~하다 criar las ovejas.
■ ~견(犬) perro *m* de guardar las ovejas. ~업(業) cría *f* de ganado ovino [lanar], ganadería *f* ovejera. ~자 pastor, -tora *mf*. ~지(地) pastos *mpl* de ovejas.
목양(牧養) =목축(牧畜).
목양말(木洋襪) calcetines *mpl* de algodón.
목양신(牧羊神) 【신화】 Pan *m*.
목양제(木洋製) arquitectura *f* oriental de madera.
목어[1](木魚) ① ((불교)) =목탁(木鐸). ② ((불교)) [나무로 잉어처럼 만든 기구] instrumento *m* de madera hecho como una carpa.
목어[2](木魚) 【어류】 =도루묵.
목어(目語) guiño *m*. ~하다 guiñar, hacer guiños.
목엽(木葉) hoja *f* (del árbol).
목요일(木曜日) jueves *m.sing.pl*. 매주 ~마다 cada jueves, todos los jueves. ~에 만납시다 Nos veremos el jueves / Hasta el jueves.
목욕(沐浴) baño *m*. ~하다 bañarse, tomar un baño. ~시키다 bañar. ~ 후(後)에 después del baño, después de bañarse, al salir del baño. 나는 ~을 하고 나서 한기를 느꼈다 Yo cogí frío después del baño.
■ ~간(間) compartimiento *m* para el baño. ~날 día *m* del baño. ~료[값] precio *m* del baño. ~물 (el agua *f* para) el baño. ¶~을 데우다 calentar (el agua para) el baño. ~을 준비하다 preparar un baño. ~ 수건 toalla *f* (de baño). ~실 cuarto *m* de baño. ¶~ 딸린 방 habitación *f* con baño. ~ 장(場) lugar *m* [sitio *m*] para el baño. ~ 재계(齋戒) (abstinencia *f* y) ablución *f* de agua fría, ablución *f* sintoísta, purificación *f* de alma y cuerpo. ¶~하다 purificarse [mortificarse] con agua fría, hacer abstinencia y ablución, purificarse de alma y cuerpo. ~탕 (cuarto *m* de) baño *m*. ¶대중 ~ baño *m* público. ~통 bañera *f*, bañería *f*, cubo *m* de baño.
목우(木偶) imagen *f* [figura *f*] de madera.
목우(牧牛) ganado *m* en pastos.
■ ~장(場) pastos *mpl* de ganado.
목운동(-運動) ejercicio *m* de cuello.
목이버섯(木耳-) 【식물】 oreja *f* de judas.
목인(木印) =목도장(木圖章).
목인(牧人) pastor, -tora *mf*.
목자(牧者) ① [양을 치는 사람] pastor, -tora *mf*, manadero, -ra *mf*, guarda *mf* de ganado. ② ((기독교)) pastor, -tora *mf*. ③ ((성경)) pastor *m*.
목자르다 =목(을) 자르다. ☞목[1]
목작약(木芍藥) 【식물】 =모란(牧丹).
목잠 añublo *m* de grano.
목잠(木簪) horquilla *f* ornamental de madera.
목장(牧場) ① [목축장] granja *f*, ganadería *f*, *AmS* rancho *m*; [목초지] prado *m*, pasto *m*; [작은 목초지] pradejón *m* (*pl* pradejones); [집합적] pradera *f*, [소의] finca *f* (ganadera), *AmL* hacienda *f* (ganadera), *Méj* rancho *m* ganadero, *RPl* estancia *f*, *Chi* fundo *m*; [가금(家禽)의] granja *f* avícola. ~을 경영하다 administrar [dirigir] una granja. 이 지방에는 훌륭한 ~들이 있다 En esta comarca hay buenos pastos. ② = 방목지(放牧地).
■ ~ 노동자 trabajador, -dora *mf* agrícola, *AmL* peón *m*. ~주(主) ganadero, -ra *mf*, hacendado, -da *mf*, propietario, -ria *mf* de un pasto [una granja]; *Méj* ranchero, -ra *mf*, granjero, -ra *mf*, *RPl* estanciero, -ra *mf*, *Chi* dueño, -ña *mf* de fundo..
목장갑(木掌匣) guantes *mpl* de algodón.
목재(木材) madera *f* (para construcción). ~의 maderero, de madera.
■ ~ 가옥(家屋) casa *f* de madera. ~ 공업 industria *f* maderera. ~ 공장 aserradero *m*, *Col* aserrío *m*. ~상 ㉮ [장사] negocio *m* [comercio *m*] de madera. ㉯ [장수] maderero, -ra *mf*, comerciante *mf* de madera. ~소 aserradero *m*, aserrería *f*, *Col* aserrío *m*. ~업 industria maderera. ~용 나무 árbol *m* maderable. ~용 삼림지 terreno *m* maderero, bosque *m* maderable. ~용 숲 bosque *m* maderable. ~용 식물 planta *f* maderable. ~ 저장소 maderería *f*. ~ 펄프 pulpa *f* de madera. ~ 회사(會社) compañía *f* maderera.
목적(目的) objeto *m*, objetivo *m*, fin *m*, finalidad *f*, [의도(意圖)] propósito *m*, intención *f*. ~ 없는 [방랑] sin rumbo (fijo); [삶] sin norte; [토론] que no conduce a nada. ~ 없이 [걷다] sin rumbo (fijo); [살다] sin objeto, sin norte; [말하다] sin ton ni son. ~ 없는 생활 vida *f* sin objeto. 이 편지의 ~ objeto *m* de la presente. 삶의 ~이 있는 여인 mujer *f* con una meta [un norte] en la vida. 그 ~으로 para eso, para ese fin, con ese objeto, con ese propósito. 이 ~으로 con [a] este fin. 정치적 ~으로 con fines políticos. …의 ~으로 a fin de *algo*. …할 ~으로 con el fin de + *inf*. …하는 것을 ~으로 하다 tener por objeto de + *inf*. …을 ~으로 하다 proponerse, intentar, pretender. ~을 달성하다 conseguir [lograr] *su* objeto, realizar *su* propósito. ~을 정하다 fijar el objeto. ~을 달성하기 위하여 노

력하다 esforzarse por conseguir el fin. ~없이 걷다 andar [caminar] sin rumbo (fijo). ~ 없이 살다 vivir sin objeto, vivir sin norte. 자기 자신의 ~으로 사용하다 usar para *sus* propios fines. 내가 그 일을 했던 ~이 무엇이었느냐? ¿Qué pretendías con eso? / ¿Qué te proponías con eso? 내 가족을 방문(訪問)할 ~으로 이곳에 왔습니다 Vine con el propósito [la intención] de visitar a mi familia. 나는 어떤 ~ 때문에 문을 열어 두었다 Por algo [Por alguna razón] dejé la puerta abierta. 그는 어떤 ~ 때문에 이곳에 있다 El está aquí por una razón. 이번 방문 ~은 우리의 우호 관계를 더욱 굳히기 위한 것에 있다 Esta visita tiene por finalidad estrechar más nuestras amistosas relaciones. 그는 ~을 위해서는 수단 방법을 가리지 않는 사람이다 El es un hombre poco escrupulloso que pone cualquier medio para conseguir su objetivo. ~은 수단을 정당화한다 El fin justifica los medios.

■ ~격(格) caso *m* acusativo. ~론[관] teleología *f*, finalismo *m*. ~론적 teleológico *adj*. ~론적 증명 argumento *m* teleológico. ~론적 판단력 juicio *m* teleológico. ~론적 필연성 inevitabilidad *f* teleológica. ~물(物) objeto *m*, objetivo *m*, propósito *m*, fin *m*. ~성(性) finalidad *f*. ~세(稅) impuesto *m* de objeto. ~ 소설 novela *f* de propósito. ~어 complemento *m*. ¶직접 ~ complemento *m* (de objeto) directo. 간접 ~ complemento *m* (de objeto) indirecto. ~원인론 teleología *f*. ~ 원인론자 finalista *mf*. ~의 왕국[나라] reino *m* del propósito. ~인(因) causa *f* final. ~절 cláusula *f* final. ~지(地) destino *m*, destinación *f*, [여행의] fin *m* del viaje. ¶마드리드를 ~로 con destino a Madrid. ~ 항(港) puerto *m* de destino. 운임 ~ 불(拂)로 con flete pagadero en destino. ~에 도착하는 것은 오후 네 시경이 될 것이다 Llegaremos al destino a eso de las cuatro de la tarde. ~항(港) puerto *m* de destino, puerto *m* de destinación. ~ 해석 interpretación *f* teleológica.

목적(牧笛) caramillos *mpl* de pastor.

목전(目前) lugar *m* [sitio *m*] muy cercano. ~의 inmediato, inminente, urgente, de enfrente, todo cercano. ~에 delante (de los ojos), a la vista, a los ojos, a las barbas. en *su* presencia, en el acto, en el mismo sitio. ~에 닥쳐오다 [임박하다] estar inminente. 그것은 내 ~에서 일어났다 Ocurrió delante de mis propios ojos. 승리는 ~에 있다 La victoria la tenemos ya ante los ojos. 그는 출발을 ~에 두고 있다 El está cercana su salida. 시험이 ~에 임박해 있다 El examen está a la vuelta de la esquina. 나는 무서운 광경을 ~에서 보았다 Presencié la terrible escena. 그의 이야기를 듣고 있으면 마치 사건을 ~에서 보는 듯하다 El cuenta la historia de tal manera que uno siente como si la estuviera viendo en realidad.

목접이 rompimiento *m* del cuello. ~하다 romper *su* cuello.

목정 corte *m* de carne vacuna del cuarto delantero.

목정(木釘) clavo *m* de madera.

목정(木精) ①【화학】=메틸 알코올. ② [나무의 정령(精靈)] espíritu *m* de madera.

목정강이 hueso *m* de cuello, vértebra *f* cervical.

목젖【해부】úvula *f*, epiglotis *f*. ~의 uvular. ◆목젖(이) 떨어지다 desear comer demasiado.

■ ~근(筋) músculo *m* uvular. ~ 돌기(突起) apéndice *m* uvular. ~살 carne *f* uvular. ~ 염증(炎症) uvulitis *f*.

목제(木製) manufactura *f* de madera [hecha de madera]. ~의 de madera, hecho de madera.

■ ~품 artículo *m* hecho de madera, artículo *m* [objeto *m*] de madera.

목조(木造) construcción *f* de madera. ~의 de madera.

■ ~ 가옥(家屋) casa *f* de madera. ~ 건물(建物) edificio *m* de madera. ~ 건축(建築) construcción *f* [edificación *f*] de madera. ~물 obra *f* de madera. ~벽 pared *f* de madera. ~선(船) =목조 선박. ~ 선박(船舶) barco *m* de madera. ~ 이층 건물 edificio *m* de madera de dos pisos. ~탑 pagoda *f* de madera.

목조(木槽) pesebre *m* de madera.

목조(木彫) escultura *f* de madera, arte *m* de trabajar la madera, pericia *f* en montería, conocimiento *m* del bosque. ~의 esculpido en madera.

■ ~공 tallador, -dora *mf* de madera. ~기(機) máquina *f* de trinchar. ~ 인형(人形) muñeca *f* esculpida en madera.

목종(木鐘) reloj *m* con casita de madera.

목주(木主) ① =위패(位牌). ② =신주(神主).

목줄띠 tendón *m* de la garganta.

목즙(目汁) lágrima *f*.

목지(牧地) tierra *f* en la finca.

목직하다 (ser) algo [un poco] pesado. 목직한 시계 reloj *m* algo pesado.
목직이 algo [un poco] pesadamente.

목질(木質) ① [나무로 된 것] cosa *f* hecha de madera. ②【식물】[리그닌] lignina *f*. ③ [(목재로서의) 나무의 질] cualidad *f* de la madera.

■ ~부(部) madera *f*, partes *fpl* leñosas. ~섬유 fibra *f* leñosa. ~소(素) lignina *f*. ~화 lignificación *f*. ¶~하다 lignificarse.

목차(目次) índice *m*, tabla *f* de materiales, tabla *f* de contenido.

목책(木柵) =울짱.

목책(木冊) =수첩(手帖).

목척(木尺) regla *f* de madera.

목첩(目睫) ① [눈과 속눈썹] el ojo y la pestaña. ② [가까움] cercanía *f*. ~에 a la vista (de), a las barbas (de), en *su* presencia, a *su* vista, en *su* cara. ~에서 al frente. ~지간에 박두하다 estar inminente [en vista · urgentísimo]. 선거가 ~에 박두하고 있다 La elección está a la mano.

목청 ①【해부】[성대(聲帶)] cuerdas *fpl* vocales. ~을 울리다 vibrar las cuerdas vocales. ② [목에서 울려 나는 소리] voz *f*, tono *m*. ~을 높여 en voz alta, a gritos. ~을 망치다 romperse la voz. ~을 뽑아 노래하다 cantar en voz alta. ~이 곱다 La voz es dulce.

◆목청(을) 돋우다 levantar [alzar] la voz. 목청껏 a voces, con todo el pulmón, con la máxima voz, a voz en cuello. ~ 소리지르다 gritar con todo el pulmón [con la máxima voz · a voz en cuello]. ~ 대답하다 contestar a voces.

■~문(門) abertura *f* de las cuerdas vocales, glotis *f*.

목초(木一) cera *f* vegetal.

목초(木草) el árbol y la hierba.

목초(牧草) pasto *m*, hierba *f*, pastoreo *m*; [꼴] pienso *m*, heno *m*, *AmS* forraje *m*. ~를 뜯어먹다 pacer, pastar.

■~권(權) derechos *mpl* de pastoreo. ~림(林) bosque *m* de pastoreo. ~ 시대 edad *f* pastoral. ~장(場) pasto *m*. ~지 dehesa *f*, pasto *m*, coto *m* de pasto; [공동 사용의] pasturaje *m*. ~ 지대 tierra *f* de ganado.

목촉대(木燭臺) =목촛대.

목촛대(木一臺) candelero *m* de madera.

목총(木銃) escopeta *f* [pistola *f* · rifle *m* · fusil *m*] de madera.

목축(牧畜) ganadería *f*, cría *f* de ganado. ~하다 criar el ganado. ~의 ganadero. ~에 종사하다 dedicarse en la ganadería.

■~가(家) ganadero, -ra *mf*. ~ 농업(農業) agricultura *f* ganadera. ~림(林) bosque *m* de pastoreo. ~ 문화 cultura *f* ganadera. ~ 민족 raza *f* ganadera ~ 시대 época *f* ganadera. ~업(業) ganadería *f*. ~ 업자 ganadero, -ra *mf*, ranchero, -ra *mf*. ~장 apacentadero *m*. ~지 =방목지(放牧地). ~ 지대 región *f* ganadera, zona *f* ganadera.

목측(目測) cálculo *m* con los ojos. ~하다 calcular con los ojos, medir con los ojos, medir a ojo (de buen cubero). ~으로 a ojo (de buen cubero).

목침(木枕) almohada *f* de madera.

■~찜 paliza *f* con almohada de madera.

목침대(木寢臺) cama *f* de madera.

목타르(木 tar) alquitrán *m* de madera.

목탁(木鐸) ① ((불교)) zoquete *m* [tarugo *m*] (en el templo budista), gong *m* de madera. ② [세상 사람을 가르쳐 바로 이끌 만한 사람이나 기관] líder *mf*, dirigente *mf*, [식자(識者)] docto, -ta *mf*, sabio, -bia *mf*, erudito, -ta *mf*. 사회(社會)의 ~ líder *mf* de la sociedad.

목탄(木炭) ① [숯] carbón *m* (*pl* carbones) de madera, carbón *m* de leña, carbón *m* vegetal. ②【미술】carboncillo *m*, *RPI* carbonilla *f*.

■~ 가스 gas *m* de carbón. ~지(紙) papel *m* de carboncillo. ~차(車) coche *m* [automovil *m*] del motor de carbón vegetal. ~화(畵) dibujo *m* al carboncillo [al carbón · *RPI* a la carbonilla], carboncillo *m*.

목테(木一) marco *m* de madera.

목통 ① ((속어)) =목. ② [욕심 많은 사람] codicioso, -sa *mf*.

목통(木桶) cubo *m* de madera.

목판(木盤) vasija *f* cuadrada de madera para la comida.

목판(木板/木版) ①【인쇄】grabado *m* en madera, plancha *f* de madera, xilografía *f*. ② =목판본.

■~가 xilógrafo, -fa *mf*, grabador, -dora *mf*. ~ 문자 (letra *f*) mayúscula *f* de imprenta. ~본 libro *m* xilográfico, libro *m* grabado en madera. ~술(術) xilografía *f*, tallado *m* en madera, grabado *m* en madera. ~ 인쇄 impresión *f* xilográfica. ~ 조각 grabadura *f* (en madera). ~화(畵) xilografía *f*, grabado *m*.

목판장(木板墻) =널판장.

목판차(木板車) vagón *m* de plataforma.

목패(木牌) etiqueta *f* de madera.

목편(木片) trozo *m* de madera, pedacito *m* de madera, astilla *f*.

목표(目標) fin *m*, objeto *m*, meta *f*, objetivo *m*, intención *f*, propósito *m*, gol *m*, guía *f*, blanco *m*. ~하다 apuntar, hacer puntería. …을 ~로 con la intención [el propósito] de + *inf*. 외국어를 배우는 것을 ~로 con la intención [el propósito] de aprender la lengua extranjera. ~에 달하다 conseguir *su* objetivo, llegar a la meta. …을 ~로 하다 tener *algo* como un objeto. …을 ~로 삼고 나아가다 avanzar tomando algo como guía. …을 ~로 돌을 던지다 tirar una piedra a *algo* · *uno*. 그의 주요 ~는 부자가 되는 것이다 Su principal objetivo es enriquecerse. 그녀는 평생에 ~가 없다 Ella no tiene un norte [un objetivo] en la vida. 12월을 ~로 공사를 끝내고 싶다 Queremos terminar la obra en el mes de diciembre. 금년 ~는 매상을 두 배로 하는 것이다 La meta de este año es doblar las ventas. 우리는 탑을 ~로 돌진하고 있었다 Avanzábamos teniendo la torre como punto de referencia [como guía].

■~물 blanco *m*, objetivo *m*. ~ 반경 radio *m* de blanco. ~액 cantidad *f* meta. ~일 día *m* de meta. ~ 지역 zona *f* meta.

목피(木皮) corteza *f*.

목필(木筆) ① [연필] lápiz *m*. ②【식물】[목련(木蓮)] magnolia *f*. ③【식물】=백목련.

목하(目下) por el momento, (por) ahora, por el presente, al presente, de presente, actualmente. ~의 actual, presente, de momento, existente. ~의 상태로는 bajo las circunstancias actuales. ~ 아무 이상이 없다 Por el momento todo está en orden. 그 문제는 ~ 검토 중이다 El problema está sometido a examen. ~ 나는 그의 가족과

사이좋게 지내고 있다 Por ahora yo estoy en buenos términos con su familia.
목합(木盒) cuenco *m* de madera con tapa.
목향(木香) 【식물】 enula *f* campana.
목형(木型) modelo *m* de madera; [구두 제조・보관용의] horma *f* (de zapatos).
■ ~공(工) obrero, -ra *mf* de modelo de madera.
목혜(木鞋) =나막신.
목화(木化) lignificación *f*. ~하다 lignificarse.
목화(木花) 【식물】 algodón *m*, algodonero *m*. ~의 de algodón, algodonero. ~ 따는 사람 recolector, -tora *mf* de algodón.
■ ~꽃 flor *f* de algodonero. ~밭 algodonal *m*, plantación *f* de algodón. ~ 산업(産業) industria *f* algodonera. ~ 산출 지대 zona *f* algodonera. ~ 솜 algodón *m* en rama. ~ 송이 hilo *m* de algodón en bolas. ~씨 semillas *fpl* de algodón. ¶~ 기름 aceite *m* de semillas de algodón. ~ 깻묵 semillas *fpl* de algodón (usadas como pienso).
목화(木靴) botas *fpl* de madera.
목화나무(木花ー) 【식물】 algodonero *m*.
목활자(木活字) tipo *m* de madera.
목회(牧會) pastoreo *m*, pastoría *f*. ~하다 pastorear. ~의 pastoral.
■ ~ 방문(訪問) visita *f* pastoral. ~ 서간[서한] ((성경)) la Primera Epístola del Apóstol San Pablo a Timoteo, la Segunda Epístola del Apóstol San Pablo a Timoteo y La Epístola del Apóstol San Pablo a Tito. ~학 teología *f* pastoral.
몫 ① [여럿으로 나누어 가지는 각 부분] parte *f*, cupón *m*, porción *f*, [재산의] lote *m*; [분담금] cuota *f*, parte *f* porcional; [출자금] aportación *f*. 한 사람 ~ una ración. 반(半) 사람 ~ [분량] media ración *f*. ~을 주다 dar una porción, distribuir porción, prorratear. ~을 받다 cobrar *su* cuota [*su* parte]. ~을 요구하다 reclamar [pedir] *su* porción (a). ~을 지불하다 pagar *su* cuota [*su* parte]. 두 ~을 신청하다 pedir dos cuotas [dos cupones]. 이익의 ~을 받다 recibir el dividendo [una parte de ganancia]. 두 사람 ~의 일을 하다 hacer el trabajo de dos personas. 자신의 ~을 하다 hacer *su* parte. 자신의 ~을 확보하다 asegurar la parte suya. 이것은 네 ~이다 Esta es tu parte. 나는 그의 ~까지 먹었다 Me comí hasta su ración. 그 5킬로그램의 금은 금순에게 해당되는 ~이었다 Esos cinco kilos de oro eran de la parte que correspondía a Gumsun. 그는 아직도 반 사람 ~밖에 못한다 El todavía no merece ser llamado un hombre / El es todavía medio hombre. ② 【수학】 cociente *m*.
몫몫이 cada parte, todas las partes, cada porción, todas las porciones.
몬다위 ① [마소의 어깻죽지] hombros *mpl* de un caballo [una vaca]. ② [낙타의 등에 두두룩하게 솟은 살] joroba *f* de un camello.
몬닥 quedando deshecho de descomposición. ~ 떨어지다 deshacerse flojamente.
몬떼비데오 【지명】 Montevideo (우루구아이의 수도). ~ 사람 montevideano, -na *mf*.
몬로비아 【지명】 Monrovia (리베리아 공화국의 수도).
몬순(영 *monsoon*) monzón *m*. ~의 monzónico.
■ ~림 bosque *m* monzónico. ~ 지대(地帶) región *f* monzónica.
몬존하다 (ser) tranquilo, calmado.
몬테네그로 【지명】 Montenegro (유고슬라비아 연방 공화국). ~의 montenegrino.
■ ~ 사람 montenegrino, -na *mf*.
몬트리올 【지명】 Montreal (캐나다 퀘벡 주의 도시).
몬트세렛 【지명】 Montserrat (카리브해의 영국 식민지).
몰(歿) muerte *f*, fallecimiento *m*. ~하다 morir, fallecer, dejar de existir. 1995년 9월 30일 ~ fallecido [muerto] el treinta de septiembre de(l año) 1995 (mil novecientos noventa y cinco).
몰[1](영 *mol*) [장식 끈] galón *m* (*pl* galones). ~을 붙이다 [장식하다] galonear. ~ 장식 옷 vestido *m* galoneado.
몰[2](영 *mol*) 【화학】 mol *m*.
■ ~ 규정액 solución *f* molar. ~ 분율 fracción *f* molar.
몰- todo, total, entero, completo.
몰-(沒) carencia *f*, falta *f*, nada. ~상식 carencia *f* de sensatez, falta *f* de sentido común.
몰각(沒却) indiferencia *f*, ignorancia *f*, borradura *f*, desaparición *f*. ~하다 despreciar, ignorar, hacer caso omiso (de), no prestar atención (a), no tomar [tener] en cuenta, borrar; [잊다] olvidar, dejar a un lado. 개성(個性)을 ~하다 olvidar [dejar a un lado] *su* individualidad. 당초의 목적을 ~하다 olvidar *su* objeto original.
몰강스럽다 (ser) cruel, brutal, despiadado, duro de corazón.
몰강스레 cruelmente, brutalmente.
몰경계하다(沒經界ー) no haber distinción del bien y mal.
몰경위하다(沒經渭ー) no haber detalles.
몰골 figura *f*, hechura *f*, forma *f*. ~ 사나운 옷 ropa *f* indecorosa, ropa *f* informe, ropa *f* sin forma. ~ 사나운 짓 conducta *f* inpropropia [indecorosa], comportamiento *m* inpropio [indecoroso]. ~이 사납다 (ser) informe, sin forma, indecoroso. 그는 ~이 말이 아니다 El tiene mala figura / El está mal hecho.
몰골스럽다 (ser) informe, sin forma, indecoroso, feo; tener mala figura, estar mal hecho.
몰골스레 informemente, indecorosamente, sin forma, feamente, deformemente.
몰교섭(沒交涉) aislamiento *m* total, incoherencia *f*. ~하다 no tener relación (con), nada tener que ver (con). ~의 incoherente. …과 ~하다 no tener ningún trato [ninguna relación] con *uno*, quedarse inco-

municado con *uno*. 그는 세상과 ~하고 있다 El vive completamente aislado [en un aislamiento total] / El rehúye el trato con la gente y vive solo.

몰끽(沒喫) comida *f* completa. ~하다 comer completamente.

몰년(沒年) [죽은 해] año *m* de la muerte; [죽은 해의 나이] edad *f* del año de la muerte. 이사벨 여왕의 ~ año *m* de la muerte de la reina Isabel.

몰농도(mol 濃度) concentración *f* molar.

몰닉(沒溺) ahogamiento *m*. ~하다 ahogarse, morir ahogado, anegarse, hundirse.

몰다 ① [마소·차 따위를] llevar, conducir, guiar. 차를 ~ conducir [*AmL* manejar] un coche. 말을 ~ estimular [impeler·incitar] al caballo. ② [쫓다] perseguir, dar caza, cazar. 토끼를 ~ dar caza a la liebre. ③ [내쫓다] ahuyentar. ④ [궁지에] arrinconar, poner en un aprieto. ⑤ [구박하다·나무라다] condenar, censurar, reprobar, criticar. ⑥ [죄인 등으로] cargar (en cuenta).

몰아가다 ㉮ [몰아서 데리고 가다] conducir, *AmL* manejar. 소를 풀밭으로 ~ conducir el ganado a los pastos. ㉯ [있는 대로 휩쓸어 가다] llevarse todo; [몰아 사다] comprarse todas las existencias (de). 그는 상점에 있는 모든 과일을 몰아갔다 El se compró todas las frutas en la tienda y se las llevó.

몰아내다 ㉮ [내쫓다] expulsar, expeler, despedir, echar, hacer salir, hacer dejar, dar [intimar] la orden de dejar; [거절하다] rechazar, rehusar. 국내 시장에서 외국 상품을 ~ rechazar los productos extranjeros del mercado nacional. ㉯ [사냥에서] desalojar, buscar con ahinco.

몰아넣다 ㉮ [안으로] meter (a empujones), hacer entrar. 소를 우리 안으로 ~ meter (a) las vacas en el corral. ㉯ [궁지에] arrinconar, poner en un aprieto.

몰아대다 perseguir y acorralar, arrinconar, acosar; [짐승을] montear; [비유적] poner con el agua al cuello. 적(敵)을 강으로 ~ asediar a los enemigos hasta el río. 그를 너무 몰아대어 자살 이외의 다른 길은 없었다 Se vio tan acorralado que no le quedaba otra salida que el suicidio.

몰아들이다 ㉮ [억지로 몰려 들어오게 하다] forzar [obligar] a hacer entrar. ㉯ [있는 대로 휩쓸어 들어오게 하다] comprarse todo. 과일을 ~ comprarse todas las frutas.

몰아받다 ㉮ [여러 번에 받을 것을 한꺼번에 받다] recibir todo de una vez. ㉯ [각 사람이 받을 것을 한 사람이 대표하여 모두 받다] recibirlo todo (como un representante del otro), acaparar, monopolizar. 막내아들이 부모의 사랑을 몰아받는다 El hijo menor monopoliza el afecto de sus padres.

몰아붙이다 empujar todo a un lado. 의자를 방구석에 ~ empujar la silla a un rincón de la habitación.

몰아사다 ㉮ [이것저것을 모두 한꺼번에 사다] comprarse todo de una vez, comprar en masa. ㉯ [여러 번에 나누지 않고 한 번에 사다] comprar en grandes cantidades, comprar al por mayor. 그는 쌀을 몰아샀다 El compró el arroz en grandes cantidades / El compro el arroz al por mayor.

몰아세우다 reprender fuerte (a *uno* por *algo* [+ *inf*]), amonestar [reprender] rotundamente (a *uno* (por *algo*)).

몰아오다 ㉮ [한쪽으로 한목 밀리어 오다] venir en tropel [en masa]. ㉯ [모두 휩쓸어 오다] traerlo todo, llevarlo todo. 바람이 소나기를 몰아왔다 El viento llevó el chubasco.

몰아주다 dar [pagar] todo de una vez, dar [pagarse] toda la cantidad. 1년 생활비를 ~ dar todos los gastos de vida para un año.

몰아치다 ㉮ [한군데로 한목 몰리게 하다] poner todo a un lado. ㉯ [한꺼번에 급히 하다] hacer [trabajar] todo de una vez, acelerar. 일을 ~ trabajar de repente.

몰다비아【지명】 Moldavia, Moldova. ~의 moldavo. ~ 사람 moldavo, -va *mf*; moldovo, -va *mf*.

몰두(沒頭) inmersión *f*, sumersión *f*, dedicación *f*. ~하다 absorberse, dedicarse (a), entregarse con ardor, entregarse completamente, enfrascarse, engolfarse, quedarse absorto (en), entusiasmarse (por), apasionarse (por·en·con). 일에 ~하다 dedicarse en *su* trabajo, entregarse completamente a *su* obra. 그는 연구에 ~하고 있다 El está absorto en su investigación. 나는 독서에 ~하고 있다 Estoy absorto [enfrascado] en la lectura. 그는 전생애를 서반아어 연구에 ~하고 있다 El ha dedicado todo su tiempo al estudio de español.

몰디브【지명】Maldivas. ~의 maldivo. ■ ~어 maldivo *m*. ~ 사람 maldivo, -va *mf*.

몰디브 제도(-諸島)【지명】las (islas) Maldivas.

몰라보다 ☞모르다

몰락(沒落) arruinamiento *m*, decadencia *f*, ruina *f*, caída *f*, hundimiento *m*, derrumbamiento *m*. ~하다 arruinarse, caer, venir a menos, decaer, hundirse; [파산하다] hacer bancarrota, quebrar.

몰랑거리다 =물렁거리다.

몰랑하다 =물렁하다.

몰래 secretamente, en secreto, privadamente, ocultamente, reservadamente, con reserva, a puertas cerradas, clandestinamente, confidencialmente, a hurtadillas, bajo [con] sigilo, (bajo [por debajo de] cuerda) a escondidas, furtivamente, en oculto; [마음속으로] en *su* corazón, interiormente, en lo secreto de *su* corazón, internamente. ~ 들어오다 pasar al cuarto [a la casa]. ~ 만나다 citar clandestinamente. ~ 보다 ver a hurtadillas. ~ 알려주다 dar a conocer (*algo* a *uno*) en secreto. ~ 도망치다 huir

ocultamente [a hurtadillas · a escondidas]. ~ 엿듣다 escuchar secretamente [en secreto]. 필기를 ~ 보다 echar furtivamente una mirada a los apuntes. 그는 아버지 ~ 담배를 피운다 El fuma a escondidas de su padre. 그는 ~ 외국에서 돈을 받고 있었다 El recibía secretamente dinero del extranjero. 도둑질한 물이 달고 ~ 먹는 떡이 맛이 있다 하는도다 ((잠언 9:17)) Las aguas hurtadas son dulces, y el pan comido en oculto es sabroso / El agua robada es más sabrosa; el pan comido a escondidas sabe mejor.
몰래몰래 muy secretamente, muy en secreto.

몰려가다 ☞몰리다

몰려들다 ☞몰리다

몰려오다 ☞몰리다

몰리다 congregarse, atroparse, agolparse, arremolinarse, apiñarse; [한 장소로] acudir; ((성경)) agravarse, obligarse. 아침부터 투표자가 많이 몰렸다 Desde por la mañana son muchos los votantes que acuden a las urnas.
몰려가다 ir en grupos, ir en masa.
몰려나다 ㉮ [있던 자리에서 쫓기어 나가다] ser expulsado (de). ㉯ [여럿이 떼를 지어 나가다] entrar en grupos.
몰려나오다 ㉮ [쫓기어 나오다] ser expulsado. ㉯ [여럿이 떼를 지어 나오다] entrar en grupos.
몰려다니다 ㉮ [억지로 쫓기어 다니다] (obligar a [forzar a]) ser perseguido. ㉯ [여럿이 떼를 지어 돌아다니다] andar [pasear] en grupos [en masa · en tropel].
몰려들다 ㉮ [쫓기어 들어오다] ser perseguido (en). ㉯ [여럿이 떼를 지어 모여들다] venir en grupos, lanzarse impetuosamente. 우르르 ~ entrarse (todos juntos) (en), precipitarse [lanzarse] (todos juntos) (a), amontonarse, venir en masa, acudir en tropel. 예금을 찾으려고 고객들이 몰려드는 소동 asedio *m* de un banco por los imponentes. 신문 기자들이 회장(會場)에 몰려들고 있다 Los periodistas acuden en tropel al lugar de la reunión. 데모대는 속속 국회 앞으로 몰려들었다 Los manifestantes se agruparon en sucesivas oleadas delante del palacio de la Asamblea Nacional.
몰려들어가다 entrar en grupos [en masa].
몰려오다 venir en tropel, apiñarse, amontonarse, embestir (습격하다), avanzar(se) (hacia), marchar (hacia), asediar, acosar, venir (sobre), caer (so-bre). 적군(敵軍)이 몰려왔다 El avanzó el ejército enemigo hacia nosotros. 데모대가 대사관으로 몰려왔다 Los manifestantes asediaron la embajada.

몰리브덴 【화학】 molibdeno *m* (Mo).
■ ~강(鋼) acero *m* de molibdeno. ~광(鑛) molibdenito *m*.

몰몰아 en total, en todo.

몰박다 poner [fijar] todo en un lugar.

몰박히다 ser puesto todo en un lugar.

몰방(沒放) descarga *f*. ~하다 enviar [hacer] una descarga (de).

몰분자(mol 分子) 【화학】 =몰(mol).

몰비판(沒批判) =무비판(無批判).

몰사(沒死) aniquilación *f*, aniquilamiento *m*, anulación *f*, anonadación *f*, extinción *f*, apagamiento *m*. ~하다 aniquilarse, anonadarse. 적을 ~하다 aniquilarse el enemigo.

몰살(沒殺) carnicería *f*, matanza *f*, masacre *f*, mortandad *f*, degollina *f*, aniquilamiento *m*, exterminio *m*, exterminación *f*, [민족의] genocidio *m*. ~하다 hacer una carnicería, exterminar, aniquilar. 가족[일가]을 ~하다 matar [asesinar] a toda la familia. 적을 ~하다 aniquilar los enemigos.

몰상승(mol 上昇) 【화학】 =분자 상승.

몰상식(沒常識) carencia *f* de sensatez, falta *f* de sentido común. ~하다 (ser) sandio, desatinado, carecido de sensatez, falto de sentido común.

몰서(沒書) ① [신문의 게재 거절] rechazamiento *m*, denegación *f*. ② [주소 · 성명이 적히지 않아 돌려보낼 수 없는 편지] carta *f* sin la dirección, carta *f* sin el nombre y apellido.

몰수(沒收) decomiso *m*, confiscación *f*. ~하다 decomisar, confiscar, incautarse. …에게서 …을 ~하다 decomisar*le* [confiscar*le*] *algo* a *uno*. 그는 경관에게 카메라를 ~당했다 Un policía le confiscó la cámara fotográfica. 나는 세관에서 그림 세 장을 ~당했다 Me decomisaron [Me han decomisado] tres pinturas en la aduana.
■ ~ 경기[게임] juego *m* confiscado. ~금 dinero *m* decomisado. ~물[품] artículo *m* [objeto *m*] confiscado, confiscación *f*. ~시합 juego *m* confiscado.

몰식(沒食) =몰끽(沒喫).

몰식자(沒食子) 【한방】 agalla *f*.
■ ~산(酸) ácido *m* gálico.

몰씬거리다 ① [몰랑몰랑하다] (ser) blando, plástico. ② [연기 · 김 따위가] (ser) humeante, fumante.
몰씬몰씬 blandamente; humeantemente.

몰씬하다 (ser) blando, plástico.
몰씬히 blandamente, plásticamente.

몰아 en suma global, a granel, en masa, en conjunto. ~ 지불하다 pagar en suma global. ~ 사다 comprar en masa. ~ 팔다 vender en masa.

몰아(沒我) absorbimiento *m*, modestia *f*, abnegación *f*, renunciación *f*, desinterés *m*, desprendimiento *m*. ~적 modesto.

몰아가다 ☞몰다

몰아내다 ☞몰다

몰아넣다 ☞몰다

몰아대다 ☞몰다

몰아들이다 ☞몰다

몰아받다 ☞몰다

몰아붙이다 ☞몰다

몰아사다 ☞몰다

몰아세다 ☞몰다

몰아세우다 ☞몰다
몰아오다 ☞몰다
몰아주다 ☞몰다
몰아치다 ☞몰다
몰약(沒藥) 【식물】 mirra *f.*
몰염치(沒廉恥) desvergüenza *f*, infamia *f*, ignominia *f*, insolencia *f*, desfachatez *f*, descaro *m*, impudencia *f.* ～하다 (ser) insolente, descarado, desvergonzado, sinvergüenza, desvergonzarse, descararse, no tener vergüenza. ～하게도 imprudentemente, con imprudencia, descaradamente, con todo descaro, ignominiosamente.
몰이 caza *f*, cacería *f.* ～하다 cazar. ～하러 가다 ir de caza (en), ir de cacería (en), cazar (en). ～하기 위해 사용하다 usar para ir de caza.
■ ～꾼 batidor, -dora *mf*; cazador, -dora *mf*; ojeador, -dora *mf.*
몰이해(沒理解) falta *f* de comprensión, incomprensión *m.* ～하다 (ser) incomprensivo, porfiado, terco. 그는 부모의 ～로 무척 고통스러웠다 El sufrió mucho por la incomprensión de sus padres.
몰인정(沒人情) falta *f* de cariño [de compasión · de corazón], desamor *m*; [무정(無情)] inhumanidad *f*, dureza *f* de corazón, crueldad *f*, saña *f.* ～하다 (ser) poco benévolo, poco caritativo, sin corazón, cruel, inhumano, despiadado, sañudo. ～한 사람 persona *f* poco benévola, persona *f* sin corazón, persona *f* inhumana.
몰입(沒入) ① [어떤 일에 빠짐] absorción *f*, inmensión *f*, devoción *f*, sumersión, zampuzo. ～하다 absorberse, estar absorto. ② 【역사】 [몰수] decomiso *m*, confiscación *f.* ～하다 decomisar, confiscar. …에게서 …을 ～하다 decomisar*le* [confiscar*le*] *algo* a *uno.*
몰지각(沒知覺) falta *f* de discreción, indiscreción *f*, irreflección *f*, desconsideración *f.* ～하다 (ser) irreflexivo, incauto, desconsiderado, no pensar en los demás, no tener sentido. ～하게 desconsideradamente, irreflexivamente.
몰취미(沒趣味) falta *f* de gusto, insulsez *f*, sosería *f*, aridez *f.* ～하다 (ser) soso, árido, insulso, insípido, prosaico, zonzo, vulgar, falto de gusto. ～한 사람 persona *f* que no tiene gusto.
몰칵 ＝물컥.
몰캉거리다 ＝물컹거리다
몰캉하다 ＝물컹하다.
몰타 【지명】 Malta *f.* ～의 maltés.
■ ～어 maltés *m.* ～인 maltés, -tesa *mf.*
몰토(이 *molto*) 【음악】 muy, mucho, *ital* molto.
몰풍스럽다(沒風－) (ser) insípido, soso, desabrido, de mal gusto.
몰풍스레 insípidamente, sosamente, desabridamente.
몰풍정하다(沒風情－) (ser) poco elegante, inelegante. 몰풍정함 falta *f* de elegancia, poca elegancia *f*, inelegancia *f.* 몰풍정하게 con poca elegancia, sin elegancia, de manera poco elegante.
몰풍치하다(沒風致－) no tener efecto artístico, carecer de efecto artístico.
몰풍하다(沒風－) (ser) insípido, soso, desabrido, de mal gusto, seco, aburrido, vulgar.
몰하다 (ser) muy pequeño.
몰하다(歿－) morir, fallecer. ☞몰(歿)
몰후(歿後) después de la muerte, después de morir. ～ 10년 diez años después de su muerte.
몸 ① [신체(身體)] cuerpo *m*, carne *f* viva, lo vivo; [전신(全身)] sistema *m*, todo el cuerpo; [체격] constitución *f*; [모습] figura *f.* ～이 뚱뚱한 gordo. ～이 호리호리한 delgado. ～이 큰 de gran talla; [명사 뒤에서] grande. ～이 작은 de poca talla, bajo. ～에 좋은 음식물 alimento *m* nutritivo. ～에 지니다 llevar(se). ～의 털이 곤두서다 erizarse el pelo, ponerse los cabellos de punto. ～이 건장하다 ser sano, gozar de buena salud. ～을 던지다 [바치다] [정계(政界) 등에] dedicarse, entregarse, consagrarse. ～을 꼼짝달싹도 않다 no hacer el menor movimiento. ～과 마음을 바치다 darse [consagrarse] en cuerpo y alma (a). ～을 빠져나가다 escabullirse (de). ～을 쉴 틈이 없다 no tener tiempo (ni) para descansar. 옷을 ～에 맞추다 ajustar un traje a la talla (de). 그녀는 늘 진주 목걸이를 ～에 하고 다닌다 Ella siempre lleva puesto el collar de perlas. 그는 신문 기자의 습성이 ～에 배어 있다 La manera de ser de los periodistas es en él connatural. 그는 ～이 튼튼하다 El es de constitución robusta. 이 옷은 내 ～에 맞지 않는다 Este traje no me viene bien / Este traje no se ajusta a mi cuerpo. 나는 ～ 여기저기가 아프다 Me duele todo el cuerpo. 나는 ～이 두 개라도 부족할 만큼 바쁘다 Estoy tan ocupado que no podría acabar aun trabajando doblemente / Tengo tantas cosas qeu hacer que no daría abasto aunque me multiplicara / La ocupación de mis negocios es tan grande, que no tengo lugar para rascarme la cabeza, ni aun para cortarme las uñas ((El Quijote)). 추위가 ～에 스며든다 El frío me penetra em [me cala] los huesos. ～을 에는 듯한 추위다 Hace un frío penetrante. 늙고 병든 ～은 눈먼 새도 앉지 않는다 ((서반아 속담)) Vivir es sufrir / A más años, más daños.
② [건강(健康)] salud *f.* 어린 ～으로 a pesar de ser joven. ～이 편하지 않다 estar enfermo [malo · mal]. ～에 좋다 ser bueno para la salud. ～(을) 조심하다 cuidarse, cuidar de [tener cuidado con [de] · mirar por] la salud. ～을 해치다 dañar [debilitar] su salud. ～을 파괴하다 destruir [perder · quebrantar · arruinar] *su* salud. ～이 튼튼하다 gozar de buena salud, ser robusto

[vigoroso · muy sano]. ~이 약하다 ser débil [enfermizo · delicado de salud], tener un cuerpo delicado, ser de constitución delicada. ~의 컨디션이 좋지 아니하다 estar mal (de salud), estar indispuesto, no sentir bien. 그는 ~이 약해졌다 El se ha debilitado su cuerpo / El declinó en su fuerza física. 그녀는 ~이 무척 뚱뚱해졌다 Ella se ha engordado mucho. 너무 바빠 ~이 지탱할 수 없다 Mi cuerpo no aguanta tantas ocupaciones. 술은 ~에 좋지 않다 La bebida alcohólica no es buena para la salud. 흡연은 심하게 ~을 해친다 *Esp* Fumar perjudica seriamente la salud. 흡연은 ~을 해친다 *Par* Fumar daña la salud. 흡연은 당신의 ~에 해로울 수 있다 *Bol* Fumar puede ser dañino para su salud. 흡연은 ~에 해가 될 수 있다 *ReD* Fumar puede ser perjudicial para la salud. 그녀의 ~에 아무 탈이 없기를! ¡Ojalá que no le pase nada grave!

③ [사람 자신] sí mismo. 내 ~ yo mismo, mi cuerpo. ~에 걸치다 ponerse. ~에 익다 acostumbrarse (a), estar acostumbrado (a). ~을 던지다 arrojarse, echarse. ~을 희생(犧牲)하다 sacrificarse (por).

④ [지위 · 신분] posición *f*, puesto *m*. 귀한 ~ persona *f* de nacimiento noble [alto], figura *f* importante, personaje *m*.

⑤ [월경(月經)] menstruación *f*, menstruo *m*, regla *f*, período *m*, mes *m*, flores *fpl*.

⑥ [형용사 다음에 쓰여「사람」] persona *f*, hombre *m*. 귀하신 ~ persona *f* noble. 천(賤)한 ~ persona *f* humilde.

◆몸(을) 가지다 ㉮ [아이를 배다] estar encinta [embarazada · preñada]. ㉯ ((속어)) [월경을 하다] menstruar, tener menstruación.

◆몸(을) 더럽히다 violar, deshonrar.

◆몸(을) 던지다 ㉮ [일에 열중하다] absorberse (en), entregarse (a), dedicarse (a). ㉯ [(자살하려고) 죽을 곳에 뛰어들거나 떨어지다] lanzarse [caerse] en el lugar de morir.

◆몸(을) 두다 quedarse (en), vivir (en), meterse.

◆몸(을) 둘 바를 모르다 no saber dónde meterse. 나는 몸 둘 바를 모르겠다 No sé dónde meterme.

◆몸(을) 바치다 dedicarse (a *algo* [a + *inf*]), sacrifacerse, hacer sacrificios.

◆몸(을) 버리다 ㉮ [건강을 해치다] dañar [debilitar] *su* salud. ㉯ [정조를 빼앗기다] deshonrar.

◆몸(을) 팔다 venderse (a la esclavitud), prostituirse, vender *su* persona por interés.

◆몸(을) 풀다 ㉮ [배었던 아이를 낳다] dar a luz, parir, engendrar. ㉯ [몸의 피로를 덜다] descansar de la fatiga. ㉰ [몸의 움직임이 부드러워지도록 가벼운 운동을 하다] hacer el ejercicio ligero.

◆몸(을) 하다 menstruar, tener el menstruo, ver la flor.

◆몸(이) 나다 engordarse, ponerse gordo, echar carnes.

◆몸(이) 달다 estar inquieto, agitarse nerviosamente, no poder estarse quieto.

◆몸이 있다 menstruar, tener menstruación [período].

몸가짐 conducta *f* (moral), proceder *m*, costumbres *fpl*, hábitos *mpl*. ~이 좋은 사람 hombre *m* de hábito serio, persona *f* que se comporta bien, persona *f* bien educada. ~이 나쁜 남자 hombre *m* de poco decoro. ~이 나쁜 여인 mujer *f* libre [relajada · disoluta · licenciosa], mujer *f* (de vida) alegre. 여인의 ~ pudor *m* femenino; [교양(敎養)] educación *f* digna de una mujer. ~이 좋다 tener buenas costumbres, portarse bien. ~이 나쁘다 tener malas costumbres, portarse mal. ~을 고치다 enmendarse, volverse formal, llevar una vida ordenada, sentar la cabeza.

몸가축 cuidado *m* de *su* aspecto personal. ~하다 cuidar de [atender a] *su* aspecto personal. ~을 잘하다 tener cuidado de *su* aspecto personal, estar bien cuidado.

몸값 rescate *m*, precio *m* de posesión de una persona. ~을 치루다 rescatar, redimir.

몸길이 longitud *f* del cuerpo.

몸꼴 físico *m*, figura *f*, [건물 · 비행기 · 배의] armazón *m*; [자동차 · 모터사이클의] bastidor *m*; [자전거의] cuadro *m*, *Chi*, *Col* marco *m*; [침대 · 문의] bastidor *m*.

몸높이 estatura *f*, talla *f*.

몸닥달 entrenamiento *m*, adiestramiento *m*. ~하다 formarse, adiestrarse, entrenarse.

몸단속 protección *f*. ~하다 proteger.

몸단장(-丹粧) =몸치장. ¶그녀는 ~을 하고 있다 Ella va bien ataviada / Ella va de punta en blanco [de tiros largos]. 모두가 ~을 하고 파티에 갔다 Todos se engalanaron y fueron a la fiesta.

몸뒤짐 cacheo *m*. ~하다 cachear.

몸때[1] [몸에 앉은 때] suciedad *f*, mugre *f*, inmundicia *f*, mancha *f* del cuerpo.

몸때[2] [월경하는 때] período *m* menstrual, tiempo *m* de la menstruación [de la regla · del menstruo].

몸뚱이 cuerpo *m*, armazón *f*, esqueleto *m*, estructura *f*.

몸마디 【동물】 segmento *m*. ~의 segmental.

몸말 【언어】 sujeto *m*.

몸매 figura *f*, forma *f*, físico *m*, postura *f*, proporciones *fpl* del cuerpo. 우아한 ~ figura *f* elegante. ~가 좋은 bien proporcionado, de buen talle. ~가 나쁜 mal proporcionado, de mal talle. ~가 좋다 tener buena figura, tener un físico agradable, ser de un cuerpo bien proporcionado. 야, ~ 좋군! ¡Qué elegante! 그녀는 ~가 좋다 Ella tienes buena presencia / Ella es de buen talle.

몸맨두리 *su* figura, *su* aspecto. ~를 꾸미다 adornarse.

몸받다 asumir, heredar.

몸보신(一補身) vigorización *f* [tonificación *f*] de *su* cuerpo. ~하다 vigorizar [dar vigor · tonificar] *su* cuerpo.

몸부림 esfuerzo *m*, contienda *f*, ansiedad *f*, zozobra *f* (조바심); [말의] pateadura *f*. 빚 때문에 ~하다 estar en abismo de deuda.
◆몸부림(을) 치다 pugnar por salir de apuros, hacer esfuerzo espasmódico, esforzarse, torcerse, retorcerse, debatirse. 몸부림치며 울다 llorar amargamente. 고통으로 ~ retorcerse de dolor. 몸부림쳐도 소용없다 Es inútil pugnar. 네가 아무리 몸부림쳐도 소용없을 것이다 Por mucho que te resistas, será inútil. 그녀는 일어날 수 없어서 얼음 위에서 몸부림을 쳤다 Ella se debatía en el hielo sin conseguir levantarse.

몸빠진살 flecha *f* delgada.

몸살 fatiga *f* general, agotamiento *m* completo.
◆몸살(이) 나다 padecer de fatiga, adolecer de fatiga, estar aquejado de fatiga.

몸살풀이하다 tomarse un descanso.

몸상(一床) mesa *f* auxiliar pequeña.

몸서리 ① [무서워서 몸이 떨리는 일] (el) temblar, temblor *m*, estremecimiento *m*, escalofrío *m*, tiritón *m*. ② [싫증이 나서 떨리는 일] fatiga *f*, hastío *m*, molestia *f*, fastidio *m*, pesadez *f*, aburrimiento *m*, saciedad *f*, hartazgo *m*.
◆몸서리(가) 나다 estremecerse, temblar, tiritar. 몸서리(를) 치다 temblar, tiritar, estremecerse.

몸소 personalmente, en persona, por *sí* mismo. ~ 보이는 모범 ejemplo *m* personal. ~ …하다 hacer personalmente. ~ 익히다 aprender por experiencia. ~ 모범을 보이다 demostrar con *su* propio ejemplo, ponerse a *sí* mismo de ejemplo. ~ 말을 걸다 dignarse dirigir la palabra (a). ~ 출석하다 asistir (a una conferencia) personalmente. ~ 체험하다 experimentar personalmente [por *sí* mismo]. 대통령이 ~ 테이프를 잘랐다 El presidente (de la República) cortó la cinta personalmente. 국왕 폐하께서 ~ 대사(大使)에게 작별을 고했다 Su Majestad despidió en persona al embajador. 내가 ~ 그를 만나겠다 Le veré personalmente / Yo mismo le veré.

몸솔 raspador *m*.

몸수색(一搜索) registro *m*, cacheo *m*. ~하다 registrar, cachear.

몸시계(一時計) =회중시계(懷中時計).

몸약 【광산】 =다이너마이트.

몸엣것 sangre *f* menstrual.

몸져눕다 caer enfermo. 그는 피로로 몸져누웠다 El cayó en *cama* por la fatiga [por el cansancio].

몸조리(一調理) cuidado *m* de la salud; [병후(病後)의] recuperación *f*. ~하다 cuidar (de). ~하기 위해서 para cuidarse [*su* salud]. ~하기 위해서 바닷가로 가다 ir a la playa para cuidarse. 병후(病後)에는 ~를 잘해야 한다 Usted debe cuidarse después de la enfermedad.

몸조심(一操心) ① [건강을 유지하기 위한 조심] cuidado *m* de la salud. ~하다 cuidarse. ~하세요 [usted에게] ¡Cuídese! / [tú에게] ¡Cuídate! ~합시다 ¡Cuidémonos! / Vamos a cuidarnos. ② [언행을 조심함] prudencia *f*, discreción *f*, cuidado *m*. ~하다 obrar prudentemente, portarse prudentemente, ser prudente en acción.

몸종 sierva *f*, doncella *f*.

몸주체 ① [몸을 거두는 일] control *m* de cuerpo. ② [몸을 가누는 일] *su* propio cuidado.

몸집 tamaño *m* del cuerpo, talle *m*, constitución *f*, complexión *f*, [신장(身長)] estatura *f*, talla *f*. ~이 큰 de estatura grande. ~이 작은 de estatura pequeña. ~이 작은 사람 hombre *m* pequeño, hombrecillo *m*. ~이 큰 사람 hombre *m* grande, hombrón *m* (*pl* hombrones). ~이 큰 여자 mujer *f* grande, mujerona *f*. ~이 강하다 [약하다] ser de constitución [complexión] fuerte [débil]. 그는 ~이 작다 El es pequeño / El es un hombre de estatura pequeña. 그는 ~이 나와 비슷하다 Se parece a mí en el talle / El tiene un talle parecido al mío.

몸짓 gesto *m*, ademán *m* (*pl* ademanes), gesticulación *f*, señas *fpl*, moción *m*. ~하다 hacer (un) gesto, gesticular, asumir *su* postura, colocarse en cierta postura. ~으로 말하다 hablar con gestos, hablar por señas. ~으로 표현하다 expresar con gestos, expresar por señas. ~으로 …하라고 지시하다 señalar con gestos que + *subj*.

몸차림 atavío *m*, arreglo *m* personal, atuendo *m*. ~하다 asearse, ataviarse, arreglarse, vestirse, componerse.

몸채 casa *f* principal, edificio *m* principal.

몸체(一體) casa *f* principal, edificio *m* principal.

몸치장(一治粧) atavío *m*, adorno *m*, ornamento *m*, aderezo *m*. ~하다 ataviarse, adornarse, asearse, arreglarse, componerse, aderezarse, engalanarse, ataviarse; [나들이 옷을 입다] endomingarse; [경멸적으로] emperejillarse, emperifollarse, acicalarse como esmero, vestirse con esmero; [예복을 입다] vestirse de etiqueta. ~을 해 주다 poner el vestido (a), vestir (a). ~을 해 주는 사람 encargado, -da *mf* del vestuario. 그녀는 ~을 하고 외출했다 Ella salió toda engalanada.

몸털 vello *m* del cuerpo.

몸통 ① [사람의 몸의 둘레] tronco *m*, cuerpo *m*; [동상(銅像)의] torso *m*; [상반신(上半身)] medio cuerpo *m* de arriba. ~이 길다 [짧다] ser largo [corto] de (medio) cuerpo (de arriba). ~이 두껍다 tener el cuerpo grueso. ~이 호리호리하다 tener el cuerpo delgado, tener un talle esbelto. ② [의복의] cuerpo *m*. 이 옷은 ~이 꽉 조인다 Este vestido me aprieta en la cintura. ③ [큰 북 따위의] caja *f*. ④ [갑옷 따위의] peto *m*, pechera *f*, plastón *m* (*pl* plastrones). ⑤ [비행기의] cuerpo *m*, casco *m*. ⑥ [배의] casco *m*.

몸피 físico *m*, constitución *f*.

몹시 ① [심히. 대단히] muy, mucho, sumamente, excesivamente, extremamente, inmensamente, maravillosamente, terriblemente, considerablemente. ~ 가난하다 ser muy pobre, ser tan pelado como una rata. ~ 기쁘다 alegrarse mucho. ~ 바쁘다 estar muy ocupado, estar ocupadísimo. ~ 서두르다 darse mucha prisa. ~ 피곤하다 estar muy cansado. ~ 덥다 [날씨가] Hace mucho calor / [몸이] Tengo mucho calor. ~ 춥다 [날씨가] Hace mucho frío / [몸이] Tengo mucho frío. 그녀는 ~ 기뻤다 Ella se alegró mucho. 그날 밤 그는 ~ 취해 있었다 El estaba muy [terriblemente] borracho esa noche. ② [잔혹하게] cruelmente; [심하게] severamente, con severidad, violentamente, intensivamente, mal; [난폭하게] monstruosamente, escandalosamente, atrozmente. ~ 울다 llorar amargamente.

몹쓸 ① [나쁜. 악한] malo, malvado, perverso, pernicioso, maligno, injusto, equivocado, erróneo, incorrecto, inoportuno, inmoral; [사악한] malo, perverso, malvado, impío, inicuo, rencoroso, malintencionado. ~ 인간(人間) hombre *m* malo, hombre *m* malvado, bribón *m* (*pl* bribones), pícaro *m*, bellaco *m*, tunante *m*, truhán *m* (*pl* truhanes), pillo *m*, granuja *f*. ② [악성(惡性)의] maligno, peligroso, pernicioso, vicioso, virulento. ~병(病) enfermedad *f* maligna [peligrosa · viciosa].

못[1] [뾰족한 물건] clavo *m*, puntilla *f*. ~에 걸다 colgar de un clavo. ~을 박다, ~으로 고정시키다 clavar. ~을 뽑다 sacar [arrancar] un clavo, desclavar. ~에 모자를 걸다 colgar el sombrero de un clavo. 벽에 ~을 박다 clavar la pared. 가구(家具)에서 ~을 뽑다 desclavar un mueble.

◆못(을) 박다 ㉮ [물건에 못을 박다] clavar, clavatear, clavar un clavo (en). 십자가에 ~ crucificar. ㉯ [고정시키다] fijar, establecer. ㉰ [원통한 생각을 마음속 깊이 맺히게 하다] herir los sentimientos (de), clavar una daga al corazón. ㉱ [단정적으로 말하다] advertir (a *uno* que + *subj*).

◆못(을) 주다 clavar, clavar un clavo (en), sujetar con clavos..

◆못(이) 박히다 clavarse un clavo. 십자가에 못이 박힌 예수의 상(像) crucifijo *m*. 이 벽은 못이 잘 박힌다 [박히지 않는다] En esta pared se fijan [no se fijan] los clavos.

◆못(이) 박히다 [원통한 생각] clavarse una daga al corazón.

못[2] [굳은살] callo *m*, callosidad *f*, dureza *f*, endurecimiento *m*. ~이 잔뜩 박인 calloso, que tiene callos, *Arg* calludo. ~이 잔뜩 박인 손 manos *fpl* callosas. ~이 생기다 encallecer, salir el callo.

◆못(이) 박이다 tener callos, encallecer(se), endurecerse la piel, salirse el callo. 내 손바닥에 ~이 박였다 Me han salido unos callos en las palmas de las manos. 노동자들은 손에 늘 ~이 박여 있다 Los obreros tienen callos en las manos.

◆귀에 못이 박일 지경이다 oír más que lo suficiente (de una cosa). 그 말은 하도 많이 들어서 이제 ~ Estoy hasta la coronilla de [Estoy harto de oír] esta historia.

못[3] [물이 괸 곳] estanque *m* (인공의), charca *f* (자연의), laguna *f* (강 · 호수 등으로 통하는); [웅덩이] jofaina *f*, [저수지] depósito *m*, cisterna *f*, pantano *m*, balsa *f*, [물고기 사육용의] piscina *f*, [물이 괸] charco *m*. ~ 가에 en [a] la orilla de la laguna.

못[4] [(동사의 앞에 쓰이어) 부정의 뜻을 나타냄] no, no poder (hacer), incapaz. ~ 견디다 no poder aguantar [soportar · tolerar]. ~ 견딜 더위 calor *m* insoportable [insufrible · inaguantable]. ~ 보다 [보고도 알지 못하다] dominar con la vista, pasar por alto, ni fijarse (en), hacer la vista gorda (ante); [보지 못하고 놓치다] errar, no acertar, perder, no encontrar, no entender, no comprender. ~ 본 체하다 fingir no haber visto, hacer la vista gorda, condonar, cerrarse los ojos. 나는 ~ 가겠다 Yo no puedo ir. 나는 그 문제를 ~ 풀었다 Yo no resolví la problema. 나는 바빠서 저녁을 ~ 먹었다 Yo estuve tan ocupado que no tomé la cena. 우리는 폭풍우 때문에 떠나지 ~ 했다 La tempestad nos impidió la partida.

■못 먹는 감 찔러나 본다 ((속담)) El perro del hortelano, que ni come la berza ni la deja comer.

못가새 un tercio de un haz de la planta de semillero de arroz.

못걸이 percha *f*, gancho *m*.

못나다 ① [사람이 똑똑하지 못하다] (ser) estúpido, torpe, bobo, tonto. 못난 남자 hombre *m* estúpido. 못난 여자 mujer *f* estúpida. 못난 녀석 simplón *m*, tonto *m*, bobo *m*. ② [모양이 잘 생기지 못하다] (ser) feo. 얼굴이 ~ tener la cara fea.

못난이 tonto, -ta *mf*, bobo, -ba *mf*, simplón, -plona *mf*, bobalicón, -cona *mf*, burro *m*; asno *m*; borrico *m*; pajuncio *m*; persona *f* estúpida; [겁쟁이] cobarde *mf*.

못내 ① [그지없이] inconmensurablemente, incalculablemente; [대단히] muy, mucho, sumamente, profundamente. ② [잊지 않고] inolvidablemente; [늘] siempre, continuamente, constantemente, invariablemente, perpetuamente; [부정(否定)] nunca, jamás. ~ 잊지 못하다 nunca olvidar, no olvidar nunca.

못되다 (ser) maligno, malo, malino, perverso. 못된 남편 esposo *m* [marido *m*] maligno.

■못된 나무에 열매만 많다 ((속담)) El pobre tiene muchos hijos. 못된 송아지 엉

덩이에서 뿔이 난다 ((속담)) El hombre inhumano se comporta con altivez [con altanería]. 못된 일가가 항렬만 높다 ((속담)) La cosa inútil es más próspera.

못마땅하다 (ser) desagradable, desapacible, ingrato, molesto, enojoso, fastidioso, enfadoso, ofensivo, injurioso, inaceptable, poco satisfactorio, que no satisface. 못마땅해 하다 desagradar, disgustar, desconcertar, molestar enfadar, enojar, fastidiar. 몹시 못마땅한 얼굴을 하다 poner cara muy agriada [muy malhumorada]. 나는 그의 말투가 ~ No me hace gracia su manera de hablar [de razonar].
못마땅히 desagradablemente, desapaciblemente, ingratamente, insatisfactoriamente, enojosamente, enfadosamente.

못바늘 alfiler *m*, clavija *f*.

못박다 ☞못[1]

못박이다 ☞못[1]

못박히다 ☞못[1]

못비 lluvia *f* suficiente para el trasplante de arroz.

못뽑이 sacaclavos *m.sing.pl*, desclavador *m*, tenazas *fpl*, arrancaclavos *m.sing.pl*, tenaza *f*.

못살다 ① [가난하게 살다] vivir pobre, vivir pobremente, ser pobre. 못사는 사람들 los pobres, los necesitados. ② [주로「못살게」의 꼴로 쓰여) 기를 펴지 못하다] 못살게 굴다 meterse (con), molestar, hacer rabiar, fastidiar; [학대하다] maltratar, tratar mal, vejar, atormentar. 아이들을 못살게 굴다 maltratar a los niños. 근처에 늘 다른 아이들을 못살게 구는 아이가 있다 En la vecindad hay un niño que se está metiendo con los demás niños.

못생기다 ① [얼굴이] (ser) feo. 못생긴 얼굴 cara *f* fea, facción *f* fea. 못생긴 남자 hombre *m* feo. 못생긴 여자 mujer *f* fea. ② [어리석다] (ser) tonto, bobo, torpe, estúpido, imprudente. 못생긴 짓 conducta *f* tonta. 아무리 못생긴 여자라도 시집갈 나이가 되면 예뻐 보인다 No hay dieciséis abriles feos.

못서까래 viga *f* redonda.

못쓰다 ① [어떤 행동을 해서는 안된다] no deber + *inf*, [비인칭] No hay que + *inf*, no + *subj*, no + *ind*「미래」; [금하고 있다] prohibirse + *inf*, [허가되지 아니하다] no poderse + *inf*, no permitirse + *inf*. 너 그런 짓을 하면 못쓴다 Tú no debes hacerlo. 거짓말해서는 못쓴다 No se debe decir mentiras / No hay que decir mentiras. 그것을 만져서는 못쓴다 No debes tocarlo / No lo toques / Te prohíbo que lo toques. 이곳에서 수영하면 못쓴다 Está prohibido bañarse aquí. 네 가위 좀 사용하면 못쓰나? ¿No puedo usar tus tijeras? / ¿Te importa que yo use esas tijeras? ② ㉮ [쓸 수 없게 되다] ser inútil, ser malo, no valer nada, no servir, empeorar(se) mucho, no funcionar, averiarse, estar averiado; [부적당하다] (ser) impropio, inconveniente, poco adecuado, poco apropiado. 못쓸 물건 artículo *m* poco adecuado [apropiado], malos artículos *mpl*. 이 계란은 못쓴다 Estos huevos están pasados / Estos huevos se han estropeados. 이 시계는 못쓸 것 같다 Parece que le pasa a este reloj. 그 남자는 못써 ¡Qué astuto es ese hombre! 그런 못쓸 경우에는 거래를 중지합시다 En caso de que no les convenga (a ustedes) eso, suspendemos el negocio. ㉯ [건강 상태가 나쁘다] estar mal, estar malo, estar enfermo. 그 환자는 이제 못쓰게 되었다 El enfermo no tiene cura.

못자리 ① [묘판(苗板)] plantel *m* (para el vástago de arroz), sementero *m*, sementera *f*, almáciga *f*, semillero *m*, vivero *m*, terreno *m* preparado el semillero de arroz. ② [논에 볍씨를 뿌리는 일] sembradura *f* de las semillas de arroz. ~하다 sembrar las semillas de arroz.
■ ~철 temporada *f* de semilleros.

못정 ① [못대가리를 깊숙이 박는 데 쓰는 연장] instrumento *m* de hierro usado para clavar un clavo profundamente. ②【광산】cincel *m* [escoplo *m*] de punta.

못줄 cuerdaa *f* para plantar a la intemperie las hileras de la planta de semillero de arroz.

못지않다 ((준말)) =못하지 아니하다(no ser inferior).

못지않이 ((준말)) =못하지 아니하게. ¶그녀는 어느 누구 ~ 아름답다 Ella es a cuál más hermosa.

못질 (el) clavar. ~하다 clavar (un clavo), dar clavos. ~한 상자(箱子) caja *f* clavada.

못하다[1] [할 수가 없다] no poder (hacer). 걷지 ~ no poder andar, *AmL* no poder caminar.

못하다[2] [질이나 양 · 정도가 다른 것보다 작거나 낮다] ser inferior (a), ser peor (que), no llegar a la altura (de), estar por debajo (de), ser insuficiente (para). 서반아어로는 내가 그녀보다 ~ Ella me supera en español / No llego a su altura en español. 그녀는 아름다움에서 동생만 ~ En cuanto a la hermosura es inferior a su hermana / Su hermana le aventaja en hermosura. 오늘도 어제 못하지 않는 더위다 Hoy hace tanto calor como ayer / Hoy hace no menos calor que ayer. 나는 힘에서는 동생만 ~ Yo soy inferior a mi hermano en fuerza. 그는 재능이 나만 ~ El es inferior a mí en talento. 두 여인은 어느 사람보다 못하지 않게 아름답다 Las dos son a cuál más hermosas.

못하다[3] [형용사 어미「-지」다음에 쓰이어 능히 미치지 못함] no lograr, dejar de + *inf*, fracasar, salir mal, suspender (en el examen), perder. 깨끗하지 ~ no estar limpio. 곱지 ~ no ser hermoso [bello · bonito]. 빛깔이 곱지 ~ El color no es fino. 물이 맑지 ~ El agua no es clara. 그

는 유능하지 ~ Le falta habilidad. 전등불이 밝지 ~ La luz (eléctrica) es escaza.
못하다⁴ ① [술·담배를] no tener (la) costumbre de + *inf.* 술을 ~ no tener (la) costumbre de beber. 나는 담배를 못한다 No tengo costumbre de fumar. ② [부정] no. 먹지 ~ no comer. 보지 ~ no ver. 읽지 ~ no leer. 쓰지~ no escribir.
못하게 하다 prohibir, impedirle hacer [que haga *algo*]. 기사(記事)를 내지 ~ prohibir la publicación del artículo. 잡상인(雜商人)의 출입(出入)을 ~ cerrar [rehusar] la puerta al comerciante misceláneo, prohibir la entrada de los comerciantes misceláneos
몽개몽개 ＝뭉게뭉게.
몽경(夢境) sueño *m.*
몽고(蒙古) ☞몽골(Mongol)
몽골(영 *Mongol*) 【지명】 Mongol, Mogol, la Mongolia. ~의 mogol, mongol, mogólico, mongólico.
◆내~ Mongolia Interior. 외~ Mongolia Exterior.
■~말[어] mogol *m,* mongol *m.* ~문자 caracteres *mpl* mongólicos. ~반(斑) mancha *f* mongólica. ~인 mogol, -la *mf,* mongol, -la *mf.* ~족 [인종] raza *f* mongólica, raza *f* mongol, raza *f* mogol. ~증 mongolismo *m,* mogolismo *m,* síndrome *m* de Down. ~풍¹(風) [풍습] costumbre *f* mongólica. ~풍²(風) [바람] viento *m* mongólico.
몽구리 ① [바싹 깎은 머리] cabeza *f* cortada al rape. ② [중] sacerdote *mf* budista, monje, -ja *mf* budista.
몽구스(영 *mongoose*) 【동물】 mangosta *f.*
몽그작거리다 ＝뭉그적거리다.
몽근벼 granos *mpl* de arroz sin aristas.
몽근짐 carga *f* pesada para *su* volumen.
몽글거리다 ＝뭉글거리다.
몽글다 (ser) sin aristas.
몽글리다 ① [곡식의 까끄라기·허섭스레기를 떨어지게 하다] hacer caer las aristas. ② [어려운 일에 단련이 되게 하다] hacerse inmune (a), habituarse (a). 더위[추위]에 몸을 ~ habituarse al calor [frío]. ③ [옷맵시를 가뜬하게 차려 모양을 내다] acicalarse, adornarse.
몽글몽글하다 ＝뭉글뭉글하다.
몽깃돌 piedra *f* que sirve de ancla.
몽니 carácter *m* perverso [avieso · depravado], temple *m* [humor *m*] vicioso, obstinación *f,* terquedad *f,* perversidad *f.*
◆몽니(를) 부리다 estar enfadado y codicioso.
몽니궂다 (ser) obstinado, terco, perverso, avieso, depravado, cruel, rencoroso, sañudo, vicioso.
몽니사납다 estar enfadado y codicioso.
■~쟁이 persona *f* enfadada y codiciosa; terco, -ca *mf,* perverso, -sa *mf.*
몽달귀(-鬼) 【민속】 fantasma *m* del soltero.
몽달귀신(-鬼神) 【민속】 ＝몽달귀.
몽당붓 cepillo *m* de escribir pequeño y grueso.
몽당비 escoba *f* mocha, escoba *f* muy gastada.
몽당솔 pino *m* bajo.
몽당연필(-鉛筆) lápiz *m* muy gastado.
몽당이 ① [뾰족한 끝이 닳아 거의 못쓸 정도가 된 물건] cabo *m* muy gastado. ② [공 모양으로 감은 실뭉치] ovillo *m* de un hilo.
몽당치마 falda *f* corta.
몽동발이 cabo *m* muy gastado.
몽둥이 palo *m,* bastón *m* (*pl* bastones); [가는] vara *f,* [곤봉] garrote *m,* porra *f.* ~로 때리다 dar palos (a). ~로 맞다 recibir palos.
■~질 paliza *f.* ¶~하다 dar una paliza. ~찜질[세례] paliza *f,* aporreo *m,* aporreadura *f,* porrada *f,* vardascazo *m,* verdascazo *m,* bastonazo *m.* ¶~하다 apalear, aporrear, dar*le* garrotazos (a), dar de porrazos, dar una poliza, dar un golpe con porra.
몽따다 fingir no saber.
몽땅¹ [죄다] todo, totalmente, en total, plenamente, de lleno, colmadamente, bastante, ampliamente, copiosamente, abundantemente, enteramente, completamente, en masa, en peso. 가족이 ~ 하는 여행 viaje *m* de toda la familia. ~ 털리다 jugar, ser totalmente desplumado. 돈을 ~ 가지고 다니다 llevarse [arramblarse con] todo el dinero. 상품을 ~ 사버리다 comprar dodos los géneros, acaparar los artículos. 관람석을 ~사 버리다 reservar todos los palcos. 토지까지 합쳐 ~ 전 재산을 팔아치우다 venderse todos sus bienes incluso el terreno. 나는 가진 것을 ~ 털렸다 He jugado [Jugué] cuanto tenía [todo lo que tenía]. 나는 돈을 ~ 도둑맞았다 Me robaron todo el dinero.
몽땅² [상당한 부분을 대번에 자르는 모양] de una vez, de golpe. ☞뭉떵
몽땅몽땅 ＝뭉떵뭉떵.
몽똑 desafilándose. ~하다 desafilarse, no tener punta, (ser) pequeño y grueso. ~한 desafilado, que no tiene punta. ~한 연필 lápiz *m* (*pl* lápices) desafilado [pequeño y grueso · que no tiene punta]. ~하고 작은 손가락 deditos *mpl* regordetes. 꼬리가 ~한 개 perro *m* rabón. 그녀의 다리는 작고 ~했다 Ella era retacona.
몽똥그리다 liar [atar] de un modo rudimentario.
몽롱(朦朧) ① [(달빛이) 흐릿함] poca claridad *f.* ~하다 (ser) poco claro. ~한 달빛 luz *f* de la luna poco clara. ② [어릿어릿하여 매우 희미함] mucha tenuidad *f.* ~한 그림자 sombra *f* muy tenue. ③ [가물가물하여 분명하지 않음] vaguedad *f,* obscuridad *f.* ~하다 (ser) vago, indistinto, confuso, opaco; [기분이 상쾌하지 않다] sombrío. 의식이 ~하다 tener la conciencia confusa [vaga · oscura]. 나는 의식이 ~해졌다 Mi concien-

cia se ha empañado [se ha vuelto confusa]. 나는 머리가 ~하다 Lo tengo todo confuso en la cabeza / Mi cabeza está como un día de niebla. ④ [어물어물하여 똑똑하지 않음] vacilación *f.* ~하다 (ser) vacilante, titubeante. ~한 대답 contestación *f* [respuesta *f*] vacilante [titubeante].
몽롱히 vagamente, con vaguedad, opacamente, confusamente, vacilantemente, titubeantemente con vaguedad, con vacilación. ~ 대답하다 contestar [responder] titubeantemente [vacilantemente · con vacilación].
■ ~ 상태 fuga *f,* estado *m* crepuscular. ~ 세계 mundo *m* nebuloso.

몽매(蒙昧) ignorancia *f.* ~하다 (ser) ignorante, salvaje, incivil. ~한 백성 pueblo *m* incivil.
■ ~인 persona *f* ignorante.

몽매(夢寐) ① [자면서 꿈을 꿈] sueño *m.* ② [(「몽매에」「몽매에도」와 같이 쓰여) 꿈속에서도] hasta en el sueño. ~에도 despierto o dormido, constantemente, todo el tiempo. ~에도 잊지 않겠다 Despierto dormido / Nunca lo olvido. ~에도 잊지 못하는 사전 편찬(辭典編纂) redacción *f* del diccionario inolvidable hasta en el sueño.
■ ~(지)간 durante el sueño, mientras se duerme, hasta en el sueño. ¶~에도 잊지 못할 그대 모습 tu figura inolvidable hasta en el sueño.

몽사(夢事) lo que aparece en el sueño.

몽상(夢想) ensueño *m,* sueño *m,* ilusión *f,* visión *f.* ~하다 soñar (con), forjarse [hacerse] ilusiones (de). ~에 빠지다 ver visiones, estar en las nubes. 나는 그런 일은 ~도 해보지 않았다 Nunca he soñado con tal cosa.
■ ~가(家) soñador, -dora *mf;* utopista *mf,* visionario, -ria *mf.* ~곡 ensueño *m, fr* réverie *m.*

몽상(蒙喪) luto *m,* duelo *m.* ~하다 llevar luto, ponerse de luto, observar luto (por *su* madre). ~ 중이다 estar de luto (por), guardar luto (por). 그녀는 아직 남편을 ~하고 있다 Ella todavía está de luto por su esposo [marido].

몽색(夢色) =몽설(夢泄).

몽설(夢泄) polución *f* nocturna, sueño *m* húmedo. ~하다 tener una polución nocturna, tener un sueño húmedo.

몽실몽실하다 (ser) rellenito, llenito, regorte, redondo, gordo, abundante, bien redondo. 몽실몽실한 몸 cuerpo *m* gordo [rollizo]. 몽실몽실한 얼굴 cara *f* rellenita [regordete], rostro *m* rellenito [regordete]. 몽실몽실한 젖가슴 pecho *m* amplio [abundante · bien redondo]. 몽실몽실 살이 찌다 (ser) regordete, rellenito.
몽실몽실히 rellenitamente, llenitamente, regordetemente, redondamente, gordamente, abundantemente, bien redondamente.

몽유(夢遊) 【의학】 =몽설(夢泄).

몽유병(夢遊病) sonambulismo *m,* somnambulismo *m.* ~의 sonámbulo, somnámbulo.
■ ~자 sonámbulo, -la *mf,* somnámbulo, -la *mf.*

몽은(蒙恩) recibimiento *m* del favor [de la gracia]. ~하다 recibir el favor [la gracia].

몽정(夢精) polución *f* nocturno, sueño *m* húmedo. ~하다 tener una polución, tener un sueño húmedo.

몽조(夢兆) =꿈자리.

몽중(夢中) =꿈속. ¶~에 보다 ver en el sueño.
■ ~ 방황 ㉮ =몽유병(夢遊病). ㉯ [꿈속에서 이리저리 헤맴] deambulación *f* en el sueño.

몽진(蒙塵) huida *f* [escape *m*] del Palacio Real. ~하다 huir [escapar] del Palacio Real.

몽짜 acción *f* de estar enfadado y codicioso; [사람] persona *f* de estar enfadado y codicioso.
◆ 몽짜(를) 치다 ser más astuto de lo que se piensa.
몽짜스럽다 ser más astuto de lo que se piensa.
몽짜스레 más astutamente de lo que se piensa.

몽총하다 ① [융통성 없이 새침하고 냉정하다] (ser) áspero, desagradable, antipático, poco gracioso, frío, indiferente, glacial. ② [(길이나 부피 따위가) 조금 모자라다] carecer un poco.
몽총히 ásperamente, desagradablemente, antipáticamente, fríamente, glacialmente.

몽치 garrote *m,* cachiporra *f,* porra *f.* ~로 때리다 aporrear, dar*le* garrotazos (a), golpear [dar un golpe] con el garrote.
◆ 쇠~ garrote *m* de hierro.
■ ~질 garrotazo *m.* ¶~하다 dar*le* garrotazos.

몽치다 =뭉치다.

몽키다 =뭉키다.

몽타주(불 *montage*) montaje *m.*
■ ~ 사진 fotomontaje *m,* foto *f* robot.

몽탕 en bulto.
몽탕몽탕 en bulto grande.

몽태치기 ratería *f* de tiendas; [사람] ratero, -ra *mf* de tiendas, mechera *f.*

몽태치다 hurtar [sisar] en la tienda.

몽톡 mochamente, achaparradamente, cortamente. ~하다 [꼬리 · 나무가] (ser) mocho; [사람이] achaparrado, retacón; [다리가] corto; [연필이] desafilado, que no tiene punta, *AmL* mocho; [끝이] romo; [칼이] desafilado. ~한 물건 objeto *m* contundente.

몽학(蒙學) ① [어린아이들의 공부] estudio *m* de los niños. ② [몽골의 어학(語學)] estudios *mpl* mongólicos, filología *f* mongol.

몽한약(蒙汗藥) 【약】 =마취약(痲醉藥).

몽혼(夢魂) el alma *f* del sueño.

몽혼(矇昏) anestesia *f.* ☞마취(痲醉)

몽환(夢幻) fantasía *f,* ensueño *m,* fantasmas

mpl, visión *f*. ～의 fantástico, fantasioso, soñador, fantasmal.
■～경 mundo *m* de fantasmas, región *f* de los sueños, región *f* de fantasmas. ～극 fantasía *f*, ensueño *m*. ～극 drama *m* de ensueño, pieza *f* fantástica.

뫼 [묘] tumba *f*, sepulcro *m*, cementerio *m*; [공동 묘지] camposanto *m*, cementerio *m*.
◆뫼(를) 쓰다 enterrar el cadáver en la tumba.

뫼자리 sitio *m* [lugar *m*] para el entierro, cementerio *m*, camposanto *m*.

묘(卯) 【민속】 la Liebre.

묘(妙) ① [현묘(玄妙)] misterio *m*, milagro *m*, admiración *f*, asombro *m*, pasmo *m*. 조화(造化)의 ～ misterio *m* de naturaleza. ② [교묘(巧妙)함] maña *f*, destereza *f*, habilidad *f*, inteligencia *f*.

묘(墓) tumba *f*, sepulcro *m*, sepultura *f*, montículo *m* funerario; [공동 묘지] cementerio *m*, camposanto *m*. ～를 쓰다 enterrar el cadáver en la tumba, erigir una tumba; [비석을 세우다] colocar una lápida. ～를 참배하다 visitar la tumba. ～를 파는 인부 sepulturero, -ra *mf*; enterrador, -dora *mf*.

묘(廟) [종묘(宗廟)] mausoleo *m*; [문묘(文廟)] santo lugar *m*, santuario *m*.

묘경(妙境) ① [경치가 절묘한 곳] lugar *m* de buen paisaje. ② ＝가경(佳境).

묘계(妙計) ＝묘책(妙策).

묘구(妙句) frase *f* excelente, expresión *f* excelente.

묘구 도적(墓寇盜賊) ① [무덤을 파헤치고 그 속의 물건을 훔쳐 가는 도적] ladrón (*pl* ladrones), -drona *mf* de la tumba; saqueador, -dora *mf* de la tumba. ② [송장을 파내어 감추고 돈을 요구하는 도둑] ladrón, -drona *mf* del cadáver.

묘기(妙技) [솜씨] destreza *f* (exquisita), habilidad *f* (exquisita), maravilla *f*; [연극 따위의] representación *f* maravillosa, función *f* maravillosa; [서커스의] espectáculo *m* espléndido, número *m* espléndido; [야구 따위의] juego *m* excelente. 공중(空中)의 ～ acrobacia *f* aérea. ～를 보이다 mostrar *su* destreza [*su* habilidad]; [연주가가] mostrar al público [demostrar] la maravilla de *su* interpretación.

묘기(妙妓) *gisaeng f* guapa.

묘기(描記) descripción *f* y anotación. ～하다 describir y anotar.

묘년(卯年) 【민속】 año *m* de la Liebre.

묘년(妙年) ＝묘령(妙齡).
■～ 재격(才格) la dignidad alta y el talento de nacimiento en la juventud.

묘단(墓壇) altar *m* alto delante de la tumba.

묘당(廟堂) ① 【고제도】 ＝의정부. ② 【고제도】 [종묘(宗廟)] mauseolo *m*, mausoleo *m*, relicario *m* hereditario. ③ 【고제도】 [조정] corte *f* real, gabinete *m*, ministerio *m*, gobierno *m*.

묘령(妙齡) edad *f* casadera, edad *f* núbil. ～의 en la flor de la vida [de la doncelleza]. ～의 여인(女人) muchacha *f* a la flor de doncelleza. ～에 달하다 llegar a la edad casadera.

묘리(妙理) principio *m* cardinal, ley *f* profunda; [비결(秘訣)] secreto *m*. ～를 터득하다 alcanzar el principio cardinal, obtener la habilidad especial.

묘막(墓幕) cabaña *f* del guardián del cementerio.

묘말(卯末) 【민속】 hora *f* de la Liebre.

묘망하다(渺茫－) (ser) vasto, extenso, limitado, sin límites, infinito.

묘명(墓銘) ((준말)) ＝묘지명(墓地銘).

묘목(苗木) árbol *m* joven, planta *f* de semillero, pimpollo *m*, jovenzuelo *m*. 뽕나무의 ～ árbol *m* joven del moral.

묘문(墓文) escritura *f* en lápida.

묘미(妙味) sabor *m* exquisito, encanto *m* verdadero, encanto *m* (indefinible), primor *m*, hermosura *f*, belleza *f*. 인생의 ～ encanto *m* de la vida. ～를 맛보다 gozar plenamente del placer (de), deleitarse (con). 시(詩)의 ～를 이해하다 entender la hermosura de la poesía.

묘방(卯方) 【민속】 dirección *f* de la Liebre, este *m*.

묘방(妙方) ① ＝묘법(妙法). ② [약방문(藥方文)] receta *f* secreta.

묘법(妙法) ① [비결(秘訣)] secreto *m*. ② ((불교)) suprema ley *f* de Buda.

묘비(墓碑) lápida *f* (sepulcral), piedra *f* sepulcral.
■～명(銘) espitaño *m*, inscripción *f* sobre una lápida sepulcral.

묘사(描寫) descripción *f*, representación *f* (gráfica), interpretación *f*, delineamiento *m*, delineamento *m*, dibujo *m*, bosquejo *m*, trazado *m*. ～하다 describir, representar, hacer una descripción, delinear, dibujar, bosquejar, pintar. ～할 수 있는 descriptible. ～할 수 없는 indescriptible. 매우 상세한 ～ descripción *f* con todo lujo de detalle(s). 생생한 ～ descripción *f* vívida [gráfica]. 전원 생활을 ～한 소설 novela *f* pintoresca de la vida rural. 간단히 ～ bosquejar, hacer un bosquejo (de). 생생히 ～하다 describir vívidamente [gráficamente]. 성격을 ～하다 describir el carácter. 세밀하게 ～하다 describir minuciosamente [con minuciosidad · detalladamente]. 순간을 ～하다 describir un momento. 슬픔을 그림으로 ～하다 expresar la tristeza con el pincel. 여실히 ～하다 dar una vívida [muy gráfica] descripción. 완전히 ～하다 dar una completa [perfecta] descripción. 장면을 ～하다 describir una escena. 정확한 ～를 하다 hacer una descripción exacta. 그녀의 아름다움은 ～할 수 없다 Su belleza es indescriptible. 이 그림은 그의 특징을 잘 ～하고 있다 Esta pintura representa bien sus rasgos distintivos. 그녀는 말로는 ～할 수 없는 미녀다 Ella es de una belleza indescriptible. 그는 그 사건에 관해 충실히 ~했다 El hizo una fiel descripción de los hechos.

◆감각적 ~ descripción *f* sensacional. 사실적 ~ descripción *f* realista. 성격(性格) ~ delineamiento *m* característico. 실물 ~ dibujo *m* modelo. 심리적 ~ descripción *f* psicológica. 인물(人物) ~ interpretación *f* característica. 인상(印象) ~ descripción *f* impresionista. 자연(自然) ~ descripción *f* naturalista. 평면(平面) ~ descripción *f* objetiva.

■ ~력 talento *m* para describir. ~법(法) representatación *f*, manera *f* de representar. ~ 음악(音樂) música *f* descriptiva. ~적 descriptivo. ¶~ 이야기 narración *f* descriptiva. ~체 estilo *m* descriptivo.

묘사(墓祀) ① =시향(時享). ② =묘제(墓祭).

묘삭(錨索) =닻줄.

묘산(妙算) =묘책(妙策).

묘상(苗床) criadero *m*, vivero *m*, semillero *m*, almáciga *f*. 감자의 ~ semillero *m* de patatas. 수목(樹木)의 ~ vivero *m* forestal.

묘생(卯生)【민속】nacimiento *m* del año de la Liebre.

묘석(墓石) lápida *f*, lápida *f* sepulcral, piedra *f* sepulcral.

묘소(墓所) cementerio *m*, *Méj* panteón *m*.

묘수(妙手) ① [묘한 솜씨] habilidad *f* excelente [extraña]; [바둑·장기 등의] buena jugada *f*. ② [재치 있는 기술이 능통한 사람] hombre *m* talento.

묘시(卯時)【민속】hora *f* de la Liebre, tiempo *m* entre las seis y las ocho de la mañana.

묘안(妙案) buena idea *f*, idea *f* [plan *m* · proyecto *m* · designio *m*] excelente. 나[너·그·우리·너희들·그들]에게 ~이 떠올랐다 Se me [te · le · nos · os · les] ocurrió una buena idea.

묘안석(猫眼石)【광물】cimofana *f*.

묘약(妙藥) específico *m*, remedio *m* infalible. 키니네는 말라리아의 ~이다 La quinina es el específico de la malaria.

묘역(墓域) cementerio *m*, camposanto *m*.

묘연(杳然/渺然) =묘연히.

묘연하다 [거리가] estar lejano, estar remoto; [기억이] (ser) débil, oscuro, vago, indistinto; [소식이] (ser) desconocido. 그의 소식이 ~No hemos oído nada de él.

묘연히 lejanamente, remotamente; débilmente, oscuramente, indistintamente; desconocidamente.

묘우(廟宇) santuario *m*, lugar *m* sagrado, sepulcro *m* de santo, relicario *m*.

묘원(渺遠) lo remoto, lo lejano.

묘원히 remotamente, muy lejanamente.

묘월(卯月)【민속】febrero *m* del calendario lunar.

묘의(廟議) conferencia *f* de los ministros.

묘일(卯日)【민속】día *m* de la Liebre.

묘전(墓前) ante [delante de] la tumba [la sepultura]. ~에 꽃을 바치다 ofrender flores a la tumba, hacer una ofrenda de flores a la tumba, adornar con flores la tumba.

묘제(墓祭) servicio *m* funeral delante de la tumba.

묘주(卯酒) bebida *f* de la mañana.

묘지(墓地) cementerio *m*, camposanto *m*, campo *m* santo, sepulcro *m*, panteón *m*; [교회의] cementerio *m*, camposanto *m*.

◆공동 ~ cementerio *m* (general). 공원(公園) ~ parque *m* de cementerio. 국립(國立) ~ Cementerio *m* Nacional. 유엔 ~ Cementerio *m* Conmemorativo de las Naciones Unidas.

묘지(墓誌) epitafio *m*, inscripción *f* (sobre lápida) sepulcral..

■ ~명(銘) inscripción *f* sobre una lápida sepulcral, epitafio *m*.

묘지기(墓直—) guardián *m* del cementerio.

묘책(妙策) plan *m* [proyecto *m* · idea *f*] hábil [genial], proyecto *m* excelente, plan *m* ilustrado.

묘처(妙處) lugar *m* [sitio *m*] extraño.

묘판(苗板) ① =못자리. ② =모판.

묘포(苗圃) criadero *m*, vivero *m*, semillero *m*.

묘표(墓表) piedra *f* sepulcral.

묘표(墓標) lápida *f* sepulcral, poste *m* sepulcral, epitafio *m*.

묘필(妙筆) caligrafía *f* extraña; [사람] caligráfico, -ca *mf*.

묘하(墓下) tumba *f* familiar.

묘하다(妙—) [기묘하다] (ser) extraño, curioso, singular; [보통이 아닌] raro, original, extraordinario. 묘하게 extrañamente, curiosamente, singularmente, desacostumbradamente, raramente, extraordinariamente. 묘한 남자 hombre *m* raro. 묘한 복장(服裝) ropa *f* extraña. 묘한 시선(視線) mirada *f* extraña. 묘한 얼굴 cara *f* perpleja, rostro *m* perplejo. 묘한 여자 mujer *f* rara. 묘한 복장을 하다 ponerse una ropa extraña. 묘한 시선을 하다 tener una mirada extraña. 묘하게도 슬퍼지다 sentir una tristeza inexplicable. …하는 것은 ~ Es extraño [raro] que + *subj*. 묘한 아이다 Es un niño raro. 묘한 사람이다 Es una persona extraña / Es una persona de carácter extraño. 모양이 묘한 시계다 Es un reloj de forma poco corriente. 그는 묘한 복장을 하고 있다 El lleva una indumentaria extraña / El va vestido de manera original.

묘혈(墓穴) fosa *f*. 스스로 ~을 파다 cavar fosa para *sí* mismo, cavar *su* propia fosa, atraerse *su* propia ruina [pérdida]. 그와 싸우는 것은 스스로 ~을 파는 것이나 마찬가지일 것이다 Pelear con él será cavar tu propia fosa [será tu suicidio].

무[1] [옷옷의 양쪽 겨드랑이 밑에 댄 딴 폭] tira *f* de tela para reforzar.

무[2]【의학】periostitis *f* aguda.

무[3]【식물】rábano *m*, nabo *m*.

■ ~강즙 el agua *f* de los rábanos rallados

en el rallador. ~김치 *kimchi m* de rábano, rábano *m* encurtido. ¶~를 담그다 preparar el rábano encurtido. ~ 다리 piernas *fpl* gordas. ~말랭이 pedazos *mpl* de rábano secado. ~밥 comida *f* de rábanos en pedacitos. ~순(筍) brote *m* de rábano, brote *m* de nabo. ~순김치 *kimchi* de brote de rábano. ~씨 semilla *f* del rábano. ~씨기름 aceite *m* de semillas del rábano. ~장아찌 pedazos *mpl* de rábano secado y sazonado con soja. ~즙 rábano *m* [nabo *m*] rallado. ~짠지 *kimchi* de rábano bien salado. ~찌개 sopa *f* de rábanos con carne, puerro y salsa china. ~채(菜) rábano *m* rallado, rábano *m* cortado en juliana. ~청 partes *fpl* de rábano, hojas *fpl* y tallos de rábano. ~트림 eructo *m* mal oliente después de comer el rábano crudo ~ㅅ국 sopa *f* de rábanos cortados en juliana, sopa *f* de nabo.

무(戊) 【민속】 quinto *m* (grado *m*).

무(武) [군사] asuntos *mpl* militares; [무술] artes *mpl* militares; [무인(武人)] soldado *mf*, militar *mf*, guerrero, -ra *mf*.

무(無) ① [공허(空虛)함] vacío *m*, vacuidad *f*. ② ((불교)) =단견(斷見). ③ 【철학】 nada. ~로 돌아가다 reducir a la nada. ~에서 다시 시작하다 volver a empezar de la nada. ~에서 유(有)는 나오지 않는다 Nada puede salir [nacer] de la nada.

무-(無) no, sin, nada, in-, a-, ab-. ~감각(感覺) insensibilidad *f*. ~소식(消息) sin noticias.

무가(武家) familia *f* militar, casta *f* militar.

무가(無價) ① [값이 없음] lo que no hay precio. ② [값을 매길 수 없을 만큼 귀중함] mucha preciosidad.

무가내(無可奈) ((준말)) =무가내하(無可奈何).

무가내하(無可奈何) lo inevitable. ~다 ser inevitable. ~로 inevitablemente. ~의 사정(事情) circunstancia *f* inevitable.

무가당(無加糖) ¶~의 sin azúcar.
■ ~ 오렌지 주스 zumo *m* [*AmL* jugo *m*] de naranja sin azúcar.

무가지(無價紙) periódico *m* gratuito.

무가치(無價值) nonada *f*, desmerecimiento *m*. ~하다 nada tener valor. ~의 sin valor, que no vale nada.

무간섭(無干涉) no intervención *f*, abstención *f*.
■ ~주의 principio *m* de no intervención [interferencia].

무간하다(無間—) (ser) íntimo, amistoso, familiar, cordial. 무간한 친구 amigo *m* íntimo, amiga *f* íntima; buen amigo *m*, buena amiga *f*. 무간한 사이가 되다 intimar (con). 무간히 íntimamente, con intimidad, amistosamente, cordialmente.

무감각(無感覺) insensibilidad *f*, entumecimiento *m*, aterimiento *m*, callosía *f*, [무기력] letargo *m*. ~하다 (ser) insensible, entumecido, entorpecido, paralizado, inconsciente, calloso; [무기력하다] letárgico. ~해지다 paralizarse, entumecerse.
■ ~증(症) anestesia *f*.

무감동(無感動) apatía *f*, indiferencia *f*, ataraxia *f*. ~하다 (ser) apático, indiferente. ~하게 apáticamente, indiferentemente.

무강(無疆) eternidad *f*, infinidad *f*, infinitud *f*, sinnúmero *m*, inmortalidad *f*. ~하다 (ser) eterno, infinito, inmortal, sempiterno, perdurable. 만수 ~하소서! ¡Ojalá viva usted cien años!

무개(無蓋) ¶~의 abierto, descubierto.
■ ~ 마차 coche *m* abierto. ~차 ㉮ [지붕이 없는 차량(車輛)] vehículo *m* [coche *m*] abierto. ㉯ =무개 화차. ~ 화차 vagón *m* abierto; [지붕도 옆도 없는] vagón *m* de plataforma.

무거리 harina *f* guesa.

무겁 montículo *m* detrás del blanco.
■ ~ 한량(閑良) arquero *m* a cargo del montículo del blanco.

무겁다 ① [무게가] (ser) pesado, de peso. 무거운 짐 cargo *m* pesado. 이 소포는 무척 ~ Este paquete es muy pesado. 그것은 무척 ~ Es muy pesado / Pesa mucho. 돌은 무겁고 모래도 가볍지 아니하거니와 미련한 자의 분노는 이 둘보다 무거우니라 ((잠언 27:3)) Pesada es la piedra, y la arena pesa; mas la ira del necio es más pesada que ambas / Las piedras y la arena son pesadas, pero más pesado es el enojo del necio. ② [중대하다] (ser) serio, grave, importante. 무겁게 쓰다 dar una posición importante. 책임이 무거운 느낌이다 sentir el peso [la gravedad] de la responsabilidad. 내 책임이 ~ Mi responsabilidad se agrava [es más pesada·es grave]. ③ [벌 따위가] (ser) severo, grave, agravarse. 무거운 벌 castigo *m* severo. 무거운 죄 crimen *m* grave. ④ [기분이] (ser) pesado. 마음이 ~ tener el corazón pesado. ⑤ [병이] (ser) serio, grave, malo, crítico, gravarse, empeorarse. 무거운 병 enfermedad *f* grave [seria]. 무거운 병에 걸리다 caer [ponerse] enfermo seriamente. ⑥ [입이] (ser) taciturno callado, silencioso, quieto; [행동이] prudente, serio, grave, pesadísimo, trabajoso.
무겁디무겁다 (ser) muy pesado, muy grave, muy serio, muy crítico..

무게 ① [중량(重量)] peso *m*, pesadez *f*, carga *f*. ~가 있는, ~가 나가는 pesado, de peso. ~로 팔다 vender al peso [por peso]. ~가 있다 tener peso, pesar. ~가 나가다 [나가지 않다] pesar mucho [poco]. ~가 부족하다 faltar en peso. ~를 달다 pesar, medir el peso (de); [손으로] sopesar. ~를 속이다 engañar (en) [falsificar] el peso. 자신의 몸 ~를 달다 pesarse. 이 편지는 ~가 넘습니까? ¿Tiene pasado el peso esta carta? 이 편지는 ~가 초과되었다 Esta carta excede de peso. ~가 굉장하군! ¡Qué pesado! 이 짐은 ~가 20킬로다 Este bulto pesa veinte kilógramos. 당신은

~가 얼마나 됩니까? ¿Cuánto pesas? 파운드로 ~가 얼마나 됩니까? ¿Cuánto pesa en libras? 책의 ~ 때문에 선반이 부서졌다 Se estropeó [Se rompió] el estante por [con] el peso de los libros. ② [가치나 중대성의 정도] peso *m*, importancia *f*. ③ [사람의 위신이나 신중성] dignidad *f*, prestigio *m*, gravedad *f*, majestuosidad *f*. 그의 말에는 ~가 있다 Hay peso en sus palabras / Sus palabras rebosan dignidad.

■ ~ 중심 centro *m* de gravedad.

무결근(無缺勤) =무결석.

무결석(無缺席) asistencia *f* completa, asistencia *f* regular.

무경쟁(無競爭) ¶~으로 sin competencia, sin rivalidad, sin ocupación. ~으로 당선되다 ser elegido sin competencia [sin opositor].

무경험(無經驗) inexperiencia *f*, falta *f* de experiencia. ~의 [간호사·조종사가] sin experiencia; [운전수·수영하는 사람이] inexperto, novato. …에 ~이다 no tener experiencia en *algo*. 나는 아직 이런 일에 ~이다 Todavía no tengo experiencia en este tipo de cosas. 그는 프로그래밍에 아주 ~이다 El tiene muy poca experiencia en [de] programación.

■ ~자 persona *f* inexperta; persona *f* sin experiencia; novato, -ta *mf*; pardillo, -lla *mf*.

무계출(無屆出) ¶~의 sin aviso. ~로 sin aviso, sin informar.

■ ~ 결근(缺勤) ausencia *f* sin aviso [sin licencia].

무계획(無計劃) falta *f* de plan [de proyecto]. ~하다 no tener proyecto [plan]. ~의 sin proyecto, sin plan. ~하게 여행하다 viajar sin [fijar] plan.

무고(無故) ¶~하다 (ser) sano y salvo; [서술적으로] estar bien; [건강하다] ser sano, gozar de la salud. ~하십니까? ¿Cómo está usted?

무고히 sanamente, bien.

무고(無辜) inocencia *f*. ~하다 (ser) inocente, innocuo, sosegado, apacible, pacífico. ~한 백성(百姓) pueblo *m* inocente.

무고히 inocentemente, con inocencia, pacíficamente, apaciblemente.

무고(誣告) acusación *f* falsa, calumnia *f*. ~하다 acusar falsamente, calumniar, denigrar, infamar, hablar mal (de).

■ ~자(者) acusador *m* falso, acusadora *f* falsa; calumniador, -dora *mf*. ~죄(罪) calumnia *f*, libelo *m*.

무고(舞鼓) ① =북춤. ② [춤추며 치던 큰 북] tambor *m* que tocaban bailando.

무고환증(*無睾丸症*) *anorquia f*, anorquidia *f*.

무고환체(無睾丸體) anorco *m*.

무곡(舞曲) ① [춤과 악곡] la danza y la música. ② 【음악】 danza *f*, música *f* de baile, música con danza. 서반아 ~ 제 5번 danza *f* española No. 5.

무골(無骨) ① [뼈가 없음] sin huesos. ② [갈피를 잡을 수 없는 문장] oración *f* que no se puede obtener el punto.

■ ~충(蟲) ㉮ [뼈가 없는 곤충] insecto *m* sin huesos. ㉯ [됨됨이가 물렁하여 굳은 의지나 기개가 없는 사람] persona *f* sin personalidad. ~ 호인 perfecto bonachón *m*.

무골충이(-蟲-) estría *f* decorativa cortado en el borde.

무공(武功) brillante servicio *m* militar, mérito *m* militar, hazaña *f*. ~을 세우다 distinguirse en el campo de batalla.

■ ~ 포장 la Medalla de Mérito Militar. ~ 훈장 la Orden de Mérito Militar.

무공(無孔) imperforación *f*. ~의 imperforado.

■ ~ 처녀막 himen *m* imperforado. ~ 항문 ano *m* imperforado.

무과(武科) 【고제도】 examen *m* del servicio militar.

무과실 책임(無過失責任) responsabilidad *f* sin culpa.

■ ~주의 principio *m* de responsabilidad sin culpa.

무관(武官) oficial *m* militar [marino].

◆공사관부(公使館附) ~ agregado *m* militar a la legación. 대사관부(大使館附) ~ agregado *m* militar [해군 naval] a la embajada.

■ ~ 학교 la Academia Militar.

무관(無官) ¶~의 sin oficio, sin cargo.

무관(無冠) =무위(無位). ¶~의 sin título, sin jerarquía, sin corona.

■ ~의 제왕(帝王) periodista *mf*. ¶신문 기자는 ~이라고 한다 Se dice [Dicen] que el periodista es un rey sin corona. ~ 재상(宰相) ㉮ [문필 사업에 종사하는 사람] literato, -ta *mf*, escritor, -tora *mf*. ㉯ [신문 기자] periodista *mf*.

무관계하다(無關係-) no tener relación, no relacionarse, ser independiente.

무관심(無關心) indiferencia *f*, falta *f* de interés, desapego *m*, despego *m*. ~하다 no hacer caso (de), no preocuparse (de), no dársele un pepino (de), ser indiferente (a), no cuidarse nada, quedarse indiferente (a), no tener interés (en·por). ~한 indiferente (a), frío, impasible. ~한 체하다 fingir [afectar] indiferencia. 돈에 ~하다 ser indiferente al dinero. 젊은이들은 정치에 ~하다 Los jóvenes no muestran ningún interés en [por] la política. 내 스승께서는 복장에 ~하시다 Mi maestro no se preocupa de la ropa.

무관하다(無關-) ((준말)) =무관계하다. ¶그의 발언은 의제(議題)와 ~ Su declaración no tiene relación alguna con el tema de discusión. 그녀의 아름다움은 착한 성격과는 다소 ~ Su belleza no es algo independiente de su buen carácter. 그는 이 사건과는 ~ El no tiene nada que ver con este suceso. 그것은 나와는 ~ Eso no me concierne a mí / Me es completamente indiferente.

무교양(無敎養) carencia *f* [falta *f*] de cultura. ~의 inculto.

무교육자(無教育者) persona *f* que no tiene educación, persona *f* iliterada.

무구(武具) armadura *f*, armas *fpl*, arnés *m*.

무구(無垢) ① [순수함] puridad *f*. ~하다 (ser) puro. ② [순결함] inocencia *f*, puridad *f*, lo inmaculado, lo impecable. ~하다 (ser) puro, cándido, inmaculado, impecable, inocente, sin mancha, sin tacha. 청정 ~한 마음 corazón *m* puro y cándido. ~한 처녀 virgen *f* (*pl* vírgenes) inocente [inmaculado]. ③ [죄없음] inocencia *f*. ~하다 (ser) inocente. ~한 농민 agricultor, -tora *mf* inocente. ~한 백성 pueblo *m* inocente. 자신의 ~함을 입증하다 probar *su* inocencia.

무구히 puramente, con puridad, inocentemente, con inocencia.

무국적(無國籍) pérdida *f* de nacionalidad. ~의 apátrida.

■ ~인 apátrida *mf*; persona *f* sin patria; el que no tiene patria; persona *f* denacionalizada, persona *f* apátrida.

무궁(無窮) eternidad *f*, infinidad *f*, inmortalidad *f*. ~하다 (ser) eterno, infinito, inmortal. ~한 생명(生命) vida *f* eterna.

무궁히 eternamente, infinitamente, inmortalmente, para siempre.

■ ~ 무진(無盡) infinidad *f*, infinitud *f*, inmensidad *f*, cúmulo *m*, montón *m*, sinnúmero *m*, sinfín *m*, lo interminable, congerie *f*, multitud *f*, abundancia *f*, muchedumbre *f*. ¶~하다 (ser) infinito, inteminable, inextinguible, inconmensurable, inagotable, inacabable, sin fin, incalculable, indefinido, ilimitado, inmenso, imperecedero. ~히 infinitamente, interminablemente, inextinguiblemente, inconmensurablemente, inagotablemente. ~세(世) mundo *m* eterno, mundo *m* sin fin.

무궁화(無窮花) ① **【식물】** malvavisco *m*. ② [국화(國花)] flor *f* nacional de Corea.

■ ~ 대훈장(大勳章) la Gran Orden de *Mugunghwa*. ~ 동산[삼천리] (tierra *f* hermosa de) Corea.

무궤도(無軌道) ① [궤도가 없음] sin riel. ② [상규(常規)에서 벗어나 있음] lo extravagante. ~하다 (ser) extravagante, desarreglado, desordenado. ~한 젊은이 joven *m* (*pl* jóvenes) excéntrico [incontrolado · que no comparten las conveniencias sociales]. ~한 행동 extravagancia.

■ ~ 전차 tranvía *f* sin riel.

무균(無菌) asepsia *f*. ~의 aséptico, sin bacilo, sin microbio; [살균한] esterizado; [파스텔식 살균한] pasterizado. ~의 우유 leche *f* esterizada, leche *f* pasterizada.

■ ~ 동물 animal *m* aséptico. ~ 배양(培養) cultura *f* estéril. ~법 asepcia *f*. ~ 상태 condición *f* aséptica, asepsia *f*. ~ 소독 antiaséptico *m* aséptico. ~ 수술 cirugía *f* aséptica.

무극(無極) ¶~의 [무한] ilimitado, sin límites, infinito; [무전극] no polar, apolar, sin polos.

■ ~ 결합 unión *f* apolar. ~ 분자 molécula *f* apolar. ~ 접전 contacto *m* neutral.

무근(無根) ① [뿌리가 없음] carencia *f* del raíz. ~하다 no tener raíces. ② [무거(無據)] carencia *f* de fundamento, falta *f* de fundamento. ~하다 (ser) sin fundamento, falso, infundado. 사실 ~한 말 ficción *f*, mera fábula *f*. 보고(報告)는 사실 ~이었다 El informe ha sido infundido.

■ ~지설(之說) rumor *m* infundado, rumor *m* sin fundamento.

무급(無給) ¶~의 no pagado, no remunerado. ~으로 일하다 trabajar sin cobrar nada.

■ ~ 조수(助手) ayudante *mf* no remunerado, -da.

무기(武技) =무예(武藝).

무기(武器) ① [전쟁에 쓰이는 온갖 기구] el arma *f* (*pl* las armas). ~를 들다 tomar las armas, coger armas, levantar con armas. ~를 들지 않고 sin armas, desarmado. ~를 버리다 dejar las armas. ~를 빼앗다 quitar las armas, desarmar. ~(를) 들어! ¡A las armas! ② [어떤 일을 하는 데 효과적인 수단이 되는 것] utilización *f*, aprovechamiento *m*. 여론을 ~로 하다 utilizar [aprovechar] la opinión pública.

■ ~고(庫) arsenal *m*, armería *f*. ~류(類) armas *fpl*, armamento *m*. ~상(商) comerciante *mf* de armas [de muerte · de municiones]. ~ 사용 uso *m* de armas. ~ 사용 훈련 adiestramiento *m* en el uso de armas. ~ 원조 ayuda *f* de armas. ~ 제조 fábrica *f* de armas. ~ 탄약 armas *fpl* y municiones. ~ 판매 venta *f* de armas. ~ 판매 반대 oposición *f* a la venta de armas.

무기(無期) ((준말)) =무기한(無期限).

■ ~ 공채 bono *m* público de empréstito no inscripto. ~ 금고(禁錮) prisión *f* por vida sin trabajo forzado. ~수(囚) condenado, -da *mf* a cadena perpetua. ~ 연기 aplazamiento *m* indefinido. ¶~하다 aplazar indefinidamente. ~ 정간 suspensión *f* de publicación por el período indefinido. ~ 정학 suspensión *f* de escuela por el período indefinido. ~ 징역 prisión *f* por vida con trabajo forzado, trabajos *mpl* forzados a perpetuidad, cadena *f* perpetua, penalidad *f* perpetua. ¶~에 처하다 condenar a presidio perpetuo. ~형(刑) cadena *f* perpetua. ¶그는 ~에 처해졌다 El fue condenado a cadena perpetua.

무기(無機) ① [생명이나 활력을 가지고 있지 않음] inercia *f*, languidez *f*. ② ((준말)) =무기 화학. ③ ((준말)) =무기 화합물.

■ ~계(界) mundo *m* inorgánico. ~물[질 · 체] materia *f* [substancia *f*] inorgánica. ~ 비료 fertilizante *m* inorgánico. ~산(酸) ácido *m* inorgánico. ~ 안료(顔料) pigmento *m* mineral. ~ 염류(鹽類) sales *fpl* inorgánicas. ~질 섬유 fibra *f* inorgánica. ~ 화학 química *f* inorgánica [mineral]. ~ 화학 공업 industria *f* química inorgánica.

～ 화합물 compuesto *m* inorgánico.
무기(誣欺) engaño *m*. ～하다 engañar.
무기(舞妓) bailarina *f*, danzarina *f*.
무기(舞技) arte *m* danzante.
무기력(無氣力) inercia *f*, astenia *f*, atonía *f*, languidez *f*, languideza *f*. ～하다 (ser) inerte, lánguido, sin energía, abatido, amilanado, exánime, inactivo, flojo. ～해지다 languidecer. ～한 사람 persona *f* inerte, persona *f* lánguida, vegetal *m*. ～한 생활을 하다 llevar una vida lánguida, vivir en la inercia. 그는 아내와 사별한 후 진짜 ～해져 있다 Después de la muerte de su esposa está verdaderamente deshecho. 그는 사고(事故)가 있은 이후에 ～한 사람이 되었다 Desde el accidente él está convertido en un vegetal.
▪ ～성 languideza *f*, atonía *f*, inercia *f*.
무기명(無記名) ① [성명을 적지 않음] lo que no anota el nombre y apellido. ～의 no registrado, sin nombre, sin inscripto. ② ((준말)) ＝무기명식.
▪ ～ 공채 bono *m* público de empréstito no inscripto, bono *m* al portador. ～ 사채 emprésito *m* al portador. ～ 수표 cheque *m* en blanco. ～식 배서 endoso *m* en blanco. ～ 예금 depósito *m* no inscripto. ～ 위임장 poder *m* en blanco. ～ 정기 예금 depósito *m* fijo [regular] no inscripto. ～ 주권 título *m* al portador. ～ 주식 acción *f* al portador. ～ 증권 título *m* al portador. ～ 채권 bono *m* al portador. ～ 투표 voto *m* secreto, votación *f* secreta, balota *f* secreta. ¶～를 하다 efectuar una votación secreta.
무기음(無氣音) 【언어】 sonidos *mpl* no aspirados.
무기한(無期限) ① [일정한 기한이 없음] período *m* indefinido. ～의 ilimitado, indefinido, sin plazo fijo. ～으로 infinitamente, ilimitadamente, indefinidamente, sin límite. ② [부사적] infinitamente, indefinidamente, sin límite. 결정을 ～ 연기할 수 없다 No se puede aplazar indefinidamente la decisión.
▪ ～ 파업 huelga *f* ilimitada.
무김치 *kimchi* de rábano, rábanos *mpl* encurtidos.
무꾸리 ritos *mpl* de chamán. ～하다 hacer ritos de chamán.
무난(無難) [안전(安全)] seguridad *f*, [무던함] lo impecable, lo intachable, lo perfecto; [쉬움] facilidad. ～하다 ㉮ [어렵지 않다] no ser difícil. ㉯ [무던하다] (ser) pasable, sano, ileso. 이렇게 하면 ～할 것이다 Si haces esto, te evitarás complicaciones. 이 옷을 입는 것이 ～하겠다 Con este vestido saldrás airosamente [no tendrás complicaciones].
무난히 seguramente, impecablemente, intachablemente, perfectamente, sanamente, ilesamente, sin novedad, fácilmente, con facilidad. 그는 그 곡(曲)을 ～ 연주했다 El tocó la pieza más o menos bien.
무날 *munal*, el nueve y el veinticuatro del calendario lunar.
무남독녀(無男獨女) sola [única] hija *f* (sin hijos).
무너뜨리다 derrivar, subvertir, demoler, derruir, destruir, romper, quebrar, quebrantar, rebajar; [붕괴하다] desintegrar, desmoronar, disgregar; [전체를] arrasar; [편편하게 하다] nivelar, allanar, aplanar. 벽을 ～ demoler [derribar · tirar] la pared. 언덕을 ～ nivelar [allanar · aplanar] una colina. 적(敵)의 조직을 ～ desintegrar [desmoronar · disgregar] la organización del enemigo.
무너지다 ① [허물어져 내려앉거나 흩어지다] derrumbarse, derribarse, decaer, desmoronarse, desplomarse, romperse; [지붕이] hundirse, venirse abajo. 반쯤 무너진 성(城) castillo *m* medio derruido. 무너질 듯 한 집 casa *f* que amenaza ruinas, casa *f* que amenaza venirse abajo. 발 아래 모래가 무너져 내렸다 Se hundió la arena bajo los pies. 제방이 무너졌다 Se ha roto el terraplén [el dique · el malecón]. 집이 무너졌다 La casa se hundió [se derrumbó]. 담벽이 무너졌다 Falló el muro. 벽이 무너졌다 Se desmoronó la pared. 다리가 무너진다 Se derrumba el puente. 벽이 무너져 내렸다 Se ha desmoronado la pared. 적(敵)의 일각이 무너졌다 Se ha deshecho una ala de la defensa de los enemigos. 아파트 건설 중 발판이 무너져 인부 세 사람이 사망했다 Murieron tres empleados en obras de apartamentos al venirse abajo un andamio. 마루청이 그의 체중 때문에 무너졌다 Las tablas del suelo cedieron bajo su peso. ② [계획이나 구상 따위가] fallar. 나의 마지막 희망이 무너졌다 Ha fallado mi última esperanza.
무녀(巫女) hechicera *f*, exorcista *f*, bruja *f*.
무녀리 ① [태로 낳는 짐승의 맨 먼저 나온 새끼] primogénito, -ta *mf* de cría. ② ((속어)) [언행이 좀 모자라서 못난 사람] simplón (*pl* simplones), -lona *mf*, bobo, -ba *mf*, bobalicón (*pl* bobalicones), -cona *mf*.
무념(無念) mortificación *f*, resentimiento *m*. ～하다 resentirse.
▪ ～ 무상(無常) ＝무상 무념(無想無念).
무노동 무임금(無勞動無賃金) Si no trabajan, no cobran.
무논 arrozal *m* de regadío.
▪ ～갈이 arada *f* del arrozal de regadío.
무뇌증(無腦症) 【의학】 anencefalia *f*.
무느다 destruir, demoler, derribar, derruir, hacer derrumbarse. 담을 ～ demoler el muro.
무능(無能) ① [재능이 없음] carencia *f* de talento. ② ((준말)) ＝무능력(無能力). ¶～하다 (ser) incompetente, incapaz, nulo. ～해서 por incompetencia. ～한 남자 hombre *m* incapaz. ～한 사람 persona *f* incapaz. ～한 여자 mujer *f* incapaz. ～ 한 인간(人

間) hombre *m* incapaz. ～해서 파면되다 ser destituido por incompentencia. 당국의 ～을 비난하다 criticar la incompentencia de la autoridad. 이 회사에는 ～한 관리직이 많다 Abundan los dirigentes incompetentes en esta compañía.
■ ～교사 maestro, -tra *mf* incompetente.

무능력(無能力) incompetencia *f*, ineficacia *f*, carencia *f* de habilidad, inhabilidad *f*; 【법률】 incapacidad *f*. ～하다 (ser) incompetente, incapaz, nulo. 법적으로 ～하다 ser incapaz.
■ ～자 incapaz *mf*, persona *f* incapaz, persona *f* incompetente; [집합적] nulidad *f*.

무늬 figura *f*, modelo *m*, dibujo *m*, mosaico *m*, aguas *fpl*; [줄무늬] raya *f*, lista *f*. ～가 든 dibujado, adornado. ～가 있는 비단 seda *f* floreada.
◆무늬(를) 놓다 ㉮ [무늬를 그리다] aplicar un dibujo (a), poner un dibujo (en). ㉯ [무늬를 수 놓다] bordar una figura.
■ ～찍기 estampación *m*. ¶～하다 estampar.

무단(武斷) disciplina *f* militar, militarismo *m*.
■ ～ 정치[통치] gobierno *m* militar. ～주의 militarismo *m*. ～주의자 militarista *mf*. ～파 partido *m* de militarismo.

무단(無斷) lo que no recibe el permiso previo. ～으로 sin aviso, sin permiso.
무단히 sin aviso, sin decir nada; [허가없이] sin permiso. ¶～ 결근하다 faltar al trabajo sin avisar. 일을 ～ 쉬다 descansar del trabajo sin avisar. 남의 집에～들어가다 entrar en una casa ajena sin llamar a la puerta [sin pedir permiso]. 나는 형의 카메라를 ～ 가지고 나왔다 Me llevé la cámara de mi hermano sin pedir permiso.
■～ 가출 desaparición *f* de casa sin permiso. ～ 거주자 ocupa *mf*, okupa *mf*, ocupante *mf* ilegal, *Méj* paracaidista *mf*. ～ 결근 falta *f* al trabajo sin avisar. ～ 결석 ausencia *f* a la clase sin avisar. ～ 복사본 edición *f* pirata. ～ 외출 [군인의] ausencia *f* sin (pedir) permiso. ¶～하다 ausentarse sin permiso. ～ 전재(全載) toda la publicación sin permiso. ¶～를 금함 Reservados todos los derechos. ～ 출입 entrada *f* sin autorización en propiedad ajena. ¶～하다 entrar sin autorización en propiedad ajena. ～ 금지(禁止) ((게시)) Prohibido el paso, propiedad privada. ～ 출입자 intruso, -sa *mf*. ¶～는 금함 ((게시)) Prohibido el paso, propiedad privada. ～ 해적판 edición *f* pirata. ～ 횡단 cruce *m* de la calzada imprudente. ～ 횡단자 peatón *m* imprudente.

무담(武談) ① [전쟁 이야기] cuento *m* de guerra. ② [무도(武道)에 관한 이야기] cuento *m* sobre el arte militar. ③ =무용담(武勇談).

무담보(無擔保) lo no garantizado. ～의 no garantizado, sin garantía, que no tiene prenda. ～로 sin prenda, sin garantía, al descubierto.
■ ～ 당좌 대월(금) descubierto *m* no garantizado, sobregiro *m* no garantizado. ～ 대부(금) préstamo *m* [crédito *m*] sin garantía [sin caución · sin prenda], crédito *m* a sola firma. ～ 발행 emisión *f* sin garantía. ～ 사채 obligación *f* [bono *m*] sin garantía. ～ 정기 대부금 préstamo *m* a plazo fijo no garantizado. ～ 채권 obligación *f* [bono *m*] sin garantía. ～ 채권자 acreedor *m* no asegurado [no garantizado], acreedora *f* no asegurada [no garantizada]; acreedor, -dora *mf* sin crédito privilegiado ni hipoteca.

무당 chamán *m* (*pl* chamanes); exorcista *mf*, hechicero, -ra *mf*, brujo, -ja *mf*, sacerdotista *mf*.
■무당이 제 굿 못하고 소경이 저 죽을 날 모른다 ((속담)) Médico, a ti digo: cúrate a ti mismo / El médico, mal se cura a sí mismo. 서투른 무당이 장구만 나무란다 ((속담)) El ciego que ha tropezado le echa la culpa al mal empedrado / Un mal carpintero reprende [riñe con] sus herramientas / Echamos siempre la culpa de nuestros fallos a otros o a cosas. 선무당이 사람 잡는다 ((속담)) Nada hay más atrevido que la ignorancia / La ignorancia es atrevida.
■ ～ 서방(書房) ㉮ [무당의 남편] esposo *m* [marido *m*] de la bruja [de la hechicera]. ㉯ [공것을 좋아하는 사람] hombre *m* que quiere tener las cosas gratuitas. ～춤[무] ㉮ [무당의 춤] baile *m* [danza *f*] de la hechicera. ㉯ [무당을 흉내내는 춤] baile *m* fingido a la hechicera.

무당가뢰 【곤충】 cantárida *f*.

무당벌레 【곤충】 coccinela *f*, mariquita *f*, vaca *f* de San Antonio, cochinito *m* de San Antón.

무당선두리 【곤충】 araña *f* de agua.

무대[1] 【지리】 corriente *f*. 더운 ～ corriente *f* caliente. 찬 ～ corriente *f* fría.

무대[2] [못난이] estúpido, -da *mf*, bobo, -ba *mf*, idiota *mf*, tonto, -ta *mf*, torpe *mf*, asno *m*, bestia *f*.

무대(舞臺) ① [노래 · 춤 · 연극 등을 행하기 위해 시설한, 정면에 한층 높직하게 만든 단] escenario *m*, escena *f*, tablado *m*, tablas *fpl*. ～를 주름잡다 [관객을 사로잡다] cautivar al público. ～에 서다 pisar un escenario, pisar las tablas; [배우가 되다] salir a escena, salir a(l) escenario. ～에 오르다 salir a(l) escenario, salir a la escena, aparecer en escena [en el tablado]. ～에 올리다 poner en escena, llevar a la escena. ～에서 퇴장하다 desaparecer de escena. ～ 이면(裏面)의 사정에 밝다 estar al tanto de lo que ocurre entre bastidores. ～가 바뀐다 Cambia la escena. 막이 오를 때 ～는 어두웠다 Al levantarse el telón la escena estaba oscura. 그녀는 다시는 ～에 서지 않았다 Ella nunca volvió a pisar un

escenario.
② [온갖 재주나 기술 등을 나타내 보이는 곳] esfera *f*, campo *m*, escena *f*. 이 소설은 서울의 뒷골목을 ~로 하고 있다 Esta novela se desarrolla en las callejuelas de Seúl. 이 마을은 대사건의 ~가 되었다 Esta aldea se ha convertido en el teatro de un gran acontecimiento. 그는 세계를 ~로 활약하고 있다 El despliega sus actividades por el mundo entero. 영국은 20세기의 가장 중요한 역사적 사건들 중의 하나의 ~였다 Inglaterra fue escena de uno de los acontecimientos más importantes (históricos) del siglo veinte.
◆국제(國際) ~ escena *f* internacional. 세계(世界) ~ escena *f* mundial. 전쟁(戰爭) ~ campo *m* [esfera *f*] de guerra. 정치 ~ escena *f* política, esfera *f* [campo *m*] de actividad. 활동 ~ esfera *f* [campo *m*] de acción. 회전 ~ escena *f* rotatoria.
■~ 각색 adaptación *f* teatral. ~ 감독 ㉮ [연출] acotación *f*, dirección *f* de escena. ¶…의 ~을 하다 dirigir la tramoya de *algo*. ㉯ [사람] director, -tora *mf* de escena; [연극의] regidor, -dora *mf* de escena; [영화의] director, -tora *mf* de producción; regidor, -dora *mf*. ~ 경험 experiencia *f* de escena. ~ 공포증 nerviosismo *m*, miedo *m* al público, miedo *m* a las tablas, miedo *m* al escenario, miedo *m* escénico, miedo *m* a salir a escena. ~극 drama *m* (de escena). ~ 기교(技巧) tecnia *f* escénica, escenotecnia *f*. ~ 담당자 [극장의 조명계·도구계 등] tramoyista *mf*, maquinista *mf*. ~ 디자인 escenografía *f*. ~ 디자이너 escenórafo, -fa *mf*. ~면(面) escena *f*, escenario *m*. ~명(名) [예명(藝名)] nombre *m* de artista, nombre *m* artístico. ~ 미술 escenografía *f*. ¶~의 escenográfico. ~ 미술가 escenógrafo, -fa *mf*. ~ 배우 actor, -tora *mf* de escena. ~ 분장실 입구 entrada *f* de artistas. ~ 생활 carrera *f* escénia. ¶~을 동경하는 apasionado por el teatro, enamorado del teatro, fascinado por el teatro. ~ (소)도구 accesorios *mpl*. ~ 쇼 función *f* [representación *f*] teatral, espectáculo *m*. ~ 얼굴 cara *f* pintada, cara *f* maquillada. ~ 연극 teatro *m* escénico. ~ 연습 ensayo *m* general. ~ 옆 특별 관람석 palco *m* de proscenio. ~ 예술 arte *m* escénico, arte *m* teatral, escenotecnia *f*. ~ 오른쪽 [관객을 향해서] parte *f* del escenario a la derecha del actor (de cara al público). ~ 왼쪽 [관객을 향해서] parte *f* del escenario a la izquierda del actor (de cara al público). ~ 음악(音樂) música *f* escénica. ~ 의상 vestuario *m* (de teatro). ~ 장치[세트] decorado *m*, decoración *f* escénica, escenografía *f*, escenario *m*. ¶~하다 montar una decoración, hacer el decorado. ~의 escenográfico. …의 ~를 하다 crear el marco para *algo*. ~ 장치가 escenógrafo, -fa *mf*. ~ 조명(照明) iluminación *f* de escena. ~ 중계 relé *m* escénico. ~ 지시 acotación *f*. ~ 출현[등단] presencia *f* escénica, presencia *f* en el escenario. ~ 화장 cara *f* pintada, cara *f* maquillada. ~ 효과 efecto *m* escénico [teatral]. ~ 휴게실 camerino *m*.

무대소(無大小) substancias *fpl* elásticas, elástica *f*, elástico *m*.

무더기 pila *f*, montón *m*, rimero *m*. 책 ~ montón *m* de libros. 한 ~에 천 원 mil wones el lote.
무더기무더기 en pilas, en montones. 쓰레기를 ~ 쌓아 놓다 amontonar [apilar] la basura. 돌이 ~ 쌓여 있다 Las piedras están depositadas en pilas [en montones].

무더위 calor *m* sofocante [canicular·bochornoso·asfixiante], bochorno *m*. ~가 닥친다 Se aproximan los grandes calores.

무덕(武德) virtud *f* militar, espíritu *m* caballeroso.

무덕(無德) falta *f* de virtud, falta *f* de influencia moral. ~하다 faltar la virtud, no ser de virtud, faltar en virtud.

무덕지다 ((준말)) =무드럭지다.

무던하다 ① [너그럽다] (ser) generoso, simplón, magnánimo. 무던한 마음씨 generosidad *f*, magnanimidad *f*. 그녀는 무던한 사람이다 Ella es simplona. ② [어지간하다] (ser) considerable, tolerable. ③ [충분하다] (ser) suficiente, bastante.
무던히 ㉮ [너그럽게] generosamente, con generosidad, bondadosamente, satisfactoriamente. ㉯ [어지간히] considerablemente, bastante, muy; [몹시] sumamente, excesivamente, extemamente. ~ 애쓰다 hacer un esfuerzo considerable. ㉰ [충분히] suficientemente.

무덤 tumba *f*, sepulcro *m*, sepultura *f*, panteón *m* (*pl* panteones), cementerio *m*, montículo *m* funerario. ~ 속에서 en la tumba, en el sepulcro, debajo de la tierra. ~에 묻다 enterrar, sepultar, enterrar la tumba. 나는 ~ 속까지라도 그를 찾아낼 생각이다 Pienso buscarlo aunque sea en el fondo de la tierra [del infierno]. 자기 스스로 자기 ~을 판다 Más matan cenas que guerras / Más mató la cena que sanó Avicena / La comida reposada y la cena paseada.

무덥다 (estar) sofocante, asfixiante, bochornoso, ahogante. 무더운 날씨 tiempo *m* sofocante. 오늘은 ~ Hoy hace un calor bochornoso [sofocante]. 이 방은 ~ Hace un calor sofocante [ahogante] en esta habitación / Esta habitación está sofocante.

무도(武道) arte *m* militar, (espíritu *m* de) caballería *f*, ciencia *f* militar, título *m* de caballero.
■~장 sala *f* de arte militar.

무도(無道) maldad *f*, inhumanidad *f*, inquidad *f*, perversidad *f*, acción *f* malvada. ~하다 (ser) malvado, cruel, inmoral, inhumano. ~하게 malvadamente, cruelmente, inmortalmente, inhumanamente.

무도(舞蹈) baile *m*, danza *f*, [2인의] vals *m* (*pl* valses), contradanza *f*, rigodón *m* (*pl* rigodones). ～하다 bailar, danzar. ～의 상대(相對) pareja *f*.
■ ～곡(曲) música *f* de baile. ～광 manía *f* de baile. ～ 교사(敎師) maestro, -tra *mf* de baile [danza]. ～ 교습 lección *f* de baile, clase *f* de baile. ～극 drama *m* de baile. ～병 corea *f*, baile *m* de San Vito. ～복 vestido *m* de baile. ～실 sala *f* de baile, salón *m* de baile. ～ 연습 ejercicio *m* de baile. ～ 음악 música *f* de baile, música *f* bailable. ～자 bailarín, -rina *mf*, danzante *mf*, danzador, -dora *mf*. ～장(場) salón *m* de baile. ～ 학교 escuela *f* de baile. ～화(靴) manoletinas *fpl*, bailarinas *fpl*, zapatillas *fpl* de baile, escarpín *m*, *Chi* chatitas *fpl*. ～회(會) baile *m*, danza *f*, sarao *m*, fiesta *f* de baile. ¶가면[가장] ～ baile *m* de disfraces, baile *m* de máscaras.

무도덕(無道德) no moralidad *f*.
■～주의 principio *m* de no moralidad.

무도리하다(無道理－) no tener razón.

무독(無毒) ① [해독이 없음. 독기가 없음] lo inocuo, incapacidad *f* de hacer daño. ～하다 (ser) inocuo, no tóxico. ② [성질이 착하고 순함] afabilidad *f*, dulzura *f*, delicadez *f*. ～하다 (ser) afable, dulce, delicado.

무동(舞童) niño, -ña *mf* que bailó y cantó en la fiesta nacional.

무두(無頭) acefalismo *m*, acefalía *f*.
■ ～증(症) acefalía *f*. ～체(體) acéfalo *m*.

무두장이(－匠－) curtidor, -dora *mf*.

무두질 curtimiento *m*, curtido *m*, zurra *f*. ～하다 curtir, zurrar, adobar, aderezar. 가죽을 ～하다 adobar [aderezar] pieles.

무드(영 *mood*) humor *m*, ambiente *m*, atmósfera *f*, clima *m*. ～가 있는 음악(音樂) música *f* ambiental, música *f* que crea un ambiente suave. 이 점포는 라틴 ～다 Esta tienda tiene un ambiente latinoamericano.

무드기 en una pila, en un montón, en pilas, en montones.

무드럭지다 (ser) abundante.

무득 무실(無得無失) ＝무해 무득(無害無得).

무득점(無得點) ¶～의 sin tantos, sin tallas. ～으로 끝나다 no ganar tantos, quedarse a cero.

무등(無等) supremacia *f*, [부사적] sumamente, en sumo grado.

무디다 ① [(끝이나 날이) 뭉툭하여 날카롭지 않다] (estar) desfilado, (estar) embotado, cortar mal, no cortar bien. 무딘 sin filo, sin corte, desafilado. 무딘 칼 espada *f* embotada [de corte embotado · de filo embotado · sin filo · desafilado]. 무디게 하다 desafilar. ② [느끼어 깨닫는 힘이 약하다] (ser) estúpido, torpe. 무디게 하다 embotar. 경제 성장을 무디게 하다 frenar el crecimiento económico. ③ [말씨가 느릿느릿하여 시원스럽지 않다] (ser) tronco, descortés, brusco.

무디어지다 ㉮ [칼날이] desafilarse, embotarse. ㉯ [지능 · 정신력 · 힘 · 감각 따위가] embotarse; [속도가] bajar. 힘이 ～ perder *su* fuerza. 나는 더위로 의욕이 무디어졌다 Con el calor se me ha embotado la voluntad. 나는 손가락 감각이 무디어졌다 Se me ha embotado la sensibilidad de los dedos.

무뚝뚝하다 (ser) bronco, áspero, descortés, tosco, grosero, rudo, brusco, seco, insociable, poco amable, desaborido, taciturno, silencioso, corto, callado, conciso. 무뚝뚝하게 broncamente, ásperamente, descortésmente, toscamente, con tosquedad, bruscamente, groseramente, lacónicamente, con murria, severamente, secamente. 무뚝뚝한 사람 persona *f* bronca, persona *f* poco acogedora, persona *f* taciturna, persona *f* de pocos amigos, persona *f* de vinagre. 무뚝뚝한 남자(男子) hombre *m* callado y lúgubre. 무뚝뚝한 대답 respuesta *f* seca [brusca]. 무뚝뚝한 성미 genio *m* agrio. 무뚝뚝한 얼굴 cara *f* [rostro *m*] de vinagre, cara *f* de pocos amigos; [표정이] semblante *m* hosco. 무뚝뚝하게 거절하다 rehusar sin consideración. 무뚝뚝하게 대답하다 contestar [responder] secamente [bruscamente · lacónicamente · ásperamente · toscamente]. 무뚝뚝하게 말하다 hablar lacónicamente. 무뚝뚝한 얼굴을 하다 mostrarse malhumarado, hacer hocico, poner mala cara [cara hosca]. 그는 ～ El es un hombre sin gracia / El es un desaborido.
무뚝뚝히 broncamente, ásperamente, toscamente, con tosquedad, bruscamente, groseramente, lacónicamente, secamente.
무뚝뚝이 persona *f* bronca [poco acogedora · de vinagre · taciturna].

무람없다 (ser) maleducado, descortés, rudo.
무람없이 descortésmente, rudamente.

무략(武略) estratagema *f*, ardid *m*, artimaña *f*.

무량(無量) inponderabilidad *f*, inmensidad *f*. ～하다 (ser) inmensurable, infinito, inmenso, inponderable. 감개 ～해서 말이 나오지 않는다 Mi [Su] conmoción es demasiado grande para expresarle.
■ ～ 대복(大福) felicidad *f* infinita. ～불(佛) Buda *m* innumerable. ～ 세계 mundo *m* extenso sin fin. ～수(壽) ㉮ [한량없이 길이길이 사는 목숨] vida *f* constante, vida *f* eterna. ㉯ ((불교)) vida *f* infinita. ～수경(壽經) el Libro de Vida Constante.

무럭무럭 [냄새 · 연기가] densamente; [성장이] rápidamente, bien, de prisa, aprisa, pronto, enseguida; [눈에 띄게] a ojos vistas, preceptiblemente, visiblemente. ～ 자라다 crecer a ojos vistas; [건강하게 자라다] crecer muy sano. ～ 김을 뿜다 echar [exhalar · lanzar] vapor. 두 전(前) 대통령의 주거지에서 얼마 떨어지지 않은 서울 신촌 거리에서 데모하는 수백 명의 학생들에게 경찰이 던진 최루 가스로 연기가 ～ 올

라오고 있다 Un gran humareda se levanta por efecto de los gases lacrimógenos lanzados por la policía contra cientos de estudiantes que se manifestaban en la calle Sinchon, en Seúl, a escasa distancia de las residencias de dos es presidentes.

무럼생선(-生鮮) ① 【동물】 =해파리. ② [몸이 허약한 사람] persona *f* débil. ③ [줏대 없는 사람] persona *f* de poca (fuerza de) voluntad.

무렵다 picar, sentir picazón [comezón].

무려[1](無慮) [믿음직하여 아무 걱정할 것이 없음] no preocupación *f*.

무려[2](無慮) [대략] unos, unas, poco más o menos, aproximadamente, casi, no menos que; [엄청나게] abundantemente, con abundancia, terriblemente. ~ 백만 관중이 모였다 No menos que un millón de espectadores fueron presentados.

무력(武力) poder *m* militar, fuerza *f* militar. ~에 호소하다 recurrir [apelar] a las armas. ~으로 해결하다 solucionar mediante las armas.

■~ 간섭(干涉) intervención *f* armada, intervención *f* del ejército. ~ 개입(介入) interferencia *f* [intervención *f*] armada. ~ 공격 ataque *m* armada. ~ 교섭(交涉) negociación *f* respaldada por las armas. ~ 도발 provocación *f* militar. ~ 외교(外交) diplomacia *f* por el poder, diplomacia *f* apoyada por fuerza. ~적 armado, militar, del ejército. ~적 침략 agresión *f* armada. ~전(戰) hostilidades *fpl* armadas. ~ 정치(政治) política *f* por el poder, gobierno *m* militante, gobierno *m* por la espada, gobierno *m* de fuerza. ~ 침범 invasión *f* armada. ~ 행사 uso *m* de las fuerzas armadas, uso *m* de las armas. ¶~를 하다 usar las armas [las fuerzas armadas]. ~ 혁명 revolución *f* armada.

무력(無力) falta *f* de fuerza, impotencia *f*, [약함] debilidad *f*, 【의학】 acratia *f*. ~하다 (ser) falto de fuerza, impotente, ineficaz, débil. ~의 astónico. ~함을 느끼다 sentirse abatido [débil]. 나는 이 일에 ~하다 Yo soy impotente en este asunto.

■~감(感) sentimiento *m* de impotencia [de debilidad]. ~증 adinamia *f*, astenia *f*.

무렵 [때] tiempo *m*; [쯤] más o menos, aproximadamente, alrededor de, hacia, a eso de, cerca de; [···할 때] cuando. 정오 ~ hacia mediodía, alrededor del mediodía. 연말 ~ hacia fin de año, alrededor de fin de año. 그 ~에 entonces. 20세기가 끝날 ~에 hacia el fin del siglo veinte.

무례(無禮) *falta f de urbanidad, descortesía f*, insolencia *f*. ~하다 (ser) mal educado, descortés, desatento, falto de urbanidad, falto de cortesía, impolítico, insolente, impertinente, indiscreto. ~하게 descortésmente, impolíticamente. ~한 사람 persona *f* de mala crianza; patán (*pl* patanes); villano, -na *mf*, insolente *mf*, grosero, -ra *mf*. ~하게 행동하다 obrar en forma descortés, cometer insolencias. ~한 말을 하다 decir palabras descorteses, hablar insolentemente, hacer uso de palabra excesiva, decir descortesías [groserías · insolencias · impertinencias]. 그는 ~하게도 대답을 하지 않는다 El tiene la descortesía [la mala educación] de no contestar. ~인 줄 압니다만 연세가 어떻게 되시는지요? ¿Será demasiado indiscreto preguntarle su edad? / Si no es una indiscreción, ¿podría preguntarle cuántos años tiene usted? 참 ~한 작자다 ¡Qué tipo más insolente!

무례히 descortésmente, desatentamente, impolíticamente, insolentemente, rudamente, ásperamente, groseramente, toscamente, indiscretamente.

무론(毋論/無論) =물론(勿論).

무뢰배(無賴輩) ① =무뢰한(無賴漢). ② [무뢰한의 무리] canalla *f*, banda *f* [pandilla *f*] de vagos.

무뢰한(無賴漢) canalla *m*, pillo *m*, pillastre *m*, tunante *m*, pícaro *m*, vago *m*, bribón *m* (*pl* bribones), bellaco *m*, truhán *m* (*pl* truhanes), granuja *m*, rufián *m* (*pl* rufianes), perillán *m* (*pl* perillánes). ~처럼 행동하다 portarse como un canalla.

무료(無料) ① [값이나 삯을 받지 않음] gratuidad *f*. ~의 gratuito, gratis, libre. ~로 gratis, sin pagar nada, gratuitamente, de balde, de rositas, *Méj* de amor y amor, *Cuba, ReD* de chivo. ~로 일하다 trabajar gratis. ~로 가르치다 enseñar gratis, enseñar sin cobrar nada. ~ 여행을 하다 viajar de gorra. 이 팸플릿은 ~이다 Este folleto es gratis. 너는 물건을 하나 살 때마다 ~ 선물을 받을 것이다 Te regalan algo con cada compra. 한 묶음마다 너는 ~로 하나를 얻을 것이다 Con cada paquete te regalan uno gratis / Con cada paquete te dan uno gratis. 나는 ~로 입장했다 Yo entré gratis [sin pagar · de balde]. 당신은 ~로 수영장을 이용하실 수 있습니다 Usted puede usar la piscina sin pagar. ② =무급(無給).

◆상품 포장 ~ ((게시)) Embalaje Libre. 운임 ~ ((게시)) Franco de porte. 입장(入場) ~ (게시)) Entrada Libre / Entrada Gratuita.

■~ 강습회 curso *m* gratuito. ~ 관람권 entrada *f* libre, entrada *f* gratuita. ~ 배달 entrega *f* gratuita a domicilio. ~ 봉사 servicio *m* gratuito, servicio *m* voluntario. ~숙박소 asilo *m*, casa *f* cuna. ~ 승차 = 무임 승차. ~ 승차권 billete *m* [*AmL* boleto *m*] gratuito. ~ 식당 [빈민을 위한] comedor *m* de beneficencia, olla *f* popular, olla *f* común. ~ 연주회 concierto *m* gratuito. ~ 우편물 correspondencia *f* gratuita. ~ 입장 entrada *f* libre, entrada *f* gratuita. ~ 입장권 billete *m* gratuito, billete *m* de favor, entrada *f* gratuita, entrada *f* de favor. ~ 입장자[관람자] visitante *mf* libre.

～ 진료소 consultorio *m* gratuito, hospital *m* gratuito. ～ 패스 pase *m* libre.

무료(無聊) tedio *m*, fastidio *m*, aburrimiento *m*; [단조로움] monotonía *f*. ～하다 (estar) tedioso, fastidioso, aburrido, encontrarse [hallarse · estar] con aburrimiento, aburrirse. ～를 달래다 divertir(se) el tiempo. ～해서 죽다 [따분해 하다] morirse [sufrir] de aburrimiento. ～하게 시간을 보내다 matar el tiempo, distraerse. 너무 ～한 영화다 Es una película extremadamente aburrida. ～한 이야기이다 Es una historia soporífera. 나는 할 일이 없어 ～하다 Estoy aburrido por no tener nada que hacer. 나는 오늘 할 일이 없어 ～하다 Hoy no tengo trabajo y no sé qué hacer.
무료히 tediosamente, fastidiosamente, aburridamente, con tedio, con fastidio, con aburrimiento; [단조로히] monótonamente.

무룡태 persona *f* boba.

무루(無漏) ① [빠짐없이] sin excepción, para todo el mundo, completamente, en *su* totalidad, exhaustivamente. ～ 조사하다 hacer una investigación meticulosa [exhaustiva]. 회원에게 ～ 통지했습니다 Nosotros avisamos a todos los miembros de la reunión. ② ((불교)) lo poco apasionado, no fluir.

무르녹다 ① [과실이나 음식이 익을 대로 익어 흐무러지다] madurarse, estar en plena floración, (estar) maduro; [술이] añejo. 복숭아가 무르녹는다 El melocotón está maduro. 진달래꽃이 무르녹는다 Las azaleas están en plena floración. ② [(그늘 같은 것이) 더위를 물리칠 정도로 짙다] (ser) espeso, denso, intenso. 신록이 무르녹은 6월 junio *m* que el verde fresco está en su momento. 신록(新綠)이 무르녹는다 El verde fresco (de primavera) está en su momento / La primavera está en su verde / Los bosques están brillando con la verdura fresca 숲 그늘이 무르녹는다 La sombra en el bosquecillo [en la arboleda] es intensa [espesa · densa].

무르다[1] [물렁물렁하게 되다] ablandarse; [요리가 되어] estar bien cocido, estar tierno. 무른 감자 patata *f* bien cocida. 물러질 때까지 부추를 삶다 hervir los puerros hasta que estén tiernos.
물러지다 ablandarse, reblandecerse, volver blando, enternecer, suavizar, templar.

무르다[2] ① [샀거나 바꾸었던 물건을 도로 주고 값으로 치른 돈이나 물건을 찾다] cancelar la compra. ② [이미 한 일을 그 전 상태와 같이 되도록 하다] retractar el movimiento. ③ [있던 자리에서 뒤로 옮다] apartarse, ponerse a un lado.
물러가다 ㉮ [뒤로] retirarse. ㉯ [윗사람 앞에서] irse, marcharse, retirarse. 물러가라! ¡Fuera! / ¡Vete! / ¡Largo de aquí! 그는 방에서 물러갔다 El se marchó del cuarto. 물러가겠습니다 Me marcho / Me voy. 이제 물러가도 된다 Ya puedes retirarte. ㉰ [사임 · 인퇴하다] retirarse, dimitir, renunciar.
물러나다 ㉮ retroceder, recular, ponerse a lado, apartarse [hacerse] a un lado, quitarse (de). 물러나세요 ¡Quítese de ahí! 한 발자국(씩) 뒤로 물러나시오 Dé un paso atrás [Retroceda un paso], por favor. 뒤로 물러나시오 ¡Atrás! ㉯ [지위나 하던 일을 내어 놓고 나오다] retirarse. 정계(政界)에서 ～ retirarse del mundo político.
물러서다 ㉮ apartarse, ponerse a un lado, quitarse, alejarse, irse marcharse. 거기서 물러서라 Quítate de allí. 옆으로 물러나십시오 Apártese usted a un lado. ㉯ [있던 지위나 하던 일을 내어 놓거나 그만두다] retirarse. ㉰ [맞서 버티던 일을 그만두거나 사양하다] ceder, cejar. 한 발도 물러 서지 않다 no ceder ni un paso.
물러앉다 ㉮ [뒤로] mover *su* asiento hacia atrás. ㉯ [지위에서] dimitir, renunciar, presentar *su* dimisión [renuncia], retirarse, jubilarse. ㉰ [내려앉다] [건물 · 다리가] derrumbarse, desmoronarse, desplomarse; [지붕이] hundirse, venirse abajo.

무르다[3] ① [단단하지 않고 여리다] (ser) blando, tierno, mullido, frágil, quebradizo, flojo, fláccido. 무른 감 caqui *m* blando. 무른 고기 carne *f* tierna. 무른 근육 músculo *m* fláccido [blando · flojo]. 무른 살 carne *f* fláccida. ② [물기가 많아 뻿뻿하지 않다] no ser duro [tieso · rígido]. ③ [(마음이나 힘이) 여리고 약하다] (ser) indulgente, tolerante, blando, poco severo, débil, delicado, tímido. 여자에게 ～ ser baboso, tener flaqueza [debilidad] para [con] las mujeres. 그는 자식들에게 무른 아버지이다 El es un padre blando con sus hijos [que consiente todo a los hijos].

무르익다 ① [과실 · 곡식 따위가] madurar bien [perfectamente]. 무르익은 bien maduro. 포도가 무르익었다 La uva ha madurado muy bien. ② [시기 · 계획 따위가] madurar. 무르익은 표현 expresión *f* madura. 기회(機會)가 무르익었다 Ha venido [madurado] la oportunidad.

무르춤하다 entremecerse, petrificarse [paralizarse] de miedo. 그녀는 그곳에서 무르춤했다 Ella se quedó paralizada (de miedo) en el lugar.

무름하다 (ser) bastante blando [tierno].

무릅쓰다 arriesgar, desafiar, arrostrar. …을 무릅쓰고 a pesar de *algo*, pese a *algo*. 반대를 무릅쓰고 aplastando la resistencia. 위험을 무릅쓰고 con riesgo [peligro] (de). 폭우를 무릅쓰고 desafiando la tempestad, arrostrando la tormenta, a pesar de la tormenta. 위험(危險)을 ～ poner a riesgo, arriesgar, correr riesgo [peligro] (de). 반대를 무릅쓰고 …하다 atreverse a + *inf* a pesar de la oposición. 나는 생명의 위험을 무릅쓰고 싶지 않다 No quiero arriesgar la vida.

무릇[1] 【식물】 scilla *f*, 【학명】 Scilla sinensis.

무릇[2] [대체로 보아. 대저] generalmente, en

general, por lo general, por regla general. ~ 사람은 자기의 본분을 지켜야 한다 El hombre debe ser fiel a sus deberes.

무릇하다 (ser) bastante blando [tierno].

무릉도원(武陵桃源) utopia *f*, utopía *f.* ~의 utópico. ~의 꿈 sueño *m* utópico.

무릎 rodilla *f*; [동물의] codillo *m*; [바지의] rodillera *f*, rodilla *f.* 오른쪽 ~ rodilla *f* derecha. 왼쪽 ~ rodilla *f* izquierda. ~ 위 10센티미터의 스커트 falda *f* de diez centímetros sobre [arriba de] las rodillas. ~이 나온 바지 pantalones *mpl* con rodilleras. ~까지 오는 [양말 따위가] largo; [스커트 따위가] hasta la rodilla. ~ 깊이의, ~까지 빠지는, ~까지 오는 que llega hasta la rodilla. ~ 높이의 [양말이] largo. ~을 세우고 levantándose de una rodilla. ~까지 오는 부츠 botas *fpl* altas, botas *fpl* de caña alta. ~까지 오는 스커트 falda *f* hasta la rodilla. ~ 밑에서 흘친 반바지 calzones *mpl*; [승마용의] pantalones *mpl* de montar de media caña. ~으로 건드리다 [치다 · 찌르다 · 밀다] dar*le* [pegar*le*] un rodillazo a *uno.* ~을 포개다 doblar [plegar] las rodillas. ~을 꼬다 cruzar las piernas. ~까지 물에 넣다 meterse en el agua hasta las rodillas. ~을 베고 자다 dormir con la cabeza apoyada sobre las rodillas (de). ~을 쏘다 diaparar*le* a las piernas a *uno.* 아이를 ~에 앉히다 sentar a un niño en las rodillas. 내 ~까지 물이 찼다 Me llegó el agua a las rodillas. 그녀는 아이를 ~에 앉히고 있다 Ella está sentada con un niño en las rodillas / Ella tiene un niño en la falda. 그는 ~을 덜덜 떨었다 Le temblaban las rodillas. 잡초가 ~까지 닿는다 La maleza llega hasta las rodillas. 수렁이 ~까지 빠졌다 El barro llega hasta las rodillas. 지하실에 물이 ~까지 찼다 En el sótano el agua llega hasta las rodillas. 그들은 ~까지 진흙으로 범벅이었다 Ellos estaban con el barro hasta las rodillas. 그는 ~으로 내 사타구니를 쳤다 El me dio un rodillazo en la ingle. 나는 그의 등을 ~으로 건드렸다 Yo le pegué un rodillazo en la espalda. 나는 ~이 약해진 것을 느꼈다 Se me aflojaron las piernas. 아이는 아버지의 ~에 앉았다 El niño se sentón en la falda [en las rodillas] de su padre.

◆무릎(을) 꿇다 ㉮ ponerse [hincarse] de rodillas, arrodillarse, doblegar las rodillas, doblar las rodillas. 무릎을 꿇고 de rodillas, hincándose de rodillas, de hinojos. 무릎을 꿇고 있다 estar arrodillado, estar de rodillas; estar de hinojos. 무릎을 꿇고 앉다 agacharse, ponerse en cuclillas, acuclillarse, acurrucarse. …에게 무릎을 꿇고 탄원하다 doblar la cerviz ante *uno.* 그는 내 앞에서 무릎을 꿇었다 El se hincó de rodillas ante mí. 그녀는 제단 아래 무릎을 꿇고 있었다 Ella estaba arrodillada [de rodillas] al pie del altar. 나는 무릎을 꿇고 기도하기 시작했다 Me arrodillé y me puse a rezar. 그는 여왕 앞에서 무릎을 꿇었다 El cayó de rodillas [se postró de hinojos] ante la reina. 무릎 꿇어! ¡De rodillas! / ¡Arrodíllate! ㉯ [항복하다] rendirse, someterse, tirar la toalla.

◆무릎(을) 꿇리다 ㉮ arrodillar. ㉯ [항복하게 하다] rendir, someter, vencer.

◆무릎(을) 맞대다 sentarse frente a frente. 무릎 을 맞댄 íntimo y franco. 무릎을 맞대고 하는 이야기 charla *f* íntima. 무릎을 맞대고 담판하다 discutir directamente [mano a mano · frente a frente] (con), ajustar negociaciones personales (con). 무릎을 맞대고 이야기하다 hablar francamente, tener una conversación a solas [mano a mano]. 나는 그녀의 문제에 대해 그녀와 무릎을 맞대고 이야기했다 Nosotros hablamos con franqueza de su problema.

◆무릎(을) 치다 darse una palmada en la rodilla.

▪ ~ 관절[마디] articulación *f* de la rodilla. ~ 관절근 músculo *m* articular de rodilla. ~맞춤 enfrentamiento *m*, confrontación *f.* ¶~하다 tener enfrentamiento, tener confrontación. ~ 반사 reflejo *m* rotular, reflejo *m* rotuliano. ~받이 rodillera *f.* ~베개 acción *f* de apoyar *su* cabeza en las rodillas (de otro). ¶~하다 apoyar [recostar] su cabeza en la falda [las rodillas]. ~ 부분 [옷의] rodilla *f.* ¶내 바지는 ~이 해어졌다 Se me han roto los pantalones en la rodilla. ~뼈 patela *f.* ~ 인대 ligamento *m* patelar. ~치기[1] [무릎까지 내려오는 아주 짧은 바지] pantalones *mpl* muy cortos (que alcanza a la rodilla). ~치기[2] ((씨름)) golpe *m* a la rodilla. ~ 피하 염증 bursitis *f* (de rodilla).

무리[1] ① [사람의] grupo *m*, tropel *m* de gente, muchedumbre *f*, tropa *f*, multitud *f*, gentío *m*; [소녀의 일단] grupo *m* de doncellas. ~를 이루다 apiñarse, agolparse, agruparse, remolinarse, venir en tropel, reunirse, congregarse, juntarse, atroparse. ~를 이루어 en masa, agrupándose, en grupo(s), en muchedumbre, en tropa. ② [폭도 등의] banda *f*, cuadrilla *f*, camarada *f*, pandilla *f*, horda *f*, turbamulto *m*, pelotón *m*, manga *f* (de pícaro). 현 체제에 불만스런 ~ personas *fpl* descontentas [hombres *mpl* descontentos] del régimen actual. ③ [짐승의 떼] rebaño *m* (목축의), manada *f* (같은 종류의), grey *m* (양 · 돼지 따위의), bandada *f* (새 · 물고기의), vecera *f* (돼지의), lechigada *f* (한배의 돼지 새끼 · 강아지), ventregada *f* (한배 새끼), camada *f* (한배 새끼), recua *f* (낙타의). ~를 이루어 en manada. 새의 한 ~ bandada *f* de pájaros. 강아지의 한 ~ lechigada *f* de perritos. 노새의 한 ~ recua *f* de mulas. ~를 떠난 낙타 camello *m* solitario. ④ [벌레의] enjambre *m* (꿀벌의), nube *f* (나는 벌레의). ~를 이루다 enjambrarse. ⑤ [어군(魚

群)] banco *m*, cardume *m*, ribazón *m* (해안 가까이 모이는 물고기). 청어의 ~ cardume *m* de arenques.

무리² [(어떤 생산물 따위가) 한꺼번에 쏟아져 나오는 시기] estación *f*. 청어 ~ estación *f* de arenques.

무리³ [(물에 불린 쌀을 매에 갈아 체에 받치어 가라앉힌 앙금] arroz *m* sedimentario.
■ ~떡 *muriteok*, pan *m* coreano cocido al vapor hecho de arroz sedimentario. ~떡국 sopa *f* de *muriteok*. ~ㅅ가루 polvo *m* blanco de arroz sedimentario secado.

무리⁴ 【천문】 halo *m*, corona *f*, halón *m*, nimbo *m*, aurela *f*, anillo *m*, círculo *m*. 달에 ~가 져 있다 Hay un halo alrededor de la luna / Un halo rodea a la luna.

무리¹(無理) irracinalidad *f*, injusticia *f*, violencia *f*, sinrazón *f*, despropósito *m*, imposibilidad *f*. ~하다 [불가능한] (ser) imposible; impracticable, irrealizable; [이치에 맞지 않는] irracionable, irrazonable; [인정하기 어려운] inadmisible; [강제의] forzado. ~하게 irracionalmente, forzosamente, por fuerza, a [por] la fuerza, violentamente, contra la voluntad. ~없이 sin (gran) esfuerzo. ~가 아닌 excusable, perdonable. ~한 계획(計劃) proyecto *m* impracticable. ~한 요구(要求) demanda *f* excesiva, demanda *f* imposible. ~한 주문(注文) imposibilidad *f*, petición *f* irracional [apremiante · anhelante · urgente]. ~를 하다 intentar lo imposible; [일을 과하게 하다] trabajar demasiado [excesivamente]. ~하게 다루다 tratar violentamente, tratar con violencia, violentar, hacer violencia. ~한 것을 요구하다 exigir [pedir] lo imposible, pedir tres pies al gato. 너무 ~해서 병이 나다 caer(se) enfermo por haber trabajado demasiado. 딸을 ~하게 결혼시키다 casar a *su* hija contra *su* voluntad. 그것은 ~다! ¡Es imposible! / [요구 따위가] Pides [Exiges] lo imposible. ~한 말을 하지 마세요 Sea razonable. 그 가게는 어떤 물건이고 ~하게 부른다 Se puede exigir cualquier cosa en esa tienda. 그는 ~해서 이 집을 샀다 El compró esta casa con grandes sacrificios. 나는 나이 때문에 ~할 수 없다 Dados mis años, no puedo excederme. ~가 통하는 곳에서는 도리(道理)는 무시된다 Donde reina la fuerza, la razón no tiene sitio. 그가 그런 일을 한 것도 ~는 아니다 Lo hizo con razón / El tenía razón para [en] hacerlo. 그가 잘못했다는 것도 ~는 아니다 Es comprensible que se haya equivocado. 하기 싫으면 ~하게 말하지 마라 Si no quieres, no tienes que esforzarte por decírmelo / Si no quieres, nadie te obliga a decírmelo. 너 혼자서 그 일을 하는 것은 ~다 Es imposible que lo hagas tú solo.
무리로 [무리하게. 억지로] irracionalmente, forzosamente, por fuerza, por la fuerza, a la fuerza, violentamente, contra la voluntad.

무리²(無理) 【수학】 grupo *m*.
■ ~론 teoría *f* de (los) grupos. ~ 방정식 ecuación *f* irracional. ~수(數) número *m* irracional, número *m* inconmensurable. ~식 expresión *f* irracional. ~ 함수 función *f* irracional.

무리고치 capullo *m* de seda impuro.

무림(武林) mundo *m* del soldado, mundo *m* de la caballería.

무림(茂林) bosque *m* de vegetación lozana.

무릿매 acción *f* de tirar piedras.
■ ~질¹ acción *f* de tirar piedras con honda. ¶~ 하다 tirar piedras con honda. ~질² =물매질.

무마(撫摩) ① [손으로 어루만짐] caricia *f*, toque *m*. ~하다 dar*le* palmaditas (a), acariciar, hacer caricias. ② [마음을 달래어 위로함] consolación *f*, consuelo *m*, alivio *m*. ~하다 aplacar, calmar, mitigar, apaciguar, pacificar, aquietar, sosegar.
■ ~비(費) precio *m* del silencio.

무맛(無一) insipidez *f*, insabor *m*, desabrimiento *m*, insulsez *f*, sosería *f*.

무맥증(無脈症) 【의학】 acrotismo *m*.

무면허(無免許) no autorización *f*. ~의 sin patente, no autorizado, sin permiso, sin licencia, ilegal.
■ ~ 운전(運轉) conducción *f* sin carnet de conducir [de conductor]. ¶~을 하다 conducir un coche sin licencia [sin permiso]. ~ 의사 médico, -ca *mf* sin licencia; médico *m* clandestino, médica *f* clandestina; [돌팔이 의사] matasanos *m.sing.pl*; curandero, -ra *mf*.

무명 algodón *m*. 바탕이 두꺼운 ~ tela *f* (espesa) de algodón.
■ ~것 ropa *f* de algodón. ~베 algodón *m*. ~실 hilo *m* de algodón, hilo *m* de torzar (de pelo); [방직용] hilaza *f* de algodón. ~옷 ropa *f* de algodón. ~활 arco *m* usado en sauce de algodón.

무명(武名) fama *f* militar, honor *m* como guerrero. 전투에서 ~을 떨치다 obtener distinción en la batalla.

무명(無名) el no tener nombre. ~의 anónimo, desconocido, sin nombre; [명의가 없는] sin razón social, injustificable. ~으로 anónimamente. ~의 신인(新人) debutante *mf* sin fama.
■ ~ 고지 altura *f* sin nombre. ~골(骨) = 궁둥이뼈. ~도(島) isla *f* sin nombre. ~뼈 =궁둥이뼈. ~수(數) número *m* absoluto. ~씨 anónimo, -ma *mf*; persona *f* anónima, nadie. ~ 용사 soldado *m* desconocido. ¶~의 묘(墓) tumba *f* del soldado desconocido. ~ 인사 individuo *m* oscuro, individua *f* oscura. ~ 작가 escritor *m* anónimo, escritora *f* anónima; autor *m* anónimo, autora *f* anónima. ~ 전사 combatiente *m* anónimo. ~지 (指) =약손가락. ~지사(之士)[지인(之人)] sabio *m* desconocido. ~초 hierba *f* anónima, hierba *f* desconocida.

무명(無明) ((불교)) ignorancia *f* de la naturaleza de existencia.

무명(無銘) lo no firmado. ～의 sin firmado, que no tiene rúbrica de artista, sin nombre de fabricante, anónimo.

무명조개 【조개】＝대합(大蛤).

무모(無毛) falta *f* de pelos. ～의 lampiño, falto de pelo, pelón, pelado.

■～증 atriquia *f*, atricosis *f*; 【의학】 alopecia *f*.

무모(無謀) temeridad *f*. ～하다 (ser) temerario, suicida, arriesgado, demasiado atrevido; [무분별한] imprudente, irreflexivo, inconsiderable. ～하게(도) temerariamente, imprudentemente, irreflexivamente. ～한 남자 hombre *m* temerario. ～한 아이 niño *m* temerario. ～한 여자(女子) mujer *f* temeraria. ～한 투기 especulación *f* arriesgada. ～한 행동 acción *f* temeraria. ～한 짓을 하다 cometer una imprudencia, saltar en la obscuridad, comportarse [actuar] temerariamente, hacer cosas temerarias. 그가 그렇게 ～한 짓을 하리라고는 생각하지 않는다 No creo que haga esa temeridad. 당신은 ～함과 용기를 혼동하고 있다 Usted confunde la temeridad con el valor. 그는 ～한 데가 있다 El tiene un coraje [un valor] extraordinario / El es enormemente temerario.

무모히 temerariamente, imprudentemente.

무문(武門) familia *f* militar, linaje *m* guerrero. 그는 유서 깊은 ～의 출신이다 El desciende de una buena línea militar.

무문(無紋) falta *f* de figura.

■～근(筋) 【해부】＝평활근(平滑筋).

무미(無味) ① [맛이 없음] insipidez *f*. ～하다 (ser) insípido, soso, de mal gusto, sin sabor, sin gusto. ② [재미가 없음] lo no interesante. ③ [취미가 없음] el no tener gusto.

■～ 건조(乾燥) insipidez *f*. ¶～하다 (ser) insípido, sin gracia, llano, insulso, prosaico, sin sabor, soso.

무미계(無尾鷄) ＝민꼬리닭.

무미류(無尾類) 【동물】 anuros *mpl*.

무반(武班) 【고제도】 nobleza *f* militar.

무반동(無反動) ¶～의 sin retroceso.

■～총 rifle *m* sin retroceso. ～포 cañón *m* sin retroceso.

무반주(無伴奏) 【음악】 ¶～의 sin acompañamiento; [악기] solo.

■～ 합창 coro *m* sin acompañamiento.

무방(無妨) no daño *m*, no obstáculo *m*. ～하다 [상관없다] no importar; [곤란하지 아니하다] no tener dificultad; [해도 좋다] poder, estar bien. ～하다면 si te da igual, si te da lo mismo, si tú no tiene objeción. 없어도 ～하다 Nosotros podemos hacer sin eso.

무방비(無防備) ¶～의 desarmado, sin armas, indefenso, abierto.

■～ 국가(國家) país *m* indefenso. ～ 도시 ciudad *f* abierta. ～ 상태(狀態) estado *m* indefenso.

무배당(無配當) dividendos *mpl* no decretados.

■～ 주(株) acción *f* de dividendos no decretados.

무배란(無排卵) anovulación *f*. ～(성)의 anovular.

■～성 월경 menstruación *f* anovular.

무법(無法) desorden *m*, anarquía *f*, ilegalidad *f*, injusticia *f*, ultraje *m*, sinrazón *f*. ～하다 (ser) desmandado, descontrolado, anárquico, donde no rige la ley, injusto, ilícito, irrazonable, violento, exorbitante. ～으로 injustamente, violentamente, brutalmente. ～한 요구 petición *f* irrazonable [ilícita]. ～한 조치 medida *f* ilícita. ～한 짓을 하다 ultrajar, injuriar.

■～ 상태(狀態) estado *m* descontrolado, condición descontrolada. ¶～에 있다 estar en estado descontrolado, estar en desorden, estar fuera de orden. ～자(者) persona *f* fuera [al margen] de la ley; forajido, -da *mf*, bruto, -ta *mf*, bandido, -da *mf*, bandolero, -ra *mf*. ～ 천지 mundo *m* descontrolado, anarquía *f*. ～ 행위 acto *m* de vandalismo, acto *m* de gamberrismo, *Méj* acto *m* de porrismo].

무변(無邊) infinidad *f*. ～하다 (ser) infinito, ilimitado, sin límites. 광대 ～한 자비(慈悲) caridad *f* vasta e ilimitada.

■～ 대해[대양] océano *m* infinito, mar *m* extenso e infinito. ～전(錢) dinero *m* libre de interés, préstamo *m* sin interés.

무병(無病) buena salud *f*. ～하다 gozar de buena salud, estar sano y salvo. ～하게 en buena salud, sano y salvo. ～을 빌다 rogar por la salud y la felicidad (de). ～하게 자라다 crecer sin conocer ninguna enfermedad, crecer sano.

◆무병이 장자(長者) El vivir sin enfermedad es rico.

■～ 장수(長壽) longevidad *f* sin enfermedad.

무보수(無報酬) impago *m*. ～의 gratuito; [자원의] voluntario. ～로 gratuitamente, de balde, gratis, sin recompensa, de *su* propio bolsillo, a merced(es); [자원으로] voluntariamente. ～로 일하다 trabajar gratuitamente [de balde・gratis].

무복(巫卜) la hechicera y el adivino.

무복(巫服) ropa *f* de la hechicera.

무복친(無服親) parientes *mpl* lejanos.

무부(巫夫) esposo *m* de la hechicera.

무부(武夫) ① ＝무사(武士). ② [용맹스러운 사내] hombre *m* valiente.

무분별(無分別) falta *f* de juicio, imprudencia *f*, irreflexión *f*, insensatez *f*, [경솔] ligereza *f*. ～하다 (ser) imprudente, inconsiderable, irreflexivo, insensato, ligero. ～하게 imprudentemente, inconsiderablemente, a la ligereza. ～하게 행동하다 comportarse imprudentemente.

무불간섭(無不干涉) entremetimiento *m* [entrometimiento *m*] en todo. ～하다 meterse

[entrometerse · inmiscutirse] en todo.
무불통달(無不通達) maestría *f* [dominio *m*] en todo. ～하다 ser muy versado en todo.
무불통지(無不通知) conocimiento *m* extenso, sabiduría *f* extensa. ～하다 conocer [saber] extensamente, ser erudito. ～한 사람 enciclopedia *f* [diccionario *m*] andante.
무비(武備) ＝군비(軍備).
무비(無比) lo incomparable. ～의 sin igual, sin par, incomparable, sin rival, sin semejanza. 세계에서 ～이다 ser sin igual [ser único · no tener par] en el mundo. 이 경치는 세계에서 ～이다 Este paisaje es único [incomparable] en el mundo.
무비(無非) todo, enteramente, total, por completo.
무비 (영 *movie*) [영화] película *f*, filme *m*.
■～ 스타 estrella *f* de cine. ～ 카메라 filmadora *f*, tomavistas *m.sing.pl*; [직업적인] cámara *f* cinenematográfica. ～ 필름 película *f*.
무비판적(無批判的) ciego, que no cuestiona nada. ～으로 sin examen, ciegamente. ～으로 받아들이다 recibir [admitir] sin examen [ciegamente].
무빙(無氷) no helado, no congelado.
무빙(霧氷) flores *fpl* de helada.
무사(武士) guerrero *m*, soldado *m*, caballero *m*.
■～도(道) caballería *f*, caballerosidad *f*, cortesía *f*. ¶～의 de la caballería, caballeresco. ～(에 관한) 책 libro *m* de caballería. 내가 들은 바에 따르면 이 책은 서반아에서 인쇄된 ～에 관한 첫 번째 것이기에 이것은 신비스러운 것 같다 ((El Quijote)) Parece cosa de misterio ésta; porque, según he oído decir, este libro fue el primero de caballerías que se imprimió en España. ～ 정신(精神) espíritu *m* caballeresco, espíritu *m* de la caballería, verdadero espíritu *m* marcial. ～춤 baile *m* de la caballería.
무사(無死) ((야구)) no out *ing.m*, no down *ing.m*. ～ 만루(滿壘)다 Las bases están cargadas con no out.
무사(無似) [물건의] falta *f* de valor, lo insignificante, lo trivial; [사람의] lo despreciable. ～하다 [물건이] (ser) sin ningún valor; [사람이] despreciable. ～한 녀석 tipo *m* despreciable. ～한 물건 (物件) objeto *m* falto de valor, artículo *m* trivial.
무사(無私) imparcialidad *f*, desinterés *m*, abnegación *f*. ～하다 (ser) imparcial, desinteresado, desprendido.
무사히 imparcialmente, con imparcialidad, desinteresadamente, con desinterés.
무사(無事) [안전] seguridad *f*; [평온] paz *f*, tranquilidad *f*, sosiego *m*; [건강] buena salud *f*. ～하다 [안전하다] (ser) seguro; [평온하다] (ser) pacífico, estar tranquilo; [건강이] estar bien, gozar de buena salud, pasarlo bien; [안전하다] estar en paz [en seguridad]. ～한 sano, salvo, sosegado, quieto, seguro, pacífico, saludable. 자식의 ～를 빌다 orar por la buena salud de su hijo. 나는 아들이 ～한 것을 보고 안심했다 Estoy tranquilo al ver a mi hijo sano y salvo. ～하시기를 빕니다 [여행하는 사람에게] (Le deseo a usted un) Buen viaje. 화재가 있었지만 나의 집은 ～했다 Mi casa salió indemne del incendio.
무사히 bien, sin novedad, sano y salvo, sin accidente, sin contratiempo, a salvo; [상품(商品) 등이] perfectamente, en buen estado, en debida forma. ～ 지내다 vivir sin novedad. ～ 돌아오다 volver sano y salvo. 결혼식은 ～ 거행되었다 Se celebró la boda sin incidentes.
■～주의 principio *m* de seguridad ante todo. ～ 태평(泰平) tranquilidad *f*, despreocupación *f*, optimismo *m*. ¶～하다 (ser) libre de cuidados, libre de preocupaciones, desenfadado, negligente, tranquilo, despreocupado; [낙천적인] optimista. ～한 사람 optimista *mf*. ～하게 지내다 vivir sin problemas, vivir a *su* aire. ～한 남자다 Es un hombre desenfadao [sin problemas]. 시험에도 불구하고 그는 ～하다 El está tranquilo a pesar de los exámenes.
무사(無嗣) ＝무후(無後).
무사고(無事故) sin accidente. ～의, ～로 sin (un) accidente.
■～ 비행 vuelo *m* sin accidente. ～ 운전 conducción *f* sin accidente. ¶～하다 conducir un coche (por mucho tiempo) sin accidente. 그는 20 년간 ～ 기록을 가지고 있다 El tiene un récord perfecto de conducción sin accidente por veinte años. ～차(車) coche *m* sin accidente.
무사마귀 【의학】verruga *f*. ～투성이의 verrugoso. ～가 나다 tener la verruga.
무산(無産) carencia *f* de propiedades.
■～ 계급 proletariado *m*. ～ 대중(大衆) proletario *m*. ～ 운동(運動) movimiento *m* proletario. ～자 proletario, -ria *mf*. ～ 지식 계급 intelectuales *mpl* proletarios. ～정당 partido *m* proletario.
무산(霧散) dispersión *f*, disipación *f*. ～되다 dispersarse, disiparse, venirse abajo, desbaratarse. ～시키다 dispersar, disipar. …의 계획을 ～시키다 *PRI* patear*le* a *uno* el nido. 이 사고로 우리들의 모든 계획은 ～되었다 Con este contratiempo todos nuestros planes se han venido abajo [se han desbaratado].
무산소(無酸素) no oxígeno *m*. ～의 sin oxígeno.
■～ 상태 estado *m* sin oxígeno. ～ 생활 anoxibiosis *f*. ～성 무산소증 anoxia *f* anóxica. ～증(症) anoxia *f*.
무산증(無酸症)【의학】＝위산 결핍증.
무살 carne *f* gorda y blanda.
무삶이 ①【농업】[물을 대어 논을 삶는 일] ablandamiento *m* del arrozal con el agua. ②【농업】[물을 대고 써레질한 논] arrozal *m* arado después de regar.

무상(無上) ① supremacía *f.* ～의 supremo, sumo, altísimo. ～의 기쁨 placer *m* [gozo *m*] supremo. ～의 영광(榮光) honor *m* supremo. ② ((불교)) supremo, incomparable, sin igual, sin par.

무상(無狀) ① [버릇이 없음] lo maleducado. ～하다 (ser) maleducado, sin educado. ② [형상이 없음] no tener forma. ③ [공적이나 착한 행실이 없음] no tener mérito.

무상(無常) ① ((불교)) rueda *f.* 인생(人生) ～ rueda *f* de la fortuna. ② [모든 것이 늘 변함] mutabilidad *f,* inestabilidad *f,* transitoriedad *f,* fugacidad *f.* ～하다 (ser) transitorio, fugaz, pasajero. 세상의 ～을 느끼다 sentir [experimentar] la tansitoriedad del mundo [la inestabilidadde las cosas terrenas]. 인생의 ～을 느끼다 realizar la vanidad de vida. 인생이란 ～한 것이다 La vida del hombre es transitoria / Nada es seguro en este mundo.

■～ 출입(出入) visita *f* libre, entrada *f* libre. ¶～하다 visitar libremente.

무상(無想) falta *f* de pensamientos, serenidad *f* de mente.

■～ 무념(無念) libertad *f* de toda preocupación. ¶～으로 libre de todas las ideas y de todos los pensamientos, con perfecta serenidad de mente.

무상(無償) no indemnización *f,* no compensación *f,* lo gratuito. ～의 gratuito, sin recompensa, libre de cargo. ～으로 gratuitamente, gratis, de balde, sin recompensa, sin remuneración, sin pagar nada.

■～ 계약 contrato *m* gratuito, nudo pacto *m.* ～ 교부 entrega *f* sin compensación. ～ 교육 educación *f* gratuita. ～ 군사 원조 ayuda *f* militar gratuita. ～ 대부 préstamo *m* libre. ～ 몰수 confiscación *f* gratuita, decomiso *m* gratuito. ～ 배급 distribución *f* gratuita. ～ 배부 distribución *f* gratuita, entrega *f* gratuita. ～ 신주(新株) =무상주(無償株). ～ 양도(讓渡) traspaso *m* gratuito, transferencia *f* gratuita. ～ 양도 양수인 voluntario, -ria *mf.* ～ 원조 ayuda *f* gratuita, subvención *f,* subsidio *m.* ～주(株) dividendo *m* en acciones, emisión *f* de acciones liberadas. ～ 증자 capitalización *f* gratuita. ～ 행위 acto *m* gratuito.

무색(一色) color *m* teñido.

■～옷 ropa *f* colorante. ～ 치마 *chima* [falda *f* típica coreana] colorante.

무색(無色) ① [아무 색깔이 없음] acromatismo *m*; [투명함] transparencia *f,* trasparencia *f.* ～하다 no tener color; (ser) transparente, incoloro, neutral. ～ 투명한 incoloro y transparente. ～ 투명한 액체 líquido *m* incoloro y transparente. 정치적으로 ～이다 ser neutral políticamente, carecer de color político. ② [무안] vergüenza *f,* deshonor *m,* deshonra *f,* desgracia *f,* humillación *f.* 그 아이의 훌륭한 기술은 어른도 ～할 정도다 El niño supera en brillantez técnica a los adultos. 그의 뻔뻔스런 행동 때문에 우리가 ～했다 Su impertinencia nos dejó aturdidos.

무색소(無色素) falta *f* de pigmento.

무생(無生) ① ((준말)) =무생물(無生物). ② ((불교)) no renacimiento *m.*

■～대 era *f* azoica. ～물 objetos *mpl* inanimados, natura *f* inanimada. ～물계(物界) mundo *m* inanimado. ～물학 abiología *f.* ～법 ley *f* de inmortalidad. ～신(身) cuerpo *m* inmortal.

무서리 primera escarcha *f* en el otoño tardío.

무서움 miedo *m,* temor *m,* horror *m,* espanto *m,* ferocidad *f,* lo terrible, lo espantoso, terror *m.*

무서워하다 temer, sentir [tener] miedo (a・de), asustarse (de・con・por), espantarse (de・con), atemorizarse (de・por). 무서워(서) tímidamente, con miedo, con temor, medrosamente. 무서워하게 하다 espantar, amedrentar, aterrorizar, asustar, dar miedo (a). 개를 ～ tener miedo del perro. 나는 개를 무서워한다 Temo [Tengo miedo del] el perro / Me da miedo el perro. 그 아이는 물에 들어가는 것을 무서워한다 Ese niño tiene miedo de meterse en el agua. 아이는 무서워 울기 시작했다 El niño, asustado, se echó a llorar. 그의 눈에는 무서운 기색이 역력했다 En sus ojos se reflejaba el miedo.

무석인(武石人) estatua *f* de piedra de la forma de guerrero (que hay) delante de la tumba (real).

무선(無線) ① [전선이 없음] falta *f* de alambre. ～의 sin alambre, sin hilo, inalámbrico. ② ((준말)) =무선 전신(無線電信). ③ ((준말)) =무선 전화.

◆아마추어 ～가(家) radioaficionado, -da *mf.*

■～ 검파기 radiodetector *m.* ～공(工) radiotelegrafista *mf.* ～ 공학 radioingeniería *f.* ～국 estación *f* radiotelegráfica, emisora *f* de radio. ～ 기만 decepción *f* de radio. ～ 등대(燈臺) radiofaro *m.* ～ 발신기 radiotransmisor *m.* ～ 방송(放送) radio *f,* radiodifusión *f.* ～ 방송국 estación *f* de radiodifusión. ～ 방위 측정국 estación *f* radiogoniométrica. ～ 방위 측정기 =방위 측정기. ～ 방향 지시기[탐지기] radiocompás *m,* radiogoniómetro *m.* ～사[기사・기술자] radiotelegrafista *mf,* [비행기의] radionavegante *mf.* ～ 설비(設備) equipo *m* radioeléctrico. ～ 송신(送信) transmisión *f* de radio. ～ 송신기(送信機) transmisor *m* de radio. ～ 수신기(受信機) radiorreceptor *m.* ～ 스펙트럼 espectro *m* radioeléctrico. ～ 유도(誘導) dirección *f* por radio; [무인기 등의] teledirección *f.* ¶～하다 dirigir por radio. ～ 전보(電報) radiotelegrama *m.* ～ 전신(電信) radiotelegrafía *f,* radiograma *m,* telégrafo *m* sin hilos, marconigrama *m,* radiotelegrafía *f.* ¶～으로 por radiotelegrafía. ～ 전신국(電報局) estación *f* (central) radiotelegráfica. ～ 전신기(電信

機) aparato *m* radiotelegráfico. ~ 전신술 marconigrafía *f.* ~ 전신 장치 aparato *m* radiotelegráfico. ~ 전화(電話) teléfono *m* inalámbrico, teléfono *m* sin hilos, radiotelegrafía *f.* ~ 정보 información *f* radiotelegráfica. ~ 조종(操縱) mando *m* de radiocomunicación, control *m* de radio. ~ 조종기(操縱器) aeroplano *m* de mando de radiocomunicación. ~ 주파 ciclo *m* de radio. ~ 주파수 radiofrecuencia *f.* ~ 중계국 radioestación *f* relé. ~차 coche *m* en comunicación inalámbrica [sin hilos]. ~ 통신 comunicación *f* sin hilos. ~ 통신 장치 equipo *m* de radiocomunicación. ~ 표지(標識) radiofaro *m.* ~ 항법 navegación *f* radiogiométrica, radionavegación *f.* ~ 호출기 busca *m, Méj* bip *m, Chi* bíper *m.* ~ 회로 circuito *m* de radiófono.

무선(舞扇) abanico *m* del [para el] baile.

무섬 ((준말)) =무서움.

◆무섬(을) 타다 asustarse fácilmente. 그녀는 무섬을 타지 않는다 Ella no se asusta fácilmente.

무섭다 ① [두려운 느낌이 들다] (ser) terrible, espantoso, horrible, tremendo, temible, horroroso, prodigioso, portentoso, pasmoso, horrendo, pavoroso; dar*le* a *uno* miedo, tener miedo (a). 무섭게 terriblemente, espantosamente, horriblemente, tremendamente. 무서운 광경(光景) escena *f* tremenda [terrible · espantosa]. 무서운 괴물(怪物) monstruo *m* espeluznante [espantoso]. 무서운 꿈 sueño *m* terrible [espantoso · horrendo]. 무서운 눈 ojos *mpl* terribles. 무서운 병(病) enfermedad *f* temible [peligrosa]. 무서운 사람 hombre *m* que da miedo. 무서운 얼굴 semblante *m* severo, cara *f* torva [terrible · monstruosa]. 무서운 장군(將軍) general *mf* de corazón de león. 무서운 기세로 con fuerza terrible, con una fuerza arrolladora, con impetuosidad. 무섭게 성내다 montar en cólera, encolerizarse. 무섭게 타오르다 hacer ascua el carbón. 무서운 것을 말하다 decir cosas terribles [horribles]. 무서운 시선을 던지다 echar una mirada aterradora, echar una mirada que da miedo. 무서운 짓을 하다 hacer cosas terribles [horribles]. 나는 ~ Tengo miedo / Me da miedo. 나는 무서워졌다 Me entra miedo. 나는 개가 ~ Tengo miedo a [de] los perros. 그는 무서운 인기를 누리고 있다 El goza de una popularidad prodigiosa. 나는 죽음이 ~ Tengo miedo a [de] la muerte. 나는 무서운 것을 경험한 적이 있다 He tenido una experiencia horrorosa. 밀림 속은 무서우리만큼 조용하다 En selva domina un silencio misterioso.

② [지독하다] (ser) terrible, tremendo, horrible, severo. 무서운 구두쇠 tacaño, -ña *mf* terrible. 무서운 추위 frío *m* severo. 비가 무섭게 내린다 Llueve intensamente [copiosamente · chuzos · a cántaros].

무성(無性) 【생물】 asexualidad *f.* ~의 asexual, asexuado.

■~ 생식[번식] reproducción *f* asexual. ~세대 generación *f* asexual. ~화(花) flor *f* neutra [asexuada].

무성(無聲) silencio *m,* taciturnidad *f,* falta *f* de voz. ~의 sin voz, silencioso, callado, sordo, mudo, sin ruido.

■~ 방전 descarga *f* silenciosa. ~ 영화 película *f* muda. ~ 영화 시대 tiempos *mpl* de película muda. ~음 sonido *m* sordo.

무성의(無誠意) doblez *f,* disimulación *f.* ~하다 (ser) doble, poco sincero.

무성하다(茂盛-) crecer frondoso [espeso · lozano · exuberante · en abundancia]. 무성한 숲 bosque *m* espeso. (잎이) 무성한 식물(植物) vegetación *f* frondosa. 정원에 잡초가 ~ Pululan las malas hierbas en el jardín. 가로수가 ~ Los árboles de alameda están frondosos. 길을 따라 풀이 ~ La hierba crece frondosa [espesa] a lo largo del camino.

무성히 frondosamente, con frondosidad, espesamente.

무세(武勢) poder *m* del ejército.

무세(無稅) exención *f* de derechos, dispensa *f* de impuestos. ~의 libre [exento] de derechos [de impuestos], franco de derechos, dispensado de impuestos; [관세(關稅)가] exonerado. 연수입 천만 원 이하는 ~이다 Los que ganan menos de diez millones de wones al año están extentos de impuestos.

■~ 수입품 artículos *mpl* importado libres de impuestos. ~지(地) región *f* libre. ~품 artículos *mpl* libres (de impuestos), mercaderías *fpl* libres de impuestos

무세(無勢) falta *f* de influencia. ~하다 no tener influencia. ☞무세력(無勢力)

무세력(無勢力) falta *f* de influencia [de poder · de fuerza]. ~하다 no tener influencia, no influir, ser ineficaz.

무소 【동물】 =코뿔소.

무소(誣訴) acusación *f* falsa. ~하다 acusar falsamente.

무소득(無所得) no ganancia *f,* no beneficio *m.* ~하다 no obtener ganancia [beneficio].

무소부재(無所不在) omnipresencia *f,* ubicuidad *f.* ~하다 (ser) omnipresente, ubicuo.

무소부지(無所不知) omnisciencia *f,* conocimiento *m* infinito, conocimientos *mpl* extensivos. ~하다 (ser) omnisciente, saber todo, tener conocimiento infinito.

무소불능(無所不能) omnipotencia *f.* ~하다 (ser) omnipotente, todopoderoso.

무소속(無所屬) independencia *f,* neutralidad *f.* ~의 independiente, neutro.

■~ 의원 parlamento, -ta *mf* [diputado, -da *mf*] independiente [sin pertenencia]. ~자 trabajador, -dora *mf* que trabaja por cuenta propia [por libre]; freelance *mf.* ~ 정치인 (político, -ca *mf*) independiente *mf.*

무소식(無消息) sin noticias, no tener noticias.

■ 무소식이 희소식 [호소식] ((속담)) Sin noticias, buenas noticias / No tener noticias es buenas noticias / Si no escribe, es que no necesita dinero.

무소유(無所有) no posesión *f.*

무속(巫俗) costumbre *f* de las hechiceras.

무손(無孫) ① [손자가 없음] no tener nietos. ② [후손이 없음] no tener descendientes.

무손하다(無損一) no tener daño [perjuicio].

무솔다 pudrirse [descomponerse] de la humedad.

무쇠 ① [(주물용) 철합금] hierro *m* colado, hierro *m* fundido. ② [썩 강하고 굳셈] fuerza *f,* poder *m.*

■ 무쇠도 갈면 바늘 된다 ((속담)) Dando y dando, la gotera va horadando / Dando y más dando, la gotera abre agujero en la piedra

무수(無水) ¶~의 anhidro.

■ ~물 anhídrido *m.* ~산(酸) anhídrido *m.* ~아비산 trióxido *m* arsenioso, trióxido *m* de arsénico. ~알코올 alcohol *m* anhidro. ~초산(醋酸/酢酸) anhídrido *m* acético. ~탄산 anhídrido *m* carbónico. ~황산(黃酸) anhídrido *m* sulfúrico.

무수(無數) sinnúmero *m,* innumeralidad *m,* muchedumbre *f.* ~하다 (ser) innumerable, infinito, incalculable, un sinnúmero (de), innúmero. ~한 군중(群衆) muchedumbre *f* innumerable. ~한 별 estrellas *fpl* innumerables, un sinnúmero de estrellas; 【문어(文語)】 miríadas *fpl* de estrellas. ~한 병사(兵士) ejército *m* innumerable. 나는 ~한 문제를 해결해야 했다 Tuve que solucionar innumerables problemas.

무수히 innumerablemente, infinitamente, incalculablemente. 해변에 수영객이 ~ 있었다 Hubo bañadores innumerables en la playa.

무수다 diferencia *f* entre flujo y reflujo.

무수리[1] 【조류】 marabú *m.*

무수리[2] 【고제도】 sirvienta *f* encargada del agua de lavarse la cara de la doncella de la corte.

무수입(無收入) no ingresos *mpl.* ~으로 sin ingresos.

무수정(無修正) no revisión *f.* ~으로 sin revisión.

무수확(無收穫) no cosecha *f.*

■ ~지(地) zona *f* sin cosecha.

무숙(無宿) ¶~의 sin hogar, sin techo.

■ ~자 gente *f* sin hogar, gente *f* sin techo; vagabundo, -da *mf* sin casa; vago, -ga *mf.*

무순(無順) sin orden.

무술 el agua *f* fría clara que se usa en el servicio religioso en vez del vino.

무술(戊戌) 【민속】 trigesimoquinto año *m* del ciclo sexagenario, el Año del Perro.

무술(巫術) ① [무당의 방술] método *m* y técnica del hechicero. ② [샤머니즘] chamanismo *m.* ~을 행하다 practicar el chamanismo.

무술(武術) artes *fpl* militares. ☞무예(武藝).

무쉬 el nueve y el veinticuatro de cada mes del calendario lunar.

무슨 ¿qué? ~ 까닭으로 ¿Por qué?, ¿Para qué?, ¿Por qué razón? ~ 일입니까? [usted에게] ¿Qué le pasa? / ¿Qué tiene usted? / ¿Qué es lo que le pasa? // [tú에게] ¿Qué te pasa? / ¿Qué tienes tú? / ¿Qué es lo que te pasa? / *ReD* ¿Qué fue? 마리아는 ~ 일이냐? ¿Qué le pasa a María? / ¿Qué tiene María?~ 일이 일어났느냐? ¿Qué ha pasado? / ¿Qué pasó? 이 곳은 ~ 도(道)입니까? ¿Cuál es esta provincia? / ¿Qué provincia es ésta? ~ 일로 오셨습니까? [무얼 도와 드릴까요?] ¿En qué puedo servirle a usted? / ¿Qué se le ofrece a usted? ~방법을 쓰느냐? ¿Qué método usas tú? ~ 색깔을 골라야 할지 모르겠다 No sé qué color elegir. 너 ~ 책을 읽고 있느냐? ¿Qué libro estás leyendo? 벽은 ~ 색깔입니까? ¿De qué color son las paredes? 그들이 ~ 언어로 말하고 있는지 나는 몰랐다 Yo no sabía en qué lengua estaban hablando. ~ 일을 하십니까? — 선생입니다 ¿Qué hace usted? / ¿En qué trabaja usted? / ¿A qué se dedica usted? — Soy maestro. 당신은 ~ 의미입니까? ¿Qué significa [quiere decir] usted? ~ 말을 하시는 겁니까? ¿A qué se refiere usted?

무슨 일이 있어도 ㉮ [긍정] a toda costa, cueste lo que cueste, pase lo que pase, sea como sea, por cualquier medio, en cualquier caso. ~ …해야 한다 tener que + *inf* a toda costa. ~ 그것을 실행하겠다 Cueste lo que cueste [A toda costa] lo llevaré a cabo. ~ 그것을 마치세요 Termínelo a toda costa. ~ 나는 백만 원이 있어야 한다 Yo debo tener un millón de wones a toda costa. 오늘은 ~ 출발해야 한다 Tengo que salir [partir] hoy, pase lo que pase. ~ 멕시코는 가고 싶다 Quiero ir a Méjico a toda costa. ~ 그 소설을 읽으세요 No deje de leer esa novela. ~ 오십시오 Venga, por favor, sin falta.

무승부(無勝負) empate *m.* ~로 되다, ~로 끝나다 empatar (con), empatear, acabar en un empate, quedar [terminar] en tablas. ~다 Quedamos empatados [iguales] / Quedó el partido en empate. 이것으로 ~다 Con esto quedamos iguales [en paz] / Con esto me desquito. 경기는 ~로 끝났다 El juego permanece indeciso / El partido termina en tablas. 시합은 2대2 ~로 끝났다 El partido terminó con un empate a dos untos / El partido ha empatado a dos.

무시(無始) ((불교)) =태초(太初).

■ ~ 무종(無終) eternidad *f.* ¶~하다 (ser) eterno. ~하게 eternamente.

무시(無視) desatención *f,* descuido *m,* incuria *f,* indiferencia *f.* ~하다 no prestar atención (a), no hacer caso (de), hacer caso omiso (de). desatender, subestimar, despreciar, menospreciar, ignorar. 법을 ~하여 con desprecio [con desdeño] de la ley, ignorando la ley. 여론(與論)을 ~하여 desatendiendo [no teniendo en cuenta] la opinión pública. 반대를 ~하고 sin hacer ningún caso de la oposición. 사실을 ~하다 cerrar los ojos a la realidad. 여론(與論)을 ~하다 desatender la opinión pública. 타인의 권리를 ~하다 no hacer caso de derecho ajeno. 그는 부모님의 의견을 ~하고 결혼했다 El se casó no haciendo caso de la opinión de sus padres.

무시근하다 (ser) ocioso, perezoso, holgazán, gandul. 무시근한 사람 persona *f* ociosa; perezoso, -sa *mf*; holgazán (*pl* holgazanes), -zana *mf*; gandul, -la *mf*.

무시무시하다 (ser) terrible, espantoso, horroroso, formidable, espantador, amenazador. 무시무시한 광경 escena *f* terrible. 무시무시한 얼굴 figura *f* terrible. 어쩐지 ~ (ser) misterioso, extraño, siniestro, lúgubre, inquietante. 어쩐지 무시무시한 남자 hombre *m* misterioso. 어쩐지 무시무시한 집 casa *f* misteriosa [lúgubre]. 어쩐지 무시무시한 소리 ruido *m* extraño [inquietante]. 어쩐지 무시무시한 웃음 risa *f* misteriosa [siniestra]. 그는 얼굴에 무시무시한 분위기가 있다 El tiene (un) cierto aire de amenaza en la cara. 어두운 길을 혼자 걷는 것이 어쩐지 ~ Me inquieta [Me embarga un vago terror al] andar solo por un camino oscuro.

무시험(無試驗) no examen. ~의 libre del examen. ~으로 sin examen, sin examinarse. ~으로 교원 자격을 얻다 recibir un certificado de maestros sin examen. 그는 그 대학에 ~으로 입학했다 El ingresó [entró] en la universidad sin examen.
■ ~ 검정 autorización *f* sin examen. ~ 입학 admisión *f* sin examen. ~ 입학 제도 sistema *m* de admisión sin examen. ~제 sistema *m* sin examen. ~ 진학 admisión *f* (de los estudiantes) sin examen.

무식(無識) ignorancia *f*, analfabetismo *m*. ~하다 (ser) ignorante. ~의 소치로 por ignorancia. 자신의 ~을 폭로하다 revelar *su* ignorancia.
■ ~자 persona *f* ignorante. ~쟁이[꾼] persona *f* ignorante; ignorante *mf*.

무신(戊申) 【민속】 cuadragésimo quinto período *m* binario del ciclo sexagenario.

무신경(無神經) insensibilidad *f*, apatía *f*. ~의 insensible, calloso. ~한 남자 hombre *m* poco delicado. 그는 ~이다 El carece de delicadeza / Le falta delicadeza.

무신고(無申告) no aviso *m*. ~로 sin aviso.
■ ~ 집회 reunión *f* (celebrada) sin aviso.

무신념(無信念) no confianza *f*. ~의 sin confianza, sin fe.

무신론(無神論) 【철학】 ateísmo *m*.
■ ~자 ateísta *mf*, ateo, -a *mf*. ~적 실존주의 existencialismo *m* ateísta.

무실(無實) inocencia *f*, falsedad *f*, mentira *f*, falta *f* de realidad. ~하다 (ser) falso, mendaz. ~한 죄 imputación *f* falsa. ~한 죄로 bajo la acusación de inocencia.

무심(無心) [생각 없음] inadvertencia *f*, falta *f* de intencionalidad *f*, desinterés *m*, falta *f* de atención, distracción *f*, despiste *m*; [순진함] inocencia *f*, [무감각] insensibilidad *f*, [무관심] indiferencia *f*. ~하다 (ser) inocente, inofensivo, descuidado, negligente, indiferente. ~한 어린이 niño *m* inocente [inofensivo]. ~한 행동(行動) acción *f* involuntaria.
무심히 involuntariamente, sin querer; [문득] casualmente; [부주의하게] descuidadamente, negligentemente. 아이들은 ~ 놀고 있다 Los niños están jugando inocentemente.
무심결 momento *m* involuntario [inconsciente]. ~에 [아무 생각없이] sin querer, sin intención, de improvisto, sin designio premeditado; [저도 모르게] inconscientemente, sin saberlo, sin darse cuenta, instintivamente (본능적으로). 나는 ~에 웃었다 Me eché a reir sin querer. 나는 놀라 ~에 컵을 떨어뜨렸다 Por el susto [Por la sorpresa · Sorprendido] se me cayó el vaso. 나는 ~에 그 말을 했다 Sin darme cuenta se me escapó [lo dije].
무심코 [아무 생각없이] involuntariamente, sin querer, sin pensar, sin designio premeditado; [문득] casualmente, por casualidad, accidentalmente; [부주의하게] con descuido; [저도 모르게] inconscientemente, sin saberlo, sin darse cuenta, instintivamente; [무관심하게] indiferentemente, inocentemente. ~ 아래쪽을 보았을 때 나는 지갑이 떨어져 있는 것을 발견했다 Al dirigir la vista involuntariamente hacia abajo encontré un portamonedas caído. 내가 ~ 한 말에 그녀의 마음을 상하게 했다 Lo que dije inocentemente [sin intención] hirió sus sentimientos.

무쌍(無雙) lo incomparable, lo sin igual. ~하다 (ser) incomparable, sin igual, sin rival. 고금(古今) ~의 영웅 héroe *m* que no se ha visto nunca.
무쌍히 incomparablemente, sin igual, sin rival.

무아(無我) éxtasis *m*, desinterés *m*, abnegación *f*. ~의 extático, desinteresado, desprendido. ~의 경지에 이르르다 llegar al estado extático, llegar a un estado espiritual de perfecta abnegación.
■ ~경 éxtasis *m*, arrobamiento *m*, arrebatamiento *m*, exaltación *f*. ¶~에 빠진 delirante, extático. ~에 빠져 con éxtasis. ~에 빠지다 extasiarse. ~애 altruismo *m* absoluto. ~ 의식(意識) el ello, el id.

무악(舞樂) ① [춤출 때 연주하는 아악(雅樂)] danza *f* y música de la corte. ② [노래와 춤] canción *f* y baile, danza *f* con música.

무안(無顔) vergüenza *f*, deshonor *m*, deshon-

ra *f*, desgracia *f*, humillación *f*. ～하다 tener vergüenza, avergonzarse (de), correrse (de), sonrojarse.
무안히 con vergüenza, deshonradamente, deshonorosamente, humillantemente.
◆무안(을) 당하다[보다] ser humillado.
◆무안(을) 주다 humillar, dejar a tantas narices, dejar burlado, dejar*le* a *uno* con un palmo de narices.
◆무안(을) 타다 tener mucha vergüenza, avergonzarse mucho.

무안타(無安打) no hit *m*, sin hit *m*.

무애(無涯) infinidad *f*, infinitud *f*, inmensidad *f*. ～하다 (ser) infinito, interminable, ilimitado, inmenso.

무애(無碍/無㝵) libertad *f* (de todos obstáculos).

무액 기압계(無液氣壓計) 【물리】 barómetro *m* aneroide.

무액면(無額面) ¶～의 sin valor a la par, sin valor nominal.

무액면 주식(無額面株式) 【경제】 acción *f* sin valor nominal, acción *f* sin valor par.

무양(無恙) salud *f*. ～하다 estar bien, gozar de la salud. ～하십니까? ¿Cómo está usted?
무양히 bien, saludablemente.

무양무양하다 (ser) inflexible.
무양무양히 inflexiblemente.

무어 ((준말)) ＝무엇. ¶① [놀람을 나타내는 말] ¡Qué! / ¿Cómo? / ¿Qué dices? / ¿Eh? ～, 다시 한 번 말해봐 ¡Qué! Dímelo otra vez. ～, 박 씨한테 무슨 일이야? ¿Eh? ¿Qué pasa con el señor Bak? / ¿Cómo? ¿Qué le pasa al señor Bak? ② [(아이들이 친구끼리 부를 때) 대답을 겸하여 「왜 부르느냐」는 뜻으로, 되묻는 말] 수옥아, ～ 왜 그래? Su Ok, ¿qué te pasa?
무어니 무어니 해도 verdaderamente, realmente.
무어라 하더라도 de todos modos, de cualquier modo, en resumidas cuentas, después de todo.

무언(無言) silencio *m*, callada *f*, taciturnidad *f*. ～의 silencioso, callado, tácito. ～으로, ～ 중에 en silencio, silenciosamente. ～의 반항(反抗) resistencia *f* pasiva. ～으로 있다 quedarse silencioso. ～의 행동을 하다 guardar un silencio religioso, guardar un silencio absoluto, encerrarse en el mutismo.
■ ～가(歌) canciones *fpl* sin palabras. ～극(劇) pantomima *f*. ～극 배우 pantomimo, -ma *mf*. ～극 작가 pantomimista *mf*. ～부답(不答) silencio *m* sin respuesta. ¶～하다 quedarse silencioso sin respuesta. ～중(中) en silencio, mudamente, silenciosamente, sin una palabra. ～증 mutismo *m*.

무엄(無嚴) impudencia *f*, insolencia *f*, inmodestia *f*. ～하다 (ser) impudente, descarado, indecente, insolente. 여성(女性)에게 ～한 짓을 하다 conducirse [comportarse] indecentemente con [hacia] una mujer. 그놈은 나한테 인사도 없이 ～하다 ¡Qué pocoa vergüenza tiene ese tipo! Ni siquiera me saluda.
무엄히 imprudentemente, descaradamente, indecentemente, insolentemente.

무엇 ¿qué?, ¿cuál? ～이 어쨌다고? ¿Qué? / ¿Qué dices? ～일까? ¿Qué será? ～을 드릴까요? ¿Qué quiere usted? / ¿Qué desea usted? / ¿En qué puedo servirle a usted? / ¿Qué se le ofrece a usted? ～을 드시겠습니까? ¿Qué desea [quiere] usted tomar [comer]? 이것 [그것·저것]은 ～입니까? ¿Qué es esto [eso·aquello]? 이것이 ～인지 아십니까? ¿Sabe usted qué es esto? 그 책은 ～이죠? / ¿Qué es ese libro? / ¿Qué libro es ése? 그녀는 ～에 대해 말했습니까? ¿De qué habló ella? 저분들은 ～에 대해 이야기하고 있습니까? ¿De qué están hablando ellos? / ¿Qué hablan ellos? 그에게 ～이 일어났는지 난 모른다 No sé qué le pasó a él. ～을 해야 할지 모르겠다 No sé qué debo hacer. 당신은 ～을 알고 있소? 그에게 말하는 것이 좋겠다 ¿Sabes qué? Mejor se lo dices tú. 사고의 원인이 ～이었습니까? ¿Qué causó el accidente? / ¿Cuál fue la causa del accidente? 위층에 ～이 있습니까? ¿Qué hay arriba? 찬장에 ～이 있습니까? ¿Qué hay en el armario? 탁자 위에 ～이 있습니까? ¿Qué hay en la mesa? 문제가 ～입니까? ¿Qué es el problema? 재킷은 ～으로 만들어졌습니까? ¿De qué es la chaqueta? 버터는 ～으로 만들어졌습니까? ¿De qué está hecha la mantequilla? ～부터 시작할까요? ¿Por dónde comenzamos? ～이 필요합니까? ¿Qué cosas necesita usted? ～을 찾고 계십니까? ¿Qué está buscando usted? ～을 사러 가십니까? ¿Qué va a comprar? ～을 생각하고 계십니까? ¿En qué piensa usted? / ¿Qué está usted pensando? 이 도구는 ～에 씁니까? ¿Para qué sirve este utensilio? 마실 것은 ～으로 드시겠습니까? ¿Qué toma usted de bebida? 그런 일을 해서 ～합니까? ¿Para [De] qué sirve hacer eso? / No lleva a nada hacer eso. 거기까지는 ～을 타고 갑니까? ¿En qué vamos hasta ahí?
무엇 때문에 ¿Por qué?, ¿A qué?, ¿Para qué? ～ 그런 짓을 했느냐? ¿Por qué lo hiciste? ～ 그녀의 집에 갔느냐? ¿A qué fuiste a su casa? ～ 그런 질문을 하십니까? ¿A qué viene esa pregunta? ～ 그것을 원하오? ¿Para qué lo quieres? 동정은 ～ 합니까? ¿Para [De] qué sirve la compasión?
무엇보다도 ante todo, sobre todo, por encima de todo, más que todo, más que nada. ～ 중요한 것 lo más importante de todo. ～ 기분 나쁜 것은 … Lo peor de todo es que + *ind.* ～ 그에게 사의(謝意)를 표해라 Dale a él las gracias ante todo [antes de nada·antes que nada]. 그것은 내가 ～ 좋아하는 것이다 Eso es lo que

más me gusta / Nada me gusta tanto como eso / Eso me gusta más que nada. ~ 건강이 중요하다 La salud es lo que más importa de todo / La salud es [está] antes que nada. 건강하시다니 ~ 기쁩니다 Me alegro infinito de que usted esté bien de salud. ~ 나는 돈을 지참하겠다 Ante todo llevaré dinero conmigo.

무엇이든 cualquiera, cualquier cosa, todo, toda cosa. ~ 좋다 Cualquiera va bien. 네 마음에 드는 것을 ~ 골라라 Eliges cualquiera que te gustes. 그는 ~ 관심을 가지고 있다 El se interesa por cualquier cosa. 그는 ~ 성을 낸다 El se enfada por todo [fácilmente por cualquier cosa].

무엇인가 algo, una cosa. ~ 다른 것 alguna otra cosa. ~ 재미있는 책 algún libro *m* interesante. ~ 이유가 있어서 por una razón o por otra. ~ 좀 마시다 beber algo. ~ 좀 먹다 comer algo. ~ 변했다 Es algo extraño. ~ 부족합니까? ¿Falta algo? ~ 하겠습니다 Yo haré algo. ~ 그녀에게 생겼다 Algo le ha pasado a ella. ~ 좀 알고 있소? ¿Sabes una cosa? / ¿Sabes algo? / ¿Sabes qué? ~ 부서졌음에 틀림없다 Debe de haber algo roto. ~ 좀 마실 [먹을] 것을 주어라 Dale algo de beber [comer]. 당신한테 ~ 좀 물어봐도 되겠소? ¿Puedo preguntarte algo [una cosa]? 그가 ~ 말하고 있다 El está diciendo algo. ~ 좀 드시지 [마시지] 않겠습니까? ¿No quiere usted comer [beber] algo? ~ 좀 마시고 싶다 Quiero tomar algo para [de] beber / Quiero tomar alguna bebida. ~ 변한 것이라도 있습니까? ¿Qué hay de nuevo [de particular]? / ¿Hay alguna novedad? ~ 검은 것이 지나갔다 Ha pasado un objeto negro o algo / Ha pasado algo como una cosa negra. ~ 다른 것은 더 없습니까? ¿Qué más? / ¿Alguna otra cosa? ~ 제가 당신을 위해 할 수 있는지 말씀해 주십시오 Dígame usted si puedo hacer algo para [por] usted. 당신을 위해서 제가 ~ 할 수 있다면 행복하겠습니다 Me sentiré feliz si puedo hacer algo para usted [si puedo serle útil en algo]. 소설이나 ~를 읽고 싶다 Quisiera leer una novela o algo por el estilo. 그는 경찰관이나 ~이다 El debe (de) ser un policía o algo parecido [así]. 그는 늘 ~ 생각하고 있다 El siempre está pensando en algo. 차가 있으면 ~ 편리한 점이 있다 El coche es conveniente para cualquier cosa.

무엇하다 (ser) delicado, embarazoso, violento, penoso, lamentable, insatisfactorio, poco satisfactorio, deficiente poco convincente, ser difícil decir [describir]. 말씀드리기 좀 무엇합니다만 francamente, sinceramente, para serte franco, hablando francamente, Perdóneme mi franqueza, pero ….

무에리수에 *muerisue*, ¡Adivina su porvenir! / !Tenga su fortuna en adivinanza!

무역(貿易) comercio *m* exterior [internacional · extranjero], intercambio *m* comercial. ~하다 comerciar, negociar, traficar (con). ~에 종사하다 dedicarse al comercio exterior. 서반아와 ~하다 comerciar [negociar · traficar] con España (en). 한국과 남아메리카 국가와의 ~은 성하지 않다 El comercio entre Corea y los países sudamericanos no está en pleno desarrollo.

◆국내(國內) ~ comercio *m* interior, comercio *m* doméstico. 국제(國際) ~ comercio *m* internacional. 다각(多角) ~ comercio *m* multilateral. 대미(對美) ~ comercio *m* coreano con los Estados Unidos de América. 대외(對外) ~ comercio *m* exterior. 바터 ~ comercio *m* de trueque. 보상(報償) ~ comercio *m* de compensación. 보호(保護) ~ comercio *m* favorecido [protegido]. 삼각(三角) ~ comercio *m* triangular. 세계(世界) ~ comercio *m* mundial, comercio *m* internacional. 수입(輸入) ~ comercio *m* de importación. 수출 (輸出) ~ comercio *m* de exportación. 쌍무(雙務) ~ comercio *m* bilateral. 연안(沿岸) ~ comercio *m* intercostero, comercio *m* de cabotaje. 외국(外國) ~ comercio *m* exterior. 외국 ~ 정책 política *f* de comercio exterior. 자유(自由) ~ libre comercio *m*. 중간(中間)[중개(仲介)] ~ comercio *m* de tránsito. 중계(中繼) ~ comercio *m* intermediario [transitorio]. 편(片)~ desequilibrio *m* de la balanza comercial, relaciones *fpl* comerciales desequilibriadas. 한국 ~ 협회 Asociación *f* de Comerciantes de Corea. 한미(韓美) ~ comercio *m* entre Corea y los Estados Unidos de América. 한일(韓日) ~ comercio *m* entre Corea y Japón. 해상 ~ comercio *m* marítimo. 해외 ~ comercio *m* ultramarino, comercio *m* exterior.

■ ~ 결산 balanza *f* comercial. ~ 경쟁국 rival *m* comercial. ~계(界) mundo *m* comercial, círculos *mpl* comerciales. ~과 departamento *m* de comercio. ~ 관계(關係) relaciones *fpl* comerciales. ~ 관리 control *m* del comercio extranjero. ~ 관습 práctica *f* comercial. ~국(國) país *m* exportador (e importador). ~ 균형 balanza *f* de tráfico. ~ 기구(機構) organización *f* comercial. ~ 박람회(博覽會) feria *f* comercial, feria *f* de muestras. ~ 보호책 proteccionismo *m*, plan *m* de comercio protectorio. ~불(弗) dólar *m* comercial. ~ 사절단 misión *f* comercial. ~상(商) ㉮ [수출상] exportador, -dora *mf*, [수입상] importador, -dora *mf*, [수출입상] exportador e importador. ㉯ [수출입업] comercio *m* exterior [internacional]. ~ 상대국 socio *m* comercial. ~ 상사 casa *f* comercial. ~ 수지 balanza *f* comercial. ~ 시장 mercado *m* internacional. ~ 신용장(信用狀) crédito *m* comercial. ~액 cantidad *f* de comercio. ~ 어음 letra *f* comercial. ~업 comercio *m* exterior, comercio *m* internacional. ~ 업자

comerciante *mf* exterior [internacional]. ~연보 boletín *m* anual de comercio exterior. ~외 거래(外去來) transacción *f* [negocio *m*] invisible. ~외 수입(外收入) ganancias *fpl* [beneficios *mpl*] invisibles. ~외 수지 comercio *m* invisible. ~외 수지 항목 partidas *fpl* invisibles. ~외 수출 exportación *f* invisible. ~의 날 el Día del Comercio Exterior. ~ 자금 fondo *m* comercial. ~ 자유화 liberalización *f* del comercio. ~ 전쟁 guerra *f* comercial. ~ 정책 política *f* del comercio exterior. ~ 제재 sanción *f* comercial. ~ 조건(條件) condición *f* del comercio exterior. ~ 통계 estadística *f* comercial. ~ 통신원 correspondiente *mf* comercial. ~통제 control *m* comercial. ~품 mercancías *fpl* de comercio exterior. ~풍 vientos *mpl* alisios, monzón *m*. ¶동기 ~ monzón *m* seco. 반대 ~ contraalisios *m*. 하기(夏期) ~ monzón *m* húmedo. ~항 puerto *m* comercial. ~ 허가장 permiso *m* para el comercio. ~ 협력 기구 la Organización para la Cooperación Comercial. ~ 협정 acuerdo *m* comercial, convenio *m* comercial. ~협회(協會) la Asociación del Comercio Exterior. ~ 회사 sociedad *f* comercial; [수출입 회사] casa *f* exportadora e importadora. ~ 회전 기금 fondo *m* renovable para el comercio.

무연(無煙) ¶~의 sin humo.
■ ~탄 carbón *m* sin humo, antracita *f*. ~화약 pólvora *f* sin humo.

무연(無緣) sin relaciones. ~의 que no tiene pariente sobreviviente, sin relaciones. 그는 학문과는 ~한 사람이다 El es un hombre ajeno [indiferente] al estudio / El estudio no significa nada para él.
■ ~ 묘지 cementerio *m* [*Méj* panteón *m*] desamparado. ~ 분묘[총] cementerio *m* olvidado [desamparado], sepultura *f* [tumba *f*] desamparada. ~불(佛) muerto, -ta *mf* sin descendientes.

무연(憮然) =무연히.
무연하다 (estar) desilusionado, decepcionado.
무연히 con aire decepcionado, descorazonadamente.

무연고(無緣故) =무연(無緣).

무연하다 estar muy lejos.
무연히 muy lejos.

무열(武列) 【고제도】 =무반(武班).

무염(無鹽) sin sal *f*. ~의 sin sal.
■ ~ 간장[장유] salsa *f* sin sal. ~ 식사 comida *f* sin sal. ~(식) 요법 terapia *f* de la comida sin sal.

무영(無影) sin sombra *f*, sin luz *f*.
■ ~등 lámpara *f* sin sombra.

무영탑(無影塔) 【고적】 La Pagoda sin Sombra.

무예(武藝) artes *fpl* marciales, artes *fpl* militares. ~를 갖춘 사람 hombre *m* de consumación marcial.
■ ~ 별감 【고제도】 la Guardia de Corps. ~자 persona *f* de artes marciales.

무오(戊午) 【민속】 *muo*, quincuagésimo quinto período *m* binario del ciclo sexagenario.

무욕(無慾) libertad *f* de codicia [avaricia], generosidad *f*. ~하다 (ser) desinteresado, generoso.

무용(武勇) valentía *f*, bravura *f*, valor *m*, braveza *f*, coraje *m*, acto *m* heroico; [무훈(武勳)] hazaña *f*, proeza *f*.
■ ~담(談) cuento *m* [historia *f*] de hazaña. ¶~을 말하다 contar las hazañas. ~전(傳) historia *f* heroica, vida *f* de héroe.

무용(無用) ① [용무 없음] no negocio *m*. ~의 sin negocio, que no tiene negocio. ② [무익. 불필요] inutilidad *f*. ~하다 (ser) inútil, inservible, innecesario, superfluo. ~의 inútil, innecesario. ~한 토론(討論) discusión *f* inútil. ~자 출입 금지 ((게시)) No se permite entrar exceptuando sobre negocios / Entrada prohibida al público.
■ ~장물(長物) cosa *f* inútil y molesta. ~지물(之物) cosa *f* inútil; [사람] persona *f* inútil; inútil *mf*, calamidad *f*.

무용(舞踊) danza *f*, baile *m*. ~하다 danzar, bailar.
◆고전 ~ danza *f* clásica, baile *m* clásico. 민속 ~ baile *m* folclórico. 지방 ~ baile *m* regional. 한국 ~ danza *f* coreana, baile *m* coreano. 현대 ~ danza *f* moderna, baile *m* moderno.
■ ~가 bailador, -dora *mf*, danzante *mf*, danzarín, -rina *mf*, danzador, -dora *mf*, [직업적인] bailarín (*pl* bailarines), -rina *mf*. ¶플라멩꼬 ~ bailaor, -ora *mf*. ~곡 melodía *f* [canción *f*] de baile. ~극 drama *m* de baile. ~단 cuerpo *m* de baile. ~보(譜) nota *f* musical de baile. ~복 ropa *f* de baile. ~ 선생 profesor, -sora *mf* de baile, instructor, -tora *mf* de baile. ~수 bailarín, -rina *mf*. ~ 연구소 escuela *f* de baile. ~ 음악 música *f* de baile [danza]. ~ 조곡(組曲) suite *m* de baile. ~학원 instituto *m* de baile.

무우(無憂) libertad *f* de preocupación [ansiedad]. ~하다 (ser) desocupado, libre de preocupaciones. 그는 ~한 어린 시절을 가졌다 El tuvo una infancia despreocupada [sin problemas].

무우수(無憂樹) ((불교)) =보리수(菩提樹).

무우제(舞雩祭) =기우제(祈雨祭).

무우주론(無宇宙論) 【철학】 acosmismo *m*.

무운(武運) suerte *f* guerrera, suerte *f* bélica, fortuna *f* [suerte *f*] militar, buen éxito *m* militar. ~이 없어서 poco favorecido por la suerte de la guerra. ~을 빌다 rezar [orar] *su* éxito en guerra, esperar la buena suerte en guerra. ~이 다하여 죽다 caerse por el sino de batalla.
■ ~ 장구(長久) buena suerte *f* militar por largo tiempo.

무운(無韻) no rima *f*. ~의 sin rima.
■ ~시(詩) verso *m* libre [suelto · sin rima].

무원(無援) la no ayuda alguna. ~의 sin ayuda alguna.
무원칙(無原則) no principio *m*. ~의 sin principio.
무월경(無月經) amenorrea *f*.
무위(武威) gloria *f* [honra *f* · prestigio *m* · fama *f*] militar.
무위(無位) ¶~하다 no tener ningún rango.
무위(無爲) ociosidad *f*, desocupación *f*, holganza *f*, pereza *f*. ~하다 (ser) ocioso, desocupado, perezoso.
■~ 도식 vida *f* ociosa. ¶~하다 llevar una vida ociosa, vivir ociosamente, vivir en ociosidad, zanganear. ~으로 재산을 탕진하다 dilapidar [malgastar] *su* hacienda y arruinarse. ~ 도식자 [도식배] zángano, -na *mf*, ocioso, -sa *mf*, vago, -ga *mf*. ~ 무능 incapacidad *f*. ~ 무신 infidelidad *f*. ~ 무책 falta *f* de medidas adecuadas.
무위(無違) no error *m*, no equivocación *f*. ~하다 (ser) correcto, cierto.
무위(撫慰) consolación *f* dando una palmaditas. ~하다 consolar dando unas palmaditas.
무의(無醫) no médicos *mpl*. ~의 sin médicos.
■~면(面) *Myon* sin médicos. ~촌 aldea *f* [pueblo *m*] sin médicos.
무의무신(無義無信) sin lealtad y crédito.
무의무탁(無依無托) ¶~하다 (ser) sin hogar, sin familia, sin techo, solitario, solo, no tener parientes de depender. ~한 고아 huérfano, -na *mf* sin hogar.
■~자 persona *f* sin hogar.
무의미(無意味) insignificancia *f*, inutilidad *f*, nulidad *f*, futilidad *f*. ~하다 (ser) insignificante, fútil, ruin, trivial, despreciable, desdeñable, absurdo, inútil, vacío, sin sentido. ~하게 insignificantemente, con insignificancia, absurdamente, para nada. ~한 말 palabra *f* vacía [insignificante · sin sentido]. ~한 것을 말하다 decir cosas insignificantes [absurdas]. 그런 일은 ~하다 No tiene sentido (hacer) ese trabajo / Ese trabajo está desprovisto de sentido.
무의식(無意識) inconsciencia *f*, sin conocimiento *m*; 【심리】 inconsciente *m*. ~ 상태(狀態)에 있다 encontrarse [estar] en un estado inconsciente.
■~적 inconsciente, involuntario. ¶~으로 inconscientemente, involuntariamente. 거의 ~으로 medio involuntariamente, algo maquinalmente. 그는 ~으로 뒤로 물러섰다 El retrocedió involuntariamente. ~적 도태(的淘汰) selección *f* inconsciente. ~적 행동 acción *f* inconsciente. ~ 철학 filosofía *f* inconsciente.
무의의(無意義) ¶~하다 no tener sentido, carecer de sentido. ~한 sin sentido.
무의지(無意志) no voluntad *f*. ~의 sin voluntad.
무이(無二) lo único, lo sin igual, lo incomparable. ~의 único, sin igual, incomparable, sin par, sin rival. ~의 친우 único amigo *m*, única amiga *f*, amigo *m* íntimo, amiga *f* íntima.
무이자(無利子) no interés *m*. ~의 que no paga interés, sin rédito. ~로 sin (cobrar) interés. ~로 빌려주다 prestar sin interés.
■~ 채권 crédito *m* sin interés.
무익(無益) inutilidad *f*. ~하다 (ser) inútil, inservible. ~하게 inútilmente. ~한 의논(議論) argumento *m* [discusión *f*] inútil ~한 살생(殺生)을 하다 matar para nada [inútilmente].
무인(戊寅) 【민속】 *muin*, decimoquinto período *m* binario del ciclo sexagenario.
무인(武人) =무사(武士)(guerrero, soldado).
■~석(石) estatua *f* de guerrero de piedra delante de la tumba.
무인(拇印) =손도장.
무인(無人) ① [사람이 없음] lo que no hay personas. ~의 deshabitado, inhabitado, desierto. ② [일손이 모자람] falta *f* de la mano de obra.
■~ 고도(孤島) =무인 절도(無人絶島). ~ 궁도(窮途) lugar *m* [sitio *m*] desierto. ~도 isla *f* deshabitada [inhabitada · desierta]. ~ 로켓 cohete *m* sin tripulación. ~ 비행기 avión *m* sin piloto. ~ 운전 conducción *f* [*AmL* manejo *m*] sin tripulación. ~ 위성 satélite *m* sin [no] tripulado. ~ 절도 isla *f* inhabitada y remota. ~ 지경 región *f* inhabitada, desierto *m*, tierra *f* de nadie. ¶~을 가듯하다 barrer cualquier cosa que viene a *su* camino, ser irresistible sencillamente. ~ 지대(地帶) región *f* inhabitada, tierra *f* de nadie. ~ 차단기 paso *m* a nivel sin guardián. ~ 차량 vehículo *m* sin tripulación. ~ 판매기 máquina *f* expendedora, distribuidor *m* automático. ~ 판매대 puesto *m* de autoservicio.
무인(舞人) danzante *mf*, bailador, -dora *mf*, danzador, -dora *mf*, danzarín, -rina *mf*, bailarín, -rina *mf*.
무인 계약(無因契約) contrato *m* abstracto.
무인론(無因論) 【철학】 indeterminismo *m*.
무인 부지(無人不知) ¶~하다 todos saben.
무인칭(無人稱) impersonalidad *f*. ~의 impersonal.
■~ 동사(動詞) impersonal *m*, verbo *m* impersonal. ~ 문장 oración *f* impersonal.
무인 행위(無因行爲) acto *m* abstracto.
무일물(無一物) el no tener nada. 나는 화재로 ~이 되었다 El fuego me ha dejado sin nada / El fuego ha devorado [consumido] todo lo que yo tenía. 그의 집은 ~이다 El es tan pobre como ratón de sacristía.
무일전(無一錢) =무일푼.
무일푼(無一一) el no tener ni un céntimo. ~으로 sin dinero, sin blanca. ~이다 no tener ni un céntimo [un real · una blanca · *AmL* un centavo], no tener ni cobre [ningún centavo] en el bolsillo, estar sin dinero, estar sin blanca, estar pelado, estar sin un céntimo. 나는 ~이다 Estoy

sin un céntimo.

무임(無賃) gratuidad *f.* ～의 libre (de), gratuito. ～으로 gratis, de balde, gratuitamente.

■～ 승객 pasajero, -ra *mf* libre; gorrero, -ra *mf.* ～ 승차 viaje *m* sin pagar. ¶～하다 viajar sin (pagar el) billete, hurtar pasaje. ～ 승차권 pase *m* libre.

무임소(無任所) sin cartera.

■～ 국무 위원 (國務委員) ministro, -tra *mf* del Estado, ministro sin cartera. ～ 장관 ministro, -tra *mf* sin cartera.

무자(戊子) 【민속】 vigesimoquinto período *m* binario del ciclo sexagenario.

무자(巫子) 【민속】 ＝무당(巫堂).

무자(無子) ① [대를 이을 아들이 없음] el no tener hijo que hereda. ② ((준말)) ＝무자식(無子息).

■～ 귀신 difunta alma *f* de la persona que no tiene hijos.

무자각(無自覺) inconsciencia *f,* letargía *f.* ～하다 (ser) inconsciente, letárgico.

무자격(無資格) descalificación *f,* falta *f* de capacidad, inhabilidad *f,* incapacidad *f,* incompetencia *f,* ineptitud *f,* desmerecimiento *m.* ～하다 no tener capacidad [competencia]. ～의 sin título, sin licencia, descalificado, no calificado, no diplomado, sin certificado.

■～ 교사 maestro *m* no titulado, maestra *f* no titulada; maestro, -tra *mf* que no tiene licencia [calidad · capacidad]. ～ 의사 médico *m* no calificado, médica *f* no calificada. ～자 incompetente *mf,* persona *f* descalificada [no calificada].

무자력(無資力) falta *f* de fondos, insolvencia *f.* ～하다 (ser) insolvente, faltar [carecer] de fondos, no tener fondos.

무자료 거래(無資料去來) transacción *f* [negocio *m*] sin cuota a pagar [sin cuota tributaria final].

무자맥질 buceo *m,* submarinismo *m.* ～하다 sumergirse, zambullirse.

무자본(無資本) falta *f* de capital [de fondos]. ～으로 sin capital, sin fondos.

무자비(無慈悲) crueldad *f,* ferocidad *f,* inhumanidad *f,* barbarie *f,* brutalidad *f,* salvajismo *m,* falta *f* de compasión, falta *f* de corazón. ～하다 (ser) cruel, inhumano, feroz, bárbaro, sanguinario, brutal, salvaje, atroz, fiero, bestial, despiadado, sin piedad, sin compasión, falto de corazón, falto de compasión, empedernido. ～한 형사(刑事) detective *mf* sin piedad.

무자식無子息) sin hijos, sin heredero. ～이다 no tener hijos.

◆무자식 상팔자 ((속담)) El amor de niños es un estorbo eterno / No tener hijos es más conveniente sin problemas [sin preocupación].

무자위 ＝양수기(揚水機).

무작위(無作爲) ＝부작위(不作爲).

■～ 추출 검사(抽出檢査) control *m* al azar, inspección *f* realizada al azar. ¶～를 하다 realizar controles al azar, realizar inspecciones al azar, inspeccionar al azar. ～ 추출법 elección *f* al azar, muestrario *m* por azar. ～ 표본(標本) muestra *f* cogida al azar.

무작정(無酌定) falta *f* de un plan definido, temeridad *f,* irreflexión *f,* imprudencia *f,* precipitación *f.* ～으로 sin plan, al azar, a lo loco, a la diabla, sin orden ni concierto.

무작하다 (ser) ignorante y feroz.

무장 más y más. 일은 ～ 어렵다 El trabajo es difícil más y más.

무장(一醬) salsa *f* de soja [soya] acuosa.

무장(武將) 【역사】 general *m,* comandante *m,* capitán *m* (*pl* capitanes).

무장(武裝) armamento *m,* equipo *m* bélico. ～하다 armar, equipar; [자신의] armarse. ～한 armado. ～을 해제하다 desarmar, desguarnecer. 소총으로 ～하다 armarse con [de] un fusil.

■～ 간첩 espía *m* armado, espía *f* armada. ～ 경관 policía *m* armado, policía *f* armada. ～대 cuerpo *m* armado. ～ 도시 ciudad *f* fortificada. ～력 poder *m* armado. ～병 soldado *m* armado. ～ 봉기(蜂起) rebelión *f* armada. ¶～하다 rebelarse armadamente (contra). ～ 상선(商船) buque *m* [barco *m*] mercante armado. ～선 barco *m* [buque *m*] armado. ～ 열차 tren *m* acorazado. ～ 정찰 reconocimiento *m* armado. ¶～을 하다 hacer un reconocimiento. ～ 중립 neutralidad *f* armada. ～ 중립 동맹 alianza *f* neutral armada. ～지졸(之卒) ejército *m* sin líder. ～ 평화 paz *f* armada. ～ 해제 desarme *m,* desarmamiento *m,* desmilitarización *f,* desguanecimiento *m.* ¶～를 하다 desmilitarizar. ～ 해제 지대 zona *f* desarmada. ～ 화 militarización *f.* ¶～하다 militarizar.

무장지졸(無將之卒) ① [장수가 없는 군사] soldados *mpl* sin comandante. ② [이끌어 나가는 지도자가 없는 무리] grupo *m* [pueblo *m*] sin líderes.

무재(武才) talento *m* sobre las artes marciales.

무재(無才) ① [재주가 없음] falta *f* [carencia *f*] de talento [habilidad]. ② ((준말)) ＝무재인(無才人).

■～ 무능 carencia *f* [falta *f*] de talento [habilidad]. ¶～하다 no tener talento [habilidad]. ～인(人) persona *f* sin talento.

무저항(無抵抗) no resistencia *f.* ～의 no resistente. ～자(者)를 살해하다 matar a una persona que no opone resistencia; [무기를 소지하지 않은 사람을] matar a una persona inerme.

■～주의 principio *m* de no resistencia. ～주의자 no resistente *mf.*

무적(無敵) lo invencible. ¶～의 sin par, sin igual, invencible, incomparable, insuperable, sin rival, inigualable. ～의 용사(勇士) hombre *m* de valor sin par [sin igual].

■~ 함대 ㉮ [겨룰 만한 적이 없는 강한 함대] la armada invencible. ㉯ 【역사】[1588년 에스빠냐가 영국을 굴복시키고자 편성한 대함대] la Armada Invencible.

무적(無籍) falta *f* de un domicilio registrado, falta *f* de record.

■~자 persona *f* que no tiene domicilio registrado; vago, -ga *mf*; [유랑인] vagabundo, -da *mf*.

무적(霧笛) sirena *f* [trompa *f*] de niebla.

무전 una de la bicicleta.

무전(無電) ① ((준말)) =무선 전신(無線電信). ¶~을 치다 radiografiar, enviar [poner] un radiograma. ~으로 구조를 요청하다 pedir el socorro por radiograma. ~이 들어왔다 Nosotros recibimos un radiograma. ② ((준말)) =무선 전화(無線電話).

■~기 aparato *m* de radio. ~실 sala *f* de radiograma, sala *f* radiotelegráfica. ~ 청취 장치 aparato *m* para recibir radiotelegrafía.

무전(無錢) sin blanca, sin cuartos, sin tener dinero.

■~ 여행 viaje *m* sin dinero, viaje *m* vagabundo. ¶~하다 viajar sin dinero. ~ 유죄 유전 무죄 Para los ladroncillos se hicieron cárceles y presidios; para los grandes ladrones siempre hay cuentas de perdones. ~ 유흥 diversión *f* sin pagar dinero. ¶~하다 divertirse sin pagar dinero. ~ 취식 fuga *f* sin pagar la comida. ¶~하다 fugar sin pagar la comida, comer y beber sin dinero [sin pagar la cuenta]. ~ 취식자 trampista *mf* de restaurante.

무절제(無節制) intemperancia *f*, inmoderación *f*, incontinencia *f*. ~하다 (ser) intemperante, inmoderado, incontinente. ~하게 intemperantemente, inmoderadamente, incontinentemente. ~한 식욕(食慾) apetito *m* inmoderado.

무절조(無節操) inconstancia *f*, infidelidad *f*. ~하다 (ser) inconstante, desleal, infiel, sin principios.

무정(無情) falta *f* de corazón, crueldad *f*, inhumanidad *f*. ~하다 (ser) insensible, inhumano; [냉혹하다] cruel, duro; [무자비하다] despiadado. ~하게도 inhumanamente, cruelmente. 그는 ~한 남자다 El es un hombre cruel / El no tiene corazón.

무정히 insensiblemente, inhumanamente, cruelmente, duramente, despiadadamente.

■~물 objeto *m* insensible. ~ 세월 tiempo *m* momentáneo [fugaz]. ¶~ 약류파(若流波)라 El tiempo corremomentáneamente [fugazmente · como una flecha]. ~지책(之責) reproche *m* sin causa alguna.

무정견(無定見) falta *f* de principios, falta *f* de convicción, falta *f* de opinión propia, oportunismo *m*. ~하다 (ser) inconstante (en *su* pensamiento), vacilante, sin convicción, sin principios. ~한 사람으로 비난받다 ser crítico como oportunista.

무정란(無精卵) huevo *m* no fecundado.

무정부(無政府) anarquía *f*. ~의 anárquico.

■~ 상태 anarquía *f*, estado *m* anárquico. ¶그 지방은 ~이다 En esa región domina la anarquía. 도시가 ~이다 La ciudad está en un estado anárquico. ~적 anárquico *adj*. ~주의 anarquismo *m*, acracia *f*. ~주의자 anarquista *mf*, ácrata *mf*. ~화 anarquización *f*. ¶~하다 anarquizar. ~하는 anarquizante.

무정수(無定數) sin un número fijo.

무정위(無定位) ¶~의 astático.

■~ 전류계 galvanómetro *m* astático. ~침 aguja *f* astática.

무정형(無定形) amorfía *f*. ~의 amorfo, anómalo, informe, disforme.

■~ 금속(金屬) metal *m* amorfo. ~ (물)질 su(b)stancia *f* amorfa. ~ 상태 estado *m* amorfo. ~ 수정 cuarzo *m* masivo. ~ 탄소 carbón *m* amorfo. ~ 흑연(黑鉛) grafito *m* amorfo.

무제(無際) =무애(無涯).

무제(無題) no título *m*. ~의 sin título.

■~시(詩) poema *m* sin título.

무제한(無制限) sin límites, sin restricción. ~의 no límites, no restringido, ilimitado; [자유스런] libre. ~으로 sin restricciones, sin límites. 속도는 ~이다 Respecto a la velocidad no hay límite máximo.

■~ 법화(法貨) moneda *f* de curso legal ilimitada. ~ 입국 admisión *f* ilimitada. ~ 통화 divisa *f* libre.

무조건(無條件) no condición *f*. ~의 incondicional, sin condición, absoluto, ilimitado; [유보없이] sin reserva. ~으로 incondicionalmente, sin condición. 적에게 ~으로 항복하다 rendirse incondicionalmente al enemigo.

■~ 반사 reflejo *m* incondicionado. ~ 신용장 crédito *m* al descubierto, crédito *m* abierto. ~적 incondicional, incondicionado, sin condición; [절대적인] absoluto. ~ 채무 deuda *f* sin condición. ~ 항복 rendición *f* incondicional. ¶~하다 rendirse incondicionalmente. ~ 협상 negociaciones *fpl* incondicional.

무족(無足) =무지기.

무좀 【의학】 eccema *m*, eczema *m*, dermis *f*. ~의 eccematoso, eczematoso. ~에 걸리다 tener [padecer] un eczema.

무죄(無罪) inocencia *f*, inculpabilidad *f*, sin culpa. ~하다 (ser) inocente, libre de culpa. ~의 추정(推定) presunción *f* de inocencia. ~로 되다 librarse. ~로 하다 justificar. ~를 주장하다 justificar; [자신의] proclamar [protestar] *su* inocencia. ~를 선고하다 declarar la inocencia (de), declarar (a *uno*) inocente. 그는 ~이다 El es inocente.

무죄히 inocentemente.

■~ 방면 absolución *f*, descarga *f*. ¶~하다 absolver, descargar. ~되다 salir absuelto [descargado]. ~ 판결 sentencia *f* absolutoria, veredicto *m* de inculpabilidad.

무주(無主) sin dueño, sin amo, sin propietario. ~하다 no haber dueño [amo · propietario].

■ ~ 고총(古塚) tumba *f* antigua sin descendientes. ~ 고혼 el alma *f* solitaria sin descendientes. ~ 공당[공사] casa *f* vacía sin dueños. ~ 공산 ㉮ [인가도 인기척도 없는 쓸쓸한 산] montaña *f* solitaria sin casas. ㉯ [주인 없는 산] montaña *f* sin dueños. ~ 공처 lugar *m* vacío sin dueños, lugar *m* solitario. ~물 artículo *m* sin dueños. ¶~인 부동산 bienes *mpl* inmuebles abandonados. ~물 선점 ocupación *f* de una cosa abandonada. ~총(塚) tumba *f* sin descendientes. ~ 화물(貨物) carga *f* sin dueños.

무주소(無住所) no dirección *f*. ~하다 no haber dirección.

무주의(無主義) falta *f* de principio. ~하다 no tener principio alguno. ~의 sin principio alguno.

■ ~자 persona *f* sin principio definitivo.

무주택(無住宅) sin casa, sin hogar.

■ ~ 비율 ratio *m* sin hogar. ~ 서민(庶民) masas *fpl* sin hogar. ~ 인구 población *f* sin casa. ~자 persona *f* sin casa. ~ 증명 certificado *m* de verificar *su* estado sin hogar.

무죽다 no ser firme [tenaz · robusto · fuerte].

무준비(無準備) no preparación *f*.

무중(霧中) ① [안개가 낀 속] en la niebla. ② [알 길이 없음] ignorancia *f*.

무중력(無重力) ingravidez *f*. ~의 sin gravitación, ingrávido.

■ ~ 상태 estado *m* sin gravitación, estado *m* de ingravidez, estado *m* ingrávido.

무지[1] [곡식이 완전하게 한 섬이 못 되는 것] grano *m* menos de un *seom*.

무지[2] ① [무더기로 쌓인 더미] montón *m*. 모래 ~ monón *m* de arena. ② [더미를 세는 단위] montón *m*. 자갈 두 ~ dos montones de cascajos.

무지(拇指) =엄지손가락.

무지(無知) ignorancia *f*, estupidez *f*. ~하다 (ser) ignorante, estúpido, iliterato. ~하게 ignorantemente. ~한 남자 hombre *m* ignorante. ~한 사람 persona *f* ignorante. ~한 여자 mujer *f* ignorante. 배우지 못함으로 인한 ~ ignorancia *f* supina. ~를 이용해 속이다 engañar aprovechando *su* ignorancia. 그는 자신의 ~를 폭로했다 El reveló su (propia) ignorancia.

■ ~막지 ¶~하다 (ser) ignorante y zafio [burdo]. ¶~한 짓을 하다 cometer la atrocidad. ~ 몰각(沒覺) ¶~하다 (ser) muy ignorante, no saber nada. ~ 몽매 falta *f* de ilustración, ignorancia *f*. ¶~하다 (ser) ignaro, ignorante, ignorantón. ~한 사람 ignorantón, -tona *mf*. ~한 사람들 gente *f* ignara [ignorantona · ignorante]. ~한 원주민 indígenas *m* ignaros [ignorantones · ignorantes]. ~무지(無知) ㉮ [매우 우악스럽게] ferozmente, cruelmente, violentamente. ㉯ [엄청나게 놀랄 정도로 대단하게] muchísimo, extraordinariamente. ¶~하다 ㉮ [몹시 감때사납고 우악스럽다] (ser) feroz, cruel, violento. ㉯ [몹시 놀랄 정도로 대단하다] (ser) muchísimo. 그 강연회에는 ~하게 사람들이 모였다 Mucha gente se reunió en esa reunión de conferencia. ~문맹 analfabetismo *m*, ignorancia *f*. ~스럽다 (ser) analfabeto, ignorante; [우악스럽다] cruel, feroz. ~스레 analfabetamente, ignorantemente. ~한(漢) persona *f* ignorante y feroz.

무지각(無知覺) insensibilidad *f*, insensatez *f*. ~하다 (ser) insensible, insensato.

무지개 arco *m* iris. ~가 서다 aparecer arco iris. ~가 선다 Aparece [Sale] un arco iris. 하늘에 ~가 섰다 Un arco iris se ha formado en el cielo.

◆쌍~ arco *m* iris doble.

■ ~빛[색] color *m* irisado. ¶~을 내다 irisar.

무지근하다 ① [뒤가 잘 안나와서 기분이 무겁다] estar estreñido, estar cargado, *Chi* estar estítico. ② [머리가 멍하고 가슴이 무엇에 눌리는 듯하다] sentir pesado [aburrido · soso].

무지근히 cargadamente, estreñidamente, pesadamente, aburridamente, sosamente.

무지기 enagua *f*, combinación *f*, falda *f* interior.

무지러지다 gastarse, desgastarse, consumirse. 무지러진 raído, usado, gastado, desgastado.

무지렁이 ① [어리석고 무식한 사람] zote *mf*, zopenco, -ca *mf*, tonto, -ta *mf*. ② [헐었거나 무지러져서 못 쓰게 된 물건] artículo *m* gastado.

무지르다 cortarse una parte del artículo.

무직(無職) no ocupación *f*, no trabajo *m*, no empleo *m*. ~의 sin ocupación, sin trabajo, sin empleo. ~이다 no tener empleo.

■ ~자 ((준말)) =무직업자(無職業者).

무직업(無職業) no ocupación *f*, no trabajo *m*, no empleo *m*. ~의 sin ocupación, sin trabajo, sin empleo.

■ ~자 persona *f* desempleada, persona *f* sin ocupación.

무직하다 ((준말)) =무지근하다.

무직이 =무지근히.

무진(戊辰) 【민속】 *muchin*, quinto período *m* binario del ciclo sexagenario.

무진(無盡) ① [다함이 없음] lo inagotabe, infinidad *f*, infinitud *f*. ~한 지하 자원(地下資源) recursos *mpl* subterráneos inagotables. ② [부사적] [한이 없이] infinitamente. ~ 고생을 하다 pasar un trago amargo infinitamente.

무진히 inagotablemente, infinitamente.

■ ~장(藏) ㉮ [다함이 없이 많음] cantidad *f* inagotable. ¶~하다 (ser) inagotable, infinito, incapable, interminable. ~하게 inagotablemente, infinitamente. 이 광산에는 석탄이 ~하다 El carbón de esta mina es inagotable. ㉯ ((불교)) [덕이 넓어 끝이 없

음·닦고 닦아도 끝이 없는 법의(法義)] virtud *f* infinita. ㊊ [부사적] [다함이 없이 많이] inagotablemente, infinitamente. ~ 나오는 지하수 el agua *f* subterránea que sale corriendo inagotablemente.
▪~ 회사 =상호 신용 금고.
무질다 (ser) pequeño y grueso.
무질리다 cortarse. 나뭇가지가 무질린다 Las ramas se corta del árbol.
무질서(無秩序) desorden *m*, confusión *f*, tumulto *m*. ~하다 (estar) desordenado, confuso, tumultuario, estar hecho un lío, estar muy embrollado. ~하게 desoredenamente, confusamente, tumultuariamente, en desorden. ~한 상태에 있다 estar en desorden.
무집게 tenazas *fpl*, tenaza *f*.
무쩍 de una vez.
무쪽 같다 (ser) muy feo.
무쪽같이 feamente, con fealdad.
무찌르다 ① [쳐부수다] vencer. 상대팀을 ~ vencer al equipo adversario. ② [살육하다] matar, quitar la vida, matar atrozmente, hacer una carnicería.
무찔리다 vencerse; ser matado, quitarse la vida.
무차별(無差別) ① [차별이 없음] falta *f* de distinción. ~하다 (ser) indistinto. ~하게 indistintamente. 남녀 ~하게 sin distinción de sexo. ② 【철학】 indiferencia *f*.
◆신앙(信仰) ~론(論) indiferentismo *m*.
▪~ 곡선 curva *f* de indiferencia. ~급 categoría *f* de peso abierto. ~ 도표 mapa *m* de indiferencia. ~적 indiscriminado *adj*. ~(적) 폭격 bombardeo *m* indiscriminado. ¶~을 하다 bombardear sin discriminación [sin distinción].
무착륙(無着陸) no aterrizaje *m*. ~하다 no aterrizar. ~으로 sin aterrizar, sin aterrizaje.
▪~ 비행 vuelo *m* sin aterrizar. ¶~을 하다 volar sin aterrizar [sin hacer escala]. ~ 폭격기(爆擊機) avión *m* bombardeador sin aterrizar.
무참(無慘) ① [잔혹] crueldad *f*, atrocidad *f*, sangre *f* fría. ~하다 (ser) cruel, atroz, horrible, de sangre fría. 보기에도 ~한 광경이다 Es un espectáculo horrible. ② [비참함] lástima *f*, tragedia *f*. ~하다 (ser) lastimero, patético, conmovedor, lastimoso, trágico, horrible, horroroso, miserable. ~한 최후를 마치다 morir de una muerta trágica.
무참히 cruelmente, atrozmente, horriblemente; trágicamente, lastimosamente, miserablemente.
무참(無慚) vergüenza *f*, desgracia *f*. ~하다 tener mucha vergüenza, averigonzarse.
무참(無慙) sinvergüencería *f*. ~하다 no tener vergüenza. ~한 사람 sinvergüenza *mf*; persona *f* que no tiene vergüenza.
무채색(無彩色) color *m* acromático.
무책(無策) falta *f* de artificio. ~하다 no tener artificio. ~의 sin maña. 속수 ~이다 no saber medidas para tomar.
무책임(無責任) irresponsabilidad *f*. ~하다 no tener sentido de responsabilidad; (ser) irresponsable; [흐릿하다] vago; [무관심하다] negligente. ~한 발언(發言) palabra *f* dicha a la ligera. ~한 아버지 padre *m* negligente [irresponsable]. ~한 약속(約束) promesa *f* dada a la ligera. ~한 짓을 하다 actuar [conducirse] irresponsablemente [sin responsabilidad]. ~하게 말하다 hablar irresponsablemente, decir sin pensar en el resultado. ~한 대답을 하지 마라 No des respuestas vagas [evasivas]. 그는 늘 ~한 말을 한다 El habla siempre a la ligera. 일을 ~하게 하지 마라 No te descuides en el trabajo / No hagas chapucerías.
무척 muy, mucho, sumamente, extemamente, en extremo, en suma grado. ~ 여위다 adelgazar mucho. ~ 사랑하다 amar [querer] con locura, amrar [querer] mucho. ~ 춥다 [날씨가] Hace mucho frío / [몸이] Tengo mucho frío. 부모님이 ~ 기뻐하신다 Mis padres se alegran mucho. 이 소설은 ~ 재미있다 Esta novela es muy interesante. 나는 그 일로 ~ 괴로워하고 있다 Eso me está causando mucha molestia. 나는 어렸을 때 ~ 고생했다 Cuando yo era pequeño, sufrí mucho / En mi niñez pasé [experimenté] grandes dificultades. 뵙게 되어 ~ 기쁩니다 Me alegro mucho de verle a usted // [처음 만나 인사할 경우] Mucho gusto / Encantado [여자인 경우 Encantada] / Tengo mucho gusto en conocerle a usted. 선생님을 뵙게 되면 ~ 기쁘겠습니다 Me alegraré mucho de verle a usted. 만나 뵙게 되어 ~ 기뻤습니다 [처음 만난 사람이 헤어지면서] Mucho gusto / Muchísimo gusto.
무척추(無脊椎) lo invertebrado. ~의 invertebrado.
▪~동물(動物) invertebrados *mpl*, animal *m* invertebrado.
무청(蕪菁) 【식물】 (hojas *fpl* y ramas del) nabo *m*.
무체(無體) ① [몸뚱이가 없음] sin cuerpo. ② =무형 (無形).
▪~ 동산 derecho *m* de acción. ~물 cosa *f* inmaterial. ~ 재산 derecho *m* de acción, propiedad *f* incorporal. ~ 재산권 derecho *m* de propiedad incorporal.
무춤하다 ((준말)) =무르춤하다.
무취(無臭) no olor *m*. ~의 inodoro, sin olor.
무취미(無趣味) falta *f* de gusto, insulsez *f*, sosería *f*, aridez *f*. ~하다 (ser) insulso, soso, árido, insípido, prosaico. ~한 사람 persona *f* que no tiene gusto. ~이다 no tener gusto [afición particular], carecer de gusto; [무풍류] (ser) insípido, prosaico.
무치(無恥) desvergüenza *f*, imprudencia *f*. ~하다 (estar) desvergonzado, sin vergüenza, descarado. ~한 행위(行爲) actitud *f* desvergonzada [descarada].

무치다 condimentar, sazonar, salpimentar. 나물을 ~ condimentar vegetales.

무침 condimento *m*, sazón *m*, ensalada *f* condimentada del pescado [de la planta marina · de legumbres].

무탈(無頉) [아무 탈이 없음] sin problemas algunos.

무턱대고 [무분별하게] indiscretamente, imprudentemente, desatentamente; [준비없이] sin preparación alguna, al buen tuntún; [닥치는대로] al azar, sin orden ni concierto, a lo loco; [무차별하게] sin distinción, ciegamente, a ciegas, a viva fuerza, a ojos cerrados, promiscuamente, atrevidamente; [과도하게] indebidamente, excesivamente; [몹시] extremamente, atrozmente, terriblemente, muy, muchísimo. ~ 놓다 poner en desorden [en confusión]. ~ 돌진하다 lanzarse a ciegas. ~ 서류에 도장을 찍다 poner un sello ciegamente [a ciegas] en un documento. 생선을 먹어 보지도 않고 ~ 싫어하다 tener prejuicio [prevención · antipatía] contra el pescado. 그건 ~ 돈을 버리는 것이나 마찬가지다 Eso es (lo mismo que) tirar el dinero.

무텅이 plantación *f* [sembradura *f*] de granos después de cavar el arrozal y el campo en la tierra llena de baches.

무테(無一) sin montura, sin armazón.
■ ~ 안경 gafas *fpl* [anteojos *mpl*] sin montura [sin armazón].

무통(無痛) anodinia *f*, aponia *f*. ~의 indoloro, sin dolor.
■ ~각증 analgesia *f*. ~법 analgesia *f*. ~ 분만 anodinia *f*, parto *m* sin dolor [indoloro]. ~성 종양 tumor *m* indolente. ~약 analgesia *f*.

무투표(無投票) ¶~의 sin votación.
■ ~ 당선 elección *f* sin votación. ¶~되다 ser elegido sin votación.

무트로 en un bulto en una vez, mucho en una vez.

무패(無敗) no derrota *f*.

무표정(無表情) sin expresión. ~하다 (ser) inexpresivo. ~한 con cara de póker. ~한 얼굴 cara *f* inexpresiva [sin expresión], rostro *m* inexpresivo [sin expresión], cara *f* de póker. ~으로 de aire vago e inexpresivo. 정말 ~한 얼굴이군! ¡Qué cara de póker! / ¡Qué cara más inexpresiva! 그녀는 내 농담에도 불구하고 ~했다 Ella siquió tan impasible [con cara de póker] a pesar de mis bromas.

무풍(無風) calma *f* chicha [muerta]. ~의 sin viento, encalmado. ~ 상태다 No sopla una brizna de viento.
■ ~대(帶) [대서양, 북위 및 남위의 각 30° 부근의] zonas *fpl* de calmas subtropicales. ¶온대(溫帶) ~ zonas *fpl* de calmas subtropicales. 적도(赤道) ~ calmas *fpl* ecuatoriales, zona *f* de las calmas ecuatoriales. ~ 지대(地帶) ㉮ [바람이 불지 않는 지역] latitud *f* de calma, zona *f* de la calma ecuatorial. ㉯ [(다른 곳의 재난이 미치지 않아) 평화롭고 안전한 곳] lugar *m* [sitio *m*] pacífico y seguro.

무학(無學) analfabetismo *m*, falta *f* de educación [instrucción], ignorancia *f*. ~의 ignorante, indocto, falto de educación; [문맹의] analfabeto, iliterato; 【문어】 iletrado. 그는 ~이지만 재능이 있다 El no ha hecho estudios, pero está bien dotado.

무한(無限) infinidad *f*, inmensidad *f*, sinnúmero *m*, sinfín *m*, eternidad *f*; 【철학】 infinitud *f*. ~의 infinito, indefinido, ilimitado, eterno, interminable, inextinguible, inconmensurable, inagotable, incalculable. ~하게 infinitamente, sin límites. ~한 공간(空間) espacio *m* sin fin, espacio *m* sin límites, espacio *m* infinito. ~한 기쁨 gozo *m* infinito, alegría *f* infinita. 세월은 ~하다 El tiempo transcurre eternamente.
무한히 infinitamente, ilimitadamente, eternamente, interminablemente.
■ ~경(景) paisaje *m* inexpresable. ~ 궤도 carril *m* [riel *m* · raíl *m*] sin fin, riel *m* inacabable, (carril *m* de) oruga *f*. ~ 궤도 차량 vehículo *m* a oruga. ~ 급수 serie *f* infinita. ~ 꽃차례[화서] inflorescencia *f* indefinida. ~대(大) infinidad *f*; 【수학】 infinito *m*. ~소(小) cantidad *f* infinitesimal. ~ 원점(遠點) punto *m* infinito. ~ 책임 responsabilidad *f* ilimitada. ~ 책임 사원 socio *m* colectivo, socia *f* colectiva. ~ 책임 회사 sociedad *f* ilimitada. ~ 판단 juicio *m* infinito.

무한량(無限量) cantidad *f* infinita.

무한정(無限定) ① infinidad *f*. ② [부사적] infinitamente, indefinidamente, sin límites. 나는 너를 ~ 기다릴 수 없다 No puedo esperarte indefinidamente. ~ 결정을 미룰 수는 없다 No se puede aplazar indefinidamente la decisión.

무함(誣陷) calumnia *f*, difamación *f*, murmuraciones *fpl*. ~하다 calumniar, difamar.

무항산(無恒産) no propiedad *f* definida.

무항심(無恒心) acción *f* de no prestar atención.

무해(無害) inocuidad *f*. ~하다 (ser) inofensivo; 【문어】 inocuo, innocuo. 그는 아무에게도 ~하다 El no le hace daño a nadie.
■ ~무득(無得) ¶~하다 no ser (ni) ganancia ni pérdida, no ser (ni) dañino ni útil.

무허가(無許可) no permiso *m*, no licencia *f*. ~의 sin permiso, sin licencia.
■ ~ 건물 edificio *m* sin permiso [sin licencia]. ~ 영업 comercio *m* clandestino. ~ 제조 producción *f* sin licencia. ~ 판매 venta *f* sin licencia. ~ 판자집 choza *f* [casucha *f*] sin licencia.

무혈(無血) no sangre *f*. ~의 sin sangre, sin derramamiento de sangre, incruento.
■ ~ 동물 anaima *f*. ~ 상륙 aterrizaje *m* sin derramamiento de sangre. ~성 절단술 amputación *f* seca. ~적 sin derramamiento

de sangre, sin sangre, incruento. ~적 수술(的手術) operación *f* sin sangre. ~ 점령 ocupación *f* sin derramamiento de sangre. ~ 쿠데타 golpe *m* de estado sin derramamiento de sangre. ~ 혁명 revolución *f* pacífica, revolución *f* sin derramamiento de sangre.

무혐의(無嫌疑) ¶~하다 (ser) insospechado, libre de sospecha.

무협(武俠) caballería *f*, heroísmo *m*, heroicidad *f*, caballerosidad *f*. ~의 caballeroso, caballero.

■ ~ 소설 novela *f* caballeresca.

무형(無形) inmaterialidad *f*, invisibilidad *f*. ~의 inmaterial, incorpóreo, invisible, abstracto; [정신적] moral, espiritual. ~의 효과 efecto *m* moral.

■ ~ 문화재 patrimonio *m* (nacional) inmaterial, propiedad *f* cultural inmaterial [intangible], bienes *mpl* culturales incorpóreos. ~물 cosa *f* inmaterial, entidad *f* incorporal, incorporeidad *f*. ~ 세계 mundo *m* inmaterial. ~ 원조 ayuda *f* [apoyo *m*] moral. ~ 이익 ganancia *f* moral. ~ 자본 capital *m* intangible. ~ 자산 bienes *mpl* intangibles, inmovilizado *m* inmaterial. ~ 재산 activo *m* inmaterial.

무호 동중(無虎洞中) ((준말)) =무호 동중 이작호(無虎洞中狸作虎).

무호 동중 이작호(無虎洞中狸作虎) Cuando el gato no está los ratones bailan [hacen fiesta] / En el país de los ciegos, el tuerto es rey / Si el gato se halla ausente los ratones lo pasan en grande sin su enemigo / Cuando el jefe no está presente, los empleados no trabajan.

무화과(無花果) ① [무화과나무의 열매] higo *m*. ② ((준말)) =무화과나무.

무화과나무(無花果－) 【식물】 higuera *f*.

무환자(無患子) 【식물】 ((준말)) =무환자나무.

무환자나무(無患子－) 【식물】 jaboncillo *m*.

무효(無效) anulación *f*, invalidez *f*, invalidación *f*; [효과가 없는 것] ineficacia *f*, inutilidad *f*; 【법률】 nulidad *f*. ~하다 ser nulo, ineficaz. ~의 nulo, ineficaz; [기한이 끝난] expirado, caducado. ~로 하는 anulativo. ~로 inválidamente. ~로 할 수 있는 anulable. 계약(契約)의 ~ invalidez *f* de un contrato. ~가 되다 anularse, quedar nulo, invalidar, expirar. ~가 된 결혼 matrimonio *m* [casamiento *m*] inválido. ~로 하다 anular, invalidar. 그 계약은 ~다 El contrato no tiene validez.

◆ 계약(契約) ~ nulidad *f* de los contratos. 서류(書類) ~ nulidad *f* de un documento. 절대(絶對) ~ nulidad *f* absoluta.

■ ~ 소송 proceso *m* declarado nulo por contener vicios de procedimiento, proceso *m* en el cual el jurado no llega a un acuerdo. ~ 투표[표] voto *m* anulado, voto *m* inválidado. ~화(化) invalidación *f*, anulación *f*. ¶~하다 invalidar, anular. ~된 invalidado.

무후(無後/无後) =무사(無嗣).

■ ~가 familia *f* sin descendientes. ~총(塚) tumba *f* sin descendientes.

무훈(武勳) hazaña *f* [proeza *f*] militar. ~을 세우다 distinguirse [señalarse] en el campo de batalla.

무휴(無休) no descanso *m*. ~하다 no descansar, no tener descanso [festividad]. 연중(年中) ~ 간행하다 publicar diariamente todo el año.

무흠(無欠) lo impecable, lo intachable, lo perfecto, inpecabilidad *f*. ~하다 (ser) impecable, intachable, perferto.

무희(舞姬) bailarina *f*, danzarina *f*, bailadora *f*, danzante *f*, danzadora *f*.

묵 *muk*, jalea *f*, gelatina *f*. 도토리 ~ jalea *f* de bellota. 메밀 ~ jalea *f* de trigo rubión [sarraceno], jalea *f* de alforfón.

묵객(墨客) calígrafo, -fa *mf*, pintor, -tora *mf*, artista *mf*.

묵계(默契) entendimiento *m* [comprensión *m* · acuerdo *m*] tácito [secreto], acuerdo *m* implícito. ~하다 acordar implícitamente [tácitamente]. ~를 맺다 ponerse de acuerdo tácitamente (con), llegar a un entendimiento [a un acuerdo] tácito (con). 그들간에는 ~가 성립되었다 Existía un entendimiento tácito entre ellos.

묵고(默考) meditación *f*, contemplación *f*, reflexión *f*, consideración *f*, cavilación *f*. ~하다 meditar, contemplar, reflexionar, considerar, cavilar, rumiar.

묵과(默過) connivencia *f*, confabulación *f*, consentimiento. ~하다 hacer la vista gorda, confabularse (con), dominar con la vista, pasar por alto, no fijarse (en), perdonar. ~하기 어려운 모욕(侮辱) insulto *m* intolerable [insoportable · insufrible · inaguantable].

묵념(默念) ① =묵상(默想). ② [묵도(默禱)] rezo *m* silencioso. ~하다 rezar silenciosamente.

묵다[1] ① [일정한 때를 지나서 오래되다] (ser) añejo, anticuado, antiguo, viejo. 묵은 누룩 vieja levadura *f*. 묵은 당근 zanahoria *f* arrugada. 묵은 관습(慣習) costumbres *f* anticuadas [antiguas]. 묵은 위스키 wiski *m* añejo. ② [(밭이나 논 등이) 사용되지 않아 그대로 남아 있다] no cultivar. 묵은 땅 terreno *m* no cultivado.

묵은닭 gallina *f* añeja.

묵은먹 tinta *f* china añeja.

묵은 세배(歲拜) saludo *m* del Año Nuevo del último día del año.

묵은 술 vino *m* añejo.

묵은쌀 arroz *m* añejo.

묵은장(將) =묵은 장군.

묵은 장군(將軍) =묵장.

묵은찌끼 =노폐물(老廢物).

묵은해 año *m* pasado.

묵다[2] [일정한 곳에서 나그네로 머물다] alojarse, hospedarse, apearse, estar, quedarse, parar(se), pasar la noche. 호텔에 ~ parar en un hotel. …의 집에서 ~ alojarse [hospedarse] en casa de *uno*. 하룻밤을 ~ pasar una noche. 하룻밤을 묵으러 친척의 집에 가다 ir a casa de un pariente pensando pasar una noche. 어디서 묵고 계십니까? ¿Dónde se aloja usted? / ¿Dónde se hospeda usted? 여인숙에서 묵으렵니다 Voy a alojarme [hospedarme] en una pensión. 하룻밤 댁에서 묵을 수 있을까요? ¿Puedo quedarme en su casa esta noche?

묵도(默禱) oración *f* mental, rezo *m* silencioso. ~하다 orar mentalmente [en silencio], rezar mentalmente [en silencio]. 고인들을 위해 1분간 ~합시다 Vamos a guardar un minuto (de rezo) en silencio por los difuntos.

묵독(默讀) lectura *f* en silencio. ~하다 leer silenciosamente [calladamente].

묵례(默禮) reverencia *f*, saludo *m* en silencio. ~하다 hacer una reverencia, saludar en silencio.

묵묵(默默) silencio *m*, callada *f*. ~하다 quedarse callado. 그녀는 잠시 묵묵했다 Ella se quedó callada un momento.

묵묵히 silenciosamente, en silencio, calladamente, sin decir nada. ~ 일하다 trabajar silenciosamente. ~ 혼자 일하다 andar [seguir] el camino solitario. 그 사건(事件)에 그는 ~ 말이 없었다 El guardó silencio en ese asunto.

■ ~ 무언(無言) ¶~하다 no hablar ni una palabra en boca cerrada. ~ 부답 ¶~하다 quedarse callado y no hacer una respuesta, no contestar, dar la callada por respuesta.

묵밭 ((준말)) =묵정밭.

묵비(默秘) reserva *f* mental. ~하다 guardar reserva mentalmente, mantener silencio.

■ ~권 derecho *m* de guardar reserva, derecho *m* de mantener silencio, derecho *m* de callar, previlegio *m* contra la propia incriminación.

묵사발(-沙鉢) ① [묵을 담은 그릇] vasija *f* de jalea. ② ((속어)) [일이나 물건이 몹시 혼잡하거나 망그러진 형편] confusión *f*, desorden *m*.

◆묵사발이 되다 ser aplastado. 그들은 어제의 경기에서 묵사발이 되었다 Ellos fueron aplastados en el partido de ayer.

묵살(默殺) acción *f* de no prestar atención. ~하다 no hacer caso (de), no prestar atención (a), pasar por alto, hacer la vista gorda; [제안 따위를] no dar debido curso (a), enterrar; [사람을] ignorar (a). 소수의 견을 ~하다 no prestar ninguna atención a las opiniones de la minoría. 내 요구는 ~되었다 Mi reclamación ha quedado sin contestación.

묵상(默想) contemplación *f*, meditación *f*, pensamiento *m*, aprobación *f* tácita, cogitación *f*. ~하다 contemplar, meditar; ((성경)) ser meditación, pensar mucho. ~에 골몰하다 entregarse a la meditación, meditar (sobre).

■ ~ 기도(祈禱) oración *f* de meditación.

묵새기다 quedarse mucho tiempo ociosamente.

묵솜 algodón *m* añejo.

묵수(墨守) apego *m*. ~하다 apegarse (a). 구습(舊習)을 ~하다 apegarse a las costumbres viejas.

묵시(默示) revelación *f*, inspiración *f*; ((성경)) profecía *f*, dirección *f* divina. ~하다 revelar.

묵시(默視) mirada *f* silenciosa. ~하다 quedar [permanecer] indiferente (a), pasar por alto, desadvertir, hacer la vista gorda. 나는 그의 고통을 ~할 수 없다 No puedo permanecer indiferente a su pena.

묵시록(默示錄) ((성경)) Apocalipsis *m*.

묵약(默約) =묵계(墨契).

묵언(默言) silencio *m*. ~하다 callar(se), guardar silencio, enmudecer.

묵연(默然) silencio *m*. ~하다 guardar silencio.

묵연히 calladamente, silenciosamente, sin decir nada.

묵음(默音) ¶~의 mudo. 서반아어 알파벳에서 아체(h)는 ~이다 La hache en el alfabeto español es muda / La hache en el alfabeto español no se pronuncia.

묵이 cosa *f* vieja.

묵인(默認) aprobación *f* tácita, consentimiento *m* tácito. ~하다 aprobar tácitamente, dar *su* aprobación tácita (a), consentir tácitamente; [보고도 못본체하다] cerrar sus ojos (a), hacer la vista gorda (a).

묵정밭 campo *m* abandonado.

묵정이 cosa *f* vieja.

묵종(默從) obediencia *f* pasiva, consentimiento *m*, aquiescencia *f*. ~하다 obedecer pasivamente, consentir (*algo* · en + *inf*).

묵주(默珠) ((천주교)) rosario *m*.

■ ~ 기도(祈禱) Rosario *m*.

묵주머니 ① [묵물을 짜는 큰 주머니] bolsa *f* de jalea. ② [마구 뭉개서 못쓰게 된 물건] objeto *m* estropeado. ③ [일을 주물러서 망쳐 놓은 것] arruinamiento *m*.

◆묵주머니(를) 만들다 ㉮ [물건을 뭉개어 못쓰게 만들다] estropear, arruinar. ㉯ [싸움을 말리고 조정함] disuadir, hacer parar.

묵죽(墨竹) pintura *f* de tinta china que pinta el bambú.

묵중(默重) tranquilidad *f*, calma *f*, taciturnidad *f*, discreción *f*, retraimiento *m*. ~하다 callarse, estar tranquilo. ~한 callado, silencioso, tranquilo, discreto.

묵중히 a lo discreto, discretamente, calladamente, silenciosamente, tranquilamente.

묵즙(墨汁) [먹물] tinta *f* china, tinta *f* indiana, fluido *m* de escritura.

묵지(墨紙) papel *m* carbón. ~를 대고 쓰다 copiar en papel carbón.

묵직하다 ① [제법 무겁다] pesar un poco, ser algo pesado; [체격이] corpulento; [위엄이 있는] imponente. 묵직한 건물 edificio *m* imponente. ② [틀지고 무게가 있다] (ser) serio, grave, tácito, solemne; [감정이 없는] impasible. 입이 ~ ser algo tácito. ③ [기분이] (ser) pesado, deprimido, triste. 묵직이 [좀 무겁게] un poco pesadamente; [언행이] seriamente, gravemente, solemnemente. ~ 있다 mantenerse impasible. 짐을 ~ 싣다 cargar pesadamente.

묵척(墨尺) =먹자.

묵철(-鐵) balazo *m* de hierro colado.

묵첩(墨帖) =서첩(書帖).

묵필(墨筆) ① =필묵(筆墨). ② [먹물을 찍어서 쓰는 붓] pluma *f* con tinta china.

묵향(墨香) perfume *m* [olor *m*] de la tinta china.

묵허(默許) consentimieno *m* tácito. ~하다 consentir [acceder] tácitamente.

묵화(墨畵) dibujo *m* [pintura *f*] con tinta china.

◆ 묵화(를) 치다 dibujar con tinta china.

▪ ~ 화가(畵家) claroscurista *mf*.

묵흔(墨痕) marca *f* de tinta, letra *f*. ~이 선명하다 ser escrito vistosamente, ser escrito con un trazo fuerte.

묵히기 =휴한(休閑).

묵히다 añejar. 포도주를 ~ añejar vino. 묵힌 포도주 vino *m* añejo.

묶다 ① [새끼나 끄나풀로 잡아매다] atar, amarrar, vendar, liar, arreglar. 머리를 ~ atar el cabello, arreglar los pelos; [자신의 머리를] atarse el caballo. 상처를 붕대로 ~ vendar una herida. 끈의 양끝을 ~ atar las dos puntas de una cuerda. 서류를 ~ atar los papeles en un paquete. 상처를 붕대로 ~ aplicar un vendaje a la herida. 소포를 끈으로 ~ atar el paquete con la cuerda. 규칙으로 ~ sujetar al reglamento. 전주(電柱)에 ~ atar [amarrar] al poste. ② [(마음대로 움직이지 못하게) 몸을 얽어 매다] atar, ceñir. 목을 ~ atar por el cuello. 허리를 ~ atar por la cintura. …의 손을 ~ atar a *uno* (por) las manos. …의 손발을 ~ atar a *uno* de pies y manos. 나무에 포로(捕虜)를 ~ atar al prisionero a un árbol. 나무에 소를 ~ atar una vaca a un árbol. 그의 허리를 줄로 묶는다 Le ciñen la cintura con sogas. 도둑이 그의 손발을 묶었다 El ladrón le ató de pies y manos. 그들은 나를 침대에 묶었다 Ellos me ataron a una cama. ③ [한군데로 모아 합치다] unir.

묶음 atado *m*, lío *m*, envoltorio *m*, mazo *m*; [종이의] rezma *f*, mano *f*, faja *f*, fajo *m*; [뜯어내게 된] talonario *m*; *ReD, PRi, Cuba, Ven.* manilla *f*. 종이 한 ~ una manilla de papel.

▪ ~표(標) paréntesis *m*.

묶이다 atarse, amarrarse, vendarse. 시간에 ~ estar sujeto al tiempo, tener limitación de tiempo.

문[1](文) ① =문자(文字). 글. ② [문장(文章)] oración *f*, [문학·학문(學問)] literatura *f*, letras *fpl*, pluma *f*. ~은 무(武)보다 강하다 La pluma es más poderosa que la espada.

문[2](文) [신의 크기를 나타내는 단위] *mun*, número *m* de los calzados (unos 2.4 centímetros). 몇 ~ 신으십니까? ¿Qué número calza usted?

문[1](門) [여닫는 물건] puerta *f*, [자동차 따위의] portezuela *f*, [격철자의] cancela *f*, [창의 안 문] contraventana *f*, puerta *f* ventana, postigo *m*; [공항·버스 터미널 등의] puerta *f* de embarque; [집·건물의 정문] puerta *f* de la calle; [회전문] puerta *f* giratoria; [(안팎으로 열리는) 자동문] puerta *f* de vaivén; [정문·앞문] puerta *f* prinpal; [좌우로 열리는 유리문] puerta *f* ventana; [뒷문] puerta *f* trasera: [업무용 출입구] puerta *f* de servicio; [두 짝 문] puerta *f* de dos hojas. ~의 등(燈) lámpara *f* [linterna *f*] de puerta. ~의 손잡이 mango *m* [botón *m*·pomo *m*] de puerta. 접는 ~ puerta *f* plegadiza. 안쪽으로 여는 ~ puerta *f* que abre hacia dentro. 5번 ~ puerta *f* (de embarque) número cinco. ~을 열다 [닫다] abrir [cerrar] la puerta. ~을 두들기다 llamar a la puerta, tocar [golpear] la puerta. ~을 꽝 닫다 dar un portazo. ~을 여세요 [usted에게] Abra la puerta / [tú에게] Abre la puerta. ~을 열지 마세요 [usted에게] No abra la puerta / [tú에게] No abras la puerta. ~을 엽시다 Vamos a abrir [Abramos] la puerta. ~을 열지 맙시다 No abramos la puerta. ~을 닫으세요 [usted에게] Cierre la puerta / [tú에게] Cierra la puerta. ~을 닫지 마세요 [usted에게] No cierre la puerta / [tú에게] No cierres la puerta. ~을 닫읍시다 Vamos a cerrar [Cerremos] la puerta. ~이 열려 있다 La puerta está abierta. ~이 조금 열려 있다 La puerta está entreabierta. ~이 닫혀 있다 La puerta está cerrada. ~에 누군가가 있다 / ~에서 누가 부른다 Llaman a la puerta. 이 ~은 안에서 [밖에서] 연다 Esta puerta se abre al interior [al exterior]. 회의는 ~을 걸어 잠그고 열렸다 La reunión se celebró a puerta(s) cerrada(s). ~은 여섯 시에 엽니다 ((게시)) Entrada a partir de las seis. 당신을 ~까지 모시겠습니다 Permítame que lo acompañe hasta la salida [la puerta].

문[2](門) ① [동식물 분류학상의 한 단위] subreino *m*, filo *m*, filum *m*. ② [집안] familia *f*.

문[3](門) [포나 기관총 따위를 세는 단위] pieza *f*, tipo *m*. 기관총 3~ tres ametralladoras. 대포 5~ cinco cañones.

문(紋) =무늬.

문(問) ① =물음. 질문. ② =문제(問題).

-문(文) oración *f*, estilo *m*, relato *m*, documento *m*.

◆ 기행(紀行)~ (relato *m* de) un viaje. 담화(談話)~ comunicación *f*.

문간(門間) entrada *f*, puerta *f*, portal *m*, paso *m*. ~에서 a la puerta. ~에서 부르다 llamar a la puerta. 그녀는 ~에 있었다

Ella estaba en la puerta. 날씨가 시원했기 때문에 그에게 객줏집 ~에 상을 차려 주었다 ((El Quijote)) Pusiéronle la mesa a la puerta de la venta, por el fresco.

■ ~방 habitación *f* de al lado de la entrada. ~채 =행랑채.

문갑(文匣) caja *f* [cajita *f*] para cartas.

문견(聞見) *su* experiencia.

문경(刎頸) ① [목을 벰] degollación *f*. ~하다 degollar, decapitar. ② [해고함] destitución *f*. ~하다 destituir.

■ ~지교(之交) intimidad *f*; [사람] amigo *m* íntimo, amiga *f* íntima; persona *f* íntima. ~를 맺다 darse fianza de estrechar la amistad, contraer amistad constante.

문고(文庫) ① [책·문서 따위를 담아 두는 상자] caja *f* para libros [documentos]. ② [서고(書庫)] archivo *m*, biblioteca *f*. ③ [총서(叢書)] colección *f* (de obras literarias), biblioteca *f*. ④ =문고판.

◆ 학급(學級) ~ biblioteca *f* de clase.

■ ~본(本) libro *m* de rústica, libro *m* de bolsillo, *Méj* libro *m* de pasta blanda. ~판(版) edición *f* en rústica, edición *f* de bolsillo, *Méj* edición *f* de pasta blanda.

문고리(門−) [손잡이] picaporte *m*; [노커] llamador *m*; *AmL* aldaba; [걸어 잠그는 데 쓰임] pestillo *m*, pasador *m*, cerrojo *m*.

문공부(文公部) ((준말)) =문화 공보부.

문공 위원회(門公委員會) ((준말)) =문화 공보 위원회.

문과[1](文科) 【역사】 examen *m* para el funcionario civil. ② ((준말)) =문과 급제.

■ ~ 급제 aprobación *f* del examen para el funcionario civil. ~하다 aprobar el examen para el funcionario civil.

문과[2](文科) departamento *m* de filosofía y letras, sección *f* literaria, las humanidades, las artes liberales.

■ ~계(系) rama *f* de filosofía y letras. ¶ ~에 진학하다 tomar la rama [elegir estudiar la carrera] de filosofía y letras. ~ 대학 la Facultad de Filosofía y Letras, la Facultad de Humanidades. ~생(生) estudiante *mf* de la Facultad de Filosofía y Letras.

문관(文官) ① 【역사】 [문과 출신의 벼슬아치] oficial *m* [funcionario *m*] civil; [집합적] servicio *m* civil. ② =군무원(軍務員).

■ ~ 시험 examen *m* del servicio civil. ~ 우위 superioridad *f* del servicio civil al servicio militar.

문교(文敎) ① [문화에 관한 교육] educación *f* sobre la cultura. ② [문교부가 맡아보는 교육 행정] administración *f* educativa del Ministerio de Educación.

■ ~ 당국 autoridades *fpl* del Ministerio de Educación. ~ 심의회(審議會) el Consejo de Instrucción Pública. ~ 예산 presupuesto *m* para la educación. ~ 정책 política *f* educativa, política *f* de educación. ~ 행정 administración *f* educativa.

문교부(文敎部) el Ministerio de Educación.

■ ~ 검정필 aprobado por el Ministerio de Educación. ~ 장관 ministro, -tra *mf* de Educación. ~ 차관 viceministro, -tra *mf* de Educación.

문교 장관(文敎長官) ((준말)) =문교부 장관.

문구(文句) frase *f*, palabra *f*, pretexto *m*, dicción *f*, fraseología *f*, sentencia *f*, cláusula *f*.

문구(文具) ① ((준말)) =문방 제구(文房諸具). ② =문식(文飾).

문구멍(門−) agujero *m* en la puerta [la ventana].

문기둥(門−) poste *m* [jamba *f*] de la puerta.

문끈(門−) cuerda *f* de la puerta.

문내(門內) ① [대문 안] interior *m* de la puerta. ~에서 dentro de la puerta, en el interior de la puerta, en el recinto, en los umbrales. ② =문중.

문단(文段) párrafo *m*.

문단(文壇) mundo *m* literario, círculos *mpl* literarios. ~의 거성(巨星) magnate *mf* [potentado, -da *mf*] literario, -ria. ~의 스타 estrella *f* en el mundo literario. 한국의 ~ mundo *m* literario [círculos *mpl* literarios] de Corea. ~에 이름이 나다 atraer nombre en el círculo literario, obtener el paso en el mundo literario.

■ ~ 시론(時論) comentarios *mpl* sobre los acontecimientos literarios actuales. ~ 예비군 [문학의 신인(新人)] novel *mf* de (la) literatura. ~ 의식(意識) conciencia *f* de la situación actual del mundo literario. ~인(人) escritor, -tora *mf*; literato, -ta *mf*; hombre *m* de letras; hombre *m* literario.

문단속(門團束) cierre *m* de las puertas (con llave). ~하다 cerrar las puertas (con llave). ~ 잘하십시오 Cierre bien las puertas / Tengan bien cerradas las puertas. ~은 잘했습니까? ¿Ha cerrado bien las puertas?

문답(問答) ① [물음과 대답] las preguntas y las respuestas. ~하다 preguntar y responder. ② [대화] diálogo *m*. ~하다 dialogar, sostener un diálogo. ③ [교리상의] catecismo *m*. ~하다 catequisar.

■ ~법 dialéctica *f*. ~식 método *m* de preguntarse y responderse. ¶~으로 en preguntas y respuestas. ~식 교수법 método *m* de enseñanza interrogativo ~판(板) tabla *f* de preguntas y respuestas.

문대다 fregar, estregar con fuerza. ☞문지르다

문덕 haciéndose pedazos, cayendo separado, desmoronándose en pedazos.

문덕(文德) virtud *f* de conocimiento, poder *m* de educación sobre la cultura.

문도(文道) camino *m* de la ciencia.

문도(門徒) discípulo, -la *mf*.

문돋이(紋−) damasco *m* de seda.

문돌쩌귀(門−) =돌쩌귀.

문동(文童) compañero, -ra *mf* de estudios.

문동개(門−) agujero *m* de la panel de bisagra de una puerta que la bisagra es puesto.

문둔테(門—) panel *m* de bisagra de una puerta.

문둥병(—病) 【의학】 lepra *f*, elefancía *f*.

문둥이 ① [나병자(癩病者)] leproso, -sa *mf*; lazarino, -na *mf*. ② ((은어)) habitantes *mpl* de la provincia de *Gyongsangdo*.

문두드러지다 ① [썩어서] pudrirse, corromperse, decaer, declinar. ② [익어서] estar demasiado maduro, estar pocho. ③ [해어지다] estar gastato [roto · usado]. ④ [상처 · 피부가] estar dolorido [doloroso]. ⑤ [눈이] estar legañoso [lagañoso · pitarroso · cejajoso].

문득 [갑자기] repentinamente, de repente, súbitamente, de súbito, de pronto; [우연히] por casualidad, casualmente, accidentalmente; [생각지 않게] de improviso, inesperadamente; [아무 생각 없이] involuntariamente, sin querer. ~ 몸을 돌리다 volverse de improviso. ~ 생각이 나다 ocurrirse. 머리에 ~ 떠오르다 ocurrirse una idea. …이 ~ 나[너 · 그 · 우리 · 너희들 · 그들]에게 떠올랐다 Se me [te · le · nos · os · les] ocurrió que + *ind*. ~ 좋은 생각이 떠올랐다 Se me ocurrió de pronto [de repente] una buena idea. 나는 ~ 갈 생각이 들었다 De repente me entraron ganas de ir. 나는 ~ 가고 싶은 생각이 들었다 Se me antojó ir.

문득문득 inquietantemente, de vez en cuando, de repente, repentinamente, de súbito, súbitamente.

문뜩 ((센말)) =문득.

문뜩문뜩 ((센말)) =문득문득.

문란(紊亂) desorden *m*, desarreglo *m*, confusión *f*, desconcierto *m*; [질서의] disturbio *m*, perturbación *f*, desbarajuste *m*; [마음의] turbación *f*. ~하다 desordenarse, desarreglarse, confundir, descomponer; [질서가] desorganizarse, perturbarse; [마음이] desconcertarse, turbarse. ~한 desordenado, desarreglado, desorganizado, turbado. 사회 질서를 ~하게 하다 perturbar el orden público. 현 사회는 도덕적으로 ~해져 있다 La sociedad actual está podrida.

문란히 desordenadamente, desarregladamente, desorganizadamente, turbadamente.

문례(文例) modelo *m*, ejemplo *m* de frase, frase *f*. ~를 들다 dar un ejemplo. 편지 ~집 epistolario *m*, manual *m* de epístolas.

문루(門樓) portería *f*.

문리(文理) ① [문맥(文脈)] contexto *m*. ② [글의 뜻이나 사물의 이치를 깨달아 아는 힘] poder *m* de saber el sentido de la oración. ③ [문과와 이과] departamento *m* de humanidades y ciencia(s).

■ ~과 departamento *m* de humanidades y ciencias. ~과 대학(科大學) facultad *f* de humanidades y ciencias. ~대(大) ((준말)) =문리과 대학. ~ 학부 división *f* de humanidades y ciencias.

문맥(文脈) contexto *m*, argumento *m*. ~(상)의 contextual. ~을 더듬다 seguir el hilo del argumento. ~을 설명하다 contextualizar.

문맹(文盲) ① [무식하여 글을 모름] analfabetismo *m*, falta *f* de instrucción, ignorancia *f*. ~의 indocto, ignorante, iletrado, iliterato, analfabeto, analfabético. ② [까막눈이] analfabeto, -ta *mf*; iletrado, -da *mf*.

■ ~률 tasa *f* de analfabetismo. ~자 iletrado, -da *mf*; iliterato, -ta *mf*; analfabeto, -ta *mf*; analfabético, -ca *mf*. ~ 퇴치[타파] cruzada *f* [campaña *f*] contra analfabetismo, erradicación *f* de analfabetismo.

문머리(門—) bastidor *m* superior de una puerta.

문면(文面) contenido *m* (de una carta), tenor *m*, texto *m*. 편지의 ~에 따르면 según el contenido de la carta. ~대로 받아들이다 interpretar [tomar] literalmente [a la letra]. 편지의 ~은 다음과 같다 La carta dice como sigue: / El contenido de la carta es el siguiente:

문명(文名) nombre *m* literario, fama *f* literaria, reputación *f* literaria. 불후(不朽)의 ~ inmortalidad *f* literaria. ~을 떨치다 ganar la fama literaria. ~을 떨치는 작가(作家) autor *m* [escritor *m*] famoso [eminente · prominente], autora *f* [escritora *f*] famosa [eminente · prominente].

문명(文明) civilización *f*; [문화(文化)] cultura *f*. ~된 civilizado, ilustrado. ~의 발상지(發祥地) cuna *f* de la civilización. ~화하다 civilizar. ~화되다 civilizarse.

◆기계 ~ civilización *f* mecánica. 동양 ~ civilización *f* oriental. 마야 ~ civilización *f* maya. 물질 ~ civilización *f* material. 서양 ~ civilización *f* occidental. 아스떼까 ~ civilización *f* azteca. 원시 ~ civilización *f* primitiva. 잉카 ~ civilización *f* incaica.

■~ 개화 la civilización y la ilustración. ~국 país *m* civilizado. ~ 국민 pueblo *m* civilizado. ~권 círculo *m* de civilización. ~병 enfermedades *fpl* inherentes a la civilización. ~ 비평 crítica *f* [criticismo *m*] sobre la civilización. ~ 비평가 crítico, -ca *mf* sobre la civilización. ~사 historia *f* de civilización. ~ 사회 sociedad *f* civilizada. ~ 세계 mundo *m* civilizado. ~ 시대 edad *f* ilustrada. ~ 이기(利器) facilidades *fpl* de la civilización, comodidades *fpl* de la vida moderna. ~인 gente *f* civilizada.

문묘(文廟) santuario *m* confuciano, santuario *m* a Confucio.

■~악(樂) música *f* a Confucio (en el santuario confuciano).

문무(文武) ① [문관과 무관] la pluma y la espada. ② [문식(文識)과 무략(武略)] el conocimiento y la táctica militar.

■~ 겸전[쌍전] ¶~하다 sobresalir en la pluma y la espada. ~관 el oficial civil y el militar. ~ 백관(百官) todos los oficiales civiles y militares. ~석(石) ((준말)) =문무 석인. ~ 석인(石人) piedra *f* de la forma del oficial civil y del militar delante del mausoleo.

문문하다 ① [부드럽고 무르다] (ser) suave, tierno, blando. 문문한 가죽 cuero *m* suave. 문문한 고기 carne *f* tierna. 문문해질 때까지 파를 삶다 hervir los puerros hasta que estén tiernos. ② [우습게 보이다] ser fácil de tratar.
문문히 ㉮ [부드럽게] suavemente, tiernamente. ㉯ [우습게] de modo extraño, de modo raro.

문문하다(問問－) felicitar [consolar en] *su* desgracia y *su* feliz ocasión.

문물(文物) civilización *f*, cultura *f*.
■ ～ 제도 ㉮ [문물과 제도] la civilización y el sistema. ㉯ [문물에 관한 제도] sistema *m* sobre la civilización.

문미(門楣) 【건축】 dintel *m*, lintel *m*.

문바람(門－) viento *m* que entra por la puerta.

문밖(門－) ① [문의 바깥] exterior *m* de la casa, el aire libre; [부사적] fuera de la casa. ～의 al aire libre. ～에서 al aire libre, fuera de casa, (a)fuera. ② [성문(城門) 밖·교외] suburbios *mpl* [afueras *fpl*] de la ciudad. 서울 ～에 살다 vivir en las afueras de Seúl.

문발(門－) pantalla *f*, mampara *f*, biombo *m*.

문방(文房) ① ＝서재. ② ((준말)) ＝문방구.
■ ～구(具) artículos *mpl* de papelería [de escritorio], efectos *mpl* [enseres *mpl*] de escritorio, papel *m* y avíos *mpl* necesarios para escribir. ～ 구점 papelería *f*. ¶～ 주인 papelero, -ra *mf*. ～ 사우[사보] papel, pluma china, tinta china y *bioru*. ～ 사우도 cuadro *m* con papel, pluma, tinta china, *bioru* y cerámica, etc. ～ 치레 adoración *f* hermosa de la biblioteca.

문뱃내 olor *m* a vino de la boca del borracho.

문벌(門閥) ① [계통(系統)] linaje *m*. ～이 좋은 de buen linaje, de alta alcurnia, de buena familia. ～이 나쁜 de mal linaje, de baja alcurnia, de mala familia. ② [명문(名門)] buen linaje *m*, buena familia *f*, alta alcurnia *f*, noble descenso *m*.
■ ～가(家) casa *f* de buen linaje. ～주의 principio *m* de linaje.

문범(文範) composición *f* modelo, oración *f* modelo.

문법(文法) ① ＝법규. 법령. ② [문장의 작법(作法) 및 구성법] método *m* de composición. ③ 【언어】 gramática *f*. ～(상)의, ～에 관한 gramático, gramatical. ～에 맞다 ser correcto gramaticalmente. ～에 틀리다 equivocarse de gramática.
◆규범 ～ gramática *f* normativa. 기술 ～ gramática *f* descriptiva. 비교 ～ gramática *f* comparada. 생성(生成) ～ gramática *f* generativa. 서반아어 ～ gramática *f* española. 일반 ～ gramática *f* general. 학교 ～ gramática *f* escolar.
■ ～적 gramático, gramatical. ¶～으로 gramaticalmente. 그것은 ～으로 정확하다[정확하지 못하다] Es gramaticalmente correcto [incorrecto]. 이 어법은 ～으로 정확하지 못하다 No es correcto gramaticalmente este modo de expresión. ～책 (libro *m* de) gramática *f*. ～ 학자 gramático, -ca *mf*.

문병(門屛) pantalla *f* en la entrada.

문병(問病) visita *f* a un paciente. ～하다 visita a un paciente. 입원 중인 친구를 ～하다 visitar a un amigo en el hospital.
■ ～객 visitante *mf* a un paciente.

문복(問卜) adivinación *f*. ～하다 adivinar.

문부(文簿) documentos *mpl*, records *mpl*, libro *m* de cuentas.

문빗장(門－) pasador *m*, cerrojo *m*, aldaba *f*. ～을 지르다 cerrar con aldaba.

문사(文士) escritor *m*, literato *m*, hombre *m* de letras.
■ ～극(劇) teatro *m* de literatos. ～촌(村) villa *f* [aldea *f*] de literatos.

문사(文詞/文辭) expresión *f*, dicción *f*, fraseología *f*, palabras *fpl* en la oración.

문사(門士) ① [군영(軍營)의 문을 지키는 병사(兵士)] guardia *m* del campamento militar. ② [문지기] portero *m*.

문살(門－) enrejado *m* de la puerta corrediza de papel.

문상(問喪) condolencia *f*, pésame *m*. ～하다 expresar *sus* condolencias (por), dar el pésame, dar la condolencia, condolerse. ～가다 ir a dar el pésame [la condolencia].
■ ～객 doliente *mf*. ¶～들이 묘지에 도착했다 Los dolientes llegaron a la tumba / El cortejo fúnebre llegó a la tumba.

문새(門－) forma *f* de la puerta.

문서(文書) ① [문자나 기호 등으로 일정한 사상을 나타낸 것] escrito *m*, escritura *f*; [기록. 자료] documento *m*, acta *f*; [서류] documento *m*, papel *m*, pieza *f*, nota *f*; [편지] carta *f*, correspondencia *f*. ～로 por [en] escrito. ～로 만들다 poner por escrito. 정식(正式) ～로 제출하다 presentar un documento oficial. ② ＝문권(文券). ③ ＝문부(簿).
◆땅～ escritura *f* del terreno. 외교 ～ nota *f* diplomática. 집～ escritura *f* de la casa.
■ ～과 sección *f* de archivos y documentos. ～ 놀음[질] transacciones *fpl* de papel. ～ 변조 falsificación *f* de documentos. ～ 변조죄 falsificación *f* de documentos. ～ 손괴 destrucción *f* de documentos. ～ 손괴죄[훼기죄] destrucción *f* de documentos. ～ 송달 entrega *f* de documentos. ～ 심사 inspección *f* [examen *m*] de documentos. ～ 위조(죄) falsificación *f* de un documento. ～ 은닉(죄) secreción *f* de documentos. ～철(綴) carpeta *f*. ～체 estilo *m* de documento. ～ 취급소 oficina *f* de documentos.

문석(文石) 【광물】 el ágata *f* (*pl* las ágatas).

문선(文選) ① [시문집(詩文集)] antología *f*. ② 【인쇄】 escogimiento *m*. ③ ((준말)) ＝

문선공(文選工).

■ ~공 escogedor, -dora *mf* de tipos, escogedor, -dora *mf* de letras de imprenta. ~부 departamento *m* de escogimiento.

문설주(門-) jamba *f* [poste *m* · pilar *m*] de puerta.

문세(文勢) fuerza *f* de estilo.

문소리 ruido *m* hecho por abrir y cerrar la puerta. ~가 난다 Yo oigo la puerta.

문수(文數) número *m* (de calzados). ~가 몇 입니까? ¿Qué número calza usted?

문식(文飾) adorno *m* retórico.

문신(文臣) ministro *m* civil, vasallo *m* civil.

문신(文身) tatuaje *m*, figura *f* dibujada en el cutis con tinta indeleble. ~하다 tatuarse el cutis, pintar(se) el cutis con figuras. …의 ~을 넣다 tatuar algo. 그는 등에 용의 ~을 하고 있다 El tiene tatuado el dragón en las espaldas.

문신(門神) 【민속】 *munsin*, demonio *m* que guarda las puertas para impedir la infelicidad.

문심(門審) =골 저지(goal judge).

문아(文雅) ① [시문(詩文)을 짓고 읊는 풍류의 도(道)] afición *f* literaria, refinamiento *m* artístico. ② [풍치가 있고 아담함] elegancia *f*, delicadeza *f*, donaire *m*, gracia *f*. ~하다 (ser) elegante, gallardo, galano, gracioso, airoso, esbelto, garboso, artístico.

문안(門-) ① [문의 안] interior *m* de la puerta. ② [성문(城門)의 안] interior *m* de la puerta del castillo. ~에 살다 vivir en la ciudad. ③ [문중의 안] en la familia, en el clan.

문안(文案) ① =문부(文簿). ② [문서나 문장의 초안(草案)] borrador *m*, minuta *f*, plan *m* de una composición, borrador *m* de una composición, diseño *m* de una composición. ~을 작성(作成)하다 hacer un borrador [una minuta].

문안(問安) consolación *f*, compasión *f*. ~하다 consolar.

◆문안(을) 드리다 expresar *su* compasión.

◆문안(이) 계시다 ((궁중말)) estar enfermo, estar mal, estar malo, caer enfermo.

■ ~객 visitante *mf*, [집합적] visita *f*. ~편지 carta *f* de consolación.

문약(文弱) afeminación *f*. ~하다 afeminar. ~해지다 afeminarse.

문양(紋樣) figura *f*.

문어(文魚) 【동물】 pulpo *m*. ~ 잡는 항아리 trampa *f* para pulpos.

■ ~ 단지 trampa *f* de pulpo. ~ 데침 pulpo *m* hervido. ~회(膾) pulpo *m* crudo cortado en pedacitos.

문어(文語) palabra *f* literaria, lenguaje *m* literario; [쓰는 말] lengua *f* escrita, lenguaje *m* escrito

■ ~체 estilo *m* literario. ¶~의 서반아어 español *m* [castellano *m*] literario. ~로 쓰다 escribir en estilo literario. ~투 sabor *m* de estilo literario.

문어귀(門-) entrada *f*.

문얼굴(門-) marco *m*. 문이 ~에 꼭 끼이지 않았다 La puerta no encajó en su marco.

문예(文藝) ① [학문과 예술] la ciencia y los artes. ② [문학] literatura *f*, bellas artes *fpl*.

■ ~가 literato, -ta *mf*. ~ 기자 periodista *m* literario, periodista *f* literaria. ~ 독본 ㉮ [교과서] libro *m* de lectura literario. ㉯ [명시선집] selección *f* de textos literaria. ~란 columna *f* literaria. ~면 página *f* de literatura. ~반 club *m* [círculo *m*] literario. ~부 ㉮ [문예 부서] sección *f* literaria. ㉯ =문예반. ~ 부흥 el Renacimiento. ~ 부흥 시대 período *m* del Renacimiento. ~ 비평 crítica *f* literaria. ~ 비평가 crítico *m* literario, crítica *f* literaria. ~ 사전 diccionario *m* de literatura. ~ 사조 tendencia *f* de pensamientos literarios. ~열 pasión *f* literaria. ~ 영화 película *f* literaria. ~인 hombre *m* literario; artista *m* literario, artista *f* literaria. ~ 작품 obra *f* literaria. ~ 잡지 revista *f* literaria. ~ 평론(評論) comentario *m* literario. ~ 평론가 comentarista *mf* literaria. ~학[과학] ciencia *f* literaria. ~ 활동 actividades *fpl* literarias.

문외(門外) ① [문밖] fuera de la puerta. ② [성문(城門)의 바깥] fuera del castillo. ③ [전문 이외(專門以外)] excepto la especialidad.

문외한(門外漢) lego, -ga *mf*, profano, -na *mf*, forastero, -ra *mf*, extraño, -ña *mf*, seglar *mf*. 나는 물리학에 ~이다 Soy lego [profano] en física.

문우(文友) compañero *m* [amigo *m*] literario, compañera *f* [amiga *f*] literaria.

문운(文運) avance *m* de civilización literaria.

문운(門運) fortuna *f* de una familia [de un clan].

문웅(文雄) =문호(文豪).

문원(文苑/文園) =문단(文壇).

문의(文意) sentido *m* literario, significación *f* literaria, expresión *f* literaria.

문의(問議) interrogación *f*, pregunta *f*. ~하다 interrogar, inquirir, preguntar.

■ ~서 carta *f* de interrogación. ~자 preguntador, -dora *mf*, preguntante *mf*, investigador, -dora *mf*, inquiridor, -dora *mf*. ~처 referencia *f*, información *f*.

문인(文人) hombre *m* de letras; literato, -ta *mf*.

■ ~극(劇) representación *f* teatral por hombres de letras. ~ 사회 círculos *mpl* literarios, mundo *m* literario, *lat* literati. ~협회 la Asociación de Hombres de Letras. ~화(畵) pintura *f* en el estilo de hombre de letras. ~ 화가 pintor, -tora *mf* en el estilo de hombre de letras.

문인(門人) =문하생(門下生).

문자[1](文字) ① [한자 숙어 · 성구 · 문장] modismo *m* de los caracteres chinos. ② ((속어)) =학식.

◆문자(를) 쓰다 usar el modismo en caracteres chinos.

문자²(文字) ① [글자] letra *f*, escritura *f*, carácter *m* (*pl* caracteres). ~를 쓰다 escribir (letras). ② [말] palabra *f*.
◆문자 그대로 literalmente, a la letra, al pie de la letra. ~ 해석하면 interpretando literalmente. 그는 ~ 천재이다 El es literalmente un genio.
■ ~반(盤) esfera *f*, mostrador *m*, muestra *f*.
문자새(門—) las puertas y la ventana.
문장(文章) ① [글] composición *f*, (el) escribir, escritura *f*, [논문] ensayo *m*, artículo *m*; [산문] prosa *f*, traducción *f* inversa; [문] frase *f*, oración *f*, [문체] estilo *m*; [원문(原文)] texto *m*. ~ 의 꾸밈 ornato *m* de estilo, embellecimiento *m* retórico [literario]. ~의 끝 fin *m* de una frase. ~을 꾸미다 adornar [ornar] las frases, embellecer el estilo. ~을 잘 쓰다 saber escribir. ~을 쓰다 escribir [componer · redactar] frases. ~을 연습하다 elaborar el estilo. …을 ~으로 쓰다 poner *algo* por escrito. 두 개의 ~을 하나로 합하다 combinar dos oraciones en una. …의 ~을 인용하다 citar una frase de *uno*. 세르반떼스의 ~을 읽다 leer un texto de Cervantes. 그는 ~이 좋다 [나쁘다] El escribe bien [mal]. 이것은 ~이 되지 않는다 Esto no constituye una frase. 나는 ~을 끝낼 수 없었다 No pude terminar la oración [la frase]. ② ((준말)) =문장가(文章家).
■ ~가 estilista *mf*, buen escritor *m*, buena escritora *f*. ~ 기예 arte *m* de escritura. ~론 sintaxis *f*. ~어 =문어(文語). ~체(體) estilo *m* literario.
문장(門長) el mayor de una familia.
문장(門帳) cortina *f*.
문장(蚊帳) mosquitero *m*, mosquitera *f*.
문장부(門—) 【건축】 espiga *f*.
문재(文才) habilidad *f* literaria, talento *m* literario. ~를 발휘하다 desplegar talento literario.
문적(文籍) [문서] documento *m*; [서적] libro *m*.
문전(文典) ① =문법책. ② =문법(文法).
문전(門前) delante de la puerta. ~에(서) delante de la puerta, enfrente de la puerta, a la puerta. ~에서 돌려보내다 dar con la puerta en las narices.
■ ~ 걸식(乞食) mendiguez *f* de puerta en puerta. ¶~하다 mendigar [pedir limosna] de puerta en puerta. ~ 성시 mucha visita, muchos visitantes. ¶~하다 tener mucha visita; [주어가 장소일 때] estar llenos de visitantes. ~를 이루다 =~하다. ~ 옥토(沃土) terreno *m* fértil que está cerca delante de la casa.
문제(文題) materia *f* de una composición, tema *m*, tesis *f*.
문제(門弟) ① ((준말)) =문제자(門弟子). ② =문하생.
문제(問題) ① [해답을 필요로 하는 물음] pregunta *f*, cuestión *f*. ~를 풀다 resolver las cuestiones. 나는 열 ~ 중에서 두 ~를 풀지 못했다 No pude resolver dos de las diez cuestiones.
② [연구 · 논의하여 해결해야 할 사항. 논쟁을 일으킨 사건] cuestión *f*, problema *m*, asunto *m*. ~의 en cuestión. ~의 사람 persona *f* en cuestión, persona *f* de que se trata. ~의 집 casa *f* en cuestión. 다룰 ~ asunto *m* a tratar. ~로 삼다 someter a crítica, poner sobre el tapete, poner en duda, poner en tela de juicio. ~(로) 삼지 않다 no hacer ni el menor caso (de), no dar importancia (a). ~를 풀다 resolver un problema. ~를 일으키다 causar dificultades [molestias]; [추문(醜聞)을] causar un escándalo. ~를 정리하다[해결하다] arreglar los asuntos. ~를 제기하다 plantear un problema. ~에 직면하다 enfrentarse con un problema. 아무런 ~가 없다 No hay ningún problema. 그것은 ~가 아니다 Eso no importa / Eso no constituye ningún problema. 그것은 ~외(外)다 Está fuera de la cuestión / Eso no viene al caso. 우리에게는 그 팀은 ~가 아니다 Ese equipo no es problema para nosotros. 해결해야 할 많은 ~가 있다 Hay muchos problemas que resolver. ~는 그것이 사실인지 아닌지이다 La cuestión es [consiste en] si es verdad o no. 나는 무엇보다 먼저 그 ~를 해결하지 않으면 안된다 Antes que todo tengo que resolver ese problema.
③ [세상의 주목이 쏠리는 것] tema *m*, tópico *m*; [건(件)] asunto *m*. ~의 en cuestión, mencionado. ~의 인물 persona *f* en cuestión, la misma persona. ~의 범인은 도망쳐 버렸다 Ya había escapado el criminal en cuestión.
④ [성가신 일. 귀찮은 사건] cosa *f* fastidiosa, asunto *m* fastidioso.
◆개발(開發) ~ problema *m* de desarrollo. 경제(經濟) ~ problema *m* económico, cuestión *f* económica. 노동(勞動) ~ problema *m* obrero. 농지(農地) ~ problema *m* del agro. 도시 주택 ~ problema *m* de vivienda en las ciudades. 미결(未決) ~ cuestión *f* pendiente. 별(別)~ cuestión *f* aparte. 사활(死活) ~ cuestión *f* de vida o muerte. 사회 ~ problema *m* social. 수학 ~ problema *m* en matemáticas, problema *m* matemático. 시험(試驗) ~ cuestión *f* de examen, papel *m* de examen. 실업(失業) ~ problema *m* de desempleo. 영해(領海) ~ problema *m* de mares territorriales. 예산 ~ cuestión *f* presupuestaria. 외자(外資) ~ problema *m* sobre la inversión extranjera. 인구 ~ problema *m* de población. 정치(政治) ~ problema *m* político. 주택 ~ problema *m* de (la) vivienda. 중요 ~ cuestión *f* candente; [내각(內閣)이 무너질 원인이 될만한] cuestión *f* de gabinete. 지엽적 ~ cuestión *f* de nombre.
■ ~극(劇) teatro *m* de tesis. ~성(性) problemática *f*. ~ 소설 novela *f* de tesis.

~시(視)하다 poner en duda [en tela de juicio]. ¶성별(性別)은 문제시하지 않는다 No importa el sexo. 나는 저런 놈은 문제시하지 않는다 No hago ningún caso de ese tipo. ~아[아동] niño, -ña *mf* de problema. ~없다 no haber problema, ser muy fácil [sencillo]. ¶그런 일을 하는 건 ~ Es muy fácil [sencillo] hacerlo. ~없이 fácilmente, con facilidad, sin problema, sin preocupación. ¶이 조작(操作)은 여성까지도 ~ 할 수 있다 Esta maniobra la pueden hacer fácilmente hasta las mujeres. ~의식(意識) conciencia *f* crítica, problematismo *m*. ~점 punto *m* en cuestión. ¶~을 지적하다 indicar unos puntos en cuestión. ~지(紙) papel *m* del examen. ~집(集) ejercicios *mpl*, cuestionarios *mpl*. ~화하다 hacerse un problema, promover [provocar] discusiones.

문제자(門弟子) discípulo, -la *mf*; alumno, -na *mf*.

문조(文鳥) 【조류】 gorrión *m* de Java.

문죄(問罪) acusación. ~하다 acusar.

문주란(文珠蘭) 【식물】 ((학명)) Crinum maritimum.

문중(門中) familia *f*, clan *m*.

■~ 회의(會議) reunión *f* de una familia.

문지기(門-) ① [출입문을 지키는 사람] portero, -ra *mf*. ~를 하다 guardar la puerta; [직업적으로] estar de portero. ~의 집 portería *f*. ② [골키퍼] portero, -ra *mf*, guardameta *mf*; *AmL* arquero, -ra *mf*, *RPl* golero, -ra *mf*.

문지도리(門-) bisagras *fpl* [goznes *mpl*] de una puerta.

문지르다 ① [비비다] estregar, friccionar, fregar, frotar, restregar, refregar, limpiar, calentar frotando, *AmL* sobar; [벗기다] excoriar. 옷을 문질러 비비다 restregar la ropa. 문질러 지우다 raspar, tachar, borrar. 문질러 바르다 dar fricciones. 눈을 ~ restregarse los ojos. 손가락으로 탁자를 ~ frotar la mesa con los dedos. 구두를 ~ limpiar los zapatos con el cepillo. 몸을 ~ frotarse [rascarse] el cuerpo (con). 때를 문질러 빼다 limpiar [quitar una mancha de] fregándolo; [칼자루로] raspar [rascar] una mancha. 냄비의 때를 문질러 벗기다 raspar una cacelora. 약을 문질러 바르다 dar fricciones con un ungüento en la piel. ② [쓰다듬다] acariciar, pasar la mano. 등을 ~ pasar la mano por la espalda.

문지방(門地枋) umbral *m*.

■문지방이 닳도록 드나든다 ((속담)) Se hace frecuente visita / Se visita frecuentemente [a menudo].

■~돌 piedra *f* del umbral.

문직(紋織) [무늬가 도드라지게 짠 옷감] damasco *m*, textura *f* figurada.

문진(文鎭) pisapapeles *m.sing.pl*.

문질리다 ① [문지르게 하다] hacer restregar, hacer fregar. ② [문질러지다] restregarse, estregarse, fregarse, excoriarse.

문집(文集) colección *f* de prosas, colección *f* de obras literarias; [선집(選集)] antología *f*, florilegio *m*, obras *fpl* escogidas.

문짝(門-) puerta *f*; [여는 문의 한 짝] hoja *f*.

문창(門窓) la puerta y la ventana.

문창호(門窓戶) las puertas y las ventana.

문채(文采/文彩) ① [아름다운 광채] brillo *m* [lustre *m*] hermoso. ② =무늬.

문책(文責) responsabilidad *f* de [por el] artículo.

■~ 재기자(在記者) La responsabilidad recaerá sobre el redactor. ~ 편집자(編輯者) El editor tiene toda la responsabilidad de este artículo.

문책(問責) censura *f*, reprimenda *f*, reprobación *f*, reproche *m*. ~하다 censurar, reprochar, reprender, reprobar, echar en cara.

문첩(文牒) documento *m* oficial.

문체(文體) estilo *m*. …의 ~를 모방하다 imitar el estilo de *uno*. 그것은 평이한 ~로 쓰여 있다 Está escrito en un estilo sencillo

■~론(論) estilística *f*.

문초(問招) cuestión *f* de tormento. ~하다 cuestionar, indagar, interrogar, poner en duda. 살인죄로 ~당하다 ser acusado de un asesinato.

문치(文治) administación *f* civil.

문치(門齒) =앞니.

문치적거리다 hacerse el remolón, tardar mucho, andar muy despacio, demorarse, dilatarse, entretenerse, dudar, vacilar, titubear, entretenerse en tonterías.

문치적문치적 con vacilación, vacilantemente. 이불 속에서 ~하다 matar el tiempo en la cama.

문턱 cortándose en bulto.

문턱문턱 siguiendo cortándose en bulto.

문턱(門-) umbral *m*. ~에 걸터앉다 sentarse en el umbral. ~을 넘다 pasar [atravesar] el umbral. 그 집 ~은 두 번 다시 밟지 않겠다 Jamás volveré a poner los pies en esta casa.

◆문턱이 높다 resistirse [no atreverese] a entrar (en), ser difícil encontrarse (con). 그의 집은 ~ Me resisto [No me atrevo] a entrar en su casa.

◆문턱이 닳다 frecuentar, hacer frecuente visita (a), visitar frecuentemente.

문투(文套) estilo *m* literario, forma *f* literaria.

문틈(門-) abertura *f* entre las partes de una puerta. ~으로 들어오는 바람 corriente *f* de aire. ~으로 들어오는 바람을 막다 cortar las corrientes de aire. ~으로 들여다보다 atisbar [mirar] a través de la puerta.

문패(門牌) etiqueta *f* con la dirección, placa *f* [letrero *m*] (con el nombre que se pone en la puerta), plancha *f* con el nombre del que habita en casa, placa *f* de la puerta, lámina *f* del nombre.

문풍지(門風紙) burlete *m*; [총칭] burletes *mpl*.

문필(文筆) letras *fpl*, el arte *f* literaria; [신문·잡지업] periodismo *m*. ~로 생활하다 vivir de *su* pluma, ganarse la vida por la literatura, ganarse la vida con la pluma. ~에 종사하다 dedicarse al ejercicio literario. ~에 재주가 있다 tener talento para la escritura.

■ ~가[인] escritor, -tora *mf* (de profesión); literato, -ta *mf*; [저널리스트] periodista *mf*. ~ 노동 trabajo *m* literario. ~ 노동자 trabajador *m* literario, trabajadora *f* literaria. ~ 생활 carrera *f* de las letras. ~업 trabajo *m* literario. ¶~에 종사하다 dedicarse [entregarse] al trabajo literario.

문하(門下) ① [문객이 드나드는 권세가 있는 집] familia *f* [casa *f*] influyente. ② [학문의 가르침을 받는, 스승의 아래] bajo la pedagogía (de), disciplinado (por). …의 ~에서 배우다 estudiar con [bajo la dirección de] *uno*. …의 ~에 들어가다 hacerse un discípulo de *uno*.

■ ~생[인] ㉮ [권세가 있는 집에 드나드는 사람] hombre *m* que frecuenta la casa influyente. ㉯ [문하에서 배우는 제자(弟子)] discípulo, -la *mf*; alumno, -na *mf*; seguidor, -dora *mf*.

문학(文學) literatura *f*, letras *fpl*, bellas artes *fpl*. ~을 지망하다 aspirar a la literatura. ~을 토론하다 discutir de literaturas (con). 서반아 ~에 흥미가 있다 tener interés en la literatura española.

◆고전 ~ literatura *f* clásica. 근대 ~ literatura *f* moderna. 대중 ~ literatura *f* popular. 아동(兒童) ~ literatura *f* infantil y juvenil. 에로 ~ literatura *f* erótica. 통속 ~ literatura *f* popular.

■ ~가[인·자] literato, -ta *mf*; hombre *m* de letras; estudioso, -sa *mf* de la literatura. ~ 개론(概論) introducción *f* a la literatura. ~계 mundo *m* literario, círculos *mpl* literarios. ~관 vista *f* de literatura. ~도(徒) aficionado, -da *mf* a la literatura. ~ 독본(讀本) libro *m* de lectura literario, lectura *f* literaria. ~론 teoría *f* literaria. ~ 박사 doctor, tora *mf* en Filosofía y Letras. ¶~ 학위(學位) doctorado *m* en Filosofía y Letras. ~부(部) facultad *f* de la literatura. ~ 비평 crítica *f* literaria. ~ 비평가 crítico *m* literario, crítica *f* literaria. ~사(士) licenciado, -da *mf* en Filosofía y Letras. ¶~ 학위(學位) licenciatura *f* en Filosofía y Letras. ~사(史) historia *f* de la literatura. ¶라틴 아메리카 ~ la Historia de la literatura hispanoamericana. 서반아 ~ la Historia de la literatura española. 한국 ~ la Historia de la literatura coreana. ~ 사조 corriente *f* literaria. ~상(賞) premio *m* literario, premio *m* de literatura. ~서(書) libro *m* literario, obra *f* literaria. ~ 소녀 muchacha *f* sentimental que es aficionada a la literatura. ~열 interés *m* literario. ~ 예술 artes *mpl* y literatura. ~ 운동 movimiento *m* literario. ~ 작품 obras *fpl* literarias. ~ 잡지 revista *f* literaria. ~적 literario. ¶~으로 literariamente. ~ 청년 joven *m* que tiene aspiraciones literarias. ~ 취미 gusto *m* literario. ~ 평론(評論) crítica *f* literaria, critismo *m* literario. ¶서반아 ~ criticismo *m* [crítica *f*] de literatura española. ~ 평론가 crítico *m* literario, crítica *f* literaria. ~ 혁명 revolución *f* literaria. ~회(會) sociedad *f* literaria, liceo *m*, reunión *f* de los miembros de la sociedad literaria. ¶서반아 ~ la Sociedad de Literatura Española.

문한(文翰) ① =문필(文筆). ② [문장(文章)에 능한 사람] persona *f* versada en composición.

■ ~가 familia *f* literaria.

문합(文蛤) ① 【조개】=대합(大蛤). ② 【한방】=오배자(五倍子).

문헌(文獻) documentos *mpl*, datos *mpl*, referencias *fpl*; [집합적] literatura, bibliografía. 의학에 관한 ~ literatura *f* medicinal.

◆참고(參考) ~ bibliografía *f*.

■ ~ 목록 bibliografía *f*. ~ 수집 colección *f* de datos, colección *f* de documentos. ¶~을 하다 coleccionar datos, coleccionar documentos. ~학 filología *f*, bibliografía *f*, bibliología *f*. ~학적 filológico *adj*. ¶~으로 filológicamente.

문형(門型) forma *f* de la puerta.

문호(文豪) gran escritor *m* [escritora *f*] (magistral); escritor, -tora *mf* eminente; maestro, -tra *mf*.

문호(門戶) portal *m*, zaguán *m*, puerta *f*. ~를 개방하다 abrir la puerta (para), abrir el portal (para). ~를 폐쇄(閉鎖)하다 cerrar la puerta.

■ ~ 개방 principio *m* de la puerta abierta. ~ 개방 정책 política *f* de la puerta abierta. ~ 개방주의 política *f* [principio *m*] de la puerta abierta.

문화(文化) cultura *f*; [문명(文明)] civilización *f*. ~의 cultural. ~의 발전 desarrollo *m* de la cultura. 현대 ~의 경향(傾向) tendencia *f* de civilización moderna. ~가 진보한다 Progresa [Se desarrolla] la cultura. 그 지역은 ~가 뒤떨어져 있다 Ese distrito está atrasado culturalmente.

■ ~ 가치(價値) valor *m* cultural. ~ 경관(景觀) panorama *m* cultural. ~계 mundo *m* cultural, círculos *mpl* culturales. ~ 공로자 persona *f* de mérito cultural. ~ 과학 ciencia *f* cultural. ~ 교류 intercambio *m* cultural. ~ 교육학 pedagogía *f* cultural. ~국 departamento *m* de la cultura. ~국가 estado *m* culto, país *m* civilizado. ~국민 nación *f* cultural, pueblo *m* nacional. ~권 círculo *m* cultural. ~ 단체 organización *f* cultural. ~ 담당관 agregado, -da *mf* cultural. ¶대사관 ~ agregado, -da *mf* cultural de la embajada. ~ 민족(民族) raza *f* cultural. ~병 =문명병(文明病). ~ 보호법 ley *f* de la protección cultural. ~ 복합체 complejo *m* cultural. ~부(部) ㉮ [학교 따

위에서 문화적인 연구나 취미를 같이 하는 사람들의 모임] grupo *m* de la cultura. ㉯ [신문사에서 문화 관계의 일이나 사건 따위를 보도하는 부서(部署)] departamento *m* [sección *f*] cultural [de la cultura]. ㉰ [전에, 행정 각부의 하나] el Ministerio de la Cultura. ¶~ 장관 ministro, -tra *mf* de la Cultura. ~비 gastos *mpl* de cultura. ~사(史) historia *f* cultural, historia *f* de la civilización. ¶한국 ~ historia *f* cultural coreana [de Corea]. ~ 사업 obra *f* de cultura, empresa *f* cultural. ~ 사절 ㉮ [단체] misión *f* cultural. ㉯ [사람] misionero, -ra *mf* cultural; enviado, -da *mf* cultural. ~ 사회학 sociología *f* cultural. ~ 생활 vida *f* moderna [cultural · civilizada]. ~ 수준 nivel *m* cultural [de la cultura]. ~ 시설 instalaciones *fpl* culturales. ~ 심리학 psicología *f* cultural. ~ 영역(領域) campo *m* cultural. ~ 영화 película *f* cultural. ~ 요소 elemento *m* cultural. ~ 운동(運動) movimiento *m* cultural. ~ 유산(遺産) patrimonio *m* cultural. ¶국가 ~ patrimonio *m* cultural nacional. 세계 ~ patrimonio *m* cultural mundial. ~ 유형[양식] modelo *m* cultural. ~의 날 día *m* de la Cultura. ~인 hombre *m* culto, persona *f* culta. ~ 인류학 antropología *f* cultural. ~재 bienes *mpl* culturales, patrimonio *m* (nacional). ¶무형 ~ bienes *mpl* culturales intangibles. ~재 관리국 departamento *m* de administración de los bienes culturales. ~재 보존 위원회 la Comisión [el Comité] para la Protección de los Bienes Culturales. ~재 보호법 ley *f* de la protección de los bienes culturales. ~재보호 위원회 la Comisión [el Comité] para la Protección de los Bienes Culturales. ~재 위원회 la Comisión de los Bienes Culturales. ~적(的) cultural. ¶~으로 culturalmente. ~적 영웅 héroe, heroína *mf* cultural. ~ 정치 política *f* cultural. ~주의 culturalismo *m*. ~주의자 culturalista *mf*. ~ 주택 residencia *f* moderna, casa *f* moderna. ~ 지리학 geografía *f* cultural. ~ 지역 el área *f* (*pl* las áreas) cultural. ~ 집단 cultura *f*. ¶두 개의 다른 ~ dos culturas divergentes. ~ 참사관 consejero, -ra *mf* cultural. ~ 철학 filosofía *f* cultural. ~ 체육부 el Ministerio de Cultura y Deportes. ¶~ 장관 ministro, -tra *mf* de Cultura y Deportes. ~촌 villa *f* cultural. ~ 투쟁 lucha *f* cultural. ~ 특질 característica *f* cultural. ~ 포장(褒章) medalla *f* (de mérito) cultural. ~ 혁명 revolución *f* cultural. ¶중국의 ~ la Revolución Cultural de China. ~ 협정 acuerdo *m* cultural. ~ 훈장(勳章) orden *f* [cruz *f*] (del mérito) cultural. ¶금관 [은관 · 보관 · 옥관 · 화관] ~ la Orden (del Mérito) Cultural de la Corona de Oro [Plata · Joya · Jade · Flor].

문화 공보부(文化公報部) el Ministerio de Cultura e Informaciones.
■~ 장관 ministro, -tra *mf* de Cultura e Informaciones. ~차관 viceministro, -tra *mf* de Cultura e Informaciones.

문화 공보 위원장(文化公報委員長) presidente, -ta *mf* de la Comisión de Cultura e Informaciones.

문화 공보 위원회(文化公報委員會) el Comité [la Comisión] de Cultura e Informaciones.

문화 관광부(文化觀光部) Ministerio de Cultura y Turismo.
■~ 장관 ministro, -tra *mf* de Cultura y Turismo.

문화 대혁명(文化大革命) ((준말)) =프롤레타리아 문화 대혁명(prolétariat 文化大革命).

문화 방송국(文化放送局) la Compañía Radiotelevisora de Munhwa, MBC *f*.

문후(問候) pregunta *f* sobre la salud del otro (por la carta). ~하다 escribir la carta, preguntar sobre su salud por la carta.

묻다[1] [(물이나 가루 따위가) 들러붙다] adherirse (a), pegarse (a). 잉크가 옷에 묻는다 La tinta mancha el vestido. 풀이 손가락에 묻는다 Se pega el engrudo al dedo.
■똥 묻은 개 겨 묻은 개를 나무란다 ((속담)) Dijo la sartén al cazo: quítate que me tiznas.

묻다[2] ① [속에 넣어 흙이나 다른 물건 따위로 보이지 않게 쌓아 덮다] enterrar, sepultar, cubrir con tierra. 불을 재 속에 ~ tapar [cubrir] las brasas con ceniza. ② [무슨 일을 드러내지 않고 속 깊이 감추다] ocultar, esconder, disimular, encubrir, guardar un secreto, tapar.

묻다[3] [질문하다] preguntar, inquirir, hacer una pregunta, interrogar, dirigir una pregunta; [조사하다] investigar, averiguar, indagar, informarse (de · sobre). 의문점을 ~ confirmar los puntos ambiguos, hacer preguntas para aclarar puntos dudosos. 신원을 ~ averiguar la identidad (de). 진상(眞相)을 ~ esclarecer la verdad. 결석한 이유를 ~ preguntar el porqué de la ausencia. 자신의 양심(良心)에 ~ interrogar a *su* propia conciencia, hacer el examen de con(s)ciencia. 역에 가는 길을 ~ preguntar el camino a la estación. 저자(著者)에게 의문점을 물어 밝히다 hacer algunas preguntas al autor para aclarar puntos dudosos. 그분이 우리한테 찬성하는지 물으실 수 있습니까? ¿Puede usted preguntarle si está de acuerdo con nosotros? 물어 볼 게 있습니다 Tengo una cosa que quiero [quisiera] preguntarle. 그는 묻지도 않는데 그것에 대해 말했다 El habló de eso sin que se le pidiera. 그는 나에게 무엇 때문에 사는가 물었다 El me preguntó para que vivo. 그가 올지 오지 않을지 물어 보겠다 Preguntaré si viene o no. 사람들은 내가 몇 살인가 자주 묻는다 Me preguntaron muchas veces cuántos años tengo. 묻는 것은 한때의 수치(지만) 모르는 것은 일생(一生)의 수치(로 남는다) Preguntar lo que no se sabe constituye una vergüenza momentánea; permanecer en la

ignorancia una vergüenza para toda la vida.
■ 아는 길도 물어 가라 ((속담)) Quien lengua ha, a Roma va / Quien pregunta no yerra.

묻잡다 preguntar.

묻히다¹ [묻게 하다] hacer pegar [adherir]; [더럽히다] manchar, untar, embadurnar.

묻히다² [매장되다] enterrarse, hundirse, estar enterrado, cubrirse, estar cubierto (de); [무덤에] sepultarse; [굴 따위에] llenarse. 선로(線路)가 진흙에 묻혔다 Las vías del ferrocarril quedaron enterradas por el barro. 나는 나무 밑에 묻히기를 원한다 Quiero que me entierren al pie del árbol. 묻혀 있는 인재(人材) persona *f* de talento que vive anónima [en la oscuridad · en el olvido].

물¹ ① [물건에 물감이 묻어서 나타나는 빛깔] color *m*. ② ((준말)) =물감. ③ [나쁜 생각이나 행동] mala idea *f*, mal actitud *f*.
◆ 물(이) 들다 ㉮ [빛깔이 들다] teñirse, colorar(se), colorear(se); [과일 따위가] pintar(se), empezar a mostrar su color las frutas maduras; [붉게] enrojecerse. 피에 ~ mancharse de sangre. 피에 물든 manchado de sangre, ensangrentado. 이 옷감은 물이 잘 든다 Esta tela se tiñe bien. ㉯ [단풍(이) 들다] enrojecerse. 물이 든 enrojecido, colorado. 산들이 붉고 노랗게 물들어 있다 Las montañas están cubiertas [jaspeadas · esmaltadas] de rojo y amarillo. 단풍잎이 물들고 있다 Se enrojecen las hojas del arce. 가을에는 나무들이 여러 가지 빛깔로 물이 든다 En otoño los árboles se tiñen de distinatos colores. ㉰ [사상 · 행실이나 버릇 따위가 그와 같이 닮아 가다] imbuirse (de), inficionarse (de), ser imbuido [infestado] (de · en). 서양에 물이 든 occidentalizado. 공산주의[파시즘]에 ~ imbuirse del comunismo [del fascismo].
◆ 물(을) 들이다 teñir, tintar, colorear, colorar, pintar. 물을 붉게 ~ colorear el agua de rojo. 머리카락을 물들였다 tener los cabellos teñidos. 머리카락을 검게 ~ teñirse el cabello en [de] negro. 석양이 하늘을 자줏빛으로 물들였다 El sol poniente tenía de púrpura el cielo. 그녀의 안색은 불그스레하게 물들었다 Ella se puso sonrosada. 엽록소는 나뭇잎을 초록으로 물들인다 La clorofila colora de verde las hojas de los árboles.

물² ① [수소(水素)와 산소의 화합물] el agua *f* (*pl* las aguas). ~이 스며드는 permeable. ~이 스며들지 않는 impermeable. 마시는 [마실 수 있는] 물 el agua potable. (마소 따위에) ~을 먹이는 곳 abrevadero *m*. ~을 마시는 곳 fuente *f* (de agua potable). 깨끗한 [더러운 · 뜨거운 · 미지근한 · 찬] 물 el agua *f* limpia [sucia · caliente · tibia · fría]. ~로 익히다 cocer con agua. ~에 뜨다 flotar en el agua. ~에 흘려 보내다 poner en el agua; [잊다] olvidar, olvidarse, hacer borrón y cuenta nueva (de), pasar la esponja (por). ~을 데우다 hacer hervir el agua, poner el agua a hervir. ~에 빠져 죽다 ahogarse, morir ahogado. ~을 마시다 beber [tomar] agua. ~을 붓다 [따르다 · 대다] verter [echar] agua (en). ~을 뿌리다 [주다] esparcir [derramar] agua. ~을 주다 [관개하다] regar, aguar. ~을 틀다 [잠그다] [수도의] abrir [cerrar] el grifo del agua. ~을 타다 [술에] aguar, mezclar agua con otro líquido, especialmente vino. ~이 나오다 inundarse, salir agua, hacer agua. ~이 방울지듯 아름답다 ser seráficamente hermoso. ~이 새다 abrirse una agua. ~이 (한 방울씩) 떨어지다 gotear, caer gota a gota. 꽃에 ~을 주다 regar las flores. 위스키에 ~을 타다 cortar el whisky con agua, aguar el whisky. 정원에 ~을 뿌리다 regar el jardín. 두 사람에게 ~을 끼얹다 [옆에서 방해하다] tratar de desunir a los dos, sembrar la discordia entre los dos. …의 말에 ~을 끼얹다 dejar a *uno* cortado. …의 의욕에 ~을 끼얹다 echar por tierra la buena voluntad de uno, descorazonar a *uno*. ~ 얻은 물고기 같다 estar como el pez en el agua. 겨울에 찬 ~로 일하기는 힘들다 Es duro trabajar con agua fría en el invierno. 옛일은 ~에 흘려 버리자 Olvidémonos lo pasado. 이 꽃은 ~을 잘 빨아들인다 Esta flor se conserva bien. 많은 도시는 ~이 부족하다 Falta el [Hay escasez de] agua en muchas ciudades. ② [홍수] inundación *f*, diluvio *m*. ~에 잠기다 inundarse (con agua), quedar inundado, quedar sumergido. 큰 ~이 났다 Las aguas se han desbordado / Ha tenido lugar una inundación.
◆ 물 쓰듯 한다 gastar *algo* como si fuera agua, gastar *algo* profusamente [liberalmente · con despilfarro]. 돈을 ~ gastar dinero como si fuera agua, gastar a manos llenas, gastar dinero profusamente [liberalmente · con despilfarro].
◆ 물(을) 긷다 coger [sacar] agua.
◆ 물을 끼얹은 듯 ¶~ 조용하다 Hay un silencio religioso / Se oye el vuelo de una mosca.
◆ 물 퍼붓듯 한다 ㉮ [말을] hablar muy rápida y fuertemente. ㉯ [비가] llover a cántaros.
■ 물 밖에 난 고기 ((속담)) Pez fuera del agua. 물에 빠져도 주머니밖에 뜰 것 없다 ((속담)) Es más pobre que una rata / Es tan pobre como un ratón de sacristía. 물에 빠지면 짚이라도 잡는다 ((속담)) Agárrase a un clavo ardiendo / A un clavo ardiendo se agarra el que se está hundiendo / No se debe poner la espada en mano del desesperado. 물에 빠진 새앙쥐 ((속담)) Estar como una sopa / Mojarse hasta los huesos. 물은 깊을수록 소리가 없다 ((속담)) Do más fondo el río hace menos ruido / La corriente silenciosa es

la más peligrosa. 물이 깊을수록 소리가 없다 ((속담)) Quien sabe mucho, habla poco. 피는 물보다 진하다 ((속담)) La sangre tira / Los lazos familiares son fuertes.
■ ~ 부족(不足) carestía *f* de agua. ~ 자원 recursos *mpl* de agua.

물³ [생선의 싱싱한 정도] frescura *f.* ~ 좋은 새우 camarones *mpl* muy frescos. ~ 간 생선(生鮮) pescados *mpl* pasados.

물⁴ ① [옷을 한 번 빠는 동안] una lavadura, mientras se lava una vez. 한 ~ 빨다 lavar la ropa una vez. 한 ~ 빤 옷 ropa *f* que ha sido lavado. ② [채소·과일·어물 따위가 얼마 동안의 사이를 두고 한목한목 무리로 나오는 차례] una cosecha, una pesca. 맏~ 수박 primera cosecha *f* de sandías. 끝~ 고등어 última pesca *f* de caballa. 참외가 한~졌다 Los melones están rebosante.
◆ 첫~ primeros productos *mpl* de la estación.

물⁵ [액상(液狀)의 것] ampolla *f.*
◆ 물이 잡히다 tener una ampolla.

물⁶ [연못·호수·강·바다 따위를 두루 일컫는 말] [연못] estanque *m,* laguna *f* (자연적인 것); [호수] lago *m;* [강] río *m;* [바다] mar *m.* 배를 타고 ~을 건너다 cruzar el río en barco. ~이 깊다 El lago [El estanque · El río · El mar] es profundo.

물⁷ =수돗물. 먹는물. 식수(食水). 음료수.

물⁸ =조수(潮水).
◆ 물이 써다 menguar (la marea).

물(物) cosa *f,* objeto *m.*

-물(物) artículo *m,* objeto *m,* cosa *f.*

물가 [바다의] costa *f;* [해변의] playa *f;* [연해지(沿海地)] litoral *m;* [바다·강의] ribera *f,* orilla *f;* [바다·호수의] margen *m(f)* (*pl* márgenes). …의 ~에(서) en [a] la orilla de *algo,* al borde del agua.

물가(物價) precios *mpl.* ~의 앙등(昂騰) el alza *f* de los precios. ~의 하락(下落) baja *f* de los precios. 안정된 ~ precios *mpl* estables. ~가 오른다 Se elevan [Se alzan · Suben] los precios. ~가 내린다 Bajan [Descienden] los precios. 서울은 ~가 비싸다 La vida es cara en Seúl.
■ ~고 subida *f* de los precios, el alza *f* de los precios, precios *mpl* altos. ~ 등귀[상승] subida *f* [elevación *f* · alza *f*] de (los) precios. ~ 변동 variación *f* [fluctuación *f*] de (los) precios. ~ 상승률 tasa *f* de la subida de (los) precios. ~ 수준 nivel *m* de (los) precios. ~ 인하 disminución *f* de (los) precios. ~ 인하 운동 campaña *f* por la disminución de (los) precios. ~ 저락(低落) bajada *f* [baja *f*] de (los) precios. ~ 정책국 departamento *m* de política de precios. ~ 조절 control *m* [regulación *f* · ajustamiento *m*] de precios. ~ 지수 índice *m* de precios. ¶도매 ~ índice *m* de precios al por mayor. 소비자 ~ índice *m* de precios de consumo. ~ 체계 sistema *m* de (los) precios. ~ 통제 regulación *f* [control *m*] de (los) precios. ~표 precios *mpl* circulantes.

물갈래 ramal *m,* bifurcación *f.*

물갈이 ① [논에 물을 넣고 가는 일] acción *f* de regar y arar el arrozal con agua. ~하다 regar y arar el arrozal con agua. ② [어떤 일에 관계된 사람들을 갈아치우는 일] reemplazo *m,* sustitución *f.* ~하다 reemplazar, sustituir.

물갈퀴 ① [오리 등의 발가락 사이의 잇닿아 있는 엷은 막] aleta *f,* membrana *f* interdigital. ~가 있는 palmeado. ~의 palmípedo. 손바닥 모양의 ~가 있는 palmeado. ② [다이빙할 때 오리발 모양의 물건] aleta *f.*
■ ~발 pata *f* palmeada. ¶~인, ~이 있는 palmípedo. ~을 가진 새 [동물] palmípedo *m.* ~ 손가락 desdos *mpl* palmeados.

물감¹ [감의 한 종류] *mulgam,* una especie del caqui.

물감² [천이나 가죽 따위에 물이 잘 드는 성질이 있는 색소] materia *f* de tinte, tinte *m,* color *m,* colorante *m,* matiz. ~을 들이다 teñir.

물개¹ 【동물】 foca *f,* lobo *m* marino, lobo *m* de mar, oso *m* marino, otaria *f.*
■ ~ 가죽 foca *f,* piel *f* de foca. ~ 기름 grasa *f* de foca, grasa *f* de lobo marino. ~ 자지 pene *m* de foca.

물개² 【동물】 =수달(水獺).

물갬나무 【식물】 pata *f* de león.

물거름 abono *m* de orina, fertilizante *m* líquido.
■ ~통 cubo *m* de fertilizante líquido.

물거리¹ [잔가지 따위로 된 땔나무] leña *f* de las ramas pequeñas.

물거리² [바다의 밀물이 차는 때에 배가 다닐 수 있는 물길의 거리] distancia *f* por agua, distancia *f* navegable en pleamar.

물거미 【동물】 araña *f* de agua.

물거품 ① [물의 거품] burbuja *f,* espuma *f.* ~ 같은 espumoso; [비유적으로] efímero, fugaz, transitorio, pasajero. ~이 일다 burbujear, borbotar, espumar, echar espuma(s) [espumarajos]. ② [노력이 헛된 상태] estado *m* en vano, estado *m* en humo. 내 노력도 ~이 되었다 Mi esfuerzo se ha convertido en humo / Mi esfuerzo resultó en vano.

물건¹(物件) objeto *m,* cosa *f,* [상품(商品)] artículo *m,* género *m,* mercancía *f.* 골라 갖춘 ~ artículo *m* selecto, artículo *m* escogido. 귀중한 [값어치 있는] ~ objeto *m* precioso. 손해를 ~으로 변상하다 indemnizar el daño en especie. 이 상점에는 ~이 많다 [적다] Esta tienda está bien [mal] surtida de artículos / Esta tienda tiene buen [mal] surtido de artículos. 그는 ~을 소중히 오래 지닌다 El trata las cosas con cuidado. 어디에나 있는 ~이 아니다 No es un artículo que se encuentre en cualquier lugar.
■ 물건을 모르거든 금 보고 사라 ((속담)) El precio se decide según la cualidad de

los artículos / Hay que comprar a alto precio para que compre el buen artículo.

■ ~비 gastos *mpl* del artículo.

물건²(物件) ((은어)) pene *m*, miembro *m* viril.

물걸레 mopa *f* seca, *AmL* fregona *f* seca.

물걸레질하다 pasar*le* la mopa [la fregona] seca (a). 마루를 ~ pasarle la mopa [*AmL* la fregona] seca al suelo.

물것 insecto *m* picante; [모기] mosquito *m*; [빈대] chinche *m*; [벼룩] pulga *f*; [이] piojo *m*.

물결 ① ola *f*, onda *f*. 잔 ~ oleadita *f*. 큰 ~ oleaje *m*, marejada *f*. ~이 일다 rizarse, ondear, murmullar. 오늘은 ~이 크게 인다 Hoy hay mar de fondo [de marejada]. ② [물결처럼 움직이거나 밀어닥치는 모양이나 현상] circulación *f*, paso *m*, curso *m*, transcurso *m*. 사람의 ~ circulación *f* de transeúntes. 시대의 ~ transcurso *m* [paso *m*] del tiempo. 역사(歷史)의 ~ curso *m* de la historia. 자동차의 ~ circulación *f* [paso *m*] de vehículos, tráfico *m*.

◆물결(이) 치다 ondear, ondular. 물결치는 머리카락 [바람으로] cabello *m* ondeante; [파도 모양의] cabello *m* ondulado. 미풍(微風)으로 물결치는 보리밭 campos *mpl* de cebada que ondulan en la brisa. 물결치는 대로 표류하다 flotar a merced de las olas.

■ ~ 마루 cresta *f* de la ola. ~ 소리 rugido *m* de las olas. ~ 이랑 arrecife *m* de las olas. ~타기 surf *m*, surfing *ing.m.* ¶ ~를 하다 hacer surf. ~타기널 tabla *f* de surf [de surfing].

물경(勿驚) sorprendentemente.

물계 arroz *m* de grado bajo mezclado con arroz apelmazado.

물계(物-) precio *m* actual, precio *m* de venta.

물계(物界) mundo *m* material.

물고(物故) muerte *f* [fallecimiento *m*] de una persona eminente [ilustre].

◆물고(가) 나다 morir, fallecer. 물고(를) 내다 matar, asesinar.

물고기【어류】pez *m* (*pl* peces); [생선(生鮮)] pescado *m*. 물을 떠난 ~ [자기 분야가 아니기 때문에 실력을 발휘하지 못하는 사람] gallina *f* en corral ajeno, *RPl* sapo *m* de otro pozo. ~를 잡다 pescar. ~를 잡으러 가다 ir de pesca, ir a pescar. 그 배는 ~의 밥이 되어 버렸다 El barco se hundió / El barco fue tragado por el mar.

■ ~ 가시 espina *f* (de pez). ~떼 cardumen *m* [banco *m*] de peces. ~자리 Pez *m*, Piscis *m*.

물고늘어지다 abogarse (en), colgarse (en), agarrarse (de).

물고동 grifo *m*, *AmC* paja *f*, *AmL* llave *f*, *RPl* canilla *f*, *Per* caño *m*. ~을 틀다 abrir grifo [llave · paja · canilla · caño]. ~을 닫다 cerrar grifo [llave · paja · canilla · caño].

물고랭이【식물】enea *f*, anea *f*, totora *f*.

물고문(-拷問) tormento *m* por agua. ~하다 dar tormento por agua.

물고의(-袴衣) pantalones *mpl* cortos para el baño.

물고자(-鼓子) semen *m* sin espermatozoo.

물곬 canal *m*, desagüe *m*.

물구나무서기 ((준말)) =물구나무서기 운동.

■ ~ 운동 salto *m* mortal, voltereta *f*, volteo *m*, tumba *f*, farol *m* con las manos en el suelo y los pies en alto.

물구나무서다 ponerse con los pies hacia arriba, dar un salto mortal, voltear a patas arriba. 물구나무서서 con un salto mortal, a patas arriba. 물구나무서서 걷다 andar sobre las manos.

물구덩이 charca *f*, estanque *m*, charco *m*, poza *f*.

물구유 pesebre *m*, comedero *m*.

물굽성(-性)【식물】hidrotropismo *m*.

◆양성(陽性) ~ hidrotropismo *m* positivo. 음성(陰性) ~ hidrotropismo *m* negativo.

물굽이 curva *f* en un río.

물권(物權) derecho *m* real. ~의 득실(得失) adquisición *f* o pérdida de derecho real. ~의 변경 traspaso *m* de derecho real. ~의 설정 creación *f* de derecho real. ~의 양도 enajenación *f* de derecho real. ~의 이전(移轉) transferencia *f* de derecho real.

■ ~법 Ley *f* de Bienes Raíces [Inmuebles], Ley *f* de Propiedad Inmobiliaria.

물귀신(-鬼神) demonio *m* de agua.

◆물귀신(이) 되다 morir ahogado, ahogarse en el agua.

물그릇 tazón *m* [cuenco *m*] para agua.

물그림자 sombra *f* en el agua.

물긋물긋하다 (ser) muy delgado, muy fino, débil, acuoso.

물긋하다 (ser) algo delgado, débil.

물기(-氣) ① [습기(濕氣)] humedad *f*. ~가 있는 húmedo, liento, aguanoso, mojado. ~가 없는 seco, desecado. 옷의 ~를 빼다 escurrir la ropa. ② [과실의] jugo *m*, jugosidad *f*, suculencia *f*. ~가 있는 jugoso, zumoso, suculento. 야채의 ~를 빼다 escurrir las verduras.

물기둥 columna *f* de agua. ~이 선다 Se levanta una columna de agua.

물기름 aceite *m* para el pelo, aceite *m* de colza.

물긷다 coger [sacar] agua.

물길 vía *f* fluvial, vía *f* navegable, canal *m* navegable.

■ ~ 측량 inspección *f* hidrográfica. ~ 측량술 hidrografía *f*. ~ 표지(表紙) faro *m*.

물깊이 profundidad *f* de agua.

물까치【조류】alcaudón *m* (*pl* alcaudones).

물꼬 puerta *f* de irrigación.

물끄러미 fijamente. ~ 바라보다 mirar fijamente, fijarse (en). ~ 한 곳을 바라보고 있다 tener la mirada fija.

물나라 ① [(비가 많이 와서) 물이 잘 빠지지 않는 지역] zona *f* inundada, zona *f* en inundación. ② [바다로 둘리거나 강 · 호수

따위가 많은 나라] país *m* (*pl* países) con muchos ríos y lagos.

물난리(一亂離) inundación *f*. 거리에 ~가 났다 El agua inundó las calles.

물납(物納) pago *m* con artículos. ~하다 pagar con artículos, pagar en especie.

물너울 oleaje *m*, marejada *f*.

물놀이 ① [잔잔한 물결의 움직임] movimiento *m* de la ola tranquila. ② [물가에서 하는 놀이] chapoteo *m*, juego *m* en [con] el agua. ~하다 jugar con el agua, chapotear [guachapear] en el agua.

물다[1] ① [(습기나 더위로) 떠서 상하다] acedarse, pudrirse. ② ((준말)) =물쿠다.
■물어도 준치, 썩어도 생치 ((속담)) Sangre azul [buena] no puede mentir.

물다[2] ① [(마땅히 갚아야 할 것을) 치러 주다] pagar. 세금을 ~ pagar el impuesto. 빚을 ~ pagar la deuda. ② [(남에게 손해를 입혔을 경우 그 손해(損害)에 대하여) 갚아 주다] indemnizar [compensar] (a *uno* por *algo*), reembolsar. 손해를 ~ indemnizar por daño [perjuicio], compensar por pérdida.
물어넣다 reembolsar, compensar, devolver, reintegrar.
물어주다 pagar, recompensar, indemnizar. 그들은 돈을 물어주기를 거절했다 Ellos no le quisieron devolver el dinero

물다[3] ① [이나 입술 또는 주둥이 등으로 마주 눌러 잡다] llevar en la boca. 담뱃대를 입에 물고 con pipa en la boca. 손가락을 입에 물고 con un dedo en la boca. ② [무엇을 입속에 넣어 가지고 있다] tener en la boca. 사탕을 ~ tener dulces en la boca. ③ [무엇을 아래윗니로 마주 누르거나 찔러서 상처를 입히다] morder. 물어 죽이다 matar a bocados. 개가 사람을 물었다 El perro mordió un hombre. ④ [곤충이나 벌레 따위가 주둥이 끝으로 살을 찌르다] picar. 벼룩이 ~ picar la pulga. 모기가 문다 Los mosquitos pican. 모기가 내 발을 물었다 Los mosquitos me picaron en los pies. ⑤ [물고기가 먹이를 물다] tomar forraje, picar. 물고기가 먹이를 문다 Los peces pican al cebo.
물고 늘어지다 ㉮ [입으로 꼭 물고 놓지 아니하다] abogarse (en), colgarse (en), agarrarse (de). ㉯ [진득하게 붙잡고 놓아 주지 아니하다] persistir tenazmente [no ceder] (hasta el final).
물어 끊다 cortar con los dientes. 혀를 ~ [자신의] cortarse la lengua con los dientes.
물어내다 llevarse en la boca, sacar clandestinamente, contrabandear, pasar de contrabando, hacer contrabando (de).
물어내리다 preguntar, inquirir.
물어넣다 pagar, devolver, reintegrar, reembolsar, compensar.
물어뜯다 morder (con fuerza), mordiscar. 갑자기 ~ morder a dentelladas. 달려들어 ~ tirar un fuerte mordisco (a). 빵을 ~ morder el pan a dentelladas. 서로 ~ morderse uno a otro, devorarse mutuamente. 물어뜯긴 상처(傷處) mordedura *f*, bocado *m*; [새·곤충에 의해] picadura *f*, picatazo *m*. 개가 내 손을 물어뜯었다 Un perro me mordió la mano. 그녀는 내 팔을 물어뜯었다 Ella me hincó el diente en el brazo.
■무는 개를 돌아본다 ((속담)) El que no llora no mama. 무는 개 짖지 않는다 ((속담)) Perro ladrador, poco mordedor.

물닭 【조류】 polla *f* de agua, rascón *m*.

물대기 riego *f*. ~하다 regar. 충분한 ~ riego *m* bastante.

물덤벙술덤벙 ciegamente, a ciegas, a tientas, sin objeto, sin norte, sin ton ni son, sin rumbo (fijo), al azar, caprichosamente, sin orden ni concierto. ~하다 comportarse [actuar] ciegamente.

물독 jarra *f* de agua.
■물독에 빠진 생쥐 같다 ((속담)) Está mojado hasta los huesos.

물돌 ① =도랑. ② [둥글둥글한 돌] piedra *f* redonda.

물동 dique *m*, presa *f*, embalse *m*.

물동(物動) ((준말)) =물자 동원(物資動員).
■~ 계획 ((준말)) =물자 동원 계획. ~량 cantidad *f* de movilización de materiales.

물동이 cántaro *m*, acuario *m*, jarra *f* de agua.

물동이자리 【천문】 Acuario *m*.

물두부(一豆腐) tofu *m* cocido en agua.

물들다 ☞물[1]

물들이다 ☞물[1]

물딱총(一銃) =물총.

물때[1] ① [아침·저녁 조수가 들어오고 나가고 할 때] pleamar *f*, flujo *m*, curso *m*, marcha *f*. ~를 기다리다 esperar la marea alta.
■~ 썰때 ㉮ [밀물 때와 썰물 때] el pleamar y el bajamar. ㉯ [사물의 형편이나 내용] tiempo *m* oportuno [bueno], ocasión *f* propicia, momento *m* opotuno [favorable].

물때[2] [물에 섞인 깨끗하지 못한 것이 다른 데에 옮아서 끼는 때] el agua *f* de pantoque, sarro *m*, residuo *m* calcáreo; [보일러의] incrustación *f*. ~를 벗기다 achicar un bote, sacar el agua de pantoque. …의 ~를 벗기다 quitar el sarro a *algo*, desincrustar *algo*. 주전자에 ~가 끼었다 Se formó sarro en la tetera.

물떼새 【조류】 chorlito *m*.

물똥 ① [(잔잔한 물을) 튀겨서 생기는 물의 크고 작은 덩이] bulto *m* de agua por salpicadura.② ((준말)) =물찌똥.
◆물똥(을) 튀기다 salpicar el agua.
■~싸움 lucha *f* de agua. ¶~하다 tener la lucha de agua.

물량(物量) cantidad *f* de materiales [de recursos]. ~의 힘을 빌어 a fuerza de *su* superioridad material.

물러가다 ☞무르다[2]

물러나다 ☞무르다[2]

물러서다 ☞무르다[2]

물러지다 ☞무르다[1]
물렁거리다 =말랑거리다.
물렁팥죽(-粥) ① [마음이 무르고 약한 사람] blandegue *mf.* ② [몹시 물러서 뭉그러지게 된 물건] cosa *f* desmenuzada.
물렁하다 ① [물건이] (ser) blando, tierno. ② [성질이] (ser) suave, dulce.
물레 rueca *f*, torno *m* de hilar, desmotadera *f* de algodón.
■ ~바퀴 rueda *f* de rueca. ~질 hilandería *f*. ~ㅅ가락 huso *m*. ~ㅅ돌 piedra *f* puesta en la base de la rueca. ~ㅅ줄 cinturón *m* (*pl* cinturones) de la rueca.
물레방아 aceña *f*, molino *m* de agua, rueda *f* hidráulica.
물레방앗간(-間) molino *m* de agua.
물려받다 ☞물리다[3]
물려주다 ☞물리다[3]
물력(物力) ① [물건의 힘] fuerza *f* física. ② [온갖 물건의 재료와 노력] las materiales y los esfuerzos.
물론(勿論) por supuesto, claro, naturalmente, sin duda, desde luego. …하는 것은 ~이다 Claro (es) que + *ind.* 그는 ~ 영리합니다만 … No hay duda de que es inteligente, pero …. ~입니다 ¡Por supuesto! / ¡Desde luego! / Ya lo creo / No faltaba [faltaría] más / ¡Cómo no! / ¡Claro (que sí)! ~ 그렇습니다 Por supuesto que sí / Claro que sí. ~ 그렇지 않습니다 Por supuesto que no / Claro que no. 동의하십니까? - ~입니다 ¿De acuerdo? - Por supuesto [Claro] (que sí). 내가 뜻하는 것을 알겠니? - ~입니다 ¿Te das cuenta de lo que quiero decir? - Desde luego. 너 그것을 알고 있지? - ~입니다 Lo sabes, ¿no? - ¡Por supuesto! / ¡Desde luego! / ¡Claro! 내가 초대되었니? - 암 ~이지 ¿Estoy invitado! - ¡Claro! / ¡Desde luego! / ¡Por supuesto! / ¡Naturalmente que sí! 그들은 무엇을 원하고 있느냐? - 그야 ~ 돈이지 ¿Qué quieren ellos? - ¡Pues qué van a querer! ¡Dinero!
물리(物理) ① [사물의 바른 이치] leyes *fpl* de la naturaleza, derecho *m* natural. ② ((준말)) =물리학(物理學).
■ ~관(觀) materialismo *m*, vista *f* física del universo. ~ 광학 óptica *f* física. ~ 변화 variación *f* física, cambio *m* físico. ~ 실험(實驗) prueba *f* en física. ~ 야금(冶金) metalurgia *f* física. ~ 야금학(冶金學) metalurgia *f* física. ~ 야금 학자 (冶金學者) metalúrgico *m* físico, metalurgista *m* físico. ~ 요법[치료] fisioterapia *f*, terapia *f* física. ~ 원자량 peso *m* atómico físico. ~적 ((준말)) =물리학적. ~적 변화 =물리 변화. ~적 성질 propiedades *fpl* físicas. ~적 특성 característica *f* física. ~적 피해망상 ilusión *f* de persecución física. ~적 현상 fenómeno *m* físico. ~학 física *f*. ~학계 mundo *m* físico. ~학과 departamento *m* de física. ~학 기구 instrumento *m* físico. ~학상(學賞) premio *m* en física. ~학자 físico, -ca *mf*. ~학적 físico *adj*. ¶~으로 físicamente, materialmente. ~학적 세계 mundo *m* físico. ~학적 세계관 vista *f* del mundo físico. ~ 현상 fenómeno *m* físico. ~ 화학 fisioquímica *f*.
물리다[1] [다시 대하기가 싫을 만큼 매우 싫증이 나다] cansarse (con · de), aburrirse (con · de), hartarse (de · con), hastiarse (de); [상태] estar cansado (de), estar harto (de). 물릴 때까지 hasta la saciedad, hasta hartarse, hasta más no poder. 물리게 하다 hartar, fastidiar, cansar, aburrir. 공부에 ~ estar harto [cansado] de estudiar. 이내 ~ tener poca constancia, ser poco constante, cansarse pronto, ser inconstante. 그는 무슨 일이든 이내 물린다 El es poco constante en todo. 이 프로그램은 이제 물리기 시작한다 Ya está empezando a cansar al público este programa. 이 책은 아무리 읽어도 물리지 않는다 Este libro no me aburre por más que lo leo. 나는 초콜릿을 물리도록 먹었다 Tomé chocolate hasta hartarme.
물리다[2] [푹 익어서 무르게 하다] ablandar, poner blando. 물려지다 ablandarse, ponerse blando. 물린 고구마 batata *f* ablandada.
물리다[3] ① [연기하다] aplazar, retrazar, posponer, diferrir, demorar, prorrogar, dilatar, suspender, retardar. 다음 주까지 ~ aplazar [posponer] hasta la semana que viene. 회합을 하루 ~ retrazar [aplazar] la reunión por un día. ② [옮겨 놓다] echar, mover, retirar, empujar. 탁자를 앞으로 ~ echar [mover] la mesa hacia adelante. 뒤로 ~ retirar, empujar para atrás. 책상을 10센티미터 뒤로 ~ empujar el pupitre diez centímetros para atrás. ③ [(직위나 권리·재물 따위를) 다른 사람에게 내려 주다] ceder, transferir, traspasar; 【법률】 enajenar; [유증(遺贈)] legar. 가게를 딸에게 ~ ceder la tienda a su hija. 회사의 권리를 ~ tranferir el derecho de la compañía. ④ [(밥상 따위를) 들어서 밖으로 내다] retirar, levantar. 식사를 ~ retirar el servicio de la mesa, levantar los manteles. 이 수프는 이제 물려도 좋다 Se puede retirar ya esta sopa. ⑤ [(굿·푸닥거리 따위를 하여) 귀신을 몰아내다] exorcizar. 악귀(惡鬼)를 ~ exorcizar los espíritus malvados [malignos].
물려받다 heredar, suceder (a). 부친의 뒤를 ~ heredar [suceder] a su padre. 부친의 사업을 ~ suceder a *su* padre en la empresa [en los negocios]. 부친의 불같은 성질을 ~ heredar la impaciencia de *su* padre. 그의 음악적인 재능은 어머니한테서 물려받았다 El ha heredado el talento musical de su madre / El debe el talento musical a su madre. 자식들이 부모의 뒤를 물려받는다 Heredan los hijos a los padres.
물려주다 transferir, ceder, traspasar, dejar; [왕위(王位)를] abdicar; [유증(遺贈)·동산(動産)을] legar; 【법률】 enajenar. 점포를 자

식에게 ~ ceder la tienda a *su* hijo. 회사의 권리를 ~ transferir el derecho de la compañía. 왕은 왕위를 그의 아들에게 물려주었다 El rey abdicó la corona en su hijo / El abdicó en su hijo.

물리다[4] [동물에] ser mordido, morderse; [벌레에] ser picado, picar(se). 마리아는 개에게 물렸다 María fue mordida por el perro. 나는 모기에 손을 물렸다 Los mosquitos me picaron en las manos. 나는 모기한테 얼굴을 물렸다 Un mosquito me picó la cara. 나는 뱀에 물렸다 Me picó la culebra [la serpiente]. 물립니까? [낚시에서] ¿Muerden? / ¿Pican?

▪제가 기른 개에게 발뒤꿈치 물린다 ((속담)) Cría cuervos y te sacarán los ojos.

물리다[5] ① [샀거나 바꾸었던 물건을] devolver.

물리다[6] [값을 치르게 하다] imponer. 벌금을 ~ imponer una multa, multar.

물리치다 ① [거절하여 받지 아니하다] rechazar, rehusar, negar, repulsar. 제안(提案)을 ~ rechazar la propuesta. ② [적을 쳐서 물러나게 하다] poner en fuga. 적(敵)을 ~ poner en fuga al enemigo.

물림 ① [물려주거나 물려받는 일] propiedad *f* transmitida; [옷] prenda *f* usada, prenda *f* heredada. ② [(정해 놓았던 날짜를) 뒤로 미룸] aplazamiento *m*, *AmL* postergación *f*.

물림쇠 broche *m*, corchete *m*; [핸드백 따위의] cierre *m*. ~로 죄다 abrochar. …의 ~를 끄르다 desabrochar *algo*.

물마 desbordamiento *m*, inundación *f*, riada *f*.

물마개 [병 따위의] tapón *m* (*pl* tapones); [코르크로 만든] corcho *m*; [수도 따위의] llave *f* de paso; [구멍을 막는] estaquilla *f*, tapón *m*; [배밑바닥 따위의] tapón *m*.

물마루 cresta *f*.

물만두(一饅頭) bollo *m* relleno hirviendo en agua.

물만밥 comida *f* con agua.

▪물만밥이 목이 메다 ((속담)) Es muy triste / La triste llega al colmo.

물말이 ① =물만밥. ② [물에 흠뻑 젖은 옷이나 물건] ropa *f* mojada hasta los huesos.

물맛 sabor *m* del agua. ~이 좋다 El sabor del agua es muy bueno. ~이 이상하다 El sabor del agua es extraño.

물망(物望) espectación *f* [expectativa *f*] popular, favor *m* popular.

◆물망(에) 오르다 ganar el apoyo popular, subir en popularidad.

물망초(勿忘草) nomeolvides *f*, miosota *f*, miosotis *m*, raspilla *f*.

물맞이 bebida *f* de [baño *m* en] agua mineral. ~하다 beber agua mineral, bañarse en agua mineral.

물매[1] [한목에 여러 개로 많이 때리는 매] azote *m* duro. ~맞다 ser azotado duro.

▪~질 azotaina *f* dura. ¶~하다 azotar duramente, dar azotes duros.

물매[2] [짤막한 몽둥이] palo *m* corto.

물매[3] [지붕이나 낟가리 따위의 비탈진 정도] inclinación *f*, pendiente *f*, declive *m*. 급한 ~ pendiente *f* grande. 완만한 ~ pendiente *f* pequeña [suave]. 지붕의 ~ pendiente *f* [inclinación *f*] del tejado. 15도의 ~ inclinación *f* de quince grados.

물매[4] =맷돌.

물매암이 【곤충】 girino *m*, araña *f* de agua.

물멀미 mareo *m* (en los viajes por mar). ~하다 marearse (en los viajes por mar).

물면(一面) superficie *f* del agua.

물명(物名) nombre *m* del artículo.

물목 ① [물이 흘러 나가거나 흘러 들어오는 어귀] bifurcación *f*. ② 【광산】 lugar *m* que el oro en polvo sale más cuando se separa cribando.

물목(物目) catálogo *m* del artículo.

물몽둥이 una especie del martillo.

물문(一門) esclusa *f*, compuerta *f*.

▪~ 관리인 esclusero *m*. ~ 통행세 peaje *m* para pasar por una esclusa.

물물(物物) varias cosas *fpl*, varios artículos *mpl*.

▪~ 교환 trueque *m*, intercambio *m* de mercancías. ¶~하다 trocar. A를 B와 ~하다 trocar A con [en · por] B.

물뭍 el mar y la tierra.

▪~동물 (animal *m*) anfibio *m*.

물미 regatón *m* (*pl* regatones), contera *f*.

물밀다 subir, crecer. 물밀 때 reflujo *m*. 물밀듯이 como una inundación. ~ 들이닥치다 recibir un aluvión (de), llover, abrumar (con), correr [entrar] como una inundación.

물밑 fondo *m* (del agua · del río · del lago); [해면 아래] debajo del agua. 잠수함은 ~을 다닌다 El submarino navega debajo del agua.

물바가지 calabaza *f* seca (empleada como vasija) para que saque el agua

물바다 mar *m* de agua.

물바람 viento *m* que sopla del agua del mar [del lago].

물박 ((준말)) =물바가지.

물받이 canalón *m* (*pl* canalones), [지상(地上)에 걸쳐 놓고 물을 끄는] encañado *m*, conducto *m*. ~로 물을 끌다 traer el agua por medio de un conducto.

물방개 【곤충】 escarabajo *m* acuático, ditisco *m*.

물방아 molino *m* de agua, aceña *f*.

물방앗간(一間) molino *m*. ~ 주인 molinero, -ra *mf*.

물방울 gota *f* de agua; [거품] burbujo *m*, ampolla *f*. ~ 모양의 de lunares. 우산에서 ~이 떨어진다 Caen gotas del paraguas.

▪~무늬 dibujo *m* que consiste de muchas gotas de agua.

물배 estómago *m* lleno de agua.

물뱀 【동물】 serpiente *f* acuática [marina].

물벌레 【곤충】 insecto *m* de agua.

물범 【동물】 =바다표범.

물베개 almohada *f* de agua, almochadilla *f*

hidráulica.
물벼락 vertimiento *m* repentino de agua.
◆물벼락(을) 맞다 rociarse, ser vertido con agua de repente. 물벼락(을) 안기다 rociar, verter el agua.
물벼룩 【동물】 pulga *f* de agua.
물병(一瓶) cántaro *m* (para agua), jarro *m*, cacharro *m*, porrón *m* (*pl* porrones), botella *f* de agua, acuario *m*, jarra *f*; [목이 길고 가는] garrafa *f*.
◆유리 ~ [포도주용의] garrafa *f*; [물의] botella *f* de boca ancha.
■ ~자리 Acuario *m*.
물보낌 acción *f* de azotar a todos. ~하다 azotar a todos.
물보라 espuma *f* (del mar), (niebla *f*) acuosa *f*, rociada *f* (de agua), salpicadura *f* (de agua).
◆물보라(가) 치다 levantarse la rociada. 물보라(를) 치다 levantar (una) rociada.
물볼기 【고제도】 azote *m* a la mujer de ponerse la ropa interior empapada.
◆물볼기(를) 치다 azotar a la mujer de ponerse la ropa interior empapada.
물봉선화(一鳳仙花) 【식물】 ((학명)) Impatiens Textori.
물봉숭아 【식물】 =물봉선화.
물부리 boquilla *f*, pipa *f*. ~ 달린 궐련 cigarrillo *m* con boquilla.
물분(一粉) cosmético *m* líquido.
물불 el agua y el fuego.
■물불을 가리지 않다 hacer*le* frente a todo. 나는 그녀를 위해서라면 물불을 가리지 않는다 Por ella voy hasta el fin del mundo.
물비누 jabón *m* (*pl* jabones) líquido.
물비린내 olor *m* a pescado del agua.
물빛[1] [물과 같은 빛깔, 곧 엷은 남빛] color *m* de aguamarina. ~의 de color de aguamarina, de color verde mar.
물빛[2] [물감의 빛] color *m*, tono *m*.
물뿜이 rociador *m*, rociadera *f*, regadera f, *Bol*, *Col*, *Per* regador.
물산(物産) productos *mpl* (locales); [집합적] producción *f*.
■ ~ 진열소 museo *m* de productos.
물살 corriente *f* (de agua). ~을 거슬러 contra la corriente. ~을 따라가다 ir a lo largo de la corriente. ~ 방향으로 가다 seguir la corriente. ~에 따라 헤엄치다 [노를 젓다] nadar [remar] a favor de la corriente. 이 강은 ~이 빠르다 Este río corre rápidamente.
물상(物象) ① [사물의 형상] forma *f* del objeto. ② [자연계의 현상] fenómeno *m*. ③ [학과] ciencia *f* de natural inanimado.
물상(物像) ① [물체의 모양] forma *f* de un artículo. ② [자연의 경치] paisaje *m* natural.
물상 담보(物上擔保) =물적 담보(物的擔保).
물새 ① el ave *f* (*pl* las aves) acuática, chorlito *m*, el ave *f* palmípeda. ② ((준말)) =물총새.
물색(物色) ① [물건의 빛깔] color *m* de un artículo. ② [쓸만한 사람이나 물건을 고름] selección *f*; [찾음] busca *f*. ~하다 seleccionar, elegir, escoger; [찾다] buscar; [도둑 등이] rebuscar (en). 후계자를 ~하다 buscar un sucesor. ③ [까닭이나 형편] razón *f*, causa *f*, circunstancia *f*. ④ [자연의 경치] paisaje *m* (natural).
물색없다 (ser) poco razonable, irrazonable, absurdo, extraordinario.
물색없이 irrazonablemente, absurdamente, extraordinariamente.
물샐틈없다 no (poder) pasar ni una hormiga.
물샐틈없이 sin (poder) pasar ni una hormiga. 그곳은 ~ 경계가 엄했다 El lugar estaba tan vigilado que ni siquiera podía pasar una hormiga.
물성(物性) propiedad *f* de materia.
물세(一稅) impuesto *m* del agua.
물세(物稅) contribución *f* territorial.
물세례(一洗禮) ① ((기독교)) bautismo *m*, baptismo *m*. ② =물벼락.
물소 【동물】 búfalo *m*.
물소리 sonido *m* del agua; [졸졸거리는 소리] murmullo *m*.
물속 en el agua, en el fondo del agua. ~ 깊이 잠기다 hundirse profundo en el fondo del agua.
■ ~줄기 tallo *m* de agua.
물손 ① [물이 묻은 손] mano *f* mojada. ② [(반죽이나 밥·떡 따위의) 질고 된 정도] grado *m* de acuosidad en masa.
물수건(一手巾) toalla *f* mojada con agua.
물수란(一水卵) huevo *m* escalfado, huevo *m* poché.
물수리 【조류】 halieto *m*, aleto *m*.
물수제비뜨다 hacer cabrillas [pijotas] en el agua.
물시계(一時計) reloj *m* de agua, clepsidra *f*.
물시중 ① =물심부름. ② [논이나 모판에 물을 대었다 빼었다 하며 돌보는 일] cuidado *m* de regar y sacar el agua en el arrozal.
물신선(一神仙) persona *f* indiferente.
물실호기(勿失好機) A hierro candente [Al hierro caliente], batir de repente / Al buen tiempo meterlo en casa, aprovechar las ocasiones. ~하다 no perder una buena oportunidad.
물심(物心) lo material y lo moral.
■ ~ 양면(兩面) dos lados materiales y morales. ¶~으로 tanto material como moralmente, física y espiritualmente.
물심부름 ida *f* a traer el agua. ~하다 ir a traer el agua.
물싸움 disputa *f* [lucha *f*] por el agua.
물써다 menguar (la marea).
물썽하다 (ser) crédulo, (estar) débil.
물쓰듯 como agua, abundantemente, a espuertas. ~하다 gastar como agua [abundantemente · a espuertas], malgastar, derrochar. 돈을 ~하다 gastar dinero como agua [abundantemente · a espuertas], malgastar [derrochar] dinero.

물씬 ① [짙은 냄새를 확 풍기는 모양] oliendo fuerte. ~하다 oler fuerte. ② [푹 익어서 물렁물렁하게 무른 모양] tiernamente, suavemente. ~하다 (ser) tierno, suave.
 물씬거리다 ㉮ [물체가] seguir siendo tierno. ㉯ [냄새가] seguir oliendo fuerte.
 물씬물씬 ㉮ [매우 물씬한 모양] muy blandamente. ㉯ [냄새나 연기 따위가 많이 풍기거나 솟아오르는 모양] fuertemente. 이 치즈는 고약한 냄새가 ~ 난다 Este queso huele mal. 골목에서는 악취가 ~ 난다 En las callejuelas apestan. 그녀는 언제나 향수 냄새를 ~ 풍긴다 Ella despide siempre un olor fuerte de perfume. 그는 아침부터 술 냄새를 ~ 풍긴다 Apesta a alcohol desde por la mañana.

물아(物我) el ego y el no ego, el subjetivo y el objetivo.

물아래 el área *f* (*pl* las áreas) del río abajo.

물안개 niebla *f* húmeda.

물안경(―眼鏡) gafas *fpl* para la natación.

물알 grano *m* verde y tierno.

물약(―藥) medicamento *m* líquido, epócema *f*, poción *f*.

물어내다 ☞물다[3]

물어넣다 ☞물다[2]

물어박지르다 ☞물다[3]

물어주다 ☞물다[2]

물여우나비 【곤충】 frigánea *f*, frígano *m*.

물역(物役) =물력(物力).

물엿 azúcar *m* fundido, maltosa *f* gelatinosa, *Guat* melcocha *f* líquida.

물오리 ① 【조류】 ánade *m*, pato *m* negro, pato *m* silvestre. ~ 새끼 cerceta. ② =청둥오리.

물외 pepino *m*.

물욕(物慾) ambiciones *fpl* mundanas, deseo *m* de ganancias materiales.

물웅덩이 charco *m*, navajo *m*. 비로 거리에 ~가 생겼다 La lluvia ha dejado un charco en la calle.

물위 ① [수면(水面)] superficie *f* del agua. ② [상류(上流)] corriente *f* superior.

물유리(―琉璃) 【화학】 vidrio *m* solubre.

물음 pregunta *f*, cuestión *f*, interrogación *f*. 다음 ~에 답하시오 Contéstense a las preguntas siguientes.
 ▪~꼴 forma *f* interrogativa. ~표 punto *m* de interrogación, interrogante *m*.

물의(物議) escándalo *m* público. ~를 일으키다 dar [causar · armar · promover] un escándalo público.

물이꾸럭 liquidación *f* de la deuda en vez de otros. ~하다 liquidar la deuda en vez de otros.

물이끼 【식물】 esfagno *m*.

물자 =양수표(量水標).

물자(物資) material *m*; [자원(資源)] recursos *mpl*; [상품(商品)] artículo *m*, mercancía *f*. ~를 공급하다 abastecer de materiales. ~가 부족하다 Faltan mercancías [recursos]. 이 나라는 ~가 풍부하다 Este país es rico en materiales.
 ▪~ 동원 movilización *f* de materiales. ~ 동원 계획 plan *m* de movilización de materiales. ~비 gastos *mpl* de artículos. ~ 수급(需給) la oferta y la demanda de los artículos. ~ 활용(活用) utilización *f* de materiales.

물자동차(―自動車) ① =살수차(撒水車). ② [물을 운반하는 자동차] coche *m* de transportar el agua.

물장구 【수영】 movimiento *m* de piernas.
 ◆물장구(를) 치다 chapotear. 강에서 ~ chapotear en el río. 물장구치지 마라 No chapotees.
 ▪~질 chapoteo *m*. ¶~하다 chapotear.

물장난 chapoteo *m*. ~하다 chapotear, guachapear.

물장사 comercio *m* de agua.

물장수 vendedor, -dora *mf* de agua.
 ▪물장수 [물장사] 삼 년에 궁둥잇짓만 남았다 ((속담)) El largo esfuerzo se convirtió en vano.

물재[1](物材) =물자(物資).

물재[2](物材) [물건과 돈] el objeto y el dinero.

물재배(―栽培) hidroponía *f*, cultivo *m* hidropónico, cultivo *m* acuoso.

물적(物的) material *adj*.
 ▪~ 담보 garantía *f* material. ~ 보험 seguro *m* material. ~ 생산 producción *f* material. ~ 신용 confianza *f* material. ~ 원조 ayuda *f* material. ~ 자원 recursos *mpl* materiales. ~ 증거(證據) prueba *f* [evidencia *f*] material. ~ 증명 certificado *f* material. ~ 집행 ejecución *f* material. ~ 책임 responsabilidad *f* material. ~ 현상 fenómeno *m* material. ~ 회사 compañía *f* material.

물정(物情) condiciones *fpl* de los asuntos. 세상 ~에 밝다 saber de toda costura. 세상 ~에 어둡다 ser ignorante del mundo. 세상 ~을 알다 alcanzar [llegar a] la edad de juicio, empezar a entender las cosas. ~이 소연하다 El desorden reina por todas partes. 그는 세상 ~에 밝다 El está de vuelta / El tiene (mucho) mundo.

물주(物主) financiero, -ra *mf*; [노름판의] banca *f*. ~가 되다 financiar, suministrar fondos (para). ~를 파산시키다 hacer saltar la banca.

물줄기 corriente *f*, curso *m* de agua, columna *f* de agua.

물쥐 【동물】 rata *f* de agua.

물증(物證) prueba *f* [evidencia *f*] material.

물지게 percha *f* de portar el agua.
 ▪~꾼 portador, -dora *mf* de agua.

물질(物質) materia *f*, substancia *f*. 고무는 부드러우나 강한 ~이다 El caucho es una substancia blanda pero tenaz.
 ▪~계 mundo *m* material. ~ 과학 ciencia *f* material. ~ 대사 =신진 대사. ~명사[이름씨] nombre *m* material. ~ 문명(文明) civilización *f* material. ~ 문화 cultura *f* material. ~ 보존[불멸]의 법칙 =질량 보존의 법칙. ~ 생활 *su* vida material. ~욕

deseo *m* de posesiones materiales. ～적 material, físico, corporal. ¶～으로 materialmente, físicamente, corporalmente. ～번영 prosperidad *f* material. ～ 우주(宇宙) universo *m* material. ～ 원조 ayuda *f* material. ～ 이익 ganancia *f* material. ～ 존재 materialidad *f*. ～ 쾌락(快樂) alegría *f* física. ～주의 materialismo *m*. ～주의자 materialista *mf*. ～ 현상(現象) fenómeno *m* material.

물집¹ [염색소(染色所)] tintorería *f*.

물집² 【의학】 ampolla *f*, vejiga *f* formada por la epidermis. ～ 모양의 ampollar, de figura de ampolla. 피가 섞인 ～ ampolla *f* de sangre. ～이 생기다 ampollarse. ～이 생기게 하다 ampollar, hacer ampollas [vejigas]. 손에 ～이 생기다 tener ampolla en las manos. 손가락에 ～이 생기다 formársele (a *uno*) una ampolla en los dedos; [주어가 사람인 경우] tener ampollas en los dedos. 나는 발바닥에 ～이 생겼다 Tengo [Me ha salido] una ampolla en la planta del pie. 내 입술에 ～이 생겼다 Se me formó una ampolla en el labio / Tengo ampollas en el labio. 나는 화상(火傷)으로 ～이 생겼다 Me hice una quemadura y me ha salido una ampolla.

물집³ ((은어)) ＝다방(茶房).

물쩍지근하다 (estar) estancado, tedioso, aburrido, fastidioso, paralizado.
물쩍지근히 tediosamente, aburridamente, fastidiosamente.

물쩡물쩡하다 (ser) de muy poca (fuerza de) voluntad.

물쩡하다 (ser) de poca (fuerza de) voluntad, no tener fuerza de voluntad.

물찌똥 ① [죽죽 내쏘는 묽은 똥] excrementos *mpl* sueltos, heces *fpl* sueltas. ② [튀겨서 일어나는 크고 작은 물덩이] gota *f* de agua de salpicar.

물차(－車) ＝물자동차.

물차돌 【광물】 cuarzo *m* puro.

물참(－站) pleamar *m*.

물참봉(－參奉) persona *f* mojada hasta los huesos.

물체(物體) cuerpo *m*, objeto *m*, substancia *f*. ～의 거리 distancia *f* de objeto.
■ ～학(學) somatología *f*.

물총(－銃) pistola *f* de agua.

물총새 【조류】 guardarrío *m*, martín *m* pescador.

물총새과(－科) 【조류】 palmípedas *fpl*.

물침대(－寢臺) cama *f* de agua.

물컥 hediondamente, fétidamente, apestosamente. 생선 썩은 냄새가 ～ 난다 apestar a pescado podrido.
물컥물컥 muy hediondamente, muy fétidamente, muy apestosamente.

물컹거리다 (ser) muy tierno, muy suave.
물컹물컹 muy tiernamente, muy suavemente. ～하다 (ser) muy tierno, muy suave.

물컹이 ① [물컹한 물건] cosa *f* suave, cosa *f* tierna. ② [몸이나 의지가 몹시 약한 사람] blandengue *mf*, mariquita *mf*, alfeñique *mf*.

물컹하다 (ser) muy tierno, muy suave; [과일이] muy blando; [땅이] húmedo y mullido. 물컹한 땅 tierra *f* húmeda y mullida.

물쿠다 (ser) sofocante, bochornoso. 물쿠는 날씨 tiempo *m* sofocante, tiempo *m* bochornoso.

물크러뜨리다 [과일 따위를] estropear, pudrir; [종기를] ulcerar; [시체를] descomponer, pudrir.

물크러지다 ① [과일이] echarse a perder, estropearse, pudrirse. ② [종기가] enconarsse, ulcerarse. 물크러진 종기 llaga *f* purulenta. ③ [시체 따위가] descomponerse, pudrirse.

물큰 con un olor fuerte, fuerte, pronunciadamente, acremente; [악취가] hediondamente, fétidamente, apestosamente. ～하다 (ser) fuerte, pronunciado, acre; [악취가] hediondo, fétido, apestoso. 향수내가 ～난다 El olor acre del perfume golpea *su* nariz.
물큰물큰 muy fuerte, muy acremente; [악취가] hediondamente, muy fétidamente, muy apestosamente.

물타작(－打作) cosecha *f* de arroz mientras todavía está húmedo. ～하다 cosechar arroz mientras todavía está húmedo.

물탕(－湯) ① [목욕탕・온천 등의 목욕하는 곳] baño *m* [lugar *m* de bañarse] en las termas. ② 【광물】 tanque *m* que el cianuro es hecho para extraer el oro de la escoria.

물탱크 depósito *m* de agua.

물통(－桶) cubo *m* [balde *m*] para agua, pozal *m*, lata *f* de agua, cantimplora *f*. 다른 사람들은 ～을 나르기 위해 달구지를 끌고 온다 *ReD* Otros vienen arrastrando carretas para llevar latas de agua.

물퉁배기 ＝물퉁이.

물퉁이 ① [속에 물이 많이 들어서 탱탱하게 부푼 물건] cosa *f* dejado a remojo y hinchado. ② [살만 찌고 힘이 없는 사람] persona *f* grasa y delicada.

물편 nombre *m* general para la tarta de arroz de toda clase.

물표(物票/物標) tarja *f*, (chapa *f* de) contraseña *f*, talón *m* (*pl* talones).

물푸레나무 【식물】 reseda *f*, fresno *m*.

물풀 【식물】 planta *f* acuática.

물품(物品) objeto *m*, cosa *f*; [상품(商品)] artículo *m*, mercancía *f*.
■ ～ 기부 donaciones *fpl* en especie. ～명 nombre *m* del artículo. ～ 보험 seguro *m* de bienes. ～ 보험 업자 asegurador, -dora *mf* de bienes. ～ 보험 회사 aseguradora *f* de bienes. ～세(稅) impuesto *m* sobre mercancías. ～세법 ley *f* de impuesto sobre mercancías.

물할머니 【민속】 demonio *m* del pozo.

물행주 trapo *m* (húmedo), bayeta *f* (húmeda), *RPl* fregón *m* (*pl* fregones).

물홈 guía *f* de la puerta corrediza de papel.

물화(物貨) artículos *mpl*, mercancías *fpl*.
물활론(物活論) 【철학】 hilozoísmo *m*.
■ ~자 hilozoísta *mf*.
묽다 ① [(죽이나 반죽 따위의) 물기가 너무 많다] (ser) acuoso; [수프나 소스 등이] claro, poco espeso; *RPI* chirle. 묽은 수프 sopa *f* clara, sopa *f* poco espesa, caldo *m*. 묽은 죽 gachas *fpl* acuosas. 묽은 용액 solución *f* diluida. ② [사람이 체격보다 너무 기운이 없거나 올차거나 맺힌 데가 없이 싱겁다] (ser) débil. 묽은 사람 persona *f* débil.
묽디묽다 (ser) muy acuoso; muy claro, poco espeso.
묽숙하다 (ser) convientemente algo acuoso.
묽스그레하다 (ser) algo acuoso.
묽히다 hacer ser acuoso.
뭇[1] [(고기잡이용) 큰 작살] arpón *m* grande.
뭇[2] [(장작이나 채소 따위의) 묶음] haz *f*, lío *m*, manojo *m*, fajo *m*, faja *f*, gavilla *f*; [작은] manojuelo *m*, manojo *m* pequeño. 장작 한 ~ un haz de leña.
뭇[3] ① [생선 열 마리나 자반 열 개 또는 미역 열 장을 이르는 단위의 하나] *mut*, diez pescados, diez algas marinas. ② [볏단을 세는 단위의 하나] gavilla *f* de paja. 볏짚 두 ~ dos gavillas de paja de arroz.
뭇- muchos, muchas; varios, varias; diverso, diversas. ~사람 muchas personas.
뭇나무 leña *f* en líos.
뭇년 diversas mujeres *fpl*.
뭇놈 diversos hombres *mpl*.
뭇따래기 gente *f* pesada, gente *f* fastidiosa.
뭇떡잎식물(-植物) 【식물】 policotiledón *m*.
뭇매 tunda *f* entre todos. ~를 때리다 apalear [pegar · batanear] entre muchos, dar una tunda. 그는 모두한테 ~를 맞았다 El fue apaleado entre todos / Todos le dieron una tunda.
■ ~질 paliza *f* entre todos [muchos].
뭇발길 paso *m* de mucha gente.
■ ~질 patada *f* de mucha gente. ¶~하다 dar unas patadas.
뭇방치기 ① [주책없이 함부로 남의 일에 간섭하는 짓] desparpajo *m*, atrevimiento *m*, entremetimiento *m*, entrometimiento *m*. ~하다 meterse [entrometerse · inmiscuirse] en todo. ② [주책없이 함부로 남의 일에 간섭하는 사람] entremetido, -da *mf*, entrometido, -da *mf*, persona *f* entremetida.
뭇별 muchas estrellas.
뭇사내 muchos hombres.
뭇사람 muchas personas, mucha gente, público *m*, muchedumbre *f* de personas. ~의 주목의 대상이 되어 있다 estar la vista de público.
뭇새 diversos pájaros *mpl*, diversas aves *fpl*.
뭇섬 archipiélago *m*.
뭇소리 charla *f* de muchas personas.
뭇시선(-視線) vista *f* de muchas personas, ojos *mpl* de todos.
뭇입 critismo *m* de todos, critismo *m* público, reprimenda *f* pública, muchas represiones del público.
뭇줄 cáñamo *m* de Manila, abacá *m*.
뭇지위 muchos carpinteros.
뭇짐승 diversos animales *mpl*.
뭉개다[1] ① [미적거리다] demorarse, dilatarse, entretenerse (el remolón), andar muy despacio. 길에서 뭉개지 마라 No te entretengas en el camino. ② [힘에 부치어 일을 미적미적하다] no saber qué hacer.
뭉개다[2] [으깨다] machacar, romper (con violencia), destrozar, hacer pedazos [trizas].
뭉게구름 【기상】 cúmulo *m*, nube *f* algodonera.
뭉게뭉게 en nubes espesas [densas], espesamente, densamente. 구름이 ~ 피어 오른다 Las nubes se amontonan.
뭉구리 ① [바짝 깎은 머리] pelo *m* [cabello *m*] muy corto [completamente cortado]. ② [중] sacerdote *m* [monje *m*] budista.
뭉그러뜨리다 demoler, derribar, echar abajo, destruir; [흙 · 치즈 등을] desmenuzar; [빵을] desmigajar. 담을 ~ desmenuzar el muro.
뭉그러지다 [건물 · 교량이] derrumbarse, desmoronarse, desplomarse; [지붕이] hundirse, venirse abajo; [케이크 · 치즈 · 흙이] desmenuzarse; [벽이] desmoronarse. 벽이 ~ desmoronarse la pared.
뭉그적거리다 demorarse, dilatarse, tardar mucho, entretenerse. 뭉그적거리지 마라 No te entretengas.
뭉그적뭉그적 despacio, lentamente, con mucha lentitud, entreteniéndose, demorándose..
뭉근하다 (ser) lento. 뭉근한 불 fuego *m* lento. 뭉근한 불에 조리다 cocer a fuego lento.
뭉근히 lentamente.
뭉글뭉글 grumosamente. ~하다 (estar) grumoso, lleno de grumos. 그것들은 ~해졌다 Se han hecho grumos.
뭉긋하다 ① [약간 기울어져 비스듬하다] (estar) inclinado, en declive. 고개가 ~ La colina está algo inclinada. ② [조금 굽어져 휘우듬하다] (estar) alabeado, combado, pandeado, algo curvado, torcido. 막대가 뭉긋하게 휘어 있다 La vara está algo curvada.
뭉기다 demoler, derribar, echar abajo, destruir.
뭉때리다 ① [능청맞게 시치미 떼다] fingir [aparentar] no saber, fingir ignorancia. ② [할일을 일부러 하지 아니하다] eludir a propósito [adrede · deliberadamente].
뭉떵 en pedazos, en trozos.
뭉떵뭉떵 en trozos gruesos. 생선을 ~ 토막치다 cortar un pescado en trozos gruesos. 돈을 ~ 잘리다 perder una buena parte de dinero. 떡을 ~ 자르다 cortar la tarta coreana en trozos gruesos.
뭉뚝 desafilándose. ~하다 desafilarse, no tener punta. 뭉뚝한 [연필이] desafilado, que no tiene punta, *AmL* mocho; [끝 · 언

저리가] romo; [칼·칼날이] desafilado. 뭉뚝함 [칼날의] falta *f* de filo; [끝의] lo poco afilado, *AmL* lo mocho. 뭉뚝한 물건 objeto *m* contundente. ~하게 하다 [연필·바늘을] despuntar; [칼·가위를] desafilar.

뭉뚱그리다 liar [atar] groseramente. 짐을 ~ liar [atar] el paquete groseramente.

뭉수리 ((준말)) =두루뭉수리.

뭉실뭉실 rellenitamente, gordamente, regordetemente. ~하다 (ser) rellenito, llenito, regordete, gordo. ~ 살이 찐 아이 niño, -ña *mf* regordete. ~ 살이 찌다 hacese regordete, gordo.

뭉우리돌 piedra *f* redonda y lisa [suave], roca *f* alisada por la erosión.

뭉치 atado *m*, lío *m*, fajo *m*, mazo *m*, manojo *m*, haz *f* (*pl* haces), fardel *m*, bulto *m*, envoltorio *m*, paquete *m*. 편지의 ~ paquete *m* de cartas. 돈 ~ fajo *m* de billetes (de banco).

뭉치다 ① [여럿이 뭉쳐서 한 덩어리가 되다] coagularse. 뭉치게 하다 coagular. 뭉친 피 sangre coagulada. 피가 뭉쳤다 Se coaguló la sangre. ② [여럿이 어떤 둘레에 굳게 단결하다] unir(se), combinar. 뭉치면 살고 헤어지면 죽는다 Unidos venceremos / Si se une se vive, y si se desune, se muere. 세계의 노동자들이여, 뭉쳐라 Trabajadores del mundo entero, uníos. 그들은 공격을 반격하는 데 함께 뭉쳤다 Ellos expresaron conjuntamente su repulsa del ataque. 우리는 어느 때보다 뭉치고 있다 Estamos más unidos que nunca. ③ [여럿을 합쳐서 덩어리를 짓다] juntar, englobar.

뭉크러뜨리다 desmenuzar, desmigajar.

뭉크러지다 [케이크·치즈·흙이] desmenuzarse; [벽이] desmoronarse; [동맹·민주주의·결심 등이] desmoronarse, derrumbarse; [건물·교량이] derrumbarse, demoronarse, desplomarse; [종이 따위가] romperse; [궤양으로] ulcerarse. 마루청이 그의 무게로 뭉크러졌다 Las tablas del suelo cedieron bajo su peso.

뭉클뭉클하다 (estar) lleno de grumos, grumoso, hacerse grumos.

뭉클하다 ① [먹은 음식이 삭지 않고 가슴에 뭉쳐 있어 무직하다] (ser) pesado, indigesto. 먹은 것이 뭉클하고 내리지 않는다 La comida que yo había comido es muy pesada [ingesta]. ② [큰 감동이나 슬픔·노여움 등의 감정이 갑자기 가슴에 꽉 차 오르거나 가슴에 맺혀 풀리지 않는 듯하다] ahogarse, asfixiarse, entrecortarse. 오열로 뭉클한 목소리 voz *f* ahogada en llanto. 화가 나서 ~ no poder hablar de la furia.

뭉키다 ① [덩이지다] agruparse, concentrarse, conglomerar. ② [여럿이 한 덩어리가 되다] congregarse, reunirse, juntarse, aglomerarse, apiñarse, pulular. 뭉키어 en grupos. 셋이 뭉키어 en grupos de tres.

뭉텅 en grupos, en bulto.
뭉텅뭉텅 en masa, en conjunto.

뭉텅이 bulto *m*, masa *f*, lío *m*, fardo *m*, *AmL* atado *m*; [신문·편지의] paquete *m*; [돈의] fajo *m*; [나뭇가지의] haz *m*, *AmL* atado *m*.

뭉툭하다 [꼬리·나무가] (ser) mocho; [사람이] achaparrado, retacón (*pl* retacones); [다리가] corto; [연필이] pequeño y grueso. 뭉툭한 연필 lápiz *m* (*pl* lápices) pequeño y grueso, un cabito de lápiz. 꼬리가 뭉툭한 개 perro *m* rabón. 뭉툭하고 작은 손가락들 deditos *mpl* regordetes. 그녀의 다리는 짧고 뭉툭했다 Ella era retacona.

뭍 ① [육지(陸地)] tierra *f*; [배에서 본 육지] playa *f*. ~의 terrestre, de tierra. ② [섬에서 본 본토] continente *m*, tierra *f* firme.

뭍바람 【기상】 viento *m* terral, viento de la tierra.

뭍사람 persona *f* de tierra, persona *f* terrestre, persona *f* que vive en la tierra.

뭍짐승 animal *m* de tierra, animal *m* terrestre, animal *m* que vive en la tierra.

뭐[1] ((준말)) =무어. ¶그것이 ~냐? ¿Qué es eso? 손에 든 것이 ~니? ¿Qué es en la mano? 나는 ~가 뭔지 모르겠다 No entiendo nada [ni jota].

뭐[2] ① [남이 부를 때,「왜 그래?」의 뜻으로] ¿Por qué?, ¿Qué? 철수야! ― ~ ¡Cheolsu! ~ ¿Por qué? ② [놀라움으로,「그게 정말이야?」의 뜻] ¿De veras?, ¿Verdad?, ¿Es verdad? ③ [상대편이 한 말을 다시 되물을 때] ¿Qué?, ¿Cómo?, ¿Qué dice?, ¿Cómo dice? 선생님 저 좀 보세요 ― ~? Señor, míreme, por favor. ― ¿Qué dice usted? ④ [확실치 않는 것을 단정적으로 잘라 말할 수 없는 것을 어지간한 정도로 말할 때] ¡Cómo!, ¿Qué? ~, 그녀가 병이라고? ¡Cómo!, ¿ella está enferma? ~ 대단치 않는 것이다 ¡Ah, no es nada serio? ~ 불평이라도 있느냐? ¿Qué? ¿Alguna queja?
뭐니 뭐니 해도 ante todo. ~ 경제 발전면에서 ante todo, en desarrollo económico.
뭐라고 ¿Qué?「사랑」을 서반아어로 ~ 합니까? ¿Qué quiere decir *sarang* en español? / ¿Qué significa *sarang* en castellano? / ¿Cómo se dice *sarang* en español? 서반아어로 이것을 ~ 합니까? ¿Qué significa [quiere decir] esto en español? / ¿Cómo se dice esto en español? ~ 대답해야 좋을지 모르겠다 No sé qué responder [contestar]. ~ 감사의 말씀을 드려야 할지 모르겠습니다 No sé cómo manifestarle el agradecimiento. 남들이 ~ 하든 상관없다 No me importa que hablen.

뮤즈(영 *Muse*) 【신화】 musa *f*.

뮤지컬(영 *musical*) musical *m*.
■ ~ 드라마 drama *m* musical. ~ 코미디 comedia *f* musical, zarzuela *f*. ~ 박스 caja *f* de música.

뮤직(영 *music*; 불 *musique*; 라 *musica*) música *f*.
■ ~ 드라마 drama *m* musical. ~ 마스터 maestro, -ca *mf* de música. ~ 박스 caja *f* de música. ~ 센터 equipo *m* de música. ~ 홀 teatro *m* de variedades.

뮤추얼 펀드(영 *mutual fund*) ①【경제】fondo *m* mutuo. ②【주식】fondo *m* de pensiones, fondo *m* de inversión mobiliaria.

-므로 porque, que. 너는 아직 어리～ 어른처럼 말하지 마라 Siendo tan pequeño como eres, no hables como una persona mayor. 그가 떠나～ 섭섭했다 Yo sentí mucho, porque él partió.

미 cohombro *m* [pepino *m*] de mar.

미(尾) ① [인삼(人蔘) 뿌리의 잔 가닥] pieza *f* corta del raíz del ginsén. ②【천문】((준말)) ＝미성(尾星).

미[1](美) [아름다움] hermosura *f*, belleza *f*. ～의 연구 estudio *m* de hermosura. 예술의 ～ hermosura *f* del arte. 자연(自然)의 ～ hermosura *f* de naturaleza. ～와 선(善)은 같다 La hermosura es lo mismo que la bondad. 예술가는 ～의 이상(理想)을 추구한다 Las artistas persiguen un ideal de belleza.

미[2](美) ① ((준말)) ＝미국. ② ((준말)) ＝미주(美洲).

미[3](美) [성적이나 등급에서「수·우·미·양·가」의 다섯 계단으로 평가할 경우] bueno.

미(이 *mi*)【음악】mi *m*.

미-(未) in-, menor. ～완성(完成) inacabamiento *m*.

미-(美) hermoso, bello, guapo. ～남자(男子) (hombre *m*) guapo *m*, hombre *m* bien parecido.

-미(美) hermosura *f*, belleza *f*. 건강～ belleza *f* sana. 고전～ belleza *f* clásica. 육체～ hermosura *f* física.

미가(米價) precio *m* del arroz.

◆생산자 [소비자] ～ precio *m* del arroz para el productor [para el consumidor].

■～ 심의회(審議會) la Comisión para el Establecimiento del Precio del Arroz. ～ 정책 política *f* del precio del arroz. ～ 조절 control *m* del precio del arroz. ～ 조절책 medida *f* para reprimir el precio del arroz. ～ 지수(指數) índice *m* del precio del arroz.

미가[1](헤 Micah) ((성경)) Miqueas.

미가[2](헤 Micah)【인명】((성경)) Micah.

미가녀(未嫁女) señorita *f*, mujer *f* que aún no se casa.

미가서(Micah 書) ((성경)) ＝미가[1].

미가신하다(未可信－) aún no poder creer sin falta.

미가필하다(未可必－) aún no poder esperar ser así.

미각(味覺) paladar *m*, (sentido *m* de) gusto *m*, sabor *m*. 세계(世界)의 ～ sabor *m* internacional. ～을 돋우는 듯하는 apetitoso, atractivo, tentador. ～을 돋우는 음식 manjar *m* tentador [apetitoso]. ～을 돋우다 excitar el apetito. 가을은 ～을 돋우는 계절이다 El otoño es la estación de las delicias del paladar.

■～ 세포 célula *f* gustativa. ～ 신경(神經) nervio *m* gustativo, nervio *m* de gusto.

미간(未刊) lo que aún no ha sido publicado. ～의 inédito, no publicado, que no se ha publicado aún.

■～ 소설 novela *f* que aún no ha (sido) publicado. ～ 시인 poeta, -tisa *mf* que aún no ha (sido) publicado. ～ 원고 manuscrito *m* inédito.

미간(眉間) ((준말)) ＝양미간(兩眉間).

미간지(未墾地) ((준말)) ＝미개간지(未開墾地).

미감(未感) lo que aún no está infectado por la enfermedad.

■～아(동) [결핵의] niño, -ña *mf* que no está infectado por tuberculosis; [나병의] niño, -ña *mf* que no está infectado por lepra.

미감(未感)【심리】＝미각(味覺).

미감(美感) sentido *m* de la belleza, sentimiento *m* sobre la belleza, sentimiento *m* hermoso.

미개(未開) ① [꽃이 아직 피지 않음] no florecimiento *m*. ② [(황무지 따위) 땅이 아직 개척되지 않음] incultura *f*, inexploración *f*. ～하다 (ser) inculto. ～한 토지 terreno *m* inculto, terreno *m* inexplorado. ③ [사회가 발전되지 않고 문화 수준이 낮음, 또는 원시 생활에 가까워 문화적 소양의 정도가 낮음] barbarie *f*, barbaridad *f*, salvajada *f*, salvajería *f*. ～하다 (ser) primitivo, salvaje, bárbaro, inculto, incivilizado. ～한 시대(時代) época *f* primitiva.

■～국 país *m* inculto [primitivo · salvaje]. ～기 (期) época *f* primitiva [inculta]. ～미술(美術) arte *m* primitivo. ～ 민족 raza *f* primitiva. ～ 상태 salvajismo *m*. ～인(人) hombre *m* primitivo; salvaje *mf*, gente *f* inculta. ～지(地) ㉮ [미개한 땅] tierra *f* inculta. ㉯ ((준말)) ＝미개척지.

미개간(未開墾) lo inculto. ～의 incultivado, yermo, inculto, baldío.

■～지(地) tierra *f* inculta, yermo *m*.

미개발(未開發) inexploración *f*. ～의 inexplorado, subdesarrollado.

■～ 국가 país *m* subdesarrollado. ～ 지역 el área *f* (*pl* las áreas) subdesarrollada.

미개척(未開拓) inexploración *f*. ～의 inexplorado, sin explotar. 도시 근처의 ～의 땅 terrenos *mpl* no urbanizados cerca de la ciudad.

■～ 분야[방면] campo *m* inexplorado. ～ 시장 mercado *m* potencial. ～지 tierra *f* inexplorada, tierra *f* sin explotar.

미거(未擧) imprudencia *f*, indiscreción *f*. ～하다 (ser) imprudente, indiscreto; [아둔하다] tonto, torpe, bobo, estúpido, idiota. ～한 생각 idea *f* infantil [tonta], niñería *f*, niñada *f*, chiquillida *f*.

◆미거(를) 부리다 hacer un acto infantil a propósito.

미거(美擧) acto *m* noble, hecho *m* digno de alabanza, empresa *f* loable [laudable].

미견(迷見) vista *f* equivocada, opinión *f* erróneo, opinión *f* confusa, idea *f* errónea.

미결(未決) ① [아직 결정되거나 해결되지 아

니함] lo pendiente, lo no decidido, lo no resuelto. ～의 pendiente, no decidido. ② 【법률】 inderterminación *f* del crimen. ③ ((준말)) ＝미결감.

■ ～감(監) prisión *f* preventiva, casa *f* de detención. ～ 구류 detención *f* pendiente. ～ 구류 일수 número *m* de los días de detención pendiente. ～ 문제 cuestión *f* [asunto *m* · problema *f*] pendiente. ～ 사항 asuntos *mpl* pendientes. ～ 서류(書類) documento *m* en examen. ～ 서류함(書類函) bandeja *f* de entrada, bandeja *f* de asuntos pendiente. ～수[수용자] reo *mf*, procesado, -da *mf*. ～안 proyecto *m* de ley pendiente.

미결산(未決算) lo pendiente. ～의 desequilibrado, abierto, pendiente.

■ ～ 계정(計定) cuenta *f* desequilibrada [pendiente].

미결정(未決定) indecisión *f*. ～하다 no decidir ～의 indeciso.

미결제(未決濟) lo no arreglado, lo no solucionado. ～하다 no arreglar, no solucionar. ～의 no arreglado, no solucionado, no pagado.

■ ～ 거래 transacción *f* incompleta. ～ 계정 cuenta *f* desequilibrada.

미경(美景) paisaje *m* hermoso.

미경(美境) tierra *f* hermosa.

미경지(未耕地) ① [경작하지 않은 땅] tierra *f* no cultivada. ② ＝미개간지(未開墾地).

미경험(未經驗) inexperiencia *f*. ～의 inexperto.

■ ～자 principiante *mf*, novato, -ta *mf*, persona *f* inexperta [novata · sin experiencia]

미곡(米穀) ① [갖가지 곡식] diversos cereales *mpl*. ② [쌀] arroz *m*.

■ ～ 검사 condicionamiento *m* de arroz. ～ 도매상 comerciante *mf* por al mayor de arroz; mayorista *mf* de arroz. ～법 ley *f* arrocera. ～상 ㉮ [미곡을 팔고 사는 장사] comercio *m* en arroz (y cereales). ㉯ [미곡을 팔고 사는 장수] comerciante *mf* en arroz (y cereales); arrocero, -ra *mf*. ㉰ [미곡을 팔고 사는 가게] tienda *f* de arroz (y cereales). ～ 시장 mercado *m* de arroz (y cereales). ～ 연도 año *m* arrocero. ～ 중매인 agente *mf* de arroz (y cereales). ～ 증권 valor *m* de arroz. ～ 창고 granero *m* de arroz.

미골(尾骨) 【해부】 coxis *m*, cóccix *m*, rabadilla *f*.

미공인(未公認) ¶～의 no oficial, extraoficial. ～으로 extraoficialmente.

■ ～ 기록 récord *m* no oficial.

미관(味官) 【해부】 ＝미각 기관(味覺器官).

■ ～구(球) papila *f* gustativa.

미관(美觀) vista *f* hermosa [bella · pintoresca], panorama *m* pintoresco. ～을 해치다 estropear la vista, echar a perder la belleza del paisaje.

■ ～상(上) hermosamente, bellamente, pintorescamente, estéticamente. ～ 지구 zona *f* estética.

미관(微官) oficial *m* pequeño, oficial *f* pequeña.

■ ～ 말직(末職) el puesto más bajo (del gobierno).

미광(微光) luz *f* lánguida [abatida · débil], vislumbre *f*, brillo *m*, resplendor *m*.

미구(未久) ¶～에 pronto, dentro de poco, en el futuro cercano, al poco rato, en breve, próximamente. 그 사람은 ～에 돌아올 것이다 El volverá dentro de poco. 나는 ～에 서반아의 수도 마드리드로 떠날 것이다 Yo saldré dentro de poco para Madrid, capital de España.

■ ～ 불원(不遠) futuro *m* cercano. ¶～에 en el futuro cercano, pronto, dentro de poco.

미구(美句) palabra *f* florida [hermosa].

미구(微軀) ① [천한 몸] humilde cuerpo *m*. ② [자기의 몸을 낮추어 하는 말] mi (humilde) cuerpo.

미국(美國) los Estados Unidos de América, los EEUU, los EE UU, los EE.UU. ～의 estadounidense, norteamericano, americano.

■ ～ 공군 la Fuerza Aérea de los EEUU. ～ 국기 bandera *f* de los EEUU, bandera de las barras y las estrellas. ～ 군대 ejército *m* estadounidense, tropas *fpl* estadounidenses, ejército *m* [tropas *fpl*] de los Estados Unidos de América. ～ 군인 soldado, -da *mf* estadounidense. ～령(領) territorio *m* de los Esatdos Unidos de América. ～말 inglés *m* americano. ～ 본토 los EEUU, los EE. UU., los Estados Unidos de América. ～ 사람[인] estadounidense *mf*, norteamericano, -na *mf*. ～식 영어 inglés *m* americano. ～ 어법 americanismo *m*. ～인 기질 americanismo *m*. ～ 정부(政府) gobierno *m* estadounidense, Washington, la Casa Blanca. ～톤 tonelada *f* americana (907.2 kg.). ～화 americanización *f*. ¶～하다 americanizarse, *AmL* agringarse.

미국 공보원(美國公報院) ＝유에스아이에스.

미국 독립 전쟁(美國獨立戰爭) la Guerra de Independencia americana.

미국악어(美國鰐魚) 【동물】 aligátor *m*, caimán *m*. ～ 가죽 cuero *m* [fiel *f*] de aligátor.

미국 원자력 위원회(美國原子力委員會) la Comisión de Energía Atómica.

미국의 소리 방송(一放送) la Voz de América.

미국 중앙 정보국(美國中央情報局) la Agencia Central de Inteligencia, CIA *f*.

미군(美軍) ① ((준말)) ＝미국 군대. ② ((준말)) ＝미국 군인.

■ ～ 기지 base *f* militar norteamericana. ～ 점령 지역 (占領地域) el área *f* (*pl* las áreas) ocupada por las fuerzas estadounidenses.

미궁(迷宮) laberinto *m*, misterio *m* indescifrable. ～의 laberíntico. 사건은 ～에 빠졌다 El caso se ha convertido en un misterio indescifrable / El caso está enrollado en el misterio.

미급하다(未及－) (ser) insuficiente, inferior.

미기(美妓) *kisaeng f* hermosa.

미기(美技) representación *f* excelente, juego *m* excelente.

미꾸라지 【어류】 locha *f.* ～ 같은 놈 tipo *m* resbaladizo.

■미꾸라지가 용됐다 ((속담)) La persona humilde e insignificante se hizo grande. 미꾸라지 한 마리가 온 웅덩이 물을 다 흐린다 ((속담)) Una res mala a todo el rebaño daña / Uva podrida daña racimo / La manzana podrida pierde a su compañía / Una cosa mala acaba dañando las que tiene cerca. 미꾸라짓국 먹고 용트림한다 ((속담)) La persona insignificante se da aires.

미끄러뜨리다 deslizar, hacer deslizar(se), hacer resbalar(se).

미끄러지다 ① [경사지거나 미끄러운 곳에서 한쪽으로 밀려나가거나 넘어지다] deslizar(se), resbalar(se); [스케이트로] patinar; [스키로] esquiar; [자동차 따위가] patinar. 미끄러지기 쉬운 resbaladero, resbaladizo. 미끄러진 자국 resbaladura *f.* 미끄러지기 쉬운 곳 resbalera *f,* sitio *m* resbaladizo. 미끄러지면서 놀다 divertirse patinando. 미끄러져 넘어지다 caer al resbalar [de un resbalón], resbalarse y caer. 미끄러지듯이 들어가다 introducirse suavemente. 젖은 바닥에서 ～ resbalar en el piso mojado. 비탈길을 미끄러져 내려가다 bajar deslizándose por el declive. 벼랑에서 미끄러져 떨어지다 caer rodando por el precipicio. 손이 미끄러지는 것을 방지하다 impedir que las manos se resbalen. 컵이 (내) 손에서 미끄러져 떨어졌다 Se me escapó [resbaló] el vaso de la mano. 나 [너·그·우리·너희들·그들]는 발이 미끄러졌다 Se me [te·le·nos·os·les] fue el pie / He [Has·Ha·Hemos·Habéis·Han] dado un resbalón. 나는 절벽에서 미끄러져 떨어졌다 Me caí resbalando por el precipicio. 미끄러지지 않도록 주의하십시오 ¡Cuidado con (no) resbalarse! ② ((속어)) [뽑거나 고른 대상 가운데에 들지 못하다] fracasar, salir mal. 시험에 ～ fracasar [salir mal] en el examen. ③ ((속어)) [차지했던 자리나 지위에서 밀려나다] ser despedido.

미끄럼 deslizamiento *m,* desliz *f,* resbalón *m;* [스케이트] patinaje *m.* 손의 ～을 방지하다 impedir que las manos se resbalen. 이 문은 ～이 좋지 않다 [나쁘다] Esta puerta no corre bien.

■～대[틀] ㉮ [놀이의] deslizadera *f,* tobogón *m.* ㉯ [기계의] resbaladera *f.* ㉰ [진수의] plataforma *f* de corredera. ～ 마찰(摩擦) fricción *f* resbalante. ～ 방지(防止) paradeslices *mpl.*

미끄럽다 (ser) resbaloso, resbaladizo, escurridizo; [부드럽다] suave; [문 따위가] correr, deslizar(se). 미끄러운 길 camino *m* resbaladizo. 이 문은 미끄럽지 않다 Esta puerta no corre bien.

미끈거리다 [표면·땅이] (ser) resbaladizo, *AmL* resbaloso; [물고기·비누가] resbaladizo, escurridizo.

미끈둥하다 (ser) muy resbaladizo. 미끈둥한 뱀장어 anguila *f* muy resbaladiza.

미끈미끈 resbaladizamente; [음식이] aceitosamente, grasientamente; [피부·머리카락이] graso. ～하다 (ser·estar) resbaladizo; [음식이] aceitoso, grasiento; [피부·머리카락이] graso, *AmL* grasoso; [넝마가] manchado de aceite; [물질이] oleaginoso.

미끈하다 (ser) lacio y brillante, bien alimentado, bien vestido, bien arreglado, acicalado, pulcro, bonito, lindo, guapo; [머리카락이] bien peinado. 미끈한 얼굴 cara *f* guapa. 미끈한 자동차 coche *m* pulcro. 미끈하게 생기다 (ser) guapo. 그녀는 미끈한 다리, 풍만한 가슴, 멋있는 곡선미하며 모두 다 갖추었군 Ella es zanquilarga, muy pechugona, curvilínea y todo.

미끈히 lacio y brillantemente, bonitamente, lindamente, guapamente. 머리카락을 ～ 빗다 alisarse el pelo. 옷을 ～ 입다 estar bien vestido. 그는 머리카락을 뒤로 ～ 빗고 있었다 El se peinaba hacia atrás con brillantina.

미끼 ① [낚싯밥] cebo *m.* 낚시에 ～를 끼다 poner (el) cebo al [con el] anzuelo. …에 ～를 사용하여 새를 후리다 atraer a los pájaros usando algo como señuelo. ② [사람이나 동물을 꾀어내기 위한 물건이나 수단] añagaza *f,* señuelo *m,* reclamo *m,* cimbel *m,* cebo *m.* ～로 유혹하다 seducir por la oferta de un aliciente, halagar con un cebo. 경품을 ～로 사람을 끌다 atraer a la gente con el cebo del premio, servirse del premio como cebo para atraer a los clientes.

미나리 【식물】 perejil *m,* enante *m* comestible.

◆갯～ perejil *m* marino [de mar], hinojo m marino. 독(毒)～ perejil *m* de perro. 산(山)～ perejil *m* de monte, oreoselino *m.*

■～꽝 arrozal *m* para perejil.

미나리아재비 【식물】 botón *m* de oro, ranúnculo *m.*

미나리아재비과(－科) 【식물】 ranunculáceas *fpl.*

미남(美男) ((준말)) ＝미남자(美男子). ¶～은 아니지만 aunque no es guapo.

미남자(美男子) hombre *m* guapo [bien parecido], guapo *m,* majo *m,* guapo [buen·real] mozo *m,* mozo *m* [hombre *m*] garrido [gallardo·de buen tipo]. ～역을 (연출)하다 representar [hacer] un papel de galán.

미납(未納) falta *f* de pago; [체납(滯納)] atraso *m* [retraso *m*] de pago. ～의 no pagado, atrasado.

■ ~곡 cereales *mpl* no pagados. ~금(金) caídos *mpl*, atrasos *mpl*, suma *f* no pagada, suma *f* pendiente. ~량 cantidad *f* atrasada. ~세 impuesto *m* no pagado. ~자 persona *f* atrasada en el pago. ¶세금 ~ el que no ha pagado el impuesto.

미네랄(영 *mineral*) ① =광물(鑛物). ② =무기물(無機 物). ③ =탄산수(炭酸水).

■ ~ 워터 [광천. 광수] el agua *f* mineral.

미네르바(영 *Minerva*) [지혜와 무용(武勇)의 여신] 【로마 신화】 Minerva *f*, 【그리스 신화】 Atenea *f*.

미녀(美女) mujer *f* guapa [bien parecida]; [집합적] belleza *f*. 숲 속의 잠자는 ~ belleza f durmiente del bosque. 그녀는 선녀 같은 ~이다 Ella tiene una hermosura celestial.

◆절세(絶世) ~ sin par belleza *f*.

■ ~ 선발 대회 concurso *m* de belleza. ¶ ~ 당선자 ganadora *f* en el concurso de belleza.

미농지(美濃紙) (una especie de) papel m de arroz.

미뉴에트(영 *minuet*) 【음악】 minué *m*.

미늘 ① [낚시의] lengüeta *f*, [작살의] punta *f* de presa. ② ((준말)) =갑옷 미늘.

미니(영 *mini*) mini *m*; 【컴퓨터】 mini *m*, miniordenador *m*, *AmL* minicomputador *m*, minicomputadora *f*, [미니스커트] mini *f*, minifalda *f*.

■ ~ 골프 minigolf *m*, golfito *m*. ~ 버스 microbús *m*, micro *m*. ~스커트 mini *f*, minifalda *f*. ~ 카 coche *m* miniatura. ~ 카메라 minicámara *f*. ~ 컴퓨터 miniordenador *m*.

미니멈(영 *minimum*) [최소한도] mínimo *m*.

미니어처(영 *miniature*) [세밀화] miniatura *f*.

미다[1] [찢어지다] romperse, rasgarse. 입이 미도록 입에 넣다 tener la boca llena (de), engullir, atracarse (de).

미다[2] [팽팽하게 켕긴 가죽이나 종이 따위를 잘못 건드려 구멍을 내다] romper a empujones. 막대기로 판자를 ~ romper un tablero con un palo.

미다[3] [따돌리고 멀리하여 업신여기다] despreciar, desestimar, menospreciar.

미닫이 puerta *f* corredera, puerta *f* corrediza, puerta *f* de corredera.

■ ~문 =미닫이. ~창 ventana *f* (de) corredera, ventana *f* corrediza.

미달(未達) ① [모자람. 못 미침] falta *f*, escasez *f*, carencia *f*. ~하다 faltar, carecer (de), no tener. 연령 ~의 menor de edad. ② =미달성(未達成).

미담(美談) episodio *m* edificante, historia *f* hermosa [alentadora], anécdota *f* laudable.

■ ~집 colección *f* de episodios edificantes.

미답(未踏) lo inexplorado. ~의 inexplorado.

미당기다 empujar y tirar.

미대다 ① [남에게 밀어 넘기다] cargar. 그들은 책임을 우리에게 미대려고 했다 Ellos trataron de cargarnos la responsabilidad. ② [(일을) 질질 끌다] aplazar, posponer, retrasar, *AmL* postergar, demorar. 일을 ~ aplazar el trabajo.

미덕(美德) virtud *f*, carácter *m* noble, buenos rasgos *mpl*. 정직은 ~이다 La honradez es una virtud.

미덥다 (ser) confiable; [장래가 촉망되다] prometiente. 미더운 사람 persona *f* confiable. 미덥지 못한 대답 respuesta *f* vaga. 미덥지 않다 (ser) dudoso, incierto, inseguro. 미덥게 생각하다 tener por confiable, esperar mucho. 그는 미덥지 않다 En él no se puede confiar. 그 보고는 미덥지가 못하다 No se puede uno fiar de ese informe. 그가 성공할지 미덥지 않다 Es muy dudoso que él tenga éxito.

미도착(未到着) no llegada *f*. ~하다 no llegar aún. ~의 por llegar, aún no llegado.

미동(美童) ① [잘생긴 사내아이] muchacho *m* [chico *m*] guapo. ② [남색(男色)의 상대가 되는 아이] sodomita *m*.

미동(微動) sacudida *f* ligera, temblor *m* pequeño, vibración *f* insignificante, microsismo *m*. ~도 않다 no hacer el menor movimiento, no moverse un ápice; [감정이] (ser) sólido, firme, resistente; [태연하다] no turbarse, no inmutarse. ~도 않고 imperturbablemente, impasiblemente, sin inmutarse, sin mover un músculo de la cara. 이 옷장은 밀어도 ~도 하지 않는다 Este armario aunque se le empuje no se mueve un centímetro.

■ ~계 tromómetro *m*. ~ 기압계(氣壓計) estatoscopio *m*. ~ 측정기(測程器) microdetector *m*.

미두(米豆) especulación *f* en arroz.

■ ~장 mercado *m* de especulación en arroz.

미드필드(영 *midfield*) centro *m* del campo, *AmL* mediocampo *m*.

■ ~선 ((축구)) línea *f* central. ~ 플레이어 ((축구)) mediocampista *mf*, centrocampista *mf*.

미들(영 *middle*) centro *m*, medio *m*, mitad *f*.

◆라이트 ~급 peso *m* medio ligero.

■ ~급 ((권투)) peso *m* mediano [medio]. ~급 챔피언 campeón *m* de peso mediano.

미등(尾燈) piloto *m*, farol *m* trasero, luz *f* trasera, luz *f* posterior, lámpara *f* posterior; [열차의] farol *m* de cola.

미디(영 *midi*) midi *f*(*m*).

■ ~ 스커트 midi *f*, falda *f* midi.

미디어(영 *media*) medio *m*.

미라(포 *mirra*) momia *f*. 이집트의 ~ momias *fpl* egipcias. ~가 되다 momificarse. ~로 만들다 momificar. 이집트 사람들은 시체를 ~로 만들었다 Los egipcios momificaban los cadáveres.

■ ~화 momificación *f*. ¶~하다 momificar. ~되다 momificarse.

미라지(불 *mirage*) espejismo *m*.

미락(微落) disminución *f* fraccionaria.

미란(糜爛) [염증] inflamación *f*, [궤양] ulceración *f*, erosión *f*, [부란] descomposición *f*. ~하다 inflamarse, ulcerarse, descomponer.

■ ~성(性) erosivo *adj*. ~성 가스 gas *m* erosivo. ~성 위염 gastritis *f* erosiva. ~제 vesicante *m*.

미래 *mirae*, uno de los instrumentos agrícolas para nivelar el terreno.

미래(未來) ① [앞으로 올 때] futuro *m*, porvenir *m*, tiempo *m* venidero. ~의 futuro, venidero, que viene. ~가 있는 prometiente, prometedor, lleno de esperanza. ~에(는) en (lo) futuro, en el futuro. ~의 아내 futura esposa *f*. ② 【언어】 tiempo *m* futuro. ③ ((불교)) [내세(來世)] la otra vida.

■ ~기(記) apunte *m* de antipación. ~사 asuntos *mpl* futuros. ~상 imagen *m* del futuro, visión *f*. ~세 la otra vida. ~ 소설 novela *f* de anticipación. ~ 시제 tiempo *m* futuro. ~ 영겁[영영] eternidad *f*, mundo *m* eterno. ~완료 futuro *m* perfecto. ~인 hombre *m* del mundo futuro, *lat* homo futurus. ~주의 futurismo *m*. ~파 futurismo *m*; [사람] futurista *mf*. ~파 예술 arte *m* futurista. ~학 futurología *f*. ~ 학자 futurólogo, -ga *mf*.

미량(微量) cantidad *f* mínima, cantidad *f* muy pequeña, micro *m*.

■ ~ 분석(分析) microanalisis *f*. ~ 영양 micronutrimento *m*. ~ 천칭 microbalanza *f*. ~ 화학 microquímica *f*.

미레자 regla *f* T.

미레질 acepilladura *f* inversa. ~하다 acepillar al revés.

미려(美麗) hermosura *f*, belleza *f*. ~하다 (ser) hermoso, bello, bonito.

미려히 hermosamente, con hermosura, bellamente, con belleza, bonitamente.

■ ~본(本) libro *m* hermoso.

미력(微力) poder *m* pequeño, humilde empeño *m*, humilde esfuerzo *m*, pobre habilidad *f*, habilidad *f* pequeña. ~을 다하다 esforzarse todo lo que pueda, hacer lo mejor, empeñarse humildemente. ~이나마 당신을 돕겠습니다 Le ayudaré en la medida de mis pobres fuerzas. ~이나마 전력을 다할 준비가 되어 있습니다 Estoy dispuesto a todo lo que dependa de mis pobres [limitadas] posibilidades. 힘은 없지만 ~을 다하겠습니다 Aunque soy poca cosa, me esforzaré todo lo que pueda.

미련 tontería *f*, tontera *f*, tontada *f*, tontedad *f*, bobada *f*, bobera *f*, bobería *f*, estupidez *f*, necedad *f*, simpleza *f*, insensatez *f*, sandez *f*, embotamiento *m*, lo lerdo, lo necio. ~하다 (ser) tonto, atontado, bobo, estúpido, torpe, necio, insensato, zopenco, simple. ~하게 행하다 hacer neciamente, portarse como un necio. ~한 사람 necio, -cia *mf*, tonto, -ta *mf*, bobo, -ba *mf*, torpe *mf*, estúpido, -da *mf*, persona *f* necia [tonta · boba · estúpida · torpe].

미련히 tontamente, bobamente, torpemente, estúpidamente, neciamente, con necedad, con tontería, con estupidez.

■ 미련하기는 곰일세 ((속담)) Es muy tonto. 미련한 놈 잡아들이라 하면 가난한 놈 잡아들인다 ((속담)) El pobre sufre todo lo (que está) equivocado.

■ ~쟁이[퉁이] persona *f* tonta [boba · tonta]; asno, -na *mf*, burro, -rra *mf*, bobo, -ba *mf*, borrico, -ca *mf*, tonto, -ta *mf*.

미련[1](未練) [(기술 따위가) 아직 익숙하지 못함] inexperiencia *f*. ~하다 (ser) inexperto.

미련[2](未練) [(딱 잘라) 단념하지 못하는 마음] sentimiento *m*, pesar *m*; [애착] apego *m*, cariño *m*, afecto *m*. ~을 남기고 con [sintiendo] mucha pena (por). ~이 있는 어투로 con un acento de pesar. ~없이 깨끗한 [사나이다운] valiente, valeroso, viril, varonil; [결백한] puro, decente; [솔직 담백한] franco. ~없이 깨끗하게 valientemente, virilmente, varonilmente, heroicamente, con valor; [기꺼이] de buena gana, resueltamente; [단념하여] con resignación. ~이 있다 tener apego (a), estar apegado (a). ~을 남기고 고향을 떠나다 dejar *su* tierra (natal) con un corazón partido [corto]. ~없이 깨끗하게 자백하다 confesar con franqueza. ~없는 깨끗한 최후를 마치다 tener una muerte heroica [honrosa]. 그녀에게 ~은 없다 Me he resignado a perderla. 그는 (단념하지 못하고) ~이 남아 있다 Le cuesta resignarse. 그는 그 아가씨에게 ~이 있다 El está locamente [ciegamente] enamorado de esa muchacha / El está loco por esa muchacha.

미령(靡寧) indisposición *f*. ~하다 estar [encontrarse] indispuesto.

미로(迷路) ① [한 번 들어가면 다시 빠져나오기 어려운 길] laberinto *m*, dédalo *m*. ~에 빠지다 perderse [meterse] en el laberinto. ② 【해부】 oído *m* interno. ③ 【심리】 laberinto *m*.

■ ~ 신경염 neurolaberingtitis *f*. ~염(炎) laberintitis *f*. ~ 절개술 laberintotomía *f*.

미료(未了) =미필(未畢).

■ ~안(案) proyecto *m* que aún no ha terminado.

미루다 ① [연기 · 지연하다] prorrogar, diferir, suspender, posponer, dilatar, aplazar, trasladar, retardar. 미루어지다 aplazarse, posponerse, diferirse, posponerse, prorrogarse. 지불을 ~ aplazar [diferir] el pago. 일을 다른 기회로 ~ dilatar un asunto a [para] otra ocasión. 그 일은 내년까지 미루어졌다 La solución del problema se ha aplazado para el año próximo. 이 문제는 다른 기회로 미루자 Dejarermos este asunto para otra ocasión. ② [전가하다] echar. 일을 남에게 ~ imputar, echar la culpa a otro. 책임을 ~ imputar [echar] la responsabilidad (a). 그녀는 잘못을 동료들에게 미루려고 했다 Ella trató de echarles la culpa a sus colegas. ③ [추측하다] inferir, deducir, colegir, concluir, juzgar, estimar, considerar, suponer, adivinar. …으로 미루어 a juzgar por *algo*. 여러 가지 사정으로 미루어 보아 그것은 불가능하다 Juzgando por las circunstancias dadas, eso es imposible. 이것으로 보아 다른 것은 미루어 알 수 있다 Esto basta para suponer lo demás / Lo demás puede inferirse.

미루적거리다 retrasarse muchas veces.
미루적미루적 retrasándose muchas veces. ~하다 retrasarse muchas veces.

미류나무(美柳－) 【식물】 álamo *m*.

미륵(彌勒) ① [돌부처] (estatua *f* de) Buda *m* de piedra. ② ((준말)) ＝미륵 보살.
■~ 보살 Mesías *m* Budista, Buda *m* próximo.

미리 [앞서] de antemano, en [con] anticipación, anticipadamente, previamente, anteriormente; [전에] antes; [여유를 가지고] con tiempo, con antelación. ~ …하다 anticipar. ~ 대비(對備)하다 prevenir, preparar de antemano. ~ 짜다 concertarse de antemano; [공모(共謀)하다] confabularse, conspirar. ~ 통지하다 avisar de antemano [con tiempo]. ~ 준비하다 preparar de antemano. ~ 충분히 검토하다 prepararse, documentarse. ~ 월급을 주다 dar el jornal [el sueldo · el salario] anticipadamente, anticipar el sueldo [el pago]. ~ 감사하다 anticipar las gracias. ~ 짜고 de común acuerdo. ~ 짠 계획대로 según lo proyectado anteriormente, de acuerdo con el plan previo. ~ 연락드린 바와 같이 como le comuniqué de antemano. 그들은 ~ 짜고 있었다 Ellos estaban de antemano concertados. ~ 지불해 주십시오 Se ruega pagar por adelantado. 그녀가 ~ 충분히 검토하지 않았음이 분명하다 Se notaba que no se había preparado [documentado] bien.
미리막이 prevención *f*; [주의] precaución *f*. ~하다 prevenir, precaver, tomar precaución (contra).
미리미리 de antemano, con [de] anticipación, anticipadamente, previamente.

미립 ＝요령(要領).

미립(微粒) partícula *f*, granillo *m*.

미립자(微粒子) 【물리】 corpúsculo *m*, partícula *f*. ~의 corpuscular.
■~계 acribómetro *m*. ~물 partícula *f*. ~ 방사선 촬영법 microradiografía *f*. ~병 pebrina *f* del gusano de sada. ~설 teoría *f* de luz corpuscular. ~ 전류 corriente *f* corpuscular. ~ 현상(現象) fenómeno *m* corpuscular.

미만(未滿) menos, debajo, bajo. 18세 ~ 입장 금지 ((게시)) Prohibida la entrada a menores de dieciocho años.

미만(彌滿/彌漫) difusión *f*. ~하다 difundirse.

미망(迷妄) ilusión *f*, delusión *f*, engaño *m*, falacia *f*. ~을 깨우치다 desilusionar, desengañar, sacar del error. ~을 타파하다 dispersar la ilusión.
■~설(說) ilusionismo *m*.

미망인(未亡人) viuda *f*. ~의 viudal, vidual. 김 씨의 ~ esposa *f* del difunto Kim. ~이 되다 quedar viuda, enviudar, perder *su* esposo. 그녀는 세 차례 ~이 되었다 Ella enviudó [quedó viuda] tres veces. 그녀는 스물둘에 ~이 되었다 Ella enviudó [se quedó viuda] a los venite y dos años. 그녀는 남편의 사(死)후 내내 ~으로 지냈다 Ella quedó viuda después de la muerte de su esposo. 그녀는 골프 ~이다 Ella pasa horas sola mientras el marido juega al golf. 전쟁으로 인해 수천 명의 젊은 여인들이 ~이 되었다 La guerra dejó viudas a muchos miles de mujeres jóvenes. 그 작가의 ~은 아들 내외의 집에서 행복하게 지내고 있다 La viuda del escritor vive feliz con su hijo y la mujer de éste.
■~ 생활 viudez *f*, *AmL* viudedad *f*.

미맥(米麥) [쌀과 보리] el arroz y la cebada.

미명(未明) madrugada *f* temprana. ~에 antes de madrugada, de madrugada.

미명(美名) ① [아름다운 이름] buen nombre *m*, bello nombre *m*, nombre *m* hermoso, renombre *m*. ② [그럴듯한 명목이나 명칭] capa *f*, pretexto *m*.
■~하(下) bajo [so] capa (de), so pretexto (de), con el pretexto (de).

미모(美貌) rostro *m* hermoso, cara *f* hermosa, buena fisonomía *f*, buen semblante *m*, buenas ficciones *fpl*; [아름다움] belleza *f*, hermosura *f*. ~에 사로잡히다 encantarse del atractivo. ~도 따지고 보면 가죽 한 꺼풀 ((서반아 속담)) La flor de la belleza es poco duradera.

미모(微毛) pelo *m* muy pequeño.

미모사(영 *mimosa*) 【식물】 mimosa *f*, sensitiva *f*.

미목(眉目) ① [눈썹과 눈] las cejas y los ojos. ② [용모(容貌)] semblante *m*, rasgo *m*, cara *f*, rostro *m*, fisonomía *f*. ~이 수려한 de rasgos firmes y hermosos. ~이 수려하다 ser apuesto [bien parecido · guapo], ser muy buen mozo [buena moza], tener una fisonomía [una cara] hermosa. 그녀는 ~이 수려한 여인이다 Ella es una mujer apuesta / Ella es muy buena moza.
■~ 수려 lo bonito, lo guapo, lo hermoso. ¶~한 여인 mujer *f* guapa [bonita · hermosa].

미몽(迷夢) ilusión *f*, alucinación *f*, fascinación *f*. ~에서 깨어나다 despertarse de la ilusión.

미묘(美妙) delicadeza *f*, finura *f*, primor *m*, gentileza *f*, excelencia *f*, perfección *f*. ~하다 (ser) delicado, fino, gentil, excelente, perfecto.
미묘히 delicadamente, finamente, gentilmente, excelentemente, perfectamente.

미묘(微妙) delicadeza *f*, finura *f*, sutileza *f*. ~하다 (ser) delicado, delicioso, fino, sutil. ~하게 en una situación delicada. ~한 차이(差異) diferencia *f* sutil. 그것은 ~한 문제이다 Es un problema bastante delicado. 그의 마음은 ~하게 변했다 Su corazón experimentó un delicado [sutil] cambio.
미묘히 delicadamente, deliciosamente, finamente, sutilmente.

미문(美文) frase *f* bella, prosa *f* bella.
■ ~체(體) estilo *m* florido.

미물(微物) ① [작고 보잘것없는 물건] friolera *f*, fruslería *f*, bagatela *f*. ② [동물] animal *m*; [벌레] insecto *m*. ③ [변변치 못한 인간(人間)] persona *f* humilde.

미미(美味) sabor *m* gustoso [delicioso · exquisito · muy agradable al paladar], buen sabor *m*, buen gusto *m*, exquisitez *f*. 천하의 ~로 포식하다 hartarse de lo más rico de tierra.

미미하다(微微－) (ser) pequeñísimo, escaso, insignificante, débil, tenuo, ligero. 미미하게 숨을 쉬다 respirar débilmente [difícilmente]. 이 사업의 이익(利益) 마진은 ~ Es pequeñísimo el margen de ganancia de este negocio / Este negocio no pro- duce más que un médico margen de ganancias. 미미히 con pequeñez, escasamente, insignificantemente, con escasez.

미발견(未發見) no descubrimiento *m*. ~의 no descubierto, por descubrir.

미발달(未發達) no desarrollo *m*. ~의 sin desarrollar, subdesarrollado.

미발표(未發表) no publicación *f*. ~의 no publicado.

미방(未方) 【민속】 *mibang*, la Dirección de la Oveja, sur *m* cuarta al sudoeste.

미병(美兵) soldado *m* estadounidense, soldado *m* de los Estados Unidos de América.

미복(美服) ropa *f* hermosa, vestido *m* elegante [hermoso], ropa *f* lujosa, prenda *f* rica de vestir. ~을 걸치고 atraviándose ricamente (en seda).

미복(微服) disfraz *f* en ropa.
■ ~ 잠행 viaje *m* de incógnito. ¶~하다 viajar de incógnito, ir disfrazado.

미본(美本) libro *m* hermosamente encuadernado.

미봉(彌縫) contemporización *f*, remiendo *m*. ~하다 contemporizar, remedar [reparar] provisionalmente.
■ ~책 expediente *m* (temporario), medida *f* provisional, medida *f* de circunstacias, remedio *m* temporario, política *f* provisional. ¶이 계획은 ~에 불과하다 Este proyecto no es más que un expediente.

미부(尾部) cola *f*.

미분(微分) 【수학】 diferencial *f*, cálculo *m* diferencial. ~의 diferencial.
■ ~계수 coeficiente *m* diferencial. ~기하학 geometría *f* diferencial. ~방정식 ecuación *f* diferencial. ~적분학 cálculos *mpl* diferencial e integral, cálculo *m* infinitesimal, análisis *m* infinitesimal. ~학 cálculo *m* diferencial.

미분(微粉) polvo *m* fino.

미분음(微分音) 【음악】 microtono *m*.

미분자(微分子) átomo *m*, partícula *f*, corpúsculo *m*, molécula *f*.

미분탄(微粉炭) carbón *m* en polvo.

미분화(未分化) indiferenciación *f*. ~의 상태에 있다 estar en el estado de indiferenciación.

미불(未拂) atrasos *mpl*, suma *f* pendiente, monto *m* no pagado, falta *f* de pago. ~의 no pagado; [연체] atrasado.
■ ~금(金) suma *f* pendiente, suma *f* no pagada, caídos *mpl*, atrasados *mpl*. ~금 계정 cuenta *f* pendiente. ~ 배당금(配當金) dividendo *m* acumulado. ~ 봉급 pago *m* de atrasos. ~ 비용 gastos *mpl* pendientes, gastos *mpl* no pagados]. ~ 송장 factura *f* impagada. ~액 cantidad *f* no pagada. ~ 이자 interés *m* no pagado. ~ 자본 capital *m* no pagado. ~ 잔금 atrasos *mpl*.

미불(美弗) dólar *m* estadounidense, dólar *m* norteamericano.

미불입(未拂入) ¶~의 no pagado, impagado.
■ ~ 세금 impuesto *m* impagado. ~ 수표 cheque *m* impagado, cheque *m* no pagado. ~ 자본(금) capital *m* no desembolsado, capital *m* no pagado. ~ 주(株) acciones *fpl* no pagadas.

미비(未備) [불완전 · 불충분] imperfección *f*, insuficiencia *f*, lo poco adecuado; [부족] falta *f*, deficiencia *f*, carencia *f*; [미비점] defecto *m*. ~하다 (ser) imperfecto, defectuoso, deficiente, incompleto. ~한 점(點) defecto *m*, imperfección *f*, omisión *f*.

미쁘다 ① ＝미덥다. ② ((성경)) [진실하다 · 참되다] (ser) fiel, confiar.

미사(美辭) lengua *f* florida, lengua *f* simbólica.
■ ~여구(麗句) lengua *f* florida, todas especies *fpl* de palabras floridas. ¶~를 늘어놓다 juntar todas especies de palabras floridas. ~를 사용하다 usar la lengua florida.

미사(라 *Missa*) ① ((천주교)) misa *f*. ~를 올리다 celebrar [decir] misa. ~를 듣다 oír misa. ~에 가다 ir a (oír) misa. ~에 참석하다 ir a misa. ② 【음악】 ＝미사곡.
◆ 가창(歌唱) ~ misa *f* cantada. 결혼(結婚) ~ misa *f* de esponsales. 독송(讀誦) ~ misa *f* rezada [privada]. 심야(深夜) ~ [크리스마스 이브의] misa *f* de gallo. 장례(葬禮) ~ misa *f* de cuerpo presente. 장엄(莊嚴) ~ misa *f* mayor [solemne]. 추도(追悼) ~ misa *f* de difuntos [de réquiem]; [유아의] misa *f* de ángel.
■ ~곡(曲) misa *f*, [진혼 미사곡] réquiem *m*.

미사리[1] [삿갓 등의 밑에 대어 머리에 쓰게 된 둥근 테두리] aro *m* redondo.

미사리[2] [산속에서 풀뿌리 · 나뭇잎 · 열매 등을 먹고 사는 사람] montañés *m* peludo, montañesa *f* peluda.

미사일(영 *missile*) misil *m*, mísil *m*, misile *m*, proyectil *m*, vector *m*.
◆ 공격 ~ misil(es) *m(pl)* defensivos. 공격 ~ 기지 base *f* de misiles defensivos. 공대공(空對空) ~ misil(es) *m(pl)* aire-aire. 공대지(空對地) ~ misil *m* aire-tierra. 공중 발사 탄도 ~ misil *m* balístico lanzado desde avión. 단거리 ~ misil *m* de corto alcance. 대공(對空) ~ misil *m* antiaé-

reo. 대전차 ~ misil *m* antitanque. 스쿠드 ~ misiles *mpl* Scud. 장거리 ~ misil *m* de lagrgo alcance. 유도 ~ misil *m* teledirigido. 작전용 ~ misil *m* operativo. 장거리 유도 ~ proyectil *m* teleguiado de largo alcance. 전략용(戰略用) ~ misil *m* estratégico. 중거리 ~ misil *m* de medio alcance. 지대공(地對空) ~ misil *m* de tierra a aire, misil *m* tierra-aire, misil *m* superficie-aire. 지대지(地對地) ~ misil *m* terrestre, misil *m* superficie-superficie. 크루즈 ~ misil *m* (de) crucero. 탄도 ~ misil *m* balístico. 탄도탄 요격용 ~ misil *m* antibalístico. 핵 ~ misil *m* nuclear.

■ ~ 경보망 red *f* de radares para detección anticipada de misiles. ~ 경쟁 carrera *f* del misil. ~ 궤도 trayectoria *f* del misil. ~ 기지 base *f* de (lanzamiento de) misiles. ~ 레이더 radar *m* para misiles. ~ 모니터 monitor *m* de misiles. ~ 발사기 lanzamisiles *m.sing.pl.* ~ 발사 기지 base *f* lanzamisiles, base *f* de lanzamiento de misiles. ~ 방어 경보 시스템 sistema *m* defensivo de alarma misilística. ~ 시설 instalación *f* de misiles. ~ 실험 prueba *f* de misiles. ~ 원격 측정법 telemetría *f* para misiles. ~ 유도 gobierno *m* del misil, guianza *f* del misil. ~ 유도 레이더 radar *m* de guiaje de misiles. ~ 조기 경보 본부 estación *f* de alerta previa de misiles. ~ 차폐물(遮蔽物) blindaje *m* contra impactos. ~ 킬러 misil *m* antimisílico. ~ 탄 proyectil *m* arrojadizo.

미산(米産) producción *f* de arroz.

미삼(尾蔘) raíz *f* (corta) del ginseng.

미상(未詳) desconocimiento *m*. ~의 desconocido, no conocido. 자본금은 ~이다 El capital es desconocido.

◆ 작자(作者) ~ anónimo *m*, autor *m* desconocido. 이 작품은 작자 ~이다 El autor de esta obra aún no ha sido identificado.

미상불(未嘗不) verdaderamente, realmente, por cierto, por supuesto, indudablemente, sin duda.

미상환(未償還) no reembolso *m*, no pago *m*. ~의 no reembolsado.

미색(美色) ① [아름다운 색깔] color *m* hermoso. ② [여자의 아리따운 용모] rostro *m* hermoso, cara *f* hermosa, semblante *m* hermoso. ③ [미인(美人)] mujer *f* hermosa [bella]; [집합적] belleza *f*, hermosura *f*.

미색(微色) color *m* leve.

미생물(微生物) microbio *m*, microrganismo *m*, microorganismo *m*. ~의 microbiano, micróbico.

■ ~계 mundo *m* del microorganismo. ~학 microbiología *f*. ~ 학자 microbiólogo, -ga *mf*.

미석(美石) piedra *f* hermosa.

미선나무 【식물】 ((학명)) Abeliophyllum distichum.

미설(未設) no establecimiento *m*. ~의 que no está establecido [instalado] aún, en [bajo] el proyecto. 전화는 아직 ~이다 El teléfono no está aún instalado. 그 노선(路線)은 아직 ~이다 La línea está aún en proyecto.

■ ~선 línea *f* bajo el proyecto. ~ 전화 teléfono *m* proyectado.

미설치(未設置) no instalación *f*. ~하다 no haber instalado aún.

미성(未成) lo incompleto, imperfección *f*, falta *f* de perfección. ~의 incompleto, imperfecto, medio hecho, crudo.

■ ~안 proyecto *m* incompleto. ~인 menor *mf*. ~품 artículo *m* incompleto.

미성(尾星) 【천문】 =살별.

미성(美聲) voz *f* dulce [hermosa · argentina · suave · agradable]. ~을 이용하다 aprovecharse de *su* buena voz para propaganda. 그녀는 ~의 소유자이다 Ella tiene una voz agradable.

미성(微聲) voz *f* pequeña, voz *f* débil.

미성년(未成年) minoridad *f*, minoría *f* de edad. ~의 menor de edad. ~의 알코올 소비 consumo *m* de bebidas alcohólicas por menores de edad. 그는 ~이다 El es un menor.

■ ~기(期) adolescencia *f*. ~ 노동 trabajo *m* de menores. ~ 범죄 delincuencia *f* juvenil. ~ 시대 período *m* preadolescente. ~자 menor *mf* (de edad). ¶~ 금지 ((게시)) Prohibido a los menores. ~에게는 판매 금지 ((게시)) *Méj* Venta prohibida a menores / *ReD* Prohibida la venta a los menores de edad. ~ 사절(謝絶) ((게시)) Sólo para adultos. ~자 금주법 ley *f* que prohíbe a los menores beber alcohol.

미성숙(未成熟) inmadurez *f*, falta *f* de sazón. ~하다 (ser) inmaturo, inmaduro, verde.

■ ~아 infante *m* inmaturo, infanta *f* inmatura.

미성안(未成案) plan *m* inacabado.

미성취(未成聚) lo que el hombre aún no se casa. ~하다 (el hombre) aún no casarse.

미성품(未成品) artículo *m* inacabado.

미세(微細) menudencia *f*, minuciosidad *f*, minucia *f*, delicadez *f*. ~하다 (ser) menudo, diminuto, fino, minucioso, microscópico, pequeñísimo, delicado. ~하게 detalladamente, minuciosamente, circunstanciadamente, exactamente. ~하게 논(論)하다 discutir detalladamente.

■ ~관 microtúbulo *m*. ~ 섬유 microfibrilla *f*. ~화 miniatura *f*. ~ 화가 miniaturista *mf*.

미세기[1] [밀물과 썰물] marea *f* ascendiente y marea *f* descendiente.

미세기[2] 【광산】 agujero *m* cavado en el ángulo en la mina.

미세기[3] 【건축】 puerta *f* corrediza doble.

미션(영 *mission*) ① [사절(단)] misión *f*. ② ((준말)) =미션 스쿨(mission school).

■ ~ 스쿨 escuela *f* de (la) misión. ~회 sociedad *f* misionera.

미소(美蘇) los Estados Unidos de América y la Unión de Repúblicas Socialistas Soviéticas.

미소(微小) menudencia *f*, minucia *f*, minuciosidad *f*. ~하다 (ser) diminuto, pequeñísimo, minúsculo, microscópico.

■~ 동물 microzoario *m*. ~체 microcuerpo *m*. ~혈전 microtrombo *m*.

미소(微笑) sonrisa *f*. ~하다 sonreír, reír un poco [levemente] y sin ruido, embozar una sonrisa. ~를 띠고 있는 사람 persona *f* sonriente; [남자] hombre *m* sonriente; [여자] mujer *f* sonriente. ~를 띠게 하다 hacer sonreír (a). 입가에 ~를 띠고 sonriente, con cara risueña, con una sonrisa (en los labios), teniendo una sonrisa en los [a la flor de] labios. 입가에 ~를 띠고 있다 tener la sonrisa sobre [a flor de] los labios, estar con la sonrisa en los labios. 승리의 여신(女神)이 우리에게 ~를 지었다 La victoria nos sonrió. 그녀는 입가에 ~를 머금었다 Se le entreabrieron los labios y sonrió / Se dibujó una sonrisa en sus labios. 당신의 ~가 한국의 ~입니다 Su sonrisa es la de Corea.

■~ 정책 política *f* de sonrisa.

미소년(美少年) chico *m* [muchacho *m*・joven *m*] guapo.

미소하다(微少) (ser) muy poco.

미속(美俗) costumbre *f* hermosa.

미송(美松) pino *m* de Oregón.

미수 ① [꿀물 따위에 미숫가루를 탄 여름철의 음료] bebida *f* con murque en el agua de miel. ② ((준말)) =미숫가루.

■~ㅅ가루 arroz *m* tostado en polvo, murque *m*.

미수(未收) ① [(돈이나 물건을) 아직 다 거두어들이지 못함] lo no recobrado. ~의 no recobrado, sin cobrar. ② ((준말)) =미수금.

■~금 suma *f* no recobrada [no percibida]. ~금 계정 cuenta *f* a cobrar. ~익금 ganancia *f* no realizada.

미수(未遂) tentativa *f*, conato *m*. ~의 intentado, atentado, incompleto, imperfecto, no acabado. 살인 ~ 혐의로 체포되다 ser detenido bajo la sospecha de intento de homicidio. 그 암살은 ~로 끝났다 Se ha frustrado el asesinato / No ha llegado a consumarse el asesinato.

■~범[자] ㉮ [범행] ofensa *f* incompleta, ofensa *f* no acabada, crimen *m* no consumado. ㉯ [사람] culpable *mf* de intento criminal. ~죄 tentativa *f*.

미수(米壽) ochenta y ocho años, octogésimo octavo cumpleaños.

■~연fiesta *f* de octogésimo octavo cumpleaños.

미수(眉壽) longevidad *f*, vida *f* larga. ~하소서 Que viva largamente.

미수(美鬚) ((준말)) =미수염(美鬚髥).

미수(微睡) sueño *m* leve del momento.

미수염(美鬚髥) barba *f* (턱수염) [patilla *f* (구레나룻)] hermosa, bigote *m* (콧수염)] hermoso.

미숙(未熟) ① [(음식이나 열매 따위가) 덜 익음] inmadurez *f*. ~하다 (ser) inmaduro. ② [사람이나 동물이 제대로 성숙하지 못함] inmadurez *f*. ~하다 (ser) inmaturo. ③ [(경험이나 수련이 모자라) 일에 익지 못하여 서투름] inexperiencia *f*. ~하다 (ser) inexperto, sin experiencia, inmaduro, verde, prematuro. ~한 표현(表現) expresión *f* no elaborada [no trabajada]. 나는 ~한 사람이다 Soy un hombre sin experiencia. 나는 기술이 아직 ~하다 Mi técnica es aún pobre [inmadura]. 아직 ~한 제 자식놈을 잘 이끌어 주시길 부탁드립니다 Espero que dirijan a mi hijo que aún tiene muy poca experiencia en la vida. ④ [완전히 삶아지지 아니함] lo poco cocido. ~하다 (ser) poco cocido.

■~아(兒) niño *m* prematuro, niña *f* prematura. ~자 novato, ta *mf*, principiante *mf*.

미숙련(未熟練) no especialización *f*, no calificación *f*, poca habilidad *f*. ~하다 (ser) poco hábil. ~의 poco hábil, torpe, no calificado, no cualificado, no especializado.

■~공 obrero *m* no especializado [no cualificado], obrera *f* no especializada [no cualificada]. ~자(者) persona *f* no especializada [no cualificada].

미술(美術) las bellas artes, arte *m*(*f*).

◆상업(商業) ~ arte *m* comercial, arte *m* publicitario. 응용(應用) ~ artes *fpl* aplicadas. 장식(裝飾) ~ artes *fpl* decorativas. 조형(造形) ~ artes *fpl* formativas, artes *fpl* plásticas.

■~가 artista *mf*, [화가(畵家)] pintor, -tora *mf*. ~ 감독 director, -tora *mf* de bellas artes. ~ 감식안 ojos *mpl* para belleza, ojos *mpl* artísticos. ~ 감정가 virtuoso, sa *mf*; entendido, -da *mf*. ~계 mundo *m* de bellas artes, círculos *mpl* de bellas arte ~ 고고학 arqueología *f* de(l) arte. ~ 공예 artes *mpl* menores, artesanía *f* artística, trabajo *m* artesanal del arte. ~ 공예가 artista *mf*. ~ 공예품 objeto *m* de arte aplicada, objeto *m* de artesanía artística, objeto *m* de artes menores. ~관 museo *m* (de arte), museo *m* de piintura. ¶국립 현대 ~ el Museo Nacional de Arte Moderno. 쁘라도 ~ el Museo del Prado. ~ 교육 educación *f* artística. ~ 대학 facultad *f* de bellas artes, colegio *m* de bellas artes, academia *f* de bellas artes. ~ 도기 porcelana *f* de(l) arte. ~ 도안 dibujo *m* del arte. ~ 비평 crítica *f* [criticismo *m*] del arte. ~ 비평가 crítico, -ca *mf* del arte. ~사(史) la Historia del Arte. ~ 사가 historiador, -dora *mf* del arte. ~ 사진 fotografía *f* de(l) arte. ~상 marchante, -ta *mf* (de arte); traficante *mf* de arte. ~서 libro *m* de bellas artes. ~안 ojos *mpl* para belleza, ojos *mpl* artísticos. ~ 애호가

aficionado, -da *mf* a las bellas artes. ~ 영화 película *f* artística. ~원 la Academia de Arte. ~ 자수 bordado *m* de arte. ~적 artístico *adj*. ¶~으로 artísticamente. ~ 전람회 exposición de obras de arte. ~통 perito, -ta *mf* [conocedor, -dora *mf*] de bellas artes. ~품 objeto *m* de arte, obra *f* artística, obra *f* de arte. ~ 학교 escuela *f* de Bellas Artes. ~ 해부 anatomía *f* del arte. ~ 해부학 anatomía *f* del arte.

미스(영 *miss*) ① [잘못] error, culpa, fallo. ~를 범하다 errar, cometer un error [una equivocación]. 그것은 내 ~이다 Es culpa mía / Es un fallo mío. 그녀는 불행하게도 두 번 ~를 범했다 Ella erró el tiro dos veces por mala suerte. ② =미스테이크 (mistake).

미스(영 *Miss*) señorita *f*, Miss *ing*, Srta. 여러분께 ~ 김을 소개하겠습니다 Permítame presentarles a la señorita Kim.

■~ 아시아 la señorita Asia. ~ 월드 la señorita Mundo. ~ 유니버스 la señorita Universo. ~ 코리아 la señorita Corea.

미스터(영 *mister*, *Mr.*) señor *m*, Sr. ~ 김, 오랜만입니다 Sr. Kim, hace mucho (tiempo) que no le vi [veo].

미스테이크(영 *mistake*) error *m*, equivocación *f*, falta *f*. 심한 ~ error *m* garrafal, grave error *m*. 철자(綴字) ~ falta *f* de ortografía. ~를 범하다 cometer un error, equivocarse, errar. 약간의 ~가 있음에 틀림없다 Debe de haber algún error. 죄송합니다, 제 ~입니다 Lo siento, es culpa mía. 그는 주소를 그들에게 말하는 ~를 범했다 El cometió el error de darles su dirección. 나는 총계를 합할 때에 ~를 범했다 Me equivoqué al sumar el total. 우리 모두가 ~를 범했다 Todos cometemos errores. 누구나 ~를 범할 수 있다 Cualquiera se puede equivocar.

미스프린트(영 *misprint*) errata *f*, error *m* de imprenta.

미승(美僧) monje *m* budista guapo, monja *f* budista guapa.

미승인 국가(未承認國家) país *m* (*pl* países) no reconocido.

미시(未時) *misi*, período *m* entre la una y las tres de la tarde.

미시 경제(微視經濟) microeconomía *f*.

■~학 microeconomía *f*.

미시 분석(微視分析) análisis *m* microscópico.

미시적(微視的) microscópico *adj*.

■~ 분석(分析) icroanálisis *m*. ~ 행동 conducta *f* molecular.

미시즈(영 *mistress*, *Mrs.*) señora *f*, Sra.

미식(米食) comida *f* de arroz. ~하다 comer arroz. 한국에서는 ~이 일반적이다 En Corea la base de al alimentación es el arroz.

■~ 국민 pueblo *m* que come arroz.

미식(美式) estilo *m* estadounidense. ~으로 a lo estadounidense, a lo norteamericano.

■~ 축구 fútbol *m* americano, rugby *m*.

미식(美食) comida *f* deliciosa, bocado *m* exquisito, golosina *f*, gastronomía *f*, manjar *m* delicioso [exquisito]. ~하다 darse buena mesa. ~의 gastronómico.

■~가(家) gastrónomo, -ma *mf*, amante *mf* de la buena comida. ~ 생활(生活) vida *f* gastronómica, vida *f* lujosa, vida *f* muy rica.

미식(美飾) adorno *m* hermoso, decoración *f* hermosa. ~하다 adornar [decorar] hermosamente.

미신(迷信) superstición *f*. ~을 믿다 creer en la superstición. ~을 타파(打破)하다 acabar con las superstiones.

■~가[쟁이] supersticioso, -sa *mf*, persona *f* supersticiosa. ~적 supersticioso.

미신경(味神經)【해부】nervio *m* de gusto.

미심(未審) duda *f*, desconfianza *f*, recelo *m*, suspicacia *f*. ~하다 (ser) dudoso, incierto, suspicaz.

미심스럽다 (ser) sospechoso, dudoso, incierto, suspicaz, raro. 미심스러운 듯한 dudoso, suspicaz, desconfiado, sospechoso, receloso. 미심스러운 듯이 dudosamente, con recelo, desconfiadamente, de modo sospechoso. 미심스러운 점 punto *m* dudoso, punto *m* sospechoso.

미심스레 sospechosamente, dudosamente, de modo sospechoso.

미심쩍다 (ser) sospechoso, dudoso, raro. 미심쩍게 여기다 dudar, sospechar (de), recelarse (de). 그가 그런 많은 돈을 지니고 있다니 아무래도 ~ Me parece sospechoso [dudoso · raro] que él tenga tanto dinero.

미심쩍이 sospechosamente, dudosamente.

미심히 sospechosamente, dudosamente.

미싱 máquina *f* de coser. ~으로 박다 coser a máquina.

◆가정용 ~ máquina *f* de coser de uso doméstico. 고주파 ~ máquina *f* de coser a alta frecuencia. 공업용 ~ máquina *f* de coser de uso industrial.

■~ 구멍 trepado *m*. ¶~이 나 있는 de puntos picados. ~ 기름 aceite *m* de máquina de coser. ~ 바늘 aguja *f* de máquina de coser. ~ 실 hilo *m* para máquina de coser.

미아(迷兒) ① [미로아(迷路兒)] niño *m* perdido [extraviado], niña *f* perdida [extraviada]. ~가 되다 perderse, extraviarse. ② [자기 아들을 겸손하게 하는 말] mi hijo.

미안(未安) lo desagradable, lo molesto. ~하다 sentir. 대단히 ~합니다 Lo siento mucho. 늦어서 ~합니다 Siento mucho haberle hecho esperar. ~해 할 것 없다 No te preocupes / Está bien / Vale. ~하지만 물 한 컵만 주세요 Déme un vaso de agua, por favor. ~하지만 창문 좀 닫아 주시겠습니까? ¿Podría usted cerrar la ventana? ~하지만 소금 좀 집어 주시겠습니까? Páseme (la) sal, por favor / ¿Podría usted pasar la sal? ~하지만 당신과 외출할 수 없다 Lo siento, pero no puedo salir contigo. 정말 ~합니다만 당신을 도와 드릴 수 없습

니다 Lo siento mucho [Lo siento en el alma], pero no te puedo ayudar.

미안쩍다 sentirlo, lamentar, estar avergonzado (de), estar apenado (por). 난 미안쩍었다 Lo sentía. 정말 ~. 언제 그 일이 일어났지? ¡Cuánto lo siento! ¿Cuándo ocurrió? 그녀는 했던 일에 미안쩍어했다 Ella estaba avergonzada de [*AmL* apenada por (*CoS* 제외)] lo que había hecho.

미안쩍이 con pesar, muy a *su* pesar, lamentablemente. ~ 나는 아니라고 말해야 했다 Muy a mi pesar [Lamentablemente], tuve que decir que no.

미안해 하다 arrepentirse (de), lamentar. 미안해 할 것 없습니다 No te preocupes por esas cosas.

미안(美顔) cara *f* hermosa, rostro *m* hermoso.

▪~수 loción *f* de belleza, loción *f* para la cara. ~술 tratamiento *m* facial (de belleza), trato *m* de hermosura, arte *m* de belleza, cultura *f* de belleza. ~술사 especialista *mf* de belleza.

미약(媚藥) afrodisiaco *m*.

미약(微弱) delicadez *f*, debilidad *f*. ~하다 (ser) delicado, débil, tenue, insignificante.

미얀마【지명】Myanmar (옛 버마 공화국의 이름). ~ 사람 birmano, -na *mf*.

미양(微恙) ① [대단하지 않은 병(病)] enfermedad *f* ligera. ② [자기가 앓은 병] mi enfermedad.

미어(美語) inglés *m* americano.

미어(謎語) =수수께끼.

미어뜨리다 agujerear (el papel), hacer uno o más agujeros (a papel)..

미어지다 estar hecho jieones, romperse, rasgarse.

미역[1] [(냇물이나 바닷물 따위에) 몸을 담가서 씻는 일] baño *m* (de agua fría) (en el río o en el mar).

▪~감기 baño *m* (en el agua o en el mar). ~감다 bañarse en el agua, tomar un baño frío.

미역[2]【식물】alga *f* marina, (una especie de) alga *f* comestible.

▪~국 sopa *f* de alga marina.

◆미역국(을) 먹다 ㉮ [미역으로 끓인 국을 먹다] tomar la sopa de alga marina. ㉯ ((속어)) [직장의 직위에서 떨리어 나다] echarle (del trabajo). 그는 미역국을 먹었다 Le echaron (del trabajo). ㉰ ((속어)) [시험이나 선발 등에 들지 못하다] salir mal del examen, fracasar en el examen.

미연에(未然-) antes de ocurrir, previamente, de antemano, anticipadamente, a buen tiempo, precautelamente. ~ 방지하다 cortar *algo* de raíz. 사고(事故)를 ~ 방지하다 prevenir un incidente. 화(禍)를 ~ 방지하다 evitar [prevenir · impedir] una calamidad [desastre · desgracia].

미열(微熱) fiebre *f* ligera, un poco de fiebre, décimas *fpl* (de fiebre), destemplanza *f*. ~이 있다 tener un poco de fiebre, tener décimas, tener destemplanza. 그는 ~이 났다 Le han dado unas décimas de fiebre.

미오글로빈【화학】mioglobina *f*.

미오신(영 *myosin*)【화학】miosina *f*.

미온(未穩) no pacificación *f*, no tranquilidad *f*. ~하다 no ser tranquilo [pacífico] aún.

미온(微溫) tibieza *f*. ~하다 (ser) tibio.

▪~계(計) micropirómetro *m*. ~수(水) el agua *f* tibia [templada]. ~적 blando, tibio, poco enérgico, débil [blando] de carácter, de carácter débil, falto de severidad, demasiado indulgente. ¶~ 태도 proceder *m* blando. ~ 형벌 castigo *m* indulgente, castigo *m* poco severo. ~인 조치 medida *f* poco severa. ~탕 ㉮ =미온수(微溫水). ㉯ [물을 미지근하게 데운 목욕탕] baño *m* con (el) agua tibia.

미완(未完) inacabamiento *m*. ~하다 no acabar, no terminar. 그는 ~의 대기(大器)이다 El tiene aún mucho talento por explotar.

미완료(未完了) =미완(未完).

미완성(未完成) inacabamiento *m*. ~하다 no haber acabado [terminado] aún. ~의 inconcluso, inacabado, incompleto, imperfecto, no acabado, no concluido. ~으로 incompletamente.

▪~곡 pieza *f* inconclusa, pieza *f* incompleta. ~ 교향곡 la Sinfonía Inconclusa [Inacabada · Incompleta]. ¶슈베르트의 ~ la Sinfonía Inconclusa de Schubert. ~ 그림 cuadro *m* [pintura *f*] en borrador. ~작 obra *f* inacabada; [미술 · 문학의] torso *m*. ~품(品) obra *f* incompleta, objeto *m* incompleto.

미용(美容) embellecimiento *m*, belleza *f* (femenina). ~과 건강에 좋다 ser bueno para la salud y la belleza. ~을 위해 식사를 제한하다 hacer régimen [dieta] para la belleza.

▪~사 peluquero, -ra *mf*. ~ 성형 cirugía *f* cosmética. ~술 tratamiento *m* de belleza, arte *m* para la belleza. ~식 comida *f* especial para guardar la línea, comida *f* para la belleza.. ~원 salón *m* (*pl* salones) de belleza, peluquería *f*. ~ 체조 calistenia *f*, gimnasia *f* estética. ~ 학교 escuela *f* de belleza. ~ 학원 instituto *m* de belleza.

미우(眉宇) alrededor de las cejas de la frente.

미우(微雨) lluvia *f* ligera; [이슬비] llovizna *f*. ~가 내리다 lloviznar, garuar.

미우(黴雨) =매우(梅雨).

미욱쟁이 persona *f* estúpida; estúpido, -da *mf*; bobo, -ba *mf*; tonto, -ta *mf*; torpe *mf*; idiota *mf*.

미욱하다 (ser) estúpido, torpe, tonto, bobo, idiota. 미욱한 남자 hombre *m* estúpido. 미욱한 사람 persona *f* estúpida [tonta]. 미욱한 여자 mujer *f* estúpida [tonta].

미운(微雲) nube *f* opaca.

미운(微運) suerte *f* infeliz.

미움 odio *m*, aborrecimiento *m*, aversión *f*, rencor *m*, tema *m*. ~을 받다 incurrir en la hostilidad (de), llevarse el aborrecimiento (de), ser odiado [aborrecido · detestado] (por · de), ser objeto del odio (de), no ser amado. ~을 받은 사람 individuo *m* repugnante [fastidioso · desagradable]; manzana *f* podrida; oveja *f* negra; aborrecido, -da *mf*; el que no ama. ~을 사다 ofrecerse a jugar un papel ingrato. ~을 살[받을] 말을 하다 decir cosas desagradables [mordaces] (a). ~을 받은 사람이 세상에 나가서는 오히려 행세를 한다 La mala espina brota todos los días / Mala hierba [Bicho malo] nunca muere / La mala hierba, presto crece. 그는 어디를 가건 ~을 받는다 El causa repugnancia [resulta desagradable] dondequiera que va.

미워하다 odiar, detestar, aborrecer, abominar, tener odio (a). 서로 ~ odiarse (el uno al otro), aborrecerse (uno de otro). 미워하는 odioso, aborrecible, detestable. …을 지독하게 ~ odiar a *uno* a muerte. 내가 두 마음 품는 자를 미워하고 주(主)의 법을 사랑하나이다 ((시편 119:163)) Aborrezco a los hombres hipócritas; mas amo tu ley / Odio a la gente hipócrita, pero amo tu enseñanza.

미음(米飮) *mieum*, gachas *fpl* claras [poco espesas] de arroz para los enfermos o los niños. 환자(患者)에게 ~을 먹이다 dar de comer las gachas claras al paciente.

미음(美音) buena voz *f*, voz *f* hermosa, voz *f* melodiosa, melodía *f*.

미음(微音) voz *f* débil.

미의식(美意識) conciencia *f* estética.

미이다[1] ((준말)) =미어지다.

미이다[2] [미어뜨림을 당하다] romperse a empujones.

미익(尾翼) cola *f*.

미인[1](美人) [용모가 아름다운 여인] mujer *f* hermosa [guapa · bella · linda · bonita]; [집합적] belleza *f*, hermosura *f*. 그녀는 ~이다 Ella es guapa. 그녀는 전형적인 한국의 ~이다 Ella es la típica belleza coreana. 그의 부인은 진짜 ~이다 Su esposa es una auténtica belleza.

■ ~계(計) banda *f* circular de la belleza femenina, mari *m* complaisant, chantaje *m* de seducción de acuerdo con *su* marido. ¶~로 속이다 engañar fingiéndose enamorado, engañar por medio de un amor fingido. ~ (선발) 대회 concurso *m* de belleza. ~ 박명(薄命) A quien Dios quiere para sí, poco tiempo lo tiene aquí / La belleza está destinada a una muerte temprana. ~화[도] cuadro *m* de la belleza, cuadro *m* que pinta la belleza.

미인[2](美人) [미국 사람] estadounidense *mf*; norteamericano, -na *mf*.

미작(米作) [재배] cultivo *m* de arroz; [수확] cosecha *f* de arroz.

미장 【한방】 supositorio *m* laxante.

■ ~질 inserción *f* del supositorio laxante. ¶~하다 insertar el supositorio laxante.

미장(美匠) diseño *m* decorativo, diseño *m* artístico.

■ ~ 특허 patente *f* de diseño decorativo.

미장(美粧) arte *m* [cultura *f*] de belleza.

■ ~원 salón *m* de belleza, peluquería *f*.

미장(美裝) atavío *m* rico, engalanamiento *m*, tocado *m* elaborado. ~하다 (ser) ricamente ataviado, finamente vestido, engalanado. ~한 부인(婦人) mujer *f* finamente vestida.

미장이 albañil *m*, enjalbegador *m*; [석고 미장이] yesero *m*.

■ ~ 조수 manobre *m*, peón *m* de albañil.

미재(微才) mi humilde talento.

미저골(尾骶骨) 【해부】 coxis *m*, cóccix *m*, rabadilla *f*. ~의 cocígeo, del cóccix. ☞미골(尾骨)

■ ~ 신경(神經) nervio *m* cocígeo. ~통 coccigodinia *f*.

미적(美的) estético, artístico. ~으로 estéticamente, artísticamente.

■ ~ 가치(價值) valor *m* estético. ~ 감정 sentimiento *m* [sentido *m*] estético. ~ 관찰(觀察) observación *f* estética. ~ 교육 educación *f* estética. ~ 내용 contenido *m* estético. ~ 범주 categoría *f* estética. ~ 생활 vida *f* estética. ~ 유심론[관념론] idealismo *m* estético. ~ 인상(印象) impresión *f* estética. ~ 정서 sentimiento *m* estético. ~ 쾌감 satisfacción *f* física estética. ~ 판단 juicio *m* estético. ~ 판단력 juicio *m* [criterio *m* · discernimiento *m*] estético. ~ 환경 ambiente *m* estético.

미적(微積) 【수학】 ((준말)) =미적분(微積分).

■ ~분 cálculo *m* infinitesimal [diferencal e integra]. ~분학 ((준말)) =미분 적분학.

미적거리다 ① [조금씩 앞으로 밀다] empujar poco a poco. ② ((준말)) =미루적거리다.

미적미적 ㉮ [조금씩 앞으로] empujando poco a poco. ㉯ [미루적미루적] retrasándose muchas veces.

미적지근하다 ① [조금 더운 기운이 있는 듯 없는 듯하다] (estar) tibio. 물이 ~ El agua está tibia. ② [태도나 행동이 미온적이다] (ser) blando, tibio, poco enérgico, indeciso, irresoluto. 미적지근한 남자 hombre *m* indeciso [irresoluto · tibio]. 그런 미적지근한 태도로는 아무것도 되지 않는다 Ese proceder tan blando [poco enérgico] no lleva a nada.

미적지근히 blandamente, tibiamente, indecisamente, irresolutamente, poco enérgicamente.

미전(米廛) =싸전.

미전(美展) ((준말)) =미술 전람회.

미절 despojos *mpl* [asadudas *fpl* · *RPl* achuras *fpl* · *Chi* interiores *mpl*] de carne de vaca.

미점(美點) ① [성품이 아름다운 점] (buena) cualidad *f*, virtud *f*, excelencia *f*. ② =장점.

미정(未正) 【민속】 *micheong*, las dos de la tarde.

미정(未定) indeterminación *f*, indecisión *f*. ~의 indeterminado, indeciso, irresoluto. 결혼

식 일자는 아직 ～이다 La fecha de la boda no está todavía fijada.
◆연제(演題) ～ tema *m* indeciso.
■～고[초] borrador *m*, manuscrito *m* incompleto. ～ 문제 punto *m* discutible.

미정비(未整備) equipamiento *m* incompleto.

미제(未濟) atraso *m*. ～의 pendiente, no pagado, indeterminado, irresuelto.
■～ 계정 cuenta *f* no pagada, cuenta *f* pendiente. ～액 suma *f* no pagada.

미제(美製) manufactura *f* [fabricación *f*] estadounidense, artículo *m* hecho en los Estados Unidos de América; [상표에] Hecho en los Estados Unidos de América, Hecho en U.S.A.
■～ 자동차 coche *m* hecho en U.S.A.

미제품(未製品) artículo *m* no incompleto aún.

미조(美爪) ① [손톱을 아름답게 다듬는 일] manicura *f*, cuidado *m* de las uñas. ② [아름답게 다듬은 손톱] uñas *fpl* bien cuidadas.
■～사 manicuro, -ra *mf*; manicurista *mf*. ～술 manicura *f*. ～원 peluquería *f* para la manicura.

미조직(未組職) no organización *f*. ～하다 no haber organizado aún.

미죄(微罪) pecado *m* venial, delito *m* [pecado *m*] menor. 그는 ～로 석방되었다 Le pusieron en libertad porque era un delito de poca monta.

미주(米酒) bebida *f* alcóhol de arroz.

미주(美洲) 【지명】 ＝아메리카 주.
■～국 Departamento *m* de las Américas. ～ 기구 Organización *f* de (los) Estados Americanos, OEA *f*. ～ 기구 이사회 Consejo *m* de la OEA. ～ 대륙 continente *m* americano, Nuevo Mundo *m*, nuevo continente *m*. ～ 회의(會議) conferencia *f* interamericana.

미주(美酒) licores *mpl* deliciosos.

미주 신경(迷走神經) 【해부】 vago *m*, nervio *m* vago, nervio *m* neumogástrico.
■～ 마비 parálisis *f* de nervio vago. ～염 vagitis *f*. ～ 절제술 vagectomía *f*.

미주알 parte *f* final del intestino; [항문] ano *m*.

미주알고주알 inquisitivamente, curiosamente. ～ 캐는 inquisitivo, curioso, preguntón. ～ 캐는 사람 persona *f* curiosa; persona *f* inquisitiva; preguntón, -tona *mf*. ～ 다 알다 saber todo, saber todo acerca de un secreto. ～ 캐묻지 마라 No seas tan curioso [preguntón].

미증유(未曾有) ¶～의 inaudito, sin precedentes, nunca visto, fenomenal, que no se ha visto ni oído.

미지(一紙) papel *m* encerado [de cera・parafinado].

미지(未知) desconocimiento *m*. ～의 desconocido, incógnito. ～의 세계(世界) mundo *m* desconocido.
■～수 incógnita *f*. ¶그는 아직 ～이다 Su porvenir es todavía una incógnita.

미지(美紙) periódico *m* estadounidense. 한 ～에 따르면 según un periódico estadounidense.

미지(美誌) revista *f* estadounidense.

미지(微志) ＝미충(微衷).

미지근하다 ① [더운 기가 조금 있는 듯하다] (estar) tibio, templado. 미지근한 물 el agua *f* tibia. 미지근한 방바닥 suelo *m* (del cuarto) tibio. ② [행동이나 태도가 명확하지 못하고 철저하지 못하다] (ser) manso, blando, apacible, benévolo, lenitivo, indulgente, evasivo, que no compromete a nada, discutible, vago, dudoso. 미지근한 대답 respuesta *f* evasiva [que no compromete a nada・discutible・vaga・dudosa].
미지근히 tibiamente; mansamente, blandamente, apaciblemente, benévolamente, indulgentemente, evasivamente, discutiblemente, vagamente, dudosamente.
■미지근해도 흥정은 잘한다 ((속담)) Se tiene su propio talento.

미지불(未支拂) no pago *m*. ～하다 no haber pagado aún.

미진(未盡) [끝내지 못함] no agotamiento *m*, interminación *f*. ～하다 no agotar, no acabar, no terminar. ～한 sin agotar, incompleto, inacabado, no terminado, sin acabar, sin terminar. ② [흡족하지 못함] insatisfacción *f*. ～하다 no satisfacer. ～한 insatisfecho, no satisfecho, no convencido.
■～처 parte *f* no terminada aún.

미진(微塵) átomo *m*, fragmento *m*.

미진(微震) terremoto *m* leve, temblor *m* ligero, microseísmo *m*, microsismo *m*.
■～계(計) ＝미동계(微動計).

미착(未着) ((준말)) ＝미도착(未到着).
■～품 artículo *m* no llegado aún.

미착수(未着手) ¶～의 aún no empezado.
■～ 공사(工事) obra *f* de construcción no empezada aún.

미채(迷彩) disfraz *f*, camuflaje *m*. ～를 하다 disfrazar, camuflar.

미처 [아직] todavía, aún; [지금까지] hasta ahora; [앞서] antes; [미리] de antemano, por anticipado, anticipadamente, con anticipación, previamente, con antelación. ～ 말을 못하다 atrasarse en decir. 나는 그걸 ～ 몰랐다 Yo no lo sabía antes.

미처리(未處理) ¶～의 desatendido, descuidado. 부상자들은 여러 시간 동안 ～로 남았다 Los heridos no recibieron atención hasta ahora más tarde.

미천(微賤) humildad *f*, rango *m* humilde, bajeza *f*, vileza *f*, ruindad *f*, humilde condición *f* [posición *f*] social. ～하다 (ser) humilde, modesto, oscuro, de origen humilde. ～한 몸 persona *f* en estado humilde. ～하게 태어나다 ser de origen humilde. ～에서 입신(立身)하다 tener orígenes muy humildes. 그는 ～에서 입신했다 El tuvo orígenes muy humildes.

미첩(美妾) concubina *f* guapa.

미쳐 날뛰다 ☞미치다

미추(尾椎) 【해부】 ＝꽁무니뼈.
미추(美醜) ① [아름다움과 추함] la hermosura y la fealdad. ② [미인(美人)과 추부(醜婦)] la belleza y la mujer fea.
미추룸하다 (ser) sano y guapo.
미추룸히 joven y sanamente.
미충(微衷) humilde deseo *m*, humilde intención *f*, verdadero corazón *m*, sinceridad *f*.
미취(微醉) poca embriaguez *f*. ～하다 embriagarse un poco.
미취학(未就學) ¶～의 de edad preescolar, no escolarizado, preescolar.
■～ 아동 niño, -ña *mf* de edad preescolar; niño *m* no escolarizado, niña *f* no escolarizada; (niño, -ña *mf*) preescolar *mf*.
미치광이[1] ① [미친 사람] loco, -ca *mf*; demente *mf*; alienado, -da *mf*; persona *f* loca. ② [언행이 몹시 경망스럽고 푼수 없는 사람] excéntrico, -ca *mf*; loco, -ca *mf*. ～ 같은 excéntrico, loco, extravagante. ～처럼 excéntricamente, como un loco, locamente. ～ 짓 locura *f*, actitud *f* loca, insanidad *f*. …하는 것은 ～ 짓이다 Es una locura + *inf*. 그의 생각은 ～ 짓이다 Su idea es loca [extravagante]. ③ [어떤 일에 지나칠 만큼 열중하는 사람] maniaco, -ca *mf*; maníaco, -ca *mf*; loco, -ca *mf*. ～처럼 [열광적으로] con frenesí. 그는 낚시 ～다 El está loco por la pesca.
미치광이[2] 【식물】 ((학명)) Scopolia parviflora.
미치다[1] ① [정신에 이상이 생겨, 언어 행동이 이상하게 되다] volverse loco, enloquecer; [사람] ser loco; [정신 나가다] estar loco. 미친 loco. 미친 사람 persona *f* loca; loco, -ca *mf*; maniaco, -ca *mf*; maníaco, -ca *mf*; demente *mf*; alienado, -da *mf*; tocado, -da *mf*. 미친 듯이 locamente, furiosamente, como un loco [una loca]. 미친 사람 같은 눈으로 con unos ojos frenéticos. 미친 듯한 속도로 a (una) velocidad. 미쳐 날뛰다 ser más loco que una cabra. 미치게 만들다 enloquecer, volver loco, hacer perder la razón [el juicio]. 미쳐서 죽다 morir loco. 성이 나서 ～ enloquecer de cólera. 그는 그녀에게 미쳤다 El está loco por ella / [반해 있다] El está enamorado de ella. 그는 미쳐서 물에 몸을 던졌다 El se arrojó al agua fuera de sí / El se arrojó al agua sin pensar en lo que iba a hacer. 그가 외쳐대는 소리를 들으면 나는 미친다 Sus gritos me vuelven loco. 이런 폭풍우에 나가다니 미쳐도 많이 미쳤군 ¡Qué locura haber salido con esta tormenta!
② [(흔히 「-에」 뒤에 쓰이어) 어떤 일에 지나칠 정도로 열중하다] absorberse (a), dedicarse (a), entregarse (a), congrarse (a), entusiasmarse (por), apasionarse (por · con). 미쳐 있다 estar absorto [enfrascado] (en), estar entusiasmado [loco] (por). 독서에 ～ estar absorto [enfrascado] en la lectura. 음악에 ～ estar entusiasmado por la música. 그는 경마에 미쳐 있다 El está loco por las carreras de caballos.
미쳐 날뛰다 rabiar, bramar, desmandarse, desbocarse, volverse loco, perder los estribos, entregarse al desenfreno.
미친개 ㉮ [미쳐 있는 개] perro *m* rabioso. ㉯ [미친 사람] loco, -ca *mf*.
미친개병(病) rabia *f*.
미친년 loca *f*, mujer *f* loca.
미친놈 ㉮ [정신에 이상이 생긴 남자] loco *m*, hombre *m* loco. ㉯ [말이나 행동이 실없는 남자] hombre *m* informal, hombre *m* de poca confianza.
미친병(病) enfermedad *f* de síntoma loco.
미친증(症) insanidad *f*, locura *f*, demencia *f*, frenesí *m*.
미치다[2] ① [일정한 곳에 가 닿다] llegar, alcanzar. 손이 미치는 곳에 a *su* alcance, al alcance de la mano. 아이들의 손이 미치지 않는 곳에 성냥을 놓지 마시오 No coloque las cerillas fuera del alcance de los niños. 이 사다리는 지붕까지 미친다 Esta escalera llega al tejado. ② [(어떤 문제나 일에 말이나 생각, 수준 따위가) 이르다] llegar (a). 그의 실력은 월등해서 내 실력으로는 미칠 수 없다 Su capacidad supera, y con mucho, a la mía. 서반아어 지식으로는 나는 그에게 도저히 미치지 못한다 Mi conocimiento del español es muy inferior al suyo. 나는 그렇게까지는 생각이 미치지 못했다 Mi perspicacia no llegó a tanto. ③ [(어떤 대상에 작용이) 끼치게 되다] extenderse (a · por), repercutir. 피해는 전국(全國)에 미쳤다 Los daños se extienden a [por] todo el país. 물가 앙등(仰騰)은 가계(家計)에 영향을 미친다 El alza de los precios repercute en la economía casera.
미칭(美稱) eufemismo *m*. 「돌아가시다」는 「죽다」의 ～이다 *Pasar a mejor vida* es un eufemismo de *morir*.
미크로-(그 *mikros*; 불 *micro-*) micro-. ～경제학(經濟學) microeconomía *f*.
미크로그램(불 *microgramme*) microgramo *m*.
미크로네시아 【지명】 Micronesia. ～의 micronesio.
■～ 사람 micronesio, -sia *mf*. ～족(族) micronesios *mpl*.
미크로 분석(불 micro 分析) microanálisis *m*.
미크로코스모스(독 *Mikrokosmos*) microcosmos *m*.
미크로톰(독 *Mikrotom*) micrótomo *m*.
미크론(그 *micron*) 【물리】 micrón *m*.
미타(彌陀) ((불교)) ((준말)) ＝아미타불.
■～불(佛) ((불교)) ((준말)) ＝아미타불.
미태(美態) apariencia *f* hermosa [bella].
미태(媚態) coquetería *f*. ～를 부리다 coquetear, hacer coqueterías, flirtear (con).
미터(영 *meter*; 불 *mètre*) ① [길이의 단위] metro *m*. ～의 métrico. 500～의 거리 distancia *f* de quinientos metros. ② [전기 · 가스 따위의 자동 계량기] medidor *m*.
◆세제곱～ metro *m* cúbico. 제곱～ metro *m* cuadrado.
■～기 contador *m*; [택시의] taxímetro *m*. ¶가스 ～ contador *m* de gas. 전기 ～

contador *m* de electricidad. ~기 검사원 registrador, -dora *mf.* ~법 sistema *m* métrico. ~ 원기(原器) metro *m* patrón, prototipo *m* de metro. ~자 regla *f* métrica. ~제 sistema *m* métrico. ~ 측량 metraje *m.* ~톤 tonelada *f* métrica.

미투리 zapatos *mpl* de cáñamo.

미트(영 *mitt*) ① ((야구)) manopla *f,* guante *m* (de béisbol). ② [벙어리 장갑] mitón *m* (*pl* mitones), manoplas *fpl.*

미팅(영 *meeting*) reunión *f,* mitin *m* (*pl* mítines). ~을 열다 celebrar una reunión.

미품(美品) artículo *m* de buena cualidad.

미풍(美風) costumbres *fpl* finas, buenas costumbres *fpl,* buenas maneras *fpl;* [미덕] virtud *f.*

■ ~ 양속(良俗) costumbres *fpl,* moral *f* pública, ética *f* pública.

미풍(微風) brisa *f,* viento *m* suave; 【시어】 aura *f,* céfiro *m.* ~이 분다 Sopla la brisa / *AmS* Brisa.

미필(未畢) interminación *f.* ~하다 no haber terminado.

■ ~자(者) persona *f* que aún no ha completado.

미필적 고의(未畢的故意) 【법률】 negligencia *f* intencionada.

미학(美學) estética. ~의 estético.

■ ~사(史) la Historia de la Estética. ~자 estético, -ca *mf.* ~적 estético *adj.*

미해결(未解決) lo pendiente, no solución. ~하다 no haber solucionado [resuelto]. ~의 pendiente, desarreglado, por solucionar, por resolver, que no está aún resuelto. ~인 채 두다 dejar en suspenso. ~인 채 남아 있다 quedar por [sin] solucionar.

■ ~ 문제 problema *m* pendiente. ~ 분쟁 litigio *m* no resuelto. ~ 사건 suceso *m* por resolver.

미행(尾行) persecución *f* oculta. ~하다 perseguir [seguir] ocultamente [en secreto], seguir las pisadas [la pista] (de), buscar el bulto, ir detrás, seguir, seguir como su sombra, espiar. ~으로 de incógnito, en disfraz. 형사에게 ~당하다 estar seguido como *su* sombra por un detectivo [policía].

■ ~자(者) perseguidor, -dora *mf,* persona *f* que sigue a uno de cerca.

미행(美行) buena conducta *f,* conducta *f* hermosa.

미행(微行) ① ((준말)) =미복 잠행(微服潛行). ② ((법률)) incógnito; visita privada. ~하다 viajar de incógnito, visitar privadamente.

미혹(迷惑) confusión *f,* molestia *f,* incomodidad *f,* fastidio *m,* lata *f,* inconveniencia *f,* engorro *m.* ~하다 molestarse, ser molestado (por), tener molestias [problemas] a causa (de), ser vejado, ser fastidiado, ser incomodado, ser encocorado. ~한 molesto, molestoso, enfadoso, penoso, impertinente, incómodo, fastidioso, embarazoso, latoso, engorroso. ~시키다 engañar, inducir a error, descaminar, descarriar, extraviar, dejar perplejo, confundir, desconcertar, seducir, tentar, fascinar, cautivar. 학생을 ~시키는 문제 problema *m* que desconcierta a los estudiantes. 선동에 ~되다 dejarse arrastrar por la demagogia. 남자의 마음을 ~시키다 cautivar el corazón del hombre.

미혼(未婚) no casamiento *m.* ~의 soltero, no casado; 【법률】 célibe.

■ ~모(母) madre *f* soltera. ~자 soltero, -ra *mf,* célibe *mf,* [집합적] celibato *m.*

미화(美化) embellecimiento *m;* [이상화(理想化)] idealización *f.* ~하다 embellecer, hermosear, idealizar, acicalar. 그는 현실을 ~한다 El idealiza demasiado la realidad.

◆ 도시(都市) ~ 운동(運動) campaña *f* para embellecer la ciudad.

■ ~원 basurero, -ra *mf, AmL* empleado, -da *mf* del servicio de recogida de basuras, *RPI* recolector, -tora mf de residuos. ~ 작업 obras *fpl* de embellecimiento.

미화(美花) flor *f* hermosa.

미화(美貨) [미국의 달러] dólar *m* estadounidense [norteamericano], moneda *f* corriente norteamericana. 1,350원은 ~ 1달러이다 Mil trescientos cincuenta wones es por un dólar estadounidense.

미확인(未確認) no identificación *f,* no confirmación *f.* ~의 no identificado, no confirmado.

■ ~ 격추 derribamiento *m* no identificado [no confirmado]. ~ 보도 noticia *f* de la fuente no identificada [confirmada]. ~ 비행 물체 objeto *m* volante [volador] no identificado, ovni *m,* OVNI *m.*

미흡(未洽) insuficiencia *f.* ~하다 (ser) insuficiente, (estar) no satisfecho, no convencido, descontento, insatisfecho, poco satisfactorio, no satisfacer; [불완전하다] (ser) incompleto, inperfecto; [미숙하다] (ser) inexperto, novel; [부주의하다] descuidado, negligente, falto de cuidado. ~한 점(點) defecto *m,* desperfecto *m.* 설명이 ~해 죄송합니다 Siento que no me haya podido explicar bien. 제가 ~하오니 잘 이끌어 주십시오 Yo carezco de experiencia; ¿tendrían la amabilidad de dirigirme? 제가 ~한 탓입니다. 죄송합니다 Lo siento mucho. Toda la culpa es mía.

■ ~처(處) parte insuficiente.

미희(美姬) chica *f* [doncella *f*] hermosa [bella]; [집합적] hermosura *f,* belleza *f.*

믹서(영 *mixer*) ① [콘크리트를 만드는 기계] mezcladora *f,* hormigonera *f.* ② [과실 따위의 즙을 내는 기계] batidora *f, AmS* licuadora *f.* 야채를 ~에 갈다 triturar las verduras en la batidora. ③ [방송국에서 음량(音量)·음질(音質)의 조정을 담당하는 기사] operador, -dora *mf* de sonido, mezclador, -dora.

◆ 만능(萬能) ~ licuadora *f* versátil.

믹스(영 *mix*) [혼합] mezcla *f,* mixtura *f,*

mixtión *f*. ～하다 mezclar, mixturar.
■ ～ 주스 zumo *m* [*AmL* jugo *m*] mixto.

민¹(民) ((준말)) =민간(民間).

민²(民) [지난날, 조상의 무덤이 있는 곳의 백성이 그 고을 원에게 자기를 일컫던 말] yo, pueblo.

민- ① [무슨 꾸밈새나 또는 덧붙어 딸린 것이 없음] no pintado, no maquillado, desnudo. ～낯 cara *f* no pintada. ② [닳아서 모지라지거나 우둘투둘한 것이 밋밋하게 된 것] desenvainado, desnudo. ～날 hoja *f* desenvainada [desnuda] de espada.

-민(民) pueblo *m*, persona *f*, gente *f*. 유랑～ pueblo *m* nómada; nómada *mf*; *CoS* nómade *mf*.

민가(民家) casa *f* (privada · particular), caserío *m*.

민간(民間) pueblo *m*. ～의 popular; [공(公)에 대한] privado, particular, no gubernamental; [군(軍)에 대한] civil.
■～ 공로자 benefactor, -tora *mf* social. ～기 avión *m* civil. ～ 기업 empresa *f* del sector privado, empresa *f* privada. ～ 단체 organización *f* privada [no gubernamental]. ～ 대표 delegado, -da *mf* no gubernamental. ～ 무역 comercio *m* privado. ～ 방송 [라디오의] emisión *f* comercial; [TV의] transmisión *f* de televisión comercial. ～ 방송국 (estación *f*) emisora *f* comercial; [TV의] (estación *f*) emisora *f* de telvisión comercial. ～ 부문 sector *m* privado. ～ 사업 empresa *f* privada, empresa *f* civil. ～ 사절 misión *f* civil; [사람] enviado, -da *mf* civil. ～ 설화(說話) folclore *m*, folklore *m*, cuento *m* popular. ～ 소요(騷擾) tumulto *m* civil. ～ 신앙(信仰) creencia *f* folclórica [popular]. ～약 medicina *f* folclórica. ～ 어업 협정 acuerdo *m* pesquero civil, acuerdo *m* pesquero no gubernamental. ～ 외교 diplomacia *f* no oficial, diplomacia *f* no gubernamental. ～ 외교관 diplomático, -ca *mf* no oficial [no gubernamental]. ～ 요법 remedio *m* folclórico [popular]. ～ 은행 banco *m* privado. ～인 civil *mf*; ciudadano *m* privado; persona *f* no pública; persona *f* no oficial. ～인 출입 통제선 la Línea de Control de Entrada y Salida de Civiles. ～ 자본 capital *m* privado. ～ 전승 tradición *f* popular, folclore *m*, folklore *m*. ～ 전승자 folclorista *mf*. ～ 전승학(傳承學) folclore *m*, folklore *m*. ～ 투자 inversión *f* del sector privado. ～ 항공 aviación *f* civil. ～ 회사(會社) compañía *f* [empresa *f* · corporación *f* · sociedad *f*] privada.

민감(敏感) susceptibilidad *f*, sensibilidad, delicadeza *f*, viveza *f*. ～하다 (ser) sensible, susceptible, delicado. ～하게 susceptiblemente, sensiblemente, delicadamente. 극도로 ～하다 ser hipersensible. …에 ～하다 ser sensible a *algo*. 정세의 변화를 ～하게 느끼다 percibir con agudeza el cambio de la situación. 코가 ～하다 tener un olfato muy agudo. 그는 추위에 ～하다 El es sensible al frío / El es friolero. 그녀는 유행에 매우 ～하다 Ella es muy sensible a la moda. 그는 귀가 ～하다 El tiene un oído muy sensible [agudo].
민감히 sensiblemente, susceptiblemente, delicadamente.
■ ～도(度) [계기(計器)의] receptividad *f*. ～성 susceptibilidad *f*, sensibilidad *f*.

민경(民警) el civil [el pueblo] y la policía.

민관(民官) el civil y el oficial.

민국(民國) ① [민주 정치를 시행하는 나라] república *f*. ② ((준말)) =대한민국(República de Corea). ③ ((준말)) =중화 민국 (República de China).

민군(民軍) =민병(民兵).

민권(民權) derecho *m* civil. ～을 신장하다 extender el derecho civil. ～을 옹호하다 defender el derecho civil. ～을 유린하다 pisotear el derecho civil.
■ ～당 el Partido del Derecho Civil. ～ 수호 운동 movimiento *m* para la protección del derecho civil. ～ 운동 movimiento *m* democrático, movimiento *m* del derecho civil.

민꼬리닭 gallo *m* [gallina *f*] sin cola.

민꽃덮이꽃 【식물】 =무피화(無被花).

민날 hoja *f* desenvainada [desnuda] de espada [daga].

민낯 cara *f* no pintada [no maquillada · sin maquillaje].

민눈알 =무정란(無精卵).

민단(民團) ((준말)) =거류민단(居留民團).
◆제일 한국 거류 ～ la Federación de Residentes Coreanos en el Japón.

민달팽이 【동물】 babosa *f*.

민담(民譚) =민간 설화(民間說話).

민답(民畓) arrozal *m* de cada uno del pueblo.

민당(民黨) partido *m* del derecho civil.

민대가리 ((속어)) =민머리.

민도(民度) nivel *m* cultural y moral del pueblo. 이 나라는 ～가 높다[낮다] El nivel cultural de este país es alto [bajo].

민둥민둥하다 ① [산에 나무가 없어서 번번하다] (ser) pelado, calvo, desmontado, sin árboles. ② [머리가] volverse [quedarse] calvo. 민둥민둥한 머리 cabeza *f* calva. 그는 머리가 ～ El es calvo.
민둥민둥히 peladamente, calvamente, desmontadamente.

민둥산(一山) monte *m* pelado, montaña *f* pelada [calva], monte *m* [montaña *f*] sin árboles, colina *f* desmontada, cerro *m* pelado.

민들레 【식물】 diente *m* de león, amargón *m*.

민란(民亂) rebelión *f*, sublevación *f* [levantamiento *m* · revuelta *f* · insurrección *f*] (del pueblo). ～을 일으키다 sublevarse [rebelarse · alzarse] (contra *uno* · *algo*). ～을 진압하다 sofocar [reprimir] la insurrección (del pueblo). ～이 일어나다 estallar la rebelión. 아프리카의 한 나라에서 ～이 일어났다 La rebelión estalló en un país del

Africa.

민력(民力) esfuerzo *m* del pueblo, recursos *mpl* del pueblo, poder *m* nacional, poder *m* económico del país, recursos *mpl* nacionales.

민력(民曆) almanaque *m* privado.

민립(民立) establecimiento *m* privado. ~하다 establecer privadamente.

민망(民望) confidencia *f* pública, popularidad *f*; deseo *m* público, expectación *f* popular. ~을 얻다 gozar de confidencia pública. ~을 얻어 출마하다 presentarse a [para] la elección con apoyo popular.

민망(憫惘) lástima *f*, compasión *f*, miseria *f*, tristeza *f*. ~하다 ㉮ [측은하다] (ser) lastimoso, lastimero, patético, conmovedor, miserable, triste. ~한 생각이 들다 sentir compasión. ㉯ [난처하다] (ser) embarazoso, difícil, engorroso.
민망히 lastimosamente, patéticamente, miserablemente, tristemente, embarazosamente.
민망스럽다 (ser) lastimoso, miserable.
민망스레 lastimosamente, miserablemente.

민머리 ① [벼슬을 못한 사람] persona *f* sin puesto gubernamental. ② [정수리까지 벗어진 대머리] cabeza *f* calva, calvicie *f*. ③ [쪽찌지 않은 머리] pelo *m* sin moño [*Méj* chongo *m* · *RPl* rodete *m*].

민며느리 chica *f* que es llevada por la familia del esposo futuro.

민무늬근(-筋) 【해부】 músculo *m* liso.

민물 el agua *f* dulce.
■~ 게 ástaco *m*, cangrejo *m* de río. ~고기 pez *m* de agua dulce. ¶~ 요리 cocina *f* [plato *m*] de pescado de río. ~ 낚시 pesca *f* en agua dulce; [강의] pesca *f* en río; [호수의] pesca *f* en lago. ~조개 concha *f* corbícula. ~호수 =담수호.

민박(民泊) hospedaje *m* en la residencia privada. ~하다 hospedarse [alojarse] en la residencia privada.
■~집 residencia *f* privada, casa *f* de huéspedes.

민방(民放) ((준말)) =민간 방송(民間放送).

민방위(民防衛) defensa *f* civil.
■~ 기본법 ley *f* básica de defensa civil. ~대 cuerpo *m* de defensa civil. ~대 본부 el Cuartel General del Cuerpo de Defensa Civil. ~ 대원 miembro *mf* del cuerpo de defensa civil. ~법 ley *f* de defensa civil. ~ 사태 situación *f* de defensa civil. ~ 체제 sistema *m* de defensa civil. ~ 훈련 capacitación f de defensa civil. ~ 훈련의 날 el día de la capacitación de defensa civil.

민법(民法) derecho *m* civil, código *m* civil.
■~전(典) código *m* civil. ~학(學) derecho *m* civil. ~학자 civilista *mf*.

민병(民兵) miliciano, -na *mf*; [집합적] milicia *f*, guardia *f* nacional.
■~대 cuerpo *m* de milicia. ~제 sistema *m* de milicia.

민복(民福) bienestar *m* nacional [público]. ~을 도모하다 promover el bienestar público.

민본주의(民本主義) democracia *f*.

민비녀 pasador *m* sencillo sin figura de dragón.

민사(民事) ① 【법률】 caso *m* [pleito *m* · acción *f*] civil. ~의 civil. ② [백성의 일] asuntos *mpl* del pueblo.
■~ 사건 caso *m* civil, causa *f* civil. ~ 소송 proceso *m* [pleito *m*] civil. ~ 소송법 código *m* de procedimientos civiles. ~ 소송 비용 규칙 reglamento *m* sobre costas en procedimientos civiles. ~ 소송 절차 procedimiento *m* en lo civil. ~원고(原稿) demandante *mf*; actor, -tora *mf*. ~ 재판 juicio *m* civil. ~ 재판권 jurisdicción *f* civil. ~ 재판소 tribunal *m* civil. ~ 조정 arbitraje *m* en procedimientos civiles. ~ 조정 규칙 reglamento *m* sobre arbitraje en procedimientos civiles. ~ 중개인(仲介人) intermediario, -ria *mf* civil. ~ 책임(責任) esponsabilidad *f* civil. ~ 피고 demandado, -da *mf*. ~ 회사 compañía *f* no comercial.

민사(悶死) muerte *f* por agonía. ~하다 morir con angustia, morir por agonía, morir en medio de sufrimientos horrorosos.

민색떡(-色-) *minsaekteok*, tarta *f* de arroz de color.

민생(民生) bienestar *m* público, vida *f* nacional.
■~고(苦) dificultades *fpl* económicas del pueblo, crisis *f* (económica) del pueblo. ~ 문제 problemas *mpl* sobre el bienestar público. ~ 안정 estabilización *f* de la vida del pueblo.

민선(民選) elección *f* popular. ~의 elegido por sufragio [por el pueblo].
■~ 의원(議員) parlamentario *m* elegido por sufragio.

민설(民設) establecimiento *m* privado. ~하다 establecer privadamente.
■~ 기관 organización *f* privada.

민성(民聲) voz *f* del pueblo, voz *f* popular, opinión *f* pública.
■민성은 천성(天聲) ((속담)) Lo que el pueblo quiere, Dios lo quiere.

민소(憫笑) sonrisa *f* de desprecio. ~하다 sonreír compasivamente, sonreír con desprecio.

민속(民俗) folclore *m*, folklore *m*, costumbres *fpl* del pueblo, costumbres *fpl* folclóricas. ~의 folclórico, folklórico.
■~ 공예품 objetos *mpl* de artesanía folclórica. ~극 drama *m* folclórico. ~놀이 juego *m* folclórico. ~ 무용(舞踊) danza *f* folclórica, baile *m* folclórico. ~ 무용단 cuerpo *m* del baile folclórico. ¶국립 ~ el Cuerpo del Baile Folclórico Nacional. ~ 무용 단원 miembro *mf* del Cuerpo del Baile Folclórico. ~ 무용가(舞踊家) bailarín *m* folclórico, bailarina *f* folclórica. ~ 문학 literatura *f* folclórica. ~ 박물관 el Museo Folclórico. ~ 사회(社會) sociedad *f* folcló-

rica, sociedad *f* que está conservando las costumbres folclóricas. ~ 소설 novela *f* folclórica. ~ 예술 arte *m* folclórico. ~ 음악 música *f* folclórica. ~ 음악가 músico *m* folclórico, música *f* folclórica. ~ 자료 datos *mpl* folclóricos. ~ 작가 escritor *m* folclórico, escritora *f* folclórica. ~적 folclórico, folklórico. ~제(祭) fiesta *f* folclórica. ~주(酒) vino *m* folclórico. ~촌 aldea *f* folclórica, villa *f* folclórica. ~학 folclore *m*, folklore *m*. ~ 학자(學者) folclorista *mf*; folklorista *mf*.

민속(敏速) prontitud *f*, presteza *f*, rapidez *f*, celeridad *f*. ~하다 (ser) presto, rápido, pronto.
민속히 rápido, rápidamente.

민수(民需) demanda *f* civil.
■~ 산업(產業) industria *f* civil. ~ 생산 producción *f* de artículos para el uso no gubernamental. ~품 artículos *mpl* de civil, artículos *mpl* de paisano, artículo *m* que corresponde a la demanda civil.

민수기(民數記) ((성경)) Números.

민숭민숭하다 ① [털이 날 자리에 나지 않아 밋밋하다] ㉮ [머리가] (ser) calvo, sin pelo, *AmC*, *Méj* pelón, *CoS* pelado. 민숭민숭해지다 quedarse calvo [pelón]. 그는 머리가 ~ El es calvo [pelón]. 그는 민숭민숭해진다 El está [se ha quedado] calvo [pelón]. ㉯ [몸이] (ser) sin vello. 털이 ~ (ser) lampiño, barbilampiño, no tener barba. 털이 민숭민숭한 청년 un joven lampiño. ㉰ [동물이] (ser) pelado, sin pelo. ② [산에 나무나 풀이 없다] (ser) pelado, desnudo, sin árboles. 민숭민숭한 산 montaña *f* sin árboles. 초목(草木)이 민숭민숭한 경치 un paisaje desprovisto de vegetación. ③ [술을 마셨어도 취한 기운이 없다] (estar) sobrio, despejado, no estar borracho. 소주 한 병 마시고도 ~ no estar borracho [estar sobrio · estar despejado] después de beber un botella de *sochu*. 나는 완전히 ~ Yo estoy perfectamente sobrio [despejado]. 네가 민숭민숭할 때 그것을 이야기하자 Lo hablaremos cuando estés sobrio [cuando se te haya pasado la borrachera · cuando te hayas despejado].
민숭민숭히 sobriamente, con sobriedad, de una manera sobria.

민숭하다 ① [털이 없어 번번하다] (ser) calvo. ☞민숭민숭하다❶. ② [나무나 풀이 없어 번번하다] (ser) pelado, sin árboles. ☞민숭민숭하다❷. ③ [술을 마셔도 정신이 멀쩡하다] (estar) sobrio. ☞민숭민숭하다❸

민습(民習) costumbres *fpl* del pueblo.

민심(民心) opinión *f* pública, sentimiento *m* popular, voluntad *f* popular, favor *m* del pueblo, pueblo *m*. ~을 얻다 [잃다] ganar [perder] el favor del pueblo. ~을 동요시키다 inquietar [agitar] al pueblo [la opinión pública]. ~을 안정시키다 calmar la inquietud popular. ~을 일신(一新)하다 renovar el ambiente nacional [la atmósfera del país]. ~의 통일을 도모하다 buscar [procurar] la unidad moral del pueblo. ~이 동요되고 있다 Se inquieta [Se agita] el pueblo. 그 보도는 ~을 혼란시킬 것이다 Esa información desconcertará al pueblo. ~은 대통령한테서 떠났다 La opinión pública ha abandonado al presidente.
■민심이 천심(天心) ((속담)) Lo que el pueblo quiere, Dios lo quiere.

민악(民樂) =속악(俗樂).

민약론[1](民約論) =사회 계약설(社會契約說).

민약론[2](民約論) 【책】 El contrato social.

민약설(民約說) =사회 계약설(社會契約說).

민약 헌법(民約憲法) =민정 헌법(民政憲法).

민어(民魚) 【어류】 pescado *m* sciaenoide.

민업(民業) empresa *f* privada, negocio *m* privado.

민연(憫然) =민연히.

민연하다(憫然—) (ser) lastimoso, enternecedor, digno de compasión, desdichado, desventurado, pobre.
민연히 lastimosamente, desdichadamente, desventuradamente, pobremente.

민영(民營) operación *f* privada. ~의 privado.
■~ 사업 empresa *f* privada, negocio *m* privado.

민예(民藝) arte *m* folclórico.
■~품 obra *f* e arte folclórico [popular].

민완(敏腕) destreza *f*, habilidad *f*, capacidad *f*. ~하다 (ser) capaz, hábil, diestro, mañoso, sagaz. ~ 을 발휘하다 mostrar *su* gran capacidad.
■~가(家) hombre *m* muy perspicaz, capacitado *m*, hombre *m* apto, hombre *m* hábil [diestro], hombre *m* de facultad, hombre *m* de aptitud. ~ 형사 detective *mf* perspicaz.

민요(民窯) horno *m* privado para la porcelana; [도자기] cerámica *f* hecha en el horno privado para la porcelana.

민요(民謠) 【음악】 canción *f* popular, canción *f* tradicional, balada *f*, [4행의 짧은] copla *f*.
■~ 가수 cantante *mf* de canción popular [tradicional]. ~ 대회(大會) concurso *m* de canción popular.

민요(民擾) =민란(民亂).

민원(民怨) resentimiento *m* público, motivo *m* de queja *f* popular [público], descontento *m* popular.

민원(民願) petición *f* [aplicación *f* · solicitud *f*] civil.
■~ 공무원 oficial *mf* para asuntos civiles. ~ 봉사 servicio *m* rápido de peticiones civiles. ~ 비서(秘書) secretario *m* encargado [secretaria *f* encargada] de asuntos civiles. ~ 상담소(相談所) oficina *f* de asuntos civiles. ~ 서류 documento *m* de asuntos civiles. ¶~의 간소화 simplificación *f* de documentos de asuntos civiles. ~ 업무 administración *f* de asuntos civiles. ~ 창구 ventanilla *f* de peticiones civiles, ventanilla *f* para asuntos civiles.

민유(民有) posesión *f* del pueblo, propiedad *f*

privada, posesión *f* privada.
■ ~림 bosque *m* que pertenece a un particular. ~ 재산 bienes *mpl* privados. ~지 propiedad *f* privada, suelo *m* privado, solar *m* privado, terreno *m* particular. ~철도 ferrocarril *m* privado.

민의(民意) voluntad *f* del pueblo; [여론(與論)] opinión *f* pública. ~를 묻다 consultar al pueblo.

민의원(民議院) congreso *m* de diputados, cámara *f* de los comunes, congreso *m*.
■ ~ 의원(議員) diputado, -da *mf* a Cortes; parlamentario, -ria *mf*; congresista *mf*. ~의장 presidente, -ta *mf* del congreso de diputados.

민의원(民議員) ((준말)) =민의원 의원.

민자당(民自黨) ((준말)) =민주 자유당.

민재(民財) bienes *mpl* del pueblo, posesión *f* privada, propiedad *f* privada.

민적(民籍) [등록] inscripción *f* [matrícula *f*] de censo; [등본] registro *m* de censo, registro *m* familiar.

민정(民政) gobierno *m* civil, gobierno *m* no militar; [군대에 대하여] administración *f* civil; [공화 정치(共和政治)] democracia *f*, gobierno *m* democrático; [국민에 의한 정부] gobierno *m* por el pueblo. ~을 실시하다 establecer un régimen civil.
■ ~부(部) departamento *m* de administración civil. ~ 이양(移讓) transferencia *f* de poder al gobierno civil. ~ 장관 administrador, -dora *mf* civil. ~ 헌법 constitución *f* civil.

민정(民情) ① [백성들의 사정과 형편] situación *f* material y moral, condiciones del pueblo. ~을 시찰하다 observar las condiciones del pueblo. ② =민심(民心).

민족(民族) raza *f*; [국민] pueblo *m*, nación *f*. ~의 racial, étnico, nacional, etno-. ~의 독립(獨立) independencia *f* del pueblo.
◆ 다(多)~ 국가 país *m* multinacional.
■ ~ 감정 sentimiento *m* racial. ~ 국가 estado-nación *m*. ~ 기원론 etnogenia *f*. ~ 대이동 gran migración *f* racial. ~ 문제 problema *m* racial. ~ 문학 literatura *f* nacional. ~ 문화 cultura *f* nacional. ~사(史) etnohistoria *f*. ~ 생물학(生物學) etnobiología *f*. ~성(性) carácter *m* étnico, característica *f* racial [etnológica]. ~시(詩) poema *m* nacional. ~ 심리학(心理學) etnopsicología *f*. ~애(愛) amor *m* nacional [racial]. ~ 언어학 etnolingüística *f*. ~ 역사 etnohistoria *f*. ~ 역사 박물관 el Museo de Etnohistoria. ~ 운동 movimiento *m* racial. ~ 음악 música *f* étnica [folclórica]. ~ 음악가 músico *m* folclórico, música *f* folclórica. ~의 날 [서반아의 미대륙 발견 기념일] el Día de la Raza. ~ 의상 traje *m* folclórico, ropa *f* nativa. ~ 의식(意識) conciencia *f* racial [nacional]. ~ 이동 migración *f* [emigración *f*] racial. ~ 자결 autodeterminación *f* de pueblo. ~ 자결권 derecho *m* del pueblo a determinar por sí mismo, autodeterminación *f*. ~ 자결주의 principio *m* de autodeterminación de *su* pueblo. ~ 자본(資本) capital *m* nacional [nativo]. ~적 étnico, racial. ~적 긍지 orgullo *m* nacional. ~적 일체감 sentido *m* de homogeneidad nacional. ~ 전선 frente *m* racial, frente *m* del pueblo. ~정신 espíritu *m* racial. ~ 종교 religión *f* racial. ~주의 nacionalismo *m*; [인종주의] racismo *m*. ~주의자 nacionalista *mf*, racista *mf*. ~주체성 identidad *f* nacional, orgullo *m* nacional. ~ 중흥 restauración *f* racial. ~지(誌) etnografía *f*. ¶~의 etnográfico. ~지상주의 racismo *m*. ~ 진영 campo *m* nacinalista, bloque *m* nacionalista. ~학 etnología *f*, etnografía *f*. ¶~의 etnográfico. ~ 학자 etnólogo, -ga *mf*, etnógrafo, -fa *mf*. ~학적 etnográfico, etnológico. ~ 해방 운동 movimiento *m* de liberación nacional. ~ 해방 전선(解放戰線) la Frente de Liberación Nacional. ~ 해방 전쟁 (解放戰爭) guerra *f* de liberación nacional. ~혼(魂) el alma *f* nacional, espíritu *m* nacional. ~ 화해(和解) reconciliación *f* nacional.

민족 화합 운동 연합(民族和合運動聯合) el Consejo Coreano para Reconciliación y Cooperación.

민주 molestia *f* y aborrecimiento, molesta *f* y aburrimiento.
◆ 민주(를) 대다 molestar y aborrecer, molestar y aburrir.

민주(民主) democracia *f*. ~의 democrático, demócrata (남녀 동형).
◆ 간접 ~ democracia *f* indirecta. 교도(敎導) ~ democracia *f* guiada. 민족적 ~ democracia *f* nacional. 반(反)~ 세력 fuerzas *fpl* antidemocráticas. 사회 ~ democracia *f* social. 의회 ~ democracia *f* parlamentaria. 직접 ~ democracia *f* directa.
■ ~ 개혁(改革) reforma *f* democrática. ~공화국 república *f* (democrática). ~ 국가(國家) estado *m* democrático. ~ 국체(國體) constitución *f* [estructura *f*·política *f*] nacional. ~ 사상 idea *f* democrática. ~사회주의 socialismo *m* democrático. ~적 democrático, demócrata. ¶~으로 democráticamente. 반(反)~ antidemocrático. ~적 사회주의 socialismo *m* democrático. ~전선(前線) frente *m* democrático. ~ 정당 partido *m* democrático. ~ 정체 democracia *f*. ~ 정치 política *f* democrática. ~ 제도 sistema *m* democrático. ~주의 democracia *f*. ~주의자(主義者) demócrata *mf*. ~(주의) 혁명 revolución *f* democrática. ~화(化) democratización *f*, institucionalización *f*. ¶~하다 democratizar, institucionalizar. ~되다 democratizarse, institucionalizarse. ~된 나라 país *m* democratizado. 교육의 ~ democratización *f* de educación. 1980년의 광주 ~ 운동 movimiento *m* de democratización [pro-democracia] en Gwangchu en 1980. ~ 회복(回復) restablecimiento *m* de

democracia. ¶~을 하다 restablecer la democracia.

민주 공화당(民主共和黨) el Partido Demócrata Republicano.

민주 국민당(民主國民黨) el Partido Demócrata Popular.

민주당(民主黨) el Partido Demócrata, el Partido Democrático. ~원(員) demócrata *mf.* ~후보 candidatura *f* demócrata. ~ 후보자 candidato, -ta *mf* demócrata.

민주 사회당(民主社會黨) el Partido Demócrata Socialista.

민주스럽다 ① =민망스럽다. ② =면구스럽다.

민주 자유당(民主自由黨) el Partido Demócrata Liberal, el Partido Liberal Democrático.

민주 평화 통일 자문 위원회(民主平和統一諮問委員會) el Consejo Consultivo sobre Unificación Democrática y Pacífica.

민주 평화 통일 자문 회의법(民主平和統一諮問會議法) la Ley de Consejo Consultivo sobre Unificación Democrática y Pacífica.

민주 혁명당(民主革命黨) *Méj* el Partido de la Revolución Democrática, el PRD.

민주화 추진 협의회(民主化推進協議會) Consejo *m* para la Promoción de Democratización.

민줄 cuerda *f* de cometa sin reforzar.

민중(民衆) pueblo *m*, masa *f*, público *m*. ~의 popular.

■ ~극(劇) drama *m* popular. ~ 대회(大會) concentración *f* popular, mitin *m* popular. ~ 심리 psicología *f* popular. ~ 예술 arte *m* popular. ~ 오락(娛樂) entretenimiento *m* [distracción *f* · diversión *f*] popular. ~ 운동 movimiento *m* popular. ~ 재판 juicio *m* popular. ~적 popular, democrático. ~적 쟁송 pleito *m* popular. ~ 정치 gobierno *m* popular. ~화 popularización *f*, divulgación *f*. ¶~하다 popularizar, divulgar, divulgarizar.

민지(民志) voluntad *f* popular.

민지(民智) inteligencia *f* popular.

민지(敏智) inteligencia *f* veloz.

민짜 ((낮은말)) =민패.

민첩(敏捷) agilidad *f*, legereza *f*, presteza *f*, vivacidad *f*, prontitud *f*. ~하다 (ser) ágil, listo, presto, pronto, mañoso, sagaz, ligero, *AmL* ser una lanza. ~한 아이 niño, -ña *mf* muy inteligente.

민첩히 ágilmente, prestamente, con agilidad, ligeramente. ~ 도망치다 escaparse con agilidad.

민촌(民村) aldea *f* de clase baja.

민추협(民推協) ((준말)) =민주화 추진 협의회(民主化推進協議會).

민춤하다 (ser) estúpido, torpe.

민치(民治) administración *f* civil. ~하다 administrar el pueblo.

민통선(民統線) ((준말)) =민간인 출입 통제선.

민틋하다 (ser) plano e inclinado. 어깨가 민틋하게 내려온 남자 hombre *m* con los hombros caídos. 민틋하게 내려온 어깨를 가지다 tener los hombros caídos. 그의 어깨는 ~ El tiene los hombros caídos.

민틋이 plano e inclinadamente.

민패 artículo *m* liso [sencillo], cosa *f* lisa [sencilla].

민폐(民弊) molestia *f* pública, molestia *f* privada; [금전의 갈취] extorsión *f* de los oficiales públicos; [공직자의 비행(非行)] procedimiento *m* ilícito.

민풍(民風) =민속(民俗).

민하다 ser algo tonto [torpe · bobo · estúpido].

민항(民航) ((준말)) =민간 항공(民間航空).

민화(民話) cuento *m* popular, historia *f* popular. 이것은 이 지방에 옛날부터 전해지고 있는 ~이다 Este es un cuento popular difundido de antiguo en esta región.

민화(民畵) cuadro *m* popular, pintura *f* popular.

민화협(民和協) ((준말)) =민족 화합 운동 연합(民族和合運動聯合).

민활(敏活) presteza *f*, agilidad *f*. ~하다 (ser) ágil, pronto, vivaz.

민활히 ágilmente, prestamente, vivazmente.

■ ~성 presteza *f*, agilidad *f*.

민회(民會) ① [인민들의 자치를 목적하여 조직한 회] reunión *f* popular. ②【역사】asamblea *f* general del pueblo. ③ ((성경)) legítima asamblea *f*, reunión *f* legal.

믿다 creer, dar fe [creencia] (a); [확신(確信)하다] estar seguro (de que + *ind*); [신뢰(信賴)하다] confiar, fiar, creer (en), contar (con), tener confianza [creencia · fe] (en); dar crédito (a); confiar(se) (en · de · en que + *ind*). 믿을 만한 creíble, confiable, fidedigno, digno de confianza, que merece crédito. 믿을 수 없는 increíble, indigno de confianza, difícil de creer. …을 믿고 contando con *algo* · *uno* [que + *subj*]. 잘 믿는 사람 persona *f* crédula; crédulo, -la *mf*. 믿을 수 없을 만큼 아름다운 경치 paisaje *m* de ensueño [de película]. 믿을 만한 소식통의 정보에 의하면 según informes de fuente fidedigna. 믿지 않겠지만, 믿거나 말거나 간에 aunque no lo creas, aunque parezca mentira. 완전히 ~ tener plena confianza (en), apoyarse plenamente (en). 하나님[기독교 · 불교]을 ~ creer en Dios [en el cristianismo · en el budismo]. 혼령(魂靈)을 ~ creer en los fantasmas. 환생(還生)[윤회(輪廻)]을 ~ creer en la reencarnación. 약(藥)을 믿지 아니하다 no creer en las medicinas. …을 믿어 의심하지 아니하다 no dudar que + *ind* · *subj*. 믿을 만하다고 생각하다 encontrar digno de confianza. 친구를 믿고 상경하다 ir a Seúl [a la capital] contando con la ayuda de un amigo. 나는 그를 믿는다 Yo pongo confianza en él. 나는 그를 믿고 있다 Yo tengo confianza en él. 나는 그의 말을 믿는다 Le creo (a él) / Tengo fe en sus palabras. 난 너를 믿는다 Yo cuento contigo. 당신 내 말을 믿지? Tú me crees, ¿no? 나는그녀가 그것을 할 수 있다고 믿지 않는다 No la creo capaz de eso. 나는 그 사람이 하는 말은 한마디도 믿지 않는다 No le creo ni una palabra / No (me) creo ni una palabra de lo que dice él. 내가 너를 믿고 있다는 것을 너는 알 것이다 Sabes que cuento contigo / Cuento contigo, ¿eh? 나는 그의 성공을 믿는다 Estoy seguro de su éxito [(de) que él tendrá éxito]. 그것은 도저히 믿을 수 없는 일이다 Es increíble / No puedo creerlo. 나는 그의 무죄를 믿고 있다 Estoy convencido de su inocencia. 나는 믿을 만한 친구가 없다 No puedo contar con nadie / No tengo ninguna persona con quien contar [en quien apoyarme]. 그를 믿어서는 안된다 No podemos confiar en él / Hay que tener cuidado con él. 나는 봉급이 오르리라 믿고 양복을 샀다 Confiando en que subiría mi sueldo, me compré un traje. 우리는 그를 믿을 수 없다 No podemos contar con él / El no es digno de confianza. 그의 기억은 믿을 수 없다 Su memoria no es de fiar. 나는 그녀에 대한 그 말을 결코 믿을 수 없다 Jamás puedo creerlo de ella. 겉만 보고 믿을 수 없다 No se puede uno fiar de las apariencias. 그이가 그런 일을 하리라고는 믿을 수 없다 Es increíble que él haga tal cosa. 그가 진술하는 변명은 믿어지지 않는다 La disculpa que alega no es creíble. 그렇다고 믿는다 Creo que sí / Tengo entendido que sí. 그렇지 않다고 믿는다 Creo que no / Tengo entendido que no. 나는 그를 무식한 사람으로 믿고 있었다 Le creía ignorante / Creía que él era ignorante. 내 말을 믿으세요 [usted에게] Créame / [tú에게] Créeme. 그의 말을 믿지 마세요 No le crea. 당신을 믿습니다 [usted에게] Me confío en usted / [tú에게] Me confío en ti. 나는 그 말을 믿을 수 없다 No puedo creerlo. 당신은 그를 믿어도 된다 Usted puede confiar en él. 나는 당신이 오리라고 믿는다 Confío en que tú vendrás. 그는 믿을 만한 사람이다 El es una persona digna de confianza. 나는 약을 믿지 않는다 No tengo fe en la medicina / No creo en la medicina. 나는 내 귀[눈]을 거의 믿을 수 없었다 Yo apenas podía creer lo que oía [veía] / No daba crédito a mis oídos [mis ojos]. 나는 그녀가 생각을 바꾸었다고 믿는다 Creo que ella ha cambiado de idea. 경찰은 그 사람이 위험하다[국경을 넘었다]고 믿고 있다 La policía cree que el es peligroso [que ha cruzado la frontera].

■믿는 도끼에 발등 찍힌다 ((속담)) A buena fe, un mal engaño / Por la confianza se nos entra el engaño / El que confía demasiado suele ser engañado.

믿음 [신뢰] confianza *f*, confidencia *f*, crédito *m*; [신앙(信仰)] devoción *f*, piedad *f*, fe *f*, creencia *f*. ～이 깊은 (사람) religioso, sa *mf*, devoto, -ta *mf*, piadoso, -sa *mf*, pío, -a *mf*, fervoroso, -sa *mf*. ～이 없는 (사람) infiel *mf*, pagano, -na *mf*, descreído, -da *mf*. ～이 다른 사람들 gente *f* de distinta fe, gente *f* de distintas creencias. ～을 가지다 ser devoto (de), tener devoción (a), creer, adorar, venerar, rendir culto (a), tener confianza. 그녀는 ～이 두텁다 Ella es una mujer devota [religiosa]. 그는 ～이 부족하다 (A él) Le falta devoción. 기적(奇蹟)은 그의 ～을 강하게 했다 El milagro fortaleció su fe. 오직 의인은 ～으로 말미암아 살리라 ((로마서 1:17)) Mas el justo por la fe vivirá. ～은 진리의 근본이며 공덕의 모태(母胎)다(信爲道元功德母) ((華嚴經)) La fe es la base del Camino, la madre de virtudes.

■～성(性) calidad *f* de lo que es digno de confianza. ¶～이 있다 ser digno de confianza.

믿음직스럽다 (ser) confiable, digno de confianza.

믿음직하다 (ser) seguro, confiable, digno de confianza. 믿음직하지 못한 사업 negocio *m* turbio.

밀[1] 【식물】 trigo *m*, pan *m*.

■～밭 trigal *m*, trigos *mpl*. ～ 빵 pasta *f* muy ligera que se hace de trigo.

밀[2] ＝밀랍(蜜蠟).

밀[3] 【광물】 ＝사광석(砂鑛石).

밀(蜜) cera *f* de abeja [cera].

밀가루 harina *f*, harina *f* de trigo.

■～ 반죽 masa *f*, pasta *f* de trigo; [버터를 섞은] hojaldre *m*; [우유·버터·달걀을 섞은 생선이나 통닭 튀김용의] rebozado *m*, pasta *f* para rebozar; [지짐이용의] masa *f*, [케이크용의] masa *f*.

밀감(蜜柑) ① 【식물】 naranjo *m*, mandarino *m*. ② [귤] naranja *f*, mandarina *f*; [작은] clementina *f*.

■～ 껍질 cáscara *f* de naranja. ¶～을 벗기다 mondar una naranja. ～밭 naranjal *m*, huerto *m* de naranja [de mandarina]. ～색 (color *m*) anaranjado *m*. ～주(酒) vino *m* de naranja. ～ 푸대 celdilla *f* de naranja.

밀계(密計) plan *m* secreto *m*, treta *f*, estragema *f*. ～를 꾸미다 formar una intriga, intrigar en secreto, tramar secretamente.

밀계(密啓) informe *m* secreto al rey. ～하다 informar secretamente al rey.

밀계(密契) contrato *m* secreto.

밀고(密告) denuncia *f*, delación *f*, soplo *m*, soplonería *f*. ～하다 denunciar, delatar, soplar, soplear, acusar, dar [ir con] el soplo.

■～자(者) denunciante *mf*, delator, -tora *mf*, soplón, -plona *mf*, acusón, -sona *mf*.

밀골무(蜜－) dedal *m* de cera.

밀과(蜜果) ＝유밀과(油蜜科).

밀교(密教) ((종교)) budismo *m* esotérico.

밀국수 fideo *m* [tallarín *m*] de trigo.

밀굽 casco *m* deforme.

밀기름(蜜－) pomada *f* hecha de cera y aceite de ajonjolí.

밀기울 acemite *m*, farfolla *f*; [사료] salvado *m*, afrecho *m*.

밀깜부기 bola *f* de tizón de trigo.

밀낫 gancho *m* de recoger [cosechar].

밀다 ① [떼밀다] empujar. 뒤로 ~ empujar hacia atrás. 앞으로 ~ empujar hacia adelante. 서로 ~ empujarse, empellarse. 군중을 밀어 헤치고 나아가다 adelantar abriéndose camino [paso] entre la multitud. 미십시오 Empuje / Empujar. 이 문은 아무리 밀어도 열리지 않는다 Por más que empujo, no se abre esta puerta. 여보, 뒤에서 밀지 마세요 No empujes de atrás, hombre. 밀고 밀치는 대성황을 이루고 있다 La tienda está repleta [atestada] de clientes / La tienda hace pingües negocios. ② [깎다] afeitar, allanar. 대패로 ~ acepillar. 턱수염을 ~ afeitarse, hacerse la barba. ③ [추천하다] recomendar, proponer; [지명하다] nombrar; [지지하다] apoyar, sostener. ④ [수행하다] acompañar; [참고 나아가다] perseverar, empeñarse; [우기다] porfiar, insistir. ⑤ [인쇄하다] imprimir. 잘못 ~ imprimir mal, hacer erratas (en). ⑥ [미루다] aplazar, diferir, retrasar.

밀고 나가다 ㉮ [주장하다] persistir, insistir. 제멋대로 ~ imponer *sus* caprichos, insistir en portarse a *su* gusto. …을 모른다고 끝까지 ~ persistir en desconocer *algo* hasta el fin. 그는 자신의 의견을 끝끝내 밀고 나갔다 El persistió en su opinión / El impuso su opinión a los otros // [고집하다] El se aferró a su opinión. ㉯ [수행하다] llevar a cabo. 반대에도 불구하고 계획을 ~ llevar a cabo el proyecto a pesar de la oposición.

밀어내다 ㉮ [밖으로] empujar afuera. 라이벌을 ~ vencer [ganar] a su rival. 옆으로 ~ empujar a un lado, rechazar, arrojar. 방(房) 밖으로 ~ empujar fuera de la habitación. ㉯ [지위에서] hacer perder *su* posición, echar abajo. 동료를 밀어내고 출세하다 obtener la promoción a costa de *sus* colegas.

밀어 넘어뜨리다 abatir, dar en el suelo (de un empujón), hacer caer empujándolo [de un empujón]; [건물 따위를] demoler, derribar. 골짜기로 ~ abatir a un abismo.

밀어 넣다 meter a empujones.

밀어 놓다 empujar (al lado). 의자를 구석으로 ~ empujar la silla hacia el rincón.

밀어닥치다 entrarse (en), precipitarse (a), lanzarse (a), azotar, bañar, presentarse sin estar invitado; [대세(大勢)로] ir [acudir] en tropel (a). 파도가 해안(海岸)에 밀어닥친다 Las olas azotan [bañan] la playa.

밀어 떨어뜨리다 tirar, arrojar, precipitar. 계곡 아래로 ~ tirar [arrojar] al fondo del valle. 열차에서 ~ tirar del tren. 발코니에서 ~ precipitar por [desde] el balcón.

밀어붙이다 ㉮ [밀어서 한쪽 구석에 붙어 있게 하다] empujar. 벽으로 ~ empujar contra la pared. 밀어붙이고 a empujones, a empellones, de [en] tropel, codeándose. 냅다 ~ empujar violentamente, dar un empujón. 그 의자를 이쪽으로 밀어붙이세요 Por favor empuje esa silla hacia acá. 아이가 나를 힘껏 밀어붙였다 El niño me ha dado un empujón. ㉯ 한쪽으로 힘주어 밀다] arrojar, echar. 파도가 해안으로 나무 조각을 밀어붙인다 Las olas arrojan [echan] pedazos de madera a la playa. ③ [고삐를 늦추지 않고 계속 밀다] empujar, estimular, impulsar, incitar. 국민을 전쟁으로 ~ impulsar al pueblo a la guerra.

밀어 쓰러뜨리다 hacer caer (de un empujón), derribar, tirar en el suelo.

밀어 열다 abrir *algo* de un empujón, abrir empujando; [무리하게] abrir a (la) fuerza. 문을 ~ abrir la puerta de un empujón. 창문을 ~ abrir la ventana de un empujón, abrir empujando la ventana. 나는 문을 밀어 열었다 Yo abrí la puerta de un empujón.

밀어올리다 ㉮ [파도가] echar, arrojar. 병이 파도에 해안(海岸)으로 밀어올려진다 Las olas arrojan [echan] una botella a la playa. ㉯ [밀어올라가게 하다] hacer subir empujando, lanzar [empujar] a lo alto. 밀어올리는 펌프 bomba *f* impelente.

밀어젖히다 empujar a un lado. 밀어젖히고 a empujones, a empellones; de [en] tropel, codeándose. 군중을 ~ empujar la muchedumbre a un lado. 군중 속을 밀어젖히고 나아가다 abrirse paso a codos entre la muchedumbre. 사람들이 밀어젖히고 들어갔다 La gente entró a empellones.

밀담(密談) conversación *f* secreta [confidencial · reservada · privada]; [소곤소곤하는 말] cuchicheo *m*. ~하다 conversar a puerta cerrada, hablar confidencialmente [en secreto] (con). 그들은 ~을 하고 있다 Ellos conversan confidencialmente [en secreto] / Secretean. 나는 그에게 ~을 부탁했다 Le pedí que me dejara hablar privadamente [a solas · en secreto].

밀대 ① [물건을 밀어젖힐 때 쓰는 나무 막대] bastón *m* de empujar. ② [소총의] mecanismo *m* de retroceder.

밀도(密度) densidad *f*. ~가 높은 muy denso, de mucha densidad. 이 책은 ~가 짙다 Este libro es muy denso [substancioso].
■ ~계 densímetro *m*. ~계측(計測) densitometría. ~류(流) corriente *f* de densidad. ~ 측정 densimetría *f*. ~ 측정 눈금 escala *f* densimetríca.

밀도살(密屠殺) matanza *f* [carnicería *f*] secreta [clandestina · ilegal]. ~하다 hacer una carnicería clandestinamente, matar clandestinamente.

밀따리 *miltari*, una especie del arroz tardío.

밀떡 pan *m* de trigo.

밀뚤레 ① [밀을 둥글넓적하게 뭉친 덩이] bulto *m* de cera de abaja. ② [길들어 윤이 나거나 살져서 윤택한 물건의 비유] cosa *f* brillante.

밀뜨리다 empujar de repente a la fuerza.
밀랍(蜜蠟) cera *f* de abeja.
밀레니엄(영 *millennium*) milenio *m.* ～의 milenario. ～ 이벤트에 꼭 참가하십시오 No deje de asistir al concurso del milenio.
■ ～ 버그 chinché *m* milenario. ～ 베이비 bebé *m* milenario.
밀렵(密獵) caza *f* furtiva. ～하다 cazar furtivamente [en vedado].
■ ～자[꾼] cazador *m* furtivo, cazadora *f* furtiva.
밀령(密令) orden *f* secreta.
밀리(영 *milli*) ((준말)) ＝밀리미터.
밀리-(영 *milli-*) mili-.
■ ～그램 miligramo *m.* ～리터 mililitro *m.* ～미터 milímetro *m.* ～바 milibar *m.*
밀리다 ① [미처 처리하지 못한 일·물건이 쌓이다] haber montado, estar sin pagar, no pagar(se). 밀린 빚 deuda *f* no pagada. 일이 밀려 있다 tener atrasado el trabajo. 집세가 밀려 있다 atrasarse en los pagos del alquiler, tener atrasos de alquiler. 지불할 것이 밀려 있다 Se acumulan los pagos atrasados / El pago está retrasado. 집세가 반년 분이 밀려 있다 Hay amontados seis meses de alquiler / El alquiler de la casa está sin pagar durante seis meses. 나는 일이 밀려 있다 Estoy atrasado en el trabajo / Tengo atraso de trabajo. 심의(審議)가 밀려 있다 La deliberación ha llegado a un punto muerto. 우편이 밀려 있다 El correo está estancado / Se retrasa el correo. 나는 일이 밀려 있다 Me sobra trabajo / Estoy lleno de trabajo. 자동차가 밀려 있다 Hay (un) embotellamiento de tráfico. 앞이 밀려 그는 승진할 수가 없다 Los cargos altos están ocupados y él no puede ascender. ② [밂을 당하다] empujarse.
밀려 가다 llevarse, arrastrar. 물살에 밀려가 llevado por la corriente. 다리가 탁류에 밀려 갔다 El puente fue arrastrado por la turbia y crecida corriente. 우리는 시대의 파도에 밀려 가고 있다 Nos arrastran las olas de la época.
밀려나다 ㉮ [떼밂을 당하여 어느 위치에서 딴쪽으로 밀리다] ser empujado. 밖으로 ～ ser empujado hacia afuera. ㉯ [어떤 자리에서 몰리거나 쫓겨나다] darse de lado; echar, derribar. 저 가수는 장기간 밀려나 있었다 Durante largo tiempo se ha dado de lado a aquel cantante. 쿠데타로 그는 대통령 자리에서 밀려났다 El golpe de Estado lo echó [derribó] de la presidencia.
밀려들다 avanzar (hacia); [파도가] levantarse; [바닷물이] hincharse. 밀려드는 파도 ola *f* que se levanta. 사람들이 밀려듦 oleada *f* de gente. 나는 군중의 밀려듦에 질질 끌려갔다 Me vi arrastrado por una marea de gente. 군중이 문으로 밀려들었다 La gente salió en tropel por las puertas.
밀려들어가다 avanzar (hacia).
밀려들어오다 avanzar(se) (hacia), marchar (hacia), asediar, acosar, venir (sobre), caer (sobre). 파도가 밀려들어온다 Avanzan las olas hacia nosotros. 적군이 밀려들어온다 Avanza el ejército enemigo hacia nosotros. 데모대가 대사관으로 몰려들어왔다 Los manifestantes asediaron la embajada.
밀려오다 adelantar, avanzar, abalanzarse (sobre), sitiar, asediar; [파도가] embravecerse.
밀림(密林) selva *f,* jungla *f,* floresta *f* densa, bosque *m* espeso.
■ ～전(戰) guerrilla *f* de las selvas. ～ 지대 el área *f* (*pl* las áreas) selvática.
밀막다 rehusar bajo el pretexto.
밀매(密賣) contrabando *m,* natute *m,* metedurÍa *f,* venta *f* ilícita [clandestina]. ～하다 vender clandestinamente, vender ilícitamente, vender ilegalmente, pasar [meter] de contrabando, alijar, dedicarse al contrabando (de). ～의 de contrabando. 테이프[비디오]를 ～하다 grabar y vender cintas [vídeos piratas]. 세관을 통해 ～하다 pasar *algo* de contrabando por la aduana. 그는 세관을 통해 시계를 ～했다 El pasó los relojes de contrabando por la aduana.
◆주류(酒類) ～ contrabando *m* de licores.
■ ～자 contrabandista *mf;* matutero, -ra *mf.* ¶마약 ～ traficante *mf* (de drogas). 주류(酒類) ～ contrabandista *mf* de licores. ～ 장소 lugar *m* de contrabando. ～품(品) artículos *mpl* contrabandeados.
밀매매(密賣買) contrabando *m.* ～하다 contrabandear, pasar de contrabando, hacer contrabando (de).
밀매음(密賣淫) prostitución *f* ilegal. ～하다 prostituir ilegalmente.
■ ～녀(女) prostituta *f* ilegal.
밀명(密命) orden *f* secreta, mandato *m* secreto.
밀모(密毛) pelo *m* espeso.
밀모(密謀) intriga *f,* manejo *m,* trama *f.* ～하다 intrigar, tramar.
■ ～자(者) intrigante *mf;* conspirador, -dora *mf.*
밀무역(密貿易) contrabando *m,* matute *m.* ～하다 entrar [sacar] de contrabando [de matute·clandestinamente]. 조직적 ～ contrabando *m* organizado.
■ ～ 업자 contrabandista *mf;* matutero, -ra *mf.*
밀물 creciente *f,* creciente *f* del mar, creciente *f* de la marea, pleamar *f,* marea *f* alta [creciente·ascendiente·menguante], maentrante, marea *f* montante, aguas *fpl* de creciente, aguas *fpl* vivas.
밀방망이 rodillo *m* (de pastelero).
밀밭 trigal *m.*
밀보리 ① [밀과 보리] el trigo y la cebada. ② 【식물】 [쌀보리] centeno *m.*
밀봉(密封) cierre *m,* relleno *m,* sello *m* (hermético), precinto *m.* ～하다 [창문이나 문을] condenar, cerrar; [틈을] tapar, rellenar; [편지나 소포를] cerrar; [밀랍으로] sellar (herméticamente), lacrar; [테이프로] pre-

cintar.
■ ~ 교육 enseñanza *f* secreta, capacitación *f* secreta.
밀봉(蜜蜂) abeja *f* (de miel).
밀부(密夫) adúltero *m.*
밀부(密婦) adúltera *f.*
밀사(密事) secreto *m.*
밀사(密使) emisario, -ria *mf*, enviado *m* secreto, enviada *f* secreta.
밀살(密殺) ① [몰래 죽임] matanza *f* secreta. ② =밀도살(密屠殺).
밀상(密商) [장사] contrabando *m*, matute *m*; [사람] contrabandista *mf*, vendedor, -dora *mf* ilegal.
밀생(密生) crecimiento *m* espeso. ~하다 tupirse, crecer espeso [frondoso].
■ ~지(地) tierra *f* espesa.
밀서(密書) ① [비밀히 보내는 편지] carta *f* [comunicación *f*] secreta, carta *f* confidencial, mensaje *m* [despacho *m*] secreto. ~를 보내다 enviar [mandar] la carta secreta. ② [비밀 문서] documento *m* secreto.
밀선(密船) barco *m* [buque *m*] contrabandista.
밀송(密送) envío *m* secreto. ~하다 enviar secretamente.
밀수(密輸) exportación *f* e importación secretas, contrabando *m*, matute *m*, meteduría *f.* ~하다 pasar [meter] de contrabando, contrabandear, hacer contrabando, matutear.
◆주류(酒類)~ contrabando *m* de licores.
■ ~ 감시선 guardacostas *m.sing.pl.* ~단(團) grupo *m* de contrabando. ~선(船) barco *m* contrabandista. ~업 contrabando *m.* ~ 업자 contrabandista *mf*, matutero, -ra *mf*, metedor, -dora *mf.* ¶주류(酒類) ~ contrabandista *mf* de licores. ~ 주류 licor *m* de contrabando. ~품 artículo *m* de contrabando; [집합적] matute *m.*
밀수(蜜水) agua *f* melosa.
밀수입(密輸入) importación *f* clandestina, contrabando. ~하다 importar clandestinamente, importar de contrabando, hacer contrabando.
■ ~자 contrabandista *mf.* ~품 artículo *m* contrabandista, artículo *m* de contrabando.
밀수제비 *milsuchebi*, fideos *mpl* coreanos de harina de trigo.
밀수출(密輸出) exportación *f* clandestina, contrabando *m.* ~하다 exportar clandestinamente [de contrabando], matutear, hacer contrabando.
■ ~ 업자 contrabandista *mf.*
밀식(密植) plantación *f* espesa. ~하다 plantar espesamente.
밀실(密室) cuarto *m* secreto; [폐문의] cuarto *m* cerrado. ~에 감금하다 recluir en un cuarto.
■ ~ 공포증(恐怖症) claustrofobia *f.*
밀쌀 grano *m* de trigo.
밀썰물 menguante *m* y corriente, flujo *m* y marea, bajamar *f*, reflujo *m* del mar.
밀약(密約) tratado *m* secreto, promesa *f* secreta. ~하다 hacer un tratado [contrato] secreto. ~이 있다 existir un entendimiento secreto (entre). ~을 맺다 contratar un pacto secreto.
밀어(密漁) pesca *f* ilícita [furtiva · prohibida]. ~하다 pescar ilícitamente [furtivamente].
■~자 pescador *m* furtivo [ilícito].
밀어(密語) ① [비밀말] palabra *f* secreta. ② ((불교)) [밀교의] =다라니(陀羅尼).
■~ 상통 comunicación *f* secreta por la carta.
밀어(蜜語) cuchicheo *m* [murmullo *m* · susurro *m*] dulce, murmullo *m* de amantes.
밀어내다 ☞밀다
밀어선(密漁船) barco *m* de caza f furtiva.
밀운(密雲) nube *f* densa [espesa].
밀월(蜜月) ① [결혼하고 나서, 즐거운 한두 달] luna *f* de miel. ② ((준말)) =밀월 여행(蜜月旅行).
■~ 기간 [대통령 취임후 약 3개월간의 호의를 받는] luna *f* de miel, período *m* de gracia, cien días *mpl.* ~ 여행 viaje *m* de luna de miel, viaje *m* de novios. ¶~을 하다 pasar la luna de miel, hacer *su* viaje de novios. ~을 가다 irse de luna de miel. 그들은 ~으로 마드리드에 간다 Ellos se van a Madrid de viaje de novios [de luna de miel]. ~ 여행자 pareja *f* de luna de miel; recién casado *m*, recién casada *f*, persona *f* que está en *su* luna de miel. ¶ ~ 커플 pareja *f* de recién casados. 호텔은 ~로 만원이었다 El hotel estaba lleno de parejas de luna de miel.
밀유(密諭) ① [남모르게 가만히 타이름] amonestación *f* callada. ~하다 amonestar calladamente. ② =밀지(密旨).
밀음쇠 hebilla *f.*
밀의(密意) sentido *m* secreto.
밀의(密議) conferencia *f* secreta, consulta *f* secreta. ~하다 conferenciar privadamente, discutir [conferenciar] a puerta cerrada, conspirar.
밀입국(密入國) ingreso *m* [entrada *f*] ilegal. ~하다 entrar en un país ilegalmente, .
밀장(密葬) entierro *m* secreto. ~하다 enterrar secretamente [en secreto], celebrar el funeral entre los familiares.
밀장지 puerta *f* corrediza, puerta *f* (de) corredera.
밀전병(—煎餠) tortilla *f* de trigo.
밀접(密接) estrechamiento *m.* ~하다 (ser) estrecho, íntimo. ~하게 하다 estrechar. ~한 관계에 있다 tener [estar en] relaciones estrechas. 양국(兩國) 관계는 매번 ~해진다 Las relaciones entre los dos países se estrechan cada vez más.
밀접히 estrechamente, íntimamente.
밀정(密偵) ① [사람] espía *mf*, emisario *m* secreto, emisaria *f* secreta; agente *m* secreto, agente *f* secreta. ~ 노릇을 하다 espiar. ② [염탐] espía *f* secreta. ~하다 espiar secretamente.

밀제(蜜劑) tableta *f* [pastilla *f*] con miel.
밀조(密造) fabricación *f* [manufactura *f*] ilícita [ilegal · clandestina]. ~하다 fabricar clandestinamente [sin autorización].
밀주(密酒) destilación *f* ilícita, licor *m* destilado clandestinamente, licor *m* de fabricación ilícita, licor *m* de contrabando. ~를 담그다 bracear [destilar] ilícitamente [secretamente · clandestinamente].
■ ~ 양조장 destilería *f* clandestina. ~ 제조자 destilador *m* ilícito, destiladora *f* ilícita; contrabandista *mf* de licores [de bebidas alcohólicas]; fabricante *mf* de licor ilegal.
밀주(蜜酒) bebida *f* alcohólica con miel y alforfón en polvo.
밀지(密旨) orden *f* [instrucción *f*] secreta [privada] del rey.
밀집(密集) agrupación *f*, congregación *f*. ~하다 apiñarse, agruparse, aglomerarse, remolinarse, juntarse en masa. 이곳은 작은 집이 ~해 있다 Aquí las casas pequeñas están apiñadas.
■ ~ 부대 tropas *fpl* concentradas. ~ 지구(地區) barrio *m* apiñado, barrio *m* donde se apiñan. ¶주택 ~ barrio *m* apiñado de viviendas, barrio *m* donde se apiñan las viviendas. ~ 지대 zona *f* densa. ¶인구 ~ zona *f* densa de población.
밀짚 paja *f* de trigo.
■ ~모자 sombrero *m* de paja de trigo. ~ 서까래 viga *f* muy delgada y corta. ~세공 obra *f* de paja de trigo.
밀착(密着) ① [꼭 붙음] adherencia *f* perfecta, pegamiento *m*, pegadura *f*. ~하다 adherir(se) bien (a), pegarse (a), pegarse perfectamente, adherirse bien [perfectamente]. ② 【사진】 contacto *m*.
■ ~ 렌즈 lentilla *f*, lente *f* de contacto. ~법 contacto *m*. ~ 인화 contacto *m*. ~인화지 (papel *m* de) contacto *m*.
밀책(密策) plan *m* secreto, proyecto *m* secreto.
밀청(密廳) escucha *f* secreta. ~하다 escuchar secretamente.
밀초 vela *f* [candela *f*] de cera.
밀초(一醋) vinagre *m* de trigo.
밀초(蜜炒) 【한방】 hierbas *fpl* medicinales de miel asadas.
밀치 bastón *m* (*pl* bastones) de baticola.
밀치다 empujar por la fuerza.
밀쳐 넘어뜨리다 derribar [hacer rodar por tierra] con un empujón.
밀치락달치락하다 empujarse, atropellarse, contender [pugnar · rempujarse] varias personas, acudir en tropel. 많은 사람이 밀치락달치락 늘어서다 empujarse en una fila estrecha. 데모대와 경찰은 격렬히 밀치락달치락했다 Las manifestantes y los policías se empujaron violentamente. 우리가 문을 열자 그들은 밀치락달치락하며 홀로 들어왔다 Nosotros abrimos las puertas y entraron en tropel a la sala.
밀치이다 empujarse.
밀칙(密勅) instrucción *f* [orden *f*] secreta del rey.
밀크(영 *milk*) leche *f*. ~ 빛의 lechoso. ~로 키우다 criar con biberón.
◆가루 ~ leche *f* seca [en polvo].
■ ~ 커피 café *m* con leche. ¶~ 한 잔 부탁합니다 Una taza de café con leche, por favor / Quiero una taza de café con leche.
밀타승(密陀) 【화학】 = 일산화연(一酸化鉛).
밀탐(密探) investigación *f* secreta, espionaje *m*. ~하다 investigar secretamente, espiar.
밀통(密通) ① [몰래 정을 통함] relación *f* ilícita, fornicación *f*; [기혼자의] adulterio *m*. ~하다 adulterar, cometer adulterio, poner los cuernos, fornicar. ② [(소식이나 사정을) 몰래 알려 줌] aviso *m* secreto. ~하다 avisar secretamente.
■ ~자 adúltero, -ra *mf*.
밀파(密派) envío *m* secreto. ~하다 enviar secretamente [en secreto].
밀펌프 bomba *f* impelente.
밀폐(密閉) cierre *m* hermético. ~하다 cerrar herméticamente. ~된 hermético, herméticamente cerrado. ~된 방(房) habitación *f* hermética. ~된 상자(箱子) caja *f* hermética.
■ ~ 공포 domatofobia *f*. ~ 기호증(嗜好症) claustrofilia *f*. ~실 cuarto *m* hermético. ~용기 recipiente *m* hecho para que se cierre herméticamente. ~음 sonido *m* cerrado.
밀푸러기 sopa *f* de harina, comida *f* con harina en sopa.
밀풀 pasta *f* de trigo.
밀항(密航) travesía *f* clandestina, navegación *f* secreta. ~하다 viajar de polizón, navegar clandestinamente [en secreto].
■ ~선(船) barco *m* de contrabando. ~자 polizón *mf* (*pl* polizones); [배 안에서 발견된] llovido, -da *mf*.
밀행(密行) ronda *f*. ~하다 rondar, merodear, ir secretamente [en secreto].
밀화(密畫) 【미술】 dibujo *m* minucioso.
밀화(密話) conversación *f* secreta, cuento *m* secreto. ~하다 conversar secretamente [en secreto], contar secretamente [en secreto].
밀회(密會) encuentro *m* secreto [cita secreta] de los enamorados, cita *f* secreta, entrevista *f* clandestina, cita *f* de los amantes. ~하다 verse [reunirse] en secreto, tener una entrevista clandestina, citarse los amantes, tener encuentro secreto, tener una cita (secreta); [서로] encontrarse en secreto. ~의 약속을 하다 citarse, hacer una cita secreta.
■ ~소 lugar *m* de entrevista secreta, lugar *m* de la cita, guarida *f*.
밉광스럽다 (ser) odioso, aborrecible, detestable, abominable.
밉광스레 odiosamente, aborreciblemente, detestablemente, abominablemente.
밉다 ① [생김새가 볼품이 없다] tener la

buena figura. ② [하는 짓이나 말이 마음에 거슬려 싫다] (ser) odioso, aborrecible, abominable, maligno, malévolo, destestable. 미운 사람 persona *f* odiosa. 밉게 굴다 comportarse [portarse] destestable. 밉지 않게 생각하다 querer, amar, cuidar, tener cuidado. 주는 것 없이 ~ tener antipatía [aversión] (a), tener perjuicio (de), predisponer (contra). 나는 그가 ~ Le odio [aborrezco · detesto]. 나는 그녀를 밉게 생각하고 있었다 Yo sentía no poco cariño por [hacia] ella.

◆미운 아이 떡 하나 더 준다 ((속담)) Se pretende acariciar aparentemente [en apariencia].

밉디밉다 ㉮ [「밉다」 의강조형] (ser) odioso, aborrecedor, detestable. ㉯ [저의(底意)가 나쁘다] (ser) malicioso, maligno.

밉살맞다 ((속어)) =밉살스럽다.

밉살머리스럽다 ((속어)) =밉살스럽다.

밉살스럽다 (ser) odioso, aborrecedor, detestable. 밉살스런 웃음 sonrisa *f* odiosa.

밉살스레 odiosamente, detestablemente, aborrecedoramente, a regañadientes. ~ 웃다 sonreír odiosamente.

밉상(－相) cara *f* vergonzosa, acto *m* vergonzoso, semblante *m* vergonzoso.

밋밋하다 (ser) liso y suave, largo y fino. 밋밋한 애나무 árbol *m* joven largo y fino. 밋밋한 턱 barbilla *f* lampiña.

밋밋이 lisa y suavemente, larga y finamente. 턱을 ~ 밀다 afeitarse la barbilla lampiñamente.

밍근하다 (ser) algo tibio.

밍근히 algo tibiamente.

밍밍하다 ① [음식 맛이] ser muy insípido [desabrido]. ② [술이나 담배 맛이] ser muy suave [rubio].

밍밍히 insípidamente, desabridamente; suavemente, con suavidad.

밍크(영 *mink*) 【동물】 visón *f* (*pl* visones).

▪~ 모피 piel *f* de visón. ~ 사육장 criadero *m* de visiones. ~ 코트 abrigo *m* de visón.

및 y, e, también, así como, también como, tanto como, lo mismo que, además de. 서반아어 ~ 영어에 있어서 en español e inglés.

밑 ① [물체의 아래나 아래쪽] fondo *m*, suelo *m*. 나무 ~에 debajo del árbol. 발 ~에 bajo *sus* pies. 표면 ~에 bajo la superficie. 도시는 우리의 발 ~에 펼쳐져 있었다 La ciudad se extendía a nuestros pies. ② [물체의 아랫부분이나 아래쪽] parte *f* inferior. ③ [(어떤 조직체 등에서의) 아래나 하부(下部)] *parte f inferior*; [부사적] bajo, debajo de. ~의 사람 *su* inferior, *su* subordinado, *su* alterno. 그 사람 ~에 있는 사람들 los que están por debajo de él. 그는 김 씨 ~에서 일한다 El trabaja bajo el Sr. Kim. 대위는 소령의 ~이다 El capitán es debajo del comandante. 그녀는 자기 ~에 사람과 결혼했다 Ella se casó con un hombre de clase inferior a la suya / Ella no se casó bien. ④ ((준말)) =밑구멍. ⑤ ((준말)) =밑바닥. ⑥ ((준말)) =밑동. ⑦ ((준말)) =밑절미. ⑧ [속곳의 가랑이가 갈리는 곳에 붙이는 헝겊 조각] pedacito *m* de tela. ⑨ [명사 다음에 「에」와 함께 쓰이어, 「조건」이나 「환경」 따위로 됨] bajo, debajo de. 이런 상황 ~에서는 bajo estas circunstancias.

◆밑(이) 질기다 calentar la silla, calentar el asiento, quedarse mucho tiempo.

▪밑 빠진 가마 [독]에 물 붓기 ((속담)) Ser como si echara agua sobre el suelo sediente / Ser acto poco efectivo. 가마솥 밑이 노구솥 밑을 검다 한다 ((속담)) Dijo la sartén al cazo: quítate que me tiznas.

밑가락 【음악】 =주조(主調).

밑각(－角) 【수학】 ángulo *m* de base.

밑감 materia *f* principal.

밑거름 ① [기비(基肥) · 원비(原肥)] abono *m* principal. ② [몸이나 그 밖의 손실을 돌보지 않고 바치는 일] sacrificio *m*. 나라 위한 ~ sacrificio *m* al patria.

밑구멍 ① [밑으로나 밑바닥에 뚫린 구멍] agujero *m* en el fondo, agujero *m* del fondo. ② [항문(肛門)] ano *m*. ③ [여자의 음부(陰部)] vulva *f*.

밑그림 boceto *m*, esbozo *m*, bosquejo *m*; [자수(刺繡) 따위의] diseño *m*. ~을 그리다 bosquejar, esbozar, hacer un boceto, diseñar.

밑글 conocimiento *m* que se aprendió una vez.

밑꼴 =원형(原形).

밑나무 【식물】 =접본(接本).

밑널 tabla *f* del fondo.

밑넓이 dimensiones *fpl* de base, superficie *f* de base.

밑돈 =기금(基金).

밑돌 piedra *f* de base.

밑돌다 romper, estar por debajo (de). 10초(秒)를 ~ romper los diez segundos. 평균은 만 원을 밑돌고 있다 El promedio está por debajo de diez mil wones.

밑동 raíz *f* (*pl* raíces), fondo *m*, base *f*. 기둥(의) ~ parte *f* inferior [base *f*] de la columna. 시금치(의) ~ raíz *f* de espinaca.

밑둥치 raíz *f* (*pl* raíces) (del árbol).

밑뒤 [배의 고물] popa *f*.

밑들다 ① [무 · 감자 따위의 뿌리가 굵게 자라다] crecer grande, formar la raíz [el bulbo]. 감자가 밑들었다 La patata creció grande. ② [연이 남의 연줄에 눌리다] (la cometa) ser presionada debajo de la otra cometa.

밑머리 *su* propio pelo, pelo *m* original.

밑면(－面) 【수학】 base *f*.

밑면적(－面積) =밑넓이.

밑바닥 ① [(그릇 따위의) 바닥이 되는 부분] fondo *m*, suelo *m*, base *f*. 맨 ~ lo más profundo. 독의 ~ fondo *m* del tarro. 바다의 ~ fondo *m* del mar. ~에 잠기다 sumergirse al fondo. 통의 ~을 뚫다 desfondar [descular] un tonel. 상자의 ~이 빠져 있다 Está desfondada la caja. 통의 ~이 빠졌다 Se desfondó un tonel / Se quitó [Se rompió] el fondo de un tonel. ② [(비유적으로 쓰여) 사회의 맨 하층] bajos fondos *mpl* de la sociedad, clase *f* más baja. ③ [빤히 들여다보이는 남의 속뜻] *sus* pensamientos más íntimos. 네 마음속 ~이 들여다 보인다 Yo puedo ver claramente a través de tu intención / Tu motivo es aparente / Yo puedo leer tus pensamientos íntimos.

■ ~ 생활(生活) vida *f* en el barro bajo. ¶ ~을 하다 vivir a lo pobre. 맨 ~을 하다 vivir en la mayor pobreza.

밑바위 =모암(母巖).

밑바탕 ① [본질(本質)] esencia *f*. ② [기초(基礎)] cimiento *m*, base *f*, fundación *f*, fundamiento *m*. 그는 연구의 ~이 견고하다 El ya tiene una base bastante sólida para sus estudios. ③ [본성(本性)] naturaleza *f* original, carácter *m* inherente. ④ [소질(素質)] propensión *f*.

밑반찬 acompañamiento *m* encurtido, salado o conservado [guarnición *f* encurtida, salada o conservada] que se puede comer mucho tiempo.

밑받침 fieltro *m* que se pone debajo de las alfombras, soporte *m*, apoyo *m*, almohadilla *f*.

밑밥 carnada *f*.

밑변(-邊) 【수학】 base *f*.

밑불 piloto *m*.

밑살 ① [항문이 있는 쪽의 살] carne *f* hacia el ano. ② =미주알. ③ ((속어)) vulva *f*. ④ [소의 볼깃살의 하나] (filete *m* de) cadera *f*.

밑수(-數) =기수(基數).

밑술 licores *mpl* crudos, bebidas *fpl* alcohólicas crudas (de alta graduación).

밑신개 asiento *m* del vaivén.

밑쌀 grano *m* básico usado preparando los cereales mezclados.

밑씨 【식물】 óvulo *m*.

밑씻개 papel *m* higiénico.

밑알 huevo *m* del nido.

밑앞 =이물.

밑음(-音) 【음악】 raíz.

밑절미 base *f*. ☞밑바탕

밑점(-點) =기점(基點).

밑정 frecuencia *f* de la evacuación del niño.

밑조사(-調査) examen *m* [investigación *f*·interrogatorio *m*] preliminar.

밑줄 raya *f*, línea *f* lateral. ~을 긋다 subrayar.

밑지다 ① [손해를 보다] perder. 밑지는 장사 negocio *m* de pérdida sin ganancia. 밑지고 팔다 vender *algo* con pérdida. 밑지는데요 Pierdo dinero. 우리는 밑지고 계속 장사할 수 없다 No podemos seguir operando con déficit. ② [(딴일 때문에) 손해를 입다] perder.

■ 밑져야 본전 ((속담)) El intentar no vendrá mal / El intentar no hará daño.

밑짝 par *m* inferior.

밑창 ① [구두나 신 따위의] suela *f*. ② [배나 그릇 따위의 맨 밑바닥] fondo *m*.

밑천 ① [무슨 일을 하는 데 드는 돈이나 물건] capital *m*, dinero *m* contante, fondo *m*; [원금] principal *m*; [원가] precio *m* de coste, costo *m*; [돈] dinero *m*. 한 ~ 잡다 hacer *su* agosto, ganar mucho dinero. ~이 들다 costar mucho, ser costoso. ~을 투자(投資)하다 invertir dinero [fondos] (en). 장사 ~을 빌리다 pedir [tomar] a préstamo el capital necesario para el negocio. 이 사업은 ~이 필요하다 Se necesitan muchos fondos en este negocio. 나는 ~이 부족하다 Me falta el capital. 몸이 ~이다 La salud es la base de toda actividad. ② =본전(本錢). ③ [자지] pene *m*.

◆ 밑천(이) 짧다 faltar*le* a *uno* el capital. 나는 ~ Me falta el capital.

밑층(-層) [아래층] piso *m* bajo, planta *f* baja; [하층] capa *f* de más abajo.

밑턱구름 =하층운(下層雲).

밑판(-板) tabla *f* de más abajo.

밑화장(-化粧) base *f* de maquillaje, fundación *f*.

ㅂ

-ㅂ니까 ¿ser?, ¿hacer? 비쌉니까 ¿Es caro? 가십니까 ¿Va usted? 그들은 놉니까 ¿Juegan ellos? 그 사람은 몇 살입니까 ¿Cuántos años tiene él? / ¿Qué edad tiene él?

-ㅂ니다 ser, hacer. 갑니다 (Me) voy. 무척 비쌉니다 Es muy caro. 아이들은 잡니다 Los niños duermen.

-ㅂ디까 ¿Dice que …?; [사람들이] ¿Se dice que …? / ¿Dicen que …? 그이가 몇 시에 온다고 합디까 ¿Dijo él a qué hora vendría?

-ㅂ디다 Se dice que …, Dicen que …, He oído decir que …. 금순이가 곧 서반아에 간답디다 Se dice que Gumsun irá a España pronto.

-ㅂ시다 Vamos a + *inf*, 접속법 현재 1인칭 복수형 (-ar: -emos; -er · -ir: -amos). 식사합시다 Vamos a comer / Comamos. 일합시다 Vamos a trabajar / Trabajemos. 잠깐 쉽시다 Vamos a descansar [Descansemos] un rato.

-ㅂ시오 접속법 현재 3인칭 단수형 (-ar: -e; -er · -ir: -a). 어서 드십시오 Sírvase, por favor. 안녕히 가십시오 Vaya con Dios. 잘 다녀오십시오 Tenga buen viaje y buena suerte.

바[1] 【음악】 fa *m*.

바[2] [「방법」 또는 「일」] cosa *f*, lo que. 그가 말하는 ~ lo que él dice. 내가 아는 ~로는 como yo sé. 어찌할 ~를 모르다 no saber qué hacer, quedar perplejo.

바[1](영 *bar*) ① [몽둥이] barra *f*, [빗장] tranca *f*. ② ((운동)) [가로막대] travesaño *m*, listón *m* (*pl* listones), barra *f*. ③ 【음악】 barra *f*. ④ [술집] taberna *f*, bar *m*, cantina *f*, salón *m* (*pl* salones)..

■ ~걸 camarera *f*, moza *f*.

바[2](영 *bar*) 【기상】 [기압의 단위] bar *m*.

바가지 ① [액체를 푸거나 담는 데 씀] cucharón *m* (*pl* cucharones) de calabaza, calabaza *f*, calabacera. ② [요금 따위의] sobrecarga *f*, recargo *m*.

◆바가지(를) 긁다 regañar, quejarse, tener en un puño, dominar. 바가지(를) 긁히다 ser dominado por *su* mujer.

◆바가지(를) 쓰다 sobrecargar, recargar, cobrar más de lo justo, cobrar de más, timarse, engañarse. 나는 술집에서 바가지를 썼다 Me timaron [cobraron de más] en la cantina.

◆바가지(를) 씌우다 timar, engañar. 그 가게는 바가지를 씌운다 Timan en esa tienda. 바에서 우리에게 10만 원을 바가지 씌웠다 En el bar nos cobraron la cantidad exhorbitante de cien mil wones.

◆바가지(를) 차다 hacerse mendigo.

■ ~탈 máscara *f* de calabaza.

바각 chirriantemente.

바각거리다 chirriar, rascar. 그녀는 손톱으로 흑판을 바각거렸다 Ella rascó la pizarra con las uñas.

바각바각 siguiendo chirriando, siguiendo rascando.

바겐(영 *bargain*) ganga *f*, *RPl* pichincha *f*.

■ ~세일 venta *f* de gangas, venta *f* de precios rebajados, venta *f* de liquidación, venta *f* de saldo(s), saldos *mpl*. ~을 하다 saldar.

바곳 [송곳의 일종] lezna *f* larga.

바구니 cesta *f*, [큰] cesto *m*; [손잡이 달린] canasta *f*, canasto *m*; [고기 광주리] nasa *f*, [기구(氣球) 따위에 매다는] barquilla *f*. 과일 한 ~ una cesta de frutas. ~를 엮다 tejer una cesta.

바구미 【곤충】 escarabajo *m* chasqueado, gorgojo *m*.

바그다드 【지명】 Bagdad (이라크의 수도).

바그르르 hirviendo a fuego lento, haciendo espuma. ~하다 hervir a fuego lento, hacer espuma. 비누 거품이 ~ 일어난다 La espuma de jabón burbujea

바글거리다 ① [물이] hervir (a fuego lento), bullir. ② [거품 따위가] burbujear, borbotar. ③ [벌레 따위가 우글거리다] hormiguear (de), pulular, bullir. 해변은 해수욕객으로 바글거렸다 La playa hormigueaba de los bañistas / En la playa los bañistas estaban de bote en bote.

바글바글 hirviendo a fuego lento, bullendo, burbujeando, borbotando.

바깥 parte *f* exterior; [겉면] exterior *m*; [옥외(屋外)] aire *m* libre, fuera de casa. ~의 exterior, externo, fuera de la casa. ~에 al aire libre, fuera de casa. ~에서 al aire libre, afuera. ~으로 fuera, afuera. 이 문은 ~으로 연다 Esta puerta se abre hacia fuera. ~에서 놀지 그러니? ¿Por qué no vas a jugar al aire libre [afuera]?

■ ~공기 aire *m* (libre). ~날 tiempo *m* al aire libre. ~뜰 jardín *m* [patio *m*] exterior. ~마당 jardín *m* exterior. ~문 ㉮ [바깥채에 딸린 문] puerta *f* de la dependencia. ㉯ [겉문의 바깥쪽에 달린 문] puerta *f* del frente [de la fachada]. ~바람 ㉮ [바깥에 나다니며 쐬는 바람] aire *m* fuera de casa. ㉯ [바깥의 공기] aire (libre). ¶~을 마시다 tomar el fresco. ~을 쏘이다 exponer al aire, airear. ~을 쐬다 exponerse al aire, airearse. ~방 habitación *f* exterior. ~벽 pared *f* exterior. ~부모[어버이] padre *m*. ~사돈 padre *m* de *su* hijo político [de su hija política]. ~소문 rumor *m*, chisme(s) *m(pl)*, chismería *f*, hablilla(s) *f(pl)*, murmuración *f*; [비평(批評)] crítica *f* popular. ~소식(消息) noticias *fpl*; [해외 소식] noticias *fpl* extranjeras. ~손님 visitante *mf*. ~심부름 recado *m* sobre la tarea fuera de la casa. ~애 ㉮ [여자 하인이 그의 남편을 일컫는 말] mi marido. ㉯ [웃어른이 하인에게 그 남편을 일컫던 말] tu marido. ~양반[주인] [남자 주인] dueño *m*, amo *m*; [남편] mi esposo, mi marido. ~옷 ropa *f* para los hombres. ~일 ㉮ [가정 밖에서 보는 일] trabajo *m* [tarea *f*] fuera del hogar. ㉯ [집 밖에서 일어나는 일] lo sucedido fuera de casa. ㉰ [집안 살림 이외의 일] trabajo *m* excepto el gobierno de la casa. ~ 지름 diámetro *m* exterior. ~짝 ㉮ [어떤 표준 거리에서 더 가는 곳] más allá, otro lado *m*. ㉯ [글의 한 구에서 뒤에 있는 짝] segunda línea *f* de pareado. ㉰ [안팎 두 짝인 물건에서 바깥에 있는 짝] pieza *f* exterior. ~쪽 exterior *m*. ~채 dependencia *f*. ~치수 dimensión *f* exterior.

바께쓰 cubo *m*, pozal *m*; *Méj* cubeta *f*.

바꾸다 ① [교환하다] cambiar, intercambiar; [변형·변질하다] transformar, transmutar, metamorfosear; [전환하다] convertir. 돈을 ~ cambiar dinero. 수표를 현금으로 ~ cobrar un cheque. A를 B와 ~ cambiar A por [en] B. 가구를 ~ cambiar de muebles. 모터를 ~ cambiar el motor. 의상을 ~ cambiar de vestido. 이름을 ~ cambiar el [de] nombre. 달러를 원으로 ~ cambiar dólares en wones. 옷을 돈으로 ~ cambiar la ropa por dinero. 자동차를 새것으로 ~ renovar el coche. 만 원권(券)을 천 원권으로 ~ cambiar un billete de diez mil wones en billetes de mil. 나는 넥타이를 친구의 것과 바꾸었다 Cambié la corbata por la de mi amigo. 나는 그와 넥타이를 바꾸었다 El y yo nos hemos intercambiado las corbatas. 이 물건은 바꿀 수 없다 No podemos cambiar este artículo.
② [고치다] reformar, rehacer, formar de nuevo, revisar, corregir, moldear de nuevo, dar nueva forma (a), enmendar; [갱신(更新)하다] renovar, reanudar. 법(法)을 ~ reformar la ley. 악습(惡習)을 ~ corregir malos hábitos. 마음을 ~ corregirse, enmendarse, reformarse. 마음을 바꾸고 열심히 일해라 Enmiendate y trabaja seriamente.
③ [변경(變更)하다] cambiar, modificar, trasladar, transformar, convertir; [높이·음성을] modular. A를 B로 ~ cambiar [transformar·convertir] A en B. 계획을 ~ modificar el proyecto. 규칙을 ~ modificar [reformar] el reglamento. 방향(方向)을 ~ cambiar de rumbo. 예정을 ~ cambiar el plan. 일을 ~ cambiar el trabajo. 집을 ~ cambiar de casa. 태도를 ~ cambiar de actitud. 진로(進路)를 남쪽으로 ~ cambiar de ruta [de rumbo] hacia el sur; [배·비행기가] virar hacia el sur. 화재를 ~ cambiar de tema de conversación. 한글을 서반아어로 ~ traducir el coreano al [en] español. 테이블의 위치를 ~ cambiar el sitio de la mesa, cambiar la mesa de sitio. 열은 얼음을 물로 바꾼다 El calor transforma el hielo en agua.
④ [대체하다] su(b)stituir, cambiar, reemplazar, reponer. A를 B로 ~ sustituir B por [con] A. 욕조(浴槽)의 물을 ~ cambiar el agua de la bañera. 헌 무명 모포를 새것으로 ~ substituir la guata vieja por la nueva. A가 B와 ~ [장소를] A cambia el [su·de] lugar con B / [대신하다] A reemplaza [substituye] a B. 양말을 바꾸어 신다 cambiarse de calcetines. 자리를 ~ cambiar de asiento (con). 전구(電球)를 새것으로 ~ cambiar una bombilla por otra nueva. 저와 자리를 바꿉시다 Cambie usted el [su·de] asiento conmigo, por favor.
⑤ [피륙을 사다] comprar.

바꾸이다 cambiar(se); [변화하다] mudarse, alterarse, variar, convertirse, transformarse, reformarse, renovarse, ser convertido, ser transformado. …으로 ~ mudarse [convertirse·cambiarse] en *algo*. 뜻이 ~ cambiar de intención.

바꿈질 ① [물건과 물건을 바꾸는 것] cambio *m*, intercambio *m*. ~하다 cambiar. ② [피륙을 사는 일] compra *f*. ~하다 comprar.

바뀌다 ((준말)) =바꾸이다. ¶세상이 바뀐다 El mundo cambia [se reforma·se renueva]. 계획이 바뀌었다 Se ha alterado el proyecto. 내 주소가 바뀌었다 He cambiado de domicilio. 바람이 북쪽으로 바뀌고 있다 El viento sopla ahora del norte. 독일은 채권국으로 바뀌었다 Alemania se ha convertido en acreedor. 사랑이 증오로 바뀐다 El amor se convierte en odio. 그의 의견은 쉬 바뀐다 El cambia [muda] con facilidad de opiniones. 그는 이전과는 판이하게 바뀌었다 El ha cambiado considerablemente. 그는 전과 바뀌지 않았다 El sigue (siendo) el mismo.

바끄러움 [수치] vergüenza *f*, [수줍음] timidez *f*.

바끄러워하다 sentir vergüenza, estar avergonzado (de). ☞부끄러워하다

바끄럽다 (ser) vergonzoso. ☞부끄럽다
바끄러이 vergonzosamente, de manera vergonzosa.

바나나(영 *banana*) 【식물】 plátano *m*, banano *m*, banana *f*, *Cuba*, *ReD* plátano *m* (요리용), guineo *m* (식용으로 보통 쪄 먹음). ~의 bananero.
▪~ 농장[밭] bananal *m*, bananar *m*, bananera *f*, plátano *m*. ~ 생산 producción *f* bananera. ~송이 racimo *m* de plátanos.

바나듐(영 *vanadium*) 【화학】 vanadio *m*.

바누아투(Vanuatu) 【지명】 Vanuatu.
▪~ 사람 vanuatu *mf*.

바느질 labor *f* de aguja; [재봉] costura *f*. ~하다 hacer labor de aguja; [재봉하다] co-

ㅂ

ser, hacer una costura.

■ ~감 costura *f*, labor *f*. ~고리 costurero *m*, cajita *f* de agujas. ~ 바늘 aguja *f* de coser. ~삯 [값] paga *f* de costura. ~실 hilo *m* de coser. ~ 자 regla *f* para la costura. ~품 labores *fpl* de aguja.

바늘 ① [옷 따위를 짓거나 깁는 데 쓰이는 봉침(縫針)] aguja *f*. ~로 찌르다 pinchar [picar · punzar] con una aguja. ~에 실을 꿰다 ensartar [enhebrar] una aguja. ~을 찌르다 clavar una aguja (en · a). ~로 찌르는 듯한 고통(苦痛) dolor *m* punzante. ② [낚싯바늘] anzuelo *m*. ~에 물다 caer [picar] en el anzuelo. ③ [자석의] aguja *f* (magnética · imanada); [시계 · 저울 따위의] manecilla *f*; [초침(秒針)] segundero *m*. 시곗~을 빨리하다 [늦추다] adelantar [atrasar] el reloj. ④ [외과(外科)의] aguja *f* de cirugía; [주사의] aguja *f* de inyección. 상처를 다섯 ~ 봉합하다 hacer [dar] cinco puntos de sutura.

■ 바늘 가는 데 실이 간다 ((속담)) Siempe salen juntos / Es indispensable ir adjuntos. 바늘 도둑이 소도둑 된다 ((속담)) Ladroncillo de agujeta, después sube a baruleta / Causa pequeña, efecto grande / El que hace un cesto hace ciento / Quien hace un cesto hará ciento.

■ ~겨레 acerico *m*, acerillo *m*, almohuadilla *f*, agujero *m*, cojinete *m*. ~구멍 agujero *m* muy pequeño. ¶~으로 황소바람 들어온다 Gota a gota la mar se apoca / De comienzo chico viene granado hecho. ~귀 ojo *m* (de la aguja). ~꽂이 portaagujas *m.sing.pl*. ~밥 restos *mpl* de hilo. ~방석 ㉮ [바늘겨레] cojinete *m*. ㉯ [앉아 있기에 불안한 자리] asiento *m* incómodo para estar sentado. ~쌈 alfiletero *m*. ~통 agujero *m*.

바닐라(영 *vanilla*) 【식물】 vainilla *f*. ~가 든 con vainilla.

바다 ① [짠물이 괴어 있는 부분] mar *m(f)*; [대양(大洋)] océano *m*. ~의 del mar, marino, marítimo, oceánico. 거친[험한] ~ mar *m* agitado [borrascoso · encrespado · picado], mar *f* gruesa. 사나운 ~ mar *m* enfurecido. ~ 저쪽에 más allá del mar, al otro lado del mar, allende los mares. ~에서 en el mar. ~에서 난 transportado por mar. ~를 건너다 cruzar [atravesar] el océano. ~에 나가다 [출항하다] salir a alta mar, hacerse a la mar. ~가 거칠어진다 El mar está agitado / Se está picando el mar.

② [매우 넓거나 큼] mar *m*. 구름~ mar *m* de nube. 눈물의 ~ mar *m* de lágrimas. 피 ~ mar *m* de sangre. 시장은 과일의 ~였다 Estaba la plaza llena de fruta de mar a mar. 부모의 은혜는 ~보다 깊다 Es inestimable lo que debemos a nuestros padres. 그녀는 눈물 ~를 이루었다 Ella estaba hecha un mar de lágrimas.

③ [큰 호수] mar *m*, lago *m* grande; [늪] pantano *m*, laguna *f*.

◆ 바다(와) 같다 ser muy infinito.

■ 바다는 메워도 사람의 욕심은 못 채운다 ((속담)) La codicia del hombre es infinita / Cuanto más se tiene, tanto más se quiere.

■ ~ 거품 espuma *f* de mar. ~밑 fondo *m* del mar. ¶~에 en el fondo del mar. ☞해저(海底). ~ 새우 양식 cría *f* de camarrones marinos. ~ 안개 bruma *f*. ~의 날 el día del Mar. ~ㅅ가 playa *f*, costa *f*, ribera *f*, orilla *f* (del mar). ¶~에 a orillas del mar. ~ㅅ게 cangrejo *m*. ~ㅅ공기 aire *m* del mar. ~ㅅ길 =해로(海路). ~ㅅ말 alga *f* marina, alga *f*, planta *f* marina. ~ㅅ물 el agua *f* del mar, el agua *f* salada. ~ㅅ바람 brisa *f* [viento *m*] del mar. ~ㅅ사람 marinero, -ra *mf*; navegante *mf*. ~ㅅ장어 anguila *f* de mar.

바다가마우지 【조류】 =가마우지.

바다거북 【동물】 tortuga *f* marina, tortuga *f* de mar; 【학명】 Chelonia mydas japonica.

바다뱀 【동물】 serpiente *f* marina, serpiente *f* de mar; 【학명】 Pelamis platurus.

■ ~자리 Serpiente *f* de mar.

바다사자(—獅子) 【동물】 ((학명)) Eumetopias jubata.

바다삵 【동물】 castor *m*. ~ 가죽 piel *f* de castor.

바다새 el ave *f* (*pl* las aves) marina.

바다소 【동물】 =해우.

바다참게 【동물】 =대게.

바다코끼리 【동물】 =해상(海象).

바다표범(—豹—) 【동물】 lobo *m* marino, foca *f*.

■ ~ 가죽 piel *f* de foca. ~잡이 cazador, -dora *mf* de focas. ~잡이 배 barco *m* para cazar focas.

바닥 ① [편평한 부분] parte *f* llana; [땅의] tierra *f*, terreno *m*; [마루의] suelo *m*, piso *m*. ~에 앉지 말고 의자에 앉아라 No te sientes en el suelo, sino en la silla. ② [밑바닥] fondo *m*, suelo *m*, parte *f* inferior. 바다의 ~ fondo *m* del mar. 신의 ~ suela *f*. 구두의 ~을 수선하다 remendar la suela de los zapatos. 통을 ~을 빼다 [구멍을 뚫다] desfondar [descular] un tonel. 상자의 ~이 뚫려 있다 Está desfondada la caja. ③ [피륙의 짜임새] trama *f*, tejido *m*. ~이 고운 천 tela *f* con el tejido fino. ④ [(다 썼거나 없어져서) 수량이 다한 상태] agotamiento *m*. 우리들은 식량이 ~났다 Se nos han agotado los víveres. 값이 ~에 머무르고 있다 El precio llega a su límite más bajo. ⑤ [거리를 이루고 있는 지역] el área (*pl* las áreas), zona *f*. 서울 ~ el área de Seúl. 종로 ~ el área de Chongro. 장 ~ el área del mercado. 중 ~ el área central. ⑥ [산지에 대하여 평지] tierra *f* plana, tierra *f* llana. ⑦ [면적] superficie *f*, área *f* (*pl* las áreas); [지역] región *f*.

◆ 바닥(을) 긁는다 estar mal de dinero.

◆ 바닥(을) 내다 agotar.

◆바닥(을) 보다 ㉮ [밑천이 다 없어지다] acabarse. 자본이 ~ acabarse el capital. ㉯ [실패하다] fracasar, salir mal.
◆바닥(이) 나다 ㉮ [(돈이나 물건 따위를) 다 써서 없어지게 되다] agotarse, escasear, faltar; [주어가 사람일 경우] carecer (de). 나는 식량이 바닥났다 Se me han agotado los víveres. 생활 필수품이 바닥났다 Escasearon los artículos de primera necesidad. ㉯ [(신바닥 따위가) 해져서 구멍이 나다] tener un agujero. 내 양말은 바닥이 났다 Tengo los calcetines llenos de agujeros.
■ ~ 시세 precio *m* mínimo. ~짐 lastre *m*.

바닥첫째 =꼴지.

바단조(-短調)【음악】fa *m* menor. ~ 소나타 sonata *f* en fa menor.

바닷개【동물】=물개.

바닷고기【동물】((준말)) =바닷물고기.

바닷모래 arena *f* marina.

바닷물고기 pez *m* (*pl* peces) marino.

바닷소【동물】=해우(海牛).

바닷속 fondo *m* del mar.

바대 culera *f*, fondillos *mpl*; [무릎의] rodillera *f*; [천 조각] pieza *f* [trozo *m*·pedazo *m*] de tela. ~를 대서 깁는 일 remiendo *m*, parche *m*, apaño *m*. ~를 대다 remendar, apañar, poner una pieza (a). ~ 대서 기운 데투성이의 옷 vestido *m* lleno de remiendos. 바지에 ~를 대다 reforzar la culera [poner fondillos] a los pantalones.

바동거리다 esforzarse, menearse, retorcerse, forcejar, forcejear, serpentear, culebrear. 괴로워서 ~ retorcerse de dolor. (아파서) ~가 죽다 morir de dolor. 바동거려도 소용없다 Te es inútil forcejar.
바동바동 siguiendo forcejando.

바둑 *baduc*, juego *m* coreano de fichas blancas y negras, juego *m* parecido a las damas. ~을 두다 jugar al baduc.
■ ~돌 pieza *f*, piedra *f*. ~무늬 figura *f* [diseño *m*] con manchas blancas y negras. ~ 장기 el *baduc* y el *changki* [ajedrez coreano]. ~점 lunar *m*, mota *f*; [동물의] mancha *f*. ~판 tabla *f* de *baduc*. ~판 눈 punto *m*, escaque *m*. ~판 무늬 cuadros *mpl*.

바둑강아지 perrito *m* con manchas.

바둑말 picazo *m*, caballo *m* pinto blanco y negro.

바둑이 perro *m* con manchas.

바둥거리다 luchar, debatirse, forcejar, forcejear.

바드득 con un sonido chirriante. ~하다 chirriar, rechinar, crujir.
바드득거리다 chirriar.
바드득바드득 siguiendo chirriando.

바드름하다 sobresalir. 바드름한 [턱이] prominente; [이가] salido; [못이] que sobresale.
바드름히 prominentemente.

바득바득[1] persistentemente, obstinadamente, porfiadamente, tenazmente, importunamente, pertinazmente, insistentemente, una y otra vez. ~ 우기다 mantenerse [seguir] obstinadamente en *sus* treces, mantenerse obstinadamente firme. 과자를 사달라고 ~ 조르다 clamar por caramelos. 아이들은 집에 가자고 ~ 조르기 시작했다 Los niños empezaron a gritar que se querían ir a casa.

바득바득[2] ((준말)) =바드득바드득.

바들거리다 [사람·입술이] temblar; [잎이] agitarse.
바들바들 siguiendo temblando, siguiendo agitándose.

바듯하다 ① [꼭 끼다] (estar) apretado, ajustado. 바듯한 신발 zapatos *mpl* apretados. 바듯한 버선 *beoseones mpl* [calcetines *mpl* coreanos] ajustados. ② [어떠한 정도나 시간에 간신히 미치다] alcanzar difícilmente. 만 원은 바듯한 값이다 Diez mil wones son mi último precio. 이것은 내가 낼 수 있는 바듯한 금액이다 Esta es la cantidad límite de dinero que puedo ofrecer.
바듯이 ㉮ [겨우. 간신히] apenas, difícilmente, con dificultad. 시간에 ~ justo a la hora. ~ 살아가다 vivir con arreglo a los ingresos. 가난으로 ~ 꾸려 나가다 estar oprimido por la pobreza. 공이 라인에 ~ 떨어졌다 La pelota cayó justo en medio de la línea. ㉯ [꼭 끼게] apretadamente, ajustadamente. ~ 끼는 장갑 guantes *mpl* apretados.

바디 caña *f*, junquillo *m*.

바따라지다 (ser) espeso y sabroso.

바라 ①【악기】=소라(小鑼). ② ((준말)) =자바라.

바라건대 =원컨대.

바라기 plato *m* de porcelana pequeño.

바라다 ① [소원하다] desear, querer, tener ganas (de); [부탁하다] pedir. 즉시 오시기를 바랍니다 Quiero que venga usted en seguida. 만사(萬事)가 바라던 대로다 Todo marcha a medida del deseo [a pedir de boca]. 네가 지금 화를 내면 그 사람이 바라던 그대로야 Se te enojas ahora, tú caes en su trampa / Tu enfado en este momento forma parte de su trampa. 국민들은 평화를 바라고 있다 El pueblo desea la paz. 자신이 바라지 않는 것은 남에게서 바라면 안된다 Lo que no quieras para ti, no lo quieras para tu prójimo.
② [기대·예기하다] esperar, tener esperanza. 그러기를 바랍니다 Espero que sí. 그렇지 않기를 바랍니다 Espero que no. 그들은 아이들이 더 좋은 생활을 하기를 바라고 있었다 Ellos tenían esperanzas de que sus hijos tuvieran una vida mejor. 휴가 기간 동안 날씨가 좋기를 우리는 바란다 Esperamos tener buen tiempo durante las vacaciones. 나는 행운이 당신과 함께 하기를 바랍니다 Espero que la suerte te acompañe. 네가 잘 있기를 바란다 Espero que tú te encuentres bien. 이것은 당신 몫입니다. 마음에 들기를 바랍니다 Este es

ㅂ

para ti. Espero que te guste. 나는 네가 그 것을 말하기를 바라고 있었다 Yo esperaba que tú dijeras eso. 구월에 마드리드에 갈 수 있기를 바랍니다 Espero poder ir a Madrid en septiembre. 너는 그 일로 무엇을 얻기를 바라느냐? ¿Qué esperas ganar con eso?
③ =바라보다.
바라다보다 =바라보다.
바라보다 ㉮ mirar, ver; [응시하다] contemplar; [주의깊게] observar; [감심(感心)하여] admirar. 사건을 객관적으로 ~ observar el suceso objetivamente. 호기(好機)를 바라보고만 있을 수 밖에 없다 no tener más remedio que dejar pasar una buena ocasión. 나는 온종일 바다를 바라보고 있었다 Yo contemplaba el mar todo el día. ㉯ [관망하다] percibir [examinar] con la vista. ㉰ [어떤 나이에 이를 날을 가까이 두고 있다] frisar. No me falta mucho para cumplir [Friso en los] sesenta años.
바라보이다 dominarse, verse, mirarse. 바다가 바라보이는 방 habitación *f* con vista al mar, habitación *f* que da al mar. 계곡이 방에서 바라보인다 Desde la habitación se domina el valle. 정원이 바라보이지 않는다 El jardín no se ve desde ninguno de los edificios que lo rodean.

ㅂ

바라문(婆羅門) ① ((불교)) brahmán *m*, bracmán *m*. ② ((준말)) =바라문교.
▪ ~교 bramanismo *m*, brahmanismo *m*.

바라밀다(波羅蜜多) paramita, entrada *f* en Nirvana.

바라지[1] cuidado *m* (atento), atención *f*, asistencia *f*, provisión *f*; [음식의] suministro *m*, aprovisionamiento *m*. ~하다 [환자를] atender (a *uno*), cuidar (de *uno*); [병자·아이·동물을] cuidar, cuidar de; [아이를] cuidar (a [de] *uno*), ocuparse (de *uno*), encargarse (de *uno*); [손님·관광객을] atender (a *uno*); [준비해 두고 공급하다] proveer (a *uno* de *algo*), suministrar*le* [proporcionar*le*] (*algo* a *uno*). 자식 ~하다 cuidar a [de] *su* niño, ocuparse de *su* niño, encargarse de *su* niño. 옷 ~하다 proveer (a *uno*) de ropa. 우리는 그들에게 음식과 담요 ~를 했다 Los proveímos de comida y mantas / Les suministramos comida y mantas / Les proporcionamos comida y mantas.

바라지[2] [(햇빛용의) 작은 창] tragaluz *m* (*pl* tragaluces), claraboya *f*, lumbrera *f*.

바라지다[1] ① [갈라져서 사이가 뜨다] romperse, desprenderse. ② [넓게 퍼져서 활짝 열리다] ensancharse, abrirse.

바라지다[2] ① *[키가 작고 가로 퍼져 똥똥하다]* (ser) bajo y gordo, rechoncho, bajo y fornido. 바라진 놈 tipo *m* bajo y fornido. ② [그릇의 속은 얕고 위가 납작하다] (ser) poco profundo. 바라진 대접 cuenco *m* poco profundo. ③ =되바라지다. ¶바라진 아이 niño *m* descarado [fresco·atrevido], niña *f* descarada [fresca·atrevida]. 바라진 말을 하다 decir una cosa descarada.

바라지창(-窓) **【**건축**】** =바라지[2].

바라크(영 *barrack*; 불 *baraque*) barraca *f*.

바락 =버럭.
바락바락 =버럭버럭.

바람[1] ① [공기의 흐름] viento *m*; [미풍(微風)] brisa *f*, [강풍(强風)] viento *m* fuerte, ventarrón *m*; [폭풍] tempestad *f*, tormenta *f*, borrasca *f*, [선풍기 따위의] corriente *f*. ~이 불어 가는 쪽 sotavento *m*. ~이 불어 오는 쪽 barlovento *m*. …의 ~이 불어 가는 [오는] 쪽에 a sotavento [barlovento] de *algo*. 바람 쐬러 가다 ir a tomar el fresco. ~이 불어 날려 버리다 arrebatar, llevar(se). ~이 불어 가는[오는] 쪽에 있다 estar a sotavento [a barlovento]. ~이 불어 가는 쪽으로 나아가다 avanzar siguiendo el viento, avanzar hacia sotavento; [배가] navegar viento en popa. ~이 불어 오는 쪽으로 나아가다 avanzar contra el viento; [배가] barloventear. 방에 ~을 들어오게 하다 ventilar [airear] un cuarto, hacer entrar el aire en un cuarto. ~을 가르면서 날다 volar por los aires. ~을 가르면서 달리다 cortar [hender] el aire. ~을 맞으며 달리다 correr contra el viento. ~에 쏘이다 exponer al aire. ~을 쏘이다 tomar el aire. ~이 분다 Hace viento / Sopla el viento. ~이 없다 No hay viento. ~이 잔다 El viento amaina [se calma]. ~이 약간 분다 Hay (un poco de) viento. ~이 인다 Se levanta el viento. ~이 일기 시작했다 Empezó a levantarse el viento. ~ 이 불기 시작한다 El viento empieza a soplar / El viento se levanta. ~이 약간 일어났다 Se ha levantado [Empieza a correr] un poco de viento. ~이 차츰 심해진다 Sopla un viento cada vez más fuerte. ~이 세차게 분다 El viento brama. ~이 나무 사이에서 세차게 분다 El viento brama entre los árboles. 창문으로 ~이 들어온다 Entra el aire por la ventana. 화살이 ~을 가르며 난다 La flecha hiende el aire. ~ 좀 쏘이겠다 Voy a tomar un poco el aire. 이곳은 시원한 ~이 분다 Aquí sopla un aire fresco. 바깥 ~을 쏘이지 마십시오 No se exponga usted a la intemperie.
② [속이 빈 물체 속에 넣는 공기] aire *m*.
③ [(주로 이성 관계로 일어나는) 들뜬 마음이나 짓] veleidad *f*, inconstancia *f*, volubilidad *f*, [행위] amorío *m*, aventura *f* amorosa. ~난 veleidoso, inconstante, voluble; [남자가] mariposón (*pl* mariposones); [여자가] coqueta. ~난 소녀 chica *f* coqueta. ~난 남편 esposo *m* mariposón. 유행의 ~ los caprichos de la moda.
④ ((속어)) =풍병(風病). 중풍(parálisis).
⑤ =허풍(虛風)(fanfarronada, baladronada).
⑥ [일시적인 유행] moda *f* temporal, moda *f* provisional.
⑥ [불안하게 하거나 무섭게 하는 소란] alboroto *m*, tumulto *m*, escándalo *m*, conmoción *f*, problemas *mpl*, disturbios *mpl*.

◆바람(을) 맞다 ㉮ [속다] ser engañado; [여자에게] ser rechazado. 여자한테 ～ ser rechazado por una mujer. ㉯ [풍병에 걸리다] tener [sufrir] un ataque de apoplejía [un derrame cerebral].

◆바람(을) 맞히다 ㉮ [퇴짜를 놓다] rechazar, rehusar, dar calabazas. ㉯ [기다리던 사람을] faltar a la cita, dar plantón, hacer*le* (a *uno*) esperar en vano.

◆바람(을) 쐬다 tomar el fresco, disfrutar del aire fresco. 바람 쐬러 가다 ir a tomar el fresco. 바람을 쐬면서 산책하다 dar un paseo disfrutando del fresco, pasearse [dar un paseo] al fresco.

◆바람(을) 잡다 buscar el placer.

◆바람(을) 켜다 disipar, dilapidar, desperdiciar.

◆바람(을) 피우다 tener el amorío secreto.

◆바람(이) 끼다 (estar) disipado, disoluto.

◆바람(이) 나가다 (estar) insulso, soso, aburrido, vacío. 바람이 나간 설교 sermón *m* vacío.

◆바람(이) 나다 ㉮ [남녀 관계로 마음이 들뜨다] llevar la vida suelta, andar en compañía (de *uno*). ㉯ [하는 일에 능률이 한창 나다] animarse, ponerse animado.

◆바람(이) 들다 ㉮ [무 따위의 속살이 푸석푸석하게 되다] (estar) esponjoso, pulposo. 바람 든 무 rábano *m* esponjoso [pulposo]. ㉯ [마음이 들뜨다] tomar la vida alegre, estar indiscreto. 바람든 여자 mujer *f* de vida alegre, mujer *f* libertina. ㉰ [거의 되어 가는 일에 딴 방해가 생기다] dificultar, entorpecer, estar estropeado, estar arruinado.

◆바람(이) 자다 ㉮ [불던 바람이 그치다] el viento amainar, la brisa dejar de soplar. ㉯ [들떴던 마음이 가라앉다] tranquilizarse, calmarse.

■～결 ㉮ [바람의 일정한 방향으로의 움직임] movimiento *m* del viento. ㉯ [풍편(風便)] rumores *mpl*, habladurías *fpl*. ¶～에 들은 소문 rumor *m*, voz *f* no confirmada que corre entre el público. ～구멍 respiradero *m*. ～기(氣) ㉮ [바람의 기운·기세] fuerza *f* del viento. ㉯ [이성에게 쉬 끌리는 들뜬 성질] libertinaje *m*, indecencia *f*, volubilidad *f*, inconstancia *f*, infidelidad *f*, liviandad *f*. ¶～가 있는 libertino, inconstante, veleidoso, voluble, disoluto. ～가 있다 tener amoríos. ～가 있는 남자 libertino *m*, hombre *m* infiel. ～가 있는 여자 desvergonzada *f*, descocada *f*, libertina *f*, mujer *f* liviana [fatal·ligera], coqueta *f*, vampiresa *f*. ～둥이[잡이·쟁이] hombre *m* lascivo, mujer *f* lasciva [liviana·fatal], Don Juan, tenorio *m*, galanteador *m*, coquetón *m*, castigador *m*. ～막이 parabrisa *f*, parabrisas *m.sing.pl*, guardarisa *f*, paravientos *m.sing.pl*, defensa *f* para el viento. ～받이 lugar *m* expuesto por el viento, lugar *m* azotado por el viento. ¶～ 집 casa *f* azotada por el viento. ～비 el viento y la lluvia. ～세(勢) fuerza *f* del viento. ～ 소리 sonido *m* de viento. ～총 cerbatana *f*, [장난감의] rehilete *m*.

바람² ＝소망(所望).

바람³ ① [결] ímpetu *m*, motivo *m*, incentivo *m*; [결과] consecuencia *f*, resultado *m*; [영향(影響)] influencia *f*, efecto *m*; [과정] proceso *m*. 충돌하는 ～에 por la fuerza de impacto. 술 ～으로 떠들다 deleitarse con [en] la influencia de alcohol. 앞에서 오는 차를 피하려는 ～에 그는 아이를 치었다 El atropelló a un niño esquivando el coche que venía en dirección contraria.
② [몸에 차려야 할 것을 차리지 않고 나서는 차림, 또는 그 행색] sin *su* ropa. 셔츠 ～으로 en mangas de camisa. 맨머리 ～으로 sin sombrero, con la cabeza descubierta. 맨발 ～으로 con los pies desnudos, descalzo, sin zapatos, con las piernas descubiertas, sin medias. 그녀는 맨발 ～으로 달렸다 Ella corrió descalza. 그는 맨발 ～으로 거리 쪽으로 뛰어나갔다 El salió hacia la calle con pies desnudos.

바람⁴ [실이나 새끼 따위의 한 발 쯤 되는 길이] longitud *f* [largo *m*] de unas dos yardas. 한 ～의 새끼 dos yardas de cuerda.

바람개비¹ ① ＝풍향계. ② ＝팔랑개비.

바람개비² ((조류)) ＝쏙독새.

바람꽃 [큰 바람이 일 때 먼저 먼 산에 구름 같이 끼는 뽀얀 기운] atmósfera *f* neblinosa alrededor de la cumbre de la montaña lejana cuando el viento grande sopla.

바람벽(－壁) pared *f*, tabique *m*.

바람직하다 ser deseable, ojalá (que + *subj*), ser de desear que. 바람직한 일 una cosa deseable. 바람직하지 못한 인물 hombre *m* indeseable; [외교에서, 기피 인물] persona *f* no grata. 바람직하지 않다 (ser) indeseable, inconveniente, insatisfactorio, inaceptable, chasqueado, desfavorable. 여러분께서 속히 서반아어를 배우는 일은 ～ Ojalá que ustedes aprendan pronto el español. 결과는 바람직하지 못했다 El resultado no ha sido muy satisfactorio.

바랑 mochila *f*.

바래기 ＝표백(漂白).

바래다¹ ① [퇴색하다] descolorarse, descolorirse, desteñirse, perder el color. 색이 바랜 descolorido, pasado. 자주 빨아 색이 바랜 desteñido por repetidos lavados. 이 빛깔은 쉬 바랜다 Este color pasa fácilmente. 이 방의 커튼은 일광으로 색이 바랬다 Las cortinas de este cuarto están descoloridas por el sol. ② [표백하다] blanquear. 물에 ～ lavar en agua corriente, refinar. 천을 ～ blanquear tela. 햇볕에 ～ blanquear al sol.

바래다² [배웅하다] escoltar.
바래다주다 llevar, acompañar. 댁까지 차로 바래다 드리겠습니다 Le llevo en coche a su casa.

바레인 【지명】 Bahrein. ～의 bahriní.
■～ 사람 bahriní *mf* (bahriníes).

ㅂ

바로¹ ① [곧게. 바르게] en línea recta, rectamente. ② [지체하지 않고 곧] inmediatamente, pronto, al instante, en el acto, en seguida, enseguida, en el mismo tiempo, al momento, sin tardanza, en un instante, en un credo, en breve. 서울에 닿자 ~ luego que llegue a Seúl. ~ 갑니다 Ya voy / Voy ahora mismo / Me voy ahora. ~ 너에게 말하겠다 Ahora te lo diré. 너희들 뒤에 ~ 가겠다 Os sigo inmediatamente después. ~ 돌아오세요 [usted에게] Vuelva en seguida / [tú에게] Vuelve en seguida. ~ 준비될 테니 기다리세요 Espérame, que pronto estaré listo. 그를 ~ 알아보지 못했다 Al pronto [Al principio] no le reconocí. 그는 서울에 도착하자 ~ 남산 타워에 갔다 En cuanto [Así que] llegó a Seúl, fue a visitar la Torre de Namsan. 그것을 알면 ~ 알리겠습니다 Tan pronto como lo sepa yo, le avisaré. 편지를 받으시면 ~ 출발해주십시오 Haga el favor de partir en cuanto [tan pronto como] reciba la carta. 서울에 도착하면 ~ 소식을 알리겠소 En cuanto [Tan pronto como] llegue yo a Seúl, te escribiré. 그녀는 ~ 왔다 Pronto [En seguida] llega ella / Ella no tardará en venir. 나는 그 일을 ~ 잊었다 Lo olvidé al momento [pronto].
③ [옆길로 빠지거나 도중에 머무르거나 하지 않고. 곧장] derecho, directamente. ~ 가다 seguir (todo) derecho, ir directamente. 학교에서 ~ 집으로 돌아오다 volver a casa directamente de la escuela. ~ 가십시오 Siga (todo) derecho. ~ 집으로 가거라 Ve a casa directamente.
④ [멀지 아니하고 썩 가까이] justamente, directamente, muy cerca. ~ 뒤에 justamente detrás. ~ 아래에 directamente abajo, justamente abajo [bajo]. 다리 ~ 아래에 justamente bajo el puente. ~ 코앞에서 a la vista, a los ojos (de). ~ 가까운 서점 librería *f* cercana. ~ 눈앞에 delante de los ojos, enfrente. 벽 ~ 옆에 junto a la pared. …에서 ~ 가까운 inmediato [próximo] a *un sitio*. …의 ~ 곁에 al borde de *un sitio*. ~ 뒤에서 따라가다 seguir muy cerca, pisar los talones. ~ 거기다 Está a unos pasos de aquí / Está ahí al lado. 정류소는 ~ 근처다 La parada está muy cerca de aquí. 정거장은 우리 집에서 ~야 La estación está muy cerca de nuestra casa. 집에서 학교까지는 걸어서 ~다 La escuela está a dos pasos de mi casa.
⑤ [다름 아닌] el mismo, la misma, precisamente. ~ 본인(本人) la misma persona. 독서 ~ 그것을 사랑하다 amar la lectura misma. 그건 내가 어제 잃어버린 ~ 그 시계다 Ese es el mismo reloj que perdí ayer. 그 경치는 ~ 그림이다 La vista es como un cuadro. 그는 근면 ~ 그것이다 El es la diligencia en persona / Es la encarnación de la diligencia. 그의 행위 ~ 그것은 비난받을 점이 아니다 En su conducta en sí no hay nada que reprochar. 그것이 내가 찾고 있던 ~ 그 책이다 Ese es precisamente el libro que yo buscaba.
⑥ [정당하게] con justicia, legítimamente, justamente; [옳게] correctamente; [참되게] honradamente, honestamente, verdaderamente; [솔직히] francamente (dicho); [엄정하게] estrictamente. ~ 말하다 hablar francamente. ~ 발음(發音)하다 pronunciar correctamente.
⑦ [정확히] exactamente, con exactitud, precisamente. ~ 그 때에 en el preciso momento, a la hora. 헤어지는 ~ 그 때에 al despedir (a), al despedirse (de). ~ 조금 전(에) hace (sólo) un momento, ahora mismo. ~ 오늘 아침에 sólo esta mañana, esta mañana misma. ~ 며칠 전에 그를 만났다 Hace sólo unos días que le he visto. 바로 보다 mirar lo recto, mirar adelante.

바로² [기본 자세「차려 자세」로 돌아가라는 구령] ¡Vista al frente!

바로(헤 *Pharaoh*) ((성경)) Faraón *m*, faraón *m*.

바로미터(영 *barometer*) [기압계] barómetro *m*.

바로잡다 ① [굽은 물체를 곧게 하다] enderezar, poner derecho. 자세를 ~ enderezar la postura. ② [잘못된 것을·그릇된 일을 바르게 만들다] corregir, rectificar, enmendar, reformar, renovar. 잘못을 ~ corregir los errores. 마음을 ~ reformarse, corregir su conducta.

바로잡히다 ① [굽은 것이 곧게 되다] enderezarse, ponerse derecho. ② [잘못되거나 그릇된 것을 고치거나 바르게 하다] corregirse. 문장의 잘못이 바로잡혔다 Los errores de la frase se han corregido [enmendado]. 그의 그 나쁜 버릇이 바로잡혔다 Se ha corregido de esa mala costumnbre.

바로크¹(이 *barocco*) **【음악】** barroco *adj*.

바로크²(불 *baroque*) barroco *adj*. ~식의 barroco. ~식 건물 edificio *f* barroco.
■ ~ 건축 arquitectura *f* barroca. ~ 양식 estilo *m* barroco. ~ 예술 arte *m* barroco. ~ 음악 música *f* barroca. ~ 회화(繪畫) pintura *f* barroca.

바루다 enderezar. ☞바로잡다

바륨(영 *barium*) **【화학】** bario *m*.

바르다¹ ① [헝겊이나 종이 같은 것을 붙이다] pegar, empastar, empapelar. 벽에 광고를 ~ pegar un anuncio contra [en] la pared. 표지에 천을 ~ pegar una tela con [a] la cubierta. ② [물이나 풀 또는 화장품·도료 따위를 묻히다] pintar (페인트 따위를); [니스를] varnizar, laquear, esmaltar; [기름 따위를] untar. 기름을 ~ untar con [de] aceite. 벽을 하얗게 ~ pintar la pared de blanco, blanquear [enlucir] la pared. 약을 ~ aplicar ungüento (a). 피부에 올리브 기름을 ~ untarse la piel de [con] aceite de oliva. ③ [(이긴 흙 따위의 물건을) 다른 물체 등에 붙이거나 입히다] embadurnar, pintarrajear, untar; [회반죽 따위를] ense-

ㅂ

yar. 벽에 진흙을 ~ embadurnar [untar] el muro con barro.
발라맞추다 [알랑거리다] adular, lisonjar, halagar; [구스르다] engatusar.

바르다² ① [껍질을 벗기어 속에 들어 있는 알맹이를 집어내다] cascar, partir. 밤을 ~ cascar [partir] la castaña. ② [(한데 어울려 있는 것 속에서 필요한 것[필요하지 않는 것]만 골라내다] quitar. 생선의 살을 ~ quitar la carne de un pescado.
발라내다 quitar, arrancar. 생선의 가시를 ~ quitar las espinas de un pescado.
발라먹다 sonsacar*le* (*algo* a *uno*). 그녀는 그에게서 돈을 발라먹었다 Ella le sonsacó el dinero / Ella lo cameló para que le diera el dinero.

바르다³ ① [어그러지거나 비뚤어지거나 굽지 아니하다] (ser) derecho, recto, erguido. 공부할 때의 바른 자세 postura *f* erguida al estudiar. ② [도리나 사리에 맞아 참되다] (ser) verdadero; [옳다. 공정하다] derecho, justo; [정확(正確)하다] correcto, exacto; [정당하다] recto, legar; [합법적이다] legítimo, lícito. 바르게 justamente, correctamente, legalmente. 바르지 않은 injusto, incorrecto, ilegítimo. 바른 문장(文章) oración *f* correcta. 바른 교훈 precepto *m* justo. 바른 치수 medida *f* exacta. 바른 행동 conducta *f* recta. 바른 길을 가다 seguir el camino de la virtud. 바르게 발음하다 pronunciar correctamente. 상황을 바르게 판단하다 juzgar las circunstancias correctamente. ③ [정직하여 거짓이 없다] (ser) honrado, honesto; [솔직하다] franco. 마음이 바른 honrado, honesto, recto. 마음이 바른 여인 mujer *f* honrada.
바른 걸음 paso *m* regular.
바른그림씨【문법】adjetivo *m* regular.
바른길 ㉮ [굽지 않고 곧은 길] camino *m* recto. ㉯ [정당한 길] camino *m* justo; [참된 도리] razón *f* verdadera.
바른네모【수학】=정사각형.
바른네모기둥【수학】=정사각주.
바른네모뿔【수학】=방추형(方錐形).
바른다섯모꼴【수학】=정오각형.
바른대로 francamente. ~ 털어놓다 confesar francamente.
바른말 [옳은 말] verdad *f*, palabra *f* razonable; [직언] palabra *f* franca [sincera · abierta]. ~을 하다 decir la verdad, decir en palabra franca.
바른모【수학】=직각(直角).
바른세모꼴【수학】=정삼각형.
바른여덟모꼴【수학】=정팔각형.
바른여러면체(面體)【수학】=정다면체.
바른움직씨【언어】verbo *m* regular.
바른쪽 derecha *f*, lado *m* derecho, mano *f* derecha.
바른편 lado *m* derecho, parte *f* derecha.
바른편쪽 derecha *f*.

바르르 ① [적은 물이 넓게 퍼져 갑자기 끓어오르는 모양이나 소리] bullendo, burbujeando, hirviendo. ② [속이 좁은 사람이 대수롭지 않은 일에 갑자기 성을 내는 모양] en un ataque de furia. ~ 화를 내다 ponerse hecho una furia, enfurecerse, montar en cólera. ③ [덩치가 작은 것이 가볍게 발발 떠는 모양] temblando, tiritando. 무서워 ~ 떨다 temblar de miedo. ④ [얇은 종이나 펴놓은 나뭇개비에 불이 타오르는 모양] estallando en llamas. ~ 타다 estallar en llamas.

바르바도스【지명】Barbados. ~의 barbadense. ~ 사람 barbadense *mf*.

바르샤바【지명】Varsovia *f* (폴란드의 수도).

바르셀로나【지명】Barcelona (서반아의 바르셀로나 · 바르셀로네스 지방 및 까딸루냐 자치 단체의 주도). ~의 barcelonés.
■ ~ 사람 barcelonés, -nesa *mf*.

바르작거리다 retorcerse, menearse, serpentear, culebrear.
바르작바르작 retorciéndose, meneándose..

바르잡다 ① [오므라진 것을 벌려 펴다] extender, desdoblar, abrir. ② [숨은 일을 들추어 내다] poner al descubierto, sacar a la luz, revelar, desvelar. 비밀을 ~ revelar el secreto. ③ [작은 일을 크게 떠벌리다] exagerar, recargar

바리¹ ① [놋쇠로 만든 밥그릇] vasija *f* de latón para la comida. ② ((준말)) =바리때.
■ ~때 vasija *f* de madera para la comida del sacerdote budista. ~뚜껑 tapa *f* de la vasija de latón para la comida.

바리² [소나 말 따위의 등에 잔뜩 실은 짐] carga *f*.

바리나무 leña *f* cargada en el caballo [el buey].

바리캉(불 *bariquant*) maquinilla *f* (eléctrca 전기) para cortar el pelo.

바리케이드(영 *barricade*) barrera *f*, empalizada *f*, barricada *f*. ~를 치다 barrear, cerrar con barricadas, levantar [hacer] una barricada en la calle.

바리콘【전기】condensador *m* variable.

바리타(영 *baryta*)【화학】barita *f*.

바리톤(영 *barytone*)【음악】barítono *m*.

바림 degradación *f*,【회화】esfumación *f*. ~하다 degradar;【회화】difuminar, esfumar, esfuminar.

바마코【지명】Bamako (말리 공화국의 수도).

바벨¹(영 *Babel*)【지명】((성경)) Babel.
■ ~탑 la Torre de Babel.

바벨²(영 *barbell*) barra *f* (para pesas), haltera *f*, barra *f* de bolas, barra *f* de discos, pesos *mpl*, levantamiento *m* de pesos.

바벨론(영 *Babelon*) ①【지명】((성경)) =바벨. ②【지명】((성경)) =바빌로니아.

바보 idiota *mf*, estúpido, -da *mf*, tonto, -ta *mf*, bobo, -ba *mf*, torpe *mf*, persona *f* estúpida [tonta · boba · torpe · idiota]. ~스러운 estúpido, tonto, bobo, necio, idiota. ~ 같은 얼굴로 con un semblante estúpido. ~ 같은 말을 하다 decir bobadas [boberías · estupideces · tonterías]. ~ 같으니라구! ¡Qué tonto [estúpido]! ~ 같은 짓을 하지 마라 ¡No hagas tonterías! ~ 같은 놈아!

ㅂ

¡Qué tonto eres! / ¡Inbécil! / ¡Idiota!
■ ~ 상자 [텔레비전] caja *f* tonta, televisión *f*. ~짓 tontería *f*, estupidez *f*, bobería *f*, bobera *f*, patochada *f*, patinazo *m*, coladura *f*. ¶~을 하다 hacer una tontería, hacer una patochada, meter la pata, tirarse la plancha, colarse.

바비큐(영 *barbecue*) barbacoa *f*, parrilla *f*; *AmL* asador *m*, asado *m* de un cochino [buey] entero; [음식] parrillada *f*. ~하다 hacer barbacoa, asar a la parrilla [a la brasa].
■ ~ 소스 salsa *f* para servir con carnes a la parrilla [para adobarlas antes de asarlas].

바빌로니아 【지명】 Babilonia. ~의 babilónico.
■ ~ 문명 civilización *f* babilónica. ~법 ley *f* babilónica. ~ 예술 arte *m* babilónico. ~인 babilónico, -ca *mf*.

바빌론 【지명】 Babilonia. ~의 babilónico.
■ ~력(曆) calendario *m* babilónico. ~ 사람 babilonio, -nia *mf*, babilonio, -nia *mf*.

바빠하다 impacientarse.

ㅂ

바쁘다 ① [다망(多忙)하다] estar ocupado, estar atareado, tener mucho ajetreo. 바쁜 사람 persona *f* ocupada. 매우 바쁜 일정 horario *m* muy apretado. 매우 바쁘게 일하다 trabajar muy atareadamente. 저는 지금 매우 바쁩니다 Estoy muy ocupado [여자 ocupada] ahora. 바쁘신데 죄송합니다 Siento mucho molestarle en medio de sus muchas ocupaciones [cuando está usted tan ocupado]. 그는 항상 일 때문에 ~ El está siempre atareado [ocupado con su trabajo]. 나는 시험 준비로 ~ Estoy ocupado preparándose para los exámenes. 어제는 온종일 바빴다 Ayer estuvo ocupado todo el día. 오늘은 무척 바쁜 하루였다 Hoy he tenido un día muy atareado [ocupado · ajetreado · afanado]. 지금이 제일 바쁜 시기이다 Esta es la temporada de mayor actividad. 나는 일이 너무 바빠 머리 긁을 여유도 손톱 깎을 여유도 없다 ((El Quijote)) La ocupación de mis negocios es tan grande, que no tengo lugar para rascarme la cabeza, ni aun para cortarme las uñas.
② [몹시 급하다] ser muy urgente, tener prisa. 바쁜 걸음 paso *m* urgente. 바쁜 볼일로 de negocios urgentes. 한시가 ~ El tiempo apremia.

바삐 [바쁘게] ocupadamente; [급히] de prisa, apresuradamente; [즉시] en seguida, inmediatamente, en el acto, sin demora, sin tardanza. ~ 서둘러라 Date prisa / Apresúrate. ~ 서두를 필요는 없다 No hay necesidad de apresurarse. ~ 서둘러라. 열차를 놓치겠다 Date prisa, o perderás el tren.
바삐 굴다 darse prisa, apresurarse.

바사기 tonto, -ta *mf*, bobo, -ba *mf*, estúpido, -da *mf*.

바삭 susurrando, crujiendo.
바삭거리다 seguir susurrando, seguir crujiendo.
바삭바삭 siguiendo susurrando, siguiendo crujiendo. ~함 susurrido *m*, susurro *m*. ~소리를 내다 susurrar.

바삭바삭하다 susurrar, crujir. 바삭바삭하게 crujientemente. 바삭바삭한 것 lo crujiente, *Arg* lo crocante. 바삭바삭하게 굽다 [빵을] tostar ligeramente. 바삭바삭할 때까지 굽다 cocinar hasta que esté crujiente.

바서지다 romperse. 바서져 두 조각나다 romperse en dos. 산산이 ~ hacerse añicos [pedazos], romperse en pedazos.

바셀린(영 *Vaseline*) 【화학】 vaselina *f*. ~을 바르다 untar de [con] vaselina.

바수다 romper, quebrar, quebrantar, destrozar, hacer pedazos, hacer añicos, fragmentar, hacer trizas; [갈아서] moler; [찧어서] machacar, pulverizar, triturar.

바수지르다 =바수뜨리다

바순(영 *bassoon*) 【악기】 fagot *m*.
■ ~ 연주자 fagot *mf*, fagonista *mf*.

바스대다 no estarse quieto, moverse inquieto. 바스대는 아이 niño *m* inquieto, niña *f* inquieta. 바스대지 마라 ¡Estáte quieto!

바스라기 [빵의] miga *f*; [종이 · 옷 · 가죽의] pedacito *m*, trocito *m*; [음식의] sobras *fpl*.

바스락 con un sonido bajo, con poca claridad, con poca nitidez, ligeramente. ~ 소리가 난다 Se oye un ruido confuso.
바스락거리다 (hacer) susurrar, (hacer) crujir.
바스락바스락 seguir susurrando, seguir haciendo crujir.

바스러뜨리다 romper, destrozar, hacer añicos, hacer pedazos, aplastar; [마늘을] machacar; [포도를] prensar, pisar.

바스러지다 romperse, destrozarse, hacerse añicos, hacer pedazos, quebrarse, quebrantarse, .aplastarse, machacarse, prensarse, pisarse.

바스스 suavemente, ligeramente. 잠자리에서 ~ 일어나 앉다 sentarse levantándose de la cama.

바스켓(영 *basket*) ① [쇼핑용 바구니] cesta *f*; [큰] cesto *m*, canasta *f*. ② [농구대의 바퀴에 다는 그물] canasta *f*, cesto *m*.

바스켓볼 ㉮ [농구] baloncesto *m*, *AmL* básquetbol *m*. ㉯ =바스켓볼 공.
■ ~ 공 balón *m* de baloncesto, pelota *f* de básquetbol. ~ 선수 jugador, -dora *mf* de baloncesto (de básquetbol); baloncestista *mf*, *AmL* basquetbolista *mf*.

바스크[1] 【지명】 el País Vasco, las (Provincias) Vascongadas, Euskadi, Euzkadi (Vizcaya, Guipúzcoa, 및 Alava 주를 포함한 서반아의 자치 단체). ~의 vasco.
■ ~ 사람 vasco, -ca *mf*. ~어 euskera *f*, vasco *m*, vascuence *m*.

바스크[2] 【지명】 el País Vasco(서반아의 Vizcaya, Guipúzcoa, Alava 주 및 Navarra 의 일부 지방과 대서양 피리네오 산맥의 프랑스 쪽 일부를 포함한 유럽의 지방).

바슬바슬 desmigajándose, desmenuzándose

fácilmente. ~하다 [빵 · 케이크가] desmigajarse; [치즈가] desmenuzarse fácilmente. ~한 빵 pan *m* que se desmigaja. ~한 치즈 queso *m* que se desmenuza fácilmente.

바실루스(라 *bacillus*) 【생물】 bacilo *m*.

바실리카(영 *Basilica*) [초기 교회의 교회당] basílica *f*.

바심[1] [재목의] recorte *m* de la madera. ~하다 recortar la madera.

바심[2] ((준말)) =풋바심.

바싹[1] ((센말)) =바삭.

바싹[2] ① [물기가 아주 없어 마르거나 타 버린 모양] completamente, resecamente, agostadamente, desecándose. ~ 마르다 desecarse. ~말리다 desecar. ② [아주 가까이 다가가는 모양] de cerca. ~ 매달리다 agarrar [asir] para detener. ~ 뒤따르다 seguir muy de cerca. ③ [몹시 긴장하는 모양] muy tensamente, en estado de tensión. ④ [몹시 죄는 모양] fuerte, bien. 그것을 ~ 죄야 한다 Hay que atarlo fuerte / Hay que asegurarlo bien. ⑤ [외곬으로 우기는 모양] tercamente. ~ 우기다 persistir [insistir] tercamente. ⑥ [많이 줄어드는 모양] completamente, mucho. 몸이 ~ 여위다 perder mucho peso.

바야흐로 ① [한창] en *su* apogeo, en plena marcha, en pleno funcionamiento; [바로] justamente, exactamente, ni más ni menos, precisamente, recién, recientemente, en el instante, completamente, realmente, en realidad, verdaderamente. ② [이제 곧] estar a punto de + *inf*, estar al + *inf*, casi, cerca (de), por poco. ~ 그는 출발하려 하고 있다 El está a punto de salir / El está al salir. ~ 해가 지려 하고 있다 El sol está a punto de ponerse.

바울(영 *Paul*) 【인명】((성경)) Paulo.

바위 roca *f*, peña *f*, [울퉁불퉁한] peñasco *m*, peñón *m* (*pl* peñones), risco *m*; [암초(暗礁)] arrecife *m*, escollo *m*. ~투성이의 rocoso, peñasco, roqueño, fragoso, agrio. ~에 둘러싸인 rodeado de peñascos. ~투성이의 길 camino *m* agrio. ~가 많은 산 montaña *f* rocosa. ~가 뾰족 나온 끝 punta *f* de una roca, saliente *m* agudo de una roca. 그들은 ~를 올라가야 했다 Ellos tuvieron que escalar una roca.

▪~굴 cueva *f* de una roca. ~너설 pared *f* rocosa, pared *f* de roca. ~솔 【식물】 siempreviva *f* mayor. ~옷 【식물】 musgo *m*, liquen *m*. ~ㅅ돌 =바위. ~ㅅ등 sobre de la roca. ~ㅅ장 roca *f* ancha.

바위제비 【조류】 =흰털발제비.

바음 기호(-音記號) 【음악】 clave *f* de fa.

바음자리표(-音-標) 【음악】 clave *f* de fa.

바이 absolutamente, en absoluto, en lo más mínimo.

바이없다 no saber qué hacer. 바이없는 일이로다 Yo no puedo ayudarlo. 슬프기 ~ Es muy triste. 나로서는 방법이 ~ Simplemente [Sencillamente] no sé qué hacerlo.

바이러스(영 *virus*) virus *m*. ~의 viral, vírico.

◆유두(乳頭) ~ virus *m* papilar. 항(抗) ~제(劑) droga *f* antiviral.

▪~ 간염(肝炎) hepatitis *f* vírica. ~구(球) virocito *m*. ~병(病) enfermedad *f* viral, virosis *f*. ~ 요증(尿症) viruria *f*. ~ 입자(粒子) partícula *f* viral. ~학 virología *f*, virusología *f*. ~ 학자 virólogo, -ga *mf*. ~혈증(血症) viremia *f*, virusemia *f*.

바이블(영 *Bible*) ① [성서] Biblia *f*. ~의 de la Biblia, bíblico. ② [성서처럼 권위가 있는 전적(典籍)] biblia *f*, libro *m* de cabecera. 페미니스트들의 ~ biblia *f* [libro *m* de cabecera] de las feministas.

바이애슬론(영 *biathlon*) biathlon *m* (스키의 장거리 레이스에 사격을 겸한 복합 경기).

바이어(영 *buyer*) comprador, -dora *mf*; [수입상] importador, -dora *mf*.

바이오(영 *bio*) ① [「생명」 「생물」의 뜻] bio-. ② ((준말)) =바이오테크놀로지.

▪~ 리듬 bioritmo *m*. ~ 산업 bioindustria *f*. ~칩 biochip *m*. ~컴퓨터 bioordenador *m*, biocomputadora *f*. ~테크놀로지 [생명공학] biotecnología *f*.

바이오닉스(영 bionics) [생물 공학] biónica *f*.

바이오스(영 *BIOS, Basic Input Output System*) sistema *m* básico de entrada/salida.

바이올렛(영 *violet*) ① [제비꽃] violeta *f*. ~은 겸허의 상징이다 La violeta es emblema de la modestia. ② [자색. 보라색] (color *m*) violeta *m*.

바이올리니스트(영 *violinist*) violinista *mf*.

바이올린(영 *violin*) 【악기】 violín *m*. ~을 연주하다 tocar el violín.

◆제일 [제이] ~ primer [segundo] violín.

▪~ 독주 solo *m* de violín. ~ 연주자[연주가] violinista *mf*. ~ 케이스 estuche *m* de violín.

바이타민(영 *vitamin*) =비타민.

바인더(영 *binder*) ① [파일(file)] carpeta *f*. ② [제본사(製本師)] encuadernador, -dora *mf*. ③ [접합제(接合劑)] aglutinante *m*. ④ [곡식을 베어 단을 짓는 기계] agavilladora *f*.

바일씨병(Weil 氏病) 【의학】 enfermedad *f* de Weil.

바자 bambúes *mpl* enlazados para hacer la cerca.

▪~울 cerca de bambú [junco · tallo]. ~ㅅ문 puerta *f* de ramita en la cerca de bambú.

바자(영 *bazaar*, *bazar*) bazar *m*; [자선시(慈善市)] kermesse *m*, bazar *m* de beneficiencia.

바자 기호(-字記號) 【음악】 clave *f* de fa.

바자위다 (ser) mezquino, tacaño.

바작바작 ① [잘 마른 물건을 빻는 소리] crujiendo. ② [잘 마른 물건이 타는 소리] crepitando, chisporroteando. ~ 타다 quemarse crepitando. ③ [마음이 몹시 죄이는 모양] nerviosamente, fastidiosamente. 속이 ~ 타다 devorarse la preocupación [la ansiedad], consumir la preocupación. 나는

ㅂ

속이 ~ 탔다 Me consumía la preocupación / Me devoraba la preocupación.

바장이다 pasear(se) [dar un paseo] sin rumbo (fijo).

바제도씨병(Basedow 氏病) 【의학】 mal *m* [enfermedad *f*] del Sr. Basedow.

바주카(영 *bazooka*) ((준말)) =바주카포.
■ ~포(砲) bazooka *m*, bazuca *m*, bazuco *m*, cañón *m* antitanque, cohete *m* portátil.

바지 pantalones *mpl*; [반바지] calzones *mpl*, pantalones *mpl* cortos. ~를 입다 ponerse los pantalones. ~을 벗다 quitarse los pantalones. ~를 입고 있다 llevar los pantalones.
◆속~ calzoncillos *mpl* (largos), bragas *fpl*. 여자 ~ pantalones *mpl* flojos. 작업 ~ guardapolvo *m* mono.
■ ~걸이 percha *f* de pantalones. ~ 멜빵 ligas *fpl*. ~ 주머니 bolsillo *m* de pantalones. ~ㅅ가랑이 perchera *f*. ~ㅅ부리 parte *f* extrema de la perchera.

바지라기 【조개】 concha *f* corbícula.

바지락 【조개】 ① ((준말)) =바지락조개. ② ((준말)) =바지락개랑조개.

바지락개랑조개 【조개】 ((학명)) Actra veneriformis.

바지락조개 【조개】 almeja *f*.

바지랑대 palo *m* de tendedero.

바지런하다 (ser) diligente, asiduo, industrioso, laborioso, trabajador, solícito; [활동적인] activo, vivo, animado.
바지런히 diligentemente, asiduamente, solícitamente; con animación, con solicitud; activamente. ~ 일하다 trabajar dilegentemente, atarearse. ~ 간호하다 cuidar a un enfermo con solicitud.

바지선(barge 船) barcaza *f*, gabarra *f*.

바지저고리 ① [바지와 저고리] los pantalones y la chaqueta. ② [제구실을 못하는 사람. 로봇] inútil *mf*, calamidad *f*. 그는 ~다 El no tiene fibra / El es testaferro [hombre de paja]. ③ ((속어)) =촌사람(campesino).

바지지 con un silbido, chisporroteando, crepitando. ~하다 silbar, dar [producir] silbos [silbidos]..
바지지바지지 siguiendo silbando.

바지직 =바지지.

바짝 =바싹. ¶~ 말라 버리다 desecarse, secarse, resecarse; [시들다] marchitarse. ~ 마른 desecado, seco, reseco; [시든] marchito. ~ 추워졌다 Hace frío considerablemente.

바찔루스(독 *Bazillus*) bacilo *m*.

-바치 fabricante *mf*, trabajador, -dora *mf*, artesano, -na *mf*, mecánico, -ca *mf*.

바치다¹ ① [웃어른이나 신께 드리다] ofrecer (respetuosamente), ofrendar, consagrar, poner una ofrenda, presentar, dedicar. 묘에 꽃을 ~ poner flores ante la sepultura, ofrendar flores sobre una tumba, adornar una tumba con flores. 사자(死者)에게 꽃을 ~ ofrecer flores a un difunto [a una difunta]. A씨에게 [돌아가신 부친(父親)]에게] 저서(著書)를 ~ dedicar *su* libro al señor A [a la memoria de *su* padre]. 영전(靈前)에 꽃을 ~ ofrecer flores en homenaje al difunto [a la difunta]. ② [자기의 정성이나 힘·목숨 등을 남을 위하여 아낌없이 다하다] dedicar, consagrar, sacrificar. 일신을 ~ dedicarse, consagrarse, entregarse. 목숨을 ~ sacrificarse. 포교에 일생을 ~ consagrar [dedicar] toda *su* vida a la evangelización. 국가에 몸을 ~ dedicarse a la nación. 생명을 조국을 위해 ~ consagrar la vida a la patria. ③ [세금이나 공납금 따위를 갖다 내다] pagar. 세금을 ~ pagar impuestos.

바치다² [(음식 따위에) 주접스럽게 가까이 덤비다] estar loco (por), ser demasiado aficionado (a). 계집을 ~ ser maníaco sexual. 그는 술을 바친다 El es loco por la bebida alcohólica / El es borrachín.

바치다³ [다른 동사의 부사형 아래에 쓰이어 「웃사람에게 드린다」는 뜻] ofrecer, presentar, dedicar, ofrendar. 일러 ~ decir, informar. 갖다 ~ ofrecer, presentar. 그는 우리를 선생님께 일러 바쳤다 Le fue con el chisme [cuento] al profesor / Se chivó al profesor / *Méj* Se fue a rajar con el profesor / *RPI* Le fue a alcahuetear al profesor.

바칠루스(라 *bacillus*) =바찔루스.

바캉스(불 *vacances*) vacaciones *fpl*, vacante *f*. 학생들은 해변에서 ~ 중이다 Están los colegiales de vacaciones en la playa.

바커스(라 *Bacchus*) [주신(酒神)] Baco *m*.

바코드(영 *bar code*) código *m* de barras.

바퀴¹ [돌게 하기 위해 둥근 테 모양으로 만든 물건] rueda *f*.
◆다리~ [피아노·의자 등의] ruedecita *f*, *AmL* ruedita *f*, *Col* rodacina *f*. 앞 ~ rueda *f* delantera. 뒷 ~ rueda *f* trasera.
■ ~ 덮개 cubierta *f* de rueda. ~살 radio *m* [raya *f*] de una rueda, rayo *m*. ~통 cubo *m*. ~ㅅ자국 rodera *f*, rodada *f*, carril *m*, carrilera *f*. ¶~을 남기다 hacer [dejar] rodadas [carriles] (en), surcar de carriles. 길에 ~을 남기다 surcar el camino de carriles, dejar carriles en el camino.

바퀴² [도는 회수] vuelta *f*, revolución *f*, rotación *f*. 한 ~ una vuelta, una revolución. 두 ~ dos vueltas, dos revoluciones. 한 ~ 돌다 dar una vuelta.

바퀴³ 【곤충】 cucaracha *f*.

바퀴벌레 ① 【동물】 =윤충(輪蟲). ② 【곤충】 =바퀴³.

바퀴의자(-椅子) silla *f* de ruedas.

바탕¹ ① [성질] natural *m*, naturaleza *f*, disposición *f*, temperamento *m*, carácter *m* (*pl* caracteres) (verdadero); [재질] dotación *f*, abilidad *f*, talento *m*; [소지. 소질] inclinación *f*, constitución *f* (física). ~이 좋은 사람 persona *f* afable, persona *f* bonachona. ~을 드러내다 descubrir [dejar ver] *su* verdadero carácter, quitarse la máscara.
② [직물의] textura *f*, tejido *m*, tela *f*, fibra

f, material m, plano m, fondo m; [품질] calidad f. 흰 ~에 적십자 cruz f roja sobre el fondo blanco. 흰 ~에 검은 글씨로 쓰다 escribir letras negras en un plano blanco. ③ [뼈대. 틀] cuerpo m, armazón f, esqueleto m, estructura f, marco m (de cuadro · de espejo). ④ [기초. 근본] fundación f, base f. …에 ~을 두다 basarse en algo, inspirarse en *algo*.

■ ~ 권리 derecho m básico. ~쇠 metal m de base.

바탕² [활을 쏘아 살이 미치는 거리] alcance m de una flecha.

바터(영 *barter*) trueque m, permuta f, espalda f con espalda, toma f y da acá. ~하다 cambiar, trocar.

■ ~ 경제 economía f de trueque. ~ 무역 comercio m de trueque, comercio m [tráfico m · cambio m · trueque m] de espalda con espalda. ~ 시스템 sistema m de trueque. ~제 ㉮ combalache m, sistema m de trueque [de permuta], sistema m de toma y da acá. ㉯ =바터 무역. ~ 협정 acuerdo m de trueque, tratado m de trueque.

바테리(독 *Batterie*) 【물리】 bateria f, pila f.

바텐더(영 *bartender*) camarero m, barman *ing.m* (*pl* barmans), tabernero m, cantinero m; mesera f, camarera f; *Col, RPI, Méj* moza f.

바통(불 *bâton*) ① [계주봉] testigo m. ② 【음악】 [지휘봉] batuta f. ③ [인계하고 인수하는 표시의 사물] bastón m (*pl* bastones) de mando, testimonio m, testigo m. ~의 인계 pase m de bastón. ~의 인계(引繼)를 하다 relevar, entregar [recibir] el bastón; ((운동)) cambiar el testigo.

◆ 바통을 넘기다 ceder un poder [una ocupación] a otro, pasar la posta.

■ ~ 체인지 relevo m.

바투 ① [두 물체의 사이가 썩 가깝게] bastante cerca. ~ 앉아라 Siéntate bastante cerca. ② [길이가 매우 짧게] muy cortamente. ③ [시간이 썩 짧게] bastante cortamente.

바투보기 =근시(近視).

바투보기눈 =근시안(近視眼).

바특이 ① [조금 바투] algo cortamente. 손톱을 ~ 깎다 cortarse las uñas algo cortamente. ② [바특하게] espesamente, densamente.

바특하다 (ser) espeso, denso.

바특이 espesamente, densamente.

바티칸(영 *Vatican*) ① ((준말)) =바티칸 궁전. ② ((준말)) =바티칸 시(市). ③ ((준말)) =바티칸 시국(市國). ④ =교황청(教皇廳).

■ ~ 공회의 el Concilio Vaticano. ~ 궁전 el Palacio del Vaticano. ~ 문고(文庫) la Biblioteca Vaticana. ~ 미술관 el Museo Vaticano. ~ 시(市) la Ciudad del Vaticano. ~ 시국(市國) el Estado de la Ciudad del Vaticano. ~ 회의 el Concilio Vaticano.

바하마 【지명】 las Bahamas. ~의 bahamés.

■ ~ 사람 bahamés, -mesa *mf.*

박¹ ① 【식물】 calabaza vinatera. ~을 타다 cortar [partir] la calabaza vinatera en dos. ② ((준말)) =바가지.

■ ~꽃 flor f de calabaza vinatera.

박² ((준말)) =타박.

박³ ① [긁거나 가는 소리] con una escofina [ralladura] vigorosa. ② [찢는 소리] con un rasgón, con un desgarrón.

박(拍) ① 【악기】 *bak, bac,* una especie del instrumento musical. ② ((준말)) =박자(拍子).

박(箔) lámina f, plancha f.

박(粕) =깻묵.

박격(迫擊) asalto m cerrado. ~하다 tomar por asalto, asaltar.

■ ~포(砲) mortero m de [para] trinchera.

박격(駁擊) refutación f, impugnación f. ~하다 refutar, oponer, impugnar.

박고지 calabaza f raspada y secada.

박공(牔栱/欂栱) aguilón m, gablete m, hastial m. ~ 구조의, ~을 단 con el tejado de [a] dos aguas.

■ ~ 지붕 tejado m a [de] dos aguas, tejado m de caballete [de las aguas].

박구기 cucharón m de calabaza vinatera.

박다 ① [말뚝 따위를] estacar, apostar; [쐐기 따위를] acuñar, meter cuña(s), sujetar con cuñas; [못으로] sujetar con clavos. 나사를 ~ atornillar. 못으로 ~ fijar con clavos. 못을 ~ clavar, enclavar, clavetear. 징을 ~ remachar, clavar. 호치키스로 ~ sujetar con grapas. 벽에 판자를 ~ clavar una tabla en la pared. ② [쏘아 넣다] entrar como un disparo. ③ [소를 넣다] llenar. ④ [촬영하다] sacar; [인쇄하다] imprimir, tirar; [사진을] sacar; [인쇄하다] imprimir, tirar. 사진을 ~ sacar una fotografía. 오천 부를 ~ imprimir cinco mil ejemplares. ⑤ [찍어내다] formar, dar una forma [perfil] (a), modelar. ⑥ [재봉하다] coser. ⑦ [상감하다] aracear, embutir, incrustar. 반지에 다이아몬드를 ~ incrustar [guarnecer] el anillo con diamantes.

박아 넣다 […에 못을] clavar (*algo*); […에 말뚝을] fijar estacas (en *algo*).

박다위 tirante m [*CoS* bretel m] de cáñamo.

박달나무 【식물】 abedul m.

박답(薄畓) arrozal m seco.

박대(薄待) maltrato m, maltratamiento m. ~하다 maltratar, tratar mal. 날 ~하지 말게 No me maltrates.

박덕(薄德) virtud f escasa. ~하다 la virtud es escasa.

박도(迫到) proximidad f, aproximación f. ~하다 ser inminente, aproximarse, acercarse. 적진(敵陣)에 ~하다 aproximarse a la posición enemiga. 위험이 ~한다 El peligro es inminente. 출발 시간이 ~하고 있다 Se acerca la hora de partir. 나에게 위험이 ~하고 있다 El peligro me rondaba.

ㅂ

박도(博徒) ＝노름꾼.
박동(搏動) palpitación *f* del pulso. ～하다 palpitar el pulso.
박두(迫頭) urgencia *f*, presión *f*, apremio *m*, premura *f*, inminencia *f*, amago *m*. ～하다 (ser) inminente, urgente, apremiante, cernerse, amagar. ～한 위기 crisis inminente. ～한 일 asunto *m* urgente [apremiante]. 연말(年末)이 ～하고 있다 Estamos a fines del año / Faltaba muy poco para el fin del año. 금년도 이제 이삼일로 ～했다 Ya no quedan más que dos o tres días para que termine este año. 지불 기일이 ～해 있다 El día del pago está muy cerca. 위험이 ～해 있다 El peligro es inminente.
박락(剝落) peladura *f*, exfoliación *f*. ～하다 quitar, despegar, exfoliar.
박람(博覽) ① [책을 많이 읽음] erudición *f*, lectura *f* extensa, amplio conocimiento *m*, sabiduría *f* extensa. ～하다 leer muchos libros. ② [사물을 널리 봄] vista *f* ancha.
■～강기(强記) vasta erudición *f* de memoria prodigiosa. ¶～하다 (ser) bien instruido, muy leído, erudito, letrado. ～한 사람 erudito, -ta *mf*; hombre *m* de vasta erudición de memoria prodigiosa; enciclopedia *f* viviente.
박람회(博覽會) exposición *f*, feria *f* de muestras.
■～장 sede *f* de feria [exposición]. ～ 출품자 expositor, -tora *mf*.
박래(舶來) importación *f*.
■～품(品) mercancías *fpl* importadas.
박력(迫力) vigor *m*, fuerza *f*, agudeza *f*, intensidad *f*. ～ 있는 vigoroso, enérgico, poderoso, emocionante. ～이 있다 tener vigor [fuerza]. ～이 없다 carecer de vigor, ser débil [flojo · poco convinente]. ～ 있는 영화 película *f* emocionante.
박론(駁論) refutación *f*, confutación *f*. ～하다 refutar, confutar.
박리(剝離) despegadura *f*, exfoliación *f*. ～하다 despegar, exfoliar. ～되다 despegarse, exfoliarse.
박리(薄利) ganancia *f* [utilidad *f*] pequeña. ～로 팔다 vender a utilidad pequeña.
■～다매(多賣) pequeñas ganancias *fpl* y rápidas ventas [y rápidos ingresos], utilidad *f* pequeña y trueque rápido.
박멸(撲滅) destrucción *f*, exterminio *m*, aniquilación *f*. ～하다 hacer desaparecer completamente, exterminar, acabar del todo (con), destruir totalmente, aniquilar.
◆성병(性病) ～ 운동(運動) campaña *f* antivenérea, lucha *f* contra las enfermedades venéreas.
■～책(策) medida *f* exterminadora.
박명(薄命) infortunio *m*, desventura *f*, desdicha *f*, mala suerte *f*. ～하다 (ser) infeliz, desdichado, infortuno, de mala suerte.
박모(薄暮) atardecer *m*, crepúsculo *m*. ～가 질 때 al atardecer, al ponerse el sol. ～ 중에 en el crepúsculo. ～가 진다 Atardece / Va a atardecer.
박문(博文) redacción *f* e imprenta.
박문(博聞) erudición *f*, conocimiento *m* amplio. ～ 하다 tener conocimiento amplio. ～한 사람 hombre *m* de conocimiento amplio. ～한 여인 mujer *f* de conocimiento amplio.
■～강기(强記) vasta erudición *f* de memoria prodigiosa.
박물(博物) ① [넓은 견문] conocimiento *m* amplio. ② [참고] referencia *f*. ③ ((준말)) ＝박물학(博物學).
■～관 museo *m*. ¶국립 ～ el Museo Nacional. 사립 ～ museo *m* privado. 시립(市立) ～ el Museo Municipal. ～ 군자(君子) hombre *m* muy versado. ～ 표본(標本) espécimen *m* de historia natural. ～학 historia *f* natural, ciencias *fpl* naturales. ～학자 naturalista *mf*.
박박[1] ① [단단한 물건의 도드라진 바닥을 연해 세게 갈거나 긁는 소리] raspando, rascándose, rozando, fuerte, con fuerza, bruscamente, de manera violenta, arañando, con rasguño, con arañazo, enérgicamente. 바가지를 ～ 긁다 raspar fuerte la calabaza. 모기가 문 곳을 ～ 긁다 rascarse la picadura de mosquito fuerte. ② [단단하고 얇은 물건을 잇따라 되바라지게 찢는 소리] rompiendo en pedazos, arrebatando, arrancando. 종이를 ～ 찢다 romper el papel en mil pedazos. 그는 사진을 ～ 찢었다 El rompió la foto en mil pedazos. ③ [세게 문지르거나 닦는 모양] frotando fuerte, restregando, refregando, masajeando bien. 그는 무릎을 ～ 문질렀다 El se frotó bien la rodilla. 내 발을 ～ 문질러라 Masajéame bien los pies.
박박[2] ① [얼굴이 몹시 얽은 모양] picado de (muchas) viruelas. ～ 얽다 tener la cara picada de viruela(s). 그의 얼굴은 ～ 얽었다 El tenía la cara picada de viruela(s). ② [머리를 아주 짧게 깎아 버린 모양] muy corto, al rape. 중처럼 머리를 ～ 깎다 tener el pelo (cortado) al rape como un monje budista. 내 친구는 머리를 ～ 깎았다 El tiene el pelo cortado al rape. 그는 죄수처럼 머리를 ～ 깎고 다녔다 El llevaba el pelo (cortado) al rape como un presidiario.
박복(薄福) desgracia *f*, infortunio *m*, desventura *f*, desdicha *f*, mala suerte *f*. ～하다 (ser) desgraciado, desfortunado, desdichado, desventurado, infortunado. ～한 여인(女人) mujer *f* infortunada [desdichada].
■～자(者) desdichado, -da *mf*, desgraciado, -da *mf*, infortunado, -da *mf*.
박봉(薄俸) poca remuneración *f*, salario *m* [sueldo *m*] escaso [pequeño], mal [poco] sueldo *m* [salario *m* · pago *m*], miseria *f* de sueldo. ～의 asalariado pequeño, poco remunerado, mal pagado. 입에 풀칠도 안되는 ～ salario *m* de hambre. ～을 받다 recibir muy mal salario [sueldo]. ～을 주다 pagar muy mal. 회사에서 종업원들에게

ㅂ

~을 준다 Les pagan muy mal a sus empleados.

■ ~자 persona *f* mal pagada, *RPI* persona *f* mal pago.

박빙(薄氷) capa *f* fina [delgada] de hielo, hielo *m* fino [delgado].

박사(博士) doctor, -tora *mf.* ~의 doctoral. ~티를 내어서 doctoralmente. 김 ~ el doctor Kim; [부를 때] doctor Kim. ~가 되다 doctorarse, sacar el título [obtener el grado] de doctor. ~티를 내다 doctorar. ~티를 내면서 이야기하다 hablar doctoralmente. ~님, 안녕하세요 Buenos días, doctor. ~님, 몇 시에 오실 수 있습니까? ¿A qué hora podrá venir, doctor? 김 ~님은 오늘 이곳에 오셨습니까? ¿Ha venido hoy el doctor Kim? 김 여사는 철학 ~이다 La señora de Kim es doctora en filosofía. 약사(藥師)의 아내는 ~이다 La mujer del farmacéutico es doctora. 그는 항상 ~티를 내면서 이야기한다 El siempre habla en tono doctoral.

◆ 과학(科學) ~ doctor *m* en ciencias. 교회학(敎會學) ~ doctor *m* de la Iglesia. 명예(名譽) ~ doctor *m* honoris causa. 만물(萬物) ~ enciclopedia *f* ambulante, diccionario *m* ambulante. 문학 ~ doctor *m* en filosofía y letras. 법학 ~ doctor *m* en derecho. 철학 ~ doctor *m* en filosofía.

■ ~ 과정 (curso *m* de) doctorado *m.* ~ 과정 학생 estudiante *mf* de doctorado; doctorando, -da *mf.* ~ 논문(論文) tesis *f* doctoral [de doctorado]. ~ 타이틀 título *m* de doctor, doctorado. ~ 학위 doctorado *m,* grado *m* de doctor. ¶~를 반다 doctorarse. ~를 수여하다 doctorar, graduar de doctor a *uno* en una universidad. ~ 학위 수여 doctoramiento *m.*

박사(薄謝) pequeño obsequio *m* de gratitud.

박살 rompimiento *m* en pedazos.

◆ 박살(을) 내다 hacer pedazos, hacer trizas, romper, desgarrar. 그는 그릇을 박살냈다 El hizo trizas un recipiente.

◆ 박살(이) 나다 hacerse pedazos, quedar hecho trizas, romperse, desgarrarse. 그것은 박살이 났다 Quedó hecho trizas. 접시는 땅바닥에 떨어지자 박살이 났다 El plato se hizo pedazos al caer al suelo.

박살(搏殺) matanza *f* de dar un golpe con la mano. ~하다 matar de dar un golpe con la mano.

박살(撲殺) matanza *f* de aporrear, matanza *f* a palos. ~하다 matar de aporreo, matar a palos.

박새【조류】paro *m,* herrerillo *m* mayor.

박색(薄色) ① [아주 못생긴 얼굴] cara *f* muy fea, rostro *m* muy feo, aspecto *m* muy feo. ② [주로 여자에게 쓰여, 아주 못생긴 사람] mujer *f* muy fea.

박속 parte *f* comible de la calabaza.

박수【민속】*baksu,* adivino *m,* hechicero *m,* brujo *m,* encantador *m.*

박수(拍手) palmoteo *m,* palmada *f.* ~하다 palmotear, batir palmas, dar palmadas, aplaudir. 우레와 같은 ~ 속에 entre palmoteo estrepitoso (de las manos). 모두가 그 가수에게 ~를 보냈다 Todos aplaudieron al cantante.

■ ~갈채 aplauso *m.* ¶~하다 aplaudir. 떠나갈 듯한 ~ salva *f* de aplausos. ~로 환영하다 recibir con un aplauso, recibir con aplausos. ~례 (禮) saludo *m* de aplausos.

박스(영 *box*) ① [상자] caja *f,* [큰] cajón *m* (*pl* cajones); [보석 따위의] estuche *m;* [보석함] joyero *m, AmL* alhajero *m;* [연장의] caja *f* de heramientas. ② [극장이나 카페의 칸을 막는 특별석] palco *m.* ③ [수위·순경(巡警)·보초 따위가 번을 서는 간단한 구조물] cabina *f.*

박식(博識) extensos conocimientos *mpl,* extensa sabiduría *f,* cultura *f* enciclopédica, conocimiento *m* amplio, erudición *f.* ~하다 (ser) docto, erudito, bien conocido, muy sabio, enciclopédico, leído. ~한 사람 docto, -ta *mf;* sabio, -bia *mf;* erudito, -ta *mf.* 철학에 ~하다 ser docto en filosofía. ~한 체하다 pedantear. ~한 데가 있다 ser pedante.

박신거리다 amontonar, atestar, llenar de bote en bote, pulular (por), hormiguear (de), bullir.

박신박신 en muchedumbre, en multitud, en manadas. ¶~하다 amontonar, atestar, llenar de bote en bote, hormiguear.

박아 내다 imprimir. 신문(新聞)을 ~ imprimir los periódicos.

박애(博愛) filantropía *f,* benevolencia *f,* caridad *f,* humanidad *f.* ~하다 (ser) filantrópico, humanitario, benévolo, caritativo.

■ ~가 filántropo, -pa *mf.* ~ 사업 obra *f* filantrópica. ~ 정신 filantropismo *m.* ~주의(主義) filantropismo *m.*

박약(薄弱) debilidad *f,* flaqueza *f,* extenuación *f,* poca consistencia *f.* ~하다 (ser) débil, endeble, flojo, flaco, poco consistente, delicado, enclenque. ~한 의론(議論) argumento *m* flaco. ~한 이유(理由) razón *f* insubstancial. 그 주장은 근거가 ~하다 La afirmación está poco fundamentada. 그는 의지가 ~하다 El es de débil voluntad / El es débil de voluntad. 이 아이는 심신이 ~하다 Este niño es débil tanto física como mentalmente.

◆ 의지 ~ espíritu *m* poco consistente.

박언학(博言學) filología *f,* lingüística *f.* ~의 filológico.

■ ~자 filólogo, -ga *mf.*

박옥(璞玉) joya *f* sin tallar, joya *f* en bruto.

박용(舶用) uso *m* para el barco. ~하다 usar para el barco. ~의 marino, para el barco [buque].

■ ~ 가스 터빈 turbina *f* marina de gases. ~ 발전기 dinamo *m* marino. ~ 엔진 motor *m* marino.

박우(薄遇) maltrato *m,* mal tratamiento *m.*

박우물 pozo *m* poco profundo (que se puede

ㅂ

sacar el agua con la calabaza).
박운(薄雲) nube *f* muy delgada.
박운(薄運) infortunio *m*, desventura *f*, desdicha *f*, mala suerte *f*.
박은이 impresor, -sora *mf*, tipógrafo, -fa *mf*.
박음쇠 engrapador *m*, grapadora *f*, cosepapeles *m.sing.pl*. ~의 바늘 grapa *f*, (barra *f* de) grapas *fpl*. ~로 꽂다 coser con grapas.
박음질 pespunte *m*. ~하다 pespuntar.
박음판(-版) =인쇄판(印刷版).
-박이 cosa *f* con incrustaciones. 덧니~ persona *f* que tiene un diente doble.
박이다[1] ① [한곳에 붙어 있거나 끼어 있다] atascarse, atrancarse, meterse; [박여 있다] estar metido. 서랍이 박였다 El cajón se ha atascado. 문이 박였다 La puerta se ha atrancado. 뼈가 목에 박였다 Un hueso se atascó en mi garganta. 자동차가 진창에 박였다 El coche se atascó en el barro. 그녀는 온종일 아이들과 집에 박여 있다 Ella está todo el día metida en la casa con los niños. 말이 목구멍에 박여 나오지 않았다 No me salían las palabras / No pude articular palabra. ② [마음이나 몸에 꼭 배다] quedar profundo, adquirir malas costumbres, acostumbrarse (a + *inf*), tener la manía (de + *inf*). 담배를 피우면 인이 박이어 끊기 어렵다 Una vez que se tiene la manía de fumar, es muy difícil dejar de fumar.
박이다[2] [((「박다」의 사동)) 인쇄물이나 사진을 박게 하다] [인쇄물을] hacer imprimir; [사진을] hacer sacar (la foto).
박이부정(博而不精) Aprendiz de todo, maestro de nada / Aprendiz de todo y oficial de nada.
박자(拍子) compás *m*, ritmo *m*, cadencia *f*, medida *f*, batuta *f*. ~에 맞는 rítmico, cadencioso. ~에 맞게 con ritmo, con medida. ~에 맞추면서 siguiendo el ritmo. ~를 맞추다 coger [llevar] el compás. ~를 맞추어 걷다 andar a compás. 손으로 ~을 맞추다 marcar el compás (con la mano). 발로 ~를 맞추면서 기타를 치다 tocar la guitarra marcando el compás con el pie.
◆4분의 2 [3·4] ~ compás *m* de dos [tres·cuatro] por cuatro. 8분의 4 ~ compás *m* de cuatro por ocho.
박작거리다 apiñarse, bullir, empujar, dar empujones, hormiguear.
박작박작 apiñándose, bullendo, dando empujones, hormigueando, en multitud, en muchedumbre, en grupo.
박장(拍掌) palmoteo *m*, palmadas *fpl*, aplausos *mpl*. ~하다 dar una palmada (a), aplaudir.
■ ~대소(大笑) carcajada *f*. ¶~하다 soltar a carcajadas, reír(se) a carcajadas.
박재(雹災) desastre *m* de granizo.
박재(薄才) falta *f* de habilidad.
박절(迫節) inhumanidad *f*, insensibilidad *f*. ~하다 (ser) insensible, desamorado, inhumano, severo.
박절히 inhumanamente, insensiblemente, con inhumanidad.
박절기(拍節機) 【음악】 metrónomo *m*.
박정(薄情) frialdad *f*, insensibilidad *f*, desafecto *m*, crueldad *f*. ~하다 (ser) frío, insensible, indiferente, impasible, duro de corazón, desafecto, seco, desabrido, adusto; [잔혹하다] cruel, desalmado, inhumano. ~한 남자 hombre *m* sin corazón. ~한 사람 persona *f* insensible; desalmado, -da *mf*; ingrato, -ta *mf*. 나는 그렇게 ~한 짓을 할 수 없다 No puedo hacer una cosa tan cruel.
박정스럽다 (ser) frío, seco, cruel, desalmado, ingrato.
박정스레 fríamente, con frialdad, secamente, cruelmente, con crueldad, desalmadamente, ingratamente.
박정히 fríamente, con frialdad, secamente, cruelmente, desalmadamente, ingratamente. ~ 대하다 tratar fríamente [con frialdad], mostrarse duro (con). ~ 대답하다 contestar fríamente.
박제(剝製) [행위] disección *f*, desecación *f*. ~하다 disecar. ~되다 disecarse. ~된 disecado.
■ ~사 taxidermista *mf*; disecador, -dora *mf*. ~술 taxidermia *f*, arte *m* de disecar animales. ~ 표본(標本) espécimen *m* de animales disecados. ~품(品) artículo *m* disecado.
박주(薄酒) bebida *f* [licor *m*·vino *m*] de sabor desagradable.
박주가리 【식물】 hierba *f* lechera.
박쥐 【동물】 murciélago *m*, vespertilio *m*.
■ ~ 구실 oportunismo *m*. ¶그는 ~을 한다 El es un oportunista. ~ 오입쟁이 putañero *m* secreto. ~ 우산(雨傘) paraguas *m.sing.pl*; [양산] parasol *m*.
박지(薄紙) papel *f* fino, papel *m* de seda.
박지타지(縛之打之) golpe *m* después de atar el cuerpo. ~하다 dar golpes después de atar el cuerpo.
박진(迫進) verosimilitud *f* (a la vida), verdad *f* a la vida. ~하다 (ser) muy real, verosímil, verdadero a la vida [la naturaleza].
■ ~감 sentido *m* de verosimilitud. ~력(力) poder *m* de verosimilitud. ~성(性) verosimilitud *f* (a la vida).
박차(拍車) ① [승마 구두의 뒤축에 댄 쇠로 만든 물건] espuela *f*. ② [어떤 일의 촉진을 위하여 더하는 힘] aceleración *f*.
◆박차를 가하다 expedir, acelerar, apresurar, dar prisa (a), espolear, picar con espuela, estimular.
박차다 ① [발길로 힘껏 차다] patear, dar patadas, dar puntapies, dar coces. ② [(애로나 장애를) 내쳐 물리치다] rechazar, rehusar.
박찬(薄饌) plato *m* pobre de acompañamiento a la comida.
박처(薄妻) maltratamiento *m* a *su* esposa. ~

하다 maltratar a *su* esposa, tratar a *su* esposa fríamente.
박초바람(舶趠－) viento *m* de junio y julio.
박초풍(舶趠風) ＝박초바람.
박충하다(朴忠－) (ser) simple y leal.
박치기 cabezazo *m*, golpe *m* dado con la cabeza, golpe *m* recibido en la cabeza, topetazo *m*. ～하다 dar*le* un cabezazo (a *uno*), dar*le* un topetazo (a *uno*).
박타다 ① [박을 두 쪽으로 가르다] cortar [partir] la calabaza vinatera en dos. ② [바라던 일이 틀려 버리다] no alcanzar *su* esperanza. estar por debajo de *su* esperanza, estar (muy) por debajo de lo que esperaba.
박탈(剝奪) privación *f*, despojo *m*. ～하다 privar, despojar, quitar. 공민권을 ～하다 despojar el derecho civil. 관직을 ～하다 despojar de *su* puesto oficial. 변호사의 자격을 ～하다 privar del título de abogado. 그는 지휘권(指揮權)을 ～당했다 Le privaron [despojaron] del mando. 당국은 그의 권리를 ～했다 La autoridad le despojó de su derecho. 어느 누구도 인간의 자유를 ～할 수 없다 Nadie puede privar a los demás de su libertad.
박태기나무 【식물】 árbol *m* de Judas, árbol *m* del amor.
박테리아(라 *bacterium*) bacteria *f*, microbo *m*.
박토(薄土) terreno *m* estéril [infructuoso · infecundo · infructífero], erial *m*.
박통(博通) ＝박식(博識).
박피(薄皮) piel *f* fina [delgada]; [액체의] película *f*, [박막(薄膜)] membrana *f*.
박하(薄荷) 【식물】 hierbabuena *f*, menta *f*. ～맛의 con sabor a menta.
■～ 과자 bombón *m* de menta. ～뇌[빙] mentol *m*. ～ 물부리 pipa *f* con menta para no fumar. ～사탕 dulce *m* de menta. ～수(水) el agua *f* de menta. ～엽(葉) hoja *f* de menta. ～유(油) aceite *m* de menta. ～정(精) esencia *f* de menta.
박하다(駁－) ＝반박하다.
박하다(薄－) ① [인색하다] (ser) tacaño, mezquino, mísero; [인정이 없다] inhumano, frío, insensible. 인심이 박한 세상 mundo *m* difícil de vivir. 점수가 ～ ser severo [estricto] en las notas. 박하게 굴지 마라 No seas tan tacaño. ② [두껍지 아니하고 얇다] (ser) escaso, exiguo. 박한 봉급 salario *m* [sueldo *m*] escaso. 이익이 ～ Las ganancias son pequeñas / Los beneficios son pequeños.
박학(博學) erudición *f*, gran cultura *f*, estudio *m* extenso, conocimiento *m* amplio. ～하다 (ser) erudito, docto, sabio, letrato. ～한 사람 erudito, -ta *mf*, pozo *m* de ciencia; hombre *m* de erudición; persona *f* erudita.
■～다문(多聞) saber *m* enciclopédico, estudio *m* profundo y mucha experiencia. ～다식(多識) saber *m* enciclopédico, estudio *m* profundo y mucho conocimiento. ～다재(多才) saber *m* enciclopédico, estudio *m* profundo y mucha habilidad.
박해(迫害) persecución *f*. ～하다 perseguir, acosar, hostigar, vejar, oprimir. 종교상의 ～ persecución *f* religiosa. ～를 받다 sufrir persecución. …로부터 ～를 받다 ser [verse] perseguido por *uno*.
■～자 perseguidor, -dora *mf*.
박행(薄行) actitud *f* [acción *f*] frívola, acto *m* frívolo.
박행(薄幸) ＝불행(不幸).
박행(薄倖) ＝박정(薄情).
박히다 ① [어떤 물건이 다른 물건 속으로 들어가 꽂히다] menterse (en), clavarse. 나뭇조각이 손톱과 살 사이에 박혔다 Se me metió una astilla entre la uña y la carne. 손가락에 가시가 박혔다 Me clavé [Se me clavó] una espina en el dedo. ② [사진이나 인쇄물이 박아지다] imprimirse. 책이 박혀 나온다 El libro se publica impreso.
밖 ① [바깥] parte *f* exterior, exterior *m*; [부사적] afuera. ～의 de fuera, exterior, externo. ～에 fuera (de la casa), afuera, al [en el] aire libre. ～으로 afuera, hacia fuera. ～에서 de [desde] fuera. …의 ～에 fuera de *algo*. 마을의 ～에 fuera del pueblo. ～에 나가다 salir a la calle. ～에서 놀다 jugar fuera de casa [al aire libre]. ～에서 먹다 comer fuera de casa. ～에서 오다 venir de (a)fuera. ～에서 본 바에 따르면 visto de fuera, en apariencia, aparentemente. ～으로 밀어내다 empujar afuera. 감정(感情)을 ～으로 나타내다 exteriorizar *sus* emociones. 차창(車窓) ～으로 머리를 내놓다 sacar la cabeza por la ventanilla. ～에서 차가 기다리고 있다 El coche está esperándote en la calle [en la puerta]. 집 ～에서 나를 기다려라 Espérame fuera (de casa). ～에서 누군가가 너를 부르고 있다 Alguien te llama (a)fuera / Te llaman (a)fuera. 그는 ～에 나갔습니다 El está (a)fuera / El está ausente. ～에 나가(거라) ¡Fuera (de aquí)! / ¡Vete afuera! / ¡Afuera! ～은 춥다 [덥다] Hace frío [calor] afuera. 이 문은 ～으로 연다 Esta puerta se abre hacia fuera. 그는 ～에서는 좋으나 집에서는 나쁘다 El es simpático (cuando está) fuera, pero poco amable en casa. 한국 사람들은 감정을 많이 ～으로 나타낸다 Los coreanos exteriorizan mucho sus emociones.
② [이외] excepción *f*. 사전과 그 ～의 참고서 los diccionarios y otros libros de consulta. 그 ～의 사람들 los otros [el resto de los] hombres. 한국, 미국, 영국, 불란서, 서반아, 멕시코, 아르헨띠나, 그 ～ Corea, los Estados Unidos de América, Inglaterra, Francia, España, Méjico, la Argentina, etc. ③ [바깥 어른] marido *m*, esposo *m*.
밖에 solamente, sólo, no más que. 한 번 ～ sólo [solamente] una vez. 이것～ 없다 No hay más que éste. 나는 돈이 만 원～ 없다 Tengo solamente diez mil wones /

No tengo más que diez mil wones. 나는 야채~ 먹지 않는다 No como sino [más que] legumbres. 나는 그녀를 한 번~만 나지 못했다 No la he visto sino [más que] una vez. 그는 마드리드에는 10일~ 있지 않았다 El ha estado en Madrid nada más que cinco días. 그것은 백화점에서~ 팔지 않는다 Eso no se vende más que en los almacenes. 그는 돈~ 생각하지 않는다 El no piensa más que [El piensa sólo] en el dinero. 나는 그것~ 할 수 없다 No puedo hacer más que eso. 나는 일요일~ 시간이 없다 Sólo tengo tiempo los domingos / Fuera de los domingos no tengo tiempo libre. 그렇게~ 생각할 수 없다 No se puede pensar de otra manera. 그 사람이 정신이 나갔다고~ 생각하지 않을 수 없다 No puedo menos de pensar que él está loco. 이제 도망칠 수~ 달리 방도가 없다 Ya no hay [no tenemos] más remedio que huir. 마감은 이제 3일~ 남지 않았다 Para el cierre sólo quedan ya tres días. 그는 자기편을 배반할 수~ 없다 Puede (ser) que traicione [Es capaz de traicionar] a sus propios partidarios.

ㅂ

반 chapa *f* [capa *f*·plancha *f*] aplanada.
◆솜~ capa *f* de algodón aplanada.

반(反) 【철학】 antítesis *f*.

반(半) medio *m*, mitad *f*, [부사적] medio. ~의 medio. ~만 (sólo) a medias. ~이 썩은 사과 manzana *f* medio podrida. 1년 ~ (un) año y medio. 1킬로 ~ (un) kilo y medio. 1시간 ~ (una) hora y media. ~다스 media docena *f*. ~ 년 medio año *m*. ~ 시간 media hora *f*. ~은 한국인 ~은 서반아인 그룹 grupo *m* de mitad coreanos y (de) mitad españoles. 1배 ~ 증가하다 aumentar la mitad más. ~ 농담으로 medio en broma, medio en serio. ~으로 나누다 partir por la mitad [por mitades·mitad por mitad], dividir en dos partes iguales. ~으로 자르다 cortar por la mitad. 그 사과는 ~이 썩어 있었다 La mitad de la [Media] manzana estaba podrida. 비용의 ~을 지불하십시오 Pague usted la mitad de los gastos, por favor. 그의 나이는 내 ~이다 El tiene la mitad de mis años. 그는 ~ 잠들어 있다 El está medio dormido.
◆반(을) 타다 dividir en la mitad.

반(班) ① [반열] casta *f*, clase *f*, posición *f* social. ② [집단. 조] partido *m*, grupo *m*, compañía *f*, unidad *f*, [학급] clase *f*, [군대의] sección *f*. 2학년 A~ clase A del segundo curso. ③ [행정 구역의] *Ban*, asociación *f* vecina.
■~장(長) jefe, -fa *mf* de *Ban*.

반(盤) tabla *f*, tablero *m*, plato *m*, plancha *f*, disco *m*, bandeja *f*.

반-(反) anti-. ~식민지주의 anticolonialismo *m*. ~정부 운동(政府運動) movimiento *m* antigubernamental.

반-(半) medio, semi-. ~도체 semiconductor. ~신(神) semidiós.

반가(半價) =반값.

반가(返歌) oda *f* en respuesta, contestación *f* en poesía [en verso], contestación *f* rimada.

반가(班家) familia *f* noble, casa *f* de nobleza.

반가공품(半加工品) artículos *mpl* semimanufacturados.

반가부좌(半跏趺坐) ((불교)) acción *f* de sentarse (en el suelo) con las piernas cruzadas.

반가상(半跏像) estatua *f* de Buda sentada con las piernas cruzadas.

반가움 alegría *f*, gozo *m*, contento *m*.

반가워하다 alegrarse (de), tener mucho gusto (en). 소식을 듣고 ~ alegrarse de oír la noticia. 나는 친구를 만나 무척 반가워했다 Me alegré mucho de ver a mi amigo íntimo. 그는 나를 보고 반가워했다 El se alegró de verme.

반가이 ☞반갑다

반각(反却) devolución *f*, restitución *f*, reembolso *m*. ~하다 devolver, restituir, reembolsar.

반간(反間) enajenamiento *m*, enajenación *f*, alienación *f*, desvío *m*, distanciamiento *m*.
■~책[계] estratagma *f* con que se procura disensión entre los enemigos.

반간(半間) medio *gan*, habitación *f* de medio tamaño.

반감(反感) antipatía *f*, antagonismo *m*, repugnación *f*, repugnancia *f*, aversión *f*, sentimiento *m* desfavorable. ~을 사다 revocar antipatía. ~을 품다 guardar antipatía, guardar mal sentimiento (contra), prevenirse (contra), tener aversión (a).

반감(半減) reducción *f* a la mitad. ~하다 reducir [disminuir] a la mitad. ~되다 reducirse a la mitad, disminuir(se) a la mitad. 경비를 ~하다 reducir los gastos a la mitad. 회원이 ~됐다 Los miembros disminuyen [han quedado reducidos] la mitad.
■~기(期) período *m* de medio valor.

반갑다 alegrarse, (ser) contento, satisfecho, alegre, gozoso, feliz, dichoso, afortunado. 반가운 소식 noticia alegre. …해서 ~ alegrarse de + *inf*, tener mucho gusto en + *inf*. 감사합니다. 모두 잘 있습니다 — 그것 참 반갑습니다 Gracias. Todos están bien — Me alegro mucho de oírlo. 만나뵈어 반가웠습니다 Me alegré de verle. 만나뵙게 되면 반갑겠습니다 Me alegraré mucho de verle.
반가이 de buena gana, de buen grado, con mucho gusto, afortunadamente, dichosamente. ~ 맞이하다 dar la bienvenida (a), recibir con gusto.

반값(半—) medio precio *m*, mitad *f* de(l) precio. ~ 이하로 menos de la mitad del precio. ~으로 팔다 vender a medio precio [a mitad de precio]. ~으로 할인하다 descontar la mitad del precio, rebajar el precio a la mitad [por la mitad].

반 개(半個) medio, media pieza *f.* 사과 ~ media manzana *f.*
반개(半開) ① [(문 따위가) 반쯤 열림] media abertura *f.* ~의 entreabierto, medio abierto, abierto en parte. ~해 두다 dejar entreabierto. ~해 있다 estar entreabierto. ② [(꽃이) 반쯤 핌] medio florecimiento *m.* ~의 medio florecido. ③ [문화 정도가 아직 개화되지 못함] semicivilización *f.* ~의 semicivilizado, semibárbaro.
반개혁(反改革) contrarreforma *f.*
■~ 운동 contrarreformismo *m.*
반거들충이(半一) persona *f* de ligero conocimiento.
반건대구(半乾大口) bacalao *m* medio secado.
반걸음(半一) medio paso *m.*
반겨하다 =반가워하다.
반격(反擊) contraataque *m,* contraofensiva *f.* ~하다 contraatacar, dar un contraataque, repeler. 결국 우리들은 적에게 ~할 수 있었다 Al fin pudimos devolver un golpe al enemigo.
■~ 기지 base *f* de contraataque. ~ 작전 operaciones *fpl* de contraataque. ~전(戰) guerra *f* de contraataque.
반경(半徑) radio *m,* semidiámetro *m.* …에서 ~ 100 킬로미터 이내에 en un radio de cien kilómetros alrededor de un sitio. ~ 5 센티미터의 원을 그리다 trazar un círculo con un radio de cinco centímetros.
반고리관(半一管) 【해부】 canal *m* semicircular.
반고체(半固體) substancia *f* semisólida.
반고형식(半固形食) =연식(軟食).
반골(反骨/叛骨) desafío *m,* acto *m* de rebeldía.
■~ 정신 espíritu *m* rebelde, espíritu *m* de no sometimiento a la autoridad.
반공(反共) anticomunismo *m.* ~하다 oponerse al comunismo. ~의 anticomunista.
◆아시아 ~ 연맹 la Liga Anticomunista de Pueblo Asiático.
■~ 거점 base *f* anticomunista. ~ 교육 educación *f* anticomunista. ~법(法) ley *f* anticomunista. ~ 사상 anticomunismo *m.* ~ 선전 propaganda *f* anticomunista. ~ 운동 movimiento *m* anticomunista. ~ 전선 frente *m* anticomunista. ~ 정권 régimen *m* anticomunista. ~ 정부(政府) gobierno *m* anticomunista. ~ 정책(政策) política *f* anticomunista. ~주의자 anticomunista *mf.* ~ 진영 campo *m* anticomunista. ~태세 posición *f* anticomunista.
반공(反攻) =반공격(反攻擊).
■~ 기지 base *f* de contraataque. ~ 작전 operaciones *fpl* contraofensivas.
반공(半工) ① =반품. ② [한 사람 몫의 절반쯤 되는 일] mitad *f* de la porción de una persona.
반공격(反攻擊) contraataque *m.* ~하다 contraatacar.
■~전(戰) guerra *f* de contraataque.
반공산주의(反共産主義) anticomunismo *m.*
■~자 anticomunista *mf.*
반공일(半空日) sábado *m.* ~날 sábado *m.*
반과거(半過去) 【언어】 pretérito *m* imperfecto.
반과격주의(反過激主義) antiextremismo *m,* antirradicalismo *m.*
■~자 antiextremista *mf,* antirradical *mf.*
반과격파(反過激派) antifacción *f* radical.
반관(半官) ¶~의 semi-oficial. ~적으로 semioficialmente.
■~반민(半民) administración *f* semigubernamental. ~반민 신문 órgano *m* semioficial. ~반민 회사 compañía *f* [sociedad *f*] semigubernamental.
반관보(半官報) gaceta *f* semi-oficial, periódico *m* semi-oficial.
반구(半句) hemistiquio *m.*
반구(半球) hemisferio *m.* ~의 hemisférico.
◆동(東)~ hemisferio *m* oriental. 서(西)~ hemisferio *m* occidental. 남(南)~ hemisterio *m* austral [meridional]. 북(北)~ hemisferio *m* boreal [septentrional].
■~형(形) forma *f* hemisférica.
반국가적(反國家的) antinacional.
반군(反軍) oposición *f* a las autoridades militares.
■~ 사상(思想) antimilitarismo.
반군(叛軍) ((준말)) =반란군(叛亂軍).
반군국주의(反軍國主義) antimilitarismo *m.*
■~자 antimilitarista *mf.*
반기 bandeja *f* de los comibles para distribuir a los invitados después de la fiesta.
반기(反旗) ① [반대의 뜻을 나타내는 행동이나 표시] actitud *f* opuesta. ② =반기(叛旗).
◆반기(를) 들다 rebelarse (contra), sublevarse (contra).
반기(半期) [반년] semestre *m;* [1기의 반] mitad *f* del periodo. ~의 semestral. ~로 semestralmente.
◆상[하]~ primer [segundo] semestre *m.*
■~ 결산 balance *m* semestral. ~ 배당 dividendo *m* semestral.
반기(半旗) bandera *f* a media asta. ~를 게양하다 colocar la bandera a media asta.
반기(叛起) rebelión *f,* rebeldía *f.* ~하다 rebelarse (contra). 민중은 당국에 ~를 들었다 El pueblo se rebeló contra la autoridad.
반기(叛旗) bandera *f* de rebelión. ~를 게양하다 alzar [levantar] la bandera de rebelión.
반기(飯器) =밥그릇.
반기다 alegrarse (de). 손님을 ~ alegrarse de ver a la visita.
반기생(半寄生) 【생물】 semiparasitismo *m.* ~의 semiparasítico, hemiparasítico.
■~ 생물 hemiparásito *m.* ~ 식물 planta *f* semiparasítica.
반나마(半一) más de la mitad.
반나절(半一) mitad *f* de medio día.
반나체(半裸體) semidesnudez *f,* seminudez *f.* ~의 medio desnudo, semidesnudo, seminudo.

반날(半－) medio día *m*.
반납(半納) pago *m* de la mitad. ～하다 pagar la mitad.
반납(返納) devolución *f*, restitución *f*. ～하다 devolver, restituir.
반년(半年) medio año *m*, seis meses; [반기(半期)] semestre *m*. ～마다 cada medio año, cada seis meses, cada semestre, semestralmente. ～마다의 semestral, semianual.
반단(半－) medio lío *m* [fardo *m*].
반닫이(半－) armario *m*.
반달[1](半－) ① [반쯤 이지러진 달] media luna *f*. ② [속손톱] blanco *m* de la uña.
▪ ～꼴 forma *f* de media luna, semicírculo *m*, media luna *f*. ～낫 hoz *f* de forma de media luna. ～ 무늬 figura *f* de forma de media luna. ～문 puerta *f* semicircular (en la parte superior). ～연 cometa *f* con papel de color de la forma de media luna en la parte superior. ～칼 espada *f* semicircular.
반달[2](半－) [한 달의 절반] medio mes *m*, quincena *f*, quince días. ～ 후에 quince días después, una quincena después. ～마다 cada quince días, quincenalmente. ～마다의 quincenal, bimensual.
반달가슴곰 【동물】((학명)) Ursus thibetanus ussuricus.
반달음(半－) ＝반달음질. ¶～에 con paso rápido como la carrera.
▪ ～(박)질 el andar con paso rápido como la carrera.
반당(反黨) [반역자] traidor, -dora *mf*; [반당 행위] actividades *fpl* antipartistas.
▪ ～ 분자 elementos *mpl* antipartistas. ～적 antipartista *adj*.
반대(反對) ① [역(逆)] contrariedad *f*, oposición *f*, contrario *m*, lo contrario, lo opuesto, lo inverso. ～의 contrario, opuesto, inverso. ～로 al [por el·por lo] contrario, al revés, a la inversa; [반면에] en cambio. ～ 방향(方向)으로 en (la) dirección opuesta [contraria], con rumbo contrario, en sentido opuesto [inverso]. …과는 ～로 contra *algo*. 내 의도와는 ～로 contra mi propósito. ～로 하다[뒤집다] invertir, trastocar, volver al revés; [위아래를] volcar, poner boca abajo; [안팎을] poner al [del] revés. 의미를 ～로 받아들이다 entender [tomar] al revés [en el sentido contrario], interpretar en sentido opuesto. 시곗바늘을 ～로 돌리다 invertir la marcha de las manecillas del reloj. 기계의 손잡이를 ～로 돌리다 dar vueltas al manubrio de la máquina al revés. 숫자(의 순서)를 ～로 하다 invertir los *números*. 그것은 완전히 ～이다 Es (completamente) todo lo contrario. 그는 사고방식이 나와 ～다 El piensa al contrario que yo. 나는 여름을 좋아한다 － 그런데 나는 ～다 Me gusta el verano － Pues, a mí me pasa lo contrario. 그것은 ～일 가능성도 있다 Existe la posibilidad contraria. 너는 모자를 ～로 쓰고 있다 [앞뒤·안팎을] Tú llevas el sombrero del revés. ～로 사의(謝意)를 표해야 할 사람은 저입니다 Al contrario [Por el contrario] soy yo el que tengo que darle las gracias. 그는 나와 ～ 성격이다 Su carácter es contrario al mío. 두 사람의 취미는 완전히 ～다 Los dos tiene gustos completamente opuestos. 현실은 그 ～이다 La realidad es lo contrario.
② [불찬성. 이의] objeción *f*, oposición *f*. ～하다 [불찬성] oponerse (a), contrariar; [반론] contradecir (a); [항의] protestar (de·contra). ～의 opuesto. ～의 뜻을 표명하다 declararse (contra). 의안(議案)에 ～하다 oponerse a la propuesta. 이 의견에 찬성입니까 ～입니까 ¿Está usted a favor o en contra de esta opinión? 네가 그곳에 가는데 나는 ～다 Me opongo a que vayas allí. 핵실험 ～! ¡No a [Abajo] las pruebas nucleares!
▪ ～ 개념 concepto *m* contrario. ～ 급부 contraprestación *f*. ～당 partido *m* de la oposición, oposición *f*. ～ 당사자 parte *f* contraria. ～ 대당(對當) oposición *f* contraria. ～론 opinión *f* opuesta, parecer *m* opuesto. ～말[어] antónimo *m*. ¶～ 사전 diccionario *m* de antónimos, diccionario *m* de contrarios. ～ 무역풍 contraalisios *m*. ～ 방향(方向) dirección *f* opuesta. ～ 사실 hecho *m* en contra. ～색 color *m* antagónico. ～ 세력 oposición *f*. ～ 신문(訊問) repregunta *f*, interrogatorio *m* contradictorio. ～ 의견 opinión *f* disidente. ～ 의사(意思) intento *m* en contra. ～자 [정책 등의] opositor, -tora *mf*; [토론의] adversario, -ria *mf*, oponente *mf*; [스포츠의] contrincante *mf*, rival *mf*, oponente *mf*. ¶정부의 국방 정책의 ～ quienes se oponen a [los opositores de] la política de defensa del gobierno. ～쪽 otro lado *m*. ¶ ～의 보도(步道) acera *f* opuesta, acera *f* de otro lado de la calle. 학교는 역과 ～에 있다 Hay una escuela al otro lado de la estación. ～ 투표 voto *m* en contra, votación *f* en contra. ¶～하다 votar en contra (de). ～파 oposición *f*, partido *m* de la oposición. ～표(票) voto *m* negativo, voto *m* discrepante.
반대기 bola *f* de masa aplastada, bola *f* vegetal cocida.
반대좀 【곤충】 lepisma *f*, polilla *f*.
반덤핑 관세(反 dumping 關稅) derechos *mpl* de aduana anti-dumping.
반도(半島) península *f*, promontorio *m*. ～의 peninsular.
◆ 이베리아 ～ la Península Ibérica. 한(韓) ～ la Península Coreana.
▪ ～국 país *m* peninsular. ～인 peninsular *mf*.
반도(叛徒) insurgente *mf*, rebelde *mf*, insurrecto, -ta *mf*.
반도미(半搗米) arroz *m* medio pulido.
반도체(半導體) semiconductor *m*. ～의 semi-

conductor.

■ ~ 공학 tecnología *f* del semiconductor. ~ 레이저 láser *m* de semiconductores. ~ 메이저 máser *m* de semiconductor. ~ 소자(素子) magnetodiodo *m*. ~ 장치(裝置) dispositivo *m* semiconductor.

반독립(半獨立) independencia *f* parcial.

반독립국(半獨立國) =반주권국(半主權國).

반동(反動) reacción *f*. ~하다 reaccionar. ~의 reaccionario. …에 대한 ~으로 en reacción a *algo*.

■ ~가(家) reaccionario, -ria *mf*, retrógrado, -da *mf*. ~기(期) período *m* de reacción, período *m* de obstinación, período *m* de terquedad. ~력 fuerza *f* reaccionaria. ~ 분자 reaccionario, -ria *mf*. ~ 사상 idea *f* reaccionaria. ~성(性) carácter *m* reaccionario. ~ 세력 influencia *f* reaccionaria. ~ 수차(水車) turbina *f* hidráulica reaccionaria. ~심 espíritu *m* reaccionario. ~자 reaccionario, -ria *mf*. ~적 reaccionario, retrógrado. ~ 정당 partido *m* conservador. ~ 정치 política *f* reaccionaria, política *f* retrógrada. ~주의 reaccionarismo *m*. ~주의자 reaccionario, -ria *mf*. ~ 터빈 turbina *f* reaccionaria. ~파 facción *f* reaccionaria, reaccionarismo *m*; [사람] reaccionario, -ria *mf*. ~ 형성 formación *f* de reacción.

반두 *bandu*, una especie de la red para pescar.

반둥거리다 vagar, haraganear, gandulear, pasearse lentamente.

반둥반둥 vagando, haraganeando.

반드럽다 ① [깔깔하지 않고 매우 매끄럽다] (ser) liso, suave, terso. 반드러운 유리 cristal *m* [vidrio *m*] liso. ② [약삭빠르다] volverse desvergonzado. 반드러운 desvergonzado, maleado, descarado, impudente. 그는 아직 반드럽지는 않다 El todavía no está maleado.

반드레하다 =번드레하다.

반드르르 lustrosamente, brillantemente, lisamente, bruñidamente, glaseadamente, satinadamente. ~하다 (ser) lustroso, brillante, liso, bruñido, glaseado, satinado.

반드시 [틀림없이. 꼭] sin falta, sin duda; [확실히] ciertamente, seguramente, indudablemente; [기필코] a toda costa, cueste lo que cueste; [항상] siempre, invariablemente; [필연적으로] necesariamente, inevitablemente. …하면 ~ …하다 no … sin + *inf* [sin que + *subj*]. ~ …하는 것은 아니다 no … siempre, no … necesariamente, no … todo. 오늘밤에 와 주십시오 — ~ 뵈오러 가겠습니다 Venga a verme esta noche — Iré a verle a usted sin falta / No faltaré. 나는 ~ 돌아옵니다 Seguramente volveré. 그는 ~ 성공하리라 확신된다 Seguro que él tendrá buen éxito. ~ 그를 나무랄 수만은 없다 Sería injusto reprenderle a él sólo. 나는 매일 아침 ~ 여섯 시에 일어난다 Invariablemente, me levanto a las seis todas las mañanas. 그는 나를 만날 때마다 ~ 커피를 사 준다 Siempre que él me ve, me invita a tomar café. 그녀는 콩쿠르 대회에 참가하면 ~ 상을 탄다 Siempre que ella participa en un concurso se lleva el premio / Ella no participa en un concurso sin que se lleve un premio. 값이 비싼 물건이라고 ~ 품질이 좋지는 않다 No es siempre de buena calidad todo lo que cuesta mucho. 그의 말이 ~ 불합리한 것만은 아니다 Lo que dice él no es completamente irrazonable. 그의 말이 ~ 틀린 것만은 아니다 No está del todo equivocado en lo que dice.

반득 parpadeantemente, titilantemente.

반득거리다 parpadear, titilar.

반득반득 parpadeantemente, titilantemente.

반득이다 iluminarse. 그의 얼굴이 반득였다 Se le iluminó la cara.

반들거리다[1] ① [부드럽고 윤기가 날 정도로 매끈매끈하게 되다] brillar, refulgir, relucir. ② [어수룩한 맛이 조금도 없이 약게만 굴다] (ser) astuto, sagaz.

반들반들 [윤나게] brillantemente, lustrosamente, relucientemente; [약게] astutamente, sagazmente.

반들거리다[2] [이리 핑계 저리 핑계하며 게으르게 놀기만 하다] holgazanear, haraganear.

반들반들 ociosamente, perezosamente.

반들반들하다 (ser) resbaladizo, liso.

반듯반듯하다 (ser) todo cuadrado y llano.

반듯하다 ① [물건들이 비뚤어지거나 기울거나 굽지 않고 바르다] (ser) recto, sin curvas. 반듯한 상자 caja *f* cuadrada. 반듯한 선 línea *f* recta. 네모반듯한 유리 cristal *m* perfectamente cuadrado. ② [아무 흠점이 없다] (estar) ordenado, arreglado, pulcro. ③ [생김새가 반반하다] (ser) bonito, lindo, hermoso. 반듯한 얼굴 cara *f* bonita.

반듯이 [바르게] directo, directamente; [정연하게] en orden. ~ 하다 enderezar, poner derecho, poner en orden. ~ 눕다 estar acostado [tendido] boca arriba. 몸을 ~ 하다 ponerse derecho, enderezarse. 자세를 ~ 하세요 [usted에게] Póngase derecho / [tú에게] Ponte derecho / [ustedes에게] Pónganse derecho / [vosotros에게] Poneos derecho. 그녀는 ~ 드러누워 있었다 Ella estaba tendida [acostada] de espaldas. 아버님은 연세에 비해 아직 몸을 ~ 유지하고 계신다 Mi padre se mantiene en buena forma para su edad.

반등(反騰) reactivación *f*. ~하다 reactivarse.

반디 【곤충】 luciérnaga *f*, gusano *m* de luz.

반딧벌레 【곤충】 luciérnaga *f*, gusano *m* de luz.

반딧불 luz *f* de las luciérnagas.

반뜻 en un momento, en un abrir y cerrar de ojos, volando.

반라(半裸) ((준말)) =반나체(半裸體). ¶~의 여인(女人) mujer *f* medio desnuda.

반락(反落) repliegue *m*, baja *f* en reacción. ~하다 bajar en reacción.

반란(反亂/叛亂) rebelión *f*, sublevación *f*, in-

ㅂ

surrección *f*, levantamiento *m*. ~하다 rebelarse (contra), sublevarse (contra). ~을 일으키다 rebelarse (contra), sublevarse (contra). ~을 진압(鎭壓)하다 apaciguar [reprimir] una rebelión.
■ ~군(軍) tropas *fpl* rebeldes, fuerzas *fpl* rebeldes, ejército *m* insurgente. ~자(者) rebelde *mf*, insurgente *mf*, sedicioso, -sa *mf*.

반려(伴侶) compañero, -ra *mf*.
■ ~자 acompañante *mf*, compañero, -ra *mf*, compañero, -ra *mf* de viaje.

반려(返戾) [세금의] devolución *f* de derechos pagados; [운임의] reembolso *m* de flete. ~하다 devolver, reembolsar, reenviar. 일심(一審)에 ~하다 reenviar al asunto al tribunal de primera instancia.

반례(返禮) =회례(回禮).

반론(反論) refutación *f*, rebatimiento *m*. ~하다 refutar, rebatir, contradecir.

반만년(半萬年) cinco mil años. 역사(歷史) ~ historia *f* de cinco mil años.

반말[1](半-) [낮춤말] lengua *f* grosera [ordinaria], palabra *f* insolente [descortés · maleducada]. ~하다 decir groseramente [solventemente], hablar descortésmente.

반말[2](半-) [한 말의 절반] medio *mal*, 20 litros.

반맹(半盲) ① media ceguedad *f*. ② =애꾸눈(이).
■ ~증(症) hemianopsia *f*.

반면(反面) [반대쪽의 면] otra parte *f*, otro lado *m*; [부사적] en cambio. 그 ~에 mientras tanto, entretanto, por otra parte, por otro lado. 그는 유능하지만 ~에 결점도 많다 El es un hombre competente, pero, por otra parte, tiene muchos defectos. 소녀들은 식사 준비를 하고 ~에 소년들은 텐트를 쳤다 Mientras las chicas preparaban las comidas, los chicos montaron las tiendas de campaña. 그는 화학이 전공인데 ~에 미술에도 흥미를 가지고 있다 El se especializa en química, pero, por otra parte, tiene interés en las bellas artes también. 한국은 작지만 ~에 아르헨띠나는 무척 큰 나라이다 Corea es pequeña y la Argentina, en cambio, muy grande. 그는 근면하지만 ~에 내 자식은 게으르다 El es aplicado mientras (que) [, y en cambio] mi hijo es perezoso.

반면(半面) ① [전면의 절반] media página *f*, mitad *f* de una página. ② [사물의] un lado, un costado; [타면] el otro lado, reverso *m*. 달의 ~ disco *m* de la luna. 사람은 다 약한 ~을 가지고 있다 Todos tienen *su* defecto. ③ [얼굴의] mitad *f* de la cara, una cara (en perfil), perfil *m*. ~에서 보는 견해 vista *f* oblicua. 그의 말에도 ~의 진리는 있다 Hay algo de verdad en lo que dice él.
■ ~미인(美人) belleza *f* de perfil. ~상(像) hemiedría *f*. ~식(識) un poco de conocido. ~ 화상(畵像) retrato *m* de perfil.

반명(班名) ① [양반이라고 이르는 신분] título *m* de nobleza. ② [반의 이름] nombre *m* de la clase.

반모음(半母音) (letra *f*) semivocal *f*.

반목(反目) enemistad *f*, hostilidad *f*, antagonismo *m*, contienda *f*, oposición *f*, rivalidad *f*, riña *f*, pendencia *f*, disensión *f*. ~하다 enemistarse, estar un hostilidd, contrariarse, estar en hostilidad, contrariarse, oponerse, estar en daga desenvainada. 양자 간의 ~ antagonismo *m* entre los dos. …와 ~하고 있다 estar de punta con *uno*, estar en oposición a *uno*, estar en rivalidad con *uno*. A와 B는 서로 ~하고 있다 A y B están desavenidos [está uno contra otro] / Existe rivalidad entre A y B. 두 사람의 ~이 계속되고 있다 Sigue la hostilidad entre los dos.

반몫(半-) media porción *f* [ración *f*].

반문(反問) interrogación *f*, réplica *f*. ~하다 interrogar, replicar, responder a una pregunta con otra, devolver la pregunta.

반문(斑文/斑紋) rayas *fpl*, pintas *fpl*, manchas *fpl* naturales en la piel.

반물 color *m* azul intenso [subido], color *m* azul muy oscuro, indigo *m*, añil *m*.
■ ~치마 blusa *f* azul marino.

반미(反美) anti-América. ~의 antiamericano.
■ ~ 감정 sentimiento *m* antiamericano. ~데모 manifiestación *f* antiamericana. ~사상(思想) idea *f* antiamericana. ~ 운동 movimiento *m* antiamericano. ~ 활동(活動) actividad *f* antiamericana.

반미(飯米) =밥쌀.

반미개(半未開) semibarbarismo *m*.

반미치광이(半-) persona *f* medio loca; medio loco *m*, media loca *f*.

반민족(反民族) antiraza *f*. ~의 antiracial.
■ ~ 행위 actitud *f* antiracial. ~ 행위 처벌법 ley *f* penal sobre la actitud antiracial. ~ 행위 특별 조사 위원회 el Comité de Investigación Especial sobre la Actitud Antiracial.

반민주(反民主) antidemocracia *f*.
■ ~주의(主義) antidemocratismo *m*. ~주의자(主義者) antidemócrata *mf*. ~주의적 antidemocrático *adj*.

반바닥 base *f* [raíz *f*] del pulgar.

반바지(半-) pantalones *mpl* cortos, calzones *mpl*, calzas *fpl*. 옆단추가 달린 ~ calzones *mpl* bombachos.

반박(反駁) refutación *f*, confutación *f*, contradicción *f*. ~하다 refutar, rebatir, confutar, contradecir, desmentir.
■ ~ 성명(서) contradeclación *f*.

반반(半半) mitad *f*, mitad *f* por mitad. ~의 mitad y mitad. ~으로 a medias. ~으로 나누다 partir por la mitad [mitad por mitad]. 식용유와 식초를 ~으로 섞다 mezclar mitad por mitad de aceite y vinagre. 남자와 여자가 ~인 그룹 grupo *m* de mitad hombres y (de) mitad mujeres. 계산

을 (두 사람이) ~으로 나누어 지불하다 pagar la cuenta a medias (entre dos).
반반이(班班一) cada clase, todas las clases.
반반하다 ① [판판하다] (ser) liso, suave, llano, plano, raso, terso. 반반한 길 camino *m* llano. ② [예쁘장하다] (ser) gentil, donoso, guapo, hermoso, lindo, bello, atractivo. 반반한 계집애 muchacha *f* [chica *f*] linda. ③ [지체가 있다] (ser) decente, respetable, bueno.
반발(反撥) ① [되오름] repulsión *f*, antipatía *f*. ~하다 repulsar. ~을 느끼다 sentir repulsión [repulsión] (a). ② [반항하여 받아들이지 않음] reacción *f*. ~하다 reaccionar (contra). 야당(野黨)은 정부의 태도에 ~했다 La oposición ha reaccionado contra la actitud del gobierno.
■~ 계수[률] coeficiente *m* de restitución. ~력 fuerza *f* repulsiva. ~심 corazón *m* repulsivo. ~ 작용(作用) repulsión *f*. ~적 repulsivo *adj*. ¶~ 태도(態度) actitud *f* repulsiva.
반밤(半一) media noche *f*.
반배(返杯) copa *f* de licor en retorno. ~하다 ofrecer una copa de licor en retorno.
반백(半白) ① =반백(斑白). ② [현미(玄米)와 백미(白米)가 반쯤 섞인 쌀] arroz *m* pulido mezclado a medias con el arroz integral [sin descascarillar].
반백(半百) cincuenta, mitad *m* de ciento; mitad *f* de cien años, cincuenta años.
반백(斑白/頒白) pelo *m* [cabello *m*] canoso. ~의 entrecano, canoso. ~의 노인 viejo *m* [anciano *m*] entrecano [canoso · con cabello canoso].
반벙어리 tartamudo, -da *mf*.
반병(半甁) ① [절반 들어 있는 병] botella *f* medio llena. ② [한 병의 절반되는 양] cantidad *f* de la mitad de una botella.
반병(叛兵) tropas *fpl* rebeldes.
반병두리 tazón *m* de sopa de latón.
반병신(半病身) ① [사람] semiinválido, -da *mf*, semiparalítico, -ca *mf*, persona *f* ligeramente deforme. 그는 ~이다 El está hecho un cascajo [una chanca] / El es un hombre achacoso. ② =반편이.
반보(半步) medio paso *m*.
반복(反復/反覆) repetición *f*, reiteración *f*, [노래 · 시(詩)의] estribillo *m*. ~하다 repetir, reiterar. ~해서 repetidas veces, repetidamente, reiteradamente. ~되는 구(句) estribillo *m*. ~이 많은 문장(文章) texto *m* lleno de repeticiones (inútiles). ~ 연습을 하다 practicar repetidas veces. ~해서 말하다 reiterar, decir repetidas veces; [다시] volver a hablar [a decir]. ~해서 경고하다 advertir reiteradamente; [재차] volver a advertir. 질문을 ~해 주십시오 Repita usted la pregunta, por favor. 이런 과오를 두 번 다시 ~해서는 안 된다 No se debe repetir esta falta.
■~ 기호 doble barra *f* de repetición. ~설 teoría *f* de recapitulación.
반복(反覆) veleidad *f*, inconstancia *f*, volubilidad *f*. ~하다 cambiar. ~ 무상(無常)한 veleidoso, inconstante, voluble, cambiante, variable.
반봇짐(半一) paquete *m* pequeño que se puede llevar en la mano.
반봉건(反封建) antifeudalismo *m*.
반봉건(半封建) semifeudalismo *m*.
■~ 사상(思想) idea *f* semifeudal. ~ 사회 sociedad *f* semifeudal.
반부(返附) devolución *f*. ~하다 devolver.
반부새 medio galope *m*.
반분(半分) mitad *f*, partes *fpl* iguales, división *f* igual. ~하다 dividir en dos, hacer mitad y mitad, repartir por partes iguales, partir [dividir] por (la) mitad. 나는 그와 이익을 ~했다 Entre él y yo dividimos las ganancias por la mitad.
반불경이(半一) ① [맛과 빛깔이 제법 좋은 중길의 살담배] (hojas *fpl* de) tabaco *m* rojizo. ② [반쯤 익어서 불그레한 고추] ají *m* [chile *m*] rojizo medio maduro.
반비(反比) 【수학】 razón *f* inversa [recíproca].
반비(叛婢) cocinera *f*.
반비(飯婢) sirvienta *f* para [de] preparar la comida, esclava *f* para la comida.
반비례(反比例) 【수학】 razón *f* inversa. ~하다 estar en razón inversa (a). …에 ~해서 en razón inversa a *algo*.
반비알지다 haber un poco de pendiente.
반빗(飯一) cocinera *f* [sirvienta *f*] (para [de] preparar los alimentos subsidiarios).
■~간(間) cocina *f* para preparar los alimentos subsidiarios. ~아치[하님] sirvienta *f* de la Corte.
반빙(半氷) ① [약간 얼어붙은 얼음] hielo *m* medio helado. ② ((속어)) =반취(半醉).
반사(反射) reflexión *f*, reverberación *f*, [반영(反映)] reflejo *m*. ~하다 reflejar. ~되다 reflejarse, reverberar. ~할 수 있는 reflexible. ~ 신경이 좋다 tener buenos reflejos. 거울은 빛을 ~한다 El espejo refleja la luz. 거울은 태양 광선을 ~한다 El espejo refleja los rayos del sol. 호수가 달을 ~한다 El lago refleja la luna. 달이 호수에 ~하고 있다 (Se) Refleja la luna en [sobre] lago.
■~각 ángulo *m* de flexión. ~경 reflector *m*, espejo *m* reflejante. ~ 광선 luz *f* reflejada [reflejante · refleja], luz *f* reflexiva, reflejo *m*, reflexión *f*. ~ 광학(光學) catóptrica *f*. ~기(器) reflector *m*, reverbero *m*, telescopio *m* de reflexión. ~ 등 luz *f* reflejante [refleja]. ~로(爐) horno *m* de reverbero, reverberador *m*. ~ 망원경(望遠鏡) telescopio *m* reflector, telescopio *m* de reflexión. ~면 plano *m* de reflexión. ~선 línea *f* de reflexión, raya *f* reflejada. ~성 reflexibilidad *f*. ~ 신호기 heliógrafo *m*. ~열 calor *m* reflejado, reflexión *f*. ~운동 movimientos *mpl* reflejos. ~율 reflexibilidad *f*. ~ 이익 intereses *mpl* reflejos. ~작용 acción *f* refleja; 【심리】 reflexión *f*. ~

적 reflejo, reflexivo. ～적 이익 intereses *mpl* reflejos. ～체(體) ㉮ [반사하는 물체] cuerpo *m* reflejante. ㉯【물리】reflector *m*. ～ 카메라 cámara *f* refleja. ～파(波) ola *f* refleja. ～ 현미경 microscopio *m* de reflexión.

반사(半死) media muerte *f*. ～하다 morir medio.

■～ 반생(半生) =반생 반사(半生半死). ～ 지경(之境) estado *m* de media muerte.

반사막(半沙漠) medio desierto *m*.

반사회적(反社會的) antisocial *adj*.

■～ 행위 acción *f* antisocial.

반사회 집단(反社會集團) grupo *m* antisocial.

반삭(半朔) medio mes *m*, quince días.

반살미 primera invitación *f* a los novios en la casa de *sus* parientes después del casamiento.

반상(班常) el noble y el bajo.

■～ 계급 clase *f* de noble y bajo.

반상(盤上) ① [반(盤)의 위] sobre la tabla, sobre el tablero. ② [바둑·장기판의 위] sobre la tabla de *baduc*, sobre la tabla del ajedrez.

반상기(飯床器) servicio *m* de mesa, juego *m* de cubiertas, vajilla, cristalería etc., juego *m* de platos para la mesa.

반상회(班常會) reunión *f* [mitin *m*] mensual de la asociación vecina, reunión *f* mensual de vecinos.

반색 mucha alegría, gran alegría *f*. ～하다 alegrarse mucho (de), regocijarse. 휴가 온 아들을 보고 ～을 하다 alegrarse mucho de ver a *su* hijo que vuelve a casa de vacaciones.

반생(半生) media vida *f*, mitad *f* de vida. ～을 회고하다 echar una mirada retrospectiva sobre su vida pasada.

◆전[후]～ media vida *f* anterior [posterior].

반생반사(半生半死) media vida y media muerte. ～하다 ser más muerto que vivo. ～의 entre vida y muerte, medio muerto, más muerto que vivo.

■～ 상태 estado *m* de medio muerto y medio vivo, más muerto que vivo, condición *f* de casi muerto.

반생반숙하다(半生半熟－) (ser) medio hecho al horno, medio horneado, medio asado, medio hervido, medio cocido, medio tostado.

반생애(半生涯) *su* media vida.

반석(盤石/磐石) ① [넓고 편편하게 된 큰 돌] roca *f*, peña *f*, peñasco *m*, risco *m*. ② [아주 안전하고 견고함] firmeza *f*. ～ 같다 ser (tan) firme como una roca. ③ ((성경)) [바위] roca *f*; [돌] piedra *f*; [울퉁불퉁한 바위] peña *f*; [피난처] refugio *m*; [보호자] protector *m*, defensor *m*.

반설음(半舌音) =반혓소리.

반섬(半－) mitad *f* de una isla.

반성(反省) reflexión *f*, examen *m* de sí mismo. ～하다 reflexionar, examinars a sí mismo. 자신을 ～하다 reflexionar sobre sí mismo. ～을 촉구하다 exigir que reconsidere el asunto. 자기의 행동을 ～하다 reflexionarse sobre *su* conducta. 나는 그에게 ～을 촉구했다 Le insté a que reflexionara.

■～회(會) reunión *f* para examinar las actividades pasadas.

반성 유전(伴性遺傳) herencia *f* ligada al sexo.

■～자(子) gen *m* ligado al sexo.

반세(半世) mitad *f* de *su* vida entera.

반세(半歲) medio año *m*, mitad *f* de un año.

반세기(半世紀) medio siglo *m*, mitad *f* de un siglo, cincuenta años.

반세상(半世上) =반세(半世).

반소(反訴) contraacusación *f*, contrademanda *f*, reconvención *f*. ～하다 reconvenir (a), levantar una reconvención (contra).

반소(反蘇) anti-Soviet. ～의 antisoviético.

반소(半燒) media quemadura *f*. ～하다 quemar(se) medio. ～의 medio quemado, medio asado, medio tostado. ～되다 ser quemado medio. ～ 가옥 열 채 diez casas medio destrozadas por incendio.

반소경(半－) ① =애꾸눈. ② [시력(視力)이 약한 사람] persona *f* de vista débil. ③ [글을 알지 못하는 사람] analfabeto, -ta *mf*.

반소매(半－) media manga *f*, manga *f* de medio largo.

반소설(反小說) antinovela *f*.

반송(返送) devolución *f*, remesa *f* en devolución, reexpedición *f*, reenvío *m*. ～하다 remitir en devolución, devolver [volver] (a *su* remitente), reexpedir, reenviar. 편지를 발신인에게 ～하다 reexpedir una carta al remitente. 사건을 일심(一審)으로 ～하다 reenviar el asunto al tribunal de primera instancia. 30일 후에 수취할 수 없을 경우에는 ～하겠습니다 Si no es reclamado después de treinta días, estimaré devolver. 3일 이내에 배달 불가능할 경우에는 ～을 원합니다 Si no se entrega dentro de tres días, se suplica la devolución. 우편 집배원 여러분에게, ～ 이유를 X 자로 표시해 주십시오 Sr. cartero: Indíquenos con la X la causa de la devolución.

반송(搬送) transportación *f* y envío. ～하다 transportar y enviar.

■～대 cinta *f* [correa *f*] transportadora, *Méj* banda transportadora. ☞컨베이어

반송장(半－) medio muerto *m*.

반수(反數)【수학】=역수(逆數).

반수(半睡) ((준말)) =반수반성(半睡半醒).

■～반성(半醒) sueño *m* medio dormido. ¶～하다 dormitar, estar medio dormido, echar una cabezada, echar un sueño.

반수(半數) mitad *f* (del número total). 위원의 ～ 개선 reelección *f* de la mitad de los miembros del comité. 시험에서 지원자의 ～를 떨어뜨리다 eliminar la mitad de los aspirantes por medio de exámenes.

반수반성(半睡半醒) sueño *m* poco profundo.

~하다 dormitar, echar una cabezada.
반숙(半熟) media madurez *f*. ~의 medio maduro, medio cocido. 계란을 ~으로 하다 pasar un huevo por agua.
■ ~란(卵) huevo *m* pasado por agua.
반숙련공(半熟練工) obrero *m* semiexperto, obrera f semiexperta.
반시(半時) media hora *f*, mitad *f* de una hora.
반시(盤柿) caqui *m* llano.
반시간(半時間) media hora *f*, treinta minutos. ~마다 cada media hora. ~ 산책하다 pasear media hora, dar un paseo de media hora.
반시 기호(反始記號) 【음악】 da capo.
반시류(半翅類) 【곤충】 hemípteros *mpl*.
반식민지(半植民地) semicolonia *f*. ~의 semicolonial.
■~ 국가 estado *m* semicolonial. ~ 상태 semicolonialismo *m*. ~주의 semicolonialismo *m*. ~주의자 semicolonialista *mf*.
반신(半身) medio cuerpo *m*, mitad *f* del cuerpo.
◆상(上)~ medio cuerpo *m* superior. 하(下)~ medio cuerpo *m* inferior.
■~불수(不隨) hemiplejía *f*. ~불수 환자 hemipléjico, -ca *mf*. ~상(像) estatua *f* de medio cuerpo, media estatura *f*; [흉상(胸像)] busto *m*. ~ 초상 medio retrato *m*, retrato *m* de media estatura.
반신(半信) suspicacia *f*, desconfianza *f*. ~하다 (ser) suspicaz, desconfiado, desconfiar (de), recelar (de).
■~반의(半疑) incertumbre *f*, duda *f*. ¶~하다 dudar (acerca de·sobre si + *ind*), estar en duda (de·de si + *ind*), no estar en duda (de·de que + *subj*). ~의 incrédulo. ~로 sin certidumbre, incrédulamente, con duda, sin vacilación. ~로 듣다 oir con duda [teniendo duda·sin convicción].
반신(返信) contestación *f*, respuesta *f*. ~하다 contestar, responder.
■~료(料) franqueo *m* con respuesta pagada. ~료 선납 respuesta *f* pagada. ~료 선납 전보 telegrama *m* de respuesta pagada. ~용 봉투 sobre *m* a franquear en destino. ~용 엽서 tarjeta *f* postal con respuesta pagada.
반신(叛臣) ministro *m* rebelde.
반신반인(半神半人) semidiós *m*, semidiosa *f*.
반실(半失) media pérdida *f*. ~하다 perder medio.
반심(叛心) intención *f* rebelde [de rebeldía]. ~을 품다 albergar la intención de rebeldía.
반아카데미(反 academy) antiacademia *f*.
반암(斑巖/斑岩) 【광물】 pórfido *m*. ~의 porfídico.
반암(盤巖) =너럭바위.
반암부(半暗部) 【천문】 penumbra *f*.
반액(半額) medio precio *m*, mitad *f* de precio; [승차권의] medio billete *m*; [입장료의] media entrada *f*. ~으로 a medio precio, por la mitad del precio. ~으로 지불하다 pagar la mitad de la suma. ~으로 하다 rebajar el precio a la mitad. ~으로 팔다 vender a mitad de precio. 어린이 ~ ((게시)) Medio precio para los niños. 일곱 살까지는 ~입니다 Los niños pagan medio billete hasta los siete (años).
반야(半夜) ① [한밤중] medianoche, las doce. ~ 삼경에 a medianoche. ② [반밤] mitad *f* de una noche.
반야(般若) ① ((불교)) sabiduría *f*. ② [무서운 얼굴을 한 귀녀(鬼女)] demonio *m* femenino, mujer *f* fea.
■ ~경 sutras *fpl* de sabiduría.
반야바라밀다심경(般若波羅蜜多心經)(범 *Prajñā-paramitasutra*) ((불교)) sutra *f* del corazón de *prajñā*.
반야심경(般若心經) ((불교)) ((준말)) =반야바라밀다심경(般若波羅蜜多心經).
반양자(反陽子) 【물리】 antiprotón *m*.
반어(反語) ironía *f*, anagrama *m*. ~를 쓰다 hablar irónicamente.
■ ~적(的) irónico *adj*.
반역(反逆/叛逆) traición *f*, rebelión *f*, insurrección *f*, sublevación *f*. ~하다 rebelarse, sublevarse, alzarse, traicionar. ~의 여지가 없는 irrebatible, irrefutable. ~을 기도하다 tramar una rebelión. 왕에 ~하다 rebelarse contra el rey. 정부에 ~하다 rebelarse contra el gobierno. 정부에 대하여 ~을 꾀하다 tramar tradición contra el gobierno.
■~심(心) espíritu *m* rebelde, intención *f* traidora. ~아 rebelde *mf*, revoltoso, -sa *mf*. ~자 rebelde *mf*, traidor, -dora *mf*, insurgente *mf*, sublevado, -da *mf*. ~죄 traición *f*.
반영(反英) anti-Inglaterra. ~의 antiinglés.
반영(反映) reflejo *m*, reflexión *f*, [영향(影響)] influencia *f*. ~하다 reflejarse (en). ~시키다 reflejar. 불황을 ~하여 reflejando [en reflejo de] la depresión económica. 여론을 정치에 ~시키다 reflejar la opinión pública en la política. 그의 성격이 문장에 ~되고 있다 Su carácter se refleja en sus escritos / Sus escritos son un espejo de su carácter.
반영(反影) reflexión *f*, imagen *f*. 호수에 비친 ~ reflexión *f* en el lago.
반영(半影) 【물리】 penumbra *f*.
반영구적(半永久的) casi permanente, semipermanente. ~으로 사용할 수 있다 poder usarse casi permanentemente.
반올림(半一) ¶~하다 rodondear por exceso. 5이상을 ~하다 elevar a una unidad la fracción que no sea inferior a cinco.
반원(半圓) semicírculo *m*, hemiciclo *m*.
■~ 아치 arco *m* semicircular ~형 forma *f* de semicírculo. ~형 아치 arco *m* de medio punto.
반원(半圜) medio hwan *m*, medio dólar *m*, cincuenta céntimos.
반원(班員) miembro *mf* de la asociación vecina.

반원주(半圓周) semicircunferencia *f.*
반월[1](半月) [반달] media luna *f.* ~의 semilunar.
■ ~기(旗) la Media Luna. ~창 ventana *f* de forma de media luna. ~판(瓣) válvula *f* semilunar. ~형 forma *f* de media luna.
반월[2](半月) [한 달의 반(半)] medio mes *m,* quince días.
반유대주의(反 Judea 主義) antisemitismo *m.*
■ ~자 antisemita *mf.*
반유동체(半流動體) semilíquido *m,* semifluido *m.*
반육조(半肉彫) 【미술】 medio relieve *m.*
반음(半音) 【음악】 semitono *m.*
■ ~ 변화 기호 signo *m* cromático.
반음계(半音階) 【음악】 escala *f* cromática.
반음양(半陰陽) =남녀추니.
반음정(半音程) 【음악】 =반음(半音).
반응(反應) reacción *f,* respuesta *f,* [효과(効果)] efecto *m.* ~하다 reaccionar (a). ~이 없는 남자 hombre *m* sin reacción, hombre *m* que no responde. ~을 일으키다 causar [producir · provocar] una reacción, causar [hacer · producir · sutir] efecto. 그 농담을 듣고도 그는 아무런 ~도 나타내지 않았다 No reaccionó ni siquiera al oir ese chiste. 그를 초대했더니 ~이 있었다 Le invité y su reacción fue positiva. 확고한 ~이 있었다 La reacción fue firme. 탄환이 ~이 있었다 Es seguro que la bala dio en el blanco.
■ ~로[기] reactor *m.* ~성 reactividad *f.* ~속도 velocidad *f* de reacción. ~ 시간 hora *f* de reacción, período *m* latente. ~ 시험 experimento *m* de reacción. ~체 reactivo *m.* ~ 체질 reactor *m.*
반의(反意/反義) ① [뜻에 반대함] oposición *f* a la significación. ② [반대의 뜻] significación *f* contraria.
■ ~어(語) antónimo *m.*
반의(叛意) =반심(叛心).
반의반(半一半) un cuarto.
반의식(半意識) 【심리】 semiconsciencia *f,* [잠재 의식] subconsciente *m.* ~적 semiconsciente, subconsciente. ~으로 semiconscientemente, subconscientemente.
반이(搬移) traslado *m,* mudanza *f.* ~하다 trasladar(se), mudarse.
반일(反日) anti-Japón. ~의 antijaponés.
■ ~ 감정 sentimiento *m* antijaponés. ~ 운동 movimiento *m* antijaponés, campaña *f* antijaponesa. ~ 정책 política *f* antijaponesa.
반일(半一) ① [하루의 절반이 걸리는 일] trabajo *m* de medio día. ② [(어떤 일의) 절반의 일] mitad *f* de un trabajo.
반일(半日) =한나절.
반입(搬入) introducción *f.* ~하다 introducir, transportar adentro. 공장에 기계를 ~하다 llevar [transportar] la máquina dentro de la factoría.
반자 techo *m,* cielo *m* raso. ~를 도리다 revestir el techo (de).
반자(半字) carácter *m* contraído.
반자동화(半自動化) semiautomatización *f.*
반자성(反磁性) diamagnetismo *m.* ~의 diagmagnético.
반작 brillando, reluciendo, resplandeciendo, destellando.
반작거리다 brillar, relucir, resplandecir, destellar, centellear, refulgir; [눈이] chispear. 반작거리는 reluciente, brillante, resplandeciente, radiante, chispeante, esplendoroso. 반작거리는 별 estrella *f* resplandeciente [refulgente · que destella]. 눈부시게 ~ deslumbrar, brillar fuerte. 태양이 눈부시게 반작거린다 El sol luce esplendorosamente [brillantemente].
반작반작 brillantemente, con resplandor, relucientemente. ~하다 relucir, resplandecer, brillar, deslumbrarse, centellear; [눈이] chispear. ~ 빛나는 reluciente, brillante, resplandeciente, chispeante. ~ 빛나는 별 estrella *f* reluciente. ~ 빛나다 despedir un destello vivo. 햇빛에 ~ 빛나다 resplandecer por el sol. 호수의 표면이 ~ 빛난다 Resplandece la superficie del lago. 그의 눈이 ~ 빛난다 Sus ojos chispean / Sus ojos despiden destellos. 눈물이 ~ 빛난다 Las lágrimas despiden vivos destellos.
반작이다 resplandecer, rutilar, relucir, brillar, lucir. 별이 반작인다 Las estrellas centellean [titilan]. 눈이 반작인다 Los ojos brillan. 구두가 반작인다 Los zapatos brillan.
반작(半作) tenencia *f,* arrendamiento *m,* arriendo *m.* ~하다 arrendar, tener en arriendo.
반작용(反作用) reacción *f,* acción *f* recíproca. ~하다 reaccionar (contra · ante). ~의 reactivo. 작용과 ~ acción *f* y reacción.
■ ~력 fuerza *f* de reacción.
반잔(半殘) medio vaso *m,* media copa *f.* ~술 vino *m* de media copa.
반장(叛將) cabecilla *f* de insurrctos, jefe *m* de rebeldes.
반장(班長) ① [학급의] jefe, -fa *mf* de clase. ② [한 반의 일을 맡아보는 사람] jefe, -fa *mf* de *Ban.*
반장화(半長靴) botas *fpl* de media caña.
반적(叛賊) traidor, -dora *mf.*
반전(反戰) anti-guerra *f.*
■ ~론 pacifismo *m.* ~론자 pacifista *mf.* ~ 문학(文學) literatura *f* de antiguerra, literatura *f* contra la guerra. ~ 사상(思想) ideología *f* contra la guerra, idea *f* de antiguerra. ~ 운동(運動) movimiento *m* de antiguerra. ~파 facción *f* de antiguerra, paloma *f.*
반전(反轉) ① [상하 방향의] inversión *f,* [수평 방향의] vuelta *f.* ② 【수학】 inversión *f.* ③ 【사진】 inversión *f.*
■ ~기(器) inversor *m* de corriente, conmutador *m* inversor. ~ 기류 inversión *f.* ~성(性) paridad *f.* ~ 필름 filme *m* de inversión. ~ 현상 solarización *f.*

반전(半錢) ① [1전(錢)의 절반] medio céntimo *m*, *AmL* medio centavo *m*. ② [매우 적은 돈] muy poco dinero *m*.

반전(返電) telegrama *m* de respuesta. ~하다 poner un telegrama de respuesta, responder por telegrama.

반절(半-) medio saludo *m*, media inclinación *f*.

반절(反切) paradigma *m* del alfabeto coreano arreglado como un silabario.

반절(半折) división *f* por la mitad. ~하다 partir [dividir] por la mitad.

반절(半切/半截) ① [절반으로 자름] corte *m* en dos [por la mitad]. ~하다 cortar en dos [por la mitad]. ② [백지 등의 전지(全紙)를 절반으로 자른 것] medio tamaño *m*. 전지의 ~ 크기 medio tamaño *m* del espacio completo de papel.

반점(半點) ① [온전한 점수의 절반] media nota *f*. ② [아주 조금] muy poca cantidad *f*. ③ [반 시간] media hora *f*. ④ [문장 부호의 한 가지] coma *f*.

반점(斑點) mácula *f*, mancha *f*, pinta *f*. ~이 있는 manchado. ~이 있다 llevar manchas.

반점(飯店) ① [중국의] hotel *m*. ② [화교(華僑)의] restaurante *m*.

반정(反正) ① [바른 상태로 돌아감] recuperación *f*. ② [난리를 바로잡음] restauración *f*, reinstauración *f*, restablecimiento *m*. ③ [지난날, 나쁜 임금을 폐하고, 새 임금이 대신 서던 일] entronización *f* [entronizamiento *m*] del nuevo rey subsiguiente al destronamiento del rey malvado.

반정립(反定立) 【철학】 antitesis *f*.

반정부(反政府) antigobierno *m*, contra el gobierno.
■ ~당(黨) oposición *f*, partido *m* de la oposición. ~ 신문(新聞) periódico *m* antigubernamental. ~적(的) antigubernamental *adj*. ~ 활동 actividades *fpl* subversivas contra el gobierno.

반제(反帝) antiimperialismo *m*. ~의 antiimperialista.
■~ 동맹 alianza *f* antiimperialista. ~ 반봉건 투쟁 lucha *f* antiimperialista y antifeudal. ~ 사상 idea *f* antiimperialista. ~ 운동 movimiento *m* antiimperialista. ~투쟁 lucha *f* antiimperialista.

반제(返濟) devolución *f*, restitución *f*; [반금(返金)] reembolso *m*. ~하다 devolver, reembolsar, restituir. ~는 아무 때나 좋습니다 En cuanto a la devolución, está bien cuando quiera / Devuélvamelo cuando quiera.
■~금 pago *m*, reembolso *m*. ~ 기일[기간] plazo *m* de devolución, plazo *m* de reembolso, fecha *f* fijada de devolución, período *m* de pago, período *m* de reembolso.

반제국주의(反帝國主義) antiimperialismo *m*. ~의 antiimperialista.
■~ 사상 idea *f* antiimperialista. ~운동 movimiento *m* antiimperialista. ~자(者) antiimperialista *mf*. ~ 투쟁 lucha *f* contra el antiimperialismo.

반제품(半製品) semiproducto *m*, producto *m* semiacabado [semiterminado · semimanufacturado], artículo *m* mediohecho, artículo *m* semimanufacturado, labor *f* no acabada.

반조(返照) reflexión *f*, reflejo *m*.
■ ~기 reflector *m*. ~ 램프 lámpara *f* de reflexión.

반족(班族) familia *f* noble.

반주(半周) semicírculo *m*, media vuelta *f*. ~하다 dar media vuelta (alrededor de).

반주(伴奏) acompañamiento *m*. ~하다 acompañar. ~로 con acompañamiento. ~ 없이 sin acompañamiento. 피아노로 ~하다 cantar con acompañamiento de piano.
◆무(無)~바이올린 소나타 sonata *f* para violín solo.
■ ~부(部) compañamiento *m*. ~자(者) acompañante *mf*, acompañador, -dora *mf*; [집합적] acompañamiento *m*.

반주(飯酒) bebida *f* alcohólica con la comida.
■ ~상(床) mesa *f* para la bebida alcohólica con la comida. ~합(盒) caldera *f* para la bebida alcohólica con la comida.

반주권국(半主權國) estado *m* semidependiente.

반주그레하다 (ser) atractivo, guapo.

반주기(半周期) medio período *m*.

반죽 amasamiento *m*. ~하다 amasar. 밀가루를 ~하다 amasar harina. 빵을 ~하다 amasar el pan. 점토(粘土)를 ~하다 amasar arcilla.
◆반죽(이) 좋다 [눅다] (ser) imperturbable, afable, bondadoso, benévolo.

반죽음(半-) media muerte *f*.

반중간(半中間) =중간(中間).

반증(反證) contraprueba *f*, prueba *f* [testimonio *m*] de lo contrario, prueba de refutación. ~하다 confutar, presentar una contraprueba, dar [ofrecer · presentar] las pruebas de lo contrario.

반지(斑指/半指) anillo *m*; [장식을 한] sortija *f*. ~를 낀 손가락 dedo *m* sortijado. ~를 끼다 ponerse un anillo [una sortija]. ~를 벗다 quitarse un anillo [una sortija]. ~를 끼고 있다 llevar un anillo en el dedo. ~의 교환을 하다 intercambiar los anillos. ~가 굉장히 곱다 La sortija es muy preciosa.

반지(半紙) papel *m* de arroz.

반지기 adulterado con. 모래 [돌 · 겨 · 뉘] ~ 쌀 arroz *m* pelado con arena [piedras · cáscara · salvado]

반지랍다 (ser) lacio y brillante.

반지르르 suavemente, lustrosamente, brillantemente, lacia y brillantemente .

반지름 radio *m*, semidiámetro *m*.

반지반(半之半) un cuarto.

반지빠르다 ① [못된 것이 언행이 교만스러워서 얄밉다] (ser) afectado, esnob, descarado insolente, fresco, atrevido. ② [어중간하여 쓰기에 거북하다] (ser) incómodo, poco práctico, inconveniente, inadecuado, insuficiente.

반직선(半直線) 【수학】 raya *f*.

반직업적(半職業的) semiprofesional *adj*.

반질고리 ((준말)) =바느질고리.

반질거리다 ① [몹시 윤이 나고 미끈거리다] (ser) suave, lustroso, brillante, lacio y brillante. ② [몹시 교활하게 반들거리다] (ser) astuto, ladino, taimado.

반질반질 brillantemente, lustrosamente, suavemente. ¶~하다 (ser) brillante, lustroso, suave. 기름기가 ~한 얼굴 cara *f* grasienta.

반짝¹ ① [물건을 아주 가볍게 얼른 드는 모양] fácilmente, ligeramente, levemente. 돌을 ~ 들어 쳐들다 levantar la piedra fácilmente. ② [물건의 끝이 얼른 높이 들리는 모양] alto. ~ 들리다 ser levantado alto.

반짝² ((센말)) =반작.

반짝거리다 ((센말)) =반작거리다.

반짝반짝 ((센말)) =반작반작.

반짝이다 ((센말)) =반작이다.

반쪽(半-) mitad *f*.

반차(班次) =반열(班列).

반찬(飯饌) alimento *m* subsidiario, aderezo *m*, platos *mpl*, alimentos *mpl* simples (que acompañan al arroz), (plato *m* de) acompañamiento *m*, guarnición *f*. ~이 많다 tener muchas guarniciones [muchos acompañamientos].

◆고기 ~ plato *m* de carne.

■시장이 반찬 ((속담)) A pan duro diente agudo.

■~ 가게 tienda *f* de comestibles, tienda *f* de ultramarinos, *Cuba, Per, Ven* bodega *f*, *AmC, Méj, Andes* tienda *f* de abarrotes, *CoS* almacén *m*. ~값 precio *m* de acompañamientos. ~거리 [감] materiales *mpl* para el alimento simple, comestibles *mpl*, provisiones *fpl*. ~ 단지 jarra *f* para el alimento simple.

반창고(絆瘡膏) esparadropo *m*, parche *m*, emplasto *m*, emplasto *m* adhesivo, tafetán *m* inglés; [1회용] tirita *f*. ~를 다리 [상처]에 붙이다 pegar [adherir · poner] un esparadropo en la pierna [sobre la herida].

반청(半晴) parcialmente despejado.

■~반담(半曇) parcialmente despejado y nublado.

반체제(反體制) antiestablecimiento *m*.

■~ 운동 movimiento *m* contra el régimen establecido, movimiento *m* de antiestablecimiento.

반촌(班村) aldea *f* que viven los nobles.

반추(反芻) rumia *f*, rumiadura *f*. ~하다 rumiar; [비유적] reflexionar repetidas veces.

■~ 동물[류] rumiante *m*.

반출(搬出) ¶~하다 llevar fuera. 산에서 재목(材木)을 잘라 ~하다 traer [sacar] de la montaña maderas de construcción.

■~증 certificado *m* de llevar fuera.

반취(半醉) media borrachera *f*. ~하다 estar medio borracho.

반측(反側) ¶~하다 dar vueltas (en la cama).

반치기(半-) ① [가난한 양반] noble *m* pobre. ② [쓸모없는 사람] persona *f* inútil.

반칙(反則) infracción *f*, transgresión *f*, violación *f*; [스포츠의] falta *f*. ~을 범하다 cometer [hacer] una falta. ~으로 지다 perder un juego por hacer cometido una falta.

■~자 delincuente *mf*, transgresor, -sora *mf*, ofensor, -sora *mf*, agraviador, -dora *mf*. ~타 golpe *m* prohibido.

반침(半寢) armario *m* emportrado, alacena *f*.

반침(伴寢) =동숙(同宿).

반코트(半 coat) abrigo *m* corto.

반타다(半-) dividir en [por] mitad.

반타작(半打作) acción *f* de compartir la cosecha igualmente con el terrateniente. ~하다 compartir la cosecha igualmente con el terrateniente.

반탁(反託) oposición *f* al fideicomiso.

■~ 운동(運動) movimiento *m* de la oposición al fideicomiso.

반토(礬土) 【화학】 alumina *f*.

반투막(半透膜) 【물리】 membrana *f* semipermeable.

반투명(半透明) 【물리】 tra(n)slucidez *f*, semitransparencia *f*. ~하다 (ser) traslúcido, tra(n)sluciente. ~의 translúcido, traslúcido, transparente.

■~체(體) cuerpo *m* tra(n)slúcido, cuerpo *m* semitransparente.

반파(半破) destrucción *f* parcial. ~하다 destruir parcialmente. ~되다 ser parcialmente destruido.

■~ 가옥 casa *f* parcialmente destruida, casa *f* medio rota [arruinada].

반편(半偏) ① [반] medio *m*, mitad *f*. ② =반편이.

■~이 idiota *mf*.

반평생(半平生) media vida *f*.

반포(頒布) distribución *f*. ~하다 distribuir. 널리 ~하다 distribuir ampliamente.

반 푼(半分) ① [엽전 한 푼 값어치의 절반] medio *pun*. ② [한 푼 길이의 절반] medio *pun*, medio céntimo *m*, medio centavo *m*. ③ ((준말)) =반 푼쭝.

■~쭝 peso *m* de medio *pun*.

반품(返品) artículo *m* [género *m*] devuelto, mercancía *f* devuelta; [반품하는 것] devolución *f* de género. ~하다 devolver.

반하다¹ ① [연모하다] enamorarse (de). 반해 있다 estar enamorado (de). 홀딱 반해 있다 estar locamente enamorado (de). 나는 그녀에게 첫눈에 반했다 Yo estuve enamorado de ella a primera vista. 그녀는 첫눈에 그에게 반해 버렸다 A primera vista ella quedó enamorada de él. 그녀는 그의 성실함에 반해 그와 결혼했다 Atraída por su sinceridad ella se casó con él. ② [감탄하여 마음이 끌리다] admirar. ③ [넋을 잃다] olvidarse de sí mismo, propasarse.

반하다² ① [어두운 가운데 밝은 빛이 약하게 비치어 환하다] (estar) claro, brillante. 커튼을 쳐라. 빛이 너무 ~ Corre las cortinas, hay demasiada luz [claridad]. ② [바쁜 가운데 잠깐 겨를이 생겨 좀 한가하다] estar libre, llevar una vida de ocio, disponer de tiempo libre, tener tiempo libre. 반한 틈 ratos *mpl* libres. ③ [(걱정거리나 우환 따위가) 좀 뜨음하다] (ser) poco frecuente, infrecuente, tener el intervalo algo largo, estar en el período de calma. ④ [(병세가) 약간 고자누룩하다] estar en el estado de período de calma. ⑤ [무슨 일의 결과가 그렇게 될 것이 분명하다] (ser) obvio, evidente, manifiesto, lógico, claro. 반한 사실 pura verdad *f*, verdad *f* lisa y llana. 반한 이치 razón *f* evidente. ⑥ [(궂은 비가 멎고 해가 잠시 나서) 밝다] aclarar, amanecer. 벌써 날이 ~ Ya es de día / Ya está claro. 요즈음은 매우 일찍 ~ Ahora amanece [aclara] muy temprano.

반히 [뚫어지게] fijamente; [경솔하게] indiscretamente; [위아래로] de arriba a bajo, de pies a cabeza; [호기심으로] con curiosidad; [경멸적으로] despectivamente, por encima del hombro. ~ 쳐다보다 clavar la vista (en), fijar la mirada (en), mirar fijamente (a), mirar indiscretamente, tragarse con la vista, mirar de arriba a bajo, mirar de pies a cabeza, mirar con curiosidad, mirar despectivamente, mirar por encima del hombro.

반하다(反-) [대립하다] ser opuesto [contrario] (a); [위반하다] quebrantar, contravenir, infringir. …에 반해서 contra *algo*, en contra de *algo*. 기대에 반해서 contra la esperanza. 자신의 의지에 반해서 contra *su* voluntad. 내 추측에 반해서 contra mi suposición. 그것에 반해서 al [por el · por lo] contrario, en cambio. 목적에 ~ ser contrario al fin. 법에 ~ contravenir [infringir] una ley. 예의에 ~ faltar a la cortesía. 남아메리카는 지금 여름인데 반해 한국은 겨울이다 En América del Sur ahora están en verano, aquí en Corea, en cambio, estamos en invierno.

반하다(叛-) traicionar, hacer traición, rebelarse, sublevarse.

반할인(半割引) rebaja *f* [descuento *m*] de cincuenta por ciento. ~하다 hacer una rebaja [un descuento] de 50%, rebajar [decontar] la mitad del precio [50%].

반합(飯盒) cantinas *fpl*.

반항(反抗) [저항] resistencia *f*; [반대(反對)] oposición *f*; [불복종(不服從)] insubordinación *f*, deso-bediencia *f*; [도전] desafío *m*, acto *m* de rebeldía; [반역] revuelta *f*, levantamiento *m*, sublevación *f*; [혐오] hostilidad *f*. ~하다 resistir (a), oponerse (a), rebelarse (contra), sublevarse(contra), desobedecer (a). …에 ~해서 oponiéndose a *algo*. 부모의 말에 ~하다 oponerse [enfrentarse · plantar cara · resistir] a *sus* padres.

■ ~기 período *m* de obstinación, período *m* de terquedad. ~심 resistencia *f*, espíritu *m* rebelde, espíritu *m* de insubordinación. ~적 resistente, insubordinado, insumiso, desobediente, rebelde, terco.

반향(反響) eco *m*, retumbo *m*, repercusión *f*, resonancia *f*. ~하다 hacer eco, resonar, reverberar, repercutir el sonido, retumbar, rimbombar. ~의 ecoico. 세계적 ~ resonancia *f* mundial. 남자의 마음에 아무런 ~을 일으키지 못한다 No hace ningún efecto en el corazón del hombre.

반혁명(反革命) contrarrevolución *f*. ~의 contrarrevolucionario.

■ ~ 운동 movimiento *m* antirrevolucionario, contrarrevolución *f*. ~적 contrarrevolucionario, antirrevolucionario. ~주의자[분자] contrarrevolucionario *m*.

반현(半舷) costado *m* de un buque de guerra, media tripulación.

반혓소리(半-) 【언어】 sonido *m* semilingual.

반혼수(半昏睡) semicoma *m*. ~의 semicomatoso.

■ ~ 상태 estado *m* semicomatoso.

반홀소리(半-) 【언어】 =반모음(半母音).

반화(半靴) zapatos *mpl*, calzados *mpl*.

반환(返還) vuelta *f*, devolución *f*, rehabilitación *f*, restauración *f*, retrocesión *f*, restitución *f*; [환불] reembolso *m*, repago *m*, amortización *f*. ~하다 volver, devolver, retornar, hacer retrocesión; reembolsar, repagar, recompensar, amortizar.

■ ~ 시기 tiempo *m* de devolución [de restitución]. ~ 장소 lugar *m* de devolución [de restitución]. ~점(點) [마라톤의] vuelta *f*., viraje *m* decisivo, hito *m*. ~품 artículo *m* de retorno, garantía *f* subsidiaria.

반회전(半回轉) media vuelta *f*; [승마의] caracoleo *m*. ~하다 caracolear, hacer caracoles, hacer vueltas y tornos.

반휴일(半休日) medio día *m* feriado.

반흔(瘢痕) cicatriz *f*. ~의 cicatrizal.

반흘림(半-) escritura *f* semicursiva.

받걷이 ① [돈 · 물건 등을 여기저기서 거두어들이는 일] cobranza *f* de dinero o cosa aquí y allá. ~ 하다 cobrar dinero aquí y allá. ② [남이 무엇을 요구하거나 또는 어떤 괴로움을 끼칠 때 그것을 잘 받아 주는 일] generosidad *f*. ~하다 (ser) generoso.

받고차기 ① [머리로 받고 발로 차는 일] el cabezazo [el topetazo] y la patada. ~하다 dar*le* un cabezazo [un topetazo] y dar patadas. ② [다툼] altercado *m*, riña *f*, disputa *f*. ~하다 discutir, reñir.

받낳이 acción *f* de comprar el hilo y tejerlo.

받내다 cuidar de la orina y las heces del inválido.

받다[1] ① [(다른 사람이) 주는 것을 가지다] recibir; [취득하다] ganar, obtener; [향유하다] gozar (de). 선물을 ~ recibir un regalo. 교습을 ~ tomar [recibir] lecciones. 박사 학위를 ~ obtener [tener] un doctorado. 허가를 ~ obtener [tener] un permiso. …의

은혜를 ~ recibir el favor de *uno*. …의 존경을 ~ ganarse el [gozar del] respeto de *uno*. …의 지지(支持)를 ~ recibir [obtener] el apoyo de *uno*. 이것은 선생님한테서 받은 책이다 Este es el libro que me dio el profesor. 당신의 칭찬을 받아 영광입니다 Es un honor para mí recibir su alabanza. 당신의 친절한 초대를 받게 되어 감사드립니다 Le agradezco mucho su amable invitación.
② [(급료·삯·대금·서류 따위를) 수령하다] recibir, cobrar, obtener; [받아들이다] aceptar. 급료를 ~ percibir [cobrar] el salario. 수수료를 ~ cobrar una comisión. 통지를 ~ recibir un aviso. 월 80만 원을 ~ cobrar [ganar] ochocientos mil wones. 받으세요 [카페테리아 따위의 카운터에서 돈을 내면서] [usted에게] Cóbreme / [tú에게] Cóbrame. 지금 받으시겠어요? [손님이 많아 눈코 뜰 새 없이 바쁠 때] [usted에게] ¿Me cobra (usted)? / [tú에게] ¿Me cobras? 일금 십만 원을 확실히 받았습니다 Acuso recibo de la suma de cien mil wones. 나는 그에게서 백만 원을 받을 돈이 있다 Le tengo prestados un millón de wones / El me debe un millón de wones.
③ [던지거나 떨어진 것을] coger. 공을 손으로 ~ parar [coger] una pelota con la mano.
④ [우산(雨傘) 따위를] abrir. 우산을 ~ abrir el paraguas.
⑤ [도매로 사다] comprar al por mayor. 도매로 받아 소매로 팔다 comprar al por mayor y vender al por menor.
⑥ [접객 업자가] admitir; [대접하다] servir como criado, presentar *sus* respetos (a); [매춘부가] prostituirse.
⑦ [응답하다] contestar, responder. 전화를 받지 않습니다 No contestan.
⑧ [바람·햇볕 따위를] tomar, calentarse. 햇볕을 ~ tomar el sol.
⑨ [의견이나 평가 따위를] tener, ganar. 칭찬을 ~ ganar admiración. 호평을 ~ tener aceptación, hacerse popular, gozar de mucha popularidad. 이 모델은 일반에게 호평을 받는다 Este modelo tiene aceptación del pueblo. 이 영화는 여성들로 부터 호평을 받을 것이다 Esta película se hará muy popular entre las mujeres / Esta película gozará de mucha popularidad [tendrá mucha aceptación] entre las mujeres.
⑩ [작용이나 영향 따위를] recibir, tener. 감명을 ~ emocionarse, impresionarse, sentir emoción. 영향을 ~ tener la influencia (de), influir (por). 나는 그 소설을 읽고 감명을 받았다 Me emocioné leyendo esa novela. 그는 친구한테서 나쁜 영향을 받았다 El recibió una mala influencia de su amigo. 그녀는 다른 사람의 영향을 받기 쉽다 Ella se deja fácilmente influir por los demás.
⑪ [밑에서 괴다] soportar, sostener. 기둥으로 ~ soportar con una columna.
⑫ [조산(助産)하다] ayudar el parto, asistir [atender] en el parto. 아기를 ~ asistir [atender] en el parto. 그녀의 남편은 아기를 받았다 Su marido la asistió [atendió] en el parto.
⑬ [음식 같은 것이 비위에 맞아 잘 먹히다] sentir bien. 받지 않다 no sentir bien, sentir mal. 나는 생선이 받지 않는다 No me sentó bien [Me sentó mal] el pescado.
⑭ [흐르거나 떨어지는 것을] tomar, recibir. 빗물을 ~ tomar el agua de lluvia.

받아넘기다 eludir, echar, parar, esquivar. 남의 말을 멋지게 ~ dar respuestas agudas. 농담으로 ~ echar a broma. 비난을 가벼이 ~ eludir la censura.

받아들이다 [영수하다] aceptar, recibir; [동의하다] asentir, consentir; [들어주다] conceder, otorgar, donar, acceder; [승인하다] admitir; [따르다] seguir; [포용하다] tolerar, comprendere; [도입하다] introducir; [채택하다] adoptar, aceptar; [영입하다] acoger. 의견을 ~ adoptar [aceptar] una opinión. 요구를 ~ acceder a los ruegos, acceder [aceptar] la petición. 이민을 ~ acoger [recibir] a los emigrantes. 남의 의견을 ~ aceptar un opinión ajena. 원료를 ~ recibir los materiales. 그는 우리의 요구를 받아들이지 않았다 El no admitió nuestra demanda. 위가 그 음식을 받아들이지 않는다 El estómago no admite [no tolera] la comida. 우리는 그의 초대를 기쁘게 받아들였다 Aceptamos su invitación con mucho gusto. 제안을 받아들이시겠습니까? ¿Quiere usted aceptar la propuesta?

받아쓰기 dictado *m*. ~하다 hacer una dictado, tomar nota, escribir al dictado, copiar, anotar, apuntar. ~시키다 dictar. ~시험 examen de dictado.

받아쓰다 poner por escrito, redactar, tomar apuntes. 교수가 너무 빨리 말해 받아쓸 수 없다 El profesor habla tan de prisa que nadie puede tomar apuntes.

받을어음 letra *f* a recibir.

받다² ① [(머리나 뿔 따위로) 세게 밀어 부딪다] herir con los cuernos, cornear, acornear, dar cornadas, coger. ② [차(車) 따위가] atropellar, derribar. 한 자동차가 그녀를 받았다 Un coche la atropelló.

-받다 sufrir, recibir, ser +「과거 분사」. 사랑~ ser amado. 주목~ recibir la atención. 협박~ ser amenazado.

받들다 ① [썩 공경하여 높이 모시다] respetar, honrar, servir, atender, hacer honor, adorar, venerar, rendir culto. A씨를 회장으로 ~ recibir [tener] al señor A como presidente. ② [밑에서 받아 올려 들다] levantar, alzar. ③ [(가르침이나 명령·의도 등을) 지지하고 아끼다] apoyar, sostener; [보좌하다] ayudar, auxiliar, asistir; [따르다] obedecer, seguir, observar; [신봉하다] creer, abarcar. 명령을 ~ obedecer la orden.

받들어총(-銃) ((구령)) ¡Presente armas! ~

을 하다 presentar las armas.

받아넘기다 ☞받다[1]

받아쓰기 ☞받다[1]

받아치다 [권투에서] responder, contraatacar.

받치다 ① [괴다] sostener, apoyar, soportar. 오두막에 통나무를 ~ sostener la cabaña con los palos. 담을 통나무로 ~ sostener el muro con un palo. 환자의 팔을 ~ sostener el brazo del enfermo, sostener al enfermo por el brazo. 이 기둥들이 지붕을 받치고 있다 Estas columnas sostienen el tejado.
② [우산이나 양산 따위를 펴서 들다] tener abierto. 우산을 ~ tener abierto un paraguas sobre la cabeza (de).
③ [어떤 물건의 안이나 속에 다른 물건을 겨 대다] forrar. 가죽으로 받친 책 libro *m* forrado de piel. 가죽을 ~ forrar de [en · con] piel. 옷에 비단 옷감을 ~ forrar de seda un vestido.

받침 ① [물건의 밑바닥을 받치어 괴는 물건] apoyo *m*, sostén *m*, soporte *m*, pilar *m*. ② 【언어】 consonante *f* de la voz final del alfabeto coreano.
■~ 규칙 reglamento *m* de la voz final del alfabeto coreano. ~대 tabla *f* de chilla, listón *m*, cuartón *m*, madero *m*. ~뿌리 raíz *f* secundaria [lateral]. ~ 접시 platillo *m*.

받히다[1] [모개로나 도매로 팔다] vender al por mayor.

받히다[2] [「받다[2]」의 피동형] resultar cogido, ser cogido, ser derribado, acornearse, cornearse, darse cornadas, atropellarse. 소에게 ~ ser acorneado por la vaca. 그는 차에 받혔다 Un coche le atropelló / El fue derribado por un coche. 투우사가 투우에게 받혔다 El matador fue cogido [resultó cogido] por un novillo.

발[1] ① 【해부】 pie *m* (복사뼈 아래); [다리 전부] pierna *f*, [무릎 아래] cañilla *f* de pierna; [짐승의] pata *f*, [사자 · 범 따위 발톱이 있는] zarpa *f*, [달리는 동물의] trotón *m* (*pl* trotones); [들러붙는 발] chupador *m*. 오른~ pie *m* derecho. 왼~ pie *m* izquierdo. ~이 크다 tener los pies grandes. ~이 작다 tener los pies pequeños. ~을 물의 바닥에 대다 hacer pie (en el agua). ~이 물의 바닥에 닿지 않다 perder pie (en el agua), no encontrar el fondo (en el río · en el lago · en el mar · en el agua). ~로 박자를 맞추다 llevar el compás con el pie. ~을 모아 뛰다 brincar [saltar] con los pies juntos. 담뱃불을 ~로 끄다 apagar el cigarrillo pisándolo [con el pie]. 나는 흙탕길에 ~이 미끄러졌다 Se me resbalaron los pies en el lodazal. ② [물건의 밑을 받치게 된 짧은 부분] pata *f*, [잔의] pie *m*. ③ [걸음] paso *m*. ~이 둔하다 ser pasado en el andar. ~이 빠르다 ser ligero en el andar. ④ =발걸음.
◆발(을) 끊다 no visitar.
◆발이 끊기다 estar desierto. 발이 끊긴 거리들 las calles desiertas. 그곳은 발이 끊겼다 El lugar estaba desierto / No había un alma en el lugar.
◆발(이) 잦다 frecuentar, visitar frecuentemente.
■발 없는 말이 천 리 간다 ((속담)) Las paredes tienen oídos [ojos] / Las paredes oyen / En boca cerrada no entran moscas.

발[2] [가늘게 쪼갠 대오리나 갈대 같은 것으로 엮어 만든 물건] persiana *f* de bambú (fino). ~을 내리다[치다] colgar una persiana de bambú. ~을 걷다 levantar una persiana de bambú.

발[3] [전에 없던 데서 새로 생겨 이루어진 좋지 못한 버릇이나 예] mal hábito *m*, vicio *m*.

발[4] ((준말)) =발쇠.

발[5] [피륙의 날과 씨의 굵고 가는 정도를 이르는 말] textura *f*, tejido *m*. ~이 굵다 La textura es gruesa.

발[6] [두 팔을 잔뜩 펴서 벌린 길이] braza *f*. 깊이가 여덟 ~이다 tener ocho brazas de profundidad.

발(跋) ((준말)) =발문(跋文).

발(發) [방(放)] tiro *m*, cartucho *m*, bala *f*, disparo *m*. 한 ~ un tiro, un disparo. 한 ~로 de un tiro. 여섯 ~을 발사하다 descargar seis tiros. 한 ~로 명중시키다 dar en el blanco de un solo tiro. 한 ~의 총성이 들린다 Se oye un disparo.

-발 ① [줄] líneas *fpl*, rayas *fpl*, listas *fpl*. ② [기세] impresión *f*.

-발(發) ① [탈것의 출발을 나타냄] partida *f*, salida *f*. 서울~ 급행 expreso *m* procedente de Seúl. 다섯 시~ 열차 tren *m* de las cinco (horas). ② [지명이나 날짜를 나타내는 명사 다음에 쓰여] despacho *m*. 마드리드~에 따르면 según un despacho de Madrid.

발가락 dedo *m* (del pie).
■~뼈 falange *m*.

발가벗기다 desnudar totalmente, dejar totalmente pelado.

발가벗다 desnudarse.

발가숭이 desnudez *f* completa, desabrigo *m*. ~의 completamente desnudo. ~로 되다 desnudarse completamente. ~로 만들다 desnudar, desvestir, despojar, quitar el vestido, quitar la ropa, poner en cueros. 아이를 ~로 만들다 desnudar a un niño.

발가우리하다 =발그스름하다.

발가지 【언어】 =접미사(接尾辭).

발각(發覺) revelación *f*, descubrimiento *m*. ~되다 revelarse, descubrirse. 음모가 ~되었다 Se descubrió [Se reveló] la conspiración. 내가 그에게 거짓말했던 것이 ~되었다 Se descubrió que yo le había dicho una mentira.

발간 completamente, todo.
■~ 거짓말 mentira *f* muy absurda.

발간(發刊) publicación *f*, impresión *f*. ~하다 publicar, dar a luz, imprimir. ~되다 pubblicarse, imprimir, darse a luz. 이 사전은 2002년에 ~되었다 Este diccionario se

publicó en 2002 (dos mil dos).
발감개 leotardos *mpl*, mallas *fpl*, *RPI* calzas *fpl*; [어린이용의] pelele *m*.
발강 (color *m*) rojo *m*.
발강이[1] [빨간 물건] objeto *m* rojo.
발강이[2] ① 【어류】 pececillo *m* de la carpa. ② ((속어)) miembro *mf* del partido comunista.
발갛다 (ser) rojo.
발개지다 ruborizarse. 그녀는 그 소식을 듣고 얼굴이 발개졌다 Ella se ruborizó al oir la noticia.
발갯짓 plumeo *m* del faisán.
발거리 artificio *m*, artimañas *fpl*, astucia *f*.
◆ 발거리(를) 놓다 engañar.
발걸음 paso *m*, huella *f*; [걷는 법] manera *f* de andar, andadura *f*. ~이 빠르다 tener los pies rápidos, ser ligero de pies. ~이 느리다 ser lento de pies, ser lento para andar. ~을 빨리하다 apresurar el paso. ~을 늦추다 retardar el paso. ~을 멈추다 detenerse, pararse. 무거운 [가벼운] ~으로 걷다 andar a [con] paso pesado [ligero].
발걸이 [사다리·의자 따위의] travesaño *m*; [자전거의] pedal *m*; [발 놓는 데] apoyapiés *m.sing.pl*, reposapiés *m.sing.pl*.
발검(拔劍) espada *f* desenvainada, sable *m* desenvainado, espada *f* desnuda. ~하다 desenvainar la espada.
발견(發見) descubrimiento *m*, encuentro *m*, hallazgo *m*. ~하다 descubrir, encontrar, hallar. ~되다 ser descubierto. 금광(金鑛)을 ~하다 descubrir una mina de oro. 온천(溫泉)을 ~하다 descubrir [encontrar] manantiales. …의 재능을 ~하다 descubrir [detectar] el talento en *uno*. 끄리스또발 꼴론의 아메리카 대륙 ~ descubrimiento *m* del continente americano por Cristóbal Colón.
■ ~ 시대 la Era de Descubrimiento. ~자 descubridor, -dora *mf*.
발광(發光) radiación *f*, irradiación *f*, fotogenia *f*. ~하다 radiar, irradiar, emitir rayos. ~의 luminoso, fotogenio.
■ ~균(菌) bacteria *f* luminosa. ~ 균류(菌類) bacilos *mpl* luminosos. ~ 다이오드 diodo *m* emisor de luz, diodo *m* electroluminiscente. ~ 도료 pintura *f* luminosa. ~ 동물(動物) animal *m* luninoso. ~물(物) luminosidad *f*. ~ 박테리아 bacteria *f* luminosa, bacteria *f* fotógena. ~ 반응 reacción *f* luminosa. ~성 fotogenia *f*. ~ 세균(細菌) bacteria *f* luminosa, microbio *m* luminoso. ~ 식물 fotogen *m*. ~ 신호 señal *f* de destello. ~지(紙) papel *m* luminoso. ~ 체(體) fotogenia *f*, lumínico *m*, cuerpo *m* luminoso. ~충 insecto *m* luminoso. ~탄 proyectil *m* luminoso.
발광(發狂) locura *f*, demencia *f*, manía *f*, frenesí *m*. ~하다 volverse loco, enloquecer, perder la razón. 그는 ~했다 El está fuera de sí (con aflicción).
■ ~적 demente, loco, lunático, maniaco.
발구 trineo *m*.
발구름 pataleo *m*. ~하다 patalear. 분해서 ~하다 patalear de rabia. ~하며 후회하다 patear con rabia.
발군(拔群) preeminencia *f*, supremacía *f*, primacía *f*. ~하다 sobresalir, destacarse. ~의 sobresaliente, destacado, preeminente, incomparable, sin igualdad, sin par, sin rival. ~의 공적(功績) mérito *m* inigualable. ~의 공(功)에 의해 en reconocimiento del servicio meritorio [distinguido]. ~의 성적으로 con superior resgistro, con superior antecedente, con honores. ~의 성적으로 졸업하다 graduarse con (las) notas sobresalientes [con todos los honores]. 그는 서반아어에서는 반에서 ~의 성적이다 El avantaja [supera] en español a todos los de su clase.
발굴(發掘) excavación *f*, desenterramiento *m*; [시체의] exhumación *f*. ~하다 excavar, desenterrar, exhumar. 유적(遺蹟)을 ~하다 excavar las ruinas. 시체를 ~하다 desenterrar [exhumar] los restos.
발굽 casco *m*, pezuña *f*, pesuña *f*.
발권(發券) emisión *f* de valores, emisión *f* fiduciaria. ~하다 emitir valores.
■ ~고(高) cantidad *f* de emisión de valores. ~ 은행 banco *m* emisor, banco *m* de emisión. ~ 제도 sistema *m* de emisión de valores.
발그대대하다 (ser) rojizo, rubicundo.
발그댕댕하다 (ser) rojizo, rubicundo.
발그레하다 [얼굴·볼·혈색이] (ser) rubicundo; [하늘·일몰·빛이] rojizo. 발그레해지다 [사람·얼굴이] enrojecer, ponerse rojo; [수줍어서. 당황해서] ruborizarse, sonrojarse, ponerse colorado. 그녀의 뺨이 발그레해졌다 Sus mejillas se encendieron. 그녀는 기뻐서 얼굴이 발그레했다 La alegría enrojecía su rostro. 해 질 무렵의 태양이 하늘을 발그레하게 물들였다 El sol crepuscular arreboló el cielo.
발그림자 pisada *f*, huellas *fpl*, rastro *m*, indicio *m*, señal *f*, sombra *f*.
◆ 발그림자도 아니 하다 [하지 아니하다] jamás [nunca] venir [visitar], no aparecer, no haber señales [indicios · rastros]. 그 후 그는 발그림자도 아니 했다 Desde entonces, no había sus señales [indicios · rastros] / Desde entonce, él nunca [jamás] ha venido [ha aparecido].
발그무레하다 (ser) rojizo.
발그스름하다 (ser) rojizo, rubicondo.
발그족족하다 (ser) rojizo, rubicundo.
발그족족히 rojizamente, rubicundamente.
발근(拔根) arrancadura *f* [arrancamiento *m*] de raíz, extirpación *f*, erradicación *f*. ~하다 arrancar de raíz, desarraigar, extirpar, erradicar.
발금(發禁) ((준말)) =발매 금지(發賣禁止).
발급(發給) expedición *f*, emisión *f*. ~하다 expedir, emitir, poner en circulación; [영장 등을] dar, decretar. 비자를 ~하다 expedir

el visado [*AmL* la visa]. 여권을 ~하다 expedir el pasaporte.

■ ~ 사무소 oficina *f* de expedición. ~소 lugar *m* de expedición. ~일 fecha *f* de expedición.

발긋발긋하다 ser puntuado con manchas rojas.

발기(-記) catálogo *m*, lista *f* de artículos.

발기(勃起) ① [별안간 불끈 일어남] ira *f*, furia *f*, cólera *f*, enojo *m*, enfado *m*. ~하다 enojar, enfadar. ② [음경(陰莖)이 충혈하여 딴딴하고 꿋꿋해짐] erección *f*, turgencia *f*. ~하다 entrar en erección, ponerse turgente, erguirse.

■ ~근(筋) músculo *m* eréctil. ~력 감퇴 impotencia *f*. ~ 부전 impotencia *f*. ~ 불능 invirilidad *f*. ~ 불능증 impotencia *f* eréctil. ~성 erectilidad *f*. ~성 종양 tumor *m* eréctil. ~ 신경 nervio *m* eréctil. ~ 조직 tejido *m* eréctil.

발기(發起) [어떤 새로운 일을 시작함] promoción *f*, proyección *f*; [제안] propuesta *f*. ~하다 promover, proyectr, organizar. …의 ~로 propuesto [sugerido] por *uno*, a propuesta de *uno*, por [a la] iniciativa de *uno*. 이 회합은 김 씨의 ~로 열린다 Esta reunión se celebra a propuesta [por iniciativa] del señor Kim.

■ ~ 설립 fundación *f* simultánea. ~인[자] promotor, -tora *mf*; fundador, -dora *mf*. ~회 junta *f* de promotores.

발기계(-機械) máquina *f* con un pedal.

발기다 abrir; [달걀을] cascar, romper; [껍질이 단단한 호두·개암·밤 등을] cascar, partir; [껍데기에서 벗기다] [완두콩을] pelar, desvainar; [달걀·참새우 등을] pelar; [홍합·대합조개 등을] quitar*le* la concha (a), desconchar. 발겨진 호두 nueces *fpl* cascadas [partidas·peladas·sin cáscara].

발기름 grasa *f* de la región abdominal.

발기발기 destrozadamente, en pedazos, en pedacitos. ~ 찢다 romperse [rasgarse] en pedazos, hacer trizas *algo*. 나는 편지를 ~ 찢었다 Yo rompí la carta en pedacitos / Yo hice trizas la carta.

발길 ① [차는 힘] puntapié *m*, patada *f*, coz *f*. ~로 차다 patear, tirar coces (a), dar patadas, dar puntapiés, dar coces. ② [발걸음] paso *m*. ~이 뜸하다 ir menos frecuentemente. ~ 닿는 데로 가다 andar al azar, andar a la ventura, seguir adelante sin rumbo fijo; [자꾸 앞으로] andar derecho hacia adelante. ~이 잦다 frecuentar, visitar frecuentemente.

■ ~질 coces *fpl*, pataleo *m*. ¶~하다 patear, dar patadas (a), dar puntapiés (a), dar coces.

발김쟁이 tunante *m*, bribón *m*, persona *f* viciosa.

발깍 ① [갑자기 성을 내거나 기운을 쓰는 모양] en un arrebato [un arranque] repentino, en pasión violenta. ~ 성이 나다 perder el control, explotar, montar en cólera, saltar, ponerse furioso, estar lívido de rabia, ponerse lívido de ira. ~ 소리 지르다 gritar con ira. ~ 문을 열다 abrir la puerta bruscamente. ② [무엇이 갑자기 뒤집히는 모양] desarrebado, patas (para) arriba, en alboroto, en barullo, en desorden, en revoltijo. 침실이 ~ 뒤집혀 있었다 El dormitorio estaba todo desordenado [patas para arriba]. 집안이 ~ 뒤집혔다 La casa está todo desordenada. 서울 장안이 ~ 뒤집혔다 Todo Seúl estaba en tumulto [alboroto]. 회의 마지막에 ~ 뒤집혔다 La reunión terminó tumultuosamente / Hubo un gran revuelo al final de la reunión.

발깍거리다 ㉮ [빚어 담긴 술이 몹시 부걱부걱 괴어 오르다] burbujear. ㉯ [삶는 빨래가 끓어서 연달아 부풀어 오르다] borbotear. 냄비의 물이 발깍거리기 시작한다 El agua de la cacerola empieza a borbotear. ㉰ [무엇을 주물러 반죽하거나 진흙을 밟아서 옆으로 비어져 나오게 하다] aplastar. 진흙이 ~ aplastar el barro bajo *sus* pies.

발깍발깍 burbujeando, borboteando, aplastando.

발꿈치 talón *m*, calcañal *m*, calcañar *m*, calcaño *m*.

■ ~뼈 calcáneo *m*, hueso *m* del talón.

발끈 ① [참을성이 없이 갑자기 성을 내는 모양] de [en] cólera, en un ataque de furia. ~하다 ㉮ [성을 내다] enajenarse [quedar enajenado] de cólera, enfurecerse, ponerse furioso, montar en cólera. ㉯ [냉정을 잃다] perder el control, perder los estribos, darse por sentido. ~해서 en un arranque [en un acceso] de cólera, montado en cólera. ~ 화를 내다 ponerse hecho una furia, enfurecerse, montar en cólera. ② [갑자기 몹시 뒤집히는 모양] desordenado de repente. ③ [갑자기 일어나거나 치밀거나 하는 모양] subiendo, manando, brotando. ~ 울화가 치밀다 La sangre se sube a la cabeza.

발끈거리다 (ser) irascible, susceptible, ponerse hecho una furia, enfurecerse, montar en cólera.

발끈발끈 enfadándose [enojándose] con facilidad. ~ 성을 내다 enfadarse [enojarse] con facilidad.

발끝 punta *f* de(l) pie; [구두의] punta *f* del calzado. 머리에서 ~까지 de pies a cabeza, desde la coronilla hasta la punta de los pies, de arriba abajo. ~으로 걷다 andar de puntillas. ~으로 서다 ponerse de puntillas, levantarse sobre la punta de los pies. ~으로 차다 tocar con la punta de pie. ~으로 서서 춤추다 [발레에서] bailar de puntas.

발노(發怒) enfado *m*, ira *f*, cólera *f*, enojo *m*. ~하다 enojarse, enfadarse, irritarse, enfurecerse.

발노구 tetera *f* de latón [cobre] con patas.

발놀림 juego *m* de piernas, movimientos *mpl* de los pies. 발레리나의 ~에 주목해 주십

시오 Fíjense en los movimientos de los pies de la bailarina.

발단(發端) comienzo *m*, punto *m* de partida, origen *m*, principio *m*, estreno *m*, inauguración *f*, salida *f*. ~하다 tener (su) origen (en). ~을 더듬다 remontarse al origen. 일의 ~은 여기다 He aquí [Verás] cómo empezó la cosa. 사건의 ~부터 이야기하겠습니다 Contaré desde el comienzo. 암살 사건이 ~이 되어 내란(內亂)이 일어났다 El asesinato fue el origen de los disturbios internos. 그의 죽음에 ~이 되어 전쟁(戰爭)이 일어났다 La guerra tuvo origen en su muerte.

발달(發達) desarrollo *m*, crecimiento *m*; [진보(進步)] progreso *m*, avance *m*. ~하다 desarrollar, crecer, progresar, avanzar. ~된 desarrollado, progresado, avanzado. 과학의 ~ avance *m* de la ciencia. 한국의 공업은 현저하게 ~되었다 La industria coreana ha progresado mucho.

■ ~사 historia *f* del desarrollo. ~ 심리학 psicología *f* genética, psicología del desarrollo. ~ 지수 índice *m* de desarrollo.

발덧 pies *mpl* doloridos con muchos andares.

발돋움하다 alzarse, enderezar de espalda; [발끝으로] estar en punta de pie, ponerse de puntillas, levantarse sobre la punta de los pies, empinarse. 발돋움하여 창밖을 보다 ponerse de puntillas para mirar fuera de la ventana.

발동(發動) [적용] ejercicio *m*, uso *m*; [일의] función *f*, moción *f*. ~하다 ejercitar, hacer entrar en vigor, funcionar, poner en moción, mover. 엔진을 ~시키다 hacer funcionar el motor, poner el motor en marcha. 엔진이 ~이 걸린다 El motor se pone en marcha / El motor arranca.

■ ~기 motor *m*. ¶가솔린 ~ motor *m* de gasolina. 비행기용 ~ aereomotor *m*. 석유 ~ motor *m* de petróleo. 중유(重油) ~ motor *m* de aceite pesado. ~(기)선 bote *m* motor, motonave *f*, motora *f*. ~기정 lancha *f* a motor, motora *f*. ~력 fuerza *f* motriz.

발뒤꿈치 talón *m* (*pl* talones).

■ ~ 힘줄 【해부】 =아킬레스건.

발뒤축 talón *m* (*pl* talones), calcañal *m*, calcañar *m*, calcaño *m*, taco *m*. ~의 골(骨) calcáneo *m*. ~이 높은 구두 zapatos *mpl* de tacón alto. ~으로 돌다 girar sobre los talones.

발등 arco *m* del pie; [위의 표면] empeine *m* del pie. …의 ~을 밟다 pisar *su* pie.

◆ 발등에 불이 떨어지다 [붙다] estar apremiado por un negocio urgente.

발등거리 linterna *f* provisional (en la casa de luto).

발딱 de un salto; [갑자기] de repente, repentinamente, de súbito, súbitamente. 자리에서 ~ 일어서다 levantarse (del asiento) de un salto. 침대에서 ~ 일어서다 levantarse (de la cama) de un salto. 나는 자리에서 ~ 일어섰다 Yo me levanté (del asiento) de un salto. 그는 침대에서 ~ 일어 섰다 El se levantó (de la cama) de un salto.

발딱거리다 ㉮ [가슴 · 맥이] palpitar, latir. ㉯ [물을] engullirse, tragarse, zamparse.

발딱발딱 siguiendo palpitando; siguiendo tragándose.

발라내다 ☞바르다[2]

발라드(불 *ballade*) balada *f*.

발라드 오페라(영 *ballad opera*) ópera *f* de balada.

발라맞추다 ☞바르다[1]

발라먹다 ☞바르다[2]

발란(撥亂) =평정(平靜). ¶~ 반정(反正)하다 sofocar el disturbio y establecer la paz en el país.

발랄(潑剌) vivificación *f*, actividad *f*. ~하다 (ser) vivo, activo. ~하게 vivamente, activamente. ~한 동작(動作) movimiento *m* vivo [ágil · activo]. 생기~하다 estar lleno de energía [vitalidad · vigor · vida · ánimo].

발랑거리다 actuar [comportarse] ágilmente [con agilidad], moverse ágilmente.

발랑발랑 ágilmente, con agilidad.

발레(불 *ballet*) ballet *m*, baile *m* clásico.

■ ~광(狂) aficionado, -da *mf* al ballet. ~단 cuerpo *m* de ballet. ~ 댄서 bailarín, -rina *mf* (de ballet). ~ 학교 escuela *f* de ballet. ~화(靴) zapatilla *f* de ballet.

발레리나(이 *ballerina*) bailarina *f* (de ballet); [주역] primera bailarina *f*.

발렌타인데이(영 *St. Valentine's Day*) día *m* de San Valentín, día *m* de los enamorados.

발련하다(發輦－) partir para el viaje.

발령(發令) nombramiento *m* oficial, anuncio *m* oficial, proclamación *f*. ~하다 anunciar oficialmente el nombramiento (de), proclamar.

발로(發露) expresión *f*, manifestación *f*, signo *m*, señal *f*. ~하다 expresar, manifestar. 애국심의 ~ manifestación *f* de patriotismo. 우정(友情)의 ~ expresión *f* de amistad. 진정을 ~하다 expresar la sinceridad.

발록거리다 temblar, agitarse, vibrar.

발론(發論) moción *f*, propuesta *f*, proposición *f*, sugerencia *f*, indicación *f*, sugestión *f*. ~하다 mover, proponer, sugerir, sugestionar.

발름거리다 seguir quedándose boquiabierto.

발름하다 quedarse boquiabierto, quedarse con la boca abiera. 그는 입을 발름했다 El se quedó boquiabierto / El se quedó con la boca abierta.

발리(영 *volley*) ① [일제히 발사] descarga *f* (cerrada). ② [질문이나 욕설 등의 연발] lluvia *f*. ③ ((운동)) volea *f*.

■ ~볼 balonvolea *f*, vóleibol *m*, volibol *m*, balón *m* volea.

발리다 ① [속의 것을] abrir, cascarse, pelar, desvainar, descascarar. ② [사이를] ensanchar, ampliar; [펴다] desplegar, desdoblar, abrir. ③ [불까다] castrar, capar. 돼지의 불

을 ~ castrar un puerco.
발림수작(一酬酌) adulación *f*, halago *m*, lisonja *f*. ~을 하다 adular, halagar, lisonjar. 너 오늘은 무척 예쁜데 – ~이지? Hoy tú estás muy bonita – ¿Lo dices por cumplir? [¡Qué galante!].
발맘발맘 paso a paso, lentamente, poco a poco. ~하다 andar lentamente.
발맞다 llevar el paso; [댄스에서] llevar el compás [el ritmo].
발맞추다 acomodar *su* paso (a).
발매 deforestación *f*, despoblación *f* forestal, aserradura *f*. ~하다 deforestar, aserrar.
◆발매(를) 넣다 comenzar el trabajo de deforestación. 발매(를) 놓다 deforestar de una vez.
■~ 나무 leña *f* recogida después de deforestar. ~치 leña *f* de las ramas pequeñas recogidas después de deforestar.
발매(發賣) venta *f*; [우표의] emisión *f*. ~하다 vender, poner en venta. ~를 금지하다 prohibir la venta. ~ 중이다 estar en venta.
■~가 precio *m* de venta; [우표의] tipo *m* de emisión. ~ 금지 prohibición *f* de venta; ((게시)) Prohibida la venta; [책의] Prohibida la publicación. ~소[처] agente *m* de venta. ~원 distribuidor *m*.
발명[1](發明) [무죄를 변명함] excusa *f* de la inocencia. ~하다 excusar la inocencia.
■~무로(無路) No hay método que aclara la inocencia.
발명[2](發明) [전에 없던 것을 새로 생각해 내거나 만들어 냄] invención *f*. ~하다 inventar. ~의 재능(才能)이 있다 tener genio de invención, tener espíritu inventivo. 구텐베르크는 인쇄술을 ~했다 Gutenberg inventó la imprenta.
■~가[자] inventor, -tora *mf*. ~권 derecho *m* de invenciones. ~왕 rey *m* de los inventores. ~의 날 el Día de la Invención. ~품 cosa *f* inventada, invención *f*, invento *m*. ~품 전시회 exhibición *f* de invenciones.
발모가지 ((속어)) ①=발. ② =발목.
발모제(發毛劑) regenerador *m* del cabello.
발목 【해부】 tobillo *m*, garganta *f* del pie, maléolo *m*. ~을 삐다 torcerse el tobillo. ~까지 올라오다 llegar hasta los tobillos. ~까지 올라오는 물 el agua que llega hasta los tobillos. ~이 삐인 것 같다 Creo que me he dislocado el tobillo. 길의 진흙이 ~까지 올라왔다 El barro en la calle llegaba hasta los tobillos.
◆발목(을) 잡히다 estar ocupado (con el trabajo).
■~ 고리 anilla *f* de la pata. ~마디 articulación *f* del tarso. ~물 el agua *f* (poco profunda) que llega hasta los tobillos. ~받침 tobillera *f*. ~뼈 tarso *m*.
발묘(拔錨) zarpa *f*. ~하다 levar el ancla, zarpar.
발문(跋文) epílogo *m*, conclusión *f* de una obra literaria [de un drama], palabras *fpl* finales.
발밑 debajo del pie. ~에 a los pies, cerca de *sus* pies. ~을 조심하라 ¡Cuidado con el paso! / Mira donde tú estás.
발바닥 planta *f* (del pie), suela *f*. ~의 plantar.
■~ 근육 músculo *m* plantar. ~뼈 hueso *m* de la planta.
발바리 【동물】 spaniel *m*.
발바심 trilla *f* por la pisada. ~하다 trillar por la pisada.
발바투 [잽싸게] rápidamente, rápido, ágilmente, con agilidad.
발발[1] [삭아 빠진 종이나 헝겊이 매우 쉽게 째어지는 모양] fácilmente, con facilidad. ~하다 romper [rasgar] fácilmente. 나는 셔츠를 ~ 찢었다 Me hice un desgarrón en la camisa / Me rompí la camisa.
발발[2] [매우 떠는 모양] temblando, tritando. 추위로 ~ 떨다 tener escalofríos, *RPl* tener chuchos (de frío).
발발[3] [몸을 땅바닥에 대고 작은 동작으로 기는 모양] arrastrándose; [아이가] gateando, yendo a gatas; [벌레가] andando. ~ 기다 arrastrarse; [아이가] gatear, ir a gatas; [벌레가] andar.
발발(勃發) [전쟁의] estallido *m*; [적대 행위가] comienzo *m*, iniciación *f*; [콜레라·인플루엔자의] brote *m*; [감정의] arrebato *m*, arranque *m*. ~하다 estallar, declararse, ocurrir de repente. 노여움의 ~ arrebato *m* [arranque *m*] de ira. 전쟁의 ~ estallido *m* de guerra. 파업이 ~하다 declararse [estallar] la huelga. 전쟁이 ~했다 Estalló la guerra.
발밤발밤하다 andar [caminar] sin rumbo (fijo).
발받다 tener *su* habilidad ágil de aprovechar la oportunidad, estar completamente espabilado [despierto], tener plena conciencia (de). 온갖 위험에 ~ tener plena conciencia de todos los peligros.
발버둥 =발버둥이.
발버둥이 esfuerzo *m*, forcejeo *m*, resistencia *f*.
◆발버둥이(를) 치다 ㉮ [말이] patear, piafar. ㉯ [일을 이루려고] luchar, forcejar, forcejear, retorcerse, esforzar; [헛된 노력을 하다] hacer un esfuerzo vano. 나가려고 ~ luchar [pugnar] por salir. 발버둥이를 쳐 봐야 소용없다 ¡Es inútil debatirse! / ¡Tú forcejeas en vano! / ¡No te resistas más! 네가 아무리 발버둥이를 쳐 보아야 소용이 없을 것이다 Por mucho que te resistas, será inútil. 이제 발버둥이를 쳐 보아야 너무 늦었다 Es demasiado tarde ya para luchar / Es inútil menearse ya! 네가 아무리 발버둥이를 쳐 보아야 그것을 할 수 없을 것이다 Por más que te empeñes, no podrás hacerlo. 아무리 발버둥이를 쳐도 오늘이 마지막이다 De todas maneras [Bien o mal · Después de todo] hoy es el último

día.

발버둥질 esfuerzo *m*, forcejeo *m*, resistencia *f*. 최후의 ~ último esfuerzo [forcejeo], última resistencia.
발버둥질 치다 =발버둥이(를) 치다.

발 버릇 andadura *f* viciosa. ~이 나쁘다 tener andadura viciosa.

발벗다 ① [맨발이다] descalzarse. ② [전력을 다하다] hacer todo lo posible, hacer cuanto pueda.

발병(一病) dolor *m* de pie, los pies doloridos. ~이 나다 tener dolor de pie, doler*le* (a *uno*) el pie.

발병(發病) inicio *m* de enfermedad. ~하다 enfermar, caer enfermo, ponerse enfermo. 1월 18일 ~ caído enfermo el 18 de enero.

발보이다 ① [재주를 남에게 자랑하느라고 일부러 드러내 보이다] mostrar [dar prueba de] *su* habilidad orgullosamente. ② [무슨 일의 끝만 잠깐 드러내 보이다] dar indicio, revelar una parte (de).

발복(發福) 【민속】 cambio *m* favorable en fortuna.

발본(拔本) extirpación *f*, desarraigo *m*. ~하다 extirpar, desarraigar. ~색원하다 erradicar el raíz del mal.

발부(發付) =발급(發給).

발부(髮膚) el cabello y la carne, el pelo y la piel.

발부리 punta *f* del pie; [구두의] punta *f* del calzado.

발분(發憤/發奮) decisión *f* a hacer. ~하다 decidirse a hacer, despertar, despabilarse, animarse, estimularse, excitarse.

발분망식(發憤忘食) ¶~하다 dedicarse (a), meterse de lleno (en), sumergirse (en), estar absorto (en), estar enfrascado (en), entregarse (a). 연구에 ~하다 entregarse a estudio. 술에 ~하다 entregarse a la embriaguez. 그는 일에 ~했다 El se metió de lleno en su trabajo / El se sumergió en su trabajo. 그녀는 생각[책]에 ~하고 있었다 Ella estaba completamente absorta en sus pensamientos [el libro].

발붙이다 =의지하다.

발빠르다 (el paso) ser rápido.

발빠지다 separarse (de), escindirse (de).

발빠라이소 【지명】 Valparaíso (칠레의 항구 도시).

발뺌 evasiva *f*, evasión *f*, subterfugio *m*, escapatoria *f*; [구실] excusa *f*; [핑계] pretexto *m*; [알리바이] alibi *m*, coartada *f*. ~하다 excusarse, dar excusas, dar evasivas, dar pretextos, hacer excusas, hacer una evasiva, emplear subterfugios, valerse de subterfugios, buscar una escapatoria.

발사(發射) descarga *f*, disparo *m*, tiro *m*; [미사일·로켓의] lanzamiento *m*. ~하다 disparar, descargar, tirar, hacer fuego; [로켓의] lanzar. 인공위성의 ~ lanzamiento *m* de un satélite artificial. 권총을 ~하다 disparar *su* pistola. 로켓을 ~하다 lanzar un cohete. 인공위성을 ~하다 lanzar un satélite artificial.
■ ~각(角) ángulo *m* entre el eje longitudinal y la horizontal. ~관 tubo *m* de lanzamiento, tubo *m* guiador durante el lanzamiento, tubo *m* lanzatorpedo. ~기[장치] depositivo *m* de lanzamiento, lanzador *m*; [미사일의] lanzamisiles *m.sing.pl*; [로켓의] lanzacohetes *m.sing.pl*. ~ 기지 plataforma *f* de lanzamiento de cohetes. ~ 단계 fase *f* de lanzamiento. ~대 plataforma *f* de lanzamiento; [유도탄·미사일 등의] pedestal *m* para el lanzamiento. ~력 fuerza *f* de proyectil. ~물 proyectil *m*. ~ 방위(方位) azimut *m* de lanzamiento. ~ 방위각 azimut *m* de lanzamiento. ~ 속도(速度) velocidad *f* del fuego. ~ 시험 ensayo *m* de descarga. ~약 pólvora *f*. ~용 로켓 [미사일·인공위성·우주선 등의] plataforma *f* lanzamisiles, vehículo *m* de lanzamiento. ~장 campo *m* de lanzamiento. ~ 조작 장치 sistema *m* procesador de lanzamiento. ~지(地) lugar *m* de lanzamiento. ~ 지점 lugar *m* de lanzamiento. ~창 [위성의] ventana *f* de lanzamiento. ~체 proyectil *m*. ~ 통제 센터 [우주 비행의] centro *m* de control de lanzamiento.

발사(跋辭) =발문(跋文).

발산(發散) emisión *f*, [향기(香氣)의] emanación *f*, exhalación *f*. ~하다 emitir, emanar, exhalar. 향기를 ~하다 exhalar aroma. 정력을 ~하다 descargar la energía. 화덕에서 고열이 ~한다 El horno emite un calor.
■ ~ 광(선)속 haz *m* divergente. ~ 급수(級數) series *fpl* divergentes. ~ 기류(氣流) corriente *f* atmosférica divergente. ~ 렌즈 lente *m* divergente. ~ 수열(數列) series *fpl* divergentes. ~ 작용 =증산 작용.

발상(發祥) principio *m*, origen *m*.
■ ~지 cuna *f*. ¶문명의 ~ cuna *f* de la civilización.

발상(發喪) publicación *f* [anuncio *m*] de la muerte. ~하다 anunciar la muerte.

발상(發想) idea *f*, concepción *f*, expresión *f* de pensamiento. 그것은 좋은 ~이다 Hay una buena idea en eso / Eso está muy bien concebido / Eso encierra una buena idea.

발샅 entre los dedos del pie.

발생(發生) ocurrencia *f*, estallido *m*; [열·전기 등의] generación *f*. ~하다 ocurrir, estallar, surgir, nacer; [열·전기 등이] engendrarse, producirse. ~의 genético. 사건(事件)이 ~했다 Ocurrió un accidente 대사건이 ~했다 Sucedió [Ocurrió] un gran acontecimiento. 새로운 문제(問題)가 ~했다 Surgió un nuevo problema. 콜레라가 ~하고 있다 El cólera se declara / Hay un brote de cólera. 예기치 않은 사태(事態)가 ~했다 Ha surgido una situación inesperada.
■ ~기(期) etapa *f* del desarrollo. ~기(器) generador *m*. ~로(爐) generador *m* de gas. ~ 생리학 biología *f* genética, biología

f del desarrollo. ~ 심리학 psicología *f* genética, psicología *f* del desarrollo. ~ 유전학 genética *f* del desarrollo. ~ 장치 [가스의] gasógeno *m*. ~지(地) lugar *m* de origen, cuna *f*, región *f* donde crece y vive un animal o planta. ~학 embriología *f*.

발선(發船) salida *f* [partida *f*] de(l) buque. ~하다 salir [partir] el buque, darse a la vela, zarpar.

발설(發說) revelación *f*, divulgación *f*, anuncio *m*, publicación *f*. ~하다 revelar, divulgar, anunciar, publicar.

발섭(跋涉) recorrido *m*. ~하다 recorrer, viajar de aquí para allí. 산하(山河)를 ~하다 explorar montañas y ríos.

발성(發聲) pronunciación *f*, proclamación *f*, primera voz *f* de un vitor. ~하다 proferir, pronunciar, articular. …의 ~으로 a propuesta de *algo*. 영화(映畵)의 영상(映像)을 ~에 일치시키다 sincronizar las imágenes con los sonidos.

■~ 곤란(困難) disfonía *f*. ~기(器) órganos *mpl* vocales. ~기병 fónica *f*. ~법 vocalización *f*. ~ 부전(不全) hipofonía *f*. ~ 불능증 afonía *f*. ~ 연습 ejercicios *mpl* vocales. ~ 영사기 fonoproyector *m*. ~ 영화 cine *m* [película *f*] parlante. ~ 장치 mecanismo *m* de producción de voz.

발소리 pasos *mpl*, pisadas *fpl*, ruido *m* de pasos, pisadura *f*, repique *m* de zapatos. ~를 내며 con pasos sonoros [ruidosos]. ~를 죽이고 con pisadas ocultas, a hurtadillas, con pasos furtivos, con paso de lobo, sofocando [apagando] los pasos. ~가 들린다 Se oyen pisadas [pasos] / Se sienten pasos. ~가 사라진다 Dejan de oírse los pasos.

발송(發送) expedición *f*, envío *m*, despacho *m*. ~하다 expedir, remitir, despachar, transmitir, enviar, efectuar la expedición. ~은 지시한 대로 하도록 필요한 조치를 취하겠습니다 Tomaré las disposiciones necesarias para que la expedición se haga conforme a la indicación. 금월 말까지 ~이 불가능한 경우에는 Si no pueden ejecutar el envío pasa los fines del presente mes. 당점(當店) 지불 조건은 ~일(日) 후 3개월 불(拂)입니다 Nuestros términos de pago son a tres meses fecha del envío. 본 서신을 받자마자 아래의 상품을 ~해 주십시오 Tan pronto como reciba esta carta, sírvase expedir los siguientes artículos.

■~자[인] expedidor, -dora *mf*, remitente *mf*, [하주(荷主)] consignador, -dora *mf*. ~전(電) generación *f* eléctrica y suministro.

발솥 olla *f* [caldera *f*] en trípode, olla *f* [calderea *f*] de forma de trípode.

발쇠 denuncia *f* a los otros.

◆발쇠(를) 서다 delatar (a), denunciar (a).

■~꾼 espía *mf*, informante *mf*.

발수(拔穗) selección *f* de las espigas. ~하다 seleccionar las espigas.

발신(發身) ¶~하다 mejorar de posición en la sociedad.

발신(發信) envío *m*, remisión *f*, expedición *f*. ~하다 enviar, remitir, expedir.

■~국(局) estación *f* remitente; [전보의] oficina *f* de remisión. ~기 transmisor *m*, comunicador *m*. ~소 oficina *f* de remisión. ~인[자] remitente *mf*. ~일(日) día *m* de remisión. ~주의 sistema *m* de expedición. ~지 lugar *m* de envío.

발심(發心) despertamiento *m* espiritual. ~하다 hacerse religioso.

발싸개 paño *m* [papel *m*] de envolver los pies.

발씨 habilidad *f* con *sus* pies, familiaridad *f* a *sus* pies. ~ 익은 길 camino *m* familiar. 그의 공 차는 ~가 용하다 El tiene una patada espléndida.

◆발씨(가) 서투르다 no estar muy familiarizado (con). 발씨(가) 익다 estar muy familiarizado (con), tener experiencia (de).

발씨름 lucha *f* de tobillo [espinilla].

발아(發芽) [종자의] germinación *f*, [잎 등의] brote *m*. ~하다 germinar, brotar, retoñar. ~의 germinativo.

■~기 período *m* de germinación. ~력[세] poder *m* germinativo. ~법 modo *m* de germinación. ~ 사료(飼料) forraje *m* de germinación. ~율 tasa *f* de germinación.

발악(發惡) inhumanidad *f*, atrocidad *f*, [욕] vilipendio *m*, lengua *f* abusiva. ~하다 difamar, baldonar, vilipendiar, calumniar.

발안(發案) propuesta *f*, proposición *f*, [동의] moción *f*. ~하다 proponer, sugerir, presentar moción. …의 ~으로 por la iniciativa de *uno*, por la proposición de *uno*.

■~자(者) proponente *mf*, promotor, -tora *mf*, inventor, -tora *mf*.

발암(發癌) carcinogenesis *f*, producción *f* de cáncer.

■~ 물질 substancia *f* carcinógena. ~성 carcinogenicidad *f*. ~ 증강제 epicacinogena *f*. ~ 현상 carcinogénesis *f*.

발양(發揚) exaltación *f*, promoción *f*, elevación *f*. ~하다 exaltar, elevar, enaltecer, honrar, promover.

발양(發陽) erección *f*. ~하다 erguirse.

■~머리 juventud *f* de mucha vitalidad, juventud *f* de sangre ardiente.

발언(發言) palabras *fpl*, declaración *f*, [견해] observación *f*, [제안] proposición *f*. ~하다 hablar, tomar la palabra, hacer una declaración, hacer una proposición. ~을 금하다 prohibir hablar. ~을 취소하다 retractarse. ~을 허락하다 permitir [dejar] hablar. …에게 유리한 [불리한] ~을 하다 hablar en favor de [contra] *uno*.

■~권(權) derecho *m* a hablar. ¶~이 있다 tener derecho a hablar. ~자 el que habla; orador, -dora *mf*, preopinante *mf*.

발연(發煙) humeante *m*, humo *m*. ~하다 humear.

■~ 병기(兵器) el arma *f* (*pl* las armas) de humo. ~제 fumigante *m*. ~ 질산[초산]

ácido *m* nítrico humeante. ～탄 bomba *f* fumígena, bomba *f* de humo. ～통 cartucho *m* [depositivo *m*] fumígeno, aparato *m* de señales de humo. ～ 폭탄 bomba *f* de humo. ～ 황산(黃酸) ácido *m* sulfúrico humeante.

발연(勃然) ① ＝발연히 ㉮. ② ＝발연히 ㉯.
발연히 ㉮ [갑자기] de repente, repentinamente, de súbito, súbitamente, de pronto. ㉯ [분연히] con indignación, airadamente.
■ ～대로(大怒) furia *f*, enfurecimiento *m*, cólera *f*. ～하다 ponerse hecho una furia, enfurecerse, montar en cólera. ～변색(變色) cambio *m* repentino de *su* semblante. ¶～하다 cambiar *su* semblante repentinamente.

발열(發熱) acceso *m* [ataque *m*] de fiebre, pirexia *f*. ～하다 tener fiebre. ～의 pirético. 그는 ～했다 Le ha dado (un ataque de) fiebre / Ha sido atacado por la fiebre.
■ ～기(器) calentador *m*. ～기(期) etapa *f* de pirexia. ～량 valor *m* calórico, valor m calorífico, potencia *f* calorífica. ～력 poder *m* calórico. ～ 물질 pirógeno *m*. ～ 반응 reacción *f* exotérmica. ～ 상태 pirexia *f*. ～ 요법 piretoterapia *f*, tratamiento *m* de fiebre, terapia *f* de pirexia. ～원 pirógeno *m*. ～제 agente *m* pirético. ～체 pirógeno *m*, elemento *m* de calefacción. ～학 piretología *f*.

발염(拔染) ＝무늬빼기.

발원(發源) ① [(강 따위의) 물의 근원] fuente *f*, nacimiento *m*. ～하다 nacer. 이 강들은 아메리카의 서부의 산맥에서 ～한다 Estos ríos nacen en las cadenas de montañas de la parte occidental de América. ② [(사회적 현상이나 사상·사물 등이) 일어나는 근원] origen *m* (*pl* orígenes).

발원(發願) oración *f*, plegaria *f*. ～하다 rezar, orar, rezar una oración. 내 ～이 응답되었다 Mis plegarias fueron atendidas [escuchadas].

발육(發育) crecimiento *m*, desarrollo *m*. ～하다 crecer, desarrollar(se). ～이 좋다 crecer bien, desarrollarse bien. ～이 나쁘다 crecer mal, desarrollarse mal, no crecer bien, no desarrollarse bien. ～이 멈추다 dejar de crecer, dejar de desarrollarse. 아이들은 ～이 빠르다 Los niños crecen rápidamente.
■ ～기 período *m* de desarrollo. ～ 기관 órgano *m* del desarrollo. ～병 enfermedad *f* del desarrollo. ～ 부전(不全) crecimiento *m* [desarrollo *m*] insuficiente [deficiente].

발음(發音) pronunciación *f*, [명확한] articulación *f*. ～하다 pronunciar, articular. ～하기 쉬운 [어려운] fácil [difícil] de pronunciar. ～이 좋다 [나쁘다] pronunciar bien [mal].
■ ～ 기관 órganos *mpl* vocales. ～ 기호[부호] ＝음성 기호. ～ 사전 diccionario *m* de pronunciaciones. ～ 연습 ejercicios *mpl* de pronunciación. ～학 ＝음성학(音聲學).

발의(發意) iniciativa *f*, sugestión *f*, propuesta *f*. ～하다 sugerir, iniciar, originar, proponer.

발의(發議) sugestión *f*, instancia *f*, [제안(提案)] propuesta *f*, proposición *f*, [동의] moción *f*. ～하다 sugerir, proponer. …의 ～로 a la propuesta de *uno*.
■ ～권(權) iniciativa *f*. ¶～을 가지다 tener la iniciativa.

발인(發靷) acción *f* de llevar el ataúd afuera de la casa, salida *f* [partida *f*] del cortejo fúnebre. ～하다 llevar el ataúd afuera de la casa, llevar afuera el ataúd para el entierro. 오전 10시 ～이다 El cortejo fúnebre sale de la residencia a las diez de la mañana.
■ ～기(記) anales *mpl* del cortejo fúnebre. ～제(祭) servicio *m* religioso del cortejo fúnebre.

발자국 huella *f*, pasos *mpl*, pista *f*, pisada *f*, vestigio *m*, impresión *f* del pie. ～을 남기다 dejar la huella. 범인의 ～을 추적하다 seguir la pista del criminal. 눈 위에 ～이 남아 있다 Quedan marcadas los pasos sobre la nieve.

발자귀 huella *f* [pisada *f*] del animal.

발자취 ① [발자국] huella *f*, pisada *f*. ～를 더듬다 seguir la pista. 페루와 볼리비아에는 잉카 문화의 ～가 많다 En el Perú y Bolivia hay muchas huellas de la cultura incaica. ② [더듬어 온 길] curso *m*.

발자하다 (ser) irascible, de mal genio, tener poca paciencia. 그는 아이들에게 무척 ～ El tiene tan poca paciencia con los hijos.

발작(發作) ataque *m*, acceso *m*; [발작의 격발] paroxismo *m*; 【의학】 espasmo *m*. ～을 일으키다 tener [sufrir] un acceso [un ataque].
■ ～증(症) síntoma *m* paroxismal.

발장구 pataleo *m*.
발장구 치다 ㉮ [두 발로 발장구를 치다] patalear, mover las piernas o patas violentamente y con ligereza. ㉯ [걱정 없이 태평히 지내다] vivir en paz sin preocupación.

발장단(－長短) zapateo *m*. ～을 맞추다 zapatear. 저 발레리나의 ～은 기가 막히다 Es maravilloso el zapateo de aquella bailarina.

발재봉틀(－裁縫－) máquina *f* de coser con pedal.

발적(發赤) 【의학】 rubescencia *f*. ～의 rubescente.

발전(發展) evolución *f*, crecimiento *m*, desarrollo *m*; [진보(進步)] progreso *m*, avance *m*; [확장] expansión *f*, [번영(繁榮)] prosperidad *f*. ～하다 desarrollarse, evolucionar, crecer, prosperar. 산업의 ～ desarrollo *m* industrial. 국제 경제의 ～ evolución *f* de la economía internacional. 과학은 현저한 ～을 했다 La ciencia ha experimentado avances fenomerales. 이 회사는 ～ 가능성이 있다 Esta compañía tiene posibilidades de desarrollo.
■ ～기(期) período *m* de desarrollo. ～ 도상국 país *m* en vías [en proceso] de de-

sarrollo. ～부【음악】＝전개부(展開部). ～성 posibilidad *f* de crecimiento futuro, posibilidad *f.* ¶～이 있는 산업 industria *f* prometedora, industria *f* con el futuro.

발전(發電) electrización *f*, generación *f* (de electricidad), producción *f* de la fuerza [de la energía] eléctrica. ～하다 generar, producir.

■～기(機) dínamo *m*, generador *m* de energía eléctrica. ～ 능력(能力) capacidad *f* generadora. ～소(所) central *f* eléctrica (generadora), *Arg* usina *f* de electricidad. ～어 ＝전기어(電氣魚).

발정(發情) celo *m*, excitación *f* sexual. ～하다 encelarse, calentarse. ～의 estral.

■～기 pubertad *f*, época *f* de celo, estro *m.* ¶～의 estral, puberal. ～에 있다 estar en celo, estar caliente. ～에 있는 개 perro, -rra *mf* en celo. ～ 물질 estrógeno *m.* ～ 호르몬 proestrógeno *m*, hormón *m* estrogénico, hormona *f* estrogénica. ～ 휴지기 anestro *m.*

발정(發程) salida *f*, partida *f.* ～하다 salir, partir.

발족(發足) inauguración *f*, fundación *f.* ～하다 inaugurar, fundar. ～되다 inaugurarse, fundarse. 위원회는 열 명으로 ～했다 El comité inició sus actividades con diez miembros.

발주(發注) pedido *m*, encargo *m*, envío *m* de una orden. ～하다 hacer [colocar] un pedido (de), encargar.

■～자 pedidor, -dora *mf.*

발주저리 pies *mpl* que se pone los calcetines hechos jirones.

발진(發疹)【의학】erupción *f*, exantema *f.* ～하다 acardenalarse. ～성의 eruptivo. 피부가 페스트 같은 병으로 ～했다 La piel se acardenalaba en ciertas enfermedades como la peste.

■～티푸스 tifo *m* eruptivo, tifus *m* eruptivo [exantemático].

발진(發振) oscilación *f.* ～하다 oscilar.

■～기 oscilador *m.* ～자 radiador *m.*

발진(發進) [비행기의] despegue *m*; [로켓의] lanzamiento *m.* ～하다 despegar, lanzar.

발짓 acción *f* de mover los pies. ～하다 mover los pies.

발짝 paso *m.* 한 ～ 한 ～ paso a paso. 한 ～ 내디디다 dar un paso adelante. 오른쪽으로 한 ～ 내디디다 dar un paso a la derecha. 한 ～ 뒤로 물러서다 dar un paso atrás.

발쪽거리다 seguir abriendo y cerrando. 입을 ～ seguir abriendo la boca y cerrándola. 발쪽발쪽 abriendo un poco y cerrando.

발쪽이 con la boca medio abierta, con una sonrisa.

발쪽하다 (la boca) estar medio abierto, estar sonriendo.

발차(發車) partida *f*, salida *f.* ～하다 partir, salir, arrancar, marchar. 열차는 2번 선에서 ～한다 El tren sale de la vía número segundo.

■～ 시각[시간] hora *f* de salida. ～ 신호 señal *f* de salida. ～ 플랫폼 andén *m* de salida.

발착(發着) salida *f* y llegada. ～하다 salir y llegar.

■～ 시각표 horario *m.* ¶열차 ～ itinerario *m* de trenes, horario *m* de ferrocarriles. ～ 시간 hora *f* de salida y llegada. ～역 estación *f* de salida y llegada. ～지 terminal *f.*

발창(－窓) ventana *f* con persiana de bambú.

발채[1] [소의 배에 붙어 있는 기름] grasa *f* en el vientre de la vaca.

발채[2] [걸챗불의 바닥에 까는 거적자리] estera *f* de paja.

발처(髮妻) primera esposa *f.*

발초(拔抄) extracto *m.* ～하다 reducir a extracto, extraer.

발췌(拔萃) extractos *mpl*, trozos *mpl* escogidos. ～하다 entresacar, extractar, resumir, hacer un extracto (de). 이것은 신문기사에서 ～한 것이다 Este es un extracto de un artículo del periódico.

■～ 개헌안(改憲案) proyecto *m* de ley de enmienda seleccionada. ～곡 selección *f.* ～문 extracto *m.* ～안(案) proyecto *m* de ley seleccionado.

발치 dirección *f* de *sus* pies cuando uno se acuesta.

■～ㅅ잠 sueño *m* en los pies de los otros.

발치(拔齒) extracción *f* de un diente. ～하다 extraer un diente.

■～술 exodontia *f*, operación *f* de extraer un diente.

발칙스럽다 [무례하다] (ser) insolente, impertinente; [수치스럽다] indigno, vergonzoso; [추잡하다] indecente, impudente; [용서받지 못하다] (ser) imperdonable. 여자(女子)한테 발칙스런 짓을 하다 conducirse [comportarse] indecentemente con [hacia] una mujer. 발칙스런 일이군 ¡Qué insolencia! / Eso es indigno [vergonzoso · un escándalo] / ¡Qué impudencia! 나한테 인사도 없다니 발칙스런 놈이다 ¡Qué poca vergüenza tiene ese tipo! Ni siquiera me saluda. 발칙스레 insolentemente, impertinentemente, indignamente, vergonzosamente, indecentemente, imprudentemente, imperdonablemente.

발칙하다 ① [몹시 버릇없다] (ser) muy descortés, maleducado. 그는 아주 ～ El no tiene modales [educación] / El es tan maleducado / El es muy descortés. ② [하는 짓이 아주 괘씸하다] resultar odioso, aborrecible.

발칵 ＝발깍.

발칸 los Balcanes. ～의 balcánico.

■～ 동맹 la Alianza de Los Balcanes. ～반도 la Península de Los Balcanes. ～ 산맥 los Montes Balcanes. ～ 전쟁 la Guerra Balcánica. ～ 제국(諸國) países *mpl* balcánicos (Serbia, Montenegro, Macedonia, Albania, Bulgaria y Grecia).

발코니(영 *balcony*) balcón *m* (*pl* balcones), terraza *f*. ~에 나오다 salir al balcón.

발타다 [강아지 따위가 처음으로 걸음을 걷기 시작하다] empezar a andar por primera vez.

발탁(拔擢) selección *f*, elección *f*, distinción *f*. ~하다 escoger, elegir, distinguir, promover (por selección), elevar. 그는 사령관으로 ~되었다 Le han promovido a comandante.

발탄강아지 ① [처음으로 걷기 시작한 강아지] cachorro, -rra *mf* que empieza a andar por primera vez. ② [일없이 짤짤거리고 쏘다니는 사람] trotamundos *mf.sing.pl*.
◆발탄강아지 같다 deambular, vagar, caminar sin rumbo fijo, errar.

발탕기(鉢湯器) =바리탕기.

발톱 [사람의] uña *f*, [맹수의] garra *f*, zarpa *f*, garfa *f*, pezuña *f*, pesuña *f*, pesuno *m* (소·말의). ~을 뾰족하게 하다 [고양이 등의] afilar [aguzar] las garras. ~을 세우다 echar la garfa. ~으로 할퀴다 arañar. 고양이는 ~으로 문을 할퀴고 있다 El gato está arañando la puerta. 고양이가 ~으로 융단(絨緞)을 찢었다 El gato había destrozado la alfombra con las uñas.
■~눈 lúnula *f*, blanco *m* de las uñas.

발트(영 *Balt*) 【지명】 Báltico *m*.
■~ 제국 estados *mpl* bálticos.

발트 해(–海) 【지명】 Mar Báltico. ~의 báltico.

발틀 ① =발기계. ② ((준말)) =발재봉틀.

발파(發破) explosión *f*, destrucción *f*, ruina *f*. ~하다 explotar, volar, abrir, perforar (con barrenos), arruinar, destruir. 바위를 ~하다 volar una roca. 천공기로 터널을 ~하다 abrir un túnel con barrenos. 그들은 금고(金庫)를 ~하기 위해 다이너마이트를 사용했다 Ellos usaron dinamita para volar [hacer saltar] la caja fuerte. ~로 인해 벽에 커다란 틈이 생겼다 La explosión abrió un boquete enorme en la pared.
■~공 mecánico *m* [trabajador *m*] de explosión. ~구(口) =남폿구멍. ~약 pólvora *f* de explosión. ~ 점화 장치 lanzafuego *m*, botafuego *m*.

발판(–板) ① [어떤 곳을 오르내리거나 건너다니기 위하여 걸쳐 놓은 것] andamio *m*, andamiaje *m*, asarela *f*, trampolín *m* (*pl* trampolines); [배로 건너가기 위한] plancha *f*. ~을 세우다 levantar un andamio. ~이 무너져 두 미장이가 사망했다 Murieron dos albañiles al venirse abajo un andamio. 그는 ~을 헛디뎠다 El puso el pie en falso. ② [비계에 걸쳐 놓은 널] tabla *f* en el andamio. ③ [(높은 데 오르거나 높은 곳의 물건을 집거나 할 때) 발밑에 괴는 물건] escabel *m*, taburete *m*. ~에 오르다 poner *su* pie en un escabel. ④ =도약판(跳躍板). ⑤ [어떠한 목적을 이루기 위하여 한동안 이용하는 것] punto *m* de apoyo. …에 ~을 구축하다 tener un punto de apoyo en un sitio. …을 ~으로 하다 apoyarse en algo, hacer hincapié en *algo*. 갈라진 틈을 ~을 담벽을 오르다 trepar por la roca sirviéndose de las grietas como agarraderos [como puntos de apoyo]. 현재의 지위(地位)를 ~으로 출세하다 aprovechar el puesto actual como trampolín. 해결을 위한 ~으로 삼다 tomar como punto de apoyo para la solución. 남을 ~으로 해서 출세하다 destacarse en el mundo a costa de otros.

발포(發布) promulgación *f*, proclamación *f*. ~하다 promulgar, proclamar.

발포(發泡) espuma *f*. ~하다 espumar, echar espuma(s), echar espumarajos.
■~정 pastilla *f* efervescente. ~제 agente *m* de espuma.

발포(發砲) disparo *m*, descarga *f* de armas de fuego. ~하다 disparar, hacer fuego, tirar, descargar. 세 발을 ~하다 disparar tres tiros. 대포를 ~하다 tirotear cañonazos. 경관은 도둑에게 ~했다 El policía disparó contra el ladrón. 그는 총 [화살·한 발]을 ~했다 El disparó la escopeta [una flecha · un tiro].

발포(發疱) brote *m* de la vejiga. ~하다 brotar la vejiga.
■~고(膏)[약·제] vejigatorio *m*, vesicante *m*, agente *m* espumante.

발표(發表) anuncio *m*, declaración *f*, [공표(公表)] publicación *f*, [표명(表明)] manifestación *f*, [표현] expresión *f*. ~하다 anunciar, declarar, publicar, manifestar, expresar. 약혼(約婚)을 ~하다 anunciar compromiso de boda. 작품(作品)을 ~하다 presentar una obra.
◆미(未)~ 작품(作品) obra *f* inédita, obra *f* no publicada.

발하다(發–) ① [꽃이 피다] florecer, echar flor. ② [(기운이나 열이나 빛 따위가) 생기거나 일어나다, 또는 생기거나 일어나게 하다] emitir, emanar, radiar; [향기를] exhalar, despedir. 빛과 열을 ~ radiar la luz y el calor. ③ [(일정한 곳에서 다른 곳을 향하여) 떠나다, 또는 움직이다] salir, partir; mover.

발한(發汗) transpiración *f*, diaforesis *f*, persperación *f*, sudor *m*. ~하다 sudar, transpirar, resudar, trasudar. ~의 diaforético, sudorífico. ~하는 남자(男子) hombre *m* que transpira mucho. 말라리아열의 ~ transpiración *f* del paludismo.
■~제(劑) diaforético *m*, sudorífico *m*.

발항(發航) salida *f* [partida *f*] de buque. ~하다 partir, darse a la vela, zarpar.
■~항(港) puerto *m* de salida [de zarpa · de partida].

발항(發港) =출항(出港).

발행(發行) [책 등의] publicación *f*, edición *f*, expedición *f*, [지폐·국채·우표·주식 등의] emisión *f*, [어음·수표의] giro *m*. ~하다 publicar, editar, sacar a luz, emitir, po-

ner en circulación; expedir; [수표 등을] girar. ~되다 publicarse, editarse, emitirse. …의 앞으로 어음을 ~하다 librar una letra a cargo de *algo*. 이 잡지는 매월 ~된다 Esta revista se publica mensualmente.
■~ 가격 precio *m* de emisión, tipo *m* de emisión. ~고 (cantidad *f* de) circulación *f*. ¶지폐의 ~ importe *m* de los billetes emitidos, circulación *f* fiduciaria. ~권 derecho *m* de publicación. ~ 금지(禁止) prohibición *f* de la publicación. ¶책을 ~시키다 prohibir la publicación de un libro. ~ 부수 tirada *f*. ~세 impuesto *m* de publicación. ~소[처] lugar *m* [oficina *f*] de publicación, lugar *m* de expedición, oficina *f* de expedición; [출판사] (casa *f*) editorial *f*, *ReD* editora *f*. ~ 시장 mercado *m* de publicación. ~액 cantidad *f* emitida. ~인[자] ㉮ [출판물을 발행하는 사람] editor, -tora *mf*. 나는 어제 한 출판사의 ~을 만나러 갔다 Yo fui a ver al editor de una editorial. ㉯ [어음이나 수표 따위를 발행하는 사람] girador, -dora *mf*; librador, -dora *mf*. ¶수표 ~ girador, -dora *mf* de cheques. ~일 fecha *f* de publicación, fecha *f* de expedición. ~ 자본(資本) capital *m* de publicación. ~ 정지(停止) suspensión *f* [prohibición *f*] de publicación. ~ 주식(株式) acciones *fpl* emitidas. ~지(地) lugar *m* de publicación.

발허리 arco *m* del pie.

발헤엄 natación *f* de pisar el agua.

발현(發現/發顯) revelación *f*, manifestación *f*. ~하다 revelar, manifestar, descubrir.

발호(跋扈) dominación *f*. ~하다 (ser) rampante, dominante, dominar. 군벌(軍閥)의 ~ dominación *f* de los militaristas.

발화(發火) encendido *m*, ignición *f*, inflamación *f*. ~하다 encenderse, incendiarse, inflamarse. ~하기 쉬운 inflamable, fácil de encenderse.
◆자연(自然) ~ combustión *f* espontánea. 지연(遲延) ~ [발파구의] explosión *f* demorada; [탄약의] combustión *f* retardada; [대포의] retraso *m* en la detonación de la carga de proyección.
■~기 detonador *m*, explosor *m* eléctrico. ~성 inflamabilidad *f*. ~약 detonador *m*. ~ 장치 dispositivo *m* de encendido, dispositivo *m* de dar fuego. ~전(栓) bujía *f* de encendido, bujía *f* de ignición. ~ 전선(電線) cable *m* detonante. ~점[온도] punto *m* de combustión, temperatura *f* de ignición.

발화(發話) unidad *f* de hablar, emisión *f*. ~하다 expresar, manifestar.

발회(發會) primera asamblea *f* [junta *f*·reunión *f*], inauguración *f* de una sociedad.
■~식 ceremonia *f* de inauguración [de apertura].

발효(發效) (comienzo *m* de) vigencia *f*. ~하다 ponerse [entrar] en vigencia [en vigor]. 조약의 ~ vigencia *f* del tratado.

발효(醱酵) fermentación *f*, fermento *m*. ~하다 fermentar. ~시키다 fermentar. ~되다 fermentarse. ~될 수 있는 fermentable. ~할 수 있는 fermentescible. 알코올의 ~ fermentación *f* alcohólica. 통에 포도즙을 ~시킨다 Fermenta el mosto en la cuba.
■~계 cimoscopio *m*. ~관(管) tubo *m* de fermentación. ~균 cimógeno *m*, cimocito *m*. ~력(力) fermentabilidad *f*. ~ 물질(物質) substancia *f* fermentable. ~ 방지제 antifermento *m*. ~법 cimotécnica *f*. ~성 fermentabilidad *f*. ~성 분해 cimohidrolisis *f*. ~소(素) cimasa *f*, levadura *f*, fermento *m*. ~실 cámara *f* de fermentación. ~열 calor *m* de fermentación. ~유(乳) matzoon *ing.m*. ~ 작용 cimolisis *f*, fermentación *f*. ~증 cimosis *f*. ~ 촉진소 cimoexcitador *m*. ~학(學) cimotécnica *f*, cimología *f*, fermentología *f*. ~ 화학 cimoquímica *f*.

발휘(發揮) demostración *f*, manifestación *f*, revelación *f*. ~하다 demostrar, mostrar, desplegar, manifestar, revelar. 재능을 ~하다 revelar *su* talento, desplegar [valerse de] su capacidad. 수완을 ~하다 mostrar la habilidad. 그의 진가(眞價)가 ~되었다 Se reveló su verdadero mérito.

발흥(勃興) desarrollo *m* rápido, subida *f*, ascenso *m*, boga *f*. ~하다 desarrollarse rápidamente, ascender, subir, medrar de repente. 산업이 ~하고 있다 La industria nace y se desarrolla a pasos prodigiosos.
■~기(期) etapa *f* de desarrollo.

밝기 luminosidad *f*.

밝다 ① [빛이] (ser) claro, brillante, luminoso. 밝게 claramente, brillantemente. 밝은 방 habitación *f* clara. 밝은색(色) color *m* claro; [화사한] color *m* alegre, color *m* vivo. 밝은 적색(赤色) rojo *m* claro. 밝게 하다 abrillantar, dar brillo, dar lustre, iluminar, alumbrar, aclarar, hacer más claro. 밝아지다 iluminarse, clarear, aclararse, despejarse, hacerse más claro, relampaguear. 방이 ~ La habitación es clara / [일시적 현상] La habitación está clara. 살롱은 밝게 조명되어 있다 El salón está brillantemente iluminado. 대로가 아직 불빛으로 밝았다 La avenida todavía resplandecía de luz. 아침 다섯 시에는 이제 ~ Ya hay luz [claridad] a las cinco de la mañana. 보름달이 뜬 밤은 ~ Son claras las noches de luna llena. 밝을 때 돌아오너라 Vuelve antes de(l) obscurecer / Vuelve antes de que obscurezca.
② [장래성이 있다] tener mucho porvenir, ser prometedor, ser brillante. 이 회사의 장래는 ~ Esta empresa tiene mucho porvenir / El porvenir de esta empresa es brillante. 경기의 전망이 밝게 보인다 Las perspectivas económicas se muestran prometedoras.
③ [명랑하다] (ser) alegre, risueño, jovial, claro como el sol. 밝은 마음 corazón *m* alegre. 성격이 ~ tener un carácter alegre

[jovial]. 얼굴이 밝아졌다 Se puso alegre / Se le alegró la cara.
④ [공명하다] (ser) limpio. 밝은 선거 elecciones *fpl* limpias. 밝은 정치 política *f* limpia.
⑤ [정통하다] (ser) versado (en), ser un entendido (en · de), entener, saber al dedillo, ser conocedor (de), estar familiarizado (con), conocer. 세상 물정에 밝은 사람 hombre *m* de mundo. 그림에 ~ ser versado en pintura. 수학에 ~ ser versado en matemáticas. 국제법에 ~ entender mucho del derecho internacional, ser muy entendido en derecho internacional. 그는 한국 사정에 ~ El es un gran conocedor de los asuntos coreanos. 그는 이 주변의 지리에 ~ El conoce bien la geografía de estos alrededores. 그는 이 문제에 ~ El está al corriente de este problema.
⑥ [날이] clarear, amanecer. 날이 밝기 전에 antes de amanecer, antes de que amanezca. 날이 밝아 올 때 나는 깨어났다 Me desperté al clarear el día. 동쪽 하늘이 밝아졌다 Clarearon los cielos orientales. 동쪽 하늘이 밝아지기 시작했다 Empezó a clarear el horizonte del este.
밝을 녘 el alba *f*, alborada *f*, amanecer *m*. ~에 al amanecer, a la aurora, al rayar el día, al tiempo de estar amaneciendo. ~부터 해 질 녘까지 de sol a sol. 나는 ~에 서울에 도착했다 Amanecí en Seúl. ~에 이슬이 가득한 들이 나왔다 Amaneció el campo lleno de rocío.
밝히 claramente, brillantemente.

밝히다 ① [밝게 하다] alumbrar, poner luz (en). 등불을 ~ alumbrar la luz. 홀을 ~ alumbrar el salón. 가스 불로 거실을 ~ alumbrar la sala con gas. ② [밤을] pasar toda la noche, velar. 울며 밤을 ~ pasar toda la noche llorando. 뜬눈으로 밤을 ~ velar toda la noche, pasar la noche sin dormir [en vela]. 춤추면서 밤을 ~ pasar la noche bailando. ③ [일의 옳고 그름을 가려 분명하게 하다] revelar, descubrir. 진상(眞相)을 ~ aclarar la realidad del asunto, descubrir la verdad. 비밀을 ~ revelar [descubrir] un secreto. 의중을 ~ declarar sus intenciones, abrir su corazón. 요술의 비밀을 ~ revelar [descubrir] el truco de los juegos de prestidigitación. 사고의 원인을 ~ averiguar la causa del accidente. 소문의 출처를 ~ localizar el origen del rumor. 숨은 집을 밝혀내다 descubrir *su* guarida, descubrir la casa donde se esconde. ④ [사실이나 형편 따위를 설명하여 이르다] asegurarse (de), comprobar. 신분을 ~ comprobar la identidad (de). ⑤ [어떤 것을 특별히 좋아하다] tener debilidad (por), ser aficionado (a). 돈을 지나치게 ~ tener demasiada debilidad por el dinero, ser demasiado aficionado al dinero.

밞다 ① [두 팔을 벌려 길이를 재다] medir la longitud en el palmo de brazos dobles. ② [발로 한 걸음씩 걸어서 거리를 헤아리다] medir la distancia por paso. ③ [차츰차츰 앞으로 나아가다] avanzar [adelantar] poco a poco.

밟다 ① [발로 디디거나 누르다] pisar, hollar. 밟아 고른 길 camino *m* aplanado. 융단(絨緞)을 ~ pisar [hollar] la alfombra. 눈을 ~ pisar la nieve, endurecer la nieve pisándola. 선(線)을 밟고 넘다 sobrepasar la línea. 불을 밟아 끄다 apagar el fuego pisoteándolo [con los pies]. 땅을 밟아 고르다 aplanar la tierra pisándola. 땅을 밟아 다지다 pisar firmemente la tierra. 마루를 세게 밟아서 구멍을 뚫다 romper el suelo pisándolo fuerte. 잔디를 밟지 마시오 No pisar el césped. 네가 내 발을 밟았다 Tú me has pisado el pie. ② [어떤 곳에 가다] ir, pisar. 고향 땅을 ~ pisar el suelo de su pueblo natal. 그는 돈 없이 고향 땅을 밟고 싶지 않았다 El no quiso pisar el suelo de su pueblo natal sin dinero. ③ [남의 뒤를 몰래 쫓아가다] seguir [perseguir] a otro en secreto. ④ [(전에 다른 사람이 한 일을) 그대로 되풀이하다] seguir, seguir la pista (de), seguir la trayectoria (de). 전철(前轍)을 ~ seguir en la velación (de), repetir la misma derrota, cometer el mismo fracaso. ⑤ [(어떤 순서나 절차를) 거치다] pasar (por); [이행하다] cumplir (con); [마치다] terminar, completar. 정규 과정을 ~ terminar el curso regular.

밟다듬이 ropa *f* para lavar de pisar. ~하다 pisar la ropa para lavar.

밟히다[1] [밟음을 당하다] pisarse, ser pisado.

밟히다[2] [밟게 하다] hacer pisar.

밤[1] [해 진 뒤부터 새벽 밝기 전까지의 동안] noche *f*. ~에 de noche, por la noche, *AmL* en la noche. ~이고 낮이고 día y noche, día tras día, siempre. 오늘 ~(에) esta noche. 내일 ~(에) mañana por la noche, *AmL* mañana en la noche. ~ 열한 시에 a las once de la noche. ~을 지내다 trasnochar, velar. ~이 새다 [날이 밝아 오다] amanecer, romper el día, decaer noche. ~ 늦게까지 공부하다 estudiar hasta las altas horas de la noche. 그는 낮에 자고 ~에 일한다 El duerme de día y trabaja de noche. 내가 집에 도착할 때가 ~ 11시였다 Eran las once de la noche, cuando llegué a casa. 그녀는 ~ 열두 시 경에 잠자리에 든다 Ella se acuesta a eso de las doce todas las noches.
◆ 밤과 낮을 잊다 seguir trabajando sin cesar. 밤에 낮을 이어 de día y de noche, día y noche, día tras día, siempre, sin descanso, sin descansar. 밤(을) 새(우)다 hacer noche, pernochar, pasar la noche. 밤(을) 재우다 hacer pasar la noche, hacer velar, hacer trasnochar.
■ 밤말은 쥐가 듣고 낮말은 새가 듣는다 ((속담)) Las paredes oyen / Las paredes tienen oídos [ojos] / En boca cerrada no entran moscas.

■ ~잔물 tazón *m* del agua potable dejada durante la noche a la cabecera.

밤² [밤나무의 열매] castaña *f.* 말린 ~ castaña *f* apilada [pilonga · secada]. 삶은 ~ castaña *f* cocida.

■ ~ 장수 castañero, -ra *mf.*

밤³ [놋그릇을 부어 만든 틀] molde *m.*

밤거리 calle *f* nocturna. ~의 여인 buscona *f*, puta *f* calleja. ~를 걷다 andar la calle de noche.

밤경(-景) paisaje *m* nocturno.

밤공부(-工夫) estudio *m* nocturno.

밤교대(-交代) =밤대거리.

밤길 viaje *m* nocturno. ~을 가다 caminar de noche.

밤꽃 =밤느정이.

밤꾀꼬리 【조류】 ruiseñor *m.*

밤나무 【식물】 castaño *m.* ~ 숲 castañal *m*, castañar *m*, castañeda *f.*

밤낚시 pesca *f* nocturna. ~하러 가다 ir a pescar a caña por la noche.

밤낮 día y noche, día tras día, de día y de noche, siempre. ~으로 일하다 trabajar día y noche [de día y de noche]. ~ 쉬지 않고 계속 일하다 trabajar día y noche sin descansar [sin descanso].

◆밤낮을 가리지 않다 seguir haciendo día y noche sin descansar [sin descanso].

밤낮없이 siempre, sin descanso, sin descansar.

밤놀이 diversiones *fpl* nocturnos. ~ 가다 salir en busca de diversiones nocturnas. ~ 좋아하는 사람 hombre *m* de rutina nocturna, hombre *m* de hábito nocturno.

밤눈¹ [말의 앞다리 무릎 위 안쪽에 붙은 검은 군살] gordura *f* (fofa) negra.

밤눈² [밤에 보는 시력] visión *f* nocturna.

◆밤눈(이) 어둡다 tener la ceguera nocturna.

밤눈³ [밤에 내리는 눈] nieve *f* nocturna, nieve *f* que (se) cae por la noche.

밤느정이 flor *f* del castaño.

밤늦다 ser tarde por la noche. 밤늦게 tarde por la noche. 밤늦게까지 hasta muy entrada la noche. 이렇게 밤늦게 a estas horas de la noche. 밤늦도록 공부하다 estudiar hasta muy entrada la noche.

밤대거리 turno *m* nocturno. ~하다 hacer el *turno* de la *noche*.

밤 도와 aprovechando la noche, velando, no durmiendo, trasnochando, pernochando, pasando la noche sin dormir. ~ 책을 읽다 leer los libros aprovechando la noche. ~ 원고를 쓰다 escribir los manuscritos velando.

밤떡 *teok* [pan *m* coreano] de castañas.

밤똥 evacuación *f* (intestinal) nocturna. ~ 누다 hacer de vientre por la noche [cada noche], ir de cuerpo por la noche, mover el vientre por la noche, *RPI* mover el intestino por la noche.

밤마다 cada noche, todas las noches, noche tras noche.

밤바람 brisa *f* nocturna.

밤밥¹ [저녁 식사 후 먹는 밤참] comida *f* nocturna después de la cena.

◆밤밥 먹었다 fugarse por la noche sin anunciar a nadie.

밤밥² [밤으로 지은 밥] comida *f* de castañas, arroz *m* con castañas.

밤배 barco *m* nocturno.

밤볼 mejilla *f* regordete.

밤비 lluvia *f* nocturna.

■ 밤비에 자란 사람 ((속담)) persona *f* que es débil y cobarde.

밤사이 toda la noche, durante la noche. ~ 안녕하십니까? ¡Buenos días! / ¡Buen día! ~ 비가 내렸다 Estuvo lloviendo toda la noche.

밤새¹ 【조류】 el ave *f* (*pl* las aves) nocturna.

밤새² ((준말)) =밤사이.

밤새껏 toda la noche.

밤새우다 velar (toda la noche), trasnochar, pasar una noche, pasar la noche en vela. 밤새워 하는 일 trabajo *m* de toda la noche. 밤새워 …하다 pasar toda la ncohe +「현재 분사」(-ando · -iendo), pasar la noche sin dormir +「현재 분사」(-ando · -iendo). 밤새워 공부하다 estudiar toda la noche.

밤새움 vela *f*, velación *f*, trasnoche *f*, trasnochada *f*, [상가에서] velatorio *m*, vela *f* de un difunto; [불당에서] plegaria *f* nocturna en el templo (budista). ~하다 velar, trasnochar, pernochar, pasar una noche sin dormir. 일로 ~을 거듭하다 pasar varias noches en vela trabajando.

밤색(-色) (color *m*) castaño *m*, color *m* de castaña, (color *m*) marrón *m.* ~의 castaño, marrón; [말이] castaño, zaíno. ~ 머리카락 pelo *m* [cabello *m*] castaño. ~ (털)말 caballo *m* castaño, caballo *m* zaíno, caballo *m* de color castaño, alazán *m.*

밤샘 ((준말)) =밤새움.

밤소경 hemerálope *mf.*

밤소일(-消日) pasatiempo *m* nocturno. ~하다 pasar la noche.

밤손 =밤손님

밤손님 ladrón (*pl* ladrones), -drona *mf.*

밤송이 racimo *m* de castañas.

밤안개 niebla *f* nocturna.

밤알 castaña *f.* ~을 줍다 recoger las castañas.

밤얽이 una especie del nudo.

◆밤얽이(를) 치다 hacer un nudo doble.

밤엿 *bamyeot*, caramelo *m* de castañas, *Guat* melcocha de castañas.

밤이슬 ① [밤사이에 내리는 이슬] rocío *m* nocturno [de la noche]. ~을 맞다 exponerse al rocío de la noche. ② ((은어)) ladrón, -drona *mf.*

■ ~ 맞는 놈 ladrón *m* (*pl* ladrones).

밤일 ① [밤에 하는 일] trabajo *m* nocturno. ~하다 hacer un trabajo nocturno, trabajar por la noche [de noche], trabajar fuera del tiempo estipulado. ② ((속어)) [방사(房事)]

cópula *f*, coito *m*, relaciones *fpl* sexuales. ~하다 copular, coitar, tener relaciones sexuales.

밤자갈 guijarro *m*, piedrecita *f*, *AmL* piedrita *f*.

밤잔물 ☞밤[1]

밤잠 sueño *m* nocturno.

밤장(一場) mercado *m* nocturno.

밤재우다 hacer pasar una noche.

밤저녁 noche *f* no tardía antes de acostarse.

밤죽(一粥) gachas *fpl* de castañas y arroz en polvo.

밤중(一中) medianoche *f*. ~에 a medianoche, en plena noche.

■ ~ 같은 사람 persona *f* que no sabe nada.

밤즙(一汁) jugo *m* [zumo *m*] de castañas en polvo.

밤차(一車) tren *m* nocturno.

밤참(一站) tentempié *m* nocturno, comida *f* ligera de la noche.

밤초(一炒) dulce *m* de castaña con miel.

밤콩 una especie de soja (de grano grande, color castaño y sabroso sabor).

밤톨 ① [밤의 낱개] castaña *f*. ② [밤의 낱개만 한 크기] cosa *f* muy pequeña, tamaño *m* de la castaña.

◆밤톨만 하다 ㉮ [크기가 밤톨만큼밖에 되지 않다] tener el tamaño de la castaña, ser tan pequeño como la castaña. ㉯ [몸집이 작은 사람] ser muy pequeño. 밤톨만 한 녀석 tipo *m* muy pequeño.

밤편 pan *m* de castañas con miel.

밤하늘 cielo *m* nocturno, cielo *m* de (la) noche. 종소리가 ~로 사라졌다 El sonido puro y claro de la campana se perdió en el cielo de la noche.

밥[1] ① [곡식 따위를 익혀서 먹는 음식] comida *f*; [쌀밥] arroz *m* blanco, arroz *m* cocido. ~ 한 그릇 un tazón de arroz. 물에 만 ~ arroz *m* cocido con [en] agua. 먹다 만 ~ sobras *fpl* [restos *mpl* · residuo *m*] de comida. ~을 먹다 comer, tomar. ~ 한 공기 더 부탁합니다 Otro tazón de arroz, por favor. ② [식사] comida *f*; [아침밥] desayuno *m*; [점심] almuerzo *m*; [저녁밥] cena *f*. ③ [동물의 먹이] ceba *f*, alimento *m* (para animales); [꼴] forraje *m*, pienso *m*. ④ [어떤 사람의 이용물이 됨을 비유하여 이르는 말] víctima *f*. …의 ~이 되다 ser víctima de *algo · uno*. 운전기사는 교통순경의 ~이라고 한다 Dicen [Se dice] que el chofer es una víctima del policía de tráfico. ⑤ [연장이나 연모로 깎거나 벤 부스러기] material *m* de desecho producido en el corte; [대팻밥] virutas *fpl*; [나무의] astilla *f*; [돌의] esquirla *f*.

◆가윗~ pedacito *m*, trocito *m*. 톱~ serrín *m* (*pl* serrines), serraduras *fpl*.

◆밥(을) 주다 dar cuerda al reloj.

◆밥(을) 짓다 cocer [cocinar] arroz (con [en] agua).

■밥 먹을 때는 개도 안 때린다 ((속담)) No reprenda cuando se come. 밥 빌어다가 죽을 쑤어 먹을 놈 ((속담)) hombre *m* perezoso y estúpido. 밥 아니 먹어도 배부르다 ((속담)) Se satisface por alegría. 밥 위에 밥 ((속담)) Se repite la ocasión feliz

밥[2] [죄상을 불게 하여 드러내는 일] confesión *f*, declaración *f*.

◆밥(을) 내다 arrancar la confesión, hacer confesar su crimen.

밥값 precio *m* de la comida.

밥공기(一空器) tazón *m* (*pl* tazones) (de arroz · para la comida).

밥그릇 tazón *m* (*pl* tazones) (de arroz), taza *f*.

밥길 【해부】 =식도(食道).

밥내다 ☞밥[2]

밥도둑 hombre *m* muy ocioso.

밥도시락 fiambrera *f*, portacomidas *m.sing.pl*, *Méj* portaviandas *m.sing.pl*, *AmL* lonchera *f*, *RPl* vianda *f*.

밥맛 ① [밥의 맛] sabor *m* de la comida. ② [입맛] apetito *m*. ~이 없다 no tener apetito. 나는 ~이 없다 No tengo apetito.

밥물 ① [밥을 지을 때 쓰는 물] el agua *f* para hervir el arroz. ② [밥이 끓을 때 넘어 흐르는 물] el agua *f* que se derrama [sale] cuando el arroz hierve.

밥벌레 zángano *m*; abejón *m* (*pl* abejones); perezoso, -sa *mf*; holgazán (*pl* holgazanes), -zana *mf*; haragán (*pl* haraganes), -gana *mf*. 그는 완전히 ~다 No vale el pan que come.

밥벌이 modo *m* de vivir, sustento *m*, mantenimiento *m*. ~하다 ganarse la vida, ganarse el pan, ganarse los garbanzos.

밥보 comilón (*pl* comilones), -lona *mf*.

밥보자(기)(一褓子) cubierta *f* de mesa.

밥상(一床) mesa *f*; [1인용의] mesa *f* individual; [다리가 낮은] mesita *f* para comer. ~을 차리다 poner la mesa. ~을 치우다 levantar [quitar · retirar] la mesa. ~ 앞에 앉다 sentarse a la mesa. ~을 푸짐하게 하다 dar variedad a la comida. ~ 다 차렸습니다 Todo está listo / Está arreglado todo.

밥소라 tazón *m* de latón para la comida.

밥솥 olla *f* [fogón *m*] (de arroz). 전기 ~ olla *f* eléctrica (de arroz).

밥숟가락 ① [식사용의] cuchara *f*. ② [숟가락으로 뜨는 밥의 분량] cantidad *f* del arroz.

밥숟갈 ((준말)) =밥숟가락.

◆밥숟갈(을) 놓다 morir, fallecer, perecer, dejar de existir, entregar el alma a Dios.

밥술 ① [밥의 몇 숟가락] unas cucharas de arroz. ② =밥숟가락.

밥숭늉 =숭늉.

밥쌀 arroz *m* para la comida, arroz m para cocinar.

밥알 cada grano del arroz cocido.

밥자리 ((속어)) medio *m* de vida. 그렇게 되면 나는 ~를 잃는다 En ese caso no me queda ningún medio de vida.

밥자배기 tazón *m* (*pl* tazones) de barro.

밥잔치 cena *f* sencilla, *AmL* comida *f*

sencilla.

밥장사 comercio *m* de arroz blanco.

밥장수 comerciante *mf* de arroz blanco.

밥주걱 paleta *f*, cucharón *m* (*pl* cucharones).

밥주머니 zángano *m*.

밥줄[1] [직업(職業)] profesión *f*, ocupación *f*.
◆ 밥줄이 끊어지다 perder *su* ocupación, perder la colocación, perder los medios de ganarse la vida. 밥줄이 붙어 있다 tener *su* ocupación aún.

밥줄[2] 【해부】 =식도(食道).

밥집 comedor *m* muy barato.

밥통(-桶) ① [밥을 담는 통] portacomidas *m*. ② [위(胃)] estómago *m*. ③ [밥만 먹고 제구실을 못하는 어리석은 사람] zángano *m*; perezoso, -sa *mf*; holgazán (*pl* holgazanes), -zana *mf*; haragán (*pl* haraganes), -gana *mf*. ④ ((속어)) =일자리.
◆ 밥통이 떨어지다 destituirse, ser destituido.

밥투정 queja *f* de las comidas. ~하다 quejarse de las comidas.

밥풀 [밥알] grano *m* de arroz cocido; [풀] engrudo *m* de arroz.
밥풀칠하다 poner el engrudo de arroz.

밧줄 cuerda *f*, lía *f*, soga *f* (basta); [가는] bramante *m*, guita *f*, [철삭(鐵索)] cable *m*. ~을 메다 atar, amarrar con una cuerda. ~을 조이다 apretar la cuerda. ~을 늦추다 dar cuerda.

방[1](房) ① 【역사】 =궁(宮)(palacio). ② 【역사】 [작은 가게] tienda *f* pequeña; [구멍가게] tiendecita *f*.

방[2](房) 【천문】 =방성(房星).

방[3](房) [집안에 만들어 놓은 간] [개개의] habitación *f*, cuarto *m*; [집의 구성 요소로] pieza *f*, [공동으로 사용하는] sala *f*. ~을 빌리다 alquilar una habitación. ~을 예약(豫約)하다 reservar una habitación. …와 같은 ~을 사용하다 compartir el cuarto con uno. 같은 ~ 친구 compañero, -ra *mf* de cuarto, el que comparte el cuarto. 우리 집에는 ~이 네 개 있다 Hay cuatro piezas [식당이나 응접실을 제외하고 habitaciones] en nuestra casa. ~ 있습니까? [호텔에서] ¿Hay [Tienen] habitación libre?

방(榜) ((준말)) ① =방목(榜目). ② =방문(榜文).
◆ 방(이) 나다 hacerse público darse a conocer.

방(放) tiro *m*, disparo *m*. 한 ~ un disparo, un tiro. 두 ~ dos disparos, dos tiros. 한 ~으로 de un tiro. 한 ~ 쏘다 disparar un tiro.

방(磅) libra *f*.

-방(方) ① [방위(方位)] dirección *f*. 서북(西北)~ dirección *f* noroeste. ② [편지에서] casa *f*.

방가(放歌) canción *f* con voz alta. ~하다 cantar con voz alta [desaforada].

방갈로(영 *bungalow*; 독 *Bangalo*) bungalow *m*, choza *f* con galerías.

방값(房-) =방세(房貰).

방갓(方-) sombrero *m* de bambú con la ala ancha.

방게 【동물】 una especie del cangrejo.

방계(傍系) línea *f* [rama *f*] colateral [transversal]. ~의 colateral.
■ ~ 비속(卑屬) descendiente *m* colateral. ~ 인족(姻族) parientes *mpl* políticos colaterales. ~ 존속 ascendiente *m* colateral. ~친(親) relaciones *fpl* entre los parientes del mismo antepasado. ~ 친족 pariente *m* colateral. ~ 혈족(血族) consanguíneo *m* colateral. ~ 회사(會社) compañía *f* asociada [afiliada], compañía *f* filial, sociedad *f* filial [afiliada], empresa *f* afiliada, casa *f* filial, filial *f*.

방고래(房-) *banggorae*, tiro *m* [salida *f* de humos] de un hipocausto.

방공(防共) defensa *f* anti-comunista, defensa *f* contra comunismo. ~하다 defender contra comunismo.
■ ~ 협정(協定) el Pacto Anti-Comintern, el Pacto de Anticomunismo.

방공(防空) defensa *f* antiaérea.
■ ~ 감시원 guardián *m* antiaéreo, guardiana *f* antiaérea. ~ 관제소 oficina *f* de control antiaéreo. ~ 구역 zona *f* antiaérea. ~ 기구 globo *m* cautivo, globo *m* de barrera. ~ 대책 precaución *f* antiaérea. ~법 ley *f* de defensa antiaérea. ~ 부대 fuerza *f* de intercepción. ~ 소방의 날 día *m* de defensa antiaérea y servicio de fuego ~ 시설 instalaciones *fpl* de defensa antiaérea. ~ 식별 구역 zona *f* de identificación de defensa antiaérea. ~ 연습(練習) ejercicio *m* antiaéreo. ~ 자재(資材) material *m* de defensa antiaérea. ~ 작전 지역 zona *f* de operaciones antiaéreas. ~ 조기 경보(早期警報) alerta *f* temprana de defensa antiaérea. ~ 지구 zona *f* antiaérea. ~ 체제 sistema *m* de defensa antiaérea. ~호[굴] foso *f* antiaéreo, refugio *m* antiaéreo, refugio *f* subterráneo.

방과(放課) despido *m* de la clase. ~하다 acabar [terminar] la clase.
■ ~ 후(後) después de (la) clase, terminada la clase, (después de) acabada la escuela, después de la escuela; [하교 시에] al salir de la escuela. ¶~에 만납시다 Nos veremos después de clase.

방관(傍觀) contemplación *f* indiferente. ~하다 hacer de mirón, quedarse de espectador, mirar sin hacer nada, mirar los toros desde la barrera, nadar entre dos aguas, no definirse; [무관심하다] quedarse indiferente (a). 제삼자의 입장에서 ~하다 contemplar como puro espectador [여자 como pura espectadora].
■ ~자[인] mirón (*pl* mirones), -na *mf*, espectador, -dora *mf*. ~적 expectante, indiferente, de espectador. ¶~ 태도 actitud *f* expectante [indiferente · de espectador]. ~ 태도를 취하다 tomar una actitud indiferente [de espectador] (a · ante).

방광(膀胱)【해부】vejiga *f*, vejiga *f* urinaria, vejiga *f* de la orina. ~의 vesical, cístico. ~ 내(內)의 intravesical. ~ 뒤쪽의 postvesical. ~ 바깥의 extracístico. ~ 아래의 infravesical. ~ 위의 supravesical.
■ ~ 결석(結石) piedra *f* en la vejiga, cálculo *m* vesical. ~경(鏡) cistoscopio *m*. ~경 검사 cistoscopia *f*. ~ 내막염 endocistitis *f*. ~수(水) úvula *f* vesical. ~ 수술 cistotomía *f*. ~암 cáncer *m* vesical, cáncer *m* de la vejiga. ~염 cistitis *f*, inflamación *f* de la vejiga, urocistitis *f*. ~ 요도관 canal *m* vesicouretral. ~ 자궁(子宮) útero *m* vesical. ~ 절개술(切開術) vesicotomía *f*. ~통 cistalgia *f*. ~ 파열 ruptura *f* vesical.

방교(邦交) relaciones *fpl* diplomáticas.

방구【악기】*banggu*, instrumento *m* musical agrícola.

방구(訪歐) visita *f* a la Europa. ~하다 visitar a la Europa.

방구들(房−) =온돌.

방구리 jarra *f* de agua. 옹~ jarrita *f* de agua.

방구석(房−) [방의 한 구석] rincón *m* (*pl* rincones); [방 안] interior *m* de una habitación; [방] habitación *f*, cuarto *m*. ~에 en la habitación, dentro. 나는 언제나 ~에 박혀 있다 Siempre me quedo en la habitación. ~에서 뭘 하느냐? ¿Qué haces en la habitación?

방귀 ventosidad *f*, pedo *m*, gas *m* que sale por el ano.
◆방귀(를) 뀌다 ventosear(se), ventear, peer, irse de copa, soltar un pedo, soltar ventosidades, expeler del cuerpo los gases intestinales, tirarse un pedo, echarse un pedo, pedorrearse.
■ ~쟁이 pedorrero, -ra *mf*, pedorro, -rra *mf*.

방귀벌레【곤충】chinche *f* hedionda.

방그레 con cara risueña, sonriendo, con sonrisa, radiantemente, alegremente.

방글거리다 sonreír alegremente, sonreír radiantemente.

방글라데시【지명】Bangladesh. ~의 bangladesí. ~ 사람 bangladesí *mf*.

방글방글 sonriendo, con cara risueña, con sonrisa. ~ 웃다 sonreír (radiantemente), sonreír alegremente.

방금(方今) ahora mismo, en este mismo momento en este mismo instante, poco hace, recientemente, últimamente. ~ …하다 acabar de + *inf*. 아버지는 ~ 돌아오셨다 Mi padre acaba de volver a casa. 그는 ~ 외출했다 El acaba de salir ahora mismo.

방긋 con una sonrisa (repentina). ~ 웃다 sonreír.
방긋거리다 sonreír.
방긋방긋 siguiendo sonriendo.
방긋이 [웃는 모양] sonriendo, con cara risueña, con sonrisa. ~ 웃는 sonriente, risueño, radiante. 그녀는 ~ 웃지도 않았다 Ni siquiera ella se sonrió. 그는 무심코 ~ 웃었다 Una sonrisa inconsciente iluminó su rostro.

방긋방긋하다 seguir sonriendo.

방긋하다 estar entreabierto [entronado]. 문을 방긋하게 열어 두어라 Deja la puerta entreabierta [entornada].
방긋이 entreabierto, entornado.

방기(放棄) abandono *m*, renuncia *f*, renunciación *f*, renunciamiento *m*. ~하다 abandonar, renunciar, dejar. 계획을 ~하다 renunciar al plan. 권리를 ~ 하다 renunciar a *sus* derechos. 책임을 ~하다 abandonar [dejar] *su* responsabilidad. 중도(中途) 에서 일을 ~하다 abandonar *su* trabajo a medio camino.

방기【지명】Bangui (중앙아프리카의 수도).

방끗 ((센말)) =방긋.

방끗방끗하다 ((센말)) =방긋방긋하다.

방끗하다 ((센말)) =방긋하다.

방년(芳年) edad *f* florida. ~ 16세 edad *f* florida de diez y seis años (de edad). 그녀는 ~ 16세이다 Ella tiene dieciséis abriles.

방념(放念) =안심(安心).

방뇨(放尿) urinación *f*, micción *f*. ~하다 orinar(se), mear.

방담(放談) el habla *f* en alto tono, plática *f* sin restricción, palabra *f* impensada. ~하다 hablar con toda libertad.
■ ~회(會) (reunión *f* de) charla *f*.

방대하다(尨大/厖大−) (ser) enorme, colosal, inmenso, gigantesco, vasto, extenso, voluminoso, grande, masivo. 방대함 enormidad *f*, gigantez *f*. 방대한 예산(豫算) presupuesto *m* fabuloso. 방대한 자료(資料) un montón de materiales. 방대한 수의 작품 una enorme cantidad de obras.
방대히 enormemente, colosalmente, gigantescamente, inmensamente, extensamente, vastamente.

방도(方道/方途) modo *m*, forma *f*, manera *f*, método *m*, medio *m*, medida *f*. 적절한 ~를 취하다 tomar las medidas adecuadas. 다른 ~가 없다 No hay otra alternativa. 너는 사임할 수 밖에 다른 ~가 없다 No te queda otra alternativa que dimitir.

방독(防毒) protección *f* del veneno, anti-gas *m*. ~하다 proteger del [contra el] veneno.
■ ~면[마스크] careta *f* antigas, careta *f* contragases, máscara *f* antigas. ~복[의] ropa *f* antigas. ~실 cámara *f* antigas.

방둥구부렁이 cuadrúpedo *m* con ancas combas.

방둥이 ancas *fpl*, nalgas *fpl*, rabada *f*.

방랑(放浪) vagabundeo *m*, vaganbundez *f*, vagabundaje *m*, vagamundo *m*, vagancia *f*, divagación *f*, vida *f* errante, viaje *m* sin destino. ~하다 errar, vagar, vagabundear, deambular. 거리를 ~하다 vagar [deambular] por las calles. 세계를 ~하다 vagar [deambular] por el mundo.
■ ~객 vagabundo, -da *mf*, trotamundos *mf*, bohemio, -mia *mf*. ~기 anales *mpl* de vagabundeo. ~ 문학 literatura *f* bohemia.

~벽 hábito *m* de vagabundear. ¶~이 있다 tener el hábito de vagabundear. ~생활 vagabundería *f*, vida *f* bohemia, vida *f* gitana, vida *f* errante, vida *f* vagabunda, vida *f* de vagabundo, bohemia *f*. ¶~하다 vagabundear, llevar una vida errante [vagabunda · de vagabundo]. ~시(詩) poesía *f* bohemia. ~자(者) vagabundo, -da *mf*, hombre *m* errante, mujer *f* errante. ~주의 bohemianismo *m*.

방략(方略) plan *m*, proyecto *m*, designio *m*, artificio *m*, expediente *m*, estratagema *f*. 전반적인 ~을 꾸미다 planear [planificar] el plan general.

방령(芳齡) =방년(芳年).

방론(放論) arenga *f*. ~하다 hablar irresponsablemente [de modo irresponsable].

방류(放流) desembarque *m*, desagüe *m*. ~하다 desembarcar, descargar, desaguar; [고기를] soltar peces en un río [en un lago] para criarlos. 물을 ~하다 echar el agua. 물고기를 강에 ~하다 poblar el río de peces.

방리(方里) *ri* cuadrado.

방만하다(放漫-) (ser) relajado, flojo. ~한 경영 administración relajada.
방만히 relajadamente, flojamente.

방망이[1] ① [무엇을 두드리거나 다듬는 데 쓰는 도구] palo *m*, bastón *m* (*pl* bastones). ② [곤봉] garrote *m*, parra *f*, cachiporra *f*. ③ ((야구)) bate *m*.
■~꾼 obstructor, -tora *mf*. ~질 ㉮ [방망이로 다듬거나 두드리는 일] golpe *m* con garrote. ㉯ [가슴이 두근거림] palpitación *f*. ¶~하다 palpitar. 그의 가슴은 ~하는 것 같았다 Su corazón palpitaba velozmente.

방망이[2] ① [참고 사항을 간략히 적은 책] librito *m*. ② [컨닝 종이] chuleta *f*, *ReD* chivo *m*.

방매(放賣) venta *f*. ~하다 vender.
◆연말 염가 대 ~ ganga *f* del fin de año. 특가(特價) ~ venta *f* especial.
■~가(家) casa *f* en venta.

방면[1](方面) ① [방향] dirección *f*, [지방] región *f*, el área *f* (*pl* las áreas); [분야] campo, aspecto, esfera. 한국의 남쪽 ~에 en la parte sur de Corea. 신촌 ~행 버스 autobús *m* (*pl* autobuses) para *Sinchon*. 강남 ~에 살다 vivir en el área de *Gangnam*. ② [전문적으로 뜻을 두거나 생각하는 분야(分野)] campo *m*, aspecto *m*, esfera *f*, materia *f*. 그 ~의 전문가(專門家) especialista *mf* en esa materia. 각 ~에 친구가 많다 tener muchos amigos en las distintas esferas de la sociedad. 문제를 여러 ~에서 검토하다 investigar [examinar] el tema desde todos sus aspectos. 그 문제는 관계 각 ~에서 검토되었다 Ese problema ha sido discutido por todas las autoridades relacionadas. 그는 여러 ~에 재능이 있다 El tiene talento para muchas campos.

방면[2](方面) [네모반듯하게 생긴 얼굴] cara *f* cuadrada.
■~대이(大耳) cara *f* cuadrada con las orejas grandes.

방면(放免) liberación *f*, soltura *f*. ~하다 soltar, librar, libertar, poner en libertad, absolver.
◆무죄(無罪) ~ absolución *f* (libre). 훈계(訓戒) ~ liberación *f* después de admonición.

방명(芳名) ① [남을 높여, 「그의 이름」] su nombre. ~은 일찍이 잘 알고 있었습니다 Le conocía a usted ya de nombre. ② [좋은 평판] buena fama *f*, buena reputación *f*. ~이 높다 tener buena fama [reputación].
■~록 el Libro de Visitantes. ¶~에 서명하다 firmar el Libro de Visitantes.

방모(紡毛) ① [양모(羊毛)로 털실을 뽑음] lana *f* cardada. ② ((준말)) =방모사.
■~사(絲) hilo *m* de lana, lana *f*.

방목(放牧) apacentamiento *m*, pastoreo *m*, pasto *m*. ~하다 pastar, pastorear, apacentar. 소를 ~하다 pastar el ganado vacuno.
■~권 derecho *m* de pastoreo. ~장 prado *m*, potrero *m*, pasto *m*, pastura *f*. ~지 pastos *mpl*, pradera *f*, tierra *f* de pastoreo.

방목(榜目) lista *f* del candidato próspero.

방문(方文) ((준말)) =약방문(藥方文).

방문(房門) puerta *f* (de una habitación).
■~차 papel *m* para la decoración de puerta. ~턱 umbral *m* de la puerta de la habitación.

방문(訪問) visita *f*. ~하다 visitar, hacer una visita, ir a ver. ~을 받다 recibir una visita. 도시를 ~하다 visitar una ciudad. 친구를 ~하다 visitar a un amigo. 친구의 ~을 받다 recibir a un amigo. 김 교수를 연구실로 ~하다 visitar al profesor Kim en su estudio. 대통령은 서반아를 공식 ~ 중이다 El presidente de la República está de visita oficial en España. 국무총리는 미국을 친선 ~했다 El primer ministro hizo una visita de amistad en los Estados Unidos de América.
◆공식(公式) ~ visita *f* oficial, visita *f* de protocolo. 그들은 신임 장관을 공식~했다 Ellos hicieron una visita oficial [de protocolo] al nuevo ministro.
■~객[자] visitante *mf*, visitador, -dora *mf*, [집합적] visita *f*. ~기 anales *mpl* de visita. ~단 grupo *m* de visitantes. ~ 비행 vuelo *m* conciliador. ~ 외교 diplomacia *f* a través de la visita personal.

방문(榜文) letrero *m*, cartel *m*, aviso *m*; [데모 때의] pancarta *f*. ~을 내붙이다 poner el aviso.

방물 artículos *mpl* menudos; [집합적] mercería *f*.
■~장사 comercio *m* de artículos menudos. ~장수 mercero, -ra *mf*. ~점(店) mercería *f*.

방미(芳味) sobor *m* aromático, buen sabor *m*.

방미(訪美) visita *f* a los Estados Unidos de América. ~하다 visitar a los Estados

Unidos de América.
방밑(枋－) parte *f* inferior de una pared.
방바닥(房－) suelo *m* (de la habitación).
방밖(房－) fuera de la habitación.
방방(房房) ＝방방이.
방방이 cada habitación, cada cuarto, todas las habitaciones, todos los cuartos. ～이 손님으로 가득찼다 Todas las habitaciones están llenas de visitas [de huéspedes].
방방곡곡(坊坊曲曲) todas partes [todos los rincones] del país, todo el país ～에 por todas partes del país, por todo el país.
방백(方伯) 【고제도】 gobernador *m*.
방범(防犯) prevención *f* de crimen. ～하다 prevenir [evitar] el crimen. ～에 힘쓰다 tomar medidas preventivas contra los crímenes.
■～ 대원(隊員) guardia *m* nocturno, guardia *f* nocturna. ～ 벨 alarma *f* antirrobo. ～ 순찰대(巡察隊) patrulla *f* de prevención de crímenes. ～ 주간(週間) semana *m* de prevención de los crímenes.
방법(方法) modo *m*, manera *f*; [계통을 세운] método *m*, proceso *m*; [수단] medio *m*, medida *f*. 새로운 ～ nuevo método *m*. 이 ～으로 de esta manera, de este modo. 어떤 ～으로라도 de cualquier modo, de una manera u otra. 가능한 모든 ～으로 por todos los medios posibles. ～을 찾다 buscar una manera [un medio]. ～이 틀리다 equivocarse en el proceso. ～이 없다 No hay más [otro] remedio / ¡Qué le vamos a hacer! 그 이외의 ～은 없다 No hay otro remedio que eso. 알릴 ～이 없다 No hay manera de avisar. 그것을 하는 ～은 많다 Hay muchas maneras de hacerlo. 무슨 다른 ～이라도 생각한 것이 있습니까? ¿Qué otro remedio dice [piensa] usted que hay? ～이 없으니 단념합시다 Resignémonos, ya que no hay remedio. 도저히 ～이 없다 De cualquier punto que se le mire la cosa no tiene remedio. …할 수 밖에 다른 ～이 없다 No hay más [otro] remedio que + *inf*.
■～론 metodología *f*. ¶～적인 metodológico. ～ 연구 estudio *m* de método.
방벽(防壁) barrera *f*, baluarte *m*, barricada *f*; [성벽] muralla *f*. 민주주의(民主主義)의 ～ baluarte *m* de democracia. 자연(自然)의 ～ barrera *f* natural.
■～ 지대(地帶) [국방상의] anillo *m* de seguridad.
방부(防腐) prevención *f* contra putrefacción, antisepsia *f*, asepsia *f*, asepsis *f*, desinfección *f*, embalsamamiento *m*. ～하다 prevenir contra putrefacción. ～의 aséptico, antipútrido, antiséptico, preservativo.
■～법 asepsis *f*, antisepsis *f*. ～산(酸) ácido *m* aséptico. ～액(液) solución *f* antiséptica. ～ 외과(外科) cirugía *f* antiséptica. ～재(材) material *m* antiséptico. ～제(劑) preservativo *m*; [식품 등의] antipútrido *m*; 【의학】 antiséptico *m*; [용액] solución *f* antiséptica. ¶～를 바르다 aplicar el tratamiento antiséptico; [시체에] embalsamar. ～를 사용하다 emplear un antipútrido (en). ～ 처리 tratamiento *m* antiséptico; [시체의] embalsamamiento *m*. ¶～하다 aplicar el tratamiento antiséptico; [시체를] embalsamar.
방분(方墳) tumba *f* cuadrada.
방불(彷彿/髣髴) semejanza *f*. ～하다 (ser) semejante, parecido. 그는 그의 부친의 모습을 ～하게 한다 El me recuerda la imagen de su padre.
방불히 semejantemente, con semejanza.
방불(訪佛) visita *f* a Francia. ～하다 visitar a Francia.
방비(房－) escoba *f* para la habitación.
방비(防備) defensa *f*, protección *f*; [공사(工事)] fortificación *f*. ～하다 defender, proteger, fortificar. ～를 튼튼히 하다 fortalecer, reforzar la defensa, fortificar, hacer construcciones para defenderse.
방사(房事) coito *m*, cópula *f*, relaciones *fpl* sexuales, unión *f* sexual, ayuntamiento *m* carnal del hombre con la mujer. ～하다 copular(se), coitar, tener relaciones sexuales, juntarse carnalmente.
■～ 과도(過度) intemperancia *f* sexual, exceso *m* en la cópula [en el coito·en relaciones sexuales].
방사(放射) ① [광열의] radiación *f*; [빛이나 열 따위의] emisión *f*; [라듐 등의] emanación *f*. ～하다 emitir, radiar, emanar. 태양은 빛과 열을 ～한다 El sol radia su luz y calor. ② ＝발사(發射).
■～계(計) radiómetro *m*. ～ 고온계(高溫計) pirómetro de radiación. ～관(管) tubo *m* de descarga. ～관(冠) corona *f* radiada. ～기(器) ejector *m*. ～대(帶) zona *f* radiada. ～ 대칭(對稱) simetría *f* radial. ～막(膜) membrana *f* estriada. ～물 emisión *f*. ～상(狀) forma *f* radiada [radial]. ～상 도로 camino *m* radial. ～열(熱) calor *m* radiante. ～학(學) radiología *f*. ～ 화학(化學) radioquímica *f*.
방사(放飼) pasto *m*, pastura *f*. ～하다 pastar, apacentar, pastorear.
■～지(地) pastura *f*.
방사(紡絲) [실] hebra *f*, filamento *m*; [방적] hilado *m*, hilatura *f*, el hilar; [방적사] hilo *m*, hilado *m*, hilaza.
방사(倣似) semejanza *f*, parecido *m*. ～하다 (ser) semejante, parecido.
방사능(放射能) radiactividad *f*, radioactividad *f*. ～의 radiactivo. ～이 있는 radiactivo. ～이 없는 inactivo. ～의 강도(强度) intensidad *f* de radioactividad. 공기 속의 ～ radioactividad *f* atmosférica. ～을 쬐다 exponerse a la radiactividad. ～를 쬔 사람 persona *f* irradiada. ～이 붕괴하다 desactivar.
◆인공(人工) ～ radiactividad *f* artificial.
■～ 검사 cheque *m* de radiactividad. ～ 검출 lectura *f* de radiactividad. ～ 구름 nube *f* radiactiva. ～눈 nieve *f* radiactiva.

~ 무기(武器) el arma *f* (*pl* las armas) radiactiva. ~비 lluvia *f* radiactiva. ~ 연구 estudio *m* de radiactividad. ~ 연구자 radiólogo, -ga *mf*. ~ 오염 contaminación *f* radiactiva. ~ 장애 lesión *f* causada por la radiactividad, radiotoxemia *f*, enfermedad *f* radiactiva, enfermedad *f* de radiación. ~재 polvo *m* radiactivo. ~전(쟁) guerra *f* radiactiva. ~진(塵) cenizas *fpl* radiactivas [radioacvivas · letales], polvo radiactivo. ~ 질환 radiotoxemia *f*, enfermedad *f* de radiación. ~ 측정(測程) observación *f* de radiactividad. ~ 측정기(測程器) detector *m* radiactivo, detector *m* de radiación. ~ 탐사[탐광] exploración *f* radiactiva. ~ 폐기물 desechos *mpl* radiactivos, residuos *mpl* radiactivos. ~ 폐기물 처리 tratamiento *m* de residuos radiactivos, eliminación *f* de desechos radiactivos.

방사림(防沙林/防砂林) árboles *mpl* plantados para impedir los movimientos de la arena.

방사선(放射線) radiación *f*, rayo *m* radiactivo. ~으로 쏘이다 irradiar.

■ ~ 강도 intensidad *f* de radiación. ~ 검출기 detector *m* (radiactivo). ~ 계수관 radiómetro *m*. ~과 departamento *m* de radiología. ~과 전문 의사 radiólogo, -ga *mf*. ~ 기사(技師) tecnólogo *m* [técnico *m*] radiológico, técnóloga *f* [técnica *f*] radiológica. ~대(帶) cinturón *m* de radiación, cinturón *m* de Van Allen. ~독(毒) radiotoxina *f*. ~ 면역 radioinmunidad *f*. ~병(病) enfermedad *f* de radiación. ~ 사진 radiograma *m*, actinograma *m*. ~ 사진술 radiografía *f*. ~ 사진 촬영술 actinografía *f*, radiofotografía *f*, radiografía *f*. ~ 생물학 biología *f* de radiación, radiobiología *f*. ~ 요법 radioterapia *f*, terapia *f* de radiación. ~ 의학 radioterapéutica *f*. ~ 진단(법) radiodiagnosis *f*, radioscopia *f*. ~ 촬영(撮影) radiografía *f*. ~ 촬영 사진 radiograma *m*. ~ 치료(治療) radioterapia *f*. ~ 치료의 radiopeuta *mf*. ~ 치료학 radioterapéutica *f*. ~ 피부염 radiodermatitis *f*. ~학 radiología *f*. ~학자 radiólogo, -ga *mf*. ~ 해부학 anatomía *f* radiológica. ~ 화학 química *f* de radiación [las irradiaciones], radioquímica *f*.

방사성(放射性) radiactividad *f*., radioactividad *f*. ~의 radi(o)activo.

■ ~ 낙진 lluvia *f* radiactiva, precipitación *f* radiactiva. ~ 동위 원소 (同位元素) isótopo *m* radiactivo, radioisótopo *m*. ~ 면역 radioinmunidad *f*. ~ 물질(物質) substancia *f* radiactiva, material *m* radiactivo. ~ 반응 radiorreacción *f*. ~ 붕괴 desintegración *f* radiactiva. ~수(水) el agua *f* de emanación. ~ 연대 측정 datación *f* radiactiva. ~ 오염 contaminación *f* radiactiva. ~ 원소 elemento *m* radiactivo. ~ 입자(粒子) partícula *f* radiactiva. ~ 폐기물 desechos *mpl* radiactivos, residuos *mpl* radiactivos, desperdicios *mpl* radiactivos.

방산(放散) ① [풀어헤침] exhalación *f*, radiación *f*, irradiación *f*. ~하다 exhalar, despedir, radiar, irradiar, evaporar. ② [각각 흩어짐] dispersión *f*. ~하다 dispersarse.

방산충(放散蟲) radiolarios *mpl*.

■ ~류(類) 【동물】 =방산충.

방생(放生) liberación *f* de los animales cautivos. ~하다 soltar [liberar] los animales cautivos.

방석(方席) cojín *m* (*pl* cojines), almohadón *m* (*pl* almohadones), almohadilla *f*.

■ ~니 primera muela *f*. ~ 덮개 funda *f* para cojines, cubierta *f* del cojín.

방선(傍線) línea *f* vertical. ~을 긋다 trazar una línea vertical; [밑줄] subrayar.

방선균병(放線菌病) 【의학】 actinomicosis *f*.

방선균종(-腫) 【의학】 actinomicoma *m*.

방설(防雪) protección *f* contra la nieve. ~하다 proteger contra nieve.

■ ~림(林) bosque *m* que sirve de abrigo [de defensa] contra la nieve. ~ 장치(裝置) protección *f* contra nieve.

방성(放聲) grito *m*.

■ ~통곡[대곡] llanto *m* fuerte y amargo. ¶~하다 llorar fuerte y amargamente.

방세(房貰) alquiler *m* de la habitación, alquiler *m* del cuarto.

방세간(房-) muebles *mpl*, mobiliario *m*.

방송(放送) ① [라디오 · 텔레비전을 통해 뉴스 · 음악 · 강연 · 연예 등을 보냄] emisión *f*, transmisión *f*, difusión *f*; [라디오의] radioemisión *f*, radiodifusión *f*; [텔레비전의] televisión *f*. ~하다 emitir, difundir, transmitir, radiar; [라디오로] radiodifundir; [텔레비전으로] televisar. ~을 듣다 escuchar la radiodifusión. ~되고 있다 salir al aire. 그는 일주일에 두 번 ~한다 Su programa se emite dos veces por semana. 우리는 12시에 ~을 중단한다 Cerramos la emisión a las doce. ~이 갑자기 중단(中斷)되었다 La transmisión se interrumpió de repente. 싸움은 직접 ~되었다 La pelea se retransmitió [se transmitió] en directo. 우리는 909 킬로헤르츠로 전국에 ~한다 Transmitimos en 909 kilohercios para todo el país. ② =석방(釋放).

■ ~ 구역 alcance *m* de una emisora. ~국(estación *f*) emisora *f*, difusora *f*, estación *f* de emisión, estación *f* transmisora; [라디오의] estación *f* radiodifusora, radioemisora *f*. ¶중앙 ~ la Estación Central de Emisión, la Estación Radiodifusora Central. ~은 하루 스물네 시간 방송한다 La estación radiodifusora transmite [emite] veinticuatro horas del día. ~권(權) derechos *mpl* de transmisión. ~극(劇) teatro *m* radiofónico, drama *m* de radio. ~기(機) [라디오 송신기] transmisor *m*; [라디오 송수신기] transmisor-receptor *m*. ~ 기사 ingeniero, -ra *mf* de radiodifusión [de televisión]. ~ 기자 periodista *mf* [reportero, -ra *mf*] de radio [televisión]. ~ 기자재(器資材) aparato *m* transmisor, aparato *m* emisor. ~

대학(교) universidad *f* a distancia, *Esp* Universidad *f* Nacional de Educación a Distancia, la UNED. ~망(網) red *f* de estaciones emisoras; [텔레비전의] red *f* televisora. ~ 문화(文化) cultura *f* de transmisión. ~ 방해 [라디오의] perturbación *f*, interferencia *f* intencionada; [텔레비전의] interferenferencia *f* por aparatos de alta frecuencia. ~법 ley *f* de difusión radio-televisiva. ~ 사업(事業) industria *f* de radiodifusión, industria *f* de televisión. ~ 순서(順序) programa *m* (de radio·de televisión). ~ 시간 horas *fpl* de emisión, tiempo *m* de emisión, tiempo *m* en antena. ~실 estudio *m* (de emisión). ~원 presentador, -dora *mf*; locutor, -tora *mf*. ¶라디오[텔레비전]의 ~ presentador, -dora *mf* [locutor, -tora *mf*] de radio [de televisión]. ~ 위성 satélite *m* de transmisión. ~ 윤리위원회 la Comisión de Etica de Transmisión. ~자 presentador, -dora *mf*; locutor, -tora *mf*. ~ 종료 cierre *m* de emisión. ¶~를 하다 despedirse, cerrar la transmisión. ~ 주파수 radiofrecuencia *f*. ~ 중 en el aire. ¶~이다 estar en el aire. ~ 청취자 radioyente *mf*, radioescucha *mf*; [가입자] subscriptor, -tora *mf*. ~ 토론회 foro *m* de radio; [텔레비전의] discusión *f* televisada. ~ 통신 대학 la Universidad Nacional de Educación a Distancia, la UNED; universidad *f* a distancia. ~ 프로그램 programa *m* (de radio·de televisión), emisión *f*. ~ 협회 la Corporación Radiotelevisora.

방수(防水) impermeabilidad *f*, resistencia *f* al agua.. ~하다 impermeabilizar. ~의 impermeable, a prueba de agua; [시계를] sumergible.
■ ~ 가공 impermeabilización *f*. ¶~하다 impermeabilizar. ~된 impermeabilizado. ~대책 medida *f* de antiinundación. ~둑 malecón *m* impermeable. ~림 bosque *m* impermeable. ~모 lona *f* impermeabilizada, sombrero *m* impermeable. ~문 puerta *f* hermética. ~법 método *m* impermeable. ~벽 pared *f* impermeable. ~복 ropa *f* impermeable, prenda *f* impermeable, traje *m* impermeable. ~ 설비 instalaciones *fpl* de protección contra las inundaciones. ~성 impermeabilidad *f*. ~ 시계 reloj *m* sumergible, reloj *m* hecho a prueba de agua. ~ 외투 abrigo *m* impermeable. ~ 장치 impermeabilización *f*, aparato *m* impermeable. ~ 재료 impermeabilizante *m*. ~제(劑) desecante *m*. ~지(紙) papel *m* impermeable. ~ 처리 impermeabilización *f*. ¶~하다 impermeabilizar. ~층(層) capa *f* impermeable. ~포(布) tela *f* impermeable. ~화(靴) zapatos *mpl* impermeables.

방수(防守) defensa *f*. ~하다 defender, resguardar, amparar, preservar, obrar a la defensiva. ~의 defensivo.
■ ~ 동맹 alianza *f* defensiva.

방수(放水) desagüe *m*; [배수(背水)] drenaje *m*. ~하다 desaguar, drenar.
■ ~관 tubo *m* [caño *m*·cañería *f*] del desagüe, bajante *m*. ~구(口) (canal *m* de) desagüe *m*; [수문(水門)] bocacaz *m*; [댐] rebosadero *m*, surtidor *m*. ~로(路) canal *m* de desagüe, cauce *m* desaguadero *m*; [하수도] acequia *f*. ~문(門) puerta *f* de desagüe. ~차(車) autobomba *m*. ~ 펌프 bomba *f* de desagüe. ~호(湖) lago *m* de desagüe.

방수(傍受) recogida *f* de correspondencias ajenas, interceptación *f*. ~하다 recoger correspondencias ajenas, interceptar. 무선(無線)을 ~하다 interceptar un mensaje de radio.

방술(方術) [기술] arte *m*; [방법] método *m*; [신선(神仙)의 술법(術法)] magia *f*.

방습(防濕) protección *f* contra humedad. ~의 a prueba de humedad.
■ ~ 장치(裝置) aparatos *mpl* a prueba de humedad.

방시레 suavemente, gentilmente, pacíficamente, en paz, de forma no violenta, tranquilamente, plácidamente. ~ 웃다 sonreír suavemente.

방식(方式) [형식] forma *f*, [정식] fórmula *f*, [양식] manera *f*, medio *m*, modo *m*; [방법] método *m*, proceder *m*; [체계] sistema *m*; [수속] formalidad *f*. ~에 따라서 en debida (buena) forma. 그 ~으로 de esa manera, de ese modo. 다른 생활 ~ modo *m* [estilo *m*] de vida diferente. 일정한 ~ forma *f* regular. 늘 하는 ~으로 como de costumbre, como siempre. 이런 ~으로 하세요 [usted에게] Hágalo de esta manera / [tú에게] Hazlo de esta manera / [ustedes에게] Háganlo de esta manera / [vosotros에게] Hagadlo de esta manera. 이런 ~으로 합시다 Hagámoslo [Vamos a hacerlo] de esta manera. 우리 어떤 ~으로 할 겁니까? ¿De qué modo [Cómo] vamos a hacerlo?

방식(防蝕) prevención *f* de corrosión.
■ ~제(劑) anticorrosivo *m*.

방실거리다 sonreír alegremente, sonreír radiantemente.
방실방실 sonriendo alegremente.

방심(芳心) mente *f* bella, mente *f* linda.

방심(放心) descuido *m*, inadvertencia *f*, desatención *f*, distracción *f*, actitud *f* distraída, desprevención *f*. ~하다 descuidarse, aflojar la vigilancia, distraerse, enajenarse. ~하게 하다 descuidar, distraer la vigilancia. ~하지 않은 vigilante, cauto, precavido. ~하지 않고 vigilantemente, alerta, con precaución, con cautela. ~해서 por descuido, inadvertidamente, por falta de vigilancia, por falta de precaución. ~하지 않다 andar con precaución, estar sobre aviso, no descuidarse. ~ 상태에 있다 estar distraído. ~하지 마라 ¡Alerta! / ¡Cuidado! / ¡Ojo (alerta)! ~하는 사이에 약속 시간이 지났다 La hora de cita se me pasó mientras estaba descuidado. 그에게는 조금이라도 ~해서는 안 된다 El es un hombre astuto [de cuidado] / El tiene más conchas que un galápago / El se mete por el ojo de una aguja. 이 기계는 어느 때고 부서질 수 있으므로 ~해서는 안 된다 Hay que tener cuidado con esta máquina, que puede romperse en cualquier momento. ~은 금물 De manos a boca se pierde la sopa. ~은 가장 무서운 적이다 El descuido es un gran enemigo.

방싯 sonriendo ligeramente.
방싯거리다 seguir sonriendo ligeramente.
방싯방싯 siguiendo sonriendo ligeramente.
방싯이 sonriendo ligeramente.

방아 molino *m*, mortero *m*.
◆방아(를) 찧다 machacar (arroz) en un mortero.
■~굴대 eje *m* de la rueda hidráulica. ~꾼 molinero, -ra *mf*. ~다리 juguete *m* hecho de oro, plata o piedra preciosa en la forma de espantapájaros. ~두레박 cigoñal *m*, cigüeñal *m*. ~쇠 gatillo *m*, disparador *m*, disparadero *m*, llave *f* de fusil. ¶~를 당기다 tirar del gatillo, apretar el gatillo. ~타령 *bangataryeong*, una especie de la canción popular [tradicional]. ~확 mortero *m* de molino. ~ㅅ간 molino *m*, descascarador *m* de arroz. ~ㅅ공이 mano *f* de mortero. ¶~로 찧다 machacar con un mano de mortero.

방아깨비 【곤충】 saltamontes *m.sing.pl*, langosta *f*.

방아살 *bangasal*, carne *f* en el centro de las costillas traseras [de atrás] de la vaca.

방 안(房-) dentro del cuarto [de la habitación]; [방의 내부(內部)] interior *m* de la habitación. ~에 세 사람이 있다 Hay tres personas en la habitación.

방안(方案) plan *m*, programa *m*, modalidad *f*, planeación *f*, planeamiento *m*, proyecto *m*, planificación *f*. 대체적인 ~ plan *m* general. ~을 세우다 planear, proyectar, formular el proyecto, trazar el plan de una obra, organizar, imaginar. 오늘밤을 위해 무슨~이라도 있느냐? ¿Tienes algún plan [programa] para esta noche?

방약무인(傍若無人) arrogancia *f*, audacia *f*, insolencia *f*. ~하다 (ser) descarado, licencioso, audaz, osado, insolente, procaz, descomedido. ~하게 행동하다 conducirse de una manera insolente.

방어(邦語) =국어(國語).

방어(防禦) defensa *f*, protección *f*, [수세] denfensiva *f*. ~하다 defender. ~의 defensivo. ~의 준비(準備) preparación *f* de defensa. ~ 태세를 취하다 ponerse a la defensiva. ~ 태세를 취하고 있다 estar a la defensiva.
◆공세(攻勢) ~ defensa *f* ofensiva. 대공(對空) ~ defensa *f* antiaérea. 수세(守勢) ~ defensa *f* pasiva.
■~ 구역 sector *m* de defensa. ~ 동맹(同盟) alianza *f* de defensa. ~력 poder *m* defensivo. ~망 red *f* de torpedo. ~ 무기 el arma *f* (*pl* las armas) defensiva. ~물 protector *m*, revestimiento *m*, cubierta *f*. ~ 병기 equipo *m* defensivo, el arma *f* (*pl* las armas) defensiva. ~선(線) línea *f* defensiva, línea *f* de defensa. ~율 promedio *m* de carrera limpia. ~ 자세 guardia *f*. ~전 batalla *f* a la defensiva, combate *m* defensivo, batalla *f* ofensiva, operación *f* defensiva. ¶~을 하다 combatir [luchar] a la defensa [a la defensiva]. ~ 지역 zona *f* defensiva. ~ 진지 posición *f* defensiva. ~포화 fuego *m* defensivo.

방어(放語) =방언(方言).

방언(方言) dialecto *m*, provincialismo *m*, dialectalismo *m*, dialectismo *m*. ~의 dialectal.
■~ 연구 dialectología *f*, estudio *m* de los dialectos. ~학(學) dialectología *f*. ~ 학자 dialectólogo, -ga *mf*.

방언(放言) jactancia *f*, plática *f* sin restricción, ampulosidad *f*, palabra *f* altanera [impensada]. ~하다 pronunciar palabras inconsideradas, hacer declaraciones inconsideradas, hablar a tontas y a locas [a diestro y siniestro], hablar sin tener a nadie, hablar sin reserva, fanfarrear, bravear.

방역(防疫) prevención *f* de una epidemia. ~하다 prevenir una epidemia. ~ 수단을 강구(講究)하다 tomar medidas para prevenir las epidemias.
■~관(官) oficial *mf* del control epidémico. ~국 departamento *m* de una epidemia. ~ 대책 medidas *fpl* preventivas contra las epidemias. ~ 대책 위원회 la Comisión de la Prevención de las Enfermedades Contagiosas. ~선(線) cordón *m* sanitario. ~약 medicina *f* preventiva.

방연광(方鉛鑛) 【광물】 galena *f*.

방열(放熱) radiación *f*. ~하다 radiar.
■~기 ㉮ [열을 발산시켜 공기를 따뜻하게 하는 난방 장치] calentador *m* (de agua), termosifón *m*. ¶가스 ~ calentador *m* de gas. ㉯ [공기나 물의 열을 발산시켜 기계를 냉각시키는 장치] radiador *m*.

방영(放映) tra(n)smisión *f* por televisión. ~하다 televisar, transmitir por televisión.

방울[1] [둥근] cascabel *m*; [종 모양의] campanilla *f*, esquila *f*; [소·염소의] cencerro *m*; [고양이·장난감의] cascabel *m*; [문·자전거의] timbre *f*. ~을 울리다 tocar un cascabel [un timbre·una campanilla]. ~을 흔들다 agitar [retiñir] un cascabel [un timbre·una campanilla].
방울 소리 retintín *m* de cascabel. ~가 귀에 듣기 좋다 El sonido del cascabel es grato al oído.
■~열매 piña *f*. ~집게 tenazas *fpl*, pinzas *fpl*.

방울[2] [액체의 덩어리] gota *f*. 눈물 ~ gota *f* de lágrimas. 큰 눈물 ~ grandes (gotas *fpl* de) lágrimas. 한 ~ 한 ~씩 gota a gota.

나는 술을 한 ~도 마시지 못한다 No bebo ni una gota de alcohol.
방울방울 gota a gota. ~ 떨어지다 gotear, caer gota a gota.
방울지다 rociar, hacer gotear. 방울져 떨어지다 gotear, caer gota a gota.

방울³ [액체 덩이를 세는 단위] gota *f.* 한 ~ una gota. 물 한 ~ una gota de agua. 한 ~만 넣어라 Pon solamente una gota.

방울뱀 【동물】 serpiente *f* [culebra *f*] de cascabel, crótalo *m*, *Méj* ocozoal *m*.

방울새 【조류】 jilguero *m*, cardelina *f*, verderón *m*, pinzón *m*.

방위(方位) dirección *f*, rumbo *m* (con la brújula), orientación *f*; [선박의] derrota *f* con el compás; 【천문】 azimut *m*, acimut *m*. ~의 azimutal. ~를 정하다 orientar.
■ ~각 ángulo *m* [alidad *f*] azimutal, desviación *f* azimutal. ~경(鏡) espejo *m* azimutal. ~권 círculo *m* azimutal. ~ 나침반 compás *m* azimutal. ~반(盤) rosa *f* náutica. ~ 측정기(測程器) indicador *m* de dirección, radiogoniómetro *m*, goniómetro *m*.

방위(防衛) defensa *f*, resguardo *m*, protección *f*. ~하다 defender, resguardar, proteger. 자국(自國)의 통화를 ~하다 defender *su* moneda.
■ ~ 계획 plan *m* defensivo [de defensa], programa *m* defensivo [de programa]. ~ 관련 산업 industria *f* relacionada con la defensa nacional. ~군(軍) tropas *fpl* defensivas. ~대(隊) fuerzas *fpl* defensivas. ~력 poder *m* defensivo. ~ 분담금 cuota *f* defensiva. ~비 expensas *fpl* defensivas. ~ 산업 industria *f* defensiva. ~ 산업국(産業局) departamento *m* de industria defensiva. ~ 생산 producción *f* defensiva. ~선 línea *f* defensiva. ~ 성금(誠金) donación *f* [contribución *f*] al fondo defensivo nacional. ~세 impuestos *mpl* de defensa. ~ 소집 movilización *f* defensiva. ~ 수역 zona *f* de aguas de defensa. ~ 시설 facilidades *fpl* [instalaciones *fpl*] defensivas. ~적 공세 ofensiva *f* defensiva. ~ 조약 tratado *m* defensivo. ~ 지역 zona *f* defensiva. ~ 지원 apoyo *m* defensivo. ~ 차관 préstamo *m* defensivo. ~청(廳) [일본의] el Departamento de Defensa. ~ 체제(體制) sistema *m* defensivo. ~ 포장(褒章) la Medalla Defensiva. ~ 협정 acuerdo *m* defensivo.

방음(防音) prueba *f* de sonido, insonorización *f*, aislamiento *m* acústico. ~의 a prueba de sonido, a prueba de ruido, antisonoro, antirruido. ~된 insonorizado.
■ ~ 구조 construcción *f* insonorizada. ~실 cámara *f* insonorizada. ~ 유리 cristal *m* insonorizado. ~ 장치 (instalación *f* para) la insonorización, instalación *f* a prueba de sonido. ¶~를 하다 insonorizar. ~재(材) materiales *mpl* insonoros.

방일(放逸/放溢) negligencia *f*, abandono *m*, indiferencia *f*, dejadez *f*, libertad *f*, bohemianismo *m*. ~하다 (ser) negligente, indiferente, desordenado, disoluto, libertino. ~한 생활을 하다 llevar una vida desordenada [disoluta].

방일(訪日) visita *f* al Japón. ~하다 visitar al Japón.

방임(放任) no intervención *f*. ~하다 dejar obrar libremente, no intervenir, dejar que tome *su* curso como quiera. 자식들을 ~해 두다 dejar a los niños actuar libremente [que hagan la que quieran].
■ ~주의 principio *m* [sistema *m*] no intervencionista.

방자 maldición *f*, palabrota *f*. ~하다 maldecir.

방자(房子) 【역사】 sirviente *m*, criado *m*, lacayo *m*.

방자(放恣) conveniencia *f*, interés *m*, egoísmo *m*, terquedad *f*, testarudez *f*, capricho *m*, indocildad *f*. ~하다 (ser) egoísta, terco, caprichoso, mimado, malcriado. ~한 생활을 하다 vivir una vida egoísta. ~한 일만 하다 conducirse solamente por *su* conveniencia. ~하게 행동하다 comportarse caprichosamente, obrar a *su* antojo [a *su* capricho]. 아이를 ~하게 기르다 mimar [malcriar] a un niño.
방자히 caprichosamente, tercamente, mimadamente, malcriadamente.

방자고기 carne *f* cocida con sal.

방잠(防潛) defensa *f* antisubmarina.
■ ~망 red *f* antisubmarina.

방장(方丈) ① ((불교)) =주지(住持). ② [높은 중들의 처소] residencia *f* de abad.

방장(房帳) mosquitero *m*, mosquitera *f*.

방재(防材) barrera *f* flotante.

방재(防災) prevención *f* de desastres.
■ ~ 설비 instalación *f* para la prevención de desastres.

방적(紡績) hilandería *f*, hilado *m*, hilatura *f*. ~하다 hilar.
■ ~ 견사 seda *f* hilada. ~공 hilandero, -ra *mf*; hilador, -dora *mf*. ~ 공업(工業) hilandería *f*, industria *f* hilandera. ~ 공장 hilandería *f*, fábrica *f* de hilados [tejidos (de algodón)]. ~ 기계 hiladora *f*. ~사(絲) hilo *m* de algodón. ~업자 hilandero, -ra *mf*. ~ 회사 compañía *f* de hilados.

방전(放電) 【물리】 descarga *f* eléctrica, descarga *f* de electricidad. ~하다 descargar electricidad.
■ ~관 descargador *m*. ~기 descargador *m*. ~등 lámpara *f* de descarga. ~삭(索) cable *m* de descarga. ~자(子) descargador *m*. ~ 전류(電流) corriente *f* eléctrica de descarga. ~ 전압 voltaje *m* de descarga.

방점(傍點) puntos *mpl* (puestos a lo largo de la línea), puntos *mpl* suspensivos. ~을 찍다 hacer puntos, poner (los) puntos. 어떤 구(句)에 ~을 찍다 hacer resaltar una frase con puntos puesto a lo largo de la línea, subrayar una frase con puntos.

방정 levedad *f*, ligereza *f*, frivolidad *f*.

◆방정맞다 (ser) ligero, frívolo. 방정맞게 sin quietud, azogadamente, de ligero. 방정맞게 굴다 andar sin quietud, obrar de ligero. 방정맞게 떨다 temblar nerviosamente. 방정(을) 떨다 andar sin quietud, obrar de ligero, obrar imprudentemente.

■~꾸러기[꾼] persona *f* frívola [veleidosa · inconstante].

방정(方正) rectitud *f*, honradez *f*, honestidad *f*, virtud *f*. ~하다 (ser) recto, justo, equitativo, honrado, honesto, virtuoso.

방정히 rectamente, justamente, equitativamente, honradamente, honestamente, virtuosamente.

방정식(方程式) 【수학】 ecuación *f*. ~을 세우다 poner una ecuación. ~을 풀다 resolver una ecuación.

◆대수(代數) ~ ecuación *f* algebraica. 미분(微分) ~ ecuación *f* diferencial. 연립(聯立) ~ ecuación *f* simultánea. 일[이 · 삼]차 ~ ecuación *f* de primer [segundo · tercer] grado.

방조(幇助) ayuda *f*, fomento *m*. 범죄를 ~하다 facilitar el crimen (de), ayudar en un crimen.

■~자 partidario, -ria *mf*, cómplice *mf*. ~죄 complicidad *f*.

방조제(防潮堤) malecón *m* (*pl* malecones), espigón *m* (*pl* espigones), *AmL* tajamar *m*.

방종(放縱) libertinaje *m*. ~하다 (ser) desordenado, desarreglado, desaliñado, disoluto, licencioso. ~한 여인(女人) mujer *f* disoluta [licenciosa · dejada]. ~한 생활(生活)을 하다 vivir en el libertinaje, llevar una vida disoluta, vivir con abandono [con negligencia].

방주(方舟) ① [방형(方形)의 배] barco *m* [buque *m*] cuadrado. ② ((성경)) el arca *f* (*pl* las arcas), barca *f*.

방주(旁註/傍註) notas *fpl* al margen, nota *f* marginal, apostilla, acotación. ~를 붙이다 poner notas al margen.

방죽(防-) malecón *m*, terraplén *m*, riba *f*, presa *f*, orilla *f*, banda *f* de río, dique *m*, arrecife *m*. ~을 쌓다 construir un terraplén [dique].

방증(傍證) testificación *f*, comprobación *f*. ~하다 testificar, comprobar.

방지(防止) prevención *f*. ~하다 prevenir, impedir, evitar. 사고(事故)를 ~하다 prevenir accidentes.

■~ 의무(義務) deber *m* de prevención. ~책 preservativo *m*. ¶전쟁 ~ preservativo *m* de guerra.

방직(紡織) hilado *m* y tejido, fabricación *f* textil.

■~공(工) obrero, -ra *mf* textil. ~ 공업 industria *f* textil. ~ 공장 fábrica *f* (de industria) textil. ~ 기계 máquina *f* textil. ~물 artículo *m* textil. ~업자 fabricante *mf* textil.

방진(方陣) formación *f* cuadrada.

방진(防塵) prueba *f* de polvo, protección *f* contra el polvo.

■~ 안경 gafas *fpl* hechas a prueba de polvo. ~ 장치(裝置) protector *m* contra el polvo.

방짜 vajilla *f* de latón de la calidad alta.

방책(方策) [수단] medio *m*, remedio *m*; [취지] medidas *fpl*; [계획] plan *m*, proyecto *m*; [방침] policía *f*. ~을 강구하다 tomar los medios (necesarios). 우리들은 ~이 바닥났다 Se nos han agotado todos los medios.

방책(防柵) empalizada *f*, estacada *f*, barricada *f*, barrera *f*, osbtáculo *m*.

방천(防川) dique *m*, terraplén *m* (*pl* terraplenes). ~하다 apuntalar el río. ~을 쌓다 construir un dique. ~이 무너지다 romper el dique.

방첨비(方尖碑) obelisco *m*.

방첨주(方尖柱) obelisco *m*.

방첨탑(方尖塔) obelisco *m*.

방첩(防諜) contraespionaje *m*, prevención *f* de espionaje. ~하다 prevenir el espionaje.

■~ 대책 política *f* de contraespionaje. ~부대 [대] cuerpo *m* de contraespionaje. ~주간 [강조 주간] la Semana de Contraespionaje.

방청(傍聽) [재판의] asistencia *f* a una audiencia; [의회의] asistencia *f* a una sesión del parlamento. ~하다 prestar los oídos, escuchar. ~ 금지의 재판 audiencia *f* a puerta cerrada. 재판을 ~하다 asistir a la audiencia

■~객 público, -ca *mf*. ~권(券) entrada *f* de admisión (en la audiencia). ~권(權) derecho *m* del público. ~석 tribuna *f* del público. ~인[자] público, -ca *mf*, oyente *mf*, [집합적] auditorio *m*, audiencia *f*.

방초(芳草) hierba *f* verde, flores *fpl* fragantes, flores *fpl* olorosas.

방촌(方寸) ① [사방(四方)으로 한 치] una pulgada por todas partes. ② [마음] corazón *m*.

방촌(坊村) aldea *f*, pueblo *m*, villa *f*.

방추(方錐) taladro *m* cuadrado. ~의 piramidal.

■~형 pirámide *m*, forma *f* piramidal. ¶~의 piramidal.

방추(紡錘) huso *m*. ~를 감하다 reducir husos.

■~사(絲) fibra *f* de huso. ~ 세포(細胞) fusocélula *f*. ~형 figura *f* de huso.

방축(放逐) [쫓아냄] expulsión *f*, [추방] deportación *f*, [국외로] destierro *m*. ~하다 expulsar, deportar, desterrar.

방축(放畜) =방목(放牧).

방축(防縮) prueba *f* de contracción. ~성(性)의 inencogible.

방춘(芳春) ① [꽃이 한창 핀 봄] primavera *f* en plena floración. ② [아름다운 여자의 젊은 시절] juventud *f* de la belleza, plena juventud *f*, flor *f* de la vida, flor *f* de la edad.

방출(放出) emisión *f.* ～하다 emitir, despedir, desprender, liberar. 가스[에너지]를 ～하다 emitir gas [energía]. 저장 물질을 ～하다 enajenar las provisiones. 식물은 잎으로 산소를 ～한다 Las plantas liberan [desprenden] oxígeno a través de las hojas.

방충(防蟲) prevención *f* de polillas. ～의 a prueba de polillas.
■ ～망 red *f* a prueba de polillas. ～복(服) ropa *f* a prueba de polillas. ～제(劑) insecticida *m*; [좀약] (bola *f* de) naftalina *f*, alcanfor *m*.

방취(防臭) desodorización *f*, sahumerio *m.* ～하다 desodorizar, sahumar.
■ ～제(劑) desodorante *m*.

방치(放置) abandono *m.* ～하다 dejar (una cosa como se halla), desatender, descuidar. 일을 ～하다 dejar el trabajo sin hacer. 문제를 미해결로 ～하다 dejar un problema sin [por] resolver. 쓰레기를 노상에 ～하다 dejar la basura en la calle. 공부를 ～하다 desatender sus estudios. 자전거를 길에 ～해 두다 dejar una bicicleta en la calle. 일[자식]을 ～해 두고 놀러 나가다 salir a divertirse dejando *su* trabajo [a *su* niño solo]. 사태는 ～될 수 없다 No se pueden dejar así las cosas. 그녀는 설거지를 ～해 두고 텔레비전을 보고 있다 Ella está viendo la televisión, descuidando la fregadura [la limpieza de platos].

방침(方枕) almohada *f* cuadrada.

방침(方針) línea *f*, curso *m*, orientación *f*, dirección *f*; [원칙] principio *m*, norma *f*; [정책] política *f*. 새로운 ～으로 por una nueva línea. 회사의 영업 ～ política *f* financiera de una compañía. 섬세하고 치밀한 ～ política *f* cuidadosamente estudiada. ～을 세우다 tomar [fijar] su línea de conducta. ～을 잘못 세우다 errar(se) en la orientación, tomar un curso erróneo.
◆ 교육 ～ política *f* pedagógica. 근본 ～ política *f* fundamental. 시정(施政) ～ política *f* administrativa. 영업 ～ política *f* de negocios. 외교 ～ política *f* diplomática. 행동 ～ curso *m* de acción.

방콕 【지명】 Bangkok (태국의 수도).

방탄(防彈) resistencia *f* a las balas, prueba *f* de balas. ～의 [조끼·유리] antibalas, a prueba de balas; [차량] blindado.
■ ～구(具) instrumento *m* antibalas, instrumento *m* a prueba de balas]. ～유리 vidrio *m* antibalas [a prueba de balas · resistente a las balas]. ～의(衣) armadura *f*. ～조끼 chaleco *m* antibalas, chaleco *m* [chaqueta *f*] a prueba de balas. ～차 coche *m* blindado. ～창 ventana *f* resistente a las balas.

방탑(方塔) pagoda *f* cuadrada.

방탕(放蕩) libertinaje *m*, prodigalidad *f*, obscenidad *f*, lubricidad *f*; [품행이 나쁨] mala conducta *f*. ～하다 (ser) libertino, obsceno, verde, calavera, habituarse a la vida disoluta, hacer travesuras juveniles. ～한 자식(子息) hijo *m* pródigo. ～에 빠지다 abandonarse al libertinaje. ～한 생활을 하다 llevar una vida disoluta, darse a los vicios, vivir en el libertinaje.
방탕히 libertinamente, obscenamente, con libertinaje, con prodigalidad, con obscenidad.
■ ～아(兒) (hombre *m*) pródigo *m* [libertino *m*], (mujer *f*) pródiga *f* [libertina *f*]; disoluto, -da *mf*, perdido, -da *mf*.

방토(邦土) ＝국토(國土).

방파제(防波堤) rompeolas *m.sing.pl*, malecón *m* (*pl* malecones), dique *m*.

방판(方板) ataúd *m* cuadrado.

방패(防牌) 【역사】 escudo *m*, broquel *m*, el arma *f* (*pl* las armas) defensiva, rodela *f*, adarga *f*. 오래된 ～ adarga *f* antigua. ～ 모양의 문장(紋章) escudo *m* de armas. …을 ～로 하여 bajo [so · con] pretexto de *algo*.
■ ～막이 protección *f*, pretexto *m*. ¶～하다 defender, proteger, protegerse (contra), prevenirse (contra), tomar por pretexto, pretextar. ～연(鳶) *bangpaeyeon*, cometa *f* cuadrada sin agujero en el centro.

방편(方便) expediente *m*, recurso *m*; [수단] medio *m*. 그것은 일시적인 ～에 불과하다 Eso no es nada más que un recurso provisional.

방포(放砲) disparo *m* en blanco. ～하다 disparar en blanco.

방풍(防風) protección *f* contra el viento.
■ ～림 bosque *m* de protección contra el viento. ～원(垣)[장(墻)] cerca *f* contra el viento. ～재(材) material *m* contra el viento. ～창(窓) ventana *f* contra el viento.

방학(放學) vacaciones *fpl*.
◆ 여름 ～ vacaciones *fpl* de verano. 겨울 ～ vacaciones *fpl* de invierno.

방한(防寒) protección *f* contra el frío. ～하다 proteger del frío.
■ ～구(具) material *m* contra el frío. ～력(力) poder *m* contra el frío. ～모 gorro *m* [gorra *f*] contra el frío. ～벽(壁) pared *f* contra el frío. ～복 ropa *f* contra el frío. ～화(靴) botas *fpl* impermeables.

방한(訪韓) visita *f* a Corea. ～하다 visitar a Corea. ～환영 Bienvenido a Corea.

방해(妨害) obstrucción *f*, perturbación *f*, impepimiento *m*, estorbo *m*, obstáculo *m*, molestia *f*, fastidio *m*, exasperación *f*; [전파(電波)의] interferencia. ～하다 obstruir, impedir, molestar, importunar, perturbar, estorbar, poner obstáculos (a), obstaculizar, interferir, interrumpir. 출세의 ～ obstrucción *f* de *su* buen éxito. 결혼을 ～하다 poner obstáculos al [estorbar el] casamiento (de). 계획(計劃)을 ～하다 estorbar [impedir] el plan (de · a). 교통을 ～하다 interrumpir la circulación. 안면(安眠)을 ～하다 estorbar [impedir · perturbar] el sueño (de). 의사 진행을 ～하다 obstruir el progreso del asunto (en la cámara). 영업

을 ~하다 impedir el negocio (a). 어린아이의 성장을 ~하다 perjudiciar el desarrollo físico de los niños. ~하지 마세요 [usted에게] No sea aguafiestas / [tú에게] No seas aguafiestas. 제가 ~가 될까요? ¿Le molesto? / ¿No será molestia? 오랫동안 ~가 됐습니다 Siento haberle molestado mucho tiempo / (Me) Temo que le haya quitado mucho tiempo. 오늘 밤 찾아뵈어도 ~가 되지 않을까요? ¿Puedo hacerle una visita esta noche? 잠깐 들어가도 ~가 되지 않을까요? ¿Puedo pasar un momento? 우리의 계획은 ~를 받았다 Se ha interpuesto un estorbo en nuestro plan. 소음이 ~되어 일을 할 수가 없다 El ruido no me deja trabajar. ~가 되지 않은 곳에 탁자를 놓으세요 Ponga la mesa donde no estorba. 좀 가 되니 거기서 나가거라 ¡Quítate de en medio! / ¡Quítate de ahí!, que me estorbas. 일하고 있는데 ~하지 마세요 No me moleste por favor, que estoy trabajando.

◆교통 ~ obstrucción *f* de tráfico. 의사 진행 ~ filibustero *m*. 전파 ~ interferencia *f* intencionada. 치안 ~ interrupción *f* de paz pública.

◆방해(를) 놓다 impedir, estorbar, importunar.

■~꾼 intruso, -sa *mf*, latoso, -sa *mf*, importuno, -na *mf*, aguafiestas *m.f.sing.pl.* ~물 obstáculo *m*, impedimento *m*, obstrucción *f*, atasco *m*. ~ 방송 interferencia *f*. ~ 운동(運動) táctica *f* obstructiva. ~자(者) intruso, -sa *mf*, latoso, -sa *mf*, importuno, -na *mf*. ~ 전술(戰術) táctica *f* obstruccionista. ~ 전파(電波) onda *f* perturbadora.

방해석(方解石) 【광물】 calcita *f*, espato *m* calizo.

방향(方向) ① [향하는 쪽. 방위] dirección *f*, rumbo *m*, orientación *f*, sentido *m*. 동서의 ~ dirección *f* este-norte. 움직이는 ~ sentido *m* de movimiento. 반대 ~으로 en sentido contrario [opuesto]. 북쪽 ~에 con rumbo norte. 저 ~에 en aquella dirección. 같은 ~으로 en la misma direccción. 다른 ~으로 en otra dirección. 모든 ~에 en todas las direcciones. ~을 틀리다 equivocarse de dirección, tomar una dirección equivocada. ~을 바꾸다 cambiar de dirección, tomar otra dirección. ~을 가르치다 orientar (a). (장래의) ~을 정하다 orientarse (para el futuro). 우리들은 ~을 잃었다 Nos desorientamos / Perdimos la dirección. 역은 이 ~이다 La estación está en esta dirección. 나는 반대 ~으로 걷고 있었다 Yo caminaba en sentido contrario [opuesto]. ② [뜻이 향하는 곳] curso *m*, objeto *m*. 장래의 ~ curso *m* de futuro.

■~각 ángulo *m* de dirección. ~ 감각 sentido *m* de la orientación. ¶~이 예민하다 [둔하다] tener [no tener] sentido de la orientación. ~계(計) indicador *m* de dirección; 【전기】 indicador *m* del sentido de la corriente. ~ 스위치 [승강기의] conmutador *m* para subida o bajada. ~ 안테나 antena *f* orientada, antena *f* dirigida. ~ 전환 cambio *m* de dirección, viraje *m*; [U턴] media vuelta *f*, [교통 표지의] cambio *m* de sentido; [의견(意見)의 변화] cambio *m* de opinión [de parecer]. ¶ 그는 학자에서 ~하여 정계에 들어갔다 Dejando la carrera académica, él ha entrado en el mundo político. ~ 지시기 flecha *f* de dirección; [점멸기] luz *f* intermitente. ~ 측정국 estación *f* radiogoniométrica. ~ 측정학 radiogoniometría *f*. ~타[키] timón *m* (de dirección). ~ 탐지기 radiogoniómetro *m*, goniómetro *m*, indicador *m* de dirección.

방향(芳香) fragancia *f*, perfume *m*, aroma *f*, buena aroma *f*, buen perfume *m*. ~을 풍기다 despedir perfume. ~을 풍기는 fragante, oloroso.

■~유(油) bálsamo *m*. ~제 desodorante *m*, aromático *m*. ~족 탄화수소 hidrocarburos *mpl* aromáticos. ~족 화합물 compuesto *m* aromático.

방형(方形) cuadrado *m*, cuadro *m*. ~의 cuadrado, cuadrangular, cuadrángulo.

방호(防護) defensa *f*, protección *f*, salvaguardia *f*. ~하다 defender, proteger.

■~ 기관 armadura *f*. ~복(服) ropa *f* de protección. ~소 lugar *m* de protección. ~자 defensor, -sora *mf*, protector, -tora *mf*.

방화(防火) protección *f* contra el fuego, defensa *f* contra el incendio, prevención *f* contra el incendio. ~하다 prevenir [proteger] el fuego [el incendio]. ~에 진력하다 combatir el incendio.

■~ 건축(물) [구조물] construcción *f* incombustible [ignífuga · a prueba de fuego]. ~ 금고 caja *f* de hierro a prueba de incendio. ~ 도료 pintura *f* a prueba de fuego. ~림 bosque *m* contra incendios. ~막 [극장의] telón *m* antiincendios [de seguridad]. ~문 puerta *f* contrafuegos. ~벽 muro *m* [mamparo *m*] cortafuegos. ~사(砂) arena *f* a prueba de fuego. ~선[대] línea *f* de impedir fuego [incendio]. ~ 설비 equipo *m* contrafuegos. ~ 셔터 cierre *m* metálico ignífuga. ~수(水) el agua *f* para contrafuegos. ~수(樹) árbol *m* de contrafuegos. ~용(用) uso *m* de contrafuegos; [부사적] para el contrafuegos. ~장치 equipo *m* de contrfuegos. ~ 주간 la Semana de Contrafuegos. ~ 지역 zona *f* de contrafuegos. ~포(布) tela *f* contra incendios. ~ 훈련 entrenamiento *m* contra incendios.

방화(邦貨) moneda *f* coreana, moneda *f* nacional.

방화(邦畵) película *f* coreana, película *f* nacional.

방화(芳花) flor *f* aromática.

방화(放火) incendio *m* premeditado. ~하다 provocar incendio, prender incendio, incendiar, prender fuego (a), pegar fuego (a).

그 불은 ~였다 Fue un incendio premeditado.

■ ~광(狂) piromanía *f*, manía *f* por el fuego; [사람] pirómano, -na *mf*, matiático, -ca *mf* por el [del] fuego. ~범 incendiario, -ria *mf*. ~자(者) incendiario, -ria *mf*. ~죄 crimen *m* del incendio premeditado.

방황(彷徨) ① [이리저리 헤매어 돌아다님] vagabundeo *m*, divagación *f*, vagabundo *m*, vagancia *f*. ~하다 vagar, vagabundear, errar, vaguear, tunar, callejear, ir errante, corretear, rondar. ~하는 유대인 judío, -a *mf* errante. 숲 속을 ~하다 vagar por la calle. 수상한 사나이가 이 근처를 ~하고 있다 Por aquí ronda un tipo sospechoso. 이 시간에 어디를 ~하고 다녔느냐? ¿Por dónde andabas vagando [rodando] a estas horas? ② [할 바를 모르고 갈팡질팡함] confusión *f*. ~하다 estar confundido, no saber qué hacer.

■ ~ 변이(變異) fluctuación *f*.

밭 campo *m*, sembrado *m*; [야채밭] huerta *f*, jardín *m* (*pl* jardines); [과수원] huerto *m*; [농장] granja *f*. ~을 경작하다 cultivar [labrar · trabajar en] el campo. ~을 짓다 cultivar la tierra.

-밭 campo *m*, plantación *f*. 감자~ patatal *m*, patatar *m*. 배나무~ peral *m*. 사과~ manzanal *m*. 솔~ pinar *m*. 풀~ hierbal *m*, hierbazal *m*.

밭갈이 aradura *f*, labranza *f*. ~하다 arar, labrar la tierra.

밭걷이 cosecha *f*, recogida *f*, recolección *f*, siega *f*. ~하다 cosechar, recoger, segar.

밭고랑 surco *m*. ~을 짓다 surcar, hacer surcos en la tierra.

밭곡식(-穀食) cereales *mpl* producidos en el campo, cosecha *f* del campo.

밭귀 esquina *f* del campo.

밭농사(-農事) labranza *f* [cultivo *m*] del campo.

밭다[1] [액체가 바싹 졸아서 말라붙다] quedarse sin agua.

밭다[2] [건더기가 생긴 액체를 체 등으로 받아 내다] filtrar, pasar, colar. 물을 모래로 ~ filtrar agua por la arena.

밭다[3] ① [인색하다] (ser) avaro, tacaño, mezquino. ② [입이 지나치게 짧다] ser muy exigente en (la) comida.

밭다[4] ① [시간적으로 너무 여유가 없다] estar [andar] escaso de tiempo, no tener bastante tiempo, tener tiempo limitado. ② [길이가 짧다] (ser) corto. 목이 ~ el cuello ser corto. ③ [숨이 급하고 가쁘다] jadear, resollar, faltar*le* el aire, ahogarse, quedarse sin aliento. 밭은 숨결 aliento *m* jadeante.

밭도랑 zanja *f*.

밭두둑 caballón *m* (*pl* caballones). ~을 만들다 acaballonar.

밭둑 terraplenes *mpl* alrededor del extremo del campo.

밭뒤다 arar el campo repetidas veces.

밭마늘 ajo *m* (del campo) de secano.

밭매기 acción *f* de deshierbar el campo. ~하다 deshierbar el campo.

밭문서(-文書) escritura *f* (del campo).

밭벼 arroz *m* de secano.

밭보리 cebada *f* de secano, cebada *f* sembrada en el campo.

밭은기침 tos *f* seca [tísica · áspera · perruna].

밭이다 [「밭다[2]」의 사역형] ser filtrado.

밭이랑 surco *m* (del campo), caballón *m* (*pl* caballones), lomo *m*, camellón *m* (*pl* camellones).

밭일 labranza *f* [cultivo *m*] del campo. ~하다 labrar [cultivar] en el campo.

밭장다리 piernas *fpl* patizambas; [사람] patizambo, -ba *mf*. ~의 patizambo.

밭쟁이 hortelano, -na *mf*, horticultor, -tora *mf*, *AmS* huertero, -ra *mf*.

밭치다 ((힘줌말)) =밭다[2].

배[1] ① 【해부】 vientre *m*, abdomen *m*, barriga *f*, tripa *f*, *Andes* guata *f*, [큰] barrigón *m* (*pl* barrigones), panza *f*, panzón *m* (*pl* panzones); [동물의] panza *f*, vientre *m*. ~가 나온 [큰] panzudo; *AmS* guatón (*pl* guatones). ~가 나온 남자 hombre *m* ventrudo [barrigudo · panzudo]. ~가 나온 여자 mujer *f* ventruda [barriguda · panzuda]. ~가 아프다 tener dolor de estómago [dolor de vientre], doler*le* el estómago. ~가 팽창하다 [가스 따위로] tener el vientre hinchado. ~가 튀어나오다 echar (la) barriga. 나는 ~가 아프다 Me duele el estómago [el vientre · la barriga · ((속어)) la tripa] / Tengo dolor de estómago. ~가 부글거린다 Tengo borborigmos [gruñidos de tripas] / Me hace ruido el estómago. ② [물체의 중앙이 되는 부분] centro *m*. ③ [절지동물, 특히 곤충의 머리 · 가슴이 아닌 부분. 복부(腹部)] panza *f*, vientre *m*. ④ [아이를 밴 어머니의 태내(胎內)] útero *m*, matriz *f*. 후처(後妻)의 배에서 생긴 자식 niño *m* nacido [niña *f* nacida] de *su* segunda esposa. ⑤ [마음. 생각] corazón *m*, mente *f*, intención *f*. ⑥ =복(腹).

◆배(가) 고프다 tener hambre. 무척 ~ tener mucha hambre, tener una hambre canina [horrorosa], tener el estómago en los pies, morirse de hambre; ((속어)) tener gazuza. 나는 ~ Tengo hambre. 나는 무척 ~ Tengo mucha hambre / Tengo hambre canina. 나는 배가 고파 죽겠다 Me muero de hambre / Estoy muerto de hambre / Me mata el hambre / Tengo una hambre canina.

◆배가 남산만 하다 ㉮ [애를 밴 여자의 배가 몹시 부르다] estar esperando (familia), estar en estado. ㉯ [되지못하게 거만하고 떵떵거리다] (ser) arrogante, altivo, altanero, orgulloso, pomposo, pedante, presuntuoso.

◆배(가) 다르다 nacer de madre diferente. 배(가) 다른 medio, nacido de madre diferente. 배다른 형제 medio hermano *m*

(por el padre [del mismo padre]), hermanastro *m*. 배다른 자매(姉妹) media hermana *f* (por el padre [del mismo padre]), hermanastra *f*.
◆배(가) 맞다 ㉮ [남녀가] enamorarse el uno al otro (de), estar enamorado el uno al otro (de), cometer adulterio. ㉯ [못된 짓에] estar confabulado [complotado・conchabado] (con), conspirar.
◆배(가) 부르다 ㉮ [양이 차다] estar lleno [harto], tener el estómago saciado. 이제 ~ Ya estoy lleno [harto・saturado] / Ya no puedo más. ㉯ [배가 불룩하다] (ser) venturado, barrigón, panzudo; [아이를 배서] estar esperando (familia), estar en estado. ㉰ [넉넉하다] (ser) rico, adinerado, acaudalado, pudiente.
◆배가 시꺼멓다 (ser) malvado, perverso maligno, malévolo, malo.
◆배가 아프다 morirse de envidia. 나는 배가 아팠다 Me morí de envidia.
◆배(를) 곯다 morir(se) de hambre, pasar hambre.
◆배(를) 곯리다 matar de hambre.
◆배(를) 불리다 llenar *su* estómago, satisfacer *su* apetito.
◆배에 기름이 오르다 ㉮ [살림이 넉넉해지다] hacerse adinerado [acaudalado・rico]. ㉯ [배짱이 생기다] (ser) tenaz, agresivo.
◆배의 때를 벗다 [형편이 피어서, 주리던 배를 채울 수 있게 되다] poder llenar el estómago hambriento.
■배보다 배꼽이 크다 ((속담)) El ombligo es más grande que el vientre / La astilla es más grande que el palo / El accesorio es más grande que la parte principal.

배² [선박(船舶)] barco *m*, buque *m*, nave *f*, navío *m*; [작은] barca *f*, lancha *m*, bote *m*. ~로 a bordo, en barco, por barco. ~로 가다 ir en barco [a bordo]. ~를 젓다 remar. ~에 오르다 embarcarse, subir a bordo. ~에서 내리다 [사람이] desembarcarse, bajar de un barco; [물건을] desembarcar. ~에 올리다 embarcar. 제주행 ~에 오르다 embarcarse para Chechu.
■사공이 많으면 배가 산으로 올라간다 ((속담)) Obra de común, obra de ningún / Muchos componedores descomponen la olla.

배³ [배나무의 열매] pera *f*.

배⁴ [짐승이 새끼를 낳거나 알을 까거나 하는 횟수를 세는 단위] vez *f* (*pl* veces). 한 ~에 열 마리를 낳다 criar diez (cerdos) de una vez.

배(胚) 【동물・식물】 embrión *m*, germen *m*.

배(倍) ① [용적] doble [duplo] tamaño *m*. …보다 한 ~ 반 크다 ser una vez y media más grande que *algo*. 저 탑은 이 탑보다 두 ~ 높다 Aquella torre es doble de alta que ésta / Aquella torre es dos veces más alta que ésta. 네 방은 내 방보다 세 ~ 넓다 Tu habitación es triple de grande que la mía / Tu habitación es (como) tres veces la mía / Tu habitación es tres veces más grande que la mía. ② [양(量)] doble [dupla] cantidad *f*. 남보다 ~를 공부하다 trabajar [estudiar] más duro que otros. ③ [수(數)] doble *m*, duplo número *m*. ~의 doble, duplo. ~로 하다 doblar, duplicar. 두 ~ doble *m*, dos veces, duplicación *f*. 세 ~ triple *m*, triplo *m*, tres veces. 세 ~로 하다 triplicar, hacer tres veces más, multiplicar por tres. 네 ~ cuadruplo, cuatro veces. 네 ~로 하다 multiplicar por cuatro. 여덟 ~가 되다 hacerse ocho veces más grande. …보다 여섯 ~ 크다 ser seis veces más grande que algo. 3의 5~는 15다 Tres por cinco, igual a quince. 매상이 세 ~로 증가했다 La venta se ha triplicado.

배(杯) copa *f*, vaso *m*, taza *f*, caña *f*. 일 ~ una caña. 이 ~ dos cañas.

-배(輩) grupo *m*, pareja *f*, miembro *m*, socio *m*, bando *m*. 불량~ matón *m* (*pl* matones), gorila *f*, pilluelo *m*, golfo *m*, granuja *f*.

배가(倍加) duplicación *f*, redoblamiento *m*. ~하다 duplicarse, doblarse. ~시키다 doblar, duplicar, redoblar.

배갈 *baegal*, una especie del licor chino.

배겨나다 ☞배기다²

배겨내다 ☞배기다²

배격(排擊) rechazo *m*. ~하다 rechazar, no aceptar, desechar, expeler, excluir, desaprobar, censurar. 파시즘을 ~하다 rechazar el fascismo.

배견(拜見) ① [높은 분을 삼가 만나뵘] inspección *f*, visita *f*. ~하다 ver, mirar, tener el placer [el gusto] de ver. ② [(남의 편지나 작품 따위를) 공경하는 마음으로 봄] lectura *f* de *su* carta [de *su* obra] con mucho respecto. ~하다 leer *su* carta [*su* obra] con mucho respeto. 귀하의 서한은 기쁜 마음으로 ~했습니다 Me ha dado mucha alegría leer su carta.

배경(背景) ① [뒤쪽의 배경] fondo *m*. 교회를 ~으로 사진을 찍다 sacar una fotografía con una iglesia de fondo. 사건의 ~에는 인종 문제가 있다 En el fondo del caso hay un problema racial. ② [무대 안쪽 벽에 그린 그림, 또는 무대 장치] decorado *m*, telón *m* (*pl* telones) de foro, telón *m* de fondo. ③ [뒤에서 돌보아 주는 힘] (buen) respaldo *m*, amparo *m*, patrocinio *m*. ~이 있다 tener un buen respeto [el amparo・el patrocinio], estar bien relacionado. 그는 사장의 ~으로 그 자리를 얻었다 El ha obtenido el puesto con el respaldo del presidente.
■~미 telón *m* de fondo, telón *m* de foro. ~ 음악 música *f* de fondo. ~화 pintura *f* de escenas. ~화가 pintor, -tora *mf* de escenas.

배계(拜啓) [편지의 서두에] Muy señor mío, muy señora mía; Muy estimado señor, Muy estimada señora; Mi querido amigo,

Mi querida amiga; [회사·단체 등에] Muy señores míos, De nuestra consideración.

배고프다 =배(가) 고프다. ¶배고파서는 일할 수 없다 No se puede trabajar en el estómago vacío. ☞배[1]

■배고픈 호랑이 중이나 개를 헤아리지 않는다 ((속담)) A caballo regalado no le mires el diente / A caballo regalado no se le miran los dientes / A caballo regalado, no hay que mirarle el diente. 배고픈 때에는 침만 삼켜도 낫다 ((속담)) Cuando no hay jamón ni lomo, de todo como.

배곯다 ☞배[1]

배곯리다 ☞배[1]

배공(胚孔) 【동물】 foramen *m.*

배관(拜觀) inspección *f,* visita *f.* ~하다 ver, mirar, visitar. ~을 허락받다 estar abierto al público. ~의 영예를 입다 tener el honor de ver. 관병식(觀兵式)을 ~하다 ver revista militar.

배관(配管) [물의] cañería *f,* [가스 등의] tubería *f.* ~ 공사를 하다 instalar las cañerías.

■~공 cañero, -ra *mf,* fontanero, -ra *mf,* AmL plomero, -ra *mf.* ~도(圖) diagrama *m* de tuberías.

배광(背光) ((불교)) =후광(後光).

배교(背敎) apostasía *f.* ~하다 hacerse apóstata. ~ 의 apóstata, renegado.

■~자 apóstata *mf,* renegado, -da *mf.*

배구(倍舊) doble más que antes.

배구(排球) balonvolea *m,* voleo *m* de pelota, volibol *m,* vóleibol *m,* voleibol *m,* volley ball *ing.m.* ~를 하다 jugar al balonvolea [al volibol].

■~ 선수 jugador, -dora *mf* de balonvolea. ~ 시합 juego *m* de balonvolea.

배근(背筋) 【해부】 espina *f* dorsal, espinazo *m.*

배금(拜金) adoración *f* de moneda, culto *m* al dinero.

■~주의 principio *m* de adoración de moneda. ~주의자 adorador, -dora *mf* de dinero.

배급(配給) distribución *f,* racionamiento *m;* [물건의] ración *f.* ~하다 distribuir, racionar, repartir las raciones (de). ~을 받다 recibir [cobrar] *su* ración.

■~ 기관 órgano *m* de distribución. ~ 기구(機構) sistema *m* de distribución. ~량 (cantidad *f* de) ración *f.* ~ 루트 canal *m* de distribución. ~미(米) arroz *m* racionado. ~비 gastos *mpl* de distribución. ~소 oficina *f* de distribución, estación *f* distribuyente. ¶영화 ~ oficina *f* de distribución de películas. ~인[원·자] distribuidor, -dora *mf.* ~ 제도 (sistema *m* de) racionamiento *m,* sistema *m* de distribución. ~ 통장 tarjeta *f* de ración. ~ 통제 control *m* de distribución. ~표 billete *m* de ración. ~품 artículos *mpl* racionados.

배기(排氣) escape *m,* ventilación *f,* evacuación *f.*

■~ 가스 gas *m* de escape. ¶~로 대기(大氣)를 오염시키다 contaminar el aire con el gas de escape. ~관 tubo *m* de escape, *RPI* caño *m* de escape, *Col* exhosto *m, AmC* mofle *m.* ~관 가스 gases *mpl* del tubo de escape. ~구(口) orificio *m* de escape; [건물의] (conducto *m* de) ventilación; [굴뚝이나 난로의] tiro *m;* [자동차의] entrada *f* de aire; [환기창] ventilador *m.* ~량 cilindrada *f.* ¶~ 2,000 cc의 차 coche *m* de dos mil cm^3 de cilindrada. ~ 장치(裝置) escape *m,* exhaustor *m,* agotador *m* neumático [de ventilación], *Col* exhosto *m.* ~종(鐘) bomba *f* neumática [de ventilación]. ~판(瓣) válvula *f* de educción [de escape]. ~ 펌프[기] bomba *f* de aire.

배기다[1] [몸의 밑에서 단단한 것이 받치어 마치다] apretar, *Col* espichar.

배기다[2] [어려운 일에 굴하지 않고 끝까지 참고 버티다] aguantar, soportar, tolerar, sufrir, tener paciencia. 배길 수 있는 soportable, sufrible, tolerable, resistible. 배길 수 없는 insoportable, intolerable, insufrible, inaguantable. …하지 아니하고는 못 ~ no poder menos de + *inf.* 나는 추위를 배길 수 없다 Estoy helado (de frío) / No puedo soportar este frío / Hace un frío que me muero / Me muero de frío. 무서워 배길 수 없다 Me muero de miedo. 배길 수 없는 추위[더위]다 Hace un frío [calor] insoportable.

배겨 나다 mantenerse firme, animarse, aguantar, soportar. 배겨 날 수 있는 soportable, sufrible.

배겨 내다 aguantar, soportar, tolerar.

배꼬다 ensortijar(se), enroscar(se), torcerse, retorcerse, serpentear, bailar el twist.

배꼽 【해부】 ombligo *m.* ~의 umbilical. 내민 ~ ombligo *m* prominente.

◆배꼽(을) 빼다 desternillarse [caerse·morirse·reventar] de risa. 배꼽을 빼게 만들다 hacer que se muere de risa.

◆배꼽(을) 쥐다 reventar(se) [morirse·desternillarse·partirse] de risa.

■~노리 zona *f* del ombligo. ~ 동맥(動脈) arteria *f* umbilical. ~ 동맥 인대 ligamento *m* umbilical medial. ~ 붕대(繃帶) [신생아의] ombliguero *m.* ~쟁이 persona *f* con el ombligo prominente. ~점 adivinación *f* por el dominó. ~점(點) punto *m* central de la tabla de *baduc.* ~ 점쟁이 adivino, -na *mf* por el dominó. ~줄 cordón *m* umbilical. ~참외 melón *m* con la parte superior de la forma umbilical. ~춤 danza *f* del vientre. ¶~을 추다 bailar la danza del vientre. ~ 탈출 onfalocelia *f,* hernia *f* umbilical. ~테 anillo *m* umbilical.

배꽃 flor *f* del peral.

배끗거리다 ① [어긋나다] desatarse, aflojarse, soltarse. ② [잘 안되다] no ir bien.

배나무 【식물】 peral *m.*

배낭(胚囊) saco *m* de embrión.

배낭(背囊) mochila *f*, mocuto *m*. ~을 꾸리다 hacer la mochila. ~을 풀다 deshacer la mochila.
■ ~여행 excursionismo *m* [viaje *m*] con mochila. ¶~하다 viajar con mochila, *Chi*, *RPl* mochilear. ~여행가 mochilero, -ra *mf*. ~족 mochilero, -ra *mf*.

배내 sistema *m* de compartir con el dueño después de criar los animales del otro y hacer dar a luz al joven.

배내- del interior del vientre, de nacimiento, innato, connatural, del bebé, del recién nacido.

배내똥 ① [갓난아이가 먹은 것 없이 맨처음 싸는 똥] meconio *m*, alhorre *m*, primeras haces *fpl* del recién nacido. ② [사람이 죽을 때 싸는 똥] últimas haces *fpl* de la persona moribunda.

배내옷 ropa *f* para el recién nacido.

배냇냄새 olor *m* del cuerpo del recién nacido.

배냇니 diente *m* de leche.

배냇머리 pelo *m* [vello *m*] fino del recién nacido.

배냇버릇 costumbre *f* de nacimiento (difícil de corregir).

배냇병(—病) enfermedad *f* connatural, enfermedad *f* de nacimiento.

배냇병신(—病身) lisiado *m* congénito, lisiada *f* congénita; idiota *m* cogénito, idiota *f* congénita.

배냇소경 ciego, -ga *mf* de nacimiento.

배냇솜털 vello *m*.

배냇저고리 =깃저고리.

배냇짓 temblor *m* de la cara del recién nacido al dormir.

배농(排膿) 【의학】 piocenosis *f*, drenaje *m*.
■ ~관(管) tubo *m* de drenaje.

배뇨(排尿) micción *f*. ~하다 orinar, mear.
■ ~ 감퇴 oliguresis *f*. ~ 곤란 disuresia *f*, estranguria *f*. ~근 반사 reflejo *m* de detonador. ~ 불능증 acraturesis *f*. ~ 빈도 frecuencia *f* urinaria. ~ 이상(異常) paruria *f*. ~ 장애(障碍) disuria *f*. ~ 장애 환자 disuriaco, -ca *mf*. ~ 촉진근 acelerador *m* urinario. ~통 urodinia *f*.

배다[1] ① [(물기가) 스며들다] estar en remojo, penetrar, calarse, infiltrarse, correrse, emborracharse. 배어 나오다 rezumar(se). 붕대에 피가 밴다 La venda rezuma sangre / La sangre rezuma de la venda. 셔츠에 땀이 배어 나온다 El sudor rezuma de la camisa. 비가 옷에 밴다 La lluvia cala [(se) empapa (en)] los vestidos. 냄새가 옷에 배었다 El traje ha cogido el olor del pescado. 셔츠 색이 속옷에 배었다 La ropa interior se ha teñido del color de la camisa. ② [버릇이 되게 익숙해지다] estar acostumbrado (a), acostumbrarse (a), madurarse, sazonarse. 몸에 밴 연주(演奏) interpretación madura. 그는 몸에 밴 문장을 쓴다 El tiene un estilo maduro.

배다[2] ① [배 속에 아이나 새끼 또는 알을 가지다] concebir, hacerse preñada, quedarse embarazada, embarazarse. 사내아이를 ~ concebir un hijo varón. ② [식물의 줄기 속에 이삭이 생기다] espigar(se).

배다[3] ((준말)) =배우다.

배다[4] ① [여럿의 사이가 매우 가깝다] (estar) cercano, próximo, espeso, denso, compacto, fino. 배게 densamente, compactamente, finamente. 올이 밴 옷감 tela *f* [paño *m*] de textura fina [compacta]. 씨를 배게 뿌리다 sembrar las semillas densamente. ② [속이나 안이 꽉 들어차서 빈틈이 거의 없다] estar compacto. ③ [소견이 좁다] (ser) superficial.

배다르다 ☞배[1]

배다리 puente *m* de barcas [de pontones], puente *m*, pontón *m*.

배다릿집 casa *f* con un puente de pontones delante de la puerta.

배달(倍達) ((준말)) =배달 나라.
■ ~나라 *baedalnara*, nombre *m* de nuestro país de la época antigua. ~민족[겨레] pueblo *m* coreano, raza *f* coreana.

배달(配達) servicio *m* [reparto *m* · entrega *m* · transporte *m*] a domicilio; [우편 등의] distribución *f*. ~하다 servir a domicilio, distribuir. 가정 ~을 하다 dar servicio a domicilio. 우유[신문]을 ~하다 repartir la leche [el periódico]. 댁으로 ~해 드리겠습니다 Lo enviaremos a su domicilio. 나는 가구를 집에 ~하게 했다 Hice que me trajeran el mueble a la casa. 폐사는 주문의 빠른 ~을 보증합니다 Garantizamos la pronta entrega de pedidos. 이 상자들은 ~을 기다리고 있습니다 Estas cajas están por entregar. 시내 ~ 무료 ((게시)) Dentro de la ciudad / Franco de porte.
◆가정 ~ 봉사(奉仕) servicio *m* de reparto a domicilio. 무료(無料) ~ entrega *f* libre. 시내 ~ entrega *f* local. 우편~ entrega *f* correo. 특별 ~ entrega *f* especial.
■ ~ 구역 zona *f* de entrega a domicilio; [우편의] zona *f* de distribución postal. ~기간 plazo *m* de entrega. ~료 gastos *mpl* de envío [transporte], porte *m*, precio *m* de transporte. ~ 불능 우편물 cartas *fpl* no reclamadas. ~ 불능 우편물 취급국 departamento *m* de cartas no reclamadas. ~ 불능 편지 carta *f* no reclamada. ~ 비용 gastos *mpl* de envío [transporte]. ~소 oficina *f* de entrega. ~용 트럭 camioneta *f* [furgoneta *f*] de repartos. ~원[인] [아파트 등의] distribuidor, -dora *mf*, repartidor, -dora *mf*; [우편의] cartero *mf*; [전보의] repartidor *m* de telegramas; [신문의] repartidor, -dora *mf* de periódicos; *Méj* periodiquero, -ra *mf*; *CoS* diariero, -ra *mf*; *CoS* diarero, -ra *mf*. ~ 증명서 certificado *m* de entrega. ~ 증명 우편 correo *m* certificado. ~지 destinación *f*, destino *m*; [수취인] recipiente *m*. ~ 착오 extravío *m*, pérdida *f*, entrega *f* extraviada. ¶~를 일으키다 extraviarse, perderse.

배달나무(倍達－) ＝박달나무.
배당(配當) repartición *f*, reparto *m*; [주식(株式)의] dividendo *m*. ～하다 repartir, asignar, distribuir [repartir] (los dividendos). 방을 ～하다 asignar *su* habitación, repartir las habitaciones (entre). 이익의 ～을 받다 cobrar el reparto del beneficio. 일을 ～하다 asignar [distribuir] el trabajo (a).
■～ 공제 deducción *f* de dividendo. ～금 dividendo *m*. ¶지불 만기 ～ dividendo *m* a pagar, dividendo *m* pagadero. ～금 재투자 reinversión *f* de dividendos. ～금 재투자 계획 plan *m* de reinversión de dividendos. ～금 지불증 cheque *m* en pago de dividendos. ～기(期) período *m* de dividendos. ～락(落) ex-dividendo, sin dividendo, sin derecho a dividendo. ～률 tipo *m* de dividendos. ～ 변제 reembolso *m* en dividendo. ～부(附) con dividendo. ～부 보험 seguro *m* con dividendo. ～ 소득 ingreso *m* por dividendos. ～안(案) plan *m* de distribución. ～액 suma *f* de dividendo. ～주(株) acción *f* de dividendos. ～ 참가 participación *f* en dividendo. ～ 통지(通知) anuncio *m* de dividendo. ～ 투자 inversión *f* de dividendo. ～ 판제(辦濟) reembolso *m* en dividendo. ～표(表) cupón *m* de dividendo.
배덕(背德) inmoralidad *f*. ～의 inmoral.
■～자 inmoral *mf*, inmoralista *mf*. ～ 행위 conducta *f* inmoral.
배독(拜讀) lectura *f*. ～하다 leer. 금월 10일자 귀하의 서한을 정히 ～했습니다 Tengo el gusto de acusar recibo de su atenta fecha 10 del corriente.
배돌다 ＝베돌다.
배동바지 tiempo *m* que el arroz empieza a dar los granos.
배두렁이 faja *f* de cintura, ceñidor *m*, ventrera *f*.
배둥근끌 cincel *m* (석재용) [formón *m* (목재용)·escoplo *m* (목재용)] con barriga redonda.
배둥근대패 cepillo *m* con barriga redonda.
배드민턴(영 *badminton*) bádminton *m*, (juego *m* de) volante *m*. ～하다 jugar al volante.
■～ 선수 jugador, -dora *mf* de volante.
배듬하다 ((준말)) ＝배스듬하다.
배때 ((준말)) ＝배때기.
◆배때(가) 벗다 (ser) arrogante, altivo, altanero, insolente.
배때기 ((낮은말)) ＝배[1].
배뚜르 oblicuamente.
배뚜름하다 (estar) inclinado, torcido.
배뚤다 ＝비뚤다.
배뚱뚱이 ＝배불뚝이.
배띠 ＝복대(腹帶).
배라먹다 ＝빌어먹다.
배란(排卵) ovulación *f*. ～하다 ovular.
배람(拜覽) ＝배독(拜讀).
배랑뱅이 mendigo, -ga *mf*.
배래 ＝난바다.
배래기 región *f* abdominal de pez.
배량(倍量) cantidad *f* doble.
배럴(영 *barrel*) [용량의 단위] barril *m*.
배려(配慮) cuidado *m*, atención *f*, solicitud *f*, consideración *f*. ～하다 tener cuidado, prestar atención. 귀하의 각별한 ～로 con su consideración favorable. ～가 부족하다 carecer de atenciones (a), tener poca consideración (a). 세심한 ～를 하다 prestar minuciosas atenciones (a). ～해 주시길 바랍니다 Le pido que lo tome [tenga] en consideración. ～에 감사드립니다 Muchas gracias por sus atenciones.
배례(拜禮) adoración *f*, veneración *f*, reverencia *f*. ～하다 adorar, venerar, reverenciar. 머리 숙여 ～하다 hacer una reverencia profundo. 해가 뜨기를 ～하다 adorar al sol que nace.
배롱나무 【식물】 ＝백일홍.
배리(背理) ① [도리에 어긋남] lo poco razonable, lo irrazonable, irracionalidad *f*, lo absurdo, absurdez *f*, absurdidad *f*. ② 【논리】 paragismo *m*.
배리다 ① [맛이나 냄새가 조금 비리다] oler a pescado. 배린 냄새 olor *m* a pescado. ② [마음에 차지 아니하게 적다] (ser) pequeño. ③ [하는 짓이 다랍고 아니꼽다] (ser) repugnante, asqueroso, nauseabundo, dar mucha rabia, dar asco.
배리착지근하다 oler a pescado.
배릿배릿 asquerosamente, repugnantemente.
배릿하다 oler a pescado.
배맞다 ☞배[1]
배면(背面) parte *f* trasera, parte *f* posterior, revés *m*, espalda *f*, dorso *m*. ～의 trasero, posterior.
■～ 공격 ataque *m* a espalda. ¶～하다 atacar por detrás. 적을 ～하다 atacar al enemigo por detrás.
배명하다(拜命－) recibir la orden.
배목 【건축】 abrazadera *f*.
배문하다(拜聞－) oír, ser bien informado.
배미 ((준말)) ＝논배미.
배밀이[1] [어린아이가 엎드려서 배를 문칫문칫 밀면서 기어가는 짓] gateamiento *m*. ～하다 gatear, ir a gatas.
배밀이[2] ① 【건축】 [가운데 것이 조금 넓게 세 줄을 파는 대패] cepillo *m* con tres muescas. ② 【건축】 [창살을 맞추어 고르게 하기 위하여 바닥을 대패질하는 일] acepilladura *f*, cepilladura *f*.
배반(背反/背叛) ① [저버림] traición *f*, perfidia *f*, alevosía *f*. ～하다 traicionar, hacer traición. 그는 경찰에 밀고하여 동료들을 ～했다 El vendió a sus compañeros delatándolos a la policía. ② [반역(叛逆)] desobediencia *f*, revuelta, levantamiento *m*, sublevación *f*, rebelión *f*. ～하다 desobedecer, sublevarse, rebelarse, alzarse (contra).
■～자 traidor, -dora *mf*; judas *m*; pérfido, -da *mf*.
배반(胚斑) mancha *f* germinal.
배반(胚盤) 【동물】 blastodisco *m*.
■～엽(葉) blastodermo *m*.

배배 =비비.
배배 꼬다 =비비 꼬다.
배배 꼬이다 =비비 꼬이다.
배배 틀다 =비비 틀다.
배배 틀리다 =비비 틀리다.

배백(拜白) Cordiales saludos / Afectuosamente / Los saludo atentamente / Atentamente / Reciba mi más atento saludo.

배번(背番) número *m* del jugador.

배변(排便) evacuación *f* (de vientre). ~하다 evacuar.

배복(拜覆/拜復) debidamente he recibido su atenta carta, a la cual doy respuesta.

배본(配本) ① [책을 배달함] entrega *f* [reparto *m*] de libros. ~하다 entregar [repartir] los libros. ② [책을 묶지어 나누어 줌] distribución *f* de libros. ~하다 distribuir los libros.

배부(背部) parte *f* posterior. ~에 부상 당하다 ser herido en la parte posterior.

배부(配付) distribución *f*, reparto *m*. ~하다 distribuir, repartir. 시험지(試驗紙)를 학생들에게 ~하다 repartir los papeles de examen entre los estudiantes.

배부르다 ☞배[1]

배분(配分) reparto *m*, distribución *f*, prorrateo *m*. ~하다 repartir, distribuir, repartir una porción, prorrotear. 자식들에게 재산을 균등하게 ~하다 repartir la herencia con igualdad entre *sus* hijos.
■ ~적 정의(的正義) justicia *f* distributiva.

배불(排佛) antibudismo *m*. ~의 antibudista.
■ ~ 숭유 정책 política *f* antibudista y proconfucana. ~ 운동(運動) movimiento *m* antibudista *f*.

배불뚝이 barrigón, -gona *mf*; barrigudo, -da *mf*; persona *f* panzuda [barrigada · ventruda], hombre *m* ventrudo [barrigado · panzudo].

배불리 hasta hartarse, hasta saciarse, hasta hartura, hasta saciedad. ~ 먹다 comer hasta saciarse [hasta la saciedad · hasta la hartura · hasta hartarse].

배불리다 ☞배[1]

배비(配備) arreglo *m*, disposición *f*. ~하다 arreglar, disponer.

배사(背斜) 【지질】 anticlinal *m*. ~의 anticlinal.
■ ~곡(谷) valle *m* anticlinal. ~ 습곡(褶曲) pliegue *m* anticlinal. ~축(軸) eje *m* anticlinal.

배사(拜謝) gracias *fpl*, gratitud *f*, apreciación *f*, agradecimiento *m*. ~하다 expresar *su* agradecimiento, dar las gracias (por).

배사(拜辭) rechazo *m*, denegación *f*. ~하다 rechazar, no aceptar, rehusar.

배상(拜上) Atentamente / Lo saludo atentamente / Cordiales saludos.

배상(賠償) indemnización *f*, resarcimiento *m*, compensación *f*, reparación *f*. ~하다 indemnizar, recompensar, resarcir. ~을 청구하다 demandar por daños y perjuicios. 손해를 ~하다 indemnizar del perjuicio.
■ ~금 indemnización *f*, compensación *f*, suma *f* de indemnización. ~ 문제(問題) problema *m* de reparación. ~비 gastos *mpl* de compensación. ~액 monto *m* a indemnizar. ~ 요구(要求) demanda *f* para compensación. ~ 의무 responsabilidad *f* para reparación. ~자 compensador, -dora *mf*. ~ 책임(責任) responsabilidad *f* de reparación. ~ 청구권 derecho *m* a demanda para compensación. ~ 협정(協定) acuerdo *m* de compensación, acuerdo *m* de indemnización, tratado *m* de reparación.

배상꾼 persona *f* insolente y astuta.

배상부리다 ser insolente y astuto.

배색(配色) coloración *f*, combinación *f* de colores, colorido *m*. ~이 좋다 Los colores están bien combinados / Los colores hacen juego / Los colores armonizan. 이 접시는 ~이 좋다 Este plato está bien coloreado / El colorido de este plato es muy bueno.

배서(背書) [어음 따위의] endoso *m*, endorso *m*. ~하다 endosar, endorsar, firmar al dorso. ~의 연속 continuidad *f* de los endosos. ~의 불연속 falta *f* de continuidad de los endosos. 어음[수표]에 ~하다 endosar una letra [un cheque].
◆기명식 ~ endoso *m* a la orden. 백지(白紙) ~ endoso *m* en blanco. 피(彼)~인 endosado, -da *mf*; endosatario, -ria *mf*.
■ ~ 금지 prohibición *f* de endoso. ~ 양도 traspaso *m* mediante endoso. ¶~ 가능한 endosable. ~인 endosante, -ta *mf*.

배석(陪席) capacidad *f* asociada. ~하다 tener el honor de asistir (a), asistir como adjunto (de).
■ ~ 판사 juez *m* asesor, juez *m* asociado; juez *f* asesora, juez *f* asociada.

배선(配船) distribución *f* de buques [de barcos]. ~하다 distribuir los barcos [los buques].

배선(配線) instalación *f* eléctrica [de un cable], cableado *m*, alambres *mpl* de distribución eléctrica. ~하다 instalar un cable, tender cables, poner la instalación eléctrica.
■ ~도(圖) esquema *m* de conexiones eléctricas, diagrama *m* del circuito. ~반 tabla *f* de distribuir.

배설(排泄) excreción *f*, evacuación *f*, emunción *f*. ~하다 excretar, excrementar, deponer los excrementos, expeler el excremento, descargar el vientre, evacuar el vientre.
■ ~강(腔) cloaca *f*. ~강막(腔膜) membrana *f* cloacal. ~관 emuntorio *m*. ~기관 emuntorio *m*, órgano *m* excretorio. ~로(路) pasaje *m* excretorio. ~물(物) excreción *f*, evacuación *f*, excremento *m*, heces *fpl*. ~선(腺) glándula *f* excretoria. ~ 작용 evacuación *f*, excreción *f*, operación *f* excretoria.

배설(排設) arreglo *m*, disposición *f*, preparación *f.* ~하다 arreglar, disponer, preparar. 꽃의 ~ un arreglo floral.

배성(陪星)【천문】satélite *m*, luna *f.*

배속(配屬) asignación *f.* ~하다 asignar, destinar, designar. 그는 영업부에 ~되었다 Le destinaron [designaron] al departamento de negocios.

■ ~ 장교 oficial *m* militar adscrito a la escuela.

배송(拜誦) lectura *f.* ~하다 leer. ~했습니다 He [Hemos] leído. 귀 서한을 ~했습니다 He [Hemos] leído su atenta.

배송(配送) la entrega y el envío. ~하다 entregar y enviar.

배수(拜受) recibo *m.* ~하다 recibir, llegar a manos. 혜서(惠書)는 ~했습니다 Acuso recibo a su atenta carta / Muchas gracias por su atenta carta.

배수(排水) desagüe *m* (de aguas residuales), canalización *f* (de agua de lluvia), evacuación *f* de agua; [간척(干拓)의] desecación *f*; [도랑으로] drenaje *m*, avenamiento *m.* ~하다 evacuar el agua, drenar, desaguar, avenar, desecar, sacar agua, dar a la bomba, achicar. ~가 좋다 desaguar bien. ~가 나쁘다 desaguar mal.

■ ~ 공사(工事) obras *fpl* de desagüe, avenamiento *m.* ~관 tubo *m* [caño *m* · tubería *f*] del desagüe, bajante *f.* ~구(口) canal *m* de desagüe [de drenaje], rebosadero *m.* ~기 escurridero *m*; [접시용의] escurreplatos *m.sing.pl.* ~량(量) desplazamiento *m*, cantidad *f* desplazada. ¶~ 5만톤의 배 barco *m* de cincuenta mil toneladas de desplazamiento. ~로[구] conducto *m* de agua, canalón *m*, vía *f* fluvial; 【광산】galería *f* de desagüe. ~ 작업 obras *fpl* de desagüe [drenaje]. ~ 장치 preparativo *m* de bomba y desagüe. ~ 지역 el área *f* (*pl* las áreas) de desagüe [drenaje]. ~ 톤수 tonelaje *m* de cantidad desplazada. ~ 펌프 bomba *f* de desagüe.

배수(配水) distribución *f* [suministro *m*] de agua. ~하다 distribuir [suministrar] el agua.

■ ~관(管) conducto *m* de agua, cañería *f* [conducto *m*] (de distribución de agua), tubería *f* de agua. ~지(池) depósito *m* (de agua), embalse *m.* ~탑(塔) torre *f* de enfriamiento.

배수(倍數) múltiplo *m*, multiplicador *m.* 15는 3의 ~이다 Quince es (un) múltiplo de tres.

■ ~ 비례 proporción *f* múltiple. ~ 염색체 diploide *m.*

배수진(背水陣) combate *m* sin retirada.

◆배수진을 치다 combatir espaldas al agua, tener una guerra sin retirada, quemar las naves.

배숙(一熟) pera *f* hervida conservada en miel.

배숙(胚熟) =후숙(後熟).

배숨쉬기 =복식 호흡(複式呼吸).

배스듬하다 =비스듬하다.

배승(陪乘) acción *f* de ir en el mismo coche. ~하다 ir en el mismo coche.

배시(陪侍) asistencia *f.* ~하다 asistir (a).

배식(陪食) comida *f* con el respetado señor. ~의 영광을 받다 recibir el honor de comida con el respetado señor.

■ ~자 comensal *mf.*

배신(背信) traición *f.* ~하다 traicionar.

■ ~자 traidor, -dora *mf.* ~ 행위 abuso *m* de confianza; [표리(表裏)] traición *f.* ¶~를 하다 cometer un acto de mala fe (contra), traicionar (a).

배신(陪臣) =가신(家臣).

배심(背心) =반심(叛心).

배심(陪審) jurado *m.* ~하다 practicar en el juicio como un jurado.

■ ~원[관] (miembro *mf* del) jurado *m.* ~(원)석 tribuna *f* de jurado. ~ 제도 sistema *m* de jurado. ~ 재판 juicio *m* ante jurado.

배씨(胚一)【생물】=밑씨.

배아(胚芽)【식물】yema *f*, germen *m*, embrión *f.*

■ ~미(米) arroz *m* con yema, arroz *m* con germen. ~ 세포 gonocito *m.* ~ 세포종 blastocitoma *m.* ~종(腫) embrioma *m.* ~체 bastoncito *m* germinal. ~층 capa *f* germinativa.

배악비 tela *f* de forro en los zapatos de cuero coreanos.

배알 ① ((낮은말)) [창자] intestinos *mpl*, tripas *fpl.* ② ((낮은말)) [부아] ira *f*, cólera *f*, enfado *m*, enojo *m.* ~이 나다 estar enfadado [furioso · cólerico]. ~이 꼴린다 No puedo contenerme [contener mi cólera] / No se me calma la ira. ③ ((낮은말)) =배짱.

배알(拜謁) audiencia *f* con la persona respetada. ~하다 ser concedido una audiencia por la persona respetada.

배앓이 dolor *m* de estómago, cólico *m.*

배암【동물】serpiente *f*, culebra *f.*

배암딸기【식물】=뱀딸기.

배압(背壓) contrapresión *f.*

■ ~ 터빈 turbina *f* de contrapresión sin condensador.

배액(倍額) importe *m* [suma *f*] doble; [요금의] precio *m* doble. ~의 임금을 받다 recibir el pago [gaje] doble.

■ ~ 증자 aumento *m* doble de capital.

배양(培養) cultivo *m*, cultivación *f*, cultura *f.* ~하다 cultivar. 세균을 ~하다 hacer el cultivo de un microbio. 지식을 ~하다 cultivar *su* inteligencia.

■ ~가 cultivador, -dora *mf.* ~균 bacteria *f* de cultivo. ~기(基) medio *m* de cultivo. ~법 método *m* de cultivo. ~소 crianza *f*, plantel *m*, plantío *m*; [묘상(苗床)] semillero *m.* ~액 solución *f* de cultivo. ~자 cultivador, -dora *mf.* ~ 접시 plato *m* de cultivo. ~종(種) cultigen *m.* ~ 지(地) terreno *m* de cultivo. ~토(土) tierra *f* de cultivo.

배어들다 correrse, extenderse, emborracharse.

배어루러기 animal *m* con un vientre manchado.

배역(背逆) traición *f*, rebelión *f*. ~하다 traicionar, rebelarse (contra), sublevarse.

배역(配役) 【연극·영화】 reparto *m* (de papeles). ~하다 hacer el reparto (de los papeles).

배열(排列) disposición *f*, colocación *f*, ordenación *f*, arreglo *m*. ~하다 disponer, ordenar, arreglar, poner en orden, clasificar.

배엽(胚葉) 【식물】 lecho *m* seminal.

배영(背泳) estilo *m* espalda, (natación *f* de) espalda, natación *f* a espaldas, *Méj* dorso *m*. ~하다 nadar a espalda [de espaldas · *Méj* de dorso]. 200미터 ~ doscientos metros espalda.

배영(排英) lo antiinglés. ~의 antiinglés.

배외(拜外) lo proextranjero. ~의 proextranjero.
■ ~사상 ideas *fpl* proextranjeras.

배외(排外) lo antiextranjero. ~하다 (ser) antiextranjero. ~의 antiextranjero.
■ ~ 감정 xenofobia *f*. ~사상 ideología *f* antiextranjera. ~열 fiebre *f* antiextranjera, xenofobia *f*. ~ 운동 movimiento *m* [agitación *f*] de antiextranjero. ~적 xenófobo, antiextranjero. ~주의 antiextranjerismo *m*, xenofobia *f*, exclusivismo *m*, exclusionismo *m*; [맹목적] chauvinismo *m*; [호전적] jingoísmo *m*. ~주의자 exclusivista *mf*, excluvisionista *mf*, chauvinista *mf*, jingoísta *mf*.

배우(配偶) madridaje *m*, casamiento *m*.
■ ~ 모체 gametocito *m*. ~자 cónyuge *mf*, esposo, -sa *mf*, marido *m*, mujer *f*. ~체 gametofito *m*.

배우(俳優) actor, -triz *mf*, [무대 배우] artista *mf* de teatro; [희극 배우] comediante *mf*. 뛰어난 ~ actor, -triz *mf* de primer orden, primera figura. 연기가 서툰 ~ mal actor *m* (*pl* malos actores), mala actriz *f*. ~가 되다 hacerse actor [actriz *f*]. 나는 ~가 되고 싶다 Yo quiero ser actor [actriz].
◆주연 ~ primer actor *m*, primera actriz *f*.
■ ~ 학교(學校) escuela *f* de interpretación [actuación].

배우다 [남의 가르침을 받다] aprender; [연구·공부하다] estudiar; [연습하다] practicar; [레슨을 받다] recibir [tomar] lecciones (de). 서반아어를 ~ aprender [estudiar] español. 컴퓨터를 ~ aprender el ordenador [*AmL* computador · *AmL* computadora]. 철저히 ~ dominar, saber a fondo. 체험으로 ~ aprender por *su* experiencia. 사는 법을 ~ aprender cómo [el modo de · a] vivir. 마드리드 대학에서 ~ estudiar en la Universidad de Madrid. 서반아 사람한테서 서반아어를 ~ aprender español con un español. 피아노를 ~ recibir [tomar] lecciones de piano. 자식에게 피아노를 배우게 하다 hacer recibir [hacer tomar] lecciones de piano a *su* hijo, mandar a *su* hijo a estudiar piano. …하는 것을 ~ aprender a + *inf*. …에 대해 ~ instruirse de [en · sobre] *algo*. 이 책은 배울 것이 많다 Este libro es muy instructivo. 누구한테서 서반아어를 배우셨습니까? ¿Quién le enseñó español? / ¿Con quién aprendió usted español? 나는 아버지한테서 수영을 배웠다 Yo aprendí a nadar de mi padre / Mi padre me enseñó a nadar. 배우기보다 익혀라 La práctica hace al maestro.
배우는 이 [학생] estudiante *mf*, alumno, -na *mf*, colegial, -la *mf*, escolar *mf*.

배우자(配偶子) 【생물】 gameto *m*, célula *f* generativa.
■ ~낭(囊) gametangio *m*. ~ 생식 gametogonia *f*, gametogamia *f*, gametogonia *f*. ~ 세포 gametocito *m*.

배움 (el) aprender *m*, estudio *m*, instrucción *f*, educación *f*, enseñanza *f*. 그는 ~이 없다 El carece de instrucción. ~에는 나이가 관계없다 Nunca es tarde para aprender / Se puede aprender a cualquier edad.
배움배움 logro *m* erudito, aprendizaje *m*. ~이 없다 ser analfabeto. ~이 많다 (ser) sabio, docto, erudito.
■ ~술 bebida *f* alcohólica de aprender ahora. ~터 escuela *f*, colegio *m*, instituto *m*.

배웅 acompañamiento *m*, despedida *f*. ~하다 acompañar, despedir, mandar. 자식을 학교에 ~하다 mandar a su niño a la escuela. 손님을 역까지 ~하다 despedir al huésped en la estación. 너를 현관까지 ~하겠다 Te acompaño a la puerta. 현관까지 ~해 드리겠습니다 Permítame acompañarlo [que lo acompañe] hasta la puerta [la salida].

배유(胚乳) 【식물】 albumen *m*.

배율(倍率) magnificación *f*, ampliación *f*, multiplicación *f*, [망원경 등의] aumento *m*. ~ 300의 현미경 microscopio *m* de trescientos aumentos. 이 현미경의 ~은 20배(倍)이다 El aumento de este microscopio es de veinte / Este microscopio aumenta veinte veces más los objetos.
■ ~기(器) 【물리】 multiplicador *m*.

배은(背恩) ingratitud *f*, desagradecimiento *m*.
■ ~망덕 ingratitud *f*, desagradecimiento *m*. ¶~하다 desagradecer, (ser) desagradecido, ingrato; perder *su* gratitud, rogar al santo hasta pasar el tranco; ((속담)) Rogar al santo hasta pasar el tranco. ~한 사람 ingrato, -ta *mf*, desagradecido, -da *mf*. 그는 ~하다 El está desagradecido al beneficio. 그는 ~한 사람이다 El es desagradecido.

배음(倍音) 【물리】 armónico *m*, tono *m* secundario.

배일(排日) anti-Japón. ~의 antijaponés, antiniponés.
■ ~ 감정 sentimiento *m* anti-japonés. ~법 ley *f* anti-japonesa. ~열 sentimiento *m* anti-japonés. ~ 운동(運動) movimiento *m*

anti-japonés. ~ 이민법(移民法) ley *f* de inmigración anti-japonés.

배일성(背日性) 【식물】 heliotropismo *m* negativo.

배임(背任) abuso *m* de confianza, prevaricación *f*, prevaricato *m*. ~하다 prevaricar. ~하는 prevaricador.
▪ ~자(者) prevaricador, -dora *mf*. ~죄(罪) malversación *f*.

배잉(胚孕) preñez *f*, preñado *m*, concepción *f*. ~하다 concebir, hacerse preñada.

배자(胚子) 【동물】 embrión *m*; [포유류의] feto *m*.

배자(褙子) chaleco *m*.

배재기 mujer *f* embarazada con el abdomen barrigudo.

배전(倍前) más que antes. ~의 redoblado, intensificado, aumentado. ~의 애호(愛護)를 바랍니다 Solicitamos su patrocinio aumentado.

배전(配電) distribución *f* de electricidad, abastecimiento *m* de energía eléctrica. ~하다 distribuir la electricidad. ~을 중지하다 suspender la distribución de la electricidad, cortar la electricidad.
▪ ~반(盤) cuadro *m* de distribución, panel *m* de control. ~선 línea *f* de distribución. ~소(所) centro *m* de distribución de electricidad.

배젊다 ser muy joven.

배점(配點) distribución *f* de notas. ~하다 distribuir [repartir] las notas.

배접(褙接) forro *m*. ~하다 forrar, reforzar en el reverso.

배정(配定) asignación *f*, reparto *m*, distribución *f*. ~하다 asignar, repartir, distribuir.

배젖 【식물】 albumen *m*, endospermo *m*. ~이 있는 albuminoso.

배제(配劑) receta *f*. 하늘의 ~ la Providencia.

배제(排除) exclusión *f*, eliminación *f*, rechazo *m*; [구축(構築)] desalojamiento *m*. ~하다 excluir, quitar, eliminar, rechazar, desalojar. 장애(障碍)를 ~하다 salvar obstáculos. 데모대를 구내(區內)에서 ~하다 desalojar a los manifestantes del recinto.

배좁다 ser muy estrecho.

배종(背腫) 【한방】 =등창.

배종(陪從) comitiva *f*. ~하다 cortejar, atender, acompañar.
▪ ~자 cortejo *m*, acompañante *mf*, [일행(一行)] comitiva *f*.

배주(胚珠) 【식물】 óvulo *m*.

배주룩하다 sobresalir un poco.

배죽거리다 hacer un mohín, hacer pucheritos, poner mal gesto. 입을 배죽거리면서 말하다 decir haciendo un mohín. 나는 괜찮아 라고 그는 배죽거리면서 말했다 No me importa — él dijo haciendo un mohín.
배죽배죽 siguiendo haciendo un mohín.

배중론(排中論) 【논리】 =배중률(排中律).

배중률(排中律) 【논리】 principio *m* [ley *f*] de medio excluido.

배중 원리(排中原理) 【논리】 =배중률(排中律).

배증(倍增) duplicación *f*. ~하다 duplicar. ~되다 duplicarse. 소득을 ~하다 duplicar ingresos.

배지(영 *badge*) insignia *f*, divisa *f*, emblema *m*, chapa *f*, placa *f*, *AmL* botón *m* (*pl* botones). 경찰관의 ~ placa *f* [chapa *f*] de policía.

배지느러미 aleta *f* ventral.

배지성(背地性) 【식물】 geotropismo *m* negativo.

배진(背進) refuerzo *m*; [철수] retirada *f*. ~하다 retirar.

배질 remadura *f*. ~하다 remar. ~하러 가다 salir [ir] a remar. ~로 강을 건너다 cruzar un río a remo. 나는 강가로 ~했다 Yo remé hacia la orilla.

배짱 ① [속마음] corazón *m*, pensamiento *m* interior, intención *f* real, *su* motivo. ② [뱃심] confianza *f* en sí mismo, atrevimiento *m*, osadía *f*; [담력(膽力)] valor *m*, audacia *f*, denuedo *m*, agallas *fpl*. ~이 있는 valiente, audaz (*pl* audaces), osado. ~이 없는 tímido, cobarde, temeroso. ~이 크다 ser magnánimo, tener un gran corazón. ~을 보이다 mostrarse magnánimo. …하는 ~이 있다 tener el arrojo [la audacia] de + *inf*. …의 ~을 시험하다 probar el valor de uno. 남자는 ~이다 Es el valor lo que importa al hombre. 그는 ~이 있다 El tiene valor [muchos hígados]. 나에게 도전하는 것은 그의 대단한 ~이다 ¡Qué audacia [tiene él para] desafiarme! / Hacen falta hígados para desafiarme. 작업 중 꾸벅꾸벅 조는 것은 대단한 ~이다 ¡Qué audaz [cara] dar cabezadas durante el trabajo!
◆ 배짱(이) 맞다 llevarse bien (con).

배차(配車) distribución *f* de coches [carros · vagones]. ~하다 distribuir los coches [los carros · los vagones]. ~되다 distribuirse los coches [los carros · los vagones].
▪ ~원 distribuidor, -dora *mf* de coches.

배차(排次) orden *m*, turno *m*. ~하다 ordenar.

배창자 =창자.

배책(配冊) =배본(配本).

배척 sacaclavos *m.sing.pl.*

배척(排斥) exclusión *f*, eliminación *f*; [보이콧] boicoteo *m*. ~하다 excluir, boicotear. 외국 상품을 ~하다 boicotear los productos extranjeros.
▪ ~ 운동(運動) boicoteo *m*. ~자(者) excluidor, -dora *mf*, boicoteador, -dora *mf*.

배추 【식물】 berza *f*, repollo *m*, col *f* (china).
▪ ~김치 *baechukimchi*, *kimchi* de coles, *kimchi* de berzas, *kimchi* de repollos, coles *fpl* saladas, berzas *fpl* saladas, repollos *mpl* salados. ~꼬랑이 raíz *f* (*pl* raíces) de repollo. ~꼬랑잇국 sopa *f* de raíces de repollo. ~꽃 flor *f* de col. ~ 뿌리 raíz *f* de la berza [del repollo · de la col]. ~속대 corazón *m* de col [repollo]. ~속대찜 estofado *m* [guiso *m*] del corazón de col. ~속

댓국 sopa *f* del corazón de col. ~씨기름 aceite *m* de semillas de la col. ~ 줄기 tallo *m* de la col. ~찜 estofado *m* [guiso *m*] de col. ~ㅅ국 sopa *f* de berzas [de repollos · de coles].

배추흰나비 【곤충】 mariposa *f* de la col.

배축(胚軸) 【식물】 =씨눈줄기.

배출(排出) ① [더 이상 필요가 없는 물질을 밖으로 밀어서 내보냄] expulsación *f.* ~하다 expulsar. ② =배설(排泄).

■ ~관 tubo *m* de escape, tubo *m* de descarga. ~구(口) salida *f* de escape. ~판(瓣) válvula *f* de escape.

배출(輩出) introducción *f.* ~하다 introducir, aparecer [nacer] gran número. 졸업생을 사회에 ~하다 introducir los estudiantes recién graduados en el mundo profesional. 황금 시대에는 위대한 화가가 ~되었다 En el Siglo de Oro aparecieron sucesivamente vamente grandes pintores.

배치(背馳) contrariedad *f,* contradicción *f,* falta *f* de coherencia, interferencia *f,* oposición *f.* ~하다 oponerse, ir en contra, contradecir, interferir.

배치(配置) disposición *f,* colocación *f.* ~하다 disponer, colocar, apostar, situar, emplazar. 경찰관을 연도(沿道)에 ~하다 estacionar policías a lo largo de la ruta. 광장에 군대가 ~되었다 Apostaron los soldados en la plaza.

■ ~ 전환 (gran) reorganización *f,* (gran) remodelación *f,* trasposición *f,* transposición *f,* redistribución *f.*

배치(排置) arreglo *m.* ~하다 arreglar.

배치작거리다 cojear un poco.

배치작배치작 siguiendo cojeando un poco.

배코 lugar *m* de cortar el pelo debajo del moño.

◆배코(를) 치다 ㉮ [상투 밑의 머리털을 돌려 깎다] cortar el pelo debajo del moño. ㉯ [머리를 면도하듯이 빡빡 깎다] cortar al rape como un presidiario.

■ ~칼 cuchillo *m* pequeño usado para cortar al rape.

배타(排他) exclusión *f,* exclusividad *f.*

■ ~론자(論者) exclusivista *mf.* ~성(性) exclusivismo *m.* ~심 espíritu *m* exclusivo. ~적(的) exclusivo *adj.* ¶ ~으로 exclusivamente. ~주의 exclusivismo *m.* ~주의자 exclusivista *mf.*

배탈(一頉) mal *m* del estómago trastorno *m* de tripa.

◆배탈(을) 내다 hacer estropearse el estómago, hacer tener el estómago estropeado.

◆배탈(이) 나다 tener el estómago estropeado, tener [andar] mal del estómago, estropear(se) el estómago, tener trastornos digestivos. 너무 먹어 ~ comer demasiado y estropearse el estómago. 나는 배탈이 났다 Ando mal del estómago.

배태(胚胎) ① [아이나 새끼를 뱀] embarazo *m,* preñado *m.* ~하다 estar preñado [embarazado]. ② [기인(起因)] origen *m,* germen *m,* germinación *f,* brote *m.* ~하다 originar, germinar, brotar.

배터(영 *batter*) ((야구)) [타자(打者)] bateador, -dora *mf.*

■ ~ 박스 ((야구)) [타석] el área *f* (*pl* las áreas) [cuadro *m*] del bateador.

배터리(영 *battery*) ① [야구 투수와 포수의 한 쌍] el lanzador y el cogdor. ② [한 벌의 기구 또는 장치] serie *f.* ③ [라디오 등 전자 제품의 축전지] pila *f,* [자동차나 모터사이클의 축전지] batería *f.* ~로 작동하는 경주 자동차 coches *mpl* de carrera a pila(s), coches *mpl* que funcionan con pilas. ~를 충전(充電)하다 cargar las baterías, recuperar la energía. ~가 방전되었다 La batería está descargada. ④ [닭을 많이 기르는, 아파트식 닭장] batería *f.*

◆자동차 ~ batería *f* de coche.

■ ~ 충전기 cargador *m* de pilas; [자동차의] cargador *m* de baterías.

배턴(영 *baton*) ① [릴레이 경주에서, 주자가 다음 주자에게 넘겨 주는 막대기] testigo *m.* ② 【음악】 =지휘봉(batuta). ③ [경찰봉] porra *f.* ④ [사령봉] bastón *m* de mando.

■ ~ 체인지 revelo *m.*

배통 ① [신체의 배 부분] región *f* del abdomen. ② ((속어)) abdomen *m,* vientre *m.*

배퉁이 ((속어)) abdomen *m,* vientre *m.*

배트(영 *bat*) ① [박쥐] murciélago *m.* ② ((야구 · 크리켓)) bate *m.* ③ ((탁구 · 정구)) paleta *f,* raqueta *f.*

배틀거리다 tambalearse. 한 노파가 배틀거리면서 우리에게 가까이 왔다 Una vieja se nos acercó tambaleándose.

배틀걸음 paso *m* tambaleante.

배틀다 torcer, retorcer; [자신의 몸을] torcerse. 나는 발목[팔목]을 배틀었다 Me torcí el tobillo [la muñeca]. 나는 그녀의 팔을 배틀었다 Le retorcí el brazo.

배틀리다 ser torcido. 넥타이가 ~ tener la corbata torcida un poco. 그의 얼굴은 고통으로 배틀렸다 El tenía el rostro crispado por el dolor.

배팅(영 *batting*) ((야구)) [타격] bateo *m.* ~을 시작하다 empezar a batear.

■ ~ 애버리지 [타율] promedio *m* de bateo. ~오더 [타순] orden *m* de bateo.

배편(一便) servicio *m* marítimo [naval]. ~으로 en [por] barco [buque].

배포(配布) distribución *f,* reparto *m.* ~하다 distribuir, repartir. 삐라를 ~하다 distribuir octavillas. 자료(資料)를 ~하다 distribuir los datos. 이 책들은 무료로 ~된다 Estos libros son distribuidos gratuitamente.

■ ~망 cadena *f* de distribución.

배포(排布/排鋪) ① [계획] plan *m,* planificación *f.* 가슴에 딴 ~가 들어 있다 tener un interés personal. ② =배짱. ③ =배치(排置).

◆배포가 유(柔)하다 (ser) indiferente, impasible, imperturbable, descarado, fresco.

◆배포가 크다 ser magnánimo, tener una gran idea, pensar en gran escala.

배표(－票) billete *m* de barco.
배풍(背風) viento *m* de cola.
배필(配匹) cónyuge *mf*, consorte *mf*, pareja *f*. 적당한 ～을 고르다 elegir [escoger] la pareja adecuada.
배하다(拜－) ser nombrado, ser designado.
배합(配合) combinación *f*, [혼합] mezcla *f*, [조화(調和)] armonía *f*. ～하다 combinar, mezclar. ～이 좋은 bien combinado, bien armonizado, bien arreglado. 과자를 ～하다 combinar los dulces. 비프스테이크에 튀긴 감자를 ～하다 combinar el bistec con patatas fritas. 이것은 색의 ～이 좋다 [나쁘다] Estos colores hacen [no hacen] juego / Estos colores casan [no casan]. 이 색들의 ～이 좋다 La combinación de estos colores se bonita.
■ ～ 금기(禁忌) incompatibilidad *f*. ～ 금기 약품 medicamento *m* incompatible. ～ 비료 abono *m* [fertilizante *m*] compuesto. ～ 사료 piensos *mpl* compuestos.
배행(陪行) ① [윗사람 모시고 따라감] acompañamiento *m* a *su* superior. ② ＝배웅.
배혁(背革) encuadernado *m* de cuero, encuadernado *m* a la holandesa [con media pasta].
■ ～ 제본 media pasta *f*, encuadernación *f* a la holandesa.
배호흡(－呼吸) ＝복식 호흡(腹式呼吸).
배화(排貨) boicoteo *m*, boicot *m*. ～하다 boicotear, hacer*le* el boicoteo (a).
배화교(拜火教) zoroastrismo *m*. ～의 zoroástrico.
■ ～도(徒) zoroástrico, -ca *mf*.
배회(徘徊) vagancia. ～하다 vagar, vaguear, rodar, andorrear, deambular, caminar sin rumbo fijo, rondar para robar. 거리를 ～하다 deambular [vagar] por las calles, caminar sin rumbo fijo. 이곳저곳을 ～하다 vaguear de lugar a otro. 그들은 그가 거리를 ～하는 것을 발견했다 Ellos le encontraron deambulando [vagando] por las calles. 우리들은 마을을 ～하면서 오후를 보냈다 Nosotros pasamos la tarde paseando por el pueblo.
■ ～자(者) trotamundos *mf.sing.pl.* ～증(症) drapetomanía *f*.
배후(背後) fondo *m*, espaldo *m*. …의 ～에 tras *algo*, detrás de *uno*, a la espalda de *uno*. …을 ～에서 습격하다 atacar a uno por detrás. 사건의 ～ 관계를 찾다 buscar lo que hay detrás del caso. 나는 여자의 소리를 ～에서 들었다 Oí una voz de mujer a mi espalda.
■ ～ 인물[조종자] intrigante *mf*.
백[1](白) ① ((준말)) ＝백색(白色). ② ((준말)) ＝백지. ③ ((준말)) ＝백군(白軍).
백[2](白) 【지명】 [벨기에] Bélgica *f*.
백(伯) ((준말)) ＝백작(伯爵).
백(百) ciento; [명사와 mil 앞에서] cien. ～배(倍)의 céntuplo. ～ 배로 하다 centuplicar. ～ 세의 노인 centenario, -ria *mf*. 약 ～의 unos cien …, un centenar de …. 수～의 centenares de. 수～이 a centenares. 수～ 명의 사람 centenares *mpl* de personas. 책 ～ 권 cien libros. 집 ～ 채 cien casas.
■백 번 듣는 것이 한 번 보는 것만 못하다 ((속담)) El ver es creer / Ver para creer.
■ ～ 번째 centésimo *m*. ¶～의 centésimo. ～로 en centésimo lugar. ～(의) 집 centésima casa *f*. ～(의) 책 centésimo libro *m*.
백(영 *back*) ① [등] [사람의] espalda *f*, [동물의] lomo *m*; [의자의] respaldo *m*. ② ＝배경(背景). ③ ((운동)) ＝후위(後衛). ④ [자동차 등의 후진(後進)] avance *m* hacia detrás. ⑤ ＝후원. ⑥ ((준말)) ＝백 스트로크(back stroke).
백(영 *bag*) [가방] maleta *f*, bolsa *f*, bolso *m*, valija *f*. 보스턴～ valija *f* tipo Boston. 핸드～ bolso *m*, cartera *f*, *Méj* bolsa *f*, [작은] maletín *m* (*pl* maletines).
백-(白) blanco. ～자기 porcelana *f* blanca.
-백(白) [말씀드린다] aviso, anuncio. 「출입 금지」 주인～ No entrar. dueño.
백가(百家) ① [여러 학자] muchos sabios; [여러 작자(作者)] muchos autores, muchos escritores. ② ((준말)) ＝백가서(百家書).
■ ～서(書) muchas obras de muchos sabios [de muchos autores].
백각(白－) 【광물】 cuarzo *m* blanco.
백간(白簡) carta *f* con el papel blanco.
백간죽(白簡竹) bambú *m* (*pl* bambúes) blanco para la pipa.
백건(白鍵) [건반의] tecla *f* blanca.
백계(百計) todas las medidas.
■ ～ 무책(無策) No hay buen remedio que resolver la dificultad.
백계노인(白系露人) ruso *m* blanco, rusa *f* blanca.
백곡(百穀) todos los cereales.
백골(白骨) ① [죽은 사람의 흰 뼈] hueso *m* blanco, esqueleto *m*. ～ 시체 huesos *mpl*, cadáver *m* en huesos. ② [옻칠을 하기 전의 목기(木器)나 목물(木物)] recipiente *m* de madera no laqueada; madera *f* no laqueada.
■ ～난망(難忘) ¶～이다 nunca olvidar *su* favor [amabilidad], llevar *su* favor a la tumba. ～집 casa *f* construida de madera no laqueada.
백골송(白骨松) 【식물】 ＝백송(白松).
백곰(白－) 【동물】 oso *m* blanco.
백공(百工) ① [온갖 장색(匠色)] todos los artesanos. ② ＝백관(百官).
■ ～기예(技藝) talento *m* de todos los artesanos.
백과(白瓜) cohombro *m* blanco.
백과(百果) todas las frutas.
백과(百科) todas las asignaturas.
■ ～ 사전[사서・사휘・전서] enciclopedia *f*, diccionario *m* enciclopédico.
백과전서파(百科全書派) enciclopedistas *mpl*.
백관(百官) todos funcionarios públicos del gobierno.
백구(白駒) potro *m* blanco.

백구(白鷗) 【조류】 =갈매기.
백구(白球) pelota *f* blanca.
■ ~의 향연(饗宴) partido *m* de béisbol suntuoso.
백국(白菊) crisantemo *m* con las flores blancas.
백군(白軍) ① 【역사】 ((준말)) =백위군(白衛軍). ② [경기에서] equipo *m* blanco.
백귀(百鬼) todos los demonios.
■~야행(夜行) actitud *f* frívola del tipo atroz. ¶~격이다 ser un verdadero pandemonio, ser el caos más absoluto.
백그라운드(영 *background*) ① [그림이나 장면의 배경] fondo *m*. ② [사건의 배경] antecedentes *mpl*. ③ [사람의] [가문. 혈통] origen *m*; [교육] formación *f*, curriculum *m*; [경험] experiencia *f*. ④ 【컴퓨터】 (en) segundo plano *m*.
■~ 뮤직 【음악】 música *f* de fondo. ~ 프로그램 【컴퓨터】 programa *m* en segundo plano.
백금(白金) 【화학】 platino *m*. ~이 들어 있는, ~를 함유한 platinífero, que contiene platino. ~을 입히다 [씌우다] platinar, cubrir con una capa de platino. ~으로 입힌 [씌운] platinado, chapado en platino.
■~ 사진 platinotipia *f*. ~ 석면 asbesto *m* de platino. ~ 세공사 platinista *mf*. ~전극(電極) electrodo *m* de platino. ~ 해면 esponja *f* de platino.
백기(白旗) ① [바탕의 빛깔이 흰 기] bandera *f* blanca. ② =항기(降旗). ③ [일기 예보에서 맑음을 나타내는 기] bandera *f* blanca.
◆백기(를) 들다 rendirse, someterse. 백기를 들고 항복하다 izar la bandera de tregua, enarbolar la bandera blanca.
백난(百難) todas las dificultades, muchas dificultades. ~을 극복하다 vencer [superar] todas las dificultades.
■~지중(之中) en todas las dificultades.
백날(百-) ① [태어난 지 백 번째가 되는 날] centésimo día *m* de nacimiento. ② [매우 많은 시일] muchísimos días. ~ 해 봐야 마찬가지다 Es inútil hacer esfuerzos mucho tiempo.
백날기침 =백일해(百日咳).
백납(白-) 【한방】 leucoma *m*, vetiligo *m*.
◆백납(이) 먹다 tener un leucoma.
백내장(白內障) 【의학】 catarata *f*.
백넘버(영 *back number*) ① [등 번호. 배번] número *m* del jugador. ② [(잡지 · 정기 간행물 등의) 묵은 호] número *m* atrasado. ③ [시대에 뒤떨어진 사람] persona *f* anticuada; [남자] hombre *m* anticuado; [여자] mujer *f* anticuada.
백년(百年) ① [한 해의 백 배] cien años, un siglo. ② [오랜 세월] mucho tiempo, largo tiempo *m*. ③ [한평생] toda *su* vida, toda la vida.
■~가약[가기 · 언약] lazos *mpl* matrimoniales, vínculos *mpl* matrimoniales, amor *m* eternal. ¶~을 맺다 casarse (con), prometer *su* amor eternal, hacerse marido y mujer. 우리는 교회에서 ~을 했다 Nos casamos por la iglesia [*Bol*, *CoS*, *Per* por iglesia]. ~대계 programa *m* clarividente, plan *m* de largos años. ¶국가의 ~ plan *m* nacional de largos años. ~제(祭) aniversario *m* centenario centenario *m*. ¶창립 ~ centenario *m* de la fundación (de). ~지객[손] yerno *m*, hijo *m* político, esposo *m* de *su* hija. ~하청(河淸) Cuando el cielo cae, cogeremos la alondra. ~해로 toda *su* vida en matrimonio fiel, permanencia *f* fiel en matrimonio hasta la muerte. ¶~하다 vivir toda *su* vida en matrimonio fiel, permanecer fieles en matrimonio hasta la muerte, conseguir casarse (con). ~한 부부 viejo matrimonio *m*, pareja *f* que lleva una larga vida matrimonial.
백년초(百年草) 【식물】 =선인장(仙人掌).
백념(百念) cien pensamientos, muchos pensamientos.
백단(白椴) 【식물】 =자작나무.
백단(白檀) 【식물】 =백단향(白檀香).
백단향(白檀香) 【식물】 sándalo *m* blanco.
백대(百代) ① [백 번째의 대] centésima generación *f*. ② [오랫동안 이어 내려오는 여러 세대] muchas generaciones. ③ [멀고 오랜 세월] mucho tiempo, muchos años.
■~ 선조(先祖) antepasados *mpl* en centésima generación. ~ 자손(子孫) descendientes *mpl* en centésima generación. ~지과객(之過客) tiempo *m*.
백대하(白帶下) 【의학】 metroleucorrea *f*, leucoma *m*.
백덕(百德) muchas virtudes.
백도(白桃) *baekdo*, una especie del melocotón.
백동(白銅) ((본디말)) =백통(白銅).
■~딱지 caja *f* de reloj de níquel. ~시계 reloj *m* de pulsera de níquel. ~전(錢) moneda *f* de níquel. ~화(貨) ㉮ =백통돈. ㉯ [조선조의 액면 2전(錢) 5푼(分)의 화폐] moneda *f* de dos y medio céntimos.
백두(白頭) pelo *m* blanco, pelo *m* canoso. ~의 노인 viejo *m* [anciano *m*] canoso, vieja *f* [anciana *f*] canosa.
백두루미(白-) 【조류】 =두루미.
백두산(白頭山) 【지명】 el *Baekdusan*, Monte (de) *Baekdu*.
백란(白蘭) 【식물】 =백목련(白木蓮).
백랍(白蠟) cera *f* blanca, cera *f* refinada.
■~초[촉] vela *f* [candela *f*] de cera blanca.
백랍(白鑞) =땜납.
백랍나무(白蠟-) 【식물】 =쥐똥나무.
백랍벌레(白蠟-) 【곤충】 ((학명)) Ericeruspe-la chauannes.
백랍충(白蠟蟲) 【동물】 =백랍벌레.
백러시아(白-) 【지명】 Bielorrusia, la Rusia Blanca. ~의 bielorruso, belorruso. ☞벨로루시.
■~ 사람 bielorruso, -sa *mf*, belorruso, -sa *mf*; ruso *m* blanco, rusa *f* blanca. ~

어 bielorruso *m.*
백련(白蓮) ① [흰 연꽃] loto *m* blanco. ② ((준말)) =백목련(白木蓮). ③ [마음이 맑고 깨끗하여 더럽힘이 없는 것] inocencia *f*, candidez *f*, pureza *f*, candor *m.*
백로(白露) ① [24절기의 하나] *baekro*, el Rocío Blanco, alrededor del ocho o nueve de septiembre. ② [흰 이슬] rocío *m* blanco.
백로(白鷺) 【조류】 garza *f* blanca, garceta *f*, airón *m* (*pl* airones).
백로지(白鷺池) =갱지(更紙).
백록(白鹿) 【동물】 gamo *m.*
백록(百祿) todas las felicidades.
백리(白狸) 【동물】 zorra *f* blanca.
백리(白痢) 【한방】 una especie de disentería.
백리향(百里香) 【식물】 serpol *m.*
백림(伯林) 【지명】 Berlín.
백마(白馬) 【동물】 caballo *m* blanco.
백막(白膜) =공막(鞏漠).
백만(百萬) ① [만의 100배] un millón. ~ 번째(의) millonésimo. 수 ~의 millones de. ~ 년 un millón de años. ~ 권 un millón de libros. ② [썩 많은 수] muchos números. 네가 우리에게 들어온다면 우리는 ~ 대군을 얻은 것이나 마찬가지일 것이다 Si tú te nos unes, nos sentiremos mil veces más reforzados.
■ ~교태(嬌態) actitud *f* coqueta, coquetería *f.* ~ 도시(都市) ciudad *f* que tiene más de un millón de habitantes. ~언(言) muchas palabras, todas las palabras. ~장자 millonario, -ria *mf*, multimillonario, -ria *mf*, billonario, -ria *mf.*
백망중(百忙中) tiempo *m* muy ocupado.
백매(白梅) [흰 매화(梅花)] albaricoquero *m* blanco.
백면(白面) =백면 서생(白面書生).
■ ~서생 ㉮ [오로지 글만 읽고 세상일에는 어두운 사람] mocoso *m*; mozalbete *m*; novato, -ta *mf*, pardillo, -lla *mf.* ㉯ [얼굴빛이 흰 남자(男子)] hombre *m* con la cara blanca.
백면(白麪) ① =메밀가루. ② =메밀국수.
백모(伯母) tía *f*, esposa *f* del hermano mayor de *su* padre.
백모래(白—) =백사(白砂/白沙).
백목(白木) =무명.
백목련(白木蓮) 【식물】 magnolia *f* grandiflora.
백묵(白墨) tiza *f.* ~ 한 개 una pieza [una barrita] de tiza. ~으로 쓰다 escribir con tiza.
백문(白文) ① 【역사】 documento *m* oficial sin sello gubernamental. ② [구두점과 주석을 달지 않은 순 한문] composición *f* china *sin punto.*
백문(百聞) muchas escuchas.
■ ~이 불여일견(不如一見) El ver es creer / Más vale un testigo de vista que ciento de oídas / Aunque te digan que sí, espérate que lo veas / Ver para creer.
백물(百物) muchas cosas, todas las cosas.
백미(白米) arroz *m* pulido [descascarado].
■ ~병(病) beriberi *m.* ~상(商) comerciante *mf* de arroz.
백미(白眉) ① [흰 눈썹] ceja *f* blanca. ② [여러 사람이나 형제들 중에서 가장 뛰어난 사람] persona *f* que supera [aventaja] a muchos. ③ [많은 가운데서 뛰어난 것] lo mejor, obra *f* maestra. 현대 소설 중의 ~ una de las mejores novelas del día presente.
백미러(영 *back mirror*) (espejo *m*) retrovisor *m.* ~를 보다 mirar(se) al [en el] (espejo) retrovisor.
백반(白斑) ① [흰 반점] mancha *f* blanca, pintas *fpl* blancas. ② 【천문】 fácula *f.*
■ ~부종(浮腫) leucoedema *m.* ~증(症) leucoderma *f*, vitíligo *m.* ~ 흑피증 melanoleucoderma *f.*
백반(白飯) ① [흰밥] arroz *m* cocido, arroz *m* blanco. ② [음식점에서] una mesa del arroz blanco con la sopa y unos platos.
백반(白礬) ① 【화학】 alumbre *f.* ② 【한방】 alumbre *f* en polvo.
백반(百般) varios *adj.* ~ 사항(事項) varios problemas *mpl.*
백발(白髮) cana *f*, cabello *m* blanco, pelo *m* blanco; ((성경)) cana *f*, cano *m*, vejez *f*; [반백(半白)] pelo *m* gris, pelo *m* medio blanco. ~의 cano, canoso, encanecido. 그는 ~이 불어났다 Le han aumentado las canas.
백발백중(百發百中) ① [총이나 포(砲) 따위가] nunca yerra el blanco, cada tiro produce efecto. ~하다 no errar nunca el tiro. ② [무슨 일이 실패 없이 모조리 다 잘됨] infalibilidad *f*, éxito *m* infalible. ~하다 (ser) infalible.
백방(白放) absolución *f.* ~하다 absolver (a *uno* de *algo*).
백방(百方) todas maneras, todos modos. ~으로 노력하다 hacer todos los esfuerzos. ~으로 손을 쓰다 no dejar piedra por mover.
■ ~천계(天計) varias maneras *fpl* y todos planes.
백배(百拜) acción *f* de saludar cien veces [muchas veces]. ~하다 saludar muchas veces.
■ ~사례(謝禮) expresión *f* de *su* gratitud saludando muchas veces. ¶~하다 expresar *su* gratitud saludando muchas veces, ofrecer muchas gracias. ~사죄(謝罪) acción *f* de disculparse saludando muchas veces. ¶~하다 disculparse [excusarse · presentar disculpas · presentar excusas] muchas veces.
백배(百倍) céntuplo *m*, cien veces. ~하다 centuplicar. ~의 céntuplo, centuplicado.
백배하다 añadirse [agregarse] mucho. 용기 백배하여 싸우다 pelear añadiéndose el valor.
백 번(百番) cien veces. 이 몸이 죽고 죽어 일~ 고쳐 죽어 aunque yo muera cien veces.
백범(白凡) *Baekbeom*, seudónimo *m* de Kim Gu.

■~로(路) bulevar *m* de *Baekbeom*.
백범(白帆) vela *f* blanca.
백벽(白壁) muro *m* blanco, muro *m* enjalbegado, pared *f* blanca.
백벽(白璧) gema *f* blanca.
백변(白邊) albura *f*.
백변(百變) muchos cambios. ~하다 cambiar mucho.
백병(白兵) ① [격투나 접전을 할 때 사용할 수 있는 무기] el arma *f* blanca (*pl* las armas blancas), espada *f* y bayoneta. ② =백인(白刃).
■~전(戰) combate *m* cuerpo a cuerpo. ¶ ~으로 en un combate cuerpo a cuerpo. ~을 하다 combatir [luchar] cuerpo a cuerpo.
백병(百病) muchas enfermedades, todas las enfermedades.
■~통치(通治) eficacia *f* en todas las enfermedades.
백부(伯父) tío *m* (carnal), hermano *m* mayor de *su* padre.
백부장(百夫長) ((성경)) centurión *m* (*pl* centuriones), capitán *m* (*pl* capitanes).
백분(白粉) ① [(밀이나 쌀 따위의) 흰 가루] polvo *m* blanco, harina *f* blanca. ② [화장용의] polvos *mpl* (de tocador).
◆물~ polvo *m* líquido.
■~병(病) mildeu *m*, mildiu *m*.
백분(百分) céntima parte *f*, división *f* en ciento. ~하다 dividir en ciento. ~의 céntimo, centi-. ~의 1 un céntimo, un centavo. ~의 5 cinco centésimos, cinco por ciento, 5%.
■~율[비] porcentaje *m*, tanto *m* por ciento.
백붕(百朋) muchos tesoros, muchas joyas.
백비탕(白沸湯) el agua *f* caliente sencilla.
백사(白砂/白沙) arena *f* blanca (y limpia).
■~장 arenal *m* blanco. ~지(地) tierra *f* arenosa.
백사(白蛇)【동물】serpiente *f* blanca, culebra *f* blanca.
백사(白絲) hilo *m* blanco.
백사(百事) muchas cosas, todas las cosas, todo. ~에 실패하다 fracasar en todo.
백사과(白一) melón *m* blanco.
백사기(白沙器/白砂器) china *f* blanca, porcelana *f* blanca.
백사일생(百死一生) escape *m* de un gran peligro, escape *m* por un pelo. ~하다 escapar por un pelo, librarse por un pelo, librarse de una buena, escapar de un gran peligro.
백사탕(白砂糖) azúcar *m* blanco, azúcar *m* fino.
백산호(白珊瑚)【동물】coral *m* blanco.
백삼(白蔘) ginsén *m* [ginseng *m*] blanco.
백상지(白上紙) =모조지(模造紙).
백색(白色) ① [흰 빛깔] (color *m*) blanco *m*; [시어에서] albura *f*. ~의 albar, blanco. ② ((속어)) [자본주의] capitalismo *m*.
■~인(人) hombre *m* blanco, mujer *f* blanca. ~ 인종(人種) raza *f* blanca. ~ 테러[공포] terror *m* blanco.
백서(白書) libro *m* blanco, libro *m* rojo, *Méj* libro *m* azul, *Ven* libro *m* amarillo, *Salv* libro *m* rosado.
백서(白鼠) ratón *m* (*pl* ratones) blanco, rata *f* blanca.
백석(白石) piedra *f* blanca.
백석(白晳) blanco *m* (en cutiz).
백석영(白石英)【광물】cuarzo *m* blanco.
백선(白癬)【의학】favo *m*, tiña *f*, empeine *m*, culebrilla *f*, serpigo *m*. 얼굴에 ~이 났다 Se han salido empeines en la cara.
백선(白鱓)【어류】anguila *f*.
백설(白雪) blanca nieve *f*. ~ 같은 nevoso, níveo, de nieves, como la blanca nieve. ~이 덮인 산 montaña *f* cubierta [monte *m* cubierto] con la blanca nieve.
■~총이 caballo *m* blanco con la boca negra.
백설탕(白雪糖) azúcar *m* refinado [blanco].
백성(百姓) ① [일반 국민] pueblo *m*. ② [문벌이 높지 않은 보통의 사람] pueblo *m* común; plebeyo, -ya *mf*.
백세(百世) cien generaciones, todas las generaciones, eternidad *f*.
백세(百歲) ① [백 년] cien años, un siglo. ② [백 살] cien años de edad. ~의 노인 centenario, -ria *mf*.
백송(白松)【식물】pino *m* blanco.
백수(白首) cabeza *f* canosa.
백수(白壽) noventa y nueve años de edad.
백수(白鬚) bigote *m* canoso.
백수(百獸) todos los animales. ~의 왕(王) rey *m* de los animales, tigre *m*.
백수건달(白手乾達) pobretón *m* (*pl* pobretones), pelado *m*. ~이다, ~로 있다 estar sin blanca, no tener (ni) un cuarto, no tener una perra chica; ((속어)) estar planchado. ~이 되다 quedarse sin un céntimo, quedar limpio.
백숙(白熟) *baeksuk*, pescado *m* cocido [carne *f* cocida] en el agua sencilla.
백숙(伯叔) el primero y el tercero entre cuatro hermanos.
백스트로크(영 *backstroke*) [송장헤엄] estilo *m* espalda. ~를 하다 nadar a [de] espalda, *Méj* nadar de dorso.
백스페이스키(영 *Backspace key*)【컴퓨터】tecla *f* de borrado, tecla *f* de Retroceso.
백신(영 *vaccine*)【의학】vacuna *f*. ~의 vacínico. ~을 접종하다 vacunar (a *uno*·contra *algo*).
◆천연두(天然痘) ~ vacuna *f* contra la viruela.
■~ 뇌염 encefalitis *f* vaccínica. ~ 접종(接種) vacunación *f*. ~ 주사 (inyección *f* de) vacunación *f*.
백씨(伯氏) *su* hermano mayor.
백악(白堊) ① [백회] tiza *f*, clarión *m*, yeso *m*, greda *f*, marga *f*. ~의 gredoso, cretáceo, yesoso. ② =백토(白土). ③ [석회로 칠한 흰 벽] pared *f* blanqueada [blanca pintada] con cal.

■ ~계[층] (sistema *m*) cretáceo *m*. ~기(期) período *m* cretáceo.

백악관(白堊館) la Casa Blanca.

백안(白眼) ojos *mpl* mirados fríamente.
■ ~시(視) mirada *f* fría, mirada *f* con malos ojos [con frialdad]. ¶~하다 mirar fríamente, mirar con malos ojos, mirar con frialdad. 이 마을에서는 타관 사람을 ~한다 Es est pueblo se mira con malos ojos a los forasteros.

백야(白夜) noche *f* blanca.

백약(百藥) todas las medicinas, todos los remedios. 포도주는 ~의 으뜸이다 El vino es el mejor de todos los remedios.
■ ~ 무효(無效) inutilidad *f* de todas las medicinas. ¶~다 Todas las medicinas resultan (ser) inútil. ~지장(之長) lo mejor de todas las medicinas, bebida *f* alcohólica.

백양(白羊) cabra *f* blanca.
■ ~궁 Aries *m*.

백양(白楊) 【식물】 ① =황철나무. ② =사시나무. ③ =은백양.

백양나무(白楊-) 【식물】 =황철나무.

백양목(白楊木) 【식물】 =황철나무.

백양선(白羊鮮) 【식물】 =백선(白鮮).

백양지(白洋紙) papel *m* occidental del color blanco y de buena calidad.

백어(白魚) ① 【어류】 =뱅어. ② 【곤충】 =좀.

백업(영 *backup*) ① [지원] respaldo *m*, apoyo *m*. ② 【컴퓨터】 copia *f* de seguridad.

백여우(白-) ① =흰여우. ② ((속어)) [요사스런 여자] mujer *f* caprichosa.

백연(白煙) humo *m* blanco.

백연(白鉛) 【화학】 plomo *m* blanco.
■ ~광 cerusita *f*, mineral *m* del plomo blanco.

백열(白熱) ① 【물리】 candencia *f*, incandescencia *f*. ~의 incandesente. ② [최고조(最高潮)] clímax *m*.
■ ~광 luz *f* incandescente. ~등 lámpara *f* eléctrica incandescente [de incandescendencia]. ~적 entusiástico. ¶~으로 entusiásticamente, con entusiasmo. ~으로 환영을 받다 ser recibido con entusiasmo. ~전(戰) enfrentamientos *mpl* calientes. ~전구 bombilla *f* incandescente.

백오십(百五十) ciento cincuenta. ~ 년 ciento cincuenta años. ~의 sesquicentenario. ~주년 sesquicentenario *m*.

백옥(白玉) gema *f* blanca, piedra *f* preciosa blanca.

백옥(白屋) cabaña *f* [choza *f*] de paja, casa *f* de tejado de paja vieja.

백운(白雲) [흰 구름] nubes *fpl* blancas, nubes *fpl* aborregadas.
■ ~모 mascovita *f*, mica *f* blanca. ~석 dolomía *f*, dolomita *f*, caliza *f* lenta.

백의(白衣) ① [흰옷] ropa *f* blanca; [의사 등의 흰옷] bata *f* blanca; [성직자의 흰옷] el alba *f* (*pl* las albas). ~의 천사(天使) enfermera *f* vestida de blanco, ángel *m* blanco. ② ((불교)) =속인(俗人). ③ =포의(布衣).
■ ~민족[동포] raza *f* coreana. ~인(人) coreano *m*. ~ 천사(天使) enfermera *f*.

백인(白人) ① [날 때부터 터럭과 살빛이 매우 하얀 사람] blanco, -ca *mf*. ② ((준말)) = 백색 인종.

백인(百刃) espada *f* desenvainada, hoja *f* desenvainada.

백인종(白人種) ((준말)) =백색 인종.

백일(白日) ① [구름이 끼지 않고 쨍쨍하게 비치는 해] sol *m* claro, luz *f* del día, día *m* claro. ② =대낮.
■ ~몽(夢) ensueño *m*, ensoñación *f*, fantasía *f*. ~장(場) concurso *m* literario. ¶주부(主婦) ~ concurso *m* literario para las amas de casa. ~청천(青天) cielo *m* azul con el sol claro. ~하에 a luz. ¶~ 드러나다 ser sacado a luz.

백일(百日) ① [백날 동안] cien días. ② =백날.
■ ~기도 oración *f* de cien días. ~잔치 fiesta *f* [banquete *m*] (que se celebra) a la edad de cien días de bebé. ~천하(天下) reinado *m* de cien días, reinado *m* muy corto. ~해[기침] tos *f* ferina [convulsiva · convulsa].

백일초(百日草) 【식물】 zinnia *f*.

백일홍(百日紅) ① 【식물】 lila *f* de la India. ② 【식물】 =백일초(百日草).

백자(白磁/白瓷) =백사기(白沙器).

백작(伯爵) conde *m*. ~의 condal.
■ ~령(領) condado *m*. ~ 부인 condesa *f*.

백작약(白灼藥) 【식물】 peonía *f* blanca.

백장 ① [소·돼지 따위를 잡는 일을 업으로 삼는 사람] carnicero *m*. ② =고리장이.

백저(白苧) =눈모시.

백전(百戰) combates *mpl* incontables, combates *mpl* innumerables. ~의 용사(勇士) soldado *m* veterano.
■ ~노장(老將) ㉮ [장수] veterano *m*. ㉯ [세상일을 많이 겪어 여러 가지로 능수 능란한 사람] perro *m* viejo, hombre *m* de mucha experiencia. ~백승(百勝) victoria *f* de todas batallas.

백절불굴(百折不屈) inflexibilidad *f*. ~하다 (ser) inflexible, indomable. ~의 inflexible, indomable. ~의 정신(精神) espíritu *m* indomable.

백절불요(百折不撓) =백절불굴(百折不屈).

백점토(白粘土) arcilla *f*, alfar *m*.

백조(白鳥) 【조류】 cisne *m*.
■ ~자리 【천문】 Cisne *m*.

백종(百種) todas las especies [clases] de los objetos.

백주(白酒) ① [흰 빛깔의 술] *baekchu*, *sul* dulce del color blanco, vino *m* [bebida *f* alcohólica] del color blanco. ② =배갈.

백주(白晝) mediodía *m*, pleno día *m*, luz *f* amplia del día. ~와 같이 밝은 tan claro como luz del día.
백주에 ㉮ [대낮에] en pleno día, en plena luz; [정오에] al mediodía. ㉯ [아무 까닭 없이] sin causa alguna; [억지로] por fuerza; [엉터리로] infundadamente.

백중(百中/百衆) ((불교)) ((준말)) =백중날.
■ ~날 el 15 de julio del calendario lunar, el quince del séptimo mes lunar. ~놀이 juego *m* del 15 de julio del calendario lunar. ~력(曆) calendario *m* de cien años futuros. ~맞이[불공] fiesta *f* budista del día quince del séptimo mes lunar, ofrecimiento *m* al difunto en el quince de julio del calendario lunar. ~물 lluvia *f* del quince de julio del calendario lunar.

백중(伯仲) ① [만형과 둘째형] *su* primer hermano (mayor) y *su* segundo hermano (mayor). ② [서로 우열이 없음] el mismo nivel, igualdad *f*. ~하다 igualar (a), estar al mismo nivel (que); [서로] igualarse, competir, rivalizar (en). 두 사람의 능력은 ~하다 Los dos son de igual [tiene la misma] habilidad.
■ ~숙계(叔季) orden *m* de cuatro hermanos.

백지(白一) piedra *f* blanca (del *baduc*).

백지(白地) plana *f* blanca, tela *f* blanca.

백지(白紙) ① [닥나무 껍질로 만든 흰 빛깔의 종이] papel *m* blanco de cáscara de morera. ② [빛깔이 흰 종이] papel *m* blanco. ③ =공지(空紙). ④ [어떤 사무에 대하여 아무런 지식도 없음] acción *f* de no tener ningún conocimiento. ⑤ [어떤 사물에 대하여 아무런 선입견도 없음] acción *f* de no tener ningún prejuicio.
■ ~ 답안 examen *m* en blanco. ¶~을 제출하다 entregar el examen [contestar] en blanco. ~ 동맹(同盟) protesta *f* de los estudiantes por el papel blanco en el examen. ~ 수표 cheque *m* en blanco. ~식 배서(式背書) endoso *m* en blanco. ~ 어음 letra *f* en blanco. ~ 위임(委任) firma *f* en blanco. ¶~하다 dar carta blanca, dar firma en blanco. ~ 위임장 carta *f* blanca, cédula *f* en blanco, firma *f* en blanco. ~장(張) ㉮ [흰 종이의 낱장] un papel blanco. ㉯ [새하얀 것] cosa *f* muy blanca. ¶얼굴이 ~ 같다 ponerse pálido.
■ 백지장도 맞들면 낫다 [가볍다] ((속담)) A más manos menos trabajo.
■ ~ 투표 votación *f* [voto *m*] en blanco. ¶~하다 votar en blanco. ~ 투표지 papeleta *f* en blanco. ~화 ¶~하다 volver a *su* comienzo. 그 건(件)은 ~합시다 Dejemos el asunto como si no se hubiera hablado nada de él.

백지도(白地圖) mapa *m* en blanco.

백차(白車) coche *m* patrulla, *CoS* patrullero *m*.

백척간두(百尺竿頭) extremo *m*, última extremidad *f*. ~에 서다 llegar al extremo, hallarse al marge del risco. ~에 일보를 더 나가다 hacer más esfuerzo.

백천(百千) muchos números.
■ ~만(萬) muchos números. ~만겁(萬劫) tiempo *m* eterno, eternidad *f*. ~만사(萬事) todas las cosas, todo.

백철(白鐵) =함석.

백철광(白鐵鑛) 【광물】 marcasita *f*, pirita *f* de fierro blanco.

백청(白淸) miel *f* blanca de la calidad superior.

백청자(白青瓷/白青磁) =청백자(青白瓷).

백초(百草) todas las hierbas.

백출(百出) aparición *f* en grandes números. ~하다 aparecer en grandes números. 이 점에서 의논이 ~했다 Este punto ha provocado muchas y acaloradas discusiones / El problema, en este aspecto, ha suscitado una serie de discusiones muy acaloradas.

백치(白雉) faisán *m* (*pl* faisanes) blanco.

백치(白痴/白癡) ① [천치(天痴)] idiota *mf*, imbécil *mf*. ~의 idiota, imbécil, tonto, bobo, necio, torpe. 이 ~야, 네가 한 짓을 봐! ¡Idiota! [¡Imbécil!] ¡Mira lo que has hecho! 그들은 ~처럼 행동(行動)했다 Se comportaron estúpidamente [como idiotas]. ② 【한방】 idiotez *f*, idiocia *f*.

백탄(白炭) carbón *m* de castaño.

백탕(白湯) el agua *f* caliente. 약을 ~으로 마시다 tomar la medicina con agua caliente.

백태(白苔) 【한방】 sarro *m* blanco (de la lengua).

백태(百態) todas las figuras.

백토(白土) arcilla *f*, greda *f*, caolín *m*.
■ ~질 [이의] empaste *m*, cemento *m*.

백토(白兔) [흰 토끼] conejo *m* blanco.

백통(白一) ① [구리·아연·니켈의 합금] níquel *m*, cuproníquel *m*. ② ((준말)) =백통화.
■ ~돈[전·화] moneda *f* de cuproníquel, moneda *f* de níquel.

백파(白波) olas *fpl* espumosas [blancas]. ~를 일으키다 levantar olas espumosas. 바다에 ~가 일고 있다 El mar cabrillea / El mar está picado [encrespado].

백판[1](白板) [흰 널조각] tabla *f* del ataúd blanca.

백판[2](白板) ① [아무 것도 없는 형편이나 모르는 상태] el no tener nada. ② =생판.

백팔(百八) ① [백에 여덟을 더한 수] ciento ocho. ② ((불교)) [인간의 번뇌의 수] ciento ocho tormentos del hombre.
■ ~ 번뇌(煩惱) ciento ocho tormentos del humano. ~ 염주(念珠) rosario *m* budista de ciento ocho cuentas. ~종(鐘) ㉮ [절에서 제야에 백팔 번 치는 종] campana *f* que tocan ciento ocho veces en la Nochevieja [la noche de Fin de Año] en el templo budista. ㉯ [절에서 조석으로 백팔 번 치는 종] campana *f* que tocan ciento ocho veces cada mañana y cada noche.

백팔십도(百八十度) ciento ochenta grados. ~로 돌다 volverse ciento ochenta grados.

백팔십도 전환(百八十度轉換) cambios *mpl* radicales, giro *m* de 180 grados. 징세(徵稅)에 ~했다 Dieron giro de 180 grados en materia de impuestos. 교육 정책에 ~은 없을 것이다 No habrá cambios radicales en la política educativa. 그의 사상(思想)은 ~했다 Su pensamiento ha experimentado

un cambio radical [completo].
백 퍼센트(百 percent) ciento [cien] por ciento, cien por cien. 효과 ~의 cien por cien efectivo, de eficacia total [completa].
백포(白布) ① [흰 베] tela *f* blanca. ② =포의(布衣).
백포(白泡) ① [물의 흰 거품] espuma *f* [burbuja *f*] blanca. ② [말 따위가 입에서 내는 흰 거품] espuma *f* blanca.
백포(白袍) traje *m* de gala blanco.
백포도주(白葡萄酒) vino *m* blanco.
백피증(白皮症)【의학】albinismo *m*.
백하(白蝦)【동물】=쌀새우.
백학(白鶴)【조류】=두루미.
백합(白蛤)【조개】una especie de almeja.
백합(白鴿)【조류】=집비둘기.
백합(百合)【식물】liliácea *f*, (lirio *m*) azucena *f*, tulipero *m*. ~ 같이 흰 blanco como la nieve, blanco como una azucena. ~의 뿌리 bulbo *m* de lirio.
◆흰~ lirio *m* blanco, azucena *f*. 흑(黑)~ fritillaria *f* negra.
■~꽃[화] azucena *f*.
백해(百害) todos los males.
■~무익(無益) muchos daños y ningún provecho. ¶~하다 no servir para nada. 담배는 몸에 ~하다 El tabaco es pura y simplemente malo [dañoso] para la salud. 그것은 우리에게 ~하다 Eso nos causará muchos daños y ningún provecho.
백해삼(白海蔘)【동물】cohombro *m* de mar blanco.
백핸드(영 *backhand*) ((정구·탁구)) revés *m*. ~의 con el revés, de revés, dado con el revés de la mano. ~로 con el revés, de revés.
백혈구(白血球) glóbulo *m* blanco (de la sangre), leucocito *m*.
■~ 감소증 leucopenia *f*, leucocitopenia *f*, hipoleucocitosis *f*. ~ 증가증[과다증] leucocitosis *f*, leucocitemia *f*, hiperleucocitosis *f*.
백혈병(白血病)【의학】leucemia *f*, leucosis *f*, leucocitemia *f*. ~의 leucémico.
■~ 환자 leucémico, -ca *mf*.
백형(伯兄) hermano *m* mayor.
백호(白虎) ①【천문】tigre *m* blanco. ②【민속】*baekho*, símbolo *m* del dios hecho cargo del oeste. ③ [지맥] cordillera *f* que sale a la derecha de la montaña principal.
■~도(圖) pintura *f* del tigre blanco. ~사날【민속】cordillera *f* que sale a la derecha de la montaña principal.
백호(白狐)【동물】zorro *m* blanco.
백호주의(白濠主義) principio *m* de la Australia Blanca.
백화(白花) flor *f* blanca.
백화(白話) chino *m* coloquial.
■~문(文) chino *m* coloquial escrito. ~ 문학 literatura *f* en chino coloquial. ~ 소설 novela *f* en chino coloquial.
백화(白畫) pintura *f* pintada de blanco.
백화(白樺)【식물】abedul *m* blanco.
백화(百花) toda clase de flores, todas las flores. ~난만하다 ser claro con toda clase de flores. 정원에 ~가 만발해 있다 El jardín está cubierto de toda clase de flores.
■~왕(王) peonía *f*.
백화점(百貨店) grandes almacenes *mpl*, *Méj* tienda *f* de departamentos. 코너에 ~이 있다 En la esquina hay unos grandes almacenes.
밴(영 *van*) ① [자동차] furgoneta *f*, camioneta *f*, *Méj* vagoneta *f*. ② [철도의 화물차] furgón *m* (*pl* furgones). ③ [선두(先頭)·선도자(先導者)] vanguardia *f*.
밴대 ((준말)) =밴대보지.
밴대보지 vulva *f* sin pubis.
밴대질 práctica *f* sexual entre mujeres. ~하다 tener relaciones sexuales con otra mujer.
밴대질 치다 tener relaciones sexuales con otra mujer.
밴댕이【어류】arenque *m* con ojos grandes.
밴둥거리다 holgazanear, haraganear, flojear.
밴둥밴둥 ociosamente, holgazaneando.
밴드[1](영 *band*) ① [끈·띠] cinta *f*, franja *f*, tira *f*; [고리] anillo *m*. ② [벨트] correa *f*. ③ [허리띠] cinturón *m* (*pl* cinturones).
밴드[2](영 *band*)【음악】banda *f*, grupo *m*, conjunto *m* musical.
◆군(軍) ~ grupo *m* militar, *Chi* orfeón *m* (*pl* orfeones) militar. 록 ~ grupo *m* [banda *f*] de rock. 재즈 ~ grupo *m* [conjunto *m*] de jazz.
■~마스터 [악장] director, -tora *mf* de banda.
밴들거리다 holgazanear, haraganear.
밴들밴들 ociosamente, holgazaneando.
밴조(영 *banjo*)【악기】banjo *m*.
밴텀급(Bantam 級) peso *m* gallo.
■~ 챔피언 campeón *m* de los pesos gallo. ~ 타이틀 título *m* de los pesos gallo.
밸런스(영 *balance*) ① [균형·평형] equilibrio *m*. ~를 잃다 perder el equilibrio. ~를 잡다 balancear, equilibrar. ~가 잡히다 ser equilibrado. ② [나머지] resto *m*; [차액 잔고] saldo *m*, balance *m*. ③ [저울] balanza *f*.
밸브(영 *valve*) ①【기계】válvula *f*; [라디오의] lámpara *f* termiónica. ~ 없는 엔진 motor *m* sin válvulas. ② [조개의 껍데기] valva *f*. ③【음악】pistón *m* (*pl* pistones).
■~ 키 llave *f* para válvula.
뱀【동물】serpiente *f*, culebra *f*; [독사] víbora *f*; [커다란 뱀] culebrón *m* (*pl* culebrones), culebra *f* grande, serpentón *m* (*pl* serpentones); [방울뱀] culebra *f* de cascabel, crótalo *m*, demonio *m*; [안경뱀] serpiente *f* de anteojos. ~의 serpentino. ~ 같은 culebrino, serpentino. ~ 모양의 나팔 serpentón *m*.
◆뱀(을) 보다 ㉮ [뱀을 잡다] coger una culebra [una serpiente]. ㉯ ((은어)) =망보다.
■~ 공포증 ofidiofobia *f*. ~ 숭배 ofiolatría

f. ~ 허물 piel *f* de una serpiente, camisa *f* de una serpiente.
뱀날 【민속】 el día de la Serpiente, el día de la Culebra.
뱀띠 nacimiento *m* del Año de la Culebra.
뱀밥 【식물】 cola *f* de caballo.
뱀뱀이 ((준말)) =배움배움이.
뱀자리 【천문】 Serpiente *f.*
뱀장어(-長魚) 【어류】 anguila *f.* ~ 새끼 angula *f.*
뱀파이어(영 *vampire*) ① [흡혈귀] vampiro *m.* ② [남자를 매혹시켜 파멸시키는 여자] vampiresa *f.*
뱀해 【민속】 año *m* de la Serpiente.
뱁새 【조류】 ((학명)) Suthora webbiana fulvicauda.
뱁새눈 ojos *mpl* estrechos.
뱁새눈이 persona *f* con ojos estrechos.
뱃가죽 ((속어)) =뱃살.
뱃고동 silbato *m* del barco.
뱃고물 popa *f.*
뱃구레 =복강(腹腔).
뱃기구(-器具) aparejo *m,* cordaje *m,* jarcia *f.*
뱃길 canal *m* [río *m*] navegable.
뱃노래 canción *f* de barquero, canción *f* de marinero, saloma *f;* [곤돌라의] barcarola *f.*
뱃놀이 excursión *f* en bote [en barco], paseo *m* en bote, remadura *f.* ~하다 hacer una excursión en barco, pasearse en bote. ~하러 가다 ir a paseo en lancha [en bote], ir de remadura.
뱃대끈 ① [여자의 바지 위에 매는 끈] fajín *m* (*pl* fajines). ② [말이나 소의 배에 걸쳐서 조르는 줄] correa *f* de cinta.
뱃덧 intoxicación *f* (por alimento), indigestión *f.*
◆뱃덧(이) 나다 tener indigestión, ser intoxicado por la comida.
뱃두리 *baetduri,* una especie de la vasija.
뱃머리 proa *f.* ~를 향하다 poner proa (a), hacer rumbo (a · hacia). ~부터 침몰하다 hundirse por la proa.
뱃멀미 mareo *m* (en los viajes por mar), náusea *f.* ~하다 marear(se), nausear, estar mareado. 너 ~하니? ¿Te mareas (en los viajes por mar)?
뱃바닥[1] [짐승의 배의 바닥] parte *f* inferior de la panza del animal; [짐승의 배의 살] carne *f* de estómago.
뱃바닥[2] [배의 바닥] fondo *m* de un barco.
뱃바람 viento *m* contrario, viento *m* en contra, viento *m* de proa.
뱃밥 estopa *f.* ~으로 틀어막기 calafateo *m.* ~으로 틀어막는 끌 cincel *m* de calafatear, retacador *m.* ~으로 틀어막다 calafatear.
뱃병(-病) enfermedad *f* de estómago, dolor *m* de estómago, dolor *m* de tripa, dolor *m* de barriga, *Andes* dolor *m* de guata.
뱃사공(-沙工) barquero, -ra *mf.*
뱃사람 marinero *m,* marino *m,* barquero *m,* botero *m,* piloto *m;* [집합적] marinería *f.* ~이 되다 hacerse marinero.
뱃삯 pasaje *m,* flete *m,* gabarraje *m.*
뱃살 carne *f* de la vientre.
뱃소리 =뱃노래.
뱃속[1] [사람이나 짐승의 배의 속] entrañas *fpl,* tripas *fpl;* [위] estómago *m.* 나는 ~이 부글거린다 [좋지 않다] Las tripas me están haciendo ruido.
뱃속[2] [먹는 배의 가운데 부분에 씨가 들어 있는 속] corazón *m* de la pera.
뱃숨 =복식 호흡(腹式呼吸).
뱃심 empuje *m,* dinamismo *m,* valor *m,* coraje *m.*
◆뱃심(이) 좋다 tener mucho valor [coraje].
뱃일 trabajo *m* a bordo.
뱃자반(-佐飯) pescado *m* salado a bordo.
뱃장사 mercancía *f* en una barca.
뱃장수 vendedor, -dora *mf* ambulante en barca.
뱃전 costado *m* de un barco [de un buque · de un barco], regala *f,* borda *f,* borde *m,* bordo *m.* ~을 가득 채운 lleno hasta los topes.
뱃줄 cabo *m* grueso, guindaleza *f.*
뱃짐 carga *f* (de un buque), mercancías *fpl,* mercaderías *fpl.*
뱃집[1] 【건축】 =맞배집.
뱃집[2] [사람의 배의 부피] volumen *m* del abdomen. ~이 크다 tener el abdomen grande.
뱅그레 soriendo. ☞빙그레
뱅글거리다 sonreír. 좋아서 ~ sonreír con placer [con deleite].
뱅글뱅글[1] [부드럽게 웃는 모습] con una sonrisa.
뱅글뱅글[2] dando vueltas y vueltas. 풍차가 ~ 돈다 El molino de viento gira.
뱅긋 soriendo.
뱅긋거리다 seguir sonriendo.
뱅긋뱅긋 siguiendo sonriendo.
뱅긋이 sonriendo.
뱅끗 ((센말)) =뱅긋.
뱅니 【민속】 *baengni,* cónyuge *m* llamado [cónyuge *f* llamada] por el alma muerta a través del medio.
뱅뱅 girando, dando vueltas y vueltas. 바퀴가 ~ 돈다 Gira la rueda.
뱅시레 =빙시레.
뱅실거리다 =빙실거리다.
뱅실뱅실 =빙실빙실.
뱅싯 sonriendo ligeramente con boca abierta.
뱅싯거리다 seguir sonriendo ligeramente con boca abierta.
뱅싯뱅싯 siguiendo sonriendo ligeramente con boca abierta.
뱅싯이 sonriendo ligeramente con boca abierta.
뱅어(-魚) 【어류】 boquerón *m* (*pl* boquerones) pequeño.
▪ ~젓 boquerones *mpl* salados.
-뱅이 persona *f.* 게으름~ perezoso, -sa *mf,* holgazán, -zana *mf.* 주정~ gran bebedor *m,* gran bebedora *f.*
뱅충맞다 (ser) estúpido. ☞빙충맞다

뱅충맞이 estúpido, -da *mf*, burro, -rra *mf*.
뱉다 ① [입속의 물건을 입 밖으로 세차게 내보내다] arrojar, vomitar, lanzar, salir a borbotones, escupir. 침을 ~ escupir. 그는 땅에 침을 뱉었다 El escupió en el suelo. 그녀는 그의 얼굴에 침을 뱉었다 Ella le escupió a [en] la cara. 땅에 침을 뱉는 것은 금지되어 있다 Está prohibido escupir al suelo. ② [차지했던 것을 도로 내놓다] soltar, aflojar, soltar la plata [la pasta · la lana], apoquinar. ③ [(말이나 기침 따위를) 거세게 막하다] soltar. 기침을 ~ toser, tener tos. 웃음을 ~ soltar una carcajada.
뱌비다 =비비다.
뱌비대다 friccionar repetidamente.
뱌비작거리다 seguir restregando.
뱌비작뱌비작 restregando y restregando.
뱌슬거리다 guardar las distancias (con).
뱐덕 capricho *m*, deseo *m* irreflexivo.
뱐덕꾸러기 caprichoso, -sa *mf*.
뱐덕스럽다 (ser) caprichoso.
뱐덕스레 caprichosamente, con capricho, a capricho.
뱐뱐하다 (ser) guapo.
뱐주그레하다 (ser) bastante guapo.
뱐죽거리다 comportarse displicentemente.
뱐하다 =반하다.
뱝뛰어가다 cabriolear, cabriolar.
버걱 chirriando, crujendo.
버걱거리다 seguir crujendo [chirriando].
버걱버걱 siguiendo crujendo.
버겁다 superar su capacidad, estar fuera de su capacidad. 이 일은 나한테는 ~ Este trabajo supera mi capacidad. 그것은 내 힘으로는 버거운 일이다 Es un cargo de excesiva responsabilidad que está fuera de mi capacidad.
버그러뜨리다 ① [빠개다] resquebrajar, rajar, hender, partir; [사이가 벌어지게 하다] desatar, aflojar, soltar; [못살게 만들다] demoler, derribar. ② [일을 망가뜨리다] estropear, volcar, derribar, frustrar, echar a perder, cohibir; [홍정 따위를 깨뜨리다] romper, quebrar.
버그러지다 aflojarse, soltarse.
버그르르 hirviendo a fuego lento.
버근하다 estar entreabierto [entornado].
버글거리다 ① [끓다] hervir, bullir. 주전자의 물이 버글거린다! ¡Hierve el agua! 버글거리는 물을 더 넣어라 Añada agua hirviendo. ② [거품이] bullir, burbujear. ③ [우글거리다] enjambrar, aglomerarse, apiñarse, pulular, revolotear. 사람들이 노점 주위에 버글거렸다 La gente se aglomeraba [se apiñaba · pululaba] alrededor de los puestos. 파리들이 고기 주위에 버글거렸다 Las moscas revoloteaban [pululaban] alrededor de la carne. 군중이 광장에 버글거렸다 La multitud irrumpió en la plaza. 해변은 관광객으로 버글거리고 있었다 Las playas eran un hormiguero de turistas / Las playas estaban plagadas de turistas.
버글버글 enmabrando, agolmerándose, apiñándose, pululando, revoloteando.
버금 el próximo, segundo (del orden).
버금가다 estar en segundo lugar. 부산은 한국에서 서울에 버금가는 대도시다 Después de Seúl, Busan es la ciudad más grande de Corea.
■ ~딸림음 subdominante *m*. ~ 삼화음 triada *f* secundaria. ~청 =알토(alto).
버긋하다 estar entreabierto.
버꾸 【악기】 *beoku*, una especie del instrumento musical agrícola.
■ ~잡이 batería *mf*, *AmL* baterista *mf*; [군대의] tambor *m*.
버너(영 *burner*) quemador *m*, abrasador *m*, incendiario *m*, soplete *m*, mechero *m*.
◆가스~ mechero *m* de gas.
버덩 páramo *m*, brezal *m*.
버둥거리다 esforzarse, salir airado y displicente, avanzar con mucha dificultad, lenta y torpemente.
버둥버둥 esforzándose.
버둥질 ((준말)) =발버둥질.
버드나무 【식물】 sauce *m*, sauz *m* (*pl* sauces), mimbre *m*. ~ 숲 sauceda *f*.
버드나무벌레 【동물】 parasito *m* de sauce.
버드러지다 ① [끝이 밖으로 벌어지다] sobresalir. 버드러진 [턱이] prominente; [이가] salido; [손톱이나 발톱이] que sobresale. 버드러진 이 diente *m* salido. 앞니가 ~ salir el diente delantero. ② [굳어서 뻣뻣하게 되다] agarritarse, anquilosarse; [시체가] ponerse rígido. ③ [죽다] morir, fallecer.
버드렁니 diente *m* salido.
버드름하다 sobresalir.
버드름히 prominentemente.
버들 【식물】=버드나무. ¶~ 같은 허리 cintura *f* fina [delgada].
■ ~가지 rama *f* del sauce. ~개지 flor *f* del sauce. ~고리 cesta *f* de sauce. ~눈 primer brote *m* del sauce. ~상자 caja *f* de sauce. ~잎 hoja *f* del sauce. ~피리 flauta *f* de sauce.
버들치 【어류】 ((학명)) Moroco oxycephalus.
버듬하다 sobresalir.
버듬히 prominentemente.
버디(영 *birdie*) ((골프)) birdie *m*.
버라이어티 쇼(영 *variety show*) varietés *fpl*.
버러지 =벌레(insecto).
버럭 repentinamente, de repente, súbitamente, de súbito, de pronto. ~ 소리를 지르다 gritar repentinamente [de repente].
버럭버럭 desesperadamente, insistentemente, con insistencia.
버렁[1] [새를 잡은 매를 받을 때 끼는 두꺼운 장갑] guantes *mpl* gruesos usados para el halcón.
버렁[2] [물건이나 일이 차지한 둘레] esfera *f*, campo *m*, ámbito *m*.
버력[1] 【민속】 maldición *f*, castigo *m* divino.
◆버력(을) 입다 ser maldicho, ser castigado por Dios.
버력[2] 【광산】 mineral *m* de grado inferior.
버르르 =바르르.

버르장머리 ((속어)) =버르장이.

버르장이 ((속어)) =버릇(costumbre, hábito).

버르적거리다 esforzarse, retorcerse, contorcerse, contorsionarse, torcerse. 고통으로 ~ retorcerse de dolor.

버르적버르적 siguiendo retorciéndose, siguiendo contorciéndose. ~하다 seguir retorciéndose.

버르집다 ① [오므라진 것을 벌려 펴다] extender, estirar, desplegar, expandir, dilatar. ② [숨을 일을 들추어 내다] revelar. ③ [작은 일을 크게 떠벌리다] exagerar.

버름버름하다 rajarse, agrietarse, tener una grieta (entre).

버름하다 ① [물건이 서로 맞지 아니하여 틈이 좀 벌어져 있다] estar entreabierto, tener una grieta (entre). ② [마음이 서로 맞지 않아 서먹하다] encontrarse incómodo (con), no estar a gusto (con), no estar muy familiarizado (con).

버릇 ① [습관(習慣)] hábito *m*, costumbre *f*; [특징(特徵)] particularidad *f*, peculiaridad *f*, rasgo *m* característico, truco *m*; [나쁜 버릇] vicio *m*, mala costumbre *f*, mal hábito *m*. ~이 되다 hacerse una costumbre [una manía]. ~을 고치다 [자신의] corregirse de un vicio [de una manía], perder [quitarse] una (mala) costumbre; [남의] corregir un vicio [una manía]. ~을 들이다 acostumbrarse (a), estar acostumbrado (a). ~없이 굴다 engreirse, asumirse una actitud, altivarse, altivecerse, darse grandes humos, hacerse presuntuoso, vender humos. 아이를 ~없이 기르다 mimar [malcriar] a un niño. …하는 ~이 있다 tener la manía de + *inf*, tener por costumbre + *inf*. …하는 ~이 생기다 acostmubrar a + *inf*, contraer el hábito [el vicio] de + *inf*. …하는 버릇을 들이다 acostumbrarse a + *inf*., inculcar el hábito de + *inf*. …하는 ~이 없어지다 quitarse la costumbre de + *inf*. 그것은 내 ~이다 Es mi manía. 그는 손톱을 깨무는 나쁜 ~이 있다 El tiene el mal hábito de morderse las uñas. 그는 다시 나쁜 ~이 생겼다 De nuevo él está con su mala costumbre. 그를 너무 귀여워하면 ~이 될 것이다 Si le miman demasiado, va a tomar la costumbre. 나는 아이에게 일찍 자는 ~을 들였다 Inculqué al niño la costumbre de [acostumbrar al niño a] acostarse temprano. 내 나쁜 ~이 없어졌다 Se me ha quitado esa mala costumbre. ② [예의] etiqueta *f*, cortesía *f*, urbanidad *f*, amabilidad *f*.

◆버릇(이) 없다 (ser) descortés (*pl* descorteses), impolítico, falto de cortesía, insolente, impertinente; [가정 교육이 나쁘다] mal criado, mal educado. 버릇없는 사람 mal criado *m*, mala criada *f*. 버릇없은 아이 niño *m* mal criado, niña *f* mal criada; niño *m* mal educado, niña *f* mal educada. 버릇이 없는 말을 하다 decir descortesías [groserías · insolencias · impertinencias]. 참 버릇없는 놈이다 ¡Qué tipo más insolente! 식사 중 일어서는 것은 버릇이 없는 행동이다 Es incorrecto [una falta de urbanidad · una grosería] levantarse durante la comida.

■세 살 적 버릇이 여든까지 간다 ((속담)) La cabra tira al monte / La costumbre es segunda naturaleza.

버릊다 cavar y esparcir.

버릇하다 estar acostumbrado (a), habituarse (a + *inf*), acostumbrarse (a + *inf*), acostumbrar + *inf*, tener por costumbre + *inf*. 가 ~ visitar frecuentemente. 규칙적인 생활을 해 ~ acostumbrarse [habituarse] a la vida regular. 먹어 ~ acostumbrarse [habituarse] a comer, acostumbrar comer, tener por costumbre comer. 써 ~ acostumbrarse [habituarse] a usar, acostumbrar usar, tener por costumbre usar.

버리다¹ ① [물건을] arrojar, tirar, echar, verter, botar, vaciar de golpe. 쓰레기를 ~ echar [tirar] la basura. 양동이의 물을 ~ arrojar [tirar] el agua del cubo. 무기를 ~ deponer las armas. 하수구에 물을 ~ verter agua en la alcantarilla. 냇물에 쓰레기를 ~ vaciar [arrojar] la basura en el río, botar la suciedad en el río. 그곳에 물을 버리지 마라 No eches agua ahí. 이 곳에 쓰레기를 버리지 마시오 ((게시)) No tiren la basura aquí. ② [성격 · 나쁜 버릇 따위를] desechar. 편견을 ~ desechar el perjuicio. ③ [생각 · 소망 따위를] abandonar, desistir (de), renunciar (a). 계획을 ~ desistir del proyecto, renunciar al plan. 그는 그것을 할 생각을 버렸다 El abandonó la idea de hacerlo. ④ [직업 · 직장 따위를 그만두다] abandonar. 지위를 ~ abandonar *su* puesto. ⑤ [권리 · 신앙 따위를] renunciar (a). 권리를 ~ renunciar a *sus* derechos. 신앙을 ~ renunciar a *su* fe. 세상을 ~ renunciar al mundo, morir, fallecer. ⑥ [가정 · 고향 따위를] abandonar, dejar, desamparar, desertar, renunciar, ceder. 버린 자식(子息) niño *m* abandonado, niña *f* abandonada; (niño *m*) expósito *m*, (niña *f*) expósita *f*. 고향(故鄕)을 ~ dejar [salir de] *su* pueblo natal. 연인을 ~ dejar [dar calabazas] a *su* novio [a *su* novia]. 자식을 ~ abandonar [exponer] a *su* niño [a *su* hijo]. 처자(妻子)를 ~ abandonar a *su* familia [a *su* mujer y *sus* hijos]. 버려진 여인 mujer *f* abandonada. 목숨을 버려 a riesgo de *su* vida, desesperadamente. 애인에게 버림받은 abandonado por *su* amor. 그는 방탕하여 몸을 버렸다 El se llevó una vida disipada. ⑦ [몸을] abandonarse, ir por mal camino. 버려진 abandonado, desertado, desamparado, dejado.

버리다² [동사(動詞) 아래에 붙어서 그 일이 끝났음을 나타내는 말] *inf* + 재귀 대명사 se. 가 ~ irse, marcharse. 마셔 ~ beberse. 먹어 ~ comerse. 삼켜 ~ tragarse. 던져 ~ tirarse. 죽어 ~ morirse. 그가 냇물에

떨어져 버리면 큰 일이다 Si se cayera al río, sería terrible. 그는 아무 말도 없이 가 버렸다 El se fue sin decir nada. 그는 요리를 전부 먹어 버렸다 El se comió todo el plato. 나는 맥주 열 병을 마셔 버렸다 Me bebí diez botellas de cerveza. 나는 그 일을 완전히 잊어 버렸다 Yo tenía completamente olvidado el asunto. 숙제를 끝내 버리고 나서 놀아라 Juega después de haber terminado los deberes escolares.

버림치 cosa *f* inútil, basura *f*, porquería *f*, trastos *mpl* (viejos), cachivaches *mpl*.

버마【지명】Birmania (동남아시아의 공화국으로 미얀마(Myanmar)의 옛 이름). ~의 birmano.

■ ~어 birmano *m*. ~인 birmano, -na *mf*.

버마재비【곤충】=사마귀.

버무리 comida *f* mezclada.

버무리다 mezclar (juntos), entremezclar, entreverar. 나물을 ~ mezclar una ensalada [las hierbas].

버물다[1] =연루(連累)하다.

버물다[2] ((준말)) =버무리다.

버물리다 ① [「버무리다」의 피동] ser mezclado. ② [「버무리다」의 사동] hacer mezclar.

버뮤다【지명】las (Islas) Bermudas.

버블 메모리(영 *bubble memory*)【컴퓨터】memoria *f* de burbuja.

버석거리다 [나뭇잎이] susurrar; [종이가] crujir; [비단이] hacer frufrú.

버석버석 con un susurro con un crujido, con un frufrú.

버선 *beoseon*, calcetines *mpl* coreanos. ~을 신다 ponerse el *beoseon*. ~을 벗다 quitarse el *beoseon*.

■ ~목 tobillo *m* de unos calcetines. ~발 *sus* pies con calcetines. ~본(本) patrón *m* de papel para hacer los calcetines. ~볼 ancho *m* [anchura *f*] de los calcetines.

버섯【식물】seta *f*, *AmL* hongo *m*, *Chi* callampa *f*, [희고 둥근] champiñón *m* (*pl* champiñones). 먹을 수 있는 ~ seta *f* comestible. 먹을 수 없는 ~ seta *f* no comestible. ~을 따다 coger setas [hongos]. ~을 따러 가다 ir a buscar setas [*AmL* hongos · *Chi* callampas].

◆독(毒)~ seta *f* venena, *AmL* hongo *m* veneno.

■ ~갓 píleo *m*. ~구름 hongo *m* atómico [nuclear]. ~ 수확 cosecha *f* de setas [de hongos]. ~ 산지 setal *m*. ~ 재배 cultivo *m* de la seta. ~ 재배 업자(栽培業者) cultivador, -dora *mf* de la seta. ~ 중독(中毒) veneno *m* por la seta.

버성기다 ① [벌어져서 틈이 있다] tener una grieta. ② [두 사람의 사이가 탐탁하지 않다] estar separado. 그녀는 남편과 버성기어져 있다 Ella vive [está] separada de su marido.

버스[1](영 *bus*) [탈것] autobús *m* (*pl* autobuses), bus *m*; *Per*, *Urg* ómnibus *m*; *Arg*, *Bol* colectivo *m*; *AmC*, *Méj* camión *m* (*pl* camiones); *Chi* micro *m*; *Cuba* guagua *f*, [소형의] minibús *m* (*pl* minibuses); [마이크로] microbús *m* (*pl* microbuses); [관광버스] autocar *m*; [장거리용] autocar *m*, autobús *m*; *Chi*, *RPI* pullman *m*; *RPI* ómnibus *m*; *Arg* micro. ~로 en autobús. ~ (안)에서 en el autobús. ~로 가다 ir en autobús. ~ 에 오르다 tomar un autobús; [승차] subir a un autobús. ~에서 내리다 bajar(se) de un autobús. ~를 놓치다 perder el autobús; [비유] perder la oportunidad. ~로 나르다 llevar [transportar] en autobús [en bus]. 학생들을 ~로 통학시키다 transportar a colegios fuera de su zona para favorecer la integración racial. 이 마을까지는 ~가 다닌다 Llega el autobús hasta esta aldea / Hay un servicio de autobuses hasta esta aldea.

◆관광~ autobús *m* de turismo, autobús *m* turístico. 시내~ omnibús *m*; *Arg*, *Chi* colectivo *m*; *Cuba* guagua *f*, *Guat* camioneta *f*. 통근 ~ autobús *m* periférico. 통학 ~ autobús *m* escolar.

■ ~값 billete *m* [pasaje *m*] (de autobuses). ~ 기사 conductor, -tora *mf*, chofer *mf* [chófer *mf*] de autobuses; camionero, -ra *mf*, *Arg* colectivero, -ra; *Chi* microbusero, -ra *mf*. ~ 안내양 cobradora *f*. ~ 여행 viaje *m* en autobús. ~ 정류소 parada *f* (del autobús · del omnibús); *AmL* paradero *m* de autobús [de bus]. ~ 차장 cobrador, -dora *mf*, *RPI* guarda *mf* de autobuses. ~ 터미널 terminal *f* de autobuses.

버스[2](영 *bus*)【컴퓨터】bus *m*.

◆데이터 ~ bus *m* de datos. 어드레스 ~ bus *m* de direcciones.

버스러지다 pelarse, desconcharse, exfoliarse.

버스럭거리다 [나뭇잎이] susurrar; [종이가] crujir; [비단이] hacer frufrú.

버스름하다 no llevarse muy bien.

버스트(영 *bust*) [가슴둘레] busto *m*.

■ ~ 라인 [여성의 가슴선] línea *f* de busto.

버슬버슬 =바슬바슬.

버슷하다 estar separado, no llevarse muy bien.

버저(영 *buzzer*)【물리】zumbador *m*.

버적버적 haciendo crujir, con un crujido.

버젓하다 (ser) imparcial, justo, limpio, al aire libre, abiertamente, estar libre de vergüenza.

버젓이 con imparcialidad, con justicia, justo. ~ 말하다 decir abiertamente. ~ 비난하다 denunciar en público.

버정이다 caminar ociosamente, caminar sin rumbo fijo, vagar, deambular.

버지다 ① [베어지거나 조금 긁히다] ser cortado, cortarse; [긁히다] ser arañado. 잘 버지는 칼 cuchillo m que se corta bien. ② [가장자리가 닳아서 찢어지게 되다] deshilacharse, gastarse. 소매가 버졌다 El puño fue gastado.

버짐【한방】empeine *m*, culebrilla *f*, serpigo *m*.

버쩍 ① [물기가 아주 졸아붙은 모양] todo, completamente, enteramente. 우물물이 ~ 말랐다 El pozo se secó todo ② [차지게 달라붙거나 또는 세차게 우기거나 죄는 모양] fuerte, bien, firmemente, con firmeza; [우기는 경우] tercamente. ~ 당기다 tirar (de) sobresaltado. ~ 죄다 apretar bien [fuerte]. ~ 우기다 persistir tercamente. ③ [사물이 급하게 나아가거나 또는 갑자기 늘거나 주는 모양] bastante, considerablemente. ④ [몸체가 몹시 마른 모양] muy, mucho. ~ 마르다 adelgazar mucho.

버찌 cereza *f.* 야생 ~ cereza *f* silvestre.
■ ~나무 cerezo *m.* ~ 브랜디 aguardiente *m* de cerezas. ~술 vino *m* de cerezas. ~소주 aguardiente *m* (mezclado con el zumo) de cerezas.

버치 tazón *m* [cuenco *m*] grande.

버캐 capa *f* de suciedad, substancia *f* cristalizada.
◆ 소금~ sal *f* cristalizada. 오줌~ orina *f* cristalizada.

버커리 bruja *f,* arpía *f.*

버클(영 *buckle*) hebilla *f,* cierre *m.* ~을 채우다 abrochar(se) una hebilla.

버클륨(영 *berkelium*) 【화학】 berkelio *m.*

버터(영 *butter*) mantequilla *f, RPI* manteca *f.* ~ 바른 빵 pan *m* con mantequilla. ~ 바른 토스트 빵 tostadas *fpl* con mantequilla [*RPI* manteca]. 신선한 ~ mantequilla *f* fresca. 상한 ~ mantequilla *f* rancia. ~를 바르다 untar con mantequilla [*RPI* manteca], poner*le* mantequilla [*RPI* manteca]. …에 ~를 바르다 dar coba a *algo,* hacer la pelotilla a *algo.*
■ ~ 접시 mantequera *f,* mantequillera *f.*

버터플라이(영 *butterfly*) ①【곤충】[나비] mariposa *f.* ②【수영】[접영(蝶泳)] estilo *m* mariposa.
■ ~ 수영법 estilo *m* mariposa.

버튼(영 *button*) [단추] botón *m* (*pl* botones). ~을 달다 poner [pegar] un botón (a).

버티다 ① [견디다] aguantar, soportar, tolerar; [고집하다] insistir, persistir. 그는 밤늦게까지 버티고 공부한다 El está dale que dale al estudio hasta muy avanzada la noche. 그는 자기의 주장이 옳다고 강경히 버티고 나간다 El insiste en que él tiene razón. 그는 어떤 중노동도 버틸 수 있다 El puede soportar [aguantar] cualquier trabajo duro. 경관이 문 앞에 버티고 있다 El policía está de guardia a [en] la puerta. ② [겨루다] competir. ③ [받치다. 괴다] soportar, apoyar, sostener. 오두막에 통나무를 ~ sostener la cabaña con los palos. 양 다리를 벌리고 힘껏 ~ sostenerse sólidamente de pie.

버틸목 =교두보(橋頭堡).

버팀나무 =버팀목.

버팀대(一臺) puntal *m,* sostén *m* (*pl* sostenes), apoyo *m,* soporte *m.*

버팀목(一木) soporte *m,* sostén *m* (*pl* sostenes), apoyo *m,* barra *f,* tranca *f,* palo *m* [estaca *f*] de puntal. …에 ~을 받치다 apuntalar algo, sostener *algo* con un palo, poner un soporte a *algo.* 문에 ~을 받치다 cerrar la puerta con una barra, atrancar la puerta.

버팅(영 *butting*) ((권투)) cabezazo *m,* topezazo *m.* ~을 하다 dar*le* un cabezazo [topezazo] (a).

벅벅 =박박.

벅벅이 sin falta.

벅신거리다 enjambrar, aglomerarse, apiñarse, revolotear, pulular. 광장에 사람들이 벅신거렸다 La gente se aglomeraba [se apiñaba] en la plaza. 고기 주변에 파리들이 벅신거렸다 Las moscas revoloteaban [pululaban] alrededor de la carne.

벅적거리다 bullir (de), aglomerarse, estar lleno, estar de bote en bote. 사람들이 밖에서 벅적거렸다 La gente se aglomeró afuera. 그 백화점은 손님들로 벅적거렸다 Los (grandes) almacenes estuvieron llenos de los clientes.

벅차다 ① [힘에 겹다] estar fuera de *su* capacidad, superar *su* capacidad. 상대하기에 벅찬 fuerte, tenaz, temible. 벅찬 상대 adversario, -ria *mf* temible. 벅찬 상대에게 대담하게 덤비다 [논쟁에서] coger al toro por los cuernos, agarrar al toro por las astas. 그것은 그에게는 벅찬 일이다 Es un cargo de excesiva responsabilidad que está fuera de su capacidad. 그 일은 그녀에게는 ~ Ese trabajo supera su capacidad. 이 일은 나한테는 ~ Estoy con el agua al cuello de trabajo / Estoy agobiado de trabajo. ② [넘칠 듯이 가득하다] estar lleno. 가슴 벅찬 감격(感激) emoción *f* llena del corazón.

번(番) ① [교대] alteración *f,* turno *m,* cambio *m.* ② [당번] servicio *m.* ③ [횟수] vez *f* (*pl* veces). 한 ~ una vez. 두 ~ dos veces. 여러 ~ muchas veces, repetidas veces, repetidamente, frecuentemente, con frecuencia. 두 ~째의 segundo, de segundo lugar. 두 ~째에[로] en segundo lugar. 최후에서 두 ~째 penúltimo *m.* 한 달에 두세 ~ dos o tres veces al mes. 세 ~으로 (나누어) en tres veces. 네 ~째에 por [a la] cuarta vez. 그의 성적은 반에서 두 ~째다 El es el segundo de su clase en las notas. 내가 그 여인을 네 ~째로 본 것은 마드리드에서 였다 Fue en Madrid donde la vi por la cuarta vez. 그는 세 ~째로 실패했다 El fracasó a la tercera vez. 내가 서반아에 가는 건 (이번으로) 열 ~째다 (Esta) Es la décima vez que voy a España / Por décima vez voy a España. ④ [번호] número *m.* ⑤ [때. 경우] tiempo *m,* ocasión *f.* 지난 ~ el otro día. 이 ~에는 esta vez, en esta ocasión.

번가루 harina *f* extra usada al amasar el grano en polvo.

번각(飜刻) reimpresión *f.* ~하다 reimprimir.
■ ~물[본 · 서] libro *m* reimpreso. ~자

reimpresor, -sora *mf.* ~판(版) edición *f* reimpresa.

번갈다(番-) alternar, tocar el turno.

번갈아(番-) en turno, por turno, recíprocamente, uno a otro, una a otra, uno después de otro, una después de otra, por su orden; [교대로] alternativamente, alternadamente. ~ 가며 노래 부르다 cantar en turno. 학생들은 ~ 일어나 노래를 불렀다 Los alumnos se levantaron uno tras otro para cantar. 두 사람은 ~ 가며 짐을 짊어졌다 Los dos llevaron el bulto alternativamente.

번갈아들다 alternar, tocar el turno.

번갈아들이다 hacer alternar, hacer tocar el turno.

번개 ① [뇌편(雷鞭)] relámpago *m*, relampagueo *m*. ~처럼 como un relámpago, como un centello, como un rayo. ~처럼 떠나다 salir disparado (como una flecha), marcharse más rápido que una centella, marcharse con la velocidad del rayo. ② [동작이 빠른 사람] persona *f* muy ágil.

◆번개가 [번개를] 치다 relampaguear, hacer relámpagos.

◆번개 같다 ser muy rápido, ser relampagueante rápido. 번개 같은 relampagueante, muy rápido.

번개같이 como un relámpago, como un centello, como un rayo, muy rápidamente, con mucha rapidez. ~ 날쌔게 como una pólvora, como un relámpago. ~ 빠른 움직임 때문에 그들은 전쟁 초기부터 전쟁의 전개에 결정적 요소가 될 유리한 고지를 점하게 되었다 Con estos movimientos, que fueron relampagueantemente rápido, ellos conquistaron desde el inicio de la guerra ventajas que iban a ser decisivas en su desarrollo.

번갯불 rayo *m*, relámpago *m*, destello *m*.

■번갯불에 솜 구워 먹겠다 ((속담)) Se dice mentiras fácilmente / Es mentiroso.

번갯불에 콩 볶아 먹겠다 ((속담)) ㉮ [성미가 급하다] Es de mal genio / Es irascible / Tiene tan poca paciencia. ㉯ [행동이 아주 민첩하다] Es muy ágil / Es muy rápido en acción / Es hecho con mucha presteza.

번거롭다 ① [귀찮다] (ser) molesto, pesado, fastidioso; [성가시다] fastioso, molesto, embarazoso. …으로 마음이 ~ inquietarse [preocuparse · cuidarse] de *algo*. 번거롭게 해 드려서 죄송합니다 Perdóneme por haberle molestado. ② [복잡하다] (ser) complicado; [어수선하다] confuso. 그 일에는 번거로운 수속이 필요하다 Para eso son necesarias unas formalidades muy complicadas.

번거로이 molestamente, fastidiosamente, fastiosamente, con molestia, pesadamente, embarazosamente.

번거하다 =번거롭다.

번극(煩劇/繁劇) presiones *fpl* de negocio. ~하다 estar ocupado.

번나다(番-) [간호원·의사가] no estar de turno [guardia]; [경찰관·소방대원이] no estar de servicio.

번놓다 no pensar.

번뇌(煩惱) ① [고뇌] aflicción *f*, dolor *m*, agonía *f*, ansiedad *f*, afectos *mpl*, pasiones *fpl* mundanas, (bajas · malas) pasiones *fpl*. ~하다 preocuparse, inquietarse, estar desesperado de dolor, afligirse, oprimirse, agobiarse; [육욕(肉慾)에] estar agobiado por pasiones malvadas. ~에서 벗어나다 librarse de *sus* pasiones. ~로 괴로워하다 ser hostigado de las pasiones. ② ((불교)) deseos *mpl* pecaminosos; [노여움] enfado *m*, enojo *m*, cólera *f*, ira *f*; [어리석음] estupidez *f*.

번다하다(煩多-) (ser) innumerable, multitudinario.

번답(反畓) acción *f* de convertir el campo en el arroz. ~하다 convertir el campo en el arroz.

번데기 【곤충】 crisálida *f*, ninfa *f*. ~로 되다 hacerse crisálida, tomar la forma de [convertirse en] crisálida.

번둥거리다 holgazanear, haraganear, flojear, perder el tiempo. 그는 광장을 번둥거리고 있었다 El andaba merodeando por la plaza. 그는 온종일 번둥거리며 지낸다 El se pasa el día holgazaneando [haraganeando · flojeando] / El no pega sello en todo el día. 일요일마다 나는 거의 늘 집 주변을 번둥거린다 (Todos) Los domingos me los paso casi siempre flojeando.

번둥번둥 perezosamente, ociosamente, sin hacer nada. 그들은 햇볕을 쬐면서~ 하루를 보낸다 Ellos se pasan el día tumbados perezosamente al sol / Ellos se pasan el día tumbados al sol sin hacer nada.

번드럽다 ① [윤기가 나고 미끄럽다] (ser) brillante, lustroso. ② [사람의 됨됨이가 약삭빨라 어수룩한 맛이 없다] ingenioso, hábil, inteligente.

번드레하다 =번드르르하다.

번드르르 brillantemente, lustrosamente. ~하다 (ser) brillante, lustroso.

번드치다 ① [물건을 번득이어 뒤집다] derramar, volcar. ② [마음을 바꾸다] cambiar *su* opinión, cambiar de parecer. 초지(初志)를 ~ desistir de *su* intención original.

번득 como un relámpago. ~ 빛나다 relampaguear, detellar, pasar como un relámpago. 좋은 생각이 ~ 떠올랐다 Se me ocurrió una buena idea.

번득거리다 destellar, brillar, parpadear, titilar.

번득이다 [번개·칼 따위가] relampaguear, destellar, pasar como un relámpago, fulgurar; [빛이] chispear, resplandecer, rutilar; [희미하게] centellear, brillar, destellar; [재치 따위가] chispear, centellar, destellar. (무엇을 찾으려고) 눈을 번득이며 aguzando los ojos. 눈을 ~ [감시] vigilar, tener los ojos puestos (en). 그의 말에는 기지(機智)가 번득인다 Su charla despide chispas de inteligencia / En su charla hay destellos de inteligencia.

번득임 chispa *f*, rayo *m*; [이지(理智) 따위의] rayo *m* de luz. 천재(天才)의 ~ chispa *f* de genio. 이성(理性)의 ~ rayo *m* de razón.

번들거리다 (ser) brillante, lustroso.

번들번들 con brillo, con lustre, con resplendor, brillantemente, lustrosamente. ~ 빛나다 brillar, resplandecer mucho. 머리가 ~ 벗겨져 있다 estar tan calvo como un huevo.

번듯하다 (ser) plano, uniforme, estar nivelado, estar en armonía.

번뜻 rápidamente, rápido. ~ 읽다 leer rápido [rápidamente].

번로(煩勞) problemas *mpl*, irritación *f*, tribulación *f*, preocupación *f*. ~하다 (ser) problemático, conflictivo, irritante, enojoso.

번론(煩論) discusión *f* problemática.

번롱(翻弄) ① [파도 따위가] agitación *f*, tambaleo *m*. ~하다 agitarse, hacer tambalear [bambolear]. 풍파에 ~되어 a merced de viento y olas. 파도에 ~되다 ser juguete de las olas. ② [사람이] ridiculez *f*. ~하다 ponerse en ridículo, poner a *uno* en ridículo, llevar a *uno* por las narices, manejar a *uno* a *su* antojo. 운명에 ~되다 ser juguete de la fortuna.

번루(煩累) cuita *f*, embargo *m*, inquietud *f*. 가사상(家事上)의 ~가 없다 Está libre de la cuita familiar.

번망(煩忙/繁忙) premura *f* [urgencia *f* · apremio *m*] de asuntos, prisa *f* de negocios. ~하다 estar ocupado.

번무(煩務) asuntos *mpl* problemáticos.

번무(繁茂) ＝번성(蕃盛).

번무(繁務) trabajo *m* (de oficina) ocupadísimo [muy ocupado].

번문욕례(煩文縟禮) trámites *mpl* burocráticos, circunloquio *m*, papeleo *m*.

번민(煩悶) angustia *f*, congoja *f*, aflicción *f*, ansiedad *f*, pena *f*, sufrimiento *m*, tormento *m*, agonía *f*. ~하다 tener angustia, acongojarse, afligirse, atormentarse, angustiarse, atormentarse inquietarse, tener pena, sufrir mucho moralmente. ~을 잊으려고 술을 마시다 empezar a beber para olvidarse de la pena.

번바라지(番－) comida *f* enviada al hombre de turno. ~하다 enviar la comida al hombre de turno.

번방(番房) habitación *f* del vigilante.

번번이(番番－) cada vez (que), cada ocasión, siempre (que), cuandoquiera. 나는 서울에 올 때마다 ~ cada vez que [siempre que] vengo a Seúl.

번번하다 ① [구김살이나 울퉁불퉁한 데가 없다] (ser) plano, suave. ② [생김생김이 얌전하다] (ser) modesto, delicado, dulce. ③ [지체가 남만 못하지 않게 상당하다] (ser) de buen linaje. ④ [물건이 제법 쓸 만하고 보기에 괜찮다] (ser) bastante bueno.

번복(飜覆) inversión *f*, cambio *m* total, revocación *f*. ~하다 invertir, cambiar totalmente (de), volver al revés, poner en marcha atrás, revocar.

번본(翻本) ＝번각본(飜刻本).

번분수(繁分數) 【수학】 fracción *f* compuesta.

번서다(番－) [의사·간호사가] estar de turno, estar de guardia; [경찰관·소방대원이] estar de servicio. 그는 매일 아침 번선다 El está de turno [de guardia] toda la mañana / El está de servicio toda la mañana.

번설(煩屑) irritación *f*, fastidio *m*, enfado *m*, enojo *m*. ~하다 (estar) enfadado, enojado.

번설(煩設) ① [너저분한 잔말] cháchara *f*, parloteo *m*. ~하다 charlar, chacharear, parlotear, cotorrear. ② [떠들어 소문을 냄] chismes *mpl*, rumores *mpl*. ~하다 acusar, chivarse, alcahuetear, rajarse.

번설하다(煩褻－) estar atestado y sucio.

번성(蕃盛) frondosidad *f*, exuberancia *f*. ~하다 crecer frondoso, crecer con exuberancia. ~한 나뭇잎 hojas *fpl* frondosas.

번성(繁盛) prosperidad *f*. ~하다 prosperar; [상점이] tener muchos clientes [mucha clientela · muchs parroquia · muchos parroquianos]. ~해 있다 estar próspero, gozar de prosperidad. 이 점포는 ~ 중이다 Esta tienda tiene muchos clientes / Esta tienda está muy acreditada. 그의 사업은 ~하고 있다 Sus negocios están prósperos / Su negocio va [anda] viento en popa.

번소(番所) cuarto *m* de guardia.

번쇄(煩鎖/煩碎) irritación *f*, fastidio *m*, desorden *m*. ~하다 (estar) enfadado, enojado, (ser) problemático, conflictivo.

▪~ 철학 ＝스콜라 철학.

번수(番手) número *m* [grosor *m*] del hilo. 20 ~의 면사(綿絲) hilo *m* de algodón número veinte.

번식(繁殖/蕃殖/蕃息) multiplicación *f*, generación *f*, reproducción *f*, propagación *f*; [세포의 증식] proliferación *f*. ~하다 reproducirse, multiplicarse, propagarse, proliferar. ~시키다 propagar. 세균의 ~ pululación *f* de microbios.

▪~기 época *f* de reproducción [de cría]. ~ 기관 órgano *m* propagativo. ~력(力) potencia *f* productiva, energía *f* generativa, reproductividad *f*, fecundidad *f*. ¶~이 있는 fecundo, propagativo. ~이 없는 estéril, infecundo. ~률 coeficiente *m* reproductor. ~지 lugar *m* de cría.

번안(飜案) ① [안건(案件)을 뒤집어 놓음] cambio *m* completo total, revocación *f*. ~하다 cambiar radicalmente, revocar. ② [남의 작품을 원안(原案)으로 이리저리 고치어 지음] adaptación *f*. ~ 하다 adaptar. A를 B로 ~하다 adaptar A a B. 동끼호떼의 ~을 영화화하다 realizar [efectuar] una adaptación cinematográfica de *El ingenioso hi-*

dalgo Don Quijote de la Mancha.
■ ～극 teatro *m* adoptado. ～ 소설 novela *f* adoptada.

번역(飜譯) traducción *f,* versión *f.* ～하다 traducir. ～되다 traducirse, ser traducido. ～할 수 있는 traducible. ～할 수 없는 intraducible. ～할 수 없는 말 palabra *f* intraducible. 서반아 문학의 한글 ～ traducción *f* [versión *f*] coreana de la literatura española. 고전(古典)의 현대어 ～ versión *f* moderna de una obra clásica. ～으로 읽다 leer en una traducción. 잘못 ～하다 traducir mal. 세르반떼스의 작품을 ～하다 traducir a Cervantes. 서반아어에서 한글로 ～하다 traducir del español al [en] coreano. 서반아어를 한글로 ～하다 traducir el español al coreano. 이 단어는 …로 ～될 수 있겠다 Esta palabra se podría traducir por *algo.* 이 부분은 잘못 ～되어 있다 Esta parte está mal traducida. 그는 동끼호떼를 ～했다 El hizo una traducción de *El ingenioso hidalgo Don Quijote de la Mancha.* 이 말은 서반아어로 아모르(사랑)로 ～된다 Esta palabra se traduce por *amor* en español. 시는 한글로 잘 ～되지 않는다 El poema pierde mucho al ser traducido al coreano. 누가 그것을 ～했습니까? ¿Quién lo tradujo? / ¿Quién lo hizo la traducción? 이 우리말 뉘앙스는 서반아어로는 ～할 수 없다 El matiz de esta palabra coreana no se puede traducir al [en] español.
◆ 전자(電子) ～기 traductor *m* electrónico.
■ ～가 traductor, -tora *mf.* ～관(官) oficial *m* traductor (de la época de la dinastía *Choson*). ～권 derecho *m* de traducción. ～극 teatro *m* traducido. ～ 기계 máquina *f* de traducción. ～료(料) derechos *mpl* de traducción. ～문 oración *f* traducida. ～물 traducción *f.* ～서 libro *m* traducido. ～자 traductor, -tora *mf.* ～ 착오(錯誤) error *m* [equivocación *f*] de traducción.

번연(翻然/幡然) ＝번연히.
번연히 repentinamente, de repente, de súbito, súbitamente, despiertamente.

번열(煩熱)【한방】＝번열증(煩熱症).
■ ～증 fiebre *f,* enfermedad *f* febril.

번영(繁榮) prosperidad *f,* florecimiento *m,* bonanza *f,* [안락] bienestar *m;* [영광] gloria *f,* bienandanza *f,* felicidad *f.* ～하다 prosperar, florecer, medrar, ir bien, tener éxito. ～의 próspero, brillante. ～시키다 hacer prosperar. ～해 있다 estar próspero. 국가의 ～ prosperidad *f* de la nación, prosperidad *f* nacional. 시(市)의 ～책(策) proyecto *m para* prosperar la ciudad. ～에 이바지하다 beneficiar prosperidad. 전쟁 덕분에 일본 경제가 ～했다 La economía japonesa prosperó gracias a la guerra. 그 나라의 문화는 옛날에 ～했다 La cultura de ese pueblo floreció en la antigüedad.
◆ 공동(共同) ～ prosperidad *f* común.
■ ～기 época *f* de prosperidad. ～ 시대 era *f* brillante, reino *m* próspero.

번옥(燔玉) jade *m* artificial.

번외(番外) extra *m,* suplemento *m,* supernumerado *m.*

번요하다(煩擾－) (ser) molesto.

번우(煩憂) ansia *f,* angustia *f,* aflicción *f,* ansiedad *f.* ～하다 (ser) ansioso.

번육(燔肉) asado *m,* carne *f* asada.

번의(翻意) reflexión *f,* resignación *f.* ～하다 cambiar de intención [de opinión], reflexionarse, mudar de propósito. ～시키다 disuadir a *uno* de *su* decisión, hacer cambiar de intento a *uno.*

번인(蕃人) ① [토착인(土着人)] aborigen *mf.* ② [야만인(野蠻人)] bárbaro, -ra *mf.*

번잡(煩雜) complicación *f* molesta; [어수선함] confusión *f.* ～하다 (estar · ser) complicado y molesto, problemático, conflictivo, difícil, pesado; abarrotado [atestado · lleno] de gente. ～한 거리 calle *f* llena de gente. ～한 형식(形式) formalidades *fpl* complicadas. 매우 ～한 스케줄 un calendario [un programa] muy apretado. 해변은 매우 ～하다 La playa se llena de gente / La playa está de bote en bote. 이곳은 너무 ～하다 Hay demasiada gente aquí. 그들은 한방에서 ～하게 살고 있다 Ellos viven amontonados [apiñados] en un cuarto.
번잡스럽다 estar lleno de gente.
번잡스레 atestadamente, abarrotadamente.

번적 como un relámpago, con mil destellos. ～하고 빛나다 resplandecer, centellear.
번적거리다 relucir, brillar, resplandecer, centellear, refulgir; [눈이] chispear. 번적거리는 brillante, reluciente, resplandeciente, esplendoroso, radiante, chispeante. 눈부시게 ～ deslumbrar, brillar fuerte.
번적번적 brillantemente, con resplandor, como un relámpago, con mil destellos. ～빛나다 brillar con mil destellos.
번적이다 brillar, relucir, lucir, resplandecer, rutilar, relumbrar, centellear, destellar. 구두가 번적인다 Los zapatos brillan. 번개가 번적인다 Relampaguean. 눈이 번적인다 Los ojos brillan. 태양이 번적이고 있다 El sol resplandece. 번적인다고 모두 금은 아니다 No es oro todo lo que reluce.

번전(反田) acción *f* de convertir el arrozal en el campo. ～하다 convertir [transformar] el arrozal en el campo.

번제(燔祭) ((성경)) holocausto *m,* ofrenda *f* quemada.
■ ～단(壇) ((성경)) altar *m* del holocausto, altar *m* de los holocaustos. ～물 ((성경)) holocausto *m,* animal *m.* ～소 ((성경)) lugar *m* del holocausto, lugar *m* de los holocaustos. ～ 희생 ((성경)) holocausto *m,* animal *m* en holocausto.

번족(蕃族/繁族) prosperidad *f* de la familia. ～하다 ser próspero.

번족(蕃族) tribu *f* aborigen de Taiwan.

번주(藩主) señor *m* feudal, príncipe *m* feudal.

번주그레하다 (ser) atractivo, guapo.
번죽거리다 irritar, sacar de quicio, provocar, molestar, fastidiar. 그녀는 늘 나에게 번죽거린다 El siempre me molesta [fastidia].
번지【농업】 rastrillo *m*.
■ ~질 rastrillaje *m*. ¶~하다 rastrillar.
번지(番地) número *m* (de la casa); [주소] dirección *f*, señas *fpl*. 이문동 10 ~ 10 Imun-dong. 같은 ~에 살다 vivir en el mismo número. 몇 ~에 살고 계십니까? ¿En qué número vive usted? / ¿Qué número tiene su domicilio? 나는 서울특별시 강남구 논현동 145 ~에 살고 있다 Yo vivo en 145 Nonhyeon-dong, Gangnam-gu, Seúl. 이 편지는 ~가 정확하지 않다 Esta carta no lleva la dirección indicada correctamente.
■ ~수(數) número *m*, dirección *f*. ¶이 편지는 ~가 틀렸다 Esta carta lleva la dirección indicada incorrectamente.
◆번지수가 다르다 equivocarse. 나한테 뒤집어씌우는 것은 ~ Se equivoca al echarme la culpa / Me causa sin razón.
◆번지수를 잘못 찾다 errar el tiro, perder el tiempo. 나에게 돈을 부탁하는 것은 번지수를 잘못 찾았다 Has errado el tiro viniendo a pedirme dinero / El pedirme dinero es perder el tiempo.
번지(蕃地) tierra *f* bárbara.
번지다 ① [액체가 묻어 젖은 자리가 차차 넓게 퍼지다] echar borrones, correrse, extenderse, infiltrarse, penetrar. 이 종이는 잉크가 번진다 En este papel se corre [se extiende] la tinta / Este papel absorbe [chupa] la tinta. 이 천은 세탁할 때 색이 번진다 Esta tela, al lavarla, emborracha los colores / Los colores de esta tela se emborrachan [se corren] al lavarla. 습기가 벽에 번진다 La humedad penetra [se filtra] en la pared. ② [차차 넓은 범위로 퍼지다] prevalecer, extenderse, esparcirse, difundirse, propagarse. 그 소식은 전 지역에 번졌다 La noticia se difundió por toda la comarca.
번지럽다 (ser) suave, liso, terso, lacio y brillante.
번지르르 brillantemente, lustrosamente, crasamente, resbaladizamente, resbalosamente. ~하다 (ser) brillante, lustroso, brilloso.
번지점프 puentismo *m*.
번질거리다 (ser) brillante, lustroso.
번질번질 crasamente, lisamente, lustrosamente, brillantemente, lucientemente, resplandecientemente, relucientemente. ~하다 brillar, relucir, resplandecir, ser brillante, ser ustroso. ~한 머리 cabeza *f* brillante. ~한 대머리 calvicie *f* brillante. 기름기가 ~한 얼굴 cara *f* grasienta. 그의 머리는 대머리가 ~ 광이 난다 Su cabeza brilla por la calvicie. 그는 포마드를 발라 머리카락이 ~하다 El tiene el cabello resplandeciente por la brillantina.
번째(番一) vez. 세 ~까지는 용서한다 Te perdona hasta la tercera vez.
번쩍[1] ① [번쩍이는 모양] como un relámpago. ② [들어올리는 모양] [수월하게] ligeramente, fácilmente, sin esfuerzos; [높이] alto, arriba, en alto, por los aires. ③ [관심이 쏠리는 모양] de repente, repentinamente, de súbito, súbitamente, de pronto. 눈이 ~ 뜨이는 미녀(美女) mujer *f* ojeada. 그녀는 눈이 ~ 뜨이는 미녀이다 Ella es un monumento.
번쩍[2] ((센말)) =번적.
번쩍거리다 ((센말)) =번적거리다.
번쩍번쩍 ㉮ [여러 번 번쩍 들거나 들리는 모양] fácilmente [ligeramente] en sucesión rápida. 쌀가마니를 ~ 들어올리다 levantar el saco de arroz fácilmente en sucesión rápida. ㉯ ((센말)) =번적번적. ¶~하는 lustroso, reluciente, relumbrante, brillante, pulido. ~ 빛나다 relucir, relumbrar, brillar, destellar. 구두를 ~하게 닦다 lustrar [dar brillo a] los zapatos.
번쩍이다 ((센말)) =번적이다 (relumbrar, relucir, brillar, emitir destellos).
■번쩍이는 것이 모두 금은 아니다 ((속담)) No es oro todo lo que reluce.
번차례(番次一) turno *m*, orden *m*. ~로 alternamente, por turno, a su vez.
번창(繁昌) prosperidad *f*, medra *f*, florecimiento *m*, buenos negocios *mpl*, buen éxito *m*, fortuna *f*, triunfo *m*. ~하다 prosperar, medrar, florecer, tener éxito, tener práctica larga. ~한 próspero, boyante, floreciente, afortunado, venturoso, fausto. 장사가 ~하다 hacer buen negocio, sacar tráfico próspero. 상점이 ~하고 있다 La tienda hace negocio espléndido.
번철(燔鐵) sartén *f* (*pl* sartenes), *AmL* sartén *m(f)*.
번트(영 *bunt*) ((야구)) toque *m*, plancha *f*, golpecito *m* suave. ~하다 tocar, volear suavemente.
번폐(煩弊) abuso *m* pesado.
번하다 ① [어두운 가운데 조금 훤하다] ser de día, estar claro. 날이 이미 ~ Ya es de día / Ya está claro. 요즈음은 날이 매우 일찍 ~ Ahora amanece [aclara] muy temprano. ② [(무슨 일의 결과가) 뚜렷하다] (ser) evidente, manifiesto. 번한 일 perogrullada. 그것은 ~ Es evidente / Es manifiesto / Es claro como la luz del día / No hace falta más explicación / Es una perogrullada. ③ [여가가 있다] tener un poco de tiempo libre, estar libre. ④ [병세가 좀 가라앉다] estar en período de calma, mejorar un poco. 병이 좀 ~ El enfermo mejora un poco.
번히 evidentemente, manifiestamente.
번호(番號) número *m*. 이름에 ~를 매기다 numerar los nombres. ~가 틀렸습니다 [전화에서] Se equivoca de número. ~! ¡Número!
■ ~기 numeradora *f*. ~부 libro *m* de números. ¶전화 ~ guía *f* telefónica [de

teléfonos]; *Méj* directorio *m* telefónico. ~순 orden *m* numérico. ¶~으로 en [por] orden numérico, por orden, por turno. ~으로 놓이다 colocarse en fila en [por] orden numérico. ~ 인자기(印字器) numeradora *f*. ~판 [자동차의] matrícula *f*, placa *f* de matrícula, placa *f* de características, *CoS* patente *f*, *RPI* chapa *f*. ~패[찰] ficha *f* de número. ~표 ficha *f* de número.

번화(繁華) florecimiento *m* de una ciudad, prosperidad *f*, bullicio *m*, animación *f*. ~하다 prosperar, florecer. ~한 floreciente, populoso. ~한 거리 calle *f* floreciente.

■ ~가(街) distrito *m* de diversión, lugar *m* [sitio *m*] de diversiones, barrios *mpl* de diversión y recreo; [거리] calle *f* bulliciosa.

벋가다 ① [사람이] extraviarse, perderse. ② [동물이] descarriarse.

벋나가다 sobresalir, tener salido. 그의 귀는 벋나가 있다 El tiene las orejas salidas.

벋나다 sobresalir.

벋놓다 dar rienda suelta (a).

벋니 diente *m* salido, diente *m* de conejo, diente *m* saliente, diente *m* de embustero.

벋다 ① [(나뭇가지나 덩굴 따위가) 길게 자라나다] extenderse. ② [힘이 미치다] echar, dar. 손을 ~ echar una mano (a), dar la mano (a). 원조의 손을 ~ prestar ayuda (a), dar la mano de ayuda (a). ③ [바깥으로 잦혀지다] sobresalir.

■ 벋어 가는 칡도 한이 있다 ((속담)) Todo tiene su límite.

벋대다 ① [고집을 부리다] (ser) obstinado, terco. ② [맞서다] resistir (a), oponerse (a).

벋디디다 ① [발에 힘을 주어 버티어 디디다] pisar firmemente. 땅을 ~ pisar firmemente la tierra. ② [금 밖으로 나가 디디다] dar un paso fuera de límites.

벋버듬하다 tener la distancia [la brecha] entre dos puntas.

벋버스레하다 =벋버스름하다.

벋버스름하다 estar en desacuerdo. 그 두 사람은 늘 ~ Esos dos siempre están en desacuerdo.

벋새 【건축】 azulejo *m* plano.

벋서다 resistir, oponer resistencia (a), oponerse (a), estar en contra (de).

벋정다리 pierna *f* tiesa; [사람] persona *f* con pierna tiesa.

벋정대다 desobedecer.

벌[1] [넓은 들] llano *m*, llanura *f*. 황량한 ~ páramo *m*, pradera *f*, llanura *f*.

벌[2] [옷이나 그릇 같은 것이 짝을 이루거나 여러 가지가 한데 모여서 갖추어진 한 덩이] [연장·골프 용품(用品)·그릇·필기구·열쇠의] juego *m*; [책·레코드의] colección *m*; [우표의] serie *f*. ② [옷이나 그릇 따위를 세는 단위] equipo *m*, juego *m*, colección *f*. 냄비 한 ~ una batería de cocina. 옷 한 ~ un traje, un vestido. 책 한 ~ una colección de libros. 식기 한 ~ un juego de cubiertos, una cubertería. 침대보 한 ~ un juego de cama.

벌[3] ① 【곤충】 abeja *f*. ~의 abejuno. ~의 침 aguijón *m* (*pl* aguijones) de abeja. ~이 쏘다 picar la abeja. ~에 쐬다 ser picado por la abeja. ~처럼 날다 abejear, revolotear como las abejas. ~은 활동적이고 부지런함을 상징한다 La abeja es el emblema de la actividad y del trabajo. ② ((준말)) =꿀벌.

■ ~ 공포증 apifobia *f*. ~꿀 miel *f* de abejas. ~꿀 술 hidromiel *m*, aguamiel *f*. ~떼 enjambre *m* [nube *f*] de abejas. ~집 colmena *f*.

벌[4] [상투의] entretejimiento *m* del pelo.

벌(罰) ① [죄인에게 주는 형벌] castigo *m*; [형(刑)] pena *f*, ((성경)) juicio *m*, castigo *m*. ~하다 castigar; ((성경)) hacer juicios, ejecutar la sentencia. 사형 언도의 ~을 받은 죄 crímenes *mpl* que son castigados con la pena de muerte. 그들은 법대로 ~을 받을 것이다 Ellos serán castigados de acuerdo a la ley. 그들은 최고형의 ~을 받았다 Ellos fueron castigados con la pena máxima. 이 범죄자는 더 엄하게 ~을 받을 것이다 Se les impondrán castigos más severos a estos delincuentes. 당신한테는 나를 ~할 권리가 없다 Usted no tiene derecho a castigarme. ② [학생에게 주는 체벌] castigo *m*. ~하다 castigar. 그에게 ~로 디저트를 주지 않았다 Lo castigaron sin postre. 나는 ~로 그것을 외웠다 Me castigaron a aprendérmelo de memoria. 그는 선생님에게 말대답을 해서 선생님은 ~로 방과 후에 잡아 두셨다 El se quedó castigado por contestarle al profesor.

◆벌(을) 받다 =벌(을) 쓰다.

◆벌(을) 서다 estar de pie en la esquina.

◆벌(을) 쓰다 ser castigado, castigarse, sufrir castigo. 그는 거짓말을 했기 때문에 벌을 썼다 El fue castigado [Le castigaron] por haber mentido. 나는 늦게 도착해서 아버지한테 벌을 썼다 Mi padre me ha castigado por llegar tarde.

◆벌(을) 씌우다 castigar, sancionar, penalizar.

◆벌(을) 주다 castigar, imponer [aplicar] un castigo [una pena]; ((성경)) hacer juicios, dictar sentencia.

-벌(閥) pandilla *f*, camarilla *f*, facción *f*, bando *m*, clan *m*, grupo *m* cerrado; [종교(宗教)·학문의] secta *f*, sectarismo *m*. 군(軍)~ grupo *m* militar. 학(學)~ sectarismo *m*, camarilla *f* académica.

벌개 panal *m*.

벌개지다 ruborizarse, ponerse colorado, ponerse rojo, sonrojarse. 나는 얼굴이 쉬 벌개진다 Me ruborizo por nada / Me pongo colorado [rojo] por nada. 그는 그녀의 말에 얼굴이 벌개졌다 El se puso como la grana [como el tomate] con lo que ella dijo. 그녀는 부끄러워 얼굴이 벌개졌다 Ella se puso colorada de vergüenza. 동쪽 하늘이 벌개진다 El cielo (del) este aclara / Sale el sol desde el cielo este.

벌거벗기다 desnudar totalmente, dejar totalmente pelado.

벌거벗다 =발가벗다(desnudarse, desvestirse). ¶벌거벗은 아이 niño *m* desnudo. 벌거벗고 포즈를 취하다 posar desnudo. 벌거벗고 하는 수영은 허용되지 않는다 No está permitido bañarse desnudo.

벌거숭이 ① [벌거벗은 알몸뚱이] cuerpo *m* desnudo, desnudo *m*; [상태] desnucdez *f*. ~의 desnudo. ~로 desnudo, en cuerpos vivos. ~ 사내아이 niño *m* desnudo. ~ 여자 mujer *f* desnuda. ② [빈털터리] persona *f* sin un céntimo; pelado, -da *mf*; pelón (*pl* pelones), -lona *mf*; pobretón (*pl* pobretones), -tona *mf*. ~가 되다 bailar el pelado. 나는 ~이다 Estoy sin un céntimo. ③ [나무나 풀이 없는 산이나 들] peladura *f*. ~의 pelado. ~ 산 monte *m* pelado, montaña *f* pelada.

벌건 muy, mucho, totalmente, perfectamente, completamente. ~ 거짓말 mentira *f* perfecta. ~ 거짓말을 하다 mentir [decir mentiras] perfectamente.

벌겅 rojo *m*; [진홍] rojo *m* escarlata.

벌겋다 (estar) colorado, encarnado. 벌겋게 불타다 echar a arder, arder en llamas. 얼굴이 ~ [술에 취하거나 목욕탕에 들어가 벌겋게 되다] estar colorado [encarnado] como un cangrejo.

벌과금(罰科金) multa *f*.

벌그데데하다 (ser) algo rojo.

벌그뎅뎅하다 (ser) algo rojo.

벌그레하다 [볼·얼굴·안색이] (ser) rubicundo; [불빛·일몰·하늘이] rojizo.

벌그무레하다 (ser) rojizo.

벌그숙숙하다 (ser) rojizo, rubicundo.

벌그스름하다 (ser) rojizo.

벌그죽죽하다 =발그숙숙하다.

벌금(罰金) multa *f*. 가벼운 ~ multa *f* leve. 과중(過重)한 ~ multa *f* grave. ~이하의 형(刑)에 해당하는 죄 delitos *mpl* sometidos a la pena de multa o inferior a multa. ~을 내다 pagar una multa. ~을 부과하다 multar, imponer multa, poner*le* [aplicar*le*] una multa. 십만 원의 ~을 내다 ser multado cien mil wones. 그에게 ~이 처해졌다 Le aplicaron una multa a él. 그녀에게 100 달러의 ~이 처해졌다 A ella le pusieron una multa de cien dólares. 그는 과속(過速)으로 ~을 물었다 La multaron [Le pusieron · Le aplicaron] una multa por exceso de velocidad.
■ ~형(刑) pena *f* pecuniaria, pena *f* monetaria.

벌긋벌긋 =발긋발긋.

벌기다 abrir, rajarse, agrietarse.

벌꺽 de repente, repentinamente, de súbito, súbitamente. ~ 화를 내어 en cólera. ~ 화를 내다 ponerse hecho una furia, enfurecerse, montar en cólera, explotar, saltar, ponerse furioso (con).

벌꺽거리다 ① [빚어 담근 술이 몹시 부걱부걱 괴어오르다] bullir; [샴페인이] burbujear. ② [빨래를 삶을 때에 몹시 부풀어 오르다] bullir. ③ [무엇을 주물러 반죽하거나 진흙을 밟아서 옆으로 비어져 나오게 하다] aplastar el barro debajo de *sus* pies.

벌꺽벌꺽 ㉮ [음료수 따위를 시원스레 들이켜는 소리, 또는 그 모양] a grandes tragos. ~ 마시다 beber a grandes tragos. 술을 ~ 들이켜다 empinarla, empinar el codo, beber como una cuba.

벌끈 ① [걸핏하면 성을 왈칵 내는 모양] en cólera, de repente. ~하다 ponerse hecho una furia, enfurecerse, montar en cólera. ~하여 en un ataque de furia. 그는 ~하여 얼굴이 붉어졌다 El se puso rojo de furia. ② [뒤집어엎을 듯이 시끄러운 모양] tumultuosamente. 모임은 ~ 뒤집혀 끝났다 La reunión terminó tumultuosamente / Hubo un gran revuelo al final de la reunión.

벌끈거리다 montar en cólera, enfurecerse, ponerse hecho una furia.

벌낫 guadaña *f*.

벌논 arrozal *m* en el campo.

벌다[1] [틈이 나서 사이가 뜨다] extender más ancho. 사이가 ~ la grieta hacerse más ancho. 바닥의 틈이 벌었다 La grieta en el suelo extendió más ancho.

벌다[2] [(어떤 일이나 행위를 하여) 재물(財物)을 얻다] ganar. 돈을 ~ ganar dinero. 돈을 많이 ~ ganar mucho dinero. 생활비를 ~ ganarse la vida [el pan]. 용돈을 ~ ganar denerillo [paga · propina]. 하루에 십만 원을 ~ ganar cien mil wones al día. 그는 그림을 팔아 생활비를 벌었다 El se ganaba la vida vendiendo sus cuadros. 그는 공장에서 일해 학비를 벌고 있다 Trabajando en una fabrica él se costea los estudios. 당신은 한 달에 얼마나 법니까? ¿Cuánto gana usted al mes? 이것으로 백만 원을 벌었다 Con esto gané un millón de wones. 그는 오직 살아가기 위해서만 돈을 번다 El gana para sólo vivir. ② [벌을 받거나 욕을 먹거나 할 일을 스스로 장만하다] invitar, ganar, buscarse él mismo. 그는 불행을 벌었다 El mismo se buscó su desgracia.

벌어먹다 ganar(se) la vida, mantenerse.

벌떡 ① [갑자기 급하게 일어나는 모양] de un salto; [갑자기] súbitamente, de súbito, de repente, repentinamente, de un salto. ~ 일어나다 levantarse de un salto, levantarse súbitamente [bruscamente · de repente · repentinamente], levantarse de [en] un salto; [침대에서] saltar de la cama; [놀라] levantarse sobresaltado. 눈을 뜨자마자 ~ 일어나다 ser rápido en levantarse. 그는 자리에서 ~ 일어났다 El se levantó (del asiento) de un salto. 나는 침대에서 ~ 일어났다 Me levanté (de la cama) de un salto. ② [별안간 뒤로 번듯이 자빠지는 모양] de repente, repentinamente. ~ 자빠지다 caerse de repente.

벌떡거리다 ㉮ [심장·맥박이] palpitar, latir. ㉯ [들이마시다] libar, tragar, engullir, beber (a grandes tragos).

벌떡벌떡 de un golpe, a dentelladas. ~ 마시다 vaciar (la copa) a un trago, desecar a un golpe, tragar, deglutir, beber (a grandes tragos, engullar 술을 ~ 마시다 empinarla, empinar el codo, beber como una cuba.

벌렁 de espaldas, boca arriba, a cuestas. ~ 들어눕다 tumbarse boca arriba [a cuestas]. ~ 나자빠지다 caerse [dar] de espaldas. 그들은 ~ 누워 있었다 Ellos estaban tumbado boca arriba. 나는 ~ 나자빠졌다 Me caí de espaldas.

벌렁거리다 comportarse ligeramente, portarse ágilmente.

벌렁벌렁 ágilmente, con agilidad, ligeramente, rápido, rápidamente.

벌렁코 nariz *f* (*pl* narices) acampanada

벌레 insecto *m*, gusano *m*, bicho *m*, oruga *f* (모충(毛蟲)), larva *f* (유충), alevilla *f*, sabandija (해충), insecto *m* nocivo, grillo *m* (우는 벌레). ~ 먹다 apolillar, ser picado por gusano, ser apolillado, ponerse gusarapiento. ~처럼 취급하다 tratar a uno como a un perro. 그는 ~나 다를 바 없다 El no vale para nada en este mundo / El es un hombre de nada.

▪ ~그물 =포충망. ~ 꼬임 등불 =유아등. ~약 ㉮ =살충제. ㉯ =방충제. ~잡이식물 planta *f* insectívora. ~집 capullo *m*. ~혹 agalla *f*.

벌룩거리다 ① [탄력 있는 물건이 벌어졌다 우므러졌다 하다] hincharse y deshincharse, inflarse y desinflarse. ② [뭉근한 불에서 국물 따위가 끓을락 말락 가만가만 움직이다] mover ligeramente. ③ [하는 일이 없이 공연히 게으르게 놀고 돌아다니다] pasar las horas muertas, holgazanear, haraganear.

벌룩벌룩 hinchándose y deshinchándose, inflándose y desflándose.

벌룩하다 hincharse, inflarse.

벌룬(영 *balloon*) ① [기구(氣球)] globo *m*, aeróstato *m*. ② [풍선(風船)] globo *m*; *Col* bomba *f*, *AmC* chimbomba.

벌룽거리다 =벌룩거리다.

벌름거리다 hincharse y deshincharse.

벌름하다 estar abierto de par en par.

벌리다[1] [(재물이나 소득이) 벌어지다] (ser) rentable, lucrativo, dejar un beneficio, dejar un margen, ganar. 운동복으로 많이 벌렸다 La ropa de deporte dejó un buen beneficio [un buen margen].

벌리다[2] *① [두 사이를 떼어서 넓게 하다]* ensanchar, ampliar, abrir. 다리를 ~ abrir las piernas. 입을 ~ abrir la boca. 자루를 ~ abrir la bolsa. 입을 벌리고 con la boca abierta. 양손을 벌리고 con las manos abiertas. 그녀는 놀라 입을 크게 벌렸다 Ella se quedó boquiabierta / Ella se quedó con la boca abierta. 입을 크게 벌리십시오 Abra bien la boca / Abra bien grande. ② [(접히거나 우므러진 것을) 펴다] estirar, alargar, tender, extender, abrir, desdoblar. 이불을 ~ desdoblar la sábana. 손수건을 ~ abrir el pañuelo. 책을 ~ abrir el libro. 날개를 ~ desplegar [abrir] las alas. 팔을 ~ extender los brazos. 팔을 크게 벌리고 con los brazos abiertos. ③ [헤쳐서 널어놓다] disponer, arreglar, desplegar. 흙을 ~ desplegar la tierra.

◆벌린 입을 다물지 [닫치지] 못하다 Se admira mucho.

벌림새 exposición *f*, muestra *f*, arreglo *m*. 책의 ~ una exposición de libros.

벌모 planta *f* joven de arroz que se crece fuera del semillero.

벌목(伐木) tala *f* de árboles, explotación *f* forestal, maderamen *m*. ~하다 cortar los árboles, talar.

▪ ~공[부] maderero *m*, hachero *m*, leñador *m*. ~ 작업 operaciones *fpl* madereras.

벌물[1] [논이나 그릇에 물을 넣을 때 다른 곳으로 흘러 나가는 물] el agua *f* derramada.

벌물[2] [맛도 모르고 무턱대고 마구 들이켜는 물] el agua *f* que se bebe a grandes tragos sin razón alguna.

벌물(罰-) el agua *f* forzada de beber como un castigo.

벌바람 viento *m* (que sopla) en el campo.

벌받다(罰-) ☞벌(罰)

벌배(罰杯) =벌주(罰酒).

벌벌 trémulamente, con temblor, temblando, estremeciendo. ~ 떨다 temblar, tembleequear, tembletear. 공포로 ~ 떨다 temblar de terror. 무서워서 ~ 떨다 temblar de miedo, tener miedo, sentir nerviosidad, ser presa del susto [del espanto · del terror], estar en ascuas. 무서워서 ~ 떨면서 medrosamente, tímidamente, nerviosamente. 추워서 ~ 떨다 tiritar de frío, estremecerse [temblar] de frío. …하지 아니할까 ~ 떨다 temer [tener miedo de] que + *subj*. 그녀는 그 소식에 ~ 떨었다 La noticia le estremeció a ella. 나는 그의 목소리를 듣자 ~ 떨렸다 Al oir su voz me estremecía. 가엾게도 그 소녀는 추위로 ~ 떨고 있었다 La pobre niña temblaba de frío. 그는 자신의 거짓말이 탄로날까 ~ 떨고 있다 El teme que se descubra su mentira.

벌벙거지【민속】*beolbeongkeochi*, sombrero *m* de las pandillas.

벌봉(罰俸)【고제도】deducción *f* del sueldo como una penalidad. ~을 과하다 deducir parte del sueldo como una penalidad.

벌부(筏夫) balsero *m*.

벌서다 ☞벌(罰)

벌술(罰-) vino *m* que se bebe por el castigo.

벌써 ① [이미 그전에] ya; [오래전에] hace mucho (tiempo), antes. ~부터 hace (mucho) tiempo. ~ 열두 시군요 Ya son las doce. 10시는 ~ 지났다 Pasa de las diez ya. ~ 갈 시간이 되었다 Ya es hora de marcharme. 그들은 ~ 아이가 둘이나 있다 Ahora [Ya] tienen dos hijos. 그녀가 출발한 지 ~ 세 시간이 되었다 Ya hace tres horas que él salió. ② [(예상과 달리) 어느새] tan pronto.

벌어먹다 ☞벌다²

벌어지다 ① [틈이 생기다] agrietarse, crujir; [넓어지다] ensancharse; [밤송이 따위가] partirse, henderse, rajarse, abrirse. ② [소원해지다] desmoronarse. ③ [일이 생기다] ocurrir, suceder, desarrollarse. 우리들의 앞에서 비참한 광경이 벌어졌다 Una escena terrible se desarrolló ante nosotros. ④ [차이가 생기다] diferir, tener el margen ancho. A와 B의 거리가 벌어진다 Crece la distancia entre A y B. ⑤ [몸이 가로퍼지게 되다] ponerse fuerte [gordo · recio], engordar.

벌열(閥閱) =벌족(閥族).

벌이 ganancias *fpl*, ingreso(s) *m*(*pl*), entrada(s) *f*(*pl*); [급료(給料)] salario *m*, sueldo *m*. ~하다 ganar (dinero). 서울에 ~ 가다 ir a Seúl a trabajar. 미국에 ~하러 가다 emigrar a los Estados Unidos de América a trabajar. 그는 ~가 많다 El gana mucho. 이 일은 ~가 좋다 Este es un negocio provechoso / Este es un asunto [un trato] ventajoso. 일가(一家)의 ~를 맡은 사람 sostén *m* de la familia, el [la] que mantiene la casa.

■ ~ㅅ줄 fuente *f* de ingresos. ¶내 유일한 ~ mi única fuente de ingresos.

벌이다 ① [시작하다] comenzar, empezar, abrir; [착수하다] establecer. 가게를 ~ abrir la tienda. ② [(모임 따위를) 베풀다] celebrar, dar. 술잔치를 ~ celebrar un banquete. 파티를 ~ dar una fiesta. ③ [늘어놓다] arreglar, colocar, exhibir, enseñar.

벌전(罰錢) multa *f*.

벌점(罰點) demérito *m*, marca *f* negra.

벌족(閥族) familia *f* de linaje especial, facción *f* gregaria.

■ ~ 정치(政治) gobierno *m* de clan.

벌주(罰酒) =벌술.

벌주다(罰-) ☞벌(罰)

벌집 [벌이 사는 집] colmena *f*, abejar *m*, panal *m*; [인위적인 것] barril *m* [caja *f*] de abejas. ~처럼 구멍이 뚫린 apanalado. 숲 속에서 ~을 찾다 *Hond* colmenear. 탄환이 그의 몸을 ~처럼 뚫어 놓았다 Lo habían acribillado a balazos / El tenía el cuerpo lleno de plomo. 그녀는 온몸이 암으로 ~처럼 되어 있었다 Ella tenía cáncer por todo el cuerpo / *Méj* Ella estaba cundida de cáncer. 방 안이 ~ 쑤셔 놓은 듯하였다 La habitación estaba en confusión completa [absoluta · total].

벌쩍거리다 ① [일어나려고 애를 써서 조금씩 움직이다] retorcerse, avanzar serpenteando. ② [빨래를 두 손으로 맞잡고 조금씩 비비어 빨다] fregar suavemente.

벌쭉거리다 fruncir, arrugar.

벌창 ① [물이 많아 넘침] inundación *f*, desbordamiento *m*. ~하다 derramarse, desbordarse, inundarse. ② [물건이 많아 퍼짐] superabundancia *f*. ~하다 saturarse. 시장은 사과로 벌창하고 있다 El mercado se está saturando de manzanas.

벌채(伐採) tala *f*, corte *m*; [산림 전체의] desmonte *m*, despoblación *f* forestal. ~하다 talar, cortar, desmontar, despoblar.

■ ~자 leñador, -dora *mf*.

벌책(罰責) reprimenda *f*. ~하다 reprender.

벌초(伐草) corte *m* de las malas hierbas en la tumba. ~하다 cortar las malas hierbas en la tumba.

벌충 desagravio *m*, recompensa *f*, recompensación *f*. ~하다 compensar, contrapesar, hacer penitencia, hacer en desagravio (de). 손실의 ~을 하다 compensar [contrapesar · subsanar] las pérdidas. 너한테 입힌 손해를 언젠가는 ~해 주겠다 Algún día te compensaré de [por] los daños que te hice. 이것으로 ~이 되었다 Con esto queda compensado.

벌치 cantalupo *m* silvestre.

벌칙(罰則) reglamento *m* penal, penalidad *f*, regulaciones penales.

벌컥 de repente, repentinamente, súbitamente, de súbito. ~ 화내다 ponerse hecho una furia, enfurecerse, montar en cólera. ☞벌꺽

벌컥벌컥 [액체를 매우 시원스레 들이키는 소리나 모양] a grandes tragos. ~ 마시다 beber a grandes tragos. 술을 ~ 마시다 empinarla, empinar el codo, beber como una cuba.

벌통(-桶) colmena *f*, panal *m*.

벌판 [들] campo *m*; [평야(平野)] llanura *f*, llano *m*; [초원(草原)] prado *m*; [대초원(大草原)] pampa *f*.

범 【동물】 tigre *m*; ((속어)) [암컷] tigresa *f*. ~ 사냥꾼 *AmS* tigrero *m*. ~ 새끼 cacharro *m* de tigre.

■범 없는 골에는 토끼가 스승이라 ((속담)) Donde no está el dueño, ahí está su duelo / En (la) tierra de ciegos, el tuerto es rey / Cuando el gato no está, los ratones bailan. 범에게 날개 ((속담)) No hay nada que no se puede / Se duplica la fuerza.

범(犯) violación *f*. ~하다 violar, cometer.

범(梵) ((불교)) brahmán *m*.

범-(汎) pan-. ~아랍주의 panarabismo *m*.

-범(犯) delincuente *mf*.

범계(犯戒) violación *f* de los mandamientos religiosos [preceptos budistas]. ~하다 violar los mandamientos religiosos [preceptos budistas].

범계(犯界) violación *f* de la frontera [del límite]. ~하다 violar la frontera [el límite].

범고래 【동물】 orca *f*, 【학명】 Grampus orca.

범골(凡骨) hombre *m* común, hombre *m* mediocre.

범과(犯過) culpa *f*, defecto *m*, falta *f*. ~하다 cometer una culpa.

범국민 운동(汎國民運動) movimiento *m* pannacional.

범국민적(汎國民的) pannacional, por toda la nación.

범굴(一窟) cueva *f* [madriguera *f*] de tigres.
▪범굴에 들어가야 범을 잡는다 ((속담)) Quien [El que] no se arriesga no cruza [pasa] la mar / El que no arriesga no gana / Si no nos arriesgamos no conseguimos nada / El que [Quien] no se aventura no pasa la mar / Quien no se arrisca, no aprisca / Quien no se aventuró, ni perdió ni ganó / Quien no se aventura, no ha ventura.

범금(犯禁) violación *f* de la prohibición. ～하다 violar la prohibición, transgredir, infringir.

범나비【곤충】＝호랑나비.

범나비벌레【곤충】 oruga *f* de la cola ahorquillada.

범날【민속】 el día del Tigre.

범독(泛讀) lectura *f* al azar. ～하다 leer al azar, leer por encima, echar*le* una ojeada [un vistazo] (a).

범띠【민속】 nacimiento *m* del año del Tigre.

범람(氾濫/汎濫) inundación *f*, desbordamiento *m*, diluvio *m*, riada *f*, crecida *f*, cataclismo *m*. ～하다 inundarse, desbordar(se), sumergir, anegar, salir de madre los ríos o lagos y cubrir de agua las regiones vecinas. ～하는 desbordante. 강(江)의 ～ desbordamiento *m* de un río. ～시키다 inundar. 시장이 ～하다 inundar el mercado. 물이 거리에 ～했다 El agua inundó las calles. 비로 연못이 ～했다 La charca se desbordó por causa de la lluvia. 태풍 때문에 강이 ～했다 A consecuencia del tifón el río se ha desbordado. 이 강은 매년 ～한다 Este río desborda todos los años.

범례(凡例) notas *fpl* explicativas.

범례(範例) ejemplo *m*.

범론(氾論/汎論) ① [개괄적인 언론] argumento *m* general, idea *f* general, introducción *f*. ② ＝범론(泛論).

범론(泛論) palabra *f* vaga [imprecisa].

범류(凡類) personas *fpl* ordinarias; mediocre *mf*.

범륜(梵輪) ((불교)) rueda *f* de Brahma, rueda *f* de la ley, sermón *m* puro de Buda.

범리론(汎理論)**【철학】** hegelianismo *m*.

범문학(梵文學) literatura *f* sánscrita, caracteres *mpl* sánscritos.

범물(凡物) ① [모든 물건] todas las cosas. ② [평범한 물건] cosa *f* ordinaria; [평범한 사람] persona *f* ordinaria.

범미(汎美) América del Sur y del Norte. ～의 panamericano.
▪～주의 panamericanismo *m*. ～ 철도(鐵道) ferrocarril *m* panamericano. ～회의 conferencia *f* panamericana.

범민(凡民) ＝서민(庶民).

범방(犯房) cópula *f*, coito *m*, relaciones *fpl* sexuales. ～하다 copular, coitar, tener relaciones sexuales.

범배(凡輩) ＝범인(凡人).

범백(凡百) ① [모든 사물] todas las cosas. ② [보통의 언행] palabra *f* ordinaria, lenguaje *m* ordinario.
▪～ 중생(衆生) todas las criaturas.

범벅 ① [곡식 가루에 호박 따위를 섞어서 풀처럼 되게 쑨 음식] *beombeok*, budín *m* [pudín *m*] preparado con grano en polvo y calabaza. ② [뒤섞이어 갈피를 잡을 수가 없이 된 사물] mezcla *f*, combinación *f*, desorden *m*, revoltijo *m*, batiburrillo *m*, mezcolanza *f*.
◆범벅(이) 되다 estar (todo) revuelto, estar (todo) desordenado, estar hecho un revoltijo; [사람이] estar liado [hecho un lío]. 범벅이 되어 sin orden ni concierto, desordenadamente. 옷이 서랍에서 모두 범벅이 되었다 La ropa estaba toda revuelta en el cajón / La ropa estaba toda hecha un revoltijo en el cajón.

범범하다(泛泛－) (ser) descuidado, poco cuidadoso, negligente. 범범한 사람 persona *f* descuidada [poco cuidadosa].
범범히 sin la debida atención, de manera despreocupada.

범법(犯法) violación *f* de la ley, contravención *f*. ～ 하다 violar la ley, infringir.
▪～자 transgresor, -sora *mf* de la ley. ～행위(行爲) acto *m* ilegal; [공무원 등의] ilegalidad *f*.

범본(梵本) libro *m* escrito en sánscrito, sutras *fpl* en la lengua india..

범부(凡夫) ① ＝범인(凡人). ② ＝이생(異生).

범부채【식물】 variedad *f* de iris.

범분하다(犯分－) excederse de *su* autoridad.

범사(凡事) ① [모든 일] todo, todas las cosas. ② [평범한 일] cosa *f* ordinaria, vulgaridad *f*, asunto *m* ordinario.

범살장지(－障－) puerta *f* corrediza de papel de celosía cruda.

범상(凡常) lo ordinario. ～하다 (ser) ordinario, común, normal, mediocre, mediano. ～치 않은 notable, extraordinario, sorprendente; [병적(病的)인] anormal. ～한 사람 hombre *m* ordinario. ～치 않은 사람 persona *f* ordinaria. ～치 않은 재능 talento *m* común.
범상히 ordinariamente, comúnmente, normalmente, mediocremente.

범색(犯色) acto *m* sexual inmoderado, relaciones *fpl* sexuales inmoderadas. ～하다 tener relaciones sexuales inmoderadas.

범서(凡書) libro *m* ordinario.

범서(梵書) ① [범자(梵字)로 기록된 글] lengua *f* aria clásica de India, escritura *f* en sánscrito. ② ((불교)) ＝불경(佛經).

범선(帆船) (barco *m*) velero *m*, barco *m* [buque *m*] de vela.

범속(凡俗) vulgaridad *f*, mediocridad *f*. ～하다 (ser) vulgar, mediocre, laico, seglar.
▪～성(性) característca *f* mediocre.

범수(凡手) defensa *f* ordinaria.

범수(犯手) ① [손으로 때림] golpe *m* con la mano. ~하다 golpear con la mano. ② = 범용(犯用).

범승(梵僧) monje *m* de India, monje *m* que mantiene *su* puridad.

범신교(汎神敎) ((종교)) panteísmo *m*.

■ ~도(徒) panteísta *mf*.

범신론(汎神論) panteísmo *m*. ~의 panteísta, panteístico.

■ ~자(者) panteísta *mf*.

범아귀 entre el dedo pulgar y el dedo índice.

범안(凡眼) entendimiento *m* de la persona ordinaria.

범애(汎愛) =박애(博愛).

범어(梵語) sánscrito *m*, lengua *f* brahmánica, alfabeto *m* sánscrito, lengua *f* india. ~의 sánscrito.

■ ~학(學) sanscritismo *m*. ~ 학자(學者) sanscritista *mf*.

범연하다(泛然/氾然－) (ser) indiferente, descuidado, poco cuidadoso.

범연히 indiferentemente, descuidadamente.

범용(凡庸) mediocridad *f*, vulgaridad *f*. ~하다 (ser) mediocre, ordinario, vulgar, trivial. 공금을 ~하다 desfalcar [malversar] los fondos públicos.

범월(犯越) infracción *f* de la frontera, violación *f* la frontera. ~하다 violar la frontera, cruzar la frontera ilegalmente.

범위(範圍) [넓은] extensión *f*, [영역(領域)] dominio *m*; [권(圈)] ámbito *m*, esfera *f*, [한계(限界)] límite *m*. ~가 넓은 amplio, extenso, vasto. …의 ~ 내에 dentro de los límites de algo. 할 수 있는 ~에서 dentro de *su* alcance [de *sus* posibilidades]. 활동 ~를 넓히다 extender *su* campo [*su* esfera] de actividad. 내가 아는 ~에서는 que yo sepa. 그의 독서(讀書)는 넓은 ~로 파급된다 Sus lecturas abarcan un vasto campo. 시험 ~는 10쪽에서 50쪽까지이다 El examen abarcará desde la página diez hasta la cincuenta.

◆ 세력(勢力) ~ esfera *f* de influencia. 활동(活動) ~ esfera *f* de actividad.

■ ~ 외(外) fuera de esfera, fuera del límite, fuera de alcance.

범의(犯意) intento *m* criminal.

범의귀 【식물】 quebrantapiedras *f*, saxífraga *f*.

범인(凡人) hombre *m* ordinario [común], persona *f* ordinaria, (hombre *m*) mediocre *m*. 그는 ~이 아니다 El no es un hombre ordinario / El es alguien. 그의 의견은 ~에게는 이해될 수 없다 Su opinión es incomprensible para los hombres comunes.

범인(犯人) autor (del crimen), -tora *mf*, criminal *mf*, culpable *mf*, delincuente *mf*. ~의 추적 caza *f* al hombre. ~으로 추적되다 ser perseguido como delincuente. 그가 ~임에 틀림없다 Sin duda [Estoy seguro que] él es culpable.

■ ~ 수사 búsqueda *f* criminal. ~ 용의자 sospechoso, -sa *mf* criminal. ~ 은닉(隱匿) ocultación *f* de un delincuente para sustraerlo a la justicia. ~ 인도 협정 acuerdo *m* de extradición. ~ 호송차 (coche *m*) celular *m*, furgón *m* (*pl* furgones) policial; *Col*, *Méj* patrulla.

범일(汎溢/氾溢) inundación *f*, diluvio *m*. ~하다 inundarse, desbordarse, derramarse. 강물이 ~했다 El río se desbordó.

범일론(汎－論) 【철학】 =범신론(汎神論).

범입(犯入) entrada *f* ilegal, intrusión *f*. ~하다 entrar ilegalmente (en la finca ajena), meterse (en).

범자(梵字) carácter *m* (*pl* caracteres) sánscrito, letras *fpl* de Brahma, sánscrito *m*.

범재(凡才) ① [평범한 재주] talento *m* ordinario. ② [평범한 재주밖에 없는 사람] mediocre *mf*.

범재(凡材) hombre *m* de talento ordinario.

범절(凡節) etiqueta *f*, modales *mpl*, educación *f*.

범종(梵鐘) campana *f* (grande) del templo budista [del monaterio budista].

범죄(犯罪) delito *m*, ofensa *f*, [중죄(重罪)] crimen *m* (*pl* crímenes); [집합적] criminalidad *f*, delincuencia *f*, infracción *f*. ~하다 cometer un delito, violar [infringir · transgredir] la ley. ~의 criminal. ~의 증가(增加) aumento *m* de la delincuencia [de la criminalidad]. ~를 범하다 cometer [consumar · incurrir en] un delito. ~를 벌하다 castigar la delincuencia. ~를 예방(豫防)하다 prevenir la delincuencia. 각국에서 알코올 중독으로 ~가 늘고 있다 En todos los países aumenta la delincuencia [la criminalidad] con el alcoholismo.

◆ 조직(組織) ~ crimen *m* organizado. 집단 ~ [조직적이 아닌] crimen *m* de grupo.

■ ~ 감식 identificación *f* criminal. ~ 감식 자료 materiales *mpl* para la identificación criminal. ~ 건수(件數) criminalidad *f*, número *m* del delito. ~ 경력 antecedentes *mpl* criminales. ~ 과학 ciencia criminal. ~ 구성 요건 tipicidad *f*, conjunto *m* de elementos integrantes del delito. ~ 능력 capacidad *f* criminal. ~ 단체 grupo *m* criminal. ~ 사건(事件) caso *m* [suceso *m*] criminal. ~ 사실 hecho *m* punible, hecho *m* elictivo. ~ 사회학 sociología *f* criminal. ~ 생물학 biología *f* criminal. ~ 생활 vida *f* de delincuencia. ~ 소설 novela *f* criminal. ~ 수사 investigación *f* de criminal, investigación *f* de casos criminales. ~ 심리학 psicología *f* criminal. ~ 예방 prevención *f* de la delincuencia. ¶~ 활동 actividad *f* de prevención de la delincuencia. ~ 용의자 presunto delincuente *m* [criminal *m*], presunta delincuente *f* [criminal *f*]. ~ 윤리학(倫理學) ética *f* criminal. ~인(人) delincuente *mf*, criminal *mf*. ~ 인류학 antropología *f* criminal. ~인 인도(人引渡) extradición *f*. ~자 =범죄인. ¶상습 ~자 criminal *mf* habitual. 소년 ~ delincuente *mf* joven. 전쟁 ~ criminal *mf* de guerra.

~적 criminal *adj.* ~ 조직 organización *f* mafiosa, organización *f* criminal, agrupación *f* criminal. ~지 lugar *m* del delito. ~ 통계(統計) estadística *f* criminal. ~학(學) criminología *f.* ~학자 criminólogo, -ga *mf.* ~ 행위 acción *f* [hecho *m*] criminal, acto *m* criminal [culpable・condenable]. ¶~로 인해 생긴 물건 cosa *f* producida como consecuencia de un acto criminal. ~로 인해 취득한 물건 cosa *f* adquirida por un acto criminal. ~로 조성된 물건 cosa *f* que constituye un elemento de un acto criminal. ~에 제공하려고 한 물건 cosa *f* destinada a ser usada en la comisión del acto criminal. ~에 제공한 물건 cosa *f* utilizada en la comisión del acto criminal. ~의 대가로 취득한 물건 cosa *f* adquirida como remuneración por un acto criminal. ~에 가담하다 participar en el acto criminal. ~ 형(型) tipo *m* criminal.

범주(帆走) navegación *f*, acto *m* de zapar. ~하다 darse a la vela, navegar.

■ ~법(法) náutica *f.*

범주(帆柱) mástil *m*, polo *m*, árbol *m*.

범주(泛舟/汎舟) acción *f* de poner [sacar] a flote el bote. ~하다 poner [sacar] a flote el bote.

범주(範疇) categoría *f*, clase *f.* 미적(美的) ~ categoría *f* estética. ~에 넣다 poner bajo la categoría. ~에 속하다 corresponder a [ser de] la categoría (de).

범천(梵天) ((불교)) ((준말)) =범천왕.

■ ~왕 Brahma, un dios budista.

범청(泛聽) escucha *f* distraída [poco atenta・desatenta]. ~하다 escuchar distraídamente [sin prestar atención・sin poner atención].

범칙(犯則) infracción *f*, delito *m*, transgresión *f* de la ley, violación *f* de regulaciones. ~하다 transgredir la ley, infringir [violar] regulaciones, cometer una infracción.

◆ 교통(交通) ~ infracción *f* de tráfico.

■ ~ 물자 materiales *mpl* ilegales; [밀수품] articulo *m* de contrabando. ~자 infractor, -tora *mf*, delincuente *mf*, transgresor, -sora *mf*.

범칭(泛稱/汎稱) título *m* general, nombre *m* popular.

범타(凡打) ((야구)) golpe *m* ordinario.

범태평양(汎太平洋) Pan-Pacífico *m*.

범패(梵唄) ((불교)) himno *m* budista.

범퍼(영 *bumper*) [완충기(緩衝器)] parachoques *m.sing.pl*, *AmL* paragolpes *m.sing.pl*.

■ ~카 coche *m* de choque; *Méj*, *Ven* carrito *m* chocón; *Col* carro *m* loco; *Chi*, *RPl* autido *m* chocador.

범포(帆布) tela *f* para la vela.

범하다(犯-) ① [죄를] cometer, perpetrar algún delito [yerro]. 살인죄를 ~ cometer un homecidio. ② [규칙・법률을] violar una lay [un pacto], infringir, quebrantar, contravenir (a). 소유권을 ~ violar el derecho de propiedad. 특허권을 ~ violar una patente, imitar [falsificar] un artículo que tiene privilegio de invención, usurpar, dañar, infringir. 교칙(校則)을 ~ faltar a [quebrantar] los reglamentos de la escuela. ③ [여자를] violar, ultrajar, forzar, deshonrar. 한 여자를 ~ violar [forzar・deshonrar] a una mujer. ④ [넘어서는 안 될 경계를] invadir, penetrar (en), violar. 국경 [영토]을 ~ invadir [penetrar en] la frontera [el territorio] (de un país).

범해【민속】el año del Tigre.

범행(犯行) delito *m*, acción *f* delictiva, ofensa *f*, atentado *m*. ~하다 cometer un delito. ~을 자백하다 declararse culpable, confesar [reconocer] su delito. ~을 부인하다 negar el delito.

■ ~자(者) delincuente *mf*, criminal *mf*. ~ 직후 inmediatamente después de la ofens. ~ 현장 lugar *m* del delito, lugar *m* del crimen, escena *f* del crimen.

법(法) ①【법률】ley *f*, derecho *m*; [규약(規約)] estatuto *m*, regla *f*; [규정(規定)] reglamento *m*; [법전(法典)] código *m*; [명령(命令)・계율(戒律)] mandamiento *m*; [교회 법규] canon *m* (*pl* cánones). ~에 어긋나지 않은 legal. ~에 어긋나는 ilegal. ~을 만들다 establecer la ley. ~을 준수하다 observar la ley. ~을 어기다 infringir [violar] la ley. ~에 따르다 someterse la ley. ~에 저촉되다 derogar a la ley. ~에 호소하다 recurrir a la ley. ② [도리(道理)] razón *f*, justificación *f.* ~에 어긋나다 no tener razón. … 하라는 ~은 없다 No es justo + *inf* / Es irracional [absurdo] + *inf.* 지금 사임하라는 ~은 없다 No hay que [Es absurdo] resignarse hoy. 부자라고 모두가 행복하라는 ~은 없다 No son felices todos los ricos / Los ricos no siempre son felices. 노래를 잘 부른다고 가수가 된다는 ~은 없다 El que uno cante bien no quiere decir que pueda llegar a ser cantante. 그라고 늘 성공(成功)하라는 ~은 없다 El no siempre puede tener éxito. 너만 그것을 알라는 ~은 없다 Tú no eres el único que lo sabe. 그가 우승하지 말라는 ~도 없다 No es improbable que salga victorioso. ③ [방법・방식] método *m*, modo *m*, manera *f*, sistema *m*. …하는 ~ modo [manera] de + *inf*, cómo + *inf*, método [sistema] de + *inf.* 글 쓰는 ~ manera *f* [modo *m*] de escribir. 요리하는 ~ cómo cocinar, arte *m* culinario. 이 기계 조립하는 ~ modo *m* de montar esta máquina. 운전하는 ~을 가르치다 enseñar a conducir [*AmL* manejar] el coche. 그녀는 요리하는 ~을 모른다 Ella no sabe cómo cocinar. 그의 걷는 ~은 우습다 Su modo de andar es ridículo / El anda de una manera ridícula. 인사하는 ~이 그게 뭐야 ¡Qué manera es ésa de saludar! / ¿Es esa la manera de saludar? ④【언어】modo *m*. 직설(直說)~ modo *m* indicativo. 접속(接續)~ modo *m* subjuntivo. ⑤ =나눗수. ⑥ ((불교)) (범 *dharwa*; 達磨) Dharma; [속성(屬性)] atributo *m*;

[특징] característica *f*, [존재] existencia *f*, [선(善)] bien *m*; [불법(佛法)] budismo *m*, ley *f* de Buda; [부처의 가르침을 적은 성전(聖典)] Sutra *f*.

■ 모든 사람은 법 앞에서 평등하다 ((속담)) Todos somos iguales ante la ley.

-법(法) método *m*, modo *m*; [법률] ley *f*, derecho *m*, código *m*. 금주~ ley *f* seca. 요리~ arte *m* culinario, cómo cocinar. 형(刑)~ código *m* penal.

법감정(法感情) sentimiento *m* legal.

법계(法系) sistema *m* legal, ley *f*.

법계(法戒) ((기독교)) =율법(律法).

법계(法界) ① ((불교)) [불법의 범위] universo *m*. ② ((불교)) [불교도의 사회] mundo *m* [sociedad *f*] de budistas. ③ [법조계] círculo *m* legal.

법고(法鼓) ((불교)) ① tambor *m* de piel de vaca para el templo budista. ② tambor *m* de la Ley.

법과(法科) ① [법률에 대한 과목] asignatura *f* de la ley. ② [학과] departamento *m* de derecho; [법학부] facultad *f* [curso *m*] de derecho. ~의 학생이다 ser estudiante de la facultad de derecho. ~ 출신이다 ser licenciado en derecho.

■ ~ 대학 facultad *f* del derecho, facultad *f* de la jurisprudencia. ~ 대학원 facultad *f* de Derecho.

법관(法官) juez *mf* (*pl* jueces); [집합적] judicatura *f*. ~의 독립 independencia *f* del juez. ~의 면전에서 한 진술 declaración *f* ante el juez.

법구경(法句經) ((불교)) *sáns* Dharmapāda.

법권(法權) derecho *m* legal.

법규(法規) ley *f*, reglamento *m*, leyes *fpl* y reglamentos. ~에 따라 conforme al reglamento, según el reglamento.

법난(法難) persecusión *f* budista.

법담(法談) sermón *m*, discurso *m* religioso.

법당(法堂) ((불교)) templo *m* principal, santuario *m*, lugar *m* santo [sagrado] (budista).

법대(法大) ((준말)) =법과 대학(法科大學).

법도(法度) ley *f*, regla *f*, reglamento *m*, edicto *m*. ~를 어기다 infringir [violar] la ley.

법도(法道) ① [법률을 지켜야 할 도리] razón *f* que se debe mantener la ley. ② ((불교)) =불도(佛道).

법등(法燈) ① ((불교)) luces *fpl* del budismo, candela *f* budista, lámpara al Buda. ② =불법(佛法). ③ [불법을 서로 전하는 전통] tradición *f* budista, herencia f budista.

법랍(法臘) ① ((불교)) [중이 된 뒤로부터 치는 나이] edad *f* budista, edad *f* desde la ordenación de monje. ② ((불교)) [승려 경력] carrera *f* del sacerdote budista.

법랑(琺瑯) esmalte *m*. ~을 칠하다 esmaltar. ~을 칠한 esmaltado.

■ ~ 그릇 vajilla *f* esmaltada [de esmalte]. ~유 (釉) vidriado *m* de esmalte. ~유 토기 vasija *f* de barro de vidriado de esmalte. ~ 진주 perla *f* esmaltada [de esmalte]. ~질(質) esmalte *m*. ~ 철기 objetos *mpl* de hierro esmaltado [enlozado].

법력(法力) ① 【법률】 [법률의 효력] eficacia *f* de la ley; [법률의 힘] poder *m* de la ley. ② ((불교)) poder *m* de la verdad de Buda.

법령(法令) ley *f* y ordenanza, ley *f*, derecho *m*. ~의 적용(適用) aplicación *f* de ley y ordenanza. ~ 적용의 착오(錯誤) error *m* de aplicación de ley y ordenanza.

■ ~ 심사권 autoridad *f* de revisar la constitucionalidad de ley. ~ 양식 formas *fpl* legales. ~ 위배 violación *f* de la ley. ~집 colección *f* completa de leyes y reglamentos.

법례(法例) ley *f* que rige la aplicación de las leyes.

법례(法禮) =예법(禮法).

법륜(法輪) ((불교)) Rueda *f* de la Ley, verdad *f* de Buda que puede aplastar toda maldad y toda oposición, doctrina *f* religiosa de Buda.

법률(法律) ley *f*, derecho *m*, estatuto *m*; [집합적] legislación *f*. ~의 legal, jurídico. ~상의 jurídico. ~상으로 jurídicamente. ~에 맞는 legal. ~에 위배되는 ilegal. ~상의 경감 atenuación *f* estatutaria. ~상의 권리 derecho *m* legal. ~상의 승인 aprobación *f* legal. ~상의 이유 razones *fpl* legales, fundamentos *mpl* legales. ~상의 쟁송(爭訟) disputa *f* legal. ~상의 추정(推定) presunción *f* legal. ~에 호소하다 acudir a la ley. ~을 지키다 observar una ley. ~을 어기다 violar una ley. ~을 위반하다 infringir [transgredir · contravenir a] la ley. ~을 공부하다 estudiar. ~을 제정하다 hacer una ley; [입헌하다] legislar. ~로 금지되어 있다 estar prohibido por la ley. ~의 보호 밖에 두다 poner fuera de la ley. …은 ~이 인정하고 있다 La ley autoriza [permite] *algo*.

■ ~가 jurista *mf*, jurisconsulto, -ta *mf*. ~ 고문 consejero, -ra *mf* legal; jurisconsulto, -ta *mf*. ~ 구조 ayuda *f* legal, amparo *m* legal. ~ 구조법 ley *f* de amparo legal. ~ 구조 협회 la Asociación de Ayuda Legal. ~ 문제 problema *m* [cuestión *f*] legal. ~ 사무(事務) trabajo *m* legal. ~ 사무소 consultorio *m* [oficina *f* · despacho *m*] de derecho. ~ 사실 hecho *m* legal. ~ 사항 asuntos *mpl* legales. ~ 상담 consejo *m* legal, consulta *f* [consejo *m*] de materia jurídica. ~서 libro *m* de derecho. ~안(案) proyecto *m* de ley. ~ 용어 término *m* legal [de derecho]. ~ 위반 infracción *f* [violación *f*] de la ley. ~ 적용 aplicación *f* de ley. ~적 책임 responsabilidad *f* legal. ~ 전문가 jurista *mf*, experto, -ta *mf* legal. ~ 제도(制度) sistema *m* legal. ~ 존중 juridicidad *f*. ~학 jurisprudencia *f*, ciencia *f* del derecho. ~ 학자 jurista *mf*, legista *mf*, jurisperito, -ta *mf*, jurisconsulto, -ta *mf.* ~ 행위 acto *m* jurídico, acción *f* legal. ¶~의 요소 elementos *mpl* esenciales del acto jurídico.

법리(法理) 【법률】 principios *mpl* legales.
 ▪ ~학[철학] jurisprudencia *f,* ciencia *f* del derecho. ~ 학자 jurista *mf.*

법망(法網) red *f* de la ley, justicia *f.* ~에 걸리다 caer en la red [la grapa] de la ley. ~을 피하다 salir de la grapa de la ley, eludir la ley.

법멸(法滅) ((불교)) extinción *f* de la Ley.

법명(法名) ① ((불교)) =승명(僧名). ② ((불교)) [불가에서 죽은 사람에게 붙여 주는 이름] nombre *m* póstumo de budista.

법무(法務) ① [법률에 관한 사무] negocio *m* judicial, asuntos *mpl* judicial. ② ((불교)) asunto *m* clerical.
 ▪ ~감 abogado *m* defensor. ~감실 oficina *f* de abogado defensor. ~관(官) juez *mf* oficial. ~국 Departamento *m* de Asuntos Judiciales. ~사 escribano, -na *mf* judicial.

법무부(法務部) el Ministerio de Justicia, *Méj, Hond* la Secretaría de Justicia.
 ▪ ~ 장관 ministro, -tra *mf* de Justicia; *Méj, Hond* secretario, -ria *mf* de Justicia. ¶~의 지휘 감독권 poder *m* de dirección del ministro de Justicia. ~ 차관 viceministro, -tra *mf* de Justicia; *Méj, Hond* subsecretario, -ria *mf* de Justicia.

법문(法文) ① [법령의 문장] texto *m* de ley. ~에 명시되어 있다 estar especificado en el texto de ley. ② ((불교)) texto *m* [literatura *f*] del budismo.
 ▪ ~학부 facultad *f* de derecho y letras. ~화 legalización *f.* ¶~하다 codificar, legalizar, dar una forma legal (a).

법문(法門) ((불교)) métodos *mpl* [doctrinas *fpl* · sabiduría *f*] de Buda, *sáns* Dharmaparyāya.

법보(法寶) ① =불경(佛經). ② [심오(深奧)하고 유원 (幽園)한 불교의 진리] verdad *f* del budismo.
 ▪ ~ 사찰 Templo *m* [Monaterio *m*] de la Joya de Dharma, Templo *m* Haeinsa.

법복(法服) ① [제왕(帝王)의 예복] traje *m* de etiqueta del rey. ② [법관의 예복] traje *m* de juez, toga *f.* ③ [승려의 예복] túnica *f,* traje *m* sacerdotal. ④ ((불교)) toga *f,* vestido *m* de Dharma.

법사(法事) ((불교)) asuntos *mpl* religiosos, reuniones y servicios, disciplina *f* y ritual.

법사(法師) ① ((불교)) [설법하는 중] sacerdote *m* [monje *m*] budista. ② [법맥(法脈)을 전하여 준 스승] maestro *m* budista, maestro *m* de la ley. ③ [도통(道通)한 중] sacerdote *m* [monje *m*] iluminado.

법사 위원회(法司委員會) ((준말)) =법제 사법 위원회.

법서(法書) ① =법첩(法帖). ② [법률 서적] libro *m* legal.

법석 ruido *m,* bulla *f,* clamor *m,* gritería *f.* ~하다 hacer [meter] ruido, meter bulla, clamorear.
 ◆법석(을) 놓다[놀다] hacer [meter] ruido, meter bulla. 법석을 떨다 hacer mucho ruido, hacer un escándalo. 법석(을) 치다 hacer [meter] mucho ruido, meter mucha bulla.
 법석거리다 hacer ruido frecuente.
 법석이다 hacer [meter] ruido, meter bulla.
 ▪ ~판 escena *f* ruidosa [vociferante]

법수(法手) método *m,* modo *m,* manera *f.*

법수[1](法數) 【수학】 divisor *m.*

법수[2](法數) ((불교)) categorías *fpl* de budismo.

법식(法式) ① [법도(法度). 양식(樣式)] regla *f,* ley *f,* regulación *f,* reglamento *m.* 일정한 ~ forma *f* regular. ② [방식] fórmula *f.* ③ ((불교)) ritual *m* budista.

법안(法案) [정부 제출의] proyecto *m* de ley; [의원 입법에 의한] proposición *f* de ley. ~을 기초하다 redactar [establecer] un proyecto de ley. ~을 제출하다 presentar un proyecto de ley ~을 채결하다 poner a votación un proyecto de ley.

법어[1](法語) ((불교)) palabras *fpl* de Dharma, discursos *mpl* religiosos; [설교] sermón *m* budista.

법어[2](法語) [불란서어] francés *m.*

법언(法言) palabras *fpl* canónicas.

법열(法悅) ((불교)) éxtasis *m* budista.

법왕(法王) ① ((불교)) *sáns* Dharmarāja, Rey *m* de la Ley, Buda *m.* ② ((천주교)) el Papa, el Pontífice. ~의 pontifical, papal.
 ▪ ~ 교서 mensaje *m* pontifical. ~ 성하(聖下) Su Santidad, Vuestra Santidad. ~자(子) Hijo *m* del rey de Dharma, *sáns* Bodhisattya. ~ 정치 gobierno *m* papal, papado *m,* pontificado *m.* ~ 제도 sistema *m* papal. ~청(廳) el Vaticano, la Santa Sede, la Corte Pontificia.

법외(法外) lo excesivo. ~의 excesivo, extravagante, exorbitante, desmesurado. ~에 excesivamente, extravagantemente.

법요(法要) ((불교)) puntos *mpl* esenciales [fundamentales] de la Verdad.

법원(法院) corte *f,* tribunal *m,* juzgado *m.* ~의 구내(構內) recinto *m* del tribunal. ~의 규칙 regla *f* del tribunal. ~의 직원 personal *m* del tribunal. ~의 허가 permiso *m* del tribunal. ~에 인치(引致)하다 forzar a comparecer ante el tribunal.
 ▪ ~ 서기 escribiente *mf* del tribunal. ~장 presidente, -ta *mf* del tribunal. ~ 조직법 ley *f* orgánica de tribunales. ~ 행정 administración *f* judicial. ~ 행정처 Oficina *f* de Administración Judicial

법의(法衣) hábitos *mpl,* túnica *f* (de sacerdote budista), vestiduras *fpl,* vestimentas *fpl,* sotana *f,* traje *m* sacerdotal, hábito *m* clerical.

법의(法意) espíritu *m* [intento *m*] de la ley.

법의학(法醫學) medicina *f* legal, jurisprudencia *f* medical [medicinal], medicamento *m* forense. ~의 medicolegal.
 ▪ ~자 perito, -ta *mf* medicolega.

법이념(法理念) idea *f* legal.

법익(法益) bienes *mpl* jurídicos.

법인(法人) persona *f* jurística, corporación *f*, persona *f* legal. ~의 대표자 representante *mf* de persona jurística. ~의 설립(設立) fundación *f* de persona jurística. ~의 소멸(消滅) extinción *f* de persona jurística. ~의 합병(合倂) fusión *f* de persona jurística. ~의 해산(解散) disolución *f* de persona jurística. ~을 조직하다 incorporarse.

■~ 과세 impuestos *mpl* sobre personas jurísticas. ~권 derechos *mpl* corporativos. ~ 설정 asociación *f*, creación *f* de persona jurística. ~ 설정 인가증 certificado *m* de una asociación. ~세 impuesto *m* de sociedades. ~세법 ley *f* de impuestos de sociedades. ~세율 tipos *mpl* del impuesto de sociedades. ~ 소득 ingreso *m* de una corporación. ~ 소득세 impuesto *m* sobre la renta de una corporación. ~ 신탁 fideicomiso *m* de corporación. ~ 예금 ahorro *m* de personas jurísticas. ~ 자산 activos *mpl* de personas jurísticas.

법적(法的) legal. ~으로 legalmente. ~ 수단에 호소하다 acudir a los medios legales. 그것은 ~으로 옳다 Es legítimo [legalmente correcto].

■~ 근거 fundamento *m* legal. ¶~가 있는 fundado en las leyes, apoyado por la ley. ~ 안정성[확실성] estabilidad *f* legal. ~ 정의 justicia *f* legal. ~ 책임 responsabilidad *f* legal.

법전(法典) ① código *m*. ② ((불교)) escrituras *fpl* de budismo. ③ ((종교)) canon *m*.

■~ 편찬 codificación *f*. ¶~을 하다 codificar. ~ 편찬 위원회 la Comisión de Compilación de Código. ~ 편찬자 codificador, -dora *mf*. ~화(化) codificación *f*. ¶~하다 codificar.

법정(法廷/法庭) tribunal *m* (de justicia), justicia *f*. ~에 출두하다 comparecer ante el juez, presentarse al tribunal. ~에서 싸우다 disputar en el juzgado, llevar a los tribunales, litigar, pleitear. ~의 질서를 유지하다 mantener el orden del tribunal.

■~ 경찰권 poder *m* de mantener el orden del tribunal. ~ 공휴일 vacaciones *fpl* establecidas. ~ 모욕 desacato *m* a la autoridad del tribunal. ~ 모욕죄 delito *m* de desacato a la autoridad del tribunal. ~ 투쟁 lucha *f* del tribunal. ~ 합의 tribunal *m* colegiado estatutario.

법정(法定) decisión *f* por la ley. ~의 legal.

■~ 가격 precio *m* legal. ~ 과실 frutas *fpl* legales. ~ 금리 interés *m* legal. ~ 기간 período *m* legal, término *m* legal. ~ 기일 fecha *f* de vencimiento legal. ~ 대리 representación *f* legal. ~ 대리인 representante *mf* legal. ~ 득표수 número *m* mínimo de votos legalmente requerido. ~ 복리 interés *m* compuesto legal. ~ 상속 분 cuotas *fpl* estatutarias en sucesión. ~ 상속인 heredero, -ra *mf* legal. ~선거 비용 cantidad *f* autorizada por la ley para los gastos de la campaña electoral. ~ 세율 tipo *m* impositivo legal. ~수(數) quórum *m*. ~ 의무 deber *m* legal. ~ 이식[이자] interés *m* legal. ~ 이율 tasa *f* de interés legal. ~일 día *m* legal. ~ 자본 capital *m* legal. ~ 재단 fundación *f* legal. ~ 재산제 régimen *m* de la sociedad de gananciales. ~전염병 epidemia *f* legal, enfermedad *f* infecciosa declarada por la ley. ~ 준비금[적립금] reserva *f* estatutaria, reserva *f* [legal], reserva *f* obligatoria. ~ 지상권 superficie *f* legal. ~ 충당 asignación *f* [apropiación *f*] estatutaria. ~ 통산 cómputo *m* estatutario. ~ 통화[화폐] moneda *f* de curso legal, moneda corriente. ~ 평가 paridad *f* acuñada de cambio. ~형(刑) pena *f* estatutaria. ~후견인 guardián *m* estatutario, guardiana *f* estatutaria. ~ 휴일 día *m* festivo oficial, *AmL* feriado *m* oficial.

법제(法制) legislación *f*, ley *f* y régimen, ley *f* e institución.

■~국 departamento *m* legislativo. ~사(史) historia *f* de la legislación. ~ 사법(분과) 위원회 el Comité de Legislación y Judicatura. ~처 la Oficina de Legislación. ~처장 director, -tora *mf* de la Oficina de Legislación.

법조(法曹) jurista *mf*, legista *mf*, jurisconsulto, -ta *mf*.

■~계 mundo *m* judicial, mundo *m* de juristas, círculos *mpl* legales. ~ 명부 lista *f* de juristas. ~인 =법조(法曹).

법주(法主) ① ((불교)) Buda *m*. ② ((불교)) [한 종파의 우두머리] jefe *m* de una secta. ③ ((불교)) [설법을 주장(主掌)하는 사람] encargado, -da *mf* del sermón budista. ④ ((불교)) =법사(法師).

법질서(法秩序) orden *m* legal.

법체계(法體系) sistema *m* legal.

법치(法治) gobierno *m* constitucional.

■~ 국가 estado *m* de derecho, país *m* regido por la ley; [입헌 정체의] estado *m* constitucional. ~주의 constitucionalismo *m*.

법칙(法則) regla *f*, ley *f*. ~에 따라 según la ley, de acuerdo con la ley. ~을 발견하다 encontrar una regla.

법통(法統) ((불교)) tradición *f* religiosa.

법평면(法平面) 【수학】 plano *m* normal.

법하다 (ser) probable, verosímil. 있을 법하지 않은 inverosímil, poco probable, improbable. 있을 법한 견해(見解) opinión *f* probable. 있을 법한 사건(事件) acontecimiento *m* probable. 있을 법한 일 probabilidad *f*. 있을 ~ Es muy probable. 그가 올 ~ Es probable que él venga.

법학(法學) jurisprudencia *f*, ciencia *f* del derecho. ~을 공부하다 estudiar derecho. ~ 과정을 밟다 cursar derecho.

■~ 대학원 facultad *f* de Derecho. ~도 estudiante *mf* de ley. ~ 박사 doctor, -tora *mf* en derecho. ～ 박사 학위 doctorado *m* en derecho. ～부 departamento *m* de ley, facultad *f* de jurisprudencia. ～사(士) licenciado, -da *mf* en derecho. ～ 석사 maestro, -tra *mf* de derecho. ～ 석사 학위 maestría *f* de derecho, grado *m* de maestro de derecho. ～자 jurista *mf*, legista *mf*, jurisprudente *mf*, jurisperito *m*. ～ 통론[개론] introducción *f* de derecho. ～회 la Sociedad de Jurisprudencia.

법호(法號) ((불교)) nombre *m* recibido por un monje en la ordenación, seudónimo *m* del sacerdote budista, título *m* póstumo.

법화(法貨) 【경제】 ＝법정 통화(法定通貨).

법화(法話) ((불교)) sermón *m*, homilía *f*.

법화(法華) ((불교)) flor *f* de Dharma.

법화경(法華經) ((불교)) ((준말)) ＝묘법 연화경(妙法蓮華經)(Sutra de Saddharmapundarika).

법회(法會) asamblea *f* para el culto, misa *f* budista. ～를 열다 celebrar una misa budista, tener una misa de réquiem [de ánima].

벗 ① [친구(親舊)] amigo, -ga *mf*. 믿을 수 없는 ～ amigo, -ga *mf* sólo cuando las cosas marchan bien [*CoS* sólo en las buenas]. 생애(生涯)의 ～ amigo, -ga *mf* de toda la vida. 친한 ～ amigo *m* íntimo, amiga *f* íntima. ② [같은 목적이나 취지를 가지는 친근한 사람] compañero, -ra *mf*, colega *mf*, camarada *m*; socio, -cia *mf*, consocio, -cia *mf*. 신앙의 ～ hermano, -na *mf* en fe.

◆벗(을) 삼다 tener por compañeros. 책을 ～ tener los libros por compañeros.

◆벗(을) 트다 empezar [comenzar] a tutear. 우리 벗트고 지냅시다 Vamos a tutear.

◆벗(을) 하다 ㉮ [친하다] asociarse, hacerse amigo, trabar amistad (con). 벗하고 지내다 ser amigo (de), tener amistad (con). ㉯ [벗으로 삼다] tener por compañeros, vivir en comunión (con). 자연(自然)을 ～ vivir en comunión con la naturaleza. 책과 ～ tener libros por compañeros.

벗가다 ((준말)) ＝벗나가다.

벗개다 despejar.

벗겨지다 ☞벗기다

벗기다 ① [옷이나 모자·신발 따위를 벗게 하다] desnudar, despojar [quitar] (el vestido), desvestir. 모자를 ～ quitar el sombrero. 신발을 ～ quitar los zapatos, descalzar. 오버를 ～ quitar el abrigo. 외투를 벗겨 주다 ayudar para quitarse el abrigo. ② [본체를 싸고 있는 가죽이나 껍질을 떼어 내다] [감자 따위를] pelar; [과실을] mondar; [밀감이나 곡류를] descascarar; [굴을] quitar concha a ostra; [나무껍질을] descortezar. 사과를 ～ mondar [pelar] una manzana. 오렌지의 껍질을 ～ descascarar [mondar] una naranja. 감자의 껍질을 ～ mondar patatas. 콩의 꼬투리를 ～ desgranar [quitar las vainas a] las legumbres. 이 과실은 껍질을 벗기지 않고는 먹을 수 없다 Esta fruta no se puede comer sin pelar. ③ [(씌웠거나 덮었거나 한 것을) 걷거나 떼 내어 속이 드러나게 하다] quitar. 책의 표지를 ～ quitar la cubierta del libro. ④ [(문고리·빗장 따위의 걸린 것을) 빼거나 끌러 열리게 하다] abrir. 빗장을 ～ abrir la aldaba.

벗겨지다 [나무의 껍질이] descascararse; [피부 따위가] pelarse, desprenderse; [과실의 껍질이] mondarse; [조개 따위가] desconcharse. 햇볕을 너무 쪼여 어깨의 피부가 벗겨졌다 Se me han pelado los hombros por tomar demasiado sol.

벗나가다 desviarse (de), apartarse (de), virar bruscamente, dar un viraje brusco, extraviarse, perderse, *Méj* dar un volantazo; [동물이] descarriarse.

벗님 amigo, -ga *mf*.

벗다 ① [(털 따위가) 빠져 없어지다] caerse. ② [(칠이나 때 따위의 덧붙은 것이) 가시어 없어지다] despegarse. 칠이 ～ despegarse la pintura. ③ [(어떤 티가) 가시다] eliminar, perder, quitarse. ④ [(기미·주근깨 따위가) 스러지다] desaparecer. 기미가 ～ la mancha desaparecer. ⑤ [(몸에 붙인 옷·모자·신 따위를) 떼어 내놓다] quitarse, despojarse (de). 구두를 ～ quitarse los zapatos. 모자를 ～ quitarse el sombrero, descubrirse. 옷을 ～ quitarse la ropa, desvestirse, desnudarse. 외투를 ～ quitarse el abrigo. 웃옷을 ～ quitarse [despojarse de] la chaqueta. 장갑을 ～ quitarse los guantes. ⑥ [(어떤 동물이 껍질이나 허물을) 내놓다] mudar (de). ⑦ [(지거나 매었던 것을) 내려놓다] bajar. ⑧ [(걸거나 옭은 것을) 걷어치우다] librarse (de), deshacerse (de). 멍에를 ～ librarse del yugo. ⑨ [(의무나 책임 따위를) 면하다] eludir. 책임을 ～ eludir *su* responsabilidad. ⑩ [(빚을) 다 갚다] pagar la deuda completamente. ⑪ [(습관·인습 등을) 고치어 없애다] eliminar, extirpar. 악습을 ～ eliminar el vicio. ⑫ [괴로움·고통 등을) 물리치다] pasarse, irse. 나는 두통이 벗지 않는다 No se me pasa el dolor de cabeza / No se me va el dolor de cabeza.

벗어나다 ㉮ [일정한 테두리 밖으로 빠져나다] salir, librarse (de), escapar, desembarazarse, desenredarse, desembrollarse, escabullirse (de·por entre), evadirse (de). 적(敵)의 포위에서 ～ evadirse del asedio del enemigo. 위험을 ～ librarse [escapar(se)] del peligro. 이제 위험에서 벗어났다 Ya estamos fuera de peligro / Se ha alejado el peligro. ㉯ [빗나가다] desviarse. 화제에서 약간 벗어났습니다만 … Desviándome un poco del tema …. 화제에서 벗어나서는 안 된다 Usted no debe desviarse del tema. 비행기가 진로에서 벗어났다 El avión se ha desviado de su ruta. ㉰ [부자유·짐 되는 일·어려운 환경 등에서 헤어나다] salvar, vencer, superar. 경영난을 ～ salvar los trances difíciles en la dirección

de una empresa. ㉻ [남에게 인정을 받지 못하게 되다] perder aceptación (con). 그는 사장 눈에 벗어났다 El perdió aceptación con el jefe.
벗어던지다 arrojar, tirar, lanzar.
벗어 버리다 arrojar, tirar, lanzar; [옷 따위를] quitarse; [누명·책임을] despojarse (de), quitar, quitar de encima; [빚을] pagar. 선입관(先入觀)을 ~ despojarse de prejuicios.
벗어부치다 quitarse. 옷을 ~ quitarse la ropa.
벗어젖히다 quitarse. 외투를 ~ quitarse el abrigo.
벗삼다 ☞벗
벗어나다 ☞벗다
벗어지다 ① [쓰거나 신거나 입거나 한 것이 몸에서 떨어져 나가다] quitarse. 신이 벗어졌다 Los zapatos se quitaron. ② [덮였거나 얽었거나 가리었던 물건이 밀리어 나가거나 빠져 나가다] salirse. ③ [구름·안개 등이 흩어져 사라지다] desaparecer. ④ [무엇에 스쳐 거죽이 깎이거나 껍질이나 덧붙은 것이 까지거나 떨어져 없어지다] descortezarse; [살갗이] pelarse, despellejarse; [벽지가] despegarse; [칠이] desconcharse, salirse. 내 코가 벗어졌다 Se me está pelando [despellejando] la nariz. 나는 살갗이 벗어졌다 Se me está pelando [despellejando]. 넘어져 무릎이 벗어졌다 La rodilla se despellejó cayéndose. ⑤ [(어떤 티가 가시어 없어지다] eliminarse, perderse, desaparecer. ⑥ [머리나 몸의 털이 빠져 없어지다] pelarse; [대머리가 되다] hacerse calvo.
벗쟁이 persona *f* novata [inexperimentada · inexperta].
◆목수 ~ carpintero *m* novato [inexperto].
벗트다 =벗(을) 트다. ☞벗
벗하다 =벗(을) 하다. ☞벗
벙거지 sombrero *m*, gorro *m*, gorra *f*, todado *m*.
벙그레 =방그레.
벙글거리다 sonreír, estar con buen humor.
벙글벙글 con sonrisa, sonriendo, con cara risueña, con júbilo, con semblante alegre.
벙긋 sonriendo.
벙긋거리다 seguir sonriendo.
벙긋벙긋 siguiendo sonriendo.
벙긋벙긋하다 seguir sonriendo.
벙긋이 con una sonrisa.
벙긋하다 estar entreabierto [entornado]. 문을 방긋하게 (열어) 두어라 Deja la puerta entreabierta [entornada].
벙끗 ((센말)) =벙긋.
벙끗하다 ((센말)) =벙긋하다.
벙벙하다 ① [얼빠진 사람처럼 아무 말이 없다] (estar) desconcertado, perplejo, quedarse atónito (con). 벙벙해서 en asombro boquiabierto, en asombro mudo. (어안이) 벙벙하게 하다 dejar sin habla. 그는 어색해서 어안이 벙벙했다 El enmudeció de vergüenza. 우리들은 그 소식을 듣고 어안이 벙벙했다 Nosotros nos quedamos atónitos con la noticia / La noticia nos dejó sin habla. ② [물이 넓게 밀려오거나 흘러 내려가지 못하여 가득히 차 있다] estar lleno (de). 홍수로 들판에 물이 ~ El campo está lleno del agua por la inundación.
벙벙히 silenciosamente, en silencio, calladamente, como si se quedara atónito.
벙시레 sonriendo.
벙실거리다 seguir sonriendo.
벙실벙실 siguiendo sonriendo.
벙싯 =방싯.
벙싯거리다 =방싯거리다.
벙싯벙싯 =방싯방싯.
벙싯이 =방싯이.
벙어리[1] mudo, -da *mf*, persona *f* muda. ~가 되다 quedarse mudo.
■~ 냉가슴 앓듯하다 sentir en silencio.
벙어리[2] [조그마한 저금통] caja *f* de ahorros.
벙어리매미 【곤충】 cigarra *f* hembra.
벙어리장갑 mitón *m* (*pl* mitones).
벙커(영 *bunker*) ① [배의 석탄 창고·연료 창고] carbonera *f*, pañol *m* de carbón. ② ((골프)) búnker *ing.m*, hoya *f* de arena. ③ =엄폐호.
벚꽃 flor *f* de cerezo. ~이 피기 시작한다 Las flores de los cerezos empiezan a abrirse / Los cerezos empiezan a echar [a poner] flores. ~이 활짝 피었다 Los cerezos están en plena floración.
벚나무 ① 【식물】 cerezo *m*. ② =산벚나무.
베 ① [피륙] tela *f*, paño *m*. ② ((준말)) =삼베.
베가성(Vega 星) 【천문】 Vega *f*.
베개 almohada *f*, [작은 베개] cabezal *m*; [긴] travesaño *m*, travesero *m*, almohada *f* de cama. 깃털 ~ almohada *f* de plumas. ~를 베다 reposar la cabeza en una almohada. ~를 높이 하고 자다 dormir tranquilamente, dormir bien sin preocupación. 책을 ~ 삼아 자다 dormir con un libro por almohada.
◆베개를 높이 베다 estar en paz, estar cómodo, estar a gusto.
■~ 싸움 lucha *f* [guerra *f*] de almohadas. ~ㅅ머리 cabecera *f* (de la cama). ¶~에 a la cabecera (de la cama). ~ㅅ모 decoración *f* de las ambas puntas de la almohada. ~ㅅ밑공사[송사] palabras *fpl* de amor, palabras *fpl* amorosas, conversaciones *fpl* íntimas (en la cama). ¶~를 하다 susurrar palabras de amor. 그는 아내의 귓전에 ~를 했다 El le susurraba a su esposa palabras de amor al oído. ~ㅅ속 relleno *m* de la almohada. ~ㅅ잇 almohadón *m*, funda *f* (de almohada).
베거리 sondeo *m*. ~하다 hacer [llevar a cabo] un sondeo.
베고니아(영 *Begonia*) 【식물】 begonia *f*.
베끼다 [옮겨 쓰다] copiar; [모사(模寫)하다] duplicar, reproducir, imitar; [전사(轉寫)하다] transcribir; [투사(透寫)하다] calcar. 흑판에 쓰인 것을 공책에 ~ transcribir [copiar] en el cuaderno lo escrito en la piza-

rra, pasar al cuaderno lo escrito en la pizarra. 윤곽을 종이에 ~ copiar [calcar] el trazado en un papel.

베내다 ((준말)) =베어내다(cortar).

베네룩스【지명】el Benelux (Bélgica, Holanda y Luxemburg), Unión *f* de Bélgica, Holanda y Luxemburg.

■ ~ 국가 los países del Benelux.

베네수엘라【지명】Venezuela. ~의 venezolano. ~ 사람 venezolano, -na *mf.*

베네치아【지명】Venecia. ~의 veneciano.

베니스【지명】=베네치아(Venecia).

베니어(영 *veneer*) enchapado *m*, chapa *f.*

■ ~합판(合板) contrachapado *m*, madera *f* contrachapada [enchapada], chapa *f* cruzada.

베다[1] [누울 때, 베개 따위로 고개를 받치다] apoyar *su* cabeza en la almohada.

베다[2] ① [날이 있는 연장으로 자르거나 끊다] cortar, tajar, picar (잘게), partir en lonchas; [칼로] acuchillar; [낫으로] guadañar; [톱으로] serrar, aserrar; [가위로] cortar con tijeras; [풀을] segar. 베인 상처 cortadura *f*, corte *m*, incisión *f*; [얼굴의] chirlo *m*. 나무를 ~ cortar los árboles, cortar la madera, cortar la leña. 손가락을 ~ cortarse un [el] dedo. 판자를 ~ serrar una tabla. 밀을 ~ segar el trigo. 베어 죽이다 matar con la espada. 베어 쓰러뜨리다 talar, abatir. 베어 죽이다 matar cortando, asesinar. 숲으로 나무를 베러 가다 ir a cortar leña al bosque. ② [직장에서 내어쫓다·파면하다] despedir.

베어 내다 cortar(se).

베어 들이다 segar, cosechar, hacer el agosto.

베어 먹다 cortar y comer.

베어 버리다 cortarse, arribar.

베다(범 *Veda*) ((불교)) Veda *m*.

베돌다 guardar las distancias (con), ser insociable. 그들은 베돌고 있다 Ellos son unos insociables / Ellos no son nada sociables.

베돌이 persona *f* insociable [poco sociable].

베드(영 *bed*) [침대] cama *f*, lecho *m*.

◆ 더블 ~ dos camas, camas *fpl* gemelas. 트윈 ~ cama *f* de matrimonio.

베드로(영 *Peter*)【인명】((성경)) Pedro.

베드로 전서(Peter 前書) ((성경)) la Primera Epístola Universal de San Pedro Apóstol, la Primera Carta de San Pedro.

베드로 후서(Peter 後書) ((성경)) la Segunda Epístola Universal de San Pedro Apóstol, la Segunda Carta de San Pedro.

베들레헴【지명】((성경)) Belén.

베란다(인 *veranda*) galería *f*, veranda *f*, pórtico *m*, balcón *m* (*pl* balcones).

베레(영 *beret*; 불 *béret*) boina *f*, boína *f*.

■ ~모(帽) =베레.

베르무트(불 *vermouth*) vermut *m*, vermú *m*.

베르사유 조약(Vesailles 條約)【역사】el Tratado de Versalles.

베른【지명】Berna (스위스의 수도).

베를린【지명】Berlín(독일의 수도). ~의 berlinés.

◆ 동(東)~ Berlín Oriental, Berlín Este. 서(西)~ Berlín Occidental, Berlín Oeste.

■ ~ 사람 berlinés, -nesa *mf.* ~ 장벽 el muro de Berlín.

베리베리(영 *beriberi*)【의학】[각기증] beriberi *m*.

베릴륨(영 *beryllium*)【화학】berilio *m*.

베링 해(Bering 海)【지명】el Mar de Bering.

베링 해협(Bering 海峽)【지명】el Estrecho de Bering.

베 먹다 ((준말)) =베어 먹다(cortar y comer).

베 버리다 ((준말)) =베어 버리다.

베붙이 tela *f* de cáñamo.

베수건(-手巾) toalla *f* de tela.

베스트(영 *best*) lo mejor, el superior, óptimo, sumamente bueno. ~를 다하다 hacer lo mejor posible, hacer lo más posible, hacer todo lo posible. ~를 다해 의무를 이행하다 hacer todo lo posible para cumplir *su* deber.

■ ~ 멤버 los mejores miembros. ~셀러 ㉮ [어떤 기간에 가장 많이 팔린 책·음반 등] [제품] superventas *m.sing.pl*; [책] bestseller *ing.m*, libro *m* más vendido, libro *m* de más [mayor] venta. ¶금주(今週)의 ~ libros *mpl* más vendidos de la semana. 작년의 ~ 소설 novela *f* más vendida [de más venta] el año pasado. ㉯ [베스트셀러 작가] autor, -tora *mf* de bestsellers. ~셀러 동화 작가 autor, -tora *mf* de libros para niños que tiene gran éxito de ventas. ~셀러 작가 autor, -tora *mf* de bestsellers. ~셀러 책 libro *m* de gran éxito de ventas, superventas *m*. ~ 일레븐 los once mejores jugadores. ~ 텐 los diez mejores jugadores.

베슥거리다 eludir *su* trabajo.

베슬베슬 eludiendo.

베실 bramante *m*, cordel *m*, hilo *m* de cáñamo.

베어링(영 *bearing*)【기계】cojinete *m*, rodamiento *m*.

베오그라드【지명】Belgrado (세르비아의 수도).

베옷 ropa *f* de cáñamo.

베이다 cortarse, ser cortado.

베이루트【지명】Beirut (레바논의 수도).

베이비(영 *baby*) bebé *m*; niño, -ña *mf*, *Per*, *RPl* bebe, -ba *mf*, *Andes* guagua *f*.

◆ 밀레니엄 ~ bebé *m* milenio.

■ ~ 붐 boom *m* de la natalidad. ~ 용품 artículos *mpl* infantiles. ~파우더 talco *m* para bebé.

베이스(영 *base*) ① [토대. 기초. 기본] base *f*, basa *f*, fundamento *m*. 자기 ~로 일하다·자기 ~를 지키다 guardar su ritmo de trabajo. 임금(賃金) ~ base *f* de salarios. ② [기지. 근거지] base *f*. ③ ((야구)) base *f*. ~를 떠나다 estar fuera de (la) base. ~를 벗어나 잡다 pillar [*AmL* agarrar] fuera de (la) base. ④ [기본급(基本給)] sueldo *m*

[salario *m*] base [básico].
■ ～캠프 campamento *m* (de) base.
베이스(영 *bass*)【음악】bajo *m*; [오디오의] graves *mpl*.
◆베이스(를) 넣다 tener voz de bajo.
■～ 가수 [저음 가수] bajo *mf*, bajista *mf*. ～ 기타 contrabajo *m*. ～ 드럼 bombo *m*. ～ 플레이어 (contra)bajo *mf*, (contra)bajista *mf*.
베이스볼(영 *baseball*) [야구] béisbol *m*. ～공 pelota *f* de béisbol.
베이식(영 *BASIC, Beginer's All Purpose Symbolic Instruction Code*)【컴퓨터】[간단한 언어를 사용한 컴퓨터 용어] código *m* de instrucciones simbólicas de carácter general para principiantes.
베이지(영 *beige*) [베이지색] beis *m*, beige *m*, color *m* beige. ～의 beis, beige.
베이징(北京)【지명】Beijin *m*, Beijing *m*, Pekín *m*. ～ 사람 pekinés, -nesa *mf*.
베이징인(Beijing 人) ＝북경인. 북경 원인.
베이컨(영 *bacon*) tocino *m*, *RPI* panceta *f*.
베이클라이트(영 *bakelite*)【화학】bakelita *f*, baquelita *f*.
베이킹파우더(영 *baking powder*) lavadura *f* (de polvo).
베일(영 *veil*) velo *m*. ～을 쓰다 llevar un velo en la cabeza, estar cubierto con un velo. ～을 씌우다 velar, cubrir con velo. 신비(神秘)의 ～을 벗기다 quitar el velo del misterio (a).
베자루 bolsa *f* de tela.
베정적 desafío *m*. ～하다 desafiar la amenaza.
베주머니 bolso *m* de tela, bolsa *f* de cáñamo.
베짱베짱 chirriando y chirriando.
베짱이【곤충】saltamontes *m.sing.pl*.
베타(그 β, *beta*) ① [그리스어 자모(字母)의 둘째] β, beta *f*. ② ((준말)) ＝베타선.
■～선 rayos *mpl* beta. ～ 입자 partícula *f* beta. ～파(波) onda *f* beta.
베테랑(불 *vétéran*) veterano, -na *mf*, experto, -ta *mf*, perro *m* viejo; [배의] lobo *m* de mar.
베트남【지명】Vietnam *m*. ～의 vietnamita.
■～어 vietnamés *m*, vietnamita *m*. ～ 사람 vietnamita *mf*. ～ 전쟁 la guerra de(l) Vietnam.
베틀 telar *m*.
■～다리 cuatro patas de un telar.
베풀다 ① [일을 차리어 벌이다] dar, celebrar. 잔치를 ～ dar una fiesta, dar un banquete, celebrar. ② [(은혜·자선 따위를) 끼치다] dar, otorgar, conceder. 은혜를 ～ dar un favor.
벡터(영 *vector*) vector *m*, rumbo *m* de un avión. ～의 vectorial.
■～계 vectórmetro *m*. ～ 공간 espacio *m* vectorial. ～ 심전도 vectorcardiograma *m*. ～ 함수(函數) función *f* vectorial. ～ 해석 análisis *m* vectorial.
벤젠(독 *Bezen*)【화학】benceno *m*.
■～ 중독 intoxicación *f* por el benceno. ～핵 núcleo *m* de benceno. ～환(環) anillo *m* de benceno.
벤조인(영 *benzoin*)【화학】benzoína *f*.
벤조일(영 *benzoyl*)【화학】benzoílo *m*.
벤졸(영 *benzol*)【화학】＝벤젠.
벤진(영 *benzine*)【화학】bencina *f*.
벤질(영 *benzil*)【화학】bencilo *m*.
벤처(영 *venture*) [모험. 모험적 사업. 투기적 기업] especulación *f* eventual, riesgo *m*, actividad comercial arriesgada, operación *f* empresarial con riesgo;【주식】especulaciión *f* eventual.
■～ 캐피털 capital *m* de riesgo. ～ 캐피털리스트 empresa *f* capitalista; capitalista *mf* de riesgo. ～ 캐피털 컴퍼니 compañía *f* de capitales de riesgo. ～ 팀 equipo *m* encargado de un nuevo producto.
벤치(영 *bench*) ① [긴 의자] banco *m*. ② ((운동)) banquillo *m*, *AmL* banca *f*.
벤틸레이터(영 *ventilator*) ventilador *m*.
벨(영 *bell*) ① [종(鐘)] campana *f*. ② [초인종] timbre *m*, campanilla *f*; [벨소리] timbre *m*. ～을 울리다 tocar [sonar] el timbre [la campanilla]. ～을 누르다 tocar el timbre, apretar el botón del timbre. 수업 시작 ～이 울린다 Suena el timbre del comienzo de clase. 전화～이 울린다 Suena el timbre. 전화～이 울리고 있다 Está sonando el teléfono. ～을 누르십시오 Toque el timbre. ③【악기】＝철금(鐵琴).
■～ 보이 botones *m.sing.pl*.
벨기에【지명】Bélgica. ☞벨지움
벨로루시【지명】Belarús, Bielorrusia, la Rusia Blanca. ～의 belaruso, bielorruso.
■～어 belaruso *m*, bielorruso *m*. ～ 사람 belaruso, -sa *mf*; bielorruso, -sa *mf*.
벨리스【지명】Belice. ～의 belicense, beliceño. ～ 사람 belicense *mf*, beliceño, -ña *mf*.
벨베틴(영 *velveteen*) velvetón *m*.
벨벳(영 velvet) ＝우단(羽緞).
벨지움【지명】Bélgica *f*. ～의 belga, bélgico.
■～ 사람 belga *mf*, bélgico, -ca *mf*.
벨칸토(이 *bel canto*)【음악】bel canto, canto *m* bello.
벨트(영 *belt*) ①【기계】correa *f*, cinta *f*, banda *f*. ～를 두르다 apretarse [sujetar] la correa. ② [허리띠] cinturón *m* (*pl* cinturones), correa *f*; [비행기 등의 좌석의] cinturón *m*. ～를 하다 ponerse el cinturón. ～를 매다 abrocharse el cinturón. ～를 단단히 죄다 apretarse el cinturón. ③ [띠 모양의 지대(地帶)] frente *m*, zona *f*.
■～ 컨베이어 transportador *m* de banda.
벵골【지명】Bengala *f*. ～의 bengalí.
■～어 bengalí *m*. ～ 사람 bengalí *mf*.
벼 ①【식물】(planta *f* de) arroz *m*, arroz *m* con cáscara, arroz *m* sin descascarillar. ～를 베다 segar [cosechar] el arroz. ～ 베기 siega *f* [cosecha *f*] del arroz. ～ 이삭 espiga *f* del arroz. ② [벼의 열매] arroz *m*.
벼농사(－農事) cultivo *m* de arroz, cosecha *f* de arroz. ～하다 cultivar [cosechar] arroz.

금년 ~는 풍작이다 Este año tenemos una buena cosecha de arroz.

■~ 지대(地帶) zona *f* productora de arroz, región *f* arrocera.

벼때 (tiempo *m* de) la cosecha de arroz.

벼락 ① [낙뢰(落雷)] rayo *m*. ~에 맞다 ser fulminado, ser herido por un rayo. 그는 ~을 맞아 다쳤다 El rayo le hirió. 근처에 ~이 떨어졌다 Cayó un rayo cerca de aquí. ② ((준말)) =벼락불. ③ [갑자기 들씌우는 타격] daño *m* [perjuicio *m*] repentino. ④ [심한 꾸지람] reproche *m*, reprensión *f* severa, censura *f* severa. ~을 내리는 아버지 padre *m* reprochador [terrible]. ⑤ [몹시 날쌔게 행동하는 사람] persona *f* veloz. ⑥ [갑작스레 이루어지는 것] cosa *f* repentina. ⑦ [(「벼락으로」 쓰이어) 벼락처럼 빠르게] muy rápidamente, tan rápido como rayo.

◆벼락을 내리다 ㉮ [벼락이 떨어지다] echar chispas [rayos] (contra). ㉯ [크게 꾸지람하다] reprochar (a). 그의 아버지는 그의 행동에 벼락을 내렸다 Su padre le reprochó su conducta.

◆벼락(을) 맞다 ㉮ [벼락에 감전되다] ser fulminado, ser herido por un rayo. ㉯ [(못된 짓을 하여) 천벌을 받다] ser castigado por el Cielo [por Dios]. 벼락(을) 맞을 소리 absurdo *m*.

◆벼락이 치다 caer un rayo.

벼락같다 (ser) veloz, muy rápido.

벼락같이 velozmente, muy rápidamente.

■~감투 puesto *m* gubernamental repentina, posición *f* oficial dada por el favor político. ¶~를 쓰다 hacerse oficial gubernamental de la noche a la mañana. ~를 씌우다 hacer el nombramiento absurdo. ~경기(景氣) prosperidad *f* repentina. ~공부 estudio *m* apresurado para un examen, preparación *f* apresurada para un examen. ¶~하다 estudiar a último momento. 시험을 위해 ~를 하다 prepararse apresuradamente para el examen. ~는 소용이 없다 Es inútil prepararse apresuradamente para un examen. ~김치 *kimchi m* improvisado, encurtidos *mpl* de repollo improvisados. ~대신(大臣) rufián *m*. ~령(令) orden *f* repentina, mandato *m* repentino. ~바람 ataque *m* repentino. ~방망이 azote *m* repentino dado un golpe. ~부자 arribista *mf*, advenedizo *m* amonerado, advenediza *f* amonerada; nuevo rico *m*, nueva rica *f*, riacho, -cha *mf*, ricachón, -chona *mf*; [집합적] improvisación *f*. ¶~가 되다 enriquecerse rápidamente, hacerse rico de la noche a la mañana. 그는 ~가 되었다 El se ha convertido de la noche a la mañana en un rico [un millonario]. ~불 ㉮ [벼락 칠 때에 번뜩이는 번갯불] rayo *m*. ㉯ [몹시 사나운 명령] orden *f* tiránica. ~장(醬) pasta *f* improvisada de ají picante y alubia. ~죽음 muerte *f* repentina. ~출세 gran éxito *m* repentino. ~출세자 persona *f* exitosa repentina; [집합적] improvisación *f*. ~치기 preparación *f* rápida, trabajo *m* rápido, recurso *m* provisional.

벼랑 escarpa *f*, despeñadero *m*, risco *m*, precipicio *m*, barranco *m*, farallón *m*, acantilado derrumbadero *m*. ~이 많은 acantilado, escarpado. ~ 밑에 bajo el risco, al pie del acantilado. ~의 끝 filo *m* del acantilado, borde *m* del precipicio.

■~길 repisa *f*, (re)borde *m*.

벼루[1] *byeoru*, tintero *m* de piedra, vasija *f* de piedra para la tinta china. ~에 먹을 갈다 refregar *meok* en *byeoru*.

■~ㅅ돌 ㉮ =벼루. ㉯ [연석(硯石)] piedra *f* de *byeoru*. ~ㅅ물 el agua *f* para *byeoru*. ~ㅅ집 caja *f* de [para] *byeoru*.

벼루[2] [강가나 바닷가의 낭떠러지] precipicio *m*, acantilado *m*, barranco *m*, despeñadero *m*.

벼룩 【곤충】 pulga *f*. ~에 물리다 ser picado [atormentado] por pulgas. ~을 잡다 espulgar, despulgar, limpiar de pulgas. 이 침대는 ~투성이다 Esta cama hierve en pulgas.

■~약 polvos *mpl* insecticidas.

벼르다[1] [어떤 일을 이루려고 마음을 도사려 먹다] intentar (+ *inf*), estar listo (para), estar dispuesto (para), contar (con), entusiasmarse. 벼르고 bien preparado, listo para encuentro. 벼르고 기다리다 esperar todo listo. 벼르고 있다 estar lleno de ardor. …하려고 ~ animarse a + *inf*, tener el afán de + *inf*. 그는 우승하려고 벼르고 있다 El está poseído del afán de ganar el campeonato.

벼르다[2] [일정한 비례에 따라 여러 몫으로 나누다] repartir, dividir igualmente. 두 몫으로 ~ dividir en dos. 아이들에게 과자를 ~ dividir los dulces entre los chicos. 그들은 서로 땅을 별렀다 Ellos se repartieron la tierra.

벼름 parte *f* igual, porción *f*. ~하다 repartir, dividir igualmente.

■~질 división *f* igual. ¶~하다 dividir igualmente.

벼리 ① [그물의 위쪽 코를 꿰어 잡아당기게 된 줄] cuerda *f* en la punta superior de la red de pesca. ② [책의 첫머리에 속내용을 대강 추려 차례로 벌여 놓은 줄거리] índice *m*, contenidos *mpl*.

■~ㅅ줄 =벼리❶.

벼리다 forjar, templar. 쇠를 ~ forjar el hierro.

벼메뚜기 【곤충】 langosta *f*.

벼슬 puesto *m* oficial, posición *f* oficial, rango *m* oficial. ~하다 entrar en el servicio gubernamental. ~에 있다 estar en el servicio gubernamental.

■~길 empleo *m* [servicio *m*] gubernamental. ¶~에 오르다 entrar en el servicio gubernamental. ~살이 vida *f* como un oficial, vida *f* oficial. ¶~하다 estar en el servicio gubernamental. ~아치 público, -ca *mf* gubernamental; funcionario, -ria *mf.* ¶말단 ~ funcionario *m* sublterno [subordinado], funcionaria *f* subalterna [subordinada]. ~아치 근성 oficialismo *m.* ~아치 생활 vida *f* oficial, carrera *f* oficial.

벼훑이 ① 【농구】 trillo *m*; [기계] trilladora *f.* ② [행위] trilla *f* del arroz. ~하다 trillar el arroz.

벽 ((준말)) =비역.

벽(碧) ((준말)) =벽색(碧色).

벽(壁) ① [집의 둘레나 방을 둘러막는 부분] [집 둘레의] muralla *f,* muro *m*; [방의] pared *f.* ~을 칠하다 enlucir la pared; [덧칠을 하다] revocar la pared. ~에 그림을 걸다 colgar un cuadro en la pared. ~이 무너진다[무너졌다] La pared se hunde [se hundió]. 우리들은 ~ 하나 사이에 살고 있다 Vivimos pared en [por] medio. ② [장애(물)] obstáculo *m.* 100미터에서 10초의 ~을 깨뜨리다 batir el récord de cien metros lisos en diez segundos. 계획은 ~에 부딪쳤다 El proyecto tropezó con un obstáculo.

◆ 벽(을) 치다 construir la pared.

■ ~신문(新聞) periódico *m* de pared.

벽(甓) ((준말)) =벽돌.

벽(癖) manía *f*; [습관] hábito *m,* costumbre *f*; [악습(惡習)] vicio *m*; [경향(傾向)] tendencia *f,* inclinación *f,* propensión *f*; [특색(特色)] peculiaridad *f,* característica *f*; [기벽(奇癖)] excentricidad *f.* ~이 되다 hacerse una manía [una costumbre]. ~을 고치다 [자신의] corregirse de un vicio [de una manía]; [남의] corregir un vicio [una manía]. 아이에게 일찍 자는 ~을 가르쳐 주다 inculcar al niño la costumbre de [acostumbrar al niño a] acostarse temprano. …하는 ~이 있다 tener la manía de + *inf,* tener por costumbre + *inf.* …하는 ~이 생기다 contraer el vicio [el hábito] de + *inf.* …하는 ~을 가르쳐 주다 acostumbrar a + *inf,* inculcar el hábito de + *inf.* 그것은 그의 ~이다 Es su manía. 그는 손톱을 물어뜯는 ~이 있다 El tiene el mal hábito de morderse las uñas. 그는 다시 나쁜 ~이 나왔다 De nuevo él está con su mala costumbre. 그의 나쁜 ~이 없어졌다 Se le ha quitado esa mala costumbre. 사람은 누구나 ~이 있다 Todo el mundo tiene sus manías / (Cada) Uno es cada uno y tiene sus cadaunadas.

◆ 수집(收集)~ manía *f* de coleccionar.

벽(璧) jade *m* de la forma del anillo.

벽개(劈開) hendidura *f,* grieta *f.* ~하다 hender.

벽걸이[1](壁－) [벽이나 기둥의 장식용] tapiz *m* (*pl* tapices), colgadura *f.*

벽걸이[2](壁－) [옷걸이 따위] percha *f.*

■ ~ 지도(地圖) mapa *m* mural.

벽견(僻見) vista *f* sesgada [terciada].

벽경(僻境) =벽지(僻地).

벽계(碧溪) arroyo *m* azul.

■ ~산간(山間) el arroyo azul y el distrito montañoso azul. ~수(水) el agua *f* azul y limpia del arroyo.

벽공(碧空) cielo *m* azul, azul *m* celeste.

벽난로(壁煖爐) hogar *m,* fogón *m* (*pl* fogones), chimenea *f.*

벽도(碧桃) ① ((준말)) =벽도화(碧桃花). ② [선경(仙境)에 있다는 과실의 한 가지] melocotón *m* (*pl* melocotones) que se supone que existe en el país de las hadas.

■ ~화(花) flor *f* del melocotonero.

벽도나무(碧桃－) 【식물】 una especie del melocotonero.

벽돌(甓－) ladrillo *m.* ~ 굽는 가마 horno *m* de cocer ladrillos. ~로 깔다 ladrillar, enladrillar (los suelos), solar con ladrillos. ~을 쌓다 ladrillar, enladrillar (los suelos). ~을 깐·쌓은 ladrillado, enladrillado. ~로 때리기 ladrillazo *m.* ~로 때리다 dar un ladrillazo. ~로 막다 tapar con ladrillos.

◆ 내화(耐火) ~ ladrillo *m* de fuego, ladrillo *m* refractorio. 붉은 ~ ladrillo *m* rojo. 화장(化粧) ~ ladrillo *m* azulejo.

■ ~공[장이] ladrillador, -dora *mf,* enladrillador, -dora *mf.* ~ 공장 ladrillar *m,* ladrillal *m.* ~담 muro *m* de ladrillos. ~제조인 ladrillero, -ra *mf.* ~ 조각 pedazo *m* de ladrillo. ~집 casa *f* de ladrillos. ~틀 ladrillera *f,* molde *m* para hacer los ladrillos. ~ 포장 ladrillado *m,* enladrillado *m,* enladrilladura *f.*

벽두(劈頭) principio *m,* comienzo *m,* primero *m* de todo. ~에 al principio, al comienzo, primero de todo. ~부터 desde el principio.

벽력(霹靂) =벼락.

◆ 청천~ suceso *m* sorprendente.

■ ~성(聲) estruendo *m* repentino del trueno.

벽로(碧鷺) 【조류】 garzota.

벽로(壁爐) ((준말)) =벽난로(壁煖爐).

■ ~ 선반 repisa *f* de la chimenea.

벽론(僻論) opinión *f* predispuesta.

벽루(壁壘) [성벽과 성루] la muralla del castillo y el fuerte.

벽루하다(僻陋－) ① [아주 궁벽하고 누추하다] (estar) apartado, aislado. ② [사람의 성질이 괴벽하고 고루하다] (ser) excéntrico.

벽면(壁面) superficie *f* de la pared.

벽보(壁報) cartel *m,* pancarta *f,* anuncio *m,* póster *m,* afiche *m,* letrero *m,* aviso *m,* papel *m* pegado. ~를 붙이다 poner [fijar] carteles, cubrir de carteles, llenar de carteles. ~로 알리다 anunciar con carteles. 벽에 ~를 붙이다 pegar [fijar] un cartel [un anuncio] en la pared. ~ 첨부 금지 ((게시)) Prohibido [Se prohíbe] fijar carteles / No fije(n) carteles.

■ ~판(板) cartelera *f.*

벽산(碧山) =청산(靑山).

벽색(碧色) azul *m* oscuro.

벽서(僻書) libro *m* raro y curioso.

벽서(壁書) letrero *m,* cartel *m.* ~를 붙이다 cubrir de carteles.

벽성(僻姓) apellido *m* muy raro.

벽시계(壁時計) reloj *m* de pared.

벽신문(壁新聞) periódico *m* mural.
벽안(碧眼) ① [푸른 눈] ojos *mpl* azules. ~의 소녀(少女) muchacha *f* de ojos azules. ② [서양 사람] europeo, -a *mf*, occidental *mf*, persona *f* occidental [europea].
■ ~자염(紫髥) los ojos azules y la barba roja.
벽오동(碧梧桐) 【식물】 quitasol *m* de sultán.
벽옥(碧玉) ① [푸른빛이 나는 고운 옥] jade *m* azul. ② 【광물】 jaspe *m*.
■ ~배(杯) copa *f* de jade azul. ~색 color *m* jaspeado. ¶~으로 칠하다 jaspear, pintar imitando las vetas y salpicaduras del jaspe.
벽옥(璧玉) la bola chata y el jade.
벽와(碧瓦) teja *f* azul.
벽운(碧雲) nube *f* azul.
벽원(僻遠) lugar *m* [sitio *m*] remoto, *AmC* remotidad *f*. ~하다 (estar) remoto.
벽읍(僻邑) pueblo *m* remoto [apartado · aislado].
벽자(僻字) carácter *m* raro, letra *f* excepcional.
벽장(壁欌) gabinete *m*, almacena *f*, armario *m*.
■ ~문 puerta *f* del gabinete.
벽장(甓墻) muralla *f* de ladrillos.
벽장돌(甓-) ladrillo *m* cuadrado y bastante grande.
벽장코 nariz *f* respingona.
벽중방(壁中枋) 【건축】 =중방(中枋).
벽지(僻地) lugar *m* [sitio *m*] aislado [apartado · remoto · alejado].
■ ~ 교육 educación *f* en remotas áreas rurales. ~ 학교(學校) escuela *f* en remotas áreas rurales.
벽지(壁紙) papel *m* pintado [tapiz · de empapelar]. ~를 바르다 empapelar. 벽에 ~를 바르다 empapelar paredes. 방에 ~를 바르다 empapelar la habitación.
벽지다(僻-) (estar) aislado, remoto, apartado.
벽창우(碧昌牛) ① [평안북도의 벽동(碧潼)·창성(昌城)에서 나는 억센 소] buey *m* fuerte de *Byeokdong* y *Changseong* en *Pyonganbukdo*. ② ☞벽창호.
벽창호(碧昌-) testarudo, -da *mf*, cabezón (*pl* cabezones), -zona *mf*, cabezota *mf*, bruto, -ta *mf*, persona *f* tenaz; persona *f* incorregible. 이 ~야! ¡Testarudo! / ¡Cabezón! 그는 ~다 El es un tipo mustio y poco simpático [e intratable].
벽채 【광산】 azada *f*, azadón *m*.
벽처(僻處) =벽지(僻地).
벽촌(僻村) aldea *f* aislada [remota · alejada · apartada], aldehuela *f* solitaria.
벽치다(壁-) ☞벽(壁)
벽탑(甓塔) 【건축】 =전탑(塼塔).
벽태(碧苔) musgo *m* azul.
벽토(壁土) yeso *m*, argamasa *f* [barro *m*] (que sirve para hacer paredes).
벽틈(壁-) grieta *f* de la pared.
벽파(碧波) ola *f* azul.
벽하다(僻-) ① [궁벽하다] (estar) aislado, alejado, remoto, apartado. ② [드물게 괴벽하다] (ser) raro, extraño, muy exigente.
벽항(僻巷) aldea *f* remota [aislada].
벽해(碧海) mar *m* azul y profundo.
■ ~상전(桑田) =상전벽해(桑田碧海).
벽향(僻鄕) aldea *f* aislada [remota].
벽화(壁畫) ① [건물이나 무덤 따위의 벽에 그린 그림] (pintura *f*) mural *f*, [프레스코화] fresco *m*, pintura *f* al fresco. ② =벽그림.
■ ~가(家) muralista *mf*, pintor, -tora *mf* mural.
변 jerga *f*, jerigonza(s) *f*(*pl*), algarabía(s) *f*(*pl*). 도둑의 ~ jerga *f* de ladrones.
◆ 변(을) 쓰다 hablar en jerigonza.
변(便) excrementos *mpl*, heces *fpl*, deposición *f*. ~을 보다 excretar, excrementar, evacuar el vientre. ~을 보게 하다 hacer de vientre, ir de cuerpo, mover el vientre, *RPI* mover el intestino. ~을 받다 hacer del cuerpo.
■ ~ 검사 examen *m* de excrementos. ¶~를 하다 examinar excrementos.
변[1](邊) ① [(어떤 장소나 물건의) 가장자리] borde *m*; [끝] extremidad *f*, [모자의] el ala *f* (*pl* las alas); [내의] orilla *f*, [종이의] margen *m* (*pl* márgenes). ② [다각형을 이루는 하나하나의 직선] lado *m*. ③ [방정식이나 부등식 등 관계식의 양쪽의 항(項)] miembro *m*. 좌[우]~ primer [segundo] miembro *m*. ④ =난리. 야단.
변[2](邊) ① ((준말)) =변리(邊利). ② =이율(利率).
-변(邊) borde *m*, extremidad *m*; [모자의] el ala *f* (*pl* las alas); [내의] orilla *f*, [종이의] margen *m* (*pl* márgenes). 한강~ orilla *f* del (río) Han.
변개(變改) ① =변경(變更). ② =변역(變易).
변격(變格) ① =변칙(變則). ② 【언어】 conjugación *f* irregular.
변경(邊境) zona *f* fronteriza, zona *f* alejada, confines *mpl*. ~의 fronterizo.
변경(變更) cambio *m*, alteración *f*, modificación *f*, [수정(修正)] corrección *f*. ~하다 cambiar, alterar, modificar; corregir. ~할 수 있는 cambiable, corregible, alterable, modificable. ~할 수 없는 결정 decisión *f* irrevocable. ~할 수 없는 사실 hecho *m* innegable. ~할 수 없는 의지(意志) voluntad *f* inquebrantable. ~할 수 없는 증거 prueba *f* indiscutible [irrefutable]. 신용장의 조건 ~ modificaciones *fpl* de una carta de crédito. 프로그램이 일부 ~되었다 Se ha alterado parcialmente el programa. 그 결정은 ~하기가 어렵다 Esa decisión es difícil de cambiar.
변계(邊界) =변경(邊境).
변고(變故) [재난] calamidad *f*, desastre *m*, desgracia *f*, [사고(事故)] accidente *m*; [말썽거리] molestia *f*, pena *f*. ~를 당하다 sufrir una calamidad.
변광별(變光-) 【천문】 =변광성(變光星).
변광성(變光星) 【천문】 estrella *f* variable.

변괴(變怪) calamidad *f* extraordinaria, desastre *m* extraordinario.

변기(便器) bacín *m* (*pl* bacines), taza *f* (de retrete), inodoro *m*; [소변용] urinario *m*; [환자용 따위의] orinal *m*; [침실용] vaso *m* de noche, bacinia *f*.

변놀이(邊-) =돈놀이.

변덕(變德) capricho *m*, antojo *m*, veleidad *f*, fantasía *f*. 일시(一時)의 ~으로 por un capricho momentáneo. 그건 ~이군 Eso es antojo.

◆변덕(을) 부리다 comportarse caprichosamente [con capricho]. 변덕이 죽 끓듯 하다 comportarse muy caprichosamente.

변덕맞다 =변덕스럽다.

변덕스럽다 (ser) caprichoso, antojadizo, mudable, instable, inconstante, voluble. 변덕스러운 날씨 tiempo *m* variable [caprichoso]. 변덕스런 날씨다 Hace un tiempo variable [traidor · cambiable · caprichoso]. 날씨가 ~ El tiempo cambia mucho.

변덕스레 caprichosamente, a [con] capricho, a tontas y a locas, espasmódicamente; [호기심으로] por curiosidad. ~ 공부하다 estudiar espasmódicamente [a tontas y a locas · a *su* antojo].

■~꾸러기[쟁이] caprichoso, -sa *mf*.

변돈(邊-) préstamo *m*.

변동(變動) cambio *m*, alteración *f*, mutación *f*, variación *f*, [움직임] movimiento *m*; [가격의] fluctuación *f*, altibajos *mpl*, oscilación *f*. ~하다 cambiar, fluctuar, oscilar, variar. 기온의 ~ cambio *m* [mutación *f*] de la temperatura. 사회의 ~ transformación *f* de la sociedad. 사회의 대(大) ~ cataclismo *m* [gran trastorno *m*] de la sociedad. ~을 일으키다 ocasionar cambio, producir alteración. 외교 방침에 ~을 가져오다 traer [ocasionar] un cambio en la política exterior. 세계는 ~이 심하다 El mundo cambia a un ritmo vertiginoso. 주식 거래의 ~이 심하다 La actividad de la bolsa es intensa. 요즈음 미국 달러의 시세가 많이 ~하고 있다 Los últimos días fluctúa bastante la cotización del dólar estadounidense.

◆가격 ~ fluctuación *f* de precios. 경기 ~ fluctuación *f* cíclica. 단기 ~ fluctuación *f* a corto plazo. 장기 ~ fluctuación *f* a largo plazo. 주기적(週期的) ~ fluctuación *f* coyuntural. 품질 ~ fluctuación *f* en la cualidad.

■~ 비용 gastos *mpl* flotantes. ~ 소득 ganancias *fpl* flotantes. ~ 시세 [은행의] tasa *f* flotante; [환율의] tipo *m* flotante. ~ 시세 회사채 obligación *f* de tipo flotante. ~ 외화 divisa *f* fluctuante. ~ 이율 tasa *f* de interés flotante. ~ 통화(通貨) moneda *f* flotante. ~ 환율 cambios *mpl* flotantes, tasa *f* cambiaria fluctuante. ~환율제 sistema *m* de cambios flotantes, sistema *m* de tasa cambiaria fluctante.

변두리(邊-) ① [지역(地域)의] cercanías *fpl* [inmediaciones *fpl* · arrabales *mpl* · suburbios *mpl*] (de la ciudad). ② [그릇 따위 물건의 가장자리] borde *m*. 잔을 ~까지 채워라 Llena el vaso [la taza] hasta el borde.

변두통(邊頭痛) 【의학】 ((속어)) =편두통.

변두풍(邊頭風) 【한방】 =편두통(偏頭痛).

변란(變亂) rebelión *f*, sublevación *f*, levantamiento *m*, insurrección *f*, [혁명(革命)] revolución *f*, [전쟁(戰爭)] guerra *f*.

변론(辯論) juicio *m* [disputa *f*] oral, procedimiento *m* [proceso *m*] oral, discusión *f*, debate *m*, argumento *m*; [법정에서] alegato *m*. ~하다 discutir, argüir, debatir, argumentar, contender, razonar, disputar; [법정에서] pleitear, alegar. ~의 alegatorio. ~을 잘하는 사람 buen polemista *m* [abogado *m*], buena polemista *f* [abogada *f*]. ~을 종결하다 concluir *su* argumento.

■~가 polemista *mf*. ~ 기일 fecha *f* para alegato. ~ 능력 capacidad *f* para alegar. ~ 속행(續行) continuación *f* de disputa [procedimiento] oral. ~인[자] abogado *m* defensor, abogada *f* defensora. ~주의 principio *m* de juicio oral.

변류기(變流機) 【전기】 transformador *m* de corriente eléctrica, convertidor *m*.

변리(辨理) manejo *m*, administración *f*. ~하다 manejar, administrar.

■~ 공사(公使) ministro *m* residente, ministro *m* plenipotenciario. ~사 agente *mf* de patentes; comisionado, -da *mf*.

변리(邊利) interés *m*.

변말 =은어(隱語).

변명(辨明) explanación *f*, vindicación *f*, apología *f*, disculpa *f*, excusa *f*, [구실(口實)] pretexto *m*; [이유(理由)] razón *f*, [석명(釋明)] explicación *f*, justificación *f*. ~하다 explanar, vindicar, excusarse, disculparse, presentar *sus* excusas, dar excusas, pretextar, explicar, justificar(se). …의 ~으로 disculpándose de *algo*. ~의 여지가 없는 inexcusable. ~을 요구하다 pedir cuentas, pedir explicaciones. ~에 여념(餘念)이 없다 prodigar disculpas, justificarse mucho. ~을 생각하다 buscar una excusa [un pretexto]. A를 위해 B에게 ~하다 disculpar a A ante B. 일신상의 ~을 하다 disculparse del asunto personal. 나는 ~의 여지가 없다 No tengo ninguna excusa que me justifique. ~해 보아야 소용없다 ¡Nada de excusas! / No hay pero que valga! 그것은 ~밖에 되지 않는다 Es un pretexto, nada más. 너는 그에게 무어라 ~할래? ¿Qué razón le das? / ¿Cómo te disculpas ante él? 그런 ~은 통하지 않는다 Tales excusas son inaceptables. 그것은 사고의 ~이 될 수 없다 Eso no justifica el accidente / Eso no da la razón del accidente. 그의 과실(過失)은 ~의 여지가 없다 Su error es inexcusable [indisculpable · injustificable] / Su error no admite disculpa [no tiene excusa].

■~무로(無路) lo inexcusable, lo indisculpable. ¶~하다 (ser) inexcusable, indisculpable, no tener excusa. ~서(書) escrito *m* de explanación, vindicación *f*.

변명(變名) nombre *m* falso [fingido · ficticio]. ~을 사용하다 utilizar un nombre falso. A라는 ~으로 숙박하다 registrarse en un hotel con el nombre falso de A.

변모(變貌) transfiguración *f*, transformación *f*, metamorfosis *f*. ~하다 transfigurarse, transformarse, metamortosearse. 이 어촌은 공업 지대로 ~되었다 El pueblo pesquero se ha transformado en una zona industrial. 어머니는 완전히 ~한 아들의 모습을 보고 슬픔에 겨웠다 La madre se afligió mucho al encontrar a su hijo completamente desfigurado.

변모없다 ① [남의 체모는 돌보지 않고 거리낌 없이 말이나 행동을 하다] decir [comportarse] sin reserva [sin vacilación]. ② [변통성이 없고 고지식하다] (ser) inflexible. 변모없이 sin reserva, sin vacilación; inflexiblemente.

변민(邊民) habitantes *mpl* [residentes *mpl*] en el distrito fronterizo.

변박(辨駁/辯駁) refutación *f*, contradicción *f*. ~하다 refutar, contradecir.

변발(辮髮) coleta *f*. ~하다 tener coletas.

변방(邊方) frontera *f*, límite *m*, confín *m*.

변변찮다 (ser) pequeño, modesto, humilde, simple, pobre, frugal.

변변하다 [생김새가] (ser) guapo, bien parecido; *AmL* buen mozo, buena moza; apuesto; [성격 · 사물이] pasable, aceptable, tolerable, decente, decoroso, satisfactorio; [넉넉하다] bastante, suficiente. 변변하지 못한 pequeño, modesto, humilde, simple, pobre, frugal. 변변치 못한 사람 estúpido, -da *mf*, persona *f* inútil; persona *f* que sirve para nada. 변변치 못한 선물 regalo *m* modesto, regalillo *m*, pequeño regalo *m*. 변변치 못한 수입(收入) renta *f* modesta. 변변치 못한 식사 comida *f* frugal. 변변한 여인 mujer *f* guapa [bonita]. 변변치 못한 의복(衣服) pobre ropa *f* [traje *m* · vestido *m*]. 변변치 못한 주거(住居) humilde casa *f* [habitación *f*]. 변변치 못하다 (ser) poco atractivo, improbable, poco probable, estúpido; pequeño, modesto, humilde, simple, pobre, frugal. 사람이 ~ tener el buen carácter. 변변하게 생기다 ser guapo. 변변치 못한 선물을 하다 hacer un pequeño regalo. 변변하지 못한 파티를 열다 organizar una pequeña fiesta. 변변치 못하게 살다 vivir modestamente, llevar una vida modesta. 서반아어를 변변하게 하다 hablar español muy bien, hablar muy bien el español. 덕분에 아주 잘 먹었다 - 변변하지 못했습니다 He comido muy bien, gracias / Estoy muy satisfecho, gracias - No hay de qué.

변변히 [잘] bien; [충분히] bastante, suficientemente, mucho; [만족스럽게] satisfactoriamente; [알맞게] debidamente, como es debido, como Dios manda, en condiciones.

변별(辨別) discriminación *f*, distinción *f*, discernimiento *m*; [구별] diferenciación *f*. ~하다 discriminar, hacer discriminación *f*, distinguir, discernir, diferenciar.

■ ~력(力) (poder *m* de) discriminación *f*, poder *m* de entendimiento, juicio *m*.

변보(變報) noticias *fpl* sobre un accidente [un desastre · una calamidad], malas noticias *fpl*.

변복(變服) disfraz *f*. ~하다 disfrazarse. 여자로 ~하다 disfrazarse de mujer. 사제(司祭)로 ~한 disfrazado de cura. 그녀는 남자로 ~하고 여행했다 El viajó disfrazado de hombre.

변비(便秘) 【의학】 ((준말)) =변비증(便秘症).

■ ~공포증 coprostasofobia *f*. ~성 중독증 copremia *f*. ~증(症) constipación *f* (de vientre), estreñimiento *m*, coprostasis *f*, coprostasia *f*, astricción *f*, *Chi* estitiquez. ¶~을 일으키다 constipar, estreñir, *Chi* causar*le* estitiquez a *uno*. ~을 일으킨 estreñido, estítico. ~이 되다 constiparse, estreñirse. ~에 걸려 있다, ~이 있다 estar estreñido, padecer [tener] estreñimiento. 초콜릿은 ~의 원인이 되곤 한다 El chocolate suele causar estreñimiento.

변사(辯士) orador, -dora *mf*; conferenciante *mf*; [무성 영화의] presentador, -dora *mf*.

변사(變死) ① [횡사(橫死)] muerte *f* sospechosa (médico-legal), muerte *f* accidental, muerte *f* violenta. ~하다 morir sospechosamente, morir con las botas puestas, morir al pie del cañón. ~의 의문이 있는 시체 cadáver *m* sospechoso de muerte contra causa natural. ② [자살(自殺)] suicidio *m*. ~하다 suicidarse, matarse.

■ ~자(者) muerto, -ta *mf* contra causa natural; persona *f* muerta en circunstancias sospechosas. ~체 cadáver *m* de una persona muerta en circunstancias sospechosas.

변사(變事) accidente *m*, emergencia *f*, contingencia *f*; [불의의 사고] contratiempo *m*.

변사(變辭) cambio *m* de palabras previas. ~하다 tragar lo que había dicho.

변상(辨償) ① =변제(辨濟). ② [남에게 입힌 손해를 돈이나 물건 따위로 줌] indemnización *f*, compensación *f*, reparación *f*. ~하다 indemnizar, compensar, reparar. ~을 요구하다 pedir indemnización. ~으로 …을 주다 dar *algo* como compensación. …로 손실을 ~하다 compensar la pérdida con *algo*. …에게 손해를 ~하다 compensar [indemnizar · resarcir] a *uno* del daño. 빌려 주신 책을 잃어버렸기 때문에 다른 새것으로 ~하겠습니다 Como he perdido el libro que me dio prestado, le compenso con otro nuevo.

■ ~금 indemnización *f*, compensación *f*.

변색(變色) ① [빛깔이 변함] cambio *m* de color, descoloración *f*, descoloramiento *m*. ~하다 cambiar de color; [빛깔이] descolorarse, desteñirse. 일광(日光)으로 책의 표지가 ~되었다 La cubierta del libro se ha desteñido por el sol. ② [성이 나서 얼굴빛이 달라짐] cambio *m* de semblante [rostro]. ③ [피부·모발의 빛이 달라짐] metacromatismo *m*, metacrosis *f*.

■ ~성 metacromasia *f*. ~ 요증 cromaturia *f*.

변설(辯舌) elocuencia *f*, facundia *f*. ~이 유창하다 ser elocuente, tener facilidad de palabra [en hablar]. ~을 발휘하다 demostrar *su* elocuencia.

■ ~가(家) elocuente *mf*, orador, -dora *mf* (elocuente); buen orador *m*, buena oradora *f*.

변설(變說) cambio *m* de la opinión. ~하다 cambiar la opinión, mudar la opinión, retractarse, cantar la paliodia.

변성(邊城) castillo *m* en la zona fronteriza.

변성(變成) regeneración *f*, metamorfosis *f*. ~하다 degenerar, metamorfosear.

■ ~암(巖) roca *f* metamórfica. ~ 작용(作用) metamorfismo *m*.

변성(變性) degeneración *f*, desnaturalización *f*. ~하다 degenerar, desnaturalizarse. ~시키다 desnaturalizar.

◆ 전분(澱粉) ~ degeneración *f* amilácea. 지방(脂肪) ~ degeneración *f* untuosa.

■ ~ 매독 parasifilis *f*. ~ 알코올 alcohol *m* desnaturalizado. ~제 desnaturalizante *m*, agente *m* modificante.

변성(變姓) cambio *m* de *su* apellido. ~하다 cambiar de *su* apellido.

변성(變聲) cambio *m* [mudanza *f*·muda *f*] de (la) voz. ~하다 cambiar de voz, cambiarse [mudarse] la voz. 그는 ~했다 Su voz se ha mudado [cambiado] / El cambió de voz.

■ ~기(期) pubertad *f*.

변성명(變姓名) cambio *m* de *su* nombre y apellido. ~하다 cambiar de *su* nombre y apellido.

변소(便所) servicio *m*, aseo *m*, retrete *m*, váter *m*, wáter *m*; [욕실 겸용의] baño *m*. ~에 가다 ir al servicio [váter·baño].

변속(變速) cambio *m* de velocidad [de marcha]. ~하다 cambiar de marcha [de velocidad], hacer un cambio.

■ ~기 caja *f* de engranajes; [자동차의] caja (de cambio) de velocidades, caja *f* de cambio. ~ 운동 moción *m* en velocidad variable. ~ 장치 transmisión.

변수(變數) 【수학】 (cantidad *f*) variable *f*.

◆ 종속(從屬) ~ variable *f* dependiente.

변스럽다(變-) (ser) extraño, raro. 변스럽게 굴다 comportarse raramente [extrañamente].

변시체(變屍體) cadáver *m* muerto sospechosamente.

변신(變身) metamorfosis *f*, transfiguración *f*. ~하다 metamorfosearse, transfigurarse.

■ ~술(術) arte *m* de transfiguración.

변신론(辯神論) 【철학】 teodicea *f*.

변심(變心) cambio *m* de ideas; [변절(變節)] traición *f*. ~하다 cambiar de ideas; traicionar. ~하기 쉬운 voluble, versátil, inconstante, caprichoso. 그의 연인은 ~했다 El corazón de su novia se ha ido con otro.

변쑥돌(變-) 【광물】 =편마암(片麻巖).

변압(變壓) ① 【물리】 transformación *f* de la presión. ~하다 transformar la presión. ② 【전기】 transformación *f* (del voltaje). ~하다 transformar el voltaje.

■ ~ 계수 coeficiente *m* de transformación. ~기 transformador *m*. ~기 코일 bobina *f* transformadora. ~소(所) subestación *f* (de transformador).

변역(變易) mutación *f*, mudanza *f*, [변경] alteración *f*, cambio *m*, modificación *f*. ~하다 mutar, alterar, cambiar, modificar.

변온(變溫) cambio *m* de la temperatura, temperatura *f* variable. ~하다 cambiarse la temperatura.

■ ~ 동물(動物) animal *m* de temperatura variable.

변위(變位) ① 【물리】 desplazamiento *m*. ② [물체의 자리가 바뀜] cambio *m* de la posición. ~하다 cambiar la posición. ③ 【전기】 remoción *f*.

■ ~ 기호 bemol *m*. ~ 전류 corriente *f* de remoción.

변음(變音) 【음악】 bemol *m*.

■ ~ 기호 bemol *m*.

변읍(邊邑) ① [변경의 고을] pueblo *m* de la región fronteriza. ② =두메.

변이(變異) ① =이변(異變). ② 【생물】 variación *f*.

■ ~설(說) teoría *f* de variación. ~종(種) especies *fpl* variables.

변이(變移) cambio *m*, alteración *f*, mutación *f*, transmutación *f*, 【화학】 conversión *f*.

변자(邊子) borde *m*, volante *m*, *RPl* volado *m*, *Méj* olán *m*, *Chi* vuelo *m*.

변작(變作) =변조(變造).

변장(變裝) disfraz *f*, [가장] enmascaramiento *m*; [위장] disimulo *m*, camuflaje *m*. ~하다 disfrazarse (de). ~시키다 disfrazar. ~해서 disfrazado. 여자로 ~하다 disfrazarse de mujer. 스님으로 ~해서 disfrazado de monje budista.

■ ~술 el arte de disfraz.

변재(辯才) elocuencia *f*, talento *m* oratorio. ~가 있다 ser elocuente.

변재(變災) accidente *m*, desastre *m*, calamidad *f*. ~를 만나다 sufrir una calamidad [un desastre].

변전(變轉) cambio *m*, variación *f*, transmudación *f*, transmutación *f*. ~하다 cambiar, transmudar. ~ 무쌍한 inconstante, veleidoso, en cambio perpetuo [incesante]. 국제 정세의 ~ variación *f* de la situación internacional.

변전소(變電所) subestación *f* (de transformación).

변절(變節) defección *f*, [표리(表裏)] traición *f*, [배교(背敎)] apostasía *f*. ~하다 cam-

biar(se) la chaqueta (de opiniones), chaquetear; apostatar.
■ ～자 traidor, -dora *mf*; [배교자] apóstata *mf*. ～한(漢) hombre *m* traidor.

변제(辨濟) pago *m*, indemnización *f*. ～하다 pagar, indemnizar.
■ ～ 거절권 derecho *m* de rehusar el pago. ～금 licitación *f*. ～ 기한 término *m* de pago, vencimiento *m*. ～ 수령 aceptación *f* de pago. ～ 제공 oferta *f* de pago. ～ 충당 apropiación *f* de pago.

변조(變造) adulteración *f*, falsificación *f*. ～하다 adulterar, falsificar.
■ ～ 수표 cheque *m* adulterado. ～ 어음 letra *f* adulterada. ～ 화폐(貨幣) moneda *f* adulterada.

변조(變調) ① [이상] irregularidad *f*, anormalidad *f*. ② 【전기】 modulación *f*. ③ 【음악】 cambio *m* de tono.
◆주파수 ～ modulación *f* de frecuencia. 진폭 ～ modulación *f* de amplitud.
■ ～관(管) válvula *f* de modulación. ～기(器) modulador *m*. ～ 물질 modulador *m*. ～ 요법 tratamiento *m* alterativo. ～ 주파수 frecuencia *f* de modulación. ～ 지수(指數) coeficiente *m* de modulación. ～파 onda *f* de modulación, onda *f* modulada.

변종(變種) ① 【생물】 variedad; [돌연변이에 의한] mutación *f*. ② ((속어)) [성질이나 언행 따위가 남과 별나게 다른 사람] persona *f* excéntrica. 그는 군인으로는 ～이다 El es un militar poco corriente / El no es un militar común / El es una excepción como militar.

변주(變奏) 【음악】 variación *f*. ～하다 tocar una variación.
■ ～곡(曲) variación *f*. ～곡 형식 forma *f* de variación.

변죽(邊－) borde *m*, margen *m*.
◆변죽(을) 울리다 sugerir [insinuar] sin sinceridad, dar vanas esperanzas. 변죽을 울리는 insinuante, sugestivo, incitante.

변증(辨證) demostración *f*. ～하다 demostrar.
■ ～적 dialéctico *adj*. ¶～으로 dialécticamente.

변증법(辨證法) 【철학】 dialéctica *f*.
■ ～ 신학(神學) teología *f* dialéctica. ～적 dialéctico. ¶～으로 dialécticamente. ～적 논리학 lógica *f* dialéctica. ～적 유물론 materialismo *m* dialéctico.

변지(邊地) borde *m* del mundo [de la tierra], lugar *m* aislado; [변경(邊境)] distrito *m* frontal, frontera *f*.

변질(變質) cambio *m* de calidad, alteración *f*, deterioro *m*, degeneración *f*. ～하다 cambiar de calidad, degenerarse, corromperse; [우유·포도주가] descomponerse, agriarse.
■ ～자 maniático, -ca *mf*; pervertido, -da *mf*.

변천(變遷) cambio *m*, transición *f*, variación *f*, alteración *f*, mudanza *f*. ～하다 cambiarse, variarse, alterar, sufrir por muchos cambios. 시대의 ～ cambios *mpl* de los tiempos. 수많은 ～을 경험하다 experimentar [sobrellevar] muchos cambios.

변체(變體) anomalía *f*, anormalidad *f*.

변칙(變則) irregularidad *f*, anomalía *f*. ～의 irregular, anómalo.
■ ～ 교육 educación *f* irregular. ～ 국회 sesión *f* de la Asamblea Nacional anormal. ～동사 verbo *m* irregular. ～ 서반아어 mal español *m*. ～용언 palabra *f* conjugada irregular. ～적 irregular. ¶～인 발음 pronunciación *f* incorrecta. ～인 교육을 받다 recibir una educación irregular [anormal]. ～으로 서반아어를 배우다 aprender español por el método irregular. ～형용사 adjetivo *m* irregular. ～활용 conjugación *f* irregular.

변칭(變稱) cambio *m* del nombre. ～하다 cambiar el nombre.

변탈(變脫) 【화학】 desintegración *f*. ～하다 desintegrar.

변태(變態) ① [이상] anormalidad *f*, anomalía *f*. ② 【생물】 transformación *f*, metamorfosis *f*. ③ 【물리·화학】 transformación *f*.
■ ～ 성욕(性慾) anomalía *f* sexual; [성도착] inversión *f* [perversión *f*] sexual; [동성애] homosexualidad *f*. ～ 성욕자 invertido, -da *mf*, sodomita *mf*. ～ 수지(樹脂) resina *f* modificada. ～ 심리 mentalidad *f* anormal [anómala]. ～ 심리학 psicología *f* anormal. ～적 anormal, anómalo. ¶～인 상태 condiciones *fpl* anormales. ～점 temperatura *f* de transformación.

변통(便通) 【한방】 evacuación *f* del vientre [de los intestinos], movimiento *m* del vientre. 변비증 때문에 ～이 잘 안 되다 estar estreñido.
■ ～제(劑) laxante *m*; [하제(下劑)] purgante *m*.

변통(便痛) 【한방】 dolor *m* al evacuar.

변통(變通) medida *f* trazada, expediente *m*, medio *m*, modo *m*. ～하다 buscar un expediente, buscar un medio, ingeniarse. 돈을 ～하다 disponer [preparar] el dinero, procurar a conseguir el dinero, buscar con qué pagar.
■ ～성 adaptabilidad *f*, flexibilidad *f*, versatilidad *f*. ¶～이 있다 (ser) adaptable, flexible, versátil. ～수(數) recurso *m*, aparato *m*, artefacto *m*.

변폭(邊幅) dobladillo *m*.

변하다(變－) cambiarse; [변화하다] mudarse, alterarse, variar. …으로 ～ mudarse [convertirse · cambiarse] en *algo*. 마음이 ～ cambiar de intención. 세상이 ～ cambiar [reformarse · renovarse] el mundo. 변하기 쉽다 (estar) variable, cambiable, mudable, inconstante, versátil, voluble. 변하기 쉬운 날씨다 El tiempo está variable. 그는 성격이 변하기 쉬운 남자다 El es un hombre voluble / El tiene un carácter variable. 웃음이 눈물로 변했다 La risa se cambió en llanto.

변함없다(變－) (ser) constante. 변함없는 in-

variable, inmutable, inalterable, constante. 변함없는 사랑 amor *m* constante. 싸우기는 하지만 두 사람의 우정은 ~ Aunque riñeron los dos su amistad no sufrió alteración alguna. 사장이 교체되지만 회사의 경영 방침에는 ~ El cambio de presidente no traerá consigo modificación alguna en la línea administrativa de la compañía. 그의 병상(病狀)은 ~ Su enfermedad sigue estacionaria / Su estado sigue igual.
변함없이 como siempre, como de ordinario, como de costumbre; [전처럼] como antes; [아직도] todavía, aún. 지하철은 ~ 만원이다 El metro va lleno de gente como de costumbre / El metro está de bote en bote como de costumbre / El metro está completamente lleno de gente como de costumbre.

변해(邊海) ① [변경(邊境)의 바다] mar *m* de la región fronteriza. ② [아득하게 먼 곳의 바다] mar *m* muy lejano.

변혁(變革) cambio *m*; [개혁] reforma *f*, [혁신] innovación *f*; [혁명] revolución *f*. ~하다 cambiar, reformar, innovar. 기술상의 ~ innovación *f* tecnológica. 사회를 ~하다 reformar la sociedad. 우리는 큰 ~의 시대(時代)에 살고 있다 Vivimos en tiempos de grandes cambios.
■ ~기(期) período *m* de cambio. ~자(者) reformador, -dora *mf*.

변혈(便血)【한방】＝피똥.

변협(辯協) ((준말)) ＝변호사 협회.

변형(變形) transformación *f*, metamorfosis *f*, deformación *f*. ~하다 transformarse, metamorfosearse; [렌즈·음(音) 따위의] distorsión *f*. ~되다 transformarse, metamorfosearse. ~시키다 transformar. A를 B에 ~시키다 transformar A en B.

변호(辯護) defensa *f*, [법정에서의] alegato *m*; [석명(釋明)] justificación *f*. ~하다 defender, abogar, justificar. 그는 나를 ~했다 El me ha defendido. 그 점에 대해서는 ~의 여지가 없다 En cuanto a ese punto no hay lugar para defensa / Ese punto es indefendible.
■ ~권 derecho *m* de defensa. ~ 수수료 honorarios *mpl* de abogacía.

변호사(辯護士) abogado, -da *mf*. ~ 공부를 하다 estudiar abogacía. ~를 의뢰하다 acudir a un abogado. ~와 상담(相談)하다 consultar con un abogado (sobre).
◆관선(官選) ~ abogado, -da *mf* de pobres. 담당(擔當) ~ abogado, -da *mf*.
■ ~ 명부 matrícula *f* de abogados. ~법 ley *f* de abogados. ~ 사무소 bufete *m*. ¶ ~를 하다 practicar [ejercer] la abogacía. ~ 시험 examen *m* para la abogacía. ~직 abogacía *f*. ~ (협)회 la Asociación de Abogados, el Colegio de Abogados..

변호인(辯護人) defensor, -sora *mf*. ~을 붙이다 nombrar al defensor de oficio. ~을 선임하다 nombrar al defensor. ~을 필요로 하는 경우에는 en caso de que un defensor se necesite. ~이 되려고 하는 사람 persona *f* que va a ser defensor.
■ ~ 선임권 derecho *m* a nombrar defensor.

변화(變化) ① cambio *m*, mudanza *f*, [변경] modificación *f*, alteración f; [변동(變動)] mutación *f*, [변형] transformación *f*, [변천] vicisitud *f*, transición *f*, evolución *f*, [다양] variedad *f*. ~하다 cambiar, modificarse, alterarse, transformarse, variar, evolucionar. ~가 많은 variado, lleno de variedad. ~가 없다 carecer de variedad. ~가 없는 que carece de variedad; [단조로운] monótono; [무변화의] inmutable. ~하기 쉬운 cambiable, variable. 계획의 ~ cambio *m* [modificación *f*·alteración *f*] del proyecto. 계절의 ~ cambio *m* de las estaciones. 기후의 ~ mutación *f* [cambio *m*] del tiempo. 세계의 ~ evolución *f* [vicisitud *f*] del mundo. 유행의 ~ mudanza *f* [cambio *m*] de la moda. ~를 받다 sufrir cambio. ~를 일으키다 causar cambio (en). 정세가 ~했다 La situación ha cambiado. 기온의 ~가 심하다 Los cambios de temperatura son muy bruscos. 시대가 ~한다 Evoluciona el mundo. 유행이 ~한다 Pasa la moda. 이 지방의 경치는 ~가 다양하다 El paisaje de esta región es variado. 정세에 아무런 ~가 없다 No hay ningún cambio [ninguna novedad] en la situación. 시대의 ~에 따라 풍속도 ~한다 Los usos van cambiado según [con] el paso de los tiempos. 사회 구조에 큰 ~가 일어났다 Se ha producido un gran cambio en la estructura social. 한국의 농업은 급속한 ~를 보였다 La agricultura coreana ha experimentado con cambio rápido. ② [동사(動詞)의] conjugación *f*, [명사·형용사 등의] declinación *f*, flexión *f*. ~하다 conjugarse, declinarse. ~시키다 conjugar, declinar.
■ ~ 계수 coeficiente *m* de variación. ~구(球) curva *f*. ~ 기호[표]【음악】accidental *m*. ~무궁 innumerable cambio *m*. ~무쌍(無雙) mucha variedad. ¶~하다 (ser) variado, lleno de variedad, lleno de vicisitudes. ~한 일생을 보내다 pasar una vida agitada [llena de vicisitudes]. ~표 tabla *f* de conjugaciones. ¶동사 ~ tabla *f* de conjugaciones de los verbos.

변환(變換) ① [물건의 성질이나 상태를 바꿈] cambio *m*, conversión *f*. ~하다 cambiar, convertir. ②【수학】transformación *f*.
■ ~기 ㉮【물리】cambiador *m* de frecuencia. ㉯【전기】transformador *m*.

별 ①【천문】estrella *f*. ~의 estrellar. ~이 밝은 밤 noche *f* estrellada. ~로 가득 찬 하늘 cielo *m* estrellado, cielo *m* lleno [cuajado] de estrellas. ~이 나온다 Las estrellas salen [aparecen]. ~이 떨어진다 Una estrella cae. ~이 반짝인다 [빛난다] Brillan [Titilan] las estrellas. ~이 반짝이는 밤이었다 Era una noche estrellada. 하늘에 ~이 총총하다 Los cielos están llenos de las estrellas. ② [별을 도안화한 모양을 가리키는 말] forma *f* de estrella. ③ ((속어)) [별 모양을 한 장성급의 계급장] estrella *f.* ~을 달다 ponerse la estrella, hacerse general. ④ [매우 하기 힘든 일] tarea *f* dificilísma. 하늘의 ~ 따기 Es muy difícil. ⑤ [기타] estrella *f.* ~ 다섯 개의 호텔 hotel *m* de cinco estrellas. 다윗의 ~ la estrella de David (두 삼각형을 교차시킨 별 모양).

■ ~들의 전쟁 guerra *f* de las galaxias.

별(別) diferencia *f*, excentricidad *f*, extravagancia *f*.

별-(別) excéntrico, extravagante, extraordinario, excepcional, singular, otro. ~말씀 comentario *m* extraordinario. ~문제 otra cuestión *f*, otra cosa *f*, otro asunto *m*.

-별(別) ① [구별] distinción *f.* ② [나뉨] división *f.*

별가(別家) ① [첩(妾)] concubina *f*; [첩의 집] casa *f* de *su* concubina. ② [다른 집] familia *f* aparte [dependiente]. ~를 이루다 formar familia aparte.

별가락(別-) tono *m* raro, melodía *f* rara.

별갑(鱉甲) carey *m.*

별개(別個) lo separado, lo distinto, lo diferente, lo otro. ~의 separado, distinto, diferente, otro. ~로 separadamente, distintamente, diferentemente. 그것은 ~ 문제다 Eso es otra cuestión. 이 계약은 그것과는 ~다 Este contrato es cosa aparte.

별거(別-) ((준말)) =별것.

별거(別居) separación *f* (legal), divorcio *m* limitado. ~하다 vivir separado [separadamente]. ~ 중인 남편 esposo *m* [marido *m*] separado. ~ 중인 아내 esposa *f* separada. 저 부부는 ~ 중이다 Aquel matrimonio vive separado. 그는 가족과 ~하고 있다 El vive separado de su familia.

■ ~ 생활(生活) vida *f* separada. ~ 수당 sobresueldo *m* [complemento *m*] separado. ~자 persona *f* separada; separado, -da *mf*, [이혼한 사람] divorciado, -da *mf*.

별걱정(別-) preocupación *f* inútil. ~을 다하다 preocuparse inútilmente.

별건(別件) ① [물건] cosa *f* rara. ② [사건] otro caso *m*, otra acusación *f.* ~으로 체포하다 detener por otra acusación.

별건곤(別乾坤) =별세계(別世界).

별것(別-) ① [별난 것] rareza *f*, curiosidad *f*, sigularidad *f*, cosa *f* rara. 그것은 ~이 아니다 Eso no es nada peculiar. ~은 아니지만 받아 주십시오 Esta es una cosa pequeña para usted. ② [다른 물건] otra cosa *f*, cosa *f* separada.

별격(別格) posición *f* especial [excepcional · extraordinaria], estatus *m.* ~의 especial, excepcional, extraordinario. 그는 ~이다 El es una excepción.

별견(瞥見) mirada *f*, vista *f.* ~하다 echar*le* una ojeada (a), echarle [dar*le*] un vistazo (a).

별고(別故) ① [특별한 사고(事故)] accidente *m* especial. ~ 없이 muy bien, de buena salud; [무사히] sano y salvo, con toda seguridad [confianza]. ~(가) 없으신지요? ¿Cómo está usted? / ¿Cómo se encuentra usted? / ¿Cómo le va? // [tú에게] ¿Cómo estás? / ¿Cómo te va? / ¿Qué tal (estás)? 그 후 ~ 없으신지요? ¿Todo le va bien a usted desde entonces? / ¿Sigue usted bien? ~ 없습니다 No hay nada de nuevo [de particular] / Todo va bien. ② [별다른 까닭] razón *f* especial [peculiar], otra razón *f*.

별고(別庫) depósito *m* para las cosas preciosas.

별곡(別曲) tono *m* nuevo [especial].

별과(別科) curso *m* especial.

■ ~생 estudiante *mf* del curso especial.

별관(別館) ① [작은집] casa *f* pequeña. ② [본관(本館) 외에 따로 설치한 건물] (edificio *m*) anexo *m.* 호텔의 ~ anexo *m* de un hotel.

별구경(別-) espectáculo *m* especial [peculiar], espectáculo *m* raro.

별군(別軍) destacamento *m*, ejército *m* diferente.

별궁(別宮) palacio *m* no adosado, villa *f* real, palacio *m* de la reina.

별궁리(別窮理) ① [다른 궁리] otra deliberación *f*, otra consideración *f*, otro pensamiento *m.* ② [별의별 궁리] muchas consideraciones, muchos pensamientos.

별급(別給) bonificaciones *fpl.*

별기(別記) párrafo *m* aparte [separado], nota *f* separada. ~하다 escribir [apuntar · anotar] separadamente. ~와 같이 como pone aparte, como está escrito en otra parte.

별꼴(別-) espectáculo *m* extraordinario, cosa *f* que hiere la vista, fealdad *f*.

별꽃 **【식물】** morgelina *f*, pamplina *f*.

별나다(別-) (ser) excéntrico, extravagante, estrafalario, estrambótico, fantástico, singular, extraordinario, peculiar. 별난 사람 excéntrico, -ca *mf.* 별난 취미 gusto *m* por cosas extrañas. 그는 별난 짓을 했다 ¡Qué extravagancia ha cometido!

별나라 estrella *f*, mundo *m* estelar.

별납(別納) pago *m* especial, pago *m* separado. ~하다 pagar separadamente.

별놈(別-) sujeto *m* [tipo *m*] excéntrico.

별다르다(別-) (ser) particular, especial, peculiar, extraordinario, excepcional. 별다른 일 cosa *f* peculiar [particular · extraordinaria].

별달리 particularmente, peculiarmente, extraordinariamente, excepcionalmente.

별당(別堂) ① [딴채] casa *f* separada, dependencia *f*, anejo *m* (de un edificio); [딴방] habitación *f* separada. ② ((불교)) residencia *f* del superior del templo budista.

별대(別隊) tropas *fpl* separadas.

별도(別途) uso *m* separado. ~의 aparte, especial, separado. ~로 aparte, separadamente, individualmente. ~의 약정(約定)

estipulación *f* especial. 이것은 ~로 하고 esto aparte, aparte (de) esto. … 과는 관계없이 ~로 independientemente de *algo.* ~로 하다 apartar, separar; [따로 간직하다] guardar [conservar] en otro lugar. 이 점은 ~로 고려합시다 Este punto lo consideremos separadamente. 송료(送料)는 ~입니다 Hay que pagar el porte aparte. 밥값은 ~로 계산해 주십시오 Haga el favor de hacer una cuenta separada para la comida. ■~ 계산 cuenta *f* separada. ~ 예금(預金) ahorro *m* separado. ~ 적립금 fondo *m* de reserva separado.

별도리(別道理) otro modo *m,* mejor medio *m,* mejor medida *f,* mejor remedio *m.* ~ 없이 incapazmente, inevitablemente, ineludiblemente.

별동(別棟) edificio *m* separado, dependencia *f,* pabellón *m,* anejo *m* [anexo *m*] de un edificio.

별동대(別動隊) columna *f* ligera [volante].

별똥 =유성(流星).

별똥돌 =운석(隕石).

별똥별 【천문】 estrella *f* fugaz, meteoro *m,* metéoro *m,* aerolito *m,* bólido *m,* exhalación *f.*

별로(別-) especialmente, particularmente, en particular, en especial; [그다지 … 않다] no … mucho, no … muy. ~ 이야기할 것도 없다 No tengo nada de particular para decirle. ~ 덥지 [춥지] 않다 No hace mucho calor [frío]. 그것은 ~ 중대하지 않다 No es muy grave. 이것은 ~ 크지 않다 Esto no es muy grande. 그녀는 영화는 ~ 좋아하지 않는다 No le gusta mucho el cine a ella. 그것은 ~ 놀랄 일이 아니다 Eso no tiene sorpresa alguna.

별리(別離) despedida *f,* partida *f,* separación *f,* alejamiento *m.* ~의 서러움 dolor *m* [pena *f*·pesadumbre *f*·sentimiento *m*·aflicción *f*] de reparación [de despedida].

별말(別-) comentario *m* extraordinario.

별말씀(別-) ((높임말)) =별말. ¶~ 다 하십니다 [「고맙다」에 대한 대답] De nada / No hay de nada // [「미안하다」에 대한 대답] No importa / De ningún modo / De ninguna manera.

별맛(別-) sabor *m* especial [extraordinario]. 이 불고기는 ~이다 Este *bulgoki* [asado coreano] es un sabor especial.

별명(別名) [다른 이름] otro nombre *m,* nombre *m* postizo, nombre *m* supuesto; [본명 이외의 남들이 지어 부른 이름] apodo *m,* mote *m,* sobrenombre *m*; [펜네임이나 예명(藝名) 등의] seudónimo *m*; [별명] alias *m.* 에이의 ~ 비 A de otro modo llamado B, A con el seudónimo de B. ~을 붙이다 apodar, motejar. …에게 ~을 붙이다 poner a *uno* el apodo [el mote·el sobrenombre], apodar a *uno.* …에게 A라는 ~을 붙이다 poner a *uno* el apodo [el mote·el sobrenombre] de A, apodar a *uno* A. …를 A라고 ~을 부르다 llamar a *uno* por el apodo [por el mote·por el sobrenombre] de A. 그의 ~은 뚱뚱보다 El tiene el apodo de gordito. 그는 A라는 ~으로 알려져 있다 El es conocido por el sobrenombre de A / Le llaman el A. 그는 ~으로 A라고도 불리운다 A él le llaman también A por apodo.

별무늬 figura *f* de estrellas.

별문제(別問題) otra cuestión *f,* otra cosa *f,* otro asunto *m.* 그것은 ~다 Es otra cosa. 이것과 그것은 ~다 Esto es una cosa, y eso es otra (cosa) / Este y ése son dos asuntos diferentes. 연애와 결혼은 ~다 El amor y el matrimonio son dos cosas distintas.

별물(別物) ① [특별한 물건] cosa *f* especial, cosa *f* diferente, asunto *m* diferente, excepción *f.* ② [별난 사람] persona *f* excéntrica.

별미(別味) [맛] sabor *m* exquisito [delicioso]; [음식] delicadeza *f,* lo delicioso.

별미쩍다(別味-) (ser) raro, extraño, poco corriente, poco común, inusual, fuera de lo corriente [común].

별바다 mar *m* de estrellas.

별박이[1] [연] *byeolbaki,* una especie de la cometa de papel.

별박이[2] [말의 한 종] caballo *m* con la mancha blanca en *su* cabeza.

별박이[3] =살치.

별반(別般) particularmente, en particular, especialmente, en especial. ~ 크지 않다 No es tan grande. ~ 불편하지 않다 No hay mayores [muchos] inconvenientes. ~ 놀랄 일이 아니다 Eso no tiene sorpresa alguna. ◆별반거조(擧措)를 내다 tomar las medidas particulares.

별배(別杯) copa *f* de despedida. ~를 들다 brindar una copa de despedida.

별배달(別配達) ((준말)) =별배달우편.
■~우편 correo *m* especial.

별법(別法) ① [다른 방법] otro método *m.* ② [별난 법] modo *m* especial.

별별(別別) varios, de toda clase, de todo tipo, de todo género, de toda suerte. ~ 모험 todo tipo [toda clase] de aventuras, aventuras *fpl* de todo tipo [de toda clase], todo género *m* [toda suerte *f*] de aventurs.

별별일(別別-) varias cosas *fpl* extraordinarias.

별보(別報) ① [특별한 보도(報道)] información *f* especial. ② [별도의 보도] otra noticia *f,* otro reporte *m,* otro informe *m,* información *f* suplementaria. ~에 따라 según otro reporte.

별본(別本) otra forma *f,* otro modelo *m.*

별봉(別封) ① [따로 싸서 봉함] cubierta *f* separada. ② [따로 봉한 편지] carta *f* bajo cubierta separada, carta *f* acompañada. ~으로 bajo cubierta separada.

별빛 luz *f* de estrellas. ~에 a la luz [a la claridad] de estrellas.

별사(別使) ① [특별한 사명을 띤 사신] enviado, -da *mf* especial. ② [따로 보내는 사

신] enviado *m* separado, enviada *f* separada; otro mensajero *m*, otra mensajera *f*.
별사(別事) =별일.
별사(別辭) ① [이별의 인사] saludo *m* de despedida, palabra *f* de despedida. ② [그 외의 말] otra palabra *f*.
별사건(別事件) ① [보통과 다른 특별한 사건] asunto *m* particular, asunto *m* curioso [extraño]. ② [관련되지 않은 다른 사건] otro asunto *m*.
별사람(別一) persona *f* excéntrica; [남자] hombre *m* excéntrico; [여자] mujer *f* excéntrica.
별생각(別一) otro pensamiento *m*.
별석(別席) ① [다른 자리] asiento *m* diferente, otro asiento *m*. ② [특별석] asiento *m* especial.
별설(別設) establecimiento *m* especial. ~하다 establecer especialmente.
별세(別世) fallecimiento *m*, muerte *f*. ~하다 fallecer, morir. dejar de vivir.
별세계(別世界) ① [다른 세계] otro mundo *m*, mundo *m* diferente, mundo *m* desconocido. 여기는 완전히 ~다 Esto es un mundo completamente diferente. ② [특수한 세계] mundo *m* aislado [aparte]; [낙원(樂園)] paraíso *m*.
별소리(別一) ((낮은말)) =별말.
별송(別送) envío *m* separado. ~하다 enviar [mandar] separadamente.
별수(別數) ① [행운(幸運)] buena suerte *f*. ② [묘법(妙法)] método *m* especial, secreto *m*. ③ [여러 방법] varios modos *m*, muchos modos, todos los modos.
별수단(別手段) ① [특별한 수단] medio *m* especial. ② [여러 가지 수단] muchos medios, todos los medios.
별스럽다(別一) (ser) excéntrico, raro, extraño.
별스레 excéntricamente, raramente, extramente.
별식(別食) plato *m* especial, comida *f* sabrosa [deliciosa].
별실(別室) ① [딴 방] otra habitación *f*, otro cuarto *m*; [특별실] sala *f* especial. ② [첩(妾)] concubina *f*.
별안간(瞥眼間) en un instante; [갑자기] de repente, repentinamente, de súbito, súbitamente, de pronto; [느닷없이] inesperadamente, imprevistamente. ~ 뒤가 마렵다 tener un apretón. 그는 ~ 달리기 시작했다 El se puso a correr de repente. ~ 등불이 모두 꺼졌다 De repente se apagaron todas las luces. 그녀는 ~ 나타났다 De pronto ella apareció.
별유천지(別有天地) =별세계.
별의별(別一別) excéntrico, extraordinario; varios. 서가(書架)에는 ~ 책이 다 꽂혀 있다 En el estante hay varios libros.
별일(別一) ① [드물고 이상한 일] cosa *f* extraña, cosa *f* rara y extraordinaria. ② [특별한 다른 일] otra cosa *f*, cosa *f* especial [particular·excepcional]; [사고(事故)·이상(異狀)] accidente *m*. ~ 없다 Está bien / Vale / No hay nada de particular [de nuevo] / Todo va bien. 그 후 ~ 없느냐? ¿Todo te va bien desde entonces? / ¿Sigues bien? 그는 교통 사고가 있었지만 생명에는 ~ 없다 El tuvo un accidente de tráfico, pero no hubo peligro para su vida [su vida no corrió peligro·escapó con vida].
별자(別者) persona *f* excéntrica [extravagante]. 그는 군인으로서는 ~다 El es un militar poco corriente / El no es un militar común / El es una excepción como militar.
별자리 【천문】 constelación *f*, asterismo *m*.
별장(別莊) villa *f*, quinta *f*; [휴가용] chalet *m*, chalé *m*; [시골에 있는] chalet *m*, casa *f* de campo.
◆ 전세(傳貰) ~ villa *f* de alquiler. 해변(海邊) ~ chalé *m* para en la playa. 휴일용 ~ chalé *m* para las vacaciones.
▪ ~지(地) lugar *m* de quintas. ~지기 guarda *mf* de quinta.
별저(別邸) villa *f*, chalet *m*, chalé *m*, quinta *f*.
별정(別定) decisión *f* especial, establecimiento *m* especial. ~하다 establecer [decidir] especialmente.
▪ ~ 우체국 correos *mpl* establecidos por una persona individual según el govierno. ~직 posición *f* gubernamental privilegiada. ~직 공무원 funcionario *m* público [funcionaria *f* pública] en el servicio gubernamental especial.
별제(別製) fabricación *f* [manufactura *f*·hechura *f*] especial. ~하다 fabricar especialmente. ~의 de manufactura [fabricación·hechura] especial, hecho [elaborado·fabricado] especialmente.
별종(別種) ① [딴 종자] otra semilla *f*. ② [딴 종류] clase *f* [especie *f*·género *m*] diferente, variedad *f*, diversidad *f*. ~의 de otro género, de otra clase, diferente, otro. ③ [특별히 선사하는 물건] regalo *m* especial.
별주(別酒) bebida *f* alcohólica especialmente hecha [preparada].
별증(別症) deuteroterapia *f*, complicación *f*, enfermedad *f* secundaria.
별지(別紙) papel *m* adjunto [anexo]. ~와 같이 como se especifica [se encuentra] en el documento adjunto. ~의 서류 documento *m* adjunto. ~에 기재하다 escribir en la hoja adjunta.
별집(別集) colección *f* suplementaria.
별짜(別一) persona *f* excéntrica, persona *f* extravagante.
별쭝나다 excéntrico, extraordinario, pelicular.
별쭝맞다 =별쭝나다.
별쭝스럽다 =별쭝나다.
별쭝스레 excéntricamente, extraordinariamente, pelicularmente.
별차(別差) gran diferencia *f*. ~ 없다 no

tener mucha diferencia, ser parcialmente igual, tener poca diferencia.

별찬(別饌) acompañamientos *mpl* raros [exquisitos], guarniciones *fpl* raras [exquisitas]. acompañamientos *mpl* especialmente sabrosos [apetitosos · ricos · delicados].

별채(別一) pieza *f* aislada; [독립 가옥] pabellón *m* (*pl* pabellones) anexo, dependencia *f*, anejo *m* (de un edificio).

별책(別冊) volumen *m* separado, suplemento *m*; [잡지의] número *m* extra, número *m* suplementario.

■ ~ 부록(附錄) suplemento *m*.

별천계(別天界) ＝별세계(別世界).

별천지(別天地) ＝별세계(別世界).

별첨(別添) papel *m* anexo. ~하다 adjuntar, acompañar. 100달러짜리 수표를 ~합니다 Adjunto [Acompaño] un cheque por cien dólares.

별체(別體) estilo *m* particular [diferente].

별치(別置) establecimiento *m* aparte. ~하다 establecer aparte.

별칭(別稱) ＝별명(別名).

별택(別宅) casa *f* separada, casa *f* distinta, quinta *f*.

별파(別派) [종교의] otra secta *f*; [당(黨)의] otro partido *m*; [학파의] otra escuela *f*.

별판(別一) mejora *f* inesperada de la situación.

별편(別便) correo *m* separado [aparte], carta *f* separada [aparte]. ~으로 por correo diferente, por (correo) separado, (en carta) aparte, por sobre separado. ~으로 보내다 enviar [mandar] aparte. ~으로 견본을 귀측에 보내 드립니다 Tendremos el gusto de enviarles por separado una muestra / Les enviamos por separado una muestra.

별표(一標) asterisco *m*, estrella *f*. ~를 하다 poner un asterisco, marcar con asterisco.

별표(別表) tabla *f* adjunta, lista *f* aneja, lista *f* anexa.

별품(別品) ① [별스런 · 특별한 물품] artículo *m* excepcional [especial · extraordinario · particular]. ② [또 다른 물품] otro artículo *m*, otra cosa *f*.

별하다(別一) ＝별나다.

별항(別項) otro artículo *m*. ~에 기재한 대로 como se menciona [se declara] en otro artículo.

별행(別行) otra línea *f*. ~에 쓰다 escribir en una nueva línea.

별호(別號) ① [호(號)] seudónimo *m*. ② [별명(別名)] apodo *m*, mote *m*.

볍씨 semilla *f* de arroz.

볏[1] [닭의] cresta *f* (de gallo), gorro *m* de bufón.

볏[2] 【농업】 hierro *m* de arado.

볏가락 arista *f* del arroz.

볏가리 montón *m* de paja de arroz.

볏가을 cosecha *f* del arroz. ~하다 cosechar el arroz.

볏단 gavilla *f* del arroz.

볏모 plantón *m* (*pl* plantones) de arroz.

볏밥 【농업】 tierra *f* arada.

볏밥덩이 【농업】 ＝볏밥.

볏섬 saco *m* del arroz.

볏자리 parte *f* del arado que se pega la hierra.

볏짚 paja *f* de arroz.

■ ~ 돗자리 estera *f* de paja de arroz. ¶ 방바닥은 두꺼운 ~로 깔려 있었다 Los suelos estaban cubiertos de unas gruesas esteras de paja de arroz.

병(丙) ① [사물의 등급을 매길 때 을(乙)의 다음] tercer grado *m* de notas, tercero *m* de ítem de cualquier clasificación. ② [셋째] tercero *m*. ③ [남쪽] sur *m*. ④ ((준말)) ＝병방(丙方). ⑤ ((준말)) ＝병시(丙時).

병[1](兵) ① 【군사】 ＝병장. 상등병. 일등병. 이등병. ② ＝군인(soldado). ③ ＝군대(ejército). ④ ＝무기(武器)(arma). ⑤ ＝전투(戰鬪)(batalla). ⑥ ＝전쟁(guerra).

병[2](兵) ((장기)) soldado *m*.

병(屛) ① [담. 울] muro *m*, muralla *f*. ② [병풍] biombo *m*.

병(病) ① enfermedad *f*, mal *m*; [질환(疾患)] afección *f*; [지병(持病)] achaque *m*; [유행병 · 전염병(傳染病)] epidemia *f*. ~에도 불구하고 a pesar de *su* enfermedad. ~으로 지친 postrado con [de · por] una enfermedad, clavado a cama. 긴 ~ 후에 tras [después de] una larga enfermedad. ~이다 estar enfermo [malo · mal], caerse enfermo. ~이 낫다 [주어가 사람일 때] curarse [sanar · restablecerse] de la [*su*] enfermedad, curar(se), sanar. ~이 되다 enfermar, caer [ponerse] enfermo. ~에 걸리다 contraer una enfermedad. ~에서 회복하다 convalecer, entrar en convalecencia. ~에서 회복하고 있는 사람 convaleciente *mf*. ~에서 회복 중이다 estar en convalecencia. 곧잘 ~에 걸리다 ser enfermizo, ser enclenque, ser propenso a enfermar. 오래 ~을 앓다 estar enfermo [guardar cama] (por) mucho [largo] tiempo. ~이 악화된다 La enfermedad se agrava. 그는 ~이 나았다 Su enfermedad se ha curado. 당신의 ~은 어떻습니까? ¿Cómo está [va] su enfermedad? 그는 불치의 ~에 걸려 있다 El padece una enfermedad incurable. ~은 마음먹기에 달렸다 La preocupación es, con frecuencia, causa de la enfermedad. ~보다 치료가 더 나쁘다 ((서반아 속담)) Es peor el remedio que la enfermedad. 노령(老齡)이 바로 ~이다 ((서반아 속담)) La vejez, grave enfermedad es. ② [나쁜 버릇] vicio *m*, mala costumbre *f*, mal hábito *m*; [벽(癖)] manía *f*, [잘못] equivocación *f*, culpa *f*, falta *f*, [탈(頉)] impedimiento *m*, obstáculo *m*. 다시 그의 나쁜 ~이 도진다 El recae en su vieja manía. ③ ＝결점(缺點). 단점(短點). 흠.

◆병(을) 내다 enfermar, causar enfermedad, hacer ser enfermo.

◆병(이) 나다 ㉮ [병이 생기다] caer enfermo, ponerse enfermo. ㉯ [사물에 잘못이나 탈이 생기다] estar fuera de lugar, estar descompuesto. 시계가 병났다 El reloj está descompuesta.

◆병(이) 들다 contraer una enfermedad, caer enfermo, ponerse enfermo, enfermar. 병이 들 때까지 먹는 사람은 나을 때까지 절식해야 한다 ((서반아 속담)) Comer hasta enfermar y ayunar hasta sanar.

병(瓶) botella *f*, [작은] frasco *m*, envase *m*, botellín *m* (*pl* botellines); [약(藥)의] frasquito *m*; [목이 짧은] tarro *m*, bote *m*. ~에 담긴 embotellado. 포도주 한 ~ una botella [un frasco] de vino. 잼 한 ~ un tarro de mermelada. ~에 넣다 embotellar, enfrascar, echar [meter] en botella, echar en frascos. ~에 포도주를 넣다 embotellar vino. ~에 술을 넣다 echar en frascos un licor. 환경을 보존하기 위해서 빈 ~을 쓰레기통에 넣어 주십시오 *Méj* Deposite el envase vacío en la basura para conservar el ambiente. ~을 잘 닫아 보관하십시오 *Méj* Conserve [Mantenga] el frasco bien cerrado.

-병(兵) soldado, -da *mf*, militar *mf*. 부상~ soldado *m* herido.

병가(兵家) ① [병학(兵學)의 전문가] táctico, -ca *mf*. ② [군사에 종사하는 사람] hombre *m* de armas.

병가(病家) casa *f* que está el enfermo.

병가(病暇) ausencia *f* por enfermedad, licencia *f* por enfermedad.

병간(病看) ((준말)) =병간호(病看護).

병간호(病看護) cuidados *mpl*. 그가 필요한 ~를 받았던 병원 el hospital donde recibió los cuidados necesarios. 그녀는 간호원의 ~가 필요하다 Ella necesita los cuidados de una enfermera. 그의 딸의 ~ 덕택에 그는 곧 회복되었다 El pronto mejoró, gracias a los cuidados de su hija.

병갑(兵甲) ① [여러 가지 병기(兵器)와 갑주(甲冑)] las varias armas y corazas. ② [무장한 병정] soldado *m* armado.

병객(病客) ① [늘 병을 앓는 사람] enfermizo, -za *mf*. ② [병자(病者)] enfermo, -ma *mf*, inválido, -da *mf*, persona *f* enferma.

병거(兵車) carro *m* para la guerra.

병결(病缺) ausencia *f* por causa de enfermedad. ~하다 ausentarse [estar ausente] por causa de enfermedad.

■ ~생 estudiante *mf* ausente por causa de enfermedad. ~자 persona *f* ausente por causa de enfermedad.

병고(兵庫) =병기고(兵器庫).

병고(兵鼓) tambor *m* para la guerra.

병고(病苦) sufrimientos *mpl* causados por una enfermedad, tormento *m* [dolor *m*] de enfermedad. ~를 위로(慰勞)하다 consolar [distraer] al enfermo.

병고(病故) enfermedad *f*.

병골(病骨) persona *f* enfermiza [débil], persona *f* inválida.

병과(兵戈) ① [무기(武器)] el arma *f* (*pl* las armas). ② [전쟁(戰爭)] guerra *f*.

병과(兵科) ramo *m* [cuerpo *m*] de servicio militar.

병과(併科) imposición *f* conjunta de penas. ~하다 imponer acumulativamente. 벌금과 징역을 ~하다 imponer multa y prisión con trabajo forzado acumulativamente.

병구(病軀) cuerpo *m* enfermo. ~를 무릅쓰고 a pesar de la enfermedad.

병구완(病－) atención *f*, cuidado *m*, profesión *f* de enfermera. ~하다 asistir, atender, cuidar, tratar una enfermedad, curar. 환자를 ~하다 asistir [atender · cuidar] a un enfermo.

병권(兵權) poder *m* militar. ~을 쥐다 asumirse el poder militar.

병귀(病鬼) =병마(病魔).

병균(病菌) 【의학】 germen *m* (de enfermedad), virus *m*. ~을 발견하다 aislar el virus.

병극(兵戟) =병과(兵戈).

병근(病根) 【의학】 causa *f* [origen *m*] de una enfermedad, raíz *f* de una dolencia.

병기(兵器) arma(s) *f*(*pl*), artillería *f*, cañones *mpl*, utensilios *mpl* para la guerra.

◆공격(攻擊) ~ el arma *f* ofensiva. 방어(防禦) ~ el arma *f* defensiva. 생물(生物) ~ el arma *f* biológica. 신(新)~ la nueva arma. 화학(化學) ~ el arma *f* química.

■ ~고(庫) arsenal *m*, armería *f*. ~ 공업 industria *f* de armas. ~ 공장 arsenal *m*, fábrica *f* de armas [de armamentos]. ~ 과학 ciencia *f* de armamentos. ~ 장교(將校) oficial *mf* de armamentos. ~ 제조(製造) manufactura *f* de armas. ~창 arsenal *m*, departamento *m* de artillería general. ~학 ciencia *f* de armamentos. ~ 학교 escuela *f* de armamentos.

병기(兵機) ① [전쟁의 기회] oportunidad *f* de la guerra. ② [전쟁의 기략(機略)] recursos *mpl* de la guerra.

병나다(病－) =병(이) 나다. ☞병(病)

병내다(病－) =병(을) 내다. ☞병(病)

병단(兵端) 【군사】 =전단(戰端).

병단(兵團) 【군사】 cuerpo *m* (de ejército).

병대(兵隊) ① [군대(軍隊)] ejército *m*, tropa *f*. ② [병정(兵丁)] soldado *m*. ~ 놀이를 하다 jugar a soldados.

병독(病毒) virus *m*, virulencia *f*, germen *m* de enfermedad. ~에 감염되다 inficionarse. ~의 전파를 막다 impedir la extensión del virus.

■ ~ 잠복기 período *m* de incubación. ~ 전이(轉移) metástasis *f*.

병동(病棟) pabellón *m* de hospital.

병들다(病－) =병(이) 들다. ☞병(病)

병따개(瓶－) abrebotellas *m.sing.pl*, *Arg* abridor, *Col* llave *f*.

병란(兵亂) rebelión *f*, alzamiento *m*, levantamiento *m*, sublevación *f*, revolución *f*, insurrección *f*, guerra *f*, disturbio *m*.

병략(兵略) 【군사】 estrategia *f*, táctica *f*.

■ ~가 estratégico, -ca *mf*, táctico, -ca *mf*.

병력(兵力) potencia *f* [poder *m*] militar, fuerza *f*, efectivos *mpl*. 적(敵)의 ~ fuerza *f* enemiga, número *m* de enemigos, efectivo *m* enemigo. ~ 10만의 적(敵) efectivo *m* enemigo de cien mil hombres. ~을 증강하다 [삭감하다] aumentar [disminuir] los efectivos.

병력(病歷) antecedentes *mpl* clínicos (del enfermo).

병렬(竝列) ① [나란히 늘어섬] fila *f*, hilera *f*. ② ((준말)) =병렬접속(竝列接續). ¶전지를 ~로 놓다 montar pilas en paralelo [en derivación].

■~접속[연결] paralelo *m*. ~ 회로(回路) circuito *m* en paralelo.

병리(病理) patología *f*.

■~ 생리학 fisiología *f* patológica, fisiología *f* mórbida. ~학 patología *f*, etiología *f*. ¶~의 patológico, etiológico. ~ 각론[총론] patología *f* general. ~학자 patólogo, -ga *mf*. ~학적 patológico *adj*. ~ 해부(解剖) anatomía *f* patológica. ~ 해부학 anatomía *f* patológica. ~ 화학 química *f* patológica.

병립(竝立) compatibilidad *f*, coexistencia *f*, puesto *m* uno al lado de otro. ~하다 ponerse uno al lado de otro, ser compatible, ser de mismo rango, igualarse.

■~ 개념(槪念) concepto *m* coordinado.

병마(兵馬) ① [병기와 군대] el arma *f* (*pl* las armas) y el caballo. ~를 동원하다 movilizar el arma. ~의 대권을 잡다 asumir la suprema fuerza militar. ② [군대] ejército *m*. ③ [군사(軍事)] asunto *m* militar. ④ [전쟁] guerra *f*.

■~지권(之權) poder *m* militar.

병마(病馬) caballo *m* enfermo.

병마(病魔) enfermedad *f*. ~에 시달리다 ser atacado por una enfermedad.

병마개(甁－) tapa *f* [tapón *m*] de la botella.

■~뽑이 abrebotellas *m.sing.pl*, abridor *m*; [코르크 마개의] sacacorchos *m.sing.pl*, tirabuzón *m*.

병막(病幕) campamento *m* de cuarentena, hospital *m* de infecciones.

병명(病名) nombre *m* de una enfermedad.

병목(甁－) cuello *m* de la botella.

■~ 현상(現象) embotellamiento *m* del tráfico, cuello *m* de botella.

병몰(病沒) muerte *f* de enfermedad, muerte *f* natural. ~하다 morir de enfermedad.

병무(兵務) asuntos *mpl* militares, asuntos *mpl* de conscripción.

■~국 departamento *m* de servicio militar. ~청 la Oficina de Administración Militar. ~ 행정 administración *f* de conscripción.

병문안(病問安) visita *f* a un enfermo. ~하다 visitar a un enfermo.

병발(竝發/倂發) coincidencia *f*, concurrencia *f*, ocurrencia *f* simultánea; [병(病)의] complicación *f*. ~하다 coincidir, ocurrir [acontecer · acaecer · suceder] simultáneamente. ~의 intercurrente. 그는 감기에 폐렴을 ~했다 Su resfriado se complicó con una pulmonía.

■~증(症) intercurrencia *f*, complicación *f*, enfermedad intercurrente.

병방(丙方) 【민속】 *byeongbang*, sur *m* cuarta al sudeste [al sureste].

병배(甁－) pera *f* en forma de botella.

병벌레해(病－害) =병충해(病蟲害).

병법(兵法) arte *m* militar; [전략(戰略)] estrategia *f*, [전술(戰術)] táctica *f*.

■~가(家) estratega *mf*, estratégico, -ca *mf*, táctico, -ca *mf*.

병벽(病癖) manía *f* (rematado), locura *f* (rematada), hábitos *mpl* mórbidos.

병변(兵變) =병란(兵亂).

병병(病兵) soldado *m* enfermo, soldada *f* enferma.

병부(兵簿) registro *m* de los soldados.

병부(病父) padre *m* enfermo.

병부(病夫) ① [병든 남편(男便)] esposo *m* enfermo, marido *m* enfermo. ② [병든 남자] hombre *m* enfermo.

병부(病婦) ① [병든 아내] esposa *f* enferma. ② [병든 여자] mujer *f* enferma.

병비(兵備) preparación *f* militar, armamento *m*, prevención *f*.

병비(病費) gastos *mpl* para curar la enfermedad.

병사(兵舍) =묘막(墓幕).

병사(兵士) ① =군사(軍士). ② =사병(士兵). ③ ((구세군)) =세례 교인(洗禮敎人).

병사(兵舍) cuartel *m*, caserna *f*, barraca *f*.

병사(兵事) 【군사】 armas *fpl*, asuntos *mpl* militares.

■~계 sección *f* de asuntos militares. ~계원 encargado, -da *mf* de la sección de asuntos militares. ~과(課) sección *f* de asuntos militares. ~구(區) distrito *m* de reclutamiento. ~구 사령부 cuartel *m* general de distrito de reclutamiento. ~비(費) expensas *fpl* [gastos *mpl*] de asuntos militares.

병사(病死) muerte *f* de enfermedad. ~하다 morir de enfermedad. 결핵(結核)으로 ~하다 morir de tuberculosis.

■~자(者) muerto, -ta *mf* de enfermedad.

병사(病舍) enfermería *f*, casa *f* de sanidad.

병살(倂殺) ((야구)) jugada *f* doble, doble matanza *f*, doble juego *m*.

병상(病床) cama *f* de enfermos, lecho *m* de enfermos. ~에 있다 estar en cama, guardar cama. ~에 눕다 caer en cama, encamarse, caer enfermo.

■~ 일지(日誌) ㉮ [병상에 있는 사람이 적는 일기(日記)] diario *m* de lecho de enfermo. ㉯ 【의학】 [병의 경과를 나날이 적는 기록] informe *m* de enfermera.

병상(病狀) estado *m* [condición *f*] de la enfermedad. ~이 악화되다 agravarse [empeorarse] la enfermedad. 그의 ~은 심상치 않다 Su enfermedad presenta mal cariz.

병상병(病傷兵) soldado *m* enfermo y herido; inválido, -da *mf*, soldado *m* inválido.

병상자(病傷者) =상병자(傷病者).

병색(病色) color *m* enfermo, tez *f* enferma.
병서(兵書) libro *m* sobre estrategía, obra *f* militar.
병석(病席) lecho *m* de enfermos.
병선(兵船) buque *m* de guerra.
병설(竝設/倂設) establecimiento *m* como un anejo. ~하다 establecer como un anejo. A에 B를 ~하다 construir B al lado de A.
병세(兵勢) poder *m* [potencia *f*·fuerza *f*] militar, número *m* de soldados, ejército *m*, tropas *fpl*, fuerzas *fpl*.
병세(病勢) estado *m* de la enfermedad, condición *f* de una enfermedad [de un paciente]. ~가 호전되다 mejorar(se) la enfermedad. ~가 악화되다 empeorarse [agravarse] la enfermedad.
병소(病所) ① 【의학】 =병실(病室). ② =병처(病處).
병소(病巢) 【의학】 foco *m*. ~의 focal.
■~ 감염(感染) infección *f* focal.
병쇠(病衰) debilidad *f* a causa de una enfermedad. ~하다 extenuarse por una enfermedad.
병술(甁-) licor *m* de botella, licor *m* vendido en botella.
■~집 taberna *f* que se vende licor en botella.
병술(丙戌) 【민속】 *byeongsul*, vigesimotercer período *m* binario del ciclo sexagenario.
병시(丙時) 【민속】 *byeongsi*, de las diez y media a las once y media de la mañana.
병시중(病-) =병구완.
병식(兵式) =군대식(軍隊式).
■~ 조련(調練) ejercicio *m* militar. ~ 체조 gimnasia *f* militar.
병신(丙申) 【민속】 *byeongsin*, trigesimotercer período *m* binario del ciclo sexagenario.
병신(病身) ① [노상 병을 앓아서 온전하지 못한 몸] salud *f* delicada, constitución *f* débil [enfermiza]. ~의 enfermizo, delicado de salud, achacoso, enclenque. ~이 되다 volverse enfermizo. ② [불구자] mutilado, -da *mf*, lisiado, -da *mf*. ③ [정신적·지능적으로 모자라는 사람] persona *f* estúpida; idiota *mf*; tonto, -ta *mf*. ④ [남을 얕잡아 욕하는 말] ¡Tonto! / ¡Idiota! 야, 이 ~아! ¡Qué idiota! / ¡Qué imbécil! ~처럼 굴지 마라 No seas tonto.
■병신 자식이 효도한다 ((속담)) El hijo deforme es obediente a sus padres / De una bellota chica se hace una encina / El árbol más altanero, débil tallo fue primero.
■~구실(口實) falta *f* de valía, falta *f* de mérito, inutilidad *f*. ¶~하다 (ser) inútil.
병신성스럽다(病身性-) (ser) tonto, idiota, imbécil, estúpido.
병신성스레 tontamente, imbécilmente, estúpidamente.
병실(病室) habitación *f* [cuarto *m*] de un enfermo; [병원의] sala *f* (de hospital).
병아리 ① [닭의 새끼] polluelo *m*, pollito *m*; [암컷] polluela *f*, pollita *f*. 한배의 ~ pollada *f*. ~가 삐악삐악 우는 울음소리 pío *m*. ~가 삐악삐악 울다 piar (los polluelos). ~들이 삐악삐악 운다 Los polluelos pían. ~가 (알에서) 깨어났다 Los polluelos salieron de los huevos. ② [신체·재능·학문·기술 따위에 미숙한 사람] inexperto, -ta *mf*.
■~ 감별(鑑別) sexación *f* de polluelos. ¶~을 하다 sexar (los polluelos). ~ 감별사 sexador, -dora *mf* de polluelos [pollitos]; discernidor, -dora *mf* de pollos. ~ 오줌 persona *f* cobarde [mediosa].
병약(病弱) debilidad *f* a causa de una enfermedad. ~하다 (ser) inválido, enfermizo, enclenque, achacoso, chacoso, valetudinario. ~한 어머니 mi madre inválida.
■~자(者) inválido, -da *mf*. ¶~용 자동차 coche *m* para minusválido.
병어 【어류】 platija *f*.
병역(兵役) servicio *m* militar. ~을 복무하다 hacer *su* servicio (militar), servir en la milicía. ~을 면제하다 exentar el servicio militar. ~을 필하다 cumplir [prestar] el servicio militar.
■~ 기피 evasión *f* del servicio militar. ~ 기피자 prófugo *m*, evasor *m* del servicio militar. ~ 만기(滿期) finalización *f* [terminación *f*] del servicio militar. ~ 면제 exención *f* del servicio militar. ¶~의 franco de servicio. ~를 하다 exentar el servicio militar. ~ 미필자 el que no ha cumplido el servicio militar. ~법 ley *f* del servicio militar. ~ 연한(年限) período *m* del servicio militar. ~ 의무 obligación *f* del servicio militar, deber *m* de hacer *su* servicio militar. ~ 제도 servicio *m* militar obligatorio, *AmL* conscripción *f*.
병영(兵營) cuartel *m*.
■~도(道) aldea *f* que está el cuartel. ~ 생활 vida *f* militar, vida *f* de cuartel. ~ 연기 prórroga *f* (de estudiantes).
병오(丙午) 【민속】 *byeongo*, cuadragésimo período *m* binario del ciclo sexagenario.
병와(病臥) ¶~하다 estar en lecho de enfermos, hallarse postrado en cama.
병욕(病褥) lecho *m* de enfermos, cama *f* de enfermos.
병용(倂用/竝用) yuxtaposición *f*, uso *m* [empleo *m*] simultáneo. ~하다 yuxtaponer, tomar … con, usar … al mismo tiempo, usar en combinación. A와 B를 ~하다 usar [emplear] A y B a la vez [al mismo tiempo].
■~ 제도(制度) sistema *m* en combinación. ~ 치료 tratamiento *m* combinado.
병원(兵員) 【군사】 efectivos *mpl*, número *m* de soldados. ~을 증감[경감]하다 aumentar [disminuir] los efectivos.
병원(病院) hospital *m*, emfermería *f*; [의원] clínica *f*; [종합 병원] policlínica *f*. ~에 입원하다 ingresar [entrar] en el hospital. ~에 입원시키다 hospitalizar, internar [ingresar] en un hospital. ~에 입원해 있다 estar en el hospital, estar hospitalizado, es-

tar internado. ~에 자주 가다 frecuentar el hospital. 그는 ~에 입원해야 한다 Lo van a tener que ingresar / El se va a tener qeu hospitalizar [internar].

◆ 개인(個人) ~ hospital *m* privado. 야전(野戰) ~ hospital *m* de campaña. 정신(精神) ~ hospital *m* psiquiátrico. 종합(綜合) ~ hospital *m* general. 후송(後送) ~ hospital *m* de evacuación.

■ ~기(機) avión *m* (*pl* aviones) hospital. ~선(船) buque *m* hospital, barco *m* hospital. ~ 열차 tren *m* de ambulancia. ~ 입원 hospitalización *f*, ingreso *m*, *PRI* internación *f*. ~장(長) director, -tora *mf* del hospital.

병원(病原/病源) causa *f* de una enfermedad, origen *m* de enfermedad. ~의 patógeno.

■ ~균 microbio *m*, germen *m* (patógeno), virus *m*, bacteria *f* patogénica. ~균 전파 vección *f*. ~론 patogénesis *f*, patogenia *f*, etiopatogenia *f*. ~성 patogenicidad *f*. ~ 연구 patogenia *f*. ¶~의 patogénico. ~체(體) organismo *m* patógeno. ~체 보유자 portador *m*, vector *m*. ~학 etiología *f*.

병유(竝有) posesión *f* simultánea. ~하다 poseer juntos [simultáneamente · al mismo tiempo].

병인(丙寅) 【민속】 *byeong-in*, tercer período *m* binario del ciclo sexagenario.

병인(兵刃) armas *fpl* militares.

병인(病人) = 병자(病者).

병인(病因) causa *f* de una enfermedad, origen *m* de enfermedad, agente *m*, nosogénesis *f*, etiología *f*.

■ ~론 etiología *f*. ~성 식물 nosofito *m*. ~요법 terapia *f* etiológica. ~학 nosetiología *f*, etiología *f*. ~ 학자 etiólogo, -ga *mf*.

병자(丙子) 【민속】 *byeongcha*, decimotercer período *m* binario del ciclo sexagenario.

병자(病者) enfermo, -ma *mf*, paciente *mf*, inválido, -da *mf*; persona *f* enferma. ~용 식사 dieta *f* para enfermos.

병작(竝作/幷作) = 배메기.

■ ~농(農) = 배메기 농사.

병장(兵長) 【군사】 sargento *m*.

병적(兵籍) ① [군인의 적(籍)] registro *m* militar. ② ((준말)) = 병적부(兵籍簿).

■ ~부 libro *m* de registro militar. ~ 편입 matrícula *f*, inscripción *f*.

병적(病的) enfermizo, mórbido, patológico; [이상한] anormal. 그는 ~으로 청결을 원한다 Su deseo de limpieza es anormal [enfermizo]. 그의 축구열은 ~이다 Su pasión por el fútbol es incurable / El es un fanático incorregible del fútbol.

■ ~ 감각 cacestesia *f*. ~ 골절 fractura *f* patológica. ~ 반사 reflexión *f* patológica. ~ 배설 automatismo *m* ambulatorio. ~ 비만증(肥滿症) obesidad *f* mórbida. ~ 욕망 parepitimia *f*.

병점(病占) pronóstico *m* del curso de la enfermedad. ~하다 predecir [pronosticar] el curso de la enfermedad.

병정(兵丁) ① [병역에 복무하는 장정] jóvenes *mpl* sanos en el servicio militar. ② = 군인(軍人). 병사 (兵士).

■ ~놀이 juego *m* a los soldados. ¶~를 하다 jugar a los soldados.

병제(兵制) sistema *m* militar.

■ ~사(史) historia *f* del sistema militar.

병조(兵曹) 【고제도】 el Ministerio de Defensa [Asuntos Militares].

■ ~ 판서 ministro *m* de Defensa.

병존(竝存) coexistencia *f*. ~하다 coexistir.

병졸(兵卒) soldado *m* (común [raso]).

병졸(病卒) muerte *f* de enfermedad. ~하다 morir de enfermedad.

병종(丙種) tercer grado *m*, tercera clase *f*.

병종(兵種) tercera clase *f*, tercer grado *m*.

병주머니(病-) persona *f* con muchas enfermedades crónicas.

병중(病中) durante la enfermedad. ~임에도 불구하고 a pesar de que está enfermo.

병증(病症) síntoma *m* de una enfermedad, diagnosis *f*. ~ 불명(不明)의 adélido. ~의 보기 caso *m*.

병증(病證) 【한방】 condición *f* [situación *f*] de la enfermedad.

병진(丙辰) 【민속】 *byeongchin*, quincuagesimotercer período *m* binario del ciclo sexagenario.

병진(竝進) ¶~하다 avanzar uno al lado del otro.

■ ~ 운동(運動) translación *f*.

병집(病-) ① [(어떤 경향이나 성격 · 행동 따위에) 뿌리 깊이 박힌 결함] debilidad *f*, defecto *m*, imperfección *f*, fallo *m*, falla *f*. 술을 많이 마시는 것이 그의 ~이다 Su defecto es lo que bebe mucho. ② [어떤 탈이 생기는 원인] causa *f* de enfermedad. ~을 없애다 eliminar la causa de *su* enfermedad.

병참(兵站) 【군사】 administración *f* de suministros.

■ ~감(監) intendente *m* general. ~감실 oficina *f* de intendente general. ~ 근무 servicio *m* de intendencia. ~ 기지 base *f* de abastecimientos bélicos, centro *m* logístico. ~대 cuerpo *m* de transporte. ~ 물자 material *m* de intendencia. ~ 병(兵) soldado *m* de transporte. ~부[소] comisariato *m*, comisaría *f*, departamento *m* de abastecimientos, departamento *m* de provisiones]. ~ 부대 el Servicio de Intendencia. ~ 사령관 comandante *m* de comisaría. ~ 사령부 cuartel *m* de comisaría. ~ 선[지] línea *f* de comunicaciones, línea *f* de comisaría de guerra, vía *f* de comunicaciones. ~ 장교 oficial *m* de intendencia. ~ 하사관 sargento *m* mayor. ~학 logística *f*.

병창(竝唱) ¶~하다 cantar juntos (en coro).

병처(病妻) esposa *f* enferma.

병처(病處) ① = 환부(患部). ② = 병집.

병체(病體) ① [병이 있는 체질(體質)] constitución *f* [conflexión *f*] enferma. ② = 병구(病軀).

병추기(病－) persona *f* enferma; inválido, -da *mf*.
병축(病畜) animal *m* doméstico enfermo.
병충(病蟲) insecto *m* que causa la enfermedad.
병충해(病蟲害) daños *mpl* por enfermedades, daños *mpl* por malos insectos.
병치(竝置) yuxtaposición *f*. ～하다 yuxtaponer, poner juntos. A를 B에 ～하다 poner A junto a B.
병탄(倂呑/竝呑) anexión *f*, conjunción *f*, adición *f*, unión *f*. ～하다 anexar, unir, juntar, adjuntar, absorber, conquitar.
병태(病態) condición *f* de enfermedad.
병통(病痛) ① [병(病)과 아픔] la enfermedad y el dolor. ② ＝결점(缺點).
병폐(病弊) mal *m*, vicio *m*.
병폐(病廢) invalidez *f* [discapacidad *f*·minusvalía *f*] por la enfermedad. ～하다 estar discapacitado [minusválido] por la enfermedad.
병풍(屛風) biombo *m*, mampara *f* plegable. ～처럼 깎아지른 acantilado, (casi) vertical. ～을 두르다 poner un biombo.
◆팔폭 ～ biombo de ocho dobleces.
병학(兵學) ciencia *f* militar; [전략(戰略)] estrategia *f*; [전술(戰術)] táctica *f*.
병합(倂合) anexión *f*, incorporación *f*. ～하다 anexar, anexionar, incorporar. ～되다 ser incorporado, ser anexionado. A 회사는 B 회사에 ～되었다 La firma A ha sido incorporada a la firma B. 신라는 백제를 ～했다 Sila anexionó a Baekche.
병해(病害) tizón *f*, daño *m* causado por las enfermedades.
병행(竝行) paralelismo *m*. ～하다 ir [correr] (en dirección) paralelo. 두 개의 안(案)을 ～해서 검토하다 examinar paralelamente los dos proyectos. 여러 가지의 일을 ～해서 행하다 hacer varios trabajos a la par. 서반아어와 불란서어를 ～해서 공부하다 estudiar el español y el francés al mismo tiempo. 도로가 국경에 ～으로 뻗어 있다 La carretera va [corre] (en dirección) paralela a la frontera.
■ ～론[설] paralelismo *m*.
병혁(兵革) ① ＝무기(武器)(arma). ② ＝전쟁(戰爭).
병혁(兵革) gravedad *f* de la enfermedad. ～하다 (ser) grave.
병화(兵火) incendio *m* causado por la guerra, efecto *m* funesto de la guerra, guerra *f*. ～에 짓밟히다 ser destruido por la guerra.
병화(病禍) calamidad *f* causada por la enfermedad.
병환(病患) enfermedad *f*; [가벼운 병] indisposición *f*. 어머님의 ～은 어떠하십니까? ¿Cómo está su madre (enferma)?
병후(病後) después de una enfermedad; [회복기] convalecencia *f*. ～의 de convalecencia. ～에 después de la enfermedad. ～의 사람 convaleciente *mf*. 그는 ～다 El está en convalecencia.
볕 (luz *f* del) sol *m*, luz *f* solar. ～에 al sol, en el sitio soleado. ～에 그을린 quemado por el sol; [갈색의] bronceado, tostado, moreno; *Méj* asoleado; *AmL* quemado. ～이 잘 드는 soleado, lleno de sol, con mucho sol. ～이 잘 안 드는 obscuro, sin sol, nublado. ～에 탄 얼굴 cara *f* tostada (por el sol), bronceado *m*. ～이 날 때 cuando hace sol. 정원에서 ～이 제일 잘 드는 코너 rincón *m* más soleado del jardín. ～에 타다 quemarse al sol, tostarse. ～에 태우다 quemar al sol. ～에 말리다 secar al sol. ～을 쬐다 calentarse [sentarse] al sol, tomar el sol. 오늘은 ～이 난다 Hoy hace sol. ～을 쬡시다 Senémonos al sol. 어제 서울은 여덟 시간 ～이 났다 Ayer hubo ocho horas de sol en Seúl.
◆볕(이) 들다 brillar.
볕기(－氣) calor *m* del sol, fuerza *f* del sol, fuerza *f* de la luz del sol.
볕들다 ☞볕
보 ((준말)) ＝들보.
보(步) ① [거리를 재는 단위] *bo*, paso *m*. 한 ～ un paso. 세 ～ tres pasos. ② ＝평(坪). ③ [걸음] paso. 제일～ primer paso *m*, paso *m* inicial.
보(保) ① ((준말)) ＝보증(保證). ② ((준말)) ＝보증인.
◆보(를) 두다 ㉮ [보증을 서다] server*le* de fiador (a), ser fiador (de). ㉯ [보증인을 세우다] tener un fiador.
◆보(를) 서다 server*le* de fiador (a), ser fiador (de).
보(洑) dique *m*, cisterna *f*, depósito *m* (de agua); [댐] presa *f*, embalse *m*, *AmS* represa *f*.
보(補) nombramiento *m* en el puesto oficial. ～하다 nombrar en el puesto oficial. 도지사에 ～하다 nombrar el gobernador.
보(褓) [덮는] cubierta *f*; [싸는] envoltura *f*, envoltorio *m*.
보(譜) [계보(系譜)] genealogía *f*.
보(寶) 【역사】 ((준말)) ＝어보(御寶).
-보(補) ayudante *mf*, asistente *mf*, auxiliar *mf*, secundario, -ria *mf*.
◆차관(次官)～ viceministro *m* secundario.
보가(寶駕) ＝대가(大駕).
보가지 【어류】 ＝까치복.
보각 bullendo, burbujeando.
보각거리다 seguir bullendo, seguir burbujeando.
보각보각 siguiendo bullendo.
보각(補角) 【수학】 ángulo *m* suplementario.
보간법(補間法) 【수학】 interpolación *f*.
보감(寶鑑) ① [책] manual *m*, guía *f*. ② [모범] ejemplar *m*, espejo *m*.
보강(補强) refuerzo *m*, forro *m*. ～하다 reforzar, fortalecer. 수비대(守備隊)를 ～하다 reforzar una guarnición. 재목(材木)으로 다리를 ～하다 reforzar [consolidar] el puente con maderos. 지점에 인원을 ～하다 enviar un refuerzo de dependientes a la sucursal,

reforzar la sucursal enviándole dependientes.

■ ~ 공사(工事) obra *f* de refuerzo. ~약 medicina *f* de refuerzo. ~제 refuerzos *mpl*. ~ 증거 corroboración *f*. ~ 철재(鐵材) armadura *f*, armazón *f*(*m*).

보강(補講) lección *f* [clase *f*] suplementaria. ~하다 dar una clase suplementaria.

보건(保健) preservación *f* de salud, aplicación *f* práctica de la ciencia sanitaria, salud *f* pública, sanidad *f* pública; [위생] higiene *f*; [건강] salud *f*. ~의 sanitorio, higiénico.

◆국민(國民) ~ 운동(運動) movimiento *m* nacional de la salud pública. 국립(國立) ~ 연구원(硏究院) el Instituto Nacional de la Salud.

■ ~ 강장제 tónico *m*. ~과(課) Sección *f* de Salud Pública. ~관(官) [가정으로 방문하는 여성] enfermera *f* de la Sociedad Social. ~국(局) Departamento *m* de Salud Pública. ~ 급여 bonificación *f* de salud. ~ 대학원 la Escuela de Posgrado de Salud Pública. ~ 대학원생 estudiante *mf* de la Escuela de Posgrado de Salud Pública; posgraduado, -da *mf* [postgraduado, -da *mf*] de Salud Pública. ~림 bosque *m* para la salud pública (cerca de la fábrica o alrededor de la ciudad). ~법 ley *f* de la salud. ~ 복지부 el Ministerio de Salud Pública y Bienestar Social. ¶~ 장관 ministro, -tra *mf* de Salud Pública y Bienestar Social. ~ 복지 위원회 el Comisión [el Comité] de Salud Pública y Bienestar Social. ~부(部) el Ministerio de Salud Pública. ~비 gastos *mpl* de la salud pública. ~ 사회부 el Ministerio de Salud Pública y Social. ¶~ 장관 ministro, -tra *mf* de Salud Pública y Social. ~ 사회 위원회 el Comité de la Salud Pública y Asuntos Sociales. ~소(所) centro *m* médico, centro *m* de salud, servicio *m* [oficina *f* central] de sanidad pública, dirección *f* de la sanidad pública. ~식(食) comida *f* para salud. ~ 식품 comida *f* sanitaria. ~원[부] enfermera *f* de la salud pública, funcionario *m* público encargado [funcionaria *f* pública encargada] de la salud pública. ~ 음료 bebida *f* higiénica. ~의(醫) médico, -ca *mf* de la salud pública. ~의 날 día *m* de la Salud Pública. ~ 제도 sistema *m* de la salud. ~ 지도(指導) orientación *f* de la salud. ~ 체조 gimnasia *f* de la salud. ~ 행정(行政) administración *f* de la salud pública.

보검(寶劍) espada *f* sagrada.

보결(補缺) suplemento *m*; [사람] suplente *mf*, substituto, -ta *mf*, auxiliar *mf*. ~하다 llenar una vacancia [las vacantes], cubrir una deficiencia; llenar los efectivos, cubrir ls vacantes..

■ ~ 모집 reclutamiento *m* suplementario. ¶~하다 proceder al reclutamiento suplementario, reclutar de nuevo para llenar los efectivos [para cubrir las vacantes]. ~생 estudiante *m* suplementario, estudiante *f* suplementaria. ~ 선거 elección *f* parcial, elección *f* suplementaria. ~ 선수 suplente *mf*, reserva *mf*. ~ 시험 examen *m* de ingreso especial para el estudiante stand-by.

보고 a. 그 말이 바로 너~ 하는 소리야 Te lo he dicho a ti mismo.

보고(報告) informe *m*, información *f*, reporte *m*, comunicación *f*. ~하다 informar, relatar, contar, enterar. 나는 조사 ~를 청구받았다 Me pidieron informes de la investigación.

◆시황(市況) ~ informe *m* del mercado. 연차(年次) ~ informe *m* anual. 월례(月例) ~ informe *m* mensual. 중간(中間) ~ informe *m* intermedio. 최종(最終) ~ último informe *m*.

■ ~ 문학 reportaje *m*. ~서 informe *m*, boletín *m*, información *f*, reporte *m*, manifiesto *m*, anuncio *m*; [회계의] balance *m*. ¶~를 작성하다 hacer un informe. 감사(監査) ~ informe *m* de auditoria [del revisor]. 연차(年次) ~ información *f* anual. ~자 informador, -dora *mf*, informante *mf*.

보고(寶庫) ((준말)) =보물고(寶物庫). ¶정보(情報)의 ~ mina *f* de información. 천연(天然)의 ~ tesoro *m* natural. 이 바다는 물고기의 ~다 Este mar abunda [es rico] en peces / Este mar es un tesoro de peces.

보고타 【지명】 Bogotá (콜롬비아 공화국의 수도). ~의 bogotano. ~ 사람 bogotano, -na *mf*.

보관(保管) custodia *f*, guardia *f*, depósito *m*; [창고에] almacenamiento *m*; [보존(保存)] conservación *f*. ~하다 custodiar, guardar, depositar, tomar custodia (de), tener en cargo, estar en depósito; almacenar, recibir [guardar] en depósito [en consignación], poner en un almacén; [문서(文書) 등의] archivar; [보존하다] conservar. ~ 중의 en custodia. ~해 두다 confiar [encomendar] el cuidado [la custodia] (de). 하물(荷物)을 ~하다 guardar el equipaje en depósito [en consigna], dejar el equipaje al cuidado (de). 이 편지들을 ~ 하세요 Archiva estas cartas. 커피를 어디에 ~하고 있느냐? ¿Dónde guardas [tienes] el café? 시원한 곳에 ~하십시오 ((게시)) Conservar en lugar fresco.

■ ~금 dinero *m* depositado [en depósito]. ~료 almacenaje *m*, gastos *mpl* de custodia, cargo *m* por custodia. ~물(物) artículo *m* en custodia, depósito *m*, objeto *m* recibido en depósito [en consignación]. ~소 [문서 등의] archivo *m*; [귀중품 등의] cámara *f* acorazada. ~자[인] depositario, -ria *mf*, consignatorio, -ria *mf*. ~증(證) recibo *m* de depósito, certificado *m* de depósito. ~철 [문서의] carpeta *f*. ~함 [문서 등의] archivador *m*, clasificador *m*; [귀중품 등의] caja *f* de seguridad.

보관(寶冠) ① [보석으로 꾸민 관] corona *f* de

joyas. ② [훌륭하게 만든 보배가 되는 왕관] corona *f* real preciosa, corona *f* sagrada.

보교(步轎) silla *f* de manos, palanquín *m* (*pl* palanquines). ~로 가다 ir en palanquín.

■ ~꾼 portador *m* de palanquín.

보국(報國) patriotismo *m*, servicio *m* nacional. ~의 patriótico. ~의 용사(勇士) soldado *m* leal y patriótico.

보국안민(輔國安民) bienestar *m* nacional y público.

보군(步軍) =보병(步兵).

보굿 ① [굵은 나무의 두껍고 바늘같이 생긴 껍데기] pedazo *m* de la corteza. ② [그물의 벼릿줄에 듬성듬성 그물이 뜨게 하는 가벼운 물건] flotador *m* de la red.

보궐(補闕) =보결(補缺).

■ ~ 선거(選擧) elección *f* parcial, elección *f* suplementaria.

보균(保菌) llevada *f* de gérmenes. ~하다 llevar gérmenes.

■ ~자 portador, -dora *mf* (de gérmenes [de microbios]). ¶인체 면역 결핍 바이러스 ~ portador, -dora *mf* del virus VIH; portador, -dora *mf* del virus del sida; seropositivo, -va *mf*.

보그르르 =부그르르. 바그르르.

보글거리다 seguir hirviendo, seguir llevando a punto de ebullición.

보글보글 siguiendo hirviendo.

보금자리 nido *m*, percha *f*, hogar *m*. 사랑의 ~ nidito *m* de amor. ~에 들다 posarse (para pasar la noche). ~를 떠나다 irse de [dejar] *su* nido, salir del nido. ~를 짓다 anidar, hacer nido. ~를 찾으러 가다 ir a buscar nidos.

◆보금자리(를) 치다[틀다] anidar, vivir en el nido.

보급(普及) difusión *f*, propagación *f*; [일반화(一般化)] generalización *f*; [대중화(大衆化)] popularización *f*, vulgarización *f*. ~하다 difundirse, divulgarse; generalizarse, extenderse; [유포하다] propagarse, circular. ~시키다 difundir, divulgar, circular, propagar, generalizar, popularizar. 자동차의 ~ popularización *f* del automóvil. 교육의 ~을 도모하다 promover extensión de la educación. 신의 가르침을 ~하다 propagar la palabra divina. 텔레비전이 많이 ~된다 El uso de la televisión se generaliza mucho. 한국은 교육이 ~되고 있다 La educación está muy difundida [generalizada] en Corea.

■ ~자(者) difusor, -sora *mf*; propagador, -dora *mf*. ~판(版) edición *f* popular.

보급(補給) reabastecimiento *m*; [공급(供給)] abastecimiento *m*, suministro *m*; [분배. 배분. 배급] distribuición *f*. ~하다 reabastecer, reaprovisinar, abastecer, suministrar; [선박·비행기가 식량이나 연료를] repostar; [분배·배분·배급하다] distribuir. 마을에 식량을 ~하다 abastecer de alimentos un pueblo, suministrar alimentos a un pueblo. 비행기는 연료를 ~하기 위해 인천 국제 공항에 착륙했다 El avión aterrizó en el Aeropuerto Internacional de Incheon para reposar.

■ ~계(係) ㉮ sección *f* de abastecimiento. ㉯ 【군사】 intendencia *f*. ~계원 intendente *m*. ~관(官) intendente *m*. ~기 avión *m* de abastecimiento, avión *m* de suministro]. ~ 기지 base *f* de aprovisionamiento. ~로[선] línea *f* [ruta *f*] de abastecimiento. ¶~를 차단하다 acortar su línea de abastecimiento. ~망(網) red *f* de distribuidores, red *f* de abastecimiento. ~ 부대 Servicio *m* de Intendencia. ~선(船) nave *f* de abastecimiento, nave *f* de suministro. ~ 선임 하사관 sargento *m* mayor. ~소 distribuidor *m*, agencia *f*, agencia *f* de distribuidores, oficina *f* de abastecimiento. ~수 (水) el agua *f* de abastecimiento. ~자 abastecedor, -dora *mf*; suministrador, -dora *mf*. ~ 장교(將校) oficial *mf* de intendencia. ~ 통제(統制) control *m* de abastecimiento. ~품 suministro *m*.

보기[1] ((준말)) =본보기. ¶~를 들면 por ejemplo.

보기[2] ((준말)) =보시기.

보기(補氣) tonificación *f* de *su* energía por la medicina. ~하다 tomar el tónico.

보기(寶器) vasija *f* preciosa.

보기(영 *bogey*) ((골프)) bogey *m*, más uno, recorrido *m* normal.

◆더블 ~ bogey *m* doble.

보깨다 sufrir de la indigestión, tener problemas [trastornos] estomacales [de estómago].

보꾹 parte *f* interior de la tejado, techado *m*, techo *m*.

보나마나 huelga o sobra decir (que), de más está decir (que), ni que decir tiene (que), sin duda, indudablemente, evidentemente. ~ 이 모든 것은 비용이 많이 들 것이다 Todo esto, huelga decirlo [de más está decirlo], costará caro. ~ 아무도 나에게 묻지 않았다 De más está decir [huelga decir] que nadie me preguntó.

보내기(洑—) 【농업】 acción *f* de hacer la acequia de irrigación.

보내다 ① [(사람이나 물건을) 다른 곳으로 가게 하다] mandar, enviar, despachar, poner el sobrescrito, pasar; [송금하다] remitir; [···앞으로 보내다] dirigir (una carta). 편지(便紙)를 ~ mandar [enviar] una carta. 준영에게 편지를 ~ mandar [enviar] una carta a *Chunyeong*. 상품을 선편으로 ~ despachar la mercancía por barco. ···을 ···에게 보내어 주다 enviar [hacer llegar] *algo* a *uno*. 심부름꾼을 ~ enviar (a) un mensajero. 대사관에서 보낸 차로 가다 ir en un coche mandado por la embajada. 자택까지 차를 보내 드리겠습니다 Le enviaré un coche a su casa. 서울의 내 집으로 그것을 보내 주십시오 Mándemelo a mi casa de Seúl. 소포는 너에게 보내졌다 El paquete estaba dirigido a ti / El paquete venía a tu nombre. 그를 도미니까 공화국에 보냈다 El fue enviado a la República Dominicana / Le enviaron a la República Dominicana. 나는 그에게 쪽지를 보냈다 Le pasé el recado. ② [파견·파송하다] expedir, enviar, despachar; [부임시키다] destinar. 탐험대를 ~ enviar una expedición. 그를 임시로 자회사(子會社)에 보냈다 Le han destinado provisionalmente a la compañía asociada. ③ [이별하다] despedirse (de). ④ [(결혼·양자 따위를) 어떤 인연을 맺게 해 주다] casar, hacer conexionar. 딸을 시집을 ~ casar a *su* hija. ⑤ ㉮ [표정이나 동작을 해 보이다] ofrecer. 찬사를 ~ elogiar, hacer elogios (de). ㉯ [시선을 향하다] dirigir [echar] una mirada. 외국인에게 날카로운 시선(視線)을 ~ dirigir [echar] una mirada al extranjero. ⑥ [물자 따위를 공급하다] suministrar. 전기를 ~ suministrar la electricidad. ⑦ [(학습·취직 따위) 제 길을 가게 하다] enviar. 딸을 대학에 ~ enviar *su* hija a la universidad. ⑧ [(시간 따위를) 지나가게 하다] pasar, pasa un rato, vivir. (심심풀이로) 시간을 ~ matar [engañar·hacer] el tiempo. 즐거운 시간을 ~ pasar un rato agradable, pasarlo bien. 헛되이 시간을 ~ perder el tiempo, pasar el tiempo en vano. 공부를 하며 시간을 ~ matar el tiempo estudiando. 하계 휴가를 해변에서 ~ pasar las vacaciones de verano en la playa. 행복한 나날을 ~ pasar (los) días felices, pasarlo bien. 빈둥빈둥 날을 ~ pasar los días a la ventura. 비참한 생활을 ~ llevar una vida amarga [miserable]. 크리스마스를 어디서 보냈느냐? ¿Dónde pasaste la Navidad? 나는 세일즈맨으로 10년을 보냈다 (Me) Pasé diez años trabajando como vendedor / [지금도 세일즈맨일 때] He pasado diez años trabajando como vendedor / Hace diez años que trabajo como vendedor. 나는 독서하면서 밤을 보냈다 Pasé la noche leyendo (el libro). ⑨ [떠나가게 하거나 죽어서 헤어지다] dejar salir, despedirse de muerte, perder. 어린 자식을 교통 사고로 ~ perder a su niño por el accidente de tráfico.

보너스(영 *bonus*) plus *m*, prima *f*, bonificación *f*, sobrepaga *f*, gratificación *f*, paga *f* extra, paga *f* eventual; 【주식】 dividendo *m* extraordinario; ((운동)) extra *m*. 봉급의 ~ bonificación *f* [sobrepaga *f*] del salario. ~ 2점을 얻다 ganar dos puntos extra. 3개월분의 ~가 나왔다 Nos han pagado tres meses de gratificación [de paga extra].

보다¹ ① [시각으로 대상의 존재나 모양을 느끼다] ver, mirar; [응시하다] mirar fijamente, clavar la vista (en); [목격하다] ser testigo (de), asistir (a), presenciar. 쏘아보는 듯한 눈초리 mirada *f* aguda [penetrante]. 하늘에서 본 전망(展望) vista *f* desde el cielo. 주의하여 ~ ver con cuidado, observar. 슬쩍 ~ mirar a hurtadillas; [노름판에서 남의 패를] irse a las vistillas. 대충 ~ ojear, echar un vistazo (a). 올려다 ~ levantar los ojos. 뒤돌아~ mirar hacia atrás. 내려다~ mirar por encima del hombro. 보아라 Mira. 보세요 Mire. 날 좀 보십시오 Míreme. 좀 봅시다 Vamos a ver. ② [관찰하다] observar; [시찰하다] inspeccionar, visitar. 모든 방향[각도]에서 ~ observar desde todas las direcciones. 공장을 보러 가다 visitar la fábrica. 내가 보기에는 en mi opinión, en mi parecer. 대체로 보아 por lo general, en general, generalmente. ③ [구경하다] ver, visitar. 영화를 ~ ver una película, ir al cine. 나는 지난 일요일에 경주를 보러 갔다 Yo fui a visitar Gyeongchu el domingo pasado. ④ [읽다] leer, mirar; [훑어보다] mirar (por), hojear; [구독하다] subscribirse. 신문을 ~ leer un periódico. ⑤ [조사하다] examinar; [참고하다] referir (a), consultar. 환자를 ~ examinar [consultar] al paciente. ⑥ [판단하다] juzgar, tomar, decir. 손금을 ~ decir la suerte. …으로 보건대 por juzgar por *algo*. 그것을 나쁘게 보지 않기를 바랍니다 Espero que no lo tome usted a mal. 너는 내가 하는 말을 모두 나쁘게만 보는 모양이군 Tomas mal cuanto te digo. ⑦ [여기다. 간주하다] considerar (como), tomar (por). 그 남자를 모두 도둑으로 보았다 Le tomaron por ladrón. ⑧ [어림잡다] estimar, calcular, valer. ⑨ [돌보다] cuidar (de), asistir (a). 아이를 ~ cuidar del niño [infante]. 아이를 보는 사람 niñera *f*, el ama *f* (*pl* las amas) seca; [유모(乳母)] nodriza *f*, el ama *f* de cría; *AmS* el ama *f* de brazos. 아이를 보아 달라고 부탁하다 encargar el cuidado de *su* niño. ⑩ [당하다] sufrir, divertirse, entretenerse. ⑪ [치르다] tomar. 시험을 ~ tomar el examen. ⑫ [누다] hacer el cuerpo. 소변을 ~ orinar, hacer aguas, irse las aguas. 대변을 ~ excrementar, excretar, deponer los excrementos, expeler el excremento. ⑬ [장(場)을] ir a comprar o vender en el mercado. 장을 보러 가다 ir [salir] de compras. ⑭ [자식 등을] tener. 자식을 ~ tener hijo [niño]; [여인이] parir, dar a luz a un hijo. ⑮ [값을] tarar, fijar el precio (de). 만 원 밖에 보지 아니하다 hacer la oferta de diez mil wones sólo.

■보기 좋은 떡이 먹기도 좋다 ((속담)) Los nombres y las naturalezas están de acuerdo a veces.

보다 못해 no pudiendo aguantar ver más.

보아주다 ㉮ [보살펴 주다] cuidar, tener cuidado, atender. 고아들을 ~ cuidar de los huérfanos. ㉯ [(잘못 따위를 탓하지 않고) 눈감아 주다] tener indulgencia [consideración] (para), tratar con miramientos (a), perder de propósito. 채점을 ~ tener indulgencia en dar las notas.

보다² ① [사귀다] tener amores, portarse

mal. ② [참다] soportar, aguantar, tolerar. ③ [맡아보다] encargarse (de), hacerse cargo (de), asumir. 사회를 ~ presidir, ocupar la presidencia (de).

보다³ [시도하다] probar, ensayar. 해 ~ probar. 그것을 해 보겠다 Lo probaré. 그 일을 해 봅시다 Lo veremos / Veámoslo.

보다⁴ [추측] parecer; [의향] Creo que …. 비가 올까 ~ Parece que va a llover / Parece que está para llover / Parece que amenaza llover.

보다⁵ [비교급에서] que, a; […하는 것~] de (lo que + *ind*); […보다 더] más; […보다 덜] menos. …~ 못하다 ser inferior a *algo*. …~ 낫다 ser superior a *algo*, ser preferible a *algo*, Más vale. 에이~ 비를 택하다 preferir B a A. 내가 부탁한 것~ 더 많이 [더 적게] más [menos] de lo que yo había pedido. 없는 것~는 낫다 ser mejor que nada, más valer algo que nada. 그의 집이 내 집~ 크다 Su casa es más grande que la mía. 그녀는 나~ 키가 더 작다[크다] Ella es menos [más] alta que yo. 나는 전~ 더 좋아졌다 Me siento mejor que antes. 그녀는 나~ 바느질을 더 잘 한다 Ella sabe coser mejor que yo. 나는 버스를 타는 것~는 걸어가겠다 Yo prefiero ir a pie a tomar el autobús. 너와 결혼하느니~ 죽음을 택하겠다 Yo prefiero morirme antes que casarme contigo. 상황이 우리가 생각했던 것~ 더욱 나쁘다 La situación es aún peor de lo que pensábamos. 늦더라도 안하느니~는 낫다 ((서반아 속담)) Mejor tarde que nunca / Más vale tarde que nunca.

보답(報答) recompensa *f*, remuneración *f*, retribución *f*. ~하다 recompensar *su* servicio, retribuir, remunerar, pagar en retorno. 우정에 ~하다 retornar *su* amistad.

보도(步度) paso *m* de andar.
■ ~계(計) cuentapasos *m.sing.pl*, podómetro *m*.

보도(步道) acera *f*, calzada *f*; *AmS* vereda *f* (작은 길), senda *f* (para peatones).

보도(保導) protección *f* y orientación. ~하다 proteger y orientar.

보도(報道) información *f*, reporte *m*, anuncio *m*, aviso *m*, noticia *f*. ~하다 informar, anunciar, comunicar, dar parte, manifestar, avisar públicamente. ~의 출처(出處) origen *m* [fuente *f*] de la información. 신문 ~에 따르면 según (informan) los periódicos. 마드리드의 ~에 따르면 según las noticias [según informes] de Madrid. ~를 규제하다 controlar la información. 그 뉴스는 일면에 ~되었다 Esa noticia se dio en primera plana. 그 뉴스는 전세계로 ~되었다 Los medios de comunicación del mundo entero han dado la noticia / Se ha publicado la noticia por el mundo entero.
■ ~ 관제(管制) control *m* [bloqueo *m*] informativo. ~ 기관 organismo *m* de información pública. ~ 담당관 [대통령의] secretario, -ria *mf* de prensa. ~ 부(部) sección *f* de información; [텔레비전 방송 따위의] departamento *m* de servicios informativos. ~ 사진 fotografía *f* de noticias. ~ 사진사 fotógrafo, -fa *mf* de noticias. ~원 reportero, -ra *mf*; periodista *mf*. ~ 자료 comunicado *m* de prensa. ~전(戰) guerra *f* de reporte, competición *f* de noticias. ~진(陣) periodistas *mpl*, representantes *mpl* de la prensa. ¶~에 둘러싸이다 ser rodeado de periodistas, ser rodeado por los representantes de la prensa.

보도(輔導/補導) orientación *f*, guía *f*, conducción *f*, corrección *f*. ~하다 orientar, guiar, conducir, corregir, reformar. 불량 청년을 ~하다 corregir [reformar] un joven delincuente.
◆직업(職業) ~ orientación *f* vocacional. 학생(學生) ~ orientación *f* para los estudiantes.
■ ~과 sección *f* de corrección.

보도(寶刀) espada *f* sagrada, espada *f* preciosa.

보독(報毒) venganza *f*. ~하다 vengarse (de).

보동보동 con gordura, regordetemente, gordamente. ~하다 (ser) regordete (다리·볼·얼굴이); [아기·남자가] rechoncho, gordinflón, regordete, rellenito. ~ 살찐 얼굴 cara *f* regordete. ~한 손 mano *f* dulce y carnosa. ~한 여아(女兒) niña *f* gordinflona. ~한 가슴 pecho *m* [busto *m*] bello.

보드기 árbol *m* enano.

보드랍다 (ser) suave, blando; [빵 따위가] tierno. 보드라운 손 mano *f* suave.

보드레하다 =부드레하다.

보드카(러 *vodka*) vodca *f*, vodka *f*.

보득솔 pino *m* enano.

보들보들 suavemente, blandamente, tiernamente. ~ 하다 ser muy suave [blando·tierno].

보듬다 abrazar, dar un brazo, abarcar.

보디(영 *body*) ① [사람의 몸] cuerpo *m*. ② [차체(車體)] carrocería *f*. ③ [비행기의 동체] cuerpo *m*. ④ [카메라의 본체] caja *f*, cuerpo *m*. ⑤ ((권투)) vientre *m*, abdomen *m*.
■ ~가드 [호위자. 호위병] [한 사람] guardaespaldas *m.f.sing.pl*; [그룹] escolta *f*; [집합적] guardia *f* personal [de cuerpo], salvaguardia *f*; [국가 원수의] guardia *m* de corps. ~랭귀지 comunicación *f* no verbal. ~ 블로 ((권투)) golpe *m* duro. ~빌더 ㉮ [보디빌딩을 하는 사람] culturista *mf*, fisiculturista *mf*. ㉯ [차체(車體) 제작공] carrocero *m*. ㉰ [보디빌딩용 기구] aparato *m* para desarrollar los músculos. ~빌딩 culturismo *m*, fisiculturismo *m*; desarrollo *m* de los músculos.

보따리 bulto *m*, envoltorio *m*, paquete *m*, atado *m*, lío *m*, mazo *m*, manojo *m*, haz *f*, fardel *m*; [상품의] fardo *m*, bala *f*. ~를 꾸리다 enpaquetar, enfardar, embalar. ~를 풀다 desempaquetar, desenfardar, desembalar.

◆빨래 ~ paquete *m* de la ropa para lavar. 책~ paquete *m* de libros.

◆보따리(를) 싸다 abandonar, parar, cesar de + *inf*, dejar de + *inf*.

■~장수 vendedor, -dora *mf* ambulante.

보라¹ ((준말)) =보랏빛.

■~색 =보랏빛. ~초 cometa *f* que tiene color purpúreo menos la cabeza. ~ㅅ빛 púrpura *f*, color *m* purpúreo; [짙은] violeta *f*, violado *m*.

보라² [쐐기 모양의 연장] tacón *m* de cuña de hierro.

보라매【조류】halcón *m* (*pl* halcones) joven.

보라장기(一將棋) partida *f* de ajedrez que se mueve lentamente.

보람 ① [표적] indicación, signo, marca. ② [효과] efecto *m*, fruto *m*, resultado *m*; [가치] valor *m*; [도움] provecho *m*, utilidad *f*, beneficio *m*. ~이 있는 que vale, por valor (de), equivalente (a), digno (de), que merece. ~ 있게 쓴 돈 dinero *m* bien gastado. 근면의 ~ fruto *m* de un esfuerzo constante. 사는 ~ placer *m* [dicha *f*·felicidad *f*] de vivir. 노력한 ~도 없이 a pesar de los esfuerzos. 사는 ~이 있는 생활 vida *f* digna [que vale la pena·que merece la pena] de vivirse. 사는 ~을 느끼다 sentir la dicha de vivir, sentir que la vida merece vivirse. …한 ~이 있다 valer la pena de + *inf*, merecer la pena de + *inf*, Merece + *inf*. 그가 성공한 것은 노력의 ~이다 Su éxito procede del esfuerzo constante. 일이 내 사는 ~이다 En el trabajo encuentro la dicha de vivir / El trabajo da sentido a mi vida. 나는 공부한 ~이 있어 시험에 합격했다 Gracias a que estudié, aprobé el examen. 그는 노력한 ~이 없었다 Sus esfuerzos resultaron (ser) infructuosos [vanos].

보람 없다 ser en vano, ser inútil.

보람 없이 en vano, inútilmente.

보람차다 valer [merecere] la pena (de + *inf*), ser digno (de + *inf*).

보람하다 marcar, indicar.

보력(補力) intensificación *f*.

보력(寶歷) =보령(寶齡).

보련화(寶蓮華) =연꽃.

보령(寶齡) edad *f* del rey.

보로통하다 ① [부어오르거나 부풀어 올라서 볼록하다] hincharse, inflarse. 보로통한 [부어서] hinchado. ② [불만스러운 빛이 얼굴에 나타나 있다] mostrarse malhumorado, poner morro(s), poner mala cara. 보로통해 있다 estar de [con] morros. 보로통한 [불만스러워] hosco, ceñudo, mohino, malhumorado, resentido, enfurruñado.

보로통히 hinchadamente; hoscamente, ceñudamente, mohinamente, malhumoradamente, enfurruñadamente, resentidamente.

보료 colchón *m* (*pl* colchones) lujoso.

보루(堡壘) fortaleza *f*.

보류(保留) [의견 등의] reserva *f*, reservación *f*; [연기] aplazamiento *m*. ~하다 reservar, diferir, aplazar. 권리를 ~하다 reservar el derecho. 발표를 ~하다 guardarse [abstenerse] de la publicación. 그 문제의 결정은 다음 회의까지 ~되었다 Se ha aplazado la decisión sobre el problema para la próxima sesión.

■~ 조건 reservación *f*, reserva *f*.

보르반(一盤) [천공기(穿孔機)] taladradora *f*, barrenadora *f*.

보름 ① [열 다섯 날 동안] quince días. ② ((준말)) =보름날. ③ [대보름날] el quince de enero del calendario lunar.

■~날 el quince del calendario lunar. ~달 luna *f* llena de la noche del quince del calendario lunar. ~밤 noche *f* del quince del calendario lunar. ~보기 tuerto, -ta *mf*, persona *f* de un solo ojo. ~사리 ㉮ [음력 매월 보름날의 조수(潮水)] pleamar *m* del quince de cada mes del calendario lunar. ㉯ [보름 무렵에 잡힌 조기] corvina *f* amarilla cogida en pleamar. ~차례(茶禮) servicio *m* conmemorativo a los antepasados celebrado en el quince del mes del calendario lunar.

보름치 ① [보름 동안 충당할 분량] cantidad *f* destinada por quince días. ② [음력 보름께 비·눈 등이 오는 날씨] tiempo *m* que nieva o llueve hacia el quince del mes del calendario lunar.

보리【식물】cebada *f*; [야생 보리] cebadilla *f*; [탄·껍질을 벗긴 보리] sémola *f*. ~의 cebadazo.

■~가마니 saco *m* para la cebada. ~가을 cosecha *f* de cebada. ~고추장 salsa *f* de ají con cebada. ~깜부기 añublo *m* de cebada. ~논 arrozal para la cebada. ~ 농사 ㉮ [재배] cultivo *m* de cebada. ㉯ [수확] cosecha *f* de cebada. ~누룩 malta *f* de cebada. ~누름 temporada *f* que madura la cebada. ~떡 tarta *f* de cebada. ~막걸리 *borimakgoli*, vino *m* de cebada no pulida. ~밟기 acción *f* de pisar la cebada. ~밥 cebada *f* cocida; [쌀에 보리를 섞은 밥] arroz *m* cocido con cebada. ~밭 cebadal *m*. ~베기 cosecha *f* de cebada. ~소주 aguardiente *m* de cebada. ~술 vino *m* de cebada, bebida *f* alcohólica de cebada. ~쌀 grano *m* de cebada. ~ 장수 cebadero, -ra *mf*. ~죽 gachas *fpl* de cebada. ~차(茶) té *m* de cebada tostada. ~초(醋) vinagre *m* de cebada. ~타작 [마당질] trilla *f* de cebada. ~ 파종 siembra *f* de cebada. ~풀 heno *m* para el fertilizante del campo de cebada. ~ㅅ가루 cebada *f* en polvo. ~ㅅ가을 cosecha *f* de cebada. ~ㅅ거름 fertilizante *m* de cebada. ~ㅅ겨 salvado *m* de cebada. ~ㅅ고개 pobreza *f* primaveral. ~ㅅ대 tallo *m* de cebada. ~ㅅ자루 cebadera *f*. ~ㅅ재 ceniza *f* de cebada. ~ㅅ짚 cebadaza *f*, (paja *f*) cebadaza *f*. ~ㅅ짚 모자 =밀짚모자.

보리(菩提)(범 *Bodhi*) ((불교)) Ilustración *f*

Suprema, Sabiduría *f* Suprema, camino *m* de salvación.

■ ~심(心) aspiración *f* para el budismo.

보리새우【동물】gamba *f*.

보리수 fruto *m* del tilo.

보리수(菩提樹)【식물】tilo *m*.

보리수나무(菩提樹－)【식물】eleagno *m*.

보린(保隣) ayuda *f* mutua entre los vecinos.

■ ~회(會) asociación *f* de vecindario.

보링(영 *boring*) [시추] sondeo *m*, perforación *f* experimental. 석유 ~을 하다 perforar a prueba para buscar petróleo, hacer pruebas perforadoras para buscar petróleo.

■ ~ 머신 taladro *m*.

보막이(洑－) construcción *f* de charca represada. ~하다 construir la charca represada.

보매 al parecer, por lo visto, según parece, aparentemente. 얼핏 ~ a primera vista. ~ 슬픈 것 같다 parecer ser triste. ~ 그녀는 바쁜 것 같았다 Ella parecía (estar) ocupada. ~ 그는 이해했던 것 같다 El pareció haber entendido / Dio la impresión de que había entendido.

보모(保姆) ① [보육원 등의] niñera *f*, nodriza *f*, el ama *f* (*pl* las amas) seca, el ama *f* de cría; *Méj* nana *f*; *AmS* el ama *f* de brazos. ② [유치원의 여자 선생] institutriz *f* (*pl* institutrices), maestra *f* de la escuela de párvulos.

보무(步武) paso *m* seguro. ~ 당당하게 con pasos seguros, sin temer nada.

보무라지 retales *mpl*, retazos *mpl*, hilas *fpl*.

보물 ((준말)) =보무라기.

보물(寶物) [부의 축적물] tesoros *mpl*, riquezas *fpl*; [값어치 있는 것. 상 받은 것] tesoro *m*, objeto *m* precioso, joya *f*, piedra *f* preciosa. 고대(古代)의 ~들 tesoros *mpl* de la antigüedad. 예술적인 ~ tesoros *mpl* artísticos. 그들은 숨겨진 ~을 찾고 있었다 Ellos buscaban tesoros escondidos. 갈레온 선(船)은 ~로 가득 차 있었다 El galeón estaba lleno de riquezas. 이 우편엽서는 내 ~ 중의 하나이다 Esta tarjeta postal es uno de mis más preciados tesoros. 훌륭한 기술자(技術者)는 진짜 나라의 ~이다 Un buen técnico [ingeniero] es una verdadera joya. 너는 우리 가족의 ~이다 Tú eres un tesoro de nuestra familia.

■ ~고(庫) tesoro *m*, tesorería *f*, erario *m*, tesauro *m*, mina *f* (rica). ¶정보(情報)의 ~ mina *f* de información. ~선 barco *m* cargado de tesoros, barco *m* de felicidad. ~섬 isla *f* del tesoro. ~찾기 búsqueda *f* del tesoros, caza *f* de tesoros (escondidos). ¶~하다 buscar los tesoros.

보배 ① [아주 귀하고 중한 물건] tesoro *m*, cosas *fpl* preciosas, cosas *fpl* valiosas, joya *f*, piedra *f* preciosa. ② [아주 귀중한 사람이나 물건] tesoro *m*, joya *f*, piedra *f* preciosa, mina *f*. 나라의 ~ tesoro *m* nacional. 그는 우리 나라의 ~다 El es un orgullo de nuestro país. 아이들은 나라의 ~다 Los niños son los tesoros más preciosos del país.

보배로이 preciosamente, valiosamente.

보배롭다 =보배스럽다.

보배스럽다 (ser) precioso, valioso.

보배스레 preciosamente, valiosamente.

보법 la dignidad y la ley.

보법(步法) modo *m* [manera *f*] de andar.

보병(步兵) ①【군사】[군인] infante *m*, soldado *m* de artillería; [군대] infantería *f*, artillería *f*. ② ((준말)) =보병목(步兵木).

■ ~대(隊) cuerpo *m* de infantería. ~ 대대 batallón *m* de infantería. ~목(木) algodón *m* basto y grueso. ~ 사단 división *f* de infantería. ~ 여단 brigada *f* de infantería. ~ 연대 regimiento *m* de infantería. ~전 batalla *f* de infantería. ~ 중대 compañía *f* de infantería. ~ 학교 ((준말)) =육군 보병 학교.

보병궁(寶瓶宮)【천문】Acuario *m*.

보복(報復) [앙갚음] venganza *f*, revancha *f*, desquite *m*, vindicta *f*; [무력(武力) 등에 의한] represalias *fpl*; [경제 제재 등] retorsión *f*; [대항 조치] contramedida *f*; [반격(反擊)] contraataque *m*. ~하다 desquitarse, vengarse, tomar la revancha, pagarlas, devolver la pelota, tomar represalias, contraatacar. ~으로 en [como] represalia. ~을 무서워하여 por medio de represalias. 폭격의 ~으로 en [como] represalia por el bombardeo. …의 ~을 하다 vengar a *uno*. …에게 …의 ~을 하다 vengarse de *uno* por *algo*. …때문에 …의 ~을 하다 vengarse por *algo* en *uno*. 동생의 ~을 하다 vengar a su hermano. 동생이 받는 치욕의 ~을 하다 vengarse del ultraje en su hermano. 나는 그에게 전날의 ~을 했다 Me he vengado de él por lo del otro día. 그는 ~을 당했다 Le devolvieron la pelota / Le pagaron con la misma moneda. 너는 ~을 당할 것이다 ¡Ya me las pagarás! / ¡Me las has de pagar! / ¡Me las pagarás todas juntas!

◆ 대량(大量) ~ represalia *f* masova.

■ ~ 공격 ataque *m* vengativo. ~ 관세 derechos *mpl* de represalias, arancel *m* antidumping. ~력 poder *m* de represalia. ~ 수단(手段) represalias *fpl*. ~ 적(的) vengativo. ~ 정책 política *f* de venganza, política *f* de revancha. ~ 조치 medida *f* de represalia, represalias *fpl*. ¶~로 como represalias. ~를 취하다 tomar represalias. 테러에 ~를 취하는 미국 los Estados Unidos de América que toma represalias por el terrorismo. ~지리(之理) razon *f* natural de tomar represalias uno a otro. ~책 medidas *fpl* vengativas, medidas *fpl* de represalia. ~ 축출[추방] desahucio *m* por represalia, expulsión *f* por represalia. ¶~하다 expulsar por represalia. ~ 폭격 bombardeo *m* de represalia. ~ 행위 acto *m* de represalia.

보부상(褓負商)【역사】buhorero *m*, revendedor *m*. ~을 하다 vender por las calles, vender de casa en casa, andar vendiendo los artículos.

보비리 avaro, -ra *mf*, tacaño, -ña *mf*.

보비위(補脾胃) ① [위경(胃經)의 기운을 보양함] fortalecimiento *m* de *su* estómago y brazo. ~하다 fortalecer *su* estómago. ② [남의 비위를 잘 맞추어 줌] propiciación *f*. ~하다 propiciar.

보빈(영 *bobbin*) ① [방직 용구의 하나] carrete *m*. ② [재봉틀의] canilla *f*. ③【전기】bobina *f*. ④ [방적(紡績)의] huso *m*, devanadera *f*.

보살(菩薩) ① ((불교)) [부처 다음가는 지위에 있는 성인] Buda *m* predestinado, Buda *m* iluminado, el iluminado. ② ((준말)) =보살할미. ③ [늙은 선녀(仙女)] hada *f* [ninfa *f*] vieja.

■~할미 monja *f* budista sin el corte del pelo.

보살피다 cuidar, tener cuidado, prestar atención, atender. …를 보살펴 주다 cuidar a *uno*, atender a *uno*. 여러 모로 보살펴 주신데 대해 감사드립니다 Agradezco mucho [Estoy muy agradecido por] su amable atención / Muchísimas gracias por todo. 내가 곤란할 때 그는 나를 보살펴 주었다 El me ayudó cuando yo estaba necesitado.

보살핌 cuidado *m*, atención *f*. 나는 내 삼촌의 ~ 아래 있다 Estoy al cuidado de mi tío.

보상(補償) compensación *f*, indemnización *f*, recompensa *f*, resarcimiento *m*, reparación *f*; [죄의] expiación *f*. ~하다 compensar, recompensar, indemnizar, resarcir, reparar. ~할 수 있는 compensable, reparable, recuperable. ~하기 어려운 irreparable, irrecuperable. ~으로 como indemnización, por [en] concepción de indemnización. …의 ~으로 en compensación de *algo*. ~으로 …을 주다 dar *algo* como compensación. …로 손실을 ~하다 compensar la pérdida con *algo*. …에게 손해를 ~하다 compensar [indemnizar · resarcir] a *uno* del daño. 과실(過失)을 ~하다 compensar [reparar] *su* falta. 죄(罪)를 ~하다 expiar *su* crimen; [종교상의] pagar *su* pegado.

◆산업 재해 ~ indemnización *f* por accidente laboral. 수출 ~ compensación *f* de exportación.

■~금 (dinero *m* de) compensación *f*, indemnización *f*, cantidad *f* de compensación. ~안(案) proyecto *m* de compensación. ~ 협정 acuerdo *m* de compensación, acuerdo *m* de indemnización.

보상(報償) ① [변상(辨償)] reembolso *m*. ~하다 reembolsar. ~할 수 있는 reembolsable. 경비는 회사에서 ~될 것이다 La empresa reembolsará los gastos. ② =보복(報復).

보새(寶璽) =옥새(玉璽).

보색(補色) color *m* complementario.

보석(保釋) excarcelación *f* dada bajo fianza [aprobada bajo custodia], libertad *f* bajo la fianza. ~하다 poner en libertad [excarcelar] bajo fianza [bajo caución]. ~으로 나오다 ser excarcelado bajo fianza. ~이 되다 ser puesto en libertad bajo la fianza. ~을 허락하다 dar la libertad bajo la fianza.

■~금(金) fianza *f*, caución *f*. ~ 보증금 depósito *m* para libertad bajo fianza. ~ 보증인 fiador, -dora *mf*. ~원(願) súplica *f* para libertad bajo fianza.

보석(寶石)【광물】gema *f*, piedra *f* preciosa; [장신구] alhaja *f*, joya *f*; [에메랄드] esmeralda *f*; [루비] rubí *m*; [사파이어] zapiro *m*; [비취] jade *m*; [금강석] diamante *m*; [단백석(蛋白石)] ópalo *m*. ~으로 장식하다 adornar con piedras preciosas, adornar con lentejuelas, adornar con gemas. 그는 이 ~들을 진짜라고 믿고 있다 El (se) cree que estas joyas son auténticas.

◆모조(模造) ~ piedras *fpl* falsas.

■~공 lapidario, -ria *mf*. ~류 joyas *fpl*, pedrería, alhajas *fpl*. ~ 반지 anillo *m* de joyas. ~상 ㉮ [상점] joyería *f*. ㉯ [장수] joyero, -ra *mf*. ~ 상자 joyero *m*, joyelero *m*, guardajoyas *m*, estuche *m* [caja *f*] para joyas, *AmL* alhajero *m*. ~ 세공 joyas *fpl*, alhajas *fpl*. ~ 조각 grabado *m* de joya. ~ 조각사 grabador, -dora *mf* de joya.

보선(保線) ① [철도의 선로(線路) 보전 작업] mantenimiento *m* de la vía férrea. ② ((준말)) =보선 작업(保線作業).

■~공 peón *m* ferroviario. ~ 공사 obras *fpl* de mantenimiento de la vía férrea. ~과 sección *f* de mantenimiento de la vía férrea. ~ 작업 trabajo *m* de mantenimiento de la vía férrea.

보세(保稅) reservación *f* de derechos de aduana, depósito *m*. ~의 de depósito aduanero, de depósito de aduana.

■~ 가공 elaboración *f* en depósito. ~ 가공 무역 comercio *m* de elaboración de depósito. ~ 공장 planta *f* de procesado de depósito, fábrica *f* de depósito. ~ 구역 zona *f* de depósito aduanero. ~ 수입 importación *f* de depósito. ~ 예치증 certificado *m* de depósito. ~ 전시장 sala *f* de exposiciones de depósito. ~ 제도(制度) sistema *m* de depósito (aduanero). ~ 창고 depósito *m*, almacén *m* (*pl* almacenes) de depósito (aduanero), almacén *m* de depósito de aduana, depósito *m* de aduana. ~ 창고항 puerto *m* de depósito. ~품 mercancías *fpl* en almacén de aduanas, mercancías *fpl* en depósito, mercancías *fpl* de depósito (aduanero). ~ 화물(貨物) mercancías *fpl* de depósito.

보소(譜所) oficina *f* provisional para el libro genealógico.

보속음(保贖音)【음악】punto *m* de órgano.

보송보송 ① [잘 말라서 물기가 없이 보드라운 모습] resecamente. ~하다 estar reseco. ~한 빨래 lavado *m* secado. 재목(材木)이 ~하다 Las maderas están resecas. 연못이 ~하다 La charca está seca. ② [(얼굴이나

살결이) 때가 빠지고 보드라운 모습] suavemente. ~하다 (ser) suave y sin humedad. ~한 살결 piel *f* suave y sin humedad.

보수[1](步數) [바둑이나 장기의] modo *m* de resolver el problema difícil.

보수[2](步數) [걸음의 수] número *m* de pasos.
■ ~계(計) podómetro *m*, odómetro *m*, cuentapasos *m.sing.pl.*

보수(保守) conservatismo *m*, conservadorismo *m*. ~하다 conservar.
■ ~가 conservador, -dora *mf*. ~당 partido *m* conservador. ~당원 conservador, -dora *mf*. ~ 반동주의 conservatismo *m* reaccionario. ~성 conservatismo *m*. ~ 세력(勢力) fuerzas *fpl* conservadoras, políticas *fpl* conservadoras. ~적 conservador, conservatorio, conservativo, reaccionario. ~적 경향 reacción *f*. ~적 정신 espíritu *m* conservatorio. ~ 정당 partido *m* conservador. ~주의 conservatismo *m*, conservadorismo *m*, conservadurismo *m*, moderantismo *m*, reaccionarismo *m*. ~주의자 conservador, -dora *mf*; reaccionario, -ria *mf*. ~ 진영 campo *m* conservador. ~파 conservadores *mpl*, fuerza *f* conservadora.

보수(補修) reparación *f*, remiendo *m*, compostura *f*. ~하다 reparar, remendar.
■ ~ 공사 obras *fpl* de reparaciones. ~비 gastos *mpl* de reparaciones.

보수(報酬) recompensa *f*, retribución *f*; [돈] remuneración *f*, asignación *f*. ~ 없이 sin recompensa, de *su* propio bolsillo. 무(無)~로 sin cobrar. …의 ~로 en pago de *algo*, en retribución de *algo*. ~가 좋은[나쁜] 일 trabajo *m* bien [mal] retribuido. ~를 주다 conceder una recompensa [una remuneración], retribuir, recompensar, remunerar. ~를 받다 recibir una retribución [una remuneración], ser pagado. ~가 좋다 [나쁘다] pagar bien [mal].
■ ~ 점감의 법칙 ley *f* de recompensa que disminuye. ~ 점증의 법칙 ley *f* de recompensa que aumenta.

보스(영 *boss*) jefe, -fa *mf*; caudillo *m*; [두목(頭目)] cabeza *m*, cacique *m*; [지도자(指導者)] dirigente *mf*; líder *mf*; [세력가(勢力家)] gran personaje *m*, señor *m*. ~ 기질의 magnánimo. ~ 간(間)의 교섭(交涉) negociaciones *fpl* entre los dirigentes. 당(黨)의 ~ dirigente *mf* del partido. 노동 조합의 ~ dirigente *mf* sindical. 마피아의 ~ capo *m* de la Mafia.
■ ~ 정치(政治) política *f* caciquesca, caciquismo *m*.

보스니아 【지명】 Bosnia. ~의 bosnio, bosniaco. ~ 사람 bosnio, -nia *mf*; bosniaco, -ca *mf*; bosníaco, -ca *mf*.

보스니아 헤르체고비나 【지명】 Bosnia (y) Herzegovina *f*, Bosnia-Herzegovina *f*.
■ ~ 사람 bosnio, -nia *mf*.

보스턴백(영 *Boston bag*) saco *m* [bolsa *f*] de viaje.

보슬보슬[1] [눈이나 비가 가늘고 성기게 조용히 내리는 모습] suavemente, ligeramente. ~ 내리는 비 llovizna *f*. 비가 ~ 내리고 있다 Llovizna.

보슬보슬[2] [물기가 적어 잘 엉기지 않는 모양] casi secamente. ~한 눈 nieve *f* casi seca.

보슬비 llovizna *f*. ~가 내리다 lloviznar.

보습(補習) estudio *m* [aprendizaje *m*] suplementario, suplemento *m*. ~하다 estudiar [aprender] suplementariamente, suplementar.
■ ~과 curso *m* suplementario. ~ 교육 educación *f* suplementaria. ~ 독본 libro *m* suplementario de lectura. ~ 학교 escuela *f* suplementaria.

보습살 filete *m* de cadera.

보시(布施) ((불교)) [일] caridad *f*, ofrenda *f* budista; [물건] limosna *f*. ~하다 practicar caridad, ofrender, hacer una ofrenda, dar limosna. ~를 베풀다 dar limosna. ~를 청하다 pedir limosna [la caridad]. 다른 사람의 ~로 생활하다 vivir de limosna. 만 원을 ~하다 ofrender [hacer una ofrenda de] diez mil wones.
■ ~ㅅ돈 dinero *m* reunido de la ofrenda en el templo budista.

보시기 cuenco *m* pequeño.

보신(保身) conservación *f*, supervivencia *f*, defensa *f* de *su* persona y vida.
■ ~술 arte *m* de autoprotección. ~(지)책 medio *m* de autoprotección.

보신(補身) conservación *f* con el tónico. ~하다 conservar con el tónico.
■ ~탕 *bosintang*, caldo *m* de carne de perro.

보신(補腎) vigorización *f* con el tónico. ~하다 vigorizar con el tónico.
■ ~제 tónico *m*, reconstituyente *m*.

보쌈김치(褓-) *bosamkimchi*, encurtidos *mpl* coreanos envueltos en la hoja del repollo grande como un lío.

보아(영 *boa*) 【동물】 boa *f*.

보아란듯이 jactanciosamente, baladronamente, fanfarronamente, orgullosamente, ostentosamente, fastuosamente, pomposamente, aparatosamente. ~ 뽐내는 태도 actitud *f* ostentosa. 사치스런 드레스를 걸치고 ~ 걷다 pavonearse con un vestido lujoso.

보아주다 ☞보다[1]

보안(保安) mantenimiento *m* de seguridad, preservación *f* de la paz pública. ~하다 mantener la seguridad, preservar la paz pública.
■ ~ 검열 inspección *f* de seguridad. ~ 경찰 policía *m* de seguridad social. ~과 sección *f* [división *f*] de seguridad pública.. ~관 [미국의] sheriff *mf*; [영국과 웨일스의] representante *mf* de la corona; [스코틀랜드의] juez *mf* principal de un distrito. ~등 lámpara *f* de seguridad. ~림 bosque *m* reservado [protegido]. ~ 설비 dispositivos *mpl* de seguridad. ~ 요원 personal *m* de mantenimiento. ~ 일반 수칙 instrucciones

fpl de seguridad. ~ 조례 reglamento *m* de la seguridad pública, reglamento *m* de la preservación pública. ~회 la Asociación de Seguridad Nacional.

보안(保眼) protección *f* de los ojos. ~하다 proteger los ojos.

보암직하다 valer la pena (de) ver; ((성경)) ser agradable a los ojos, dar ganas de llegar a tener entendimiento. 그것 참 ~ Vale la pena de verlo.

보약(補藥) reconstituyente *m*, roborante *m*, roborativo *m*, tónico *m*.

보양(保養) recuperación *f*, convalecencia *f*, restablecimiento *m*, recreo *m*, preservación *f* de la salud, recreación *f*, diversión *f*. ~하다 recuperarse, tomar cuidado de la salud, recrearse, ir a un lugar para la salud.

■ ~ 도시 ciudad *f* de salud. ~소(所) sanatorio *m*. ~지 refugio *m* de salud; [온천의] balneario *m*.

보양(補陽) 【한방】 fortalecimiento *m* [vigorización *f*] de virilidad. ~하다 fortalecer [vigorizar] la virilidad.

■ ~식(食) comida *f* de vigorizar la virilidad. ~제(劑) medicina *f* de vigorizar la virilidad.

보얗다 ① [빛깔이] (ser) perlino, de perla(s). 살결이 ~ tener la piel perlina. ② [안개·연기 따위로] (ser) brumoso, nebuloso. ③ [희미하다] (ser) borroso, poco claro, confuso, indistinto. 보얗게 되다 ponerse [volverse] borroso.

보얘지다 ponerse [volverse] borroso.

보어(補語) 【언어】 complemento *m*.

보여(步輿) palanquín *m* para el viejo o el inválido.

보여(寶輿) carro *m* del emperador.

보여 주다 ☞보이다

보옥(寶玉) piedra *f* preciosa, joya *f*, alhaja *f*, gema *f*, dije *m*.

보온(保溫) mantenimiento *m* de la temperatura, conservación *f* del calor. ~하다 mantener [conservar] el calor.

■ ~병(甁) termo *m*, termos *m.sing.pl.* ~장치 termóstato *m*. ~재(材) termoaislador *m*, calorífugo *m*.

보완(補完) complemento *m*, suplemento *m*. ~하다 complementar.

◆상호(相互) ~ complementación *f*. 자동차 산업 ~ complementación *f* de la industria automotriz.

■ ~ 관계 relaciones *fpl* complementarias. ~ 설명 explicación *f* complementaria. ~세(稅) impuesto *m* adicional, impuesto *m* suplementario. ~적 complementario *adj*. ¶상호 ~ 협력 cooperación *f* complementaria. ~ 조치 medidas *fpl* complementarias.

보우(保佑) protección *f*, ayuda *f*. ~하다 proteger, ayudar.

보위(保衛) [보전] integridad *f*, preservación *f*; [방위] protección *f*, defensa *f*. ~하다 defender, preservar la integridad.

■ ~자 defensor, -sora *mf*; protector, -tora *mf*.

보위(寶位) =보조(寶祚).

보유(保有) posesión *f*, retención *f*, ocupación *f*. ~하다 poseer, retener mantener, ocupar, ser dueño, tener. 한국의 자동차 ~ 대수(臺數) cantidad *f* de coches que posee Corea.

◆금 ~고 reservas *fpl* de oro. 핵무기 ~국 potencia *f* nuclear, país *m* poseedor de armas nucleares.

■ ~자 [티켓의] poseedor, -dora *mf*; [허가·여권·직업의] titular *mf*; [채권·증권 등의] titular *mf*, tenedor, -dora *mf*; [타이틀·컵의] poseedor, -dora *mf*. ¶그는 현재 세계 기록 ~이다 El es el plusmarquista mundial / El posee [ostenta] el actual récord mundial. ~ 증권(證券) tendencia *f* de valores.

보유(補遺) suplemento *m*, apéndice *m*, adición *f*. ~하다 suplementar, adicionar.

보유스름하다 (ser) blanquecino, blancuzco, lechoso, helado.

보육(保育) educación *f* de los párvulos, crianza *f*, nutrimento *m*. ~하다 criar, nutrir, alimentar, educar, instruir.

■ ~과 departamento *m* de la educación de los párvulos. ~기(器) incubadora *f*. ~원 jardín *m* de infancia, escuela *f* [casa *f*] de párvulos, *Méj* jardín *m* de niños, *Chi* jardín *m* infantil; [탁아소] guardería *f*. ~ 학교 preescolar *m*, parvulario *m*, jardín *m* infantil, escuela *f* de párvulos, *AmL* kindergarten *m*, *RPl* jardín *m* de infantes. ~ 학교 교육 enseñanza *f* preescolar. ~ 행정 administación *f* de la educación de los párvulos.

보은(報恩) paga *f* de un favor, devolución *f* de un beneficio. ~하다 devolver el favor recibido, satisfacer la obligación contraída al recibir un favor. ~을 위하여 para pagar el favor recibido. 국가에 ~하다 devolver un beneficio a su país.

보음(補陰) 【한방】 contrapeso m de poderes viriles. ~하다 contrapesar [servir de contrapeso a] *sus* poderes viriles.

■ ~제 medicina *f* para el contrapeso de poderes viriles.

보응(報應) =응보(應報).

보이(영 *boy*) ① [소년] muchacho *m*, chico *m*. ② [웨이터] mozo *m*, camarero *m*; [열차의] mozo *m* de coche. ~를 구함 ((게시)) Muchachos pedidos.

■ ~프랜드 novio *m*, amigo *m*; *Chi* pololo *m*.

보이다¹ ① [시력이 있다] poder ver. ② [눈에 띄다] ver(se). 순이가 보이지 않는다 No veo a Suni. 그는 요즈음 통 보이지 않는다 El está escondido [no asoma la cabeza] estos días. ③ [(…처럼) 보이다] parecer. 좋게 ~ parecer bueno. 나쁘게 ~ parecer malo. (겉보기에, 어떤) 나이로 ~ aparentar, representar. 그녀는 마흔 살이지만 열

살 더 젊게 보인다 Ella tiene cuarenta años, pero aparenta [representa] diez menos. ④ […으로 생각되다] aparecer, parecer. ⑤ [모습을 나타내다] aparecer, asomar(se). 그의 얼굴에 희색(喜色)이 보인다 En su cara aparece la alegría / A su rostro se asoma la alegría. 그녀의 입가에 미소가 보였다 La sonrisa aparecía a la flor de labios. 그녀의 눈에 눈물이 보인다 A ella le asoman las lágrimas a los ojos / Se le saltan las lágrimas. 해가 보이기 시작했다 Asomó el sol. 위험이 보이기 시작했다 Asomó el peligro.

보이다² ① [보여 주다] mostrar, enseñar, dejar ver; [숨긴 것을] descubrir, revelar; [드러내다] presentar. 서로 ~ enseñarse, mostrarse. 여권을 ~ enseñar [presentar] *su* pasaporte. 녹색을 ~ presentar un color verdoso. 의사에게 ~ consultar al médico. 혀를 ~ enseñar la lengua. ② [전시하다] exhibir, exponer.

보여 주다 ㉮ [보이다] mostrar, enseñar, hacer ver; [숨긴 것을] descubrir, revelar. 그 엽서를 보여 주라 Déjame ver la tarjeta. 넥타이를 보여 주세요 ¿Quiere usted mostrarme una corbata? / Quiero enseñarme una corbata / Quiero que usted me enseñe [muestre] una corbata. 나는 그에게 그 이론이 오류라는 것을 보여 주었다 Le hice notar que la teoría estaba equivocada. 모든 증거가 그의 유죄(有罪)를 보여 주고 있다 Todas las pruebas presentadas señalan su culpabilidad. 그의 태도는 불안함을 보여 주었다 Su actitud revelaba su inquietud. ㉯ [전시하다] exhibir, presentar, exponer, mostrar.

보이 스카우트(영 *boy scout*) explorador *m*, niños *mpl* [muchachos *mpl*] exploradores.

보이콧(영 *boycott*) boicoteo *m*, boicot *m*, coalición *f* organizada contra una persona, huelga *f* de no comprar. ~하다 boicotear, hacer el boicoteo, coalizarse para no tener tratos con la mercancías. 수업(授業)의 ~ boicoteo *m* de las clases.

보익(輔翊/輔翼) =보도(輔導).

보일락 말락 viéndose difícilmente, casi no viéndose. ~하다 apenas verse, casi no verse, verse difícilmente.

보일러(영 *boiler*) caldera *f* (de vapor); [세탁소용] caldero *m* (para hervir ropa). ~를 작동시키다 hacer funcionar la caldera. 석유 연소 ~ caldera *f* de combustión de fueloil.

▪~ 간(間) sala *f* de calderas. ~공(工) fogonero, -ra *mf*, calderero, -ra *mf*. ~관 tubo *m* de caldera. ~ 덮개 revestimiento *m* de caldera. ~ 동체 cúpula *f* [cuerpo *m*] de caldera. ~ 메이커 ㉮ [보일러 제조자] calderero, -ra *mf*. ㉯ [맥주를 탄 위스키] whisky *m* con cerveza. ~실 sala *f* de calderas. ~압(壓) presión *f* de la caldera. ~판(板) chapa *f* de caldera.

보일보(步一步) paso a paso, poco a poco.

보잇하다 (ser) algo lechoso.

보자기 submarinista *mf*, buzo *mf*, hombre-rana *m*, mujer-rana *f*.

보자기(褓－) envoltura *f*, envoltorio *m*, paño *m* cuadrado para envolver las cosas. ~에 싼 물건 cosa *f* envuelta con un paño.

보잘것없다 (ser) insignificante, trivial, poco importante, sin importancia, fútil, baladí, exiguo, poco, pequeño, pobre, modesto, humilde. 보잘것없는 녀석 nulidad *f*, cero *m* a la izquierda. 보잘것없는 것[일] bagatela *f*, friolera *f*, fruslería *f*, futilidad *f*, (lo) baladí, insignificancia *f*. 보잘것없는 손실 pérdida *f* fútil. 보잘것없는 장사 modesto [humilde] negocio *m*. 보잘것없는 샐러리맨 modesto empleado *m*. 보잘것없는 수입 renta *f* modesta. 보잘것없는 문사(文士) escritor, -tora *mf* de medio pelo; escritorzuelo, -la *mf*. 보잘것없는 선물을 하다 hacer un pequeño regalo. 보잘것없는 파티를 열다 organizar una pequeña fiesta. 보잘것없는 생활을 하다 vivir modestamente, llevar una vida modesta. 보잘것없지만 어서 드십시오 Sírvase, aunque no es más que un bocado.

보장(保障) garantía *f*. ~하다 asegurar, garantizar. 평화의 ~ seguridad *f* de paz. 독립을 ~하다 garantizar la independencia. 인권(人權)을 ~하다 garantizar los derechos humanos. 자유로운 활동을 ~하다 asegurar la actividad libre (de).

▪~자 garantizador, -dora. ~ 점령 ocupación *f* de garantía. ~ 조약 pacto *m* de seguiridad, tratado *m* de garantía contra obstáculos.

보쟁기 arado *m* con la reja del arado.

보쟁이다 tener relaciones inmorales.

보전(保全) integridad *f*, conservación *f*, preservación *f*, mantenimiento *m*. ~하다 guardar en integridad. ~에 노력하다 procurar la integridad. 영토를 ~하다 salvaguardar la integridad territorial, guardar y conservar íntegro el territorio.

◆국토(國土) ~ conservación *f* de la tierra nacional. 예방(豫防) ~ mantenimiento *m* preventivo.

▪~ 처분 medida *f* conservativa.

보전(補塡) resarcimiento *m*, suplemento *m*. ~하다 cubrir, resarcir, suplir. 손해를 ~하다 resarcir una pérdida. 적자를 ~하다 cubrir el déficit.

보전(寶典) ① [귀중한 법전] código *m* precioso. ② [귀중한 책] libro *m* precioso.

보전(寶殿) palacio *m* excelente, palacio *m* de oro y jade.

보정(補正) ① [모자람을 보충하고 고침] revisión *f*. ~하다 revisar. ②【물리】corrección *f*. ~하다 corregir, completar. ③【법률】compensación *f*. ~하다 compensar.

▪~ 달러 dólar *m* revisado. ~ 예산(豫算) presupuesto *m* rectificado.

보정(補整) compensación *f*. ~하다 compensar.

■ ~기(器) compensador *m*. ~ 흔들이[진자] compensador *m*, péndulo *m* de compensación.

보제(補劑) ① [보약] reconstituyente *m*, tónico *m*. ② [보조약] coadyuvante *m*.

보조(步調) paso *m*, marcha *f*, cadencia *f* en el paso. ~가 맞지 않다 destruir el paso. ~를 깨뜨리다 romper el paso; [비유적] desconcertar. ~를 늦추다 aflojar el paso. ~를 맞추다 llevar el (mismo) paso, llevar el paso de otro, tomar paso, mantener el paso, ejecutar concierto (con), ajustar el paso (al de uno); [비유적] obrar de común acuerdo (con). ~를 맞추어서 con el paso medido, llevando el paso. ~를 맞추어서 걷다 ir llevando el paso (con), guardar el paso (con), llevar [marchar] el paso, marchar con el paso marcado, andar a compás, andar [marcar] llevando el paso, andar con el mismo paso [con pasos medidos · concertados]. ~를 허물어뜨리다 no llevar el paso general. ~를 빨리하다 apretar [acelerar · apresurar] el paso. ~를 맞춰 (행진)! ¡Marchen! ~가 맞지 않다 No llevan bien el paso / [비유적] No se ponen de acuerdo. ~가 깨졌다 Se rompió el paso. A당은 B당과 공동 ~를 맞추고 있다 El partido A y el partido B marchan a uno. 통일 전선의 ~가 깨졌다 La oordinación del frente unido ha quedado rota.

보조(補助) auxilio *m*, ayuda *f*, asistencia *f*, apoyo *m*, socorro *m*, sostén *m*, subsidio *m*. ~하다 asistir, ayudar, socorrer, auxiliar, conllevar, apoyar, sufragar, subvenir, subvencionar, prestar asistencia (económica). ~의 ayudador, auxiliador, auxiliar, subsidiario, secundario. ~를 받다 tener ayuda de otro, ser apoyado, ser subvencionado, ser socorrido. 정부(政府)의 ~가 있다 ser subvencionado por el gobierno, recibir un subsidio del gobierno. 여비를 ~하다 pagar en parte el viaje, contribuir en parte para costear el viaje. 생활비를 ~하다 costear parte de la vida, subvenir a una parte de la subsistencia.

■ ~금 ㉮ [보조하여 주는 돈] subsidio *m*, dinero *m* [subvención *f*] en ayuda. 생산 ~ subsidio *m* para producción. ㉯ [국가나 공공 단체 따위의 사업을 돕기 위해 교부하는 돈] subsidio *m*, subvención *f*. ㉰ =교부금(交付金). ~ 기관 órgano *m* subsidiario. ~ 기억 장치 memoria *f* auxiliar. ~ 날개[익] alerón *m*. ~ 동사 verbo *m* auxiliar. ~ 어간 raíz *f* complementaria. ~역 ayudante, -ta *mf*. ~원[인] ayudante, -ta *mf*. ~음 nota *f* auxiliar. ~ 의자 trasportín *m*, traspuntín *m*, traspontín *m*. ~자 ayudante *mf*, ayudador, -dora *mf*, auxiliar *mf*. ~ 장부 libro *m* auxiliar, libro *m* de cuentas suplemantario. ~적 auxiliar, ayudador, auxiliador, subsidiario, secundario. ¶~으로 subsidiariamente. ~ 정리(定理) lema *m*. ~ 형용사 adjetivo *m* auxiliar. ~ 화폐 moneda *f* subsidiaria, moneda *f* divisionaria, dinero *m* auxiliar, acuñación *f* subsidiaria.

보조(寶祚) trono *m* real, reinado *m* real.

보조개 hoyuelo *m*, hoyos *mpl* graciosos de las mejillas. ~가 생기다 formarse hoyuelos. 양쪽 볼에 ~가 있다 tener hoyuelos en cada mejilla. 그녀는 웃을 때 ~가 생긴다 Se le hacen hoyuelos cuando se ríe.

보족(補足) suplemento *m*, complemento *m*. ~하다 suplir, complementar, añadir. 한마디를 ~하다 añadir dos palabras.

■ ~어(語) complemento *m*. ~적 suplementario, complementario, adicional. ¶~ 설명을 하다 hacer [dar] una explicación complementaria (sobre).

보존(保存) conservación *f*, preservación *f*. ~하다 conservar, guardar. ~되다 conservarse. ~하기 쉬운 [어려운] fácil [difícil] de conservar. 잘 ~된 서류(書類) documento *m* bien conservado. ~ 상태(狀態)가 좋다 [나쁘다] estar bien [mal] conservado. 맛과 향을 ~하다 conservar su sabor y aroma. 좋은 상태로 ~되었다 Se ha conservado en buena condición. 환경을 ~하십시오 Conserve el ambiente. 동물들은 아주 발전적 ~ 본능(本能)을 가지고 있다 Los animales tienen el instinto de la conservación muy desarrollada. 한국의 바다 동식물의 종류들을 ~합시다 Conservemos las especies marinas animales y vegetales de Corea.

■ ~ 등기 registro *m* de conservación. ~법 método *m* de conservación, modo *m* de conservar. ~비 gastos *mpl* de conservación. ~ 수역(水域) zona *f* de aguas de conservación. ~식(食) productos *mpl* alimenticios en conserva. ~ 외과 cirugía *f* conservativa. ~ 요법(療法) tratamiento *m* conservativo. ~ 운동 movimiento *m* de conservación. ~자 conservador, -dora *mf*, conservacionista *mf*. ~ 재산 bienes *mpl* de conservación. ~적 conservador, conservante, conservativo, conservatorio. ~ 행위 actitud *f* de conservación. ~ 혈액 sangre *f* conservativa.

보졸(步卒) 【군사】 soldado *m* de infantería, soldado *m* de a pie, infante *m*.

보좌(補佐/輔佐) auxilio *m*, ayuda *f*, asistencia *f*, servicio *m*. ~하다 ayudar, asistir, coadyuvar, servir de coadyutor, servir de coadjutor. 대통령을 ~하는 al servicio del presidente.

◆부장(部長) ~ adjunto *m* [suplente *m*] del jefe (de la sección), jefe *m* adjunto.

■ ~관 funcionario, -ria *mf* ayudante [auxiliar]; asistente *mf*, coadjutor, -tora *mf*, coadyutor, -tora *mf*, suplente *mf*, adjunto, -ta *mf*, consejero, -ra *mf*. ¶대통령 ~ consejero, -ra *mf* presidencial. 국제 담당 대통령 ~ consejero, -ra *mf* presidencial para asuntos internacionales. ~인 auxiliar *mf*, ayudante *mf*, consejero, -ra *mf*.

보좌(寶座) ① =옥좌(玉座). ② ((불교)) [부처가 앉는 자리] asiento *m* que se sienta el Buda. ③ ((성경)) trono *m*.
보주(補註) nota *f* suplementaria.
보주(寶珠) [보배로운 구슬] bola *f* preciosa, gema *f* [adorno *m*] con forma parecida a bellota.
보중(保重) preservación *f* de *su* salud. ~하다 preservar *su* salud, cuidarse.
보증(保證) fianza *f*, garantía *f*, caución *f*, aval *m*. ~하다 garantizar, garantir, asegurar, dar garantía. ~되다 garantizarse. ~된 garantizado, certificado, con garantía. ~할 수 없다 ser inconfiable, no poderse asegurar. 1년간 ~되는 텔레비전 televisor *m* con una garantía de [garantizado durante] un año. 은행의 ~을 조건으로 con la condición de un aval bancario. ~ 기간 중에 en el período de garantía. 절대로 틀림없다고 ~하다 garantizar firmemente. 세관에 ~하다 garantizar ante las aduanas. 그것은 내가 ~한다 Se lo aseguro. 그가 온다고 ~할 수 없다 No puedo asegurar que venga. 순수성이 ~된다 La pureza se garantiza. 그가 정직하다는 것을 내가 ~한다 Le aseguro que él es honrado. 그 일은 내가 ~한다 Eso lo garantizo yo. 이 제품의 우수함에 대해서는 절대 ~한다 Garantizo con seguridad la excelente calidad de este producto.
◆계속 ~ garantía *f* continua. 단기 ~ garantía *f* a corto plazo. 물적 ~ garantía *f* real. 은행 (지불) ~ garantía *f* bancaria. 인적 ~ garantía *f* personal. 장기 ~ garantía *f* a largo plazo. 지불 ~ garantía *f* de pago. 품질 ~ garantía *f* de cualidad.
▪~ 계약 contrato *m* de garantía. ~금 caución *f*, fianza *f*, seña *f*, garantía *f* en dinero. ¶~을 납부하다 depositar una cantidad como garantía [como fianza], prestar [depositar · dar una] fianza. 그는 천만 원의 ~을 내고 석방되었다 Lo pusieron en libertad bajo una fianza de diez millones de wones. 신원 ~ fianza *f*. 은행 ~ garantía *f* bancaria. ~ 기간 período *m* de garantía. ~부(附) garantizado, certificado. ¶3년간 ~의 컴퓨터 ordenador *m* grantizado de tres años. ~서 (documento *m* [certificado *m*] de) garantía *f*, carta *f* de garantía. ¶시계는 ~가 부착되어 있다 El reloj está garantizado. ~ 수표 cheque *m* certificado. ~인 fiador, -dora *mf*, garante *mf*, garantizador, -dora *mf*, responsable *mf*. ¶~이 되다 ser fiador (de), servir*le* de fiador (a), salir [ofrecerse de] fiador, salir fiador [garante] (para · en favor de), declararse [salir] responsable (de). ~을 세우다 tener un fiador. ~ 적립 준비금 fondo *m* de garantía. ~주(株) acciones *fpl* garantizadas. ~ 채권 fianza *f* de garantía. ~ 채무 obligaciones *fpl* de garantía. ~ 책임 responsabilidad *f* de garantía. ~품 artículo *m* garantizado [certificado].
보지 vulva *f*, partes *fpl* que rodean y constituyen abertura externa de la vagina, conjunto *m* de las partes genitales externas en la mujer, órgano *m* genital externo de la mujer; ((은어)) coño *m*, concha *f*; *ReD* toto *m*.
보지(保持) mantenimiento *m*, conservación *f*, sostenimiento *m*, retención *f*. ~하다 mantener, retener, conservar, sostener, persistir, reservar.
▪~자 poseedor, -dora *mf*. ¶기록 ~ plusmarquista *mf*.
보지(報知) información *f*, noticia *f*, aviso *m*, relación *f*, relato *m*, anuncio m, reporte *m*, parte *f*. ~하다 informar, relatar, contar, enterar, dar parte, manifestar.
▪~기 alarma *f*. ¶화재 ~ alarma *f* de fuego.
보지락비 lluvia *f* fina.
보직(補職) nombramiento *m* a un puesto. ~되다 ser nombrado (a un puesto de).
보짱 =배짱.
보찜만두(褓-饅頭) *bochimmandu*, bollos *mpl* rellenados cocidos al vapor con el envoltorio de tela.
보채(堡砦) =보루(堡壘).
보채다 pedir, rogar, suplicar, implorar; [아이가] lloriquear. 아이가 보챈다 El nene está irritado [displicente · malhumrado] / [울다] El nene lloriquea.
▪보채는 아이 밥 한 술 더 준다 ((속담)) El que no llora no mama.
보천(普天) todo el mundo, mundo *m* entero.
보철(補綴) ① suplemento *m*, complemento *m*. ~하다 suplir, complementar. ② 【치과】 odontología *f* ortopédica, prótesis *f* dental.
◆부분(部分) ~ prótesis *f* dental parcial. 전체(全體) ~ prótesis *f* dental entera.
▪~ 전문가 dentista *m* ortopédico, dentista *f* ortopédica; ortopedista *mf*.
보첩 paso *m*.
보첩(譜牒) genealogía *f*, tabla *f* genealógica.
보청기(補聽器) 【의학】 audífono *m*, trompetilla *f* acústica, aparato *m* auditivo, acusticón *m* (*pl* acusticones).
보초(步哨) [임무] vigilación *f*, [사람] centinela *m*; vigilante *mf*. ~를 서다 hacer centinela, colocarse de vigilancia. ~를 세우다 colocar centinelas, situar un soldado de vigilancia. ~ 중이다 estar de centinela, estar de vigilancia, estar de guardia.
▪~ 근무 deber *m* de centinela. ¶~ 중이다 estar de guardia. ~막(幕) garita *f*, puesto *m* de guardia. ~망 red *f* de guardia. ~병(兵) centinela *m*. ~선 línea *f* de guardia.
보초(堡礁) el Gran Arrecife Coralino, la Gran Barrera Coral.
보추 ((속어)) =진취성(進就性).
보추 없다 carecer de ambición.
보충(補充) complemento *m*, suplemento *m*. ~하다 complementar, completar, rellenar,

llenar, suplir, cubrir, rehenchir, llenar el blanco [el vacío · el espacio]. ～의 complementario, suplementario, adicional. 결원(缺員)을 ～하다 llenar (los puestos) vacantes, reemplazar. 경리과의 결원을 ～하다 suplir [cubrir] la vacante de la contaduría. 과자라도 먹고 공복을 ～해라 Come dulces para engañar el hambre. 내 누이는 다이어트를 비타민으로 ～한다 Mi hermana complementa su dieta con vitaminas.

■～ 기록 adición *f*, addenda *f*, nota *f* adicional. ¶～을 하다 adicionar una nota. ～대(隊) conscripción *f*. ～ 문제 cuestión *f* suplementaria. ～병 reservista *mf*, [집합적] conscripto *m* reservado. ¶제일[제이] ～ reservista *mf* de primera [segunda] clase. ～ 병역 servicio *m* de conscripto reservado. ～성 complementación *f*. ～성 월경 menstruación *f* complementaria. ～ 수업 lecciones *fpl* complementarias. ～역 =보충병역. ～ 요법 terapia *f* de substitución. ～적 suplementario, complementario, adicional. ～증거(證據) adminículo *m*. ～ 질문 cuestión *f* suplementaria. ～ 판결 juicio *m* suplementario. ～ 학습 estudio *m* suplementario.

보츠와나【지명】Botswana. ～의 botswanés.
■～ 사람 botswanés, -nesa *mf*.

보측(步測) medida *f* por pasos. ～하다 medir por pasos.
■～계(計) podómetro *m*, cuentapasos *m*.

보칙(補則) reglamento *m* suplementario, regla *f* suplementaria; [조항] artículo *m* suplementario.

보컬(영 *vocal*) [모음(자)] vocal *f*.
■～ 그룹 conjunto *m* vocal. ～ 뮤직 música *f* vocal. ～ 솔로 =독창(獨唱).

보컬리스트(영 *vocalist*) cantante *mf*, vocalista *mf*.

보크(영 *balk*) ① ((야구)) balk *ing.m* (movimiento antireglamentario del lanzador). ② ((당구)) cabaña *f*.

보크사이트(영 *bauxite*)【광물】bauxita *f*, boxita *f*.

보타이(영 *bow tie*) [나비넥타이] pajarita *f*, corbata *f* de lazo, *AmL* corbata *f* de moño, corbata *f* de humita, *Col* corbatín *m* (*pl* corbatines), *Urg* moñita *f*.

보탑(寶榻) =옥좌(玉座).

보태기【수학】=더하기.

보태다 ① [가산하다] añadir, adicionar, agregar; [합계하다] sumar. 내가 부족분을 보태 천만 원이 되었다 Añadí [Puse] lo que faltaba para diez millones de wones. ② [보충하다] suplir, complementar, cumplir, suministrar, proveer, abastecer, surtir. 아르바이트를 해서 수입에 ～ complementar los ingresos con otro trabajo provisional.

보탬 ① [벌충] complemento *m*, suplemento *m*. ② [도움] ayuda *f*, asistencia *f*, auxilio *m*. ～이 되다 ayudar, auxiliar. 그것은 아무 ～도 되지 않는다 Eso no sirve para nada. 이것으로 가계(家計)가 많은 ～이 될 수 있다 Con esto podemos ahorrar muchos gastos de familia. 감사합니다. 많은 ～이 됐습니다 Muchas gracias por su ayuda / Gracias a usted he salido del apuro.

보통(普通) ① [예사로움] medianía *f*, lo ordinario, lo común. ～의 regular; [통상의] común (*pl* comunes), ordinario, corriente; [일반적인] general; [상용의] usual; [평균의] medio; [규격의] normal; [평범한] mediano, mediocre, adocenado, común y corriente. ～은 por lo [el] general, en general, generalmente, ordinariamente. ～으로 medianamente, como la mayoría de los hombres. ～ 이상의 de más de lo ordinario, superior a lo común, por encima de la medianía [de lo ordinario]. ～ 이하의 de menos de lo ordinario, inferior a lo común, por debajo de la medianía. ～이 아닌 extraordinario, poco común, excepcional. ～ 방식으로 de manera normal, de modo corriente. ～ 사람, ～의 인간 hombre *m* normal [corriente]. ～ 사람들 gente *f* de la calle. ～의 서반아 사람 español, -la *mf* corriente. ～ 이상의 노력 esfuerzos *mpl* más que ordinarios. ～이 아닌 재능 talento *m* excepcional [extraordinario · sin par]. ～으로 살다 llevar [vivir] una vida ordinaria. 체력이 ～ 이상이다 tener una fuerza física fuera de serie. 그녀는 ～ 이상의 미녀다 Ella supera a todas en belleza / Ella es una mujer de singular belleza. 그는 ～의 대학생이다 El es un estudiante corriente de la universidad / El es un (estudiante) universitario corriente. 그것은 ～의 의견이다 Esa es la opinión general. 금년의 추위는 ～이 아니다 El frío de este año no es normal. 그것은 ～ 일이 아니다 Eso no es ninguna tontería. 이것은 서반아어로 ～ 사용되는 표현이다 Esta es una expresión muy corriente en español. 그것은 ～ 사람으로서는 도저히 생각조차 할 수 없는 일이다 Es algo que escapa al pensamiento del hombre ordinario / Es una cosa que puede imaginar sólo un hombre extraordinario. 이것은 ～ 노력으로는 될 수 없다 Esto no se puede llevar a cabo con esfuerzos ordinarios. 아이를 기른다는 것은 ～ 일이 아니다 No es una tarea fácil criar a los niños. 그녀는 ～ 소녀이다 Ella es una chica corriente. 그녀는 ～ 이상이다 Ella pasa de lo corriente / Ella está por encima de la medianía. 한 껍질 벗기면 그 사람도 ～의 사람이다 En realidad él es un hombre común. ～의 경우라면 나는 목숨을 잃었을 것이다 En circunstancias normales, yo habría perdido la vida. 그의 생활 방식은 ～ 사람과 다르다 El lleva una vida fuera de lo común. 나는 ～ 입장권을 한 장 샀다 Yo compré un billete de entrada general. ② [부사적] generalmente, en general, en lo general, por lo general, ordinariamente. 저녁밥은 ～ 10시다 La cena es ordinariamente a las diez. 나는 ～ 아침

다섯 시에 일어난다 Generalmente me levanto a las siete de la mañana.
■ ~ 개념 concepto *m* ordinario. ~ 교육 educación *f* normal [ordinaria]. ~ 급행 (열차) expreso *m* ordinario. ~내기 hombre *m* común, persona *f* ordinaria, (hombre *m*) mediocre *m*. ¶~가 아닌 사람 persona *f* sagaz, persona *f* avisado; [나쁜 의미로] persona *f* astuta, persona *f* taimada. ~가 아닌 남자 hombre *m* sagaz, hombre *m* avisado, hombre *m* astuto, hombre *m* taimado. ~가 아닌 여자 mujer *f* sagaz, mujer *f* avisada, mujer *f* astuta, mujer *f* taimada. 그는 ~가 아니다 El no es un hombre ordinario [cualquiera]. ~명사(名詞) nombre *m* común. ~명사(名辭) =일반명사(一般名辭). ~법 =일반법. ~석 =일반석. ~ 선거 sufragio *m* universal. ~ 열차 tren *m* normal [ordinario], tren *m* local. ~ 예금 cuenta *f* de ahorro, depósito *m* ordinario. ~ 요금 tarifa *f* ordinaria, precio *m* corriente. ~ 우편 correo *m* ordinario. ~우편물 (objeto *m* de) correo *m* ordinario. ~ 은행 banco *m* comercial. ~주(株) acciones *fpl* comunes, acción *f* ordinaria. ~형(型) tamaño *m* ordinario.

보퉁이(褓—) bulto *m*, paquete *m*; [상품의] fardo *m*, bala *f*. ~을 싸다 [꾸리다] hacer el paquete, hacer las maletas, empaquetar, enfardar, embalar. ~를 풀다 deshacer el equipaje [las maletas], desempaquetar, desenfardar, desenbalar.

보트(영 *boat*) barco *m*, embarcación *f*; [작은] bote *m*, barca *f*; [랜치] lancha *f*; [경주용] canoa *f* de carrera; [조정 경기용] remo *m*. ~를 젓다 remar, bogar. ~ 놀이를 하다 divertirse en remar. 우리는 ~로 부산에 갔다 Fuimos a Busan en barco.
■ ~ 레이스 regata *f*; [모터 보트의] carrera *f* de motoras. ~ 선수 campeón *m* de regata. ~피플 refugiados *mpl* del mar.

보편(普遍) universalidad *f*, generalidad *f*, difusión *f*, esparcimiento *m*.
■ ~ 개념 concepto *m* universal [general · ordinario], universales *mpl*. ~론 universalismo *m*. ~성 universalidad *f*, generalidad *f*, totalidad *f*, calidad *f* de universal. ~적 universal, general. ¶ ~으로 universalmente, generalmente. ~적 진리 verdad *f* universal. ~주의 universalismo *m*. ~타당성 validez *f* universal. ~화 universalización *f*, generalización *f*. ¶~하다 universalizar.

보폭(步幅) anchura *f* de paso, zancada *f*, tranco *m*, paso *m* largo.

보표(譜表) pentagrama *m*, partitura *f*.

보푸라기 una pelusa.

보풀 lanilla *f*, pelusa *f*, pelusilla *f*, borra *f*. ~이 선 velloso, cubierto de pelusa. ~을 세우다 cardar, sacar pelusa. ~이 일다 soltar pelusa. 이 천은 ~이 일어난다 Esta tela suelta pelusa.
■ ~명주(明紬) seda *f* basta.

보풀다 soltar pelusa. 이 양모는 보푸는 경향이 있다 Esta lana tiene tendencia a soltar pelusa.

보풀리다 ser soltado pelusa.

보풀보풀 con peluza, soltando pelusa. ~하다 soltar pelusa.

보필(輔弼) asistencia *f*, consejo *m*, ayuda *f*, dictamen *m*, admonición *f*. ~하다 asistir, ayudar, conllevar, aconsejar, amonestar, advertir.

보하다(補—) reforzar, fortalecer, fortificar. 몸을 ~ reforzar el cuerpo.

보하다(報—) anunciar, avisar, notificar.

보학(譜學) (ciencia *f* de) genealogía *f*.
■ ~자 genealogista *mf*; linajist *mf*.

보합(步合) 【수학】 [율] tasa *f*, porcentaje *m*.
■ ~고(高) (cantidad *f* de) porcentaje *m*. ~급(給) salario *m* porcentual, salario *m* de comisiones. ~산(算) cálculo *m* de porcentaje. ~ 제도 sistema *m* de porcentaje.

보합(保合) firmeza *f*, estabilidad *f*, constancia *f*. ~하다 hacer el balance (de), permanecer estable, permanecer sin cambio. 시세는 ~ 상태이다 Los precios son estables / El mercado permanece estable [sin cambio]. 원화는 달러에 ~ 상태였다 El won permaneció estable [sin cambio] frente al dólar.
■ ~세 precio *m* de mercado estable.

보행(步行) el andar. ~하다 andar, caminar. ~에 곤란하다 tener mucha dificultad en andar, no poder andar apenas. ~이 빠르다 tener los pies rápidos, ser ligero de pies. ~이 느리다 ser lento de pies [para andar]. ~을 빨리하다 apresurar el paso. ~을 늦추다 retardar el paso. ~을 멈추다 detenerse, pararse.
■ ~객 transeúnte *mf*. ~기 andador *m*. ~동물 animal *m* ambulatorio. ~ 속도 velocidad *f* de andar. ~ 연습 práctica *f* de andar. ~ 위반(違反) infracción *f* de tráfico [tránsito] por el peatón. ~ 자[인] peatón, -tona *mf*, peón *m*, transeúnte *mf*. ¶규칙 위반 ~ peatón *m* atolondrado, peatona *f* atolondrada. ~자 우선 prioridad *f* a los peatones; ((게시)) Ceda a peatones. ~자 전용 교통 신호 luces *fpl* peatonales. ~자 전용 구역 zona *f* peatonal, zona *f* de peatones. ~자 전용 안전 지대 isla *f* de peatones, isla *f* peatonal. ~자 전용 횡단보도 paso *m* de [para] peatones. ~자 천국 isla *f* de peatones.

보험(保險) seguro *m*. ~에 들다 asegurarse, hacer [efectuar] el seguro. …에 ~을 들다 asegurar *algo*. 화재 ~을 들다 asegurar contra incendios. 1억 원의 ~에 들다 asegurar por cien millones de wones. 가옥에 화재 ~을 들다 asegurar una casa contra el incendio. 상품을 해상 ~에 들다 asegurar las mercancías contra riesgos marítimos. 전 상품을 모든 위험에 대해 5천만 원의 ~을 들다 asegurar todos los géneros a todo riesgo en cincuenta millones de wones. 1천만 원의 재해 ~에 들어 있다 estar asegurado contra los accidentes [estar amparado de un seguro contra accidentes] por el valor de diez millones de wones. ◆가축 ~ seguro *m* de ganado. 강제 ~ seguro *m* obligatorio. 개인 ~ seguro *m* individual. 건강(健康) ~ seguro *m* de enfermedad. 공장 재해(災害) ~ seguro *m* de accidentes de trabajo. 단체 ~ seguro *m* colectivo. 도난 ~ seguro *m* contra (el) robo. 사고(事故) ~ [자동차의] seguro *m* contra accidentes. 사회 (보장) ~ seguros *mpl* sociales. 산업(産業) ~ seguro *m* industrial. 상해(傷害) ~ seguro *m* contra [de] accidentes. 상호 ~ seguro *m* mutuo. 생명 ~ seguro *m* de [sobre la] vida. 선체(船體) ~ seguro *m* del buque. 손해(損害) ~ seguro *m* de indemnización. 수출(輸出) ~ seguro *m* de exportación. 수출 신용(輸出信用) ~ seguro *m* de crédito a la exportación. 신용(信用) ~ seguro *m* de créditos [fidelidad]. 신원 보증 ~ seguro *m* de fidelidad. 실업(失業) ~ seguro *m* contra (el) desempleo [el paro], seguro *m* de desempleo [de desocupación]. 양로 ~ seguro *m* de vejez. 예정 ~ seguro *m* de antemano. 운송(運送) ~ seguro *m* de transporte. 운임 ~ seguro *m* de flete. 이중(二重) ~ seguro *m* coincidente. 임의(任意) ~ segruo *m* voluntario. 자가(自家) ~ seguro *m* sobre sí mismo. 자동차(自動車) ~ seguro *m* de automóviles. 재(再)~ reaseguro *m*. 재해(災害) ~ seguro *m* contra accidentes. 전시(戰時) ~ seguro *m* (contra riesgo) de guerra. 전(全) 위험 ~ seguro *m* contra todo riesgo. 제삼자 ~ seguro *m* contra daños a terceros, seguro *m* contra terceros. 질병 ~ seguro *m* de enfermedad. 책임(責任) ~ seguro *m* de responsabilidad (civil). 초과 ~ seguro *m* superior al valor. 파업 ~ seguro *m* contra la pérdida de huelga. 풍수해 ~ seguro *m* contra tormentas. 피~ 물건(物件) objeto *m* asegurado. 해상 ~ seguro *m* marítimo. 화재 ~ seguro *m* contra [de] incendios. 휴업 ~ seguro *m* contra cese de negocio. ■~ 가격[가액] valor *m* asegurado. ~ 계리인 actuario, -ria *mf* de seguros. ~ 계약 contrato *m* de seguros ¶~을 체결하다 contratar un seguro. ~을 취소하다 anular un seguro. ~ 계약자 asegurado, -da *mf*; tomador, -dora *mf* de seguro; tenedor, -dora *mf* de póliza. ~ 계좌(計座) cuenta *f* asegurada. ~금 cantidad *f* asegurada. ¶~ 수취인(受取人) beneficiario, -ria *mf*. 사망(死亡) ~ compensación *f* por defunción, indemnización *f* por fallecimiento. ~ 금액 =보험금. ~ 기간 período *m* de seguro. ~ 단체 organización *f* de seguros. ~ 대리업 factoraje *m* de seguros. ~ 대리인 agente *mf* de seguros; corredor, -dora *mf* de seguros. ~ 대리점 agencia *f* de seguros. ~료 prima *f* (de seguro). ¶계속 ~ prima *f* de renovación, prima *f* sucesiva. 반년 ~ prima *f* semestral. 선불 ~ prima *f* de seguros pagados por adelantado. 순(純)~ prima *f* neta. 연(年)~ prina *f* anual. 연1회 불입(拂入) ~ prima *f* única. 연4회 불입 ~ prima *f* trismestrar. 월(月)~ prima *f* mensual. 정액 ~ prima *f* fija. 추가 ~ prima *f* adicional, prima *f* suplementaria. 표시(表示) ~ prima *f* señalada. 해상 ~ prima *f* de seguro marítimo. ~료 기간 período *m* de la prima de seguro. ~률 tipo *m* [tasa *f*] de seguro. ~ 목적 fin *m* del seguro. ~ 민원실 oficina *f* mediadora de seguros. ~ 보상 cobertura *f* del seguro. ~ 보상 범위 cobertura *f* del seguro. ~부(附) asegurado. ~ 불입 pago *m* del seguro. ~ 비용 cargo *m* del seguro. ~ 사고 accidente *m* del seguro. ~ 사기 fraude *m* de seguros. ~ 사업 negocio *m* del seguro. ~ 설계사[외무원·외교원] agente *mf* de seguros; corredor, -dora *mf* de seguros. ~ 수익[수입] ingresos *mpl* de seguros. ~ 시장 mercado *m* de seguros. ~ 신고서 declaración *f* de siniestro. ~ 약관 cláusula *f* de seguros. ~업 actividad *f* aseguradora, sector *m* de seguros. ~업자 asegurador, -dora *mf*. ¶해상 ~ asegurador *m* marítimo, aseguradora *f* marítima. ~의(醫) médico, -ca *mf* del seguro. ~자 asegurador, -dora *mf*. ¶피~ asegurado, -da *mf*. ~ 자산 propiedad *f* del seguro. ~ 중개 correduría *f* de seguros. ~ 중개업 correduría *f* de seguros. ~증권[증서] póliza *f* (de seguro). ¶기한부 ~ póliza *f* a plazo fijo, póliza *f* a término. 예정 ~ póliza *f* abierta. 재(再)~ póliza *f* de reaseguro. 정기 ~ póliza *f* de tiempo. ~에 서명하다 su(b)scribir una póliza de seguros. ~ 증명서 certificado *f* de seguros. ~ 청구 reclamación *f* del seguro. ~ 청산 liquidación *f* del seguro. ~ 평가인 asesor, -sora *mf* de seguros. ~ 해약 cancelación *f* del contrato de seguro. ~ 회사(會社) compañía *f* de seguros, *AmL* aseguradora *f*.

보헤미아【지명】Bohemia *f*. ~의 bohemio, bohemo, bohemiano, bohémico.
■~ 댄스 danza *f* bohemia. ~ 사람 bohemio, -mia *mf*; bohemo, -ma *mf*; bohemiano, -na *mf*.

보헤미안(영 *Bohemian*) ① [집시] gitano, -na *mf*. ② [방랑자] bohemio, -mia *mf*; bohemo, -ma *mf*; bohemiano, -na *mf*.
■~ 기질 bohemia *f*.

보혈(補血)【한방】nutrimento *m* de sangre.
■~제[약] hemática *f*.

보혈(寶血) ((기독교 · 천주교)) sangre *f* sagrada.

보호(保護) protección *f*, amparo *m*, abrigo *m*. ~하다 proteger, amparar, abrigar, prestar [dar] protección [amparo]. A를 B에서 ~하다 proteger A contra B. A의 ~를 받다 ser favorecido de la protección de A, ponerse bajo la protección de A, ampararse con [de · en] A. A의 ~를 청하다 pedir el amparo de A, buscar [solicitar] la protección de A. 국내 산업을 ~하다 proteger la producción nacional.

■ ~ 관세(關稅) derechos *mpl* aduaneros protectores [proteccionistas], tarifa *f* proteccionista. ~ 관세율 tarifa *f* proteccionista. ~ 관찰 libertad *f* condicional. ¶~ 중이다 estar en libertad condicional. ~을 받고 있는 사람 persona *f* en libertad condicional. A를 ~ 아래 두다 dejar [poner] a A en libertad condicional. ~ 관찰관 asistente *mf* social que se ocupa del seguimiento de la persona en libertad condicional. ~ 관찰소 oficina *f* de libertad condicional. ~ 관찰 제도 sistema *m* de libertad condicional. ~ 교질 coloide *m* protector. ~ 구속[검속] detención *f* [arresto *m*] para protección. ¶~하다 detener [arrestar] para protección. ~국(國) ㉮ [보호받는 나라] país *m* protegido (bajo la tutela de otro). ㉯ [보호하는 나라] país *m* protector. ~령(領) protectorado *m*. ~림(林) bosque *m* reservado. ~목(木) árbol *m* protegido. ~ 무역 comercio *m* protegido. ~ 무역 제도 sistema *m* proteccionista. ~ 무역주의[관세주의] =보호주의. ~ 무역주의자 =보호주의자. ~ 본능 instinto *m* protector. ~ 산업(産業) industria *f* protegida. ~색 color *m* protector. ~석 asiento *m* protector. ~세 =보호 관세. ~ 세율 tarifa *f* protectora. ~수(樹) árbol *m* protegido. ~ 신청 solicitud *f* para protección. ¶~을 하다 suplicar para la protección de policía. ~자 ㉮ protector, -tora *mf*; [후견인] tutor, -tora *mf*. ¶~ 모양으로 con el aire [a modo] de tutor. ㉯ [미성년자에 대하여 친권을 행사할 수 있는 사람] padres *mpl*. ~ 장치 artefacto *m* protector. ~ 정책 política *f* protectora. ~ 정치 política *f* protectora. ~조[새] el ave *f* (*pl* las aves) protegida. ~ 조약 tratado *m* de protectorado. ~ 조치 medida *f* protectora. ~주의 proteccionismo *m*. ~주의자 proteccionista *mf*. ~ 지역 reserva *f*, reservación *f*. ¶야생 동물 [생물] ~ reserva *f* natural. 조류 ~ reserva *f* ornitológica.

보화(寶貨) ① tesoro *m*, cosas *fpl* preciosas. ② ((성경)) riqueza *f*.

복 【어류】 pez-globo *m*; [서인도산의] orbe *m*. ~에 중독되다 envenenarse por un pez-globo.

■ ~국 sopa *f* de pez-globo, sopa *f* de orbe. ~의 배 ㉮ [배가 뚱뚱한 사람] panzón, -zona *mf*; panzudo, -da. ㉯ [재산가] rico, -ca *mf*.

복(伏) ① ((준말)) =복날. ② [초복 · 중복 · 말복을 통틀어 이르는 말] días *mpl* del perro.

복(服) ① ((준말)) =복제(服制). ② =상복(喪服).

◆ 복(을) 벗다 terminar ponerse la vestimenta de luta. 복(을) 입다 llevar luta, ponerse la luta.

복(腹) 【물리】 =배.

복(福) ① [아주 좋은 운수] dicha *f*, (buena) fortuna *f*, felicidad *f*, suerte *f*. ~된 feliz, dichoso. 새해에 ~ 많이 받으십시오 ¡Próspero Año Nuevo! / ¡Feliz Año Nuevo! ② ((성경)) bendición *f*.

■ 복 없는 가시내가 봉놋방에 가 누워도 고자 곁에 가 눕는다 ((속담)) No es dichoso / No es bienaventurado / No se tiene ninguna dicha [felicidad · suerte · buena fortuna].

복되다 (ser) feliz, bienaventurado, dichoso, bendito.

복스럽다 (ser) mofletudo; ((성경)) (ser) bienaventurado, feliz. 복스러운 여자 mujer *f* mofletuda. 복스러운 아이 niño *m* mofletudo, niña *f* mofletuda. 복스러운 얼굴 cara *f* mofletuda, rostro *m* mofletudo. 복스러운 얼굴을 하고 있다 tener una cara regordeta y alegre.

복스레 mofletudamente, bienaventuradamente, felizmente, con felicidad.

복(鰒) 【동물】 =전복(全鰒).

복-(複) doble, compuesto, complejo. ~소수 número *m* complejo. ~분해 metátesis *f*.

-복(服) ropa *f*, traje *m*, vestido *m*. 위생~ ropa *f* sanitaria.

복가마(福-) fortuna *f* inesperada.

◆ 복가마(를) 타다 obtener la fortuna inesperada.

복각(伏角) 【물리】 inclinación *f*.

■ ~계(計) 【물리】 clinómetro m.

복각(復刻/覆刻) reimpresión *f*, republicación *f*. ~하다 reimprimir, republicar.

■ ~본(本) libro *m* reimpreso, reimpresión *f*. ~판(版) edición *f* reimpresa, reimpresión *f*.

복간(復刊) reimpresión *f*, republicación *f*. ~하다 reimprimir, republicar.

복강(腹腔) 【해부】 cavidad *f* abdominal. ~의 abdominal, celiaco, celíaco.

■ ~경(鏡) laparoscopio *m*, peritoneoscopio *m*. ~선(腺) glándula *f* celiaca. ~신(腎) riñón *m* abdominal. ~ 임신 embarazo *m* [preñez *f*] abdominal. ~ 절개술 peritoneotomía *f*. ~ 파열 celosoma *f*.

복개(覆蓋) =뚜껑. 덮개.

복걸(伏乞) =애걸(哀乞).

복계(復啓) Digo en la respuesta.

복고(復古) ① [옛날의 형식으로 도로 돌아감] restauración *f*. ② [손실을 회복함] recuperación *f* de la pérdida. ~하다 recobrar la pérdida.

■ ~론자 reaccionario, -ria *mf*. ~ 사상(思想) idea *f* reaccionaria. ~적 reaccionario *adj*. ~조 tendencia *f* retrógrada, tendecia *f* reaccionaria; [유형의] retorno *m* a la moda antigua. ¶~의 retrógrado, de la moda antigua. ~주의 reaccionarismo *m*.

복교(復校) revuelta *f* a la escuela. ~하다 volver a la escuela. ~을 허락받다 ser admitido de nuevo matricular a la escuela.

～를 허락하다 admitir de nuevo matricular a la escuela.

복구(復舊) restauración *f*, restitución *f*, rehabilitación *f*; [재건(再建)] restablecimiento *m*, recuperación *f*. ～하다 restaurar, restituir, recuperar, reactivar, restablecer. 생산 시설을 ～하다 reactivar las instalaciones fabriles. 호남선이 ～되었다 Se ha restablecido el servicio en la línea de Jonam.
■ ～공사 obra *f* de reparación.

복권(復權) rehabilitación *f*. ～하다 rehabilitar. ～되다 rehabilitarse.

복권(福券) lotería *f*. ～을 사다 echar [jugar] a la lotería, comprar billetes de lotería. ～에 당첨되다 caer [tocar] la lotería. 그는 ～에 당첨되었다 Le cayó [tocó] la lotería. ～한 장 사십시오 Cómpreme un décimo. ～이 당첨되었으면 좋겠는데 ¡Ojalá que me toque la lotería!
◆ 올림픽 ～ lotería *f* olímpica. 정부 발행 ～ lotería *f* nacional. 즉석 ～ lotería *f* instantánea.
■ ～ 판매소 lotería *f*. ～ 판매인 lotero, -ra *mf*.

복귀(復歸) vuelta *f*, retorno *m*. ～하다 restaurar(se), volver. 직장에 ～하다 volver a desempeñar *sus* funciones, volver a ocupar *su* puesto. 무대에 ～하다 volver a escena, reaparecer en escena. 그는 챔피언에 ～했다 El volvió a ser el campeón. 그는 정계에 ～했다 El se rehabilitó en el mundo político.

복극(復極) 【물리】 despolarización *f*. ～하다 despolarizar.
■ ～ 작용 despolarización *f*. ～제 despolarizador *m*.

복근(複根) 【화학】 radical *m* compuesto.

복근(腹筋) 【해부】 músculo *m* abdominal.

복날(伏－) día *m* más caluroso del verano, día *m* del perro.

복놀이(伏－) juerga *f* [festejos *mpl*] en el día del perro, salida *f* de casa en el pleno verano. ～하다 celebrar los festejos en el día del perro. ～ 가다 ir a celebrar los festejos en el diía del perro, salir de casa en el pleno verano.

복닥거리다 ＝북적거리다.

복달임[1](伏－) [복이 들어 달치게 더운 철] la temporada más caliente durante los días del perro, el pleno verano.

복달임[2](伏－) 【민속】 la costumbre de tomar la sopa caliente para disipar el calor de verano.

복당(復黨) reintegro *m* en el partido, vuelta *f* al partido. ～하다 reintegrarse en el partido, volver al partido.

복대(腹帶) ① [임산부의] ventrera *f* [faja *f*] de maternidad. ② [배를 싸감기 위해 띠처럼 두르는 것] ventrera *f*. ③ [말의] cincha *f* (del caballo), correa *f* de cincha, *Méj* cincho *m*. ～로 조이다 cinchar.

복대기[1] 【광물】 escoria *f* de oro, escombro *m*, escoria *f*.
◆ 복대기(를) 삭히다 extraer oro de la escoria.
■ ～금(金) fragmento *m* de oro de la escoria. ～탕 cuba *f* [tanque *m*] que el oro es extraído de la escoria. ～ㅅ간 fábrica *f* que la escoria de oro es resuelta.

복대기[2] [복대기는 일] bullicio *m*, ajetreo *m*.
◆ 복대기(를) 치다 bullir.

복대기다 ① [떠들어 대다] hacer un ruido, bullir. 복대기는 거리 calle *f* animada, calle *f* de mucho movimiento. 복대기는 교실 clase *f* ruidosa. 복대기는 군중 muchedumbre *f* [multitud *f*] bulliciosa [animada]. ② [갑자기 몰아쳐서 정신을 못 차리게 되다] ser molestado. 날 더 이상 복대기지 마라 ¡No me molestes más! / ¡Deja ya de dar la lata!

복대기 치다 bullir mucho.

복더위(伏－) ((준말)) ＝삼복더위(calor canicular).

복덕(福德) ① [타고난 복과 후한 마음] buena fortuna *f* y generosidad de nacimiento. ② [타고난 행복] felicidad natural, felicidad *f* de nacimiento.
■ ～궁(宮) uno de los doce Signos del Zodíaco. ～방(房) agencia *f* inmobiliaria, agencia *f* de inmuebles, (agente *m* de la propiedad) inmobiliaria *f*, corredor *m* (de fincas). ¶악덕(惡德) ～ corredor *m* (de fincas) vicio. ～성(星) 【민속】 Júpiter *m*.

복도(複道) corredor *m*, pasillo *m*; [두 건물을 잇는] galería *f*.

복되다(福－) ☞복(福)

복락(福樂) felicidad *f* y bienestar; ((성경)) delicia *f*. ～을 누리다 gozar de la felicidad y el bienestar.

복류(複流) 【전기】 corriente *f* doble.

복리(福利) bienestar *m* y utilidad, prosperidad *f*, buenandanza *f*.
■ ～비 gastos *mpl* de bienestar. ～ 사업 obra *f* de bienestar público. ～ 시설 instalaciones *fpl* de bienestar. ～ 증진 promoción *f* del bienestar público.

복리(複利) 【경제】 interés *m* compuesto.
■ ～법 método *m* de interés compuesto. ～표 tabla *f* de interés compuesto.

복마(卜馬) caballo *m* de carga.

복마전(伏魔殿) pandemónim *m*.

복막(腹膜) 【해부】 peritoneo *m*. ～의 peritoneal.
■ ～ 성형술 periplástica *f*. ～염 peritonitis *f*. ～ 임신(姙娠) embarazo *m* [preñez *f*] abdominal. ～ 증상 pseudoperitonitis *f*. ～천자 peritoneocentesis *f*. ～통 peritonealgia *f*. ～ 투석 diálisis *f* peritoneal.

복망(伏望) espera *f* cortés. ～하다 esperar [desear · querer] cortésmente [sinceramente].

복면(覆面) máscara *f*, antifaz *m*; [변장(變裝)] disfraz *m*. ～하다 enmascarse, velarse, cubrirse la cara, embozarse.
■ ～강도 bandido *m* embozado.

복명(復命) informe *m*, reporte *m* de resultado de una misión. ～하다 informar, reportar (el resultado de una misión).

■ ～서(書) informe *m.*

복모음(複母音) diptongo *m.*

복무(服務) servicio *m* obligatorio [público], deber *m.* ～하다 servir. ～ 중이다 estar en servicio (público).

■ ～ 규정 reglamento *m* del servicio obligatorio. ～ 기간 período *m* del servicio (obligatorio). ～ 시간 horas *fpl* de trabajo [de servicio]. ～ 연한 término *m* del servicio público, término *m* de oficio.

복문(複文)【언어】oración *f* compuesta, oración *f* compleja, oración *f* complexa.

복물(伏－) lluvia *f* del día más caluroso del verano.

◆ 복물(이) 지다 llover mucho en el día más caluroso del verano.

복받치다 ① [(속이나 밑에서) 세게 나오거나 치밀다] brotar, manar, agolparsele, llenarse (de). 눈물이 ～ llenarse de lágrimas, agolparse*le* a *uno* las lágrimas. 눈물이 그의 눈에서 복받쳤다 Los ojos se le llenaron de lágrimas / Se le llenaron los ojos de lágrimas. 그녀의 눈에 눈물이 복받쳤다 Las lágrimas se le agolparon (a ella) a los ojos. ② [(어떤 감정이) 세차게 치밀어 오르다] llenarse (de). 슬픔이 ～ llenarse de tristeza. 분노가 ～ tener un arranque de cólera. 마음에 슬픔이 복받쳤다 Ella sintió una oleada de tristeza en el corazón. 그녀의 마음에는 동정이 복받쳤다 Su corazón se llenó de piedad. 그는 증오가 마음속에서 복받치는 것을 느끼고 있었다 El sentía cómo lo iba invadiendo el odio.

복배(腹背) ① [배와 등] el vientre y la espalda. ② [앞면과 뒷면] (la) frente y (la) espalda. ③ [복부의 배면] parte *f* posterior del vientre.

■ ～수적(受敵) ¶～하다 ser atacado por frente y espalda por enemigos, estar rodeado por enemigos. ～지모(之毛) no servir para nada.

복백(伏白) Cordiales saludos / Los saludo [saludamos] atentamente / Atentamente / Afectuosamente / Reciba mi más atento saludo / Un fuerte abrazo / Un fuerte abrazo de tus amigos.

복벽(復辟) restauración *f* [reinstauración *f*] del rey destronado. ～하다 ser restaurado [reinstaurado] al trono.

■ ～ 운동 movimiento *m* de la monarquía, la Restauración (de la monarquía).

복벽(腹壁)【해부】paredes *fpl* abdominales. ～의 abdominal.

■ ～ 고정술(固定術) ventrofijación *f.* ～대(帶) zonas *fpl* abdominales. ～ 수술 laparotomía *f.* ～ 절개 laparotomía *f.* ～ 절개술 malacotomía *f.* ～ 절제술 laparectomía *f.*

복병(伏兵)【군사】emboscada *f.* ～하다 emboscarse. ～을 만나다 encontrarse [tropezar] con una emboscada. ～을 배치하다 plantar [poner] una emboscada.

복복선(複複線) vía *f* [línea *f*] cuádruple.

복본(複本) [여러 통의 부본(副本)] muchas copias.

복본위(複本位)【경제】＝복본위제.

■ ～제 bimetalismo *m,* sistema *m* doble. ～주의(主義) bimetalismo *m.* ～주의자(主義者) bimetalista *mf.*

복부(腹部) región *f* abdominal, abdomen *m,* vientre *m,* barriga *f.* ～의 abdominal.

■ ～ 대동맥 aorta *f* abdominal. ～ 수술 operación *f* abdominal. ～ 염증 celitis *f,* coelitis *f.* ～ 임신 embarazo *m* abdominal. ～ 장애 celiopatía *f.* ～ 종양(腫瘍) celioma, celioncus. ～ 질환(疾患) celiopatía *f.* ～ 팽창 fisconia *f.*

복부인(福夫人) el ama *f* (*pl* las amas) de casa rica [adinerada].

복분수(複分數)【수학】fracción *f* complejo.

복분해(複分解)【해부】metátesis *f.*

복비(複比)【수학】razón *f* compuesta.

■ ～례 razón *f* compuesta, proporción *f* compuesta.

복사(卜師) ＝점쟁이.

복사(伏射)【군사】disparos *mpl* de posición *f* de boca abajo. ～하다 disparar boca abajo.

복사[1](服事) [복종하여 섬김] servicio *m.* ～하다 servir.

복사[2](服事) ① ((천주교)) acólite *m.* ② [교회의 사무원] oficinista *mf* de la iglesia.

복사(複寫) reproducción *f,* copia *f.* ～하다 copiar, reproducir, calcar, hacer una copia. 원고(原稿)를 ～하다 copiar un manuscrito. 선화(線畵)를 별지(別紙)에 ～하다 calcar un dibujo en otro papel. 이 소설은 동끼호떼의 ～다 Esta novela es un calco real del Quijote.

■ ～기 fotocopiadora *f,* duplicador *m,* prensa *f* de copia. ～대(臺) tabla *f* de copia. ～ 사진(寫眞) fotocopia *f.* ～ 사진기 fotocopiadora *f.* ～(용) 잉크 tinta *f* para copiar. ～용 카메라 cámara *f* de reproducción. ～지 papel *m* carbón, papel *m* de [para] copiar. ～판(版) ㉮ ＝복사기. ㉯ [복사해 낸 서책 따위] libro *m* de copia. ～필(筆) pluma *f* de copiar.

복사(輻射)【물리】radiación *f.* ～하다 radiar. ～의 radiante. ～상(狀)의 radical, radiado.

■ ～계 radiómetro *m.* ～광(光) luz *f* radiante. ～ 난방 radiación *f* por suelo, losa *f* radiante. ～ 냉각 refrigeración *f* radiante. ～선 rayo *m* radiante. ～속(束) flujo *m* radiante. ～ 에너지 energía *f* radiante. ～열 calor *m* radiante, radiación *f.* ¶지구 ～ radiación *f* terrestre. 태양 ～ radiación *f* solar. ～열계 piroscopio *m.* ～ 전력 poder *m* de radiación. ～ 전류(電流) corriente *f* radiante. ～ 전열기 radiador *m* eléctrico. ～체 radiador *m.* ～파 onda *f* radiante. ～회로 circuito *m* de radiación.

복사뼈 (hueso *m* de) tobillo *m,* astrágalo *m,* taba *f.*

복상(服喪) luto *m.* ～하다 enlutarse.

복상(福相) apariencia *f* feliz, cara *f* que atrae

la felicidad.

복상사(腹上死) lo que el hombre muere repentinamente sobre el abdomen de la mujer al acostarse juntos.

복색(服色) ① [신분·직업 등에 맞추어 입은 옷의 꾸밈새] estilo *m* de ropas. ② [옷 빛깔] color *m* de ropas.

복서(영 *boxer*) boxeador, -dora *mf*, púgil *mf*.

복선(伏線) insinuación *f* del desarrollo ulterior, trama *f* secreta. ~을 펴다 insinuar el desarrollo ulterior, hacer una insinuación del desarrollo ulterior.

복선(複線) vía *f* doble, línea *f* doble. AB간을 ~화 하다 duplicar la vía entre A y B. ~으로 되어 있다 La vía es doble.

■~ 궤도 riel *m* doble. ~ 철도 ferrocarril *m* doble.

복성(複姓) apellido *m* de dos letras.

복성(複星)【천문】estrella *f* múltiple.

복성스럽다 (ser) angelical. 그녀의 얼굴은 ~ Ella tiene una cara angelical.
복성스레 angelicalmente.

복소수(複素數)【수학】número *m* complejo, número *m* compuesto.

복속(服屬) sujeción *f*, sometimiento *m*. ~하다 someter.

복수(復水)【화학】el agua *f* condensada.

■~기 condensador *m*. ~ 작용(作用) condensación *f*.

복수(復讎/復讐) venganza *f*, represalias *fpl*, desquite *m*, revancha *f*. ~하다 [···의] vengar a *uno*, vindicar a *uno*, vengarse de *uno*; [···에] vengarse de [en] *uno*, tomar venganza en *uno*. ···에게 ···의 ~를 하다 vengarse de *uno* por *algo*. ···때문에 ···의 ~를 하다 vengarse por *algo* en *uno*. ~를 기도하다 tramar [meditar] una venganza. 동생의 ~를 하다 vengar a su hermano. 동생이 받은 치욕의 ~를 하다 vengarse del ultraje en su hermano. 나는 그에게 전날의 ~를 했다 Me he vengado de él por lo del otro día.

■~심 espíritu *m* vengativo, espíritu *m* de venganza. ¶~에 불타다 arder en espíritu de venganza. ~자 vengador, -dora *mf*. ~전 revancha *f*.

복수(腹水)【의학】[액체] líquido *m* ascítico; [증상] ascitis *f*, hidropesía *f* abdominal, hidropesía *f* de vientre.

복수(複數) ① [둘 이상의 수] número *m* de más de dos. ~의 unos, varios, algunos; [여권·비자 등의] múltiple. 범인(犯人)은 ~다 Son varios los criminales / El crimen ha sido obra de varios autores. ②【언어】plural *m*. ~의 plural. ~로 하다 pluralizar. ~로 사용되다 usarse en plural.

◆1[2·3]인칭 ~ primera [segunda·tercera] persona *f* (del) plural.

■~ 명사 substantivo *m* [nombre *m*] plural. ~ 여권(旅券) pasaporte *m* múltiple. ~형 plural *m*.

복수(福壽) riqueza *f* y longevidad, felicidad *f*, prosperidad *f*.

복수(覆水) el agua *f* derramada.

◆복수는 불수(不收)라 A lo hecho, pecho / Es inútil llorar sobre la leche derramada.

복수군(復讐軍)【역사】tropas *fpl* vengativas.

복수초(福壽草)【식물】adonis *m*.

복술(卜術) adivinación *f*, adivinanza *f*.

■~쟁이 adivino, -na *mf*.

복숭아 melocotón *m*, durazno *m*, duraznilla *f*.

■~꽃 flor *f* de melocotonero. ~밭 melocotonar *m*. ~씨 hueso *m* del melocotón. ~ 통조림 melocotón *m* en conservas. ~ㅅ빛 melocotón *m*, color *m* durazno. ¶~의 melocotón (남녀 동형), color durazno. ~드레스 vestido *m* melocotón.

복숭아나무【식물】melocotonero *m*, melocotón *m*, duraznero *m*.

복스럽다(福-) ☞복(福)

복슬복슬 lanudamente, velludamente, peludamente, hirsutamente. ~하다 (ser) lanudo, velludo, peludo, hirsuto.

복습(復習) repaso *m*; [연극 따위의] ensayo *m*. ~하다 repasar, repetir la lección, ensayar. 수학의 ~을 하다 repasar las lecciones de matemáticas, hacer un repaso de las matemáticas. 피아노의 ~을 하다 repasar las lecciones de piano.

복시(複視)【의학】diplopía *f*, visión *f* doble. ~의 diplóptico.

복시안(複視眼)【의학】=복시(複視).

복시합(複試合) =복식 경기(複式競技).

복식(服食) ① [의복과 음식물] la ropa y el alimento. ② [음식물이나 약 따위를 많이 먹음] toma *f*. ~하다 tomar.

복식(服飾) vestido *m* y *sus* adornos. ~ 관계의 일을 하고 있다 realizar un trabajo relacionado con el vestido y sus adornos.

■~ 디자이너 modista *mf*. ~ 잡지 revista *f* de moda. ~품 adorno *m*, ornato *m*. ~학교 escuela *f* de costurería.

복식(複式) ① [이중(二重) 또는 그 이상으로 된 방식] dobles *mpl*, expresión *f* compuesta. ② ((준말)) =복식 부기(複式簿記).

■~ 경기[시합] [테니스 따위의] (juego *m* de) dobles *mpl*. ¶남자 ~ dobles *mpl* masculinos. 여자 ~ dobles *mpl* femeninos, dobles *mpl* de damas. 혼합 ~ dobles *mpl* mixtos. ~ 부기 partida *f* doble. ~ 아파트 [위층과 아래층을 한 가구가 쓰게 된 중층형] dúplex *m*. ~ 정구 dobles *mpl*.

복식 호흡(腹式呼吸) respiración *f* abdominal, ejercicio *m* de respiración profunda.

■~법 arte *m* de respiración abdominal.

복신(福神)【민속】dios *m* de felicidad, dios *m* de riqueza.

복심(腹心) ① [심복(心腹)] subordinado, -da *mf*, confiable *mf*. ~의 de confianza, fidedigno, confiable, fiel. ~의 부하 subordinado, -da *mf* de confianza. ~의 친구 amigo fiable. ② [마음속 깊은 곳] corazón *m*, lugar *m* profundo del corazón.

복심(覆審)【법률】segundo examen *m*, revisión *f*. ~하다 revisar.

■~ 법원 corte *f* de revisión.

복싱(영 *boxing*) boxeo *m.*
■ ~ 글러브 guantes *mpl* de boxeo. ~ 링 cuadrilátero *m.* ~ 선수 boxeador, -dora *mf*; púgil *mf.*
복안(腹案) idea *f*, plan *m.* ~이 있다 tener un plan en la cabeza.
복약(服藥) toma *f* de medicina. ~하다 tomar medicina. ~시키다 administrar la medicina.
■ ~량(量) dosis *f.* ~량 측정 dosimetría *f.*
복어(-魚) 【어류】 =복.
복역(服役) prestación *f* de servicio. ~하다 cumplir *su* condena [la sentencia]. 교도소에서 ~ 중이다 estar en prisión cumpliendo su condena.
복연(復緣) vuelta *f* a unirse. ~하다 convivir marido y mujer después de haber vivido separadamente, reconciliarse, volverse a unirse.
복열(伏熱) calor *m* sofocante.
복염(伏炎) calor *m* sofocante.
복염(複鹽) 【화학】 sal *f* doble.
복엽(複葉) ① 【식물】 [겹잎] hoja *f* compuesta. ② = 겹꽃잎.
■ ~ 비행기 biplano *m.*
복용(服用) toma *f* de medicina [de medicamento]. ~하다 tomar medicina. 매식 후 두 알 ~ Dos pastillas después de cada comida. 아침 식사 후 한 알 ~ Una pastilla después de desayunar.
■ ~량(量) dosis *f*, dosificación *f.* ¶~을 정하다 dosificar. ~량계(量計) dosimetría *f.*
복원(復元) restitución *f*, [재건(再建)] reconstrucción *f*, [수복(收復)] restauración *f*, reparación *f.* ~하다 restituir, reconstruir, reparar.
■ ~력 poder *m* de estabilidad, fuerza *f* de restituición. ~성 restitución *f.*
복원(復員) desmovilización *f.* ~하다 desmovilizar. ~되다 ser desmovilizado.
■ ~령 orden *f* de desmovilización. ~병 soldado *m* desmovilizado.
복위(復位) restauración *f* al trono, rehabilitación *f*, reducción *f.* ~하다 restaurarse al trono, rehabilitarse. ~시키다 restaurar al trono, rehabilitar.
복음(福音) ① [기쁜 소식] buena noticia *f*, noticia *f* bendita, noticia *f* alegre. ② ((천주교·기독교)) evangelio *m*, divina merced *f*, ((성경)) evangelio *m*, buenas nuevas *fpl*, mensaje *m* de salvación, buena noticia *f.* ~을 전하다 predicar evangelio, evangelizar. ~의 전도(傳道) evangelización *f.* ~의 포교자(布敎者) evangelizador, -dora *mf.* ~의 전도자 evangelisat *m.* 누구든지 제 목숨을 구원코자 하면 잃을 것이요 누구든지 나와 ~을 위하여 제 목숨을 잃으면 구원하리라 ((마가복음 8:35)) Porque todo el que quiera salvar su vida, la perderá; y todo el que pierda su vida por causa de mí y del evangelio, la salvará / Porque el que quiera salvar su vida, la perderá; pero el que pierda la vida por causa mía y del mensaje de salvación, la salvará.
■ ~ 교회 Iglesia *f* Evangélica. ~ 사덕(四德) cuatro virtudes. ~ 삼덕(三德) tres virtudes. ~서 ((천주교·기독교)) evangelio *m.* ¶미사에서 ~를 읽는 사제 evangelistero *m.* 신약 성서의 ~의 저자 evangelista *m.* ~ 전도 evangelización *f*, evangelismo *m*, misión *f*, [설교] sermón *m* evangélico; [전도 사업] obra *f* evangélica. ~ 전도자 evangelista *mf*, evangelizador, -dora *mf*; misionero, -ra *mf.* ~ 전하는 자 ((성경)) evangelista *mf.* ~주의 ㉮ protestantismo *m.* ㉯ evangelismo *m.*
복이온(複 ion) 【화학】 ión *m* complejo.
복인(卜人) adivino, -na *mf.*
복인(福人) persona *f* de buena fortuna, persona *f* bienaventurada.
복자 ((준말)) =기름복자.
복자(卜者) adivino, -na *mf.*
복자(福者) ① [유복한 사람] persona *f* adinerada. ② ((천주교)) persona *f* que es beatificada; bienaventurado, -da *mf.*
복자(覆字) 【인쇄】 palabras *fpl* suprimidas [tachadas] por la censura.
복자음(複子音) 【언어】 consonantes *fpl* compuestas.
복작거리다 ① [많은 사람이 좁은 곳에서 우글거리다] estar repleto, estar lleno, estar atestado, estar concurrido, estar de bote en bote. 복작거리는 시간 hora *f* punta. 복작거리는 버스 autobús *m* (*pl* autobuses) lleno. ② [물 따위가 보글보글 끓어오르다] hervir.
복작복작 repletamente, llenamente, atestadamente, de bote en bote; hirviendo.
복잡(複雜) complicación *f.* ~하다 (ser) complejo, complicado, intricando, enredado, embrollado, confundido, confuso. ~하게 하다 hacer complejo, complicar, intrincar. ~해지다, ~하게 되다 hacerse complejo, complicarse, confundirse. ~하게 얽히다 complicarse, enredarse, confundirse. ~한 기계 máquina *f* complicada [elaborada]. ~한 기구(機具) mecanismo *m* compleo, estructura *f* compleja. ~한 문장(文章) frase *f* complicada. ~한 사정 situación *f* enredada. ~한 생각 idea *f* compleja. ~한 일 trabajo *m* complicado. ~한 정국(政局) situación *f* política compleja [confusa · enredada · enmaranada]. ~한 표정을 하고 있다 tener una expresión equívoca. 머리가 ~해지다 perder la cabeza [el seso]; [상태] estar confundido. 문제를 ~하게 하다 complicar el problema, embrollar [enredar] el asunto. 일을 ~하게 하다 complicar [enredar] la cosa. 일의 ~을 피하다 evitar complicaciones, guardarse de complicar la cosa. 그 사건은 매우 ~하다 El asunto es muy complicado. 그것에 ~한 사정이 있다 Hay razones inexplicables para ello. 이 소설은 줄거리가 ~하다 El argumento de esta novela es muy complicado. 일이 ~해졌다 Se complicó el asunto. 나는 마음이

~하다 Me embargan sentimientos conflictivos.
복잡스럽다 (ser) complejo, complicado.
■ ~ 골절 fractura *f* compuesta. ~ 관절 articulación *f* compuesta. ~ 반응 reacción *f* compuesta. ~성 complejidad *f*, complexidad *f*. ~ 탈구 dislocación *f* compuesta.

복장【해부】centro *m* del corazón.

복장(服裝) traje *m*, vestido *m*, ropa *f*, prenda *f* de vestir. 화려한 ~을 한 bien vestido [puesto]. 초라한 ~을 한 mal vestido, mal puesto. ~에 신경을 쓰다 preocuparse de sus vestidos. ~을 단정히 하다 arreglarse. 파티용 ~을 하다 ponerse el vestido de fiesta.
■ ~ 검사 inspección *f* del traje. ¶~를 하다 inspeccionar el traje.

복재(伏在) escondimiento *m*, ocultación *f*. ~하다 estar oculto [escondido].
■ ~ 정맥 vena *f* safena.

복재기(服－) ((낮은말)) ＝복인(服人).

복쟁이【어류】orbe *m*.

복적(復籍) vuelta *f* a registrar en *su* familia de origen; [여자의] vuelta *f* a tomar el nombre de antes de casarse. ~하다 [실가(實家)에] volverse a registrar en *su* familia de origen; [여자가] volver a tomar el nombre de antes de casarse.

복점(卜占)【민속】adivinación *f*.

복제(服制) regulación *f* de ropa. ~를 정하다 adoptar el uniforme especial.

복제(複製) reproducción *f*, copia *f*. ~하다 reproducir, copiar. ~(를) 불허(함) ((게시)) Reservados todos los derechos / Queda prohibida la reproducción.
■ ~물 objeto *m* reproducido. ~ 사진(寫眞) fotocopia *f*. ~판 edición *f* reproducida. ~품 reproducción *f*, duplicado *m*, copia *f*, réplica *f*. ~화(畵) pintura *f* reproducida.

복조리(福笊籬) colador *m* afortunado de bambú.

복족류(腹足類)【동물】nerítidos *mpl*.

복족제비(福－)【민속】comadreja *f* afortunada.

복종(服從) obediencia *f*, sumisión *f*, obedecimiento *m*. ~하다 obedecer, someterse. ~시키다 hacer obedecer. ~을 맹세하다 jurar obediencia (a), jurar sumisión (a). …의 명령에 ~하다 obedecer la orden de uno. 명령에 절대~하다 obedecer completamente las órdenes. 나는 그의 명령에 ~ 할 것이다 Yo obedecería sus órdenes.
◆절대(絶對)~ obediencia *f* absoluta, sumisión *f* completa.
■ ~심 obediencia *f*, sumisión *f*, espíritu *m* sumiso.

복죄(服罪) confesión *f* de delito, reconocimiento *m* de delito. ~하다 confesar *su* delincuencia, someterse a una sentencia. ~를 부인하다 negar el delito, no querer confesar *su* delincuencia.

복주머니(福－) bolsa *f* afortunada.

복중(伏中) medio *m* del verano, pleno verano *m*. ~에 durante el pleno verano.

복중(服中) (durante) luto *m*. ~이다 estar de luto.

복중(腹中) ＝뱃속.

복중 인격(複重人格)【심리】personalidad *f* múltiple.

복지(伏地) postración *f*. ~하다 postrarse.
■ ~부동(不動) acción *f* de tratar de leer el corazón de *su* superior sin hacer el trabajo que hacer naturalmente.

복지(服地) ((준말)) ＝양복지(洋服地).
■ ~상 [가게] pañería *f*; [사람] pañero, -ra *mf*.

복지(福地) ① [선인(仙人)이 사는 곳] ermita *f*. ② [복을 누리며 잘 살만한 땅] tierra *f* bendita, tierra *f* pacífica. ③ ((천주교)) [약속의 땅] la Tierra de Promisión, la Tierra Prometida.

복지(福祉) bienestar *m* (público), bienestar *m* social. 국민 ~를 개선하려고 노력하다 esforzarse por mejorar el bienestar social (del pueblo).
■ ~과 sección *f* de bienestar social. ~국 departamento *m* de bienestar social. ~ 국가 estado *m* benefactor, estado *m* de(l) bienestar. ~ 비용 gastos *mpl* sociales. ~ 사업 obras *fpl* sociales. ~ 사회 sociedad *f* de bienestar. ~ 시설 establecimiento *m* de asistencia social. ~ 연금(年金) pensión *f* de bienestar (social). ~ 자금(資金) fondo *m* de bienestar.

복지(腹肢)【동물】apéndice *m* abdominal.

복직(復職) reposición *f*, rehabilitación *f*. ~하다 volver a *su* antiguo oficio, reasumir *su* antiguo puesto; [사면(赦免) 후의] rehabilitarse en un puesto. ~시키다 rehabilitar [reponer] a *uno* (en un puesto).

복찜 orbe *m* cocido al vapor bien sazonado.

복찻다리 puente *m* sobre el arroyuelo que cruza la carretera.

복창(復唱) recital *m*, repetición *f*, ensayo *m*. ~하다 recitar, repetir, ensayar. 명령을 ~하다 repetir la orden.

복채(卜債) pago *m* del adivino.

복처리(福－) persona *f* desfortunada.

복첨(福籤) lotería *f*.

복첩(僕妾) sirvientes *mpl*, el sirviente y la sirvienta.

복층(複層) dúplex *m.sing.pl*.
■ ~ 주거 dúplex *m.sing.pl*.

복통(腹痛) [배앓이] dolor *m* de estómago [de vientre · de abdomen · de barriga]. ~이 일어나다, ~이다 tener dolor de estómago, doler*le* a *uno* el estómago. ~을 느끼다 sentir(se) dolor de estómago. 나는 ~입니다 Tengo dolor de estómago / A mí me duele el estómago.

복판 ① [한가운데] centro *m*. ~에 en el centro (de). ② [소의 갈비에 붙은 살] carne *f* de vaca de junto a las costillas.

복표(福票) ＝복권(福券).

복프리즘(複 prism)【물리】bi-prisma.

복하다(卜－) adivinar.

복학(復學) reintegración *f.* ~하다 volver a la escuela; [병 등의 뒤에] volver a clase, tomar clases de nuevo. ~되다 ser reintegrado.

복합(複合) combinación *f.* ~하다 combinar(se). ~의 combinado, compuesto.
■ ~ 개념 concepto *m* complejo. ~ 경기 (composición *f*) combinada *f*, combinada *f* de descenso y habilidad, combinada *f* alpina; ((스키)) pruebas *fpl* mixtas. ~국(가) federación *f*, estados *mpl* unidos, unión *f* de estados. ~ 기업 conglomerado *m* (de empresas). ~ 단백질 proteína *f* compleja. ~ 동사 verbo *m* compuesto. ~ 명사 sustantivo *m* [nombre *m*] compuesto. ~ 부사 adverbio *m* compuesto. ~ 비료 fertilizante *m* compuesto. ~ 비타민 vitamina *f* compleja. ~ 사회 sociedad *f* mixta. ~어 palabra *f* compuesta. ~ 영농 agricultura *f* combinada. ~ 오염(汚染) contaminación *f* múltiple. ~적 compuesto, complejo, combinado, mixto, múltiple. ~적 개념 concepto *m* complejo. ~적 삼단 논법 silogismo *m* compuesto, silogismo *m* combinado. ~체 (cuerpo *m*) complejo *m*. ~ 판단 juicio *m* compuesto. ~핵 núcleo *m* compuesto. ~형용사 adjetivo *m* compuesto.

복화술(複話術) ventriloquia *f.* ~의 ventrílocuo. ~을 사용하다 practicar la ventriloquia.
■ ~사 ventrílocuo, -cua *mf.*

복회계 제도(複會計制度) sistema *m* de cuenta doble.

볶다 ① [기름이나 불에 익히다] tostar, asar, agostar, quemar; [프라이팬에] freír. 고기를 ~ asar la carne. 콩을 ~ tostar sojas, asar judías. 찻잎을 ~ tostar [asar ligeramente] las hojas de té. 볶아서 달인 엽차 té *m* tostado. ② [들볶다] molestar, cansar, importunar, plagar, apestar, acosar, hostigar, enojar, enfadar, incomodar, irritar. 나를 볶지 마라 No me molestes.
볶아 대다 molestar persistentemente.
볶아치다 darse prisa, apresurarse, apresurar (a + *inf*), apurar (a + *inf*).
볶은밥 =볶음밥.

볶음 tostado *m*, tostadura *f.*

볶음밥 arroz *m* a tostado, arroz *m* frito.

볶이 comida *f* frita, comida *f* a tostado.

볶이다 tostarse, asarse, freírse.

본[1](本) ① [모범(模範)] ejemplo *m*, modelo *m*. ② =본보기. ③ [형지(型紙)] patrón *m* (de papel), molde *m*, modelo *m*; [염색의] estarcido *m*, dibujo *m* picado (para estarcir). 옷의 ~ patrón *m* de un vestido. ④ ((준말)) =본관(本貫). ⑤ ((준말)) =본전(本錢).
◆본(을) 뜨다 ㉮ [원형·모형을 만들다] moldear, sacar molde (a), hacer un patrón [un molde·un modelo]. …의 본을 떠서 sobre [siguiendo] el modelo de *algo*. ㉯ [모방하다] imitar, copiar. …을 본떠서 a [en] imitación de *algo*. 이 드라마는 성서 중에 있는 이야기를 본떠서 만들어졌다 Este drama se escribió a imitación de [calcando] una historia bíblica. ㉰ [본보기를 삼다] seguir las huellas, aprender en el ejemplo.
◆본(을) 받다 imitar, moldear, copiar, seguir. 남의 예(例)를 ~ seguir el ejemplo de otros. 남의 덕(德)을 ~ imitar la virtud de otros.

본[2](本) [영화 필름을 세는 단위] rollo *m*. 필름 두 ~ dos rollos de película.

본[3](本) este, esta, estos, estas. ~ 회사(會社) esta compañía, esta firma. ~ 대학교 esta universidad. ~ 연구소 este instituto, este laboratorio.

본-(本) ① [이] este, esta, estos, estas; [그] el mismo, la misma, los mismos, las mismas; [현재의] presente, corriente; [당면의] en cuestión, en disputa. ~관계자 interesado, -da *mf.* ② [주(主)된] principal, matriz. ~가(家) casa *f* matriz, casa *f* principal. ③ [진짜의] verdadero, auténtico; [정식(正式)의] regular, normal; [전적인] plenario. ~ 회의(會議) sesión *f* plenaria. ④ [기술(旣述)의] ya citado, ya mencionado, susodicho, ya dicho, sobredicho, antedicho, supracitado, el; ese, esa, esos, esas.

-본(本) libro *m*. 개정(改訂)~ libro *m* revisado.

본가(本家) ① [본디의 집] rama *f* principal, rama *f* de una familia. ② =친정(親庭). ③ =원채.

본값(本-) precio *m* de coste, *AmL* precio *m* de costo.

본거(本據) sede *f*, base *f*, centro *m*. 게릴라는 ~를 산중(山中)에 두고 있다 La guerrilla tiene su centro de actividad en la sierra.
■ ~지 =본거(本據). 근거지(根據地).

본건(本件) este asunto, el caso en cuestión.

본건물(本建物) edificio *m* principal.

본격(本格) ① [근본이 되는 격식] regla *f* fundamental. ② [본식(本式)] formalidad *f*, modo *m* regular, estilo *m* regular.
■ ~ 소설 novela *f* seria. ~적 serio, regular, real. ¶~으로 seriamente, a toda escala, metódicamente, en plena escala. ~인 연구 estudio *m* serio. ~인 전쟁 guerra *f* a toda escala. ~인 겨울에 접어들었다 Estamos en pleno invierno. 비가 ~으로 내리기 시작했다 Ha empezado a llover de verdad. 공사는 ~으로 들어갔다 Las obras han entrado en plena escala. ~ 추리 소설 auténtica novela *f* policíaca. ~화 seriedad *f*. ¶~하다 ponerse serio.

본계약(本契約) contrato *m* formal.

본고(本稿) este manuscrito *m*, este artículo *m*, esta copia *f*.

본고시(本考試) examen *m* principal.

본고장(本-) ① [본바닥] tierra *f*, centro *m*, centro *m* productivo, sitio *m* [lugar *m*] nativo, lugar *m* de origen. ~ 산물(産物) productos *mpl* de origen. ~ 플라멩코

flamenco *m* auténtico [castizo]. ~에서 익힌 서반아 요리(料理) cocina *f* española aprendida en su tierra. 마이크로칩 산업의 ~ el centro de la industria de los microchips. 홍도는 굴의 ~이다 La isla de Hongdo es la tierra de las ostras. 서반아는 플라멩코의 ~이다 España es la tierra del flamenco. ② =본고향(本故鄕).

본고향(本故鄕) suelo *m* nativo, suelo *m* natal, tierra *f* nativa, tierra *f* natal, pueblo *m* natal, terruno *m*, *su* tierra.

본과(本科) ① [정규의] curso *m* regular. ② [이 과] este curso, este departamento.
■ ~생 estudiante *mf* del curso.

본관[1](本官) ① **【역사】**[제 고을의 수령] gobernador *m* de nuestra provincia. ② **【역사】**[우리 민족의 수령] jefe *m* de nuestro pueblo. ③ [임시 관직에 대해] oficina *f* permanente; [겸직에 대해] puesto *m* oficial principal.

본관[2](本官) [관리의 자칭] yo.

본관(本貫) origen *m* de familia, lugar *m* de origen.

본관(本管) cañería *f* [tubería *f*] principal.

본관(本館) ① [별관(別館)이나 분관(分館)에 대해] edificio *m* principal. ② [이 관(館)] este edificio (집), este restaurante (요정), esta carnicería (푸줏간).

본교(本校) ① [타교(他校)에 대해] esta escuela, nuestra escuela. ② [분교(分校)에 대해] escuela *f* principal.
■ ~생 estudiante *mf* de la escuela principal.

본국(本局) ① [분국(分局)이나 지국(支局)에 대해] oficina *f* principal. ② [한 지역의 중심 전화국] central *f*. ~ 201번 la central número doscientos uno. ③ [이 국] esta oficina.

본국(本國) ① [자국(自國)] *su* país, *su* país nativo, *su* patria. ② [식민지에 대해] metrópoli *f*. ③ [이 나라] este país.
■ ~법 ley *f* del domicilio. ~ 송환(送還) repatriación *f*. ~어 lengua *f* vernácula. ~정부 gobierno *m* de la metrópoli.

본군(本郡) ① [자기가 살고 있는 고을] nuestro pueblo. ② [이 군] este *Gun*, este pueblo.

본권(本權) derecho *m* real.

본그림(本－) dibujo *m* principal.

본금(本－) ((준말)) =본금새.

본금(本金) ① [원금(元金)] principal *m*; [밑천] capital *m*. ② [순금(純金)] oro *m* puro.

본금새(本－) =본값.

본급(本給) sueldo *m* [salario *m*] base [básico]; [고정급] sueldo *m* [salario *m*] fijo.

본기(本期) este término.

본길(本－) ① [본디의 길] camino *m* principal. ② [바른 길] camino *m* justo.

본꼴(本－) ① =원형(原形). ② **【지질】** =원지형.

본남편(本男便) esposo *m* [marido *m*] real, esposo *m* [marido *m*] legítimo; [전남편] ex-marido *m*; [첫 남편] primer esposo *m* [marido *m*].

본년(本年) este año, año *m* corriente, año *m* en curso. ~도의 계획 plan *m* para el año corriente.

본노루 **【동물】** ciervo *m* grande y viejo.

본능(本能) instinto *m*. ~에 따라 행동하다 obrar según el instinto, actuar tal como manda el instinto.
◆사회 ~ instinto *m* social. 생식(生殖) ~ instinto *m* genético. 자위 ~ instinto *m* de conservación.
■ ~적 instintivo. ¶~으로 instintivamente, por instinto, *Urg* por instintivo. ~인 것 [일] instintividad. ~으로 만족시키다 satisfacer el instinto. 동물은 ~으로 불을 두려워한다 Los animales temen el fuego por instinto.

본답(本畓) arrozal *m* principal.

본당(本堂) ① ((불교)) capilla *f* principal del templo budista. ② ((천주교)) catedral *f* principal.

본당(本黨) ① [중앙당] sede *f* del partido. ② [이 당] este partido, nuestro partido.

본대(本隊) ① [본부의 군대] cuerpo *m* principal. ② [자기의 소속 부대] nuestro cuerpo.

본댁(本宅) ① [본집] casa *f* [residencia *f*] principal. ② ((준말)) =본댁네.

본댁네(本宅－) esposa *f* legal.

본데 buenos modales *mpl*, buena educación *f*, disciplina *f*, experiencia *f*.
본데없다 no tener modales, no tener experiencia.
본데 있다 tener buenos modales, tener experiencia.

본도[1](本道) ① [(지름길이 아닌) 본래의 길] camino *m* real, carretera *f* (general). ② [으뜸이 되는 큰 도로] camino *m* principal. ③ [이 도로] este camino, esta carretera.

본도[2](本道) [이 도] esta provincia, nuestra provincia.

본도(本島) ① [주된 섬] isla *f* principal. ② [이 섬] esta isla.

본동(本洞) este *Dong*, esta aldea, esta manzana, nuestro *Dong*, nuestra aldea.

본동(本棟) edificio *m* principal.

본 듯이 como ve [mira].

본등기(本登記) registro *m* principal.

본디(本－) originalmente, originariamente, fundamentalmente, esencialmente, desde el principio. ~의 original, originario, fundamental. esencial.

본디오 빌라도 **【인명】** ((성경)) Poncio Pilato(s).

본딧말(本－) =원어(原語).

본때(本－) ① [본보기] modelo *m*, ejemplo *m*. ~ 없다 (ser) poco atractivo. ② [교훈. 징벌(懲罰)] lección *f*.
◆본때(가) 있다 (ser) elegante. 본때를 보이다 enseñar.

본뜨다 ☞본[1](本)

본뜻(本－) propósito *m* original, motivo *m* verdadero; [진의(眞意)] verdadera intención *f*. 그것은 내 ~이 아니다 No es mi verdadera intención.

본래(本來) [원래] originalmente, originariamente; [본질적으로] esencialmente; [태어날 때부터] naturalmente, por naturaleza. ~의 original, originario, natural, innato. ~의 의미로의 민주주의(民主主義) democracia *f* en el propio sentido de la palabra. ~의 능력을 발휘하다 desplegar *su* capacidad innata. ~ 네 잘못이다 Esencialmente es culpa tuya. 이 작품은 그의 ~의 재능이 보이지 않는다 Esta obra no muestra su talento original. 잔학성은 인간 ~의 성질이다 La crueldad es una tendencia innata en el ser humano. 그런 일을 하는 것은 ~ 무리다 Es esencialmente imposible hacer tal cosa. 관념과 실체는 ~ 별개다 La idea y la sustancia son esencialmente distintas. ~ 내가 그 재산을 상속받아야 했다 Propiamente hablando [En circunstancias normales] yo debía heredar esa propiedad.

본령(本令) esta orden, esta ley.

본령(本領) ① [본래의 영지(領地)] *su* provincia. ② [근본이 되는 강령] principio *m* principal. ③ [본성(本性)] *su* característica, *su* elemento.

본론(本論) [주제] tema *m* (principal), sujeto *m*; [서론(序論)에 대해] materia *f*; [의론(議論)의] argumento *m* principal. ~에 들어가다 entrar en materia, ir al caso [al grano]; [핵심에] entrar en el meollo del tema, tratar del tema principal. ~으로 돌아가면 volviendo al tema principal. ~에서 벗어나다 salirse [apartarse] del tema. 문제의 ~에 들어가다 entrar en el argumento principal. ~으로 들어갑시다 Vamos al grano. ~으로 돌아갑시다 Volvamos a nuestro tema.

본루(本壘) ① [본거(本據)] base *f*, fortaleza *f* mayor. ② ((야구)) puesto *m* de bateador, base *f* [puesto *m*] meta.
■ ~타 ((야구)) jonrón *m*, cuadrangular *m*. ~를 치다 batear cuadrangular, jonronear, pelear con cuadrangular.

본류(本流) ① [강(江)의 주류] corriente *f* principal [mayor]. ② [주된 유파(流派)] escuela *f* principal. 현대 예술(現代藝術)의 ~ escuela *f* principal del arte moderno.

본마누라(本－) mi (primer) mujer [esposa].

본마음(本－) verdadera intención *f*.

본말(本末) ① [일의 처음과 끝] el comienzo y el fin. ~을 전도시키다 poner el carro delante de las mulas, invertir el orden de prioridad. ② [일의 근본과 여줄가리] la causa y el efecto.
■ ~ 전도 inversión *f* del orden de prioridad. ¶~하다 invertirse el orden de prioridad.

본맛(本－) sabor *m* original.

본망(本望) deseo *m* largamente acariciado. ~을 달성하다 lograr el deseo largamente acariciado. 전쟁터에서 죽는 것은 군인으로서 내 ~이다 Me sentiría feliz como militar si pudiera morir en el campo de batalla.

본명(本名) ① [본이름] nombre *m* verdadero [real]. ~으로 bajo [con] su nombre real. ~을 대다 dar *su* nombre real. ~을 속이다 usar [presentarse con] un nombre falso. ~을 밝히다 revelar [declarar] *su* nombre falso. 그의 ~은 하늘이다 Su nombre real es Haneul. ② ((천주교)) =교명(敎名). 세례명(洗禮名).

본명(本命) ① [출생 때의 간지(干支)] círculo *m* sexagenario del nacimiento. ② [자기의 타고난 목숨] *su* vida natural.

본무(本務) ① [본래의 직무] negocio *m* regular; [겸무에 대해] trabajo *m* [puesto *m*・colocación *f*] principal. 그의 ~ 학교는 서울 대학교이다 El tiene su puesto oficial en la Universidad Nacional de Seúl. ② [본분으로 하는 의무] deber *m*, misión *f*, profesión *f* propia. ③ 【윤리】 deber *m*.

본무대(本舞臺) ① [정면의 무대] escena *f* principal [regular]. ② [정식 장소] lugar *m* público.

본문(本文) texto *m*, cuerpo *m*. ~의 textual; [비평이나 분석] de textos; ((성경)) de los textos bíblicos. ~의 에러 error *m* textual. 이 책의 ~은 5쪽에서 시작한다 El texto de este libro empieza en la página cinco.
■ ~ 비평 criticismo *m* de textos; [성경의] criticismo *m* de los textos bíblicos. ~ 인용 cita *f* textual.

본문제(本問題) ① [본래의 근본이 되는 문제] problema *m* [cuestión *f*] original. ② [이 문제] este problema, esta cuestión.

본물(本物) objeto *m* original.

본미사(本 misa) ((천주교)) misa *f* principal.

본밑천(本－) capital *m*, fondo *m*.

본바닥(本－) ① [본디부터 살고 있는 곳] lugar *m* [sitio *m*] nativo, lugar *m* de origen. ~ 사람 nativo, -va *mf*, indígena *mf*. ② [어떤 물건이 본디부터 산출되는 곳] centro *m* productivo. ③ [근본이 되는 바닥] cuna *f*.

본바탕(本－) [본질] esencia *f*, substancia *f*, calidad *f* esencial; [밑바탕] base *f*, fundamento *m*.

본받다(本－) ☞본[1](本)

본보(本報) nuestro periódico [diario], este periódico [diario].

본보기(本－) ① [모범(模範)] ejemplo *m*, modelo *m*. ~로 como ejemplo. ~가 될 만한 행실 conducta *f* ejemplar. ~를 보이다 dar ejemplo. …을 ~로 하여 소설을 쓰다 calcar una novela sobre *algo*. 그런 짓을 하면 다른 학생들에게 ~가 되지 않는다 Si usted hace tal cosa, dará mal ejemplo a los otros alumnos. ② [견본(見本)] muestra *f*, espécimen *m* (*pl* especímenes).

본봉(本俸) salario *m* [sueldo *m*] base.

본부(本部) ① [기관이나 단체의 중심지] sede *f*, oficina *f* principal, central *f*; [사령부] cuartel *m* general. ② [바로 이 부서] el mismo departamento.

■~ 대대(大隊) batallón *m* del cuartel general. ~ 사령 comandante *m* del cuartel general. ~ 사령실 oficina *f* del comando del cuartel general. ~ 중대 compañía *f* del cuartel general.

본분(本分) deber *m*, obligación *f*. ~을 다하다 cumplir (con) *su* obligación. 학생의 ~ deberes *mpl* de estudiante.

본사(本寺) ① [자기가 처음으로 출가하여 중이 된 절] *su* primer templo budista. ② [본산(本山)] templo *m* budista principal. ③ [이 절] este templo budista.

본사(本社) ① [회사의 본부(本部)] oficina *f* central [principal], casa *f* matriz. 그는 ~ 근무다 El trabaja en la oficina principal. ② [이 회사] esta compañía, nuestra compañía, nosotros. ~는 수출입(輸出入) 회사입니다 Nosotros somos una casa exportador e importador.

본사내(本−) ① ((속어)) [본남편] *su* primer esposo [marido], *su* esposo legal. ② =본부(本夫).

본산(本山) ① ((불교)) [본사(本寺)] templo *m* budista principal (de una secta budista). ② [이 절] este templo budista.

본새(本−) ① [생김새] aspecto *m*, característica *f*. ② [됨됨이] naturaleza *f*, cualidad *f*, carácter *m* (*pl* caracteres).

본색(本色) ① [본디의 특색] característica *f* original. ② [정체] carácter *m* originario, cualidad *f* originaria. ③ [빛깔] color *m* original.

본서(本書) ① [부본(副本)에 대해] texto *m*. ② [사본(寫本)에 대해] manuscrito *m*. ③ [이 책] este libro. ~의 특색(特色) características *fpl* (de este libro).

본서(本署) ① [지서(支署)·분서(分署)에 대해] oficina *f* central (de policía). ② [이 서] esta oficina.

본서방(本書房) =본사내.

본선(本船) ① [선단(船團) 따위에서, 중심이 되는 배] barco *m* principal. ② [(자기가 타고 있는) 이 배] este barco. ~은 외항에 정박 중이다 El barco está al ancla en rada.
■~ 인도 franco a bordo, f.a.b. ~ 인도 가격 = 에프오비(F.O.B.) 가격.

본선(本線) línea *f* principal.

본성(本姓) ① [원래의 성] apellido *m* real. ② [여성이 결혼하기 전의 성] apellido *m* de soltera.

본성(本性) natural *m*, naturaleza *f*, carácter *m* innato [nato · verdadero]. ~을 나타내다 descubrir [revelar] *su* natural [*su* verdadero carácter], dejar ver *su* verdadero carácter, quitarse la máscara, mostrar [revelar] *su* carácter innato, desenmascararse. 그것이 그의 ~이다 Ese es su carácter innato. 술을 마실 때 ~이 나타난다 Se revela su verdadero carácter cuando está bebido. ~은 고치지 못한다 La cabra siempre tira al monte / *RPI* Al que nace barrigón es al ñudo que lo fajen / *Chi* Quien nace chicharra muere cantando.

■~적 natural, nativo. ¶~으로 naturalmente, de un modo natural.

본소(本訴) 【법률】 pleito *m* original.

본소송(本訴訟) 【법률】 pleito *m* original.

본숭만숭하다 ojear, echar*le* [dar*le*] un vistazo (a), echar*le* una ojeada (a). 그는 이 보고서를 본숭만숭한다 Le echa [da] un vistazo a este informe.

본시(本是) =본래(本來).

본시험(本試驗) examen *m* final.

본식(本式) formalidad *f*, modo *m* regular. ~의 regular, formal, ortodoxo. ~으로 formalmente, a *su* debida forma, en un modo regular. ~으로 신청하다 hacer una proposición formal.

본실(本室) esposa *f* legítima.

본심(本心) verdadera intención *f*. ~을 밝히다 abrir *su* pecho, franquearse. ~으로 돌아가다 volver a *su* rectitud de voluntad, llegar a *su* juicio. ~을 잃다 perder el juicio, estar fuera de sí. ~을 토로하다 confesar [decir] la verdad, revelar *su* intención, asomar [enseñar · descubrir] la oreja. ~을 말하면 Hablando francamente [sinceramente]. 당신은 ~에서 그렇게 생각하십니까? ¿Así lo cree usted realmente? 이것이 내 ~이다 Esta es mi verdadera intención.

본안(本案) ① [원안(原案)] proyecto *m* original. ② [이 안] este proyecto de ley, esta propuesta.

본얼굴(本−) cara *f* original, rostro *m* original.

본업(本業) negocio *m* principal. ~ 이외의 일 negocio *m* extraordinario [temporal].

본연(本然) manera *f* de ser. ~의 natural, innato, ingénito. 대학 교육의 ~의 자세를 재검토해야 한다 Hay que estudiar de nuevo cómo debe ser la educación universitaria / Hay que replantearse el sistema educativo universitario.
본연히 naturalmente, innatamente, ingénitamente.
■~지성(之性) carácter *m* innato.

본영(本影) sombra *f*.

본영(本營) cuartel *m* general, oficina *f* principal (militar).

본원(本院) ① [분원(分院)에 대해] instituto *m* principal; [병원] hospital *m* principal. ② [이 원] este instituto; [이 병원] este hospital.

본원(本源) causa *f*, origen *m*, procedencia *f*, fuente *f*, raíz *f*.

본원(本願) deseo *m* real, aspiración *f* de hace mucho tiempo, deseo *m* largamente acariciado.

본월(本月) este mes, mes *m* corriente, presente mes *m*, mes *m* en curso, mes *m* que corre. ~ 11일에 al día once en curso.

본위(本位) ① [중심(中心)] norma *f*, base *f*, fundamento *m*, marco *m*. 자기 ~의 사람 egoísta *mf*; persona *f* egoísta. 어학(語學) ~로 mirando sólo el estudio de idioma. 자녀 ~로 생각하다 pensar dando prioridad a

los niños, tomar muy en consideración a los seres pequeños. 능력 ~로 승진시키다 promover tomando como base su capacidad. ② [화폐 제도의 기본] talón *m*.
◆금(金)~ talón *m* de oro. 은(銀)~ talón *m* de plata. 품질(品質) ~ procuración *f* de la calidad antes que la cantidad. 당점(當店)은 품질 ~입니다 *Calidad ante todo* es nuestro lema.
■~ 기호 becuadro *m*. ~ 제도 patrón *m*. ¶금~ patrón *m* (de) oro. 은~ patrón *m* (de) plata. ~ 화폐 talón *m*, unidad *f* monetaria.

본유(本有) lo innato, lo connatural. ~의 innato, connatural, natural.
■~ 관념 ideas *fpl* innatas. ~적 innato, connatural, natural.

본의(本意) propósito *m* original, motivo *m* verdadero; [진의(眞意)] verdadera intención *f*. ~ 아니게 contra *su* voluntad [*su* intención · *su* deseo], de mala gana, a pesar *suyo*, con repugnancia, en contra de *sus* deseos, a contrapelo. 그것은 제 ~가 아닙니다 No es mi verdadera intención. 내 ~가 아닌 결과다 No puedo satisfacerme el resultado / No estoy satisfecho con el resultado. ~가 아닌 결과로 끝났다 Resultó decepcionante.

본의(本義) significación *f* real, sentido *m* original, significado *m* original; [근본의 의의(意義)] significado *m* fundamental.

본이름(本—) nombre *m* original, nombre *m* real, verdadero nombre *m*.

본인(本人) ① [이야기하는 사람이 자기 스스로를 가리키는 말] yo. ② [장본인] uno mismo, una misma; sujeto *m*, persona *f* en cuestión. ~ 스스로 personalmente, en persona. ~ 스스로 쓰다 escribir de *su* propia mano [de *su* puño y letra]. ~에게 인도하다 entregar a la persona en cuestión. ~의 의사를 존중하다 respetar la voluntad de la persona. ~이 올 것 Que venga la persona en cuestión. 나는 그것을 ~한테서 직접 들었다 Lo he oído de él mismo / Lo sé de buena tinta.

본일(本日) hoy. ~ 한(限) 유효함 Válido sólo para el día de emisión.

본임자(本—) propietario, -ria *mf* original.

본적(本籍) ① =본적지(本籍地). ② [원적(原籍)] domicilio *m* permanente, domicilio *m* legal. ~을 서울로 옮기다 transferir el domicilio permanente a Seúl. 내 ~은 부산에 있다 Mi domicilio permanente está en Busán.
■~지 lugar *m* de registro [de domicilio legal · de domicilio permanente].

본전(本殿) santuario *m* principal [central].

본전(本錢) ① [원금(元金)] principal *m*. ~에 팔다 vender al coste [*AmL* al costo]. ② [밑천] capital *m*, fondo *m*.

본점(本店) ① [지점에 대해] central *f*, oficina *f* principal, casa *f* matriz, sede *f*. ② [이 상점] esta tienda, esta oficina, esta sucursal.

본정(本情) =본의(本意). 본심(本心).

본정신(本精神) espíritu *m* sano.

본제(本第) *su* propia casa en la tierra natal.
■~입납(入納) carta *f* a *su* propia casa en la tierra natal.

본제(本題) ① [근간이 되는 제목] sujeto *m* principal, cuestión *f* principal. ~로 돌아가다 volver a la cuestión principal. ② [본래의 제목] sujeto *m* original. ③ [이 제목] sujeto *m* en cuestiones.

본존(本尊) ((불교)) ① =주불(主佛). ② =석가모니불.

본종(本宗) parientes *mpl* del mismo clan.

본죄(本罪) ① [기본적인 죄] crimen *m* fundamental. ② [이 죄] este crimen. ③ =원죄(原罪).

본주(本主) propietario, -ria *mf* original.

본줄거리(本—) sujeto *m* principal.

본줄기(本—) corriente *f* principal.

본지(本旨) propósito *m* original; [진짜의] propósito *m* verdadero.

본지(本地) ① [이 지방] esta comarca, esta región, esta provincia. ② ((불교)) Buda *m*.

본지(本紙) ① [이 신문] este periódico [diario]. ② [우리의 신문] nuestro periódico [diario]. ~의 독자(讀者) lectores *mpl* nuestros. ③ [신문의 지면 (紙面)] plena *f*, columna *f*. ~에 이미 보도한 바와 같이 como ya había relatado en esta columna.

본지(本誌) ① [이 잡지] esta revista. ② [우리의 잡지] nuestra revista.

본직[1](本職) ① [본업] verdadera profesión *f*. ~의 de profesión, profesional. ~인 요리사 cocinero, -ra *mf* de profesión. 그의 ~은 의사이다 Su verdadera profesión es médico. ② [이 직업] esta profesión, esta ocupación.

본직[2](本職) [어떤 직을 가진 사람이 자기를 이르는 말] yo, me, a mí.

본진(本陣) =본영(本營).

본질(本疾) =본병(本病).

본질(本質) esencia *f*, substancia *f*. 민주주의의 ~ esencia *f* de la democracia. 물건의 ~을 파악하다 captar la esencia de una cosa.
■~성 esencialidad *f*. ~적 esencial; [근본적] fundamental; [내재적] intrínseco. ¶~으로 esencialmente; en esencia, fundamentalmente; intrínsecamente. ~인 차이 diferencia *f* esencial. 이성은 인간에 있어 ~인 것이다 La razón es esencial en el hombre. ~적 속성 atributo *m* esencial. ~ 직관 intuición *f* esencial.

본집(本—) ① [자기 가족이 있는 집] *su* (propia) casa. ② [본가(本家)] casa *f* de *sus* padres.

본처(本妻) esposa *f* legítima.

본청(本廳) ① [지청에 대해] oficina *f* central. ② [이 청] esta oficina.

본체(本體) ① [사물의 정체(正體)] substancia *f*. ② =본바탕. ③ 【철학】 substancia *f*, entidad *f*. ④ ((불교)) realidad *f*.
■~론 ontología *f*. ~론 철학자 ontólogo, -ga *mf*.

본체만체하다 hacer la vista gorda, fingir no ver.

본초(本草) ① 【한방】 [한약재(韓藥材)] hierbas *fpl* medicinales, plantas *fpl* medicinales; [한약학] medicina *f* herbaria. ~를 채집하다 herborizar, recoger plantas medicinales. ② ((준말)) =본초학.
■ ~가 herbario, -ria *mf*, herborista *mf*, botánico, -ca *mf*, botanista *mf*. ~학(學) fitología *f*, botánica *f*.

본초 자오선(本初子午線) primer meridiano *m*.

본촌(本村) ① [주가 되는 마을] aldea *f* principal. ② [이 마을] esta aldea, nuestra aldea.

본치 figura *f*, apariencia *f*, aspecto *m*.

본토(本土) continente *m* excluyendo sus islas, tierra *f* firme. 서반아 ~에서 en la península, en la España peninsular.
◆중국 ~ (la) China continental.
■ ~박이[인] nativo, -va *mf*, indígena *mf*. ¶서울 ~ seulense *m* castizo [puro · genuino], seulense *f* castiza [pura · genuina]. ~불(弗) dólar *m*.

본포(本鋪) ① =본점(本店). ② [이 점포] esta tienda, esta oficina.

본행(本行) [이 은행] este banco.

본향(本鄕) =본토(本土).

본형(本形) =원형(原形).

본형(本刑) pena *f* [castigo *m*] regular.

본호(本號) este número.

본회(本會) ① ((준말)) =본회의(本會議). ② [이 회] esta asamblea, esta sociedad.

본회담(本會談) conferencia *f* principal.

본회원(本會員) miembro *mf* regular.

본회의(本會議) ① [구성원 전원이 참석하는 정식 회의] sesión *f* plenaria, asamblea *f* general, sesión *f* principal, sesión *f* oficial, reunión *f* oficial. ② [이 회의] esta sesión, esta asamblea, esta reunión.

볼[1] [뺨의 한복판이 되는 부분] mejilla *f*, carrillo *m*. ~이 홀쭉한 사람 persona *f* con mejillas hundidas. 사과처럼 빨간 두 ~ dos mejillas rojas como una manzana. ~이 홀쭉하다 tener las mejillas hundidas. 양쪽 ~에 입맞추다 besar en ambas mejillas. 그는 ~이 홀쭉해졌다 Se le han hundido las mejillas.

볼[2] ① [좁고 기름한 물건의 폭] anchura *f*, ancho *m*. ~이 넓다 [좁다] ser ancho [estrecho]. 이 구두는 ~이 너무 좁다 Estos zapatos me quedan demasiado apretados. 이 구두는 ~이 약간 좁다 Estos zapatos me aprietan un poco / Estos zapatos me quedan un poco apretados. ② [버선의 밑바닥 앞뒤에 덧대는 헝겊 조각] remiendo *m*. 버선에 ~을 대다 poner un remiendo en los calcetines coreanos.

볼[3] [무딘 연장의 날을 벼릴 때에 덧대는 쇳조각] pedazo *m* de hierro.

볼[1](영 *ball*) ① [야구 · 테니스의] pelota *f*; [골프의] bola *f*; [탁구의] pelotilla *f* (de celuloide); [농구 · 럭비 · 축구의] balón *m* (*pl* balones), *AmL* pelota *f*; [당구 · 크로케의] bola *f*. 낮은 ~ pelota *f* [bola *f*] baja. 빠른 ~ pelota *f* [bola *f*] rápida. 쉬운 ~ pelota *f* [bola *f*] fácil. 농구 ~ pelota *f* de baloncesto. ② ((야구)) [스트라이크 아닌 투구] ball *m*. ~ 던지기를 하다 jugar a la pelota.
■ ~ 보이 recogepelotas *m.sing.pl*; *Col*, *Méj* recogebolas *m.sing.pl*; *Chi* pelotero *m*.

볼[2](영 *ball*) [무도회] baile *m*.
■ ~룸 [무도실 · 무도장] sala *f* [salón *m*] de baile. ~룸 댄싱 baile *m* de salón.

볼가심 bocado *m* (de comida), un poco. ~하다 comer un poco. ~할 것도 없다 no tener algo que comer. 생쥐 ~할 것도 없다 estar en la miseria no tener una miga.

볼가지다 sobresalir, proyectar, adentrarse.

볼각거리다 seguir masticando.

볼강거리다 (ser) correoso, duro, duro como suela de zapatos, grumoso, estar lleno de grumos.

볼강볼강 correosamente, duramente.

볼거리 【한방】 paperas *fpl*. ~가 나다 tener paperas.

볼그대대하다 (ser) rojizo.

볼그댕댕하다 =볼그대대하다.

볼그레하다 (ser) rojizo, rubicundo, sonrosado, estar matizado de rojo. 볼그레한 볼 mejillas *fpl* sonrosadas. 그는 술을 마셔서 얼굴이 볼그레했다 El tenía las mejillas coloradas por vino / El estaba rojo por vino.

볼그무레하다 (ser) rojizo.

볼그속속하다 (ser) rojizo.

볼그스레하다 (ser) rojizo.

볼그스름하다 (ser) rojizo.

볼그족족하다 (ser) rojizo.

볼근거리다 mascar, masticar.

볼근볼근하다 seguir mascando.

볼긋볼긋 =발긋발긋.

볼긋하다 estar salpicado de rojo.

볼기 ① [둔부(臀部)] cadera *f*, culo *m*, trasero *m*, nalgas *fpl*. ~를 까고 a culo pajarero. ② ((준말)) =볼기긴살. ③ ((속어)) =태형(笞刑).
◆볼기(를) 때리다 =볼기(를) 치다.
◆볼기(를) 맞다 ser pegado en las nalgas, ser dado unas palmadas en las nalgas. 그는 볼기를 맞았다 Dieron unas palmadas en las nalgas.
◆볼기(를) 치다 dar*le* unas palmadas en las nalgas (a), dar*le* un azote en el culo (a), pegar*le* en las nalgas (a). 그의 볼기를 세 대 쳤다 Le dieron tres azotes en el culo.
■ ~긴살 filete *m* de cadera, *RPI* churrasco *m* de cuadril. ~짝 =볼기.

볼꼴 aspecto *m*, aire *m*.
볼꼴 사납다 (ser) feo, antiestético, inpropio, indecoroso, desgarbado, indecente. 볼꼴 사납게 굴지 마라 No te portes vergonzosamente.

볼끈 =불끈.
볼끈거리다 =불끈거리다.

볼끈볼끈 =불끈불끈.
볼달다 ① [힘에 벅차서 어렵다] (ser) difícil. ② [죄어치는 힘이 억세다] (estar) muy ajustado, ceñido.
볼레로(서 *bolero*) ① [서반아 무용] bolero *m.* ② [부인용 상의의 일종] bolero *m.*
볼록 palpitando.
볼록거리다 seguir palpitando.
볼록볼록 siguiendo palpitando.
볼록 거울 espejo *m* convexo.
볼록 다각형(－多角形) polígono *m* convexo.
볼록 렌즈(－lens) lente *f* convexa.
볼록면(－面) superficie *f* convexa.
볼록 면경(－面鏡) =볼록거울.
볼록 반사경(－反射鏡)【물리】=볼록 거울.
볼록판(－板) tabla *f* convexa.
볼륨(영 *volume*) ① [몸의] volumen *m* (*pl* volúmenes). ② [컨테이너의] capacidad *f.* ③ [양(量)] cantidad *f,* volumen *m.* ～ 있는 voluminoso, copioso, abundante. ～ 있는 식사 comida *f* copiosa [abundante]; [내용이 풍부한] comida *f* su(b)stanciosa. ④ [비즈니스의] volumen *m.* ⑤ [소리의] volumen *m.* ～ 있는 potente. ～을 올리다 subir el volumen. ～을 내리다 bajar el volumen. 라디오의 ～을 높이다 [낮추다] subir [bajar] el volumen de la radio. ⑥ [책. 서적] tomo *m,* volumen *m.*
볼리비아【지명】Bolivia. ～의 boliviano.
■ ～인 boliviano, -na *mf.*
볼리비아노 [볼리비아의 화폐 단위] boliviano *m.*
볼링(영 *bowling*) bolos *mpl,* bowling *ing.m.* ～을 하다 jugar a los bolos.
■ ～ 볼 bola *f.* ～ 선수 jugador, -dora *mf.* ～장 bolera *f,* bowling *ing.m.* ¶잔디 ～ pista *f* donde se juega a los bolos.
볼만장만 acción *f* de mirar silenciosamente. ～하다 mirar silenciosamente.
볼만하다[1] [보기만 하고 시비를 가려 참견하지 아니하다] mirar silenciosamente, callarse, contenerse.
볼만하다[2] [보아서 이로운 점이 있을 듯하다] valer [merecer] la pena (de) ver. 비원(秘苑)은 가 ～ Vale [Merece] la pena (de) visitar el Jardín Secreto.
볼맞다 ① [서로 손이 맞다] estar confabulado [complotado · conchabado] (con). ② [비슷하여 서로 걸맞다] quedar*le* como un guante, hacer la buena pareja.
볼메다 mostrarse malhumorado, poner morros, poner mala cara. 볼메 있다 estar de [con] morros.
볼멘소리 voz *f* malhumorada [enojada · irritada · enfadada].
볼모 prenda *f,* rehén *m.* 사랑의 ～로서 como prenda de *su* amor, en señal de *su* amor.
◆볼모로 앉았다 Está sentado sin hacer nada. 볼모(를) 잡다 tomar [tener] a uno como rehén. 볼모 잡히다 ser tomado como rehén.
볼받이 calcetines *mpl* remendados.
볼셰비즘 ① [볼셰비키주의] bolchevismo *m.* ② [과격주의] extremismo *m,* radicalismo *m;* [과격한 혁명 운동] movimiento *m* revolucionario radical.
볼셰비키 bolchevista *mf,* bolchevique *mf.*
볼썽 aparición *f* exterior, apariencia *f* exterior.
◆볼썽(이) 사납다 (ser) desgarbado, impropio, indecoroso.
볼쏙 sobresaliendo repentinamente.
볼쏙거리다 seguir sobresaliendo repentinamente.
볼쏙볼쏙 siguiendo sobresaliendo.
볼쏙하다 sobresalir.
볼우물 =보조개.
볼일 negocio *m,* asunto *m;* [심부름] recado *m.* 급한 ～로 por un asunto urgente. ～로 회합에 불참하다 faltar a la reunión por un negocio. 김 교수는 ～ 때문에 오늘 휴강이다 El profesor Kim no da clases hoy por un asunto. 급한 ～이 생겨서 갈 수 없다 Me ha salido un asunto urgente y no puedo ir. 무슨 ～로 오셨습니까? ¿Qué desea [deseaba] usted? / ¿En qué puedo servirle? / ¿En qué puedo serle útil? / ¿Qué se le ofrece? / Dígame usted lo que desea. ～이 있을 때는 언제든지 말씀해 주십시오 Por favor dígame todo lo que usted desea / (Siempre estoy) A sus órdenes / A su disposición / Mande usted cuanto guste / Servidor de usted en cuanto mande.
볼 장 다 보다 ① [일이 뜻대로 되지 않다] no estar a la altura de lo que se espera, no llegar [alcanzar] a *sus* expectativas. 그의 연기는 볼 장 다 보았다 Su actuación no estuvo a la altura de lo que se esperaba. ② =끝나다.
볼칵거리다 seguir aplastando algo húmedo.
볼타미터(영 *voltameter*)【물리】=전량계(電量計).
볼타 전지(Volta 電池)【물리】pila *f* voltaica.
볼통거리다 decir sin rodeos [claramente].
볼통스럽다 (ser) brusco.
볼통스레 bruscamente. ～ 대답하다 responder bruscamente.
볼통하다 (ser) sobresaliente.
볼통히 sobresalientemente.
볼트(영 *bolt*)【기계】[나사못] perno *m.* ～로 고정시키다 apretar [fijar] mediante los pernos.
볼트(이 *volt*)【물리】voltio *m,* voltaje *m.* 100 ～ 전압(電壓) tensión *f* de cien voltios.
■ ～미터 voltímetro *m.*
볼펜 bolígrafo *m, Col* esfero(gráfico) *m, Méj* pluma *f* atómica, *RPl* birome *f, Chi* lápiz *m* (*pl* lápices) de pasta.
볼품 aparición *f,* apariencia *f.* ～이 있다 tener la buena apariencia. ～이 없다 tener la mala apariencia, (ser) impropio, indecoroso.
볼호령(－號令) alarido *m* de furia, rugido *m,* bramido *m.* ～하다 bramar, rugir, dar alaridos.

봄 ① [한 해의 첫째 철] primavera *f.* ～의 primaveral, de (la) primavera. ～에 en (la) primavera. 이른 ～에 en la primavera temprana. 늦은 ～에 en la primavera tardía. 금년 ～ esta primavera, la primavera de este año. 내년 ～ la primavera del año que viene, la próxima primavera. 작년 ～ la primavera pasada [del año pasado]. ～의 더위 calor *m* primaveral. ～의 아지랑이 bruma *f* primaveral [de primavera]. ～이 온다 Llega la primavera. ～이 왔다 Ha llegado la primavera. 한국의 ～은 날씨가 어떻습니까? ¿Qué tiempo [clima] hace en primavera en Corea? 천문학상으로 ～은 3월 22일부터 6월 21일까지이다 La primavera astronómica dura desde el 22 de marzo hasta el 21 de junio. ② [인생의 한창때인 청춘기] primavera *f.* 인생의 ～ primavera *f* de la vida.
◆봄(을) 타다 perder *su* apetito en la primavera. 나는 봄을 탄다 Yo pierdo el apetito en la primavera / Yo no tener apetito con el tiempo primaveral.

봄가물 sequía *f* primaveral, sequía *f* de (la) primavera.

봄가을 la primavera y el otoño.

봄갈이 labranza *f* primaveral, cultivo *m* del campo primaveral. ～하다 labrar en la primavera, cultivar el campo en la primavera.

봄기(－氣) ambiente *m* de primavera.

봄기운 ＝봄기.

봄김치 *kimchi* primaveral.

봄꿈 ① [봄에 꾸는 꿈] sueño *m* primaveral. ② [덧없는 일이나 헛된 공상 · 망상] lo efímero, fantasía *f* vana.

봄나물 hierbas *fpl* primaverales.

봄날 día *m* primaveral, tiempo *m* primaveral.

봄낳이 algodón *m* tejido en la primavera.

봄내 toda la primavera.

봄노래 canción *f* primaveral.

봄놀 bruma *f* primaveral.

봄누에 gusano *m* de seda primaveral.

봄눈 nieve *f* primaveral.
◆봄눈 녹듯 하다 ＝봄눈 슬듯 하다.
◆봄눈 슬듯 하다 desaparecer en el aire fino; [음식이] deshacerse [disolverse] en la boca. 캔디가 내 입에서 봄눈 슬듯 했다 El caramelo se me deshizo [se me disolvió] en la boca.

봄맞이꽃 【식물】 ((학명)) Androsace saxifragaefolia.

봄바람 brisa *f* primaveral [de primavera], céfiro *m.*

봄밤 noche *f* primaveral [de la primavera].

봄방학(－放學) vacaciones *fpl* de primavera.

봄배추 col *f* [repollo *m*] primaveral.

봄베(독 *Bombe*) bombillo *m,* botella *f.* 산소(酸素) ～ bombillo *m* del oxígeno.

봄베기 árbol *m* que se corta en primavera.

봄볕 sol *m* primaveral.

봄보리 cebada *f* primaveral.

봄비 lluvia *f* primaveral [de primavera], llovizna *f* vernal.

봄빛 paisaje *m* primaveral.

봄새 (durante) tiempo *m* primaveral.

봄씨 semilla *f* primaveral.

봄여름 la primavera y el verano.

봄옷 vestido *m* primaveral [de primavera], vestido *m* para el Año Nuevo.

봄잠 sueño *m* primaveral.

봄장작(－長斫) leña *f* que se corta en primavera.

봄철 primavera *f.* ～에 en primavera.

봄추위 frío *m* primaveral, tiempo *m* frío en la primavera temprana..

봄풀 hierba *f* suave en primavera.

봅슬레이(영 *bobsleigh*) bobsleigh *m.*

봇논(洑－) arrozal *m* regado por el embalse.

봇도랑(洑－) acequia *f* (de irrigación).

봇돌 ① [아궁이 양쪽에 세우는 돌] piedra *f* de soporte en ambos lados del hogar. ② [지붕 위를 덮은 널빤지를 눌러 놓는 돌] piedra *f* usada para presionar las tablas en el tejado.

봇둑(洑－) dique *m*; [댐] presa *f.*

봇물(洑－) el agua *f* en el dique. ～ 쏟아지듯 군중이 광장에 모였다 La muchedumbre acudió en tropel a la plaza. 그는 ～ 쏟아지듯 말하기 시작했다 El rompió a hablar con un arranque formidable.

봇일(洑－) obra *f* del embalse de irrigación.

봇짐(洑－) lío *m,* fardo *m, AmL* atado *m.* ～을 짊어지다 ponerse [echarse] el lío al hombro.
■～장사 comercio *m* ambulante. ¶～를 하다 vender en las calles [de puerta en puerta]. ～장수 vendedor, -dora *mf* ambulante.

봉[1] ((준말)) ＝봇돌.

봉[2] [(그릇 따위의) 뚫어진 구멍에 박아서 메우는 딴 조각] relleno *m,* borra *f.*
◆봉(을) 박다 rellenar. 충치에 ～ empastar el diente.

봉(封) ＝봉지(封紙).

봉(峯) ((준말)) ＝산봉우리.

봉(鳳) ① ((준말)) ＝봉황(鳳凰). ② [봉황의 수컷] fénix *m* macho. ③ [어리숙하여 무엇이나 빼앗아 먹기 좋은 사람] víctima *f* fácil; inocentón (*pl* inocentones), -tona *mf.* ～을 만들다 embaucar [engañar] a *uno,* hacer a *uno* víctima de un engaño. ～이 되다 ser víctima de un engaño. … 의 ～이 되다 dejarse engañar por uno. 그는 좋은 ～이다 El es muy inocentón [muy fácil de engañar].

-봉(峯) ① [산봉우리] pico *m,* cima *f,* cumbre *f.* ② [산] monte *m,* montaña *f.*

봉강(棒鋼) acero *m* en barras.

봉건(封建) [제도] feudalismo *m,* sistema *m* feudal.
■～ 국가 estado *m* feudal. ～ 군주 lord *m* (*pl* lores) feudal. ～ 사상(思想) idea *f* conservadora. ～ 사회 sociedad *f* feudal. ～ 시대 época *f* feudal. ～적 ㉮ [봉건 제도의] feudal. ㉯ [보수적] conservador. ～ 제도

(制度) feudalismo *m*, régimen *m* [sistema *m*] feudal, feudalidad *f*. ～ 주의 feudalismo *m*.
봉고도(棒高跳) =장대높이뛰기.
봉공(奉公) ① [나라나 사회를 위하여 힘을 다해 바침] servicio *m*, servicio *m* público, servicio *m* doméstico. ～하다 servir, estar al servicio. ② =봉직(奉職).
봉급(俸給) salario *m*, sueldo *m*, pago *m*, estipendio *m*. ～을 지불하다 estipendiar, dar estipendio. 그녀는 ～을 얼마나 받습니까? ¿Cuánto gana [cobra] ella? 그녀는 ～을 많이 받는다 Ella gana [cobra] un buen sueldo [salario].
▪～ 계층 banda *f* salarial. ～날 día *m* de pagos. ～ 봉투 sobre *m* de pagos. ～ 생활 vida *f* asalariada. ～ 생활자(生活者) asalariado, -da *mf*; hombre *m* asalariado, mujer *f* asalariada; persona *f* asalariada; clase *f* asalariada. ～일 día *m* de pagos. ～쟁이 asalariado, -da *mf*; estipendiario, -ria *mf*. ～ 제도 salariado *m*. ～ 지불 대장 nómina *f*, plantilla *f*, *AmL* planilla *f* (de sueldos).
봉기(蜂起) levantamiento *m*, sublevación *f*, alzamiento *m*, insurrección *f*, rebelión *f*, motín *m* (*pl* motines), tumulto *m*, revuelta *f*. ～하다 levantarse, sublevarse, alzarse, insurreccionarse. ～의 insurreccional, insurrecto. ～를 일으키다 sublevar, insurreccionar. 영주(領主)에 대해 ～를 일으키다 sublevarse contra el señor feudal. ～가 일어났다 Se produció [Ocurrió] una sublevación. 시민들이 ～했다 Se sublevaron los ciudadanos.
봉납(捧納/奉納) ofrecimiento *m*, dedicación *f*. ～하다 dedicar [ofrecer] a los dioses.
▪～물 ofrenda *f*. ～자 ofreciente *mf*, oferente *mf*, dedicante *mf*.
봉노 =봉놋방.
봉놋방(一房) la habitación más grande de la taberna.
봉당(封堂) 【건축】 el área *f* (*pl* las áreas) sin el suelo entre dos habitaciones.
▪봉당을 빌려 주니 안방까지 달란다 ((속담)) Es descarado / Le da ninguna vergüenza.
봉대(烽臺) =봉홧둑.
봉독(奉讀) lectura *f* reverencial. ～하다 leer con reverencia.
봉돌 plomada *f* de pescar, plomo *m*.
봉두(峰頭) pico *m*.
봉두난발(蓬頭亂髮) pelo *m* enmarañado, pelo *m* greñudo.
봉랍(封蠟) lacre *m*. ～으로 봉하다 lacrear, sellar con lacre.
▪～인(印) sello *m* de lacre.
봉랍(蜂蠟) pegamento *m* de abeja; [밀랍] cera *f* de abeja.
봉리(鳳梨) piña *f*, ananás *m*.
봉물(封物) tributo *m*, regalo *m*.
봉밀(蜂蜜) [꿀] miel *f* (de abejas).
봉바리 cuenco *m* de latón para las mujeres.
봉발(蓬髮) pelo *m* despeinado [alborotado].
봉방(蜂房) panal *m*.
봉변(逢變) ① [남에게 모욕을 당함] insulto *m*, humillación *f*. ～하다 ser insultado, ser humillado. ② [뜻밖의 변을 당함] percance *m*, contratiempo *m*, mala suerte *f*, desgracia *f*, desventura *f*. ～하다 sufrir la mala suerte, sufrir la calamidad imprevista.
봉별(奉別) despedida *f* con el supuerior. ～하다 despedir con el superior.
봉봉(불 *bonbon*) bombón *m* (*pl* bombones).
봉분(封墳) montículo *m*, montecillo *m*. ～하다 amontonar(se).
봉사(奉仕) ① [남을 섬김] servicio *m*. ～하다 servir, prestar [hacer] servicio (a). ② [국가나 사회 또는 남을 위해서 일함] beneficiencia *f*, beneficio *m*. ③ [물건을 싸게 팖] venta *f* a precio barato [bajo · reducido].
◆근로(勤勞) ～ servicio *m* laboral. 사회(社會) ～ servicio *m* social.
▪～ 가격 precio *m* reducido, precio *m* de descuento. ～료 servicio *m*, propina *f*. ¶～ 포함(해서) el servicio incluido [inclusive]. ～는 별도로 el servicio aparte, sin incluir el servicio. ～를 포함해서 10%를 청구하다 pedir un diez por ciento por el servicio. ～사업 obra *f* de beneficiencia. ～심 espíritu *m* de servicio. ～자 servidor, -dora *mf*, sirviente, -ta *mf*, criado, -da *mf*. ～ 정신 espíritu *m* de servicio. ～품 artículo *m* a precio reducido.
봉사(奉事) ① [소경] ciego, -ga *mf*. ② [웃어른을 섬김] servicio *m* al superior. ～하다 servir (al superior), atender.
▪뜨고도 못 보는 당달봉사 ((속담)) No saber es como no ver / Los ignorantes somos como ciegos / La ignorancia no nos permite ver las cosas tal como son.
봉사(奉祀) ofrenda *f* a *sus* antepasados. ～하다 sacrificar a *sus* antepasados.
▪～손(孫) descendiente *m* de sacrificar a *sus* antepasados.
봉서(封書) carta *f* sellada.
봉선화(鳳仙花) 【식물】 nicaraguas *fpl*, balsamina *f* (silvestre).
봉쇄(封鎖) bloqueo *m*, cierre *m*. ～하다 bloquear. ～를 풀다 levantar el bloqueo. …의 ～를 풀다 desbloquear *un sitio*. ～를 깨뜨리다 romper el bloqueo. 예금을 ～하다 bloquear depósitos.
▪～ 구역 zona *f* de bloqueo. ～선 línea *f* de bloqueo. ～ 정책 política *f* de bloqueo. ～ 함대 flota *f* de bloqueo. ～ 해제 desbloqueo *m*.
봉수(烽燧) =봉화(烽火).
봉숭아 =봉선화(鳳仙花).
봉안(奉安) consagración *f*. ～하다 consagrar.
봉양(奉養) manutención *f*, ayuda *f* (económimica), apoyo *m* (económico), ～하다 mantener, sostener, sustentar.
봉오리 ((준말)) =꽃봉오리.
봉와(蜂窩) célula *f*.
봉왕(蜂王) =여왕벌.
봉욕(逢辱) sufrimiento *m* de insulto. ～하다

sufrir el insulto.

봉우리 ① ((준말)) =산봉우리. ② [높은 수준] nivel *m* alto; [높은 단계] etapa *f* alta. 봉우리 봉우리 todos los picos, cada pico.

봉읍(封邑) =봉토(封土).

봉인(封印) sello *m*. ~하다 sellar. ~을 열다 desellar.

봉인(鋒刃) filo *m*, corte *m* de la espada, corte *m* del cuchillo.

봉입(封入) adjunción *f*, inclusión *f*. ~하다 incluir, adjuntar.

봉접(鳳蝶) 【곤충】 =호랑나비.

봉정(奉呈) presentación *f*. ~하다 presentar, ofrecer, presentar al trono. 신임장을 ~하다 presentar la carta credencial.

■~사(辭) palabra *f* [discurso *m*] de presentación. ~식(式) ceremonia *f* de presentación.

봉제(縫製) costura *f*, labores *fpl* de aguja. ~하다 coser; *Bol*, *Méj*, *AmC* costurar.

■~공 costurero, -ra *mf*. ~ 공장 taller *m* de costura. ~ 완구 juguete *m* de costura. ~ 인형 [헝겊으로 만든] muñeca *f* de trapo. ~품 producto *m* cosido, costura *f*.

봉제사(奉祭祀) =봉사(奉祀).

봉조(棒組) 【인쇄】 galerada *f*.

봉조(鳳鳥) =봉황(鳳凰).

봉조(鳳詔) =조서(詔書).

봉죽 ayuda *f*, apoyo *m*, asistencia *f*. ~하다 ayudar, apoyar, asistir.

■~꾼 ayudante *mf*.

봉지(封紙) ① [종이 주머니] bolsa *f* [saco *m*] de papel; *AmS* bolsillo; *ReD* funda *f*. 검은 ~ bolsa *f* negra; *ReD* funda *f* negra; [작은] bolsita *f*. ~에 넣다 meter en un saco [en una bolsa · en una funda], ensacar, embolsar. ~로 된 것 bolsería. ② [봉지를 세는 단위] bolsa *f*, saco *m*. 설탕 한 ~ una bolsa [un saco] de azúcar. 땅콩 한 ~ una bolsita de cacahuete.

■~ 장수 bolsero, -ra *mf*. ~ 판매소(販賣所) bolsería *f*.

봉직(奉職) servicio *m* gubernamental. ~하다 tener un puesto, trabajar. 그는 외교 통상부에 ~하고 있다 El trabaja [tiene un puesto] en el Ministerio de Asuntos Exteriores y Comercio.

■~처 posición *f*, puesto *m*.

봉착(逢着) confrontación *f*, encuentro *m*. ~하다 topar, confrontarse, caer (sobre), encontrarse (con). 난관에 ~하다 encontrarse con una dificultad. 나는 난문제(難問題)에 ~하고 있다 Estoy confrontándose con un problema difícil.

봉창(封窓) ① [창문을 봉함] selladura *f* de la ventana; [봉한 창문] ventana *f* sellada. ② [구멍창] ventanita *f* tapiada.

봉창질 acaparamiento *m*. ~하다 acaparar.

봉창하다 ① [물건을 남몰래 모아서 감추어 두다] esconder, ocultar. ② [손해 본 것을 벌충하다] recuperar, compensar. 손해를 ~ compensar *su* pérdida. 돈으로 ~ compensar con dinero. 놓친 시간을 ~ recuperar el tiempo perdido.

봉축(奉祝) celebración *f* en honor (de). ~하다 tener el honor de celebrar.

봉치 regalo *m* de boda enviado por la familia de *su* novio antes de la boda.

■~함 caja *f* de regalo de boda de la familia de *su* novio.

봉친(奉親) manutención *f* de sus padres. ~하다 mantener a sus padres.

봉침(縫針) aguja *f* de coser.

봉탕(鳳湯) sopa *f* de gallinas.

봉토[1](封土) ① [(무덤 위에) 흙을 높이 쌓아 올림] amontonamiento *m* de la tierra en la tumba. ~하다 amontonar la tierra en la tumba. ② =봉강(封疆).

■~분(墳) =봉분(封墳).

봉토[2](封土) feudo *m*, enfeudación *f*, enfeudamiento *m*. ~를 주다 enfeudar.

■~ 하사(下賜) enfeudación *f*, enfeudamiento *m*.

봉투(封套) sobre *m*. 편지를 ~에 넣다 meter una carta en un sobre.

◆녹색(綠色) ~ [서반아의] sobre *m* verde. 월급~ sobre *m* del salario. 투명 ~ sobre *m* de ventanilla, sobre *m* de ventana. 편지 ~ sobre *m* de una carta. 편지 ~를 쓰다 escribir el sobre de una carta. 항공 우편용 ~ sobre *m* para correo aéreo. 현금 송부용 ~ sobre *m* monedero.

봉피(封皮) sobre *m*, cubierta *f*. ~를 뜯다 abrir el sobre.

봉하다(封—) ① [(문이나 봉투의 부리, 그릇의 아가리 따위를) 열지 못하게 단단히 붙이다] sellar, cerrar. 편지를 ~ sellar [cerrar] una carta. ② [입을 다물어 말을 하지 아니하다] tapar la boca (de), imponer el silencio (a), callarse. 입을 봉하고 말이 없다 cerrar la boca y quedar silencio. 입을 봉해라 ¡Cierra la boca! / ¡Cállate (la boca)! / ¡Cierra el pico! ③ [천자(天子)가 영지를 주어 제후(諸侯)로 삼다] enfeudar. ④ [(왕이) 작위나 작품(爵品)을 내려 주다] conceder el título de lord.

봉함(封函) carta *f* sellada.

봉함(封緘) sello *m*. ~하다 sellar, cerrar. 편지의 ~을열다 abrir [desellar] una carta.

■~엽서 carta-tarjeta *f*, [항공용] aerograma *m*.

봉합(封合) sutura *f*. ~하다 suturar.

봉합(縫合) sutura *f*, costura *f* de los bordes de una llaga, articulación *f* dentada de dos huesos. ~하다 suturar, hacer una sutura, coser. 두개골(頭蓋骨)의 ~ las suturas del cráneo. 상처를 ~하다 suturar la abertura de una herida, coser los labios [los bordes] de una herida.

■~사(絲) hilo *m* para la operación de sutura. ~선(線) sutura *f*. ~술 suturación *f*. ~침 aguja *f* para la sutura.

봉행(奉行) obediencia *f* al superior. ~하다 obedecer al superior.

봉헌(奉獻) dedicación *f*, presentación *f*, consagración *f*. ~하다 dedicar, consagrar, aplicar, ofrecer, presentar. ~의 consagratorio. 교회를 ~하다 consagrar la iglesia. 이 책의 저자는 그의 스승에게 자기의 책을 ~했다 El autor de este libro dedicó su libro a su maestro.

■ ~물 exvoto *m.* ~자 dedicante *mf.*

봉화(烽火) fuegos *mpl* artificiales, fuego *m* de señal, almenara *f*, hoguera *f*.

◆ 봉화(를) 들다[올리다 · 일으키다] encender el fuego de señal, encender cohete [hoguera]. 봉화(를) 들리다 hacer encender el fuego de señal.

■ ~대 faro *m* de fuego de señal. ~재 monte *m* donde hay fuego de señal. ~지기[직] farero, -ra *mf*; torrero, -ra *mf*; *CoS* guardafaro *mf.* ~ㅅ불 fuego *m* de señal.

봉환(奉還) devolución *f* [vuelta *f*] al mayor. ~하다 devolver [volver] al mayor.

봉황(鳳凰) fénix *m.*

■ ~문(紋) figura *f* de fenix. ~새 =봉황(鳳凰). ~새자리[자리] Fénix *m.*

봉후(封侯) =제후(諸侯)

봐 ① ((준말)) [명령형] =보아. ¶~, 그가 온다 Mira, ahí viene él. 이것 좀 ~ Mira esto. ② ((준말)) [부사적] =보아. ¶잘 ~ 두어라 Mira bien.

봐란 듯이 ((준말)) =보아란 듯이.

봐주다 ((준말)) =보아주다.

봐하니 ((준말)) =보아하니.

뵈다[1] ((준말)) =보이다[1].

뵈다[2] ((준말)) =보이다[2].

뵈다[3] [웃어른을 대하다] mirar, ver. 아버님을 ~ ver a *su* padre.

뵈옵다 =뵈다[3]. ¶선생님을 뵈옵고 말씀드리겠습니다 Le veo a usted y (le) diré / Le diré después de verle.

뵘 ① [(치과의) 충전재] empaste *m*, *Chi*, *Méj* tapadura *f*, *RPl* emplomadura *f*, *Col* calza *f*. ② 【요리】[소] relleno *m.*

뵙다 ((준말)) =뵈옵다.

부(父) padre *m.*

부(夫) [아내의 배우자] esposo *m*, marido *m.*

부(缶) 【악기】 *bu*, instrumento *m* de cerámica como un brasero.

부(否) ① [부인. 부정. 거절] no *m.* ② [반대 투표] voto *m* en contra. ~가 많았다 Se ha rechazado la moción.

부(府) [일제 강점기 때의] ciudad *f.*

부(負) 【수학】 ((구용어)) =음(陰).

부(部) ① [관청 · 회사 등의 업무 조직의 한 구분] sección *f*, departamento *m.* 경리~ sección *f* de contabilidad. 그는 영업~에서 근무하고 있다 El trabaja en la sección de promoción de negocios. ② [클럽] club *m* (*pl* clubs), círculo *m.* 테니스~ club *m* de tenis. ③ [서책(書冊) 따위의] parte *f*, [책] ejemplar *m*, volumen *m* (*pl* volúmenes). 5~로 되어 있는 소설 novela *f* que consta de cinco partes. 5만 ~를 발행하다 tirar cincuenta mil ejemplares, publicar [hacer] una tirada de cincuenta mil ejemplares. ④ [정부의 부처(部處)] Ministerio *m*, *Méj* Secretaría *f.* ~의 결정 decisión *f* en el Ministerio. 국방(國防)~ Ministerio *m* de Defensa Nacional.

부(婦) 【법률】 esposa *f*, mujer *f.*

부(富) ① riqueza *f*, [재산] fortuna *f*, bienes *mpl.* ~의 분배(分配) distribución *f* de la riqueza. ~의 불균형(不均衡) desigualdad *f* de la riqueza. 나라의 ~ riqueza *f* del país [del estado]. ~를 얻다 hacer una fortuna. ② [오복(五福)의 하나, 재산이 많음] mucha fortuna.

부(賦) *fu*, oda *f*, un género poético chino.

부-(不) no, ni, in-. ~도덕 inmoralidad *f.*

부-(副) ① [버금] vice-, sub-, duplicado, ayudante. ~사장 vicepresidente, -ta *mf.* ~영사(領事) vicecónsul *mf.* ~지사(知事) vicegobernador, -dora *mf.* ~회장 vicepresidente, -ta *mf.* ② [부차적인 것] adicional, subsidiario, accesorio, sub-. ~산물 (産物) subproducto *m*, producto *m* accesorio, derivado *m.* ~수입(收入) ingresos *mpl* adicionales [subsidiarios].

-부(附) ① [(날짜 밑에 붙어) 문서나 서신의 작성 · 발송의 시일임을 나타냄] fechado, con fecha (de). 12월 11일~ 편지 carta *f* fechada el [con fecha del] once de diciembre. ② [(일부 명사 밑에 붙어) 거기에 딸려 있음을 나타냄] con, a, de. 대사관~ 무관 agregado *m* militar [해군 naval] a la embajada. 대사관~ 상무관(商務官) agregado *m* comercial de la embajada. 목욕탕 ~ 아파트 apartamento *m* con cuarto de baño. 이식(二食)~ 하숙 pensión *f* con dos comidas.

부가(附加) adición *f*, añadidura *f.* ~하다 adicionar, añadir.

■ ~ 가치 valor *f* añadido. ~ 가치세(價値稅) impuesto *m* sobre el valor añadido [agregado], impuesto *m* al valor agregado, IVA *m*, I.V.A. *m.* ~ 가치세과 sección *f* del impuesto sobre el valor añadido [agregado]. ~물 adición *f.* ~ 비용 carga *f* adicional, coste *m* adicional, gasto *m* adicional, suplemento *m*, *AmL* costo *m* adicional. ~세 impuesto *m* adicional, sobretasa *f*, impuesto *m* complementario, *AmS* sobreimpuesto *m.* ~ 요금 sobretasa *f.* ~형(刑) pena *f* [castigo *m*] adicional.

부각 kelp *m* frito, el alga *f* (*pl* las algas) frita.

부각(負角) 【수학】 ángulo *m* negativo.

부각(俯角) 【수학】 buzamiento *m*, ángulo *m* de inclinación.

부각(浮刻) =돋을새김.

부각(腐刻) grabado *m.* ~하다 grabar.

■ ~법 grabado *m.*

부감(俯瞰) vista *f* desde el aire. ~하다 ver desde el aire, dominar (una vista de pájaro de).

■ ~도(圖) =조감도(鳥瞰圖).

부갑상선(副甲狀腺) 【해부】 paratiroides *m*, glándula *f* paratiroides.

■ ~염 paratiroiditis *f.* ~ 절제술(切除術) paratiroidectomía *f.* ~종(腫) paratiroidoma *m.* ~ 호르몬 hormona *f* paratiroides.

부강(富强) ① riqueza *f* y poder. 나라를 ~하게 하다 enriquecer *su* país. ② ((준말)) = 부국강병.

■ ~지국(之國) país *m* (*pl* países) rico.

부결(否決) desaprobación *f.* ~하다 desprobar, rechazar. 120대 70으로 그 의안(議案)은 ~되었다 El proyecto ha sido rechazado por setenta a favor y ciento veinte en contra.

부계(父系) línea *f* paterna [paternal], parte *f* de padre. ~의 paterno, paternal, por parte de padre, de línea paterna. ~의 할머니 abuela *f* paterna.

■ ~ 가족(家族) familia *f* paterna. ~ 사회 sociedad *f* paterna. ~ 상속 ascendencia *f* paterna. ~ 제도 patriarca *m.* ~친[혈족] consanguinidad *f* paterna.

부고(附高) ((준말)) =부속 고등학교.

부고(府庫) =곳집.

부고(訃告) noticia *f* [aviso *m*] de la muerte. ~하다 avisar [anunciar] *su* muerte. ~에 접하다 recibir la noticia de la muerte, ser informado de la muerte (de).

부고환(副睾丸) 【해부】 epidídimo *m.*

■ ~관 conducta *f* epididimaria. ~염(炎) pididimitis *f.* ~ 절개술 epididimotomía *f.* ~절제술 epididimotomía *f.*

부과(賦課/附課) imposición *f* de tributos, gravación *f.* ~하다 imponer (los tributos), gravar, cargar. 세금의 ~ gravación *f* con un impuesto. …에 세금을 ~하다 gravar *algo* con un impuesto. 농장에 무거운 세금을 ~하다 gravar una finca con pesadas obligaciones.

■ ~금 cuota *f.* ~액 cantidad *f* importada, cálculo *m* de los ingresos imponibles.

부관(俯觀) =부감(俯瞰).

부관(副官) ① 【군사】 ayudante *m,* edecán *m,* ayudante *m* de campo. ② 【군사】 ((준말)) =전속 부관(專屬副官).

◆ 고급(高級) ~ ayudante *m* mayor. 연대(聯隊) ~ ayudante *m* de regimiento. 전속 ~ ayudante *m* de campo, edecán *m.*

■ ~ 참모 ayudante *m* general.

부관장(副館長) [박물관·도서관 등의] vice-director, -tora *mf;* viceconservador, -dora *mf.*

부광(富鑛) [광석] mineral *m* rico; [광산] mina *f* rica.

■ ~대(帶) bonanza *f.*

부교(浮橋) puente *m* de pontones, puente *m* de barcas, pontón *m* (*pl* pontones).

부교감 신경(副交感神經) 【해부】 (nervio *m*) parasimpático.

■ ~계(系) sistema *m* nervioso parasimpático.

부교수(副敎授) profesor *m* adjunto, profesora *f* adjunta.

부교재(副敎材) libro *m* de texto auxiliar.

부국(富國) ① [국가 경제를 넉넉하게 하는 일] enriquecimiento *m* de un país. ② [경제력이 넉넉한 나라] país *m* rico.

■ ~강병(强兵) ㉮ [나라를 부요하게 하고 군대를 강하게 함] enriquecimiento *m* del país y la fortaleza del ejército. ㉯ [부유한 나라와 강한 군대] el país rico y el ejército poderoso. ~강병론(强兵論) la Riqueza de Naciones. ~강병책(强兵策) política *f* de fortalecimiento económico y militar, plan *m* de enriquecer *su* país.

부군(父君) ((높임말)) padre *m.*

부군(夫君) ((높임말)) esposo *m,* marido *m.*

부군(府君) ① [죽은 아버지] difunto padre *m,* padre *m* muerto. ② ((높임말)) =존자(尊者). 장자(長者).

부군(副軍) 【군사】 =예비대(豫備隊).

부권(父權) ① [가장권(家長權)] derechos *mpl* patriarcales. ② [아버지의 친권] derechos *mpl* paternos.

■ ~ 사회 sociedad *f* patriarcal. ~ 시대 era *f* patriarcal. ~ 제도 patriarcado *m.*

부권(夫權) derechos *mpl* del marido.

부권(婦權) =여권(女權).

부귀(富貴) riqueza *f* y nobleza, riqueza *f* y fama, prosperidad *f.* ~하다 (ser) rico y noble.

■ ~공명(公明) riqueza, rangoy fama. ¶ ~ 속에 살다 vivir en honor y riqueza. ~다남(多男) riqueza, nobleza y muchos hijos. ¶~하다 ser rico y noble y tener muchos hijos. ~빈천 lo alto y lo bajo, hombres *mpl* de todos los rangos. ~영화 riqueza *f* y prosperidad. ¶~를 누리다 estar en la cima [en la cumbre·en la cúspide] de *su* prosperidad, vivir en esplendor, vivir en riqueza y honor. ~재천(在天) La riqueza y la nobleza dependen de Dios.

부그르르 hirviendo a fuego lento; [거품이] burbujeando. 물이 ~ 끓는다 El agua hierve a fuego lento. 비누 거품이 ~ 일어난다 La espuma de jabón burbujea.

부근(附近) vecindad *f,* vecindario *m,* barrio *m,* proximidades *fpl,* cercanías *fpl,* contornos *mpl,* inmediación *f,* alrededores *mpl;* [부사적] alrededor, cerca (de), por ahí, hacia. ~의 de la vecindad, de los alrededores, de los contornos, vecinal, cercano, próximo, adyacente, convecino. ~에 en los alrededores, cerca. 이 ~에 por aquí cerca, en esta vecindad, en este barrio, en la vecindad [cercanía], por aquí, alrededor, en estas cercanías, en muy arrimado. 명동 ~에 por (el barrio de) Myongdong. ~의 경치 escena *f* [paisaje *m*] circundante. ~에 개의치 아니하고 sin darse cuenta de lugar donde se encuentra. ~ 일대에 por todas partes. ~을 바라보다 mirar a *su* alrededor. ~에 아무도 없다 No hay nadie en los alrededores. 나는 이 ~에 살고 있다 Yo vivo por aquí [en estos alrededores]. ~ 일대가 불바다다 Todo a mi alrededor es [está hecho] un mar de fuego. 그는 ~에 개의치 아니하고 소리쳤다 El dio voces sin preocuparse de nadie [de la presencia de otros].

부근(浮根) ① [물에 뜬 풀의 뿌리] raíz *f* de la hierba que flota en el agua. ② [바다 가운데에 나타나 있는 바위의 뿌리] raíz *f* de la roca que sobresale en el mar.

부근(副根) =곁뿌리.

부글거리다 ① [액체가 자꾸 부그르르 끓어오르다] hervir. 솥에서 부글거리는 미역국 sopa *f* de alga marina hirvienda en la olla. ② [거품 따위가 자꾸 부그르르 일어나다] espumar, burbujear. 거품이 부글거리는 맥주 cerveza *f* espumosa. 세탁기에서 거품이 ~ espumar en la lavadora (eléctrica). ③ [착잡하거나 언짢은 생각이 뒤섞여 들볶이다] vacilar; [어지럽다] sentir vahidos, desvanecerse, atolondrarse, sentir un mareo, dar*le* a *uno* un vahído. 가슴속에 부글거리는 복잡한 생각 pensamiento *m* complicado que vacila aún en el corazón. 나는 아직도 속이 부글거린다 Aún vacila mi estado de ánimo. ④ [배 속이 좋지 않다] hacer ruido. 배 속이 부글거린다 Las tripas me están haciendo ruido.

부글부글 ① [액체나 거품 따위가] burbujeantemente. ~ 끓다 burbujear, hervir a fuego lento. ~ 끓어오르다 hervir a borbotones, entrar en plena ebullición. 거품이 ~ 일다 burbujear, hacer burbujas, hacer ampollas, hacer espuma, espumar, hervir a fuego lento. ~ 부풀어 오르다 hincharse. ~ 가라앉다 sumergirse haciendo burbujas. ② [마음이 언짢거나 복잡하여 속이 끓는 모양] vacilando. 나는 화가 나서 속이 ~ 끓는다 Se me revuelven las tripas de ira. 그는 아직도 속이 ~하다 El aún está su estado de ánimo.

부금(賦金) ① =부과금(賦課金). ② [붓는 돈] plazo *m*; [보험의] prima *f*; [적립금] abono *m*; [매월의] mensualidad *f*; [매년의] anualidad *f*.

부기 mentecato, -ta *mf*, bobo, -ba *mf*, lelo, -la *mf*, tonto, -ta *mf*, necio, -cia *mf*, estúpido, -da *mf*.

부기(父忌) fallecimiento *m* [muerte *f*] de *su* padre.

부기(附記) adición *f*, añadidura *f*, apéndice *m*; [주(註)] apostilla *f*, nota *f*. ~하다 adicionar, adjuntar, añadir; [주를 달다] apostillar, notar, poner notas.

부기(浮氣) 【한방】 hinchazón *f*, protuberancia *f*. 오른발의 ~가 내렸다 (Se) Me ha bajado la hinchazón del pie derecho.

부기(簿記) contabilidad *f*, teneduría *f* de libros. ~를 하다 llevar los libros de contabilidad.

◆단식 ~ contabilidad *f* por partida simple, teneduría *f* de libros por partida simple. 복식 ~ contabilidad *f* por partida doble, teneduría *f* de libros por partida doble.

■~ 담당자 contabilista *mf*, tenedor, -dora *mf* de libros, contable *mf*. ~ 방망이[봉] regla *f* para trazar libros. ~법 regla *f* de contabilidad. ~장(帳) libro *m* de cuentas.

¶~에 기입하다 contabilizar, apuntar en los libros de cuentas. ~학 teneduría *f* de libros. ~ 학교 escuela *f* de contabilidad.

부기(영 *boogie*) 【음악】 =부기우기(boogie-woogie).

■~우기 bugui-bugui *m*.

부꾸미 galleta *f* de arroz, torta *f*, tortilla *f*. ¶ 밀가루 ~ torta *f* [tortilla *f*] de harina.

부끄러움 vergüenza *f*, timidez *f*, verecundia *f*.

부끄러워하다 tener vergüenza, avergonzarse, mostrarse tímido [vergonzoso], no saber dónde meterse. 부끄러워하는 vergonzoso, verecundo. 자신이 한 짓 때문에 ~ avergonzarse por sus acciones.

부끄럼 ((준말)) =부끄러움.

◆부끄럼(을) 타다 (ser) tímido, vergonzoso. 부끄럼(을) 타는 사람 persona *f* tímida, persona *f* vergonzosa.

부끄럽다 avergonzarse, sentirse vergonzoso sentirse avergonzado. 부끄러워 vergonzosamente, tímidamente. 부끄럽게 하다 avergonzar. 부끄럽게 생각하다 avergonzarse (de · por). 부끄럽기 짝이 없다 estar corrido de vergüenza, sentir en el alma. 나는 부탁하기가 ~ Me avergüenzo de pedir. 정말로 부끄럽게 생각합니다 (Me) Siento una vergüenza viva / Me siento muy avergonzado. 나는 부끄럽기 짝이 없다 Estoy [Me siento] realmente avergonzado / Tengo mucha vergüenza de mí mismo / Estoy profundamente avergonzado de mí mismo. 회답이 이렇게 늦어 부끄럽습니다 Me avergüenzo por haber tardado tanto tiempo en contestarle. 부끄러워 이곳에 있을 수가 없습니다 Estoy avergonzado y no tengo cara para estar aquí / Estoy demasiado avergonzado para quedarme aquí. 나는 저런 동생을 둔 것을 부끄럽게 생각한다 Me siento avergonzado de tener un hermano como aquél. 가난은 부끄러운 일이 아니다 La pobreza no es vileza.

부끄러이 con vergüenza, avergonzosamente.

부끄리다 =부끄러워하다.

부나방 【곤충】 =불나방.

부낭(浮囊) ① [헤엄칠 때의] flotador *m*. ② [구명용의] salvavidas *m.sing.pl.* ③ =부레.

부내(部內) círculos *mpl*, departamento *m*, el área *f* (*pl* las áreas) [espacio *m*] interior de un círculo. 정부의 ~ 의견을 조정하다 coordinar las opiniones dentro [entre los ministros] del gobierno. 그는 ~에서 평판이 좋다 El tiene buena reputación entre sus colegas.

부녀(父女) padre *m* e hija, el padre y *su* hija. ~가 많이 닮았다 El padre y su hija son muy parecidos.

부녀(婦女) ((준말)) =부녀자(婦女子).

■~국 departamento *m* de mujeres. ~ 아동국 departamento *m* de mujeres y niños. ~자(子) señora *f*, mujer *f*.

부논문(副論文) tratado *m* suplementario.

부농(富農) ① [농가] familia *f* de la agricultura rica. ② [사람] agricultor *m* rico, agricultora *f* rica.
■ ~가 familia *f* de la agricultura rica.

부늑골(副肋骨) =가늑골(假肋骨).

부닐다 comportarse amigablemente [cordialmente].

부다듯하다 estar afiebrado, tener fiebre, tener calentura.

부다페스트 【지명】 Budapest (헝가리의 수도).

부닥뜨리다 encontrarse cara a cara (con), tropezar (con). 난관에 ~ tropezar con una dificultad. 난관에 부닥뜨려 있다 tener una dificultad. 그의 계획은 큰 난관에 부닥뜨렸다 El tropezó su proyecto con una gran dificultad.

부닥치다 ① [충돌하다] chocar, tropezar, dar (con · contra), topar, hacer choque, estrellarse (contra). ② [곤란에 직면하다] hacer frente (a), encontrarse. 곤란에 ~ encontrarse con dificultad. ③ [면담하다] hablar personalmente, hablar [dirigirse] directamente.

부단(不斷) ① [끊임이 없음] continuación *f*, vida *f* cotidiana. ~하다 (ser) continuo, incesante, constante, cotidiano, usual. ~한 노력 esfuerzo *m* incesante [continuo]. ② [결단성이 없음] indecisión *f*, irresolución *f*. ~하다 (ser) indeciso, irresoluto
부단히 ㉮ [끊임없이] continuamente, incesantemente, constantemente, cotidianamente, usualmente. ~ 노력하다 esforzarse incesantemente [constantemente], realizar un esfuerzo continuo. ㉯ [결단성 없이] indecisamente, irresolutamente.

부담(負擔) [떠맡은 짐] carga *f* (pesada); [책임] responsabilidad *f*. ~하다 cargar (con), hacerse cargo (de). 재정적(財政的) ~ carga *f* económica. 세금(稅金)의 ~ carga *f* fiscal. ~시키다 cargar (a [sobre] *uno* con *algo*), gravar (a). ~이 되다 ponerse pesado (para). ~을 지고 llevando una pesada carga sobre las espaldas. ~을 벗다 quitarse una espada carga, quitarse un peso de encima, descargarse de un peso. ~을 가볍게 하다 alegerar [aliviar] (a uno) de una carga. 납세자의 ~을 가볍게 하다 aligerar de impuestos a los contribuyentes. 비용은 내가 ~하겠다 Yo me encargo de los gastos / Cargaré con los gastos. 비용은 구입자의 ~이다 Los gastos corren a cargo del [por cuenta del] comprador. 결국 나는 정신적 ~을 느낀다 Me siento descargado de un gran peso espiritual. 이 일은 그에게는 상당한 ~ 이다 Este trabajo constituye una carga muy pesada para él. 그것은 위에 ~이 될 것이다 Eso causará una digestión pesada / Eso será una carga para el estómago. 그것은 내 재력(財力)에는 과대한 ~이다 Es una carga excesiva para mí poder financiero. 모든 경비는 우리 측 ~으로 해 주십시오 Sírvanse cargarnos en cuenta todos los gastos.
■ ~금 contribución *f*, cuota *f*, carga *f*. ~액 (cantidad *f* de) carga *f*.

부당(不當) injusticia *f*, sin razón *f*. ~하다 (ser) injusto, indebido, injustificado, irrazonable; [불법의] ilegal, ilícito. ~하게 injustamente, indebidamente, ilegalmente. ~한 이익을 얻다 sacar un proyecto ilícito.
부당히 injustamente, con injusticia, indebidamente, ilegamente, con ilegalidad, injustificadamente.
■ ~ 거래 transacción *f* injusta. ~ 과세 imposición *f* irrazonable. ~ 노동 행위 acto *m* laboral injusto. ~ 이득(利得) beneficio *m* [provecho *m*] excesivo [injustificado], ganancia *f* excesiva. ~ 이득 세법 ley *f* de impuestos a ganancias ilícitas. ~ 이득자 logrero, -ra *mf*. ~ 지불 malversación *f* de fondos. ~지사(之事) cosa *f* injusta, lo injusto. ~지설(之說) palabra *f* irrazonable. ~ 지출 desembolso *m* injusto. ~ 처분 pena *f* ilegal. ~ 판결 juicio *m* injusto. ~ 해고 destitución *f* ilegal.

부당당하다(不當當―) ser muy injusto.

부대(附帶) anexo *m*, anejo *m*, accesorio *m*, secundario *m*. ~하다 anexar, anexionar. ~의 anexo, anejo, secundario, accesorio, subsidiario, adicional.
■ ~ 결의 decisión *f* adicional. ~ 공사 construcción *f* secundaria. ~범 delito *m* secundario. ~비 gastos *mpl* adicionales. ~ 사업 empresa *f* secundaria. ~ 사항(事項) artículo *m* suplementario. ~ 상황 circunstancias *fpl* incidentales. ~ 수입 ingresos *mpl* adicionales. ~ 조건 condición *f* subsidiaria [incidental]. ~ 조항 cláusula *f* accesoria. ~ 증서 bono *m* incidental.

부대(負袋) ① =포대(包袋). ② ((성경)) odre *m*, cuero *m*.

부대(浮袋/浮帶) lo que se hace el trabajo duro. ~하다 hacer el trabajo duro.

부대(部隊) cuerpo *m*, escuadra *f*, destacamento *m*, unidad *f*.
◆ 기계화 ~ unidad *f* mecanizada. 동력화(動力化) ~ unidad *f* motorizada. 주력(主力) ~ cuerpo *m* grueso (del ejército). 지구(地區) ~ cuerpo *m* de ejército.
■ ~기(旗) estandarte *m* (de pelotón). ~장 comandante *m* [jefe *m*] del cuerpo.

부대(富大) corpulencia *f*, cuerpo *m* gordo y grande. ~하다 ser corpulento, tener mucho cuerpo, ser gordo y grande. 몸이 ~하다 El cuerpo es corpulento [gordo y grande].

부대끼다 ser molestado [agobiado · abrumado] (por), sufrir mucho.

부덕(不德) falta *f* de virtud, demérito *m*, indignidad *f*. ~하다 (ser) indigno, desmerecedor, vicioso. 모든 것은 저의 ~의 소치입니다 Tode se debe a mi falta de virtud.

부덕(婦德) virtud *f* femenina.

부도(不渡) 【경제】 impago *m*, falta *f* de pago, deshonor *m*, deshonra *f*.
◆ 만기(滿期) ~ falta *f* de pago al venci-

miento.

◆부도(가) 나다 no ser aceptado. 어음이 부도가 났다 No se ha pagado el giro.

◆부도(를) 내다 [은행이] rechazar. 수표를 ~ desatender el pago de un cheque, no pagar un cheque.

■~ 교환 어음 letra *f* de cambio no atendida. ~ 수표(手票) cheque *m* impagado [no pagado · rehusado · desacreditado · rechazado], cheque *m* sin fondos. ~액(額) cantidad *f* de letra impagada. ~ 어음 letra *f* impagada [cruzada · desacretada · ficticia · de favor · de complacencia · de acomodación], letra *f* no aceptada [no pagada a *su* vencimiento].

부도(父道) ① [아버지가 걸어온 길] carrera *f* del padre. ② [아버지로서 지켜야 할 도리] deberes *mpl* [virtudes *fpl*] del padre.

부도(浮屠/浮圖) ① ((불교)) [부처] Buda *m*. ② ((불교)) [이름난 스님의 유골을 보관하는 작은 탑] pagoda *f* muy pequeña para las reliquias del célebre sacerdote budista.

부도(婦道) deberes *mpl* femeninos, virtudes *fpl* femeninas.

부도덕(不道德) inmoralidad *f*. ~하다 (ser) inmoral, depravado, licencioso, vicioso, corrompido. ~한 행위 proceder *m* inmoral.

부도심(副都心) centro *m* secundario (de la ciudad).

부도체(不導體) 【물리】 aislador *m*. 유리는 전기의 ~다 El vidrio [El cristal] es un aislador de electricidad.

부독(浮 dock) =부선거(浮船渠).

부독본(副讀本) libro *m* de lectura complementaria.

부동(不同) diferencia *f*, desemejanza *f*, desigualdad *f*, disparidad *f*, diversidad *f*. ~하다 (ser) diferente, desemejante, desigual, diverso, dispar; diferenciarse.

부동(不動) inmovilidad *f*, estabilidad *f*, fijeza *f*. ~의 inmóvil, estable, fijo, firme, inamovible. ~의 신념(信念) fe *f* firme.

■~물 cosa *f* inamovible. ~성 inmovilidad *f*. ~ 심 corazón *m* imperturbable. ~ 자세 posición *f* firme. ¶~를 취하다 ponerse firme, cuadrarse. ~태 estado *m* pasivo.

부동(浮動) ① [떠돌아다님] flotación *f*. ~하다 flotar, ir a flote; [변동하다] fluctuar. ② [진득하지 못하고 들뜸] distracción *f*. ~하다 distraerse.

■~ 구매력 poder *m* adquisitivo flotante. ~성 inestabilidad *f*. ~ 시세 cotización *f* inestable. ~ 인구 población *f* flotante. ~ 주(株) acciones *fpl* flotantes. ~ 투표 voto *m* indeciso. ~ 투표자 votante *m* indeciso, votante *f* indecisa. ~표 voto *m* indeciso.

부동(符同) colusión *f*, connivencia *f*. ~하다 coludir (con), actuar en colusión [connivencia] (con).

부동산(不動産) bienes *mpl* inmuebles, bienes *mpl* raíces, propiedad *f* inmobiliaria, propiedades *fpl*. ~의 inmobiliario. ~을 소유하다 tener bienes inmuebles.

■~ 감가상각비 보험 seguro *m* sobre depreciación de una propiedad. ~ 감정사 experto, -ta *mf* para bienes [en bienes raíces]. ~ 개발(開發) ampliación *f* de la propiedad, desarrollo *m* inmobiliario. ~개발 계획 proyecto *m* de explotación de la propiedad. ~ 거래세(去來稅) impuesto *m* de transacción de bienes inmobiliarios. ~ 금융 financiación *f* de bienes inmobiliarios. ~ 등기 inscripción *f* de bienes raíces. ~ 등기법 ley *f* de inscripción de bienes raíces. ~ 매매 중개인 agente *m* inmobiliario, agente *f* inmobiliaria; *Chi* corredor, -dora *mf* de propiedades. ~ 민사 소송 = 부동산 소송. ~ 보험 =부동산 화재 보험. ~ 보험 업자 asegurador, -dora *mf* de bienes. ~ 보험 회사 aseguradora *f* de bienes. ~ 브로커 corredor *m* inmobiliario, corredora *f* inmobiliaria. ~ 사정(査定) =부동산 평가. ~ 상담역 asesor *m* inmobiliario, asesora *f* inmobiliaria. ~세 impuesto *m* sobre la propiedad inmobiliaria, impuesto *m* sobre [de] bienes inmuebles, contribución *f* territorial (urbana), impuesto *m* predial. ~ 소송 acción *f* inmobiliaria. ~ 소유권 derechos *mpl* de la propiedad. ~ 소유자 propietario, -ria *mf*. ~ 수입 renta *f* de la propiedad. ~ 시장(市場) mercado *m* inmobiliario, mercado *m* de bienes raíces. ~ 신탁 fideicomiso *m* de bienes raíces. ~ 신탁 채권 obligaciones *fpl* de fideicomiso de bienes raíces. ~ 실명제 sistema *m* del nombre real de bienes raíces. ~업(業) negocio *m* inmobiliario. ~업자 promotor *m* inmobiliario, promotora *f* inmobiliria. ~ 용어 =부동산 전문 용어. ~ 은행 banco *m* de bienes raíces, banco *m* inmobiliario. ~ 이득 rendimiento *m* de la propiedad inmobiliaria. ~ 자금(資金) fondos *mpl* inmobiliarios. ~ 저당 금융 crédito *m* hipotecario. ~ 전문 용어 terminología *f* inmobiliaria. ~ 중개 agencia *f* inmobiliaria. ~ 중개 사무소 agencia *f* inmobiliaria, agencia *f* de inmuebles. ~ 중개업법 ley *f* de corretaje de propiedades. ~ 중개인 agente *m* inmobiliario, agente *f* inmobiliaria; corredor *m* inmobiliario, corredora *f* inmobiliaria. ~ 취득세 impuesto *m* de adquisición de bienes raíces. ~ 커미션 comisión *f* inmobiliaria. ~ 컨설턴트 =부동산 상담역. ~ 투기 especulación *f* inmobiliaria. ~ 투기꾼 especulador *m* inmobiliario, especuladora *f* inmobiliaria. ~ 투자 신탁 fideicomiso *m* de inversión de bienes raíces, fideicomiso *m* de inversiones en bienes raíces. ~ 투자 신탁 회사 compañía *f* de inversiones en bienes muebles, consorcio *m* de inversiones inmobiliarias. ~ 투자 회사 =부동산 투자 신탁 회사. ~ 펀드 =부동산 자금. ~ 평가 tasación *f* inmobiliaria. ~ 화재 보험 seguro *m* contra incendios de bienes inmobiliarios. ~ 회사 empresa *f* inmobiliaria, sociedad *f* inmobiliaria, agencia *f* inmobiliaria.

부동액(不凍液) anticongelante *m*.

부동항(不凍港) puerto *m* libre de hielo, puerto *m* que no se hiela.

부두(埠頭) muelle *m*; [선착항] embarcadero *m*, desembarcadero *m*.
◆도착항 ~ 인도 가격 puertos *mpl* en el muelle.
■~꾼 estibador, -dora *mf*. ~ 노동자 estibador, -dora *mf*. ~ 노동 조합 unión *f* de estibadores. ¶전국 ~ la Unión Nacional de Estibadores. ~ 사용료 muellles *mpl*. ~세 muellaje *m*. ~ 인도(引渡) en el muelle, franco muelle, en el embarcadero, sobre embarcadero. ~ 인도 가격 precio *m* fuera de embarcadero, precio *m* en el muelle. ~인부 estibador, -dora *mf*. ~ㅅ가 muelle *m*, embarcadero *m*.

부둑부둑하다 (ser) bastante seco para planchar.

부둑하다 (ser) bastante seco para planchar.

부둥부둥하다 (ser) regordete, gordinflón, rellenito, rechoncho.

부둥키다 sujetar, agarrar, estrechar (entre *sus* brazos. 그녀는 가방을 꽉 부둥켰다 Ella sujetó [agarró] firmemente el bolso. 그는 그녀를 팔로 부둥켰다 El la estrechó entre sus brazos.
부둥켜안다 abrazar, dar*le* un abrazo (a), estrechar en [entre] *sus* brazos; [서로] abrazarse (una a otro). 나는 달려가 그녀를 부둥켜안았다 Yo corrí a estrecharla en [entre] mis brazos / Yo corrí a abrazarla. 두 사람은 부둥켜안고 기뻐했다 Los dos se abrazaron con alborozo. 나는 가슴에 무릎을 부둥켜안았다 Yo me apreté las rodidillas contra el pecho.

부둥팥 ① [아주 굵고 붉은 콩] soja *f* [alubia *f*] roja gorda. ② [여물었으나 덜 말라 부둥부둥한 대로 따 먹는 팥] soja *f* [el haba *f* (*pl* las habas)] roja poco madura.

부드드하다 (ser) tacaño, mezquino, mísero.

부드득 rechinando. ~하다 rechinar. 이를 ~ 갈다 rechinar los dientes. 그는 자면서 이를 ~ 간다 Le rechinan los dientes cuando duerme.
부드득거리다 seguir rechinando.
부드득부드득 siguiendo rechinando.

부드럽다 ① [거칠거나 딱딱하지 않고 무르고 매끈매끈하다] (ser) suave, tierno, blando. 부드럽게 suavemente, con suavidad, tiernamente, blandamente, con blandura. 부드러운 머리카락 cabello *m* suave. 부드러운 방석 colchón *m* (*pl* colchones) tierno. 부드러운 베개 almohada *f* blanda. 부드럽게 말하다 hablar suavemente. 감촉이 부드러운 천이다 Es una tela muy suave. ② [성질이나 태도가 곱고도 순하다] (ser) simpático; [온화하다] pacífico; [우호적이다] amistoso. 부드러운 얼굴 cara *f* afable [simpática]. 부드러운 분위기에서 en una atmósfera acogedora [amistosa].
부드러이 ㉮ [매끈하게] suavemente, con suavidad, tiernamente, con ternura, blandamente, con blandura. ㉯ [순하게] simpáticamente, afablemente, pacíficamente, amistosamente.
부드러워지다 blandear, blandearse, ponerse suave [tierno · blando]..

부드레하다 (ser) algo suave.

부득부득[1] ① [제 고집만 자꾸 부리는 모양] insistentemente, persistentemente, obstinadamente porfiadamente, tercamente, tenazmente. 그는 ~ 가겠다고만 한다 El insiste en que vaya. 나는 의사를 부르라고 ~ 우겼다 Yo insistí en que se llamara a un médico. ② [자꾸 졸라 대는 모양] continuamente. ~ 졸라 대다 fastidiar [hacer rabiar] continuamente.

부득부득[2] ((준말)) =부드득부드득.

부득불(不得不) inevitablemente. ~ …하다 obligar [forzar · compeler] a *uno* a + *inf*. 나는 ~ 늦었다 No pude evitar llegar tarde. 열차는 ~ 연착했다 El tren sufrió el retraso inevitable. 나는 ~ 당신에게 …을 경고한다 Me veo obligado a [en] la obligación de advertirle que …. 그는 ~ 시계를 전당잡혔다 El se vio obligado a empeñar su reloj.

부득요령(不得要領) =요령부득(要領不得).

부득이(不得已) inevitablemente, necesariamente, urgentemente. ~하다 (ser) inevitable, necesario, urgente. ~한 사정으로 por razón inevitable, impelido por las circunstancias.

부들 【식물】 anea *f*, espadaña *f*.

부들부들[1] ① [(춥거나 분하거나 무서워서) 몸을 크게 떠는 모양] temblando, con vibración. ~ 떨다 temblar (de temor), tembletear, tembletear, estremecerse, tiritar, vibrar; [공포로] horripilarse. 추위로 ~ 떨고 있다 estar temblando de frío, estremecerse de frío. 공포(恐怖)에 질려 ~ 떨다 temblar de terror. 놀라 몸을 ~ 떨다 temblar de susto. 그녀는 그 소식을 듣자 ~ 떨었다 Al oír la noticia ella se estremecía. 가엾게도 그 어린애는 추위로 ~ 떨고 있다 El pobre niño tembla de frío.

부들부들[2] [만져서 살갗에 닿는 느낌이 매우 부드러운 모양] suavemente, tiernamente, con ternura. ~하다 (ser) suave, tierno.

부듯하다 quedar apretado [ajustado · ceñido], estar lleno (de). 부듯한 옷 ropa *f* ceñida [ajustada]. 짧고 부듯한 스커트 falda *f* corta y ajustada [ceñida]. 이 스커트는 허리가 매우 ~ Esta falda me queda muy apretada de cintura. 이 구두는 약간 ~ Estos zapatos me aprietan un poco / Me quedan un poco apretados. 나는 배가 부듯해지도록 먹었다 Yo comí hasta la saciedad.
부듯이 firmemente, bien, fuerte, fuertemente, con fuerza. ~ 맞다 quedar ajustado [ceñido].

부등(不等) desigualdad *f*, disparidad *f*.
■~변 삼각형 triángulo *m* escaleno. ~ 부호(符號) signo *m* de desigualdad. ~식

desigualdad *f.* ~호[표] signo *m* de desigualdad.

부등가리 pala *f* de fuego.

부등깃 pelusa *f.*

부디 por favor, tenga la bondad (de + *inf*), hágame el favor (de + *inf*), sírvase (+ *inf*). ~ 되도록 빨리 회답해 주시기 바랍니다 Tenga la bondad de contestarme lo más pronto posible. ~ 잘 부탁합니다 Su servidor de usted / Para server a usted. ~ 건강에 유의하십시오 Tenga mucho cuidado con su salud / Por favor, cuídese bien. ~ 부모님께 안부 전해 주십시오 Dé mis mejores [muchos] recuerdos a sus padres, por favor.

부딪다 chocar (con · contra), topar (con · contra), dar (con), tropezar (con · contra · en); [마주치다] hacer frente (a); [사람과] encontrarse cara a cara (con), tropezar (con). 전봇대에 ~ chocar [topar] con un poste eléctrico. 차가 전봇대에 ~ dar con el coche en el poste. 차가 전봇대에 부딪었다 El coche chocó con el poste (eléctrico). 공이 벽에 부딪어 튕겨 돌아왔다 La pelota rebotó contra la pared. 트럭이 건널목에서 열차와 부딪었다 Un camión chocó con un tren en un paso a nivel. 자동차가 나무에 부딪었다 Un coche chocó contra un árbol.

부딪뜨리다 estrellarse (contra), chocar (contra), tener un accidente (con). 그는 자동차를 부딪뜨렸다 El chocó / El tuvo un accidente con el coche. 배가 바위에 부딪뜨렸다 El barco se estrelló contra las rocas. 그는 그의 차를 앞 차와 부딪뜨렸다 El (iba en el coche) chocó con el coche de delante.

부딪치다 ((힘줌말)) =부딪다.

부딪히다 darse un golpe. 자기의 몸을 ~ lanzarse (contra). 몸을 부딪혀 문을 부수다 forzar una puerta empujando con el cuerpo. 몸으로 부딪혀 큰 사업을 하다 lanzarse arriesgadamente a una gran empresa. 그는 머리를 전봇대에 부딪혔다 El se dio un golpe en la cabeza con el poste / El dio con la cabeza en el poste. 그는 넘어질 때에 땅바닥에 머리를 부딪혔다 Al caerse, él dio [se dio un golpe] con la cabeza en el suelo.

부뚜 estera *f* de paja para aventar.
▪ ~질 aventamiento *m.* ¶~하다 aventar.

부뚜막 fogón *m* (*pl* fogones), hogar *m.*
◆부뚜막의 소금도 집어넣어야 짜다 ((속담)) El que algo quiere, algo le cuesta / No hay miel sin hiel / No hay atajo sin trabajo.

부라리다 mirar furiosamente, echar fuego por los ojos, fulminar a uno con la mirada. 부라리고 con una mirada feroz, con ojos coléricos. 화가 나서 눈을 부라리며 con una mirada de enfado.

부라퀴 gallito *m*, machito *m.*

부락(部落) pueblo *m*, aldea *f*, aldehuela *f*, comunidad *f.*
▪ ~민 habintantes *mpl* [pueblo *m*] de la aldea. ~ 회의 reunión *f* de la aldea.

부란(孵卵) incubación *f*, empolladura *f.*
▪ ~기(器) incubadora *f.* ¶인공(人工) ~ incubadora *f* artificial.

부란(腐爛) putrefacción *f*, descomposición *f.* ~하다 pudrirse, descomponerse.
▪ ~ 시체 cadáver *m* putrefacto [podrido].

부랑(浮浪) vagabundeo *m*, vágabundería *f.* ~하다 vagabundear.
▪ ~배[패 · 패류] cofradía *f.* ~아(兒) golfillo, -lla *mf*, chico, -ca *mf* de la calle, mataperros *m.sing.pl*; vagabundo, -da *mf*; golfo, -fa *mf*; bribón, -bona *mf*; granufa *mf*; *Col* gamín, -mina *mf*; *Andes* palomilla *mf.* ~자 pillo *m*, truhán *m*, canalla *m*, granuja *m*, bribón *m*, rufián *m.* ~자제(子弟) joven *m* vagabundo.

부랴부랴 de prisa, a prisa, a toda prisa, apresuradamente, con mucha prisa, aceleradamente, rápidamente, sin tardar, sin perder tiempo, por ahora, por el momento, de bote y voleo, de momento; [우선] antes que nada. ~ 떠나다 marcharse rápidamente, no tardar mucho en retirarse. ~ 그 일을 하시오 Hágalo a toda prisa. ~ 분할불로 5만 원을 지불했다 Por el momento hice un pago parcial de cincuenta mil wones.

부랴사랴 de prisa, apresuradamente, con mucha prisa. ~ 기차에 올라탔다 Yo tomé el tren de prisa.

부러 =일부러.

부러뜨리다 romper, quebrar, fracturar, partir. 나뭇가지를 ~ romper las ramas.

부러워하다 envidiar, tener envidia. 부러워하는 envidioso. 남이 부러워할 만한 사람 envvidioso, -sa *mf.* 부러워서 바라보다 mirar con (ojos de) envidia, envidiar mucho sin poder hacer nada. 남이 부러워하는 사람은 결코 행복하지 않다 El envidioso nunca es feliz.

부러지다 romperse, quebrarse, fracturarse, partirse. 나[너 · 그 · 우리들 · 너희들 · 그들]는 다리의 뼈가 부러졌다 Se me [te · le · nos · os · les] rompió [quebró · fracturó] una [la] pierna. 내 무게 때문에 나뭇가지가 부러졌다 Se rompió una rama por mi peso. 나는 이가 부러졌다 Se me quebró [desportilló] un diente.

부럽다 (ser) envidioso, envidiable, de envidia, digno de envidia; envidiar, tener celos (de), tener envidia (de); [극도로] comerse de envidia, comerse de envidia. 부러움을 주다 dar envidia. 부러운 시선으로 보다 echar [ver con] una mirada de envidia [envidiosa]. 부러운 얼굴을 하다 poner cara de envidia. 나는 그의 성공이 ~ Envidio [Tengo envidia de] su éxito. 당신이 ~ [usted에게] Le envidio a usted / [tú에게] Te envidio. 정말 당신이 부럽습니다 ¡Cómo le envidio! / ¡Qué envidia! 나는 부자들의

생활을 볼 때도 부럽지 않다 No me entra envidia [No me come la envidia] al ver cómo viven los ricos. 네가 잘 먹는 것을 보면 ~ Me da envidia ver lo bien que comes. 그의 성공은 사람들을 부럽게 했다 La gente le envidió su éxito / Se le envidió por la suerte que ha tenido. 다른 사람의 성공을 부러워할 필요는 없다 No hay que envidiar el [que tener envidia del] éxito de los demás. 그들은 사람들이 부러워하는 결혼을 했다 Ellos se unieron felices en un matrimonio envidiable.
부러이 envidiosamente, con (mucha) envidia.

부레 ① [물고기의 배 속에 있는 공기주머니] vejiga *f* natatoria. ② ((준말)) =부레풀.
◆부레(가) 끓다 ((속어)) estar enojado [enfadado], enojarse [enfadarse · irritarse] mucho.
■~질 pegamento *m* con la cola de pescado. ¶~하다 pegar con la cola de pescado. ~풀 cola *f* de pescado.

부려먹다 ☞부리다[1]

부력(浮力)【물리】fuerza *f* ascensional, presión *f* hacia arriba, flotabilidad *f*.

부력(富力) riqueza *f*, recurso *m*. 나라의 ~ riqueza *f* de la nación. 나라의 ~을 증진하다 acrecentar la riqueza nacional.

부령(部令) decreto *m* [disposición *f*] ministerial.

부로(父老) el mayor de la aldea.

부록(附錄) [신문(新聞) · 별책(別冊)의] suplemento *m*; [책 뒤의] apéndice *m*; [신문에 끼우는] separata *f*. ~ 딸린 잡지 revista *f* con suplementos adjuntos.

부루말 caballo *m* blanco.

부루퉁이 cosa *f* barrigona [barriguda].

부루퉁하다 ① [부어올라서 불룩하다] hincharse las mejillas. ② [불만스러운 빛이 얼굴에 나타나 있다] poner mala cara, estar enfadado [enojado · irritado], dar*le a uno* una rabieta, airarse, enfurruñarse, poner cara larga, mostrarse descontento, mostrarse malhumorado. 부루퉁한 descontento, malhumorado. 부루퉁해서 con rabia, con enojo, arrebatamente. 부루퉁한 얼굴 cara *f* de mal humor, cara *f* de descontento, semblante murrio. 부루퉁해 하다 ponerse de mal humor, ponerse malhumorado, ponerse ofendido. 부루퉁해 있다 estar de mal humor, estar malhumorado, tener cara de pocos amigos.
부루퉁히 con mala cara, de mal humor, malhumoradamente, descontentamente.

부룩소 toro *m* [buey *m*] pequeño.

부룩송아지 ternera *f* [novilla *f*] indomada.

부룬디【지명】Burundi. ~의 burundi, burundés. ~ 사람 burundi *mf*, burundés, -desa *mf*, burundiano, -na *mf*.

부룻 cantiad *f* de un montón.

부룻동 tallo *m* de lechuga.

부류(浮流) flotación *f*. ~하다 flotar.
■~ 기뢰 mina *f* flotante.

부류(部類) clase *f*, orden *m*, grupo *m*, especie *f*, [범주(範疇)] categoría *f*. ~로 나누다 clasificar, catalogar. 같은 [다른] ~에 속하다 ser de [pertenecer a] la misma clasificación [la clasificación diferente].

부르걷다 arremangar. 팔을 부르걷고 con un arremango, arremangándo*se*. 나는 소매를 부르걷었다 Me arremangué.

부르다[1] ① [(말이나 글로) 오라고 하다] llamar, invitar, denominar. 택시를 ~ llamar (a) un taxi; [부탁하다] pedir un taxi. 수리공을 ~ llamar al reparador. 의사를 ~ llamar a un médico. 의사를 부르러 보내다 enviar por el médico. ② [노래를 하다] cantar, cantar una canción. 노래를 ~ cantar una canción. ③ [물건 값을 말하다] pedir. 부른 값 [판매자가] precio *m* pedido (por el vendedor); [손님이] precio *m* ofrecido. 부른 값으로 사다 comprar al precio pedido. 부른 값으로 팔다 vender al precio ofrecido. 터무니없는 값을 ~ pedir un precio exorbitante. ④ [소리를 내어 외치다] gritar, dar un grito. 만세(萬歲)를 ~ vivar, vitorear. ⑤ [일컫다] llamarse. 김이라 부르는 사람 persona *f* llamada [que se llama] Kim. 김이라고 부르는 남자 un hombre llamado [que se llama] Kim. 김이라고 부르는 여자 una mujer llamada [que se llama] Kim. 그는 천재라 불러도 좋다 Se le puede llamar un genio / Se puede decir de él que es un genio.

부르다[2] ① [배 속이 차서 가득하다] estar lleno, estar harto. 나는 배가 ~ Estoy lleno / Estoy harto. ② [사람이나 물건의 배가 불룩하다] tener barriga [panza]; [가방 · 호주머니가] ser repleto; [눈이] ser saltón. 과자로 부른 호주머니 bolsillo *m* repleto con dulces. 그는 배가 ~ El tiene mucha barriga.

부르대다 vociferar, desgañitarse, gritar.

부르르 ① [춥거나 무서워서 갑자기 몸을 움츠리면서 떠는 모양] [추워서] temblando, tiritando; [무서워] temblando; [미리] estremeciéndose. ~ 떨다 temblar, tiritar, estremecerse. 나는 무서워 ~ 떨고 있었다 Yo temblaba de miedo. 내 손[다리]이 ~ 떨었다 Me temblaban las manos [las piernas]. ② [한데 모인 나뭇개비에 불이 붙어 타오르는 모양] ardiendo repentinamente. ③ [좁은 그릇에서 물이 끓어오르는 모양이나 소리] bullendo, hirviendo. ~ 끓는 물 el agua hirviendo. 물이 ~ 끓기 시작했다 El agua empezó a hervir.

부르릉 resoplando. ~하다 resoplar.
부르릉거리다 seguir resoplando.
부르릉부르릉 siguiendo resoplando.

부르심 ((성경)) llamamiento *m*; [동사적] ser llamado.

부르주아(불 *bourgeois*) ① burgués (*pl* burgueses), -guesa *mf*. ~ (근성)의 burgués. ② ((속어)) rico, -ca *mf*.
■~ 계급 burguesía *f*, clase *f* burguesa, clase *f* media. ~ 국가 país *m* burgués. ~

문학 literatura *f* burguesa. ~ 사회 sociedad *f* burguesa. ~ 생활 vida *f* burguesa. ~ 저널리즘 periodismo *m* burgués. ~ 취미 gusto *m* burgués. ~ 혁명 revolución *f* burguesa.

부르주아지(불 *bourgeoisie*) burguesía *f*.

부르쥐다 apretar, cerrar con estrechez.

부르짖다 ① [큰 소리로 외치거나 말하다] gritar, exclamar, vocear, dar voces, chillar, dar un grito, lanzar un grito. ② [어떤 의견이나 주장을 열렬히 말하다] levantar la voz de protesta. 조약 반대를 ~ levantar la voz de protesta contra el tratado. ③ [원통한 사정을 큰 소리로 말하다] reclamar. 무죄를 ~ reclamar su inocencia. ④ ((성경)) rugir, clamar.

부르짖음 grito *m*, exclamación *f*, voceo *m*, vocería *f*, gritería *f*; ((성경)) clamor *m*, rugido *m*.

부르키나파소 【지명】 Burkina Faso (서아프리카의 한 공화국). ~ 사람 voltense *mf*.

부르터나다 filtrarse, ser revelado.

부르트다 ① [살가죽이] ampollarse, levantarse ampollas (en). ② [벌레의 중독으로 살이 도톨도톨하게 부어오르다] hincharse. ③ [성이 나다] enojarse, enfadarse, irritarse.

부름 llamamiento *m*, emplazamiento *m*, citación *f*; ((성경)) [동사적] ser llamado, avisar. ~을 사양치 아니하고 왔노라 ((사도행전 10:29)) Al ser llamado, vine sin replicar / Tan pronto como me avisaron, vine sin poner ninguna objeción.

부름켜 =형성층(形成層).

부릅뜨다 abrir los ojos de par en par, lanzar una mirada feroz [furibunda], fulminar a uno con la mirada feroz. 눈을 부릅뜨고 보다 fulminar con la mirada feroz.

부리[1] ① [새나 일부 짐승의 주둥이] pico *m*. ② [어떤 물건의 끝이 뾰족한 부분] punta *f*, extremidad *f*. 통의 ~ punta *f* [extremidad *f*] de un tubo. 총의 ~ boca *f*. ③ [주전자나 병의 터진 부분] boca *f*. ④ [욕으로, 사람의 입] boca *f*.

■ ~망(網) bozal *m* de vaca hecho de paja.

부리[2] 【민속】 el alma *f* (*pl* las almas) [espíritu *m*] de los antepasados (de una familia).

◆부리(가) 세다 estar bajo la influencia fuerte del espíritu custodio.

부리나케 de prisa, a prisa, a toda prisa, a todo correr, apresuradamente, rápidamente. 그는 ~ 떠났다 Ellos salieron a todo correr / *AmL* Ellos salieron apurados. 그는 ~ 앞으로 걸어갔다 El siguió andando delante sin hacer caso de nadie.

부리다[1] [사람이나 말을] manejar, conducir, gobernar, dirigir; [기구나 기계를] operar; [재주나 꾀 등을] engañar; ((성경)) hacer servir, hacer trabajar. 사람을 부리기란 쉬운 일이 아니다 Es difícil [No es fácil] manejar a las personas.

부려 먹다 hacer trabajar duro, sudar la gota gorda, deslomarse trabajando, no dar ni un minuto de paz. 그들은 나를 부려 먹는다 Ellos no me dan ni un minuto de paz.

부리다[2] ① [(실었던 짐을) 내려놓다] descargar. 배에서 짐을 ~ descargar el barco de carga. 수레에서 짚을 ~ descargar el carro de paja. ② [활시위를 벗겨 놓다] desendordar (el arco).

부리부리하다 [눈이] tener los ojos desorbitados. 부리부리한 눈 ojos *mpl* desorbitados, ojos *mpl* redondos y grandes. 눈을 부리부리하게 뜨다 abrir desmesuradamente los ojos, abrir los ojos de par en par [como patos].

부리이다 ser empleado.

부리잡히다 (el tumor) enconarse y ser de punta aguda.

부린활 arco *m* desencordado.

부림꾼 empleado, -da *mf*; sirviente *mf*.

부림말 【언어】 objeto *m*.

부림소 =일소.

부림자리 【언어】 caso *m* acusativo.

부마(駙馬) ((준말)) =부마도위(駙馬都尉).

부마도위(駙馬都尉) 【역사】 príncipe *m* consorte, hijo *m* político del rey, yerno *m* del rey.

부메랑(영 *boomerang*) bumerang *m*.

부면(部面) plano *m* parcial.

부면장(副面長) vicealcalde, vicealcaldesa *mf*.

부명(父名) nombre *m* de *su* padre.

부명(父命) orden *f* [mandato *m*] de *su* padre.

부명(浮名) ① [나쁜 평판] mala reputación *f*, mala fama *f*. ② [남녀간의 정사(情事)에 관한 소문] rumor *m* sobre los amores (entre hombre y mujer).

부모(父母) los padres, padre y madre. ~의 de los padres, paternal, paterno. ~의 권위(權威) dignidad *f* [autoridad *f*] paterna. ~의 사랑 amor *m* [cariño *m*] paterno [paternal · de los padres]. ~의 신세를 지다 depender de *sus* padres, ser una carga para *sus* padres. 어려서 ~를 잃다 quedarse de huérfano cuando (era) niño. 자식들은 ~의 마음을 모른다 Los hijos desconocen [no conocen] el corazón de sus padres.

■ ~ 구몰(俱沒) Ya murieron sus padres. ¶~하다 morir *sus* padres. ~ 구존(俱存) Viven sus padres. ¶~하다 vivir *sus* padres. ~국(國) patria *f*. ~덕(德) virtud *f* escondida de *sus* padres, gracias *fpl* por *sus* padres. ~산(山) tumba *f* de *sus* padres. ~상(喪) luto *m* de *sus* padres. ~지방(之邦) patria *f*. ~처자(妻子) los padres, esposa y hijos.

부목(副木) ① 【의학】 tablilla *f*. ~을 대다 entablillar (*algo* · a *uno*). 다리에 ~을 대다 entablillar una tablilla, sujetar con tablillas. 그들은 그의 다리에 ~을 댔다 Ellos le entablillaron la pierna. 나는 팔에 ~을 대고 있다 Yo tengo el brazo entablillado. ② 【원예】 rodrigón *m* (*pl* rodrigones).

부문(部門) sección *f*, departamento *m*; [범주(範疇)] categoría *f*, [분야(分野)] campo *m*.

～별로 por secciones; [전문별] por especialidades. 사회 과학의 한 ～ un ramo de las ciencias sociales. 백화점의 양품 ～ sección *f* de camisería en unos almacenes. 열 ～으로 나누다 dividir en diez secciones. 에이 ～에 넣다 clasificar en la categoría de A.

◆생사(生絲) ～ ramo *m* de la seda. 성악(聲樂) ～ sección *f* de música vocal.

■～ 활동 actividad *f* departamentalizada.

부민(府民) habitante *mf* de la ciudad.

■～관(館) sala *f* para los ciudadanos.

부민(浮民) pueblo *m* vagabundo.

부박(浮薄) levedad *f*, frivolidad *f*, trivialidad *f*. ～하다 (ser) leve, frívolo, trivial, hipócrito.

부별(部別) clasificación *f*. ～하다 clasificar.

부보(訃報) ＝부고(訃告).

부보(部譜) 【음악】 parte *f*.

부복(扶伏/扶匐) arrastre *m*, arrastramiento *m*. ～하다 arrastrar, arrastrarse.

부복(俯伏) postración *f*. ～하다 prosternarse (ante), postrarse (ante). 땅에 ～하다 prosternarse en la tierra. 제단(祭壇) 앞에 ～하다 prosternarse (postrarse) ante el altar.

부본(副本) duplicata *f*, duplicado *m*, copia *f*.

부부(夫婦) matrimonio *m*, esposos *mpl*, marido *m* y mujer, cónyuges *mpl*. ～의 matrimonial, conyugal, maridable. ～처럼 maridablemente, como esposos. ～의 금슬(琴瑟) relaciones *fpl* matrimoniales. ～의 애정(愛情) afección *f* conyugal, amor *m* matrimonial. ～의 인연(因緣) lazo *m* [vínculo *m*] matrimonial. 젊은 ～ matrimonio *m* joven. 김 씨 ～ los señores Kim, el señor Kim y su esposa. ～가 되다 casarse (con), contraer matrimonio (con); [두 사람이] casarse. …와 ～의 약속을 하다 prometerse a *uno*, dar *su* palabra de casamiento a *uno*. ～의 인연을 맺다 prometerse en matrimonio, comprometerse matrimonialmente. ～는 서로 닮는다 A tal marido, tal mujer. 그들은 ～ 사이가 좋다 [나쁘다] El matrimonio se lleva bien [mal].

■～간 entre marido y mujer, entre esposos. ～ 공동 재산 bienes *mpl* comunitarios. ～ 관계 relaciones *fpl* matrimoniales. ～성(星) la Altaír y la Vega. ～ 생활 vida *f* matrimonial [conyugal · marital · maridable], vida *f* de los casados, maridaje *m*. ¶～을 하다 maridar, hacer vida mariable. ～을 오래한 부부 viejo matrimonio *m*, pareja *f* que lleva una larga vida matrimonial. 그녀는 십 년 ～을 한 남편과 헤어졌다 Ella se ha separado de su marido con quien había vivido diez años. ～ 싸움 querella *f* [lío *m*] matrimonial, riña *f* conyugal. ¶그들은 ～이 그치지 않는다 Ese matrimonio está siempre de peleas. ～은 칼로 물 베기 ((속담)) Riñen a menudo los amantes, por el gusto de hacer las paces / Los que se aman y riñen hacen pronto las paces / Nada es tan difícil de digerir como la querella matrimonial / La querella matrimonial es fácil de digerir [de aceptar]. ～애 afecto *m* [afección *f*] matrimonial [conyugal], amor *m* [cariño *m*] matrimonial [conyugal], amor *m* entre esposos. ～지약(之約) ＝혼약(婚約). ～지정(之情) afección *f* [amor *m* · cariño *m*] matrimonial [conyugal], amor *m* entre esposos.

부분(部分) parte *f*, porción *f*, sección *f*. 상당한 ～ una buena parte. 어떤 ～은 철로 또 어떤 ～은 나무로 되어 있다 Es en parte de hierro y en parte de madera.

■～ 부정(否定) negación *f* parcial. ～ 분할 segmentación *f* parcial. ～ 사회 sociedad *f* parcial. ～ 색소경[색맹] cromatopsia *f*, acromatopsia *f* parcial. ～식(蝕) eclipse *m* parcial (del sol o de la luna). ～ 월식(月蝕) eclipse *m* lunar parcial. ～ 일식(日蝕) eclipse *m* solar parcial. ～적(的) parcial, regional. ¶～으로 parcialmente, en parte. ～으로는 옳지만 전체적으로는 그렇지 않습니다 Es correcto en parte, pero no lo es en conjunto. ～ 절제 aforesis *f*. ～ 집합 subconjunto *m*. ～ 파업 huelga *f* parcial, *AmL* paro *m* parcial. ～ 편광 polarización *f* parcial. ～품 partes *fpl*, accesorios *mpl*. ～할(割) cuota *f* parcial.

부불(賦拂) pago *m* por plazo; [월부(月賦)] plazo *m* mensual; [일부(日賦)] plazo *m* anual.

부비강(副鼻腔) 【해부】 sinus *mpl* paranasales.

■～염 nasosinuitis *f*, sinusitis *f*.

부빙(浮氷) hielo *m* flotante, masa *f* de hilo flotante; [유빙원] banquisa *f*.

■～군(群) hielo *m* flotante.

부사(府使) 【역사】 gobernador *m*.

부사(副使) 【역사】 vice-enviado *m*.

부사(副詞) 【언어】 adverbio *m*.

■～구 frase *f* adverbial. ～적 adverbial. ¶～으로 adverbialmente. ～적 용법 uso *m* adverbial. ～절 cláusula *f* adverbial.

부사리 toro *m* que tiene la costumbre de acornear.

부사장(副社長) vicepresidente, -ta *mf*.

부산 lo ocupado. ～하다 estar ocupado, ser de mucho movimiento; [부지런하다] afanoso; [시끄럽다] ruidoso.

◆부산(을) 떨다 ir y venir afanosamente (por), ir de aquí para allá, trajinar, bullir. 부산히 [열심히] afanosamente; [시끄럽게] ruidosamente, con mucho ruido. 그들은 모두 ～ 일하고 있었다 Todos trabajaban afanosamente. 그녀는 감사 편지를 ～ 쓰고 있었다 Ella estaba muy ocupada escribiendo sus cartas de agradecimiento.

부산물(副産物) subproducto *m*, producto *m* accesorio, derivado *m*. 석유(石油)와 그 ～ petróleo y derivados.

부삽(-揷) badil *m*, badila *f*, pala *f* de fogón, cogedor *m*. ～으로 불을 뜨다 traspasar brasa con un badil.

부삽하다(浮澁－) [케이크·치즈·흙이] desmenuzarse, desmigajarse; [벽이] desmoronarse; [동맹·민주주의·결정이] desmoronarse, derrumbarse.

부상(父喪) luto *m* de *su* padre.

부상(負傷) herida *f*, lesión *f*. ～(당)하다 herirse, recibir una herida, resultar herido, ser herido, estar herido, lastimarse. ～당한 herido, lesionado, lastimado. 그는 팔을 ～당했다 El recibió una herida en el brazo / El se hirió en el brazo. 그는 발을 ～당했다 El se lastimó una pierna / El se hizo una herida en la pierna. 그 사고로 많은 사람이 ～당했다 Muchos resultaron heridos en el accidente.

■～병 soldado *m* herido. ～자 herido, -da *mf*. ¶ 그 사고로 서른 명의 ～가 발생했다 Treinta personas resultaron heridas en ese accidente.

부상(浮上) ① [물 위로 떠오름] flotación *f*, flote *m*, flotamiento *m*. ～하다 ponerse a flote, subir a la superficie. ② [불우한 처지에 있던 사람이 갑자기 좋은 자리로 올라서는 일] gran éxito *m* repentino, ascenso *m* repentino. ～하다 tener gran éxito repentino, ascender al rango alto repentinamente.

부상(副賞) premio *m* suplementario [subsidiario · extra].

부상(富商) comerciante *m* rico, comerciante *f* rica.

부생(浮生) vida *f* [existencia *f*] pasajera [fugaz · efímera].

부서(父書) [아버지가 편지의 맨 끝에 쓰는 말] tu padre.

부서(府署) ＝관청(官廳). 관아(官衙).

부서(部署) puesto *m* asignado; [해군] apostadero puesto *m*. ～에 취임하다 [앉다] tomar en el [*su*] puesto, ponerse en el [*su*] puesto; [육군] ir a cuartel; [해군] ir a alcázar. ～에 앉아 있다 estar en *su* puesto. ～를 떠나다 alejarse de [dejar] *su* puesto. 자기 ～로! ((구령)) ¡A vuestros puestos!

부서(副書) ＝부본(副本).

부서(副署) refreno *m*, refrendación *f*. ～하다 refrendar.

■～인 refrendario, -ria *mf*.

부서뜨리다 romper, quebrar, quebrantar, facturar, destruir.

부서지다 ① quebrarse, romperse, quebrantarse, fracturarse, destruirse; [붕괴되다] derribarse; [기계 따위가] averiarse, dañarse, destrozarse. 부서진 quebrado, roto, dañado; [고장 난] descompuesto. 거의 부서진 medio roto [quebrantado · ruinoso · descompuesto]. 부서지기 쉬운 quebradizo, frágil, fácil de romperse [de quebrarse], deleznable, delicado. 부서진 물건 objeto *m* roto [quebrado]. 부서지기 쉬운 물건 objeto *m* frágil [quebradizo]. 거의 부서진 집 casa *f* medio rota [arruinada]. 부서져 있다 estar roto [quebrado], estar destrozado. 전화가 부서졌다 El teléfono está descompuesto. 지진으로 집이 부서졌다 Las casas se han destrozado por terremoto. 선반 [카메라]이 부서졌다 Se rompió el estante [la cámara (fotográfica)]. 파도가 해변에 다시 밀려 부서진다 Las olas rompen [estallan] en la playa. ② ((준말)) ＝부스러지다.

부석(斧石) 【광물】 axinita *f*.

부석(浮石) ① 【광물】 ＝속돌. ② ＝채석(採石).

부석부석하다 tener hinchado, abotagarse, abotargarse, hincharse el cuerpo. 부석부석한 abotagado, abotargado, tumefacto, hinchado, túmido. 부석부석한 얼굴 cara *f* abotargada. 눈이 ～ tener hinchados los ojos.

부선(艀船) sampán *m*, gabarra *f*, barcaza *f*, lancha *f*.

■～료(料) pasaje *m* [billete *m*] de sampán.

부선거(副船渠) muelle *m* flotante.

■～ 사용료 precio *m* para transporte por el muelle flotante.

부설(附設) anexión *f*, anexionamiento *m*, accesorio *m*. ～하다 poner, anexar, anexarse, anexionar, anexionarse, adjuntar, acompañar. 호텔 ～ el anexo [el anejo] del hotel.

■～ 도서관 librería *f* aneja [anexa].

부설(浮說) rumor *m* infundado.

부설(敷設) construcción *f*, edificación *f*; [케이블·궤도의] colocación *f*, tendido *m*. ～하다 construir, edificar, colocar, tender. 철도를 ～하다 construir un ferrocarril. 철도의 ～ construcción *f* del ferrocarril.

■～권 derecho *m* de construcción. ～ 기뢰 [수뢰] mina *f* submarina. ～함(艦) minador *m*.

부섬하다(富贍－) la fortuna ser abundante.

부성(父性) paternidad *f*. ～의 paternal, paterno.

■～애 amor *m* [afecto *m* · cariño *m* · afección *f*] paternal, amor *m* [afecto *m* · cariño *m*] paterno.

부성(賦性) ＝품성(稟性).

부성분(副成分) ingrediente *m* accesorio.

부성하다(富盛－) la fortuna ser abundante [acomodado · rico]

부세(浮世) mundo *m* fugaz.

부세(賦稅) impuestos *mpl*, cargas *fpl*, imposición *f* de impuestos. ～하다 gravar, imponer impuesto.

부속(附屬) anexo *m*, anejo *m*, accesorio *m*, afiliación *f*, dependencia *f*. ～하다 pertenecer (a), depender (de). ～의 dependiente, anexo, anejo, accesorio.

■～ 간호 고등 기술 학교 escuela *f* superior anexa de instrucción de enfermemeros. ～ 건물 edificio *m* anexo [anejo]. ～ 건축물 (建築物) anejo *m*, anexo *m*. ～ 고등학교 escuela *f* superior anexa (a). ～ 기관(機關) organización *f* perteneciente (a) [dependiente (de)]; 【생물】 apéndice *m*; 【해부】 órgano *m* accesorio. ¶노동부 ～ organización *f* perteneciente al [dependiente del] Ministerio de Trabajo. ～물 anejo *m*, anexo *m*. ¶병원의 ~ anejo *m* [anexo *m*] del hospital. ~법 ley *f* anexa. ~ 병원 hospital *m* anexo. ¶대학 ~ hospital *m* anexo a la universidad. ~ 서류 anexo *m*, documento *m* anexo. ~ 시설 instalaciones *fpl* anexas. ~실 sala *f* anexa. ~ 영업(營業) negocios *mpl* anexos. ~ 영토(領土) territorio *m* anexado [anexionado · dependiente]. ~ 중학교 escuela *f* primaria anexa (a). ¶대학 ~ escuela *f* secundaria anexa a la universidad. ~ 초등학교 escuela *f* primaria anexa (a). ~품 accesorios *mpl*. ~ 학교 escuela *f* anexa (a).

부속(部屬) sección *f*, división *f*.

부손 paleta *f* para la hoguera doméstica.

부송(付送) envío *m* de los objetos. ~하다 enviar los objetos.

부수(附隨) acompañamiento *m*, anexidades *fpl*, anexo *m*, pertenencia *f*. ~하다 anexar, pertenecer, ser incidente, ser incidental, acompañarse. 계약에 ~하는 요건(要件) obligaciones *fpl* anexas de un contrato. 계획에 ~한 위험 los riesgos que conlleva [acarrea] el plan. 결혼과 그것에 ~된 문제 casamiento *m* y *sus* problemas relacionados. 다소의 위험이 ~하다 acompañarse de algún peligro. 이런 임무는 일에 ~한다 Son responsabilidades que conlleva el trabajo / Son responsabilidades inherentes al trabajo.

■ ~물 fenómeno *m* concomitante; [권리 · 의무 따위의] incidente *m*; 【해부】 colateral *m*. ~ 비용 gastos *mpl* [expensas *fpl*] incidentales, gastos *mpl* imprevistos, expensas *fpl* imprevistas. ~ 사건 incidentes *mpl*, acontecimiento *m* dependiente. ~ 사실 hecho *m* colateral. ~ 서류 documento *m* añadido [agregado]. ~ 음악 música *f* incidental [de acompañamiento]. ~ 이익 ganancia *f* adicional. ~적 anexo, anejo, accesorio, acompañante, perteneciente, incidente; [결과 · 효과의] secundadario; [이익의] adicional; [비용의] imprevisto. ~ 현상 fenómeno *m* concomitante.

부수(負數) 【수학】 =음수(陰數).

부수(部數) número *m* de ejemplares; [인쇄 부수] tirada *f*. 그것은 ~에 제한이 있다 Está limitada la tirada. 이 신문은 방대한 발행 ~를 가지고 있다 Este periódico tiene una enorme tirada.

부수다 romper, quebrar, destruir, quebrantar, fracturar, estropear, demoler, derribar, desbaratar; [기계 따위를] averiar, dañar, destrozar, arruinar. 집을 ~ destruir una casa. 자전거를 ~ estropear una bicicleta. 장난감을 ~ romper un juguete. 적(敵)의 세력을 ~ desbaratar el avance impetuoso de los enemigos.

부수뜨리다 =부스러뜨리다.

부수상(副首相) vice primer ministro *m*, vice primera ministra *f*.

부수수하다 ((준말)) =에부수수하다.

부수 식물(浮水植物) =뜬물식물.

부수입(副收入) gajes *mpl* extras, emolumentos *mpl* extras, ingresos *mpl* adicionales, ingresos *mpl* subsidiarios. ~을 얻다 obtener unos ingresos adicionales.

부숭부숭 ① [잘 말라서 물기가 아주 없는 모양] secamente. ~하다 (estar) seco. ② [얼굴이나 행동이 깨끗하여 아름답고 부드러운 모양] bellamente, hermosamente, limpiamente. ~하다 (ser) hermoso, bello, limpio.

부스대다 no estarse quieto, moverse inquieto. 부스대지 마라 ¡Estáte quieto! 그렇게 부스대지 마라 ¡No seas tan inquieto! 그녀는 의자에서 부스댔다 Ella no se estaba quieta en la silla / Ella se movía quieta en la silla.

부스러기 desperdicios *mpl*, recortes *mpl*, residuos *mpl*, restos *mpl*, desechos *mpl*, basuras *fpl*, virutas *fpl*; [나무나 돌의] astilla *f*; [돌이나 유리의] esquirla *f*.

◆고기 ~ sobras *fpl* de carne. 나무 ~ virutas *fpl* de madera, astilla *f* de palo *m*. 빵 ~ miga *f* de pan. 쇠 ~ virutas *fpl* de metal. 종이 ~ pedacito *m* [trocito *m*] de papel.

부스러뜨리다 [가구를] romper, destrozar; [자동차를] destrozar; [유리를] romper; [빵을] desmigajar; [흙 · 치즈를] desmenuzar; [작은 조각으로] hacer añicos. 산산이 ~ partir en trozos.

부스러지다 romperse; [차량 · 기계가] estropearse, averiarse, *AmL* descomponerse; [유리 · 나무가] hacerse pedazos; [케이크 · 치즈 · 흙이] desmenuzarse; [벽이] desmoronarse. 부스러진 [케이크 · 빵을] que se desmigaja; [치즈가] que se desmenuza fácilmente. 조각조각 부스러졌다 Se hizo añicos / Se rompió en mil pedazos.

부스럭거리다 [종이가] crujir; [나뭇잎이] susurrar. 부스럭거림 [종이가] crujido *m*; [나뭇잎이] susurro *m*. 바람이 나뭇잎을 부스럭거렸다 El viento hacía susurrar las hojas.

부스럭부스럭 siguiendo crujendo, siguiendo susurrando.

부스럼 furúnculo *m*, forúnculo *m*. ~이 잘 생기는 frunculoso.

부스스 ligeramente, suavemente.

부슬부슬[1] [눈이나 비가 가늘고도 성기게 조용히 날려 내리는 모양] suavemente, ligeramente, quietamente. 비가 ~ 내린다 Llovizna / Llueve suavemente.

부슬부슬[2] [덩이를 이룬 가루 따위가] desmenuzadamente.

부슬부슬하다 [빵 · 치즈 · 흙이] desmenuzarse (fácilmente), desmigajarse; [벽이] desmoronarse. 부슬부슬한 빵 pan *m* que se desmigaja. 부슬부슬한 치즈 queso *m* que se desmenuza fácilmente.

부슬비 llovizna *f*. ~가 내리다 lloviznar. 오전에 ~가 내렸다 Lloviznó por la mañana.

부시 metal *m* de golpear el pedazo usado con pedernal para hacer fuego.

◆부시(를) 치다 golpear el fuego, golpear

el pedernal, hacer chispa con metal en pedernal.
■ ~ 쌈지 bolsa *f* de la yesca. ~통 caja *f* de la yesca. ~ㅅ깃 yesca *f.* ~ㅅ돌 piedra *f*, pedernal *m.*

부시다[1] [그릇 따위를 깨끗이 씻다] limpiar(se), fregar. 그릇을 ~ limpiar [fregar] los platos.

부시다[2] [눈부시다] deslumbrar. 헤드라이트 불빛 때문에 눈이 부신다 La luz de los faros me deslumbran.

부시장(副市長) subalcalde, -desa *mf.*

부식(扶植) extensión *f*, establecimiento *m.* ~하다 extender, establecer. 자기의 세력(勢力)을 ~하다 establecer *su* influencia.

부식(副食) ((준말)) =부식물(副食物).
■ ~비[품] gastos *mpl* para alimentos subsidiarios.

부식(腐植) humus *m*, mantillo *m.*
■ ~산(酸) ácido *m* húmico. ~질토(質土) humus *m*, mantillo *m.* ~층 capa *f* húmica. ~토[양토] humus *m*, mantillo *m.*

부식(腐蝕) [유기물의] descomposición *f*, [금속의] corrosión *f*, erosión *f.* ~하다 descomponerse, corroerse, erosionar, corromperse, causticar. ~의 corroyente. ~되는 corrosible. ~시키다 descomponer, corroer, corromper, erosionar.
■ ~ 방지제 inhibidor *m* de corrosión. ~성 lo corrosivo, causticidad *f.* ~ 시험 prueba *f* de corrosión. ~ 작용 acción *f* corrosiva. ~제 corrosivo *m*, cáustico *m.*

부식물(副食物) aderezo *m*, alimentos *mpl* subsidiarios, substancias *fpl* alimenticias subdiarias.

부신(訃信) =부고(訃告).

부신(符信) tarja *f.*

부신(副腎) 【해부】 cápsulas *fpl* suprarrenales, glándulas *fpl* suprarrenales. ~의 suprarrenal.
■ ~염 adrenalitis *f*, epinefritis *f.* ~ 적출술 adrenalectomía *f*, suprarenalectomía *f.* ~ 절제술 epinefrectomía *f.* ~ 정맥(靜脈) vena *f* suprarrenal. ~종 paranefroma *m*, hipernefroma *m*, suprarrenoma *m.* ~ 피질 corteza *f* adrenal. ~ 피질 자극 호르몬 hormón *m* adrenocorticotrópico. ~ 피질종 corticosuprarrenoma *m.* ~ 피질 증식(皮質增殖) adrenocorticohiperplasia *f.* ~ 피질 질환 interrenalopatía *f.* ~ 피질 호르몬 hormón *m* adrenocortical, hormón *m* cortical.

부신경(副神經) 【해부】 nervio *m* accesorio.
■ ~절 ganglio *m* accesorio, paraganglio *m.* ~절종 paraganglioma *m.*

부실(不實) ① [믿음성이 적음] infidelidad *f.* ~하다 (ser) infiel. ② [어떤 일에 성실하지 못함] deslealtad *f.* ~하다 (ser) desleal. ③ [몸이나 마음이 옹골치 못하고 약함] debilidad. ~하다 (ser) débil, de poco vigor, de poca fuerza. ④ [실속이 없고 사물의 내용이 충실하지 못함] perfidia *f*, insolvencia *f.* ~하다 (ser) pérfico, insolvente. 나는 그 ~한 정부가 이행하리라 거의 믿지 않는다 Casi no tengo confianza en el cumplimiento de ese gobierno pérfido. ⑤ [(어떤 것이) 충분치 못함] insuficiencia *f.* ~하다 (ser) insuficiente. ⑥ [살림이 넉넉하지 못함] pobreza *f*, estado *m* del que carece de lo necesario para vivir. ~하다 (ser) pobre, necesitado, apurado, desdichado.
■ ~ 경영 operación *f* insolvente, administración *f* insolvente. ~ 공사 obra *f* fraudulenta. ~ 기업 empresa *f* pérfida, empresa *f* incorrectamente administrada. ~ 기재[기장] asiento *m* falso. ~ 운영 operación *f* insolvente.

부실(副室) concubina *f.*

부심(副審) subárbitro *mf.*

부심(腐心) molestia *f*, labor *f.* ~하다 poner esmero, esforzarse.

부썩 ① [외곬으로 우기는 모양] tercamente. ② [사물이 갑자기 많이 늘거나 주는 모양] rápido, rápidamente. ~ 자라다 crecer rápido.

부아 ① 【해부】 =폐장(肺臟). ② [분한 마음] exasperación *f*, ira *f*, enfado *m*, *AmL* enojo *m.*
◆ 부아(가) 나다 estar exasperado. 부아(를) 내다 enfadarse, irritarse, enojarse.

부앗김 acceso *m* [arrebato *m* · arranque *m*] de ira. ~에 a acceso [arrebato · arranque] de ira.

부앙(俯仰) el alzamiento de la vista y bajamiento de la vista. ~하다 alzar la vista y bajar la vista.

부액(扶腋) =곁부축.

부양(扶養) sostén *m*, sustentación *f.* ~하다 mantener, sostener, criar, alimentar. 가족을 ~하다 mantener a su familia, sostener (a) la familia. 대가족을 ~하다 sostener una familia numerosa.
■ ~가족 familia *f* que mantener. ¶~이 있다 tener una familia que mantener. ~ 가족 공제 deducción *f* familiar. ~가족 수당 subsidio *m* familiar. ~비[료] pensión *f* alimenticia. ¶~를 지불하다 pagar una pensión alimenticia. ~ 의무(義務) deber *m* [obligación *f*] de sostener [mantener · sustentar] la familia. ~자 sostenedor, -dora *mf.* ~책 medida *f* de sostener (la familia). ~ 책임자 persona *f* responsable de sostener la familia.

부양(浮揚) flote *m*, flotación *f.* ~하다 flotar.
■ ~기(器) [침몰선 인양의] pontón *m* (*pl* pontones). ~력(力) flotabilidad *f.* ~성(性) flotabilidad *f.* ~ 작업 operación *f* de rescate, operación *f* de salvamento.

부어 만들다 acuñar. 화폐(貨幣)를 ~ acuñar moneda.

부언(附言) observación *f* adicional, posdata *f.*

부언(浮言) =부설(浮說).
■ ~유설(流說)[낭설(浪說)] =유언비어(流言蜚語).

부얼부얼하다 (ser) gordo, rechoncho, gordezuelo, gordiflón.

부업(父業) ① [아버지의 직업] profesión *f*

[ocupación *f*] de *su* padre. ② [대대로 내려오며 영위하는 직업] profesión *f* de generación en generación.

부업(副業) segundo empleo *m*, negocio *m* secundario [auxiliar]; [특히 야간의] pluriempleo *m*. ~을 하다 tener un segundo empleo, estar pluriempleado. (본업 외에) ~을 가진 사람 pluriempleado, -da *mf*. 그는 택시 기사로 ~을 하고 있다 El trabaja además como taxista. 이 농부는 ~으로 소를 사육하고 있다 Este labrador cría vacas como negocio secundario.

부엉 ululato *m*, grito *m*.

부엉부엉 ululato *m*. ~ 울다 ulular.

부엉이 【조류】 búho *m*, úlula *f*, *Méj* tecolote *m*. ~가 운다 El búho ulula.

■ ~셈 cálculo *m* estúpido.

부엌 cocina *f*, [아파트 등의 간이 부엌] kitchenette *f*, *Méj* cocineta *f*.

■ ~데기 cocinera *f*. ~문 puerta *f* de la cocina. ~바닥 suelo *m* de la cocina. ~비 escoba *f* para la cocina. ~ 설비 módulo *m* de cocina. ~ 세간(世間) utensilios *mpl* para [de] cocina, artículos *mpl* [batería *f*] de cocina. ~ 싱크대 fregadero *m*, *Andes* lavaplatos *m.sing.pl*, *RPl* pileta *f*. ~일 trabajo *m* de cocina. ~ 찬장 armario *m* de cocina. ~칼 cuchillo *m* para la cocina.

부에노스아이레스 【지명】 Buenos Aires (아르헨띠나의 수도). ~의 bonaerense, porteño. ~ 사람 porteño, -ña *mf*, bonaerense *mf*.

부여(附與) otorgamiento *m*. ~하다 otorgar, dar, conceder, conferir. 칭호를 ~하다 investir con un título. 특권(特權)을 ~하다 otorgar un privilegio, privilegiar. …하는 권리를 ~하다 dar el derecho a + *inf*, conferir el grado de + *inf*.

◆ 대리권 ~ otorgamiento *m* de poder general.

부여(賦與) dote *m*, dotación *f*. ~하다 dotar. 그는 음악적 재능을 ~받고 있다 El está dotado del talento musical. 우리들에게는 양심이 ~되어 있다 Todos somos de la conciencia.

부여안다 abrazar con los brazos.

부여잡다 agarrar fuerte.

부역(附逆) complicidad *f* en traición. ~하다 vender *su* país al enemigo

■ ~자(者) traidor, -dora *mf*. ~ 행위(行爲) traición *f*.

부역(賦役) labor *f* obligatoria, servicio *m* obligatorio, trabajo *m* de los esclavos. ~으로 건설된 도로 carreteras *fpl* construidas con el trabajo de los esclavos. ~을 과하다 imponer el trabajo de los esclavos.

■ ~민 negrero, -ra *mf*.

부연(敷衍) ampliación *f*, difusión *f*, desarrollo *m*, agrandamiento *m*, ensanchamiento *m*. ~하다 ampliar, amplificar, dilatar, agrandar, desarrollar, ensanchar.

부연(敷演) =부연(敷衍).

부엽토(腐葉土) humus *m*, mantillo *m*.

부영사(副領事) vicecónsul, -la *mf*.

부영이 ① [선명하지 않은 부연 빛] color *m* lechoso [perlado]. ② [털빛이 부연 짐승] animal *m* perlado.

부옇다 (ser) empañado, neblinoso, brumoso, perlado, nacarado. 살결이 ~ tener la tez perlada. 안개가 ~ La niebla es pesada. 먼지로 하늘이 ~ El cielo es brumoso con polvo. 안개 속에 남산이 부옇게 보였다 Nosotros pudimos ver el Monte de Namsan débilmente a través de la neblina [la bruma].

부예지다 hacerse neblinoso [brumoso · borroso], desdibujarse. 나는 지독한 근시이므로 안경을 벗으면 모든 것이 부예진다 Como yo soy miope [corto de vista], todo se hace borroso cuando yo me pongo las gafas.

부왕(父王) [왕자나 공주가 자기의 아버지인 「임금」을 이르는 말] rey *m*.

부왕(夫王) [왕비가 자기의 남편인 「임금」을 이르는 말] rey *m*.

부외(部外) parte *f* de fuera, exterior *m*. ~의 원조 (援助) ayuda *f* de la parte de fuera.

■ ~자(者) persona *f* de fuera; público, -ca *mf*. ¶상황에 대한 ~의 견해 opinión *f* de alguien ajeno a la situación. ~자 출입 금지 ((게시)) Prohibido al público.

부용(芙蓉) ① 【식물】 malva *f*, malvaceas *fpl*. ② =연꽃.

부운(浮雲) nube *f* flotante, nube *f* errante, vagabundería *f*.

부원(部員) miembro *mf* de un club, miembro *mf* en plantilla, personal *m*.

◆ 요트 ~ miembro *mf* del club de yate. 편집 ~ personal *m* editorial.

부원(富源) recurso *m* natural, procedencia *f* de riqueza. 무진장한 ~ mina *f* inagotable de riqueza. ~을 개발하다 explotar recursos naturales.

부원장(副院長) subdirector, -ra *mf*.

부월(斧鉞) ① [작은 도끼와 큰 도끼] el hacha *f* (*pl* las hachas) pequeña y el hacha grande. ② =정벌(征伐). 중형(重刑). ③ [나무 도끼] el hacha *f* (*pl* las hachas) de madera.

부위(部位) región *f*, parte *f*.

◆ 심장(心臟) ~ región *f* del corazón.

부위원장(副委員長) vicepresidente, -ta *mf* (de la comisión).

부유(浮游/浮遊) ① [공중이나 물 위로 떠다님] flote *m*, flotación *f*. ~하다 flotar, sobrenadar. ② [갈 곳을 정하지 아니하고 이리저리 떠돌아님] vagabundeo *m*, vagabundería *f*. ~하다 vagabundear.

■ ~ 기뢰 mina *f* flotante. ~ 동물 animal *m* flotante. ~물 objeto *m* flotante. ~ 생물 plancton *m*, plankton *m*. ~ 식물 plantas *fpl* flotantes.

부유(富裕) riqueza *f*, opulencia *f*, abundancia *f*, prosperidad *f*. ~하다 (ser) rico, adinerado, caudaloso, acaudalado, acomodado, opulento. ~한 사람 persona *f* adinerada.

~하게 살다 (ser) adinerado, acomodado, vivir en la abundancia, vivir en circunstancias fáciles. ~하게 태어나다 nacer para (ser) rico, ser de rico, nacer en una familia rica.
■ ~층(層) clases *fpl* acaudaladas.

부유(蜉蝣) 【곤충】 =하루살이.
■ ~인생(人生) vida *f* efímera.

부유(腐儒) pedante *mf*, doctrinario, -ria *mf*, erudito *m* vano, erudita *f* vana.

부유스름하다 (ser) algo perlado [neblinoso · brumoso · lechoso].

부육(腐肉) [썩은 고기] carne *f* podrida, carne *f* corrompida; [동물 시체의] carroña *f*. ~을 먹는 동물 carroñero, -ra *mf*. ~을 먹는 새 carroñero, -ra *mf*. ~ 까마귀 corneja *f*.

부윤(府尹) 【고제도】 alcalde *m*.

부음(訃音) noticia *f* de la muerte. ~에 접하다 recibir noticia de la muerte, oír de *su* muerte.

부읍장(副邑長) subalcalde, -desa *mf*.

부응(副應) correspondencia *f*. ~하다 corresponder. 기대에 ~하다 corresponder a la expectación.

부의(賻儀) donativo *m* que se hace a la familia de un difunto, obsequio *m* obituario, regalo *m* hecho para manifestar pésame. ~하다 donar dinero a la familia de un difunto.
■ ~금[전] donación *f* para los gastos funerales.

부의장(副議長) vicepresidente, -ta *mf*.

부이(영 *bouy*) ① =낚시찌. ② [헤엄칠 때 쓰는 부낭(浮囊)] boya *f*, [항로 표시] baliza *f*. ③ [계선 부표(繫船浮標)] boya *f* de anclaje.
◆ 구명(救命) ~ boya *f* salvavidas.

부익(扶翼) ① =부조(扶助). ② [덮어 감추어 줌] refugio *m*, protección *f*.

부익(副翼) 【항공】 alerón *m* (*pl* alerones).

부익부(富益富) El rico se hace más rico.
■ ~ 빈익빈(貧益貧) El rico se hace más rico y el pobre se hace más pobre.

부인(夫人) ① [남의 아내를 높이어 이르는 말] su esposa, su señora. ② [신분이나 지위가 높은 사람의 아내] su señora. ~을 동반하여 en compañía de su esposa, acompañado de su señora. 사장 및 사장 ~ el señor presidente y su señora. 이씨 ~ señora *f* (de) Lee.

부인(否認) negación *f*, denegación *f*, negativa *f*, desmentida *f*. ~하다 negar, denegar, desmentir. 죄상(罪狀)을 ~하다 negar el delito. 베드로는 예수를 세 번 ~했다 Pedro negó a Jesús tres veces.
■ ~권(權) derecho *m* de [al] veto.

부인(婦人) señora *f*, [여자] mujer *f*, [귀부인] dama *f*, [집합적] bello sexo *m*. ~의 femenino. ~들께서는 무엇을 드시겠습니까? ¿Qué quieren tomar las señoras?
◆ 중년(中年) ~ matrona *f*. 중년 ~의 matronil, con aspecto de matrona.
■ ~ 공포증 ginefobia *f*. ~과 ginecología *f*. ~과 동통론(科疼痛論) dolorogia *f* ginecológica. ~과 의사 ginecólogo, -ga *mf*. ~과 치료학 ginecoiatría *f*. ~과학 ginecología *f*. ~모(帽) gorro *m* para mujeres. ~ 문제 problema *m* de mujeres. ~병 ginecopatía *f*, enfermedad *f* de la mujer, enfermedad *f* propia de mujeres. ~ 병원 hospital *m* de [para] mujeres. ~병 전문의 ginecologista *mf*, ginecólogo, -ga *mf*. ~병 치료학 ginecátrica *f*. ~복 ropa *f* [vestido *m* · traje *m*] de señoras [de mujeres]. ~복점 casa *f* de modas, tienda *f* de confección para señoras, boutique *m*. ~석 asientos *mpl* para [de] mujeres. ~ 성기 형성술 gineplástica *f*. ~용(用) [화장실 등에서] Damas. ¶~의 para mujeres, de mujer(es). ~ 운동 movimiento *m* para mujeres. ~의(醫) ginecólogo, -ga *mf*. ~ 잡지 revista *f* femenina. ~ 정치 ginecocracia *f*. ~ 참정권 sufragio *m* femenino, sufragismo *m*. ~ 해방 emancipación *f* [liberación *f*] de las mujeres. ~ 해방론(解放論) feminismo *m*. ~ 해방론자 feminista *mf*. ~형 유방증 ginecomastismo *m*. ~회 asociación *f* de mujeres.

부임(赴任) partida *f* a *su* puesto. ~하다 partir para *su* puesto. 그는 과장으로 종로 지점에 ~했다 El marchó a la sucursal de Chonro para asumir su cargo como jefe de sección.
■ ~지(地) *su* nuevo puesto.

부자(父子) padre *m* e hijo. ~의 연(緣) relación *f* entre padre e hijo. ~의 연을 끊다 repudiar a *su* hijo.
■ ~간 relación *f* filial, padre e hijo; [부사적] entre padre e hijo. ~ 관계 filiación *f*. ~유친(有親) Habría afecto en la razón entre padre e hijo. ~ 형제 padre, hijo y hermanos.

부자(夫子) ① ((높임말)) maestro *m*. ② ((높임말)) mi esposo. ③ ((높임말)) [공자] Confucio, Kong-Fu-Tse. ④ =저분, 귀하(貴下). ⑤ =장상(將上).

부자(富者) rico, -ca *mf*, millonario, -ria *mf*, persona *f* rica [adinerada · caudalosa · opulenta], hombre *m* rico, hombre *m* de fortuna. ~가 되다 enriquecer(se), hacerse rico, engordar(se). ~ㅅ집 familia *f* rica, casa *f* del hombre rico. ¶~에서 태어나다 nacer en una familia rica.

부자연(不自然) artificialidad *f*, falta *f* de naturalidad. ~하다 (ser) poco natural, forzado, artificial.
부자연스럽다 (ser) contranatural, innatural, artificial, afectado, forzado.
부자연스레 contranaturalmente, artificialmente.

부자유(不自由) inconveniencia *f*, incomodidad *f*, falta *f* de libertad, restricción *f*. ~하다 no ser libre, (ser) restringido, limitado, inconveniente, incómodo. 몸이 ~한 사람 persona *f* discapacitada [minusválida].
부자유스럽다 (ser) poco natural, innatural, inconveniente, incómodo; [불구의] paralíti-

co; [인위적인] artificial. 부자유스런 미소(微笑) sonrisa *f* forzada. 부자유스런 자세(姿勢) postura *f* innatural. 부자유스럼을 참다 aguantar [soportar] inconveniencias. 몸이 ~ (ser) impotente; [마비(痲痺)] paralizado. 오른손이 부자유스럽게 되다 perder el uso de la mano derecha. 그 연기(演技)는 ~ Es poco natural esa interpretación.

부자재(副資材) materiales *mpl* subsidiarios.

부자지 el testículo y el pene.

부작용(副作用) reacción *f*, efectos secundarios. ~이 없는 inocuo. ~이 있다 tener efectos secundarios. 위(胃)에 ~을 일으키다 tener mal efecto al estómago.

부작위(不作爲) paciencia *f*, tolerancia *f*, omisión *f*, supresión *f*.

부잔교(浮棧橋) muelle *m* [embarcadero *m*] flotante.

부장(附葬) =합장(合葬).

부장(部長) director, -tora *mf* (de departamento); jefe, -fa *mf*.

◆간호 ~ enfermero *m* jefe, enfermera *f* jefa.

■~ 검사(檢事) fiscal *mf* jefe de(l) departamento. ~ 판사 juez *mf* jefe de sala.

부장(副長) subcomandante *m*.

부장(副將) subcapitán *m*.

부장(副葬) entierro *m* con accesorios.

■~품[물] artículos *mpl* enterrados en una tumba, accesorios *mpl* funerarios.

부재(不在) ausencia *f*. ~하다 estar ausente. 정치(政治)의 ~ ausencia *f* de una política verdadera.

■~자 absentista *mf*, ausentado, -da *mf*; ausente *mf*; el que permanece ausente. ~자 투표 voto *m* del que permanece ausente. ~중 duración *f* de *su* ausencia. ¶~에 en [durante] *su* ausencia. ~ 증명 =알리바이. ~ 지주(地主) propietario, -ria *mf* absentista [ausentisa · no residente]. ~ 지주 제도 absentismo *m*. ~ 투표 voto *m* anticipado por razón de ausencia. ¶~를 하다 votar antes de la fecha por razón de ausencia.

부적(不適) ((준말)) =부적당(不適當).

부적(符籍) amuleto *m*, talismán *m* (*pl* talismanes); [말 · 술] conjuro *m*, exorcismo *m*; [미개인의] fetiche *m*. 금은 최고의 ~이다 El oro es el mejor talismán.

부적격(不適格) no aptitud *f*. ~하다 (ser) no apto.

■~자 no apto *m*. ¶~로 판정되다 ser juzgado no apto.

부적당(不適當) impropiedad *f*, ineptitud *f*. ~하다 (ser) inadecuado, impropio, inconveniente, inepto. 이 예문(例文)은 ~하다 Este ejemplo no es adecuado. 그녀는 경리로는 ~하다 Ella es inepto para la contaduría. 이런 장소에 넥타이를 매고 오기는 ~하다 No resulta apropiado [No hace al caso] que venga aquí con corbata.

부적임(不適任) impropiedad *f*, indignidad *f*, incongruencia *f*. ~하다 (ser) impropio, indigno, incongruente. 그는 그 지위에 ~하다 Ese puesto no le viene bien / No es apto para ese cargo. 클럽을 통솔하기에 ~한 남자다 No es apto para dirigir el club.

부적하다(不適−) ((준말)) =부적당하다.

부전 ① [계집아이들의 노리개의 하나] jirones *mpl* bordados de colores muy vistosos, que se ponen enfrente del vestido de los niños. ② 【음악】 =조이개.

부전(不全) ametrohemia *f*. ~의 incompleto.

■~증 incompetencia *f*, insuficiencia *f*, ineptitud *f*. ~ 환자 incompetente *mf*.

부전(不戰) renunciación *f* a la guerra.

■~승 victoria *f* por la no comparecencia del contrincante, un tanto ganado sin luchar [jugar]. ¶~하다 ganar un tanto sin luchar [jugar], hacer una meta. ~조약 pacto *m* de renunciación a la guerra, convenio *m* [pacto *m* · tratado *m*] de antiguerra.

부전(附箋) tira *f* de papel pegado, marbrete *m*, rótulo *m*, etiqueta *f*. ~을 붙이다 poner [pegar] un marbete [una etiqueta] (a). ~을 붙여서 보내다 enviar (una carta) con una tira de papel pegado en que pone notas.

■~지(紙) =부전(附箋).

부전자승(父傳子承) =부전자전(父傳子傳).

부전자전(父傳子傳) De tal palo, tal astillo / De tal padre, tal hijo / *Méj* De tal jarro, tal tepalcate.

부절(不絶) sin interrupción *f*, continuación *f*, continuidad *f*. ~하다 (ser) incesante, ininterrumpido, constante, continuo. 부절히 incesantemente, sin cesar, continuamente.

부절따말 caballo *m* rojo con crines negros.

부절제(不節制) intemperancia *f*, excesos *mpl*, inmoderación *f*, incontinencia *f*. ~하다 (ser) intemperante, inmoderado, incontinente. 그는 ~한 생활을 하고 있다 El vive [lleva] una vida intemperante. 그는 ~로 건강을 해쳤다 Los excesos han arruinado su salud. 그렇게 ~하면 그는 몸을 망가뜨릴 것이다 El pagará con su salud esos excesos.

부점(附點) 【음악】 ① =음표점(音標點). ② =스타카토(staccato).

■~ 음표 nota *f* de puntos.

부접(附接) ① [남이 따를 수 있는 성질이나 태도] carácter *m* [atitud *f*] que el otro obedece. ② [남에게 의지함] dependencia *f* al otro.

◆부접(을) 못하다 ㉮ [가까이 사귀거나 접촉하지 못하다] no andar compañía (de), no conectar cerca. ㉯ [한곳에 붙어 배기지 못하다] no poder soportar [aguantar]. 시어머니 구박에 며느리가 부접(을) 못했다 El tratamiento duro [severo] por su suegra fue más de lo que ella pudo aguantar.

부젓가락 tenazas *fpl* [varillas *fpl*] para coger el fuego.

부정(不正) injusticia *f*, iniquidad *f*, maldad *f*,

[비합법성] ilegalidad *f*, ilegitimidad *f*, ilicitud *f*. ～하다 (ser) injusto, inicuo, malvado, ilegal, ilegítimo, ilícito; [부정직하다] deshonesto. ～하게 injustamente, ilegalmente, ilegítimamente, ilícitamente. ～한 돈 dinero *m* mal adquirido. ～한 수단으로 por medidas ilegales. ～을 저지르다 cometer un acto injusto, conducirse ilegalmente, hacer una cosa deshonesta. ～하게 얻은 재물은 오래가지 못한다 Dinero mal adquirido nunca medra / Bienes mal adquiridos a nadie han enriquecido.

■～ 거래 negocio *m* ilegal. ～ 경쟁 competencia *f* desleal. ～ 경쟁 방지법 ley *f* de prevención de competencias desleales. ～ 공무원 funcionario *m* público corrupto. ～ 공사 construcción *f* [obra *f*] fraudulenta. ～ 대부 préstamo *m* ilegal. ～ 부패 irregularidades *fpl* y corrupción. ～ 사건 escándalo *m*; [수회(收賄)] caso *m* de soborno [cohecho · corrupción]. ～ 선거 elección *f* amañada [trinqueteada]. ～ 수단 medio *m* fraudulento [deshonesto]. ～ 수표 단속법 ley *f* de represión contra cheques protestados. ～ 이득 ganancia *f* ilícita. ～ 축재 riqueza *f* amasada ilícita. ～ 축재자 poseedor, -dora *mf* de riqueza amasada ilícita; especulador *m* ilícito, especuladora *f* ilícita. ～ 축재 특별 처리법 ley *f* especial de riqueza amasada ilícita. ～ 투표 voto *m* deshonesto [ilegal]. ～품(品) artículo *m* fraudulento. ～ 행위 acto *m* deshonesto [ímprobo], irregularidad *f*, conducta *f* ilegal. ¶시험에서 ～를 하다 cometer fraude [engañar · hacer trampas] en el examen.

부정(不定) lo indefinido, lo indeterminado. ～의 indefinido, indeterminado. 수입이 ～이다 tener ingresos irregulares.

■～ 계수(係數) coeficiente *m* indeterminado. ～ 관사 artículo *m* indefinido [indeterminado]. ～ 대명사 pronombre *m* indefinido. ～ 방정식 ecuación *f* indeterminada. ～ 법 modo *m* infinitivo. ～ 부사 adverbio *m* indefinido. ～사(詞) infinitivo *m*. ～수(數) número *m* indefinido. ～ 적분 integral *m* indefinido. ～형(形) forma *f* indeterminada. ～형시(形詩) verso *m* libre.

부정(不貞) infidelidad *f*, liviandad *f*, incontinencia *f*, deshonra *f*, impudicia *f*. ～하다 (ser) impúdico, deshonrado, incontinente, infiel, liviano, ligero. ～한 남자 hombre *m* infiel. ～한 여자 mujer *f* liviana [liegera]. ～한 짓을 하다 tener amoríos (con). 그는 절대로 ～한 짓을 하지 않는다 El es incapaz de ser [Nunca será] infiel a su mujer.

부정(不淨) impureza *f*, inmundicia *f*, desaseo *m*, suciedad *f*, cosa *f* impura. ～하다 (ser) sucio, impuro, inmundo, desaseado, puerco, asqueroso, zaparrastroso.

부정히 suciamente, impuramente, con suciedad, con impureza.

◆부정(을) 보다 ver el acontecimiento impuro durante la purificación. 부정(을) 치다 actuar el exorcismo de chamán. 부정(을) 타다 sufrir del resultado maligno del rompimiento del tabú de impureza. 부정(이) 나다 ocurrir el acontecimiento impuro.

부정(父情) cariño *m* [amor *m* · afecto *m*] paternal [paterno · de padre].

부정(否定) negación *f*, negativa *f*. ～하다 negar, rehusar, denegar, desmentir. …하는 것은 ～할 수 없다 Es innegable que + *ind*. 그는 그 집에 갔던 것을 ～했다 El negó haber ido a esa casa. 정부는 그 보도를 ～했다 El gobierno ha desmentido esa información. 나도 문제의 곤란함을 ～하지 않는다 Yo no niego que es [sea] difícil.

■～ 개념 concepto *m* negativo. ～ 명제 proposición *f* negativa. ～문 oración *f* negativa. ～의 부정(否定) negación *f* de la negación. ～적 negativo *adj*. ¶～으로 negativamente. ～인 대답을 하다 dar una respuesta negativa, responder negativamente. ～인 태도를 취하다 tomar una actitud negativa. ～ 판단 juicio *m* negativo.

부정규(不正規) lo irregular. ～의 irregular.

■～군 tropas *fpl* irregulares. ～병 soldado *m* irregular.

부정기(不定期) falta *f* de periodicidad, irregularidad *f*. ～의 no periódico, irregular.

■～선(船) barco *m* [buque *m*] de servicio irregular. ～ 열차 tren *m* extra. ～편 servicio *m* irregular; [항공편] vuelo *m* irregular. ～ 항로(航路) línea *f* irregular, navegación *f* irregular.

부정당(不正當) injusticia *f*. ～하다 (ser) injusto.

부정맥(不整脈) 【해부】 arritmia *f*, pulso *m* irregular.

부정직(不正直) deshonestidad *f*, deshonradez *f*, improbidad *f*. ～하다 (ser) deshonesto, deshonrado, improbo. ～한 여인 mujer *f* deshonesta.

부정확(不正確) inexactitud *f*, imprecisión *f*. ～하다 (ser) inexacto, incorrecto, infiel, incierto. 이 지도는 매우 ～하다 Este mapa es muy inexacta.

부제(副題) subtítulo *m*. ～를 붙이다 poner un subtítulo. 「한국사(韓國史)의 한 측면(側面)」이라는 ～의 책 un libro con el subtítulo de *Un aspecto de la historia de Corea*.

부제목(副題目) ＝부제(副題).

부제사장(副祭司長) ((성경)) segundo sacerdote *m*, sacerdote *m* que le sigue al sumo sacerdote en dignidad.

부조(父祖) padre *m* y abuelo, antepasados *mpl*, abuelos *mpl*. ～ 전래(傳來)의 de un antepasado.

부조(不調) mala condición *f*, desorden *m*, irregularidad *f*. ～하다 (ser) desfavorable, poco propicio, irregular, estar en mala condición.

부조(扶助) ayuda *f*, asistencia *f*, auxilio *m*; [구원(救援)] socorro *m*. ～하다 ayudar, auxiliar, prestar auxilio (a), socorrer. ～를

받다 recibir asistencia.

■ ~금 fondo *m* de auxilio, viudedad *f*.

부조(浮彫) 【미술】 relieve *m*, escultura *f* en relieve.

◆반(半)~ medio relieve *m*.

부조리(不條理) ① [조리가 서지 아니함 · 도리에 맞지 아니함] sinrazón *f*, despropósito *m*, irracionalidad *f*, absurdidad *f*, injusticia *f*. ~하다 (ser) irrazonable, desrazonable, irracional, absurdo, injusto. ② 【철학】 filosofía *f* del absurdo.

부조종사(副操縱士) copiloto *mf*; piloto *mf* ayudante.

부조화(不調和) falta *f* de armonía, discordancia *f*, disonancia *f*. ~하다 (ser) discordante, sin armonía, inarmónico, disonante.

부족(不足) falta *f*, carencia *f*, escasez *f*, deficiencia *f*, insuficiencia *f*, carestía *f*. ~하다 escasear, faltar*le* a *uno*, carecer, no tener. ~한 deficiente, falto, insuficiente, escaso. ~한 봉급 sueldo *m* [salario *m*] escaso. ~한 자원(資源) recursos *mpl* insuficientes. ~한 음식 comida *f* escasa. 달러의 ~ escasez *f* de dólares. 교사(教師)의 ~ falta *f* de profesores [de maestros]. 노동력의 ~ escasez *f* de mano de obra. 물건의 ~ escasez *f* de géneros [de mercaderías]. 석유의 ~ escasez *f* de petróleo. 수면(睡眠)의 ~ falta *f* de sueño. 수송력의 ~ deficiencia *f* de los transportes. 외화(外貨)의 ~ escasez *f* de divisas. 인력(人力)의 ~ escasez *f* de personal. 자금(資金)의 ~ falta *f* de recursos. 자원(資源)의 ~ falta *f* [carencia *f*] de recursos. 전력(電力)의 ~ escasez *f* de la energía eléctrica. 주택의 ~ falta *f* de vivienda. 주택의 ~ 문제 problema *m* de la falta de vivienda. …이 ~하다 carecer de *algo*, faltar a *uno*, hacer falta a *uno*. 돈이 ~하다 faltar dinero, estar escaso de dinero. 아무런 ~ 없이 생활하다 vivir cómodamente [con desahogo · con holgura], llevar una vida holgada. 아르바이트로 수입의 ~을 보충하다 suplir la falta de ingresos echando horas. 흥미가 ~한 것은 아니지만 … No es que haya [que falte] interés, pero … / No es que haya falta de interés, pero …. 양(量)이 ~하다 Falta (la) cantidad. 고기가 ~하다 La carne está escasa. 천 원이 ~하다 Faltan mil wones. 그는 경험이 ~하다 El carece de experiencia. 나[너 · 그 · 우리들 · 너희들 · 그들]는 재능이 ~하다 Me [Te · Le · Nos · Os · Les] falta talento. 나는 독창력이 ~하다 Me falta originalidad / Carezco de originalidad / No tengo originalidad. 그는 열정(熱情)이 ~하다 Le falta entusiasmo. 우리는 식량이 ~하다 Nos faltan los víveres. 한국은 자원(資源)이 ~ Corea no abunda en recursos naturales. 금년은 곡물이 ~했다 Este año ha sido escaso en cereales. 종이 ~ 현상이 있을 것이다 Habrá carestía del papel. 금년에는 감자가 ~하다 Este año escasean las patatas. 만 원에서 오백 원이 ~하다 Faltan quinientos wones para diez mil wones. 요즈음 국내에는 가솔린이 ~하다 Estos días escasea la gasolina. 인력이 굉장히 ~하다 Hay una gran escasez de mano de obra. 그들은 아무것도 ~한 것이 없다 No les falta nada / Ellos no carecen de nada. 자료의 ~은 나에게 이런 연구를 불가능하게 한다 La carencia de datos me imposibilita estos estudios. 주택 ~은 이 도시에서 큰 문제다 La falta de vivienda es un gran problema en esta ciudad / El número de personas sin hogar [sin techo] constituye un gran problema en esta ciudad.

■ ~ 물자 artículo *m* escaso. ~액 falta *f*, escasez *f*, déficit *m*.

부족(部族) tribú *f*. ~의 tribual.

■ ~ 국가 país *m* tribual. ~ 사회 sociedad *f* tribual.

부존(賦存) ¶~하다 tener la suerte de gozar (de).

■ ~ 자원 recursos *mpl* naturales.

부종(浮腫) 【한방】 =부증(浮症).

부좌(趺坐) ((준말)) =결가부좌(結跏趺坐).

부주 rasgo *m* hereditario, característica *f* hereditaria.

■ ~ㅅ술 alcoholismo *m* hereditario, licor *m* contribuido por los invitados en las bodas [los funerales].

부주교(副主教) ((천주교)) vicearzobispo *m*.

부주의(不注意) descuido *m*, inatención *f*, falta *f* de cuidado, inadvertencia *f*; [태만] negligencia *f*; [방심] distracción *f*. ~하다 (ser) descuidado, desatento, negligente. 내 ~로 por mi descuido. 운전수의 ~로 사고가 일어났다 Un descuido del conductor fue la causa del accidente. 우리는 적의 ~를 이용해 시내로 들어갔다 Nosotros aprovechamos el descuido de los enemigos para entrar en la ciudad. 나는 ~로 문 잠그는 것을 잊어버렸다 Me olvidé, por descuido, de cerrar la puerta con llave. 담뱃불의 ~로 화재가 발생했다 El incendio se debió a un descuido en apagar el cigarrillo.

◆운전(運轉) ~ conducción *f* descuidada, *AmL* manejo *m* descuidado.

부주제(副主題) 【음악】 tema *m* subsidiario.

부주필(副主筆) editor *m* adjunto, editora *f* adjunta.

부증(浮症) 【한방】 hinchazón *m*, hidropesía *f*, [전신(全身)의] anasarca *f*.

부지(不知) ignorancia *f*, desconocimiento *m*. ~하다 ignorar, desconocer, no conocer. 생면(生面) ~의 사람 persona *f* desconocida. 생면 ~의 남자 hombre *m* desconocido. 생면 ~의 여인 mujer *f* desconocida.

■ ~거처(去處) paradero *m* desconocido. ~기수(其數) lo innumerable. ~불식간 sin saberlo, sin tener conciencia, sin darse cuenta, insensiblemente; [무의식으로] involuntariamente, inconscientemente. ¶~에 악(惡)의 길로 빠지다 dejarse arrastrar [deslizarse sin darse cuenta] por el camino de malhechores. ~에 향상되다 adelantar sin notarlo [sin darse cuenta]. ~에 눈물이 쏟아졌다 Se me saltaron las lágrimas sin darme cuenta. ~중(中) =부지불식간(不知不識間). ~하세월(何歲月) acción *f* de no saber cuándo se va a ser terminado.

부지(扶支/扶持) subsistencia *f*, permanencia *f*. ~하다 sobrevivir; [생존하다] subsistir; [장수하다] vivir mucho. 그는 수술 덕분에 10 년간 목숨을 ~했다 Gracias a la intervención quirúrgica su vida se alargó diez años.

부지(敷地) solar *m*, terreno *m*. 건축용 ~ solar *m* para el edificio.

▪ ~ 면적 metro *m* cuadrado de terreno.

부지깽이 hurgón *m* (*pl* hurgones), atizador *m*, atizadero *m*.

부지꾼[1] [실없는 장난을 잘하고 심술궂은 사람] travieso, -sa *mf*.

부지꾼[2] =짐꾼.

부지런하다 (ser) diligente, trabajador, asiduo. 부지런함 diligencia *f*. 부지런함과 게으름 diligencia *f* y negligencia. 부지런한 사람 persona *f* diligente, abeja *f*. 부지런한 남자 hombre *m* diligente [trabajador]. 부지런한 여자 mujer *f* diligente [trabajadora]. 벌은 활동적이고 부지런함을 상징한다 La abeja es el emblema de la actividad y del trabajo.

▪부지런한 물방아는 얼 새도 없다 ((속담)) El que trabaja con diligencia sin cesar tiene éxito sin falta. 부지런해야 수가 난다 ((속담)) El que madruga coge la oruga / A quien madruga, Dios le ayuda.

부지런히 diligentemente, trabajadoramente, asiduamente, como una abeja, sin descanso, con ahínco, infatigablemente, afanosamente. ~ 돈을 모으다 dedicarse con ahínco a ahorrar dinero. 모두가 ~ 일하고 있었다 Todos trabajaban afanosamente. 그녀는 감사의 편지를 ~ 쓰고 있었다 Ella estaba muy ocupada escribiendo sus cartas de agradecimiento.

부지배인(副支配人) subgerente *mf*.

부지불식간에(不知不識間－) inconscientemente, sin ser consciente (de ello), sin darse cuenta, inadvertidamente.

부지사(副知事) vicegobernador, -dora *mf*.

부지중(不知中) inconscientemente. ☞부지불식간에

부지지 =바지지.

부지직 =바지직.

부지하세월(不知何歲月) no sabiendo cuándo algo va a ser terminado. 그것은 언제 완성될지 ~이다 Nadie puede decir cuándo será acabado.

부직(副職) puesto *m* adicional.

부진(不振) inactividad *f*, depresión *f*, [정체(停滯)] estancamiento *m*, paralización *f*. ~하다 no andar bien. ~한 inactivo, desanimado, estancado. 사업의 ~ paralización *f* [inactividad *f*] de los negocios. 수출의 ~ estancamiento *m* de la exportación. 영화(映畵)가 ~하다 El cine está en depresión. A팀은 ~하다 El equipo A está [va] de capa caída. 장사가 아주 ~하다 Los negocios atraviesan por una fuerte inactividad.

부진(不進) pobre progreso *m*. ~하다 hacer el pobre progreso. 지지~하다 hacer el progreso lento, progresar a paso de tortuga.

부진(不盡) lo inagotable, lo interminable. ~하다 (ser) inagotable, interminable, sin límites.

▪ ~근(수) raíz *f* irracional. ~수 número *m* irracional.

부질간(－間) horno *m* del taller de latón.

부질없다 (ser) vano, inútil, fútil, ocioso, trivial. 부질없는 생각 idea *f* ociosa. 부질없는 걱정을 하다 preocuparse demasiado por el futuro.

부질없이 ociosamente, en vano, inútilmente. ~ 기다리다 esperar en vano. 그들은 온종일 거리를 ~ 돌아다녔다 Ellos se pasaron el día vagando [deambulando] por las calles.

부집게 tenazas *fpl* de fuego.

부쩍 ① [외곬으로 빡빡하게 우기는 모양] obstinadamente, porfiadamente, tenazmente, con tesón, tercamente. ~ 우기다 persistir tercamente. ② [사물이 거침새 없이 자꾸 늘거나 줄거나 또는 줄기차게 자꾸 나아가는 모양] rápido, rápidamente, sorprendentemente, extraordinariamente, increíblemente, señalada y rápidamente. ~ 진보(進步)하다 adiestrarse rápida y señaladamente. 그는 컴퓨터 실력이 ~ 늘었다 El ha hecho la mejora increíble en el ordenador [*AmL* en la computadora · *AmL* en el computador].

부차적(副次的) [이차적] secundario; [부수적] accesorio, incidental. ~으로 secundariamente, accesoriamente, incidentalmente.

부착(附着) adhesión *f*, adherencia *f*, aposición *f*. ~하다 adherirse (a), pegarse (a). 이 테이프는 ~이 잘 안된다 Esta cinta adhesiva pega mal.

▪ ~근(根) raíz *f* (*pl* raíces) adherente. ~력 poder *m* adherente. ~물(物) substancia *f* pegada. ~반(斑) mácula *f* adherente. ~성 adherencia *f*. ~ 성장 crecimiento *m* de aposición. ~ 태반(胎盤) placenta *f* adherente.

부창부수(夫唱婦隨) A tal marido, tal mujer. 그 집은 ~다 En esa casa la mujer obedece siempre lo que dice el marido [sigue en todo al marido].

부채 abanico *m*. ~로 부치다 abanicar, gritar un abanico; [자신을] abanicarse, usar para sí el abanico. ~를 펴다 abrir el abanico. ~를 접다 cerrar el abanico.

▪ ~꼭지 pivote *m* de un abanico. ~꼴 ㉮ [부채처럼 생긴 모양] forma *f* de abanico. ¶~의 de forma de abanico. ㉯ [원의 두 반지름과 호(弧)로 둘러싸인 부분]

semi-circular *m.* ~잡이 izquierda *f* (del ciego). ~질 ventilación *f.* ¶~하다 ㉮ [부채를 흔들어 바람을 일으키는 일] abanicar, soplar; [잡곡 따위를] aventar. 그는 모자로 얼굴을 ~하고 있었다 Se abanicaba la cara con el sombrero. ~을 하면 불은 잘 탄다 El fuego se aviva, cuando se le sopla. ㉯ [선동하다] infamar, incitar, avivar. ~춤 baile *m* [danza *f*] con el abanico. ~형 forma *f* de abanico, semi-circular *m.* ~ㅅ살 varilla *f* (del abanico).

부채(負債) deuda *f,* débito *m*; [채무(債務)] obligación; 【부기】 pasivo *m.* …에게 500만 원의 ~가 있다 deber [adeudar] a *uno* cinco millones de wones, estar en deuda de cinco millones de wones con *uno.*
◆ 단기(短期) ~ deuda *f* a corto plazo. 장기(長期) ~ deuda *f* a largo plazo.
■ ~ 계정 cuenta *f* de la deuda. ~국 país *m* de la deuda. ~ 상환 amortización *f* de la deuda. ~액 cantidad *f* de la deuda. ~ 여산(如山) muchísima deuda *f.* ~자 deudor, -dora *mf.* ~자 국가 país *m* del deudor.

부처 ① [석가모니] Buda *m,* Shaka-muni. ② =불상(佛像). ③ [대도(大道)를 깨친 불교의 성자(聖者)] santo, -ta *mf* budista. ④ [화를 낼 줄 모르고 자비심(慈悲心)이 두터운 사람] benévolo, -la *mf.*
■ 부처 밑을 기울이면 삼거웃이 드러난다 ((속담)) Un secreto vergonzoso que se intenta mantener oculto.
■ ~님 Buda *m.* ¶그는 ~ 같다 El es un hombre santo. ~ 가운데 토막 hombre *m* demasiado santo y tranquilo. ~님 오신 날 cumpleaños *m* de Buda, el ocho de abril del calendario lunar.

부처(夫妻) marido y mujer, esposos *mpl,* matrimonio *m.* 김씨 ~ los señores Kim, el señor Kim y su señora.

부처(部處) los Ministerios (del gobierno).

부촉매(負觸媒) catalizador *m* negativo.

부촌(富村) aldea *f* rica, villa *f* rica; [부자가 많은 마을] aldea *f* en (la) que viven muchos ricos.

부총리(副總理) vice primer ministro *m,* vice primera ministra *f,* vicecanciller *mf.*

부총영사(副總領事) cónsul *mf* general adjunto.

부총장(副總長) vicepresidente, -ta *mf,* vicerrector, -tora *mf.*

부총재(副總裁) vicepresidente, -ta *mf.*

부추 【식물】 puerro *m,* chalote *m,* porro *m,* ojo *m* puerro; 【학명】 Allium odorum.
■ ~떡 *teok* de puerro, pan *m* de puerro, tortilla *f* de puerro. ~죽 gachas *fpl* de puerro.

부추기다 ① [선동하다] instigar, excitar, incitar, estimular, espolear, aguijonear, seducir, inducir, tentar. ② [아첨하다] adular, lisonjear. 부추겨 덤벼들게 하다 [개를] azuzar.

부추김 instigación *f,* provocación *f,* agitación *f,* [아첨] adulación *f.* ~에 넘어가다 escuchar la palabra estimulante, ser aguijoneado.

부축 ((준말)) =곁부축.

부츠(영 *boots*) botas *fpl.*

부측(父側) lado *m* de *su* padre. ~의 paterno, paternal.

부치다[1] [어떤 일에 힘이 미치지 못하거나 넉넉하지 못하다] faltar, carecer, no abundar.

부치다[2] [부채 등을 흔들어 바람을 일으키다] soplar, abanicar. 부채를 ~ abanicar; [자기 몸에] abanicarse.

부치다[3] [남을 통하여 편지나 물건 따위를 보내다] enviar, mandar. 편지를 ~ mandar [enviar] una carta. 소포(小包)를 ~ enviar [mandar] un paquete.

부치다[4] [농사를 짓다] cultivar, labrar.

부치다[5] [번철(燔鐵) 같은 데에 기름을 바르고 빈대떡이나 저냐·전병 따위의 음식을 익혀 서 만들다] freír, tostar.

부치다[6] [회부(回附)하다] someter, llevar. 회의에 ~ someter [llevar] al consejo.

부치이다 [부채에] abanicarse.

부칙(附則) artículo *m* adicional, regla *f* suplementaria [adicional], añadidura *f* [adición *f*] a un proyecto de ley.

부친(父親) su padre.
■ ~상(喪) luto *m* de *su* padre.

부침(浮沈) ① [(어떤 물건이) 물 위에 떴다 잠겼다 함] flotación *f* y sumersión. ~하다 flotar y sumergirse. 나뭇잎이 ~하면서 흘러간다 Las hojas corren flotando y sumergiéndose. ② [인생의 덧없는 변천] vicisitudes *fpl,* altibajos *mpl* (de vida), vaivén *m.* 일생의 ~에 관계되다 afectar toda la carrera de vida. 회사의 ~에 관한 중대한 문제다 Es un problema grave que afecta al futuro [que decide la suerte] de nuestra compañía. 인생에는 ~이 있다 Hay vicisitudes en la vida / La vida tiene sus altibajos.

부침개 *buchimgae,* tortilla *f.*

부침하다 sembrar, cultivar, labrar, preaparar los campos de la hacienda, hacer una hacienda [una granja].

부칭(浮秤) 【물리】 aerómetro *m.*

부카레스트 【지명】 Bucarest (루마니아의 수도).

부킹(영 *booking*) reserva *f,* reservación *f.* ~하다 hacer una reserva [una reservación].
■ ~ 오피스 [극장의] taquilla *f, AmL* boletería *f,* [기차역의] mostrador *m* [ventanilla *f*] de venta de billetes [de pasajes].

부탁(付託) petición *f,* ruego *m,* encargo *m,* solicitud *f,* súplica *f,* comisión *f,* cargo *m* de fideicomisario. ~하다 pedir, rogar, suplicar, implorar, encargar, encomendar, confiar, poner en manos. ~을 거절하다 rechazar [rehusar] la petición. ~을 수락하다 aceptar la petición. …에게 ~하여 a petición de *uno,* por conducto de *uno,* por mediación de *uno.* …의 ~으로 a petición de *uno,* a ruego de *uno,* a súplica de *uno.*

친구에게 도움을 ~하다 pedir ayuda a su amigo. 아이를 ~하다 confiar (a) *su* niño, dejar el cuidado de *su* niño. 환자를 보살펴 달라고 ~하다 encargar el cuidado del enfermo. 친구에게 ~하여 보내다 enviar [mandar] por conducto de un amigo suyo. 전언(傳言)을 ~하다 encargar un recado. 재산 관리를 ~하다 confiar la administración de *sus* bienes. …을 잘 ~합니다 Le pido reiteradamente que + *subj*. 선생님에게 ~이 있습니다 Tengo algo que pedirle a usted / Quisiera pedirle un favor. 그는 교수에게 구직(求職)을 ~했다 El pidió a un profesor que le ayudara a conseguir una colocación. ~하니 아무한테도 이야기하지 마라 No lo digas a nadie, te lo ruego. 나는 그에게 좌석 예약을 ~했다 Le pedí que me reservara un asiento. 내가 없는 동안 집을 잘 보아 주길 ~합니다 Le pido que cuide de la casa en mi ausencia. 잘 ~합니다 [시합 전에 하는 말] Sea suave [benigno] conmigo. 긴히 ~이 있습니다만 Quisiera pedirle un favor especial. A씨로부터 우리는 ~을 받았다 Nos ha hecho un encargo el señor A. ~이 있어 왔습니다 He venido para pedirle un favor. 잘 ~드립니다 Estoy siempre a sus órdenes.

부탄【지명】Bután, Bhután. ~의 butanés.
■ ~어 butanés *m*. ~ 사람 butanés, -nesa *mf*.

부탄(독 *Butan*)【화학】butano *m*.
■ ~가스 gas *m* butano.

부터 de, desde, a partir de …, de … en adelante. 20년 전(前)~ desde hace veinte años. 1~ 100까지 de uno a ciento, desde uno hasta ciento. 그날~ de [desde] ese día. 이 날짜~ a partir de esta fecha. 어린 시절~ desde niño, desde su niñez. 2002년 1월 1일~ a partir del primero de enero de 2002. 3월 1일~ 5월 31일까지 del [desde el · a partir del] primero de marzo al [hasta el] treinta y uno de mayo. …할 때~ después de + *inf*, después (de) que + *subj*, desde que + *ind*. 일을 끝내고~ después de acabado el trabajo. …~ 시작하다 comenzar con [por] algo, comenzar por + *inf*. 수업은 여덟 시~ 시작한다 La clase empieza a las ocho. 그날~ 오늘까지 그녀를 만나지 못했다 Desde aquel día hasta hoy no la he visto.

부토(腐土) =부식토(腐植土).

부통령(副統領) vicepresidente, -ta *mf*.

부패(腐敗) putrefacción *f*, podredumbre *f*, corrupción *f*; [도덕적] depravación *f*. ~하다 pudrirse, corromperse, descomponerse, alterarse, deteriorarse, depravarse. ~시키다 pudrir, corromper, descomponer, alterar, deteriorar, depravar. ~한 podrido, corrompido, corrupto, vicioso, depravado. ~하기 쉬운 corruptible, perecedero, caduco. 정치가들이 ~되어 있다 Los políticos están corrompidos. 정부(政府)가 ~해 있다 El gobierno está podrido. 우유는 이미 ~되어 있었다 La leche ya estaba podrida.
■ ~균[박테리아 · 세균] saprofito *m*, bacilo *m* saprofítico. ~물(物) pudrición *f*, cosa *f* descompuesta, séptico *m*. ~병【식물】marasmo *m*. ~산(酸) ácido *m* podrido. ~상(相) aspecto *m* podrido. ~성 septicidad *f*. ~열(熱) fiebre *f* séptica. ~ 지수 índice *m* de corrupción.

부편수관(副編修官) subeditor, -tora *mf*.

부평초(浮萍草)【식물】lenteja *f* de agua.
◆부평초 같은 생활(生活)을 하다 llevar una vida precaria [insegura].

부표(否票) voto *m* negativo.

부표(附表) tabla *f* anexa.

부표(浮漂) flotante *m*.
■ ~ 식물 lenteja *f* de agua.

부표(浮標) boya *f*, [낚시찌] flotador *m*.

부푸러기 =보풀. 보푸라기.

부풀다 ① [살가죽이 붓거나 부르터 오르다] hincharse, inflarse. 그의 다리가 부풀었다 Se le hinchó la pierna. 네 오른쪽 뺨이 많이 부풀었다 Tú tienes la mejilla derecha muy hinchada. ② [(물체가 늘어나면서) 부피가 커지다] extenderse, hincharse, inflarse, dilatarse. 빵이 ~ fermentarse. 빵이 부푼다 El pan crece de tamaño. 꽃봉오리가 부풀기 시작한다 Las yemas empiezan a inflarse. 돛이 부풀었다 La vela se hinchó. ③ [(즐거움이나 희망으로) 마음이 가득 넘치게 되다] (ser) alegre, vivaz, animado; llenarse (de). 그는 기대로 가슴이 부풀었다 Su corazón se llenó de esperanza. 나는 희망으로 가슴이 부풀었다 Se me ha hinchado el corazón de esperanza. ④ [종이나 피륙 따위의 거죽에 보풀 일다] soltar pelusa.
부풀어 오르다 hincharse, inflarse. 빵이 부풀어 오른다 El pan crece de tamaño.
부풀음 hinchazón *m*, inflación *f*, expansión *f*, redondez *f*, turgencia *f*. 가슴의 ~ redondez *f* [turgencia *f*] del seno.

부풀리다 hinchar, inflar, ensanchar, dilatar. 볼을 ~ hinchar [inflar] las mejillas. 풍선을 ~ hinchar un globito. 풍선을 불어 ~ inflar un globo soplándose. 아이는 공에 공기를 넣어 부풀리었다 El niño hinchó la pelota de viento.

부풀부풀 =보풀보풀.

부품(部品) pieza *f*, partes *fpl*; [예비 · 교환의] pieza *f* de repuesto [de recambio]. 컴퓨터의 ~ pieza *f* de un ordenador [*AmL* de una computadora · *AmL* de un computador]. ~을 바꾸다 cambiar unas partes.

부프다 ① [부피가] (estar) abultado, voluminoso. ② [성질이나 말씨가] (ser) impaciente, apresurado. 부픈 사람 persona *f* impaciente. 부픈 남자 hombre *m* impaciente. 부픈 여자 mujer *f* impaciente.
부픈살 flecha *f* gruesa.
부픈짐 equipaje *m* abultado [voluminoso].

부풋하다 ① [부피가] (ser) algo abultado, algo voluminoso. ② [말이] (ser) exagerado.
부풋이 voluminosamente; exageradamente.

부피 tamaño *m*, volumen *m*, bulto *m*. ～가 큰 abultado, voluminoso, copioso, grueso, de mucho bulto, grande. ～가 작은 책 libro *m* de poco bulto. ～가 큰 책 tomo *m* abultado. ～를 크게 하다 abultar. ～가 커지다 abultarse, formar bulto. 이 소포는 ～가 무척 크다 Este paquete abulta mucho. 볼록 렌즈는 물체의 ～를 크게 한다 Los lentes convexos abultan los objetos.

부하(負荷) carga *f*.
◆완전(完全) ～ carga *f* segura. 정지(停止) ～ carga *f* muerta. 활동(活動) ～ carga *f* viva.
▪～손(損) pérdida *f* de carga. ～율 factor *m* de carga.

부하(部下) subordinado, -da *mf*, subalterno, -na *mf*, seguidor, -dora *mf*, hombre *m*. 장군과 그의 ～들 el general y sus hombres. 유능한 ～를 가지다 tener subordinados competentes.

부하다(附－) ① [종이·헝겊 등을 덧붙이다] poner, fijar; [금속판을] laminar. ② [나뭇조각을 맞대어 붙이다] juntar, unir.

부하다(富－) ① [생활이 넉넉하다·재산이 많다] (ser) rico, adinerado, acaudalado, caudaloso. 그 가족은 무척 부한 생활을 하고 있다 Esa familia tiene mucho caudal. ② [살이 쪄서 몸이 뚱뚱하다] engordar(se), ser gordo. 당신은 몸이 부해졌다 Usted se ha engordado.

부학장(副學長) vicerector, -tora *mf*. ～의 지위 [임기] rectorado *m*.

부함장(副艦長) capitán *m* de fragata.

부합(符合) ajuste *m*, coincidencia *f*, identidad *f*. ～하다 concordarse, coincidir, corresponder. 그것은 그의 증언(證言)과 ～한다 Ello coincide con su testimonio.

부항(附缸) aplicación *f* de ventosas.
◆부항(을) 붙이다 aplicar las ventosas.
▪～단지 vaso *m* de aplicación de ventosas.

부형(父兄) ① [아버지와 형] el padre y el hermano. ② [집안 어른] mayor *m* de la familia.
▪～ 자매 padre, hermano y hermanas. ～회 [조직] asociación *f* de padres de familia; [모임] reunión *f* de padres.

부호(負號) 【수학】 signo *m* negativo.

부호(符號) seña *f*, signo *m*, marca *f*, señal *f*, clave *f*, [전신의] cifra *f*. ～를 붙이다 marcar, poner el signo.
▪～표(標) tabla *f* de signos. ～화(化) codificación *f*. ¶～하다 codificar.

부호(富戶) ＝부잣집.

부호(富豪) persona *f* adinerada; millonario, -ria *mf*, [경멸적] riachón (*pl* riachones), -chona *mf*.
◆대(大)～ multimillonario, -ria *mf*, archimillonario, -ria *mf*, billonario, -ria *mf*.

부화(附和) seguimiento *m* ciego. ～하다 seguir ciegamente, estar en sintonía con.
▪～뇌동(雷同) seguimiento *m* ciego. ¶～하다 dejarse llevar de la corriente, seguir ciegamente. ～해서 gregariamente. 그는 ～한다 El es un mero eco de las opiniones de los de más / El baila al son que le tocan.

부화(浮華) ostentación *f*, vanidad *f*, frivolidad *f*, ligereza *f*. ～하다 (ser) ostentoso, frívolo.

부화(孵化) incubación *f*. ～하다 [알을] empollar; [병아리를] incubar. 병아리가 ～한다 Un polluelo sale del huevo. 병아리가 ～했다 Un polluelo nació del huevo / Un polluelo salió del cascarón. 올챙이가 ～했다 Los renacuajos salieron de los huevos.
◆인공(人工) ～ incubación *f* artificial.
▪～ 계란 huevo *m* empollado. ～기 incubadora *f*. ¶인공 ～ incubadora *f* artificial. ～실 cuarto *m* de incubación. ～율 porcentaje *m* de incubación. ～장 criadero *m*.

부활(復活) ① [한 번 행하여지지 않게 된 것을 다시 한 번 행하도록 하는 것] resurgimiento *m*, resurrección *f*, [부흥] restauración *f*, renacimiento *m*. ～하다 renacer, reaparecer, resurgir, resucitar. ～시키다 resucitar. 산업의 ～ resurgimiento *m* industrial. 군국주의가 ～되고 있다 Reaparece [Renace] el militarismo. ② ((기독교·천주교)) la Resurrección. ～하다 resucitar. ③ ((성경)) resurrección *f*. ～하다 resucitar. 나는 ～이요 생명이니 ((요한복음 11:25)) Yo soy la resurrección y la vida.
▪～기(期) período *m* de la Resurrección. ～일 (el) Domingo de Pascua, (el) Domingo de Resurrección. ～ 전야(前夜) víspera *f* [vigilia *f*] de la Resurrección. ～절 ㉮ ＝부활제. ㉯ [부활제 날에서 1주일 또는 50일 동안] Semana *f* Santa. ～절 달걀 [그리스도 부활의 상징으로 부활절의 선물] huevo *m* de Pascua. ～절주(節週) la Semana Santa. ¶～ 휴가 las vacaciones de Semana Santa. ～제 Pascua *f*, Pascua *f* Florida, Pascua *f* de Resurrección. ～ 주일 (el) Domingo de Pascua, (el) Domingo de Resurrección. ¶～ 다음 날 (el) lunes de Pascua.

부회(部會) [회합] reunión *f*, junta *f*, [소위원회] subcomité *m*. 테마별로 ～를 행하다 organizar subcomités según los temas.
◆영업～ reunión *f* de la sección de negocios.

부회(傅會/附會) sofistería *f*, distorsión *f*, deformación *f*. ～하다 deformar, distorsionar, retorcer.

부회장(副會長) vicepresidente, -ta *mf*.

부흥(復興) restauración *f*, restablecimiento *m*, rehabilitación *f*, renacimiento *m*; [재건] reconstrucción *f*. ～하다 restaurarse, restablecerse, rehabilitarse, renacer, reconstruirse.
▪～ 목사(牧師) vangelista *mf*. ～부(部) el Ministerio de Restauración. ¶～ 장관 ministro, -tra *mf* de Restauración. ～ 사업 empresa *f* de reconstrucción, obra *f* de reconstrucción [rehabilitación]. ～회 restablecimiento *m*, reinstauración *f*.

북[1] [베틀이나 재봉틀의] lanzadora *f*; [베틀의] huso *m*; [재봉틀의] tambor *m*.

북[2] 【악기】 *buk*, tambor *m* [tamboril *m*] coreano. ~치는 사람 [팝·재즈의] batería *f*, *AmL* baterista *mf*; [군대의] tambor *m*. ~을 치다 golpear el tambor.
◆북(을) 메(우)다 poner el parche (del tambor).
▪~ 가죽 parche *m* (del tambor).

북[3] [초목의 뿌리를 싸고 있는 흙] tierra *f* bien apisonada alrededor de una planta.
◆북(을) 주다 amontonar la tierra alrededor de una planta.

북[4] ① [부드럽고 무른 물건을 세게 갈거나 긁는 소리] con un arañazo. ~ 긁다 arañar. ② [두툼하고 무른 물건을 대번에 찢는 소리] rompiendo, rasgándose. 헝겊을 ~ 찢다 romper el pedazo de tela.

북(北) norte *m*, septentrión *m*. ~의 (del) norte, septentrional. ~으로 al norte.

북-(北) boreal, ártico, aquilonal, aquilonario.

북경(北京) 【지명】 Pekín, Beijing. ~의 pekinés, pequinés.
▪~관화(官話) mandarina *f*, lengua *f* mandarina. ~ 사람 pekinés, -nesa *mf*; pequinés, -nesa *mf*. ~요리 plato *m* de Pekín, cocina *f* de Pekín, comida *f* de Pekín. ~ 원인(原人)[인(人)·인종] Homo Sinanthropus, sinántropo *m*; 【학명】 Sinanthropus Pekinensis.

북광(北光) aurora *f* boreal.

북괴(北傀) (régimen *m* de) monigote *m* del Corea del Norte, Pyongyang. 친(親)~의 pro-Pyongyang.

북구(北歐) 【지명】 ((준말)) =북구라파.
▪~ 문학 literatura *f* de la Europa Norte. ~ 삼국 los tres países nórdicos. ~ 소설 novela *f* norteuropa. ~ 신화 mitología *f* nórdica. ~ 학파 escuela *f* nórdica.

북구라파(北歐羅巴) 【지명】 la Europa (del) Norte, la Europa Septentrional. ~의 norteuropeo, nórdico, de la Europa del Norte.

북국(北國) país *m* (*pl* países) (del) norte, país *m* septentrional. ~의 norteño, nórdico. ~ 사람 norteño, -ña *mf*; nórdico, -ca *mf*.

북극(北極) el Polo Artico, el Polo Norte. ~의 ártitico, hiperbóreo.
▪~광(光) aurora *f* boreal. ~권 círculo *m* polar ártico. ~성(星) estrella *f* polar. ~ 지방 regiones *fpl* [tierras *fpl*] árticas [hiperbóreas]. ~ 탐험 expedición *f* al polo norte. ~ 탐험대 expedición *f* al polo norte. ~ 항공로 ruta *f* aérea del polo ártico.

북극곰(北極―) 【동물】 oso *m* polar.

북극양(北極洋) =북극해(北極海).

북극해(北極海) el Oceano Artico.

북녘(北―) dirección *f* norte, norte *m*, parte *f* norte.

북단(北端) extremo *m* [extremidad *f*] (del) norte [septentional]. ~의 más septentrional. 섬의 ~ el extremo norte [septentrional] de la isla. 한국의 최~ 도시 la ciudad más septentrional de Corea.

북대서양(北大西洋) 【지명】 el Atlántico Norte, el Atlántico del Norte.

북대서양 조약(北大西洋條約) el Tratado del Atlántico (del) Norte, el Tratado Atlántico del Norte.
▪~ 기구 la Organización del Tratado del Atlántico (del) Norte, la Organización del Tratado Atlántico del Norte, la OTAN, la NATO, la Nato.

북더기 paja *f* sobrante.

북덕지(―紙) papel *m* arrugado.

북도(北道) ① [경기도 북쪽에 있는 도] provincias *fpl* de *Hwanghaedo*, *Pyeongando* y *Hamgyeongdo*. ② [대종교에서] distrito *m* norte del Monte (de) *Baekdu*.

북돋다 =북돋우다.

북돋우다 ① [북 주다] apilar, amontonar. ② [심리 작용이 세게 일도록 자극하다] animar, alentar, estimular, fortalecer, excitar, despertar. 호기심(好奇心)을 ~ excitar la curiosidad.

북돋움 ① [북 주는 일] apilamiento *m*, amontonamiento *m*. ~하다 apilar, amontonar. ② [자극하는 일] animación *f*, estimulación *f*, excitación *f*. ~하다 animar, estimular, excitar.

북동(北東) ① [북쪽과 동쪽] el norte y el este, nor(d)este *m*. ~의 nor(d)este, nor(d)este, nororiental. ~ 방향에(서) en dirección nor(d)este. ~ 방향으로 hacia el nor(d)este. ② ((준말)) =북동간(北東間).
▪~간(間) entre el norte y el este. ~미동(微東) nor(d)este *m* cuarta al este. ~미북(微北) nor(d)este *m* cuarta al norte. ~쪽 nor(d)este *m*. ¶~으로 hacia el nordeste. ~풍(風) viento *m* del nor(d)este.

북두 cincha *f*.
▪~갈고리 gancho *m* de la cincha.

북두(北斗) 【천문】 ((준말)) =북두칠성.
▪~성 ((준말)) =북두칠성(北斗七星). ~칠성 siete estrellas de Osa Mayor, septentrión *m*, Osa *f* Mayor, Carro *m* Mayor.

북등(―燈) lámpara *f* de la forma de tambor.

북류(北流) corriente *f* al norte. ~하다 correr [fluir] al norte.

북망(北邙) 【지명】 =북망산(北邙山).
▪~산천(山川) cementario *m*.

북망산(北邙山) lugar *m* que hay muchas tumbas, cementerio *m*.

북메우다 =북(을) 메우다. ☞북[2]

북면(北面) ① [북쪽에 있는 면] lado *m* norte. ② [북쪽을 향함] acción *f* de dar hacia el norte. ~ 하다 dar hacia el norte. ③ [임금을 섬김] lealtad *f*, servicio *m* al rey. ~하다 servir al rey.

북미(北美) 【지명】 ((준말)) =북아메리카주.

북미주(北美洲) 【지명】 ((준말)) =북아메리카주.

북미 합중국(北美合衆國) 【지명】 =아메리카합중국(los Estados Unidos de América).

북반구(北半球) hemisferio *m* boreal.

북받치다 llenarse de, rebozar de, estar lleno

de. 연민의 정이 그녀의 마음에서 북받쳤다 Se corazón se llenó de piedad. 그는 증오가 북받치는 것을 느낄 수 있었다 El sentía cómo lo iba invadiendo el odio.

북방(北方) ① ＝북쪽(norte). ¶~의 norte, del norte. ② ＝북녘(norte). ③ [북쪽 지방] región *f* norte [septentrional].
■~ 민족 raza *f* norte. ~ 영토 territorio *m* del norte. ~ 한계선 la Línea de Límite Norte.

북방 불교(北方佛敎) ((불교)) secta *f* norte del budismo, budismo *m* norte.

북벌(北伐) expedición *f* a conquistar el norte. ~하다 mandar la expedición a conquistar el norte.

북벽[1](北壁) ((등산)) vertiente *f* norte.

북벽[2](北壁) ①【역사】[임금의 자리] asiento *m* del rey. ②【역사】[좌중의 가장 높은 벼슬아치] oficial *m* gubernamental del rango más alto entre los asistentes.

북부(北部) parte *f* norte, parte *f* septentrional. ~ 지방 región *f* norte [septentrional], comarca *f* norte [septentrional].

북북 fuerte, fuertemente, con fuerza. ~ 문지르다 frotar fuerte [con fuerza].

북북동(北北東) nornordeste *m*. ~의 nornoreste. ~으로 nornordeste.
■~풍(風) (viento *m*) nornordeste *m*.

북북서(北北西) nornoroeste *m*, nornorueste *m*. ~의 nornoroeste, nornorueste. ~로 nornoroeste, nornorueste.
■~풍(風) (viento *m*) nornorueste *m*.

북빙양(北氷洋)【지명】el Océano Glacial Ártico.

북빙해(北氷海)【지명】el Océano Glacial Ártico.

북사면(北斜面) inclinación *f* al norte.

북상(北上) marcha *f* hacia el norte. ~하다 dirigirse [avanzar · marchar] hacia el norte, ir en dirección al norte; [배가] hacerse hacia el norte, hacer rumbo al norte.

북새[1] [부산을 떠는 일] alboroto *m*, bullicio *m*, empuje *m*, empujón *m*, agitación *f*, ruido *m*, bulla *f*.
◆북새(를) 놓다 bullir, turbar, perturbar, alborotar.
■~질 alboroto *m*, bullicio *m*, ruido *m*. ¶~(을) 치다 alborotarse. ~통 confusión *f*. ¶~에 아이를 잃다 perder *su* niño en la confusión. ~판 confusión *f*. ¶~에 서류를 잃다 perder el documento en la confusión.

북새[2] ＝북풍(北風).

북서(北西) noroeste *m*. ~의 noroeste. ~ 방향에 en dirección noroeste.
■~ 지방 el noroeste, el Noroeste, región *f* (del) noroeste. ~쪽 noroeste *m*. ¶~의 noroeste. ~으로 hacia el noroeste. ~풍 viento *m* (del) noroeste.

북소리 son *m* del tambor, tamborileo *m*.

북송(北送) repatriación *f* al norte. ~하다 repatriar al norte.
■~선(船) barco *m* de repartriación.

북슬개 perro *m* lanudo [peludo] grande.

북슬북슬 plumosamente, con mucha pluma. ~하다 (ser) plumoso, tener mucha pluma. ~한 plumoso, que tiene mucha pluma. ~한 털 plumón *m* (*pl* plumones).

북아메리카 주(北 America 洲)【지명】la América del Norte, la Norte América. ~의 norteamericano. ~ 사람 norteamericano, -na *mf*.

북아일랜드(北 Ireland)【지명】Irlanda *f* del Norte. ~의 분쟁 los disturbios de Irlanda del Norte.

북아프리카(北 Africa)【지명】el Africa del Norte, la Noráfrica. ~의 norteafricano. ~ 사람 norteafricano, -na *mf*.

북안(北岸) costa *f* [orilla *f*] septentrional [norte].

북양(北洋) mar *m* del norte, océano *m* septentrional.
■~ 어업(漁業) pesca *f* del océano septentrional.

북어(北魚) abadejo *m* secado.
■~구이 abadejo *m* secado asado. ~국[탕] sopa *f* de abadejo secado. ~냉국 sopa *f* fría de abadejo secado. ~저냐 abadejo *m* secado sofrito. ~적(炙) parilla *f* de abadejo secado. ~죽 gachas *fpl* de abadejo secado. ~찌개 sopa *f* de abadejo secado. ~찜[증] abadejo *m* secado cocido al vapor. ~포 abadejo *m* secado finamente cortado.

북위(北緯) latitud *f* norte. ~ 40도 24분 30초 40 grados 24 minutos 30 segundos de latitud norte.
■~선 paralelo *m* norte, latitud *f* norte.

북유럽(北 Europe)【지명】la Europa septentrional, el Norte de Europa.

북자루 ＝북채.

북잡이 ① [북치는 일을 맡은 사람] tambor *m*, tamborilero *m*. ② [북을 잘 치는 사람] buen tamborilero *m*, buena tamborilera *f*.

북장구 el tambor y el *changgu* [tambor del cuerpo de ánfora].

북장지 puerta *f* corrediza con papel en ambos lados.

북적(北狄)【역사】bárbafo *m* norte.

북적거리다 estar lleno, estar repleto, estar atestado, moverse a empujones, estar de bote en bote, estar atestado, estar abarrotado, estar en confusión (excesiva). 북적거리는 버스 autobús *m* lleno [repleto · atestado · apretado]. 사람으로 북적거리는 거리 calle *f* abarrotada de gente. 열차가 북적거린다 El tren está atestado [abarrotado] de gente. 회장(會場)은 북적거렸다 El salón estaba lleno de gente / Había mucha gente en el salón / En el salón la gente estaba de bote en bote. 길에는 자동차가 북적거린다 El tráfico está muy congestionado en la calle. 백화점은 손님으로 북적거린다 El almacén está atestado [abarrotado] de gente. 거리는 사람으로 북적거린다 En la calle la gente está de bote en bote. 역은 관광객으로 북적거리고 있다 La estación de

ferrocarril está llena [repleta · atestada] de turistas.
북적북적 tumultuosamente, clamorosamente, alborotosamente.

북조선(北朝鮮) 【지명】 Corea del Norte, la República Democrática Popular de Corea (조선민주주의인민공화국). ~의 norcoreano. ~ 사람 norcoreano, -na *mf.*

북진(北進) marcha *f* al norte. ~하다 marchar al norte.
■ ~ 정책 política *f* de marcha al norte.

북쪽(北—) norte *m*, septentrión *m*. ~의 (del) norte, septentrional, norteño. ~에 en el norte. ~으로 al norte, hacia el norte. 서반아의 ~에 있는 도시 una ciudad del norte [en el norte] de España. ~으로 갑시다 Vayamos al norte. 바람은 ~에서 분다 El viento sopla [viene] del norte. 창문은 ~에 면하고 있다 La ventana da [mira] al norte. 우리 집은 ~에 면하고 있다 Nuestra casa está orientada [da] al norte. 그것은 서울의 ~에 있다 Está al norte de Seúl. 우리들은 두 시간 동안 ~으로 항해했다 Navegamos dos horas en dirección norte. 그들은 ~에 산다 Elos viven en el norte.
■ ~ 지방(地方) región *f* [comarca *f*] norte [norteño · septentrional]. ~ 지방 사람 norteño, -ña *mf*; nórdico, -ca *mf.*

북채 palillo *m* (de tambor), baqueta *f.*

북천(北天) ① [북쪽 하늘] cielo *m* norte, cielo septentrional. ② 【천문】 [수대(獸帶) 북쪽의 하늘] cielo *m* norte del zodíaco.

북촌(北村) ① [북쪽에 있는 마을] aldea *f* norte. ② [서울의 북쪽에 있는 마을] aldea *f* norte de Seúl.

북춤 *bukchum*, danza *f* [baile *m*] con tambor.

북측(北側) norte *m*, dirección *f* norte.

북치 una especie del pepino.

북치(北—) producto *m* de la región norte.

북통(—桶) (armazón *m* de) tambor *m*.
■ ~배 panzón *m*.

북틀 atril *m* de tambor.

북편(北便) parte *f* norte, lado *m* norte, norte *m*.

북풍(北風) viento *m* (del) norte, nortada *f*, aquilón *m*, cierzo *m*, tramontana *f*. 강한 ~ un fuerte viento norte [del norte].

북한(北韓) 【지명】 Corea *f* del Norte. ~의 norcoreano, de Corea del Norte. ~ 사람 norcoreano, -na *mf.* ☞북조선(北朝鮮)

북해(北海) ① [북쪽에 있는 바다] mar *m* norte, océano *m* septentrional. ② [함경북도 동쪽의 바다] mar *m* este de la provincia de *Hamgyeongbukdo.* ③ 【지명】 [유럽 대륙과 영국 사이의 얕은 바다] el Mar del Norte.

북행(北行) ida *f* al norte. ~하다 ir al norte.

북향(北向) ① [북쪽을 향함] hacia el norte. 그 집은 ~이다 Esa casa está hacia el norte. ② [북쪽 방향] dirección *f* norte.
■ ~집 casa *f* (que está) hacia el norte. ~판 suelo *m* hacia el norte.

북회귀선(北回歸線) el Trópico de Cáncer.

분 ① [어떤 사람을 가리킬 때에 높여 이르는 말] figura *f*, persona *f*; [남자] señor *m*, hombre *m*; [여자] señora *f*, señorita *f*, mujer *f*. 이 ~ [남자] este señor; [기혼 여자] esta señor; [미혼 여자] esta señorita. 문학상(文學賞)을 수상한 세 ~ tres figuras que han merecido el Premio de Literatura. 저기 계신 ~ hombre *m* que está allí. ② [사람의 수를 셀 때] persona *f*. 손님 두 ~ dos clientes. ③ [음식이나 요금에서] plato *m*, ración *f* (*pl* raciones). 수프 1인 ~ un plato de sopa. 두 사람이 3인 ~을 먹다 tomar tres raciones entre los dos. 1인 ~에 5천 원을 지불하다 pagar cinco mil wones por persona. 정식(定食)은 1인 ~이 5천 원이다 Un cubierto vale cinco mil wones. 아이들도 1인 ~의 요금을 받는다 A los chicos se les cobra lo mismo que a los adultos.

분[1](分) ① ((준말)) =분수[2](分數). ¶~에 넘치는 inmerecido. ~에 넘치게 inmerecidamente. ~에 넘치는 행복 felicidad *f* inmerecida. ~에 넘치는 소리를 하지 마라 No seas exigente / No pidas más de lo necesario. 그것은 ~에 넘친다 Eso es demasiado lujo. ② =분세(分稅).

분[2](分) ① [시간의 단위] minuto *m*. 15~ cuarto (de hora), quince minutos. 30~ media hora, treinta minutos. 10시 10 [15 · 30] ~이다 Son las diez y diez [y cuarto · y media]. 여기서 역까지는 몇 ~이나 걸립니까? ¿Cuántos minutos se tarda de aquí a la estación? 걸어서 20~ 걸립니다 Se tarda veinte minutos a pie. ② [각도 · 위도 · 경도의] minuto *m*. 38도 5~ treinta y ocho grados cinco minutos. ③ [1할(割)을 10으로 나눈 그 하나] el uno por ciento.

분(扮) ((준말)) =분장(扮裝).

분(忿/憤) ((준말)) =분심(忿心). 분기(憤氣). ¶~을 참지 못하다 enfadarse, enojarse.
◆분(을) 내다 indignar, enojar, enfadar, irritar, despechar. 분(을) 풀다 desahogarse. 어린아이들에게 분을 풀지 마라 No te desahogues con los niños. 분(이) 나다 indignarse, enojarse, enfadarse, irritarse, despecharse.

분(盆) =화분(花盆).

분(粉) polvos *mpl* de tocador, polvos *mpl* para la cara; [가루분] polvos *mpl* en pasta; [물분] cosmético *m* líquido. ~을 지우다 quitarse los polvos de la cara.
◆분(을) 바르다 [얼굴에] ponerse polvos, empolvarse (la cara), empolvorarse (la cara). 그녀는 치나치게 분을 바른다 Ella se empolva demasiado.

분(糞) estiércol *m*.

-분(分) ① [전체를 몇에 나눈 몫] parte *f*. 2~의 1 un medio, una [la] mitad. 3~의 1 un tercio, una [la] tercera parte. 3~의 2 dos tercios, dos terceras partes. 1과 4~의 3 uno tres cuartos. 5만~의 1의 지도(地圖) mapa *m* de un cincuentamilésimo, mapa *m* dibujado a escala de uno por cincuenta mil. ② [몫] parte *f*, porción *f*, ración *f*. 이틀~의 식사 víveres *mpl* para dos días. 열 사람 ~의 식사 comida *f* para diez personas. 부족~을 보충하다 suplir lo que falta. 나는 그 사람~까지 먹었다 Me comí hasta su ración. ③ [그런 물질의 성분임을 뜻함] substancia *f*. 당(糖)~ azúcar *m*. 지방(脂肪)~ substancia *f* grasa.

분가(分家) familia *f* ramal, rama *f* de una familia. ~하다 formar [establecer] una nueva familia separada [una nueva rama familiar].

분가루(粉—) ((속어)) =분(粉).

분간(分揀) diferencia *f*, distintivo *m*, distinción *f*, discriminación *f*. ~하다 distinguir, diferenciar, discriminar.

분갑(粉匣) caja *f* de polvos.

분개(分介) apunte *m* en un diario. ~하다 escribir un diario, apuntar en un diario.

■ ~장(帳) libro *m* diario, diario *m*.

분개(分槪) cálculo *m*, criterio *m*, discernimiento *m*, entendimiento *m*.

◆ 분개없다 tener poco entendimiento.

분개(憤慨) enfurecimiento *m*, indignación *f*, enfado *m*, enojo *m*, irritación *f*, ira *f*, cólera *f*. ~하다 enfurecerse, indignarse, irritarse, enojarse, enfadarse. ~해서 con indignación. 그녀의 태도에 나는 ~하고 있다 Estoy enfadado con su actitud. 그는 세상의 불의(不義)에 ~했다 Las injusticias del mundo despertaron su indignación.

분격(憤激) cólera *f*, ira *f*, indignación *f*, enfado *m*, exasperación *f*, enfurecimiento *m*. ~하다 enfadarse, irritarse, enojarse, indignarse, exasperarse, enfurecerse. ~을 사다 provocar [incurrir en] la indignación.

분견(分遣) destacamento *m*. ~하다 destacar. ~되다 destacarse.

■ ~대(隊) destacamento *m*. ~ 함대(艦隊) escuadrón *m* destacado.

분결(忿/憤—) =분김.

분결 같다(粉—) (ser) aterciopelado, suave y blanco. 분결 같은 융단(絨緞) alfombra *f* aterciopelada. 얼굴이 ~ ser de tez blanca. 분결같이 suave y blancamente, aterciopeladamente.

분경(分境) =분계(分界).

분경(盆景) paisaje *m* hecho en una bandeja (con arenas de color), paisaje *m* en miniatura, bandeja *f* con paisaje.

분계(分界) límite *m*, linde *m*, frontera *f*, demarcación *f*, deslinde *m*, delimitación *f*. ~하다 demarcar, delimitar.

■ ~선(線) línea *f* de demarcación, línea *f* de límite. ¶~을 긋다 trazar la línea (entre). 군사(軍事) ~ línea *f* de demarcación militar.

분골쇄신(粉骨碎身) muchos esfuerzos, dedicación *f* en cuerpo y alma. ~하다 hacer todo lo posible, poder hacer mejor, esforzarse hasta más no poder, hacer lo mejor, empeñarse. ~해서 …하다 dedicarse en cuerpo y alma a + *inf*, no perdonar esfuerzos en + *inf*.

분공장(分工場) fábrica *f* [taller *m*] sucursal.

분과(分科) departamento *m*, sección *f*, [부문] sucursal *f*.

■ ~ 위원 miembro *mf* [integrante *mf*] de la comisión [del comité], miembro *mf* de una sección. ¶국방 ~ miembro *mf* de la Comisión de Defensa Nacional. ~ 위원회 comisión *f* (divisional), comité *m*, junta *f* seccional. ¶외교 통상 ~ Comisión *f* [Comité *m*] de Asuntos Exteriores y Comercio.

분과(分課) sección *f*, subdivisión *f* de una sección. ~하다 dividir (la oficina), dividir en secciones.

분관(分館) anexo *m*, anejo *m*, edificio *m* anejo [anexo].

분광(分光) espectro *m*. ~의 espectral, espectroscópico, de espectro.

■ ~ 감도 sensibilidad *f* espectral. ~계 espectrómetro *m*. ~ 광도계 luminómetro *m* espectroscópico. ~ 광도법 espectrometría *f*. ~기 espectroscopio *m*. ~ 분석(分析) análisis *m* espectral [espectroscópico · de espctro]. ~ 분석 방법 método *m* de análisis espectroscópico. ~ 비색계(比色計) espectrocolorímetro *m*. ~ 사진 espectrografía *f*, espectrograma *m*. ~ 사진기 espectrógrafo. ~ 사진술 espectrografía *f*. ~ 측광법 espectrofotometría *f*. ~ 편광계 espectropolarímetro *m*. ~학 espectroscopia *f*. ~ 화학 espectroquímica *f*.

분교(分校) escuela f aneja [anexa], escuela *f* de ramo, (escuela *f*) filial *f* de una escuela principal.

■ ~생(生) alumno, -na *mf* de la escuela aneja; [대학교의] estudiante *mf*..

분교장(分敎場) escuela *f* aneja, escuela *f* de ramo, sala *f* de clase separada de una escuela.

분국(分局) (oficina *f*) sucursal *f*, oficina *f* de ramo.

분권(分權) distribución *f* [descentralización *f*] de las autoridades. ~하다 distribuir [descentralizar] las autoridades.

■ ~주의 principio *m* de descentralización.

분규(紛糾) complicación *f*, enredo *m*, embrollo *m*, disputa *f*, lío *m*. ~하다 complicarse, enredarse, embrollarse. ~를 일으키게 하다 complicar, enredar, embrollar. ~를 거듭하다 ponerse más y más [cada vez más] complicado. ~를 일으키다 embrollarse, armar un lío, crearse dificultades. 사건이 ~된다 Se enreda la situación. 의논이 ~된다 Se complica la discusión. 이 일가(一家)는 ~가 끊이지 않는다 No faltan [Siempre hay] líos [disputas] en esta familia.

분극(分極) 【물리 · 전기】 polarización *f*.

■ ~ 작용 acción *f* polarizante, polarización *f*. ~ 전류 corriente *f* polarizante. ~ 전하 carga *f* eléctrica de polarización. ~제(劑) polarizador *m*. ~화 polarización *f*. ¶~하다 polarizar. ~되다 polarizarse.

분근(分根) división *f* [separación *f*] de las raíces. ~하다 dividir [separar] las raíces.

분급(分給) distribución *f*, reparto *m*, prorrateo *m*. ~하다 distribuir, repartir, prorratear.

분기(分岐/分歧) divergencia *f*, bifurcación *f*; [강・길・철도의] ramal *m*. ~하다 dividirse, separarse; [두 개로] bifurcarse; [세부적으로] divergir, ramificarse.

■ ~선 ramal *m*. ~역 (estación *f* de) cruce *m*. ~점 punto *m* de bifurcación, empalme *m*; [길의] encrucijada *f*; [시점] momento *m* crítico. ¶인생의 ~에 있다 estar en el momento crítico de la vida.

분기(分期) semestre *m*.

분기(噴氣) eyección *f*, expulsión *f* de chorros.

■ ~공(孔) válvula *f* de admisión del vapor, distribuidor *m* del vapor, fuga *f* de gas; [화산의] fumarola *f*; [고래의] fistula *f*.

분기(憤氣/忿氣) indignación *f*, enojo *m*, enfado *m*, cólera *f*, ira *f*, despecho *m*, vejación *f*, mortificación *f*.

분기(奮起) decisión *f* vehemente, conmoción *f*, despertamiento *m*, excitación *f*. ~하다 decidirse con vehemencia, conmoverse, excitarse, despertarse. 나는 ~했으나 실패했다 Me entusiasmé tanto que fracasé.

분김(忿/憤-) (acceso *m* [arrebato *m*・arranque *m*] de) ira *f*, enfado *m*, *AmL* enojo *m*. ~에 en un momento de ira. ~에 한 말 palabras *fpl* dichas en un momento de ira. 그는 ~에 편지를 갈기갈기 찢었다 El hizo la carta pedazos [trizas].

분꽃(粉-) 【식물】 dondiego *m* (de noche), maravilla *f* del Perú [de noche・de Indias].

분납(分納) [금전의] pago *m* por plazos; [물품의] entrega *f* por partes. ~하다 [돈을] pagar a plazos; [물건을] entregar por partes. 세금을 2회[4기・반년마다]로 ~하다 pagar el impuesto en dos veces [a cuatro plazos・semestralmente].

분내(粉-) olor *m* de polvos.

분내다(忿/憤-) ☞분(忿/憤)

분네 ① [「분」을 범연하게 일컫는 말] (estimado) señor *m*; [기혼녀] señora *f*; [미혼녀] señorita *f*. 지금 오신 ~가 김 씨입니다 El (señor) que viene ahora es el Sr. Kim. 아까 나가신 ~가 누구십니까? ¿Quién es el que acaba de salir? ② [분들] (estimados) señores *mpl*.

분노(忿怒/憤怒) cólera *f*, ira *f*, frenesí *m* de cólera, enfado *m*, *AmL* enojo *m*; [부정에 대하여] indignación *f*; [격분] rabia *f*, furor *m*, arrebato *m*. ~하다 enojarse, enfadarse, irritarse. 바다의 ~ furia *f* del mar. ~해 있다 estar enojado [enfadado]. ~의 얼굴로 일그러진 rabioso con el rostro torcido. ~한 나머지 en un arranque de cólera. ~에 불타다 arder de [en] ira, montar en cólera. ~한 나머지 자신을 잊다 olvidarse de sí mismo en un arranque de cólera, entregarse [abandonarse] a la ira. ~한 나머지 자신을 잊고 abandonándose a la cólera, dejándose llevar por la ira, ciego de ira. ~를 억제하다 cortar [reprimir] la cólera, contenerse en *su* ira. ~를 폭발시키다 dejar estallar *su* ira. ~를 진정시키다 calmar [apacigar・desarmar] la cólera. ~를 사다 atraerse la ira (de), excitar la cólera (de), enfadar (a), causar [provocar] enfado (a), incurrir en el enojo (de). ~를 느끼다 sentir ira (por), indignarse (con・contra・de・por). 아버님의 ~가 풀렸다 La ira de mi padre se mitigó [se aplacó] / Mi padre se desenojó [se desenfadó]. 나는 그의 말에 ~를 느꼈다 Sus palabras me revolvieron la bilis. 그는 그 풍문을 듣고 ~를 폭발했다 El se enfureció al oír el rumor.

분뇨(糞尿) el excremento y la orina, excrementos *mpl*.

■ ~관 desagüe *m* (de excrementos). ~ 소각 장치 incinerador *m* de excrementos. ~ 수거인(收去人) recogedor, -dora *mf* de excrementos. ~차(車) carro *m* para excrementos. ~ 탱크 depósito *m* [tanque *m*] de excrementos; [구덩이] depósito *m* de excrementos para abonar la tierra.

분단(分段) división *f* en varias columnas; [단] columna *f* dividida en muchas columnas. ~하다 dividir en muchas columnas.

분단(分團) capítulo *m*, sección *f*, división *f*, sucursal *f*.

분단(分斷) división *f*. ~하다 dividir. ~되다 dividirse. 1945년 한반도 ~ 이래 desde la división de la península coreana en el año 1945 (mil novecientos cuarenta y cinco).

◆영토(領土) ~ división *f* de territorio.

■ ~ 국가 estado *m* [país *m*] dividido, nación *f* dividida. ~선 línea *f* dividida.

분담(分擔) asignación *f*, repartición *f*, cargo *m* parcial. ~하다 encargarse de una parte (de), compartir. ~시키다 asignar [repartir] una parte. 네 ~의 일 tu parte de trabajo. ~해서 찾다 salir en grupos a buscar. 여럿이 ~해서 일을 하다 repartir [dividir] un trabajo entre muchos. 책임을 ~하다 compartir la responsabilidad. 두 사람이 일을 ~합시다 Vamos a repartir el trabajo entre los dos. 비용은 각자가 ~한다 Cada uno costea sus gastos.

■ ~금(金) cuota *f*, contribución *f*. ~액(額) adjudicación *f*, 【법률】 contribución *f*.

분당(分黨) fracción *f* [desunión *f*] del partido. ~하다 fraccionar [desunir] el partido.

분대 ((준말)) =분대질.

■ ~꾼 alborotador, -dora *mf*. ~질 alboroto *m*, escándalo *m*, complicaciones *fpl*, tumulto *m*. ¶~하다 molestar, meterse, entrometerse, inmiscuirse.

분대(分隊) ① 【군사】 pelotón *m* (*pl* pelotones), escuadra *f*, [해군의] división *f*, [분견대] destacamento *m*. ② [대를 나눔] división *f* en escuadras.

■ ~장(長) jefe *mf* [comandante *mf*] de escuadra, jefe *mf* del pelotón, jefe *mf* de división.

분도기(分度器) transportador *m*, graduador *m*.

분돋음(忿-) despertamiento *m* de enfado. ~하다 despertar el enfado.

분동(分洞) división *f* de *Dong* [la aldea]. ~하다 dividir *Dong* [la aldea].

분동(分銅) pesa *f*, plomo *m*, contrapeso *m*. 저울에 ~을 얹다 colocar [poner] un contrapeso en la balanza.

분등(分等) gradación *f*, clasificación *f*. ~하다 clasificar.

분란(紛亂) confusión *f*, desorden *m*, enredo *m*, embrollo *m*, conflicto *m*. ~하다 estar en desorden [confusión], confundirse, turbarse, embrollarse.

분량(分量) cantidad *f*; [체적] volumen *m* (*pl* volúmenes); [무게] peso *m*; [약(藥) 등의] dosis *f*. 적은 ~ cantidad *f* pequeña, dosis *f* pequeña. ~이 많은 책 libro *m* de muchos volúmenes; [두꺼운] libro *m* voluminoso. 약(藥)의 ~을 잘못 주다 dar dosis errónea.

분려(奮勵/憤勵) gran asiduidad *f*, esfuerzo *m* extremo, empeño *m* enérgico. ~ 노력하다 aplicarse enérgicamente, redoblar el esfuerzo.

분력(分力) 【물리】 componente *m* de fuerza, fuerza *f* componente.

분력(奮力) acción *f* de hacer todo lo posible. ~하다 hacer todo lo posible.

분로(分路) ① =분기점. ② 【물리】 derivación *f*. ~를 만들다 colocar derivaciones.

분류(分流) ① [강의 지류(支流)] afluente *m*. ② =분파(分派).

분류(分溜) 【화학】 =분별 증류(分別蒸溜). ¶ ~하다 fraccionar.

■ ~관(管) columna *f* de fraccionamiento. ~ 분해 descomposición *f* fraccionada. ~탑 torre *f* de fraccionamiento, torre *f* de destilación fraccionada. ~ 휘발유 gasolina *f* craqueada, gasolina *f* piezopirolizada, gasolina *f* de desintegración.

분류(分類) clasificación *f*. ~하다 clasificar, encasillar. 10종으로 ~하다 clasificar [dividir] en diez grupos. 카드를 ABC순으로 ~해 놓다 colocar las fichas en orden alfabético. 카드를 저자별(著者別)로 ~하다 clasificar las fichas según los autores. 고래는 포유류에 ~된다 La ballena se clasifica entre los mamíferos.

■ ~ 목록 catálogo *m* clasificado. ~ 번호 número *m* de clasificación. ~법 clasificación *f*, sistema *m* de clasificación. ~ 카드 fichas *fpl* de clasificación. ~표 tabla *f* [lista *f*] clasificada. ~학 taxonomía *f*, taxología *f*, ciencia *f* de clasificación. ~학자(學者) taxonomista *mf*. ~함 caja *f* de clasificación.

분류(奔流) torrente *m*, corriente *f* rápida.

분리(分離) ① [따로 나뉘어 떨어짐] separación *f*, desunión *f*. ~하다 separarse, apartarse. ~할 수 있는 separable. ~할 수 없는 inseparable. ~시키다 separar, desunir, apartar. A를 B에서 ~하다 separar A de B. 우유에서 크림을 ~하다 separar la crema de la leche. 정치와 종교를 ~하다 separar la política de la religión. 두 개의 문제를 ~해서 검토하다 examinar separadamente dos problemas. 열차에서 차량(車輛)을 ~하다 separar [desacoplar] un vagón del tren. 그 두 문제는 ~해서 다루어야 한다 Hay que tratar esos dos problemas por separado. 그는 벽에서 탁자를 ~시켰다 El separó la mesa de la pared. ② 【생물】 segregación *f*. ~하다 segregar. ~되다 segregarse.

■ ~ 공판(公判) juicio *m* separado. ¶~하다 enjuiciar separadamente. ~ 과세 imposición *f* separada. ~기(器) separador *m*. ~기(機) =선광기. ~도(島) = 대륙도(大陸島). ~론 separatismo *m*, secesionismo *m*. ~법 método *m* de separación química. ~수거 recogida *f* separada, colección *f* separada. ¶~하다 recoger [coleccionar] separadamente. 쓰레기 ~ recogida *f* separada de basuras. ~ 운동 movimiento *m* separatista. ~음 =데타셰(détaché). ~의 법칙 ley *f* de separación. ~주의 separatismo *m*, secesionismo *m*; [흑인의] segreganismo *m*. ~주의자 separatista *mf*; [흑인의] segregacionista *mf*. ~층(層) 【식물】 =떨켜. ~파(派) ㉮ [본 당파(黨派) 등에서 나누어 떨어져 나간 파] separatismo *m*, facción *f* separada, escuela *f* separada, secta *f* separada. ㉯ 【예술】 secesión *f*.

분립(分立) separación *f*, segregación *f*, independencia *f*. ~하다 separar, hacerse independiente, segregar. 당(黨)은 여러 파로 ~상태다 El partido está dividido en varias facciones.

분마(奔馬) ① [빨리 달리는 말] caballo *m* que corre rápidamente, caballo *m* galopante. ② [세찬 형세(形勢)] situación *f* severa.

분만(分娩) parto *m*, alumbramiento *m*. ~하다 dar a luz, parir. ~의 고통(苦痛) dolores *mpl* [contracciones *fpl*] del parto. ~시중을 들다 partear. ~ 중이다 estar de parto, estar en trabajo de parto. 아들을 ~했다 Parió un hijo varón. 그녀는 사내아이를 ~했다 Ella ha dado a luz a niño. 여왕은 사내아이[딸]를 ~했다 La reina dio a luz (a) un hijo (varón) [una hija].

◆무통 ~ parto *m* sin dolor. 이상 ~ parto *m* revesado. 정상 ~ parto *m* derecho.

■~ 겸자(鉗子) fórceps *m* obstétrico. ~공포증 tocofobia *f*. ~기(期) parto *m*. ~ 마비 parálisis *f* de parto. ~비 gastos *mpl* de parto. ~술 arsobstetrica *f*. ~시 외상(時外傷) trauma *f* de parto. ~실 sala *f* de partos. ~ 외상 herida *f* de parto. ~전(前) anteparto *m*. ~전 간호 asistencia *f* anteparta. ~전 출혈 hemorragia *f* anteparto. ~ 지연 braditoxia *f*. ~ 촉진제 oxitócico *m*. ~후 posparto *m*. ~후 출혈 hemorragia *f* posparto. ~ 휴가 permiso *m* por maternidad.

분말(粉末) polvo *m*; [미세한] polvillo *m*. ~

(상)의 en polvo. ~로 하다 reducir a polvos, pulverizar.

■~ 계란 huevo *m* en polvo. ~기(機) pulverizador *m*. ~약 =가루약. ~ 우유 leche *f* en polvo. ~주스 jugo *m* en polvo. ~차 té *m* en polvo.

분망(奔忙) lo ocupado. ~하다 estar ocupado. 분망히 ocupadamente.

분매(分賣) venta *f* en partes. ~하다 vender en partes, vender separadamente [por separado]. 토지를 ~하다 vender un terreno por parcelas. 이 전집(全集)은 ~한다 Se vende esta colección separadamente.

분맥(分脈) pulso *m* dividido [separado].

분명(分明) claridad *f*, evidencia *f*, transparencia *f*, lo evidente, lo obvio. ~하다 (ser) claro, evidente, obvio, manifiesto, innegable; [확실하다] cierto, seguro. ~한 사실(事實) hecho *m* claro. ~한 실수(失手) error *m* manifiesto. ~한 증거(證據) prueba *f* evidente [innegable]. ~하게 하다 aclarar, poner en claro. ~해지다 ponerse en claro. 동의어(同義語)의 차이를 ~하게 하다 aclarar la diferencia de los sinónimos. …하는 것은 ~하다 Es evidente [claro] + *inf* [que + *ind*]. 의미는 아주 ~하다 El significado está bien claro. 이유가 ~하지 않다 La razón no está clara. 그가 이길 것은 ~하다 Es seguro que él va a vencer. 모든 것이 ~해질 것이다 Todo se pondrá en claro. 피고(被告)의 유죄(有罪)가 ~했다 Se probó la culpabilidad del acusado.

분명히 claramente, evidentemente, obviamente; [확실히] ciertamente, seguramente, sin duda, indudablemente. ~ 말하면 francamente, hablando claro. ~ 그것은 잘못이다 Evidentemente eso es un error. ~ 내 눈으로 보았다 Lo vi claramente con mis propios ojos. 조만간 진상(眞相)이 ~ 밝혀질 것이다 Tarde o temprano se descubrirá la verdad del hecho.

분메(分袂) =분수(分手).

분모(分母) 【수학】 denominador *m*.

◆공~ denominador *m* común.

분묘(墳墓) tumba *f*, sepulcro *m*, sepultura *f*, panteón *m* (*pl* panteones). 선조(先祖)의 ~지(地) lugar *m* [sitio *m*] donde duermen los antepasados.

■~ 발굴 exhumación *f* de una tumba. ~지지(之地) ㉮ [묘지(墓地)] tumba *f*, sepulcro *m*. ㉯ [고향(故鄕)] tierra *f* nativa, tierra *f* natal, suelo *m* natal, pueblo m natal, terruño *m*, comarca *f* natal.

분무(噴霧) rociada *f*, rocío *m*. ~하다 rociar, pulverizar líquido.

■~기(器) rociador *m*, pulverizador *m*, evaporizador *m*, vaporizador *m*, pistola *f* pulverizadora. ¶~로 농약(農藥)을 살포하다 pulverizar la insecticida.

분문(噴門) 【해부】 cardias *m*. ~의 cardíaco, cardiaco, cardial.

■~ 경련(痙攣) preventriculosis *f*, ingluveosis *f*. ~계(計) cardiámetro *m*. ~구(口) orificio *m* cardial. ~근 경련 cardiospasmo *m*. ~샘 glándula *f* cardíaca. ~ 성형술 cardioplastia *f*.

분문(糞門) 【해부】 ano *m*.

분바르다(粉-) empolvarse la cara.

분반(分班) división *f* en muchas clases, clases *fpl* divididas en muchas partes. ~하다 dividir en muchas clases.

분받침(盆-) macetero *m* de cerámica.

분발(奮發/憤發) esfuerzo *m*, conato *m*, empeño *m*, perseverancia *f*, constancia *f*. ~하다 animarse, esforzarse, perseverarse, empeñarse, levantarse, cobrar ánimo, entusiasmarse. ~해(서) con ardor, con brío. ~하고 있다 estar lleno de ardor. ~해 대답하다 contestar con brío. …하려고 ~하다 animarse a + *inf*, tener el afán de + *inf*. 그는 우승하려고 ~하고 있다 El está poseído del afán de ganar el campeonato. 나는 밤 늦게까지 ~해서 공부한다 Estoy dale que dale al estudio hasta muy avanzada la noche. 그는 낙제해서 ~했다 El suspenso sirvió para despertar sus energías [para espolear su espíritu]. ~해라! [운동 등에서] ¡Animo! ~하십시오 [tú에게] ¡Anímate! / [usted에게] ¡Anímese!

■~심 espíritu *m* extenuante, espíritu *m* de esfuerzo.

분방(芬芳) =방향(芳香).

분방(奔放) ① [힘차게 내달림] corrida *f* fuerte. ~하다 correr fuerte. ② [제멋대로 행동함] despilfarro *m*, derroche *m*, extravagancia *f*, carácter *m* libre. ~하다 (ser) absurdo, disparaado, extravagante, derrochador, despilfarrador; [생활이] de lujo.

분배(分配) distribución *f*, repartición *f*. ~하다 distribuir, repartir. 피난민에게 식량을 ~하다 distribuir los víveres entre los refugiados. 이익의 ~에 참여하다 participar en la repartición de los beneficios. 재산을 아이들에게 ~하다 repartir los bienes entre los hijos.

■~금 dividendo *m*. ~론(論) teoría *f* de distribución. ~액 porción *f*. ~자 distribuidor, -dora *mf*.

분법(分法) 【수학】 =나눗셈.

분벽(粉壁) lo encalado de la pared, pared *f* blanqueada.

분별(分別) ① [서로 구별을 지어 나눔] distinción *f*. ~하다 distinguir(se), interpretar. ~하게 하다 discernir, distinguir. ② =분변(分辨).

■~법(法) fraccionación *f*. ~ 증류(蒸溜) fraccionamiento *m*, destilación *f* fraccinada. ¶~하다 fraccionar, separar por destilación fraccionada.

분복(分福) suerte *f* destinada, buena fortuna *f* natural; ((성경)) parte *f*.

분봉(分封) ① 【고제도】 enfeudación *f*, enfeudamiento *m*. ~하다 enfeudar. ② =분봉(分蜂).

분봉(分蜂) enjambrazón *m*. ~하다 enjambrar.

분부(分付/吩咐) orden *f* (*pl* órdenes), mandato *m*, mandamiento *m*; [지시] instrucciones *fpl*, direcciones *fpl*. ~하다 ordenar, mandar, disponer, decir. …의 ~로 ㉮ [명령] por orden de *uno*. ㉯ [요구] a la demanda de *uno*. ㉰ [추천] por recomendación de *uno*. ~대로 conforme a *sus* indicaciones, conforme a *sus* instrucciones. ~를 따르다 obedecer las órdenes, seguir las instrucciones. ~를 어기다 desobedecer las órdenes. 무엇이든 ~를 내려 주십시오 Mándeme lo que quiera / Dígame en qué puedo servirle / Estoy a su disposición / Estoy a sus órdenes / ¡Servidor! ~대로 하겠습니다 Procederé según sus indicaciones / Entendido / Con mucho gusto.

분분(紛紛) confusión *f*, desorden *m*. ~하다 ㉮ [시끄럽다] (ser) ruidoso, tumultuoso, tumultuario. ㉯ [어수선하다] (ser) confuso. ~하게 confusamente, en desorden, a trochemoche. ㉰ [구구하다] (ser) contradictorio. ~한 소문(所聞) rumores *mpl* contradictorios. 의견이 ~하다 Las opiniones son imposibles de estar acuerdo. 낙화(落花)가 ~하여 설편(雪片) 같다 Las flores caídas se esparcen como los copos de nieve.
분분히 confusamente, en desorden, a trochemoche; contradictoriamente.

분분하다(芬芬—) (ser) fragante, oloroso. 분분하여 con fragancia, olorosamente.

분비(分泌) secreción *f*, excreción *f*. ~하다 secretar, excretar. ~의 secretorio.
■~ 기관 órgano *m* secretorio. ~물(物) secreción *f*, excreción *f*; [악취의] disordia *f*. ~선(腺) glándula *f*. ~ 세포 célula *f* secretoria. ~ 신경 nervio *m* secretor. ~액 líquido *m* secretoria. ~약 droga *f* secretoria. ~ 작용 secreción *f*. ~ 조직 tejido *m* secretorio.

분사(分詞) 【언어】 participio *m*.
■~ 구문 frase *f* absoluta.

분사(焚死) =소사(燒死).

분사(憤死) muerte *f* de indignación. ~하다 morirse de indignación.

분사(噴射) espray *m*, reacción *f*, chorro *m*, inyección. ~하다 arrojar a [en] chorro, lanzar en chorro.
■~관(管) tubo *m* de inyección. ~기(機) chorro *m* de arena. ~ 기관 motor *m* a reacción, reactor *m*. ~ 노즐 boquilla *f* de inyección, tobera *f* de inyección. ~ 반동 추진 propulsión *f* a chorro, propulsión *f* de escape. ~수(水) el agua *f* de inyección. ~식 이륙 촉진 장치 despegue *m* ayudado por cohetes. ~식 추진기(式推進機) hélice *m* por chorro. ~ 압축기 compresor *m* de inyección. ~ 추진 propulsión *f* por chorro, reacción *f* de chorro. ~ 추진기 avión *m* de propulsión por chorro, avión *m* propulsado por motor de chorro, cohete *m*; [로켓식의] rochet *m*. ~ 추진 기관 motor *m* de chorro. ~ 추진선(推進船) buque *m* de propulsión por chorro, buque *m* propulsado por motor de chorro. ~ 추진식 비행기 avión *m* a reacción de propulsión a chorro. ~ 추진 엔진 motor *m* de reacción directa, motor *m* de propulsión por chorro. ~ 펌프 bomba *f* de chorro, bomba *f* de inyección.

분산(分散) dispersión *f*, esparcimiento *m*, divergencia *f*. ~하다 dispersarse, esparcirse, divergir. ~시키다 dispersar, esparcir. 빛의 ~ dispersión *f* de la luz. 공장을 지방으로 ~시키다 esparcir las fábricas en varias provincias. 학생들은 ~해서 점심을 먹었다 Los alumnos se dispersaron para almorzar.
■~ 가족 familia *f* dispersada. ~도 =산포도(散布度). ~성(性) dispersibilidad *f*. ~율 índice *m* de dispersión. ~주의 principio *m* de dispersión. ~책 política *f* de descentralización. ¶인구 ~ política *f* de descentralización de población. ~ 투자(投資) inversión *f* diversificada.

분상(粉狀) forma *f* pulverizadora. ~의 pulverizado, en polvo.

분서(焚書) quemadura *f* de los libros. ~하다 quemar los libros (prohibidos).

분서갱유(焚書坑儒) 【역사】 la quemadura de los libros sobre los clásicos chinos y el entierro vivo de los (estudiosos) confucia′nos. ~하다 quemar los libros sobre los clásicos chinos y enterrar vivo los estudiosos confucianos.

분석(分析) ① análisis *m*(*f*). ~하다 analizar. ~의 analítico. ~하는 analizador. ~할 수 있는 analizable. ~으로 처리하다 someter al análisis. 자료를 ~하다 analizar los datos. ~ 결과 …로 판단되다 El análisis indica que + *ind*. ② 【야금】 ensayo *m*. ~하다 ensayar.
■~가 analisista *mf*, analista *mf*. ~기(器) analizadora *f*. ~론(論) analítica *f*. ~ 비평 criticismo *m* analítico. ~소 oficina *f* de ensaye. ~ 시험 ensaye *m*. ~실 laboratorio *m* de análisis, taller *m* de ensayo. ~자 analisista *mf*, analizador, -dora *mf*. ~적 analítico. ¶~으로 analíticamente. ~적 정의 definición *f* analítica. ~ 철학 filosofía *f* analítica. ~ 판단 juicio *m* analítico. ~표 tabla *f* de análisis. ~학 analítica *f*. ~학자 analisista *mf*. ~ 화학(化學) química *f* analítica.

분석(盆石) =분경(盆景).

분선(分線) línea *f* ramal.

분설(分設) establecimiento *m* de una sucursal. ~하다 establecer una sucursal.

분설(粉雪) nieve *f* polvorosa, nieve *f* fina.

분성(分性) 【물리】 divisibilidad *f*. ~의 divisible, partible, divididero.

분손(分損) 【경제】 avería *f* parcial, pérdida *f* parcial.

분쇄(粉碎/分碎) demolición *f*. ~하다 demoler, destrozar, hacer pedazos, hacer añicos, pulverizar, hacer polvo; [적을] aniquilar. 그는 그의 경쟁자를 ~했다 El pulverizó [hizo polvo] a su contrincante. 독재 정치 ~! ¡Abajo la dictadura!

■ ~기(機) pulverizador *m*, molinillo *m*; [수동식의] molino *m*.

분쇄(粉一) plomo *m* usado para hacer polvo.

분수(分手) despedida *f*. ~하다 despedirse.

분수(分水) desviación *f* de agua.

■ ~계 vertiente *m*. ~령[산맥] ㉮ [가름 고개] (línea *f*) divisoria *f* (de aguas), arista *f* de los verdientes, motaña *f* que hace fuente de dos ríos. ㉯ =전환점(轉換點).

분수[1](分數) ① [분별하는 슬기] discreción *f*, prudencia *f*. ~ 있는 discreto. ~없는 indiscreto, imprudente. ② [분한(分限)] posición *f* (social), estado *m*, condición *f*. ~에 맞게 [지위에] según la situación en la sociedad; [재력(財力)에] según *sus* recursos. ~에 맞게 살다 vivir dentro de los medios. ~에 맞는 생활을 하다 vivir según *sus* posibilidades, adaptarse a las circunstancias, *RPI* no estirar los pies más de lo que da la frazada. ~에 넘치게 살다 vivir por encima de *sus* posibilidades. 자기의 ~를 잘 알다 conocer bien *su* posición. 자기의 ~에 넘치다 excederse en *sus* facultades [atribuciones]. ~에 맞게 기부(寄附)하다 contribuir según *su* posición y recursos. 이 건(件)은 내 ~에 넘치는 일이다 Este asunto no está al alcance de mi mano / Este asunto excede a [está por encima de] mi capacidad.

◆분수(가) 없다 (ser) indiscreto, imprudente. 분수(가) 없는 indiscreto, imprudente. 분수(가) 없이 indiscretamente, imprudentemente.

분수[2](分數) 【수학】 fracción *f*, número *m* quebrado. ~의 fraccionario.

■ ~ 방정식 ecuación *f* fraccionaria. ~식 expresión *f* fraccionaria.

분수(噴水) fuente *f*, manantial *m*, chorro *m*, chorretada *f*, surtidor *m*. ~가 나오다 Sale [Brota] el agua de la fuente.

■ ~공 canalón *m* (*pl* canalones), chorro *m*. ~기 tromba *f*, [파이프] canalón *m*. ~식 음료기 fuente *f* para beber.

분숙(分宿) alojamiento *m* [hospedaje *m*] separado. ~하다 alojarse [hospedarse] separadamente. 학생들은 여러 호텔에 ~했다 Los estudiantes se alojaron separadamente en varios hoteles.

분승(分乘) equitación *f* separada. ~하다 tomar [montar] separadamente. 관광단은 10대의 버스에 ~해서 출발했다 Partió el grupo de turistas en diez autocares.

분식(分蝕) 【천문】 ((준말)) =부분식(部分蝕).

분식(扮飾) vestido *m* y ornamento, compostura *f* con afeite, modo *m* de pintarse, atavío *m*. ~하다 vestirse, pintarse, ataviarse, componer con afeites.

분식(粉食) manjar *m* pulverizado, alimentación *f* por la harina amasada y cocida.

■ ~일 día *m* de la alimentación por la harina amasada y cocida.

분식(粉飾) falseamiento *m*, falsedad *f*. ~하다 falsear.

■ ~ 결산 liquidación *f* falseada [apañada]. ~ 예금 alteración *f* falaz de un balance, manipulación *f* de la contabilidad mediante operaciones, manipulación *f* de la contabilidad.

분신(分身) ① ((불교)) encarnación *f* de Buda. ② [제이의 나] mi otro yo. 그는 나의 ~이다 El es mi otro yo.

분신(焚身) quemadura *f* a sí mismo a la muerte. ~하다 quemarse [incendiarse] a la muerte. ~자살하다 suicidarse prendiéndose fuego.

분신쇄골(粉身碎骨) =분골쇄신(粉骨碎身).

분실(分室) oficina *f* aneja [anexa]; [병원의] cuarto *m* apartado; [관청의] oficina *f* apartada.

■ ~장 jefe *mf* de la oficina aneja.

분실(紛失) pérdida *f*, extravío *m*. ~하다 perder, extraviar(se). ~되다 perderse, extraviarse, desaparecer. 나는 가방을 ~했다 Se me ha perdido [extraviado] el maletín.

■ ~계 declaración *f* de la pérdida. ¶~를 제출하다 hacer una declaración de la pérdida. ~물 objeto *m* perdido. ~물 신고 informe *m* de pérdida. ~자(者) perdedor, -dora *mf*.

분압(分壓) 【물리】 presión *f* parcial.

■ ~기(器) potenciómetro *m*.

분야(分野) ramo *m*, terreno *m*, esfera *f*, [학문·예술의] campo *m*. 무역 ~에서 en el terreno de los intercambios comerciales. 새로운 ~를 개발하다 cultivar un nuevo ramo. 물리학에서 새로운 ~를 개척하다 abrir nuevos horizontes en física.

분약(粉藥) medicina *f* en polvo.

분양(分讓) cesión *f* en partes. ~하다 ceder en partes, vender en partes. 토지를 ~하다 vender un terreno por parcelas.

■ ~ 아파트 piso *m* [*AmL* apartamento *m*] que se cede [se vende] en partes. ~ 주택(住宅) casa *f* y parcela en venta. ~지 urbanización *f*, parcela *f*, solar *m* que se venden en partes, terreno *m* que se venden en partes.

분업(分業) división *f* de la labor, división *f* del trabajo. ~으로 일을 합시다 Vamos a dividir el trabajo entre nosotros.

◆국제(國際) ~ división *f* de labor internacional. 의약(醫藥) ~ separación *f* de dispensario de la práctica médica, especialización *f* de dispensario y práctica médica.

■ ~화(化) especialización *f*. ¶~하다 especializar. ~된 especializado. ~의 시대(時代) edad *f* de especialización.

분여(分與) distribución *f*, repartición *f*. ~하다 dar una parte, distribuir entre muchos, dividir (entre dos personas).

분연(忿然/憤然) indignación *f*, cólera *f*, enojo *m*, enfado *m*, ira *f*. ~하다 indignarse, enojarse, enfadarse.

분연히 con indignación, en un arrebato de

cólera, enojosamente, enfadosamente. ~ 자리를 뜨다 abandonar *su* asiento con indignación.

분열(分列) desfile *m*.

■~식 desfile *m*. ~ 행진 marcha *f* en desfile. ¶~하다 desfilar.

분열(分裂) desunión *f*, disgregación *f*, división *f*, quebrantamiento *m*, escisión *f*; [교회 등의] cisma *m(f)*; [정당·사회 단체 등의] fracción *f*. ~하다 desunirse, disgregarse, dividirse, separarse, quebrantarse, separarse; [정당·사회 단체 등이] fraccionarse. ~시키다 desunir, disgregar, dividir, separar, quebrantar, escindir. 세포는 ~한다 Se divide la célula. 한반도는 남북으로 ~되어 있다 La Península Coreana está dividida en norte y sur. 당(黨)은 네 파로 ~되었다 El partido se dividió [se escindió] en cuatro fracciones. 자유 사상은 전국을 ~시켰다 La idea de libertad desunió toda la nación.

◆국론 ~ división *f* de la opinión nacional. 핵(核)~ fisión *f* nuclear.

■~균(菌)【식물】esquizomiceto *m*. ~생식【생물】(reproducción *f* por) fisiparidad *f*. ¶~의 fisíparo. ~ 조직 tejido *m* meristemático. ~ 책동(策動) actividades *fpl* escisionistas. ~편(片) segmento *m*.

분열 식물(分裂植物)【식물】((학명)) Schizophyta.

분외(分外) ¶~의 inmerecido, desmesurado, desmedido, indebido. ~의 대망(大望) ambición *f* desmesurada. ~의 지위(地位) posición *f* inmerecida.

분요(紛擾) =분란(紛亂).

분원(分院) [병원의] anejo *m* [anexo *m*] del hospital.

분위기(雰圍氣) ① =대기(大氣). ② [그 자리에 조성되어 있는 상태나 기분] atmósfera *f*, ambiente *m*. ~를 해치다 estropear [echar a perder] la atmósfera agradable. 종교적 ~를 창출하다 crear un ambiente religioso. 자유로운 ~로 회담하다 conferenciar en un ambiente libre. 회의의 ~가 바뀌었다 Ha cambiado la atmósfera de la conferencia. 회의의 ~가 좋게 [나쁘게] 되었다 La conferencia ha tomado un giro favorable [desfavorable] a nosotros. 그 곳은 중세(中世)의 ~가 남아 있다 Allí se conserva una atmósfera medieval. 스포츠 대회의 ~가 고조되었다 La competición deportiva ha cobrado bría.

분유(粉乳) leche *f* en polvo.

-분의(分一) ¶10~ 3 tres décimos.

분자(分子) ①【수학】numerador *m*. ②【물리】molécula *f*. ~의 molecular. ~ 간(間)의 intermolecular. ~ 내(內)의 intramolecular. ③ [구성원] elementos *mpl*.

■~ 결합 enlace *m* molecular. ~ 구조 estructura *f* molecular. ~ 구조론 teoría *f* de estructura molecular. ~량 peso *m* molecular. ~력 atracción *f* molecular. ~ 물리학 física *f* molecular. ~병 enfermedad *f* molecular. ~ 생물학 biología *f* molecular. ~설(說) hipótesis *f* molecular, teoría *f* molecular. ~식 fórmula *f* molecular. ~ 운동 movimiento *m* molecular. ~ 유전학 genética *f* molecular. ~천문학 astronomía *f* molecular. ~ 화합물 compuesto *m* molecular.

분잡(紛雜) confusión *f*, desorden *m*, enredo *m*, embrollo *m*, perturbación *f*, mezcla *f*, mescolanza *f*, muchedumbre *f*, gentío *m*, multitud *f*. ~하다 (ser) confuso, mezclado, revuelto, desordenado, embrollado, estar de bote en bote. ~한 틈을 타서 en confusión. 분잡히 confusamente, con confusión.

분장(分掌) cargo *m* parcial, ocupación *f* parcial. ~하다 partir el cargo.

분장(扮裝) ① [몸치장] maquillaje *m*. ~하다 maquillarse, pintarse, hacerse el maquillaje. ②【연극】disfraz *m*. ~하다 disfrazarse (de). 광대로 ~하다 disfrazarse de payaso. 해적으로 ~해서 disfrazado de pirata.

■~사 maquillador, -dora *mf*. ~실 sala *f* de espera de los actores, camarín *m*, camerino.

분재(分財) distribución *f* de propiedad. ~하다 distribuir la propiedad.

분재(盆栽) árbol *m* enano (en tiesto), planta *f* enana en maceta. ~를 만들다 cultivar un árbol enano.

분쟁(分爭) conflictos *mpl* de partidos, disensiones *fpl* de [entre] facciones.

분쟁(紛爭) pleito *m*, riña *f*, querella *f*, conflicto *m*, contienda *f*, litigio *m*, disputa *f*, lío *m*, discordia *f*, disensión *f*, disgusto *m*, desavenencia *f*, problemas *mpl*, disturbios *mpl*. ~의 conflictivo. ~ 중의 en litigio. 북아일랜드의 ~ los disturbios de Irlanda del Norte. ~을 일으키다 crear [armar] un lío, provocar un disgusto, entrar en conflicto, tener una dificultad (con). ~에 말려들다 verse envuelto en el [ser atrastrado al] conflicto [pleito (소송)·[불화] discordia, disensión; [말다툼] riña, pelea]. ~의 중재를 하다 intervenir en la querella. ~을 해결하다 arreglar [ordenar·resolver] el conflicto. 학생들 간에 ~이 있었다 Hubo un pleito entre los estudiantes. 양국 간에 ~이 일어났다 Se produjo un conflicto entre los dos países / Estalló [Nació] un conflicto entre ambos países. 두 집안 간에 ~이 일어났다 Han surgido dificultades entre las dos familias / Ha surgido una desavenencia entre las dos familias. 두 사람은 ~이 끊이지 않는다 Los dos riñen constantemente / Los dos siempre tienen problemas.

■~ 지점 punto *m* conflicto.

분전(奮戰) combate *m* animoso, batalla *f* vigorosa. ~하다 combatir [luchar] desesperadamente [duramente]; [노력하다] realizar esfuerzos tenaces. 그는 시합에서 ~했다 En el partido él dio de sí todo lo que pudo.

분절(分節) articulación *f.* ～하다 articular. ～되다 articularse.
■ ～법(法) silabeo *m.*
분점(分店) sucursal *f.*
분점(分點) ① [나누는 점] punto *m* dividido. ② 【천문】 equinoccio *m.*
■ ～월(月) mes *m* tropical.
분접시(粉－) plato *m* para polvos.
분젠등(Bunsen 燈) 【화학】 ＝분젠 버너.
분젠 버너(영 *Bunsen burner*) mechero *m* (de gas) Bunsen.
분종(盆種) planta *f* en una meceta [en un tieso]. ～하다 plantar en una meceta.
분주(奔走) lo ocupado. ～하다 estar muy ocupado. ～한 일정(日程) programa *m* [calendario *m*] muy apretado. 눈코 뜰 사이 없이 ～하다 estar atareadísimo. 일을 성사시키기 위해 ～하게 뛰어다니니다 hacer los [poner en juego *sus*] mejores esfuerzos (para). 그는 이 거래를 위해 ～하게 뛰어다녔다 El puso en juego sus mejores esfuerzos para este negocio.
분주다사하다 estar muy ocupado con muchos trabajos. 나는 무척 ～ ((El Quijote)) La ocupación de mis negocios es tan grande.
분주살스럽다 estar ocupadísimo.
분주살스레 muy ocupadamente.
분주스럽다 estar ocupadísimo.
분주스레 muy ocupadamente.
분주히 muy ocupadamente.
분지(盆地) cuenca *f*, hoya *f*, valle *m.*
분지(糞池) el estiércol y la orina.
-분지(分之) ¶5～ 3 tres quintos. 10～ 9 nueve décimos.
분진(粉塵) ＝티끌.
분책(分冊) fascículo *m*, volumen *m* separado. ～으로 출판하다 publicar en volúmenes separados. 그 컬렉션은 다섯 번째 ～까지 출판되었다 Se publicó la colección hasta el quinto fascículo.
분천(噴泉) fuente *f.*
분첩(粉貼) borla *f* de polvos, borla *f* para empolvar. ～을 바르다 echarse polvos con la borla.
분청사기(粉青沙器) porcelana *f* con barbotina blanca y vidriado grisáceo.
분초(分秒) ① [시간의 단위인 분(分)과 초(秒)] el minuto y el segundo. ② [매우 짧은 시간] tiempo *m* muy corto.
◆분초(를) 다투다 ㉮ [아주 짧은 시간이라도 아끼어 급하게 서두르다] darse prisa, apuresurarse, *AmL* apurar. 분초를 다투어 일을 하다 trabajar apuresuradamente [rápidamente]. ㉯ [아주 시급 (時急)을 요하다] necesitar la emergencia.
분출(噴出) efusión *f*, erupción *f*, tromba *f*, chorro *m*, flujo *m* rápido. ～하다 salir con ímpetu [a chorro · en tromba · a borbotones], surgir, arrojar en chorros, brotar a chorros, fluir, manar. 지하에서 천연가스가 ～한다 Desde el subsuelo sale a chorro el gas natural. 화산이 용암을 ～한다 El volcán lanza [vomita] la lava.
■ ～구(口) chorro *m*, surtidor *m* de escape. ～구(溝) canal *m* eruptivo. ～물 [화산의] erupciones *fpl.* ～암(巖) roca *f* efusiva, roca *f* eruptiva.
분침(分針) minutero *m*, manecilla *f* grande, aguja *f* que señala los minutos en un reloj.
분칭(分秤) balanza *f* pequeñísima.
분탄(粉炭) carbón *m* (*pl* carbones) de palo [de madera] en polvo, cisco.
분탕(焚蕩) disipación *f.* ～하다 disipar; [돈을] despilfarrar, derrochar; [재산을] dilapidar; [기회 · 시간을] desaprovechar, desperdicar.
■ ～질 disipación *f* de dinero. ¶～하다 (ser) pródigo, disipar, despilfarrar, derrochar.
분토(墳土) tierra *f* de la tumba.
분토(糞土) ① [똥을 섞은 흙] tierra *f* que se mezcla el estiércol. ② [썩은 흙] tierra *f* podrida.
■ ～지언(之言) palabra *f* absurda, absurdo *m*, absurdidad *f.*
분통(憤痛) rabia *f*, ira *f*, enojo *m*, enfado *m*, furor *m*, arrebato *m* de cólera. ～을 터뜨리다 estar furioso (con), poner furioso, enfurecer. 그는 나에게～을 터뜨렸다 El estaba furioso conmigo. 우리가 늦으면 그녀는 ～을 터뜨릴 것이다 Ella se va a poner furiosa [Ella se va a enfurecer] si llegamos tarde.
◆분통(이) 터지다 montar en cólera, ponerse furioso, enfurecerse, enojarse, enfadarse.
분투(奮鬪) ① [있는 힘을 다하여 적과 싸움] combate *m* animoso. ～하다 estar dedicado con gran empeño [ahinco], combatir animosamente. ② [힘껏 노력함] todos *sus* esfuerzos. ～하다 hacer todos *sus* esfuerzos, hacer todo lo posible.
■ ～가 trabajador *m* duro [enérgico], trabajadora *f* dura [enérgica]. ～ 노력(努力) esfuerzo *m* violento, esfuerzo *m* enérgico, denodados esfuerzos *mpl.* ¶～하다 redoblar *sus* esfuerzos, hacer todos *sus* esfuerzos. ～ 정신(精神) espíritu *m* de lucha, combatividad *f.*
분파(分派) ramo *m*, secta *f*, [정당 · 사회 단체 등의] fracción *f.* ～하다 fraccionarse. ～를 만들다 formar una secta [un grupo]. ～활동을 하다 realizar actividades separatistas.
■ ～주의 faccionalismo *m*, fraccionalismo *m.* ～ 투쟁(鬪爭) lucha *f* faccionaria, lucha *f* fraccionaria. ～ 행동 acción *f* faccionaria. ～ 활동 actividades *fpl* faccionarias.
분패(憤敗) derrota *f* por un escaso margen. ～하다 ser derrotado por un escaso margen.
분포(分布) distribución *f*, difusión *f.* ～하다 distribuir, difundirse. 이 나무는 한국의 북부 지역에 ～되어 있다 Este árbol está difundido por la zona septentrional de Co-

rea.

■ ~ 곡선 curva *f* de distribución. ~구(區) [식물·동물의] zona *f* de distribución. ~도 carta *f* de distribución. ~망 red *f* de distribución. ~ 범위 zona *f* de distribución. ~율 tasa *f* de distribución.

분풀이(憤-) venganza *f*, represalias *fpl*. ~하다 vengar, tomar represalias, contraatacar.

분필(分筆) división *f* de solar. ~하다 dividir el solar.

분필(粉筆) tiza *f*; [옷감을 말 때 표하는] yeso *m*, tiza *f* (para sastre). ~ 한 개 una (pieza de) tiza, un trozo de tiza. ~로 흑판에 쓰다 escribir en la pizarrón con tiza.

분하다(分-) dividir, partir.

분하다(扮-) ((준말)) =분장(扮裝)하다.

분하다(忿/憤-) ① [당하지 않을 일을 당하여 분하고 원통하다] resentirse, dar muestras de sentimiento, lamentarse (de), experimentar [sufrir] despecho (por). 분해 하다 sentir indignación. 분해서 눈물을 흘리다 llorar de despecho [de vejación]. 아, 분하구나! ¡Qué humillante [disgusto · vergüenza]! 그런 놈에게 지다니 분해 죽겠다 Perder ante un tipo como ése, ¡qué vergüenza! 그녀는 분해서 편지를 찢었다 Llevada por (el) despecho, rompió la carta. 그는 실패해서 분했다 El se lamentó mucho de su fracaso. ② [서운하고 아깝다] sentir(se), lamentar, llorar. 그는 그 회합에 참석하지 못해 분해 한다 El lamenta [siente] no haber asistido a la reunión. 그는 자신의 잘못을 분해 했다 El lloró sus culpas.

분한(分限) ① [실용 한도] utilidad *f*, uso *m* económico. ② [분수] posición *f* social.

◆분한(이) 없다 no tener ningún valor, no valer nada. 요새는 돈이 전보다 ~ Hoy día el dinero no vale nada más que antes.

◆분한(이) 있다 tener su límite. 분한 있게 돈을 써라 Gasta tu dinero prudentemente.

분한(忿恨/憤恨) resentimiento *m*. ~하다 resentirse.

분할(分割) división *f*, desmembramiento *m*, partición *f*; [분배] repartimiento *m*. ~하다 dividir, partir, desmembrar, repartir. 토지(土地)를 ~하다 parcelar [dividir] el terreno.

■~ 매입(買入) compra *f* a plazos. ~법 partición *f*. ~불 pago *m* a plazos, pago *m* en partes iguales, pago *m* aplazado. ¶~로 a plazos, en abonos, en cuotas. ~로 사다 comprar a plazos. ~로 지불하다 pagar a plazos. ~ 상속(세) sucesión *f* dividida, división *f* de sucesión. ~ 상환(償還) amortización *f* dividida. ~ 선적 expediciones *fpl* parciales. ~ 소유권 derecho *m* de propiedad dividida. ~ 인도 entrega *f* dividida. ~ 주문 pedido *m* dividido. ~ 지불 pago *m* a plazos. ~ 차관 préstamo *m* a plazos. ~ 판매 venta *f* a plazos. ~ 판매 계약 contrato *m* de venta a plazos, contrato *m* de venta en cuotas.

분할(分轄) control *m* separado, gobierno *m* después de dividir (un sitio) en varias secciones. ~하다 controlar separadamente, gobernar (un sitio) dividiéndolo en varias secciones.

분해(分解) análisis *m*, descomposición *f*; [기계 등의] desarme *m*, desmontadura *f*. ~하다 destruir, descomponer, analizar, desarmar, desmontar. 부품(部品)을 ~하다 desmontar [separar] las piezas. 물을 산소와 수소로 ~하다 descomponer el agua en oxígeno e hidrógeno. 문장을 주부(主部)와 술부(述部)로 ~하다 analizar la oración en el sujeto y el predicado de la oración. 시계를 ~ 소제하다 descomponer un reloj para limpiarlo. 비행기를 ~하여 수송하다 embarcar un aeroplano en secciones.

■~의 허위(虛僞) falacia *f* de división. ~작용 desgregación *f*. ~점 punto *m* de descomposición.

분향(焚香) ofrenda *f* [quema *f*] de incienso. ~하다 ofrecer [quemar] (el) incienso.

분호(分戶) =분가(分家).

분홍(粉紅) ((준말)) =분홍빛.

■~빛[색] (color *m*) rosa *m*, (color *m* de) rosa *m*, rojo *m* muy claro, color *m* de brasil, *AmL* rosado *m*. ~의 [옷·페인트·직물 등] rosa (*mf* 동형), *AmL* rosado; [뺨 등] sonrosado, colorado, encarnado, rojizo. ~ 치마 ㉮ [분홍빛으로 된 치마] falda *f* rosa, falda *f* de color rosa. ㉯ [연의 한 가지] *bunhongchima*, una especie de la cometa.

분화(分化) diferenciación *f*; [특수화] especialización *f*. ~하다 diferenciarse (de); especializar.

분화(盆花) flor *f* en la maceta.

분화(粉花) 【식물】 =분꽃.

분화(焚火) [불을 사름] quemadura *f*; [활활 타는 불] hoguera *f*. ~하다 quemar.

분화(噴火) erupción *f*, actividad *f* volcánica. ~하다 echar fuego, emitir fuego. ~를 시작하다 entrar en erupción. ~ 중이다 estar en erupción.

■~구(口) cráter *m*. ~산 volcán *m* activo.

분회(分會) sucursal *f*.

분획(分劃) división *f* en varias manzanas. ~하다 dividir en varias manzanas.

붇다 ① [물에 젖어서 부피가 커지다] hincharse (por la humedad). 나[너·그·우리·너희들·그들]는 목욕으로 손이 불었다 Las manos se me [te · le · nos · os · les] hincharon en el baño. ② [(수량이) 많아지다] aumentarse, acrecentarse, crecer.

불어나다 ㉮ [많아지다] aumentar(se), acumularse, crecer, mulitiplicarse, obtenerse. 비용이 불어난다 Aumentan los gastos. 생활비가 불어난다 La vida es cada vez más cara. 빚이 불어난다 Van acumulándose las deudas. ㉯ ((속어)) [성이 나다] enfadarse, irritarse, AmL enojarse.

불어 터지다 aumentarse y casi no poder comer.

불[1] ① [타는 현상] fuego *m*, lumbre *f*. ~에

강한 inconbustible, ignífugo. ~이 잘 붙여지지 않는 성냥 cerilla *f* [fósforo *m*] que se enciende mal. ~을 켜다 encender el fuego [la lumbre]; [전등의] encender la luz, alumbrar; *AmL* prender la luz. ~을 끄다 apagar [extinguir] el fuego; [전등의] apagar la luz. ~을 놓다 pegar fuego (a). ~이 켜지다 encenderse la luz. ~이 꺼지다 apagarse la luz. ~이 붙다 encenderse, prender el fuego. ~을 살리다 [타오르게 하다] avivar el guego. ~을 꺼지게 하지 않으려고 하다 tratar de no apagar el fuego, mantener el fuego. ~에 데우다 [덥히다] calentarse al fuego. ~에서 꺼내다 sacar del fuego. ~에 굽다 asar al fuego [a la lumbre]. ~에 넣다 echar al fuego. ~에 기름을 붓다 echar aceite al fuego, echar leña al fuego. ~을 가지고 놀다 jugar con fuego. 냄비를 ~에 얹다 poner una olla en el fuego. 담배에 ~을 붙이다 encender el cigarrillo. 화력이 센 ~에 삶다 [끓이다] cocer a fuego vivo. 약한 ~에 조리다 cocer a fuego lento. 중(간) ~에 요리하다 cocer a medio fuego. 담뱃~을 빌려주다 dar fuego [lumbre] (a *uno*). ~이 꺼졌다 Se apagó [Se extinguió] el fuego. ~ 좀 빌려 주십시오 Déme fuego [lumbre], por favor. ~ 좀 주시겠습니까? ¿Me da usted el fuego? ~이 살아나고 있다 Está avivándose el fuego. 그는 ~을 휘저었다 El atizó el fuego. 이 장작은 ~이 잘 붙지 않는다 Esta leña tarda en prender [en encenderse] / El fuego no prende bien en la leña. ~을 끄기 위해 여러 시간이 필요했다 Necesitaron varias horas para sofocar el fuego. 이 고기는 ~에 잘 구워지지 않는다 Esta carne no está bien asada / Esta carne está poco asada. 신화에 의하면 프로메테우스는 인간에게 ~의 사용법을 가르쳐준 사람이었다 Prometeo, según la Fábula, fue quien enseñó a los hombres el uso del fuego. ~을 피우는 것을 금함 ((게시)) Está prohibido hacer fuego.

② [광명(光明). 등화(燈火)] luz *f* de lámpara, alumbrado.

③ ㉮ [광선(光線)] luz *f*, rayo *m*. ㉯ [조명(照明)] iluminación *f*, alumbrado *m*.

④ [화재(火災)] fuego *m*, incendio *m*. ~을 내다 causar un incendio. ~를 끄다 apagar [extinguir] el incendio, ahogar el fuego. 집에 ~을 지르다 pegar fuego a una casa. ~이 났다 Ocurrió [Estalló · Se declaró] un incendio. ~이 번진다 Se propaga el fuego. ~은 이웃집에 옮아 붙었다 El fuego se pasó a la casa próxima. ~은 빨리 인가(隣家)에 번졌다 Pronto se propagó el fuego a la casa vecina. ~은 부엌에서 났다 El fuego se originó en la cocina. ~이 10층에 번졌다 El fuego alcanzó el noveno piso [*AmL* el décimo piso]. ~이 퍼졌다 El fuego se extendió [se propagó]. ~이야! ¡Fuego! / ¡Incendio!

⑤ [돌이나 쇠 따위의 마찰로 일어나는 빛과 열] la luz y el calor producidos por la fricción de las piedras o los metales.

⑥ [반딧불] luz *f* de las luciérnagas.

⑦ [도깨비불] fosforescencia *f*.

⑧ [욕정(欲情) · 정열 · 탐욕 따위를 비유하는 말] pasión *f*, deseo *m* sexual [carnal], codicia *f*, avaricia *f*. 정열의 ~ fuego *m* de pasión.

⑨ ㉮ [희망] esperanza *f*. ㉯ [이상(理想)] ideal *m*.

⑩ [기타] ~ 같은 muy caliente. 눈에서 ~이 나다 ver las estrellas. 그녀는 성질이 ~ 같다 Ella es una mujer apasionada. 그의 이마는 ~ 같다 El tiene la frente ardiente. 그것은 ~을 보듯 분명하다 Está claro como la luz del día. 어린애는 ~에 덴 것처럼 울기 시작했다 La criatura se echó a llorar furiosamente. 피서지는 ~이 꺼진 듯 적막했다 El lugar de veraneo se ha quedado desierto. 딸이 시집간 뒤 집은 ~이 꺼진 것 같았다 Despúes de casarse la hija, la casa se quedó como apagada sin ella.

◆불(을) 내다 originarse el incendio. 그의 집에서 불을 냈다 El incendio se originó en su casa.

◆불(을) 놓다 pegar fuego, poner fuego, encender fuego, encender. 숲에 불을 놓았다 Prendieron fuego a los bosques.

◆불(을) 붙이다 encendiar. 담배에 ~ encendiar el cigarrillo.

◆불(을) 사르다 quemar, abrasar, consumir con fuego.

◆불(을) 지르다 pegar fuego. 집에 ~ pegar fuego a una casa.

◆불(을) 지피다 encender (fuego), prender, echar al fuego, poner fuego. 난로에 ~ encender la estufa, encender fuego en la estufa. 장작에 ~ echar leña al fuego, poner fuego a la leña. 아궁이에 ~ encender el fuego en la chimenea. 화로에 불을 지펀다 El fuego prende en el brasero.

◆불(을) 쬐다 calentarse junto al fuego. 손을 ~ calentarse las manos junto al fuego.

◆불(을) 피우다 encender, prender el fuego; [불을 태우다] quemar.

◆불(이) 나다 ocurrir [estallar · declararse] un incendio, incendiarse. 내 집에 불이 났다 Se me ha incendiado la casa. 오늘 큰 불이 났다 Ho ha habido un gran incendio [un incendio devastador].

◆불(이) 붙다 encenderse, prenderse al fuego, empezar a arder, inflamarse. 옷에 불이 붙었다 El fuego hizo presa en mis ropas.

◆불(이) 타다 ㉮ arder, quemarse, incendiarse, inflamarse, encenderse (en llamas), estar en llamas. 활활 ~ quemarse furiosamente. 그 집이 불타고 있다 La casa está ardiendo [en llamas] / La casa arde. 엔진이 불탄다 Se inflama el motor. ㉯ [정열이나 감정이 북받치다] arder. 사랑 [분

노·증오]에 ～ arder en [de] amor [ira·odio]. 분노에 불탔다 Se ardió de cólera. 그는 정열로 불타고 있었다 El ardía de pasión. 그녀의 눈은 분개하여 불타고 있었다 Ella tenía los ojos encendidos de indignación / Los ojos le brillaban de indignación.
불탄 자리 lugar *m* donde ha habido un incendio, rastro de incendio, distrito *m* cansado por el incendio, ruina *f* por el incendio, ruinas *fpl* del incendio, rastro *m* del incendio.
▪불난 집에 부채질한다 ((속담)) Echar aceite en el fuego / Echar carbón a la lumbre / Echar leña al fuego / No hay que mentar la soga en casa del ahorcado. 불 안 땐 굴뚝에 연기 날까 ((속담)) Donde hay humo, hay cenizas / Cuando el río suena, agua lleva / Donde fuego se hace, humo sale / Por el humo se sabe dónde está el fuego. 불에 놀란 놈 화젓가락 [부지깽이] 보고 놀란다 / 불에 덴 아이는 솥뚜껑을 보고도 놀란다 ((속담)) Gato escaldado del agua fría huye.

불² ①【해부】=음낭(陰囊). ② ((준말)) =불알(testículo).

불³【농업】alforja *f*.

불(弗) dólar *m*. 미화(美貨) 100～ cien dólares estadounidenses.

불¹(佛) ((불교)) ((준말)) =불타(佛陀).

불²(佛)【지명】((준말)) =불란서(佛蘭西).

불- muy severo. ～가뭄 sequía *f* muy severa. ～깍쟁이 tacaño *m* muy severo.

불-(不) in-, im-, i-. ～가능(可能) imposibilidad *f*. ～규칙(規則) irregularidad *f*. ～충분(充分) insuficiencia.

불가(不可) desaprobación *f*, [평점(評點)] suspenso *m*. ～하다 no tener razón, desaprobar, rehusar adhesión. ～의 desaprobado. 법안(法案)을 ～한 의원이 다섯 명이었다 Cinco diputados votaron contra el proyecto de ley.

불가(佛家) ① [불교를 믿는 사람] budista *mf*. ② [절] templo *m* budista. ③ [불교를 믿는 사람들의 사회] escuela *f* [familia *f*] del budismo, Tierra *f* Pura.

불가(佛歌) música *f* budista.

불가결(不可缺) indispensabilidad *f*. ～하다 (ser) indispensable, imprescindible. 석유는 현대 생활에 ～하다 El petróleo es indispensable para la vida moderna.
▪～ 조건 condición *f* indispensable.

불가능(不可能) imposibilidad *f*. ～하다 (ser) imposible, impracticable. ～하게 imposiblemente, con imposibilidad. ～하게 하다 imposibilitar. ～을 가능으로 하다 hacer posible lo imposible. …하는 것은 ～하다 Es imposible [No es posible] + *inf* [que + *subj*]. 그것은 전혀 ～하다 Es completamente imposible. 그것은 실제로는 ～하다 Es prácticamente imposible. 그 산을 오르는 일은 ～하다 Es imposible subir esa montaña. 내가 나가기는 ～했다 Me imposibilitó el salir / Me es imposible salir / Me no es posible salir / Es imposible que salga yo.
▪～성(性) imposibilidad *f*.

불가래 pala *f* de fuego de madera.

불가리아【지명】Bulgaria *f*. ～의 búlgaro.
▪～어[말] búlgaro *m*. ～ 사람 búlgaro, -ra *mf*.

불가물 sequía *f* muy severa.

불가부득(不可不得) =부득이(不得已).

불가분(不可分) indivisibilidad *f*, inseparabilidad *f*. ～하다 (ser) indivisible, inseparable. A는 B와 ～하다 A es indivisible de B.
▪～물(物) cosa *f* indivisible. ～성(性) indivisibilidad *f*. ～적 indivisible, inseparable. ¶～으로 indivisiblemente, inseparablemente. ～ 채권 crédito *m* indivisible. ～ 채무 obligación *f* indivisible.

불가불(不可不) inevitablemente. 나는 ～ 그렇게 했다 Yo tuve que hacerlo así. 나는 ～ 내일 떠나야 한다 Realmente yo tendré que salir mañana.

불가사리¹ [상상상(想像上)의 짐승의 이름] monstruo *m* imaginario, criatura *f* mítica.

불가사리²【동물】estrellamar *f*, estrella *f* de mar, asteroideo *m*, asteria *f*.

불가사의(不可思議) misterio *m*, milagro *m*. ～하다 [신비스럽다] (ser) misterioso, maravilloso; [마법 같다] mágico; [기적적이다] milagroso; [기묘하다] extraño, curioso; [진기하다] raro; [이상하다] extraordinario; [수수께끼 같다] enigmático; [불가해하다] inexplicable. ～하게 misteriosamente, maravillosamente, mágicamente, milagrosamente, extrañamente, curiosamente, raramente, extraordinariamente, enigmáticamente, inexplicablemente. ～한 듯하게 con un aire de curisosidad. ～한 현상(現象) fenómeno *m* misterioso [extraño·inexplicable]. ～한 인물(人物) personaje *m* misterioso [enigmático]. ～한 힘 poder *m* mágico. 세계의 칠 대(七大) ～ las siete maravillas del munudo. 이 약은 ～한 효능이 있다 Este medicamento tiene un efecto maravilloso. 파나마 운하는 세계의 ～ 중의 하나로 간주되고 있다 El canal de Panamá está considerado como una de las maravillas del mundo.
▪～론 =불가지론(不可知論). ～론자 =불가지론자.

불가상성(不可想性) =불가해(不可解).

불가서(佛家書) escritos *mpl* (sagrados) budistas, literatura f budista.

불가시(不可視) invisibilidad *f*. ～의 invisible.
▪～광선[선] rayos *mpl* invisibles.

불가신(不可信) incredibilidad *f*. ～하다 (ser) increíble.

불가역(不可逆) irreversibilidad *f*. ～하다 (ser) irreversible.
▪～ 반응 reacción *f* irreversible. ～ 변화 variación *f* irreversible. ～성 irreversibilidad *f*. ～ 현상 fenómeno *m* irreversible.

불가입성(不可入性)【물리】impenetrabilidad *f*.

불가지(不可知) inescrutabilidad *f*, hermetismo *m*, impenetrabilidad *f*. ~의 inescrutable, incognoscible.
■ ~론 agnostisismo *m*. ~론자 agnóstico, -ca *mf*. ~론적 실재론 realismo *m* agnóstico. ~물 lo incognoscible.
불가청(不可聽) inaudibilidad *f*. ~의 inaudible. 그 음악은 ~이었다 La música era inaudible / La música no se podía oír.
■ ~음(音) sonido *m* inaudible.
불가침(不可侵) la no agresión, non-agresión *f*, inviolabilidad *f*. ~의 inviolable, sagrado. 영토의 ~ inviolabilidad *f* del territorio.
■ ~권(權) inviolabilidad *f* (del soberano), derecho *m* inviolable. ¶주거(住居)의 ~ inviolabilidad *f* del domicilio. 통신의 ~ inviolabilidad *f* de la correspondencia. ~조약 pacto *m* de no agresión, tratado *m* de no invadir.
불가피(不可避) inevitabilidad *f*. ~하다 (ser) inevitable, ineludible, ineluctable, indeclinable. 전쟁은 ~하다 La guerra es inevitable.
■ ~성(性) inevitabilidad *f*. ~적 inevitable, ineludible.
불가항력(不可抗力) caso *m* fortuito, acto *m* de la naturaleza, fuerza *f* mayor. ~의 de fuerza mayor. ~으로 por caso fortuito, por acto de la naturaleza, por fuerza mayor. ~에 의한 죽음 muerte *f* por un acto de Dios. 그 사고는 ~ 때문이었다 Ese accidente fue causado por una fuerza mayor.
불가해(不可解) incomprensibilidad *f*, impenetrabilidad *f*, misterio *m*, enigma *m*. ~하다 (ser) incomprensible; [수수께끼 같다] enigmático; [신비스럽다] misterioso; [뚫을 수 없다] impenetrable. ~한 일 enigma *m*, misterio *m*. ~한 인물 persona *f* enigmática, un enigma. ~한 태도(態度) actitud *f* impenetrable. 그의 자살은 ~하다 No comprendo bien la causa de su suicidio / Es un misterio [un enigma] su suicidio. 인생은 ~하다 La vida es misteriosa.
■ ~론자 =불가지론자(不可知論者).
불각(佛閣) ((불교)) =불당(佛堂).
불간섭(不干涉) no intervención *f*.
■ ~주의 no intervencionismo *m*, política *f* de no intervención, política *f* de no interferencia.
불간지서(不刊之書) buen libro *m* eterno, libro *m* inmortal, obra *f* maestra de mérito eterno.
불감(不敢) lo que no se atreve poder.
■ ~청(請) lo que es sincero en el corazón pero no se atreve a poder pedir. ~청이언정 고소원(固所願)이라 Eso es exactamente lo que yo deseaba / No pido otra cosa mejor.
불감증(不感症) ① 【의학】 frigidez *f*, apatía *f* sexual, carencia *f* en la mujer del deseo [el placer] sexual, anafrodisia *f*. ~의 frígido. ~에 걸린 여자 mujer frígida. ② [감각이 둔한 성질] insensibilidad *f*. ~에 걸리다 volverse insensible.
불강아지 perro *m* magro.
불개미 【곤충】 hormiga *f* roja.
불개입(不介入) no intervención *f*.
■ ~ 방침[정책] política *f* de no intervención.
불거웃 pelo *m* púbico.
불거지다 ① [숨겨졌던 일이나 어떤 현상이 갑자기 드러나거나 생겨나다] revelarse. 생각지도 않은 사실이 불거졌다 Se reveló un hecho inesperado. ② [무엇이 둥글게 솟아 오르다] sobresalir, salir afuera. 툭 불거진 광대뼈 pómulos *mpl* salientes. 툭 불거진 종기 bulto *m* saliente. 배꼽이 툭 불거져 있다 tener el ombligo saliente. ③ [속에 든 둥근 물건이 거죽으로 툭 비어져 나오다] sobresalir.
불걱거리다 ① [질긴 물건을 입에 많이 물고 연해 씹다] seguir mascando. ② [빨래를 연해 주물러 빨다] seguir fregando.
불걱불걱 siguiendo mascando [fregando].
불건전(不健全) morbididad *f*. ~하다 (ser) mórbido, malsano, morboso, insano. ~한 사상(思想) ideas *fpl* malsanas. ~한 오락(娛樂) pasatiempo *m* de dudosa moralidad. ~한 재정(財政) finanzas *fpl* mal equilibradas.
불겅거리다 mascar mucho.
불겅불겅 mascando mucho.
불겅이 tabaco *m* rojizo.
불결(不潔) suciedad *f*, inmundicia *f*, sordidez *f*, desaseo *m*, impureza *f*; [오욕(汚辱)] deshonor *m*, vergüenza *f*, infamia *f*; [모독(冒瀆)] profanación *f*, profanidad *f*. ~하다 (ser) sucio, inmundo, sórdido, impuro, manchado, mugriento, cochambroso, puerco, cochino; [칠칠치 못하다] desaseado, desliñado. ~하지 않은 limpio, puro, inocente, sin mancha, inmaculado. ~하게 하다 ponerse sucio, ensuciarse, mancharse. ~한 손 mano *f* sucia [manchada]. ~한 옷을 입고 con el vestido sucio. ~을 씻다 purificar; [자신의] purificarse. ~한 채로 두다 dejar desaseado. 이 여자는 언제나 ~한 모습을 하고 있다 Esta mujer siempre tiene un aspecto desaliñado. 그는 ~한 인상을 준다 El da una impresión de suciedad / El tiene aire de suciedad.
불결히 suciamente, con suciedad, inmundamente, impuramente, desaseadamente.
불결과(不結果) fracaso *m*, falla *f*, falta *f* de éxito, mal resultado *m*. ~의 infructuoso, desafortunado, abortivo, que no tiene éxito. ~로 끝나다 resultar en fracaso, fracasar, ser infructuoso.
불경(不敬) irreverencia *f*, blasfamia *f*. ~하다 (ser) irreverente, irrespetuoso, falto de respeto; [신에 대한] sacrílego, impío, profano. ~한 언사를 토로하다 [신에 대해] proferir palabras impías.
■ ~죄(罪) delito *m* contra la realeza, ofensa *f* a un miembro de la familia imperial, delito *m* de lesa majestad.

불경(佛經) escrituras *fpl* budistas, escritura *f* sagrada budista [de budismo], escritos *mpl* (sagrados) budistas, Sutras *mpl* Budistas, sutra *m*, canon *m* budista.

불경(佛境) ((불교)) región *f* (espiritual) de Buda

불경기(不景氣) depresión *f*, inactividad *f* (económica); [경기의 후퇴] recesión *f*. ~의 deprimido, inactivo. 지금은 ~다 Ahora los tiempos están malos / Ahora atravesamos por una depresión. 이 상점은 ~다 Esta tienda hace mal negocio / Esta tienda anda mal. 일반적으로 ~다 Los tiempos están malos. 실업계의 ~는 심각했다 La depresión de círculos de los negocios estaba seria.

불경작(不耕作) no cultivo *m*.

불경제(不經濟) mala [pobre] economía *f*. ~의 poco económico, antieconómico, manirroto, malgastador, pródigo. 값싼 물건을 사는 것은 오히려 ~다 La compra de cosas baratas es manirrota. 전등을 켜 두는 것은 ~다 Dejar encendida la luz es malgastar el dinero.

불계(不計) ((바둑)) lo que no cuenta el número de las casas.
■ ~승(勝) victoria *f* sin contar el número de las casas.

불계(佛戒) ((불교)) mandamientos *mpl* morales del Buda.

불계(佛界) ((불교)) reino *m* de Buda, estado *m* de budismo.

불고(不顧) ¶~하다 hacer caso omiso (de), no prestar atención (a), ignorar, despreciar, no tomar [tener] en cuenta. 가사(家事)를 ~ desatender [descuidar] la familia [el hogar]. 염치 ~하다 (ser) sinvergüenza, descarado, desvergonzado.

불고기 *bulgoki*, asado *m*, carne *f* asada.

불골(佛骨) ① ((불교)) [부처의 뼈] hueso *m* de Buda. ② =불사리.

불곰 **【동물】** oso *m* pardo.

불공(不恭) falta *f* de respeto (hacia), falta *f* de educación, descortesía *f*, mala educación *f*. ~하다 (ser) irrespetuoso, irreverente, faltar al respeto (a). 그는 어른에게 ~했다 El fue irrespetuoso (para) con sus mayores / Les faltó al respeto a sus mayores.
불공스럽다 (ser) irrespetuoso, irreverente.
불공스레 con poco respeto, irreverentemente.

불공(佛工) escultor, -tora *mf* de Santos Budistas.

불공(佛供) oficios *mpl* de difuntos, misa *f* budista para el difunto.
◆불공(을) 드리다 hacer ofrecimiento al difunto, celebrar un oficio [un servicio] por el descanso del alma.
■ ~쌀 arroz *m* para los oficios de difuntos.

불공대천(不共戴天) rencor *m* mortal.
■ ~의 원수(怨讐) enemigo *m* mortal, enemigo *m* irreconciliable.

불공정(不公正) injusticia *f*. ~하다 (ser) injusto, desleal. ~하게 injustamente. ☞불공평(不公平)

불공평(不公平) parcialidad *f*, iniquidad *f*, injusticia *f*. ~하다 (ser) injusto, parcial, inicuo, no equitativo. ~하게 parcialmente, injustamente, inicuamente. ~한 취급(取扱) tratamiento *m* parcial. ~하게 다루다 tratar injustamente. ~한 조치를 취하다 tomar las medidas parciales. 이 세제(稅制)는 월급쟁이에게 ~하다 Este sistema tributario es injusto para con los asalariados.

불과(不過) sólo, solamente, no … más que. ~ 며칠 만에 en pocos días. ~ 얼마 안 되는 돈으로 con [por] poco dinero. …에 ~하다 no ser más que …, no ser sino …, ser solamente. 그것은 억측에 ~하다 No es más que una suposición / No deja de ser una simple suposición. 나는 말을 전해 드리는 것에 ~합니다 Sólo me han encargado dar el recado / A mí sólo se me ha pedido que transmita el mensaje. 나는 그때 ~ 열 살이었다 Yo no tenía nada más que diez años entonces. 우리들은 세 사람에 ~했다 Nosotros éramos solamente tres.

불과(佛果) nirvana *m*. ~를 얻다 entrar en el nirvana, lograr la ilustración suprema.

불관(不關) no relación *f*. ~하다 no hacer caso (de).

불광(-光) =불빛.

불광(佛光) ((불교)) luz *f* de Buda, ilustración *f* espiritual, aureola *f*, halo *m*, gloria *f*.

불교(佛敎) ((종교)) budismo *m*, enseñanza de Buda. ~의 búdico, budista, de budismo. ~식으로 en cumplimiento del rito budista. ~ 냄새가 나다 Huele a incienso. ~를 믿다 creer en el budismo.
■ ~가(家) ㉮ [불교도] budista *mf*. ㉯ [불교 연구가] estudioso, -sa *mf* budista. ~도 budista *mf*. ~ 문학 literatura *f* budista. ~ 미술 bellas artes *fpl* budistas. ~ 삼국 tres países budistas: Laos, Kmer y Tailandia. ~ 신자 budista *mf*, creyente *mf* [fiel *mf*] budista. ~ 예술 arte *m* budista. ~ 음악 música *f* budista. ~ 청년회 la Asociación Budista de Jóvenes. ~ 회화(繪畵) pintura *f* budista.

불구(不久) tiempo *m* cercano. ~하다 (el tiempo) ser cercano. ~에 pronto, en poco tiempo, en el futuro cercano.

불구(不具) lisiadura *f*, [전쟁 등에 의해] mutilación *f*, invalidez *f*, discapacidad *f*, minusvalía *f*, [기형(奇形)] deformidad *f*. ~의, ~가 된 lisiado, minusválido, inválido, mutilado, deforme. ~가 되다 lisiarse, mutilarse, quedar inválido. ~로 만들다 dejar inválido [lisiado]. 그는 전쟁에서 ~가 되었다 El quedó inválido en la guerra.
■ ~아(兒) niño *m* lisiado, niña *f* lisiada. ~자 lisiado, -da *mf*, mutilado, -da *mf*, inválido, -da *mf*, minusválido, -da *mf*, per-

sona *f* deforme [contrahecha]. ¶~로 만들다 lisiar, mutilar, estropear. ~가 되다 quedar lisiado. 날 때부터 ~다 ser lisiado de nacimiento.

불구(不拘) ¶~하다 hacer caso omiso, no prestar atención.
불구하고 a pesar de *algo* [+ *inf* · de que + *ind* · de que + *subj*], pese a *algo* [a que + ind · a que + *subj*], aunque, no obstante, sin consideración a *algo*. 그럼에도 ~ a pesar de (todo) eso, pese a eso, sin embargo, aun así. 많은 결점이 있음에도 ~ a pesar de que tenga tantos defectos. 우천(雨天)에도 ~ a pesar de la lluvia, sin consideración a la lluvia, aun cuando llueva. 나의 충고(忠告)에도 ~ sin consideración a mi advertencia, a pesar de mi consejo. 몸이 불편함에도 ~ aunque enfermo, a pesar de estar enfermo, pese a la enfermedad, aunque está enfermo, a pesar de que está enfermo, pese a que está enfermo. 그는 부자임에도 ~ 인색하다 Siendo [A pesar de ser] rico, él es tacaño. 그는 그것을 알고 있음에도 ~ 나에게 가르쳐 주기를 원하지 않는다 Sabiéndolo, él no quiere decírmelo. 전력(全力)을 다했음에도 ~ 실패했다면 참아 내야 한다 Si a pesar de haber hecho todo lo posible has fracasado, tienes que conformarte. 그는 아무것도 알지 못함에도 ~ 간섭한다 El no sabe nada, y sin embargo mete baza.

불구(佛具) ((불교)) herramienta *f* [utensilios *mpl*] de un altar budista, artículo *m* usado en el altar en la adoración de Buda.

불구대천(不俱戴天) rencor *m* mortal.
▪ ~의 원수(怨讐) =불공대천의 원수.

불구속(不拘束) no detención *f*. ~하다 no detener. ~으로 sin detención física, bajo custodia (de), al cuidado (de). ~ 입건하다 acusar sin detención física.

불구슬 bola *f* roja.

불국[1](佛國) 【지명】 Francia *f*.

불국[2](佛國) ((불교)) reino *m* de Buda, país *m* (*pl* países) (del nacimiento) de Buda, tierra *f* de Buda, país *m* transformado [que está siendo transformado] por Buda.

불굴(不屈) inflexibilidad *f*, perseverancia *f*, indomabilidad *f*. ~의 inflexible, indómito, inquebrantable, perseverante, infatigable. ~의 사나이 hombre *m* de una laboriosidad infatigable. ~의 정신으로 con una voluntad inquebrantable, con un espíritu indomable.
▪ ~성 inflexibilidad *f*.

불귀(不歸) muerte *f*, fallecimiento *m*.
▪ ~(의) 객(客) muerto, -ta *mf*, persona *f* difunta [muerta]. ¶~이 되다 morir, fallecer, dejar de vivir.

불규칙(不規則) irregularidad *f*. ~하다 (ser) irregular. ~하게 irregularmente. ~한 생활을 하다 llevar una vida irregular [desordenada]. 그는 식사 시간이 ~하다 Es muy irregular en sus comidas.
▪ ~ 동사 verbo *m* irregular. ~ 변화(變化) conjugación *f* irregular. ~성 carácter *m* irregular. ~적 irregular. ¶~으로 irregularmente. ~인 생활(生活) vida *f* irregular. ~ 형용사 adjetivo *m* irregular. ~ 활용 conjugación *f* irregular. ¶~을 하다 conjugar irregularmente.

불균등(不均等) desigualdad *f*, irregularidad *f*, falta *f* de uniformidad ~하다 (ser) desigual, irregular. ~하게 desigualmente, irregularmente.
▪ ~성 carácter *m* irregular. ~적 desigual, irregular.

불균형(不均衡) desequilibrio *m*, desnivel *m*, desproporción *f*. ~의 desequilibrado. 국제수지(國際收支)의 ~ desequilibrio *m* de la balanza de pagos internacionales. 무역의 ~ desequilibrio *m* de la balanza comercial. 수출입의 ~ desnivel *m* entre exportación e importación. 국내외 시장 간의 ~ desproporción *f* entre el mercado doméstico y exterior. ~을 시정하다 corregir la desproporción.
▪ ~적 desequilibrado.

불그데데하다 (ser) rojizo.

불그뎅뎅하다 (ser) rojizo.

불그레하다 (ser) rojizo, estar matizado de rojo. 불그레한 얼굴 cara *f* rojiza, rostro *m* rojizo.

불그무레하다 (ser) rojizo.

불그스레하다 =불그스름하다.

불그스름하다 (ser) rojizo. 불그스름해지다 ponerse rojizo. 불그스름한 털 pelo *m* rojizo. 털이 불그스름한 얼굴 cara *f* pelirroja, cara *f* de pelo rojizo. 그는 ~ El es pelirrojo.
불그스름히 rojizamente.

불그죽죽하다 (ser) sombríamente rojizo.

불근거리다 (ser) (demasiado) susceptible. 그렇게 불근거리지 마라 No seas tan susceptible.

불근신(不謹愼) imprudencia *f*, indiscreción *f*, incorrección *f*, falta *f* de respeto. ~하다 (ser) imprudente, indiscreto, incorrecto, falto de respeto. ~하게 imprudentemente, indiscretamente, incorrectamente. ~한 것을 말하다 decir una indiscreción. ~한 태도를 취하다 comportarse indiscretamente. 술을 많이 마시는 것은 ~하다 Es una incorrección [Es una falta de respeto] beber mucho vino.

불금(不禁) no prohibición *f*. ~하다 no prohibir.

불급(不及) ¶~하다 (ser) corto, insuficiente, desigual.

불급(不急) no urgencia *f*. ~하다 no ser urgente, no darse prisa.

불긋불긋 con puntos rojos. ~하다 ser puntuado con rojo.

불긋하다 (ser) rojizo.

불기(-氣) =불기운.

불기(不羈) libertad *f*, independencia *f*. ~하다 (ser) libre, independiente.

불기(佛紀) ((불교)) era *f* budista. ~ 2천 5백 년 dos mil quinientos (años) de la era budista.
불기(佛器) vasija *f* de ofrenda al Buda.
불기둥 columna *f* de fuego. ~이 선다 Se levanta [Se alza] una columna de fuego.
불기소(不起訴) 【법률】 no-procesamiento *m*. ~로 하다 sobreseer. 그 사건을 ~로 하다 sobreseer la causa. 증거 불충분으로 그는 ~되었다 Le han sobreseído por no existir suficientes pruebas.
■ ~ 이유 motivo *m* de no-procesamiento. ~ 처분 disposición *f* de no-procesamiento. ¶~의 고지(告知) aviso *m* de disposición de no-procesamiento.
불기운(一氣運) fuerza *f* del fuego, actividad *f* del fuego. ~이 없는 sin fuego; [난방이 안 된] sin calefacción. ~을 보다 vigilar el fuego, arreglar la llama. ~이 약해진다 El fuego pierde su fuerza / El fuego debilita su actividad. ~이 아직도 성하다 El fuego continúa con pleno vigor / El fuego todavía está en plena actividad. ~이 없는 방에서 화재가 났다 El incendio empezó en un cuarto donde no había fuego. ~이 알맞게 좋다 El fuego está en su punto.
불긴(不緊) no esencialidad *f*. ~하다 no ser esencial, no ser urgentemente necesario..
■ ~지사(之事) asunto *m* no esencial.
불길 fuego *m*, llama *f*. ~을 잡다 dominar el fuego. ~이 타다 llamar, flamear, arder. ~이 오른다 Se eleva [Se levanta] el fuego / Estalla un incendio. ~이 세어진다 Se extiende el fuego. ~이 사납다 Las llamas son intensas. ~이 약하다 Las llamas son débiles.
불길(不吉) mal agüero *m*, mal augurio *m*. ~하다 (ser) funesto, siniestro, de mal agüero, de mal augurio, de mal presagio. ~한 새 pájaro *m* de mal agüero. ~한 징조(徵兆) augurio *m* siniestro. ~한 예감을 가지다 tener un mal presentimiento. ~한 꿈을 꾸다 soñar con un mal augurio. 그것은 ~하다 Es un mal augurio / Es de mal agüero. 경제의 징후(徵候)가 ~하다 Los indicios económicos no son buenos. ~한 침묵이 흘렀다 Se hizo un silencio que no presagiaba / Se hizo un silencio que no auguraba nada bueno. 지평선에 ~한 구름이 있다 Hay nubes que no auguran [no presagian] nada bueno.
■ ~지사(之事) mal augurio *m*, mal agüero *m*, mal presagio *m*. ~지언(之言) palabra *f* siniestra. ~지조(之兆) augurio *m* siniestro.
불김 (calor *m* de) fuego *m*. 젖은 옷이 ~에 말랐다 La ropa mojada se secó por el fuego.
불깃 petardo *m*, detonaciones *fpl*.
불까다 [거세(去勢)하다] castrar. 불깐 닭 capón *m*. 불깐 돼지 cerdo *m* castrado. 불깐 말 caballo *m* castrado. 불깐 소 buey *m*.
불꽃 ① [화염(火焰)] chispa *f*, llama *f*. ~이 일다 llamear, arder, flamear. ② [인공(人工)의] fuegos *mpl* artificiales; [쏘아 올리는] cohete *m*. ~을 태우다 quemar fuegos artificiales. ~을 쏘아 올리다 tirar [lanzar] un cohete. 보아라, ~이 올라간다 Mira, estallen fuegos artificiales. 공중에 ~을 쏘아 올렸다 Tiraron fuegos artificiales al aire.
◆불꽃을 튀기다 chispear, despedir [saltar · echar] chispas. 질투가 ~ consumirse de celos. 불꽃을 튀기며 싸우다 pelear con gran furia [acaloradamente]. 토론에 ~ discutir con mucho ardor [acaloradamente]. 불꽃(이) 튀다 chispearse, saltarse [echarse] chispas. 불꽃 튀는 선거전(選擧戰) campaña *f* electoral acalorada.
■ ~놀이 exhibición *f* de fuegos artificiales.
불끈 ① [갑자기] de repente, repentinamente, de súbito, súbitamente. ② [단단히] con firmeza, bien apretado. ③ [흥분하여 갑자기 성을 울컥 내는 모양] ~하다 ofenderse, enojarse, enfadarse, irritarse. 그의 거만한 태도에 나는 ~했다 Su actitud arrogante me ha ofendido.
불끈불끈하다 expresar *su* furia con facilidad, rabiar fácilmente.
불나방 【곤충】 mariposa *f* tigre.
불난리(一亂離) confusión *f* [desorden *m*] en la escena de fuego.
불놀이 fuegos *mpl* artificiales, fuegos *mpl* de artificio.
불놓다 =방화(放火)하다.
불놓이 partida *f* de caza, cacería *f*.
불능(不能) imposibilidad *f*; [성적(性的)인] impotencia *f*. ~하다 (ser) imposible, incompetente, impotente.
◆교접(交接) ~ impotencia *f*. 지불(支拂) ~ insolvencia *f*.
불다¹ [어느 방향으로 바람이 움직여 가다] soplar. 바람이 분다 Sopla / Hace viento. 강풍이 분다 Sopla un viento fuerte. 북풍이 분다 Sopla un viento norteño. 바람이 불어 댄다 El viento brama.
불다² ① [입속으로부터 날숨을 세게 내어 보내다] soplarse. 수프를 불어서 식히다 enfriar la sopa soplando. 불을 불어서 끄다 apagar el fuego con un soplo. 손에 입김을 ~ soplarse las manos. 거울에 입김을 ~ echar el aliento en el espejo. 수프를 불고 있다 Hierve la sopa. ② [관악기를 입에 대고 불다] tocar. 트럼펫을 ~ tocar la trompeta. ③ [(풀무 · 풍구로) 바람을 일으키다] hacer el viento. ④ [(숨기었던 사실을) 털어놓고 말하다] confiar(se) (a), confesar, revelar, develar, desvelar, hacer confidencia(s), decir [hablar] francamente. 모든 것을 ~ confesar todo. 너는 나에게 불어도 된다 Tú puedes confiarte a mí.
불어넣다 ㉮ [바람이나 입김 따위를 불어서 넣다] meter soplando, meter echando el aliento. ㉯ [목적하는 바 정신이나 생각을 갖도록 자극이나 영향을 주다] inspirar. 사상(思想)을 ~ inspirar un pensamiento. 청소년에게 애국심을 ~ inspirar a los jóve-

nes el patriotismo [el amor a la patria].
불어세다 =불어세우다.
불어세우다 excluir, boicotear, hacer*le* el boicot (a), rechazar rehuir, evitar.
불어제치다 soplar fuerte, hacer viento fuerte. 바람이 밤새도록 불어제쳤다 Un viento furioso bramó toda la noche.
불단(佛壇) altar *m* budista.
불당(佛堂) templo *m* [santuario *m*] budista.
불당그래 rastrillo *m* de fuego.
불더위 calor sofocante [muy severo].
불덩어리 ① [(숯이나 석탄 따위의) 불이 붙어 타고 있는 덩이] bola *f* de fuego. ~가 되다 flamear, llamear, arder en llamas. ~가 되어 en llamas. ② [열이 심한 몸이나 뜨겁게 단 물체] cuerpo *m* que tiene mucha fiebre, cosa ardiente. 그의 이마가 ~ 같다 Le arde la frente.
불덩이 bola *f* de fuego.
불도(佛道) budismo *m*, doctrina *f* budista, enseñanza *f* de Buda.
불도(佛徒) ((준말)) =불교도(佛敎徒).
불도장(-圖章) =낙인(烙印).
불도저(불 *bulldozer*) buldózer *m*, empujadora *f* nivelada, ropadora *f*, *Arg* topadora *f*.
불독(영 *bulldog*) perro *m* dogo, perro *m* de presa.
불돌 piedra *f* de brasero.
불되다 (ser) sumamente opresivo, intolerablemente cruel.
불두(佛頭) cabeza *f* del Buda.
불두덩 ingle *m*, región *f* pubiana [púbica], pubis *m*.
불등걸 pedazos *mpl* de carbón encendido.
불땀 calor *m*. ~이 세다 tener la fuerte fuerza calórica.
■ ~머리 parte *f* que da al sur cuando el árbol crece.
불때다 hacer fuego.
불땔감 leña *f*, combustible *m*.
불땔꾼 alborotador, -dora *mf*.
불똥 ① [심지의 엉긴 덩이 부분] pabilo *m*. ② [불덩이] chispa *f*, pavesa *f*. ~이 쏟아진다 Las pavesas caen como lluvia.
◆ 불똥이 튀다 chispear, echar chispas.
불뚝 con arranque de ira brusco.
불뚝거리다 seguir enfadándose.
불뚝불뚝 con arranques de ira bruscos repetidos.
불뚱거리다 fruncir el ceño, poner mala cara, refunfuñar, rezongar. 그는 저녁 식사 내내 불뚱꺼리며 앉아 있었다 El estuve con ceño fruncido toda la cena.
불뚱불뚱 temblando de cólera.
불뚱이 [성질] temple *m*, ira *f*, cólera *f*, mal genio *m*, enojo *m*, enfado *m*, irascibilidad *f*; [사람] persona *f* colérica.
불란서(佛蘭西) 【지명】 Francia *f*. ~의 francés. ~ 사람 francés, -cesa *mf*.
■ ~어[말] francés *m*. ~ 혁명 Revolución *f* Francesa.
불량(不良) mala calidad *f*, maldad *f*, perversidad *f*. ~하다 (ser) malo, malvado; [타락하다] corrupto; [열등하다] inferior; [품질이 나쁘다] defectuoso. ~한 사람 pilluelo, -la *mf*, golfo, -fa *mf*, granuja *m*; sinvergüenza *mf*. 날씨 ~으로 a causa del mal tiempo. ~하게 되다 descarriarse, hacerse un pilluelo. 청소년의 ~화를 방지하다 prevenir la depravación de los jóvenes. 그는 성적 ~으로 퇴학당했다 El fue expulsado de la escuela debido a las pobres notas. 그는 ~해져 있다 El está hecho un pilluelo.
◆ 발육(發育) ~ pobre desarrollo *m*. 성적(成績) ~ pobres resultados *mpl*, resultados *mpl* insatisfactorios [poco satisfactorios].
■ ~ 도체 =부도체(不導體). ~배 pilluelo *m*, golfo *m*, granuja *f*. ~ 소녀 joven *f* descarriada [depravada]. ~ 소년 joven *m* descarriado [depravado]; [집합적] juventud *f* descarriada. ~아(兒) niño *m* descarriado, niña *f* descarriada. ~ 외국인 extranjero, -ra *mf* indeseable. ~자 ㉮ [성질이나 품행이 나쁜 사람] persona *f* malvada; [남자] hombre *m* malvado; [여자] mujer *f* malvada. ㉯ =깡패. ~품(品) artículo *m* defectuoso. ~ 학생 estudiante *m* revoltoso, estudiante *f* revoltosa. ~화(化) degradación *f*. ¶~하다 degradar. ~되다 degradarse.
불러내다 llamar; [법정에] citar, emplazar. 문간으로 ~ llamar a la puerta. 파업에 ~ llamar a la huelga. 전화로 ~ llamar (por teléfono).
불러들이다 llamar, invitar. 나는 그들을 한 잔 하자고 집으로 불러들였다 Yo los invité a casa a tomar una copa. 오늘밤 우리는 사람들을 불러들이고 있다 Esta noche tenemos invitados.
불러먹기 chantaje *m*, extorsión *f*. ~하다 chantajear, hacer*le* chantaje (a), extorsionar (a).
불러모으다 llamar y reunir.
불러세우다 (llamar y) parar, llamar a parar.
불러오다 llamar; [심부름꾼을 시켜서] mandar a buscar, *AmL* mandar llamar. 의사를 ~ mandar a buscar al médico. 전화로 ~ llamar por teléfono. 너를 부를 때까지 거기 있어라 Quédate allí hasta que manden a alguien a buscarte / *AmL* Quédate allí hasta que manden llamar.
불러일으키다 ① [불러서 눈을 뜨게 하다] despertar. 나는 그녀를 잠에서 불러일으키려고 애썼다 Tratamos de despertarla. ② [숨어 있는 것을 드러나게 하다] provocar, excitar. 사자를 불러일으키면 위험하다 El león es peligroso si se lo provoca. 그의 연설은 관중에게 격분을 불러일으키게 했다 Su discurso enardeció [enfervorizó] a la multitud. 그녀의 계속적인 골려주기는 그의 격분을 불러일으켰다 Sus constantes burlas lo enfurecieron. 그의 비평은 나로 무언가를 하게 불러일으켰다 Sus críticas me movieron a hacer algo.

불려가다 ser llamado. 경찰에 ~ ser citado por la policía. 법정(法廷)에 ~ ser citado a la corte. 사장에게 ~ ser llamado en presencia del presidente.

불력(佛力) poder *m* [influencia *f*] de Buda.

불령(不逞) insubordinación *f.* ~하다 (ser) insubordinado, refractario, rebelde, amostinado, sedicioso.

■ ~지도(之道)[분자] gente *f* refractaria; rebelde *mf,* insurgente *mf.*

불령(佛領) territorio *m* francés.

불로(不老) juventud *f* eterna [perpetua]. ~하다 ser insenescente, conservar la juventud eterna.

■ ~불사(不死) eterna juventud *f* y inmortalidad. ~불사약 elíxir *m* de vida. ~불소(不少) ni vejez ni juventud. ~약(藥) elíxir *m,* medicamento *m* maravilloso, elíxir *m* de larga vida. ~장생(長生) eterna juventud *f.* ¶~하다 ser eternamente joven, disfrutar [gozar] de eterna juventud. ~장생약 elíxir *m.* ~천(泉) manantial *m* de eterna juventud. ~초(草) hierba *f* de eterna juventud.

불로(不勞) no trabajo *m.* ~하다 no trabajar.

■~ 소득 rendimientos *mpl* del capital (mobiliario), ingresos *mpl* ganados sin trabajar, ganancia *f* imprevista. ¶~하다 forrarse de dinero sin mucho esfuerzo. ~소득세 impuesto *m* de rendimientos del capital. ~이득(而得) obtención *f* sin trabajar.

불룩 salientemente. ~하다 (ser) saliente, saledizo, sobresalir; [배가] panzudo, barrigón, barrigado, ventrudo, tener barriga [*AmL* panza]; [가방·호주머니가] repleto; [눈이] saltón. ~ 내민 saliente; [건물이] saledizo. 배가 ~한 (사람) panzudo, -da *mf,* barrigón (*pl* barrigones), -gona *mf,* barrigudo, -da *mf,* ventrudo, -da *mf.* 과자로 ~한 호주머니 bolsillo *m* repleto de dulces. ~해지다 [풍선이] inflarse, hincharse. …로 ~하다 estar repleto de *algo.* 나는 배가 ~해졌다 Tengo lleno el estómago. 그는 배가 ~하다 El tiene mucha barriga [mucha panza]. 가방이 책으로 ~해졌다 La bolsa estaba repleta de libros.

불룩거리다 temblar, vibrar.

불룩불룩 siguiendo vibrando.

불룩이 llenamente, suficientemente.

불륜(不倫) ilicitud *f,* obscenidad *f,* liviandad *f,* depravación *f,* crápula *f,* inmoralidad *f,* indignidad *f,* indecorosidad *f,* impudicicia *f,* impudicia *f,* injusticia *f,* deshonestidad *f,* desvergüenza *f.* ~하다 (ser) obsceno, liviano, verde, pronográfico, inmoral, indecoroso, indecente, incasto, impúdico, pecaminoso, empecatado, indigno, ilícito, injusto, indebido, deshonesto, desvergonzado, escandaloso, crapuloso, laxo, puerco. ~의 관계 relaciones *fpl* inmorales [ilícitas]. ~의 교제(交際) relación *f* ilícita. ~의 사랑 amor *m* ilícito. ~한 짓을 하다 conducirse [portarse] inmoralmente.

불리(不利) desventaja *f.* ~하다 (ser) desventajoso, desfavorable. ~한 입장에 있다 encontrarse en una situación desfavorable, estar en desventaja (con). ~한 일을 맡다 cargar con el mochuelo. 이 계약은 우리에게 ~하다 Este contrato es desfavorable para nosotros. 형세가 우리에게 ~하다 La situación es desfavorable para nosotros. 교섭의 결과는 우리에게 ~했다 La negociación resultó desventajosa para nosotros.

불리다[1] [바람을 받아서 날리어지다] ser soplado.

불리다[2] ① [부름을 받다] ser llamado, ser citado. 법정(法廷)에 ~ ser citado a la corte. 선생님에게 불리어 가다 ser llamado en presencia del maestro. ② [소집되다] convocarse. ③ [초대되다] ser invitado.

불리다[3] [(배를) 부르게 하다] llenar el estómago.

불리다[4] ① [물건을 물에 축여서 붇게 하다] remojar. 콩을 물에 ~ remojar la soja en el agua. ② [돈이나 재산을 붇게 하다] acrecentar *su* fortuna.

불리다[5] ① [쇠를 불 속에 넣어 단련하다] templar. ② [곡식을 부쳐서 잡것을 날려 버리다] aventar.

불리다[6] ① [악기가 붊을 당하다] ser tocado. ② [악기를 불게 하다] hacer tocar. ③ [사실대로 말하게 하다] hacer confesar, poner al descubierto.

불림[1] [쇠를 불 속에 넣어 불리는 일] temple *m* de matal.

불림[2] ① [공범자를 자백하는 짓] confesión *f.* ② [노름판에서, 무엇이라 불러 남에게 알리는 짓] información *f.*

불림[3] =번식(繁殖).

불만(不滿) ((준말)) =불만족(不滿足). ¶~이 많은 descontentadizo. ~을 느끼다 sentir descontento (de). ~을 토로하다 quejarse (de). ~을 품다 descontentarse. ~을 품게 하다 descontentar. 무엇이 ~이냐? ¿De qué estás descontento? 나는 이런 낮은 봉급에는 ~이다 No puedo contentarme [No estoy satisfecho] con un salario tan bajo. 나는 아무 ~도 없다 No tengo nada de que quejarme / Ya no pido más / No tengo ningún motivo de descontento. ~이란 커지기만 할 뿐이다 Las quejas no hacen sino aumentar.

불만히 descontentamente, con descontento, insatisfechamente.

◆성적(性的) ~ descontento *m* sexual, insatisfacción *f* sexual.

불만스럽다 (estar) descontento, insatisfecho. 그런 불만스런 표정을 했다 El ha mostrado el descontento en su rostro / Le ha salido el descontento a la cara.

불만스레 descontentamente, insatisfechamente,

불만족(不滿足) descontentamiento *m,* descontento *m,* insatisfacción *f.* ~하다 (ser) descontento, insatisfecho. 계약에 ~이다

estar descontento de un contento. 그는 내 보고에 ~이다 El está de mi informe. 나는 내 자신에게 ~을 느꼈다 Yo sentí descontento de mí mismo.
불만족스럽다 =불만스럽다.
불만족스레 =불만스레.

불망(不忘) no olvido *m*. ~하다 no olvidar.
■ ~지은(之恩) favor *m* inolvidable.

불매(不買) no compra *f*. ~하다 no comprar.
■ ~ 동맹(同盟) coalición *f* organizada contra una persona, negándose a tener tratos con ella, boicoteo *m*, boicot *m*, huelga *f* para [de] no comprar. ¶~을 하다 coalizarse para no tener tratos contra una persona, boicotear. ~을 맺다 coalizarse para no tener tratos contra una persona [con una casa comercial], boicotear, coalizarse en el boicoteo (contra). ~ 운동 boicoteo *m*, boicot *m*.

불매(不賣) no venta *f*. ~하다 no vender.

불매매(不買賣) no compra *f* y no venta. ~하다 no comprar y no vender.

불매증(不寐症) =불면증(不眠症).

불면(不眠) desvelo *m*, insomnio *m*, privación *f* de sueño. ~하다 no dormir. ~의 insomne.
■ ~불휴(不休) sin dormir y descansar [reposar]. ¶~하다 no dormir y descansar [reposar]. ~로 sin dormir y descansar [reposar]. ~증[병] insomnio *m*. ¶~에 걸리다 sufrir de insomnio. ~증 환자 insomne *mf*.

불멸(不滅) perpetuidad *f*, inmortalidad *f*. ~하다 (ser) perpetuo, inmortal, imperecedero. 물질의 ~성(性) indestructibilidad *f* de materia. 물질 ~의 원칙 principio *m* de conservación de materia. 영혼(靈魂) ~ inmortalidad *f* del alma.

불멸(佛滅) ((불교)) nirvana *m* de Buda, muerte *f* de Buda.

불멸일(佛滅日) 【민속】 día *m* aciago.

불명(不明) obscuridad *f*, [불확실] incertidumbre *f*. ~하다 (ser) obscuro, incierto. 그의 생사(生死)는 ~이다 Nadie sabe si está vivo o muerto.

불명(佛名) ① [부처의 이름] nombre *m* de Buda. ② [불법에 귀의한 불자(佛者)에게 붙이는 이름] nombre *m* budista. ③ ((준말)) =불명회(佛名會).
■ ~회(會) misa *f* budista.

불명료(不明瞭) indistinción *f*, vaguedad *f*. ~하다 (ser) indistinto, vago, poco claro. ~한 발음(發音) pronunciación *f* articulada [difícilmente comprensible].

불명예(不名譽) deshonor *m*, deshonra *f*, ignominia *f*, oprobio *m*, vergüenza *f*. ~하다 (ser) deshonoroso, infamado, ignominioso, vergonzoso. ~로 생각하다 tener a deshonra. ~가 되다 deshonrar, infamar, difamar, manchar [mancillar] el honor [la fama] (de). …의 ~다 ser una vergüenza [un deshonor · una deshonra · un oprobio · una ignominia] para [de] algo. 그는 가문의 ~다 El es la vergüenza de la familia. 불명예스레 de manera deshonrosa. ~ 제대하다 ser dado de baja con deshonor.
■ ~ 제대(除隊) baja *f* deshonrosa.

불명확(不明確) lo indefinido, lo poco definido, lo indistinto, lo poco claro, oscuridad *f*. ~하다 (ser) indefinido, poco definido, indistinto, poco claro, oscuro, vago, impreciso, ambiguo.
■ ~성(性) oscuridad *f*, ambigüedad *f*, vaguedad *f*.

불모(不毛) ① [땅이 메말라 농작물이 잘 되지 않음] esterilidad *f*, aridez *f*. ~의 estéril, infecundo, improductivo; [건조하다] árido. ~의 땅 tierra *f* árida, tierra *f* estéril. 이 토지(土地)는 ~이다 Esta tierra es estéril. ② ((준말)) =불모지지(不毛之地).
■ ~지(地) =불모지지(不毛之地). ¶~로 만들다 esterilizar, hacer estéril. 땅을 ~로 만들다 esterilizar una tierra. ~지대 zona *f* árida. ~지지(之地) tierra *f* árida, tierra *f* estéril. ~화(化) esterilización *f*. ¶~하다 esterilizar.

불모(佛母) ① ((불교)) [불타의 어머니] madre *f* de Buda. ② [불타의 양어머니였던 그의 숙모] tía *f* de Buda. ③ [모든 부처의 어머니] madre *f* de todos los Budas. ④ [부처를 있게 한 법] Ley *f* que le produció a Buda. ⑤ [불상을 그리는 사람] pintor, -tora *mf* de pintar la imagen de Buda.

불모증(不毛症) =무모증(無毛症).

불목 la parte más caliente del suelo calentado.

불목하니 ((불교)) criado, -da *mf* del templo budista.

불무하다(不無―) no faltar, no carecer, existir.

불문(不文) ① [글에 대한 지식이 없음] analfabetismo *m*. ② ((준말)) =불성문(不成文).
■ ~법[률] ley *f* no escrita, ley *f* en blanco. ~ 헌법 constitución *f* no escrita.

불문(不問) ① [캐묻지 아니함] no pregunta *f*. ~하다 no preguntar. ② [차이를 가리지 않음] no diferencia *f*. 남녀를 ~하고 sea hombre o mujer. 한국인이건 외국인이건 ~하고 sea coreano o extranjero.
◆불문에 붙이다 dejar de pedir cuenta (a), disimular, dispensar, pasar en silencio [por alto]. 비용은 불문에 붙이고 a toda costa. 수단은 불문에 붙이고 por cualquier medio. 연령[성별]은 불문에 붙인다 No importa la edad [el sexo].
■ ~가지(可知) ¶~하다 entender [saber] sin pregunta. ~곡절(曲折) ¶~하다 no inquirir la razón. ~곡직(曲直) ¶~하다 no inquirir lo correcto o lo incorrecto.

불문(佛文) ① [불란서어로 된 문장] oración *f* [composición *f*] francesa. ② ((준말)) =불문학(佛文學).
■ ~과 departamento *m* de la literatura francesa. ~학 literatura *f* francesa.

불문(佛門) ((불교)) clero *m*, orden *f* [sacerdocio *m*] budista. ~에 들어가다 ordenarse, hacerse bonzo.

불미(不美) suciedad *f,* no belleza, no hermosura. ~하다 ser sucio, no ser hermoso [bello].
불미스럽다 (ser) vergonzoso, bochornoso. 불미스런 일 cosa *f* vergonzosa, vergüenza *f,* lo vergonzoso, lo bochornoso.
불미스레 vergonzosamente, de manera vergonzosa, bochornosamente, de manera bochornosa.

불민(不敏) estupidez *f,* inhabilidad *f,* incapacidad *f,* insuficiencia *f,* ineptitud *f,* incompetencia *f.* ~하다 (ser) estúpido, incompetente, inepto. ~하지만 … No sé si merezco su confianza, pero ….

불민하다(不憫/不愍-) (ser) lastimoso, compasivo, triste; [명사 앞에서] pobre. ~하게 생각하다 tener lástima (de), apiadarse (de), compadecerse (de), compadecer (a).

불바다 ① [무서운 기세의 큰 불] gran fuego *m,* mar *m* de fuego. 점포는 ~로 변했다 El fuego invadió toda la tienda / La tienda se convirtió en un mar de fuego. ② [불이 밝게 켜져 있는 넓은 곳] mar *m* de fuego. 사방은 ~였다 Había un mar de fuego por todos lados.

불발(不拔) firmeza *f,* constancia *f.* ~하다 (ser) firme, constante, invensible, inconquistable, inmutable, indomable. ~의 정신(精神) espíritu *m* indomable.

불발(不發) impotencia *f,* explosión *f* frustrada. ~로 끝나다 [비유적] no llegar a ponerse por obra. ~이었다 Falló el disparo.
▪ ~탄(彈) bomba *f* sin explosionar, bala *f* que no ha reventado [estallado · explotado]. ~탄 처리 desactivación *f* de explosivos, destrucción *f* [desarme *m*] de bombas sin explosionar. ~탄 처리반 brigada *f* de desactivación de explosivos. ~탄 처리 전문가 artificiero, -ra *mf.*

불밤송이 castaña *f* que se ha secado y se ha caído prematuramente [antes de tiempo].

불범(不犯) no entrada *f* sin autorización en propiedad ajena. ~하다 no entrar sin autorización en propiedad ajena.

불법(不法) [위법(違法)] ilegalidad *f,* ilegitimidad *f;* [부정(不正)] injusticia *f.* ~하다 (ser) ilegal, ilegítimo, injusto. ~으로 ilegalmente, ilegítimamente, injustamente. ~ 수단을 사용하다 tomar medidas ilegales.
▪ ~ 감금 prisión *f* [detención *f*] ilegal. ~ 건축 construcción *f* ilegal. ~ 건축물 edificio *m* ilegal. ~ 몰수 expulsión *f,* destitución *f.* ~ 선거 운동 campaña *f* electoral ilegítima. ~ 소지 posesión *f* ilegal. ¶무기 ~ posesión *f* ilegal del arma. ~ 외국인 거주자 trabajador *m* extranjero [trabajadora *f* extranjera] ilegal. ~ 입국 ingreso *m* [entrada *f*] ilegal, inmigración *f* ilegal. ~ 입국자 inmigrante *mf* ilegal. ~자 persona *f* ilegal [ilícita]. ~적 ilegal, ilegítimo, injusto, sin autorización. ¶~으로 ilegalmente, ilegítimamente, injustamente. ~ 점거 ocupación *f* ilegal [ilegítima]. ¶~하다 ocupar ilegalmente. 남의 건물을 ~하다 ocupar un inmueble ajeno sin autorización. ~된 건물 edificio *m* ocupado sin autorización. ~된 땅 tierra *f* ocupada sin autorización. ~ 때문에 소유권을 주장하다 alegar derechos de propiedad por haber ocupado un inmueble durante determinado período de tiempo. ~ 점거자 ocupa *mf,* okupa *mf,* ocupante *mf* ilegal; *Méj* paracaidista *mf.* ~ 점유 ocupación *f* ilegal. ~ 조건 condición *f* ilegal [ilegítima]. ~ 조치 medidas *fpl* ilegales. ~ 집회 asamblea *f* ilegal. ~ 처분 medidas *fpl* ilegales. ~ 체결 conclusión *f* ilegítima. ~ 체포 arresto *m* ilegal, detención *f* ilegal. ¶~하다 arrestar [detener] ilegalmente. 용의자를 ~하다 detener ilegalmente a un acusado. ~ 출국 salida *f* ilegal. ~ 출판 publicación *f* ilegal. ¶~을 하다 publicar ilegalmente. ~ 침입 incrusión *f* [intrusión *f*] ilegal, entrada *f* sin autorización en propiedad ajena. ¶~하다 entrar sin autorización en propiedad ajena. ~ 금지! ((게시)) ¡Prohibido el paso, propiedad privada! ~ 침입자 intruso, -sa *mf.* ~ 침해 entrada *f* sin autorización en propiedad ajena. ¶~하다 entrar sin autorización en propiedad ajena. ~ 행위 ilegalidad *f,* acto *m* ilegal. ¶~를 하다 cometer un acto ilegal. ~ 행위자(行爲者) malhechor, -chora *mf.*

불법(佛法) ① [불교] budismo. ② [부처의 교법(敎法)] doctrina *f* budista, doctrina *f* de Buda.

불법승(佛法僧) ((불교)) Buda, doctrina de Buda y monje budista.

불벼락 decreto *m* tiránico. ~을 내리다 dar el decreto tiránico.

불변(不變) invariabilidad *f,* inmutabilidad *f,* constancia *f.* ~하다 (ser) invariable, inmutable, constante, permanente, perpetuo. ~의 법칙 ley *f* inmutable.
▪ ~ 가속도 aceleración *f* constante. ~강(鋼) invar *m,* acero *m* al níquel con coeficiente de dilatación casi invariable. ~량 constante *m.* ~색 color *m* permanente. ~수(數) constante *m.* ~ 자본 capital *m* constante, capital *m* invariable.

불병풍(-屛風) biombo *m* pequeño para proteger el fuego del brasero del viento.

불볕 sol *m* abrasador.
▪ ~더위 calor *m* abrasador, calor *m* infernal. ¶~다 Hace un calor abrasador [infernal].

불보(佛寶) ① ((불교)) =석가모니불. ② ((불교)) Joya *f* [Tesoro *m*] de Buda. ③ ((불교)) [법보(法寶)(Dharma) · 승보(僧寶)(Sangha)에 대해] Buda *m.*
▪ ~ 사찰 Templo *m* [Monasterio *m*] de la Joya [del Tesoro] de Buda.

불복(不服) ① [불복죄] descontento *m,* dis-

gusto *m*, desaprobación *f*. ~하다 estar descontento (de·con), no estar contento (de·con), protestar contra. 이번에는 당신의 말에 그는 ~하지 않는다 Esta vez no apela sobre lo que usted dice. ② [불복종] desobediencia. ~하다 desobededer.
■ ~상고 apelación *f* de insatisfacción (a la Corte Suprema). ~지심(之心) corazón *m* desobediente. ~ 항고 apelación *f* de insatisfacción (a la Corte de Apelación).

불복종(不服從) desobediencia *f*. ~하다 desobedecer.

불부채 abanico *m* usado para avivar el fuego.

불분명(不分明) vaguedad *f*, o(b)scuridad *f*. ~하다 (ser) vago, indistinto, confuso, dudoso, incierto, ambiguo, no ser claro.

불비(不備) ① [안 갖춤] imperfección *f*, defecto *m*. ~하다 (ser) imperfecto, defectivo, defectuoso. 이 서류에는 ~한 점이 많다 Hay muchos defectos en este documento / Este documento deja mucho que desear. ② [편지글 끝에서] Cordialmente, Sinceramente, Muy atentamente, Su seguro servidor, S.S.S., Sus seguros servidores, SS.SS.SS., Ss.Ss.Ss.

불빛 ① [타는 불의 빛] luz *f* del fuego ardiente. ② [등불의 빛] luz *f*, luz *f* del fuego. ~에 비추어 보다 examinar a la luz. ③ [불색(色)] color *m* rojo y claro.

불사(不死) ① [죽지 아니함] inmortalidad *f*. ~하다 ser inmortal, no morir. ~의 inmortal, imperecedero. ② [속인(俗人)으로서 염불(念佛)을 공부하다 죽은 사람의 혼령] espíritu *m* del muerto rezando [estudiando] la oración budista.
■ ~신(身) fénix *m*. ~약(藥) elíxir *m*, medicamento *m* maravilloso. ~영생 vida *f* perpetua [permanente]. ~조(鳥) fénix *m*.

불사(佛寺) templo *m* [monasterio *m*] budista.

불사(佛事) ceremonia *f* [rito *m*] budista, ceremonia *f* religiosa budista, servicios *mpl* budistas, asuntos *mpl* de Buda. ~를 행하다 hacer una ceremonia religios budista, celebrar servicios budistas (por un difunto).

불사르다 ☞불[1]

불사리(佛舍利) ((불교)) cenizas *fpl* de Buda.

불사초(不死草) 【식물】 =맥문동(麥門冬).

불상(不祥) mal augurio *m*, mal agüero *m*.
■ ~사(事) acontecimiento *m* funesto [infeliz], mal acontecimiento *m*, escándalo *m*. ~지언(之言) palabra *f* desafortunada. ~지조(之兆) augurio *m* [agüero *m*] siniestro.

불상(不詳) desconocimiento *m*. ~하다 desconocer. ~의 desconocido, no identificado.

불상(佛相) semblante *m* de Buda.

불상(佛像) imagen *m* de Buda, imagen *m* [estatua *f*] budista, imagen *m* de una deidad budista.

불상놈 persona *f* muy vulgar

불상당(不相當) incorrección *f*. ~하다 (ser) incorrecto, indecoroso.

불색(-色) =불빛❸.

불생(佛生) ① [석가의 탄생] nacimiento *m* de Shakamuni. ② ((준말)) =불생일(佛生日).

불생일(佛生日) cumpleaños *m.sing.pl* de Buda, el ocho de abril del calendario lunar.

불서(佛書) escrituras *fpl* budistas, escritos *mpl* sagrados budistas, literatura *f* budista.

불선(不善) ① [착하지 않음] maldad *f*, desgracia *f*, infortunio *m*. ~하다 (ser) malo, malvado, desgraciado, infortunado, desdichado, desventurado. ② [좋지 못함] lo malo. ③ [잘하지 못함] falta *f* de habilidad.

불선명(不鮮明) indistinción *f*, imprecisión *f*, vaguedad *f*, obscuridad *f*, borrosidad *f*. ~하다 (ser) indistinto, impreciso, vago, borroso, obscuro. ~한 화면(畵面) imagen *f* borrosa, pantalla *f* indistinta.

불설(佛說) ((불교)) predicación *f* de Buda, palabras *fpl* de Buda de las sutras, enseñanza *f* de Buda.

불섭생(不攝生) poco cuidado *m* de *su* salud, negligencia *f* para con *su* salud. ~하다 no vigilar la salud, cuidar poco de *su* salud, ser poco cuidadoso de *su* salud, ser negligente para [con] *su* salud, ser descuidado de *su* salud, descuidarse de *su* salud, jugar con la salud.

불성(佛性) ① [부처로 될 성질] carácter *m* de ser Buda. ② [부처의 본성] naturaleza *f* de Buda.

불성(佛聖) el Santo Buda.

불성공(不成功) no éxito *m*, fracaso *m*. ~하다 no tener éxito, no salir bien, fracasar, salir mal. ~으로 끝나다 fracasar, terminar en un fracaso, salir mal [fracasado]. 모든 계획은 ~으로 끝났다 Todos los planos se han resultado en fracaso.

불성립(不成立) fracaso *m*, rotura *f*, ruptura *f*; [거부] rechazamiento *m*. ~하다 fracasar, frustrarse, malograrse, salir mal, abortar un proyecto. 예산은 ~했다 El presupuesto ha fracasado.

불성설(不成說) ((준말)) =어불성설(語不成說).

불성실(不誠實) falta *f* de seriedad [de gravedad·de sinceridad], deslealtad *f*, disimulación *f*, camandulería *f*, impropiedad *f*, picardería *f*. ~하다 (ser) insincero, poco serio, poco grave, desleal, hipócrito, ímprobo, pícaro, fraudulento, falso; [경박하다] frívolo. ~한 태도로 en ademán poco serio. 그는 ~한 학생이다 El es un estudiante poco serio.

불성인사(不省人事) =인사불성(人事不省).

불세계(佛世界) ((불교)) reino *m* de Buda dividido en dos categorías, el puro y el impuro.

불세존(佛世尊) ((불교)) Buda *m*.

불세지공(不世之功) mérito *m* extraordinario, hazaña *f* extraordinaria.

불세지재(不世之才) hombre *m* de talento raro, prodigio *m*, talento *m* extraordinario.

불세출(不世出) rareza *f*, raridad *f*. ~의 extraordinario, raro, único, sin igual. ~의 재

사(才士) hombre *m* de talento extraordinario. ～의 영웅(英雄) héroe *m* sin igual.
불소(弗素) 【화학】 flúor *m*. ～의 fluórico.
■ ～산(酸) ácido *m* fluórico. ～ 수지 resina *f* de flúor. ～치약 dentífrico *m* con flúor.
불소(佛所) ① [불상(佛像)을 안치하는 곳] lugar *m* que instala la estatua de Buda. ② [부처가 있는 곳] paraíso *m*.
불소하다(不少―) ser bastante mucho, ser considerable.
불소화(不消化) indigestión.
불속 interior *m* del fuego ardiente. ～에 들어가다 exponerse a un peligro, meterse en la boca del lobo.
불속지객(不速之客) ＝불청객(不請客).
불손(不遜) insolencia *f*, arrogancia *f*, altivez *f*, altiveza *f*, soberbia *f*, impertinencia *f*, actitud *f* altiva, orgullo *m*. ～하다 (ser) insolente, arrogante, altivo, impertinente. ～하게 insolentemente, arrogantemente, altivamente, impertinentemente. ～한 태도로 con una actitud altiva, con insolencia. ～한 행동을 하다 conducirse con insolencia.
불손히 insolentemente, impertinentemente.
불수(不隨) parálisis *f*, perlesía *f*. ～가 되다 padecer parálisis, paralizarse. 반신～ hemiplejía *f*. 전신～ parálisis *f* total. 하반신 ～ paraplejía. 반신～의 hemipléjico. 전신[반신・하반신] ～가 되다 estar paralizado totalmente [de medio cuerpo・de cintura hacia abajo]. 그는 뇌출혈로 좌반신 ～가 되었다 Un ataque de apoplejía le dejó paralizado de medio cuerpo izquierdo.
불수(佛樹) 【식물】 ＝보리수(菩提樹).
불수(佛壽) ((불교)) vida *f* de Buda, edad *f* de Buda
불수강(不銹鋼) acero *m* intoxidable.
불수근(不隨筋) ((준말)) ＝불수의근(不隨意筋).
불수년(不數年) menos de dos o tres años.
불수다언(不須多言) No hay necesidad de muchas palabras / No se necesitan muchas palabras.
불수의(不隨意) ¶～의 involuntario.
■ ～근(筋) músculo *m* involuntario. ～ 운동 movimiento *m* involuntario. ～ 작용 acción *f* involuntaria.
불순(不純) impureza *f*, impuridad *f*, impurificación *f*, inmoralidad *f*, deshonestidad *f*, [간통(姦通)] adulteración *f*. ～하다 (ser) impuro, inmoral, deshonesto, adulterado, adúltero, adulterino. ～한 동기(動機)로 por motivos deshonestos. ～한 관계에 있다 mantener relaciones inmorales.
불순히 impuramente, inmoralmente, con impureza, adulteradamente.
■ ～물 impurezas *fpl*, elementos *mpl* heterogéneos, sustancias *fpl* heterogéneas, cosas *fpl* impuras.
불순(不順) intemperie *f*, intemperatura *f*, anomalía *f*. ～하다 ser extemporáneo (계절 외의); variable (변하기 쉬운); irregular (불규칙한); anómalo. 최근 날씨가 ～하다 Ultimamente el tiempo es muy irregular. 그곳은 기후가 ～하다 Allí experimentan cambios atmosféricos / Allí el clima es variable [cambiable].
불순히 extemporáneamente, variablemente, irregularmente.
불순종(不順從) desobedeciencia *f*. ～하다 desobedecer, ser obedeciente.
불승(佛僧) sacerdote *mf* budista, monje, -ja *mf* budista.
불승인(不承認) desaprobación *f*, no aprobación *f*, denegación *f*, no reconocimiento *m*. ～하다 rechazar, no aprobar, no reconocer, no admitir.
불시(不時) lo imprevisto, lo inesperado, lo repentino. ～의 inesperado, impensado, intempestivo, inopinado, repentino. ～를 위해 대비하다 prevenir para la emergencia. ～의 변(變)에 대비하다 preparar contra las eventualidades [emergencias].
불시로 de repente, repentinamente, de súbito, súbitamente.
불시에 de repente, repentinamente, de golpe, inesperadamente, de improviso, intempestivamente, inopinadamente, impensadamente.
■ ～ 점검 control *m* al azar, inspección *f* realizada al azar. ～착(着) ((준말)) ＝불시 착륙. ～ 착륙 [육상에] aterrizaje *m* forzoso; [해상에] amerizaje *m* forzoso. ¶～하다 aterrizar forzosamente, hacer una aterrizaje [un amerizaje] forzoso. ～ 착수(着水) acuatizaje *m* forzoso. ¶～하다 acuatizar forzosamente. ～ 출자(出資) gastos *mpl* imprevistos [incidentales].
불식(佛式) ① [불가의 의식] ceremonia *f* [rito *m*] budista. ～으로 conforme al rito budista. ② [불교의 방식] método *m* del budismo.
불식(拂拭) limpieza *f*, borradura *f*, fregamiento *m*. ～하다 borrar, limpiar. 의혹(疑惑)을 ～하다 borrar la sospecha.
불신(不信) desconfianza *f*, incredulidad *f*, [불신의(不信義)] deslealtad *f*, infidelidad *f*, perfidia *f*. ～하다 desconfiar. ～을 사다 atraer la desconfianza, descreditarse, desprestigiarse. ～을 품다 desconfiar (de). ～의 눈으로 보다 mirar con desconfianza.
■ ～감 desconfianza *f*. ～자(者) infiel *mf*, incrédulo, -la *mf*. ～지심(之心) corazón *m* que no se puede confiar. ～ 풍조(風調) tendencia *f* de desconfianza mutua. ～ 행위 violación *f* de confianza, acto *m* increíble.
불신(佛身) ((불교)) cuerpo *m* de Buda.
불신심(不信心) incredulidad *f*, impiedad *f*. ～하다 (ser) incrédulo, irreligioso, impío.
불신용(不信用) desconfianza *f*. ～하다 desconfiar.
불신임(不信任) desconfianza *f*, falta *f* de confianza. ～하다 desconfiar.
■ ～ 결의(決議) voto *m* [resolución *f*] de desconfianza. ～ 동의(動議) moción *f* de desconfianza. ¶내각(內閣) ～ moción *f* de

censura contra el gabinete. ～안 proyecto *m* de carencia de confianza. ～ 투표 voto *m* de desconfianza, voto *m* de no confianza, votación *f* no confianza (contra).

불실(不失) no pérdida *f*.

불실(不實) infidelidad *f*, deslealtad *f*, doblez *f*, disimulación *f*, camandulería *f*, infidencia *f*, inconstancia *f*. ～하다 (ser) infiel, desleal, hipócrita, volubre, variable, inconstante, adusto, sin fe.

불심(不審) ① [의심스러움] duda *f*, sospecha *f*. ～하다 (ser) dudoso, sospechoso, extraño. ② ＝미심(未審).
■～ 검문 interrogación *f* por sospecha. ¶ ～하다 interrogar por sospecha. 나는 경찰관에게 ～을 받았다 Yo fui interrogado por un policía por parecerle sospechoso.

불심(佛心) ① [부처의 자비로운 마음] merced *f* de Buda, corazón *m* gracioso de Buda. ② [해탈(解 脫)] liberación *f*.

불쌍하다 [가엾다] (ser) pobre, lastimoso, lastimero, digno de compasión; [비참하다] miserable; [불행(不幸)하다] infeliz, desdichado; [잔혹하다] cruel, despiadado; [애처롭다] paético. 불쌍한 고아(孤兒) pobre huérfano, -na *mf*. 불쌍한 놈 el pobre desdichado, el pobre infeliz, el pobre diablo. 불쌍한 처지(處地) condición *f* miserable. 불쌍한 여인(女人) pobre mujer *f*. 불쌍하게 여기게 하는 lastimoso, lastimero, digno de lástima, digno de misericordia. 불쌍하기도 해라 ¡(Qué) Pobre! / ¡Pobrecito! / ¡Pobre hombre! / ¡Qué pena! / ¡Qué lástima! 저 불쌍한 아이는 늘 혼자다 Aquel pobre niño siempre está solo. 불쌍하게도 그 여아(女兒)는 고아(孤兒)가 되었다 La pobre niña se quedó huérfana.
불쌍히 pobremente, lastimosamente, miserablemente, infelizmente, cruelmente, paéticamente. ～ 여기다 compadecer, apiadarse (de), compadecerse (de), sentir [tener] lástima [compasión] (de · por). …을 ～ 여겨 por compasión de *algo* · *uno*.

불쏘다 ① [과녁을] errar el tiro, errar el blanco. ② [목적을] fracasar en el intento.

불쏘시개 encendajas *fpl*, astilla *f* para encender, líquido *m* utilizado [pastilla *f* utilizada] para facilitar el encendido del fuego de leña o carbón.

불쑥 ① [불룩하게 쑥 내밀거나 나오거나 하는 모양] sobresalientemente. ～ 나오다 sobresalir. ～ 나온 턱 barbilla *f* prominente. ～ 나온 이 diente *m* salido. ② [갑작스럽게 생기거나 쑥 나타나거나 하는 모양] de improviso, al improviso, improvisamente, a la improvista, sin aviso, de repente, repentinamente, impensadamente, inesperadamente, bruscamente, inopinadamente. ～ 나타나다 aparecer bruscamente. ～ 방문하다 visitar de improviso [de repente], visitar inopinadamente, visitar a la hora menos pensada.
불쑥거리다 sobresalir repetidamente.
불쑥불쑥 sobresaliendo aquí y allá. ～하다 sobresalir aquí y allá.

불씨 ① [불을 일으키기 위해 재 속에 묻어 두는 불덩이] ascua *f* [brasa *f*] (para encender el fuego). ② [소동이나 사건 따위를 불러일으키는 실마리] polvorín *m*, barril *m* de pólvora.

불안(不安) inquietud *f*, ansiedad *f*, inestabilidad *f*, intranquilidad *f*, preocupación *f*, cuidado *m*. ～하다 inquitarse. ～한 inquieto, inquietante, intranquilo, ansioso, inseguro, desamparado. ～한 마음 nervios *mpl*, corazón *m* inquieto. 경제적 ～ inestabilidad *f* económica. ～한 태도로 con un aire preocupado. ～하게 하다 inquietar. ～해 하다, ～을 느끼다 inquietarse (de), intranquilizarse (de), desasosegarse (de), preocuparse (de · con · por), temer el peligro que hay (en). ～한 그림자를 던지다 arrojar una sombra de inquietud. ～한 밤을 보내다 pasar una noche inquieta, pasar una noche sumido en la ansiedad. …하지 않을까 ～하다 estar poco seguro (de) que + *subj*. 나는 자식의 장래가 ～하다 Me preocupo del [Me preocupa el] futuro de mi hijo. 나는 대지진이 일어날까 ～하다 Tengo miedo de [Temo] que ocurra un gran terremoto. 내가 길을 잃었을 때는 무척 ～했다 Cuando me perdí, me sentí muy desamparado. 그런 수입으로는 마음이 ～하다 Con tales ingresos me siento inseguro. 그의 장래가 어쩐지 ～하게 느껴진다 Temo que su futuro no sea muy prometedor.
불안히 con inquietud, inquietamente, con preocupación, intranquilamente.
■～감 inquietud *f*, ansiedad *f*, intranquilidad *f*, preocupación *f*, sentimiento *m* inquieto. ¶～을 느끼다 preocuparse (de · con · por), inquietarse (de), intranquilizarse (de), desasosegarse (de), sentirse inquieto [ansioso · intranquilo]. ～을 감출 수 없다 no poder disimir su inquietud. ～지심 (之心) corazón *m* inquieto.

불안전(不安全) inseguridad *f*. ～하다 (ser) inseguro.

불안정(不安定) inestabilidad *f*, inseguridad *f*, estado *m* precario. ～하다 (ser) inestable, inseguro, precario. ～한 의자(椅子) silla *f* inestable. ～한 지위(地位) posición *f* inestable, posición *f* insegura. ～한 직업(職業) ocupación *f* precaria, profesión *f* precaria. ～한 통화(通貨) moneda *f* inestable. ～한 경제 상태(經濟狀態) precaria situación *f* económica. 정국(政局)의 ～ inestabilidad *f* de la situación política. ～한 발걸음으로 con pasos vacilantes [inseguros]. 경제 상태가 ～하다 La situación económica es precaria [inestable]. 그는 수입이 ～하다 El no tiene ingresos constantes. 날씨가 ～하다 Hace un tiempo inestable / El tiempo está inestable.
■～감 intranquilidad *f*, sentido *m* de inestabilidad.

불알 testículo *m*, genitales *mpl*. ~을 까다 castrar, capar.
◆불알 밑이 근질근질하다 estar sentado inquieto. 불알을 긁어 주다 tratar de congraciarse (con), tratar de ganarse el favor (de).
■불알 두 쪽만 대그락대그락한다 ((속담)) Es tan pobre como un ratón de sacristía.
불야불야 ((준말)) =불이야불이야.
불야성(不夜城) mansión *f* donde no hay noche, mar *m* de la luz. ~을 이루다 formar el mar de la luz.
불어[1](佛語) ((불교)) palabras *fpl* de Buda, palabra *f* budista, escrito *m* budista.
불어[2](佛語) [불란서어] francés *m*. ~를 잘 하다 hablar francés bien, hablar bien el francés.
■~ 불문학 la lengua francesa y la literatura francesa. ~ 불문학과 Departamento *m* de Lengua Francesa y de Literatura Francesa.
불어나다 aumentar. ☞붇다
불어넣다 aspirar, inspirar. ☞불다[2]
불어리 guardallama(s) *m*.
불언가지(不言可知) Se comprende [sabe] aunque no lo diga. ~하다 ser comprensible sin decir.
불언실행(不言實行) acción *f* más que de palabras. 그는 ~하는 사람이다 El es un hombre de acción más que de palabras / El habla poco, pero actúa.
불여귀(不如歸) ① 【조류】 =소쩍새(cuco, cuclillo). ② [소쩍새 우는 소리] cucú *m*.
불여우 ① 【동물】 =붉은여우. ② ((속어)) [변덕스럽고 요사스러운 여자] arpía *f*, bruja *f*, fiera *f*.
불여의(不如意) ¶~하다 salir mal, fallar. 매사(每事)가 ~하다 Todo sale mal / Todo falla.
불여튼튼(不如一) La solidez es mejor.
불역(不易) inmutabilidad *f*, firmeza *f*, constancia *f*. ~하다 (ser) inmutable, alterable, impermutable, constante. 만고(萬古) ~의 진리 verdad *f* eterna.
■~성(性) inmutabilidad *f*.
불연(不然) lo que no es así. ~이면 si no es así, o, si no, de lo contrario. 자유를 달라, ~이면 죽음을 달라 Libertad o muerte.
불연(不燃) lo incombustible, lo ininflamable.
■~ 가스 gas *m* inerte. ~성(性) incombustibilidad *f*, ininflamabilidad *f*. ¶~의 ininflamable, incombustible. 석면의 ~ incombustibilidad *f* del amianto. ~ 주택 casa *f* ininflamale.
불연(佛緣) providencia *f* de Buda.
불연속(不連續) discontinuidad *f*, interrupción *f*. ~의 discontinuo.
■~면(面) superficie *f* frontal. ~ 변이(變異) variación *f* discontinua. ~ 분포 distribución *f* discontinua. ~선(線) frente *m* ocluido, línea *f* discontinua.
불염(不鹽) lo no salado.
■~어포(魚脯) tajadas *fpl* de pescado secado sin sal. ~포(脯) tajadas *fpl* de carne de vaca secada sin sal.
불온(不穩) inquietud *f*, desasosiego *m*, desazón *m*, intranquilidad *f*, impropiedad *f*. ~하다 (ser) inquietante, desasogado, intranquilo, amenazador, alarmante, amenazador. 도시는 ~한 공기가 감돈다 Un aire amenazador envuelve [domina] la ciudad.
■~ 문서 escritura *f* peligrosa, literatura *f* inflamatoria. ~ 분자 perturbador, -dora *mf*, agitador, -dora *mf*. ~ 삐라 folleto *m* peligroso. ~ 사상 idea *f* amenazante. ~ 서적 libro *m* peligroso.
불온당(不穩當) impropiedad *f*, injusticia *f*. ~하다 (ser) impropio, inadecuado, injusto, inicuo, inmoderado, irrazonable. ~한 처사(處事) acción *f* injusta. ~한 처치(處置) disposición *f* injusta.
불완전(不完全) imperfección *f*, estado *m* incompleto. ~하다 (ser) imperfecto, incompleto, deficiente, defectivo, defectuoso. ~하게 imperfectamente, incompletamente, deficientemente, defectivamente, defectuosamente. ~한 대책 medidas *fpl* imperfectas. ~한 지식 conocimientos *mpl* imperfectos. ~한 점을 지적하다 indicar los defectos.
■~ 경쟁 competencia *f* imperfecta. ~ 고용 subempleo *m*. ~ 독립 independencia *f* incompleta. ~ 독립국(獨立國) estado *m* independiente incompleto. ~ 동사 verbo *m* incompleto. ~ 명사 substantivo *m* [nombre *m*] incompleto. ~ 연소 combustión *f* incompleta. ~ 자동사 verbo *m* intransitivo incompleto. ~ 종지(終止) cadencia *f* imperfecta. ~ 주권 soberanía *f* incompleta. ~ 주권국 estado *m* soberano incompleto. ~ 중립국 estado *m* [país *m*] neutral incompleto. ~ 취업 colocación *f* incompleta. ~ 타동사 verbo *m* transitivo incompleto. ~ 형용사 adjetivo *m* incompleto.
불요(不要) lo innecesario. ~하다 (ser) innecesario .
■~불급(不急) ¶~하다 no ser necesario y esencial.
불요(不撓) inflexibilidad *f*. ~하다 (ser) inflexible, inquebrantable. ~의 정신(精神) espíritu *m* inflexible [inquebrantable].
■~불굴(不屈) lo indomable, tenacidad *f*, inflexibilidad *f*, lo intrépido. ¶~의 indomable, infatigable, incansable, inflexible, intrépido. ~하게 infatigablemente, inflexiblemente, intrépidamente.
불용(不用) ① [쓰지 않음] no uso *m*. ~하다 no usar. ② [소용이 없음] lo innecesario, lo inútil. ~하다 (ser) innecesario, inútil. 그것은 ~이다 Ya no hace falta eso.
■~물 cosa *f* innecesaria. ~품 objeto *m* innecesario.
불용성(不溶性) insolubilidad *f*, infusibilidad *f*. ~의 insoluble, infusible.
불우(不遇) [불운] infortunio *m*, desgracia *f*, [역경] adversidad *f*. ~하다 (ser) infortu-

nado, desgraciado, desventurado, desdichado, poco feliz. ~하게 infortunadamente, desgraciadamente, sin fortuna, con desgracia, con mala suerte, obscuramente. ~한 처지에 있다 llevarse una vida obscura. ~한 생애를 보내다 tener [llevar] una vida desventurada. 죽을 때까지 ~하게 살다 vivir oscuramente hasta *su* muerte. 그의 일생은 ~했다 Toda su vida era poco afortunada.

■ ~ 아동 niños *mpl* infortunados. ~ 이웃 돕기 ayuda *f* a los vecinos necesitados. ~ 이웃 돕기 운동 campaña *f* de ayudar a los vecinos necesitados. ~ 작가 escritor *m* desafortunado [infructuoso], escritora *f* desafortunada [infructuosa]. ~ 청소년 jóvenes *mpl* infortunados.

불우(不虞) lo inesperado, acontecimiento m inesperado.

■ ~비(備) preparación *f* para la cosa inesperada. ~지변(之變) accidente *m* inesperada. ~지환(之患) ansiedad *f* inesperada.

불운(不運) mala suerte *f*, desventura *f*, desgracia *f*. ~하다 (ser) desafortunado, desventurado, infortunado; [불행하다] desdichado, desgraciado, infeliz, poco feliz; [저주스럽다] maldito. ~하게도 desafortunadamente, desgraciadamente, desdichadamente. 그의 일생은 ~의 연속이었다 Su vida fue una verdadera cadena de gracias. 그에게 ~이 따른다 Le persigue la fortuna adversa [la mala suerte]. 그는 정말로 ~하기 짝이 없군요 ¡Qué situación tan desdichada! / ¡Qué mala suerte tiene él! 그 사고는 ~으로 돌리고 체념합시다 Resignémonos a pensar que ese accidente lo ha traído el destino.

■ ~아(兒) persona *f* desafortunada.

불원(不遠) ① [거리가 멀지 아니함] distancia *f* cercana, distancia *f* que no está lejos. ~하다 no estar lejos, estar cerca. 학교에서 ~한 도서관 biblioteca *f* que no está lejos de la escuela. ② [닥칠 일이 오래지 아니함] lo cercano. ~하다 ser cercano. ~한 장래(將來) futuro *m* cercano. ③ [부사적] [머지않아] pronto. 우리는 ~ 만나게 될 것이다 Nos podremos ver pronto.

■ ~간(間) [곧] pronto, dentro de poco; [이삼일 중에] uno de estos días, un día de éstos; [그럭저럭하는 사이에] entre tanto, entretanto, mientras tanto. ¶~ 또 만납시다 Hasta luego / Hasta pronto / Hasta la vista. ~ 상세한 것을 알 수 있을 것이다 Entretanto se podrán saber los detalles. ~장래(將來) futuro *m* cercano.

불유쾌(不愉快) lo desagradable, lo enojoso, molestia *f*, disgusto *m*. ~하다 (ser) desagradable; [노하다] enfadoso, enojoso, fastidioso; [번거롭다] molesto, disgustado. ~한 말 palabra *f* desagradable [cargante].

불은(佛恩) favor *m* sagrado de Buda.

불음켜 【식물】 =형성층(形成層).

불응(不應) no aceptación *f*, declinación *f*, desobediencia *f*; [거절] rechazo *m*, denegación *f*. ~하다 no aceptar, rechazar, desobedecer, declinar. 질문에 ~하다 no contestar la pregunta. 호출(呼出)에 ~하다 desobedecer la citación.

불의(不意) imprevisión *f*, falta *f* de previsión, descuido *m*. ~의 imprevisto, inesperado, inopinado, inpensado; [돌연의] repentino, súbito. ~의 사건(事件) suceso *m* imprevisto [repentino].

불의에 inesperadamente, impensadamente, de imprevisto, de repente, repentinamente, de súbito, súbitamente, por sorpresa. ~ 습격하다 atacar por sorpresa, asaltar desprevenido. ~ 습격을 받다 ser atacado por sorpresa. 그가 ~ 방문했다 El vino a verme de imprevisto / El me visitó de imprevisto.

■ ~지변(之變) accidente *m* inesperado. ~지재(之災) calamidad *f* inesperada.

불의(不義) ① [부도덕] injusticia *f*, inmoralidad *f*, impropiedad *f*. ~하다 (ser) injusto, impropio, inmoral. ② [밀통((密通)] comunicación *f* ilícita; [간통(姦通)] adulterio *m*. ~하다 (ser) adúltero, adulterino, pecaminoso. ~로 adulterinamente, con adulterio. ~를 저지르다 cometer adulterio, adulterar. ~의 씨 hijo *m* adulterino, hija *f* adulterina; bastardo, -da *mf*; *Andes*, *RPI* guacho, -cha *mf*. ~를 저지른 여인(女人) mujer *f* adúltera.

불이야 [불이 났을 때, 널리 알리기 위하여 급히 외치는 소리] ¡Fuego!

불이야불이야 ¡Fuego! ¡Fuego!

불이익(不利益) desventaja *f*. ~하다 (ser) desventajoso.

불이행(不履行) incumplimiento *m*, irrealización *f*, violación *f*, rotura *f*, fractura *f*. ~하다 incumplir, no cumplir. 상품 인도 ~ 시에(는) en la mora de entrega. 계약을 ~ incumplir el contrato.

◆ 계약(契約) ~ incumplimiento *m* del contrato. 조약 ~ violación *f* del tratado.

■ ~자(者) moroso, -sa *mf*.

불인가(不認可) desaprobación *f*, negativa *f*, rechazamiento *m*. ~하다 desaprobar, no aprobar. 신청은 ~되었다 La solicitud no ha sido aprobada [no consiguió la autorización · fue rechazada].

불인견(不忍見) =목불인견(目不忍見).

불일(不一) ① ((준말)) =불일치. ② [고르지 않음] irregularidad *f*, falta *f* de uniformidad, lo desnivelado. ~하다 (ser) irregular, desnivelado, falto de uniformidad.

불일간(不日間) =불일내(不日內).

불일내(不日內) dentro de poco, pronto, en breve. ~에 나는 마드리드로 떠날 것이다 Saldré dentro de poco [en breve] para Madrid.

불 일듯 하다 (ser) próspero, extenderse como un reguero de pólvora. 그의 사업은 불 일듯 한다 Su negocio se extiende como un reguero de pólvora.

불 일듯이 prósperamente, con prosperidad.

불일치(不一致) desacuerdo *m*, falta *f* de conformidad, desconformidad *f*, discrepancia *f*, desavenencia *f*, disensión *f*, incompatibilidad *f*. ~하다 (ser) desconforme. 성격(性格)의 ~ incompetencia *f* de carácter. 언행(言行)의 ~ incompatibilidad *f* de las palabras con las acciones.

불임(不姙) esterilidad *f*, infecundidad *f*. ~의 estéril, infecundo. ~하게 하다 esterilizar.
■ ~률(率) tasa *f* de esterilidad. ~법 esterilización *f*. ~성 esterilidad *f*. ~ 수술(手術) esterilización *f*. ¶~을 하다 esterilizar. ~증 esterilosis *f*, esterilidad *f*.

불입(拂入) pago *m*, desembolso *m*. ~하다 pagar, abonar, saldar, depositar, costear. 첫 ~을 하다 hacer un desembolso inicial. 은행에 10만 원을 ~하다 depositar cien mil wones en en banco. 계정 (計定)에 백만 원을 ~하다 hacer una transferencia de un millón de wones a la cuenta.
■ ~금 =납입금. ~액 =납입액. ~ 자본(금) capital *m* realizado [pagado]. ~ 주권 acción *f* pagada.

불잉걸 =잉걸불.

불자(佛子) ① ㉮ [부처의 가르침을 믿는 사람] budista *mf*. ㉯ [부처의 제자] discípulo, -la *mf* de Buda. ② =보살(菩薩). ③ [모든 중생(衆生)] humanidad *f*, género *m* humano, ser *m* humano.

불자(佛者) ((불교)) =불제자(佛弟子).

불자동차(-自動車) coche *m* bomba.

불장(佛葬) funerales *mpl* budistas.

불장난 ① [불을 지르고 노는 일] juego *m* con fuego. ~하다 jugar con fuego. ~하지 마라 No juegues con fuego. ② [남녀간의 무분별한 연애나 정사(情事)] aventura *f*, romance *m*, amoríos *mpl*

불적(佛跡) ① [석가의 유적] reliquia *f* de Shakamuni. ② [불교의 사적(史跡] ruinas *fpl* históricas del budismo. ③ [부처의 족적(足跡)] rastro *m* de Buda.

불전(佛典) ((불교)) escritura *m* sagrada budista [del budismo].

불전(佛前) ① ((불교)) [부처의 앞] (ante el) altar *m* de familia, delante de [ante] Buda. ~에 공양하다 ofrecer ante el altar de familia, hacer una ofrenda ante el alma de un difunto. ② ((불교)) [부처가 세상에 나기 이전] antes del nacimiento de Buda.

불전(佛殿) ((불교)) =불당(佛堂).

불제자(佛弟子) ((불교)) discípulos *mpl* de Buda, personas *fpl* convertidas al budismo.

불조심(-操心) cuidado *m* con el fuego. ~하다 tener cuidado con el fuego. ~하십시오 [tú에게] Ten cuidado con el fuego / [usted에게] Tenga cuidado con el fuego. ~합시다 Tengamos [Vamos a tener] cuidado con el fuego.

불종(-鐘) [화재를 알리는 종] campana *f* para avisar el fuego.

불종(佛鐘) campana *f* del templo budista.

불좌(佛座) ((불교)) asiento *m* del ídolo budista.

불줄기 【해부】 tendón *m* de la parte inferior del testículo al ano.

불지르다 ☞불[1]

불지피다 ☞불[1]

불질 ① [불을 때는 일] acción *f* de hacer fuego. ~하다 hacer fuego. ② [총·포 등을 놓는 일] disparos *mpl*, tiros *mpl*. ~하다 disparar, tirar.

불집 lugar *m* muy peligroso.
◆불집(을) 건드리다 armar mucho revuelo, alborotar el avispero [*AmL* el gallinero].

불집게 =부집게.

불쩍거리다 fregar la ropa sucia con ambas manos.
불쩍불쩍 siguiendo fregando la ropa sucia.

불쬐다 calentarse junto al fuego. 그는 손을 불쬐었다 El se calentó las manos junto al fuego. ☞불[1]

불차(-車) =불자동차.

불착(不着) no llegada *f*. ~하다 no llegar.

불찬성(不贊成) desaprobación *f*, disentimiento *m*, objeción *f*. ~하다 estar contra, desaprobar, no aprobar; [동의하지 않다] no estar de acuerdo (con), no consentir (en). 나는 네 의견에는 ~이다 No soy de tu opinión / No estoy de acuerdo contigo. 그 점에 관해서는 그에게 ~이다 No comparto su opinión sobre ese punto.

불찰(不察) negligencia *f*, descuido *m*. ~로 por descuido. 그런 사람을 신용했던 것은 내 ~이었다 El haber confiado en él fue una imprudencia mía.

불찰(佛刹) ① ((불교)) reino *m* de Buda, tierra *f* de Buda, país *m* de Buda. ② ((불교)) [절] templo *m* (budista).

불참(不參) no asistencia *f*, ausencia *f*. ~하다 no asistir. 나는 그 회(會)에 ~했다 Yo me ausenté en la reunión.
■ ~국 país *m* ausente. ~자 ausente *mf*.

불참가(不參加) no asistencia *f*. ~하다 no asistir.

불참석(不參席) no asistencia *f*. ~하다 no asistir.

불천지(-天地) mar *m* del fuego.

불철저(不徹底) insufiencia *f*. ~하다 (ser) insuficiente, incompleto. 연락이 ~했다 La comunicación no ha sido transmitida a todos.

불철주야(不撤晝夜) día *f* y noche. ~ 일하다 trabajar día y noche.

불청(不聽) ¶~하다 no escuchar, no prestar atención; [불승낙하다] no acceder (a), no consentir (en).

불청객(不請客) huésped *m* no convidado, huéspeda *f* no convidada; colado, -da *mf*; *AmL* paracaídista *mf*.

불체포 특권(不逮捕特權) previlegio *m* de exención de arresto.

불초(不肖) ① [못나고 어리석음] estupidez *f*, necedad *f*, torpeza *f*, estolidez *f*, tontería *f*, bobería *f*, estulticia *f*, [못나고 어리석은 사람] persona *f* estúpida [torpe · tonta]. ~하

다 (ser) estúpido, torpe, necio, tonto, estólido, estulto. ② [웃어른에게 자기를 낮추어 일컫는 말] yo, hijo *m* indigno. ～한 제가 … Aunque yo soy indigno, …. ③ ((준말)) ＝불초자(不肖子).

■ ～자식(子息) hijo *m* indigno de *su* padre.

불출(不出) ① [밖에 나가지 아니함] no salida *f.* ～하다 no salir. ② [어리석고 못난 사람] persona *f* estúpida [inútil · torpe], zángano *m.*

불춤 danza *f* [baile *m*] con fuego.

불충(不忠) deslealdad *f,* infidelidad *f,* perfidia *f.* ～하다 (ser) desleal, infiel. ～한 신하(臣下) vasallo *m* desleal.

■ ～불효(不孝) deslealtad *f* y impiedad filial [desobediencia].

불충분(不充分) insuficiencia *f;* [불완전] imperfección *f.* ～하다 (ser) insuficiente; imperfecto. …하기에는 ～하다 Es insuficiente para + *inf.* 설명이 ～하다 No es suficiente [Es insuficiente] la explicación / No está bien explicado. ～한 점을 용서하십시오 Dispénseme las imperfecciones del servicio / Dispénseme el pobre servicio.

불충실(不充實) insubstancialidad *f;* imperfección *f.* ～하다 (ser) insubstancial, incompleto, imperfecto.

불충실(不忠實) infidelidad *f,* deslealdad *f,* perfidia *f,* infidencia *f.* ～하다 (ser) infiel, desleal, infidente, pérfico. 직무에 ～하다 ser infiel a *su* deber.

불취동성(不聚同姓) no casamiento *m* con uno del mismo apellido, exogamia *f* de clan. ～하다 no casarse con uno del mismo apellido.

불측지변(不測之變) accidente *m* improvisto, calamidad *f* inesperada, desastre *m* inesperado.

불측지연(不測之淵) lugar *m* peligroso [riesgoso · arriesgado].

불측하다(不測－) ① [음흉(陰凶)하다] (ser) perverso, malvado, maligno, infame, vicioso, libertino. 불측한 남자 hombre *m* perverso. 불측한 놈 tipo *m* perverso. 불측한 사람 persona *f* perversa. 불측한 여자 mujer *f* perversa. ② [짐작하기 어렵다] (ser) imprevisto, inesperado, inopinado, inpensado. 불측한 사태가 발생했다 Ha estallado un caso imprevisto.

불치 animal *m* cazado, pájaro *m* cazado.

불치(不治) ① [병을 고칠 수 없음] incurabilidad *f.* ～하다 no curar. ～의 incurable, fatal. ～의 간질병 mal *m* incurable. ② [정치가 올바르게 되지 아니함] mal gobierno *m,* mala administración *f.*

■ ～병 enfermedad *f* incurable. ～병 환자 incurable *mf.*

불친소 buey *m.*

불친절(不親切) falta *f* de amabilidad, falta *f* de afabilidad, carencia *f* de bondad, falta *f* de cariño, desafecto *m.* ～하다 (ser) desatento, poco amable, poco amistoso, poco bondadoso, falto de amabilidad, frío, poco servicial, inhospitalario. ～하게 sin bondad, sin amabilidad, con poca amabilidad. 손님한테 ～하다 ser desatento con los clientes.

불침략(不侵略) la no agresión.

■ ～ 조약 ＝불가침 조약(不可侵條約).

불침번(不寢番) ① [행위] ronda *f* de noche. ～을 서다 vigilar [hacer guardia] toda la noche. ② [사람] vigilante *mf,* sereno, -na *mf.*

불침선(不沈船) buque *m* [barco *m* · lancha *f*] insumergible.

불카하다 la cara es rubicunda [rojiza].

불컥거리다 aplastar algo seco con sus manos.

불켜기 ＝점화(點火).

불켜다 ☞불[1]

불콩 ①【식물】lenteja *f.* ② ((속어)) ＝총알.

불쾌(不快) mal humor *m,* desagrado *m,* disgusto *m.* ～하다 (ser) malhumorado, de mal humor, desgustado, desagradable, enojoso, enfadoso, fastidioso, molesto, incómodo; disgustar. ～하게 mostrando asco y fastidio, con desagrado, con mucho fastidio, de mal humor, con un aire disgustado. ～하게 하다 desagradar, enfadar, fastidiar. ～하게 생각하다 resentirse (con · por), molestarse (con *uno* · de *algo*), escandalizarse (de), sentir asco y fastidio (por), no estar contento (de · de que + *subj*), estar disgustado [descontento] (de · con), encontrar desagradable. ～한 말 palabra *f* desagradable [cargante]. ～한 얼굴을 하다 poner la cara de desagrado, mostrar desagrado, ponerse de mal humor, ponerse disgustado, ponerse ceñido. ～해 있다 estar malhumorado, estar de mal humor. …하는 것은 ～하다 Es desagradable + *inf* [que + *subj*]. 정말 ～한 날씨다 ¡Qué tiempo tan desagradable (hace)! 네 태도는 ～하다 Me disgusta tu conducta. 나는 호텔에서 ～한 경험이 있었다 Yo tuve una experiencia desagradable en el hotel. 그 녀석은 ～하기 짝이 없다 Me causa una repulsión invencible [una aversión instintiva] ese hombre.

불쾌히 de mal humor, malhumoradamente, desagradablemente, con desagrado, con fastidio, con un aire disgustado.

■ ～감 sentimiento *m* desagradable [de desagrado], desagrado *m.* ¶～을 사다 ofender, agraviar, incurrir [caer] en el desagrado. ～을 주다 causar desagrado, producir un sentimiento desagradable [de desagrado]. ～을 나타내지 않다 mascar las agrias. 귀에 ～을 주다 chocar [ser agradable] al oído. ～지수(指數) índice *m* de malestar.

불타(佛陀; 범 *Buddha*) Buda *m.*

불타다 ☞불[1]

불탄일(佛誕日) fecha *f* de nacimiento de Buda, el ocho de abril del calendario lunar.

불탄절(佛誕節) ＝불탄일(佛誕日).

불탑(佛塔) pagoda *f* del templo budista.

불테리어(영 *bullterrier*) 【동물】 bulterrier *m*.

불토(佛土) ((불교)) reino *m* de Buda, país *m* de Buda, tierra *f* que vive Buda, tierra *f* de Buda.

불통(不通) interrupción *f* de comunicación. ～하다 interrumpirse la comunicación. 철도가 ～이다 Se ha suspendido la comunicación ferroviaria / El servicio ferroviario ha quudado suspendido. 도로가 ～이다 Han quedado cortadas las comunicaciones por carrera. 전화(電話)가 ～이다 Las comunicaciones telefónicas se han interrumpido / El teléfono no funciona. 그에게 전화했으나 ～이다 Le he llamado, pero no contestan.

불통일(不統一) falta *f* de unidad, falta *f* de armonía, desunión *f*; [이론 등의] incoherencia *f*. ～하다 (ser) desunido, incoherenrente. 내각(內閣)의 내부의 의견(意見)이 ～했다 Discreparon las opiniones dentro del gobierno.

불퇴전(不退轉) determinación *f*, resolución *f* firme, decisión *f* firme. ～하다 estar resuelto [decidido] (a + *inf*).

불투과성(不透過性) impermeabilidad *f*.

불투명(不透明) ① [투명하지 않음] opacidad *f*, obscuridad, oscuridad *f*. ～하다 (ser) opaco, intransparente, túpido, poco claro, impenetrable a la luz, o(b)scuro, opacarse. ～한 유리 vidrio *m* [cristal *m*] deslustrado [esmerilado]. ～하게 하다 opacar, nublar, hacer opaco, opacificar. ～하게 되다 hacerse opaco, nublarse. ② 【물리】 opacidad *f*. ③ [(사람의 성질 따위가) 분명치 못하고 흐릿함] ambigüedad *f*, vaguedad *f*. ～하다 (ser) ambiguo, vago. ～한 대답 respuesta *f* ambigua. ～한 사람 persona *f* ambigua [vaga]. ～한 태도(態度) actitud *f* ambigua [vaga].

■ ～도 opacidad *f*. ～색 color *m* opaco. ～액(液) solución *f* opaca. ～ 유리 vidrio *m* opaco. ～체 su(b)stancia *f* opaca, cuerpo *m* opaco.

불퉁거리다 enfadarse frecuentemente.

불퉁그러지다 sobresalir.

불퉁불퉁 ① [군데군데 둥근 것이 험상궂게 내민 꼴] con muchos nudos, con muchos bultos, desigualmente. ～하다 ser desigual, estar con desniveles, estar lleno de baches. ② [툭하면 성을 내고 퉁명스러운 말을 함부로 하는 꼴] sin rodeos, rotundamente.

불퉁스럽다 (ser) áspero, ronco, grosero, descortés, directo, franco, rotundo, categórico. 말버릇이 ～ hablar en plata, decir sin rodeos.

불퉁하다 ① [물건의 거죽에 둥근 것이 험상궂게 내민 꼴] (ser) protuberante; [턱이] prominente; [이가] salido; [손톱이] sobresalir. 불퉁한 눈 ojos *mpl* saltones. ② [걸핏하면 부루퉁하여 퉁명스러운 말을 함부로 하다] hablar fríamente [con fría formalidad].

불특정(不特定) indeterminación *f*. ～의 no especificado, no específico, indeterminado.

■ ～ 기간 término *m* no específico, período *m* no especificado, término *m* incierto. ～다수 muchas personas no específicas. ～물(物) cosa *f* no especificada, cosa *f* no específica.

불티 chispa *f*. ～를 둘러쓰다 estar cubierto de chispas.

불티같다 [나누어 주는 물건이] desaparecer en un abrir y cerrar de ojos; [파는 물건이] venderse como el pan [como pan bendido · como rosquillas · como panecillos]. 불티같이 다 팔리다 venderse como el pan.

불티나게 en un abrir y cerrar de ojos. ～ 팔리다 venderse como el pan [como pan bendido].

불패(不敗) invencibilidad *f*, lo invencible. ～하다 (ser) invencible, invicto, no ser vencido.

■ ～성 invencibilidad *f*. ～자 persona *f* invencible.

불펜(영 *bullpen*) ① ((야구)) bull pen *ing.m*, zona *f* de calentamiento (en un diamante de béisbol). ② [유치장] calabozo *m*.

불편(不便) ① [편하지 못함] incomodidad *f*. ～하다 (ser) incómodo; [주어가 사람일 경우] sentirse molesto, no sentirse cómodo. 몸이 ～하다 (ser) impotente; [마비] paralizado. 운반하기 ～하다 ser difícil de manejar. ～을 느끼다 sentir las incomodidades, estar incómodo, sentirrse incómodo. ～을 참다 sufrir [aguantar · tolerar] las incomodidades. 오른손[오른쪽 다리]이 ～하다 tener paralizada la mano [la pierna] derecha. 아무 ～ 없이 살다 vivir con toda comodi dad, pasar una vida holgada. 아무 ～이 없다 gozar de toda comodidad, no tener ningún apuro. 시골은 ～한 곳이 많다 Hay [Tenemos que aguantar] muchas incomodidades en el campo. 이 의자는 무척 ～하다 Esta silla es muy incómoda. 그 의자[재킷]가 ～합니까? ¿Está incómodo en ese sillón [con esa chaqueta]? 새 구두는 처음에는 항상 ～하다 Los zapatos nuevos siempre son incómodos al principio. 나는 그들과 함께 있으면 ～하다 Cuando estoy con ellos, me siento un poco molesto. 나는 여자에 ～은 없다 No me faltan mujeres. 내가 건강한 동안은 너는 아무 ～이 없을 것이다 Mientras yo esté bien, a ti no te faltará nada.

② [편리하지 아니함] inconveniencia *f*. ～하다 (ser) inconveniente. ～을 느끼다 encontrar algo inconveniente. 이곳은 교통이 ～하다 Los medios de transporte no son convenientes por aquí. 나는 집에 전화가 없어 ～을 느낀다 Tengo la inconveniencia niencia de no tener teléfono en casa.

불편스럽다 (ser) incómodo.

불편스레 incómodamente.

불편부당(不偏不當) imparcialidad *f.* ~하다 (ser) imparcial; [중립의] neutro; [독립의] independiente. ~의 신문(新聞) periódico *m* imparcial, diario *m* independiente.

불평(不平) rezongo *m,* rezongueo *m,* refunfuñadura *f,* refunfuño *m,* descontento *m,* queja *f.* ~하다 rezongar, refunfuñar, gruñir, quejarse, quejarse (de), dar quejas (de), lamentarse (de), murmurar (de). ~하는 얼굴로 con descontento. ~을 품다 estar resentido (con). …에 대해서 ~이 있다 tener quejas de *algo,* formar queja de *algo.* 아무런 ~도 없다 No hay nada de que quejarse. 그는 그 결정에 대해 ~을 많이 한다 El se queja mucho de esa decisión. 그는 그의 아버지에게 무엇인가에 대해 ~을 품고 있는 것 같았다 El parecía estar resentido con su padre por algo. 공사의 소음에 주민들이 ~했다 Los vecinos ha formulado quejas contra los ruidos de las obras.

■ ~가[객] refunfuñador, -dora *mf;* gruñidor, -dora *mf;* murmurador, -dora *mf;* quejica *mf.* ~거리 reclamación *f.* ~만만(滿滿) corazón *m* lleno de quejas. ¶~하다 estar lleno de quejas en el corazón. ~ 분자 elementos *mpl* descontentos.

불평등(不平等) desigualdad *f,* disparidad. ~하다 (ser) desigual. ~하게 desigualmente. ~한 취급 tratamiento *m* discriminatorio, discriminación *f* injusta. ~하게 다루다 tratar desigualmente [con desigualdad].

■ ~ 동맹 alianza *f* desigual. ~ 선거제 sistema *m* electoral desigual. ~ 조약 tratado *m* desigual.

불포화(不飽和) lo insaturado, lo no saturado. ~의 insaturado, no saturado

■ ~ 증기 vapor *m* no saturado. ~ 화합물 compuesto *m* insaturado.

불품행(不品行) mala conducta *f,* mal comportamiento *m;* [방탕] libertinaje *m.*

불풍나게 repetida y ocupadamente. ~ 돌아다니다 ir de aquí para allá repetida y ocupadamente.

불피우다 ☞불[1]

불필요(不必要) superfluidad *f,* dispensabilidad *f,* inutilidad *f.* ~하다 (ser) innecesario, inútil, superflúo, inservible. ~하게 innecesariamente, inútilmente, superflúamente.

불하(拂下) venta *f* de la propiedad del gobierno [del Estado]. ~하다 [국유물을] vender la propiedad del gobierno [del Estado]; [공개 입찰하다] poner en venta pública.

■ ~품(品) artículo *m* de venta por el gobierno.

불학(不學) falta *f* de educación, ignorancia *f.* ~하다 (ser) ignorante, indocto, falto de educación, analfabeto. 내 어머님은 ~이었지만 재주가 비상하셨다 Mi madre no había hecho estudios, pero tenía el talento muy extraordinario.

■ ~무식 anafabetismo *m,* ignorancia *f* supina. ¶~하다 (ser) analfabeto, ignorante. ~이문장(而文章) estilista *f* natural.

불학(佛學) budología *f.*

■ ~자 especialista *mf* budista.

불한당(不汗黨) bribón *m,* -bona *mf;* sinvergüenza *mf;* pillo, -lla *mf;* bandolero, -ra *mf;* salteador, -dora *mf;* insurgente *mf;* bandido *m,* forajido *m.*

■ ~패 grupo *m* de bandidos.

불합(不合) desacuerdo *m,* discordia *f.* ~하다 descordarse. 부부(夫婦)의 ~ desacuerdo *m* [discordia *f*] matrimonial.

불합격(不合格) desaprobación *f,* incompetencia *f,* inadaptabilidad *f.* ~하다 salir mal, fracasar. ~되다 ser desaprobado. ~시키다 desaprobar. ~한 desaprobado, incompetente, inadaptable. 시험에 ~하다 salir mal en los exámenes. 징병 검사에 ~하다 no ser reconocido apto para el servicio militar. 상품(商品) 검사에서 ~하다 ser rechazado [reprobado] en el examen de calidad de los artículos.

■ ~자 persona *f* reprobada [suspendida · descalificada]. ~품 género *m* [artículo *m*] reprobado [rechazado].

불합리(不合理) irracionalidad *f,* absurdo *m.* ~하다 (ser) irracional, irrazonable, absurdo, ilógico. 조직의 ~한 점을 개선하다 mejorar las contradicciones existentes en la organización.

■ ~적 irracional, absurdo.

불행(不幸) ① [행복하지 못함] infelicidad *f,* desdicha *f,* desgracia *f,* mal *m.* ~하다 (ser) infeliz, desgraciado, desdichado. ~하게 하다 hacer desgraciado. ~한 경우 circunstancias *fpl* desgraciadas [desfavorables]. ~한 때에 en el momento infeliz [menos oportuno], en un mal momento. ~을 가져오다 traer una desgracia. ~한 결과로 되다 parar en mal, tener un resultado infeliz. ~을 만나다 tener una desgracia. ~한 것은 …이다 Lo malo es que + *ind.* 제일 ~한 것은 …이다 Lo peor es que + *ind* / Y lo que es peor …. ~이 그를 덮쳤다 Una desgracia cayó sobre él / Una desgracia hizo presa en [de] él. ~이 겹칠 경우에는 그는 운전을 잘못했다 Para colmo de desgracias, él conducía mal [no conducía bien]. 그에게는 많은 ~이 겹쳤다 Le cayeron encima muchas desgracias. ~은 또 다른 ~을 부른다 Una desgracia no viene sola / Una desgracia llama a otra. ~은 인간의 가장 좋은 교사(敎師)다 La desgracia es la mejor maestro del hombre. ② [일이 순조롭지 못해 가탈이 많음] desventura *f,* infortunio *m.* ~하다 (ser) desaventurado, desafortunado. 친구의 집에 ~이 있었다 Hubo un muerto en la casa de mi amigo.

불행히 infelizmente, con infelicidad, desgraciadamente, por desgracia, desdichadamente; desafortunadamente. 그는 ~ 딸을 잃었다 El tuvo la desgracia de perder su hija. 그들은 ~ 만나지 못했다 Ellos no se encuentran por desgracia.

■ ~중 다행 Menos mal. ~이었다 Ha sido un mal menor. 아무 데나 다치지 않았다니 ~입니다 Menos mal que no ha habido ningún herido.

불허(不許) [허락·허가하지 아니함] no permiso *m*, desaprobación *f*. ~하다 no permitir, desaprobar, denegar, rechazar.

■ ~복제(複製) Prohibida a reproducción / Derechos de reproducción reservados.

불현듯 ((준말)) =불현듯이.

불현듯이 de repente, repentinamente, de súbito, súbitamente. ~ 고향이 그리워진다 De repente yo tengo nostalgia de mi patria chica.

불협화(不協和) discordancia *f*, desconcierto *m*.

■ ~음 ㉮ 【음악】 disonancia *f*. ㉯ [잘 조화되지 않는 상태나 관계] discordia *f*. ¶~을 일으키다 crear discordia.

불호(佛號) ① ((불교)) =불명(佛名). ② [불교를 믿는 사람의 호] seudónimo *m* del creyente budista. ③ [중의 호] seudónimo *m* del sacerdote budista.

불호령(一號令) orden *f* impulsiva. ~하다 dar una orden impulsiva.

불호박(一琥珀) ámbar *m* rojo.

불혹(不惑) ① [미혹하지 아니함] desilusión *m*, desengaño *m*. ~하다 desilusionarse, desengañarse. ② [나이 마흔 살] cuarenta años (de edad), edad *f* de firmeza.

■ ~지년(之年) edad *f* de firmeza, cuarenta años de edad.

불화(弗化) 【화학】 fluoruro *m*, fluoración *f*.

■ ~나트륨 fluoruro *m* de sodio. ~물 fluoruro *m*. ~석회 flururo *m* de cal. ~수소 fluorhidrato *m*, fluoruro *m* de hidrógeno. ~수소산 ácido *m* hidrofluórico [fluorhídrico]. ~ 암모늄 fluoruro *m* de amonio. ~ 칼륨 fluoruro *m* de potasio. ~ 칼슘 fluoruro *m* de calcio.

불화(不和) discordia *f*, desacuerdo *m*, pleito *m*, riña *f*. ~하다 (ser) discorde, disentado, desavenido. ~의 씨 cizaña *f*. 끝없는 ~ pleito *m* ordinario. …과 ~가 있다 llevarse mal con *uno*, estar en discordia con *uno*. ~의 씨를 뿌리다 meter [sembrar] cizaña [discordia]. 가정에 ~가 그치지 않았다 La discordia reina siempre en la familia. 그녀는 언제나 시어머니와 ~가 있다 Ella está siempre a pleito con su suegra. 정치(政治) 때문에 양가(兩家)가 ~했다 La política desunió a las dos familias.

불화(弗貨) dólar *m* estadounidense, dólar *m* norteamericano.

불화(佛畵) ① [부처의 모양을 그린 그림] pintura *f* de Buda. ② [불교 회화] pintura *f* budista.

불확대(不擴大) localización *f*. ~하다 localizar.

■ ~ 방침(方針) propósito *m* de localizar, propósito *m* de no hacerse más amplio.

불확실(不確實) incertidumbre *f*, inseguridad *f*. ~하다 (ser) incierto, inseguro, informal, poco fidedigno. ~한 보도(報道) [신문의] reportaje *m* poco fidedigno. ~한 정보(情報) información *f* incierta [poco confiable].

■ ~성 incertidumbre *f*, inseguridad *f*.

불확정(不確定) indecisión *f*, incertidumbre *f*, lo indefinible. ~하다 (ser) indefinible, indeciso, incierto. 결론에 이르기에는 ~ 요소가 너무 많다 Para llegar a una conclusión hay demasiados factores indefinidos.

■ ~ 기한 tiempo *m* incierto. ~ 명제(命題) proposición *f* indefinida. ~성 원리 principio *m* de incertidumbre. ~ 신용장 carta *f* de crédito no confirmada. ~ 자산 activo *m* peligroso. ~ 재산권(財産權) propiedad *f* contingente. ~ 취소 불능 신용장 crédito *m* documentario irrevocable no confirmado.

불환(不換) no convertibilidad *f*. ~의 no convertible.

■ ~ 지폐 billete *m* inconvertible, papel *m* moneda inconvertible, moneda *f* despreciada, moneda *f* fiduciaria, moneda *f* nominal, moneda *f* de fíat.

불활발(不活潑) inactividad *f*, somnolencia *f*, pereza *f*, entorpecimiento *m*, pesadez *f*, estancamiento *m*, estancación *f*, paralización *f* de los negocios, depresión *f*. ~하다 (ser) inactivo, abatido, perezoso, pesado, torpe, indolente, durmiente, paralizado.

불황(不況) depresión *f* (económica), inactividad *f* [paralización *f*] de mercado, estancación *f*, lentitud *f*. ~의 inactivo, estancado, paralizado, perezoso. 심한 ~으로 고통을 받다 sufrir una fuerte depresión económica. 해외 시장(海外市場)은 ~이다 El mercado extranjero está en depresión. 자동차 업계는 ~(의 늪)에 떨어졌다 La industria automovilística cayó en la drepresión. 세계적인 ~이 아직 계속되고 있다 La depresión mundial sigue todavía.

■ ~기 período *m* flojo. ~ 카르텔 cártel *m* contra la depresión económica.

불효(不孝) desobedencia *f* a *sus* padres. ~하다 ser ingrato a [con] *sus* padres.

■ ~부(婦) nuera *f* ingrata a *sus* suegros. ~자 ㉮ [불효한 자식] hijo *m* réprobo [ingrato], hijo *m* desobediente a los padres, niño *m* incorregible. ㉯ [편지에서] yo.

불효(拂曉) el alba *f*, albor *m*.

불후(不朽) inmortalidad *f*, eternidad *f*. ~의 inmortal, eterno, imperecedero perdurable, duradero. ~의 명성 fama *f* imperedecera. ~의 명예 fama *f* eterna. ~의 명작 obra *f* eterna. ~하게 하다 inmortalizar, perpetuar. ~의 명성을 남기다 dejar una fama imperecedera. ~의 이름을 남기다 perpetuar [inmortalizar] *su* nombre.

■ ~공적 mérito *m* perdurable, servicio *m* imperecedero. ~작 obra *f* eterna. ~지공(之功) gran mérito *m* imperecedero.

붉나무 【식물】 agalla *f*.

붉다 (ser) rojo, colorado, carmesí. 붉게 하다 poner colorado [rojo · robusto]. 붉은 얼굴 rubicundez *f.* 붉은 얼굴의 rubicundo. 붉은 연필 lápiz *m* (*pl* lápices) rojo [colorado]. 붉은 잉크 tinta *f* roja [colorada]. 붉은 고추 ají *m* [chile *m*] rojo. 붉게 칠하다 pintar de rojo. 붉은빛을 띄다 rojear, colorear(se), colorar, matizar de rojo. 붉은빛을 띈 rojizo, de [con] un tinte rojo. 얼굴에 붉은빛을 띄기 시작하다 empezar a ponerse colorado. 화재로 하늘이 붉게 물들어 있다 El cielo está teñido de rojo por el incendio. 그녀의 볼에 붉은빛이 띄었다 (A ella) Se le pusieron rojas las mejillas.

붉디붉다 (ser) muy rojo.

붉어지다 enrojecer, volverse rojo [colorado], ponerse colorado [rojo]; [낯이 당황해서] abochonarse, sonrojarse, ruborizarse, ponerse colorado, ponerse rojo; [낯이 열이나 화가 나서] ponerse colorado, ponerse rojo; [사상이] volverse rojo [comunista]; [작열하다] arder; [익다] madurar, sazonarse. 얼굴이 붉어지기 시작하다 empezar a ponerse colorado [rojo]. 그녀는 노해서 얼굴이 붉어졌다 Ella se puso roja [colorada] de furor. 그녀의 볼이 붉어졌다 A ella se le pusieron rojas las mejillas. 그 질문에 그녀의 얼굴이 붉어졌다 Ella se puso colorada [se ruborizó] con la pregunta.

붉으락푸르락해지다 ponerse colorado y luego pálido.

붉은발 vena *f* inflamada. ~(이) 서다 aparecer la vena inflamada.

붉은빛 (color *m*) rojo *m.* ☞붉다

붉은피톨 =적혈구(赤血球).

붉덩물 corriente *f* turbia.

◆붉덩물(이) 지다 la corriente estar turbia.

붉은광장(-廣場) 【지명】 la Plaza Roja.

붉은여우 【동물】 zorro *m* rojo.

붉은털원숭이 【동물】 rhesus *m*, macaco *m* de la India.

붉히다 sonrojearse, sonrosearse, ruborizarse, ponerse colorado [rojo], abochornarse; *AmL* azararse. 얼굴을 붉히게 하다 poner colorado, avergonzar. 그녀는 부끄러워 얼굴을 붉혔다 Ella se puso colorada [se ruborizó] de vergüenza. 너는 늘 얼굴을 붉힌다 Siempre te azaras.

붐(영 *boom*) auge *m*, éxito *m*, el alza *f* extraordinaria, el alza *f* rápida, aumento *m* repentino, incremento *m* expectacular, boom *ing.m.* 경기가 ~을 일으키다 estar en auge. 요즈음은 여행이 ~이다 Estos días el viaje está muy de moda / Estos días el viaje goza de enorme popularidad. 주식 투자가 ~이다 Las inversiones de valores están de moda.

◆소형(小形) ~ período *m* breve de prosperidad, mini boom *ing.m.*

붐비다 apiñarse, agolparse, remolinarse, arrebozarse, hormiguear, estar lleno [repleto · atestado]. 붐비는 버스 autobús *m* lleno [atestado · apretado]. 사람이 붐빌 때에 durante horas de tropel. 붐비는 틈을 헤집고 나가다 pasar codeando por [entre] la multitud, abrirse paso entre la muchedumbre, hender el gentío. 역은 관광객으로 붐볐다 La estación estaba llena [repleta · atestada] de turistas. 열차가 붐빈다 El tren está atestado [abarrotado] de gente. 회장(會場)은 사람으로 붐볐다 El salón está lleno de gente / Había mucha gente en el salón / En el salón la gente estaba de bote en bote [estaba completamente llena]. 길에는 차가 붐빈다 El tráfico está muy congestionado en la calle. 집집마다 붐빈다 Las casas están apiñadas. 거리가 꽤나 붐빈다 La calle está apiñada [llena] de gente.

붓 pincel *m*; [펜] pluma *f*; [필기구] instrumento *m* escrito. ~을 들다 tomar la pluma, escribir, dibujar, pintar. ~ 가는 대로 al correr *su* pluma [*su* pincel]. ~을 휘둘러 쓰다 dejar correr *su* pluma [*su* pincel]. ~이 빠르다 escribir rápidamente. ~ 한 자루로 먹고 살다 vivir por su pluma. 명필은 ~을 탓하지 않는다 Un buen calígrafo no elige su pincel.

◆붓을 놓다 ㉮ [쓰기를 그만두다 · 다쓰다] poner la pluma. ㉯ =붓을 꺾다.

◆붓을 던지다[꺾다] dejar de escribir, dejar definitivamente *su* pluma.

붓꽃 【식물】 lirio *m.*

붓끝 ① [붓의 뾰족한 끝] punta *f.* ② =필봉(筆鋒). ③ [붓의 놀림새] toque *m.*

붓날다 (ser) frívolo, superficial, poco serio. 언행이 ~ (ser) frívolo, poco serio, superficial, atolondrado.

붓날리다 hablar [comportarse] frívolamente.

붓다[1] ① [부기(浮氣)로 살가죽이 부풀어 오르다] hincharse, abotagarse, abotargarse, tener hidropesía. 부은 hinchado, inflado, tumefacto, túmido, abotagado, abotargado. 부은 얼굴 cara *f* abotagada [abotargada]. 붓게 하다 hinchar. 발이 부어 있다 tener tumefactos los pies. 그녀는 눈까풀이 부었다 Se le hincharon a ella los párpados. 나는 발이 부었다 Tengo el pie hinchado. 그의 팔이 부어 올랐다 Se le hinchó el brazo (a él). ② [성이 나서 부루퉁하게 되다] enfadarse, enojarse, irritarse, enfurecerse, enfurruñarse, gruñir, acalorarse, azararse.

붓는병(病) 【한방】 =부증(浮症).

붓다[2] ① [(액체나 가루 따위를) 쏟아 담다] echar, verter; [채우다] llenar; [비우다] vaciar. 술을 ~ [술잔에] escanciar; [술 따르다] servir. 컵에 물을 ~ echar [verter] agua en el vaso. 컵의 물을 설거지통에 ~ verter [vaciar] el agua del vaso en el fregadero. 자루에 든 것을 모두 여기에 부어 주세요 Vacía aquí todo lo que hay en el saco. ② [씨앗을 배게 뿌리다] sembrar mucho. ③ [(불입금(拂入金) · 곗돈 따위를) 정기적으로 치르다] pagar a plazos, *AmL* pagar en cuotas.

붓다[3] ((준말)) =부수다.

붓대 manija *f* de pincel.

붓두껍 capuchón *m* [tapa *f*] de pincel.
붓셈 =필산(筆算).
붓순나무 【식물】 ((학명)) Illicium anisatum.
붓장난 escritura *f* de poca monta. ~하다 ser un escritor de pacotilla.
붓질 [작은 붓의] pincelada *f*, [큰 붓의] brochazo *m*. ~하다 dar toques.
붓집 caja *f* para el pincel.
붕[1] con un zumbido. ~ 소리를 내다 zumbar, sonar vibrando.
붕[2] [감탄사] ¡Buun!
붕괴(崩壞) ① [허물어짐] derrumbe *m*, derrumbamiento *m*, desplome *m*, hundimiento *m*, desmoronamiento *m*; [국가 등의] caída. ~하다 [되다] derrumbarse, desplomarse, hundirse, desmoronarse, caer(se), arruinarse, desintegrarse, venirse abajo, destruirse, romperse. ~시키다 derrumbar, desplomar, arruinar, hundir. 정부(政府)가 ~되다 caerse el gobierno. 지붕이 ~되다 hundirse [venirse abajo] el techo. 제방(堤防)이 ~되었다 Se ha roto el dique. 다리가 ~되었다 El puente se derrumbó. 경제가 결정적으로 ~되었다 La economía se desplomó definitivamente. 발판이 ~되어 세 미장이가 사망했다 Murieron tres albañiles al venirse abajo un andamio. 마루청이 그의 무게 때문에 ~되었다 Las tablas del suelo cedieron bajo su peso. ② 【물리】 desintegración *f*. ~하다 desintegrar. ~시키다 desintegrar.
■~물 escombros *mpl*; [비행기·배의] restos *mpl*.
붕궤(崩潰) =붕괴(崩壞).
붕긋하다 ① [언덕·산봉우리가 조금 높직이 솟아 있다] (ser) algo desigual. ② [많이 먹어서 배가 불끈 솟아 있다] estar algo lleno [harto]. ③ [배접 한 물건이 조금 들떠 있다] despegarse un poco.
붕당(朋黨) hermandad *f*, facción *f*, corrillo *m*, pandilla *f*.
붕대(繃帶) vendaje *m*; [눈가리개] venda *f*. ~를 감다 vendar, atar (con) la venda. ~를 풀다 desvendar, quitar la venda (de). 이마에 ~를 감다 vendar la frente. 그는 팔에 ~를 감고 있었다 El llevaba el brazo vendado. 그는 발목에 ~를 감고 있다 El tiene vendado el tobillo. 그녀는 내 발목에 ~을 감았다 Ella me vendó el tobillo. 도둑들은 내 눈을 ~로 감았다 Los ladrones me vendaron los ojos. 나는 이 손목에 ~를 감아 달라고 하기 위해 가고 있다 Voy a que me venden esta muñeca.
붕락(崩落) derrumbamiento *m*. ~하다 [되다] derrumbarse. ~시키다 derrumbar.
붕배(朋輩) camarada *m*; compañero, -ra *mf*, colega *mf*, compañero, -ra *mf* de aprendiz.
붕붕 zumbando, siguiendo zumbando. 붕붕거리다 zumbar. 붕붕거림 zumbido *m*. 엔진이 ~ el motor zumbar. 새들이 지나갈 때 붕붕거렸다 Se oía el ruido de las alas de los pájaros al pasar.
붕사(硼砂) 【화학】 bórax *m*, borráj *m*, borra *f*.
◆천연(天然) ~ bórax *m* natural.
■~구 시험[반응] prueba *f* de perla de bórax. ~땜 soldadura *f* de bórax. ~상(床) boratera *f*.
붕산(硼酸) 【약】 ácido *m* bórico.
■~면(綿) algodón *m* de ácido bórico. ~수 solución *f* de ácido bórico. ~ 연고 ungüento *m* bórico. ~염 borato *m*. ~유리 vidrio *m* que contiene óxido bórico.
붕소(硼素) 【화학】 boro *m*.
붕어 【어류】 carpa *f*, tenca *f*, anchoneta *f*.
■~과자 galleta *f* en forma de la carpa. ~구이 carpa *f* asada. ~사탕 ㉮ =붕어과자. ㉯ [실속이 없는 텅 빈 사람] persona *f* insustancial. ~자물쇠 cerradura *f* en forma de la carpa. ~죽 gachas *fpl* de carpa. ~찜 carpa *f* cocida al vapor. ~톱 sierra *f* redonda en forma de la carpa. ~회 carpa *f* cruda en trocitos.
붕어(崩御) fallecimiento *m* [muerte *f*] de un rey. ~하다 fallecer [morir] el rey.
붕우(朋友) amigo, -ga *mf*, compañero, -ra *mf*.
■~유신(有信) confidencia *f* entre amigos.
붕장어(一長魚) 【어류】 anguila *f* de mar, congrio *m*.
붕정(鵬程) distancia *f* larga.
■~만리(萬里) viaje *m* largo, vuelo *m* largo, navegación *f* larga.
붙다 ① [맞닿아서 떨어지지 아니하다] pegarse (a), adherirse (a), unirse. 몸에 붙은 천 telas *fpl* que se pegan [se ciñen] al cuerpo. 연기 냄새가 그의 웃옷에 붙어 있었다 El tenía la chaqueta impregnada de olor a humo. ② [덩어리가 되어 흩어지지 않다] [물이] helarse, congelarse; [피가] coagularse; [우유가] cuajarse. 엉겨 붙은 피 sangre *f* coagulada. 피가 바람에 엉겨 붙는다 La sangre se coagula al aire. 오늘 아침에 얼음이 얼어붙었다 He helado esta mañana. 날씨가 무척 추울 때는 기름이 얼어붙는다 Se hiela el aceite cuando hace mucho frío. ③ [서로 가까이 마주 닿다] alcanzar. ④ [추종하다] pasarse. 적군(敵軍)에 ~ pasarse al enemigo. ⑤ [더 든든한 것에 의지하다] depender (de). 그는 아무한테도 붙지 않는다 No le gusta de nadie. ⑥ [불이 옮아 당기다] prender. 이웃집의 화재(火災)가 내 집에 붙었다 El fuego de la casa vecina prendió en la mía. ⑦ [시험 따위에 뽑히다] salir bien, tener éxito. 입학 시험에 ~ tener éxito [salir bien] en el examen de ingreso. ⑧ [보태어지다] añadirse, agregarse, aumentarse. ⑨ [딸리다] instalarse, tener, haber. 캘린더가 붙은 시계 reloj con calendario. 전화가 붙었다 Se instaló el teléfono. 이 아파트에는 목욕탕이 붙어 있다 En este apartamento hay baño / Este apartamento tiene baño. ⑩ [아주 가까이 사귀다] hacer amigos íntimos (con). ⑪ [배속되다] desinarse, designarse, asignarse. 그는 영업부에 붙었다 Le destinaron [designaron] al departamento de

negocios. ⑫ [암수가 교미하다] copularse, haber cópula [coito], tener relaciones sexuales.
붙어먹다 ㉮ ((낮은말)) [간통하다] adulterar, cometer adulterio. ㉯ [의지하여 얻어 먹거나 이득을 보다] depender (de). 친구에게 ~ depender de *su* amigo.
붙당기다 agarrar y tirar, tirar (de), *AmL* jalar (de) (*CoS* 제외).
붙동이다 agarrar y atar.
붙들다 ① [놓치지 않게 그러쥐다] agarrar, asir(se), coger. 밧줄을 붙들고 늘어졌다 Se asió a [en · de] una cuerda. 손을 서로 붙들고 기뻐한다 Ellos se alegran mucho asiéndose las manos. ② [달아나지 못하게 잡다] arrestar, prender, detener, aprehender. 도둑을 ~ detener a un ladrón. 범인(犯人)을 ~ detener [arrestar · aprehender] a un criminal. ③ [가지 못하게 잡아서 말리다] acorralar. 그녀는 나를 출구(出口)에서 붙들었다 Ella me acorraló a la salida. ④ [쓰러지지 않게 하거나 부축하다] ayudar. 노인을 자동차까지 붙들어 드리다 ayudar a un viejo al coche. ⑤ [(일감을) 손에 들다 · 붙잡다] coger. ⑥ [일자리를 얻다] conseguir, trabajar (de). 직장을 ~ encontrar una posición, conseguir un trabajo.
붙들리다 arrestarse, detenerse, prenderse, cogerse, volverse prisionero [preso · cuativo]. 도둑은 현장에서 붙들였다 Le acogieron [agarraron] infraganti [con las manos en la masa]. 그는 교통순경에게 붙들렸다 El fue atrapado [agarrado] por un policía de tráfico.
붙따르다 =붙좇다.
붙매이다 ser cogido, ser atado, ser agarrado.
붙박다 fijar (en un lugar).
붙박아 놓다 colocar, poner, asentar.
붙박이 empotramiento *m*. ~하다 empotrar en la pared. ~로 된 책장 estantería *f* empotrada en la pared.
■ ~ 서가(書架) librería *f* empotrada. ~장 armario *m* empotrado, cómoda *f* empotrada (en la pared); *AmL* clóset; *RPl* placar(d) *m*. ~창 ventana *f* fija [empotrada]. ~ 책장 balda *f* empotrada.
붙박이다 empotrar (*algo* en *algo*). 기계가 붙박여 있다 La máquina está empotrada en posición.
붙박이별 【천문】 =항성(恒星).
붙살이 =기생(寄生).
붙살이집 =임자몸.
붙안다 sujetar [*AmL* agarrar] con *sus* brazos. 아기를 ~ sujetar a un niño con *sus* brazos.
붙어먹다 ☞붙다
붙어살다 ser un parásito.
붙어살이벌레 =기생충(寄生蟲).
붙어지내다 depender de *su* vida.
붙여잡다 ☞붙이다
붙음 도르래 =고정 도르래.
붙음살이벌 【곤충】 =기생벌.
붙이 =겨레붙이.
-붙이 cosa *f* de, cosa *f* hecha de, objetos *mpl* de. 살~ familiares *mpl* y amigos. 쇠~ objetos *mpl* de hierro. 일가~ relaciones *fpl* familiares.
붙이다 ① [서로 맞닿아서 떨어지지 않게 하다] pegar, empastar, fijar; [이어 · 끼워 맞추다] ensamblar, empalmar, unir; [고약(膏藥) 따위를] aplicar. A에 B를 ~ pegar [fijar] B a [en] A, adherir B a A, juntar [unir] A a [con] A. 우표를 ~ pegar el sello. 뼈를 ~ componer una rotura [una dislocación]. 나무를 ~ injerir. 아교로 ~ encolar. 고약을 ~ aplicar el ungüento. 벽에 패널을 ~ pegar un panel en la pared. 벽에 포스터를 ~ fijar un cartel en la pared. 부러진 다리를 책상에 ~ pegar una pata rota a la mesa. 풀로 종이에 ~ pegar [adherir] un papel (a [en] algo) con engrudo. 신청서에 사진을 붙여 제출하다 presentar la solicitud con [acompañada de] una foto. ② [서로 맞닿게 하다] pegar, juntar. 창에 얼굴을 ~ pegar la cara a la ventana. 벽에 옷장을 ~ pegar el armario a la pared. ③ [사이에 들어서 연애 관계 등 교제를 맺게 하다] presentar. 두 남녀를 붙여 주다 presentar a un hombre y una mujer. ④ [암컷과 수컷을 교합(交合)시키다] acoplar, cruzar. ⑤ [불을 딴 곳으로 옮겨붙게 하다] encender, incendiar. 연탄불을 ~ encender la briqueta. 난로에 불을 ~ encender la estufa, encender fuego en la estufa. ⑥ [딸리게 하다] poner, nombrar, designar. 변호사를 ~ nombrar a un abogado (para). 조수(助手)를 ~ designar a un ayudante al servicio (de). 자식에게 피아노 선생을 ~ poner un maestro de piano al niño. 그는 김 과장 아래 붙여졌다 Le pusieron bajo el mando de Kim, jefe de sección. ⑦ [노름 · 싸움 · 흥정 등을 어울리게 하다] servir (de), hacer. 흥정을 ~ servir de agente 싸움을 ~ hacer pelearse. ⑧ [어떤 일에 자기의 의견을 더 넣다] añadir agregar, anexar(se), anesionar(se). 조건을 ~ anexar la condición, hacer la condición. ⑨ [이름을 지어 달다] suceder. 이름을 ~ suceder al nombre. 배우의 이름을 ~ suceder al nombre de otro actor [de teatro]. ⑩ [(남의 뺨이나 볼기 따위를) 세게 때리다] bofetear fuertemente, dar un golpe fuerte. 뺨을 한 대 올려~ dar una bofetada. ⑪ [말을 걸다] hablar (con · a), decir. 낯선 사람에게 말을 ~ hablar al extranjero. ⑫ [일을 어떤 대상이나 과정으로 넘기다] someter, remitir. 심의(審議)에 ~ remitir a la discusión 표결에 ~ someter al voto. ⑬ [식사(食事)를 자기 집이 아닌 다른 곳에 정하여 놓고 먹다] gorronear, gorrear. 그는 친척에 붙어 살고 있다 El vive a costillas de sus parientes. ⑭ [일을 어떤 상태로 돌리다] atribuir. 불문에 ~ pasar por alto. 비밀에 ~ tener [llevar] en secreto. ⑮ [내기를 하는 데 돈을 태워

놓다] apostar. 만 원을 ~ apostar diez mil wones.

붙여잡다 =붙잡다.

붙일성(一性) =붙임성.

붙임붙임 sociablemente, afablemente, amablemente, simpáticamente.

붙임뿌리 **【식물】** =부착근(附着根).

붙임새 =붙임성.

붙임성(一性) sociabilidad *f*, afabilidad *f*, amabilidad *f*, gentileza *f*. ~(이) 있는 sociable, afable, amable, simpático, llano en el trato con los demás. ~(이) 있는 사람 hombre *m* de mundo, persona *f* sociable. ~ 있는 남자 hombre *m* sociable. ~ 있는 여자 mujer *f* sociable. ~ 없는 사람 persona *f* insociable [difícil de tratar]. 별로 ~이 없는 남자 hombre *m* poco sociable. ~이 좋다 ser amable [afable · simpático · sociable]. 이 아이는 ~이 있다 Este niño es muy sociable [amigable · comunicativo · tratable]. 그는 ~ 있는 사람이다 El es una persona sociable / El es un hombre de mundo / El tiene mucha mundología. 그는 ~이 없는 사람이다 El es una persona insociable. 그는 ~이 좋다 [나쁘다] El es un hombre simpático [antipático].

붙임줄 **【음악】** =타이(tie).

붙임질 pega *f*, pegamento *m*. ~하다 pegar.

붙임틀 marco *m* (usado para juntar los pedazos de madera).

붙임판(一板) torno *m* [tornillo *m*] de metal para sujetar los pedazos de madera que están juntados.

붙임표(一標) guión *m* (*pl* guiones).

붙임풀 engrudo *m* [pegamento *m*] usado en la costura.

붙임혀 **【건축】** puntal *m* de alero.

붙잡다 ① [놓치지 않도록 단단히 잡다] agarrar, asir fuertemente, coger, prender. 누구의 옷을 ~ asir*le* a *uno* de la ropa. 누구의 머리카락을 ~ asir*le* a *uno* por los caballos. 소매를 ~ coger la manga. 밧줄을 ~ agarrar la cuerda. 그의 귀를 꽉 붙잡았다 Le agarré de [por] las orejas. ② [달아나지 못하게 잡다] detener, arrestar, aprehender, capturar. 도둑을 ~ detener [aprehender · arrestar] a un ladrón. ③ [떠나가지 못하게 잡아서 말리다] no dejar ir. ④ [그냥 지나지 못하게 잡다] asir. 기회를 ~ asir la ocasión. ⑤ [일자리를 얻다] obtener un puesto. ⑥ [쓰러지지 않게 잡거나 부축하다] ayudar, inmovilizar, sujetar. 침대 위에 아이를 붙잡아 두다 sujetar a un niño sobre la cama. 사다리[개]를 붙잡으세요 Sujete usted la escalera [el perro].

붙잡아 주다 ① =부축하다. ② [도와서 보호하다] ayudar, proteger ayudando.

붙잡히다 ① [잡히다 · 붙들리다] ser cogido, ser atrapado, ser agarrado, ser aprehendido. 손에 ~ ser cogido por las manos. 적에게 ~ ser capturado por el enemigo. 붙잡힌 몸이 되다 volverse prisionero [preso · cautivo]. 범인은 경찰에게 붙잡혔다 El delincuente ha sido capturado por la policía. ② [갇히다] caer en poder (de), caer preso.

붙장(一欌) estante *m* empotrado en la pared de la cocina.

붙좇다 seguir, admirar, respetar, venerar, reverenciar. 나는 항상 내 스승을 붙좇았다 Yo siempre he admirado [respetado] a mi maestro.

뷸달다 (ser) rápido y áspero, improvisado.

뷸대다 tratar rápida y ásperamente.

뷔페(불 *buffet*) ① [(열차나 정거장 등의) 간이식당] ㉮ [역의] cantina *f*. ㉯ [열차의] coche *m* restaurante, coche *m* comedor, vagón *m* (*pl* vagones) restaurante, coche *m* bar. ② [여러 가지 음식물을 차려 놓고, 먹을 사람이 손수 덜어 먹을 수 있게 한 식당] bufet *m*, buffet *m*.

브라만(범 *Brāhman*) ((종교)) Brahmán, bracmán, brahmín.

■ ~교 Brahmanismo *m*.

브라보(이 *bravo*) ¡Bravo!

브라스(영 *brass*) ① [놋쇠] latón *m* (*pl* latones). ② **【악기】** [금관 악기(金管樂器)] bronces *mpl*, metales *mpl*.

■ ~ 밴드 banda *f* de música, banda *f* (de instrumento de viento), charanga *f*, *Chi* orfeón *m*.

브라운관(一管) **【물리】** tubo *m* de Brown.

■ ~ 녹화(법) teletranscripción *f*.

브라운 운동(Brown 運動) movimiento *m* brauniano.

브라질 **【지명】** Brasil *m*. ~의 brasileño.

■ ~ 사람 brasileño, -ña *mf*.

브래지어(영 *brassiere*) sujetador *m*, sostén *m* (*pl* sostenes), justilla *f*, pechera *f* postiza, *Col*, *Méj* brasier *m*, *Urg* soutien *m*, *RPI* corpiño *m*. ~를 차다 ponerse el sujetador [el sostén]. ~를 하고 있다 llevar el sujetador [el sostén].

브랜드(영 *brand*) marca *f*. 일류(一流) ~ primera marca *f*.

■ ~ 광고 publicidad *f* de marca. ~ 로열티 lealtad *f* a una marca. ~ 마케팅 mercadotecnia *f* de marca. ~ 이미지 imagen *f* de marca. ~ 차별화 diferenciación *f* de marca.

브랜디(영 *brandy*) coñac *m*, brandy *ing.m*.

브러시(영 *brush*) [솔] cepillo *m*.

브레이크¹(영 *brake*) freno *m*. ~를 걸다 frenar, poner freno (a); [억제하다] refrenar, contener. ~를 풀다 desenfrenar. 급~를 걸다 frenar bruscamente. 이 차는 ~가 잘 걸리지 않는다 Este auto no frena bien.

■ ~ 오일 aceite *m* del freno. ~ 페달 pedal *m* del freno.

브레이크²(영 *break*) ((테니스)) ruptura *f*, quiebre *m*.

■ ~ 포인트 ((테니스)) punto *m* de ruptura.

브레인(영 *brain*) [두뇌. 지적(知的) 지도자] cerebro *m*. 그들은 대통령의 ~이다 Ellos son los cerebros del presidente del Estado.

브로마이드(영 *bromide*) ①【화학】bromuro *m.* ② [인화지 위에 올린 사진] foto *f* impresa sobre el bromuro. ③ [배우나 운동선수들의 엽서 크기의 초상(肖像) 사진] foto(grafía) del *f* actor [del deportista · del cantante].

브로치(영 *brooch*) prendedor *m*, broche *m*, alfiler *m* de pecho.

브로커(영 *broker*) agente *mf*, corredor, -dora *mf*, gestor, -tora *mf* de negocios
◆결혼(結婚) ~ agente *mf* matrimonial. 보험(保險) ~ agente *mf* de seguros. 부동산(不動産) ~ agente *mf* de bienes inmuebles. 주식(株式) ~ corredor, -dora *mf* de bolsa; agente *mf* de bolsa.
■~ 수수료 corretaje *m*, comisión *f*.

브롬(독 *Brom*)【화학】bromo *m.*

브롬화(Brom 化)【화학】brominación *f.*
■~물 bromuro *m.* ~수소 bromuro *m* de hidrógeno. ~암모늄 bromuro *m* amónico. ~은(銀) bromuro *m* de plata. ~칼륨 bromuro *m* de potasio.

브루나이【지명】Brunei. ~의 bruneyense.
■~ 사람 bruneyense *mf.*

브룬디【지명】Burundi. ~의 burundiano.
■~사람 burundiano, -na *mf.* ☞부룬디

브뤼셀【지명】Bruselas (벨기에의 수도). ~의 bruselense.
■~ 사람 bruselense *mf.* ~ 조약(條約) el Tratado de Bruselas.

브리지(영 *bridge*) ① [다리] puente *m.* ② [함교(艦橋)] puente *m* (de mando). ③ [안경의 코걸이] puente *m.* ④ [현악기의 줄받침] puente *m*, alzaprima *f.* ⑤ [가공 의치(架工義齒)] puente *m.* ~를 하다 poner un puente. ⑥ [카드의] bridge *ing.m.* ⑦ [당구의 큐 받침] soporte *m.* ⑧【컴퓨터】puente *m.*

브리핑(영 *briefing*) ① [간단한 보고] sesión *f* de infomación, briefing *ing.m.* ~하다 informar, instruir. 그는 기자 회견을 위해 광범한 ~을 받았다 Lo prepararon a fondo para la rueda de prensa. 사장은 회의를 위해 ~을 잘 받지 못했다 El presidente no había sido bien preparado para la reunión. ② [공군에서, 출격 전의 간단한 명령] instruciones *fpl*, órdenes *fpl.* ~하다 dar instrucciones [órdenes] (a).
◆기자(記者) ~ reunión *f* informativa (para la prensa).
■~ 회의 sesión *f* para dar instrucciones.

브이(영 *V, v*) ① [영어 알파벳] V, v *f.* ② [로마 숫자의 다섯] V. ③ [승리] victoria *f.* ④ [볼트] V. ⑤【화학】vanadio *m.*

브이데이(영 *V-Day, Victory Day*) [전승 기념일] el Día de la Victoria, el 31 de diciembre de 1946.

브이시아르(영 *VCR, videocassette recorder*) magnetoscopio *m*, vídeo *m*, video *m.*

브이아이피(영 *VIP, very important people*) VIP *mf*, dignatario, -ria *mf*; alto personaje *m*; persona *f* muy importante.

브이티아르(영 *VTR*) ((준말)) =비디오테이프리코더(video tape recorder).

블라우스(영 *blouse*) blusa *f.*

블라인드(영 *blind*) ① [소경] ciego, -ga *mf.* ② [눈가리개] venda *f.* ③ [창에 달아 햇볕을 가리는 물건] persiana *f.* ~를 올리다 [내리다] levantar [bajar] la persiana.

블랙리스트(영 *blacklist*) lista *f* de los sospechosos, lista *f* negra. ~에 오르다 pasar la lista negra. ~에 올리다 poner en la lista negra. ~에 기재되다 ser inscripto en la lista negra. ~에 올라 있다 estar puesto en la lista negra.

블랙마켓(영 *black market*)【경제】[암시장. 암거래] estraperlo *m*, mercado *m* negro, *AmL* bolsa *f* negra. ~에서 사다 [팔다] comprar [vender] en el mercado negro.

블랙박스(영 *black box*) [비행 기록 장치] caja *f* negra, tacógrafo *m.*

블레이저코트(영 *blazer coat*) chaqueta *f* de sport.

블록(불 *bloc*) [권(圈)] bloque *m*, bloc *m*, grupo *m* político. 경제(經濟) ~ bloque *m* económico. 서방 ~ bloque *m* occidental.
■~ 경제 economía *f* en bloques.

블록(영 *block*) ① [나무나 돌의 덩어리] bloque *m.* ② [길에 깔거나 벽 등을 쌓는데 쓰는, 벽돌 모양의 콘크리트 덩이] bloque *m.* ~을 쌓다 formar bloque. ③ [시가지(市街地) 따위의] 구획] manzana *f*, *AmS* cuadra *f.* ④ =판목(版木). 인재(印材). ⑤【컴퓨터】bloque *m.* ⑥ ((권투 · 펜싱)) bloqueo *m.* ⑦ ((배구 · 미식 축구)) bloqueo *m.*
■~ 건축(建築) construcción *f* a base de bloques. ~ 담 muro *m* de bloques de cemento.

블론드(영 *blond*) ① [금발(金髮)] cabello *m* [pelo *m*] rubio. ~의 [사람 · 머리카락이] rubio, *Méj* güero, *Col* mono, *Ven* catire. ② [금발의 사람] rubio, -bia *mf*, *Méj* güero, -ra *mf*, *Col* mono, -na *mf*, *Ven* catire *mf.*

블루(영 *blue*) ① [(옷 · 바다 · 하늘 등이) 푸른] azul. ② [외설의] verde, porno; *Méj* colorado.
■~진 tejanos *mpl*, (pantalones *mpl*) vaqueros *mpl*, *Méj* pantalones *mpl* de mezclilla. ~칼라 gente *f* de blusa; obrero, -ra *mf.*

블루스【음악】blues *m*, variedad *f* de fox-trot. ~를 켜다 tocar blues. ~를 부르다 cantar blues.

비¹【기상】lluvia *f*, el agua *f.* 큰 ~ aguacero *m.* 이슬~ llovizna *f.* 억수같이 퍼붓는 ~ chaparrón *m*, fuerte aguacero *m.* ~가 오다 llover. ~가 내리는 데도 불구하고 a pesar de la lluvia [de llover]. ~를 맞게 밖에 내놓은 expuesto a la lluvia; [노천에 내놓은] dejado al aire libre [a la intemperie]. 어느 ~ 오는 날 un día de lluvia. ~가 많은 달 mes *m* llovioso, mes *m* de mucha lluvia. ~가 그친 뒤 poco despúes de cesar la lluvia, poco después de terminar de llover. ~가 그친 뒤의 길 camino *m* mojado después de la lluvia [de llover]. 밖에 내놓아 ~를 맞히다 exponer a la lluvia, dejar al aire libre. ~가 멎다 escampar, cesar de llover. ~가 새다 lloverse, calarse con las lluvias; [천장에서] gotear en un techo. ~가 내리기 시작하다 empezar [comenzar] a llover. ~가 계속 내리다 llover seguido. ~에 젖다 mojarse (de lluvia), quedarse mojado por la lluvia. ~를 맞으며 나가다 salir en la lluvia. ~가 내린다 Llueve. ~가 내리고 있다 Está lloviendo. ~가 많이 내린다 Llueve mucho / Hace mucha lluvia. 어제 ~가 내렸다 Ayer llovió. 금년에는 ~가 많이 내렸다 Este año ha llovido mucho / Este año ha sido lluvioso. 금년은 ~가 적다 Este año llueve poco / Este año es de poca lluvia / Este es un año seco. ~가 내릴 것 같다 Parece que va a llover / Está amenazando (a [con]) llover / Está a punto de llover / Amenaza lluvia / El tiempo está amenazador. ~가 내리기 시작한다 Empieza a llover. ~가 그친다 Escampa / Cesa [Deja] de llover. ~가 세차다 La lluvia arrecia. 우리들은 도중에서 ~를 만났다 Nos cogió la lluvia a medio camino.

◆비(를) 긋다 protegerse [rufugiarse] de la lluvia (en). 처마 밑에서 ~ meterse bajo el cobertizo para resguardarse de la lluvia.

■비 온 뒤에 땅이 굳어진다 ((속담)) Después de la tormenta viene la calma / Tras tormenta, gran bonanza.

비² [청소용] escoba *f*, [소형(小形)의] escobilla *f*, [마당의] escobón *m* (*pl* escobones), escoba *f* hecha de ramas. ~로 쓸다 escobar, barrer con escoba.

비¹(比) ① 【수학】 proporción *f*, ratio *m*. ② ((준말)) =비례(比例).

비²(比) 【지명】 =비율빈(比律賓)(Filipinas).

비(妃) ① 【역사】 [왕의 아내] esposa *f* del rey. ② 【역사】 [황태자의 아내] esposa *f* del príncipe heredero, esposa *f* del heredero del trono.

비(妣) difunta madre *f*, madre *f* muerta.

비(非) equivocación *f*, culpa *f*, injusticia *f*, error *m*, falta *f*. ~를 인정하다 reconocer *su* culpa. …의 ~를 책(責)하다 reprender a *uno* la falta. 시(是)와 ~를 가리다 distinguir la justicia y la injusticia.

비(秘) secreto *m*.

비(脾) 【해부】 ((준말)) =비장(脾臟).

비(碑) monumento *m*, lápida *f*. ~를 세우다 erigir un monumento, erigir una lápida, elevar un monumento en memoria [en recuerdo].

비(鼻) [코] nariz *f* (*pl* narices).

비-(非) no, des-, i-, in-, anti-, mal-, poco, malo. ~인도적 inhumano. ~논리적 ilógico. ~무장(武裝) desmilitarización. ~민주적 no democrático.

-비(費) gastos *mpl*, expensas *fpl*, fondos *mpl*. 교제(交際)~ gastos *mpl* de relaciones sociales.

비가(悲歌) elegía *f*, canción *f* trágica [patética], canción *f* de lamentación, canto *m* fúnebre.

비각 lo incompatible. 불과 물은 ~이다 El fuego y el agua son incompatibles.

비각(秘閣) 【역사】 archivo *m*.

비각(飛閣) ① [높은 누각(樓閣)] pabellón *m* (*pl* pabellones) alto, torre *f* alta. ② [두 곳을 걸쳐 놓은 다리] puente *m*. ③ [누각 위의 통로] corredor *m* sobre la torre.

비각(碑刻) escultura *f* en la lápida; [글자] escritura *f* esculpida en la lápida. ~하다 esculpir la escultura en la lápida.

비각(碑閣) casa *f* para el monumento [la lápida].

비감(悲感) dolor *m*, profunda pena *f*, pesar *m*, disgusto *m*. ~하다 sentir un dolor. 그는 친구의 죽음에 크게 ~했다 El sintió un gran dolor por la muerte de su amigo. 그는 모친에게 크나큰 ~을 안겨 주었다 El le ha dado muchos disgustos a su madre.

비감히 dolorosamente, penosamente.

비강(鼻腔) 【해부】 fosas *fpl* nasales, cavidad *f* nasal. ~ 내의 intranasal.

■~경 rinóscopo *m*. ~ 점막염 endorrinitis *f*. ~진(疹) pitiriasis *f*. ~ 폐색 rinocleisis *f*. ~ 협착증 rinostenosis *f*.

비거스렁이 fresco *m* después de la lluvia. ~하다 refrescarse después de la lluvia.

비걱 chillido, chirrido, crujido, sonido rechinante, rechinamiento.

비걱거리다 crujir, chirriar, rechinar. 문이 비걱거린다 La puerta chirría por los goznes. 구두가 비걱거린다 Los zapatos me crujen.

비걱비걱 crujido (fuerte), chirriado, chillido. ~ 소리를 내다 crujir (fuertemente), rechinar.

비겁(卑怯) ① [겁] cobardía *f*, timidez *f*, pusilanimida *f*, miedo *m*, temor *m*. ~하다 (ser) cobarde, gallina, temeroso, medroso, miedoso, pusilánime, tímido, encogido. ~하게 cobardemente, temerosamente, tímidamente, pusilánimemente, miedosamente. ~한 행동(行動) acto *m* cobarde, cobardía *f*. ~한 짓을 하다 cometer una cobardía. …하는 것은 ~하다 Es cobarde + *inf* [que + *subj*] / Es una cobardía + *inf*. ② [하는 짓이 정당하지 못하고 야비함] vileza *f*, indignidad *f*, alevosía *f*, ruindad *f*, villanía *f*, infamia *f*, traición *f*, bajeza *f*, abyección *f*. ~하다 (ser) vil, indigno, ruin, villano, abyecto, despreciable, bajo, malo, infame, traidor, innoble, desleal, aleve, alevoso, bajuno. 컨닝을 하는 것은 ~한 짓이다 Es una vileza copiar en el examen.

■~쟁이 [겁쟁이] cobarde *mf*, [비열한 사람] ruin *mf*, vil *mf*.

비게질 acción *f* de rascarse el cuerpo. ~하다 rascarse el cuerpo.

비견(比肩) igualdad *f*. ~하다 ser igual, rivalizar (con), dar alcance, comparar (con), mantener (con). 그와 ~할 사람은 없다 No hay hombre que igualarse con él. 나는 그를 브람스에 ~한다 Para mí es un compositor de la categoría [del nivel] de Brahms.

비견(鄙見) *su* opinión humilde.

비결(秘訣) ① [비밀히 하여 세상에 알려져 있지 않은 묘한 방법] clave *f*, llave *f*, secreto *m*. 성공(成功)의 ~ clave *f* [llave *f*·secreto *m*] del buen éxito. 건강의 ~을 가르쳐 주세요 Enséñeme los secretos de la buena salud. ② =비약(秘鑰). 비요(秘要).

비결정론(非決定論) 【철학】 indeterminismo *m*.

비경(秘境) ① [신비로운 장소] lugar *m* [sitio *m*] maravilloso. ② [남이 모르는 장소] lugar *m* [sitio *m*] aún inexplorado, región *f* aún inexplorada.

비경(悲境) situación *f* [circunstancia *f*] lastimosa. ~에 빠지다 caer en la situación lastimosa.

비경이 viga *f* de urdimbre.

비계 [돼지의 가죽 안쪽에 붙은 기름 조각] grasa *f*, gordo *m*, cebo *m*, manteca *f*. 이 고기는 ~가 많다 Esta carne tiene mucha grasa [mucho gordo].

◆비계(가) 지다 ㉮ [살이 쪄서 비계가 생기다] tener mucha grasa. ㉯ [비계가 많다] (ser) gordo, graso. ~가 많은 고기 carne *f* gorda.

비계(秘計) ① [남몰래 꾸며 낸 꾀] plan *m* secreto. ② [(혼자만 아는) 신묘(神妙)한 계책] artificio *m* [plan *m*] misterioso [maravilloso].

비고(備考) nota *f*, referencia *f*, observación *f*.

■~란(欄) columna *f* de notas, columna *f* de observaciones.

비곡(秘曲) pieza *f* musical aún explorada, pieza *f* musical aún no conocida.

비곡(悲曲) melodía *f* triste, pieza *f* triste de música.

비골(鼻骨) 【해부】 hueso *m* nasal.

비골(腓骨) 【해부】 peroné *m*. ~의 peroneo.

비골(髀骨) 【해부】 hueso *m* del muslo.

비공(鼻孔) narices *fpl*, ventanas *fpl* de la nariz.

비공개(非公開) no apertura *f* al público. ~의 cerrado, no público, no abierto. ~로 a puerta(s) cerrada(s). 회의는 ~로 열렸다 La reunión [La asamblea] se celebró a puerta(s) cerrada(s).

■~적 cerrado, no público. ~ 편지 carta *f* personal. ~ 회의(會議) reunión *f* a puerta(s) cerrada(s), cónclave *m*, conclave *m*.

비공식(非公式) informalidad *f*. ~의 no oficial, informal, oficioso. ~ 발표에 의하면 según una declaración oficiosa.

■~ 견해 comentario *m* informal, observación *f* no oficial, opinión *f* privada [personal]. ~ 보고 informe *m* no confirmado. ~ 시합 partido *m* informal. ~ 여론조사 sondeo *m* informal de opinión. ¶~를 하다 hacer un sondeo informal de opinión. ~적 informal, extraoficial, oficioso. ¶~으로 informalmente, no oficialmente, oficiosamente. ~ 회의 asamblea *f* [reunión *f*] no oficial, conversación *f*.

비공인(非公認) no reconocimiento, no autorización. ~의 no oficial, no reconocido, no autorizado. 그의 재능은 ~되었다 No se reconoció su talento / Su talento no obtuvo reconocimiento.

■~ 세계 기록 récord *m* mundial no reconocido.

비과세(非課稅) exención *f* de impuestos. ~의 exento [libre] de impuesto(s).

■~품 artículo *m* exento [libre] de impuesto(s).

비과학적(非科學的) no [poco] científico.

비관(悲觀) pesimismo *m*. ~하다 volverse pesimista. ~하지 마라 No seas pesimista.

■~론[설] pesimismo *m*, vista *f* [idea *f*] pesimista. ~론자 pesimista *mf*. ~적 pesimista. ¶~으로 con pesimistas, con pesimismo.

비교(比較) comparación *f*, [대조] contraste *m*, pararelo *m*. ~하다 comparar; [대조하다] contrastar. ~할 수 있는 comparable. ~할 수 없는 incomparable. ~할 수 없을 정도로 incomparablemente A 를 B와 ~하다 comparar A con B. …과 ~하면 en comparación con [de] *algo*. 전년(前年)과 ~해서 en comparación con el año precedente. …과 ~되다 ser comparación con *algo*. ~가 되지 않다 no correr la comparación, no tener comparación, no ser comparable; [두드러지다] ser incomparable, ser sin [fuera de] comparación. 두 작가(作家)를 ~하다 comparar a los dos escritores. A와 B와는 ~가 안 된다 A no es comparable a B / No se puede comparar A con B. A는 B보다 ~할 수 없게 월등하다 A es incomparablemente superior a B. 내 상처에 ~해 네 상처는 아무 것도 아니다 Comparado con mi herida, la tuya no es nada. 이 가게는 다른 곳과 ~해 비싸지 않다 Esta tienda, comparada con otras, no es cara. 두 사람은 아주 달라 ~할 수 없다 No existe [hay] comparación entre los dos / Es imposible comparar a los dos.

■~급 [형용사의] comparativo *m*, grado *m* de comparación. ~ 문법 gramática *f* comparada. ~ 문학 literatura *f* comparada, literatura *f* comparativa. ~ 발생학 embriología *f* comparativa. ~ 생물학 biología *f* comparativa. ~ 심리학(心理學) psicología *f* comparativa. ~ 언어학(言語學) lingüística *f* comparativa, filología *f* comparada. ~ 연구 estudio *m* comparativo, estudio *m* comparado. ¶~하다 hacer un estudio comparativo. ~적 comparativo, comparado, relativo. ¶~으로 comparativamente, relativamente. ~으로 비싼[싼] relativamente caro [barato]. ~ 종교학 ciencia *f* [estudio *m*] de religión; [신학(神學)] teología *f*. ~ 측정기 comparador *m*. ~표 cuadro *m* comparativo. ~ 해부학(解剖學) anatomía *f* comparativa.

비구(比丘)(범 *bhiksu*; 인 *bhikku*) ((불교)) *bigu*, sacerdote *m* [monje *m*] budista.
■ ~니(범 *bhikkhuni*) ((불교)) *biguni*, monja *f* budista, religiosa *f* budista. ~승 =비구(比丘).

비구(飛球) ((야구)) globo *m*.

비구름 ① [비와 구름] la lluvia y la nube. ②【기상】nube *f* de lluvias, nimboestrato *m*.

비구상(非具象) lo no figurativo. ~의 no figurativo.
■ ~ 예술(藝術) arte *m* no figurativo.

비국교도(非國敎徒) protestante *mf* que no pertenece a la Iglesia Anglicana. ~의 de la Iglesias protestantes de la Iglesia Anglicana.

비국민(非國民) persona *f* antipatriota, persona *f* antinacional; antipatriota *mf*.

비군사적(非軍事的) no militar.

비군사화(非軍事化) demilitarización *f*. ~하다 demilitarizar.

비굴(卑屈) bajeza *f*, vileza *f*, villanía *f*, infamia *f*, indignidad *f*, ruindad *f*, servilismo *m*, abyección *f*, envilecimiento *m*. ~하다 (ser) bajo, vil, indigno, ruin, servil, rendido, abyecto, vulgar. ~한 사람 persona *f* vil.
비굴스럽다 (ser) servil.
비굴스레 servilmente, rendidamente.
비굴히 con bajeza, con vileza, con ruindad, indignamente.

비극(悲劇) tragedia *f*, drama *m* trágico. ~의 trágico, calamitoso. ~으로 끝나다 resultar trágico, acabar en tragedia. 화재는 큰 ~이 있기 전에 진화되었다 El incendio se apagó antes de que se convirtiera en tragedia [que alcanzara proporciones alarmantes].
■ ~ 배우 actor *m* trágico, actriz *f* trágica; trágico, -ca *mf*. ~ 시인 poeta *m* trágico, poetisa *f* trágica. ~ 작가 autor *m* trágico, autor *m* de tragedias, autora *f* trágica, autora *f* de tragedias; trágico, -ca *mf*. ~적 trágico, calamotoso. ¶~으로 trágicamente, calamitosamente. ~인 사건 acontecimiento trágico, acontecimiento m funesto.

비근(卑近) familiaridad *f*, sencillez *f*. ~하다 (ser) familiar, sencillo, simple, llano, plano, popular, vulgar. ~한 예(例) ejemplo *m* familiar [muy conocido]. ~한 예를 들다 dar un ejemplo familiar, citar [dar] un ejemplo llano.

비근(鼻根) nariz *f* (*pl* narices).

비근(鼻筋) músculo *m* nasal.

비근거리다 sacudir, estremecer, agitar, bambolear, tambalear.
비근비근 sacudiendo, agitando, bamboleando, tambaleando, estremeciendo.

비금(飛禽) =날짐승.

비금비금하다 ser casi el mismo.

비금속(非金屬)【물리】metaloide *m*. ~의 no metálico, metalóico.
■ ~ 광물 mineral *m* no metálico. ~ 광택 lustre *m* no metálico. ~ 원소 elemento *m* no metálico.

비금속(卑金屬) metal *m* común.

비기(秘記) escritura *f* de adivinación.

비기다[1] ① [비교하다] comparar. A를 B에 ~ comparar A a B. 인생을 나그네길에 ~ comparar la vida humana a un viaje. 너는 도저히 그와 비길 바가 못된다 Tú no puedes compararte con él / El te supera en todo. ② =비유하다.

비기다[2] ① [승부가 나지 아니하다] empatar(se). 비긴 경기(競技) juego *m* empatado. 이것으로 비겼다 Con esto quedamos iguales [en paz] / Con esto me desquito. 승부는 비겼다 Quedamos empatados [iguales] / Quedó el partido en empate. 두 팀은 두 번째 시합에서 3대3 동점으로 비겼다 Los dos equipos (se) han empatado tres a tres en el segundo partido. ② [셈할 것을 서로 에우다] cancelar uno a otro.

비기다[3] [(무엇에) 비스듬히 기대다] apoyarse. 나무에 ~ apoyarse en el árbol.

비기다[4] [(옷 같은 것의) 뚫어진 구멍에 다른 조각을 붙이어 때우다] [옷을] remendar, *AmL* parchar; [지붕·가구를] hacer*le* arreglo (a).

비김수(一手) empate *m*.

비꼬다 ① [(끈 같은 것을) 비틀어서 꼬다] retorcer. 그는 그녀의 팔을 비꼬았다 El le retorció el brazo. ② [(몸을) 조신히 바로 가누지 못하고 비비틀다] torcer. 나는 팔목을 비꼬았다 Me torcí la muñeca. ③ [(남의 비위가 상할 만큼) 엇먹게 말을 하다] hablar irónicamente, hablar de una manera sarcástica [cínica]. 비꼬는 irónico, sarcástico, mordaz, cáustico, cínico. 비꼬아서 con ironía, irónicamente, sarcásticamente, con mordacidad. 비꼬아 말하다 decir ironías [mordacidades], lanzar ironías. 비꼬는 미소를 띄다 reírse irónicamente, dibujarse una risa irónica en *su* cara. ④ [마음에 거슬리어, 경멸하는 태도를 나타내다] despreciar, mirar por encima del hombro (a), menospreciar.

비꼬이다 ① [비꼼을 당하다] ser torcido, ser deformado. 그의 얼굴은 고통으로 비꼬였다 El tenía el rostro crispado del dolor. ② [마음이 곧지 못하고 뒤틀려 그릇된 방향으로 되다] (ser) 비꼬인 성질 disposición *f* obstinada. ③ [일이 뒤틀려 순조롭게 되어 가지 않다] (ser) desfavorable, poco propicio.

비꾸러지다 ① [몹시 비뚤어지다] ser muy torcido. 그의 모자[넥타이]는 비꾸러졌다 El llevaba el sombrero torcido [la corbata torcida]. ② [딴 길로 벗어져 나가다] extraviarse, perderse, equivocarse de camino; [동물이] descarriarse. ③ [일이 낭패하다] salir mal, fracasar.

비끄러매다 atar, amarrar; [밀·보리·옥수수를] agavillar.

비끗거리다 ① [맞추어 끼일 물건이 자꾸 어긋나서 맞지 아니하다] no unir, no encajar. ② [일이 잘 안 되다] salir mal, fracasar.

비끼다 ① [옆으로 비스듬하게 비치다] brillar [relucir · encender] oblicuamente. ② [(어떤 것이) 비스듬히 놓이거나 늘어지다] estar tendido oblicuamente.

비나리(를) 치다 halagar, adular, lisonjear.

비난(非難) censura *f*, reproche *m*, vituperación *f*; [비판] crítica *f* (adversa), reprobación *f*. ~하다 censurar, reprochar, vituperar, reprobar, desaprobar; [신문에서] atacar, criticar. ~하는 투의 reprobatorio. ~할 만한 reprochable, que no da lugar al reproche [a la censura]. ~투로 con un tono [con un aire] como de reproche. ~을 받다 ser reprochado [censurado] (por), incurrir en [atraerse · exponerse a] la censura (de), ser objeto de críticas [de reproches]. 신문에서 ~ 받다 ser atacado en la prensa. ~의 대상이 되다 ser objeto de una calumnia. 세인(世人)의 ~을 자초하다 atraerse la censura pública. 그의 행동을 ~하다 reprocharle (por) [censurarle · censurar en él] su conducta. 그는 ~의 대상이었다 El fue [pasó a ser] el objeto de reproches [de censuras]. 정부의 태도에 국민은 심하게 ~했다 El pueblo censuró fuertemente la actitud del gobierno. 정부는 심하게 ~을 받고 있다 El gobierno está expuesto a las críticas severas. 그는 수회(收賄)와 부패로 ~받았다 Lo acusaron de soborno y corrupción.

■ ~자 crítico, -ca *mf*, censor, -sora *mf*.

비너스(영 *Venus*) ①【로마 신화】Venus *f*. ②【천문】[금성(金星)] Venus *m*.

비녀 pasador *m*, horquilla *f* decorativa, horquilla *f* de adorno. ~를 꽂다 ponerse la horquilla de adorno.

비녀(婢女) esclava *f*.

비논리적(非論理的) ilógico, no teórico, antilógico, descabellado, falaz, absurdo, disparatado.

비농루(鼻膿漏)【의학】blenorrea *f* (nasal).

비뇨 과학(泌尿科學) urología *f*.

비뇨기(泌尿器)【해부】órganos *mpl* urinarios. ~의 urinario.

■ ~과 urología *f*. ~과의(科醫) urólogo, -ga *mf*. ~과 전문의 urólogo, -ga *mf*. ~과학 urinología *f*. ~병 urosis *f*.

비뇨 생식(泌尿生殖) reproducción *f* urogenital.

■ ~기 órgano *m* urogenital.

비누 jabón *m* (*pl* jabones). ~의 jabonoso. ~로 씻다 lavar con jabón, jabonar, enjabonar. ~로 세수하다 lavarse la cara con jabón. ~를 칠하다 jabonar, enjabonar, dar jabón (a); [자신의 몸에] jabonarse. ~ 한 개 una pastilla de jabón. ~로 속옷을 빨다 jabonar la ropa interior.

◆가루~ jabón *m* en polvo. 물~ jabón *m* líquido. 화장(化粧) ~ jabón *m* de olor.

■ ~ 가게 jabonería *f*. ~ 거품 pompa *f* [burbuja *f*] de jabón. ~ 공장 jabonería *f*. ~ 상자 jabonera *f*. ~ 세탁 jabonadura *f*. ~ 장수 jabonero, -na *mf*. ~질 jabonado *m*, jabonadura *f*, *AmS* jabonada *f*. ¶~하다 jabonar, enjabonar, dar jabón; [자기의 몸에] jabonarse. ~통 jabonera *f*. ~화 saponificación *f*. ¶~하다 saponificar. ~ㅅ갑 jabonera *f*. ~ㅅ물 el agua *f* de jabón, jabonaduras *fpl*. ~ㅅ방울 pompa *f* [burbuja *f*] de jabón.

비누나무【식물】jabón *m*.

비늘 ① escama *f*. ~이 있는 escamoso, escamado. ~을 떼다 escamar, quitar las escamas. 물고기의 ~을 떼다 escamar un pez. 생선의 ~을 떼다 escamar el pescado, quitar las escamas de [a] un pescado. ② [비늘 비슷하게 생긴 물건] escama *f*, cosa *f* imbricada.

■ ~구름 cirrocúmulo *m*. ~ 모양 escamas *fpl*. ~줄기 diente *m*, bulbo *m*.

비능률(非能率) ineficiencia *f*, ineficaz *f*.

■ ~적 ineficiente. ¶~으로 ineficientemente.

비닐(영 *vinyl*) ①【화학】((준말)) =비닐 수지(樹脂). ②【화학】((준말)) =비닐 섬유.

■ ~ 보자기 envoltorio *m* de paño vinílico. ~봉지 bolsa *f* de vinilo, *ReD* funda *f* de vinilo. ~ 섬유 fibra *f* vinílica. ~ 수지 resina *f* vinílica. ~ 인쇄 imprenta *f* vinílica. ~천 tela *f* vinílica. ~판(板) disco *m* de vinilo. ~하우스 invernadero *m* de vinilo. ~ 합성 수지 resinas *fpl* sintéticas vinílicas.

비닐론(영 *vinylon*) vinilón *m*.

비다[1] estar vacío, estar libre, quedarse libre [desocupado · vacío]. 빈 desocupado, vacante, libre, vacío. 빈 도로 calle *f* de poco tránsito. 빈방 habitación *f* [cuarto *m*] libre, cuarto *m* vacío [desocupado]. 빈 병(瓶) botella *f* vacía. 빈 시간 tiempo *m* libre. 빈 상자 caja *f* vacía. 빈 깡통 lata *f* vacía. 빈 택시 taxi *f* libre; [택시의 공차(空車)] Libre. 방이 비어 있었다 El cuarto se quedó libre [desocupado · vacío]. 좌석이 비어 있다 Hay un asiento libre. 부장(部長) 자리가 비어 있다 Ha quedado vacante el puesto de jefe de departamento. 통이 비었다 El barril se ha quedado vacío. 전방(前方)이 비어 있다 Hay más sitios libres en la parte de delante. 이 열차는 다음 역에서 (더) 빌 겁니다 Este tren estará menos atestado en la próxima estación.

■ 빈 수레가 더 요란하다 ((속담)) Mucho ruido y pocas nueces / El tonel vacío mete más ruido.

비다[2] =비우다.

비다듬다 ① [모양을 내려고 곱게 매만져서 다듬다] alisar, arreglar por encima el pelo. ② [곱게 단장하다] acicalarse, arreglarse, adornarse, aderezarse; [새가] arreglarse las plumas con el pico. 얼굴을 ~ acicalarse el rostro.

비단(非但) solamente, sólo, simplemente. 그

는 ~ 재기가 번뜩일뿐만 아니라 천재다 El no es simplemente brillante, es un genio.

비단(緋緞) seda *f.* ~ (제품)의 de seda.
■ ~결 textura *f* de seda, textura *f* de terciopelo. ¶~ 같다 (ser) terso, de seda, suave como terciopelo, suave como la seda, sedoso. ~ 같은 [피부나 머리털이] sedoso, como la seda; [목소리가] suave, aterciopelado. ~ 같이 suavemente. ~ 같은 목소리 voz *f* suave [aterciopelada]. 그녀는 ~ 같은 피부를 하고 있다 Ella tiene un cutis terso [de seda] / Ella es una textura de terciopelo. 그녀의 마음은 ~ 같다 Ella es bondadosa / Ella es de buen corazón. ~보 envoltorio *m* [envoltura *f*] de paño de seda. ~실 hilo *m* de seda. ~옷 ropa *f* de seda. ~ 이불 colchón *m* (*pl* colchones) de seda. ~ 장사 comercio *m* de la seda. ~ 장수 comerciante *mf* de la seda.

비단개구리(緋緞－)【동물】＝무당개구리.

비단구렁이(緋緞－)【동물】＝비단뱀.

비단길(緋緞－) ＝실크 로드(Silk Road).

비단뱀(緋緞－)【동물】pitón *m*;【신화】Pitón *m*.

비단벌레(緋緞－)【곤충】bupresto *m*.

비단잉어(緋緞－)【어류】((학명)) Cyprinus carpio.

비당파적(非黨派的) independiente.
■ ~ 외교 수행 ejecución *f* de diplomacia independiente.

비대(肥大) corpulencia *f*, gordura *f*,【의학】hipertrofia *f.* ~하다 (ser) corpulento, gordo, engordar, nutrir. ~해지다 hipertrofiarse. ~해진 hipertrofiado.
◆ 심장(心臟) ~ hipertrofia *f* del corazón; [과도한 운동에 의한] corazón *m* atlético.
■ ~증 hipertrofia *f.* ~한(漢) persona *f* corpulenta [gorda].

비대다 asumir el nombre del otro. 남의 이름을 ~ asumir el nombre falso.

비대발괄 súplica *f*, ruego *m*, solicitación *f.*

비대칭(非對稱) asimetría *f.* ~의 asimétrico.

비데(불 *bidet*) [여성의 국부 세척기] bidet *m*, bidé *m*, bidel *m*.

비도(非道) injusticia *f*, inhumanidad *f*, crueldad *f*, tiranía *f*, villanía *f.* ~하다 (ser) injusto, inhumano, cruel, tránico, villano, malvado, brutal, desalmado.

비도(匪徒) ＝비적(匪賊).

비도덕적(非道德的) inmoral. ~ 행위 actitud *f* inmoral.

비동맹(非同盟) no alineación *f.* ~의 no alineado.
■ ~국 país *m* (*pl* países) no alineado. ~ 외상 회의 la Conferencia No Alineada de Ministros de Asuntos Exteriores. ~ 정책 política *f* de no alineación. ~주의 no alineación *f.* ~ 회의(會議) la Conferencia de Países No Alineados.

비둔하다(肥鈍－) (ser) corpulento, gordo, rollizo. 비둔해지다 engordar.

비둘기【조류】paloma *f*, [수컷] palomo *m*; [새끼] pichón *m* (*pl* pichones). ~ 기르는 사람 colombófilo, -la *mf.* ~가 운다 Arrulla una paloma.
■ ~ 고기 pichón *m.* ~장 palomar *m*, palomera *f.* ~파 paloma *f.*

비듬 caspa *f*, escamilla *f.* ~투성이의 casposo. ~이 있다 tener caspa. ~을 없애다 quitar la caspa.
■ ~ 제거 로션 loción *f* anitcaspa.

비등(比等) casi igualdad *f.* ~하다 (ser) casi igual. ~하게 casi igualmente, a compentencia, en empate. ~하게 되다 [동점] empatarse, quedar empatados. 승부(勝負)는 ~하다 Ambos están empatados en el juego. 가능성은 ~하다 Hay un cincuenta por ciento de posibilidades. 그는 상대와 ~하게 싸웠다 El desplogó una fuerza igual a su contendiente.

비등(沸騰) hervor *m*, ebullición *f.* ~하다 hervir, bullir. 물을 ~시키다 hervir el agua. 의논이 ~하다 La discución está en plena ebullición.
■ ~점(點) punto *m* de ebullición.

비등방성(非等方性)【물리】anisotropía *f*, heterotropía *f.* ~의 anisótropo, anisotrópi

비디오(영 *video*) vídeo *m*, video *m*, imagen *f*, visión *f.* ~로 en vídeo, en video. 나는 그것을 ~로 보았다 La he visto en vídeo. 우리는 그것을 ~에 녹음했다 Lo grabamos en vídeo.
◆ 음악(音樂) ~ vídeo *m* musical. 팝(pop) ~ videoclip *m*. 홈(home) ~ vídeo *m* [video *m*] casero, vídeo *m* doméstico.
■ ~게임 videojuego *m.* ~ 기기 aparato *m* de vídeo. ~ 녹음 videograbación *f.* ¶ ~하다 videograbar. ~ 단말기(端末機) videoterminal *f.* ~ 도서관 videoteca *f.* ~ 디스크 videodisco *m.* ~ 디스크 플레이어 reproductor *m* de videodisco. ~ 아트 arte *m* de vídeo. ~ 저작권 침해 videopiratería *f.* ~ 저작권 침해자 videopirata *mf.* ~ 주파수 videofrecuencia *f.* ~ 출력 potencia *f* de salida vídeo. ~카메라 videocámara *f*, cámara *f* de video. ~카세트 videocasete *m*, videocaset *m*, videocassette *m.* ~ 카세트리코더 magnetoscopio *m*, vídeo *m*, video *m.* ~테이프 cinta *f* de vídeo [video], videocinta *f*, videotape *m*, cinta *f* magnética video, videocasete *m.* ¶~에 녹화하다 grabar en vídeo [video], videografiar, grabar un programa de TV. ~에 녹음하다 videograbar. ~테이프기 videograbadora *f.* ~테이프리코더 videograbadora *f*, videógrafo *m*, registrador *m* de bandas de vídeo, magnetoscopio *m*, video *m* recorder. ~테이프 보관소 videoteca *f.* ~ 플레이어 reproductor *m* de vídeo, magnetoscopio *m* reproductor. ~ 필름 videofilm *m.* ~ 필터 filtro *m* de imagen.

비딱거리다 mover, bambolear. 책상을 비딱거리지 마라 Deja de mover [bambolear] la mesa.

비딱하다 (estar) desvencijado, destartalado.

비뚜로 oblicuamente, diagonalmente, en diagonal.

비뚜름하다 (estar) torcido, encorvado; [길이] sinuoso, lleno de curvas. 그는 입을 비뚜름하게 하면서 웃었다 El sonrió torciendo la boca.

비뚝거리다 ① [한쪽이 기울어서 흔들거리다] [자전거 타는 사람이] bambolearse; [바퀴가] bailar; [의자가] tambalearse. 비뚝거리는 의자(椅子) silla *f* desvencijada. ② [기우뚱기우뚱하며 걷다] cojear, renquear; *AmL* renguear. 그는 비뚝거렸다 El cojeó [renqueó · *AmL* regueó].

비뚝비뚝 [흔들흔들] con paso tembloroso, bamboleándose, bailando, tabaleándose; [절룩절룩] cojeando, renqueando.

비뚤거리다 ① [이리저리 자꾸 기울며 흔들거리다] tambalearse, deambular, vagar, andar sin rumbo fijo; [마차가] traquetear, dar tumbos. 한 노파가 비뚤거리면서 우리에게 다가왔다 Una vieja se nos acercó tambaleándose. 마차가 길을 비뚤거리며 가고 있었다 El carro iba traqueando [dando tumbos] por el camino. 그는 비뚤거리면서 방에서 나갔다 El salió de la habitación tambaleándos [dando tumbos]. ② [곧지 못하고 이리저리 구부러지다] serpentear, describir una curva.

비뚤비뚤 tambaleándose; serpenteando.

비뚤다 ① [물체가 반듯하지 못하고 한쪽으로 기울어지거나 쏠려 있다] (estar) torcido, deformado. ② [마음이 바르지 못하고 비꼬여 있다] estar pervertido.

비뚤어지다 ① [반듯하지 못하고 한쪽으로 기울거나 쏠리다] torcerse; [변형(變形)되다] deformarse. 비뚤어진 torcido, deformado. 비뚤어짐 torcedura *f*, torcimiento *m*; [구부러짐] curva *f*, curvatura *f*, [꼬임. 뒤틀림] torsión *f*, distorsión *f*, [변형] deformación *f*. 문이 비뚤어짐 deformación *f* de la puerta. 입이 비뚤어짐 torcedura *f* de la boca. 비뚤어지게 하다 torcer, deformar. 얼굴 [입]을 비뚤어지게 하다 torcer la cara [la boca]. 지진으로 문이 비뚤어졌다 Se deformó la puerta con el terremoto. 그의 얼굴은 고통으로 비뚤어졌다 El torció la cara de dolor. ② [마음이나 성격 따위가 바르지 못하고 비꼬이다] pervertirse, corromperse. 비뚤어진 retorcido, torcido, perverso, pervertido. 비뚤어지게 하다 pervertir. 마음의 비뚤어짐 perversidad *f*. 비뚤어진 정신 espíritu *m* pervertido. 비뚤어진 근성(根性) espíritu *m* perverso, espíritu *m* de contradicción. 비뚤어진 생각을 품고 있다 tener una visión torcida. 나쁜 독서는 청소년을 비뚤어지게 만든다 Las malas lecturas pervierten la juventud. ③ [성이 나서 뒤틀어지다] estar malhumorado, ser cínico.

비뚤이 ① [몸의 한 부분 또는 마음이 비뚤어진 사람] [몸이] persona *f* torcida; [마음이] persona *f* retorcida. ② [경사진 땅] tierra *f* en declive.

비라 papel *m* volante, pasquín *m* (*pl* pasquines). ~를 뿌리다 esparcir papeles volantes, dar pasquines a los transeúntes.

비래(飛來) ① [날아서 옴] venida *f* [llegada *f*] volando. ~하다 venir [llegar] (volando). ② [비행기를 타고 옴] venida *f* [llegada *f*] en avión. ~하다 venir [llegar] en avión.

비량(鼻粱) =콧마루.

비럭질 mendiguez *f*, mendicidad *f*, pordioseo *m*. ~하다 mendigar, pordiosear, pedir limosna.

비렁뱅이 mendigo, -ga *mf*. ☞거지

비련(悲戀) amor *m* trágico.

비례(比例) razón *f*, proporción *f*, proporcionalidad *f*. ~하다 proporcionarse. ~의 proporcional. …에 ~하여 en proporción de [con] *algo*, proporcionalmente *algo*. …에 ~시키다 proporcionar a [para · con] *algo*. A를 B에 ~시키다 proporcionar A a B. 생산량에 ~하여 임금을 지불하다 pagar el salario [el sueldo] proporcionalmente a la cantidad de producción. A는 B에 ~한다 A está proporcionado a B.

■ ~ 대표 representación *f* proporcional. ~ 대표제 sistema *m* representativo [de representación] proporcional representación f proporcional. ~ 배분(配分) repartición *f* proporcional. ~ 선거(選擧) elección *f* proporcional. ~세 imposición *f* regresiva. ~ 세율 tipo *m* del impuesto proporcional, tipo *m* impositivo proporcional. ~수(數) número *m* proporcional. ~식 expresión *f* proporcional. ~자 graduación *f* proporcional. ~제 sistema *m* proporcional. ~제 선거 제도 sistema *m* electoral proporcional. ~ 중항[중수] mediano *m* proporcional. ~ 차(差) diferencia *f* proporcional. ~항(項) término *m* proporcional.

비례(非禮) descortesía *f*, impropiedad *f*, impolítica *f*, desatención *f*, grosería *f*.

비로소 por primera vez. 한 시간을 기다린 후에야 ~ 기차가 떠났다 Yo tuve que esperar una hora antes de la salida del tren. 밤이 늦어서야 ~ 그가 돌아왔다 El no volvió hasta bien entrada la noche.

비록 aunque, incluso, aun. ~ 나이는 젊지만 aunque es joven. ~ 무슨 일이 있더라도 pase lo que pase, ocurra lo que ocurra. ~ 대통령일지라도 법을 준수해야 한다 Incluso [Aun] el presidente debe respetar las leyes. ~ 단 하루일지라도 백만장자가 되었으면 좋겠다 Aunque sólo fuera un día, me gustaría ser millonario. ~ 나는 늙었지만 아직 젊은이들에게 지지 않는다 Aunque soy viejo, no me dejo vencer todavía por los jóvenes. ~ 어린아이일지라도 멸시해서는 안 된다 Aunque es un niño, no se le puede despreciar.

비록(秘錄) documento *m* secreto, documento *m* credencial, memorias *fpl* (secretas).

비롯하다 empezar, comenzar; [···부터 시작하다] datar (de), remontarse (a). 그것은 18 세기부터 비롯하고 있다 Data del siglo XVIII. 그의 타이틀은 2002년에 비롯하고 있다 Los orígenes de su título se remontan al año 2002 (dos mil dos). 우리의 관계는 10년 전부터 비롯한다 Nuestra relación data de hace diez años. 내 추억은 유년기의 초기까지 비롯한다 Mis recuerdos se remontan a los primeros años de mi infancia.

비료(肥料) abono *m*, fertilizante *m*. ～를 주다 abonar, fertilizar, estercolar. 토지(土地)에 ～를 주다 abonar [fertilizar · estercolar] la tierra.

■～ 공업 industria *f* fertilizante. ～ 공장 planta *f* fertilizante. ～ 작물 ＝녹비 작물(綠肥作物).

비루 sarna *f*.

비루먹다 sufrir sarna, tener sarna. 비루먹은 말 rocín *m* (*pl* rocines), rocinante *m*.

비루(鄙陋/卑陋) ruindad *f*, vileza *f*. ～하다 (ser) ruin, vil, abyecto, innoble, mezquino. ～한 마음 espíritu *m* innoble, el alma *f* ruin. ～한 행동(行動) acción *f* abyecta [ruin · vil]. 그의 ～한 행동 때문에 화가 난다 La vileza de su conducta me indigna. 그는 가장 좋은 친구조차 속일 정도로 ～하다 El es un hombre vil capaz de engañar a su mejor amigo.

비루관(鼻涙管)【해부】conducto *m* nasolagrgrimal. ～의 nasolagrimal.

비루스(라 *virus*)【의학】virus *m*.

비류(比類) lo igual, paralelo, ejemplo. ～가 없다 (ser) sin igual, sin rival, sin par, incomparable.

비름【식물】amarantáceas *fpl*.

비름과(－科)【식물】((학명)) Amarantaceae. ¶～의 amarantáceo.

■～ 식물 amarantáceas *fpl*.

비릇다 entrar en trabajo de parto.

비리(非理) sinrazón *f*, despropósito *m*, absurdo *m*, disparate *m*, dislate *m*, irracionalidad *f*, injusticia *f*.

비리다 ① [물고기 또는 동물의 피나 날콩을 씹을 때에 나는 냄새나 맛] oler a sangre; [생선이] oler a pescado. 비린 que huele a pescado [a sangre]. 생선의 비린 냄새 olor *m* a pescado. ② [하는 짓이 좀스럽고 더럽고 아니꼽다] (ser) vergonzoso, de mal gusto, asqueroso. ③ [너무 적어서 마음에 차지 않다] no gustar mucho.

비리비리 oliendo mucho a sangre [a pescado]; vergonzosamente, con vergüenza. ～하다 oler mucho a sangre, oler mucho a pescado; (ser) muy vergonzoso, muy asqueroso; no gustar mucho.

비리척지근하다 oler a un poco de sangre [de pescado]. 상한 물고기가 비리척지근한 냄새를 풍긴다 Los peces podridos huelen mucho a pescado

비린내 olor *m* a pescado.

◆비린내(가) 나다 ㉮ [비린 냄새가 나다] oler a pescado. ～ 나는 que huele a pescado. 이 생선은 비린내가 난다 Este pescado huele (mucho). ㉯ [젖비린내(가) 나다] (ser) pueril, infantil, aniñado, inmaduro.

비릿비릿 ① [냄새나 맛이 매우 비릿한 모양] oliendo mucho a pescado [a sangre]. ～하다 oler mucho a sangre [a pescado]. ② [아니꼽고 더러운 모양] vergozosamente, con vergüenza, asquerosamente.

비릿하다 oler un poco a sangre [a pescado].

비마(肥馬) caballo *m* gordo.

비마(飛馬) [준마(駿馬)] caballo *m* ligero;【시어】corcel *m*.

비만(肥滿) corpulencia *f*, gordura *f*, obesidad *f*. ～하다 (ser) corpulento, gordo, obeso, tener muchas carnes. ～한 사람 gordo, -da *mf*; persona *f* gorda. ～한 사람이 입는 의류 ropa *f* para los gordos. 지나친 ～은 건강에 좋지 않다 La demasiada gordura no es buena para la salud.

■～병 corpulencia *f*. ～아 niño *m* obeso, niña *f* obesa. ～ 요법 terapia *f* obesa. ～증 obesidad *f*, adiposis *f*, corpulencia *f*. ～ 체형 pletosomía *f*. ～학 bariátrica *f*. ～형 forma *f* corpulenta.

비말(飛沫) salpicadura *f* (de agua), rociada *f* (de agua); [거품의] espuma *f*. 파도가 바위에 부딪쳐 ～로 된다 La ola choca contra la roca y se deshace en una rociada.

■～ 감염 infección *f* por gotitas. ～ 전염 contagio *m* por salpicadura.

비망(備忘) preparación *f* para no olvidar una cosa.

■～록 agenda *f*, memorándum *m*, librito *m* de apuntes, memoria *f*, apunte *m*, nota *f*, minuta *f*.

비매 동맹(非買同盟) ＝불매 동맹(不買同盟).

비매품(非賣品) artículo *m* invendible, artículo *m* no destinado [no puesto] a la venta, artículo *m* que no se vende; ((게시)) No en venta / No es para venta.

비명(非命) muerte *f* violenta [brutal · innatural · accidental]. ～의 accidental, calamitoso, infeliz. 교통사고로 ～에 가다 morir de muerte violenta [brutal · innatural] por el accidente tráfico..

■～횡사 muerte *f* violenta [innatural · accidental]. ～하다 morir violentamente [de violencia].

비명(悲鳴) grito *m* lastimero, alarido *m*. ～하다 gritar lastimeramente.

◆비명(을) 올리다 gritar lastimeramente, dar [emitir · lanzar] un grito lastimero, dar un alarido.

비명(碑銘) inscripción *f* de un monumento; [묘의] epitafio *m*.

비명(秘命) orden *f* secreta, mandato *m* secreto.

비모(悲母) madre *f* misericordiosa.

비모음(鼻母音) vocal *f* nasal.

비목(費目) ítem *m* de gastos.

비목어(比目魚)【어류】＝넙치.

비몽간(非夢間) ＝비몽사몽간(非夢似夢間).

비몽사몽(非夢似夢) [황홀(恍惚)] éxtasis *m*; [매혹] hechizo *m*; [수면 상태] estado *m* hipnótico, estado *m* de estar medio durmiendo, duermevela *f*. ～의 soñoliento;

[황홀한] extático.

■ ~간 momento *m* soñoliento, medio dormido, dormido a medias, semidormido. ¶~에 entre sueños, soñolientamente. ~에 있다 estar medio dormido [dormido a medias · semidormido], dormir a medias, estar entre sueños, estar en éxtasis, estar arrobado. ~지경(之境) confines *mpl* entre sueño y despierto.

비무장(非武裝) desmilitarización *f*, desarme *m*.

■ ~ 도시 ciudad *f* desarmada. ~ 조약(條約) pacto *m* desmilitarizado. ~ 지대 zona *f* desmilitarizada. ~화(化) desmilitarización *f*. ¶~하다 desmilitarizar.

비문(碑文) efitapio *m*, inscripción *f*.

비문명(非文明) no civilización *f*. ~의 incivilizado, primitivo.

■ ~국 país *m* (*pl* países) incivilizado.

비문화적(非文化的) inculto, sin cultura, poco culto; [국가 · 국민이] incivilizado, primitivo; [행동이] poco civilizado, incivilizado; [사람 · 태도가] anticuado, atrasado.

비물질적(非物質的) inmaterial.

비민주적(非民主的) no democrático. ~으로 de forma no democrática.

비밀(秘密) secreto *m*, confidencia *f*. ~의 secreto, confidencial, oculto, disimulado, encubierto. ~로 en secreto. 성공의 ~ el secreto del éxito. ~로 하다 tener [guardar · llevar] en secreto, ocultar. ~을 지키다 guardar [callar] un secreto. ~을 누설하다 divulgar [revelar] un secreto. ~을 폭로하다 descubrir un secreto. ~을 밝히다 confiar un secreto, hacer una confidencia. ~을 신중히 조사하다 sondear [tantear] un secreto. ~이 있다 tener secretos (para). 이것은 ~입니다만 … Hablando entre nosotros …, (Dicho sea) Entre nosotros …. ~이 누설되었다 Se ha divulgado [revelado · descubierto] el secreto. 자네는 이것을 ~로 해야 한다 Mantén esto en secreto / Esto tiene que ser un secreto entre tú y yo / Guarda el secreto de esto. 너는 ~을 지킬 수 있느냐? ¿Puedes guardar un secreto? 우리의 결정(決定)은 ~로 해야 한다 Tenemos que mantener en secreto la decisión. 그녀의 나이는 ~이다 Su edad es un misterio. 교섭은 ~이 지켜져야 한다 Las negociaciones deben mantenerse en secreto. 그가 알코올 중독자라는 것은 ~이 아니다 No es ningún secreto que él es alcohólico.

비밀스럽다 (ser) secreto.

비밀스레 secretamente, en secreto.

비밀히 secretamente, en secreto, de secreto, confidencialmente.

■ ~ 결사 sociedad *f* secreta, asociación *f* secreta. ~ 결혼 casamiento *m* clandestino. ~ 경찰 policía *mf* secreto. ~ 공작(工作) operación *f* secreta. ~ 공작 대원 el que trabaja en el anonimato [sin reconocimiento]. ~ 교섭 negociaciones *fpl* secretas. ~ 누설 divulgación *f* [revelación *f*] de un secreto. ~ 단체 organización *f* secreta. ~리에 en [de] secreto, secretamente, con la mayor reserva, confidencialmente, a escondidas. ~ 명령 orden *f* secreta. ~문(門) puerta *f* secreta, trampilla *f*, [극장의] escotillón *m*. ~ 문서(文書) documento *m* secreto. ~ 선거 elección *f* secreta. ~실 cuarto *m* escondido, cuarto *m* secreto. ~ 외교 diplomacia *f* secreta. ~ 원장(元帳) libro *m* mayor secreto. ~ 재판 juicio *m* secreto. ~ 정보 información *f* secreta. ~ 조사 investigación *f* secreta. ~ 조약 pacto *m* secreto, convenio *m* secreto, tratado *m* secreto. ~ 조직 organización *f* secreta. ~ 첩보 espionaje *m* secreto. ~ 첩보 기관 servicio *m* de inteligencia secreto, organización *f* de espionaje secreto. ~ 첩보원 agente *m* secreto, agente *f* secreta. ~ 출판 publicación *f* clandestina, publicación *f* secreta. ~ 탐정 agente *m* secreto, agente *f* secreta; detective *m* secreto, detective *f* secreta. ~ 탐정사 agencia *f* de investigaciones secretas, agencia *f* de detectives privados. ~ 통로 pasadizo *m* secreto. ~ 통신 comunicación *f* secreta. ~ 투표 voto *m* secreto. ~ 투표제 sistema *m* del voto secreto. ~회(會) ㉮ [비밀히 하는 모임] reunión *f* secreta. ㉯ [공개되지 않은 국무회의] consejo *m* del gabinete a puerta cerrada. ~ 회담 conversaciones *fpl* secretas, conversaciones *fpl* a puerta(s) cerrada(s). ~ 회의(會議) conferencia *f* secreta, conferencia *f* a puerta(s) cerrada(s), sesión *f* secreta, sesión *f* a puerta(s) cerrada(s).

비바람 ① [비와 바람] la lluvia y el viento. ② =풍우(風雨).

비바리 virgen *f*, doncella *f*, muchacha *f*.

비박(독 *Biwak*) vivaque *m*, vivac *m*, campamento *m*. ~하다 vivaquear, acampar.

비발[1] =비용(費用).

비발[2] ((준말)) =비바리.

비방(秘方) receta *f* secreta, récipe *m* secreto.

비방(誹謗) reproche *m*, censura *f*, calumnia *f*, difamación *f*, maledicencia *f*. ~하다 reprochar, calumniar, infamar, censurar, vilipendiar, hablar mal (de), criticar, denignar.

■ ~자 calumniador, -dora *mf*, difamador, -dora *mf*. ~ 중상(中傷) calumnia *f*, infamación *f*, acusación *f* falsa. ~하다 calumniar, levantar calumnias (contra), infamar, difamar.

비버(영 *beaver*) 【동물】 castor *m*.

비번(非番) día *m* libre. ~의 libre de servicio. ~이다 [간호원 · 의사가] no estar de turno [guardia]; [경찰 · 소방수가] no estar de servicio. 나는 오늘 ~이다 Hoy estoy de fuera servicio / Hoy no entro de servicio / Hoy libre.

■ ~날 día *m* de descanso, día *m* libre que no toca a *uno* el servicio.

비범(非凡) lo extraordinario. ~하다 (ser) extraordinario, poco común, de calidades extraordinarias [sobreslientes]; [재능이] de dotes excepcionales. ～한 사람 prodigio, -ga *mf*.

비법(非法) fechoría *f*, fechuría *f*, ilegalidad *f*, injusticia *f*, ilegitimidad *f*. ～의 ilegal, ilícito, ilegítimo, injusto, inicuo.
■ ～화(化) ilegitimidad *f*, ilegalidad *f*.

비법(秘法) [비방(秘方)] arte *m* secreto, fórmula *f* secreta, método *m* secreto, procedimiento *m* secreto, misterio *m*, secreto *m*.

비보(飛報) mensaje *m* expreso, despacho *m* alarmante.

비보(秘報) información *f* secreta.

비보(秘寶) tesoro *m* (escondido).

비보(悲報) noticia *f* triste, noticia *f* funesta.

비복(婢僕) la sirvienta y el sirviente, los sirvientes.

비복근(腓腹筋)【해부】gemelo *m*, músculo *m* gastrocnemio, gastrocnemio *m*.

비본(秘本) libro *m* preciado.

비분(悲憤) indignación *f*, resentimiento *m*. ～하다 indignarse, resentirse.
■ ～강개(慷慨) indignación *f* afligida, resentimiento *m* deplorable. ¶～하다 indignarse [resentirse] vivamente (de · por), deplorar, lamentar.

비불이라(非不一) verdaderamente, realmente.

비브라토(이 *vibrato*)【음악】vibrato.

비브라폰(영 *vibraphone*)【악기】vibráfono *m*.
■ ～ 주자 vibrafonista *mf*.

비브리오(라 *vibrio*)【식물】vibrión *m*.

비비 retorciendo, torciendo.
비비꼬다 retorcer, torcer.
비비꼬이다 retorcerse, torcerse.
비비틀다 torcer fuerte, retorcer fuerte.
비비틀리다 ser torcido [retorcido] fuerte.

비비(狒狒) ①【동물】zambo *m*, mandril *m*. ②【동물】=망토비비.

비비다 ① [두 물체를 서로 맞대고 문대다] [손이나 손가락으로] frotar, restregar, refregar, fregar; [마사지하다] masajear, friccionar. 볼을 ～ frotar tiernamente la mejilla (contra); [서로] frotarse tiernamente las mejillas. 손을 ～ frotarse las manos. 눈을 비비지 마라 No te restriegues [refriegues] el ojo. ② [어떤 음식물에 양념이나 다른 음식물을 넣어 버무리다] mezclar. 밥을 ～ mezclar el arroz cocido con varios condimentos. ③ [구멍을 뚫기 위해 연장의 자루를 손 사이에 넣어 문질러 돌리다] (hacer) girar frotando. 송곳을 ～ girar la barrena frotándola. ④ [자료가 동글게 또는 가락이 되게 뭉쳐지도록 손 사이에 넣어 문질러 돌리다] girar frotando.

비비대기치다 ① [비좁은 곳에서 많은 사람이 서로 몸을 맞대고 움직이다] empujar. ② [복잡한 일을 치르느라고 부산하게 움직이다] andar al retorterro. 비비대기치게 하다 traer de cabeza [al retortero].

비비대다 frotar repetidamente.

비비송곳 barrena *f* con asa larga.

비비적거리다 seguir [continuar] frotando, frotar repetidamente. 두 손을 ～ frotar las manos. 송곳을 비비적거리며 구멍을 뚫다 hacer un agujero con una barrena.
비비적비비적 siguiendo [continuando] frotando.

비비틀다 ☞비비

비비틀리다 ☞비비

비빈(妃嬪)【고제도】la reina y la concubina real.

비빔 *bibim*, comida *f* mezclada con varios condimentos.
■ ～국수 fideos *mpl* mezclados con varios condimentos sin el agua de sopa. ～냉면 fideos *mpl* con hielo mezclados con varios condimentos sin el agua de carne. ～밥 arroz *m* blanco mezclado con varios condimentos.

비사(秘史) historia *f* secreta.

비사(秘事) cosa *f* secreta, secreto *m*, misterio *m*, intriga *f*.

비사교성(非社交性) insocialidad *f*, hurañía *f*.

비사교적(非社交的) huraño, insociable, intratable.

비사치다 informar con rodeos.

비산(飛散) dispersión *f*, esparcimiento *m*. ～하다 dispersarse, esparcirse, desparramarse, volar por todas las direcciones, ir volando en diferentes direcciones.

비산(砒酸)【화학】ácido *m* arsénico.
■ ～연[납] arseniato *m* de plomo. ～염 arseniato *m*.

비상(非常) ① [정상적인 상태가 아닌 일 · 예사로운 일이 아닌 긴급 사태] emergencia *f*, urgencia *f*. ～하다 (ser) emergente, urgente. ② [보통이 아님. 정도가 심함] rareza *f*, lo poco común, lo poco corriente, lo poco frecuente, exceso *m*. ～하다 (ser) grande, mucho; [과도한] excesivo. ～한 성공을 획득하다 obtener un gran éxito.
비상히 emergentemente, urgentemente; excesivamente, muy, mucho. 그것은 ～ 중요하다 Tiene [Es de] gran importancia. 날씨가 ～ 춥다 Hace mucho frío / Hace un frío excesivo. 그녀는 ～ 예쁘다 Ella es muy guapa / Ella es guapísima.
■ ～경계 guardia *f* de emergencia. ～경보 alarma *f* de emergencia. ～ 경보기(警報器) alarma *f*. ～경찰 policía *f* de emergencia. ～계단 escalera *f* de incendios, escalera *f* de salvamiento. ～계엄 guardia *f* contra peligro. ～계엄령 ley *f* marcial de urgencia [de emergencia]. ～ 계획 plan *m* de contingencia, medidas *fpl* previendo cualquier contingencia. ～ 고도 altura *f* de emergencia. ～ 관제 control *m* de emergencia. ～구 salida *f* de emergencia. ～금 fondos *mpl* de emergencia. ～ 나팔 llamada *f* despertador. ～ 대권(大權) poderes *mpl* extraordinarios. ～ 대기 espera *f* de emergencia. ～ 대출(貸出) préstamo *m* de emergencia. ～등(燈) lámpara *f* de emergencia. ～망 red *f* de emergencia. ～벨 (timbre *m* de) alarma *f*. ～ 브레이크 freno *m* de emergencia. ～ 사건 emergencia *f*,

caso excepcional. ~ 사용 장치 equipo *m* de emergencia. ~사태 situación *f* de emergencia, estado *m* de emergencia, estado *m* de excepción, circunstancia *f* crítica. ~사태 선언 declaración *f* del estado de emergencia. ¶국가 ~ declaración *f* del estado de emergencia nacional. ~선 línea *f* [cordón *m*] de policías [de urgencia]. ~소집(召集) convocación *f* extraordinaria. ~수단(手段) expediente *m* extraordinario, medida *f* extraordinaria. ~시(時) período *m* crítico, época *f* extraordinaria, emergencia *f*, crisis *f*, guerra *f*. ¶~에 en una emergencia, en caso de emergencia. 국가 ~에 en el período crítico del país, en una emergencia nacional, en una crisis nacional. ~에는 cuando ocurra una emergencia, en caso de emergencia, en caso de eventualidad, en la emergencia. ~에 대비하다 prevenir contra una emergencia, preparar para una emergencia, preparar para una eventualidad. ~시국 situación *f* de emergencia. ~시 지불 pago *m* en emergencia. ~식량 raciones *fpl* de reserva, víveres *mpl* de reserva. ~ 신호 señal *f* de alarma. ~용 uso *m* emergente; [부사적] para la emergencia. ~ 전화(電話) teléfono *m* de emergencia, aviso *m* de socorro. ~ 제어 장치 freno *m* de seguridad. ~조치 disposición *f* de emergencia. ~준비금 fondo *m* de emergencia. ~ 직통 전화 línea *f* directa. ~ 착륙 aterrizaje *m* forzoso. ~ 훈련(訓練) instrucción *f* de emergencia.

비상(飛翔) vuelo *m*. ~하다 volar.

비상(砒霜) veneno *m* arsénico.

비상근(非常勤) servicio *m* a tiempo parcial.

■ ~ 강사 lector *m* no numerario, lectora *f* no numeraria. ~직 posición *f* a tiempo parcial. ~ 직원 수당(職員手當) sobresueldo *m* al trabajador a tiempo parcial.

비상식(非常識) falta *f* del sentido común, falta *f* de sentido.

■ ~적 sin [falto del] sentido (común), insensato, no razonable, extravagante. ¶~인 행동을 하다 hacer extravagancias. 너는 ~인 말을 하는군 ¡Qué extravagancias [locuras] dices!

비상임 이사국(非常任理事國) miembro *m* no permanente del Consejo de Seguridad de las Naciones Unidas.

비상장주(非上場株) 【경제】 acción *f* sin cotización oficial.

비색(比色) cromoscopia *f*, comparación *f* de la profundidad de color.

■ ~계 colorímetro *m*, tintómetro *m*. ~ 분석 análisis *m* colorimétrico, colorimetría *f*. ~ 정량(定量) tintometría *f*, colorimetria *f*.

비색(秘色/翡色) verdeceledón *m*.

비생산(非生産) improductividad *f*.

■ ~적 improductivo, infructuoso. ¶~인 사업 empresa *f* improductiva [infructuosa]. ~인 의론(議論)을 하다 discutir inútilmente [en vano].

비서(飛鼠) 【동물】 murciélago *m*.

비서(秘書) ① [사람] secretario, -ria *mf*. 그에게는 여자 ~가 있다 El tiene una secretaria. ② [공개하지 않고 비밀히 간직한 책] libro *m* preciado no abierto. ③ [비법을 적은 책] libro *m* secreto.

◆개인(個人) ~ secretario, -ria *mf* particular.

■ ~각(閣) biblioteca *f*. ~과 secretaría *f*. ~관 secretario, -ria *mf*. ~실 oficina *f* de los secretarios.

비석(砒石) 【광물】 arseniato *m*.

비석(飛石) ① [던져서 날아가는 돌] piedra *f* volante. ② =징검돌.

비석(碑石) ① =빗돌. ② [돌로 만든 비] lápida *f* sepulcral (de piedra), piedra *f* sepulcral.

비선(鼻線) =콧날.

비성(鼻聲) =콧소리.

비소(砒素) 【화학】 arsénico *m*. ~의 arsenical, arsenioso. ~를 상용하는 (사람) arsenicófago, -ga *mf*. ~ 함유의 arsenical. ~로 처리하다 aplicar con arsénico.

■ ~경 espejo *m* arsenical. ~제 arsenical *m*. ~ 중독 arsenicismo *m*.

비소(鼻笑) =코웃음.

비소설(非小說) 【문학】 =논픽션(nonfiction).

비소수(非素數) 【수학】 =합성수(合成數).

비속(卑俗) vulgaridad *f*, vulgarismo *m*. ~하다 (ser) vulgar, bajo, soez, grosero, rústico. ~한 말 lenguaje *m* vulgar [populachero], palabras *fpl* groseras.

■ ~적 vulgar *adj*. ~화(化) vulgarización *f*. ¶~하다 vulgarizar.

비속(卑屬) 【법률】 descendiente *mf*. 그들의 ~ sus descendientes, su descendencia.

◆방계(傍系) ~ descendiente *mf* colateral. 직계(直系) ~ descendiente *mf* en línea directa.

비손 【민속】 *bison*, frotamiento *m* de las manos orando *su* deseo al Dios. ~하다 frotar las manos orando *su* deseo al Dios.

비송 사건(非訟事件) caso *m* de no litigio.

비수(匕首) daga *f*, puñal *m*.

비수(悲愁) pesar *m*, pesadumbre *f*, aflicción *f*. ~하다 (ser) pesaroso, triste.

비수기(非需期) temporada *f* baja. ~에 fuera de temporada, en temporada baja.

비수리 【식물】 ((학명)) Lespedeza cuneata.

비술(秘術) el arte *m(f)* secreto (secreta), misterios *mpl* de un arte. ~을 펴다 desplegar todas las astucias [todos los recursos] al alcance de su mano.

비스듬하다 (ser) oblicuo; [경사진] inclinado; [대각선의] diagonal.

비스듬히 oblicuamente; [바닥이나 토지가 기울어] en declive; [재봉으로] al sesgo, al bies, diagonalmente. ~ 하다 inclinarse, ladear(se). ~ 위치한 que está situado en la dirección oblicua (de), oblicuamente opuesto (a). 내 집과 ~ 건너편에 있는 집 casa *f* oblicuamente opuesta a la mía. 벽

에 ~ formando un ángulo con la pared. ~ 자르다 cortar al sesgo. 종이를 ~ 자르다 cortar un papel oblicuamente. 자세를 ~ 취하다 ponerse de medio perfil. 천을 ~ 자르다 sesgar una tela, cortar una tela al sesgo [al bies]. 도로를 ~ 건너다 cruzar la calle oblicuamente. 교차로를 ~ 건너다 pasar el cruce diagonalmente. 모자를 ~ 쓰다 ponerse el sombrero inclinado. 책을 ~ 읽다 leer un libro en diagonal. 선반이 ~ 되어 있다 El estante está inclinado. 이 바닥은 ~ 되어 있다 Este suelo esta en declive. A는 B의 위에 ~ 있다 A está diagonalmente encina de B. 그 여자는 모자를 ~ 쓰고 있었다 Ella llevaba el sombrero ladeado.

비스러지다 ser fuera de forma.

비스름하다 casi ser similiar [parecido], casi ser igual (a).
비스름히 casi igualmente.

비스무트(영 *bismuth*; 독 *Wismut*) 【화학】 [창연(蒼鉛)] bismuto *m* (Bi).

비스코스(영 *viscose*) 【화학】 viscosa *f*.
■ ~사(絲) hilo *m* de viscosa. ~ 수지(樹脂) resina *f* de viscosa.

비스킷(영 *biscuit*) galleta *f*, bizcocho *m*, *RPl* galletita *f*. 밀가루로 만든 엷은 ~ galleta *f* delgada y crujiente, generalmente de centeno.

비스타 비전(영 *Vista Vision*) 【영화】 vista visión *f*.

비슥거리다 entretenerse. 거기 길에서 비슥거리지 마라 No te entretengas en el camino.
비슥비슥 entreteniéndose.

비슥하다 inclinar haica un lado.
비슥이 inclinando hacia un lado.

비슬거리다 tambalear(se), marearse, temblar.
비슬비슬 siguiendo tamboleándose.

비슷비슷하다 (ser) muy parecido, casi igua, más o menos igual, dar lo mismo. 모두가 ~ Todos son más o menos iguales / Hay poco que escoger entre todos ellos / Son todos parecidos. 그들의 능력은 ~ Sus respectivas capacidades varían poco [son casi iguales]. 그것은 ~ Da lo mismo.

비슷하다[1] [한쪽으로 조금 비스듬하다] inclinar hacia un lado.
비슷이 oblicuamente hacia un lado.

비슷하다[2] ① [(같은 점이 많아) 거의 같다] (ser) similiar, semejante, parecido, parecerse (mucho) (a); [서로] parecerse mucho. 이 그림은 실물과 ~ Esta pintura se parece mucho al original. 그 위조 지폐는 보아서는 실물과 ~ A simple vista, el billete falso es idéntico al verdadero. 그는 딸의 모습 비슷하게 조각상을 만들었다 El hizo una estatua a imagen de su hija. 오카리나 (악기)는 비둘기와 비슷한 모양이다 La ocarina tiene una forma parecida a la paloma / La ocarina está hecha imitando la forma de paloma. ② [···로 추측함] suponer.
비슷이 semejantemente, similiarmente.

비시(영 *B.C., Before Christ*) [기원전] aC, a. de C., a. de J.C., antes de Cristo, antes de Jesucristo. ~ 6세기 경 카르타고 사람들이 서반아에 도착했다 Hacia el siglo VI a. de J.C. llegaron los cartagineses a España.

비시지(불 *BCG, Bacille de Calmette et Guérin*) 【의학】 BCG, Bacilos *mpl* de Calmette y Guerim.
■ ~ 접종 inoculación *f* por BCG.

비신 botas *fpl* de agua, chanclos *mpl*.

비신사적(非紳士的) indigno *m* de un caballero.

비실비실 de un modo caduco, con pasos vacilantes. ~하다 (ser) caduco. ~하는 노인(老人) un viejo decrépito, un viejo chocho.

비싸다 ① [상품의 값이 정도에 지나치게 많다] (ser) caro, costoso, alto, costar. 비싸게 caro. 비싼 값 alto precio *m*, precio *m* alto, precio *m* caro. 비싼 호텔 hotel *m* caro. 비싸게 보이는 시계 reloj *m* con aspecto de (ser) caro. 매우 비싼 자동차 coche *m* carísimo [muy caro]. 비싸게 팔리다 venderse caro. 비싸게 먹히다 [치이다] salir caro, ser costoso, costar mucho, resultar caro, costar un sentido. 비싼 값으로 팔다 vender caro [a alto precio]. 비싼 값을 지불하다 pagar caro. 값이 무척 ~ valer un sentido, ser muy caro, ser carísimo, costar mucho. 이것은 값이 ~ Esto es caro / Esto cuesta [vale] mucho. 그것은 너무 ~ Es demasiado caro. 바닷가재는 ~ La langosta es cara. 그 가게는 ~ Esa tienda vende caro / Esa tienda es cara. 야채가 비싸졌다 Las verduras han aumentado de precio. 이 식당은 ~ Este restaurante es caro / Las comidas son caras en este restaurante. 그 집은 나에게 비쌌다 La casa me resultó cara. 내 오버는 무척 비쌌다 El abrigo me costó muy caro. 이것은 비싸야 만 원쯤 할 것이다 Esto costará diez mil wones a lo más. 파티는 우리에게는 무척 비싸게 먹혔다 La fiesta nos salió carísima. 호텔에 드는 것은 비싸게 먹힌다 Cuesta mucho vivir en un hotel. 싼 것이 비싸게 먹힌다 Lo barato sale caro. 지독하게 비싸군요! ¡Válgame Dios qué caro! 그 구두는 비싸게 먹혔음에 틀림없다 Esos zapatos deben de haber costado caros. 요즈음 모든 것이 매우 ~ La vida está muy cara hoy en día. 서울의 생활비는 매우 비싸게 먹힌다 Resulta muy caro vivir en Seúl / En Seúl la vida es cara. 운전을 배우는 것은 비싸게 먹힌다 Aprender a conducir sale caro / Aprender a conducir resulta muy costoso. 가구 딸린 아파트가 더 비싸다 [비싸게 먹힌다] Un piso amueblado sale más caro.
② ((속어)) [분수없이 거만하다] (ser) altanero, altivo, soberbio, orgulloso, arrogante, imperioso, desdeñoso, despreciativo.
◆비싸게 굴다 venderse caro; (ser) altivo, altanero, soberbio. 그녀는 비싸게 군다 Ella es altanera [altiva · soberbia] / Ella se

vende cara.

비쌔다 ① [마음은 있으면서 안 그런 체하다] fingir declinar, declinar de mala gana [a regañadientes]. ② [무슨 일에나 어울리기를 싫어하다] evitar compañía, guardar las distancias. 그녀는 늘 동료들과 비쌨다 Ella siempre ha guardado las distancias con sus colegas.

비쑥 【식물】 ajenjo *m* oriental.

비쓱거리다 tambalearse, dar tumbos, hacer eses. 비쓱거림 tambaleo *m.* 그녀는 비쓱거렸다 Ella se tambaleó. 그는 비쓱거리면서 방으로 들어갔다 El entró en la habitación tambaleándose [haciendo eses]. 나는 비쓱거리면서 방에서 나갔다 Yo salí de la habitación tambaleándose [dando tumbos]. 그들은 비쓱거리면서 침대로 다가갔다 Ellos se acercaron a la cama tambaleándose [haciendo eses]. 한 거지가 비쓱거리면서 우리에게 다가왔다 Un mendigo se nos acercó tambaleándose.

비쓱비쓱 tambaleantemente, vacilantemente, inseguramente, siguiendo tambaleándose [haciendo eses].

비아냥거리다 hablar [decir] sarcásticamente [irónicamente], hacer un comentario cínico. 비아냥거리지 마라 No digas sarcásticamente [irónicamente].

비아냥스럽다 (ser) sarcástico, mordaz.

비아냥스레 sarcásticamente, mordazmente.

비아이에스[1](영 *BIS, Bank for International Settlements*) [국제 결제 은행] BPI *m,* Banco *m* de Pagos Internacionales).

비아이에스[2](영 *BIS, business information system*) 【컴퓨터】 BIS *m,* sistema *m* de información empresarial.

비악 pío.

비악비악 pío, pío. ～ 울다 piar.

비애(悲哀) tristeza *f,* aflicción *f,* dolor *m,* pesadumbre *f,* melancolía *f,* entristecimiento *m,* amargura *f,* sinsabor *m,* pesar *m,* pena *f.* 인생(人生)의 ～ amargura *f* de la vida. 환멸(幻滅)의 ～ tristeza *f* de desilusión. 환멸의 ～를 느끼다 sufrir una decepción.

비약(飛躍) ① [높이 뛰어오름] vuelo *m,* salto *m* alto. ～하다 volar, saltar alto, dar un salto. 근대 산업 사회로의 ～ salto *m* hacia la sociedad de la industria moderna. 지금이야말로 큰 ～을 할 때다 Esta es la hora de dar un paso atrevido hacia adelante. ② [급히 발전되거나 향상됨] progreso *m* rápido, gran progreso *m,* paso *m* agigantado. ～하다 progresar rápidamente. ③ [(이론이나 말이나 생각 따위가) 밟아야 할 단계나 순서를 거치지 않고 앞으로 나아감] salto *m,* discontinuidad *f* brusca. ～하다 saltar. 논리(論理)의 ～ salto *m* [discontinuidad *f* brusca] en el razonamiento. 화제(話題)가 ～한다 La conversación salta incoherentemente [ilógicamente] de un tema a otro.

■～ 경기(競技) competición *f* de salto con esquís. ～적 rápido, grande, agigantado. ¶～ 발전을 하다 hacer grandes progresos, hacer progresos rápidos, pasar a pasos agigantados. 매상(賣上)이 ～으로 신장했다 Nuestras ventas han aumentado a pasos agigantados.

비약(秘藥) ① [비방으로 지은 효력(效力)이 뚜렷한 약] medicina *f* preparada por receta secreta. ② ＝특효약(特效藥).

비양(飛揚) ① [잘난 체하고 뽐냄] fanfarronería *f,* fanfarronada *f,* fantochada *f,* arrogancia *f,* pavoneo *m,* orgullo *m.* ～하다 pavonearse, fanfarronear. ② ＝비등(飛騰). ③ [높은 지위에 오름] promoción *f* a la posición alta. ～하다 promver a la posició alta.

비어(飛魚) 【어류】 volador *m,* pez *m* volante.

비어(卑語/鄙語) palabra *f* vulgar; [집합적] vulgarismo *m.*

비어(秘語) palabra *f* secreta.

비어(蜚語/飛語) rumor *m* infundado, rumor *m* falso. ～를 퍼뜨리다 difundir [hacer correr] el rumor infundido.

비어(영 *beer*) [맥주] cerveza *f.*

■～홀 cervecería *f.*

비어지다 desbordar(se), salir fuera, rebasar, traspasar. 셔츠가 웃옷의 소매에서 비어져 나온다 La camisa ebasa la manga de la chaqueta. 발이 선에서 비어져 나왔다 Los pies traspasaron la línea.

비엔나 【지명】 Viena *f.* ～의 vienés.

■～ 사람 vienés, -nesa *mf.* ～ 왈츠[원무곡] vals *m* vienés. ～커피 café *m* vienés.

비엔날레(이 *biennale*) bienal *m,* exposición *f* bienal.

비엘(영 *B/L, bill of landing*) [선하 증권(船荷證券)] conocimiento *m* (de embarque).

비역 sodomía *f,* pederastia *f.* ～하는 사람 sodomita *m,* pederasta *m*; ((속어)) marica *m,* maricón *m.*

■～살 ingle *m* de la dirección del trasero.

비열(比熱) 【물리】 temperatura *f* específica.

비열(卑劣/鄙劣) vileza *f,* indignidad *f,* alevosía *f,* ruindad *f,* bajeza *f,* villanía *f,* infamia *f,* traición *f,* abyección *f,* cobardía *f.* ～하다 (ser) vil, indigno, alevoso, ruin, bajo, bajuno, abyecto, despreciable, malo, villano, infiel, vulgar, infame, traidor, innoble, desleal, aleve, mezquino, sucio, indigno. ～한 근성(根性) espíritu *m* vil. ～한 생각 pensamiento *m* vil [bajo]. ～한 행동(行動) actitud *f* abyecta [vil · ruin]. ～한 방법으로 de una manera vil [infame · sucia], canallescamente. ～하게도 …하다 hacer la canallada de + *inf.* 그는 성품이 ～하다 El es un hombre ruin. 그는 나에게 ～한 행위를 했다 El me hizo una canallada. 그의 거래 방식은 ～하다 Su manera de negociar es sucia [vil]. 그는 승부에 ～하다 El es un jugador sin escrúpulos / El juega sucio [sin escrúpulos]. 그의 ～한 행동으로 나는 무척 화가 났다 La vileza de su conducta me indignó [irritó · enojó · enfadó] mucho. 그는 친한 친구까지도 속일 정도로 ～한 놈이다 El es un tipo vil capaz de engañar a su amigo íntimo. ～하기 짝이 없는 놈이군! ¡Qué tipo más ruin!

■～한(漢) hombre *m* vil [ruin].

비염(脾炎) 【의학】 lienitis *f*, esplenitis *f*.

비염(鼻炎) 【의학】 rinitis *f*, inflamación *f* de la mucosa de las fosas nasales.

비영리(非營利) lo no lucrativo, lo no comercial.

■～ 단체 organización *f* no lucrativa. ～ 법인 corporación *f* no lucrativa. ～ 사업 empresa no lucrativa [no comercial]. ～적 no comercial, no lucrativo.

비영비영하다 (ser) débil y demacrado de enfermedad.

비오리 【조류】 mergo *m*.

비옥(肥沃) fertilidad *f*. ～하다 (ser) fértil, fecundo, productivo, rico. ～한 토양(土壤) suelo *m* productivo. 토지를 ～하게 하다 fertilizar [fecundar] la tierra. 이 토지는 ～하다 Esta tierra es fértil [fecunda·rica].

■～지(地) tierra *f* fértil [fecunda]. ～토(土) terreno *m* fecundo [fértil].

비옥(翡玉) jade *m* verde con lunares rojos.

비올라(이 *viola*) 【악기】 viola *f*.

■～ 연주자 viola *mf*.

비올론(이 *violon*) 【악기】 ＝바이올린.

비올론첼로(이 *violoncello*) 【악기】 ＝첼로.

비올롱(불 *violon*) 【악기】 ＝바이올린.

비올리노(이 *violino*) 【악기】 ＝바이올린.

비옷 impermeable *m*. ～을 입다 ponerse el impermeable.

비용(費用) gastos *mpl*, coste *m*, expensas *fpl*. ～이 들다 costar. ～이 드는 costoso. ～이 들지 않는 barato. ～을 절약하다 medir [ahorrar] los gastos. ～을 각자 부담하다 pagar a escote, *AmL* pagar [ir] a la americana, *Chi* pagar [ir] a la inglesa.

◆가변(可變) ～ coste *m* variable. 간접 ～ gastos *mpl* indirectos. 공공 ～ gastos *mpl* públicos. 변동 ～ coste *m* variable. 직접 ～ gastos *mpl* directos. 추가 ～ coste *m* adicional. 평균 ～ coste *m* medio. 한계 ～ coste *m* marginal.

비우다 [(속에 있는 것을) 비게 하다] vaciar, dejar vacío, verter; [한 방울도 없이 모두 마셔 버리다] apurar; [방 따위를] desocupar, dejar libre. 잔을 ～ vaciar [apurar] un vaso. 한 병을 ～ vaciar una botella. 서랍 속을 ～ vaciar el cajón. 컵의 술을 (모두 마셔) ～ apurar una caña. 컵의 물을 설거지통에 ～ vaciar [verter] el agua del vaso en el fregadero. 단지를 비워 기름을 넣다 vaciar el jarro y echar aceite en él. 잔을 비워 주십시오 Vacíe usted el vaso. 그는 단숨에 잔을 비웠다 El vació el vaso de un trago. 그는 포도주 한 병을 비웠다 El se bebió un botella de vino. 자루에 든 것을 모두 여기에 비워 주세요 Vacíe aquí todo lo que hay en el saco. 오전 중에 방을 비워 주십시오 Desocupe [Deje libre] la habitación antes de mediodía. 오늘밤은 당신을 위해 비워 두겠다 Te reservaré esta noche / Dejaré esta noche para ti.

비우호적(非友好的) poco amistoso. ～인 태도 actitud *f* poco amistosa.

비운(否運) ① [언짢은 운수] mala suerte *f*. ② [불행한 운명] suerte *f* infeliz.

비운(非運) mala suerte *f*, desdicha *f*, desgracia *f*, infortunio *m*, desventura *f*, adversidad *f*.

비운(悲運) suerte *f* triste. ～의 왕비(王妃) reina *f* de suerte triste.

비웃 【어류】 arenque *m*.

비웃다 ridiculizar, burlarse (de), reírse (de), escarnecer, hacer mofa (de), hacer burla (de), poner en ridículo, mofar, despreciar. 비웃는 듯한 burlón (*pl* burlones), mofador, escarnecedor. 비웃는 듯한 웃음 risa *f* [sonrisa *f*] irónica [sarcástica]. 비웃는 듯한 웃음을 머금다 mostrar una risa irónica. …의 실패를～ burlarse del fracaso de *uno*. 사람들은 그녀의 아이디어를 비웃었다 Se reían [Se burlaban] de ella por sus ideas. 그런 짓을 하면 모두가 너를 비웃을 것이다 Obrando así se burlará de ti todo el mundo.

비웃음 burlas *fpl*, risa *f* sarcástica [sardónica], mofa *f*, irrisión *f*, escarnio *m*, escarnecimiento *m*, desprecio *m*. ～을 당하다 hacer el ridículo, ponerse [quedarse·caer] en ridículo. ～을 사다 ser puesto en ridículo (por), ser objeto de las risas [de las mofas] (de). ～을 치다 echar una risa sardónica, reír sardónicamente. 마을의 ～거리가 되다 servir de irrisión al público. 그녀는 모든 사람의 ～의 대상이 되었다 Ella se convirtió en el hazmerreír de todos / Ella se convirtió en el centro de todas las burlas. 그는 남의 ～거리가 될만한 짓을 하고 있다 El se está exponiendo a hacer el ridículo / El está exponiendo a que se burlen de él.

비웃적거리다 tomarle el pelo (a), burlarse (de), reírse (de).

비원[1](秘苑) [금원(禁苑)] jardín *m* del palacio.

비원[2](秘苑) 【고적】 el Jardín Secreto.

비원(悲願) ① [중생(重生)을 구하려는 부처나 보살의 서원(誓願)] voto *m*, promesa *f*. ～하다 hacer voto (de), prometer, hacer una promesa. ② [온갖 힘을 기울여서 이루려고 하는 비장한 소원] deseo *m* más vehemente [encarecido], deseos *mpl* entrañables. ～하다 anhelar, encarecer. ～을 달성하다 realizar *su* deseo más encarecido. 그녀의 ～은 이루어졌다 Sus entrañables deseos han sido cumplidos.

비위(脾胃) ① [비장과 위] el bazo y el estómago. ② [기분] humor *m*, disposición *f*, talante *m*. 좋은 ～ buen humor. 나쁜～ mal humor. ③ [기호. 미각] sabor *m*, gusto *m*, paladar *m*. ～에 맞는 음식 comida *f* favorita [preferida]. ～가 좋다 tener un estómago fuerte. ④ [뻔뻔스러움] insolencia *f*, descaro *m*, impudencia *f*, audacia *f*, atrevimiento *m*, frescura *f*, caradurismo *m*, caradura *f*.

◆비위(가) 상하다 (ser) disgustado, ofendido. 비위(가) 좋다 (ser) descarado, avergonzado, tener una cara dura. 비위(가) 틀리다 ser de mal humor. 비위(를) 거스르다 ofender, poner en el mal humor. 비위(를) 맞추다 poner en el buen humor; [아첨하여] adular, lisonjear, halagar.

■비위가 노래기 회해 먹겠다 ((속담)) Es un hombre más descarado / Tiene cara más dura.

비위생(非衛生) insalubridad *f*.

■~적 antihigiético, poco saludable, insalubre, malsano; [음식이] malo para la salud.

비유(比喩/譬喩) comparación *f*, figura *f* de construcción *f*, [우화(寓話)] fábula *f*, [직유(直喩)] símil *m*; [은유(隱喩)] metágora *f*, [우의(寓意)] alegoría *f*, [격언(格言)] proverbio *m*, refrán *m* (*pl* refranes); [예(例)] ejemplo *m*; ((성경)) parábola *f*. ~하다 comparar. ~해서 말하면 hablando figuradamente; [예를 들면] tomando como ejemplo. A를 B에 ~하다 comparar A a [con] B. ~를 인용하다 citar un ejemplo. 인생을 항해(航海)에 ~하다 comparar la vida a una travesía en barco. 그녀의 아름다움은 ~할 수가 없다 Su belleza es incomparable [indescriptible · inexpresable] / No hay manera de describir su belleza.

■~의 허위(虛僞) falacia *f* de metáfora. ~적 figurado, similar, metafórico, alegórico. ¶~으로 metafóricamente, alegóricamente. ~ 의미로 en sentido figurado.

비육(肥肉) carne *f* gorda.

■~돈(豚) cerdo *m* engordador. ~우(牛) vaca *f* engordadora.

비율(比率) tasa *f*, tipo *m*; [비(比)] proporción *f*, [비례(比例)] razón *f*. 5대1의 ~로 a razón de cinco por [a] uno, en la proporción de cinco por [contra] uno. 거의 같은 ~로 casi en la misma proporción. 세계 소비량에 대한 ~ proporción *f* (que ocupa) en el consumo mundial. 한 시간 5천 원의 ~로 a razón de cinco mil wones la hora. 1대2와 4대8은 같은 ~이다 La proporción de uno por dos es la misma que la de cuatro por ocho. 남녀 인구 ~은 거의 1대1이다 La proporción de hombres y mujeres está casi equilibrada en la población.

비율빈(比律賓) 【지명】 las Filipinas.

비음(鼻音) 【언어】 sonido *m* nasal, nasal *f*.

■~화(化) nasalización *f*. ¶~하다 nasalizar.

비이성적(非理性的) =비합리적(非合理的).

비이성주의(非理性主義) =비합리주의.

비이슬 ① [비와 이슬] la lluvia y el rocío. ② [비 내린 뒤에 잎 따위에 맺힌 물방울] gota *f* de agua sobre las hojas después de llover.

비익(比翼) ① [두 마리의 새가 서로 날개를 나란히 함] vuelo *m* en fondo. ② =비익조(比翼鳥). ③ =부부(夫婦).

■~조(鳥) ㉮ [상상의 새의 한 가지] una especie de pájaros legendarios con un ojo y un ala. ㉯ [부부] esposos *mpl*, marido *m* y mujer, matrimonio *m*.

비인(非人) ① [사람답지 못한 사람] desgraciado *m* inhumano, desgraciada *f* inhumana; bestia *f*(*mf*); fiera *f*, bruto, -ta *mf*, animal *mf*. ② [속세를 버린 중이 스스로를 이르는 말] yo.

비인간(非人間) ① [(성품이나 행실이) 사람답지 못한 사람] persona *f* inhumana. ② [(인간 세상이 아니라는 뜻으로) 경치가 매우 아름다운 선경(仙境)] tierra *f* de los duendes (muy hermosa).

■~성 inhumanidad *f*. ~적 inhumano, inhumanitario. ¶~으로 inhumanamente, inhumanitariamente.

비인도적(非人道的) inhumano *adj*. ~으로 inhumanamente, de una manera inhumana. 포로를 ~으로 다루다 tratar inhumanamente a los prisioneros de guerra.

비인정(非人情) inhumanidad *f*.

비인정스럽다 (ser) inhumano.

비인정스레 inhumanamente.

비인칭(非人稱) ¶~의 impersonal.

■~ 동사 verbo *m* impersonal. ~ 명제(命題) proporsición *f* impersonal.

비일비재(非一非再) ocurrencia *f* frecuente. 그런 일은 ~하다 Es de ocurrencia frecuente.

비자(痱子) 【의학】 divieso *m*.

비자(榧子) 【한방】 nuez *f* de torreya.

비자(영 *visa*; 불 *visa*) visado *m*, *AmL* visa *f*. ~를 신청하다 solicitar la visa. ~를 받다 recibir el visado [*AmL* la visa]. 여권의 ~를 받다 tener visado *su* pasaporte. 나는 여권에 아르헨띠나 ~를 받으러 왔다 Vengo a que me visen el pasaporte para la (República) Argentina.

◆관광(觀光) ~ visado *m* [*Aml* visa *f*] de turismo, visa *f* de turista. 상용(商用) ~ visado *m* [*AmL* visa *f*] de negocios. 우대(優待) ~ visado *m* [visa *f*] de cortesía. 입국(入國) ~ visado *m* [*AmL* visa *f*] de entrada. 출국(出國) ~ visado *m* [*AmL* visa *f*] de salida. 통과(通過) ~ visado *m* [*AmL* visa *f*] (de) tránsito.

비자금(秘資金) fondo *m* secreto.

비자나무(榧子-) 【식물】 ((학명)) Torreya nucifera.

비잔티움(영 *Bizantium*) 【지명】 Bizancio.

비잔틴(영 *Byzantine*) Bizancio. ~의 bizantino.

■~ 건축 arquitectura *f* bizantina. ~ 교회 la Iglesia Ortodoxa. ~ 문학 literatura *f* bizantina. ~ 문화 cultura *f* bizantina. ~ 사람 bizantino, -na *mf*. ~식 estilo *m* bizantino. ~ 제국 el Imperio Bizantino. ~파 escuela *f* bizantina.

비장(秘藏) atesoramiento *m*. ~하다 atesorar, guardar preciosamente. ~한 atesorado,

precioso.
■ ~본(本) el libro más precioso de la biblioteca.

비장(悲壯) patetismo *m*, heroicidad *f*. ~하다 (ser) patético; [비극적인] trágico; [장렬한] heroico. ~한 결의(決意) resolución *f* heroica. ~한 최후를 마치다 tener una muerte heroica [trágica], morir heroicamente. 그곳에서는 ~한 분위기가 감돌았다 Allí había [se respiraba] un ambiente patético [angustioso].
비장히 patéticamente, trágicamente, heroicamente.

비장(腓腸)【해부】pantorrilla *f*.
■ ~근(筋)【해부】gemelo *m*. ¶내(內)~ gemelo *m* interior. 외(外)~ gemelo *m* exterior.

비장(脾臟)【해부】bazo *m*. ~의 esplénico.
■ ~ 독소 esplenotoxina *f*. ~ 동맥 arteria *f* esplénica. ~병(病) enfermedad *f* de bazo, esplenopatía *f*. ~병 환자 esplenético, -ca *mf*. ~염 esplenitis *f*, inflamación *f* del bazo. ~ 절제(술) esplenectomía *f*. ~학(學) esplenopatía *f*. ~ 호르몬 esplenina *f*.

비장하다(悲壯-) (ser) trágico, patético, heroico. 비장한 각오 [결의] resolución *f* heroica. 비장한 최후 conclusión *f* heroica. 비장한 죽음을 하다 morir trágicamente.

비재(非才/菲才) pobre talento *m*, falta *f* de habilidad, poca habilidad *f*, incapacidad *f*, inutilidad *f*.

비적(匪賊) bandido *m*, bandolero *m*.
■ ~단(團) grupo *m* de bandidos. ~ 행위 bandolerismo *m*, bandidaje *m*.

비적(秘籍) ① =비본(秘本). ② [진귀한 서적] libro *m* raro.

비적비적 prominentemente aquí y allá.

비전(秘傳) secreto *m*, arcano *m*, misterio *m* de una arte, récipe *m* secreto. ~을 전수하다 iniciar en los secretos, iniciar en los arcanos.
■ ~서 libro *m* de secretos.

비전(영 *vision*) visión *f* (futura · del porvenir), previsión *f*. 21세기(世紀)의 ~ visión *f* del siglo veintiuno. 그에게는 ~이 없다 El no tiene visión del porvenir.

비전론(非戰論) pacifismo *m*, causa *f* de antiguerra, argumento *m* pacífico.
■ ~자 pacifista *mf*, abogado, -da *mf* de la paz.

비전투원(非戰鬪員) no-combatiente *mf*, [일반 시민] paisano *m* civil, paisano *m* en tiempo de guerra.

비전하(妃殿下) princesa *f*, Su Alteza la Princesa.

비점(沸點)【물리】punto *m* [temperatura *f*] de ebullición.

비접(避接) cambio *m* de aire.
◆비접(을) 나가다 cambiar de aire.

비정(非情) ① [인간미가 없음] dureza *f* de corazón, crueldad *f*, inhumanidad *f*. ~의 frío, insensible, duro de corazón, de corazón de piedra, sin corazón, cruel, sin piedad, desapiadado, inhumano, inanimado. ~의 아버지 padre *m* duro de corazón. ② = 무정물(無情物).

비정(秕政/粃政) mala gobernación *f*, desgobierno *m*, mal gobierno *m*, gobernación *f* podrida..

비정규(非正規) irregularidad *f*. ~의 irregular.
■ ~군 tropas *fpl* irregulares.

비정기선(非定期船) vapor *m* volandero.

비정상(非正常) anormalidad *f*, irregularidad *f*. ~의 anormal, irregular.
■ ~적 anormal, irregular. ¶~으로 anormalmente, irregularmente.

비정형시(非定型詩) verso *m* libre.

비조(飛鳥) pájaro *m* volante. ~처럼 con la velocidad asombrosa.

비조(悲調) ① [슬픈 가락] tono *m* afligido, tono *m* doloroso, tono *m* pesaroso, tono *m* angustiado, toque *m* de tristeza. ② =비곡(悲曲).

비조(鼻祖) fundador, -dora *mf*.

비조직적(非組織的) inorgánico, no sistemático.

비조합원(非組合員) no socio, -cia *mf*.

비존재(非存在)【철학】inexistencia *f*, no existencia *f*.

비좁다 (ser) estrecho (y apretado), apretado, angosto. 비좁은 골목길 calleja *f* estrecha [angosta], callejera *f*. 내 집은 비좁았다 Mi casa era estrecha [pequeña]. 이 벤치에 네 사람이 앉기는 비좁겠다 Si nos sentamos los cuatro en este banco, estaremos muy apretados.

비종교적(非宗教的) no religioso.

비주룩하다 sobresalir un poco.

비주류(非主流) la no corriente dominante, la no línea central.

비죽 haciendo un mohín. 입을 ~ 내밀다 hacer un mohín. 그녀는 머리를 문으로 ~ 내밀었다 Ella asomó la cabeza por la puerta. 머리가 담 위로 ~ 내밀리었다 Se asomó una cabeza por encima del muro.
비죽거리다 estar ceñudo, poner mala boca.
비죽비죽 siguiendo haciendo un mohín.
비죽이다 volver a poner mala boca.

비죽하다 ((준말)) =비주룩하다.

비준(批准) ratificación *f*. ~하다 ratificar.
■ ~ 교환 canje *m* de ratificación. ¶~하다 canjear la ratificación. ~서(書) nota *f* [libro *m*] de ratificación. ¶~를 교환하다 canjear la ratificación.

비중(比重) ①【물리】densidad *f* específica, peso *m* específico, gravedad *f* específica. ~을 재다 medir el peso específico. ② [중점을 두는 정도] importancia *f* relativa. 한국의 교육에서 사학(私學)이 점하는 ~은 크다 En la educación coreana las escuelas privadas tienen un peso considerable.
■ ~계 densímetro *m*, aerómetro *m*, gravímetro *m*. ~량 peso *m* específico. ~표 tabla *f* de gravedad específica.

비즈니스(영 *business*) [사업] negocios *mpl*; [상업] comercio *m*.

■ ~맨 empresario *m*, hombre *m* de negocios. ~ 센터 centro *m* de negocios. ~ 스쿨 escuela *f* de administración [gestión] de empresas, academia *f* [instituto *m*] de comercio. ~ 우먼 empresaria *f*, mujer *f* de negocios.

비지 orujo *m* de soja, residuo *m* de soja molida y exprimida.

■ ~땀 sudor *m* grasiento. ¶~을 흘리다 sudar el quilo. ~떡 pan *m* coreano de orujo de soja. ¶값싼 것이 ~ ((속담)) Lo barato sale caro. ~밥 comida *f* de orujo de soja. ~죽 gachas *fpl* de orujo de soja. ~찌개 sopa *f* de orujo de soja. ~ㅅ국 sopa *f* de orujo de soja.

비지(鄙地) mi humilde casa, mi pueblo, mi aldea, mi ciudad, mi habitación.

비질 escobada *f*. ~하다 escobar, dar una escobada, barrer con escoba.

비집다 ① [맞붙은 데를 벌려 틈을 내다] hacer agrietarse. ② [좁은 틈을 헤쳐서 넓히다] meterse, colarse. 군중 사이를 비집고 들어가다 colarse por entre la multitud. ③ [눈을 비벼서 다시 뜨다] frotar los ojos y abrirlos.

비쭉 ((센말)) =비죽.

비쭉거리다 ((센말)) =비죽거리다.

비참(悲慘) miseria *f*, desgracia *f*, tristeza *f*. ~하다 (ser) horrible, horroso, miserable, desgraciado, trágico, lamentable, patético, desdichado, triste. ~한 광경(光景) espectáculo *m* horroso, espectáculo *m* miserable, vista *f* patética. ~한 모습 aspecto *m* triste. ~한 생활 vida *f* miserable [triste]. ~한 사연 historia *f* trágica [patético]. ~한 죽음 muerte *f* triste. ~한 표정으로 con un semblante miserable, con una cara triste. ~하게 되다 sentirse miserable [desgraciado]. ~한 생활을 하다 llevar una vida miserable. ~한 죽음을 하다 morir una muerte miserable. ~한 최후가 되다 tener fin triste. ~한 최후를 마치다 morir de una muerte trágica, morir trágicamente. …하다니 ~하다 Es (una) lástima que + *subj*. 사고는 가장 ~했다 El accidente fue de lo más trágico que se puede imaginar. 보기에도 ~한 광경이다 Es un espectáculo horrible. 그것은 많은 사람의 생명을 빼앗은 ~한 사고였다 Fue un accidente triste, que costó la vida a muchas personas.

비참히 horriblemente, horrosamente, miserablemente, desgraciadamente, trágicamente, lamentablemente, patéticamente, desdichadamente, tristemente. ~ 죽다 morir tristemente.

비창(悲愴) ① [마음이 슬프고 서운함] tristeza *f*, pesar *m*, patetismo *m*, pena *f*, dolor *m*. ~하다 (ser) triste, afligido, apesadumbrado, patético, lamentable. ~하게 con tristeza, lamentablemente. ~한 목소리 voz *f* triste. ② 【음악】 ((준말)) =비창 교향곡.

비창 교향곡(悲愴交響曲) 【음악】 (Sinfonía *f*) Patética *f* (de Tchaikovski).

비책(秘策) medida *f* [táctica *f*] secreta, plan *m* secreto, secreto *m*.

비척거리다 ((준말)) =비치적거리다.

비척걸음 paseo *m* tambaleante.

비척비척 tambaleantemente, inseguramente, vacilantemente, sorprendentemente, asombrosamente.

비척지근하다 ((준말)) =비리척지근하다.

비천(飛天) ① ((불교)) ninfa *f* celestial. ② = 가릉빈가(迦陵頻迦).

■ ~상(像) estatua *f* de la ninfa celestial.

비천(卑賤) humildad *f*, vileza *f*, bajeza *f*, posición *f* baja, obscuridad *f*. ~하다 (ser) humilde, vil, bajo, obscuro. ~한 사람 humilde *mf*, persona *f* humilde. ~한 태생(胎生) hombre *m* de humilde cuna. ~한 태생이다 ser de nacimiento humilde [de condición baja · de humilde origen].

비철(非-) [명사적] temporada *f* baja; [부사적] fuera de temporada, en temporada baja.

비철 금속(非鐵金屬) metal *m* no ferroso.

비첩(婢妾) concubina *f* como la sirvienta.

비추(悲秋) otoño *m* solitario.

비추다 ① [빛을 보내어 밝게 하다] alumbrar, iluminar, esclarecer. 해가 비춘다 [빛나다] El sol brilla / [나오다] Hace sol. 달이 비춘다 [빛나다] La luna brilla / [나오다] Hace sol. 달빛이 들판을 비춘다 La luna brilla en el campo. 달빛이 호수를 비춘다 La luna alumbra [ilumina · brilla sobre] el lago. 형광등이 방 안을 차갑게 비추었다 Los tubos fluorescentes iluminaban fríamente. ② [거울이나 물 따위에 그림자를 나타내다] reflejar, mirarse. 거울에 얼굴을 ~ mirarse la cara en el espejo. 거울에 자신을 비추어 보다 mirarse en el espejo. 호수에 숲의 그림자가 비춘다 El bosque se refleja en el lago. ③ [비교하다. 참조하다] tomar consideración, reflexionar, estar alerta. …에 비추어 보아 tomando [en] consideración a *algo*, en [a la] vista de *algo*, a la luz de *algo*, aprovechándose de *algo*. 과거의 사실에 비추어 보아 no olvidándose de los hechos pasados. 시국(時局)에 비추어 보아 en vista de la situación. …은 경험[역사]에 비추어 보아 분명하다 A la luz de la experiencia [de la historia] es evidente que + *ind*. ④ [암시하다] sugerir, insinuar. 그는 나에게 사직(辭職) 의향을 비추었다 El me dijo a medias palabras [dio a entender · sugirió] que iba a dimitir / El insinuó su propósito de dejar el puesto.

비추이다 alumbrarse, iluminarse, esclarecerse, reflejarse, reflexionarse.

비축(備蓄) ahorro *m* para emergencia. ~하다 ahorrar para emergencia.

■ ~미(米) arroz *m* reservado.

비출혈(鼻出血) rinorragia *f*.

비출혈(脾出血) esplenorragia *f*.

비취(翡翠) ① 【광물】 jade *m*. ② 【조류】 =물총새.

■ ~금(衾) colchón *m* de lujo para el

matrimonio joven. ～반지 anillo *m* de jade. ～빛[색] verde *m* jade. ¶～의 verde jade. ～ 자기(磁器) porcelana *f* verde jade. ～ 연목(椽木) viga *f* de jade. ～옥 (玉) jade *m.* ～잠 pasador *m* de jade.

비취다 ((준말)) ＝비추이다.

비층구름(－層－) 【기상】 ＝난층운(亂層雲).

비치(備置) instalación *f,* colocación *f,* guarnición *f,* equipamiento *m,* equipo *m,* provisión *f.* ～하다 equipar, proveer, instalar, guarnecer. ～된 instalado, equipado, provisto. ～가 잘된 사무실 oficina *f* bien equipada. 전화[모터]를 ～하다 instalar un teléfono [un motor]. 공장에 공구(工具)를 ～하다 guarnecer de utensilios el taller. 사전(辭典)을 ～하다 proveerse de un diccionario. 사서 ～하다 comprar de repuesto, proveerse (de), hacer provisiones (de). 설탕을 사서 ～하다 tener azúcar de reserva. 방에 테이블을 ～하다 colocar una mesa en la sala. 그의 차에는 냉방 장치가 ～되어 있다 Su coche está provisto de [En su coche va instalado] un acondicionador de aire. 배에 레이더가 ～되어 있지 않았다 El barco no estaba provisto de [equipado con] radar.

비치(영 *beach*) [해변] playa *f.* ～에 앉아서 sentado en la playa. 우리들은 ～에서 하루를 보냈다 Pasamos el día en la playa.

■ ～가운 traje *m* de playa. ～ 볼 pelota *f* de playa. ～ 샌들 sandalia *f* de playa. ～ 파라솔 parasol *m* de playa, quitasol *m* de playa, sombrilla *f.* ～ 파티 fiesta *f* en la playa. ～ 하우스 casa *f* en la playa.

비치근하다 ((준말)) ＝비리척지근하다.

비치적거리다 tambalearse, hacer eses. 그녀는 비치적거리면서 방으로 들어갔다 Ella entró en la habitación tambaleándose [haciendo eses]. 그는 비치적거리면서 침대로 접근했다 La mujer se acercó a la cama tambaleándose [haciendo eses]. 그 노인은 비치적거리면서 우리에게 다가왔다 El viejo se nos acercó tambaleándose.

비치다 ① [빛이 나서 환하게 되다] entrar, penetrar, dar el sol. 이 방은 햇빛이 잘 비친다 En este cuarto da bien el sol. 창으로 아침 햇빛이 비친다 Los rayos del sol matinal entran por la ventana. 숲 속은 햇빛이 거의 비치지 않는다 La luz del sol apenas penetra en el bosque. 이곳은 석양이 비쳐 무척 덥다 Aquí da el sol por la tarde y hace mucho calor. ② [물체의 그림자가 나타나 보이다] reflejarse, espejearse, transparentarse, traslucirse; [투영(投影)하다] proyectarse. 거울에 비친 자신의 모습을 보다 mirarse en el espejo. 작은 산이 물에 비친다 El collado se espejea. 숲이 호수에 그림자를 비친다 El bosque se refleja en el lago. 나무가 벽에 그림자를 비친다 El árbol proyecta su sombra sobre la pared. 이 텔레비전은 잘 비친다 Este televisor proyecta muy bien la inagen. 산들이 수면(水面)에 검게 비친다 Las montañas se reflejan oscuras en el agua. 벽에 내 그림자가 비쳤다 Se proyectó mi sombra en la pared. 전 스크린에 그녀의 얼굴이 비쳤다 Se proyectó su rostro en toda la pantalla. 그녀의 모습이 내 눈에 비쳤다 Mis ojos captaron su figura. ③ [(가리워 놓은 것을 통하여) 속의 것을 드러나 보이다] transparentar. 이 종이는 뒷글자가 비쳐 보인다 Este papel transparenta lo escrito en la otra cara. ④ [암시하다] insinuar, dar a entender. 그는 아마도 그것이 그의 마지막 방문이 되리라고 우리에게 넌지시 비쳤다 El nos insinuó [nos dio a entender] que quizás fuera su última visita.

비칠거리다 tambalearse, andar tambaleándose, andar con paso inseguro.

비칠비칠 tambaleándose, de un modo caduco, con pasos vacilantes.

비커(영 *beaker*) ① [굽 달린 큰 컵] cubilete *m,* copa *f,* vaso *m* (gen alta y sin asa). ② [화학 실험용] vaso *m* [cubeta *f*] de precipitados [de precipitación].

비컨(영 *beacon*) ① [항로나 항공로 표지(標識), 또는 표지등(標識燈)] almenara *f.* ② [등대(燈臺)] faro *m.* ③ ((준말)) ＝라디오 비컨.

◆라디오 ～ radiofaro *m.*

비켜나다 dar un paso atrás, retroceder.

비켜서다 retirarse, dar un paso atrás, saltar. 뒤로 ～ saltar hacia atrás. 옆으로 ～ saltar al lado, apartarse a un lado, echarse a un lado. 홱 ～ retirarse de un salto.

비키니(영 *bikini*) bikini *m*(*f*).

비키다 ① [(무엇을 피하여) 조금 자리를 옮기다] correr, mover, cambiar; [자신의 몸을] moverse; [(옆으로) 비켜서다] hacerse [apartarse] a un lado; [···에서 떨어지다] quitarse (de). 거기서 비키세요 Quítese de ahí. ② [(방해가 되지 않게) 조금 옮겨 놓다] echar, mover, quitar. 의자를 뒤로 비켜 놓다 echar [mover] la silla hacia atrás. 트렁크를 좀 비켜 주겠느냐? ¿Quieres quitar la maleta?

비타민(영 *vitamin(e)*; 불 *vitamine*; 독 *Vitamin*) vitamina *f.* ～의 vitamínico. ～비슷한 vitaminoide. ～에 원인하는 vitaminógeno. 여러 가지 ～이 함유된 vitaminado. ～이 풍부하다 estar enriquecido con vitaminas. ～을 첨가하다 vitaminizar. ～을 함유하다 contener vitaminas.

◆복합(複合) ～ vitamina *f* compleja. 종합(綜合) ～ multivitamina *f.*

■ ～ 결핍 carencia *f* vitamínica, déficit *m* vitamínico, carencia *f* de vitaminas. ～결핍증 avitaminosis *f,* disvitaminosis *f.* ～과다증 hipervitaminosis *f.* ～ 부족증 subvitaminosis *f,* hipovitaminosis *f.* ～ 에이 결핍증 A-avitaminosis. ～ 에이 산 ácido *m* de vitamina A. ～정(錠) tableta *f* [pastilla *f*] de vitamina. ～제(劑) preparación *f* de vitamina. ¶종합 ～ preparación *f* de multivitaminas. ～학 vitaminología. ～ 함유량 contenido *m* vitamínico.

비타협성(非妥協性) intransigencia *f*, inflexibilidad *f*.

비타협적(非妥協的) intransigente, inflexible. ~으로 intransigentemente, inflexiblemente. ~ 태도(態度) intransigencia *f*, actitud *f* intransigente.

비탄(悲歎) lamentación *f*, lamento *m*, pesadumbre *f*, aflicción *f*, pesar *m*, pena *f*, dolor *m*, profunda pena *f*, profunda tristeza *f*. ~에 빠지다 afligirse, lamentarse, acongojarse.

비탈 cuesta *f*, declive *m*, pendiente *f*. 오르는 ~ pendiente *f* en subida [para arriba], (cuesta *f*) subida *f*. 내려가는 ~ pendiente *f* en bajada [para abajo]. 급한 ~ pendiente *f* grande, cuesta *f* empinada [escaparada], escarpa *f*. 완만한 ~ pendiente *f* pequeña. ~을 오르다 ir cuesta arriba, subir la cuesta. ~을 내려가다 ir cuesta abajo, bajar la cuesta. ~을 올라간 곳에 a la cabeza de la cuesta. ~을 내려간 곳에 al pie de la cuesta.

비탈지다 estar en declive, estar en pendiente. 이 길은 비탈져 있다 Este camino está en declive [en pendiente]. 여기서부터 비탈졌다 Aquí empieza la cuesta.

■ ~길 camino *m* en cuesta, camino *m* en declive.

비탈리슴(불 *vitalisme*) 【예술】 vitalismo *m*.

비탈저(脾脫疽) 【의학】 ántrax *m*.

비토(영 *veto*) veto *m*. ~하다 poner el veto.

비통(悲痛/悲慟) dolor *m*, profunda pena *f*, patetismo *m*, amargura *f*, profunda tristeza *f*. ~하다 (ser) doloroso, afligido, penoso, patético, angustiado, lastimero, lastimoso, aflicto, trágico. ~하게 dolorosamente, afligidamente, penosamente, patéticamente, angustiadamente, lastimosamente, trágicamente. ~한 호소 llamamiento *m* patético. ~한 절규를 하다 gritar dolorosamente, dar un grito doloroso [desgarrador].

비통히 dolorosamente, afligidamene.

비통(鼻痛) 【한방】 dolor *m* de nariz.

비트(영 *bit*) 【컴퓨터】 bit *m*.

비트적거리다 tambalear(se), marearse, temblar.

비트적비트적 tambaleándose.

비틀거리다 hacer eses, tambalear(se), bambolear, vacilar, titubear, oscialr. 나는 다리가 비틀거린다 Se me tambalean las piernas. 그녀는 비틀거리며 방으로 들어갔다 Ella entró en la habitación tambaleándose [haciendo eses]. 그는 비틀거리며 침대로 갔다 El se acercó a la cama tambaleándose [haciendo eses].

비틀걸음 paso *m* vacilante, paso *m* inseguro.

비틀다 torcer, retorcer; [나사를] atornillar; [돌리다] girar. 몸을 ~ torcerse, contorsionarse. …의 팔을 ~ torcer a *uno* el brazo. 비틀어 따다 [꽃·과일 따위를] coger, recoger. 비틀어 뜯다 arrancar. 비틀어 넣다 [박다] [나사 따위를] atornillar. 비틀어 자르다 cortar a torsión, cortar retorciéndolo. A를 B의 안에 비틀어 넣다 meter A (a la fuerza) en B. 가스의 고동을 ~ girar la llave del gas. 공책장을 비틀어서 뜯다 arrancar la hoja del cuaderno. 팔을 비틀어 올리다 torcerle a *uno* el brazo fuertemente. 팔을 비틀어서 엎어누르다 derribar*le* a *uno* (y sujetarlo sobre el suelo). 수건을 비틀어 이마를 동여매고 공부하다 empollar, embotellar, amarrar, quemarse las cejas. 나는 그의 팔목을 비틀었다 Le torcí la muñeca.

비틀리다 torcerse, retorcerse, deformarse, ensortijarse.

비틀비틀 tambaleándose mucho, de un modo vacilante. ~ 걷다 andar tambaleándose.

비틀어지다 torcerse, retorcerse, combarse, alabearse, deformarse; [실 따위가] ensortijarse. 비틀어진 torcido, retorcido, deformado. 마음이 ~ hacerse [quedarse] torcido. 마음이 비틀어진 perverso, avieso, torcido.

비틀즈(영 *The Beatles*) Los Beatles. ~의 팬 fan *mf* [admirador, -dora *mf*] de los Beatles.

비틀하다 =비릿하다.

비틈하다 (ser) oblicuo, indirecto, estar lleno de alusiones [referencias].

비틈히 oblicuamente, indirectamente.

비파(枇杷) níspera *f*.

비파(琵琶) ① 【악기】 *bifa*, una especie del laúd coreano. ② ((성경)) decacordio *m*, salterio *m*.

■ ~금(琴) 【악기】 =비파(琵琶).

비파나무(枇杷—) 【식물】 níspero *m*.

비판(批判) crítica *f*, criticismo *m*, juicio *m* crítico, censura *f*. ~하다 criticar, censurar, hacer una crítica (sobre), dirigir críticas [censuras] (hacia). …의 행동을 ~하다 criticar *su* conducta, censurar*le* a *uno su* actuación. 그는 ~ 정신을 가지고 있다 El tiene un espíritu crítico. 남을 ~하기는 쉬운 일이다 Es fácil criticar a los otros. 그녀는 정부 정책을 신랄하게 ~한다 Ella critica duramente la política del gobierno.

◆객관론적 ~ criticismo *m* objetivo. 모방론적 ~ criticismo *m* mimético. 본문 ~ criticismo *m* de textos; [성경의] criticismo *m* de los textos bíblicos. 사회학적 ~ criticismo *m* sociológico. 신화(神話) ~ criticismo del mito. 실용론적 ~ criticismo *m* pragmático. 실제 ~ criticismo *m* práctico. 실천 ~ criticismo *m* práctico. 심리학적 ~ criticismo *m* psicológico. 역사적 ~ criticismo *m* histórico. 원형(原型) ~ criticismo *m* arquetípico. 이론 ~ criticismo *m* teorético. 인상(印象) ~ criticismo *m* impresionista. 자기 ~ autocrítica *f*. 재단(裁斷) ~ criticismo *m* judicial. 전기적(傳記的) ~ criticismo *m* biográfico. 정신 분석학적 ~ criticismo *m* psicoanalítico. 표현론적 ~ criticismo *m* expresivo.

■ ~력 poder *m* crítico, habilidad *f* crítica. ~론 criticismo *m*. ~자 crítico, -ca *mf*. ¶

엉터리 ~ criticastro, -tra *mf.* ~적 crítico *adj.* ¶~으로 críticamente. ~인 태도를 취하다 tomar una actitud de crítica (sobre *algo*·contra *uno*). ~적 관념론 idealismo *m* crítico. ~적 교육학 pedagogía *f* crítica. ~적 리얼리즘 realismo *m* crítico. ~적 실재론 realismo *m* crítico. ~주의 criticismo *m.* ~ 철학 filosofía *f* crítica.

비평(批評) criticismo *m*, crítica *f*, observación *f* crítica; [서평(書評)] reseña *f*, [주해] comentario *m.* ~하다 criticar, hacer la crítica (de), hacer una observación (con respecto a), reseñar, hacer la reseña (de). 문예(文藝) ~을 하다 hacer una crítica [una reseña] literaria. 이 작품은 ~의 여지가 없다 Esta obra desafía toda crítica.

◆문명 ~ crítica *f* [criticismo *m*] sobre civilización. 문예[문학] ~ crítica *f* literaria. 본문 ~ crítica *f* [criticismo *m*] textual [de textos]; [성경의] crítica *f* [criticismo *m*] de los textos bíblicos. 비교(比較) ~ crítica *f* comparativa, criticismo *m* comparativo. 해석 ~ crítica *f* interpretativa, criticismo *m* interpretativo.

▪~가 crítico, -ca *mf.* ¶문예[문학] ~ crítico *m* literario, crítica *f* literaria. 미술 ~ crítico, -ca *mf* de arte. 엉터리 ~ criticastro, -tra *mf.* 연극 ~ crítico, -ca *mf* teatral. 음악 ~ crítico, -ca *mf* de música. ~사 historia *f* de crítica. ~안(眼) sentido *m* crítico. ¶~이 있다 tener sentido crítico. ~을 기르다 cultivar un sentido crítico. ~ 예술 arte *m* crítico. ~적 crítico *adj.* ¶~으로 críticamente. ~주의 criticismo *m.* ~ 철학 filosofía *f* crítica.

비폭력(非暴力) no violencia *f.* ~의 no violente, pacífico.

▪~주의 no violencia *f*, pacifismo *m*, pacificismo *m.* ~주의자 pacifista *mf.*

비품(備品) equipo *m*; [사무소 등의] mueblaje *m*, muebles *mpl*; [부속품] accesorios *mpl*; [예비품] partes *fpl*, repuestos *mpl*, recambios *mpl.*

▪~ 목록(目錄) lista *f* de muebles.

비프(영 *beef*) [쇠고기] carne *f* de vaca, *AmL* carne *f* de res.

▪~스테이크 bistec *m*, filete *m*, *AmS* churrasco *m*, *RPI* bife *m.* ~용 고기 carne *f* para filete [para bistec].

비프테크(불 *bifteck*) =비프스테이크.

비하(卑下) humildad *f*, humillación *f.* ~하다 mostrarse humilde, mostrarse modesto, humillarse. ~하게 humildemente, en toda humildad.

비하다(比—) comparar. 전년(前年)에 비하여 respecto al año anterior. 비할 데 없이 진기(珍奇)하다 (ser) extravagante, extremadamente curioso, muy raro. 이 아이는 나이에 비하여 몸집이 크다 Este niño es grande para su edad. 그는 노인인데 비하여 일을 많이 한다 El trabaja mucho para ser tan viejo.

비학술적(非學術的) no científico, no técnico.

비합리(非合理)【철학】irracionalidad *f*, lo ilógico.

▪~성 irracionalidad *f.* ~적 irracional, ilógico. ¶~으로 irracionalmente, ilógicamente. ~주의 irracionalismo *m.*

비합법(非合法) ilegitimidad *f*, ilegalidad *f.*

▪~ 운동 movimiento *m* ilegal. ~적 ilegal, ilícito, ilegítimo, contrario a la ley. ¶~으로 ilegalmente, ilícitamente, ilegítimamente. ~적 신문 periódico *m* clandestino. ~적 활동(的活動) movimiento *m* ilegal [clandestino], actividad *f* ilegal [clandestina]. ~화(化) prohibición *f*, proscripción *f*, declaración *f* ilegal, declaración *f* fuera de la ley. ¶~하다 prohibir, declarar ilegal, declarar fuera de la ley.

비합헌성(非合憲性) =위헌성(違憲性).

비항구적(非恒久的) no perpetuo.

비핵무장 지대(非核武裝地帶) zona *f* desnuclearizada.

비핵화(非核化) desnuclearización *f.* ~하다 desnuclearizar.

▪~ 지대 zona *f* desnuclearizada.

비행(非行) mala conducta *f*, mal porte *m*, delincuencia *f.* ~에 빠지다 hundirse en la delincuencia.

▪~ 소년 chico *m* delincuente, muchacho *m* delincuente. ~ 지역(地域) áreas *fpl* delincuentes.

비행(飛行) vuelo *m*, aviación *f*, gira *f*, navegación *f* aérea. ~하다 volar, navegar por el aire.

◆모의 ~ 장치 [항공기 승무원 훈련용의] simulador *m* de vuelo. 유람 ~ vuelo *m* de excursión. 편대 ~ vuelo *m* por formación.

▪~가 aviador, -dora *mf*; aeronauta *mf.* ~ 갑판 [대행기의 조종실] cabina *f* de mando; [항공모함의] cubierta *f* de vuelo. ~ 거리 vuelo *m.* ~ 경로(經路) ruta *f.* ~ 계획(서) plan *m* de vuelo(s). ~ 고도(高度) altitud *f* aérea. ~ 기관사 mecánico, -ca *mf* de vuelo [de a bordo]. ~ 기록계[기록 장치] [블랙박스] caja *f* negra. ~ 기지 base *f* aérea. ~단 el ala *f* (*pl* las alas). ~대(隊) cuerpo *m* de aviación. ~ 대대 batallón *m* aéreo, batallón *m* de vuelos. ~로(路) ruta *f.* ~모(帽) casco *m* de piloto. ~ 물체 objeto *m* de vuelos. ~복 traje *m* de aviador, traje *m* de piloto. ~사 piloto *mf*, aviador, -dora *mf*; aeronauta *mf.* ~ 사단 división *f* de vuelos. ~선(船) aeronave *f*, (globo *m*) dirigible *m.* ~ 속도 velocidad *f* aérea, duración *f* de vuelos. ~ 수당(手當) sobresueldo *m* de vuelos. ~술 aeronáutica *f.* ~ 시간 hora *f* de vuelos, duración *f* de vuelos. ~ 시험 vuelo *m* de prueba. ¶~을 하다 probar en vuelo. ~ 신경증 aeroastenia *f*, aeroneurosis *f.* ~ 여단 brigada *f* aérea. ~ 우편 correo *m* aéreo. ~운(雲) = 비행기 구름. ~장 aeródromo *m*, campo *m* de aviación; [공항(空港)] aeropuerto *m.* ~ 접시 platillo *m* volante, platillo *m* volador. ~정(艇) hidroavión *f.* ~ 중대(中隊) escuadrón *m.* ~ 중대장 comandante *m.* ~ 클럽 aeroclub *m*, club *m* de vuelo. ~ 학교 escuela *f* de aviación. ~ 회랑 corredor *m* aéreo.

비행기(飛行機) avión *m* (*pl* aviones). ~로 en avión. ~를 타고 en avión. ~ 안에서 en el avión. ~에 오르다 tomar el avión, montar en avión, subir al avión, embarcar(se). ~에서 내리다 bajar [descender · desembarcar] de un avión. ~로 마드리드에 가다 ir a Madrid en avión. ~를 놓치다 perder el avión. ~를 제조하다 construir aviones.

◆경~ avión *m* ligero. 군용 ~ avión *m* militar. 상업 민간 ~ avión *m* de uso comercial y privado.

■~ 격납고 aerodromo *m.* ~ 공장 fábrica *f* de aviones. ~구름 estela *f* de vapor. ~ 멀미 mareo *m* (al viajar en avión). ¶~하다 marearse (al viajar en avión). ~에 걸리다 estar mareado (en un avión). ~용 봉지 bolsa *f* para el mareo. ~용 알약 píldora *f* contra el mareo. ~ 사고 accidente *m* aéreo [de avión · de aviación]. ~ 사출기 catapulta *f* (de lanzamiento). ~ 여행 vuelo. ~운(雲) estela *f* de vapor. ~ 제조 공업 industria *f* aeronáutica, industria *f* constructora de aviones. ~태우기 elogios *mpl*, alabanzas *fpl*. ~(를) 태우다 elogiar, hacer elogio (de), poner sobre el cuerno de la luna. ¶비행기(를) 태우지 마세요 No me ponga sobre el cuerno de la luna.

비현실적(非現實的) irreal; [공상적] fantástico, quimérico, utópico; [실행 불능의] impracticable; [실현 불능의] irrealizable. ~인 정책(政策) programa *m* político irrealizable.

비형(B 型) tipo *m* B.

■~ 간염(肝炎) hepatitis *f* de transfusión.

비호(庇護) protección *f*, amparo *m*, atrocinio *m*, tutela *f*, favor *m.* ~하다 proteger, defender, amparar, patrocinar, tutelar, favorecer; [변호하다] abogar (por · en favor de). …의 ~ 아래 bajo la protección de *uno*. 유력한 ~를 받다 tener buenas aldabas. 약자(弱者)를 ~하다 amparar [proteger] a los débiles. 아무도 그를 ~해 주지 않았다 Nadie le defendió / Nadie dio la cara por él / Nadie intercedió por él.

■~자(者) patrocinador, -dora *mf.*

비호(飛虎) ① [나는 듯이 빨리 닫는 범] tigre *m* rápido como una flecha. ② [동작이 매우 날래고 용맹스러움] agilidad *f* (y bravura).

비호 같다 ser ágil como una flecha y bravo, correr más ligero que el viento.

비화(飛火) ① [화재 따위가] chispa *f*, pavesa *f*, centella *f*, incendio *m* saltado. ~하다 saltar el incendio. 화재가 길의 맞은편까지 ~했다 El incendio se extendió hasta el otro lado de la calle. ② [사건 따위가] efecto *m* sentido en la parte inesperada. ~하다 prender. 정당의 분쟁이 학계에 ~했다 Las luchas de los partidos políticos han prendido en el mundo científico.

비화(秘話) episodio *m* desconocido, historia *f* no pública, anécdota *f*, chiste *m.*

비화(悲話) cuento *m* triste [lastimero], historia *f* triste [trágica].

비화수소(砒化水素) 【화학】 arseniuro *m* de hidrógeno.

비후(肥厚) gordura *f*, grasa *f*, corpulencia *f.* ~하다 (ser) gordo, gordote, corpulento.

■~성 골막염 paquiperiostitis *f.* ~성 복막염 paquiperitonitis *f.* ~성 비염 rinitis *f* hipertrófica. ~ 성 위염 gastritis *f* hipertrófica. ~성 질염 paquivaginitis *f.*

비훼(誹毁) difamación *f*, disfamación *f*, calumnia *f*; [신문 지상의] libelo *m*; [구두(口頭)의] denigración *f.* ~하다 infamar, difamar, disfamar, calumniar, libelar, satirizar, denigrar, hablar mal (de).

■~ 사건 caso *m* de libelo. ~자 calumniador, -dora *mf*; infamador, -dora *mf*; difamador, -dora *mf*; libelista *mf*; detractor, -tora *mf.* ~죄 libelo *m*, difamación *f*, disfamación *f.*

비희(悲喜) la tristeza y la alegría.

빅 empate *m.* ~하다 empatar(se).

빅수(一手) ((준말)) =비김수.

빈(嬪) 【역사】 esposa *f* legítima del príncipe heredero.

빈 【지명】 Viena *f* (오스트리아의 수도). ~의 vienés. ☞비엔나

■~ 사람 vienés, -nesa *mf.*

빈가(貧家) familia *f* pobre.

빈개념(賓槪念) 【논리】 =빈사(賓辭).

빈객(賓客) invitado, -da *mf* de honor, huésped *mf* de honor. ~으로 대우하다 recibir [tratar · agasajar] como huésped de honor.

빈고(貧苦) pobreza *f* y penalidad, presión *f* de la pobreza. ~하다 (ser) pobre y penoso.

빈곤(貧困) ① [빈궁(貧窮)] pobreza *f*, pobrería *f*, pobretería *f*, necesidad *f*, escasez *f*, carencia *f*, indigencia *f*, miseria *f*, estrechez *f*, penuria *f*, falta *f*, carestía *f.* ~하다 (ser) pobre, pobrete, pobreto, pobretón, indigente, menesteroso, necesitado, miserable, estrecho. ~한 사람 pobre *mf*, persona *f* pobre. ~한 집안 familia *f* pobre. 정신의 ~ pobreza *f* de espíritu. ~해지다 empobrecerse. ~하게 살다 vivir en miseria, vivir pobremente. ~에 빠지다 caer en la miseria. 절대 ~으로 살다 vivir en absoluta pobreza. ② [내용이 충실하지 못하여 텅 빔] contenido *m* infiel [desleal]. 화제가 ~하다 El tema es infiel.

빈곤히 pobremente, con pobreza, indigentemente, menestrosamente, miserablemente, estrechamente.

빈 곳 espacio *m*, lugar *m* vacío, sitio *m* vacío, parte *f* en blanco.

빈광(貧鑛) 【광산】 borrasca *f*, mina *f* pobre.

빈 구멍 =빈틈.

빈국(貧局) ① [가난한 사회(社會)] sociedad *f* pobre. ② [메말라서 농사가 잘 아니되는

땅] tierra *f* seca. ③ =빈상(貧相).
빈국(貧國) país *m* (*pl* países) pobre.
빈궁(貧窮) pobreza *f*, pobrería *f*, pobretería *f*, necesidad, indigencia. ~하다 (ser) pobre, indigente, necesitado, menesteroso, miserable. ~하게 되다 empobrecerse, quedarse pobre.
빈궁히 pobremente, con pobreza, indigentemente, menestrosamente, miserablemente.
빈궁(嬪宮) ①【역사】[왕세자의 아내] esposa *f* del príncipe heredero. ②【역사】[조선조 때 빈(嬪)이나 세자빈이 거처하던 곳] vivienda *f* de la esposa del rey, vivienda *f* de la esposa del príncipe heredero. ③ ((성경)) concubina *f*.
빈농(貧農) ① [가난한 농가] familia *f* agrícola pobre. ② [가난한 농민(農民)] agricultor, -tora *mf* pobre, labrador, -dora *mf* pobre.
빈농가(貧農家) familia *f* agrícola pobre.
빈농민(貧農民) agricultor, -tora *mf* pobre, labrador, -dora *mf* pobre.
빈대【곤충】chinche *m*, *AmL* chincha *f*.
▪ ~밤 castaño *m* pequeño y chato.
빈대고둥【조개】crepidula *f* aculeata.
빈대떡 *bindaeteoc*, tortilla *f* de guisante verde, tortilla *f* de *nokdu* (semilla cuyo brote se utiliza en la cocina oriental).
빈도(貧道) [중이나 도사(道士)가「자기」를 낮추어 겸손하게 하는 말] yo.
빈도(頻度) frecuencia *f*. ~가 높다 ser frecuente.
▪ ~수(數) =빈도(頻度). ¶~가 높은 단어 vocabulario *m* de alta frecuencia.
빈둥거리다 haraganear, holgazanear, vaguear, gandulear, vagamundear, estar en galga, estar en canto rodado, pasar los días sin ocuparse en nada, pasar el tiempo holgazaneando.
빈둥빈둥 ociosamente, con ocio, a la ventura, perezosamente. ~ 지내다 pasar los días ociosamente, llevar una vida ociosa. 아무 일도 않고 ~ 놀다 estar sin oficio ni beneficio, no tener oficio ni beneficio, vivir en la ociosidad. ~ 나날을 보내다 pasar los días a la ventura. 그들은 온종일 일광욕을 하면서 ~ 지냈다 Ellos se pasaron el día tumbados perezosamente al sol [tumbados al sol sin hacer nada]. 우리는 주말을 해변에서 ~ 보냈다 Nosotros pasamos un fin de semana en la playa sin hacer nada.
빈들거리다 no tener trabajo, estar sin hacer nada, holgazanear, haraganear, flojear. 빈들거리는 사람 holgazán, -zana *mf*, vago, -ga *mf*, haragán, -gana *mf*, flojo, -ja *mf*. 그는 온종일 빈들거렸다 El se pasa el día holgazaneando [haraganeando · flojeando] / El no pega sello en todo el día. 일요일마다 나는 늘 집 주변을 빈들거린다 Los domingos me los paso casi siempre flojeando.
빈들빈들 ociosamente, perezosamente. ~ 놀기만 하다 pasarse sin hacer nada.
빈딱지 =빈털터리.
빈랑나무(檳榔—)【식물】areca *f*.
빈마(牝馬) yegua *f*.
빈말 palabra *f* vana, frases *fpl* vanas, plática *f* ociosa.
빈미주룩하다 sobresalir un poco.
빈민(貧民) pobre *mf*, indigente *mf*, necesitado, -da *mf*; persona *f* pobre; gente *f* pobre; [집합적] pobreza *f*. ~을 구제하다 ayudar [auxiliar · socorrer] a los pobres.
▪ ~가 gueto *m*, ghetto *m*, chabolas *fpl*. ~굴 barrio *m* de los pobres, barrio *m* bajo.
빈발(頻發) ocurrencia *f* frecuente. ~하다 ocurrir frecuentemente, ocurrir muy a menudo, suceder muchas veces.
빈방(—房) [사람이 없는] cuarto *m* [habitatación *f*] libre, cuarto *m* desocupado, habitación *f* desocupada; [쓰지 않는] cuarto *m* vacío [vacante], habitación *f* vacía [vacante]. ~ 있습니까? [호텔 등에서] ¿Tienen ustedes una [alguna] habitación libre?
빈번(頻繁/頻煩) frecuencia *f*. ~하다 (ser) frecuente; [왕래가] concurrido. 왕래가 ~한 거리 calle *f* bulliciosa.
빈번히 frecuentemente, con frecuencia, a menudo; [끊임없이] sin cesar, continuamente, sin interrupciones, incesantemente. 술집에 ~ 출입하다 frecuentar a la taberna. 비가 ~ 내린다 Llueve sin cesar [incesantemente] / Sigue lloviendo continuamente. 화재(火災)가 ~ 일어난다 Frecuentemente estallan incendios.
빈병(貧病) [가난과 병] la pobreza y la enfermedad; [가난한 사람과 병든 사람] los pobres y los enfermos.
빈부(貧富) pobreza y riqueza. ~의 차가 심하다 [적다] Hay gran [poca] diferencia entre los pobres y los ricos.
▪ ~귀천(貴賤) pobreza, riqueza, nobleza y bajeza. ¶~이 없다 No hay pobres, ricos, nobles y bajos.
빈사(賓辭) ①【언어】objeto *m*. ②【논리】predicado *m*.
빈사(瀕死) condición *f* moribunda. ~의 moribundo, agonizante, a borde de la muerte. ~ 상태에 있다 estar en agonía, encontrarse en estado agónico. 중상(重傷)을 입고 ~ 상태에 놓이다 herirse mortalmente.
▪ ~자(者) moribundo, -da *mf*.
빈사과(—果) golosinas *fpl* de la forma hexagonal.
빈삭(頻數) frecuencia *f*.
빈삭히 frecuentemente.
빈상(貧相) fisonomía *f* pobre, apariencia *f* pobre, aspecto *m* miserable. ~ 차림의 pobremente vestido.
빈소(殯所) habitación *f* que el ataúd es puesto hasta el día funeral.
빈소리 palabras *fpl* inútiles.
빈속 estómago *m* vacío. ~에 술을 마시다 beber en el estómago vacío.
빈손 manos *fpl* vacías. ~의 manivacío. ~으로 con las manos vacías. ~으로 돌아오다

volver con las manos vacías; [성과 없이] volver fracasado. 사람은 누구나 ~으로 왔다 ~으로 간다 Se nace con las manos vacías y se muere con las manos vacías.

빈약(貧弱) pobreza *f*, escasez *f*. ~하다 (ser) pobre, escaso; [허약하다] débil. ~한 집 casa *f* de mala construcción. ~한 서반아어로 con [en] un español dudoso [inseguro]. 점차 ~한 상태다 estar (en un estado) de declinación gradual, ir de mal en peor. ~한 체격을 하고 있다 ser de constitución débil. 그의 지식은 ~하다 Su conocimiento es pobre [superficial]. 영업 성적은 점차 ~한 상태다 El negocio va en gradual declinación.

빈우(牝牛) vaca *f*.

빈익빈(貧益貧) El pobre se hace más pobre.

빈자(貧者) pobre *mf*; necesitado, -da *mf*; persona *f* pobre; hombre *m* pobre, mujer *f* pobre.

▪ ~일등(一燈) limosna *f* que da un pobre.

빈자리 ① [공석(空席)] asiento *m* libre, espacio *m*. ~에 앉다 sentarse en [tomar] un asiento libre [desocupado]. 아직 ~가 많다 Todavía hay muchos asientos libres / Se puede acomodar todavía mucho público. ② [결원(缺員)] vacancia *f*, posición *f* vacante.

빈정거리다 censurar implícitamente, aludir maliciosamente, burlarse (de), ridiculizar, poner en ridículo. 빈정거리는 irónico, sarcástico, desagradable, ofensivo. 빈정거리면서 con (mucha) ironía, irónicamente, sarcásticamente, con mordacidad. 빈정거리는 말 ironía *f*, sarcasmo *m*, agravio *m*, ofensa *f*, palabras *fpl* irónicas, palabras *fpl* sarcásticas, palabras *fpl* ofensivas. 빈정거리는 남자 hombre *m* mordaz [satírico]. 빈정거리는 여자 mujer *f* mordaz [satírica]. 빈정거려 말하다 decir ironías, decir mordacidades, lanzar ironías. 빈정거리는 말을 하다 decir palabras irónicas [sarcásticas · ofensivas]. 빈정거리는 미소를 짓다 reírse irónicamente, dibujarse una risa irónica en su cara. 그녀는 나를 빈정거렸다 Ella me ha abrumado con su sarcasmo. 빈정빈정 irónicamente, con mucha ironía, sarcásticamente, con mordacidad.

빈주먹 puño *m* vacío, mano *m* vacía. ~으로 en el puño vacío, en la mano vacía; [자본 없이] sin fondos.

◆빈주먹만 가지다[들다 · 쥐다] no tener nada empezando una obra.

빈지 ((준말)) =널빈지.

▪ ~문 puerta *f* corrediza exterior; [창(窓)의] contraventana *f* corrediza.

빈집 ① [사람이 살지 않은 집] casa *f* vacía, casa *f* vacante. ② [식구들이 밖에 나가 비워 놓은 집] casa *f* libre.

빈차(一車) taxi *m* libre; [택시의 게시] Libre.

빈천(貧賤) pobreza *f* y humildad, vida *f* humilde. ~하다 (ser) pobre y humilde. 빈천히 pobre y humildemente.

▪ ~지교(之交) amigo, -ga *mf* de *sus* días humildes, amigo, -ga *mf* en la adversidad, relación *f* íntima en el tiempo pobre. ¶~가 진정한 친구다 ((서반아 속담)) Amigo en la adversidad es amigo de verdad.

빈촌(貧村) poblacho *m*, aldea *f* pobre.

빈총(一銃) fusil *m* sin balas.

빈축(嚬蹙/顰蹙) mueca *f*, ceño *m*, mala cara *f*. ~하다 hacer una mueca, desaprobar (de), mirar con malos ojos, fruncirse, arrugar el entrecejo, fruncir el ceño, poner mala cara. 메스꺼워 ~하다 hacer una mueca de asco. 아파서 ~하다 hacer una mueca de dolor.

◆빈축을 사다 ofender (a). 그의 발언은 세인(世人)의 빈축을 샀다 Se declaración ha ofendido a la gente.

빈칸 parte *f* [línea *f* · renglón *m*] en blanco. ~에 기입하다, ~을 채우다 llenar las partes [líneas · los renglones] en blanco.

빈탈타리 =빈털터리.

빈탕 lo vacío, vacuidad *f*.

빈터 terreno *m* desocupado, terreno *m* sin construir, campo *m* libre, descampado *m*, solar *m*. 아이들이 ~에서 놀고 있다 Los niños están jugando en el descampado.

빈털터리 pobretón (*pl* pobretones), -tona *mf*; pelado, -da *mf*; persona *f* sin un centavo. ~의 pelado, pobretón, más pobre que las ratas [una rata]. ~다 estar sin (una) blanca, no tener (ni) un cuarto, no tener una perra chica, no tener dóndo caerse muerto, estar pelado; ((속어)) estar planchado. ~가 되다 quedarse arruiado, quedarse en un céntimo, quedarse limpio; ((속어)) quedarse pelado.

빈틈 ① [모자란 점] falta *f*. ~없는 남자 pájaro *m*. ~ 없는 여자 pájara. ② [남에게 책잡히기 쉬운 약점] punto *m* débil, defecto *m*, debilidad *f*. ~을 보이다 estar desprevenido. ~을 보이지 않다 estar alerta, estar vigilante. ~이 없다 tener escamas. ③ [벌어진 틈] abertura *f*, intersticio *m*, resquicio *m*, fisura *f*, rendija *f*; [여지(餘地)] espacio *m*. ~을 막다 tapar un intersticio. 문의 ~으로 엿보다 atisbar por la rendija de la puerta. 창문에 ~이 있다 Hay intersticios en las ventanas.

빈틈없다 ㉮ (ser) perspicaz, cauteloso, atento, sutil, inteligente, cuidadoso; [세심하다] escrupuloso, minucioso; [완전하다] completo, perfecto. 빈틈없는 교육 educación *f* [enseñanza *f*] esmerada. 빈틈없는 기계(機械) máquina *f* bien cuidada. 빈틈없는 일 trabajo *m* minucioso. 그는 매사에 ~ El es muy cuidadoso con todo. 그 점에는 ~ Sobre ese particular no tiene ustes por qué preocuparse. ㉯ (ser) prudente, cuerdo, discreto; [경계하다] (estar) alerta, vigilante; [약점이 없다] impecable, irreprochable. 빈틈없는 astuto, fino, listo; [금전에서, 인색한] tacaño, avaro, parsimonioso.

빈틈없이 cautelosamente, perspicazmente, astutamente, con astucia, con listeza, sin fallar en nada, de punta en blanco; [빠짐없이] sin omisión; [한결같이] uniformemente; [평등하게] igualmente, con igualdad; [완전히] completamente, perfectamente; [약점 없이] impecablemente, irreprochablemente, sagazmente. ~ 행동(行動)하다 comportarse [conducirse] sagazmente, portarse con listeza, obrar con astucia. ~ 준비가 되어 있다 estar bien [perfectamente] preparado.

빈핍(貧乏) pobreza *f*, indigencia *f*, miseria *f*, penuria. ~하다 estar reducido a la miseria, vivir pobremente [en la miseria], estar necesitado. ~한 pobre, necesitado, menesteroso, indigente, miserable. ~하게 pobremente, con pobreza, necesitadamente, menesterosamente, indigentemente, miserablemente. ~한 사람 pobre *mf*, menesteroso, -sa *mf*, débil *mf*, gente *f* sin recursos. ~하게 되다 empobrecerse. ~한 생활을 하다 vivir en miseria [con pobreza · pobremente]. ~한 가정에서 태어나다 nacer en una familia pobre. 이 마을은 무척 ~하다 Esta aldea [Este pueblo] es muy pobre.

빈한(貧寒) pobreza *f*. ~하다 ser pobre, ser más pobre que una rata [las ratas], ser tan pobre como un ratón de sacristía; ((성경)) ser menesteroso, hallarse en la miseria. ~한 자 ((성경)) pobre *mf*. ~하게 되다 ((성경)) empobrecer, quedarse en la ruina.

■ ~막심(莫甚) mucha pobreza. ¶~하다 ser pobrecito, ser más pobre que una rata, ser tan pobre como un ratón de sacristía.

빈혈(貧血) anemia *f*, escasez *f* de sangre. ~의 anémico. ~을 일으키다 padecer anemia.

■ ~성 constitución *f* anémica. ~증 anemia *f*. ~증 환자 anémico, -ca *mf*.

빌다¹ ① [자기 소원이 이루어지게 해 달라고 간절히 청하다] orar, invocar, rezar. 하나님께 ~ ofrecer oraciones a Dios, elevar una oración [preces] a Dios. 그녀는 아들의 무사를 부처님께 빌었다 Ella rezó a Buda que su hijo se encontrara sano y salvo. 성공하기를 빕니다 ¡Que salga bien! / ¡Que tenga éxito! / Ruego por su éxito. ② [잘못을 용서해 달라고 말과 행동으로 그 뜻을 나타내다] pedir perdón, apologizar.

빌다² ① [(남의 물건을) 공으로 얻으려고 사정하다] mendigar, pordiosear, vivir de limosna. 밥을 ~ mendigar la comida. ② [(남의 물건을) 뒤에 도로 돌려주기로 하고 쓰다 · 빌리다] tomar prestado, pedir prestado, arrendar; [임차(賃借)하다] tomar en arriendo; [집 · 물건을] alquilar; [토지를] arrendar, *AmS* rentar; [배를] fletar. 돈을 ~ pedir dinero prestado. 보트를 ~ tomar en alquiler un bote. 집을 ~ alquilar [arrendar] una casa. 만 원을 김 씨에게 ~ pedir prestado diez mil wones. 나는 그에게서 10만 원을 빌었다 Yo le debí cien mil wones. ③ [(남의 도움을) 자기에게 필요한 대로 힘입다] obtener la ayuda. 그의 말을 빌어 말하면 según su palabra. ④ [(일정한 사실 · 형식(形式) 같은 것을) 취하여 따르다] usar. 간결체를 빌어서 글을 짓다 componer usando el estilo breve.

빌어먹을 ¡Caramba! / ¡Diablo! / ¡Diantre! / ¡Mecachis! / ¡Cáscaras! / ¡Maldito sea! / ¡Demonio! / ¡Por vida de sanes! / ¡Voto a sanes! / ¡Voto a Dios! / ¡Mierda! / *ReD* ¡Coño! ~, 무슨 날씨가 이리도 덥담! ¡Demonio, qué calor hace!

빌딩(영 *building*) [건물] edificio *m*.

빌라(영 *villa*) villa *f*, [휴일용 저택] chalé *m*, chalet *m*; [시골에 있는 집] chalé *m*, chalet *m*, casa *f* de campo. 휴가용 ~ chalet *m* para las vacaciones. 해변 ~ chalet *m* en la playa.

빌레몬서(Philemon 書) ((성경)) La Epístola del Apóstol San Pablo a Filemón, La Carta de San Pablo a Filemón.

빌로도 (포 *veludo*) =우단(羽緞).

빌리다 ① [일정한 기한 안에 도로 찾기로 하고 물건을 남에게 내어 주다] tomar prestado, pedir prestado. 빌려 주다 prestar. 돈을 ~ pedir dinero prestado. 빌려 입은 옷 vestido *m* prestado. 빌리기를 원하는 사람 [희망자] el [la] que quiere alquilar [arrendar]. 돈을 빌려 주다 prestar dinero. 이것은 빌려 입은 옷이다 Este es un vestido prestado [alquilado]. 일전에 빌린 돈을 갚으려 합니다 Voy a devolverle que recibí [le pedí] prestado el otro día. 시립 도서관에서는 책을 빌려 준다 En la biblioteca municipal prestan libros. 십만 원만 빌려 주시겠습니까? ¿Me prestas cien mil wones? 이 책을 이삼일만 빌려 주시겠습니까? ¿Quiere usted prestarme este libro unos días? ② [어느 일정한 기한 동안 삯을 받고 내어 주다] alquilar; [토지(土地)를] arrendar, dar [tomar] en arriendo. 방을 빌려 주기를 원하는 사람이 아무도 없다 No hay nadie que quiera alquilar la habitación. 이 점포에서는 자전거를 빌려 준다 En esta tienda alquilan bicicletas. ③ [남의 도움을 힘입다] obtener la ayuda, ser ayudado..

빌리어드(영 *billiard*) [당구(撞球)] billar *m*.

■ ~ 큐 taco *m* (de billar). ~ 테이블 mesa *f* de billar.

빌립보서(Philippi書) ((성경)) La Epístola del Apóstol San Pablo a los Filipenses, Carta de San Pablo a los Filipenses.

빌미 maldición *f*.

빌미잡다 atribuir.

빌붙다 halagar, adular, lisonjear.

빌어먹다 mendigar, pedir limosna.

■ 빌어먹은 놈이 콩밥을 마다할까 ((속담)) A caballo regalado no le mires el diente.

빔¹ [(촉(鏃)이나 장부 따위) 구멍이 헐거울 때 종이나 헝겊 또는 가죽의 조각 따위를 감아서 끼우는 일] añadido *m* del pedazo de la tela [del cuero] para hacer ajustar más.

빔[2] [명절·잔치 때에 새 옷을 갈아입는 일. 또 그 옷] acción *f* de cambiar de nueva ropa, acción *f* de vestirse elegante; [옷] ropa *f* de fiesta.

빔[3] [실이나 섬유의 꼬임] enmarañamiento *m*, enredo *m*.

빕더서다 romper [violar] *su* promesa, faltar a *su* palabra.

빗 peine *m*; [장식용의] peina *f*, peineta *f*. ~ 모양의 arqueado, semicircular. ~으로 머리를 빗다 peinarse el pelo [el cabello]. ~으로 머리를 빗기다 peinarle a uno el cabello. 머리에 ~을 꽂다 ponerse una peina [una peineta].

빗- mal, no. ~보다 juzgar mal. ~나가다 errar el tiro, fallar, no dar en el blanco.

빗각(－角) **【수학】** ángulo *m* oblicuo.
■ ~기둥 prisma *m* oblicuo. ~뿔 pirámide *m* oblicuo.

빗금 [사선(斜線)] línea *f* oblicua.

빗기다 peinar*le a uno* (el pelo · el cabello).

빗기우다 ser peinado.

빗길 camino *m* cubierto del agua de lluvia.

빗나가다 echarse a perder, torcerse, desviarse, extraviarse, perderse, apartarse, ladearse; [말이] zafarse; [동물이] descarriarse. 빗나간 자식(子息) hijo *m* echado a perder. 옆길로 ~ desviarse de la carretera; [정도(正道)에서] extraviarse. 화살이 ~ errar el blanco, no dar en el blanco. 총알이 ~ errar el tiro. 화제(話題)가 ~ [주어가 사람일 경우] desviarse del tema; [여담(餘談)으로] divagar, hacer una digresión. 주제에서 약간 빗나갔습니다만 … Veo que me he desviado un poco del tema … / Ahora, volviendo al tema …. 예정이 빗나갔다 Los planes se han trastornado [descompuesto]. 탄환이 빗나갔다 La bala no acertó en el blanco. 너는 화제에서 빗나가서는 안 된다 Tú no debes desviarte del tema. 굴절광선은 직선에서 빗나간다 Los rayos de luz refractados se desvían de la línea recta. 바람으로 배가 침로(針路)에서 빗나갔다 Se desvió el buque por el viento.

빗다[1] peinarse. 머리를 ~ peinarse el pelo.

빗다[2] ((준말)) ＝비스러지다.

빗대다 aludir, hacer referencias irónicas. 빗대어 alusivamente, con rodeos, con perífrasis. 빗대어 말하다 hablar con rodeos, andar con circunloquios [con ambagas]. 그는 나에게 빗대어 말한다 El lo dice porque estoy presente [sabiendo que me molesta]. 그는 너를 빗대어 그것을 했다 El lo hizo para contrariarte. 그는 나에게 은연중에 빗대어 김 씨를 칭찬했다 El, intencionadamente [alusivamente], alabó al señor Kim en mi presencia.

빗더서다 estar de pie un poco hacia un lado.

빗돌 ＝비석(碑石).

빗듣다 entender mal, oír mal.

빗디디다 perder su paso.

빗뜨다 mirar de reojo, mirar de soslayo.

빗맞다 ① [목표에 맞지 아니하고 어긋나서 딴 자리에 맞다] errar. 총알이 ~ errar el tiro. 탄환이 빗맞았다 La bala no acertó en el blanco. ② [뜻한 일이 맞지 않고 딴 방향으로 이루어지다] malogarse. 예상(豫想)이 ~ malogarse el plan.

빗먹다 serrar [aserrar · cortar con sierra] diagonalmente.

빗면(－面) **【수학·물리】** lado *m* oblicuo.

빗모서리 ángulo *m* oblicuo.

빗물 el agua *f* llovediza, el agua *f* de lluvia. ~ 받는 통 cubo *m* para recoger el agua de (la) lluvia.

빗밑 lo despejado. ~의 하늘 cielo *m* despejado.

빗반자 【건축】 techo *m* inclinado.

빗발 lluvia *f*. ~이 세다 Es una lluvia torrencial / Lueve torrecialmente / La lluvia arrecia.

빗발치다 ① [빗줄기가 세차게 쏟아지다] llover torrencialmente. 빗발쳤다 Era una lluvia torrencial / Llovió torrencialmente. 그녀에게는 혼담이 빗발치듯 한다 A ella le llueven las ofertas de matrimonio. ② [탄환 따위가] llover, hacer caer (sobre *uno*) una lluvia (de). 주먹 세례가 ~ caer hacer (sobre uno) una lluvia de puñetazos. 폭탄이 빗발쳤다 Llovieron bombas. ③ [독촉이나 비난 따위가 매우 심하다] apremiar, censurar, reprovechar, vituperar. 비난의 소리가 ~ censurar [vituperar] mucho.

빗방울 gota *f* de lluvia. 굵은 ~ lluvia *f* de grandes gotas. 굵은 ~이 떨어지기 시작했다 Empezó a llover con grandes gotas de agua / Empezaron a caer grandes gotas de lluvia [de agua]. ~이 바위도 뚫는다 Las gotas de lluvia perforan hasta la roca.

빗변(－邊) **【수학】** línea *f* oblicua; [직각 삼각형의] hipotenusa *f*.

빗보다 juzgar mal.

빗보이다 ser juzgado mal.

빗살 puá *f* (del peine).
■ ~무늬 토기 vajilla *f* de barro con las figuras de puás diagonales. ~문 puerta *f* de puás diagonales. ~완자창(卍字窓) ventana *f* de esvástica diagonal. ~창 ventana *f* de puás diagonales.

빗소리 sonido *m* de lluvia, lluvia *f*.

빗속 medio *m* de lluvia. ~을 en [bajo] la lluvia.

빗원기둥(－圓－) **【수학】** cilindro *m* oblicuo.

빗원뿔(－圓－) **【수학】** ＝빗원기둥.

빗자루 palo *m* de escoba.

빗장 [문빗장] cerrojo *m*, aldaba *f*, aldabilla *f*, pestillo *m*, picaporte *m*, tranca *f*, barra *f*. ~을 걸다 cerrar con picaporte. 문에 ~을 걸다 echar el cerrojo a la puerta, atrancar la puerta. 문에서 ~을 벗기다 descorrer el cerrojo de la puerta, quitar el cerrojo [la tranca] a la puerta, desatrancar la puerta.
■ ~거리 relaciones *fpl* sexuales acostadas en la cruz. ~뼈 clavícula *f*, asilla *f*.

빗접 caja *f* de los peines.

■~고비 armario *m* de la caja de los peines.

빗줄기 gran lluvia *f*. ~가 세차다 Llueve a cántaros.

빗질 peinada *f*, peinado *m*. ~하다 dar una peinada; [자신의] darse una peinada [peinadas].

빗천장(-天障) techo *m* oblicuo.

빗치개 una especie del alfiler para dividir el pelo [para limpiar los peines].

빗투영(-投影) =사투영(斜投影).

빙 ① [주위를 한 바퀴 도는 모양] redondamente, circularmente, en un círculo. 운동장을 한 바퀴 ~ 돌다 dar una vuelta por el campo de recreo. ② [둘레를 둘러싸는 모양] en corro. ~ 둘러앉다 sentarse en corro. ③ [정신이 아찔해지는 모양] dando vueltas. 나는 한 대 맞았더니 머리가 ~ 돌았다 La cabeza me dio vueltas con un golpe. ④ [갑자기 눈물이 글썽해지는 모양] llorando de la emoción. 나는 눈물이 ~ 돌았다 Yo lloré de la emoción. 나는 그 영화를 보고 눈물이 ~ 돌았다 La película me hizo llorar.

빙가(聘家) =처가(妻家).

빙결(氷結) congelación *f*. ~하다 congelar(se), helar(se). ~된 congelado, helado. 바다가 ~됐다 Se heló el mar.

■~ 방지 장치 anticongelador *m*.

빙결(氷潔) limpieza *f* y claridad como un hielo. ~하다 ser limpio y claro como un hielo.

빙경(氷鏡) luna *f* limpia y clara como un hielo.

빙고(氷庫) nevera *f*.

빙고(憑考) investigación *f* detallada. ~하다 investigar detalladamente.

빙고(영 *bingo*) bingo *m*, lotería *f* de cartones. ~를 하다 jugar al bingo, jugar a la lotería. ~! ¡Bingo! / ¡Cartón completo!

■~ 게임 juego *m* del bingo. ~장(場) sala *f* del bingo.

빙과(氷菓) helado *m*.

■~ 장수 heladero, -ra *mf*. ~점 heladería *f*. ~ 제조기 heladora *f*, máquina *f* heladora, heladera *f*.

빙괴(氷塊) bloque *m* [cubito *m*] de hielo, trozo *m* de hielo, terrón *m* (*pl* terrones) de hielo.

빙구(氷球) =아이스하키.

빙그레 con gracia. ~ 웃다 sonreír con gracia.

빙그르르 dando vueltas suavemente. 빙판을 한 바퀴 ~ 돌다 dar una vuelta suavemente alrededor del hielo.

빙글거리다 sonreír (abiertamente). 그는 빙글거리면서 그들에게 인사(人事)했다 El los saludó con una sonrisa radiante.

빙글빙글[1] con una sonrisa radiante, sonriendo.

빙글빙글[2] a la redonda, de ronda, de volteo, al retortero. ~ 돌다 dar vuelta a la redonda, ser volteado. ~ 돌리다 voltear.

■~ 돌기 retortero *m*, vuelta *f*, revuelta *f*.

빙금(聘金) dote *m* del novio a la casa paterna de *su* novia.

빙긋 con gracia. ~도 하지 않다 no mostrarse graciosa, ni siquiera con una sonrisa.

빙긋거리다 sonreír.

빙긋빙긋 con una sonrisa radiante.

빙긋이 graciosamente, con gracia.

빙끗 ((센말)) =빙긋.

빙낭(氷囊) =얼음주머니.

빙뇌(氷腦) 【한방】=용뇌향(龍腦香).

빙당(氷糖) =얼음사탕.

빙대(氷袋) =얼음주머니.

빙모(聘母) suegra *f*, madre *f* política.

빙물(聘物) regalo *m*, obsequio *m*.

빙벽(氷壁) acantilado *m* de hielo.

빙부(聘父) suegro *m*, padre *m* político, padre *m* de *su* esposa.

빙빙 giratoriamente, rodeando y rodeando, en círculo, dando vueltas alrededor. ~돌다 redondear, correr en círculo, girar, dar(se) vueltas, ir de ronda, ir circularmente. 머리가 ~ 돌다 tener vértigo, darle vueltas la cabeza, la cabeza ser un torbellino. 운동장을 ~ 돌다 dar vueltas por el campo de recreo. 그는 ~ 돌았다 El estaba totalmente confundido. 나는 머리가 ~ 돌았다 Mi cabeza era un torbellino / La caeza me daba vueltas.

빙사탕(氷砂糖) =얼음사탕.

빙산(氷山) ① 【지질】 témpano *m* de hielo, banquisa *f*, masa *f* flotante de hielo. ② [불을 때지 않아서 몹시 찬 방] habitación *f* fría, cuarto *m* frío.

■~의 일각(一角) punta *f* de la banquisa. ¶그것은 ~에 불과하다 No es nada más que una parte de la realidad oculta.

빙상(氷上) sobre el hielo.

■~ 경기 deportes *mpl* de hielo.

빙설(氷雪) ① [얼음과 눈] el hielo y la nieve. ~에 갇힌 bloqueado por el hielo y la nieve. ② [심성의 결백함] inocencia *f*.

빙수(氷水) [얼음물] el agua *f* helada, el agua *f* con hielo; [얼음덩이를 잘게 갈아서 설탕을 넣은 청량음료] refresco *m* con hielo y azúcar.

빙시레 con una sonrisa radiante.

빙실(氷室) nevera *f* (de hielo), nevería *f*, refrigerador *m*.

빙실거리다 sonreír.

빙실빙실 sonriendo.

빙어 【어류】 eperlano *m*.

빙원(氷原) banco *m* de hielo.

빙자(憑藉) pretexto *m*. ~하다 pretextar. …을 ~하여 bajo [con] el pretexto de *algo*, a pretexto de *algo*. 그는 병을 ~하여 일을 지체했다 El retardó su trabajo bajo el pretexto de su indisposición.

빙장(氷丈/聘丈) ((높임말)) =장인(丈人).

빙점(氷點) punto *m* de congelación.

■~하(下) bajo cero. ¶~ 15도 quince grados bajo cero.

빙정석(氷晶石) 【광물】 criolita *f.*
빙주(氷柱) ① [고드름] carámbano *m.* ② [얼음 기둥] columna *f* de hielo.
■ ~석(石) =돌고드름.
빙초산(氷醋酸/氷酢酸) 【화학】 ácido *m* acético cristable [glacial].
빙충맞다 (ser) torpe, patoso, desgarbado, estúpido.
빙충맞이 imbécil *mf*, burro, -rra *mf*.
빙충이 ((준말)) =빙충맞이.
빙층(氷層) capa *f* del hielo.
빙침(氷枕) almohada *f* con hielo.
빙탄(氷炭) el hielo y el carbón.
빙퉁그러지다 ① [하는 짓이 꼭 비뚜로만 나가다] estropearse. ② [성질이 싹싹하지 못하고 뒤틀어지다] tener la disposición retorcida.
빙판(氷板) camino *m* cubierto de hielo.
빙하(氷河) ① [얼어붙은 큰 강] río *m* bloqueado por el hielo. ② 【지질】 glaciar *m*, helero *m*, ventisquero *m*. ~의 glacial, glaciario, glaciárico. ~ 전기(前期)의 preglacial. ~ 후기(後期)의 postglacial.
■ ~곡(谷) valle *m* glacial. ~기(期) (período *m* de) glaciación *f*, período *m* glacial, peródo *m* glaciario. ~ 성층 sedimento *m* glacial. ~ 시대 época *f* glacial, período *m* glacial, era *f* glacial. ¶갱신세(更新世) ~ la edad de hielo, la época glacial. ~ 연구 glaciarismo *m*. ~ 작용 glaciación *f*. ~ 지대 zona *f* glacial. ~ 지형 topografía *f* glacial. ~토 terreno *m* glacial. ~ 퇴적물 depósito *m* glacial. ~호(湖) lago *m* glacial.
빙하다 estar mareado con vino, estar completamente borracho, estar sumido en un sopor etílico. 그는 빙해서 거기에 드러누워 있었다 El estaba allí tendido completamente borracho [sumido en un sopor etílico].
빙해(氷海) mar *m* helado.
빙활(氷滑) patinaje. ~하다 patinar.
■ ~장(場) patinadero *m*.
빚 deuda *f*, débito *m*, dinero *m* prestado. ~투성이의 lleno de deudas. ~에 묶이다, ~이 쌓이다 entramparse, contraer deudas, empeñarse. ~을 갚다 devolver el dinero prestado, pagar las deudas. ~을 떠맡다 cargarse de deudas. …에게 ~이 있다 tener una [estar en] deuda con *uno*, deber a *uno*. 나는 그에게 100만 원 ~이 있다 Le debo un millón de wones.
◆빚(을) 내다 pedir prestado dinero, recibir un préstamo (de), adquirir [contraer] una deuda (con·hacia). 그는 은행에서 빚을 냈다 El ha recibido un préstamo del banco.
◆빚(을) 놓다 prestar dinero.
◆빚(을) 물다 pagar la deuda en vez del otro.
◆빚(을) 주다 prestar el dinero.
◆빚(을) 지다 deber, entramparse, contraer deudas, empeñarse. 그는 딸의 결혼 때문에 빚을 졌다 El se ha entrampado [empeñado] para la boda de su hija. 그는 나에게 10만 원의 빚을 졌다 El me debe cien mil wones.
■ ~더미 mar *m* de deudas. ¶~에 앉다 estar sumido en un mar de deudas.
빚꾸러기 persona *f* que debe mucho.
빚내다 ☞빚
빚놀이 =돈놀이.
빚놓다 ☞빚
빚다[1] ① [누룩과 지에밥을 버무리어 술을 담그다] destilar, alambicar, fermentar, hacer, fabricar, mezclar, preparar. 술은 쌀로 빚는다 El *sul* se hace del arroz. 포도주를 마시기에 용감하며 독주를 빚기에 유력한 그들은 화 있을진저 (이사야 5:22)) ¡Ay de los que son valientes para beber vino, y hombres fuertes para mezclar bebida! / ¡Ay de ustedes, que son campeones bebiendo vino, y nadie les gana en preparar licores! ② [(진흙 따위를) 이겨서 덩이를 만들다] amasar, trabajar. 진흙을 빚어 쥐구멍을 막다 amasar la arcilla y tapar la ratonera. ③ [(가루를 반죽하여) 경단·만두·송편 등을 만들다] hacer, amasar. 송편을 ~ hacer *songpyeon.*
빚다[2] [조성하다] provocar, excitar, causar, inducir, empollar. 물의를 ~ excitar discusiones. 소란을 ~ empollar tumulto. 위기를 ~ inducir crisis.
빚돈 dinero *m* prestado.
빚두루마기 persona *f* que debe mucho.
빚물다 ☞빚
빚물이 pago *m* de la deuda del otro. ~하다 pagar la deuda del otro.
빚받이 cobro *m* de la deuda. ~하다 cobrar la deuda.
빚어내다 provocar, ocasionar, causar, producir, crear.
빚쟁이 prestamista *mf*, usurero, -ra *mf*, logrero, -ra *mf*, acreedor, -dora *mf*.
빚주다 ☞빚
빚지다 ☞빚
빚지시 agencia *f* de préstamo. ~하다 actuar como un agente de préstamo.
빚추심(-推尋) =빚받이.
빛 ① 【물리】 [광(光)] luz *f*, fulgor *m*; [광선(光線)] rayo *m*. 창으로 ~이 들어온다 La luz entra por [a través de] la ventana. ② [빛깔] color *m*. 붉은~ (color *m*) rojo *m*. ~이 바래다 descolorarse, desteñir(se), perder el color. ③ [안색(顔色). 얼굴빛. 기색(氣色)] semblante *m*, tez *f*, aspecto *m*, actitud *f*. 실망의 ~을 띠다 tener aspecto de desengaño [de desengañado], mostrarse decepcionado. ④ [번쩍이는 광택] lustre *m*, brillo *m*; [섬광] destello *m*. ~을 발하다 lucir, emitir luz, radiar, relucir, destellar. ⑤ [희망. 광명(光明)] luz *f*, esperanza *f*. 고아들의 ~ esperanza *f* de los huérfanos. 희망의 ~ luz *f* de (la) esperanza. 전도(前途)에 ~이 보이다 encontrarse la luz de esperanza en el futuro. ⑥ [훌륭한 기세. 영광(榮光)] gloria *f*. ~나는 업적(業績) resultado *m* glorioso. ⑦ [번쩍이는 것]

brillantez *f*, brillo *m*. ⑧ ((기독교)) luz *f*. 의인의 ~은 환하게 빛나고 악인은 등불은 꺼지느니라 ((잠언 13:9)) La luz de los justos se alegrarán; mas se apagará la lámpara de los impíos.

◆빛(을) 보다 ㉮ [남에게 알려지다] ser conocido (al otro). ㉯ [세상에 공개되다] ser abierto al público.

◆빛(이) 없다 estar avergonzado.

■빛 좋은 개살구 ((속담)) Las apariencias engañan / So vaina de oro, cuchillo de plomo / Mucho ojo, que la vista engaña / No te fíes de las apariencias / No debemos juzgar por lo que vemos, por lo que parece.

빛깔 color *m*. ~이 바래다 descolorarse, desteñir(se), perder el color. 바래기 쉬운 ~ color *m* fugaz. 잘 바래지 않은 ~ color *m* sólido. 여러 가지 ~의 de distintos [varios] colores; [다색(多色) 의] multicolor. ~이 다른 옷 vestido *m* de la misma forma y diferente color. 이 천은 ~이 나쁘다 El colorido de esta tela es malo.

빛나다 lucir, relucir, brillar, resplandecer, iluminar, centellear, titilar, irradiar. 빛나는 brillante, reluciente, resplandeciente. 빛나는 경력(經歷) carrera *f* brillante. 빛나는 미래(未來) futuro *m* brillante. 빛나는 승리(勝利) victoria *f* brillante. 승리에 ~ coronarse con los laureles del triunfo. 영광에 ~ coronarse de gloria. 아침 햇살에 아름답게 빛나는 산(山) montañas *fpl* iluminadas [bañadas] por los rayos del sol naciente. 구두가 빛난다 Los zapatos brillan. 눈이 빛난다 Los ojos brillan 별이 빛난다 Las estrellas centellean [titilan]. 태양이 빛난다 El sol brilla. 하늘에 별이 빛난다 Las estrellas brillan [centellean · titilan] en el cielo. 기쁨으로 그의 얼굴이 빛났다 Se le iluminó el rostro de alegría. 그의 눈은 기쁨으로 빛난다 Sus ojos resplandecen de alegría. 그녀는 기뻐 눈이 빛나고 있었다 Le brillaban los ojos de alegría / Sus ojos irradiaban alegría. 전람회에서 그의 작품이 최고로 빛난다 Su obra es la más brillante de la exposición. 빛난다고 해서 모두가 금은 아니다 No es oro todo lo que reluce.

빛내다 iluminar, alumbrar. 눈을 빛내며 con los ojos brillantes. 세계에 이름을 ~ gozar de fama mundial.

빛다발 【물리】 =광속(光束).

빛 보다 ☞빛

빛살 =광선(光線).

빛없다 ☞빛

빛점(一點) =광점(光點).

빛접다 (ser) brillante, luminoso, reluciente, lustroso, glorioso.

빠개다 ① [(단단하고 작은 물체를) 두 쪽으로 갈라서 조각을 내다] partir, hender, rajar, resquebrajar, cuartear, dividir. 장작을 ~ rajar las leñas. ② [(단단하고 작은 물체의 틈을) 넓게 벌리다] abrir grande. ③ ((속어)) [기뻐서 입을 벌리다] abrir la boca de alegría.

빠개지다 ① [(작은) 물건이 두 쪽으로 갈라져 조각이 나다] partirse, henderse, rajarse, resquebrajarse, cuartearse, dividirse, romperse. 머리가 빠개질 듯이 아프다 Tengo un dolor de cabeza terrible / Me duele a rabiar la cabeza / Me duele tanto la cabeza que parece que se me va a partir. ② [(작은 물체의) 짜임새가 물러나서 틈이 넓게 바라지다] (ser) llano, plano, Chi bajo. 빠개진 접시 plato *m* llano. ③ [기뻐서 입이 바라지다] la boca se abre.

빠구리 ① ((은어)) [성교(性交)] relaciones *fpl* sexuales. ② ((방언)) [수업을 빼먹음] novillo *m*. ~하다 hacer novillos, *RPI* hacerse la rata [la rabona], *Méj* irse de la punta, *Chi* hacer la cimarra, capear (clases), *Col* capar clase.

빠그라뜨리다 romper, destruir, arruinar.

빠그라지다 (ser) roto, destruido, arruinado.

빠기다 alardear, presumir, sacar pecho.

빠끔하다 =빠끔하다.

빠득빠득 ① [무리하게 고집만 자꾸 부리는 모양] obstinadamene. ② [자꾸 졸라대는 모양] fastidiando, dando la lata.

빠득빠득하다 ① [말이나 행동이 고분고분하지 아니하다] (ser) desobediente, obstinado, terco, testarudo, empecinado, cabeza dura, cabezota. 아이가 ~ ser un chico obstinado. ② [눈이 부드럽지 못하고 뻑뻑하다] escocer, estar seco y cansado, *AmL* arder. 눈이 ~ Los ojos escuecen / Los ojos están cansados.

빠듯하다 ((센말)) =바듯하다.

빠뜨리다 ① [물속에] dejar caer, echar, soltar, ahogar. ② [함정에] entrampar, atrapar; [유혹에] tentar, seducir. ③ [누락하다] omitir, saltar(se), pasar por alto, suprimir. 가장 중요한 것을 ~ hacer las ollas y olvidar las tapas. 나는 한 페이지를 빠뜨리고 읽었다 Me he saltado una página. 그는 출석을 부를 때 내 이름을 빠뜨렸다 Al pasar lista saltó mi nombre. ④ [잃어버리다] perder(se). 지갑을 ~ perder(se) portamonedas.

빠라구아이 【지명】 el Paraguay. ~의 paraguayo. ~ 사람 paraguayo, -ya *mf*, paraguayano, -na *mf*.

빠르다 ① [어떤 동작을 하는 데 걸리는 시간이 짧다] (ser) rápido, veloz, acelerado, ligero. 빠른 걸음 paso *m* rápido. 빠른 말 caballo *m* rápido. 빠른 움직임 movimiento *m* veloz. 빠른 자동차 automóvil *m* veloz. 빨라지다 hacerse más rápido; [가속되다] acelerarse. 세계에서 제일 빠른 열차(列車) el tren más rápido del mundo. 일이 ~ ser rápido en *su* trabajo. 택시로 가는 것과 지하철로 가는 것 중에서 어느 편이 더 빠릅니까? ¿Cuál es más rápido, ir en taxi o ir en metro? ② [어느 기준 시간보다 이르다] (ser) temprano; [시계가] adelantar(se). 빨라야 a lo más temprano. 빠른 시간에 a una hora temprana. …하는 것은 아직 ~

Todavía es temprano para + *inf.* 그는 일어나는 것이 ~ El es madrugador / El se levanta temprano todas las mañanas. 금년에는 첫눈이 예년보다 10일 ~ Este año hemos tenido la primera nevada diez días antes de lo normal. 절망하기에는 아직 ~ Todavía nos queda esperanza. 빠른 편이 좋다 Cuanto antes, mejor. 내 시계는 하루에 30초씩 ~ Mi reloj (se) adelanta treinta segundos por día. ③ [알아차리는 능력이 날렵하다] (ser) agudo. 이해가 ~ ser agudo de inteligencia.

빠른우편(一郵便) correo *m* rápido [urgente·expreso]; [지급 편지] carta *f* urgente.

빠스락 ((센말)) =바스락.

빠이빠이 ¡Adiós! // *AmS* ¡Chao! / ¡Chau!

빠지다[1] ① [(물속이나 구덩이 같은 곳에) 떨어져 잠기거나 잠겨 들어가다] ahogarse, caer (en), caerse (en). 연못에 ~ caer en el estanque. 진창에 ~ atascarse en el barro. 자동차가 진흙에 빠졌다 El coche se atascó en el barro.

② [지나치게 정신이 쏠려 헤어나지 못하다] amar locamente [perdidamente] (a), apasionarse (por·de), entregarse (a), darse (a), absorberse (en), embeberse (de·en); [특히 악습(惡習)에] enviciarse (con·en), abandonarse (a). 공부에 ~ apasionarse por [del] estudio. 독서에 ~ enviciarse en [con] la lectura. 여자에 ~ amar locamente a una mujer. 술에 ~ entregarse a la embriaguez. 시(詩)에 푹 ~ embeberse en la poética. 그는 음주에 빠졌다 El se entregó a la bebida.

③ [(어떤 곤란한 처지에) 들게 되다] caer (en), verse (en). verse en un apuro. 위험한 상태에 ~ caer en una situación peligrosa. 이것은 학생들이 쉽게 빠지는 실책이다 Es una falta en que cae fácilmente los estudiantes.

④ [(남의 말이나 꾐에) 속아서 넘어가다] caer (en). 꾐에 ~ ser engañado, caer en la trampa. 그는 음모에 빠졌다 El cayó en la intriga. 내 조카 놈은 친구의 꾐에 빠져서 집을 나갔다 Mi sobrino salió de casa siendo engañado por su amigo.

⑤ [(막힌 것이) 자리를 벗어서 나오다] caerse. 이가 ~ caerse un diente. 나[너·그·우리·너희들·그들]는 이가 하나 빠졌다 Se me [te·le·nos·os·les] cayó un diente.

⑥ [(그릇이나 신발 따위의 밑바닥이) 떨어져 나가다] caer(se).

⑦ [(어떤 곳으로) 접어들다] girar, doblar. 첫 골목으로 ~ doblar a la primera callejuela.

빠지다[2] ① [빛깔·때 따위가) 빨려서 없어지다] quitarse, salir. 때가 잘 ~ la suciedad quitarse bien.

② [속에 들어 있는 액체·기체·냄새 같은 것이) 밖으로 새어 나가다] salir. 김빠진 맥주 cerveza *f* sin efervescencia [sin gas]. 맥주는 김이 빠졌다 La cerveza tiene sabor [gusto] sin efervescencia [sin gas].

③ [(어떤 물건이) 딴 데로 새어 나가다] atravesar, escurrirse (de·entre), deslizarse (entre). 붐비는 틈을 용케 빠져나가다 deslizarse entre la muchadumbre. 장어가 손에서 빠져나갔다 La anguila se escurrió de entre las manos. 내 안경은 알이 빠졌다 Se me cayeron los ojos.

④ [(어떤 것에 들어 있어야 할 사물이) 들지 아니하다] faltar, omitirse, saltar. 40쪽에서 50쪽까지 ~ saltar de la página cuarenta a la página cincuenta. 한 페이지가 빠져 있다 Falta una página / Hay una página que falta. 두 자가 빠졌다 Falta dos letras. 그의 이름이 명부에서 빠졌다 En la lista se ha omitido [se ha pasado por alto] su nombre. 이 전집은 세 권이 빠져 있다 Faltan tres tomos para que la colección quede completa.

⑤ [(다른 곳으로 가기 위해) 어떤 곳에서 벗어나다] atravesar, salir, pasar (por bajo de). 문을 빠져나가다 pasar por [debajo de] la puerta. 터널을 빠져나가다 salir(se) del túnel, atravesar un túnel. 삼림(森林)을 빠져나가다 atravesar un bosque.

⑥ [모임이나 조직 따위에서 떠나다] dejar, abandonar. 단체에서 ~ dejar del grupo. 법망을 빠져나가다 eludir la ley.

⑦ [힘·기운이나 살 따위가) 없어지거나 줄어지다] (ser) delgado, flaco, adelgazar. 힘이 ~ la fuerza perderse. 살이 ~ adelgazar, perder peso. 힘이 빠졌다 Toda la fuerza se perdió.

⑧ [(다른 것에 견주어서) 뒤지거나 모자라다] bajar. 학교 성적이 ~ bajar mucho las notas escolares.

⑨ [(모양이) 매우 미끈하다] (ser) elegante, de líneas elegantes. 잘 빠진 자동차 coche *m* de líneas elegantes. 쑥 빠진 소녀 moza *f* guapa. 그는 쑥 빠졌다 El es guapo / El es un buen mozo.

■ 물에 빠진 사람은 지푸라기라도 잡는다 ((속담)) Quien se va a ahogar, quiere agarrar siquiera una paja [quiere agarrarse a un hierro candente].

빠지다[3] [(동사·형용사에 붙어) 아주 심하게 됨을 나타내는 말]「동사」+ -se, mucho. 낡아 ~ gastarse, (estar) muy gastado; [자동차가] inservible. 게을러 ~ haraganearse, holgazanear. 썩어 ~ corromperse.

빠짐없이 sin omisión; para todos; todo; todos, todas; todos juntos, todas juntas; [하나하나] uno por uno, una por una; cada uno, cada una; [일치해서] unánimemente, por unamidad, de común acuerdo. ~ 답장을 보내다 responder a todas cartas. 서류를 ~ 볼 수는 없었다 No pude ver todos los documentos uno por uno. 당신의 말은 ~ 옳습니다 Tiene usted razón en todo lo que dice. 우리들은 ~ 그 의견에 찬성했다 Todos (nosotros) estuvimos de acuerdo con esa opinión / (Nosotros) Todos aprobamos la opinión.

빡빡이 sin falta.
빡빡하다 ① [물기가 적어서 부드러운 맛이 없다] (ser) espeso, denso. 빡빡한 국 sopa *f* espesa. 빡빡해지다 espesar(se). 더 빡빡해지다 hacerse más espeso. 찌개가 너무 ~ La sopa es demasiado espesa. ② [꼭 끼어서 헐렁하지 아니하다] quedar muy ajustado [apretado]. 빡빡한 바지 pantalones *mpl* ajustados [apretados]. ③ [기계·수레바퀴 등이 잘 돌아가지 않다] no funcionar bien. 이 기계는 ~ Esta máquina no funciona bien. ④ [이해성이 없고 두름성이 적다] (ser) de mentalidad cerrada, intolerante, retrógrado. 빡빡한 사람 persona *f* de mentalidad cerrada.
빡작지근하다 sentirse pesado, estar agotado [exhausto]. 몸이 ~ estar exhausto. 가슴이 ~ sentirse pesado en el pecho.
빡작지근히 pesadamente, exhaustamente.
빤드럽다 ((센말)) =반드럽다.
빤드레하다 ((센말)) =반드레하다.
빤드르르 ((센말)) =반드르르.
빤들거리다 ((센말)) =반들거리다.
빤작 ((센말)) =반작.
빤질빤질 ((센말)) =반질반질. ¶~한 여자(女子) pájara *f.*
빤짝 ((센말)) =반작. 반짝. 빤작.
빤하다 =반하다².
빤히 ① [환히] brillantemente, claramente, resplandecientemente. 날이 ~ 텄다 El día amaneció luminoso y soleado. ② [명백히] evidenemente, obviamente, claramente, a la vista. ~ 알다 saber evidentemente. ③ [보다] fijamente. ~ 쳐다보다 mirar fijamente.
빨강 (color *m*) rojo *m*, rojo m escarlata.
빨강이 cosa *f* roja, objeto *m* rojo, artículo *m* rojo.
빨갛다 (ser) rojo, colorado, (rojo) escarlata, carmesí. 빨간 연필(鉛筆) lápiz *m* (*pl* lápices) rojo [colorado]. 빨간 잉크 tinta *f* roja [colorada]. 그는 노해서 얼굴이 빨갛게 되었다 El se puso rojo [colorado] de furor. 화재로 하늘이 빨갛게 물들어 있다 El cielo está teñido de rojo por el incendio.
빨개지다 ponerse rojo [colorado], ruborizarse; [하늘이] teñirse de rojo. 그녀는 얼굴이 빨개졌다 Ella se puso colorada [roja].
빨갱이 [공산주의자] comunista *mf.*
빨다¹ ① [입을 붙이고 무엇을 입안으로 끌어들이다] chupar, sorber, chupatear. 손가락을 ~ [자신의] chuparse el dedo. 젖을 ~ mamar, chupar la leche de los pechos. 젖병을 ~ chupar el biberón. 피를 ~ chupar la sangre. 한 모금 ~ dar un chupón. 손가락을 빨지 마라 No te chupes los dedos. 담배 한 모금 빱시다 Ahora daemos un chupón al cigarrillo. ② [무엇을 입안에 넣어 핥아서 녹이거나 먹다] chupar. 캐러멜을 ~ chupar un caramelo. ③ [(기체나 액체 또는 가루 따위를) 일정한 통로를 통하여 당기어 들이다] aspirar, chupar, absorber, extraer. 펌프로 물을 빨아올리다 extraer agua con una bomba. ④ [속으로 배거나 스며들게 하다] absorber. 해면(海綿)은 물을 빨아들인다 La esponja absorbe el agua.
빨아내다 extraer (chupando), absorber, sacar, chupar; [해면 따위로] enjugar. 고름을 ~ sacar el pus.
빨아 당기다 atraer.
빨아들이다 ㉮ [공기 따위를] inspirar, aspirar. 신선한 공기를 ~ aspirar el aire fresco. 회오리바람에 빨려들다 ser tragado por un remolino. ㉯ [액체를] absorber, chupar, embeber, sorber; [해면 따위로] enjugar. 이 종이는 잉크를 잘 빨아들인다 Este papel chupa [absorbe · sorbe] bien la tinta.
빨아먹다 ㉮ [액체 따위를 빨아서 먹다] chupar, sorber. 젖병을 ~ chupar el biberón. 피를 ~ chupar la sangre. ㉯ [단단한 음식물을 씹지 아니하고 입술과 혀로 녹여서 먹다] chupar. ㉰ [남의 것을 착취하다] explotar, sacar utilidad (de).
빨아올리다 [펌프로] succionar, aspirar.
빨다² [(옷 따위의) 더러운 물건을 물속에 넣고 주물러서 때를 빼다] lavar (la ropa). 빨아서 다리미질이 필요 없는 que no necesita plancha, que se lava y no se plancha, *RPI* lavilisto®. 이 천은 빨면 줄어든다 Esta tela encoge al lavarla [lavarse]. 제 옷을 빨아 주셨으면 합니다만 Quisiera que me lavasen mis ropas. 반복해서 빨았더니 천이 탈색되었다 Tras varios lavados, la tela perdió color.
빨다³ [(어떤 물체의) 끝이 차차 가늘어서 뾰족하다] (ser) afilado, *AmL* filoso, *Chi*, *Per* filudo. 끝이 빤 [막대기 · 잎이] acabado en punta, con punta, *Andes* puntudo; [지붕 · 창문이] apuntado; [아치가] ojival; [턱 · 코가] puntiagudo, *Andes* puntudo; [구두가] de punta, puntiagudo, *Andes* puntudo; [모자가] de pico. 끝이 빤 연필 lápiz *m* (*pl* lápices) con punta. 끝이 더 빤 연필 가지고 있니? ¿Tienes un lápiz con más punta? 그것은 끝이 매우 빨았다 Es muy puntiagudo.
빨대 caña *f*, pajita *f*, paja *f*, sorbetón *m* (*pl* sorbetones), *Col* pitillo *m*, *Cuba*, *ReD*, *Urg* sorbete *m*, *Arg* palito *m*, *Méj* popote *m*. ~로 마시다 beber *algo* con una caña [una pajita · una paja · un pitillo · un popote]. ~로 빨다 sorber. ~로 우유를 마시다 beber la leche con una caña.
◆빨대(를) 대다 ㉮ [물 등을 빨아 먹으려고 가는 대롱을 대다] sorber, poner en una paja. ㉯ [남에게 등을 대고 빨아 먹음] gorronear, gorrear, *Chi* bolsear.
빨랑빨랑 apresuradamente, rápido, rápidamente, a las carreras, a todo correr. 그는 ~ 그의 물건을 줍고 떠났다 El recogió apresuradamente sus cosas y se fue.
빨래 ① [물에 넣어 빠는 일] lavado *m*, lavación *f*, lavadura *f*. ~하다 hacer la colada, lavar la ropa (sucia). ~를 널다 tender la ropa. ~를 말리다 secar la colada. 비누로 ~하다 jabonar, lavar con jabón. 비누로 팬

티를 ~하다 jabonar ropa blanca. ② [빨려고 하는 옷이나 피륙 등] ropa *f* para [por] lavar, ropa *f* sucia; [이미 빨아 놓은 옷] ropa *f* limpia, ropa *f* lavada. 나는 그것을 ~와 같이 넣었다 Lo he puesto con la ropa sucia. ~는 서랍에 있다 La ropa limpia [lavada] está en el cajón.

■ ~걸이 [접을 수 있는 실내용] tendedero *m* (plegable) ~ 광주리 cesto *m* [canasta *f*] de la ropa sucia. ~꾼 lavador, -dora *mf*. ~질 lavado *m*, lavación *f*, lavadura *f*. ~집게 pinzas *fpl*, *Arg* broche *m*, *Chi* perrito *m*, *Col*, *Ven* gancho *m*, *Urg* palillo *m* (de tender la ropa). ~터 lavadero *m*. ~통 tina *f* de lavar. ~판 tabla *f* de lavar, tabla *f* de lavado. ~품[삯] precio *m* de lavandería. ~ㅅ간(間) lavadero *m*. ~ㅅ감 colada *f*, ropa *f* por [para] lavar. ¶~을 말리다 secar la colada. ~을 행구다 enjugar la colada. ~ㅅ돌 piedra *f* llana usada como una tabla de lavar. ~ㅅ방망이 pala *f* para lavar. ~ㅅ비누 jabón *m* (*pl* jabones) de [para] lavar, jabón *m* para el lavado de la ropa; [가루의] jabón *m* en polvo. ~ㅅ솔 cepillo *m* para lavar. ~ㅅ줄 cuerda *f* de tender, cuerda *f* para la ropa, cuerda *f* para tender la ropa, *AmC*, *Cuba* tendedera *f*. ~ㅅ줄 기둥 palo *m* de tendedero.

빨리 ① rápido, rápidamente, velozmente, a(l) vuelo, pronto; [기민하게] ágilmente, prestamente; [즉시] inmediatamente, de inmediato. 되도록 ~ lo más rápido [pronto] posible, cuanto antes, cuanto más antes. ~ 해라 ¡Hazlo pronto! / Date prisa / ¡Pronto! ¡Pronto! 일을 ~ 끝내라 Termina el trabajo pronto. ~ 신청하겠습니다 Inmediatamente te voy a inscribirme. 그는 ~ 그것을 하러 갔다 El fue a hacerlo al vuelo. 이 강은 ~ 흐른다 Este río corre rápido / Es muy rápida la corriente de este río. 최근 어린이의 성장이 빨라졌다 Recientemente el crecimiento de los niños se ha hecho más rápido. 그는 빨라야 오후 4시 경에 올 것이다 A lo más temprano [pronto], llegará a eso de las cuatro de la tarde. ② [일찍] temprano. 되도록 ~ lo más temprano posible. 여느 때보다 ~ 저녁밥을 먹다 tomar la cena más temprano que de costumbre. 금년은 벚꽃이 ~ 되었다 Este año los cerezos han florecido temprano. 나는 예정보다 한 시간 ~ 도착했다 Llegué una hora antes de la preferida. 나는 되도록 ~ 집에 돌아가고 싶다 Quiero volver a casa cuanto antes [lo más pronto posible].

빨리빨리 muy rápidamente, de prisa, pronto, con rapidez, en un vuelo; [즉시] inmediatamente, en seguida. ~ 걷다 andar a paso ligero. ~ 일을 처리하다 despachar el trabajo con rapidez [en un vuelo]. ~ 자백해라 ¡Confiesa de una vez!

빨리다[1] ① [빨래가 빪을 당하다] ser lavado. ② [빨래를 빨게 하다] hacer lavar.

빨리다[2] ① [빨아먹음을 당하다] ser chupado, chuparse. ② [빨게 하다] hacer chupar. 젖을 ~ dar el pecho, amamantar. 어머니가 아이에게 젖을 빨리었다 La madre dio el pecho [amamantó] a su bebe.

빨병(-瓶) ① [휴대용 물통] cantimplora *f*. ② =보온병(保溫甁).

빨부리 =물부리.

빨빨 chorreando. 땀을 ~ 흘리다 chorrear de sudor. 그녀는 땀을 ~ 흘리고 있다 El está chorreando de sudor.

빨아내다 ☞빨다[1]

빨아들이다 ☞빨다[1]

빨아먹다 ☞빨다[1]

빨아올리다 ☞빨다[1]

빨치산(러 *partizan*) =파르티잔.

빨판 【동물】 ventosa *f*.

빨판상어 【어류】 rémora *f*.

빨펌프 bomba *f* aspirante.

빳빳하다 (ser) nuevecito. 빳빳한 만 원짜리 지폐 billete nuevecito de diez mil wones. 빳빳이 nuevamente, nuevecitamente.

빵[1](포 *pão*) pan *m* (*pl* panes); [식빵] pan *m* de molde, pan *m* blanco; [불란서 빵] barra *f* de pan; [롤빵] panecillo *m*. 딱딱한 ~ pan *m* duro. 버터 바른 ~ pan *m* con mantequilla. 잼 바른 ~ bollo *m* con jalea. ~ 한 조각 un pedazo de pan. ~을 만들다 hacer pan. ~을 굽다 hornear pan. ~을 위해 일하다 trabajar para el pan. 인간은 ~만으로는 살 수 없다 El hombre no puede vivir por el pan sólo.

■ ~가루 harina *f*. ~ 문제(問題) cuestión *f* de pan y mantequilla. ~의 신(神)【희랍 신화】 Pan *m*. ~장수 panadero, -ra *mf*.

빵[2] [갑자기 요란스럽게 터지는 소리] ¡Pum!, ¡Bang! ~하고 소리나다 hacer 'pum'. ~하고 소리 내다 [폭발시키다] [풍선을] reventar, hacer estallar. ~하고 폭발하다 [풍선이] reventar(se), estallar; [코르크가] saltar. 나는 ~하는 소리를 들었다 Yo oí que hizo pum. 병마개가 ~하고 튄다 El corcho salta. ~! ~! 너는 죽었다 [어린이들이 놀이에서] ¡Pum! ¡Pum! ¡Te maté!

빵꾸 ① [(자동차나 자전거의 타이어 따위에) 구멍이 나서 터지는 일, 또는 그 구멍] reventón *m*, pinchazo *m*. ~가 나다 sufrir [tener] un pinchazo, reventarse. 타이어가 ~ 나다 reventarse el neumático. 우리는 타이어가 ~ 났다 Se nos reventó un neumático. ② ((속어)) [처녀가 정조를 잃음] pérdida *f* de castidad. ~(가) 나다 deshonrarse, violarse. ③ [(옷·양말 등이) 해지어 구멍이 뚫리는 일. 또는 그 뚫린 구멍] desgaste *m*; [해어진 구멍] agujero *m* desgastado. ~(가) 나다 desgastarse. ④ [비밀이 드러나는 일] divulgación *f* de un secreto. ~(가) 나다 divulgarse un secreto. ⑤ [계획한 일이 도중에 틀어짐] fracaso *m*. ~(가) 나다 fracasar.

빵끗 ((센말)) =방긋.

빵나무 【식물】 ((학명)) Artocarpus communis.

빵빵 [무엇이 요란하게 잇달아 터지는 소리] ¡Pum, pum!, ¡Bang, bang!

빵점(－點) ((속어)) ＝영점(零點).

빵집 panadería *f.* ～ 주인 panadero, -ra *mf.*

빻다 moler; [곡물이나 양념류를] machacar; [마늘이나 고추를] majar, machacar. 마늘을 ～ majar ajos. 커피를 ～ moler el café.

빼각거리다 chirriar; [마루가] crujir. 빼각거리는 문 puerta *f* que chirria. 마루가 빼각거린다 El suelo cruje.

빼기 【수학】 ＝뺄셈.

빼내다 ☞빼다[2]

빼놓다 ☞빼다[2]

빼다[1] ((준말)) ＝내빼다.

빼다[2] ① [(속에 들어 있는 것을) 밖으로 나오게 하다] sacar. 내 서랍에서 네 물건을 빼라 Saca tus cosas de mi cajón. ② [(꽂히거나 박힌 것을) 뽑다] sacar. 이를 ～ sacar un diente. ③ [많은 것 가운데서 일부를 덜어 내다] substraer, deducir, restar. 식사를 빼고 sin contar los gastos de la comida. 그 말을 빼고 dejando al lado tal asunto. 급료(給料)에서 세금을 ～ deducir del sueldo el impuesto. 수수료를 빼고 십만 원의 이익이 난다 Deduciendo la comisión, salgo ganando cien mil wones. ④ [여럿 가운데서 일부를 골라내다] escoger, elegir. ⑤ [(힘이나 기운을) 써서 없애다] gastar la fuerza [el ánimo]. ⑥ [길게 뽑아 늘이다] alargar. ⑦ [(목소리를) 길게 뽑다] alargar la voz. ⑧ [(옷을) 매끈하게 차려입다] ponerse elegante. ⑨ [(행동이나 태도를) 짐짓 꾸며서 하다] fingir + *inf*, suponer. 점잔을 ～ (ser) mojigato, gazmoño, darse aires, *CoS* mandarse la(s) parte(s). ⑩ [(당하지 않으려고) 슬슬 피하다] evitar. 꽁무니를 ～ dejar de + *inf* por desagradable que fuera. 그는 자기의 의무를 다하는 데 결코 꽁무니를 빼지 않았다 El nunca dejó de cumplir con su obligación por desagradable que fuera.

빼내다 ㉮ [뽑다] sacar, quitar, extraer. 가시를 ～ sacar la espina. 못을 ～ sacar el clavo. 이를 ～ sacar un diente. 총알을 ～ extraer [eliminar] la bala. 플러그를 ～ sacar [quitar] el enchufe. ㉯ [남의 물건을 돌려내다] robar, ratear, hurtar. ㉰ [남을 꾀어서 어떤 곳에 나오게 하다] atraer. 많은 봉급을 주고 그를 빼냈다 Le atrajeron ofreciéndose un sueldo más alto. ㉱ [얽매인 몸을 자유롭게 해 주다] pagar un rescate (por). 몸값을 치르고 창녀를 ～ pagar un rescate por la prostituta.

빼놓다 ㉮ [한데 끼일 것을 못 끼게 하다] faltar, excluir. 조반에서 커피는 빼놓을 수 없다 El café no puede faltar en el desayuno. 소금은 우리 생활에서 빼놓을 수 없다 La sal es imprescindible [indispensable] para nuestra vida / No podemos prescindir de la sal. 나는 하루도 빼놓지 않고 신문을 읽는다 No paso ni un día sin leer el periódico. 우리는 그녀를 팀에서 빼놓았다 La excluimos del equipo. 여자들은 회원에서 빼놓았다 A las mujeres no se las admitía como socias. 나는 여행할 때는 빼놓지 않고 카메라를 휴대한다 No viajo nunca sin cámara fotográfica / Cuando viajo, me llevo la cámara fotográfica sin falta. 선거 참여에 나를 빼놓았다 No se me permitió participar en la elección. ㉯ [뽑아 놓다] sacar, extraer; [뿌리를] arrancar de raíz, desarraigar. 폭풍우가 나무를 여러 그루 빼놓았다 La tormenta arrancó varios árboles de raíz.

빼돌리다 adelantarse, anticiparse, tomar [ganar · coger] la delantera. 그는 나를 빼돌리고 그녀를 초대했다 El se me adelantó en invitarla a ella. 그는 이 회사에서 노동자들을 빼돌려 자기의 회사에 데려왔다 El se llevó a unos obreros de esta compañía a la suya.

빼먹다 ㉮ [말이나 글의 구절 같은 것을 빠뜨리다] omitar, saltar(se), pasar por alto, suprimir. 한 페이지를 ～ saltar(se) una página. 세부(細部)를 ～ omitir los detalles. 선생님은 마지막 과를 빼먹었다 El profesor (se) ha saltado la última lección. ㉯ [남의 물건을 돌려내서 가지다] robar, hurtar, ratear. 짐을 ～ robar un equipaje. ㉰ [(꼬치 같은 데에 꿴 것을) 뽑아 먹다] desensartar y comer. 꼬치를 ～ desensartar la comida ensartada en un pincho y comerla. ㉱ [(꼭 해야 할 일을) 일부러 하지 않다] fumarse. 강의를 ～ fumarse la clase. 직장을 ～ fumarse la oficina. 학교를 ～ hacer novillos, faltar a la escuela, *RPI* hacerse la rata [la rabona], *Méj* irse de pinta, *Chi* hacer la cimarra, capear (clases), *Col* capar clase. 그는 일을 자주 빼먹는다 El se fuma el trabajo muchas veces.

빼뚝거리다 bambolearse, tambalearse.

빼뚤다 inclinar.

빼뚤어지다 ser inclinado.

빼물다 ① [거만한 태도로 입을 뿌루퉁하게 내밀다] comportarse con altivez. ② [혀를 입 밖으로 늘어뜨리다] sacar la lengua.

빼빼 flaco, delgado, escuálido, consumido, descarnado. ～ 마른 사람 costal *m* de huesos, esqueleto *m.*

빼쏘다 ser el vivo [mismo] retrato (de), ser copia exacta [trasunto fiel] (de). 자기의 어머니의 모습을 ～ ser el vivo [mismo] retrato de *su* madre.

빼앗기다 ① [탈취당하다] (ser) robado, quitado, saqueado, pillado. 나는 지갑을 빼앗겼다 Me robaron la cartera. 그는 강도에게 돈을 빼앗겼다 El atracador le quitó el dinero. 그는 왕위(王位)를 동생에게 빼앗겼다 Su hermano le usurpó el trono. ② [매혹되다] ser encantado, absorberse. 독서에 정신을 ～ absorberse en lectura. 나는 그의 예술의 화려함에 정신을 빼앗겼다 El me cautivó el esplendor de sus artes. ③ [정조를 유린당하다] (ser) violado, dishonrado, seducido.

빼앗다 ① [남의 것을 강제로 제 것으로 만들다] saquear, pillar, quitar; [약탈하다] robar, despojar; [강탈하다] arrebatar. 왕위(王位)를 ~ usurpar el trono. …의 손에서 권총을 ~ quitar a *uno* su pistola. 빼앗으려고 싸우다 disputarse (por), pelearse (por). 그는 형의 재산을 빼앗았다 El se apoderó de la hacienda de su hermano. 전쟁은 수천만의 인명(人命)을 빼앗아 갔다 La guerra robó decenas de millones de vida. 그는 유산을 빼앗을 목적으로 형과 싸웠다 El se disputó la herencia con su hermano. 선수들은 공을 빼앗으려고 싸웠다 Los jugadores forcejeaban por llevarse el balón. ② [남의 일이나 시간 따위를 억지로 가로채거나 차지하다] coger, agarrar, arrebatar. ③ [남의 생각이나 마음을 쏠리게 하여 사로잡다] encantar, fascinar, hechizar, seducir, atraer, cautivar. 혼을 ~ encantar, llevar el alma. 청중의 얼을 ~ cautivar a un auditorio. ④ [남의 정조 따위를 짓밟다] violar, profanar, deshonrar, seducir, infringir. 몸을 ~ violar.

빼어나다 sobresalir, distinguirse, destacarse, superar, aventajar, ser un hacha. 빼어난 sobresaliente, distinguido, extraordinario, excepcional, eminente, excelente, excelso, sin par, maravilloso. 빼어나게 extraordinariamente, excepcionalmente, sumamente. 빼어난 작품 obra *f* excelente. 그녀의 서반아어 실력은 학급에서 빼어난다 Ella aventaja [supera] en español a todos los de su clase. 그는 음악에 빼어난 재능이 있다 Ella tiene talento para la música. 이 아이는 눈썹이 빼어난다 Esta niña tiene unas cejas destacadas. 그녀는 빼어나게 두뇌가 좋다 Ella sobresale (entre todos) a todos en inteligencia. 그의 노래는 ~ El es un cantante extraordinario.

빼쭉거리다 hacer pucheritos, poner mal gesto.

빼치다 ① [빠져나오게 하다] dejar salir. ② [끝이 빨게 하다] afilar.

빽[1] [갑자기 새되게 지르는 소리] chillido *m*, *AmS* chillada *f*. 기차가 기적을 ~ 울린다 El tren pita.

빽[2] [빽빽하게] espesamente, densamente. ~ 차다 (estar) repleto, hasta el tope [los topes]; [방·버스가] repleto, atestado (de gente). 트렁크는 책으로 ~ 차 있었다 El baúl estaba hasta el tope [los topes] de libros / El baúl estaba atiborrado de libros.

빽빽 chillido *m*, chillada *f*. ~ 울다 chillar, gritar fuerte; [새가] piar, gorjear; [곤충이] chirriar.
빽빽거리다 chillar, dar chillidos.

빽빽하다 ① [사이가 배좁게 촘촘하다] (ser) denso, espeso, tupido, apretado. 빽빽한 잡초지 matorral *m* denso [espeso]. 빽빽한 숲 bosque *m* denso [espeso]. ② [구멍이 좁아서 빨아들이기가 답답하다] obstruirse, atastarse. 코가 ~ La nariz se atasta. ③ [속이 좁아서 융통성이 없고 답답하다] (ser) de mentalidad cerrada, insolente. 그는 빽빽한 사람이다 El es una persona de mentalidad cerrada. ④ [국물이 적고 건더기가 많아서 되다랗다] (ser) algo pesado y espeso.
빽빽이 densamente, espesamente.

뺄셈【수학】 substracción *f*, resta *f*. ~하다 substraer, restar.
■ ~법 método *m* de resta. ~표[기호·부호] tabla *f* de substraer.

뺏기다 ((준말)) =빼앗기다.

뺏다 ((준말)) =빼앗다.

뺑소니 fuga *f*, huida *f*, escapada *f*, escape *m*; [사람을 치고 달아남] delito *m* de fuga.
◆ 뺑소니(를) 치다 fugarse, largarse, huir, irse por (*sus*) pies, poner pies en polvorosa, escapar(se); [사람을 치고 달아나다] atropellar a *uno* y darse a la fuga, darse a la fuga tras atropellar a *uno*.
■ ~ 사고 accidente *m* en que el conductor se da a la fuga. ~ 운전 기사 conductor, -tora *mf* que se da a la fuga tras atropellar a *uno*. ~차(車) coche *m* que atropelló a *uno* y se dio a la fuga.

뺨 ① [얼굴의 양옆에 살이 도독한 부분] mejilla *f*, carrillo *m*. ~을 얻어맞다 recibir una bofetada.
◆ 뺨(을) 때리다 =뺨(을) 치다.
◆ 뺨(을) 맞다 recibir una bofetada.
◆ 뺨(을) 치다 ㉮ [남의 뺨을 때리다] dar*le* a *uno* una bofetada. ㉯ [다른 것보다 못하지 않다·훨씬 낫다] ser mucho mejor (que el otro), no ser más inferior (que el otro). 조조 뺨칠 정도의 꾀 inteligencia *f* muy astuta, ingenio *m* hábil, muchos recursos.

뻐근하다 ponerse tieso, sentir agujetas (en). 어깨가 ~ ponerse tiesos los hombros, sentir agujetas en los hombres, tener [sentir] los brazos endurecidos. 뻐근한 팔을 주물러서 풀다 aliviar la rigidez del brazo por medio de masaje. 어깨가 뻐근하다고 호소하다 quejarse de tener los hombros endurecidos. 어깨가 뻐근했는데 가셨다 Se me ha quitado la rigidez de los hombros.
뻐근히 tiesamente, rígidamente, endurecidamente.

뻐기다 ponerse soberbio, engreírse, pavonearse, imponerse, enorgullecerse, jactarse, vanagloriarse, fanfarronear. 뻐기는 사람 fanfarrón (*pl* fanfarrones), -rrona *mf*. 뻐기는 투로 en tono altanero en tono soberbio, en voz solemne, en voz imponente. 뻐기면서 걷다 andar con pasos arrogantes, contonaearse. 권력(權力)을 믿고 ~ abrigarse bajo la autoridad, esconderse detrás de la autoridad. …의 위광(威光)을 믿고 ~ ampararse bajo [en] la influencia de *uno*.

뻐꾸기【조류】 cuco *m*, cuclillo *m*.

뻐꾹 cucú *m*.
뻐꾹뻐꾹 cucú, cucú.
■ ~종(鐘) reloj *m* de cuco, reloj *m* de

cuclillo, cucú *m*.

빠꾹새 【조류】 =뻐꾸기.

빠끔빠끔[1] ① [담배를 힘 있게 빨면서 피우는 모양] a bocanadas *fpl*. ~ 담배를 피우는 사람 fumador *m* pasivo, fumadora *f* pasiva. 담배를 ~ 피우다 fumar a bocanadas, echar bocanadas de humo; [파이프를] chupar *su* pipa. ② [물고기 따위가 물을 자꾸 마시는 모양] bebiendo repetidamente, siguiendo bebiendo (el agua).

빠끔빠끔[2] [여러 군데가 모두 빠끔한 모양] demasiado grande o ancho.

빠끔하다 (estar) rajado, fracturado, con grietas, resquebrajado; [입술이] partido, agrietado; [피부가] agrietado.

빠끔히 con la boca abierta. 입을 ~벌리다 quedarse con la boca abierta, quedarse con la boca abierta.

빠덕빠덕하다 (ser) duro; [가죽 · 직물이] tieso, duro; [시체가] rígido; [근육이] entumecido, agarrotado. 가죽이 ~ La piel es tiesa [dura].

빠드렁니 diente *m* salido, diente *m* de conejo, diente *m* saliente, diente *m* de embustero. ~의 con los dientes salidos, *AmL* dientudo. ~가 나다 tener los dientes salidos, tener dientes de conejo.

빠드렁이 persona *f* con dientes salientes.

뻔뻔스럽다 (ser) descarado, desvergonzado, sinvergüenza, fresco, atrevido, insolente, impudente, más fresco que una lechuga. 뻔뻔스러움 frescura *f*, desfachatez *f*, descaro *m*, desvergüenza *f*, impudencia *f*, falta *f* de escrúpulos. 그는 ~ El es un sinvergüenza. 정말 뻔뻔스럽군! ¡Que sinvergüenza! / Es el colmo de la cara dura. 무척 뻔뻔스런 남자다 ¡Qué hombre más descaro! / ¡Qué cara más dura tiene! 나한테 이런 뻔뻔스런 말을 감히 하다니요 ¿Con que cara se atreve usted a decirme estas cosas?

뻔뻔스레 desvergonzadamente, con la mayor desvergüenza, con descaro, con mucha cara, descaradamente, insolentemente, frescamente, sin vergüenza. ~ …하다 tener la desvergüenza de + *inf*. 그는 ~ 나에게 돈을 빌려 달라고 말했다 El tuvo la desfachatez de pedirme prestado el dinero. ~ 어떻게 돌아갈 수 있을까? ¿Cómo podría yo la desvergüenza de volver?

뻔뻔하다 (ser) descarado, desvergonzado, sinvergüenza, insolente, fresco, atrevido, pícaro, impertinente. 뻔뻔함 descaro *m*, frescura *f*, impudencia *f*, insolencia *f*, atrevimiento *m*. 뻔뻔한 말 insolencias *fpl*, impertinencias *fpl*. 뻔뻔한 소년 muchacho *m* fresco. 뻔뻔한 소녀 muchacha *f* fresca. 뻔뻔한 놈 tipo *m* fresco [descarado]. 뻔뻔하기 짝이 없군! ¡Qué cara (más dura)! / ¡Qué caradura es!

뻔뻔히 descaradamente, con la mayor frescura, con todo descaro, imprudentemente, con frescura, con imprudencia, con atrevimiento.

뻔하다[1] ① [어두운 가운데 밝은 빛이 비치어 매우 훤하다] amanecer, aclarar. 요즈음은 아주 일찍 날이 뻔해진다 Ahora amanece [aclara] muy temprano. ② [무슨 일이 그렇게 될 것이 아주 분명하다] (ser) claro, evidente, obvio, palpable, palmario. 뻔한 사실 verdad *f* obvia. 뻔한 거짓말 mentiras *fpl* palpables. 그가 실패한다는 것은 뻔한 일이다 Es obvio que él saldrá mal. ③ [바쁜 가운데 잠깐 일이 없어 한가하다] estar libre un momento. ④ [(병세가) 눈에 띄게 고자누룩하다] aliviarse, calmarse, mitigarse.

뻔하다[2] [까딱하면 그렇게 될 형편에 다다랐겠으나 결국 그렇게 되지 않았다] casi, por poco. 나는 넘어질 뻔했다 Por poco [Casi] me caí. 나는 차에 치일 뻔했다 Por poco me atropella un coche / Poco faltó para que me atropellara un coche. 나는 웃음이 터질 뻔했다 Faltó poco para que me echara a reír.

뻔히 =빤히.

뻗다 ① [나뭇가지나 뿌리 · 덩굴 같은 것이] arraigar, echar raíces. 뿌리가 ~ arraigar, echar raíces. ② ((속어)) [죽다] morir, fallecer, dejar de existir. ③ [(꼬부렸던 것을) 쭉 펴다] extender, estirarse, alargar. 다리를 ~ extender [estirarse · alargar] *sus* piernas. ④ [힘이 어디까지 미치다] extender. 외국에까지 세력이 뻗었다 La fuerza extendió al extranjero. ⑤ [(어떤 것에 미치게) 곧 바로 내밀다] dar. 구원(救援)의 손길을 ~ dar la ayuda.

뻗치다 ① ((힘줌말)) =뻗다. ¶다리를 ~ extender [estirarse · largar] *sus* piernas. ② [이 끝에서 저 끝까지 닿다] extenderse. 연기가 하늘에 길게 뻗어 있다 Una estela de humo se extiende por el cielo.

-뻘 grado *m* de consanguinidad. 그는 내 조카~이다 El es mi sobrino.

뻘건 completamente, todo. ~ 거짓말 mentiras *fpl* completas.

뻘돌 =이암(泥巖).

뻣뻣하다 ① [부드럽지 않고 꿋꿋하다] (ser) tieso, rígido, endurecido. ② [풀기가 세다] almidonado, bien planchado con almidón.

뻣뻣이 tiesamente, rígidamente, endurecidamente.

뻣세다 (ser) tieso y duro.

뺑[1] ① ((준말)) =뺑짜. ② ((속어)) =거짓. 거짓말.

◆뺑(을) 까다 ((속어)) mentir, decir mentiras. 뺑(을) 놓다 divulgar el secreto. 뺑(이) 나다 divulgarse el secreto.

뺑[2] ① [갑자기 무엇이 요란하게 터지는 소리] ¡Pum! / ¡Bang! / ¡Pumba! ② [구멍이 뚜렷이 뚫어진 모양] ¶구멍이 ~ 뚫려 있다 Hay un hoyo grande.

뺑뺑하다 (ser) perplejo, confundido.

뺑뺑히 perplejamente, confundidamente.

뺑쟁이 ((속어)) mentiroso, -sa *mf*.

뺑짜 ① [아주 틀려 버려 소망이 없게 된 일]

cosa *f* inútil, cosa *f* vana. ② [똑똑하지 못한 사람] persona *f* estúpida.
빵튀기 recipiente *m* para hacer palomitas (de maíz · de arroz).
뻬루 【지명】 el Perú. ～의 peruano.
▪ ～ 사람 peruano, -na *mf.*
뻬세따 [서반아의 전 화폐 단위] peseta *f.*
뻬소 [라틴 아메리카 여러 나라의 화폐 단위] peso *m.*
뻬이징(北京) 【지명】 Beijing, Pekín. ☞북경
뼈 ① [골(骨)] hueso *m.* ～의, ～ 같은 huesoso, óseo. ～가 앙상한, ～가 많은 huesudo, que tiene mucho hueso. ～의 종양(腫瘍) tumor *m* huesoso. 닭의 ～ huesos *mpl* de pollo. ～가 붙은 고기 carne *f* con huesos. ～를 빼낸 deshuesado, sin hueso. (생선의) 살이 붙은 ～ parte *f* espinosa de un pescado. ～를 맞추다 reducir [encasar · componer] un hueso [una fractura]. ～를 발라 내다 deshuesar. ～와 가죽만 남아 있다 tener sólo hueso y pellejo, estar flaquísimo, estar en los huesos. 다리의 ～를 삐다 fracturarse [romperse] una pierna, sufrir una fractura en una pierna. 그는 넘어져 어깨～를 삐었다 El se cayó y se le dislocó el hombro. 그는 병으로 ～와 가죽만 남았다 La enfermedad le ha dejado en los huesos. 그는 ～와 가죽만 남을 정도로 여위어 있다 No le quedan más que huesos y piel / El es un esqueleto vivo. 나는 이 나라에 ～를 묻을 각오를 하고 있다 Estoy decidido a acabar mi vida [Quiero enterrarme] en este país. ② [일의 핵심] médula *f*, núcleo *m*, quid *m.* ③ ＝기개(氣槪). 기골(氣骨). ¶그는 ～가 있는 남자다 El es un hombre de carácter. ④ [속뜻] intención *f* real. ⑤ [기력(氣力)] vigor *m*, ánimo *m*, energía *f.*
◆꽁무니～ hueso *m* paloma. 무명～ hueso *m* innominado.
뼈 빠지다 (ser) fatigante, fatigoso, penoso, arduo.
◆뼈(가) 빠지게 sin descanso, de la mañana a la noche. ～ 일하다 trabajar sin descanso, trabajar de la mañana a la noche.
◆뼈(가) 휘도록 ＝뼈(가) 빠지게.
◆뼈에 사무치다 afectar en el alma, llegar al alma. 그의 비난이 뼈에 사무쳤다 Su crítica me afectó en el alma / Su crítica me llegó al alma.
뼈고도리 punta *f* de flecha de hueso.
뼈고둥 【조개】 ＝뿔소라.
뼈끝 ① [뼈마디의 끝] punta *f* de una articulación de hueso. ② [뼈에 붙은 고기] carne *f* en el hueso.
뼈낚시 anzuelo *m* de hueso.
뼈다귀 (cada) hueso *m.*
뼈대 ① [몸의 골격(骨格)] constitución *f.* ～가 튼튼하다 [굵다] estar bien constituido, ser de robusta constitución, tener una constitución robusta. ② [얼개] armazón *m*, armadura *f*, estructura *f.* 집의 ～가 끝났다 El armazón de la casa está terminado.
뼈들다 ① [힘만 들고 끝이 나지 않아 오래 걸리다] (ser) duro e infinito. ② [연장을 가지고 손장난하다] jugar con un instrumento.
뼈들어지다 no cortarse bien, ser romo [embotado].
뼈똥싸다 ((속어)) (ser) dificilísimo, muy difícil.
뼈뜯이 carne *f* dura arrancada del hueso.
뼈마디 ① [뼈와 뼈 사이의 이어진 부분] articulación *f* entre los huesos. ② [뼈의 낱낱의 마디] cada articulación del hueso.
뼈막(－膜) 【해부】 ＝골막(骨膜).
뼈맞추기 【의학】 ＝접골(接骨).
뼈무륜병(－病) 【동물】 ＝골연증(骨軟症).
뼈물다 ① [옷치장을 하다] vestirse elegante. ② [자꾸 성내다] enfadarse con frecuencia. ③ [무슨 일을 하려고 자꾸 벼르다] pensar ＋ *inf*, planear, programar.
뼈바늘 aguja *f* de hueso.
뼈붙이 varios huesos *mpl.*
뼈빠지다 ☞뼈
뼈살촉 ＝뼈고도리.
뼈송곳 taladro *m* de hueso.
뼈아프다 traspasar*le* el corazón.
뼈오징어 【동물】 sepia *f.*
뼈저리다 ＝뼈아프다. ¶뼈저린 profundo, severo. 뼈저리게 profundamente, severamente, con severidad. 뼈저리게 느끼다 darse cuenta (de), caer en la cuenta (de). 자신의 잘못을 뼈저리게 느끼다 darse cuenta de *su* falta, caer en la cuenta de *su* falta.
뼈제품(－製品) producto *m* de hueso.
뼈지게 sin descanso, de la mañana a la noche.
뼈지다 ① [속이 옹골차서 살 속에 뼈가 있는 것 같다] (ser) sólido. 그 떡은 뼈진다 La tarta de arroz es muy sólida. ② [하는 말이 여무져 단단한 마디가 있다] (ser) agudo, perspicaz, sucinto conciso, expresivo.
뼈창(－槍) lanza *f* de hueso.
뼈판 【해부】 ＝골반(骨盤).
뼘 ① [엄지손가락과 다른 손가락과의 잔뜩 벌린 거리] palmo *m.* ～으로 재다 medir a [en] palmos. ② ((준말)) ＝장뼘.
뼘다 medir a [en] palmos. 길이를 뼘어라 Mide la longitud a palmos. 그 길이가 뼘어서 3미터다 La longitud mide a palmos tres metros.
뼘들이로 consecutivamente, sucesivamente.
뼛가루 hueso *m* en polvo.
뼛골(－骨) médula *f*, meollo *m*, tuétano *m.* ～까지 얼다 helarse de frío, helarse hasta los huesos, quedarse helado. ～까지 빼먹다 sacar el jugo. 고리대금업자는 그에게서 ～까지 우려냈다 El prestamista le arrancó hasta el último céntimo. 추위가 ～까지 스며들었다 Me penetró el frío hasta la médula de los huesos.
◆뼛골이 빠지다 ＝뼈 빠지다.
뼛성 arrebato *m* [ataque *m*] de cólera [ira]. 성미가 ～이다 ser de temperamento ex-

plosivo.
◆뼛성(을) 내다 tener un arrebato [un ataque] de cólera. 뼛성을 내어 en un arrebato [un ataque] de cólera.

뼛속 =골. ¶추위가 ~까지 스며든다 El frío me penetra [atraviesa] hasta los huesos.

뼛조각 pedazo *m* de huesos.

뽀뽀 Besito *m* / ¡Besa, besa! / ¡Dame un besito!

뽐내다 presumir, afectar, sacar el pecho, darse importancia, ponerse soberbio, engreírse, imponerse, fanfarranear, decir [echar] fanfarronadas, enorgullecerse (de), envanecerse (de), jactarse (de), vanagloriarse (de), alardear (de), pavonearse (de). 성공을 ~ enorgullecerse del éxito. 자신의 아름다움을 ~ pavonearse de su belleza. 뽐내면서 걷다 andar con pasos arrogantes, andar contoneándose [pavoneándose · con paso jactancioso], contonearse. 뽐내는 말투로 en tono altanero [soberbio], en voz solemne [imponente]. 뽐내어 몸을 뒤로 젖히다 echar la cabeza atrás. 박식함을 ~ darse aires de sabio, jactarse de *su* docto conocimiento. 그는 무척 뽐내고 있다 El es muy presuntuoso [arrogante]. 그는 돈이 많지만 결코 뽐내지 않는다 Aunque él es rico, no tiene nada de orgulloso. 너는 합격했으므로 좀더 뽐내도 된다 Puedes tener un poco más de orgullo, ya que lograste ser aprobado. 네가 받은 그런 점수로는 뽐낼 것이 못 된다 Esas notas que has sacado no son para engreírse. 그는 스타가 된 것처럼 뽐낸다 El se vanagloria dándose aires de estrella. 그의 태도에는 뽐내는 데가 있다 El tiene un aire de presunción.

뽑다 ① [(박힌 것을) 잡아당기어 빼어내다] sacar, extraer, arrancar; [뿌리째] desarraigar, extirpar. 못을 ~ arrancar un clavo, sacar la punta. 잡초를 ~ arrancar malas hierbas. 풀을 ~ arrancar las hierbas. 흰머리를 ~ arrancar las canas. 책꽂이에서 책을 뽑아 내다 sacar un libro del estante. ② [(여럿 가운데서) 골라내다] escoger, elegir. 많은 사람 가운데서 ~ designar [señalar · elegir] (para un cargo). 상품 중에서 뽑아 검사하다 escandallar los artículos, examinar los artículos por muestrario. 두 사람 중 한 사람을 뽑으세요 [usted에게] Escoja uno de los dos / [tú에게] Escoge uno de los dos / [ustedes에게] Escojan uno de los dos / [vosotros에게] Escoged uno de los dos. 두 사람 중 한 사람을 뽑자 Escojamos [Vamos a escoger] uno de los dos. 사람들은 김 씨를 시장으로 뽑았다 Eligieron (para) alcalde al señor Kim. 나를 회장으로 뽑았다 Me eligieron presidente / Yo fui elegido presidente. 이 카드에서 한 장을 뽑으세요 Tire de [Saque · Tome] una de estas cartas. ③ [모집하다] [병사 · 회원 · 도우미를] reclutar, alistar; [선원(船員)을] enrolar.

-뽑이 tenaza(s) *f(pl).* 마개~ sacacorchos *m.sing.pl*, tirabuzón *m.* 못~ sacaclavos *m.sing.pl.*

뽑히다 ① [박힌 것이] sacarse, arrancarse, ser sacado, ser arrancado. 못이 ~ arrancarse [ser arrancado] el clavo. ② [선출되다] elegirse, ser elegido. 그는 대통령으로 뽑혔다 El fue elegido presidente / Le eligieron presidente. 그는 많은 응모자 중에서 뽑혔다 El fue elegido entre muchos aspirantes.

뽕[1] ① ((준말)) =뽕잎. ② ((준말)) =뽕나무.

뽕[2] ① [막혀 있던 기체나 가스가 좁은 구멍으로 갑자기 터져 나오는 소리] (eliminando gases) con bu. 방귀를 ~ 뀌다 eliminar gases, tirarse un pedo. ② [(작은) 구멍이 뚜렷하게 뚫려지는 소리, 또는 그 모양] ¡Bu!

뽕가지 rama *f* del moral.

뽕깡(중 柑柑) una especie de naranja, pamplemusa *f*, pamelmusa *f.*

뽕나다 divulgarse el secreto.

뽕나무 【식물】 moral *m*, moreda *f*, morera *f*, *Méj* mora; 【학명】 Marus alba.
■ ~밭 moreral *m*, moreda *f.* ~ 열매 mora *f* (de morera).

뽕놓다 ((낮은말)) divulgar el secreto de los otros.

뽕누에 【곤충】 =누에.

뽕따기 recogimiento *m* de las hojas de moral.

뽕 따다 recoger las hojas de moral.

뽕밭 =뽕나무밭.

뽕빠지다 quebrar, hacer bancarrota, hacer quiebra.

뽕뽕 =붕붕.

뽕순(—筍) retoño *m* de moral.

뽕잎 hoja *f* de moral [morera].

뽕짝 *pongchak*, una especie de la canción popular de nuestro país.

뾰두라지 =뾰루지.

뾰로통하다 hacer un mohín. 나는 관계없다라고 그녀는 뾰로통해서 말했다 No me importa — ella dijo haciendo un mohín.

뾰롱뾰롱하다 (ser) malhumorado. 더운 날씨는 나를 뾰롱뾰롱하게 만들었다 El calor mo ponía de muy de mal humor.

뾰루지 grano *m*, furúnculo *m*, forúnculo *m*, tumor *m.*

뾰조록하다 sobresalir. 뾰조록한 que sobresale, sobresaliente.
뾰조록이 sobresalientemente.

뾰족구두 zapatos *mpl* de tacón alto.

뾰족뒤쥐 【동물】 musaraña *f.*

뾰족뾰족하다 [잎이] (estar) acabado en punta; [지붕 · 창문이] apuntado; [아치가] ojival; [턱 · 코가] puntiagudo, *Andes* puntudo; [모자가] de pico.

뾰족이 ☞뾰족하다.

뾰족집 ① [지붕 끝이 아주 뾰족하게 생긴 양옥(洋屋)] edificio *m* que tiene un chapitel [una aguja · una torre · un campanario]. ② ((속어)) [천주교의 성당] catedral *f.*

뾰족탑(—塔) chapitel *m*, pináculo *m*, aguja *f*,

campanario *m*, espira *f*.

뾰족하다 ① [(물체의 끝이) 날카롭고 빨다] (ser) puntiagudo, agudo; [날카로운] aguzado, cortante, acerado. 끝이 뾰족한 puntiagudo. 뾰족하게 하다 aguzar, afilar, sacar punta. 뾰족한 손톱 uñas *fpl* puntiagudas. 뾰족한 송곳니 colmillo *m* puntiagudo. 뾰족한 코 nariz *f* aguileña, nariz *f* puntiaguda. 뾰족한 머리 cabeza *f* en forma de cono. 뾰족한 각(角) [돌출한] ángulo *m* saliente. 연필을 뾰족하게 깎다 sacar punta al lápiz. ② [매우 신통하다] ser muy maravilloso. 뾰족한 수가 없다 No hay maravilla.

뾰족이 ((준말)) =뾰조록이.

뾰주리 ① ((준말)) =뾰주리감. ② [머리통이 뾰족하게 긴 사람] persona *f* con cabeza en forma de cono.

뾰주리감 【식물】 caqui *m* [kaki *m*] fino y puntiagudo.

뿌다구니 parte *f* puntiaguda de la cosa.

뿌다귀 =뿌다구니.

뿌루퉁하다 ① [부어서 뿔룩하다] hincharse. 그의 다리가 뿌루퉁했다 Se le hinchó la pierna a él. ② [불만스러운 빛이 얼굴에 나타나 있다] tener un mohín. 그녀는 뿌루퉁했다 Ella tuvo un mohín.

뿌리[1] ① [식물의] raíz *f* (*pl* raíces). ~를 뻗다 arraigar, echar raíces. 이 나무는 ~가 깊다 Este árbol tiene las raíces muy hondas. 이 나무는 ~째 뽑혔다 Este árbol fue arrancado de raíz. ② [어떤 물건의, 다른 물건에 박혀 있는 밑동] raíz *f*. 이의 ~ raíz *f* de diente. 머리의 ~ raíz *f* de pelo. ③ [사물이나 현상의 근본이 되는 것] raíz *f* (*pl* raíces), causa *f*, origen *m*, fuente *f*. 병(病)의 ~를 뽑다 sacar la causa de la enfermedad. 네 버릇의 ~를 뽑아 주겠다 Voy a sacar la raíz de tu vicio. 사람이 악으로 굳게 서지 못하나니 의인의 ~는 움직이지 아니하느니라 ((잠언 12:3)) El hombre no se afirmará por medio de la impiedad; mas la raíz de los justos no será removida / El mal no es base firme para nadie; los justos tienen raíz permanente.

◆ 뿌리(를) 박다 arraigar, echar raíces.

▪ 뿌리 없는 나무에 잎이 필까 ((속담)) No raíz, no fruto.

▪ ~등걸 tocón *m* (*pl* tocones), cepa *f*. ~접(椄) injerto *m* de la raíz. ~줄기 rizoma *f*. ~채소 raíz *f* [tubérculo *m*] (comestible como la zanahoria, el boniato etc.). ~털 pelos *mpl* absorbentes. ~혹 tubérculo *m*. ~혹박테리아 bacteria *f* de tubérculo.

뿌리[2] [한 단어(單語)를 더 쪼갤 수 없는 데까지 쪼갠 부분] raíz *f* (*pl* raíces).

뿌리다 ① [(비나 눈 따위가) 날려 떨어지다] caer; [비를] llover; [눈을] nevar. 가랑비가 ~ lloviznar. ② [흩어서 던지다] esparcir, echar, desparramar, regar, rociar, espolvorear, espolvorizar. 물을 ~ rociar, regar. 곡물(穀物)을 ~ esparcir el grano. 모래를 ~ esparcir la arena. 설탕을 ~ espolvorizar azúcar. 흙을 ~ esparcir la tierra. 정원에 물을 ~ rociar [regar] el jardín. 거리에 돈을 ~ sembrar dinero por la calle. 거리에 물을 ~ regar la calle. 화분의 꽃에 물을 ~ rociar con agua las flores de macetas. 꽃에 물을 ~ echar agua a las flores. 머리에 물을 ~ [자신의] echarse agua en [sobre] la cabeza. 요리에 소금을 ~ echar la sal a la comida, espolvorear sal en la comida. 땅바닥에 모래를 ~ esparcir arena por el suelo. 우리들은 정원에 재를 뿌렸다 Nosotros esparcimos las cenizas por el jardín. ③ [(씨앗을) 심다] sembrar. 밀을 ~ sembrar el trigo. 배추 씨를 ~ sembrar las semills del repollo. 밭에 밀을 ~ sembrar un campo de trigo. 뿌리지 않은 씨는 나지 않는다 Sin sembrar no hay cosecha. 부모들이 씨를 뿌리고 아이들이 그 혜택을 받는다 Los padres sembran y los hijos recogerán el fruto. 자기가 뿌린 씨는 자기가 거둔다 Lo que siembres cosecharás. ④ [(돈을) 마구 쓰다] desparramar, gastar(se). 팁을 ~ dar propinas a diestro y siniestro [a todo el mundo]. 고관들에게 돈을 ~ sobornar con dinero a los altos dirigentes. 밤거리에 뿌린 돈 dinero *m* gastado en el burdel. ⑤ [(슬퍼서 눈물을) 몹시 흘리다] derramar. 눈물을 ~ derramar las lágrimas. ⑥ [무엇을 위에서 아래로 내리 흔들다] sacudir.

뿌리치다 ① [붙잡는 것을 힘껏 채어 놓치게 하거나 붙잡지 못하게 하다] rechazar, rehusar; [사람을] abandonar, dejar. 손을 ~ rechazar la mano, desprenderse de las manos. 뿌리치는 태도를 취하다 tratar manteniendo una distancia. 그가 말리는 것을 뿌리치고 나는 떠났다 Partí a pesar de todos los esfuerzos que hizo para detenerme. 그녀는 부모의 반대를 뿌리치고 그와 결혼했다 Ella se casó con él a pesar de todas las objeciones de sus padres. ② [(말리거나 권하는 것을) 물리치다] desechar. 방해를 ~ desechar el obstáculo. 사념(邪念) ~ desechar los malos pensamientos. ③ [따라오지 못하게 하다] no dejar seguir.

뿌옇다 ((센말)) =부옇다.

뿌예지다 ((센말)) =부예지다.

뿐 [용언 밑에 쓰이어] sólo, solamente. …할 ~이다 volverse todo. 그녀는 생각에 잠길 ~이었다 Todo se la volvía cavilar. 우리들은 마냥 걸을 ~이었다 Todo se nos volvía caminar y más caminar. 나는 약간 피로할 ~이다 Estoy un poco cansado nada más. 방에는 탁자가 하나 있을 ~이다 No hay más que una mesa en el cuarto / No hay sino una mesa en el cuarto / Hay una sola mesa en el cuarto.

-뿐 [체언 밑에 붙어서] sólo, solamente, meramente, único. 그것을 할 수 있는 사람은 그 사람~이다 El es el único que puede hacerlo.

뿐만 아니라 no sólo … sino (también), así

como, además, otrosí. 그는 가난할 ~ 병객이다 El no sólo es pobre, sino también enfermizo. ~ 내게는 돈이 없다 Y además no tengo dinero. 그는 인기가 있을 ~ 실력도 충분한 사람이다 El no sólo es popular, sino que (también) es un hombre realmente competente. 그는 재산 ~ 생명도 잃었다 El perdió no sólo los bienes, sino hasta la vida. 이 책은 한국 ~ 전세계에서 읽히고 있다 Este libro se lee no sólo en Corea sino (también) en todo el mundo. 나는 우리나라 ~ 세계를 돌고 싶다 Quiero recorrer no solamente nuestro país sino el mundo entero.

뿔 ① 【동물】 (소·염소·사슴 등 동물의 머리나 얼굴에 딱딱하게 돌기된 부분] cuerno *m*, el asta *f* (*pl* las astas); [작은] cornecico *m*, cornecillo *m*, cornecito *m*; [사슴의] cuerno *m*, el asta *f*; [무소·꼬끼리 따위의] defensa *f*. ~이 난 cornudo. ~로 받다 acornear, cornear, dar una cornada. ~로 받기 cornada *f*. ~로 만든 술잔 cuerna *f*, cuerno *m* de vaca que sirve de vaso. 물소의 ~ cuerno *m* de búfalo. 사슴의 ~ cuerno *m* de gamo, el asta *f* (*pl* las astas) del venado. ~이 난다 Nacen [Salen] los cuernos. ② [물건의 머리 부분이나 표면에서 불쑥 나온 부분] parte *f* saliente.

◆뿔(이) 돋다[나다] ((속어)) enojarse, enfadarse, irritarse.

▪~나팔 cuerna *f*, trompa *f* de cuerno.

뿔고둥 【조개】 =뿔소라.

뿔관자(一貫子) broche *m* de cuerno.

뿔다귀 ((속어)) =뿔.

◆뿔다귀(가) 나다 enojarse, enfadarse, irritarse.

뿔따구 ((속어)) ira *f*, enfado *m*, cólera *f*, furia *f*, irritación *f*, enojo *m*.

뿔따구 나다 ((속어)) enfadarse, irritarse, enojarse.

뿔따구 내다 ((속어)) enfadar, irritar, enojar.

뿔면(一面) 【수학】 =추면(錐面).

뿔뿔이 separadamente; [무질서하게] desordenadamente, en desorden. ~ 흩어지다 dispersarse, dispersarse. ~ 흩어진 separado. ~ 흩어져 도망치다 huir a la desbandada, huir en desorden, desbandarse. ~ 흩어져 살다 vivir separados [separadamente]. 일가(一家)는 ~ 흩어졌다 La familia se dispersó. 가족이 ~ 흩어졌다 La familia se separó cada uno por su sitio. 서류가 ~ 흩어졌다 Se desordenaron los documentos.

뿔색(一色) color *m* del cuerno.

뿔싸움 pelea *f* de cuernos.

뿔잔(一盞) vaso *m* de cuerno.

뿔피리 flauta *f* de cuerno.

뿕다 ser muy rojo.

뿕어지다 hacerse muy rojo.

뿜다 ① [속에 있는 것을 밖으로 세차게 밀어내다] pulverizar. 뿜는 일 pulverización *f*, vaporización *f*. 뿜는 도료(塗料) pintura *f* a pulverización, pulverización *f*. 시트에 물을 ~ mojar la sábana con un pulverizador. 식물(植物)에 살충제를 ~ pulverizar una planta con insecticida. …에 도료를 ~ pintar *algo* con pistola. ② [입이나 어떤 구멍으로 물을 뿌려 물건을 축이다] arrojar [expulsar] chorros (de). 고래는 물을 뿜는다 La ballena expulsa chorros de agua. ③ [(빛·냄새 따위를) 세차게 발산하다] despedir, difundir, desprender. 냄새를 ~ despedir olor. 장미는 기분 좋은 향기를 뿜는다 La rosa despide perfume agradable.

뿜어 나오다 manar. 상처에서 피가 뿜어 나온다 Mana sangre de la herida.

뿜마개 =분수전(噴水栓).

뿜물못 =분수지(噴水池).

뿜물탑(一塔) =분수탑(噴水塔).

뿜이개 =분무기(噴霧器).

뿡뿡 pitando, tocando el claxon. ~ 소리 내다 [운전수가] tocar el claxon [la bocina], pitar. 그는 여러 차례 클랙슨을 ~ 울렸다 El tocó el claxon [la bocina] un par de veces / El pitó un par de veces / El pegó un par de bocinazos.

뿡뿡거리다 seguir tocando el claxon.

쀼루퉁하다 =뾰로통하다.

삐 tiroriro *m*, pito *m*. 피리를 ~ 하고 불다 pitar.

삐걱 crujientemente, con crujido.

삐걱거리다 crujir, rechinar. 삐걱거리는 소리 sonido *m* rechinante.

삐걱삐걱 crujientemente.

삐다¹ [(괸물이) 빠지거나 잦아지거나하여 줄어 없어지다] decrecer, bajar, vaciarse, filtrarse. 욕조의 물이 삐는데 시간이 걸린다 La bañera tarda mucho en vaciarse. 비가 점점 땅속으로 삐어 간다 La lluvia se va filtrando en la tierra.

삐다² [몸의 어느 부분이 접질리거나 비틀려서 뼈마디가 어긋나다] dislocarse, torcerse, descoyuntarse, hacerse un esguince (en), distenderse. 발목[손목·팔]을 ~ dislocarse el tobillo [la muñeca·un brazo]. 발을 ~ dislocarse [torcerse] el pie. 손가락을 ~ torcerse el dedo. 나는 목을 삐었다 Me ha dado tortícolis. 어깨를 삐었다 Se ha dislocado el hombro. 나는 어깨가 삐었다 Yo tenía el hombro dislocado. 그는 맞아서 팔꿈치를 삐었다 Se le dislocó el codo con el golpe.

삐대다 molestar, irritar, fastidiar, hacer*le* pasar vergüenza (a *uno*), avergonzar, poner en una situación embarazosa.

삐라 [포스터] cartel *m* (pequeño); [광고로 뿌리는 종이] prospecto *m*; [정치적인] octavillas *fpl*; ((게시)) Anuncio *m*. ~를 붙이다 fijar un cartel [un anuncio]. ~를 배포하다 repartir prospectos.

삐리 [남사당패에서] =신출내기.

삐삐¹ [피리를 부는 소리] pitido *m*. 아이가 ~ 울다 (el bebe) chillar, berrear.

삐삐² [살가죽이 배틀리도록 바짝 여윈 모양] descarnado, delgado y adusto, demacrado. ~ 마른 사람 esqueleto *m*. 그녀는 ~ 말라 있다 Ella está hecha un esqueleto / Ella está esquelética / Ella está en los huesos.

삐삐[3] busca *f*, *Méj* bip *m*, *Chi* bíper *m*. 급하시면 ~로 불러 보시지요 Si es urgente, llámele por su busca.

삐악 pío *m*.
삐악삐악 pío, pío. ~ 울다 piar. 병아리들이 ~ 운다 Los polluelos pían.

삐쭉 ((센말)) =비쭉.

삐치다[1] ① [(일에 시달림을 받아) 몸이 느른하고 피곤하여 기운이 없어지다] (estar) lánguido, cansado, debilitado, agobiado. ② [토라지다] estar con tendencia a enfurruñarse.

삐치다[2] [(붓으로 글을 쓸 때) 삐침 획을 긋다] trazar el trazo hacia abajo de la izquierda.

삑[1] [한군데에 여럿이 배게 들어선 모양] densamente, espesamente.

삑[2] [기적 등이 새되게 지르는 외마디 소리] pitando,

삑삑하다 =빽빽하다.

삘기살 carne *f* de vaca en espinilla.

삠 dislocación *f*, luxación *f*, descoyuntamiento *m*. 관절(關節)의 ~ torcedura *f*, torcimiento *m*, esguince *m*.

삥땅 ((은어)) tajada *f*, ganancia *f* ilícita. ~하다 pasar el rastro.

삥삥매다 no saber qué hacer. 그는 지금 삥삥매고 있다 El sabe qué hacer ahora.

삥실거리다 ((센말)) =빙실거리다.
삥실삥실 ((센말)) =빙실빙실.

삥싯 ((센말)) =빙싯.

ㅅ

사[1] puntadas *fpl* del ojal, puntadas *fpl* del dobladillo. ~(를) 뜨다 dar unas puntadas del ojal.

사[2] 【음악】 sol *m*.

사(四) cuatro. ~ 일 cuatro días. ~ 개월 cuatro meses. ~ 년 cuatro años. ~분의 일 un cuarto. ~분의 삼 tres cuarto. ~ 반세기 un cuarto de siglo. 제~(의) cuarto. 10 빼기 6은 ~ Diez menos seis es igual a cuatro. 3 곱하기 ~는 12 Tres por cuatro son doce.

■ ~ 배(倍) cuatro veces. ¶~의 cuádruple, cuádruplo. ~ 하다 cuadruplicar. ~(가) 되다 cuadruplicarse. ~ 크기 tamaño *m* cuádruple.

사(士) ① =선비. ② ((장기)) *sa*, pieza *f* de ajedrez coreano.

사(巳) ①【민속】 Signo *m* de Serpiente. ② =사방 (巳方). ③ ((준말)) =사시(巳時).

사(死) muerte *f*, fallecimiento *m*.

사(私) ① [사사로운 것] lo privado, sí. ② [사리] egoísmo *m*, interés *m* personal. ~가 없는 desinteresado, no egoísta, generoso. ③ [숨기어 비밀로 함] secreto *m*. ④ [정실(情實)] favoritismo *m*, parcialidad *f*, consideraciones *fpl* privadas.

◆사(를) 보다 ser influenciado [influido] por las consideraciones privadas.

사(邪) ① [옳바르지 않는 일] maldad *f*, perversidad *f*, vicio *m*, injusticia *f*, iniquidad *f*, mal *m*, heterodoxia *f*. ② =사기(邪氣). ③ [한방에서] causa *f* principal de la enfermedad.

사(社) ① [회사] compañía *f*. ② [신문사] oficina *f* de periódico. ③ [통신사] agencia *f* de noticias.

사(事) cosa *f*, lo que. 이곳에서 담배 피우지 말 ~ No fumen aquí.

사(祀) 【역사】 servicio *m* funeral para el dios de la tierra.

사(砂) ① [모래] arena *f*. ②【민속】 situación *f* de los alrededores del agujero.

사(射) ballestería *f*.

사(紗) gasa *f* de seda.

사(師) ① [스승] maestro, -tra *mf*. ②【군사】 ((준말)) =사단(師團). ③【역사】 =세자사(世子師). ④【역사】 =세손사(世孫師).

사(赦) ① [죄나 허물을 용서하여 놓아 줌] liberación *f*, absolución *f*, perdón *m*, remisión *f*. ~하다 libertar, absolver, perdonar, disculpar, remitir. ②【역사】 ((준말)) =사전(赦典). ③ =사면(赦免).

◆사(를) 내리다 mandar la liberación del criminal. 사(를) 놓다 amnistiar, indultar, conceder el perdón.

사(詞) ① [말] palabra *f*. ② =시문(詩文).

사(絲) 【악기】 *sa*, un instrumento de cuerda atado por los hilos.

사(嗣) ① [한 집안의 대를 잇는 일] sucesión *f*. ② ((준말)) =사자(嗣子).

사(辭) palabra *f*.

-사 por, porque, pues. 항상 사랑하~ porque se ama siempre. 하느님이 보우하~ 우리 나라 만세 Nuestro país será perpetuo por la protección de Dios.

-사(士) especialista *mf*. 변호~ abogado, -da *mf*. 비행~ piloto *mf*, aviador, -dora *mf*.

-사(史) historia *f*. 한국~ la Historia Coreana, la Historia de Corea. 동양~ la Historia Oriental. 세계~ la Historia Universal.

-사(寺) templo *m* (budista), monasterio *m*, convento *m*. 불국~ el Templo (Budista) de *Bulguk*, el Monasterio (de) *Bulguk*.

-사(社) casa *f*, asociación *f*, corporación *f*, sociedad *f*, compañía *f*, grupo *m*. 출판(出版)~ (casa *f*) editorial *f*.

-사(舍) casa *f*. 기숙~ dormitorio *m*, residencia *f*, [학생의] internado *m*, pensión *f*.

-사(事) cosa *f*, asunto *m*. 중대(重大)~ cosa *f* importante, importancia *f*. 가내(家內)~ asuntos *mpl* domésticos, cosa *f* doméstica.

-사(師) maestro, -tra *mf*; experto, -ta *mf*; especialista *mf*.

-사(詞) parte *f* de la oración. 동(動)~ verbo *m*. 명(名)~ nombre *m*, sustantivo *m*.

-사(辭) palabra *f*, discurso *m*, plática *f*, el habla *f*. 개회~ discurso *m* de apertura. 폐회~ discurso *m* de clausura. 취임~ discurso *m* inaugural. 환영~ discurso *m* de bienvenida.

사가(史家) ((준말)) =역사가(歷史家).

사가(四街) ① =네거리. ② [네 번째 거리] cuarta calle *f*. 종로 ~ cuarto *Ga*, *Jongno*; cuarta calle *f* de *Chongro*.

사가(死街) calle *f* solitaria, calle *f* arruinada.

사가(私家) casa *f* privada, residencia *f* privada, *su* hogar.

사가(查家) =사돈집.

사가(師家) casa *f* de *su* maestro.

사가(賜暇) licencia *f*. 일주일의 ~를 얻어 귀성(歸省)하다 ir a *su* pueblo con licencia por una semana.

사가리(四街里) =네거리.

사각 mascando, ronchando, ronzando.

사각거리다 mascar, ronchar, ronzar, tascar, cascar.

사각사각 mascando, ronchando, crespamente, quebradizamente, tostadamente.

사각(四角) ① ((준말)) =사각형(四角形). ② [네 개의 각] cuatro ángulos.

■ ~기둥 columna *f* cuadrada. ~모자(帽子) gorra *f* cuadrangular. ~뿔 pirámide *m* cuadrangular. ~지붕 tejado *m* cuadrado. ~팔방 todas las direcciones, aquí y allá. ~형 ㉮ 【수학】 cuadrado *m.* ¶~의 cuadrado, cuadrangular. ~의 탁자 mesa *f* cuadrada. ~의 얼굴 cara *f* cuadrada. ㉯ [장방형] rectángulo *m,* cuadrilongo *m.* ¶~의 rectangular, cuadrilongo. ~의 탁자 mesa *f* rectangular.

사각(史閣) 【역사】 archivo *m.*

사각(死角) ángulo *m* muerto.

사각(射角) ángulo *m* de disparo.

사각(斜角) 【수학】 ángulo *m* oblicuo.

사각(寫角) 【사진】 ángulo *m* de vista.

사갈 zapatos *mpl* de madera con puntas [con púas · con pinchos].

사갈(蛇蝎/蛇蠍) ① [뱀과 전갈] la víbora y la escorpión. ② [남을 해치거나, 몹시 불쾌한 느낌을 주는 사람] persona *f* maligna.

사감(私感) sentimiento *m* privado.

사감(私憾) rencor *m,* resentimiento *m,* odio *m,* maldad *f.* ~을 갖다 tener*le* [guardar*le*] rencor (a), tener una maldad [un rencor · un resentimiento]. 걱정 마라. 나는 ~이 없는 사람이다 No te preocupes; no soy de los que guardan rencor.

사감(舍監) inspector, -tora *mf* de internado; ayo, -ya *mf* de una casa de estudiante.

사강전(四强戰) ((운동)) cuartos *mpl* de final.

사개 【건축】 ensamble *m,* ensambladura *f.*
◆사개(를) 물리다 encajar (en · con), ajustar(se), ensamblar, machihembrar.
▪~통 【건축】 ensambladura *f* en lo alto del pilar [de la columna].

사객(詞客) poeta, -tisa *mf.*

사거(死去) muerte *f,* defunción *f,* fallecimiento *m.* ~하다 morir, fallecer, pasar a mejor vida.

사거리(四-) =네거리.

사거리(射距離) 【군사】 distancia *f* de la boca al punto de impacto.

사건(事件) acontecimiento *m,* suceso *m,* caso *m,* asunto *m*; [사고(事故)] accidente *m,* incidente *m.* 전주(前週)의 ~ acontecimientos *mpl* de la semana pasada. 매일(每日)의 ~ acontecimientos *mpl* cotidianos. ~을 인수하다 tomar un negocio entre mano; [변호사가] encargarse de una causa. ~이 일어나다 acontecer un asunto. ~을 취급하다 tratar un pleito. 어려운 ~을 해결하다 solucionar un asunto difícil. 큰 ~이 일어났다 Ha sucedido una cosa muy grave. ~이 잇달아 일어났다 Los acontecimientos se sucedieron con asombrosa rapidez.
◆도난 ~ caso *m* de robo. 사기 ~ caso *m* de fraude. 살인 ~ caso *m* de asesinato. 소송 ~ caso *m* judicial, juicio *m,* pleito *m,* proceso *m,* causa *f.* 수회 ~ caso *m* de soborno, caso *m* de cohecho. 십십이(10 · 12) ~ el Acontecimiento del doce de octubre (de 1980). 연애 ~ aventura *f,* romance *m,* amoríos *mpl.* 우발 ~ eventualidad *f,* contingencia. 워터게이트 ~ caso *m* Watergate. 정치 ~ acontecimiento *m* político.

사격(射擊) tiro *m,* disparo *m,* descarga *f.* ~하다 descargar, disparar, tirar. ~을 개시하다 empezar [comenzar] a disparar. ~을 교환하다 cambiar fuegos. ~을 받다 recibir fuegos. ~을 연습하다 ejercer tiros al blanco. 적에게 ~을 퍼붓다 hacer [abrir] fuego contra el enemigo. ~의 명수다 ser un buen tirador, ser un tirador excelente. ~ 개시! ¡Fuego! / ¡Disparad! ~ 중지! ¡Alto el fuego!
◆각개 ~ descarga *f* individual. 꾸레 ~ tiro *m* al plato, tiro *m* del pichón. 실내 ~ 연습장 barraca *f* de tiro al blanco. 올림픽 ~ tiro *m* olímpico. 유효(有效) ~ descarga *f* eficaz. 일제 ~ descarga *f* cerrada.
▪~ 경기 concurso *m* de tiro al blanco. ~ 교관 instructor, -tora *mf* de tiro al blanco. ~ 대회(大會) certamen *m* de tiro al blanco. ~수 =사수(射手). ~술 puntería *f.* ~장 [실내의] barraca *f* [puesto *m*] de tiro al blanco; 【군사】 [총의] galería *f* de tiro; [대포용] polígono *m* de tiro. ~전 tiroteo *m,* *AmL* balacera *f.* ~ 효과 efecto *m* de tiro.

사견(私見) opinión *f* personal, opinión *f* privada, vista *f* personal. 내 ~으로는 en [según] mi opinión personal, a mi parecer, según yo opino, según yo creo.

사견(邪見) [부정한 견해] mala opinión *f* [vista *f* · idea *f*], opinión *f* herética.

사경(四更) duración *f* de las dos a las cuatro de la mañana.
▪~추(니) gallina *f* que cacarea más temprano que la otra por la mañana.

사경(四境) límites *mpl* de norte, sur, este y oeste.

사경(死境) situación *f* mortal, borde *m* de la muerte; [궁경(窮境)] circunstancias *fpl* miserables. ~에 처하다 estar al borde de la muerte. ~에서 살길을 찾다 tratar de encontrar una salida en la dificultad. ~을 극복하다 dominar [vencer] la situación mortal. ~을 벗어나다 ser salvado de las garras de la muerte.

사경(私徑) ① [떳떳하지 못한 길] camino *m* turbio. ② =곡경(曲徑).

사경(邪徑) ① [옆길 · 사잇길] camino *m* lateral. ② [부정한 마음] corazón *m* deshonesto; [부정한 행위] actitud *f* deshonesta.

사경제(私經濟) economía *f* privada, economía *f* individual.

사경회(査經會) clase *f* de la Biblia.

사계[1](四季) ① ((준말)) =사계삭(四季朔). ② [사철] cuatro estaciones: primavera, verano, otoño e invierno. ~를 통해서 por [en] todas estaciones, durante todo el año. ~의 변화 transición *f* [cambio *m*] de las estaciones. ~ 철마다의 꽃 flores *fpl* de cada estación. ~ 철마다의 매료 encanto *m* peculiar a [de] cada estación. ③ ((천주교)) cuatro estaciones del calendario eclesiástico.

사계²(四季)【식물】＝월계화(月季花).

사계(邪計) artificio *m* malvado.

사계(射界) zona *f* de tiros.

사계(斯界) este ramo de la ciencia, este ramo de la industria, tema *m*. ～의 권위(權威) autoridad *f* de este ramo. ～의 권위자이다 ser una gran autoridad en el tema.

사계삭(四季朔) el último mes de cuatro estaciones, marzo, junio, septiembre y diciembre del calendario lunar.

사고(史庫)【역사】archivo *m* de la crónica y los documentos importantes del gobierno.

사고(四顧) ① [사방을 둘러봄] acción *f* de mirar [ver] por todas partes. ～하다 mirar [ver] por todas partes. ② ＝부근. 주변.

■～무인(無人) lo solitario sin hombres por todas partes. ～무친(無親) acción *f* de no tener nadie de cuidar. ¶～하다 no tener nadie de cuidar [mirar por], no tener ningún pariente de cuidar.

사고(社告) [신문사의] anuncio *m* de un periódico; [잡지의] anuncio *m* de una revista.

사고(事故) accidente *m*; [작은] incidente *m*; [큰] calamidad *f*, catástrofe *f*, cataclismo *m*; [지장(支障)] obstáculo *m*, impedimiento *m*, estorbo *m*. ～를 당하다 sufrir [tener] un accidente. ～를 일으키다 causar [ocasionar] un accidente. ～를 막다 [예방하다] prevenir los accidentes. ～를 피하다 evitar los accidentes. ～로 죽다 morir en [por] un accidente. ～가 일어났다 Ha ocurrido [sobrevenido] un accidente. 그는 ～를 당했다 El tuvo [sufrió] un accidente. 그는 자동차로 ～를 일으켰다 El ha tenido un accidente con su coche. ～로 상행선(上行線)과 하행선(下行線)이 불통이다 Las líneas están interrumpidas en ambas direcciones a causa del accidente. 우리는 ～ 없이 집에 도착했다 Nosotros llegamos a casa sin contratiempos [sin percances]. ～는 생기기 마련 ((서반아 속담)) Una desgracia a cualquiera le pasa.

◆교통 ～ accidente *m* de tráfico [de tránsito · de circulación]. 도난 ～ caso *m* de robo. 비행기 ～ accidente *m* aéreo, accidente *m* de avión. 뺑소니 ～ accidente *m* en que el conductor se da a la fuga. 안전～ accidente *m* laboral, accidente *m* de trabajo. 자동차 ～ accidente *m* de auto [de automóvil · de coche]. 철도 ～ accidente *m* ferroviario [de ferrocarril].

■～결(缺) ausencia *f* por accidente, ausencia *f* de escuela [de oficina] por razón incidental. ～ 공포증 fronemofobia *f*. ～뭉치 alborotador, -dora *mf*. ～ 방지[예방(책)] prevención *f* de accidentes [de siniestros]. ～사(死) muerte *f* por accidente, muerte *f* accidental. ～ 현장 sitio *m* [lugar *m*] del accidente.

사고(私庫) depósito *m* privado.

사고(思考) ① [생각하고 궁리함] pensamiento *m*, meditación *f*, reflexión *f*, [심사(深思)] contemplación *f*, [고려(考慮)] consideración *f*. ～하다 pensar, meditar, reflexionar, contemplar, considerar. ②【철학】＝사유(思惟). ③【심리】＝판단. 추리(推理). ④【의학】ideación *f*.

■～ 과정 proceso *m* de pensamiento. ～력 facultad *f* mental, facultad *f* de pensar, facultad *f* contemplativa. ¶나는 ～이 감퇴했다 Tengo floja [debilitada] la facultad mental. ～력 감퇴 hiposicosis *f*. ～력 상실 lipofrenia *f*. ～ 방법 método *m* [forma *f*] de pensar. ～ 실험(實驗) experimento *m* de ideas. ～ 장해 dislogia *f*. ～ 중추 [뇌의] centro *m* de ideación. ～ 착란증 ideofrenia *f*.

사곡(邪曲) maldad *f*, perversidad *f*. ～하다 (ser) torcido, encorvado, malvado, perverso, malo, maligno.

사곡(私穀) cereales *mpl* privados.

사골(四骨) huesos *mpl* de cuatro patas de la vaca.

사골(死骨) hueso *m* del muerto.

사공(四空) cielos *mpl* de todas las partes.

사공(沙工) lanchero, -ra *mf*, remero, -ra *mf*, botero, -ra *mf*, barquero, -ra *mf*, marinero, -ra *mf*, piloto *mf*.

■사공이 많으면 배가 산으로 올라간다 ((속담)) Barco que mandan muchos pilotos, pronto va a pique.

사과(沙果) manzana *f*, [야생의] manzanera *f*.

■～밭 manzanal *m*, pomar *m*. ～산 ácido *m* málico, ácido *m* oxisuccínico. ～술[주] sidra *f*, vino *m* de manzana. ～잼 compota *f* de manzana. ～ 주스[즙] zumo *m* [*AmL* jugo *m*] de manzana. ～ 파이 pastel *m* de manzana; *Méj* pay *m* de manzana; *Chi* kuchen *m* de manzanas.

사과(謝過) excusa *f*, disculpa *f*, justificación *f*, [변명(辨明)] apología *f*. ～하다 apologizar, disculparse (por), excusarse (de · por), pedir perdón (por), presentar sus excusas. ～의 표시로 como [en señal de] excusa. ～의 편지 carta *f* de excusa [de disculpa]. ～를 받아들이다 aceptar la excusa (de). 우리는 지연(遲延) [불편(不便)]을 ～합니다 Rogamos disculpen el retraso [las molestias]. 제 ～를 받아들여 주십시오 Le ruego me disculpe. 어떻게 ～드려야 될 지 모르겠습니다 No sé cómo excusarme [cómo pedirle perdón]. 그는 늦게 도착한 것을 ～했다 Es se excusó de [por] haber llegado tarde. 그는 ～도 않했다 El ni siquiera pidió perdón / El ni siquiera se disculpó. 너는 그녀에게 그렇게 무례하게 군 데에 대해 ～해야 한다 Tú tienes que pedirle perdón a ella por haber sido tan grosero. 내 자식놈의 행동에 대해 ～를 드렸으면 싶습니다 Quisiera disculparme por el comportamiento de mi hijo.

■～글[문] escrito *m* de apología. ～장 ＝전말서(顚末書).

사과나무(沙果－)【식물】manzano *m*.

ㅅ

사과탕(四－湯) sopa *f* de carne de vaca hecha por los pulmones, las colas, los talones y la pierna delantera..

사과후(事過後) después de terminar el trabajo.

사관(士官) oficial *mf*; [육군의] oficial *mf* militar; [해군의] oficial *mf* naval; [공군의] oficial *m* aéreo, oficial *f* aérea.
■～ 학교 ㉮ [군의] academia *f*. ㉯ ((기독교)) ＝구세군 사관 학교. ～ 후보생 cadete *mf*; guardiamarina *mf*.

사관(史官) historiógrafo, -fa *mf*; cronista *mf*.

사관(史觀) vista *f* [observación *f*] histórica.

사광(砂鑛) mina *f* de oro aluvial.

사교(司敎) ((천주교)) [주교(主敎)] obispo *m*.
■～관(館) palacio *m* episcopal, palacio *m* obispal. ～구(區) obispado *m*.

사교(私交) relaciones *fpl* personales [particulares].

사교(邪敎) herejía *f*, religión *f* perversa, paganismo *m*.
■～도(徒) hereje *mf*.

사교(社交) relaciones *fpl* sociales, vida *f* social.
■～가 hombre *m* sociable; [여자] mujer *f* sociable. ～계 sociedad *f*, mundillo *m* social, mundo. ¶～의 사람들 gente *f* de sociedad. ～의 꽃 reina *f* de sociedad, pantalla *f*. ～에 나가다 participar en la sociedad. ～댄스[무도 · 춤] baile *m*de sociedad. ～복 ropa *f* de fiesta. ～성 sociabilidad *f*. ¶～이 있다 ser sociable. ～술 (arte *m* de) las relaciones sociables. ¶～에 능하다 ser hábil en las relaciones sociables, tener el arte de las relaciones sociables. ～실 sala *f* de sociedad. ～적 sociable, social. ¶비～(인) insoiable, poco sociable. ～인 회합 fiesta *f* social. ～적 동물 ser *m* humano. ～ 클럽 club *m* (*pl* clubs) social.

사교(詐巧) engaño *m* mañoso. ～하다 engañar mañosamente.

사구(四球) ((야구)) cuatro bolas.

사구(死球) ((야구)) pelotazo *m*, pelota *f* muerta. ～를 받다 recibir el pelotazo.

사구(砂丘) dunas *fpl*, médano *m*, marisma *f*, collado *m* de arena, algaida *f*.

사구체(絲球體/絲毬體) 【해부】 glomérulo *m*.

사군(事君) servicio *m* al rey. ～하다 servir al rey.
■～지도(之道) razón *f* de servir al rey. ～지사(之事) servicio *m* al rey.

사군(使君) enviado *m* extranjero (que vino a *su* país).

사군(師君) maestro *m*.

사군(嗣君) ＝사왕(嗣王).

사군자(士君子) persona *f* versada en la ciencia y virtuosa.

사군자(四君子) ciruela, orquídea, crisantemo y bambú.

사군자(使君子) 【식물】 combretáceas *fpl*.

사권(私權) derecho *m* privado [particular].

사귀(邪鬼) demonios *mpl* caprichosos; ((성경)) espíritu *m*.

사귀다 hacer amigos (con), tratar, tener relaciones [amistad], mantener la amistad, andar (con); ((성경)) juntarse (con), entremeterse (con), ser compañero (de), frecuentar. 나는 남과 사귀는 것이 싫다 No me gusta tener amistad con nadie. 그는 사귀면 재미있는 사람이다 El es una persona simpática.

사귐 relación *f*, asociación *f*, trato *m* social, compañía *f*; ((성경)) comunión *f*, unión *f*.
■～성 sociabilidad *f*, afinidad *f*, afabilidad *f*, camaradería *f*, compañerismo *m*. ¶～이 있는 sociable. ～이 별로 없는 사람 persona *f* poco sociable.

사규(寺規) reglamento *m* del templo budista.

사규(社規) reglamento *m* de la compañía.

사그라뜨리다 derrumbar, desmoronar, desplomar, hundirs.

사그라지다 hundirse, amainar, decrecer, bajar, disminuir, decaer, calmarse, pasarse, apagarse; [썩어서] pudrirse, descomponerse; [녹아서] derretirse.

사그랑이 cosa *f* muy gastada.

사그랑주머니 baratija *f*, oropel *m*, relumbrón *m*.

사극(史劇) ((준말)) ＝역사극(歷史劇).
■～ 영화 película *f* del drama histórico.

사근사근하다 ① [성질이] (ser) dócil, obediente, afable, amable, agradable, simpático. 사근사근한 사람 persona *f* afable. ② [먹기에] (ser) fresco. 이 배는 ～ Esta pera masca fresca.
사근사근히 dócilmente, obedientemente, afablemente, amablemente; frescamente, agradablemente, simpáticamente.

사글사글 afablemente, amablemente, dócilmente, agradablemente, simpáticamente.

사글세(－貰) ① [남의 집이나 방을 빌려 살면서 다달이 내는 세] alquiler *m* mensual. ② ((준말)) ＝사글셋방.
■～ㅅ방 habitación *f* aquilada. ～ㅅ집 casa *f* alquilada.

사금(私金) dinero *m* privado.

사금(砂金) oro *m* en polvo, oro *m* aluvial, oro *m* molido, oro *m* de placer, arena *f* aurífera.
■～광 mina *f* de oro en polvo. ～ 채취 mineraje *m* aluvial [de placer]. ～ 채취권 derecho *m* de mineraje aluvial. ～ 채취선 barca *f* de mineraje aluvial. ～ 채취소 lavadero *m* de oro.

사금(賜金) gratificación *f* del gobierno. 일시 ～ 100 만 원을 받다 ser gratificado con una suma de un millón de wones.

사금(謝金) ＝사례금(謝禮金).

사금파리 pedazo *m* roto de la china.

사기(士氣) moral *f*, [특히 군인의] espíritu *m* de un ejército, espíritu *m* militar. ～를 고무시키다 estimular [incitar · levantar] la moral. ～를 저하시키다 desmoralizar, hacer perder la moral. ～가 저하되다 perder la moral, desmoralizarse, desanimarse. ～를 북돋우다 estimular, animar, reanimar, con-

ㅅ

fortar. ~가 오른다 [왕성하다] La moral es excelente / Se levanta el espíritu. ~가 떨어져 있다 La moral está abatida [floja].
■ ~충전 moral *f* excelente, espíritu *m* levantado. ¶~하다 ser excelente la moral, levantarse el espíritu.
사기¹(史記) historia *f*, libro *m* histórico.
사기²(史記) 【책】 la Historia.
사기(死期) tiempo *m* [hora *f*] de muerte, último momento *m*, última hora *f* de la vida. ~가 가까워지다 acercarse la hora de muerte. ~를 알다 saber *su* última hora por instinto. ~를 재촉하다 acelerar *su* última hora, acelerar la muerte. 그의 ~가 가깝다 Sus días ya están contados / El está en las últimas.
사기(沙器/砂器) =사기그릇.
■ ~그릇 china *f*, porcelana *f*, barro *m* (cocido). ~류 (objetos *mpl* de) porcelana *f*. ~병 botella *f* de china. ~ 인형 muñeca *f* de china. ~잔 vaso *m* de china. ~장(匠) alfarero, -ra *mf*; artesano, -na *mf* de china. ~전 alfarería *f*, tienda *f* de porcelana, tienda *f* de las chinas. ~점 ㉮ [사기를 구워 만드는 곳] alfarería *f*. ㉯ =사기전. ~ 접시 plato *m* de china.
사기(邪氣) ① [악의(惡意)] malicia *f*, maldad *f*, perversidad *f*. ② [독기(毒氣)] miasma *f*, veneno *m*.
사기(詐欺) fraude *m*, engaño *m*, mañas *fpl*, timo *m*, estafa *f*, impostura *f*, supercherίa *f*, defraudación *f*, artificio *m*, triquiñuela *f*, trampa *f*, fullería *f*; [경미한] petardo *m*. ~하다 estafar, defraudar, cometer un fraude, hacer un fraude, engañar, embair, embaucar, petardear (dinero), pegar un petardo, hacer [jugar] una mala pasada, hacer trampas, hacer fullerías. ~를 당하다 ser estafado. ~에 걸리다 ser víctima de un fraude, dejarse defraudar, dejarse embaucar.
◆ 사기(를) 놓다 mentir, decir mentiras.
■ ~꾼[사·한] estafador, -dora *mf*; engañador, -dora *mf*. ~ 도박 juego *m* fraudulento. ~ 수단 medio *m* fraudulento. ~술 arte *m* de fraude. ~죄 fraude *m*. ~ 투표 votación *f* fraudulenta. ~ 파산 bancarrota *f* fraudulenta. ~ 행위(行爲) prácticas *fpl* fraudulentas. ~ 횡령 ㉮ [사기와 횡령] el fraude y la usurpación. ㉯ [사기하여서 남의 재물을 불법하게 빼앗음] usurpación *f*.
사기업(私企業) empresa *f* privada.
사나나달 tres o cuatro días, cuatro o cinco días.
사나이 hombre *m*, varón *m* (*pl* varones). ~의 masculino, varonil. ~다움 virilidad *f*, valor *m*, valentía *f*, naturaleza *f* humana.
사나이답게 valerosamente, valientemente, con valentía. ~ 그에게 사과해라 Pídele perdón como un hombre. ~ 행동해라 Sé un hombre / Sé un macho / Pórtate como un hombre.
사나이답다 (ser) varonil, viril, machote, intrépido, (digno) de un hombre; [용감하다] valiente, valeroso. 사나이다운 남자 hombre *m* de verdad, verdadero hombre *m*. 사나이다운 얼굴 semblante *m* varonil. 사나이답지 못하다 no ser varonil [viril · digno de un hombre].
사나토리움(라 *sanatorium*) [(결핵 환자) 요양소(療養所)] sanatorio *m*.
사나흘 tres o cuatro días, unos días.
사날¹ ((준말)) =사나흘.
사날² ① [제멋대로만 하는 태도 또는 성미] capricho *m*. ~ 좋은 caprichoso. ~ 좋게 caprichosamente, a *su* gusto, a *sus* anchas. ~ 좋은 생활을 하다 vivir a *su* gusto. ~ 좋게 행동하다 comportarse según su propio gusto. ② [비위 좋게 남의 일에 참견을 잘하는 일] entremetimiento *m*, entrometimiento *m*.
사날³ [(장날에 대하여) 장이 서지 않는 날] día *m* que el mercado no está abierto.
사납다 ① [(성질이나 행동 또는 생김새가) 모질고 억세다] (ser) feroz, fiero, cruel, furibundo, temible, violento, intenso, virulento, encarnizado, acérrimo. 사나운 개 perro *m* feroz [fiero]. 사나운 사람 gallito *m*, machito *m*. 마음씨가 ~ (ser) poco generoso, mezquino. 그들은 사나운 적(敵)이다 Ellos son enemigos encarnizados. ② [비·바람이 매우 심하다] (ser) violento, fortísimo, tormentoso, tempestuoso, agitado, picado, encrespado. 사나운 바다 mar *m* agitado. 사나운 날씨 tiempo *m* violento. 사나운 바람 viento *m* tempestuoso. 사납고 거친 파도(波濤) oleada *f* enfurecida. 바다가 매우 ~ El mar es muy agitado. 사나운 열대(熱帶)의 태양이 내리비쳤다 El implacable sol del trópico caía a plomo. ③ [운수가 나쁘다] (ser) sin suerte, desafortunado, desaventurado; [날이] funesto, de mala suerte. 사나운 운수 mala suerte *f*. 운수가 ~ tener mala suerte.
사납게 con ferocidad, ferozmente, con fiereza, duramente, virulentamente, extremamente, violentamente, con uñas y dientes, bruscamente, de manera violenta; lamentablemente, desafortunadamente, por desgracia. 그녀는 그들을 ~ 보호했다 Ella los protegía con uñas y dientes.
사낭(砂囊) ① [모래주머니] saco *m* de arena. ② [새의 모래주머니] molleja *f*.
사내 ① ((준말)) =사나이. ② ((속어)) [남편] esposo *m*, marido *m*. ③ ((속어)) [정부(情夫)] adúltero *m*, amado *m*, novio *m*. ④ ((준말)) =사내아이.
■ ~대장부 =대장부. ~ 아우 hermano *m* menor. ~아이 niño *m*. ~종 siervo *m*, esclavo *m*.
사내(寺內) recinto *m* [interior *m*] del templo budista.
사내(社內) interior *m* de la compañía. ~에 en la compañía, en la firma.
■ ~보(報) boletín *m* interno. ~ 부채(負債) deudas *fpl* internas. ~ 시험 examen *m*

interno. ～ 유보 reservas *fpl* internas. ～ 일동 todo el personal de la compañía.

사냥 caza *f*, cacería *f*, montería *f*, caza *f* con escopeta *f*. ～하다 cazar, montear. ～하러 가다 ir a cazar, ir de caza. 멧돼지를 ～ cazar jabalíes. 토끼를 ～하러 가다 ir a cazar liebres.

◆꿩 ～ caza *f* de faisanes. 메추리 ～ caza *f* de la perdiz. 멧돼지 ～ caza *f* del jabalí. 여우 ～ caza *f* del zorro.

■～감 caza *f*. ¶～을 놓치다 espantar la caza. ～개 ㉮ perro *m* de caza, perro *m* perdiguero. ㉯ ＝염탐꾼. ～꾼 cazador, -dora *mf*, montero, -ra *mf*. ～ 나팔 cuerno *m* de caza. ～ 모자 gorra *f* de cazador. ～ 새 el ave *f* (*pl* las aves) para la caza. ～질 caza *f*. ～철 temporada *f* de caza. ～총 escopeta *f* para la caza. ～춤 baile *m* de caza. ～터 cazadero *m*, tierra *f* de caza, coto *m* de caza, terreno *m* [lugar *m*] de caza. ～ 허가 permiso *m* [licencia *f*] de caza.

사념(邪念) malos pensamientos *mpl*, ideas *fpl* perversas, malicia *f*, malevolencia *f*; [잡념(雜念)] distracción *f*. ～을 품다 tener los malos pensamientos, maliciar. ～을 버리다 sacudir los malos pensamientos.

사념(思念) ＝사려(思慮).

사농공상(士農工商) cuatro clases de la sociedad feudal: guerreros, agricultores, artesanos y comerciantes.

사느랗다 hacer un poco de frío.

사늘하다 ① [산산하고 좀 찬 기운이 있다] hacer un poco de frío, hacer fresquito [fresco]. 오늘은 사늘하죠? Hace fresquito hoy, ¿no? 밖이 ～ Hace [Está] fresco (a)fuera. ② [뜻밖에 놀랐거나 무섭거나 또는 걱정스러울 때 가슴이 덜컥 내려앉아 차가운 기운이 일어나는 느낌이 있다] sentir frialdad, estar frío (con). 등골이 ～ tener [sentir] frío en la espalda.

사늘히 frescamente; fríamente, con frialdad.

사니(沙泥/砂泥) lodazal *m* arenoso; [모래와 진흙] la arena y el lodo.

사다 ① [대금을 치르고 물건이나 어떤 권리를 자기의 것으로 하다] comprar, hacer la compra (de); quedarse (con). 사는 값 precio *m* de compra. 살 사람 comprador, -dora *mf*, [고객] cliente *mf*. 싸게 ～ comprar barato, comprar a precio barato. 비싸게 ～ comprar caro, comprar a precio alto [caro]. 열차표를 ～ sacar [comprar] el billete del tren. 책을 ～ comprar un libro. 현금으로 ～ comprar al contado. 분할불(分割拂)로 ～ comprar a plazos. 외상으로 ～ comprar al fiado [a crédito]. 사러 나가다 ir [salir] a comprar. 값을 몹시 깎아서 ～ comprar a precio muy regateado, hacer vender con mucha rebaja. 아이에게 장난감을 사 주다 comprar un juguete para su niño. 물건을 사지 않고 값만 물어보고 다니다 andar preguntando el precio de los artículos sin comprar nada, correr las tiendas sin comprar. 꽃 파는 소녀에게서 꽃다발을 ～ comprar un ramillete a una florista. 이 책을 사겠습니다 Voy a comprar este libro / Me quedaré con este libro. 이 상품은 살 사람이 없다 Este artículo no tiene demanda [salida]. 이것은 잘 산 물건이다 Esto es una verdadera ganga. 나는 만 원을 내고 입장권을 샀다 Compré la entrada pagando nada menos que diez mil wones. 이 책은 너무 비싸 살 수 없다 Este libro es demasiado caro para comprarlo. 나는 저 백화점에서 외상으로 살 수 있다 En aquellos grandes almacenes yo puedo comprar a crédito. 내 아내는 계란을 한 개에 150원씩에 스무 개를 샀다 Mi mujer compró veinte huevos a ciento cincuenta wones cada uno. 오늘 물건은 잘[잘못] 샀다 Hoy he hecho buena [mala] compra. 행복은 돈으로 살 수 없다 La felicidad no se compra con dinero.

② [상대방으로 하여금 어떤 마음을 일으키게 하다] provocar, incurrir (en). 분노를 ～ incurrir en el enojo. 환심을 ～ buscar un favor. 반감을 ～ atraerse [captarse] la antipatía, suscitar la aversión.

③ [값어치를 인정하다] apreciar, estimar. 높이 ～ tener en gran aprecio, estimar mucho (a). 재능을 높이 ～ estimar la habilidad (de). 나는 그의 성실함을 사고 있다 Le aprecio por su honradez. 그의 노력을 사지 않으면 안 된다 No hay que desconocer [ignorar] sus esfuerzos.

사들이다 comprar, adquirir, hacer una compra, efectuar una adquisición [una compra]. 사들이러 가다 ir a la compra. 면화(棉花)를 ～ compara [adquirir] (el) algodón, hacer una compra de algodón. 식량을 사들이러 가다 ir en busca de víveres, andar a la caza de alimentos. 식료품을 대량으로 ～ abastecerse [proveerse] de muchos comestibles, comprar comestibles en gran cantidad. 나는 100만 원으로 그것을 사들였다 Lo compré por un millón de wones.

사다리 ((준말)) ＝사닥다리.

사다리꼴【기하】trapecio *m*.

사다새【조류】pelícano *m*, alcatraz *m*.

사닥다리 escalera *f* (de mano), escalera *f* portátil.

◆공중 ～ [소방용] escalera *f* giratoria.

■～차 coche *m* de bomberos con escalera. ～ 층계 caja *f* de escalera.

사단(事端) origen *m* de un asunto, causa *f* de una turbación. ～을 일으키다 causar [ocasionar] frecuentes turbaciones, complicar asuntos.

사단(社團) ① [사람의 집합체인 단체] corporación *f* ②【법률】((준말)) ＝사단 법인.

■～ 법인 sociedad *f* civil con personalidad jurídica, persona *f* jurídica social.

사단(師團) división *f*. ～을 편성하다 organizar una división.

◆수도(首都) ~ la División de Capital.

▪~기 bandera *f* de división. ~ 사령부[본부] cuartel *m* general de división. ~장 general *m* de división.

사단(詞壇) =문단(文壇).

사단(헤 *Satan*) ((성경)) Satán *m*, Satanás *m*.

사단조(-短調)【음악】sol *m* menor.

사달오통(四達五通) =사통오달(四通五達).

사담(史談) cuento *m* histórico.

사담(私談) conversación *f* privada. ~하다 conversar privadamente.

사답(寺畓) arrozal *m* del templo budista.

사답(私畓) arrozal *m* privado.

사당(寺黨) *sadang*, compañía *f* de muchachas de baile y canto.

사당(私黨) facción *f*, partida *f* privada.

사당(邪黨) grupo *m* caprichoso.

사당(祠堂) templo *m* sintoísta, capilla *f* sintoísta; ((성경)) lugar *m* alto, altar *m*.

사대(私大) ((준말)) =사립 대학(私立大學).

사대(事大) sumisión *f* a autoridad mayor [facultad potente].

▪~ 근성 sumisión *f* servil al poder. ~당[1] partido *m* sumiso. ~당[2] el Partido Conservador. ~ 문서(文書) documento *m* diplomático (que enviaba a la China). ~사상(思想) idea *f* contemporizadora. ~주의 principio *m* [fundamento *m*] de contemporización. ~주의자 contemporizador, -dora *mf*.

사대(師大) ((준말)) =사범 대학(師範大學).

사대문(四大門) cuatro puertas grandes.

사대 복음서(四大福音書) ((성경)) cuatro libros del Santo Evangelio: El Santo Evangelio según San Mateo 마태복음, El Santo Evangelio según San Marcos 마가복음, El Santo Evangelio según San Lucas 누가복음 y El Santo Evangelio según San Juan 요한복음.

사대부(士大夫) oficial *m* ilustre, noble *m*, hombre *m* noble.

▪~가(家) familia *f* del hombre noble.

사대 서한(四大書翰) ((성경)) La Epístola del Apóstol San Pablo a los Romanos 로마서, La Primera Epístola del Apóstol San Pablo a los Corintos 고린도 전서, La Segunda Epístola del Apóstol San Pablo a los Corintos 고린도 후서 y La Epístola del Apóstol San Pablo a los Gálatas 갈라디아서.

사댁(査宅) =사돈댁(査頓宅).

사도(士道) caballería *f*.

사도(私道) camino *m* privado.

사도(邪道) ① [요사스런 도리] doctrina *f* herética, heterodoxia *f*, conducto *m* perverso. ~에 빠지다 desviar del camino de virtud, errar el camino. 그것은 ~다 El es un modo impropio de hacer las cosas. ② =사로(邪路).

사도(使徒) ① ((성경)) apóstol *m*. ~의 apostólico. ~처럼 apostólicamente. ② [어떤 고귀한 사업이나 임무를 위하여 헌신적으로 힘쓰는 사람] apóstol *m*. 평화의 ~ apóstol *m* de la paz.

사도(師徒) maestro *m* y *su* discípulo.

사도(師道) deber *m* de maestro.

사도 신경(使徒信經) ((천주교)) el Credo.

사도행전(使徒行傳) ((성경)) los Hechos de los Apóstoles.

사돈(查頓) ① [혼인한 두 집의 일가 상호간에 부르는 말] pariente *m* político. ② [혼인 관계로 척분이 있는 사람] consuegro, -gra *mf*, padre o madre de una de dos personas unidas en matrimonio, respecto del padre o madre de la otra ~이 되다 consuegrar(se). contraer parentesco de consuegro.

◆~의 팔촌(-八寸) pariente *m* distante, lejano pariente del consuegro.

▪사돈과 뒷간은 멀수록 좋다 ((속담)) Buenas cercas hacen buen vecino.

▪~댁 ㉮ [사돈의 아내] consuegra *f*, esposa *f* de *su* consuegro. ㉯ ((높임말)) =사돈집. ~ 도령 hermano *m* de su yerno o su nuera. ~집 casa *f* [familia *f*] de *su* consuegro. ~ 처녀 hermana *f* de su yerno o su nuera.

사동(使童) camarero, -ra *mf*; mozo, -za *mf*; [사무소의] manzadero, -ra *mf*.

사동사(使動詞)【언어】=사역 동사(使役動詞).

사되다(私-) (ser) egoísta.

사두마차(四頭馬車) coche *m* tirado por cuatro caballos.

사둘 red *f* de pescar.

사들이다 ☞사다

사 등분(四等分) división *f* en cuatro partes. ~하다 dividir en cuatro partes.

사디스트(영 *sadist*) [가학 성애자(苛虐性愛者)] sadista *mf*; sádico, -ca *mf*.

사디즘(영 *sadism*) [가학성 변태 성욕] sadismo *m*.

사또【고제도】*sato*, funcionario *m* público de alto rango enviado por el gobierno central a la región; [호격] ¡Señor mío! / ¡Lord mío!

사뜨다 zurcir. 단춧구멍을 ~ zurcir el ojal.

사뜻하다 (ser) claro. ☞산뜻하다

사라(紗羅) seda *f* fina.

사라사(포 *saraça*) indiana *f*.

사라센(영 *Saracen*) [사라센 사람] sarraceno, -na *mf*.

▪~ 문화 cultura *f* sarracena. ~ 사람 sarraceno, -na *mf*. ~ 제국(帝國) el Imperio Sarraceno.

사라지 petaca *f* de papel engrasado.

사라지다 ① [형적이 차차 없어지다] desaparecer, desvanecerse, esfumarse, borrarse, tragarse. 모습이 ~ desaparecer la figura. 거품이 사라진다 La espuma se deshace. 발소리가 사라졌다 Dejaron de oirse los pasos. 태풍(颱風)이 사라졌다 Se ha disipado la tormenta. 비행기가 구름 사이로 사라졌다 El avión se ha desaparecido entre las nubes. ② [어떠한 생각이 없어지다] borrarse, librarse (de), pasar, alejarse. 슬픔이 ~ pasar [desaparecer] la tristeza. 위

기가 사라졌다 Ha pasado el peligro. 통증이 사라졌다 Pasó [Desapareció] el dolor. 기회는 영원히 사라졌다 Se ha perdido la ocasión para siempre. ③ [죽다] morir, fallecer. 형장의 이슬로 ~ morir en el lugar de ejecución, morir en el patíbulo [en el cadalso].

사람 ① [인간(人間)] hombre *m*, ser *m* humano, persona *f*, el alma *f* (*pl* las almas), gente *f*. ~의 humano. ~들 gente *f*, pueblo *m*, personas *fpl*. ~들 앞에서 en público, públicamente, delante del mundo. 부유한 ~들 los ricos, gente *f* rica. 가난한 ~들 los pobres, gente *f* pobre. 젊은 ~들 jóvenes *mpl*, gente *f* joven. 음악을 좋아하는 ~들 gente *f* que ama la música, gente *f* aficionada a la música, los aficionados a la música. ~의 수명(壽命) vida *f* humana. 김이라고 하는 ~ hombre *m* llamado Kim. ~들의 말에 따르면 según el rumor que corre de boca en boca, según lo que dice la gente, según dicen [se dice]. ~을 보는 눈이 있다 saber juzgar a los hombres en *su* justo valor. ~들은 열광했다 La gente vibraba de entusiasmo. ~ 새끼 하나 없다 No hay ni un sola alma. 그는 ~이 아니다 El es un bruto [un ingrato · un bellaco · un monstruo de crueldad]. 거리에는 엄청나게 많은 ~이 나와 있다 La calle está apiñada [llena] de gente / Hay un gran gentiío en la calle. 은행 앞에 ~들이 모여 있다 Delante del banco está reunida la gente. 파출소 앞에 많은 ~이 모여 있다 La multitud está aglomerada delante del puesto de policía. 거리에는 한 ~도 얼씬하지 않는다 No hay ni un transeúnte [ni un alma] en la calle. 그는 ~을 ~으로 생각하지 않는다 El no sabe tratarnos como personas. 대부분의 ~들은 나와 같은 대답을 할 것이다 Casi todos darán la misma respuesta que yo. 그는 여러 분야의 ~들과 친교가 두텁다 El mantiene relaciones íntimas con gente de categorías diversas. 많은 ~들이 퍼레이드를 보고 있다 Mucha gente está observando el desfile. ~은 누구나 죽기 마련이다 El hombre es mortal. ~의 일생(一生)에는 행복도 있고 불행도 있다 En la vida del hombre hay felicidad y desgracia / La vida del hombre está trenzada de felicidades y desgracias. ~은 죽어도 이름은 남는다 Hombre vive solamente por una generación, pero su nombre, para siempre. ~은 누구나 자기의 분수를 벗어날 수 없다 No podemos pasar [ir más allá] de nuestra propia medida.
② [어느 고장의 출신자 · 겨레붙이] persona *f* del origen de una región, miembros *mpl* de pueblo. 서반아 ~ español, -la *mf*. 서울 ~ seulense *mf*, seulita *mf*. 미국 ~ estadounidente *mf*, norteamericano, -na *mf*. 김 씨네 집안 ~ miembro *mf* de la familia Kim. 김 씨 가문 ~들 los Kim.
③ [어른. 성인(成人)] mayor *m*, adulto *m*.
④ [사람됨. 인품] personalidad *f*, carácter *m* (personal), genio *m*. ~이 좋은 afable, bueno, bondadoso, bonachón (*pl* bonachones), generoso, dócil. ~이 나쁜 avieso, malicioso, travieso, malvado. 그는 정말로 좋은 ~이다 El es un hombre verdaderamente bueno. 당신은 나쁜 ~이다 Es usted muy duro / Usted es malo / Usted es un hombre malo. 그는 완전히 ~이 변했다 El ha cambiado completamente.
⑤ [남과 대화할 때「자기 아내」를 겸손하게 이르는 말] mi mujer, mi esposa. 집~이 담근 술 vino *m* que fabricó mi mujer; [집에서 빚은 술] vino *m* casero.
⑥ [참다운 인간] verdadero hombre *m*, hombre *m* decente; [성인] adulto, -ta *mf*, persona *f* mayor.
⑦ [불특정의 「세상 사람」] mundo *m*. ~들의 말에 따르면 según el rumor, según (lo que) dicen, según dice la gente. ~들의 입에 오르내리는 소문 rumor *m* que dice la gente. ~들의 말에 마음을 쓰지 마세요 No se preocupe de lo que dicen [de lo que diga la gente (아직 말하지 않았지만 앞으로 혹시나 할지도 모르는 말) · del que dirá].
⑧ [내객(來客). 손님. 참석자] visita *f*, visitante *mf*, visitador, -dora *mf*, [초대받은 손님] invitado, -da *mf*, [참석자] asistente *mf*, participante *mf*.
⑨ [상대편의 대상이 되어 있는「자기」또는「남」] los otros, el prójimo, el ajeno, los demás. ~을 깔보는 태도 actitud *f* burlona [insolente]. ~을 얕보다 burlarse de los otros.
◆사람(을) 잡다 ㉮ [사람을 죽이다] matar a un hombre. ㉯ [극심한 곤경으로 몰아넣다] meter en un aprieto [en un apuro].
◆사람(이) 좋다 (ser) afable, bondadoso, generoso, dócil, bueno. 그는 ~ El es afable / El tiene buen carácter. 그는 너무 ~ El es demasiado bueno.
▪사람의 새끼는 서울로 보내고 마소의 새끼는 시골[제주]로 보내라 ((속담)) El pez grande nada en aguas profundas.
사람답다 ser humano. ¶사람다운 사람 verdadero hombre *m*.

사람됨 [인품] *su* carácter, *su* personalidad, *su* manera de ser; [타고남] *su* naturaleza, *su* disposición. 언뜻 보아서는 그의 ~을 알 수 없다 A simple vista no se puede entender su manera de ser. 작품에는 작가의 ~이 잘 반영된다 En la obra se refleja claramente el carácter de su autor.

사람멀미 mareo *m* de gente.

사랑 amor *m*, amar *m*, afecto *m*, afición *f*, cariño *m*; [애욕(愛慾)] pasión *f*, [연인(戀人)] querido, -da *mf*, amante *mf*. ~하다 amar, querer; [반하다] enamorarse (de), estar enamorado (de); [열애하다] adorar; [애호하다] tener afición (a). ~하는 querido, amado. 가장 ~하는 más querido, queridísimo, carísimo. 가장 ~하는 아내

ㅅ

queridísima esposa *f.* ~하는 당신에게 [편지의 서두에서] Querido mío, Querida mía. ~하는 아내 esposa *f* querida [amada · adorada]. ~의 속삭임 cuchicheo *m* de amor. ~의 노래 canción *f* de amor, poesía *f* amatoria (연애시); 【문학】 romanza *f* (연애시). ~의 도피 (행각) fuga *f* de los amantes. ~의 편지 carta *f* de amor, carta *f* amorosa. ~의 라이벌 rival *mf* en el amor. ~의 여신(女神) diosa *f* del amor, Venus *f.* ~의 이야기 historia *f* de amor. ~의 표시(表示) estrena *f,* prenda *f* de amor. 남녀의 ~ amor *m,* amor *m* sexual. 부부의 ~ amor *m* conyugal. 정신적인 ~ amor *m* platónico. 친구의 ~ fraternidad *f,* amistad *f.* 하나님의 ~ amor *m* divino, amor *m* de Dios. 동물에의 ~ cariño *m* a los animales. 아버지의 ~ amor *m* de padre, amor *m* paternal, cariño *m* paternal. 어머니의 ~ amor *m* materno. 예술에 대한 ~ amor *m* por [de] las artes. 자녀들의 ~ amor *m* de los hijos. 자녀들에의 ~ afecto *m* [amor *m* · cariño *m*] a *sus* hijos. 서로에 대한 ~el amor [el cariño] que se tenían. ~ 없는 결혼을 하다 casarse sin amor. ~을 고백하다 declarar *su* amor (a), declararse (a). ~의 둥지를 틀다 [가지다] tener *su* nido de amor. ~에 빠지다 enamorarse (de), prenderse (de). ~에 빠져 있다 estar amorado (a), estar enamorado (de). ~을 잃다, ~이 깨지다 perder *su* amor. ~하는 사이다 estar en relaciones amorosas (con), tener amores (con); [서로] quererse, amarse. ~을 느끼다 sentir amor [cariño] (por). ~의 보금자리를 꾸미다 vivir en el nido de amor, hacer un hogar. …와 ~하는 사이가 되다 hacerse novio *m* [novia *f*] de *uno.* …의 ~을 쟁취하다 conquistar el amor de *uno.* 내 ~하는 아들아 Querido hijo mío. 내 ~하는 딸아 Querida hija mía. 내 ~아 Amor mío. 울지 마오, 내 ~ No llores, mi vida [mi amor]. 나는 당신을 ~합니다 Yo te amo / Yo te quiero. 물론 당신을 ~하오 ¡Claro que te quiero! 나는 나라를 ~한다 Amo a mi país. 우리들은 아이들을 ~한다 Queremos [Amamos] a los niños. 그는 음악을 ~한다 El tiene afición a la música. 그는 내 첫~이었다 El fue mi primer amor. 아이들한테는 ~이 필요하다 Los niños necesitan cariño. 그녀는 모든 사람들한테서 ~을 받고 있다 Todos la quieren [aprecian] / Ella es querida [amada] de [por] todos. 한국인은 평화를 ~하는 국민이다 El pueblo coreano es amante de la paz. 두 사람은 서로 ~하고 사모하는 사이다 El y ella se aman mutuamente / Los dos están enamorados el uno de(l) [a(l)] otro. 그는 모든 생도들한테서 ~을 받고 있다 El se hace querer [El es adorado · El es amado] de todos los alumnos. 두 사람은 ~의 도피행각을 벌였다 Los dos amantes se han fugado. ~은 언제나 변함이 없다 El amor siempre ha sido amor. ~에는 나이가 없다 El amor no tiene edad. ~에는 국경이 없다 El amor no tiene frontera. ~은 맹목적인 것 ((서반아 속담)) El amor es ciego. ~이 ~을 낳는다 ((서반아 속담)) Amor no se alcanza sino con amor / Donde no hay amor, pon amor y sacarás amor (~이 없는 곳에 ~을 심어라 그러면 ~을 얻을 것이다). ~은 ~의 보상이다 ((서반아 속담)) Amor con amor se paga; y lo demás con dinero. ~은 만난(萬難)을 극복한다 ((서반아 속담)) Amor grande vence mil dificultades / Amor en todo el mundo vencedor / El amor todo lo puede. ~은 하늘을 감동시킨다 / ~에는 하늘도 감동한다 ((서반아 속담)) El amor lo vence todo (~은 만사를 이겨 낸다). ~하면 아무 소리도 들리지 않는다 / ~에는 법도 왕의 말도 소용이 없다 ((서반아 속담)) Amor no respeta ley, ni obedece a rey. ~과 기침은 숨길 수 없다 ((서반아 속담)) Amor, tos y dinero llevan cencerro / Amor, tos y fuego, descúbrese luego. ~과 고통은 숨길 수 없다 ((서반아 속담)) Amores, dolores y dineros, no pueden estar secretos. 진정한 ~은 죽을 때까지 지속한다 ((서반아 속담)) Amor fuerte dura hasta la muerte. 가난이 문으로 들어오면 ~은 창문으로 나간다 ((서반아 속담)) Cuando la pobreza entra en una casa por la puerta, el amor sale por la ventana. 국과 ~은 처음 것이 최고다 ((서반아 속담)) Las sopas y los amores, los primeros son los mejores. 첫 ~만 한 ~은 없다 ((서반아 속담)) No hay tal amor como el primero.

■ 갑작 사랑 영 이별 ((속담)) El amor caliente es pronto frío.

사랑 노래 canción *f* amorosa, canción *f* de amor.

사랑니 muela *f* cordal, muela *f* del juicio.

사랑 매듭 lazo *m* [vínculo *m*] de matrimonio.

사랑스럽다 (ser) mono, monín, bonito, lindo, rico, precioso, encantador, amable, simpático, agradable, ameno, chico, chiquito. 사랑스러운 소녀(少女) muchacha *f* mona, muchacha *f* linda. 사랑스러운 청년 joven *m* (*pl* jóvenes) simpático. 사랑스러움 amabilidad *f,* encanto *m,* gracia *f,* donaire *m.* 저 여아(女兒)는 무척 ~ Aquella niña es muy mona [linda].

사랑스레 monamente, simpáticamente, amablemente, encantadoramente, preciosamente, bonitamente, lindamente, agradablemente.

사랑싸움 pelea *f* [riña *f*] matrimonial.

■ 사랑싸움은 칼로 물 베기 ((속담)) Riñen a menudo los amantes, por el gusto de hacer las paces.

사랑(舍廊/斜廊) ① cuarto *m* [habitación *f*] para los invitados. ② ((높임말)) mi marido, mi esposo.

■ ~놀이 fiesta *f.* ~문 puerta *f* de la

ㅅ

habitación de fiesta. ～방 *sarangbang*, sala *f*, salón *m*. ～지기 criado *m* de la casa separada. ～채 casa *f* separada (delante de la casa principal).

사래¹ [묘지기나 마름이 보수로 얻어서 부쳐 먹는 논밭] tierra *f* dada al sepulturero para sus servicios.
■ ～논 arrozal *m* dado al sepulturero para sus servicios. ～밭 campo *m* dado al sepulturero para sus servicios. ～쌀 arroz *m* dado al sepulturero para sus servicios.

사래² 【건축】 [추녀 끝에 잇대어 댄 네모난 서까래] viga *f* cuadrada a lo largo de la punta del alero.

사래질 aventamiento *m*. ～하다 aventar.

사략(史略) contorno *m* de una historia, diseño *m* histórico.

사량(思量) =사료(思料).

사레 atragantamiento *m*.
◆사레(가) 들리다 atragantarse, ahogarse por detenerse en la garganta. 물에 ～ atragantarse con agua.

사려(思慮) reflexión *f*, consideración *f*; [분별(分別)] discreción *f*; [신중(愼重)] prudencia *f*. ～ 있는 reflexivo, considerado. ～가 없는 irreflexivo, imprudente. ～ 분별이 있는 discreto, prudente, sensato, cuerdo; [양식이 있는] de buen sentido.

사력(死力) esfuerzo *m* desesperado. ～을 다하다 sacar fuerzas de flaqueza. ～을 다해 싸우다 luchar desesperadamente [con desesperación].

사력(私力) poder *m* privado, fuerza *f* privada.

사력(社歷) historia *f* de la compañía.

사련(邪戀) amor *m* irrazonable.

사령(司令) ① [군대나 함선(艦船) 따위를 지휘·감독함] mando *m*, comando *m*. ② =사령관(司令官). ③ [연대(聯隊) 및 연대급 이상의 단위 부대에 일직(日直)·주번(週番)의 책임 장교] oficial *mf* de servicio.
■ ～관 comandante *m*. ～부 cuartel *m* general. ～실 sala *f* de comandante. ～탑 torre *f* de mando, torre *f* de control.

사령(寺領) feudo *m* del templo budista.

사령(死靈) el alma *f* del muerto.

사령(私領) feudo *m* privado.

사령(使令) 【고제도】 mensajero *m* del gobierno regional.

사령(赦令) 【고제도】 mandato *m* de gracia.

사령(辭令) ① [응대하는 말] dicción *f*, fraseología *f*. ～에 능하다 (ser) meloso, lisonjero. ② =사령장.
■ ～장[서] (carta *f* de) nombramiento *m*, (carta *f* de) nominación *f*. ¶～을 받다 recibir el nombramiento.

사례(事例) ① [일의 실례(實例)] caso *m*, ejemplo *m*. ② [일의 전례(前例)] precedente *m*, ejemplo *m* anterior.
■ ～ 연구 estudio *m* del caso.

사례(赦例) precedente *m* de la amnistía.

사례(謝禮) [감사] gracias *fpl*, gratitud *f*, agradecimiento *m*; [보수] remuneración *f*, gratificación *f*; [의사·변호사·강사 등의] honorarios *mpl*. ～하다 agradecer, dar las gracias; remunerar, recompensar, ofrecer una contribución. ～는 어느 정도입니까? ¿Cuánto son sus honorarios?
■ ～금 honorarios *mpl*.

사로(仕路) =벼슬길.

사로자다 dormir inquietamente.

사로잠그다 cerrar medio con llave.

사로잡다 ① [산 채로 잡다] cazar [coger] vivo, capturar; [사람을] hacer prisionero (a), tomar prisionero (a), cautivar; [노예화하다] esclavizar, hacer esclavo (a), reducir*lo* a esclavitud; ((성경)) llevar en cautividad, ir preso. 적을 ～ cautivar a un enemigo. ② [마음이 쏠리도록 만들다] encantar, fascinar, hechizar. 마음을 ～ encantar [fascinar · hechizar] el corazón (de). 마음을 사로잡는 남자 hombre *m* encantador [fascinante · hechicero]. 마음을 사로잡는 여인 mujer *f* encantadora [fascinante · hechicera].

사로잡히다 ① [생포되다] capturarse, cautivarse, ser capturado, ser cautivo, caer prisionero; ((성경)) estar cautivo, poner preso para cautividad, ir en cautividad, tener preso, llevarse preso. ② [마음이] ser cautivo (de), estar atado (a). 사로잡혀 있다 estar preso [poseído] (de), estar bajo el yugo (de). 전통에 ～ ser cautivo de la tradición. 그녀의 미모에 ～ ser esclavizado por la hermosura de ella. 어떤 생각에 사로잡혀 있다 estar preso [poseído] de una idea, estar bajo el yugo de una idea. 전통에 사로잡히지 않다 estar libre de lazos tradicionales.

사록(史錄) apuntación *f* sobre la historia.

사록(寫錄) copia *f*. ～하다 copiar.

사록(麝鹿) 【동물】 =사향노루.

사론(史論) opinión *f* [teoría *f*] sobre la historia, ensayo *m* historial.

사론(私論) opinión *f* privada.

사론(邪論) opinión *f* irrazonable.

사뢰다 decir.

사료(史料) datos *mpl* históricos, fuente *f* histórica, documentos *mpl* (históricos), materiales *mpl* para la historia; [집합적] historiografía *f*.
■ ～ 편찬(編纂) historiografía *f*. ～ 편찬관 historiógrafo, -fa *mf*, archivero, -ra *mf*, archivista *mf*, historiador, -dora *mf* oficial. ～ 편찬소 archivos *mpl*. ～ 편찬학 ciencia *f* historiográfica.

사료(思料) consideración *f*, conjetura *f*. ～하다 considerar, conjeturar.

사료(飼料) ceba *f*, alimento *m*; [여물] pienso *m*, forraje *m*; [곡식] granos *mpl*. ～를 주다 dar forraje.
◆양계(養鷄) ～ forraje *m* para aves de corral.
■ ～지 tierra *f* que siembre y cultiva el forraje. ～통 pesebre *m*.

사륙 배판(四六倍版) 【인쇄】 octavo *m* largo. ～의 책 libro *m* en octavo largo.

사룩판(四六版) 【인쇄】 dozavo *m.* ~의 책(冊) libro *m* en dozavo.

사르다[1] ① [(없애려고) 불에 태우다] quemar [abrasar · consumir] con fuego. 책을 ~ quemar el libro con fuego. ② [아궁이나 화덕 같은 곳에 불을 일으켜 붙이다] encender, prender fuego.

사르다[2] [키 따위로 사래질하여 못 쓸 것을 골라서 내버리다] aventar, seleccionar, escoger.

사르르 [부드럽게] suavemente, con suavidad; [조용히] tranquilamente, con tranquilidad. 눈을 ~ 감다 cerrar sus ojos suavemente.

사릅 tres años de edad (del caballo · de la vaca · del perro etc.).
■ ~잡이 caballo *m* [vaca *f* · perro *m*] que dio a luz cuando se tenía tres años.

사리[1] [국수 · 새끼 · 실 등을 사리어 감은 뭉치] rollo *m.* 새끼 [국수] 한 ~ un rollo de cuerda [fideos].

사리[2] ((준말)) =한사리(pleamar).
■ ~고기 pez *m* (*pl* peces) cogido en pleamar.

사리(私利) propio interés *m,* ganancia *f* personal, ventaja *f* privada. ~를 도모하다 cuidar de *su* propio interés.
■ ~사욕[사복] interés *m* personal, propio interés *m.* ¶~ 없이 desinteresado. ~으로 행동하다 actuar por *su* propio interés.

사리(事理) ① [사물의 이치 · 일의 도리] lógica *f,* razón *f,* juicio *m;* [상식(常識)] sentido *m* común. ~에 맞는 razonable, lógico, congruente. ~에 맞지 않은 irrazonable, ilógico, incongruente. ~에 밝은 사람 hombre *m* de juicio. ~에 밝다 hacerse cargo (de), estar persuadido (de), tener el sentido común, tener conocimiento del mundo. ~에 밝지 못하다 carecer del sentido común. ~에 맞는 말을 하다 hablar con juicio, razonar bien. ~에 맞지 않은 말을 하다 hablar sin juicio, razonar mal. ② ((불교)) práctica *f* y teoría, actividad *f* y principio.

사리(舍利/奢利) ① ((불교)) [불사리] huesos *mpl* de Buda, reliquia *f* de Buda, sarira *f.* ② ((불교)) [경전(經典)] Sutra *f,* Sagradas Escrituras *fpl* Budistas. ③ =사리골.
■ ~골 hueso *m* cenizas. ~탑 relicario *m,* pagoda *f* que están conservadas las reliquia de Buda, pagoda *f* para la reliquia de Buda. ~함 relicario *m.*

사리(射利) lucro *m* desmedido por cualquiera manera.
■ ~심 espíritu *m* materialista.

사리(瀉痢) 【의학】 diarrea *f.*

사리다 ① [길고 잘 엉키는 물건을 헝클어지지 않도록 동그랗게 여러 겹으로 포개어 감다] ovillar, hacer un ovillo, devanar. ② [못을] poner torciendo la punta de clavo que sobresale. ③ [몸을] ahorrar esfuerzos. ④ [조심하다. 만일을 경계하다] tener cuidado, cuidar, ser prudente. ⑤ [겁먹은 짐승이 꼬리를 뒷다리 사이로 끼다] enrollar(se). ⑥ [뱀 따위가 몸을 똬리처럼 감다] enroscarse. 뱀이 가지 주변에 몸을 사렸다 La serpiente se enroscó alrededor de la rama.

사리사리[1] [연기가 가늘게 올라가는 모양] en volutas, en espiral. 연기가 ~ 올라갔다 El humo se alzaba en volutas [en espiral].

사리사리[2] [국수 · 새끼 · 실 등이] enrollando.

사리풀 【식물】 beleño *m.*

사린(四隣) ① [사방의 이웃] vecinos *mpl* de todas las partes. ② [사방에서 이웃하여 있는 나라들] países *mpl* vecinos.

사립 ((준말)) =사립문.
■ ~문 puerta *f* (hecha) de ramitas. ~짝 una de dos puertas de ramitas.

사립(私立) establecimiento *m* privado. ~의 privado, particular.
■ ~ 대학교 universidad *f* privada. ~ 박물관 museo *m* privado. ~ 병원 hospital *m* privado. ~ 탐정 detective *m* privado, detective *f* privada. ~ 학교(學校) escuela *f* privada, colegio *m.*

사마귀[1] [피부의 작은 반문으로 모반(母斑)의 일종] verruga *f,* manchas *fpl,* cardenal *m,* excrecencia *f* cutánea, *ReD* ojo *m* de pescado. ~투성이의 verrugoso. ~투성이다 tener muchas verrugas. ~가 생기다 acardenalarse. ~를 떼다 [다른 사람의] extirpar [quitar] una verruga (a *uno*). 손에 ~가 있다 tener una verruga en la mano. 내 등에 ~ 가 난다 Me nace [Se me forma] una verruga en la espalda.

사마귀[2] 【곤충】 predicador *m,* mantis *m,* mantis *m* religiosa, rezadora *f.*

사막(砂漠/砂漠) desierto *m.* ~의 desértico, del desierto. 끝없는 ~ desierto *m* sin límites. 황량한 ~ desierto *m* inhospitalario. 그곳에서 그들은 ~을 횡단해야 했다 De allí tuvieron que atravesar un desierto.
◆사하라 ~ el (desierto) Sáhara.
■ ~ 기후 clima *m* desértico. ~ 동물 animal *m* desértico [del desierto]. ~ 식물 planta *f* desértica. ~ 지대(地帶) zona *f* desértica.

사망(死亡) muerte *f,* fallecimiento *m,* defunción *f,* óbito *m,* fin *m,* acabamiento *m,* expiración *f,* tránsito *m.* ~하다 morir, fallecer, perecer, fenecer, finar, dar fin, estirar las piernas, cerrar los ojos, dejar este mundo, dejar de vivir, llamarlo Dios, sucumbir, finir, expirar, extinguirse, acabarse. ~의 확인(確認) confirmación *f* de (la) defunción [de la muerte · del fallecimiento]. ~의 원인을 밝히다 esclarecer las causas de la muerte. 그 사고로 많은 사람이 ~했다 Muchas personas murieron [resultaron muertas] en ese accidente.
■ ~ 광고 necrología *f,* esquela *f* de defunción *f,* obituario *m.* ~ 기사 obituario *m,* notas *fpl* necrológicas, esquela *f* de defunción, artículo *m* necrológico, necrología *f.* ~란 necrología *f,* columna *f* de obituario. ~률 mortalidad. ~ 보험 seguro *m* de vi-

ㅅ

da, seguro *m* de muerte. ~ 신고 [계] declaración *f* de defunción, aviso *m* [nota *f*] de muerte. ~일(日) día *m* de defunción [muerte]. ~ 자[인] difunto, -ta *mf*, muerto, -ta *mf*, finado, -da *mf*, [사고 등의] víctima *f*. ~자수(者數) número *m* de víctimas (mortales), número *m* de muertos. ~ 증명 partida *f* de defunción. ~ 증서 certificado *m* de defunción. ~지 lugar *m* de la muerte. ~지환(之患) desgracia *f* de la muerte. ~ 진단서 certificado *m* de defunción. ~ 통계 estadística *f* de mortalidad. ~ 통지 aviso *m* de defunción. ~ 확인서 certificado *m* de defunción.

사매(私－) linchamiento *m*. ~하다 linchar.

■ ~질 linchamiento *m*. ~하다 linchar.

사맥(事脈) origen *m* de la cosa.

사면(四面) todos lados, todas partes, cuatro caras. ~에 por todas partes. ~의 적(敵)을 쳐부수다 derrotar los enemigos por todas partes. ~이 바다로 둘러쌓여 있다 hallarse [encontrarse] rodeado por el mar, estar rodeado del mar por todos lados [por todas partes].

■ ~체 tetraedro *m*. ~초가(楚歌) todo el mundo en contra de sí mismo. ¶~다 tener todo el mundo en contra de sí mismo. ~팔방 todos (los) lugares, todos (los) sitios, todas direcciones, todas partes, todos lados, cuatro costados. ¶~으로 a todas partes, a todas direcciones, por los cuatro costados.

사면(赦免) indulto *m*, perdón *m*, amnistía *f*, remisión *f*; [종교상의] absolución *f*. ~하다 perdonar, remitir, poner en libertad, absolver, indultar, conceder el perdón (a), amnistiar.

■ ~법 ley *f* de perdón [de indulto]. ~장 carta *f* de perdón, carta *f* de indulto, absolución *f*.

사면(斜面) declive *m*, pendiente *f*; [산(山)의] vertiente *f*.

◆ 급(急)~ pendiente *f* abrupta, pendiente *f* escarpada, declive *m* escarpado.

■ ~묘사 descripción *f* oblicua.

사면발이 ①【곤충】((학명)) Phthirius pubis. ② [아첨꾼] adulador, -dora *mf*.

사멸(死滅) extinción *f*, desaparición *f*, perecimiento *m*, muerte *f*. ~하다 extinguirse, desaparecer, perecer, morir, fallecer. ~된 종족(種族) raza *f* extinguida, raza *f* extinta. ~되고 있다 estar en vía de extinción.

사명(社名) razón *f* social, nombre *m* de la compañía, nombre *m* de la asociación.

사명(社命) orden *f* [mandato *m*] de la compañía.

사명(使命) misión *f*, mensaje *m*, envío *m*. 중대한 ~을 띠고 para desempeñar una misión importante. ~을 다하다 desempeñar [cumplir (con)] una misión.

■ ~감 misión *f*. ¶~에 불타다 entusiasmarse con una misión. ~에 불타 entusiasmado con una misión. …하는 것에 ~을 느끼다 sentirse llamado a + *inf*.

사명(俟命) espera *f* del mandato del rey. ~하다 esperar el mandato del rey.

사모(思慕) ① [정을 들이고 애틋하게 몹시 생각하여 그리워함] cariño *m*, afecto *m*, amor *m* vehemente. ~하다 amar vehementemente, sentir afecto [cariño] (a), encariñarse (con). ~의 정을 느끼다 sentir un cariño cada vez mayor [por · para con]. 그녀는 그를 아버지처럼 ~하고 있다 Ella le tiene un cariño de padre. ② [남을 우러러 받들고 마음으로 따름] adoración *f*, anhelo *m*, apego *m*. ~하다 adorar, anhelar (por), suspirar (por). 그의 인품을 ~하여 많은 젊은이들이 그의 제자가 되었다 Muchos jóvenes se hicieron sus discípulos atraídos por su personalidad.

사모(師母) ① [스승의 부인] esposa *f* de *su* maestro. ② ((기독교)) esposa *f* del pastor, pastora *f*.

■ ~님 ㉮ ((높임말)) [스승의 부인] señora *f*. ㉯ ((높임말)) [스승뻘이 될 만한 웃사람의 부인] señora *f*. ③ ((높임말)) [목사의 부인] señora *f*, pastora *f*.

사모아【지명】Samoa. ~의 samoano.

■ ~ 말 samoano *m*. ~ 사람 samoano, -na *mf*.

사무(寺務) trabajo *m* [negocio *m* · asunto *m*] del templo budista.

사무(私務) asunto *m* [negocio *m*] personal [privado].

사무(社務) asunto *m* [negocio *m*] de la compañía [de la sociedad].

사무(事務) trabajo *m*, asunto *m*, negocio *m*. ~를 맡다 encargarse del negocio. ~를 인계하다 entregar [tomar] los negocios, entregar un cargo de los negocios, entregarse de los negocios. ~에 밝다 ser experto en negocios [en oficio]. 동료한테서 ~를 인계받다 entregarse del trabajo de *su* compañero.

◆ 사무(를) 보다 hacer el trabajo de oficina, entrar en negocio.

■ ~가(家) hombre *m* de negocio. ~관(官) secretario, -ria *mf*, funcionario *m* administrativo, funcionaria *f* administrativa; oficial *m* administrativo, oficial *f* administrativa. ~ 관리 control *m* administrativo, administración *f* del trabajo. ~국(局) secretariado *m*. ~국원 empleado, -da *mf* de secretariado. ~국장 secretario, -ria *mf* general. ~ 기계 máquinas *fpl* y equipos para (el uso de) la oficina. ~ 능률 eficiencia *f* de negocio. ~ 변호사 abogado, -da *mf* de trabajo. ~복 ropa *f* de trabajo. ~비(용) gastos *mpl* de oficina. ~소 oficina *f*, despacho *m*, escritorio *m*; [변호사의] bufete *m*. ~실 oficina *f*, despacho *m*. ~ 용품 artículo *m* para la oficina. ~원 =사무 직원. ~ 위임권 derecho *m* de delegar el negocio. ~장 oficial *m* mayor; [선박의] comisario *m*, contador *m*. ~ 장정 regulaciones *fpl* para negocio, regla *f* sobre control administrativo. ~적 [실제적] práctico; [사무 특유의] oficinesco. ¶~으로 como de negocio, de una manera práctica; [기계적으로] mecánicamente. ~인 능력이 있다 tener habilidad práctica. ~으로 처리하다 manejar [despachar] de una manera práctica. ~ 절충 negociaciones *fpl* de nivel práctico. ~ 직원 oficinista *mf*; [집합적] personal *m* de la oficina. ~ 차관(次官) viceministro *m* administrativo. ~ 책상 bufete *m*. ~처(處) secretaría *f*. ~ 처리 control *m* administrativo. ~ 총국장 secretario, -ria *mf* general. ~총장 secretario, -ria *mf* general. ~ 취급 tratamiento *m* de negocios.

사무엘 상(Samuel 上) ((성경)) Primer Libro de Samuel.

사무엘서(Samuel 書) ((성경)) Libro *m* de Samuel.

사무엘 하(Samuel 下) ((성경)) Segundo Libro de Samuel.

사무치다 afectar mucho. 그 실패가 내 가슴에 사무쳤다 El fracaso me afectó mucho. 그 비난은 내 가슴에 사무쳤다 Esa crítica me ha causado impresión / Esa crítica me ha tocado el corazón.

사문(死文) carta *f* muerta. ~화되다 ser una carta muerta.

사문(寺門) ① [절의 정문] puerta *f* principal del templo budista. ② [절] templo *m* budista, convento *m*, monasterio *m*..

사문(私門) casa *f* privada, familia *f* privada, mi familia, mi casa.

사문(沙門) sacerdote *m* [monje *m* · bonzo *m*] budista.

사문(査問) inquisición *f*, indagación *f*, encuesta *f*, investigación *f*, pesquisa *f*. ~하다 inquirir, indagar, examinar, investigar, pesquisar.

■ ~ 위원 comisario, -ria *mf* de indagación. ~ 위원회 comité *m* de encuesta, comisión *f* investigadora. ~ 회의 consejo *m* de indagación.

사문(師門) ① [선생] maestro, -ra *mf*. ② [선생의 문하] discípulo, -la *mf* de *su* maestro.

사문(蛇紋) figura *f* de la forma de la cáscara de la serpiente.

■ ~석(石) serpentina *f*, ofita *f*. ~암(巖) serpentina *f*.

사문서(私文書) documento *m* privado.

■ ~ 위조 falsificación *f* de documento privado.

사물(死物) ① [생명이 없는 것] cosa *f* muerta [inanimada], cosa *f* sin vida. ② [쓰지 못할 물건 · 쓸모없는 물건] cosa *f* inútil.

■ ~계 naturaleza *f* inanimada. ~ 기생 saprofitismo *m*. ~ 기생 식물 saprofito *m*.

사물(私物) cosa *f* [objeto *m*] personal. 그는 도서관의 책을 ~화하고 있다 El usa los libros de la biblioteca como si fueran de su propiedad. 그는 회사를 ~화하고 있다 El administra la compañía como si se tratase de su propiedad personal.

■ ~함 caja *f* para las cosas personales.

사물(邪物) cosa *f* impura, objeto *m* impuro, sustancias *fpl* impuras.

사물(事物) cosas *fpl*, objetos *mpl*. 외국의 ~을 소개하다 introducir las cosas del país extranjero.

■ ~ 관할 jurisdicción *f* material.

사물놀이(四物-) *samulnori*, juego *m* de cuatro cosas: *kwaenggwari* 꽹과리, gong 징, *changgu* 장구 y tambor 북 .

사뭇 ① [멋대로] voluntariamente, de buena gana, con gusto, intencionadamente, deliberadamente. a voluntad, cuando quiere, cuando *le* place a *uno*. ~ 들이키다 beber voluntariamente. ② [줄곧] continuamente, incesantemente, sin cesar. 1주일 내내 ~ 바빴다 Yo estaba ocupado toda la semana. ③ [매우] muy, mucho. 생각했던 것보다 ~ 다르다 Es muy diferente de lo que pensaba.

사미(沙彌) ((불교)) sacerdote *m* [monje *m*] joven.

■ ~ 갈식(喝食) sacerdote *m* jovencito para la comida. ~니(尼) monja *f* joven. ~승(僧) =사미(沙彌).

사민(士民) ① [양반 계급의 사람] noble *m*. ② [양반과 평민] el noble y el plebeyo.

사민(四民) cuatro clases del pueblo: el sabio 사(士), el agricultor 농(農), artesano 공(工) y el comerciante 상(商).

■ ~평등(平等) igualdad *f* de las cuatro clases del pueblo.

사민(私民) pueblo *m*.

사바(娑婆)(범 *sahā*) ((불교)) vida *f* presente, este pícaro mundo, Sabha, este mundo.

■ ~세계 =사바(娑婆).

사바사바 ((속어)) pago *m* del soborno. ~하다 pagar el soborno, sobornar [comprar] al oficial.

사박거리다 ① [배 · 사과 따위를 씹는 것과 같은 소리가 자꾸 나다] mascar suavemente. ② [모래 위를 가볍게 걸을 때와 같은 소리가 자꾸 나다] seguir crujiendo.

사박사박 con muy suave machacadura; con un crujido suave.

사박스럽다 (ser) ruidoso, alborotado, malcriado, majadero, descortés.

사박스레 ruidosamente, alborotadamente, malcriadamente, majaderamente, descortésmente, con descortesía.

사반(死斑) =시반(屍斑).

사반기(四半期) =사분기(四分期).

사반세기(四半世紀) un cuarto de siglo, veinticinco años. ~만에 첫 선거전(選擧戰) primera campaña *f* electoral en un cuarto de siglo.

사발(沙鉢) tazón *m* (*pl* tazones) (de porcelana · de fuente), escudilla *f*.

■ ~농사 mendiguez *f*. ~밥 un tazón de arroz (blanco). ~시계 reloj *m* de forma de tazón.

사발고의 *sabalgoui*, calzoncillos *mpl* coreanos.

사발잠방이 camiseta *f* (interior) sin forro.

사방(巳方) 【민속】 *sabang*, Dirección *m* de la Serpiente.

사방(四方) puntos *m* cardinales, cuatro direcciones, todas direcciones, todas partes. ~에 por todas partes. ~이 산으로 둘러싸인 rodeado de montañas por los cuatro lados [por todos lados]. ~ 1킬로미터에 en un kilómetro a la redonda. ~ 10미터의 연못 estanque *m* cuadrado de diez metros de lado.

■ ~침(枕) [의자나 소파의] brazo *m*; [자동차나 비행기의] apoyabrazos *m.sing.pl*, apoyadero *m* para el brazo. ~탁자 mesa *f* cuadrada. ~팔방(八方) todas direcciones, todas partes, cuatro costados. ¶~으로 a todas direcciones, a todas partes, por los cuatro costados.

사방(砂防) protección *f* contra el deslizamiento de arena, contol *m* erosivo, control *m* de erosión.

■ ~ 공사 obra *f* del control erosivo. ~림 plantación *f* contra el deslizamiento de arena. ~법 ley *f* del control de arena. ~ 조림 forestación *f* para el control erosivo.

사방 십이면체(斜方十二面體) 【수학】 dodecaedro *m* rómbico.

사방위(四方位) cuatro direcciones: norte, sur, este y oeste.

사방육면체(斜方六面體) 【수학】 romboedro *m*.

사방정계(斜方晶系) sistema *m* rómbico.

사방형(斜方形) 【수학】 rombo *m*.

사배(四拜) cuatro saludos. ~하다 saludar cuatro veces.

■ ~하직 despedida *f* después de saludar cuatro veces. ~하다 despedirse después de saludar cuatro veces.

사 배(四倍) cuatro veces. ~의 cuádruplo. ~하다 cuadruplicar.

사백(四百) cuatrocientos, -tas.

사백(死魄) el primero del calendario lunar.

사백(舍伯) mi hermano mayor.

사백(詞伯) hombre *m* de letras, hombre *m* erudito, literato *m*, gran poeta *m* (*pl* grandes poetas).

사번(事煩) complejidad *f*, complexidad *f*, intrincación *f*, lo intricado. ~하다 complicarse, intrincarse, intricarse.

사번스럽다 (ser) complexo, complejo, intrincado, intricado.

사번스레 complexamente, complejamente, intrincadamente.

사번히 complejamente, complexamente, intrincadamente.

사범(事犯) crimen *m*, pecado *m*, ilegalidad *f*, acción *f* ilegal.

◆경제(經濟) ~ pecado *m* económico. 선거(選擧) ~ ilegalidades *fpl* electorales.

사범(師範) ① [본받을 만한 모범] ejemplo *m*, modelo *m*. ② [학술·기예(技藝)·무술 따위를 가르치는 사람] maestro, -ra *mf*; instructor, -tora *mf*; profesor, -ra *mf*.

◆권투 ~ maestro *m* [instructor *m*] de boxeo. 태권도 ~ maestro *m* [instructor *m*·profesor *m*] de taekwondo.

■ ~ 교육 educación *f* normal. ~ 대학 facultad *f* de educación. ~ 대학 부속 고등학교 escuela *f* superior anexa a la facultad de educación. ~ 대학 부속 중학교 escuela *f* secundaria [de segunda enseñanza] anexa a la facultad de educación. ~ 대학 부속 초등 학교 escuela *f* primaria anexa a la facultad de educación. ~ 병설 중학교 escuela *f* secundaria anexa a la escuela normal. ~역(役) papel *m* del maestro. ~ 학교 escuela *f* normal, normal *f*.

사법(司法) 【법률】 justicia *f*, administración *f* de la justicia, judicatura *f*. ~의 judicial.

■ ~ 경찰 policía *f* judicial. ¶연방 ~ *Méj* policía *f* judicial federal. ~ 경찰관 policía *mf* judicial; agente *mf* judicial. ¶연방 ~ *Méj* agente *mf* judicial federal. ~ 경찰리 funcionario, -ria *mf* ayudante del policía judicial. ~관 magistrado *m*, juez *mf*. ¶~이 되다 entrar en la magistradura. ~관 시보 magistrado *m* de prueba. ~ 관청 el Departamento de Asuntos Judiciales. ~권 poder *m* judicial, jurisdicción *f*, autoridad *f* judicial. ~ 기관 órgano *m* judicial. ~ 당국 autoridades *fpl* judiciales. ~ 보호 사업 obra *f* de ayuda al ex-convicto. ~부(部) poder *m* judicial. ~ (대)서사 [대서인] escribiente *mf* judicial. ~ 시험 exámenes *mpl* judiciales, oposiciones *fpl* [examen *m* estatal] para el cuerpo de justicia. ~ 시험 위원회 comité *m* de exámenes judiciales, comité *m* del examen estatal para el cuerpo de justicia. ~ 연도 año *m* judicial. ~ 연수생 aprendiz, -diza *mf* judicial, estudiante *mf* del Instituto de Capacitación e Investigación de la Justicia. ~ 연수원 el Instituto de Capacitación e Investigación de la Justicia. ~ 재판 juicio *m* judicial. ~ 재판관 juez *mf*. ~ 재판소 el Tribunal de Justicia, la Corte de Justicia. ~ 제도 sistema *m* judicial. ~ 처분 disposiciones *fpl* judiciales. ~ 행정 administración *f* judicial.

사법(死法) 【법률】 ley *f* inválida [muerta].

사법(私法) 【법률】 derecho *m* privado, ley *f* privada.

■ ~학 ciencia *f* de ley privada.

사법(邪法) hechicería *f*, hechizo *m*, encantamiento *m*, sortilgio *m*, artes *fpl* negras.

사벨(영 *saber*; 네 *sabel*; 독 *Sabel*) ① [양검(洋劍)] sabel *m*. ② ((운동)) =사브르.

사변(四邊) ① [사방의 네 변두리] todas partes *fpl*. ~에 por todas partes. ② [주위·근처] alrededores *mpl*, cercanías *fpl*, contornos *mpl*, inmediaciones *fpl*, afueras *fpl*, proximidades *fpl*. ③ 【수학】 [네 개의 변] cuatro lados.

■ ~형 cuadrilátero *m*. ¶~의 cuadrilátero.

사변(事變) ① [(사람의 힘으로는 피할 수 없는) 천재(天災)나 큰 변고] calamidad *f*, desastre *m*; [사고(事故)] accidente *m*. ~이 많은 accidentado. ② [변란(變亂)] incidente *m*, disturbio *m*, conflicto *m*, turbación *f*, [급변] emergencia *f*; [내란(內亂)] guerra *f* civil. 국가에 ~이 일어났을 때 en caso de la emergencia nacional. 상해(上海) ~ incidente *m* de Shangai. ③ [전쟁(戰爭)] guerra *f*. 만주 ~ guerra *f* de Manchuria. 6.25 ~ la Guerra de Corea.

사변(思辨) ① [분별(分別)] discriminación *f*. ~하다 discriminar. ② 【철학】 especulación. ▪~적 especulativo *adj*. ~적 방법 método *m* especulativo. ~적 유신론 teísmo *m* especulativo. ~적 유신론자 teísta *m* especulativo, teísta *f* especulativa. ~ 철학(哲學) filosofía *f* especulativa.

사변(斜邊) 【수학】 ((구용어)) =빗변. ▪~형 【수학】 ((구용어)) =마름모꼴.

사별(死別) separación *f* por muerte. ~하다 perder (a), separarse por muerte. 남편과 ~하다 perder *su* esposo, quedarse viuda. 아내와 ~하다 perder *su* esposa, quedarse viudo. 그녀는 어머니와 ~했다 Ella perdió (a) su madre / Se le murió la madre (a ella). 나는 1995년에 부친과 ~했다 Yo he perdido a mi padre en 1995 / La muerte me ha separado de mi padre en 1995 / Se me murió el padre en 1995.

사병(士兵) soldado *m* raso.

사병(私兵) soldados *mpl* privados.

사보타주(불 *sabotage*) sabotage *m*. ~하다 sabotear, ponerse en sabotaje, proceder a un sabotage, ser perezoso. 수업을 ~하다 no asistir a la clase, hacer novillos.

사보텐 【식물】 cacto *m*, cactus *m*, nopal *m*, tuna *f*, tunal *m*. ~의 열매 tuna *f*, higo *m* chumbo.

사보험(私保險) seguro *m* privado.

사복(私服) ① [평복] traje *m* civil, traje *m* de calle, traje *m* de paisano, vestido *m* sencillo. ~으로 de trapillo. ~의, ~을 입은 de civil, de paisano, RPI de particular. ② ((준말)) =사복 형사(私服刑事). ▪~ 경찰 policía *f* de civil, policía *f* en vestido sencillo, policía *f* en traje civil. ~ 경찰관 policía *mf* de civil [de paisano · *RPI* de particular]. ~ 형사 agente *mf* de civil; agente *m* vestido de paisano, agente *f* vestida de paisano; agente *mf* que lleva traje de calle.

사복(私腹) *su* estómago, *su* interés (personal), *su* bolsillo sencillo. ~을 채우다 enriquecer *su* propio bolsillo, saciar *su* bolsillo propio, hacer *su* agosto. 그녀는 순전히 ~ 때문에 행동했다 Ella actuaba por puro interés (personal).

사복음(四福音) ((기독교)) cuatro libros de los Evangelios: El Santo Evangelio según San Mateo (마태복음), El Santo Santo Evangelio según San Marcos (마가복음), El Santo Evangelio según San Lucas (누가복음) y El Santo Evangelio según San Juan (요한복음).

사본(寫本) ① [(원본을 그대로) 옮기어 베낌] copia *f*, copia *f* manuscrita; [베낀 책] libro *m* copiado; [베낀 서류] documento *m* copiado; [부본(副本)] duplicado *m*. ~하다 copiar, trasladar algún escrito. ② =수사본(手寫本).

사부(四部) ① [넷으로 나눈 부류(部類)] cuatro partes, cuatro clases, cuatro especies. ② ((불교)) =사중(四衆). ③ 【음악】 ((준말)) =사부 합창(四部合唱). ④ 【음악】 ((준말)) =사중창(四重唱). ⑤ 【음악】 ((준말)) =사중주(四重奏). ⑥ 【음악】 ((준말)) =사부 합주(四部合奏). ▪~ 합주 cuartete *m*, cuarteto *m*. ~ 합주곡 cuartete *m*, cuarteto *m*. ~ 합창(合唱) cuarteto *m*, cuartete *m*.

사부(師父) ① [스승과 아버지] el maestro y el padre. ② [가르침의 스승] maestro *m*.

사부(師傅) [스승] maestro *m*.

사부랑거리다 cotorrear, chacharear, balbucear, charlar, parlotear, garlar, parlar, chacharear, hablar, conversar.
사부랑사부랑[1] cotorreando, chachareando, balbuceando. ~하다 cotorrear, chacarear, balbucear.

사부랑사부랑[2] [여럿이 다 사부랑한 모양] amontonando [apilando] sin apretar. ~하다 amontonar [apilar] sin apretar.

사부랑삽작 ligeramente, con ligereza, con un salto ligero.

사부랑하다 ser atado sin apretar.

사부자기 fácilmente, con facilidad, sin esfuerzos, a hurtadillas, furtivamente.

사부작사부작 fácilmente, con facilidad, sin esfuerzos.

사부주 planes *mpl*. ~가 짜이다 ser fijado los planes. ~가 짜였다 Se han fijado los planes.

사북 ① [쥘부채 · 가위의] pivote *m*, clavillo *m*. ② [가장 중요한 부분] pivote *m*, punto *m* capital [fundamental · esencial].

사분(四分) cuarteo *m*, división *f* en cuatro. ~하다 cuartear, partir [dividir] en cuatro. ~의 삼 tres cuarto. ▪~쉼표 pausa *f* [silencio *m* de] semi(mi)nima. ~오열(五裂) desorden *m*, confusión *f*, rompimiento *m* [ruptura *f* · separación *f*] cabal. ¶~하다 desmembrarse, despedazarse, quebrantarse [dividirse · partirse] en muchas partes. 당(黨)은 ~의 상태에 빠졌다 El partido (se) ha quedado desmembrado. ~원 cuarta *f*. ~위수(位數) cuartil *m*. ~음표[음부] (nota *f*) negra *f*. ~의(儀) cuadrante *m*. ~치(値) cuartil *m*.

사분(私憤) enfado *m* [enojo *m*] privado, cólera *f* [ira *f* · indignación *f*] privada.

사분거리다 ① [조르다] fastidiar, hacer rabiar. ② [속삭이다] chichear, susurrar. 그만 사분거려라 ¡Basta de cuchicheos! / ¡Déjense [Dejaos] de cuchichear! 그녀는 내 귀에 대고 대답을 사분거렸다 Ella me susurró la respuesta al oído / Ella me dijo la respuesta al oído.

ㅅ

사분사분 chicheando, susurrando. ～하다 chichear, susurrar.
사분기(四分期) trimestre *m*. 1[2・3・4]～ primer [segundo・tercer・cuarto] trimestre.
사분사분하다 (ser) benévolo, cariñoso, afable, de buen natural, amigable.
사분하다 (ser) algo suelto [holgado・amplio]. 사분히 algo sueltamente.
사뭇사뭇 con pasos ligeros.
사뭇이 con pasos ligeros.
사브르(불 *sabre*) sable *m*, esgrima *f* de sable.
사비(私費) ① [사사 비용] gastos *mpl* privados. ② [자기가 사사로이 쓰는 비용] *su* propio coste, *sus* propios gastos.
■ ～생(生) estudiante *m* privado.
사비(社費) gastos *mpl* [expensas *fpl*] de la compañía. ～로 en gastos [expensas] de la compañía.
사뿐 con paso suave [ligero], ligeramente, con ligereza, suavemente, con suavidad, tranquilamente.
사뿐사뿐 con pasos ligeros. ～ 걸어가다 andar [caminar] ligeramente, ir con pasos ligeros.
사뿐하다 ser agradable el espíritu y el cuerpo.
사뿟 ((센말)) =사붓.
사사(士師) ((성경)) juez *m* (*pl* jueces).
사사(私事) asuntos *mpl* privados, asuntos *mpl* personales.
사사(事事) ① [모든 일] todas cosas *fpl*, todos asuntos *mpl*. ② [일마다] cada cosa, cada asunto, todas las cosas, todos los asuntos.
■ ～건건(件件) ㉮ [모든 일] cualquier cosa, cualquier asunto, cualquiera, todo. ㉯ [일마다] cada cosa, cada asunto, todas las cosas, todos los asuntos. ～물물(物物) todas cosas y todos objetos; [모든 현상] todos fenómenos *mpl*.
사사(師事) estudio *m* (con *uno*). ～하다 hacerse discípulo (de), estudiar (con), aprender (con), respetar como a un maestro; [개인 교수] tomar clases particulares (con・de). 서반아인 선생의 ～로 서반아어를 배우다 estudiar español con un profesor español. 그녀는 피아노 선생에게서 ～하고 있다 Ella tiene un profesor de piano / Ella aprende piano con un profesor.
사사(謝辭) ① [고마운 뜻을 나타내는 말] gracias *fpl*, agradecimiento *m*. ～하다 manifestar [expresar] *su* agradecimiento, dar (las) gracias, agradecer, estar agradecido. ② [사죄하는 말] apología *f*; [변명] excusa *f*. ～하다 hacer una apología, excusarse.
사사기(士師記) ((성경)) Jueces.
사사 단체(私私團體) asociación *f* privada.
사사롭다(私私－) (ser) privado, particular, personal. 사사로운 감정(感情) sentimiento *m* personal.
사사로이 en privado, privadamente, personalmente, particularmente.
사사반기(四四半期) =사사분기.
사사분기(四四分期) cuarto trimestre: octubre, noviembre y diciembre.
사사스럽다(邪邪－) (ser) astuto.
사사스레 astutamente, con astucia.
사사오입(四捨五入) 【수학】 cálculo *m* redondo. ～하다 redondear, contar las fracciones de cinco para arriba como una unidad y desatender el resto.
사산(四散) dispersión *f* por todas las partes [todas las direcciones]. ～하다 dispersar por todas las partes [todas las direcciones], esparcirse, desparramarse.
사산(死産) 【의학】 parto *m* muerto, parto *m* en el que el niño nace muerto, nacimiento *m* de un niño muerto. ～하다 dar a luz a un niño muerto, tener un mortinato, tener un parto (en el que el niño nace) muerto. ～의 nacido muerto, mortinato. 아이가 ～되었다 El niño nació muerto.
■ ～아(兒) mortinato *mf*.
사살 =사설(辭說).
사살(射殺) fusilamiento *m*. ～하다 fusilar, matar a tiros, matar de [con] un tiro, matar a balazos; [활로] matar de un flechazo, matar con flechazos.
사삼(私蔘) ginsén *m* [ginseng *m*] cultivado por el individuo.
사삿사람(私私－) =사인(私人).
사삿일(私私－) cosas *fpl* privadas [personales・particulares], asuntos *mpl* privados [personales・particulares]; [사생활] vida *f* privada [particular]. ～을 들추어내다 revelar los asuntos privados [personales] (de).
사삿집(私私－) casa *f* privada, hogar *m* privado, residencia *f* privada, *su* casa, *su* hogar.
사상(史上) en la historia. ～ 유례 없는 sin igual en (la) historia. ～ 공전의 sin precedente en la historia. ～의 인물 carácter *m* histórico.
사상(死相) ① [죽을 상] cara *f* de angustia, cara *f* desesperada. ② [죽은 사람의 얼굴] cara *f* del muerto. ③ [죽을 조짐이 나타난 상] expresión *f* cadavérica, aspecto *m* cadavérico. 그의 얼굴에는 이미 ～이 나타났다 Su cara ya presagia la muerte. 그는 조용한 ～이었다 El tenía la cara apacible en la muerte.
사상(死傷) ① [죽음과 상함] la muerte y la herida. ～하다 morir y ser herido. ② [죽은 사람과 다친 사람] el muerto y el herido.
■ ～병(兵) el soldado muerto y el soldado herido. ～자 los muertos y los heridos. ～자수 bajas *fpl*, número *m* de víctimas, número *m* de muertos, número *m* de víctimas mortales.
사상(事狀/事相) =사태(事態).
사상(事象) fenómeno *m*, acontecimiento *m*.
사상(砂上) sobre [en] la arena.
■ ～누각(樓閣) castillo *m* de naipes, castillo *m* en el aire. ¶～을 짓다 edificar

sobre (la) arena, hacer castillos en el aire.

사상(思想) idea *f*, ideario *m*, pensamiento *m*; [개념(概念)] concepción *f*, [이데올로기] ideología *f*; ((성경)) pensamiento *m*, consejo *m*, asunto *m*. ~의 악화 degeneración *f* de la idea.

◆공산주의 ~ idea *f* comunista. 과격 ~ ideas *fpl* radicales. 과학 ~ pensamiento *m* científico. 구(舊) ~ idea *f* pasada. 그리스 ~ pensamiento *m* griego. 근대(近代) ~ pensamiento *m* moderno. 독립(獨立) ~ integridad *f* para la independencia. 동양 ~ pensamiento *m* oriental. 사대 ~ idea *f* contemporizadora. 서양 ~ pensamiento *m* occidental. 신(新) ~ idea *f* nueva. 위험 ~ idea *f* peligrosa. 자유 ~ pensamiento *m* liberal. 정치 ~ pensamiento *m* político. 중심(中心) ~ pensamiento *m* central, idea *f* central. 진보 ~ ideas *fpl* progresistas. 혁명 ~ ideas *fpl* revolucionarias.

▪~가 pensador, -dora *mf*, filósofo, -fa *mf*. ~ 개조 cambio *m* de pensamiento. ~ 경향 tendencia *f* de pensamiento. ~계 mundo *m* de pensadores. ~극 drama *m* ideológico. ~ 내용(內容) contenido *m* de pensamiento. ~ 문제(問題) problema *m* ideológico. ~범(犯) delincuente *mf* político, delincuente *f* política. ~사(史) historia *f* de pensamiento. ~ 운동(運動) movimiento *m* ideológico. ~적 ideológico. ¶사건의 ~ 배경 fondo *m* ideológico del suceso. ~전 guerra *f* ideológica. ~ 통제 control *m* de pensamiento. ~ 투쟁(鬪爭) conflicto *m* ideológico.

사상(捨象) 【심리】 abstracción *f*.

사상(絲狀) forma *f* de hilo. ~의 de hilo, filamentoso.

▪~균 moho *m* filamentoso. ~균병 micosis *f*. ~ 균종 hifomicetoma *m*. ~균증 hifomicosis *f*. ~균학 micetología *f*. ~ 유두 papila *f* filiforme. ~체 ㉮ 【식물】 =원사체(原絲體). ㉯ 【생물】 filamento *m*.

사상(寫像) 【물리】 imagen *f*.

사상충(絲狀蟲) 【동물】 filaria *f*.

사색(四色) ① [네 가지 빛깔] cuatro colores. ② 【역사】 las Cuatro Camarillas [Facciones]: *noron* 노론(老論), *soron* 소론(少論), *namin* 남인(南人) y *buk-in* 북인(北人).

▪~당쟁 conflictos *mpl* políticos entre las Cuatro Camarillas [Facciones].

사색(死色) cara *f* de muerto, cara *f* de póker.

사색(思索) pensamiento *m*, meditación *f*, contemplación *f*, reflexión *f*, especulación *f*. ~하다 pensar, meditar, contemplar, considerar, reflexionar, especular, proyectar, cavilar, rumiar. ~에 잠기다 absorberse en *sus* meditaciones, sumirse en *sus* pensamientos.

▪~가 pensador, -dora *mf*, filósofo, -fa *mf*. ~인(人) pensador, -dora *mf*. ~적 especulativo, contemplativo. ¶~으로 especulativamente, contemplativamente.

사생(死生) vida o muerte, la muerte y [o] la vida. ~을 함께 하다 vivir y morir juntos.

▪~결단 riesgo *m* de *su* vida. ¶~하다 arriesgar [poner en peligro] *su* vida (por). ~관두(關頭) borde *m* de la muerte, crisis *f*, situación *f* crítica. ~동고 acción *f* de vivir y morir juntos

사생(私生) nacimiento *m* ilegítimo [ilegal]. ~하다 dar a luz un niño sin matrimonio formal.

▪~아 hijo *m* natural [bastardo · ilegítimo]; (niño *m*) bastardo *m*, (niña *f*) bastarda *f*, hijo *m* del amor. ¶~로 태어나다 nacer como hijo natural.

사생(師生) =사제(師弟).

사생(寫生) boceto *m*, bosquejo *m*, esbozo *m*. ~하다 bosquejar, hacer un bosquejo (de), esbozar; [자연을 묘사하다] dibujar [copiar] del natural. 경치(景致)를 ~하다 dibujar el paisaje.

◆정물(靜物) ~ naturaleza *f* muerta.

▪~문 bosquejo *m* [descripción *f*] natural. ~ 여행 viaje *m* de bocetos [esquicio]. ~첩 cuaderno *m* de bocetos, bloc *m* de dibujo, libro *m* de bosquejos. ~화(畵) bosquejo *m*, boceto *m*, esbozo *m*, pintura *f* al natural.

사생활(私生活) vida *f* privada [particular · íntima]. ~에 있어 en privado. 남의 ~에 간섭하지 마라 No te entrometas en la vida privada del otro.

사서(司書) ① [서적을 맡아보는 직분] bibliotecario, -ria *mf*. ② ((종교)) [시천교(侍天敎)에서, 서기의 직무] secretaría *f*.

사서(史書) libro *m* histórico.

사서(四書) cuatro de los sietes libros clásicos chinos: las Analectas de Confucio 논어(論語), las Obras de Mencio 맹자(孟子), la Doctrina de Media 중용(中庸) y Grandes Conocimientos 대학(大學).

▪~삼경(三經) los Cuatro Libros y los Tres Clásicos, los Siete Clásicos Chinos. ~오경(五經) los Nueve Clásicos Chinos.

사서(私書) ① [사신(私信)] carta *f* privada. ② [비밀스레 하는 편지] carta *f* secreta. ③ 【법률】 documento *m* privado. ~를 위조하다 falsificar un documento privado.

▪~함 apartado *m* postal, apartado *m* de correos; *AmS* casilla *f* (postal), casilla *f* de correos. ¶~ 252호 apartado *m* [*AmS* casilla *f*] número 252.

사서(辭書) diccionario *m*, lexión *f*.

사석(死石) 【바둑】 *saseok*, piedra *f* muerta.

사석(沙石/砂石) la arena y la piedra.

사석(捨石) ① ((바둑)) piedra *f* sacrificada. ② [비유적] sacrificio *m*. ③ 【토목】 montón *m* (*pl* montones) de escombros, ripio *m*.

▪~공 obra *f* de escombros. ~ 방파제 malecón *m* de escombros. ~ 호안(護岸) muro *m* de contención de escombros.

사석(私席) ocasión *f* privada [no oficial].

사선(死線) peligro *m* de la muerte, línea *f* de muerte, crisis *f*. ~을 넘다 superar el peligro de la muerte, librarse del peligro de la muerte. ~을 헤매다 luchar con la muerte, vivir con la muerte en los talones.

사선(私船) barco *m* privado [personal · particular].

사선(私線) [개인의 전신선(電信線)] línea *f* telegráfica privada; [개인의 철도선] línea *f* ferroviaria [de ferrocarriles] privada.

사선(私船) barco *m* [buque *m*] privado.

사선(射線) trayectoria *f*.

사선(斜線) línea *f* oblicua. ~을 긋다 trazar una línea oblicua.

사설(私設) establecimiento *m* privado. ~하다 establecer privadamente [personalmente · particularmente].

▪~ 묘지 cementerio *m* privado, tumba *f* privada. ~ 시장(市場) mercado *m* privado. ~ 우체국 correo *m* privado. ~ 우편함 buzón *m*. ~ 전신 telégrafo *m* privado. ~ 전화 teléfono *m* privado. ~ 철도(鐵道) ferrocarril *m* privado [particular], línea *f* de ferrocarriles privada. ~탐정 detective *m* privado, detective *f* privada; investigador *m* privado, investigadora *f* privada. ~ 학원 colegio *m* privado, escuela *f* privada. ~ 회사 empresa *f* privada, empresa *f* del sector privado, compañía *f* de un solo propietario, empresa *f* sin cotización en bolsa, compañía *f* privada.

ㅅ

사설(私說) teoría *f* personal, opinión *f* personal.

사설(邪說) opinión *f* perversa, vista *f* pervertida, doctrina *f* herética [heterodoxa], palabra *f* malintencionada; [이단(異端)] herejía *f*.

사설(社說) editorial *m*, artículo *m* de fondo. ~로 논하다 hacer un comentario editorial. 문제를 ~에 논하다 hacer un comentario editorial sobre el problema, discutir el problema con un artículo editorial.

▪~ 기자 redactor, -tora *mf* editorial. ~란(欄) columna *f* editorial.

사설(辭說) ① [노랫말] palabras *fpl*, dicción *f* poética. ② [이야기] cuento *m*, historia *f*. ③ [잔말] charlaría *f*, parloto *m*, parlería *f*.

▪~시조 forma *f* de *sicho* sin restricción en la longitud de los dos versos primeros. ~쟁이 parlanchín, -china *mf*; charlatán, -tana *mf*; trabilla *mf*.

사성(四姓) [인도의] cuatro castas: brahmán 바라문(婆羅門), ksatriya 찰제리(刹帝利), vaizia 비사(毗舍), y sudra 수다라(首陀羅).

사성(四聖) cuatro santos más grandes del mundo: Confucio, Buda, Jesús y Socrates [o Mahoma].

사성(四聲) cuatro acentos chinos.

사성(賜姓) otorgamiento *m* [concesión *f*] del apellido por el rey. ~하다 el rey otorgar [conferir] el apellido (a *uno*).

사세(事勢) situación *f*. ~가 불리하여 bajo la situación desfavorable.

사세부득이(不得已) inevitablemente, por la fuerza de circunstancias, por una circunstancia inevitable. ~하다 (ser) inevitable.

사소(私訴) pleito *m* civil, juicio *m* civil. ~하다 demandar civilmente (a), llevar a juicio civilmente (a), entablar una demanda civilmente (contra).

사소(些少) trivialidad *f*, insignificancia *f*, pequeñez *f*. ~하다 [하잘것없이 작다] (ser) trivial, insignificante, pequeño, mínimo, diminuto, módico; [소량(少量)] (ser) un poco (de). ~하게 ligeramente, sólo, solamente. ~한 일 asuntos *mpl* triviales, cosa *f* insignificante, cosa *f* sin importancia, pequeños detalles *mpl*. ~한 돈으로 por [con] poco dinero. 그런 ~한 일로 por poca cosa, por una cosa tan insignificante, sin importancia, de poca monta, por nada. ~한 일로 성내다 enfadarse [enojarse] por poco, enfadarse por nada [por poco · por poca cosa]. ~한 일로 걱정하지 않다 no preocuparse de los pequeños detalles, no perderse en los detalles. 이것은 ~합니다만 aunque es muy poco ….

사소히 insignificantemente, con pequeñez.

▪~지사(之事) asunto *m* trivial, cosa *f* insignificante, cosa sin importancia.

사소설(私小說) novela *f* autobiográfica, novela *f* de la vida privada, novela *f* basada en la vida personal del autor, novela *f* con rasgos autobiográficos.

사수(死守) defensa *f* desesperada. ~하다 mantener desesperadamente, defender con decisión inflexible. 보루(堡壘)를 ~하다 defender una fortaleza desesperadamente [hasta el último hombre].

사수(射手) tirador, -dora *mf*; disparador, -dora *mf*; carabinero, -ra *mf*; riflero, -ra *mf*; [화살의] arquero, -ra *mf*.

◆명(名)~ buen tirador *m*, buena tiradora *f*; buen arquero *m*, buena arquera *f*.

▪~자리 【천문】 Arquero *m*.

사수리살 flecha *f* antigua.

사숙(私淑) consideración *f* como *su* propio maestro. ~하다 considerar como *su* (propio) maestro, seguir el paso (de), imitar el modo de vivir [de hacer] (de).

사숙(私塾) escuela *f* privada, pupilaje *m*, escuela *f* de pensionistas, escuela *f* de internos.

사숙(舍叔) mi tío.

사순재(四旬齋) ((천주교)) Cuaresma *f*. ~의 cuaresmal. ~의 단식(斷食) ayuno *m* cuadragesimal, ayuno *m* de Cuaresma.

사순절(四旬節) ((기독교 · 천주교)) cuaresma *f*, cuarentena *f*, cuadragésima *f*. ~의 cuaresmal, cuadragesimal. ~의 설교(說教) cuaresmario *m*.

사술(邪術) brujería *f*, hechicería *f*.

사술(射術) talento *m* de tirada, ballestería *f*.

사술(詐術) astucia *f*, maña *f* engañosa, magia *f* negra.

사슬 ((준말)) =쇠사슬. ¶~로 묶다 encadenar; [짐승을] apersogar. ~로 묶여 있다 estar encadenado.

▪~고리 eslabón *m*. ~돈 dinero *m* suelto,

sencillo *m*, cambio *m*. ~ 문고리 cerradura *f* de la puerta de cadena. ~ 반응 =연쇄 반응. ~조교(弔橋) puente *m* colgante de cadena.

사슴【동물】 ciervo *m*, venado *m*; [암컷] cierva *f*, [흰 사슴] gamo *m*; [새끼] cervato *m*, cervatillo *m*. ~의 통로 venadero *m*. ~을 사냥하다 venadear.

■ ~ 가죽 cuero *m* de ciervo, piel *f* de ciervo. ~ 고기 carne *f* de venado, carne *f* de ciervo. ~빛 beis *m*, beige *m*, castaño *m* [moreno *m*] claro. ~뿔 cuerno *m* de venado. ~ 사냥 caza *f* de ciervos. ~ 사냥꾼 cazador, -dora *mf* de ciervos. ~ 사냥터 parque *m* de ciervos. ~ 사육장 jardín *m* de ciervos.

사슴벌레【곤충】 ciervo *m* volante.

사승(史乘) =사기(史記).

사승(寺僧) sacerdote *m* budista (del templo).

사시(巳時)【민속】*sasi*, hora *f* de serpiente, las diez de la mañana.

사시(四時) ① [사철] cuatro estaciones: primavera, verano, otoño e invierno. ② [한 달 중의 네 때] cuatro tiempos del mes. ③ [하루의 네 때] cuatro tiempos del día.

■ ~가절 fiesta *f* de cuatro estaciones. ~도 cuadro *m* del paisaje natural de cuatro estaciones. ~장철 todas las estaciones, cada estación. ~장청 verdura *f* de los hojas durante todo el año. ¶~하다 ser de hoja perenne, ser verde las hojas todo el año. ~장춘 ㉮ [사철의 어느 때나 늘 봄과 같음] primavera *f* eterna. ㉯ [늘 잘 지냄] vida *f* confortable, vida *f* acomodada.

사시(史詩) poema *m* épico, poema *m* histórico.

사시(死屍) cadáver *m*, cuerpo *m* muerto.

사시(社是) lema *m* de una compañía.

사시(斜視) ①【의학】estrabismo *m*. ② [눈을 모로 뜨거나 곁눈질로 흘기어 봄] mirada *f* bizca. ③ [사팔눈] ojos *mpl* bizcos, ojo *m* ojizaino. ~의 bizco, estrábico.

■ ~경 zoescopio *m*. ~계 estrabismómetro *m*. ~ 교정 수술 estrabotomía *f*. ~ 교정학 ortopia *f*. ~ 수술 estrabotomía *f*. ~안(眼) ojos *mpl* bizcos. ~ 절개도 estrabotoma *f*. ~ 절개술(切開術) estrabotomía *f*. ~ 측정 estrabismometría *f*. ~편위 측정계 deviómetro *m*.

사시나무【식물】 álamo *m* temblón, espino *m* albar, espino *m* blanco, majuelo *m*.

◆사시나무 떨듯 (한다) temblar, tiritar, estremecerse.

사시랑이 persona *f* delgada y débil.

사식(私食) comida *f* privada.

사식(寫植) ((준말)) =사진 식자(寫眞植字).

사신(私信) carta *f* personal, carta *f* privada, correspondencia *f* personal, comunicación *f* privada.

사신(邪神) dios *m* perverso, deidad *f* maliciosa [malvada], mala deidad *f*.

사신(使臣) mensajero, -ra *mf*, delegado, -da *mf*, enviado, -da *mf*, embajador, -dora *mf*.

◆외국(外國) ~ mensajero *m* [delegado *m*] extranjero.

사신(死神) dios *m* de la muerte, Muerte *f*, Parca *f*. 그는 ~ 들렸다 El tenía sobre sí la mano de la Muerte / Es estaba poseído por el dios de la muerte.

사실(史實) hecho *m* histórico, verdad *f* histórica. ~에 입각해서 conforme al hecho histórico.

■ ~담(談) cuento *m* histórico.

사실(私室) habitación *f* privada, cuarto *m* privado; [부인(婦人)의] gabinete *m*. 나는 주로 손님이 내 ~에 들어오지 못하게 한다 En principio, no dejo pasar a los invitados a mi habitación.

사실(事實) ① [현실로 있는 일] realidad *f*, verdad *f*, actualidad *f*,【철학】hecho *m*. ~은 a decir verdad, en realidad, en el fondo. ~을 말하다 hablar [decir] la verdad. ~을 왜곡하다 deformar un hecho. ~을 직시(直視)하다 mirar [contemplar] la realidad frente a frente. ~을 있는 그대로 보여주다 mostrar las cosas tal como son. ~ 대로 말하다 llamar al pan, pan y al vino, vino; llamar a las cosas por *su* nombre. ~을 말하면 a decir verdad, a la verdad, lo cierto es que + *ind*; [솔직히 말하면] francamente (dicho · hablando). ~에 근거를 둔 basado en el hecho. ~에 근거를 두고 basándose en el hecho. ~에 반(反)해 contrario a la verdad. …라는 ~ el hecho de que + *ind*. …은 ~이다 Verdad es que + *ind*. / La verdad es que + *ind* / Es que + *ind*. 그것은 ~ 이다 Es verdad / Es un hecho innegable. 그것은 명백한 ~이다 Es una verdad clarísima [manifiesta] / Es un hecho evidente. ~은 그녀는 작가이다 La verdad [El hecho] es que ella es la autora. ~은 그는 대작가이다 El hecho [Lo cierto] es que él es un gran escritor. 그가 그곳에 들린 것은 ~이다 Es verdad que él ha pasado por allí. ~은 그는 모든 것을 다 알고 있었다 Es que él lo sabía todo. ~을 말하자면 나는 결혼할 기분이 아니다 A decir verdad, no tengo ningún ánimo de casarme. 그가 병이라는 ~이 판명되었다 Se ha aclarado el hecho de que él está enfermo. 그 사람이 나를 만났다는 것은 ~이다 No es menos verdad que él me ha visto.

② [부사적] en realidad, realmente, de hecho. ~ 나는 서반아에 한 번도 가 본 적이 없다 De hecho no he estado en España nunca. 이 소설은 ~에 근거하고 있다 Esta novela está basada en hechos reales.

■ ~무근(無根) lo infundado. ¶~의 infundado, sin fundamiento. 그의 고소(告訴)는 ~이다 Su acusación es infundada. 그 소문(所聞)은 ~이다 El rumor es infundado. ~문제(問題) asunto *m* [cuestión *f*] de hecho. ~상 de hecho, realmente, prácticamente. ¶~의 de hecho, verdadero. ~ 그리고 당연히 de hecho y de derecho. 그 회

사는 ~ 도산했다 De hecho, esa compañía ha hecho quiebra.

사실(査實) investigación *f* de hechos, inspección *f* actual. ~하다 inspeccionar, hacer una investigación. ~한 결과로 a raíz de [como consecuencia de] la inspección actual.

사실(寫實) descripción *f* real, realismo *m*.
■ ~ 소설(小說) novela *f* realista. ~주의 realismo *m*. ~주의자 realista *mf*. ~주의적 realista *adj*. ~파 escuela *f* realista.

사심(私心) interés *m* personal, interés *m* propio, egoísmo *m*, pensamiento *m* personal, motivo *m* interesado. ~ 없는 desinteresado. ~ 없이 desinteresadamente.

사심(邪心) malicia *f*, malignidad *f*, corazón *m* perverso; [의도] mala intención *f*. ~을 품다 obrar con motivo interesado.

사십(四十) cuarenta. ~의 cuarenta. ~ 번째의 cuadragésimo, cuarenta. ~ 등분의 cuarentavo. ~분의 일 un cuarentavo, un cuadragésimo. ~ 초(秒) cuarenta segundos. ~ 분(分) cuarenta minutos. ~ 시간 cuarenta horas. ~ 일(日) cuarenta días. ~ 개월(個月) cuarenta meses. ~ 년(年) cuarenta años.
◆ 제~ cuadragésimo *m*.
■ ~객 hombre *m* que tiene alrededor de cuarenta años de edad. ~대(代) [사람] cuadragenario, -ria *mf*; cuarentón, -tona *mf*. ¶~의 cuadragenario, cuarentón.

사십구공탄(四十九孔炭) briqueta *f* con cuarenta y nueve agujeros.

사악(邪惡) depravación *f*, maldad *f*, perversidad *f*. ~하다 (ser) malo, perverso, malicioso, maligno, depravado, inicuo, reprobo, empecatado. 인간의 본성이 ~하다고 생각하지 않는다 No creo que la naturaleza humana sea mala.

사안(私案) plan *m* privado, plan *m* personal, idea *f* privada.

사안(事案) caso *m*.

사안(史眼) vista *f* histórica.

사암(沙巖/砂巖) 【광물】 arenisca *f*.

사약(死藥) veneno *m*, droga *f* mortal.

사약(賜藥) donación *f* de veneno; [약] veneno *m* donado por el rey. ~하다 donar el veneno.

사양(斜陽) ① [저녁때 서쪽으로 기울어진 해] sol *m* puesto al oeste. ② [점점 쇠퇴하여 가는 일] decadencia *f*, declive *m*. ~화되다 decaer, ir de capa caída, marchar a *su* ocaso.
■ ~ 산업 industria *f* en decadencia [en declive]. ~족 clase *f* familia [casta] en ocaso.

사양(飼養) cría *f*, crianza *f*. ~하다 criar.

사양(辭讓) rechazo *m*, negativa *f*, repulsa *f*. ~하다 rehusar, rechazar, no aceptar, no permitir, no consentir, repulsar. …하는 것을 ~하다 excusarse de + *inf*, negarse a + *inf*. 나는 파티에 초대받았지만 ~했다 Me invitaron a la fiesta, pero me excusé de asistir a ella. 오늘밤 파티는 ~하겠습니다 Disculpe usted, pero no podré asistir a su fiesta esta noche. ~하지 마시고 드십시오 Sírvase sin reserva alguna.

사어(死語) 【언어】 lenguaje *m* muerto, lengua *f* muerta, lengua *f* no hablada; [단어] palabra *f* caída en desuso; [폐어] palabra *f* anticuada, palabra *f* suprimida.

사어(私語) ① [드러나지 않도록 조용히 하는 말] cuchicheo *m*. ~하다 cuchichear, hablar al oído, hablar en voz baja. ② [사사로이 부탁하는 말] pedido *m* privado, pedido *m* personal. ~하다 pedir privadamente, pedir personalmente.

사업(事業) [기업] empresa *f*, obra *f*, [일] trabajo *m*, faena *f*, labor *f*, negocio *m*, operación *f*, [산업] industria *f*. ~을 경영하다 dirigir [manejar] un negocio, administrar una empresa. ~을 일으키다 fundar una empresa. ~에 성공하다 tener éxito en *su* negocio, triunfar en el negocio. ~에 실패하다 fracasar en el negocio, no tener en su negocio. 큰 ~을 이룩하다 llevar a cabo una gran empresa [obra]. 그의 ~은 잘되어 가고 있다 Le anda [va] bien el negocio. 그는 한꺼번에 두 ~에 손을 댔으나 하나도 성공하지 못했다 El manejó dos negocios al mismo tiempo y resultó que no prosperó en ninguno [y terminó fracasando en los dos].
◆공공 ~ empresa *f* de servicio público. 교육 ~ obra *f* de enseñanza. 문화 ~ empresa *f* cultural, obra *f* cultural. 민간 ~ empresa *f* privada. 사회 ~ obra *f* social. 자선(慈善) ~ obra *f* benéfica, obra *f* de beneficencia. 전기 ~ industria *f* eléctrica. 정부 ~ empresa *f* gubernamental.
■ ~가 hombre *m* de negocios; empresario, -ria *mf*; promotor, -tora *mf* de empresa; persona *f* emprendedora. ~계 mundo *m* de negocios [industrial · de emprendedores · de industria]. ~ 계획 plan *m* de operación, programa *m* de negocio. ~ 공채 bono *m* industrial. ~부 departamento *m* de negocios. ~비 gastos *mpl* de negocios. ~세 =영업세. ~소 establecimiento *m*, lugar *m* de negocios. ~ 소득 renta *f* de negocios. ~ 연도 =영업 연도. ~열(熱) pasión *f* de negocios. ~욕 deseo *m* de negocios. ~ 자금 fondo *m* de negocios. ~ 자본 capital *m* de empresa. ~장 lugar *m* de negocios, establecimiento. ~ 정신(精神) espíritu *m* emprendedor. ~주(主) propietario, -ria *mf* [dueño, -ña *mf*] de negocios. ~화 industrialización *f*, [상업화] comercialización *f*. ¶~하다 industrializar, comercializar.

사역(使役) ① [일을 부리어 시킴] empleo *m*, servicio *m*. ~하다 emplear, poner a trabajo. ② =사환(使喚). ③ 【언어】 lo causativo. ~의 causativo, factitivo.
■ ~견(犬) perro *m* de trabajo. ~ 동사(動詞) verbo *m* causativo, verbo *m* factitivo.

ㅅ

～병(兵) soldado *m* de trabajo. ～형 forma *f* causativa.

사연(事緣) historia *f* (entera), pasado *m*, razón *f* (*pl* razones). ～이 있는 물건 objeto *m* que tiene *su* pasado. ～이 있는 여자 mujer *f* con historia. 어떤 ～이 있다 tener ciertas razones. 무슨 ～이 있는 것 같다 Parece tener ciertas razones secretas.

사연(辭緣/詞緣) contenido *m*. 편지의 ～ contenido *m* de la carta.

사열(査閱) inspección *f*, examinación *f*, examen *m*; [군대의] revista *f*. ～하다 inspeccionar, examinar; [군대를] revistar, pasar revista (a). 군대를 ～하다 revisar [pasar revista a] la tropa. 병사들을 ～을 받았다 Se pasó a los soldados.

■ ～관 inspector *m*, examinador *m*. ～단 grupo *m* de revista. ～대 estrado *m* de revista. ～식 desfile *m*, parada *f*.

사염화(四鹽化) 【화학】 tetracloruro *m*.

■ ～규소 tetraclorurosilicio *m*. ～물(物) tetracloruro *m*. ～백금 tetracloruro *m* de platino. ～아세틸렌 tetracloruroacetileno. ～에틸렌 tetracloruroetileno. ～연(鉛) tetracloruro *m* de plomo. ～탄소 tetracloruro *m* de carbono. ～탄소 소화기 extintor *m* [*AmL* extinguidor] (de incendios) de tetraclorurocarbón. ～티탄 tetracloruro *m* de titanio.

사영(私營) manejo *m* privado. ～의 privado, particular.

■ ～ 버스 autobús *m* de una compañía privada. ～ 보험 seguro *m* privado. ～ 사업 empresa *f* particular, empresa *f* privada.

사영(射影) 【수학】 proyección *f*.

◆ 등각 ～ proyección *f* isométrica. 정(正)～ proyección *f* ortogonal.

■ ～ 기하학 geometría *f* proyectiva.

사영(斜影) sombra *f* inclinada.

사예(射藝) ballestería *f*.

사오(四五) ① [넷과 다섯] cuatro y cinco. ② [네댓] cuatro o cinco. ～일(日) cuatro o cinco días. ～ 회(回) cuatro o cinco veces. 군인 ～ 명(名) cuatro o cinco soldados.

사오십(四五十) cuarenta o cincuenta. 책 ～권 cuarenta o cincuenta libros.

사오월(四五月) ① [사월과 오월] abril y mayo. ② [사월이나 오월] abril o mayo.

사오차(四五次) cuatro o cinco veces.

사옥(社屋) edificio *m* (de una compañía).

사왕(嗣王) rey *m* heredero.

사외(社外) exterior *m* de la compañía; [부사적] fuera de la compañía.

사욕(沙浴/砂浴) baño *m* de arena. ～하다 tomar un baño de arena.

사욕(私欲/私慾) deseo *m* egoísta, egoismo *m*, interés *m* (personal), deseo *m* para la ganancia personal, propio provecho *m*, propio interés *m*. ～의 egoísta. ～이 없는 nada egoísta, generoso, desinteresado. ～이 없는 사람 persona *f* nada egoísta. ～이 없는 행동(行動) actitud *f* generosa, actitud *f* desinteresada. ～을 도모하다 atender a *su* propio interés. ～을 버리다 dejar a un lado *su* interés personal. ～에 치우치다 buscar *su* propio provecho, buscar *su* interés personal. ～을 채우다 satisfacer su deseo egoísta. ～을 위해 행동하다 obrar por *su* propio provecho, actuar por *su* interés personal. 그는 순전히 ～ 때문에 행동했다 El actuaba por puro interés personal.

사욕(邪慾) ① [간사스럽고 바르지 못한 욕망] mala pasión *f*, mal deseo *m*, deseo *m* malvado [maligno]. ② [육욕(肉慾)] deseo *m* carnal, deseo *m* sexual.

사용(私用) uso *m* privado, uso *m* personal, asunto *m* privado, asunto *m* personal; [개인 용무] negocio *m* privado. ～으로 por uso personal, por negocios particulares. ～으로 외출하다 salir (de la oficina) por sus usos personales.

■ ～물 objeto *m* privado, objeto *m* personal, objeto *m* para los individuos. ～ 전화 uso *m* telefónico por [para] un asunto personal; [호출] llamada *f* telefónica por [para] un asunto personal.

사용(社用) uso *m* de la compañía, negocio *m* de la compañía. ～으로 여행하다 hacer un viaje por negocios de la compañía.

사용(使用) ① [물건을 씀] uso *m*; [약(藥) 등의] aplicación *f*. ～하다 usar, utilizar, servir (de), hacer uso (de), aplicar. ～하기 편한 cómodo de usar. ～하기 불편한 incómodo de usar. ～되지 않는 표현 expresión *f* caída en desuso. ～하고 버리는 de usar y tirar. ～상의 주의 indicaciones *fpl* sobre el uso. 자유로이 ～할 수 있는 돈 dinero *m* disponible. ～되지 않다 caer en desuso, hacerse anticuado. ～되지 않고 있다 estar en desuso. ～할 수 있다 ser utilizable; [유효하다] ser válido. ～할 수 없다 ser inservible, no poder utilizarse. 처음으로 ～하다 estrenar, usar por primera vez. 한 번만 ～하고 버리다 usar al máximo y tirarlo después. 이것은 아직 ～할 수 있다 Esto todavía resiste. 이것은 ～할 수 없다 Esto está fuera de uso. 이것은 이제 ～할 수 없다 Esto ya no es servible. 이 말은 그다지 ～되지 않는다 Ya se usa poco esta palabra / Ha caído en desuso esta palabra. 이 도구는 어디에 ～합니까? ¿Para qué sirve este instrumento? 이 기계는 여러 해 동안 ～에도 끄떡없다 Esta máquina resiste el uso de muchos años. 이 전화 좀 ～할 수 있을까요? [누구든지] ¿Se puede usar este teléfono? / [다른 사람은 몰라도 나는] ¿Puedo usar este teléfono? 네 펜 좀 ～해도 될까? ¿Puedo usar tu pluma? 이 자동차는 아직 ～할 만하다 Este coche todavía sirve. ～중 ((게시)) Ocupado.

② [사람을 부리어 씀] empleo *m*. ～하다 [부리다] manejar; [고용하다] emplear. 사람을 ～하기는 쉽지 않다 Es difícil [No es fácil] manejar a las personas. 이 백화점에서는 점원을 백 명 이상 ～하고 있다 En

este almacén hay más de cien empleados.
③ [행사(行使)] aplicación *f*, uso *m*. ~하다 aplicar, usar, hacer uso (de).
④ [소비(消費)] gasto *m*, consumo *m*. ~하다 gastar, consumir. 여행에 돈을 많이 ~했다 Yo gasté mucho dinero en el viaje.
⑤ [조작(操作)] manejo *m*, manipulación *f*. ~하다 manejar, manipular, maniobrar. 기계를 ~하다 manejar una máquina. 인형을 ~하다 manipular una marioneta.
■~ 가치 valor *m* de uso. ~권 derecho *m* de [al] uso. ~권자 usuario, -ria *mf*. ~료 precio *m* del uso, precio *m* de renta, precio *m* de alquiler de arriendo, renta *f*. ~법 modo *m* de empleo, modo *m* de usar, cómo usar, manera *f* de usar, instrucciones *fpl* sobre el uso; [약 따위의] aplicación *f*. ¶~을 모르다 no saber cómo manejar (de). ~에 주의하다 tener mucho cuidado en el modo de empleo (de). ~세 impuesto *m* del uso. ~수(水) el agua *f* potable. ~인 ㉮ [물건이나 시설 등을 사용하는 사람] utilizador, -dora *mf*, usuario, -ria *mf*. ㉯ [근로 계약에 따라 정신적·육체적인 일을 하고 그 대가로 보수를 받는 사람] empleado, -da *mf*. ~자 =사용인(人) ㉮.

사우(社友) ① [회사의 동료] compañero, -ra *mf* de la compañía. ② [사원(社員)은 아니지만 회사와 관계가 있는 사람] colaborador, -dora *mf* de una sociedad.

사우(祠宇) altar *m*, santuario *m*, relicario *m*, sepulcro *m* de santo.

사우나(영 *sauna*) sauna *f*, *AmL* sauna *m*, baño *m* de vapor. ~하다 darse una sauna [*AmL* un sauna].
■~탕 baño *m* sauna.

사우디아라비아【지명】Arabia Saudita, Arabia Saudí. ~의 saudita, saudí.
■~ 사람 saudita *mf*, saudí *mf*.

사우스포(영 *southpaw*) ① ((야구)) [좌완 투수] zurdo, -da *mf*. ② ((권투)) [왼손잡이 선수] zurdo, -da *mf*.

사운(社運) suerte *f* [destino *m* · fortuna *f*] de una compañía.

사운드(영 *sound*) sonido *m*; [불쾌한 소리] ruido *m*.
■~ 박스 ㉮【음악】[악기의 공명 상자(共鳴箱子)] caja *f* de resonancia, reproductor *m*. ㉯【음악】[축음기의 공명 상자] captador *m* acústico. ~ 트랙 banda *f* sonora, pista *f* sonora (de la película).

사울【인명】((성경)) [이스라엘의 첫 임금] Saúl.

사웅파울루【지명】São Paulo (브라질의 한 도시). ☞상파울루.

사원(寺院) ① [절] *cheol*, templo *m* budista. ② [기독교나 천주교의] templo *m*, iglesia *f*; [큰] catedral *f*. ③ [회교의] mezquita *f*. ④ [수도원] convento *m*, monasterio *m*.

사원(私怨) rencor *m* privado, enemistad *f* personal, resentimiento *m*. ~을 풀다 desquitarse de un rencor privado, vengarse (de), pagar en la misma moneda.

사원(社員) empleado, -da *mf*; [집합적] personal *m*. ~이 되다 ingresar en un cuerpo de compañía. ~을 줄이다 reducir el cuerpo. 나는 제철 회사 ~ 이다 Soy empleado [empleada (*f*)] de una compañía siderúrgica. 그는 이제 우리 회사의 ~이 아니다 El ya no es (un) empleado de nuestra compañía. 그는 신문사의 ~이다 El es del cuerpo de periódico.
◆임시(臨時) ~ empleado, -da *mf* provisional; miembro *mf* provisional. 정(正)~ empleado, -da *mf* [miembro *mf*] regular. 종신(終身) ~ empleado, -da *mf* [miembro *mf*] vitalicio.
■~ 명부 lista *f*. ~ 숙소 dormitorio *m* para empleados.

사월(四月) abril *m*, cuarto mes del año. ~ 초하루 el primero de abril. ~ 말일(末日) el último día de abril. ~ 십오 일 el 15 (quince) de abril.

사월혁명(四月革命)【역사】Revolución *f* (Estudiantil) de Abril.

사위[1] [불길한 일이 생길까 언행을 꺼림] tabú *m*, aversión *f*, odio *m*, aborrecimiento *m*. ~하다 disgustar supersticiosamente.
사위스럽다 (ser) tabú, repugnante, odioso, detestable, prohibido, vedado, terrible, espantoso, atroz. 사위스러운 행동 conducta *f* odiosa [repugnante · detestable], comportamiento *m* odioso [repugnante · detestable].
사위스레 repugnantemente, odiosamente, detestablemente, terriblemente, espantosamente, atrozmente.

사위[2] [주사위나 윷을 놀 때 목적한 끗수] *su* punto deseado en el juego de *yut*.

사위[3] [딸의 남편] yerno *m*, hijo *m* político, esposo *m* de *su* hija. 데릴~가 되다 casarse con una heredera.
◆큰~ yerno *m* mayor. 막내 [작은] ~ yerno *m* menor.
■~ㅅ감 hombre *m* apropiado [adecuado · conveniente] para el yerno.

사위(四圍) partes *fpl* exteriores, alrededores *mpl*, contornos *mpl*. ~의 사람들 circunstantes *mpl*. ~의 정세(情勢) circunstancias *fpl*.

사위(詐僞) decepción *f*, ilusión *f*, engaño *m*, falsedad *f*, embuste *m*, mentira *f*. ~하다 decepcionar, ilusionar, chasquear, engañar, mentir.

사위다 hacerse cenizas, reducirse a cenizas.

사유(私有) posesión *f* privada, propiedad *f* privada [particular]. ~의 privado, de propiedad particular.
■~권 derecho *m* privado. ~림 bosque *m* privado. ~물 artículo *m* privado. ~ 재산 bienes *mpl* privados, propiedad *f* particular [privada]. ~ 재산권 derecho *m* de propiedad privada. ~ 재산제 sistema *m* de la propiedad privada. ~지(地) terreno *m* particular. ~ 철도 ferrocarril *m* privado.

사유(事由) razón *f*, cuasa *f*. ~ 없이 sin razón. 아래의 ~ 때문에 por la razón que está indicado abajo.

사유(思惟) pensamiento *m*, especulación *f*, meditación *f*, cavilación *f*, reflexión *f*. ~하다 pensar, especular, meditar, cavilar, considerar, reflexionar.

■ ~ 기능 facultades *fpl* de pensamiento. ~ 법칙 ley *f* de pensamiento.

사육(飼育) cría *f*. ~하다 criar. 사슴을 ~하다 criar ciervos.

■ ~견(犬) perro *m* doméstico. ~ 동물(動物) animal *m* doméstico. ~법 método *m* de cría. ~ 상자 caja *f* para los insectos. ~자 criador, -dora *mf*. ~장 hacienda *f* de ganados, granja *f*.

사육제(謝肉祭) ((기독교)) carnaval *m*.

사은(私恩) obligación *f* personal.

사은(師恩) lo que se debe al maestro, beneficios *mpl* del maestro [del profesor].

사은(謝恩) expresión *f* de gratitud. ~하다 expresar la gratitud.

■ ~ 매출 venta *f* de agradecimiento. ~회 ceremonia *f* de agradecimiento, banquete *m* [fiesta *f*] de agradecimiento; [졸업의] banquete *m* dado por los graduados en señal de gratitud a los profesores.

사음(邪音) música *f* maliciosa.

사음(邪淫) ① [마음이 요사스럽고 음탕함] lascivia *f*, sensualidad *f*, lujuria *f*, liviandad *f*, obscenidad *f*, libídine *m*, salacidad *f*, injuria *f*, adulterio *m*, incontinencia *f*. ~하다 (ser) lascivo, sensual, lujurioso, lúbrico, libidinoso, obsceno, libertino, incontinente, sátiro, salaz, voluptuoso, vicioso, licencioso, carnal, mocero. ② ((불교)) [남의 남자나 여자와 음탕한 짓을 하는 일] actitud *f* lasciva con el esposo de otra mujer [con la esposa de otro hombre].

사음(舍音) =마름.

사음 문자(寫音文字) letras *fpl* fonéticas.

사의(私意) ① [사견(私見)] opinión *f* privada. ② =사심(私心).

사의(辭意) intención *f* de dimitir, intento *m* de dimisión. ~를 번복하다 desdecirse de *su* dimisión. 그의 ~는 굉장히 굳다 El tiene la intención firme de dimitir / El está firmemente decidido a dejar el puesto.

■ ~ 표명 manifestación *f* de la intención de dimitir, presentación *f* de la dimisión. ¶~하다 manifestar su intención de dimitir, presentar la dimisión.

사의(謝意) agradecimiento *m*, gratitud *f*, reconocimiento *m*. ~를 표해서 en señal de (la) gratitud. ~를 표하다 expresar *su* gratitud, agradecer, manifestar *su* gratitud, expresar *su* agradecimiento, reconocer.

사이 ① [공간] espacio *m*; [간격] intervalo *m*; [거리] distancia *f*. ~를 떼다 [두다] poner distancia. A와 B의 ~를 떼다 poner distancia entre A y B, separar A y B. A에서 B의 ~를 떼다 separar B de A. 벽 하나를 ~에 둔 이웃집 casa *f* contigua separada por una pared. 10미터 ~를 두고 a diez metros aparte, a diez metros de distancia; [10미터마다] a intervalos de diez metros, cada diez metros. 나무 ~로 a través de los árboles, por entre los árboles. 나무 ~로 집 한 채가 보인다 Se ve una casa a través de [por entre] los árboles / Se entrevé una casa detrás de los árboles. 길을 ~에 두고 집이 한 채 있다 Al otro lado del camino hay una casa. 강을 ~에 두고 두 마을이 있다 Hay dos pueblos separados por un río. 피레네 산맥은 서반아와 불란서의 ~를 갈라 놓고 있다 Los Pirineos separan España de [y] Francia.

② [시간] intervalo *m*, rato *m*, vez *f*, pausa *f*. …의 ~에 dentro de algo. 잠깐 ~ durante algún tiempo, por algún tiempo. 한 시와 두 시 ~에 entre la una y las dos. 10년을 ~에 두고 [후에] después [en el transcurso] de treinta años, treinta años después. 눈 깜박할 ~에 en un abrir y cerrar de ojos, en un periquete, de un momento; [갑자기] de repente, de súbito, repentinamente, súbitamente; [즉시] inmediatamente, en seguida, enseguida. 그 상품은 눈 깜짝할 ~에 품절되었다 Se agotó ese artículo en seguida. 이삼일 ~에 그를 방문하겠다 Voy a visitarle a él dentro de unos días. 5일 ~에 그것을 끝마쳐라 Acábalo en cinco días.

③ [관계(關係)] relaciones *fpl*, conexiones *fpl*. 부부(夫婦) ~ relaciones *fpl* conyugales. 부자(父子) ~ relaciones *fpl* filiales. …와 ~가 나쁘다 estar en malos términos [en relaciones poco amistosas] con *uno*, no estar en buenos términos con *uno*, llevarse mal con *uno*. …와 ~가 나쁘게 되다 [틀어지다] desavenirse [desunirse · malquistarse · enemistarse · romper] con *uno*. 서로 ~가 틀어지다 desavenirse, enemistarse. 그들은 ~가 나쁘다 Ellos están en malos términos / Ellos se llevan mal / Ellos hacen malas migas. 우리는 형제 ~이다 Nosotros somos hermanos / El es mi hermano. 그들은 ~가 틀어져 있다 Ellos están desavenidos [enemistados]. 두 사람은 ~가 나빠졌다 Se ha roto la amistad entre los dos. 저 두 사람은 보통 ~가 아니다 Los dos son algo más que simples amigos. 두 사람은 옛날 싸움 때문에 아직도 ~가 나쁘다 Los dos se llevan mal debido a una riña antigua. 두 사람은 그렇고 그런 ~이다 Los dos están enamorados / Ellos están en relaciones. 두 사람은 몹시 친한 ~이다 Los dos son uña y carne / Los dos son muy amigos. 나는 그와 친구 ~이다 Tengo gran amistad con él / El y yo somos muy amigos. 당신은 그녀와 어떤 ~입니까? — 사촌 ~입니다 ¿Qué parentesco tiene usted con ella? — Somos primos / Ella es mi prima.

④ [어떤 한정된 모임이나 범위 안] entre.

두 사람 ~를 주선하다 servir de intermediario entre los dos. A와 B의 ~에 들어가다 [관여하다] intervenir [mediar · terciar] entre A y B. A와 B의 ~를 이간시키다 desavenir [desunir · enemistar] a A con B, sembrar la discordia entre A y B.

◆사이(가) 뜨다 ㉮ [사이가 멀다] alejar (de), distanciar (de). 사이가 뜬 그의 아내 su mujer, de quien está separado. 그들은 지금 사이가 떠 있다 Ahora ellos están separado. 그녀는 남편과 사이가 떠 있다 Ell vive [está] separada de su marido. ㉯ [사이가 친하지 않다] estar en malos términos; [친하던 사이가 틀어지다] desavenirse, desunirse, malquistarse, enemistarse, romper.

◆사이(가) 좋다 llevarse bien (con), estar en buenos términos [en buenas relaciones · en buena(s) amistad(es)] (con). 사이 좋게 en buenos términos, en armonía, amistosamente, en buena aventura. 사이 좋게 살다 vivir en armonía [en buenos términos · en buena aventura]. …와 사이 좋게 지내다 mantener buenas relaciones con *uno*. …와 사이가 좋게 되다 hacer [trabar] amistad con *uno*. 두 사람은 ~ Los dos son amigos íntimos [buenos amigos] / Los dos se llevan bien / Los dos hacen buenas migas. 사이좋게 살아라 Que seáis buenos amigos. 그는 사이좋게 지낼 줄 안다 El sabe llevar bien con todos sin menoscabo de su autonomía espiritual. (우리) 사이좋게 지냅시다 Seamos [seremos] buenos amigos.

사이사이 ㉮ [공간] espacios *mpl*, intervalos *mpl*, distancia *f*. ㉯ [시간] de cuando en cuando, de vez en cuando.

■~참(站) merienda *f*. ¶~을 들다 merendar, tomar una merienda.

사이다 hacer comprar. 옷을 ~ hacer comprar la ropa.

사이다(영 *cider*) sidra *f*, soda *f* azudarada.

사이드카(영 *sidecar*) carro *m* lateral, sidecar *ing.m*.

사이렌(영 *siren*) ① 【신화】 Sirena *f*. ~은 상냥한 노랫소리로 뱃사람들을 유인했다 La Sirena atraía a los navegantes con la dulzura de su canto. ② 【동물】 sirena *f*; 【학명】 Siren lacertina. ③ [음향 장치의 하나] sirena *f*. ~을 울리다 hacer sonar la sirena. ~이 울린다 Suena una sirena. ④ [음향 검진기] sirena *f*.

사이버네틱스(영 *cybernetics*) [인공 두뇌학] cibernética *f*.

사이비(似而非) seudo-, cuasi, frustrado, falso, fingido.

■~ 기자 seudo-periodista *mf*. ~ 시인(詩人) poeta *m* frustrado, poetisa *f* frustrada; aspirante *mf* a poeta. ~ 신사[군자] hipócrita *m*; aspirante *m* a caballero. ~ 신자 santurrón, -rrona *mf*; devoto *m* fingido, devota *f* fingida. ~ 언론인 periodista *m* frustrado [falso], periodista *f* frustrada [falsa]. ~ 예술가 artista *m* falso, artista *f* falsa. ~ 종교(宗敎) religión *f* falsa. ~ 학자 erudito, -ta *mf* a la violeta; sabio *m* falso, sabia *f* falsa.

사이즈(영 *size*) tamaño *m*; [양복 따위의] medida *f*, talla *f*, *RPl* talle *m*; [구두 · 장갑의] número *m*; [가구 따위의] dimensión *f*; [부피] volumen *m* (*pl* volúmenes). 작은 ~ tamaño *m* pequeño. 중간 ~ tamaño *m* medio. 큰 ~ tamaño *m* grande. ~를 재다 tomar (la) medida (de), medir el tamaño (de). ~ 별로 구별하다 poner la talla [el talle] (a). 그것은 ~가 몇입니까? ¿De qué tamaño es? / ¿Qué tamaño tiene? / ¿Cómo es de grande? 당신의 옷 ~는 몇입니까? ¿Qué talla [talle] tiene [usa] (usted)? / ¿Cuál es la talla de su traje? 당신의 신발 ~는 몇입니까? ¿Cuál es el número de sus zapatos? / ¿Qué número calza usted? 제 신발 ~는 26입니다 El número de mis zapatos es de veintiséis / Yo calzo un veintiséis / Yo calzo [gasto] el número 26.

사이클(영 *cycle*) ① [주기 · 주파수] ciclo *m*. 50~의 전류(電流) corriente *f* eléctrica de cincuenta ciclos. 4~ 엔진 motor *m* de cuatro tiempos. ② [순환 과정] período *m*. ③ [자전거] bicicleta *f*. ④ 【전기】 ciclo *m*. ⑤ 【컴퓨터】 ciclo *m*.

■~ 트랙 [자전거용 도로] velódromo *m*.

사이클로이드(영 *cycloid*) 【수학】 cicloide *m*.

사이클로트론(영 *cyclotron*) 【물리】 ciclotrón *m*.

사이클링(영 *cycling*) ciclismo. ~ 가다 salir en bicicleta, *AmC*, *Méj* ir a andar en bicicleta, ir de paseo en bicicleta. ~하는 사람 ciclista *mf*.

사이펀(영 *siphon*) sifón *m*.

■~식 기록기 registrador *m* de sifón. ~식 기압계 barómetro *m* de sifón.

사익(私益) ganancia *f* [provecho *m* · beneficio *m* · lucro *m*] personal, *su* propio interés, *su* propia ganancia.

사인(四人) cuatro personas.

■~교(轎) palanquín *m* llevado [silla *f* de manos llevada] por cuatro personas. ~조(組) grupo *m* de cuatro personas. ~조 강도 banda *f* [pandilla *f*] de cuatro ladrones.

사인(寺印) sello *m* del tempol budista.

사인(死因) causa *f* de (la) muerte. ~을 조사하다 investigar la causa de (la) muerte. 그의 ~은 가스 중독이다 Su muerte se debe a la intoxicación de gas.

사인(私人) persona *f* privada, (individuo *m*) particular *m*. ~으로서 como un particular, particularmente. 일개의 ~으로 살다 vivir como un simple particular.

사인(私印) sello *m* privado [particular].

■~ 도용(盜用) hurto *m* y uso de un sello particular. ~ 위조 falsificación *f* de un sello particular.

사인(社印) sello *m* de la compañía.

사인[1](영 *sign*) ① [서명] firma *f*, [유명인의 서명] autógrafo *m*, firma *f* de una persona famosa [notable]. ～하다 firmar, hacer una firma; [자필로] autografiar. 저자(著者) 자신이 ～한 autógrafo, que está escrito de mano de *su* mismo autor. 저자의 ～이 있는 책 libro *m* con el autógrafo de autor. 계약서에 ～하다 firmar el contrato. 여기 ～해 주십시오 Firme aquí, por favor / Ponga su firma aquí. ② [기호. 신호. 암호] seña *f*, signo *m*, señal *f*. ～을 보내다 hacer*le* una seña [una señal] (a), señalar. 손으로 ～을 하다 hacer una señal con la mano.

▪～ 공세 asalto *m* para el autógrafo. ¶～를 받다 verse asediado por los cazadores de autógrafos. ～ 공세자 cazador, -dora *mf* de autógrafos. ～북[앨범 · 첩] álbum *m* de autógrafos, libreta *f* de autógrafos. ～ 수집가 cazador, -dora *mf* de autógrafos.

사인²(영 *sine*) 【수학】 seno *m*.

▪～ 곡선 sinusoide *f*.

사일(巳日) 【민속】 día *m* de la Serpiente.

사일(四日) ① [넷째 날] el cuatro (del mes). 2002년 11월 ～ el cuarto de noviembre de 2002 (dos mil dos). ② [기간] cuatro días. 나는 똘레도에서 ～간 머물렀다 Me quedé en Toledo cuatro días.

▪～열(熱) cuartana *f*. ¶～ 환자 cuartanario, -ria *mf*.

사일로(영 *silo*) ① 【농업】 silo *m*. ② [미사일용의] silo *m*.

사임(辭任) dimisión *f*, renuncia *f*. ～하다 dimitir (el puesto), renunciar (el puesto), presentar *su* dimisión [*su* renuncia]. ～을 수락하다 aceptar la dimisión [la renuncia] (de *uno*). 나는 위원회를 ～했다 Yo renuncié [dimití] mi cargo en la comisión.

▪～사 discurso *m* de dimisión. ～원(願) dimisión *f*, renuncia *f*. ～장 carta *f* de dimisión.

사자(四者) cuatro personas. ～(간)의 cuadripartido, cuadripartito.

▪～ 협정 contrato *m* cuadripartito. ～ 회담 convento *m* cuadripartito, conferencia *f* cuadripartita.

사자(死者) difunto, -ta *mf*; muerto, -ta *mf*; persona *f* muerta, hombre *m* muerto, víctima *f* mortal.

사자(使者) mensajero, -ra *mf*; enviado, -da *mf*. ～를 파견하다 enviar un mensajero. …를 ～로 파견하다 enviar a *uno* de mensajero.

▪～ㅅ밥 ㉮ 【민속】 *sachatbab*, tres vasos de arroz para el mensajero del mundo futuro. ㉯ ＝ 죽음(muerte, fallecimiento).

▪사잣밥 싸 가지고 다닌다 ((속담)) No se sabe cuándo y dónde se muera.

사자(嗣子) hijo *m* heredero.

사자(獅子) 【동물】 león *m*; [암컷] leona *f*.

▪사자 없는 산에 토끼가 대장 노릇한다 ((속담)) Cuando el gato no está los ratones bailan [hacen fiesta].

▪～궁(宮) 【천문】 Leo *m*, León *m*. ～ 사냥 caza *f* del león. ～ 사육사 leonero, -ra *mf*. ～ 새끼 cachorro *m* de león. ～ 우리 leonera *f*. ～자리 【천문】 eo *m*, León *m*. ～ 조련사 domador, -dora *mf* de león. ～춤 baile *m* con las máscaras de león. ～코 ㉮ nariz *f* respingona, nariz *f* roma. ㉯ [사람] persona braca. ～탈 máscara *f* de león. ～후(吼) ㉮ ((불교)) elocuencia *f* de Buda. ㉯ [크게 부르짖어 열변을 토하는 연설] oratoria *f*, elocuencia *f*; [사자의 표호] rugido *m* de león. ¶～를 토하다 rugir, atronar, fulminar, retumbar, dar elocuencia, arengar. ㉰ [질투심이 강한 여자가 남편에게 암팡스럽게 떠드는 일] cólera *f* de la mujer celosa.

사자(寫字) copia *f*, transcripción *f*.

▪～ 기계 máquina *f* de escribir. ～생 copiante *mf*; copista *mf*; amanuense *mf*.

사장(死藏) atesoramiento *m*. ～하다 conservar sin utilizar, tener empolvado, atesorar, acumular y guardar. 이 원고(原稿)는 도서관에 ～되었다 Este manuscrito ha estado encerrado en la biblitoteca.

사장(沙場/砂場) ＝모래톱.

사장(社長) director, -tora *mf*; presidente, -ta *mf*. ～의 직(職) presidencia *f*.

사장(社葬) funerales *mpl* organizados por la compañía, funerales *mpl* a expensas de una compañía.

사장(寫場) ＝사진관(寫眞館).

사장(謝狀) ① [감사의 편지] carta *f* de agradecimiento. ② [사과의 편지] carta *f* de apología.

사장(謝章) ＝사표(謝表).

사장(辭狀) ＝사표(辭表).

사장본(私藏本) libro *m* en la biblioteca de un individuo.

사재(私財) bienes *mpl* privados, fortuna *f* privada, hacienda *f* privada. ～를 털어 con el dinero de *su* propio bolsillo. ～를 털다 sacrificar toda su fortuna. 그 사업에 자기의 모든 ～를 투자하다 convertir *su* fortuna entera en la empresa.

사재(社財) propiedad *f* de la compañía.

사재(瀉材) 【약】 ＝설사약.

사재기 ＝매점 매석(買占賣惜).

사저(私邸) residencia *f* [mansión *f*] privada.

사적(史的) histórico. ～으로 históricamente.

▪～ 사실(事實) hecho *m* histórico. ～ 연구 estudios *mpl* históricos. ～ 유물론(唯物論) aterialismo histórico. ～ 현재 presente *m* histórico.

사적(史蹟) monumento *m* histórico; [유적] reliquias *fpl* históricas, restos *mpl*, vestigo *m*, ruinas *fpl*.

▪～지(地) lugar *m* [sitio *m*] histórico. ～ 보존회 la Sociedad para la Conservación de Reliquias Históricas.

사적(史籍) libros *mpl* históricos, obras *fpl* históricas, literatura *f*, letras *fpl*.

사적(私的) privado, particular, personal. ～으로 privadamente, en privado, personalmente, particularmente. ～인 생활(生活) vida *f* privada. 그는 ～인 일로 외출했다 El salió

por un asunto personal.
■ ~ 행동 acción *f* [actitud *f*] privada.
사적(事績) mérito *m*, servicios *mpl* distinguidos, hechos *mpl* meritorios, hazaña *f*.
사적(事跡/事蹟/事迹) evidencia *f*, hecho *m* histórico, vistigio *m*, historia *f*.
사적(射的) ① =과녁. ② [과녁을 맞힘] tiro *m* al blanco. ~하다 tirar al blanco.
■ ~장(場) campo *m* de tiro.
사전(史前) prehistórico, antes de la historia.
사전(寺田) campo *m* del templo budista.
사전(私田) ① [개인 소유의 밭] campo *m* privado. ② 【고제도】 sistema *m* del campo privado (en la dinastía de *Choson*).
사전(私電) telegrama *m* privado.
사전(私錢) billete *m* falso, dinero *m* falso, moneda *f* falsa.
사전(事典) enciclopedia *f*.
사전(事前) anticipación *f*, anterioridad *f*. ~의 previo, anticipado, que precede, anterior, preliminar. ~에 previamente, con anticipación, por anticipado, de antemano, antes, con tiempo, preliminarmente. ~에 충분히 검토하다 prepararse, documentarse. 결석할 것을 ~에 알려 드립니다 Previamente le aviso que estaré ausente / Le advierto que me ausentaré. 그는 ~에 충분히 검토하지 않았던 것이 분명했다 Se notaba que él no se había preparado [documentado] bien.
■ ~ 감사 inspección *f* preliminar. ~ 검사 examen *m* [examinación *f*] preliminar. ~ 검열 censura *f* previa. ~ 공작 previa operación *f*. ¶~을 하다 efectuar previas operaciones. ~ 교섭 negociación *f* previa, gestiones *fpl* previas [anticipadas]. ¶~을 하다 hacer una negociación previa, hacer gestiones privias. ~ 동의 consentimiento *m* previo. ~ 선거 운동 campaña *f* preelectoral. ~ 수회(收賄) aceptación *f* del soborno [del cohecho] previo. ~ 승인(承認) aprobación *f* previa. ~ 연습 prueba *f*. ¶~을 하다 probar *su* capacidad [*su* talento · *su* fuerza], hacer una prueba. ~ 예고 previo aviso *m*. ¶~ 없이 sin previo aviso. ~ 운동 gestión *f* anticipada, gestión *f* previa. ¶~을 하다 hacer gestiones previas. ~ 준비 preparación *f* (previa), disposición *f* preliminar. ¶~하다 preparar, hacer una preparación (para). 저녁을 ~하다 hacer algunas preparaciones para la cena. ~ 통고 aviso *m* previo. ~ 할당(割當) cuota *f* concertada de antemano. ~ 행위 conducta *f* antes de los hechos. ~ 허가 autorización *f* previa. ~ 협의 consulta *f* previa. ¶~하다 celebrar una consulta previa. ~ 확률 probabilidad *f* previa.
사전(辭典) diccionario *m*, léxico *m*; [백과 사전] enciclopedia *f*; [고어 사전] lexicón *m*; [간단한 사전] vocabulario *m*; [특수 용어집] nomenclador *m*. ~과 씨름하며 por ayuda constante de un diccionario. ~과 씨름하다 consultar el diccionario. 어떤 단어를 ~에서 찾다 buscar una palabra en el diccionario. 어떤 모르는 말이 있을 때는 언제나 ~을 찾아야 한다 Se debe consultar el diccionario siempre que se encuentre alguna palabra desconocida.
◆관용어 ~ diccionario *m* de uso. 기술 ~ diccionario *m* técnico. 대역(對譯) ~ diccionario *m* bilingüe. 동의어 ~ diccionario *m* de sinónimos. 반의어 ~ diccionario *m* de antónimos. 서반아어 ~ diccionario *m* de la lengua español. 어원(語源) ~ diccionario *m* etimológico. 유의어(類義語) ~ diccionario *m* de ideas afines, diccionario *m* ideológico. 의학 ~ diccionario *m* de medicina. 컴퓨터 ~ diccionario *m* de la computación.
■ ~ 저자 lexicógrafo, -fa *mf*. ~ 집필자 lexicógrafo, -fa *mf*; autor, -tora *mf* de un diccionario. ~ 편집 lexicografía *f*. ~ 편집법 lexicografía *f*. ~ 편집자[편찬자] lexicógrafo, -fa *mf*; diccionarista *mf*. ~ 편찬 lexicografía *f*. ~ 편찬학 lexicología *f*, ciencia *f* del lexicógrafo. ~학 lexicología *f*. ~ 학자 lexicólogo, -ga *mf*; lexicógrafo, -fa *mf*.
사절(使節) enviado, -da *mf*; mensajero, -ra *mf*; misionario, -ria *mf*; [대표] delgado, -da *mf*. ~로 가다 ir como delegado, ir con una misión, ser un enviado. ~을 파견하다 enviar una misión.
◆경제 ~ enviado *m* económico. 문화 ~ enviado *m* cultural; [집합적] misión *f* cultural, delegación *f* cultural.
■ ~단(團) misión *f*, delegación *f*. ~단원 misionero, -ra *mf*.
사절(謝絶) rechazamiento *m*, repulsa *f*, denegación *f*, denegativa *f*. ~하다 rehusar, rechazar, negar, excusar, recusar, no aceptar, no admitir. 절대 ~하다 recusar absolutamente. 입장 ~ ((게시)) No admisión. 작업 중 면회 ~ ((게시)) Las visitas serán excusadas durante horas de trabajo. 면회 ~ ((게시)) Las visitas serán excusadas.
사절판(四折版) libro *m* en cuarto.
사정(司正) auditoría *f* e inspección. ~하다 corregir.
◆대통령(大統領) ~ 담당 특별 보좌관(擔當特別補佐官) ayudante *mf* especial del presidente sobre Auditoría e Inspección.
사정(私情) sentimiento *m* personal, afección *f* privada, sentimiento *m* [interés *m*] privado [particular · personal]. ~에 좌우되다 dejarse llevar por consideraciones [sentimientos] personales, influirse por sentimiento personal. ~을 버리다 dejar aparte sentimientos personales.
사정(事情) circunstancia *f*, estado *m* de cosas, consideración *f*, condición *f*, asuntos *mpl*, situación *f*; [이유] razón *f*. 특수한 ~ circunstancias *fpl* [condiciones *fpl*] particulares. ~에 의해서 según las circunstancias. ~이 어떠하더라도 en cualquier circunstancia. 피할 수 없는 ~으로 por una

fuerza mayor, por circunstancias inevitables. 가정 ~으로 por razones de familia, por asuntos familiares. 이런 ~으로 siendo así las cosas, por [en] estas circunstancias. ~을 고려하다 tener en cuenta las circunstancias. ~을 설명하다 explicar el porqué. 일의 ~을 설명하다 explicar la situación. 외국 ~에 정통(精通)하다 estar versado en asuntos extranjeros. ~이 허락하면 si las circunstancias lo permiten, si no me impiden las circunstancias. ~이 허락하는 한 en cuanto lo permitan las circunstancias. 그런 ~이 있을지라도 aunque haya razón para ello. 내 ~이 허락하면 Si me permiten las circunstancias / Si no hay inconveniente. 상세한 ~을 설명해 주십시오 Cuénteme las circunstancias detalladas. 옛날과는 ~이 다르다 La situación es distinta de la de hace muchos años. 그는 ~이 있어서 오지 못했다 El no vino por ciertas razones / El tiene algunos motivos para no venir. 그것은 ~에 따라 다르다 Depende de las circunstancias. ~에 의해 강연은 연기합니다 Por inconveniencias imprevistas [ajenas a nuestra voluntad], queda suspendida la conferencia.

사정사정 suplicantemente, implorantemente, en tono de súplica. ~하다 suplicar, implorar. 너에게 ~하니 가지 마라 No te vayas, te lo suplico. 그녀는 나에게 머물게 해달라고 ~했다 Ella me suplicó que la dejara quedarse.

사정없다 (ser) despiadado, implacable.

사정없이 despiadadamente, sin piedad, sin clemencia, sin misericordia, implacablemente. ~ 비평(批評)하다 criticar implacablemente [despiadadamente].

사정(査定) tasación *f*, evaluación *f*, valuación *f*. ~하다 tasar, evaluar, valuar, valorar. 재산의 ~ tasación *f* de bienes. 세금의 ~ tasación *f* de contribuciones. 세액(稅額)을 ~하다 tasar las contribuciones. 수입은 천만 원으로 ~되었다 El ingreso ha sido tasado por diez millones de wones. 그녀는 연수입 5천만 원으로 ~되었다 Evaluaron su ingreso anual en cincuenta millones de wones.

■ ~ 가격 valor *m* determinado. ~ 기관 órgano *m* de tasación. ~세 impuesto *m* liquidable. ~액 cantidad *f* tasada, avalúo *m*. ~자(者) tasador, -dora *mf*, evaluador, -dora *mf*.

사정(射程) tiro *m*, alcance *m* de los tiros. ~ 안에 a tiro, al alcance de los tiros.

■ ~거리 =사정(射程).

사정(射精) eyaculación *f*, emisión *f* seminal, emisión *f* espermática. ~하다 eyacular, emitir semen.

■ ~관(管) conducto *m* eyaculador. ~근(筋) eyaculador *m*.

사제(司祭) ((천주교)) sacerdote *m*, cura *m*.

◆ 대리 ~ cura *m* ecónomo. 부~ vicario *m*. 주임 ~ (cura *m*) párroco *m*. 가톨릭 ~ sacerdote *m* cristiano.

■ ~관(館) casa *f* sacerdotal, casa *f* de párroco. ~직(職) sacerdocio *m*, dignidad *f* sacerdotal

사제(私第) casa *f* privada, residencia *f* privada, domicilio *m* particular, *su* hogar, *su* casa.

사제(私製) fabricación *f* privada.

■ ~담배[연초] cigarrillo *m* privado. ~엽서 tarjeta *f* (postal) no oficial. ~품(品) articulo *m* de fabricación privada.

사제(舍弟) ① [남에 대하여「자기의 아우」] mi hermano (menor). ② [(편지 등에서) 형에게 대하여, 아우가「자기」를 일컬음] tu hermano.

사제(師弟) el maestro y el discípulo. ~ 관계를 맺다 hacerse maestro y discípulo.

사제(瀉劑) laxante *m*, medicina *f* diarreica.

사조(一調) 【음악】 sol *m*.

사조(査照) investigación *f*, inspección *f*, reconocimiento *m*, examen *m*. ~하다 investigar, inspeccionar, reconocer, examinar.

사조(思潮) movimiento *m* de idea, corriente *f* de pensamientos, corriente *f* de ideas.

◆ 근대 ~ corrientes *fpl* de pensamiento moderno. 문예 ~ corrientes *fpl* literarias.

사조(飼鳥) pájaro *m* doméstico, el ave *f* (*pl* las aves) doméstica, el ave *f* criada en la casa.

사조(辭調) tono *m*.

사족(士族) ① [문벌이 좋은 집안] linaje *m* noble, familia *f* noble. ② [선비나 무인의 집안] familia *f* del sabio, familia *f* militar.

사족(四足) ① [짐승의 네발] cuatro patas del animal; [네발짐승] res *m*, animal *m* cuadrúpedo de algunas especies domésticas o salvajes. ~의 cuadrúpedo. ② ((속어)) [사지(四肢)] (cuatro) miembros *mpl*.

■ ~동물 (animal *m*) cuadrúpedo *m*. ~발이 caballo *m* con cuatro cascos blancos. ~수(獸) (animal *m*) cuadrúpedo *m*.

사족(蛇足) ((준말)) =화사첨족(華蛇添族). ¶~을 붙이다 añadir superfluidades.

사졸(士卒) ① [사(士)와 졸(卒)] los oficiales y los soldados. ② =군사(軍士).

사종(四從) cuarto primo *m*.

사죄(死罪) pena *f* capital, pena *f* de muerte.

사죄(私罪) crimen *m* personal [privado].

사죄(赦罪) perdón *m*, remisión *f*, absolución *f*, [대사(大赦)] amnestía *f*. ~하다 perdonar, absolver (a *uno* de *algo*).

사죄(謝罪) disculpa *f*, perdón *m*, excusa *f*, petición *f* de perdón. ~하다 disculparse (de), excusarse (de), pedir perdón (a), prestar culpas (a), prestar en *sus* excusas (a). ~를 받아들이다 aceptar la excusa (de). ~를 요구하다 pedir [excusar] disculpas (de). 그는 자기 행동에 대해 정중히 ~했다 El ha hecho una disculpa sincera de su conducta. 네가 한 짓을 ~해라 Pide perdón por lo que has hecho.

■ ~문(文) petición *f* de perdón por escrito.

～ 광고(廣告) anuncio *m* de pedir perdón, excusa *f*, disculpa *f*. ～장 carta *f* de excusa.

사주(四柱) ①【민속】*sachu*, la hora, el día, el mes y el año que se nació. ② ＝사주단자(四柱單子).

◆사주(가) 세다 ㉮ [간지(干支)가 나쁘다] ser malo la hora, el día, el mes y el año. ㉯ [파란곡절이 많다] estar lleno de vicisitudes de la fortuna.

◆사주(를) 보다 adivinar la fortuna de *su* vida según el *sachu*.

■～단자 *sachudancha*, papel *m* enviado a la casa de la novia después de haber escrito la hora, el día, el mes y el año del novio ～보 *sachubo*, paño *m* de envolver para el *sachudancha*. ～쟁이 adivino, -na *mf*. ～점 *sachucheom*, adivinación *f* según la hora, el día, el mes y el año que se nació. ～팔자 ㉮【민속】ocho letras de la hora, el día, el mes y el año. ㉯ [피치 못할 타고난 운수] fortuna *f* de nacimiento inevitable.

사주(私鑄) falsificación *f* de la moneda de hierro. ～하다 falsificar la moneda con hierro.

■～전(錢) falsificación *f* privada de la moneda; [돈] moneda *f* falsa privada.

사주(社主) dueño, -ña *mf* de la sociedad, propietario, -ria *mf* de la firma.

사주(使嗾) instigación *f*. ～하다 instigar, excitar, empujar, estimular, impulsar, incitar. …의 ～로 a instigación de *uno*. 국민을 전쟁에 나가도록 ～하다 impulsar al pueblo a la guerra. 이 음모는 모두가 그의 ～이다 El es quien ha instigado todas estas intrigas.

사주(砂洲)【지질】banco *m* [bajío *m*] (de arena), encalladero *m*, delta *f*.

사주다 ☞사다

사중(四重) ① [네 겹] cuadruplicación *f*. ～의 cuádruplo. ② ((불교)) cuatro prohibiciones mayores del budismo.

■～극(極) polo *m* cuádruplo. ～주(극)【음악】cuarteto *m*. ～창(唱)【음악】cuarteto *m*.

사증(査證) ① [여권의] visado *m*, visa *f*, visación *f*, visto bueno. ～하다 visar. ～이 있는 visado, que tiene visto bueno. 나는 아르헨띠나에 가기 위해 ～을 받으러 왔다 Vengo a que me visen el pasaporte para la Argentina. ②【상업】legalización *f*. ～하다 legalizar. 선하 증권(船荷證券)에 ～하다 legalizar el conocimiento de embarque.

■～료 derechos *mpl* de visado. ～ 신청서 solicitud *f* de visado.

사지[1] [배의 멍에 두 끝에 세우는 짤막한 나무] pértiga *f*.

사지[2] [제사나 잔치에 누름적·산적 꼬챙이 끝에 감아 늘어뜨린 가늘고 긴 종이 오라기] serpentina *f* de papel en utensilios rituales.

사지(四肢/四止) (cuatro) miembros *mpl*, miembros *mpl* del cuerpo, piernas *fpl* y brazos, extremidades *fpl*.

■～골(骨) ㉮【해부】huesos *mpl* de los brazos y de las piernas. ㉯【동물】[네다리뼈] huesos *mpl* de cuatro patas. ～동물 (animal *m*) cuadrúpedo *m*. ～백체(百體) todo el cuerpo. ～통(痛) dolor *m* de miembros.

사지(寺址) ruinas *fpl* del templo budista.

사지(死地) ① [죽을 곳] lugar *m* de morir [de sacrificarse]. 나라를 위해 한 몸을 바칠 ～를 찾다 buscar el lugar de morir [de sacrificarse por la patria. ② [목숨을 잃을 매우 위태한 곳] abismo *m* de muerte, posición *f* mortal. ～에 빠져 a las garras de la muerte. ～에 빠지다 correr peligro de morir. ～로 떠나다 partir para no volver jamás. ～를 탈출하다 escapar de la muerte. ～에서 모험을 하다 aventurarse en el abismo de muerte.

사지(영 *serge*) sarga *f*.

사직(司直) [법관. 재판관] juez *m* (*pl* jueces).

■～ 당국 autoridades *fpl* judiciales, justicia *f*.

사직(社稷) ① [국가] país *m* (*pl* países), nación *f*, estado *m*; [조정] corte *f*. ②【고제도】[토지의 신과 곡식의 신] *sachik*, el dios de la tierra y el de los cereales.

■～단 altar *m* al dios de la tierra y al de los cereales.

사직(辭職) dimisión *f*, renuncia *f*. ～하다 dimitir, renunciar(se), hacer dimisión (de), presentar *su* dimisión [renuncia], resignar; [내각제(內閣制)에서 국무총리 등이] renunciar [abandonar] el poder. 그의 각료직(閣僚職)(의) ～ su dimisión [su renuncia] a su puesto en el gabinete. ～을 신청하다 presentar *su* dimisión. ～을 받아들이다 aceptar la renuncia. 강제로 ～시키다 obligar*le* a presentar la dimisión. 어떤 직책(職責)을 ～하다 hacer dimisión de algún cargo. …을 ～하다 dimitir *algo*, renunciar a *algo*. 그의 ～을 요구하는 함성이 있었다 Se alzaron voces pidiendo su dimisión [su renuncia]. 나는 위원직을 ～했다 Yo dimití [renuncié a] mi cargo en la comisión.

◆총(總)～ dimisión *f* en pleno. 총～하다 dimitir en pleno.

■～ 권고 aconsejo *m* de la dimisión. ¶～하다 aconsejar la dimisión. ～ 상소 presentación *f* de dimisión al rey. ¶～하다 presentar la dimisión al rey. ～원 ㉮ ((준말)) ＝사직청원(請願). ㉯ ((준말)) ＝사직청원서. ～자 dimitente *mf*. ～청원 dimisión *f* [renuncia *f*] escrita. ¶～하다 presentar la dimisión [la renuncia] escrita. ～청원서 papel *m* [documento *m*] de dimisión escrita. ¶～를 제출하다 presentar el papel de dimisión escrita.

사진(沙塵/砂塵) polvo *m* mezclado con arena, nube *f* de arena, polvoreda *f*, nube *f* de polvo (arenoso). ～을 일으키며 달리다 correr levantando una nube de polvo (arenoso).

사진(寫眞) fotografía *f*, foto *f*. ~의 fotográfico. ~ 한 장 una fotografía, una foto. ~ 열 장 diez fotografías, diez fotos. ~을 촬영하다 fotografiar. ~을 싫어하다 odiar cámara. ~을 확대하다 ampliar [ansanchar] una foto. ~을 인화(印畵)하다 imprimir una foto [en la foto]. …의 ~을 찍다 fotografiar, sacar la fotografía a *uno*. …의 ~을 촬영하다 sacar [tomar · hacer] una foto [una fotografía] a *algo* · *uno*. ~이 잘 나오다 salir bien (en las fotos · en las fotografías). ~이 잘 나오지 아니하다 salir mal (en la foto), no salir bien (en la foto). 그녀는 ~이 잘 나온다 Ella es fotogénica. 이 ~은 잘 찍혔다 Está bien tomada la foto. 제 ~을 찍어 주세요 Hágame la foto. 반신 ~을 찍어 주세요 Sáqueme la foto de medio cuerpo sólo. 나는 신문에서 그의 ~을 보았다 Yo vi su fotografía en el diario.

◆동판(銅版) ~ fotograbado *m* en cobre. 뢴트겐 ~ fotografía *f* radioscópica. 몽타주 ~ fotomontaje *m*, retrato *m* robot, retrato *m* hablado, *Méj* retrato *m* reconstruido. 반신(半身) ~ fotografía *f* de medio cuerpo. 복사(複寫) ~ fotocopia *f*. 색채 ~ fotocolor *m*. 적외선 ~ fotografía *f* infrarroja. 전신 ~ fotografía *f* de cuerpo entero. 컬러 ~ fotografía *f* en colores [en colores naturales]. 흑백(黑白) ~ fotografía *f* en blanco y negro, monocromo *m*.

■~가(家) fotógrafo, -fa *mf*. ~결혼 casamiento *m* por retrato [por foto]. ~결혼식 bodas *fpl* por fotografía. ~ 경연 대회 concurso *m* fotográfico. ~관 taller *m* de fotógrafo; [현상 등을 하는] estudio *m* [laboratorio *m*] fotográfico. ~광(狂) maníaco, -ca *mf* de foto. ~기(계) máquina *f* fotográfica, cámara *f* (fotográfica), aparato *m* fotográfico. ~ 기자 cámara *mf*; camarógrafo, -fa *mf*; reportero *m* gráfico, reportera *f* gráfica. ~대지(臺紙) borde *m*. ~ 도금(鍍金) dorado *m* de foto. ~ 동판 plancha *f* de cobre de foto. ~ 렌즈 lente *f* fotográfica, objetivo *m* fotográfico. ~ 망원경 fototelescopio *m*, teleobjetivo *m*. ~반 sección *f* de fotógrafos. ~ 보관소 fototeca *f*. archivo *m* fotográfico. ~ 복사 fotocopia *f*. ~ 복사기 fotocopiadora *f*. ~ 볼록판 fototipia *f*. ~부(部) departamento *m* de fotografía. ~ 분광기 fotoespectroscopio *m*. ~ 분석가 analisista *m* fotográfico. ~사 fotógrafo, -fa *mf*. ~ 석판 fotolitografía *f*. ~ 석판술 fotolitografía *f*. ~ 석판화(石版畵) fotolito *m*. ~술 fotografía *f*. ~ 스튜디오 estudio *m* fotográfico. ~ 식자(植字) fotocomposición *f*. ~ 식자기 fotocompositora *f*, fotocomponedora *f*. ~ 아연 볼록판 [철판] fotozincógrafo *m*. ~ 용구 utensilios *mpl* fotográficos. ~ 인쇄 fototipo *m*. ~ 잡지 revista *f* de fotografía. ~ 저작권 derechos *mpl* de reproducción de fotografía. ~ 전보 fototelegrama *m*. ~ 전송(電送) fototelegrafía *f*. ~ 전송술 fototelegrafía *f*. ~ 제판 fotograbado *m*. ~ 제판기 máquina *f* de fototipografía. ~ 제판 인쇄 fotoheliografía *f*. ~ 조각 fotoescultura *f*, fotogliptia *f*. ~ 조각술 fotoescultura *f*, fotogliptia *f*. ~ 지도 fotomapa *m*. ~ 지도 제작 fotocartografía *f*. ~ 지도 제작자 fotocartógrafo, -fa *mf*. ~ 착색 fotopintura *f*. ~ 철판 =사진 볼록판. ~ 철판술 fototipografía *f*. ~첩 álbum *m* de fotos [de fotografías], álbum *m* fotográfico. ~ 촬영 fotografía *f*. ~ 취미 afición *f* de foto. ~ 측량 fotogrametría *f*, levantamiento *m* fotográfico, fototopografía *f*. ~ 측량법 fotogrametría *f*. ~틀 marco *m*. ~판 fotocolografía *f*, fotograbado *m*. ~ 판공 fotograbador, -dora *mf*. ~ 판독 interpretación *f* de fotografías. ~ 판정 foto(-)finish *f*, decisión *f* del ganador por fotografía. ~ 판화 fotograbado *m*. ~ 평판 fotolitografía *f*. ~ 평판술 fotolitografía *f*. ~ 필름 película *f*. ~학 ciencia *f* de fotografía. ~ 화보(畵報) revista *f* ilustrada.

사질(舍姪) mi sobrino, mi sobrina.

사질(砂質/沙質) ¶~의 arenoso, arenisco.
■~암 roca *f* arenosa. ~토(土) tierra *f* arenosa.

사차선(四車線) cuatro vías.
■~ 도로 carretera *f* de cuatro vías.

사차원(四次元) 【수학】 cuarta dimensión *f*.
■~ 공간[세계] =시공 세계.

사찰(寺刹) templo *m* (budista), monasterio *m*, convento *m*.
■~령(令) ley *f* del templo.

사찰(私札) =사신(私信)

사찰(査察) inspección *f*, observación *f*; [사람] inspector, -tora *mf*. ~하다 inspeccionar, observar.
◆공중(空中) ~ inspección *f* [observación *f*] aérea.
■~계(係) sección *f* de inspección. ~관 inspector, -tora *mf*.

사창(私娼) prostituta *f* [ramera *f* · puta *f*] clandestina (de calle).
■~가[굴] prostíbulo *m*, burdel *m*, lupanar *m*, lugar *m* de prostitución, casa *f* llana, casa *f* pública, casa *f* de mala fama.

사창(紗窓) ventana *f* de gasa.

사채(私債) obligación *f* [préstamo *m* · deuda *f*] personal, préstamo *m* privado, obligación *f* [deuda *f*] privada. ~를 쓰다 pedir prestado la deuda privada.
■~놀이 negocio *m* de préstamo privado. ~ 동결 congelación *f* de la obligación personal. ~ 시장 mercado *m* monetario, mercado *m* de deudas privadas. ~업자 prestamista *mf*. ~ 중개인 agente *mf* de préstamo privado.

사채(社債) obligaciones *fpl* [bonos *mpl*] de sociedad anónima. ~의 상환 reembolso *m* de obligaciones. ~를 발행하다 emitir obligaciones.
■~권(券) obligación *f*, bono *m*, vale *m*.

~권자 obligacionista *mf.* ~권자 집회 asamblea *f* de obligacionistas. ~ 발행(發行) emisión *f* de obligaciones. ~ 상환 amortización *f* de obligaciones. ~ 원부 libro *m* mayor de obligaciones, escritura *f* pública de la emisión de obligaciones. ~ 유통 시장 mercado *m* comercial de obligaciones. ~ 이자 interés *m* deudor. ~ 인수자 asegurador, -dora *mf* de obligaciones. ~ 차액 margen *m* de obligaciones. ~ 청약서 forma *f* de suscripción de obligaciones.

사책(史冊/史策) =사기(史記).

사천 ① [개인의 돈] dinero *m* personal [privado · particular]. ② [여자가 절약하여 몰래 모아 둔 돈] ahorros *mpl* secretos, hucha *f*, gato *m*. ~을 하다 ahorrar a hurtadillos.

사천왕(四天王) ((불교)) las Cuatro Devas, los cuatro custodios celestiales del budismo.

사철(四一) ① [네 계절] cuatro estaciones, estaciones *fpl* del año. ~ 피는 꽃 flor *f* perenne. ② [언제나. 늘. 항상] siempre, todo el año.

사철(私鐵) ((준말)) =사설 철도(私設鐵道).

사철(砂鐵/沙鐵) 【광물】 arena *f* ferruginosa.

사철나무(四一) 【식물】 bonetero *m*.

사철쑥(四一) 【식물】 artemisia *f* perenne.

사체(四體) ① [사지(四肢)] miembro *m*, parte *f* del cuerpo. ② [온몸] todo el cuerpo.

사체(死體) ① [사람이나 동물의 죽은 몸뚱이] cuerpo *m* muerto; [특히 인간의] restos *mpl* mortales. ② [시체(屍體)] cadáver *m*, cuerpo *m* muerto. ~를 화장하다 encenerar [quemar] el cadáver. 그는 ~로 발견되었다 Se encontraron muerto / El apareció cadáver.

■~ 가안치소 necrocomio *m*. ~ 강직(剛直) rigidez *f* cadavérica. ~ 검사 investigación *f*. ~ 검안 indagación *f* de cuerpo muerto, necropsia *f*, [해부] autopsia *f*. ~ 공포증 necrofobia *f*. ~ 발굴 exhumación *f* del cadáver. ~ 안치소 depósito *m* de cadáveres, *AmL* morgue *f*. ~ 유기(遺棄) abandono *m* de cadáver. ~ 유기죄 delito *m* de abandono de cadáver. ~ 해부 autopsia *f*, anatomía *f* de un cadáver.

사체(斜體) =이탤릭.

사초(史草) primer manuscrito *m* de la historia [del libro histórico].

사초(莎草) ① 【식물】 juncia *f*. ~로 만든 모자 sombrero *m* de juncia. ② 【식물】 =향부자(香附子). ③ 【식물】 =잔디. ④ [오래되거나 허물어진 산소에 떼를 입히어 잘 가다듬는 일] acción *f* de cubrir de césped en la tumba. ~하다 cubrir de césped en la tumba.

사촌(四寸) ① [네 치] doce centímetros más o menos (un *chon* es 0.0303 cm.). ② [어버이의 친형제자매의 아들이나 딸] primo, -ma *mf*. ~의 자녀 sobrino *m* segundo, sobrina *f* segunda. 부모의 ~ tío *m* segundo, tía *f* segunda.

■사촌이 땅을 사면 배가 아프다 ((속담)) Se tiene muchos celos.

■~ 간 primos *mpl*. ~ 매부 cuñado *m*, esposo *m* de *su* prima. ~정(釘) clavo *m* de doce centímetros. ~ 형제 primos *mpl*.

사춘기(思春期) pubertad *f*, adolescencia *f*, pubescencia *f*. ~의 púber, púbero, adolescente, que ha llegado ya a la pubertad. ~의 소녀 machacha *f* púbera [adolescente]. ~에 이르다 alcanzar [llegar a] la pubertad. ~에 이른 남자 el púber, el púbero. ~에 이른 여자 la púbera.

사출(射出) eyaculación *f*, emisión *f*, proyección *f*. ~하다 eyacular, proyectar, emitir, catapultar, arrojar, expeler; [방사(放射)하다] radiar.

■~각 ángulo *m* de salida. ~근(筋) eyaculador *m*. ~기 catapulta *f* (de lanzamiento). ~ 장치 catapulta *f* (de lanzamiento). ~ 좌석 asiento *m* lanzable.

사춤 ① [갈라진 틈] grieta *f*; [유리 · 자기의] rajadura *f*. ② [담이나 벽 같은 곳의 갈라진 틈을 진흙으로 메움] relleno *m* en la grieta.

◆사춤(을) 치다 rellenar la tierra en la grieta.

사취(砂嘴) 【지질】 barra *f*, banco *m*.

사취(詐取) fraude *m*, timo *m*, estafa *f*, engaño *m*, petardo *m*. ~하다 defraudar, estafar, timar, obtener por fraude, petardear, soflamar. 물건의 ~ timo (de mercancías). 돈을 ~하다 petardear el dinero, sacar dinero petardeándole a *uno*, dar un sablazo. …에게서 재산을 ~하다 estafar*le* la propiedad a *uno*.

사치(奢侈) lujo *m*, fausto *m*, suntuosidad *f*, opulencia *f*; [낭비] prodigalidad *f*. ~하다 vivir lujosamente, gastar con largueza, untar con mantequilla en ambos lados del pan. ~가 극에 달해 de un lujo extraordinario, lujoso, con un sin fin de lujo. ~에 빠지다 entregarse al lujo, darse al fauto. 그녀는 ~를 좋아한다 Ella ama el lujo / [낭비] Ella es una mujer pródiga. 그런 ~는 할 수 없다 Yo no me puedo permitir ese lujo.

■~ 관세 derecho *m* aduanero sobre bienes de lujo. ~비 gastos *mpl* de lujo. ~세 impuesto *m* de lujo, impuesto *m* sobre mercancías importadas de lujo. ~품(品) bienes *mpl* de lujo. ~ 풍조 atmósfera *f* lujosa.

사치스럽다 (ser) lujoso, de (gran) lujo, suntuoso, pródigo. 사치스러운 선물 regalo *m* [obsequio *m*] suntuoso. 사치스러운 식사 comida *f* de lujo. 사치스러운 호텔 hotel *m* de gran lujo. 사치스러운 생활을 하다 llevar una vida suntuosa. 그는 사치스런 취미가 있다 El tiene aficiones lujosas. 사치스런 말은 하지 마라 No seas exigente / No pidas más de lo necesario.

사치스레 con lujo, lujosamente. ~ 살다

vivir lujosamente [con lujo]. ～ 자라다 ser criado [educado] con lujo.

사칙(四則) 【수학】 cuatro reglas, cuatro operaciones fundamentales (de aritmética).

사칙(社則) reglamento *m* [estatuto *m*] de la compañía.

사친(師親) profesores *mpl* y padres, padres *mpl* y maestros.

■ ～회 asociación *f* de padres y maestros, asociación *f* de profesores y padres. ～회비 cuota *f* de la asociación de padres y maestros [de profesores y padres].

사침 ((준말)) =사침대.

■ ～대 controlador *m* de urdimbre.

사칭(詐稱) suplantación *f* de identidad, usurpación *f* del nombre falso. ～하다 pretenderse, hacer una declaración falsa. 이름을 ～하다 llamarse con (un) nombre falso, decir un nombre falso. …라 이름을 ～하여 bajo [llamándose con] el nombre falso de *algo*. …의 이름을 ～하다 usar [emplear] fraudulentamente el nombre de *uno*. 그는 국회 의원을 ～했다 El se pretendió parlamentario [congresista].

사카린(영 *saccharine*) sacarina *f*, azúcar *m* de hulla.

사커(영 *soccer*) [아식 축구] fútbol *m*, *Méj* futbol *m*; balompié *m*. ～를 하다 jugar al fútbol, *AmS* jugar fútbol.

■ ～ 선수 futbolista *mf*.

사타구니 ((낮은말)) =샅.

사탄(헤 *Satan*) Satán *m*, Satanás *m*.

사탑(寺塔) pagoda *f* del templo budista.

사탑(斜塔) torre *f* inclinada. 피사의 ～ la Torre inclinada de Pisa.

사탕(砂糖) ① [설탕] azúcar *m*; [원당(原糖)] azúcar *m* bruto. ～ 같은 azucarado. ～을 입힌 recubierto con azúcar. ～을 바른 bañado con [en] azúcar, azucarado. ～을 넣다 echar azúcar.

■ ～가루 azúcar *m* en polvo. ～계(計) sacarímetro *m*. ～ 공업 industria *f* azucarera. ～ 과자 confitura *f*. ～밀(蜜) ㉮ [사탕으로 만든 밀랍] cera *f* de azúcar. ㉯ [흑사탕을 녹인 즙] zumo *m* que disolvió el azúcar negro. ～발림 zalamerías *fpl*, halagos *mpl*, adulación *f*. ¶～하다 hacer zalamerías, halagar, hacer el artículo, dar jabón. ～으로는 너는 아무것도 얻을 수 없을 것이다 Con halagos vas a conseguir nada. ～장수 pastelero, -ra *mf*, confitero, -ra *mf*.

사탕단풍(砂糖丹楓) 【식물】 arce *m* del Canadá, arce *m* de azúcar; 【학명】 Acer saccharinum.

사탕무(砂糖－) 【식물】 remolacha *f* azucarera, betarraga *f*, betarrata *f*, *Méj* betabel *m* blanco.

사탕수수(砂糖－) 【식물】 caña *f* de azúcar.

사탕옥수수(砂糖－) 【식물】 sorgo *m*, zahína *f*.

사태 carne *f* de pierna de vaca.

사태(死胎) feto *m* muerto. ～ 분만 parto *m* en el que el niño nace muerto.

사태(沙汰) ① [비나 눈의] alud *m*, avalancha *f*, desprendimiento *m* [corrimiento *m*] de tierra. ～를 일으키다 provocar un alud. ～가 덮치다 ser sorprendido por alud. ～가 일어났다 Se produció un alud. 큰비로 ～가 일어났다 Las grandes lluvias han causado desprendimiento de tierras. ② [사람이나 물건이 주체할 수 없이 한목에 많이 몰려나오는 일] avalancha *f*, riada *f*, diluvio *m*, aluvión *m*, montones *mpl*, multitud *f*, muchedumbre *f*. 시장에 양파 ～가 났다 El mercado se está saturando de cebollas.

사태(事態) situación *f*, estado *m* de cosas [de asuntos], coyuntura *f*, caso *m*, circunstancias *fpl*. 이와 같은 ～로는 en esta coyuntura, en estas circunstancias. ～를 수습하다 arreglar la situación. ～의 중대성을 깨닫다 comprender la gravedad. ～가 심각하다 Es una situación grave.

■ ～ 상황 situación *f*.

사택(私宅) casa *f* [residencia *f*] privada, domicilio *m* particular, *su* hogar, *su* casa.

■ ～ 방문 visita *f* a la residencia privada.

사택(社宅) viviendas *fpl*, casa *f* [residencia *f*] de los empleados de una compañía. A사의 ～ viviendas *fpl* de la compañía A.

사토(沙土/砂土) tierra *f* arenosa.

사토장이(莎土匠－) sepulturero, -ra *mf*, enterrador, -dora *mf*.

사통(四通) acción *f* de llevar [conducir · dar] a todas partes. ～하다 llevar [conducir · dar] a todas partes.

■ ～오달[팔달] el llevar [conducir · dar] a todas direcciones, comunicaciones *fpl* por todas partes. ¶～하다 correr [llevar · conducir · dar] a todas direcciones. 철도가 ～하고 있다 Hay redes de ferrocarriles / El país está entrecruzado con ferrocarriles. 서울의 광화문에서 수많은 도로가 ～하고 있다 Muchas avenidas salen en forma radial [radiada] de Gwanghwamun en Seúl.

사통(私通) comercio *m* ilícito, fornicación *f*, fornicio *m*, concubinato *m*. ～하다 contener una intimidad ilícita (con), fornicar, tener amores.

■ ～자 fornicador, -dora *mf*.

사퇴(辭退) ① [받거나 응하지 않고 사양하여 물리침] rechazo *m*, negativa *f*, repulsa *f*. ～하다 rehusar, rechazar, excisarse (de + *inf*), negarse (a + *inf*), no aceptar, no permitir, no consentir, repulsar. 사장 취임을 ～하다 negarse cortésmente a ocupar la presidencia de la compañía. ② [(일정한 일을) 그만두고 물러남] renuncia *f*, dimisión *f*, renuncia *f*, abandono *m*, dejación *f*, desistimiento *m*, renunciación *f*, renunciamiento *m*, denegación *f*. ～하다 renunciar, dimitir, abandonar. 어떤 직의 ～를 하다 hacer dimisión de algún cargo. 나는 ～했다 Yo presenté la renuncia de mi cargo.

사투(死鬪) lucha *f* [combate *m*] a muerte, lucha *f* mortal. ～하다 combatir [luchar] a muerte.

사투(私鬪) lucha *f* privada [entre los individuos]. ～하다 luchar [combatir] privadamente.

사투리 dialecto *m*, acento *m* provincial [regional], dialectalismo *m*, provincialismo *m*. 전라도 ～ dialecto *m* de *Cheolado*. 발렌시아 ～ valencianismo *m*, valenciano *m*. 지방(地方) ～ dialecto *m* [acento *m*] provincial. ～를 사용하다 hablar en dialecto [en acento provincial]. 그는 ～를 버릴 수 없다 El no puede quitarse [No se le quita] el acento regional [provincial]. 그의 말에는 ～가 섞여 있다 El habla con acento / El tiene acento en sus palabras. 그는 경상도 ～가 있다 El tiene acento de Gyeongsangdo. 나는 무의식 중에 ～가 나온다 El acento provincial se me escapa [sale] sin darme cuenta.

사특(邪慝) maldad *f*, perversidad *f*. ～하다 (ser) malvado, perverso, malo, maligno, infame, vil, malintencionado. ～하게 malvadamente, con maldad, perversamente, malignamente, mal. ～한 사람 malvado, -da *mf*. ～한 성격 carácter *m* terrible [de todos los diablos]. ～한 요정(妖精) el hada *f* (*pl* las hadas) mala. ～한 사람에게는 평화가 없다 No hay paz para los malvados.

사파(裟婆) ((불교)) este mundo, mundo vulgar.

■～ 세계 ＝사바(裟婆).

사파리(영 *safari*) safari *m*. ～ 가다 ir de safari. ～ 중이다 estar de safari.

■～대(隊) safari *m*.

사파이어(영 *sapphire*) ① 【광물】 zafiro *m*. ② [청옥색. 벽색(碧色)] (color *m*) azul *m* zafiro.

■～ 바늘 aguja *f* de zafiro.

사판(私版) publicación *f* privada.

사팔눈 ojos *mpl* bizcos, (ojo *m*) ojizaino *m*. ～의 bisco, ojizaino, bisojo.

사팔뜨기 [상태] bizquera *f*, estrabismo *m*; [사람] bizco, -ca *mf*, bisojo, -ja *mf*.

사포(沙布/砂布) papel *m* esmerilado, papel *m* de lija.

사포닌(영 *sapponin*) 【화학】 saponina *f*.

사표(師表) modelo *m*, ejemplar *m*, maestro *m*. 세상의 ～로 존경받다 ser estimado como la luz del mundo.

사표(辭表) (carta *f* de) dimisión *f*, renuncia *f*. ～를 쓰다 escribir la (carta de) dimisión. ～를 제출하다 presentar *su* dimisión [*su* renuncia]. ～를 수리하다 aceptar la dimisión [la renuncia] (de *uno*). ～를 반려(返戾)하다 rechazar [rehusar] la dimisión. 전각료가 ～를 냈다 Todos los miembros del gabinete pusieron sus cargos a disposición del primer ministro.

사푼 con un paso ligero, suavemente, legeramente. ～ 걷다 andar ligeramente, ir con pasos ligeros.

사푼사푼 con un paso muy ligero.

사품 ínterin *m*, interín *m*, tiempo *m* libre, tiempo *m*.

사풋 con un paso ligero, ligeramente.

사풋사풋 con pasos muy ligeros, muy ligeramente.

사풍(邪風) ① [경솔한 언행] la palabra y la actitud imprudentes. ② [요사스럽고 못된 풍습] vicio *m* caprichoso.

사풍맞다 (ser) imprudente, ligero, frívolo.

사풍스럽다 (ser) caprichoso, caprichudo, antojadizo, veleidoso, variable, voluble, tornadizo, fantasioso.

사풍(砂風) tormenta *f* de arena.

사프란(네 *zaffraan*) 【식물】 azafrán *m*.

■～ 꽃 azafrán *f* de primavera. ～ 밭 azafranal *m*. ～색 azafrán *m*, color *m* azafrán, amarillo *m* azafrán.

사필귀정(事必歸正) corolario *m*, resultado *m* natural. ～이다 La justicia prevalece en el fin / La verdad gana en la carrera larga.

사하다(赦－) perdonar el crimen.

사하라 사막(Sahara 沙漠) 【지명】 el (desierto) Sáhara, el Sahara. ～의 sahárico.

사학(史學) ((준말)) ＝역사학(歷史學).

■～가(家) historiador, dora *mf*. ～과(科) departamento *m* del estudio histórico.

사학(私學) ① [개인의 사사로운 학설] teoría *f* privada. ② [사설 학교] colegio *m*, escuela *f* privada [particular]; [대학] universidad *f* privada.

■～ 교육 enseñanza *f* privada. ～ 조성금 subsidio *m* a la enseñanza privada.

사학(邪學) [요사스럽고 간사한 학문] ciencia *f* viciosa y astuta; [못된 학설] teoría *f* injusta.

사학(斯學) esta ciencia, este estudio.

사학원(私學園) escuela *f* privada.

사한(私翰) carta *f* privada.

사할린 【지명】 Sajalín, Sakhalín.

사항(事項) [항목] artículo *m*; [문제] problema *m*; [주제] tema *m*, sujeto *m*; [제재] materia *f*. 토의(討議) ～ tema *m* de discusión, asunto *m* que se ha de tratar (en la deliberación).

사해(四海) ① [사방의 바다] mar *m* de todas partes, todos los mares. ② [온 세상] todo el mundo, imperio *m*. ～를 평정하다 establecer la paz en el mundo. ～가 평온하다 Todo el mundo está en paz.

■～동포[형제] fraternidad *f* universal. ～동포주의 cosmopolitismo *m*. ～용왕 rey *m* del palacio de dragón en cuatro mares.

사해(死海) 【지명】 el Mar Muerto.

사해(死骸) cadáver *m*, cuerpo *m* muerto.

사행(私行) ① [사사 행위] conducta *f* privada. ～을 공개하다 hacer pública la conducta privada (de) ② [남몰래 넌지시한 행위] actitud *f* secreta. ～ hacer secretamente. ③ [사사로운 용무로 감] ida de negocio privado. ～하다 ir de negocio privado.

사행(邪行) actitud *f* astuta.

사행(蛇行) [냇물의] serpenteo *m*, meandro *m*. ～하다 serpentear.

■～운동 moción *f* serpentina.

사행(射倖) especulación *f*. ～하다 especular. 매물(買物)에는 ～이 뒤따른다 Las compras

unas veces salen bien, otras mal.
■~ 계약 contrato *m* aleatorio. ~심(心) espíritu *m* aleatorio, espíritu *m* especulativo. ~적 especulativo, aleatorio; [위험을 수반한] arriesgado, peligroso. ~ 행위 actitud *f* aleatoria.

사향(思鄕) nostalgia *f*, añoranza *f*, morriña *f*, añoranza *f* a la patria [al suelo natal · a la tierra natal]. ~하다 echar menos a la familia [a *su* país], sentir nostalgia (de · por), añorar a la patria [a la tierra · al suelo natal].

사향(麝香) almizcle *m*, algalia *f*. ~을 뿌리다 almizclar. 옷에 ~을 뿌리다 almizclar la ropa.
■~ 기름 aceite *m* de almizcle. ~나무 planta *f* almizcleña. ~낭[주머니] bolsa *f* almizcleña. ~내 olor *m* a almizcle. ~수(水) perfume *m* de almizcle. ~식물(植物) almizcleña *f*. ~ 장미 rosa *f* almizcleña.

사향고양이(麝香－)【동물】civeta *f*, gato *m* de algalia.

사향노루(麝香－)【동물】almizclero *m*, cabra *f* de almizcle, cervatillo *m*.

사향뒤쥐(麝香－)【동물】almizclera *f*, rata *f* almizclada, ratón *m* almizclero.

사향소(麝香－)【동물】vaca *f* almizclada.

사향쥐(麝香－)【동물】＝사향뒤쥐.

사향초(麝香草)【식물】tomillo *m*.

사현금(四弦琴)【악기】＝바이올린.

사혈(死血)【한방】sangre *f* virulenta.

사혈(瀉血) sangría *f*. ~하다 sangrar.
■~기(器) ventosa *f*.

사형(死刑) pena *f* de muerte, pena *f* capital, capital *m* de muerte, condena *f* a muerte, suplicio *m*. ~감인 que está sancionado con la pena de muerte. ~을 구형하다 demandar la pena de muerte. ~에 처하다 ejecutar [aplicar] la pena de muerte. ~을 선고하다 condenar a muerte, distar la pena de muerte. ~을 집행하다 ejecutar [aplicar] la pena de muerte, supliciar. ~을 폐지(廢止)하다 abolir la pena de muerte.
■~ 명령 orden *f* de muerte. ~ 선고(宣告) condena *f* a muerte, sentencia *f* de muerte. ~수(囚) reo *mf* de muerte, condenado, -da *mf* a muerte. ~수 감방 pabellón *m* de los condenados a muerte, corredor *m* de la muerte. ~실 cámara *f* de muerte. ~장 sitio *m* de suplicio; [가스의] cámara *f* de gas. ~죄 delito *m* de pena capital, delito *m* de pena de muerte. ~ 집행 ejecución *f* de la pena de muerte. ~ 집행 영장 sentencia *f* de muerte. ~ 집행인 verdugo *m*. ~ 폐지 abolición *f* de la pena capital.

사형(私刑) linchamiento *m*. ~을 가하다 linchar.

사형(舍兄) ① [남에게 대하여「자기의 형」을 일컫는 말] mi hermano mayor. ② [형이 아우에게 대하여「자기」를 이르는 말] yo, tu hermano.

사형(師兄) ① [학문과 덕행 또는 나이가 자기보다 높은 사람을 높이어 이르는 말] usted, señor …, Sr. …. ② ((불교)) hermano *m* budista del mismo maestro.

사형(詞兄) usted, Sr. ….

사호(社號) nombre *m* [título *m*] de la compañía.

사화(士禍) matanza *f* [masacre *f* · carnicería *f*] de estudiosos, calamidad *f* de literatos.

사화(史話) cuento *m* histórico.

사화(私和) reconciliación *f*. ~하다 reconciliar.
■~ㅅ술 vino *m* para reconciliar.

사화(私話) cuento *m* privado [particular · personal].

사화(詞華) floreos *mpl* retóricos.
■~집(集) antología *f*, florilegio *m*.

사화산(死火山)【지질】volcán apagado [extinto · muerto · extinguido].

사환(使喚) recadero *m*, chico *m* de los mandados, muchacho *m*, *AmL* mandadero *m*..
■~꾼 ＝사환(使喚).

사활(死活) vida *f* y [o] muerte. ~의 vital, de vida y muerte.
■~ 문제 cuestión *f* de vida o muerte, cuestión *f* de importancia vital. ~적 vital, de vida y [o] muerte.

사회(司會) ① [회의나 예식 따위를 진행함] presidencia *f* (de una reunión). ~하다 presidir, dirigir, tomar sillón de presidencia de una junta [de una reunión]. 김 선생의 ~로 bajo la presidencia del Sr. Kim. 회의를 ~하다 presidir una reunión. 토론(회)를 ~하다 dirigir la discusión, presidir el debate. ② ((준말)) ＝사회자(司會者). ¶회의 ~는 김 선생이다 El presidente [El director] de la reunión es el Sr. Kim.
■~봉 mazo *m*, martillo *m*. ~자 presidente, -ta *mf* (de una junta · de una reunión); [연예 등의] presentador, -dora *mf*.

사회(死灰) ① [불기운이 없어진 식은 재] cenizas *fpl* sin fuego. ② [생기 없는 사람] persona *f* inánime, persona *f* falta de vigor.

사회(社會) ① [서로 모여 생활하는 한 떼의 인민] público *m*. ~의 público. ② [같은 동아리] grupo *m*, círculo *m*, sociedad *f*. 교육자 ~ círculo *m* decente. 상류 ~ clase *f* superior, alta sociedad *f*, buena sociedad *f*, gran mundo *m*. 이상적 ~ utopía *f*. 중류 ~ clase *f* media, sociedad *f* media. 하층 ~ clase *f* baja, sociedad *f* baja. 학생 ~ círculo *m* escolar. 학자 ~ círculo *m* docto. 그녀는 상류 ~에 속해 있었음에 틀림없다 Ella debe de pertenecer a la buena sociedad. ③ [세상. 세간] mundo *m*, sociedad *f*. ~에 나가다 salir al mundo. ④ [모든 형태의 인간의 집단적 생활] sociedad *f*, comunidad *f*. ~의 social. ~를 위하여 para el bienestar social. ~에 대한 의무 los deberes para [con] la sociedad. ~에 공헌하다 contribuir a la sociedad [al bienestar social]. ~의 일원이다 ser un miembro de la sociedad. 종교는 원시 ~에서 대단히 중요한 역할을 했다 La religión jugaba un

papel muy importante en las sociedades primitivas.
◆문명(文明) ~ comunidad *f* civilizada. 봉건 ~ sociedad *f* feudal. 인간 ~ sociedad *f* humana.
■~ 개량(改良) reforma *f* social. ~ 개량가 reformista *mf* social. ~ 개량주의 reformismo *m* social. ~ 개발 desarrollo *m* social. ~ 경제 economía *f* social, socioeconomía *f*. ~ 계약 contrato *m* social. ~ 계약설 teoría *f* del contrato social, doctrina *f* de contrato social. ~ 공포증 fobia *f* social. ~ 공학 ingeniería *f* social. ~과(科) ((준말)) =사회생활과. ~과(課) sección *f* de asuntos sociales. ~ 과목(科目) asignatura *f* social. ~ 과정 curso *m* social. ~ 과학 ciencia *f* social. ~ 과학자 científico, -ca *mf* social; cientista *mf* social. ~관 vista *f* de la vida social. ~관계 relaciones *fpl* sociales. ~ 관습 costumbre *f* social. ~ 교육 educación *f* social. ~ 교육국 departamento *m* de educación social. ~ 교육원 el Instituto de Educación Social. ~ 교화 사업 obra *f* para la ilustración social. ~ 구조 estructura *f* social. ~국 departamento *m* de bienestar social. ~극(劇) drama *m* social. ~단체 organización *f* social. ~당 partido *m* socialista. ~당원 socialista *mf*, miembro *mf* de partido socialista. ~ 대책 medidas *fpl* sociales. ~도덕 moralidad *f* [moral *f*] social. ~ 도태(淘汰) selección *f* social. ~면 [신문의] sucesos *mpl*. ~ 문제 problema *m* social. ~ 민주주의(民主主義) socialdemocracia *f*, democracia *f* social. ~ 민주주의자 socialdemócrata *mf*. ~ 발전 evolución *f* social. ~법 ley *f* social. ~ 법칙 regla *f* [ley *f*] social. ~병 [결핵과 같은] enfermedad *f* social. ~ 보장 seguridad *f* social. ~ 보장 기금 contribución *f* a la seguridad social. ~ 보장법 Ley de Seguridad Social. ~ 보장 수당 subsidio *m* de la seguridad social. ~ 보장 의료 medicina *f* social. ~ 보장 적립금 contribuciones *fpl* de seguridad social. ~ 보장 제도 sistema *m* de la seguridad social. ~ 보험 seguro *m* social. ~ 보험 제도 sistema *m* de seguro social. ~ 복귀 rehabilitación *f* social. ~ 복지 bienestar *m* social. ~ 복지 사업 asistencia *f* [trabajo *m*] social. ~봉사 servicio *m* [asistencia *f*· auxilio *m*] social. ~부 [신문사의] sección *f* de sucesos. ~ 불안 malestar *m* social. ~사(史) historia *f* social. ~사상(思想) ideas *fpl* sociales, pensamiento *m* social. ~사업(事業) obra *f* social, obra *f* de utilidad pública, asistencia *f* social. ~사업가 asistente, -ta *mf* social; *Méj* trabajador, -dora *mf* social; visitador, -dora *mf* social. ~상 aspecto *m* social. ~ 상식 conocimiento *m* mundial. ~생활 ㉮ vida *f* social. ㉯ ((준말)) =사회생활과. ~생활과 estudios *mpl* sociales. ~성(性) ㉮【심리】socialidad *f*. ㉯【심리】sociabilidad *f*. ~ 소설 novela *f* social. ~ 심리학 psicología *f* social. ~아(我) ego *m* social. ~악 mal *m* social, abusos *mpl* sociales. ~ 언어학 sociolingüística *f*. ~ 연대 solidaridad *f* social. ~ 요법 socioterapia *f*. ~ 운동 movimiento *m* social, campaña *f* pública. ~ 유기체 organismo *m* social. ~ 유기체설 concepción *f* orgánica de sociedad. ~ 유대 vínculo *m* social, relación *f* social. ~ 유명론 nominalismo *m* social. ~ 윤리(倫理) ética *f* social. ~ 윤리학 ética *f* social. ~의 목탁 líder *mf* de sociedad. ~ 의식 conciencia *f* social. ~ 의지 voluntad *f* social. ~인 miembro *mf* de sociedad. ~ 인류학 antropología *f* social. ~ 인류 학자 antropólogo, -ga *mf* social. ~ 자본 capital *m* de índole social. ~장(葬) funeral *m* público, ceremonias *fpl* funerales *mpl* sociales. ~적 social. ¶~으로 매장하다 poner al margen de la sociedad. ~적 감정 sentimiento *m* social. ~적 개성(的個性) individualidad *f* social. ~적 견지 punto *m* de vista social. ~적 사실 hecho *m* social. ~적 성격 carácter *m* social. ~적 욕망 deseo *m* social. ~적 유대 =사회 유대. ~적 윤리 ética *f* social. ~적 존재 existencia *f* social. ~적 지위 posición *f* social. ¶~를 얻다 conseguir una posición social. ~적 환경 ambiente *m* social. ~ 정세(情勢) situación *f* social. ~ 정의 justicia *f* social. ~ 정책 política *f* social. ~ 제도 sistema *m* social. ~ 조사 investigación *f* social. ~ 조직 organismo *m* [organización *f*] social. ~주의 socialismo *m*. ¶~의 socialista. 공상적 ~ socialismo *m* utópico. 과학적 ~ socialismo *m* científico. 국가 ~ socialismo *m* de comunidad [de Estado]. ~주의 경제학 economía *f* socialista. ~주의 노동자 인터내셔널 =제이 인터내셔널. ~주의 문학 =프롤레타리아 문학. ~주의 인터내셔널 Internacional *f* Socialista. ~주의자 socialista *mf*. ~주의 혁명 =프롤레타리아 혁명. ~ 진화(進化) evolución *f* social. ~ 진화론 teoría *f* de evolución social. ~ 질서 orden *m* social [pública]. ~ 집단(集團) grupo *m* [comunidad *f*] social. ~ 참여 participación *f* social. ~ 철학 filosofía *f* social. ~ 체육 educación *f* física social. ~ 체제 sistema *m* social. ~ 통계 estadística *f* social. ~ 통계학 estadística *f* social. ~ 통념 idea *f* común social. ~ 통제 control *m* social. ~ 풍조 tendencia *f* de opinión pública. ~학 sociología *f*. ~학자 sociólogo, -ga *mf*. ~학적 sociológico. ~학적 비평 criticismo *m* sociológico. ~학적 윤리학 ética *f* sociológica. ~ 혁명 revolución *f* social. ~ 현상 fenómeno *m* social. ~형 tipos *mpl* sociales. ~ 형태 forma *f* social, forma *f* de una sociedad, tipo *m* de sistema social. ~ 형태론 morfología *f* social. ~화 socialización *f*. ¶~하다 socializar. ~화 정책(化政策) política *f* socializada.

사회계약론(社會契約論)【책】El contrato social (de Rousseau).

사회 민주당(社會民主黨) el Partido Demócrata Social, el Partido Democrático Social, el Partido Sociodemocrático.

사후(死後) después de la muerte. ~의 de ultratumba. ~의 명성 fama *f* póstuma. ~의 세계(世界) otro mundo *m*, mundo *m* de ultratumba. ~의 출판 작품 obra *f* póstuma. 시체는 ~ 10시간이 되었다 Ya lleva diez horas muerto.

■사후 약방문(藥方文) ((속담)) Ya es demasiado tarde / Después de la muerte viene el médico / La receta después de la muerte.

■~ 강직 rigidez *f* cadavérica. ~공명(功名) fama *f* póstuma.

사후(伺候) ① [웃어른의 명령을 기다림] espera *f* de la orden del anciano. ~하다 esperar la orden del anciano. ② [웃어른을 찾아 뵙고 문안을 드림] saludo *m* al anciano después de la visita. ~하다 saludar al anciano después de visitarlo. …의 앞에 ~하다 presentarse [prosternarse] ante *uno*.

사후(事後) después del hecho.

■~ 감사(監査) postinspección *f*. ~검열 postcensura *f*. ~ 보고(報告) informe *m* post factum. ~ 승낙 aprobación *f* post facto, aprobación *f* después del hecho consumado, consentimiento *f* después del hecho, consentimiento *m* de ex-post-fact, ratificación *f* de un acto. ¶~하다 aprobar después del hecho consumado. ~을 구하다 pedir la aprobación después del hecho [más tarde ulteriormente]. ~ 입법(立法) legislación *f* ex-post facto. ~처리 arreglo *m* [despacho *m*] ulterior (de).

사후(射候) visita *f* de cortesía, visita *f* de cumplido, servicio *m*, asistencia *f*. ~하다 hacer una visita de cortesía, servir, asistir.

사훈(社訓) lección *f* de la compañía.

사휘(辭彙) vocabulario *m*.

사흗날 el 3 [tres] del mes. 정월 ~ el 3 de enero.

사흘 ① [세 날. 삼일(三日)] tres días. 나는 서울에서 ~ 동안 머물렀다 Me quedé tres días en Seúl. ② [초사흗날] el 3 [tres] (del mes). 내 딸은 선달 ~에 태어났다 Mi hija nació el 3 de diciembre.

■사흘 굶어 도둑질 아니할 놈 없다 ((속담)) La necesidad carece de ley / A necesidad no hay ley. 사흘 굶은 개는 몽둥이 맞아도 좋아한다 ((속담)) Cuando no hay jamón ni lomo, de todo como.

■~돌이 cada tres días. ¶~로 cada tres días; [자주] a menudo. 병을 ~로 앓는다 estar enfermo cada tres días.

삭 ① [조금도 남김없이 죄다] todo. ~ 치우다 quitarlo todo. ② [완전히] completamente, enteramente, del todo. ③ [갑자기] bruscamente, repentinamente, súbitamente, de repente, de súbito, de pronto. 태도를 ~ 바꾸다 cambiar repentinamente [completamente] de actitud. 그의 모습은 ~ 지운 듯이 사라졌다 Su figura desapareció como por arte de magia.

삭[1](朔) ① ((준말)) =합삭(合朔). ② ((준말)) =삭일(朔日).

삭[2](朔) [달 수를 세는 단위] mes *m*. 사오 ~가량 unos cuatro o cinco meses. 제가 고향을 떠나온 지 벌써 삼 ~이 지났습니다 Hace ya tres meses que yo salí de la tierra natal.

삭갈다 【농업】 arar el arrozal un sola vez.

삭갈이 【농업】 arado *m* del arrozal de una sola vez.

삭감(削減) reducción *f*, disminución *f*. ~하다 reducir, disminuir, economizar. 예산(豫算)을 ~하다 reducir el presupuesto. 인원을 ~하다 reducir el personal.

삭과(蒴果) 【식물】 cápsula *f*.

삭구(索具) cordaje *m*, jarcia *f*, estay *m*.

삭다 ① [(어떤 물체의) 본바탕이 변질되어 썩은 것과 같이 되다] gastarse, deteriorarse. 천이 ~ gastarse el paño. ② [(김치·젓 따위의) 담가 둔 음식물이 익어서 맛이 들다] tomar el gusto [el sabor], fermentar. ③ [(툭툭하고 길죽한 것이) 발효하여 풀어지거나 묽어지다] fermentar. ④ [(먹은 음식물이) 소화되다] digerirse. ⑤ [(흥분되었거나 긴장된 심리 상태가) 풀려 가라앉다] calmarse, sosegarse, tranquilizarse, apaciguarse, serenarse, mitigarse. 마음을 삭이십시오 Cálmese usted / Serénese usted. ⑥ =사위다.

삭도(索道) ((준말)) =가공 삭도(架空索道).

■~차(車) teleférico *m*.

삭둑 [가위로] tijereteando. ~하는 일 tijeretada *f*, tijeretazo *m*, tijerada *f*. ~ 자르다 cortar de un tijeretazo, tijeretear. 옷을 가위로 ~ 자르다 tijeretear un vestido. 목을 ~ cortar la cabeza, degollar.

삭둑거리다 tijeretear.

삭둑삭둑 tijereteando y tijereteando. ~하다 tijeretear muchas veces.

삭막(索莫/索漠/索寞) ① [황폐하여 쓸쓸함] desolación *f*. ~하다 (estar) desolado. ~한 일생(一生) vida *f* desolada. ~한 풍경(風景) paisaje *m* desolado. ② [잊어버리어 생각이 아득함] lo borroso, distracción *f*. ~하다 (ser) borroso, distraído.

삭망(朔望) ① [삭일과 망일] el primero y el quince del calendario lunar. ② ((준말)) =삭망전(朔望奠).

■~전(奠) ritos *mpl* conmemorativos que practican por la mañana del primero y del quince de cada mes del calendario lunar en la casa de luto.

삭모(削毛) corte *m* de pelo. ~하다 cortar el pelo.

삭모(槊毛) borla *f* decorativa.

삭발(削髮) ① [길렀던 머리를 빡빡 깎음, 또는 그러한 머리] corte *m* de pelo; [머리] pelo *m* cortado. ~하다 cortar(se) el pelo. ② ((불교)) tonsura *f*. ~하다 tonsurar. ③ [나무나 푸성귀를 마구 베고 깎음] corte *m* al azar. ~하다 cortar al azar.

삭방(朔方) ＝북방(北方).
삭베다 cortarse todo.
삭베먹다 comer todo cortando.
삭북(朔北) ＝북방(北方).
삭신 tendones *mpl* y nudos, todo el cuerpo. ～이 쑤시다 tener dolor de todo el cuerpo, doler*le* todo el cuerpo a *uno*. 나는 ～이 쑤신다 Tengo dolor de todo el cuerpo / Me duele todo el cuerpo.
삭심다 【농업】 trasplantar después del arado rápido del arrozal.
삭연하다(索然－) ① [외로워서 쓸쓸하다] (ser) solitario. ② [흥미(興味)가 없다] (ser) indiferente.
삭연히 solitariamente, indiferentemente.
삭월(朔月) luna *f* del primero del calendario lunar.
삭은석회(－石灰) 【화학】 ＝소석회(消石灰).
삭은이 ＝충치(蟲齒).
삭은코 nariz *f* que sangra frecuentemente hasta la herida muy ligera.
삭이다[1] [(돈·물자·힘 따위를) 소비하다] gastar, consumir.
삭이다[2] [(음식물이) 소화시키다] digerir. 음식을 ～ digerir el alimento [la comida].
삭일(朔日) el primero del calendario lunar.
삭임관(－管) 【해부】 ＝소화관(消化管).
삭임기관(－器官) 【해부】 ＝소화기(消化器).
삭임물 【해부】 ＝소화액(消化液).
삭임샘 【해부】 ＝소화선(消化腺).
삭임틀 【해부】 ＝소화기(消化器).
삭정이 rama *f* marchita [seca · muerta]; [잎이 떨어진 가지] rama *f* desnuda. ～를 자르다 cortar las ramas marchitas.
삭제(削除) omisión *f*, borradura *f*, supresión *f*, exclusión *f*. ～하다 omitir, borrar, suprimir, tachar, rayar, excluir, cancelar. ～되다 omitirse, borrarse, suprimirse, tacharse, cancelarse. 본문에서 1행을 ～하다 suprimir una línea del texto. 명부에서 이름을 ～하다 borrar de la lista el nombre, tachar el nombre en la lista.
삭조(索條) cable *m*, cuerda *f*.
■ ～차(車) ＝케이블카.
삭직(削職) ((준말)) ＝삭탈관직(削奪官職).
삭치다 ① [지우거나 뭉개어서 없애 버리다] cancelar, borrar. ② [셈할 것을 서로 맞비기다] equilibrar, mantener [sostener] en equilibrio.
삭탈(削奪) ((준말)) ＝삭탈관직(削奪官職).
■ ～관직[관작] destitución *f* [remoción *f* del cargo] del puesto gubernamental del funcionario público. ¶～하다 destituir el puesto gubernamental del funcionario público.
삭풍(朔風) bóreas *m.sing.pl.*, viento *m* (frío del) norte del invierno, viento *m* fuerte del invierno, ráfaga *f* invernal.
삭히다 ① [소화시키다] digerir. ② [발효하게 하다] hacer fermentar.
삯 ① [일한 데 대하여 품값으로 주는 돈이나 물건] paga *f*; [일급] jornal *m*; [봉급] salario *m*, sueldo *m*; [보수] remuneración *f*, recompensa *f*. ② [일정한 물건이나 시설을 이용하고 주는 대가] [세(貰)] alquiler *m*; [요금] pasaje *m*, tarifa *f*. 뱃～ pasaje *m* del barco. 자동차～ pasaje *m* (del autobús).
◆ 삯(을) 내다 ㉮ [삯을 주고 일을 시키다] dar jornal y hacer trabajar. ㉯ [세(를) 내다] alquilar.
삯꾼 jornalero, -ra *mf*.
삯돈 ＝임금(賃金).
삯말 caballo *m* de alquiler.
삯메기 trabajo *m* de la granja que paga el jornal.
삯바느질 labores *fpl* de aguja para el jornal.
삯배 ＝용선(傭船).
삯벌이 ＝삯팔이.
■ ～꾼 ＝삯팔이꾼.
삯빨래 lavadura *f* para el jornal.
삯일 jornal *m*, trabajo *m* a destajo. ～하다 trabajar a destajo.
삯전(－錢) ＝삯돈.
삯지게꾼 culí *m* de portaequipajes [de portabultos].
삯짐 carga *f* de llevar para recibir la paga.
삯팔이 jornal *m*. ～하다 trabajar a destajo.
■ ～꾼 jornalero, -ra *mf*; asalariado, -da *mf*.
삯품 labor *f* asalariada.
◆ 삯품(을) 팔다 trabajar a destajo.
삯품팔이 ＝품팔이.
산(山) ① [평지보다 썩 높이 솟아 있는 땅덩이] monte *m*, montaña *f*; [작은 산] montañilla *f*, montículo *m*, montañeta *f*, cerro *m*. ～이 많은 montañoso. ～이 많은 지방 región *f* montañosa. ～이 많은 나라 país *m* montañoso. ～에 오르다 subir el [al] monte, subir (a) la montaña. ～을 내려가다 bajar (de) la montaña, bajar el [del] monte. ～ 넘고 물 건너 atravesando los montes y los ríos. ～을 넘다 atravesar la montaña. ～이 좋아 ～에 오르다 Se sube al monte, porque se ama el monte. 높은 ～이 서반아를 불란서와 나누고 있다 Se paran altas montañas a España de Francia. ② ((준말)) ＝산소(山所).
◆ 산 넘어 산 montaña tras montaña.
■ 산에 가야 범을 잡는다 ((속담)) Quien no se aventura no pasa la mar / Quien no se arrisca, no aprisca / Quien no se aventuró, ni perdió ni ganó / Quien no se aventura, no ha ventura. 산에서 물고기 찾기 ((속담)) No se puede sacar agua de las piedras.
산(疝) ((준말)) ＝산증(疝症).
산(算) [셈] cuenta *f*. ～하다 contar. ～이 맞지 않는다 La cuenta no es correcta.
산(酸) ① [새콤한 맛] sabor *m* [gusto *m*] ácido. ② 【화학】 ácido *m*. ～의 ácido. ～처리(處理) tratamiento *m* ácido.
■ ～ 결핍(증) anacidildad *f*. ～ 과다(증) hiperacididad *f*. ～ 비중계 acidímetro *m*. ～적정(滴定) acidimetría *f*.
산-(山) salvaje, montés. ～비둘기 paloma *f*

salvaje [torcaz]. ~사람 montañés, -ñesa *mf.* ~나물 hortalizas naturales de la montaña.

-산(産) producto *m*, producción *f.* 외국(外國)~ producto *m* extranjero, producción *f* extranjera. 지방(地方)~ producto *m* regional. 에꾸아도르~ 바나나 plátanos *mpl* (procedentes) del Ecuador. 칠레~ 동(銅) cobre *m* producido en Chile. 한국~ 텔레비전 televisor *m* hecho en Corea.

산가(山家) casa *f* de la región montañosa. ~에서 자란 que ha crecido en la montaña rústica.

산가(産家) casa *f* que parió al niño.

산가(酸價) 【화학】 valor *m* ácido.

산각(山脚) =산기슭.

산간(山間) (entre) montañas *fpl.* ~의 entre montañas, montañero, montañoso.

■~ 도시 ciudad *f* (desarrollada) entre montañas. ~ 마을 aldea *f* [pueblo *m*] entre montañas. ~벽지 =산골 두메. ~벽촌 aldea *f* aislada [pueblo *m* aislado] entre montañas. ~ 샛길 desfiladero *m.* ~수(水) el agua *f* que corre por el valle entre montañas. ~ 오지(奧地) sitio *m* [lugar *m*] aislado entre montañas.

산감독(山監督) ① [풍치림 따위의 나무를 함부로 못 베게 감독하는 사람] guardabosques *mf.sing.pl.* ② [광산 일을 감독하는 사람] superintendente *mf* de minas.

산개(散開) despliegue *m*, extensión *f.* ~하다 desplegarse, extenderse.

■~ 대형 orden *m* abierto. ~ 성단(星團) grupo *m* abierto. ~전(戰) escaramuza *f*, refriega *f.* ~진(陣) campamento *m* abierto, posición *f* abierta.

산객(山客) ① [산에 살고 있어 세상에 나타나지 않는 사람] montañés, -ñesa *mf.* ② [등산하는 사람] alpinista *mf*, montañista *mf*, montañero, -ra *mf.* ③ 【식물】 =철쭉나무.

산견되다(散見-) verse aquí y allá.

산경(山景) paisaje *m* montañés [de la montaña], perspectiva *f* montañosa.

산계(山系) sistema *m* montañoso. ~의 교차점 nudo *m* de las montañas.

산고(産苦) penalidades *fpl*, tribulaciones *fpl*, dolor *m*, agonía *f.*

산고(産故) parto *m*, alumbramiento *m*, dolores *mpl* de parto. ~로 죽다 morir(se) de parto. 그녀는 ~로 죽었다 Ella (se) murió de parto.

산곡(山谷) =산골짜기.

산골(山-) ① [깊은 산속의 외딸고 으슥한 곳] distrito *m* montañoso, lugar *m* [sitio *m*] aislado [apartado]. ~ 사람 rústico, -ca *mf*, paleto, -ta *mf*; *RPl* pajuerano, -na *mf.* ② =산골짜기.

산골짜기(山-) valle *m*; [협곡(峽谷)] cañada *f*, hondonada *f.*

산과(産科) obstetricia *f*, tocología *f.*

■~ 겸자(鉗子) fórceps *m* obstétrico [de obstetricia · de tocología]. ~ 병동 sala *f* de obstetricia. ~ 병상(病床) cama *f* de obstetricia. ~ 병원(病院) (hospital *m* de) maternidad *f*, casa *f* de maternidad. ~의(醫) ((준말)) =산과 의사(産科醫師). ~ 의사 partero, -ra *mf*, obstetra *mf*, tocólogo, -ga *mf.* ~ 청진법(聽診法) auscultación *f* obstétrica. ~학 obstetricia *f*, tocología *f.*

산과실(山果實) fruta *f* silvestre [montesa], fruta *f* (que se produce) en la montaña.

■~나무 【식물】 (árbol *m*) frutal *m* montés. ~주(酒) vino *m* de frutas silvestres.

산광(散光) 【물리】 luz *f* difundida.

산괴(山塊) masa *f* de montañas.

산구(山鳩) 【조류】 =산비둘기.

산구(産具) material *m* obstétrico, artículos *mpl* obstétricos.

산국(山菊) 【식물】 crisantemo *m* silvestre.

산국화(山菊花) 【식물】 =산국(山菊).

산굴(山窟) cueva *f* en la montaña.

산굽이(山-) curva *f* de la montaña.

산금(山禽) =산새.

산금(産金) extracción *f* de oro, producción *f* del oro. ~하다 producir el oro.

■~량 producción *f* del oro. ~업 industria *f* de la minería de oro. ~열 fiebre *f* del oro. ~장려 promoción *f* del oro. ~ 지대 campo *m* del oro.

산기(産氣) dolores *mpl* de parto, penalidades *fpl*, tribulaciones *fpl*, parto *m*, labor *f.*

산기(産期) época *f* de dolores de parto.

산기(酸氣) sabor *m* ácido.

산기(酸基) 【화학】 radical *m* ácido.

산기둥 【건축】 columna *f* sin base [sin apoyo].

산기슭(山-) pie *m* del monte, pie *m* de la montaña, falda *f* de una montaña. ~에 al pie [a la falda] de una montaña.

산길(山-) senda *f* [sendero *m*] de montaña, camino *m* de montaña. ~ (등 험로용의) 자전거 bicicleta *f* de montaña.

산꼭대기(山-) cima *f* [pico *m* · cumbre *f*] (de la montaña).

산나물(山-) hortalizas *fpl* naturales de la montaña.

산 너머(山-) más allá de la montaña.

산놀이 excursión *f* al monte, picnic *m.* ~ 가다 ir de picnic.

산누에(山-) 【곤충】 gusano *m* de seda silvestre.

산다(山茶) 【식물】 =동백나무.

■~화(花) camelia *f.*

산다리 【식물】 una especie de la haba roja.

산달(山-) =산지(山地).

산달(山獺) ① 【동물】 =담비. ② 【동물】 =검은담비. ③ 【동물】 =너구리.

산달(産-) =해산달.

산대 *sandae*, una de las redes para pescar.

산대(山臺) 【민속】 ((본딧말)) =산디.

■~극[놀음 · 놀이] =산디놀음.

산더미(山-) montón *m* (*pl* montones), pila *f*, cúmulo *m.* ~ 같은 쓰레기 montón *m* [pila *f*] de la basura. ~ 같은 장작 montón *m* [pila *f*] de leña. ~처럼 쌓인 접시 [책] una pila de platos [de libros]. ~ 같은 일 un montón de trabajo. ~처럼 쌓다 amontonar, apilar. ~처럼 쌓이다 amontonarse, apilarse. 빚이 ~처럼 쌓이다 tener una deuda enorme. 너에게 할 말이 ~처럼 쌓였다 Tengo un montón de cosas que contarte. 책상 위에 책들이 ~처럼 쌓여 있다 Los libros están amontonados en la mesa / La mesa está cargada de libros.

산도(山道) =산길.

산도(産道) canal *m* obstétrico [de parto].

산도(酸度) 【화학】 acidez *f*.

■ ~ 측정 acidimetría *f*.

산독증(酸毒症) 【의학】 acidosis *f*.

산돌림(山－) chubasco *m* esporádico.

산돌배(山－) ① 【식물】 =산돌배나무. ② [산돌배나무의 열매] pera *f* silvestre.

산돌배나무(山－) 【식물】 peral *m* silvestre.

산동(山洞) =산촌(山村).

산동(山童) niño, -ña *mf* del distrito montañoso.

산동(散瞳) 【의학】 midriasis *f*.

산돼지(山－) 【동물】 jabalí *m* (*pl* jabalíes), puerco *m* espino.

산드러지다 ① [(태도가) 맵시 있고 말쑥하다] (ser) vivaz, lleno de vida, animado, optimista. 산드러지게 animadamente, con vivacidad. 산드러지게 걷다 andar animadamente. ② [간드러지다] (ser) coquetón, coqueto. 산드러지게 coquetonamente. 산드러지게 웃다 reír coquetonamente.

산득 con un frío súbito.

산들거리다 soplar fresca y suavemente.

산들다 salir mal, suspender, perder.

산들바람 brisa *f*, viento *m* fresco.

산들산들 suavemente, dulcemente, ligeramente. 바람이 ~ 분다 Sopla una brisa suave / La brisa sopla dulcemente.

산등성마루(山－) el sitio más alto de la cresta.

산등성이(山－) puerto *m*, desfiladero *m*, paso *m*, cresta *f*, cadena *f*. ~를 타고 가다 seguir la cresta. ~를 넘다 pasar un puerto (seco · de montaña), franquear un desfiladero.

산디(山臺) ① 【민속】 [산디놀음을 하기 위해 큰 길가나 빈터에 임시로 대(臺)를 높이 쌓아 만든 임시 무대] escenario *m* provinsional para el *sandinoreum*, en el camino o en el sitio vacío. ② 【민속】 ((준말)) =산디놀음.

■ ~놀음[놀이] 【민속】 *sandinoreum*, drama *m* de máscaras típico de nuestro país desde la dinastía de *Koryo*. ~도감 ㉮ 【민속】 grupo *m* de los actores de *sandinoreum*. ㉯ 【고제도】 oficina *f* gubernamental de la administración de *sandinoreum*. ~탈 *sandital*, máscara *f* del drama de *sandinoreum*. ~판 escena *f* del drama de *sandinoreum*.

산딸기(山－) ① [열매] zarzamora *f*, mora *f*, frambuesa *f*. ~ 잼 mermelada *f* de frambuesa. ② =산딸기나무.

산딸기나무(山－) 【식물】 frambueso *m*.

산똥 excremento *m* indigesto [no digerido].

산뜻하다 ① [(기분이나 느낌이) 깨끗하고 시원하다] sentirse aligerado [aliviado · fresco], ponerse como nuevo, sentirse fresco [refrescado], ser vivo [fresco · claro]. 산뜻한 빛깔 color *m* claro [sencillo · fresco · resplandeciente]. 이 디자인은 ~ Este es un diseño sencillo. 목욕을 하고 나니 산뜻했다 El baño me puso como nuevo. ② [(차림새나 생김새가) 아담하고 조촐하다] (estar) aseado, pulcro, limpio, bien arreglado, nítido, distinto. 옷차림이 산뜻한 propiamente vestido. 그는 산뜻한 몸매를 하고 있다 El lleva un vestido aseado / El está pulcramente vestido.

산뜻이 pulcramente, claramente, vivamente, distintamente.

산띠아고[1] 【지명】 Santiago (칠레의 수도).

■ ~ 사람 santiaguino, -na *mf*.

산띠아고[2] 【지명】 Santiago (도미니까 공화국의 도시).

산띠아고[3] 【지명】 Santiago (파나마의 도시).

■ ~ 사람 santiagueño, -ña *mf*.

산띠아고 데 꼼뽀스뗄라 【지명】 Santiago de Compostela (서반아 꼬루냐 주의 도시).

산띠아고 데 꾸바 【지명】 Santiago de Cuba (꾸바의 주 · 주도; 피델 까스뜨로가 주도한 꾸바 혁명(Revolución Cubana)의 요람지).

산띠아고 데 로스 까바예로스 【지명】 Santiago de Los Caballeros (도미니까 공화국의 도시; 산띠아고 주의 주도).

산란(産卵) postura *f* de huevos; [물고기의] desove *m*, oviposición *f*. ~하다 poner huevos; [물고기 · 개구리가] desovar, frezar, mugar.

■ ~관[기] oviscapto *m*. ~기(期) época *f* de puesta; [물고기의] desove *m*, freza *f*. ~장 lugar *m* de desove.

산란(散亂) ① [어지럽고 어수선함] distracción *f*, perturbación *f*, trastornadura *f*, trastornamiento *m*. ~하다 distraerse, perturbarse, trastornarse. 이 학생은 곧 마음이 ~해진다 Este alumno se distrae en seguida. 나는 라디오 소리에 마음이 ~해 공부를 할 수 없다 El ruido de la radio me distrae del estudio. 내 아내는 슬픔[근심]으로 마음이 ~했다 Mi esposa estaba trastornada por la pena [por la angustia]. ② 【물리】 dispersión *f*, esparcimiento *m*. ~하다 dispersarse, esparcirse, desparramarse.

산란히 distraídamente.

■ ~파(波) ola *f* aislada.

산령(山嶺) cima *f* [cumbre *f*] (de la montaña).

산령(山靈) ((준말)) =산신령(山神靈).

산로(山路) =산길.

산로(産勞) =산고(産苦).

산록(山麓) pie *m* del monte, falda *f* de una montaña. ~의 de una falda de una montaña. ~에 al pie del monte. ~의 마을 pueblo *m* [aldea *f*] que está al pie del monte.

■ ~ 지대 piamonte *m*. ~촌 aldea *f* en la falda de una montaña.

산류(酸類) ácidos *mpl*.

산릉(山陵) ① [산과 언덕] la montaña y el cerro. ② [왕의 무덤] tumba *f* [sepulcro *m*] real [del rey]. ③ [인산(因山) 전에 아직 이름을 정하지 아니한 새 능] nuevo mausoleo *m* antes de funerales nacionales.

산릉(山稜) =산기슭.

산리(山里) aldea *f* en la montaña.

산림(山林) ① [산과 숲] el monte y el bosque; [산에 있는 수풀] bosque *m*, selva *f*, floresta *f*; [밀림] selva *f*. ~의 forestal. 아마존 ~ selva *f* amazónica. ~을 가꾸다 poblar de árboles la montaña. 산림을 벌채하다 deforestar la montaña. ② =은사(隱士).

■ ~간수 guardia *f* del bosque; [사람] guardabosques *mf*, guardia *mf* forestal; silvicultor, -tora *mf*, guardián, -diana *mf* del bosque. ~ 감독관 guardia *mf* forestal; silvicultor, -tora *mf*. ~ 감시원 guardabosques *mf.sing.pl*. ~계 sección *f* de bosque. ~관 silvicultor, -tora *mf*, guardia *mf* forestal. ~ 관리 administración *f* forestal. ~국 departamento *m* de selvicultura. ~ 남벌 depoblación *f* forestal imprudente. ~녹화 depoblación *f* forestal. ~대 =산림 지대. ~ 벌채 despoblación *f* forestal, deforestación *f*. ~법 ley *f* forestal. ~ 보호 conservación *f* forestal. ~ 소득 ingresos *mpl* forestales. ~업 =임업(林業). ~ 조합 Asociación *f* de Silvicultura. ~ 지대 zona *f* forestal. ~천택(川澤) la montaña, el bosque, el río y el estanque. ~청 la Dirección de Silvicultura. ~학 selvicultura *f*, silvicultura *f*, [수목학(樹木學)] dendrografía *f*. ~ 학교 escuela *f* de silvicultura, escuela *f* de dendrografía. ~학자 dendrógrafo, -fa *mf*. ~ 학회 la Asociación Forestal. ~ 행정 administración *f* forestal.

산마루(山-) =산신령(山神靈).

산마루(山-) ((준말)) =산등성마루.

산마루터기(山-) cima *f* [cumbre *f* · pico *m*] de la montaña.

산마리노 【지명】 San Marino. ~의 sanmarinense. ~ 사람 sanmarinense *mf*.

산막(山幕) chabola *f*, cabaña *f* [choza *f*] montañera.

산만(散漫) distracción *f*, falta *f* de atención, descuido *m*, difusión *f*, vaguedad *f*. ~하다 (estar) destraído, difundido, vago, desatento, descuidado; [문장이] flojo; [생각이] confuso, impreciso. 주의의 ~ distracción *f* de atención. 주의를 ~하게 하다 distraer *su* atención. 그는 주의가 ~했다 El está desatento / Le falta la concentración de espíritu. 의론이 ~해졌다 Se ha perdido el hilo de la discusión.

산망스럽다 (ser) frívolo, superficial, desconsiderado, descuidado, irreflexivo, displicente, indiferente, imprudente.

산망스레 frívolamente, superficialmente, desconsideradamente, displicentemente, imprudentemente, con imprudencia. ~ 굴다 comportarse displicentemente.

산매(散賣) venta *f* (al) por menor. ~하다 vender al por menor [al menudo].

■ ~상(商) lonjista *mf*, tendero, -ra *mf* [vendedor *mf* · comerciante *mf*] al por menor; revendedor, -dora *mf*. ~업 =소매업. ~점 =소매점.

산맥(山脈) sierra *f*, cordillera *f*, cadena *f* montañosa, cadena *f* de montaña. ~의 cordillerano. 안데스 ~ los Andes. 알프스 ~ los Alpes, cordillera *f* alpestre. 피레네 ~ los Pirineos.

산머리(山-) =산꼭대기.

산멀미(山-) =산악병. 고산병(高山病).

산멱통 garganta *f* del animal vivo.

산명(山鳴) ruido *m* de la montaña.

산명수려(山明水麗) belleza *f* pintoresca, paisaje *m* pintoresco. ~하다 (ser) pintorescamente bello.

산명수자(山明水紫) paisaje *m* pintoresco. ~하다 (ser) pintorescamente bello.

산명수청(山明水淸) paisaje *m* limpio y pintoresco. ~하다 (ser) hermono, limpio y pintoresco.

산모(産母) mujer *f* en sobreparto.

■ ~ 보호 protección *f* de maternidad.

산모롱이(山-) espolón *m* [ramal *m*] de una montaña.

산모퉁이(山-) espolón *m* [ramal *m*] de una montaña.

산목숨 *su* vida (viva).

산몸 cuerpo *m* viviente.

산무애뱀(山-) 【동물】 ((학명)) Elaphe quadrivir gata.

산문(山門) ① [산의 어귀] entrada *f* de una montaña. ② ((불교)) [절의 바깥 문] entrada *f* del templo budista, puerta *f* principal de un templo budista. ③ ((불교)) [절] templo *m* budista, monasterio *m* budista, convento *m*.

산문(産門) vulva *f*, vagina *f*, conducto *m* sexual que se extiende desde la vulva hasta la matriz.

산문(散文) 【문학】 prosa *f*. ~으로 바꾸다 transformar a la prosa. ~으로 쓰다 escribir en prosa.

■ ~가 persona *f* versada en prosa, prosita *mf*. ~극 drama *m* en prosa. ~시 poema *m* en prosa, prosa *f* poética. ~ 작가 prosista *mf*. ~ 작품 obras *fpl* en prosa. ~적 prosaico. ¶~으로 prosaicamente, en prosa. ~체 estilo *m* prosístico. ~학 estudios *mpl* prosísticos.

산물(産物) productos *mpl*, fruto *m*. 그들도 그 암흑 시대의 ~이다 También ellos son frutos de esa época aciaga.

◆부(副)~ producto *m* accesorio, subproducto *m*. 주요(主要) ~ productos *mpl* principales.

산미(山味) ① [산에서 나는 과실] fruta *f* silvestre. ② [산에서 나는 과실의 맛] sabor

m de la fruta silvestre.
산미(酸味) acidez *f*, agror *m*, sabor *m* agrio. ~가 있는 ácido, agrio. ~가 있다 tener sabor ácido, agriarse.
산밑(山-) debajo del monte.
산바람(山-) ① [산꼭대기에서 평지로 부는 바람] brisa *f* de la cima de la mañana. ② [산지에서 부는 바람] viento *m* montañés.
산발(散發) ocurrencia *f* esporádica. ~하다 ocurrir esporádicamente.
■ ~성 lo esporádico. ~적 esporádico. ¶~으로 esporádicamente. 총성이 ~으로 들렸다 Se oyeron disparos esporádicamente.
■ ~ 히트 golpes *mpl* esporádicos.
산발(散髮) pelo *m* desmochado. ~하다 cortarse el pelo. ~시키다 cortar*le* el pelo a *uno*.
산밤(山-) castaña *f* montesa [silvestre].
산방(山房) ① =산장(山莊). ② ((불교)) [절의 건물] edificio *m* del templo budista. ③ = 서재(書齋). ¶소석(小石)~ Biblioteca de *Soseok*. ④ [산촌 집의 방] habitación *f* de la casa montañesa.
산방(訕謗) =비방(誹謗).
산법(算法) aritmática.
◆ 십진(十進) ~ aritmática *f* decimal.
■ ~ 기호 signos *mpl* aritméticos.
산벚나무(山-) 【식물】 cerezo *m* silvestre.
산벼락 experiencia *f* horrible.
산벼랑(山-) precipicio *m* en la montaña.
산병(散兵) soldados *mpl* dispersos, escarazador *m*, guerrillero *m*.
■ ~선(線) línea *f* escaramuzada. ~전 escaramuza *f*. ~진(陣) formación *f* de batalla escaramuzada. ~호(壕) trinchera *f* de escaramuza.
산보(散步) paseo *m*. ~하다 pasear(se), dar un paseo, tomar un paseo; [일주하다] dar una vuelta, tomar el aire. ~하러 가다 ir de paseo. 공원에 ~하러 가다 ir de paseo al parque, ir al parque a dar un paseo. 나는 그 주변을 ~하려고 한다 Yo voy a dar una vuelta por allí.
■ ~객 paseante *mf*.
산복(山腹) ladera *f*, falda *f*, lado *m* de una montaña. ~에 있는 집 casa *f* en las faldas de la montaña.
산봉(山峰) =산봉우리.
산봉우리(山-) cima *f*, cumbre *f*, pico *m*.
산봉우리구름 【기상】 =뭉게구름.
산부(産婦) mujer *f* parida, mujer *f* en cinta, parturienta *f*, mujer *f* embarazada.
■ ~ 보호 protección *f* de maternidad.
산부리(山-) saliente *m* de la montaña.
산부인과(産婦人科) ginecología *f*; [병원] casa *f* de maternidad, clínica *f* de parturientas.
■ ~ 의사 ginecólogo, -ga *mf*. ~ 전문 의사 uterólogo, -ga *mf*.
산부처 ① ((불교)) [불도에 통하여 부처처럼 도가 높은 중] Buda *m* viviente. ② ((불교)) [아주 착하고 어진 사람] persona *f* virtuosa, muy buena persona *f*, [남자] muy buen hombre *m* (*pl* muy buenos hombres), hombre *m* virtuoso; [여자] mujer *f* virtuosa, muy buena mujer *f*.
산분(酸分) 【화학】 contenido *m* ácido.
산불 fuego *m* vivo. ~로 a fuego vivo.
산불(山-) incendio *m* forestal [de monte · de bosque · de selva]. ~을 방지하다 prevenir los incendios forestales.
산붕(山崩) derrumbamiento *m* [derrumbe *m* · desprendimiento *m*] de tierras. ~하다 tener el derrumbamiento de tierras.
산붕괴(山崩壞) =산사태(山沙汰).
산비둘기(山-) 【조류】 paloma *f* torcaz [silvestre], tórtola *f*.
산비탈(山-) cuesta *f* empinada de la montaña.
산뽕(山-) ① =산뽕나무. ② [산뽕나무의 잎] hoja *f* del moral silvestre.
산뽕나무(山-) moral *m* silvestre [montés].
산사(山寺) templo *m* [monasterio *m*] en el monte, templo *m* montés, templo *m* budista en la montaña.
산사(山査) 【식물】 ① =산사나무. ② =산사자 (山査子).
■ ~자(子) fruto *m* del espino.
산사나무(山査-) 【식물】 aceloro *m*, espino *m*.
산사람(山-) montañés, -ñesa *mf*, montañero, -ra *mf*, montaraz *m* (*pl* montaraces); [등산가] alpinista *mf*, montañista *mf*, andinista *mf*.
산사전(-辭典) diccionario *m* andante, enciclopedia *f* viviente.
산사태(山沙汰) derrumbamiento *m* [derrumbe *m* · desprendimiento *m*] (de montaña), argayo *m*, desprendimiento *m* de tierras.
산삭(産朔) =산월(産月). 해산달.
산산이(散散-) en pedazos, en añicos, en piezas sueltas, esparcidamente; [따로따로] separadamente; [빗소리 따위가] en gotas. ~ 부서지다 romperse en pedazos. ~이 깨어지다 ser quebrantado, hacerse pedazos. 그것은 ~ 부서졌다 Quedó hecho trizas.
산산조각(散散-) pedazos *mpl* rotos, fragmentos *mpl*, fracciones *fpl*. ~이 되어 roto a pedazos. ~이 난 시체 cadáver *m* despedazado. ~이 난 비행기의 파편 pedazos *mpl* de un avión descompuesto. ~으로 부서지다 romperse en padazos. ~이 나다 hacerse (a) pedazos, romperse en mil pedazos, reducirse a polvo, hacerse añicos, ser destrozado, dividirse en secciones, separarse en partes, descomponerse, desunirse. ~을 내다 hacer (a) pedazos, despedazar, dividir en secciones, separar en partes, reducir a polvo, romper en pedazos, hacer añicos, destrozar, desintegrar, machacar, pulverizar; [분해 · 분산시키다] descomponer, desunir. 항아리가 떨어져 ~이 났다 Se ha caído el jarro y se ha hecho añicos.
산산하다 hacer un poco de frío.
산산히 fríamente un poco.
산살바도르 【지명】 San Salvador (엘살바도르

공화국의 수도). ～의 salvadoreño. ～ 사람 salvadoreño, -ña *mf.*

산삼(山蔘) ginseng *m* [ginsén *m*] silvestre [montés].

산상(山上) [산 위] (en) la cima del monte.
■～ 수훈[보훈·설교] sermón *m* de la Montaña, sermón *m* en el Monte.

산새(山－) pájaro *m* silvestre [montés].

산색(山色) ① [산빛] color *m* de la montaña. ② [산의 경치] paisaje *m* de la montaña.

산설(山雪) nieve *f* amontonada en la montaña.

산성(山城) fortaleza *f*, fuerte *m*; ((성경)) refugio *m*.

산성(酸性) acidez *f*, acetosidad *f*. ～의 ácido. ～으로 만들다 acidar, acidificar.
■～도(度) cidez *f*. ～률 coeficiente *m* de acidez. ～ 매체 catalizador *m* ácido. ～ 반응(反應) reacción *f* de ácido. ～ 백토(白土) arcilla *f* ácida. ～비 lluvia *f* ácida. ～ 산화물(酸化物) oxido *m* ácido. ～ 소화 불량증 indigestión *f* ácida. ～ 시험 prueba *f* de acidez. ～염 cloruro *m* ácido, sal *f* ácida. ～ 염료[물감] colorante *m* ácido. ～ 유산염 bisulfato *m*. ～ 점토 arcilla *f* ácida. ～ 중독증 acidosis *f*. ～증 acidismo *m*. ～ 탄산 나트륨 ＝탄산 수소 나트륨. ～ 토양 tierra *f* ácida. ～화(化) acidificación *f*. ¶～하다 acidificar. ～흙 tierra *f* ácida.

산세(山勢) característica *f* geográfica de una montaña, aspecto *m* físico de una montaña.

산소(山所) ① ((높임말)) ＝뫼. ② [뫼가 있는 곳] cementerio *m*.

산소(酸素) oxígeno *m*. ～를 포함한 oxigenado. ～ 처리하다 oxigenar. 식물은 잎을 통해 ～를 발산(發散)하다 Las plantas liberan [desprenden] oxígeno a través de las hojas.
◆생물학적 ～ 수요 demanda *f* de oxígeno biológico. 액체 ～ oxígeno *m* líquido.
■～ 결핍 anoxia *f*. ～ 결핍증 anoxemia *f*. ～계(計) oxímetro *m*. ～ 계측법 oximetría *f*. ～ 공급기 oxigenerador *m*. ～마스크 máscara *f* de oxígeno. ～병(甁) botella *f* de oxígeno. ～산(酸) oxácido *m*. ～ 아세틸렌 용접 soldadura *f* oxiacetilénica. ～ 압저하 hipoxia *f*. ～ 압축기 compresor *m* de oxígeno. ～ 에테르 흡입 요법 oxieteroterapia *f*. ～ 열량계 oxicalorímetro *m*. ～ 요법 terapia *f* de oxígeno. ～ 용접[땜] soldadura *f* de oxígeno. ～ 제거(除去) desoxidación *f*, desoxigenación *f*. ¶～하다 desoxidar, desoxigenar. ～ 처리 oxigenación *f*. ¶～하다 oxigenar. ～ 펌프 bomba *f* de oxígeno. ～ 포화 oxigenación *f*. ～ 포화도 oxigrama *m*. ～ 화합물 combinación *f* de oxígeno. ～ 흡입 inhalación *f* de oxígeno. ～ 흡입기 inhalador *m* de oxígeno.

산소리 jactancia *f*, petulancia *f*, fanfarronada *f*. ～하다 fanfarronear, fanfarrear, darse importancia, darse infulas, hacer alarde (de), jactarse (de).

산속(山－) corazón *m* de la montaña. ～에(서) en el monte, en la montaña.

산송장 cadáver *m* viviente, persona *f* decrépita. 그는 마치 ～이다 El es un cadáver viviente.

산수(山水) ① [산과 물] la montaña y el agua; [경치. 풍경] paisaje *m*, vista *f*. ～의 아름다움 hermosura *f* natural. ～가 아름다운 곳 lugar *m* de gran hermosura natural. ② [산에서 흘러내리는 물] el agua *f* que corre de la montaña. ③【미술】((준말)) ＝산수화(山水畵).
■～도 ㉮ [산수의 지세(地勢)를 나타낸 약도(略圖)] esquema *f* de la montaña. ㉯【미술】＝산수화. ～미(美) belleza *f* natural, belleza *f* pintoresca. ～병(풍) biombo *m* con el paisaje natural. ～화 paisaje *m*, paisajismo *m*, país *m*, pintura *f* paisajista [de paisaje]. ～화가 paisajista *mf*; pintor, -tora *mf* paisajista [de paisaje].

산수(算數) ①【수학】[기호적인 셈법] aritmética *f*, matemáticas *fpl*, calculación *f*. ② ＝산술(算術).
■～ 문제 problema *m* aritmético.

산수소(酸水素)【화학】oxhidrogen *m*. ～의 oxhídrico.
■～ 불꽃[염(焰)] llama *f* oxhídrica. ～ 용접 soldadura *f* oxhídrica. ～ 취관 cerbatana *f* oxhídrica. ～ 폭발 가스 gas *m* detonante de oxhidrogen.

산술(算術) ① aritmética *f*, ajuste *m* de cuentas. ～을 하다 hacer cuentas, calcular, numerar. ② ((구용어)) ＝산수(算數).
■～가(家) aritmético, -ca *mf*. ～급수 ＝등차급수. ～수열 ＝등차수열. ～적 aritmético. ¶～으로 aritméticamente. ～ 평균 media *f* aritmética.

산스크리트 [범어(梵語)] sánscrito *m*.
■～학 sanscritismo *m*. ～ 학자 sanscritista *mf*.

산승(山僧) ① [산속의 절에 사는 중] sacerdote *m* budista que reside en el templo en la montaña. ② [중이 자기를 낮추어 이르는 말] yo, humilde sacerdote *m*.

산식(算式) ＝식(式).

산신(山神)【민속】((불교)) ＝산신령(山神靈).
■～나무[목] árbol *m* plantado alrededor de la tumba para la protección de la tumba. ～제 servicio *m* religioso para el dios de una montaña.

산신령(山神靈) dios *m* de una montaña, espíritu *m* de guardián de una montaña.

산실(産室) sala *f* [cámara *f*] de partos, sala *f* de maternidad.

산실(散失) dispersión *f* y pérdida. ～하다 dispersar y perder.

산아(産兒) ① [아이를 낳음] parto *m*, alumbramiento *m*. ② [태어난 아이] niño *m* recién nacido, niña *f* recién nacida.
■～ 제한(制限) control *m* de (la) natalidad, control *m* del parto, limitación *f* de la natalidad. ¶～을 하다 controlar la natalidad [el parto]. ～ 제한론자 defensor, -sora

mf de control de la natalidad. ~ 제한법 ley *f* de control de la natalidad. ~ 제한 상담소 clínica *f* de control de la natalidad.

산악(山岳/山嶽) montañas *fpl* (altas y empinadas), sierra *f*. ~의 alpino, alpestre. ~이 많은 montañoso.

■ ~ 구조대 (救助隊) equipo *m* de rescate de montaña. ~국 país *m* montañoso. ~ 기상 tiempo *m* de montañas. ~ 기압계 orómetro *m*. ~ 기후(氣候) clima *m* de montañas. ~병(病) mal *m* de alturas, mal *m* de montaña, *Chi* puna *f*, *Andes* soroche *m*, *CoS* apunamiento *m*. ~부(部) club *m* alpino. ~ 비행 vuelo *m* sobre el distrito montañoso. ~ 숭배 culto *m* a la montaña, adoración *f* de la montaña. ~인 alpinista *mf*; montañista *mf*; andinista *mf*. ~전(戰) guerra *f* de montañas. ~ 지대(地帶) zona *f* montañosa, el área *f* (*pl* las áreas) montañosas. ~ 지방 región *f* montañosa, distrito *m* montañoso. ~ 철도 ferrocarril *m* de montañas. ~터널 túnel *m* de montañas. ~ 풍경화 paisaje *m* de montañas. ~ 풍경 화가 paisajista *mf* de montañas. ~학 orografía *f*, orología *f*. ~회 sociedad *f* alpina, asociación *f* de alpinistas.

산안개구름(山－) 【기상】 estrato *m*.

산액(産額) ((준말)) ＝생산액(生産額).

산야(山野) la montaña y el campo, campos *mpl* y montañas, montes *mpl* [montañas *fpl*] y llanuras. ~를 쏘다니다 recorrer montañas y llanuras [campos y montañas].

산약(散藥) medicina *f* en polvo.

산양(山羊) ① [염소] cabra *f* (montés), chiva *f*, cabrón *m*; [새끼] cabrito, -ta *mf*; chivo, -va *mf*; cabra *f* joven; [생후 6개월에서 1년의] chivato, -ta *mf*. ② [영양(羚羊)] antílope *m*.

산언덕(山－) loma *f*, altozano *m*, montículo *m*.

산언저리(山－) cresta *f* [cadena *f*] de una montaña.

산업(産業) industria *f*. ~의 industrial. ~의 국영화 nacionalización *f* de industrias. ~의 지방화 localización *f* de industrias. ~의 합리화 racionalización *f* industrial. ~의 발달 desarrollo *m* industrial. ~을 장려하다 fomentar [promover] la industria.

◆국방 ~ industria *f* de defensa (nacional). 기간 ~ industria *f* clave. 세계 ~노동자 조합 asociación *f* de obreros industriales del mundo. 수출 ~ industria *f* de exportación. 일차[이차・삼차] ~ industrias *fpl* primarias [segundarias・terceras]. 전시 ~ industria *f* de guerra. 정보 ~ industria *f* de comunicaciones [de informaciones]. 주요(主要) ~ industria *f* principal. 철강 ~ industria *f* de hierro y acero. 평화 ~ industria de paz. 한국 ~ 은행 el Banco Industrial de Corea.

■ ~가 industrial *mf*. ~ 개발 desarrollo *m* industrial. ~계 círculos *mpl* industriales, mundo *m* industrial. ~ 고고학 arqueología *f* industrial. ~ 공학 ingeniería *f* industrial. ~ 공해 contaminación *f* [polución *f*] industrial. ~ 공황 pánico *m* industrial. ~ 광고 publicidad *f* industrial. ~ 교육 educación *f* industrial. ~ 구조 estructura *f* industrial. ~국 país *m* industrial. ~ 국유화 nacionalización *f* industrial. ~ 국유화 정책 política *f* de nacionalización industrial. ~ 금융 finanzas *fpl* industriales. ~ 기계 máquina *f* industrial. ~ 기사(技師) ingeniero, -ra *mf* industrial. ~ 기지 base *f* industrial. ~ 뉴스 noticia *f* industrial. ~ 도로 camino *m* industrial. ~ 도시 ciudad *f* industrial. ~ 동원(動員) movilización *f* industrial. ~ 디자인 diseño *m* industrial. ~ 디자이너 diseñador, -dora *mf* industrial. ~ 민주주의 democracia *f* industrial. ~ 박람회 exposición *f* industrial, feria *f* industrial. ~법 ley *f* industrial. ~별 노동 조합 sindicato *m* de industrial, sindicato *m* industrial, asociación *f* sindical por industrias. ~별 노동 조합 회의 el Congreso de Organizaciones Profesionales. ~별 조합 unión *f* industrial. ~ 부문(部門) rama *f* industrial. ~ 분류 clasificación *f* industrial. ~ 사회 sociedad *f* industrial, sociedad *f* industrializada. ~ 성장률(成長率) tasa *f* de crecimiento industrial. ~ 스파이 [행위] espionaje *m* industrial; [사람] espía *mf* industrial. ~ 심리학 psicología *f* industrial. ~ 안전 seguridad *f* industrial. ~ 예비군 reservas *fpl* industriales. ~용 로봇 robot *m* industrial. ~용 제품 생산재 bienes *mpl* industriales, productos *mpl* industriales. ~ 용품 시장 mercado *m* industrial. ~ 위생 higiene *f* industrial, higiene *f* en el trabajo. ~ 은행 banco *m* industrial, banco *m* hipotecario. ~ 의학 medicina *f* industrial. ~입국 economía *f* nacional basada en la industria. ~ 자금 fondo *m* industrial. ~ 자본(資本) capital *m* industrial. ~ 자치(自治) autonomía *f* industrial. ~ 재해(災害) accidente *m* laboral, accidente *m* de trabajo. ~ 재해 보상 보험 seguro *m* de compensación de accidente laboral. ~적 industrial. ¶~으로 industrialmente. ~적 실업 desempleo *m* industrial. ~적 위험 riesgo *m* industrial. ~ 정책 política *f* industrial. ~ 조직 organización *f* industrial. ~ 조합 sindicato *m*, asociación *f* industrial, sociedad *f* cooperativa de producción. ~주의 industrialismo *m*. ~ 지리학 geografía *f* industrial. ~ 진화 evolución *f* industrial. ~ 통제 control *m* industrial, control *m* de industria. ~ 투자 inversión *f* industrial. ~ 폐기물 residuos *mpl* industriales. ~ 포장(褒章) medalla *f* (de mérito) industrial. ~ 합리화(合理化) racionalización *f* industrial. ~ 항공(航空) aviación *f* industrial. ~ 혁명 revolución *f* industrial. ¶불란서(佛蘭西) ~ la Revolución Industrial Francesa. ~화 industrialización *f*.

¶~하다 industrializar(se). ~된 industrializado. ~된 국가 país *m* industrializado. ~활동 actividad *f* industrial. ~ 훈장(勳章) la Orden de Mérito Industrial.

산업 은행(産業銀行) ((준말)) =한국 산업 은행(韓國産業銀行).

산역(山役) trabajo *m* de tumba, construcción *f* de una tumba. ~하다 construir la tumba, cavar la tumba.

■~꾼 sepulturero, -ra *mf*, enterrador, -dora *mf*; trabajador, -dora *mf* de tumba.

산염화물(酸鹽化物) 【화학】 cloruro *m* de ácido.

산욕(産褥) sobreparto *m*, puerperio *m*. ~이 있다 estar en sobreparto. ~ 중이다 estar de parto.

■~기(期) puerperio *m*, sobreparto *m*. ~부(婦) puérpera *f*. ~열 fiebre *f* puerperal.

산용(山容) figura *f* [forma *f*·contorno *m*] de una montaña [de un monte].

■~수상(水相) figura *f* de la montaña y del río.

산용 숫자(算用數字) número *m* arábigo, guarismo *m*.

산울 ((준말)) =산울타리.

산울림 eco *m*, retumbo *m* de montaña. ~하다 resonar, formar eco. ~의 ecoico. ~이 울린다 El eco resuena [retumba].

산울타리 seto *m* (vivo·verde). ~를 만들다 hacer un seto (vivo). 정원을 ~로 두르다 cercar el jardín con un seto.

산원(産院) (casa *f* de) maternidad *f*, clínica *f* de parto.

산월(産月) mes *m* de(l) parto, mes *m* de(l) alumbramiento.

산유(産油) producción *f* de petróleo.

■~국 país *m* productor de petróleo.

산육하다(産育—) soportar y criar, dar y aumentar.

산은(産銀) ((준말)) =산업 은행(産業銀行).

산음(山陰) sombra *f* de la motaña, norte *m* de la montaña.

산읍(山邑) aldea *f* en las montañas.

산인(山人) ① [깊은 산중에서 세상을 떠나 사는 사람] persona *f* que vive en la montaña profunda fuera del mundo. ② [산속에 사는 중이나 도사] [중] sacerdote *m* budista que vive en la montaña; [도사] ermitaño, -ña *mf*. ③ ((불교)) sacerdote *m* budista; monje, -ja *mf* budista.

산일(散逸) dispersión *f*. ~하다 dispersarse, perderse.

산입(算入) inclusión *f*. ~하다 incluir (en), contener, contar juntos, tomar en consideración. 예산에 ~하다 incluir (una suma) en el presupuesto.

산자수명(山紫水明) belleza *f* escénica, paisaje *m* pintoresco, paisajes *mpl* hermosos. ~하다 ser escénicamente hermoso. ~한 곳 lugar *m* [sitio *m*] con paisajes hermosos.

산자전(—字典) diccionario *m* andante, enciclopedia *f* viviente, diccionario *m* ambulante, enciclopedia *f* ambulante.

산장(山莊) quinta *f* de montaña, villa *f*, casa *f* de campo, chalet *m* (de montaña), chalé *m*, bungalow *ing.m*.

산재(散在) dispersión *f*. ~하다 estar esparcido [diseminado], encontrarse disperso, estar disperso, estar mosqueado, hallarse aquí y allí, dispersarse. 이 지방에는 작은 마을들이 ~해 있다 Esta comarca está salpicada [punteada] de pequeñas aldeas.

산재(散財) gastos *mpl*, expensas *fpl*, derroche *m*. ~하다 gastar dinero, derrochar, malgastar, derrochar [tirar de largo·malbaratar·malgastar] el dinero. 그렇게 많이 ~하게 해서 죄송합니다 Siento mucho haberle hecho gastar tanto.

산재 보험(産災保險) ((준말)) =산업 재해 보상 보험.

산적(山賊) bandido *m*, bandolero *m*, salteador *m* de caminos. ~의 소굴 caverna *f* de bandoleros.

산적(山積) apilamiento *m*, acumulación *f*, pila *f*, montón *m*. ~하다 apilarse, acumularse, amontonarse. ~되어 en pila. 문제가 ~해 있다 Están amontonados [acumulados] los problemas / Hay un montón de problemas. 책상 위에 서류가 ~해 있다 Los documentos se acumulan sobre el escritorio.

산적(散炙) ① [쇠고기 따위를 길쭉길쭉하게 썰어 양념을 하여 꼬챙이에 꿰어서 구운 적] pincho *m*, kebab *m*, brocheta *f*, *RPl* brochette *m*, *Bol*, *Chi*, *Per* anticucho *m*. ② ((준말)) =사슬산적.

■~도둑 ㉮ [맛있는 음식만 골라 먹는 사람] persona *f* que come solamente la comida sabrosa. ㉯ [시집간 딸] hija *f* casada, hija *f* que se casó.

산적(散積) carga *f* a granel. ~하다 cargar a granel.

■~ 화물(貨物) cargo *m* a granel.

산전(山田) campo *m* en el monte.

산전(山戰) batalla *f* en la montaña, batalla *f* montesa, guerra *f* montesa.

■~수전(水戰) mucha experiencia. ¶~ 다 겪다 tener mucha experiencia, ser un perro viejo.

산전(産前) antes de parto.

■~ 산후 휴가 vacaciones *fpl* antes y después de parto.

산정(山亭) pabellón *m* (*pl* pabellones) en la montaña.

산정(山頂) cima *f*, cumbre *f*, pico *m*.

산정(算定) cálculo *m*, tanteo *m*, cómputo *m*; [평가] estimación *f*. ~하다 calcular, tantear, computar, estimar. 피해액을 ~하다 calcular los daños recibidos. 판매 가격을 ~하다 computar el precio de venta.

■~ 가격 valor *m* aproximado.

산주(山主) propietario, -ria *mf* [dueño, -ña *mf*] de la montaña.

산줄기(山—) cordillera *f*, sierra *f*.

산중(山中) en la montaña, en el monte. ~에 en el monte, en la montaña, entre montañas. 깊은 ~ corazón *m* [lo más recóndito] de una montaña, montaña profunda. 피레네 ~의 촌 pueblo *m* pirenaico.

산증(疝症) 【한방】 hernia *f* escrotal.

산지(山地) ① [산이 있는 곳] región *f* montañosa, tierra *f* montañosa, comarca *f* montañosa, territorio *m* montañoso, país *m* montañoso. ② [묏자리가 되기에 적당한 땅] tierra *f* apropiada para la tumba.

산지(産地) lugar *m* de producción, región *f* productora, (lugar *m* de) origen *m*; [나라] país *m* productor. 이 지방은 금의 ~로 유명하다 Esta región es famosa por la producción de oro.

산지기(山-) guarda *mf* de bosque, guardabosques *mf.sing.pl*, montaraz *m*.

산지니(山-) 【조류】 halcón *m* (*pl* halcones) montés, halcón *m* salvaje.

산지식(-知識) sabiduría *f* viviente.

산지옥(-地獄) =생지옥(生地獄).

산진(山陳) 【조류】 =산지니.

산질(散帙) =낙질(落帙).

산짐승(山-) animal *m* montés [monatañero], animal *m* salvaje, bestia *f* montesa [montañera・montaraz].

산채(山砦/山寨) fortaleza *f* montesa; [도둑의] guarida *f* (de bandidos monteses).

산채(山菜) hortalizas *fpl* naturales de la montaña.

산채로 vivo. ~ 매장(埋葬)하다 enterrar vivo. ~ 잡다 coger vivo. ~ 태우다 quemar vivo.

산책(散策) paseo *m*, paseata *f*. ~하다 pasear(se), dar un paseo, tomar el aire, dar una vuelta. ~시키다 pasear, hacer pasear. 아침 ~ paseo *m* matutino. 목적 없이 ~하는 사람 paseante *mf* en corte. ~ 나가다 ir de paseo. 거리를 ~하다 pasear(se) [dar un paseo] por la calle. 정원을 ~ 하다 pasear(se) [dar un paseo] por el jardín. 어린이를 ~시키다 pasear a un niño. 개를 ~에 끌어내다 sacar el perro de paseo. 공원에 ~ 나가다 ir de paseo al parque, ir al parque a dar un paseo. 나는 오늘 오후에 공원을 ~하려 한다 Esta tarde (me) pasearé por el parque.

■ ~길 paseo *m*; [바닷가의] paseo *m* marítimo, *AmL* malecón *m*, *Méj*, *RPI* rambla *f*, *CoS* costanera *f*. ~로 paseo *m*. ~자 paseante *mf*.

산천(山川) ① [산과 내] el monte y el río [el arroyo]. ② [자연(自然)] naturaleza *f*.

■ ~초목 naturaleza *f*, paisaje *m* (natural), plantas *fpl* y árboles, topografía *f*.

산천어(山川魚) 【어류】 trucha *f*.

산철쭉(山-) 【식물】 azalea *f* real silvestre.

산초(山椒) pimienta *f*.

산초나무(山椒-) 【식물】 pimiento *m*, pimentero *m*.

산초어(山椒魚) 【동물】 =도롱뇽.

산촌(山村) aldea *f* montañosa, aldea *f* de montaña, aldea *f* [pueblo *m*] entre las montañas.

산출(産出) producción *f*, rendición *f*. ~하다 producir, rendir, redituar. 금(金)을 ~하다 producir el oro. 이 공장은 연간 1천만 톤의 철강을 ~한다 Esta fábrica produce diez millones de toneladas de acero al año.

■ ~고(高) (cantidad *f* de) producción *f*. ~량(量) cantidad *f* de producción. ~력 productividad *f*, poder *m* productivo. ~물 producto *m*, producción *f*. ~액 producción *f*. ~지 lugar *m* de producción, lugar *m* de origen, centro *m* productor.

산출(算出) cálculo *m*, cómputo *m*, cuenta *f*. ~하다 contar, calcular, computar. 경비를 ~하다 hacer un cálculo de los gastos.

산취(山醉) 【의학】 =고산병(高山病).

산칠(山漆) 【식물】 barniz *m* del Japón silvestre.

산코골다 fingir roncar.

산타클로스(영 *Santa Claus*) Papá Noel, San Nicolás, Santa Claus, *Chi* Viejo Pascuero.

산탄(散彈) ① =산탄(霰彈). ② [한 발씩 쏘는 탄환] bala *f* que tira un tiro tras otro.

산탄(霰彈) perdigones *mpl*.

■ ~총(銃) escopeta *f*. ~통 bote *m* (de metralla).

산태(山汰) derrumbamiento *m* en la montaña.

산턱(山-) cima *f* de una montaña.

산토끼(山-) 【동물】 liebre *f*.

산토닌(영 *santonin*) 【약】 santonina *f*.

산토도밍고 【지명】 Santo Domingo. ☞산또도밍고.

산통(疝痛) 【의학】 cólico *m*.

산통(産痛) 【의학】 =진통(陣痛).

산통(算筒/算筩) caja *f* para la ramita de destino de bambú.

산통 깨다 fastidiar*le* los planes (a *uno*), estropear, arruinar.

산티아고 【지명】 Santiago. ☞산띠아고

산파(産婆) ① [조산원] partera *f*, comadrona *f*. ② [어떤 일의 실현을 위해 잘 주선해서 이루어지도록 하는 존재(存在)] patrocinador, -dora *mf*.

■ ~술 obstetricia *f*, partería *f*. ~역 trabajo *m* de una partera; [비유적] ㉮ [프로그램이나 쇼의] patrocinador, -dora *mf*. ㉯ [스포츠 이벤트의] patrocinador, -dora *mf*, espónsor *mf*, sponsor *ing.mf*. ㉰ [예술 분야의] mecenas *mf*. ¶~을 하다 hacer [ejercer] de medianero; [후원하다] patrocinar, auspicinar, subvencionar, financiar.

산판(山坂) reserva *f* forestal.

산패(酸敗) 【화학】 acedía *f*, acidificacion *f*, avinagramiento *m*. ~하다 acedar, acidificarse.

■ ~액 ㉮ =신물. ㉯ [산패한 액체] líquido *m* acedado. ~유(乳) nata *f* [crema *f*] agria, leche *f* acedada.

산포(山砲) ① ((준말)) =산포수. ② 【군사】 [대포의 일종] cañón *m* de montaña.

■ ~대(隊) artillería *f* de montaña.

산포(散布) esparcimiento *m*, pulverización *f*. ~하다 esparcir, pulverizar, diseminar,

desparramarse.
■ ~기(器) [호스의] aspersor *m*, válvula *f*; [설탕·소금·밀가루용] espolvoreador *m*. ~도(度) dispersión *f*. ~약 polvo *m* de limpiar. ~ 오차 error *m* de dispersión.

산포도(山葡萄) uva *f* silvestre.
■ ~나무 vid *f* silvestre.

산포수(山砲手) cazador *m* que vive en la montaña.

산표(散票) votos *mpl* dispersos. ~를 획득하다 coger votos dispersos.

산품(産品) =산물(産物).

산하(山下) ① =산밑. ② =선산밑.

산하(山河) montañas *fpl* y ríos, paisaje *m*. 고향의 ~ naturaleza *f* de *su* tierra natal [nativa], paisaje *m* rural de la tierra natal.

산하(傘下) bajo la influencia [la protección] de *algo*. ~의 afiliado, asociado. …의 ~에 들어가다 afiliarse a *algo*, asociarse a *algo*.
■ ~ 기관 organización *f* afiliada. ~ 기업 empresa *f* afiliada. ~ 노동 조합 unión *f* obrera afiliada. ~ 단체 corporación *f* afiliada. ~ 조합 sindicato *m* asociado (a). ~ 회사 empresa *f* filial, filial *f*.

산학(山學) orología *f*.

산학(産學) la industria y la ciencia.
■ ~ 협동(協同) cooperación *f* industrial-universitaria.

산해(山海) montañas *fpl* y mares, monte *m* y mar.
■ ~진미 comida *f* espléndida, bocados *mpl* exquisitos de procedencias diversas, manjares *mpl* delicados y la tierra y del mar, productos *mpl* [recursos *mpl*] del mar y de la montaña.

산행(山行) ① [산에 감] ida *f* a la montaña, ida *f* al monte, montañismo *m*, alpinismo *m*, *AmL* andismo. ~하다 ir a la montaña, ir al monte, subir a una montaña. ② [사냥] caza *f*. ~하다 cazar, buscar o seguir a las aves, fieras y otras muchas clases de animales para cobrarlos o matarlos.
◆ 겨울 ~ alpinismo *m* de invierno.
■ ~꾼 cazador, -dora *mf*.

산허리(山一) ladera *f* de la montaña, parte *f* lateral de un monte. ~에 en las laderas.

산혈(山穴) ① [산에 뚫려 있는 구멍] agujero *m* en la montaña. ② [산의 정기(精氣)가 몰리어 있는 묏자리] lugar *m* de tumba cubierto de la esencia de la montaña.

산혈(産血) sangre *f* en parto.

산혈증(酸血症)【의학】acidosis *f*, acidemia *f*.

산협(山峽) ① =두메. ② [산속의 골짜기] boquete *m*, desfiladero *m*, garganta *f* (entre montes), puerto *m*.

산호(珊瑚) ① [산호충의 군체(群體)의 중축 신경] coral *m*. ~의 coralino, de coral. ~ 같은 coralino. ~ 모양의 coraliforme. ~질(質)의 coralífero. ~가 나는 coralígeno. ~를 채취하다 pescar de coral. ②【동물】=산호충(珊瑚蟲).
■ ~도[섬] isla *f* coralífera, isla *f* madrepórica. ~ 목걸이 collar *m* de coral, corales *mpl*. ~뱀 coral *f*, coralillo *m*. ~빛[색] (color *m*) coral *m*. ¶~의 coralino. ~ 입술 labios *mpl* coralinos. ~석(石) coral *m* fósil. ~ 세공사 coralero, -ra *mf*. ~속(屬) coralarios *mpl*. ¶~의 coralario. ~잠(簪) pasador *m* de coral. ~주(珠) bola *f* de coral. ~초 escollo *m* coralífero, barrera *f* coralina, arrecife *m* [escollo *m*] coralino.

산호세【지명】San José (꼬스따리까 공화국의 수도). ~ 사람 josefino, -na *mf*.

산호수(珊瑚樹) ①【식물】coral *m*. ②【식물】=아왜나무.

산호충(珊瑚蟲)【동물】coralina *f*, pólipo *m* de coral, musgo *m* marino.

산호해(珊瑚海) el mar del Coral.

산화(山火) =산불.

산화(酸化) oxidación *f*, oxigenación *f*. ~하다 oxidarse, oxigenarse. ~시키다 oxidar, convertir en óxido. ~시키는 oxidante. ~할 수 있는 oxidable.
■ ~구리[동] óxido *m* cuproso. ~마그네슘 óxido *m* de magnesio. ~물 óxido *m*, substancia *f* oxigenada. ~바륨 barita *f*, óxido *m* de bario. ~ 방지제 antioxidante *m*. ~수소 óxido *m* de hidrógeno. ~수은 óxido *m* mercúrico. ~아연 óxido *m* de cinc, cadmía *f*, flores *fpl* [blanco *m*·óxido *m*] de cinc. ~ 안정성 estabilidad *f* contra la oxidación. ~안티몬 óxido *m* de antimonio. ~연 óxido *m* plúmbico. ~염(焰) llama *f* oxidante. ~ 염료 colorante *m* de oxidación. ~ 적정(滴定) oxidimetría *f*. ~제 oxidante *m*. ~ 제이구리 óxido *m* cúprico. ~ 제이금 óxido *m* áurico. ~ 제이철 óxido *m* férrico. ~ 제일금 óxido *m* auroso. ~ 제일동 óxido *m* cuproso. ~ 제일철 óxido *m* ferroso. ~주석 óxido *m* estánnico. ~질소 óxido *m* nítrico. ~ 창연 óxido *m* de bismuto. ~철 óxido *m* ferroso-férrico. ~칼슘 óxido *m* cálcico. ~탄소 óxido *m* de carbono. ~ 혈액소 oxihemoglobina *f*. ~ 환원계 sistema *m* de oxidación-reducción. ~ 효소(酵素) oxidasa *f*, enzima *f* de oxidación.

산화(散華) ① [꽃다운 목숨이 전장(戰場) 등에서 죽음] muerte *f* heroica [gloriosa] en la batalla. ~하다 morir heroicamente [gloriosamente] en la batalla. ② ((불교)) rito *m* budista de esparcir las flores.

산회(散會) levantamiento *m* de la sesión, clausura *f*. ~하다 levantarse la sesión, clausurar.

산후(産後) inmediatamente después de parto. ~의 회복 convalecencia *f* después de parto. 어머니는 ~의 경과가 좋다 [나쁘다] Mi madre está bien [mal] después de parto.

살[1] ① [사람이나 동물의 몸을 이루고 있는 연한 물질] carne *f*, ((성경)) carne *f*, cuerpo *m*. ~이 조금 찐 gordito, regordete, rollizo. ~이 빠진 얼굴 rostro *m* enjuto [seco] de carnes. ~이 단단한 몸 cuerpo de músculos firmes. ~이 찌다 [붙다] engordar, poner [echar] carnes. ～이 빠지다 adelgazar, enflaquecer, perder carnes. ② ＝피부. ③ [과육(果肉)] carne *f.* ～이 단단한 과실 fruta *f* dura de carne. ～이 단단하지 않은 과실 fruta *f* blanda. ④ [논이나 밭의 흙] tierra *f.*

◆살(이) 내리다 adelgazar(se), ponerse delgado. 살(이) 오르다 engordar(se). 당신은 살이 올랐군요 Usted se ha engordado / [tú에게] Tú te has engodadado. 나는 살이 오르는 것이 싫다 No quiero engordar(se).

살² ① [창문이나 얼레·부채·연 또는 수레바퀴 따위의 뼈대가 되는 부분] [창의] reja *f*, barra *f* del enrejado; [수레바퀴의] rayo *m*, radio *m*. ② ((준말)) ＝빗살(diente). ③ ((준말)) ＝어살(encañizada). ④ ((준말)) ＝화살(flecha). ¶～을 쏘다 lanzar [arrojar] la flecha. ～처럼 빠르다 correr como una flecha. ～이 빗맞았다 La flecha no da en el blanco. ⑤ [벌의 꽁무니나 쐐기의 몸에 있는 침] aguijón *m* (*pl* aguijones). ⑥ [떡살로 찍는 무늬] diseño *m* de decoración de tarta. 떡에 ～을 박다 prensar el diseño en la tarta. ⑦ [해·별·불 또는 흐르는 물 따위가 내뻗치는 기운] ¶햇～ rayo *m* de sol. 물～ corriente *f*. ⑧ [(옷 따위에 생기는) 구김살] arruga *f*, [바지의] raya *f*, *Méj*, *Ven* pliegue *m*.

살³ [노름판의] acción *f* de aumentar *su* apuesta.

살⁴ ① [나이를 세는 단위] edad *f*, años *mpl*, años *mpl* de edad. 한 ～ un año, un año de edad. 열두 ～ doce años (de edad). 여섯 ～ 난 여아 niña *f* de seis años. 세 ～ 적에 a la edad de cinco años, a los cinco años. 서른 ～이다 tener treinta años (de edad). 그 사람은 몇 ～입니까? － 그는 금년에 만으로 마흔 ～이 될 겁니다 ¿Cuántos años tiene él? / ¿Qué edad tiene él? － El va a cumplir cuarenta años este año. 너 몇 ～이니? － 일곱 ～입니다 ¿Cuántos años tienes? / ¿Qué edad tienes? － Tengo siete años (de edad).

살(煞) ① 【민속】 [사람을 해치거나 물건을 깨치는 독하고 모진 귀신의 독기] espíritu *m* malvado [maligno·maléfico]. ② [형제·자매 등 친족 사이에 좋지 않는 띠앗] plaga *f*. 저 여자는 ～이 세다 Aquella mujer está plagada del demonio. 그는 ～이 가서 병들었다 El ha sido plagado de enfermedad.

살가죽 piel *f*, cutis *m(f)*.

살갈퀴 【식물】 algarroba *f*.

살갑다 ① [겉으로 보기보다는 속이 너르다] (ser) generoso, benevolente. ② [(마음이) 부드럽고 상냥스럽다] (ser) sociable y afable.

살강 balda *f*, estante *m*, anaquel *m*, repisa *f*.

살강거리다 ＝설경거리다.

살갗 ① [피부] cutis *m(f)*, piel *f*, [얼굴의 살결] tez *f*. ～이 흰 de tez blanca, de piel blanca, de cutis alabastrino. ～이 희다 tener la piel blanca, tener un cutis alabastrino. ② [살가죽의 겉면] exterior *m* del cutis.

살거름 fertilizante *m* [abono *m*] mezclado con las semillas de granos antes de sembrar.

살거리 gordura *f*, grasa *f*.

살결 cutis *m(f)*, tez *f*, piel *f*, color *m*. 거친 ～ tez *f* áspera, tez *f* rugosa. 고운 ～ hermoso cutis *m*, bella tez *f*, bello color *m*. 검은 ～ tez *f* morena. ～이 희다 La tez es blanca. ～이 무척 거칠다 La tez es muy áspera.

살구 albaricoque *m*, *Méj* chabacano *m*, *Arg* albarillo *m*, *RPl* damasco *m*.

■～꽃 flor *f* de albaricoque; ((성경)) flor *f* de almendro. ～밭 campo *m* del albaricoque. ～빛 (color *m*) crema *m* asalmonado. ～씨 almendra *f*. ～ 잼 mermelada *f* de albaricoque [de chabacano·de damasco]. ～편 panqueque *m* de albaricoque con miel.

살구나무 【식물】 albaricoquero *m*, *Méj* chabacano *m*, *Chi*, *RPl* damasco *m*; ((성경)) avellano *m*, almendro *m*.

살균(殺菌) esterilización *f*, desinfección *f*, [저온(低溫)의] pasterización *f*. ～하다 esterilizar, desinfectar, pasterizar. ～의 germicida, bactericida. 우유를 ～하다 esterilizar la leche.

■～기 esterilizador *m*. ～력(力) fuerza *f* desinfectante, poder *m* esterilizante. ～법 pasterización *f*. ～성 lo bactericidal. ～ 시험 prueba *f* bactericidal. ～ 약제 antimicrobia *f*. ～유(油) leche *f* esterilizada [pasterizada]. ～제[약] germicida *m*, bactericida *m*, microbicida *m*; [식품 공업용의] desinfectante *m*. ～ 혈청 suero *m* bactericida.

살그머니 furtivamente, ocultamente, en secreto, secretamente, a escondidas. ～ 들어가다 entrar a hurtadillas, entrar sigilosamente. ～ 나가다 salir a hurtadillas, salir sigilosamente. 그들은 ～ 방으로 들어갔다 Ellos entraron en la habitación a hurtadillas / Ellos entraron sigilosamente en la habitación.

살근거리다 [나뭇잎이] susurar; [종이가] crujir; [비단이] hacer frufrú.

살근살근 susurando, crujendo, haciendo frufrú.

살금살금 a escondidas, subrepticiamente, a hurtadillas, furtivamente, a [de] puntillas, a gachas, *CoS* en puntas de pie. ～ 걷다 andar [caminar] de puntillas, CoS caminar de puntas de pie. ～ 나가다 salir [marcharse], a hurtadillas. ～ 도망치다 escabullirse, tomar soleta.

살긋하다 inclinarse.

살기¹ [몸에 살이 붙은 정도] gordura *f*, grasa *f*. ～가 많다 (ser) gordo, graso.

살기² 【동물】 ＝살쾡이.

살기(殺氣) aire *m* belicoso, sed *f* por sangre, furia *f*, furor *m*, ferocidad *f*, ((성경)) muerte *f*. ～를 띤 furioso. ～가 서리다 po-

nerse furioso, sentirse la sangre hirviente. 회장(會場)에는 ~가 떤다 Se percibe [Reina] una tensión extrema en la sala.
■ ~등등 amenaza *f* de muerte. ¶~하다 amenazar de muerte. ~한 군중 multitud *f* sobrexitada. ~한 눈으로 con unos ojos sobrexitados. ~충천 ferocidad *f* extendida [generalizada].

살길¹ [화살이 날아가는 길] camino *m* que la flecha vuela.

살길² [살기 위한 방도와 도리] medios *mpl* de vida, sustento *m*, vida *f*. ~을 찾다 buscar el camino de ganarse la vida. ~을 잃다 perder *su* vida.

살깃 pluma *f* de una flecha.

살날 ① [앞으로 세상에 살아 있을 날] día *m* que le queda. 그는 ~이 얼마 남지 않았다 El tiene los días contados / El no es largo para este mundo. ② [유족하게 살 날] día *m* de vivir en la abundancia.

살내 olor *m* a carne, olor *m* a cuerpo.

살내리다 ☞살¹

살년(殺年) gran año *m* de mala cosecha, gran año *m* desgraciado.

살눈 ①【식물】=알눈. ② [얇게 내리는 눈] nieve *f* que cayó un poco.

살다¹ ① [목숨을 지니고 존재하다] vivir, estar vivo. 산 vivo. 산 물고기 pez *m* (*pl* peces) (vivo). 산 사전 enciclopedia *f* [diccionario *m*] viviente [andante]. 살 것 같다 sentirse reanimado. 내가 살아 있는 동안(은) mientras (que) yo viva. 소는 풀을 먹고 산다 La vaca vive de pasto. 그는 아직 살아 있다 El vive todavía / El está todavía con vida. 할머님께서는 여든다섯 살까지 사셨다 Mi abuelo vivió hasta los ochenta y cinco años. 살아 있는 동안에 다시 그를 볼 수 있을까요? ¿Será posible que le vea de nuevo en mi vida? 우선 살고 보아야 한다 Donde hay vida, hay esperanza. 그는 살려 달라고 애원했다 El pidió que se salvara su vida. 그는 사느냐 죽느냐 하는 문제다 Es cosa de vida o de muerte / Es una cuestión de vida o muerte. 이 그림은 아직 살아 숨 쉬는 것 같다 Esta pintura parece respirar [viva]. 그리스도의 정신은 지금까지도 살아 있다 El espíritu de Jesucristo está vivo aún en el mundo actual.
② [생활하다] vivir, ganarse la vida. 살기 위해 일하다 trabajar para vivir. 일하지 않고는 살 권리가 없다 no tener derecho a vivir sin trabajar. 그는 펜 하나로 살고 있다 El vive sólo de su pluma. 음악으로 살기는 어렵다 Es difícil vivir de la música / Es difícil ganarse la vida como músico. 그 어머니는 자식에 대한 사랑으로 살고 있다 La madre vive por el amor a su hijo / El amor a su hijo la sostiene en la vida.
③ [일정한 거처에서 지내다] vivir, residir, habitar, morar; [살아남다] sobrevivir; [영주(永住)하다] radicar(se), domiciliarse. 사람이 살지 않은 집 casa *f* deshabitada. 살기 좋은 집 casa *f* cómoda [confortable]. 살기 좋은 마을 pueblo *m* agradable de [para] habitar [de vivir · para vivir]. 고향에서 ~ vivir en *su* tierra natal [en *su* suelo natal]. 서울에서 ~ vivir en Seúl. 시골에서 ~ vivir en el campo. 외국에서 ~ vivir en el (país) extranjero. 큰 집에서 ~ vivir en [habitar (en)] una casa grande. 어디에서 살고 계십니까? [usted에게] ¿Dónde vive usted? / [tú에게] ¿Dónde vives (tú)? 이 근처에 살고 있습니다 Vivo cerca de aquí. 그 섬에는 사람이 살고 있습니까? ¿Está habitada la isla? 이 집에서 사람이 살지 않은 지가 오래되었다 Hace tiempo que esta casa está deshabitada. 서울에는 천만 명 이상이 살고 있다 Seúl tiene más de diez millones de habitantes. ④ [예술 작품 따위가, 생동감 있게 표현되다] dar vida, avivarse, dar realce, vivificarse, animarse, hacerse vivo. 산증인 testigo *m* vivo, testigo *f* viva. 이 한 단어로 문장이 살았다 Esta sola palabra dio vida al [avivó el] estilo. 이 색깔로 그림이 살아 있다 Este color da vida [realce] al cuadro.
⑤ ((바둑 · 장기)) escapar de ser capturado; ((야구)) ser seguro.
⑥ [불이] vivir. 산 불에 a fuego vivo.
⑦ [유용하다 · 쓸모가 있다] dar fruto. 산 돈의 사용법 buen empleo *m* de *su* dinero. 당신의 노고는 언젠가는 살 것이다 Sus trabajos darán fruto algún día.
⑧ [일정한 장소에서 계속 시간을 보내다] pasar. 온종일 독서하면서 ~ pasar todo el día leyendo (los libros).
⑨ [기억 속에 남다] recordar, acordarse (de), quedar en *su* memoria, no olvidar(se).
■ 산 개[개새끼]가 죽은 정승보다 낫다 ((속담)) Más vale perro vivo que león muerto.
살아가다 ㉮ [목숨을 이어가다] vivir; [하루하루를 보내다] pasar los días. 함께 ~ vivir juntos. …와 함께 ~ vivir con uno. 매일 놀면서 ~ pasarse los días jugando. 어떻게 살아가십니까? ¿Cómo está usted? 도시보다 시골에서 살아가기가 훨씬 쉽다 Es más fácil vivir en el campo que en la ciudad. 한 달에 30만 원으로는 살아갈 수 없다 No se puede vivir con trescientos mil wones al mes. ㉯ [살림을 해 나가다] vivir, ganarse la vida. 살아가기가 어렵다 no tener ni siquiera con que vivir. 겨우겨우 ~ vivir al día, ganar(se) a duras penas la vida. 연금으로 ~ vivir de una pensión, vivir jubilado [pensionado]. 조용히 ~ vivir en paz. 노파는 가게의 수입으로 살아가고 있었다 La vieja vivía de sus rentas. 그는 쓸쓸하게 살아갔다 El vivió una vida triste. 그는 살아가는 데 빠듯한 것도 벌지 못하고 있다 El apenas gana lo justo para vivir. 이곳에서는 모두 잘 살아가고 있다 Aquí se vive bien. ㉰ [죽지 않고 살아서 돌아가다] volver sobreviviendo.
살아나다 revivir, volver a vivir; [위기를

모면하다] escapar; [재기(再起)하다] recobrar; [생존하다] sobrevivir (en), quedar vivo; [위험에서] salvarse (de), librarse (de). 살아남은 사람 sobreviviente *mf*. 그는 도망쳐서 살아났다 El se salvó porque se escapó. 그 사고에서 그 사람만 살아났다 Solamente él se salvó de [él sobrevivió en] ese accidente. 한 사람도 살아나지 못했다 No hubo ni un solo superviviente. 환자는 살아났다 Se ha salvado [Se ha curado] el enfermo. 그는 살아났다 El salió con vida. 그 사고에서 살아남은 사람은 두 명뿐이었다 En el accidente sólo quedaron vivas dos personas / Al accidente sobrevivieron sólo dos personas.

살다² ① [계속 지탱하다·버티어 지내다] sobrevivir. 우리는 심각한 문제에 처해 있어 살아 남기 위해서는 그 문제들을 해결해야 한다 Tenemos serios problemas y tenemos que solucionarlos para sobrevivir. ② [징역이나 귀양살이 따위를 치르다] servir, cumplir. 그는 무기 징역을 살고 있다 El está cumpliendo una condena a cadena perpetua.

살다³ [(크기가) 겨냥보다 약간 크다] (ser) extra grande, ser más que suficiente. 자수가 ~ ser extra largo.

살담배 tabaco *m* cortado.

살닿다 sufrir una pérdida en la inversión original. 나는 천만 원이나 살닿았다 Yo he perdido hasta diez millones de wones en la inversión original.

살대¹ ((준말)) =화살대.

살대² 【건축】 [버팀나무] puntal *m*, soporte *m*. ~로 버티다 sostener, apuntalar, apoyar.

살덩어리 pedazo *m* de carne.

살돈 desembolso *m*, inversión *f* (en), gasto *m* (en), fondos *mpl* originales.

살똥스럽다 (ser) desafiante y osado.
살똥스레 desafiante y osadamente.

살뜰하다 (ser) económico, ahorrativo, frugal. 살뜰한 주부 el ama *f* (*pl* las amas) de casa frugal. 살뜰한 여인(女人) mujer *f* muy de casa, esposa abnegada.
살뜰히 económicamente, ahorrativamente, frugalmente, con frugalidad.

살뜸 【한방】 moxiterapia *f* sobre la carne.

살랑 susurando, temblando, vibrando, agitándose.
살랑거리다 ㉮ [몸에 조금 추운 느낌이 생길 만큼 바람이 가볍게 불다] temblar, vibrar, agitarse. 나뭇잎이 살랑거리는 소리 susurro *m* [murmullo *m*] de las hojas entre los árboles. 바람에 ~ agitarse por el [al] viento. ㉯ [가볍게 팔을 저어 바람을 내면서 걷다] andar a paso ligero. 그 여자는 살랑거리고 다닌다 Ella anda a paso ligero.
살랑살랑 ㉮ [바람이] ligeramente, suavemente. ㉯ [걷는 꼴] a paso ligero.

살랑살랑하다 hacer un poco de frío.

살랑하다 hacer un poco de frío, hacer fresco.

살래살래 meneando, moviendo, meneándose, moviéndose. 고개를 ~ 흔들다 menear [mover] la cabeza. 그는 그녀에게 손가락을 ~ 흔들었다 El le hizo un gesto admonitorio con el dedo. 개는 꼬리를 ~ 흔들면서 우리를 맞이했다 El perro nos recibió meneando [moviendo] el rabo. 개가 꼬리를 ~ 흔들면서 나에게 다가왔다 El perro se me acercó meneando [moviendo] el rabo.

살려 내다 ☞살리다²

살려 주다 ① [죽을 사람을 살게 하다] salvar, rescatar, guardar. 목숨을 ~ salvar*le* la vida (a *uno*). 물에 빠진 사람을 ~ salvar al hombre que se estaba ahogando. 익사에서 …를 ~ salvar a *uno* de morir ahogado. 하나님이여 그를 살려 주소서! ¡Dios le salve [guarde]! 그가 익사하는 것을 살려 주었다 Le salvaron de morir ahogando. 그는 물에 빠진 사람을 살려 주려고 노력했다 El trató de salvar al hombre que se estaba ahogando. ② [살림을 도와주다] ayudar la vida.

살롱(불 *salon*) ① [객실. 응접실] salón *m* (*pl* salones), gran sala *f*. ② [미술 전람회] salón *m*, exposición *f*.

살리다¹ ① [어떤 부분을 덜어 내지 않고 본바탕대로 두든지, 좀 보태든지 하다] hacer valer, ensanchar, agrandar, alargar, aumentar el tamaño. 소매 끝을 ~ soltarle a las mangas. 솔기를 ~ soltar*le* a una costura. 옷의 접었던 것을 ~ soltar*le* a la prenda (de ropa). 품을 ~ soltar*le* al ancho [a la anchura]. 재료의 본래 맛을 ~ hacer valer el sabor propio de los materiales. ② ㉮ [활용하다] aprovechar, servirse (de), valerse (de), sacar (el mejor) partido (de). 경험을 ~ aprovechar la experiencia. 재능(才能)을 일에 ~ explotar *su* talento para el trabajo, aplicar [hacer valer] el talento en el trabajo. 돈을 살려 쓰다 sacar el mejor partido del dinero. 겪은 경험을 살려 한 번 더 시도해 보아라 Con [Aprovechando] la experiencia adquirida, trata una vez más. ㉯ [생생하게 하다] vivificar, animar, hacer vivo. 기절한 사람을 급소를 찌르거나 주물러서 ~ ((유도)) aplicar el arte de resucitación. 이 색이 그림을 살리고 있다 Este color da vida [realece] al cuadro.

살리다² ① [목숨을 살게 하다] salvar, socorrer. 인명(人命)을 ~ salvar [socorrer] la vida. ② [생활 방도를 강구하여 목숨을 유지하게 하다] mantener, sostener, criar. 가족을 먹여 ~ mantener a *su* familia.
살려 내다 salvar, socorrer, rescatar. 물에 빠진 사람을 ~ salvar [socorrer] al hombre que está ahogándose. 사람 살려! ¡Socorro! 구조 대원들은 화재에서 20명을 살려 냈다 Los trabajadores del servicio de salvamento rescataron a veinte personas del incendio.
살려 두다 conservar con vida, dejar vivir [vivo]. 이 포획물은 살려 두겠다 Voy a dejar vivir esta presa. 그를 살려 두건 죽

이건 내 손에 달렸다 De mí depende dejarlo con vida o darle muerte / Su vida está en mis manos.

살림[1] ① [생계] modo *m* de vivir, modo *m* de ganar la vida. 그의 가족은 ~이 곤란하다 El se sostiene a duras penas. ② [살림살이] vida *f*, subsistencia *f*. 집안 ~ vida *f* doméstica. ~이 몸에 밴 여인(女人) mujer *f* muy de casa, esposa abnegada. ~을 꾸리다 ganarse la vida, sustentarse. ~이 어렵다 hallarse [encontrarse] en apuros, estar a la cuarta pregunta.

◆살림(을) 나다 encargarse de la casa separada.

◆살림(을) 맡다 ocuparse de la casa, llevar la casa, encargarse de la vida.

◆살림이 꿀리다 llevar una vida difícil. 살림이 꿀려 궁한 티가 나다 tener la cara demacrada por los quehaceres domésticos.

■ ~꾼 el ama *f* (*pl* las amas) de gobierno, el ama *f* de llaves, administradora *f*. ¶알뜰한 ~ buena ama *f* de casa. ~ 도구 ajuar *m*, menaje *m*. ~때 lo agobiado por la vida. ¶그녀는 온통 ~가 묻어 있다 Ella es ahora toda un ama de casa. ~방 sala *f* (de estar), salón *m*, cuarto *m* de estar. ~살이 gobierno *m* de la casa, manejo *m* de los asuntos domésticos, situación *f* económica de la vida; [가구(家具)] muebles *mpl*; [가장집물(家藏什物)] utensilios *mpl* domésticos. ¶~가 넉넉하다 llevar una vida cómoda [económicamente desahogada]. ~집 casa *f* (privada), casa *f* para la vivienda. ~터 lugar *m* de morada.

살림[2] 【건축】 la medida un poco más grande que la original.

살맛[1] ① [남의 살과 서로 맞닿아서 느끼는 느낌] tacto *m* de la piel. ② [성행위(性行爲)의 즐거움] alegría *f* del acto sexual.

살맛[2] [세상을 살아 나가는 재미] alegría *f* de la vida. ~이 없다 no tener nada por lo que vivir.

살맞다(煞—) estar poseído por el demonio, estar endemoniado, ser atacado por enfermedad [desgracia] (después de asistir al rito de la familia del otro).

살망살망 con paso ligero. ~ 걷다 andar con paso ligero.

살망하다 ① [아랫도리가 가늘게 상큼하다] (ser) zanquilargo, de piernas largas. ② [옷의 길이가 키보다 좀 짧다] el largo de la ropa es un poco más corto que la estatura.

살며시 en secreto, secretamente, sigilosamente, con sigilo y secreto, con disimulo, a hurtadillas, en paz. ~놓다 dejar en paz, dejar como estaba. ~ 다가오다 acercarse sigilosamente, acercarse a hurtadillas. ~ 웃다 reírse con disimulo. …의 배후(背後)에 ~ 다가가다 deslizarse sigilosamente tras uno. 전쟁(戰爭)의 그림자가 ~ 다가온다 La sombra de la guerra se desliza sigilosamente.

살몃살몃 con paso ligero, ligeramente. ~ 걷다 andar con paso ligero.

살모사(殺母蛇) 【동물】 =살무사.

살목(—木) 【건축】 soporte *m*, puntal *m*, abrazadera *f*. ~으로 버티다 sostener, apuntalar.

살무사 【동물】 víbora *f*.

살문(—門) 【건축】 celosía *f*.

살미 【건축】 decoración *f* de arabesco muy elaborada en la parte superior del pilar.

살밀치 baticola *f* de un arnés.

살밑 =화살촉.

살바람 ① [좁은 틈에서 새어 들어오는 찬바람] corriente *f* de aire. ② [봄철에 부는 찬바람] viento *m* frío de la primavera.

살받이 tabla *f* del blanco.

살방석(—方席) aparato *m* para dar el brillo a las flechas.

살벌(殺伐) brutalidad *f*, bestialidad *f*, ferocidad *f*, salvajismo *m*, grosería *f*. ~하다 (ser) bestial, feroz, brusco, arisco, violento, bárbaro, brutal, sangriento, salvaje, cruento, bélico, de guerra, belicoso, guerrero. ~한 기풍 espíritu *m* salvaje. ~한 분위기 atmósfera *f* bélica. 이 지방은 아직 ~하다 Aún reina la brutalidad en esta región [en esta comarca].

살별 【천문】 cometa *m*.

살보시(—普施) relaciones *fpl* sexuales ilícitas con un sacerdote budista. ~하다 tener relaciones sexuales ilícitas con un sacerdote budista.

살붙이 ① [혈육 계통이 가까운 사람] pariente, -ta *mf*; progenie *f*. ② [(뼈가 안 붙은) 짐승의 여러 가지 살코기] carne *f* de animal sin huesos.

살빛 color *m* de carne.

살사리 contemporizador, -dora *mf*; chivato, -ta *mf*. 그는 ~이다 El es un contemporizador / El baila en la cuerda floja.

살살[1] ① [천천히] lentamente, gradualmente, suavemente. 물이 ~ 끓는다 El agua hierve lentamente / El agua hierve a fuego lento. 바람이 ~ 분다 El viento sopla suavemente. 가지들이 미풍에 ~ 흔들리고 있다 Las ramas se están meciendo suavemente con la brisa. 눈이 ~ 녹았다 La nieve se derretió lentamente. ② [짧은 다리로 연해 가볍게 기는 모양] a hurtadillas, furtivamente. ~ 기어가다 gatear furtivallemente. ~ 피하다 evadir furtivamenmente. ③ ((준말)) =살래살래.

살살[2] ① ((준말)) =살금살금. ② [가만히] con cuidado, cuidadosamente, ligeramente, suavemente. 아이를 ~ 달래다 consolar al niño cuidadosamente.

살살[3] [배가 조금씩 쓰리면서 아픈 모양] con un poco de dolor, con un dolor ligero. 배가 ~ 아프다 sentir un dolorcillo continuadonuado de estómago.

살살하다 ① [교활하고 간사하다] (ser) astuto, taimado. ② [가늘고 약하다] (ser) fino y débil. ③ [가냘프고 곱다] (ser) esbelto

[fino] y hermoso. ④ [아슬아슬한 고비를 간신히 면하는 상태에 있다] (ser) delicado, precario, peligroso, arriesgado. 살살한 고비 situación *f* delicada.

살상(殺傷) la muerte y la herida. ~하다 morir y herir. 수많은 ~ bajas *fpl* numerosas. ~이 대단히 많았다 La carnicería era terrible.

살색(-色) =살빛.

살생(殺生) matanza *f* de los seres, arrebatamiento *m* de la vida. ~하다 matar animales, quitar la vida. ~을 금하다 prohibir matar animales. 무익한 ~을 자행하다 matar animales innecesariamente [sin ninguna necesidad].

■ ~금단 prohibición *f* de caza y pesca. ~금지 지역 vedado *m* de caza y pesca. ~지병(之柄) derecho *m* de la muerte y la vida.

살성(-性) textura *f*, tez *f*. ~이 곱다 ser de textura fina.

살소매 parte *f* expuesta del brazo debajo de la manga.

살손 ① [무슨 일을 할 때 연장 따위를 쓰지 않고 바로 대서 만지는 손] manos *fpl* vacías [desnudas]. ~으로 물고기를 잡다 coger el pez [pescar] con las manos desnudas. ② [무슨 일을 정성껏 하는 손] sinceridad *f*, fervor *m*, devoción *f*, entusiasmo *m*. 일에 ~을 붙이다 dedicarse al trabajo, poner *su* corazón y alma en un trabajo.

살수(撒水) riego *m*, regadura *f*. ~하다 regar. 도로에 ~하다 regar la calle.

■ ~기(器) regadera *f*, aspersorio *m*. ¶~로 물을 뿌리다 dispersar el agua con una regadera. ~차 camión *m* de riego, carro *m* de regar.

살수건 pedazo *m* de tela usado para dar el brillo a las flechas.

살수세미 cepillo *m* de fregar para limpiar la punta de flecha.

살신성인(殺身成仁) sacrificio *m* por la justicia [la integridad]. ~하다 sacrificarse por la justicia [la integridad]

살쐐기 【한방】 picor *m* del verano.

살아가다 ☞살다

살아나다 ☞살다

살얼음 hielo *m* delgado. ~을 밟다 buscar el peligro. 연못에 ~이 얼어 있다 La charca está ligeramente helada / La charca está cubierta de una ligera capa de hielo.

◆ 살얼음을 걷는 것 같다 sentirse como si pisar en los huevos.

■ ~판 situación *f* delicada [difícil · peliaguda].

살 오르다 ☞살[1]

살 오르다(煞-) ☞살(煞)

살육(殺戮) matanza *f*, mortandad *f*, carnicería *f*, masacre *m*. ~하다 hacer una carnicería, dar muerte cruel, matar atrozmente, masacrar, exterminar. 주민을 ~하다 hacer una matanza [una carnicería] de los habitantes.

살의(殺意) propósito *m* homicida, intención *f* de matar. ~를 품다 abrigar un propósito homicida, concebir idea de homicidio. 나는 ~를 느꼈다 Me dieron ganas de matar a alguien.

-살이 vida *f*. 더부~ dependencia *f*, parasitismo *m*. 머슴~ trabajo *m* como un peón [mozo] de labranza. 셋방~ vida *f* en un cuarto de alquiler. 시집~ vida *f* con *sus* suegros [con los padres de *su* esposo].

살인(殺人) asesinato *m*, homicidio *m*. ~하다 asesinar, matar alevosamente. ~을 범하다 cometer un homicidio, asesinar. 본의 아닌 ~을 범하다 cometer un homicidio involuntario. ~이요! ¡Asesino!

◆ 살인(을) 내다 cometer un homicidio, asesinar. 살인(이) 나다 ocurrir el caso de homicidio.

■ ~ 가스 gas *m* letal [mortal]. ~광(狂) insania *f* [insanidad *f*] homicida; [사람] maniaco, -ca *mf* homicida. ~ 광선 rayo *m* homicida. ~귀[마] degollador, -dora *mf*; asesino, -na *mf*; homicida *m* diabólico. ~무기 el arma *f* mortífera. ~ 미수 asesinato *m* frustrado. ~ 미수자 asesino *m* frustrado, asesina *f* frustrada. ~범 homicida *mf*; asesino, -na *mf*. ~ 사건 caso *m* de homicidio. ~ 용의자 inculpado, -da *mf* [acusado, -da *mf*] de homicidio, presunto, -ta *mf* homicida. ~자 homicida *mf*; asesino, -na *mf*; matador, -dora *mf*. ~적 terrible, mortal, mortal, mortífero, asesino, criminal, homicida. ¶~인 더위 calor *m* abrasador. ~인 불경기 depresión *f* agotada de negocios. ~죄 homicidio *m*, asesinato *m*. ~ 청부업자 homicida *mf*; asesino, -na *mf* (profesional). ~ 행위 homicidio *m*. ~ 혐의자 sospechoso, -sa *mf* de [en] un homicidio.

살잡다 sostener, apuntalar, levantar, reforzar con un contrafuerte. 쓰러져 가는 집을 ~ reforzar la casa caída con un contrafuerte.

살잡이하다 =살잡다.

살잡히다 ① [구김살이 지다] arrugarse. ② [살얼음이 얼다] estar cubierto del hielo delgado, tener una capa fina de hielo.

살점(-點) pedazo *m* [trozo *m*] de carne.

살조개 almeja *f* encarnizada.

살지다 ① [몸에 살이 많다] (ser) gordo, rollizo, corpulento, tener muchas carnes, engordar. ② [땅이 기름지다] (ser) fértil, fecundo, productivo, fructuoso.

살집 gordura *f*, grasa *f*, bulto *m* de carne, carne *f*. ~이 없다 (ser) enjuto de carnes, seco de carnes, de pocas carnes. ~이 많다 tener muchas carnes.

◆ 살집이 좋다 (ser) gordo, grueso, de muchas carnes, rollizo, regordete, gordiflón, corpulento, formido.

살짝 ① [남이 모르는 사이에] furtivamente, a escondidas, en secreto, secretamente, a hurtadillas, bajo [por debajo de] cuerda, con sigilio, ocultamente, clandestinamente.

~ 나가다 salir(se) a hurtadillas. ~ 도망치다 huir ocultamente [a hurtadillas · a escondidas]. ~ 들어오다 pasar al cuarto [a la casa] sin verse por nadie [sin ver visto]. ~ 만나다 citar clandestinamente. ~ 보다 ver a hurtadillas, mirar de soslayo, mirar furtivamente. ~ 알려 주다 dar a conocer en secreto. 공책을 ~ 보다 echar furtivamente una mirada a los apuntes. ② [가만히] silenciosamente, en silencio, calladamente, tranquilamente, sin hacer ruido. ~ 걷다 andar sin hacer ruido; [조심히] con cuidado; [작은 소리로] en voz baja, en tono bajo. ~ 놓다 poner con cuidado. ~ 말하다 decir en voz baja, decir en tono bajo. ③ [쉽게] fácilmente, con facilidad, sin esfuerzos; [가볍게] ligeramente, suavemente, con suavidad. ~ 만지다 tocar ligeramente. ~ 모포를 덮어 주다 poner una manta con suavidad (sobre).

■ ~곰보 persona *f* [cara *f*] ligeramente picada de viruelas. ~ 사진 foto *f*, instantánea *f*.

살쩍 [빰의 귀밑에 난 털] patillas *fpl*.

살쭈 ((준말)) =쇠살쭈.

살찌 apariencia *f* de la flecha lanzada.

살찌다 engordar(se), ponerse gordo [corpulento], engruesarse. 살찐 gordo, grueso, corpulento; [비만한] obeso; [피룩피룩한] rollizo, regordete; [땅딸막한] rechoncho, gordinflón. 살찐 여자 mujer corpulenta. 맥주 통처럼 ~ estar gordo como un tonel. 너무 살찌지 않도록 절식(節食)하다 ponerse a régimen para conservar la línea [para no engordar demasiado]. 그녀는 너무 살쪘다 Ella está demasiado gorda. 그는 옷을 입으면 더 살쪄 보인다 Cuando él se viste, parece más grueso.

살찌우다 engordar, poner corpulento, engruesar; [소 · 닭 따위의] cebar.

살차다 ① [혜성의 꼬리 빛이 세차다] tener la cola larga. ② [성질이 붙임성이 없고 차고 매섭다] (ser) frío y inabordable [poco accesible · poco asequible].

살창(-窓) celosía *f*.

살창문(-窓門) =살창.

살촉(-鏃) ((준말)) =화살촉.

살충(殺蟲) matanza *f* del insecto, insecticida *m*, fungicida *m*. ~하다 matar el insecto. ~의 insecticidal.

■ ~등[램프] lámpara insecticidal. ~력 poder *m* insecticidal. ~제[약] insecticida *m*; [구충제] vermífugo *m*, vermicida *m*; [살균제] fungicida *m*.

살치 carne *f* de vaca de junto a las costillas.

살치다 tachar, cancelar, marcar, anular, invalidar.

살코기 carne *f* magra.

살쾡이 【동물】 lince *m*, gato *m* silvestre, gato *m* montés.

살쾡이자리 【천문】 Lince *m*.

살통 【건축】 gato *m*.

살파(撒播) sembradura *f*. ~하다 sembrar.

■ ~기(器) sembradera *f*, sembradora *f*.

살팍지다 (ser) nervudo, musculoso, robusto, corpulento.

살판[1] [활 열 순에 스무 개를 과녁에 맞히는 일] acción *f* de dar en 20 blancos de 50 tiros.

살판[2] ① [살림이 좋아지는 판] buena vida *f*. ② [기를 펴고 살아갈 수 있는 판] vida *f* enérgica [vigorosa].

◆살판(이) 나다 (ser) afortunado, con suerte, hacerse rico, tocar*le* la lotería. 그는 살판(이) 났다 Le tocó la lotería.

살판(-板) ① [집을 살잡이할 때 기둥을 솟구는 데 쓰는 두꺼운 널] tabla *f* gruesa usada para levantar los pilares de una casa, espeque *m*. ② ((준말)) =살판뜀. ③ ((준말)) =살얼음판.

■ ~뜀 salto *m* mortal. ~쇠 jefe *m* de las personas de dar un salto mortal.

살판나다 ☞살판[2]

살펴보기 =관찰(觀察).

살펴보다 ☞살피다[1]

살평상(-平床) cama *f* de listón.

살포 【농업】 pala *f* para la irrigación.

살포(撒布) sembradura *f*. ~하다 sembrar.

■ ~기(器/機) sembradora *f*, sembradera *f*. ~제 [약] polvo *m* de sembrar.

살포시 =살며시.

살풀이(煞-) exorcismo *m*. ~하다 exorcizar.

살품 espacio *m* entre la ropa y el pecho, pecho *m*, busto *m*.

살풍경(-風景) insipidez *f*. ~하다 (ser) desencantado, insípido, sin sabor, prosaico. ~한 경치 paisaje *m* muerto. ~한 방 habitación *f* sin adorno alguno. ~한 생활 vida *f* insípida.

살풍경스럽다 (ser) insípido.

살풍경스레 insípidamente.

살피 ① [두 땅의 경계선을 간단히 나타낸 표] mojón *m* (*pl* mojones), límite *m*. ② [물건과 물건과의 틈새나 또는 그 사이를 구별지은 표] separador *m*.

살피다[1] ① [조심하여 자세히 보다] acechar, espiar, atisbar, escrudriñar, rebuscar, mirar alrededor; [비밀 따위를] sondear, tantear, sonsacar. 옆방의 동정을 ~ espiar lo que pasa en el cuarto de al lado. …의 비밀을 ~ sonsear*le* a *uno* el secreto. …의 의중(意中)을 ~ tentar*le* a *uno* la intención. 적(敵)의 동정을 ~ espiar los movimientos del enemigo. 남의 일을 꼬치꼬치 ~ curiosear, husmear, fisgar. (무엇을) 살피는 듯한 눈초리로 con (los) ojos escudriñadores, con una mirada inquisidora. ② [어떤 현상을 관찰하거나 미루어 헤아리다] juzgar. ③ ((성경)) escudriñar, examinar, alumbrar, penetrar.

살펴보다 mirar (alrededor), ver. 우리가 집을 좀 살펴볼 수 있을까요? ¿Podríamos ver la casa?

살피다[2] [짜거나 결은 물건이 얄팍하고 성기다] (ser) fino y tosco.

살핏하다 (ser) algo fino y tosco.

살핏살핏 fina y toscamente.

살해(殺害) asesinato *m*, matanza *f*, homicidio *m*. ~하다 matar, asesinar; [참살(斬殺)하다] acochinar. 그는 누군가에 의해 ~된 것 같다 Parece que él fue asesinado por alguien.

■ ~범(犯) asesino, -na *mf*, criminal *mf*, homicida *mf*. ~ 사건 caso *m* de asesinato. ~자 asesino, -na *mf*, matador, -dora *mf*. ~ 현장 escena *f* [lugar *m*] del asesinato.

살힘 =구매력(購買力).

삵【동물】((준말)) =살쾡이.

삵피(-皮) piel *f* del lince.

삶 vida *f*, existencia *f*. ~의 투쟁 lucha *f* por la vida. ~에 지치다 cansarse de vida.

삶기다 ser cocido, cocerse.

삶다 ① [물건을 물속에 넣고 끓이다] hervir, cocer; [요리하다] cocinar. 삶은 cocido. 삶은 계란 huevo *m* duro, huevo *m* cocido. 삶은 문어 pulpo *m* cocido. 삶은 오징어 calamar *m* cocido. 양배추는 벌써 삶아졌다 La col ya está cocida. 센 불 [중간 불·약한 불]에 ~ cocer a fuego vivo [a fuego medio·a fuego lento]. 그것을 불에 삶을까요? ¿Lo cuezo a la lumbre? ② [남에게 호의를 베풀어 자기의 뜻대로 따르게 하다] aplacar, apaciguar, pacificar, calmar, sobornar, cohechar. 형사(刑事)를 ~ comprar [sobornar·cohechar] a un detective. ③ [논밭의 흙을 써레로 썰고 나래로 골라서 노글노글하게 만들다] escarificar, cultivar, labrar.

삶아지다 ser cocido, cocerse, ser hervido, hervirse. 알맞게 삶아진 cocido en *su* punto. 잘 삶아진 bien cocido. 너무 삶아진 demasiado cocido. 잘 삶아져 있지 않다 no estar bien cocido.

삶이【농업】① [논을 삶는 일] escarificación *f*. ~ 하다 escarificar. ② [못자리를 따로 하지 않고 처음 삶은 논에 바로 볍씨를 뿌리는 일] sembradura *f* directa de las semillas de arroz en el arrozal escarificado. ~하다 sembrar las semillas de arroz directamente en el arrozal escarificado.

삼[1] =태(胎). 태보(胎褓).

삼[2]【의학】leucoma *m*, mota *f*.

◆삼(이) 서다 tener una mota en el ojo.

삼[3] [뱃바닥에 댄 널] palo *m*, tabla *f*.

삼[4]【식물】[대마] cáñamo *m*; [아마] lino *m*; [백마] batista *f*. ~의 del cáñamo, cañamero. ~의 열매 cañamón *m*. ~으로 만든 [짠] de cáñamo, cañameño. ~으로 짠 자루 costal de cáñamo. ~으로 짠 천 tela *f* cañameña, tela *f* de cáñamo.

◆원료 ~ cáñamo *m* en rama. 허드레 ~ cañamazo *m*.

■ ~밭 cañamal *m*, cañamar *m*.

삼(三) [셋] tres. ~일(日) [셋째 날] el 3 [tres]; [세 날] tres días. ~년(年) tres años. 제 ~(의) tercero, 3º. ~분의 일 un tercio, una tercera parte. 제 ~과 lección *f* tres, lección *f* tercera. 제 ~학년 tercer año *m*.

삼(蔘) ① ((준말)) =인삼(人蔘). ② [인삼과 산삼] el ginseng y el ginseng silvestre.

■ ~밭 plantío *m* de gingeng.

삼가 respetuosamente, con respeto, reverentemente, cortésmente, con cortesía. ~ 애도(哀悼)를 표하는 바입니다 Le doy el pésame desde el fondo de mi corazón / Le doy mi más sentido pésame. ~ 신년을 축하하나이다 Le presento mis felicitaciones más respetuosas por el Año Nuevo.

삼가다 ① [몸가짐이나 언행을 신중하게 가지다] cuidar, tener cuidado, ser prudente. 말을 ~ abstenerse de hablar, mesurar la palabra, tener mucho cuidado [mucha caudela] con las palabras, medir bien sus palabras. ② [(무엇을) 꺼려서 어떤 것에 대하여 자신의 몸가짐을 경계하다] moderar, abstenerse (de), privarse (de), contenerse (de), guardarse (de), retenerse (de), moderarse (en). 물건 사는 일을 ~ abtenerse de comprar. 술을 ~ abstenerse del alcohol, abstenerse de beber el vino. 담배를 ~ abstenerse del tabaco, abstenerse de fumar. 여자를 ~ abstenerse de la mujer, abstenerse de tener relaciones sexuales con una mujer. 외출을 ~ (tratar de) no salir. 질문을 ~ abstenerse de preguntar. 판단을 ~ guardarse de emitir un juicio. 불을 지피는 것을 ~ abstenerse de hacer fuego. 흡연을 삼가 주십시오 Absténgase de fumar / Haga el favor de abstenerse de fumar.

삼각(三角) ① =세모. ② ((준말)) =삼각형(三角形). ③ ((준말)) =삼각법(三角法).

■ ~가(架) =삼발이. ~건(巾) pañuelo *m* triangular. ~관계(關係) relaciones *fpl* triangulares, triángulo *m* amoroso. ~근 (músculo *m* de) deltoides *m*, músculo *m* triangular del hombro. ~급수 serie *f* trigonométrica. ~기둥 ㉮ [세모진 기둥] poste *m* [pilar *m*·columna *f*] triangular. ㉯ [밑면이 삼각형인 각기둥] prisma *m* triangular. ~돛 foque *m*. ~망 red *f* triangular. ~ 모자 sombrero *m* de tres picos, tricornio *m*. ~ 무역 comercio *m* triangular. ~ 무역 협정 acuerdos *mpl* triangulares. ~방정식 ecuación *f* trigonométrica. ~법[술] trigonometría *f*. ~뿔 pirámide *m* triangular. ~익 [날개] el ala *f* (*pl* las alas) triangular. ~자 escuadra *f*, regla *f* triangular. ~자리 Triángulo *m*. ~점 punto *m* trigonométrico. ~주[지대] delta *f*. ~ 측량 triangulación *f*, agrimensura *f* triangular. ~ 투쟁 lucha *f* triangular. ~파(도) ola *f* piramidal. ~ 플라스크 frasco *m* cónico. ~ 함수 [비] función *f* trigonométrica. ~ 함수표 tabla *f* de función trigonométrica. ~ 협정 acuerdo *m* triangular. ~형 triángulo *m*. ~형자리【천문】Triángulo *m*.

삼각(三脚) ① =비경이. ② ((준말)) =삼각의자. ③ ((준말)) =삼각가(三脚架).

■ ~가(架) trípode *m*. ~의자 banco *m* de tres patas.

삼간(三間) tres *gan*, tres habitaciones.
■ ~두옥(斗屋) humilde casita *f*. ~초가[초옥] casa *f* de paja de tres habitaciones, humilde casita *f*.

삼강(三綱) ① ((유교)) tres principios fundamentales [básicos] en las relaciones humanas, tres vínculos. ② ((불교)) tres vínculos, tres lazos.
■ ~오륜 tres principios fundamentales y cinco reglas morales en las relaciones humanas.

삼거리(三一) intersección *f* [cruce *m*] de tres caminos.

삼겹실(三一) hilo *m* de tres hebras.

삼경(三更) medianoche *f*.

삼경(三經) 【책】 Tres Clásicos (de China Antigua): el Libro de Odas, el Canon de Historia y el Libro de Cambios.

삼경(三景) tres famosos lugares hermosos.

삼계(三界) ((불교)) ① tres mundos; el mundo del cielo, el mundo de la tierra y el mundo del hombre. ② el mundo de la avaricia, el mundo del deseo sexual y el mundo del espíritu. ③ el mundo del budismo, el mundo del hombre, y el mundo del espíritu. ④ el pasado, el presente y el futuro.

삼계탕(蔘鷄湯) ((속어)) =계삼탕(鷄蔘湯).

삼고(三顧) confidencia *f* del rey [del superior].
■ ~초려(草廬) tres visitas a la casa con tejado de paja.

삼관왕(三冠王) corona *f* triple.

삼광조(三光鳥) 【조류】 ((학명)) Terpsiphone atrocaudata atrocaudata.

삼교(三校) 【인쇄】 tercera corrección *f* de pruebas.

삼교(三敎) tres religiones: confucianismo 유교, budismo 불교 y taoísmo 도교.

삼국(三國) ① [세 나라] tres países, tres naciones. ② [신라 · 고구려 · 백제] Tres Países: la dinastía de Sila, la de Koguryo y la de Baekche.
■ ~ 시대 época *f* de Tres Países. ~ 정립 posición *f* triangular de Tres Países. ~ 통일 unificación *f* de tres países. ~ 협상 el Pacto Tripartito.

삼군(三軍) ① [전군(全軍)] todo el ejército, gran ejército *m* (poderoso). ~을 호령[질타]하다 comandar un gran ejército. ② [육군 · 공군 · 해군] tres tropas: el ejército, las fuerzas aéreas y las fuerzas navales.

삼굿 horno *m* de cocer al vapor el cáñamo. ~하다 cocer al vapor el cáñamo en el horno.

삼권(三權) tres poderes: poder legislativo, poder judicial y poder ejecutivo.
■ ~ 분립 separación *f* de los tres poderes, independencia *f* mutua de tres poderes. ¶ ~ 제도 sistema *m* de separación de los tres poderes.

삼극(三極) ① =삼재(三才). ② 【전기】 ánodo, cátodo y electrodo.
■ ~ (진공)관 tríodo *m*.

삼급(三級) ① [세 개의 등급] tres grados. ② [제삼 위의 등급] tercer grado *m*.
■ ~ 공무원 funcionario *m* público de tercer grado. ~ 비밀 confidencial *m*, secreto *m* de tercer grado.

삼기(三期) tercer período *m*; [임기] tercer término *m*. 폐병 ~의 사람 caso *m* tuberculoso de tercer período.

삼꽃 flor *f* de cáñamo.

삼끈 cuerda *f* de cáñamo, bramante *m*.

삼나무(杉一) 【식물】 cedro *m* japonés.

삼남(三男) ① [셋째 아들] tercer hijo *m*. ② [삼형제] tres hijos, tres hermanos.

삼남(三南) 【지명】 tres regiones del sur: Cheolado, Chungcheongdo y Gyeongsangdo, Sur *m*.

삼녀(三女) ① [셋째 딸] tercera hija *f*. ② [세 딸] tres hijas, tres hermanas.

삼년(三年) ① [세 해] tres años. ~마다 cada tres años. ~마다의 trienal. ~마다 한 번씩 홍수가 난다 Tenemos inundaciones cada tres años. ② ((준말)) =삼학년(三學年).
■ ~상 duelo *m* [luto *m*] por tres años. ~생 alumno, -na *mf* de tercer año [grado]; estudiante *mf* de tercer año de escuela secundaria [대학의 de universidad]. ~생 식물 planta *f* trienal.

삼노 guita *f*, soga *f* [cabo *m*] de cáñamo.
■ ~끈 =삼노.

삼다[1] ① [(남으로 하여금 인연을 맺어 자기의 어떤 관계자가) 되게 만들다] hacer; [임명하다] nombrar; [승진시키다] ascender; [양자로] adoptar; [후보자로] elegir; [사용하다] usar. 사위로 ~ hacer *su* yerno. 나는 그녀를 내 아내로 삼았다 Yo la hice mi esposa. 그들은 그를 사장(社長)으로 삼았다 Le han nombrado presidente / Le han ascendido a presidente. 그는 그 고아를 양자로 삼았다 El adoptó al huérfano. 그들은 석탄을 연료로 삼는다 Ellos usan el carbón como combustile. ② [(무엇을 무엇으로) 되게 하거나 여기다] considerar, pensar. ③ [(주로 「삼아」와 같이 쓰이어) 무엇으로 가정하여] como, para. 오락 삼아 como distracción, para divertirse, como pasatiempo, para entretenerse. 그는 오락 삼아 그림을 그린다 El practica la pintura como distracción [para divertirse]. 한국에서는 사람들은 오락 삼아 무엇을 합니까? ¿Qué hace la gente aquí como distracción [para divertirse] en Corea? 나는 기타를 치지만 순전히 오락 삼아서다 Yo toco la guitarra, pero sólo como pasatiempo [para entretenerme].

삼다[2] ① [(짚신이나 미투리 같은 것을) 만들다] hacer. 짚신을 ~ hacer las sandalias de paja. ② [삼이나 모시풀 따위의 섬유를 가늘게 찢어 그 끝을 맞대고 꼬아 잇다] hilar. 삼을 ~ hilar cáñamo.

삼단 bulto *m* de cáñamos.
◆삼단 같은 머리 pelo *m* espeso y largo, pelo *m* hermoso y abundante.

삼단(三段) ① [세 가지의 구분] tres divisiones. ② [계단·순서의 세 개] tres grados, tres fases. ③ [태권도·유도·바둑·장기 등의 셋째 단] tercer *dan*, tercer grado *m*.
■~계 tres fases, tres etapas. ~ 논법(論法) sigolismo *m*. ~뛰기[도] =세단뛰기. ~ 로켓 cohete *m* de tres fases.

삼대 tallo *m* de cáñamo.

삼대(三代) ① [아버지·아들·손자의 세 대(代)] tres generaciones: padre, hijo y nieto. ② [어떤 소임(所任)의 세 번째 사람] tercera persona *f* de algún deber. ~ 대통령 tercer presidente *m*. ③ [중국의 세 왕조] tres dinastías chinas.
■~ 독자 solo hijo *m* a través de tercera generación.

삼덕(三德) ① [정직·강(强)·유(柔)의 세 가지 덕] tres virtudes: honradez, firmeza y suavidad. ② [지(智)·인(仁)·용(勇)의 세 가지 덕] tres virtudes: sabiduría, generosidad y valor ③ ((성경)) [믿음과 소망과 사랑] la fe, la esperanza y el amor. ④ ((불교)) tres virtudes: virtud [fuerza] del cuerpo espiritual de Buda 법신(法身), sabiduría 반야(般若), y libertad de todas las cadenas 해탈(解脫). ⑤ ((유교)) la honradez, la fortaleza y la docilidad.

삼도내(三途-) ((불교)) la laguna Estigia (del Río).

삼도둑(蔘-) ladrón *m* (*pl* ladrones), -drona *mf* de ginseng.

삼독(三讀) lectura *f* de tres veces. ~하다 leer tres veces.

삼독(蔘毒) veneno *m* del ginseng.

삼독회(三讀會)【법률】=제삼 독회(第三讀會).

삼동(三冬) ① [겨울의 세 달] tres meses del invierno. ② [세 해 겨울] tres inviernos (de tres años).
■~설한(雪寒) durante tres meses que nieva y hace frío.

삼동(三同) unión *f* de tres cosas; unión *f* de la cabeza, el cuerpo y el miembro.

삼동네(三洞內) aldea *f* cercana que está al lado.

삼두근(三頭筋)【해부】tríceps *m*, músculo *m* tríceps.

삼두 정치(三頭政治) triunvirato *m*.

삼등(三等) [셋째의 등급] tercera clase *f*, tercera categoría *f*, tercer orden *m*; [경기의] tercer puesto *m* [lugar *m*]. ~으로 여행하다 viajar en tercera clase. 그는 경주에서 ~을 했다 El consiguió el tercer puesto en la carretera. 부산행 ~ 한 장 주세요 Un billete de la tercerca clase para Busan.
■~국(國) potencia *f* de tercer orden. ~상 tercer premio *m*. ~ 서기관 tercer secretario *m*, tercera secretaria *f*. ~석 asiento *m* de tercera clase. ~ 선객 pasajero, -ra *mf* de tercera clase. ~ 선실 camarote *m* de tercera clase. ~ 인생 la vida más baja. ~표 billete *m* [*AmL* boleto *m*] de tercera clase.

삼등분(三等分) trisección *f*, división *f* en tres iguales. ~하다 dividir [partir] en tres partes iguales, trisecar.

삼라만상(森羅萬象) universo *m*, naturaleza *f*, (toda la) creación, todas las cosas del universo.

삼루(三壘) ((야구)) base *f* tercera, tercera base *f*.
■~선 línea *f* de la base tercera. ~수 beisbolista *mf* [jugador, -dora *mf*] de la base tercera. ~타(打) golpe *m* de base tercera, triple *m*.

삼류(三流) tercer grado *m*, clase *f* tercera. ~의 del tercer grado, de clase tercera; [평범한] de medio pelo, mediocre.
■~ 극장 cine *m* de clase baja. ~ 문인[작가] escritor, -tora *mf* de pacotilla. ~ 문인 세계 mundo *m* de los escritores de poca monta.

삼륜(三輪) ① [세 개의 바퀴] tres ruedas. ② ((불교)) [부처님의 신(身)과 입(口)과 의(意)] cuerpo, boca y ideas [corazón] del Buda. ③ ((불교)) [부처님의 신통(神通)과 기심(記心)과 교계(敎誡)] poderes supernaturales, entendimiento sagaz de otros y poderes de enseñanza del Buda.
■~차(車) motocarro *m*, camioneta *f* de tres ruedas, triciclo *m*.

삼릉(三稜) [네 모서리] cuatro ángulos.
■~경 prisma *f*. ~근(筋) =삼각근(三角筋). ~주(洲) delta *f*. ~체 objeto *m* cuadrado. ~초자 prisma *f*. ~침 acupuntura *f* triangular para el acupuntor. ~파리(玻璃) prisma *f*. ~형 forma *f* de la delta.

삼림(森林) bosque *m*; [밀림] selva *f*. ~의 forestal.
■~ 감독관 guarda *mf* forestal. ~ 감시원 guardabosques *mf.sing.pl.* ~ 개발(開發) explotación *f* forestal. ~ 경영학(經營學) administración *f* de empresas forestal. ~ 경제 economía *f* forestal. ~ 경찰 policía *mf* forestal. ~ 공원 parque *m* forestal. ~ 구획 sección *f* forestal. ~대[띠] zona *f* selvática, zona *f* forestal. ~ 동물 animal *m* forestal. ~법(法) ley *f* de bosques. ~ 보호(保護) conservación *f* forestal. ~수(樹) árbol *m* forestal. ~ 식물 planta *f* forestal. ~ 자원 recursos *mpl* forestales. ~ 조합 asociación *f* forestal. ~지 bosque *m*. ~ 지대 zona *f* forestal. ~ 지방 región *f* forestal. ~ 철도 ferrocarril *f* forestal. ~학 silvicultura *f*, ingeniería *f* forestal. ~학자 silvicultor, -tora *mf*. ~ 행정 administración *f* forestal.

삼매(三昧) ((불교)) absorción *f*, concentración *f*, contemplación *f*, meditación *f*, éxtasis *m*, devoción *f*.
■~경(境) =삼매(三昧). ¶~에 들다 absorberse, extasiarse. 독서 ~으로 나날을 보내다 gozar de los días entre libros, pasar los días entregado a la lectura.

삼면(三面) ① [세 방면] tres lados. ②【수학】[세 개의 평면] tres planos. ③ [신문의 사회면] tercera página *f*.

■ ~각 ángulo *m* trihedral. ~경 luna *f* de tres espejos. ~기사 noticias *fpl* urbanas, sucesos *mpl*. ~육비(六臂) [세 개의 얼굴과 여섯 개의 팔] tres caras y seis brazos.

삼모(三毛) ((준말)) =삼모작(三毛作).

■ ~작 tres cosechas anuales.

삼목(杉木) 【식물】 cedro *m* japonés.

삼문(三文) tres céntimos, ardite *m*, un céntimo, un centavo. ~의 가치도 없다 no valer ni un céntimo, no valer un ardite, no darsel*e* a *uno* un ardite, valer muy poco.

■ ~ 문사(文士) literato, -ta *mf* de tercera clase. ~ 문학 literatura *f* vulgar. ~ 소설 novela *f* vulgar. ~ 오페라 ópera *f* vulgar.

삼민주의(三民主義) Tres Principios del Pueblo (de Sun Yat-sen de China), el Principio Nacional Triplicado, sunwenismo *m*.

삼바 samba *f*(*m*). ~를 추다 bailar la samba [el samba].

■ ~곡(曲) samba *f*.

삼박 pestañeando ligeramente.

삼박거리다 pestañear [parpadear] ligeramente.

삼박삼박 pestañenado ligeramente, parpadeando ligeramente.

삼박자(三拍子) 【음악】 compás *m* a tres tiempos, compás *m*, ternario *m*, tiempo *m* triple, medida *f* ternaria. 그는 건강, 인품 및 재능의 ~를 갖추고 있다 El reúne lo que uno desearía en un hombre: salud, buen carácter y talento.

삼반규관(三半規管) 【해부】 canales *mpl* semicirculares (del oído).

삼발이 trípode *m*, trébedes *mpl*.

삼방정계(三方晶系) 【광물】 sistema *m* triangular.

삼배(三拜) tres saludos. ~하다 saludar tres veces.

삼배(三倍) tres veces, triplicidad *f*. ~하다 triplicar. ~의 triple, triplicado. ~로 triplicadamente. ~로 되다 hacerse triple, triplicarse. ~의 크기다 ser tres veces más grande (que). 사람수를 ~로 하다 triplicar el número de personas. 5의 ~는 15이다 El triple de cinco es [son] quince. 9는 3의 ~이다 Nueve son el triple de tres. 이 줄은 그것보다 ~ 길다 Esta cuerda es tres veces más larga que ésa. 그것은 비용이 예정보다 ~가 든다 Eso cuesta triple de lo que preveíamos. 가격은 1년 동안에 ~나 올랐다 El precio se ha triplicado en un año.

삼배(三杯) ① [세 잔] tres vasos, tres copas, tres cañas. ② [술 석 잔] tres copas de vino, tres cañas de cerveza.

삼백(三百) trescientos. ~육십오 일(日) trescientos sesenta y cinco días. 집 ~채 trescientas casas. 책 ~ 권 trescientos libros.

■ ~년제 aniversario *m* tricentésimo, tercer centenario *m*.

삼범선(三帆船) carabela *f*. 콜럼버스의 ~ carabela *f* de Cristóbal Colón.

삼베 lienzo *m* [tela *f* · género *m* · tejido *m*] de cáñamo, lino *m*.

삼보(三寶) ① [귀와 입과 눈] las orejas, la boca y los ojos. ② [세 가지의 보배: 토지와 인민과 정치 ((孟子))] tres tesoros: la tierra, el pueblo y la política. ③ [자(慈)와 검(儉)과 겸(謙) ((老子))] la benevolencia, la simplicidad y la modestia. ④ ((불교)) Tres Joyas [Tesoros]: Buda, Enseñanza y Comunidad (Budista).

■ ~ 사찰 Templos *mpl* [Monasterios *mpl*] de Tres Tesoros [Joyas], Templos *mpl* [Monasterios *mpl*] de Buda, Enseñanza y Comunidad.

삼복(三伏) ① [초복 · 중복 · 말복의 세 복] tres períodos más calurosos del verano, canícula *f*, los días caniculares. ~의 canicular. ② [여름의 몹시 더운 기간] período *m* muy caluroso del verano.

■ ~더위 calores *mpl* caniculares.

삼봉낚시(三鋒-) anzuelo *m* de tres dientes.

삼부(三部) tres partes, tres secciones, tres copias; [부처(部處)] tres departamentos; [책의] tres volúmenes. 신곡(神曲)은 ~로 되어 있다 La Divina Comedia tiene tres partes.

■ ~곡 trilogía *f*. ~작 trilogía *f*, obra *f* artística tríptica. ~ 합주 conjunto *m* de tres partes, trío *m*, *ital* terzetto. ~ 합창 trío *m*, tercete *m*, coro *m* de tres voces [partes]. ~ 형식 forma *f* ternaria.

삼부분(三部分) tres partes.

■ ~ 형식 forma *f* ternaria.

삼분(三分) trisección *f*, división *f* en tres partes. ~하다 dividir en tres partes, trisecar, triseccionar. ~의 일 un tercio. ~의 이 dos tercios.

■ ~법 tricotomía *f*. ~오열 =사분오열.

삼불 fuego *m* de quemar una placenta.

삼불(蔘-) =삼독(蔘毒).

삼빛(三-) 【미술】 tercer grado *m* de saturación de color.

삼빡 ((센말)) =삼박.

삼빡거리다 ((센말)) =삼박거리다.

삼사(三思) pensamiento *m* repetido, especulación *f*, reflexión *f*. ~하다 reflejar, especular, pensar una y otra vez.

삼사(三四) ① [서넛] tres o cuatro. ② [서너] tres o cuatro. ~ 명(名) tres o cuatro personas. ~ 일 tres o cuatro días.

삼사미 ① [세 갈래로 갈라진 곳] punto *m* de trisección, punta *f* triple. ② [활의 먼오금과 뿔끝과의 사이] punta *f* en una flecha.

삼사반기(三四半期) tercer trimestre *m*.

삼사분기(三四分期) =삼사반기(三四半期).

삼사월(三四月) marzo o abril, primavera.

■ 삼사월에 낳은 아기 저녁에 인사한다 ((속담)) El día es muy largo en marzo o en abril.

삼사월 긴긴 해 el día muy largo en marzo o en abril.

삼삭(三朔) tres meses de una estación.

삼산염기(三酸鹽基) 【화학】 base *f* triácida.
삼산화물(三酸化物) 【화학】 trióxido *m*.
삼살방(三煞方) 【민속】 dirección *f* desafortunada [sin suerte · de mala suerte].
삼삼오오(三三五五) en grupos pequeños, por doses y treses.
삼삼하다[1] [잊혀지지 않고 눈앞에 보는 것 같이 또렷하다] (ser) muy emocionante.
삼삼히 muy emocionantemente.
삼삼하다[2] [음식이 약간 싱거운 듯하면서 맛이 있다] no ser salado y ser sabroso.
삼삿반(蔘－) estera *f* de junco para secar ginseng.
삼상(三相) 【전기】 tres fases.
■ ～ 교류 corriente *f* trifásica. ～ 전동기 motor *m* trifásico. ～ 전류(電流) corriente *f* eléctrica trifásica. ～ 회로 circuito *m* trifásico.
삼상(蔘商) comercio *m* del ginseng; [사람] comerciante *mf* del ginseng.
삼색(三色) ① [세 가지 색] tres colores. ～의 tricolor, de tres colores. ② ＝삼원색(三原色). ③ ((준말)) ＝삼색과실(三色果實).
■ ～과실[실과] tres frutas para el servicio religioso. ～관(管) tubo *m* tricolor. ～기 bandera *f* tricolor, bandera *f* de la Tricolor. ～ 무늬 diseño *m* decorativo tricolor. ～ 사진 fotografía *f* tricroma. ～ 인쇄 tricomía *f*. ～판 tricolotipia *f*, tricomía *f*. ～ 환등 linterna *f* mágica tricolor.
삼색오랑캐꽃(三色－) 【식물】 pensamiento *m*.
삼선(三善) tres buenas cosas: la piedad filial a los padres, la lealtad al rey y la etiqueta entre los ancianos y los jóvenes.
삼성(三聖) ① 【역사】 [우리나라 상고 시절의 세 성인] Hwan-in 환인(桓因), Hwan-wung 환웅(桓雄) y Hwan-gom 환검(桓儉). ② [세계의 세 성인(聖人)] tres santos del mundo: Shakamuni 석가, Confucio 공자 y Jesús 예수. ③ [고대(古代) 그리스의 세 성인(聖人)] Socrates 소크라테스, Platón 플라톤 y Aristoteles 아리스토텔레스.
삼성(이) 들리다 darse un hartazgo (de). 그녀는 삼성이 들려 있다 Ella se da un hartazgo.
삼성 장군(三星將軍) [육군의] teniente *m* general; [해군의] almirante *m*; [공군의] teniente *m* general.
삼세(三世) ① [아버지 · 아들 · 손자의 세 대] tres generaciones: padre, hijo y nieto. ② ((불교)) [전세 · 현세 · 내세 또는 현재 · 과거 · 미래] tres períodos, tres vidas: el pasado, el presente y el futuro.
삼세번(三－番) (exactamente) tres veces. 나는 합격 증서를 ～ 확인했다 Yo confirmé la carta de aprobación tres veces.
삼손 【인명】 ((성경)) Sansón.
삼승(三乘) ① ((구용어)) ＝세제곱. ② ((불교)) tres vehículos.
삼시(三時) ① [세 시] las tres. ② [하루의 세 끼니] tres comidas: el desayuno, el almuerzo y la cena. ③ [과거 · 현재 · 미래] el pasado, el presente y el futuro. ④ [봄 · 여름 · 가을] la primavera, el verano y el otoño. ⑤ ((불교)) tres divisiones del día: el alba, la madrugada y la puesta de sol; la mañana, el mediodía y la noche.
삼식(三食) tres comidas del día: el desayuno, el almuerzo y la cena. 하루에 ～을 하다 tomar tres comidas al día.
삼신 calzados *mpl* de cáñamo crudo.
삼신(三神) ① [환인과 환웅과 환검의 세 신] tres dioses que preparaban nuestro territorio: Hwan-in, Hwan-wung y Hwan-gom. ② 【민속】 tres espíritus que hace nacer un hijo, proteger una mujer en el sobreparto y proteger un niño nacido.
■ ～할머니 ＝삼신(三神)❷.
삼실 hilaza *f* [hilo *m*] de cáñamo, hilo *m* bramante.
삼십(三十) treinta. ～일 (日) [달의] el 30 [treinta]; [기간] treinta días. ～ 분(分) treinta minutos, media hora; [시간을 말할 때] media. ～ 초(秒) treinta segundos. ～ 년(年) treinta años. ～ 세(歲) treinta años (de edad). ～ 주(週) treinta semanas. (제) ～ 번째(의) trigésimo, treinta. 지금 열 시 ～ 분이다 Ahora son las diez y media.
삼십육계(三十六計) [뺑소니] fuga *f*, huida *f*.
◆ 삼십육계(를) 놓다[부리다] huir, escapar.
삼십팔도선(三十八度線) el Paralelo Treinta y ocho, treinta y ocho grados de la latitud norte.
삼쌍둥이(三雙童－) trillizo, -za *mf*.
삼씨 semilla *f* del cáñamo, cañamón *m*.
■ ～기름 aceite *m* de cañamón.
삼엄(三嚴) tres personas severos: el rey, el padre y el maestro.
삼엄(森嚴) solemnidad *f*, imponencia *f*. ～하다 (ser) solemne, impresionante, imponente. ～한 분위기 atmósfera imponente.
삼엄히 solemnemente, impresionantemente, imponentemente.
삼역(三役) los tres dirigentes de mayor categoría. 당(黨)의 ～ los tres dirigentes de mayor categoría del partido. 일인(一人) ～을 하다 desempeñar tres papeles diferentes.
삼엽충(三葉蟲) 【동물】 trilobites *m*.
삼엽충류(三葉蟲類) 【동물】 trilobita *f*.
삼오야(三五夜) noche *f* del quince del mes del calendario lunar.
삼용(蔘茸) 【한방】 el ginseng y la joven cuerna del venado.
삼우(三友) ① [시와 술과 거문고] el poema, el vino y el *gomungo*. ② [소나무와 대와 매화] el pino, el bambú y el albaricoquero.
삼원색(三原色) tres colores fundamentales [primarios]: rojo, amarillo y azul; [빛에서는] rojo, verde y azul.
삼월(三月) marzo *m*. ～ 일일(一日) el primero de marzo. ～ 십오일 el 15 [quince] de enero. ～ 말 일 el último día de enero.
삼위일체(三位一體) ① ((성경)) Trinidad *f*, Santísima Trinidad *f*. ② [성부(聖父)와 성자(聖子)와 성신(聖神)] el Padre, el Hijo y

el Espíritu Santo.

■ ~일체론[설] trinitarianismo *m.* ~일체론자 trinitario, -ria *mf.* ~일체 주일 Fiesta *f* de la Trinidad.

삼이웃(三一) vecindario *m* de alrededor.

삼인조(三人組) trío *m* (de ladrones), triunvirato *m*, grupo *m* de tres personas, tríada *f.*

■ ~ 강도(强盜) trío *m* de ladrones.

삼인칭(三人稱) 【언어】 tercera persona *f.*

■ ~ 단수[복수] tercera persona *f* del singular [plural].

삼일(三日) ① [달의 셋째 날] el 3 [tres] (del mes). 오월 ~ el tres de mayo. ② [삼일 동안] tres días. 나는 ~ 아팠다 Yo estuve enfermo tres días. ③ ((기독교)) tercer día *m* después del domingo, miércoles *m.*

■ ~열 terciana *f*, fiebre *f* terciana. ~우(雨) lluvia *f* sucesiva de tres días, mucha lluvia. ~장(葬) ritos *mpl* funerarios en el tercer día después de la muerte. ~천하 reinado *m* de tres días.

삼일 운동(三一運動) el Movimiento de Independencia del Primero de Marzo (de 1919).

삼일절(三一節) el Aniversario del Movimiento de Independencia del Primero de Marzo de 1919.

삼일정신(三一精神) espíritu *m* racial del Movimiento de Independencia del Primero de Marzo

삼입(滲入) infiltración *f*, filtración *f*, calada *f.* ~하다 infiltrar, filtración, calar.

■ ~수(水) el agua *f* infiltrada.

삼자(三者) ① =제삼자(第三者). ② [세 사람] tres personas.

■ ~ 회담 conferencia *f* tripartita.

삼작년(三昨年) hace tres años.

삼작야(三昨夜) anteanteanoche, trasanteanoche.

삼작일(三昨日) anteanteayer, trasanteayer.

삼장(蔘場) plantío *m* del ginseng.

삼재(三才) ① [음양설에서] el cielo, la tierra y el hombre. ② [관상에서] la frente, la nariz y la mandíbula.

삼재(三災) 【민속】 ((불교)) ① tres calamidades grandes: el desastre de inundación, el incendio y el desastre causado por tormenta. ② tres calamidades pequeñas: la guerra, la enfermedad y el hambre.

삼적(蔘賊) ladrón, -drona *mf* del ginseng.

삼정(蔘精) extracto *m* de ginseng.

삼족(三族) ① [세 가지 친족] los padres, los hermanos y la esposa y *sus* hijos. ② [부(父)와 자(子)와 손(孫)] padre, hijo y nieto. ③ [부계(父系)와 모계(母系)와 처계(妻系)] la familia paterna, la familia materna y la familia de los padres de *su* esposa.

삼종(三宗) 【불교】 tres sectas budistas.

삼종[1](三從) ((준말)) =삼종지의(三從之義).

■ ~지의(之義) tres caminos que la mujer debía mantener en la sociedad feudal: seguir a *su* padre cuando niña, seguir a *su* esposa después de casarse y seguir a *su* hijo después de la muerte de *su* esposo.

삼종[2](三從) ((준말)) =삼종형제(三從兄弟).

■ ~형제 hermano *m* de octavo grado de consanguinidad.

삼종(三種) ① tres clases, tres especies, tercera clase. ② ((불교)) tres clases, tres especies, tres tipos, tres categorías.

■ ~ 우편물 material *m* de correo de tercera clase.

삼중(三重) triciplicidad *f.* ~의 triple, triplicado. ~으로 하다 triplicar.

■ ~ 결합(結合) triple enlace *m.* ~고(苦) desventaja *f* triple. ~ 대위법 contrapunto *m* triple. ~ 도루(盜壘) robo *m* triple. ~ 모음 triptongo *m.* ~ 목적 propósito *m* triplicado. ~살(殺) triple juego *m.* ~성[별] estrella *f* triple. ~ 수소 tritio *m.* ~주(奏) trío *m.* ~주(酒) vino *m* de fermentar tres veces. ~ 주명곡 sonata *f.* ~창(唱) trío *m.* ~창(窓) ventana *f* triple. ~창곡 tercete *m.* ~ 충돌 triple choque *m.* ~탑 pagoda *f* de tres pisos.

삼지니(三一) halcón *m* de tres años de edad.

삼지사방(一四方) aquí y allá, todas las partes, todas las direcciones.

삼지창(三枝槍) ① 【군사】 tridente *m.* ② ((속어)) [포크] tenedor *m.*

삼진(三振) tres strikes, stike-out *ing.m.* ~시키다 ponchar. ~당하다 poncharse.

삼짇날 el 3 [tres] de marzo.

삼질 ((준말)) =삼짇날.

삼차(三叉) ¶~의 tridente.

■ ~로(路) camino *m* trifurcado. ~ 신경(神經) (nervio *m*) trigémino *m.*

삼차(三次) ① [세 차례] tres veces. ② 【수학】 tres dimensiones.

■ ~ 계획 tercer plan *m.* ~곡선 curva *f* cúbica. ~ 근수 raíz *f* cúbica. ~ 내각 tercer gabinete *m.* ~ 방사선 parábola *f* cúbica. ~ 방정식 ecuación *f* de tercera potencia, ecuación *f* de potencia de tercer grado, ecuación *f* cúbica. ~ 산업 industria *f* terciaria. ~ 생산 producción *f* terciaria. ~식 expresión *f* de tercer grado.

삼차(蔘茶) té *m* de ginseng.

삼차원(三次元) tres dimensiones.

◆ 제~ tercera dimensión *f.*

■ ~ 세계 mundo *m* de tres dimensiones. ~ 영화 =입체 영화(立體映畫).

삼창(三唱) grito *m* de tres veces (repetidas), acción *f* de cantar [recitar] tres veces. 만세를 ~ 하다 dar tres vivas.

삼척(三尺) ① [석 자] tres pies. ② ((준말)) =삼척검(三尺劍). ③ ((준말)) =삼척법.

■ ~검 espada *f* larga de tres pies. ~동자 niño *m* mero, niña *f* mera. ~법 ley *f.* ~장검 espada *f* larga y grande.

삼천리(三千里) ① [삼천이 되는 이수(里數)] tres mil *ri*, mil doscientos kilómetros. ② [우리 나라 반도(半島)] la Península Coreana, la Península de Corea, península *f* de nuestro país.

■ ~강산[강토] los ríos y las montañas de

la Península Coreana, toda Corea, todo el territorio de nuestro país.
삼첩계(三疊系) 【지질】 el Sistema Triásico.
삼첩기(三疊紀) 【지질】 el Período Triásico.
삼촌(三寸) ① [세 치] tres pulgadas. ② [아버지의 친형제] tío *m* (paterno).
■ ~댁 ㉮ ((속어)) [숙모] tía *f.* ㉯ [삼촌의 집] casa *f* de *su* tío.
삼총사(三銃士) 【문학】 Los tres mosqueteros (de Alejandro Dumas).
삼추(三秋) ① [가을의 석 달 동안] por tres meses del otoño. ② [세 해의 가을] otoño *m* de tres años; [삼 년의 세월] tiempo *m* de tres años. ③ [긴 세월] tiempo *m* largo, mucho tiempo.
삼추 같다 ser impaciente con [de · por] la espera.
삼춘(三春) ① [봄의 석 달 동안] tres meses de la primavera. ② [세 해의 봄] primavera *f* de tres años.
삼출(滲出) ① [안에서 밖으로 액체가 스며서 배어 나옴] filtración *f.* ~하다 filtrar (a través de), exudar. 그 나무는 고무액을 ~한다 El árbol exuda la goma. ② 【의학】 exudación *f.* ~하다 exudar. ~적 체질 diátesis exudada.
■ ~물 exudación *f,* exudado *m.* ~액(額) exudación *f,* efusión *f.*
삼층(三層) ① [세 층] tres pisos. ② [셋째 층] segundo piso *m, AmL* tercer piso *m.*
■ ~ 갑판선 buque *m* de guerra con cañones en tres cubiertas. ~장(欌) armario *m* [ropero *m*] de tres pisos. ~집 casa *f* de tres pisos.
삼치 【어류】 (una especie de) la caballa.
■ ~구이 caballa *f* asada. ~저냐 caballa *f* sofrita, caballa *f* salteada.
삼칠(三七) veintiún [veinte y un] años de edad.
삼칠일(三七日) 【민속】 tres semanas.
삼칼 espada *f* de madera para cortar las hojas del cáñamo.
삼키다 ① [(입에 무엇을 넣어) 목구멍으로 넘기다] tragar, deglutir, engullir. 간신히 ~ tragar con dificultad. 삼킬 때 아픕니다 Me duele al tragar. 그는 담배를 피웠으나 연기를 삼키지는 않았다 El fumaba pero no se tragaba el humo. ② [남의 물건을 제 것으로 만들어 버리다] apropiarse (de), apoderarse (de). 남의 재산을 ~ apoderarse de bienes ajenos. 시장(市場)을 ~ apoderarse de un mercado. 딸년이 내 보석을 삼켜 버렸다 Mi hija se apropió de mi joya. 이 책을 내가 삼켜 버려야지 Voy a apoderarme de este libro. ③ [나오는 눈물이나 웃음소리 따위를 억지로 참다] tragar, soportar [tolerar] por fuerza. 눈물을 ~ tragar lágrimas, soportar [tolerar] las lágrimas por fuerza. ④ [대지나 바다 따위가] tragar(se). 동전을 삼켜 버리다 tragarse las monedas. 바다는 배를 삼켜 버렸다 El mar se tragó el barco.
삼태(三胎) ((준말)) =삼태생(三胎生).
■ ~생[자] trillizo, -za *mf.*
삼태기 cesta *f* [cuerda *f*] de paja, malla *f* de cuerda de paja que sirva para transportar la tierra.
삼태불 verduras *fpl* con muchas raíces pequeñas.
삼투(滲透) infiltración *f,* osmosis *f,* ósmosis *f.* ~하다 infiltrarse (en), calar.
◆경제(經濟) ~ penetración *f* económica.
■ ~ 계수 coeficiente *m* osmótico. ~ 살충제 insecticida *m* osmótico. ~성 osmosis *f,* ósmosis *f.* ~압 presión *f* osmótica. ~압계 osmómetro *m.* ~ 작용 acción *f* osmótica. ~ 작전 operaciones *fpl* de infiltración.
삼파전(三巴戰) competición *f* [(미인 대회 등의) concurso *m* · (스포츠에서) competencia *f* · (권투에서) combate *m*] triangular.
삼판선(三板船) champán *m,* sampán *m.*
삼판양승(三一兩勝) las mejores dos de tres luchas.
삼팔(三八) ((준말)) =삼팔주(三八紬).
■ ~주(紬) tela *f* fina similar a la seda, una especie de la seda producida en China.
삼팔선(三八線) paralelo *m* 38 [treinta y ocho]. ~을 넘다 cruzar el Pararelo 38.
삼포(蔘圃) plantío *m* del ginseng.
삼하(三夏) ① [여름의 석 달 동안] tres meses de(l) verano. ② [세 해의 여름] tres veranos, verano de tres años.
삼하다 no ser dócil.
삼한 사온(三寒四溫) tres días fríos y cuatro templados.
삼할미 partera *f* vieja.
삼합사(三合絲) hilo *m* de tres hebras.
삼항식(三項式) 【수학】 trinomio *m.*
삼현(三絃/三弦) tres instrumentos musicales de cuerda: *gomungo, gayagum,* y *hyangbipa.*
■ ~금(琴) 【악기】 *gomungo* con tres cuerdas, instrumento *m* musical tradicional coreano de tres cuerdas.
삽(揷) pala *f.* 한 ~ 가득 una palada (de). ~으로 퍼 올리다 [퍼내다] recoger con una pala. ~으로 모래를 쌓다 amontonar arena con una pala. 그들은 ~으로 눈길을 만들었다 Ellos abrieron un camino con la pala en la nieve.
◆동력(動力)~ pala *f* mecánica, excavadora *f* mecánica. 증기~ pala *f* de vapor.
삽괭이(揷一) azada *f* con mango largo.
삽목(揷木) esqueje *m,* estaca *f.* ~하다 esquejar (una planta), meter en tierra un tallo [un cogollo] para que se arraigue.
삽사리 =삽살개.
삽살개 perro *m* de lanas, perro *m* de aguas, perro *m* lanudo [peludo], caniche *m.*
삽삽하다 (ser) afable, amable, sociable, tratable, cortés, atento, afectuoso, agradable, placentero, cordial, simpático.
삽삽하다(颯颯一) El viento es un poco frío.
삽삽하다(澀澀一) ① [껄껄하다] (ser) áspero, rugoso. ② [(말이나 글이 분명하지 못하여)

이해하기 어렵다] (ser) difícil de comprender. ③ [(맛이) 매우 떫다] (ser) muy astringente, muy áspero.

삽상하다(颯爽―) (ser) frío y vigorizante. 삽상한 겨울의 아침 una fría y despejada mañana de invierno.

삽시간(霎時間) momento *m*, instante *m*, rato *m*. ~에 en un momento, en un abrir y cerrar de ojos. 모든 것이 ~에 지나갔다 Todo pasó en un momento / Todo pasó en un abrir y cerrar de ojos.

삽입(挿入) inserción *f*, interpolación *f*, inclusión *f*, introducción *f*. ~하다 insertar, interpolar, intercalar.

■ ~구(句) paréntesis *m*. ~물 interpolación *f*, inserción *f*. ~부(部) pasaje *m*. ~부(符) =끼움표(標). ~사(詞) infijo *m*. ~어(語) interpolación *f*. ~음 sonido *m* epentético, epéntesis *f*. ~절 inciso *m*.

삽주 【식물】((학명)) Atractylodes lyrata.

삽지(揷枝) enjertación *f*, injerto *m*.

삽지(揷紙) 【인쇄】 alimentación *f* de papel.

■ ~공 alimentador, -dora *mf* de papel. ~판 tabla *f* de alimentación.

삽질(揷―) paleada *f*. ~하다 palear, dar paleadas, traspalar. ~하는 사람 paleador, -dora *mf*. 그가 네 번 ~을 했을 때 나왔다 Cuando él dio cuatro paleadas, salió.

■ ~꾼 paleador, -dora *mf*.

삽화(揷花) =꽃꽂이.

삽화(挿話) episodio *m*, anécdota *f*, [극·소설의] historia *f* intercalada.

■ ~적 episódico, en episodios. ¶~인 일 episodio *m*.

삽화(揷畵) ilustración *f*, grabado *m*, dibujo *m*. ~가 들어 있는 ilustrado. ~가 들어 있는 사전(辭典) diccionario *m* ilustrado. …에 ~를 넣다 ilustrar (en grabado), adornar de [con] grabados, llenar con grabados.

■ ~가 ilustrador, -dora *mf*.

삿갓 ① [대오리나 갈대로 만든 갓] sombrero *m* de bambú [de caña · de juncia]. ② 【식물】 [버섯의 균산(菌傘)] sombrerete *m*.

◆ 삿갓(을) 씌우다 =바가지(를) 씌우다.

■ ~장이 persona *f* que hace los sombreros de bambú. ~쟁이 persona *f* que se pone el sombrero de bambú.

삿대 ((준말)) =상앗대.

삿반(―盤) vasilla *f* de caña.

삿자리 estera *f* de caña.

상[1](上) ① [위. 상부(上部)] parte *f* superior. ② [등급이나 차례의 첫째] grado *m* superior, clase *f* alta. ~의 superior, primero. 그의 성적은 ~이다 El se sitúa entre los mejores. ③ [책의 상권] primer tomo *m* [volumen *m*], tomo *m* primero [I].

상[2](上) ((준말)) =상감(上監).

상(床) [밥상·책상·평상 따위의 총칭] [밥상] mesa *f*; [책상] escritorio *m*, pupitre *m* (학교의); [평상] mesa *f* de madera. ~을 차리다 poner [preparar] la mesa. ~을 치우다 quitar la mesa, *AmL* levantar la mesa. ~을 차려 놓았다 La mesa ya está lista. 와서 우리 ~에 앉아라 Siéntate con nosotros.

◆ 상(을) 보다 poner la mesa.

상(相) ① [얼굴의 생김새] fisonomía *f*, aspecto *m*, figura *f*, aire *m*, facciones *fpl*. ~이 좋다 tener fisonomía noble. 얼굴이 오래 살 ~이다 La cara es una fisonomía de longevidad. ② 【물리·전기·천문·화학】 fase *f*. 달의 ~ las fases de la luna.

◆ 상(을) 보다 juzgar por la fisonomía.

상(商) ① 【수학】 =몫(cociente). ② [동양 음악에서] segundo sonido *m* de siete escalas musicales o cinco escalas musicales. ③ [상업] comercio *m*, negocio *m*. ④ [상인] comerciante *mf*, negociante *mf*.

상(喪) luto *m*, duelo *m*. ~ 중이다 estar de luto (por), guardar luto (por). ~을 입다 ponerse el luto. ~을 벗다 quitarse el luto. ~을 알리다 anunciar la muerte (de). 나는 ~이 끝났다 He terminado el luto. 그녀는 아직 남편의 ~ 중이다 Ella está de luto [guarda luto] por su marido.

◆ 국(國)~ luto *m* [duelo *m*] nacional.

상(象) ((장기)) *sang*, elefante *m*.

상(像) ① [눈에 보이는 [마음에 느끼는] 것의 형체] imagen *f* (*pl* imágenes), figura *f*. ~을 만들다 hacer un imagen, formarse un imagen. ② [사람이나 물건의 형체를 본떠서 만든 것] [조각상] estatua *f*; [흉상] busto *m*. …의 ~을 세우다 levantar [erigir] una estatua a *uno*. ③ 【물리】 imagen *f*.

상(賞) premio *m*; [보수] recompensa *f*; [수당] remuneración *f*, galardón *m*. ~을 제정하다 fundar un premio. ~을 획득하다 ganar [obtener] un premio.

◆ 일등 [이등·삼등]~ primer [segundo · tercer] premio *m*.

◆ 상(을) 주다 premiar, recompensar, galardonar, dar un premio; [수당을 주다] remunerar. 상(을) 타다 ganar el premio, ser premiado, ser galardonado, recibir un premio.

-상(上) por, de la vista de, del punto de. 교육~ del punto de vista pedagógico. 편의~ por la conveniencia. 형편~ a la vista de circunstancias.

-상(狀) forma *f*, situación *f*. 연쇄~ 구균 estreptococo *m*.

-상(相) ministro, -tra *mf*. 내무(內務)~ ministro, -tra *mf* de Asuntos Interiores.

-상(商) ① [장사] negocio *m*, comercio *m*. 보석(寶石)~ joyería *f*. ② [장수] -(e)ro, -(e)ra *mf*, -ista *mf*. 가구(家具)~ mueblista *mf*. 도매(都賣)~ mayorista *mf*, comerciante *mf* al por mayor.

-상(像) estatua *f*, imagen *f*. 동(銅)~ estatua *f* de bronce. 성모(聖母)~ Imagen *f* de María. 자유의 여신~ la Estatua de Libertad.

상가(商家) familia *f* de comerciantes. 그는 ~ 태생이다 El es de una familia de comerciantes.

상가(商街) centro *m* (de la ciudad), parte *f*

céntrica de una ciudad.

상가(喪家) familia *f* en luto, casa *f* de doliente.

■ ~ㅅ집 =상가(喪家). ~ㅅ집 개 ㉮ [초상집의 개] perro *m* en una casa de doliente. ㉯ [주인 없는 개] perro *m* sin amos. ㉰ [여위고 기운 없이 초라한 모습으로 이곳저곳 기웃거리는 사람] persona *f* delgada y sin ánimo que vagabundea buscando la comida. ¶~ 같다 estar tan triste como un perro en una casa de doliente.

상각(償却) ① [보상하여 줌] amortización *f*, [감가] depreciación *f*. ~하다 amortizar. 부동산의 ~ amortización *f* de inmuebles. ② ((준말)) =감가 상각(減價償却).

■ ~ 수표 cheque *m* cancelado [anulado]. ~ 자본 [자금] fondo *m* de amortización, fondo *m* de amortización de deudas, fondo *m* de depreciación. ~ 자산(資産) activos *mpl* amortizables.

상간(相姦) fornicación *f*, unión *f* carnal fuera del matrimonio. ~하다 fornicar, cometer el pecado de la fornicación.

■ ~자 fornicador, -dora *mf*. ¶근친 ~ incestuoso, -sa *mf*. ~혼(婚) casamiento *m* entre el fornicador [la fornicadora] y la divorciada [el divorciado].

상감(上監) Su Majestad el Rey.

■ ~마마 =상감(上監).

상감(象嵌) incrustación *f*, incrustado *m*, taracea *f*, ataracea *f*, marquetería *f*, [금·은의] damasquinado *m*, ataujía *f*. ~하다 incrustar, embutir. ~된 incrustado, encrustado, ataraceado, damasquinado. ~을 박다 encrustar (con), ataracear (con oro, plata, etc.). ~을 박은 상자 [뚜껑] caja *f* [tapa *f*] con incrustaciones.

■ ~ 디자인 diseño *m* de marquetería, diseño *m* de taracea. ~사(師) incrustador, -dora *mf*, damasquinador, -dora *mf*, artesano, -na *mf* que hace taracea. ~ 세공(細工) marquetería *f*, taracea *f*. ~자 incrustador, -dora *mf*. ~ 청자 porcelana *f* [cerámica *f*] de (color) verdeceladón incrustada.

상갑판(上甲板) cubierta *f* alta.

상강(霜降) el decimoctavo de las veinticuatro divisiones estacionales.

상객(上客) ① [중요한 손] huésped *mf* de honor; [중요한 고객] parroquiano, -na *mf* [cliente, -ta *mf*] de primera clase; buen cliente *m*, buena clienta *f*, [집합적] clientela *f* selecta. ② =위요(圍繞).

상객(商客) vendedor, -dora *mf*.

상객(相客) cliente, -ta *mf*; parroquiano, -na *mf*.

상거(相距) distancia *f* lejana.

상거래(商去來) transacción *f* comercial, negocio *m*.

상거지(上一) pobre mendigo, -ga *mf*.

상건(上件) ① [질이 매우 좋은 물건] objeto *m* de muy buena calidad. ② [위에서 말한 건] asunto *m* dicho arriba.

상격(相格) *su* fisiognomía.

상격(相隔) separación *f* mutua. ~하다 estar separado (de).

상견(相見) entrevista *f*, encuentro *m*. ~하다 entrevistarse, encontrarse.

상견(想見) imaginación *f*. ~하다 imaginar.

상경(上京) ida *f* a la capital, ida *f* a Seúl, venida *f* a la capital, venida *f* a Seúl. ~하다 ir a la capital, ir a Seúl, venir a la capital, venir a Seúl. 그는 지금 ~해 있다 El está temporalmente en Seúl.

상계(上計) buen medio *m*, buena idea *f*.

상계(相計) =상쇄(相殺).

상계(商界) ((준말)) =상업계(商業界).

상고(上古) antigüedad *f*, tiempo *m* muy antiguo.

■ ~사(史) historia *f* antigua. ~ 시대 época *f* antigua.

상고(上告) ① [윗사람에게 알림] aviso *m* al superior. ~하다 avisar al superior. ② 【법률】 apelación *f* (a un tribunal superior), recurso *m* de apelación ante tercera instancia. ~하다 apelar, recurrir. 대법원에 ~하다 recurrir a la corte suprema. ~를 기각하다 desestimar la apelación. 결정에 ~하다 apelar contra [de] una decisión. 판결에 ~하다 apelar contra [de] una sentencia. 상급 관청에 ~하다 apelar a [ante] una autoridad superior.

■ ~ 기각 desestimación *f* de una apelación final, desestimación *f* del recurso de apelación ante tercera instancia. ~ 기간 período *m* de apelación, plazo *m* para apelación. ~ 법원(法院) corte *f* de apelación final, tribunal *m* del recurso de apelación ante tercera instancia. ~ 신청서 solicitud *f* [aplicación *f*] de apelación criminal final. ~ 신청의 이유 fundamentos *mpl* de la interposición del recurso de apelación ante tercera instancia. ~ 신청인 aspirante *mf* para revisión; demandante *mf*. ~심 juicio *m* del tribunal supremo, juicio *m* de la corte suprema, tercera instancia *f*. ~ 이유 fundamentos *mpl* de la interposición del recurso de apelación ante tercera instancia. ~ 이유서 escrito *m* de fundamentos del recurso de apelación ante tercera instancia. ~인(人) suplicante *mf* por revisión; apelante *mf*.

상고(尙古) culto *m* a la civilización [la cultura]. ~하다 adorar [rendir culto a] la cultura antigua.

■ ~주의 clasicismo *m*.

상고(商高) ((준말)) =상업 고등 학교.

상고(詳考) consideración *f* detallada. ~하다 considerar detalladamente [en detalles].

상고대 escarcha *f* sobre los artículos o las plantas como nieve.

◆상고대(가) 끼다 escarchar sobre los árboles y hacerse como nieve.

상고머리 pelo *m* cortado al rape. ~를 하다 llevar el pelo cortado al rape. ~로 자르다 cortarse el pelo al rape.

상공(上空) ① [높은 하늘] cielo *m* alto. ② [어떤 지역에 수직되는 공중] espacio *m*, cielo *m*. ~에 arriba por el aire. ~에서 desde lo alto del cielo. 시(市)의 ~에 sobre la ciudad. 마을의 ~에 sobre el pueblo. 100미터 ~에 a una altura dde cien metros. 서울 ~을 비행하다 volar (por) sobre [(por) encima de] Seúl.

상공(商工) ① ((준말)) =상공업(商工業). ② [상인(商人)과 공인(工人)] el comerciante y el industrial.

■ ~부(部) el Ministerio de Comercio e Industria. ¶~ 장관 ministro, -tra *mf* de Comercio e Industria. ~업 el comercio y la industria. ~업자 los comerciantes y los industriales. ~업지(業地) centro *m* comercial e industrial. ~ 위원회 el Comité [la Comisión] de Comercio e Industria. ~인의 날 el día de los comerciantes y los industriales. ~ 회의소(會議所) la Cámara de Comercio e Industria. ¶대한 ~ la Cámara de Comercio e Industria de Corea.

상공(翔空) vuelo *m* en el cielo. ~하다 volar en el cielo.

상과(桑果) 【식물】 sorosis *f*.

상과(商科) curso *m* comercial, curso *m* de comercio, departamento *m* de administración de negocios.

■ ~ 대학 facultad *f* de comercio, escuela *f* superior de comercio.

상관(上官) ① [윗자리의 관원] superior *mf*. ~의 명(命)에 따르다 obedecer las órdenes de *su* superior. ② =도임(到任).

상관(相關) ① [서로 관련을 가짐. 또는 그 관련] correlación *f*, relación *f* recíproca, relación *f* mutua, dependencia *f* mutua. ~하다 relacionarse. ~시키다 correlacionar, relacionar. ② [남의 일에 간섭함] intervención *f*, intromisión *f*, entrometimiento *m*; [걱정] preocupación *f*. ~하다 preocuparse (de), molestarse (de). 내 일에 ~하지 마라 No te preocupes de mí. 개는 ~하지 마라 ¡Déjate del perro! 그런 일에 ~할 여유가 없다 No tengo tiempo para dedicarme a tal asunto. ③ [남녀가 육체적 관계를 맺음] relaciones *fpl* sexuales, conexión *f*, coito *m*, copla *f*. ~하다 tener relaciones sexuales, conexionar. ④ 【수학】 correlación *f*.

■ ~ 개념 concepto *m* correlativo. ~ 계수 coeficiente *m* correlativo, coeficiente *m* de correlación. ~ 계수표 tabla *f* del coeficiente correlativo. ~ 곡선 curva *f* de correlación. ~ 관계 correlación *f*, relación *f* mutua. ~비(比) ratio *m* correlativo. ~설 teoría *f* de correlación. ~성 interrelación *f*. ~어 correlativo *m*. ~ 작용 correlación *f*, interacción *f*, interrelación *f*. ~적(的) correlacional, mutuamente ralacionado, correlativo. ¶~으로 correlativamente.

상관없다 ㉮ [서로 관계가 없다] no tener relaciones mutuamente. ㉯ [걱정할 것이 없다] no preocuparse (de), no molestarse (de), no importar*le* a *uno*. 나[너]는 ~ No me [te] importa. 나는 상관없으니 먼저 가십시오 Sigue adelante y no te preocupes de mí. 나는 상관없습니다 [상관하지 마십시오] No se moleste (usted) por mí. 창문을 열어도 상관없을까요? — 상관없습니다 ¿No le molesta [importa] que abra la ventana? — No, no me importa / No, de ninguna manera. 가도 상관없습니까? ¿Puedo ir? / ¿Me permite usted ir? 상관없으니 네가 생각하는 바를 말해라 Di lo que piensas francamente [sin reservas]. 그가 가건 말건 상관없습니다 No me importa si él se va o no [que se vaya o no]. 아무것이나 상관없습니다 (Me) Da igual / Me es igual / Me da lo mismo. 상관없습니다 ¡No importa! / ¡Qué importa! 그래도 상관없지요? No hay ningún inconveniente (en eso). ¿No lo crees? 아무 종이나 상관없습니다 Cualquier papel vale [me sirve].

상관없이 sin tomar en consideración (en), sin reparar (en), sin hacer caso (de). 외모에는 ~ sin hacer caso de su apariencia. 다른 사람의 미혹(迷惑)에도 ~ sin tomar en consideración [sin reparar en] la molestia para los demás.

상관례(商慣例) =상관습(商慣習).

상관습(商慣習) costumbre *f* comercial.

■ ~법 ley *f* consuetudinaria de comercio, derecho *m* consuetudinario comercial.

상괭이 【동물】 marposa *f*.

상궁(尙宮) dama *f* de la corte.

상권(上卷) tomo *m* primero [I].

상권(商圈) esfera *f* de influencia comercial.

상권(商權) [권력] poder *m* comercial; [권리] derechos comerciales.

상궤(常軌) curso *m* normal, camino *m* recto. ~를 벗어나다 [주어가 사람일 때] descaminarse, traspasar los límites del sentido común, desviarse del curso regular, descarriarse; [성격으로 보아] (ser) excéntrico, extravagante. ~를 벗어난 extravagante, excéntrico, irrazonable. ~를 벗어난 행동을 하다 portarse de una manera anormal, actuar de una manera rara.

상규(常規) ① [보통의 일반적인 규정·규칙] regla *f* ordinaria, usaje *m* común, regulación *f*. ② [언제나 변하지 않는 규칙] regla *f* permanente.

상그레 con sonrisa dulce, con sonrisa tierna, con ojos sonrientes. ~ 웃다 sonreír dulcemente, sonreír tiernamente.

상극(相剋) conflicto *m*, incompatibilidad *f*, lucha *f*, antagonismo *m*. ~이다 (ser) incompatible, discordante. 서로 ~이다 estar en oposición (a).

상근(常勤) jornada *f* completa, tiempo *m* completo. ~의 de jornada completa, de tiempo completo. ~으로 a tiempo completo. ~으로 근무하다 trabajar a tiempo completo, trabajar una jornada completa.

■ ~자 trabajador, -dora *mf* de jornada completa; trabajador, -dora *mf* a tiempo completo.

상글거리다 sonreír dulcemente [tiernamente].
상글방글 con una sonrisa tierna [dulce]. ~하다 sonreír tiernamente [dulcemente].
상글상글 con una sonrisa tierna [dulce]. ~하다 sonreír tiernamente [dulcemente].
상금(上金) oro *m* de la calidad superior.
상금(賞金) premio *m* (en metálico), premio *m* en moneda [en dinero], galardón *m*. 백만 원의 ~ premio *m* de un millón de wones. ~을 걸다 [제공하다] ofrecer premio, ofrecer una suma (como premio). ~을타다 ganar premio, recibir premio. 그 시합에는 ~이 걸려 있다 En esa competición se ofrece una prima al ganador.
상금(償金) [변상] indemnización *f*, compensación *f*, [보상] resarcimiento *m*. ~을 지불하다 [변상하다] pagar una indemnización, indemnizar, resarcir, compensar. ~을 받다 [보상을 받다] resarcirse (de). 손해 ~을 받다 resarcirse de perjuicio.
상금(尙今) hasta ahora, todavía.
상급(上級) ① [위의 등급이나 계급] grado *m* superior, rango *m* alto, clase *f* superior, clase *f* alta. ~의 superior, de clase superior, de clsae alta, de grado superior. ② [위의 학년] curso *m* superior, clase *f* superior. 서반아어의 ~ 강좌 curso *m* superior de lengua española. 그는 대학에서 나보다 3년 ~이다 El es tres años superior a mí en la universidad.
■ ~ 관리 oficial *mf* superior, oficial *mf* gubernamental de rango alto. ~ 관청 autoridades *fpl* superiores, oficina *f* gubernamental superior. ~ 법원 tribunal *m* superior, corte *f* superior. ~생[학생] estudiante *mf* [alumno, -na *mf*] de curso superior. ~심 tribunal *m* superior. ~ 학교 escuela *f* superior. ~ 학년 grado *m* superior, clases *fpl* superiores.
상급(賞給) entrega *f* de premios. ~하다 conceder [otorgar] premio.
■ ~ 수여식 ceremonia *f* de entrega de premios.
상긋 con una sonrisa ligera.
상긋거리다 sonreír tiernamente.
상긋방긋 sonriendo.
상긋상긋 sonriendo y sonriendo.
상긋이 con una sonrisa callada.
상기(上記) anotación *f* susodicha, mención *f* arriba indicada. ~의 mencionado arriba, arriba mencionado, arriba indicado, susodicho. ~의 목적(目的) los objetivos arriba mencionados. ~의 주소 [장소] dirección susodicha. ~의 상호(商號)로 bajo la razón social arriba indicada. ~의 장소로 이전하다 *trasladar* la *oficina* arriba indicada.
상기(上氣) ① [홍분이나 수치감으로 얼굴이 화끈 달아 붉어짐] abochornamiento *m*, sonrojo *m*, rubor *m*. ~하다 abochornarse, sentir bochorno, sonrojarse, ruborizarse. ~해서 abochornadamente. ~한 얼굴 rostro *m* encendido [enrojecido], cara *f* encendida [enrojecida]. ~한 볼 mejillas *fpl* encendidas [enrojecidas]. 성이 나 ~된 얼굴 rostro *m* encendido [enrojecido] de cólera. 그녀는 그 소식을 듣고 얼굴이 ~되었다 Ella se ruborizó al oir la noticia. ② 【한방】 vértigo *m*, vahido *m*, vahído *m*, congestión *f* de la cabeza. ~하다 dar vahido, dar vahído, causar vértigos, causar vahidos.
상기(商機) [상업상의 기회] oportunidad *f* de negocios *mpl*; [상업상의 기밀] secreto comercial. ~를 놓치다 perder la oportunidad de negocios.
상기(喪期) período *m* de luto [duelo].
상기(詳記) descripción *f* minuciosa. ~하다 describir [escribir] detalladamrente [minuciosamente], detallar, poner en detalles, particularizar, circunstanciar. 사정을 ~하다 detallar las circunstancias.
상기(想起) ① [기억하고 있는 지난 일을 다시 생각하여 냄] recuerdo *m*. ~하다 recordar, acordarse (de). ~시키다 recordar, evocar. 이 바람은 봄을 ~시킨다 Esta brisa nos recuerda la primavera / Esta brisa da la impresión [la sensación] de estar en primavera. 6.25를 ~하자 Recordemos la Guerra de Corea. 나는 아직도 우리가 만난 그날을 ~하고 있다 Todavía recuerdo el día en que nos conocimos. ② 【철학】 anamnesis *f*.
상길(上一) la mejor calidad de la misma especie.
상꿋 ((센말)) =상긋.
상납(上鑞) cera *f* de la calidad superior.
상납(上納) ① [정부에 세금을 냄] pago *m* de una contribución, pago *m* de un impuesto; [그 세금] contribución *f* pagada, impuesto *m* pagado. ~하다 pagar una contribución [un impuesto] (al gobierno). ② [진상품을 윗사람에게 바침] pago *m* de dinero, pago *m* de artículos. ~하다 pagar dinero [artículos] al superior
■ ~미(米) arroz *m* pagado como una contribución. ~전[금] dinero *m* pagado como una contribución.
상냥스럽다 (ser) afable, sociable. 상냥스런 얼굴을 하다 hacerse unas gachas, mostrarse muy cariñoso.
상냥스레 afablemente, con afabilidad, sociablemente.
상냥하다 (ser) sociable, afable, tratable, amable. 상냥하지 못한 insociable, poco amable, seco, desaborido. 그녀는 상냥하지 못하다 Ella es una mujer sin gracia / Ella es una desaborida.
상냥히 sociablemente, afablemente, amablemente.
상년(常一) ① [신분이 낮은 여자] mujer *f* vulgar, mujer *f* de nacimiento bajo. ② [본데없이 막되게 자란 버릇없는 여자라는 뜻으로 욕하는 말] puta *f*, ramera *f*, prostituta *f*, bruja *f*, arpía *f*, yegua *f*.
상년(上年) año *m* pasado.
상년(桑年) cuarenta y ocho años (de edad).

상년(祥年) año *m* de buena suerte.
상념(想念) meditación *f*, noción *f*, concepción *f*, idea *f*. ～에 사로잡히다 absorberse en la meditación [en los pensamientos], meditar.
상노(床奴) criado *m*, serviente *m*.
상놈(常－) hombre *m* vulgar, villano *m*.
상늙은이(上－) el viejo mayor de los viejos.
상다리(床－) patas *fpl* de la mesa.
상단(上段) ① [글의 첫째 단] división *f* [porción *f*] superior. ② [위에 있는 단] [옷장 등의] anaquel *m* superior; [계단·교실 등의] gradería *f* superior; [침대차의] litera *f* superior, litera *f* de arriba.
상단(上端) extremo *m* superior, extremo *m* de arriba.
상달(上－) ((준말)) =시월 상단.
상달(上達) ① [윗사람에게 말이나 글로 여쭈어 알려 드림] informe *m* (al superior). ～하다 informar (al superior). ② [학문이나 기술 따위가 진보 발달함] progreso *m*, adelanto *m*. ～하다 progresar, adelantar.
상담(相談) consulta *f*, conferencia *f*, junta *f*, acuerdo *m*; [조언] consejo *m*, asesoramiento *m*; [협의] deliberación *f*. ～하다 consultar, conferenciar, juntar cabezas, pedir consejos, deliberar, aconsejarse. 사전에 아무런 ～도 없이 sin previa consulta. ～을 받다 consultarse. ～에 응하다 ayudar con *sus* consejos. 변호사에게 ～하다 consultar con el [al] abogado. ～ 상대가 없다 no tener a quien consultar. 소송에 관해 변호사와 ～하다 consultar a un abogado sobre el pleito, consultar el pleito con un abogado. 나는 그에게서 ～을 받았다 El me ha pedido consejo / El ha venido a consultarme. 두 사람 간에 ～이 이루어졌다 Los dos han llegado a un acuerdo. 제 ～에 응해 주셨으면 합니다만 Quisiera que me diera su consejo.
■ ～소(所) información *f*, oficina *f* de información. ～역 consejero, -ra *mf*. ～자 consultador, -dora *mf*.
상담(商談) trato *m*; [교섭] negociaciones *fpl*, negocio *m*. ～하다 hacer (sus) negocios, negociar [tratar] un asunto (con). ～을 결정하다 concluir un trato. ～을 파기하다 romper un trato. 전화 ～을 피하다 evitar negociar por teléfono. ～이 이루어졌다 Se ha llegado a un acuerdo en las negociaciones. 100만 달러로 ～이 실현되었다 La negociación se ha realizado en un millón de dólares.
상답 paño *m* para el casamiento de *sus* hijos.
상답(上畓) buen arrozal *m*.
상답(上答) respuesta *f* [contestación *f*] inferior al superior. ～하다 responder [contestar] al superior.
상당(相當) ① [상응] adecuación *f*, apropiación *f*, consideración *f*. ～하다 (ser) adecuado, apropiado, apreciable, notable, razonable, bastante, considerable; [수(數)가] buen número de; corresponder (a), convenir (a), estar porporcionado (a), estar a la medida (de). ～한 adecuado, apropiado, razonable, considerable. ～한 부자 hombre *m* de riqueza considerable. ～한 수입(收入) ingresos *mpl* considerables. ～한 수의 부상자 buen número *m* de heridos. ～한 이유(理由) razón *f* suficiente. ～한 재산(財産) fortuna *f* razonable. ～한 수입이 있다 tener rentas considerables. 그는 능력에 ～한 보수를 받는다 El recibe el sueldo que corresponde a su capacidad. 그는 ～한 처벌을 받았다 Le castigaron como le correspondía.
② [동등(同等)] equivalencia *f*. ～하다 (ser) equivalente (a), equivaler (a). 2002년 10월에 1달러는 약 1,220원에 ～했다 Un dólar equivalía a unos mil doscientos veinte wones en octubre de 2002 (dos mil dos). 한글에는 그 단어에 ～한 정확한 어구(語句)가 없다 En coreano no hay (un) equivalente exacto de esa palabra.
③ [정도가 대단함] suficiencia *f*. ～하다 (ser) suficiente, bastante, considerable, mucho, notable, relevante. ～한 수입이 있다 tener bastantes [no pocos] ingresos. ～한 나이이다 tener no pocos años. 두 일 사이에는 ～한 차이가 있다 Hay bastante diferencia entre una cosa y otra. 나도 이제 ～한 나이이다 Ya tengo una edad considerable / Ya tengo bastantes años. 그녀는 ～한 미녀다 Ella no está mal del todo / Ella es bastante guapa. 그는 ～한 땅을 가지고 있다 El tiene bastante terreno / El tiene un terrenito. 이 그림은 ～한 것이다 Este cuadro no está mal del todo / Este cuadro está bastante bien.
■ ～수 considerable número *m*. ¶그는 책을 ～ 가지고 있다 El posee un considerable número de libros. ～액(額) cantidad *f* considerable.
상당히 ㉮ [정도(程度)] considerablemente, notablemente, bastante (bien), muy, mucho. ～ 좋은 성적 resultado *m* bastante. 역에서 ～ 먼 que está bastante lejos de la estación. ～ 인상이 좋다 ser muy simpático. 그는 서반아어를 ～ 잘한다 El habla español bastante bien. 그는 ～ 미남자이다 El es un hombre bastante guapo. 그는 ～ 취해 있다 El está bastante borracho. 그곳에 가는 데는 ～ 시간이 걸린다 Se tarda un tiempo considerable en llegar allí. 이 책은 ～ 재미있다 Este libro es muy interesante. 그는 ～ 많은 재산을 소유하고 있다 El tiene bastante mucha propiedad. ～ 기분이 좋으신데요 Está usted muy alegre. 오늘은 ～ 춥다 Hay bastante frío hoy / Hoy hace un frío notable. 날씨가 ～ 덥다 Ya hace bastante calor. 오늘은 ～ 좋다 Hoy está mucho mejor. 이제 ～ 시원해졌다 Ya hace bastante fresco. 나는 ～ 늦었다 Yo llegué bastante tarde. 그는 몸이 ～ 나쁘다 El está bastante grave. 환자의 병상(病狀)은 ～ 호전되었다 El enfermo ha

mejorado bastante. 나는 그 일에 ~ 시간이 걸렸다 Ese trabajo me ocupó bastante tiempo. 그 일을 끝내려면 ~ 시간이 걸릴 것이다 Aún se tardará bastante tiempo en terminarlo. ~ 피곤한 것 같으니 가서 쉬어라 Vete a descansar, que te habrás cansado bastante. 매일 똑같은 일을 한다는 것은 ~ 지루하다 Me aburre hacer todos los días el mismo trabajo. ㉯ [양(量)이] en gran cantidad, abundantemente, suficientemente. ㉰ [수(數)가] mucho. 그것은 ~ 돈이 들 것 같다 Le costaría a usted mucho dinero. ㉱ [시간이] por mucho tiempo, muchas horas. ~ 오랫동안 por bastante tiempo, por un tiempo considerable.

상대(上代) ① [윗대. 조상] antepasado *m*, padre *m*. ② [상고 시대(上古時代)] antigüedad *f*, edad *f* antigua, tiempo *m* antiguo. ~의 antiguo.

상대(相對) ① [서로 마주 보고 있음, 또는 그 대상] enfrentamiento *m* frente a frente. ~하다 enfrentarse frente a frente. ~하지 않다 no hacer caso (de), hacer oídos sordos (a). ② [마주 겨룸] competición *f*, concurso *m*. ~하다 competir. ③ ((준말)) =상대자(相對者). ¶~가 되다 ser rival competente. 그는 내 ~가 될만하다 El es un digno adversario mío. ④ 【철학】 relatividad *f*.
■~ 개념(概念) concepto *m* relativo. ~론 relativismo *m*. ~ 분산도 dispersión *f* relativa. ~ 빈도 frecuencia *f* relativa. ~성 relatividad *f*. ~성 원리 teoría *f* de la relatividad. ~ 속도 velocidad *f* relativa. ~ 습도 humedad *f* relativa. ~역 coactor, -triz *mf*; [댄스나 테니스에서] pareja *f*. ~ 오차(誤差) error *m* relativo. ~ 운동 moción *f* relativa. ~자 otra parte *f*, homólogo, -ga *mf*. ~적 relativo. ¶~으로 relativamente. ~ 점도 viscosidad *f* relativa. ~주의 relativismo *m*. ~주의자 relativista *mf*. ~편 [방] otra parte *f*. ¶요금을 ~ 지불로 전화하다 hacer una llamada telefónica a cobro revertido. ~의 의향은 어떻습니까? ¿Cuál fue la intención de la otra parte de él?

상대(商大) ((준말)) =상과 대학(商科大學).

상도(常道) curso *m* normal, curso *m* regular. 헌정(憲政)의 ~ curso *m* normal del gobierno constitucional. 학문(學問)의 ~ curso *m* regular de conocimientos. ~로 복귀하다 restaurar a ese modo regular.

상도덕(商道德) moral *f* comercial, ética *f* comercial.

상도의(商道義) =상도덕(想道德).

상동(上同) =동상(同上).

상동(相同) ① [서로 같음] relación *f* similar, misma relación *f*. ② 【생물】 homología *f*. ~의 homólogo.
■~ 기관 órgano *m* homólogo. ~ 염색체 cromosoma *f* homóloga.

상되다(常—) (ser) vulgar, grosero, ordinario. 상된 짓 corte *m* de mangas. 상된 짓을 하다 hacer un corte de mangas. 그녀는 상된 제스처를 했다 Ella hizo un gesto grosero. 입에 음식을 가득 넣고 말하는 것은 상된 짓이다 Es grosero [de mala educación] hablar con la boca llena.

상두(喪—) =상여(喪輿).

상등(上等) grado *m* superior, clase *f* superior, clase *f* alta, mejor calidad *f*. ~의 superior, fino, de buena calidad, de calidad superior. ~의 반지 anillo *m* de primera calidad.
■~답(畓) =상답(上畓). ~병(兵) cabo *m*, soldado, -da *mf* de primera clase. ~석 asiento *m* de primera clase, buen asiento *m*. ~전(田) campo *m* fértil. ~품(品) mercancía *f* de primera calidad, artículo *m* de mejor calidad, artículo *m* superior.

상등(上騰) el alza *f* (*pl* las alzas), subida *f*. ~하다 alzar, subir.

상등(相等) igualdad *f*. ~하다 (ser) igual.

상란(上欄) columna *f* superior, columna *f* de arriba.

상략(商略) política *f* comercial.

상량(上樑) ① [집을 지을 때 기둥에 보를 얹고 그 위에 마룻대를 올려놓음] elevación *f* de parhilera. ~하다 elevar la parhilera. ② =마룻대.
■~대 =마룻대. ~문(文) escritura *f* de bendición al elevar la parhilera. ~식 ceremonia *f* de elevar la armadura de una casa.

상련(相連) conección *f*, contigüedad *f*.

상련(相憐) simpatía *f* mutua.

상례(上例) ejemplo *m* de arriba.

상례(常例) uso *m* común, costumbre *f*. ~에 반(反)하다, ~를 무시하다 obrar contra la práctica establecida, obrar contra la costumbre establecida.

상례(喪禮) ritos *mpl* [rituales *mpl*] funerales, ceremonias *fpl* de luto.

상로(商路) =장삿길.

상록(常綠) verde *m* sempiterno. ~의 perenne, siempre verde.
■~송(松) pino *m* de hoja perenne. ~수 árbol *m* de hoja perenne. ~ 식물 planta *f* de hoja perenne. ~엽 hoja *f* perenne.

상록(詳錄) =상기(詳記).

상론(相論/商論) discusión *f* mutua. ~하다 discutir mutuamente.

상론(詳論) explicación *fpl* [exposición *f*] detallada, discusión *f* minuciosa. ~하다 explicar [exponer] detalladamente, discutir minuciosamente.

상론(常論) discusión *f* común.

상류(上流) ① [강(江)의] parte *f* más alta del río, corriente *f* superior. ~에 río arriba. 한강 ~ (지역) el alto Han. 아마존 강 ~ 지역 el alto Amazonas. 다리는 이곳에서 10 킬로 ~에 있다 El puente está diez kilómetros más arriba de aquí. ② ((준말)) = 상류 계급(上流階級).
■~ 가정 familia *f* de la alta sociedad. ~ 계급 clase *f* social distinguida [superior], clase *f* alta; [사람들] las clases altas, gente *f* de la alta sociedad. ~ 부인 mujer *f*

de alta clase. ～ 사회(社會) alta sociedad *f*, buena sociedad *f*, gran mundo *m*. ～ 생활 vida *f* alta. ～ 인사(人士) élite *m* de sociedad, gente *f* de buena familia, alta burguesía *f*.

상륙(上陸) desembarco *m*, desembarque *m*. ～하다 desembarcar, tomar [bajar a] tierra. 부대는 인천에 ～했다 La unidad desembarcó en Inchon. 태풍이 제주도에 ～했다 El tifón llegó a [alcanzó] la costa de la provincia de *Chechudo*.

▪ ～군(軍) fuerzas *fpl* desembarcadas. ～부대 compañía *f* de desembarco. ～용 주정 barcaza *f* [lancha *f*] de desembarco. ～ 작전(作戰) operación *f* de desembarco. ～지 desembarcadero *m*. ～ 지점 punto *m* de desembarco.

상리(商理) razón *f* comercial.

상마(一馬) caballo *m* padre, caballo *m* semental, garañón *m* (*pl* garañones).

상막하다 (ser) vago, legero, borroso, o(b)scuro, poco iluminado, débil, tenue. 상막한 기억 memoria *f* vaga. 아이 적의 기억이 ～ Yo tengo una memoria vaga de mi niñez [mi infancia].

상말(常一) ① [상스러운 말] improperios *mpl*, palabras *fpl* vulgares, vulgarismo *m*, frase *f* popular, expresión *f* popular. ～하다 improperar. ～을 쓰다 lanzar improperios. 그는 ～을 쓰기 시작했다 El empezó a lanzar improperios. ② ＝속담(俗談)(refrán).

상망[1](相望) [서로 바라봄] acción *f* de mirarse uno de otro. ～하다 mirarse uno de otro.

▪ ～지지(之地) lugar *m* muy cercano.

상망[2](相望) [재상이 될 만한 명망(名望)] fama *f* de ser ministro.

상망(想望) ① [사모] adoración *f*, anhelo *m*, ansia *f*. ～하다 adorar, anhelar, ansiar. ② [기대] esperanza *f*, expectación *f*, previsión *f*. ～하다 esperar, prever.

상머리(床一) cabeza *f* de la mesa.

상머슴(上一) mozo *m* de labranza con deberes pesados.

상면(上面) superficie *f*, parte *f* de arriba.

상면(相面) ① [서로 대면함] encuentro *m*. ～하다 verse, encontrarse. ② [처음으로 서로 만나 인사를 하고 서로 알게 됨] conocimiento *m*. ～하다 conocer. 선생을 ～하게 되어 반갑습니다 [처음 뵙겠습니다] Tengo mucho gusto en conocerle a usted / Mucho gusto en conocerle a usted / Mucho gusto.

상명(上命) ① [상부의 명령] orden *f* del superior. ② [임금이 내린 명령] orden *f* del rey.

상목(桑木) 【식물】 moral *m*.

상몽(祥夢) ＝길몽(吉夢).

상무(尙武) militarismo *m*, espíritu *m* militar, espíritu *m* marcial. ～의 기상 espíritu *m* marcial [militarista].

▪ ～적(的) marcial, militarista, militar.

상무(常務) [나날의 업무] negocios *mpl* [deberes *mpl*] diarios; [보통의 업무] negocios *mpl* ordinarios.

▪ ～위원(委員) miembro *mf* de un comité permanente. ～ 위원회 comité *m* permanente; [유럽 의회의] comisión *f* permanente. ～ 이사 director, -tora *mf* gerente.

상무(商務) comercio *m*, negocios *mpl* comerciales.

▪ ～관(官) agregado, -da *mf* comercial. ～성 [미국의] el Ministerio de Comercio. ～참사관 secretario, -ria *mf* comercial.

상무(祥霧) niebla *f* de buen agüero.

상문(上文) declaración *f* antedicha, párrafo *m* mencionado arriba. ～과 같이 como mencionado arriba, como hemos dicho [citado · mencionado] arriba, como se ha dicho [citado · mencionado] antes. ～을 참조하시오 Véase arriba.

상문(上聞) oído *m* real. ～하다 llegar a oído del rey.

상문(尙文) ánimo *m* de conocimientos.

상문(喪門) dirección *f* muy atroz.

상문(詳問) pregunta *f* detallada [minuciosa]. ～하다 preguntar detalladamente [minuciosamente].

상미(上米) arroz *m* de la mejor calidad.

상미(上味) buen sabor *m* de la comida.

상미(嘗味) examen *m* [prueba *f*] del sabor. ～하다 examinar [probar] el sabor, saborear.

상미(賞味) paladeo *m* con gusto. ～하다 paladear, saborear, probar, comer con gusto, apreciar.

상미(賞美) admiración *f*, aplauso *m*, adoración *f*, alabanza *f*, ensalzamiento *m*. ～하다 alabar, ensalzar, aplaudir, admirar, adorar.

상민(常民) la gente común y corriente, hombre *m* de clase baja, las clases bajas. ～으로 태어난 de humilde cuna, de humilde nacimiento, de humilde origen.

상밀(詳密) ＝세밀(細密).

상박(上膊) 【해부】 brazo *m* superior. ～의 humeral.

▪ ～골(骨) húmero *m*. ～근(筋) músculo *m* humeral, músculo *m* braquial. ～ 동맥 arteria *f* braquial. ～부 región *f* humeral. ～신경통 neuralgia *f* humeral.

상반(上半) parte *f* superior de lo que se divide por mitad.

▪ ～기 primer semestre *m*, primera mitad *f* del año. ～부 parte *f* superior.

상반(相反) contradicción *f*, reciprocidad *f*. ～하다 ser contrario mutuamente.

▪ ～ 곡선 curva *f* recíproca. ～ 교배(交配) ruzamiento *m* recíproco. ～ 법칙 ley *f* de reciprocidad. ～ 잡종 híbrido *m* recíproco.

상반(常班) el plebeyo y el noble.

상반목(常磐木) 【식물】 ＝상록수(常綠樹).

상반신(上半身) medio cuerpo *m* para [de] arriba, parte *f* superior del cuerpo. 그는 ～을 벗고 있었다 El estaba desnudo de medio cuerpo para arriba.

▪ ～ 사진 fotografía *f* de busto.

상밥(床一) comida *f* fija servida en el restaurante.
■ ～집 restaurante *m* que se vende la comida fija.
상방(上方) [위쪽] parte *f* superior; [위쪽의 방향] dirección *f* de la parte superior. ～의 superior, de arriba. ～에 arriba, hacia arriba.
상방(上枋) ((준말)) =상인방(上引枋).
상배(喪配) muerte *f* de *su* esposa. ～하다 perder *su* esposa, encontrar la muerte de *su* esposa.
상배(賞盃/賞杯) ① [선행이나 공로를 표창하기 위하여 주는 술잔] copa *f* (de oro·de plata·de madera). ② [운동 경기·웅변 따위에서 입상자나 입상 단체에게 상으로 주는 컵] copa *f* (de premio), trofeo *m*.
상번(上番) guardia *f*, [사람] persona *f* de estar de guardia.
상벌(賞罰) premio *m* y [o] castigo, gratificación *f* y penalidad. ～ 없음 [이력서 등에서] No hay premio ni castigo.
상법(商法) ① [장사의 이치] principio *m* de negocio [del comercio]; [장사하는 방법] método *m* del negocio. ②【법률】ley *f* comercial, derecho *m* mercantil, código *m* de comercio.
■ ～전(典) código *m* comercial, código *m* de comercio.
상변(上邊) =윗변.
상병(上兵) ((준말)) =상등병(上等兵).
상병(傷兵) soldado *m* herido, soldada *f* herida.
상병(傷病) la herida y la enfermedad.
■ ～병(兵) soldados *mpl* heridos o enfermos. ～자(者) personas *fpl* heridas y enfermas. ～ 포로 prisioneros *mpl* de guerra heridos y enfermos. ～ 포로 교환 협정 acuerdo *m* de cambiar a los prisioneros de guerra heridos y enfermos.
상보(床褓) mantel *m*, cubierta *f* de mesa.
상보(商報) boletín *m* de negocios.
상보(詳報) información *f* completa, noticia *f* con todo detalle, relato *m* circunstanciado. ～하다 informar detalladamente [con todo detalle] (sobre), dar una información completa (sobre).
상보기(相一) =관상(觀相).
상보다(床一) poner [preparar] la mesa.
상보다(相一) juzgar por la fisonomía.
상보이다(相一) hacer juzgar por la fisonomía.
상복(常服) =평복(平服).
상복(喪服) luto *m*, traje *m* de luto, traje *m* de duelo. 과부의 ～ (ropa *f* de) luto *m* de viuda. ～을 입다 llevar luto, vestirse de luto, vestirse de negro, ponerse de luto. ～을 벗다 quitarse el luto.
◆ 약식(略式) ～ medio luto *m*.
상봉(上峰) el pico más alto, la cima [la cumbre] más alta.
상봉(相逢) encuentro *m* mutuo. ～하다 encontrarse (con), encontrar, verse. 그 형제는 50년만에 ～하였다 Los hermanos se encontraron uno a otro en cincuenta años.
상부(上部) ① [위가 되는 부분] parte *f* superior. ～의 superior. ② [상급 기관] oficina *f* superior, autoridad *f* superior. ～에 보고하다 informar a las autoridades superiores. ～의 지시에 따르다 seguir las direcciones de la oficina superior.
■ ～ 공사(工事) obra *f* de superestructura. ～ 구조(構造) superestructura *f*. ～ 조직(組織) organización *f* superior.
상부(相扶) ayuda *f* mutua. ～하다 ayudar mutuamente.
■ ～상조(相助) ayuda *f* mutua, interdependencia *f*. ¶～하다 ayudar(se) uno a otro [el uno al otro·el uno del otro·mutuamente].
상부(桑婦) mujer *f* que recoge las hojas del moral.
상부(祥符) =길조(吉兆).
상부(喪夫) pérdida *f* de *su* esposo, muerte *f* de *su* esposo. ～하다 quedar viuda, perder *su* esposo, encontrar la muerte de *su* esposo.
■ ～살(煞) influencia *f* malvada de quedar viuda, desgracia *f* de perder *su* esposo.
상부(孀婦) viudita *f*, viuda *f* joven.
상비(常備) preparación *f*, reserva *f*, reservación *f*. ～하다 proveer permanentemente (de), reservar, estar preparado (para), estar dispuesto (a). ～의 preparado, dispuesto, permanente, regular; [예비의] reservado.
■ ～군 ㉮【군사】ejército *m* permanente, reservas *fpl*, *Col* pie *m* de fuerza. ㉯ [스포츠의] reserva *f*, [사람] reserva *mf*, suplente *mf*. ～금 fondo *m* reservado. ～량 cantidad *f* reservada. ～미(米) arroz *m* reservado. ～ 병역 tropas *fpl* permanentes. ～약(藥) botiquín *m* de casa. ¶가정 ～ medicina *f* casera, botiquín *m* de casa. ～ 함대 escuadra *f* reservada.
상빈(上賓) =상객(上客).
상사 ① [기둥이나 나무 그릇의 모서리를 조금 접고 오목한 홈을 파낸 줄] estría *f* redonda del borde. ② [화살대 아래의 대통으로 싼 부분] parte *f* inferior de bambú del asta de flecha. ③ ((준말)) =상사밀이.
◆ 상사(를) 치다 acanalar.
■ ～밀이[대패] acanalador *m*.
상사(上士) ① ((불교)) =보살(菩薩). ② ((군사)) sargento *m* primero.
상사(上司) ①【고제도】oficial *m* del ragno alto. ② [자기보다 윗벼슬인 사람] jefe, -fa *mf*, superior *mf*, patrón, -trona *mf*, [관청] autoridad *f*. 그는 나의 ～이다 El es mi superior.
상사(相似) ① [모양이 서로 비슷함] semejanza *f*. ～ 하다 (ser) semejante, parecido. ②【기하】similitud *f*. ～의 similar. ③【생물】analogía *f*.
■ ～ 기관 órganos *mpl* análogos. ～물(物) anólogo *m*. ～ 삼각형 triángulos *mpl* ho-

mólogos. ~점 semejanza *f*, similitud *f*. ~항 términos *mpl* semejantes.

상사(相思) amor *m* mutuo. ~하다 estar enamorado el uno al otro, enamorarse el uno al otro.

■ ~마(말) semental *m* en celo. ~병(病) enfermedad *m* [mal *m*] de amor. ¶~에 걸린 (사람) enfermo, -ma *mf* de amor, perdidamente [locamente] enamorado, -da *mf*. ~에 걸리다 caer enfermo de amor (a · por), estar perdidamente [locamente] enamorado (de).

상사(商社) ① [회사] compañía *f*, casa *f* de comercio, sociedad *f* [firma *f*] comercial, empresa *f*, casa *f*. ② ((준말)) =상사 회사. ◆외국(外國) ~ firma *f* extranjera, compañía *f* extranjera.

■ ~원(員) empleado, -da *mf* de una firma.

상사(商事) asuntos *mpl* comerciales, negocios *mpl* comerciales.

■ ~ 계약 contrato *m* comercial. ~ 대리 representación *f* comercial. ~ 재판소 tribunal *m* comercial. ~ 회사(會社) firma *f* comercial.

상사(常事) =예상사(例常事).

상사(祥事) =대상(大祥).

상사(喪事) reclusión *f* por duelo, luto *m*, muerte *f*. ~가 나다 tener luto.

상사(想思) pensamiento *m* mutuo, anhelo *m* mutuo. ~하다 anhelarse el uno al otro, ansiarse el uno al otro.

상사(殤死) muerte *f* antes de veinte años de edad. ~하다 morir antes de veinte años de edad, morir de joven [de juventud].

상사(賞賜) premio *m* que da el rey. ~하다 (el rey) dar el premio.

상사(賞詞) =찬사(讚辭).

상사람(常―) hombre *m* común; plebeyo, -ya *mf*, pueblo *m*.

상사초(相思草) =담배.

상상(想像) imaginación *f*, fantasía *f*, ilusión *f*, figuración *f*; [가정(假定)] hipótesis *f*, suposición *f*; [억측] conjetura *f*; [추정] presunción *f*. ~하다 imaginar(se), figurarse, suponer, fantasear, conjeturar, presumir. ~(상)의 imaginario, ilusorio, irreal. ~할 수 있는 imaginable. ~할 수 없는 inimaginable, inconcebible. 멋대로 ~하다 fantasear, dar rienda suelta a la imaginación. 도저히 ~할 수 없다 superar a toda la imaginación, ser inconcebible. 오만 가지 ~이 머리에서 빙빙 돌다 dar vueltas [revolver] mil imaginaciones en la cabeza. 그것은 ~도 할 수 없는 일이다 Ni me lo puedo imaginar / Es algo inimaginable. 너는 ~도 할 수 없을 것이다 No te lo podrás ni imaginar. 당신의 ~에 맡기겠습니다 Lo dejo a su libre imaginación. 이것은 단순한 ~에 불과하다 Esto no se más que una simple suposición. 그것은 단순한 네 ~일 뿐이다 Son meras figuraciones tuyas. 그의 고통은 ~을 초월한다 Su dolor supera a toda imaginación / Su pena es mayor de lo que se puede imaginar. 그 어려움은 ~을 초월한다 Esa dificultad desafía toda imaginación. 그가 우승하리라 누가 ~이나 했나 ¡Quien se imaginaría [iba a imaginar] que él saliera / Lo último que uno podía pensar es que él saliera.

■ ~력 facultad *f* [fuerza *f*] imaginativa, (poder *m* de) imaginación *f*. ¶~이 풍부한 imaginativo, concebible, de mucha imaginación. ~설 hipótesis *f*. ~세계 mundo *m* de ensueño; [이상향] utopía *f*, utopia *f*. ~임신 (姙娠) falso embarazo *m*, embarazo *m* imaginario, seudociesis *f*. ~적(的) imaginario, ilusorio, irreal. ¶~으로 imaginariamente. ~화(畵) pintura *f* imaginaria, pintura *f* de fantasía.

상상봉(上上峰) la cima más alta de las cimas.

상서(上書) carta *f* a *su* superior. ~하다 escribir [enviar · mandar] a *su* superior.

상서(相書) ((준말)) =관상서(觀相書).

상서(祥瑞) feliz agüero *m* [pronóstico *m* · presagio *m*], buen agüero *m*, buen augurio *m*.

상서로이 propiciamente, favorablemente, felizmente, oportunamente, auspiciosamente, afortunadamente.

상서롭다 (ser) propicio, favorable, feliz, oportuno, acertado, auspicioso, prometedor, con suerte, afortunado, suertudo, de buen augurio, de buen agüero. 그것은 ~ Es un buen augurio / Es de buen agüero. 경제가 상서롭지 못하다 Los indicios económicos no son buenos.

상서스럽다 (ser) de buen agüero.

상석(上席) cabecera *f*, asiento *m* superior, silla *f* superior; [주빈석] sitio *m* de honor. ~에 앉다 sentarse a la cabecera de la mesa.

상석(床石) mesa *f* de piedra enfrente de la tumba [del sepulcro].

상선(商船) barco *m* [buque *m*] mercante, barco *m* [buque *m*] de comercio; [집합적] marina *f* mercante. ~을 격침시키다 hundir un barco mercante. ~이 격침되다 hundirse un barco mercante.

■ ~기(旗) bandera *f* mercante. ~대 flota *f* mercantil.

상설(常設) establecimiento *m* permanente. ~하다 establecer permanentemente. ~의 permanente.

■ ~관 salón *m* permanente. ~ 국제 사법 재판소 la Corte Permanente de Justicia Internacional. ~ 국제 위원회 la Comisión Permanente Internacional. ~ 농업 위원회 el Comité Agrícola Permanente. ~ 단체 corporación *f* permanente, organización *f* permanente. ~ 영화관 cine permanente. ~ 위원회 comisión *f* [junta *f* · comité *m*] permanente. ~ 중재 재판소 el Tribunal Arbitral Permanente.

상설(詳說) explanación *f* detallada. ~하다 explanar detalladamente [en detalle].

상설(霜雪) la escarcha y la nieve, frío *m* severo, severidad *f* de(l) invierno.

상세(上世) ① [상고(上古)] antigüedad *f* remota. ② =윗대(代).

상세(詳細) detalle *m*, pormenores *mpl*, minuciosidad *f*. ~하다 (ser) detallado, minucioso, elaborado, circunspecto, escrupuloso, cuidadoso. ~한 설명 explicación *f* detallada. ~한 지시를 하다 detallar instrucciones (a), dar instrucciones [indicaciones] minuciosas (a). ~한 주의를 기울이다 prestar una atención cuidadosa. 나는 ~한 것을 모른다 No conozco los detalles. 그의 보고는 매우 ~하다 Sus informes son muy detallados. ~한 것은 다음 쪽을 보아 주십시오 Véase la siguiente página para más detalles. ~한 것은 다음과 같다 He aquí los detalles / Los detalles son los siguientes. ~한 것은 사무국에 문의하여 주십시오 Para mayores detalles, diríjanse a la secretaría.

상세히 detalladamente, de detalle, con detalles, con todo detalle, ce por be, minuciosamente, con minuciosidad, punto por punto. ~ 말하면 en detalle, en particulares. ~ 보고하다 informar detalladamente [en detalle]. ~ 분류하다 clasificar en detalle. ~ 이야기하다 contar detalladamente [en detalle]. ~ 알고 있다 conocer [saber] detalladamente, saber todos los detalles (de). ~ 펼쳐지다 extenderse en detalles. 사건을 ~ 알다 enterarse de los detalles del asunto. 사건을 ~ 술회하다 referir los pormenores del suceso, explicar el asunto con todos los detalles. 그는 있었던 일을 ~ 말했다 El refirió ce por be cuanto había pasado.

상소(上訴) 【법률】 apelación *f* (a una jurisdicción superior), recurso *m*. ~하다 apelar al tribunal supremo [a la suprema corte]. ~를 취하하다 dejar la apelación. 판결에 대해서 ~하다 apelar de [contra] la sentencia.

■~ 관할권 jurisdicción *f* de apelación. ~권 derecho *m* de apelación. ~권자 apelante *mf*. ~권 회복 restauración *f* del derecho del recurso. ~ 기각 desestimación *f* de apelación. ~ 기간 término *m* de apelación. ~ 기록 actas *fpl* de apelación [del recurso]. ~ 법원[재판소] tribunal *m* de apelación [recurso]. ~ 불허 결정 resolución *f* inapelable. ~심 juicio *m* de apelación. ~인 apelante *mf*. ~ 취하 retiro *m* de apelación. ~ 포기 abandono *m* de apelación.

상소리(常一) ① ((낮은말)) =상말. ② [상스러운 소리] improperios *mpl*. ~를 하다 lanzar improperios.

상속(相續) herencia *f*, [후계] sucesión *f*. ~하다 heredar (a · de), recibir herencia (de), suceder (a); ((성경)) heredar, recibir. ~받은 heredado. ~할 수 있는 heredable. ~의 승인 및 포기 aceptación *f* y denegación de la herencia. 아들들이 부친의 뒤를 ~했다 Los hijos heredaron al padre. 그는 부친의 유산을 ~했다 El heredó los bienes de su padre.

■~ 개시 comienzo *m* de la sucesión. ~권 derecho *m* sucesorio [de sucesión], herencia; ((성경)) derecho *m* de la herencia, derecho *m*. ~ 동산 reliquia *f*. ¶가족 ~ reliquias de familia. ~법 ley *f* de herencia. ~분 cuota *f* de la herencia. ~분쟁 disputa *f* por la herencia, contienda *f* sobre la herencia. ~세 impuesto *m* sobre sucesiones, impuestos *mpl* a la(s) herencia(s), impuesto *m* sucesorio. ¶~를 부과하다 gravar las herencias. ~ 승인 aceptación *f* de sucesión [de la herencia]. ~인[자] heredero, -ra *mf*. ¶…를 ~으로 하다 instituir por heredero a *uno*, nombrar heredero a *uno*. 법정(法定) ~ heredero *m* forzoso. 재산(財産) ~ heredero *m* de una fortuna. 지적(知的) ~ heredero *m* intelectual. 추정 ~ heredero *m* presunto. ~ 재산 herencia *f*, propiedad *f* heredada, bienes *mpl* heredados, patrimonio *m* hereditario ~ 재산 관리인 administrador, -dora *mf* de la herencia. ~ 재산 법인 caudal *m* hereditario. ~ 제도 sistema *m* de herencia. ~ 채권자 acreedor, -dora *mf* al heredero. ~ 포기 rechazo *m* de herencia [sucesión], repudio *m* de la herencia. ~ 회복 restauración *f* de herencia. ~ 회복 청구권 petición *f* de herencia.

상쇄(相殺) ① [셈을 서로 비김] balance *m*, compensación *f*, liquidación *f*. ~하다 compensar, contrapesar, hacer balance, balancear, hacer compensación, liquidar. A를 B와 ~하다 compensar [contrapesar] A con B. A가 B와 ~된다 A se contrapesa con B / A (se) compensa con [a] B. 이해(利害)가 ~한다 Las ganancias contrapesan las pérdidas. 나는 그와 빚을 ~했다 Yo liquidé la deuda con él. ② 【법률】 =상계(相計).

■~ 계정 cuenta *f* de compensación. ~ 관세 derechos *mpl* compensatorios. ~권(權) derecho *m* de compensación. ~물(物) compensación *f*. ~액(額) cantidad *f* de compensación.

상쇠(上一) primer músico *m* de gong en la banda folclórica.

상수(上手) buena habilidad *f*, [사람] experto, -ta *mf*, maestro, -tra *mf*. ~의 experto, hábil. …에 ~이다 ser experto en *algo*.

상수(上水) el agua *f* suministrada por obras hidráulicas, servicio de agua, acueducto.

■~도 acueducto *m*, servicio *m* de agua; [급수] planta *f* de tratamiento y depuración de agua, purificadora *f*. ~도 공사 obras *fpl* hidráulicas.

상수(上壽) ① [보통 사람보다 아주 많은 나이] mucho más edad *f* que la persona ordinaria; [보통 사람보다 아주 나이 많은 사람] persona *f* que tiene mucho más edad que la persona ordinaria. ② [100살] cien años de edad; [100살 먹은 사람] centenario, -ria *mf.* ③ =헌수(獻壽).

상수(上數) =상계(上計). 상책(上策).

상수(常數) ① [저절로 정하여진 운명] curso *m* regular [ordinario] de cosas, curso *m* de naturaleza, destino *m.* ② 【수학】 constante *f.* ③ 【물리】 constante *f.*

상수(霜鬚) barba *f* blanca como la nieve.

상수리 【식물】 bellota *f.*

■ ~밥 plato *m* de bellotas cocidas al vapor con miel. ~쌀 bellotas *fpl* molidas.

상수리나무 【식물】 roble *m*, una especie de encina.

상순(上旬) principios *mpl* del mes, primera década *f* del mes. 10월 ~에 a prinicipios [a comienzos] (del mes) de octubre.

상순(上脣) [윗입술] labio *m* superior.

상술(床-) vino *m* vendido en mesas.

■ ~집 taberna *f* de vino vendido en mesas.

상술(上述) descripción *f* [explanación *f*·explicación *f*] anterior [precedente]. ~한 arriba mencionado, antedicho, precitado, dicho arriba, sobredicho. ~한 금액 dicha cantidad *f.*

상술(商術) truco *m* del comercio, habilidad *f* [talento *m*] comercial.

상술(詳術) descripción *f* [relación *f*] detallada, exposición *f* minuciosa, especificación *f.* ~하다 describir detalladamente, referir minuciosamente, especificar.

상스럽다(常-) (ser) grosero, insultante. 상스럽게 insultantemente, groseramente. 상스런 사람 persona *f* vulgar. 상스런 말을 쓰다 lanzar improperios. 상스럽게 말하다 decir groserías, empezar a soltar groserías. 그녀는 상스런 편지를 여러 통 받았다 Ella recibió varias cartas insultantes. 그는 상스런 말을 쓰기 시작했다 El empezó a lanzar improperios.

상스레 groseramente, insultantemente, con grosería.

상습(常習) [세상의] costumbre *f* regular, convención *f*; [개인의] costumbre *f*, hábito *m.* ~의 habitual, acostumbrado, de costumbre, regular.

■ ~범(犯) delincuente *mf* [criminal *mf*] habitual; delincuente *m* confirmado, delincuente *f* confirmada; ofensor, -sora *mf* habitual. ~범 가중죄 castigo *m* acumulativo. ~자 adicto, -ta *mf*; ofensor, -sora *mf* habitual. ¶마약 ~ drogadicto, -ta *mf*; toxicómano, -na *mf.* 헤로인 ~ heroinómano, -na *mf.* ~적 habitual, acostumbrado, de costumbre, regular. ¶~으로 habitualmente, acostumbradamente. ~ 범죄(犯罪) delito *m* [crimen *m*] habitual. 그는 ~ 소매치기다 El es un ratero [carterista] habitual. ~ 절도 robo *m* habitual.

상승(上昇/上升) subida *f*, elevación *f*, ascensión *f*, ascenso *m*, el alza *f.* ~하다 subir, elevarse, ascender. 물가가 ~했다 Han subido los precios. 비행기가 ~한다 El avión sube.

■ ~ 경향 tendencia *f* ascendente, tendencia *f* al alza. ~ 곡선 curva *f* ascendente. ~ 기류 corriente *f* atmosférica ascendente. ~력 fuerza *f* ascensional. ~세 ascenso *m.* ¶최근 ~를 타고 있는 팀 el recién ascendido partido. ~ 속도 velocidad *f* de ascenso. ~ 식물 enredadera *f*, trepadora *f.* ~ 한도 [실용의] techo *m* práctico, techo *m* de servicio.

상승(相乘) 【수학】 multiplicación *f.* ~하다 multiplicar.

■ ~법 método *m* de multiplicación. ~비 proporción *f* geométrica. ~ 작용 sinergía *f.* ~적(積) producto *m* de masa. ~ 평균 media *f* geométrica, promedio *m* geométrico. ~효과 efecto *m* conjugado.

상승(常勝) victoria *f* [triunfo *m*] constante. ~의 siempre victorioso, invensible.

◆상승 가도(街道)를 달리다 tener una trayectoria invencible.

■ ~군(軍) ejército *m* siempre victorioso, ejército *m* invencible. ~장군 general *m* invencible, general *m* siempre victorioso. ~ 함대 flota *f* invencible.

상시(常時) ① [늘·항상] siempre. ② ((준말)) =평상시. ¶~에 en tiempos normales [ordinarios].

■상시에 먹은 마음이 취중(醉中)에 난다 ((속담)) La ebriedad es amiga de la verdad / Donde entra el vino la verdad sale.

■ ~ 고용(雇用) empleo *m* regular. ~ 고용인 empleado, -da *mf* regular.

상식(上食) comida *f* expiatoria [propiciatoria] ofrecida al difunto, ofrenda *f* de las comidas al difunto.

상식(相識) conocimiento *m* mutuo.

상식(常食) alimento *m* básico, comida *f* usual, comida *f* corriente, dieta *f* normal. ~하다 alimentarse (de), mantenerse (de). 쌀을 ~하다 vivir [alimentarse] de arroz.

상식(常識) sentido *m* común; [양식(良識)] buen sentido *m*; [초보적 지식] conocimiento *m* elemental. ~이 있는 que tiene (el) sentido común, de buen sentido; [이성적] razonable. ~이 없는 사람 hombre *m* sin sentido. 아무런 ~도 없이 sin ningún sentido. ~으로 판단하다 juzgar según [de acuerdo con] el sentido común. ~을 결여하다 carecer de sentido común. ~ 밖의 행동을 하다 actuar con insensatez [sin sentido común]. 그런 것은 ~이다 Todo el mundo lo sabe / Es bien conocido.

■ ~가 hombre *m* de sentido común. ~ 시험 prueba *f* de información general. ~적 común, banal, lleno de sentido común, sensible. ~ 철학 filosofía *f* de sentido común. ~ 판단 juicio *m* de sentido común.

상신(上申) reporte *m* escrito. ~하다 hacer una relación (a un superior), informar al gobierno, relatar, referir, dar parte, manifestar.

■ ~서(書) reporteo *m* escrito, relación *f*, memoria escrita. ~자 reportero, -ra *mf.*

상신(相信) creencia *f* mutua. ~하다 creer mutuamente [una a otro].

상신(喪神) síncope *m*, catalepsia *f*, estado *m* hipnótico, ofuscamiento *m*, estupefacción *f.* ~하다 estar en síncope [catalepsia], ofuscarse, aturdirse, embobecerse, perder los sentidos.

상신(傷神) perjuicio *m* del espíritu. ~하다 perjudicar al [en] espíritu.

상신(霜晨) mañana *f* fría que escarcha.

상실(喪失) pérdida *f.* ~하다 perder. 자신을 ~하다 perder *su* propia confianza [la confianza en *sí* mismo]. 존경심을 ~하다 perder el respeto. 이성을 ~하다 perder la cabeza.

◆권리 ~ derecho *m* confiscado, pérdida *f* de derechos. 기억(記憶) ~ pérdida *f* de memoria.

■ ~자 perdedor, -dora *mf.*

상심(喪心) distracción *f*, despiste *m*, abstracción *f*, idea *f* abstracta, estupor *m*, aletargamiento *m*, estupefacción *f.* ~하다 (estar) distraído, despistado, abstraído. ~해서 abstraídamente. ~한 순간에 en un momento de distracción. 그녀는 ~한 표정으로 그곳에 앉아 있었다 Ella estaba allí sentada con expresión abstraída. 그는 ~해서 나를 쳐다보았다 El me miró estupefacto.

상심(傷心) pesar *m*, aflicción *f*, sufrimiento *m*, congoja *f*, dolor *m*, profunda pena *f.* ~하다 apesadumbrarse, acongojarse. ~한 afligido, triste, acongojado, apenado, apesadumbrado. 그는~ 끝에 병이 됐다 El cayó enfermo de aflicción / El se afligió tanto que se puso enfermo.

상심(詳審) inspección *f* detallada [completa]. ~하다 hacer una inspección detalllada, inspeccionar completamente, investigar en detalle.

상씨름(上一) combate *m* final de *sireum* [lucha libre coreana].

상아(象牙) marfil *m.* ~의, ~ 같은 marfilado, marfileño.

◆모조(模造) ~ marfil *m* de imitación. 인조(人造) ~ marfilina *f*, marfil *m* artificial. 식물(植物) ~ marfil *m* vegetable.

■ ~색[빛] (color *m*) marfil *m.* ¶~의 marfil, de color marfil. ~ 피부 cutis *f* marfil. ~ 테이블 mesa *f* de color marfil. ~ 페인트 pintura *f* de color marfil. ~ 세공(細工) (obra *f* de) marfil *m.* ~저(箸) palillos *mpl* de marfil. ~ 조각(彫刻) escultura *f* [talla *f*] de marfil. ~ 조각품 tallado *m* de marfil. ~질 marfil *m*, dentina *f.* ~질 섬유 fibra *f* de dentina. ~탑 torre *f* de marfil. ~홀(笏) maza *f* de marfil.

상아해안(象牙海岸) 【지명】 la Costa de Marfil. ~의 marfilense. ~ 사람 marfilense *mf.*

상악(上顎) 【해부】 supermaxila *f*, supramaxila *f*, quijada *f* [mandíbula *f*] superior. ~의 maxilar, supermaxilar.

■ ~골(骨) mandíbula *f* superior, maxilar *m* superior, hueso *m* maxilar.

상악동(上顎洞) 【해부】 seno *m* maxilar.

상압(常壓) presión *f* normal [atmosférica].

■ ~ 증류 destilación *f* atmosférica.

상앗대 pértiga *f* (de remo). ~를 저어 배를 나아가게 하다 hacer avanzar un bote con una pértiga.

■ ~질 impulso *m* con la pértiga. ¶~하다 impulsar con la pértiga.

상애(相愛) amor *m* mutuo [recíproco]. ~하다 amorse uno a otro, amar mutuamente.

상약(相約) promesa *f* mutua. ~하다 prometer mutuamente.

상약(常藥) remedio *m* popular, medicina *f* popular.

상어 【어류】 tiburón *m* (*pl* tiburones), tintorera *f*, perro *m* marino, cazón *m.*

◆붉은 ~ rémora *f.*

■ ~ 가죽 piel *f* [zapa *f*] de tiburón; [모양이 상어 가죽 같은 양모 제품] imitación *f* de piel de tiburón. ~ 기름 aceite *m* de tiburón.

상업(商業) comercio *m*, negocios *mpl.* ~의 comercial, mercantil. ~상, ~적으로 comercialmente. ~에 종사하다 dedicarse al comercio, hacer negocios.

■ ~가(街) [상가] calle *f* comercial. ~ 거래 transacción *f* comercial. ~계 círculos *mpl* comercial, mundo *m* comercial, mundo *m* del comercio. ~ 고등 학교 escuela *f* superior de comercio. ~ 공황 pánico *m* comercial. ~ 광고(廣告) publicidad *f* comercial, anuncio *m* comercial. ~ 교육(教育) educación *f* comercial. ~ 구역 sección *f* [distrito *m*·centro *m*] comercial. ~국 país *m* mercantil [comercial]. ~ 금융 financiación *f* comercial. ~ 기관 organización *f* comercial. ~능력 habilidad *f* comercial. ~ 대요 introducción *f* a la ciencia comercial. ~ 도덕 ética *f* [moralidad *f*] comercial. ~ 도시 ciudad *f* comercial. ~ 등기 registro *m* comercial. ~ 등기부 (libro *m* de) registro *m* comercial. ~ 디자이너 diseñador, -dora *mf* [dibujante *mf*] comercial. ~ 디자인 diseño *m* comercial. ~ 라디오 radio *f* comercial. ~ 라디오 방송국 emisora *f* de radio comercial. ~란 columna *f* comercial. ~망 red *f* comercial. ~문 correspondencia *f* comercial. ~ 미술 arte *m* publicitario, arte *m* comercial. ~ 미술가 dibujante *m* publicitario, dibujante *f* publicitaria. ~ 방송 [라디오의] radiodifusión *f* comercial; [텔레비전의] televisión *f* comercial. ~ 부기 teneduría *f* de libros de comercio. ~ 서반아어 español *m* comercial. ~ 송장(送狀) factura *f* comercial. ~ 수학 matemáticas *fpl* comerciales. ~ 시대 época *f* comercial. ~ 신문 periódico *m* comercial. ~ 신용 crédito *m* comercial. ~ 신용장 (carta *f* de) crédito *m* comercial. ~

어음 letra *f* de cambio comercial. ~ 어음 보험 seguro *m* de letra de cambio comercial. ~ 용어 términos *mpl* comerciales. ~ 은행 banco *m* comercial [mercantil], banco *m* de comercio. ¶한국 ~ el Banco Comercial de Corea. ~ 이윤(利潤) ganancia *f* comercial. ~ 자본 capital *m* comercial. ~ 장부 libro *m* de cuentas comercial. ~ 전쟁(戰爭) guerra *f* comercial, competición *f* comercial. ~ 정책 política *f* comercial. ~ 조합(組合) asociación *f* comercial. ~주의 comercialidad *f.* ~ 중심지(中心地) centro *m* comercial. ~ 증권 valor *m* comercial. ~지리(학) geografía *f* comercial. ~ 지역 distrito *m* [centro *m*] comercial. ~ 차관 préstamo *m* comercial. ~ 컴퓨터 ordenador *m* comercial, *AmL* computadora *f* comercial, *AmL* computador *m* comercial. ~텔레비전 televisión *f* comercial. ~ 텔레비전 채널 canal *m* comercial de televisión. ~ 통계 estadística *f* comercial. ~ 통신 comunicación *f* comercial. ~ 포스터 cartel *m* comercial. ~학교 escuela *f* comercial. ~ 혁명 revolución *f* comercial. ~화 comercialización *f.* ¶~하다 comercializar. ~ 회의소 la Cámara de Comercio. ~ 흥신소 agencia *f* de investigación comercial.

상없다(常−) (ser) poco razonable, irrazonable, irracional, absurdo, excesivo.
상없이 irrazonablemente, irracionalmente, absurdamente, excesivamente.

상여(喪輿) andas *fpl* funerales; ((성경)) féretro *m*, camilla *f.* ~를 매다 llevar andas funerales.
■ ~꾼 portador, -dora *mf* del féretro [de las andas funerales]. ~ㅅ소리 canto *m* fúnebre. ~ㅅ집 cabaña *f* que guarda las andas funerales.

상여(賞與) entrega *f* del premio. ~하다 entregar el premio.
■ ~금(金) gratificación *f*, bonificación *f*, paga *f* extraordinaria. ¶~을 주다 gratificar, dar una gratificación. 연말(年末) ~ gratificación *f* de fin de año. 특별(特別) ~ gratificación *f* especial.

상연(上演) representación *f* (teatral), función *f*, espectáculo *m* teatral. ~하다 representar, dar, poner en escena. ~되다 darse, representarse. ~ 중이다 estar en función. ~은 몇 시에 시작합니까? ¿A qué hora empieza la función? 이 극장에서는 A의 작품이 ~되고 있다 Se da [Se representa · Representan] la obra de A en este teatro. 그 코미디는 지금 ~ 중이다 Ahora está representando esa comedia. 금주 서울 극장에서는 무엇을 ~합니까? ¿Qué se representa [se da] esta semana en el Teatro Seúl?
■ ~권(權) derecho *m* de representación. ~료 precio *m* de representación. ~물 obra *f* (de teatro), pieza *f* (teatral), comedia *f*, [총괄적] programa *m*. ¶라디오 ~ obra *f* radiofónica.

상영(上映) presentación *f.* ~하다 presentar [dar · pasar] (una película), representar en la pantalla, proyectar sobre pantalla, rodar. ~되다 darse, presentarse, representarse. 그 영화는 지금 ~ 중이다 Ahora se está dando [presentando] esa película. 근일(近日) ~ ((게시)) En breve sobre esta pantalla.
■ ~권(權) derecho *m* de presentación.

상오(上午) mañana *f*; [형용사적] de la mañana. ~ 9시에 a las nueve de la mañana. ~ 7시 30분 열차 tren *m* de las siete y media de la mañana.

상오리(常−) 【조류】 trullo *m*.

상온(常溫) ① [늘 일정한 온도] temperatura *f* constante. ② [평균 온도] temperatura *f* media. ③ [보통의 기온] temperatura *f* ordinaria [normal].

상옷(喪−) vestimenta *f* del doliente.

상완(上腕) 【해부】 brazo *m* superior. ~의 braquial.

상완(賞玩) apreciación *f.* ~하다 apreciar, gozar (de).

상완골(上腕骨) 【해부】 húmero *m*. ~의 humeral.

상왕(上王) 【고제도】 =태상왕(太上王).

상용(常用) uso *m* corriente. ~하다 usar ordinariamente, servirse habitualmente; [마시다] tomar habitualmente, acostumbrarse a tomar. 이 약을 ~하는 것은 몸에 나쁘다 El uso continuo de este medicamento es perjudicial [es dañoso · no es bueno] para la salud.
■ ~대수[로그] logarítmo *m* común. ~어 palabra *f* común, palabra *f* de uso corriente, lenguaje *m* hablado. ¶현대 ~ palabras *fpl*, vocabularios *mpl*, lenguas *fpl* vivas. ~자 usario, -ria *mf* habitual. ¶마약 ~ drogadicto, -ta *mf*; toxicómano, -na *mf*. 아편 ~ opiómano, -na *mf*. 헤로인 ~ heroinómano, -na *mf*. ~한자 caracteres *mpl* chinos usuales [de uso corriente · para el uso diario].

상용(商用) negocios *mpl*, asuntos *mpl* comerciales. ~의 comercial, de negocios. ~으로 por negocios. ~으로 여행하다 viajar [hacer un viaje] por negocios.
■ ~문 correspondencia *f* comercial. ~ 서식 formulario *m* comercial, impreso *m* mecanográfico. ~어(語) términos *mpl* comerciales.

상우다(傷−) herir, lastimar, ofender, dañar, averiar. 마음을 ~ tener el corazón herido. 마음을 상우지 마오 No tengas el corazón herido.

상운(祥雲) nube *f* de buen agüero.

상운(祥運) buena suerte *f*, buena fortuna *f.*

상원(上元) el quince de enero del calendario lunar.

상원(上苑) jardín *m* del emperador.

상원(上院) senado *m*, cámara *f* alta. ~의 senatorial.
■ ~ 의원 senador, -dora *mf*.

상원(桑園) plantío *m* del moral.

상위(上位) ① [높은 지위] posición *f* [puesto *m*·categoría *f*·rango *m*] superior, alta posición *f*. ~의 superior. ~를 점하다 ocupar los primeros puestos. ~(에) 입상하다 situarse [colocarse] entre los primeros. …보다 ~에 있다 estar en una posición superior a [más alta que] *algo*, ser superior a *uno*. ② [윗자리] asiento *m* superior.

상위(相違) diferencia *f*; [현격] distancia *f*; [가지 각색의 것] diversidad *f*, divergencia *f*; [부동(不同)] desemejanza *f*; [불일치] descrepancia *f*, discordancia *f*. ~하다 (ser) distinto, diferente, diferir (de), diferenciarse (de). ~ 없이 sin falta, seguramente, positivamente. 품질에는 ~가 없다 ser de la misma calidad.

상유(上諭) 【고제도】 palabra *f* del rey.

상응(相應) ① [서로 맞음] conformidad *f*, adecuación *f*. ~하다 adecuarse, conformarse, (ser) apto, corresponder (a). ~한 apto, apropiado, adecuado, conforme. ~하여 proporcionalmente. 수입[신분]에 ~한 생활을 하다 vivir según *sus* recursos [conforme a *su* posición social]. 그는 노력을 많이 했기 때문에 그것에 ~한 성과를 얻을 것이다 Como se ha esforzado mucho, recogerá el fruto debido [correspondiente]. ② ((불교)) =요가(yoga).

상의(上衣) americana *f*, chaqueta *f*; [여자의] blusa *f*. ~를 입다 ponerse la americana. ~를 벗다 quitarse la americana.

상의(上意) ① [임금의 마음] precepto *m* [mandato *m*·orden *f*] de *su* señor [*su* monarca], corazón *m* del rey. ~를 하달하다 comunicar a los súbditos la voluntad del señor. ② [윗사람의 마음] corazón *m* del superior.

상의(相議) consulta *f*, conferencia *f*, discusión *f*; [담판] negociación *f*. ~하다 consultar, pedir parecer, conferir, discutir, negociar. ~중 en negociación, bajo consulta.

상이(相異) diferencia *f* (mutua). ~하다 diferenciar(se). 이 점에서 당신과 나는 의견이 ~하다 En este punto diferenciamos usted y yo.

■ ~점 (punto *m* de) diferencia *f*.

상이(傷痍) ① [부상함] herida *f*, lesión *f*. ② =상처.

■ ~군경(軍警) los soldados inválidos y los policías inválidos. ~군인 inválido *m* (de guerra), mutilado *m* de guerra, soldado *m* herido, soldado *m* inválido, soldado *m* enfermo y herido. ~병(兵) soldado *m* herido.

상인(常人) gente *f* común, hombre *m* común, mediocre *m*, hombre *m* de mediocridad.

■ ~ 계급 clase *f* baja.

상인(商人) comerciante *mf*; mercader *mf*; vendedor, -dora *mf*. ~이 되다 hacerse comerciante. 그는 ~이 되었다 El se hizo comerciante.

■ ~ 근성 espíritu *m* mercenario. ~ 기질 temperamento *m* mercantil. ~ 도덕(道德) moralidad *f* de comerciante. ~법주의 mercantilismo *m*.

상인(喪人) =상제(喪制).

상인방(上引枋) 【건축】 lintel *m*, dintel *m*, umbral *m*.

상일(常一) labor *f* manual, labor *f* física.

■ ~꾼 peón *m* manual.

상임(常任) puesto *m* permanente. ~의 permanente.

■ ~ 감사 inspector, -tora *mf* permanente. ~ 서기 secretario, -ria *mf* permanente. ~ 위원(委員) miembro *mf* permanente (de la comisión). ~ 위원회 comisión *f* [junta *f*] permanente. ~ 이사 director *m* ejecutivo [directora *f* ejecutiva] de la comisión permanente. ~ 이사국(理事國) miembro *m* permanente. ¶유엔 안전 보장 이사회의 [비] ~ miembro *m* [no] permanente del Consejo de Seguridad de la ONU. ~ 지휘자 conductor *m* permanente. ~ 집행 위원 miembro *m* ejecutivo [miembro *f* ejecutiva] de comisión permanente. ~ 집행 위원회 comisión *f* ejecutiva permanente.

상자(箱子) caja *f*; [작은] cajita *f*; [보석이나 펜 등의] estuche *m*; [큰] cajón *m* (*pl* cajones); ((성경)) caja *f*, arquilla *f*, canastillo *m*. 나무 ~ caja *f* de madera. 보석 ~ joyero *m*, alhajero *m*. 연장 ~ caja *f* de heramientas. 사과 한 ~ una caja de manzanas. 맥주 두 ~ dos cajas de cerveza. ~에 넣다 poner en la caja, embalar. ~를 풀다, ~에서 꺼내다 sacar de la caja.

상자성(常磁性) 【물리】 paramagnetismo *m*.

상작(上作) buena cosecha *f*.

상잔(相殘) lucha *f* mutua. ~하다 lucharse uno a oto.

상장(上場) 【경제】 precio *m* de mercado, precio *m* corriente, expeculación *f*. ~되다 ser inscripto en la cotización difícil.

■ ~주 acciones *fpl* cotizadas en la bolsa. ¶비~ acciones *fpl* no cotizadas en la bolsa. ~ 회사 compañía *f* anónima abierta. ¶비~ compañía *f* anónima cerrada.

상장(喪杖) bastón *m* del doliente.

상장(喪章) escarapela *f* de luto, banda *f* de luto. ~을 달다 ponerse banda de luto, prender una escarapela de luto al pecho.

상장(賞狀) certificado *m* de mérito, diploma *m* de honor [de mérito]. ~을 수여하다 dar [otorgar] un diploma de honor.

상장군(上將軍) general *m* principal.

상재(上梓) publicación *f*, imprenta *f*. ~하다 publicar, imprimir.

상재(商材) talento *m* [habilidad *f*] comercial, don *m* para el comercio. ~가 있는 사람 hombre *m* de negocios. ~가 있다 tener talento comercial. 그는 ~가 있다 El tiene el don para el comercio.

상재(霜災) calamidad *f* causada por la escarcha.

상쟁(相爭) conflicto *m*, lucha *f*, disputa *f* (mutua). ~하다 disputar mutuamente [uno a otro].

상저음(上低音) 【음악】 barítono *m*.

상적(相敵/相適) antagonismo *m*, contención *f*, contienda *f*; [사람] oponente *mf*; antagonista *mf*; rival *mf*; competidor, -dora *mf*. ~하다 contender, competir, luchar, batallar.

상적(商敵) rival *mf* de negocios.

상전(上典) ① 【고제도】 lord *m* (*pl* lores), señor *m*, amo *m*, dueño *m*. ② ((성경)) Amo *m*, amo *m*, Señor *m*.

상전(相傳) herencia *f*, patrimonio *m*, abolengo *m*. ~의 hereditario. ~하다 transmitir de padre a hijo.

상전(相戰) ① [서로 싸우거나 말다툼함] pelea *f* mutua, riña *f* mutua, disputa *f* mutua. ~하다 pelear [reñir · disputar] mutuamente. ② ((바둑)) competencia *f* mutua, rivalidad *f* mutua.

상전(桑田) moreral *m*, plantío *m* del moral.
■ ~벽해(碧海) convulsiones *fpl* de naturaleza.

상전(詳傳) biografía *f* detallada, biografía *f* escrita detalladamente.

상점(商店) tienda *f*, casa *f* comercial, almacén *m* (*pl* almacenes). 오늘은 ~이나 은행은 쉰다 Hoy (se) cierra el comercio y la banca.
■ ~가 centro *m* comercial, barrio *m* de tiendas. ~ 점원 dependiente *mf*; *AmL* empleado, -da *mf* (de tienda); *CoS* vendedor, -dora *mf*. ~ 주인 tendero, -ra *mf*.

상접(相接) contacto *m*. ~하다 encontrar, encontrarse (con), ver.

상정(上程) presentación *f*. ~하다 presentar, destinar a la orden de la cámara. ~ 중인 법안(法案) proyecto *m* presentado a la orden del día. 국회에 법안을 ~하다 presentar un proyecto de ley a la Asamblea Nacional.

상정(常情) carácter *m* [natural *m*] humano ordinario, sentimiento *m* universal. 그렇게 생각하는 것은 인지~이다 Es muy natural que se piensa así.

상정(想定) suposición *f*, supuesto *m*, imaginación *f*. ~하다 suponer, imaginar. …이라는 ~ 아래 sobre [en] el supuesto de que + *subj*.
■ ~량 cantidad *f* aproximada, volumen *m* aproximado. ~ 적국 (país *m*) enemigo *m* imaginario.

상정(傷情) agravio *m* a *su* sentimiento. ~하다 herir [lastimar] *su* sentimiento [amistad].

상제(上帝) Dios *m*, Creador *m*.
■ ~교(教) la Religión de Dios.

상제(上製) ① [상등으로 만든 것] alta calidad *f*, hecho *m* [pasta *f*] superior; [(책의) 호화판] edición *f* suntuosa; [책의 장정(裝幀)] encuadernación *f* superior. ② ((준말)) =상제본(上製本).
■ ~본(本) edición *f* lujosa [de lujo].

상제(喪制) ① [부모나 승중(承重) 조부모의 거상 중에 있는 사람] doliente *mf*, lamentador, -dora *mf*; dolorido, -da *mf*. ② [상례에 관한 제도] sistema *m* de ritos funerales.
◆ 맏~ jefe *m* del duelo [del luto].

상제(喪祭) los ritos funerales y los ritos religiosos.

상조(尙早) ((준말)) =시기상조(時機尙早).

상조(相助) ayuda *f* mutua. ~하다 ayudarse uno a otro.
■ ~회 sociedad *f* de apoyo mutuo.

상존(尙存) existencia *f* constante. ~하다 estar [existir] aún.

상존(常存) existencia *f* eterna. ~하다 estar [existir] siempre.

상종(相從) asociación *f*, compañía *f*, relaciones *fpl* amistosos, mutualidad *f*, sociedad *f* de socorros mutuos, fraternización *f*. ~하다 vincular, asociar, relacionar.

상좌(上佐) ((불교)) =행자(行者).
■ 상좌가 많으면 가마솥을 깨뜨린다 ((속담)) Obra de común, obra de ningún / Muchos componedores descomponen la olla.

상좌(上座) ① [윗자리 또는 높은 자리] cabecera *f*, cabeza *f*, frente *m*.; [주빈의] asiento *m* de honor. 그는 회사의 ~에서 30년만에 물러났다 El se jubiló tras treinta años al frente [a la cabeza] de la compañía. 그는 ~에 앉았다 El se sentó a la cabecera de la mesa. ② ((성경)) primer lugar *m*, lugar *m* principal. ~에 앉다 sentarse a la cabecera de la mesa. ~에 앉지 말라 ((누가복음 14:8)) No te sientes en el primer lugar / No te sientes en el lugar principal. ③ ((불교)) asiento *m* de los ancianos.

상주(上主) ((천주교)) =천주(天主).

상주(上奏) ((고제도)) información *f* al rey. ~하다 informar al rey, informar [apelar] al trono.
■ ~문[서] memorial *m* al trono. ~안(案) anteproyecto *m* al trono.

상주(常住) ① [항상 살고 있음] residencia *f*. ~하다 residir, morar, habitar. 서반아에 ~하는 교포들 coreanos *mpl* residentes en España. ② ((불교)) existencia *f* eterna, eternidad *f*.
■ ~불멸[부단] inmortalidad *f* e indestructibilidad. ¶~하다 vivir eternamente, ser eterno, ser inmortal e indestructible. ~ 인구 población *f* residente.

상주(常駐) estancia *f* permanente. ~하다 estar siempre estacionado (en), estacionar permanentemente.

상주(喪主) jefe *m* del duelo, el que preside el luto [el entierro], doliente *m* principal. 그는 ~이다 El preside el luto.

상주(詳註) notas *fpl* detalladas.

상중(喪中) (período *m* de) luto *m*, duelo *m*. ~이다 estar de luto (por), guardar luto (por). 나는 아직 내 부친의 ~이다 Yo todavía estoy de luto [guardo luto] por mi padre.

상중하(上中下) ① [위와 가운데와 아래] la parte superior, el medio y la parte de abajo; [책의 세 권 한 질] el tomo primero, el tomo segundo y el tomo tercero; [소설의 삼부작] trilogía *f*, conjunto *m* de tres obras literarias de un autor que constituyen una unidad. ~ 한 질 una colección de tres volúmenes. ② [상등과 중등과 하등] el mejor, el mediano y el peor.

상지(上枝) rama *f* superior.

상지(上肢) miembros *mpl* superiores; hombros, brazos y manos; brazos *mpl*.

상지(常紙) papel *m* común [ordinario], papel *m* que no es buena calidad.

상지상(上之上) primera calidad *f*, el mejor de los mejores.

▪ ~품 artículo *m* de primera calidad.

상지중(上之中) el segundo de los mejores.

상지하(上之下) el tercero de los mejores.

상질(上秩) =상길.

상질(上質) calidad *f* superior, buena calidad *f*, primera calidad *f*, la mejor clase. ~의 고기 carne *f* de calidad superior. 이 종이는 저 종이보다 ~이다 Este papel supera a áquel en calidad.

▪ ~지(紙) papel *m* de calidad superior, papel *m* de primera calidad.

상징(象徵) símbolo *m*. ~하다 simbolizar. ~할 수 있는 simbolizable. 평화의 ~으로 como símbolo de paz. 그것은 악의 ~이다 El simboliza el mal. 비둘기는 평화의 ~이다 La paloma es el símbolo de la paz. 올리브는 평화를 ~한다 El olivo simboliza la paz. 대통령은 그 나라의 ~이다 El presidente es el símbolo del Estado.

▪ ~극 drama *m* simbólico. ~시 poesía *f* simbolista. ~어 palabras *fpl* simbólicas. ~적 simbólico. ¶~으로 simbólicamente, de modo simbólico, de manera simbólica. ~주의 simbolismo *m*. ~주의 극 teatro *m* simbólico, drama *m* simbólico. ~ 주의 운동 simbolismo *m*. ~주의자 simbolista *mf*. ~주의자 운동 movimiento *m* simbolista. ~파 escuela *f* simbolista. ~학 simbología *f*. ~화 simbolización *f*. ¶~하다 simbolizar.

상찬(賞讚) alabanza *f*, elogio *m*, loa *f*, admiración *f*. ~하다 alabar, elogiar, loar, admirar, aplaudir. …의 공적을 ~해서 en elogio [en loor] de los méritos de *uno*. ~을 받다 ser objeto de alabanzas. ~할 만하다 merecer elogio, ser digno de elogio.

상찰(詳察) consideración *f* detallada. ~하다 considerar detalladamente [en detalle], observar cuidadosamente [con cuidado].

상창(傷創) herida *f*.

상채(償債) pago *m* de la deuda. ~하다 pagar la deuda.

상책(上策) buen medio *m*, buena idea *f*, plan *m* excelente, política *f* excelente. 그것은 ~이다 Es un buen medio / Es una buena idea. 도망이 ~이다 Lo mejor es huir [escapar].

상책(商策) paln *m* comercial [del comercio · de negocios].

상처(喪妻) muerte *f* de *su* esposa [mujer], pérdida *f* de *su* esposa [mujer]. ~하다 perder a *su* esposa, encontrar la muerte de *su* esposa. ~로 인한 쇼크 el trauma que produce la pérdida de *su* esposa. 최근에 ~한 남자 hombre *m* que acaba de perder a su esposa. 그는 ~했다 El había perdido a su mujer / Su esposa había fallecido.

상처(傷處) herida *f*, lesión *f*; [타박상] porrazo *m*; [벤 상처] cortadura *f*, corte *m*; [긁힌 상처] rasguño *m*, arañazo *m*, excoriación *f*; [쓸린 상처] desolladura *f*; [탄환에 의한 상처] rozadura *f*. 가벼운 ~ herida *f* leve, lesión *f* leve. 깊은 ~ herida *f* grave. 마음의 ~ herida *f* mental, herida *f* del corazón. 새(로운) ~ herida *f* fresca. 오래된 ~ herida *f* vieja. ~를 내다 herir, lesionar, lastimar, hacer una herida; [단단한 물건의 표면에] rayar. ~를 입다 recibir la herida, ser herido, herirse, recibir un rasguño, herirse levemente, lastimarse; [장사에서] sufrir un revés. ~를 받은 herido, lesionado, lastimado. 전투에서 ~를 입다 ser herido en la batalla, recibir una herida en la batalla. 마음의 ~를 고치다 curar [sanar] las heridas del corazón; [자신의] aliviarse la herida del corazón. 얼굴에 ~를 내다 herir (en) la cara; [자기의] herirse (en) la cara. 발에 ~를 내다 herir (en) el pie. 머리에 ~를 받다 herirse (en) la cabeza. …의 ~를 치료하다 curar la herida a [de] *uno*. 오래된 ~를 건드리다 [마음의] tocar en la herida vieja. ~가 아프다 Me duele la herida. ~가 악화된다 Se agrava [Se emperoa] la herida. ~가 낫는다 Sana [Se cura · Se cicatriza] la herida. 그의 ~는 심하다 Su herida es grave [seria] / El está gravemente herido. 그의 ~는 가볍다 Su herida es ligera [liviana · sin gravedad] / El está ligeramente herido. 그는 늘 ~가 그치지 않는다 El siempre está con [lleno de] heridas.

▪ ~ 자국 cicatriz *f*.

상천(上天) ① [하늘] cielo *m*. ② [하느님] Dios *m*. ③ [겨울 하늘] cielo *m* de(l) invierno. ④ =승천(昇天).

상체(上體) parte *f* superior del cuerpo. ~를 일으키다 incorporarse. ~를 앞으로 숙이다 inclinarse.

▪ ~ 운동(運動) ejercicio *m* de la parte superior del cuerpo.

상초(上草) tabaco *m* de muy buena calidad.

상초(霜草) hierba *f* marchita (por la escarcha).

상추 【식물】 lechuga *f*. ~ 잎 모양의 lechugado.

▪ ~ 밭 plantío *m* de lechugas. ~쌈 arroz *m* cocido envuelto con lechuga. ~ 장수 lechuguero, -ra *mf*.

상춘(常春) primavera *f* eterna.

상춘(賞春) goce *m* [disfrute *m*] de la primavera, admiración *f* de la escena de la primavera, lo que se goza [se disfruta] de la primavera, lo que se admira la primavera.
■ ~객 admirador, -dora *mf* del paisaje primaveral, admirador, -dora *mf* de gozar [disfrutar] de la primavera.

상충(相衝) choque *m*. ~하다 chocar. 이해가 ~하고 있다 Chocan los intereses. 작가의 경험과 독자의 경험이 ~된다 【문학】 La experiencia del autor y la del lector se chocan.

상측(上側) parte *f* superior; [몸 부위의] región *f* superior.

상층(上層) ① [건물의] piso *m* superior, planta *f* superior; [물건의] capa *f* superior; [건물의 위의 부분 전체] los pisos superiores, las plantas superiores. ② [윗계급] primer rango *m*, rango *m* superior.
■~ 계급 clase *f* superior, altas esferas *fpl* de la sociedad. ~ 공기(空氣) aire *m* superior. ~ 기류 corriente *f* superior. ~ 대기(大氣) atmósfera *f* superior. ~부 [조직의] cuadro *m* superior (de una organización). ~ 선교(船橋) puente *m* superior. ~운(雲)[구름] estratos *mpl* superiores: cirro 뭉게구름, cirrocúmulo 비늘구름, cirroestrato 햇무리구름.

상치(上一) =상품(上品).

상치(上齒) dientes *mpl* de arriba.

상치(相値) conflicto *m*, colisión *f*, discordia *f*. ~하다 tener un enfrentamiento (con), discrepar, estar reñido, ser contrario (a). 우리의 이해가 ~한다 Nuestros intereses están en conflicto.

상치은(上齒齦) encías *fpl* superiores.

상침(上針) ① [좋은 바늘] buena aguja *f*. ② [박이옷이나 보료·방석 따위의 가장자리를 실밥이 겉으로 드러나게 꿰매는 일] costura *f* (decorativa).
■ ~질 costura *f* decorativa.

상칭(相稱) 【물리】 simetría *f*. ~의 simétrico. ~으로 simétricamente.
◆좌우(左右) ~ simetría *f* bilateral.
■~적 simétrico *adj*. ¶~으로 simétricamente.

상쾌(爽快) frescura *f*, fresco *m*, frescor *m*, limpidez *f*, alegría *f*, regocijo *m*, alborozo *m*. ~하다 [기분이] sentirse refrescado [aligerado · aliviado], sentirese renovado [despejado], sentir vivificarse el alma. ~한 fresco, refrescante, límpido, agradable, alegre, regocijado, alborozado, ameno. ~한 공기 aire *m* refrescante. ~한 기분 temple *m* fresco. ~한 바람 brisa *f* refrescante. ~한 아침 mañana *f* límpida. ~한 기분으로 con una agradable sensación de frescor. 기분을 ~하게 하다 refrescar. ~한 기분이 되다 sentirse purificado. 나는 기분이 ~하다 Me siento refrescado. 나는 머리가 ~하다 Tengo la cabeza despejada. 그는 ~한 얼굴을 했다 El puso cara alegre [radiante].
상쾌히 frescamente, refrescantemente, agradablemente.

상큼상큼 con pasos ligeros, con brío, ligeramente. ~ 걷다 andar a paso ligero.

상큼하다[1] [아랫도리가 윗도리보다 안 어울리게 길쭉하다] (ser) desgarbado, larguirucho. 상큼한 남자 hombre *m* larguirucho.

상큼하다[2] [냄새·맛 따위가 향기롭고 시원하다] (ser) fragante [aromático] y fresco. 상큼한 국 sopa *f* fragante y fresca.

상탄(賞嘆) admiración *f*, aplauso *m*, alabanza *f*. ~하다 admirar, aplaudir, alabar. ~할 만하다 ser admirable, ser digno de admiración.

상태(狀態) condición *f*, estado *m*, situación *f*, circunstancia *f*, [기계 따위의] funcionamiento *m*. 몸의 ~ condición *f* física. 현 ~에 따르면 según el estado actual [presente]. 그의 현 ~로는 en la situación en que se encuentra. ~가 좋다 [몸의] estar [encontrarse · sentirse] bien; [기계의] funcionar [marchar] bien. 몸의 ~가 좋다 estar en buena forma física, estar bien de salud. 몸의 ~가 나쁘다 estar en baja forma física, estar mal de salud. 비참한 ~에 있다 encontrarse en un estado miserable, estar en un gran aprieto. 위(胃)의 ~가 나쁘다 estar mal [delicado] del estómago. 혼수 ~에 있다 estar en estado de coma. 이전(以前)의 ~로 돌아가다 volver a *su* estado anterior. 이전(以前)의 ~로 돌리다 【외교】 llevar al status quo anterior. 기계의 ~가 좋다 [나쁘다] La máquina funciona bien [mal]. 이 기계는 ~가 나쁘다 Esta máquina no funciona bien / Esta máquina está estropeada. 내 위(胃)는 ~가 나쁘다 Tengo el estómago malo / Estoy mal del estómago. 저 선수는 ~가 좋다 [나쁘다] Aquel jugador está en buena [mala] forma. 공사(工事)는 어떤 ~입니까? ¿Cómo andan [marchan] las obras?
◆건강 ~ estado *m* de salud, sanidad *f*. 위험 ~ condición *f* crítica [peligrosa]. 재정 ~ estado *m* monetario [rentístico]. 정신 ~ estado mental.

상태(常態) estado *m* normal, condición *f* ordinaria [regular]. ~로 돌아오다 volver al estado normal.

상토(上土) 【농업】 tierra *f* fértil para cultivar.

상통(上一) ((속어)) semblante *m*, cara *f*, rostro *m*. ~을 찌푸리다 hacer una mueca. 고통으로 ~을 찌푸리다 hacer una mueca de dolor. 메스꺼워 ~을 찌푸리다 hacer una mueca de asco.

상통(相通) entendimiento *m* mutuo, comunicación *m*, comunidad *f*. ~하다 entenderse uno a otro, comunicar. 의사가 ~하다 entenderse uno a otro, ser de la misma opinión.

상퇴(上腿) 【해부】 muslo *m*, fémur *m*.

상투 *sangtu*, mechón *m* de pelo que los hombres mayores llevan antiguamente en medio de la cabeza en Corea, moño *m* (en lo alto de la cabeza), *RPI* rodete *m*, *Méj* chongo *m*. 상투를 짜다 atar el moño.

◆상투를 올리다 atar el moño. 상투(를) 틀다 casarse, contraer matrimonio, llevar los pantalones.

■～관(冠) casquete *m*, solideo *m*. ～쟁이 persona *f* con un moño. ～ㅅ고 rollo *m* de un moño. ～ㅅ바람 moño *m* descubierto. ¶～으로 sin sombrero, con la cabeza descubierta.

상투(相鬪) pelea *f* mutua, disputa *f* mutua, lucha *f* mutua. ～하다 lucharse, pelearse uno a otro, luchar [pelear] mutuamente.

상투(常套) convencionalismo *m*, formalismo *m*, hábito *m*, costumbre *f* habitual, cosa *f* frecuente [común · corriente], estereotipo *m*, lugar *m* común, tópico *m*, perogrullada *f*. ～의 convencional, común, corriente, frecuente, manido, trillado, gastado.

■～ 수단 manera *f* habitual de actuar. ～어 expresión *f* trillada, comentario *m* trillado, perogrullada *f*, lenguas *fpl* (comunes), cliché *m*, fórmula *f*, expresión *f* fija [favorita · estereotipada]; [입버릇] estribillo *m*, muletilla *f*. ～적 convencional, habitual, de costumbre, usual, rutinario, común, vulgar, trivial, corriente, trillado.

상투메 프린시페 【지명】 Santo Tomé e Príncipe.

상파울루 【지명】 São Paulo (브라질의 주 · 도시).

상판(相－) ((준말)) ＝상판대기.

상판대기(相－) ((속어)) cara *f*, rostro *m*.

상팔자(上八字) muy buena fortuna *f*, fortuna *f* muy feliz, suerte *f* feliz, la mejor suerte. ～를 타고나다 nacer con suerte feliz. 자신의 ～를 감사하다 dar gracias al cielo.

상패(賞牌) medalla *f* (de premio); [큰 것] medallón *m* (*pl* medallones). ～를 수여받다 ser galardonada [premiada] una medalla.

■～ 수령자 medallista *mf*. ～ 수여식 ceremonia *f* de (la) concesión [entrega] de medallas.

상편(上篇) primer tomo *m*, tomo primero [I], primer volumen *m*.

상포(喪布) tela *f* para el luto.

상표(商標) marca *f* (de fábrica), marca *f* comercial, nombre *m* comercial. A라는 ～로 bajo el nombre comercial A. ～를 등록하다 registrar una marca.

■～권(權) derecho *m* de la marca. ～ 도용 piratería *f* de la marca de fábrica. ～ 등록 registro *m* de la marca de fábrica. ～ 등록법 ley *f* de registro de la marca de fábrica. ～ 등록필 ((표시)) Registrado. ～ 로열티 fidelidad *f* a una marca, lealtad *f* a una marca. ～법 ley *f* de marca. ～ 원부 registro *m* original de la marca (de fábrica). ～ 침해 piratería *f* de la marca de fábrica.

상품(上品) ① [상등의 품위] dignidad *f* superior, nobleza *f*, elegancia *f*. ② [질이 좋은 물품] género *m* escogido, artículo *m* de primera clase. ③ ((불교)) la Tierra de Felicidad Suprema.

상품(商品) mercancía *f*, artículo *m*, género *m*, mercadería *f*. 이곳에서는 그 ～은 취급하지 않습니다 Aquí no tratamos en ese artículo.

◆주요 ～ artículos *mpl* principales.

■～ 거래소 Bolsa *f* de Comercio, bolsa *f* de contratación. ～ 거래소법 Ley *f* de Bolsa de Comercio. ～ 견본 muestra *f* de géneros. ～권(券) vale *m* (conjeable por artículos en una tienda), cheque-regalo *m*, bono *m* de compras, bono *m* de mercancías. ～ 매매 대장 libro *m* de mercancías. ～ 매입 대장 libro *m* de compras. ～ 매출 대장 libro *m* de ventas. ～ 목록 catálogo *m* (de géneros); [재고의] inventario *m*, existencias *fpl*. ～ 시장 bolsa *f* de contratación. ～ 작물(作物) cosecha f comercial. ～ 재고 cantidad *f* de existencias. ～ 중개인(仲介人) corredor, -dora *mf* mercancías, corredor, -dora *mf* de productos. ～ 진열 exhibición *f* de géneros, exposición de mercancías. ～ 진열관 museo *m* comercial. ～ 진열대 mostrador *m*. ～ 진열실 sala *f* de muestras. ～ 진열장 [전시회의] vitrina *f*. ～ 진열창 ＝진열창(陳列窓). ～ 차관(借款) préstamos *mpl* de mercancía. ～학 estudio *m* de mercaderías. ～화 comercialización *f*. ¶～하다 comercializar. ～할 수 있는 comerciable. 이 책은 ～할 수 없다 Este libro no es comerciable. ～ 화폐 dinero-mercancía *m*. ～ 회전율 índice *m* de rotación de existencias.

상품(賞品) premio *m*. ～을 제공하다 ofrecer premio. ～을 받다 obtener un premio. ～을 수여하다 otorgar un premio.

■～ 수여 concesión *f* de premio. ～ 수여식 ceremonia *f* de la concesión [la entrega · la distribución] de premios.

상풍(傷風) 【한방】 síntoma *m* de todas las enfermedad por el viento.

■～증(症) nariz *f* tapada.

상피(上皮) epitelio *m*; [표피] epidermis *f*. ～의 epidérmico. ～ 내(內)의 intraepitelial. ～ 사이의 interepitelial. ～ 외(外)의 exoepitelial.

■～선(腺) glándula *f* epidérmica. ～ 세포 célula *f* epitelial, epitelio *m*. ～염 epitelitis *f*. ～종(腫) epitelioma *m*. ～종증(腫症) epiteliomatosis *f*. ～증 epiteliosis *f*.

상피(相避) incesto *m*.

◆상피(가) 나다 ocurrir un incesto. 상피(를) 붙다 cometer incesto.

상피(象皮) piel *f* del elefante.

■～병 elefantíasis *f*, elefancía *f*, lepra *f* elefantina. ～증 paquidermia *f*.

상하(上下) ① [위와 아래] la parte superior y la parte inferior. ～로 arriba y abajo; [수직으로] verticalmente; [위에서 아래로] de arriba abajo. ～ 좌우로 en todas direcciones. ② [윗사람과 아랫사람] el superior y el inferior, la clase superior e inferior. ~ 구별 없이 sin consideración de rango. 신분의 ~ 없이 aparte [indistintamente] del rango social, sin distinción [sin discriminación] del rango social. ③ [높고 낮음] lo alto y lo bajo. ④ [귀함과 천함] la nobleza y la vileza. ⑤ [좋음과 나쁨] lo bueno y lo malo. ⑥ [오르고 내림] la subida y la bajada. ⑦ [두 권으로 된 책] el tomo primero y el tomo segundo.

■ ~권(卷) el tomo primero y el tomo segundo. ~노소 todo el mundo, todos *mpl*. ~동(動) moción *f* vertical.

상하(常夏) verano *m* eterno. ~의 나라 país *m* del verano eterno.

상하다(傷-) ① [몸을 다치어 상처를 입다] herirse, lastimarse, dañarse, averiarse, estropearse, deteriorarse. ② [(어떤 물건이) 헐어지거나 또는 해지다] estropearse. 책은 습기로 상한다 Los libros se estropean con la humedad. 부주의하게 다루면 책이 상한다 Los libros se estropean tratándolos sin cuidado. ③ [(과일 등의 식료품이) 변질되다] [음식이] acedarse; [과일 · 고기 따위가] pudrirse, descomponerse, echarse a perder, corromperse; [우유 따위의 액체가] avinagarse, estropearse, pasarse. 상한 corrompido, podrido, descompuesto. 상하기 쉬운 corruptible, fácil de corromperse. 상하게 하다 estropear, deteriorar; [해치다] dañar. 이 우유는 상했다 Esta leche está echada a perder / Esta leche está estropeada / Esta leche está pasada. 이 귤은 상했다 Esta naranja está podrida. 더위로 고기가 상한다 La carne se echa a perder por el calor / El calor corrompe la carne. 이 사과는 상해 있다 Esta manzana está picada. 갑작스런 한파(寒波)는 과수(果樹)를 상하게 한다 El frío repentino ha estropeado los frutales. ④ [(근심 · 슬픔 · 노여움 등으로 인하여) 마음이 괴롭고 언짢다] herirse, ofenderse, lastimarse. 마음을 ~ tener el corazón herido [partido]. 감정을 상하게 하다 herir, ofender, lastimar. 그녀는 마음이 상했다 Ella tenía el corazón herido. ⑤ [(몸이) 여위다 · 축나다] adelgazar(se), ponerse delgado. 그녀는 상하기 쉽다 Ella es delicada [fácilmente vulnerable].

상학(上學) comienzo *m* de la escuela. ~하다 abrir [comenzar · empezar] la escuela.

■ ~ 시간 hora *f* de comienzo de la escuela. ~ 일자(日字) fecha *f* de comienzo de la escuela. ~종(鐘) campana *f* de comienzo.

상학(相學) **【**민속**】** frenología *f*, ciencia *f* de fisiognomía. ~의 frenológico.

■ ~자(者) frenólogo, -ga *mf*.

상학(商學) ciencia *f* comercial.

■ ~과(科) departamento *m* de ciencias comerciales. ~ 박사 doctor, -tora *mf* en ciencias comerciales. ~부 facultad *f* de ciencias comerciales. ~사(士) bachiller, -ra *mf* de ciencias comerciales.

상한(上限) máximo *m*, límite *m* superior. ~선을 두다 fijar los límites. ~선을 넘다 pasar el límite.

상한(象限) **【**수학**】** cuadrante *m*.

■ ~의(儀) **【**천문**】** cuadrante *m*. ~ 전위계[전기계] electrómetro *m* de cuadrante.

상합(相合) coincidencia *f*, acuerdo *m*, correspondencia *f*. ~하다 coincidir, acordar, corresponder.

상항(上項) artículo *m* de arriba.

상항(商港) puerto *m* comercial [de comercio].

상해(傷害) ① [남의 몸에 상처를 내어 해를 입힘] herida *f*. ~하다 hacerse daño, lastimarse. 손과 얼굴에 입은 ~ heridas *fpl* en manos y cara. ~를 받다 recibir una herida. ~를 입다 sufrir una herida. ② **【**법률**】** lesión *f*.

■ ~ 건강 보험 seguro *m* de accidentes y de enfermedad. ~ 보상 compensación *f* de accidentes. ~ 보험 seguro *m* de accidentes, seguro *m* contra accidentes. ~죄 agresión *f*. ~ 치사(致死) agresión *f* mortal, agresión *f* que resulta la muerte. ~ 치사죄 agresión *f* mortal.

상해(詳解) explicación *f* detallada, comentario *m* minucioso. ~하다 explicar detalladamente, comentar minuciosamente.

상해(霜害) daño *m* por la escarcha. ~를 입다 sufrir daños por la escarcha.

상행(上行) ① [지방에서 서울로 올라가는 일] ida *f* a Seúl, ida *f* a la capital, ascensión *f*, subida *f*. ~의 ascendente. ② ((준말)) =상행 열차(上行列車). ③ ((준말)) =상행차(上行車).

■ ~선 línea *f* para arriba [Seúl]. ~ 열차 tren *m* ascendente, tren *m* para Seúl. ~차(車) vehículo *m* para Seúl.

상행위(商行爲) acto *m* [transacción *f*] comercial [de comercio].

상향(上向) ① [아래쪽으로부터 위쪽으로 향함] movimiento *m* ascendiente. ~하다 mover hacia arriba. ② [향상됨] progreso *m*. ~하다 progresar. ③ [물가가 오름] el alza *f*, subida *f*, tendencia *f* al alza. ~하다 alzar, subir.

상현(上弦) **【**천문**】** primer cuarto *m*.

■ ~달 luna *f* creciente.

상혈(上血) ① =토혈(吐血)(hemoptisis). ② [피가 위로 오름] subida *f* de la sangre.

상형(象形) ((준말)) =상형 문자(象形文字).

■ ~ 문자(文字) jeroglífico *m*. ~ 문자체 jeroglíficos *mpl*.

상호(相互) ① [호상(互相)] reciprocidad *f*, reciprocación *f*, mutualidad *m*. ~의 recíproco, mutuo. ~간의 이익(利益) beneficio *m* mutuo. ② [서로] mutuamente; recíprocamente; uno a otro, una a otra, el uno al otro, uno de otro, el uno del otro; [3인 이상] unos a otros, unos de otros, los unos a los otros, los unos de los otros, unas a otras. ~ 돕다 ayudarse (uno a otro).

■ ~ 감응 계수 inductancia *f* mutua. ~ 견제 control *m* mutuo. ~ 계약 contrato *m* mutuo. ～ 관계 interrelación *f*, correlación *f*, relación *f* mutua, relación *f* recíproca, reciprocidad *f*. ～ 무역 comercio *m* equitativo. ～ 무역 협정 convenio *m* sobre los precios mínimos de venta al público. ～ 방위 원조 계획 programa *m* de defensa y asistencia mutua. ～ 방위 조약 tratado *m* de defensa mutua. ～ 보험(保險) seguro *m* mutuo. ～ 보험 업자 asegurador, -dora *mf* mutualista. ～ 보험 회사 compañía *f* mutua de seguros, compañía *f* de seguro mutuo. ～ 부조 ayuda *f* [asistencia *f*] mutua, socorros *mpl* mutuos, mutualidad *f*. ～ 부조론 mutualismo *m*. ～ 부조주의 mutualismo *m*. ～ 부조주의자 mutualista *mf*. ～ 비교 comparación *f* mutua. ～ 신용 금고 caja *f* de crédito mutuo. ～ 안전 보장 seguridad *f* mutua. ～ 안전 보장법 ley *f* de seguridad mutua. ～ 안전 보장 본부 sede *f* de seguridad mutua. ～ 안전 보장 조약 Pacto *m* [Tratado *m*] de Seguridad Mutua. ～ 원조(援助) ayuda *f* [asistencia *f*] mutua. ～ 원조 조약 tratado *m* de ayuda mutua, pacto *m* de ayuda mutua. ～ 유도[감응] inducción *f* mutua. ～ 은행 banco *m* mutuo. ～ 의존 interdependencia *f*, dependencia *f* recíproca. ～ 이익 beneficio *m* mutuo, interés *m* mutuo. ～ 인덕턴스 inductancia *f* mutua. ～ 작용 acción *f* recíproca, interacción *f*. ～ 저축 은행 banco *m* mutualista de ahorros, caja *f* de ahorros mutuos. ～ 조약 tratado *m* recíproco, tratado *m* bilateral. ～ 조직 sistema *m* cooperativo. ～ 조합 sociedad *f* cooperativa, corporación *f*. ～주의 mutualismo *m*. ～ 참조 referencia *f* recíproca. ～ 통신 comunicación *f* mutua, intercomunicación *f*. ～ 편의 conveniencia *f* mutua. ～ 협력 cooperación *f* (mutua). ～ 협조 acuerdo *m* bilateral, ayuda *f* mutua. ～ 회사 compañía *f* mutua de seguros.

상호(商號) razón *f* social; [특허에서] marca *f* comercial.

상혼(商魂) espíritu *m* comercial, comercialismo *m*. ～이 억척스러운 con mucho ánimo de ganar, lleno de espíritu comercial, todo hecho un comerciante. ～이 억척스럽다 ser muy comerciante.

상환(相換) intercambio *m*. ～하다 hacer un intercambio, cambiar.

◆ 대금 ～ entrega *f* contra reembolso.

■ ～권 vale *m*, cupón *m*. ～ 준비금 reserva *f* para el intercambio. ～증 recibo *m*.

상환(償還) reembolso *m*, restitución *f*; [월부(月賦)·연부(年賦)의] amortización *f*, indemnización *f*. ～하다 reembolsar, restituir, amortizar, indemnizar. 대부금의 ～ amortización *f* de un préstamo. 국채의 ～ amortización *f* de títulos. 10년 ～ amortización *f* a diez años. 2002년 ～ 채권 título *m* reembolsable en el año 2002.

■ ～ 계획 plan *m* de amortización. ～곡 cereales *mpl* de amortización. ～ 공채(公債) empréstito *m* público de amortización. ～권 derecho *m* de amortización. ～ 금액 amortización *f*. ～ 기금(基金) fondo *m* de amortización. ～ 기한 término *m* [plazo *m*·período *m*] de reembolso, período *m* de pago. ～증 comprobante *m*, talón *m*, resguardo *m*. ¶화물 ～ comprobante *m* [talón *m*·resguardo *m*] del equipaje de consigna. ～ 청구권 derecho *m* de recurso.

상황(上皇) ① ((준말)) ＝태상왕(太上王). ② [살아 있는, 상황(上皇)의 전 황제] exemperador *m*, emperador *m* abddicado.

상황(狀況) circunstancia *f*, situación *f*, estado *m* de las cosas. 현 ～으로는 en las circunstancias actuales, en la situación presente. ～의 변화에 따라 según cambio de circunstancias. ～에 따라 좌우되다 estar a merced de las circunstancias. ～ 을 판단하다 juzgar las circunstancias. 그것은 ～에 달려 있다 Eso depende de (cómo esté) la situación.

◆ 경제(經濟) ～ escenario *m* económico. 원자력 이용 ～ estado *m* de utilización de la energía atómica.

■ ～ 보어 complemento *m* circunstancial. ～실 sala *f* de de reunión informativa. ～ 증거(證據) prueba *f* indicadora, prueba *f* circunstancial; 【법률】 indicios *mpl* vehementes. ～ 판단 juicio *m* circunstancial, juicio *m* de la situación.

상황(商況) condición *f* comercial, condición *f* de tráfico, estado *m* del mercado. ～이 부진하다 El tráfico está paralizado.

상회(上廻) excedencia *f*. ～하다 sobrepasar, exceder, superar. 수확은 예상을 ～했다 La cosecha sobrepasó a lo previsto. 금년의 매상고는 작년보다 ～했다 Las ventas de este año superaron las del pasado.

상회(商會) sociedad *f* comercial, casa *f* comercial, compañía *f*, firma *f*, razón *f* social.

상후(上厚) sueldo *m* grade a los superiores.

■ ～하박 sueldo *m* grande a los superiores y el pequeño a los inferiores. ¶월급은 ～하다 A los superiores se les paga un sueldo grande, pero a los inferiores muy justo [apretado].

상훈(賞勳) premio *m* y condecoración, condecoraciones *fpl*.

■ ～국(局) departamento *m* de condecoraciones. ～법(法) ley *f* de condecoraciones. ～ 심의회 consejo *m* deliberante de condecoraciones.

상흔(傷痕) cicatriz *f* (*pl* cicatrices). 얼굴에 ～이 있다 tener una cicatriz en la cara. 마음에 깊은 ～이 남다 dejar una huella profunda en el ánimo. 너는 수술을 해도 ～이 남을 것이다 Aun después de la operación te quedará la cicatriz. 아직도 곳곳에 전쟁의 ～이 남아 있다 Todavía quedan [se ven] las cicatrices de la guerra en todas partes.

샅 ① [두 다리가 갈린 곳의 사이] ingle *m*, parte *f* interior del muslo. ～을 차다 darle a uno una patada en el bajo vientre. ② [두 물건의 틈] espacio *m* de dos artículos.

살바 *satba*, paño *m* que se ciñen en la cintura los luchadores coreanos.

◆ 살바(를) 지르다 atar las piernas con *satba*.

■ ~ 씨름 lucha *f* con *satba*.

살살이 en [por] todas partes, sin dejar rincones, de caba a rabo, hasta en el último rincón. ~ 뒤지다 mirar [buscar] hasta en el último rincón, buscar sin dejar rincones, hurgar, rebuscar. ~ 알고 있다 saber al dedillo, conocer de cabo a rabo. 그녀는 책들 사이를 ~ 뒤졌다 Ella rebuscó [hurgó] entre los libros.

살폭(一幅) pedazo *m* de la entrepierna.

새[1] ((준말)) =샛바람.

새[2] ((준말)) =사이.

◆ 새(가) 뜨다 ㉮ [사이가 좀 떨어져 멀다] estar lejos. ㉯ =소원(疎遠)하다.

새[3] ① [날짐승] pájaro *m*; [큰] el ave *f* (*pl* las aves); [작은] pajarillo *m*, pajarito *m*. ~의 깃 pluma *f*. ~를 기르다 criar [tener] pájaros. ~의 날개를 가질 수 있다면 좋겠는데 ¡Si [Quién] pudiera tener alas de pájaros! 손 안에 든 ~ 한 마리가 숲 속의 두 마리보다 낫다 [남의 돈 천 냥 보다 제 돈 한 냥] ((서반아 속담)) Más vale pájaro en mano que ciento volando. 일찍 일어나는 ~가 벌레를 잡는다 ((서반아 속담)) A quien madruga Dios le ayuda. ② ((준말)) =참새.

◆ 새(를) 보다 ㉮ [곡식밭 등에서 새를 쫓기 위해 살피어 보다] espantar [ahuyentar] a los pájaros de los cereales. ㉯ 【은어】 =망보다.

■ 새 잡아 잔치할 것을 닭 잡아 잔치한다 ((속담)) Un remiendo a tiempo ahorra ciento / Una puntada a tiempo ahorra nueve.

■ ~ 모이 alpiste *m*. ~모이통 comedero *m* para los pájaros. ~장 jaula *f*. ~집 nido *m*.

새[4] 【식물】 ① [띠·억새의 총칭] una especie del junco. ② ((준말)) =억새. ③ =이엉. ④ 【식물】 = 야고초.

새[5] 【광물】 [금분(金分)이 들어 있는 구새] mena *f* de aurífero, contenido m de oro.

새[6] [피륙의 짜인 날을 세는 하나치] unidad *f* de medir la densidad de los hilos de urdimbre.

새[7] [새로운] nuevo, fresco. ~ 밀레니엄 nuevo milenio *m*. ~집 casa *f* nueva. ~옷 ropa *f* nueva, traje *m* nuevo, vestido *m* nuevo. ~ 상처 herida *f* fresca. ~ 천년 nuevo milenio *m*.

새(璽) ((준말)) =국새(國璽).

새- profundo, oscuro, intenso, subido. ~빨간 거짓말 mentira *f* descarada. ~까맣다 ser negro azabache. ~맑다 ser límpido. ~하얗다 ser blanco como la nieve, níveo.

새가슴 pecho *m* estrecho y saliente. ~의 con el pecho estrecho y saliente.

새것 lo nuevo, el nuevo, la nueva. 책상을 ~으로 바꾸다 cambiar la mesa con [por] otra nueva.

새겨듣다 ((준말)) =새기어듣다.

새경 salario *m* anual dado al serviente de finca.

새고기 ① [새의 고기] carne *f* de pájaro, carne *f* de pollo. ② [참새 고기] carne *f* de gorrión.

새곰새곰 muy ácidamente, muy agriamente.

새곰하다 (ser) algo ácido, algo agrio.

새그무레하다 ser algo agrio.

새그물 red *f* (de hilos muy finos) para cazar los pájaros.

새근거리다[1] ① [배가 부르거나 분이 치밀어 숨을 가쁘게 쉬다] jadear, respirar entrecortadamente, resollar. 그는 숨을 새근거리고 있었다 El respiraba con dificultad. ② [어린아이가 곤히 잠들어 조용히 숨을 쉬다] respirar silenciosamente.

새근거리다[2] [뼈마디가 잇따라 새근하다] tener dolor ligero. 뼈마디가 ~ tener dolor ligero de articulación.

새근새근[1] [숨이 가빠서 새근거리는 모양] jadeando, respirando estrecortadamente.

새근새근[2] [뼈마디가 자꾸 새근거리는 모양] teniendo dolor ligero.

새근하다 tener dolor ligero.

새금새금하다 ser bastante agrio [ácido].

새금하다 (ser) bastante agrio [ácido].

새기다[1] ① [글씨나 어떤 형상 따위를 나타내기 위해 연장으로 물체의 일정한 부분을 파내다] esculpir, grabar, tallar, labrar, entallar, inscribir; [끌로] cincelar. 불상을 ~ esculpir la estatua de Buda. 도장을 ~ esculpir el sello. 나무에 ~ esculpir en madera. 돌에 ~ esculpir en piedra. 끌로 돌을 ~ cincelar. 묘비(墓碑)에 이름을 ~ grabar el nombre sobre la lápida. 반지에 그의 연인의 머리글자가 새겨져 있다 En el anillo están escritas las iniciales de su novia. 조각상은 화강암에 새겨져 있었다 La estatua estaba esculpida en granito. ② [잊혀지지 않도록 단단히 기억하다] grabar. 마음에 새겨 두다 grabar en la memoria [en el corazón]. 마음에 새겨 둔 추억 recuerdos *mpl* grabados en el corazó. 마음에 새기어 잊지 말라 No te olvides grabando en la memoria.

새기다[2] ① [말이나 글의 뜻을 알기 쉽게 풀거나 설명하다] interpretar, explicar, explanar. ② [다른 나라의 글을 우리말로 직역하여 옮기다] traducir (el idomoa extranjero al coreano).

새기다[3] [반추(反芻)하다] rumiar. 소는 음식물을 새긴다 Las vacas rumian sus alimentos.

새기어듣다 escuchar con atención.

새김 ① [글의 뜻을 쉬운 말로 옮겨 풂] interpretación *f*, paráfrase *f*, explanación *f*, explicación *f*, aclaración *f*; [번역] traducción *f*. ~을 하다 interpretar, explicar, explanar, aclarar; [번역하다] traducir. ②

[나무·돌·쇠붙이 따위에 글자나 그림 등을 새기는 일] escultura *f*, grabadura *f*, grabado *m*, talladura *f*, entalladura *f*; [끌로] cinceladura *f*, cincelado *m*.
■ ~칼 [조각도(彫刻刀)] [돌용] cincel *m*; [나무용] formón *m*, escoplo *m*.

새김밥통(－桶) ＝반추위(反芻胃).

새김위(－胃) 【동물】 ＝반추위(反芻胃).

새김질 rumia *f*, rumiadura *f*. ~하다 rumiar.
■ ~동물 rumiante *m*.

새까맣다 ① [아주 짙게 까맣다] (ser) negro azabache, muy negro. 눈썹이 ~ Las cejas son muy negras. ② [매우 까마득하다] (ser) muy lejano. ③ [전혀 아는 것이 없다] ignorar, no saber nada. 의학에 관해서는 아주 ~ no saber nada sobre la medicina. ④ [전혀 기억이 없다] no recordar nada. 새까맣게 잊어버리다 olvidarse completamente.
◆새까맣게 되다 hacerse negro azabache.

새까매지다 ennegrecerse.

새끼[1] [새끼줄] cuerda *f* de paja, soga *f* (de paja), cordel *m*. ~로 묶다 atar [ligar] con cuerda [con soga], amarrar con cuerda. ~를 묶다 anudar la cuerda. ~를 풀다 desatar. ~를 꼬다 hacer sogas de paja. 말뚝과 말뚝 사이에 ~를 치다 tender una cuerda entre las estacas.
■ ~발 persiana *f* de cuerda de paja, cortina *f* de cuerda. ~줄 cuerda *f* de paja. ~틀 máquina *f* de hacer la cuerda de paja.

새끼[2] ① [낳은 지 얼마 안 되는 어린 짐승] cría *f*, pequeño *m*; [새의] polluelo *m*, pollo *m*, cría *f* de ave; [소의] ternero *m*; [아직 젖을 떼지 않은 소의] ternero *m* recental; [말의] porto *m*; [개의] cachorro *m*, cachorrito *m*, cría *f* de perro, perrito *m*; [고양이의] gatito *m*; [염소의] cabrito *m*, choto *m*; [양의] cordero *m*; [물고기의] pececillo *m*. 한배의 ~ nidada *f*. ② ((속어)) [자식(子息)] niño, -ña *mf*, hijo, -ja *mf*, chaval, -la *mf*, *Méj* escuincle, -cla *mf*, *AmC* chavalo, -la *mf*, *Arg* pibe, -ba *mf*, *Chi* cabro, -bra *mf*, *Urg* botija *mf*. ③ ((비어)) [자식의 뜻으로 욕하는 말] tipo *m*, tío *m*, *Méj* chavo *m*. ④ ((속어)) [본전(本錢)에 대한 변리(邊利)] interés *m*. ~를 치다 dar [rendir] interés. 이 채권들은 8.5%의 ~를 친다 Estos bonos dan [rinden] un interés de 8.5%.
■고슴도치도 제 새끼는 함함하다고 한다 ((속담)) ¿Dónde tiene mi niño lo feo, que no lo veo? / Los hijos nunca tienen defectos a los ojos de los padres / Todos los hijos son guapos, y si son bebés.
■ ~가락 el dedo meñique y el dedo pequeño del pie. ~발가락 dedo *m* pequeño (del pie). ~발톱 uña *f* del dedo pequeño. ~벌레 ＝애벌레. ~손가락 dedo *m* meñique, dedo *m* auricular. ~손톱 uña *f* del dedo meñique. ~집 matriz *f*, útero *m*.

새나다 filtrar, saberse, hacerse público. 이것이 새나게 되면 si esto llega a saberse. 비밀이 새났다 El secreto se supo. 보고는 신문에 새났다 Filtraron el informe a la prensa.

새나무 broza *f* para hacer fuego.

새날 ① [새로 동터 오는 날] nuevo día *m*. ② [새로운 시대] época *f* nueva; [닥쳐올 앞날] futuro *m*, porvenir *m*.

새노랗다 (ser) muy amarillo.

새노래지다 amarillecer, amarillear, ponerse amarillo.

새다[1] ① [날이 밝아 오다] amanecer, apuntar el día. ② ((준말)) ＝새우다.

새다[2] ① [(잘못되어 생긴 틈이나 구멍으로) 빠져 나가거나 나오다] [물통·탱크가] gotear, hacer agua, *RPl* perder, *Chi* salirse; [구두·텐트가] dejar pasar el agua; [가스가] fugar; [액체·가스가] perder, *AmS* botar (*CoS* 제외); [흘리다] derramarse. 새는 구멍 [데] [물통·보트·파이프의] agujero *m*; [지붕의] agujera *f*. 새기 시작하다 empezar a gotear. 파이프가 샌다 La cañería pierde agua [공기가 aire] / Hay un escape en la cañería. 지붕이 새고 있다 Hay una gotera [goteras] en el techo / Entra agua por el tejado. 이 지붕은 비가 샌다 Este tejado tiene muchas goteras. 자동차는 기름이 샜다 El coche perdía aceite. 보트는 (물이) 새기 시작했다 El bote empezó a hacera agua. ② [(틈이나 구멍으로) 비치어 나오거나 나가다] penetrar, entrar; [소리가] oírse. ③ [(비밀한 일이) 은연중에 밖으로 알려지다] revelarse, llegar a sus oídos. 그 말은 그의 귀에 바로 새어 들어갔다 Eso llegó directamente a sus oídos. 그에게 말하면 모두 새어 나갈 것이다 El revelará todos los secretos.

새달 próximo mes *m*, mes *m* próximo [que viene · que entra · entrante]. ~ 15일 el quince del mes que viene.

새댁(－宅) ((높임말)) ＝새색시.

새되다 ser aguda [chillona · estridente] la voz. 새된 de tono alto, agudo, aflautado, estridente, chillón (*pl* chillones). 새된 소리 chillado *m*, voz *f* aguda [chillona · estridente]. 새된 비명(悲鳴) grito *m* estridente. 새된 소리를 지르다 dar un grito agudo, chillar, chirriar, rechinar, crujir.

새둥주리 nido *m* (parecido a la cesta), nido *m* de pájaros [de ave].

새득새득 algo secamente, marchitamente. ~하다 (estar) algo seco, marchito. ~한 소나무 pino *m* arruinado [infestado].

새들다 ① [물건을 거간을 하다] hacer corretaje (de). ② [중매를 하다] hacer de medianero.

새들새들 ligeramente marchitadamente. ~하다 marchitarse ligeramente.

새디즘(영 *sadism*) [가학성 변태 성욕] sadismo *m*.

새때 entre comidas.

새 떼 bandada *f* (de las aves).

새똥 guano *m*, estiércol *m* de los pájaros.

새뜻하다 (ser) fresco y brillante. 새뜻한 빛

깔 color *m* vivo [fuerte · brillante].
새뜻이 fresca y brillantemente.

새로¹ ① [새롭게] recientemente; [과거분사 앞에서] recién; [형용사로] reciente. ~ 오신 선생님 nuevo maestro *m* [profesor *m*], nueva maestra *f* [profesora *f*]; profesor *m* recién llegado, profesora *f* recién llegada. ~ 온 사람 persona *f* recién llegada; [남자] hombre *m* recién llegado; [여자] mujer *f* recién llegada. ~ 개통한 지하철 metro *m* recién inaugurado. ② [새롭게 다시] de nuevo, nuevamente, otra vez; [최근] recientemente. ~ 하다 volver a + *inf*, hacer de nuevo, renovar. ~ 지은 집 casa *f* nueva. ~ 낸 점포 tienda *f* recién inaugurada. 방의 벽지를 ~ 바르다 empapelar de nuevo la pared del cuarto. (처음부터) ~ 시작하다 empezar [comenzar] de nuevo. ~ 기관(機關)을 설립하다 establecer un órgano nuevo. ~ 사업을 시작하다 iniciar [emprender] una nueva empresa. 설비를 ~ 하다 renovar las instalaciones. ③ [새로이] [오전] de la mañana; [오후] de la tarde. ~ 한 시 la una de la mañana.

새로² ((준말)) =새로에.

새로에 [고사하고. 도리어] lejos de, en vez de, en lugar de. 우리를 환영하기는 ~ 그녀는 냉담했다 Lejos de darnos la bienvenida, ella se mostró fría.

새로이 nuevamente, frescamente, recientemente, modernamente, originalmente. ~ 하다 renovar, refrescar. 결의를 ~ 하다 refrescar la determinación.

새록새록 consecutivamente, seguidamente, en sucesión, uno tras otro. 불행이 ~ 일어났다 Una desgracia siguió inmediatamente a la otra.

새롭다 (ser) nuevo; [신선한] fresco; [최근의] reciente; [현대적인] moderno; [독창적인] original. 새로운 것 novedad *f*, frescura *f*, originalidad *f*. 새로운 집 [신축한] casa *f* nueva; [새로 이사한] nueva casa *f*. 새로운 말 palabra *f* nueva. 새로운 소식 noticia *f* nueva. 새로운 사상(思想) idea *f* nueva. 새로운 아이디어 idea *f* original. 새로운 회원(會員) nuevo miembro *m*. 인생(人生)의 새로운 출발 nuevo comienzo *m* en la vida. 새롭게 되다 renovarse, hacerse nuevo; [개선되다] mejorarse; [개혁되다] reformarse; [변경되다] cambiar(se). 새롭게 하다 renovar, hacer nuevo. 교과서 내용이 새롭게 되었다 Se ha renovado el contenido del texto. 무슨 새로운 소식이라도 있습니까? — 별로 새로운 것이 없습니다 [그저 그렇습니다] ¿Qué hay de nuevo? — Nada de particular.

새롱거리다 flirtear, coquetear, retozar, juguetear; [농담을 하다] bromear; *AmS* chancearse; [조롱하다] mofarse, burlarse, reírse.

새롱새롱 flirteando, coqueteando, jugueteando, bromeando.

새마을 *Saemaeul*, Nueva Comunidad *f*.
▪ ~ 금고(金庫) Institución *f* de Ahorro y Préstamo de la Aldea. ~ 운동 Movimiento *m* de la Nueva Comunidad. ~ 정신 espíritu *m* de la Nueva Comunidad. ~ 포장 Medalla *f* (de Mérito) de la Nueva Comunidad. ~ 훈장 Condecoración *f* de la Nueva Comunidad.

새막(-幕) leñera *f* construida en el campo para protegerse contra los gorriones.

새말 =신어(新語).

새말갛다 (ser) muy limpio.

새말개지다 ponerse limpio.

새맑다 (ser) límpido, muy claro, clarísimo.

새매 **【조류】** gavilán *m*, *ReD* guarguao *m*.

새머루 **【식물】** una especie de la vid silvestre.

새머리 carne *f* entre la costilla y la articulación de la vaca.

새무룩하다 (ser) malhumorado. ☞시무룩하다
새무룩이 malhumoradamente.

새물¹ ① [새로 나온 과실이나 생선 따위] primicia *f*. ② [새로 지었거나 빨래하여 새로 입은 옷] nueva ropa *f*, ropa *f* limpia. ~를 입다 ponerse la camisa limpia.
▪ ~내 olor *m* a ropa limpia. ~ 청어 ㉮ [새로 나온 청어] arrenque *m* primicial. ㉯ [새로 와서 경험이 없는 사람] novato, -ta *mf*.

새물² [새로운 사상이나 조류] nueva idea *f*, nueva tendencia *f*.

새박 **【한방】** semillas *fpl* del algodoncillo.
▪ ~덩굴 **【식물】** algodoncillo *m*.

새발심지 mecha *f* de tres lenguas.

새발장식(-裝飾) decoración *f* de la forma de las patas del pájaro.

새발톱표(-標) **【인쇄】** =작은따옴표.

새벽¹ ① [먼동이 트기 전] el alba *f*, amanecer *m*, albor *m*, aurora *f*, amanecida *f*, madrugada *f*. ~에 al amanecer, al despuntar el día, al canto de gallos, al rayar el alba, al alba, de madrugada. ~ 늦게까지 hasta bien entrada la madrugada. ~에 일어나다 madrugar. ~이다 Amanece / Apunta el día. ② [(시간의 단위 앞에 쓰이어) 오전] de la madrugada, de la mañana. ~ 세 시 las tres de la mañana, las tres de la madrugada. ~ 한 시 la una de la mañana, la una de la mañana.
새벽같이 muy temprano por la mañana.
▪ ~녘 el alba *f*, aurora *f*, amanecer *m*, madrugada *f*. ¶~에 amanecer, cerca de aurora, al rayar el alba. ~이 되다 romper el día. ~달 luna *f* de la madrugada a finales del mes del calendario lunar. ~닭 gallo *m* que canta en la madrugada. ~동자 preparación *f* de la comida en la madrugada. ¶~하다 preparar la comida en la madrugada. ~뒤 estiércol *m* del anciano de la madrugada. ~바람 viento *m* frío de la madrugada. ~박동 preparación *f* de la comida en la madrugada. ¶~하다 preparar la comida en la madrugada. ~밥 comida *f* de la madrugada. ¶~ 하다 preparar la comida de la madrugada. ~일

trabajo *m* que hace en la madrugada. ~잠 sueño *m* profundo de la madrugada. ~종 ㉮ [새벽에 치는·들리는 종소리] toque *m* de campanas. ㉯ ((은어)) gallina *f.*

새벽² ① 【건축】 yeso *m*, revoque *m*, enlucido *m*. ~을 바르다 revocar, enlucir, rellenar con yeso. ② ((준말)) =새벽질.

■ ~질 revocadura *f*, revoque *m*. ¶~하다 revocar.

새보다 =새(를) 보다. ☞새³

새봄 ① [첫봄] primavera *f* temprana, temprano en la primavera. ② [봄에 꽃이 활짝 피듯 찬란하고 희망에 부푼 시절] primavera *f*, juventud *f.* 인생의 ~을 노래하자 Vamos a cantar la primavera [la juventud] de la vida.

새빨간 puro, absurdo, palpable. ~ 거짓말 pura mentira *f*, mentira *f* descarada [palpable · absurda].

새빨갛다 (ser) rojo subido, carmesí, de vivo colorido. 서쪽 하늘이 일몰로 새빨갛게 물들어 있다 La puesta del sol tiñe de un rojo resplandeciente los cielos occidentales.

새빨개지다 convertirse en carmesí [color rojo subido], encenderse, ponerse colorado [rojo]; [얼굴이] ruborizarse, sonrojarse, ponerse colorado [rojo]; [하늘이] teñirse de rojo. 나는 술을 조금만 들어도 얼굴이 새빨개졌다 Un poco de bebida tiñó mis mejillas de un rosa pálido.

새사람 ① =신인(新人). ② =새댁. ③ [중병을 겪고 난 사람] convaleciente *mf.* ④ [갱생자] persona *f* reformada.

새살 tejido *m* de granulación, carne *f* cruda, cruda *f* sobresaliente. ~이 돋아나다 granular.

새살거리다 charlar [chacharear · parlotear] alegremente.

새살궂다 (ser) muy frívolo, poco serio.

새살떨다 =새살거리다.

새살새살 frívolamente.

새살스럽다 (ser) frívolo, poco serio, banal. 새살스런 여자 mujer *f* frívola.

새삼 【식물】 cuscuta *f.*

새삼스럽다 ① [이미 알고 있는 일인데도 느껴지는 감정이 새롭다] (ser) nuevo, fresco, vívido, original. 그의 우정(友情)이 새삼스럽게 고마웠다 Nuevamente le di muchas gracias por su amistad. ② [지난 일을 이제 와서 공연히 들추어내는 경향이 있다] tender a [tener tendencia a] revelar el pasado en vano. 그의 장난은 새삼스러운 것이 아니다 Sus travesuras no son cosa de ayer.

새삼스레 nuevamente, de nuevo, otra vez. …할 필요성을 나는 ~ 통감했다 Nuevamente sentí la apremiante necesidad de + *inf.* ~ 주의할 일은 하나도 없다 No hay nada especial que advertirle. 나는 ~ 자신의 무능을 통감하고 있다 Ahora más que nunca me doy cuenta plenamente de mi falta de talento. 그의 위대함이 ~ 놀랍다 Me maravilla más que nunca su grandeza.

새새¹ ((준말)) =사이사이.

새새² ((준말)) =새실새실.

새새틈틈 hasta en el último [recoveco]. ~ 찾다 mirar [buscar] hasta en el último rincón [recoveco].

새색시 [결혼 전] novia *f*, [결혼 후] desposada *f*, mujer *f* recién casada. ~ 차림으로 en vestido de boda, en traje de novia.

새서방(-書房) ① ((속어)) =신랑(新郞). ② [새로 맞이한 서방] esposo *m* nuevo, marido *m* nuevo.

새소리 canto *m*, gorjeo *m*.

새수나다 ① [갑자기 좋은 수가 생기다] tener la buena suerte de repente. ② [뜻밖에 재물이 생기다] tener la propiedad inesperada.

새수못하다 no atreverse a tocar.

새순(-筍) brote *m*, retoño *m*, renuevo *m*. ~이 나오다 brotar, echar brotes. ~이 나온다 Las hojas brotan. 나무들이 ~이 나온다 Los árboles brotan.

새신랑(-新郞) novio *m*, el recién casado.

새실거리다 charlar sonriendo.

새실새실 sonriendo. ~하다 sonreír abiertamente [burlonamente].

새싹 ① [새로 돋는 싹] vástago *m*, pimpollo *m*, brote *m*, retoño *m*. ~이 나다 brotar, echar brotes. ② [사물의 근원이 되는 새로운 시초] origen *m*, raíz *f*, pilar *m*, sostén *m*. 어린이는 나라의 ~이다 El niño es un pilar del país.

새아기 nueva nuera *f.* ~야! ¡Nueva nuera!

새아기씨 ((높임말)) =새색시.

새아씨 ((준말)) =새아기씨.

새아주머니 [새로 시집온 형수나 제수] nueva cuñada *f*, [새로 시집온 숙모뻘 되는 사람] nueva tía *f.*

새알 ① [참새의 알] huevo *m* del gorrión. ② [새의 알] huevo *m* del pájaro.

■ ~심 bola *f* de masa que se come en gachas de habas rojas.

새암 celos *mpl*, envidia *f.* ~하다 envidiar, tener envidia (a), estar celoso (de), tener celos (de). ~이 많다 ser celoso.

◆ 새암(이) 바르다 ser celoso, ser envidioso.

■ ~바리 persona *f* celosa, persona *f* envidiosa.

새앙 ① 【식물】 jengibre *m*. ② [새앙의 뿌리] raíz *f* del jengibre.

■ ~가루 jengibre *m* en polvo. ~순(筍) vástago *m* de jengibre. ~술[주] vino *m* de jengibre. ~엿 caramelo *m* de jengibre, *Guat* melcocha *f* de jengibre. ~즙 zumo *m* [*AmL* jugo *m*] de jengibre. ~차 té *m* de jengibre. ~초 vinagre *m* de jengibre. ~편 pan *m* de jengibre con miel.

새앙낭자(-娘子) =새앙머리.

새앙머리 peinado *m* puesto por la doncella del palacio.

새앙쥐 ☞생쥐.

■ 새앙쥐 볼가심할 [입가심할] 것도 없다 ((속담)) Es más pobre que las ratas [una rata] / Es tan pobre como un ratón de sacristía.

새열둑 camarón *m* que coge en la madrugada.

새옹 olla *f* pequeña de latón.

새옹(塞翁) sabio *m* viejo de la tradición china.

■ ~지마(之馬) Los caminos del Cielo son inscrutable.

새완두(-豌豆) 【식물】 algarroba *f*.

새우[1] 【동물】 [왕새우] langosta *f* (de mar); [큰 새우] langostino *m*; [보리새우] langostín *m* (*pl* langostines); [작은 새우] camarón *m* (*pl* camarones), quisquilla *f*; [지중해산 작은 새우] gamba *f*.

■ 새우 싸움에 고래 등 터진다 ((속담)) Se sufre muchos dolores por la culpa del inferior.

■ ~등 espalda *f* curvada [encorvada]. ~잠 sueño *m* acurrucado. ¶~을 자다 dormir acurrucándose [repantigándose]. ~젓 camarones *mpl* salados, camarones *mpl* encurtidos en la sal.

새우[2] [지붕의 기와와 산자 사이에 까는 흙] barro *m* debajo de las tejas de hacer el tejado.

새우나무 【식물】 ((학명)) Ostrya japonica.

새우다[1] [한숨도 자지 않고 온밤을 밝히다] velar, no dormir. 나는 밤을 꼬박 새웠다 Yo pasé una noche velando.

새우다[2] [시새우다] envidiar, tener envidia, tener celos. 우리는 우리보다 부유한 사람들을 새워서는 안 된다 No debemos envidiar a los que son más ricos que nosotros.

새장(-欌) jaula *f* (de pájaros); [큰] pajarera *f*. ~의 새 pájaro *m* enjaulado.

새전(賽錢) ofertorio *m*, dinero *m* sagrado, limosna *f*, ofrendas *fpl* en dinero. ~하다 hacer una ofrenda de dinero.

■ ~함 cepillo *m* [cepo *m*] de limosnas, el arca *f* (*pl* las arcas) de ofrendas en dinero.

새점(-占) 【민속】 adivinanza *f* con los pájaros.

새조개 【조개】 vieira *f*, berberecho *m*.

새줄랑이 frívolo, -la *mf*; ligero, -ra *mf*; imprudente *mf*.

새지근하다 =새척지근하다.

새집[1] ① [새로 지은 집] casa *f* nueva. 그는 서울에 ~을 장만했다 El ha hecho una casa nueva en Seúl. ② [새로 장만하여 든 집] nueva casa *f*. ~으로 이사하다 trasladarse a la nueva casa. 나는 교외에 ~을 장만했다 Me he instalado en una nueva casa en las afueras. ③ =새색시.

새집[2] ① [새가 깃드는 집] nido *m* (de pájaros), pajarera *f*. ② [참새가 깃들인 곳] nido *m* de gorriones.

새찜 pájaro *m* cocido al vapor.

새참 ((준말)) =사이참.

새창 intestino *m* inferior de la vaca.

새책(-冊) nuevo libro *m*.

새척지근하다 (ser) algo ácido (por el estropeamiento de la comida).

새청 voz *f* aguda.

새초[1] moneda *f* pequeña.

새초[2] ((준말)) =새초미역.

■ ~미역 alga *f* marina marrón seca de la calidad superior.

새총[1](-銃) [새를 잡는 데 쓰는 공기총] escopeta *f* [rifle *m*] de aire comprimido.

새총[2](-銃) [「Y」자 모양의 쇠붙이나 나뭇가지에 고무줄을 매고 돌을 끼워 튀기는 장난감] tirachinas *m.sing.pl*, tirapiedras *m*; *Méj* resortera *f*, *Col* cauchera *f*, *Ven* china *f*, *Cos*, *Per* honda *f*.

새치 [젊은 사람의 머리에 섞여 난 흰 머리카락] canas *fpl* en la edad joven [en juventud], cabello *m* blanco en juventud, cabello *m* prematuramente blanco, canas precoces. 그는 아직 젊은데 ~가 났다 El tiene canas aunque todavía es joven.

새치기 metida *f* en la cola. ~하다 meterse en la cola, colarse.

새치름하다 asumir un aire afectado. 새치름한 용모 semblante *m* hosco. 그녀는 ~ [성격이] Ella es poco acogedora / Ella es hosca.

새치름히 hoscamente, severamente, ásperamente.

새치부리다 comportarse con resera, ser demasiado cortés.

새침데기 persona *f* afectada; persona *f* presumida; pedante *mf*, presumido, -da *mf*, postinero, -ra *mf*. 그녀는 ~이다 Ella aparenta [finge] ser una mujer recatada.

새침하다 ((준말)) =새치름하다.

새카맣다 (ser) negro azabache, muy negro, completamente negro, negro como el carbón. 새카맣게 타다[눋다·그을리다] carbonizarse. 그 눈은 새카만 머리카락과 눈썹과 대조를 이루어 관심을 끌었다 Esos ojos llamaban la atención porque hacían contraste con un cabello y unas cejas negras como el carbón.

새카매지다 ennegrecerse.

새콤달콤하다 (ser) agridulce, algo agrio y dulce.

새콤새콤 algo agriamente.

새콤하다 (ser) algo ácido, algo agrio.

새큰거리다 doler (en la articulación). 온 뼈마디가 새큰거린다 Me duelen todas las articulaciones / Me duele todo el cuerpo.

새큰새큰 (siguiendo) doliendo.

새큰하다 doler (en la articulación). 발목이 ~ Me duele el tobillo.

새큼달큼하다 (ser) agridulce, algo agrio y dulce.

새큼새큼 muy agriamente.

새큼하다 (ser) muy agrio, muy ácido.

새털 pluma *f*, [솜털] plumón *m* (*pl* plumones); [집합적] plumaje *m*.

새털구름 【기상】 cirro *m*.

새퉁빠지다 (ser) muy frívolo, muy serio, muy displicente, muy indiferente.

새퉁스럽다 (ser) frívolo, poco serio, displi-

cente, indiferente.
새퉁스레 frívolamente, con ligereza, displicentemente, indiferentemente.

새퉁이 persona *f* frívola.
◆새퉁(이) 부리다 portarse frívolamente.

새파랗다 ① [빛깔이 짙게 몹시 파랗다] (ser) azul o(b)scuro; [얼굴이] ponerse pálido. 새파란 하늘 cielo *m* azul oscuro. ② [매우 젊다] (ser) muy joven, juvenil. 새파랗게 젊은 사람 joven *mf*. 그녀는 계속 새파랗게 젊다 Ella sigue manteniendo su aspecto juvenil.
◆새파랗게 질리다 ponerse pálido. 무서워서 얼굴이 ~ ponerse pálido [lívido] de miedo.

새파래지다 palidecer, ponerse pálido, ponerse descolorido. 새파래진 얼굴 cara *f* pálida. 그는 그 소식을 듣자 새파래졌다 El palideció [se puso pálido] al oír la noticia.

새하얗다 (ser) blanco como la nieve, níveo, puro [perfectamente] blanco, blanquísimo. 새하얗게 en puro blanco.

새하얘지다 ponerse blanco como la nieve.

새해 año *m* nuevo. ~의 del año nuevo. ~를 축하하다 celebrar el Año Nuevo. ~가 왔다 Ha venido un nuevo año. ~가 되었다 Comienza el año (nuevo) / Llega [Alborea] el año nuevo. ~ 복 많이 받으세요 ¡Feliz Año Nuevo! / [서반아나 라틴 아메리카에서 새해 인사는 크리스마스와 함께 하는 것이 원칙이므로 연하장 따위에서] ¡Feliz Navidad y Próspero Año Nuevo! ~에는 더욱 번창하십시오 ¡Próspero Año Nuevo!
■~ 문안 recuerdos *mpl* del Año Nuevo a *sus* parientes y *sus* conocidos a través del mensajero. ~ 전갈 recuerdos *mpl* del Año Nuevo a *sus* parientes a través del mensajero. ~ 차례 ceremonia *f* a la memoria de los antepasados del Año Nuevo.

새호리기 【조류】 halcón *m*.

색 [좁은 틈으로 김이 세차게 나오는 소리, 또 그 모양] silbando, con un silbido.

색(色) ① [빛] color *m*. ~을 칠하다 colorar, colorear, colorir, teñir color, dar (de) color, dar colores. 이 상자에 붉은 ~을 칠하겠다 Daré de color rojo a esta caja. ② [같은 부류를 가리키는 말] la misma clase, el mismo tipo. ~다른 종류 la clase fuera de lo ordinario. ③ ((준말)) =색사(色事). ¶~을 즐기는 남자(男子) hombre *m* lascivo. ~을 즐기는 여자(女子) mujer *f* lasciva. ~을 즐기다 entregarse a la lujuria. ④ ((준말)) =여색(女色). ⑤ [용모(容貌)] belleza *f* mujeril, encanto femenino. ⑥ ((불교)) =물질 세계(物質世界).
◆색(을) 갈다 cambiar, hacer cambio, diversificar. 그들은 운동복(運動服)으로 색갈았다 Ellos diversificaron su producción introduciéndose en el mercado de ropa de deporte. 색(을) 쓰다 tener relaciones sexuales.

색(영 *sack*) [주머니. 포대. 부대] saco *m*, costal *m*, bolsa *f*; [종이의] bolsa *f* de papel.

-색(色) color *m*. 원(原)~ color *m* primero. 정치(政治)~ color *m* político. 지방(地方)~ color *m* local.

색각(色覺) sentimiento *m* de color, discriminación *f* de color.

색감(色感) ① [색각(色覺)] sentimiento *m* de color. ② [색체 감각] sentido *m* de los colores.

색골(色骨) hombre *m* putañero, hombre *m* lujurioso, hombre *m* lascivo, Don Juan *m*, disoluto *m*, libertino *m*, persona *f* hipersexual, obseso *m* sexual, libidinoso *m*. 그는 ~이다 El es un casanova / El es un Don Juan. 이 늙은 ~아! ¡Viejo verde!

색광(色狂) erotómano, -na *mf*; erotomaníaco, -ca *mf*. ☞색마(色魔)
■~증(症) manía *f* sexual, erotomanía *f*, satiriasis *f*; [여자의] ninfomanía *f*.

색깔(色-) color *m*. 당신의 오버는 무슨 ~입니까? ¿De qué color es su abrigo? ☞빛깔

색다르다(色-) (ser) excéntrico, original, singular, extraño, raro. 색다르게 extrañamente, singularmente, raramente. 색다른 남자(男子) hombre *m* raro, individuo *m* excéntrico. 색다른 문제(問題) cuestión *f* que induce fácilmente a engaño. 색다른 복장(服裝) traje *m* singular. 색다른 사건(事件) suceso *m* extraño. 색다른 사람 persona *f* excéntrica, persona *f* original. 아무 색다른 것이 없는 nada especial, que no tiene nada de particular, común y corriente. 색다른 복장을 하고 있다 estar vestido originalmente.

색대 *saekdae*, bambú *m* acabado en punta afilada para revisar la calidad de arroz en un saco.

색덕(色德) belleza *f* y virtud. ~을 겸비하다 tener belleza y virtud. 그녀의 ~에 반하다 enamorarse [estar enamorado] de ella por su belleza y virtud.

색도(色度) 【물리】 cromaticidad *f*.

색도(色道) asunto *m* sobre amorío.

색동(色-) ① [오색으로 염색하거나 또는 오색 비단 조각을 잇대어서 만든 어린이의 저고리 소맷길] (color *m* con) rayas *fpl* de muchos colores. ② =색동천.
■~마고자 *saekdongmagocha*, pichi *m* con mangas de rayas multicolores para los niños. ~옷 prenda *f* de ropa con rayas multicolores para los niños. ~저고리 chaqueta *f* con mangas de rayas multicolores para los niños. ~천 tela *f* con rayas multicolores.

색등(色燈) lámpara *f* de color.

색떡(色-) torta *f* de arroz de color.

색마(色魔) maníaco *m* sexual, sátiro *m*, hombre *m* lascivo, matador *m* de mujeres, Don Juan *m*, Tenorio *m*, libertino *m*, erotómano *m*.

색맹(色盲) ceguera *f* para los colores, acromatopsia *f*; [녹색과 적색의] daltonismo *m*;

[사람] daltonano, -na *mf*; ciego, -ga *mf* para los colores. ～의 daltoniano.
◆ 전(全)～ acromatopsia *f*, visión *f* acromática.
■ ～증(症) altonismo *m*.
색모(色貌) semblante *m* hermoso de la mujer.
색무명(色－) algodón *m* teñido.
색미투리(色－) sandalias *fpl* de cáñamo vivamente decoradas para los niños.
색바람 viento *m* fresco del otoño temprano.
색병(色病) 【의학】 ＝색상(色傷).
색병(色餠) ① ＝색떡. ② ＝색절편.
색복(色服) ropa *f* con colores.
색부(嗇夫) hombre *m* tacaño.
색비름(色－) 【식물】 disciplinas *fpl* de monjas.
색사(色事) relaciones *fpl* sexuales, amores *mpl*, amoríos *mpl*, lujuria *f*, deseo *m* sexual, deseo *m* carnal, gusto *m* sensual, sexo *m*. ～를 좋아하는 여자(女子) mujer lasciva. ～를 즐기다 entregarse a la lujuria.
색사(色絲) ＝색실.
색사진(色寫眞) fotografía *f* en color [en colores].
색상(色相) ＝색조(色調).
색상(色傷) enfermedad *f* causada por la intemperancia sexual [por el exceso de la cópula].
색색 con calma, tranquilamente. ～ 잠을 자다 dormir tranquilamente.
색색거리다 respirar tranquilo. 아기가 색색거리며 잠을 잔다 El niño duerme tranquilamente.
색색(色色) ① [여러 가지 색깔] varios colores *mpl*. ～으로 장식하다 docorar con varios colores. ② [여러 가지] muchas clases, muchos artículos, muchos objetos, muchas cosas. 물건이 ～으로 있습니다 Tenemos una gran existencia de los géneros. ③ ＝가지각색.
색색이 ㉮ [여러 가지 빛깔로] con varios colores. ㉯ con muchos artículos, con muchas clases.
색소(色素) pigmento *m*, materia *f* colorante. ～의 pigmentario.
■ ～ 결핍증 albinismo *m*. ～ 세균 bacteria *f* pigmentaria. ～ 세포 célula *f* pigmentaria, cromatóforo *m*. ～암 melanocarcinoma *f*, cáncer *m* melanótico. ～ 유전자(遺傳子) cromogene *m*. ～증 cromatosis *f*. ～체 plastidio *m*, cromatóforo *m*. ～층 capa *f* pigmentaria. ～ 피부증 cromatopatia, cromodermatosis *f*.
색소폰(영 *saxophone*) 【악기】 saxófono *m*, saxofón *m* (saxofones).
■ ～ 주자(奏者) saxofonista *mf*.
색수차(色收差) 【물리】 aberración *f* cromática.
색스혼(영 *saxhorn*) 【악기】 saxofón *m*.
■ ～ 주자 saxofonista *mf*.
색시 ① [아직 시집을 가지 않은 처녀] soltera *f*. ② [술집 등의 접대부] camarera *f*, moza *f*. ③ ((준말)) ＝새색시.
■ ～ㅅ감 una posible novia. ～ㅅ집 ㉮ ＝처가(妻家). ㉯ [갈보집] burdel *m*.
색실(色－) hilo *m* teñido, hilo *m* de color.
색심(色心) ① [색욕(色慾)이 일어나는 마음] corazón *m* lujurioso, deseo *m* sensual. ② ((불교)) la materia y el corazón.
색쓰다 ☞색(色)
색안경(色眼鏡) ① [눈을 보호하기 위한 색깔이 있는 유리를 낀 안경] gafas *fpl* de color; [선글라스] gafas *fpl* [lentes *fpl*·anteojos *mpl*] para [de(l)] sol, anteojos *mpl* para el sol. ② [편협한 관찰] perjuicio *m*. ～을 쓰고 보다 mirar con perjuicio.
색약(色弱) discromatopsia *f*, ceguera *f* de color.
색연필(色鉛筆) lápiz *m* (*pl* lápices) rojo, lápiz *m* de color, creyón *m* (*pl* creyones).
색옷(色－) ((준말)) ＝무색옷.
색욕(色慾) apetito *m* concupiscible, concupiscencia *f*, deseo *m* carnal, deseo *m* sexual, libido *m*, apetito *m* carnal, pasión *f* sexual, lujuria *f*, sensualidad *f*, lascivia *f*, salacidad *f*. ～을 억누르다 contener apetito carnal.
색유리(色琉璃) vidrio *m* mcolorado, vidrio *m* de color; [다색(多色)의] vidrio *m* de colores.
색의(色衣) ＝무색옷.
색인(索引) índice *m*. ～을 달다 hacer el índice, poner índice. ～으로 찾다 buscar en el índice. 책에 ～을 넣다 hacer el índice en un libro.
■ ～ 카드 ficha *f* catalográfica.
색전증(塞栓症) 【의학】 embolismo *m*, embolia *f*.
색정(色情) pasión *f* sexual, apetito *m* carnal, deseo *m* lascivo, concupiscencia *f*, lascivia *f*, erotismo *m*. ～에 눈을 뜰 시기 pubertad *f*. ～이 가득한 눈으로 보다 dirigir una mirada amorosa [coquetona].
■ ～광(狂) ㉮ [상태] locura *f* sexual; [증상] erotomanía *f*, manía *f* erótica; [특히 여성의] ninfomanía *f*. ㉯ [사람] erotómano, -na *mf*; ninfómana *mf*; ninfomaníaco, -ca *mf*. ～광 환자 erotomaníaco, -ca *mf*. ～ 도착 parhedonia *f*. ～ 도착증 erotopatia *f*. ～ 망상 delusión *f* erótica.
색조(色調) matiz *m*, tono *m*; 【미술】 matización *f*, tonalidad *f*.
색종이(色－) papel *m* de color, papel *m* de forma cuadrada (para escribir una poesía o para dibujar). 축제 때 던지는 ～ 조각 confeti *m* arrojado. ～ 조각을 던지다 arrojar [tirar] confeti.
색주가(色酒家) ① [술과 색을 겸하여 파는 계집] camarera *f* libertina. ② [술과 색을 겸하여 파는 술집] bar *m* de prostitutas, bar *m* sombreado.
색지(色紙) ＝색종이.
색채(色彩) ① [빛깔] color *m*. 그림의 ～가 곱다 El color del cuadro es hermoso. ② [(사

물의 표현이나 태도 따위에서) 나타나는 일정한 성질이나 경향이나 맛] color *m*, colorido *m*, tinte *m*, matiz *m* (*pl* matices), tono *m*, coloración *f*. ~가 풍부한 lleno de colores, rico en colores, colorido, rico de coloridos. ~가 없는 falto de colorido, descolorado. …의 ~를 띤 con un color de algo. 정치적 ~ color *m* [tono *m*] político. 정치적 ~가 없다 no tener [carecer de] color político. 비극적 ~를 띠다 revestir un color [un tono] trágico.

■~ 감각 sentido *m* de los colores. ~ 조절 regulación *f* de colores. ~파 coloristas *mpl*. ~ 팔면체 pirámide *m* de color. ~ 환각 cromatismo *m*. ~ 효과 efecto *m* de color.

색체(色滯) cara *f* pálida.

색출(索出) avericuación *f*. ~하다 averiguar, tratar de descubrir, husmear, hurgar. 경찰이 스파이를 ~했다 La policía husmeó a los espías.

색칠(色漆) [색을 칠함] colorido *m*, pintura *f*; [칠하는 칠] laca *f* para colorear. ~하다 colorear, pintar, aplicar la laca de color.. …을 녹색으로 ~하다 pintar [colorear] *algo* de verde.

색탐(色貪) lujuria *f*, concupiscencia *f*, deseo *m* lascivo [libidinoso]. ~하다 tener el deseo lascivo.

색한(色漢) ① =호색한. ② =치한(癡漢).

색향(色香) ① [색과 향기] el color y el perfume. ② [아름다운 용모] belleza *f*, hermosura *f*, encanto *m*. ~을 잃다 perder *su* belleza [*su* hermosura · *su* encanto].

색향(色鄕) ① [미인이 많이 나는 고을] pueblo *m* de muchas bellezas. ② [기생이 많이 있는 고을] pueblo *m* de muchas *kisaeng*.

색황(色荒) lascivia *f*, disipación *f* sexual, libertinaje *m* sexual.

샌님 ① ((준말)) =생원님. ② [매우 얌전하며, 융통성이 없는 사람] tipo *m* mojigato, persona *f* indecisa.

샌드(영 *sand*) [모래] arena *f*.

■~백 saco *m* de arena, saco *m* terrero. ~페이퍼 papel *m* de lija.

샌드위치(영 *sandwich*) ① [식품] bocadillo *m*, emparedado *m*, sándwich *m*, sandwich *m*. ② ((준말)) =샌드위치 맨.

■~ 데이 día *m* sandwich. ~ 맨 hombre-anuncio *m*. ¶~이 달고 다니는 광고판(廣告板) cartelones *mpl* (que lleva un hombre-anuncio).

샌들(영 *sandal*) sandalia *f*, abarca *f*, pantufla *f*. ~ 한 켤레 un par de sandalias. ~을 신고 나가다 salir en sandalias. ~을 벗어라 Quítate las sandalias.

샐그러뜨리다 =실그러뜨리다.

샐그러지다 =실그러지다.

샐녘 amanecer *m*, el alba *f*. ~에 al amanecer, al alba, al rayar [romper] el alba.

샐닢 media moneda *f* de cobre, perras *fpl*, peniques *mpl*.

샐러드(영 *salad*) ensalada *f*.

■~용 접시 ensaladera *f*. ~유[기름] aceite *m* de [para] ensalada, aceite *m* de comer.

샐러리(영 *salary*) [봉급] salario *m*, sueldo *m*.

■~맨 [남자 봉급 생활자] oficinista *m*, empleado *m*, asalariado *m*, hombre *m* asalariado; [집합적] clase *f* asalariada.

샐비어(영 *salvia*) 【식물】 salvia *f*.

샐쭉 =실쭉.

샐쭉거리다 =실쭉거리다.

샐쭉하다 =실쭉하다.

샐쭉경(-鏡) lentes *mpl* ovalados.

샘¹ ① [땅에서 물이 솟아나오는 곳] fuente *f*, manantial *m*. 콸콸 솟는 ~ fuente *f* de salir a borbotones [a chorros]. 청춘의~ la fuente de la juventud. ② ((준말)) =샘터. ③ [우물] pozo *m*.

◆샘(이) 솟다 la fuente salir a borbotones [a chorros].

샘² 【해부】 [선(腺)] glándula *f*. 눈물~ glándula *f* lagrimal. 땀~ glándula *f* sudorípara. 젖~ glándula *f* mamaria [mamana]. 침~ glándula *f* salival.

샘³ ((준말)) =새암.

◆샘(을) 내다 tener celos (de), tener envidia (de), envidiar, mirar con los ojos celosos; [극도로] comerse [concomerse] de envidia. 남의 성공을 샘내서는 안 된다 No hay que envidiar el [que tener envidia del] éxito de los demás.

◆샘(이) 바르다 envidiar mucho, tener muchos celos, tener mucha envidia, comerse [concomerse] de envidia.

샘구멍 manantial *m*, fuente *f*.

샘내다 =샘(을) 내다. ☞샘³

샘물 el agua *f* de(l) pozo.

■~줄기 corriente *f* del agua de pozo. ~터 =샘터.

샘바르다 =샘(이) 바르다. ☞샘³

샘받이 【농업】 arrozal *m* que hay fuente.

샘솟다 ① [샘물이 솟아나다] manar, brotar; [콸콸] bortotear, borbotar, borbollar, salir a borbotones [a chorros]. 분수의 물이 샘솟는다 Mana el agua de la fuente. ② [(힘이나 용기 따위가) 왕성하게 일어나다] surgir. 힘이 ~ surgir la fuerza. 나는 아이디어가 샘솟았다 He surgido una idea en mi cabeza.

샘터 ① [샘이 있는 곳] (lugar *m* de) fuente *f*. ② [샘물이 솟아 나오는 빨래터] lugar *m* para lavar la ropa que mana el agua de la fuente.

샘터지다 ① [샘이 새로 나오기 시작하다] la fuente empezar a salir nuevamente. ② [막혔던 샘이 다시 터지다] la fuente cerrada volver a manar.

샘플(영 *sample*) [견본. 표본] muestra *f*, espécimen *m* (*pl* especímenes), modelo *m*. ~을 보여 주십시오 Enséñeme [Muéstrame] la muestra.

◆공장(工場) ~ muestra *f* de fábrica. 무료(無料) ~ muestra *f* gratuita [gratis]. 토양 ~ muestra *f* de suelo. 혈액 ~ muestra *f*

de sangre.
■~ 룸 sala *f* de muestra. ~ 북 muestrario *m.* ~ 카드 tarjeta *f* de muestra. ~ 케이스 muestrario *m.*

샛- claro y obscuro, profundo, vivo, intenso, puro, genuino. ~노랗다 (ser) amarillo azafrán. ~맑다 (ser) límpido.

샛강(-江) afluente *m,* río *m* tributario.

샛길 ramal *m,* camino *m* desviado, senda *f,* sendero *m,* callejuela *f,* calleja *f,* callejón *m* (*pl* callejones), calle *f* angosta, camino *m* estrecho; [산책로] caminito *m,* paseo *m;* [돌을 깐 길] arriate *m.*

샛까맣다 (ser) muy negro, negrísimo.

샛까매지다 ponerse muy negro.

샛노랗다 (ser) amarillo azafrân. 샛노란 색 amarillo *m* azafrán, (color *m*) azafrán *m.*

샛노래지다 ponerse amarillo azafrán.

샛눈 ojos *mpl* medos cerrados.

샛대문(-大門) puerta *f* lateral.

샛말갛다 (ser) límpido, clarísimo, muy claro.

샛말개지다 hacerse límpido [muy claro].

샛맑다 (ser) muy claro, clarísimo.

샛문(-門) puerta *f* lateral.

샛밥 ① 【농업】 =곁두리. ② [끼니 사이에 먹는 밥] merienda *f.* ~을 먹다 merendar, tomar la merienda.

샛별 【천문】 Venus *m,* Lucero *m,* estrella *f* del alba.
■~눈 ojos *mpl* brillantes como el Venus.

샛빨갛다 (ser) muy rojo, colorado.

샛빨개지다 ponerse muy rojo [colorado].

샛서방(-書房) amante *m* (secreto), (hombre *m*) adúltero *m,* hombre *m* con quien se tienen relaciones amorosas ilícitas. ~질을 하다 adulterar, cometer adulterio, tener un amante, engañar [faltar] a su marido.

샛장수 =중간 상인(中間商人).

샛파랗다 (ser) muy azul.

샛파래지다 ponerse muy azul.

샛하얗다 (ser) muy blanco, blanquísimo.

샛하얘지다 ponerse muy blanco, ponerse blanquísimo.

생 【식물】 ((준말)) =새앙.

생[1](生) ① [생명(生命)] vida *f.* ~의 철학(哲學) filosofía *f* de la vida. ~을 받다 nacer, ser vivo. ② [삶] modo *m* de vivir, modo *m* de ganarse la vida, existencia *f,* vida *f.* ~의 기쁨 alegría *f* [gozo *m*] de vivir. ~의 행동(行動) ímpetu *m* de la vida. ~의 환희(歡喜) éxtasis *m* de la vida. ~을 누리다 ganar de la vida. ~을 영위하다 vivir, ganarse la vida.

생[2](生) [연월일 등의 뒤에 쓰여 그때에 낳았음을 나타내는 말] nacimiento *m.* 1944년 12월 11일~ nacimiento *m* del once de diciembre de 1944 (mil novecientos cuarenta y cuatro).

생[3](生) [어른에게 대하여 자기를 낮추어 이르는 말] yo, mi, me, mío.

생(笙) 【악기】 ((준말)) =생황(笙簧).

생-(生) ① [익지 않거나 마르지 않음을 나타내는 말] verde, vivo. ~것 fruta *f* verde. ~나무 árbol *m* vivo. ~손톱을 뜯어내다 [자신의] arrancarse una uña. ② [「아무런 가공도 하지 않거나 손을 대지 않은 채 그대로」의 뜻] crudo, fresco, natural; [정제하지 않은] no diluido. ~고무 goma *f* cruda. ~굴 ostra *f* cruda. ③ [피륙을 빨거나 누이지 않고 짠 그대로 있음을 나타내는 말] crudo, salvaje. ~모시 tela *f* de ramio cruda. ④ [「아무런 이유도 없는 억지」 또는 「아무런 필요도 없이 공연한」의 뜻을 나타내는 말] irrazonable, poco razonable, irracional, arbitrario. ~벼락 reprimenda *f* irrazonable. ~트집 disputa *f* irrazonable. ⑤ [(관계 있는 사람이) 죽지 않고 살아 있음을 나타내는 말] vivo. ~과부 viudita *f.* ~이별 separación *f* de toda la vida. ⑥ [「…을 낳은」의 뜻] *su* propio, *su* verdadero. ~부모 *sus* propios padres, *sus* verdaderos padres. ~어머니 *su* verdadera madre.

-생(生) ① [성(姓) 밑에 붙여 써서 젊은 사람임을 나타내는 말] joven. 김(金)~ Sr. Kim joven. ② [(햇수 다음에 쓰이어) 그만한 햇수를 자란 식물임을 나타내는 말] ¶ 1년~의 anual. 다년~의 perenal, perenne, perennal. 다년~ 식물 planta *f* perenne.

생가(生家) ① ((준말)) =본생가(本生家). ② [자기가 난 집] casa *f* natal [materna · paterna], casa *f* de los padres. ~에 돌아오다 regresar a la casa de los padres. 이곳이 전봉준의 ~이다 Esta es la casa natural de Cheon Bong Chun [la casa donde nació Cheon Bong Chun].

생가(笙歌) la flauta de música clásica y el canto.

생가슴(生-) pecho *m* preocupado sin ninguna necesidad, previsión *f* de preocupación.
◆생가슴(을) 뜯다 estar preocupado sin ninguna necesidad.

생가죽(生-) cuero *m* crudo, cuero *m* sin curtir, piel *f* en bruto. ~을 벗기다 [동물의] desollar, despellejar.
◆생가죽(을) 벗기다 robar todo lo que tiene.

생가지(生-) rama *f* viva (del árbol).

생각 ① ㉮ [사고(思考)의 내용] pensamiento *m.* ~하다 pensar. ~하는 방법 manera *f* [modo *m*] de pensar. ~하는 방식에 따라 según cierto punto de vista, en cierto modo. ~ 없이 sin pensar, inadvertidamente, de improvisto. …라고 ~하다 pensar que + *ind.* …을 ~하다 pensar en *algo* · *uno.* …에 대해 ~하다 pensar sobre *algo* · *uno.* …을 잘 ~하다 pensar bien de *uno.* …을 나쁘게 ~하다 pensar mal de *uno.* 다시 ~하다 recapacitar (sobre), reconsiderar, repensar. ~해 보겠습니다 Lo pensaré / Lo tendré en cuenta. 무엇을 ~하고 있느냐? ¿Qué estás pensando? 언제 떠나실 ~입니까? ¿Cuándo piensa salir? 어디로 가실 ~입니까? ¿A dónde piensa usted ir? 내일 출발할 ~이다 Pienso salir mañana. 나는 내일 오전에 떠날 ~이었다 Yo pensaba que saldría mañana por la mañana. 나는 오후에 외출할 ~이다 Yo pienso salir por la tarde [*AmL* en la tarde]. 나는 내일 갈 소풍을 ~하고 있다 Estoy pensando en la excursión de mañana. 그의 죽음에 대해 어떻게 ~하고 계십니까? ¿Qué piensa usted de la muerte de él? 어떻게 ~야 좋을지 모르겠습니다 No sé qué pensar. 그의 행위는 아무리 ~해도 이상하다 Su conducta es a todas luces anormal. 이 문제는 ~하면 할수록 이해할 수 없다 Esta cuestión, cuanto más la pienso (tanto) menos la entiendo. 그 사고는 ~만 해도 소름이 끼친다 Me horroriza sólo pensar en el accidente. 이 문제는 다시 ~해 볼 필요가 있다 Hace falta volver a pensar sobre este problema / Hay que reflexionar sobre este problema. 어제 내가 한 일을 ~하니 부끄럽다 Me da vergüenza pensar en lo que hice ayer. 그의 ~하는 방법은 독창적이다 Es original su modo de pensar. 그는 ~하는 방법 자체가 잘못되어 있다 El está equivocado en el modo mismo de pensar. 인간은 ~하는 동물이다 El hombre es un animal racional [que piensa]. 만사는 ~하기에 달렸다 Todo depende del punto de vista. 그 사람에 대해 어떻게 ~하고 계십니까? ¿Qué le parece a él? / ¿Qué piensa [opina] de él? 나는 그를 대수롭지 않게 ~하고 있다 Yo no le importo un bledo [un comino · un pepino] / Le soy indiferente. 내 ~도 그렇다 Así me lo parece a mí. 그는 철야하는 것을 아무것도 아니라고 ~한다 No le importa [afecta] nada (el) trasnochar. 그가 돌아왔다 ~했을 때 다시 나갔다 Apenas [No bien] él regresó, (cuando) volvió a salir. 그 어린이의 여자 친구가 얼룩말이라고는 아무도 ~하지 못했다 No habían pensado que la amiga del niño pudiera ser una cebra. 나는 ~한다 고로 존재한다 Pienso, luego existo. ~ 없이 말해서는 안 된다 No debes hablar sin pensar. 이런 ~을 하는 데 다시 일주일이 걸렸다 En este pensamiento duró otros ocho días. ㉯ [의견(意見)] opinión *f*, parecer *m*. ~을 결정하다 decidirse, resolverse. ~을 술회하다 expresar *su* opinión, expresarse, dar *su* parecer. ~을 바꾸다 cambiar de parecer, cambiar de opinión, mudar de parecer. …의 ~을 듣다 escuchar a *uno*. 내 ~에는 en mi opinión, a mi parecer. 당신은 이것을 어떻게 ~하십니까? ¿Qué le parece esto? 당신은 그녀의 결혼에 대해 어떻게 ~하십니까? ¿Qué le parece su casamiento? ~을 바꾸어 나는 가지 않았다 Cambié de parecer y dejé de ir. ㉰ [판단(判斷)] juicio *m*; [고려(考慮)] consideración *f*. ~하다 pensar, creer; [고려하다] considerar, tomar en consideración, tomar en cuenta, tener en cuenta. 내 ~에는 a mi juicio. 각자(各自)의 ~대로 cada uno a su manera; [개별적으로] separadamente, individualmente. 잘 ~한 뒤에 después de pensarlo bien, después de mucho pensar. 다시 ~한 후에 después de pensar de nuevo. 그의 건강 상태를 ~해서 teniendo en cuenta su estado de salud. 내 입장을 ~해서 en consideración a [teniendo en cuenta] la situación en que me encuentro. 종합해서 ~해 보니 considerando las cosas en conjunto. …라고 ~하다 creer que + *ind*. 잘 ~해서 말하다 decir con prudencia, pesar las palabras. 자신의 ~만으로 일을 진전시키다 llevar adelante el asunto sin considerarlo con nadie. 잘 ~하십시오. 그는 당신의 아들입니다 Piense bien que él es su hijo / ¡Fíjese usted, él es su hijo. 조금만 ~하게 해 주십시오 Déjeme pensar un poco. ~해 보겠습니다 Lo pensaré / Lo tendré en cuenta. 잘 ~해 보니 저한테도 잘못이 있었습니다 Pensándolo bien, yo tuve la culpa también. 우리가 가야 한다고 나는 ~했다 Creí que debíamos ir. 그는 그것이 필요하다고 ~했기 때문에 실행했다 El lo llevó a cabo creyendo que era necesario. 그 약은 해롭지 않다고 ~했었다 Se creía que no hacía daño la medicina. 그는 그 위험성을 ~하지 않고 있었다 El no consideraba el peligro. 그는 자신의 이익밖에는 ~하지 않는다 El no consideraba (nada) más que su interés. 최악의 경우를 ~합시다 Vamos a ponernos en el peor de los casos. 그는 이 회사에서는 없어서는 안 될 사람이라 ~들을 하고 있다 Se cree que él es un hombre necesario para esta compañía. 그는 사태를 낙관적으로 ~하고 있다 El tiene una visión demasiado optimista de la situación. 그것은 내가 미처 ~하지 못했다 Eso está más allá de mis alcances. ~ 없이 발언하는 것은 좋지 않다 No está bien decir lo que a uno se le ocurre sin reflexionar. 그의 주인이 누구이며 그의 주인이 태어날 때부터 그를 잘 알고 있었기 때문에 산초 빤사만은 그의 주인이 말하는 것은 모두가 사실이라고 ~하고 있었다 ((El Quijote)) Sólo Sancho Panza pensaba que cuanto su amo decía era verdad, sabiendo él quién era y habiéndole conocido desde su nacimiento.

② [소망] deseo *m*; [기대] expectación *f*; [희망] esperanza *f*. ~하다 querer, desear, tener ganas (de + *inf*). ~을 실현하다 realizar [culminar · hacer realidad] *su* deseo, ver *su* deseo satisfecho. 여행 ~이 간절하다 Quiero [Me apetece] salir de viaje. ~대로 해라 Haz como [lo que] quieras. 내 ~처럼 사업이 잘 안 된다 El negocio no marcha como yo deseo. 내 ~에는 사태가 절망적이었다 Me pareció que la situación era desesperada. 그는 나를 좋게 [나쁘게] ~한다 Estoy bien [mal] visto por él / Me ve bien [mal]. 그것은 내 ~대로 되지 않는다 Eso no marcha a mi gusto. 그의 ~은 빗나갔다 Su esperanza falló / Sus cálculos resultaron equivocados. 나는 새가 되었으면 하고 ~한다 ¡Ojalá [Si] yo fuera un pájaro! 모든 것이 그의 ~대로 되었다 Todo resultó como él pensaba [tenía pensado].

③ [관념. 사상] pensamiento *m,* idea *f,* concepto *m,* noción *f.* 당신은 이것을 어떻게 ~하십니까? ¿Qué concepto tiene usted de esto?

④ [연구. 추리. 아이디어] idea *f.* ~하다 imaginar, idear, planear; [사물이 주어일 때] ocurrirse(*le* a *uno*). ~해 내다 imaginar, idear, inventar. …에 대해 위험한 [케케묵은] ~을 하고 있다 tener una idea arriesgada [anticuada] de *algo.* 그것은 좋은 ~이다 Es una buena [excelente] idea. 좋은 ~이 떠올랐다 Se me ocurre una buena idea. 갑자기 여행할 ~이 떠올랐다 Se me ocurrió salir de viaje. 그는 갑자기 비행기로 갈 ~이 떠올랐다 Se le ocurrió ir en avión / Le vino la idea de ir en avión. 달리 ~이 나지 않습니다 No tengo la menor idea. 나는 거기까지는 ~이 미치지 못했다 No alcancé a imaginarlo / No se me ocurrió esa idea. 누가 이것을 ~해 냈습니까? ¿Quién ideó esto? / ¿A quién se le ocurrió esto? 그녀가 이 계획을 ~해 냈다 El ha ideado este plan. 그에게 의지하려는 것은 잘못된 ~이다 Es una idea descabellada que intentes apoyarte en él.

⑤ [깨달음] ilustración *f;* [진리] verdad *f.*

⑥ [추억. 회상. 기억] recuerdo *m,* memoria *f,* reminiscencia *f.* ~하다 recordar, acordarse (de), memorar, tener presente, añorar, suspirar (por), echar de menos (a), *AmS* extrañar. ~하게 하다 recordar, hacer presente, hacer recordar. 문득 ~이 떠오르다 ocurrirse (a). 옛일을 이것저것 ~하다 recordar [pensar en] esto y aquello del pasado [de los tiempos pasados]. 이 집은 나에게 많은 것을 ~하게 한다 Esta es una casa llena de recuerdos para mí / Esta casa despierta en mí muchos recuerdos. 나는 그가 정신이 나가지 않았나 ~했다 Temí que él se hubiera vuelto loco. 학창시절을 ~하면 즐겁다 Al echar una mirada a los años del colegio, me vuelven a la mente recuerdos agradables. 나는 자주 어머니 ~을 한다 Con frecuencia recuerdo a [me acuerdo de] mi madre. 이 앨범을 보면 어린 시절이 ~난다 Cuando veo este álbum, recuerdo mi niñez. 그는 무엇인가를 ~하면서 혼자 웃고 있다 El sonríe a solas recordando algo. 어머니에 대한 ~을 써 주십시오 Escriba usted lo que se acuerde de su madre. 어머님을 ~하면 눈물이 난다 Al pensar en mi madre me dan ganas de llorar.

⑦ [의도. 목적] intención *f,* intento *m,* propósito *m.* ~하다 intentar (+ *inf*). …할 ~이다 pensar + *inf,* proponerse + *inf,* tener (la) intención de + *inf,* intentar + *inf.* …할 ~으로 con el propósito de + *inf.* 나는 내일 떠날 ~이다 Pienso salir mañana / Tengo la intención de salir mañana / Tengo decidido partir mañana. 그는 이 계획을 중지할 ~이다 El tiene intención de suspender este proyecto. 부친께서는 나를 의사로 만들 ~이셨다 Mi padre quería hacerme [que yo fuera] médico. 그는 교사(教師)가 될 ~이었다 El pensaba hacerse maestro. 나는 여러 차례 담배를 끊을 ~을 했다 Intenté varias veces dejar de fumar. 그에게는 무슨 ~이 있는 듯하다 Parece que él tiene algún propósito a la vista. 수업을 빼먹을 ~을 하지 마라 No pienses [Que no se te ocurra] hacer novillos. 그녀를 비통하게 할 ~이 아니었다 No era mi intención [Yo no pensaba] entristecerla. 그것은 그에게 무슨 ~이 있었을 것이다 Lo habrá hecho con alguna intención. 그는 아들을 변호사를 만들 ~으로 대학에 보냈다 El mandó a su hijo a la universidad con el propósito de hacerle abogado. 무슨 ~으로 그녀를 고용했습니까? ¿Con qué motivo la ha empleado? 네가 그런 짓을 하면 나도 ~이 있다 Si sabes tal cosa, tendrás que vértelas conmigo. 각자는 자기 ~대로 한다 Cada uno hace lo que le viene en gana / Cada uno hace lo que se le antoja.

⑧ [그리움. 사모] afección *f,* emoción *f,* amor *m.* ~하다 amar, sentir amor (por), enamorarse (de). ~하고 있다 estar enamorado (de). ~을 밝히다 confesar *su* amor (a). 자식을 ~하는 어머니의 마음 corazón *m* de la madre que ama a su hijo.

⑨ [간주] consideración *f.* ~하다 considerar, creer. 범인으로 ~되는 남자 hombre *m* que parece ser el delincuente. 네 말이 옳다고 ~한다 Creo [Pienso] que es correcto lo que dices tú / Creo que tú tienes razón. 내일은 추우리라고 ~한다 Creo que mañana hará frío. 나는 그가 그것을 할 수 있다고 ~하지 않는다 No creo que él lo pueda hacer. 나는 그가 오리라고 ~하지 않았었다 Yo no creía que viniera [viniese] él. 그는 내가 잔다고 ~하고 가버렸다 Creyéndome dormido, él se fue. 나는 네가 서반아에 있는 걸로 ~하고 있었다 Yo creía que tú estabas [te creía] en España. 그가 죽었다고는 전혀 ~할 수 없다 No puedo creer de ningún modo que él haya muerto. 그는 자신을 평화주의자라고 ~하고 있다 El se considera pacifista. 그녀는 자신을 미녀라 ~하고 있다 Ella se cree guapa. 나는 너를 그의 형이라 ~했다 Te tomé por su hermano mayor. 사람들은 그를 학자라고 ~하고 있다 Le tienen por sabio. 그가 서반아에 간 것으로 ~했더니 멕시코에 갔다 Yo creía que él había ido a España, pero al contrario de lo que pensaba, se encontraba en Méjico.

⑩ [각오. 작정. 결단] decisión *f.* ~하다 decidir(se), pensar. …을 …의 ~대로 두다 dejar *algo* a la decisión de *uno.* 그런 일은 두 번 다시 하지 않겠다고 ~했다 Decidí que no volvería a hacer tal cosa.

⑪ [상상(想像). 기대. 예상] suposición *f*, imaginación *f*, previsión *f*. ~하다 suponer, imaginar(se), figurarse esperar, desear, prever. ~하지도 않은 inesperado, impensado, imprevisto. ~지도 않게 inesperadamente, impensadamente, imprevistamente. ~지도 않은 재난(災難) desgracia *f* inesperada. ~지도 않은 때에 en el momento menos pensado. ~했던 대로 como esperaba [pensaba]. 그것은 네 ~이다 Son imaginaciones tuyas / Piensas lo que no es. 그가 오리라고 ~한다 Supongo que vendrá él. 그런 일은 ~할 수 없다 Eso es increíble [inconcebible]. 그가 살아 있다고 ~할 수 있다 Es posible que viva él. 그 영화는 ~했던 만큼 좋지 않다 Esa película no es tan buena como esperaba. 이곳은 ~했던 것보다 공기가 좋다 Aquí el aire es más limpio de lo que pensaba yo. 그녀는 ~했던 것보다 훨씬 더 미녀다 Ella es mucho más guapa de lo que pensaba [creía] yo. 그것은 ~ 밖이었다 Eso estaba fuera de toda imaginación. 일이 내 ~대로 진척되었다 La cosa marchó conforme a mi previsión [como yo había esperado]. 이곳은 더 덥다고 ~했었다 Me imaginaba que hacía más calor aquí. 이 일은 네가 ~하고 있는 것보다 더 쉽다 Este trabajo es más fácil de lo que piensas [imaginas]. 그것은 꿈에도 ~해 보지 못했다 Eso no lo había ni soñado siquiera / Eso no podía ni soñarlo. 그녀가 오리라고는 꿈에도 ~해 보지 못했다 Yo no esperaba [Ni soñar] que ella viniera. 그러려니 ~해서 그런지 그녀는 슬픈 듯하다 Pueden ser imaginaciones mías, pero ella parece triste / Diría que ella está triste.

⑫ [감상. 느낌] sentimiento *m*. ~하다 sentir. 그것을 알았을 때 나는 무척 슬프게 ~했다 Me sentí muy triste al saberlo.

⑬ [사려. 분별] prudencia *f*, consideración *f*, reflexión *f*, sensatez *f*, discreción *f*. ~이 깊은 reflexivo, prudente, sensato. ~이 얕은 inconsiderado, descuidado, irreflexivo, indiscreto, imprudente.

⑭ [선처. 배려] preocupación *f*, inquietud *f*, consideración *f*. ~하다 preocuparse (por), considerar. ~하고 있다 estar preocupado (por). 나는 그의 건강을 ~하고 있다 Estoy preocupado por su salud / Me preocupa su salud. ~해 주셔서 감사합니다 Le doy muchas gracias por su preocupación.

⑮ [숙고(熟考)] meditación *f*, reflexión *f*, consideración *f*. ~하다 reflexionar (en·sobre), meditar (sobre), considerar profundamente (sobre), hacer reflexiones (de). 고쳐 ~하다 ㉮ [재고하다] reconsiderar, pensar de nuevo, volver a pensar, reflexionar nuevamente. ㉯ [생각을 바꾸다] cambiar de opinión, cambiar de idea, mudar de parecer, echarse atrás. 골똘히 ~하다 meditar, sumergirse [hundirse] en *sus* meditaciones, estar absorto en una meditación, ensimismarse, reconcentarse, abstraerse, abismarse. 깊이 ~하다 aconsejarse [consultar] con la almohada. 여러 모로 ~하다 considerar, reflexionar, delberar, meditar. 잘 ~하고 나서 después de pensarlo bien, después de mucho pensar. ~을 깊이 한 뒤에 después de una consideración profunda. 밤새 ~한 끝에 después de consultar con la almohada toda la noche, después de pensar mucho toda la noche. ~에 잠긴 듯한 투로 en un tono ensimismado. ~에 잠긴 얼굴로 con cara pensativa, con aspecto pensador, con aire meditativo. ~에 잠기다 estar absorto [ensimismado] en la consideración (de); [이것저것] dar vueltas (pensando qué hacer), cavilar (sobre). ~에 잠겨 있다 estar pensativo, estar sumido en una profunda meditación, estar ensimismado en hondas reflexiones; [회상(回想)하다] entregarse al recuerdo, deleitarse con el recuerdo. 말없이 ~에 잠긴 표정을 짓다가 **【연극】** por medio de una mímica expresiva. 잘 ~해서 말하다 decir con prudencia, pesar las palabras. 자신의 과거를 잘 ~해 보십시오 Reflexione mucho sobre su propio pasado. 그것은 깊이 ~해 볼 일이다 Eso es cosa de pensar. 주식을 지금 사려는 ~을 버리십시오 No le recomiendo que compre ahora acciones. 너무 골똘히 ~하지 마라 No te reconcentres demasiado. 달리 ~ 말아 주십시오 Le ruego que no lo tome a mal / Le pido a usted que comprenda mi posición.

◆생각(이) 나다 ㉮ [이미 지난 일이 기억되거나 추억되다] recordar, acordarse (de), tener idea, acudir [venir] al pensamiento [a la cabeza]. 고향~ recordar *su* tierra natal con añoranza, echar de menos *su* tierra natal [a *su* pueblo natal]. 전혀 생각이 나지 않는다 No recuerdo nada / No me acuerdo de nada / No tengo la menor idea. 그의 이름이 전혀 생각나지 않는다 No recuerdo su nombre de ninguna manera. 추억이 생각난다 Me vienen a la mente los recuerdos. 네가 그것을 말하니 이제 조금 생각이 난다 Ahora que lo dices recuerdo algo de eso. 어머니의 모습이 생각난다 Acude a mi mente la imagen de mi madre. ㉯ [앞으로의 일이 상상되다] suponer, imaginar. ㉰ [무엇을 하고 싶은 생각이 들거나 관심을 가지게 되다] ocurrirse. 갑자기 여행하고 싶은 생각이 난다 Se me ocurre salir de viaje. 명안(名案)이 생각났다 Se me ocurrió [ha ocurrido] una buena idea. 나는 늘 생각나는 것을 적어 둔다 Yo siempre apunto lo que se me ocurre.

◆생각(이) 돌다 =머리(가) 돌다.

생각건대 yo pienso que, yo creo que, cuando uno piensa en eso, en reflexión. ~ 인생은 꿈이다 Se piensa [cree] que la vida es sueño [ensueño].

생각다 못하여 no saber qué hacer [decir], muy preocupado y sin saber qué hacer. 나

는 ~ 그에게 상담했다 Muy preocupado y sin saber qué hacer fui a consultarle a él.
■ ~하는 갈대 hombre *m*, ser *m* humano.

생각(生角) ① [저절로 빠지기 전에 잘라 내거나 뽑아낸 사슴 뿔] cuerno *m* cortado, el asta *f* (*pl* las astas) cortada. ② [삶지 않은 짐승의 뿔] cuerno *m* no cocido.

생각나다 ☞생각(이 나다)

생감(生-) caqui *m* [kaki *m*] crudo.

생강(生薑) 【식물】 jengibre *m*. 붉은 ~ jengibre *m* rojo.

생거름(生-) abono *m* crudo.

생걱정(生-) preocupación *f* inútil [vano].

생것(生-) cosa *f* cruda, comida *f* no cocida.

생게망게하다 ser difícil de pensar. 생게망게하니 이해가 안 간다 Todavía no estoy convencido.

생견(生絹) seda *f* cruda.

생견(生繭) =생고치.

생경(生梗) discordia *f* entre dos personas.

생경(生硬) crudeza *f*, inmadurez *f*. ~하다 (ser) crudo, inmaduro. ~한 표현 expresión *f* cruda, expresión *f* no refinada.
생경히 crudamente, con crudeza, inmaduramente, con inmadurez.

생계(生計) vida *f*, subsistencia *f*, modo *m* de vivir, modo *m* de ganarse la vida, mantenimiento *m*. ~를 세우다 ganarse la vida, sustentarse, encontrar el modo de ganarse la vida. ~가 곤란하다 llevar una vida difícil. 일가(一家)의 ~를 세우다 mantener [sostener] a la familia. 그들은 농업으로 ~를 유지하고 있다 Ellos se ganan la vida con la agricultura.
■ ~비(費) coste *m* de vida, *AmL* costo *m* de vida, gastos *mpl* de mantenimiento de la familia. ~비 지수 índice *m* del coste de (la) vida, *AmL* índice *m* del costo de (la) vida. ~ 수단 medio *m* de vida. ~유지 mantenimiento *m* de vida. ~ 유지자 mantenedor, -dora *mf* de familia.

생고기(生-) [육류의] carne *f* cruda; [생선의] pescado *m* crudo.

생고무(生-) goma *f* cruda, caucho *m* crudo.

생고생(生苦生) apuro *m* infundado, dificultad *f* infundada.

생고집(生固執) obstinación *f* inútil, obstinación *f* innecesaria.

생고치(生-) capullo *m* (de seda) crudo.

생곡(生穀) cereal *m* crudo, grano *m* crudo.

생과(生果) ((준말)) =생과실(生果實).

생과부(生寡婦) ① [남편이 살아 있으면서도 멀리 떨어져 있거나 소박을 맞아 혼자 있는 여자] (esposa *f*) separada *f*, (esposa *f*) divorciada *f*. ② [갓 결혼했거나 약혼만 했다가 남자가 죽어서 혼자된 여자] viudita *f*.

생과실(生果實) frutas *fpl* verdes.

생과자(生菓子) pastel *m*.

생굴(生-) ostra *f* cruda.

생글거리다 sonreír. 생글거리며 con cara risueña, con (una) sonrisa, sonriendo. 생글거리는 얼굴 cara *f* sonriente.
생글생글 con una sonrisa.

생글방글 con una sonrisa.

생글뱅글 con una sonrisa.

생금(生金) oro *m* en estado bruto.
■ ~덩이 una pepita de oro.

생금(生擒) captura *f*, apresamiento *m*. ~하다 capturar, apresar, aprehender.
■ ~자(者) captor, -tora *mf*.

생급스럽다 ① [하는 일이 뜻밖이고 갑작스럽다] (ser) repentino, súbito, abrupto, brusco, inesperado. ② [끄집어내는 말이 터무니 없다] (ser) absurdo, irrelevante, intrascendente.

생긋 alegremente, con alegría. ~ 웃다 sonreír alegremente.
생긋거리다 sonreír alegremente.
생긋방긋 con una sonrisa alegre, sonriendo alegremente.
생긋뱅긋 con una sonrisa alegre, sonriendo alegremente.
생긋생긋 con una sonrisa alegre, sonriendo alegremente.
생긋이 sonriendo (alegremente).

생기(生起) =발생(發生). 야기(惹起).

생기(生氣) vitalidad *f*, vigor *m*, ánimo *m*, energía *f*, valor *m*, espíritu *m*, vida *f*. ~있는 vigoroso. ~가 없는 falto de vigor, sin vida, inánime, exánime, pálido. ~가 가득 찬 vigoroso, lleno de vitalidad. ~가 도는 vivo, animado, activo. ~가 돌다 avivarse, animarse. ~가 없다 tener un aire triste [taciturno]. ~를 돌게 하다 avivar, animar. ~를 회복하다 reanimarse, recobrar el ánimo. 그의 얼굴 표정이 ~가 돈다 La expresión de su rostro despide vida. 그녀는 ~로 가득 차 있다 Ella está llena de vitalidad [de vigor]. 그는 오늘 ~가 없다 El está hoy apocado [sin ánimo].
■ ~발랄 ¶~하다 estar lleno de animación [de vigor]. ~한 여학생들 alumnas *fpl* llenas de animación. ~설[론] vitalismo *m*.

생기다 ① [없던 것이 새로 있게 되다] encontrar, tener, poseer, formar; [어린애가] nacer, venir al mundo. 우리한테 아들이 생겼다 Un hijo nos nació / Nosotros tuvimos un hijo. ② [자기의 소유가 되다] conseguir, ganar, obtener, lograr, adquirir, producir, hacerse con. 돈이 ~ conseguir dinero. 쉽게 ~ ser fácil de conseguir, 어렵게 ~ ser difícil de conseguir. ③ [(어떤 일이) 일어나다·발생하다] nacer, surgir, ocurrir, presentarse. 생기게 하다 producir, provocar, causar. 태풍으로 생긴 피해 daños *mpl* causados por el tifón. 이것으로 생긴 결과 resultado *m* que proviene de esto. 사고가 ~ ocurrir el accidente. 그 생각은 전시(戰時) 중에 생겼다 Esa idea nació durante la guerra. 악덕은 태만에서 생긴다 El vicio nace en la ociosidad. 그의 행동에 대한 의심이 나한테 생겼다 Nació en mí una duda sobre su conducta. 이 사고는 부주의로 생겼다 Este accidente ha ocurrido por [se debe a] un descuido. 곤란한 일이 생겼다 Se ha presentado una dificultad. ④ [닮다] parecerse, estar parecido (a). 그는 그의 아버지 같이 생겼다 Se parece a su padre. ⑤ [(어미「게」아래에 붙어서) 어떠하게 되어 있다] parecer, verse, ser. 곱게 ~ ser hermoso, ser bello. 그는 건강하게 생겼다 El tiene buena cara. 그녀는 불행하게 생겼다 Parece (que está) triste.

생김새 aspecto *m* (personal), apariencia *f*, semblante *m*, rasgo *m*, facción *f*. ~가 단정하다 ser buen mozo, ser buena moza; ser guapo, ser apuesto. ~가 단정한 부인 mujer *f* bonita, mujer *f* guapa.

생김생김 apariencia *f*. ☞생김새

생김치(生一) *kimchi* crudo.

생끗 ((센말)) =생긋.

생끗거리다 ((센말)) =생긋거리다.

생끗방끗 ((센말)) =생긋방긋.

생끗뱅끗 ((센말)) =생긋뱅긋.

생끗생끗((센말)) =생긋생긋.

생나무(生一) ① [살아 있는 나무] árbol *m* vivo. ② [벤 뒤에 아직 마르지 아니한 나무] madera *f* verde; [생장작] leña *f* verde.

생남(生男) parto *m* [nacimiento *m*] de un hijo. ~ 하다 dar a luz a un hijo, tener un hijo. 그녀는 ~했다 Ella dio a luz a un hijo.

▪ ~례(禮)[턱] fiesta *f* del nacimiento de *su* hijo.

생녀(生女) parto *m* [nacimiento *m*] de una hija, ~하다 dar a luz a una hija, tener una hija.

생년(生年) año *m* de nacimiento.

▪ ~월일(月日) fecha *f* de nacimiento. ~월일시 (月日時) la hora, el día, el mes y el año de nacimiento.

생니(生一) diente *m* sano.

생담배(生一) cigarrillo *m* quemado por sí mismo en el cenicero.

생도(生徒) ① [학생] alumno, -na *mf*, estudiante *mf*, [제자(弟子)] discípulo, -la *mf*. ② [사관 학교의 생도] cadete *mf*.

▪ ~대(隊) cuerpo *m* de cadetes.

생도(生道/生途) =생계(生計).

생돈(生一) dinero *m* gastado sin propósito.

생동(生動) animación *f*, viveza *f*. ~하다 (ser) eficaz, vívido, animado, estar lleno de vida.

▪ ~감 vida *f*, brillantez *f*, brillo *m*. ¶~이 넘치다 brillar. 이 문장은 ~이 없다 Este estilo no tiene vida / este estilo es insípido.

생동(生銅) cobre *m* no refinado, cobre *m* natural.

생동생동하다 todavía ser vigoroso.

생동찰 【식물】 una especie del mijo apelmazado.

생되다(生一) (ser) crudo, novato, no estar familiarizado (con).

생득(生得) lo innato, lo connatural.

▪ ~ 관념 idea *f* innata. ~권 derecho *m* de nacimiento; [장자(長子)의] primogenitura *f*. ~설 teoría *f* de idea innata, nativismo *m*, indigenismo *m*. ~적 innato, connatural.

생딱지(生一) costra *f*, postilla *f*.

생딴전(生一) palabras *fpl* irrelevantes.

생땅(生一) tierra *f* intacta [sin tocar].

생때같다 (ser) sano, saludable, robusto, fuerte, sano y salvo.

생떼(生一) ((준말)) =생떼거리.

◆생떼(를) 쓰다 ergotizar, redargüir, pedir lo inalcanzable, pedir lo inasequible, usar sofisterías, sutilizar. 생떼를 쓰는 사람 sofista *mf*.

▪ ~거리 sofistería *f*, sutileza *f*, objeción *f* de poca monta.

생똥(生一) estiércol *m* no corrompido.

생래(生來) por nacimiento, por naturaleza, naturalmente. ~의 natural, innato, de nacimiento.

생략(省略) omisión *f*, [간략(簡略)] abreviación *f*, abreviatura *f*, 【문장】 elipsis *f*. ~하다 omitir, abreviar, suprimir, quitar. ~한 omiso, abreviado. ~ 없이 sin omitir, sin abreviar, por extenso. 설명을 ~하다 omitir la explicación. 형식적인 수속을 ~하다 omitir la formalidad.

▪ ~문[법] elipsis *f*. ~ 부호 signo *m* de abreviación. ~ 삼단 논법 entimeme *m*. ~어 palabra *f* apocopada, palabra *f* abreviada, abreviación *f*. ~ 형 elipsis *f*.

생량(生凉) frescor *m* [frescura *f*] en otoño. ~하다 (ser) fresco.

▪ ~머리 otoño *m* temprano, comienzo *m* de la estación fresca.

생력(省力) reducción *f* de labor por la mecanización agrícola.

▪ ~화 eliminación *f* [reducción *f*] de labor, ahorro *m* del trabajo, economía *f* de mano de obra. ¶~하다 eliminar [reducir] la labor, ahorrar trabajo, economizar mano de obra.

생력꾼(生力一) persona *f* fuerte [vigorosa · energética]

생령(生靈) ① =생명(生命). ② =생민(生民).

생로(生路) =생계(生計).

생로병사(生老病死) ((불교)) cuatro dolores de la vida: el nacimiento 낳음, la vejez 늙음, la enfermedad 병듦 y la muerte 죽음.

생리(生理) ① ((준말)) =생리학(生理學). ② [월경(月經)] menstruación *f*, menstruo *m*, regla *f*. ~가 시작하다 menstruar.

▪ ~대 compresa *f*, paño *m* higiénico, cinturón *m* utilizado para sujetar una compresa. ~ 병리학 fisiopatología *f*. ~ 생태학 fisioecología *f*. ~ 식염수 suero *m* fisiológico. ~ 위생 fisiología *f* e higiene. ~ 유전학 genética *f* fisiológica. ~일 días *mpl* críticos, días *mpl* de reglas, días *mpl* de menstruación. ~ 작용 función *f* fisiológica. ~적 fisiológico, físico, corpóreo. ¶~으로 fisiológicamente. ~으로 싫어하다 tener una aversión fisiológica (hacia). ~적 결함 defecto *m* fisiológico. ~적 욕구 necesidad *f* fisiológica. ~적 증상 síntoma *m* fisiológico. ~적 현상 fenómeno *m* fisiológico. ~통 dolores *mpl* menstruales, turbaciones de la menstruación. ~학 fisiología *f.* ¶~상의 fisiológico. ~상으로 fisiológicamente. 정신 ~ psicofisiología *f.* ~학자 fisiólogo, -ga *mf,* fisiologista *mf.* ~ 휴가 descanso *m* [vacaciones *fpl*] durante los días críticas.

생마(生馬) =야생마(野生馬).

■~새끼 ㉮ [길이 들지 않은 말이나 망아지] caballo *m* [potro *m*] indomado. ㉯ [예의를 모르는 사람] persona *f* descortés.

생마(生麻) cáñamo *m* crudo.

생매(生—) halcón *m* indomado.

생매(生埋) entierro *m* vivo. ~하다 enterrar vivo.

생매장(生埋葬) ① [사람을 산 채로 땅에 묻음] entierro *m* vivo. ~하다 enterrar vivo. ~되다 ser enterrado vivo. ② [아무런 잘못도 없는 사람을 사회적 지위에서 몰아냄] destitución *f* de la sociedad [la posición social]. ~하다 destituir de la posición social, hacerle el vacío (a), aislar. 그녀는 ~되었다 La destituyeron de la sociedad / La alejaron [separaron] de la sociedad. 그녀는 동료 일꾼들한테서 ~되었다 Sus compañeros de trabajo le hacían el vacío.

생맥주(生麥酒) cerveza *f* de barril, cerveza *f* pura, cerveza *f* sin mezcla. ~를 마시다 tomar [beber] cerveza pura [sin mezcla].

■~ㅅ집 cervecería *f* de barril.

생먹다 ① [남의 말을 듣지 않다] desobedecer. ② [모르는 체하다] ignorar, hacer caso omiso (de), no prestar atención (a). 남의 말을 ~ hacer caso omiso de *sus* palabras.

생면(生面) ((준말)) =생면목(生面目).

■~강산 ㉮ [처음으로 보는 강산] el río y la montaña que se encuentra por primera vez. ㉯ [처음으로 보고 듣는 일] lo que se ve y se oye por primera vez.

■~부지 extranjero, -ra *mf* total.

생면목(生面目) ① [처음으로 대함] *su* primera entrevista, *su* primer encuentro. ~하다 entrevistarse [encontrarse] por primera vez. ② [처음으로 대하는 사람] persona *f* que uno se encuentra [se entrevista] por primera vez.

생면주(生綿紬) =생명주(生明紬).

생멸(生滅) ((불교)) nacimiento *m* y muerte, vida *f* y muerte, aparición *f* y desaparición. ~하다 nacer y morir, aparecer y desaparecer.

생명(生命) vida *f.* ~에 관계되는 mortal, fatal. ~을 존중하여 a vida. ~의 은인 salvador, -dora *mf* de la vida. ~을 구하다 salvar la vida. ~을 잃다 morir, fallecer, perder la [*su*] vida. ~을 끊다 matar. ~을 바치다 dedicar *su* vida (a), sacrificar *su* vida (por). ~을 버리다 abandonar *su* [la] vida. ~을 단축시키다 abreviar [acortar] *su* vida. ~을 위태롭게 하다 arriesgar la vida, exponer la vida al peligro. ~과 재산을 보호하다 proteger la vida y los bienes. 허다한 ~을 잃었다 Se perdieron muchas vidas. 열 명이 ~을 잃었다 Diez personas perdieron la vida. 그녀의 가수로서의 ~은 길었다 [짧았다] Su vida como cantante ha sido larga [corta]. 그의 정치 ~은 끝났다 Su vida política ha terminado. 자동차의 ~은 안전성에 있다 Lo más importante de un automóvil es su seguridad. 나는 그곳에서 ~을 받았으므로 그곳에 ~을 되돌려 주어야 한다 Allí recibí la vida y allí debo rendirla. 그는 ~을 건질 수 있었다 El pudo salvar su vida / El escapó [salió] con vida. 그는 ~에는 별 지장이 없다 No hay peligro de su vida. 이것은 그의 ~에 관계되는 문제다 De esto depende su vida / Es un problema de vida o muerte para él. 그는 내 ~의 은인이다 Le debo mi vida / El es el salvador de mi vida. 그 발명은 많은 ~을 구했다 El invento salvó muchas vidas. 나는 ~이 붙어 있는 동안은 너를 돕겠다 Voy a ayudarte mientras (que) viva. 상인은 신용이 ~이다 El crédito es la vida para los comerciantes. 이 아이는 내 ~이다 Este niño es mi alma / Este niño es toda mi vida. 책은 내 ~이나 마찬가지다 Los libros son media vida para mí. 그것은 ~ 다음 가는 소중한 것이다 Es la cosa más importante después de la vida. 비행기 사고로 약 300명이 ~을 잃었다 Unas trescientas personas perdieron la vida en accidentes de avión.

■~감 [사람의] vivacidad *f,* [대기(大氣)의] animación *f,* [토론이나 논쟁의] lo animado; [글이나 묘사의] lo vívido. ~ 공학 biotecnología *f.* ~권 derecho *m* de la vida. ~력 fuerza *f* vital, vitalidad *f.* ~력 결여 abiosis *f.* ~록 ((기독교)) lista *f* de los fieles. ~ 보험 seguro *m* de vida, seguro *m* de capitalización. ¶~에 들다 asegurar la vida. 단체 ~ seguro *m* de vida de grupo. ~ 보험 가입자 asegurador, -dora *mf* de vida. ~ 보험 계약 contrato *m* de seguros de vida. ~ 보험 설계사 corredor, -dora *mf* de seguro de vida. ~ 보험 업자 asegurador, -dora *mf* de vida. ~ 보험 증권 póliza *f* de seguro de vida. ~ 보험 회사 compañía *f* de seguros de vida. ~선 línea *f* vital; [손금의] línea *f* de la vida. ~수(水) ㉮ el agua *f* que da vida. ㉯ ((성경)) el agua de vida. ~ 역학 biótica *f.* ~ 의학 biomedicina *f.* ~줄 [잠수부의] cuerda *f* de buzo. ~체(體) ente *m* vivo, seres *mpl* vivientes. ~표(表) lista *f* de vida. ~학 biognosia *f.*

생명주(生明紬) seda *f* tejida con la seda cruda.

■~실 =생사(生絲).

생모(生母) progenitora *f,* verdadera madre *f,* madre *f* natural.

생모시(生—) tela *f* de ramo crudo.

생목(—木) =당목(唐木).

생목(生—) [입으로 되치밀어 오르는 삭지 않

은 음식물] comida *f* regurgitada.

생목(生木) ① [생나무] árbol *m* vivo. ② [벤 후에 마르지 않은 나무] madera *f* verde, leña *f* verde.

생목숨(生−) ① [살아 있는 목숨] vida *f.* ② [죄 없는 사람의 목숨] vida *f* inocente.

생몰(生沒) nacimiento *m* y muerte. ~하다 nacer y morir.

■ ~년 año *m* de nacimiento y de muerte.

생무지(生−) aficionado, -da *mf,* diletante *mf,* amateur *mf,* [문외한(門外漢)] extraño, -ña *mf,* profano, -na *mf,* lego *m.* ~의 눈에는 a los ojos de un profano. 그것은 ~ 냄새가 나는 작품이다 Huele a obra de un diletante. 이 그림은 ~답지 않다 Este cuadro no es de un simple aficionado. 나는 기술 면에서는 ~다 Soy profano [ignorante] en el ramo de la técnica.

생물(生物) ser *m* viviente [vivo · animado], organismo *m* viviente [vivo · animado], los vivientes, los vivos; [동물] animal *m.* 모든 ~ todos los (seres) vivos. 달에는 ~이 없다 No existe la vida en la luna.

■ ~ 검정 bioensaye *m,* ensaye *m* biológico. ~계 mundo *m* biológico, creación *f* animada, vida *f.* ~ 공학(工學) biónica *f,* ergonomía *f.* ~권 biospera *f.* ~ 기관학(器官學) biótica *f,* zoobiotismo *m.* ~ 기상학 biometeorología *f.* ~ 기상 학자 biometeorólogo, -ga *mf,* biometeorologista *mf.* ~ 기후학 bioclimatología *f.* ~ 기후 학자 bioclimatológico, -ca *mf.* ~ 독중독학 biotoxicología *f.* ~ 독중독 학자 biotoxicólogo, -ga *mf.* ~ 동가(同價) bioequivalencia *f.* ~ 물리학 biofísica *f.* ~ 물리학자 biofísico, -ca *mf.* ~ 물리 화학 biofisicoquímica. ~ 발광 (현상) bioluminescencia *f,* bioluminiscencia *f.* ~ 발생(설) biogénesis *f.* ~ 분류학 biotaxología *f,* biotaxolomía *f.* ~ 분포학 corología *f.* ~ 분해 biodegradación *f.* ~상(相) biota *f.* ~ 생태학 bioecología *f.* ~ 수력학 biohidráulica *f.* ~ 숭배 culto *m* al animal, adoración *f* del animal. ~ 시계 reloj *m* biológico, reloj *m* interno. ~ 시대(時代) era *f* geológica. ~암(岩) roca *f* biogenética. ~ 역학 biomecánica *f.* ~ 요법 bioterapia *f.* ~ 이변 biomutación *f.* ~ 자생 generación *f* espontánea. ~ 자원 recursos *mpl* biológicos. ~ 재해 bioriesgo *m.* ~ 전기(電氣) bioelectricidad *f.* ~ 정신학 biopsicología *f.* ~ 조직 투석법 biodiálisis *f.* ~증 bionosis *f.* ~ 지구 화학 biogeoquímica *f.* ~ 지리학[지리 분포학] biogeografía *f,* geografía *f* biológica. ~ 지표 índice *m* biológico. ~ 진화 evolución *f* biológica, evolución *f* orgánica. ~ 집단 biomasa *f.* ~ 천문학 bioastronomía *f.* ~ 천문학자 bioastrónomo, -ma *mf.* ~체 organismo *m,* ente *m* vivo, seres *mpl* vivientes. ~체량 biomasa *f.* ~ 측정학 biometría *f.* ~ 통계학 bioestática *f,* biometría *f.* ~ 편년학 biocronología *f.* ~ 평형 equilibrio *m* biótico. ~형 biotipo *m.* ~ 화학 bioquímica *f.* ~ 화학자 bioquímico, -ca *mf.*

생물학(生物學) biología *f.*

■ ~ 무기[병기] el arma *f* (*pl* las armas) biológica. ~ 실험실 laboratorio *m* biológico. ~자 biólogo, -ga *mf.* ~적 biológico. ¶~으로 biológicamente. ~적 검정 bioensaye *m.* ~적 검정법 ensaye *m* biológico. ~적 계수 coeficiente *m* biológico. ~적 교육학 biopedagogía *f,* pedagogía *f* biológica. ~적 리듬 ritmo *m* biológico. ~적 매개체 vector *m* biológico. ~적 반감기 media vida *f* biológica. ~적 사회학 biosocología *f.* ~적 요인 factor *m* biológico. ~적 자가 묘사 bioautografía *f.* ~적 정신 의학 psiquiatría *f* biológica. ~적 주기 ciclo *m* biológico. ~전(戰) =세균전. ~주의 biologismo *m.*

생민(生民) ① =생령(生靈). ② =민생(民生).

생밤(生−) castaña *f* cruda.

생방송(生放送) emisión *f* en vivo, emisión *f* en directo, radiodifusión *f* directa, programa *m* emitido en vivo [en directo]; [텔레비전의] retransmisión *f* [transmisión *f* · emisión *f*] en directo [en vivo] (por televisión). ~하다 retransmitir [transmitir · emitir] en directo [en vivo]; [텔레비전으로] retransmitir [transmitir · televisar] en directo [en vivo] por televisión. 쇼는 ~이었다 El programa era en directo [en vivo]. 싸움은 텔레비전으로 ~되었다 La pelea se retransmitió [se transmitió] en directo por televisión.

생배(를) 앓다 estar muerto de envidia.

생베(生−) lino *m* [hilo *m*] crudo.

생벼락(生−) ① [아무 죄도 없이 뜻밖에 당하는 벼락] reprimenda *f* irrazonable. ② [뜻밖에 만나는 애꿎은 재난] suceso *m* repentino, sorpresa *f.* 그 슬픈 소식은 그녀에게는 ~이었다 La noticia triste era una sorpresa para ella.

◆생벼락(을) 맞다 sufrir la reprimenda irrazonable, sufrir el desastre repentino.

생병(生病) ① [힘에 겨운 일을 한 탓으로 생기는 병] crisis *f* nerviosa, enfermedad *f* causada por el demasiado trabajo. ~이 날 지경이다 estar a punto [estar al borde] de la crisis nerviosa. 당신은 나에게 ~이 나게 할 것이다 Tú vas a hacer que me dé un ataque [que me vuelva loca]. ② =꾀병.

생복(生鰒) [날전복] oreja *f* marina cruda.

생부(生父) progenitor *m,* verdadero padre *m,* padre *m* natural.

생부모(生父母) ((준말)) =본생 부모.

생불(生佛) ① ((불교)) [살아 있는 부처] Buda *m* vivo, encarnación *f* de Buda; [덕행이 높은 중] sacerdote *m* de carácter noble. ② [엉터리 중] sacerdote *m* chapucero. ③ ((속어)) [여러 끼를 굶은 사람] persona *f* que no comió muchas comidas.

생사(−紗) =서양사(西洋紗).

생사(生死) ① [삶과 죽음] (la) vida y (la)

muerte, vida *f* o muerte; [안부] seguridad *f.* ~ 불명의 desaparecido, perdido. ~에 관한 문제(問題) una cuestión de vida o muerte, una cuestión vital. ~에 관계된 결정 una decisión de vida o muerte. ~ 기로에 있다 estar en un momento crítico, estar en una fase crítica, encontrarse en un caso de vida o muerte, hallarse en la frontera de la vida y la muerte. ~의 기로를 헤매다 estar entre la vida y la muerte, seguir en (el) estado de coma. …과 ~를 같이하다 seguir la suerte de *uno.* ② ((불교)) nacimiento *m* y muerte, renacimiento *m* y refallecimiento, vida *f* y muerte.

■ ~관두(關頭) crisis *f,* situación *f* crítica. ~ 해탈 nirvana *m.*

생사(生絲) seda *f* (cruda). ~를 뽑다 devanar capullo de gusano de seda.

■ ~ 검사소 oficina *f* de inspección del hilo de seda. ~ 상인 comerciante *mf* de seda cruda. ~ 시세 cotización *f* [precio *m*] de seda cruda. ~ 시장 mercado *m* de seda cruda.

생사람(生-) ① [그 일에 대하여 아무런 관계가 없는 사람] persona *f* no relacionada. ② [아무런 잘못이 없는 사람] persona *f* inocente. ~ 잡다 matar a una persona inocente; [모해(謀害)를 하다] causar [ocasionar・inferir] el agravio a la persona inocente. ③ [생때같은 사람] persona *f* fuerte [robusta].

생사탕(生蛇湯) 【한방】 decocción *f* (medicinal) [cocimiento *m*] de serpiente viva.

생산(生産) ① [아이나 새끼를 낳음] parto *m,* alumbramiento *m,* engendro *m.* ~하다 dar a luz, engendrar, parir, alumbrar, producir. 사내 아이를 ~하다 parir un hijo varón. ② 【경제】 producción *f,* fabricación *f,* manufactura *f.* ~하다 producir, fabricar, manufacturar. ~할 수 있는 producible. ~을 증대시키다 incrementar la producción. ~을 촉진하다 promover [fomentar] la producción. ~을 중지하다 dejar de fabricar. 석유를 ~하다 producir petróleo. 자동차를 ~하다 fabricar automóviles. 여기서는 연간 백만 톤의 강철을 ~하고 있다 Aquí se produce un millón de toneladas de acero por año. 자동차는 내년에 ~에 들어간다 El coche empezará a fabricarse el año que viene. 늦어도 1월 중순까지는 최대 ~을 하게 되리라 기대하고 있다 Pensamos estar en plena producción para mediados de enero.

■ ~ 가격(價格) coste *m* de producción, *AmL* costo *m* de producción, precio *m* de producción. ~ 가치 valor *m* productivo. ~ 계수 coeficiente *m* de producción. ~ 계획 programa *m* de producción. ~고 producción *f* total, rendimiento *m.* ~ 곡선 curva *f* de producción. ~ 공업 industria *f* productiva. ~ 공장 cadena *f* de producción, planta *f* manufacturera, línea *f* de producción. ~ 과잉 superproducción *f,* sobreproducción *f,* exceso *m* de producción. ~ 과정 proceso *m* de producción. ~ 관계 producción *f* relativa. ~ 관리 control *m* de producción, administración *f* de operaciones. ~국 país *m* productor. ¶밀 ~ país *m* productor de trigo. 석유 ~ país *m* productor de petróleo. 석탄 ~ país *m* productor de carbón. 주요 ~ país *m* productor principal. ~ 기간 período *m* de producción. ~ 기관 línea *f* de producción, instrumentos *mpl* de producción. ~ 기술 técnica *f* de producción, técnica *f* manufacturera, knowhow *ing.m* manufacturero, pericia *f* manufacturera. ~ 기업 empresa *f* productora. ~ 능력 productividad *f,* capacidad *f* productiva, fuerza *f* productiva, capacidad *f* de producción. ~ 능률 eficiencia *f* de producción. ~ 도시 ciudad *f* productora. ~ 라인 cadena *f* de fabricación, cadena *f* de producción. ~량(量) producción *f* total, rendimiento *m.* ~력 productividad *f,* capacidad *f* [fuerza *f*] productiva. ~ 목표 meta *f* [objetivo *m*] de producción. ~물 producto *m.* ¶서반아의 ~ producto *m* de [producido en] España. 우리의 주요 ~ nuestro producto principal. 국내 [농장・외국] ~ productos *mpl* nacionales [de granja・extranjeros]. ~물 지대 región *f* de productos. ~ 부족 producción *f* insuficiente. ~ 분석 análisis *m* de producción. ~비 coste *m* [*AmL* costo *m*] de producción, costos *mpl* productivos. ~ 설비 instalaciones *fpl* productivas, instalaciones *fpl* de producción. ~성 producibilidad *f,* productividad *f.* ¶~의 확충 expansión *f* de las energías productivas. ~의 급속한 상승 rápido crecimiento *m* de la productividad. 1일 1인당 ~ productividad *f* por día y por persona. 한국 ~ 본부 el Centro de Productividad de Corea. 아시아 ~ 기구 la Organización de Productividad del Asia. ~성 향상 aumento *m* de la productividad. ~성 향상 운동 campaña *f* en pro de una mayor productividad. ~ 수단 medios *mpl* de producción. ~ 시장 centro *m* productor. ~ 실적 producción actual. ~액 =생산고(生産高). ~액 비례법 método *m* de producción. ~업 negocios *mpl* manufactureros. ~ 연도(年度) año *m* de producción. ~ 연령 edad *f* de producción. ~ 연령 인구 población *f* de edad de producción. ~ 요소 elementos *mpl* de producción. ~ 원가 coste *m* de producción, *AmL* costo *m* de producción, precio *m* de producción. ~율 tasa *f* de producción. ~ 의욕 voluntad *f* a la producción, afán *m* [entusiasmo *m*] para la producción industrial. ~자 productor, -tora *mf*; fabricante *mf*; manufacturero, -ra *mf.* ~자 가격 precio *m* al productor. ~자 물가 지수 índice *m* de precios a la producción. ~ 자본 capital *m* productivo, capital para producción. ~재 bienes *mpl* de producción, elementos *mpl* de producción, elementos *mpl* de producción. ～적 [땅이나 공장이] productivo; [회합 등이] fructífero, productivo. ～적 노동 labor *f* productiva. ～적 사고 pensamiento *m* productivo. ～적 소비 consumo *m* productivo. ～ 제한 reducción *f* de producción, restricción *f* de producción total. ～ 조정 ajuste *m* de producción. ～ 조합 corporación *f* de productores, gremio *m* de productores, asociación *f* de productores. ～ 증가 aumento *m* de producción. ～지 región *f* productora, origen *m* de producción, distrito *m* [país *m*] de producción [de fabricación]. ～지수 índice *m* de producción. ～지 증명서 certificado *m* de origen. ～ 카르텔 cártel *m* de productor. ～ 코스트 coste *m* [*AmL* costo *m*] del producción. ～품 producto *m*. ～ 함수 función *f* de producción. ～ 확장 expansión *f* de producción.

생살(生－) ① ＝새살. ② [아프지 않은 성한 살] carne *f* viva, carne *f* cruda.

생살(生殺) (la) vida y (la) muerte. ～하다 tener poder de vida y muerte, ser dueño de horca y cuchillo.

■～권 poder *m* de vida y muerte. ～여탈 el salvar, el matar, el dar y el quitar. ¶～하다 tener el derecho de vida y muerte. ～여탈권 derecho *m* de vida y muerte.

생삼(生蔘) 【식물】 ＝수삼(水蔘).

생색(生色) impresión *f* favorable.

◆생색(을) 내다 hacer una buena impresión, orgullecerse (de). 생색(이) 나다 llevarse los laureles, hacer honor.

생생하다(生生－) (ser) vivo, avivarse, animarse. 생생한 vivo, animado, activo; [신선한] fresco; [묘사가] gráfico, enérgico. 생생하게 vivamente, al vivo, animadamente. 생생하게 하다 avivar, animar. 생생한 묘사 descripción *f* gráfica [viva · cruda]. 생생한 흉터 cicatriz *f* fresca. 그것은 내 기억에 ～ Eso se conserva muy fresco en mi memoria.

생생히 vivamente, al vivo, animadamente, activamente, frescamente, gráficamente, enérgicamente.

생석회(生石灰) 【화학】 cal *f* viva, óxido *m* de calcio.

생선(生鮮) pescado *m*. 저녁 식사에 ～을 먹다 comer pescado en la cena. ～을 반으로 잘랐을 때의 (뼈가 없는) 한쪽 una de las dos partes de un pescado cortado simétricamente.

■～ 가게 pescadería *f*. ～구이 pescado *m* asado. ～국 sopa *f* [caldo *m*] de pescados. ～묵(튀김) carne *f* de peces machucada y cocida, pasta *f* de pescado cocida. ～ 시장 mercado *m* de pescados. ～ 요리 plato *m* [cocina *f*] de pescado. ～ 장수 pescadero, -ra *mf*. ～회 lonjas *fpl* de carne cruda de pescados, pescado *m* crudo en pedazos muy finos.

생성(生成) ① [사물이 생겨남] creación *f*, formación. ～하다 crear, formar. ② 【철학】 generación *f*.

■～계 sistema *m* de formación. ～ 문법 gramática *f* generativa. ～물 producto *m*. ～열 calor *m* de formación. ～ 운율론 métrica *f* generativa.

생소(生疎) [친하지 못함] lo desconocido, falta *f* de familiaridad; [무지(無知)] ignorancia *f*, desconocimiento *m*; [무경험] inexperiencia *f*, falta *f* de experiencia. ～하다 (ser) desconocido, poco familiar, nuevo, extraño, inexperto, novato, sin experiencia riencia; desconocer. ～한 땅 tierra *f* extraña. ～한 남자 hombre *m* desconocido. ～한 여자 mujer *f* desconocida. ～한 사람 persona *f* desconoceda. ～한 일 trabajo *m* desacostumbrado [poco habitual · inexperto]. 이름이 나에게는 ～하다 El nombre me resulta desconocido / No me es familiar. 나는 그의 작품이 ～하지 않다 Su obra no me es desconocida.

생소리(生－) palabra *f* irrazonable [poco razonable], absurdez *f*, absurdidad *f*, lo absurdo, mentira *f*, invención *f*. ～하다 decir tonterías [estupideces · disparates].

생수(生水) ① [샘구멍에서 솟아 나오는 물] el agua *f* de manantial. ② ((기독교)) ＝생명수(生命水).

■～받이 arrozal *m* irrigado con el agua de manantial.

생시(生時) ① [난 때] tiempo *m* de *su* nacimiento; [난 시간] hora *f* de *su* nacimiento. ② [자지 않고 깨어 있을 때. 평소] duración *f* de no dormir, realidad *f*. 꿈이냐, ～냐? ¿Es sueño o realidad? ③ [살아 있는 동안] duración *f* de vivir, *su* vida. ～에 많은 수모(受侮)를 당하다 vivir en la deshonra, sobrevivir a la vergüenza.

생식(生食) acción *f* de comer la comida cruda. ～하다 comer la comida cruda [sin cocer].

생식(生殖) generación *f*, reproducción *f*, procreación *f*, engendramiento *m*. ～하다 reproducirse, multiplicar(se), procrear, engendrar. ～의 reproductivo, generativo.

■～관 conducto *m* genital. ～기(器) órgano *m* genital [sexual · reproductivo · generativo]. ～기(期) período *m* de reproducción. ～ 기관(器官) ＝생식기. ～기 기술(器記述) edeografía *f*. ～ 기능 función *f* generativa, función *f* reproductiva. ～기 부위 하수증 edeoptosis *f*. ～력 potencia *f*, poder *m* generativo; [여자의] fecundidad *f*; [남자의] virilidad *f*. ～ 불능(不能) impotencia *f* (generativa), esterilidad *f*. ～ 불능자 impotente *mf*. ～ 불능증 impotencia *f* generativa. ～선[샘] gónada *f*, glándula *f* productora de los gametos o células sexuales. ～ 세포 gonia *f*, gameto *m*. ～소(素) plasma *m* de germen. ～소(巢) conceptáculo *m*. ～욕 ganas *fpl* reproductivas. ～ 작용 procedimiento *m* generativo [reproductivo]. ～ 장애 disgenesia *f*. ～체 gameto *m*. ～학

genesiología *f.*
생신(生辰) *su* cumpleaños.
생실과(生實果) fruta *f* fresca.
생쌀 arroz *m* crudo [no cocido].
생아버지(生一) verdadero padre *m*, padre *m* natural.
생아편(生阿片) opio *m* crudo.
생애(生涯) ① [살아 있는 한평생 동안] vida *f*, curso *m* de la vida, toda la vida, fin *m* de *su* vida. ~의 de toda la vida. ~의 일 obra *f* de toda la vida. 행복한 ~ vida *f* feliz. 비참한 ~ vida *f* miserable. ~를 끝내다 morir, fallecer, fenecer, dejar de vivir, dejar de existir, terminar *su* vida. ~를 마감하다 cerrar la vida. ~를 안락하게 지내다 pasar la vida en desahogo, vivir en comodidad. ② [생활하는 형편] situación *f* de vivir. ③ = 생계(生計).
■~ 교육 enseñanza *f* [educación *f*] de toda la vida.
생약(生藥) ①【한방】medicina *f* de hierbas. ②【의학】droga *f*, farmacognosis *f*.
■~포(鋪) ㉮ droguería *f*, botica *f*, farmacia *f*. ㉯【고제도】oficina *f* de importación de las medicinas chinas (en la dinastía de *Choson*). ~학 farmacognosia *f*.
생양목(生洋木) =생옥양목(生玉洋木).
생어(生魚) ① [살아 있는 물고기] pez *m* (vivo). ② [생선] pescado *m*.
생어머니(生一) progenitora *f*, verdadera madre *f*, madre *f* natural.
생억지(生一) terquedad *f*, obstinación *f*, tozudez *f*, obstinación *f* malsana.
◆생억지(를) 쓰다 mantener *su* opinión irrazonable [poco razonable].
생업(生業) ① [생계] vida *f*, mantenimiento *m*, subsistencia *f*, modo *m* de vivir, modo *m* de ganarse la vida. …을 ~으로 하고 있다 ganarse la vida +「현재 분사」(-ando ·-iendo). 고기잡이를 ~으로 삼다 ganarse la vida por la pesca. 도둑질을 ~으로 하다 empeñarse en el robo. ② [직업] ocupación *f*, profesión *f*, oficio *m*, empleo *m*. ~에 전념하다 dedicarse a su profesión.
■~ 자금 fondo *m* de rehabilitación, fondo *m* necesario para conducir el negocio.
생옥양목(生玉洋木) algodón *m* crudo.
생왁찐(生 Vakzin) vacuna *f* viva.
생외(生一) [오이] pepino *m* verde; [참외] melón *m* verde.
생우유(生牛乳) leche *f* cruda.
생울타리(生一) seto *m* (verde · vivo).
생원(生員) ①【고제도】persona *f* que salió bien en el examen civil más inferior. ②【고제도】[나이 많은 선비를 대접하는 뜻으로, 그 성(姓) 밑에 붙이어 부르던 말] señor. 김 ~ Sr. Kim.
생월(生月) mes *m* de nacimiento.
■~생시 mes *m* y hora de nacimiento.
생유(生乳) ① ((준말)) =생우유(生牛乳). ② [(우유나 양유 따위의) 끓이지 아니한 젖] leche *f* de vaca cruda, leche *f* de oveja cruda.
생육(生肉) carne *f* cruda.
생육(生育) ① [낳아서 기르는 일] cría *f*. ~하다 criar. ② [(생물이) 살아서 자람] crecimiento *m*, cultivo *m*. ~하다 crecer, cultivar.
생으로(生一) ① [익거나 마르거나 삶지 아니한 대로] crudo. ~ 먹다 comer crudo. 굴을 ~ 먹다 comer ostras crudo. ② [저절로 되지 아니하고 무리하게] de manera poco razonable, de un modo irracional, irracionalmente, mal, incorrectamente, equivocadamente; [억지로] por la fuerza, a la fuerza, obligatoriamente.
생음악(生音樂) música *f* en vivo.
생이【동물】una especie de la gamba.
생이별(生離別) separación *f* para [de] toda la vida. ~하다 separarse para siempre (de), separarse por toda la vida. 이것이 내 딸과 ~이 될지도 모른다 Esta puede ser la última vez en la vida que veo a mi hija. 전쟁으로 아들은 부모와 ~했다 La guerra separó al hijo de sus padres.
생이지지(生而知之) conocimiento *m* de nacimiento. ~하다 conocer de nacimiento, conocer intuitivamente [por intuición].
생인발 panadizo *m*, panarizo *m*, furúnculo *m* [forúnculo *m*] en puntas del dedo del pie, dedo *m* del pie dolorido.
생인손 furúnculo *m* [forúnculo *m*] en puntas de dedo, dedo *m* dolorido.
생일(生日) cumpleaños *m.sing.pl*, días *mpl*, santo *m*. ~을 축하하다 celebrar *su* cumpleaños, dar los días. 우리는 ~이 같다 Nosotros cumplimos años el mismo día. 내일은 내 ~이다 Mañana es mi cumpleaños [santo]. 네 ~에 무엇을 갖고 싶니? ¿Qué quieres para tu cumpleaños? ~을 축하합니다 Feliz cumpleaños!
■~날 día *m* de cumpleaños, día *m* de santo. ¶내 ~ día *m* de mi cumpleaños [santo]. ~빠낙 tiempo *m* que se da la fiesta de cumpleaños. ~ 선물 regalo *m* de cumpleaños. ~잔치 fiesta *f* de cumpleaños. ~ 케이크 tarta *f* de cumpleaños.
생자(生子) =생남(生男).
생자(生者) ① [산 사람] (persona *f*) viviente *mf*. ② ((불교)) ser *m* viviente.
■~필멸(必滅) Los vivientes mueren [parecen] / Todos somos mortales / El hombre es mortal / Los seres vivientes son mortales sin falta. ¶ ~의 이치(理致) la mortalidad de vida.
생장(生長) crecimiento *m*. ~하다 crecer. 식물이 ~한다 Crecen las plantas. ~하면서 그녀는 더 아름다워졌다 Con los niños ella se ha hecho más hermosa.
■~ 곡선 curva *f* de crecimiento. ~ 과정 proceso *m* de crecimiento. ~ 구배(句配) gradiente *m* de crecimiento. ~기(간) período *m* de crecimiento. ~량 crecimiento *m*. ~률 porcentaje *m* de crecimiento, tasa *f* de crecimiento.
생장(生葬) =생매장(生埋葬).

생장작(生長斫) leña *f* cruda.
생재(生財) aumento *m* de *su* propiedad. ~하다 aumentar *su* propiedad.
생재기 tela *f* intacta, papel *m* intacto.
생전(生前) ① [살아 있는 동안·산 동안·죽기 전] (durante) el tiempo de la vida, durante la vida, mientras vivía, antes de la muerte. ~에 en *su* vida, durante la vida. ~의 친구를 그리워하다 recordar a *su* amigo muerto [desaparecido]. ② =전혀. 결코. 아무리. ¶~ 모르는 사람 persona *f* totalmente desconocida [ajena]. 서울은 이번이 ~ 처음이다 Es mi primera visita a Seúl esta vez. ~ 해 봐 되는가 Por más que tú trates, no podrás hacerlo.
생젖(生-) ① =생유(生乳). ② [억지로 일찍 떼는 젖] leche *f* de destetar temprano por la fuerza.
생존(生存) existencia *f*, [살아남는 일] supervivencia *f*. ~하다 existir, sobrevivir, vivir.
■~ 경쟁(競爭) lucha *f* por la vida [por la existencia · por la supervivencia]. ¶~에서 이기다 vencer en la lucha por la vida, salir vencedor de la lucha por la supervivencia. ~에서 지다 perder en la lucha por la vida, ser vencido en la lucha por la supervivencia. ~권 derecho *m* de la vida; [자신의] derecho *m* a la vida. ~ 능력 viabilidad *f*. ~ 목적 objetivo *m* [propósito *m*] de vida [en la vida]. ~ 보험 seguro *m* de capital diferido. ~ 욕(慾) deseo *m* para existencia, voluntad *f* de vivir. ~자(者) sobreviviente *mf*, superviviente *mf*. ¶~의 생존 여부를 확인하다 cerciorarse de la existencia de los sobrevivientes. 그 사고의 ~는 두 명이었다 Dos personas salvaron en el accidente / Dos personas sobrevivieron al accidente.
생죽음(生-) muerte *f* violenta. ~하다 morir violentamente.
생쥐 【동물】 ratón *m*, *CoS* laucha *f*.
■생쥐 발싸개 만하다 ((속담)) Es muy pequeño / Es pequeñísmo. 생쥐 볼가심할 [입가심할] 것도 없다 ((속담)) Es más pobre que las ratas [una rata] / Es tan pobre como un ratón de sacristía.
생즙(生汁) zumo *m* [*AmL* jugo *m*] crudo (de frutas · de verduras).
생지(生地) ① =생땅. ② [출생한 곳. 난 땅] suelo *m* [tierra *f*] natal, lugar *m* [sitio *m*] de nacimiento, suelo *m* nativo, tierra *f* nativa. ③ [생소한 땅] tierra *f* extraña. ④ [사지(死地)에 대해 「살아 돌아올 수 있는 곳」] lugar *m* seguro de la vida.
생지옥(生地獄) infierno *m* en tierra.
생질(甥姪) sobrino *m*, hijo *m* de *su* hermana.
■~녀(女) sobrina *f*, hija *f* de *su* hermana. ~부 (婦) nuera *f* de *su* hermana, esposa *f* de *su* sobrino. ~서(壻) yerno *m* de *su* hermana, esposo *m* de *su* sobrina.
생짜 lo crudo.
생채(生彩) arañazo *m*, rasguño *m*.
생채(生菜) ensalada *f*, hierbas *fpl* comibles crudas.
◆무 ~ ensalada *f* de nabo. 오이 ~ ensalada *f* de pepino.
생채기 excoriación *f*, desolladura *f*. ~를 당하다 recibir [sufrir] una excoriación.
생천(生-) tela *f* cruda, paño *m* crudo.
생철(-鐵) hojalata *f*, zinc *m*, cinc *m*.
■~ 땜장이 hojalatero *m*, estañero *m*. ~세공 obra *f* de hojalata. ~ 지붕 techo *m* [tejado *m*] de hojalata [de zinc · de cinc]. ~통(桶) =양철통.
생철(生鐵) 【광물】 =무쇠.
생청(生淸) miel *f* no refinada.
생청붙이다 decir las cosas irrazonables.
생청스럽다 (ser) absurdo, ridículo, irrazonable, poco razonable, contradictorio. 생청스런 생각이다! Qué ridiculez!
생청스레 absurdamente, ridículamente, irrazonable, contradictoriamente. 생청스레 굴지 마라 No digas ridiculeces!
생체(生體) cuerpo *m* vivo, cuerpo *m* de ser viviente. ~의 vital. ~ 내(內)의 intravital.
■~ 검사 biopsia *f*. ~ 계측기 biómetro *m*. ~ 고분자물 biomacromolécula *f*. ~ 공학 bioingeniería *f*. ~ 리듬 bioritmo *m*, ritmo *m* del cuerpo vivo. ~막(膜) biomembrana *f*. ~ 생리학 biofisiología *f*. ~ 소모 catabiosis *f*, catabolismo *m*. ~ 실험 vivisección *f*; [인간 · 동물의] experimiento *m* sobre un cuerpo; [인간의] experimentación *f* humana. ~ 염색(법) tintura *f* vital. ~ 의학 biomedicina *f*. ~ 조직 검사 biopsia *f*. ~학 somatología *f*. ~ 학자 somatologista *mf*. ~ 해부 vivisección *f*. ~ 해부자 viviseccionista *mf*, vivisector, -tora *mf*. ~ 형성 bioplasia *f*.
생치(生雉) carne *f* de faisán cruda.
생치(生齒) ① [인민(人民)] pueblo *m*. ② [그 해에 난 아이] niño, -ña *mf* que nació en ese año.
생칠(生漆) laca *f* no refinada.
생크림(生 cream) (crema *f* de) nata *f*, [거품이 이는] nata *f* batida.
생태(生太) abadejo *m* natural (no secado ni congelado).
생태(生態) modo *m* de vida, estado *m* de vida, ecología *f*. 벌의 ~ hábitos *mpl* de las abejas. 현대 여성의 ~ modo *m* de vida de la mujer moderna.
■~계(系) ecosistema *m*. ~ 변화 adaptación *f* ecológica. ~적 지위 posición *f* ecológica. ~종(種) ecoespecie *f*. ~ 지리학 ecogeografía *f*. ~학 ecología *f*. ~ 학자 ecólogo, -ga *mf*. ~형 ecotipo.
생트집(生-) petición *f* irrazonable, petición *f* injusta.
◆생트집(을) 잡다 hacer [dirigir] una petición irrazonable [injusta], buscar defecto.
생파리 ① [생기가 있고 팔팔한 파리] mosca *f* animada. ② ((속어)) persona *f* fría y

lejana.

생판(生板) totalmente. ~ 낯선 사람 persona *f* totalmente desconocida [ajena]. ~ 모르는 사람이다 *Per, PRico* no ser pariente ni doliente.

생포(生捕) captura *f*, apresamiento *m*; [동물의] captura *f*, cogedura *f* en vivo. ~하다 coger [cazar] vivo, capturar, apresar, aprehender, cautivar, hacer prisionero. ~되다 cogerse, cazarse, capturarse, caer prisionero [cautivo].

생풀[1](生-) [밀가루나 쌀가루를 맹물에 타서 그대로 쓰는 풀] almidón *m* crudo.

생풀[2](生-) [마르지 않은 싱싱한 풀] hierba *f* fresca, hierba *f* no seca.

생피(生-) sangre *f* (que se ha) tomado de seres vivos, sangre *f* vital, sangre *f* de un ser vivo.

생피(生皮) piel *f* (cruda), piel *f* en bruto. ~를 벗기다 desollar, despellejar.

생핀잔(生-) reproche *m* inmerecido.
◆생핀잔(을) 주다 reprochar inmerecidamente.

생필름(生 film) película *f* cruda, filme *m* crudo.

생필품(生必品) ((준말)) =생활필수품.

생혈(生血) =생피.

생호령(生號令) =강호령(强號令).

생화 =장사

생화(生花) flor *f* natural [viva], flores *fpl* puestas en macetas [en un florero].

생화학(生化學) bioquímica *f*. ~의 bioquímico.
■~자(者) bioquímico, -ca *mf*.

생환(生還) vuelta *f* superviviente [sobreviviente], vuelta *f* viva a casa. ~하다 regresar vivo, volver [salir] con vida.
■~자(者) sobreviviente *mf*; superviviente *mf*.

생활(生活) vida *f*, existencia *f*, subsistencia *f*. ~하다 vivir, sustentarse. 간소한 ~ vida *f* sencilla. 고된 ~ vida *f* de perros. 규칙적 ~ vida *f* regular. 방탕한 ~ vida *f* airada, vida *f* desordenada y viciosa. 불규칙적 ~ vida *f* irregular. 불안정한 ~ vida *f* precaria. 안락한 ~ vida *f* cómoda, gran vida. 충실한 ~ vida *f* llena, rica vida *f*. 편안한 ~ vida *f* cómoda, vida *f* de canónigos. 행복한 ~ vida *f* feliz. ~이 곤궁하다 [곤란하다] estar en apuro de vida, pasar apuros, llevar una vida apurada, no tener ni siquiera con que vivir. 겨우겨우 ~하다 vivir al día, ganar(se) a duras penas la vida. 고달픈 ~을 하다 pasar la vida (a tragos). 고된 ~을 하다 pasar apuros, llevar una vida apurada. 금리(金利)로 ~하다 vivir de sus rentas. 느긋한 ~을 하다 vivir con desahogo, llevar una vida desahogada. 안락하게 ~하다 darse buena vida. 연금으로 ~하다 vivir de una pensión, vivir jubilado, vivir pensionado. 행복한 ~을 하다 pasar una vida feliz. 1개월 100만 원으로 ~하다 vivir con un millón de wones al [por] mes. 그날그날의 ~에 매달리다 verse acosado por la vida de cada día. 그렇게 되면 나는 ~ 수단을 잃게 된다 En ese caso no me queda ningún medio de vida. 1개월에 50만 원으로는 ~할 수 없다 No se puede vivir [No puede uno arreglárselas por [con]] quinientos mil wones al mes. 그들은 결혼해서 새 ~을 시작했다 Ellos se casaron y empezaron una nueva vida.
◆결혼 ~ vida *f* matrimonial [conyugal · de casado]. 공동 ~ vida *f* común, vida *f* colectiva. 군대 ~ vida *f* militar. 도시 ~ vida *f* urbana. 문화 ~ vida *f* civilizada. 사회 ~ vida *f* social. 원시(原始) ~ vida *f* primitiva. 전원 ~ vida *f* rural.
■~ 간소화 simplificación *f* de vida. ~개선 mejoría *f* de condiciones de vida. ~개선 운동 movimiento *m* para la mejoría de condiciones de vida. ~고(苦) miseria *f* [penas *fpl*] de la vida. ~ 과학 ciencia *f* doméstica. ~ 교육 educación *f* práctica. ~권(圈) zona *f* de vida. ~권(權) derechos *mpl* de vida. ~급 salario *m* de subsistencia. ~ 기능 función *f* vital. ~ 기록 documento *m* humano. ~ 기록부 libro *m* de documento humano. ~난 escasez *f*, apuros *mpl*, dificultad *f* de la vida. ~력 vida *f*, energía *f* para ganarse la vida, fuerza *f* [energía *f*] vital. ~ 방법 manera *f* [modo *m*] de vivir. ~ 보조금 subsidio *m* social a los indigentes. ~ 보호 protección *f* [asistencia *f*] de vida; [빈민 구제] ayuda *f* para los pobres. ~ 보호법 Ley *f* de Protección de Vida. ~ 불안 inseguridad *f* económica. ~비 gastos *mpl* de vida, gastos *mpl* de mantenimiento, coste *m* [*AmL* costo *m*] de (la) vida. ~사 historia *f* de (la) vida. ~ 상태 condiciones *fpl* de vida. ~ 수준 nivel *m* de vida. ~ 안정 estabilización *f* de vida. ~ 양식 modo *m* de vida, manera *f* de vivir. ~ 임금 =생활급(生活給). ~ 자료 datos *mpl* de vida. ~ 전선 lucha *f* de vida. ~ 조건 condición *f* de vida. ~ 통지표 informe *m* de escuela, cartilla *f* de notas. ~ 필수품 artículos *mpl* de primera necesidad. ~ 현상 fenómeno *m* vital. ~ 환경 ambiente *m* de vida, ambiente *m* que rodea la vida.

생황(笙篁/笙簧) ① 【악기】 *saenghwang*, flauta *f* de música clásica. ② 【악기】 ((성경)) zampoña *f*, gaita.

생회(生灰) ((준말)) =생석회(生石灰).

생획(生擭) =생금(生擒).

생획(省畫) omisión *f* de pinceladas. ~하다 omitir las pinceladas, abreviar *sus* caracteteres.

생후(生後) después de nacer [nacimiento · nacido]. ~ 2개월된 유아(幼兒) nene, -na *mf* [criatura *f*] de dos meses. ~ 10개월 때에 a la edad de diez meses.

생흙 tierra *f* inculta, tierra *f* sin cultivar.

샤머니즘(영 *shamanism*) chamanismo *m*.

샤먼(영 *shaman*) chamán *m*.

샤워(영 *shower*) ducha *f*, *Méj* regadera *f*. ~하다 ducharse, tomar una ducha, darse una ducha, bañarse. ~ 딸린 방 habitación *f* con ducha. 그녀는 ~ 중이다 Ella se está duchando [bañando].
■ ~실 ducha *f*. ~ 연결 장치 ducha *f* de plástico que se empalma a los grifos de la bañera. ~용 모자 gorro *m* de ducha. ~용 커튼 cortina *f* de ducha. ~장 ducha *f*, *Méj* regadera *f*.
샤프(영 *sharp*) ① [뾰족함. 날카로움] lo afilado, *AmL* lo filoso, *Chi*, *Per* lo filudo. ~하다 (ser) afilado. ② [신랄함] lo duro, lo severo; [예민함] lo agudo, lo perspicaz. ~하다 (ser) agudo, perspicaz. ③【음악】sostenido *m*, diesi(s) *f*.
◆더블 ~ doble sostenido *m*.
■ ~펜슬 lapicero *m*, portaminas *m*.
샤프트(영 *shaft*)【기계】eje *m*.
샴(영 *Siam*)【지명】Siam *m*, Tailandia *f* (1949년부 터의 정식 국명). ~의 siamés.
■ ~고양이 gato *m* siamés. ~ 말 siamés *m*. ~ 사람 siamés, -mesa *mf*.
샴쌍둥이(Siam 雙-) (hermanos *mpl*) siameses *mpl*, (hermanas *fpl*) siameses *fpl*.
샴페인(영 *champagne*) champán *m*, chuampaña *f*.
■ ~ 사이다 cidra *f* de champán [de champaña]. ~(용) 글라스 copa *f* de champán [de champaña].
샴푸(영 *shampoo*) champú *m*.
샹들리에(불 *chandelier*) velero *m*, araña *f* (de luces).
샹송(불 *chanson*) canción *f*, cantar *m*, canción *f* popular francesa.
■ ~ 가수 cancionista *mf*.
섀도(영 *shadow*) [그림자] sombra *f*.
■ ~복싱 práctica *f* de boxeo con un adversario imaginario. ~ 캐비닛 [야당 내각] gabinete *m* fantasma.
섀시(영 *chassis*) chasis *m*.
서[1] ((준말)) =서까래.
서[2] [셋] tres. ~ 돈 tres onzas (coreanas).
서[3] ① ((준말)) =에서. ¶서울~ 부산까지 de Seúl a Busan. ② ((강조)) ¶혼자~ 살다 vivir solo. 셋이~ 일을 해냈다 Los tres terminamos el trabajo. ③ [여유를 주는 보조사] después de. 먹고~ después de comer.
서[4] =서어(de pie). ¶~ 있다 estar de pie.
서(西) ((준말)) =서쪽.
서쪽으로 al oeste, hacia el oeste. ~ 향하여 길을 떠나다 salir hacia el oeste.
서(序) ① [문장의 한 체] estilo *m* narrativo. ② ((준말)) =서문(序文).
서(署) ① =관서(官署). ② ((준말)) =경찰서(警察署). ¶우리 함께 ~에 갑시다 Vámonos a la policía. ③ ((준말)) =세무서. ④ ((준말)) =소방서(消防署).
서(犀)【동물】=코뿔소.
서(瑞) ① ((준말)) =서서(瑞西). ② ((준말)) =서전 (瑞典).
서(영 *Sir*) ① [경(卿)] sir *ing.m*, caballero *m*. ② [귀하. 선생님] señor *m*, caballero *m*.
서-(庶) medio. ~동생 medio hermano *m*, hermanastro *m*. ~누이 media hermana *f*, hermanastra *f*.
-서(署) oficina *f*. 경찰~ comisaría *f*.
서가(書架) balda *f* (para libros), estantería *f*, estante *m* de libros.
서가(書家) calígrafo, -fa *mf*.
서각(西閣) =뒷간.
서각(書閣) ① =서가(書架). ② =서재(書齋).
서각(犀角) ① [무소의 뿔] cuerno *m* de rinoceronte. ②【한방】punta *f* del cuerno de rinoceronte en polvo.
서간(書簡/書柬) carta *f*, epístola *f*, misiva *f*; [짧은] billete *m*; [집합적] correspondencia *f*.
■ ~문(文) =서한문(書翰文). ~ 문학 literatura *f* epistolar. ~집 colección *f* de cartas. ~체 estilo *m* epistolar. ~체 소설 novela *f* epistolar.
서거(逝去) fallecimiento *m*, muerte *f*, defunción *f*. ~하다 fallecer, morir, dejar de existir.
서걱거리다 mascar, ronchar.
서걱서걱 mascando, ronchando.
서경(西經) longitud *f* (del) oeste. ~ 30도 treinta grados de la longitud del oeste.
서경(書痙)【의학】grafospasmo *m*, quirospasmo *m*, calambre *m* de plumista.
서경(書經)【책】Libro *m* de Historia, Canon *m* de Historia.
서경(敍景) descripción *f* paisajística [de un paisaje · de perspectiva].
■ ~문 escritura *f* [composición *f*] descriptiva. ~시 poesía *f* descriptiva.
서고(書庫) biblioteca *f*, almacén *m* de libros, archivo *m*.
서곡[1](序曲)【음악】obertura *f*, preludio *m*.
서곡[2](序曲)【문학】El preludio (de Wordsworth).
서관(書館) librería *f*.
서광(瑞光)【성경】noche *f*, fresco *m* del atardecer.
서광[1](曙光) aurora *f*, el alba *f*, luz *f* crepusculpar. 문명의 ~ el alba *f* de civilización. 성공의 ~ espectativa *f* de buen éxito. 평화의 ~ esperanza *f* naciente, luz *f* de la esperanza.
서광[2](曙光)【책】*Seogwang*, El alba.
서구(西歐) ① [서양] Europa *f*, Occidente *m*. ② [서유럽] Europa *f* Occidental.
■ ~ 공산주의 eurocomunismo *m*. ~ 공산주의자 eurocomunista *mf*. ~ 문명 civilización *f* occidental. ~ 사상 ideología *f* europeizante. ~ 사회주의 eurosocialismo *m*. ~ 사회주의자 eurosocialista *mf*. ~ 연합 la Unión Europea Occidental. ~인 europeo, -a *mf*, occidental *mf*. ~ 제국 países *mpl* de Europa (Occidental), países *mpl* occidentales. ~주의 ideología *f* europeizante. ~파 escuela *f* occidental. ~풍 estilo *m* europeo. ~화 europeización *f*, occidentalización *f*. ¶~하다 europeizar, occidentali-

zar. ～되다 europeizarse, occidentalizarse.
서구라파(西歐羅巴) =서구(西歐).
서그러지다 (ser) con mentalidad abierta, de criterio amplio, tolerante, magnánimo, generoso, de corazón abierto, de gran corazón.
서근서근하다 =사근사근하다.
서글서글 [눈이] con ojos redondos y grandes; [마음이] generosamente, magnánimamente ～하다 [눈이] (ser) redondo y grande; [마음이] (ser) de corazón abierto, magnánimo, generoso. ～한 얼굴 cara *f* de aleluya [de pascua · de risa].
서글프다 (ser) desolado, solitario, aislado; [고독하다] solo. 서글픈 마음 corazón *m* solitario. 서글픈 밤 noche *f* solitaria. 나는 무척 서글펐다 Me sentía muy solo. 그녀는 혼자 살지만 결코 서글프지 않다고 말한다 Ella no vive con nadie, pero dice que nunca se siente sola. 영화 스타의 생활은 무척 서글플 수 있다 La vida de una estrella de cine puede ser muy solitaria. 혼자 있으면 서글퍼진다 Solo, me siento desolado. 어머님 생각에 서글픔을 금할 길 없다 Me consume el pensar en mi madre.
서글피 solitariamente, aisladamente.
서기(西紀) ((준말)) =서력 기원(西曆紀元).
서기[1](書記) ① secretario, -ria *mf*, [필기자] amanuense *mf*, escribiente *mf*, escribano, -na *mf*. ② ((성경)) secretario *m*, cronista *m*.
■ ～관(官) ㉮ [3급 갑류의 공무원] secretario, -ria *mf*, [법원의] secretario, -ria *mf* judicial, escribano, -na *mf* forense. ¶일등 ～ primer secretario *m*, primera secretaria *f*. 이등 ～ segundo secretario *m*, segunda secretaria *f*. 삼등 ～ tercer secretario *m*, tercera secretaria *f*. ㉯ ((성경)) escriba *m*, maestro *m* de la ley, secretario *m*. ～국 secretaría *f*. ～국원 secretario, -ria *mf*. ～보 subsecretario, -ria *mf*. ～장 ㉮ [서기의 우두머리] jefe *m* de los secretarios. ㉯ [정당(政黨) 등의] secretario *m* general, secretaria *f* general. ㉰ ((성경)) escribano *m*, secretario *m*.
서기[2](書記) 【책】 *Seoki*, libro *m* sobre la historia de *Baekche* escrito por el doctor *Guhung* en 375, el trigésimo año del reinado del decimotercer rey *Gunchogo* de la dinastía de *Baekche*.
서기(暑氣) ① [더운 기운] calor *m*, canícula *f*. ② [더위에 걸린 병] enfermedad *f* causada por el calor.
서기(瑞氣) buen augurio *m*, buen agüero *m*.
서기(署記) firma *f*. ～하다 firmar.
서까래 viga *f*, par *m*, contrapar *m*, cabrio *m*. 천장의 ～ las vigas del techo.
■ ～ㅅ감 material *m* para las vigas.
서껀 etcétera, etc. 나는 동생～ 함께 왔다 Yo vine con mi hermano y etcétera.
서낙하다 dar una broma pesada, hacer por gusto pésimo.
서남(西南) ① [서쪽과 남쪽] el oeste y el sur. ② [남서(南西)] sudoeste *m*, suroeste *m*. ～의 sudoeste, suroeste, del sudoeste, del suroeste. ③ ((준말)) =서남간(西南間).
■ ～간(間) entre el oeste y el sur. ～방 = 서남쪽. ～서 oessudoeste *m*, oessudueste *m*. ～서풍(西風) (viento *m*) oessudoeste *m*, (viento *m*) oessudueste *m*. ～아시아 el Asia Suroeste, el Asia Sudoeste. ～쪽 sudoeste *m*, suroeste *m*. ～ 태평양 el Pacífico Suroeste. ～파 escuela *f* sudoeste. ～풍 viento *m* (del) sudoeste, viento *m* (del) suroeste. ～향 hacia el sudoeste, hacia el suroeste, en dirección sudoeste [suroeste].
서남(庶男) hijo *m* que la concubina dio a luz.
서낭(城隍) ① 【민속】 [서낭신이 붙어 있다는 나무] árbol *m* que el dios protector mora. ② ((준말)) =서낭신.
◆서낭에 나다 ㉮ [어떤 물건이 화근이 되어서 재앙을 받게 되다] Se tiene mucha desgracia. ㉯ [물건 값이 매우 싸다] Es muy barato.
■ ～단 altar *m* al dios protector. ～당 santuario *m* del dios protector. ～상(床) mesa *f* para la ofrenda del chamán. ～신 dios *m* protector, deidad *f* protectora. ～제 fiesta *f* del dios local.
서너 tres o cuatro. 책 ～ 권 tres o cuatro libros. 학생 ～ 명이 결석했다 Tres o cuatro alumnos estuvieron ausentes.
서너너덧 tres o cuatro, cuatro o cinco.
서너째 el tercero o el cuarto.
서넛 tres o cuatro. 사람 ～이 나무 아래 서 있다 Tres o cuatro personas están de pie debajo del árbol.
서녀(庶女) ① [서민의 아내] esposa *f* del pueblo; [서민의 딸] hija *f* del pueblo. ② [첩이 낳은 딸] hija *f* de la concubina.
서녘(西－) =서방(西方).
서느렇다 ① [물체의 온도나 기후가 서늘하다] (ser) fresco. ② [뜻밖으로 놀랐을 때 마음 속에서 찬 기운이 일어나는 것 같다] sentir escalofrío.
서늘바람 brisa *f* fresca.
서늘하다 ① [선선하다] (ser) fresco; [음료가] fresco, frío; [날씨가] hacer fresco, hacer un poco de frío. 서늘하게 하다 [공기나 방을] refrigerar; [엔진 · 음식 · 열광을] enfriar. 서늘해지다 [공기 · 방이] refrigerarse; [엔진 · 음식 · 열광이] enfriarse. 서늘한 바람 brisa *f* fresca. 오후 서늘할 때에 por la tarde cuando hace [está] fresco. 나는 아침에 서늘할 때 산책한다 Me paseo por la mañana con la fresca. 여기 서늘한 곳에서 잠깐 머뭅시다 Quedémonos un momento aquí al fresco. 밖이 ～ Hace [Está] fresco (a)fuera / Hace un poco de frío. 날씨가 이제 꽤 서늘해졌다 El tiempo ya se ha puesto bastante fresco. 날씨가 무척 ～ Hace mucho fresco / Hace frío. 나는 등이 ～ Siento frío en espalda. ② [놀라거나 하

여 가슴속에 찬 기운이 도는 듯하다] sentir [tener] escalofrío (de miedo), horrorizarse [estremeterse] de miedo. ③ [(분위기 등이) 설렁한 느낌이 도는 듯하다] (ser) frío.
서늘히 frescamente.

서다 ① [바닥에서 위를 향하여 몸을 곧게 펴다] [서다. 일어서다] ponerse de pie, levantarse, *AmL* pararse. 서 있다 estar de pie, estar parado. 서서 마시다 beber de pie. 서서 먹다 comer de pie. 선 채 보다 ver desde el gallinero. 설 수 없다 no poder ponerse de pie. 서점에서 잡지를 서서 읽다 leer una revista de pie en una librería. 이제 설 수 없다 Ya no me sostienen las piernas. 입간판이 서 있다 Hay un cartel. 나는 서 있었기 때문에 피곤했다 Yo estaba cansado de estar de pie [de estar parado]. 그녀는 여행 내내 서서 했다 Ella tuvo que hacer todo el viaje de pie [*AmL* parada]. 나는 너무 피곤해서 거의 서 있을 수 없었다 Yo estaba tan cansado que apenas podía tenerme en pie. 그녀는 서려고 애를 썼다 Ella trató de levantarse [ponerse de pie · *AmL* pararse]. 정원에 나무가 세 그루 서 있다 Hay tres árboles en el jardín. 그녀는 창문 옆에 서 있었다 Ella estaba junto a la ventana.
② [(어떤) 동작을 멈추다] ponerse, parar(se), detenerse. 기차가 ~ parar el tren. 시계가 ~ pararse el reloj. 차가 문간에 선다 El coche para a la puerta. 시계가 서 있어 몇 시인지 모르겠다 Se me ha parado el reloj y no sé qué hora es. 더 가지 말고 그 자리에 서라 Ponte [*AmL* Párate] allí.
③ ㉮ [건조물(建造物)이 지어지다] edificarse, construirse, erigirse, fundarse. 건물이 많이 들어섰다 Se construyeron muchos edificios. 언덕 위에 교회(敎會)가 서 있다 La iglesia está [se levanta] sobre la colina. ㉯ [기관(機關) 따위가 설립되다] establecerse, instituirse, fundarse. 정부(政府)가 ~ establecerse el gobierno. 회사가 ~ establecerse la compañía. 사찰(寺刹)이 ~ fundarse el templo budista. 이 은행은 선 지가 100년이 넘었다 Hace más de cien años que se estableció este banco.
④ [날카롭게 되다] afilarse. 칼날이 ~ afilarse el cuchillo.
⑤ [(땀발 · 무지개 · 핏발 따위가) 생기거나 나타나다] aparecer. 무지개가 ~ aparecer el arco iris. 핏대가 ~ subirse la sangre a la cabeza. 나는 그런 부당한 짓을 보자 핏대가 선다 Se me sube la sangre a la cabeza cuando veo tanta injusticia.
⑥ [(어떤 위치나 입장에 있거나 놓이다] estar, subir(se), ascender. 교단(敎壇)에 ~ ser maestro, entrar en la maestría. 기로(岐路)에 ~ estar en el punto de bifurcación, estar en una encrucijada. 왕위(王位)에 ~ subir [ascender] al trono.
⑦ [(말 · 면목 · 위신 · 체면 따위가) 바로 시행되거나 유지되다] mantenerse, conservarse, guardarse, salvarse. 체면이 ~ salvarse la reputación. 위신이 ~ guardarse el prestigio. 면목(面目)이 ~ ganarse el honor.
⑧ [(규율 · 질서 · 조리 · 체계 등이) 정연하게 짜이다] mantenerse, tener, estar. 규율(規律)이 ~ mantenerse la disciplina. 질서가 ~ estar en orden. 조리가 ~ tener la razón.
⑨ [(계획 · 방침 · 의견 따위가) 이루어지거나 또는 수립되다] formarse, establecerse. 계획이 ~ establecerse [trazarse · montarse · prepararse] el plan [el programa]. 의견이 ~ establecerse la opinión.
⑩ [(씨름판 · 장 따위가) 열리다] abrirse, celebrar. 장이 ~ abrirse [celebrar] el mercado.
⑪ [(배 속에서 아이가) 생기기 시작하다] concebir, hacerse [ponerse] embarazada [preñada]. 아이가 ~ quedar(se) [estar] embarazada. 그녀는 아이가 선 지 7개월 되었다 Ella está embarazada [preñada] de siete meses. 나는 그 때에 길동이를 서고 있었다 En esa época yo estaba embarazada de Kildong / En esa época yo estaba esperando a Kildong.
⑫ [남을 위해 보증 따위를 하다] servir. 보증을 ~ servir*le* de fiador (a), ser fiador (de). 보초를 ~ hacer centinela, colocarse de vigilancia; [상태] estar de centinela, estar de vigilancia. 들러리를 ~ servir como un amigo que acompaña al novio el día de la boda [여자 como una dama de honor; [아이가] servir como una niña que acompaña a la novia].

서단(西端) extremo *m* (del) sur, punta *f* del sur.

서당(書堂) *seodang*, instituto *m* privado, escuela *f* privada.
■ 서당 개 삼 년에 풍월한다 [풍월 읊는다] ((속담)) La práctica hace al maestro / El ejercicio hace maestro.

서대 ① [소의 앞다리에 붙은 고기] carne *f* de la pata delantera de la vaca. ② ((준말)) =서대기.

서대기【어류】lenguado *m*.

서대륙(西大陸) la América del Norte y la América del Sur, América *f*.

서덜 ① [냇가 · 강가의 돌이 많은 곳] ribera *f* pedrosa, margen *f* pedrosa. ② [생선의 살을 발라 낸 나머지] espina f del pescado.

서도(西道)【지명】las provincias de *Hwanghaedo* y *Pyeongando*.
■ ~ 잡가 *seodo chabga*, canción *f* popular de *Hwanghaedo* y *Pyeongando*.

서도(書道) caligrafía *f* (coreana), arte *m* de escritura, arte *m* de escribir con hermosa letra. ~에 능하다 tener buena caligrafía, escribir bien. ~에 서투르다 tener mala caligrafía, escribir mal.
■ ~가(家) calígrafo, -fa *mf*, pendolista *mf*, pendolario, -ria *mf*, perito, -ta *mf* en caligrafía.

서독(西獨)【지명】la Alemania Occidental.

서돌 【건축】 materiales *mpl* más necesarios para la construcción de la casa.
서동(書童) =학동(學童).
서동(薯童) *Seodong*, nombre *m* del rey Mu en la dinastía de *Baekche*.
서동요(薯童謠) *seodongyo*, una de las canciones autóctonas.
서두(序頭) prólogo *m*.
◆서두(를) 놓다 hacer el prólogo.
서두(書頭) principio *m* [comienzo *m*] de una escritura [de una composición], prólogo *m*.
서두르다 apresurar, darse prisa, tener prisa; *AmS* apurar. 서둘러 apresuradamenmente. 서둘러 나가다 salir apresuradamente. 서둘러 …하다 apresurarse a [en] + *inf*, precipitarse a + *inf*, darse prisa en + *inf*. 서둘러 대답하다 apresurarse a contestar, apresurarse en responder. 따라 잡으려고 ~ apresurarse por alcanzar. 서둘러 결론을 내리다 darse prisa en concluir, concluir precipitadamente [sin reflexión], sacar una conclusión apresurada. 서둘러 일을 그르치다 errar por precipitarse. 길을 ~ apresurar el paso. 귀가를 ~ volver de prisa. 승리를 ~ ansiar un triunfo rápido. 완성(完成)을 ~ apresurarse en la terminación, afanarse por la terminación. 일을 ~ hacer de prisa el trabajo, acelerar [apresurar] el trabajo. 준비를 ~ acelerar las preparaciones. 학교에 서둘러 가다 ir aprisa a la escuela. 그 일을 서둘러 끝내십시오 Acabe usted ese trabajo rápidamente. 서두르세요 [usted에게] Dése prisa / Tenga prisa // [tú에게] Date prisa / Ten prisa // [ustedes에게] Dense prisa / Tenga prisa // [vosotros에게] Daos prisa / Tened prisa. 서두르지 마세요 [usted에게] No se dé prisa / No tenga prisa // [tú에게] No te des prisa / No tengas prisa // [ustedes에게] No os deis prisa / No tengáis prisa // [vosotros에게] No os deis prisa / No tengáis prisa. 그렇게 서두르지 마세요 [usted에게] No se apresure tanto / No se apure tanto // [tú에게] No te apresures tanto / No te apures tanto. 서두릅시다 Vamos a apresurarnos / Vamos a darnos prisa / Apresrémonos / Démonos prisa. 서두르지 맙시다 No nos apresuremos / No nos demos prisa / No tengamos prisa. 우리는 서둘러야 합니다 Tenemos que apresurarnos [darnos prisa]. 매사에 서두르지 마라 El que quiera huevos, que aguante los cacareos.
서두어(鼠頭魚) 【어류】 =보리멸.
서둘다 ((준말)) =서두르다.
서라말 picazo *m*, caballo *m* picazo, caballo *m* pinto blanco y negro, caballo *m* blanco con manchas negras.
서라벌(徐羅伐) 【역사】 ① *Seorabeol*, nombre *m* antiguo de la dinastía de *Sila*. ② *Seorabeol*, nombre *m* de *Gyeongchu* antiguo.
서랍 cajón *m* (*pl* cajones), gaveta *f*. ~을 열다 abrir el cajón. ~을 닫다 cerrar el cajón. ~에 넣다 guardar [meter · colocar] en [dentro de] un cajón. ~에서 꺼내다 sacar de un cajón.
서랑(壻郎) su yerno, su hijo político.
서러움 =설움.
서러워하다 lamentar. ¶그는 둘째 가라면 서러워할 만큼 큰 부자다 El es tan rico que nadie le aventaja.
서럽다 ser triste.
서력(西曆) era *f* cristiana, Anno Domini. ~ 1919년에 en (el año) 1919 (de la era cristiana). 금년은 ~ 2002년이다 Estamos en (el año) 2002 (de la era cristiana).
■~기원(紀元) Anno Domini, año *m* de Nuestro Señor, año *m* de Jesucristo. ¶~전(前) 2333년 el año 2333 antes de J.C. [Jesucristo].
서로 se (3인칭 복수형), mutuamente, recíprocamente, uno a otro, el uno al otro, uno de otro, el uno del otro; [세 사람 이상] unos a otros, unos de otros, los unos a los otros, los unos de los otros. ~(간)의 mutuo, recíproco. ~의 약속(約束) promesa *f* mutua. ~의 의무(義務) obligaciones *fpl* recíprocas. ~ 돕다 ayudarse, ayudarse uno a otro, ayudar(se) mutuamente, prestarse ayuda mutuamente. ~ 말하다 hablar el uno al otro [(3인 이상) unos a otros]. ~ 부르다 llamarse (uno a otro). ~ 싸우다 pelearse. ~ 친절히 지내다 hacerse cerse bien mutuamente. ~ 포옹하다 abrazarse (uno a otro). ~ 화답하다 hablarse unos a otros. ~ 조심합시다 Tengamos cuidado mutuamente. 두 사람은 ~ 미소를 교환한다 Ambos se sonríen uno a otro. 그들은 ~ 손을 마주 잡았다 Ellos se dieron las manos. 그들은 ~ 서신을 교환했다 Ellos se escribían uno a otro. 말하게 되면 사람들은 ~ 이해할 수 있다 Hablando se entiende la gente. 두 사람은 상대방의 결점을 ~ 비난한다 Ambos [Los dos] se reprochan sus vicios. 그들은 늘 ~ 비난하고 있다 Ellos siempre se están criticando el uno al otro / [세 사람 이상일 때] Ellos se están criticando unos a otros. 우리들은 ~ 충고한다 Nos aconsejamos mutuamente. 호세와 아나는 ~ 사랑하고 있지만 어느 쪽도 ~에게 말하지 않는다 José y Ana se aman, pero no se hablan. 두 사람은 ~ 찔러 죽었다 Dándose de puñaladas murieron los dos. 그녀들은 ~ 불평을 했다 Ellas se quejaban. 내 편지는 당신의 것과 ~ 가고 오고 했다 Mi carta se ha cruzado con la suya. 그는 상대와 ~ 붙잡았다 El se asía con el contrario. 걱정하지 마세요. 우리는 ~ 마찬가지 처지입니다 No se preocupe, nos ocurre a todos. ~ 화목하세요 Vivan en paz unos a otros. 너희들은 ~ 사랑하라 Amaos unos a otros.
서로서로 mutuamene, recíprocamente, uno a otro. 너와 내가 ~ 돕자 Tú y yo nos ayudaremos. 우리 ~ 돕자 Ayudémonos uno a otro.

서론(序論) introducción *f*; [서문(序文)] prólogo *m*, preámbulo *m*, prefacio *m*; [연설의] exordio *m*. ~을 술회하다 hacer las observaciones preliminares. ~으로 기록하다 poner como prefacio. 그는 ~이 길다 El se entretiene en el preámbulo.

서론(緖論) =서론(序論).

서류(書類) papeles *mpl*, piezas *fpl*; [자료. 기록] documento *m*, informe *m*, datos *mpl*; [보고서] relación *f*; [문서] escrito *m*. ~로 en documento, por escrito. 검사가 끝난 ~ papel *m* sellado. ~를 작성하다 redactar [formular] un documento.

◆기밀 ~ papeles *mpl* [documentos *mpl*] confidenciales; 【군사】 documentos *mpl* secretos.

■~ 가방 cartera *f* (de documentos), portafolio *m*. ~꽂이 fichero *m*. ~ 상자 fichero *m*, caja *f* para formularios [documentos]. ~ 송청(送廳) envío *m* de los documentos relativas a un caso (criminal) a la fiscalía. ¶~하다 enviar los documentos relativos a un caso (criminal) a la fiscalía. ~ 양식(樣式) formularios *mpl* (de papel), impreso *m*. ¶~에 기입하다 rellenar [llenar] un formulario [un impreso · *Méj* una forma]. ~장(欌) clasificador *m*. ~ 전형[심사] selección *f* por los documentos presentados. ¶후보자 ~ selección *f* de los candidatos por los documentos presentados. 후보자를 ~하다 seleccionar a los candidatos por los documentos presentados. ~철 carpeta *f*, fichero *m*. ~함 archivador *m*, clasificador *m*, kárdex *m*, *Méj* archivero *m*.

서류(庶類) clase *f* [especie *f*] ordinaria.

서른 treinta. ~ 번째(의) trigésimo. ~ 살 treinta años (de edad). 여자 ~ 명 treinta mujeres. 책 ~ 권 treinta libros.

서름서름하다 [남과] (estar) muy alejado, muy distante, muy lejano; [사물에] no estar muy familiarizado (con), no tener experiencia, saber un poco.

서름하다 ① [남과 가깝지 못하다] (estar) alejado, distanciado, separado, distante, lejano. 그의 서름한 아내 su mujer, de quien está separado. 서름하게 하다 alejar [distanciar] (a *uno* de *uno* · *algo*). 그녀는 남편과 서름한 사이다 Ella vive [está] separada de su marido. 그들은 지금 서름한 사이다 Ellos ahora están separados. ② [사물에 익숙하지 못하다] no estar familiarizado (con). 나는 그의 일에 ~ Yo no estoy familiarizado con su obra. 우리는 그런 형의 상황에는 서름하지 못하다 Nosotros tenemos experiencia de ese tipo de situación.

서릊다 tirar (a la basura), botar (a la basura), barrer, echar, expulsar.

서리[1] ① [흰 가루 모양의 얼음] escarcha *f*, helada *f* blanca. ~의 방지 protección *f* (de las plantas) contra la escarcha. ~의 방지물 abrigo *m* para las plantas contra la escarcha. ~의 용해(溶解) derretimiento *m* de la escarcha. ~가 내리다 escarchar, caer la escarcha. ~를 맞아 죽다 morir por la escarcha. ~가 내린다 Escarcha / Cae la escarcha. ② [견디기 어려운 괴로움이나 학대나 설움] aflicción *f* insoportable. ③ [백발(白髮)] cana *f*, cabello *m* blanco.

◆된~ escarcha *f* pesada. 무~ escarcha *f* temprana.

◆서리 같은 칼 [칼날] cuchillo *m* afilado, espada *f* afilada.

◆서리(를) 맞다 ㉮ [물건 위에 서리가 내리다] escarchar (en), caer la escarcha (en). ~를 맞아 시듦 marchitez *f* por la escarcha. ~를 맞아 시든 풀 hierba *f* marchitada por la escarcha. ㉯ [어떤 권력, 또는 난폭한 힘 따위에 의하여 타격이나 피해를 받고 힘을 잃음] estar frustrado, frustrarse. 서리 맞은 작가들 escritores *mpl* frustrados. 장사에서 ~ frustrarse en *su* negocio.

■~병아리 ㉮ [이른 가을에 깬 병아리] polluelo *m* [pollito *m*] nacido en el otoño temprano. ㉯ [힘없이 추레한 것] alfeñique *m*. ~ 제거 장치 [냉장고의] descongelador *m*. ~ㅅ바람 viento *m* frío. ~ㅅ발 escarcha *f* en forma de barritas. ¶~이 서다 formarse columnas de barritas. ~이 녹은 길 camino *m* deshelado. ~이 선다 Se forman barritas de escarcha (en el suelo). ~이 서 있다 Hay barritas de escarcha (en el suelo).

서리[2] [떼를 지어서 주인 모르게 훔치어다 먹는 장난] atraco *m* en grupo. ~하다 atracar la propiedad de los otros, tomar por asalto las bienes ajenos. 닭 ~ atraco *m* del pollo. 참외 ~ atraco *m* del melón.

◆서리(를) 맞다 ser robado por el atracador.

■~꾼 atracador, -dora *mf*.

서리[3] [무더기] masa *f*, grupo *m*. 사람 ~ grupo *m* de la gente, multitud *f* de las personas.

서리(犀利) agudeza *f*. ~하다 (ser) agudo.

서리(署理) [사람] encargado, -da *mf* de negocios; subdirector, -tora *mf*; director *m* adjunto, directora adjunta; representante *mf*, apoderado, -da *mf*; interino, -na *mf*; [일] administración *f* como un director adjunto. ~하다 administrar como un director adjunto. ~를 보다 representar (a), obrar con poder (de).

◆교장(校長) ~ director *m* interino, directora *f* interina. 총리(總理) ~ primer ministro *m* interino, primera ministra *f* interina.

서리다[1] ① [(그을음 · 김 · 안개 따위가) 잔뜩 끼다] empañarse. 김이 서린 창문 ventana *f* empañada. 안개가 ~ empañarse la niebla. 유리에 습기가 서린다 La humedad empaña los vidrios. ② [(향기 따위가) 함빡 풍기다] despedir. 향기를 ~ despedir perfume. ③ [(어떠한 가는 선이) 한 곳에 많이 얼크러지다] enredarse. ④ [(일정한 생각이) 마음속 깊이 자리 잡아 간직되다] traslucir, denotar, transparentar. 가슴에 서린 기억 memoria *f* transparentada en el corazón. 어머니의 말씀에는 슬픔이 서려 있었다 Las palabras de la madre traslucían [denotaban · transparentaban] su tristeza / La madre dejaba traslucir su tristeza en sus palabras.

서리다² [길고 잘 휘는 물건을 헝클어지지 않도록 빙빙 둘러서 포개어 감다] enrollar, enrollarse [enroscarse] (alrededor de). 뱀이 먹이를 서리고 있었다 La serpeinte se enrollaba alrededor de su víctima. 구렁이가 몸을 서리고 있다 La boa se enrosca [se enrolla].

서리서리 enrollando alrededor (de).

서림(書林) librería *f.*

서막(序幕) ① [연극의] primer acto *m,* acto *m* primero, apertura *f.* ② [일의 시작] comienzo *m* (del trabajo).

서머(영 *summer*) [여름] verano *m;* **【문학】** estío *m.*

■ ~스쿨 [하기 강좌. 하기 강습회] clases *fpl* de verano, curso *m* de verano; [여름 학교] escuela *f* de verano. ~ 타임 horario *m* de verano. ~ 하우스 [여름 별장] villa *f,* casa *f* de campo, chalé *m* [chalet *m*] para las vacaciones [el veraneo].

서머서머하다 tener mucha vergüenza, estar muy avergonzado.

서머하다 tener vergüenza, estar avergonzado.

서먹서먹하다 estar incómodo, sentirse incómodo, sentirse cohido, no estar al corriente (de), ser ignorante (de), desconocer. 서먹서먹하게 느끼다 sentirse desagradable [molesto]. 서먹서먹하게 하다 extrañarse [alejarse] mutuamente. 두 사람은 사이가 ~ Los dos no se llevan bien como antes / Las relaciones entre los dos se han enfriado. 그녀와 함께 있으면 ~ Cuando estoy con ella, me siento incómodo [cohibido].

서먹하다 encontrarse incómodo, no estar a gusto, dar vergüenza, no estar familiarizado. 나는 그 사람과 ~ Yo me encuentro incómodo con él / Yo no estoy a gusto con él. 나는 의사와 그것을 논의하는 것이 ~ Me resulta violento hablarlo con el médico. 그녀는 나와 이야기하는 것이 서먹했다 Le daba vergüenza contármelo.

서면(西面) ① [앞을 서쪽으로 향함] hacia el sur. ~한 창(문) ventana *f* que da hacia el [al] sur. ② [서쪽에 있는 면] lado *m* (del) oeste.

서면(書面) [편지] carta *f,* [서류] documento *m,* escritura *f,* [내용] contenido *m.* ~으로 por escrito, por (medio de) carta. ~의 왕복(往復) correspondencia *f,* trueque *m* de cartas. ~ 주문 (注文) pedido *m* escrito.

■ ~ 결의 resolución *f* documental. ~ 계약 contrato *m* documental. ~ 심리 examen *m* documentario. ~ 주문 pedido *m* escrito.

서명(書名) título *m* [nombre *m*] del libro. 「한국의 인상(印象)」이라는 ~의 책 libro *m* titulado *Las Impresiones de Corea.*

■ ~ 목록 catálogo *m* de los nombres del libro.

서명(署名) firma *f,* rúbrica *f,* su(b)scripción *f.* ~하다 firmar, poner la firma, su(b)scribir. 서류에 ~하다 firmar un escrito. 저자(著者)가 ~한 책 ejemplar *m* firmado por el autor. 조약에 ~한 국가들 los países que firmaron [suscribieron · rubricaron] el tratado, los países del tratado. 이 서류에는 대통령의 ~이 있다 Este documento tiene la firma del presidente. 여기 영수증에 ~하셔야 합니다 Usted tendrá que firmar el recibo aquí. 어디에 ~야 합니까? — 이 줄에 해 주십시오 ¿Dónde hay que firmar? — En esta línea, por favor.

■ ~국 países *mpl* firmantes. ~ 날인 la firma y el sello. ¶(서류에) ~하다 poner la firma y el sello (a). (회사의) 합병이 이미 ~되었다 La fusión ya se ha formalizado. ~부 álbum *m* de firmas. ~ 운동 campaña *f* de obtener firmas, campaña *f* para la reunión de firmas. ¶~을 하다 llevar a cabo una campaña para la reunión de firmas. ~인[자] firmante *mf,* signatorio, -ria *mf.* ~장 libro *m* de firmas.

서모(庶母) concubina *f* de *su* padre.

서목(書目) lista *f* de libros.

◆ 참고(參考) ~ lista *f* de libros de referencia, literatura, bibliografía etc.

서몽(瑞夢) sueño *m* de buen agüero, sueño *m* de buen augurio.

서무(庶務) asuntos *mpl* generales.

■ ~과 sección *f* de asuntos generales. ~실 oficina *f* de asuntos generales.

서문(序文) prólogo *m,* prefacio *m,* preámbulo *m,* discurso *m* que precede ciertas obras para explicarlas o presentarlas al público; [서론(序論)] introducción *f.* ~을 쓰다 prologar, escribir un prólogo (para), hacer un prefacio (para). 친구의 작품을 위해 ~을 쓰다 prologar [escribir un prólogo para · hacer un prefacio para] la obra del amigo.

서민(庶民) pueblo *m,* plebeyo *m,* gente *f* baja, gente *f* humilde; [대중] masas *fpl;* [집합적으로] plebe *f,* gentuza *f,* gentualla *f.* ~의 사정에 어둡다 ignorar la vida de la gente baja.

■ ~ 계급 clase *f* popular, proletariado *m.* ~ 금고 el Banco Popular, el Banco Crediticio. ~ 금융 finanzas *fpl* crediticias. ~ 문학 literatura *f* popular. ~ 사회 sociedad *f* democrática. ~적 popular. ¶이 마을은 ~이다 Este pueblo tiene un ambiente muy popular. 서반아 국왕은 매우 ~이다 El rey de España tiene un espíritu muy abierto al pueblo. ~층 clases *fpl* de la gente baja.

서반구(西半球) hemisferio *m* oeste, hemisferio *m* occidental.

서반아(西班牙) **【지명】** España. ~의 español.

■ ~ 사람 español, -la *mf.* ~어 español *m,* castellano *m,* lengua *f* española, lengua *f* castellana, idioma *m* español, idioma *m* castellano, lengua *f* de Cervantes. ¶~를 하십니까? ¿Habla usted español? 그녀는 ~를 아주 잘 한다 Ella habla español muy bien / Ella habla muy bien el español. ~어과 departamento *m* de español. ~어 사전 el Diccionario de la Lengua Española. ~ 역사 historia *f* de España. ☞에스빠냐. 스페인

서발(序跋) el prólogo y el epílogo, el prefacio y el epílogo.

서방(西方) ① [서쪽] oeste *m*, occidente *m*; [서쪽에 있는 지방] región *f* (del) oeste. ~의 oeste, occidental, del oeste. ~에 al oeste. ~을 향해 hacia el oeste. ② [서유럽 자유주의 국가] el Occidente, los países occidentales. ③ ((준말)) =서방 극락.

■~ 국가 los países de Europa del Sur. ~ 극락 [세계 · 정토] el Paraíso Occidental, el Elíseo Budista.

서방[1](書房) 【역사】 *seobang*, oficina *f* gubernamental provisional en la casa de Choi Yi 최이 en la dinastía de *Koryo*.

서방[2](書房) ((낮은말)) marido *m*, esposo *m*.

◆서방(을) 맞다 casarse una mujer. 서방(을) 맞히다 casar a una mujer.

■~님 ㉮ ((높임말)) marido *m*, esposo *m*. ㉯ [결혼한 시동생] cuñado *m* (menor) casado. ㉰ 【역사】 señorito *m*, patrón *m* (*pl* patrones). ~맞이 casamiento *m* de una mujer. ¶~하다 casarse (una mujer). ~질 adulterio *m*, acto *m* de cometer adulterio. ¶~하다 hacer cornudo, cometer meter adulterio, engañar [faltar] a *su* marido.

서배(鼠輩) grupo *m* sin ningún valor.

서버(영 *server*) ① ((운동)) sacador, -dora *mf*. ② ((컴퓨터)) servidor *m*.

◆단말(端末) ~ 【컴퓨터】 servidor *m* de terminal. 터미널 ~ 【컴퓨터】 =단말 서버.

서벅거리다 mascar suavemente.

서벅서벅 mascando suavemente.

서벅돌 piedra *f* frágil, piedra *f* que se desmenuza fácilmente.

서법(書法) ① [글씨 쓰는 법] caligrafía *f*, arte *m* de escribir, estilo *m* [arte *m*] de escritura. ② [문장(文章)을 쓰는 법] arte *m* de escribir las oraciones.

서벽(西壁) [서쪽 벽] pared *f* del oeste, muro *m* del oeste.

서벽(書癖) ① [글 읽기를 즐기는 성벽(性癖)] manía *f* de divertirse en leer los libros. ② [책을 모으는 버릇] manía *f* de coleccionar los libros. ③ [글씨를 쓰는 버릇] costumbre *f* de escribir.

서변(西邊) ① [서쪽 부근] cercanías *fpl* del oeste. ② [서쪽의 변두리] suburbio *m* del oeste.

서봉(西峰) cumbre *f* [cima *f*] del oeste.

서부(西部) oeste *m*, occidente *m*, parte *f* del oeste, parte *f* occidental; [지방] región *f* del oeste, región *f* occidental, el Oeste. ~의 occidental, (del) oeste, ponentino, ponentisco.

■~극 película *f* occidental [del oeste]. ~음악 música *f* occidental. ~ 전선(前線) el Frente Occidental. ~ 활극(活劇) película *f* occidental, película *f* del oeste.

서부렁섭적 con un salto ligero.

서부렁하다 quedarse ligeramente flojo.

서북(西北) ① [서쪽과 북쪽] el oeste y el norte. ② [북서(北西)] noroeste *m*, Noroeste *m*. ~의 noroeste, del noroeste, noroccidental. ③ ((준말)) =서북간(西北間). ④ [서도(西道)와 북관(北關)] provincias *fpl* de *Hwanghaedo*, *Pyeongando* y *Hamgyeongdo*.

■~서(西) oesnoroeste *m*. ~풍 viento *m* (del) noroeste. ~ 항로 el Paso del Noroeste. ~ 해안 costa *f* (del) noroeste. ~향 hacia el noroeste.

서분서분 dócilmente, con docilidad, sumisamente. ~하다 (ser) dócil, sumiso.

서분하다 quedarse ligeramente flojo.

서분한살 flecha *f* gruesa y ligera.

서붓 con un paso ligero y rápido.

서붓서붓 con un paso ligero y rápido.

서브(영 *serve*) ((테니스)) saque *m*, servicio *m*. ~하다 tener el saque [el servicio], sacar, servir. ~를 받다 recibir el servicio [el saque]. ~가 훌륭하다 [서투르다] ser un buen [mal] jugador que tiene el saque. 너는 ~를 개선해야 한다 Tú deberías mejorar el servicio [el saque]. 퍼스트 ~! Primer servicio! / Primer saque! 세컨드 ~! Segundo servicio! / Segundo saque!

■~권(權) saque *m*, servicio *m*. ¶~을 얻다 obtener el saque [el servicio]. ~을 되찾다 recuperar el saque [el servicio]. ~라인 línea *f* de servicio, línea *f* de saque.

서브타이틀(영 *subtitle*) [부제(副題)] subtítulo *m*. ~을 붙이다 subtitular, poner un subtítulo (a).

서비스(영 *service*) ① [봉사] servicio *m*, atención *f*. ~하다 servir (a), prestar servicio (a), atender (a). ~가 좋은 de servicial. ~가 좋다 ser servicial. ~가 나쁘다 no ser servicial. 이것은 ~입니다 Esto lo paga la casa. 이 식당은 ~가 좋다 [나쁘다] En este restaurante atienden bien [mal] / En este restaurante el servicio es bueno [malo]. 이 호텔은 ~가 놀랍다 Este hotel tiene magnífico servicio. 그 가게는 ~가 지나치다 Esta tienda cansa [abruma] con su servicio exagerado [excesivo]. ② ((테니스)) [서브] saque *m*, servicio *m*. ~하다 sacar, servir.

◆테이블 ~ servicio *m* de camarero [*Col*, *Méj* meseros · *CoS*, *Per* de mozos · *Ven* de mesoneros].

■~료 propina *f*, servicio *m*; [은행의] comisión *f*. ¶~ 포함해서 el servicio incluido [inclusive]. ~ 는 별도로 el servicio aparte, sin incluir el servicio. ~ 포함해서 20%를 청구하다 pedir un veinte por ciento por el servicio. 10%의 ~가 있다 Se cobra un diez por ciento de servicio. ~는 포함

되지 않음 ((게시)) Servicio no incluido. ~ 산업 industria *f* de servicios. ~ 스테이션 [주유소] estación *f* de servicio, gasolinera *f*. ~업 servicios *mpl*. ~ 정신 espíritu *m* de servicio.

서뿐 =사뿐.

서뿟 con un paso ligero.

서뿟서뿟 con un paso ligero.

서사(序詞) =머리말. 서문(序文).

서사(敍事/抒事) descripción *f*, narración *f*. ~하다 describir, narrar.

■ ~문(文) descripción *f*, narrativa *f*. ~적 narrativo *adj*. ~체 estilo *m* narrativo.

서사(書士) escribano, -na *mf*.

서사(書寫) ① [글로 적음] anotación *f*, apunte *m*. ~하다 anotar, apuntar, escribir. ② [필사(筆寫)] copia *f*. ~하다 copiar, transcribir. 한 절(節)을 공책에 ~하다 copiar un párrafo en el cuaderno.

■ ~료 precio *m* de copia.

서사모아(西 Samoa) 【지명】 (el Estado de) Samoa Occidental.

서사시(敍事詩) 【문학】 épica *f*, poesía *f* épica, poema *m* épico, epopeya *f*. ~의 épico.

◆ 부르주아 ~ épica *f* burguesa.

■ ~ 시대 era *f* de la épica. ~인 poeta *m* épico, poetisa *f* épica. ~적 épico. ~적 연극 teatro *m* épico. ~적 직유 símil *m*. ~적 질문 cuestión *f* épica.

서산(西山) montaña *f* [monte *m*] del oeste.

■ ~낙일(落日) sol *m* poniente.

서상(瑞相) buen agüero, buen augurio.

서생(書生) ① [유학(儒學)을 닦는 사람] confuciano, -na *mf*. ② [남의 집에 묵으면서 일을 하여 주며 공부하는 사람] estudiante *mf* que estudia estando de servicio en una familia.

서생(庶生) hijos *mpl* de la concubina.

서생원(鼠生員) ((속어)) rata *f*, ratón *m*.

서서(瑞西) 【지명】 Suiza *f*. ~의 suizo. ☞스위스

서서히(徐徐-) lentamente, despacio, pausadamente, con lentitud, a paso lento; [저속(低速)으로] a pequeña velocidad; [서두르지 않고] sin darse prisa; [태평스레] con toda tranquilidad; [조금씩] poco a poco, paso a paso; [점차] gradualmente, paulatinamente, progresivamente; [신중히] deliberadamente, con premeditación. ~ 후퇴하다 retradecer gradualmente [paso a paso]. ~ 건강을 회복하다 recobrar la salud gradualmente [paulatinamente]. 한국의 공업이 ~ 발전하고 있다 La industria de Corea se desarrolla progresivamente. 경기가 ~ 나아져 간다 La economía viene mejorando poco a poco [lentamente]. 병은 그의 육체를 ~좀먹어 간다 La enfermedad va minando poco a poco su salud.

서설(序說) preludio *m*, introducción *f*.

서설(敍說) explanación *f*, descripción *f*. ~하다 explanar, describir.

서설(瑞雪) nieve *f* de buen agüero.

서성(書聖) buen calígrafo *m*, buena calígrafa *f*; buen pendolista *f*, buena pendolista *f*.

서성거리다 deambular, pasear, andar sin objeto, andar al azar, vagar, vagabundear; [거리를] callejear, corretear. 명동(明洞)을 ~ callejear por *Myeongdong*.

서성서성 deambulando, vagando, callejeando, correteando. ~하다 deambular, vagar, callejear.

서속(黍粟) mijo *m*.

서수(序數) número *m* ordinal.

■ ~사(詞) numeral *m* ordinal. ~ 형용사 adjetivo *m* numeral ordinal.

서술(敍述) descripción *f*, narración *f*, narrativa *f*, relato *m*. ~하다 describir, narrar, relatar.

■ ~문 predicado. ~법[형] modo *m* predicativo. ~ 보어 complemento *m* predicativo. ~부 predicado *m*. ~어 predicado *m*. ~자 narrador, -dora *mf*. ~적 descriptivo, narrativo, predicativo. ¶~으로 descriptivamente, narrativamente, predicativamente. ~절 cláusula *f* predicativa. ~ 형용사 adjetivo *m* predicativo.

서스펜스(영 *suspense*) suspensión *f*, suspenso *m*, suspense *ing.m*.

■ ~ 영화 película *f* de suspense.

서슬 ① [칼날의 날카로운 부분] lo afilado, *AmL* lo filoso, *Chi*, *Per* lo filudo; [뾰족한 끝의] lo puntiagudo. ~이 시퍼런 칼 espada *f* afilada [filosa · filuda]. ② [날카로운 기세] temple *m*, entereza *f*, espíritu *m*.

◆ 서슬이 시퍼렇다[푸르다] (ser) animoso, fogoso.

서슴거리다 vacilar, titubear.

서슴다 vacilar, titubear. 서슴지 않고 sin titubear, sin vacilación. 그녀는 조금도 서슴지 않고 대답했다 Ella contestó sin titubear [sin la menor vacilación]. 나는 서슴지 않고 그를 추천했다 Yo le recomendé sin reservas. 그는 서슴지 않고 제안을 받아들였다 El no vaciló [no dudó] en aceptar la oferta.

서슴서슴 [말을] sin titubeos, titubeantemente; [동작을] vacilantemente, tambaleantemente. ~하다 titubear, balbucear, vacilar. ~ 말하다 hablar sin vacilar.

서슴없다 (ser) resuelto, decidido.

서슴없이 sin vacilar, sin vacilación. 그는 ~ 수락했다 El aceptó sin vacilar.

서시(序詩) poesía *f* de introducción.

서식(書式) formulario *m*, fórmula *f* (fija), modelo *m*. ~대로, ~에 의해 en debida forma, formulariamente. ~대로 쓴 계약서 contrato *m* en buena [debida] forma. ~대로 기록하다 formular. 계약서를 ~대로 작성하다 redactar el contrato en *su* debida [en estricta conformidad con la fórmula], formular el contrato. 이 서류는 ~이 틀렸다 Este documento no está redactado en debida forma.

◆ 송장(送狀) ~ formulario *m* de factura. 수표(手票) ~ formulario *m* de cheque. 주문(注文) ~ formulario *m* de pedidos.

■ ~집 formulario *m.* ¶서간(書簡)~ formulario *m* espitolar.

서식(棲息) habitación *f*, morada *f.* ~하다 habitar, morar, vivir, residir; [새 따위가] anidar, acogerse. ~할 수 있는 habitable. ~할 수 없는 inhabitable. ~할 수 있다 ser habitable. 수중에 ~하다 vivir en el agua. 숲에 ~하다 habitar en el bosque. 지구상에 ~하다 habitar en la tierra. 지중(地中)에 ~하다 habitar [vivir] bajo (la) tierra.

■ ~ 동물(動物) animal *m* habitador. ~지(地) habitat *m*, hábitat *m*, habitación *f.*

서신(書信) carta *f*, epístola *f*; [서신 왕래] correspondencia *f.*

서아시아(西 Asia) el Asia *f* (del) oeste, el Asia *f* occiedental.

서악(西樂) música *f* occidental.

서악(序樂) ① [모든 기악] todas las músicas instrumentales. ② =서곡(序曲).

서안(西岸) costa *f* del oeste, costa *f* occidental.

서안(書案) ① [재래식 책상] mesa *f* tradicional. ② [문서의 초안(草案)] minuta *f* [borrador *m*] del documento.

서약(誓約) juramento *m*, promesa *f* (solemne); [신(神)에 대한] voto *m.* ~하다 hacer un juramento, dar palabra, jurar bajo juramento, hacer promesa solemne (de + *inf*). ~을 지키다 guardar *su* juramento [*su* palabra]. ~을 파기하다 faltar a [romper] *su* juramento [la palabra (solemne)]. 그는 비밀을 지키겠다고 ~했다 El ha jurado guardar el secreto.

■ ~문(文) juramento *m* escrito. ~서(書) juramento *m* escrito, promesa *f* firmada.

서양(西洋) el Occidente. ~의 occidental; [유럽의] europeo.

■ ~ 가구 mueble *m* europeo [occidental]. ~국 todos los países occidentales. ~목(木) tela *f* de algodón. ~ 무용 danza *f* occidental [europea], baile *m* occidental [europeo]. ~ 문명 civilización *f* occidental. ~ 문학 literatura *f* occidental, literatura europea. ~배 pera *f* europea. ~사(史) la Historia Europea, la Historia de Europa. ~사(紗) muselina *f* de seda importada. ~식 estilo *m* occidental [europeo]. ~ 영화 película *f* europea [occidental]. ~ 요리(料理) cocina *f* europea [occidental], plato *m* europeo [occidental], comida *f* europea [occidental]. ~ 음악 música *f* europea [occidental]. ~인 occidental *mf*; [유럽인] europeo, -a *mf.* ~ 장기 ajedrez *m* (*pl* ajedreces). ~ 제국 países *mpl* occientales. ~종(種) especie *f* europea. ~풍 estilo *m* europeo [occidental]. ~화(化) europeización *f*, occidentalización *f.* ~화(畵) pintura *f* al óleo, pintura *f* europea [occidental]. ~화가 pintor, -tora *mf* al óleo.

서어(鉏語) desacuerdo *m*, discordia *f.*

서언(序言) prólogo *m*, preámbulo *m*, prefacio *m*, introducción *f.* ~하다 poner un prólogo a un libro, hacer un exordio.

서언(緒言) =서언(序言).

서언(誓言) juramento *m*, jura *f*, promesa *f*, voto *m.* ~하다 jurar, declarar bajo juramento, prometer bajo palabra de honorar, votar, hacer voto (de).

서얼(庶孼) hijo *m* natural y *sus* descendientes.

■ ~차대(差待) 【역사】 distinción *f* del hijo natural y *sus* descendientes.

서역(西域) 【역사】 países *mpl* del oeste de China.

서역(西譯) [서반아어로 번역] traducción *f* al español. ~하다 traducir al español. 한글을 ~하십시오 Tradúzcan ustedes el coreano al español.

서열(序列) orden *m*, grado *m*; [고위의] rango *m.* …보다 ~이 위[아래]다 ser superior [inferior] a *uno* en el rango, ser más alto [bajo] de rango que *uno.*

서열(暑熱) calor *m.*

서염(暑炎) calor *m* muy severo.

서예(書藝) caligrafía *f*, arte *m* de escritura.

■ ~가(家) calígrafo, -fa *mf.*

서운(瑞雲) nube *f* de buen agüero.

서운(瑞運) fortuna *f* de buen agüero.

서운(曙雲) nube *f* de la madrugada.

서운하다 sentirse. 나는 무척 서운합니다 Me siento mucho.

서운해하다 sentirse. 그녀는 무척 서운해했다 Ella se sintió mucho.

서울 ① [한 나라의 중앙 정부가 있는 곳] capital *f.* 서반아의 ~ 마드리드 Madrid, la capital de España. 언제 ~에 갑니까? *ReD* ¿Cuándo va usted a la capital? ② [우리 나라의 수도 이름] Seúl. 오늘 ~의 날씨는 어떻습니까? ¿Qué tiempo hace hoy en Seúl?

■ 서울에 가야 과거를 급제하지 ((속담)) Quien no se arriesga, no pasa la mar / El que no arriesga no gana / Quien no se arrisca, no aprisca / Si no nos arriesgamos no conseguimos nada.

■ ~까투리 persona *f* sin timidez. ~깍쟁이 seulense *m* astuto, seulense *f* astuta. ~내기 seulense *mf*, nacido, -da *mf* en Seúl, persona *f* que nació en Seúl. ~뜨기 seulense *mf*, capitaleño, -ña *mf.* ~말 lengua *f* [idioma *m*] seulense. ~ 사람 seulense *mf*, seulita *mf*, capitaleño, -ña *mf.* ~ 시민(市民) ciudadano, -na *mf* de Seúl, seulense *mf.* ~ 시장 alcalde, -desa *mf* de Seúl. ~ 시청 ayuntamiento *m* [municipio *m*] de Seúl. ~역 estación *f* de Seúl. ~ 역장 jefe, -fa *mf* de la estación de Seúl. ~ 장안(長安) toda Seúl.

서울시(一市) 【지명】 ciudad *f* de Seúl.

서울 은행(一銀行) el Banco de Seúl.

서울 중앙 방송국(一中央放送局) la Estación Emisora Central de Seúl.

서울특별시(一特別市) Metrópoli(s) *f* de Seúl, la Ciudad Especial de Seúl.

■ ~장 alcalde, -desa *mf* de la Metrópoli de Seúl.

서원(書院) 【고제도】 *seowon*, escuela *f* privada (en la dinastía de *Choson*).
서원(署員) empleado, -da *mf* de la comisaría [de la oficina de impuestos · del cuartel de bomberos].
서원(誓願) ① ((불교)) promesa *f*. ~하다 hacer promesa solemne (de). ② ((천주교)) voto *m*. ~하다 hacer voto (de). ~의 votivo.
◆공(公)~ voto *m* solemne; promesa *f* solemne.
■~ 미사 misa *f* de voto.
서유럽(西 Europe) 【지명】 la Europa Occidental, la Europa del Oeste.
서으로(西-) ☞서(西)
서음(書淫) manía *f* de lectura; [사람] maniaco, -ca *mf* de lectura.
서이 ① [세 사람] tres personas. ② [세 사람이서] con tres personas.
서인(庶人) =서민(庶民).
서인도 제도(西印度諸島) 【지명】 Las Antillas. ~의 antillano, afroantillano.
■~ 사람 antillano, -na *mf*; caribe *mf*.
서임(敍任) nombramiento *m*, designación *f*. ~하다 nombrar, designar.
서자(庶子) hijo *m* natural, hijo *m* ilegítimo, bastardo *m*.
서자녀(庶子女) hijos *mpl* naturales, hijos *mpl* ilegítimos, bastardos *mpl*.
서작(敍爵) ennoblecimiento *m*, otorgamiento *m* de la nobleza. ~하다 conferir [otorgar] la nobleza, ennoblecer.
서장(西藏) 【지명】 el Tibet. ~의 tibetano.
■~ 사람 tibetano, -na *mf*.
서장(書狀) [편지] carta *f*, epístola *f*.
서장(署長) ① [한 서(署)의 우두머리] jefe, -fa *mf*, director, -tora. ② ((준말)) =경찰서장.
서재(書齋) ① [서실(書室)] biblioteca *f*, escritorio *m*, despacho *m*, estudio *m*, sala *f* de estudio. ② =글방.
■~인(人) erudito, -ta *mf*; estudioso, -sa *mf*; persona *f* académica.
서적(書籍) libros *mpl*.
■~광 bibliómano, -na *mf*. ~상 librero, -ra *mf*.
서전(瑞典) 【지명】 Suecia *f*. ~의 sueco. ☞스웨덴
서전(緖戰) comienzo *m* de la guerra.
서절(暑節) estación *f* caliente, pleno verano *m*.
서점(西漸) penetración *f* hacia el oeste [en dirección oeste]. ~하다 penetrar hacia el oeste [en dirección oeste].
서점(書店) librería *f*. ~주인 librero, -ra *mf*.
서정(敍情) lira *f*, lirismo *m*. ~의 lírico. ~이 넘치는 lleno [pleno · rebosante] de lirismo.
■~문 escritura *f* lírica. ~미 lirio *m*. ~성 lirio *adj*. ~시(詩) lírica *f*, poesía *f* lírica, poema *m* lírico. ~ 시인(詩人) lírico, -ca *mf*; poeta *m* lírico, poetisa *f* lírica. ~적 lírico.
서정(庶政) asuntos *mpl* administrativos generales.
■~쇄신 renovación *f* [purificación *f*] de los círculos oficiales [de la burocracia].
서제(序題) =서문(序文).
서조(瑞兆) buen agüero *m* [augurio *m* · presagio *m*].
서조(瑞鳥) pájaro *m* de buen agüero (como félix).
서족(庶族) descendientes *mpl* de la concubina.
서주(序奏) introducción *f*.
■~곡 preludio *m*.
서중(暑中) durante el pleno verano.
서지(書誌) libro *m*.
■~학 bibliografía *f*. ~ 학자 bibliógrafo, -fa *mf*.
서지(영 *serge*) sarga *f*.
서진(西進) avance *m* hacia el oeste. ~하다 avanzar hacia el oeste.
서진(書鎭) pisapapeles *m.sing.pl*.
서질(書帙) ①=서적(書籍). ② [책 보관용 헝겊 덮개] cubierta *f* de tela para guardar un libro o unos libros.
서쪽(西-) oeste *m*, poniente *m*, occidente *m*, ocaso *m*. ~의 (del) oeste, occidental, ponentino. ~에 al oeste. 해는 ~으로 진다 El sol se pone por el oeste. 저 멀리 ~에 삼각산이 솟아 있다 El monte *Samgak* se alza [se eleva] al oeste.
서차(序次) =차례(次例).
서찰(書札) carta *f*, epístola *f*.
서창(西窓) ventana *f* que da al oeste.
서책(書冊) libro *m*.
서천 jornal *m* del carpintero.
서천(西天) ① [서쪽 하늘] cielo *m* del oeste. ② ((준말)) =서천 서역국(西天西域國).
서철(西哲) ① [서양의 철학자] filósofo *m* occidental [europeo · del Occidente]. ② [서양 철학] filosofía *f* occidental [europea · del Occidente].
서첩(書帖) álbum *m* de recortes de escritos y pinturas.
서체(書體) escritura *f*; [서도(書道)의] estilo *m* caligráfico.
서체(暑滯) indigestión *f* causada por el calor.
서출(庶出) niño *m* [hijo *m*] ilegítimo, niña *f* [hija *f*] ilegítima; hijo *m* bastardo, hija *f* bastarda. ~의 ilegítimo, bastardo.
서치라이트(영 *search light*) proyector *m*, reflector *m*. ~를 켜다 encender el proyector [el reflector]. ~를 끄다 apagar el proyector [el reflector].
서캐 【곤충】 liendre *f*, huevecillo *m* del piojo.
■서캐 훑듯 한다 ((속담)) Se busca hasta en el último rincón / Se registra de arriba a abajo.
서커스(영 *circus*) circo *m*. ~를 보러 가다 ir a ver el circo.
■~단 compañía *f* de circo.
서클(영 *circle*) círculo *m*, grupo *m*, tertulia *f*.
◆문학(文學) ~ grupo *m* literario, tertulia *f* literaria.
■~ 활동(活動) actividades *fpl* culturales

y deportivas en grupo.

서털구털 torpemente, con torpeza, groseramente. ~하다 (ser) torpe, patoso, grosero, maleducado, zafio. ~한 품행 modales *mpl* groseros, modales *mpl* maleducados. ~한 대답을 하다 responder [contestar] al azar.

서투르다 ① [일에 익숙하지 못하다] (ser) inhábil, inexperto, novato, imperito, no cualificado, no calificado, no especializado, malo, torpe, desmañado, pobre, chambón (*pl* chambones); [외국어가] chapurrear, chapurrar. 서투르게 만든 mal hecho, desmañado, torpe. 서투른 거짓말 mentira *f* torpe, mentira *f* desmañada. 서투른 그림 cuadro *m* mediocre. 서투른 농담 broma *f* [chanza *f*] sin gracia. 서투른 문사(文士) escritorzuelo, -la *mf*, plumífero, -ra *mf*. 서투른 문장(文章) mal estilo *m*, estilo *m* torpe. 서투른 시인(詩人) poetastro, -tra *mf*. 서투른 익살 retruécano *m*, juego *m* de palabras. 서투른 한글 hangul *m* [coreano *m*] chapurreado. 서투른 화가(畵家) pintorzuelo, -la *mf*. 서투른 익살을 부리다 decir [ehar] un retruécano. 서투른 짓을 하다 cometer una torpeza. …하는 것이 ~ no ser hábil en + *inf*. 춤이 ~ ser mal bailador [mala bailadora *f*]. 서투른 짓을 하다간 … 하다 En el peor de los caos + *ind*. 서반아어가 ~ chapurrear español, hablar un español pobre, hablar español muy mal, hablar muy mal español. 그는 서반아어가 ~ El habla mal español / El habla un español muy pobre. 그는 문장이 ~ El tiene mal estilo. 이것은 서툰 조처(措處)다 Esta disposición deja mucho que desear. 너는 테니스 치는 것이 서툴러졌군 No juegas al tenis tan bien como antes.
② [전에 만나본 바가 없어 어색하다] desconocido, nuevo. 이름이 나에게는 ~ El nombre me resulta desconocido / El nombre no me es familiar.
③ [(감정·생각 등이) 어색하고 서먹하다] no estar familiarizado. 나는 그의 작품에 ~ Yo no estoy muy familiarizado con su obra. 우리는 이런 형태의 상황에 서투르지 않다 Tenemos experiencia de este tipo de situación.
■서투른 과방 안반 타박 ((속담)) =서투른 무당이 장구만 나무란다.
■서투른 목수가 연장만 나무란다 ((속담)) =서투른 무당이 장구만 나무란다.
■서투른 (선) 무당이 장구만 나무란다 ((속담)) Un mal carpintero riñe con sus herramientas.
■서투른 숙수(熟手)가 피나무 안반만 나무란다 ((속담)) =서투른 무당이 장구만 나무란다.
서투르게 mal, inhábilmente.

서툴다 ((준말)) =서투르다.

서편(西便) (parte *f*) oeste *m*.

서편(西偏) inclinación f hacia el oeste.

서편제(西便制) 【음악】 *seopyeonche*, una escuela de la canción popular.

서평(書評) reseña *f* [informe *m* · crítica *f*] de libros. ~하다 reseñar (un libro), dar [publicar] una reseña crítica (de un libro), hacer la crítica de libros. ~을 쓰다 escribir la crítica de libros.
■~가(家) crítico, -ca *mf* de libros. ~난(欄) columnas *fpl* de la crítica de libros.

서포터(영 *supporter*) ① [지지자. 후원자] partidario, -ria *mf*. ② [운동 선수들의 음부나 중요 부위를 보호하기 위해 차는 것] suspensorio *m*.

서표(書標) señalador *m*, marcador *m*. 책에 ~를 해 두다 tener puesto un señalador en un libro. 책에 ~을 끼우다 insertar [introducir] un señalador en el libro.

서푼 con pasos ligeros y rápidos.
서푼서푼 con pasos ligeros y rápidos

서푼(-分) ① [한 푼의 세 곱] tres *pun*. ② [아주 보잘 것 없는 것] cosa *f* insignificante.

서푼목정 carne *f* debajo de la nuca de la vaca.

서품(敍品) ordenación *f*. ~하다 dar órdenes, hacer órdenes.
■~식 ceremonia *f* de ordenación.

서풋 con un paso ligero.
서풋서풋 con un paso liegero.

서풍(西風) viento *m* (del) oeste, céfiro *m*.

서풍(書風) estilo *m* de escritura, estilo *m* de caligrafía.

서핑(영 *surfing*) [파도타기] surf *m*, surfing *ing.m*. ~을 하다 jugar al monopatín.
■~ 보트 monopatín *m* (*pl* monopatines). ~ 클럽 club *m* de surf, club *m* de surfing.

서학(西學) ① [서양의 학문] conocimientos *mpl* occidentales. ② =천주교(天主敎).

서한(西韓) [서반아와 한국] España y Corea. ~의 español y coreano, español-coreano.
■~ 사전 el Diccionario Español-Coreano.

서한(書翰) carta *f*, epístola *f*, correspondencia *f*.
■~집 libro *m* de colección de cartas. ~체 estilo *m* epistolar.

서해(西海) ① [서쪽에 있는 바다] mar *m* del oeste. ② [황해(黃海)] el Mar Amarillo.
■~안 ㉮ [서해의 해안] costa *f* del mar del oeste. ㉯ [우리 나라의 황해와 접한 해안] costa *f* del Mar Amarillo.

서행(徐行) velocidad *f* reducida. ~하다 ir despacio, ir a poca velocidad; [감속하다] disminuir la velocidad, moderar la velocidad. ~! ((게시)) Marcha lenta! ~하시오 Despacio! / Vaya a poca velocidad!

서향(西向) ① [서쪽으로 향함] hacia el oeste. ~하다 dar al oeste. ② [서쪽 방향] dirección *f* del oeste. ~하다 ir hacia el oeste.
■~집 casa *f* hacia el oeste. ~판 solar *m* hacia el oeste.

서형(庶兄) hermano mayor ilegítimo.

서혜(鼠蹊) 【해부】 =샅(ingle). ¶~의 inguinal, inguinario.
■~관 canal *m* abdominal. ~부 ingle *f*. ~

선(腺) =서혜 임파선(鼠蹊淋巴線). ~ 음순 labio *m* inguinal. ~ 인대(靭帶) igamento *m* inguinal. ~ 임파선 glándula *f* inguinal. ~통 buboralgia *f.*

서화(書畵) pinturas *fpl* y caligrafías [escrituras].
■ ~가 calígrafo, -fa *mf* y pintor, -tora. ~ 골동 objetos *mpl* de arte y curiosidades. ~상 comercio *m* de pinturas y caligrafías; [장수] comerciante *mf* de pinturas y caligrafías. ~전 ((준말)) =서화 전람회(書畵展覽會). ~ 전람회 exposición *f* de pinturas y caligrafías. ~첩 libro *f* de colección de pinturas y caligrafías. ~포(鋪) tienda *f* de pinturas y caligrafías. ~회 asociación *f* de pinturas y caligrafías.

서훈(敍勳) condecoración *f.* ~하다 dar [conceder · otorgar] una conderación, conderar. ~을 받다 ser condecorado. 장군은 ~받았다 El general fue condecorado con una cruz.

석[1] tres. ~ 달 tres meses.

석[2] [배를 메어 두기에 알맞은 곳] lugar *m* adecuado para atar el barco.

석[3] ① [단번에 거침없이 베어지거나 썰어지는 모양] cortando bien. ② [거칠게 한 번 문지르거나 닦는 모양] frotando bruscamente.

석[1](石) 【악기】 =경쇠.

석[2](石) =섬.

석(錫) 【화학】 =주석(朱錫).

석(釋) ① =석가(釋迦). ② [불교] budismo *m.* ③ [중] sacerdote *mf* [monje, -ja *mf*] budista.

-석(席) asiento *m.* 관람~ asiento *m*, localidad *f*, tribuna *f.* 내빈(來賓)~ asientos *mpl* para huéspedes. 노인~ asiento *m* para los ancianos, (asiento *m*) reservado *m.* 부인~ asiento *m* para damas [señoras]. 장애인 및 노약자~ (asiento *m*) reservado *m.*

석가(釋迦) ① [고대 인도의 한 종족] los sakyas, clan *m* [familia *f*] del Buda. ② ((준말)) =석가모니(釋迦牟尼).
■ ~일대 [오랜 세월] largo tiempo *m*; [물건이 질겨 오래감] duración *f.* ~탑 pagoda *f* para guardar los dientes, el pelo, las reliquias, etc. de Shakamuni. ~ 탱화 retrato *m* de Shakamuni, retrato *m* de Buda. ~ 행적(行績) historia *f* de la vida de Shakamuni.

석가(釋家) familia *f* de los sakyas.

석가모니(釋迦牟尼) 【인명】 Sakyamuni, Zâkyamuni, Shakamuni, fundador *m* del budismo, hijo *m* del jefe de la tribu de los sakyas, santo *m* de la tribu de los sakyas.
■ ~불 Buda *m* de Sakyamuni. ~여래 = 석가모니.

석가문(釋迦文) ((불교)) =석가모니(釋迦牟尼).
■ ~불 =석가모니불(釋迦牟尼佛).

석가문니(釋迦文尼) ((불교)) =석가모니.

석가산(石假山) colina *f* [montecillo *m* · montículo *m*] artificial en un jardín.

석각(夕刻) atardecer *m.* ~에 al atardecer.

석각(石角) ángulo *m* de la roca.

석각(石刻) escultura *f* en piedra. ~하다 esculpir en piedra.
■ ~장이 =석수(石手). ~화(畵) pintura *f* esculta en piedra.

석간(夕刊) ((준말)) =석간 신문(夕刊新聞).
■ ~신문 diario *m* de la tarde, periódico *m* verpertino [de la tarde], edición *f* de la tarde. ¶ A사의 어제 ~에 따르면 según la edición verpertina de ayer del A.

석간(石間) entre las piedras, grieta *f* de la roca.
■ ~송(松) pino *m* en la grieta de la roca. ~수 (水) =돌샘.

석경(夕景) paisaje *m* de la tarde, paisaje *m* de atardecer.

석경(石鏡) ① [유리로 만든 거울] espejo *m* de cristal [vidrio]. ② =면경(面鏡).

석계(石階) escalera *f* de piedra, tramo *m* de escalón *m* (*pl* escalones) de piedra.

석고(石膏) yeso *m*; [도료용의] estuco *m.* ~의 yesero. ~질의 yesoso. ~칠 enlucido *m.* ~칠을 한 enlucido. 벽에 ~를 칠하다 enlucir [enyesar] la pared, estucar la pared.
■ ~ 공장 yesería *f.* ~끌 cincel *m* para la estatua de yeso. ~ 붕대 venda *f* de yeso. ~상 estatua *f* de yeso. ~색 color *m* blanco. ~ 세공 obra *f* de yeso, yesería *f.* ~ 세공품 obra *f* de yeso, yesería *f.* ~틀 [형] molde *m* de yeso. ~ 흉상 busto *m* de yeso.

석고대죄(席藁待罪) acción *f* de esperar el castigo arrodillándose en la estera de paja.

석공(石工) ① [석수(石手)] picapedrero *m*, albañal *m*, cantero *m*, labrador *m* de piedra. ② ((준말)) =석공업(石工業).
■ ~업 albañilería *f*, mampostería *f.*

석곽(石槨) ① [돌로 만든 곽] ataúd *m* de piedra. ② [돌로 만든 고분 현실(玄室)의 벽] pared *f* del hoyo de la tumba antigua
■ ~묘 tumba *f* de ataúd de piedra.

석관(石棺) ataúd *m* de piedra, sarcófago *m.*
■ ~장(葬) funeral *m* con el ataúd de piedra.

석광(石鑛) 【광물】 =석혈(石穴).

석광(錫鑛) 【광산】 mina *f* de estaño.

석괴(石塊) =돌덩이.

석교(石橋) puente *m* de piedra.

석교(釋敎) ((불교)) budismo *m*, enseñanza *f* de Buda, escuela *f* de Sakyamuni.

석구(石臼) molino *m* de piedra.

석굴(石-) 【조개】 =굴조개.

석굴(石窟) caverna *f* de roca, caverna *f* de piedra.

석굴암[1](石窟庵) ermita *f* de la cueva de piedra.

석굴암[2](石窟庵) 【고적】 *Seokguram*, ermita *f* de gruta que está al este del monte de *Tohamsan.*

석궁(石弓) ballesta *f.*

석권(席卷) dominio *m.* ¶~하다 arrollar, arrasar, dominar. 유럽을 ~하다 arrollar toda Europa. 우리 팀이 시리즈를 ~했다 Nuestro equipo arrolló [arrasó] en la serie.

석기(石器) instrumento *m* [utensilio *m*] de piedra.

■~ 시대 la Edad de Piedra. ¶신(新)~ edad *f* neolítica, neolítico *m*. 중(中)~ edad *f* mesolítica, mesolítico *m*. 구(舊)~ edad *f* paleolítica, paleolítico *m*.

석남(石南/石楠) 【식물】 ① rododendro *m*. ② =만병초(萬病草).

석녀(石女) mujer *f* infecunda, mujer *f* estéril..

석년(昔年) ① [여러 해 전(前)] hace unos años; [옛날] tiempo *m* antiguo. ② [지난 해] año *m* pasado.

석노(石砮) punta *f* de flecha de piedra.

석뇌유(石腦油) nafta *f*, petróleo *m* crudo.

석다 ① [쌓인 눈이 속으로 녹다] derretirse, fundirse, deshacerse. ② [빚어 담근 술이나 식혜 따위가 익을 때 괴는 물방울이 속으로 사라지다] añejarse. 술이 석었다 El vino se añejó.

석다치다 llevar [guiar·conducir] el caballo con un freno [bocado] en su boca.

석단(石段) escalera *f* de piedra, tramo *m* de escalón de piedra.

석대(石臺) terraplén *m* de piedra.

석도(石刀) espada *f* de pierdra.

석돌 ((준말)) =푸석돌.

석동(石洞) cuerva *f* de piedra.

석두(石頭) persona *f* estúpida [tonta·idiota]. 이 ~야! Qué tonto!

석둑 =삭둑.

석둑거리다 =삭둑거리다.

석둑석둑 =삭둑삭둑.

석등(石燈) farola *f* de piedra.

석등롱(石燈籠) farola *f* de piedra.

석등잔(石燈盞) recipiente *m* de lámpara de aceite de piedra.

석란(石欄) baranda *f* de piedra.

석랍(石蠟) 【화학】 parafina *f*.

석류(石榴) ① [석류나무의 열매] granada *f*, fruto *m* del granado. ② 【한방】 corteza *f* de la granada. ③ =석류병(石榴餠).

■~꽃 flor *f* del granado. ~문(紋) figura *f* de la granada. ~밭 granadal *m*. ~병(餠) tarta *f* [pan *m* coreano] de la forma de granada. ~석(石) 【광물】 granate *m*; [흑(黑)] granate *m* melanita; [홍(紅)] piropo *m*; [적(赤)] almandina *m*. ~잠 pasador *m* de oro [plata] con una granada. ~즙 granadina *f*, zumo *m* [*AmL* jugo *m*] de granada. ~피(皮) ㉮ [석류 껍질] corteza *f* del granado. ㉯ 【한방】 corteza *f* de la raíz y del tallo del granado. ~화(花) flor *f* del granado.

석류나무(石榴-) 【식물】 granado *m*.

석마(石磨) =맷돌.

석면(石綿) 【광물】 asbesto *m*, amianto *m*.

■~ 도기(陶器) vajilla *f* de barro (cocido) mezclado con el asbesto. ~ 슬레이트 pizarra *f* de asbesto. ~판 tabla *f* de asbesto.

석명(釋明) justificación *f*, explicación *f*, explanación *f*. ~하다 justificarse, explicar, explanar. ~을 구하다 pedir explicación.

석묵(石墨) 【광물】 grafito *m*, lápiz *m* (*pl* lápices) plomo, plombagina *f*.

석문(石門) puerta *f* de piedra.

석물(石物) figuras *fpl* de piedra (de hombres y animales) puestas delante de la tumba.

석박(錫箔) =납지(鑞紙).

석반(夕飯) cena *f*.

석방(釋放) puesta *f* en libertad, liberación *f*. ~하다 poner [dejar] (a *uno*) en libertad, soltar, liberar. 죄수를 ~하다 libertar [dejar en libertad] a un reo. 그는 보석금을 내고 ~되었다 Le pusieron en libertad bajo fianza. 그녀는 감옥에서 ~되었다 Ella fue puesta en libertad / Ella salió de la cárcel / Ella fue excarcelada. 납치범들은 그의 ~의 대가로 30만 달러를 요구했다 Los plagiarios pidieron trescientos mil dólares para su liberación. 악당들이 가족들과 그의 ~을 교섭하고 있는 동안 경찰은 그들을 체포했다 La policía los detuvo mientras los malhechores negociaban su libertad con los familiares.

◆무죄(無罪) ~ absolución *f* libre.

석벌(石-) abeja *f* que vive en la roca.

■~의 집 ㉮ [바위 틈에 지은 벌의 집] colmena *f* construida entre las rocas. ㉯ [석벌의 집처럼 엉성한 물건] cosa *f* que parece una colmena en las rocas.

석벽(石壁) ① [돌로 쌓아 올린 벽] pared *f* [muro *m*] de piedras. ② [암석으로 이루어진 절벽] despeñadero *m* [precipicio *m*] de rocas.

석별(惜別) sentimiento *m* de (la) despedida. ~의 정(情)을 나누다 despedirse de mala gana. ~의 정으로 보내다 ver irse con sentimiento [con pena]. ~의 정이 한이 없지만 … Aunque me da pena la despedida …. ~의 정이 한없다 Se alarga [Se prolonga] la despedida. ~의 정을 나누자니 서운합니다 Siento tener que despedirme de usted.

■~연(宴) fiesta *f* (de sentimiento) de (la) despedida.

석보(石堡) embalse *m* [presa *f*·*AmS* represa *f*] de piedras.

석부(石斧) el hacha *f* (*pl* las hachas) de piedra.

석부(石婦) ① =돌계집. ② [정부(貞婦)·열녀(烈女)를 조각한 석상(石像)] estatua *f* de piedra de la mujer virtuosa.

석분(石粉) =돌가루.

석분(石糞) fósil *m* de estiércol del animal.

석불(石佛) (estatua *f* de) Buda *m* de piedra, imagen *f* budista de piedra.

석비(石碑) monumento *m* de piedra; [묘의] lápida *f*, monumento *m* funerario. ~를 세우다 erigir un monumento.

석비레(石-) arcilla *f* mezclada de piedras que se desmenuza fácilmente.

■~담 muro *m* construido con arcilla mezclada de piedras que se desmenuza

fácilmente.
석빙고(石氷庫) 【고적】 *Seokbinggo*, depósito *m* de granito para el hielo.
석사(碩士) ① [벼슬이 없는 선비] erudito *m* [sabio *m*] sin rango oficial. ② [학위의 한 가지] maestría *f*, master *m*; [학위를 받은 사람] maestro, -tra *mf*.
■ ~ 과정 curso *m* de maestría. ~ 논문 tesis *f* de maestría. ~ 학위 maestría, grado *m* de maestro. ¶문학 ~ maestría *f* en Humanidades. 이학(理學) ~ maestría *f* en Ciencia.
석산(石山) montaña *f* de piedras, montaña *f* de rocas.
석삼년(-三年) nueve años, mucho tiempo, largo tiempo *m*.
석상(石像) estatua *f* de piedra.
석상(席上) en la reunión [asamblea]. 회의 ~ 에서 말하다 hablar en [durante] la conferencia.
석새 ① [예순 올의 날실] urdimbre *f* de sesenta vueltas. ② ((준말)) =석새삼베.
■ ~삼베 tela *f* de cáñamo basta de sesenta vueltas. ~짚신 sandalias *fpl* de paja bastas.
석쇠 parrilla *f*, rejilla *f* de hierro de un horno o fogón, alambrera *f* para tostar. ~로 굽다 hacer [asar] a la parrilla [a las brasas], emparrillar, asar carne en parrillas. ~에 구운 고기 carne *f* a las brasas, carne *f* a la parrilla. ~에 구운 생선 pescado *m* (asado) a la parrilla [a las brasas]. ~에 구운 요리 parrillada *f*, plato *m* compuesto de diversos pescados o mariscos asados a la parrilla. ~에 생선을 굽다 asar [hacer] pescado a la parrilla. 불 위에 ~를 놓다 poner las parrillas al fuego.
석수(石手) albañil *m*, picapedrero *m*, cantero *m*, labrador *m* de piedra.
■ ~질 albañilería *f*.
석수(石獸) imagen *f* de piedra del animal.
석수(汐水) marea *f* de la tarde.
석수어(石首魚) 【어류】 =조기.
석순(石筍) 【광물】 estalagmita *f*.
석순(席順) =석차(席次).
석씨(釋氏) ① ((불교)) =석가(釋迦). ② ((불교)) =불가(佛家). 승려(僧侶).
석양(夕陽) ① [저녁 햇볕] sol *m* poniente, sol *m* que se pone. 이 방은 ~이 들어온다 [비친다] El sol poniente da a [en] esta habitación. ② ((준말)) =석양녘. ③ =노년(老年).
■ ~녘 puesta *f* de(l) sol, crepúsculo *m*. ¶ ~에 al atardecer, a la caída de la tarde. ~별 rayo *m* de sol poniente. ~빛 esplendor *m* del sol poniente, luz *f* de sol poniente. ~천(天) cielo *m* del crepúsculo. ~판 lugar *m* que la luz de sol poniente brilla.
석양(石羊) 【고제도】 oveja *f* de piedra (delante de la tumba).
석어(石魚) 【어류】 =조기.
석얼음 ① [수정 속에 보이는 잔 줄] fallo *m* [defecto *m*·imperfección *f*·falla *f*] en un cristal. ② [물위에 떠 있는 얼음] hielo *m* flotante. ③ [유리창에 붙은 얼음] hielo *m* en la ventana.
석연(夕煙) humo *m* de la noche.
석연하다(釋然-) estar libre de dudas, quedarse satisfecho (de·con); [납득하다] convencerse (de). 석연치 않은 인물 hombre *m* de moral dudosa. 그의 설명은 석연하지 못한 데가 있다 Su explicación no me convence del todo / Su explicación no basta para convencerme. 무언가 석연하지 않은 감이 있다 Queda algo que no me convence / Abrigo aún alguna duda sobre ello.
석연히 con iluminación repentina, con alivio repentino de duda.
석염(石鹽) 【광물】 sal *f* de piedra, sal *f* de gema.
■ ~갱(坑) mina *f* de sal, salina *f*. ~ 채굴 explotación *f* de sal.
석영(石英) 【광물】 cuarzo *m*. ~질의 cuarzoso.
■ ~ 반암(斑岩) pórfido *m* de cuarzo. ~사(砂) arena *f* silícea. ~ 수은등 lámpara *f* de cuarzo. ~ 유리 cristal *m* [vidrio *m*] de cuarzo. ~ 조면암 traquita *f* de cuarzo.
석유(石油) petróleo *m*, aceite *m* de petróleo; ((속어)) nafta *f*, oro *m* negro; [등유(燈油)] queroseno *m*, keroseno *m*, kerosén *m*. ~의 petrolero; [석유를 생산하는] petrolífero. ~를 산출하는 productor de petróleo. ~를 함유하는 지층(地層) estratos *mpl* donde hay petróleo, estratos *mpl* petrolífero. ~를 채굴하다 explorar el petróleo. ~ 광맥을 발견하다 descubrir un yacimiento petrolífero. ~는 쿠웨이트가 풍부하다 El petróleo abunda en Kuwait.
■ ~ 가격 precio *m* del petróleo. ~ 가스 gas *m* de petróleo. ~갱 pozo *m* de petróleo. ~ 공급 과잉 saturación *f* del petróleo. ~ 공사 corporación *f* de petróleo, yacimientos *mpl* petrolíferos. ¶대한(大韓) ~ la Corporación de Petróleo de Corea, los Petróleos Coreanos, los Yacimientos Petrolíferos Fiscales Coreanos. ~ 공업 industria *f* petrolífera, industria *f* petrolera. ~ 공해 =석유 오염. ~ 광맥 yacimiento *m* petrolífero. ~ 기관 motor *m* de petróleo. ~ 기름통 bidón *m* de aceite. ~ 나프타 nafta *f*. ~난로 estufa *f* petrolera, estufa *f* de petróleo. ~ 달러 petrodólar *m*. ~등 lámpara *f* de petróleo. ~램프 lámpara *f* (de petróleo), quinque *m*. ~ 발동기 =석유 기관(石油機關). ~벤진 bencina *f* de petróleo. ~ 산업 industria *f* petrolera, industria *f* petrolífera. ~ 산출국 [산유국(産油國)] país *m* productor de petróleo. ~ 수송선 petrolero *m*, buque *m* tanque. ~ 수출국 país *m* (*pl* países) exportador de petróleo. ~ 수출국 기구 la Organización de Países Exportadores de Petróleo, OPEP *f*, OPEC *f*. ~스토브 estufa *f* de petróleo.

~ 에테르 éter *m* de petróleo. ~ 엔진 = 석유 기관. ~ 오염(汚染) contaminación *f* por petrólero, contaminación *f* por crudos. ~왕 rey *m* de petróleo. ~ 용기(容器) vasija *f* para bencina, lata *f* de petróleo. ~ 운송 업자 transportista *mf* de petróleo. ~ 위기 crisis *f* del petróleo, crisis *f* petrolera. ~ 유제(乳劑) emulsión *f* petrolera, emulsión *f* de petróleo. ~ 유출 vertido *m* de petróleo. ~ 자원 recursos *mpl* petroleros. ~주(株) acciones *fpl* petrolíferas, valores *mpl* petrolíferos. ~ 콤비나트 =석유 화학 콤비나트. ~ 탐사(探査) explotación *f* de petrólero. ~ 탐사 허가 licencia *f* de exploración de petróleo. ~ 탱커 buque *m* tanque, petrolero *m*. ~ 탱크 depósito *m* de petróleo. ~통 vasija *f* [lata *f*] de petrólero. ~ 파동 =유류 파동(油類波動). ~ 파이프라인 oleoducto *m*. ~풍로 hornillo *m* petrolero. ~ 혈암(頁巖) =함유 셰일 (含油 shale). ~ 화학 petroquímica *f*. ~ 화학 공업 industria *f* petroquímica. ~ 화학 공장 planta *f* petroquímica. ~ 화학자 petroquímico, -ca *mf*. ~ 화학 제품 producto *m* petroquímico. ~ 화학 콤비나트 combinado *m* petrolero. ~ 회사 compañía *f* petrolera.

석유동(石乳洞) =종유동(鐘乳洞).

석융(石絨)【광물】=석면(石綿). 돌솜.

석의(釋義) comentario *m*, glosa *f*.

석이(石栮)【식물】((학명)) Gyrophora esculenta.

석이다 ① [푹한 날씨가, 쌓인 눈을 속으로 석게 하다] derretir, fundir, deshacer. ② [더운 기운이 술·식혜 등의 괴는 국물을 속으로 석게 하다] añejar.

석인(石人) estatua *f* de piedra, imagen *f* de piedra.

석인(石印) ① [돌로 새긴 인장] sello *m* de piedra. ② ((준말)) =석판 인쇄(石版印刷).
■ ~본(本) libro *m* de imprenta litográfica.

석인(昔人) =옛사람.

석일(昔日) =옛날.

석임 fermentación *f*. ~하다 fermentar.

석자 cucharón *m* [cazo *m*] con mallas.

석자(釋子) ((불교)) hijos *mpl* de Sakyamuni, discípulos *mpl* de Sakyamuni.

석장(石匠) =석수(石手).

석장(錫杖) ((불교)) báculo *m* de peregrino, báculo *m* de bonzo.

석재(石材) piedra *f*, piedra *f* de construcción.
■ ~상(商) tienda *f* de piedra de construcción; [사람] comerciante *mf* de piedra de construcción.

석전(石田) campo *m* pedregoso.

석전(石戰)【민속】simulacro *m* de pedrada.

석전(釋典) ((불교)) =불경(佛經).

석전(釋奠) ((준말)) =석전제(釋奠祭).
■ ~대제(大祭) =석전제. ~제(祭) rito *m* expiatorio en honor de [en homenaje a] Confucio.

석정(石井) pozo *m* de piedra.

석정(石精) nafta *f*.

석조(夕照) brillo *m* de la noche.

석조(夕潮) =석수(汐水).

석조(石造) construcción *f* de piedra. ~의 de piedra, hecho de piedra, construido de piedra. 내 집은 ~다 Mi casa es de piedra.
■ ~ 가옥 casa *f* de piedra. ~ 건물 edificio *m* de piedra. ~ 건축 arquitectura *f* [construcción *f*] de piedra. ~물 obra *f* de piedra. ~미술 obra *f* de bellas artes, objeto *m* de bellas artes. ~전 (殿) palacio *m* real de piedra. ~집 casa *f* de piedra.

석조(石彫) escultura *f* de piedra.

석조전(石造殿)【고적】*Seokchocheon*, uno de los palacios reales en el Palacio de *Deoksu*, construido en 1906).

석존(釋尊) ((불교)) ((준말)) =석가세존.
■ ~제(祭). ceremonia *f* de nacimiento de Sakyamuni.

석종유(石鐘乳)【광물】=돌고드름.

석좌 교수(碩座敎授) gran catedrático, -ca *mf*; gran profesor, -sora *mf*.

석주(石柱) columna *f* de piedra.

석죽(石竹)【식물】clavel *m*, clavelina *f*.

석차(席次) ① [자리의 차례] orden *m* de asiento, orden *m*. ② [성적의 차례] puesto *m* (de clase). ~가 두 자리 올라가다 [떨어지다] ganar [perder] dos puestos. 이 학생은 ~가 떨어졌다 Este alumno ha perdido puestos.

석찬(夕餐) =만찬(晩餐).

석창(石槍) lanza *f* de piedra.

석천(石泉) pozo *m* de piedras.

석청(石淸) =멍석. 돗자리.

석촉(石鏃) punta *f* de flecha de piedra.

석총(石塚) tumba *f* de piedras.

석축(石築) muro *m* de piedra para el refuerzo.

석출(析出) extracción *f*. ~하다 extraer.

석탄(石炭) carbón *m* (mineral · de piedra), hulla *f*. ~을 채굴하다 excavar carbón. ~을 태우다 quemar [encender] carbón mineral.
■ ~가루 carbonilla *f*. ~ 가스 gas *m* de hulla, gas *m* del alumbrado. ~ 개발 explotación *f* de carbón. ~ 개발권[광업권] derecho *m* de explotación de carbón. ~갱(坑) carbonera *f*, mina *f* de carbón. ~ 갱부 minero, -ra *mf* de carbón. ~ 건류(乾溜) carbonización *f* de carbón. ~계(系) sistema *m* carbonifero. ~고(庫) [주택의 지하에 있는] carbonera *f*. ~광 mina *f* de carbón. ~ 기(紀) (período *m*) carbonífero *m*. ~ 난로 estufa *f* de carbón [para carbón de piedra]. ~ 발전소 central *f* eléctrica a [de] carbón. ~불 fuego *m* a [de] carbón. ~산(酸) ácido *m* carbónico, fenol *m*, carbonilo *m*. ~ 산업 industria *f* hullera, industria *f* del carbón, industria *f* carbonífera. ~ 산지 cuenca *f* hullera, mina *f* de carbón, yacimiento *m* de carbón. ~선 barco *m* carbonero. ~ 쇄석기[분쇄기] trituradora *f* de carbón. ~ 수송 화차 vagón *m* carbonero. ~ 액화 licuefacción *f* de

carbón. ~ 운반선 barco *m* carbonero. ~유(油) petróleo *m* de carbón. ~재 carbonilla *f*, ceniza *f* del carbón. ~ 절단기 rozadora *f* de carbón. ~층(層) estrato *m* carbonífero, capa *f* carbonífera, capa *f* de hulla, capa *f* de carbón, manto *m* de carbón, veta *f* carbonífera. ~ 타르 alquitrán *m* de hulla. ~통 carbonera *f*, [실내의] cubo *m* del carbón. ~ 포대 saco *m* de carbón. ~화(化) carbonización *f*. ¶~하다 carbonizar. ~ 화학(化學) carboquímica *f*. ~ 화학 공업 industria *f* carboquímica. ~ 화학 제품 productos *mpl* carboquímicos, productos *mpl* químicos derivados del carbón.

석탄일(釋誕日) =불탄일(佛誕日).

석탑(石塔) pagoda *f* de piedra.

석탑(石搭) =석인(石印).

석태(石苔) 【식물】 liquen *m*, musgo *m*.

석판(石板) pizarra *f*.

석판(石版) ① 【인쇄】 litografía *f*. ~의 litográfico. ~으로 인쇄하다 litografiar. ② ((준말)) =석판 인쇄(石版印刷).

■~공 litógrafo, -fa *mf*. ~술 litografía *f*. ~ 용지 papel *m* litográfico. ~ 인쇄 imprenta *f* litográfica, litografía *f*. ~화(畵) litografía *f*.

석패(惜敗) derrota *f* por el margen estrecho, derrota *f* lamentable.. ~하다 perder [ser derrotado] por margen estrecho. 그는 ~했다 El perdió el partido por muy poco / El estuvo a punto de ganar.

석편(石片) pedazo *m* de piedra.

석필(石筆) pizarrín *m* (*pl* pizarrines).

석하(夕霞) niebla *f* [bruma *f*] de la tarde.

석학(碩學) gran sabio *m* [erudito *m*], gran sabia *f* [erudita *f*]; sabio *m* [erudito *m*] distinguido, sabia *f* [erudita *f*] distinguida; hombre *m* de conocimientos profundos.

석함(石函) caja *f* de piedra.

석화(石化) petrificación *f*, fósil *m*. ~하다 petritrificarse, fosilizarse.

석화(石火) ① [돌이 맞부딪치거나 또는 돌과 쇠가 맞부딪칠 때에 일어나는 불] fuego *m* de pedernal; [섬광(閃光)] destello *m*. ② [몹시 빠름] mucha rapidez.

■~광음(光陰) El tiempo corre como una flecha.

석화(石花) ① 【조개】 ostra *f*, *Méj* ostrón *m*. ② 【식물】 =지의(地衣). ③ [돌로 만든 꽃] flor *f* de piedra.

석화채(石花菜) 【식물】 agaragar *m*.

석황(石黃) ((준말)) =석웅황(石雄黃).

석회(石灰) ① 【화학】 cal *f*. ~성으로 만들다 calcificar. ~성이 되다 calicificarse. ② 【화학】 =탄산칼슘.

■~ 가루 cal *f* en polvo. ~ 가마 horno *m* de cal. ~굴[동] =종유동(鐘乳洞). ~ 모르타르 mortero *m* de cal. ~분 porcentaje *m* de cal. ~수[액] el agua *f* de cal. ~암[석] caliza *f*, piedra *f* caliza. ~유(乳) leche *f* de cal. ~질 compuesto *m* de calcio. ~질소 cianamida *f* cálcica. ~층 estrato *m* de caliza. ~토(土) argamasa *f* [mezcla *f*·mortero *m*] de cal. ~화(化) calcificación *f*. ¶~하다 calcificarse. ~화(華) travertino *m*.

석회해면류(石灰海綿類) 【동물】 calcárea *f*.

섞갈리다 confundirse, enredarse.

섞다 mezclar, mixturar. 두 술을 ~ mezclar dos licores. 기름과 식초를 ~ mezclar vinagre con aceite. 가루에 후추를 ~ mezclar pimienta a la harina. 술에 물을 ~ mezclar agua en el vino. 우유에 물을 ~ mezclar leche con agua. 한글과 영어를 섞어 말하다 hablar mezclando [intercalando] coreano e inglés. 네 책을 내 책과 섞지 마라 No mezcles tus libros con los míos.

섞바꾸다 confundir, mezclar.

섞바뀌다 confundirse, mezclarse, ser mezclado.

섞붙이기 【생물】 =교잡(交雜).

섞사귀다 relacionarse con (una persona de posición social diferente).

섞이다 mezclarse, ser mezclado. 두 종류의 술이 섞였다 Se mezclan dos licores. 도둑은 관객의 사이에 섞였다 El ladrón se mezcló entre los expectadores. 물과 기름은 잘 섞이지 않는다 El agua y el aceite se mezclan bien.

섟[1] [물가에 배를 매어 두기 좋은 곳] buen lugar *m* de amarrar un bote.

섟[2] [서슬에 불끈 일어난 감정] ira *f*, furia *f*, enfado *m*, enojo *m*, cólera *f*, [의심] duda *f*, sospecha *f*.

◆섟(이) 삭다 [노염이] decaer, transigir, ceder, ablandarse; [의심이] disiparse, hacerse desvanecer.

선 reunión *f* de casamiento, entrevista *f* entre los novios futuros. 두 사람은 ~도 안 보고 결혼했다 Los dos se casaron sin la formalidad de una entrevista preliminar / Los dos se casaron sin una entrevista entre los novios futuros.

◆선(을) 보다 tener una entrevista con el novio futuro [la novia futura]. 선(을) 보고 하는 결혼 casamiento *m* concertado de antemano.

◆선(을) 보이다 ㉮ [사물을 첫 등장시키다] abrir al público por primera vez, estrenar. ㉯ [선을 보게 하다] hacer tener una entrevista con el novio futuro [la novia futura].

선[1](仙) ((준말)) =신선(神仙).

선[2](仙) [센트] céntimo *m*, centavo *m*.

선(先) ① [첫째 차례] primer turno *m*. ② ((바둑·장기)) mano *mf*. 내가 ~이다 Soy mano.

선(善) bien *m*, bondad *f*, benevolencia *f*, [덕(德)] virtud *f*, [바름] derecho *m*; ((성경)) bien *m*, favor *m*. ~하다 ser bueno. ~을 행하다 hacer (el) bien. ~과 악(惡)을 구별하다 separar el grano de la paja, separar las churras de las merinas. ~은 속히 시행하라 Hazlo lo rápido si es bueno / Una vez decidido a hacer cosas buenas, no dejes correr el tiempo inútilmente. 인간의 본성은 ~하다 La naturaleza humana es buena. ~으로 오지 않는 악은 없다 ((서반아 속담)) No hay mal que por bien no venga (불행은 행운을 가져오기도 한다; 실패는 성공의 어머니). 백 년 계속되는 ~이나 악은 없다 ((서반아 속담)) No hay bien ni mal que cien años dure (구부러지지 않는 길은 없다; 참고 기다리면 좋은 일도 생긴다; 쥐구멍에도 볕 들 날이 있다).

선(腺) 【해부】 glándula *f.* ~의 glandular.

■ ~세포 조직 parénquima *f.*

선(線) ① [그어 놓은 금이나 줄] línea *f,* raya *f,* trazo *m.* ~을 긋다 trazar una línea; [밑줄을 긋다] subrayar, rayar, trazar una raya (en). ~을 지우다 tachar. 하얀 ~이 든 양말 calcetines *mpl* de rayas blancas. ② 【수학】 línea *f.* A점에서 B점에 ~을 그으시오 Póngase [Trácese] una línea desde el punto A hasta el B. 북위(北緯) 38도~ treinta y ocho grados de latitud norte. ③ ((준말)) =철선(鐵線). ④ ((준말)) =선로(線路). ¶3번 ~ [역의] vía *f* tercera. 호남 ~ la Línea (Ferroviaria) de *Honam.* ⑤ ((준말)) =경계선(境界線). ⑥ 【미술】 lineamiento *m.* ⑦ [정해진 기준이나 표준] nivel *m.* 주가(株價)는 만 원 ~으로 올랐다 El valor de las acciones ha alcanzado el alto nivel de diez mil wones. ⑧ [맺고 있는 관계] relación *f,* lazo *m.*

◆선을 긋다 trazar una línea clara (entre A y B), mantener [asumir] una línea independiente. 민주당은 공화당과 선을 긋고 있다 El partido democrático mantiene [asume] una línea independiente del partido republicano.

◆선이 가늘다 ser delicado, ser de sensibilidad. 선이 가는 사람 hombre *m* delicado, hombre *m* de sensibilidad.

◆선이 굵다 ser audaz, ser de carácter fuerte. 선이 굵은 사람 hombre *m* audaz, hombre *m* de carácter fuerte.

선(選) selección *f,* escogimiento *m,* elección *f,* preferencia *f.* ~에 들다 ser elegido, ser escogido, ser entresacado.

◆명작(名作)~ selección *f* de las obras maestras.

선(禪) ① ((불교)) zen *m,* meditación *f* budista, meditación *f* sedente de los budistas, *sáns* dhyna. ② ((준말)) =선종(禪宗). ③ ((준말)) =좌선(坐禪). ④ ((준말)) =선학(禪學).

◆선(에) 들다 entrar en la habitación de zen para la zen. 선(을) 나다 salir de la habitación de zen después de acabar la zen. 선(을) 드리다 empezar a orar a Buda Amida.

선- no cualificado, no calificado, no especializado, inmaduro, verde, nuevo, falto de formación, falto de capacitación, torpe. ~잠 siestecita *f,* cabezada *f.* ~무당 hechicera *f* novicia, chamán *m* novicio.

선-(先) ① [돌아간] difunto, muerto. ~대왕(大王) difunto ex-rey *m.* ~대인(大人) *su* difunto padre. ② [앞선. 먼저] primero, venidero, antes, temprano. ~보름 primeros quince días, desde el primero hasta el quince.

-선(船) barco, buque. 수송~ buque *m* de transporte. 외국~ buque *m* [barco *m*] extranjero.

선가(仙家) ① [신선이 사는 집] ermita *f,* templo *m* Zen. ② [선도(禪道)를 닦는 사람] sacerdote *mf* Zen. ③ =도가(道家).

선가(船價) =뱃삯. 선비(船費).

선가(禪家) ① ((불교)) [참선하는 중] sacerdote *m* [monje *m*] budista de la secta zen. ② ((불교)) [참선하는 집] templo *m* Zen.

선각(先覺) ① [(세상 물정에 대해) 남보다 먼저 깨달음] previsión *f.* ② ((준말)) =선각자(先覺者).

■ ~자(者) hombre *m* de previsión; precursor, -sora *mf;* padre, madre *mf;* pionero, -ra *mf;* explorador, -dora *mf.*

선감(善感) ① [(종두 따위가) 감염이 잘됨] vacunación *f* efectiva. 종두 ~ vacunación *f* normal. ② [잘 감동함] emoción *f* fácil. ~하다 emocionarse fácilmente.

선개교(旋開橋) puente *m* giratorio.

선객(仙客) =신선(神仙).

선객(船客) pasajero, -ra *mf.*

◆일등 ~ pasajero, -ra *mf* de camarote, pasajero, -ra *mf* de primera clase. 삼등 ~ pasajero, -ra *mf* de tercera clase, pasajero, -ra *mf* de proa.

■ ~ 명부 lista *f* [rol *m*] de pasajeros.

선거(船渠) dique *m,* arsenal *m.* ~에 들다 poner en arsenal.

선거(選擧) elección *f.* ~하다 elegir. ~의 electoral. ~에 의한 electivo. ~로 선출된 대통령 presidente *m* electivo. ~에 이기다 ganar la elección. ~에 지다 perder la elección. ~에서 패배하다 ser derrotado en las elecciones. ~를 무효로 하다 anular la elección. ~에 출마하다 presentarse a las elecciones. ~에 입후보로 나가다 presentarse como candidato en una elección. 의장을 ~로 뽑다 elegir presidente por votación. ~는 3월에 실시된다 La elección tiene lugar en marzo.

◆국회 의원 ~ elecciones *fpl* (para la Cámara) de Diputados. 대통령 ~ elecciones *fpl* presidenciales. 도의원 ~ elecciones *fpl* provinciales. 시의원 ~ elecciones *fpl* municipales.

■ ~ 간섭 intervención *f* del gobierno en la elección. ~ 강령 plataforma *f* [programa *m*] electoral. ~ 공보(公報) boletín *m* (*pl* boletines) de campaña electoral. ~ 공약 compromiso *m* (público) electoral. ~ 공영(公營) administración *f* pública electoral. ~ 관리 administración *f* electoral. ~ 관리 내각 gobierno *m* provisional. ~ 관리 위원장 presidente, -ta *mf* de comité de administración electoral. ~ 관리 위원회 comité *m* de administración electoral, comisión *f* de administración electoral. ¶중앙 ~ el Comité [la Comisión] Central de Adminstración Electoral. ~ 관리인 oficial, -la *mf* de elección. ~구 circunscripción *f* electoral, distrito *m* electoral. ¶~의 지지자 electores *mpl* potenciales de una circunscripción electoral. 대[중·소]~제 sistema *m* de de distrito electoral grande [mediano·pequeño]. ~권 sufragio *m*, derecho *m* electoral [de voto·de elección]. ¶~을 행사하다 ejercer *su* derecho de voto. ~을 잃다 perder los derechos electorales. 그에게는 ~이 없다 El no tiene derecho de voto. 보통 ~ sufragio *m* universal. 부인 ~ sufragio *m* de mujeres. 피~ derecho *m* de elegibilidad. ~권자 elector, -tora *mf*; votante *mf*; [집합적] electorado *m*. ~ 기간 período *m* de elección. ~ 대책 위원회 comité *m* de votación electoral. ~ 등록 inscripción *f* electoral. ~ 모체 cuerpo *m* electoral. ~ 무효 nulidad *f* de la elección. ~ 방송 radiodifusión *f* para la campapaña electoral. ~ 방해 obstrucción *f* electoral. ~ 방해죄 crimen *m* de obstrucción electoral. ~ 범죄 delito *m* electoral. ~법 ley *f* electoral, código *m* electoral. ¶~ 위반 violación *f* de la ley electoral. ~ 보복 represalia *f* electoral. ~ 비용 gastos *mpl* [expensas *fpl*] para la campaña electoral. ~ 사무 negocio *m* de la campaña electoral. ~ 사무소 oficina *f* de campaña electoral (de un candidato). ~ 사무장 administrador, -dora *mf* de campaña electoral. ~ 사범 irregularidades *fpl* electorales. ~ 소송 pleito *m* electoral, pleito *m* de elección. ~ 속보 [뉴스의] noticia *f* rápida [(신문의) reportaje *m* rápido] de datos electorales. ~ 연설 discurso *m* electoral. ~ 운동 campaña *f* electoral. ~ 운동비 gastos *mpl* para la campaña electoral. ~ 운동원 participante *mf* para hacer una campaña. ~ 위반 violación *f* electoral. ~ 위원 compromisario, -ria *mf*; miembro *mf* de un colegio electoral. ~ 위원장 presidente, -ta *mf* de un colegio electoral. ~ 위원회 la Junta Electoral, el Consejo Electoral. ¶국가 ~ el Consejo Nacional Electoral. 임시 ~ el Consejo Electoral Provisional. ~ 유세 campaña *f* de adquirir votos, gira *f* de la campaña electoral. ~의 사대 원칙 cuatro principios de elecciones. ~인[자] elector, -tora *mf*; [투표자] votante *mf*. ~인단 colegio *m* electoral; [집합적] electorado *m*. ~인 명부 censo *m* electoral, registro *m* electoral, lista *f* electoral, nómina *f* electoral, *Méj*, *RPl* padrón *m* electoral, *Col* planilla *f* electoral. ~인 자격 clasificación *f* de un elector. ~일 día *m* de elecciones. ~ 자격 capacidad *f* de elector. ~ 자금 fondo *m* de la campaña electoral. ~ 자금 규제법 ley *f* de regulación del fondo de la campaña electoral. ~ 장 lugar *m* electoral. ~ 재판 juicio *m* electoral. ~전 campaña *f* electoral. ~ 제도 régimen *m* electoral, sistema *m* electoral. ~ 참관인 testigo *mf* de la elección. ~ 참모 administrador, -dora *mf* de la campaña electoral. ~ 투표 votación *f* electoral. ~ 포스터 cartel *m* electoral. ~후(候) elector *m*.

선겁다 ① =놀랍다. ② [재미롭지 못하다] ser poco interesnte.

선견(先見) previsión *f*; ((성경)) prudencia *f*, sabiduría *f*. ~하다 prever, tener visiones.
▪~력 poder *m* de previsión. ~자 ㉮ [훗날의 일을 미리 짐작하여 아는 사람] vidente *mf*; profeta *mf*. ㉯ =선지자(先知者). ~지명 previsión *f*, visión *f* de futuro. ¶~이 있다 prever, tener previsión, ser previsor. ~이 없다 carecer de previsión. ~이 있는 con visión de futuro, clarividente. ~이 없는 corto de miras, miope, con poca visión de futuro. ~이 전혀 없는 con total imprevisión. ~이 없이 con poca visión de futuro. ~이 없음 falta *f* de visión (de futuro), miopía *f*. ~이 있는 사람 hombre *m* clarividente, hombre *m* con visión de futuro. ~이 있는 결정 decisión *f* con visión de futuro. ~이 있는 조치 medidas *fpl* con visión de futuro. ~지인(之人) =선견자 ㉮.

선견(先遣) despacho *m* [envío *m*·expedición *f*] previo. ~하다 despachar [enviar] previamente [de antemano].
▪~대(隊) avanzada *f*, (unidad *f* de) vanguardia *f*. ~ 부대 avanzada *f* de tropas, vanguardia *f*. ~ 함대 flota *f* de vanguardia.

선결(先決) decisión *f* previa. ~하다 decidir previamente.
▪~문제(問題) problema *m* previo. ¶물가 안정이 ~이다 La estabilidad de precios es un problema de primerísima urgencia / Hace falta resolver ante todo el problema de la estabilidad de los precios.

선경(仙境) ① [신선이 산다는 곳] país *m* de las hadas, tierra *f* de los duendas. ② [속세를 떠난 깨끗한 곳] lugar *m* limpio de otro mundo.

선계(仙界) =선경(仙境)❶.

선고(先考) difunto padre *m*, padre *m* muerto.

선고(宣告) pronunciamiento *m*, declaración *f*, sentencia *f*; [유죄 판결] condenación *f*. ~하다 pronunciar, declarar, sentenciar; [유죄 판결을] condenar. 무죄를 ~하다 declarar la inocencia (de). 유죄를 ~하다 ser condenado, declarar inocente. 판결을 ~하다 pronunciar la sentencia. 사형을 ~ 하다 condenar a muerte (a). 그는 금고 10년형을 ~받았다 El fue condenado [Se le ha sentenciado] a diez años de prisión. 그는 징역 3년을 ~받았다 Se le condenó a tres años de prisión.
▪~문[서] =판결문(判決文). ~ 유예(猶豫) libertad *f* condicional, sentencia *f* suspendida, suspensión *f* de la imposición de la sentencia.

선고(選考) deliberación *f,* selección *f.* ～하다 deliberar, seleccionar, elegir, designar.
선곡(選曲) selección *f* de música.
선골(仙骨) ① [신선(神仙)의 골격] sacro *m.* ～의 sacro. ② 【해부】 =엉치등뼈.
◆ 요(腰)～ vértebras *fpl* sacras.
선골(船骨) costillaje *m* de buque.
선공(先攻) ((운동)) ataque *m* primero, bateo *m* primero. ～하다 batear primero.
선공(船工) constructor *m* [carpintero *m*] de buque.
선공후사(先公後私) Los asuntos públicos primero, los asuntos privados en el futuro.
선과(仙果) melocotón *m.*
선과(善果) buen fruto *m*; ((불교)) buen resultado.
선과(選果) clasificación *f* de las frutas. ～하다 clasificar las frutas.
■ ～기(機) máquina *f* de clasificar las frutas.
선과(選科) curso *m* especial, curso *m* escogido, asignatura *f* escogida.
■ ～생(生) estudiante *mf* de un curso escogido.
선관위(選管委) ((준말)) =선거 관리 위원회.
선광(選鑛) selección *f* [clasificación *f* · separación *f*] de minerales. ～하다 seleccionar [clasificar · separar] minerales.
■ ～ 공장 fábrica *f* escogedora de minerales. ～기(機) separador *m* de minerales. ～대(臺) camilla *f.* ～부 escogedor *m* [separador *m*] de minerales. ～장 ㉮ [선광 작업을 하는 곳] estación *f* de clasificación. ㉯ =선광 공장(選鑛工場).
선교(宣敎) misión *f,* predicación *f.* ～하다 predicar (el Evangelio), evangelizar.
■ ～관(館) misión *f.* ～사 misionero, -ra *mf.* ¶그는 의료 ～이다 El es médico misionero. ～사회 asociación *f* de misioneros. ～원(院) (Congregació *f* para) la Propagación de la Fe. ～회 misión *f.*
선교(船橋) ① [배다리] puente *m* de barcas, puente *m* de pontones, pontón *m* (*pl* pontones). ② [선장의 지휘소] puente *m* (de mando).
선교(禪敎) ((불교)) ① [선종과 교종(敎宗)] secta *f* Zen y varias sectas doctrinales del budismo. ② [선학과 교법] doctrina *f* de la secta Zen y la doctrina religiosa.
선구(先驅) ((준말)) =선구자(先驅者).
■ ～자 ㉮ [(말을 타고 갈 때에) 맨 앞장으로 달리는 사람] escolta *mf.* ㉯ [다른 사람보다 사상 등이 앞선 사람] precursor, -ra *mf,* pionero, -ra *mf,* heraldo *m.* 유행의 ～이다 ser (el) origen de la moda. 독립 운동의 ～이다 ser precursor del movimiento de la independencia. …의 ～가 되다 abrir camino a *algo* · *uno.* 제비는 봄의 ～라고 말한다 Dicen que las golondrinas anuncian la primavera / Dicen que las golondrinas son las mensajeras de la primavera.
선구(船具) aparejos *mpl* de un barco.
선구(選球) ((야구)) selección *f* de la bola y el golpe [el strike].
■ ～안 ojo *m* de batear, ojo *m* de la selección de la bola y el golpe.
선군(先君) ① =선왕(先王). ② =선고(先考).
선굿 【민속】 (rito *m* de) exorcismo *m.*
선근(善根) ((불교)) acto *m* de virtud, obra *f* virtuosa. ～을 쌓다 acumular obras virtuosas.
선글라스(영 *sunglass*) anteojos *mpl* [lentes *mpl* · *AmL* gafas *fpl*] de sol.
선금(先金) pago *m* anticipado [(por) adelantado], adelanto *m,* anticipio *m.* ～을 치르다 pagar por adelantado, pagar anticipadamente, pagar [entregar] un adelanto. 지불은 ～을 원한다 Se ruega pagar por adelantado.
선급(船級) clasificación *f* (del buque).
선남(善男) ① [성품이 착한 남자] buen hombre *m.* ② ((불교)) buenos hijos *mpl,* hijos *mpl* de buenas familias.
■ ～선녀 ㉮ [착하고 순진한 남자와 여자] los buenos hombres y las mujeres inocentes. ㉯ ((불교)) [현생(現生)에서 불법을 믿고 선을 닦는 남녀] personas *fpl* piadosas, gentes *fpl* piadosas, hombres y mujeres piadosos; [신자] fieles *mpl.*
선납(先納) pago *m* (por) adelantado. ～하다 pagar en adelanto [por adelantado].
선내(船內) en el barco, en el buque. ～를 수색하다 buscar el buque. ～를 모조리 찾다 buscar por todo el barco. ～에서 하룻밤을 보내다 pasar una noche en el barco.
선녀(仙女) el hada *f* (*pl* las hadas), ninfa *f.*
선녀(善女) ① [착한 여자] buena mujer *f.* ② ((불교)) mujer *f* convertida al budismo.
선다형(選多型) sistema *m* de selección múltiple.
선단 ① [홀두루마기의 앞섶이나 치마폭에 세로로 댄 단] dobladillo *m* vertical. ② 【건축】 =문설주.
선단(先端) punta *f,* punto *m,* extremidad *f,* (punto *m*) extremo *m.*
선단(船團) flota *f,* armada *f* de buques; [소형의] flotilla *f.* ～을 이루다 formar una flota.
선달 【건축】 pedazo *m* de madera colocado sobre el espeque.
선대(先代) ① [선조] predecesor *m,* antecesor *m,* antepasado *m.* ② [이전의 시대 · 조상의 세대(世代)] época *f* anterior, generación *f* anterior.
선대(先貸) pago *m* por adelantado, pago *m* por anticipado, adelanto *m.* ～하다 pagar por adelantado [por anticipado], dar un adelanto.
선대(船隊) armada *f* de buques. ☞선단(船團)
선대(船臺) grada *f,* grado *m* de construcción.
선도(仙道) camino *m* de aprender al ermitaño.
선도(先渡) entrega *f* futura. ～하다 entregar en el futuro.
선도(先導) guía *f,* conducción *f,* dirección *f.* ～하다 guiar, dirigir, conducir. …의 ～로 guiado por *uno,* bajo guía de *uno.* 교장의

～로 학교를 시찰하다 inspeccionar la escuela bajo guía del director.

■～자 ㉮ [안내인] guía *mf*; conductor, -tora *mf*. ㉯ [선배] precursor, -sora *mf*. ㉰ [개척자] explorador, -dora *mf*; antecesor, -sora *mf*. ～차 coche *m* explorador.

선도(善導) orientación *f* correcta. ～하다 guiar [aconsejar · orientar] correctamente.

■～책 medidas *fpl* para la orientación correcta.

선도(鮮度) frescura *f*. ～가 높다 ser muy fresco. ～가 떨어지다 perder la frescura. ～를 유지하다 conservar la frescura.

선도(禪道) ((불교)) ① [참선하는 법] método *m* de la meditación budista de zen, método *m* del estudio de la secta zen. ② ＝선종(禪宗). 선문(禪門).

선돌【역사】menhir *m*, monolito *m*.

선동(煽動) agitación *f*, instigación *f*, incitación *f*, excitación *f*. ～하다 agitar, instigar, intrigar, incitar, excitar, inflamar. …의 ～으로 bajo instigación de *uno*. 그는 반란을 일으키라고 병사들을 ～했다 El instigó a los soldados a que se insurreccionaran / El excitó [incitó] a los soldados a la rebelión. 그는 학생들의 반미(反美) 감정을 ～했다 El inflamó el sentimiento anti-estadounidense [anti-norteamericano] de los estudiantes.

■～가(家) instigador, -dora *mf*; agitador, -dora *mf*. ¶대중 ～ agitador, -dora *mf*. ～연설 discurso *m* incendiario [sedicioso · agitador · que exalta los ánimos]. ～연설가 demagogo, -ga *mf*; agitador, -dora *mf*. ～원 encargado, -da *mf* agitante. ～자 agitador, -dora *mf*; instigador, -dora *mf*. ～적 incendiario, incitativo, que exalta [inflama] los ánimos, sedicioso, agitador. ～정치가 político *m* demagógico, política *f* demagógica; demagogo *m* sedicioso, demagoga *f* sediciosa. ～죄 sedición *f*.

선두(先頭) cabeza *f*, primacía *f*, primer lugar *m*, delantera *f*, primera posición *f*. ～에서다 llevar de la mano, conducir, guiar, dirigir, encabezar, ir a la cabeza, ir en punta. 기(旗)를 ～로 con la bandera a la cabeza de sí. 모두의 ～에 서다 adelantarse a todos, ir a la cabeza de todos. 모두의 ～에서 있다 estar a la cabeza de todos. 모두의 ～에서 달리다 correr a la cabeza de todos.

■～ 차량(車輛) vagón *m* de cabeza.

선두(船頭) ＝이물.

선두름(縇－) orladura *f*. ～하다 orlar.

선둥이(先－) primogénito, -ta *mf* de los gemelos.

선드리다(禪－) ☞선(禪)

선드러지다 (estar) airoso, garboso, gallardo. 선드러진 외모(外貌) gallarda presencia *f*. 그는 선드러진다 El está gaboso. 그는 군복을 입고 선드러지게 걷고 있다 El va con gallardía [con mucho aire] vestido de militar.

선득 ① [추워서] fríamente. ② [놀라서] estremeciéndose. ～하다 [추워서] tener frío; [놀라서] estremecerse.

선득거리다 ① [추워서] tener frío. ② [놀라서] estremecerse.

선득선득 teniendo frío; estremeciéndose.

선들거리다 soplar fría y suavemente. 선들거리는 바람 viento *m* frío y suave.

선들선들 fría y suavemente.

선들다(禪－) ☞선(禪)

선들대다 ＝선들거리다.

선들바람 brisa *f* fría y suave.

선등(船燈) lámpara *f* del buque.

선떡 *seonteok*, tarta *f* poco cocida.

선뜩 ＝선득.

선뜩거리다 ＝선득거리다.

선뜩선뜩 ＝선득선득.

선뜻 con toda naturalidad, como si tal cosa, como si nada; [쉽게] fácilmente, con facilidad; [솔직히] francamente; [거드름 피우지 않고] sin ceremonia. ～ 이야기하다 charlar [platicar] francamente. ～ 불쾌한 말을 퍼붓다 soltar cosas desagradables como si nada [con toda naturalidad]. 그는 항상 다른 사람의 일을 ～ 맡아 준다 El está siempre dispuesto a trabajar por los demás.

선뜻하다 [선명하다] (ser) claro, fresco; [보기 좋다] (estar) arreglado, cuidado.

선량(善良) bondad *f*, benevolencia *f*, honradez *f*. ～하다 (ser) bueno, honrado, benévolo, virtuoso. ～한 민중(民衆) buen pueblo *m*.

선량(選良) ① [엘리트] elite *f*, élite *f*. ② [국회 의원] representante *mf*; congresista *mf*; parlamentario, -ria *mf*; delegado, -da *mf*; miembro *mf* de Parlamento.

선려(鮮麗) hermosura *f* resplandeciente. ～하다 (ser) resplandeciente, fulgente.

선령(船齡) edad *f* de un buque.

선례(先例) precedente *m*, ejemplo *m* anterior. 나쁜 ～ mal precedente *m*, mal antecedente *m*. ～가 없는 inaudito. ～에 의하면 según precedentes. ～를 만들다 dar un precedente. ☞전례(前例)

선로(船路) ＝뱃길.

선로(線路) ① [기차나 전차의 궤도] vía *f* (ferrocarril), vía *f* férrea, carril *m*, rail *m*, raíl *m*. ～를 놓다 poner la vía [los carriles · los raíles]. ～ 내에 들어가는 것을 금함 ((게시)) Se prohíbe entrar en la vía. ② [기차 · 전차 · 자동차 따위의 노선] ruta *f*, línea *f*. 버스 ～ ruta *f* [línea *f*] de autobuses.

■～ 건설 construcción *f* de la vía ferrocarril. ～공 peón *m* (*pl* peones) ferroviario. ～ 공사 construcción *f* de ferrocarril. ～부설 차량 vehículo *m* de oruga. ～원[수] guardavía *m*.

선류(鮮類)【식물】musgo *m*;【학명】Musci.

■～학 briología *f*.

선륜(線輪)【물리】＝코일(coil).

선린(善隣) buena vecindad *f*, vecindad *f* amistosa, relación *f* de buena vecindad. ～의 de buena vecindad. ～의 정의(情誼)를

유지하다 mantener la relación de buena vecindad.

■ ~ 관계 relación *f* de buena vecindad. ~ 외교 política *f* diplomática de buena vecindad. ~ 정책[주의] política *f* de buena vecindad.

선망(羨望) envidia *f.* ~하다 envidiar, codiciar. ~의 대상이다 ser objeto de envidia. ~의 눈으로 보다 ver [mirar] de envidia.

선망후실(先忘後失) olvido *m* frecuente. ~하다 olvidarse frecuentemente.

선매(先買) compra *f* adelantada. ~하다 comprar por adelantado [con anticipación]. ~의 (con derecho) preferente.

■ ~권 derecho *m* preferente de compra. ¶~을 얻다 conseguir el derecho preferente de compra.

선매(先賣) =예매(豫賣).

선머리(先一) ① [순서 있는 일의 맨 처음] cabeza *f.* 표의 ~에 encabezando la lista, a la cabeza de la lista. ② [행렬 따위의 앞부분] cabeza *f.* 나폴레옹은 십만 명의 ~에서 전진했다 Napoleón avanzaba a la cabeza de cien mil hombres.

선머슴 picaruelo *m,* pilluelo *m,* diablillo *m.*

선명(宣明) promulgación *f,* declaración *f,* proclamación *f.* ~하다 promulgar, declarar, proclamar.

선명(船名) nombre *m* del barco.

선명(鮮明) claridad *f,* nitidez *f,* viveza *f,* distinción *f.* ~하다 (ser) claro (y distinto), nítido, distinto, destacado, dibujado, recordado. ~한 색(色) color *m* nítido [brillante · vivo · fresco · resplandeciente · límpido] ~하지 않은 색(色) color *m* o(b)scuro [opaco]. ~한 음색(音色) sonido *m* sordo [opaco]. ~하지 않다 ser indistinto. 달빛이 ~하다 La luna brilla esplendorosamente. 이 책은 인쇄가 ~하다 Este libro está impreso muy claramente / Este libro tiene la impresión clara.

선명히 claramente, nítidamente, vivamente, distintamente. 입장을 ~ 하다 aclarar su posición. 하늘에 ~ 나타나다 destacarse [dibujarse · recortarse] en el cielo. 종소리가 밤하늘로 ~ 사라졌다 El sonido puro y claro de la campana se perdió en el cielo de la noche.

■ ~도(度) sutileza *f,* pureza *f,* definición *f,* visibilidad *f,* [텔레비전의] distinción *f,* [사진의] resolución *f.* ~ 야당 oposición *f* clara, partido *m* de la oposición claro.

선모(旋毛) raya *f.*

선모(腺毛) tentáculo *m.*

선모충(旋毛蟲) triquina *f.*

■ ~병(病) triquinosis *f.*

선무(宣撫) apaciguación *f,* pacificación *f.* ~하다 apaciguar, pacificar, calmar.

■ ~ 공작 (obra *f* [actividad *f*] de) pacificación *f,* apaciguamiento *m,* aplacamiento *m.* ~반 unidad *f* de pacificación; [군(軍)의] pelotón *m* de pacificación; [경찰의] brigada *f* de pacificación.

선무당 【민속】 hechicera *f* novicia, chaman *m* novicio.

■ 선무당이 사람 잡는다 ((속담)) Nada hay más atrevido que la ignorancia / La ignorancia es atrevido / Nada es más peligroso que conocimientos superficiales. 선무당이 장구 탓한다 [나무란다] ((속담)) El ciego que ha tropezado le echa la culpa al mal empedrado / Para lo que el hombre no quiere hacer, achaque ha de poner.

선물[1](先物) =만물.

선물[2](先物) 【경제】 artículo *m* de entrega futura, futuros *mpl.* ~ 매입을 하다 atreverse a una especulación.

■ ~ 거래[매매] comercio *m* a término. ~ 계약 contrato *m* a futuro; 【주식】 contrato *m* a plazo. ~ 시세 cotización *f* a término, cotización *f* para entrega futura. ~ 시장 mercado *m* de futuros, mercado *m* a término.

선물(膳物) regalo *m,* obsequio *m,* presente *m;* [크리스마스나 새해의] aguinaldo *m;* [관광지 등의 기념품] recuerdo *m.* ~하다 regalar, obsequiar, hacer un regalo. 이별의 ~ regalo *m* [recuerdo *m*] de despedida. ~용 물건 objetos *mpl* para (el) regalo. ~용 포장재(包裝材) papel *m* para regalo. (리본 등으로 묶어) ~용으로 포장하다 envolver para regalo [obsequio]. 간단한 ~을 가지고 방문하다 visitar llevando algún regalo. 친구들에게 줄 ~이다 Son regalos para unos amigos.

선미(船尾) popa *f.* ~에 a [en] popa. ~ 쪽에 por la popa. ~ 쪽으로 침몰하다 hundirse por la popa.

■ ~재(材) codaste *m.*

선민(先民) ① =선철(先哲). ② [옛날 사람] antiguo, -gua *mf.*

선민(善民) buen pueblo *m.*

선민(選民) ① ((성경)) pueblo *m* elegido, gente *f* escogida; [유대 민족] judíos *mpl,* pueblo *m* de Dios, hebreos *mpl,* israelitas *mpl.* ~ 사상을 품다 creerse los elegidos de Dios. ② [진실한 그리스도 신자] cristano *m* fiel [verdadero], cristiana *f* fiel [verdadera].

■ ~의식 elitismo *m.*

선바람 atavío *m* presente.

선박(船泊) =정박(碇泊).

선박(船舶) buque *m,* barco *m,* nave *f,* [작은] barca *f,* [범선] bajel *m;* [전함(戰艦)] navío *m,* buque *m* de guerra; [순양함] fragata *f,* [상선(商船)] buque *m* mercante; [집합적] embarcación *f,* marina *f* mercante. ~을 버리다 abandonar el barco.

■ ~ 검사 inspección *f* de buque. ~ 검사 증서 certificado *m* de inspección de buque. ~ 공유자 co-propietario, -ria *mf* del buque. ~ 공학 =조선학(造船學). ~과(課) sección *f* marina. ~ 관리 위원회 comité *m* controlador de buque. ~ 관리인 [소유주를 대리하는] consignatario, -ria *mf* del buque. ~ 국적 증(명)서 certificado *m* de nacionalidad de un buque. ~ 급수 =선급(船級). ~ 등기 registro *m* de buques. ~ 등기부 (libro *m* de) registro *m* de buques. ~ 등록 matrícula *f* de buques. ~ 등록부 (libro *m* de) registro *m* de buques. ~법 ley *f* de buques. ~ 보증 garantía *f* de buques. ~ 보험 seguro *m* de buques. ~ 서류 documentos *mpl* del buque. ~ 소유권 propiedad *f* del buque. ~ 소유자 fletante *mf*, armador, -dora *mf*, naviero, -ra *mf*, [회사] (compañía *f*) naviera *f*. ~ 안전법 ley *f* de seguridad de buques. ~ 임대 arrendamiento *m* de un buque. ~ 입항 entrada *f* de buque. ~ 입항계 informe *m* de entrada de buque, *AmL* reporte *m* de entrada de buque. ~ 저당권 hipoteca *f* naval. ~ 조종술 arte *m* de navegar, arte *m* de la navegación. ~ 중개인 agente *m* marítimo, agente *f* marítima; corredor *m* marítimo, corredora *f* marítima. ~ 충돌 colisión *f* de buques, abordaje *m*. ~ 톤수 tonelada *f* marítima. ~ 해체 업자 desguazador, -dora *mf*. ~ 회사 compañía *f* marítima [naviera]. ~ 회사 대리점 consignatario, -ria *mf* de buques.

선반(一盤) estante *m*, anaquel *m*; [식기의] vasar *m*; [달아맨] entrepaño *m* [anaquel *m*·plúteo *m*] colgado. ~ 위에 얹다 poner sobre un anaquel, poner [colocar] en un estante. 벽에 ~을 달다 adosar un estante a la pared.

선반(旋盤) torno *m* (de tornear). ~에 걸다 tornear. ~에서 나오는 쇠부스러기 torneadura *f*.

■ ~ 가게 tornería *f*. ~공 tornero, -ra *mf*, torneador, -dora *mf*. ~ 공장 taller *m* de torno, tornería *f*. ~대 bancada *f* (del torno). ~ 돌림쇠 perro *m* de arrastre. ~ 물림쇠 portaherramientas *m* (del torno). ~ 연장 herramientas *fpl* del torno. ~ 연장 그릇 portaherramienta *f* del torno.

선발(先發) partida *f* anterior a otros. ~하다 partir en avanzada, partir antes que otros, adelantarse (a).

■ ~대 avanzada *f*, unidad *f* de vanguardia, cuerpo *m* [partido *m*] avanzado [adelantado]. ~ 투수(投手) lanzador, -dora *mf* del comienzo.

선발(選拔) selección *f*, elección *f*, escogimiento *m*, lo mejor escogido, lo selecto. ~하다 escoger, seleccionar, elegir, escoger [elegir·preferir] lo mejor. ~된 selecto, escogido, elegido. 후보자 중에서 ~하다 elegir entre los candidatos.

■ ~생 estudiante *m* escogido, estudiante *f* escogida. ~ 시험 examen *m* de selección, oposición *f*. ~ 위원회 comité *m* de selección. ~팀 (equipo *m* de) selección *f*. ¶한국 올림픽 ~ selección *f* olímpica coreana.

선방(禪房) ((불교)) salón *m* de meditación, res dencia *f* de meditación, ermita *f*.

선배(先輩) alumno *m* antiguo, alumna *f* antigua; superior *mf*, [연장자] mayor *mf*, [고참] decano, -na *mf*, predecesor, -sora *mf*, antecesor, -sora *mf*. 그는 대~이다 El es decano [predecesor] por muchos años. 그는 내 대학 1년 ~이다 El es un año superior a mí en la universidad. 영화계에서는 내가 그 사람보다 ~다 En el mundo del cine yo soy más antiguo que él.

선번(先番) precedencia *f*.

선법(旋法) 【음악】 modo *m*.

선법(禪法) ((불교)) métodos *mpl* de misticismo.

선변(一邊) interés *m* pagado mensualmente.

선변(先邊) interés *m* pagado por adelantado.

선별(選別) selección *f*, clasificación *f*. ~하다 seleccionar, clasificar. 주문을 ~하다 seleccionar los pedidos.

■ ~기 criba *f* vibradora, separador *m*, clasificadora *f*. ~ 방침(方針) política *f* seleccionista.

선병(腺病) 【의학】 enfermedad *f* linfática, escrófula *f*, [임파] linfadenitis *f*.

■ ~질 constitución *f* linfática.

선보름(先一) quince días de un mes, del primero al quince.

선복(船卜) cargo *m* del buque.

선복(船腹) ① [배의 총톤수] tonelaje *m*, casco *m*. ② [적재 능력] arqueo *m*, tonelaje *m*; [용적] espacio *m* de buque, espacio *m* de carga. 5천톤의 ~을 예약하다 reservar cinco mil toneladas de espacio.

■ ~ 부족 déficit *m* de casco [buque].

선봉(先鋒) vanguardia *f*. …의 ~을 맡다 sacar a *uno* las castañas del fuego.

선부(先夫) difunto esposo *m*, esposo *m* muerto.

선부(先父) difunto *m* padre, padre *m* muerto.

선분(線分) 【수학】 segmento *m*.

선분(選分) clasificación *f*, selección *f*. ~하다 clasificar, seleccionar, separar, escoger.

선불 bala *f* perdida.

◆선불(을) 놓다 dar un golpe descuidado.

◆선불(을) 맞다 recibir un golpe descuidado.

◆선불 맞은 호랑이 [날짐승·노루] 뛰듯 furioso. 그녀는 ~ 한다 Ella está furiosa / Ella está que echa chispas [que trina]. 그는 나한테 ~ 했다 El estaba furioso conmigo.

◆선불(을) 지르다 =선불(을) 놓다.

선불(先拂) pago *m* (por) adelantado, pago *m* (por) anticipado, anticipación *f*, adelanto *m*, pago *m* sobre entrega. ~하다 pagar por adelantado, pagar por anticipado, pagar anticipadamente, pagar de antemano, hacer [dar] un anticipo, adelantar [anticipar] el pago, pagar con anticipación.

◆운임(運賃) ~ flete *m* pagadero en destino, flete *m* pagado. 운임 ~로 con el flete pagado. 운임 ~로 보내다 enviar [mandar] con el transporte pagado con anticipación.

■ ~금(金) anticipo *m*, adelanto *m*.

선불선(善不善) lo bueno y [o] lo maligno.

선비[1] ① [학식은 있으나 벼슬하지 않은 사람] sabio *m* sin rango oficial. ⑵ [학문을 닦는 사람] docto *m*, erudito *m*, estudioso *m*.

선비[2] [자루가 긴 비] escoba *f* con mango largo.

선비(先妣) difunta madre *f*, madre *f* muerta.

선비(船費) =뱃삯.

선비(鮮肥) carne *f* fresca y gorda.

선사(先史) prehistoria *f*. ~의 prehistórico.

■ ~ 고고학(考古學) arqueología *f* prehistórica. ~ 고고학자 arqueólogo *m* prehistórico, arqueóloga *f* prehistórica. ~ 시대 período *m* prehistórico, época *f* prehistórica, tiempos *mpl* prehistóricos. ~ 인류학 antropología *f* prehistórica. ~ 인류학자 antropólogo *m* prehistórico, antropóloga *f* prehistórica. ~학 prehistoria *f*.

선사(先師) ① [돌아가신 스승] difunto maestro *m*. ② =선현(先賢).

선사(禪師) ((불교)) maestro *m* de meditación, maestro *m* Zen, sacerdote *m* Zen.

선사(膳賜) regalo *m*, obsequio *m*. ~하다 regalar, obsequiar. ~받은 물건 objeto *m* regalado.

■ ~품 regalo *m*, obsequio *m*.

선산(先山) cementerio *m* de antepasados, monte *m* que *sus* antepasados están enterrados.

■ ~밑[하] dirección *f* baja del cementerio de antepasados. ~발치 pie *m* de la montaña que hay cementerio de antepasados.

선상(扇狀) forma *f* del abanico.

선상(船上) ① [배의 위] en [sobre] el barco. ② [「항해 중의 배를 타고 있음」의 뜻] a bordo.

■ ~ 생활 vida *f* a bordo.

선생(先生) ① [학생을 가르치는 사람] [초등학교의] maestro, -tra *mf*; [중학교 이상의] profesor, -ra *mf*; [가정 교사] preceptor, -tora *m*, institutriz *f*; profesor *m* particular, profesora *f* particular; [예능의] maestro, -tra *mf*; [교습소의] instructor, -tora *mf*; [강습소 등의] conferenciante *mf*; profesor, -ra *mf*. ~이 되다 llegar a ser maestro [profesor]. 서반아어 ~ profesor, -sora *mf* de español. 음악 ~ maestro, -tra *mf* de (la) música. 피아노 ~ maestro, -tra *mf* de piano. ② [남을 경대하여 부르는 말] [남자] señor *m*; [기혼 여성] señora *f*; [미혼 여성] señorita *f*; [의사] doctor, -tora *mf*. 김 ~ Sr. Kim. 김 ~은 쉬고 있다 El señor Kim descansa. 김 ~, 안녕하세요 Buenos días, señor Kim. ③ [경험이 많거나 잘 아는 사람] experto, -ta *mf*. 우리 어머니는 요리에는 ~이랍니다 Nuestra madre es una buena cocinera. ④ [남을 비웃어 이르는 말] señor, -ra *mf*. 여보 ~ 그러지 마슈 Señor, no lo hagas. ⑤ ((불교)) =전세(前世).

선서(宣誓) jura *f*, juramento *m*, promesa *f* solemne, prestación *f* de juramento. ~하다 jurar, hacer (un) juramento, prestar juramento. …라 ~하다 declarar bajo juramento que + *ind*. ~를 하고 증언하다 atestigar bajo juramento. ~를 파기하다 romper [violar] el juramento. 그는 진실을 말하겠다고 ~했다 El juró [declaró bajo juramento] decir [que diría] la verdad.

◆선수(選手) ~ juramento *m* de atleta. 충성(忠誠) ~ juramento *m* de lealtad.

■ ~문 afidávit *m*. ~서 declaración *f* jurada, afidávit *m*. ~식(式) ceremonia *f* de prestar juramento; [입학의] ceremonia *f* de matriculación; 【법률】 deposición *f*, declaración *f*, [대통령의] destitución *f*, [왕의] destronamiento *m*. ~ 증서 deposición *f*. ~ 증언 deposición *f*. ~ 증인 deponente *mf*.

선선하다 ① [기분이 시원할 정도로 서늘하다] (ser) fresco, refrescante; [날씨가] hacer fresco. 날씨가 제법 ~ Hace bastante fresco. 날씨가 이제 제법 선선해졌다 El tiempo ya se ha puesto bastante fresco. ② [(사람의 성질이) 맺힌 데 없이 쾌활하다] (ser) franco, cándido, sincero.

선선히 francamente, sinceramente, con franqueza, cándida y alegremente. ~ 대답하다 responder [contestar] francamente. 돈을 ~ 내놓지 않다 no querer aflojar la bolsa. 그는 ~ 1억 원을 기부했다 El hizo una donación de cien millones de wones como si nada.

선세(先貰) alquiler *m* pagado por adelantado [anticipado]. ~하다 pagar el alquiler por adelantado [anticipado].

선셈(先－) pago *m* por adelantado [anticipado].

선소리[1] [속된 노래의 한 가지] una de las canciones populares que cantan cinco o seis personas.

선소리[2] [사리에 잘 맞지 않는 말] palabra *f* absurda, tonterías *fpl*, estupideces *fpl*, disparates *mpl*. ~를 하다 decir tonterías [estupideces · disparates].

선손(先－) ① [남보다 먼저 착수하여 자기에게 이롭게 하는 행동] iniciativa *f*. ② [먼저 손찌검을 함] primer golpe *m*.

◆선손(을) 걸다 dar primer golpe.

◆선손(을) 쓰다 adelantarse (a), anticiparse (a), tomar la iniciativa, tomar la delantera, tomar la ofensiva, ganar por la mano (a).

■ ~질 primer golpe *m*. ~하다 dar primer golpe.

선수(先手) ① [선손] iniciativa *f*. ~를 놓다 tomar primer paso, tomar la iniciativa, antuviar, llevar la delantera (a). ~를 빼앗기다 quedarse atrás, ir a la zaga (de). ② ((장기 · 바둑)) mano *mf*, primera jugada *f*. 네가 ~다 Tú eres mano / Tú sales / Tú tienes la salida.

선수(船首) proa *f*. ~를 향하다 poner proa (a), hacer rumbo (a · hacia). ~부터 침몰(沈沒)하다 hundirse por la proa.

선수(選手) ① [여러 사람 중에서 뽑힌, 경기에 뛰어난 사람] [운동가] atleta *mf*; [경기자] jugador, -dora *mf*; competidor, -dora *mf*; [챔피언] compeón, -peona *mf*. 우수한

수준의 ~ jugador, -dora *mf* de nivel excelente. 올림픽 한국 대표 ~로 선발되다 ser elegido miembro del equipo coreano de los juegos olímpicos. ② =선수(善手).

■ ~권(權) campeonato *m.* ¶~을 획득하다 ganar el campeonato. ~을 방어하다 defender el título de campeón. 세계 권투 ~을 획득하다 ganar el campeonato mundial del boxeo. ~권 대회 (gran reunión *f* para ganar) campeonato *m.* ~권 보유자 campeón, -peona *mf*, mantenedor, -dora *mf* [poseedor, -dora *mf*] del título. ¶세계 수영 ~ campeón, -peona *mf* mundial de natación. ~단 equipo *m.* ¶한국 올림픽 ~ equipo *m* olímpico coreano. 한국 체조 ~ equipo *m* coreano de gimnasia. ~촌 residencia *f* de equipos; [올림픽의] ciudad *f* olímpica, villa *f* olímpica.

선술(仙術) arte *m* sobrenatural, artes *mpl* misteriosos de longevidad, mágica *f* taoísta, artes *mpl* mágicas, brujería *f*, hechicería *f*.

선술집 taberna *f*, bar *m*, tasca *f*, *AmS* cantina *f*.

선승(先勝) vencimiento *m* de primer juego, tantos *mpl* de punto primero.

선승(禪僧) ((불교)) monje *m* [bonzo *m*·sacerdote *m*] de la secta zen.

선시선종(善始善終) el buen comienzo y el buen fin. ~하다 empezar bien y terminar bien.

선신세(鮮新世) plioceno *m.* ~의 plioceno.

선실(船室) camarote *m.*

◆일등[이등·삼등] ~ camarote *m* de primera [segunda·tercera] clase. 특등 ~ camarote *m* de lujo.

선심(善心) ① [착한 마음] buen corazón *m*, buena voluntad *f.* ② [남을 구제하는 마음] corazón *m* de salvar a los otros.

◆선심(을) 쓰다 hacer una amabilidad, hacer algo bueno.

■ ~ 공세 asignación *f* de fondos estatales para un proyecto que beneficia a cierta zona o grupo, favoritismo *m.*

선심(線審) ((준말)) =선심판(線審判).

■ ~기(旗) bandera *f* de juez de línea.

선심판(線審判) juez *mf* (*pl* jueces) de línea, linier *mf.*

선악(善惡) (el) bien y (el) mal, bondad y maldad, virtud y vicio, justicia e injusticia; ((성경)) lo bueno y lo malo. ~을 불문하고 dejando aparte si eso es bueno o malo. ~을 분별하다 tener la conciencia del bien y del mal, saber distinguir el bien del mal [entre el bien y el mal]. 일의 ~을 검토하다 deliberar sobre el bien y el mal de un caso. 어린이들은 ~을 판단하지 못한다 Los niños no saben distinguir lo bueno de lo malo. 그는 일의 ~을 분별하지 못한다 No puede distinguir lo bueno y lo malo de las cosas.

■ ~과(果) ㉮ ((성경)) fruto *m* del árbol de la ciencia del bien y del mal. ㉯ ((불교)) [선과(善果)와 악과(惡果)] fruto *m* del bien y del mal.

선약(仙藥) ① =선단(仙丹). ② [효험(效驗)이 좋은 약] elíxir *m* (de larga vida), medicamento *m* maravilloso, medicina *f* eficaz.

선약(先約) compromiso *m* anterior. ~된 좌석(座席) asiento *m* reservado. ~이 있다 tener compromiso anterior. 그는 ~이 있어 오지 못한다 Un compromiso le impide venir. 오늘밤은 ~이 있다 Tengo ya una cita esta noche.

선양(宣揚) acrecentamiento *m.* ~하다 acrecentar, encarecer, exaltar. 국위(國威)를 ~하다 engrandecer el prestigio nacional.

선양(禪讓) =선위(禪位). 양위(讓位).

선어(鮮魚) =생선(生鮮).

선언(宣言) declaración *f*, proclamación *f*, manifiesto *m.* ~하다 declarar, proclamar, manifestar. 개회를 ~하다 declarar abierta la sesión. 독립을 ~하다 declarar [proclamar] la independencia.

■ ~서(書) manifiesto *m*, declaración *f*, exposición *f.* ¶독립 ~ la Declaración de la Independencia.

선언 명제(選言命題) 【논리】 disyuntiva *f.*

선언 원리(選言原理) 【논리】 =선언율(選言律).

선언율(選言律) 【논리】 ley *f* de disyunción.

선업(善業) ((불교)) buena obra *f*, buena conducta *f.*

선열(先烈) patriota *m* muerto, patriota *f* muerta.

선영(先塋) =선산(先山).

선왕(先王) difunto rey *m.*

선외(選外) fuera de la selección. ~의 dejado fuera de la selección. ~가 되다 quedarse fuera de la selección, no ser premiado.

■ ~가작 obra *f* que la mención honorífica es hecha. ¶~에 들다 recibir [ganar] una mención honorífica.

선용(善用) buen uso *m.* ~하다 hacer buen uso (de).

선웃음 risa *f* forzada, risa *f* falsa. ~을 웃다 reir forzadamente, reir a la fuerza, esforzarse por reir.

선원(仙院) lugar *m* que viven los ermitaños.

선원(船員) marinero, -ra *mf*, marino, -na *mf*, barquero, -ra *mf*, lanchero, -ra *mf*, [승무원] tripulante *mf*, [집합적] tripulación *f.* 항해술이 뛰어난 ~ buen marinero *m.* ~이 되다 hacerse marinero. ~을 지원(志願)하다 ir por la marina.

◆고급(高級) ~ oficial *mf*, alcázar *m.* 보통 ~ marinero *m.* 하급 ~ marinero, -ra *mf*, castillo *m* de proa.

■ ~ 고용 계약서 contrato *m* de alistamiento [de enrolamiento]. ~ 명부 rol *m* de tripulantes. ~법 ley *f* de tripulantes. ~ 보험 seguro *m* de tripulantes. ~복 traje *m* de marinero. ~ 생활 vida *f* de marinero, vida *f* de mar. ~수첩 libreta *f* de marinero. ~실 cabina *f* de marineros. ~위생 higiene *f* de marineros.

선원(禪院) ((불교)) templo *m* de la secta

zen.

선위(禪位) ＝양위(讓位).

선유(仙遊) ＝뱃놀이.

선율(旋律) 【음악】 melodía *f.*

■ ～법[학] melódica *f.*

선의(船醫) médico, -ca *mf* de a bordo, médico, -ca *mf* [doctor, -tora *mf*] de un buque.

선의(善意) buena voluntad *f* [intención *f* · fe *f*]. ～의 de buena fe [intención · voluntad], bien intencionado. ～로 con buena intención, de buena fe. ～의 사람 hombre *m* de buena voluntad. ～의 제삼자 tercera persona *f* que ejecuta de buena fe. ～로 해석하다 tomar bien, tomar en buen sentido, dar una interpretación favorable.

선의권(先議權) 【법률】 derecho *m* de votar el primero.

선인(仙人) ser *m* sobrehumano; hado, -da *mf*; [은자(隱者)] ermitaño *m.* ～ 같은 생활을 하다 vivir una vida de ermitaño.

선인(先人) ① ＝선친(先親). ② ＝먼젓사람.

선인(船人) ① ＝뱃사공. ② ＝뱃사람.

선인(善人) buen hombre *m* (*pl* buenos hombres), buena persona *f*, hombre *m* bueno, persona *f* virtuosa, hombre *m* virtuoso. ～과 악인(惡人) los buenos y los malos, el hombre bueno y el hombre malo. ～과 악인(惡人)을 구별하다 separar el grano de la paja, separar las churras de las merinas.

■ ～선과(善果) ((불교)) Se cosecha según se siembra.

선인장(仙人掌) 【식물】 cacto *m*, cactus *m*; [열매 맺는 선인장] tuna *f.*

선인장과(仙人掌科) 【식물】 cactáceas *fpl.*

선일(先日) pasado *m*, días *mpl* pasados, el otro día.

선일부 수표(先日附手票) 【경제】 ＝앞수표.

선일자 수표(先日字手票) 【경제】 ＝앞수표.

선임(先任) prioridad *f*; [고참] decano, -na *mf.* ～의 precedente, prior, antiguo. ～순의 승진 ascenso *m* por antigüedad.

■ ～ 교장 director *m* antiguo [anterior], directora *f* antigua [anterior]. ～권 derecho *m* de prioridad. ～자(者) precedente *mf*; predecesor, -sora *mf*; oficial *m* [miembro *m*] más antiguo, oficial *f* [miembro *f*] más antigua. ～ 장교 oficial *mf* de alto rango. ¶육군 ～ oficial *mf* de alto rango del Ejército. ～ 하사관 suboficial *mf* mayor.

선임(船賃) pasaje *m*; [용선료. 적하 운임] flete *m.* ～을 지불하다 pagar el pasaje.

선임(選任) elección *f*; [지명] nominación *f*, nombramiento *m*, designación *f.* ～하다 elegir, nombrar, designar. 변호인의 ～ designación *f* de abogados (por el gobierno).

◆소송 대리인 ～ procuración *f.*

선입(先入) impresión *f* previa, concepto *m* anticipado.

■ ～관[감 · 견] idea *f* preconcebida, concepto *m* anticipado, preocupación *f*, perjuicio *m*, prevención *f.* ¶～ 없이 sin prevención, sin prejuicio. ～을 가지다 tener la idea preconcebida, formarse una preocupación. ～을 버리다 dejar la idea preconcebida. ～에 사로잡히다 dejarse llevar por un prejuicio. 나쁜 ～을 가지다 tener una mala prevención (contra), tener una prevención en contra (de). 나는 그 나라가 싫다는 ～이 있다 Yo tengo prejuicios contra el país. ～ 선출법(先出法) PEPS, primero en entrar, primero en salir.

선자(善者) buen hombre *m* (*pl* buenos hombres), buena persona *f.*

선자(選者) selector, -tora *mf.*

선자귀[1] [반 칸 퇴의 두 짝으로 된 분합문] puerta *f* de celosía de dos piezas en la galería lateral en una casa.

선자귀[2] [서서 나무를 깎을 때 쓰는 큰 자귀] el hacha *f* (*pl* las hachas) grande.

선잠 siestecita *f*, cabezada *f*, sueñecillo *m*, sueñecito *m*, sueño *m* ligero, adormecimiento *m*, duermevela *f*, sopor *m.* ～을 자다 adormecerse, dormitar, adormilarse, echarse una siestecita, hacerse una siestecita, echarse una cabezada, dar una cabezadita, echarse un sueño, echarse un sueñecillo, echarse un sueñecito, echar un sueño, descabezar el sueño, dormir breve rato. 나는 안락의자에서 ～을 자고 있었다 Yo estaba dormitando [adormilado] en un sillón.

◆선잠(을) 깨다 despertarse sin dormir profundamente.

선장(船匠) carpintero *m* de barcos, constructor *m* de buque.

선장(船長) capitán *m* (*pl* capitanes), piloto *m*; [작은 배의] patrón *m* (*pl* patrones).

■ ～실 cabina *f* [camarote *m*] del capitán.

선장(船裝) equipo *m* de un barco [buque], apresto *m.* ～하다 equipar [armar] un barco [un buque], aviar, tripular un barco.

선장(船檣) ① [배의 돛대] mástil *m.* ② ＝마스트.

선재(船材) material *m* para la construcción de barcos.

선저(船底) fondo *m* del barco [del buque], cala *f*, pantoque *m.*

■ ～ 검사 inspección *f* de fondo. ～ 도료 pintura *f* de fondo. ～판 tabla *f* de fondo.

선적(船積) [발송] despacho *m*, embarque *m*, envío *m*, transporte *m*, navegación *f*; [적재] carga *f.* ～하다 embarcar, cargar a bordo.

■ ～ 가격 precio *m* de f.a.b. (franco a bordo) ～ 계약 contrato *m* de embarque. ～ 기간 período *m* de embarque. ～ 담당자 dependiente de muelle. ～물 mercancías *fpl* [artículos *mpl*] de carga. ～불 pago *m* contra embarque. ～ 비용 gastos *mpl* de embarque. ～ 사무원 expedidor, -dora *mf.* ～ 서류(書類) juego *m* de documentos, documentación *m* del buque, documentos *mpl* de embarque, lista *f* de embarque, manifiesto *m* de carga. ～ 선하 증권

conocimiento *m* de embarque. ~ 송장(送狀) factura *f* de embarque, factura *f* de transporte. ~인(人) cargador, -dora *mf*, expedidor, -dora *mf*, fletador, -dora *mf*. ~일 fecha *f* (de) embarque. ~ 지도서[지시서] instrucción *f* de embarque. ~ 통지서 talón *m* (*pl* talones) de embarque, nota *f* de embarque, aviso *m* de embarque. ~항 puerto *m* de embarque [carga]. ~ 허가서 permiso *m* de embarcación.

선적(船籍) nacionalidad *f* del barco. 한국 ~의 아리랑호 Arirang, bandera coreana.

■ ~ 등록(登錄) abanderamiento *m*. ¶~하다 abanderar, registrar un barco [un buque]. ~ 증서(證書) certificado *m* de nacionalidad, certificado *m* de registro de buque. ~항 puerto *m* de matrícula, puerto *m* de abanderamiento.

선전(宣傳) publicidad *f*, propagación *f*, propaganda *f*, reclamo *m*; [광고] anuncio *m*, aviso *m*. ~하다 dar publicidad (a), propagar, hacer propaganda (de), anunciar. ~의 publicitario, de publicidad. 정책(政策)을 ~하다 hacer propaganda de un programa político. 대대적으로 ~하다 anunciar en masa. 신제품(新製品)을 텔레비전으로 ~하다 dar publicidad a un producto nuevo por la televisión. 효과적으로 ~이 되다 resultar una eficiente propaganda. 그것은 특정 회사(特定會社)의 ~이 된다 Eso sirve de propaganda de una compañía particular.

◆ 자동차(自動車) ~ propaganda *f* de automóvil.

■ ~ 공세 ofensiva *f* de propaganda. ~ 공작 maniobras *fpl* de propaganda. ~과 sección *f* de publicidad. ~ 광고 anuncio *m* de propaganda. ~ 광고업 publicidad *f*. ~국 departamento *m* de publicidad. ~극 drama *m* de propaganda. ~ 기관 órgano *m* de propaganda. ~ 기구(氣球) balón *m* de publicidad. ~ 노선(路線) línea *f* de propaganda. ~ 담당 encargado, -da *mf* de publicidad. ~ 담당 매니저 director, -tora *mf* de publicidad. ~ 도안 diseño *m* de publicidad. ~망 red *f* publicitaria, red *f* de publicidad, red *f* de propaganda. ~ 매체 medios *mpl* de publicidad. ~문(文) palabras *fpl* de propaganda. ~ 문구(文句) eslogan *m* publicitario, lema *m* publicitario. ~ 문서 ㉮ =선전문(宣傳文). ㉯ [선거의] documentos *mpl* de propaganda. ~물 material *m* publicitario, publicidad *f*, propaganda *f*. ~ 방송 radiodifusión *f* de propaganda. ~부(部) sección *f* [departamento *m*] de publicidad. ~ 부원 publicista *mf*. ~비 gastos *mpl* publicitarios, gastos *mpl* de publicidad. ~술(術) truco *m* publicitario, ardid *m* publicitario, arte *m* de propaganda. ~ 업자 agente *mf* de publicidad. ~ 여행 viaje *m* de propaganda. ~ 영화 película *f* de publicidad, película *f* de propaganda. ~원(員) =선전자. ¶가두(街頭) ~ hombre *m* anuncio, profesional *m* de la publicidad. ~자 propagandista *mf*, propagador, -dora *mf*. ~전(戰) campaña *f* publicitaria, campaña *f* de publicidad, guerra *f* de propaganda. ~ 전단 octavilla *f*, hoja *f* de propaganda, prospecto. ~탑 torre *f* de publicidad. ~ 포스터 cartel *m* [letrero *m*] publicitario [de anuncio]. ~ 활동 actividad *f* publicitaria. ~ 효과(效果) efecto *m* público sensacional [impresionante]..

선전(宣戰) declaración *f* de guerra. ~하다 declarar la guerra.

■ ~ 포고 declaración *f* [proclamación *f*] de guerra. ¶~하다 declarar la guerra (a un país).

선전(善戰) competencia *f* valiente, competencia *f* admirable. ~하다 competir valientemente [admirablemente].

선점(先占) ① [남보다 먼저 취득함] previa ocupación *f*. ~하다 ocupar previamente. ② ((준말)) =선점 취득(先占取得).

■ ~ 취득 toma *f* de posesión.

선정(善政) buen gobierno *m*. ~하다 hacer buen gobierno. ~을 베풀다 gobernar [dirigir] sagazmente [sabiamente].

■ ~비 monumento *m* al buen gobierno.

선정(煽情) erotismo *m*, excitación *f*, provocación *f*, lascivia *f*. ~하다 (ser) excitante, provocativo, erótico, lascivo, lujurioso, afrodisíaco.

■ ~적 erótico, lascivo, lujurioso, afrodisíaco, excitante, provocativo. ¶~인 소설(小說) novela *f* excitante.

선정(選定) selección *f*, elección *f*, escogimiento *m*. ~하다 seleccionar, elegir, escoger. ~ 중이다 estar bajo selección.

선제(先帝) ((준말)) =선황제(先皇帝).

선제(先制) (acción *f* de tomar) la iniciativa.

■ ~공격 ofensiva *f* de contención; [핵 공격] ataque *m* preventivo. ~하다 atacar preventivamente 적에게 ~을 하다 adelantarse en el ataque al enemigo.

선조(先祖) antepasado *m*, antecesor *m*, ascendiente *m*; [직계의] progenitor *m*; [집합적] ascendencia *f*. ~ 전래의 hereditario, ancestral. ~ 대대의 묘 tumba *f* de la familia. ~의 신주를 모시다 prestar el culto a los antepasados.

선조(先朝) =전조(前朝).

선조(線條) 【전기】 filamento *m*.

선조총(旋條銃) rifle *m*, carabina *f*.

선종(善終) ((천주교)) fallecimiento *m*, muerte *f*. ~하다 fallecer, morir.

선종(禪宗) ((불교)) secta *f* Zen (del budismo), budismo *m* Zen.

선주(先主) ① [선대(先代)의 군주(君主)] soberano *m* de la generación anterior. ② [전번의 주인(主人)] amo *m* anterior.

선주(先週) semana *f* pasada.

선주(船主) naviero, -ra *mf*, armador, -dora *mf*, patrón (*pl* patrones), -trona *mf* de pesca [pescadores].

선주민(先住民) autóctono, -na *mf*, aborigen

mf (*pl* aborígenes); indígena *mf*.
선주 민족(先住民族) pueblo *m* autóctono, indígenas *fpl*.
선줄 【광산】 vena *f* mineral vertical.
선중(船中) interior *m* de un buque; [부사적] en un buque, (en un barco) a bordo.
▪ ~ 생활 vida *f* (de) a bordo.
선지 cuajarón *m* de sangre.
▪ ~피 ㉮ =선지. ㉯ [갓 흘러나온 선명한 피] sangre *f* fresca (que acaba de salir). ~ㅅ국 sopa *f* de (cuajarón de) sangre de vaca.
선지[1](先知) ① [(남보다) 앞서 앎] previsión *f*. ② [(남보다) 앞서 도를 깨달아 앎] comprensión *f* de la verdad religiosa. ③ ((준말)) =선지자.
▪ ~자 profeta, -tisa *mf* (que sabe el futuro); viente *mf*.
선지[2](先知) ((불교)) percepción *f* clara.
선진(先陣) vanguardia *f*. ~을 하다 ser vanguardia.
▪ ~ 다툼 disputa *f* por ir en vanguardia.
선진(先進) avance *m*, adelanto *m*, progreso *m*, conducción *f*. ~의 avanzado, desarrollado, progresado, adelantado.
▪ ~ 공업국 país *m* industrialmente desarrollado. ~국 país *m* avanzado [desarrollado · adelantado], naciones *fpl* avanzadas [desarrolladas · adelantadas]. 세계(世界)의 ~ naciones *fpl* desarrolladas del mundo.
선집(選集) obras *fpl* escogidas [elegidas], selección *f* de obras, selección *f* de lo más escogido; [시(詩) · 문장(文章)의] antología *f*, colección *f* de piezas escogidas de literatura, música, etc.
선착(先着) ① [(남보다) 먼저 다다름] primera llegada *f*. ~하다 ser el primero en llegar. ② ((준말)) =선착수(先着手).
▪ ~순 orden *m* de llegada; [엽서 등의] orden *m* de recibo. ¶~으로 por orden de llegada, por orden de recibo. ~자(者) el primero [la primera] en llegar.
선착(船着) llegada *f* del barco. ~하다 llegar el barco.
▪ ~장(場) puerto *m*, ancladero *m*, desembarcadero *m*.
선착수(先着手) anticipación *f*. ~를 대다 anticiparse, adelantarse.
선찰(禪刹) ((불교)) templo *m* de la secta Zen.
선창(先唱) ① [맨 먼저 주창함] primera propugnación *f*. ~하다 propugnar primero. ② [(만세 삼창 등을) 먼저 부름] conducción *f* de coro, coro *m* de condudir. ~하다 conducir el coro.
▪ ~자 primera persona *f* de conducir el coro; [주창자] abogado, -da *mf* principal de la defensa.
선창(船倉) depósito *m* de cargas debajo de la cubierta superior.
선창(船窓) ventanilla *f* del barco, ventanilla *f* del camarote.
선창(船艙) =조선소(造船所).
선창(癬瘡) 【한방】 empeine *m*.
선채(先綵) regalos *mpl* de esponsales, regalos *mpl* de compromiso (matrimonial).
선책(善策) buen proyecto *m*, buen plan *m*.
선처(善處) medidas *fpl* apropiadas, buena mano *f*, modo *m* apropiado. ~하다 tomar las medidas apropiadas, tomar propia medida (contra), manejar tácticamente. 시국(時局)에 ~하다 superar propiamente la situación, tomar propia medida contra la situación. 그것을 ~하겠다 Lo trataré de un modo apropiado.
선천(先天) naturaleza *f*.
▪ ~ 매독 sífilis *f* hereditaria. ~ 변이(變異) variación *f* congénita. ~병 enfermedad *f* congénita. ~ 색맹 daltonismo *m*. ~설[론] nativismo *m*, indigenismo *m*, apriorismo *m*. ~성 기형 deformidad *f* congénita. ~성 녹내장 glaucoma *m* congénito. ~성 매독 sífilis *f* congénita. ~성 심장병 enfermedad *f* cardiaca *f* congénita. ~성 흑내장 amaurosis *f* congénita. ~적 innato, natural, congénito; [유전성의] hereditario. ¶~으로 innatamente, naturalmente, congénitamente; heretariamente, por naturaleza. ~소질(素質) disposiciones congéntias.
선철(先哲) filósofo *m* antiguo, filósofo *m* de antaño.
선철(銑鐵) hierro *m* bruto, arrabio *m*, lingote *m* de función (de hierro), hierro *m* en lingotes, hierro *m* colado.
선체(船體) casco *m* (de un buque).
선축(先蹴) ((축구)) saque *m* [puntapié *m*] inicial, patada *f* de inicio. ~하다 patear el balón inicial, dar una patada al balón inicial.
선출(選出) elección *f*. ~하다 elegir. ~되다 ser elegido. 서울에서 ~된 elegido por la ciudad de Seúl. 위원으로 ~하다 elegir miembro de un comité. 그는 대통령으로 ~되었다 El fue elegido [Le eligieron] presidente (del Estado).
선충동물(線蟲動物) 【동물】 =원형동물.
선충류(線蟲類) 【동물】 =원충류(圓蟲類).
선취(先取) ocupación *f* previa, toma *f* por adelantado. ~하다 tomar por adelantado, preocupar.
▪ ~ 특권 derecho *m* de prioridad, derecho *m* de preferencia.
선취(船醉) mareo *m*, náusea *f*. ~하다 marear, nausear, sentir náuseas.
선측(船側) lado *m* del barco, costado *m* de un buque.
▪ ~ 인도 franco a bordo.
선치(善治) =선정(善政).
선친(先親) mi difunto padre.
선키 estatura *f* al estar de pie.
선탁(宣託) =신탁(神託).
선탄(選炭) concentración *f* de carbón. ~하다 concentrar el carbón.
▪ ~기 lavadora *f* de concentración de carbón. ~ 공장 fábrica *f* de concentración de carbón. ~장 ㉮ [선탄 작업을 하는 곳]

lugar que concentra el carbón. ④ =선탄 공장.

선태(蘚苔) 【식물】 =이끼.

■ ~류[식물] musgos *mpl.* ~학 briología *f.*

선택(選擇) selección *f,* escogimiento *m,* elección *f.* ~하다 escoger, elegir, seleccionar, triar. ~의 자유(自由) libertad *f* de elección, libertad *f* de escoger opción. ~을 잘 못하다 elegir mal, equivocarse en la elección, hacer una selección mala. ~을 주저하다 vacilar en elegir, vacilar en la elección. A보다 B를 ~하다 proferir B a A. 많은 것 중에서 하나만 ~하다 elegir sólo uno entre muchos. 어떤 것을 ~하시겠습니까? ¿Cuál toma [elige] usted? 제일 마음에 드는 것을 ~하십시오 Tome usted lo que le guste más. No hay posibilidad de elegir. 우리에게는 ~의 여지가 없 다 No nos queda otro remedio. 나는 ~의 여지가 없었다 No tuve otro remedio. 나는 자유로운 ~을 했다 Me dejaron elegir. 의사들은 때때로 어려운 ~을 해야 한다 Los médicos a veces tienen que tomar decisiones difíciles.

■ ~ 과목 asignatura *f* opcional [facultativa · electiva]. ~권 opción *f,* derecho *m* de escoger opción. ~법 método *m* de selección. ~적 opcional, preferencial, alternativo. ~ 채무 deber *m* alternativo. ~ 투표 voto *m* preferencial. ~ 항로(航路) ruta *f* alternativa.

선팽창(線膨脹) 【물리】 dilatación *f* lineal.

■ ~ 계수[률] coeficiente *m* de dilatación lineal.

선편(先便) último correo *m,* última carta *f.* ~에 en *su* última carta. ~으로 por último correo.

선편(先鞭) =선착수(先着手).

선편(船便) vía *f* marítima, servicio *m* naviero. ~으로 por vía marítima, por barco, por vapor, por servicio naviero.

선평(選評) selección *f* y criticismo. ~하다 seleccionar y criticar.

선포(宣布) declaración *f,* proclamación *f,* promulgación *f.* ~하다 declarar, proclamar, promulgar. 전쟁(戰爭)을 ~하다 declarar la guerra.

선표(船票) billete *m* de pasajeros.

선풍(旋風) ① 【기상】 ciclón *m,* remolino *m* (de viento), torbellino *m.* ② [돌발적으로 일어나, 큰 물의(物議)나 동요를 일으키는 사건] sensación *f.* ~을 일으키다 causar [producir] sensación.

선풍기(扇風機) ventilador *m.* ~를 돌리다 poner un ventilador. ~를 끄다 parar un ventilador. ~ 바람을 쐬다 exponerse a la brisa [al aire] de un ventilador.

◆ 벽 ~ ventilador *m* de pared. 천정(天井) ~ ventilador *m* de techo. 탁상 ~ ventilador *m* de mesa. 회전(回轉) ~ ventilador *m* oscilante.

선하(船荷) cargamento *m,* carga *f.*

■ ~ 목록 (partida *f* de) sobordo *m,* manifiesto *m.* ~주(主) embarcador, -dora *mf.* ~ 증권 conocimiento *m,* conocimiento *m* de embarque, conocimiento *m* a bordo, conocimiento *m* de carga, conocimiento *m* embarcado, conocimiento *m* sobre cubierta. ¶기명식 ~ conocimiento *m* corrido de embarque. 무사고 ~ conocimiento *m* limpio de embarque. 사고부 ~ conocimiento *m* sucio de embarque. 적자(赤字) ~ conocimiento *m* de embarque rojo. 전항(全航) ~ conocimiento *m* directo de embarque. ~ 증권 사기 fraude *m* en el conocimiento de embarque. ~ 증권 신청 서류 formulario *m* de conocimiento de embarque. ~ 증권 조항 cláusula *f* del conocimiento de embarque. ~ 증권 톤 tonelada *f* del conocimiento de embarque.

선하다 recordar, volver a *su* memoria. 그 정경(情景)이 내 눈에 ~ Recuerdo la escena / La escena vuelve a mi memoria. 그녀의 모습이 눈에 선하게 새겨져 있다 Su figura queda grabada en mi memoria. 그 경색(景色)은 아직도 모습이 눈앞에 ~ Aún se me forma la imagen clara del paisaje ante mis ojos.

선히 vívidamente, vistosamente, frescamente.

선하다(善—) (ser) bueno. 선한 사람 buena persona *f.* 선한 남자(男子) buen hombre *m* (*pl* buenos hombres). 선한 여자(女子) buena mujer *f.*

선하품 bostezo *m* forzado; [소화 불량 때의] bostezo *m* causado por indigestión. ~을 (억지로) 참다 reprimir un bostezo, reprimir las ganas de bostezar.

선학(先學) sabios *mpl* en el pasado.

선학(禪學) ((불교)) doctrina *f* de la secta Zen.

선행(先行) precedencia *f.* ~하다 preceder (a), adelantarse (a). 시대에 ~하다 adelantarse a *su* tiempo, ir a la vanguardia de su época, ir a la cabeza, ir delante.

■ ~사 antecedente *m.* ~ 조건 condición *f* precedente.

선행(善行) buena conducta *f,* buen comportamiento *m.* ~을 표창하다 condecorar [glorificar públicamente] la buena conducta [el buen comportamiento] (de).

■ ~장 medalla *f* de buena conducta. ~증 certificado *m* de buena conducta.

선향(仙鄕) =선경(仙境).

선향(先鄕) =관향(貫鄕).

선향(線香) pebete *m* (delgado), varilla *f* [junquillo *m*] de incienso. 불단(佛壇)에 ~을 바치다 ofrendar [quemar] incienso ante el altar.

선험(先驗) 【철학】 transcendental, a priori.

■ ~론(論) [설(說)] transcendentalismo *m.* ~적 transcendental, a priori. ¶~으로 transcendentalmente, apriori. ~적 관념론 [유심론] idealismo *m* transcendental. ~적 논리학 lógica *f* transcendental. ~적 방법 método *m* transcendental. ~적 변증론

dialéctica *f* transcendental. ～적 심리학 psicología *f* transcendental. ～적 의식 conciencia *f* transcendental. ～적 인식 cognición *f* [conocimiento *m*] transcendental. ～적 주관 subjectividad *f* transcendental. ～적 확률 probabilidad *f* a priori. ～ 철학 filosofía *f* transcendental, transcendentalismo *m*.

선헤엄 sustentación *f* en el agua. ～을 치다 sustentarse [mantenerse] en el agua.

선현(先賢) sabios *mpl* antiguos.

선혈(鮮血) sangre *f* fresca. ～이 솟아나다 chorrear sangre.

선형(扇形) ＝부채꼴.

선형(船型/船形) tipo *m* de barco; [모형] modelo *m* de un barco.

선호(船號) nombre *m* del barco.

선호(選好) preferencia *f*. ～하다 preferir.
◆소비자(消費者) ～ preferencia *f* del consumidor. 유동성(流動性) ～ preferencia *f* por la liquidez.

선홍색(鮮紅色) rojo *m* escarlata.

선화(仙化) muerte *f* natural. ～하다 morir naturalmente.

선화(線畫) dibujo *m* de líneas.

선화지(仙花紙) una especie de papel.

선황(先皇) ((준말)) ＝선황제(先皇帝).

선황제(先皇帝) difunto emperador *m*.

선회(旋回) rotación *f*, vuelta *f*, revolución *f*, giro *m*; [진로 변경] viraje *m*. ～하다 dar vueltas, girar, virar. 기수를 좌측으로 ～시키다 hacer girar el aparato hacia la izquierda. 비행기가 하늘에서 ～하고 있다 Un avión está dando vueltas en el cielo.
■～계 indicador *m* de giro. ～교(橋) puente *m* giratorio. ～ 기관총 ametralladora *f* giratoria. ～ 무도 giro *m*, vuelta *f*; [발레에서] pirouette *f*. ～ 반경 radio de viraje. ～ 비행 vuelo *m* circular, vuelo *m* tortuoso. ～ 운동 movimiento *m* de rotación. ～축 pivote *m*. ～ 포대 batería *f* giratoria. ～ 포탑 torreta *f*, torre *f* giratoria.

선후(先後) el principio y el fin.

선후지책(善後之策) remedio *m* que haya, disposición *f* remediable. ～을 강구하다 buscar un remedio, tomar medidas remediadoras [terapéuticas] (para), trazar una disposición remediable.

선후책(先後策) ((준말)) ＝선후지책(善後之策).

선훈(船暈) ＝뱃멀미.

섣달 diciembre *m* del calendario lunar, último mes del año del calendario lunar. ～그믐 último día *m* del año del calendario lunar.

섣부르다 (ser) torpe, patoso, desgarbado, tosco, burdo, falto de fluidez, poco elegante.
섣불리 torpemente, con torpeza, toscamente, con poca fluidez, con poca elegancia, inconsideradamente, irreflexivamente, indiferentemente, groseramente, toscamente, imprudentemente. ～ 그것에 참견 마라 No te metas imprudentemente en eso.

설 ① ＝세수(歲首). ② ＝연시(年始). 정초(正初). ③ ((준말)) ＝설날.
◆설(을) 쇠다 celebrar el Año Nuevo. 설(을) 쇠고 찾아뵙겠습니다 Yo le visitaré después de celebrar el Año Nuevo.
■～ 음식 platos *mpl* festivos para el Año Nuevo.

설(說) ① [견해(見解)·의견(意見)] opinión *f*, parecer *m*, vista *f*. 그 점에 대해 여러 ～이 있다 Hay distintas opiniones sobre ese punto. 나는 너의 ～에 찬성이다 Soy del mismo parecer que tú / Soy de acuerdo contigo. 그가 범인이라는 ～ la hipótesis de que él sea autor del crimen. ② [학설(學說)·신조(信條)] teoría *f*, doctrina *f*. 맬서스의 ～ teoría *f* [doctrina *f*] maltusiana, maltusianismo *m*. 플라톤의 ～을 따르다 seguir Platón, seguir el platonismo. 새로운 ～을 확립하다 establecer la nueva teoría. ③ [풍설(風說)] rumor *m*. …라는 ～이 있다 Hay rumor que + *ind*. 정책이 변한다는 ～이 돌고 있다 Corre el rumor de que va a cambiar la política. 확인되지 않은 ～에 의하면 정부가 바뀌는 듯하다 Según rumores no confirmados cambiará el gobierno.

설- insuficiente, verde. ～삶다 dar un hervor (a). ～익은 [과일이] verde, que no está maduro; [치즈가] que no está hecho [en su punto].

-설(說) rumor. 개각(改閣)～이 있다 Hay rumor que se remodelará el gabinete.

설거지 fregadura *f*, limpieza *f* de los platos. ～하다 fregar [limpiar] los platos. ～하는 사람 fregador, -ra *mf*. ～하는 곳 fregadero *m*. 당신이 ～를 합니까? ¿Frega usted los platos?
■～물 el agua *f* de fregar los platos. ～통 fragadero *m*, friegaplatos *m*.

설겅거리다 mascar duro, no ser completamente cocido, estar medio hecho [preparado]. 설겅거리는 밥 arroz *m* medio hecho [preparado].

설경(雪景) paisaje *m* de nieve, paisaje *m* de nevado, vista *f* de una nevada, paisaje *m* de los campos cubiertos de nieve. ～을 즐기다 disfrutar [gozar] en la contemplación de un paisaje nevado.

설계(設計) diseño *m*, designio *m*, proyecto *m*, plano *m*. ～하다 [집·정원을] diseñar, proyectar; [옷·세트·제작품을] diseñar; [프로그램·코스를] planear, estructurar; [도면을] trazar un plano (de). ～가 잘된 bien diseñado, de buen diseño, bien distribuido. ～가 잘못된 mal diseñado, de mal diseño, mal distribuido. ～의 결점 defecto *m* de diseño. ～가 잘된 기계[의자] máquina *f* [silla *f*] bien diseñada, máquina *f* [silla *f*] de buen diseño. 기계를 ～하다 diseñar una máquina. 생활의 ～를 하다 hacer un proyecto de la vida. 그는 손수 집을 ～했다 El trazó personalmente el plano de su casa.

■ ～가 diseñador, -dora *mf.* ～도 diseño *m,* plano *m,* proycto *m,* traza *f.* ～사 diseñador, -dora *mf* profesional. ～서(書) especificación *f,* descripción *f* detallada de un plan [de un aparato]. ～안(案) proyecto *m.* ～ 약도 esbozo *m,* bosquejo *m.* ～자 diseñador, -dora *mf,* trazador, -dora *mf,* proyectista *mf.*

설계(雪溪) valle *m* nevado, valle *m* cubierto de nieve.

설골(舌骨) 【해부】 hueso *m* lingual, hueso *m* de lengua. ～의 hioides. ～ 뒤의 posthioides. ～ 상(上)의 suprahioides. ～ 전(前)의 prehioides. ～ 하(下)의 infrahioides, subhioides.

설교(說敎) ① ((종교)) predicación *f,* sermón *m;* [기독교의] prédica *f.* ～하다 predicar, sermonear, echar [dar] un sermón, sermonar. ～할 수 있는 predicable. ～하기 좋아하는 (사람) sermoneador, -dora *mf.* 그리스도의 산상 ～ sermón *m* de la Montaña. ② [타이름] amonestación *f,* amonestamiento *m,* sermoneo *m,* sermón *m,* reprensión *f.* ～하다 amonestar, sermonear, sermonar. 정치 ～ charla *f* política, comentario *m* político. ～를 듣다 oír un sermón. ～를 듣게 하다 hacer escuchar una larga amonestación. 소년에게 ～하다 sermonear a un muchacho.

■ ～단 púlpito *m,* altar *m* de predicación. ～사 predicador, -dora *mf,* predicante *mf,* ((불교)) predicador, -dora *mf* de la sutra. ～소 puesto *m* de predicador, sermonario *m.* ～자 predicador, -dora *mf,* sermoneador, -dora *mf.* ～집(集) sermonario *m,* colección *f* de sermones.

설기[1] ((준말)) ＝백설기.

■ ～떡 ＝설기[1].

설기[2] [싸리채나 버들채 따위로 만든 장방형의 상자] caja *f* rectángular de sauce.

설깃 cadera *f* (de carne de vaca).

설날 el primero de enero, el primer día del año, día *m* del Año Nuevo.

설늙은이 hombre *m* viejo para su edad.

설다[1] ① [(식물의 열매가) 아직 덜 익다] (ser) verde, no estar maduro. 선 수박 sandía *f* verde. 선 포도 uva *f* verde. ② [(밥 따위가) 말랑하게 잘 익혀지지 아니하다] (estar) medio hecho [cocido · preparado]. 선 밥 arroz *m* medio cocido. 선 떡 tarta *f* medio preparada. ③ [(잘 발효되지 않아) 제대로 익지 않다] (estar) completamente fermentado. 술이 ～ El vino está completamente fermentado. ④ [(잠이) 모자라다] faltar el sueño; [(잠이) 깊이 들지 아니하다] no dormir profundamente. 어젯밤 잠이 설었다 Anoche no dormí profundamente.

설다[2] ((변한말)) ＝섧다.

설다[3] [익숙하지 못하다] (ser) inexperto, novato, no tener experiencia; [생소(生疎)하다] (ser) extraño, desconocido, nuevo. 낯이 ～ ser extraño. 나는 이런 종류의 일에는 아직 많이 선다 Todavía no tengo mucha experiencia en este tipo de cosas. 그는 프로그래밍에 아주 선다 El tiene muy poca experiencia de [en] programación. 그 이름은 나한테는 선다 El nombre me resulta desconocido / El nombre no me es familiar. 우리들은 이런 형태의 상황에 설지 않다 Tenemos experiencia de este tipo de situación.

설다루다 llevar mal, dirigir mal; [회사 · 나라가] administrar mal. 설다룸 mala administración *f.*

설대[1] ((준말)) ＝담배설대.

설대[2] ((식물)) ＝이대.

설데치다 dar un mal hervor (a).

설득(說得) convicción *f,* persuación *f.* ～하다 convencer, persuadir; [조언하다] aconsejar. ～당하다 ser convencido (por), dejarse convencer (por). ～에 성공하다 acabar por convencer (a), lograr persuadir (a). …의 필요성을 ～하다 insistir en la necesidad de *algo.* 서반아어를 공부하라고 ～하다 persuadir a estudiar el español. 나는 마리아의 ～에 따랐다 Yo he cedido a la persuasión de María. 나는 그에게 며칠 더 머무르라고 ～했다 Le he persuadido a que se quedara unos días más. 나는 그에게 회합에 출석할 것을 ～했다 Le he convencido de que asista a la reunión.

■ ～력 poder *m* persuasivo, persuasión *f,* persuativa *f,* facultad *f* de persuadir, fuerza *f* de persuadir. ¶～ 있는 persuasivo. 웅변가의 ～ 있는 재능 talento *m* persuasivo de un orador. ～ 요법 terapia *f* persuasiva.

설듣다 saber de oídos. 그는 설들어서 여러 가지를 알고 있다 El sabe muchas cosas de oídos.

설랑 en. 여기～ 책을 읽고, 저기～ 글을 짓네 Aquí se lee, allí se compone.

설량(雪量) cantidad *f* que cae la nieve.

■ ～계(計) ＝적설계(積雪計).

설렁 campanilla *f.*

■ ～줄 cuerda *f* de la campanilla.

설렁거리다 ① [바람이 가볍게 불다] soplar suavemente. ② [팔을 가볍게 저어 바람을 내면서 걷다] andar con brío.

설렁설렁 [바람이] suavemente; [걸음을] con brío, con pasos briosos. ～ 부는 바람 brisa *f* suave.

설렁설렁하다 hacer mucho fresco.

설렁탕(先農湯) *seoleongtang,* sopa *f* de cabeza de vaca, intestinos de vaca, huesos de vaca, etc.

설렁하다 ① [방 안 같은 곳의 공기가 서늘하다] hacer un poco de frío. ② [놀란 때에, 가슴속에 찬 바람이 도는 것 같은 느낌이 있다] sentir fresco [frío].

설레다 ① [마음이 들떠서 가라앉지 않다] latir. 기쁨으로 그의 가슴이 설레었다 El corazón le latía con alegría. ② [가만히 있지 않고 자꾸만 움직이다] mover con frecuencia, ser inquieto. 설레지 말고 한 자리에 가만히 앉아 있어라 No seas tan inquieto. Guarda tu asiento. ③ [설렁설렁 흔들다] sacudir suavemente. ④ [(물 따위가) 설설 끓거나 또는 일렁거리다] hervir lentamente; cabecear.

설레설레 meneando, moviendo, sacudiendo, agitando. 아니라고 머리를 ~ 흔들다 sacudir *su* cabeza en negación.

설령(設令) aunque. ~ … 하더라도 aunque sea, aun cuando + *subj*, suponiendo que + *subj*. ~ 농담일 지라도 aunque sea la broma. ~ 어떤 일이 있더라도 pese lo que pase, ocurra lo que ocurra, suceda lo que sucediere, venga lo que viniere. ~ 그가 살아 있다 하더라도 aunque [suponiendo que] él esté vivo. ~ 비가 오더라도 나는 외출하겠다 Aunque llueva, saldré de casa. [((비교)) Aunque llueve, saldré de casa (지금 비가 오지만 나는 외출하겠다)].

설립(設立) establecimiento *m*, fundación *m*, institución *f*, organización *f*, incorporación *f*. ~하다 establecer, fundar, instituir, organizar, erigir, incorporar. 학교를 ~하다 establecer [fundar] una escuela. 회사를 ~하다 fundar [organizar] una compañía. 한겨레는 1988년에 ~되었다 El *Hankyoreh* fue fundado en 1988 (mil novecientos ochenta y ochenta).

■ ~ 등기 registro *m* de incorporación. ~ 발기인 promotor, -tora *mf*. ~ 비용 gastos *mpl* de incorporación. ~ 위원 miembro *mf* de la comisión de establecimiento. ~ 위원회 comisión *f* [comité *m*] de establecimiento. ~자 fundador, -dora *mf*; organizador, -dora *mf*. ~ 자금 fondo *m* para el establecimiento. ~ 취지서 prospecto *m*.

설마 imposible, probablemente no, tal vez no, quizá no, quizás no, no enteramente, no por completo, no del todo, nunca; [회화에서] ¿De veras? ~ 그런 일은 없겠지 No creo que sea posible tal cosa / No sería probable / No es mal por completo. ~ (그럴라고)! No debería ser! ~ 싫지도 않겠지 No es completamente adverso.

설마르다 secarse medio. 설마른 medio seco. 설말린 medio secado.

설맞다 ① [총알 같은 것이 바로 맞지 아니하다] recibir la herida en la carne. ② [매 같은 것을 덜 맞다] ser menos azotado.

설맞이 acogida *f* del Año Nuevo.

설맹(雪盲) 【의학】 ceguera *f* pasajera causada por el resplendor de la nieve, ceguera *f* producida por el reflejo de la nieve.

설멍설멍 con paso zanquilargo.

설멍하다 ① [(아랫도리가) 가늘고 어울리지 않게 길다] (ser) delgado y largo, zanquilargo, de piernas largas. ② [옷이 몸에 어울리지 않게 짧다] (ser) corto. 저고리가 너무 ~ El *cheogori* [La chaqueta coreana] es demasiado corto.

설면하다 ① [자주 못 만나서 좀 설다] enajenarse la amistad (de), alejarse (de). ② [(사귀는 사이가) 그리 정답지 아니하다] no ser tan amable (con).

설명(說明) explicación *f*, [주석(註釋)] comentario *m*. ~하다 explicar, dar explicaciones (sobre), exponer, comentar, hacer comentarios (sobre). ~의 explicativo. 사건에 관해 ~을 요청하다 pedir explicaciones sobre el suceso. 어려운 것을 알기 쉽게 ~하다 explicar en una menera ingenua, explicar dándoselo todo mascado [en lenguaje simple]. 자신의 생각을 ~하다 explicar sus propias ideas, dar razón de sus ideas. 문장의 의미를 ~하다 comentar el texto, aclarar el significado del texto. 더 이상 ~이 필요 없다 No hace falta más explicación. 이 현상은 ~이 안 된다 Este fenómeno es inexplicable. 그는 우리에게 이 방법의 이점을 ~했다 El nos expuso las ventajas de este método.

■ ~ 개념 concepto *m* explicativo. ~도 diagrama *m*. ~문 oración *f* explicativa. ~서 nota *f* (explicativa), texto *m* explicativo, direcciones *fpl*. ¶약(藥)의 사용법에 관한 ~ folleto *m* explicativo sobre el uso de un medicamento. ~어 predicado *m*. ~자 explicador, -dora *mf*; [해석자] interpretador, -dora *mf*; [영화의] lector, -tora *mf* de título. ~ 자막(字幕) subtítulo *m*, título *m* explicativo.

설문(設問) cuestión *f*, encuesta *f*. ~하다 hacer una encuesta, preguntar, hacer una pregunta.

설미지근하다 ① [충분히 익고 뜨거워야 할 물건이 설익고 미지근하다] estar medio cocido y tibio. ② [어떤 일에 임하는 태도가 맺고 끊는 듯한 야무진 맛이 없고, 매우 약하다] no ser firme de carácter, no tener fibra. 그는~ El no tiene fibra.

설밥 nieve *f* que cae el día del Año Nuevo.

설백(雪白) blancura *f* como la nieve. ~하다 ser tan blanco como la nieve. ~의 베 tela *f* tan blanca como la nieve.

설법(說法) ((불교)) predicación *f*, sermón *m*. ~하다 predicar, sermonear, sermonar.

설복(說伏/說服) convencimiento *m*, persuasión *f*. ~하다 convencer, persuadir, ganar en una discusión; [말을 못하게 하다] dejar sin palabra. …하도록 ~시키다 convencer a uno para que + *subj*. … 하자고 ~시키다 disuadir a *uno* de + *inf*. 나는 산에 가자고 그를 ~시켰다 Le he disuadido de ir a la montaña.

■ ~력 persuasión *f*, persuasiva *f*, facultad *f* de persuadir, fuerza *f* de persuadir.

설봉(舌鋒) argumento *m* violento, lengua *f* satírica.

설봉(雪峰) cumbre *f* cubierta de la nieve.

설분(雪憤) =분풀이.

설붕(雪崩) =눈사태.

설비(設備) equipo *m*, instalación *f*. ~하다 instalar, hacer una instalación. ~가 좋은 bien equipado. ~가 나쁜 mal equipado. 가스의 ~ instalación *f* de gas. 냉방 ~가 있는 건물 edificio *m* con aire acondicionado. 공장(工場)에 새로운 기계를 ~하다 instalar

nueva maquinaria en la fábrica. 공장에 현대적인 ~를 하다 instalar en la fábrica equipos modernos. 이 집은 ~가 좋다 Esta casa tiene todas las comodidades.
▪~ 관리 administración *f* de equipos [instalaciones]. ~ 비용 costo *m* [gastos *mpl*] de equipos. ~ 예산 presupuesto *m* de equipos. ~ 자금 fondo *m* de equipos. ~ 자본 capital *m* de equipos. ~투자 inversión *f* de equipos, inversión *f* en instalaciones y equipos. ~품 artículos *mpl* de equipos.

설비음 vestimenta *f* del Año Nuevo.
▪~옷 =설비음.

설빔 ((준말)) =설비음.

설빙(雪氷) ① =빙설(氷雪). ② =눈얼음.

설빠름 =졸속(拙速).

설사(泄瀉) diarrea *f*, flujo *m* diarreico, flujo *m* de vientre, diarría *f*, cagalera *f*, descomposición *f* de vientre, soltura *f* de vientre, *Col* churrias *fpl*. ~하다 tener diarrea [cagalera], padecer [tener] diarrea [cursos], andar ligero de vientre, *Andes* estar churriendo. ~의 diarreico. ~를 막다 tomar una purga. ~를 멈추다 estreñir [cortar] la diarrea. 아주까리 기름은 ~를 하게 한다 El aceite de ricino da diarrea.
▪~약[제] ㉮ [설사를 멈추게 하기 위해 먹는 약] opilativo *m*, medicina *f* opilativa. ㉯ [설사가 나도록 하기 위해 먹는 약] purgativo *m*, purgante *m*, purga *f*, laxante *m*.

설사(設使) aunque + *subj*. ~ 비가 오더라도 공원을 산책하겠다 Aunque llueva, daré un paseo por el parque.

설산[1](雪山) montaña *f* cubierta de nieve.

설산[2](雪山) 【지명】 los Montes Himalaya.

설삶기다 ser dado un hervor, ser medio cocido.

설삶다 dar un hervor (a), cocer medio.

설상(舌狀) forma *f* de lengua. ~의 en forma de lengua, lingüiforme.
▪~ 기관 lengua *f*. ~ 분지 cuenca *f* lingüiforme. ~화 flor *f* lingüiforme.

설상(雪上) sobre la nieve.
▪~가상(加霜) Siempre llueve sobre mojado / ((서반아 속담)) Las desgracias nunca vienen solas. ~차(車) trineo *m* a motor, trineo *m* de oruga, moto *m* de nieve, motonieve *f*. ~화(靴) raqueta *f*.

설상(楔狀) forma *f* de cuña. ~의 cuneiforme, de forma de cuña.

설색(雪色) ① [눈같이 흰빛] color *m* blanco (como la nieve). ② =설경(雪景).

설선(舌腺) glándula *f* lingual.

설선(雪線) límite *m* de las nieves perpetuas.

설설 ① [물이 고루 천천히 끓는 모양] (hirviendo) a fuego lento. 물이 ~ 끓는다 El agua hierve a fuego lento. ② [온돌방이 고루 뭉근하게 더운 모양] comfortablemente caliente. 방이 ~ 끓는다 La habitación está comfortablemente caliente. ③ [긴 다리로 연해 기는 모양] arrastrándose, gateando, yendo a gatas. ④ ((준말)) =설레설레. ⑤ [두려워 기세를 펴지 못하는 모양] encogiéndose (de miedo). 여비서가 그의 무서운 눈초리 앞에서 ~ 긴다 La secretaria se encoge (de miedo) delante de su mirada severa.
설설거리다 ㉮ [긴 다리로 연해 기어다니다] seguir arrastrándose [gateando]. ㉯ [마음이 들떠서 연해 돌아다니다] seguir deambulando [vagando]. ㉰ [머리를 연해 가볍게 젓다] seguir sacudiendo la cabeza.
설설 기다 arrastrarse (ante).

설소차(雪搔車) =제설차(除雪車).

설쇠다 celebrar el Año Nuevo. ☞설

설술 licor *m* para (celebrar) el día del Año Nuevo.

설신경(舌神經) nervio *m* lingual.

설암(舌癌) 【의학】 cáncer *m* de la lengua.

설야(雪夜) noche *f* que nieva.

설연(設宴) celebración *f* de un banquete. ~하다 celebrar un banquete.

설염(舌炎) 【의학】 glositis *f*.

설영(設營) instalación *f*. ~하다 instalar. 기지(基地)를 ~하다 instalar una base.

설왕설래(說往說來) discusión *f* de vaivén. ~하다 discutir (con).

설욕(雪辱) desquite *m*, venganza *f*, revancha *f*. ~하다 desquitarse (de), vengarse (de), tomar la revancha (de).
▪~전(戰) partido *m* de vuelta, partido *m* de desquite, revancha *f*.

설움 tristeza *f*, pesadumbre *f*, aflicción *f*, lamentación *f*, duelo *m*.

설워하다 ((변한말)) =서러워하다.

설원(雪原) ① [눈에 뒤덮여 있는 벌판] campo *m* (cubierto) de nieve. ② =눈밭.

설원(雪冤) exoneración *f*, vindicación *f*. ~하다 exonerar (de). 그는 모든 죄에서 ~되었다 El fue exonerado de toda la culpa.

설월(雪月) ① [눈과 달] la nieve y la luna. ② [눈 위에 비치는 달빛] luz *f* de la luna que reluce sobre la nieve.

설월야(雪月夜) noche *f* de la luna que nieva.

설월화(雪月花) la nieve, la luna y la flor; buen paisaje *m* de las cuatro estaciones.

설유(說諭) amonestación *f*, admonición *f*. ~하다 amonestar, reprender.
▪~자 amonestador, -dora *mf*.

설음(舌音) 【언어】 letra *f* lingual.

설음식(-飮食) comida *f* para el día del Año Nuevo.

설익다 cocer medio. 설익은 medio cocido, mal cocido, a medio cocer.

설인(雪人) hombre *m* de nieve, yeti *m*.

설자다 dormir de manera irregular.

설자리 ① [서 있을 자리] lugar *m* para estar de pie. ② [활을 쏠 때에 서는 자리] lugar *m* de estar de pie cuando se lanza [arroja] la flecha.

설잡다 sujetar [*AmL* agarrar] sin apretar.

설전(舌戰) pelea *f* [lucha *f*] verbal, contienda *f* de palabras, debate *m*. ~하다 disputar, discutir, pelear [luchar] verbalmente.

설정(泄精) =몽설(夢泄).

설정(設定) establecimiento *m*, fundación *f*, institución *f*, [창설] creación *f*. ~하다 establecer, instituir, crear, imaginar. 어떤 상황(狀況)을 ~하다 imaginar [figurarse] cierta circunstancia. 문제의 ~ 방법이 틀렸다 El problema está mal planteado.
◆안정 기금(安定基金) ~ creación *f* de un fondo de estabilización.

설정(雪程) camino *m* cubierto de la nieve.

설주(−柱)【건축】((준말)) =문설주.

설죽다 estar medio vivo.

설중(雪中) ① [눈이 내리는 가운데] en medio de la nieve. 길을 잃고 ~에 헤매다 ambular [vagar] en medio de la nieve después de perderse. ② [눈 속] en la nieve. ~ 행군(行軍) marcha *f* en la nieve.

설차림 preparación *f* de los platos festivos del Año Nuevo.

설천(雪天) ① [눈 내리는 날] día *m* que nieva. ② [눈이 내리는 하늘] cielo *m* que cae la nieve.

설철(屑鐵) =헌쇠.

설체하다 ① [흔하게 쓰다] usar comúnmente. ② [포식하다] hartarse (de), atracarse (de).

설취하다(−醉−) estar medio borracho.

설측음(舌側音)【언어】sonido *m* lateral.

설치(雪恥) =설욕(雪辱).

설치(設置) establecimiento *m*, fundación *f*; [기계 따위의] instalación *f*, colocación *f*, montaje *m*. ~하다 establecer, fundar, organizar, colocar, poner, asentar; [기계 따위를] instalar, instaurar; [조립하다] montar. 공동 시장(共同市場)을 ~하다 establecer un mercado común. 방에 침대를 ~하다 instalar una cama en el cuarto. 공장에 기계를 ~하다 instalar una máquina en la fábrica. 입구에 동상(銅像)을 ~하다 colocar una estatua de bronce en la entrada. 심의회를 ~하다 organizar un consejo. 전화를 ~하다 instalar un teléfono. 학교를 ~하다 fundar una escuela.

설치다[1] ① [급히 서둘러 마구 덤비다] alborotar, armar jaleo; [폭도 따위가] amotinarse. ② =설레다.

설치다[2] [필요한 정도에 미치지 못하고 그만두다] no poder. 잠을 ~ no poder quedarse dormido, quedarse desvelado.

설치류(齧齒類)【동물】roedores *mpl*.

설치목(齧齒目)【동물】=설치류(齧齒類).

설컹거리다 seguir siendo mascado duro.
설컹설컹 siguiendo siendo mascado duro.

설탕(雪糖) azúcar *m*. 굵은 ~ azúcar *m* cristalizado [granulado]. ~을 치다 [넣다] echar [poner] azúcar (a), azucarar. ~을 친 편도(扁桃) peladillas *fpl*. ~을 얼마나 원하십니까? ¿Cuánto azúcar quieres? / ¿Cuántos terrones [Cuántas cucharaditas] de azúcar quieres?
■~ 그릇 azucarero *m*, *AmL* azucarera *f*. ~ 덩어리 terrón *m* (*pl* terrones) de azúcar. ~물 el agua *f* azucarada.

설태(舌苔)【의학】sarro *m*.

설통발 trampa *f* [encañizada *f*] de pescado.

설파(說破) ① [(진리가 될 만한 것을) 듣는 사람이 납득하도록 밝혀 뚫어 말함] persuasión *f*, convención. ~하다 persuadir, convencer. ② [(상대방의 이론을) 완전히 깨뜨려 뒤엎음] confutación *f*, refutación *f*. ~하다 confutar, refutar.

설편(雪片) copo *m* de nieve. ~이 날린다 La nieve cae en ligeros copos.

설피 una especie de las botas de invierno que se pone al cazar.

설피다 (el tejido) ser basto y ralo.

설피창이 tejido *m* basto y ralo.

설핏설핏 basta y ralamente.

설핏하다 (el tejido) ser algo basto y ralo.

설하(舌下) ¶~의 sublingual, hipogloso.
■~ 동맥 arteria *f* sublingual. ~선(腺) glándula *f* sulingual. ~ 신경(神經) nervio *m* sublingual, nervio *m* hipogloso. ~ 신경마비 neurolepsis *f* sublingual, neuroplegia *f* sublingual. ~염 subglosistis *f*, sublinguitis *f*. ~ 정맥 vena *f* sublingual.

설한(雪寒) frío *m* del tiempo de nevar, frío *m* después de nevar.
■~풍(風) =눈바람.

설해(雪害) daños *mpl* causados por la nevada.

설형(楔形) figura *f* de cuña. ~의 cuneiforme.
■~ 문자 escritura *f* cuneiforme.

설혹(設或) =설령(設令).

설화(舌禍) lapsus *m* linguae.
■~ 사건(事件) escándalo *m* por una declaración inoportuna.

설화(雪花/雪華) ① [눈송이] copo *m* de nieve. ② [나뭇가지에 꽃처럼 붙은 눈발] nieve *f* en las ramas.
■~ 석고 alabastro *m*. ~지(紙) una especie del papel producido en *Pyeongchang*, *Gangwondo*.

설화(雪禍) daños *mpl* causados por la nevada.

설화(說話) ① [이야기] cuento *m*, relato *m*, historia *f*. ② [여러 민족 사이에 전승되어 온 신화·전설·동화 등] narración *f* (legendaria).
■~ 문학 literatura *f* narrativa, literatura *f* legendaria. ~ 소설 novela *f* en la forma narrativa. ~적 narrativo, legendario. ~집 colección *f* de cuentos. ~체(體) estilo *m* narrativo. ~체 소설 novela *f* en la forma narrativa.

섧다 =서럽다.

섬[1] [짚으로 엮어 만든 멱서리] saco *m* de paja.

섬[2] ① [층층대] escalera(s) *f(pl)*. ② ((준말)) =섬돌.

섬[3] [물로 둘러싸인 작은 육지] isla *f*, [작은 섬] isleta *f*. ~의 isleño, insular. 배로 ~에 가다 ir a una isla en barco.

섬[4] *seom*, diez *mal*, diez veces de *mal*. 쌀 한 ~ un *seom* de arroz.

섬(纖) un diez millonésimos de uno.

섬거적 estera *f* de paja.

섬게【동물】=성게.

섬광(閃光) destello *m*, fulgor *m*, centello *m*, escintilación *f*, fulguración *f*, relámpago *m*; [총의] fogonazo *m*; [등대・신호 등의] luz *f* de magnesio, luz *f* de destellos, luz *f* de flash. 그녀의 다이아 반지의 ~ brillo *m* [destellos *mpl*] de su anillo de brillantes. ~을 발하다 despedir destellos, destellar, fulgurar, relampaguear.
■ ~ 계수기 escintilómetro *m*. ~ 광분해(光分解) fotolisis *f* instantánea, fotolisis *f* por destellos. ~등(燈) lámpara *f* de magnesio, lámpara *f* de flash, lámpara *f* de luz relámpago. ~분[제] fotopólvora *f*, mezcla *f* de magnesio 2 partes y clorato potásico 1 parte, polvo *m* de magnesio. ~ 사진 fotografía *f* por resplandor de luz. ~ 스펙트럼 espectro *m* de relámpago. ~ 신호 señal *f* de destellos. ~ 실명 ceguera *f* por el flash. ~ 장치 aparato *m* de relámpago; [카메라의] flash *m* electrónico. ~ 전구 lámpara *f* [bombilla *f*] de flash; bombilla *f* [tubo *m*] (de) relámpago. ~ 측정 medición *f* de relámpago. ~ 화상(火傷) quemadura *f* por el flash.

섬교(纖巧) delicadeza *f*, lo delicado, exquisitez *f*, lo exquisito.

섬기다 servir (a), estar al servicio (de), entrar al servicio (de), servir a la mesa como criada. 부모(父母)를 ~ dedicarse a *sus* padres. 스승을 ~ obedecer a *su* maestro. 신(神)을 ~ consagrarse al servicio de Dios. 부모를 섬겨 효도하다 ser obediendiente a *sus* padres.

섬나라 país *m* (*pl* países) insular, país *m* isleño.
■ ~ 근성(根性) espíritu *m* insular, estrechez *f* insular.

섬놈 isleño *m*, nativo *m* isleño.

섬누룩 malta *f* basta.

섬돌 escalera *f* de piedra, tramo *m* de escalón de piedra.

섬뜩하다 horrorizarse [estremecerse] de miedo, sobrecogerse, sobresaltarse, llevarse un susto, quedarse elado. 나는 섬뜩했다 Me atrevesaron [dieron] escalofríos / Se me heló la sangre en las venas / Me entraron sudores de muerte. 그 말을 듣고 나는 섬뜩했다 Me quedé helado al oír esas palabras. 나는 섬뜩해서 멈추었다 Me paré sobresaltado.

섬록암(閃綠巖) 【광물】 diorita *f*.

섬망(譫妄) 【의학】 delirio *m*, alofasis *f*, frenesis *f*.
■ ~ 상태 delirio *m*.

섬멸(殲滅) exterminación *f*, aniquilación *f*, extirpación *f*, anonadamiento *m*. ~하다 exterminar, aniquilar, extirpar, anonadar.
■ ~전(戰) operación *f* de aniquilación, guerra *f* de exterminación.

섬모(纖毛) ① [가는 털] pelo *m* fino. ② 【동물】 cilios *mpl*. ~의 ciliar. ~가 있는, ~를 가진 ciliado. ③ 【식물】 pestaña *f*.
■ ~반 disco *m* ciliar. ~ 상피 epitelio *m* ciliado. ~ 운동 movimiento *m* ciliar. ~체 cuerpo *m* ciliar. ~체근 músculo *m* ciliar. ~체 신경절 ganglio *m* ciliar. ~체 정맥 vena *f* ciliar.

섬모충(纖毛蟲) 【동물】 ciliado *m*.

섬모충류(纖毛蟲類) 【동물】 ((학명)) Ciliatea.

섬벅 cortando con un golpe ligero.
섬벅섬벅 ㉮ [잘 드는 칼에 쉽게 연해 베어지는 모양. 또, 그 소리] cortando con un golpe ligero. ㉯ [조금 단단하고 물기 많은 것이 잘 씹히는 모양. 또, 그 소리] mascando bien.

섬뻑 =섬벅.
섬뻑섬뻑 =섬벅섬벅.

섬사람 isleño, -ña *mf*.

섬서하다 (ser) insociable, frío.

섬섬(纖纖) delgadez *f*. ~하다 (ser) delgado.
섬섬히 delgadamente.
■ ~약질[약골] delgadez y debilidad. ~옥수(玉手) manos *fpl* delgados y hermosas de la mujer. ~초월(初月) luna *f* nueva delgadísima.

섬섬하다(閃閃-) relucir, brillar.
섬섬히 relucientemene, brillantemente.

섬세(纖細) fineza *f*, delicadeza *f*, exquisitez *f*, sutileza *f*. ~하다 (ser) fino, delicado, exquisito, sutil. ~한 사람 persona *f* de figura delicada y fina [sutil]. 감정(感情)이 ~하다 tener la sensibilidad delicada.
섬세히 delicadamente, sutilmente, con delicadeza, con sutileza.
■ ~성(性) delicadeza *f*, sutileza *f*.

섬약(纖弱) debilidad *f*, fragilidad *f*. ~하다 (ser) débil, frágil, feble, enclenque, lánguido, delicado. ~한 여자의 몸 mujer *f* delicada. ~한 어린이 niño *m* endeble, niña *f* endeble.

섬어(譫語) ① =헛소리. ② =잠꼬대.

섬우란광(閃 uran 鑛) unraninita *f*.

섬유(纖維) fibra *f*, tejido *m*. ~성(性)의 fibroideo. ~가 많은 [야채 등이] fibroso.
■ ~ 공업 industria *f* textil. ~근염(筋炎) fibromiositis *f*. ~근종 fibromioma *m*. ~기계 maquinaria *f* textil. ~막 túnica *f* fibrosa. ~상 물질 material *m* fibrosa. ~세포 célula *f* textil. ~ 식물 planta *f* textil. ~ 업자 industrialista *mf* textil. ~ 유리 cristal *m* [vidrio *m*] fibroso. ~ 작물 cultivo *m* fibroso. ~ 제품 productos *mpl* textiles. ~ 조직(組織) tejido *m* fibroso. ~증 fibrosis *f*, callosidad *f*. ~질 fibrina *f*, material *m* fibroide. ~층 túnica *f* fibrosa, capa *f* fibrosa. ~화(化) fibrosis *f*.

섬유소(纖維素) celulosa *f*, fibrina *f*.
■ ~ 감소증 fibrinopenia *f*. ~ 글로불린 fibrinoglobulina *f*. ~증 fibrinosis *f*. ~ 폐렴 neumonía *f* fibrinosa. ~ 혈증 fibrinemia *f*, fibrinaemia *f*.

섬유소원(纖維素原) fibrinógeno *m*.
■ ~ 감소증 fibrinogenopenia *f*, hipofibrinogenemia *f*. ~ 분해 fibrinogenolisis *f*. ~ 증가증 hiperinosis *f*. ~ 혈증 fibrinogenemia *f*.

섬유 연골(纖維軟骨) 【해부】 fibrocartílago *m*.
■ ~염 fibrocondritis *f*. ~종 fibrocondroma *m*, fibroencondroma *m*.
섬유종(纖維腫) 【의학】 fibroma *m*.
■ ~증 fibromatosis *f*.
섬찟지근하다 espantarse, llevarse un susto. 섬찟지근히 espantosamente, con espanto.
섬화(閃火) fuego *m* brillante.
■ ~ 방전(放電) =불꽃 방전.
섭금류(涉禽類) 【조류】 zancudas *fpl*. ~의 (동물) zancudo.
섭동(攝動) 【천문】 perturbación *f*.
섭력(涉歷) experiencia *f* versátil, experiencia *f* amplia. ~하다 ganar [tener] la experiencia versátil, tener la experiencia amplia.
섭렵(涉獵) lectura *f* excesiva. ~하다 leer excesivamente, leer muchos libros y datos, abarcar. 널리 문헌을 ~하다 abarcar la literatura excesiva. 여러 학자의 저술을 ~하다 hojear [leer por encima] las obras de grandes autores, estudiar [inspeccionar] autoridades.
섭리(攝理) ① ((종교)) [신(神) 또는 정령(精靈)이 인간의 일을 염려하면서 세상의 모든 일을 다스리는 일] providencia *f* divina. 자연의 ~에 따라 por provisión de naturaleza. 신의 ~에 맡기다 confiar en [tener confianza en] la Providencia Divina. ② ((천주교)) providencia *f*.
섭새기다 grabar en relieve.
섭새김(질) grabado *m* [tallado *m*] en relieve. ~하다 grabar en relieve.
섭생(攝生) cuidado *m* de salud; 【의학】 régimen *m* (*pl* regímenes). ~하다 cuidarse, cuidar (de) *su* salud, tener cuidado con *su* salud. ~에 주의하다 cuidarse de la salud. ~을 게을리하다 descuidar *su* salud.
■ ~가 persona *f* de tener cuidado con *su* salud. ~법 las reglas de salud, higiene *f*.
섭섭하다 [주어가 1인칭일 때] sentirse. 섭섭해 하다 [주어가 2·3 인칭일 때] sentirse. 없어서 섭섭하게 생각하다 echar de menos, *AmL* extrañar. 그가 오지 못한다 하니 ~ Me siento que él no venga. 그녀는 내가 외국에 간다니 섭섭해 했다 Ella se sintió que yo fuera al país extranjero. 섭섭해 하지 마라 No te sientas. 네가 없어서 참 섭섭하구나 Te echo muchísimo de menos / *AmL* Te extraño muchísimo / *AmL* Ma haces mucha falta. 네가 없으면 우리 모두가 참 섭섭해 할 것이다 Te echaremos muchísimo de menos / *AmL* Te extrañaremos muchísimo / *AmL* Nos harás mucha falta.
섭섭히 con pesar, lamentablemente, desafortunadamente, desgraciadamente, por desgracia. ~도 우리들은「아니」라고 말해야 한다 Muy a nuestro pesar [Lamentablemente], tenemos que decir que no.
섭씨(攝氏) ((준말)) =섭씨 온도. ¶~의 centígrado. ~ 5도의 물 el agua *f* de cinco grados centígrados. 기온이 ~ 15도이다 La temperatura es de quince grados centígrados.
■ ~ 온도(溫度) grado *m* centígrado. ¶~의 centígrado, Celsio. ~ 온도계[한란계] termómetro *m* centígrado.
섭양(攝養) =양생(養生).
섭외(涉外) negociación *f*, enlace *m*, contacto *m*, coordinación *f*, relaciones *fpl* exteriores.
■ ~ 관계 relaciones *fpl* exteriores, relaciones *fpl* públicas. ~국(局) el Departamento de relaciones exteriores. ~ 담당자 encargado, -da *mf* de relaciones exteriores [públicas]. ~ 사무 asuntos *mpl* de relaciones exteriores [públicas].
섭정(攝政) regencia *f*; [사람] regente *mf*. ~하다 gobernar como un regente. ~의 regente.
■ ~ 대비(大妃) la Reina Regente. ~ 황태자 el Príncipe Regente. ~ 황후 la Reina Regente.
섭조개 【조개】 mejillón *m* (*pl* mejillones).
섭죽(-粥) gachas *fpl* de mejillones.
섭집게 tenazas *fpl* para coger los mejillones.
섭취(攝取) ① [(영양물을) 몸속에 빨아들임] toma *f*. ~하다 tomar. 영양물을 ~하다 tomar alimentos nutritivos. ② [(훌륭한 것이나 좋다고 생각되는 요소를) 받아들임] asimilación *f*. ~하다 asimilar. 서구 문명(西歐文明)을 ~하다 asimilar la civilización occidenal.
◆칼로리 ~량 consumo *m* calórico.
섭치 una cosa inútil entre muchas cosas.
섭호선(攝護腺) 【해부】 próstata *f*.
■ ~염 prostatitis *f*.
섯밑 carne *f* debajo de la lengua de vaca.
섰다[1] [화투장으로 하는 노름의 한 가지] *seotta*, una especie del juego con *hwatu* [los naipes coreanos].
섰다[2] ((준말)) =서 있다(estar de pie).
성 ira *f*, cólera *f*, enfado *m*, furia *f*, rabia *f*, arrebato *m*, furor *m*, indignación *f*, enojo *m*, irritación *f*, molestia *f*, coraje *m*, exasperación *m*. ~나게 하다 enojar, enfadar, irritar, encolerizar, causar ira, sulfurar, enfurecer, exasperar, molestar, incomodar, desagradar, disgustar.
◆성(을) 내다 enfadarse, irritarse, *AmL* enojarse. 나한테 성(을) 내지 마라 No me enfades [enojes · irrites].
◆성(을) 풀다 mitigar la ira, aplacarse, mitigarse, sosegarse.
◆성(이) 나다 [성이 나 있다] estar enfadado (con), estar enojado (con).
◆성이 머리끝까지 나다 estar muy enfadado (con).
성(姓) apellido *m*. (여자의) 결혼 전의 ~ apellido *m* de soltera. (여자의) 결혼 후의 ~ apellido *m* de casada.
◆성을 갈겠다 ㉮ [다시는 하지 않겠다] Cambiaré mi apellido / No lo haré otra vez. ㉯ [장담하거나 단언할 때] No lo haré otra vez.
성(性) ① [사람이나 사물 따위의) 본바탕] naturaleza *f*, natural *m*. 사람의 ~은 선하

다 La naturaleza humana es buena. ② ((불교)) [만유(萬有)의 본체(本體)] naturaleza *f.* ③ [남성과 여성 또는 암컷과 수컷의 구별] sexo *m.* ~의 sexual, de sexo. ~에 굶주린 hambriento de contacto sexual. ~의 연구(研究) estudio *m* sexual. ~의 욕구(欲求) exigencia *f* del instinto sexual. ~의 자각(自覺) despertamiento *m* del instinto sexual. ~에 눈을 뜨다 abrir los ojos a la sexualidad. ~을 감별하다 [병아리의] sexar (los polluelos). ④ 【언어】 género *m.* 남~ género *m* masculino. 여~ género *m* femenino. 중~ género *m* neutro. ⑤ ((준말)) =성욕(性慾).

◆성(에) 차다 estar contento.

◆성(이) 마르다 ser de mal genio, ser irascible, ser insoportable, ser intolerable, tener poca paciencia.

■~ 공포 genofobia *f.* ~과학 sexología *f.* ~과학자 sexólogo, -ga *mf.* ~관계 relaciones *fpl* sexuales. ~ 기능 funciones *fpl* sexuales. ~ 기능 과도 hipergonadismo *m.* ~ 기능 부전 hipogonadismo *m.* ~도덕 moral *f* sexual, moralidad *f* sexual. ~범죄 delito *m* sexual. ~범죄자 delicuente *mf* sexual. ~생활(生活) vida *f* sexual. ~전환 수술 operación *f* de cambio de sexo. ~ 지식 conocimiento *m* del sexo. ~차별 discriminación *f* sexual, sexismo *m*; [특히 여성에 대해] machismo *m*, sexismo *m.* ~차별주의 sexismo *m*; [특히 여성에 대해] machismo *m.* ~ 차별주의자 sexista *mf*; [특히 여성에 대해] machista *mf*; sexista *mf.* ~ 치료 [심리 요법으로 성불능이나 성불감증 등을 고치는 치료법] sexoterapia *f.* ~ 치료 전문의 sexólogo, -ga *mf*; sexoterapeuta *mf.* ~ 학대 abusos *mpl* deshonestos, violación *f.* ~희롱 acoso *m* [hostigamiento *m*] sexual.

성(省) ① [중국의 행정 구분] provincia *f.* ② [미국·영국·일본 등의 중앙 행정 기관] ministerio *m.* 국무(國務)~ [미국의] Secretaría *f* del Estado. 외무(外務)~ Ministerio *m* de Asuntos Exteriores, Ministerio *m* de Relaciones Exteriores.

성(城) castillo *m*, alcázar *m*; [시(市)의] ciudadela *f*, [성채(城砦)] fortaleza *f*, fuerte *m.* ~안에 en el castillo. ~의 폐허(廢墟) ruinas *fpl* de un castillo. ~을 포위하다 sitiar una fortaleza, sitiar un castillo. ~을 함락(陷落)하다 ocupar un castillo, tomar una fortaleza.

성(聖) ① ((종교)) Santo. ② ((준말)) =신성(神聖). ③ ((준말)) =성인(聖人).

성-(聖) Santo, Santa; [남성 사람의 이름 앞에서] San. ~베드로 San Pedro. ~프란시스코 San Francisco. ~웅(雄) Santo Héroe. ~녀(女) 마리아 Santa María.

성가(聖架) la Cruz.

성가(聖家) familia *f* del santo.

성가(聖歌) himno *m*, cántico *m*, canción *f* sagrada, canto *m* litúrgico.

■~대 coro *m.* ¶남성 ~ coro *m* masculino. ~대원 miembro *mf* de coro. ¶소년 ~ niño *m* que canta en un coro de iglesia. ~대석 coro *m.* ~대 지휘자 director *m* de coro, maestro *m* de coro. ~ 연습 ensayo *m* de coro. ~집 himnario *m*, cantoral *m*, colección *f* de himnos.

성가(聖駕) =거가(車駕).

성가(聲價) fama *f*, reputación *f*, popularidad *f.* ~를 높이다 acrecentar [aumentar] *su* fama. ~를 잃다 dejar de ser popular, perder *su* reputación [popularidad].

성가시다 estar fastidioso, estar molesto, molestarse, fastidiarse. 성가시게 하다 molestar, fastidiar, hastiar. 성가시게 굴지 마라 No me molestes.

성가심 fastidio *m*, molestia *f.*

성가족(聖家族) ((기독교)) la Sagrada Familia.

성각(城閣) =성루(城樓).

성감(性感) sensación *f* sexual.

■~ 극기(極期) orgasmo *m.* ~대 zonas *fpl* eróticas. ~ 발생대 zona *f* erógena. ~ 이상증 anorganismo *m.*

성검(聖劍) espada *f* sagrada.

성게 【동물】 erizo *m* de mar.

성격(性格) carácter *m* (*pl* caracteres), naturaleza *f*, personalidad *f*, [기질(氣質)] temperamento *m.* ~의 불일치(不一致) disparidad *f* de carácter. ~이 애매한 de medio carácter. ~이 약하다 tenere los nervios frágiles [irritables], ser delicado, ser sensible. ~이 잘 맞다 congeniar. ~이 틀리다 tener disparidad de caracteres. 놀라지 않는 ~이다 tener los nervios a toda prueba. 그는 소심한 ~이다 El es de carácter tímido. 그는 최근 ~이 부드러워졌다 Ultimamente se suavizaron las asperezas de su carácter. 그녀와 나는 ~적으로 맞지 않는다 Ella y yo tenemos dos caracteres incompatibles. 그것은 그의 ~을 잘 나타내고 있다 Eso indica muy bien su carácter. 그것은 내 ~에 맞지 않는다 Eso no va con mi carácter [con mi gusto] / Eso no me cae bien / Eso no va con mi genio / Eso no se aviene con mi carácter. 사치는 그녀의 ~에 맞지 않는다 El lujo no va con ella. 나는 그와 ~이 맞다 Yo congenio [me llevo] muy bien con él. 그들은 ~이 맞지 않는다 Ellos no congenian / Ellos no se entienden bien. 그는 무척 명랑한 ~이다 El es un tipo muy alegre.

◆선천적(先天的) ~ carácter *m* heredado. 후천적 (後天的) ~ carácter *m* adquirido.

■~극 drama *m* de carácter. ~ 묘사(描寫) descripción *f* de un personaje, descripción *f* [retrato *m*] de caracteres, caracterización *f*, *Col*, *Méj* descripción *f* de un carácter. ~ 배우 actor, -triz *mf* de carácter. ~ 시험 prueba *f* de personalidad. ~ 신경증 neurosis *f* de carácter. ~ 이상(異常) carácter *m* anormal. ~ 이상자[파탄자] hombre *m* de carácter anormal. ~학 caracterología *f.* ~ 형성 formación *f* de carácter. ~화(化)

caracterización *f.* ¶~하다 caracterizar. ~희극 comedia *f* de carácter.

성결(性―) carácter *m* (*pl* caracteres), natural *m*, disposición *f*, personalidad *f*, individualidad *f*, genio *m*. ~이 곱다 tener una disposición encantadora. ~이 사납다 tener muy mal carácter, tener una disposición desagradable.

성결(聖潔) lo santo y lo limpio, la santidad y la limpieza. ~하다 (ser) santo y limpio.

성결교(聖潔敎) ((기독교)) religión *f* de Santidad.

성결 교회(聖潔敎會) ① =성결교(聖潔敎). ② [성결교 교파의 교회] la Iglesia de Santidad.

성경(聖經) ① [종교상 신앙의 최고 법전이 되는 책] las (Sagradas) Escrituras; [기독교의 신구약성서(聖書)] Antiguo y Nuevo Testamentos; [불교의 팔만대장경] Tripitaka Coreana; [이슬람교의 코란] el Corán. 그것은 ~에 적힌 것이 아니다 Eso no es lo que dicen las Escrituras. ② ((기독교)) la Biblia, la Santa Biblia. ~의 bíblico. ~의 구절 expresión *f* bíblica. ③ ((불교)) [불경(佛經)] escritos *mpl* sagrados budistas, escrituras *fpl* budistas. ④ [성인(聖人)이 지은 책] libro *m* escrito por el santo; [성인의 행적을 기록한 책] libro *m* que se escribe la hazaña de la vida del santo. ⑤ [후세에 길이 모범이 될 만한 책] libro *m* de dar ejemplo al futuro. ⑥ ((성경)) la(s) Escritura(s), las Sagradas Escrituras. 모든 ~은 하나님의 감동으로 된 것으로 교훈과 책망과 바르게 함과 의로 교육하기에 유익하니 ((디모데 후서 3:16)) Toda la Escritura es inspirada por Dios, y útil para enseñar, para redargüir, para corregir, para instruir en justicia / Toda Escritura está inspirada por Dios y es útil para enseñar y reprender, para corregir y educar en una vida de rectitud.

◆개역(改譯) ~ la Versión Revisada (de la Biblia). 구약(舊約) ~ el Antiguo Testamento. 신약(新約) ~ el Nuevo Testamento. 흠정역 ~ la Versión Autorizada (de la Biblia).

■~ 낭독(朗讀) lectura *f* bíblica, lección *f* bíblica. ~대 =독경대(讀經臺). ~ 문학(文學) literatura *f* bíblica. ~ 봉독 lectura *f* bíblica. ~ 연구회 clase *f* bíblica, clase *f* de la Biblia, grupo *m* del estudio bíblico. ~ 용어 términos *mpl* de la Biblia. ~ 이야기 cuento *m* [historia *f*] de la Biblia. ~인용구 citas *fpl* bíblicas. ~ 학자 especialista *mf* en textos bíblicos. ~ 해석학 hermenéutica *f.* ~ 현전(賢傳) obras *fpl* quedadas por los sabios del pasado, libros *mpl* escritos por los sabios. ~ 협회 la Sociedad Bíblica.

성공(成功) ① [(일정한) 뜻이나 목적한 바가 이루어 짐] (buen) éxito *m*, buen resultado *m*. ~하다 [주어가 사람일 경우] tener (buen) éxito (en), salir bien (en); [주어가 사물일 경우] tener éxito, salir bien, resultar bien, salir [acabar] con éxito. 공연(公演)에 ~하기 위해 para que tenga éxito la representación. 큰 ~을 거두다 lograr un gran éxito. 실험에 ~하다 tener (buen) éxito en el experimento. 첫 등정(登頂)에 ~하다 lograr escalar una montaña por primera vez. ~을 서두르다 ansiar un éxito rápido. 실험은 ~했다 El experimento ha salido bien. 그는 사업에 ~했다 El ha tenido (buen) éxito en sus negocios. 영화는 ~했다 La película ha sido un éxito. 한국의 로켓이 ~했다 Ha tenido éxito el cohete coreano. ~할 가망이 전혀 없다 No hay ninguna esperanza de éxito. 그는 주식에서 ~했다 El ha dado en el clavo en el mercado de valores. ~하시기를 축원합니다 Ojalá que tenga éxito! / Ojalá que Dios le favorezca! 그는 내 ~을 자기 일처럼 기뻐했다 El se alegró de mi éxito como si fuera el suyo. ② =출세(出世). ¶그는 서울에 와서 ~한 고향의 동창이다 El es un compañero de clase de la tierra natal que ha tenido éxito social en el mundo en Seúl.

■~자 hombre *m* que triunfa, homobre *m* que tiene éxito. ~적 exitoso *adj.* ¶~으로 con éxito. ~으로 개최되다 ser celebrado con (gran) éxito.

성공회(聖公會) ((기독교)) la Iglesia Anglicana.

성과(成果) resultado *m*, fruto *m*, resulta *f*, efecto *m*. 큰 ~를 거두다 obtener excelentes resultados. ~가 훌륭하다 tener un gran éxito, salir muy bien. 우리들은 기대 이상의 ~를 얻었다 Nosotros obtuvimos mejor resultado de lo que esperábamos. 그의 연설은 훌륭한 ~를 거두었다 Su discurso tuvo un gran éxito. 그것은 ~가 훌륭하다! Espléndido! / Muy bien! / Perfecto! / Bien hecho! 그 사람으로는 ~가 좋다 Para ser él, no está muy mal [lo ha hecho muy bien]. 이 의론(議論)은 ~가 없다 Esta discusión es estéril.

■~급(給) salario *m* [sueldo *m*] de resultado.

성곽(城郭) castillo *m*, fortaleza *f*, fuerte *m*, alcázar *m*, ciudadela *f*, plaza *f* fuerte.

성관(盛觀) gran espectáculo *m*.

성교(性交) relaciones *fpl* sexuales, acto *m* sexual, coito *m*, cópula *f*, intimidad *f* sexual, contacto *m* sexual, intercambio sexual, polvo *m*. ~하다 tener relaciones sexuales (con), acostarse (con), copularse, tener intercambio sexual, practicar el coito; ((속어)) follar. …와 ~를 하다 tener relaciones sexuales con *uno*, tener contacto sexual con *uno*, copular con *uno*, hacer el amor con *uno*.

■~ 공포증 coitofobia *f.* ~ 과도 exceso *m* de relaciones sexuales. ~ 금욕 abstinencia *f* sexual. ~ 능력 상실 공포증 afanisis *f.* ~ 동통(疼痛) dispareunia *f.* ~ 부조화

discordia *f* sexual. ~ 불능 impotencia *f*, agenesia *f*, apareunia *f*. ~ 불능자 persona *f* impotente; [남자] hombre *m* impotente. ~ 불능증 impotencia *f*. ~ 불쾌증 dispareunia *f*. ~ 연령 edad *f* de copulación. ~욕 deseo *m* de unión carnal. ~ 정상 eupareunia *f*. ~ 중단 interrupción *f* del coito. ~ 중절법 interrupción *f* del coito. ~ 증진 afrodisia *f*. ~통(痛) pareunia *f*. ~학 sinosiología *f*.

성교(性敎) iglesia *f* antes del Antiguo Testamento.

성교(聖敎) ① [임금의 교명(敎命)] instrucción *f* del rey, instrucción *f* real. ② [성인의 교(敎)] instrucción *f* sagrada; [공맹(孔孟)의 교(敎)] instrucción *f* confuciana. ③ [천주교] catolicismo *m*. ④ [불교] budismo *m*.
■ ~회 =천주 교회(天主敎會).

성교육(性敎育) educación *f* sexual, orientación *f* sexual, educación *f* del sexo, instrucción *f* sexual, instrucción *f* del sexo. 어린 시절부터 ~이 절실히 필요하다 La educación sexual es muy necesaria desde la niñez.

성구(成句) modismo *m*, frase *f* idiomática, expresión *f* idiomática.
■ ~어 modismo *m*, idiotismo *m*, expresión *f* idiomática, giro *m* (idiomático).

성구(聖句) episodio *m* sagrado; ((성경)) episodio *m* bíblico.
■ ~ 사전 concordancia *f*. ¶한서영(韓西英) ~ Concordancia Coreano-Español-Inglesa.

성구(聖具) utensilio *m* sagrado.
■ ~ 보관실 (保管室) sacristía *f*. ~ 보관인 sacristán *m*.

성군(成群) formación *f* de grupos. ~하다 formar grupos.
■ ~작당(作黨) conspiración *f*, formación *f* de una banda. ¶~하다 formar una banda.

성군(星群) 【천문】 asterismo *m*, constelación *f*.

성군(聖君) rey *m* sabio.

성규(成規) reglas *fpl*, regulaciones *fpl*.

성극(聖劇) drama *m* bíblico.

성근(性根) carácter *m* (*pl* caracteres), naturaleza *f*, genio *m*.

성글거리다 sonreír con los ojos.
성글성글 sonriendo con los ojos.

성글벙글 con una sonrisa, sonriendo. ~하다 sonreír. ~ 웃는 얼굴 cara *f* con una sonrisa radiante. 그녀는 환영의 표시로 ~했다 Ella sonrió en señal de bienvenida.

성금 eficacia *f*, efecto *m*, validez *f*.
◆성금이 서다 tener efecto, tener validez.

성금(成禽) animal *m* doméstico crecido completamente.

성금(誠金) donación *f*, contribución *f*. ~을 내다 contribuir, donar.
◆방위(防衛) ~ contribución *f* al fondo de la defensa nacional. 원호(援護) ~ donación *f* a los necesitados.

성금요일(聖金曜日) el Viernes Santo.

성급하다(性急一) (ser) impetuoso, impaciente, precipitado, irritable, irascible, enojadizo, inquieto, azogado, presuroso. 성급한 결론(結論) conclusión *f* precipitada. 성급한 사람 hombre *m* impaciente, hombre *m* de disposición impetuosa. 그는 성급한 사람이다 El es una persona inquieta / El es un azogado / El es un hombre impaciente [presuroso] / ((속어)) El tiene cuclillo de mal asiento.
성급히 impetuosamente, impacientemente, con impaciencia, apresuradamente, presurosamente, precipitadamente, prematuramente, inquietamente, sin reflexión. ~ 걷다 andar con pasos precipitados. ~ 굴다 irritarse, impacientarse. ~ 결론을 내리다 precipitarse en sacar una conclusión. ~ 굴면 되는 일이 없다 Con impaciencia nada se logra.

성긋 sonriendo ligeramente con los ojos.
성긋거리다 seguir sonriendo ligeramente con los ojos.
성긋벙긋 con una sonrisa radiante.
성긋성긋 con una sonrisa radiante.
성긋이 con una sonrisa radiante.

성기(成器) ① [완성한 그릇] vasija *f* hecha. ② [재기(才器)를 이룸] formación *f* del talento. ~하다 formar el talento.

성기(性器) 【해부】 ① ㉮ [고환] testículo *m*; ((속어)) huevo *m*. ㉯ [자지. 음경(陰莖)] pene *m*; ((속어)) polla *f*, picha *f*, pijo *m*, sexo *m*, erección *f*. ㉰ [난소(卵巢)] ovario *m*. ㉱ [자궁] útero *m*, matriz *f*. ㉲ [질(窒)] vagina *f*. ② [생식 기관] órgano *m* genital, órgano *m* genitivo, órgano *m* productivo, órganos *mpl* sexuales, miembro *m*. ~의 genital. 발기(勃起)된 ~ erecto miembro *m*.
■ ~ 발육 부전 disgenitlosmo *m*. ~ 발육 이상 disgenesis *f* gonadal. ~ 부전성 지방 과다증 adiposidad *f* hipogenital. ~ 왜소증 microgenitalismo *m*. ~ 출혈 hemorragia *f* genital. ~학 edeología *f*.

성기(星期) ① [음력 칠월 칠일] el siete de julio del calendario lunar. ② =혼인날.

성기(聖器) ((기독교)) recipiente *m* sagrado, recipiente *m* consagrado.
■ ~계(係) [승려] sacristán, -tana *mf*. ~실(室) sacristía *f*.

성기(盛期) época *f* próspera.

성기다 ① [공간적으로 사이가 뜨다] (ser) suelto, flojo; [옷감 따위가] ralo. 성긴 옷감 tejido *m* ralo. ② [관계가 긴밀하지 못하고 버성하다] vivir separado, estar separado, alejarse (de), distanciarse (de). 그의 성긴 아내 su mujer, de quien está separado. 그녀는 남편과 성겼다 Ella vivió [estuvo] separada de su marido.

성깃성깃 con poca densidad, poco escasamente, ralamente. 인구가 ~한 지역 región *f* con poca densidad de población, región *f* poco escasamente poblada. 수목(樹木)이 ~한 지역 zona *f* de bosque ralo, zona de bosque poco espeso. 씨앗을 ~ 뿌리시오

Siembre esparciendo bien la semilla. 그 지역은 인구(人口)가 ~했다 La zona estaba escasamente [muy poco] poblada / La zona tenía baja densidad de población. 방에 가구가 ~ 있다 La habitación tiene pocos [escasos] muebles.

성깃하다 (estar) poco escaso, aislado, disperso.

성깃이 poco escasamente, aisladamente, dispersamente.

성깔(性－) carácter *m* agudo, disposición *f* irritable. ~이 있는 남자 hombre *m* de un aire siniestro [poco común]. ~이 좋다 tener de buen humor [genio]. ~이 나쁘다 tener mal humor [genio]. 그는 ~이 있다 El es un poco raro.

성끗 ＝성긋.

성나다 ☞성

성내다 ☞성

성냥 cerilla *f*, fósforo *m*, *Méj* cerillo *m*. ~한 갑 una caja de cerillas [de fósforos]. ~을 긋다 encender [prender] una cerilla [un fósforo].

■~갑 cajita *f* de cerillas [de fósforos], caja *f* de cerillas [de fósforos], *Méj* caja *f* de cerillos. ~개비[알] astilla *f*, palito *m* de cerillas [de fósforos]. ~불 fuego *m* de una cerilla. ~통 cerillera *f*, fosforera *f*.

성냥일 forja *f*, herrería *f*.

성냥하다 forjar.

성녀(聖女) ((천주교)) la Santa. ~ 마리아 la Santa María.

성년(成年) mayor edad *f*, mayoría *f* (de edad). ~이 되다 llegar a la mayoría de edad, llegar a ser adulto. 이 필름으로 영화가 ~이 되었다 Con esta película el cine llegó a su mayoría de edad. 나는 내 ~ 생활을 전부 이곳에서 보냈다 Toda mi vida de adulto la he pasado aquí.

■~기 época *f* de la mayoría de edad. ~식 celebración *f* de la mayoría de edad. ~의 날 día *m* de la mayoría de edad. ~자 adulto, -ta *mf*, mayor *mf*.

성년(盛年) flor *f* de la vida.

■~기 juventud *f*, época *f* de la flor de la vida.

성년(聖年) ((천주교)) año *m* sagrado.

성능(性能) eficiencia *f*, función *f*, representación *f*, habilidad *f*, capacidad *f*, calidad *f*, poder *m*; [효율] rendimiento *m*. ~이 좋은 de buena calidad, de excelente calidad. ~이 나쁜 de mala calidad.

■~ 검사 examen *m* cualitativo, prueba *f* de inteligencia. ~ 계수 factor *m* de calidad. ~ 곡선 curva *f* de rendimiento. ~ 시험 *prueba f de rendimiento* de un motor.

성단(星團) 【천문】 grupo *m* de estrellas.

성단(聖壇) ① [신을 모신 단] altar *m*, púlpito *m*. ② [신성한 단] altar *m* sagrado.

성단(聖斷) decisión *f* real.

성담(聖譚) leyenda *f*.

■~곡(曲) oratorio *m*.

성당(成黨) formación *f* de pandilla. ~하다 formar una pandilla.

성당(聖堂) ① ((천주교)) catedral *f*, Catedral *f* Católica, iglesia *f* (catedral), santuario *m*, templo *m*, edificio *m* sagrado. ② [공자(孔子)를 모신 묘(廟)] santuario *m* a Confucio.

성대 【어류】 rubio *m*.

성대(盛大) esplendidez *f*, esplendor *m*, solemnidad *f*, prosperidad *f*, grandeza *f*, magnificencia *f*. ~하다 (ser) próspero, floreciente; [장엄하다] solemne; [화려하다] espléndido, magnífico, suntuoso, pomposo. ~한 장례를 치르다 hacer funeral solemne. ~한 회합이었다 La reunión tuvo buen éxito.

성대히 espléndidamente, con esplendidez, prósperamente, con gran pompa, con gran aparato, solemnemente, magníficamente, suntuosamente, pomposamente; [대규모로] en gran escala. 완성을 ~ 축하하다 celebrar solemnemente [con una gran fiesta] la terminación. 결혼식은 ~ 거행되었다 La boda se celebró con gran pompa y esplendor.

성대(聖代) reinado *m* de Su Majestad.

성대(聲帶) 【해부】 cuerdas *fpl* vocales.

■~모사 imitación *f* vocal [de voz]. ~문(門) glotis *f*. ~염(炎) corditis *f*. ~ 인대 ligamento *m* vocal.

성덕(盛德) virtud *f* próspera [floreciente].

성덕(聖德) ① [성인의 거룩한 덕] virtud *f* del santo, virtud *f* santa. ② [임금의 덕] virtud *f* real, favor *m* real.

성도(成道) ① [도(道)를 닦아 이름] logro *m* de camino [perfección]. ② ((불교)) ＝성불득도(成佛得道). ③ ＝성불(成佛).

성도(省都) capital *f* de la provincia.

성도(星圖) 【천문】 mapa *m* celestial.

성도(聖徒) ① ((기독교)) [기독교 신자] fiel *mf*, devoto, -ta *mf*, creyente *mf*, ((성경)) santo *m*, ídolo *m*, pueblo *m*. ② ((천주교)) santo *m*, apóstol *m*, discípulo *m* de Cristo. ~ 베드로 San Pedro.

■~ 기념일 día *m* [fiesta *f*] de un santo (patrón). ~전(傳) hagiografía *f*, vida *f* de los santos.

성도(聖都) la Ciudad Santa, ciudad *f* sagrada, Jerusalén.

성도(聖道) ① [거룩한 길] camino *m* santo, camino *m* sagrado. ② ((불교)) santo camino *m*, camino *m* de los santos, budismo *m*.

성도착(性倒錯) perversión *f* sexual, erotopatía *f*. ~증(症) transsexualismo *m*.

성돌(城－) piedras *fpl* de construir el castillo.

성랑(城廊) torre *f* del castillo.

성랑(聲浪) ① ＝세평(世評). ② ＝음파(音波).

성량(聲量) volumen *m* de (la) voz. ~이 풍부하다 tener buenos pulmones [buena voz・voz fuerte y sonora].

성려(聖慮) preocupación *f* [deseo *m*・pensamiento *m*・placer *m*] del rey.

성력(誠力) devoción *f* entusiasta, sinceridad *f* y energía.

성령(性靈) =넋.

성령(聖靈) ① ((불교)) espíritus *mpl* sagradas del muerto. ② ((성경)) el Espíritu Santo, el Espíritu.

■ ~ 강림 venida *f* del Espíritu Santo. ~ 강림절 ((기독교)) (Pascua *f* de) Pentecostés *m*, festividad *f* de la venida del Espíritu Santo. ~ 강림 대축일 ((기독교)) (el domingo de) Pentecostés *m*.

성례(成禮) finalización *f* de bodas. ~하다 finalizar las bodas.

성례(聖禮) ① [거룩한 예식] ceremonia *f* sagrada. ② ((기독교)) ceremonias *f* cristianas.

성루(城樓) torrecilla *f* (sobre la puerta) del castillo.

성루(城壘) ① [성 둘레의 흙담] muro *m* de tierra alrededor del castillo. ② =성보(城堡).

성리(性理) ① [인성(人性)과 천리(天理)] naturaleza *f* humana y ley natural. ② [인성의 원리] principio *m* de la naturaleza humana.

■ ~학 filosofía *f*, metafísica *f*. ~학자 filósofo, -fa *mf*, metafísico, -ca *mf*.

성립(成立) [협정 등의] establecimiento *m*, firma *f*, [조직 등의] formación *f*, [구성] organización *f*, [실천] realización *f*, [실체화] materialización *f*, [체결] conclusión *f*, [존립] existencia *f*, [법인 등의] adopción *f*, aprobación *f*. ~하다 establecerse, constituirse, firmarse, formarse, ser adoptado, ser aprobado. 내각(內閣)이 ~되었다 Se formó el gabinete. 법안(法案)이 ~되었다 Ha sido aprobado un proyecto de ley. 예산이 ~되었다 El presupuesto ha sido aprobado. 조약이 ~되었다 Un tratado se ha realizado / Se ha hecho formado un tratado. 협정이 ~되었다 El acuerdo se ha firmado. A와 B간에 계약이 ~했다 El contrato se ha firmado entre A y B. 의회는 양원(兩院)으로 ~된다 El parlamento consta de dos cámaras colegislativas.

■ ~ 예산 presupuesto *m* aprovado.

성마르다(性—) (ser) impaciente, precipitado.

성막(聖幕) ((천주교)) tabernáculo *m*.

성만찬(聖晩餐) la Comunión Santa.

■ ~식 ceremonia *f* de la comunión.

성망(聲望) reputación *f*, fama *f*, popularidad *f*. ~이 있는 célebre, de alta reputación. ~이 높다 ser muy popular, tener alta reputación, tener reputación excelente. 그는 ~이 높다 El tiene reputación excelente.

성명(姓名) nombre *m* y apellido. ~을 밝히다 declarar su nombre. ~을 속이다 [숨기다] tomar un falso nombre, disfrazar *su* nombre.

◆성명(이) 없다 (ser) anónimo, desconocido, insignificante.
성명(이) 없이 insignificantemente.

■ ~부 lista *f* de los nombres, registro *m* (de los nombres). ~부지(不知) desconocido, -da *mf*. ~ 점호 lista *f*. ~ 판단 onomancia *f*, adivinación *f* del porvenir por *su* nombre. ~학 onomástica *f*.

성명(性命) ① [인성(人性)과 천명] naturaleza *f* humana y providencia. ② [생명] vida *f*.

성명(盛名) alta reputación *f*, fama *f*, honor *m*, gloria *f*, nombre *m* ilustre.

성명(聖名) ((천주교)) nombre *m* santo, nombre *m* sagrado.

성명(聖明) ① sabiduría *f* clara del rey. ② ((불교)) santa ilustración *f*, ilustración *f* de los santos.

성명(聲名) fama *f*, reputación *f*, popularidad *f*.

성명(聲明) declaración *f*, manifestación *f*, anunciación *f*, [코뮈니케] comunicado *m*. ~하다 declarar, manifestar, anunciar. 반대 ~을 내다 hacer una declaración en contra.

■ ~서 nota *f* de declaración, comunicado *m*; [정부·정당의] manifiesto *m*.

성모(聖母) ① [성인의 어머니] madre *f* del santo. ② [국모(國母)] santa madre *f* del país. ③ ((천주교)) la (Santísima) Virgen *f*, Nuestra Señora *f*, [성모 마리아] la Santa María.

■ ~ 마리아 la Virgen María, la Santa María. ~ 숭경 hiperdulía *f*. ~ 승천 대축일 la Asunción de la Virgen Santísima. ~ 예배 culto *m* de hiperdulía. ~ 잉태 la Inmaculada Concepción.

성목요일(聖木曜日) el Jueves Santo.

성묘(省墓) visita *f* a la sepultura de los antepasados. ~하다 visitar a la sepultura de los antepasados.

성묘(聖廟) templo *m* confuciano.

성무(星霧) 【천문】 =성운(星雲).

성문(成文) escritura *f*. ~의 escrito.

■ ~ 계약 contrato *m* escrito. ~권(券) escritura *f*. ~법[율] estatuto *m*, ley *f*, ley *f* escrita, ley *f* positiva. ~ 헌법 constitución *f* escrita. ~화(化) codificación *f*, legalización *f*. ¶~하다 codificar, legalizar. ~되다 codificarse, legalizarse.

성문(城門) puerta *f* del castillo.

성문(聖門) ① [성인의 도(道)] camino *m* del santo; [공자의 가르침] enseñanza *f* de Confucio. ② [공자의 문하(門下)] discípulo *m* de Confucio.

성문(聲門) 【해부】 glotis *f*, tráquea *f*, abertura *f* de las cuerdas vocales. ~의 glotal, glótico.

■ ~ 경련 laringospasmo *m*. ~ 수종(水腫) oedema *m* glotal. ~열(裂) rima *f* glotidis. ~염 glotitis *f*. ~ 절제술 glotidectomía *f*. ~하 후두염 laringitis *f* subglótica.

성미(性味) carácter *m* (*pl* caracteres), natural *m*, disposición *f*, temperamento *m*, manera *f* [modo *m*] de ser. ~가 급한 caliente de cascos. ~ 급한 사람 botafuego *m*. ~가 좋은 사람 buena persona *f*, persona *f* de buen carácter, persona *f* de natural bondadoso. ~가 나쁜 사람 persona *f* de mal carácter, persona *f* desagradable.

성미(誠米) arroz *m* ritual.

성바지(姓—) especie *f* del apellido. 여러 ~

varias especies del apellido.

성밖(城－) fuera del castillo.

성배(聖杯) ① [신성한 술잔] vaso *m* sagrado, vaso *m* santo. ② ((기독교)) [예수가 최후의 만찬(晩餐)에 쓴 술잔] el Santo Grial.

■ ~ 전설 leyenda *f* del Santo Grial.

성범죄자(性犯罪者) delincuente *mf* sexual.

성벽(性癖) disposición *f*, predisposición *f*, propensión *f*, característica *f*, hábito *m* mental, inclinación *f*, genio *m*. 그는 과장(誇張)하는 ~이 있다 El tiene propensión a exagerar / El tiende [es] dado a exagerar.

성벽(城壁) muralla *f*, muro *m*, muros *mpl* de castillo, terraplén *m* (*pl* terraplenes).

성별(性別) diferencia *f* [distinción *f*] de sexo. ~을 묻지 않고 no teniendo que ver la diferencia de sexo, no teniendo en cuenta la diferencia de sexo, sin distinción de sexo.

■ ~ 결정 determinación *f* de sexo. ~ 형질(形質) ＝성징(性徵).

성별(聖別) ((기독교)) consagración *f*. ~하다 consagrar. ~의 consagratorio. 빵과 포도주를 ~하다 consagrar el pan y el vino.

■ ~식(式) consagración *f*.

성병(性病) enfermedad *f* venérea, venéreo *m*. ~의 venéreo.

■ ~ 공포증 venereofobia *f*. ~약 antivenéreo *m*. ~ 전문 의사 venereólogo, -ga *mf*. ~학 venereología *f*. ~학자 venereólogo, -ga *mf*. ~ 환자 venéreo, -a *mf*.

성보(城堡) fortaleza *f*, fuerte *m*.

성복(成服) acción *f* de ponerse de luto en el período de luto.

성부(成否) buen éxito o fracaso, suerte *f*. ~에 관계없이 no obstante que salga con éxito o no. ~를 점치다 predecir el éxito o el fracaso. ~를 도외시하다 no hacer caso del éxito o del fracaso, pasar por alto el éxito [el resultado].

성부(聖父) ((성경)) el Padre.

성분(成分) componente *m*, elemento *m*, constituyente *m*, constitutivo *m*; [재료(材料)] ingrediente *m*. 물의 ~ componentes *mpl* del agua. 비누의 ~ ingredientes *mpl* del jabón. 주요(主要) ~ ingrediente *m* principal. 화약(火藥)의 ~ ingredientes *mpl* de pólvora.

◆중요 ~ ingredientes *mpl* principales.

■ ~ 검사(檢査) prueba *f* química. ~비(比) proporción *f* de ingredientes. ~ 시험 experimento *m* químico.

성분(性分) [성격(性格)] carácter *m* (*pl* caracteres), naturaleza *f*; [기질(氣質)] temperamento *m*; [소질(素質)] disposición *f*.

성불(成佛) ① ((불교)) [득도함. 부처가 됨] logro *m* del budismo, entrada *f* en nirvana, obtención *f* del nirvana al morir, incorporación *f* a la esencia divina al morir. ~하다 lograr [alcanzar] el budismo, entrar en nirvana, obtener el nirvana al morir, incorporarse a la esencia divina al morir. ② [사망] fallecimiento *m*, muerte *f*. ~하다 fallecer, morir.

성불성(成不成) ＝성부(成否).

성사(成事) complemento *m*, perfección *f*, éxito *m*. ~하다 completar, llevar a cabo, tener éxito, salir bien.

■ ~재천(在天) Dios despone.

■ 모사재인(謀事在人)이요, 성사재천이라 ((속담)) El hombre propone y Dios despone / El hombre propone y la mujer descompone.

성사(盛事) empresa *f* espléndida, gran acontecimiento *m*.

성사(聖事) ① [성스런 일. 거룩한 일] cosa *f* sagrada, cosa *f* santa. ② ((천주교)) sacramento *m*. 병자(病者) ~를 받다 recibir sacramentos.

■ 칠(七)~ siete sacramentos: bautismo 영세(領洗), confirmación 견진(堅振), eucaristía 성체(聖體), penitencia 고해(告解), extremaunción 종부(終傅), orden 신품(神品) y matrimonio 결혼(結婚).

성산(成算) plan *m* (factible), confianza *f* de buen éxito, confianza *f* de buen resultado. ~ 없이 sin perspectiva de éxito, sin esperanza de éxito. ~이 있다 tener un plan perfecto, estar seguro de obtener buen éxito. 우리들은 ~이 있다 Nosotros tenemos un plan perfecto / Nosotros estamos seguros de tener éxito.

성삼(聖三) el Padre, el Hijo y el Espíritu Santo.

성상(星霜) años *mpl*, tiempos *mpl*. 10년의 ~이 지났다 Han pasado [transcurrido] diez años.

성상(聖上) Su Majestad, emperador *m*.

성상(聖像) la Imagen Sagrada, icono *m*, ícono *m*.

■ ~ 연구 iconografía *f*. ~ 연구가 iconográfico, -ca *mf*. ~ 예배 iconolatría *f*. ~ 예배주의자 iconólatra *mf*. ~ 파괴주의 iconoclasia *f*. ~ 파괴주의자 iconoclasta *mf*.

성새(城塞) ① [성과 요새] el castillo y la fortaleza. ② [성채(城砦)] fortaleza *f*, fuerte *m*.

성색(盛色) rostro *m* hermoso, cara *f* hermosa.

성색(聲色) ① [목소리와 얼굴빛] la voz y el semblante. ② [음악과 여색(女色)] la música y la belleza femenina.

성생활(性生活) vida *f* sexual.

성서(聖書) ① [성인(聖人)이 지은 서적] libro *m* escrito por el santo. ② [교리(敎理)를 기록한 경전(經典)] escritura *f* sagrada. ③ ((기독교)) la Sagrada Biblia, la Santa Biblia, las Sagradas Escrituras. ~의 bíblico. ~에서 인용(引用) cita *f* bíblica. ~에 손을 얹고 …할 것을 선서하다 jurar sobre la Biblia + *inf*.

■ ~ 고고학 arqueología *f* bíblica. ~ 고고학자 arqueólo *m* bíblico, arqueóloga *f* bíblica. ~ 공회 la Sociedad Bíblica. ~ 번역 versión *f* bíblica. ~ 사전 concordancia *f*, diccionario *m* bíblico. ~ 석의학(釋義學)

ciencia *f* de comentario bíblico. ~ 신학(神學) teología *f* bíblica. ~ 연구 estudios *mpl* bíblicos, estudios *mpl* de la Biblia. ~ 주일 semana *f* bíblica. ~학 ciencia *f* de la Biblia. ~ 협회 la Sociedad Bíblica.

성선(性腺) **【해부】** gónada *f*, glándula *f* sexual. ~의 gonadal.
■ ~ 결손증 agonadismo *m*. ~ 기능 감퇴증 hipogenitalismo *m*. ~ 기능 항진증 hipergenitalismo *m*. ~ 동맥 arteria *f* gonadal. ~ 요법 terapia *f* gonadal. ~ 자극 호르몬 hormón *m* gonadotrópico, hormona *f* gonadotrópica. ~ 정맥 vena *f* gonadal. ~ 호르몬 요법 gonadoterapia *f*.

성선설(性善說) **【윤리】** doctrina *f* según la cual la naturaleza humana es buena en sí misma.

성성(猩猩) **【동물】** =성성이.

성성이(猩猩－) **【동물】** orangután *m*.

성성하다(星星－) (ser) entrecano, canoso. 백발(白髮)이 성성한 노인 viejo *m* canoso, anciano *m* canoso.

성세(盛世) era *f* [edad *f* · época *f*] próspera.

성세(聖世) edad *f* [época *f*] del soberano sabio.

성세포(性細胞) =생식 세포(生殖細胞).

성소(性巢) gónada *f*.

성소(聖所) lugar *m* sagrado, lugar *m* santo.

성쇠(盛衰) prosperidad *f* [apogeo *m*] y decadencia, vicisitud *f*. 로마 제국의 ~ el apogeo y la decadencia del Imperio romano. 국가의 ~가 걸리다 influir en el bienestar [la bienandanza] del Estado.

성수(星宿) **【천문】** estrellas *fpl*, constelaciones *fpl*.

성수(星數) su fortuna, su estrella.

성수(聖水) ((천주교)) el agua *f* sagrada [santa · bendita].
■ ~반(盤) cuenco *m* del agua sagrada.

성수(聖壽) ① [임금의 나이] edad *f* del rey. ② [임금의 수명(壽命)] vida *f* del rey.
■ ~무강[만세] Que el rey viva mucho!

성수기(盛需期) temporada *f* alta, estación *f* de alta [gran] demanda.

성숙(成熟) madureza *f*, sazón *m*, perfección *f*, destreza *f*. ~하다 madurarse, sazonar, perfeccionarse. ~한 maduro, sazonado, perfecto, machucho. ~하게 하다 madurar. 불행은 사람을 ~시킨다 La desgracia madura a los hombres.
■ ~기 época *f* de la pubertad, adolescencia. ¶~에 달하다 llegar a la pubertad. ~유(乳) leche *f* madura.

성스럽다(聖－) (ser) sagrado, santo, augusto, divino, sacro. 성스러운 음악 música *f* sacra.

성시(成市) abertura *f* de una feria [un mercado]. ~하다 abrir una feria [un mercado].

성시(城市) ciudad *f* amurallada.

성시(盛市) mercado *m* abundante.

성시(盛時) flor *f* de la vida, edad *f* próspera.

성시(聖屍) ((천주교)) cadáver *m* de Jesús.

성시(聖時) =성세(聖世).

성시(聖詩) ((기독교)) [구약(舊約)의 시편에서 발췌한 시] poesía *f* seleccionada en los Salmos del Antiguo Testamento.

성신(星辰) ① [별] estrellas *fpl*. ② [성좌(星座)] constelación *f*.
■ ~ 숭배 astrolatría *f*. ¶~의 astrálatra.

성신(聖神) ① ((기독교 · 천주교)) espíritu *m* santo. ② [삼위일체 중의 제3위(位)] el Espíritu Santo. ③ ((성경)) santo Espíritu *m*, santo espíritu *m*, santidad *f*.
■ ~ 강림 Adviento *m* del Espíritu Santo. ~ 강림절 el Pentecostés.

성실(誠實) sinceridad *f*, honradez *f*, fidelidad *f*, veracidad *f*, integridad *f*. ~하다 (ser) sincero, honrado, fiel, verídico. ~한 사람 persona *f* sincera. ~한 남자 hombre *m* sincero. ~한 여자 mujer *f* sincera. ~한 친구 amigo, -ga *mf* fiel. 약속에 ~하다 ser fiel a *su* promesa.
성실히 sinceramente, con sinceridad, honradamente, honestamente, fielmente. 아주 ~ con toda sinceridad, con toda franqueza. ~ 일하다 trabajar honradamente. ~ 약속을 지키다 cumplir fielmente *su* palabra.
■ ~성 sinceridad *f*, fidelidad *f*. ¶~이 없는 infiel, pérfido, poco sincero. ~이 없다 carecer de sinceridad.

성심(聖心) ① [성스러운 마음] corazón *m* sagrado, corazón *m* santo. ② ((기독교)) corazón *m* de Jesús y de Santa María. ③ ((불교)) santa mente *f*, corazón *m* sagrado, corazón *m* santo, corazón *m* de Buda, mente *f* de Buda.

성심(誠心) sinceridad *f*, buena fe *f*. ~성의로 sinceramente, con sinceridad, con buena fe, fielmente, con el corazón en la mano. ~성의를 다하다 entregarse sinceramente (a).
성심껏 cuidadosamente, con gran cuidado, esmeradamente, con esmero.

성싶다 [「ㄴ · 은 · 는 · ㄹ · 을」 뒤에서] parecer. 눈이 올 ~ Parece nevar. 재미있을 ~ Parece ser interesante. 그녀는 다정한 ~ Ella parece simpática. 그는 행복하지 않은 ~ El no pareces (estar) contento. 그녀를 한 번 본 ~ Parece que yo la he visto antes.

성씨(姓氏) *su* (estimado) apellido. ~가 어떻게 되십니까? ¿Cómo se llama su apellido?

성악(聖樂) música *f* sacra, música *f* sagrada.

성악(聲樂) música *f* vocal, música *f* armónica.
■ ~가(家) vocalista *mf*. ~과 departamento *m* de técnica vocal.

성악설(性惡說) **【윤리】** doctrina *f* según la cual la naturaleza humana es mala en sí misma.

성안(城－) ① [성내] interior *m* del castillo. ② [성으로 둘러쌓인 도시의 안] interior *m* de la ciudad rodeada por la fortaleza.

성안(成案) plan *m*, proyecto *m*. ~하다 tener

un plan definitivo.

성안(聖顔) =천안(天顔). 용안(龍顔).

성애 acción *f* de servir el vino o el cigarrillo después de terminar el regateo al comprar y vender.

■ ~술 vino *m* de comprar gracias a la ayuda del regateo.

성애(性愛) amor *m* sexual. ~의 erotosexual.

■ ~학 erotología *f.* ~화(化) erotización *f.* ¶~하다 erotizar.

성야(星夜) noche *f* estrellada.

성야(聖夜) noche *f* sagrada, noche *f* santa, víspera *f* de Navidad.

성어(成魚) pescado *m* adulto.

성어(成語) ① [말을 이룸] formación *f* de las palabras. ② [고인(古人)이 만든 말] proverbio *m.* ③ =숙어(熟語).

성어기(盛漁期) temporada *f* de pesca.

성업(成業) terminación *f* de la obra [del estudio], realización *f* de negocios. ~하다 terminar la obra [el estudio], realizar los negocios. ~의 prometiente, que promete mucho. ~되다 terminarse la obra [el estudio], realizarse los negocios.

성업(盛業) negocios *mpl* prósperos, empresa *f* próspera.

성업(聖業) ① [거룩한 사업(事業)] negocios *mpl* sagrados. ② [임금의 업적] buenos resultados *mpl* del rey.

성업 공사(成業公社) la Corporación de Ajuste (de Bienes Inmuebles.

성에[1] 【농업】 mango *m* del arado coreano.

성에[2] ① [추운 겨울에 유리 등에 김이 서려 얼어붙은 것] helada *f.* ② ((준말)) =성엣장.

성엣장 =유빙(流氷).

성역(聖域) ① [성인(聖人)의 지위] posición *f* del santo, rango *m* del santo. ② [거룩한 지역] recinto *m* sagrado. ③ ((불교)) =영장(靈場).

성역(聲域) 【음악】 registro *m* de la voz.

성연(盛宴) festín *m* suntuoso, gran banquete *m*, gran festín *m*, gran fiesta *f.* ~을 베풀다 dar gran banquete [fiesta].

성염(盛炎) pleno calor *m.*

성염색체(性染色體) cromosoma *f* sexual [del sexo].

성왕(聖王) =성군(聖君).

성외(城外) fuera del castillo.

성욕[1](性慾) ((불교)) deseos *mpl* de la naturaleza.

성욕[2](性慾) deseo *m* sexual, apetito *m* sexual, apetito *m* carnal, sexualidad *f*; 【심리】 lujuria *f.* ~의 노예 esclavo *m* de la lujuria. ~의 만족(滿足) satisfacción *f* sexual, satisfacción *f* de apetito carnal. ~을 만족시키다 saciar [contentar · satisfacer] *su* apetito sexual.

■ ~ 감퇴 hipafrodisia *f*, hiposexualidad *f*, aneroticismo *m.* ~ 결핍 anerosia *f.* ~ 과잉(過剩) obseso *m* sexual. ~ 도착(倒錯) parasexualidad *f.* ~ 도착자 parafilíaco, -ca *mf.* ~ 도착증 parafilia *f.* ~ 억제 represión *f* sexual. ~ 억제약 anafrodisíaco *m*, antafrodisíaco *m.* ~ 이상(異常) anormalidad *f* sexual. ~ 장애 impedimiento *m* sexual. ~ 정상(正常) normalidad *f* sexual. ~주의 sensualismo *m.* ~ 촉진 afrodisia *f.* ~ 항진 ginecomania *f.*

성우(成牛) vaca *f* adulta, vaca *f* crecida.

성우(聲優) doblador, -dora *mf.*

성운(星雲) 【천문】 nebulosa *f.* 은하수는 ~의 하나이다 La Vía Láctea es una nebulosa.

■ ~상 nebulosidad *f.* ~설 hipótesis *f* nebulosa.

성운(盛運) suerte *f* próspera.

성운(聖運) ① [임금의 운] suerte *f* del rey. ② [임금이 될 운] suerte *f* de ser un rey.

성웅(聖雄) el Santo Héroe. ~ 이순신 장군 el Santo Héroe, general Lee Sun Sin.

성원(成員) ① [구성원] miembro *mf.* ② [회의를 성립시킴에 필요한 수효의 인원] quórum *m.*

■ ~국 país *m* (*pl* países) miembro.

성원(聲援) estímulo *m*, aplausos *mpl*, ayuda *f*, animación *f.* ~하다 animar, alentar, vitorear, incitar, estimular. ~에 보답해서 en respuesta al estímulo.

성월(星月) las estrellas y la luna.

성위(盛位) puesto *m* alto, posición *f* alta.

성유(聖油) ((천주교)) crisma *f*, santos óleos *mpl.*

■ ~반(盤) aliera *f.* ~ 항아리 crismera *f.*

성은(聖恩) ① [임금의 거룩한 은혜] favores *mpl* sagrados del rey. ② ((천주교)) [하나님의 은혜] favor *m* de Dios.

성음(聲音) ① =음성(音聲). ② =음악. 성악.

■ ~ 문자 =표음 문자. ~학 =음성학.

성읍(城邑) =고을(ciudad, pueblo, aldea).

성의(盛儀) ceremonia *f* imponente, gran ceremonia *f.*

성의(聖衣) ((천주교)) sagrada ropa *f.*

성의(聖意) =성지(聖旨).

성의[1](聖儀) ① [임금] rey *m.* ② [임금의 위엄 있는 모습] figura *f* digna del rey.

성의[2](聖儀) ((불교)) imagen *f* de Buda.

성의(誠意) sinceridad *f*, cordialidad *f*, buena fe *f*, fedelidad *f*, lealtad *f.* ~ 있는 sincero, cordial, serio, de buena fe, atento, fiel, leal. ~ 없는 insincero, indiscreto, falto de sinceridad. ~를 다해서 con sinceridad, sinceramente, con [de] buena fe. ~를 다한 선물 regalo *m* [obsequio *m*] cordial. ~가 없다 no tener sinceridad, carecer de sinceridad, no ser sincero. ~를 보이다 mostrar sinceridad, mostrar buena fe. ~를 피력하다 exponer *su* corazón sincero. 내 ~가 그에게 인정되었다 Mi sinceridad ha sido reconocida por él.

성의껏 sinceramente, con sinceridad, con buena fe, fielmente, escrupulosamente, con el corazón en la mano.

성인(成人) ① [성년이 된 사람] adulto, -ta *mf.* ~의 adulto. ~이 되다 ser adulto, alcanzar la edad adulta. ② =성관(成冠).

■ ~ 교육 enseñanza *f* [educación *f*] para

adultos. ~병(病) enfermedades *fpl* de los adultos. ~ 영화 película *f* para adultos. ~용 para mayores, para adultos. ~의 날 día *m* de los nuevos adultos, día *m* de los nuevos mayores de edad. ~ 의학(醫學) gerontología *f*. ~ 학교(學校) escuela *f* para adultos. ~ 학습 clases *fpl* [cursos *mpl*] para adultos.

성인(聖人) santo, -ta *mf*, sabio, -bia *mf*. ~으로 추앙하다 canonizar. ~인 체하다 darse de santo, poner cara de santo. ~인 체하고 있다 tener cara de santo. 그는 ~군자 같은 사람이다 El parece un santo. 그녀는 1912년에 ~으로 추앙되었다 La canonizaron en 1912.

■성인도 시속(時俗)을 따른다 ((속담)) Donde fueres haz lo que vieres.

성일(聖日) ((기독교)) día *m* de fiesta, disanto *m*; [주일(主日)] domingo *m*.

성자(姓字) (carácter *m* de) apellido *m*.

성자(盛者) hombre *m* influente.

성자(聖子) ① [지덕(知德)이 가장 뛰어난 아들] el hijo más sobresaliente de sabiduría y virtud. ② ((기독교·천주교)) el Hijo, Jesús.

성자(聖姿) ① [거룩한 자태] figura *f* sagrada. ② [임금의 모습] figura *f* del rey.

성자(聖者) ① =성인(聖人). ② ((종교)) mártir *m*.

■~전(傳) la Vida de los Santos.

성장(成長) ① [(사람이나 동물 등) 생물이 자라남] crecimiento *m*; [유년기] niñez *f*, infancia *f*, [청춘기] juventud *f*, [이력(履歷)] historia *f* personal, antecedentes *mpl* personales. ~하다 criarse, crecer. ~한 crecido, adulto. 도시에서 ~한 criado en la ciudad. 시골에서 ~한 criado en el campo. 양에 있어서 4%, 가격에 있어서 10%의 ~ crecimiento *m* del cuatro por ciento en volumen y diez por ciento en valor. ~이 좋다 ser bien educado [criado]; [소성(素性)] ser de buen nacimiento. ~이 나쁘다 ser mal educado [criado]; [소성] ser de nacimiento humilde. ~이 한창이다 estar en pleno crecimiento. 식물이 ~한다 Crecen las plantas. 그의 ~은 분명하지 않다 No están claras su niñez e infancia. 그는 대실업가로 ~했다 El llegó a ser un gran hombre de negocios. 그는 시골에서 태어나 서울에서 ~했다 Nacido en el campo, él ha crecido [se ha criado] en Seúl. 그녀는 ~하면서 더욱 아름다워졌다 Con los años se ha hecho más hermosa. 불행(不幸)은 인간을 ~시킨다 La desgracia hace madurar al hombre. ② [사물의 규모가 커짐] crecimiento *m*, desarrollo *m*; [발달] progreso *m*. ~하다 crecer, desarrollarse; [성숙하다] madurar, progresar.

■~ 곡선 curva *f* de crecimiento. ~ 과정 proceso *m* de crecimiento. ~기 ㉮ [성장하는 동안] época *f* [período *m*] de crecimiento [de desarrollo]. ㉯ [성장하는 시기] memorias *fpl* [recuerdos *mpl*] de *su* infancia y juventud. ~률 tasa *f* de crecimiento. ~ 반응 reacción *f* de crecimiento. ~산업 industria *f* en desarrollo, industria *f* que progresa. ~선 línea *f* de crecimiento. ~요인 factor *m* de crecimiento. ~ 운동 movimiento *m* de crecimiento. ~주(株) acción *f* [bursátil *m*] de gran porvenir; [비유적] persona *f* que promete. ~ 호르몬 hormona *f* somatotrópica, hormona *f* de crecimiento.

성장(盛裝) traje *m* de etiqueta, traje *m* de gala. ~하다 ataviar, engalanar, acicalar, adornar con pomposidad, vestirse de etiqueta [de gala · de fiesta], estar en traje de etiqueta, prenderse de los alfileres. ~을 하고 en vestido de fiesta, en traje de etiqueta [de gala]. 딸에게 ~시키다 vestir a la hija con vestido de fiesta. 방을 ~하다 engalanar el cuarto. 복장(服裝)을 ~하다 emperejilarse, vestirse con esmero, ataviarse. 그녀는 ~하고 있다 Ella va bien ataviada / Ella va de punta en blanco [de tiros largos]. 나는 ~하고 파티에 갔다 Me engalané y fui a la fiesta.

성적(成績) ① [일의 성과] resultado *m*. ~이 좋다 [나쁘다] tener buen [mal] resultado, hacer buen [pobre] registro, resultar bien [mal], ser fructuoso [infructuoso]. 시험~을 발표하다 publicar un resultado de examen. 양호한 ~을 올리다 dar un resultado satisfactorio. 일의 ~을 올리다 mejorar los negocios. 이번 달의 영업 ~은 좋지 않다 Los negocios de este mes no van [andan] bien. 이번 시험은 모두가 ~이 좋지 않다 Ninguno ha sacado buenos resultados en el último examen.

② [점수] nota *f*. ~이 좋은 학생 alumno *m* bueno, alumna *f* buena. ~이 나쁜 학생 alumno *m* malo, alumna *f* mala. ~이 좋은 답안(答案) examen *m* bien contestado. ~이 좋다[나쁘다] tener buenas [malas] notas. 좋은[나쁜] ~을 얻다 obtener [sacar] buenas [malas] notas. 그는 학교 ~이 올랐다 Han subido sus notas. 그는 수학 ~이 나쁘다 El es malo [débil] en matemáticas.

■~순(順) orden *m* de notas [mérito]. ~증명서 constancia *f* de notas. ~표(表) lista *f* de notas, lista *f* de memorias de estudiantes.

성적(性的) sexual, de(l) sexo. ~으로 괴롭히는 일 acoso *m* sexual, hostigamiento *m* sexual.

■~ 관계 relaciones *fpl* sexuales. ¶~를 가지다 tener relaciones sexuales (con), acostarse (con). ~ 대상 objeto *m* sexual. ~ 도착 =변태 성욕. ~ 매력 atractivo *m* sexual, sex-appeal *ing.m.* ¶~이 있는 여자 mujer *f* de atractivo sexual. ~이 있는 젊은 여자 gatita *f*. ~ 생활 vida *f* sexual. ~ 욕망 deseo *m* sexual [carnal], apetito *m* sexual [carnal]. ~ 유치증 infantilismo *m* sexual. ~ 이성(二性) dimorfismo *m* sexual. ~ 전파 질환 enfermedad *f* transmitida sexualmente. ~ 접촉으로 감염되는 병 enfermedad *f* de transmisión sexual. ~ 충동 libido *m*, líbido *m*, ímpetu *m* sexual. ~ 학대 abusos *mpl* deshonestos, violación *f*. ~ 행위 acto *m* sexual, coito *m*. ~ 흥분 afrodisia *f*.

성적(聖蹟) ruinas *fpl* sagradas, ruinas *fpl* antiguas sagradas.

성적(聖籍) libro *m* escrito por el santo.

성전(成全) 【심리】 integración *f*.

성전(成典) ① [정해진 법칙] regla *f* determinada. ② [정해진 의식] ceremonia *f* determinada. ③ [성문의 법전] código *m* de derecho escrito.

성전(性典) libro *m* sobre el sexo.

성전(盛典) gran ceremonia *f*.

성전(聖典) ① [성인이 쓴 고귀한 책] libros *mpl* sagrados, libro *m* escrito por el santo. ② ((불교)) canon *m* sagrado. ③ ((기독교·천주교)) =성경(聖經). ④ ((회교)) corán *m*, Alcorán *m*.

■ ~ 목록 canon *m*.

성전(聖殿) ① [신성한 전당] santuario *m*, templo *m* sagrado. ② ((기독교·천주교)) iglesia *f*, catedral *f*.

성전(聖傳) tradición *f* del santo.

성전(聖戰) guerra *f* santa, guerra *f* sagrada.

성전환(性轉換) cambio *m* de(l) sexo. ~하다 cambiar el sexo.

■ ~ 수술 operación *f* de cambio de sexo, operación *f* del cambio sexual. ¶~하다 hacer una operación de cambio de sexo [del cambio sexual. ~자(者) transexual *mf*.

성정(性情) ① [성질과 심정] el carácter y el corazón. ② [타고난 본성] genio *m*, natural *m*, carácter *m* (*pl* caracteres).

성조(性燥) ¶~하다 (ser) de genio vivo, de mucho genio, irascible.

성조(聖祚) corona *f* del rey.

성조(聖祖) antepasados *mpl* sagrados.

성조(聲調) tono *m* de la voz.

성조기(星條旗) bandera *f* de las barras y las estrellas, bandera *f* de estrellas y rayas, bandera *f* de los EEUU, bandera *f* de los Estados Unidos de América.

성좌(星座) 【천문】 constelacón *f*.

■ ~ 조견도 planisferio *m*. ~표 tabla *f* de constelaciones.

성좌[1](聖座) [신성한 자리] asiento *m* sagrado; [임금이 앉는 자리] asiento *m* real.

성좌[2](聖座) [교황청] la Santa Sede.

성주 【민속】 dios *m* custodio del solar de casa, dios *m* de hogar, dios *m* protector.

■ ~받이 rito *m* de chamán para inducir al dios a entrar en el solar de casa después de construir la casa de nuevo o mudarse de casa.

성주(城主) ① [성(城)의 우두머리] jefe *m* [señor *m*] del castillo. ② [고을의 원] alcalde *m* del pueblo.

성주(聖主) =성군(聖君).

성주간(聖週間) la Semana Santa.

성중(城中) centro *m* del castillo, interior *m* del castillo, sede *m* del castillo.

성지(城池) =해자(垓字).

성지(城址) [유적] vestigios *mpl* de un castillo; [폐허] ruinas *fpl* de un castillo antiguo.

성지(聖地) ① [거룩한 땅] tierra *f* sagrada, tierra *f* santa. ② ((종교)) (la) Tierra Santa, la Sagrada Tierra.

■ ~ 순례 peregrinación *f* a la Tierra Santa. ¶~ 하다 peregrinar a la Tierra Santa. ~ 순례자 peregrino, -na *mf* a la Tierra Santa.

성지(聖旨) voluntad *f* del rey.

성지(聖志) ① [성인의 뜻] voluntad *f* del santo. ② =성지(聖旨).

성지(聖智) ① [성인의 지혜] sabiduría *f* de los santos. ② ((불교)) sabiduría *f* de Buda, sabiduría *f* de los santos.

성직(聖職) ① [신성하거나 거룩한 직분] deberes *mpl* sagrados. ② ((기독교)) sacerdocio *m*, clerecía *f*, estado *m* sacerdotal.

■ ~ 서임 ordenación *f*. ~ 서임권 investidura *f*. ~자 eclesiástico, -ca *mf*, clérigo *m*, sacerdote *mf*; [집합적] clero *m*. ¶~가 되다 hacerse eclesiástico, hacerse sacerdote, ser ordenado sacerdote.

성질(性質) carácter *m* (*pl* caracteres), naturaleza *f*, natural *m*, disposición *f*; [기질] temperamento *m*; [특성] característica *f*. ~이 좋은 de buen carácter, afable, bondadoso. ~이 나쁜 de mal carácter, malcarado, antipático, avieso. 금속(金屬)의 ~ propiedades *fpl* del metal. 일의 ~ 때문에 por la naturaleza del trabajo. ~이 좋다 tener buen carácter, ser de buen carácter. ~이 나쁘다 tener mal carácter, ser de mal carácter. 질투심이 많은 ~이다 tener [ser de] un natural celoso. 성을 내는 ~이다 tener [ser de] un natural colérico. 그는 그런 짓을 할 수 없는 ~이다 El no es capaz de hacer tal cosa.

성징(性徵) caracteres *mpl* sexuales.

◆ 제일차(第一次) ~ caracteres *mpl* sexuales juveniles [primeros]. 제이차(第二次) ~ caracteres *mpl* sexuales maduros [secundarios].

성차별(性差別) =성차별주의.

■ ~주의 machismo *m*, sexismo *m*. ~주의자 machista *mf*, sexista *mf*.

성찬(盛饌) cena *f* suntuosa, fiesta *f*, buena mesa *f*. ~을 베풀다 dar una fiesta.

성찬(聖餐) ① ((기독교)) Sagrada Comunión *f*. ② ((불교)) comida *f* sagrada a Buda.

■ ~대 mesa *f* de comunión. ~배(杯) copa *f* de comunión, cáliz. ~식[례] la Santa Comunión, el Sacramento. ~ 탁자 mesa *f* de comunión.

성찰(省察) introspección *f*.

성채(星彩) ① [별빛] luz *f* de las estrellas. ② [광물의 광채] brillo *m* del mineral.

성채(城砦) fuerte *f*, fortaleza *f*, plaza *f* fuerte; [성(城)] castillo *m*; [집합적] forticación *f*.

~를 축조하다 construir un fuerte [una fortaleza].

성책(城柵) la fortaleza y la palizada.

성천자(聖天子) rey *m* sabio y virtuoso.

성철(聖哲) sabio *m*, docto *m*, ilustrado *m*.

성체(成體) (animal *m*) adulto *m*.

성체(聖體) ① [왕의 몸] cuerpo *m* del rey. ② ((천주교)) [예수의 몸] cuerpo *m* de Jesús. ③ ((천주교)) [성체 성사] eucaristía *f*, sacramento *m*, el Santísimo Sacramento.

▪ ~ 강복(식) bendición *f* sacramental del Santísimo Sacramento. ~ 거동 procesión *f* sacramental. ~ 공존 consubstanciación *f*. ~ 대회 convención *f* sacramental. ~ 배령 comunión *f*. ~ 배수 =성찬(聖餐). ~ 봉헌[식] Oblación *f*. ~ 성사 el (Santísimo) Sacramento, la Sagrada Comunión. ~ 축일(祝日) fiesta *f* sacramental. ~포(布) lino *m* sacramental. ~ 행렬 procesión *f* sacramental. ~화 transubstanciación *f*, transustanciación *f*. ¶~하다 transubstanciarse, transustanciarse. ~시키다 transubstanciar, transustanciar.

성총(聖聰) inteligencia *f* real.

성총(聖寵) ① [임금의 은총] favor *m* [gracia *f*] del rey. ② ((천주교)) gracia *f* de Dios, don *m* sobrenatural.

성축(成畜) animal *m* doméstico adulto.

성축(聖祝) felicitación *f* de la Navidad. ~하다 felicitar la Navidad. ~합니다! Feliz Navidad!

성충(成蟲) 【곤충】 imago *m*, insecto *m* adulto. ~기(期) etapa *f* imaginal.

성충(誠忠) lealtad *f*, fidelidad *f*. ~하다 (ser) leal, fiel. ☞ 충성(忠誠)

성충동(性衝動) libido *m*, líbido *m*.

성취(成娶) casamiento *m* con una mujer. ~하다 casarse con una mujer.

성취(成就) consumación *f*, [달성(達成)] cumplimiento *m*; [실현(實現)] realización *f*. ~하다 consumar, cumplir, ralizar. ~되다 consumarse, cumplirse, realizarse. 그의 염원(念願)이 ~되었다 Se ha consumado su anhelo.

성층(成層) 【지질】 estratificación *f*.

▪ ~권 estratosfera *f*, estratósfera *f*. ~권 기구 globo *m* estratosférico. ~권 비행 vuelo *m* estratosférico. ~암(巖) roca *f* estratosférica. ~ 화산(火山) volcán *m* estratosférico.

성칙(聖勅) orden *f* del rey, mandato *m* del rey.

성크름하다 soplar mucho y hacer un poco de frío.

성큼 rápido, rápidamente, a toda prisa. 겨울이 ~ 다가온다 Se avecina rápido el invierno / El invierno se aproxima a toda prisa.

성큼성큼 a grandes pasos, a zancadas. ~ 걷다 andar a grandes pasos, andar a zancadas. ~ 걸어 다가가다 acercarse rápidamente (hacia).

성큼하다 (ser) esbelto, delgado, alto. 그 여자는 몸이 ~ Ella tiene una figura esbelta.

성탄(聖誕) ① [성인(聖人)의 탄생] nacimiento *m* sagrado, nacimiento *m* del santo. ② [임금의 탄생] nacimiento *m* del rey. ③ ((준말)) =성탄절.

▪ ~목(木) árbol *m* de Navidad, *Chi, Per* árbol *m* de Pascua. ~일 ㉮ [성인의 탄생일] fecha *f* de nacimiento del santo, cumpleaños *m.sing.pl* del santo. ㉯ [임금의 탄생일] fecha *f* de nacimiento del rey, cumpleaños *m.sing.pl* del rey. ㉰ ((기독교)) Navidad *f*, *Chi, Per* Pascua *f*. ~절 ㉮ ((기독교)) Navidad *f*, *Chi, Per* Pascua *f*. ¶즐거운 ~이 되기를 기원합니다 Feliz Navidad! ㉯ ((기독교)) [12월 24일부터 1월 1일이나 1월 6일까지의 성탄을 축하하는 명절] la Navidad, las Navidades, *Chi, Per* la Pascua. ~제 =성탄절 ㉯.

성터(城一) ruinas *fpl* del castillo.

성토(聲討) censura *f*, debate *m*. ~하다 censurar, debatir, discutir.

▪ ~ 대회 concentración *f*.

성패(成貝) concha *f* crecida.

성패(成敗) éxito *m* y [o] fracaso. ~에 관계없이 no obstante que salga con éxito o no.

▪ ~간(間) entre éxito o fracaso. ¶~ 시도하다 jugar el todo por el todo.

성풀이 =분풀이. ¶아내에게 ~하다 desahogarse con *su* esposa. 아이들에게 ~하지 마라 No te desahogues con los niños.

성품(性品) natural *m*, disposición *f*, temperamento *m*.

성품(性稟) =성정(性情).

성하(城下) ① [성 밑] debajo del castillo. ② [성 밖] fuera del castillo.

▪ ~ 도시 pueblo *m* que se formó en torno a un castillo, ciudad *f* donde hay castillo. ~지맹(之盟) capitulación *f*.

성하(星河) =은하수(銀河水).

성하(盛夏) pleno verano *m*, solsticio *m* estival. ~에 en pleno verano, en los días más calurosos del verano.

▪ ~염열(炎熱) calor *m* severo [intenso] del pleno verano.

성하(聖下) ((천주교)) Su Santidad, Sumo Pontífice.

◆ 교황(敎皇) ~ Su Santidad el Papa.

성하다 ① [상한 데 없이 본래대로 온전하다] (estar) intacto, bueno. 성한 intacto, que no ha sufrido desperfecto. 성한 생선(生鮮) pescado *m* fresco. ② [몸에 병이 없이 든든하다] (ser) sano, saludable, fuerte. 성한 다리 piernas *fpl* fuerte.

성히 intactamente, sanamente, saludablemente, bien, frescamente.

성하다(盛一) prosperar, florecer; [상태] estar próspero. 성한 [활발한] activo; [번영한] próspero; [유행의] popular, de moda. 무역이 성한 나라 país *m* (*pl* países) con mucha actividad comercial con el exterior. 이 도시는 공업이 ~ En esta ciudad hay una industria muy desarrollada / Esta ciudad tiene una industria próspera. 이 나라는 불교가 ~ En este país el budismo está muy extendido. 재즈가 성했다 Se ha hecho popular jazz. 파티는 성했다 Ha sido [resultado] muy animada la fiesta. 평화 운동이 ~ La compañía pro paz es muy popular. 당시는 상징주의가 성했다 Entonces estaba muy de moda el simbolismo. 서반아에서는 투우가 ~ Las corridas de toros son muy populares en España. 그 나라의 문화는 옛날에 성했다 La cultura de ese pueblo floreció en la antigüedad. 선(善)은 쇠하고 악(惡)이 성하고 있다 El bien cae y el mal prospera.

성히 prósperamente, con prosperidad, activamente, popularmente..

성하지맹(城下之盟) capitulación *f*, rendición *f*.

성학(星學) 【천문】 astronomía *f*. ~의 astronómico.

■ ~가(家) ㉮ [천문학자] astrónomo, -ma *mf*, planestista *mf*. ㉯ [점성술을 하는 사람] adivino, -na *mf*.

성함(姓銜) *su* nombre y apellido. ~이 어떻게 되십니까? ¿Cómo se llama usted?

성해(聖骸) ((천주교)) huesos *mpl* sagrados, restos *mpl* del santo. ~함(函) relicario *m*.

성행(性行) el carácter y la conducta.

성행(盛行) preponderancia *f*. ~하다 preponderar, predominar, ser frecuente, ser corriente. 젊은이들 사이에서 이런 의견의 ~함 proponderancia *f* [el grado de difusión] de esta opinión entre los jóvenes. 병이~하고 있는 지역에서 en zonas donde la enfermedad está extendida.

성행위(性行爲) intercambio *m* sexual, acto *m* sexual, coito *m*; [성관계] relaciones *fpl* sexuales.

성향(性向) propensión *f*, tendencia *f*, inclinación *f*.

◆ 소비(消費) ~ propensión *f* a consumir. 수입(輸入) ~ propensión *f* a la importación. 저축(貯蓄) ~ propensión *f* a ahorrar. 투자(投資) ~ propensión *f* a invertir.

성현(聖賢) sabio, -bia *mf*, filósofo, -fa *mf*.

성혈(聖血) ① ((기독교)) oblación *f*. ② ((천주교)) =보혈(寶血).

성형(成形) ① [어떤 형체를 만듦] formación *f* adulta. ~의 formativo, plástico. ② [모양 만들기] moldeo *m*.

■~ 겸자(鉗子) alicate(s) *m(pl)*, pinza(s) *f(pl)*. ~ 병원 hospital *m* plástico. ~ 봉합술 sutura *f* plástica. ~ 분말 polvos *mpl* para moldeo. ~ 수술 operación *f* plástica. ~ 수축 contracción *f* de moldeo. ~술 plástica *f*. ~ 외과(外科) =성형 외과학. ¶ 미용 ~ cirugía *f* cosmética. ~ 외과의 (外科醫) cirujano *m* plástico, cirujana *f* plástica. ~ 외과학 cirugía *f* plástica. ~ 프레스 prensa *f* de moldear, moldeadura.

성형(星形/星型) forma *f* estrellar.

■~ 도형(圖形) asterismo *m*.

성호(城壕) =해자(垓字).

성호(聖號) ((천주교)) cruz *f*. ~를 긋다 persignarse, santiguarse, hacerse la señal de la cruz.

성호르몬(性-) hormón *m* sexual, hormona *f* sexual.

성혼(成婚) boda *f*, nupcias *fpl*, casamiento *m*, matrimonio *m*.

성홍열(猩紅熱) escarlatina *f*, escarlata *f*, fiebre *f* escarlatina.

성화(成火) ① 【천문】 =유성(流星). ② [운성이 떨어질 때의 불빛] luz *f* de una estrella fugaz. ③ [몹시 급한 일] urgencia *f*, asunto *m* urgente, apremio *m*. ~를 대다 apremiar. ④ [매우 작은 불빛] luz *f* muy pequeña.

성화같다 (ser) urgente, apremiado.

성화같이 urgentemente, apremiadamente. ~ 독촉하다 apremiar urgentemente.

성화(聖火) ① [거룩한 불] fuego *m* sagrado. ② ((운동)) llama *f* olímpica; [올림픽・릴레이의] antorcha *f* olímpica.

■~대(隊) grupo *m* de antorchas. ~대(臺) pebetero *m*, Lámpara *f* Votiva, Antorcha *f* de la Libertad, Antorcha *f* de Amistad. ~ 릴레이 relevo *m* de antorcha. ~ 주자(走者) portador, -dora *mf* de antorcha.

성화(聖化) ① [성인(聖人)이나 임금의 덕화(德化)] influencia *f* moral del santo o del rey. ② [거룩하게 되거나 또는 되게 함] santificación *f*. ~하다 santificar. ~되다 santificarse. ③ ((기독교)) santificación *f*. ~하다 santificar. ④ ((기독교)) =성별(聖別).

성화(聖花) ((불교)) flor *f* a Buda.

성화(聖畵) =종교화(宗敎畵).

■~상(像) la pintura sagrada y la imagen sagrada.

성황(盛況) prosperidad *f*, actividad *f* repentina. ~을 이루다 mostrarse próspero, prosperar, medrar, tener gran éxito, gozar de prosperidad. 가게가 ~이다 La tienda prospera / La tienda hace un buen negocio. 파티는 ~이었다 La fiesta tuvo gran éxito. 공연은 만원의 ~을 이루었다 La representación tuvo un lleno completo.

성회(盛會) reunión *f* animada, reunión *f* próspera. ~되었습니다 La reunión obtuvo buen éxito [un gran éxito] / La reunión resultó muy bien / La reunión resultó estupenda

성회(聖會) ① [신성한 집회] asamblea *f* sagrada. ② ((천주교)) =천주 교회(天主敎會). ③ ((기독교)) iglesia *f* (sagrada).

성훈(聖訓) ① [성인의 교훈] lección *f* del santo. ② [임금의 교훈] lección *f* del rey.

성희(性戲) juego *m* sexual.

섶[1] [식물의 버팀 꼬챙이] puntal *m*.

섶[2] [저고리나 두루마기의] cuello *m* exterior de un abrigo.

섶[3] ((준말)) =섶나무.

섶나무 maleza *f*, [땔나무] leña *f*. 산에 ~를 베러 가다 ir al monte para recoger leña.

■~ 울타리 seto *m* vivo, cerca *f* de malezas.

섶누에 【곤충】 =멧누에.

세 tres. ~ 사람 tres personas. ~ 남자 tres hombres. ~ 여인 tres mujeres. ~시(時) las tres. ~ 시간(時間) tres horas. 지금 오후 ~ 시 오 분이다 Ahora son las tres y cinco de la tarde.

■세 사람만 우겨 대면 없는 호랑이도 만들어 낸다 ((속담)) Más ven cuatro ojos que dos. 세 살 적 버릇[마음]이 여든까지 간다 ((속담)) Lo que se aprende en la cuna, hasta la sepultura / Lo que se aprende en la cuna siempre dura / Difícil cosa es dejar lo acostumbrado

■ ~쌍둥이 trillizo, -za *mf.*

세(世) ① [인간] hombre *m*, ser *m* humano. ② [세상] mundo *m*. ③ [때. 시대] tiempo *m*, época *f*. ④ [세대] generación *f*, treinta años. ⑤ [세기] siglo *m*, cien años. ⑥ [한 왕조의 계속되는 동안] reinado *m*. ⑦ [부자(父子)의 상속] herencia *f*, sucesión *f*. ⑧ [해. 한 해] año *m*, un año. ⑨ [평생. 일생] vida *f*, toda la vida. ⑩ [대대로] por generaciones, de generación en generación.

세(稅) [조세(租稅)] contribución *f*, impuesto *m*; [관세(關稅)] derechos *mpl*, derechos *mpl* aduaneros; [통행세] peaje *m*. ~를 납부하다 pagar la contribución. ~를 부과하다 poner impuestos, imponer tributos, imponer contribución. ~를 정하다 amillarar.

세(貰) alquiler *m*.

◆세(를) 내다 alquilar (una casa · una habitación), arrendar, dar en arriendo. 세낸 금고(金庫) caja *f* (de seguridad) de alquiler. 세낸 사무실 oficina *f* [despacho *m*] de alquiler. 세낸 좌석(座席) sala *f* de alquiler (para banquetes). 세낸 의상(衣裳) traje *m* [ropa *f* · vestido *m*] de alquiler. 의상(衣裳)을 ~ alquilar un traje [una ropa · un vestido]. 우리는 아파트를 세냈다 Hemos alquilado un piso.

◆세(를) 놓다 alquilar. 의상을 세놓는 점포 tienda *f* que alquila vestidos. 의상을 세놓는 사람 alquilador, -dora *mf* de vestidos [de trajes · de ropas]. 세(를) 놓습니다 ((게시)) Se alquila / Alquilamos. 사무실 세놓습니다 ((게시)) Se alquila oficina. 방을 세놓습니다 ((게시)) Se alquilan habitaciones.

◆세(를) 들다 alquilar una casa. 세를 든 사람 inquilino, -na *mf*. 세들어 있다 vivir en una habitación alquilada.

◆세(를) 주다 alquilar, arrendar, dar en arriendo. 방을 ~ alquilar una habitación.

세(勢) ① ((준말)) =세력(勢力). ② [힘이나 기운] poder *m*, fuerza *f*, potencia *f*. ③ =형세(形勢).

세(歲) edad *f*, año *m*. 20~ veinte años (de edad). 16~의 소녀(少女) muchacha *f* [niña *f*] de dieciséis años (de edad). 25~의 청년(青年) joven *m* (*pl* jóvenes) de veinticinco años (de edad). 80~의 노인(老人) viejo, -ja *mf* [anciano, -na *mf*] de ochenta años de edad.

-세 vamos a + *inf.*; [-ar 동사] -emos; [-er · -ir 동사] -amos. 집으로 가~ Vamos a casa / Vayamos a casa. 밥을 먹~ Vamos a comer / Comamos. 한 잔 하~ Bebamos [Vamos a beber] una copa.

-세(世) ①【지질】época *f*. 홍적(洪積)~ época *f* diluvial. ② [왕조의 임금 순위] generación *f*. 페르난도 5~ Fernando IV (Quinto). 까를로스 1~ Carlos Primero. 이사벨 2~ Isabel II (Segunda).

세가(世家) familia *f* noble [distinguida].

세가(貰家) =셋집.

세가(勢家) familia *f* poderosa, persona *f* influente.

세간 [가구] muebles *mpl*; [가장 집물] utensilios *mpl* domésticos.

◆세간(을) 나다 establecer una rama familiar, crear una nueva familia. 장가들어 ~ casarse y establecer una rama familiar.

세간(世間) ① mundo *m*; [사회] sociedad *f*; [사람들] gente *f*, todo el mundo. ~의 풍문을 염려하다 preocuparase del decir ajeno. ~에는 말이 너무 많다 La gente habla demasiado. ~의 입이 귀찮다 Son muy fastidiosas las habladurías de la gente. ② ((불교)) mundo *m* prosaico.

세거(世居) residencia *f* por generaciones. ~하다 residir por generaciones.

세거리 =삼거리.

세경(細徑) =소로(小路).

세계(世系) linaje *m* de generaciones.

세계(世界) ① [온 세상] mundo *m*; [전 세계] todo el mundo, mundo *m* entero. ~의 mundial, universal, internacional. ~의 문제(問題) problema *m* internacional. 그것은 ~에서 제일 긴 다리이다 Es el puente más largo del mundo. 그 소식은 ~로 퍼졌다 La noticia se divulgó por todo el mundo. 두 사람은 다른 ~의 인간(人間)이다 Los dos pertenecen a un mundo completamente distinto. ② ((불교)) mundo *m*. ③ [우주] universo *m*, cosmos *m*. ~의 universal. ④【철학】universo *m*. ⑤ [특수한 사회] mundo *m*, sociedad *f*, esfera *f*, reino *m*. 꿈의 ~ reino *m* del sueño, utopía *f*. 어린이의 ~ mundo *m* de los niños. 이상(理想)의 ~ mundo *m* ideal. ⑥ [동류의 한 집단] sociedad *f*, círculo *m*. 문학의 ~ círculo *m* literario. 젊은이의 ~ sociedad *f* de los jóvenes.

■~ 가정의 해 el Año Internacional de la Familia. ~ 각국 cada país del mundo; [제국] varios países del mundo. ~ 각지 cada lugar del mundo; [각 지방] varias regiones del mundo. ~ 결핵의 날 el Día Internacional de la Tuberculosis. ~ 경제 economía *f* mundial [universal · del mundo]. ~ 공민 ciudadano *m* mundial, cosmopolita *mf*. ~ 공황(恐慌) crisis *f* mundial, pánico mundial. ~관 visión *f* del mundo, vista *f* mundial, vista *f* sobre el mundo, filosofía *f*. ~ 교직자 회의 la Conferencia Mundial de los Profesores. ~ 교직 단체 총연합 la Organización de Confederación Mundial de la Profesión de Enseñanza. ~ 교회 운동 movimiento *m* ecuménico. ~ 교회 협의회 el Consejo Mundial de Iglesias. ~ 교회 회의 la Conferencia Mundial de Iglesias. ~ 국가 estado *m* universal. ~ 권투 연맹 la Asociación Universal de Boxeo. ~ 금연의 날 el Día Mundial de No Fumar. ~ 기록 récord *m* mundial. ¶~을 수립하다 establecer el récord mundial. ~을 깨다 batir el récord mundial. ~ 기록 보유자 poseedor, -dora *mf* del récord mundial. ~ 기상 기구 la Organización Meteorológica Mundial. ~ 기상의 날 el Día Meteorológico Mundial. ~ 기업 empresa *f* universal. ~ 노동 조합 연맹 la Federación Mundial de Sindicatos. ~ 농업 센서스 censo *m* agrícola del mundo. ~ 대전 guerra *f* mundial. ¶제일차 ~ la Primera Guerra Mundial. 제이차 ~ la Segunda Guerra Mundial. ~ 도서의 해 el Año Internacional de Libros. ~력(曆) calendario *m* universal. ~만방 todo el mundo, mundo *m* entero. ~ 만유 viaje *m* mundial. ~ 무대 esfera *f* mundial. ~ 무역 comercio *m* internacional. ~ 문학 literatura *f* universal. ~ 물의 날 el Día Mundial del Agua. ~ 박람회 la Feria Internacional, la Exposición Internacional. ~ 반공 연맹 la Liga Anticomunista Mundial. ~ 보건 기구 la Organización Mundial de la Salud, OMS *f*, O.M.S *f*. ~ 보건일 el Día Mundial de la Salud. ~ 보건 주간 la Semana Mundial de la Salud. ~ 불교도 연맹 la Confederación Mundial de Budistas. ~ 불교도 회의 la Conferencia Mundial de Budistas. ~사(史) la Historia Universal. ~사적(史的) de la historia universal. ~ 사조(思潮) idea *f* universal, movimiento *m* corriente del mundo. ~ 산업 노동자 연맹 los Trabajadores Industriales del Mundo. ~상(像) vista *f* sobre el mundo, pintura *f* mundial. ~ 선수권 campeonato *m* mundial. ~ 선수권 대회 las Series del Campeonato Mundial. ~ 성체 대회 el Congreso Eucarístico Internacional. ~시(時) hora *f* universal. ~ 시장 mercado *m* mundial; [국제 시장] mercado *m* internacional. ~ 식목일 el Día Mundial del Arbol. ~ 신기록 nuevo récord *m* mundial. ~ 아동 인권 선언 la Declaración Universal de los Derechos Humanos para los Niños. ~ 아마추어 야구 선수권 대회 las Series del Campeonato Mundial de Béisbol para Amateurs. ~어(語) lengua *f* universal; [국제어] lengua *f* internacional; [에스페란토어] esperanto *m*. ~ 여성의 해 el Año Internacional de las Mujeres. ~ 연방 estado *m* universal, federación *f* mundial (de naciones). ~ 연방 운동 movimiento *m* de la federación mundial. ~ 열강(列强) superpotencias *fpl* mundiales. ~ 은행 el Banco Internacional; [국제 부흥 개발 은행] el Banco Internacional de Reconstrucción y Desarrollo. ~ 은행 차관 préstamo *m* del Banco Internacional de Reconstrucción y Desarrollo. ~인(人) ㉮ cosmopolita *mf*, ciudadano *m* mundial. ㉯ [세계적으로 유명한 사람] persona *f* mundialmente famosa. ~ 인권 선언 la Declaración Universal de los Derechos del Hombre. ~ 인권 선언일 el Día de la Declaración Universal de los Derechos del Hombre. ~일(日) día *m* mundial. ~ 일주(一周) vuelta *f* al mundo. ¶~를 하다 dar una vuelta al mundo. ~ 여행을 하다 hacer un viaje alrededor del mundo. ~ 일주자 trotador, -dora *mf* al mundo, viajero, -ra *mf* de vuelta al mundo. ~ 재향 군인 연맹 la Liga Mundial de Ex-combatientes. ~적(的) mundial, universal, internacional. ¶~으로 mundialmente, universalmente, internacionalmente. ~으로 유명한 mundialmente famoso. ~으로 알려진 mundialmente conocido. ~으로 평판이 높은 de fama mundial, famoso mundialmente. ~인 명성(名聲) reputación *f* [fama *f*] mundial. ~인 문제 problema *m* internacional. ~인 불황(不況) recesión *f* mundial. ~인 음악가 músico, -ca *mf* de fama mundial. ~인 인물(人物) persona *f* internacional, persona *f* del mundo, persona *f* de fama mundial. ~으로 알려진 선수 jugador, -dora *mf* mundialmente conocido [conocida]. ~ 정부 estado *m* universal, gobierno *m* mundial. ~ 정세 situación *f* mundial. ~ 정신 espíritu *m* mundial. ~ 정책 política *f* mundial, política *f* del mundo, política *f* internacional. ~ 종교(宗教) religiones *fpl* del mundo. ~주(主) ((불교)) Señor *m*, Soberano *m* del Mundo. ~주의 cosmopolitismo *m*, internacionalismo *m*. ~주의자 cosmopolita *mf*. ~ 지도 mapa *m* del mundo, mapa *m* mundial. ~ 지적 재산권 기구[소유권 기구] la Organización Internacional del Derecho de la Propiedad Intelectual. ~ 책의 날 el Día Internacional de Libros. ~ 최고 기록 =세계 기록. ~ 칠대 불가사의 Las siete maravillas del Mundo. ~ 태권도 연맹 la Federación Mundial de Taekwondo. ¶~ 총재 presidente, -ta *mf* de la Federación Mundial de Taekwondo. ~ 평화 paz *f* universal, paz *f* mundial. ~ 평화 평의회 el Consejo de la Paz Mundial. ~항 puerto *m* mundial. ~ 형질론(形質論) =우주론(宇宙論). ~화(化) globalización *f*. ¶무역의 ~ globalización *f* del comercio. ~ 화폐 moneda *f* mundial. ~ 환경의 날 el Día Mundial del Medio Ambiente. ~ 회의 conferencia *f* mundial, congreso *m* mundial, asamblea *f* mundial. ~ 휴일 el treinta y uno de diciembre y el treinta y uno de junio del año bisiesto.

세고(世苦) penalidad *f*, vida *f* difícil.

세고(世故) asuntos *mpl* mundanos. ~에 밝은 que conoce bien la vida, de mucha experiencia, astuto.

세고(細故) asuntos *mpl* pequeños.

세곡(税穀) cereales *mpl* para el tributo.

세공(細工) [제작] trabajo *m*, confección *f*, obra *f*; [기능] artesanía *f*, pericia *f* manual. ~하다 obrar, hacer una obra (en). 이 반지에는 정교하게 ~이 되어 있다 Este anillo está finamente trabajado.
■ ~물[품] obra *f*, trabajo *m*, objeto *m*. ¶미술 ~ artículo *m* de fantasía. ~사(師) artífice *mf*; fabricante *mf*; artesano, -na *mf*; obrero, -ra *mf*. ¶금은(金銀) ~ platero, -ra *mf*. ~장(場) taller *m* de trabajo.

세공(細孔) poro *m*, rendija *f*, hendidura *f*, agujero *m* pequeño.

세관(細管) tubo *m* fino, tubo *m* delgado.
■ ~염 ductuitis *f*. ~ 작용 capilaridad *f*.

세관(稅官) =세리(稅吏).

세관(稅關) aduana *f*. ~의 aduanero, aduanal. ~에 근무하다 estar en servicio de aduana, trabajar en la aduana. ~을 통과하다 pasar la aduana. ~을 통하다 pasar *algo* por la aduana. ~에서 검사받다 ser inspeccionado en la aduana. ~을 속이다 engañar a la aduana [al aduanero]. ~에서 소지품을 신고하다 declarar algo.
◆공항(空港) ~ aduana *f* seca. 서울 ~ la Aduana de Seúl.
■ ~ 감시선 buque *m* de inspección de aduanas. ~ 검사 inspección *f* aduanera. ~ 검사관 inspector, -tora *mf*. ~ 관세 derechos *mpl* de aduana. ~ 규칙 reglamento *m* de aduana. ~ 당국 autoridad *f* aduanera. ~리(吏) oficial *mf* de aduana; aduanero, -ra. ~ 면장(免狀) diploma *m* de aduana. ~ 법규(法規) reglamentos *mpl* de aduana. ~ 송장(送狀) factura *f* de aduanas. ~ 수속 formalidades *fpl* aduaneras [de aduanas], procedimiento *m* aduanero, declaración *f* de entrada de aduana. ~ 수수료 comisión *f* de aduana. ~ 신고(申告) declaración *f* de aduanas. ~ 신고서 declaración *f* de aduana(s), declaración *f* arancelaria. ~ 압수품 decomisos *mpl* de aduana. ~원 aduanero, -ra *mf*; oficial *mf* de aduanas. ~장 director, -tora *mf* de aduana, superintendente *mf* de aduana; jefe, -fa *mf* de aduana. ~ 장벽 barrera *f* aduanera. ~ 절차 formalidades *fpl* aduaneras. ~ 중개인 =세관 화물 취급인. ~ 화물 취급인 corredor, -dora *mf* de aduana.

세광(洗鑛) lavadura *f* de la mineral metalífero. ~하다 lavar la mena, lavar la mineral metalífero.

세교(世交) amistad *f* tradicional entre las familias.

세궁(細窮) mucha pobreza. ~하다 ser muy pobre.
■ ~민(民) pobre *mf*; necesitado, -da *mf*; persona *f* muy pobre. ~역진(力盡) agotamiento *m* total, agotamiento *m* completo. ¶~하다 agotarse totalmente [completamente].

세균(細菌) bacteria *f*, microbio *m*. ~의 microbiano, bacteriológico, microbiológico. ~을 죽이는 microbicida.
■ ~ 감염(感染) microbiosis *f*. ~ 감염증 bacilosis *f*. ~ 검사(檢査) bacterioscopia *f*, examen *m* [análisis *m*] bacteriológico. ~ 공포증 microbiofobia *f*, bacilofobia *f*, bacteriofobia *f*. ~군 flora *f* bacteriana. ~ 단백질 microproteína *f*, bacterioproteína *f*. ~ 독성 bacteriotóxico *m*. ~ 독소 bacteriotoxina *f*. ~ 발생 방지제 bacteriostático *m*. ~ 발육 저지 bacteriostasis *f*. ~ 배양 germicultura *f*, cultivo *m* microbiano, cultivo *m* micróbico. ~ 번식 억제 genesistasis *f*. ~ 변이 variación *f* bacteriana. ~병 enfermedades *fpl* microbianas. ~ 병기 el arma *f* (*pl* las armas) bacteriológica. ~ 병리학 bacteriopatología *f*. ~ 병리 학자 bacteriopatólogo, -ga *mf*. ~ 분광계 microbiofotómetro *m*. ~ 비료 fertilizante *m* bacteriano. ~ 색전증 embolia *f* bacteriana. ~성 심내막염 endocarditis *f* bacteriana. ~성 응집 aglutinación *f* bacteriogénica. ~성 이질 disentería *f* bacteriana. ~ 식물 =세균(細菌). ~ 여과기 filtro *m* bacteriano. ~ 요법 bacterioterapia *f*. ~ 요증 bacteriuria *f*. ~전(쟁) guerra *f* bacteriológica. ~ 중독증 bacteriotoxemia *f*. ~증 bacteriosis *f*. ~ 집단 colonia *f* de bacteria. ~총(叢) bacterioflora *f*. ~탄 =세균 폭탄. ~ 파쇄 현상 bacterioclasis *f*. ~ 폭탄 bomba *f* bacteriológica. ~학 bacteriología *f*, microbiología *f*. ¶~ 실험실 laboratorio *m* microbiológico. ~학자 bacteriólogo, -ga *mf*; microbiólogo, -ga *mf*. ~ 현미경 검사 bacterioscopia *f*.

세금(稅金) [주로 지방세] impuesto *m*; [주로 국세] contribución *f*; [주로 관세나 사용세 등] derechos *mpl*; [일반적으로 조세] tributo *m*. ~으로 de [en] impuestos. ~이 부과되는 sujeto a impuestos. ~이 면제(免除)되는 libre de derechos, libre de impuestos. ~ 포함(包含)하여 con impuestos. ~ 포함 95만 원의 봉급 novecientos cincuenta mil wones de salario (con) impuestos incluidos. ~에 시달리다 estar agobiado de impuestos. ~을 부과하다 gravar [cargar] a *uno* un impuesto, imponer contribuciones a *uno*. ~을 면제하다 eximir a *uno* de la contribución. ~을 올리다 aumentar el impuesto. ~을 내리다 disminuir el impuesto. ~을 납부하다 pagar un impuesto, pagar los impuestos, pagar un derecho. ~을 징수하다 recaudar impuestos. ~의 신고를 하다 hacer *su* declaración de impuestos. 10만 원의 ~을 내다 pagar cien mil wones de impuesto(s). ~이 올랐다 Los impuestos (se) han aumentado [han subido]. 당신은 ~을 얼마나 냅니까? ¿Cuánto paga usted de impuestos? 나는 ~으로 10만 원을 냈다 Pagué cien mil wones de [en] impuestos. 이 상품은 ~이 부과된다 Esta mercadería lleva impuestos. 이것은 ~ 포함해 5만 원이다 Esto cuesta cincuenta mil wones incluidos los impuestos. 그의 봉급은 ~ 포함해 200만 원이다 Su sueldo con impuestos incluidos es de dos millones de wones. 국민들은 과중한 ~을 내고 있다 El pueblo paga un impuesto excesivo.

■ ~ 감면 reducción *f* de impuestos. ~ 공제 deducciones *fpl* (por concepto) de impuestos, deducción *f* impositiva. ¶~를 하다 hacer deducciones de impuestos, deducir los impuestos. ~로 después de hacer deducciones por concepto de impuestos. 봉급에서 ~를 하다 deducir los impuestos del sueldo [del salario]. ~ 망명 exilio *m* de impuestos. ~ 망명자 exiliado *m* por motivos fiscales. ~ 면제(免除) desgravación *f* fiscal, deducción *f* impositiva. ¶~의 exento de impuestos, no gravable. 기혼자(既婚者)의 ~ desgravación *f* [deducción *f*] por matrimonio. ☞면세(免稅). ~ 부담(負擔) carga *f* fiscal, carga *f* tributaria, carga *f* impositiva. ~ 수입 ingresos *mpl* fiscales, ingresos *mpl* tributarios, recaudación *f* tributaria. ~ 신고 declaración *f* sobre la renta, declaración *f* del impuesto sobre la renta. ~ 신고서 formulario *m* de declaración sobre la renta, impreso *m* de declaración sobre la renta. ~ 연체금 impuestos *mpl* atrasados, impuestos *mpl* vencidos. ~ 우대 amnistía *f* fiscal. ~ 인상 aumento *m* de impuestos. ~전 이익 utilidad *f* antes de impuestos. ~ 징수 recaudación *f* de impuestos. ~ 징수원 recaudador, -dora *mf* de impuestos. ~ 체납 atrasados *mpl* de impuestos. ~ 포탈 evasión *f* de impuestos, evasión *f* fiscal, fraude *m* fiscal. ~ 포탈자 defraudador, -dora *mf* de impuestos. ~ 피난 수단 refugio *m* fiscal, amparo *m* tributario. ~ 피난지 [법인세·이자 배당의 원천 과세가 헐한 나라] paraíso *m* fiscal. ~ 환급(還給) devolución *f* de impuestos.

세기[1] [수를 세는 일] cuento *m*.

세기[2] =경도(硬度).

세기(世紀) ① =시대(時代). ② [100년을 일기(一期)로 하는 시대 구획] siglo *m*, cien años. ~의 제전(祭典) fiesta *f* del siglo. 20~ el siglo veinte, el siglo XX. 21~ el siglo veintiuno, el siglo XXI. 기원전 5~ el siglo V (quinto) antes de Cristo.

■ ~말(末) fin *m* del siglo. ~말적(末的) finisecular, del fin del siglo. ¶~인 문학 literatura *f* finisecular, literatura *f* de(l) fin de siglo. ~(인) 불안(不安) inquietud *f* del fin del siglo. ~적(的) del siglo.

세기(貰器) platos *mpl* alquilados.

세기관지(細氣管支) bronquiolo *m*, bronquíolo *m*.

세끼 tres comidas. 그녀는 ~ 식사보다 연극을 더 좋아한다 Ella está chiflada con el teatro / A ella le gusta el teatro a rabiar / El teatro es su pasión dominante.

세나다[1] [상처나 부스럼 따위가 덧나다] empeorar. 상처가 세났다 La herida empeoró / La herida fue de mal en peor.

세나다[2] [물건이 잘 팔려 자꾸 나가다] venderse bien. 요즈음 아이스크림이 세난다 El helado se vende bien estos días.

세나절 acción *f* de tardar demasiado largo tiempo.

세납(稅納) =납세(納稅).

세내다(貰-) ☞세(貰)

세네갈 【지명】 (el) Senegal *m*. ~의 senegalés, senegaliano.

■ ~ 사람 senegalés (*pl* senegaleses), -lesa *mf*, senegaliano, -na *mf*.

세농(細農) =영세농(零細農).

세농가(細農家) ① [아주 가난한 농가] alquería *f* muy pobre, casa *f* de labranza muy pobre. ② [소규모로 농사를 짓는 일] agricultura *f* a escala pequeña.

세농민(細農民) =영세 농민(零細農民).

세놓다(貰-) ☞세(貰)

세뇌(洗腦) lavado *m* de cerebro. ~하다 hacer*le* un lavado de cerebro (a), lavar*le* el cerebro (de [a] *uno*). 그는 ~되었다 Le han lavado el cerebro. 그들은 나를 ~하여 …을 받아들이게 되었다 Ellos me hicieron un lavado de cerebro y llegué a aceptar que + *ind*.

■ ~ 공작 lavado *m* de cerebro.

세뇨관(細尿管) tubo *m* renal [urinífero].

세다[1] ① [머리털이 희어지다] blanquearse. 머리가 ~ blanquearse el cabello. ② [얼굴의 혈색이 없어지다] ponerse pálido.

세다[2] ① [수효를 계산하다] contar, numerar, calcular, hacer cálculos. 셀 수 없이 많은 innumerable, incalculable, incontable, un sinnúmero de …; [명사의 뒤에서] sin número, sin fin. 셀 수 없이 innumerablemente, incalculablemente. 다시 ~ volver a contar, contar de nuevo, recontar. 돈을~ contar el dinero. 100까지 ~ contar hasta ciento. 1부터 10까지 ~ contar de uno a diez. 사람의 수를 ~ contar los hombres. 부상자는 셀 수 없을 만큼 많다 Los heridos son innumerables / Hay innumerables heridos. ② ((준말)) =세우다.

■ (알) 까기도 전에 병아리 세지 마라 ((속담)) No cantes victoria antes de hora / Hijo no tenemos y nombre le ponemos.

세다[3] ① [힘이 많다] (ser) fuerte, vigoroso, robusto, sólido. 힘이 무척 ~ ser muy fuerte, ser fortísimo. 한국에서 가장 센 사나이 el hombre más fuerte de Corea. ② [주량이 크다] beber mucho. 술이 ~ ser gran bebedor [bebedora *f*]. ③ [세력이 크다] (ser) fuerte, violento, intenso, vivo. 센 바람 viento *m* fuerte. viento *m* violento. 센 광선(光線) rayo *m* intenso. 화력(火力)이 센 불 fuego *m* vivo. 센 불에[로] a fuego vivo. 화력(火力)이 ~ El fuego es vivo. 바람이 세어진다 El viento cobra fuerza [arrecia]. ④ ㉮ [마음이 굳세다] (ser) firme, flexible. 센 결의(決意) resolución *f* firme. 고집이 ~ (ser) tenaz, terco, testarudo, porfiado, pertinaz, reacio, tozudo, obstinado, casarse con *su* opinión. ㉯ [견디는 힘이 강하다] (ser) durable, resis-

tente. 센 줄 cuerda *f* resistente. ⑤ ㉮ [딱딱하고 뻣뻣하다] (ser) tieso, duro. 가시가 ~ La espina es tiesa. ㉯ [보드랍지 아니하고 거칠다] (ser) maleducado, grosero, descortés, almidonado, acartonado, estirado. 성품이 ~ La naturaleza es grosera / El carácter es grosero. 네 할머니에게 세게 대하지 마라 No seas grosero con tu abuela / No le faltes al respecto a tu abuela. 그녀는 나에게 아주 세었다 Ella fue [estuvo] muy grosera conmigo. ⑥ [풍속(風速)이나 유속(流速) 빠르다] (ser) rápido, veloz. 바람이 ~ El viento es rápido. 물살이 ~ La corriente de agua es rápida. ⑦ [궂은 일이 자주 일어 좋지 아니하다] (ser) aciago, malaventurado, infortunado, desafortunado, desventurado, malhadado. sin suerte, de mala suerte, funesto. 집터가 ~ El solar [El terreno] es aciago. ⑧ [일어 벅차서 감당해 나가기가 힘들다] (ser) duro. 센 일 trabajo *m* duro.
세게 [강하게] fuerte, fuertemente, con fuerza; [격하게] vivamente. ~ 하다 fortificar, fortalecer, reforzar; [강건하게 하다] vigorizar. ~ 되다 fortificarse, fortalecerse, reforzarse, vigorizarse. ~ 때리다 golpear fuerte, dar un golpe fuerte. ~ 소리치다 gritar fuerte, dar un grito fuerte. ~ 부정(否定)하다 negar enérgicamente. 다리를 ~ 하다 fortalecer las piernas. 머리를 ~ 때리다 dar un golpe violento [un cachete] *a uno* en la cabeza. 그는 나를 ~ 때렸다 El me dio un buen [fuerte] golpe.
센 물살 =급류(急流).

세단(영 *sedan*) sedán *m* (*pl* sedanes).

세단뛰기(-段-) triple salto *m*, brinco, paso y salto.

세대(世代) generación *f*. 젊은 ~ generación *f* joven. 자신과 같은 ~의 de *su* misma generación. 우리들은 그들과 ~가 틀리다 Nosotros no somos de la misma generación que ellos.
◆무성 ~ generación *f* asexual. 유성~ generación *f* sexual.
▪~ 교번[윤회] alteración *f* de generación, heterogénesis *f*. ~교체 ㉮ 【생물】 =세대교번. ㉯ [젊은이가 늙은이와 교대하여 어떤 일을 맡아봄] cambio *m* generacional.

세대(世帶) casa *f*, familia *f*. 두 명 이상의 임금 생활자가 있는 ~ las familias [los hogares] donde trabajan dos o más personas. 그곳에는 ~ 전부가 있었다 Estaban todos los de la casa.
▪~ 간(間) ¶~의 intergeneracional. ~수 número *m* de familias. ~주 cabeza *f* de familia; jefe, -fa *mf* de familia; padre *m* de familia; amo, -ma *mf* de casa; dueño, -ña *mf* de casa.

세도(世道) moral *f* pública, moralidad *f* pública.
▪~인심(人心) moralidad *f* pública.

세도(勢道) poder *m* (político), influencia *f* política, autoridad *f* política.
◆세도(를) 부리다 ejercer poder.
◆세도(를) 쓰다 =세도(를) 부리다.
▪~가 hombre *m* de poder. ~길 camino *m* al poder. ~꾼 hombre *m* de poder. ~재상(宰相) primer ministro *m* que ejerce poder. ~ 정치 política *f* por el hombre de poder. ~집 familia *f* en poder.

세뚜리 ① [한 상에서 세 사람이 식사하는 일] tres personas que comen juntos en una mesa. ② [새우젓 따위를 나눌 때, 한 독을 세 몫으로 가르는 일. 또, 그 분량] división *f* en tres porciones.

세레나데(독 *Serenade*) 【음악】 serenata *f*.

세력(勢力) influencia *f*, [힘] potencia *f*, imperio *m*, poder *m*, fuerza *f*, energía *f*. ~이 있는 influyente, influente, potente, poderoso. ~이 없는 sin influencia. ~을 확장하다 extender *su* influencia (en). ~을 잃다 perder *su* influencia. ~이 미치다 influir grandemente (sobre), ejercer influencia (sobre). …에 대한 ~이 있다 tener influencia sobre *uno*, influir gran influencia sobre *uno*. 점차 ~을 증진(增進)하다 acrecentarse en potencia, elevarse gradualmente en el poderío. 태풍의 ~이 약해져 간다 El tifón va perdiendo su fuerza.
▪~가 persona *f* de influencia, persona *f* influente, persona *f* influyente. ~권 esfera *f* (de influencia), ámbito *m* (de *sus* atribuciones), dominio *m*; [영토] territorio *m*. ¶~을 넓히다 extender *su* dominio, ejercer *su* esfera de influencia. ~을 침범하다 invadir la esfera, invadir el dominio. ~을 확장하다 extender *su* esfera de influencia, ampliar el ámbito de *sus* atribuciones. ~권 다툼 disputa *f* por el esfera de influencia, lucha *f* por el dominio. ¶~을 하다 disputar por la esfera de influencia (con). ~ 균형 balance *m* de poder. ¶~을 유지하다 mantener el balance de poder. ~ 범위 esfera *f* de influencia, dominio *m*.~ 보존 conservación *f* de energía. ~ 투쟁 rivalidad *f* de influencia.

세련(洗練/洗鍊) elegancia *f*, gracia *f*, refinamiento *m*. ~하다 refinar, purificar. ~되다 madurarse, sazonarse, hacerse elegante, refinarse. ~된 elegante, gracioso, de estilo fino, galano, de buen gusto, culto, ilustrado, purificado, refinado, delicado; [문장(文章) 따위가] claro, lúcido; [복장 따위가] sencillo y limpio; [언어 따위가] perfilado. ~되지 못한 tosco, rudo, grosero, rústico, poco elegante, no elegante, vulgar. ~된 모습 figura *f* gentil; [요염한] figura *f* encantadora. ~되지 않은 문체(文體) estilo *m* rudo. ~된 서반아어 español *m* perfilado. ~된 여자 maja *f*, mujer *f* graciosa; [요염한] mujer *f* encantadora. ~된 옷 vestido *m* elegante. ~된 연주(演奏) interpretación *f* madura. ~된 복장으로 vestido con sencillez y buen gusto, con un vestido sencillo y de buen gusto. 그는 ~된 문장을 쓴다 El tiene un estilo maduro. 그녀의

복장(服裝)은 ~되어 있다 Su vestido es elegante.

세례(洗禮) ① ((기독교)) bautismo *m.* ~의 bautismal. ② [한꺼번에 몰아치는 비난이나 공격] lluvia *f,* lo que cae en gran cantidad. 주먹 ~를 퍼붓다 hacer caer (sobre *uno*) una lluvia de puñetazos. 폭탄 ~를 퍼부었다 Llovieron bombas. 돌 ~ una lluvia *f* de piedras. 총알 ~ una lluvia de balas. 화살 ~ una lluvia de flechas.
세례를 받다 ((성경)) ser bautizado.
세례를 주다 ((성경)) bautizar. 나는 너희에게 물로 세례를 주었거니와 그는 성령으로 너희에게 세례를 주시리라 ((마가 복음 1: 8)) Yo a la verdad os he bautizado con agua: pero él os ha bautizado con el Espíritu Santo / Yo los he bautizado a ustedes con agua: pero él los bautizará con el Espíritu Santo.
■ ~명 nombre *m* bautismal. ~식 bautismo *m.* ~ 아동(兒童) niño *m* bautizado, niña *f* bautizada. ~ 요한 Juan el Bautista. ~자(者) bautista *mf.* ~장 bautisterio *m,* baptisterio *m.*

세로[1] longitud *f,* largo *m*; [높이] altura *f,* alto *m.* ~의 longitudinal; [수직(垂直)의] vertical. ~로 longitudinalmente, verticalmente. ~ 2미터 가로 1 미터의 상자 caja *f* de dos metros de largo por uno de ancho. ~로 쓰다 escribir verticalmente, escribir de arriba abajo. ~로 자르다 cortar a lo largo. 책을 ~로 놓다 poner los libros verticalmente.
■ ~무늬 rayas *fpl* verticales. ~쓰기 escritura *f* vertical. ~ 좌표 =와이 좌표. ~줄 línea *f* vertical. ~지 ㉮ [엮은 발로 뜬 종이를 그 결이 세로 접거나 자르거나 쓰거나 하는 때의 종이결] veta *f* de papel que corre longitudinalmente. ㉯ [종이·피륙 등의 세로 긴 조각] papelito *m,* pedazo *m* de papel, pedazo *m* de tela. ~축[대] eje *m* vertical.

세로[2] [세로로] verticalmente, longitudinalmente.

세로(世路) camino *m* que se tiene la experiencia por el mundo.

세로(細路) camino *m* pequeño, camino *m* estrecho, camino *m* angosto.

세론(世論) opinión *f* pública.

세론(細論) discusión *f* detallada.

세루(불 *serge*) sarga *f.*

세루(世累) preocupaciones *fpl* mundiales.

세류(洗流) arroyo *m,* riachuelo *m.*

세류(細柳) 【식물】 =새버들.

세륨(영 *cerium*) 【화학】 cerio *m.*
■ ~광(鑛) cerita *f.* ~석(石) cerita *f.*

세르비아 【지명】 Serbia *f,* Servia *f.*
■ ~ 사람 serbio, -bia *mf*; servio, -via *mf.* ~ 어[말] serbio *m.*

세르비아크로아티아 【지명】 Serbocroata *m,* Servocroata *m.* ~의 serbocroata, servocroata.
■ ~ 말[어] serbocroata *m,* serviocroata *m,* servocroata *m.* ~ 사람 serbocroata *mf*; serviocroata *mf*; servocroata *mf.*

세리(稅吏) colector, -tora *mf*; recaudador, -dora *mf* de contribuciones.

세리머니(영 *ceremony*) [의식(儀式)] ceremonia *f.*

세립(細粒) granito *m,* gránulo *m,* granos *mpl* pequeños.

세마(細馬) buen caballo *m,* caballo *m* excelente.

세마(貰馬) caballo *m* de alquiler.

세마치 martillo *m* grande del herrero.

세말(貰一) caballo *m* de alquiler.

세말(細末) polvo *m* fino. ~하다 pulverizar.

세말(歲末) fin *m* de(l) año. ~에 al fin del año.
■ ~ 대매출 grandes ventas *fpl* de fin de año. ~ 선물 regalo *m* [obsequio *m*] al fin del año. ~ 자선 운동 campaña *f* benéfica de fin de año.

세면(洗面) aseo *m,* lavadura *f.* ~하다 lavarse la cara, arreglarse.
■ ~기 lavabo *m,* lavamanos *m.sing.pl,* *CoS* lavatorio *m,* *RPl* pileta *f*; [세숫대야] jofaina *f,* palangana *f,* *Col. Ecuad* lavacara *f.* ~대 lavabo *m.* ~도구 artículos *mpl* de aseo, artículos *mpl* de tocador. ~소 lugar *m* de lavarse. ~실 habitación *f* de lavarse. ~장 lavabo *m*; [변소] servicios *mpl,* aseos *mpl,* wáter *m,* retrete *m*; [욕실과 변소 겸용의] baño *m,* cuarto *m* de baño.

세모 ① [삼각형의 세 개의 모] ángulo *m* de un triángulo. ~나다 ser triangular, tener tres esquinas. ② 【수학】 =삼각형(三角形) (triángulo).
■ ~기둥 =삼각주(三角柱). ~꼴 =삼각형. ~끌 cincel *m* triangular. ~뿔 =삼각뿔 (pirámide triangular). ~ 송곳 taladradora *f* triangular. ~자[본] =삼각자. ~줄 lima *f* triangular. ~창(槍) lanza *f* con la punta triangular.

세모(細毛) cilio *m,* pelo *m* fino.

세모(歲暮) fin *m* de(l) año.

세모래(細一) arena *f* fina.

세목(細目) ① ((준말)) =세절목(細節目). ② ((준말)) =교수세목(教授細目).

세목(稅目) títulos *mpl* [artículos *mpl*] de tarifa.

세무(細務) asuntos *mpl* insignificantes, asuntos *mpl* sin importante, nimiedad *f.*

세무(稅務) oficio *m* de contribuciones, asuntos *mpl* de contribuciones.
■ ~ 감사 inspección *f* de contribuciones. ~관 oficial *mf* de recaudación de impuestos. ~국 departamento *m* de asuntos de contribuciones. ~ 부기(簿記) contabilidad *f* fiscal. ~사 contable *mf* fiscal autorizado [autorizada *f*]. ~ 사찰 investigación *f* de contribuciones. ~ 상담소 información *f* de contribuciones. ~서 oficina *f* de impuestos, oficina *f* de rentas, oficina *f* de recaudación de impuestos, oficina *f* encargada de las contribuciones. ~서원(署員)

recaudador, -dora *mf* de impuestos; empleado, -da *mf* de la oficina de impuestos. ~서장 director, -tora *mf* [superintendente *mf*] de la oficina de impuestos. ~조사 investigación *f* de asuntos de contribuciones. ~ 행정 administración *f* de contribuciones. ~ 회계 contabilidad *f* fiscal.

세물(貰物) artículo *m* de alquiler.
 ▪ ~전(廛) tienda *f* de inquilinos.

세미(細微) minucia *f*, menudencia *f*. ~하다 (ser) menudo, minucioso. ~한 데까지 미쳐서 con pelos y señales.
 ▪ ~지사(之事) asunto *m* insignificante.

세미나(영 *seminar*) seminario *m*.

세미다큐멘터리 (영 *semidocumentary*) [반기록 영화] semidocumental *m*.
 ▪ ~ 영화(映畵) semidocumental *m*.

세미콜론(영 *semicolon*) 【언어】 [쌍반점] punto y coma *m*.

세미파이널(영 *semifinal*) [준결승] semifinal *f*.

세미프로 ((준말)) =세미프로페셔널.

세미프로페셔널 (영 *semiprofessional*) [반직업선수] semiprofesional *mf*.

세민(細民) =빈민(貧民). 영세민(零細民).
 ▪ ~굴 barrio *m* bajo, vecindario *m* escuálido.

세밀(細密) minucia *f*, menudencia *f*, cortedad *f*, pequeñez *f*. ~하다 (ser) minucioso, detallado. ~한 검사 examen *m* minucioso. 세밀히 minuciosamente, detalladamente, en detalle.
 ▪ ~화(畵) miniatura *f*.

세밑(歲－) fin *m* de(l) año.

세발(洗髮) lavadura *f* del pelo. ~하다 lavar el pelo.
 ▪ ~제(劑) champú *m*.

세발뛰기 ((운동)) =세단뛰기.

세발자전거(－自轉車) bicicleta *f* con tres ruedas (para niños).

세배(歲拜) saludo *m* del Año Nuevo. ~하다 saludar al mayor en el día del Año Nuevo.
 ▪ ~꾼 visitante *mf* del Año Nuevo. ~상(床) fiesta *f* del Año Nuevo para los visitantes.

세뱃돈 dinero *m* que se da a los niños con ocasión del Año Nuevo.

세버들(細－) llorón *m*.

세법(稅法) derecho *m* fiscal, ley *f* de impuesto(s), ley *f* de tributo.

세별(細別) subdivisión *f*. ~하다 subdividir; [상술하다] detallar; [유별하다] especificar.

세보(世譜) genealogía *f*.

세보(細報) informe *m* detallado. ~하다 informar detalladamente.

세부(細部) detalle *m*, pormenor *m*. …의 ~를 설명하다 explicar los pormenores de *algo*.
 ▪ ~ 보고(報告) informe *m* detallado. ~적 detallado. ¶~으로 detalladamente. ~으로 묘사하다 describir detalladamente, describir a la menuda. ~으로 점검하다 revisar detalladamente. ~(인) 부분까지 검토하다 examinar [investigar·estudiar] hasta la parte detallada.

세부득이(勢不得已) =사세부득이.

세분(洗粉) jabón *m* en polvo, detergente *m*.

세분(細分) subdivisión *f*. ~하다 subdividir. 권력(權力)의 ~화(化) subdivisión *f* de poder. 토지를 ~해서 팔다 vender el terreno dividiéndolo en pequeñas porciones [parcelas].

세비(歲費) ① [일년간의 경비] gastos *mpl* [expensas *fpl*] anuales, asignación *f* anual. ② [국회 의원의 보수로 매년 지급되는 돈] dietas *fpl*.

세사(世事) asunto *m* mundano, mundo *m*. ~에 능한 사람 hombre *m* del mundo. ~에 밝다 tener conocimiento del mundo, conocer el mundo. ~에 어둡다 tener poco conocimiento del mundo.
 ▪ ~난측(難測) El mundo cambia mucho y no se puede contar de antemano.

세사(世嗣) =후손(後孫).

세사(細沙) arena *f* fina.

세사(細事) cosa *f* insignificante, cosa *f* sin importancia, nimiedad *f*, asunto *m* trivial, frivolidad *f*.

세사(細絲) hilo *m* fino.

세 살 tres años (de edad).
 ▪ 세 살 때 버릇 여든까지 간다 ((속담)) El niño es (el) padre del hombre.

세살문(－門) puerta *f* cruda con un marco pequeño.

세살부채(細－) abanico *m* con nervios finos.

세살창(細－窓) ventana *f* con nervios finos.

세상(世上) ① [천하(天下)] mundo *m*. ~에 en el mundo. ~ 사람들의 말에 따르면 a decir de la gente, según la gente, Se dice que …, Dicen que …. ~을 떠들썩하게 하다 causar [producir] sensación. ~을 떠들썩하게 한 sensacional, que deja atónito a todo el mundo. ~의 물의를 일으키다 exponerse a la crítica pública, causar defamación pública. ~을 비관하다 perder toda la esperanza en esta vida. ~이 싫어지다 sentirse defraudado del mundo. ~ 사람들의 말을 꺼리다 temer qué diría la gente. 그것은 ~에 알려져 있다 Todo el mundo lo sabe. ~이 시끄러울 테니 그 일을 할 수 없다 Como la gente criticará, no puedo hacerlo. 그는 ~에 시달려 닳고 닳아 있다 El es un hombre maleado por el mundo. ~에 얼굴을 들 수 없자 그는 몸을 숨겨 버렸다 Para salvar las apariencias, él se ha escondido. ② [사람들] mundo *m*. 그것은 온 ~이 다 알고 있다 Lo sabe todo el mundo [medio mundo]. ③ [평생(平生)] toda la vida. 가난 속에서 한~을 보내다 pasa toda la vida en la miseria. ④ [어떤 특정한 사람 또는 계통에 의해서 지배·통치가 이어져 가는 동안] reinado *m*. ⑤ [마음대로 활동할 수 있는 무대] sin rivales. 제 ~ 만난 듯, 제 ~처럼 como dueño y señor, como amo, de una manera despótica, haciéndose el señor. 부랑아들이 제 ~ 만난 듯 마을을 돌아다닌다 Los golfos se pasean por el pueblo como señores [como amos]. ⑥ [천상에 대한 지상] tierra *f.* ⑦ [절이나 수도원 또는 교도소 등과 같이 제약받는 사회에서 일컫는 바깥 사회] sociedad *f.* ⑧ ((준말)) =세상 인심.

◆ 세상(을) 떠나다[뜨다] morir, fallecer.

◆ 세상(을) 모르다 ㉮ [세상 물정에 어둡다] ser inocente de las cosas del mundo, conocer poco el mundo, no estar al corriente de lo que pasa en el mundo, ser ignorante del mundo, ser sencillo. 그는 세상을 모른다 El no conoce nada del mundo / El ha visto poco o nada del mundo. ㉯ [깊이 잠들어 정신이 없다] estar en brazos de Morfeo, estar dormido como un tronco.

◆ 세상(을) 버리다 morir, fallecer.

◆ 세상을 하직하다 morir, fallecer.

■ ~만사 todas las cosas del mundo. ~맛 los placeres y las amarguras del mundo, el dulce sabor y el sabor amargo del mundo. ~ 물정 mundo *m.* ¶~에 밝다 saber de toda costura. ~ 에 밝은 de mucho mundo; [이해심이 있는] sensible. ~에 밝은 사람 hombre *m* de mundo, hombre *m* sensible. ~을 모르는 사람 persona *f* que es ignorante del mundo. ~사(事) mundo *m*, asunto *m* mundano. ¶~에 어둡다 ser inocente de las cosas del mundo, conocer poco el mundo, no estar el corriente de lo que pasa en el mundo. ~에 밝다 ser un hombre del mundo, conocer bien el mundo. ~살이 mundo *m*, vida *f.* ¶~ 힘들구나 ¡Qué mundo más amargo! / ¡Qué dura es la vida! ~란 그런 것이다 ¡Así es la vida! ~인심(人心) corazón *m* mundial, sentimiento *m* del mundo. ~일 asunto *m* mundano, mundo *m.* ¶~에 능한 사람 hombre *m* de mundo. ~에 밝다 tener conocimiento del mundo, conocer el mundo. ~에 어둡다 tener poco conocimiento del mundo. ~천지(天地) ((힘줌말)) =세상(世上).

세상(世相) actualidad *f* [aspecto *m* · fase *f*] de la sociedad, mundo *m*, condición *f* social, fase *f* de la vida. 거친 ~ aspecto *m* turbulento [conflictivo] de la sociedad. ~을 반영하다 reflejar la actualidad social.

세석(細石) guija *f*, guijarro *m*, china *f.*

세설(世說) =세평(世評).

세설(洗雪) =설욕(雪辱).

세설(細說) explanación *f* detallada. ~하다 explanar detalladamente [minuciosamente], mencionar detenidamente, esparcirse en un asunto.

세설(細雪) nieve *f* fina, nieve *f* polvorosa.

세세(世世) =대대(代代).

세세하다(細細-) ① [아주 자세하다] (ser) minucioso, muy detallado. 세세한 점까지 상세히 거론하다 discutir detalladamente hasta los puntos más minuciosos. ② [자디잘아 보잘것없다] tener ningún valor, no valer nada, ser sin valor, ser insignificante, ser inútil, no servir de nada, ser de poca importancia. ③ [매우 가늘다] (ser) muy fino, muy delgado, muy estrecho, muy angosto.

세세히 minuciosamente, muy detalladamente; sin valor, insignificantemente, muy finamente, muy delgadamente.

세소(細小) =세미(細微).

세속(世俗) ① [세상에 흔히 있는 풍속] costumbres *fpl* vulgares. ② [속세(俗世)] mundo *m* mundano. ~의 [교회에 대해] civil, laico, secular, seglar; [이 세상의] mundano. 그는 ~을 벗어난 생활을 하고 있다 El lleva una vida fuera de lo común. ③ [속되고 저열함] vulgaridad *f.* ~의 vulgar. ④ ((불교)) cosa *f* común, cosa *f* ordinaria, costumbre *f*, experiencias *fpl.*

~적 civil, laico, secular, seglar, mundano, vulgar. ¶~으로 secularmente, mundanamente, vulgarmente. ~인 명성(名聲) fama *f* [reputación *f*] mundana. ~인 생활 vida *f* mundana. ~인 쾌락 placeres *mpl* mundanos. ~ 음악(音樂) música *f* profana. ~주의 laicismo *m*, secularismo *m.* ~화(化) secularización *f.* ¶~하다 secularizar.

세수(洗手) lavadura *f.* ~하다 lavarse la cara (y las manos). ~시키다 lavar. 어머니가 아이의 얼굴을 ~시켜 준다 La madre lava la cara al niño. ~해라 Lávate la cara (y las manos).

■ ~수건 toallita *f* (para lavarse), toalla *f* para lavarse. ~ㅅ대야 palangana *f*, jofaina *f*, *Chi*, *Per* lavatorio *m.* ~ㅅ물 el agua *f* de lavarse las manos y la cara. ~ㅅ비누 jabón *m* (*pl* jabones) de olor, jabón *m* de tocador, jaboncillo *m.*

세수(稅收) ((준말)) =세수입(稅收入).

세수(歲首) =설. 세초(歲初). 연두(年頭). 연수(年首).

세수입(稅收入) ingresos *mpl* de impuestos.

세슘(영 *cesium*) 【화학】 cesio *m* (Cs).

세습 tres años del caballo o de la vaca.

세습(世習) costumbres *fpl* del mundo, costumbre *f* mundial.

세습(世襲) herencia *f.* ~하다 heredar. ~(제)의 hereditario.

■ ~ 군주제 monarquía *f* hereditaria. ~권 derecho *m* hereditario. ~ 영지(領地) señorío *m* hereditario. ~ 의원 parlamentario *m* hereditario. ~ 제도 sistema *m* de herencia. ~ 재산 propiedad *f* hereditaria, patrimonio *m*, plena propiedad *f.* ~적 hereditario *adj.* ¶~으로 hereditariamente.

세시(歲時) ① [설] el Año Nuevo. ② [해와 시(時)] los tiempos y las estaciones.

■ ~기(記) almanaque *m*, anuario *m.*

세실(細-) hilo *m* fino.

세심(細心) prudencia *f*, minuciosidad *f.* ~하다 (ser) minucioso, prudente, cauteloso, escrupuloso, precavido, discreto, cuidadoso. ~한 주의를 기울여서 con mucho cuidado, con cuidado minucioso, en el mayor cuidado posible, muy cuidadosamente, muy cautelosamente. ~한 주의(注意)를 기울이

다 concentrar toda *su* atención (en), prestar la mayor atención (a).
세심히 minuciosamente, cuidadosamente, cautelosamente, discretamente, con mucho cuidado.

세쌍둥이(-雙-) trillizos *mpl*; [세쌍둥이 중 한 사람] trillizo, -za *mf*, cada uno de tres hermanos nacidos de un parto.

세안(歲-) antes del Año Nuevo, dentro del año corriente..

세안(洗眼) lavado *m* de los ojos. ~하다 lavar los ojos.
■~병(甁) ondina *f*. ~수[약] colirio *m*, solución *f* oftálmica.

세안(洗顔) =세면(洗面).

세안(細案) materia *f* detallada.

세액(稅額) cantidad *f* [suma *f*] de impuestos; [사정의] avalúo *m*.
■~공제 deducción *f* de impuestos. ~산정 evaluación *f* fiscal. ~조정 liquidación *f* de impuestos.

세업(世業) ocupación *f* hereditario.

세외(稅外) aparte de impuestos.
■~수입(收入) ingresos *mpl* fuera de impuestos.

세우(細雨) llovizna *f*, lluvia *f* menuda, lluvia *f* fina, cernidillo *m*, chipichipi *m*. ~가 내리다 lloviznar.

세우(貰牛) buey *m* de alquiler.

세우다 ① [일으키다] levantar, erguir, erigir. 앉아 있는 아이를 ~ levantar al niño sentado. 기(旗)를 ~ izar [levantar] una bandera. 꼬리를 ~ levantar la cola. 무릎을 ~ levantar la rodilla. 한 쪽 무릎을 세우고 앉다 sentarse (en el suelo) con una rodilla levantada. 개가 귀를 (쫑긋) 세웠다 El perro irguió las orejas. ② [축조하다] edificar, construir, fundar, levantar, erigir, erguir, poner, armar. 담을 ~ levantar una tapia. 동상(銅像)을 ~ erigir [levantar] una estatua de bonce. 안테나를 ~ ponere la antena. 텐트를 ~ armar la tienda. 그는 집을 세웠다 El se ha hecho construir una casa / El (se) ha construido una casa. 건물(建物)이 많이 세워졌다 Se han construido muchos edificios. ③ [움직이는 것을 멈추게 하다] parar. 버스를 ~ parar el autobús. 세워 주세요 Pare, por favor / Estamos aquí. ④ [(날 같은 것을 갈아서) 날카롭게 하다] afilar, sacar filo, aguzar. 칼날을 ~ afilar el cuchillo. ⑤ [(뜻을) 정하다] resolver, determinar. ⑥ [(제도·조직·전통·업체·기관 따위를) 새로 이룩하다] establecer, fundar, instituir, organizar, iniciar. 나라를 ~ fundar un país. 학교를 ~ fundar una escuela. 회사를 ~ organizar una compañía. 이 학교는 언제 세워졌습니까? ¿Cuándo se fundó esta escuela? ⑦ [(계획·방침·안(案) 따위를) 짜다] hacer, elaborar. 계획을 ~ elaborar un plan. 예산을 ~ hacer un presupuesto (de), presupuestar *algo*. 안(案)을 ~ hacer [formular·trazar] un plan. ⑧ [(어떤 일에) 이바지하다] contribuir, rendir servicio. ⑨ [유지하다] mantener, guardar. 체면(體面)을 ~ mantener [guardar] el decoro. ⑩ [고집하다] insistir (en), persistir (en). ⑪ [(생활을) 유지하다] ganarse la vida. 일가(一家)의 생계(生計)를 ~ mantener [sostener] a la familia. 그들은 농업으로 생계를 세우고 있다 Ellos se ganan la vida con la agricultura. ⑫ [(어떤 구실을) 맡게 하다] tener, proponer, nominar, designar, *AmL* postular. 보증인으로 ~ tener a un fiador. ⑬ [(어떤 자리에) 있게 하다] proponer (a *uno* para *algo*), nominar (a *uno* para *algo*), designar (a *uno* para *algo*). ⑭ [(영(令)이 서게 하다] mandar. 군령(軍令)을 ~ mandar la orden militar.

세운(世運) suerte *f* del mundo.

세워총(-銃) ¡Descansen armas! ~을 하다 descansar las armas.

세원(稅源) procedencia *f* [fuente *f*] de impuestos.

세월(歲月) ① [흘러가는 시간] tiempo *m*, años *mpl*, días *mpl*. 긴 ~ (por) muchos [largos] años. ~이 지남에 따라 con el tiempo. ~은 흐른다 Pasan los días. 긴 ~이 흘렀다 Pasaron [Han transcurrido] muchos años. ~이 흐름에 따라 기억이 희미해진다 El recuerdo se desvanece a medida que transcurren los días. 10년 ~이 흘렀다 Han transcurrido diez años. 5년의 ~이 걸려이 다리를 완성했다 Tras cinco años de esfuerzos se ha construido este puente. ~이 흐름에 따라 그 책의 가치는 사람들에게 인정되었다 A medida que transcurrió el tiempo [Con el transcurso del tiempo], se reconoció el valor de ese libro. ~은 유수(流水)와 같다 El tiempo corre [pasa] como una flecha / El tiempo se vuela / El tiempo pasa volando [rápido]. ~은 사람을 기다리지 않는다 ((서반아 속담)) Tiempo ni hora no se ata con soga / El tiempo pasa inexorablemente / El tiempo no espera a los hombres / El tiempo pasa sin esperar a nadie. ~은 모든 것을 삼킨다 ((서반아 속담)) No hay tal vencedor como el tiempo. ~은 지체 없이 흐른다 ((서반아 속담)) El tiempo corre que se las pela. ~은 바람처럼 날아간다 ((서반아 속담)) Vuela el tiempo como el viento. 좋은 ~이 올 것이다 ((서반아 속담)) Ya vendrán tiempos mejores (현재 좋지 않은 사람을 위로하기 위해 하는 말). ② =시절. ③ =세상(世上).
■세월이 약(藥) ((속담)) Todo lo cura el tiempo / El tiempo todo lo cura y todo lo muda / El tiempo cura al enfermo, que no el ungüento / El tiempo cura las cosas / No hay mal que el tiempo no alivie su tormento. 가는 세월 오는 백발(白髮) ((속담)) Tiempo ni hora no se ata con soga.
■~여류(如流) El tiempo corre [pasa] como una flecha.

세위(勢威) poder *m*, autoridad *f*, influencia *f*.

세율(稅率) tasa *f* de impuestos, tarifas *fpl* fiscales. ~을 올리다 subir la tasa de impuestos. ~을 내리다 bajar la tasa de impuestos. 소득세의 ~이 내렸다 La tasa de impuestos sobre la renta ha disminuido [bajado]. ~은 9퍼센트이다 La tasa de impuestos es de un nueve por ciento.
 ■ ~표(表) tarifa *f*, tabla *f* de impuestos, tabla *f* de contribución.
세의(世誼) generaciones *fpl* de amistad familiar.
세의(歲儀) regalo *m* del fin de año.
세이레 vigesimoprimer día *m* después del parto.
세이셀【지명】Seychelles.
 ■ ~ 공화국 la República de Seychelles. ~ 제도(諸島) las Islas Seychelles.
세인(世人) público *m*, pueblo *m*, mundo *m*, todo el mundo. ~의 público, del público, de todo el mundo. ~의 여론(與論) opinión *f* pública de todo el mundo. ~에 대한 체면을 세우다 guardar las apariencias, cubrir las formas. ~이 …라고 한다 Se dice que …, Dicen que …. 그는 ~의 주목을 받고 있다 El es foco [centro] de la atención pública.
세인트루시아【지명】Santa Lucía.
세인트빈센트 그레나딘【지명】San Vincente y las Granadinas.
세인트헬레나【지명】Santa Elena.
세일(영 *sale*) ① [판매] venta *f*. ~하다 vender. ② =바겐세일.
세일론【지명】Ceilán. ~의 ceilanés.
 ■ ~ 사람 ceilanés, -nesa *mf*.
세일즈걸(영 *salesgirl*) vendedora *f*, dependienta *f*.
세일즈레이디(영 *saleslady*) vendedora *f*, dependienta *f*.
세일즈맨(영 *salesman*) [점포에서] vendedor *m*, dependiente *m*; [점포 밖의] representante *m*, viajante *m*, *AmL* corredor.
 ◆ 제약 회사 ~ visitador *m* médico. 중고차 ~ vendedor *m* de coches usados [de ocasión · de segunda mano].
세일즈우먼(영 *saleswoman*) [점포에서] vendedora *f*, dependienta *f*; [점포 밖의] representante *f*, *Arg* corredora *f*.
 ◆ 제약 회사 ~ visitadora *f* médica.
세입(稅入) ingresos *mpl*, entradas *fpl* brutas, entradas *fpl*, recaudación *f* tributaria, rendimiento *m* fiscal.
세입(歲入) rentas *fpl* (anuales) del Estado; [개인의] ingreso *m* anual.
 ■ ~ 세출 ingreso(s) e egreso(s).
세자(世子) ((준말)) =왕세자(王世子).
세자(洗者) baptista *mf*; bautista *mf*.
세자(細字) tipo *m* pequeño, escritura *f* pequeña.
세작(細作) espía *mf*.
세장 travesaño *m*.
세장(洗腸)【의학】irrigación *f* del colón.
세저(細苧) =세모시.
세전(世傳) transmisión *f* de generación en generación. ~하다 transmitir de generación en generación.
 ■ ~지물(之物) artículos *mpl* transmitidos de generación en generación. ~지보(之寶) tesoro *m* transmitido de generación en generación.
세전(歲前) antes del Año Nuevo.
세절목(細節目) detalles *mpl*, pormenores *mpl*, particularidades *fpl*. ~으로 en detalle, detatlladamente. ~으로 나누다 detallar, descubrir en detalle [detalladamente].
세정(世情) asuntoss *mpl* del mundo. ~에 밝다 estar al corriente de los asuntos del mundo.
세정(洗淨) lavado *m*, lavadura *f*, lavamiento *m*. ~하다 lavar, limpiar, purificar.
세정(稅政) administración *f* de contribuciones.
세제(洗劑) ① [세정제(洗淨劑)] detergente *m*, producto *m* de lavar. ② =세척제(洗滌劑).
 ◆ 중성(中性) ~ detergente *m* neutro, producto *m* neutro de lavar. 합성(合性) ~ detergente sintético.
세제(稅制)【법률】sistema *m* tributario, régimen *m* (*pl* regímenes) impositivo.
 ■ ~ 개혁 reforma *f* del sistema tributario. ~ 정리 reajuste *m* del sistema tributario.
세제곱【수학】cubo *m*, tercera potencia *f*, potencia *f* de tercergrado. ~하다 cubicar, elevar a la tercera potencia. ~의 cúbico. 1~미터 un metro cúbico. 2~미터의 de un cubo de dos metros. 2의 ~은 8이다 El cubo de dos son ocho.
 ■ ~근 raíz *f* cúbica. ~비 ratio *m* triple.
세제지구(歲製之具) =수의(壽衣).
세족(洗足) lavadura *f* de los pies. ~하다 lavarse los pies; [남의 발을 씻어 주다] lavar los pies.
 ■ ~식(式) ceremonia *f* de lavar los pies.
세존(世尊) ((불교)) ((준말)) =석가 세존.
세주(細註) ① [세밀하게 설명한 주석] notas *fpl* explicativas detalladamente. ② [세자(細字)로 단 주석] notas *fpl* en escrituras pequeñas.
세주다(貰-) ☞세(貰)
세차(洗車) lavado *m* de coches. ~하다 lavar el coche. ~ 5천 원 ((게시)) lavado de coches cinco mil wones.
 ■ ~장(場) lavadera *f*.
세차(貰車) coche *m* de alquiler. ~하다 alquilar un coche.
세차(歲差)【천문】precesión *f* (de los equinoccios).
 ■ ~ 운동 =세차(歲差).
세차다 (ser) poderoso, violento, vigoroso, energético, vivo. 바람이 세차게 분다 Hace mucho viento / Sopla mucho.
세찬(歲饌) ① [설음식] comida *f* para el día del Año Nuevo. ② [새해의 선물] aguinaldo *m*, regalo *m* del Año Nuevo. ~하다 regalar [obsequiar] en el Año Nuevo.
세찬 가다 enviar la comida para el día del Año Nuevo.

세책(貰冊) libro *m* de alquiler.
■ ~업 negocio *m* de libro de alquiler. ~집[가] librería *f* que alquila los libros.
세척(洗滌) lavado *m*; [상처의] detersión *f*; [장(腸)의] irrigación *f*. ~하다 lavar, limpiar, deterger, irrigar. 위(胃)를 ~하다 irrigar el estómago.
◆ 위(胃)~ lavado *m* del estómago.
■ ~기(器) irrigador *m*. ~제[약] loción *f* limpiadora, loción *f* de limpieza, abstergente *m*, detergente *m*.
세초(歲初) principio *m* del año, comienzo *m* del año.
세출(歲出) gastos *mpl* (anuales) del Estado, gastos *mpl* (anuales) públicas.
세출입(歲出入) gastos *mpl* y entradas *fpl* del Estado.
세치(細緻) =치밀(緻密).
세치(歲雉) faisán *m* (*pl* faisanes) para el aguinaldo.
세치각목(一角木) madera *f* cuadrada de tres pulgadas de ancho.
세칙(細則) reglamento *m* detallado, reglas *fpl* detalladas, regulaciones *fpl* detalladas. 별도의 ~을 정하다 fijar aparte un reglamento detallado.
◆ 시행(施行) ~ regla *f* para operación, regulación *f* aplicativa de una ley.
세칙(稅則) reglamentos *mpl* de impuestos.
세칭(世稱) lo llamado, lo denominado.
세컨드(영 *second*) ① [둘째·제이] segundo *m*. ② ((준말)) =세컨드 베이스. ③ ((준말)) =세컨드 베이스맨. ④ ((권투)) [선수의 보조자] segundo *m*, cuidador *m*. ⑤ ((속어)) [첩(妾)] concubina *f*.
■ ~ 베이스 [2루] base *f* segunda, segunda base *f*. ~ 베이스맨 basebolero *m* de la segunda, segundo base *m*, jugador *m* de segunda base. ~ 클래스 [이급. 이류. 이등(급)] segunda *f* (clase *f*). ¶~의 de segunda (clase · categoría), de calidad inferior. ~로 en segunda (clase); [우편] con tarifa para impuestos, por correo regular. ~핸드 ㉮ [중고의] [자동차나 의류의] de segunda mano, usado; [서점의] de viejo; [가게의] de artículos de segunda mano. ㉯ [오리지널이 아닌] de segunda mano.
세탁(洗濯) lavadura *f*, lavado *m*. ~하다 lavar, limpiar, hacer la colada, lavar la ropa. ~할 수 있는 lavable. ~된 옷 ropa *f* limpia, ropa *f* lavada. ~할 옷 ropa *f* sucia, ropa *f* para lavar. 이 천은 ~할 수 없다 Esta tela no soporta el lavado. 이 천은 기계 ~을 할 수 있다 Esta tela se puede lavar a máquina. 천이 ~으로 줄어들었다 Se encogió la tela al lavarla. 나는 그것을 ~할 옷과 함께 두었다 Lo he puesto con la ropa sucia. ~된 옷은 서랍에 있다 La ropa limpia [lavada] está en el cajón. 내 옷을 ~해 주셨으면 합니다 Quisiera que me lavasen mis ropas.
◆ 건조(乾燥) ~ [드라이클리닝] lavado *m* en [a] seco.
■ ~기 lavadora *f*, máquina *f* de lavar, *RPI* lavarropas *m.sing.pl*. ¶전기(電氣) ~ lavadora *f* eléctrica. ~물 colada *f*, ropa *f* para [por] lavar. ¶~을 헹구다 enjuagar la colada. ~을 말리다 secar la colada. ~부(婦) lavandera *f*. ~비누 jabón *m* (*pl* jabones) de lavar. ~소 lavadero *m*, lavandería *f*, tintorería *f*. ~소다 sosa *f* (para lavar). ~소 종업원 empleado, -da *mf* de la lavandería. ~소 주인 lavandero, -ra *mf*, tintorero, -ra *mf*. ~실 cuarto *m* de lavar. ~업자 lavandero, -ra *mf*. ~용수(用水) el agua *f* para lavar. ~일 día *m* de lavado, día *m* de (hacer) la colada. ~장 lavadero *m*. ~제 detergente *m*.
세태(世態) fase *f* de la vida, condiciones *fpl* sociales.
■ ~인정(人情) costumbre *f* del mundo.
세터(영 *setter*) 【동물】 [영국산 사냥개] setter *ing.mf*, perro *m* de muestra.
세톨박이 erizo *m* que tiene tres castañas.
세톱(細一) sierra *f* de dientes finos.
세트(영 *set*) ① [도구·가구 등의 한 벌] juego *m* (연장·골프 클럽·그릇·펜·열쇠 등), colección *f* (책·레코드의), serie *f* (우표의). 커피 ~ juego *m* de café. 식탁용 날붙이 ~ juego *m* de cubiertos, cubertería *f*. 소스용 냄비 ~ batería *f* de cocina. 침실용 가구 ~ juego *m* de dormitorio. 베개 ~ juego *m* de cama. 헤드폰 ~ unos audífonos. 서류(書類) 한 ~ un juego de documentos. 찻잔 한 ~ un juego [un servicio] de té. 트럼프 한 ~ una baraja. ~로 팔다 vender *algo* por juegos. 그것은 15개 한 ~로 되어 있다 El juego está compuesto de quince piezas. 그것은 ~로만 팝니다 Lo vendemos sólo por juegos. ② [라디오의 수신기] aparato *m*, receptor *m*. 라디오 ~ juego *m* de radio. ③ [무대 장치] decorado *m* (연극의). ④ [영화·텔레비전 드라마 등의 촬영용의 장치] set *ing.m*, aparato *m*, televisor *m*. ⑤ ((테니스·배구)) set *ing.m*. 1~를 이기다 ganar el primer set. 2~를 지다 perder el segundo set. 그는 한 ~도 내주지 않고 이겼다 El ganó sin perder [sin conceder] ningún set. 그는 1회전에서 5대1로 이겼다 El iba ganando 5 a 1 en el primer set. ⑥ [파마한 머리를 손질하는 일. 또, 그 도구] marcado *m*. ~한 머리 pelo *m* marcado. 머리를 ~하다 hacerse marcar (el pelo).
■ ~ 포인트 bola *f* de set, *Méj* punto *m* para set, *CoS* set point *ing.m*. ~ 포지션 posición *f* de set.
세파(世波) vida *f* ruda, vida *f* severa, olas *fpl* de la vida. 거친 ~에 시달리다 ser zarandeado [sacudido] por las olas de la vida.
세편(細片) pieza *f* pequeña, pedazo *m* pequeño, fragmento *m*, astilla *f*. ~으로 부수다 romper a fragmentos. ~으로 부서지다 romperse a fragmentos. ~이 되어 날다 volar en astilla.

세평(世評) [평판] fama *f*, reputación *f*, opinión *f* pública, juicio *m* popular; [인기] popularidad *f*, [소문] rumor *m*. ~에 따르면 Se dice que + *ind*, Dicen que + *ind*, según la opinión pública. ~에 오르다 andar de boca en boca. ~을 두려워하다 tener miedo de juicio [de crítica · de censura] popular. ~에 무관심하다 ser indiferente a la opinión pública.

세평(細評) crítica *f* detallada. ~하다 criticar detalladamente.

세폐겨냥(歲幣-) artículo *m* muy adecuado.

세포(細布) tela *f* de cáñamo muy fina.

세포(細胞) ① 【생물】 célula *f*. ~의 celular. ~의 신진 대사(新陳代謝) metabolismo *m* celular. ② [공장 지역 따위에 이루어지는 공산당의 기초 조직] célula *f*. 공산당(의) ~ célula *f* comunista.

■ ~막 membrana *f* celular. ~ 배양 cultivo *m* de célula. ~ 분열 división *f* celular, división *f* de célula. ~ 유전학 citogenética *f*. ~ 조직(組織) tejido *m* celular. ~질 citoplasma *m*. ~체 cuerpo *m* celular. ~파괴 citolisis *f*. ~학(學) citología *f*. ~ 학자 citólogo, -ga *mf*. ~핵 núcleo *m*.

세피리(細-) 【악기】 flauta *f* fina.

세필(細筆) el escribir la escritura fina, pluma *f* china que escribe la escritura fina.

세하(細蝦) 【동물】 =쌀새우.

세한(歲寒) estación *f* fría, invierno *m*.

■ ~삼우(三友) el pino, el bambú y el albaricoque.

세화(細畵) pintura *f* delicada, cuadro *m* delicado.

세후(歲後) después del Año Nuevo.

섹션(영 *section*) ① [베기] corte *m*. ② [부분] parte *f*. ③ [문장(文章)의] párrafo *m*. ④ [신문 · 잡지의 난] sección *f*. ⑤ [관청 · 회사의 과(課)] sección *f*. ⑥ 【군사】 sección *f*. ⑦ 【음악】 sección *f*.

섹스(영 *sex*) ① [성(性)] sexo *m*. ② [성욕(性慾)] apetito *m* sexual [carnal], deseo *m* sexual, deseo *m* carnal. ③ [성교(性交)] relaciones *fpl* sexuales, coito *m*, cópula *f*. ~하다 tener relaciones sexuales, practicar coito; ((속어)) follar. ~에 굶주린 hambriento de contacto sexual. ~를 즐기다 disfrutar del sexo. 그는 ~ 경험이 거의 없다 El no tiene apenas experiencia sexual. ④ [남자의 성기(性器)] sexo *m*. 누구의 ~를 애무하다 acariciar*le a uno* el sexo.

■ ~ 교육 educación *f* sexual, orientación *f* sexual. ~숍 sex-shop *ing.m* (*pl* sex-shops). ~ 스캔들 escándalo *m* (de índole sexual). ~ 심벌 sex symbol *ing.mf*. ~어필 atracción *f* sexual, atractivo *m* sexual, sex-appeal *ing.m*. ~ 파트너 compañero, -ra *mf* de sexo.

섹시하다(sexy-) (ser) sexual, apetecible, encitante, sexy *ing*, voluptuoso, de gran atractivo sexual; [책 · 영화 · 대화 등이] erótico. 섹시한 여인 mujer *f* muy sexy, mujer *f* sexual. 섹시한 영화 película *f* erótica. 그녀는 아주 섹시하게 옷을 입었다 Ella viste muy sexy.

섹트(영 *sect*) secta *f*, facción *f*.

센개 perro *m* con pelo blanco.

센둥이 ① [털빛이 흰 동물] animal *m* con pelo blanco. ② [살빛이 아주 흰 사람] persona *f* con carne muy blanca.

센말 【언어】 variante *m* intensivo de una palabra.

센머리 =백발(白髮)(cana).

센물 【화학】 el agua *f* dura.

센바람 【기상】 viento *m* fuerte.

센서(영 *censor*) censor, -sora *mf*.

센서스(영 *census*) censo *m*. ~를 하다 hacer el censo, levantar el censo.

센세이션(영 *sensation*) sensación *f*. ~을 일으키다 causar [agitar · producir] una gran sensación. 학계(學界)에 ~을 일으키다 causar una sensación en el mundo científico.

센숫돌 piedra *f* de afilar áspera.

센스(영 *sense*) sentido *m*. ~가 있다 tener sentido (de). 그는 유머 ~가 있다 El tiene sentido del humor / El entiende el humor. 그들은 ~가 있는 대화를 즐겼다 Ellos se divirtieron con una conversación llena de buen sentido.

센입천장 【해부】 paladar *m* duro.

■ ~소리 palatal *m* duro.

센자성(-磁性) 【물리】 =강자성(强磁性).

센터(영 *center/centre*) ① [중앙. 중심] centro *m*. ② ((운동)) campo *m* central. ③ ((준말)) =센터 포워드. ④ ((준말)) =센터 필더. ⑤ ((준말)) =센터 필드. ⑥ [전문적 · 종합적 설비나 기능이 집중되어 있는 곳] centro *m*.

◆ 국립암(國立癌) ~ el Centro Nacional Anticanceroso.

■ ~백 defensa *f* centro, escoba *m*. ~ 라인 ㉮ ((운동)) línea *f* de centro. ㉯ [도로의] línea central. ~ 서비스 라인 línea *f* de división del servicio. ~ 서클 círculo *m* central. ~ 존 zona *f* central. ~ 포워드 delantero *mf* centro. ~ 필더 jardinero *mf* centro, centro *mf* campo. ~ 필드 jardín *m* central, centro *m* campo. ~ 하프 medio *mf* centro.

센터링(영 *centering*) ((축구 · 하키)) centrado *m*.

센털[1] [빛이 희어진 털] pelo *m* canoso, cana *f*.

센털[2] [억센 털] pelo *m* fuerte.

센텐스(영 *sentence*) ① 【언어】 oración *f*, frase *f*. ② 【법률】 sentencia *f*.

센토(영 *CENTO, Central Treaty Organization*) [중앙 조약 기구] la Organización Central de Tratado.

센트(영 *cent*) [미국의 화폐 단위] centavo *m*, céntimo *m*, cent *ing.m*.

센티(영 *centi*) ((준말)) =센티미터.

센티-(영 *centi-*) centi-.

센티그램(영 *centigram*) centígramo *m*.

센티리터(영 *centiliter*) centilitro *m*.

센티멘털리스트(영 *sentimentalist*) [감상적인 사람] sentimentalista *mf*.

센티멘털리즘(영 *sentimentalism*) [감상주의] sentimentalismo *m*.

센티멘털하다(sentimental－) (ser) sentimental. 센티멘털한 노래 canción *f* sentimental. 그녀는 ~ Ella es una mujer sentimental.

센티미터(영 *centimeter*) centímetro *m*.

센홀소리 【언어】 =양성 모음(陽性母音).

셀로판(영 *cellophane*) celofán *m*.
■~지(紙) =셀로판. ~테이프 cinta *f* adhesiva de celofán transparente.

셀룰라아제(영 *cellulase*) 【화학】 celulasa *f*.

셀룰로오스(영 *cellulose*) 【화학】 celulosa *f*.

셀룰로이드(영 *celluloid*) 【화학】 celuloide *m*.

셀프서비스(영 *self-service*) autoservicio *m*, sistema *m* de servicio a sí mismo. 이곳은 ~이다 Aquí se sirve uno a sí mismo.

셈 ① [수효를 세는 일] cálculo *m*, cuenta *f*. ~하다 contar, calcular. ~이 틀리다 calcular mal. 이곳에서는 내가 ~을 치르겠습니다 Aquí le invito / Aquí voy a pagar. ② [회계] contabilidad *f*, cuenta *f*. ~하다 llevar la contabilidad, llevar las cuentas. ③ ((준말)) =셈판. ④ ((준말)) =속셈. ⑤ [사물을 분별하는 슬기] sentido *m*, discreción *f*. ~이 없다 no tener sentido.
■셈을 치다 suponer. 그것을 잃어버린 셈 치다 Supongamos que lo perdemos. 나는 네가 동의하리라 셈 쳤다 Supuse que ibas a estar de acuerdo.
◆셈이 나다 adquirir sentido común, madurar. 셈(이) 나기도 전에 부모님이 돌아가시다 *sus* padres morir antes de se puede recordar.

셈본 ① [산수] aritmética *f*. ~의 aritmético. ② [셈에 관한 법칙] regla *f* sobre el cálculo.
■~ 문제 problema *m* aritmético.

셈속 ① [일의 속 내용] interior *m*, detalles *mpl* interiores, pormenor *m* interior. ~을 알 수 없다 no poder saber el interior. ② [속셈의 실속. 이해타산] intención *f* escondida, intención *f* real, *su* intención. 그의 ~을 모르겠다 Es imposible entender *su* intención real.

셈치다[1] [계산하다] contar, hacer una cuenta.

셈치다[2] [요량하다] suponer. 죽은 셈치고 다시 시작해라 Empieza de nuevo, como si volvieras a nacer. 나는 여행 간 셈치고 저금했다 Ahorré el dinero suponiendo que habría gastado lo mismo en el viaje.

셈판 ① =수판(數板). ② [사정] circunstancias *fpl*.

셈평 contento *m* calculador.
◆셈평 펴이다 ser de mejor posición económica, tener mejor posición económica. 그는 나보다 더 셈평 펴인다 El tiene mejor posición económica que yo / El es de posición más acomodada que yo.

셋 tres.

셋갖춤 traje *m* con chaleco, terno *m*.

셋겸상(－兼床) una mesa para tres personas.

셋돈(貰－) (dinero *m* de) alquiler.

셋말(貰－) caballo *m* de alquiler.

셋방(－房) habitación *f* alquilada, cuarto *m* de alquiler. ~에서 살다 vivir en una habitación alquilada. ~ 구함 ((광고)) Se necesitan habitaciones. ~ 있습니다 ((게시)) Se alquilan habitaciones.
■~살이 vivienda *f* en el cuarto de alquiler. ~하다 alquilar una habitación, vivir en el cuarto de alquiler. ~하는 사람 inquilino, -na *mf*.

셋소(貰－) vaca *f* de alquiler.

셋잇단음표(－音標) 【음악】 tresillo *m*.

셋집(貰－) casa *f* [piso *m*·apartamento *m*] de alquiler. 가스, 수도, 욕실이 딸린 ~ casa *f* de alquiler con gas, agua corriente y baño. ~을 얻다 alquilar una casa. ~을 찾다 buscar casa (para alquiler). 우리는 ~을 찾고 있습니다 Estamos buscando casa (para alquiler).
■~ 주인 propietario, -ria *mf* [dueño, -ña *mf*] de casa de alquiler.

셋째 tercero. ~의 tercero.

셔츠(영 *shirts*) camisa *f*, [속셔츠] camiseta *f*. ~ 바람으로 en mangas de camisa. 깃을 열어 젖힌 ~ camisa *f* de cuello abierto.
◆망(網)~ camisa *f* de punto. 메리야스 ~ camiseta *f* de punto de media.
■~ 가게 camisería *f*. ~지(地) tela *f* para camisa.

셔터(영 *shutter*) ① [좁은 철판을 가로 연결하여 만든 덧문] cierre *m* metálico; [창문 안쪽의] postigo *m*, contraventana *f*, [창문 바깥쪽의] postigo *m*, persiana *f*. ~를 내리다 bajar el postigo; [폐업하다] bajar la cortina, cerrar el negocio. ~가 내려진 con los postigos cerrados. ② [카메라의] obturador *m*. ~를 누르다 disparar, apretar el disparador.
◆자동(自動) ~ obturador *m* automático.
■~ 버튼 disparador *m*.

셔틀콕(영 *shuttlecock*) ((배드민턴)) volante *m*, plumilla *f*, rehilete *m*, *Col*, *Méj* gallito *m*.

셧아웃(영 *shutout*) ((야구)) partido *m* ganado sin que marque e contrario. 5대0 ~으로 un partido ganado cinco a cero.

셰르파(네팔 *Sherpa*) sherpa *mf*.

셰리(영 *sherry*) jerez *m*, vino *m* blanco producido en el sur de España.
■~주(酒) jerez *m*. 단맛이 있는 ~ jerez *m* dulce. 단맛이 없는 ~ jerez *m* seco. 중간 맛의 ~ jerez *m* semidulce.

셰어(영 *share*) ① [몫] parte *f*. 이 분야에서 90%의 ~를 차지하고 있다 controlar el 90 por ciento del sector. ② [주식] acción *f*.

셰이커(영 *shaker*) ① [칵테일 혼합용의] coctelera *f*. ② [소금을 흔들어 뿌리는 병] salero *m*. ③ [후추용의] pimentero *m*. ④ [설탕용의] azucarero *m*. ⑤ [주사위용의] cubilet *m*, *Andes* cacho *m*.

셰퍼드(영 *shepherd*) [개의 한 품종] perro *m* lobo, pastor *m*.

소¹ 【동물】 [암소] vaca *f*; [황소. 종우] toro *m*; [거세된 소] buey *m*; [어린 소] novillo, -lla *mf*; [송아지] ternero, -ra *mf*; becerro, -rra *mf*. ~걸음으로 a paso de tortuga. ~치는 사람 vaquero, -ra *mf*. ~의 마굿간 boyera.

◆소같이 먹다 comer muchísimo. 소 닭 보듯 닭 소 보듯 No se interesa nada.

■소 꼬리보다 닭 머리 ((속담)) Más vale ser cabeza de ratón que cola de león. 소 잃고 외양간 고친다 ((속담)) Después del caballo hurtado, cerrar la caballeriza / Una vez muerto el burro, la cebada al rabo / Después de la vaca huida, cerrar la puerta / Después de ido el pájaro, apretar la mano / A buenas horas mangas verdes / Cavar un pozo después de incendiado la casa / A veces se hacen las cosas demasiado tarde, cuando ya no tienen remedio.

■~ 떼 vacada *f*, conjunto *m* [manada *f*] de ganado vacuno.

소² ① [떡·만두 등 음식을 만들 때 익히기 전에 속에 넣는 고기·두부·팥 따위] *so*, compota *f*, mermelada *f*. ② [통김치·오이 등의 속에 넣는 각종 고명] relleno *m*.

◆만두~ relleno *m* de bollo. 팥~ mermelada *f* de haba roja

소(小) (tamaño *m*) pequeño.

소(沼) =늪.

소(素) ① [흰빛의 비단] seda *f* blanca. ② [흰빛] (color *m*) blanco *m*. ③ [꾸미지 않고 수수한 것] lo sencillo, sin pretensiones. ④ [음식에 고기·생선을 쓰지 않는 일] cocina *f* sin carne, cocina *f* sin pescado. ⑤ [기중(忌中)에 고기를 안 먹음] lo que no come carne en luta.

◆소를 하다 vivir de vegetales (sin comer carne y pescado).

소(訴) 【법률】 demanda *f*. ~의 각하(却下) inadmisión *f* de la demanda. ~의 변경 alteración *f* de la demanda. ~의 병합 acumulación *f* de la demanda. ~의 취하 retiro *m* de la demanda.

소(簫) 【악기】 *so*, una especie de la flauta.

소-(小) pequeñez *f*, minuatura *f*, pequeño, menor. ~규모 escala *f* pequeña. ~아시아 el Asia *f* menor. ~위원회 subcomisión *f*.

-소(所) lugar *m*, sitio *m*, oficina *f*. 사무~ oficina *f*. 연구~ instituto *m* (de investigación), centro *m* (de investigación). 출장~ sucursal *f*.

소가(小家) ① [규모가 작은 집] casa *f* pequeña. ② [가난한 집] casa *f* pobre. ③ [첩] concubina *f*, [첩의 집] casa *f* de *su concubina*.

소가족(小家族) familia *f* pequeña.

■~ 제도(制度) sistema *m* de la familia pequeña.

소가지 ((속어)) [심지(心地)] naturaleza *f*, disposición *f*, temperamento *m*. ~가 나쁘다 (ser) malo, malvado, malicioso, maligno.

◆소가지(를) 내다 enfadarse, enojarse, irritarse.

소각(小角) ① 【건축】 [폭 20 cm 이하의 각재(角材)] madera *f* (menos de 20 centímetros de ancho). ② 【악기】 trompa *f* pequeña.

소각(燒却) incineración *f*, quema *f*, quemadura *f* completa, destrucción *f* por fuego. ~하다 incinerar, quemar todo, reducir a cenizas, destruir por fuego. 모든 편지를 ~시켰다 Todas las cartas fueron echados al fuego. 건물은 화재로 ~되었다 El edificio quedó reducido a cenizas en el incendio.

■~기 incinerador *m*. ~로 incinerador *m*, horno *m* crematorio. ~장 quemadero *m*. ~ 장치 quemador *m*. ¶폐기물 ~ quemador *m* de desperdicios.

소간(所幹) =볼일.

■~사(事) =볼일. ¶일상(日常) ~ rutina *f* diaria, rutina *f* cotidiana.

소갈(消渴) ((준말)) =소갈증(消渴症).

■~증 uretritis *f*, gonorrea *f*, blenorragia *f*.

소갈머리 ((속어)) naturaleza *f*, temple *m*, disposición *f*, [생각] intención *f*. ~ 없는 infantil, pueril, simple, insensible, inconsciente. ~ 없는 사람 persona *f* insensible, persona *f* inconsciente. ~ 없는 남자 hombre *m* insensible, hombre *m* inconsciente. ~ 없는 여자 mujer *f* insensible, mujer *f* inconsciente. ~ 없는 말을 하다 decir cosas simples.

소감(所感) opinión *f*, observación *f*, impresión *f*. ~을 말하다 hacer observaciones (sobre), opinar (sobre), dar *sus* impresiones (sobre).

소강(小康) tranquilidad *f* breve.

■~ 상태(狀態) momento *m* de calma, tregua *f*. ¶환자는 ~에 있다 El enfermo está en tregua.

소개(紹介) presentación *f*, [문화 등의] introducción *f*, [추천] recomendación *f*. ~하다 presentar; introducir; recomendar. 자기 자신을 ~하다 presentar*se* a sí mismo. 김 씨를 후안 까를로스에게 ~하다 presentar el Sr. Kim a Juan Carlos. 서반아 문학을 한국에 ~하다 introducir la literatura española a Corea. 제 자신을 ~하겠습니다 Permítame presentarme. 제 친구 철수를 ~합니다 Permítame presentarle a usted a mi amigo, Cheolsu. 그에게 나를 ~해 주시겠습니까? ¿Quiere usted presentarme a él? 그는 부모에게 애인을 ~했다 El presentó a su novia a sus padres.

■~비 corretaje *m*, comisión *f*. ¶세일즈맨은 5%의 ~를 받는다 Los vendedores reciben el cinco por ciento de comisión [una comisión del 5%]. ~소 agencia *f* de corredores; [주식의] agencia *f* de agentes de bolsa. ~업 agencia *f* de corredores. ~업자 corredor, -dora *mf*. ~자[인·꾼] introductor, -tora *mf*; recomendante *mf*. ~장 (carta *f* de) presentación *f*, (carta *f* de) introducción *f*, (carta *f* de) recomendación *f*.

소개(疏開) evacuación *f*. ~하다 [···에서]

evacuar *un sitio*; [···에] refugiarse *en un sitio*. 도시에서 사람들을 ~시키다 evacuar la ciudad de gente. 정부는 수도에서 아녀자를 ~시켰다 El gobierno ha evacuado la capital de mujeres y niños.
■ ~민[자] evacuado, -da *mf*, refugiado, -da *mf*. ~지(地) el área *f* dispersal, lugar *m* evacuado.

소개념(小概念) 【논리】 (concepto *m*) menor *m*.

소거(消去) eliminación *f*. ~하다 eliminar.
■ ~법 ((준말)) =가감 소거법(加減消去法).

소거(掃去) acción *f* de barrerse. ~하다 barrerse.

소건(訴件) ((준말)) =소송 사건(訴訟事件).

소검(小劍) espada *f* pequeña.

소격(疏隔) alejamiento *m*, distanciamiento *m*, alienación *f*. ~하다 alejar, distanciar, alienar.

소견(小犬) ① [작은 개] perro *m* chico, cacharro *m*, perrito *m*. ② 【천문】 =작은개자리.

소견(所見) observación *f*, opinión *f*, modo *m* de ver, impresión *f*. 내 ~으로는 en mi opinión. ~을 말하다 exponer [expresar] *su* opinión (sobre), opinar (de · en). ~ 없음 No hay observaciones especiales que hacer.
■ ~표(表) opinión *f* escrita.

소결(燒結) 【화학】 sinterización *f*. ~하다 sinterizar. ~되다 sinterizarse.

소경 [장님] ciego, -ga *mf*. ~이자 귀머거리인 ciego y sordo. ~이 되다 quedarse ciego, perder la vista. 그녀는 사고로 ~이 되었다 El se quedó ciega en el accidente / Ella perdió la vista en el accidente.
■ ~놀이 juego *m* de la gallina ciega. ~막대 bastón *m* (*pl* bastones) del ciego.

소계(小計) subtotal *m*.

소고(小鼓) 【악기】 tamboril *m*, tambor *m* pequeño.
■ ~잡이 músico *mf* del tamboril.

소고기 carne *f* de vaca. ☞쇠고기.

소고의 ((궁중말)) blusa *f* corta para mujeres.

소곡(小曲) 【음악】 ((준말)) =소품곡(小品曲).

소곤거리다 cuchichear, cuchuchear, hablar al oído, murmurar. 소곤거리는 것을 멈춰라 ¡Basta de cuchicheos! / ¡Dejaos de cuchichear! / *AmL* ¡Déjense de cuchichear!
소곤소곤 en susurros, entre dientes, en voz sorda, muy bajo, en voz baja, al oído, en cuchicheo. ~하다 susurrar en voz baja, decir en voz baja, hablar entre dientes [en voz sorda · muy bajo · al oído], cuchichear, bisbisear, susurrar, secretear. 그들은 ~ 말했다 Ellos hablaban cuchicheando / Ellos hablaban en susurros.

소골반(小骨盤) 【해부】 pelvis *f* menor.

소곳소곳하다 todos calmarse un poco.

소곳하다 ① [고개를 약간 숙인 듯하다] ser inclinado, ser agachado. ② [흥분이 좀 가라앉은 듯하다] calmarse un poco, tranquilizarse un poco.
소곳이 inclinándose; calmándose un poco, tranquilizándose un poco.

소공업(小工業) industria *f* pequeña.
■ ~국 país *m* de la industria pequeña. ~도시 ciudad *f* de la industria pequeña.

소관(所管) jurisdicción *f*. ~의 jurisdiccional. ···의 ~이다 pertenecer a la jurisdicción de *algo*.
■ ~ 경찰서 comisaría *f* de policía jurisdiccional. ~ 관청 autoridad *f* competente, autoridad *f* jurisdiccional. ~ 다툼 rivalidad *f* jurisdiccional, competencia *f* jurisdiccional. ~ 사항(事項) asuntos *mpl* bajo la jurisdicción. ¶외교 통상부 ~ asuntos *mpl* bajo la jurisdicción del Ministerio de Asuntos Exteriores y Comercio. ~ 업무(業務) negocio *m* jurisdiccional. ~ 재판소 tribunal *m* jurisdiccional.

소관(所關) relación *f*, asuntos *mpl* relacionados, asuntos *mpl* concernientes.
■ ~사 *su* negocio, *su* asunto, *sus* asuntos. ~ 서류 todos los documentos relacionados [concernientes] (a).

소괄호(小括弧) paréntesis (( )).

소구(小口) ① [약간 열린 틈] rendija *f* abierta un poco. ② [적은 식구] familia *f* pequeña. ③ [적은 액] poca cantidad *f*.

소구(小丘) colina *f*.

소구(小球) bola *f* pequeña.

소구분(小區分) subdivisión *f*. ~하다 subdividir.

소구치(小臼齒) 【해부】 muela *f* delantera.

소국(小局) ① [좁은 소갈머리] intolerancia *f*, vista *f* miope, vista *f* corta de miras, vista *f* con poca visión. ② [작은 판국] situación *f* pequeña.
■ ~적 corto de miras, miope, con poca visión.

소국(小國) país *m* (*pl* países) pequeño, país *m* débil, poder *m* menor.

소국(小菊) crisantemo *m* aromático.

소국민(少國民) niño, -ña *mf*.

소국주(小麴酒) *sogukchu*, una especie de *makgoli* de arroz apelmazado.

소군(小郡) *Gun* pequeño, pueblo *m* pequeño, cantón *m* pequeño.

소군(小群) grupo *m* pequeño.

소굴(巢窟) ① [악당 등의] guarida *f*, nido *m*, madriguera *f*, caverna *f*, cueva *f*. 도적의 ~ caverna *f* de ladrones, guarida *f* de bandoleros. 이 가게는 불량배의 ~이다 Esta tienda es una cueva de granujas. ② [짐승이 사는 굴] guarida *f*, madriguera *f*, cueva *f* de fieras.

소권(訴權) derecho *m* de apelación.

소규모(小規模) escala *f* pequeña. ~의 de escala pequeña. ~로 a [en] pequeña escala. 사업은 ~로 시작되었다 El negocio empezó a [en] pequeña escala.

소극(消極) ① [동(動)에 대해 정(靜), 양(陽)에 대해 음(陰)] negativo *m*. ② 【물리】 despolarización *f*.
■ ~ 개념 =부정적 개념. ~ 명사(名辭)

término *m* negativo. ~ 명제 =부정 명제. ~성(性) negatividad *f*, pasividad *f*. ~ 재산 propiedad *f* negativa, bienes *mpl* negativos. ~적 poco emprendedor, poco dinámico; [부정적] negativo; [수신적] pasivo; [성격이] débil [blando] de carácter, de carácter débil. ¶~으로 negativamente, pasivamente, de una manera negativa, de una manera pasiva. ~인 생활 vida *f* sedentaria. ~인 외교(外交) diplomacia *f* demasiado transigente [conciliadora]. 그는 그 제안에 ~이다 El se muestra negativo hacia [poco entusiasmado con] esa propuesta. 그는 성격이 ~이다 El es débil de carácter. ~제 despolarizador *m*. ~주의 negativismo *m*. ~주의자 negativista *mf*. ~책 medida *f* de carácter conservador.

소극(笑劇) farsa *f*.

소극(素劇) =소인극(素人劇).

소극장(小劇場) [연극·오페라용의] teatro *m* pequeño; [영화용의] cine *m* pequeño.

소금 sal *f*. ~을 넣다 [치다] poner [echar] sal (a); [땅에] echar sal (en). ~에 절이다 curar, sazonar con sal, conservar en sal; [고기를] curar con sal. ~에 절인 condimentado de sal. ~에 절인 양배추 [독일의] choucroute *f*, *CoS* chucrut. ~에 절인 생선 pescado *m* salado, pescado *m* curado con sal. ~에 절인 식품(食品) alimento *m* salado, alimento *m* conservado en salazón, salazones *mpl*. ~에 절인 야채(野菜) legumbres *fpl* [verduras *fpl*] en sal, legumbres *fpl* [verduras *fpl*] en salazón. ~에 간한 쇠고기 carne *f* de vaca curada en salmuera. ~에 절인 돼지고기 tocino *m*. ~이 적당히 잘 간해진 bien condimentado de sal. ~과 후춧가루로 양념하다 salpimentar, sazonar con sal y pimienta. ~ 좀 건네 주십시오 [tú에게] Pásame la sal / [usted에게] Páseme la sal, por favor. 고기에 ~은 넣었습니까? ¿Le has puesto [has echado] sal a la carne?

■ ~구이 asadura *f* (sazonada) de sal. ¶~하다 asar sazonado con sal. ~국 el agua *f* caliente con sal. ~ 그릇 salero *m*. ~기 salinidad *f*, cualidad *f* de salino, salobridad *f*, gusto *m* salado, gusto *m* de sal. ¶~가 있는 salino, salobre, salado. ~가 들어 있다 estar muy salado. ~를 빼다 desaladar, quitar la sal (a). ~를 뺀 것 desaladura *f*. ~ 덩어리 bloque *m* de sal. ~맛 sabor *m* salado. ~물 el agua *f* salada. ~밥 ㉮ ((준말)) =소금엣밥. ㉯ [소금물을 묻혀 뭉친 주먹 밥] comida *f* con el agua salada. ㉰ [소금을 섞은 밥] comida *f* mezclada con la sal. ~밭 =염전(鹽田). ~버캐 cuajo *m* de sal. ~엣밥 comida *f* sencilla. ~장사 comercio *m* [negocio *m*] de vender la sal. ~장수 vendedor, -dora *mf* de sal. ~절이 [행위] salazón *m*, adobo *m*; [식품] salado *m* (conservado en salazón), salazones *mpl*. ¶~하다 conservar en sal, adobar; [생선·육류를] curar con sal. ~한 생선 pescado *m* salado, pescado *m* curado con sal. ~한 야채 legumbres *fpl* [verduras *fpl*] en sal [en salazón], verduras *fpl* en adobo. ~죽 gachas *fpl* de sal. ~쩍 precipitación *f* de sal.

소금(小芩) 【악기】 *sogum*, flauta *f* de bambú pequeña.

소금(小禽) pajarito *m*, el ave *f* (*pl* las aves) pequeña.

소금(素琴) 【악기】 *sogum*, *gomungo* sin adorno ninguno.

소금쟁이 【곤충】 araña *f* de agua, zapatero *m*.

소금정(小金井) cubierta *f* de bambú para el ataúd o el cadáver.

소급(遡及) retroacción *f*, retroceso *m*. ~하다 retrotraer, remontarse al pasado.

■ ~력 poder *m* retroactivo, poder *m* retrospectivo. ~법 ley *f* retroactiva. ~성 retroactividad *f*. ~적 retroactivo, retrospectivo. ~효(效) efectos *mpl* retroactivos.

소기(小技) talento *m* pequeño.

소기(小朞) =소상(小祥).

소기(小器) ① [작은 그릇] vasija *f* pequeña. ② [작은 기량] talento *m* pequeño.

소기(小飢) hambruna *f* pequeña.

소기(少妓) *kisaeng f* pequeña.

소기(沼氣) ① gas *m* de los pantanos. ② 【화학】 [메탄] metano *m*.

소기(所期) expectación *f*, anticipación *f*. ~의 esperado. ~와 같이 como se esperaba. ~의 목적을 달성하다 realizar el objeto que se tiene en el corazón, lograr [conseguir] lo que se esperaba. ~의 성과를 달성하다 obtener un resultado esperado [previsto].

소기(笑氣) 【화학】 gas *m* hilarante, óxido *m* nitroso.

소기(燒棄) quemadura *f* completa. ~하다 quemarlo todo, incinerar, reducir a cenizas.

소기업(小企業) industria *f* pequeña.

소꿉 vajillas *fpl* de juguete.

■ ~동무 amigo, -ga *mf* de *su* infancia, compañero, -ra *mf* de juego de *su* niñez. ~장난[놀이·질] cocina *f* simulada que hacen las niñas, juego *m* al manejo de la casa. ¶~을 하고 놀다 jugar a la cocina, jugar a cocinar, jugar a ser madre, jugar a manejamiento de la casa.

소나기 chaparrón *m*, chubasco *m*; [심한] aguacero *m*. 산발적인 ~ chubascos *mpl* aislados, lluvias *fpl* aisladas. ~가 쏟아지다 chaparrear, pasar un chubasco, caer un chaparrón. ~가 내린다 Cae un aguacero [un chubasco]. 일시적인 ~일 뿐이다 Sólo es un chaparrón. 나는 ~를 만났다 Me sorprendió un chaparrón / Me cogió un chubasco / Yo fui sorprendido por un chubasco.

■ ~구름 cúmulo *m* (nimbo), nube *f* gigantesca. ~눈 =폭설(暴雪). ~밥 sobrealimentación *f* repentina. ~술 demasiada bebida *f* de licor repentina.

소나무 【식물】 pino *m*. 외로이 서 있는 ~ 한 그루 un pino solitario.
■~ 가구 mueble *m* de pino. ~숲 pinar *m*, bosque *m* de pinos, arboleda *f* de pinos. ~ 재목 (madera *f* de) pino *m*.
소나타(이 *sonata*) 【음악】 sonata *f*.
◆바이올린(violin) ~ sonata *f* para violín. 피아노(piano) ~ sonata *f* para piano.
■~ 형식 forma *f* de sonata.
소나티나(이 *sonatina*) 【음악】 sonatina *f*.
소낙비 =소나기.
소날 ((속어)) el día de la Vaca.
소납 lo necesario.
소납(笑納) Tenga la bondad de aceptar mi pequeño regalo.
소네트(영 *sonnet*) 【문학】 soneto *m*.
소녀(小女) mujer *f* pequeña.
소녀(少女) ① [아직 완전히 성숙하지 않은 계집아이] muchacha *f*, chica *f*, niña *f*, muchachita *f*, mocita *f*. ② =처녀(處女).
■~ 가극(歌劇) ópera *f* de muchacha. ~단 la Asociación de Niñas Exploradoras. ~단원 exploradora *f*, guía *f* de los scouts. ~ 문학 literatura *f* juvenil. ~ 소설 novela *f* para las muchachas. ~ 시절 niñez *f*, infancia *f*. ¶그녀의 ~에 en *su* niñez. ~ 취미 gustos *mpl* de colegiala.
소년(少年) muchacho *m*, niño *m*, mozo *m*, joven *m* (*pl* jóvenes). ~의 juvenil, adolescente.
■소년고생은 사서 하랬다 ((속담)) La vida difícil en la juventud es buena para su futuro.
■~공 obrero *m* pequeño. ~ 교도소 prisión *f* [cárcel *f*] de los muchachos. ~군(軍) =소년단(少年團). ~ 근로자 trabajador *m* pequeño. ~기 juventud *f*, mocedad *f*, [14-20세] adolescencia *f*, [7-14세] puericia *f*. ~ 노동 trabajo *m* de menores. ~단 la Asociación de Niños Exploradores, el Cuerpo de Muchachos Exploradores. ~단원 explorador *m*, boy scout *ing.m*. ~문학 literatura *f* juvenil. ~배 jóvenes *mpl*. ~범 delincuente *m* [criminal *m*] juvenil. ~ 범죄 delincuencia *f* [crimen *m*] juvenil. ~법 ley *f* juvenil. ~ 법원 tribunal *m* juvenil. ~ 보호 protección *f* juvenil. ~ 소녀 가장 cabeza *f* [jefe *m*] de los niños. ~수 reo *m* juvenil. ~ 시절[시대] niñez *f*. ¶~에 en *su* niñez. ~ 십자군 la Crusada de Niños. ~원 reformatorio *m*, correccional *m*. ~ 잡지 revista *f* para los muchachos. ~ 재판 제도 sistema *m* de tribunal juvenil. ~지심(之心) corazón *m* de los jóvenes.
소농(小農) labrantín *m*, pegujalero *m*.
■~가 pequeño agricultor *m*, pequeña agricultora *f*. ~ 계급 campesinado *m*. ~지(地) tierras *fpl* pequeñas, propiedades *fpl* pequeñas.
소뇌(小腦) 【해부】 cerebelo *m*.
■~수(垂) úvula *f* cerebelosa. ~염(炎) cerebelitis *f*. ~ 정맥 vena *f* cerebelosa. ~ 증후군 síndrome *m* cerebeloso.
소뇌(韶腦) =장뇌(樟腦).
소다(영 *soda*) 【화학】 sosa *f*, soda *f*. ~의 sódico.
■~ 공업 industria sódica [de soda]. ~ 비누 jabón *m* sódico [de soda]. ~빵 pan *m* de harina con soda. ~ 석회 cal *f* sodada. ~수 (el agua *f*) gaseosa *f*, soda *f*, el agua *f* carbónica. ~ 초석 =칠레 초석. ~ 펄프 pulpa *f* a la sosa. ~회(灰) carbonato *m* de sodio anhidro.
소달구지 carro *m* que se tira por un toro.
소담(小膽) cobardía *f*, timidez *f*. ~하다 (ser) cobarde, tímido. ~한 행동 acto *m* de cobardía, cobardía *f*. ~한 짓을 하다 comportarse cobarde.
■~자(者) cobarde *mf*.
소담(笑談) historia *f* graciosa, historia *f* cómica, cuento *m* gracioso, cuento *m* cómico. ~하다 decir una historia graciosa.
소담스럽다 (ser) delicioso, sabroso, rico.
소담스레 deliciosamente, sabrosamente, ricamente.
소담하다 ① [음식이 넉넉하여 보기에도 먹음직하다] (ser) sabroso, delicioso, rico. ② [생김새가 탐스럽다] (ser) regordete, redondo, llenito. 소담한 얼굴 cara *f* redonda. 소담한 소녀 muchacha *f* con mucho busto [pecho].
소담히 deliciosamente, sabrosamente; regordetemente, redondamente, llenamente.
소당(小黨) partido *m* pequeño, facción *f* pequeña, clan *m* pequeño.
소대(小隊) sección *f*.
◆비행(飛行) ~ elemento *m*. 선두(先頭) ~ sección *f* delantera.
■~원 miembro *mf* de sección. ~장 jefe *mf* de sección.
소대상(小大祥) el primer aniversario y el segundo aniversario de la muerte.
소대한(小大寒) el período menos frío y el período más frío.
소댕 tapa *f* de la olla.
■~꼭지 asa *f* [mango *m*] de la tapa de la olla.
소도(小刀) cuchillo *m* (pequeño), espada *f* pequeña, espada *f* corta, escalpelo *m*, cortaplumas *m*.
소도(小島) isleta *f*, islote *m*, isla *f* pequeña, isla *f* pequeña, isleta *f* en un río, isleta *f* en un lago..
소도(小道) ① [작은 길] camino *m* pequeño. ② [작은 도의(道義)] moralidad *f* pequeña.
소도구(小道具) artículos *mpl* portátiles en el escenario, accesorios *mpl* (de teatro), objeto *m* del attrezzo, objeto *m* de utilería.
■~ 담당자 encargado, -da *mf* de los accesorios.
소도둑 [행위] robo *m* de vacas; [사람] ladrón, -drona *mf* de vacas.
소도둑놈 ① [소를 도둑질하는 사람] ladrón, -drona *mf* de vacas. ② [음충하고 욕심 많은 사람] persona *f* malévola y glotona.
소도록하다 =수두룩하다.
소도록이 =수두룩이.

소도리 martillo *m* muy pequeño.

소도회(小都會) ciudad *f* pequeña, pueblo *m*.

소독(消毒) desinfección *f*, [살균(殺菌)] esterilización *f*, [저온 살균] pasterización *f*, pasteurización *f*, [훈증 소독] fumigación *f*, [정화] descontaminación *f*, decontaminación *f*, [소독법] asepsia *f*. ～하다 desinfectar(se), esterilizar. 손을 ～하다 desinfecarse las manos. 옷을 ～하다 desinfectar la ropa. 법률은 전염병 환자들의 방을 ～하는 것을 명하고 있다 La ley ordena desinfectar la habitación de los enfermos epidémicos. 어린아이들에게 주는 우유는 ～되어야 한다 Se debe esterilizar la leche que se da a los niños pequeños.
◆ 유황 ～ desinfección *f* de azufre. 일광 ～ desinfección *f* por el sol. 증기 ～ desinfección *f* de vapor.
■ ～기 esterilizador *m*. ～면(綿) ＝탈지면(脫脂綿). ～법 método *m* de esterilización. ～ 붕대 vendaje *m* esterilizado. ～수 solución *f* antiséptica. ～실 sala *f* desinfectada. ～액(額) solución *f* antiséptica. ～약[제] desinfectante *m*. ～용 알코올 alcohol *m* de frotamiento. ～의(衣) vestido *m* desinfectado. ～저(箸) palillos *mpl* sanitarios, palillos *mpl* esterilizados. ～차 coche *m* con equipo de esterilización.

소돔【지명】((성경)) Sodoma. ～과 고모라 Sodoma y Gomorra.

소동(小童) ① [열 살 안짝의 아이] rapacejo, -ja *mf*, mocito, -ta *mf*, mozalbete *m*. ② [심부름하는 작은 아이] recaderito, -ta *mf*, mensajerito, -ta *mf*.

소동(騷動) tumulto *m*, alboroto *m*, motín *m*, disturbio *m*, revuelta *f*. ～을 일으키다 armar [provocar] un alboroto, organizar un motín. ～을 가라앉히다 apaciguar [calmar] el tumulto. ～이 일어날 것 같다 Parece que se va a armar un tumulto / Se ve venir un tumulto. ～이 일어났다 Estalló [Se produjo] un tumulto. 화재 ～으로 나는 잠에서 깨어났다 Me desperté por el barullo del incendio.

소동맥(小動脈)【해부】arteriola *f*, arteríola *f*.

소두 regalos *mpl* de cumpleaños cambiados entre las familias de los recién casados.

소두(小斗) *mal* de diez litros, medida de diez litros.

소두(小豆)【식물】＝팥.

소두(小痘)【의학】＝작은마마.

소두(小頭) cabeza *f* pequeña.
■ ～증 nanocefalia *f*, microcefalia *f*.

소두엄 abonos *mpl* de establo.

소듐(영 *sodium*)【화학】sodio *m*.

소드락질 robo *m*, *saqueo m*, *pillaje m*, rapiña *f*. ～하다 robar, saquear, plagiar.

소득(所得) ingresos *mpl*, renta *f*. 세금이 붙는 ～ renta *f* gravable, renta *f* imponible. 중요한 ～의 출처 una importante fuente de ingresos. 그는 연간 천만 원의 ～이 있다 El tiene unos ingresos anuales de diez millones de wones. 나는 내 ～ 내에서 생활한다 Yo vivo de acuerdo con mis ingresos. 그들은 그들의 ～ 범위를 뛰어넘어 생활하고 있다 Ellos gastan más de lo que ganan / Ellos llevan un tren de vida que no se pueden costear.
■ ～ 공제 exención *f* de la renta. ～ 분배 distribución *f* de ingresos, distribución *f* de la renta. ～세 impuesto *m* sobre ingresos, impuesto *m* sobre [a] la renta; *Arg* impuesto *m* a los réditos. ～세법 la Ley del Impuesto sobre la Renta. ～세 신고(서) declaración *f* del impuesto sobre la renta, declaración *f* sobre la renta. ～세 연기 aplazamiento *m* del impuesto sobre la renta. ～세 용지 formulario *m* del impuesto sobre la renta. ～ 세율 tipo *m* del impuesto sobre la renta. ～세 제도 sistema *m* tributario del impuesto sobre la renta. ～세 환불 devolución *f* del impuesto sobre la renta. ～세 환불 청구 reclamación *f* de devolución del impuesto sobre la renta. ～ 수준 nivel *m* de ingresos. ～ 신고(申告) declaración *f* de la renta. ～액 cuentas *fpl* de ingresos, cuentas *fpl* de ganancias. ～ 예산 presupuesto *m* de ingresos. ～ 재분배 redistribución *f* de la renta. ～ 정책 política *f* de la renta nacional, política *f* de rentas, política *f* de ingresos. ～ 증대 aumento *m* de ingresos. ～층 grupo *m* de ingresos, clase *f* social de ingresos. ¶고～ grupos *mpl* de altos ingresos, clase *f* social de ingresos elevados. 저～ grupos *mpl* de bajos ingresos, clase *f* social de ingresos bajos. ～ 효과(效果) efecto *m* de ingreso.

소득밤 castaño *m* secado que no descascara.

소득소득 con marchitez, marchitando. ～하다 marchitarse.

소들소들 ＝소득소득.

소들하다 no ser suficiente, ser insuficiente. 소들히 insuficientemente.

소등(消燈) apagamiento *m* de la luz; [전시(戰時)의] oscurecimiento *m* de la ciudad para que ésta no sea visible desde los aviones enemigos. ～하다 apagar la luz.
■ ～나팔 toque *m* de silencio. ～ 시간(時間) hora *f* de apagar la luces.

소띠 nacimiento *m* del Año de Vaca.

소라 ①【조개】caracola *f*, trompo *m*. ②【악기】trompilla *f* de caracola.
■ ～구이 caracola *f* asada. ～딱지 cáscara *f* de caracola. ～젓 caracola *f* salada.

소라(小鑼)【악기】＝동라(銅鑼).

소라게【동물】ermitaño *m*, paguro *m*.

소라고둥【조개】caracola *f*, trompo *m*.

소락소락 frívolamente, ligeramente. ～하다 (ser) frívolo, ligero.

소란(小欄) reja *f*, verja *f*.
■ ～반자 techo *m* de paneles.

소란(騷亂) disturbio *m*, alboroto *m*, tumulto *m*, desmán *m*, conmoción *f*, insurrección *f*, barullo *m*, barahúnda *f*, jaleo *m*, algarabía *f*. ～하다 (ser) ruidoso, bullicioso. ～하게

하다 alborotar, agitar, causar sensación (en・a), escandalizar. ～을 피우다 [일으키다] provocar [armar] un alboroto, meter ruido, hacer ruido, dar una falsa alarma, causar una alarma falsa, armar algarabía, hacer estrépito; [불만으로] protestar, alborotarse; [당황하여] perder la calma, intranquilizarse; [즐거워서] armar [meter] bulla [juerga・jolgorio]; [울면서] hacer [dar] una escena. ～을 진정시키다 apaciguar [calmar] el tumulto. 사소한 일로 ～을 피우다 alborotarse por una trivialidad. 도둑이 들었다고 ～을 피우다 dar gritos pregonando que ha habido un robo. 방안이 ～하다 Hay mucho barullo en el cuarto. 이곳은 무척 ～하다 Aquí hay tanto ruido. 축제로 도시가 ～하다 La ciudad hierve (de bullicio) por la fiesta. 그 사건은 세상을 ～하게 했다 El suceso causó mucha sensación en el mundo. 광장(廣場)에서 ～이 일어났다 Estalló [Se produjo] un tumulto en la plaza. 집안에서 아이들의 ～이 대단하다 Hay mucho barullo de niños en casa. 아이들이 밖에서 ～을 피우고 있다 Los niños están de juerga fuera. 사람들의 ～한 소리가 들린다 Se oye la algarabía de la gente. 판정의 불만으로 관객이 ～을 피웠다 Se armó un alboroto entre los espectadores descontentos del fallo. 이제 와서 ～을 피워 보아야 너무 늦었다 Es demasiado tarde para quejarse [para alborotar la cosa]. 뜻하지 않은 ～을 피우는 사건이었다 Fue un suceso que resultó ser una falsa alarma. ～을 피우지 마세요 [usted에게] No se alarme / Tranquilícese // [tú에게] No te alarmes / Tranquilízate. ～을 피워 죄송합니다 Perdone el jaleo que he causado [armado].

소란스럽다 (ser) ruidoso, estridente, agudo, estrepitoso, tumultuoso, inquietante, inseguro, peligroso, pavoroso, sospechoso, revuelto. 소란스런 소리를 내다 lanzar una voz aguda, lanzar un grito agudo.

소란스레 ruidosamente, con mucho ruido, estrepitosamente, estridentemente, tumultuosamente, inquietantemente. ～ 울리다 sonar estrepitosamente.

■～죄 crimen *m* de perturbación (del orden público).

소래기 *soraeki*, una especie de platillo.

소랭하다(蕭冷－) (ser) solitario y frío.

소략하다(疏略－) (ser) áspero, rugoso, negligente, descuidado, poco cuidadoso.

소략히 ásperamente, rugosamente, negligentemente, descuidadamente.

소량(小量) generosidad *f* pequeña.

소량(少量) poca cantidad *f*, pequeña cantidad *f*, pequeña porción *f*; [부사적] un poco. ～의 un poco de, una pequeña cantidad de, algo de. 극히 ～의 muy poco, muy pequeña [poca] cantidad de.

■～ 취급 [화물의] consignación *f* de mercancías de poca cantidad.

소련(蘇聯) ((준말)) ＝소비에트 사회주의 공화국 연방. ¶～ 공산당 el Partido Comunista de la Unión Soviética.

소렴(小殮) acción *f* de envolver el cadáver. ～하다 envolver el cadáver.

■～금(衾) manta *f* para el cadáver. ～포(布) mortaja *f*, sudario *m*.

소령(小嶺) colina *f* pequeña.

소령(少領) [육군・공군의] comandante *mf*; [해군의] capitán (*pl* capitanes), -tana *mf* de corbeta.

소로(小路) ① [좁은 길] camino *m* estrecho, calle *f* estrecha, callejón *m* (*pl* callejones), callejuela *f*, calleja *f*. ② [산길] senda *f*, sendero *m*. ③ [산책로] caminito *m*, paseo *m*. ④ [돌을 깐 길] arriate *m*.

소록소록 ① [아기가 곱게 자는 모양] durmiendo bien perfectamente. ～ 자다 dormir bien perfectamente. ② [비가 보슬보슬 내리는 모양] suavemente, menudamente, finamente. 오늘 아침 일찍부터 비가 ～ 내리고 있었다 Ha estado lloviznando desde esta mañana temprano.

소론(小論) artículo *m* pequeño.

소론(少論) 【역사】 *soron*, un partido político.

소롱하다(消－) [돈을] desfilfarrar, derrochar; [재산을] dilapidar; [기회・시간을] desaprovechar, desperdiciar.

소루(疏漏) descuido *m*, negligencia *f*, abandono *m*. ～하다 (ser) descuidado, negligente, desatento, distraído, atolondrado.

소루히 descuidadamente, negligentemente, desatentamente.

소류(小流) ＝실개천.

소륜(小輪) rueda *f* pequeña.

소르르 ① [얽힌 물건이 잘 풀어지는 모양] suavemente, con facilidad, con soltura. ～ 풀리다 quitarse. 허리띠가 ～ 풀리다 el cinturón quitarse. ② [부드러운 바람이 천천히 부는 모양] ligeramente, suavemente. 바람이 ～ 불다 soplar suavemente. 바람이 ～분다 Hay una brisa suave / El viento sopla suavemente. ③ [물이나 가루 같은 것이 부드럽게 가만히 흐르거나 무너지는 모양] suavemente. 밀가루 더미가 ～ 무너지다 Un montón de la harina se viene abajo suavemente. ④ [졸음이 오는 모양] adormiladamente, somnolientamente. 그는 의자에서 ～ 잠이 들어 있었다 El estaba dormitando [adormilado] en un sillón.

소름 carne *f* de gallina, piel *f* ansarina; 【생리】 horripilación *f*.

◆소름(이) 끼치다 ponerse de punta los pelos, ser terrible, ser horrible, estremecerse, horripilarse, aterrorizarse, horrorizarse, poner [tener] carne de gallina, erizarse. 소름이 끼칠 것 같은 espeluznante, horripilante. 나는 소름이 끼쳤다 A mí se me puso (la) carne de gallina / Se me pusieron los pelos de punta / Se me erizaron los cabellos / *Méj* Se me enchinó el cuerpo. 그는 그 사고를 보고 소름이 끼쳤다 El se horrizó de miedo al ver el accidente

/ La escena del accidente le produjo [causó] escalofríos. 시험을 생각하면 소름이 끼친다 Me estremezco al pensar en el examen / Me da escalofríos pensar en el examen / Me hace temblar pensar en el examen. 그 일을 생각만 해도 소름이 끼친다 Me estremece tan sólo el recordarlo.

소리 ① [물체가 진동했을 때 청각으로 느끼게 하는 것·음(音)] ㉮ [음향(音響)] sonido *m*. ㉯ [울리는 소리] son *m*, resonancia *f*. ㉰ [잡음(雜音)] ruido *m*. ~를 내다 hacer [meter·arrmar·levantar] ruido. ~를 내면서 con ruido, con estrépito. ~를 내지 않고 sin hacer [sin meter] ruido. ~를 내지 않고 접근하다 acercarse a hurtadillas, acercarse sin hacer el menor ruido. ~를 내어 마시다 sorber (haciendo ruido). 라디오의 ~를 크게[작게] 하다 elevar [bajar] el volumen de la radio. 마실 때 ~를 내다 hacer ruido al beber. 부엌에서 이상한 ~가 난다 En la cocina se oye un ruido extraño. 그렇게 ~ 내지 말고 우유를 마셔라 ¡Bébete la leche sin hacer ruido! ㉱ [풍문(風聞)] rumor *m*. ㉲ [울려 퍼지는 소리] estrépido *m*, estruendo *m*. ㉳ [악기의 소리] toque *m*, tañido *m*. ㉴ [삐걱거리는 소리] crujido *m*. ㉵ [날카로운 소리] chirido *m*, rechinido *m*. 새의 ~ gorjeo *m* [canto *m*] de pájaros. 벌레의 ~ chirrido *m* [canto *m*] de insectos.

② ((준말)) =목소리(voz). ¶큰 ~ voz *f* alta. 작은 ~ voz *f* baja. 맑은 ~ voz *f* clara. 목이 쉰 ~ voz *f* ronca. 상냥한 ~ voz *f* suave. 가는 ~ voz *f* delicada. 굵은 ~ voz *f* profunda. 부르는 ~ llamamiento *m*, llamada *f*, grito *m*, *AmL* llamado *m*. 사람의 ~ voz *f* (*pl* voces). 작은 ~로 en voz baja. 큰 ~로 en voz alta, en voz estentórea. 숨넘어가는 ~로 en [con] voz lánguida [desfallecida]. ~를 낮추다 bajar la voz. ~ 없이 눈물을 흘리다 dejar caer gotas de lágrimas. 큰 ~로 말하다 hablar alto, hablar en voz alta. 작은 ~로 말하다 hablar en voz baja. 큰 ~로 읽다 leer en voz alta. 들릴락말락하는 ~로 말하다 hablar con voz débil. 이 방에서는 ~가 잘 들린다 En este cuarto penetra bien la voz. 나는 ~ 없이 눈물을 흘렸다 Me cayeron [corrieron·resbalaron] las lágrimas.

③ 【언어】 =음성(音聲). 말. ¶~ 내지 마라 No hables. 그런 ~하지 마라 No me lo digas.

④ 【음악】 [판소리·잡가·민요 등과 같은 속된 성악곡] canto *m*. ~하다 cantar. ~하고 춤춘다 Cantan y Bailan / Se canta y se baila.

⑤ [항간의 여론이나 호소] opinión *f*, clamor *m*. 민중의 ~ opinión *f* pública, clamor *m* popular.

⑥ [소식(消息)] noticia *f*. ~ 없이 찾아가다 visitar a *uno* sin aviso.

◆소리(를) 지르다 exclamar, gritar, dar un grito, lanzar un grito, vocear, dar voces; [고함을 치다] chillar. 박자에 맞추어 ~ llevar [marcar] el compás con voces [con gritos]. 그는 소리지르기만 할 뿐 아무것도 진척이 없다 El no sabe sino dar voces / El habla mucho pero no hace nada. 너무 소리를 질렀더니 목이 아프다 Grité tanto que me duele la garganta.

■~갈 =음성학(音聲學). ~글 ((준말)) =소리글자. ~글자 =표음 문자(表音文字). ~꾼 persona *f* que canta bien toda la clase de canciones. ~내기 pronunciación *f*. ~넓이 =성역(聲域). ~마디 sílaba *f*. ~북 tambor *m* para el acompañamiento de *pansori*. ~시늉 =의음(擬音). ~시늉말 =의성어(擬聲語). ~쟁이 cantante *mf*, cantor, -tora *mf*. ~주머니 =성낭(聲囊). ~틀 =발음 기관. ~통(筒) ㉮ ((은어)) radio *f*. ㉯ ((은어)) teléfono. ~판 =음반(音盤). 레코드. ~표(標) =음표(音標). ~흉내말 =의성어(擬聲語). ~ㅅ값 =음가(音價). ~ㅅ결 =음파(音波).

소리(小吏) 【역사】 =아전(衙前).

소리(小利) ganancia *f* pequeña, beneficios *mpl* pequeños. 그는 ~에 눈이 어두워졌다 Le cegaba la ganancia pequeña / *AmL* Le enceguecía la ganancia pequeña.

소림(疏林) bosque *m* que hay escasos [pocos] árboles.

소립(小粒) gránulo *m*, granito *m*. ~의 granular, de grano (de tamaño) pequeño.

소립자(素粒子) 【물리】 partícula *f* elemental.

소마 orina *f*.

◆소마(를) 보다 orinar(se).

소마소마 tímidamente, con timidez, nerviosamente, cautelosamente. ~하다 (ser) tímido, nervioso, cauteloso.

소만(小滿) 【민속】 *soman*, (espigas *fpl*) medio llenas (a un mes del solsticio de verano).

소만하다(疏慢―) (ser) perezoso y negligente.

소말리아 【지명】 Somalia *f*. ~의 somalí.

■~ 말[어] somalí *m*. ~인[사람] somalí *mf* (*pl* somalíes).

소망(所望) deseo *m*, anhelo *m*, esperanza *f*, expectación *f*. ~하다 desear, rogar, suplicar, pedir. ~의 deseado, anhelado, apetecido. ~에 따라 en complacencia de *su* deseo. ~을 만족시키다 satisfacer el deseo. 네 ~은 이루어질 것이다 Tu deseo será realizado [satisfecho] / Tú tendrás tu deseo. 내 ~은 드디어 이루어졌다 Al fin mi esperanza ha sido realizada [satisfecha].

소망(消亡) =소멸(消滅).

소망(消忘) olvido *m*. ~하다 olvidarse de la memoria.

소망(素望) deseo *m* albergado [esperanza *f* albergada] durante largo tiempo.

소망(燒亡) =소실(燒失).

소망일(小望日) víspera *f* del quince de enero del calendario lunar.

소매 manga *f*. ~가 있는 con manga. ~가 없는 sin manga. ~가 짧은 de corta manga. ~가 긴 de larga manga. 짧은 ~ manga *f* corta, corta manga *f*. 긴 ~ larga manga *f*, manga *f* larga. 벌어진 ~ manga *f* perdida. 넓게 벌어진 ~ manga *f* boba. ~ 없는 드레스 vestido *m* sin mangas. ~가 긴 와이셔츠 camisas *fpl* de manga larga. ~가 짧은 셔츠 camisas *fpl* de manga corta. ~를 걷어붙이다 arremangarse. ~를 끌다 tirar*le a uno* de la manga; [매춘부가] inducir. ~에 매달리다 agarrarse a [de] la manga (de); [애원하다] implorar el favor (de).

◆소매를 걷다 arremangarse. 소매를 걷어붙이고 en mangas de camisa.

■~통 anchura *f* de la manga. ~ㅅ귀 esquina *f* de la bocamanga; [와이셔츠의] esquina *f* del puño. ~ㅅ길 parte *f* de manga de la ropa. ~ㅅ동 parte *f* inferior de la manga. ~ㅅ부리 bocamanga *f*; [와이셔츠의] puño *m*. ¶~가 느슨한 de puño flojo. ~가 꽉 조인 de puño apretado. ~ㅅ자락 borde *m* inferior de la manga, dobladillo *m* de la manga; [옷의] pendiente *f*.

소매(小賣) reventa *f*, venta *f* al por menor [al detalle · al detall · al detal], *AmL* menudeo *m*. ~하다 vender al por menor [al detalle · al detall · al detal], vender al menudeo. ~의 al por menor, minorista, *Arg, Chi* menorista. ~로 al por menor, al detalle, al detall, al detal. ~로 팔리다 venderse al por menor [al detalle · al detall · al detal]. 그것은 100달러에 ~되고 있다 Su precio al público es de cien dólares / Se vende al por menor a cien dólares. 이 물건들은 ~로 살 수 있습니까? ¿Estos productos se pueden comprar al por menor?

■~ 가격(價格) precio *m* al por menor, precio *m* de venta al públic. ~망 red *f* de minoristas. ~ 물가 지수 índice *m* de precios al por menor, índice *m* de precios al detalle, índice *m* de precios al consumo. ~ 분석(分析) análisis *m* de ventas al por menor. ~상(商) ㉮ [장사] negocio [comercio] al por menor, comercio pequeño, comercio en pequeña escala, menudeo. ㉯ [사람] detallista *mf*, minorista *mf*, comerciante *mf* de venta al por menor. ~세(稅) impuesto *m* sobra las ventas al detalle. ~ 센터 centro *m* comercial, centro *m* de venta al por menor. ~ 시장 mercado *m* al por menor. ~ 식품업 negocio *m* de alimentación al por menor. ~업 comercio *m* al por menor, comercio *m* minorista. ~업자 =소매인(小賣人). ~ 은행 banco *m* minorista, banco *m* de menudeo. ~ 은행업 banca *f* minorista. ~인 comercinate *mf* al por menor, detallista *mf*, minorista *mf*, *Arg, Chi* menorista *mf*. ~점 casa *f* minorista, tienda *f* de venta por menor, almacén *m* al por menor, almacén *m* para minoristas. ~ 중개인 [주식의] intermediario, -ria *mf* de bolsa minorista. ~ 판로(販路) punto *m* de venta al por menor [al público].

소매치기 ① [행위] ratería *f*. ~하다 hurtar del bolsillo, hurtar de faltriquera, hurtar con maña, ratear. 그녀는 지갑을 ~당했다 A ella le hurtaron la cartera / Un ratero le robó [ha robado] la cartera a ella. 나는 시계를 ~당했다 Se me robó el reloj / Me robaron el reloj. ② [사람] carterista *mf*, ratero, -ra *mf*.

소맥(小脈) 【의학】 pulso *m* lento.

소맥(小麥) 【식물】 trigo *m*.

소면(素面) cara *f* descubierta, rostro *m* desenmascarado, cara *f* desenmascarada. ~으로 con *su* cara desenmascarada, con *su* cara desguarnecida.

소면(素麪) fideos *mpl* (hilados) sin carne.

소면기(梳綿機) máquina *f* cardadora.

소멸(消滅) extinción *f*, desaparición *f*; [말소(抹消)] anulación *f*, cancelación *f*; [상쇄(相殺)] compensación *f*. ~하다 desaparecer(se), extinguirse; [실효하다] caer en desuso. 자연(自然) ~하다 extinguirse por sí solo; [해산하다] disolverse espontáneamente. 권리의 ~ caducidad *f* del derecho.

◆죄상(罪狀) ~ expiación *f*.

■~ 시효(時效) rescripción *f* extintiva, prescripción *f* negativa.

소멸(燒滅) quemadura *f*. ~하다 quemarse. ~되다 ser quemado.

소명(召命) llamamiento *m* real.

소명(昭明) inteligencia *f*. ~하다 (ser) inteligente.

소모(消耗) desgaste *m*, abrasión *f*; [소비] consumo *m*. ~하다 gastar, desgastar, consumir. ~되다 desgastarse, consumirse. ~시키다 gastar, desgastar. 체력(體力)을 ~하다 agotarse, extenuarse, consumirse. 정력(精力)을 ~하다 gastar *su* energía. 병력(兵力)의 ~가 심하다 Se pierde [Se consume] mucha fuerza armada. 그는 신경을 ~시키고 있다 El tiene los nervios agotados [deshechos]. 그는 친구 때문에 체력을 ~시키고 있다 El se mata por sus amigos. 기계의 ~가 심하다 Se desgasta mucha la maquinaria.

■~량 cantidad *f* de desgaste. ~비 gastos *mpl* de consumo. ~성 자산 activos *mpl* circulantes, activos *mpl* realizable, activos *mpl* líquidos, activos *mpl* disponibles, disponibilidades *fpl*. ~열 fiebre *f* héctica. ~율 tasa *f* de desgaste. ~전 guerra *f* de desgaste. ~증 marasmo *m*. ~품 artículo *m* de desgaste. ¶사무용 ~ suministros *mpl* de oficina.

소모(梳毛) lana *f* cardada.

■~기 máquina *f* cardadora. ~ 방적(紡績) hilado *m* cardadora. ~사(絲) estambre *m*. ~사 모직 estambre *m*. ~ 직물 textil *m* cardadora.

소목(一目) 【동물】 artiodáctilos *mpl*.

소목(小木) ((준말)) =소목장이.

■~장(이) ebanista *m*.

소몰이 ① [행위] ganadería *f*. ② [사람] ganadero, -ra *mf*; *RPl* gaucho, -cha *mf*.

■ ~꾼 =소몰이❷.

소묘(小錨) ancla *f* pequeña.

소묘(素描) 【미술】 dibujo *m*, esbozo *m*, diseño *m*, bosquejo *m*, boceto *m*. ~하다 dibujar, diseñar, esbozar, bosquejar.

소문(小門) ① [작은 문] puerta *f* pequeña. ② ((속어)) [보지] vulva *f*, vagina *f*.

소문(所聞) rumor *m*. ~에 밝다 estar siempre al corriente de estado, divulgar un rumor, circular un rumor. ~을 퍼뜨리다 esparcir [divulgar] unas noticias. 나쁜 ~은 빨리 퍼진다 cundir como la mancha de aceite. …라는 ~이 있다 Se dice que + *ind* / Dicen que + *ind* / Hay un rumor de que + *ind*. 계획은 ~으로 퍼졌다 El proyecto se ha abandonado al olvido. 나는 그가 결혼한 걸 ~으로 들었다 He oído (decir) que se ha casado él. ~이란 오래 못 간다 Admiración dura sólo nueve noches en la ciudad.

소문나다 correr un rumor, divulgarse unas noticias, esparcirse unas noticias. 소문난 muy famoso. 소문날까 두려운 집안의 비밀(秘密) un secreto vengonzoso que se intenta mantener oculto. 그의 행동은 여러 형태로 소문나 있다 Se comenta su conducta en varias formas.

소문내다 esparcir [divulgar] unas noticias.

■소문난 잔치에 먹을 것 없다 ((속담)) Fanfarronada grande y asado pequeño.

소문만복래(笑門萬福來) La alegría atrae la suerte / La felicidad sale al paso de los que ríen.

소문자(小文字) (letra *f*) minúscula *f*.

소밀(疏密) densidad *f*, lo compacto.

소바리 acción *f* de cargar en el toro; carga *f* del toro.

소박(疏薄/疎薄) maltrato *m*. ~하다 maltratar, tratar mal.

◆소박(을) 맞다 ser abandonada, ser maltratada. 소박을 맞은 여자(女子) mujer *f* abandonada, mujer *f* maltratada.

■~데기 mujer *f* abandonada, mujer *f* maltratada, mujer *f* divorciada, mujer *f* que vuelve a casa de *sus* padres.

소박(素朴) simplicidad *f*, sencillez *f*, ingenuidad *f*, candidez *f*, candor *m*. ~하다 (ser) simple, sencillo, ingenuo, cándido, inocentón. ~한 사람 persona *f* ingenua, persona *f* cándida. ~한 인심(人心) espíriru *m* humano simple. ~한 인품(人品) carácter *m* personal sencillo. 이 지방 사람들은 무척 ~하다 La gente de esta comarca es muy rústica y sencilla.

소박히 simplemente, sencillamente, ingenuamente, cándidamente.

■~미(味) sabor *m* sencillo. ~미(美) belleza *f* sencilla. ~성(性) ingenuidad *f*, candor *m*. ~ 실제론 realismo *m* ingenuo. ~ 유물론 materialismo *m* ingenuo.

소박이 ① ((준말)) =오이소박이김치. ② [소를 넣어 만든 음식] comida *f* rellena.

■~김치 ((준말)) =오이소박이김치.

소반(小盤) mesita *f* para comer.

소반(沼畔) =늪가.

소반(素飯) =소(素)밥.

소반응(素反應) 【화학】 reacción *f* elemental.

소밥(素一) comida *f* sencilla, comida *f* sin carne o pescado.

소방(消防) lucha *f* contra incendios, prevención *f* de fuego, tareas *fpl* de extinción (de un incendio).

■~ 공무원 bombero, -ra *mf*. ~관 bombero, -ra *mf*, [본업이 아닌] persona *f* que combate un incendio. ~기 equipo *m* contra incendios. ~ 기계 maquinaria *f* de extinción (de un incendio). ~대 cuerpo *m* de bomberos, retén *m* de bomberos, *Chi* compañía *f* de bomberos. ~대원 =소방원(消防員). ~ 대장 jefe, -fa *mf* de bomberos. ~ 망루 [망대] torre *f* de bomberos. ~모(帽) casco *m* de extinción (de un incendio). ~법 método *m* de extinción (de un incendio). ~복 traje *m* de bomberos. ~ 본부 cuartel *m* de bomberos. ~ 비상선 línea *f* de bomberos. ~사(士) bombero, -ra *mf*. ~ 사닥다리 escalera *f* de bomberos. ~서 parque *m* [*RPI* cuartel *m*] de bomberos, *Chi* bomba *f*. ~서장 jefe, -fa *mf* del cuartel de bomberos. ~선(船) barco *m* bomba, barco-bombero *m*, buque *m* con mangueras para incendios. ~ 연습 simulacro *m* de incendio, ejercicio *m* de contraincendio. ~원[수·부] bombero, -ra *mf*, miembro *mf* del cuerpo de bomberos. ~의 날 el Día de la Prevención de Fuego. ~ 자동차 coche *m* [camión *m*] de bomberos. ~정(艇) barco *m* equipado para combatir incendios. ~차 ((준말)) =소방 자동차. ~펌프 bomba *f* de incendios.

소변(小便) orina *f*, orines *mpl*; [어린이의] pipí *m*. ~이 잦다 orinar frecuentemente. ~이 마렵다 tener deseo de orinar. ~ 금지(禁止) ((게시)) No orinar (aquí) / No (se) orine / Prohibido orinar / Se prohíbe orinar.

◆소변(을) 보다 orinar(se), mojar, hacer aguas; [어린이가] hacer pis.

■~ 검사 examen *m* [examinación *f*] de (la) orina, uroscopia. ~기 bacín *m*, bacinica *f*, orina *f* bacinilla. ~소 urinal *m*.

소복(素服) ① [흰옷] ropa *f* blanca, vestido *m* blanco, traje *m* blanco. ② [상복(喪服)] luto *m*. ~을 입다 llevar luto.

소복소복 amontonadamente. ~하다 amontonarse, apilarse.

소복하다 amontonarse, apilarse.

소복이 amontonadamente.

소부대(小部隊) unidad *f* pequeña.

소부르주아(小 bourgeois) burguesía pequeña.

소분(小分) división *f* pequeña. ~하다 hacer una división pequeña.

소불(小佛) estatua *f* pequeña de Buda.

소비(消費) consumo *m*, consumición *f*, consunción *f*, gasto *m*. ~하다 consumir, gastar. ~하는 consumidor. ~할 수 있는

consumible. 알코올의 ~ el consumo de bebidas alcohólicas. 국내(國內) ~를 만족시키다 satisfacer el consumo interno [doméstico · nacional]. 돈을 ~하다 gastar dinero. 시간을 ~하다 matar el tiempo, pasar un rato. 나는 여행에 큰돈을 ~했다 Yo gasté mucho dinero en el viaje. 그녀는 화장(化粧)에 너무 많이 ~한다 Ella gasta demasiado tiempo en pintarse. 국산품(國産品)을 ~합시다 Vamos a consumir lo que el país produce. 국내 ~가 증대되었다 [감소되었다] Se ha acrecentado [Se ha disminuido] el consumo nacional.

◆곡물(穀物) ~ 국가 países *mpl* consumidores de cereal. 석유(石油) ~ 국가 países *mpl* consumidores de petróleo. 석유 ~ 회사 empresa *f* consumidora de petróleo. 세계의 신(新)~ 구조 nueva estructura *f* del consumo mundial.

■~ 감퇴 disminución *f* del consumo. ~ 경기 negocio *m* del consumo. ~ 경제 economía *f* del consumo. ~ 경향 tendencia *f* de consumo. ~고(高) cantidad *f* de consumo. ~ 금융 financiación *f* de consumo. ~ 금융 회사 compañía *f* financiera de consumo. ~ 단위 unidad *f* de consumo. ~ 도시 ciudad *f* consumidora. ~량 consumición *f*, (cantidad *f* de) consumo *m*. ¶1인당 ~ consumo *m* por persona. ~력 poder *m* consumidor. ~ 문제(問題) cuestión *f* de consumo. ~물(物) consumición *f*, objeto *m* gastado. ~ 물자 bienes *mpl* de consumo. ~ 사회 sociedad *f* consumidora, sociedad *f* de consumo, sociedad *f* de consumidores. ~ 생활 vida *f* diaria como un consumidor. ~ 성향 propensión *f* a consumir. ~세 impuesto *m* sobre el consumo, impuesto *m* de consumo, derechos *mpl* de consumo. ~ 수준 nivel *m* de consumo. ~ 시장(市場) mercado *m* de consumo. ~액 cantidad *f* de consumo. ~ 이율 tasa *f* de interés del consumo. ~ 인플레이션 inflación *f* de consumo. ~ 자본 capital *m* de consumo. ~재(材) bienes *mpl* [artículos *mpl*] de consumo, bienes *mpl* duraderos. ¶내구(耐久) ~ bienes *mpl* de consumo duraderos. 비내구성(非耐久性) ~ bienes *mpl* no duraderos. ~ 정책 política *f* de consumo. ~ 조합 cooperativa *f* de consumo, cooperativa *f* de consumidores. ~지 región *f* consumidora. ~ 패턴 modelo *m* de consumo. ~ 함수 función *f* de consumo. ~ 혁명 revolución *f* de consumo.

소비에트(영 *Soviet*) ① [회의 · 평의회] soviet *m*. ② [소련에서의 인민 대표자 회의] soviet *m*. ③ ((준말)) =소비에트 사회주의 공화국 연방.

■~ 문학 literatura *f* soviética. ~화(化) sovietización *f*. ~하다 sovietizar.

소비에트 사회주의 공화국 연방(Soviet 社會主義共和國聯邦)【지명】la Unión de Repúblicas Socialistas Soviéticas, URSS *f*.

소비자(消費者) consumidor, -dora *mf*. 최종(最終) ~ consumidor *m* final. ~를 보호하다 proteger al consumidor. 우리는 큰 육류(肉類) ~이다 Somos grandes consumidores de carne vacuna.

■~ 가격 precio *m* al consumidor, precio *m* de los consumidores, precio *m* de consumo. ~ 가격 지수 índice *m* de precios al consumo [consumidor], IPC *m*. ~ 단체 organización *f* del consumidor. ~ 물가 지수 =소비자 가격 지수. ~ 보호 운동 consumismo *m*. ~ 조사 investigación *f* del consumidor, encuesta *f* de consumidores.

소사(小史) historia *f* breve, breve historia *f*.

소사(小使) conserje *m*, sirviente *mf*.

소사(小事) nonada *f*, asunto *m* frívolo, cosa *f* pequeña, cosa *f* trivial. ~는 대사(大事) causa *f* pequeña efecto grande.

소사(小辭)【논리】término *m* menor.

소사(掃射) descarga *f* de barrido, descarga *f* arrastoradora. ~하다 barrer con la descarga.

소사(燒死) muerte *f* por incendio, muerte *f* por fuego, muerte *f* por quemadura. ~하다 morir quemado, morir abrasado.

■~자 víctima *f* del incendio. ~체 cadáver *m* carbonizado.

소사나무【식물】carpe *m* coreano.

소사스럽다 (ser) astuto, zorro, taimado. 소사스러운 짓을 하다 hacer una cosa astuta, ser deshonesto.

소사스레 astutamente, con astucia, deshonestamente, con deshonestidad.

소사전(小辭典) diccionario *m* pequeño.

소산(所産)) ((준말)) =소산물(所産物).

■~물(物) producto *m*; [성과] fruto *m*; [결과] consecuencia *f*, resultado *m*. 장기간의 연구의 ~ fruto *m* de muchos años de investigación. ~지(地) centro *m* productor, distrito *m* productor.

소산(消散) disipación *f*, dispersión *f*. ~하다 disiparse, dispersar, desvanecerse; [증발하다] volatilizarse, evaporarse.

소산(燒散) ① [태워서 흩어 버림] dispersión *f* después de la quemadura. ~하다 dispersar después de quemar. ② =화장(火葬).

소살(燒殺) quemadura *f* viva. ~하다 quemar vivo, matar *a uno* abrasándo*le*. ~되다 ser quemado vivo.

소삼하다(蕭森-) (ser) espeso, grueso, gordo, exuberante. 소삽하게 espesamente, gruesamente, exuberantemente.

소삽하다(蕭颯-) El viento es frío y solitario.

소상(小祥) (servicios *mpl* religiosos de motivo del) primer aniversario *m* de la muerte (de *uno*).

소상(昭詳) (claridad *f* y) detalle *m*. ~하다 (ser) claro y detallado. ~하게 아뢰다 contar clara y detalladamente.

소상히 (clara y) detalladamente. ~ 설명하다 explicar clara y detalladamente. 그의 조사에 의해 사건이 ~ 밝혀졌다 Por su investigación, se ha aclarado el asunto.

소상(小像) figurilla *f*, retrato *m* pequeño.
소상(塑像) imagen *m* (*pl* imágenes) plástica; [석고의] imagen *m* de yeso.
소상인(小商人) comerciante *mf* pequeño, comerciante *mf* en pequeña escala, comerciante *mf* de venta al por menor.
소생(小生) ((낮춤말)) yo, yo mismo, yo misma.
소생(所生) hijo, -ja *mf*.
소생(蘇生) resucitación *f*, reviviscencia *f*, revivicación *f*. ~하다 revivir, resucitar, renacer, volver a la vida. ~시키다 revivificar, reavivir, vivificar, dar nueva vida, devolver la vida (a). 그는 인공 호흡으로 ~되었다 La respiración artificial le volvió a la vida / La respiración artificial le resucitó. 시원한 바람이 불어 ~하는 듯한 느낌이다 Con esta brisa fresca siento como si reviviera.
소서(小序) prefacio *m* corto.
소서(小暑)【민속】*soseo*, pequeño calor *m* (hacia el 7 de julio del calendario solar), la undécima de las veinticuatro divisiones estacionales.
-소서 ¡Ojalá que + *subj*! / ¡Que + *subj*! / ¡*subj*! 고이 잠드~ ¡Que yazga! / ¡Que descanse bien! 용서하~ ¡Que perdone! / ¡Ojalá que me perdone! / ¡Perdóneme!
소석(小石) guija *f*, guijarro *m*, china *f*, piedra *f* pequeña.
소석고(燒石膏)【화학】yeso *m* de París, yeso *m* calcinado.
소석회(消石灰)【화학】=수산화칼슘.
소선(小船) ① [작은 배] barca *f*. ② =거룻배.
소선거구(小選擧區) distrito *m* electoral pequeño.
소설(小雪) ① [적게 오는 눈] nieve *f* polvorienta, poca nieve *f*. ②【민속】[24절기의 스무째] *soseol*, pequeña nevada *f* (hacia el 22 o 23 de noviembre del calendario solar), la vigésima de las veinticuatro divisiones estacionales.
소설(小說) ① [상상력과 사실(寫實)의 통일적 표현으로써 인생과 미(美)를 산문체로 나타낸 예술(藝術)] novela *f*. ~의 novelesco. ~적인 novelesco, novelístico. ~을 좋아하는 novelero, novelesco, aficionado a novelas. ~을 쓰다 escribir una novela, novelar, componer una novela. ~을 만들다 novelar. ~을 실제로 옮긴 것 같은 생활을 하다 vivir [llevar] una vida novelesca. 마치 ~ 같다 Es una novela verdadera / Es como una novela / Es como si fuera una verdadera novela. ② ((준말)) =소설책.
■ ~가(家) novelista *mf*. ¶신출내기 ~ novelista *mf* novel. 엉터리 ~ novelador, -dora. ~계 mundo *m* novelesco. ~ 문학 literatura *f* novelesca, ficción *f*. ~사(史) novelística *f*. ~쟁이 novelista *mf*. ~책 novela *f*, libro *m* de cuentos. ~ 형식 forma *f* novelesca, forma *f* de la ficción. ~화(化) novelación *f*. ¶~하다 novelar.
소설(所說) *su* opinión, *su* vista, *su* teoría.
소성(小成) éxito *m* pequeño, pequeño triunfo *m*. ~으로 만족하다 estar contento con un pequeño triunfo [un éxito pequeño].
소성(素性) naturaleza *f*, carácter *m* (de nacimiento), temperamento *m*, disposición *f*.
소성(笑聲) risa *f*, carcajada *f*, risotada *f*.
소성(塑性)【물리】placiticidad *f*. ~의 plástico.
■~ 가공(加工) proceso *m* plástico. ~ 변형 deformación *f* plástica. ~ 유동 flujo *m* plástico.
소성(燒成) cocción *f*. ~하다 hacer una cocción. ~되다 hacerse la cocción.
소세(梳洗) el peinado y la lavadura de la cara. ~하다 peinarse y lavarse la cara. ~를 마친 후 después de terminar el peinado y la lavadura de la cara.
소세계(小世界) ① [소우주(小宇宙)] microcosmos *m*. ② [좁은 세계] mundo *m* estrecho.
소소리바람 ① [차고 음산한 찬 바람] viento *m* frío y sombrío. ② =회오리바람.
소소리패(一牌) jóvenes *mpl* [chicos *mpl*] frívolos, grupo *m* joven y imprudente.
소소하다(小小一) (ser) trivial. 소소한 일 trivialidad *f*, cosa *f* trivial. 소소한 것을 말하다 decir trivialidades.
소소히 trivialmente, con trivialidad.
소소하다(小少一) ① [키가 작고 나이가 어리다] (ser) bajo y joven. ② [얼마 아니되다] (ser) poco.
소소하다(炤炤一) (ser) claro.
소소하다(昭昭一) (ser) claro y seguro.
소소히 clara y seguramente.
소소하다(疎疎一) =드문드문하다. 성기다.
소소하다(蕭蕭一) (ser) solitario. 바람이 소소한 겨울의 나목(裸木) árbol *m* desnudo del invierno solitario.
소소히 solitariamente.
소소하다(瀟瀟一) (la lluvia o el viento) ser fuerte.
소소히 fuertemente.
소소하다(騷騷一) (ser) ocupado y ruidoso.
소소히 ocupada y ruidosamente.
소속(所屬) pertenencia *f*. ~하다 pertenecer (a). …에 ~된 perteneciente a *algo*. 이 토지도 우리 회사에 ~되어 있다 Este terreno también pertenece a nuestra compañía.
■~ 부대 *su* regimiento. ~증 certificado *m* perteneciente (a).
소손(燒損) daño *m* [perjuicio *m*] por el incendio. ~하다 ser dañado [perjudicado] por el incendio.
■~품 mercancías *fpl* dañadas por un incendio.
소솔(所率) *su* propia familia, familia *f* dependiente de *uno*. 내 ~ mi propia familia.
소송(訴訟) pleito *m* (civil), proceso *m*, litigio *m*. ~의 수행(遂行) persecución *f*. ~을 걸다 proceder (contra), poner pleito (a), entablar pleito (contra), entablar demanda (contra), demandar (a *uno* por *algo*), recurrir a la ley, pleitear (con [contra] *uno* sobre *algo*). ~에 이기다 ganar el pleito.

~에 지다 perder el pleito. ~을 취하하다 renunciar al pleito, abandonar el pleito.
■~ 각하 desestimación *f* de un pleito. ~ 감정 consulta *f* legal. ~건(件) asunto *m* de proceso. ~ 고지(告知) aviso *m* de una acción. ~ 관계인 persona *f* interesada en la causa. ~ 기록 autos *mpl* procesales, rollo *m*, expendiente *m*. ¶~의 보존 conservación *f* de autos procesales. ~ 능력 capacidad *f* procesal, capacidad *f* de litigio. ~ 당사자 parte *f* interesada; parte *f* del proceso, litigante *mf*. ~ 대리인 mandatario, -ria *mf* judicial; abogado *mf*. ~법 ley *f* del procedimiento, código *m* de procedimiento legal. ~ 비용 costas *fpl* procesales, costas *fpl* del pleito. ~ 사건 caso *m* judicial, caso *m* en litigio. ~ 서류 actas *fpl* del proceso. ~ 수속 proceso *m*, procedimiento *m* [trámito *m*] judicial, diligencias *fpl* judiciales. ~ 위임장 orden *f* de abogado. ~ 의뢰인 cliente *mf*. ~인 demandante *mf*, actor, -tora *mf*. ~ 자료 datos *mpl* procesales, datos *mpl* del proceso. ~장 = 소장(訴狀). ~ 절차 proceso *m*, procedimiento *m* judicial, diligencias *fpl* judiciales. ¶~의 법령 위반 violación *f* a la ley [al reglamento] del procedimiento. ~의 종료 terminación *f* del proceso. ~의 중지 interrupción *f* del proceso. ~의 효력(效力) efecto *m* del proceso. ~ 조건 requisito *m* de perseguiblilidad. ~ 지휘권 poder *m* de dirigir el proceso. ~참가 adhesión *f* procesal, intervención *f* adhesiva. ~ 행위 acto *m* procesal, actuaciones *fpl* procesales. ¶~의 대리 representación *f* de un acto procesal.

소수 y pico. 두 말 ~ dos *mal* y pico. 넉 달 ~ cuatro meses y pico.

소수(小數) 【수학】 (fracción *f*) decimal *f*. ~ 제2위까지 계산하다 calcular hasta el segundo decimal.
■~점(點) punto *m* decimal, coma *f*. ¶~ 이하 제1위 el primer decimal.

소수(少數) minoría *f*, número *m* pequeño. ~의 minoritario, de número pequeño. ~의 의견을 존중하다 respetar la opinión minoritaria. 그것은 찬성이 ~여서 부결되었다 Eso ha sido rechazado por un pequeño número de votos. 그의 의견을 지지하는 자는 극히 ~이다 Muy pocos sostienen su opinión. 그 제안은 20표라는 ~ 밖에 획득하지 못했다 Esa proposición obtuvo sólo una minoría de veinte votos. 그 제안은 15표라는 ~였다 La proposición tuvo quince votos de minoría.
■~당 (partido *m* de) minoría *f*, partido *m* minoritario. ~ 독점 oligapolio *m*. ~ 민족 minoría *f* (nacional), raza *f* minoritaria. ¶~의 대표 diputado, -da *mf* de la minoría. ~ 의견 opinión *f* minoritaria, opinión *f* de la minoría. ~ 정예주의 principio *m* de la minoría selecta. ~파 minoría *f*. ¶~의 minoritario. 그는 ~를 대표하여 발언했다 El habló en nombre de la minoría.

소수(素數) 【수학】 número *m* primo.

소수(疏水) frenaje *m*, desagüe *m*.

소수나다 aumentarse el producto.

소스(영 *sauce*) salsa *f*. ~를 치다 echar [poner] la salsa (a *algo*).
◆사과 ~ compota *f* de manzana (que se sirve gen con carne de cerdo). 토마토 ~ salsa *f* de tomate. 흰 ~ salsa *f* blanca, bechamel *f*.
■~ 그릇 salsera *f*. ~ 냄비 cazo *m*, cacerola *f*; [큰] olla *f*. ~ 병(瓶) salsera *f*.

소스라뜨리다 =소스라치다.

소스라치다 espantarse, asustarse, tener*le* miedo a *uno*·*algo*, temer*le* a *uno*·*algo*. 그 광경을 보고 ~ tener miedo a la vista, temer a la vista. 그는 어둠에 소스라쳤다 El le tenía miedo a la oscuridad.

소스치다 saltar, ponerse de puntillas, *CoS* ponerse en puntas de pie.

소슬바람(蕭瑟-) viento *m* fresquito.

소슬하다(蕭瑟-) (ser) fresquito, frío, crudo, gris y deprimente, sombrío. 소슬한 가을 바람 viento *m* otoñal fresquito.
소슬히 fresquitamente, fríamente, crudamente, gris y deprimentemente, sombríamente.

소승(小乘) ((불교)) budismo *m* meridional; [대승에서 경멸적으로] pequeño vehículo *m*.
■~ 불교 =소승(小乘).

소승(小僧) yo, este humilde monje.

소승(少僧) monje *m* [sacerdote *m*] (budista) joven.

소시(小市) ① [작은 도시] ciudad *f* pequeña. ② [작은 시장] mercado *m* pequeño.

소시(少時) [어렸을 때] niñez *f*, [젊었을 때] muchachez *f*, juventud *f*. 소싯적에 en la niñez, en la juventud, en la muchachez. 그의 소싯적에 en su niñez, en su juventud, en su muchachez.

소시민(小市民) pequeña burguesía *f*. ~적인 행복(幸福) felicidad *f* de la pequeña burguesía.
■~ 계급 clase *f* de pequeña burguesía.

소시지(영 *sausage*) salchicha *f*, salchichón *m* (*pl* salchichones). ~용 고기 carne *f* de salchicha. ~용 고기 다지는 기구 máquina *f* de salchicha. 독일식(獨逸式) ~ embutido *m* al estilo alemán.

소식(小食) sobriedad *f* en el comer, el comer poca cantidad. ~하다 comer poco, ser parco en la comida. 그는 ~을 한다 El es sobrio en la comida / El come poco.
■~가 comedor *m* ligero, comedora *f* ligera. ~주의 fletcheísmo *m*.

소식(素食) comida *f* sencilla, comida *f* ordinaria, comida *f* sin carne.

소식(消息) noticia *f*, nueva *f*, comunicación *f*, información *f*; [편지] carta *f*, correspondencia *f*. ~이 있다 tener noticias (de), estar informado (de). ~이 끊어지다 no dar señales de vida. ~에 정통하다 estar bien informado (de). ~을 묻다 preguntar noticias (de). ~을 전하다 traer noticias (de). ~을 듣다 tener noticias (de), recibir correspondencia (de), recibir cartas (de). ~을 주다 escribir (una carta) (a). 요즈음 그녀에게서 ~이 없다 Hace días que no tengo noticias de él. ~을 주십시오 [usted 에게] Escríbame / Envíeme noticias // [tú 에게] Escríbeme / Envíame noticias. 그 배는 열흘 전부터 ~이 끊겼다 Hace diez días que el barco no da señales de vida. 그는 ~이 불명이다 Seguimos sin recibir noticias de él.

■ ~란(欄) columna *f* de noticias. ~불통 ㉮ [소식의 왕래가 없음] no comunicación *f*. ㉯ [소식이 막혀 전혀 모름] No hay noticias. ㉰ [어떤 일을 전혀 모름] ignorancia *f* completa. ~통[줄] ㉮ [개인의] noticioso, -sa *mf*; persona *f* bien informada. ¶정계(政界)의 ~ experto *m* político, experta *f* política. ~이다 estar siempre al corriente de todo. ㉯ [집단의] círculos *mpl* [medios *mpl*] bien informados, fuentes *fpl* bien informadas. ¶~에 따르면 según una fuente informada, según círculos bien informados. 믿을 만한 ~으로부터 de fuente bien informada, de fuente fidedigna.

소식자(消息子) 【의학】 sonda *f*. ☞존데(Zonde)

소신(小臣) ① [신분이 낮은 신하] vasallo *m* de posición baja. ② [신하가 임금에 대하여 자기를 낮추어 이르는 말] yo, tu humilde vasallo *m*.

소신(所信) [신념(信念)] convicción *f*, creencia *f*; [의견] opinión *f*. ~을 피력하다 dar [expresar · exponer] *su* opinión. ~을 굽히지 않다 ser firme en *sus* convicciones, mantener *su* opinión tenazmente. 대통령의 ~ 표명 연설 discurso *m* del presidente sobre política general.

소실[1](小室) [첩(妾)] concubina *f*. ~을 두다 tener [obtener] *su* concubina.

소실[2](小室) 【해부】 utrículo *m*.

소실(消失) desaparición *f*, desvanecimiento *m*; [권리 등의] extinción *f*. ~하다 desaparecerse, desvanecerse, extinguirse.

소실(燒失) quemadura *f*. ~되다 quemarse, ser quemado, ser destruido por el fuego, consumirse por el fuego. ~을 면하다 librarse [escapar] del incendio [del fuego]. 학교가 ~되었다 La escuela ha sido quemada / La escuela se ha quemado.

■ ~ 가옥 casa *f* consumida por el fuego. ~ 지구 el área *f* (*pl* las áreas) destruida [devastada] por el incendio.

소심(小心) prudencia *f*, precaución *f*, timidez *f*, mezquindad *f*, tacañería *f*. ~하다 ㉮ [주의 깊다] (ser) cuidadoso, cautleoso, prudente. ~하게 cuidadosamente, con cuidado, cautelosamente, prudentemente, con precaución. ㉯ [도량이 좁다] (ser) mezquino, soez, tacaño. ㉰ [담력이 없고 겁이 많다] (ser) tímido, pusilánime. ~하게 tímidamente, pusilánimemente. ~한 사람 persona *f* tímida, tipo *m* tímido, espíritu *m* pusilánime.

소심스럽다 (ser) tímido.

소심스레 tímidamente.

소심히 tímidamente, pusilánimemente, cuidadosamente, cautelosamente, con precaución.

■ ~자(者) persona *f* tímida. ~증(症) microcardia *f*.

소싸움 【민속】 corrida *f* de toros.

소아(小我) 【철학】 ego *m* relativo, ego *m* empírico.

소아(小兒) nene, -na *mf*; rorro *m*; crío *m*; el recién nacido, la recién nacida. ~의 infantil.

■ ~과 pediatría *f*. ~과 병원 hospital *m* infantil. ~과 의사 pediatra *mf*, pedíatra *mf*. ~과학 pediatría *f*, pedología *f*. ~기(期) niñez *f*, infancia *f*. ~병(病) enfermedad *f* infantil, infantilismo *m*. ~복 ropa *f* para niños.

소아마비(小兒痲痺) polio(mielitis) *f*, parálisis *f* infantil. 뇌성(腦性) ~ poliomielitis *f* cerebral.

■ ~ 바이러스 poliovirus *m*. ~ 백신 poliovaccina *f*. ~ 예방 주사 inyección *f* preventiva contra poliomielitis. ~ 환자(患者) poliomielítico, -ca *mf*.

소아시아(小 Asia) 【지명】 el Asia Menor.

소악(小岳) monte *m* pequeño.

소안(素顔) ① [흰 얼굴] cara *f* blanca, rostro *m* blanco. ② [화장하지 아니한 맨 얼굴] cara *f* sin afeites, rostro *m* natural, rostro *m* sin maquillaje, cara *f* no maquillada, cara *f* sin maquillaje. ~의 sin afeites. 그녀는 화장하는 것보다 ~이 더 좋다 Ella está mejor sin maquillaje que pintada. ③ [수염이 없는 얼굴] cara *f* sin barbas.

소안(笑顔) rostro *m* [cara *f*] sonriente, cara *f* risueña, rostro *m* alegre, sonrisa *f*, aspecto *m* risueño, aspecto *m* agradable. ~으로 맞이하다 dar la bienavenida con una sonrisa, recibir con una sonrisa. ~으로 바라보다 mirar con cara risueña [con rostros sonriente]. ~을 하다 poner cara risueña.

소액(小額/少額) pequeña suma *f*, suma *f* pequeña, poca cantidad *f*, pequeña cantidad *f*. ~의 금액(金額) suma *f* pequeña de dinero.

■ ~ 거래 transacción *f* pequeña. ~ 국채(國債) bono *m* del Estado pequeño. ~권(券) billete *m* pequeño. ~ 대부금(貸付金) préstamo *m* pequeño. ~ 보험 seguro *m* de suma pequeña. ~ 심판 litigio *m* de montos pequeños. ~ 저축 pequeños ahorros *mpl*. ~ 지폐 papel *m* moneda de poco valor, papel *m* moneda de pequeña cantidad. ~ 채권 bono *m* pequeño. ~ 출자 pequeña inversión *f*. ~ 출자자 pequeño inversionista *m*, pequeña inversionista *f*. ~ 투자 pequeña inversión *f*, inversión *f* pequeña. ~ 투자자 pequeño inversionista *m*, pequeña inversionista *f*. ~ 현금 efectivos *mpl* menores, caja *f* chica. ~ 현금 출납부 libro *m* de caja pequeño. ~환 giro *m* postal.

소야곡(小夜曲) 【음악】 serenata *f.* ~을 노래하다 [연주하다] dar*le* (una) serenata (a).

소양(小恙) enfermedad *f* ligera.

소양(素養) [지식] conocimiento *m,* sabiduría *f,* [교양] cultura *f,* [지적 교육] formación *f,* [다예(多藝)] cultura *f* artística. ~이 있는 culto, educado. ~이 없는 inculto, mal educado. ~이 있는 사람 persona *f* que se comporta bien, persona *f* bien educada. ~이 없는 사람 persona *f* de poco decoro, persona *f* inculta, persona *f* no educada. ~없는 행위(行爲) conducta *f* poco decorosa. …의 ~이 있다 tener conocimiento [formación · cultura] de *algo,* ser versado en *algo.* 그는 철학에 ~이 있다 El tiene una sólida formación filosófica.

소양배양하다 (ser) infantil y frívolo, imprudente.

소양증(搔痒症) 【한방】 prurito *m,* síntoma *m* de sentir picazón frecuente.¶~의 pruriginoso. 노인성(老人性) ~ prurito *m* senil. 요독증성(尿毒症性) ~ prurito *m* urémico. 외음(外陰) ~ prurito *m* vulvar. 음문(陰門) ~ prurito *m* vulvar. 항문(肛門) ~ prurito *m* anal, prurito *m* ani.

소업(所業) *su* ocupación, *su* profesión, *su* trabajo.

소연(小宴) festín *m* (*pl* festines), fiesta *f* pequeña, convite *m* pequeño.

소연(騷然) ruido *m,* bullicio *m.* ~하다 (ser) ruidoso, tumultuoso, bullicioso, clamoroso, confuso, revoltoso, turbulento, alborotado. ~해지다 quedar bullicioso [alborotado · clamoroso], estar tumultuoso, encontrarse alborotado. 전국(全國)이 ~해져 있다 Todo el país se encuentra alborotado.
소연히 ruidosamente, tumultuosamente, bulliciosamente, alborotadamente.

소연하다(昭然-) (ser) claro, obvio, lógico.
소연히 claramente, obviamente.

소연하다(蕭然-) (ser) solitario, aislado.
소연히 solitariamente.

소염제(消炎劑) 【약학】 antiflogístico *m.*

소엽(小葉) ① [작은 잎] hojita *f,* hoja *f* pequeña. ② 【해부】 lobulillo *m.* ~의 lobular. ~ 내(內)의 intralobular. ~ 사이의 interlobular.

소영사(所營事) *su* negocio.

소영창(小詠唱) 【음악】 arieta *f.*

소옥(小屋) choza *f,* casa *f* pequeña.

소외(疏外/疎外) ① alienación. ~하다 alienar, eludir, esquivar, menospreciar, despreciar, mantener a distancia. ~당하고 있다 ser despreciado, ser menospreciado. 그는 모두로부터 ~당했다 Todos dejaron que él siguiera en las nubes / Todos le dejaron en la más completa ignorancia. 인간은 현대 사회에서 ~당하고 있다 El hombre está alienado de la sociedad actual. ② ((준말)) =자기 소외(自己疏外).
■~감 sentimiento *m* [sentido *m*] alienado. ¶~을 느끼다 sentirse alienado.

소요(所要) necesidad *f,* lo que se necesita. ~하다 [사람 · 사물이 주어일 때] necesitar, tardar; [사물이 주어일 때] costar. ~의 necesario, requerido. 우편의 ~ 일수(日數) días *mpl* que tarda en llegar un envío postal. 이 일을 끝마치려면 며칠 더 ~될 것이다 Necesitaremos unos días más para terminar este trabajo / Nos costará unos días más terminar este trabajo / Este trabajo necesitará unos días más para ser terminado. 나는 이 사전을 쓰는 데 27년이 ~되었다 Yo he empleado veinte y siete años para escribir este diccionario / Yo he tardado veintisiete años en terminar este diccionario. 학교에 오는 데 시간이 얼마나 ~됩니까? ¿Cuánto tiempo tarda usted en venir a la escuela? 여기서 댁까지는 몇 분이나 ~됩니까? — 30분 ~됩니다 ¿Cuántos minutos se tarda de aquí a su casa? — (Se tarda) media hora [treinta minutos].
■~ 금액(金額) cantidad *f* necesaria. ~량 cantidad *f* necesaria. ~ 시간 tiempo *m* necesario, tiempo *m* requerido. ¶사무실까지 가는 데 ~은 얼마나 됩니까? ¿Cuánto tiempo necesita usted para ir a la oficina? / ¿Cuánto (tiempo) tarda usted en llegar a la oficina? / [누구나 일반적으로] ¿Cuánto (tiempo) se tarda (en llegar) a la oficina? ~액 cantidad *f* necesaria.

소요(逍遙) paseo *m.* ~하다 pasear(se), dar un paseo, deambular. 뜰을 ~하다 pasearse [dar un paseo] por el patio.
■~학파 peripato *m,* aristotelismo *m,* escuela *f* peripatética. ¶~의 peripatético. ~의 학설 doctrina *f* peripatética.

소요(騷擾) tumulto *m,* sedición *f,* alboroto *m,* motín *m,* disturbio *m.* ~를 일으키다 armar [provocar] un alboroto.
◆소요(를) 떨다 alborotarse.
소요스럽다 (ser) alborotador, alborotoso.
■~죄 (crimen *m* de) sedición *f.*

소용(所用) uso *m,* servicio *m.* ~되다 usarse, servirse. …에게 ~되다 ser*le* útil a *uno,* ser*le* de utilidad a *uno,* servir*le* a *uno.* ~에 닿다 ser útil. 그것은 ~이 없다 No es útil / Es inútil / No hay manera / *AmL* No hay caso. 이것은 어디에 ~되느냐? ¿Para qué sirve esto? 그것은 별로 ~이 없다 No es muy útil / No es de mucha utilidad práctica. 그것은 장차 우리에게 ~이 될지도 모른다 Nos podría ser útil [de utilidad] en un futuro. 그는 우리에게 크게 ~이 될 수 있을 것이다 El nos podría ser utilísima. 이 가위는 아무짝에도 ~이 없다 Estas tijeras no sirven para nada.
소용없다 (ser) inútil, inservible, nulo, ser papel mojado, no servir. 소용없는 inútil, inservible; [가망이 없는] nulo; [불가능한] imposible. 소용없는 물건 inutilidad *f.* 소용없게 되다 [실패하다] fracasar, fallar, no triunfar; [상하다. 썩다] estropearse; [손해를 입다] ser dañado, ser estropeado. 불평

해도 ~ De nada sirve quejarse / No se consigue nada quejándose / No se consigue nada con quejarse. 이 과실은 곧 소용없게 된다 Esta fruta se estropea en seguida. 그에게 부탁해 봐야 아무 ~ De nada sirve [Es inútil] pedírselo (a él). 그래봐야 ~ Sólo pierdes el tiempo haciendo eso / Es inútil hacer eso. 그것은 아무 데도 ~ Eso no sirve para nada. 나는 해보려고 했지만 소용없었다 He intentado pero en vano. 그는 전혀 듣지 못하기 때문에 소리 질러 보아야 ~ Es inútil que grites porque él no oye nada. 그런 계획은 아무 ~ Ese plan no sirve nada. 그는 정말 소용없는 남자다 Es una verdadera nulidad de hombre / Es un desastre de hombre. 이제 만사가 ~ Todo se ha acabado / No hay nada que hacer / Ya no puedo más. 후회해도 ~ No sirve para nada el arrepentimiento.

소용없이 inútilmente, en vano. ~ 만들다 inutilizar.

소용돌이 vórtice *m*, remolino *m* (de agua), torbellino *m*, voragine *f*, manga *f* marina, bomba *f* marina. ~에 휘말리다 ser tragado por un remolino. 전쟁의 ~에 휘말리다 verse cogido en el vórtice de una contienda. 흥분의 ~를 일으키다 despertar un enorme entusiasmo. 연기가 ~로 빙빙 돌면서 올라간다 El humo sube en remolino [en espiral]. 먼지가 ~를 일으키면서 일어난다 Se levanta en espiral una nube de polvo / Se levanta una tolvanera [un remolino de polvo].

▪~꼴 [물·연기·사람의] remolino *m*; [연기의] voluta *f*, espiral *f*. ~무늬 voluta *f*. ~전류 =푸코 전류.

소용돌이치다 arremolinarse, remolinar(se), remolinear, embravecerse, agitarse. 소용돌이치는 파도(波濤) oleaje *m* embravecido, olas *fpl* agitadas. 탁류(濁流)가 소용돌이친다 La corriente turbia se arremolina. 연기가 소용돌이친다 El humo sube en remolina [en espiral]. 파도가 소용돌이친다 Se embravecen las olas. 내 심중(心中)에는 노기(怒氣)가 소용돌이치고 있다 Remolinos de ira agitaban mi corazón.

소우(小雨) llovizna *f*, lluvia *f* leve. ~가 내리다 lloviznar

소우주(小宇宙) ①【철학】microcosmos *m*, microcosmo *m*. ~의 microcósmico. ② =은하(銀河).

▪~론(論) microcosmia *f*.

소웅성(小熊星)【천문】=작은곰별.

소웅좌(小熊座)【천문】=작은곰자리.

소원(小圓) [작은 원] círculo *m* pequeño.

소원(小園) jardín *m* (*pl* jardines) pequeño.

소원(所員) miembro *mf*; [집합적] personal *m*.

소원(所願) deseo *m*, ruego *m*. ~하다 desear, rogar. 이루지 못한 ~ deseo *m* insatisfecho. ~대로 según *su* deseo. ~을 들어 주다 acceder a *sus* deseos, cumplir [obedecer·acatar] *sus* deseos. 내 ~이 이루어졌다 Mi deseo ha sido cumplido. 그의 ~은 이루어지지 않았다 Su ruego no ha sido atendido.

◆소원(을) 풀다 realizar *su* deseo albergado.

▪~ 성취(成就) cumplimiento *m* de *su* deseo (albergado). ¶~하다 cumplir *su* deseo albergado. ~하옵소서 ¡Que cumpla su deseo!

소원(素願) deseo *m* albergado durante largo tiempo.

소원(訴願) petición *f*, [청원(請願)] apelación *f*. ~하다 presentar una petición (de), interponer un recurso (de). ~을 제기(提起)하다 presentar una petición.

▪~법 ley *f* de apelación administrativa. ~ 위원회 comité *m* de demanda. ~인 peticionario, -ria *mf*, menorialista *mf*;【법률】demandante *mf*. ~장(帳) carta *f* de apelación.

소원(疏遠/疎遠) distanciamiento *m*, alejamiento *m*, extrañamiento *m*. ~하다 extrañar. ~한 extrañado. ~해지다 distanciarse (de), alejarse (de), tener menos relaciones (con), incomunicarse, no verse mutuamente por tiempo largo. 서로 ~해지다 extrañar [alejarse] mutuamente. 그들은 그 사건 이후 ~해졌다 Ellos permanecer distanciados desde aquel incidente.

소위(少尉) [육군의] alférez *mf*, *Arg*, *Col* subteniente *mf*, [해군의] alférez *mf*; [공군의] alférez *mf*; segundo teniente *m*, segunda teniente *f*.

소위(所爲) *su* conducta, *su* proceder. 누구의 ~냐? ¿Quién lo ha hecho?

소위(所謂) llamado, denominado. ~ 구십 년대의 붐 el llamado boom de los noventas.

소위원회(小委員會) subcomité *m*.

소유(所有) posesión *f*, propiedad *f*. ~하다 poseer, tener *algo* en *su* poder, tener *algo* en *su* posesión. 그것은 누구의 ~냐? ¿De quién es? / ¿A quién pertenece? 이 집은 김 씨의 ~가 되었다 Esta casa está en posesión del Sr. Kim / Esta casa pertenece al Sr. Kim / Esta casa es del Sr. Kim. 그 그림은 A씨의 ~가 되었다 Ese cuadro ha entrado en posesión del señor A / Ese cuadro ha pasado a las manos del señor A.

◆공동(共同) ~ propiedad *f* colectiva. 황실(皇室) ~ 산림(山林) bosque *m* imperial.

▪~격 caso *m* genitivo. ~권 (derecho *m* de) propiedad *f*, derecho *m* habiente. ~권 보호 protección *f* de propiedad. ~권 이전 transferencia *f* de propiedad. ~권자(權者) el que tiene propiedad. ~권 침해 violación *f* de propiedad. ~ 대명사 pronombre *m* posesivo. ~물[품] propiedad *f*. ~물 반환 청구권 reivindicación *f*. ~ 본능 instinto *m* codicioso. ~욕(慾) avaricia *f*, codicia *f*, deseo *m* de poseer [de tener·de agarrar]. ~자[인] poseedor, -dora *mf*, propietario, -ria *mf*, dueño, -ña *mf*. ~주(主)

propietario, -ria *mf.* ~지(地) propiedad *f*, posesión *f*, heredad *f*, predio *m.* ¶황실 ~ propiedad *f* imperial, dominio *m* imperial. ~ 형용사 adjetivo *m* posesivo.

소유두증(小乳頭症) microtelia *f.*

소유방증(小乳房症) micromastia *f.*

소유성(小遊星) 【천문】 =소행성. 소혹성.

소음(消音) eliminación *f* del ruido. ~하다 eliminar el ruido.

■~기(器) ㉮ 【음악】 sordina *f*, apagador *m.* ㉯ [자동차의] silenciador *m.* ~ 장치(裝置) silenciador *m.* ~ 피스톨 revólver *m* con silenciador.

소음(騷音) ruido *m.* bulla *f.* ~이 많은 ruidoso, bullicioso. ~이 많은 거리 calle *f* bulliciosa. ~이 많다 Hay mucho ruido.

■~기 silenciador *m*, amortiguador *m* de ruido. ~ 방지 조치(防止措置) medida *f* preventiva contra los ruidos. ~ 수준 nivel *m* del ruido.

소음경증(小陰莖症) micropenis *m.*

소음순(小陰脣) 【해부】 labia *f* menor, ninfa *f.*

■~염 ninfitis *f.*

소읍(小邑) pueblo *m* pequeño.

소이(小異) diferencia *f* menor.

소이(所以) razón *f*, causa *f.* 학문이 절정에 달한 ~이다 Es razón de que está en auge la ciencia.

■~연(然) razón *f*, porque *m.*

소이탄(燒夷彈) bomba *f* incendiaria.

소인(小人) ① [나이 어린 사람] niño, -ña *mf*, chico, -ca *mf.* 대인(大人) 3천원, ~ 천오백원 tres mil wones para los adultos, mil quinientos wones para los niños. ② [키 작은 사람] persona *f* baja; enano, -na *mf*, pigmeo, -a *mf*, liliputiense *mf.* ③ [도량이 좁고 간사한 사람] persona *f* mezquina y astuta. ~은 아무 할 일이 없으면 나쁜 짓을 한다 La ociosidad es madre de todos los vicios. ④ =서민(庶民). ⑤ =소생(小生).

■~국(國) país *m* (*pl* países) de pigmeo, país *m* de liliputiense. ~배 gente *f* de poca monta.

소인(小引) prefacio *m* corto, introducción *f* breve, introducción *f* corta.

소인(素人) aficionado, -da *mf.*

■~극(劇) teatro *m* de aficionados, teatro *m* amateur, función *f* dramática amateur [para amateurs].

소인(素因) causa *f* básica, factor *m*, disposición *f*, 【의학】 propensión *f* (a), predisposición *f* (a). 폐병(肺病)의 ~ predisposición *f* [propensión *f*] a la tisis.

소인(消印) matasellos *m.sing.pl.* ~하다 cancelar con un sello, poner (el) matasellos, matar el sello. 이 편지는 어제의 ~이 찍혀 있다 Esta carta lleva puesto el matasellos de ayer.

소인(訴人) acusador, -dora *mf.*

소인(訴因) 【법률】 cargo *m*, acusación *f.*

소인(燒印) =낙인(烙印).

소인(騷人) el poeta y el escritor.

■~묵객(墨客) el poeta, el escritor, el calígrafo y el pintor.

소인수(素因數) 【수학】 primer factor *m.*

■~ 분해 análisis *m* de primer factor.

소일(消日) haraganería *f.* ~하다 haraganear, pasar el tiempo, divertirse.

■~거리 diversión *f*, pasatiempo. ¶~로 그림을 그리다 pintar por diversión, pintar por pasatiempo.

소일지탄(小一之嘆) la ansiedad y la preocupación del hombre ordinario (cuando hay alegría).

소임(所任) ① [맡은 바 책임] deber *m*, obligación *f.* 중대한 ~ deber *m* importante, gran misión *f*, gran tarea *f.* 특별한 ~ misión *f* especial. ~을 다하다 cumplir con *su(s)* deber(es) (para), cumplir con *su* obligación (para). 나는 나의 ~을 다했을 뿐이다 Yo he cumplido con mi deber solamente. ② [하급의 임원] oficial *m* bajo.

소자(小子) ① [제자를 사랑스럽게 부르는 말] tú. ② [부모에 대한 자칭] yo, me, a mí, mi, mío. ~ 문안드립니다 Yo te mando mis recuerdos. ③ [조상이나 백성에 대하여 겸손한 뜻으로 이르는 임금의 자칭] yo.

소자(小字) ① [조그마한 글자] letra *f* pequeña. ② [아명(兒名)] nombre *m* que llamaban en *su* niñez.

소자(少者) ① [젊은 사람] joven *mf* (*pl* jóvenes). ② [자기보다 열 살 이상 연하인 사람] persona *f* menor de más de diez años de edad.

소자(消磁) 【물리】 desmagnetización *f.*

소자(素子) 【전기·천문】 elemento *m.*

◆반도체(半導體) ~ magnetodiodo *m.*

소자본(小資本) capital *m* pequeño, fondo *m* pequeño.

소작(小作) arrendimiento *m*, inquilinato *m.* ~하다 tener unas tierras en arriendo.

◆소작(을) 주다 arrendar [alqular·dar en arriendo] *sus* tierras (a *uno*).

■~ 관행(慣行) costumbres *fpl* de arrendamiento. ~권 derecho *m* de arrendatario. ~농 ㉮ [농사를 짓는 일] inquilinato *m* de arrendamiento. ㉯ [사람] arrendatario, -ria *mf*, inquilino, -na *mf.* ~료 arrendamiento *m*, renta *f* de labranza. ~ 문제 problema *m* de arrendamiento. ~인 arremdatario, -ria *mf*; inquilino, -na *mf.* ~ 쟁의(爭議) contienda *f* de inquilinato. ~ 제도 sistema *m* de inquilinato. ~지(地) tierra *f* de inquilinato.

소작(燒灼) cauterización *f.* ~하다 cauterizar.

■~기(器) termocauterio *m*, cauterio *m.* ~제(劑) cauterante *m.*

소장(小腸) 【해부】 intestino *m* delgado. ~의 entérico.

■~ 간막 mesostenio *m.* ~염 enteronitis *f.*

소장(少壯) juventud *f* vigorosa, joven *m.* ~의 joven. ~ 유망 정치가(有望政治家) político *m* joven y prometedor.

■~파 miembro *m* [grupo *m*·facción *f*] más joven. ~ 학파 escuela *f* joven.

소장(少長) el joven y el anciano.
소장(少將)【군사】[육군의] general *m* de brigada, general *m* de división, *AmL* brigadier *m* mayor, *AmL* mayor general *m*, *AmL* teniente general; [해군의] contra-almirante *m*; [공군의] general *m* de división aérea.
소장[1](所長) [연구소·출장소 등「소(所)」의 우두머리] jefe, -fa *mf* (de la oficina); director, -tora *mf*.
소장[2](所長) [자기 능력 중 가장 잘하는 장점] *su* mejor mérito *m*.
소장(所掌) *su* encargo, *su* deber, *su* oficina.
소장(所藏) posesión *f*. ~의 en posesión. 국립 도서관 ~의 guardado en la Biblioteca Nacional. A씨의 ~ 그림 cuadro *m* en posesión del señor A. ~ 서화(書畵) colección *f* de escrituras y pinturas. 박물관 ~ posesión *f* en el museo.
▪ ~품(品) artículos *mpl* en posesión.
소장(消長) la prosperidad y la decadencia [el decaimiento], altibajo *m*, vicisitudes *fpl* de la fortuna, el flujo y reflujo. ~이 있다 prosperar y decaer, pasar por muchas vicisitudes de fortuna.
소장(訴狀) petición *f*;【법률】demanda *f*, petición *f*. ~을 제출하다 presentar la petición.
소재(所在) ① [있는 곳] sitio *m*, ubicación *f* local, posición *f*, paradero *m*. ~를 정하다 localizar. ~를 발견하다 descubrir el paradero. ~를 감추다 esconderse, desaparecer sin dejar rastro, evaporarse. 책임 ~를 명확히 하다 esclarecer a quién incumbe la responsabilidad. 그의 ~는 불명이다 No se sabe dónde está él / Su paradero es desconocido. 아무도 그의 ~를 모른다 Se desconoce su paradero. ② =소재지(所在地).
▪ ~지(地) domicilio *m*, lugar *m*, sitio *m*. 지사(支社)의 ~ domicilio *m* [sitio *m*·lugar *m*] de la sucursal. 회사의 ~ domicilio *m* social [de la compañía]. ~처(處) *su* paradero.
소재(所載) inserción *f*, publicación *f*. ~의 insertido (en), publicado (en), que sale en un libro, revista, periódico, etc.
소재(素材) ① [예술 작품의 근본이 되는 재료] material *m*, materia *f*, tema *m*. 소설의 ~ materia *f* de la novela. 그림의 ~ materia *f* del cuadro. ~를 모집하다 reunir [coleccionar] los materiales. ~를 주다 dar [ofrecer] la materia. ② [가공을 하지 않은 그대로의 재료] materia *f* natural.
소저(小姐) =아가씨. ¶김(金) ~ la señorita Kim.
소저(小著) ① [페이지 수가 적은 저서] obra *f* de pocas páginas. ② [자기 저서] mi obra.
소전(小傳) biografía *f* breve, compendio *m* biográfico, descripción *f* breve de la vida.
소전(小錢) moneda *f* de cobre amarillo.
소전(小戰) batalla *f* pequeña.
소전(所傳) leyenda *f*, tradición *f*.
소전(素錢) hierro *m* sin figuras.
소전제(小前提)【논리】premisa *f* menor.
소전투(小戰鬪) batalla *f* pequeña, combate *m* pequeño.
소절(小節)【음악】compás *m* (*pl* compases).
소절(素節) ① [가을철] otoño *m*. ② [깨끗한 절개] integridad *f* limpia. ③ [평소의 행실] comportamiento *m* ordinario.
소정(小艇) barca *f*, bote *m*, barco *m* pequeño.
소정(所定) ¶~의 fijado, determinado, designado, señalado, prescripto. (지정된) ~의 기간 내에 en el plazo señalado. ~ 시간에 a la hora señalada. ~의 날에 en el día fijado [señalado]. ~의 장소 lugar *m* [sitio *m*] designado. ~의 수속을 밟다 hacer las debidas gestiones [los trámites requeridos].
소제(小題) subtítulo *m*.
소제(掃除) limpieza *f*, barredura *f*, aseo *m*, barrido *m*. ~하다 limpiar, barrer; [먼지를 털다] desempolvar, quitar el polvo (de), despolvorear, despolvar. ~가 잘 되어 있다 [방 따위가] estar bien limpiado; [정원 따위가] estar bien cuidado. 방을 간단히 ~하다 limpiar el cuarto ligeramente. 하수구를 ~하다 mondar la alcantarilla.
▪ ~부(夫) limpiador *m*. ~부(婦) limpiadora *f*.
소제목(小題目) subtítulo *m*, título *m* pequeño.
소조(小鳥) pajarito *m*, pájaro *m* pequeño, el ave *f* pequeña (*pl* las aves pequeñas).
소조(小潮) marea *f* muerta.
소조(塑造) modelado *m*.
소조하다(蕭條-) (ser) deprimente, lóbrego, sombrío.
소조히 sombríamente, deprimentemente, lóbregamente, sin gracia.
소주(小註) notas *fpl* detalladas. ~를 달다 añadir las notas detalladas.
소주(燒酒) *sochu*, aguardiente *m* coreano.
소주빼다 ((은어)) orinar.
▪ ~잔(盞) vaso *m* de *sochu*.
소주명곡(小奏鳴曲)【음악】=소나티나(sonatina).
소주제(小主題) tema *m* pequeño.
소주주(小株主) accionista *mf* que posee unas acciones.
소중성(所重性) importancia *f*, preciosidad *f*.
소중하다(所重-) (ser) importante, precioso.
소중하게 하다 compadecer, compadecerse. 소중한 자식 hijo *m* precioso. 내 소중한 딸 mi querida hija. 내 소중한 책 libro *m* estimable para mí. 소중한 것은 …이다 Lo que importa [Lo importante] es que + *subj*. 지금이 소중한 순간이다 Este es un momento importante [decisivo]. 그것은 소중한 점이다 Ese es el punto (crucial). 생명은 소중한 것이다 La vida es inestimable.
소중히 importantemente, preciosamente, con el mayor cuidado, cuidadosamente,

cariñosamente, con cariño. 부모를 ~ 여기다 tener un gran amor a *sus* padres. 자신의 몸을 ~ 하다 compadecerse de sí mismo. ~ 간직해 둔 (술) 한 병 una botella reservada para caso especial. 몸을 ~ 하십시오 Cuídese bien / Que se mejore.

소증(素症) ansias *fpl* [sed *f*] de comer carne.

소증기선(小蒸氣船) vapor *m* pequeño.

소증사납다 tener motivación malvada.

소지(小志) pequeña ambición *f*, pequeña intención *f*, voluntad *f* pequeña.

소지(小枝) ramita *f*, rama *f* pequeña, vástago *m*.

소지(小指) ① =새끼손가락. ② =새끼발가락.

소지(小智) sabiduría *f* pequeña.

소지(小誌) ① [조그마한 잡지] revista *f* pequeña. ② [자기가 관여하고 있는 잡지] nuestra revista *f*.

소지(沼池) el pantano y la charca.

소지(沼地) terreno *m* pantanoso, ciénaga *f*.

소지(所持) posesión *f*, pertenencia *f*. ~하다 llevar (*algo* consigo), tener, poseer, ser dueño (de). 그가 ~한 돈 dinero *m* que él lleva consigo.

■ ~금(金) fondos *mpl* [dinero *m*] en mano [en *su* bolsillo]. ~인[자] [수표 따위의] portador, -dora *mf*, tenedor, -dora *mf*; [여권의] titular *mf*. ¶정당한 ~ portador *m* [tenedor *m*] legítimo. ~품 objeto *m* que lleva consigo, cosas *fpl* [objetos *mpl* · efectos *mpl*] personales [de uso personal].

소지(素地) [소질(素質)] aptitud *f*; [기초] fundamento *m*, base *f*. ~가 있다 tener una aptitud [una base] (para). 교섭이 해결될 ~가 있다 Están echadas las bases para llevar a buen término las negociaciones.

소지(素志) deseo *m* estimado, propósito *m*. ~를 관철하다 realizar el propósito.

소지(掃地) ① [땅을 쓺] limpieza *f* del terreno. ~하다 limpiar el terreno. ② ((불교)) encargado *m* de la limpieza del patio del templo budista.

소지(燒紙) papel *m* expiatorio, papel *m* propiciatorio.

소진(消盡) agotamiento *m*. ~하다 agotar. 정력이 ~했다 La energía se agotó.

소진(燒盡) quemadura *f* completo, reducción *f* a cenizas. ~하다 quemar completamente, reducir a cenizas.

소질(素質) disposición *f*, aptitud *f* natural *m*, talento *m*, don *m*, naturaleza *f*. ~을 개발하다 cultivar los dones. 의학(醫學)에 ~이 있다 tener disposición para la medicina. 어학(語學)에 ~이 있다 tener el don de lenguas. 음악가의 ~이 있다 tener disposición para la música. 그에게는 ~이 없다 A él le falta disposición / El está falto de disposición. 그는 검도(劍道)에 ~이 있다 El tiene buena madera para la esgrima.

소집(召集) [회의 등의] convocación *f*; [군대의] llamiento *m*, reclutamiento *m*, leva *f*; [동원(動員)] movilización *f*. ~하다 convocar, llamar a filas; [군대를] reclutar; [동원하다] movilizar. 국회의 ~ convocación *f* de la asamblea nacional. 임시 국회를 ~하다 convocar una sesión extraordinaria de la asamblea nacional [de las Cortes · del Parlamento · del Congreso · de la Dieta]. 예비병을 ~하다 llamar (a filas) la reserva. 채권자 집회를 ~하다 convocar a los acreedores.

◆연습 ~ reclutamiento *m* de maniobras. 임시 ~ movilización *f* parcial.

■~ 나팔 toque *m* (de corneta). ~령(令) orden *f* de convocación. ~ 영장(令狀) convocatoria *f*, orden *f* de convocación. ~ 해제 baja *f* del servicio militar, baja *f* honorable.

소집단(小集團) grupo *m* pequeño.

소집회(小集會) reunión *f* pequeña.

소쩍새 ①【조류】cuclillo *m*, cuco *m*, chotacabras *m*(*f*). ②【조류】=부엉이.

소쪽박 vasija *f* de madera.

소차(小差) pequeña diferencia *f*, diferencia *f* pequeña. ~로 이기다[지다] ganar [perder] por una pequeña diferencia.

소찬(素饌) platos *mpl* con legumbres solamente, pero sin carnes y pescados.

소창(小瘡)【한방】divieso *m* pequeño.

소창(消暢) diversión *f*, distracción *f*, recreación *f*. ~하다 divertirse [distraerse · despejarse] (con *algo* · en + *inf*). ~으로 para divertirse, como diversión.

소채(蔬菜) verduras *fpl*, legumbres *fpl*, hortalizas *fpl*.

■~밭 huerta *f*, huerto *m*. ~ 원예(園藝) horticultura *f*. ~ 재배 cultivo *m* de las verduras. ~ 재배 농가 huertero, -ra *mf*.

소책(小策) artificio *m* pequeño, truco *m* pequeño.

소책자(小冊子) folleto *m*, folletín *m* (*pl* folletines); [정치 선전 등의] panfleto *m*.

소천(小川) arroyuelo *m*, riachuelo *m*.

소천어(小川魚) pececillo *m* del río.

소천지(小天地) mundo *m* pequeño, sociedad *f* pequeña.

소철(蘇鐵)【식물】palma *f* de sagú, cicadácea *f*.

소철광(沼鐵鑛)【광물】limonita *f*, hierro *m* de pantanos.

소첩(小妾) yo, tu mujer.

소첩(少妾) concubina *f* joven.

소청(所請) petición *f*, pedido *m*, solicitud *f*. ~하다 pedir, solicitar.

소청(掃請) ① =소탕(掃蕩). ② =청소(淸掃).

소총(小銃) fusil *m*; [카빈소총] carabina *f*; [라이플총] rifle *m*; [집합적] fusilería *f*.

■~대 fusilería *f*. ~ 사격 disparo *m* [tiro *m*] de fusil. ~ 사정 거리 polígono *m* de tiro, tiro *m* al blanco. ~수(手) fusilero, -ra *mf*. ~탄 bala *f* de fusil, bala *f* de pistola, proyectiles *mpl*.

소총회(小總會) la Asambla Pequeña.

소추(訴追) persecución *f* judicial, acusación *f*. ~하다 perseguir judicialmente, acusar. 파면(罷免)의 ~ persecución *f* de destitución.

▪ ~ 위원회 el Comité de Acusación.

소축도(小縮圖) dibujo *m* reducido pequeño.

소축척도(小縮尺圖) escala *f* reducida pequeña.

소춘(小春) octubre *m* del calendario lunar. ~의 따뜻한 날씨 veranillo *m* (de San Martín), verano *m* tardío.

소출(所出) cosecha *f*, rendimiento *m*. ~이 많다 dar un buen rendimiento, producir [rendir] mucho. ~이 적다 dar un mal rendimiento, producir [rendir] poco. 이 비는 ~에 좋을 것이다 Esta lluvia le vendrá bien a los cultivos. 헥타르당 연간 ~이 10%로 증가했다 La producción [El rendimiento] anual por hectárea ha aumentado en un 10 por ciento.

소치(小齒) dentículo *m*, denticulación *f*. ~가 있는 dentado.

소치(所致) resultado *m*, razón *f*. 나이의 ~로 por [debido a · a causa de] la edad.

소침(小針) aguja *f* pequeña; [시계의 시침] horario *m*.

소침(消沈) depresión *f*, abatimiento *m*, penumbra *f*, oscuridad *f*, melancolía *f*. ~하다 sentir melancolía, deprimirse, dejarse abatir.

소켓(영 *socket*) casquillo *m*, enchufe *m* (de clamija), toma *f* de corriente, *AmL* tomacorriente(s) *m*, portaválvulas *m.sing.pl*; [전등의] portalámparas *m.sing.pl*. 전구(電球)에 ~을 끼우다 enchufar [enroscar] una bombilla.

◆ 쌍~ casquillo *m* de conexión recíproca.

소쿠라지다 [물결이] saltar.

소쿠리 cesta *f* de bambú.

소크 백신(영 *Salk vaccine*) vacuna *f* antipoliomielítica de Salk.

소탈(疎脫/疏脫) informalidad *f*, falta *f* de ceremonia, sencillez *f*. ~하다 (ser) informal, sencillo, poco convencional, original, poco ceremonioso. ~한 남자 hombre *m* poco convencional, hombre *m* sencillo. 그는 무척 ~한 분이다 El es (un hombre) muy sencillo [muy poco convencional].

소탐대실(小貪大失) el incurrir en mucha pérdida persiguiendo pocas ganancias. ~하다 encurrir en mucha pérdida persiguiendo pocas ganancias.

소탕(素湯) ① [고기붙이를 전혀 넣지 아니한 국] sopa *f* sin carne ninguna. ② [제사용의 국] sopa *f* con salsa china clara para el servicio religioso.

소탕(掃蕩) barredura *f*, aniquilamiento *m*, aniquilación *f*, exterminio *m*, exterminación *f*, anonadamiento *m*, anonadación *f*, desarraigo *m*, limpieza *f*. ~하다 barrer, aniquilar, exterminar, desarraigar, anonadar, limpiar. 적(敵)을 ~하다 barrer a los enemigos. 해적(海賊)을 ~하다 anonadar los piratas. 지방에서 반란군을 ~하다 limpiar los sublevados de una región.

▪ ~전 operación *f* de limpieza.

소태 ① ((준말)) =소태나무. ② ((준말)) =소태껍질.

◆ 소태(와) 같다 (ser) muy amargo, amarguísimo, tener el sabor muy amargo.

▪ ~껍질 cáscara *f* del hombre grande.

소태(笑態) ① [웃는 맵시] figura *f* sonriente. ② =웃음.

소태나무 【식물】 hombre *m* grande.

소택(沼澤) pantano *m*, tremedal *m*, ciénaga *f*, fangal *m*, el pantano y la charca.

▪ ~지(地) marjal *m*, terreno *m* pantanoso, ciénaga *f*, tremedal *m*. ~초지(草地) pradera *f* en el terreno pantanoso, pastos *mpl* en el terreno pantanoso, pastizales *mpl* en el terreno pantanoso.

소터(영 *sorter*) 【컴퓨터】 clasificador *m*.

소테(불 *sauté*) [서양 요리의 하나로, 버터를 발라 살짝 튀긴 고기] salteado *m*.

◆ 치킨(chicken) ~ salteado *m* de pollo. 포크 (pork) ~ salteado *m* de cerdo.

소톱(小一) sierra *f* pequeña.

소통(疏通) comunicación *f*. ~하다 comunicar(se), entenderse. …와 의사~을 시도하다 tratar de entenderse con uno. 우리들은 의사~이 된다 Tenemos buen entendimiento entre nosotros.

소파(小派) fracción *f* pequeña, partido *m* pequeño.

소파(小波) ola *f* pequeña.

소파(小破) un poco de daño, un poco de perjuicio. ~하다 quebrantar un poco.

소파(搔爬) 【의학】 legrado *m*, raspado *m*, curetaje *m*, abrasión *f*, *CoS* raspaje.

▪ ~ 수술 operación *f* de legrado. ¶~을 하다 operar el legrado. ~을 받다 ser sometido a una operación de legrado.

소파(불 *sofá*; 영 *sofa*) sofá *m*.

▪ ~ 침대 sofá *m* cama.

소판(小版/小判) formato *m* pequeño, tamaño *m* pequeño.

소판형(小判形) =타원형(橢圓形).

소편(小片) pedacito *m*, trocito *m*, fragmento *m*, pedazo *m* pequeño.

소편(小篇) =단편(短篇).

소포(小包) ① [조그맣게 포장한 물건] paquete *m*, bulto *m*, lío *m*. 이 ~를 서반아에 보내고 싶습니다 Quiero mandar este paquete a España. 이 ~도 보내야 하는데 어디서 보내면 됩니까? — 그러시려면 8번 창구로 가셔야 합니다 Tengo que mandar este paquete también. ¿Dónde puedo hacerlo? — Para eso hay que ir a la ventanilla número ocho. ② ((준말)) =소포 우편. 소포 우편물.

▪ ~ 우편 servicio *m* de paquetes postales, *AmS* servicio *m* de encomiendas *f* (postales). ¶~으로 por servicio de paquetes postales, *AmS* por servicio de encomiendas. ~으로 보내다 enviar [mandar] por paquete postal [*AmS* por encomienda]. ~ 우편료 franqueo *m* de paquete postal. ~ 우편물 paquete *m* postal, *AmS* encomienda. ~ 폭탄 paquete-bomba *m*.

소포(小圃) huerto *m*.

소포자(小胞子) 【식물】 microspora *f.*
■ ~균(菌) microsporon *m.* ~ 균증(菌症) microsporosis *f.* ~낭 microsporangio *m.* ~엽 microsporofil *m.*
소폭(小幅) poco alcance *m,* límites *mpl* estrechos. ~의 변동 【주식】 fluctuación *f* de poco alcance. ~으로 움직임이 보이다 moverse dentro de límites estrechos.
소품(小品) ① ((준말)) =소품문(小品文). ② ((준말)) =소품물(小品物). ③ [자그마한 제작품] pieza *f* pequeña, obra *f* pequeña. ④ [변변치 못한 물건] objeto *m* que no vale nada.
■ ~곡 pieza *f* corta, fragmento pequeño, apunte *m,* sketch *m.* ~ 담당 tramoyista *mf.* ~문(文) opúsculo *m,* composición *f* literaria [pequeña], breve ensayo *m,* escrito *m* pequeño. ~물 cuadrito *m,* cuadro *m* pequeño.
소풍(消風/逍風) ① [원족] excursión *f.* ~ 가다 ir de excursión, hacer una excursión, dar larga caminata. ② =산책(paseo).
■ ~객(客) excursionista *mf,* [여름의] veraneante *mf.* ~날 día *m* de excursión. ~지(地) lugar *m* de excursión.
소프라노(이 *soprano*) 【음악】 soprano *m;* [가수] soprano *mf,* tiple *mf.* ~를 부르다 cantar con una voz de soprano.
소프트(영 *soft*) ① ((준말)) =소프트 모자. ② ((준말)) =소프트칼라. ③ [부드럽고 온화함] suavidad *f.* ④ [부드러운] suave, blando.
■ ~드링크 [비(非)알코올성 음료] refresco *m,* bebida *f* no alcohólica. ~볼 ㉮ [소프트볼의 공] pelota *f* blanda. ㉯ [10명으로 하는 야구의 일종] softball *ing.m.* ~ 산업 industria *f* de comunicaciones. ~칼라 cuello *m* blando. ~크림 helado *m* blando.
소프트웨어(영 *software*) soporte *m* lógico, equipo *m* lógico, software *ing.m,* programa *m.*
◆ 개인용(個人用) ~ software *m* individual. 그래픽 ~ software *m* gráfico. 네트워크 ~ equipo *m* lógico de la red. 마이크로컴퓨터 ~ equipo *m* lógico del microcalculador. 사용자 ~ software *m* del usuario. 외장(外裝) ~ software *m* externo. 통합(統合) ~ software *m* integrado. 표준 ~ programas *mpl* y sistemas de programación estandar. 호환성 ~ software *m* compatible.
■ ~ 개발 시스템 sistema *m* de desarrollo de programas. ~ 공급자 ofertante *mf* de programación. ~ 공학(工學) ingeniería *f* de software, desarrollo *m* de programas. ~ 기사[엔지니어] ingeniero *m* de soporte lógico, ingeniero *m* de software. ~ 라이선스 licencia *f* de programación. ~ 아이시 IC de software. ~ 아키텍처 arquitectura *f* de programación. ~ 에러 error *m* de programación. ~ 저작권 침해 pirateo *m* de software. ~ 출판 publicación *f* de software. ~ 출판 업자 editor, -tora *mf* de software. ~ 출판 업자 협회 la Asociación de Editores de Software.
소피(所避) orina *f,* [어린이의] pipí *m.*
◆ 소피(를) 보다 orinar(se), expeler la orina, hacer aguas menores, mear; [어린이가] hacer pipí.
소피스트(영 *sophist*) sofista *mf.*
소피아(그 *sophia*) [지혜(知慧)] sabiduría *f,* inteligencia *f.*
소피아(영 *Sofia*) 【지명】 Sofía (불가리아의 수도).
소하(消夏/銷夏) veraneo *m.* ~하다 veranear, pasar el verano, matar el calor. ~하기 위해 para matar el calor, para pasar el verano, para veranear.
소하다(素一) abstenerse de carne y pescado, hacer abstinencia.
소하물(小荷物) paquete *m,* equipaje *m* (pequeño), bulto *m;* [철도의] equipaje *m.* ~로 보내다 enviar [mandar] en paquete. ~로 접수시키다 facturar el equipaje.
■ ~ 담당자 encargado, -da *mf* de equipajes. ~ 예치소 consigna *f* (de equipajes). ~ 임시 보관소 consigna *f.* ~차(車) carro *m* [carrito *m*] (para el equipaje); [철도의] furgón *m* de equipaje. ~ 찾는 곳 recogida *f* [recolección *f*] de equipajes. ~ 취급소 facturación *f.*
소학교(小學校) ☞초등학교(初等學校).
소한(小寒) 【민속】 *sohan,* pequeño frío *m* (a los quince días del solsticio de invierno hacia el 6 de enero), período *m* de frío menor (del seis al veinte de enero).
소할(所轄) jurisdicción *f.* ~내[외]다 estar dentro de [fuera de] jurisdicción. ☞관할(管轄)
■ ~ 경찰 policía *f* que tiene jurisdicción sobre el distrito, policía *f* concernida. ~ 구역 distrito *m* de policía.
소해 el Año de la Vaca. ☞축년(丑年)
소해(掃海) limpieza *f* del mar, dragado *m* (de minas). ~하다 limpiar el mar, rastrear las minas.
■ ~ 작업(作業) operación *f* de rastrear. ~정(艇) dragaminas *m.sing.pl,* barreminas *m.sing.pl.*
소핵(小核) 【동물 · 식물】 micronúcleo *m.*
소행(所行) conducta *f,* acción *f,* acto *m,* obra *f,* hecho *m.* 그것은 그 놈의 ~이다 El es el autor / Lo ha hecho ese hombre. 그것은 어린애의 ~으로는 생각하기가 어렵다 Es difícil creer que sea obra de un niño / Es difícil creer que lo haya hecho un niño.
소행(素行) conducta *f,* proceder *m,* comportamiento *m.* ~을 고치다 corregir *su* comportamiento, corregirse, enmendarse. ~이 나쁘다 comportarse mal [insensatamente]. ~이 좋아지지 않다 ser libertino, vivir una vida viciosa [licenciosa]. 그는 ~이 좋지 않다 El no se comporta bien / El no sabe comportarse (como corresponde · como es debido).
소행성(小行星) 【천문】 planeta *f* menor.

소향(所向) lugar *m* que se va.
소향(燒香) ofrenda *f* de incienso. ~하다 quemar [ofrecer] el incienso. ☞분향(焚香)
소허(少許) poca cantidad *f*.
소혈(巢穴) =소굴(巢窟).
소협주곡(小協奏曲) 【음악】 concertino *m*.
소형(小形) forma *f* pequeña.
소형(小型) tamaño *m* pequeño, tamaño *m* bolsillo. ~의 pequeño, de bolsillo, de tamaño bolsillo.
■~ 계산기 (máquina *f*) calculadora *f* de bolsillo. ~ 권총 pistola *f* de bolsillo. ~기(機) avioneta *f*. ~ 면허 licencia *f* para la conducción del coche pequeño. ~ 미사일 misil *m* pequeño. ~ 사전 diccionario *m* de bolsillo, diccionario *m* pequeño. ~ 자동차 =소형차(小型車). ~ 전구(電球) bombilla *f* miniatura. ~ 전함(戰艦) acorazado *m* de bolsillo. ~주(株) acciones *fpl* de la compañía del capital de poca cantidad. ~차(車) coche *m* pequeño, automóvil *m* (de tamaño) pequeño. ~책 libro *m* miniatura, libro *m* de bolsillo. ~ 카메라 cámara *f* (fotográfica) de tamaño pequeño, cámara *f* de bolsillo. ~ 컴퓨터 ordenador *m* pequeño, ordenador *m* de bolsillo, *AmL* computador *m* pequeño [de bolsillo], *AmL* computadora *f* pequeña [de bolsillo]. ~ 트랜지스터 transistor *m* de bolsillo. ~ 트럭 camioneta *f*. ~판(判) [책의] formato *m* pequeño. ~ 필름 microfilme *m*, microfilm *m*. ~ 행성 planeta *f* más pequeña que la Tierra. ~화(化) empequeñecimiento *m*, disminuición *f*. ¶~하다 empequeñecer.
소형(素馨) 【식물】 jazmín *m*.
소호(小戶) ① [작은 집] casa *f* pequeña. ② [가난한 집] familia *f* pobre. ③ [식구가 적은 집] familia *f* pequeña, casa *f* de pocas familias.
소호(沼湖) el pantano y el lago.
소혹성(小惑星) 【천문】 =소행성(小行星).
소홀(疏忽) descuido *m*, negligencia *f*. ~하다 (ser) indiferente, descuidado, negligente. …의 취급에 ~하지 않도록 하다 tratar de que no haya descuido en el tratamiento de *algo*, procurar que no haya descuido al tratar *algo*. 경비(警備)에 ~함이 있었다 Hubo un descuido en la vigilancia.
소홀히 descuidadamente, negligentemente, con indiferencia. ~ 하다 menospreciar, descuidar, despreciar, hacer caso omiso (de), desdeñar, desestimar, no hacer caso (de), desatender, hacer poco caso (de), echarse a las espaldas, desperdiciar, arrinconar. 일을 ~ 하다 desatender *su* trabajo, descuidar el trabajo, descuidarse del trabajo. 부모를 ~ 하다 tratar mal a *sus* padres, descuidar a sus padres. 돈을 ~ 하다 despilfarrar el dinero, malgastar el dinero. 몸을 ~ 하다 descuidarse de *su* salud, jugar con *su* salud. 그것은 부모를 ~ 하는 행위이다 Eso es despreciar a los padres. 그는 그 일을 ~ 한다 El se echa el asunto a las espaldas.
소화(小火) ① [작은 불] fuego *m* pequeño. ② [작은 화재] incendio *m* pequeño.
■~기(器) el arma *f* (*pl* las armas) de fuego.
소화(小話) cuento *m* corto, cuentecillo *m*, historieta *f*, palique *m*, palabrería *f*..
◆재계(財界) ~ palique *m* sobre el círculos financieros.
소화(消火) extinción *f* de incendio [de(l) fuego]. ~하다 extinguir [apagar] el fuego [el incendio].
■~기(器) extintor *m* (de incendios). ¶포말(泡沫) ~ extintor *m* por espumas. ~ 설비 instalaciones *fpl* del extinción de incendio. ~ 용수(用水) el agua *f* para el extinción de incendio. ~ 작업 operación *f* para la extinción de incendio. ~전(栓) boca *f* de riego, toma *f* de agua, bomba *m* [boca *f*] de incendios, *AmC*, *Col* hidrante *m* de incendios, *Chi* grifo *m*. ~ 호스 manguera *f* (contra incendios).
소화(消化) ① [섭취한 영양 물질을 세포에 의해 이용될 수 있도록 변화시키는 작용] digestión *f*. ~하다 digerir. ~되다 digerirse. ~의 digestivo, péptico. ~가 잘 되는 digestible, fácil de digerir. ~가 잘 안되는 indigesto, indigestible, difícil de digerir, de mala digestión. ~할 수 있는 digerible. ~를 돕는 péptico. ~를 돕기 위해 산책하다 dar un paseo para ayudar a [para hacer] la digestión. 이 음식은 ~가 잘 안된다 Esta comida no se digiere muy mal. ② [읽거나 들은 것을 충분히 이해하여서 자기의 지식으로 만듦] asimilación *f*. ~하다 asimilar(se), digerir. 지식(知識)을 ~하다 asimilar [digerir] conocimientos. ③ [공채(公債) 또는 상품 등을 팔아 없앰] venta *f*. ~하다 vender(se). 공채(公債)를 ~하다 vender(se) bonos. ④ [처리할 일 따위의 결말을 지음] cumplimiento *m*. ~하다 cumplir. 일정을 ~하다 cumplir el programa del día.
■~계(系) sistema *m* digestivo. ~관(管) tubo *m* digestivo, canal *m* digestivo. ~기 aparato *m* [órgano *m*] digestivo. ~기 계통 aparato *m* digestivo. ~ 기능 상실 apepsia *f*. ~기 질환 problemas *mpl* [trastornos *mpl*] digestivos. ~력 poder *m* digestivo. ~ 분비소 peptocrinina *f*. ~ 불량 indigestión *f*, oligopepsia *f*, 【의학】 dispepsia *f*. ¶~을 일으키다 tener una indigestión; [음식물이 주어일 때] causar [traer] una digestión. ~ 불량증(不良症) ispepsia *f*. ~샘[선] glándula *f* digestiva. ~성(性) péptico *adj*. ~성 궤양 úlcera *f* péptica. ~성 식도염 esofagitis *f* péptica. ~ 세포(細胞) célula *f* péptica. ~액 jugo *m* digestivo. ~ 양호(良好) eupapsia *f*. ~율 digestibilidad *f*. ~ 작용 digestión *f*, funciones *fpl* digestivas. ~제(劑) digestivo *m*. ~ 효소(酵素) iastasa *f*, enzimas *fpl* digestivas.
소화(笑話) cuento *m* humorístico [divertido ·

cómico · jocoso · chistoso], chiste *m*, chanza *f*, chuscada.
소화물(小貨物) equipaje *m* pequeño.
소환(召喚) llamamiento *m*, emplazamiento *m*; 【법률】 citación *f*. ~하다 llamar, emplazar; citar. ~에 응하다 acceder a una citación. 증인으로 ~하다 citar de testigo.
■ ~장(狀) (carta *f* de) citación *f*, comparendo *m*, emplazamiento *m*.
소환(召還) llamada *f*. ~하다 llamar, hacer volver. 대사(大使)를 본국에 ~하다 mandar a un embajador volver al país.
■ ~제(制) sistema *m* de llamada.
소활하다(疏闊—) ① =서먹서먹하다. 소원(疏遠)하다. ② [성품이 짜이지 못하고 어설프다] (ser) descuidado, poco cuidadoso.
소회(小會) reunión *f* pequeña, mitin *m* (*pl* mítines) pequeño.
소회(所懷) pensamiento *m*, parecer *m*, criterio *m*. ~를 말하다 expresar *su* pensamiento [idea · opinión].
속 ① [깊숙한 안] interior *m*, fondo *m*, lo más hondo, lo más profundo. 굴 ~ fondo *m* de la cueva. 숲 ~ fondo *m* del bosque. ② [깊숙한 안에 들어 있어서 중심을 이룬 유형 · 무형의 사물] corazón *m*. ~을 빼다 quitar el corazón (a *algo*). 그 사과는 ~까지 썩어 있다 Esa manzana está podrida hasta el corazón. 이 밥은 ~이 익지 않았다 Este arroz no está bien cocido. ③ 배의 안 또는 위장. ¶~이 편치 않다 tener el vientre indispuesto, tener los intestinos indispuestos. ~이 메스껍다 sentir náuseas, tener asco, dar*le* a *uno* asco. ④ =심보. ¶~이 검은 사람 persona *f* socarrona [solapada · taimada · ladina]. ~ 다르고 겉 다른 말 el habla *f* ambigua para engañar. 그는 ~ 다르고 겉 다르다 El tiene dos caras. ⑤ [철이 난 생각] discreción *f*, prudencia *f*. ~ 좀 차려라 Sé prudente. ⑥ =속내평. 내막. ¶~을 헤아릴 수 없는 enigmático, insonable. ⑦ =소²(relleno). ¶~을 넣다 rellenar. 깃털로 ~을 넣다 rellenar de plumas. ⑧ [내용] contenido *m*; [요리의 내용] ingredientes *mpl*. 상자의 ~을 보이다 mostrar el contenido de la caja. 냄비의 ~을 비우다 vaciar la olla [marmita]. 지갑의 ~이 비어 있었다 La cartera estaba vacía. ⑨ [여럿의 가운데] centro *m*.
◆속을 떠보다 tentar, tantear, sondear. 나는 그의 의향이 어떠한지 속을 떠보았다 Sondeé [Tanteé] su intención.
속(束) atado *m*, lío *m*, gavilla *f*, mazo *m*, manojo *m*, faja *f*, fajo *m*; [벼의] haz *m*; [종이의] resma *f*.
속(屬) ① [속관] suboficial *m*. ② 【동물 · 식물】 género *m*, dependencia *f*.
속(續) continuación *f*, segunda serie *f*, segunda parte *f*.
속(贖) expiación *f*. ~하다 expiar.
속-(續) continuación *f*.
속가(俗家) casa *f* del seglar.
속가(俗歌) canción *f* popular, cantinela *f*.
속가량(—假量) cálculo *m* aproximado.
속가루 polvo *m* más fino, harina *f* más fina.
속가죽 parte *f* interior de la piel.
속간(續刊) continuación *f* de la publicación. ~하다 continuar la publicación.
속개(續開) continuación *f*, reanudación *f*. ~하다 continuar, reanudar.
속객(俗客) ((불교)) seglar *mf*; laico, -ca *mf*.
속건제(贖愆祭) ((성경)) expiación *f*, sacrificio *m*, ofrenda *f*. ~를 드리다 pagar en ofrenda, ofrecer en desagravio.
속건제물(贖愆祭物) ((성경)) expiación *f* por la culpa, sacrificio *m* por la culpa.
속겨 barcia *f* interior, granzas *fpl* interiores, ahechaduras *fpl* interiores.
속격(俗格) forma *f* [formalidad *f*] vulgar.
속견(俗見) opinión *f* [parecer *m*] vulgar.
속결(速決) decisión *f* inmediata. ~하다 decidir inmediatamente [pronto].
속경(俗境) ① [속계(俗界)] mundo *m* mundano. ② [속지(俗地)] lugar *m* vulgar.
속계(俗戒) ((불교)) mandamientos *mpl* comunes para los laicados.
속계(俗界) mundo *m* (mundano), vida *f* mundana. ~에 초연하다 mantenerse apartado del mundo.
속고(續稿) borrador *m* de la continuación de un escrito.
속고갱이 corazón *m*.
속곡(俗曲) tonada *f* popular.
속곳 combinación *f*, enagua *f*, *RPl* viso *m*, *Méj* fondo *m*. 당신 ~이 보인다 Se te ve la combinación [la enagua].
■ ~ 바람 ¶~에 con nada más que la combinación
속공(速攻) ataque *m* veloz. ~하다 lanzar el ataque veloz.
■ ~법 método *m* del ataque veloz. ~ 전술 táctica *f* del ataque veloz.
속관(屬官) oficial *m* subordinado, suboficial *m*.
속교(俗交) sociedad *f* [asociación *f* · amistad *f*] del mundo mundano.
속구(俗句) frase *f* vulgar.
속구(速球) ((야구)) pelota *f* rápida.
속국(屬國) posesión *f*, dependencia *f*, estado *m* tributario, estado *m* tributano, territorio *m*. ~이 되다 hacerse tributario.
속귀 【해부】 =내이(內耳).
속긋 calco *m*.
◆속긋(을) 넣다 calcar la caligrafía.
속기(俗忌) evitación *f* del mundo mundano.
속기(俗氣) vulgaridad *f*, grosería *f*, ordinariez *f*. ~가 있다 (ser) vulgar, grosero, ordinario. ~가 있는 중 sacerdote *m* [monje *m*] (budista) vulgar [pervertido · corrompido].
속기(速記) taquigrafía *f*, estenografía *f*. ~하다 estenografiar, taquigrafiar, escribir en taquigrafía. ~의 taquigráfico. ~로 taquigráficamente.
■ ~ 교재 estenograma *m*. ~록 textos *mpl* taquigráficos, notas *fpl* taquigráficas, notas

fpl estenográficas, estenograma *m*. ～ 문서 documentos *mpl* taquigráficos. ～ 문자(文字) taquigrafía *f*, estenograma *m*. ～법 método *m* de taquigrafiar. ～사(士) taquígrafo, -fa *mf*, estenógrafo, -fa *mf*. ～술 taquigrafía *f*. ～ 타이피스트 taquimecanógrafo, -fa *mf*, estenotipista *mf*, taquígrafo, -fa *mf* a máquina.

속꺼풀 capa *f* interior de la cubierta exterior.

속껍데기 cáscara *f* interior.

속껍질 piel *f*, hollejo *m*; [귤의] gajo *m*.

속끓다 enojarse [enfadarse · irritarse] mucho.

속끓이다 sufrir ansiedad, preocuparse.

속나깨 salvado *m* fino del trigo sarraceno.

속내 ((준말)) ＝속내평.

속내다 afilar, sacar filo.

속내복(一內服) ＝속내의(內衣).

속내의(一內衣) ① [내의 속에 껴입는 내의] camiseta *f* que se pone en la ropa interior. ② ＝속옷.

속내평 estado *m* real, condiciones *fpl* internas, interior *m*.

속념(俗念) deseos *mpl* mundanos, pensamientos *mpl* vulgares. ～에서 벗어나다 librarse de los deseos mundanos.

속눈[1] [곱자를 반듯하게 「ㄱ」 자 모양으로 놓을 때 밑 쪽에 새기어 있는 자의 눈] escala *f* interior.

속눈[2] [눈을 감은 체하면서 속으로 조금 뜬 눈] ojos *mpl* medio cerrados.

◆속눈(을) 뜨다 mirar con ojos medio cerrados.

속눈썹 pestaña *f*; [보통과는 다르게 안을 향하여 난 것] triquiasis *f*. 긴 ～ pestañas *fpl* largas. 인조(人造) ～ 한 벌 unas pestañas postizas.

속다 ① [남의 꾀에 넘어가다] ser engañado, ser embaucado. 속기 쉬운 crédulo. 속기 쉬운 사람 persona *f* crédula; persona *f* fácilmente engañada; inocentón (*pl* inocentones), -tona *mf*; primo, -ma *mf*. 사기꾼에게 ～ ser engañado por el estafador. ② [거짓을 참으로 알다] saber la mentira como la verdad.

속닥거리다 cuchichear, cuchuchear, hablar al oído, murmurar.

속닥속닥 cuchicheando, murmurando, hablando al oído.

속닥이다 cuchichear, hablar al oído.

속단(速斷) [판단(判斷)] juicio *m* rápido; [결단(決斷)] resolución *f* pronta, decisión *f* pronta; [결론(結論)] conclusión *f* precipitada, conclusión *f* apresurada. ～하다 decir pronto, sacar una conclusión precipitada, saltar a una conclusión.

속달(速達) ① [빨리 배달함] servicio *m* rápido a domicilio, entrega *f* rápida a domicilio; [우편의] distribución *f* rápida. ～하다 entregar [servir] rápidamente a domicilio; distribuir rápidamente. ～로 보내다 mandar [enviar] por expreso. ② ((준말)) ＝속달 우편(速達郵便).

▪ ～료(料) ＝속달 요금. ～ 요금 tarifa *f* de expreso. ～ 우편 correo *m* exprés, correo *m* expreso, correo *m* urgente; [편지] carta *f* urgente; [소포] paquete *m* urgente; [표시] Urgente / Expreso. ～ 편지 carta *f* urgente, carta *f* rápida.

속달거리다 cuchichear. 속달거리지 마라 ¡Dejaos de cuchichear! / ¡Déjense de cuchichear! / ¡Basta de cuchicheos!

속달속달 siguiendo cuchicheando.

속달다 estar ansioso (por), ser impaciente, estar preocupado (por), tener miedo (de). 속달게 하다 preocupar. 내 친구들이 너를 만나려고 속달아 있다 Mis amigos están deseando conocerte / Mis amigos están ansiosos por conocerte. 그는 직업을 잃을까 속달아 있다 Le preocupa perder el trabajo. 그녀는 일자리를 잃을까 속이 단다 Ella tiene meido de perder el trabajo.

속달뱅이 escala *f* pequeña.

속담(俗談) refrán *m* (*pl* refranes), proverbio *m*, dicho *m*, aforismo *m*, sentencia *f*, axioma *m*, máxima *m*, precepto *m*, moraleja *f*, adagio *m*, pensamiento *m*, dicho *m* agudo y sentencioso de uso común. ～의 refranesco. ～ 풍(風)으로 a modo de proverbio. ～에 있듯이 como dice [va] el refrán [el proverbio]. ～은 경험의 메아리이다 Los proverbios son el eco de la experiencia.

▪ ～집(集) refranero *m*, colección *f* de refranes. ～학(學) paremiología *f*. ～ 학자(學者) paremiólogo, -ga *mf*.

속답(速答) respuesta *f* [contestación *f*] rápida. ～하다 responder [contestar] rápidamente.

속대[1] [푸성귀 겉대 속의 줄기나 잎] [양배추 · 상추의] cogollo *m*; [사과의] corazón *m* (*pl* corazones).

속대[2] [댓개비의 속살 부분] corazones *mpl* de bambú.

속대중 cálculo *m* aproximado personal, cálculo *m* aproximado basado en *sus* sentimientos.

속더께 capa *f* de suciedad debajo de la superfice.

속도(速度) velocidad *f*. 배의 ～ velocidad *f* del barco. 빛의 ～ velocidad *f* de la luz. 소리의 ～ velocidad *f* del sonido. 셔터의 ～ tiempo *m* de exposición. ～를 올리다 acelerar, aumentar la velocidad. ～를 더하다 coger [cobrar · ganar] velocidad. ～를 잃다, ～가 떨어지다 perder velocidad. 매초(每秒) 25미터 ～로 a la velocidad de veinte y cinco metros por segundo. …의 ～로 a una velocidad de *algo*. 위반 ～로 가다 ir a exceso de velocidad. 이 차는 ～를 얼마나 냅니까? ¿Qué velocidad alcanza este coche? 차는 최대 ～로 잘 작동한다 El coche responde bien a todas velocidades. 네가 이런 ～로 계속하면 우리는 끝내지 못할 것이다 Si sigues a este paso, no vamos a terminar nunca.

◆제한(制限) ～ velocidad *f* limitada, límite *m* de velocidad. 초(初)～ velocidad *f* inicial. 최고(最高) ~ velocidad *f* máxima, límite *m* de velocidad.

■~계(計) velocímetro *m*, indicador *m* de velocidad, cuentakilómetros *m.sing.pl.* ~ 기호 indicación *f* de movimiento. ~비(比) proporción *f* de velocidad. ~ 위반(違反) violación *f* de reglamentos de velocidad. ~ 위반자 violador, -dora *mf* de reglamentos de velocidad. ~ 제한 limitación *f* [límite *m*] de velocidad. ~ 조절기 regulador *m* de velocidad.

속독(速讀) lectura *f* rápida. ~하다 leer rápidamente.

■~가 lector *m* rápido, lectora *f* rápida. ~법 método *m* de la lectura rápida.

속돌 【광물】 piedra *f* pómez.

속되다(俗-) ① (ser) vulgar, común (*pl* comunes), basto, ordinario, popular, mundano, corriente. 속되게 vulgarmente, comúnmente, ordinariamente. 속된 장식(裝飾) decoración *f* de un gusto vulgar. 속된 취미 gusto *m* vulgar, gusto *m* no refinado, afición *f* vulgar. 속된 표현 expresión *f* vulgar, expresión *f* popular. 속된 말로 속된 영화 película *f* vulgarmente llamada de destape. ② [세속적이다] (ser) profano. 속된 중 sacerdote *m* [monje *m*] (budista) profano.

속된 말(俗-) palabra *f* vulgar.

속등(續騰) alza *f* continua, subida *f* continua. ~하다 alzar [subir] continuamente.

속 떠보다 sondear, tentar, tantear.

속뜨물 el agua *f* limpia después de la primera agua de lavar de arroz.

속뜻 ① [참뜻] significado *m* verdadero. ② [본심] *su* intención real, *su* motivo verdadero.

속락(續落) caída *f* continua. ~하다 caer continuamente, seguir cayendo.

속량(贖良) ① ((기독교·천주교)) =속죄(贖罪). ② 【역사】 emancipación *f* de los esclavos.

■~물(物) ((성경)) rescate *m*.

속력(速力) velocidad *f*, rapidez *f*. ~을 내다 dar más rápida velocidad. ~을 조절하다 regularizar la velocidad. 당신은 ~을 얼마나 내고 갔습니까? ¿A qué velocidad iba usted? 그것의 최대 ~은 얼마입니까? ¿Cuál es la velocidad máxima (que da)? 자동차는 내리막길에서 ~을 냈다 En la cuesta abajo el coche ganó la velocidad. 그들은 전~으로 출발했다 Ellos salieron a toda [alta] velocidad / Ellos salieron a todo lo que da.

속령(屬領) posesión *f*, territorio *m*; [보호령] protectorado *m*; [식민지] colonia *f*.

속례(俗例) costumbre *f* popular, práctica *f* común.

속례(俗禮) etiqueta *f* convencional, costumbres *fpl* ceremoniales.

속론(俗論) [일반의] opinión *f* común, opinión *f* corriente; [속된] vista *f* trivial, opinión *f* vulgar, opinión *f* popular.

속료(屬僚) oficial *m* subalterno, subordinado *m*.

속루(俗累) =진루(塵累).

속루하다(俗陋-) (ser) vulgar y humilde.

속류(俗流) ① vulgaridad *f*. ~의 vulgar. ② ((불교)) flujo *m* común.

속리(俗吏) funcionario *m* que se ocupa de los negocios ordinarios, chupatintas *m*, cagatinta(s) *m*.

속리(屬吏) oficial *m* subordinado.

속립(粟粒) ① [조의 낟알] grano *m* de mijo. ② [극히 작은 물건] cosa *f* pequeñísima.

■~ 결핵 tuberculosis *f* miliar.

속마음 *su* corazón. ~은 en el fondo. ~에서 de todo corazón ~을 털어놓다 desahogarse (con), abrir*le* el pecho [el corazón] (a), confesar.

속말 charla *f* confidencial, conversación *f* privada, pecho *m*, secreto *m*. ~을 하다 abrir [descubrir·fiar] el pecho. 나는 그녀에게 ~을 했다 A ella le abrí mi pecho.

속맥(速脈) pulso *m* rápido.

속명(俗名) nombre *m* común, nombre *m* corriente; [출가 전의] nombre *m* secular; [생전의] nombre *m* que tenía el difunto durante la vida.

속명(屬名) 【생물】 nombre *m* genérico.

속무(俗務) deberes *mpl* diarios.

속문(俗文) estilo *m* popular, estilo *m* familiar.

■~학(學) literatura *f* vulgar.

속물(俗物) persona *f* vulgar, persona *f* mundana, esnob *m*, filisteo *m*.

■~근성 esnobismo *m*, filisteísmo *m*.

속민(俗民) pueblo *m* del mundo mundano.

속바지 calzones *mpl* blancos, calzoncillos *mpl*.

속바치다(贖-) pagar un rescate (por).

속박(束縛) sujeción *f*, coartación *f*, [제한(制限)] restricción *f*, limitación *f*. ~하다 sujetar, coartar, restringir, limitar. ~을 받다 sufrir el yugo, sujetarse al yugo. ~을 벗어나다 libertarse [emanciparse] de la servidumbre [esclavitud], librarse de la sujeción, desasirse (de). ~을 풀다 desatar, desligar, desamarrar, poner *a uno* libre. 자유를 ~하다 restringir [limitar] la libertad. 시간에 ~되어 있다 estar sujeto al tiempo. 일에 ~되어 있다 estar atado a un trabajo. 나는 아무에게도 ~되어 있지 않다 Yo no me sujeto a nadie nonada. 그는 아무런 ~도 받지 않고 자유롭다 El se porta con toda libertad.

■~(된) 전자(電子) electrón *m* ligado.

속발(束髮) tocado *m* [peinado *m*] en moño [en rodete], cabello *m* peinado en rosca. ~하다 arreglar *su* cabello.

속발(速發) ① [속히 떠남] salida *f* rápida. ~하다 salir rápidamente. ② [효과가 빠름] efecto *m* rápido. ~하다 el efecto ser rápido.

속발(續發) ocurrencia *f* sucesiva [frecuente], sucesión *f*. ~하다 suceder, seguir, ocurrir en sucesión. 사고(事故)가 ~했다 Un accidente sucedió [siguió] al otro / Han ocurrido sucesivos accidentes. 최근 화재가 ~한다 En estos días hay muchos incendios.

속발톱 lúnula *f*, espacio *m* blanquecino semilunar de la raíz de las uñas.

속밤 castaña *f*.

속방(屬邦) =속국(屬國).

속배(俗輩) =속류(俗流).

속배포(-排布) *su* pecho más íntimo, intenciones *fpl*, *su* corazón. ~가 있는 사람 hombre *m* de intriga.

속버선 *beoson m* interior, calcetines *mpl* coreanos interiores.

속벌 un juego de ropa interior.

속병(-病) enfermedad *f* intestinal.
 ■ ~쟁이 quien [el que] sufre de la enfermedad intestinal.

속보(速步) paso *m* rápido, paso *m* acelerado, marcha *f* rápida; [말의] trote *m*; 【군사】 paso *m* ligero. ~로 a paso ligero, de paso rápido, a(l) trote. ~로 행진하다 marchar a paso ligero. 말을 ~로 달리게 하다 hacer trotar el caballo.

속보(速報) noticia *f* de última hora, reporte *m* urgente. ~하다 reportar pronto.
 ◆선거(選擧) ~ información *f* inmediata [rápida] de los resultados de las elecciones.
 ■ ~판(板) tablilla *f* en que fijan listas, noticias etc., tabla *f* de anuncios de última hora.

속보(續報) noticias *fpl* continuas, informes *mpl* complementarios, nuevos *mpl* adicionales.

속보이다 (ser) transparente, diáfano, transparentarse, ser visto a través (de). 속보이는 transparente, claro, descarado. 속보이는 거짓말 mentira *f* descarada. 속보이는 핑계 excusa *f* pobre. 속보이는 거짓말을 하다 mentir descaradamente [desvergonzadamente]. 그 선거는 속보이는 연극이다 Esa elección es una farsa [un pitorreo].

속빼다 arar el arroz por dos veces.

속뽑다 tantear, sondear, averiguar. 나는 그의 속뽑으려고 했다 Le tanteé para ver qué pensaba / Traté de averiguar qué él pensaba.

속뽑히다 ser tanteado, ser sondeado, delatarse, revelarse. 속뽑히는 말 palabras *fpl* que se delatan.

속사(俗士) ① [속사(俗事)에 능한 인사] hombre *m* del mundo. ② [평범한 사람] persona *f* ordinaria. ③ [견식이 없는 사람] persona *f* sin conocimiento.

속사(俗事) *cosas fpl* de la vida, mundanos *mpl*, negocios *mpl* cotidianos, ocupaciones *fpl* cotidianas, trabajos *mpl* cotidianos, asuntos *mpl* cotidianos. ~에 관계되지 아니하다 apartarse de asuntos mundanos. ~에 쫓기다 estar agobiado por las ocupaciones cotidianas.

속사(速射) tiro *m* (continuo y) rápido. ~하다 disparar (continua y) rápidamente.
 ■ ~포(砲) cañón *m* (*pl* cañones) de tiro rápido.

속사(速寫) copia *f* rápida; 【사진】 instantánea *f*. ~하다 copiar rápidamente; 【사진】 tomar instantánea.
 ■ ~ 사진기[카메라] cámara *f* instantánea.

속사랑 amor *m* interior, amor *m* escondido.

속삭거리다 murmurar [cuchichear · hablar al oído] afectuosamente.
 속삭속삭 murmurando afectuosamente.

속삭이다 cuchichear, cuchuchear, hablar al oído, murmurar, murmullar, susurrar, orejear, secretear, hablar en voz baja, hablar en cuchicheo. 사랑을 ~ murmurar tiernas [dulces] palabras de amor. 수업 중에 속삭이지 마라 Deja de cuchichear en clase.

속삭임 cuchicheo *m*, susurro *m*, murmullo *m*, el habla *f* secreta. 사랑의 ~ dulces [tiernas] palabras *fpl* de amor.

속산(速算) cálculo *m* rápido. ~하다 calcular rápidamente.

속살[1] ① [옷에 가리어진 부분의 피부] piel *f* debajo de la ropa, partes *fpl* del cuerpo ordinariamente cubiertas por la ropa. ~이 희다 tener la piel limpia. ② [속으로 실속 있게 찬 살] carne *f* sustancialmente corpulenta. ③ [소의 입안에 붙은 고기] carne *f* interior (de la boca).
 ◆속살(이) 찌다 ㉮ [속살이 올라서 뚱뚱해지다] (ser) gordo. ㉯ [겉으로는 나타나지 아니하나 속으로 실속이 있다] (ser) sustancial, sólido, rico.

속살[2] [쥘부채의 겉살과 겉살 사이의 많은 살] varillas *fpl*, ballenas *fpl*.

속살거리다 cuchichear, murmurar. 그만 속살거려라 ¡Dejaos de cuchichear! / ¡Déjense de cuchichear! / ¡Basta de cuchicheos!
 속살속살 cuchicheando, murmurando.

속살다 (estar) orgulloso (de). 그는 가난하지만 속살았다 El era pobre pero orgulloso.

속상우다 [속상하게 하다] molestar, irritar, fastidiar.

속상하다 ① [마음이 불편하고 괴롭다] (estar) enfadado, enojado. 왜 그렇게 속상해 하십니까? ¿Por qué estás tan enfadado [enojado]? 나는 그들의 무례함에 속상했다 Yo estaba enfadado [enojado] por lo groseros que habían sido. 그들은 기다려야 해서 속상했다 Les dio mucha rabia tener que esperar. ② =화나다(enfadarse, enojarse). ¶나는 그녀가 나에게 그것을 말하지 않아 속상했다 Me enfadé [Me enojé] con ella porque no me lo dijo. 이 차는 정말 ~ Este coche me está sacando de quicio.

속새[1] 【식물】 cola *f* de caballo.

속새[2] [사포] papel *m* de lija.

속새질 frotamiento *m* con papel de lija. ~하다 lijar, frotar con papel de lija. 상을 ~하다 lijar una mesa.

속생각 pensamientos *mpl* interiores.

속생설(續生說) 【생물】 biogénesis *f*.

속생활(俗生活) ① [속된 생활] vida *f* vulgar.

② =일상 생활(日常生活)

속서(俗書) ① [비속·저급한 책] libro *m* vulgar. ② [불경(佛經)·성경(聖經)이 아닌 책] libro *m* excepto la Escritura Budista o la Santa Biblia.

속설(俗說) ① [민간에 전해 내려오는 설(說)] tesis *f* [opinión *f*] popular [vulgar], creencias *fpl* populares, leyenda *f*, tradición *f*. ② =속담(俗談)(refrán, proverbio).

속성(俗性) carácter *m* (*pl* caracteres) vulgar.

속성(俗姓) apellido *m* antes de ser monje budista.

속성(速成) formación *f* intensiva, formación *f* rápida, ejecución *f* rápida, maestría *f* rápida. ~의 por el atajo. ~으로 lo más pronto posible, rápidamente, intensivamente. ~을 주로 하다 procurarse la maestría rápida.

■ ~과(科) curso *m* intensivo, curso *m* breve. ~ 교수 instrucción *f* de curso corto. ~법 método *m* de maestría rápida.

속성(屬性) atributo *m*. ~의 atributivo.

■ ~ 개념 concepto *m* atributivo.

속세(俗世) mundo *m* humano, mundo *m* vulgar. ~를 떠난 con poco mundo. ~를 버리다 renunciar al mundo.

■ ~간(間) (este) mundo *m*, mundo *m* vulgar, vida *f* terrestre, mundo *m* humano. ¶ ~의 mundano, terrenal, terreno. ~을 버리다 abandonar el mundo, renunciar al mundo. ~이 싫어지다 estar harto [aburrido · cansado] de vida.

속세계(俗世界) =현세(現世). 사바 세계.

속셈 ① [마음속으로 하는 요량이나 판단] intención *f* oculta, deseo *m* secreto, motivo *m* oculto; [타산(打算)] cálculo *m*. ~을 간파하다 adivinar el plan oculto (de), penetrar la intención (de). 그는 나를 속일 ~이었으나 실패로 끝났다 El prendió engañarme, pero le salió el tiro por la culata. 그는 결코 ~을 보이지 않는다 El nunca deja ver su intención / El nunca se sabe lo que piensa. ② [암산(暗算)] cálculo *m* mental, aritmética *f* mental. ~하다 calcular mentalmente.

◆ 속셈이 있다 tener una intención oculta, tener cierto objetivo privado a la vista. 속셈이 있어서 calculadamente. 그의 친절에는 속셈이 있음에 틀림없다 Debe haber una intención oculta en su amabilidad.

속셔츠(-shirts) camiseta *f* (interior).

속소리 ① [속에서 가늘게 내는 소리] sonido *m* débil del interior. ② 【언어】 =간음(間音).

속소위(俗所謂) lo que es llamado comúnmente.

속속(續續) sucesivamente, continuamente, en sucesión, constantemente, sin cesar, sin interrupción. 관객이 ~ 입장한다 Entran los expectadores sin interrupción. 기부금이 ~ 도착했다 Fueron llegando los donativos constantemente. 사고(事故)가 ~ 발생했다 Se produjeron los accidentes sucesivamente. 아이디어가 ~ 나왔다 Las ideas acuden en tropel a mi mente.

속속곳 lincería *f*, camiseta *f* interior femenina.

속속들이 totalmente, muy bien, completamente, perfectamente. ~ 아는 사람 persona *f* familiar, persona *f* bien conocida. ~ 썩다 estar totalmente corrompido. ~ 젖다 estar empapado, estar calado hasta los huesos; [옷이] chorrear, manchar. 두 사람은 ~ 아는 사이다 Los dos se entienden muy bien. 조직은 ~ 썩었다 La organización está totalmente corrompida. 그녀는 ~ 젖었다 Ella está empapada / Ella calada hasta los huesos. 너는 커피로 셔츠가 ~ 젖어 있다 Te estás manchando la camisa de café / *AmL* Te estás chorreando la camisa con el café.

속속히(速速-) (bastante) rápidamente, rápido, velozmente.

속손톱 lúnula *f*, blanco *m* de la uña, espacio *m* blanquecino semilunar de la raíz de las uñas.

속수(束手) ① [손을 묶음] acción *f* de atar las manos. ② ((준말)) =속수무책.

■ ~무책(無策) recursos *mpl*, inventiva *f*, indefensión *f*. ~이다 No hay manera de hacer nada / No hay nada que hacer / No hay [queda] (más) remedio / Es inevitable.

속수(束數) número *m* de los líos.

속숨 =내호흡(內呼吸).

속습(俗習) costumbre *f* vulgar, costumbre *f* popular, uso *m* [hábito *m* · tradición *f*] popular.

속승(俗僧) monje *m* [sacerdote *m*] (budista) seglar.

속시(俗詩) poema *m* vulgar, poesía *f* vulgar.

속시원하다 estar desahogado, desahogarse, abrir*le* el pecho [el corazón] (a). 욕설을 퍼붓고 나니 ~ desahogarse en denustos. 이제 ~ No me duele mucho menos. 토하고 나니 ~ No me duele mucho menos después de vomitar. 그들은 속시원히 이야기했다 Ellos charlaron con espontaneidad.

속신(俗信) fe *f* vulgar, creencia *f* popular.

속심(俗心) deseo *m* vulgar, pensamiento *m* seglar.

속썩다 desanimarse, desalentarse, perder el ánimo. 그렇게 속썩어 하지 마라 No te desanimes tanto / No te desalientes tanto.

속썩이다 ① [몹시 마음을 괴로워하다] (ser) doloroso, dar pena, dar lástima. ② [속썩게 하다] desanimar, desalentar.

속씨식물(-植物) 【식물】 angiospermas *fpl*.

속아가미 【동물】 agalla *f* interior, branquia *f* interior.

속아넘어가다 ser engañado [embaucado] completamente.

속악(俗樂) 【음악】 música *f* popular, música *f* vulgar, canción *f* popular, canción *f* tradicional, canción folclórica.

속악(俗惡) vulgaridad *f*, grosería *f*, ordinariez

f. ~하다 (ser) vulgar, grosero, zafio, soez (*pl* soeces), ordinario, grosero y vulgar, vulgar y grosero, vulgar y malo. ~한 취미 gusto *m* zafio. 그의 취미는 ~하다 El tiene un gusto vulgar y grosero.
속악스럽다 (ser) vulgar y malo, vulgar y maligno.
속악스레 vulgar y malignamente.

속안(俗眼) conocimiento *m* superficial.

속어(俗語) ① [통속적인 저속한 말] vulgarismo *m*, renguaje *m* popular, giro *m* popular, lenguaje *m* familiar, expresión *f* familiar, lenguaje *m* coloquial, lengua *f* coloquial. ② ((은어)) jerga *f*, argot *m*. ③ =상말. ④ =속담(俗談)(refrán, proverbio).
■ ~ 사전 el Diccionario del Argot.

속어림 =속짐작.

속언(俗言) =속어(俗語). 속담(俗談).

속언(俗諺) refrán *m* (*pl* refranes) popular, proverbio *m* popular.

속없다 ① [줏대가 없다] faltar la prudencia [discreción], no tener *su* propia opinión definitiva [fija]. 속없는 사람 hombre *m* sin convicciones fijas, persona *f* superficial. ② [악의가 없다] (ser) inocente, inofensivo, no tener malicia.
속없이 superficialmente; inocentemente, inofensivamente.

속여넘기다 estafar, timar.

속여먹다 engañar, estafar, timar.

속연(俗緣) conexión *f* mundial.

속연(續演) representación *f* continua. ~하다 representar continuamente, representar consecutivamente. 그 작품은 1년 이상 ~하고 있다 La obra sigue en el cartel más de un año.

속열매껍질 【식물】 endocarpio *m*.

속영(續映) continuación *f* de la película. ~하다 continuar la película; [연속하다] dar consecutivamente. 그 영화(映畵)는 ~ 중이다 Siguen poniendo la película / La película sigue en el cartel.

속옷 ropa *f* blanca, ropa *f* interior, ropa *f* íntima; [런닝] camiseta *f*; [여자의] enaguas *fpl*. ~ 바람으로 en paños menores, en ropa interior.

속요(俗謠) canción *f* popular, canción *f* folclórica, balada *f*, copla *f*.

속요량(-料量) conjetura *f*, cálculo *m* privado. ~하다 conjeturar, hacer conjeturas, calcular privadamente.

속음(俗音) pronuciación *f* popular del carácter chino.

속이다 engañar, falsear, coger en la trampa, tomar el pelo (a), burlar, abusar, embaucar, gastar una broma (a); [거짓말하다] mentir; [은폐하다] disimular, fingir; [착복하다] desfalcar, escamotear, embolsillar ocultamente. 자신을 ~ engañar*se* (a *sí* mismo). 나이를 ~ esconder [disimular] los años. 셈을 ~ engañar en la cuenta. 신분을 ~ falsear la posición social. 실패(失敗)를 ~ disimular *su* falta. 진실을 ~ falsear la verdad. 경관이라 ~ hacerse pasar por un policía. …을 속이고 bajo un nombre falso. 사람의 눈을 속여 secretamente, furtivamente, a escondidas de *uno*. …의 눈을 ~ fingir [simular · aparentar] a *uno*. 아무도 자기 자신을 속일 수 없다 Nadie puede engañarse a sí mismo. 나는 그들에게 또 속았다 Me han tomado el pelo otra vez. 그는 백만 원도 속여서 사취했다 Le estafaron nada menos que un millón de wones. 그는 나이를 세 살이나 속였다 El falsea su edad quitándose tres años.

속인(俗人) ① [속세의 사람] hombre *m* del mundo vulgar. ② [속된 사람] tipo *m* medio; vulgo, -ga *mf*, hombre *m* de la calle. ③ ((불교)) laico, -ca *mf*, lego, -ga *mf*, seglar *mf*.

속인(屬人) ¶ ~의 individual, personal.
■ ~법 ley *f* personal. ~법주의 principio *m* de la ley personal. ~주의 principio *m* de la jurisdicción personal. ~ 특권 privilegios *mpl* personal, derechos *mpl* personal.

속임수(-數) treta *f*, truco *m*, falsedad *f*, engaño *m*, fraude *m*, halago *m* para engañar, supercheria *f*, embuste *m*; [도박의] trampa *f*; [은폐] escamoteo *m*; [날조] sofisticación *f*; [외견의] simulación *f*, afectación *f*, fingimiento *m*; [장부 따위의] manipulación *f*. ~를 쓰는 engañoso, fraudulento, fullero, tramposo. ~를 쓰다 hacer suertes, cometer falsedades, engañar, hacer trampas en el juego. ~에 당하다 ser engañado, sufrir un fraude, ser víctima de un fraude, caer en la trampa. ~를 폭로하다 descubrir la fealdad, revelar el truco. 그의 변명은 ~다 Su pretexto es falso.

속잎 hojas *fpl* interiores.

속자(俗字) forma *f* popular de los caracteres chinos.

속잠방이 calzoncillos *mpl* cortos, *Méj* calzones *mpl* cortos, *Col*, *Ven* interiores *mpl* cortos.

속장 páginas *fpl* interiores.

속장(束裝) preparaciones *fpl* para el viaje. ~하다 hacer preparaciones para el viaje, preparar para el viaje.

속장(俗腸) corazón *m* vulgar.

속장(屬長) [감리교의] jefe, -fa *mf* de la reunión de oración seccional.

속재(俗才) sabiduría *f* mundial.

속재(續載) publicación *f* por serie. ~하다 publicar por serie.

속재목(-材木) parte *f* interior del tronco.

속저고리 blusa *f* interior para las mujeres.

속적삼 camiseta *f* interior.

속전(速戰) combate *m* rápido.
■ ~속결[즉결] ataque *m* sorpresa con todo

속전(贖錢) rescate *m*.

속절(俗節) días *mpl* de ritos funerales para los antepasados.

속절없다 (ser) desesperado, imposible, sin esperanzas, inútil, vano; [피할 수 없다] inevitable. 속절 없는 노력(努力) esfuerzo

m vano. 속절없는 세상 mundo *m* vano. 속절없는 시도 intento *m* vano. 그것을 묻는 것은 ~ En en vano preguntarlo / Es inútil preguntarlo.
속절없이 en vano, inútilmente, desesperadamente, imposiblemente; [피할 수 없이] inevitablemente, forzosamente, indefectiblemente.

속젓 entrañas *fpl* de bacalao saladas.

속정(-情) ① [비밀한 사정이나 내용] circunstancia *f* secreta. ② [은근하고 진실한 정분] afecto *m* cortés y verdadero.

속정(俗情) ① [세속의 인정] sentimiento *m* popular. ② [명리를 바라는 마음] opinión *f* mundana. ③ [속된 마음] corazón *m* vulgar.

속조(俗調) ① [속세(俗世)에서 행하는 가락] tono *m* mundano. ② [비천한 가락] tono *m* humilde. ③ [평범한 가락] tono *m* vulgar.

속종 *su* opinión, *su* vista, *sus* pensamientos más íntimos.

속죄(贖罪) ① expiación *f*, reparación *f*, acto *m* penitencial; [예수에 대한] redención *f*. ~하다 expiar (un pecado), reparar *su* falta, rescatar, redimir. ~의 expiatorio. ~로 …을 하다 hacer *algo* para *uno* a modo de expiación. 형(刑)의 복역으로 (죄를) ~하다 expiar [pagar · reparar] *su* crimen en una cárcel. ② ((성경)) expiación *f*, perdón *m* del pecado. ~하다 hacer expiación (por), obtener el perdón (para).
■ ~금 precio *m* de recaste, multa *f*. ~론 doctrina *f* de expiación. ~물 expiación *f*, perdón *m* del pecado. ~소 propiciatorio *m*. ~의 날 el Día de la Expiación. ~일 día *m* la expiación, el Día del Perdón. ~제 sacrificio *m* por el pecado, sacrificio *m* para obtener el perdón de los pecados. ~제물 expiación *f*, sacrificio *m* por el pecado. ~ 제육 sacrificio *m* de expiación. ~ 희생 expiación *f*, sacrificio *m* por el pecado.

속주(屬州) provincia *f* perteneciente a un país.

속주다 hablar *su* opinión, abrir*le* el corazón (a), confiarse.

속중(俗衆) ① =일반 사람. ② =속인들.

속증(-症) =속병(病).

속지(俗地) lugar *f* vulgar.

속지(屬地) posesión *f*, dependencia *f*, territorio *m*.
■ ~법 ley *f* territorial. ~법주의 principio *m* de la ley territorial. ~주의 principio *m* de la jurisdicción territorial.

속진(俗塵) ① mundo *m*, vida *f* vulgar, asuntos *mpl* mundiales. ~을 멀리하다 alejarse del ruido y bullicio del mundo. ~을 피하다 vivir lejos del mundanal ruido, retirarse del mundo. ② ((불교)) polvo *m* común, contaminación *f* terrenal, polución *f* terrenal.

속짐작 *su* juicio personal [mental].

속창 suela *f* interior. ~을 깔다 poner la suela interior.

속창(俗唱) =속가(俗歌). 속요(俗謠).

속출(續出) ocurencia *f* continua, sucesión *f*. ~하다 suceder, ocurrir en sucesión. 희망자가 ~하고 있다 Se van multiplicando los solicitantes. 고장 난 차가 ~했다 Han habido una racha de coches averiados / Los coches se averiaron sucesivamente.

속취(俗臭) vulgaridad *f*. ~가 물씬 나는 populachero, mundano, apegado a las vulgaridades del mundo.

속취(俗趣) afición *f* vulgar, afición *f* baja, afición *f* humilde.

속치레 decoración *f* interior. ~를 하다 decorar el interior.

속치마 enagua *f*, *Méj* fondo *m*, *RPl* viso *m*.

속치장(-治裝) decoración *f* interior.

속칭(俗稱) nombre *m* vulgar, apodo *m*, mote *m*, denominación *f* popular. ~하다 llamar popularmente. ~ …이라 하다 ser conocido como *algo*, ser generalmente llamado.

속 타다 impacientarse, inquietarse, preocuparse, ponerse nervioso, irritarse, estar preopado (por). 속 타게 하다 irritar, molestar, preocupar, sacar de quicio. 시험 결과가 걱정이 되어 속 탄다 El resultado de examen me tiene preocupado / Estoy preocupado por el resultado de examen. 어머니가 보고 싶어 속 탄다 Me muero de deseo de ver a mi madre.

속타점(-打點) decisión *f* en *su* corazón.

속탈(-頉) mal *m* del estómago. ~이 나다 estar mal del estómago, *AmL* estar descompuesto del estómago.

속태(俗態) aspecto *m* vulgar.

속 태우다 ① [속 타게 하다] impacientar, agitar, inquietar, preocupar, poner nervioso, poner los nervios de punta, irritar, enojar, enfadar. ② [걱정이 되어 마음을 졸이다] preocuparse (por), inquietarse. 나는 너 때문에 무척 속 태웠다 He estado preocupadísimo por ti / He estado muy preocupado por ti. 그런 일로 속 태우지 마라 No te preocupes por tal cosa. 그녀는 매사에 너무 속(을) 태운다 Ella se preocupa demasiado mucho por todo.

속토(屬土) =속지(屬地).

속투(續投) lanzamiento *m* continuo. ~하다 continuar lanzanado.

속판 ① =목차(目次). ② =심지(心志).

속판(續版) edición *f* continua; [출판물] publicación *f* continua.

속편(續編/續篇) continuación *f*, segunda parte *f*. ~을 쓰다 escribir la continuación. 태백산맥의 ~을 쓰다 escribir la continuación de *Taebaek sanmaek* [la cordillera *Taebaek*].

속표지(-表紙) portada *f*, carátula *f*.

속필(速筆) escritura *f* rápida. 그는 ~이다 El escribe rápidamente.

속하다(屬-) ① [딸리다] pertenecer (a), ser de *uno*. 나에게 속해 있는 땅 tierras *fpl* de mi propiedad, tierras *fpl* que me pertenecen. 너는 너에게 속하지 않는 것을 선물할 수 없다 Tú no puedes regalar lo que no es tuyo [lo que no te pertenece]. 소나무는 송백류에 속한다 El pino pertenece a la familia de las coníferas. 그 토지는 우리 협회에 속한다 Ese terreno pertenece a nuestra asociación. 대통령은 민주당에 속해 있다 El presidente pertenece all partido demócrata. 이 농장은 우리 회사에 속해 있다 Esta hacienda pertenece a nuestra compañía. 그는 영화 클럽에 속해 있다 El pertenece al club de cine. ② [가입해 있다] estar afiliado (a), ser miembro (de). 우리들은 같은 클럽에 속해 있다 Nosotros somos socios del mismo club. 당신은 노동조합[정당]에 속해 있습니까? ¿Está afiliado a un sindicato [un partido político]? ③ [종속되다] depender (de). 전에는 종은 주인에 속해 있었다 Los siervos dependían de su amo antes. ④ [분류되다] pertenecer (a), clasificarse (en). 그의 성적은 최상위권에 속한다 Sus notas figuran entre las de los mejores. 그의 성적은 반에서 상[하]에 속한다 Sus notas figuran entre las mejores [las peores] de la clase. 그것은 파충류과에 속한다 Pertenece a la familia de los reptiles. 그것은 생물학에 속한 문제다 Es un problema que entra en el campo de la biología. 그의 극작품은 고전 전통에 속한다 Sus obras de teatro se inscriben dentro de la tradición clásica. ⑤ [해당되다] corresponder, competer. 이것은 내 권한에 속해 있지 않다 Esto no me compete / Esto no corresponde a mi jurisdicción.

속하다(贖—) expiar (un pecado).

속하다(續—) ＝잇다. 계승(繼承)하다.

속하다(速—) (ser) rápido, veloz (*pl* veloces). 발걸음이 ～ (ser) veloz, de pies ligeros.
속히 rápidamente, con rapidez, velozmente, con prontitud, pronto, prontamente. ～ 흐르는 강 río de corriente rápida. 그는 ～ 대답했다 El no tardó en contestar [en responder]. 그는 ～ 화를 내곤 했다 El era propenso a arrebatos de ira. 여보, ～ 귀가(歸家)하세요 Cariño, vuelva a casa rápidamente. 어머님이 불편하시니 ～ 귀국해라 Vuelve al país pronto, que la madre está enferma.

속학(俗學) erudición *f* popular.

속한(俗漢) seglar *mf*, laico, -ca *mf*.

속항(續航) continuación *f* de la navegación. ～하다 continuar la navegación.

속행(速行) [걸음] paso *m* rápido; [행동] acción *f* veloz. ～하다 ir [andar] rápidamente, llevar a cabo [hacer · realizar] rápidamente.

속행(續行) continuación *f*, [재개(再開)] reanudación *f*. ～하다 continuar, seguir, proseguir, reanudar. 연구를 ～하다 continuar el estudio. 교섭은 ～되고 있다 Continúan las negociaciones.

속현(續絃) nuevo casamiento *m*, nuevo matrimonio *m*, el volver a casarse. ～하다 volver a casarse (con). 그녀는 첫 남편과 ～했다 Ella volvió a casarse con su primer marido.

속화(俗化) vulgarización *f*, popularización *f*. ～하다 vulgarizarse, popularizarse. ～된 vulgarizado, popularizado.

속화(俗畵) pintura *f* común, pintura *f* corriente.

속화(俗話) chismorreo *m*, cotilleo *m*.

속환이(俗還—) ((준말)) ＝중속환이.

속회(續會) reanudación *f* de una reunión. ～하다 reanudar una reunión. ～되다 reanudarse una reunión.

속회(屬會) [감리교의] reunión *f* de oración divisional.

속효(速效) efecto *m* inmediato, resultados *mpl* instantáneos. ～가 있다 tener el efecto inmediato; 【의학】 ser activo.
■ ～약 cura *f* milagrosa, remedio *m* rápido.

솎다 entresacar, hacer una entresaca. 무를 ～ entresacar los nabos. 산에서 나무를 ～ hacer una entresaca en el monte. 숲을 듬성듬성하게 하기 위해 나무를 ～ entresacar árboles para aclarar un bosque.

솎아베기 entresaca *f*.

솎음 entresaca *f*. ～을 하다 entresacar.

솎음질 entresaca *f*, eliminación *f*. ～하다 entresacar, hacer una entresaca, eliminar.

손[1] ① [사람의 팔목에 달린 손가락과 손바닥이 있는 부분] mano *f*, [어린아이의] manita *f*. 오른～ mano *f* derecha. 왼～ mano *f* izquierda. 취사(炊事)나 세탁 등으로 거칠어진 ～ manos *fpl* de fregona. ～으로 a mano, con la mano. ～으로 쓴 manuscrito, escrito a mano. ～으로 짠 tejido a mano. 인쇄기를 ～으로 움직여 인쇄한 impreso a mano. ～으로 꿰맨 cosido a mano. ～도 안 댄 intacto. ～에 닿을 곳에 a la mano, al alcance de la mano. ～으로 꿰맨 구두 zapatos *mpl* cosidos a mano. ～을 씻다 lavarse las manos. ～을 씻어 주다 lavar*le a uno* las manos. ～으로 꿰매다 coser a mano. ～으로 먹다 comer con la mano. ～으로 쓰다 escribir a mano. ～으로 움켜쥐고 먹다 comer con los dedos, comer con las manos. ～으로 신호하다 hacer señas con la mano. ～을 내리다 bajar la mano. ～을 대다 tocar. ～을 들다 ㉮ [올리다] levantar [alzar] la [una] mano. ㉯ [항복하다] rendirse, someterse. ～을 뻗다 alargar la mano. ～을 뻗어 소금 그릇을 집다 alargar el brazo para coger el salero. ～을 들어 질문하다 levantar la mano para hacer una pregunta. ～을 잡다 tomar la mano (de uno), tomar por la mano; [악수하다] apretar las manos. ～을 끌다 llevar*le a uno* de [por] la mano. ～을 잡고 가르쳐 주다 enseñar muy atentamente. ～에 가지다 tener en la mano. ～에 지팡이를 가지고 con un bastón en la mano. ～에 들어오다 [노력 없이] venir*le a uno* a la(s) mano(s). ～에 잡다 tomar en la mano. ～에 ～을 잡고 걷다 andar cogidos de la mano. 머리에 ~을 얹다 [자신의] ponerse la mano en la cabeza. 두 ~을 모으다 juntar las manos. 두 ~ 모아 부탁하다 pedir con las manos juntas. 식사 전에 ~을 씻어라 Lávate las manos antes de comer. 아이들은 (한) ~을 들었다 Los niños alzaron la mano. ~(을) 들어(라)! ¡Levanta las manos! / ¡Arriba las manos! / ¡Manos arriba! / ¡Manos en alto! 시위자들은 ~에 ~에 플래카드를 들고 있었다 Cada uno de los manifestantes lleva su pancarta. 나는 지갑에 ~을 댔을 때 지갑이 없는 것을 알았다 Cuando traté de echar mano de la cartera, me di cuenta de que no la tenía. 두 아이는 ~을 잡고 갔다 Los dos niños iban de la mano. 말소리가 ~에 잡힐 듯 들렸다 Se oye la conversación claramente. 어머니는 아이의 ~을 끌었다 La madre llevaba de la mano a su niño. 그 아이는 형의 ~을 잡고 가고 있었다 El niño iba de la mano de su hermano mayor. 그는 (생각 없이) 돈에 ~이 갔다 Sin pensar(lo), se le fueron las manos al dinero. ~ 대지 마시오 ((게시)) No tocar / No toque / Prohibido tocar / Se prohíbe tocar. ② [손과 팔] las manos y los brazos; [팔] brazo *m*. …(쪽)의 ~을 들다 [권투 · 레슬링 따위에서] declarar vencedor *a uno*. 그의 ~을 올렸다 El fue declarado vencedor. ③ [손가락] dedo *m*. ④ [손바닥] palma *f*. ⑤【식물】= 덩굴손. ⑥ [일할 수 있는 사람 · 품 · 노동력] mano *f* de obra. 나는 지금 ~을 뺄 수 없다 Ahora no puedo dejar el [mi] trabajo. ⑦ =기술(技術)(técnica). ⑧ =교제(交際). 관계(關係). 인연(因緣). ⑨ =수완(手腕). 잔꾀. ⑩ =손버릇. ⑪ =주선(周旋). ⑫ [물건에 대한 아량] generosidad *f*. ~이 크다 (ser) generoso. ⑬ [소유나 권력의 범위] posesión *f*. ⑭ [힘. 역량. 능력] poder *m*, fuerza *f*, habilidad *f*, capacidad *f*. ⑮ [필요한 조처] medidas *fpl*, disposición *f*.

◆손에 넣다 conseguir, obtener, adquirir; [사다] comprar. 그 책은 지금도 손에 넣을 수 있습니까? ¿Se puede conseguir ese libro actualmente? 그는 중대한 증거를 손에 넣고 있다 El tiene [se ha hecho con] una prueba importante.

◆손에 떨어지다 caer en manos (de *uno*). 적의 ~ sucumbir a [caer con] manos de *su* enemigo. 마을은 적의 손에 떨어졌다 El pueblo cayó en manos del enemigo.

◆손에 익다 estar acostumbrado (a). 그는 이 일이 손에 익어 있다 El está acostumbrado a este trabajo.

◆손을 끊다 romper (con). 나는 그와 손을 끊었다 Yo rompí con él.

◆손(을) 넘기다 ㉮ [잘못 세다] contar mal. ㉯ [시기를 잃다. 때를 놓치다] perder la oportunidad [la ocasión].

◆손(을) 놓다 abandonar, dejar, romper, dejar de + *inf*.

◆손(을) 대다 ㉮ [어떤 일을 새로 시작하다] ponerse (a), poner manos (a), emprender. 일에 ~ ponerse al trabajo, poner manos a la obra, emprender el trabajo. 어디서부터 손을 대야 할 지 모르겠다 No sé por dónde empezar. 이 문제는 아직 손을 대지 않고 있다 Este problema está aún sin tocar. 나는 이 일에 아직 손도 안 대고 있다 Todavía no he metido mano a este trabajo. ㉯ [어떤 일에 관계하다 · 간섭하다] poner la mano (en), tomar parte (en), meterse (en), meter la mano (en), meter las narices (en). 사업에 ~ poner la mano en una empresa, tomar parte en una empresa. 정치에 ~ meterse en (la) política. 투기에 ~ meterse en especulaciones. 여자에 ~ permitirse libertades con una mujer. 공부에 손을 댈 수 없다 no poder dedicarse al estudio. 그는 아무것에나 손을 댄다 El mete la mano [las narices] en todo. ㉰ [알맞은 조치를 취해서 처리하다] tomar las medidas oportunas. 이 장난꾸러기 아이는 손을 댈 수가 없다 No sé cómo tratar a este niño tan travieso. ㉱ [다시 고치다] corregir, enmendar. …의 원고(原稿)에 ~ corregir a *uno* el original. 그림에 ~ retocar una pintura. 사진에 ~ retocar una foto. ㉲ [남의 재물을 마구 가지거나 쓰다] robar. 회사의 공금에 ~ robar el dinero de *su* compañía. ㉳ [남을 때리다 · 손찌검을 하다] golpear, dar un golpe, manotear, dar golpes con las manos. 그가 먼저 손을 댔다 El me provocó (el) primero.

◆손(을) 돕다 ayudar (a). 네가 내 손을 돕는 것은 나쁘지 않을 것이다 No sería malo que me ayudaras.

◆손을 떼다 lavarse las manos, desentenderse, abandonar. 사건(事件)에서 ~ lavarse las manos del asunto, desentenderse del asunto.

◆손(을) 맺다 cruzar los brazos; [시비조로] cruzarse de brazos.

◆손(을) 보다 ((속어)) retocar (사진 · 그림 등을), arreglar (기사 · 논문 등을); [기계 · 시계 · 지붕을] arreglar, reparar; [구두 · 옷을] arreglar; [자동차 · 가정 용구를] arreglar. 나는 손을 보기 위해 이 시계를 가져가야 한다 Tengo que llevar este reloj a arreglar.

◆손을 빌리다 pedir ayuda (a), solicitar ayuda (a). 손을 빌려 주다 ayudar (a), prestar servicio (a), echar una mano (a). 남의 ~ pedir auxilio [ayuda] de otro. 창문을 열게 손을 빌려 주시겠습니까? Ayúdeme [Echeme una mano para] la ventana.

◆손(을) 뻗치다 ㉮ [달라고 손을 내밀다] pedir. ㉯ [세력을 넓히다] ampliar, tender. 사업(事業)에 ~ ampliar los negocios. 경찰이 손을 뻗쳤다 La policía tiende su red.

◆손을 쓰다 ㉮ [때를 놓치면 안 될 일에 대하여 조처(措處)를 취하다] tomar medidas. 비밀이 누설되지 않도록 ~ tomar medidas para que no trascienda el secreto. 손을 쓸 수가 없다 No hay remedio / No hay salida ninguna. 사태가 너무 악화되어 이제

는 손을 쓸 수가 없다 La situación ha empeorado tanto que ya no hay mano que pueda remediarla.

◆손을 잡다 ㉮ [손과 손을 마주 잡다] agarrar la mano de otro. ㉯ [힘을 합하여 무슨 일을 하다] cooperar (con), colaborar (con), estar relacionado (con), estar ligado (a).

◆손(을) 주다 ㉮ [덩굴이 의지하여 자라도록 막대기나 줄을 마련해 주다] arrodrigar. ㉯ [도움의 손길을 뻗쳐 주다] ayudar (a), prestar servicio (a), echar una mano (a).

◆손을 타다 ser robado. 내 돈이 손을 탔다 Me robaron el dinero.

◆손이 거칠다 tener (la) mano larga [las largas], ser largo de uñas, ser cleptómano. 손이 거친 사람 cleptómano, -na *mf.* 그는 손이 ~ El tiene la mano larga.

◆손(이) 나다 estar libre, estar desocupado, tener tiempo libre. 손이 나지 않다 estar ocupado, estar atareado. 지금 손이 납니까? ¿Tiene usted las manos ahora? / ¿Está usted libre [desocupado] ahora?

◆손(이) 놀다 estar libre, estar desocupado, tener tiempo libre.

◆손(이) 닿다 estar al alcance de *su* mano. 손이 닿는 곳에 a la mano, al alcance de la mano. 이 건(件)은 내 손이 닿지 않는다 Este asunto no está al alcance de mi mano / Este asunto excede a [está por encima de] mi capacidad.

◆손(이) 딸리다 faltar las manos. 손이 딸린다 Faltan manos / Hay escasez de manos. 손이 딸리지 않는다 No faltan las manos / Hay manos.

◆손(이) 맵다 tener una mano malvada.

◆손이 모자라다 carecer de manos.

◆손이 미치다 =손이 닿다.

◆손이 발이 되도록 빌다 pedir perdón a *uno* de rodillas.

◆손(이) 비다 estar libre. 나는 오늘 밤 일 손이 빈다 Estoy libre esta noche.

◆손(이) 서툴다 estar muy torpe con las manos. 그는 오늘 하는 짓이 ~ Hoy él está muy torpe con las manos.

◆손(이) 설다 =손이 서툴다.

◆손이 작다 (ser) cerrado, de miras estrechas.

◆손이 크다 (ser) (muy) generoso.

■손이 많으면 일도 쉽다 ((속담)) A más manos menos trabajo.

손² ① ㉮ [방문객] visitante *mf,* [집합적] visita *f.* ㉯ [초대객] invitado, -da *mf,* convidado, -da *mf.* ㉰ [숙박객] huésped *mf* (*pl* huéspedes). 오늘 오후에 ~이 있다 Tengo un visitante [una visita] esta tarde. ② [영업하는 집에 찾아온 사람] cliente *mf,* parroquiano, -na *mf,* comprador, -dora *mf,* [집합적] clientela *f,* parroquia *f.* 경품으로 ~을 끌다 atraer a los compradores con premios. ~이 생기다 ganar parroquia. ~이 줄다 perder [disminuir] parroquia. ~의 질이 좋다 tener buenos clientes. ~의 질이 나쁘다 tener malos clientes.

◆손(을) 겪다 recibir. 그들은 많은 손을 겪는다 Ellos reciben mucho [a menudo].

■손은 갈수록 좋고 비는 올수록 좋다 ((속담)) Las visitas, ranas y no reposadas / El huésped y la pesca a los tres días apesten / Las visitas huelen mal después de un tiempo, como el pescado / No se debe visitar ni mucho ni largo.

손³ 【민속】 mal espíritu *m* caminante sin rumbo fijo.

손⁴ =사람. ¶그 ~ esa persona. 젊은 ~ joven *mf.*

손¹(孫) ① ((준말)) =자손(子孫). ② ((준말)) =후손(後孫). 후예(後裔). ③ =손자(孫子).

손²(孫) *Son,* uno de los apellidos.

손(損) ((준말)) =손해(損害).

손가락 dedo *m.* ~의 끝부분 yema *f* de los dedos. ~의 사이 intervalo *m* entre los dedos. ~에 끼다 poner en un dedo. ~을 물들이다 hacer una prueba, tomar en mano. ~으로 튀기다 dar capirotazo. ~으로 튕기다 [접촉하다] tocar con los dedos, castañear los dedos, hacer crujir los dedos. ~의 마디를 튕기다 chascar los dedos, hacer chasquear [hacer ruidos con] los nudillos de los dedos. 다섯 ~ 안에 들다 ser contado entre los cinco escogidos.

◆엄지~ dedo *m* pulgar, dedo *m* gordo. 집게~ dedo *m* índice, dedo *m* mostrador, dedo *m* saludador. 가운뎃~ dedo *m* cordial, (dedo *m*) corazón *m,* (dedo *m*) medio *m,* dedo *m* del corazón, dedo *m* de un medio. 약~ (dedo *m*) anular *m,* dedo *m* médico. 새끼~ (dedo *m*) meñique *m,* dedo *m* auricular.

■~ 끝 yema *f* del dedo, punta *f* del dedo. ~무늬 =지문(指紋). ~뼈 falange *m.* ~질 torcedura *f* de dedo, choque *m* de las puntas de dedos. ¶~하다 señalar con el dedo, lesionar los dedos por un choque. ~(을) 받다 ser reprochado, ser censurado, incurrir en la censura (de), atraerse la censura (de), exponerse la censura (de). ~표(票) índice *m* (☞).

손가방 cartera *f* (grande), portafolio *m,* maleta *f,* saco *m* de viaje.

손거스러미 padrastro *m,* respigón *m* (*pl* respigones). 손가락에 ~가 일어나 있다 tener un padrastro en el dedo.

손거울 espejo *m* de mano.

손겪이 trato *m* al visitante, acogida *f,* acogimiento *m,* hospedaje *m,* hospitalidad *f.* ~하다 recibir, tratar a los visitantes.

손결 cutis *m* de la mano.

손곱다 ser entumecido, tener las manos entumecidas. 추워서 손이 곱았다 Teníamos las manos entumecidas por el frío. 나는 추워서 손가락이 곱았다 Yo tenía los dedos entumecidos de frío.

손공(一功) artesanía *f,* trabajo *m* artesanal.

손국수 fideos *mpl* hechos a mano.

손궤(一櫃) cajita *f,* cofrecito *m,* arquilla *f,*

caja *f* (fuerte · de caudales) portátil.

손그릇 utensilios *mpl* familiares.

손금 líneas *fpl* de palma, rayas *fpl* de la mano.

◆손금 보듯하다 conocer muy bien [al dedillo · como la palma de *su* mano], saber al dedillo [perfectamente], estar muy familiarizado (con). 그는 이곳을 손금 보듯 한다 El conoce muy bien [al dedillo · como la palma de su mano] este lugar / El está muy familiarizado con este lugar.

◆손금(을) 보다 levantar una quiromancía, adivinar el destino de *uno* por *sus* rayas de la palma, adivinar el porvenir de *uno* por las rayas de la mano.

▪ ~술(術) quiromancia *f*, quiromancía *f*, adivinación por las rayas de la mano. ~쟁이 quiromántico, -ca *mf*.

손금(損金) pérdida *f* de dinero, pérdida *f* pecuniaria.

손기(-旗) banderita *f*.

손기계(-機械) maquinilla *f*.

손기술(-技術) técnica *f* manual. ~을 가지고 있다 tener una técnica manual, tener (conocimiento de) un oficio (manual). ~을 배우다 aprender un oficio (manual).

손길 mano *f* extendida.

◆손길(을) 잡다 darse un fuerte apretón de manos.

손까불다 ① [재산을 날리다] perder la fortuna, gastarse la fortuna. ② [경박한 행동을 하다] actuar [comportarse] frívolamente.

손꼽다 ① [손가락을 하나하나 안으로 굽혀 수(數)를 세다] contar con los dedos, hacer la cuenta de la vieja. 크리스마스를 손꼽아 기다리다 esperar con impaciencia la llegada de Navidad. ② [여럿 중에서, 손가락으로 셀 만한 높은 등수 안에 들다] ser principal. 손꼽는 uno de los primeros (de los grandes); [일류의] de primera categoría [clase], de primer orden, destacado, importante, de grado superior. 그는 손꼽는 재산가다 El es famoso hombre rico. 그는 세계에서도 손꼽히는 피아니스트이다 El es un pianista de fama mundial / El es uno de los primeros pianistas del mundo. 이 회사는 한국에서도 손꼽히는 대기업이다 Esta es una de las mayores empresas en Corea.

손꼽이치다 calificar (entre), contar. 손꼽이치는 de grado superior, de grado más alto, destacado, importante, distinguido. 한국에서 손꼽이치는 절 중의 하나 uno de los templos (budistas) destacados de Corea.

손끝 ① [손가락의 끝] punta *f* del dedo, dedos *mpl*. ② [손을 대거나 건드려서 생긴 결과] resultado *m* causado por el toque. ③ [손을 놀려서 하는 일 솜씨] trabajo *m* manual, trabajo *m* de artesanía. 그는 ~이 날래다 El es hábil con los dedos.

◆손끝(을) 맺다 mirar con los brazos cruzados. 손끝(이) 맵다 tener una mala mano. 손끝(이) 여물다 tener dedos ligeros, tener buenas manos.

손녀(孫女) nieta *f*.

손녀딸 =손녀(孫女).

손놀림 movimiento *m* de las manos, gestos *mpl*. 서투른 [위태로운] ~으로 con (las) manos desmanadas [inhábiles], chapuceramente, zafiamente. ~이 능숙하다 tener un mano diestra [maestra].

손누비 guateado *m* [acolchado *m* · acolchonado *m*] en mano.

▪ ~ 버선 *sonnubi beoseon*, calcetines *mpl* guateados en mano.

손님 ① ㉠ [방문객] visitante *mf*, [집합적] visita *f*. ㉡ [초대객] invitado, -da *mf*, convidado, -da *mf*. ㉢ [숙박객] huésped *mf* (*pl* huéspedes). 나는 오전 10시에 ~이 있다 Yo tengo un visitante [una visita] a las diez de la tarde. ② [단골손님. 고객] cliente *mf*, parroquiano, -na *mf*, comprador, -dora *mf*, [집합적] clientela *f*, parroquia *f*. ~이 생기다 ganar parroquia. ~이 줄다 perder [disminuir] parroquia. 경품으로 ~을 끌다 atraer a los compradores con premios. ~의 질이 좋다 tener buenos clientes. ~의 질이 나쁘다 tener malos clientes. ③ [승객] pasajero, -ra *mf*, [여객(旅客)] viajero, -ra *mf*. 저 택시는 ~이 타고 있다 [타고 있지 않다] Aquel taxi está ocupado [libre]. ④ [관객(觀客)] espectador, -dora *mf*, [청중] auditorio *m*. 오늘은 ~이 많다[적다] Hay muchos [pocos] espectadores hoy. ⑤ ((준말)) = 손님마마.

▪ ~ 접대 trato *m*, acogida *f*, acogimiento *m*, hospedaje *m*, hospitalidad *f*. ¶~가 좋은 hospitalario, atento. ~가 나쁜 inhospialario, desatento. ~하는 방법 manera *f* de acoger [de tratar · de atender] a los clientes. ~ 잘하는 주부 el ama *f* (*pl* las amas) hospitalaria. ~가 서투른 주부 el ama *f* inhospitalaria.

손님마마(-媽媽) ((속어)) =천연두(天然痘).

손대기 chico *m* de recadero, chico *m* de los mandados, *RPI* chico *m* de mandadero.

손대다 ① [손으로 만지다] tocar. 손대지 마세요 ((게시)) No tocar / No toque / Prohibido tocar / Se prohíbe tocar. 그림에 손대지 마시오 No toque los cuadros. 기계에 손대지 마라 No toques la máquina. 작품에 손대지 마십시오 ((게시)) Prohibido tocar las obras / No toquen las obras / No tocar las obras / Se prohíbe tocar las obras. ② [일을 시작하다] comenzar, empezar, poner en marchar, emprender. 일에 ~ poner manos a la obra, emprender una tarea. 출판 사업에 ~ comenzar la publicación. 오늘부터 손대기 시작하다 comenzar [empezar] *algo* desde hoy. ③ [관계하다 · 관여하다 · 간섭하다] participar (en), tomar parte (en), intervenir (en), entrometerse (en). ④ [남을 때리다] golpear, dar un golpe. ⑤ [수정하다. 고치다] alterar, modificar. 그는 줄곧 규약에 손대고 싶어한다 El quiere alterar [modificar] a cada paso los estatutos. ⑥ [공금이나 남의 돈 따위를 착복하다] malversar, desfalcar, apropiarse (de).

손대야 lavabo *m*, lavamanos *m.sing.pl*, *CoS* lavatorio *m*, *RPI* pileta *f*.

손대중 medición *f* por mano.

손더듬이 manoseo *m*. 맹인은 ~로 문께로 갔다 El ciego andaba a tientas a la puerta.

손덕(一德) mano *f* afortunada, mano *f* con suerte.

손도끼 hachuela *f*, destral *m*, el hacha *f* (*pl* las hachas) pequeña, podadera *f*, podón *m* (*pl* podones), azuela *f*; [큰] doladera *f*. ~로 깎다 azolar.

손도장(一圖章) sello *m* hecho con el dedo pulgar, señal *f* con el dedo pulgar por el sello. 문서에 ~을 찍다 sellar el documento con *su* pulgar.

손독(一毒) veneno *m* tocado [infección *f* tocada] por *sus* manos.

◆손독(이) 오르다 contagiarse por el toque con *sus* manos.

손돌바람 viento *m* muy frío y fuerte que sopla alrededor del día viente de octubre del calendario lunar.

손돌이추위 frío *m* muy severo hacia el veinte de octubre [alrededor del día veinte de octubre] del calendario lunar.

손동작(一動作) movimiento *m* manual, movimiento *m* de las manos.

손득(損得) pérdida *f* y ganancia, ventaja *f* y desventaja, daño *m* y provecho, el pro y el contra. ~ 때문에 por interés. ~을 도외시하고 sin tener en cuenta el interés, desinteresadamente. ~의 문제가 아니다 no ser cuestión de perder o ganar. ~은 아무래도 좋다 No me da un bledo si yo gano ni pierdo. ~은 문제가 되지 않는다 No es cuestión de dinero.

손들다 ① [항복하다. 굴복하다] rendirse (a), someterse (a). 그에게는 손들었다 Confieso que él es invencible / Confieso que no puedo con él. 나는 그에게 손들었다 El me fastidió. 나는 그것에 손들었다 Me cansé de eso. 네 요리 솜씨 앞에서는 손들었다 Me descubro ante tus dotes de cocinero. ② [힘에 겨워 도중에서 그만두다] aguantar, soportar. 나는 그에게 손들었다 Yo no le aguanto [soporto] / Yo no le trago. 나는 이제 손들었다 ¡No puedo más! / ¡No aguanto más!

손등 dorso *m* [reverso *m*] de la mano.

손때 suciedad *f* causada por las manos, suciedad *f* por el manoseo.

◆손때(가) 먹다 manosearse. 손때가 먹은 책 libro *m* manoseado.

◆손때(가) 묻다 ser muy usado. 손때가 묻은 imporcado por el manoseo. 손때가 묻은 책 libro *m* muy usado.

◆손때(를) 먹이다 manosear.

손떠퀴 toque *m*. ~가 좋다 tener el toque de suerte. ~가 나쁘다 tener el toque de desgracia.

손떼다 ☞손[1]

손뜨겁다 =손부끄럽다.

손료(損料) (precio *m* de) alquiler *m*, arriendo *m*. ~를 지불하고 빌리다 alquilar, tomar en arriendo. ~를 받고 빌려 주다 dar en arriendo, alquilar, arrendar. 그들은 관광객에게 ~를 받고 자전거를 빌려 준다 Ellos les alquilan bicicletas a los turistas.

손말명【민속】espíritu *m* de la virgen (muerta).

손맑다 ① [재수가 없어 생기는 것이 없다] (ser) pobre, inepto, incapaz. ② [후하지 아니하고 다랍다] (ser) mezquino, tacaño, mísero.

손멈추다 dejar de + *inf*.

손모(損耗) pérdida *f*, daño *m*, perjuicio *m*, detrimento *m*.

손모가지 ((속어)) ① =손. ② =손목.

손모자라다 carecer de la mano de obra.

손목 muñeca *f*, pulsera *f*, carpo *m*. ~의 carpiano. ~을 잡다 coger*le a uno* por la muñeca.

■~뼈 hueso *m* del carpo. ~시계 reloj *m* de pulsera.

손바구니 canasta *f*, cesta *f*, cesto *m*.

손바느질 labor *f*, bordado *m*, costura *f* (a mano). ~을 한 cosido a mano. ~을 하다 coser a mano.

손바닥 palma *f* (de la mano). ~에 놓고 en la palma de la mano. ~만 한 땅 terreno *m* muy pequeño. ~으로 때리다 dar una bofetada; [여러 차례] dar de bofetadas, dar de plano con la mano.

◆손바닥을 뒤집듯 하다 cambiar totalmente [bruscamente] de actitud, dar la vuelta. 손바닥을 뒤집듯이 sin escrúpulo, sin vacilar. 손바닥을 뒤집듯 하는 태도를 취하다 cambiar de actitud totalmente [bruscamente]; [변절하다] cambiarse la chaqueta, chaquetear.

손발 las manos y los pies, pies y manos; [사지(四肢)] miembros *mpl*. ~을 묶다 atar*le a uno* de pies y manos. ~을 펴다 estirar los miembros. ~이 묶여 있다 estar atado de pies y manos. ~처럼 움직이다 mover a la seña y llamada de *uno*. 나는 ~이 저렸다 Se me entumecieron los pies y las manos.

◆손발이 되다 ser pies y manos de *uno*. 손발(이) 맞다 estar confabulado [complotado · conchabado] (con).

손발톱 la uña y la uña del pie.

손방 inexperiencia *f*.

손방(巽方)【민속】sudeste *m*, sureste *m*.

손버릇 ① [손에 익어진 버릇] acción *f* habitual de las manos. ② [남의 물건을 훔치거나 망가뜨리는 버릇] hábito *m* de robar.

◆손버릇(이) 사납다 tener (la) mano larga, tener las manos largas, ser largo de manos, ser largo de uñas, ser listo de manos.

손벌리다 pedir con la palma abierta.

손보기[1] =손질❶.

손보기² [계집이 정조를 파는 것으로 업을 삼는 일] prostitución *f.* ~를 하다 prostituir.

손보다¹ [잘 손질을 하여 보살피다] reparar, remendar, arreglar, cuidar. 잘 손보아진 bien cuidado, bien mantenido. 잘못 손보아진 mal cuidado, mal mantenido. 기계를 잘 손보아 두다 mantener la máquina en buen estado.

손보다² [찾아온 손님을 만나 보다] ver a la visita.

손복(損福) pérdida *f* de la dicha, pérdida *f* de la suerte, pérdida *f* de buena fortuna.

손부(孫婦) esposa *f* de *su* nieto.

손부끄럽다 dar*le* vergüenza [apuro] a *uno.*

손붙이다 empezar, comenzar.

손비다 ① [할 일이 없어 아무것도 하지 않고 있다] no hacer nada sin trabajo que hacer. ② [수중에 돈이 하나도 없다] no tener ni un céntimo.

손빌리다 pedir la ayuda de otro.

손빠르다 ① =민첩하다. ② [파는 물건이 잘 팔려 나가는 상태에 있다] venderse bien.

손빨래 lavado *m* con las manos. ~하다 hacer la colada con las manos, lavar la ropa (sucia) con las manos.

손빼다 romper las relaciones.

손뻗치다 extender la influencia.

손뼈【해부**】** hueso *m* de la mano.

손뼉 palmoteo *m*, palmada *f*, compás *m* dando palmadas, aplausos *mpl*.

◆손뼉(을) 치다 ㉮ [손바닥을 마주쳐서 소리를 내다] palmotear, batir palmas, dar palmadas, batir palmadas, llevar compás dando palmadas. 손뼉을 치며 좋아하다 alegrarse dando palmadas, dar palmadas de alegría. ㉯ [기뻐하고 좋아하다] alegrarse, gozar, sentir placer.

▪두 손뼉이 맞아야 소리가 난다 ((속담)) Cuando uno no quiere, dos no riñen / Cuando uno no quiere, dos no barajan.

손사래 acción *f* de agitar *su* mano. ~하다 agitar *su* mano.

손사풍(巽巳風) =동남풍(東南風).

손상(損傷) daño *m*, perjuicio *m*, injuria *f*, deterioro *m*, accidente *m*, casualidades *fpl*; [선박·선하의] avería *f.* ~하다 sufrir daño, perjudicar, dañar, perder. ~되다 estar daño, estar perjudicado, sufrir pérdida, echarse a perder. ~을 주다 causar daño (a). ~을 받다 sufrir daño, experimentar daño. 바나나는 빨리 ~된다 Los plátanos se echan a perder pronto.

손살 entre los dedos.

손색(遜色) inferioridad *f*, humillación *f*, desventaja *f.*

◆손색(이) 없다 no ser inferior, no llevar desventaja, no ir en zaga. 조금도 ~ no llevar desventaja alguna, no ser inferior de ningún modo. …에 비해 ~ no ir en zaga de *algo · uno.*

손서(孫壻) esposo *m* de *su* nieta.

손서투르다 (ser) inhábil.

손석풍(孫石風) =손돌바람.

손세(孫世) ① [자손이 늘어가는 정도] crecimiento *m* de *sus* descendientes. ② [손자의 대(代)] generación *f* de *su* nieto.

손속 =수덕(手德).

손수 ① [직접 제 손으로] personalmente, en persona, con *sus* propias manos. ~ 만든 hecho a mano; [자가 제품(自家製品)의] casero, hecho en casa. ~ 만든 액세서리 accesorios *mpl* hechos a mano. ~ 심으신 나무 árbol *m* que plantó él mismo. ~ 돌보아 기르다 criar con mucho cuidado, criar con mucho esmero. 대통령이 ~ 쓴 편지 carta *f* escrita por el presidente mismo. 그는 상담[연구]을 ~ 한다 El se encuentra ocupado en una negociación [en una investigación]. ② [제 스스로] se, sí, sí mismo.

손수건(-手巾) pañuelo *m*, moquero *m.*

손수레 carretilla *f* (de mano), carretón *m* de mano. ~로 나르다 llevar en carretilla.

▪~꾼 carretero, -ra *mf.*

손숫물 el agua *f* para lavarse las manos.

손쉽다 (ser) fácil; [간단하다] sencillo, simple, ligero. 손쉬운 문제 problema *m* fácil. 손쉽게 fácilmente, con facilidad. 손쉽게 처리하다 despachar fácilmente. 그것은 손쉬운 일이 아니다 Eso no es nada fácil / No es cosa de coser y cantar.

손시늉 señas *fpl* con la mano. ~하다 hacer señas con la mano.

손실(損失) pérdida *f*, daño *m*, perjuicio *m*, detrimento *m*. ~하다 perder. 가벼운 ~ pérdida *f* pequeña. 큰 ~ gran pérdida *f*, pérdida *f* severa [seria · pesada]. ~을 입다 sufrir pérdidas. 그의 죽음은 우리 나라에 큰 ~이다 Su muerte constituye una gran pérdida para nuestro país.

▪~금(金) suma *f* perdida. ~률 tipo *m* perdido. ~ 물질 material *m* perdido. ~ 체면 dignidad *f* perjudicada.

손심부름 recado *m* pequeño.

손싸다 (ser) hábil, diestro.

손쓰다 ① [제때에 필요한 조치를 취하다] tomar las medidas necesarias. 이것은 손쓸 방법이 전혀 없다 No hay ningún remedio para esto. ② [남에게 무엇을 선심 쓰다] hacer una amabilidad, hacer una cosa (a una persona).

손씻다 romper las relaciones.

손씻이 propina *f.* ~하다 dar propina. ~로 de propina.

손아귀 (en) las manos. ~에 있다 estar en *su* mano.

◆손아귀에 넣다 capturar.

손아래 el estado de ser más joven que otro, inferior *m*, subordinado *m.*

▪~뻘 relación *f* más joven.

손아랫사람 inferior *mf*, menor *mf*, subordinado, -da *mf.*

손안 en las manos.

◆손안에 넣다 poner en *sus* manos.

손액(損額) cantidad *f* perdida.

손어림 medición *f* de mano. ~하다 usar *sus*

manos para hacer un cálculo aproximado.

손오공(孫悟空) *sonogong*, mono *m* maravilloso e imaginario.

손위 superioridad *f*.

손윗사람 superior *mf*; antiguo, -gua *mf*; anciano, -na *mf*.

손익(損益) pérdidas *fpl* y ganancias.

■~ 계산(計算) balance *m*. ~ 계산서[표] balance *m* de resultados, cuenta *f* de pérdidas y ganancias, cuenta *f* de resultados, estado *m* de pérdidas y ganancias. ~ 계정 cuenta *f* de pérdidas y ganancias, cuenta *f* de resultados. ~ 분기점 punto *m* de equilibrio.

손익다 estar acostumbrado (a). 그녀는 이 일에 손익어 있다 Ella está acostumbrada a este trabajo.

손자(孫子) nieto *m*. 첫 ~ primer nieto *m*.

■~며느리 esposa *f* de *su* nieto.

손자국 marca *f* de la mano. ~을 남기다 dejar la marca de la mano.

손자귀 hachuela *f*, el hacha *f* (*pl* las hachas) pequeña.

손작다 (ser) tacaño, mezquino.

손잠기다 estar ocupado.

손잡다 ① [서로 협력하여 같이 일하다] cooperar, colaborar; [한패가 되다] asociarse, agruparse. …와 ~ colaborar con *uno*, asociarse a [con] *uno*. …와 손잡고 사업을 하다 asociarse con *uno* para empezar un negocio. ② =야합(野合)하다.

손잡이 ① mango *m*. 가죽 ~ [전차나 버스 따위의] correa *f*. …에 ~를 달다 poner un mango a *algo*. 지하철의 ~에 매달리다 suspenderse de una correa del metro. 급정거시 위험하오니 ~를 잡아 주세요 Coja el mango que es peligroso al parar repentinamente. ② [항아리·가구의] asa *f*, agarradero *m*; [냄비·주전자 따위의 활시위 모양을 한] asa *f*, orejuela *f*. …의 ~를 잡다 coger *algo* por el asa. ③ [문 따위의] manecilla *f*, tirador *m*. ④ [칼의] tahalí *m*, empuñadura *f*. ⑤ [지팡이·우산 따위의] puño *m*. ⑥ [문이나 창의] manilla *f*.

손장난 jugueteo *m*. ~하다 juguetear (con). 어린이가 강아지와 ~한다 El niño juguetea con el perrillo.

손장단(-長短) compás *m* con la mano, compás *m* marcado por las palmadas, palmas *fpl*. ~을 맞추다 marcar el compás con la mano, tocar las palmas. 관객의 ~에 맞추어 행진하다 marchar siguiendo el compás marcado por las palmadas de los espectadores.

손재(損財) pérdida *f* de *su* posesión. ~하다 perder *su* posesión.

손재간(-才幹) =손재주.

손재봉틀 máquina *f* de coser de mano.

손재수(損財數) suerte *f* de perder *su* posesión.

손재주(-才-) habilidad *f*, destreza *f*, trabajo *m* hecho a la ligera. ~(가) 있는 habilidoso, hábil, mañoso, diestro. ~가 있다 ser diestro con las manos, ser diestro en obras a mano, tener destreza manual.

손 저리다 =당황하다. 떨리다. 겁나다.

손저울 balanza *f* de mano.

손전등(-電燈) linterna *f* portátil, linterna *f* eléctrica, candela *f* metálica de mano.

손전화(-電話) celular *m*.

손주다 arrodrigar.

손주딸 =손자딸.

손주사위 =손서(孫壻).

손질 ① [손으로 잘 매만져 다듬는 일] trabajo *m* hecho a mano; [수선(修繕)] reparo *m*, reparación *f*, [관리(管理)] cuidado *m*. ~하다 trabajar (en); [수선하다] reparar, remendar, arreglar; [관리하다] cuidar. ~이 잘 된 bien cuidado, bien mantenido. ~이 잘못된 mal cuidado [mantenido]. ~이 잘 된 정원 jardín *m* (*pl* jardines) bien cuidado. 깎아서 ~하다 [나무 따위를] desramar, podar; [잔디 따위를] cortar, tundir; [양털 따위를] esquilar. 깎아서 ~하는 일 poda *f*, tunda *f*, tundidura *f*, esquilo *m*. 보고서에 ~하다 remendar el informe. 옷을 ~하다 cuidar la ropa. 기계(機械)를 잘 ~해 두다 mantener la máquina en buen estado. 이 정원은 잘 ~되어 있다 Este jardín está bien cuidado. ② [손으로 때리는 짓] manotada *f*, manotazo *m*. ~하다 manotear, dar golpes con las manos.

손짐작 cálculo *m* aproximado de mano.

손짓 gestos *mpl*, gesticulación *f*, señal *f* por la mano. ~하다 gesticular, accionar, hacer gestos. ~으로 이야기하다 hablar [decir] accionando [con dactilología], hablar haciendo gestos, hablar con gestos, hablar por señas. ~으로 부르다 llamar haciendo señas con la mano, llamar con señas (de la mano). ~으로 알리다 hacer una señal. 그는 나를 ~해 불렀다 El hizo señas con la mano para que me acercara / El me llamó con señas / El me llamó haciendo señas con la mano.

■~ 발짓 imitación *f* gesticular y oral.

손찌검 manotada *f*, manotazo *m*. ~하다 manotear, dar golpes con las manos.

손치다[1] [보수를 받고 손님을 묵게 하다] alquilar habitaciones.

손치다[2] ① [물건을 매만져서 바로잡다] arreglar, alisar. ② [가지런히 되어 있는 물건의 한쪽이 없어지거나 어지럽게 되다] estar fuera de lugar.

손 치르다 entretener a *sus* invitados, dar una fiesta.

손 크다 ① [마음이 후하여 손을 쓰는 품이 넉넉하다] (ser) generoso. 손 큰 사람 persona *f* generosa. 손 큰 남자 hombre *m* generoso. 손 큰 여자 mujer *f* generosa. 손 크게 돈을 쓰다 ser libre con *su* dinero, meter en *su* bolsillo. ② [수단이 많다] ser persona de recursos, ser persona con inventiva.

손 타다 [물건의 일부가 없어지다] ser robado (una parte de las cosas).

손 털다 [밑천이나 사재를 모조리 잃다] perder

todo.

손톱 uña *f.* ~을 깎다 [자신의] cortarse las uñas; [다른 사람의] cortar*le a uno* las uñas. ~으로 할퀴다 arañar, rasguñar. ~을 기르다 dejar crecer las uñas. ~을 물어뜯다 morderse las uñas. ~을 꽂아넣다 hincar [clavar] las uñas (en). ~을 세우다 echar la garfa (a). ~ 소제를 하다 arreglarse las uñas. ~을 너무 바싹 깎다 cortarse la uña hasta la carne. 너는 ~소제를 해야겠다 Tú necesitarás arreglarte las uñas. 그녀는 ~을 물어뜯는다 Ella se come las uñas.

◆손톱만큼 un poquito, una pizca. 그는 친절이라고는 ~도 없다 El no tiene ni (una) pizca de amabilidad. 그의 언행을 ~이라도 본받기를 바란다 Quiero que aprendas por poquito que sea de su conducta.

■~깎이 cortaúñas *m.sing.pl.* ~눈 carne *f* viva, cutícula *f* de la uña. ~독(毒) veneno *m* por las uñas. ~묶음 paréntesis *m* ~솔 [매니큐어 용의] cepillo *m* de uñas. ~자국 arañazo *m*, uñarada *f*, uñada *f*, rasguño *m*, rascadura *f*, *Hon* uñetazo. ¶…에 ~을 내다 marcar *algo* con las uñas. ~이 남아있다 Queda rasguño. ~줄 lima *f* (de uñas).

손틀 ① =손기계. ② ((준말)) =손재봉틀.

손티 (marca *f* de) viruela *f* ligera.

손표(一標) =손가락표.

손풀무 fuelle *m* de mano.

손풍금(一風琴) acordeón *m* (*pl* acordeones).

손해(損害) daño *m*, perjuicio *m*; [큰] estrago *m*; [선박·선하(船荷)의] avería *f*; [손실. 사상(死傷)] pérdida *f*, deterioro *m*, estropeo *m*; [불리(不利)] desventaja *f*. ~를 주다 causar [producir] daño [perjuicio·estrago] (a·en), dañar, perjudicar. ~를 입다 sufrir [padecer·recibir] daño, averiarse. ~를 사정(査定)하다 estimar [evaluar] un daño [un estrago]. 그것은 당신의 ~다 Es usted quien pierde [sale perjudicado] con eso. 나는 십만 원 ~다 Perdí [Salí perdiendo] cien mil wones. 나는 고생만 하고 ~를 보았다 Lo hice sólo para sufrir / Fue un sufrimiento sin provecho / Sufrí en vano. 그 책을 사는 것은 ~가 아니다 No es una pérdida de dinero comprar ese libro. 어떤 경우라도 나는 ~는 아니다 De cualquier modo, no voy a perder nada / Cualquier resultado que obtenga, no pierdo nada. 서리로 인해 포도밭이 ~를 입었다 La escarcha causó estragos en los viñedos / Los viñedos han sufrido estragos por la escarcha.

◆물적(物的) ~ daños *mpl* materiales. 인적(人的) ~ daños *mpl* personales.

◆손해(가) 가다 perder el dinero.

◆손해(가) 나다 perder, salir perdiendo. 손해(가) 나는 ㉮ [이익이 없는] sin provecho, poco lucrativo. ㉯ [불리한] desventajoso, desfavorable, ingrato. 손해나는 거래를 하다 hacer un negocio desventajoso [desfavorable]. 그것은 손해나는 일이다 Es una tarea ingrata. 그는 ~인 줄 알면서 복권을 샀다 El compró lotería sabiendo que iba a perder.

◆손해(를) 보다 sufrir [padecer·recibir] daño, averiarse, perder (dinero). 큰 ~ sufrir una pérdida grande, sufrir grandes daños. 손해를 보고 팔다 vender a una pérdida.

■손해 보는 사람이 있는 반면에 득(得) 보는 사람도 있다 ((속담)) No hay mal que por bien no venga.

■~ 배상 indemnización *f*, compensación *f*. ¶~하다 indemnizar*le* a *uno* del perjuicio, pagar*le* a *uno* una indemnización. ~으로 a título de indemnización, en indemnización de los daños. ~을 청구하다 reclamar*le* a *uno* una indemnización. ~을 받다 recibir la indemnización, indemnizarse. ~의 소송을 제기하다 demandar por daños y perjuicios. ~를 회복하려다 더 ~를 보다 seguir tirando dinero (a la basura). 그녀의 전남편에게 ~하라고 판결했다 Su ex-esposo fue condenado a indemnizarla por daños y perjuicios. ~ 배상금 indemnización *f*. ~ 배상 청구권 demanda *f* por daños. ~ 보험 seguro *m* de daños, seguro *m* sobre los daños. ~ 사정인[자] tasador, -dora *mf* de pérdidas. ~액 cantidad *f* de los daños. ~율 índice *m* de siniestralidad. ~ 정산 비용 gasto *m* de ajuste por pérdidas. ~ 증명(證明) certificado *m* de los daños.

손화로(一火爐) brasero *m* pequeñísimo.

손회목 región *f* más fina de la muñeca.

솔[1] =소나무(pino).

■~가루 polvo *m* de hojas de pino. ~바람 brisa *f* que sopla del pino. ~방울 piña *f*, piñón *m* (*pl* piñones). ~밭 pinar *m*. ~버덩 meseta *f* estéril de muchos pinos. ~보굿 corteza *f* de pino. ~뿌리 raíz *f* (*pl* raíces) de pino. ~수펑이 =솔숲. ~숲 pinar *m*, bosque *m* de pinos, arboleda *f* de pinos. ~잎 hoja *f* de pino; [땅에서 마른] pinocha *f*, pinaza *f*. ~포기 pino *m* pequeño con ramas espesas.

솔[2] [먼지·때를 쓸어 떨어뜨리거나 풀칠할 때 쓰는 제구] cepillo *m*; [소제용] cepillo *m* de limpiar; [면도용] brocha *f* de afeitar. ~로 털다 cepillar, acepillar, limpiar con el cepillo; [자신의 것을] cepillarse.

■~장이 fabricante *mf* de cepillo. ~질 cepilladura *f*, acepilladura *f*. ¶~하다 cepillar, acepillar.

솔[3] =소포(小布).

솔[4] ((준말)) =솔기.

솔[5] 【의학】 pústula *f*.

솔가(率家) acción *f* de llevar toda la familia. ~하다 llevar toda la familia.

솔가리 ① [말라서 땅에 떨어진 솔잎] hoja *f* del pino caída. ② [소나무 가지를 꺾어서 묶은 땔나무] leña *f* atada de las ramas del pino.

솔가지 rama *f* del pino.
솔개 【조류】 milano *m*.
솔권(率眷) =솔가(率家).
솔기 costura *f*, [상처의] sutura *f*.
솔깃하다 estar interesado (en).
솔깃이 con interés, con entusiasmo.
솔나방 【곤충】 =송충나방.
솔다[1] ① [부레풀이나 콘크리트 등이 말라서 단단히 굳어지다] secarse. ② =소쿠라지다.
솔다[2] [시끄러운 소리나 귀찮은 말을 많이 들어서 귀가 아프게 되다] doler*le* los oídos) a *uno*, tener (los oídos) dolorido. 나는 그녀의 잔소리에 귀가 솔았다 Me dolieron los oídos con su rezongo constante.
솔다[3] ((준말)) =무솔다.
솔다[4] [넓이가 좁다] (ser) estrecho, angosto, pequeño, breve, apretado. 매우 솔은 잠옷 un brevísimo camisón. 저고리의 품이 ~ La blusa está apretada.
솔다[5] [긁으면 아프고 그냥 두자니 가렵다] picar*le* (y doler*le*). 코가 솔았다 Me picó la nariz.
솔대 listón *m* (*pl* listones).
솔따비 arado *m* para sacar las raíces de pino.
솔딱새 【조류】 papamoscas *m* siberiano.
솔래솔래 uno a uno, uno por uno. ~ 빠져나가다 escabullirse uno a uno [uno por uno].
솔로(이 *solo*) ① 【음악】 [독주. 독창] solo *m*. ~로 노래하다 cantar un solo. 피아노를 위한 ~ un solo para piano. ② [혼자서 하기] ejecutación *f* en solitario.
◆바이올린 ~ un solo de violín. 피아노 ~ un solo de piano.
■~ 가수 solista *mf*. ~ 앨범 album *m* en solitario. ~ 연주자(演奏者) solista *mf*. ~ 홈런 cuadrangular *m* en solitario.
솔로몬 【인명】 ((성경)) Salomón.
솔로몬 군도(Solomon 群島) 【지명】 las Islas Salomón.
솔문(-門) puerta *f* cubierta de las hojas de pino verdes para la bienavenida.
솔바람 ☞솔[1]
솔바탕 alcance *m* de lanzar.
솔방울 ☞솔[1]
솔봉이 joven *m* (*pl* jóvenes) grosero; pueblerino, -na *mf* joven.
솔부엉이 【조류】 búho *m* marrón.
솔불 ((준말)) =관솔불.
솔새[1] 【식물】 ((학명)) Themeda japonica.
솔새[2] 【조류】 =쇠솔새.
솔선(率先) acción *f* de tomar la iniciativa, el primero de todos. ~하다 hacer una casa el primero de todos, llevar, guiar, encabezar. ~해서 *por iniciativa* propia. ~해서 … 하다 tomar la iniciativa en + *inf*. 그는 ~해서 모범을 보였다 El mismo dio el ejemplo.
■~자(者) guía *mf*, iniciador, -dora *mf*, precursor, -sora *mf*.
솔성(率性) ① [천성(天性)을 좇음] seguimiento *m* de la disposición natural. ② =천성(天性). 성품(性品). 성격(性格).
솔솔 suavemente, con suavidad, ligeramente, sin esfuerzo. 문제가 ~ 풀리다 resolver la cuestión difícil sin esfuerzo. 바람이 ~ 분다 El viento sopla suavemente. 바람이 ~ 들어온다 Entra una corriente de aire.
솔솔바람 brisa *f* suave.
솔솔이 =솔기마다.
솔씨 piñón *m* (*pl* piñones).
솔이끼 【식물】 musgo *m*.
■~류(類) musgos *mpl*.
솔이하다(率易-) (ser) franco.
솔잣새 【조류】 piquituerto *m* (coreano).
솔직하다(率直-) (ser) franco, abierto, simple y honrado, sincero. 솔직함 franqueza *f*, simpleza *f*, simplicidad *f*. 솔직한 사람 hombre *m* franco, hombre *m* sencillo, persona *f* franca, persona *f* sencilla. 말이 솔직한 franco, claro, abierto.
솔직히 francamente, con franqueza, abiertamente. ~ 말하자면 francamente (hablando), poniendo los cosas en *su* sitio, dejándose de rodeos. ~ 의견을 말하다 hablar [opinar] francamente [sin ambages]. ~ 인정하다 admitir llanamente. 꾸미지 않고 ~ 말하다 no andar(se) con rodeos, no tener pelos en la lengua, llamar al pan, pan y al vino, vino. ~ 말하면 그는 무능력자이다 Al pan, pan y al vino, vino: él es un incompetente.
솔질 acepilladura *f*. ~하다 cepillar, acepillar, limpiar con el cepillo; [자신의 것에] cepillarse. 나는 웃옷을 ~했다 Me cepillé el saco. 그녀는 머리를 ~했다 Ella se cepilló el cabello.
솔찜 =솔찜질.
솔찜질 fomento *m* por las hojas de pino. ~을 하다 fomentar con las hojas de pino.
솔트(영 *SALT*, *Strategic Arms Limitations Talks*) [전략 무기 제한 회담(戰略武器制限會談)] conversaciones *fpl* para la limitación de armas estratégicas, SALT *fpl*.
솜 algodón *m*, algodón *m* de rama, guata *f*. ~을 넣다 acolchar [rellenar] con algodón, aguatarse. ~처럼 부드러운 구름 nube *f* como un vellón de lana.
◆솜(을) 타다 limpiar algodón.
■~고치 =면견(綿繭). ~덩이 bola *f* de algodón. ~뭉치 fajo *m* de algodón. ~바지 pantalones *mpl* aguatados de algodón. ~버선 calcetines *mpl* (coreanos) de algodón. ~병아리 polluelo *m* recién nacido [salido de cascarón]. ~붙이 ropa *f* aguatada, ropa *f* acolchada. ~사탕 algodón *m* (de azúcar). ~옷 vestido *m* enguatado, ropa *f* de algodón. ~이불 colchón *m* (*pl* colchones) de algodón. ~채 palo *m* de golpear algodón. ~털 ㉮ [새 따위의] plumón *m* (*pl* plumones). ㉯ [얼굴·몸의] vello *m*, pelusilla *f*, [윗입술 위의] bozo *m*, pelusilla *f*. ㉰ [식물의] pelusa *f*. ~틀 desmotadora de algodón. ~화약 algodón *m* pólvora, pólvora *f* de algodón, fulmicotón *m*.

솜구름 ((속어)) =적운(積雲).

솜대 【식물】 bambú *m* negro.

솜돗 estera *f* de tratar (el algodón) con un diablo.

솜솜 con viruelas. ~하다 estar picado de viruelas. ~ 얽은 얼굴 cara *f* picada de viruelas.

솜씨 habilidad *f*, destreza *f*, arte *m(f)*, maña *f*, tino *m*, pericia *f*, obra *f* de mano; [능력] capacidad *f*, facultad *f*. ~가 좋은 hábil, diestro, experto. ~가 서툰 torpe, inhábil, desmañado. ~가 서툼 torpeza *f*. ~ 좋게 hábilmente, diestramente, con tinos, con acierto, con destreza. 민첩한 [재빠른] ~ movimiento *m* ligero, destreza *f* de manos. 훌륭한 ~ diestra *f* pasmosa. 남몰래 익힌 ~ talento secreto. 서툰 ~로 con mano torpe. ~가 좋다 (ser) hábil, diestro, tino, mañoso, tener un mano diestra [maestra]. ~가 서툴다 tener las manos torpes, ser hábil (para). ~를 보이다 mostrar *su* pericia [habilidad], dar una prueba de gran destreza, mostrar *su* destreza. ~를 시험해 보다 poner a prueba *su* capacidad, medir *sus* fuerzas. ~를 향상시키다 hacer progresos, progresar, adelantar en la técnica. ~가 둔해지다 perder *su* habilidad [la mano · la destreza], hacerse menos hábil. ~를 연마하다 perfeccionar *su* habilidad [*su* técnica]. ~를 내어 요리를 만들다 desplegar *su* arte culinario. 골프 ~를 높이다 adelantar en el golf. …의 ~가 좋다 ser hábil [diestro · competente] en *algo*. 자기의 ~를 보이고 싶어 좀이 쑤시다 estar impaciente (por + *inf*), impacientarse por demostrar *su* habilidad (en), tener el prurito (de + *inf*). 저 이발사는 ~가 좋다 Aquel peluquero es diestro / Aquel peluquero conoce bien el oficio.

솟고라지다 ① [용솟음치며 끓어오르다] hervir. ② [솟구쳐 오르다] saltar, subir saltando.

솟구다 [새가] volar alto; [글라이더가] planear; [새 · 연이] elevarse, remontarse, remontar el vuelo; [값 · 비용이] dispararse.

솟구치다 volar alto y rápido, planear rápido, elevarse rápido y fuerte, remontarse rápido y fuerte.

솟국(素−) sopa *f* cocida sin carne.

솟다 ① [아래에서 위로나, 속에서 겉으로 세차게 나오다] ascenderse alto, fluir, correr; [물이] surgir, nacer, manar, brotra, salir a chorros [a borbotones]. 구름 위에 ~ elevarse sobre las nubes. 하늘 위에 ~ elevarse al cielo. 물이 솟았다 El agua salió a chorros [a borbotones]. 종달새가 하늘 높이 솟는다 La alondra vuela alto al cielo. ② [우뚝 서다] elevarse, levantarse, erguirse, encumbrarse, descollar sobre. 건물이 우뚝 솟아 있다 El edificio se eleva [se encumbra] alto.

솟대 ① 【역사】 poste *m* rojo erguido para honrar al aspirante aprobado de servicio civil. ② 【민속】 [큰 농가에서 다음 해의 풍년을 바라는 장대] *sotdae*, poste *m* de desear el año abundante del año que viene. ③ 【민속】 [솟대쟁이가 올라가 재주를 부리는 장대] poste *m* para los acrobatas. 솟대쟁이 acrobata *m* enmascarado que representa *sus* hazañas sobre la parte superior del poste.

솟보다 comprar caro, pagar demasiado mucho, hacer mala compra.

솟아나다 brotar, fluir, manar, chorrear.

솟아오르다 manar, brotar. 바위에서 물이 솟아오른다 El agua mana de una roca.

솟을대문(−大門) puerta *f* (principal) alta.

솟을무늬 brocado *m*.

솟치다 levantar, alzar. 몸을 ~ levantarse de un salto.

송(頌) elogio *m*, encomio *m*, alabanza *f*.

송가(頌歌) himno *m*. ~를 부르다 salmodiar el himno.

송고(送稿) envío *m* del manuscrito (al encargado de redacción). ~하다 enviar el manuscrito (al encargado de redacción).

송골(松鶻) 【조류】 =매.

송골매(松鶻−) 【조류】 =매.

송골송골 en gotas profusas. 땀이 ~ en gotas profusas de sudor. 땀이 ~ 흐르다 derramar el sudor en gotas profusas.

송곳 taladro *m*, barrena *f* (de mano), alesna *f*, lezna *f*, subilla *f*, [작은] punzón *m* (*pl* punzones); [전기 · 동력 천공기] taladradora *f*, taladro *m*.; [손 드릴] taladro *m* (manual); [천공기] perforadora *f*, barreno *m*. ~으로 뚫다 hacer, abrir, agujerear. ~으로 판자에 구멍을 뚫다 agujerear la tabla con un taladro, taladrar la tabla. 그들은 바위에 ~으로 구멍을 뚫었다 Ellos hicieron una perforación en la roca.

■송곳 박을 땅도 없다 【속담】 ㉮ [대만원이다] Está de bote en bote. ㉯ [땅이라곤 조금도 없다] No hay ni un terreno vacío.

■~질 agujeramiento *m* con taladro. ~칼 taladro *m* de cuchillas de combinación.

송곳눈 ojos *mpl* que lanza una mirada iracunda.

송곳니 diente *m* canino, diente *m* columelar, colmillo *m*, canino *m*.

송과(松果) [소나무류의 열매] piñón *m* (*pl* piñones).

송과선(松果腺) 【해부】 glándula *f* pineal.

송과체(松果體) cuerpo *m* pineal. ~의 pineal.

송구(送球) ① [공을 던져 보냄] pase *m* de pelota. ~하다 pasar la bola. ② [핸드볼] balonmano *m*, pelota *f* de mano.

송구(送舊) acción *f* de pasar el año añejo. ~하다 pasar el año añejo.

■~영신(迎新) acción *f* de pasar el año añejo y de recibir el año nuevo. ~하다 pasar el año añejo y recibir el año nuevo.

송구스럽다(悚懼−) sentir. 그들의 관대함에 나는 송구스러웠다 Su generosidad me dejó abrumado. 이렇게 폐를 끼쳐서 정말 송구스럽습니다 Siento mucho haberle molestado tanto. 송구스럽지만 전화 좀 쓸 수 있을까요? ¿No le molestaría que usara su teléfono?

송구스레 ¶~ …하다 dignarse + *inf.* …을 감히 ~ 말씀드립니다 Me atrevo a decir con el más profundo respeto que + *ind.*

송구하다(悚懼－) sentir. 정말 송구하기 짝이 없습니다 Siento mucho [muchísimo].

송근유(松根油) aceite *m* de raíz de pino, trementina *f.*

송금(送金) remesa *f,* envío *m* (de dinero); [환(換)] giro *m.* ~하다 remesar, remitir (el dinero), enviar (el diner)o, enviar un giro (postal), remitir el dineron por giro postal. 본국에서 ~한 돈 때문에 외국에서 사는 사람 hombre *m* que vive en el extranjero gracias al dinero que le envían de su casa. ~을 약속하다 prometer una remesa. 우편환으로 십만 원을 ~하다 remitir cien mil wones por giro postal. 나는 인터넷 서점(書店)에 돈을 ~했다 Yo remesé [envié] dinero a la librería de internet.

▪ ~ 수취인 destinatario, -ria *mf* de remesa; consignatario, -ria *mf.* ~ 수표 cheque *m* de remesa. ~자 remitente *mf* de remesa. ~ 전표 aviso *m* de remesa. ~ 통지 notificación *f* de envío, aviso *m* de remesa. ~환 transferencia *f.* ~ 환어음 letra *f* de transferencia.

송기(松肌) endodermo *m* de pino.

▪ ~떡 *songkiteok,* tarta *f* de endodermo de pino.

송기(送氣) ventilación *f* del aire.

▪ ~관(管) ㉮ [고로(高爐)의] conducto *m* del viento. ㉯ [광산의] canal *m* de ventilación.

송낙 sombrero *m* de la monja budista.

▪ ~뿔 cuernos *mpl* de buey curvados a un lado.

송년(送年) acción *f* de pasar el año añejo.

▪ ~사 discurso *m* de pasar el año añejo. ~호(號) último número *m* del año.

송달(送達) entrega *f,* despacho *m,* embarque *m.* ~하다 enviar, mandar, despachar.

송당송당 con parte rápida. ~ 바느질하다 coser rápido. 무를 ~ 썰다 compartir el nabo.

송덕(頌德) elogio *m.* ~하다 elogiar, aplaudir.

▪ ~문(文) elogio *m,* encomio *m.* ~비(碑) monumento en honor de *uno.* ~표(標) elogio *m,* panegírico *m,* apología *f,* encomio *m.*

송도(松濤) sonido *m* de pino como el de la ola recibiendo el viento.

송도(頌禱) ＝송축(頌祝).

송독(誦讀) recitación *f.* ~하다 recitar, leer en voz alta.

송두리째 todo, completamiente, perfectamente, enteramente, cabalmente, a fondo, a conciencia, rigurosamente, meticulosamente. ~ 가져가다 llevarse [retirar] todo. 도박으로 재산을 ~ 없애다 perder todos *sus* bienes en el juego. 빚을 ~ 갚다 pagar todas *sus* deudas.

송로(松露) ① 【식물】 trufa *f.* ② [솔잎에 맺힌 이슬] rocío *m* puesto en el follaje de pino.

송뢰(松籟) brisa *f* que viene a través de pinos, susurro *m* de pinos.

송료(送料) (coste *m* de) envío *m,* flete *m,* porte *m;* [우편세] franqueo *m.* ~를 지불하다 [선불하다] franquear. ~ 착불(着拂)로 발송하다 mandar con el porte debido. ~는 수취인불(受取人拂)이다 Los portes son de cuenta del destinatario.

▪ ~ 무료(無料) porte *m* franco, franqueo *m* libre. ¶~로 franco de porte, sin porte(s). ~ 선불 porte *m* pagadero a la entrega. ¶~로 발송하다 mandar con el porte pagado.

송림(松林) bosque *m* de pinos.

송말(松末) ＝솔가루.

송명(松明) ① ＝관솔. ② ＝관솔불.

송목(松木) 【식물】 ＝소나무(pino).

송방(松肪) ＝송진(松津).

송방(松房) pañería *f* del habitante de *Gaeseong* en Seúl.

송배전(送配電) transmisión *f* de electricidad.

송백(松柏) el pino y el cono.

▪ ~과(科) coníferas *fpl.* ~과 식물 conífera *f.*

송별(送別) despedida *f.* ~하다 despedirse.

▪ ~사 palabras *fpl* de despedida. ~식 ceremonia *f* de despedida. ~연(宴) fiesta *f* de despedida. ~회 reunión *f* de despedida. ¶~를 열다 celebrar una reunión de despedida.

송병(松餠) ＝송편.

송병(送兵) envío *m* de soldados, envío *m* de las tropas, expedición *f* de tropas. ~하다 enviar los soldados, mandar los soldados, enviar las tropas.

송부(送付) envío *m,* expedición *f.* ~하다 enviar, mandar, remitir.

송사(送辭) ((준말)) ＝송별사(送別辭).

송사(訟事) causa *f,* juicio *m.* ~하다 tener pleito, tener queja.

송사(頌辭) discurso *m* elogioso, elogio *m;* [장례식에서] panegírico *m.*

송사리 ① 【어류】 pececitos *mpl,* pececillos *mpl,* morralla *f.* ② [잘고 하찮은 무리] morralla *f,* persona *f* insignificante. 체포된 것은 ~뿐이었다 Sólo capturaron a la morralla / Los capturados eran todos gente sin importancia.

송상(送像) transmisión *f* de imagen. ~하다 transmitir la imagen.

송송 ① [물건을 아주 잘게 써는 모양] en trozos menudos, en pedazos pequeños, en pedacitos, en trocitos. ② [아주 작은 구멍이 빈틈없이 뚫린 모양] lleno de agujeros pequeños, perforando. 파를 ~ 썰다 picar el puerro en pedacitos. ③ [피부에 잔 땀방울이나 소름 따위가 많이 난 모양] teniendo la frente perlada de sudor, estremeciéndose.

송수(送水) abastecimiento *m* [suministro *m*] de agua. ~하다 suministrar agua.
■ ~관(管) cañería *f* (de agua), conducto *m* de agua, servicio *m* principal de agua.
송수신기(送受信機) transmisor *m* receptor.
송수화기(送受話器) microteléfono *m*, micrófono *m*.
송신(送信) transmisión *f*, emisión *f*, servicio *m* de cablegrama; [사진의] servicio *m* de telefoto. ~하다 transmitir, emitir.
■ ~국 estación *f* emisora. ~기 transmisor *m*, radiotransmisor *m*, emisor *m*. ¶무전 ~ transmisor *m* inalámbrico. ~소(所) transmisora *f*, emisora *f*. ~ 안테나 antena *f* retransmisora. ~자 transmisor, -sora *mf*. ~ 장치 sistema *m* emisor. ¶초단파(超短波) ~ sistema *m* emisor de ondas ultracortas. ~탑 torre *f* de transmisión.
송아리 ramillete *m*.
송아지 ternera *f*, cría *f* de la vaca; [한 살 미만의] becerro *m*.
■~ 가죽 becerrillo *m*, piel *f* de becerro. ¶~ 구두 zapatos *mpl* de vitela. ~ 고기 (carne *f* de) ternera.
송악【식물】hiedra *f*.
송알송알 ① [술 등이 괴어 거품이 이는 모양] fermentando, burbujeando. ② [물이 방울방울 엉긴 모양] en gotas profusas, profusamente. 땀이 ~ 나다 transpirar profusamente.
송액(松液) pez *f* del pino.
송어(松魚)【어류】trucha *f*.
송연하다(竦然/悚然-) (estar) horrorizado, aterrorizado, aterrado. 나는 송연했다 Yo estaba aterrorizado / Yo estaba muerto de miedo.
송연히 horrorizadamente, aterrorizadamente.
송엽(松葉) =솔잎(pinocha).
송영(送迎) ① [떠나가는 사람을 보내고 오는 사람을 맞음] despedida *f* [acogida *f*] y recibimiento. ~하다 despedir y recibir, depedir y dar la bienvenida, despedir y dar buena acogida. 버스로 ~하다 llevar y traer en autobús. ~객으로 붐비다 hervir de personas que viene a recibir o despedir a sus amigos. 이 학교는 버스로 학생을 ~한다 Esta escuela lleva y trae a los niños en autobús. 공항은 ~ 인파로 들끓었다 El aeropuerto hervía de personas que habían venido a recibir o despedir a los amigos. ② ((준말)) =송구영신(送舊迎新).
송영(誦詠) recitación *f* (de un poema). ~하다 recitar (un poema).
송유(松油) aceite *m* de pino.
송유(送油) suministro *m* de petróleo. ~하다 suministrar el petróleo, enviar [mandar] el petróleo.
■ ~관(管) oleoducto *m*.
송이 [포도 따위의] racimo *m*; [바나나 따위의] piña *f*, *ReD* racimo *m*; [귤 따위의] gajo *m*. ~가 된 racimado. ~가 되다 racimarse. 포도 한 ~ un racimo de uvas.
■ ~밤 castaña *f* con el racimo sin descascarillar.
송이(松栮)【식물】champiñón *m* (*pl* champiñones); [버섯] hongo *m*, seta *f*.
■ ~버섯 =송이(松栮).
송이송이 en racimos.
송이술 vino *m* sin diluir.
송이재강 posos *mpl*.
송자(松子) ① =솔방울. ② =잣[1].
송자송(松子松)【식물】=잣나무.
송장 cadáver *m*, cuerpo *m* muerto (de una persona), muerto *m*. ~을 파내다 exhumar el cadáver. 그는 산~이다 El es un cadáver vivo.
송장(送狀) ① =송증(送證). ② [인보이스(invoice)] factura *f*. …의 ~을 작성하다 facturar *algo*, extender la factura de *algo*. 우리에게 온 ~에는 벨트 10 롤로 되어 있다 Nos facturan diez rollos de faja.
◆견적(見積) ~ factura *f* pro-forma, factura *f* simulada. 위탁 판매 ~ factura *f* de consignación. 정본 ~ factura *f* original.
■~ 금액 importe *m* [valor *m*] de (la) factura. ~ 발행기 facturadora *f*. ~ 발행자 facturador, -dora *mf*. ~ 작성 facturación *f*. ~ 작성자 facturador, -dora *mf*.
송장개구리【동물】rana *f* morena.
송장메뚜기【곤충】((학명)) Patanga succinta.
송장벌레【곤충】((학명)) Nicrophorus japonicus.
송장헤엄 estilo *m* espalda. ~을 치다 nadar a espalda [de espaldas · *Méj* de dorso]. ☞ 배영(背泳)
송적(送籍) traslado *m* del registro de domicilio. ~하다 trasladar el registro de domicilio.
송전(送電) trasmisión *f* [transmisión *f*] de la electricidad, transmisión *f* de energía, transmisión *f* y distribución de energía eléctrica. ~하다 transmitir la electricidad. 낙뢰(落雷)로 ~이 끊겼다 La caída de un rayo ha cortado la corriente eléctrica.
■ ~력(力) =송전 용량. ~선 cable *m* de electricidad, cable *m* de transmisión de energía. ~소 lugar *m* de transmisión de energía. ~ 손실 pérdida *f* de transmisión de energía. ~ 용량(容量) capacidad *f* de trasmisión (de la electricidad). ~탑 torre *f* de transmisión de energía.
송정(送呈) presentación *f*. ~하다 enviar [mandar] como un regalo, presentar, regalar. 책을 ~하다 presentar [regalar] un libro.
송죽(松竹) el pino y el bambú.
송죽(松粥) el agua *f* del bambú.
송지(松脂) =송진(松津).
송진(松津) pez *f*, resina *f* de pino.
■ ~내 olor *m* a pez.
송청(送廳) envío *m* a la fiscalía. ~하다 enviar a la fiscalía.
송축(頌祝) bendición *f*. ~하다 bendecir, ser bendito. ~을 받다 ser bendito.
송충(松蟲)【곤충】=송충이.

송충나방(松蟲－) 【곤충】 ＝솔나방.
송충목(松蟲木) pino *m* comido por la oruga.
송충이(松蟲－) 【곤충】 procesionaria *f*, oruga *f* que come pino.
송치 ternero *m* nonato [que todavía no ha nacido].
송치(送致) envío *m*, despacho *m*, remisión *f*. ～하다 enviar, despachar, remitir.
송판(松板) tabla *f* de pino.
송편(松－) *songpyeon*, tarta *f* de arroz cocida al vapor en una capa de las hojas de pino.
송풍(送風) ventilación *f*. ～하다 ventilar, enviar el aire.
■～관(管) tobera *f*, tubería *f* del viento, tubo *m* de escape. ～기(器) ventilador *m*, soplador *m*. ～ 장치(裝置) sistema *m* de ventilación.
송학(松鶴) grulla *f* sobre el pino.
송화(松花) polen *m* de pino.
■～주(酒) vino *m* de polen de pino.
송화(送話) transmisión *f* de un mensaje. ～하다 transmitir.
■～구 boquilla *f*. ～기 transmisor *m*.
송환(送還) devolución *f*; [본국(本國)으로] repatriación *f*. ～하다 devolver; [본국으로] repatriar.
■～자 repatriado, -da *mf*; deportado, -da *mf*; retornado, -da *mf*.
솥 olla *f*; [보일러용의] caldera *f*; [볶는] horno *m*. 한 ～ 밥을 먹다 compartir la mesa (con), vivir bajo el mismo techo.
◆솥(을) 걸다 instalar la olla en el hogar.
■～귀 el asa *f* (*pl* las asas) de una olla. ～땜장이 hojalatero, -ra *mf*; calderero, -ra *mf*. ～뚜껑 tapa *f* de una olla. ～물 lunar *m* de óxido en una nueva olla. ～발 base *f* de trípode de una olla. ～발이 cría *f* [camada *f*] de tres cachorros. ～솔 cepillo *m* para la olla. ～전 borde *m* de una olla. ～전(廛) tienda *f* de las ollas. ～젖 tres pedazos de metal en el borde de una olla para suspenderla en el hogar.
쏴 ① [나무나 물건을 스치며 지나는 바람 소리] silbando, aullando, con brío. 바람이 ～ 분다 Sopla una ráfaga de viento / El viento silba [aúlla]. ② ＝비바람 소리. ③ [물・액체가 세게 흐르는 소리] a torrentes, a cántaros, a mares. 물이 ～ 나왔다 El agua salía a torrentes. 비가 ～ 내린다 Llueve a cántaros [a mares].
쏴쏴 siguiendo silbando [aullando]; a cántaros, a mares, a torrentes.
쏼쏼 ① [물이 거침없이 흐르는 모양이나 소리] a torrentes, a mares, a cántaros. 물을 ～ 뿌리다 regar. ② [머리털을 빗질하거나 짐승의 털을 솔질하는 모양] con brío. 머리를 ～ 빗다 peinarse con brío.
쇄 ① [나무나 틈 사이로 몰아쳐 부는 바람소리] silbando, aullando. ② [소낙비가 몰아쳐 오는 소리] a cántaros. ③ [액체가 급히 나오거나 흐르는 소리] a torrentes, a mares.
쇄골(鎖骨) 【해부】 clavícula *f*, asilla *f*, hueso *m* de la alacena. ～의 cleidal.
쇄골분신(碎骨粉身) ＝분골쇄신(粉骨碎身).
쇄광(碎鑛) trituración *f* de roca. ～하다 triturar [machacar] la roca.
■～기(機) trituradora *f*.
쇄국(鎖國) aislamiento *m* nacional, país *m* (*pl* países) cerrado al extranjero. ～하다 cerrar el país al extranjero. 근세 조선(近世朝鮮)은 거의 완전히 100년간 ～ 상태에 있었다 *Choson* Moderno estuvo en un estado de aislamiento nacional casi completo por espacio de cien años.
■～ 정책(政策) política *f* de aislamiento nacional. ～주의(主義) aislacionismo *m* (nacional). ～주의자(主義者) aislacionista *mf* (nacional).
쇄도(殺到) acudimiento *m* en tropel, prisa *f*, inundación *f*, aluvión *m*, avalancha *f*, *AmL* apuro *m*. ～하다 acudir en tropel, abalanzarse en tropel, precipitarse, agolparse, llegar a espetaperro, apiñarse, llover, abrumar, recibir un aluvión. 신청이 ～하다 apiñarse los aspirantes. 주문이 ～하다 recibir una infinidad de pedidos. 지원자가 ～하다 acudir en tropel los solicitantes. 사람들이 출구(出口)에 ～했다 La gente se abalanzó en tropel hacia la salida. 응모자가 ～했다 Los solicitantes acudieron en tropel. 당사(當社)에 주문(注文)이 ～하고 있다 Nosotros recibimos una infinidad de pedidos. 그들에게 항의[편지]가 ～했다 Ellos recibieron un aluvión de protestas [cartas]. 그에게 청혼이 ～했다 Le llovieron las propuestas matrimoniales [de matrimonio]. 우리에게 질문(質問)이 ～했다 Nos abrumaron con preguntas.
쇄빙(碎氷) hielo *m* machacado, hielo *m* rompido, rompehielo *m*. ～하다 romper [machacar] el hielo.
■～선 (barco *m*) rompehielos *m.sing.pl*, cortahielos *m.sing.pl*.
쇄석(碎石) piedra *f* machacada.
■～기(機) quebrantadora *f* (de piedra), machacadora; 【의학】 litotritor *m*. ～도(道) camino *m* macadamizado. ～장(場) cantera *f*. ～ 포도법 modo *m* de pavimentación macadamizada. ～ 포장 도로 pavimento *m* macadamizado.
쇄신(刷新) renovación *f*, reforma *f*, innovación *f*. ～하다 renovar, reformar, innovar, formar de nuevo, rehacer. 인사(人事)를 ～하다 renovar el personal.
쇄신(碎身) ((준말)) ＝분골쇄신(粉骨碎身).
쇄편(碎片) fragmento *m*, cacho *m*, trozo *m*, pedacito *m*.
쇄항(鎖港) cierre *m* de un puerto. ～하다 cerrar los puertos.
쇠 ① [철(鐵)] hierro *m*. ～ 같은 의지(意志) voluntad *f* férrea [de hierro]. ～ 같은 의지를 가진 사람 persona *f* con una voluntad férrea [de hierro]. ～를 녹이다 fundir el hierro. ～가 녹다 fundirse el hierro. ② [쇠붙이의 총칭] metal *m*. ～의 metálico. ③

((준말)) =열쇠(llave). ④ ((준말)) =자물쇠(cerradura). ⑤ ((속어)) [돈] dinero *m*, *AmL* plata. ⑥ ((속어)) =지남철.

쇠-¹ [동식물의 작은 종류의 뜻] pequeño. ~고래 ballena *f* pequeña.

쇠-² [「소의」 라는 뜻] de vaca. ~가죽 piel *f* de vaca. ~고기 carne *f* de vaca, *AmL* carne *f* de res.

-쇠 nombre *m* de un niño. 돌~ Dolsoe. 마당~ Madangsoe. 먹~ Meoksoe.

쇠가죽 piel *f* de vaca, cuero *m* de vaca, vaqueta *f*, cuero *m*.

쇠간(-肝) hígado *m* de vaca.

쇠갈고리 gancho *m* de hierro.

쇠갈비 costilla *f* [chuleta *f*] de vaca.

쇠경(衰境) =늙바탕.

쇠고기 carne *f* de vaca, ternera *f*, *AmC*, *Méj* carne *f* de res.

■ ~ 햄버거 hamburguesa *f*.

쇠고둥 【조개】 buccino *m*.

쇠고랑 ((속어)) =수갑(esposas).

◆쇠고랑(을) 차다 ser arrestado por la policía.

쇠고래 【동물】 ballena *f* gris.

쇠고리 anillo *m* de hierro.

쇠고집(-固執) terquedad *f*, obstinación *f*, tozudez *f*, [사람] persona *f* terca [testaruda · tozuda].

◆쇠고집과 닭고집이다 (ser) muy terco, muy testarudo, muy tozudo.

쇠곤하다(衰困-) fatigarse, estar cansado. 쇠곤함 fatiga *f*, cansancio *m*.

쇠골 sesos *mpl* de vaca.

쇠공이 mano *f* de mortero de hierro.

쇠구들 habitación *f* que no se calienta, habitación *f* fría, suelo *m* frío.

쇠귀 orejas *fpl* de vaca.

■쇠귀에 경(經)읽기 ((속담)) Predicación *f* a los oídos sordos.

쇠귀나물 【식물】 punta *f* de flecha.

쇠귀신(-鬼神) ① [소가 죽어 된다는 귀신] fantasma *m* de la vaca muerta. ② [성질이 몹시 검질긴 사람] persona *f* muy terca.

◆쇠귀신 같다 persona *f* silenciosa.

쇠기름 sebo *m* (vacuno), grasa *f* de pella.

쇠기침 tos *f* crónica.

쇠길앞잡이 【곤충】 cantárida *f*.

쇠꼬리¹ [소의 꼬리] rabo *m* [cola *f*] de vaca.

쇠꼬리² [베틀신의 끈] línea *f* de pedal de un telar.

쇠꼬챙이 pincho *m* de hierro.

쇠꼴 forraje *m*, pienso *m*.

쇠끄트러기 pedacitos *mpl* de hierro.

쇠뇌 catapulta *f*.

쇠다¹ ① [채소 따위가 너무 자라 줄기나 잎이 연하지 않고 억세다] (ser) duro. 무가 ~ el nabo ser duro. ② [병(病)이 덧나다] empeorar, estar peor, ir de mal en peor. 감기가 쇠었다 El resfriado empeoró [fue de mal en peor].

쇠다² [명일 · 생일 같은 날을 기념하고 지내다] celebrar. 구정(舊正)을 ~ celebrar el día de Año Nuevo del calendario lunar. 성탄절을 ~ celebrar la Navidad. 추석을 ~ celebrar Chuseok.

쇠다리 piernas *fpl* de vaca.

쇠달구 martinete *m* de hierro.

쇠닻 el ancla *f* (*pl* las anclas) de hierro.

쇠도끼 el hacha *f* (*pl* las hachas) de hierro.

쇠도리깨 garrote *m* de hierro, parra *f*, cachiporra *f*.

쇠두겁 tapa *f* de hierro.

쇠두엄 abonos *mpl* de limpiar del establo.

쇠등 lomo *m* de vaca.

쇠딱지 mugre *f* [suciedad *f*] de las cabezas de los niños.

쇠똥¹ [쇠를 달구어 불릴 때 튀는 부스러기] desechos *mpl* de hierro, chatarra *f*.

쇠똥² [소의 똥] excremento *m* de vaca. ~은 농촌에서 연료로 사용되었다 El excremento de vaca usaba como combustible en el campo.

■ ~찜 fomentación *f* de tumor con el excremento de vaca calentado.

쇠뜨기 【식물】 cola *f* de caballo.

쇠로(衰老) acción *f* de envejecer y debilitarse. ~하다 envejecer [hacerse viejo] y debilitarse.

■ ~지년 edad *f* de envejecer y debilitarse.

쇠마구(-馬廐) =쇠마구간.

쇠마구간(-馬廐間) establo *m* de la vaca.

쇠막대기 ① vara *f* larga de metal, barra *f*, vara *f* de hierro, vara *f* de fierro. ② ((운동)) [철봉] barra *f* fija.

쇠말뚝 estaca *f* de hierro.

■아내가 고우면[예쁘면 · 귀여우면] 처갓집 쇠말뚝 보고 절한다 ((속담)) Quien bien quiere a Beltrán, bien quiere a su can.

쇠망(衰亡) caída *f*, acabamiento *m*, decadencia *f*. ~하다 decaer.

쇠망치 martillo *m* de hierro, almádana *f*, almádena *f*, marra *f*. ~로 두들기다 martillar, batir [golpear] con el martillo.

쇠머리 cabeza *f* de vaca.

쇠머릿살 carne *f* de cabeza de vaca.

쇠먹이 forraje *m*, pienso *m*.

쇠메 martillo *m* (de hierro).

쇠멸(衰滅) =쇠망(衰亡).

쇠목 tabla *f* central delante del armario

쇠못 clavo *m* de hierro.

쇠몽둥이 barra *f* de hierro.

쇠몽치 barra *f* corta de hierro.

쇠문(-門) puerta *f* de hierro.

쇠문(衰門) familia *f* en decadencia.

쇠문이(衰門-) persona *f* de conducta libertina.

쇠뭉치 =쇳덩어리.

쇠미(衰微) declinación *f*, decadencia *f*, menoscabo *m*, descaemiento *m*. ~하다 declinar, decaer, descaecer, venir a menos, ir perdiendo la fuerza.

쇠바다제비 【조류】 petrel *m* [ave *f*] de las tempestades.

쇠발 patas *fpl* de vaca.

쇠발개발 pies *mpl* muy sucios.

쇠발고무래 【농업】 rastrillo *m* de hierro.

쇠백장 carnicero, -ra *mf*.
쇠버짐 tiña *f*.
쇠병(衰病) enfermedad *f* causada por la debilitación.
쇠불알 testículo *m* del toro.
▪쇠불알 떨어질 때를 기다린다 ((속담)) Se espera sólo el resultado sin esfuerzos.
쇠붙이 ① =금속(金屬). ② [철물이나 쇳조각 따위의 총칭] objetos *mpl* de hierro, ferretería *f*.
쇠비름 【식물】 verdolaga *f*.
▪~나물 verduras *fpl* de verdolaga.
쇠뼈 hueso *m* de la vaca.
쇠뿔 cuerno *m* del toro.
▪쇠뿔도 단김에 빼라 ((속담)) A hierro candente batir de repente / Hazlo lo rápido si el bueno.
▪~고추 ají *m* [chile *m*] en forma de cuero de la vaca. ~참외 melón *m* en forma de la vaca.
쇠사다리 escalera *f* metálica, escalera *f* de metal.
쇠사슬 cadena *f*, traba *f*. ~을 조이다 [자전거에] poner la cadena más tirante. 개에게 ~을 채우다 [매다], 개를 ~로 묶다 atar [amarrar] un perro con cadena, encadenar un perro. …의 ~을 벗기다 quitar*le a uno* la cadena, desencadenar*le a uno*. 개를 ~로 채워 두다 tener un perro atado con cadena. 타이어에 ~을 달다 poner las cadenas (antideslizantes) a las llantas.
쇠살쭈 tratante *mf* de ganado, *AmS* rematador, -dora *mf* de ganado.
쇠살창(—窓) celosía *f* de metal.
쇠새 【조류】 =물총새.
쇠서 ① [고기로서의 소의 혀] lengua *f* de vaca. ② 【건축】 =쇠서받침.
▪~받침 lenguas *fpl* de la vaca decorativas.
쇠솥 olla *f* de hierro.
쇠숟가락 cuchara *f* de hierro.
쇠스랑 rastro *m*, mielga *f*, rastrillo *m*, rastra *f*.
쇠시위 cuerda *f* del arco de hierro.
쇠심 tendón *m* de vaca.
쇠심떠깨 carne *f* de vaca nervuda.
쇠약(衰弱) extenuación *f*, debilitación *f*, agotamiento *m*. ~하다 debilitarse, agotarse, flaquear. ~한 abatido, extenuado, agotado. ~하게 만들다 debilitar, disminuir la fuerza o el poder. ~해지다 debilitarse. 그는 나이가 들어 심신이 ~해져 귀가 멀었다 Su oído ha quedado debilitado por la vejez. 그의 영향력은 눈에 띄게 ~해졌다 Su influencia se ha debilitado visiblemente.
쇠양배양하다 (ser) irreflexivo, descuidado, inconsciente, irresponsable, imprudente, indiscreto. 무엇이든지 쇠양배양해서는 안 된다 Sé prudente en cualquiera que hagas.
쇠여물 foraje *m*, pienso *m*.
쇠오줌 orina *f* de la vaca.
쇠옹두리 hueso *m* de pata de vaca.
쇠운(衰運) decadencia *f*, ocaso *m*. ~해 가다 la fortuna va declinando, estar en la declinación. ~을 만회(挽回)하다 recuperar la fortuna decaída, restablecer *su* fortuna, reconquistar la propia prosperidad.
쇠자루 mango *m* de metal.
쇠자루칼 cuchillo *m* con mango de metal.
쇠잔(衰殘) deterioro *m*, deterioración *f*, declinación *f*. ~하다 deteriorarse, declinarse.
쇠잡이 【농악】 batidor, -dora *mf* de gong.
쇠장(—場) feria *f* de ganado.
쇠전(—廛) =쇠장(場).
쇠젖 leche *f*.
쇠족(—足) patas *fpl* de la vaca.
쇠좆매 azote *m* hecho del pene de buey.
쇠죽(—粥) gachas *fpl* de frijoles y pajas para el ganado.
▪~가마[솥] horno *m* de gachas de frijoles y pajas para el ganado. ~물 el agua *f* de gachas de frijoles y pajas para el ganado. ~바가지 cazo *m* del alimento de vaca.
쇠줄 alambre *m*, cuerda *f* de hierro.
쇠지랑물 orina *f* de vaca guardada.
쇠지랑탕 urinario *m*.
쇠지레 palanca *f* de hierro.
쇠진(衰盡) deterioro *m*, agotamiento *m*. ~하다 deteriorarse., agotarse.
쇠짚신 envoltorio *m* del casco de paja para la vaca.
쇠창살(—窓—) verja *f*.
쇠침 saliva *f* de la vaca.
쇠코 nariz *f* (*pl* narices) de la vaca.
쇠코뚜레 nariguera *f*, anillo *m* nasal.
쇠털 pelo *m* de (la) vaca.
◆쇠털같이 많다 (ser) numeroso, incontable, innumerable, incalulabre, profuso.
쇠테 fleje *m* (de hierro), zuncho *m*.
쇠톱 sierra *f* de hierro.
쇠통(—桶) barril *m* de hierro.
쇠퇴(衰退/衰頹) caída *f*, decrecimiento *m*, decrepitud *f*, decadencia *f*, decaimiento *m*. ~하다 decrecer, decaer, declinar, perder la animación. 거래의 ~ decaimiento *m* de los negocios. 농업의 ~ decadencia *f* de la agricultura. ~ 일로를 걷다 seguir el curso del decaimiento, marchar a *su* ocaso, marchar hacia la decadencia. 도시는 완전히 ~해져 있다 La ciudad ha perdido completamente la animación de antaño / La ciudad está muerta. 이 가게는 이미 ~해졌다 Esta tienda ya no tiene la animación de antes / Esta tienda ha decaído.
쇠파리 【곤충】 rezno *m*.
쇠판(—板) =철판(鐵板).
쇠폐(衰廢) decaída *f*, decadencia *f*. ~하다 decaer, declinar.
쇠푼 suma *f* pequeña de dinero.
쇠하다(衰—) ① [(힘이나 세력 따위가) 차차로 약해지다] ㉮ decaer. ㉯ [쇠약해지다] debilitarse, amainar. ㉰ [감퇴하다] disminuirse, menguar, venir a menos, caer. ㉱ [쇠퇴하다] declinar. 쇠해짐 decaimiento *m*, debilitación *f*, decadencia *f*, disminuición *f*, mengua *f*, caída *f*, declinación *f*. 나는 시력

이 쇠해졌다 Se me debilitó la vista. 그녀는 기억력이 쇠해졌다 Ella se entorpeció su memoria. 바람이 쇠해진다 Cae [Amaina] el viento. 산업이 쇠한다 Declina la industria. 그의 세력(勢力)은 쇠해졌다 Su influencia ha menguado [decaído · venido a menos]. ② [원기가 점점 없어지다] debilitarse [disminuir] el ánimo. 그는 체력이 쇠해졌다 Disminuyó [Se debilitó] su vigor. 나는 기력이 쇠해졌다 Decaí mi ánimo.

쇠화덕(-火-) horno *m* de hierro.

쇤네 yo, me, mi, *su* serviente, *su* servienta.

쇰직하다 (ser) más grande que otros, mejor que otros.

쇳가루 hierro *m* en polvo, polvo *m* de hierro.

쇳내 olor *m* a óxido.

쇳냥(-兩) =돈냥.

쇳독(-毒) veneno *m* metálico.

쇳돌 mineral *m* metalífero.

쇳물 mancha *f* metálica, mancha *f* de metal.

쇳소리 voz *f* aguda, voz *f* penetrante. ~로 외치다 gritar en voz aguda, chillar.

쇳조각 ① [쇠의 조각] pedazo *m* de metal. ② [냉담하고 경망한 사람] persona *f* imprudente.

쇳줄 【광산】 =광맥(鑛脈).

쇼(영 *show*) [전시회] exposición *f*, exhibición *f*; [무대의] espectáculo *m*, función *f*.
◆로드~ estreno *m* especial. 에어~ exhibición *f* acrobática aérea. 패션~ desfile *m* [pase *m*] de modelos. 플라워 ~ exposición *f* floral.
■~걸 corista *f*. ~룸 salón *m* de la exposición (y ventas), sala *f* de exposición, sala *f* de muestras. ~맨 artista *m*, showman *ing.m*; [프로듀서] empresario *m*, hombre *m* del espectáculo. ~맨십 talento *m* para organizar espectáculos, exhibicionismo *m*, (sentido *m* de la) teartralidad *f*. ~ 비즈니스 mundo *m* del espectáculo, espectáculos *mpl*. ~윈도 escaparate *m*, aparador *m*, *AmL* vidriera *f*, *AmL* vitrina *f*. ¶~에 진열하다 exponer [colocar] *algo* en el escaparate. ~윈도 장식가 escaparatista *mf*, *AmL* vitrinista *mf*, *AmL* vidrierista *mf*. ~윈도 장식(법) escaparatismo *m*, *AmL* vitrinismo *m*, *AmL* vidrierismo *m*. ~케이스 [가게의 진열장] escaparate *m*, *AmL* vidriera *f*, *AmL* vitrina *f*; [박물관의] vitrina. ~ 프로그램 variedades *fpl*.

쇼크(영 *shock*) sacudida *f*, golpe *m*, choque *m*, conmoción *f*. ~를 느끼다 sentir el choque. ~를 받다 sufrir choque, recibir un golpe. 전류(電流)의 ~를 받다 recibir una descarga eléctrica. 그는 아직도 ~에서 회복되지 않고 있다 El todavía no está restablecido de la conmoción que le produjo. 그의 죽음은 정계(政界)에 큰 ~를 주었다 Su muerte ha constituido un gran golpe [choque] para el mundo político.
■~사(死) muerte *f* a consecuencia de un choque.¶ ~하다 morirse de un choque.

쇼킹하다 [충격적이다] (ser) espeluznante, horrible, horroroso. 쇼킹한 사고 accidente *m* espeluznante. 쇼킹한 소식(消息) noticia *f* espeluznante.

쇼트(영 *short*) ① [짧음] lo corto; [짧은 장면] escena *f* corta. ② ((준말)) =쇼트스톱. ③ ((탁구)) golpe *m*. ④ ((준말)) =쇼트서킷. ⑤ [문화 영화 · 기록 영화 및 만화 영화 따위의 단편] cortometraje *m*, corto *m*. ⑥ [무릎 위의 짧은 반바지] pantalones *mpl* cortos, calzones *mpl*.
■~서킷 [단락(短絡). 합선] cortocircuito *m*, corto *m*. ~스톱 ㉮ ((야구)) [수비 위치] short stop *ing.m*, *Col*, *Ven*, paracorto *m*, *Méj* paradas *fpl* cortas. ㉯ ((야구)) [유격수] torpedero, -ra *mf*, *Méj* parador, -dora *mf* en corto. ~케이크 torta *f* de frutas. ~타임 [조업 단축] jornada *f* reducida, jornada *f* de horario reducido. ¶~하다 trabajar jornadas reducidas. ~ 팬츠 pantalones *mpl* cortos.

쇼핑(영 *shopping*) compra(s) *f(pl)*. ~하다 hacer la compra, *Arg*, *Chi* hacer las compras, *Col*, *Ven* hacer el mercado. ~ 가다 ir de compras. ~ 원정을 가다 ir de expedición a las tiendas. 내 아내는 ~을 하고 있다 Mi esposa está de compras.
■~가 barrio *m* comercial. ~ 리스트 lista *f* de la compra [*Col*, *Ven* del mercado · *Méj* del mandado · *Arg*, *Chi* de las compras]. ~ 바구니 cesta *f* de la compra. ~백 [가게에서 제공하는 것] bolsa *f* (de plástico, papel etc.); [고객이 지참한 것] bolsa *f* (de la compra · de las compras). ~백 레이디 vagabunda *f*. ~ 센터[몰] centro *m* comercial. ~ 카트 [(슈퍼마켓 등의) 손님용 손수레] carrito *m* (de la compra · de las compras).

숄(영 *shawl*) chal *m*, mantón *m* (*pl* mantones), pañolón *m* (*pl* pañolones); [장방형의] echarpe *f*. ~을 걸치다 ponerse una echarpe.

수 ① [좋은 도리나 방법] medio *m*, mano *f*; [장기 따위의] movimiento *m*. ~를 바꾸다 cambiar *su* plan, cambiar de parecer. 말할 ~ 없다 no poder decir. 잊을 ~가 없다 no poder olvidar(se). 어떻게 할 ~ 없다 estar fuera del control, escapar al control, no tener control. 할~ 밖에 없다 no poder menos que + *inf*. 정부가 어떻게 할 ~ 없는 문제 problemas *mpl* que escapan al control del gobierno. 나는 웃을~ 밖에 없었다 No pude menos que reír. ② [일을 할 만한 힘] posibilidad *f*, habilidad *f*, capacidad *f*. 할 ~ 있다 poder hacer. 그는 서반아어를 가르칠 ~ 있다 El puede enseñar el español. 우리들이 이길 ~는 없다 No hay posibilidad de nuestra victoria. 월드컵 경기장은 5만 명을 수용할 ~ 있다 El estadio de la Copa de Mundo tiene capacidad de cincuenta mil personas. 세계 대전이 일어날 ~도 있다 Hay posibilidad de otra guerra mundial

◆수(가) 익다 estar acostumbrado (a). 나는 이런 더위에는 [일찍 일어나는 일에는] 수가 익어 있다 Estoy acostumbrado a tanto calor [a madrugar].

수(手) ① [손] mano *f.* ② [수단] manera *f.* ③ [가능성] posibilidad *f.* ④ [능력] habilidad *f*, capacidad *f.* 새로운 ~ [장기 따위의] mano *f* nueva, forma *f* nueva.

수(水) 【민속】 ① [방위] norte *m.* ② [시절] invierno *m.* ③ [빛] negro *m.*

수(秀) [성적 평점의 최고] excelente, A.

수(壽) ① [오래 삶] longevidad *f*, vida *f* larga, ancianidad *f*, duración *f* larga de la vida. ② [나이] edad *f.* ③ ((준말)) =수명(壽命). ¶~를 다하다 gozar de la vida larga, vivir mucho tiempo. ④ [오래 견딤·오래 쓸 수 있음] lo duradero.

수[1](數) ① ((준말)) =운수(運數). ¶~가 좋다 [나쁘다] tener una buena [mala] suerte. ② [좋은 운수] buena suerte *f.*

◆수(가) 사납다 tener mala suerte. 수(가) 없다 no tener suerte.

수[2](數) ① [셀 수 있는 물건의 많고 적음] número *m.* ~가 많다 (ser) numeroso, muchos, (un) gran número (de). ~가 적다 (ser) pocos, raros, un corto número (de). ~를 헤아릴 수 없는 sin número (명사 뒤에 놓임), innumerable, incalculable, un sinnúmero de. ~에 넣다 contar(se) (en). ~에 들어가다 [A를 B의] contar A en [entre] B. ~를 소화시키다 [판매에서] compensar vendiendo en cantidad. 나무의 ~를 세다 contar (el número de) los árboles. ~가 맞다 La cuenta sale bien. ~가 맞지 않다 La cuenta sale mal. 부상자는 ~를 헤아릴 수 없다 Hay innumerables heridas. 그는 초대객의 ~에 들어가지 않는다 El no (se) cuenta entre los invitados. 젓가락 ~가 부족하다 Faltan los palillos. ② =숫자(cifra). ③ 【수학】 [자연수·정수·유리수·허수·복소수 등을 통틀어 이르는 말] número *m.* ④ ((준말)) =수학.

◆나누어 떨어지는 ~ número *m* divisible, número *m* alicuota. 나누어 떨어지지 않는 ~ número *m* indivisible, número *m* alicuanta.

◆수(를) 놓다 contar el número. 수(를) 채우다 llenar el número.

▪~의 개념 noción *f* del número, conocimiento *m* de aritmática.

수(繡) bordado *m*, bordadura *f.*

◆수(를) 놓다 bordar, adornar con bordado.

수(髓) ① [나무줄기의 속 부분] parte *f* interior del tallo del árbol. ② [고갱이] medula *f*, [사물의 핵심] esencia *f*, corazón *m*, núcleo *m*, centro *m.*

수(首) ① [시나 노래를 세는 단위] pieza *f*, poema *m*, selección *f.* 시조 한 ~를 짓다 componer un *sicho* [verso coreano]. ② [마리] número *m* de los animales. 오리 한 ~ un pato.

수(授) cordón *m* (*pl* cordones).

수(불 *sou*) [불란서의 옛 화폐 단위] perra *f* chica, cinco céntimos.

수- [생물의 남성을 나타내는 말] macho. ~개미 hormiga *f* macho. ~캐 perro *m.* ~탉 gallo *m.* ~평아리 pollito *m.* ~소 toro *m*, buey *m.*

수-(數) unos, unas; varios, -rias; algunos, -nas; más de. ~인(人) varias personas, varios hombres. ~차례 unas veces. 십(十)~일(日) más de diez días.

-수(手) ¶운전~ conductor, -tora *mf*, chofer *m*, chófer *m.*

-수(囚) [죄수] prisionero, -ra *mf.* 미결(未決)~ reo *mf.* 사형(死刑)~ reo *mf* a muerte, condenado, -da *mf* a muerte.

수가(酬價) honorario *m* médico.

수간(數間) un poco de *gan*, espacio pequeño.

▪~두옥(斗屋) casa *f* pequeñísmia [muy pequeña] con unas habitaciones. ~초옥(草屋)[모옥(茅屋)] casa *f* pequeña con el tejado de paja.

수간(樹幹) tallo *m* del árbol.

수간(獸姦) bestialidad *f*, pecado *m* de lujuria cometido con una bestia.

수간호사(首看護師) enfermero, -ra *mf* en jefe.

수감(收監) prisión *f*, encierro *m*, aprisionamiento *m*, encarcelamiento *m.* ~하다 poner preso, aprisionar, encarcelar, meter en la cárcel, detener, arrestar. 10년간의 ~ diez años de prisión. ~되어 있다 estar detenido, estar arrestado.

▪~ 기간 período *m* de prisión. ~ 영장 orden *f* de prisión. ~자 prisionero, -ra *mf.*

수감(隨感) impresión *f* ocasional, pensamientos *mpl* ocasionales.

▪~록 ensayos *mpl*, impresiones *fpl.*

수갑(手匣) esposas *fpl*, *Méj* manolla *f.* ~을 채우다 esposar, poner esposas.

수갑(水閘) =수문(水門).

▪~세 derechos *mpl* de esclusa.

수강(受講) asistencia *f* a la lectura. ~하다 asistir a la lectura.

▪~료 matrícula *f.* ~생 persona *f* que está haciendo prácticas en un puesto junto a un empleado de mayor experiencia; aprendiz, -diza *mf*, [참가자] participante *mf.* ¶이용사 ~ aprendiz, -diza *mf* de peluquero.

수강(髓腔) 【해부】 espacio *m* medular.

수개(修改) reparación *f*, arreglo *m.* ~하다 reparar, arreglar.

수개(數箇) dos o tres; unos, unas; algunos, -nas; varios, -rias.

▪~월(月) dos o tres meses, unos meses, varios meses.

수갱(竪坑) 【광산】 =수직갱(垂直坑).

수거(收去) recogida *f.* ~하다 recoger. 쓰레기를 ~하다 recoger las basuras.

◆분뇨(糞尿) ~ recogida *f* de estiércol. 쓰레기 ~ recogida *f* de basuras.

수거미 araña *f* macho.

수건(手巾) toalla *f*, [손수건] pañuelo *m*, paño *m* de manos. ~을 짜다 torcer la toalla. ~으로 손을 닦다 secar las manos con una

toalla.
■ ~걸이 toallero *m*, percha *f* para toallas.
수검(受檢) ¶~하다 ser inspeccionado, ser sometido al examen.
■ ~자(者) [학교의] examinando, -da *mf*, [전문적 시험을 보는] aspirante *mf*, candidato, -ta *mf*.
수검(搜檢) inspección *f*. ~하다 inspeccionar.
수게 cangrejo *m* macho.
수결(手決) firma. ~하다 firmar.
◆수결(을) 두다 firmar.
수경(水耕) ((준말)) =수경 재배(水耕栽培).
■ ~법 modo *m* de cultivo hidropónico. ~ 재배 hidroponía *f*, cultivo *m* hidropónico.
수경성(水硬性) hidraulicidad *f*. ~의 hidráulico.
수경시멘트(水硬－) cemento *m* hidráulico.
수계(水系) sistema *m* fluvial, red *f* de distribución del agua.
수계(水界) ① =수권(水圈). ② [물과 물의 경계] límite *m* entre el agua y el agua.
수계(水鷄) 【조류】 =비오리.
수계(受戒) recibimiento *m* de confirmación budista. ~하다 recibir órdenes sagradas budistas.
수계(受繼) =계승(繼承).
수계(授戒) ((불교)) iniciación *f* budista, ceremonia *f* budista.
수고 faena *f*, trabajo *m*, pena *f*, fatiga *f*, esfuerzo *m*. ~하다 trabajar diligentemente. ~한 보람으로 gracias a los esfuerzos (de). ~를 끼치다 costar trabajo (a). ~를 아끼다 escatimar [ahorrar] esfuerzos [energías] (en), ahorrarse la molestia (de + *inf*). ~를 아끼지 않고 일하다 trabajar sin escatimar esfuerzos, no escatimar esfuerzos en *su* trabajo. 보람 없이 ~만 하다 trabajar en vano. 고생만 하고 ~한 보람이 없다 Buscar una aguja en un pajar.
수고로이 molestamente, problemáticamente, conflictamente.
수고롭다 (ser) molesto, problemático, conflicto.
수고스럽다 (ser) molesto. 수고스럽지만 내일 좀 와 주시겠습니까? ¿Podría usted tomarse la molestia de venir mañana? / Siento molestarle, pero venga usted mañana.
수고스레 molestamente.
수고양이 gato *m*.
수곡선(垂曲線) 【수학】 =현수선(懸垂線).
수곰 oso *m*.
수공(手工) obra *f* manual, maniobra *f*, obraje *m* artefacto. ~의 hecho a mano.
■ ~업(業) industria *f* artesanal, industria *f* manual. ~업자(業者) artesano, -na *mf*. ~품 obra *f* de artesanía.
수공(水攻) táctica *f* de inundación. ~당하다 haber inundado.
수공후(竪箜篌) 【악기】 el arpa *f* (*pl* las arpas) vertical.
수과(水瓜) =수박(sandía, melón de agua).
수과(樹果) fruto *m* del árbol.
수관(水管) cañería *f*, conducto *m* de agua; [호스] manguera *f*.
수괴(首魁) caudillo *m*, jefe *mf*, cabecilla *m*, instigador *m*.
수교(手交) entrega *f*. ~하다 entregar, hacer entrega (de). 그에게 직접 ~해 주십시오 Entrégueselo a él personalmente [directamente · en propia mano].
수교(修交) (cultivación *f* de) amistad *f*, relaciones *fpl* amistosas, promoción *f* de buena voluntad.
■ ~ 조약 tratado *m* de amistad. ¶~을 맺다 firmar el tratado de amistad. ~ 포장 la Medalla de Mérito de Servicio Diplomático. ~ 훈장 la Orden de Mérito de Servicio Diplomático.
수교위 bola *f* de masa rellenada con carne de vaca y pepino.
수구(水口) boca *f* de regadío.
수구(水狗) 【동물】 =물개.
수구(水球) polo *m* acuático, waterpolo *ing.m*, water-polo *ing.m*.
■ ~ 선수 waterpolista *mf*.
수구(守舊) conservación *f*. ~하다 ser conservador.
■ ~가 conservador, -dora *mf*. ~당 partido *m* conservador. ~ 세력(勢力) fuerza *f* conservativa. ~파 facción *f* conservativa.
수구(首句) primer verso *m*.
수구(壽具) la ropa, los calcetines coreanos, las sábanas, la almohada etc. que se usan cuando se envuelve el cadáver en la mortaja.
수구렁이 boa *f* macho.
수구레 carne *f* de vaca dura directamente debajo de la piel
수구초심(首邱初心) nostalgia *f* [añoranza *f*] de *su* pueblo natal [de *su* patria chica · de *su* tierra natal · de *su* suelo natal].
수국(水菊) 【식물】 hortensia *f*.
수군(水軍) ① 【역사】 fuerzas *fpl* navales. ② =해군(海軍).
수군거리다 cuchichear, cuchuchear, hablar al oído, murmurar.
수군수군 cuchicheando, cuchucheando, hablando al oído, murmurando.
수군덕거리다 cuchichear al azar.
수군덕수군덕 cuchicheando al azar.
수굿하다 ① [좀 숙은 듯하다] dejar caer bajo. ② [흥분이 좀 누그러진 듯하다] (la excitación) ablandarse un poco.
수궁(水宮) palacio *m* de dragón imaginario en el agua.
수궁(守宮) guarda *f* del palacio. ~하다 guardar el palacio.
수궁(壽宮) ataúd *m* del rey hecho de antemano.
수궁하다(數窮－) (la suerte) ser aciaga.
수권(水圈) hidroesfera *f*.
수권(首卷) primer tomo *m*.
수권(授權) autorización *f*, delegación *f* de poder legal. ~하다 dar autoridad.
■ ~ 대리인 agente *m* autorizado, agente *f*

autorizada. ~법 ley *f* autorizada. ~ 자본 capital *m* autorizado. ~ 행위(行爲) acto *m* autorizado, acción *f* [actitud *f*] autorizada.

수그러지다 extinguirse, disminuir, decrecer. 화재가 수그러진다 El incendio empieza a extinguirse / El fuego disminuye de intensidad. 전염병이 수그러진다 La epidemia decrece.

수그리다 bajar. ☞숙이다

수근(樹根) raíz *f* (*pl* raíces) del árbol.

수근(鬚根) 【식물】 =수염뿌리.

수금(水禽) el ave *f* (*pl* las aves) acuática.

수금(囚禁) encarcelamiento *m*. ~하다 encarcelar, meter en cárcel. 그들은 그의 ~에 항의했다 Ellos protestaron en contra de su encarcelamiento.

수금(收金) colección *f* de dinero. ~하다 coleccionar dinero.

■ ~원 colector, -tora *mf* de dinero.

수금(豎琴) 【악기】 =하프(harp).

수금(繡衾) sábanas *fpl* bordadas.

수급(收給) los ingresos y el pago.

수급(受給) recibo *m* del salario. ~하다 recibir el salario [la pensión · la distribución].

■ ~자 beneficiario, -ria *mf*.

수급(首級) cabeza *f* de un decapitado.

수급(需給) la oferta y la demanda, demanda *f* y oferta. ~의 균형이 잘 되어 있다 Hay un buen equilibrio entre la oferta y la demanda.

■ ~ 관계(關係) relación *f* de demanda y suministro.

수긍(首肯) aprobación *f*, aceptación *f*, admisión *f*. ~하다 aprobar, aceptar, admitir, hacer una seña afirmativa, dar consentimiento, convencerse, entender, concordar, acordar, consentir. ~할 수 있는 admisible, convincente. ~할 수 없는 inadmisible; [납득할 수 없는] poco convincente. 그는 묵묵히 ~했다 El asintió con la cabeza sin decir palabra.

◆수긍이 가다 convencer, estar conforme (con). 나는 그의 논리는 수긍이 가지 않는다 No me convence su argumento / No estoy conforme con su argumento.

수기(手技) técnica *f* manual.

수기(手記) ① [체험을 손수 적음, 또, 그 기록] nota *f*, apunte *m*; [일기(日記)] diario *m*; [회상기(回想記)] memorias *fpl*. ~를 적다 anotar, apuntar, hacer un memorándum. ② =수표.

수기(手旗) [작은 기] banderín *m*, banderita *f*.

■ ~ 신호 señales *fpl* con banderas, señal por la mano.

수기(壽器) ataúd *m* hecho de antemano cuando se vive.

수기응변(隨機應辯) =임기응변(臨機應變).

수꽃 【식물】 estaminífeo *m*, flor *f* macho, flor *f* estéril, flor *f* estaminífea; [비유적으로] floración *f* vana, floración *f* sin frutos.

수꽃술 【식물】 estambre *m* (*f*).

수끌하다 (ser) horrible, horroroso.

수꿩 【조류】 faisán *m* (*pl* faisanes).

수나귀 ((준말)) =수탕나귀.

수나다(數-) hacer *su* agosto, sacarse la lotería, sacarse el gordo, tener la suerte inesperada.

수나무 【식물】 árbol *m* macho, árbol *m* estéril.

수나비 mariposa *f* macho.

수나사(-螺絲) tornillo *m*, husillo *m*, perno *m*.

수난(水難) ① [홍수의 재난(災難)] calamidad *f* por la inundación. ② [물로 인하여 받은 온갖 재해(災害)] calamidad *f* por el agua, desastre *m* en mar.

■ ~ 구조 salvamento del agua. ~ 구제회 la Asociación de Socorro para los Desasttres Marítimos.

수난(受難) ① [재난을 당함] sufrimiento *m*, padecimiento *m*. ② [어려운 처지에 부닥침] situación *f* difícil. ③ ((기독교)) la Pasión (de Jesucristo).

■ ~곡 la Pasión. ~극 misterio *m*. ~기 recuerdo *m* de pasión. ~사 historia *f* de la pasión. ~상(像) crucifijo *m*, imagen *f* de Jesucristo crucificado. ~ 시기 =성주간(聖週間). ~ 시대 época *f* de la pasión. ~일 =성금요일(聖金曜日) ~ 주간 la Semana Santa, la Semana de la Pasión.

수납(收納) aceptación *f*, recibo *m*. ~하다 aceptar, recibir.

■ ~ 기관 institución *f* receptora. ~액(額) cantidad *f* recibida. ~원 recaudador, -dora *mf*. ~ 은행 banco *m* receptor. ~장 libro *m* de cuentas. ~ 전표(錢票) justificante *m*, recibo *m*.

수납(受納) recaudación *f*, cobranza *f*. ~하다 recaudar, cobrar, percibir.

수녀(修女) monja *f*, religiosa *f*.

■ ~복 hábito *m* de monja. ~원 convento *m*. ~ 원장 abad, -desa *mf*; superior *m* de un monasterio, superiora *f* en ciertas comunidades religiosas.

수년(數年) unos años, varios años.

■ ~간(間) por [durante] unos años. ~래(來) desde hace unos años, desde hace dos o tres años. ~전(前) hace unos años, unos años atrás; [과거나 미래의 한 시점에서 보아서] unos años antes. ~후(後) después de unos años.

수노루 ciervo *m*, venado *m*.

수놈 ① [짐승의 수컷] macho. ② [의협심이 강한 사람] persona *f* caballerosa, hombre *m* de espíritu caballeroso.

수놓다(數-) contar el número.

수놓다(繡-) bordar. 수틀로 ~ bordar al tambor.

수뇌(首腦) jefe *mf*, cabeza *m*; líder *mf*, dirigente *mf*.

■ ~부(部) directorio *m*. ~ 회담(會談) conferencia *f* (en la) cumbre. ~ 회의 reunión *f* [conferencia *f*] (en la) cumbre.

수뇌(髓腦) ① 【해부】 =뇌(腦). ② 【해부】 [골수(骨髓)와 뇌] la médula y el cerebro. ③ [척추동물의 발생 시기에, 배(胚)의 신경관

앞 부분에 있는 것] mielencefalón *m.*

수뇨관(輸尿管)【해부】uretra *f,* uréter *m,* urétera *f.*
■ ~염(炎) uretritis *f.*

수눅 costura *f* de remiendo de calcetines.
■ ~버선 *sunukbeoseon,* una especie de las medias del niño.

수다 habladuría *f,* picotería *f,* charlatanería *f,* locuacidad *f.*
◆수다(를) 떨다 chacharear, parlar, charlatear, charlar. 수다(를) 부리다 charlar ampulosamente.
수다스럽다 (ser) hablador, charlatán (*pl* charlatanes), chacharero, charlador, parlador, parlachín (*pl* parlachines), hablanchín (*pl* hablanchines), hablantín (*pl* hablantines), hablistán (*pl* hablistanes), locuaz (*pl* locuaces). 수다스런 여자 (mujer *f*) habladora *f.*
수다스레 con habladuría, con charlatanería.
■ ~쟁이 hablador, -dora *mf,* charlatán (*pl* charlatanes), -tana *mf,* chacharón (*pl* chacharones), -rona *mf,* chacharero, -ra *mf, Ecua* charlón (*pl* charlones), -lona *mf.* ¶ 그녀는 ~다 Ella es una habladora / Ella es una charlatana / Ella tiene mucha labia / [입이 가볍다] A ella se le va a la lengua con facilidad.

수다하다(數多一) (ser) numeroso. 수다한 사람들 gente *f* numerosa, personas *fpl* numerosas.
수다히 numerosamente.

수단(手段) medida *f,* medio *m,* proyecto *m,* recurso *m,* designio *m;* [편법] expediente *m;* [도구] instrumento; [방법] método *m,* modo *m,* manera *f,* procedimiento *m.* 외교적(外交的) ~ medida *f* diplomática. 유일한 ~ el único medio. ~을 가리지 않고 sin escrúpulos de ninguna clase, sin excluir recursos algunos, por las buenas o por las malas, por cualquier medida, por medios justos o injustos. 최후 ~으로 como último recurso. 이 ~ 저 ~을 써서 echando mano de todos los recursos posibles. ~을 발견하다 encontrar una medida. ~을 잘못 쓰다 tomar una medida equivocada, equivocarse en el procedimiento. ~을 취하다 tomar alguna medida. 온갖 ~을 다 쓰다 probar todos los medios disponibles. 유효적절한 ~을 취하다 emplear un método eficaz. 가능한 모든 ~을 취하다 probar [emplear · tomar] todos los medios posibles. 그럴듯한 ~을 쓰다 usar todos los ardidos posibles, recurrir a todos los artificios posibles. 필요한 ~을 강구하다 dar los pasos necesarios. …하기 위한 ~을 찾다 buscar medios para + *inf.* 그것이 최적의 ~이다 Ese es el mejor método. 그는 목적 달성을 위해서는 ~을 가리지 않는다 Para él, el fin justifica medios / No siente escrúpulos en utilizar cualquier medio para conseguir su objetivo. 나는 그 ~에 넘어가지 않는다 No me vale esta treta / No me dejaré caer en esa trampa. 그의 ~에 넘어가지 마십시오 No caiga en su trampa / No se deje engatusar por él. 뜻 있는 곳에 ~ 있다 Donde hay gana hay maña.
■ ~가[꾼] hombre *m* capaz; hombre *m* de capacidad; estratega *mf,* táctico, -ca *mf.*

수단(繡緞) una especie del brocado.

수단【지명】el Sudán. ~의 sudanés.
■~ 사람 sudanés, -nesa *mf.*

수단추 (cierre *m*) automático *m* macho, broche *m* de presión macho, gemelo *m* (para cuello o pechera de camisa).

수달(水獺)【동물】nutria *f,* nutra *f.*
■~담 hiel *f* de nutria. ~피 piel *f* de nutria.

수담관(輸膽管)【해부】conducto *m* biliar.

수답(水畓) arrozal *m* (húmedo).

수당(手當) bonificación *f,* [기본급 이외의 급여] sobresueldo *m;* [상여금. 위로금] gratificación *f;* [사회 보장의] subsidio *m,* compensación *f.* 매월의 ~ bonificación *f* mensual.

수대(手帶) ((천주교)) manípulo *m.*

수대(獸帶)【천문】=황도대(黃道帶).

수더분하다 (ser) sencillo y honesto, ingenuo, simple, cándido, inocentón. 수더분한 사람 persona *f* de trato fácil, persona *f* sin complicaciones. 수더분한 시골 노인 campesino *m* viejo sencillo y honesto por carácter.

수덕(手德) =손속.

수덕(修德) cultivo *m* de virtud, virtud *f* cultivada.

수도(水道) ① [뱃길. 물길] vía *f* fluvial, vía *f* navegable, canal navegable. ② [물이 흘러 들어오거나 흘러나가게 된 통로(通路)] el agua *f* (corriente), conducción *f* de agua. ~를 설치하다 instalar el (conducto de) agua corriente. ③ [상수도(上水道)] acueducto. ④ =하수도.
■~ 공사 obra *f* de conducción de agua. ~관 cañería *f* de agua. ~교(橋) acueducto *m.* ~국 oficina *f* municipal de las aguas. ~꼭지 grifo *m* (de agua), toma *f* de agua. ¶~를 틀다 abrir el grifo, abrir el agua. ~를 잠그다 cerrar el grifo, cerrar el agua. ~를 전부 틀어 놓다 abrir el grifo completamente. ~에서 물이 뚝뚝 떨어진다 El agua gotea del grifo. ~ 사업 servicio *m* de agua. ~세 impuesto *m* de agua. ~ 시설 instalación *f* de abastecimiento de agua. ~ 요금 tarifa *f* de consumo de agua. ~전(栓) boca *f* de riego, toma *f* de agua, *AmC, Col* hidrante *m.* ~ㅅ물 el agua *f* bebedera del acueducto.

수도(水稻) arroz *m* de arrozal, arroz *m* cultivado en terrenos de regadío.

수도(囚徒) preso, -sa *mf,* reo *mf,* presidiario, -ria *mf,* convicto, -ta *mf.*

수도(受渡) el recibo y la entrega. ~하다 recibir y entregar.

수도(首都) capital *f,* metrópoli *f.* ~의 capitaleño, metropolitano. 서반아의 ~는 마드리

드이다 La capital de España es Madrid.
■ ~권 zona *f* metropolitana.

수도(修道) asceticismo *m*, profesión *f* de la vida ascética.
■ ~복(服) hábito *m* de monje. ~사(士) monje, -ja *mf*, fraile *m*; hermano, -na *mf*; religiosa *f*. ~ 서원(誓願) voto *m* monástico. ~승 monje, -ja *mf*. ~원 convento *m*, monasterio *m*, abadía *f*, cenobio *m*; [여자의] convento *m* de [para] monjas. ¶~의 conventual, monástico. ~ 생활 vida *f* conventual, vida *f* monástica. ~원장 abad, -desa *mf*; superior, -ra *mf* de un convento. ~자 ㉮ [도를 닦는 사람] asceta *mf*. ㉯ ((천주교)) religioso, -sa *mf*, monástico *m*. ~회(會) orden *f* religiosa, congregación *f* (religiosa).

수동(手動) ¶~의 a mano, de(l) mano, accionado a mano, manual.
■ ~ 리시버 receptor *m* telefónico de mano. ~ 브레이크 freno *m* de [por] mano, torno *m*. ~ 지레 guimbaleta *f*, palanca *f* de mano, palanca *f* de maniobra, manigueta *f*. ~ 펌프 bomba *f* manual.

수동(受動) pasividad *f*. ~의 pasivo.
■ ~성 pasividad *f*. ~적 pasivo, defensivo. ¶~으로 pasivamente. ~인 행동 actitud *f* pasiva. ~ 자세가 되다 ponerse a [en] la defensiva. ~태 voz *f* pasiva. ~형 forma *f* pasiva.

수두(水痘) 【의학】 viruelas *fpl* locas, varicela *f*.

수두룩하다 (ser) abundante, abundar (en). 돈이 ~ tener mucho dinero. 나는 할 일이 ~ Tengo mucho (trabajo) que hacer. 이 강에는 물고기가 ~ Este río abunda en pez. 시장에는 사과가 ~ El mercado se está saturando de manzanas.
수두룩이 abundantemente, con abundancia.

수드라(범 *sudra*) sudra *m*.

수득수득 severamente seco. ~하다 estar severamente seco

수들수들 parcialmente seco. ~하다 estar parcialmente seco, estar algo seco.

수 때우다(數－) exorcizar.

수땜(數－) exorcismo *m*.

수떨다 hacer un escándalo. 그렇게 수떨지 마라. 그것은 거미일 뿐이다 No hagas tanto escándalo [tantos aspavientos], es sólo una araña.

수떨하다 hacer mucho ruido.

수라(水剌) ((궁중어)) comida *f* real, comida *f* para el rey.
■ ~간(間) cocina *f* real, cocina *f* para la comida del rey. ~상(床) mesa *f* real, mesa *f* para la comida del rey.

수라(修羅) ① ((준말)) ＝아수라. ② [싸움을 잘하는 귀신의 이름] diablo *m* que lucha bien.
■ ~장 escena *f* sangrienta, campo *m* de mortandad, escena *f* de violencia, escena *f* de confusión completa, pandemonio *m*, pandemónium *m*, caos *m*. 그것은 진짜 ~이었다 Aquello era un verdadero pandemonio [el caos más absoluto]

수락(受諾) aceptación *f*, [동의(同意)] consentimiento *m*. ~하다 aceptar, consentir, dar consentimiento (a). 정식(正式) ~ aceptación *f* formal.

수란(水卵) huevo *m* escalfado, *RPI* huevo *m* pochés.
◆수란(을) 뜨다 escalfar huevos.
■ ~짜 sartén *f* para escalfar huevos.

수란관(輸卵管) 【해부】 ＝나팔관(喇叭管).

수람(收攬) ¶~하다 ganar, agarrar, coger, apoderarse (de). 인심(人心)을 ~하다 tener [poseer] la popularidad.

수랭식(水冷式) ¶~의 enfriado por agua.
■ ~ 기관 motor *m* con refrigeración por agua.

수량(水量) volumen *m* [cantidad *f*] de agua. 강의 ~이 늘어난다 [줄어든다] El río crece [decrece]. ~이 많이 증가했다 El agua ha crecido mucho en caudal del río.
■ ~계 contador *m* de agua.

수량(數量) cantidad *f*. ~이 증가하다 aumentar de cantidad. ~이 감소하다 disminuir de cantidad. ~을 속여서 이익을 탐하다 contar mal adrede, falsear el número.

수럭수럭 animadamente, con vivacidad.

수럭스럽다 (ser) vivaz, (estar) lleno de vida.
수럭스레 vivazmente, con vivacidad.

수런거리다 hacer ruido.
수런수런 siguiendo haciendo ruido.

수렁 ① [곤죽같이 무르게 풀린 진흙이나 개흙이 괸 곳] lodazal *m*, lodazar *m*, barrizal *m*, pantano *m*, cienaga *f*, fangal *m*, cenagal *m*, tremedal *m*, lodo *m*, barro *m*, fango *m*, lugar *m* pantanoso, lugar *m* cenagoso, lugar *m* lagunoso. ~에 빠지다 caerse [hundirse] en un pantano, atascarse [encenagarse] en un barrizal. ② [헤어나기 힘든 처지] atascamieno *m*, atolladero *m*, estorbo *m*, obstáculo *m*. ~에서 탈출하다 salir [escapar] del fango, salir del atascadero. 악(惡)의 ~에 빠지다 atollar [atascarse] en el mal.
■ ~논[배미] arrozal *m* en el lodazal, arrozal *m* pantanoso, arrozal *m* cenagoso, arrozal *m* lagunoso.

수레 [동물이 끄는] carro *m*; [덮힌] carromato *m*.
■빈 수레가 더 요란하다 ((속담)) Mucho ruido y pocas nueces / El tonel vacío mete más ruido.
■ ~바퀴 rueda *f*. ~홈 surco *m*, rodada *f*.

수려하다(秀麗－) (ser) bello, hermoso, soberbio, elegante, gallardo, garboso, gentil. 수려한 설악산의 자태(姿態) perfil *m* soberbio del monte *Seolak*.

수력(水力) ① [물의 힘] fuerza *f* acuática [de agua]. ② 【물리】 fuerza *f* hidráulica; [낙수 동력원] hulla *f* blanca; [유수력] hulla *f* verde; [조력(潮力)] hulla *f* azul. ~의 hidráulico.
■ ~ 기계 máquina *f* hidroeléctrica. ~ 발

전 generación *f* hidroeléctrica. ~ 발전기 alternador *m* hidráulico. ~ 발전소 central *f* hidroeléctrica, estación *f* de generador hidroeléctrico, planta *f* hidroeléctrica. ~ 전기 energía *f* hidroeléctrica, hidroelectricidad *f*. ~ 전기화 hidroelectrificación *f*. ~ 터빈 turbina *f* hidráulica. ~학 hidrodinámica *f*, hidráulica *f*. ~ 학자 hidráulico, -ca *mf*.

수련(修鍊/修練) entrenamiento *m*, práctica *f*, cultura *f*, adiestramiento *m*, disciplina *f*. ~하다 entrenar, practicar, cultivar, disciplinar.

■ ~생 principiante *mf*, novato, -ta *mf*. ~원 noviciado *m*. ~의(醫) ((구칭)) =전공의(專攻醫).

수련(睡蓮) 【식물】 ninfea *f*, nenúfar *m*.

수련하다 el corazón es dócil y obediente.

수렴[1](收斂) ① 【물리·생물·수학】 convergencia *f*. ~하다 converger, convergir. ② 【의학】 astricción *f*, contracción *f*, astringencia *f*. ~하다 astringirse.

■ ~ 렌즈 lente *m(f)* convergente. ~성(性) astringencia *f*. ~ 작용(作用) astricción *f*, anasalsis *f*. ~제 astringente *m*. ~ 현상 convergencia *f*.

수렴[2](收斂) ① [금욕] continencia *f*. ② [가혹한 세금] exacción *f*.

수렴(垂簾) ((준말)) =수렴청정(垂簾聽政).

■ ~청정 regencia *f* por la reina madre (detrás del velo).

수렵(狩獵) caza *f*. ~하다 cazar. ~하러 가다 ir a cazar, ir de caza. 멧돼지를 ~하다 cazar jabalíes.

■ ~가 cazador, -dora *mf*. ~ 감시관 guardabosque *m*. ~ 금지 prohibición *f* de caza. ~ 금지 기간 (estación *f* de) veda *f*. ~기 estación *f* de caza. ~대 partida *f* de caza. ~ 면허 permiso *m* de caza. ~ 면허세 derechos *mpl* de licencia de caza. ~ 면허장 licencia *f* de caza. ~법 leyes *fpl* relativas a la caza. ~ 시대 edad *f* de caza. ~용 uso *m* de la caza; [부사적] para la caza. ¶~ 나팔 cuerno *m* de caza. ~장 coto *m* [vedado *m*] de caza. ~조(鳥) pájaro *m* de caza. ~지(地) cazadero *m*, terreno *m* de caza. ~ 허가 permiso *m* de caza. ~ 허가증 licencia *f* de caza.

수령(守令) 【고제도】 gobernador *m* provincial.

수령(受領) aceptación *f*, recibo *m*, cobro *m*. ~하다 aceptar, recibir, cobrar.

■ ~ 능력 capacidad *f* de recibir. ~인[자] cobrador, -dora *mf*. ~증 recibo *m*. ~ 지체(遲滯) demora *f* en aceptación.

수령(首領) caudillo *m*, jefe *m*, líder *mf*, dirigente *mf*, cabeza *m*; [반도(叛徒)의] cabecilla *m*.

수령(樹齡) edad *f* de un árbol. 이 나무는 ~이 500년이 넘었다 Este árbol tiene más de quinientos años de edad.

수로(水路) canal *m*, vía *f* acuática, vía *f* fluvial, vía *f* de agua, vía *f* navegable, canal *m* navegable, corriente *f* de agua; [용수로] cauce *m*.

■ ~ 관측소 observatorio *m* hidrográfico. ~교(橋) acueducto *m*. ~국 departamento *m* de canal. ~도(圖) mapa *m* hidrográfico. ~만리 vía *f* fluvial muy lejana. ~ 안내 ㉮ [안내하는 일] pilotaje *m*, practicaje *m*. ¶~를 하다 pilotear, pilotar. 강제 ~ pilotaje *m* obligatorio. ㉯ [사람] piloto *mf*. ~ 안내료 pilotaje *m*. ~ 안내인 piloto *m* de puerto, piloto *m* práctico. ~ 측량(測量) inspección *f* hidrogáfica. ~ 측량술(測量術) hidrografía *f*. ~ 터널 canal *m* subterránea. ~ 표지(標識) baliza *f*. ~학 hidrografía *f*. ~ 학자 hidrógrafo, -fa *mf*.

수록(收錄) anotación *f*, apunte *m*. ~하다 anotar, apuntar, quedar registrado, mencionar; [모으다] juntar, recoger, coleccionar. 이 사전은 20만 단어가 ~되어 있다 Este diccionario contiene doscientas mil palabras.

수뢰(水雷) torpedo *m*; [부설] mina *f* submarina. ~로 공격하다 torpedear. ~를 발사하다 lanzar un torpedo. ~를 부설하다 colocar las minas. ~에 걸리다 chocar contra una mina.

■ ~ 구축함(驅逐艦) cazatorpedero *m*, contratorpedero *m*, destructor *m*. ~ 발사관 (tubo *m*) lanzatorpedos *m*. ~ 방어망 red *f* antitorpedo. ~ 부설함 colocador *m* de minas, minador *m*. ~정 torpedero *m*, lancha *f* torpedera.

수뢰(受賂) aceptación *f* de soborno. ~하다 dejarse sobornar, aceptar un soborno.

수료(修了) terminación *f* de los estudios [del curso], acabamiento *m*. ~하다 terminar los estudios, completar el curso. 전 과정을 ~하다 terminar el curso regular de estudios. 3학년을 ~하다 terminar el curso del tercer año. 서반아어 과정을 ~했음을 증명하다 certificar que *uno* ha completado el curso de español.

■ ~생 estudiante *mf* de terminar los estudios. ~자(者) persona *f* de terminar los estudios. ~증 diploma *m*.

수류(水流) corriente *f* de agua, curso *m*.

■ ~ 펌프 bomba *f* de chorro de agua.

수류(垂柳) 【식물】 =수양버들.

수류(獸類) bestias *fpl*, fieras *fpl*, animales *mpl*.

수류탄(手榴彈) granada *f* de mano.

수륙(水陸) ① [물과 뭍] el agua y la tierra; [바다와 육지] el mar y la tierra. ② [수로와 육로] la vía fluvial y la vía terrestre.

■ ~ 공동 작전 operaciones *fpl* anfibias. ~군 fuerzas *fpl* navales y ejército. ~만리 lugar *m* lejano entre la tierra y el mar. ~ 양서 동물 anfibio *m*. ~ 양용기 avión *m* anfibio. ~ 양용 부대 cuerpo *m* anfibio. ~ 양용 비행기 =수륙 양용기. ~ 양용 자동차 coche *m* anfibio. ~ 양용 전차 tanque *m* de guerra anfibio. ~ 양용차 =수륙 양용 자동차. ~전(戰) guerra *f* naval y guerra terrestre.

수르르 suavemente. 바람이 ~ 불어온다 El viento sopló suavemente.

수리【조류】el águila *f* (*pl* las águilas).
■ ~둥지 aguilera *f.*

수리(水利) ① [수상(水上) 운송의 편리] comodidad *f* [facilidad *f*] del transporte acuático; [수운(水運)] transporte *m* por agua. ~편이 좋다 tener buenas facilidades para el transporte por agua. ~편이 나쁘다 tener pocas facilidades para el transporte por agua. ② [물을 이용하여 음료수 또는 관개용으로 씀] hidráulica *f*; [관개] riego *m*, irrigación *f*; [물의 이용] aprovechamiento *m* del agua.. ~의 hidráulico.
◆ 농업(農業) ~ hidrálica *f* agrícola.
■ ~ 공사(工事) obra *f* hidráulica. ~ 공학 ingeniería *f* hidráulica. ~권 derecho *m* de utilización del agua, derechos *mpl* hidráulicos. ~ 기사 hidráulico, -ca *mf.* ~ 사업 obras *fpl* de riego. ~ 자금(資金) fondos *mpl* hidráulicos. ~ 조합 asociación *f* de riego. ~학(學) hidráulica *f*, hidrografía *f.* ~학자 hidráulico, -ca *mf.*

수리(水理) =수맥(水脈).

수리(受理) aceptación *f*, recepción *f.* ~하다 recibir, aceptar. 원서(原書)를 ~하다 recibir una aplicación.

수리(修理) reparación *f*, reparo *m*, remiendo *m*, compostura *f*, composición *f*, arreglo *m.* ~하다 reparar, remendar, arreglar; [냄비 · 우산 등을] componer. ~할 수 있는 reparable, arreglable. ~할 수 없는 irreparable. ~되다 repararse, arreglarse, componerse. ~ 중이다 estar en reparación, estar en arreglo. ~하러 보내다 mandar a reparar, hacer reparar. 시계를 ~하다 componer el reloj. 자전거를 ~하다 arreglar [reparar] la bicicleta. 지붕을 ~하다 reparar las goteras del edificio, arreglar el tejado. 자동차를 ~하러 보내다 mandar el coche para que lo reparen [arreglen]. 시계를 ~했다 Han reparado el reloj. 이 고장은 곧 ~될 수 있다 Esta avería se puede reparar [arreglar · quitar] pronto. 이 기계는 ~가 필요하다 Esta máquina necesita reparación.
■ ~공 (mecánico *m*) reparador *m*, (mecánica *f*) reparadora *f.* ~ 공장 taller *m* de reparación, garaje *m.* ~ 대금 coste *m* de reparación. ~비 gastos *mpl* de reparación.

수리(數理) ① [수학의 이론이나 이치] principio *m* matemático. ② [셈] cálculo *m*, cuenta *f.*
■ ~ 경제학 economía *f* política matemática. ~ 물리학 física *f* matemática. ~ 생물학 *biología f matemática.* ~적 matemático. ¶~으로 matemáticamente. ~적 위치 posición *f* matemática. ~ 지리학 geografía *f* matemática. ~ 철학 filosofía *f* matemática. ~ 통계학 estadística *f* matemática.

수리남【지명】Surinam. ~의 surinamés, surinamita. ~ 사람 surinamita *mf*, surinamés, -mesa *mf.*

수리딸기【식물】una especie de la fresa silvestre.

수리먹다 (la castaña · la bellota) desmenuzarse.

수리부엉이【조류】lechuza *f*, búho *m* (real); [작은] mochuelo *m.*

수리수리 estando afiebrado. ~하다 tener su vista debilitada con fiebre, estar afiebrado, tener fiebre, tener calentura.

수림(樹林) bosque *m* (frondoso), selva *f.*
■ ~길 sondero *m* [senda *f*] de bosque. ~지대 zona *f* del bosque, zona *f* selvática.

수립(樹立) establecimiento *m*, fundación *f*, instauración *f.* ~하다 establecer, fundar, instaurar, erigir, plantear. 신기록(新記錄)을 ~하다 establecer [alcanzar] un nuevo récord. 새로운 정부를 ~하다 instaurar un nuevo gobierno. 새로운 국가를 ~하다 fundar una nación nueva. …의 기초를 ~하다 fundamentar *algo.*
◆ 정부(政府) ~ instauración *f* de un gobierno.

수릿날【고어】=단오.

수마(水魔) diluvio *m*, inundación *f.*

수마(睡魔) sueño *m*, somnolencia *f*, soñera *f*, modorra *f.* ~에 사로잡히다 ser presa de una somnolencia [soñera]. 나는 ~에 사로잡혔다 Yo tenía un sueño que no veía / Me caía de sueño.

수막새 =막새.

수만(數萬) ① [여러 만] (unas) decenas de miles. ~ 명(名) (unas) decenas de miles de personas. ~ 개의 별 unas decenas de miles de estrellas. ~ 개의 부채가 거대한 종교 모임에서 여자들의 손에서 움직이고 있었다 Decenas de miles de abanicos se movían en las manos de las mujeres de la vasta congregación. ② [썩 많은 수효] bastantes números *mpl.* ~의 인파(人波) muchedumbre *f* de bastantes números.

수많다(數-) (ser) numeroso, incontable, innumerable. 수많은 numeroso, incontable, innumerable, un gran número de. 수많은 군중(群衆) un gran número de la muchedumbre, muchedumbre *f* de personas. 수많은 세월(歲月) mucho tiempo, largo tiempo *m.* 수많은 사람들이 그렇게 말한다 Son muy numerosos los que así hablan. 수많은 절 중에서 이 절이 매우 역사적 가치가 높다 Entre muchos templos, éste tiene un valor histórico muy elevado.
수많이 numerosamente, incontablemente, innumerablemente. ~ 모인 사람들 numerosas personas *fpl* que se reunían

수말 caballo *m.*

수말(水沫) ① =수포(水泡). ② =물보라.

수매(收買) compra *f.* ~하다 comprar. 정부의 미곡(米穀) ~ 가격 precio *m* de compras de arroz del gobierno.

수맥(水脈) vena *f* de agua.

수면(水面) superficie *f* del agua. ~에서 10미터 위에 a diez metros de la superficie del agua. ~에서 5피트 위 [밑]에 tres pies sobre [bajo] el agua. ~에 떠오르다 flotar sobre el agua, ponerse a flote. 기름이 ~에 떠 있다 La grasa flota en la superficie del agua.

수면(睡眠) sueño *m*, dormición *f*. ~하다 dormir, dormirse, quedarse dormido. ~의 hipnótico. ~을 충분히 하다 dormir bien, dormir perfectamente. …의 ~을 방해하다 estorbar*le* [impedir*le*] *a uno* el sueño. ~이 부족하다 no haber dormido bien, tener mal sueño.

■~ 곤란증 hipnofrenosis *f*, discoimesis *f*. ~ 독소(毒素) hipnotoxina *f*. ~ 명정(酩酊) somnolentia *f*. ~ 발작 narcolepsia *f*. ~병 enfermedad *f* del sueño. ~ 부족 falta *f* de sueño, falta *f* de dormir, sueño *m* insuficiente. ~ 상태 ㉮ [잠자고 있는 상태] condición *f* de dormir. ㉯ [어떤 단체·사업이 부진한 상태] condición *f* de depresión. ~성 무호흡 apnea *f* del sueño. ~ 시간 horas *fpl* de sueño. ~약 píldora *f* [pastilla *f*] para dormir, somnífero *m*, soporífero *m*. ~ 요법(療法) hipnoterapia *f*. ~ 요양소 somnario *m*. ~ 운동 movimiento *m* del sueño. ~운동 묘사기 hipnocinematógrafo *m*, somnocinematógrafo *m*. ~ 이상(異常) dissomnia *f*. ~ 장애 somnipatía *f*. ~제(劑) opiato *m*, opiata *f*, narcótico *m*, medicamento *m* soporífero, dormitivo *m*. ~제 중독 adicción *f* hipnótica. ~증 enfermedad *f* del sueño. ~학 hipnología *f*, hipnosofía *f*.

수면(獸面) ① [짐승의 얼굴] cara *f* del animal; [짐승처럼 흉한 얼굴] cara *f* fea como una bestia. ② [짐승 얼굴을 본뜬 탈이나 조각] máscara *f* [escultura *f*] copiada de la cara animal.

수명(受命) recibimiento *m* de la orden. ~하다 recibir la orden.

■~ 법관 juez *m* entregado.

수명(壽命) ① [사람이나 동물의] (duración *f* de la) vida. ~이 길다 gozar de larga vida. ~이 단축되다 acortarse la vida. ~이 연장되다 prolongarse la vida. ~을 연장하다 prolongar [alargar] la vida. ~을 다하다 morir de (una) muerte natural. 저 가수는 ~이 길다 Aquel cantante tiene una larga carrera. 한국인의 ~은 길어지고 있다 La vida de los coreanos es cada vez más larga. 그는 술로 ~을 단축시켰다 La bebida le cortó la vida a él. ② [물건의] duración *f*, vida *f*. ~이 다한 전지(電池) pila *f* gastada. 이 제품은 ~이 길다 [짧다] Este artículo dura mucho [poco]. 이 재봉틀의 ~이 꽤 길다 La vida de una máquina de coser es bastante larga.

■~ 장수 longevidad *f*, vida *f* larga. ~학 cronobiología *f*.

수모(手母) dama *f* de honor.

수모(水母) 【동물】 =해파리.

수모(受侮) insulto *m*. ~를 당하다 recibir [sufrir] un insulto.

수모(首謀) ① =주모(主謀). ② ((준말)) =수모자.

■~자(者) cabecilla *mf*, promotor, -tora *mf*; promovedor, -dora *mf*; abanderizador, -dora *mf*.

수모(誰某) =아무개.

수목 tela *f* hecha de algodón usado.

수목(樹木) árbol *m*. ~이 무성한 cubierto [poblado] de árboles, boscoso. ~이 없는 desnudo, pelado.

■~ 숭배 dendrolatría *f*. ~원 arboreto *m*, vivero *m* con fines científicos. ~학 dendrografía *f*. ~학자 dendrógrafo, -fa *mf*. ~한계선(限界線) límite *m* de la vegetación arbórea.

수무지개 arco *m* más claro del arco iris gemelo.

수묵(水墨) ① [빛이 엷은 먹물] tinta *f* china ligera. ② 【미술】 pintura *f* a tinta china.

◆수묵(을) 치다 disimular. 수묵(이) 지다 correrse.

■~화(畫) dibujo *m* [pintura *f*] a tinta china, pintura *f* en negro y blanco.

수문(水文/水紋) argolla *f* (de agua).

수문(水門) compuerta *f*; [운하(運河)의] esclusa *f*. ~을 열다 abrir una compuerta. ~을 닫다 cerrar una compuerta.

수문(手紋) =손금.

수문(守門) acción *f* de guardar la puerta.

■~군[졸] guardia *f*. ~장(將) portero *m* del palacio real.

수문수답(隨問隨答) ¶~하다 responder fácilmente, tener una respuesta fácil.

수미(秀眉) cejas *fpl* muy hermosas.

수미(首尾) principio *m* y fin, alfa *f* y omega; [경과] curso *m*; [결과] consecuencia *f*, resultado *m*. ~ 일관한 consistente. ~일관하여 consistentemente.

■~상접 continuación *f* mutua. ¶~하다 (ser) continuo.

수미(愁眉) semblante *m* preocupado, expresión *f* inquieta.

수미(壽眉) la más larga de las cejas del anciano.

수미산(須彌山) ((불교)) montaña *f* central de todo el mundo.

수미하다(秀美-) (ser) hermosísimo, muy hermoso.

수미하다(粹美-) (ser) puro y hermoso.

수민하다(愁悶-) estar preocupado y aquejado.

수밀도(水蜜桃) melocotón *m* (*pl* melocotones), durazno *m*.

수바늘(繡-) aguja *f* para el bordado.

수박 【식물】 sandía *f*, melón *m* (*pl* melones) de agua. 씨 없는 ~ sandía *f* sin semillas [sin pepitas].

◆수박 겉 핥기 conocimiento *m* superficial, superficialidad *f*, [반거충이] tintura *f*. ¶~하듯 하다 tinturarse, lograr conocimiento superficial, entreoír. ~ 하듯 superficial, poco prudente.

수박단(-緞) *subakdan*, una especie de la seda.

수반(水盤) bandeja *f* para colocar flores, florero *m* poco profundo de loza; [분수의] tazón *m* (*pl* tazones).

수반(首班) ① [반열 중의 수위] jefe *m*, cabeza *f*, cabeza *f* de posición. ② [행정부(行政府)의 우두머리] primer ministro *m*, primera ministra *f*; premier *m*; jefe *m* del gobierno.

수반(隨伴) acompañamiento *m*. ~하다 acompañar. 계약에 ~한 조건(條件) condiciones *fpl* que acompañan al contrato. 문명(文明)의 진보(進步)에 ~해서 con el progreso de la civilización. 그것은 난점(難點)을 ~한 일이다 Es un trabajo que lleva una gran dificultad consigo. 공사(工事)에는 늘 위험이 ~한다 Las obras siempre llevan peligro consigo / El peligro es inherente a las obras. 그는 이론(理論)에 실천(實踐)이 ~되지 않는다 El no lleva su teoría a la práctica.

수발 servicio *m*.
◆수발(을) 들다 servir.

수발(鬚髮) el bigote y el pelo.

수발하다(秀拔-) (ser) muy excelente.

수방(水防) control *m* fluvial, prevención *f* contra la inundación.
■~ 공사 obra *f* contra las inundaciones. ~ 대책 medidas *fpl* contra las inundaciones. ~림(林) bosque *m* contra las inundaciones. ~ 본부 oficina *f* central de la prevención contra la inundación.

수방석(繡方席) cojín *m* (*pl* cojines) [almohadón *m* (*pl* almohadones)] bordado.

수배(手配) ① [갈라 맡아서 지킴] arreglo *m*, disposición *f*, preparación *f* (por todas partes en busca de *uno*). ~하다 arreglar, preparar, disponer. 차(車)를 ~하다 disponer un coche. 호텔을 ~하다 reservar una habitación en un hotel. ② [범인을 잡으려고 수사망을 폄] busca *f*, búsqueda *f*. ~하다 buscar. ~ 중인 범인(犯人) criminal *mf* que se busca. ~ 중임 ((게시)) Se busca. 그는 살인으로 ~되고 있다 Le buscan por asesinato. 그녀는 심문을 위해 ~되고 있다 La buscan para interrogarla.
■~ 사진(寫眞) fotografía *f* del criminal buscado. ~자(者) persona *f* buscada por la policía.

수배(受配) recibo *m* de *sus* raciones. ~하다 recibir *sus* raciones.
■~자 recibidor, -dora *mf* de raciones.

수배(數倍) unas veces, varias veces. …보다 ~ 더 크다 ser unas veces más grande que *algo*.

수백(數百) unas centenas, unos centenares. ~ 명(名) unos centenares de personas.
■~만(萬) unos millones. ¶~ 명(名) unos millones de personas.

수벌 abejón *m* (*pl* abejones), zángano *m*.

수범 tigre *m*.

수범(首犯) =주범(主犯).

수범(垂範) ¶~하다 dar ejemplo.

수법(手法) ① [수단. 방법] técnica *f*, procedimiento, método, manera de obrar. 새로운 ~의 사기(詐欺) nuevo tipo *m* de estafa. 교묘한 ~ técnica *f* hábil, técnica *f* mañosa. ② [작품을 만들 때의 솜씨] habilidad *f*. 뛰어난 ~ habilidad *f* excelente.

수법(繡法) método *m* de bordar.

수베개(繡-) almohada *f* abordada.

수변(水邊) =물가.

수병(水兵) marinero *m*.
◆일등(一等) ~ marinero *m* de primera (clase).
■~모 gorra *f* marinera. ~복 traje *m* de marinero, blusa *f* marinera.

수병(守兵) guardias *mpl*, guarnición *f*.

수병(繡屛) biombo *m* bordado.

수보다(數-) decir *su* fortuna.

수복(收復) recuperación *f*, restablecimiento *m*. ~하다 recuperar, recobrar, repatriar.
■~민 pueblo *m* repatriado. ~ 지구 zona *f* rescatada.

수복(修復) ① [수리하여 본모습과 같게 함] restauración *f*. ~하다 restaurar. ② [편지의 답장을 함] contestación *f* [respuesta *f*] de la carta. ~하다 contestar, responder.

수복(壽福) vida *f* larga y felicidad.
■~강녕 vida *f* larga, felicidad y paz.

수봉(秀峰) ① [썩 아름다운 산봉우리] cumbre *f* bastante hermosa. ② [썩 높은 산봉우리] cumbre *f* bastante alta.

수부(水夫) ① [배의 하급 선원] marinero *m* inferior. ② =뱃사람. ¶노련한 ~ marinero veterano. ③ =조졸(漕卒).
◆견습(見習) ~ grumete *m*.
■~장(長) contramaestre *m*.

수부(首府) [수도(首都)] capital *f*, metrópoli *f*. ~의 metropolitano, capitaleño.

수부(首富) =갑부(甲富).

수부다남자(壽富多男子) longevidad, felicidad y muchos hijos.

수부족(手不足) falta *f* de la mano de obra.

수부종 siembra *f* directa de las semillas en el arrozal. ~하다 sembrar las semillas directamente en el arrozal.

수부하다(壽富-) vivir mucho tiempo y ser rico.

수북수북 acumuladamente, amontonadamente. ~하다 todo es acumulado.

수북하다 amontonarse, apilarse. 할 일이 ~ tener un montón de trabajo que hacer.
수북이 acumuladamente, amontonadamente.

수분(水分) humedad *f*, el agua *f*, substancias *fpl* líquidas; [과즙(果汁)] zumo *m*, jugo *m*. ~이 많은 aguanoso, acuoso; [즙이 많은] jugoso. 이 과실은 ~이 많다 Esta fruta es jugosa.
■~ 과다(過多) acuosidad *f*.

수분(受粉) 【식물】 polinización *f*. ~하다 fecundarse con polen.

수분(授粉) fertilización *f*. ~하다 fertilizar.

수불(受拂) recibo *m* y pago. ~하다 recibir y pagar.

수비(水肥) abono *m* líquido.

수비(守備) defensa *f*, protección *f*. ~하다 defender, guardar, proteger. ~를 견고히

하다 asegurar la defensa, fortificar, reforzar la defensa (de). ~에 매달리다 ponerse en defensa; ((운동)) jugar a la defensiva. ~를 풀다 retirar las defensas (de). ~하고 있다 estar en guarnición, guarnicionar.
■ ~군(軍) tropas *fpl* defensivas. ~대(隊) guarnición *f*. ~병(兵) guardias *mpl*, guarnición *f*. ~수 jugador, -dora *mf* del equipo que no batea. ~전 guerra *f* [batalla *f*] defensiva. ~진(陣) campamento *m* defensivo, posición *f* defensiva. ~팀 equipo *m* que no batea.

수비둘기 paloma *f* macho.

수빙(樹氷) neblina *f* helada sobre las copas de árboles, árbol *m* cubierto de hielo.

수사(手寫) ① [직접 베낌] copia *f* a mano. ~하다 copiar a mano directamente. ② [글을 손수 씀] acción *f* de escribir personalmente.
■ ~본(本) manuscrito *m*.

수사(首寺) templo *m* budista principal.

수사(修士) ((천주교)) monje *m*, fraile *m*.
■ ~ 신부(神父) =수도 사제(修道司祭).

수사(修史) historiografía *f*.
■ ~가(家) historiográfico, -ca *mf*. ~관(官) historiográfico, -ca *mf*.

수사(修辭) retórica *f*. ~하다 retoricar. ~상의 retórico, de retórica. ~적 기교(技巧) recurso *m* retórico.
■ ~학 retórica *f*. ¶~의 retórico. ~학자 retórico, -ca *mf*.

수사(搜査) pesquisa *f*, investigación *f*, indagación *f*, averiguación *f*; [은닉물의] registro *m*. ~하다 pesquisar, investigar, averiguar; registrar. ~ 선상에 오르다 hacerse objeto de la pesquisa. 가택을 ~하다 registrar la casa. 사건을 ~하다 indagar el asunto, hacer [realizar] pesquisas sobre el asunto. 범인이 ~ 선상에 떠올랐다 La policía ha trazado al criminal en su red de investigación.
■ ~과(課) sección *f* de investigación criminal. ~ 과원(課員) detective *mf*, inspector, -tora *mf*. ~ 기관 agencia *f* de investigación. ~대(隊) cuerpo *m* de investigación. ~망 red *f* de pesquisas. ¶~을 펴다 tender una red (para prender a *uno*), acechar. ~을 펴고 있다 estar al acecho (de). 경찰은 ~을 폈다 La policía ha tendido una red de pesquisas. ~반 brigada *f* de investigación criminal, equipo *m* de investigación. ¶합동(合同) ~ equipo *m* de investigación conjunta. ~ 본부 oficina *f* central de investigación, centro *m* encargado de las pesquisas. ~선 línea *f* de investigación de policía. ~원 detective *mf*, inspector, -tora *mf* criminal. ~ 주임 inspector, -tora *mf* principal.

수사(數詞) 【언어】 numeral *m*.

수사납다(數—) (ser) desgraciado, desafortunado, desdichado.

수사돈(—査頓) padre *m* de *su* yerno, padre *m* de *su* hijo político.

수사또(水使—) ((높임말)) =수사(水使).

수사류(垂絲柳) 【식물】 =능수버들.

수사자(水死者) =익사자(溺死者).

수삭(數朔) unos meses, varios meses.

수산(水疝) 【의학】 enfermedad *f* que se hincha el testículo.

수산(水産) industria *f* acuática.
■ ~ 가공업 industria *f* de transformación marítima. ~ 대학 facultad *f* de pesquería. ~물 productos *mpl* marítimos. ~ 비료 abono *m* pesquero. ~ 시험장 laboratorio *m* de piscicultura, laboratorio *m* de pesquería experimental. ~ 식(료)품 producto *m* alimenticio elaborado marítimo. ~ 양식(養殖) cultura *f* pesquera. ~업 industria *f* pesquera, industria *f* de productos marítimos. ~업 협동 조합 cooperativa *f* pesquera. ~ 자원 recursos *mpl* pesqueros. ~ 조합 asociación *f* de productos marítimos. ~청 la Dirección General de la Pesca. ~청장 director, -tora *mf* de la Dirección General de la Pesca. ~학(學) piscicultura *f*. ~ 학교 escuela *f* de pesquería. ~학자 piscicultor, -tora *mf*. ~ 협동 조합 cooperativa *f* pesquera.

수산(授産) ¶~하다 proporcionar de trabajo, dar empleo.

수산(蓚酸) 【화학】 ((구칭)) =옥살산(酸).
■ ~염(鹽) exalanto *m*. ~ 제이철 oxalato *m* férrico. ~ 제일철 oxalato *m* ferroso.

수산기(水酸基) 【화학】 =히드록시기(基).

수산화(水酸化) hidración *f*.
■ ~나트륨 hidróxido *m* de sodio. ~물 hidróxido *m*. ~바륨 hidróxido *m* de bario. ~아연 hidróxido *m* de cinc. ~암모늄 hidróxido *m* de amonio. ~제이금 oro *m* áurico. ~제일철 hidróxido *m* ferroso. ~철 hierro *m* hidratado. ~칼륨 potasa *f* (cáustica), hidróxido *m* de potasa. ~칼슘[석회] hidróxido *m* de calcio.

수삼(水蔘) ginseng *m* [ginsén *m*] crudo.

수삼배(數三杯) dos o tres copas de vino.

수삼차(數三次) dos o tres veces.

수상(手相) quiromancia *f*, quiromancía *f*, adivinación *f* por las líneas de palma, adivinación *f* por las rayas de la mano, adivinación *f* por las rayas de la palma. ~의 quiromántico. ~을 보다 levantar una quiromancia.
■ ~가(家) quiromántico, -ca *mf*. ~술 quiromancia *f*, quiromancía *f*. ~학(學) quiromancia *f*, quiromancía *f*.

수상(水上) ① [물의 표면] superficie *f* de agua; [물의 위에] sobre el agua. ~에 뜨다 flotar sobre el agua. ② [물의 상류] corriente *f* superior.
■ ~ 가옥 casa *f* construida sobre pilotes en el agua. ~ 경기 deporte *m* acuático, deporte *m* natatorio. ¶~ 대회 competición *f* acuática. ~ 경찰 policía *f* de puerto, policía *f* sobre el agua. ~ 공원 parque *m* acuático. ~ 교통 tráfico *m* marítimo. ~기 ((준말)) =수상 비행기. ~목(木) madera *f*

llevada río abajo. ~ 비행기 hidroaeroplano *m*, hidroavión *m*. ~ 생활 vida *f* acuática, vida *f* en el agua. ~ 생활자 persona *f* que vive en el agua. ~ 스키 esquí *m* náutico, esquí *m* acuático. ~ 스포츠 deportes *mpl* acuáticos. ~ 운동 deportes *mpl* acuáticos. ~ 운송 transporte *m* marítimo.

수상(受像) imagen *m* (*pl* imágenes) de televisión, recepción *f* de imágenes.

■ ~관(管) tubo *m* de imagen, tubo *m* televisivo. ~기(器) aparato *m* de televisión, receptor *m* de televisión. ~력(力) [텔레비전의] recepción *f*. ~면(面) pantalla *f* cinescópica.

수상(受賞) recibo *m* de premio. ~하다 recibir un premio, recibir un galardón, ser galardonado, ser premiado, ser laureado, ganar premio. ~한 premiado, galardonado, laureado. 노벨상을 ~한 galardonado [laureado · premiado] con el Premio Nobel.

■ ~자 ganador, -dora *mf* (de un premio); premiado, -da *mf*; galardonado, -da *mf*; laureado, -da *mf*. ~ 작품 obra *f* premiada [laureada · premiada].

수상(首相) ① [국무총리] primer ministro *m*, primera ministra *f*; premier *m*. 피델 까스뜨로 ~ primer ministro Fidel Castro. ② =영의정(領議政).

■ ~ 관저 residencia *f* oficial del primer ministro.

수상(授賞) concesión *f* de premio. ~하다 premiar, galardonar, dar el premio.

■ ~식 [학교의] ceremonia *f* de reparto de premios; [문학상 등의] ceremonia *f* de entrega de premios. ~일 día *m* en que se concede el premio.

수상(愁傷) aflicción *f*, pesadumbre *f*, dolor *m*, pena *f*, pesar *m*.

수상(樹上) sobre el árbol, encima del árbol.

수상(隨想) pensamientos *mpl* ocasionales.

■ ~록(錄) ensayos *mpl*.

수상(穗狀) forma *f* de una espiga.

■ ~ 꽃차례(次例) =수상 화서(穗狀花序). ~ 화서(花序) espiga *f*.

수상(繡裳) falda *f* bordada.

수상그르다(殊常—) (ser) algo sospechoso.

수상스럽다(殊常—) (ser) sospechoso.

수상스레 sospechosamente, de modo sospechoso.

수상쩍다(殊常—) (ser) sospechoso, no oler bien.

수상하다(殊常—) (ser) sospechoso, suspicaz, desconfiado, receloso, dudoso, dudable, misterioso, fantástico, increíble, extraño, raro, incierto, inseguro. 수상하게 sospechosamente, dudosamente, increíblemente, extrañamente, con extraño, raramente, inciertamente, inseguramente. 수상한 남자 hombre sospechoso 수상한 인물(人物) persona *f* sospechosa. 그는 전혀 수상한 사람이 아니다 El no es nada sospechoso. 저 여자가 ~ Aquella mujer es sospechosa. 그의 거동(擧動)이 ~ Su conducta es sospechosa / Su conducta despierta sospechosa. 수상한 소리가 들린다 Se oye un ruido extraño. 그가 12시에 온다고 했지만 ~ El dijo que vendría a las doce, pero no lo dudo. 그의 말이 ~ Dudo de lo que dice él / Es dudoso que sea verdad lo que dice él / Sospecho que no sea verdad lo que dice él. 그들 사이가 ~ Sus relaciones inspiran sospecha. 하늘이 어째 ~ El cielo muestra aspecto amenazador [dudoso]. 이 하물(荷物)은 경찰에게 수상한 마음을 갖게 했다 Este equipaje despertó la sospecha de la policía. 그런 일은 수상한 점이 없다 No hay por qué sospechar [extrañarse] de tal cosa.

수상히 sospechosamente, dudosamente, extrañamente. ~ 여기다 sospechar, sospecharse (de), tener sospecha, formar sospecha, tener por sospechoso, tener duda. 모두 그가 범인이라고 ~ 여기고 있다 Todos sospechan que él es [pueda ser] el autor del delito. 남들이 ~ 여길 일을 하지 마라 No hagas cosas que provoquen sospecha.

수새 pájaro *m* (macho).

수색(水色) =물빛.

수색(秀色) paisaje *m* muy hermoso.

수색(殊色) cara *f* muy hermosa (de la mujer), rostro *m* muy hermoso (de la mujer).

수색(羞色) rubor *m* de vergüenza, aire *m* avergonzado.

수색(搜索) pesquisa *f*, búsqueda *f*, investigación *f*, indagación *f*. ~하다 pesquisar, hacer pesquisas (de), indagar, investigar, buscar.

■ ~대 equipo *m* de búsqueda, cuerpo *m* de pesquisa. ~망(網) red *f* de pesquisas. ~ 영장 orden *f* de registro. ¶가택 ~ orden *f* de registro. ~원(源) solicitud *f* para que se busque. ¶경찰에 ~을 제출하다 presentar una solicitud a la policía para que se busque (a), pedir a la policía que busque (a).

수색(愁色) aire *m* [semblante *m* · aspecto *m*] inquieto [melancólico], cara *f* melancólica, rostro *m* melancólico.

수생(水生) vivienda *f* acuática.

수서(手書) carta *f* escrita personalmente.

수서(手署) autógrafo *m*, manuscrito *m*, firma *f* escrita personalmente. ~하다 firmar personalmente. ~한 manuscrito, escrito a mano.

수서(水棲) el vivir en el agua. ~의 acuático, marino.

■ ~ 동물(動物) =수중 동물(水中動物).

수석(水石) ① [물과 돌] el agua y la piedra. ② [물과 돌로 이루어진 경치] paisaje *m* hecho en el agua y la piedra. ③ [물속에 있는 돌] piedra *f* en el agua. ④ =수석(壽石).

수석(首席) [석차(席次)] primer puesto *m*; [사람] primero *m*. 외교단(外交團)의 ~ decano *m* del cuerpo diplomático. ~이다 ser el

primero, estar a la cabeza. ~을 차지하다 ocupar el primer puesto. 그는 ~으로 졸업했다 El fue el primero de su promoción.
■~ 대주교 arzobispo *m* principal. ~ 대표 delegado *m* principal. ~ 사제(司祭) cura *f* principal, párraco *m* principal. ~ 판사 juez *mf* principal.

수석(壽石) piedra *f* hermosa [curiosa] ornamental.

수석(燧石) 【광물】 sílex *m*, pedernal *m*.

수선 alboroto *m*, escándalo *m*, ruido *m*.
◆수선(을) 떨다 hacer un escándalo, hacer aspavientos, alborotar. 수선(을) 부리다 alborotar, causar alboroto. 수선(을) 피우다 hacer un escándalo, hacer un ruido.
수선거리다 hacer ruido.
수선스럽다 hacer ruido, ser alborotador, ser ruidoso, ser vociferante.
수선스레 ruidosamente, con ruido, vociferantemente.
■~쟁이 parlanchín, -china *mf*; charlatán, -tana *mf*; tarabilla *mf*; alborotador, -dora *mf*.

수선(水仙) 【식물】 narciso *m*.
◆황(黃)~ junquillo *m*.
■~화(花) 【식물】 =수선(水仙).

수선(垂線) 【수학】 (línea *f*) perpendicular *m*. A에서 ~을 긋다 trazar una línea perpendicular de A.

수선(修繕) reparación *f*, arreglo *m*, remiendo *m*, compostura *f*. ~하다 reparar, rehacer, arreglar, componer. ~시키다 mandar a componer, mandar a reparar. ~되다 repararse, arreglarse. ~ 중(中) bajo el reparo. ~할 물건 cosa *f* a [para] reparar. ~할 수 있다 [사물이 주어일 때] (ser) reparable, arreglable; [사람이 주어일 때] poder reparar, poder arreglar. ~할 수 없다 [사물이 주어일 때] ser irreparable; [사람이 주어일 때] no poder reparar, no poder arreglar. ~하러 보내다 mandar a reparar, hacer reparar. 바지를 ~하다 arreglar los pantalones. 옷을 ~하다 rehacer una prenda de vestir. 자전거를 ~하다 arreglar la bicicleta, reparar la bicicleta. 지붕을 ~하다 arreglar el tejado, reparar las goteras del edificio. 이 고장은 곧 ~될 수 있다 Esta avería se puede reparar [arreglar · quitar] pronto.
◆가(假)~ reparación *f* temporal. 대(大)~ reparación *f* mayor. 응급 ~ reparación *f* de emergencia.
■~공(工) reparador, -dora *mf*, componedor, -dora *mf*, reformador, -dora *mf*, restaurador, -dora *mf*. ~ 공구(工具) instrumentos *mpl* de reparación. ~ 공장 taller *m* de reparación. ¶자전거 ~ taller *m* de reparación de bicicletas. ~비 gastos *mpl* de reparación.

수선장(修船場) lugar *m* de reparar los barcos [los buques].

수선화(水仙花) 【식물】 [나팔수선] narciso *m*; [노랑수선] junquillo *m*.

수성(水性) ① [물의 성질] carácter *m* de agua. ② =수용성(水溶性).
■~ 가스 gas *m* de agua. ~ 도료[페인트] pintura *f* al agua. ~ 유제(乳劑) emulsión *f* acuosa.

수성(水星) 【천문】 Mercurio *m*.

수성(水聲) =물소리.

수성(壽星) ① =남극성(南極星). ② [음력 팔월(八月)] agosto *m* del calendario lunar.

수성(獸性) ① [짐승의 성질] bestialidad *f*, animalidad *f*, brutalidad *f*. ② [육체의 정욕] apetito *m* carnal. ③ [야만적 성질] temperamento *m* bárbaro.

수성 광상(水成鑛床) depósito *m* sedimentario.

수성암(水成岩) roca *f* sedimentaria.

수세(水洗) ① lavadura *f*, limpieza *f* por el agua corriente. ~하다 lavar. ② ((준말)) =수세식.
■~식(式) sistema *m* de limpiar por el agua corriente. ~식 변기 taza *f*, inodoro *m*. ~식 변소 lavabo *m*, retrete *m* [excusado *m*] de agua corriente, inodoro *m* con chorro de agua.

수세(水勢) fuerza *f* de agua, fuerza *f* de un corriente.

수세(收稅) recaudación *f*, cobro *m* de impuestos. ~ 하다 recaudar.
■~과 sección *f* de rentas públicas. ~ 관리 recaudador, -dora *mf*; colector, -tora *mf*. ~국 (departamento *m* de) recaudación *f*. ~리(吏) =수세 관리(收稅官吏).

수세(守勢) defensiva *f*. ~의 defensivo. ~를 취하다 tomar la defensiva. ~에 서다 ponerse a la defensiva. ~에서 공세로 바꾸다 pasar de la defensiva a la ofensiva.

수세(受洗) ((기독교)) bautismo *m*. ~하다 ser bautizado.
■~식(式) bautismo *m*. ~자(者) bautizado, -da *mf*; bautizante *mf*. ~장(場) bautisterio *m*.

수세공(手細工) obra *f* hecha a mano. ~의 hecho a mano.
■~ 바구니 cesto *m* hecho a mano.

수세다(手-) ① [아주 세차다] (ser) fuerte. ② [바둑 · 장기 등의 두는 솜씨가 높다] ser un buen jugador [una buena jugadora].

수세미 fregador *m*, fregajo *m*, estropajo *m*.

수세미외 【식물】 estropajo *m*.

수소 【동물】 toro *m*; [거세한] buey *m*, toro *m* castrado.

수소(水素) 【화학】 hidrógeno *m*. ~의, ~를 함유(含有)한 hidrogenado. ~와 화합시키다 hidrogenar.
■~ 가스 gas *m* hidrógeno. ~ 결합(結合) enlace *m* de hidrógeno. ~산(酸) hidrácido *m*. ~ 원자(原子) átomo *m* de hidrógeno. ~ 이온 hidrogenión *m*, ion *m* (de) hidrógeno. ~ 이온 농도 concentración *f* de hidrogenión. ~ 이온 지수 exponente *m* de hidrogenión. ~ 전극(電極) electrodo *m* de hidrógeno. ~ 지수 exponente *m* (de) hidrógeno, pH. ~첨가 hidrogenación *f*. ~탄 =수소 폭탄. ~ 폭탄 bomba *f* H, bomba *f*

de hidrógeno, bomba *f* hidráulica. ~ 폭탄 실험 prueba *f* de bomba hi- dráulica.

수소문(搜所聞) indagaciones *fpl* de rumores. ~하다 preguntar por rumores, rastraer los rumores. ~하여 잃어버린 아이를 찾다 buscar al niño perdido preguntando por rumores.

수속(手續) procedimiento *m*, proceso *m*, formalidad *f*, trámite *m*, diligencia *f*. ~하다 seguir las formalidades. 법률상의 ~ formalidad *f* legal. ~을 끝내다 terminar las formalidades. ~을 태만히 하다 descuidar las formalidades, desatender las formalidades. 법적(法的) ~을 밟다 rellenar [seguir] las formalidades [las trámites] legales, entablar procedimientos judiciales. 정식 ~을 밟다 cumplir [guardar] las formalidades debidas. 파산(破産) ~을 하다 proceder a la quiebra. 필요한 ~을 하다 hacer las diligencias necesarias (para), cumplir las formalidades necesarias (para). 귀(貴) 계정에 입금 ~을 하겠습니다 Procedemos a abonarles en su cuenta. 입회(入會) ~을 저에게 가르쳐 주십시오 Indíqueme qué debo hacer [qué se necesita] para la inscripción.
◆ 소송(訴訟) ~ trámite *m* legal.

수속(殊俗) costumbre *f* rara, costumbre *f* extraña.

수송(輸送) transporte *m*, transportación, acarreo. ~하다 transportar, acarrear. ~할 수 있는 transportable. ~ 중에 en el transporte. 인원(人員)의 ~ transporte *m* de personas. 항공 ~을 하다 transportar por avión.
◆ 곡물(穀物) ~ transporte *m* de cereales. 국제 ~ transporte *m* internacional. 국제 도로 ~ transporte *m* internacional por carretera. 근거리(近距離) ~ transporte *m* local. 냉장 트럭 ~ transporte *m* en vagones refrigerados. 도로 ~ transporte *m* por carretera. 여객(旅客) ~ transporte *m* de pasajeros, transporte de viajeros. 육상(陸上) ~ transporte *m* terrestre, transporte *m* por tierra. 장거리(長距離) ~ transporte *m* a grandes distancias. 철도(鐵道) ~ transporte *m* por ferrocarril. 컨테이너 ~ transporte *m* en contenedores, transporte en containers. 항공(航空) ~ transporte *m* aéreo, transporte *m* por avión. 해상(海上) ~ transporte *m* marítimo, transporte *m* por mar. 화물(貨物) ~ transporte *m* de mercancías.
■ ~ 계획 programa *m* de transporte. ~기 avión *m* de transporte. ~ 기관 medios *mpl* de transporte. ~난 dificultades *fpl* de transporte. ~대(隊) unidad *f* de transporte, unidad *f* de arrastre. ~량 cantidad *f* de transporte. ~력(力) capacidad *f* de transporte. ~로(路) ruta *f* de transporte. ~법 la Ley de Transporte. ~ 보험 seguro *m* de transportes. ~ 비용 gastos *mpl* de transporte. ~ 서류(書類) documento *m* de transporte. ~선(線) línea *f* de transporte. ~선(船) buque *m* [barco *m*] de transporte. ~ 설비 equipo *m* de transporte. ~ 시설 instalaciones *fpl* de transportes, medios *mpl* de transporte. ~ 열차 tren *m* de transportar. ¶군(軍) ~ tren *m* de transportar tropas. ~자 transportador, -dora *mf*. ~ 장비 equipo *m* de transporte. ~ 장치 sistema *m* de transporte. ~ 쿼터 cuota *f* de transporte. ~ 회사 compañía *f* de transportes, empresa *f* de transportes.

수쇄(手刷) impresión *f* de mano.

수쇠 parte *f* macho de bisagra.

수수 【식물】 sorgo *m*, zahína *f*, mijo *m* (indio), borona *f*, maíz *m* (*pl* maíces) de India, alcandía *f*.
■ ~경단(瓊團) bola *f* de masa de sorgo. ~깡 tallo *m* del sorgo. ~떡 *teok* [pan *m* coreano] de sorgo. ~밭 zahinar *m*, alcandial *m*. ~비 escoba *f* de sorgo. ~소주 aguardiente *m* de sorgo. ~쌀 granos *mpl* de sorgo. ~엿 caramelo *m* coreano de sorgo, *Guat* melcocha *f* de sorgo. ~전병(煎餠) tortilla *f* de sorgo. ~ㅅ대 tallo *m* del sorgo.

수수(收受) recibo *m*. ~하다 recibir.

수수(授受) transferencia *f*, transmisión *f*, entrega *f* y aceptación, entrega *f*, traspaso *m*. ~하다 dar, entregar, traspasar. 금전(金錢)의 ~ entrega *f* y aceptación de dinero. 재산(財産)의 ~ transferencia *f* de bienes, transmisión de bienes. 상품(商品)의 ~는 대금과 교환으로 합시다 Entregamos los géneros a [contra] reembolso.

수수께끼 ① [사물의 속내가 미궁에 빠져 알 수 없는 일] enigma *m*, adivinanza *f*, acertijo *m*, misterio *m*, quisicosa *f*. ~ 같은 enigmático, misterioso. ~처럼 enigmáticamente. ~ 같은 이야기 cuento *m* enigmático. ~ 같은 미소(微笑) sonrisa *f* miteriosa. ~의 인물(人物) persona *f* enigmática, hombre *m* misterioso, esfinge *mf*. 우주(宇宙)의 ~ misterio *m* del universo. ~를 내다 proponer una adivinanza. ~를 풀다 resolver una quisicosa, resolver un enigma, adivinar un acertijo, descifrar un enigma. ~로 쌓여 있다 estar envuelto en (el) misterio. ~가 풀렸다 Se descifró el enigma. ② [놀이] rompecabezas *m*, acertijo *m*, adivinanza *f*. ~를 하고 놀다 jugar al rompecabezas [al acertijo], jugar a las adivinanzas.

수수돌 calcita *f* que contiene el polvo de oro.

수수료(手數料) comisión *f*; [관청 등의] derechos *mpl* (honorarios); [중개의] corretaje *m*. ~를 받다 cobrar [recibir] *sus* derechos. 10%의 ~를 받다 cobrar un diez por ciento de comisión. 5%의 ~를 지불하다 pagar un cinco por ciento de comisión.
◆ 매상(賣上) ~ comisión *f* sobre la venta. 은 (銀行) ~ comisión *f* bancaria.

수수방관(袖手傍觀) observación *f* indiferente. ~하다 expectar con las manos cruzadas, quedarse con los brazos cruzados, no dar pie ni patada.

수수하다¹ [떠들썩하여 정신이 어지럽다] (ser) ruidoso, hacer mucho ruido. 이곳은 무척 수수했다 Aquí había tanto ruido.

수수하다² ① [옷차림새나 태도·성질이 무던하다] (ser) sobrio, modesto, austero; [간소하다] sencillo, simple. 수수한 넥타이 corbata *f* de gusto sobrio y reposado. 수수한 색 color *m* sobrio. 수수한 색깔의 양말 calcetines *mpl* de un color apagado. 수수한 예술(藝術) arte *m* elaborado y sobrio. 수수한 옷차림을 하다 vestirse con sencillez. 이 넥타이는 당신한테 ~ Esta corbata es demasiado apagada [simple] para usted. ② [물건이 썩 좋지도 나쁘지도 않다] no ser ni bastante bueno ni bastante malo.

수숙(嫂叔) la esposa de *su* hermano y el hermano de *su* esposo.

수숙하다(手熟－) (ser) hábil, diestro, experto, cualificado.

수술 **【식물】** estambre *m(f)*.

■ ~대 filamento *m*.

수술(手術) **【의학】** operación *f*, intervención *f* quirúrgica. ~하다 operar*le a uno*, practicar*le a uno* una operación, ejecutar en *uno* una operación. ~ 가능한 operable. ~전(前)의 preoperativo. ~ 후(後)의 pos(t)operativo. ~을 받다 operarse, ser operado, hacerse operar, ser sometido a una intervención quirúrgica. 맹장 ~을 받다 operar*le* a *uno* de (la) apendicitis. ~은 너무 늦었다 La operación se efectuó demasiado tarde. 그는 폐(肺) ~을 받았다 El se operó del pulmón / Le operaron del pulmón. 나는 맹장(盲腸) ~을 받았다 Me han operado de apendicitis. 그의 헤르니아를 ~했다 Le han operado una hernia. 외과의(外科醫)가 그 아이를 ~했다 El cirujano operó al niño. 의사들은 그 ~을 하기로 결정했다 Los médicos dicidieron hacer la operación. 누가 그 여자를 ~했습니까? ¿Quién la operó? 그는 ~을 받아야 한다 Se tiene que operar / Lo tienen que operar. 나는 무릎을 ~ 받았다 Me operaron la rodilla / Me operaron de la rodilla.

◆ 외과(外科) ~ operación *f* quirúrgica. 제왕 절개 ~ operación *f* cesárea.

■ ~대 mesa *f* de operaciones. ~복 bata *f* de operaciones. ~비(費) gastos *mpl* de operaciones. ~실 sala *f* de operaciones, quirófano *m*. ~의(醫) médico, -ca *mf* de operaciones.

수슬수슬하다 (ser) algo seco.

수습(收拾) arreglo *m*, resolución *f*, control *m*. ~하다 arreglar, salvar, resolverse, despachar, manejar, controlar, conseguir dominar. 시국(時局)을 ~하다 controlar [conseguir dominar·restablecer] la situación agitada. 이제 사태 ~ 방법이 없다 Ya no hay manera de solucionar esta confusa situación / Las circunstancias están fuera de nuestro control. 이 일은 한 사람으로는 ~하기가 어렵다 Una sola persona no es suficiente para llevar la carga de este trabajo.

■ ~책(策) medida *f* de control.

수습(修習) aprendizaje *m* (de un oficio). ~하다 hacer el aprendizaje (de). 그녀는 ~ 중에 있다 Ella está cumpliendo su período de prueba.

■ ~ 간호원 aprendiz, -diza *mf* de enfermera. ~공(工) aprendiz, -diza *mf*. …의 ~이 되다 estar de aprendiz con *uno*. ~ 기간 período *m* de prueba. ~기자(記者) periodista *m* novato, periodista *f* novata; periodista *mf* que está cumpliendo *su* período de prueba. ~ 변호사 abogado *m* novato, abogada *f* novata; abogado, -da *mf* que está cumpliendo *su* período de prueba. ~사원(社員) empleado *m* novato, empleada *f* novata; empleado, -da *mf* que está cumpliendo su período de prueba. ~생 aprendiz, -diza *mf*. ~ 전기공 aprendiz, -diza *mf* de electricista.

수승(首僧) jefe *m* de los monjes budistas.

수시(隨時) ① [때에 따라 함] siempre que haga falta, según necesidad. ② [언제든지] siempre, a todas horas. ~ 접수(接受)함 Recepción permanente. 입회(入會)는 ~ 접수하고 있다 Está permanentemente abierta la puerta de admisión / No hay límite de plazo para la petición de admisión.

수시계(水時計) ＝물시계.

수식(水蝕) **【지질】** erosión *f*.

수식(修飾) ① [겉모양을 꾸밈] adorno *m*, decoro *m*, decoración *f*, ornamentación *f*, ornato *m*. ~하다 adornar, decorar, ornamentar, exornar. ~이 많은 말 lenguaje *m* recargado [demasiado adornado·muy ornamentado]. ~이 많은 문체(文體) estilo *m* recargado [demasiado adornado·muy ornamentado]. ② **【언어】** modificación *f*, calificación *f*. ~하다 [명사를] calificar; [동사·형용사·부사를] modificar.

■ ~어[사] modificador *m*, modificante *m*, palabra *f* modificativa.

수식(數式) fórmula *f*.

수신(水神) dios *m* del agua; [강·호수의 물의 요정(妖精)] náyade *f*.

수신(受信) recepción *f*, recibo *m* de un mensaje, recibimiento *m* de un mensaje. ~하다 recibir, captar. ~ 상태가 좋다 captar bien la onda. ~ 상태가 나쁘다 captar mal la onda.

■ ~국(局) estación *f* receptora, oficina *f* de recepción. ~기 receptor *m*. ¶단파(短波) ~ receptor de ondas cortas. ~료 cuota *f* de recepción. ~소 oficina *f* de recepción. ~ 안테나 antena *f* de recepción. ~인[자] destinatario *m*. ¶~ 불명(不明) Destinatario no encontrado. ~ 부담 cobro *m* revertido. ~ 장치 equipo *m* receptor. ~ 지역 zona *f* de recepción. ~처 (lugar *m* de) recepción *f*. ~함 caja *f* de recepción.

수신(修身) moral *f*, ética *f*. ~의 moral, ético.

■ ~ 강화(講話) lectura *f* [conferencia *f*] sobre la moral. ~서 libro *m* sobre la moral. ~제가(齊家) capacitación *f* moral y administración familiar.

수신사(修信使) enviado *m* al Japón.

수심(水深) profundidad *f* del agua. 호수(湖水)의 ~을 재다 medir la profundidad del agua del lago, sondar el lago para ver su profundidad. 그는 ~ 30미터까지 잠수할 수 있다 El es capaz de bucear hasta treinta metros de profundidad.

■ ~계 batímetro *m*, hidrobarómetro *m*.

수심(垂心)【수학】ortocentro *m*.

수심(愁心) melancolía *f*, tristeza *f*, dolor *m*, congoja *f*. ~이 가득하다 ser melancólico. ~이 가득한 시선으로 con una mirada melancólica. ~에 잠기다 sumirse en el dolor. 어머니의 얼굴에는 ~이 가득하다 La cara de mi madre tiene una expresión melancólica.

■ ~가 canto *m* de melancolía.

수심(獸心) corazón *m* brutal.

수십(數十) (unas) decenas. ~ 명(名) (unas) decenas de personas.

수십만(數十萬) (unos) centenares de miles. ~ 명(名) centenares de miles de personas.

수아주(-紬) una especie de la seda de calidad superior.

수아하다(秀雅-) El talento es excelente y noble.

수알치새【조류】=수리부엉이.

수압(手押) =수결(手決).

수압(水壓) presión *f* hidráulica, presión *f* del agua. ~이 올라간다[내려간다] Sube [Baja] la presión del agua.

■ ~계 piezómetro *m*. ~관 tubo *m* hidráulico. ~기 prensa *f* hidráulica, hidroprensa *f*. ~ 기관 motor *m* hidráulico, hidromotor *m*. ~력 energía *f* hidráulica, fuerza *f* hidráulica, potencia *f* hidráulica. ~ 시험 ensayo *m* hidráulico, prueba *f* hidráulica. ~ 펌프 pistón *m* hidráulico.

수액(水厄) desastre *m* de inundación, calamidad *f* del agua, inundación *f*, diluvio *m*.

수액(水液) agua *f*, líquido *m*.

수액(數厄) calamidad *f* sobre la suerte.

수액(數額) número *m* de los artículos.

수액(樹液) savia *f*.

수양(收養) adopción *f* (de niños). ~하다 adoptar a un hijo [una hija].

◆수양가다 ir a la casa del otro como un hijo adoptivo [una hija adoptiva]. 수양오다 venir a la casa del otro como un hijo adoptivo [una hija adoptiva].

■ ~딸[녀] hija *f* adoptiva. ~부모 padres *mpl* adoptivos. ~아들 hijo *m* adoptivo. ~아버지 padre *m* adoptivo. ~어머니 madre *f* adoptiva.

수양(修養) cultura *f*, cultivación *f*, educación *f*, formación *f*. ~하다 cultivar, educar. ~이 있는 culto, ilustrado. ~이 없는 inculto. ~을 쌓은 사람 hombre *m* de formación sólida. ~을 게을리하지 않다 esforzar constantemente para perfeccionarse. 정신 ~에 노력하다 procurar adquirir una sólida formación espiritual.

수양골 cerebro *m* de vaca.

수양등(水楊藤)【식물】madreselva *f*.

수양버들(垂楊-)【식물】sauce *m* llorón, sauce *m* de Babilonia.

수양액(水樣液)【해부】humor *m* acuoso.

수어(守禦) defensa *f*. ~하다 defender.

수어(狩漁) la caza y la pesca.

수어(數語) unas palabras.

수어지교(水魚之交) relaciones *fpl* muy íntimas, amistad *f* íntima. ~를 맺다 contraer amistad íntima.

수억(數億) unos mil millones. ~의 인구 unos mil millones de población. ~ 개의 별 unos mil millones de estrellas.

수업(受業) aprendizaje *m*, estudio *m* ~하다 aprender, estudiar, tomar lecciones.

수업(修業) [면학] persecución *f* de conocimiento, estudio *m*; [수료] terminación *f* de un curso. ~하다 perseguir el conocimiento, estudiar, terminar un curso. 의학(醫學)을 ~하다 estudiar la medicina. 고등학교 3년을 ~하다 terminar el tercere año de la escuela superior.

■ ~ 연한 años *mpl* necesarios para el graduación de una escuela, años *mpl* necesarios para la terminación de un curso de estudio. ~증서 certificado *m* de terminación de un curso, diploma *m*

수업(授業) enseñanza *f*, instrucción *f*, clase *f*; [강의] lección *f*; [과목] asignatura *f*. ~하다 dar la lección. ~ 중에 durante la clase. ~을 받다 asistir a una clase, recibir una clase, ser enseñado. ~에 나가다 asistir a una clase. ~이 없었다 No había escuela / No había clase. ~은 오전 9시에 시작한다 La clase empieza a las nueve de la mañana. 오늘은 ~이 없다 Hoy no hay clase. 다음 시간은 역사 ~이다 La clase siguiente es de historia / La próxima hora es (la) clase de historia. 김 선생은 ~ 중이다 El profesor Kim está en clase.

■ ~료 cuotas *fpl* que se pagan en un colegio particular (사립 학교의), importe *m* de la matrícula; [개인 수업의] honorarios *mpl* de clase, honorarios *mpl* de enseñanza, honorarios *mpl* de pedagogía; *Méj* [사립 학교의] colegiaturas *fpl*. ~를 우편환으로 보내다 enviar [mandar] (a *uno*) el importe de la matrícula por giro postal. ~시간 (hora *f* de) clase *f*, curso *m*. ~ 연한 término *m* del año escolar, curso *m* del estudio. ~ 일수 número *m* de tiempos [años] de colegio. ~ 증서 certificado *m* [diploma *m*] de estudios. ~ 포기 abandono *m* de clase, huelga *f* de estudiantes.

수 없다 no hay remedio; [도리 없다] ser imposible, no poder hacer. 할 수 없는 것은 아니다 No es imposible. 나는 갈 ~ Yo no puedo ir.

수없다[1](數-) [행운이 없다. 재수 없다] no

tener suerte.

수없다²(數－) [헤아릴 수 없이 많다] ser innumerable, no puede contarse, ser incontable, ser muy muy considerable.
수없이 innumerablemente, incontablemente.

수에즈 운하(Suez 運河) 【지명】 el Canal de Suez.

수여(授與) concesión *f*, otorgamiento *m*, entrega *f*. ～하다 conceder, otorgar, dar, investir, entregar, conferir. 첫 올림픽 메달을 ～하기 조금 전(前) poco antes de entregar la primera medalla olímpica. 졸업 증서를 ～하다 entregar el diploma (a *uno*). 상품을 ～하다 otorgar [conceder] un premio (a *uno*). 박사 학위를 ～하다 otorgar (a *uno*) el título de doctor. 명예 박사 학위를 ～하다 investir (a *uno*) con el título de doctor honoris causa.
■ ～식 (ceremonia *f* de) (la) entrega *f*. ¶ 상품 ～ ceremonia *f* de (la) entrega de premios.

수여리 【곤충】 abeja *f* (de miel) hembra.

수역(水域) zona *f* de aguas.
◆ 위험(危險) ～ aguas *fpl* peligrosas, zona peligrosa de aguas. 전관(專管) ～ aguas *fpl* exclusivas [restrictivas], zona *f* exclusiva [restrictiva] de aguas. 중립(中立) ～ aguas *fpl* neutrales.

수역(囚役) labor *f* forzada a los prisioneros.

수역(獸疫) epizootia *f*, epidemia *f* del ganado, enfermedad *f* [epidemia *f*] del ganado.

수연(水煙) ① [물방울이 퍼져서 생긴 자욱한 물안개] rosiada *f*, rocío *m*. ② ＝수연통(水煙筒).
■ ～통 narguile *m*, tubo *m* de agua.

수연(水鉛) 【화학】 molibdero *m*.

수연(晬宴) ＝생일잔치.

수연(壽宴) fiesta *f* de cumpleaños para un viejo.

수연이나(雖然－) sin embargo, no obstante.

수열(數列) 【수학】 progresión *f*.

수열골풀 【식물】 junco *m*.

수염(鬚髥) ① [성숙한 남자의 입가·턱·빰에 나는 털] barba *f*, [콧수염] mostacho *m*, bigote *m*; [구레나룻] pastillas *fpl*. ～이 덥수룩한 barbudo, peludo, que gasta el bigote, bigotudo, que gasta el bigote, mostachoso. ～이 없는 sin bigote, sin barba; [어려서. 체질로] imberbe, desbarbado; [체질로] lampiño; [면도해서] afeitado. ～이 많이 난 남자 hombre *m* muy barbudo. ～을 기르다 llevar (la) perilla, dejar [hacer] crecer la barba. ～을 기르고 있다 llevar(se) [tener] el bigote. ～을 깎다 afeitarse. ～이 난다 Sale la barba. 내 조부님께서는 ～을 기르고 계신다 [계셨다] Mi abuelo crece [crecía] la barba. 그는 ～을 많이 기르고 있다 El tiene [lleva] mucho bigote / El es muy bigotudo. ② [벼·옥수수 등의 낟알 끝 또는 사이에 난 가시랭이나 털 모양의 것] pedacitos *mpl* de una espina. ③ [동물의 입 근처에 난 털] bigote *m*, mostachos *mpl*.

수염어(鬚髥魚) 【어류】 ＝쏨뱅이.

수엽(樹葉) hoja *f* de los árboles.

수영 【식물】 acedera *f*, agrilla *f*.

수영(水泳) natación *f*. ～하다 nadar, practicar la natación. ～에 능하다 ser buen nadador [buena nadadora *f*]. ～할 줄 아니? ¿Sabes nadar? 오늘 밤에 ～하러 갈거니? ¿Vas a ir a nadar esta noche? ～은 내가 좋아하는 스포츠이다 La natación es mi deporte favorito. ～은 재미있다 La natación es divertida / Nadar es divertido. 그는 ～으로 강을 건넜다 El cruzó el río nadando [a nado]. 그녀는 섬까지 ～해 갔다 Ella nadó [fue nadando] hasta la isla. 우리는 살아나기 위해 ～을 해야 했다 Nosotros tuvimos que nadar para salvarnos.
◆ 국제(國制) ～ 연맹(聯盟) Federación *f* Internacional de Natación.
■ ～ 경기 natación *f*. ～ 경기 대회 fiesta *f* de natación. ～ 대회 concurso *m* de natación. ～모 gorro *m* [gorra *f*] (de baño). ～복 bañador *m*, traje *m* de baño; ropa *f* para nadar, ropa *f* de playa, ropa *f* de baño, *Col* vestido *m* de baño [(남자의) vestido *m* de baño de caballero], *Arg* malla *f* (de baño); [팬티] taparrabo *m*. ～선수 nadador, -dora *mf*. ～자 nadador, -dora *mf*. ～장 piscina *f*, nadadero *m*, natatorio *m*, *Méj* alberca *f*, *Chi* pileta *f*; [실내의] piscina *f* cubierta, *Méj* alberca techada, *Arg* pileta cubierta. ～ 팬티 pantalones *mpl* de baño. ～ 학교 escuela *f* de natación.

수예(手藝) labores *fpl*, artes *mpl* manuales, obra *f* de mano.
■ ～품 artículo *m* de labor, artículo *m* de artes manuales.

수온(水溫) temperatura *f* del agua.
■ ～계 termómetro *m* de agua, indicador *m* de temperatura del agua.

수완(手腕) habilidad *f*, destreza *f*, [능력] capacidad *f*, talento *m*. ～이 있는 hábil, capaz, de talento. ～을 발휘하다 mostrar *su* habilidad. 장사 ～이 있다 ser hábil en los negocios. 그는 정치적 ～이 결여되어 있다 Le falta (el) talento político.
◆ 외교(外交) ～ habilidad *f* diplomática.
■ ～가 hombre *m* hábil, hombre *m* diestro, listo *m*, astuto *m*, hombre *m* de habilidad, hombre *m* astuto.

수요(壽夭) longevidad *f* y muerte prematura.

수요(需要) demanda *f*, exigencias *fpl*, necesidad *f*. ～가 있다 tener demanda. ～가 많다 tener mucha demanda. ～를 충족시키다 llenar demanda, satisfacer la necesidad. 금년 겨울은 석유의 ～가 많았다 Este invierno ha habido mucha demanda de petróleo. 한국 시장에서 이런 상품의 ～는 방대합니다 Hay una demanda considerable de tales artículos en esta plaza.
■ ～ 가격 precio *m* de demanda. ～ 감소 demanda *f* reducida. ～ 곡선 curva *f* de demanda. ～ 공급 demanda *f* y suministro.

～ 공급의 법칙 ley *f* de la oferta y la demanda. ～ 과다 demanda *f* excesiva. ～ 예측 previsión *f* de demanda. ～의 법칙 ley *f* de demanda. ～자 consumidor, -dora *mf.* ～ 증가 demanda *f* aumentada. ～표 tabla *f* de demanda. ～ 함수 función *f* de demanda.

수요일(水曜日) miércoles *m.sing.pl.*

수욕(水浴) baño *m* frío, baño *m* en el agua. ～하다 tomar un baño frío, bañarse en el agua. ～시키다 dar (a uno) un baño frío.

수욕(受辱) humillación *f.* ～하다 humillarse, ser humillado.

수욕(羞辱) humillación *f,* vergüenza *f,* mortificación *f,* ignominia *f,* oprobio *m.*

수욕(獸慾) apetito *m* sexual, deseo *m* carnal, deseo *m* animal, lujuria *f.* ～을 채우다 satisfacer *sus* deseos carnales.

수용(收用) expropiación *f.* ～하다 expropiar (a *uno* de *algo*).

◆강제(强制) ～ expropiación *f* forzada. 토지 ～법 ley *f* de expropiación de terrenos.

수용(收容) acogida *f,* acogimiento *m.* ～하다 acoger, dar asilo (a *uno*), acomodar. 난민(難民)을 ～하다 dar asilo a los refugiados. 부상자(負傷者)를 ～하다 acoger a los heridos. 이 회의장은 3천 명을 ～할 수 있다 Esta sala puede acomodar a tres mil personas / Esta sala tiene un aforo de tres mil personas / En esta sala caben tres mil personas.

■～ 능력 capacidad *f.* ～소 [난민의] asilo *m,* campamento *m,* albergue *m;* [포로의] campo *m* de prisioneros, campo *m* de concentración.

수용(受容) recepción *f.* ～하다 recibir, aceptar.

■～력[성] capacidad *f* receptiva, receptividad *f.* ～ 태세 preparaciones *fpl* de recibir.

수용(需用) consumo *m.* ～하다 consumir.

■～자 consumidor, -dora *mf.*

수용(瘦容) rostro *m* flaco, cara *f* flaca.

수용성(水溶性) solubilidad *f* en agua.

수용액(水溶液) disolución *f* acuosa.

수우(水牛) 【동물】 ＝물소.

■～각(角) cuerno *m* del búfalo.

수우(殊遇) tratamiento *m* especial, recibimiento especial, favor *m.* ～를 받다 ser tratado cordialmente, recibir buena acogida.

수운(水運) transporte *m* fluvial, transporte *m* marítimo, transporte *m* por agua. ～이 편리하다 tener mucha facilidad de transportar por ríos y mares.

수원(水源) origen *m* (*pl* orígenes), fuente *f,* manantial *m* de un río, origen *m* de un río. 강의 ～을 찾다 buscar manantial [origen] de un río.

■～지(地) cuenca *f,* [수도의] embalse *m,* presa *f, AmS* represa *f.* ～지(池) embalse *m,* presa *f, AmS* represa *f.* ～ 지질학 hidrogeología *f.*

수원(受援) recbimiento *m* de ayuda extranjera.

■～국 país *m* (*pl* países) recibiente.

수원(隨員) acompañante *mf,* [집합적] acompañamiento *m,* comitiva *f,* séquito *m.* 대사(大使)와 그의 ～ el embajador y su comitiva.

수월(水月) ① [물과 달] el agua y la luna. ② [물에 비친 달] luna *f* que brilla en el agua.

수월(數月) unos meses, varios meses.

수월내기 hombre *m* que es un incauto; ñoño, -ña *mf,* remilgado, -da *mf.*

수월래놀이 ＝술래놀이.

수월수월 muy fácilmente, con mucha facilidad.

수월스럽다 ser fácil.

수월스레 fácilmente, con facilidad, sin dificultad. 그 문제는 ～ 해결되었다 El asunto se ha arreglado sin dificultad.

수월찮다 no ser fácil, ser difícil.

수월찮이 difícilmente, no fácilmente, con dificultad.

수월하다 ser fácil, no ser difícil. …하기가 ～ Es fácil + *inf.* 한글은 읽고 쓰기가 ～ El coreano es fácil leer y escribir.

수월히 fácilmente, con facilidad. 너무 ～ 생각하다 pensar demasiado fácilmente.

수위(水位) nivel *m* del agua. 강의 ～가 올라간다 [갔다] Sube [Subió] el nivel del agua. 강의 ～가 내려간다 [내려갔다] Baja [Bajó] el nivel del agua.

■～계 hidrómetro *m,* indicador *m* del nivel del agua. ～표(標) filigrana *f,* marca *f* del nivel del agua.

수위(守衛) ① [지킴] guarda *f.* ② [경비를 맡아보는 사람] guardián *m;* guarda *mf,* conserje *m;* [집합적] [국회 등의] ordenanza *f;* [문지기] portero *m.*

■～실 conserjería *f,* portería *f.* ～장 jefe *m* de guardianes.

수위(首位) primer puesto *m,* primer lugar *m,* primera dignidad *f.* ～의 principal. ～를 점하다 ocupar el primer puesto. ～에 있다 estar a la cabeza.

■～ 타자(打者) primer bateador *m.*

수유(受遺) recibimiento *m* de herencia *f.* ～하다 recibir la herencia.

■～자(者) legatario, -ria *mf.*

수유(授乳) lactancia *f,* lactación *f,* amamantamiento *m.* ～하다 dar de mamar, lactar, amamantar, dar el pecho, dar la teta, criar con leche.

◆인공(人工) ～ lactancia *f* artificial.

■～ 과다 superlactación *f.* ～기 período *m* de lactancia, lactancia *f,* lactación *f.*

수유(須臾) [잠시 동안] (por) un momento, (por) un rato. ～도 ni siquiera un momento.

수유관(輸乳管) conducto *m* lactífero.

수육(熟肉) carne *f* de vaca cocida, *AmC, AmS, ReD, Cuba.* carne *f* de res.

수육(獸肉) carne *f* del animal, carne *f* de bestia, carne *f.*

수은(水銀) 【화학】 mercurio *m*, azogue *m*, hidrargiro *m*; 【고어】 hidrargirio *m*. ~의 mercúrico, mercurial, hidrargírico. ~으로 처리하다 someter a un tratamiento mercurial.

▪~ 건전지 =수은 전지. ~ 기압계[청우계] barómetro *m* de mercurio. ~등 lámpara *f* de vapor de mercurio. ~ 석영등 lámpara *f* de cuarzo. ~ 연고(軟膏) ungüento *m* de mercurio. ~ 염료 mercurocromo *m*. ~ 온도계[한란계] termómetro *m* de mercurio. ~ 요법 mercurialización *f*. ~ 전지 pila *f* de mercurio. ~ 정류기 rectificador *m* de mercurio, rectificador *m* de arco. ~제(劑) preparación *f* mercurial. ~제 공포증 hidrargirofobia *f*. ~주(柱) columna *f* mercúrica. ~ 중독 hidrargirismo *m*. ~ 중독성 안질 hidrargiroftalmia *f*. ~ 중독성 정신병 hidrargiromania *f*. ~ 중독증 mercurialismo *m*, hidrargirismo *m*. ~ 증기등 lámpara *f* de vapor de mercurio. ~ 증기 정류기 rectificador *m* de vapor de mercurio. ~진(疹) hidrargiria *f*. ~ 처리 amalgamación *f*, amalgamiento *m*. ¶~하다 amalgamar. ~ 처리법 amalgamiento *m*, amalgamación *f*.

수은(受恩) recibimiento *m* del favor. ~하다 recibir el favor.

수은(殊恩) favor *f* especial.

수음(手淫) masturbación *f*, onanismo *m*, polución *f* voluntaria; [여자의] andromanía *f*. ~하다 masturbarse, procurarse solitariamente goce sexual.

수음(樹陰) sombra *f* del árbol.

수응(酬應) ¶~하다 encontrarse con la demanda de otros.

수의(囚衣) vestido *m* de prisionero.

수의(遂意) cumplimiento *m* del deseo, realización *f* de la esperanza.

수의(愁意) =수심(愁心).

수의(壽衣/襚衣) mortaja *f*, sábana *f* en que se envuelve el cadáver.

수의(隨意) voluntad *f* propia; [임의] opción *f*; [자유] libertad *f*. ~의 voluntario, opcional, libre. ~로 voluntariamente, libremente, a *su* gusto, sin restricción, a discreción, como quiera, a *su* elección, como (le) guste, como le parezca mejor.

▪~ 계약 contrato *m* privado. ~과(목) asignatura *f* optativa, optativa *f*. ~근(筋) músculo *m* voluntario. ~ 선택 elección *f* optativa. ~ 판단 discreción *f*.

수의(繡衣) ① [수를 놓은 옷] ropa *f* bordada. ② =암행어사(暗行御史).

수의(獸醫) ((준말)) =수의사(獸醫師).

▪~과 대학 facultad *f* de veterinaria. ~사 veterinario, -ria *mf*. ~학 veterinaria *f*, albeitería *f*. ~ 학교 escuela *f* veterinaria, colegio *m* de veterinaria, escuela *f* de veterinaria.

수이하다(殊異－) (ser) muy diferente.

수익(收益) ganancia *f*, lucro *m*, beneficio *m*, rendimiento *m*. ~이 있는 lucrativo, que produce ganancias. ~이 없는 일 trabajo *m* que no rinde. ~을 낳다 rendir. ~을 올리다 producir ganancias, lucrarse. ~이 낮다 producir pocas ganancias, ser poco lucrativo. ~이 높다 producir muchas ganancias, ser muy lucratico.

◆연주회(演奏會) ~ ganancias *f* del concierto. 1일(一日) ~ rendimiento *m* diario.

▪~ 가치 valor *m* de beneficios. ~금 [사람의] ingresos *mpl*; [사업의] ganancias *fpl*, beneficios *mpl* (distribuibles), *AmL* utiilidades *fpl*. ~세 impuesto *m* de beneficios. ~ 잉여 beneficio *m* acumulado, excedente *m* de explotación. ~ 자산 bienes *mpl* de beneficios. ~재 material *m* de beneficios. ~ 체감 rendimiento *m* decreciente.

수익(受益) beneficio *m*.

▪~자 beneficiario, -ria *mf*. ~자 부담의 원칙 principio *m* según el cual los beneficiarios [los usuarios] deben pagar los gastos de aquello de que se benefician.

수익다 estar acostumbrado (a *algo*・a + *inf*). ☞익숙하다

수인(囚人) =죄수.

▪~복 vestido *m* de prisionero. ~ 호송차 coche *m* celular, autómovil *m* de reos.

수인(數人) unas personas, varias personas, varios hombres.

수인사(修人事) ① [일상의 예절] etiqueta *f* ordinaria; [늘 하는 인사] saludo *m* ordinario. ② [사람으로서 할 수 있는 일을 다함] acción *f* de hacer todo lo posible como un hombre

▪~대천명(待天命) Se hace todo lo posible y se espera la voluntad de la Providencia.

수인성 전염병(水因性傳染病) 【의학】 enfermedad *f* que se transmite a través del agua.

수일(數日) unos días, varios días. ~간 durante unos días, por unos días. ~ 전부터 desde hace unos días. ~ 후 unos días después, al cabo unos días.

수일(讎日) días *mpl* que murieron los padres.

수일(秀逸) excelencia *f*, excelsitud *f*, maravilla *f*. ~하다 (ser) excelente, loable, supremo, digno de alabanza, excelso, maravilloso. ~한 작품 obra *f* excelente de arte, obra *f* maestra.

수임(受任) aceptación *f* de un nombramiento. ~하다 ser nombrado, aceptar el nombramiento.

▪~자(者) [임명된 사람] persona *f* nombrada; [제의를 받은 사람] candidato, -ta *mf*.

수입(收入) renta *f*, ingresos *mpl*, entradas *fpl*; [이익] beneficios *mpl*, ganancias *fpl*, utilidades *fpl*, producto *m*. ~과 지출 ingresos *mpl* y gastos, entradas *fpl* y salidas. 일정한 ~ renta *f* fija, ingreso *m* fijo. ~이 많다 tener mucho ingreso, ganar mucho, gozar de entradas confortativas, ser negocios reembolsables. ~이 적다 tener poco ingreso, ganar poco. ~이 없다

no tener ingresos. …쯤의 ~이 있다 derivar un crédito alrededor de *algo*. 월 백만 원의 ~이 있다 tener un ingreso mensual de un millón de wones. 그것은 연 이천만 원의 ~이 된다 Eso produce un ingreso anual de veinte millones de wones. 그것은 많은 ~이 생기지 않는다 Eso no da [produce · reporta] mucho dinero.

◆고정(固定) ~ renta *f* fija, ingreso *m* fijo. 관광(觀光) ~ ingresos *mpl* por turismo. 국가(國家) ~ rentas *fpl* públicas nacionales. 석유 ~ ingresos *mpl* provenientes del petróleo. 실(實)~ ingresos *mpl* netos. 임시(臨時) ~ (beneficio *m*) extra *m*, incentivo *m*. 입장료 ~ recaudación *f*, taquilla *f*. 잡(雜)~ ingresos *mpl* variados, entradas *fpl* variadas. 조세(租稅) ~ ingresos *mpl* de impuestos interiores. 총(總) ~ ingresos *mpl* brutos.

■ ~금 ingresos *mpl*, ganancias *fpl*. ~액 monto *m* de las ganancias. ~원 fuente *f* de ingresos. ~ 인지 timbre *m*, timbre *m* móvil, sello *m* fiscal, importe *m* fiscal.

수입(輸入) ① [외국의 물품을 사들여 옴] importación *f*. ~하다 importar. ~과 수출의 de importación y exportación. ~을 금지하다 prohibir la importación. ~을 억제하다 controlar la importación. ~을 장려하다 fomentar la importación. ~이 수출을 초과하고 있다 La importación excede la exportación. 한국은 석유를 ~하고 있다 Corea importa el petróleo. ② [외국의 사상·문화 등을 배워 들여옴] introducción *f*. ~하다 introducir. 중국에서 불교의 ~ introducción *f* del budismo de China. 서양 문명의 ~ intruducción *f* de la civilización occidental. 외국의 유행을 우리나라에 ~하다 introducir la moda extranjera en nuestro país [en Corea].

■~ 과징금 sobretasa *f* de importación, impuesto *m* adicional de importación. ~ 관리 administración *f* de importación. ~국 país *m* (*pl* países) importador. ¶석유 ~들 países *mpl* importadores de petróleo. ~ 규제 =수입 제한. ~ 금제품 artículos *mpl* prohibidos de importación, artículos *mpl* de importación prohibida. ~ 금지 prohibición *f* de importación. ~ 금지 품목 artículo *m* prohibido de importación. ~ 능력 capacidad *f* importadora. ~ 담당 공무원 funcionario, -ria *mf* de importación. ~ 담보율 tasa *f* de depósito de importación. ~ 매니저 director, -tora *mf* de importación. ~ 면장 licencia *f* de importación. ~ 무역 comercio *m* de importación. ~ 문학 literatura *f* importada. ~ 문화 cultura *f* importada. ~ 부두 muelle *m* de importaciones. ~상(商) importador, -dora *mf*. ~ 성향 propensión *f* a la importación. ~세 impuesto *m* sobre (la) importación, derechos *mpl* de importación [importaciones], derechos *mpl* fiscales sobre la importación, arancel *m* de importación. ~ 세율 arancel *m* de importación. ~ 수속 trámites *mpl* de importación, procedimiento *m* de importación, formalidad *f* de importación; [통관 수속] formalidad *f* de aduaneras, formalidad *f* de aduana. ~ 승인(承認) autorización *f* de importación, concesión *f* de importación. ~ 신고(서) declaración de las importaciones. ~ 신용장 (carta *f* de) crédito *m* de importación, carta *f* de crédito para importación. ~ 어음 letra *f* de cambio de importación. ~ 억제(抑制) restricción *f* de importación. ~ 억제 품목 artículos *mpl* restringidos de importación. ~업자 importador, -dora *mf*. ~ 의존도 tipo *m* de dependencia de importación. ~자 importador, -dora *mf*. ~ 자동차 coche *m* importado. ~ 제한 restricción *f* de las importaciones. ~ 초과 excedente *m* de importación, exceso *m* de las importaciones sobre las exportaciones. ~ 통제(統制) control *m* a la importación. ~품 artículos *mpl* de importación, artículos *mpl* importados, mercancías *fpl* importadas. ~ 할당 [쿼터] cuota *f* de importaciones, contingente *m* arancelario. ~ 할당 제도 sistema *m* de la cuota de importación. ~항 puerto *m* de importación. ~ 허가 licencia *f* de importación, autorización *f* de importación, concesión *f* de importación. ~ 허가제(許可制) (sistema *m* de) licencia *f* de importación. ~ 허가 제품 artículos *mpl* importables. ~ 허가증 licencia *f* de importación. ~환 letra *f* de importación. ~ 회사 empresa *f* importadora, casa *f* importadora, compañía *f* importadora.

수자(數字) unas letras, varias letras.

수자(繻子) satén *m*, raso *m*, *AmL* satín *m*.
■ ~직(織) =수자(繻子).

수자원(水資源) recursos *mpl* hidráulicos.
■~ 개발(開發) desarrollo *m* de recursos hidráulicos. ¶한국 ~ 공사 la Corporación del Desarrollo de Recursos Hidráulicos de Corea.

수작(秀作) obra *f* sobresaliente [excelente].

수작(授爵) otorgamiento *m* del título de lord. ~하다 conceder el título [la dignidad] de lord.

수작(酬酌) ① [술잔을 주고받음] cambio *m* de las copas de vino. ~하다 cambiar las copas de vino. ② [말을 주고받음] cambio *m* de palabras. ~하다 cambiar las palabras, decir, hablar, hacer comentarios.

수잠 sueño *m* ligero.
수잠들다 quedarse dormido, dormirse.

수장(水葬) entierro *m* en el mar, entierro *m* en el agua, sepultura *f* en el mar, sepelio *m* en el mar, sepelio *m* en el agua. ~하다 sepultar en el mar, sepultar en el agua. 시체를 ~하다 sepultar el cadáver en el mar.

수장(收藏) recogida *f*, cosecha *f*, colección *f*. ~하다 recoger, cosechar, coleccionar.

수장(首長) jefe, -fa *mf*.

수장(修粧) reforma *f*, adorno *m*. ~하다 reformar, adornar.
■ ~기둥[주] columna *f* [pilar *m*] temporal para propósitos de reformar. ~도리 viga *f* de pared.
수장(袖章) insignia *f* de manga.
수장(授章) otorgamiento *m* de la medalla. ~하다 otorgar la medalla.
수재(手才) =손재주.
수재(水災) desastre *m* (causado) por la inundación.
수재(秀才) escolar *mf* brillante, hombre *m* de talento, hombre *m* brillante, genio *m*, persona *f* talentosa; estudiante *m* talentoso, estudiante *f* talentosa.
수저 ① ((높임말)) =숟가락. ② [숟가락과 젓가락] la cuchara y los palillos.
■~통 cucharero *m*. ~스집 cucharal *m*, bolsa *f* para las cucharas, estuche *m* de [para] cucharas.
수저(水底) fondo *m* del agua; [부사적] debajo del agua. ~에 가라앉다 hundirse al fondo del agua.
수적(水賊) =해적(海賊).
수적(水滴) ① =물방울. ② =연적(硯滴).
수적(數的) ¶~으로 en número. 적(敵)은 ~으로 우세하다 Los enemigos son superiores en número. 그들은 ~으로 우리를 능가한다 Ellos nos supera en número.
수적(讎敵) enemigo *m*.
수전(水田) =무논.
수전(水戰) batalla *f* naval.
수전(守戰) guerra *f* defensiva, batalla *f* defensiva.
■~ 동맹 alianza *f* defensiva.
수전노(守錢奴) tacaño, -ña *mf*, avaro, -ra *mf*, avaricioso, -sa *mf*, verrugo, -ga *mf*, mezquino, -na *mf*, avariento, -ta *mf*.
수전증(手顫症)【한방】temblor *m* de las manos.
수절(守節) mantenimiento *m* de *su* integridad, fidelidad *f*. ~하다 mantener *su* integridad.
수정(水晶)【광물】cuarzo *m*, cristal *m*, cristal *m* de roca. ~의, ~ 같은 cristalino. ~같이 맑은 목소리 voz *f* cristalina.
■~궁(宮) el Palacio Cristalino. ~석(石) criolita *f*. ~ 세공 obra *f* de artesanía de cristal de roca. ~ 세공물(細工物) obra *f* de artesanía de cristal de roca. ~ 시계 reloj *m* de cuarzo. ~ 유리 =크리스털 유리. ~체 cristalino *m*. ~체경 facoscopio *m*. ~체염 cristalitis *f*, lentitis *f*, facitis *f*, facoiditis *f*, fakitis *f*. ~판(板) placa *f* de cuarzo.
수정(水精) ① [물의 정령(精靈)] espíritu *m* del agua. ② [달] luna *f*.
수정(受精) fecundación *f*, fertilización *f*, polinización *f*, inseminación *f*. ~하다 fecundarse, ser fecundado. ~시키다 fecundar.
◆동화(同花) ~ autofecundación *f*. 이화(異花) ~ alogamia *f*, fertilización *f* cruzada.
■~낭 espermatea *f*. ~란(卵) huevo *m* fecundado, huevo *m* fertilizado. ~률 fertilidad *f*.
수정(修正) corrección *f*, enmienda *f*, [법안 등의] modificación *f*, [변경] cambio *m*; [정정(訂正)] rectifación *f*, [사진 등의] retoque *m*. ~하다 corregir, enmendar, poner enmienda, modificar, rectificar, retocar. 헌법의 ~ enmienda *f* de la constitución. ~하지 않고 sin enmienda, sin modificación. 계획을 ~하다 modificar el plan. 의안(議案)을 ~하다 enmendar el proyecto de ley. 자구(字句)를 ~하다 modificar la fraseología. 일부를 ~하다 poner la enmienda parcial. 사진을 ~하다 rotocar un negativo. 이 사본을 ~하여 주시길 바랍니다 Espero que ustedes enmienden esta copia.
■~ 마르크스주의 marxismo *m* modificado, marxismo *m* corregido. ~안 enmienda *f* de un proyecto de ley. ~액(液) líquido *m* corrector, corrector *m* líquido, típex *m*. ~ 예산 presupuesto *m* modificado. ~자 retocador, -dora *mf*, enmendador, -dora *mf*. ~ 자본주의 capitalismo *m* modificativo, capitalismo *m* corregido. ~주의 revisionismo *m*. ¶~의 revisionista. ~주의자 revisionista *mf*.
수정(修整) ajuste *m*, regulación *f*, adaptación *f*. ~ 하다 ajustar, poner a punto, regular.
수정과(水正果) refresco *m* de frutas.
수정관(輸精管) vesícula *f* seminal.
수제(手製) hechura *f* [cultura *f*] de su propia mano, trabajo. ~의 hecho a mano; [자가(自家) 제품의] casero, hecho en casa.
■~ 과자 dulce *m* hecho en casa. ~ 셔츠 camisa *f* hecha a mano. ~품 artesanías *fpl*, objetos *mpl* artesanales, trabajos *mpl* manuales.
수제비 *suchebi*, sopa *f* de harina de trigo.
수제비태견 conducta *f* indecorosa hacia *sus* mayores.
수제자(首弟子) el mejor discípulo, la mejor discípula.
수조(水槽) depósito *m* de agua, aljibe *m*, cisterna *f*, alcantarilla *f*.
■~차 vagón *m* cisterna, *Méj* carro *m* tanque.
수조(水藻) planta *f* acuática.
수족(手足) ① [손발] pies *mpl* y manos; [사지(四肢)] miembros *mpl*. ~이 차다 Los pies y manos están fríos. ② [손발과 같이 마음대로 부리는 사람] *su* hombre. ~이 되어 일하다 mover a la seña y llamada (de *uno*), ser pies y manos (de *uno*).
수족(水族) animales *mpl* acuáticos.
■~관 acuario *m*.
수종(水腫)【의학】hidropesía *f*. ~성의 hidrópico.
■~다리 piernas *fpl* hidrópicas.
수종(數種) varias especies.
수종(樹種) clase *f* de los árboles.
수종(隨從) atención *f*, servicio *m*. ~하다 atender, servir.
수종도(首宗徒) ((천주교)) Pedro.

수좌(首座) ① =수석(首席)❶. ② ((불교)) = 국사(國師).
수죄(首罪) pecado *m* capital.
수죄(數罪) acusación *f* de delitos. ~하다 acusar de delitos.
수주(受注) pedido *m* recibido. ~하다 recibir [aceptar] el pedido.
■ ~고(高) cantidad *f* de los pedidos recibidos. ~ 산업 industria *f* de los pedidos recibidos.
수주머니(繡一) bolsa *f* bordado.
수준(水準) ① [사물의 표준] nivel *m*. ~이 높은 de un nivel alto. ~이 낮은 de un nivel bajo. 높은 ~의 de un nivel alto. 낮은 ~의 de un nivel bajo. 같은 ~의 del mismo nivel. 사회적 ~ nivel *m* social. …과 같은 ~에 있다 estar al [en el] mismo nivel que …. ~이 높다 El nivel es alto. ~이 올라간다 [올라갔다] El nivel sube [subió]. ~이 내려간다 [내려갔다] El nivel baja [bajó]. 생산력이 선진국(先進國)의 ~에 달했다 La capacidad productiva ha llegado al nivel de los países adelantados. 그의 능력은 ~ 이하다 Su capacidad no llega al nivel establecido. 이 학교의 학생들의 ~은 대단하다 Es deplorable el nivel de los estudiantes de esta escuela. 이 소설은 보통 ~을 능가했다 Esta es una novela fuera de serie [que supera el nivel común]. ② ((준말)) =수준기(水準器).
◆ 문화(文化) ~ nivel *m* cultural. 생활(生活) ~ nivel *m* de vida. 최고(最高) ~ el nivel más alto.
■ ~기 nivel *m*. ~선 línea *f* horizontal. ~점 punto *m* de referencia, parámetro *m*. ~측량 nivelación *f*.
수줍다 ser vergonzoso, ser esquivo.
수줍어하다 tener vergüenza, esquivarse, mostrarse vergonzoso, mostrarse tímido. 수줍어해서 tímidamente, vergonzosamente. 수줍어하는 사람 persona *f* tímida, persona vergonzosa. 수줍어하는 아이 niño *m* vergonzoso, niña *f* vergonzosa; niño *m* tímido, niña *f* tímida. 수줍어하는 남자 hombre *m* tímido, hombre *m* vergonzoso. 수줍어하는 여자 mujer *f* tímida, mujer *f* vergonzosa. 수줍어하는 아가씨 señorita *f* tímida, señorita *f* vergonzosa. 사람들이 그를 칭찬해 주었으므로 그는 수줍어하고 있다 El tiene vergüenza porque le han alabado. ☞부끄러워하다
수줍음 vergüenza *f*, timidez *f*, esquivez *f*, desapego *m*. ~을 잘 타다 ser vergonzoso. ~을 잘 타는 사람 vergonzoso, -sa *mf*, persona *f* vergonzosa. ~을 잘 타는 여아(女兒) *niña f vergonzosa*. ~을 잘 타는 여인 mujer *f* vergonzosa.
수중(水中) [부사적] debajo del agua, bajo el agua, en el agua; [형용사적] submarino. ~에 en el agua, dentro del agua. ~의 submarino. ~에 가라앉다 hundirse en el agua. ~에 살다 vivir en el agua. ~에서 작업하다 trabajar en el agua. ~으로 뛰어들다 tirarse la agua, zambullirse.
■ ~경(莖) tallo *m* de agua. ~ 동물(動物) animal *m* acuático. ~ 마스크 máscara *f* de buceo. ~ 발레 natación *f* sincronizada. ~ 발사관 tubo *m* sumergido. ~ 방어물 defensa *f* submarina. ~ 속력 velocidad *f* sumergida, velocidad *f* submarina. ~ 식물 planta *f* acuática. ~ 안경 gafas *fpl* de buceo; [수영용] gafas *fpl* de natación, anteojos *mpl* de natación, *Méj* goggles *mpl*, [관측용] hidroscopio *m*. ~익(翼) hidroala *m*. ~익선(翼船) aliscafo *m*, hidrodeslizador *m*, acuaplano *m*. ~전 combate *m* bajo el agua. ~ 전파 탐지기 sónar *m*. ~ 청음기(聽音機) audífono *m* submarino, micrófono *m* submarino. ~ 초음파 기기 generador *m* supersónico. ~ 촬영 fotografía *f* submarina. ~ 카메라 cámara *f* submarina. ~ 텔레비전 televisión *f* submarina. ~ 폭발 explosión *f* submarina, detonación *f* submarina. ~ 폭탄 bomba *f* submarina. ~혼(魂) el alma *f* del ahogado en el agua.
수중(手中) [손의 안] en *sus* manos. ~에 en *su* mano, en *su* posesión. 현재 ~에 있는 disponible. ~에 있는 현금(現金) cantidad *f* en caja, efectivo *m* en caja. 현재 ~에 있는 상품(商品) [재고(在庫)의] surtido *m* disponible (de mercancías), existencias *fpl*. 현재 ~에 있는 외화(外貨) reservas *fpl* de divisas. 현재 ~에 있는 돈 dinero *m* disponible. 현재 ~에 있는 재료 materiales *mpl* disponibles, materiales *mpl* a mano. ~에 있는 자료에 의하면 según los datos disponibles. ~에 돈 한 푼 없다 no tener nada de nada. 나는 ~에 10만 원이 있다 Puedo disponer ahora de cien mil wones. 서류는 사장님의 ~에 있다 Los documentos están en las manos del presidente.
수중다리 【의학】 piernas *fpl* hidrópicas.
수증(受贈) recibo *m*, recepción *f*, aceptación *f*. ~하다 recibir, aceptar, ser dado, darse.
수증기(水蒸氣) vapor *m* (de agua). 강(江)의 ~ vapor *m* de río. ~가 많은 vaporoso.
■~ 측정 기구 vaporímetro *m*.
수지(手指) =손가락(dedos).
수지(收支) ingresos *mpl* y gastos, entradas *fpl* y salidas, cargo *m* y data. ~를 맞추다 cubrir las expensas con las ingresos. ~ 균형을 맞추다 equilibrar los ingresos y los gastos. ~ 균형이 맞다 equilibrarse ingreso y desembolso.
◆ 수지(가) 맞다 obtener [ganar] (gran) ganancia. 수지가 맞는 ventajoso, ganancioso, fructuoso, lucrativo, remunerador, remunerativo. 수지가 맞지 않은 desventajoso, poco lucrrativo. 더 수지가 맞는 수출(輸出) exportación *f* más remunerativa. 이 일은 수지가 맞지 않는다 No sacaremos provecho de este negocio / No salimos ganando en este negocio / Este trabajo no me recompensa. 이 사업은 그다지 수지가 맞지 않는다 Esta empresa es poco remu-

neradora. 이 거래는 아주 수지가 맞는다 Este negocio paga bien / Este negocio nos procurará beneficios.

■ ~ 결산 balance *m.* ¶~을 하다 hacer el balance. ~ 결산표 balance *m* general. ~ 계산 cálculo *m.*

수지(樹枝) rama *f* del árbol.

■ ~상(狀) arborización *f*, arborescencia.

수지(樹脂) resina *f*; [향료나 약품용의] bálsamo *m.* ~의 resinero. ~가 나오는 resinoso. ~가 많은 resinoso, resinero. ~ 같은 resinoso. ~를 내는 resinífero. ~가 많은 목재(木材) madera *f* resinosa. ~ 같은 냄새 olor *m* resinoso. ~의 채취(採取) resinación *f.* ~를 채취하다 resinar. 소나무에서 ~를 채취하다 resinar un pino.

◆비닐 ~ resinas *fpl* vinílicas. 비닐 합성 ~ resinas *fpl* sintéticas vinílicas. 실리콘 ~ (resina *f*) silicónica *f.* 이온 교환 ~ permutadora *f* de iones. 합성 ~ plástica *f*, resinas *fpl* sinteticas.

■~ 비누 jabón *m* (*pl* jabones) resinero. ~산(酸) ácidos *mpl* resínicos. ~산염(酸鹽) resinato *m.* ~유(油) aceite *m* resinero. ~ 처리 resinificación *f.* ~화 resinificación *f.*

수지(獸脂) grasa *f*, manteca *f*, cebo *m*, saín *m.*

수지니(手-) ① [손으로 길들인 매나 새매] halcón *m* (*pl* halcones) amaestrado, halcón *m* adiestrado. ② =수진매.

수지침(手指鍼) manopuntura *f*, aguja *f* para las palmas.

수직(手織) tejido *m* hecho a mano.

■~기(機) telar *m* a mano.

수직(垂直) verticalidad *f*, dirección *f* vertical, perpendicularidad *f.* ~의, ~한 vertical, perpendicular (el horizonte). ~으로 verticalmente, perpendicularmente, a polmo. ~으로 상승하다 ascender en dirección vertical. ~으로 강하(降下)하다 descender en dirección vertical.

■~ 강하 descenso *m* vertical, descenso *m* en picado. ¶~하다 descender [bajar] en picado. ~갱 pozo *m* (de mina). ~면 plano *m* vertical. ~선(線) (línea *f*) perpendicular *f*, (línea *f*) vertical *f.* ~ 안전판 esbilizador *m* vertical. ~ 이등분선 bisectriz *f* vertical. ~ 이착륙기 avión *m* de despegue y aterizaje vertical.

수진(手陳) =수지니❶.

수진(袖珍) ① casa *f* de bolsillo, vademécum *m*, vanimécum *m.* ② =수진본.

■~ 문고 biblioteca *f* de bolsillo. ~본(本) edición *f* de bolsillo.

수질(水疾) =뱃멀미.

수질(水蛭) 【동물】 =거머리.

수질(水質) calidad *f* del agua. ~이 좋은 샘 pozo *m* con buena agua. ~이 나쁜 샘 pozo *m* con mala agua. 이 물은 ~이 좋다 El agua de este lugar es de buena calidad. 이 물은 ~이 나쁘다 El agua de este lugar es de mala calidad.

■~ 검사 examen *m* (*pl* exámenes) del agua; [분석] análisis *m* del agua. ¶~를 하다 examinar [analizar] el agua. ~ 오염 contaminación *f* del agua, polución *f* del agua.

수집(收集) colección *f.* ~하다 coleccionar.

수집(蒐集) colección *f*; [자료 등을] compilación *f*; [우표의] filatelia *f.* ~하다 coleccionar, hacer colección (de), *AmL* juntar; [자료 등을] compilar. 외국 우표를 ~하다 coleccionar sellos de correos extranjeros. 그는 알려지지 않은 예술가의 작품을 ~한다 El colecciona obras de artistas jóvenes desconocidos.

■~가 coleccionista *mf*, colector, -tora *mf.* ~광 maniaco, -ca *mf* por colecciones. ~벽 manía *f* por colecciones.

수차(水車) ① =물레방아. ② =무자위.

■~ 발전기 turbina *f* hidráulica.

수차(收差) 【물리】 aberración *f.*

◆구면(球面) ~ aberración *f* esférica. 무(無)~ astigmatismo *m.* 색(色)~ aberración *f* cromática. 종(縱)~ aberración *f* longitudinal. 횡(橫)~ aberración *f* lateral.

수차(數次) varias veces, repetidas veces, dos o tres veces. ~의 회답(回答) dos o tres respuestas.

수찰(手札) =수서(手書).

수참하다(羞慚-) tener mucha vergüenza.

수창(首唱) promoción *f*, propaganda *f.* ~하다 promover, proponer, guiar, tomar la iniciativa (en [de] *algo*). …의 ~으로 por (la) iniciativa de *uno.*

■~자(者) iniciador, -dora *mf*, promotor, -tora *mf*, promovedor, -dora *mf.*

수창포(水菖蒲) 【식물】 =붓꽃.

수채 zanja *f*, cuneta *f*, acequia *f*, alcantarilla *f*, cloaca *f.* ~를 만들다 hacer la zanja. ~를 파다 excavar la zanja.

■~통(筒) tubo *m* [caño *m*] del desagüe, bajante *f.* ~ㅅ구멍 desagüe *m*

수채화(水彩畵) acuarela *f.* ~로 a la acuarela. ~를 그리다 pintar un cuadro a la acuarela.

■~가(家) acuarelista *mf.* ~ 물감 acuarela *f.* ~법 acuarela *f.*

수처(數處) varios lugares, varios sitios.

수척하다(瘦瘠-) extenuarse. 수척한 extenuado, descarnado, debilitado, flaco, adelgazado, delgado. 그녀는 옷을 입으면 더 수척해 보인다 Vestida, ella parece más delgada.

수천(數千) millares, unos millares, varios millares, miles. ~ 명(名) (unas) millares de personas. ~억 원 unos centenares de miles de millones de wones. 식물은 ~ 년 전부터 아무 방해도 받지 않고 끊임없이 자라고 있다 La vegetación crecía y moría sin cesar desde hacía miles de años sin que nada se interrumpiera ese proceso.

■~만(萬) ㉮ [몇 천만] unos decenas de millones. ~ 명(名) unos decenas de millones de personas. ㉯ [이루 헤아릴 수 없이

썩 많은 수효] número *m* innumerable. ~의 군사 soldados *mpl* innumerables.

수철(水鐵) =무쇠.

수첩(手帖) agenda *f*, libreta *f* de apuntes, memorándum *m*. ~에 적다 poner (*algo*) en la agenda [en la libreta], apuntar (*algo*) en la agenda, anotar (*algo*) en la agenda.

수청(守廳) ① 【역사】 [고관 밑에서 수종하던 일] servicio *m* de cama. ② 【역사】 =청지기.

◆수청(을) 들다 dar el servicio de cama, atender por la noche como la amante.

수초(水草) ① 【식물】 planta *f* acuática. ② [물과 풀] el agua y la hierba.

수축(收縮) contracción *f*, [천이나 의류 등의] encogimiento *m*. ~하다 contraerse, encoger(se). 이 와이셔츠는 빨면 ~되지 않는다 Esta camisa no encoge si se lava.

▪~ 계수 coeficiente *m* de contracción. ~근 (músculo *m*) constrictor *m*. ~력 poder *m* constrictor. ~성 contractibilidad *f*. ¶~이 있는 contráctil, capaz de encogerse.

수축(修築) reparo *m*, reparación *f*, restauración *f*. ~하다 reparar, restaurar, renovar. ~ 중이다 Está bajo el reparo.

수출(輸出) exportación *f*. ~하다 exportar, enviar géneros de un país a otro. ~되다 exportarse. ~을 장려(奬勵)하다 fomentar [promover] la exportación. 컴퓨터를 ~하다 exportar los ordenadores [las computadoras]. 이 기계는 서반아에 ~된다 Esta máquina se exporta a España. 텔레비전은 인천항에서 ~된다 Los televisores se exportan del puerto de Inchon.

◆간접 ~ exportación *f* indirecta. 무역 외 ~ exportación *f* invisible. 일시적 ~ exportación *f* temporal. 자본 ~ exportación *f* de capital(es). 직접(直接) ~ exportación *f* directa.

▪~ 가격 precio *m* de exportación. ~ 경쟁력 competividad *f* de exportación, poder *m* competitivo de exportación. ~ 공단(公團) parque *m* industrial de exportación. ~ 공업 industria *f* exportadora. ~ 관리 회사 compañía *f* de gestión de la exportación. ~ 관세 impuesto *m* sobre la exportación, derechos *mpl* de exportación. ~국 país *m* exportador. ¶석유 ~ país *m* exportador de petróleo. ~ 금융 financiación *f* de la exportación. ~ 금제품 artículos *mpl* prohibidos de exportación. ~ 금지 prohibición *f* de exportación. ~ 대금 보험 seguro *m* de pago para exportación. ~ 대부(貸付) préstamo *m* a la exportación. ~ 대행자[대리인] agente *mf* de exportación; comisionista *mf* de exportación. ~률 tipo *m* de exportación. ~ 마케팅 mercadotecnia *f* de exportación, marketing *m* de exportación. ~ 마케팅 매니저 director, -tora *mf* de marketing para la exportación. ~ 면장(免狀) permiso *m* de exportación, licencia *f* de exportación. ~ 면장 만기일 fecha *f* de expiración de licencia de exportación, fecha *f* de vencimiento de licencia de exportación. ~ 면장 번호 número *m* de licencia de exportación. ~ 목표 objetivo *m* de exportación. ~ 무역 comercio *m* de la exportación. ~ 보상 제도 sistema *m* de indemnización de exportación. ~ 보험 seguro *m* de exportación. ~부(部) departamento *m* de exportación. ~ 부장(部長) director, -tora *mf* de exportación; jefe, -fa *mf* de exportación. ~불(弗) dólar *m* de exportación. ~ 산업 industria *f* exportadora. ~상 exportador, -dora *mf*, comerciante *m* exportador, comerciante *f* exportadora. ~ 송장 factura *f* para [de] exportación. ~ 수속 trámites *mpl* de exportación. ~ 승인제 sistema *m* de licencias de exportación. ~ 시장 mercado *m* de exportación. ~ 시장 다변화 diversificaciones *fpl* del mercado de exportación. ~ 시장 조사 investigación *f* de mercados exteriores. ~ 신고 declaración *f* de exportación. ~ 신고서 declaración *f* de exportación, especificación *f* del embarque. ~ 신용 대부 crédito *m* a la exportación. ~ 신용 보험 seguro *m* de crédito a la exportación. ~ 신용장 carta *f* de crédito de exportación. ~액 cantidad *f* exportada. ~ 어음 letra *f* de cambio de exportación. ~업(業) (comercio *m* de) exportación *f*. ~ 업자 exportador, -dora *mf*, comerciante *m* exportador, comerciante *f* exportadora. ~ 에이전트 =수출 대행자. ~입 exportación *f* e importación, exportaciones *fpl* e importaciones. ¶~하다 exportar e importar. ~의 균형 equilibrio *m* de las exportaciones y las importaciones, balanza *f* comercial, balanza *f* de comercio. ~입업 comercio *m* exterior. ~입 업자 comerciante *mf* exterior. ~입 은행 ㉮ banco *m* de exportaciones e importaciones. ㉯ ((준말)) =한국 수출입 은행. ~입 회사 casa *f* exportadora e importadora, casa *f* de comercio exterior. ~ 자유 지역 zona *f* franca, zona *f* libre. ~ 장려 fomento *m* de la exportación. ~ 장려금 subvención *f* de exportación. ~ 제한 restricción *f* de las exportaciones. ~ 주도 경제 economía *f* inducida por la exportación. ~ 주도 경제 회복 recuperación *f* económica inducida por la exportación. ~ 주도 성장 crecimiento *m* inducido por las exportaciones. ~ 주문 pedido *m* de exportación. ~ 주문 대조표 lista *f* de comprobación del pedido de exportación. ~ 증명서 certificado *m* de exportación. ~ 진흥 정책 política *f* promotora de exportación. ~ 초과 exceso *m* de las exportaciones sobre las importaciones. ~ 통제(統制) control *m* a la exportación. ~ 포장 업자 embalador, -dora *mf* de exportación. ~품 (artículo *m* de) exportación *f*, articulos *mpl* exportados. ~ 할당 cuota *m* de exportación. ~항 puerto *m* de exportación. ~ 허가 licencia *f* de exportación, autorización *f* de exportación. ~ 허가증[허가장] licencia *f* de exportación, autorización *f* de exportación. ~환 cambio *m* de exportación. ~ 회사 compañía *f* de exportación, empresa *f* exportadora.

수취(受取) recibo *m*, cobranza *f*, recobro *m*. ~하다 recibir, recobrar, percibir. ~를 알리다 acusar recibo, expedir el recibo. 급료를 ~하다 cobrar el salario, percibir el salario.

■~ 계정 cuenta *f* a cobrar. ~ 어음 letra *f* a recibir. ~인 recibidor, -dora *mf*; [우편물의] destinario, -ria *mf*; [어음이나 하물의] consignatario, -ria *mf*; [보험금이나 연금 따위의] beneficiario, -ria *mf*. ~인 부담 cobro *m* revertido. ~인 성명 señas *fpl*, dirección *f*, paradero *m*, membrete *m*. ~증 recibo *m*. ~ 통지 acuse *m* de recibo. ~ 항목 partida *f* acreedora.

수치(羞恥) vergüenza *f*, deshonra *f*, oprobio *m*, ignominia *f*, deshonra *f*, deshonor *m*, infamia *f*. 행동에 ~를 느끼다 sentir la ignominia de una acción. 그는 우리 집안의 ~다 El es la vergüenza [el oprobio] de nuestra familia. 그녀가 한 행동은 가족의 ~였다 Lo que hizo fue la vergüenza de la familia. 그녀를 그렇게 대접한 것은 ~다 Es vergonzoso [una vergüenza] que la trate así. 가난은 ~가 아니다 Ser pobre no es ninguna vergüenza. ☞부끄러움

수치스럽다 sentirse vergonzoso, avergonzarse, ser vergonzoso, ser bochornoso, ser oprobioso, ser ignominioso. 수치스럽게 하다 deshonrar. 수치스런 행동(行動) acción *f* [conducta *f*] vergonzosa. 수치스러워 죽을 지경이다 morirse de vergüenza. 그의 행동은 가족을 수치스럽게 했다 Su conducta trajo la deshonra a la familia.

수치스레 vergonzosamente, de manera vergonzosa, oprobiosamente, ignominiosamente. ~ 행동하다 ponerse vergonzosamente. 그녀는 수년간을 ~ 보냈다 Ella pasó varios años en el oprobio [en la ignominia].

■~심(心) pudor *m*, sentimiento *m* de vergüenza, vergüenza *f*. ¶~에서 por pudor. ~이 없다 no tener pudor, ser desvergonzado, ser descarado, ser impúdico. 그는 ~으로 얼굴이 붉어졌다 El se puso colorado de vergüenza. 그녀는 자기가 한 일에 대해 ~을 느끼지 않는다 No le da vergüenza [*AmL* pena (*CoS* 제외)] lo que hizo. 그녀는 불장난을 하고도 ~이 전혀 없는 여자다 Ella es una coqueta y una desvergonzada.

수치(數値) valor *m* numérico.

수치료법(水治療法) 【의학】 tratamiento *m* hidropático, hidroterapia *f*, hidropatía *f*.

수치료학(水治療學) hidroterapéutica *f*.

수치질(-痔疾) hemorroide *f* externa, hemorroides *fpl* externas.

수칙(守則) reglamento *m*.

수침(水枕) almohada *f* del agua.

수침(繡枕) almohada *f* bordada.

수캉아지 perrito *m* (macho).

수캐 perro *m* (macho).

수컷 macho *m*, varón *m*. ~의 macho, varonil. 공작 ~ pavo *m* real (macho).

수크로오스(영 *sucrose*) 【화학】 sucrosa *f*.

수키와 roblón *m* (*pl* roblones), cobija *f*.

수탁(受託) depósito *m*; 【법률】 fideicomiso *m*. ~하다 recibir *algo* en depósito.

■~금 depósito *m*. ~물 depósito *m*. ~ 법원 corte *f* de requisición. ~자 depositario, -ria *mf*; [파산자의] síndico, -ca *mf*; [판매의] consignanante *mf*, consignador, -dora *mf*, fideicomisario, -ria *mf*. ~ 판매 venta *f* en consignación. ~판사 juez *m* encargado, juez *f* encargada.

수탄(愁嘆) aflicción *f*, lamentación *f*, pesadumbre *f*, amargura *f*, tristeza *f*, pena *f*, pesar *m*, dolor *m*.

수탄(獸炭) carbón *m* (*pl* carbones) animal, negro *m* animal.

■~장 escena *f* patética [trágica] de lamentación. ¶~을 연출하다 [비유적] hacer la escena, dar la escena.

수탈(收奪) expropiación *f*, explotación *f*. ~하다 expropiar, explotar.

수탉 gallo *m*.

수탐(搜探) investigación *f*. ~하다 investigar.

수탕나귀 burro *m*, asno *m*, borrico *m*.

수태(受胎) concepción *f*, preñez *f*, fecundación *f*. ~하다 concebir, quedarse encinta. ~된 encinta, embarazada, preñada. 성모 마리아의 ~ la Inmaculada Concepción. ~시키다 impregnar, fecundar.

■~ 고지(告知) la Anunciación. ~ 과다(過多) hiperciesis *f*. ~ 능력 fertilidad *f*. ~력 poder *m* de concepción. ~ 불능증(不能症) impotencia *f* generativa. ~ 산물 concepto *m*. ~ 조절 control *m* de concepción, control *m* de natalidad. ¶~을 하다 controlar la natalidad. ~ 현상 fecundación *f*, fertilización *f*.

수태(羞態) actitud *f* avergonzada.

수토(水土) ① [물과 흙] el agua y la tierra. ② [풍토] clima *m*.

수토끼 conejo *m* (macho).

수톨쩌귀 bisagra *f* macho, gozne *m* macho.

수통(水桶) cubo *m*, pozal *m*, balde *m*.

수통(水筩) cantimplora *f*.

■~박이 boca *f* de riego en la calle, toma *f* de agua en la calle.

수퇘지 cerdo *m*, puerco *m*, chancho *m*.

수퉁니 piojo *m* gordo y grande.

수틀(繡-) bastidor *m*, tambor *m* (de bordar).

수평(水平) ① [잔잔한 수면처럼 평평한 상태] horizontalidad *f*. ~의 horizontal, nivelado, plano. ~으로 horizontalmente. ~으로 하다 poner (*algo*) en posición horizontal. ② ((준말)) =수평봉. ③ ((준말)) =수평기(水平器).

■~각 ángulo *m* horizontal. ~갱 hoyo *m* horizontal. ~ 거리 distancia *f* horizontal.

~ 곡선 =등고선. ~기 =수준기. ~동(動) movimiento *m* horizontal. ~력(力) fuerza *f* horizontal. ~면(面) plano *m* horizontal, superficie *f* nivelada. ~봉(棒) =평행봉. ~ 분업 especialización *f* horizontal. ~ 분포(分布) distribución *f* horizontal. ~ 사고(思考) pensamiento *m* lateral. ~선 horizonte *m*; 【수학】 horizontal *f*, línea *f* horizontal. ~ 운동 movimiento *m* de nivelación; [계급적] movimiento *m* [agitación *f*] de abolir del perjuicio contra la casta. ~ 이동(移動) migración *f* horizontal. ~타(舵) timón *m* horizontal. ~ 폭격 bombardeo *m* horizontal.

수평아리 pollito *m* (macho).

수포(水泡) ① burbuja *f* de agua, borbotón *m* (*pl* borbotones). ☞물거품. ② [헛된 결과] resultado *m* vano. ~로 돌아가다 convertirse en humo, resultar en vano, deshacerse como las espumas.

■ ~석(石) =속돌.

수포(水疱) 【의학】 flictena *f*, vesícula *f*, vejiga *f*, ampolla *f*, herpes *mpl*, *fpl*. ~의 vesicular.

■ ~성 가스 gas *m* bulloso. ~진(疹) empeine *m*, herpes *mpl*, *fpl*.

수폭(水爆) ((준말)) =수소 폭탄(水素爆彈).

■ ~ 실험 ensayo *m* de bomba hidráulica.

수표(手票) cheque *m*. 십만 원 짜리 ~ cheque *m* de [por] cien mil wones. 한국 은행 앞 A씨 수령 ~ un cheque a favor del Sr. A sobre el Banco de Corea. ~로 지불하다 pagar por cheque. ~를 발행하다 [은행이] emitir un cheque, girar cheques, chequear; [개인이] librar un cheque. ~에 써넣다 colmar un cheque. ~에 배서(背書)하다 endosar un cheque. ~에 횡선을 긋다 cruzar un cheque. ~를 현금으로 바꾸다 convertir un cheque en efectivo, hacer efectivo un cheque. 내입금(內入金) 1만 달러를 ~로 보내드립니다 Enviamos el cheque por US$ 10.000 a cuenta. 백만 원짜리 ~를 동봉한 어제 날짜의 귀(貴) 서신을 고맙게 받았습니다 En mi poder su atenta de ayer incluyéndome cheque por un millón de wones que le agradezco.

◆공(空)~ cheque *m* sin provisión de fondos. 기명식(記名式) ~ cheque *m* específico, cheque *m* a la orden. 기한 초과(期限超過) ~ cheque *m* vencido, cheque *m* atrasado, cheque *m* pasado. 무기명식(無記名式) ~ cheque *m* al portador, cheque *m* en blanco. 미불(未拂) ~ cheque *m* pendiente de pago. 배서(背書) ~ cheque *m* endosado. 백지(白紙) ~ cheque *m* en blanco. 보통(普通) ~ cheque *m* ordinario, cheque *m* no cruzado, cheque *m* sin marca, cheque *m* abierto. 부도(不渡) ~ cheque *m* flotante, cheque *m* desacreditado, cheque *m* rechazado, cheque *m* devuelto por fondos insuficientes, cheque *m* denegado, cheque *m* flotante.. 양도 가능(讓渡可能) ~ cheque *m* negociable. 양도 금지(讓渡禁止) ~ cheque *m* no negociable. 양도 불능(讓渡不能) ~ cheque *m* nominativo, cheque *m* para abonar en cuenta. 여행자(旅行者) ~ cheque *m* de viajeros. 은행(銀行) ~ cheque *m* bancario, cheque *m* de banco. 위조 ~ cheque *m* falsificado, cheque *m* chimbo. 은행 보증(銀行保 證) ~ cheque *m* certificado. 자기앞 ~ cheque *m* al portador, cheque *m* de administración. 지불 보증 ~ cheque *m* certificado. 지시식(指示式) ~ cheque *m* a la orden. 지참인불(持參人拂) ~ cheque *m* al portador. 횡선(橫線) ~ cheque *m* rayado, cheque *m* cruzado.

■~ 계정 cuenta *f* de cheques, cuenta *f* corriente. ~ 발행 emisión *f* de cheques. ~ 발행인 girador, -dora *mf* de cheque, librador, -dora *mf* de cheque. ~ 수취인 beneficiario, -ria *mf*. ~액 cantidad *f* de cheque. ~장 libreta *f* de cheques, talonario *m* de cheques, talón *m* (talones) de cheques, chequera *f*. ~ 지불 pago *m* de un cheque. ~ 지불인 [은행] banco *m* librado. ~ 지불 제도 sistema *m* de pago por cheque. ~ 지참인 portador, -dora *mf* de cheque. ~책 chequera *f*, talonario *m* de cheques.

수표(水標) ((준말)) =양수표(量水標).

수표(數表) 【수학】 tabla *f*.

수풀 bosque *m*; [우거진 곳] espesura *f*, lugar *m* frondoso; [관목(灌木)의] maleza *f*, matorral *m*; [잎의] follaje *m*. ~에 숨다 esconderse en la espesura. ☞숲, 삼림(森林)

수프(영 *soup*) sopa *f*. ~(용)의 sopero. 닭(고기) ~ sopa *f* de gallina. 맛없는 ~ sopa *f* de ajo, sopa *m* de gato. 묽은 ~ caldo *m*, consomé *m*. 야채~ sopa *f* de verduras, sopa *f* de juliana. 양파 ~ sopa *m* de cebolla. 짙은 ~ puré *m*. (식당의) 특정한 날에 나오는 ~ [오늘의 ~] sopa *f* del día. ~를 마시다 tomar la sopa. ~를 부탁합니다 La sopa, por favor. ~ 약간 드릴까요? ¿Le sirvo un poco de sopa?

■~ 그릇 [뚜껑 달린 움푹한] sopera *f*. ~ 수저 cuchara *f* sopera [de sopa]. ~ 접시 plato *m* sopero [hondo · de sopa].

수피(樹皮) corteza *f*. ~를 벗기다 descortezar, quitar la corteza. 나무에서 ~를 벗기다 descortezar un árbol.

수피(獸皮) piel *f* de animal, cuero *m*, pellejo *m*.

수필(隨筆) ensayo *m*. ~의 ensayístico. 우나무노는 수많은 ~을 쓴 작가이다 Unamuno es autor de numerosos ensayos.

■~가 ensayista *mf*, autor, -tora *mf* de ensayos. ~란(欄) columna *f* de ensayos. ~ 문학(文學) ensayismo *m*, literatura *f* ensayística, literatura *f* de ensayos. ~ 작품 obra *f* ensayística. ~집 ensayos *mpl*, recopilación *f* de ensayos, colección *f* de ensayos.

수하(手下) seguidor, -dora *mf*, subordinado, -da *mf*.

■ ~친병(親兵) ㉮ [자기에게 직접 딸린 병졸] soldados *mpl* bajo *su* mando. ㉯ [자기의 수족처럼 쓰는 사람] *su* hombre.

수하(誰何) ① [누구] ¿Quién? (*pl* ¿Quiénes?) ~하다 preguntar quiénes (son). ② [누구냐고 불러서 물어보는 일] quienvive *m*. ~하다 【군사】 dar el quién vive, dar el quién va. 보초의 ~ quienvive *m* del centinela.

수하다(壽-) vivir (por) mucho tiempo, gozar de [disfrutar de] la longevidad [la larga vida].

수학(受學) recibimiento *m* de la educación. ~하다 recibir la educación, aprender, estudiar, ser enseñado.

수학(修學) estudios *mpl*, educación *f*, enseñanza *f*, estudio *m* de las ciencias.

■ ~ 능력 capacidad *f* de estudios. ~여행 viaje *m* de estudios, excursión *f* escolar, excursión *f* docente. ~ 연한 escolaridad *f*, duración *f* de los estudios.

수학(數學) matemáticas *fpl*. ~의 matemático. ~적으로 metemáticamente.

◆고등 ~ matemáticas *fpl* superiores. 순수(純粹) ~ matemáticas *fpl* puras. 응용(應用) ~ matemáticas *fpl* aplicadaa.

■ ~ 교사(敎師) profesor, -sora *mf* de matemáticas. ~ 문제 problema *m* matemático. ~ 시간 lección *f* de matemáticas. ~자 matemático, -ca *mf*.

수할치 halconero *m*.

수해(水害) [손해] daños *mpl* causados por la inundación; [홍수] inundación *f*, desbordamiento *m*; [강의] riada *f*. ~를 당하다 sufrir una inundación, ser asolado por la inundación. 농작물은 ~로 완전히 망쳤다 Las cosechas quedaro completamente destrozadas por la inundación.

■ ~ 구제 ayuda *f* [auxilio *m*] de inundación. ~ 대책 medida *f* anti-inundación, medida *f* de control de inundación. ~ 방지 control *m* de inundación, prevención *f* de inundación. ¶~를 하다 prevenir la inundación. ~ 이재민 quienes [los que] sufren de inundación, víctimas *fpl* de inundación. ~지(地) zona *f* de inundación, el área *f* (*pl* las áreas) inundada, región *f* inundada. ~ 지구(地區) =수해지.

수해(樹海) inmensidad *f* de la selva densa, mar *m* de fallaje.

수행(修行) ① [행실을 닦음] instrucción *f* rigurosa, práctica *f*, entrenamiento *m*, adiestramiento *m*, ejercicio *m*; [연습(練習)] aprendizaje *m*. ~하다 entrenar(se), adiestrarse, ejercitarse, ser disciplinado.. ~을 잘 닦은 bien preparado, de buena formación. ~이 부족한 poco adiestrado, de poca preparación. ~을 쌓다 ser bien instruido. 배우로서의 ~을 닦다 ejercerse (en el arte teatral) como actor. 너는 아직 ~이 부족하다 Todavía te falta preparación [experiencia]. ② ((불교)) mortificaciones *fpl*, práctica *f* ascética, aplicación *f* práctica. ~하다 aplicar prácticamente, ejercitar las virtudes, practicar ascéticamente. ~을 쌓다 practicar austeridades religiosas con ansiduidad.

■ ~자(者) asceta *mf*.

수행(遂行) ejecución *f*, cumplimiento *m*. ~하다 ejecutar, cumplir (con), llevar a cabo, realizar, poner por obra. 계획을 ~하다 ejecutar un plan. 업무를 ~하다 conducir negocios. 임무를 ~하다 cumplir la obligación. 직무를 ~하다 cumplir sus deberes. 그는 임무를 놀랍게 ~했다 El ejecutó maravillosamente su encargo.

수행(隨行) acompañamiento *m*, escolta *f*. ~하다 escoltar, acompañar. 대통령을 ~하다 acompañar al presidente, seguir al presidente, escoltar al presidente, formar parte de la comitiva del presidente. 제가 선생님을 ~하겠습니다 Yo le acompaño / Yo le acompañaré. 나는 사장을 ~해 왔다 Yo le he acompañado al presidente. 그는 장관을 ~했다 El le acompañó al ministro.

■ ~원(員) acompañante *mf*, [집합적] compañía *f*, acompañamiento *m*, comitiva *f*, séquito *m*.

수행(獸行) ① [짐승과 같은 행실] acción *f* bestial, brutalidad *f*, bestialidad *f*. ② [수욕(獸慾)을 채우려는 행위] agresión *f*, violación *f*, agresión *f* sexual, ataque *m* contra la libertad sexual.

수험(受驗) examen *m* (*pl* exámenes). ~하다 examinarse, presentarse al examen. ~에 성공하다 salir bien [pasar · superar] el examen de ingreso. ~에 실패하다 salir mal en el examen de ingreso. 대학의 ~ 공부를 하다 prepararse para el examen de ingreso en la universidad.

■ ~ 과목 materias *fpl* [asignaturas *fpl*] del examen. ~료 derechos *mpl* de examen. ~ 번호 número *m* de examinado. ~생(生) examinando, -da *mf*. ~ 자격 calificación *f* del examen. ~ 지옥(地獄) inquietud *f* por examen. ~표 tarjeta *f* de examinado.

수혈(竪穴) agujero *m* que cava verticalmente.

수혈(輸血) transfusión *f* de sangre, hematometacisis *f*. ~하다 transfundir, hacer una transfusión de sangre.

■ ~ 간염 hepatitis *f* de transfusión. ~ 신염 nefritis *f* de transfusión. ~후 간염 hepatitis *f* de postransfusión.

수혈성 복수증(水血性腹水症) ascitis *f* hidrémica.

수혈 신증(水血腎症) hidrohematonefrosis *f*.

수혈 장증(水血漿症) hidroplasmia *f*.

수혈증(水血症) hidremia *f*.

수혈 흉증(水血胸症) hidrohemotorax *m*.

수협(水協) ((준말)) =수산업 협동 조합.

수형(水刑) tormento *m* de agua.

수형(受刑) acción *f* de ser castigo en la cárcel. ~하다 recibir el castigo [la condena] en la cárcel, ser castigado en la cárcel.

■～ 성적 récord *m* del servicio de la cárcel. ～자 encarcelado, -da *mf*; preso, -sa *mf*; condenado, -da *mf*; penado, -da *mf*; [징역수] forzado, -da *mf*; presidario, -ria *mf*.

수호(守護) protección *f*, guardia *f*, defensa *f*. ～하다 proteger, custodiar, amparar, defender, guardar.

■～성인 patrono, -na *mf*. ～신 dios *m* tutelar, diosa *f* tutelar. ～천사 ángel *m* de la guarda, ángel *m* custo.

수호(修好) cultivación *f* de amistad, promoción *f* de buena voluntad.

■～ 조약 tratado *m* de amistad.

수화(水火) el agua y el fuego, el fuego y el agua. ～도 무서워하지 않다 no temer ni fuego ni agua. ～의 고통을 받다 recibir el tormento del agua y del fuego.

■～불통 enemistad *f*. ～상극 aversión *f* mutua, incompatibilidad *f*.

수화(水化/水和)【화학】hidratación *f*. ～하다 hidratar. ～한 hidratado. ～될 수 있는 hidratable.

■～물 hidrato *m*. ～ 석회 hidrato *m* de calcio. ～ 작용 hidratación *f*.

수화(水禍) ＝수재(水災).

수화(手話) [손짓으로 말함] conversación *f* con las manos [con los dedos]; [손짓으로 하는 말] lenguaje *m* gestual, lenguaje *m* de gestos, lengua *f* con dedos. ～로 말하다 hablar por señas.

■～법(法) quirología *f*, dactilología *f*, dactilolalia *f*; [손짓 언어] lenguaje *m* gestual, lenguaje *m* de gestos.

수화(受話) acción *f* de hablar con las manos [los dedos].

■～기(器) auricular *m*, receptor *m*, microteléfono *m*, aparato *m* telefónico llamado. ¶～의 다이얼 disco *m* selector. ～를 들다 descolgar el auricular, descolgar el receptor. ～를 놓다 colgar el auricular.

수화(繡畫) cuadro *m* bordado.

수화물(手貨物) equipaje *m* (de mano), maletines *mpl* de mano; [탁송 화물] equipaje *m* facturado. ～을 일시 맡기다 depositar el equipaje en la consigna. ～을 부산까지 탁송하다 facturar el equipaje de mano hasta Busan. ～을 접수해 주지 않았다 No me han querido facturar el equipaje.

■～ 검사 control *m* de equipajes. ～ 검사소 control *m* de equipajes. ～ 검사 완료 equipaje *m* controlado. ～ 꼬리표 etiqueta *f* de equipaje. ～ 로커 [수화물 예치소의 자물쇠가 달린 장] taquilla *f* para equipajes en consigna. ～ 예치소 consigna *f*. ～용 손수레 carro *m* [carrito *m*] para equipajes. ～ 인환증 comprobante *m* del equipaje de consigna, talón *m* (*pl* talones) del equipaje de consigna, marbete *m* de equipaje, resguardo *m* del equipaje de consigna, contraseña *f* de equipaje. ～ 점검 완료 equipaje *m* controlado. ～ 중량 제한 equipaje *m* permitido. ～차 carro *m* [carrito *m*] de equipajes. ～ 찾는 곳 [공항의] recogida *f* [recolección *f*] de equipajes. ～ 찾는 지역 zona *f* de recogida de equipajes. ～ 취급소 oficina *f* de equipajes, despacho *m* de equipajes.

수화인(受貨人) consignatario, -ria *mf*.

수확(收穫) cosecha *f*, recogida *f*, recolección *f*, rendimiento *m*; [곡물의] siega *f*; [포도의] vendimia *f*; [성과(成果)] fruto *m*, resultado *m*; [수확물] cosecha *f*. ～하다 cosechar, recoger. 보잘것없는 ～ triste cosecha *f*. 풍부한 ～ buena cosecha *f*. 금년도의 쌀의 ～ 예상고(豫想高) cosecha *f* de arroz predestinada para este año. ～이 많다 Hay buena cosecha. ～이 적다 Hay poca cosecha. 이 토지는 1년에 쌀 1톤의 ～을 거둔다 Este terreno produce una tonelada de arroz al año.

■～고[량] producción *f*, cosecha *f*, rendimiento *m*. ¶정보당 ～ rendimiento *m* por hectárea. ～기(期) estación *f* [época *f*] de cosecha, cosecha *f*, recolección *f*. ～기(機) cosechadora *f*. ～ 연도 año *m* de cultivos. ～ 예상 perspectiva *f* de cosecha. ～자 [곡물의] segador, -dora *mf*; [포도의] vendimiador, -dora *mf*; [포도 이외의 다른 과일의] recolector, -tora *mf*. ～ 체감 rendimiento *m* decreciente, cosecha *f* decreciente. ～ 체감의 법칙 ley *f* de cosecha decreciente. ～ 체증 rendimiento *m* creciente.

수황증(手荒症) cleptomanía *f*.

■～ 환자 cleptómano, -na *mf*; cleptomaníaco, -ca *mf*.

수회(收賄) aceptación *f* de soborno, aceptación *f* de cohecho, *AmM* aceptación *f* de coima. ～하다 aceptar soborno, tomar soborno, tomar cohecho. ～ 혐의로 con sospecha de haber tomado cohecho. ～ 용의로 체포하다 ser arrestado bajo la acusación de haber aceptado el soborno.

■～ 사건(事件) caso *m* de cohecho. ～자 sobornado, -da *mf*; [공무원] oficial *m* corrupto, oficial *f* corrupta. ～죄 crimen *m* de soborno.

수회(數回) unas veces, varias veces, dos o tres veces. ～ 시도(試圖)하다 probar varias veces.

수효(數爻) número *m*. ～를 세다 contar. ☞수(數)

수훈(垂訓) ((종교)) sermón *m*. ～하다 enseñar, instruir; ((종교)) dar el sermón, sermonear.

◆산상(山上) ～ el Sermón de la Montaña.

수훈(殊勳) mérito *m*, hazaña *f*, proeza *f*. ～을 세우다 realizar una hazaña, realizar un acto de valor.

■～상 premio *m* de servicio distinguido. ～자 héroe *m*, heroína *f*. ～장(章) medalla *f* de servicio distinguido. ～타 bateo *m* [golpe *m*] victorioso.

숙고(熟考) deliberación *f*, consideración *f*, reflexión *f*, premeditación *f*, madura *f* (cuidadosa). ～하다 deliberar, considerar bien, preponderar, reflexionar, premeditar. ~한 끝에 despuées de cuidadosa consideración, después de consideración juiciosa. 이 문제는 ~를 요한다 Hay que deliberar sobre este problema. 자동차를 결정하기 전에 조금 더 ~하고 싶습니다 Quiero deliberar [mirar] un poco más antes de decidirme por un coche.

숙군(肅軍) purga *f* en el ejército, restauración *f* de disciplina militar.

숙근(宿根) =여러해살이뿌리.

■ ~초[식물] planta *f* perenne.

숙녀(淑女) dama *f*, mujer *f* distinguida, señora *f*. 신사 ~ 여러분! ¡Damas y caballeros! / ¡Señoras y señores! / ¡Señores!

숙다 ① [앞으로 기울어지다] inclinarse hacia adelante. ② [기운이 줄어지다] amainar, calmarse, debilitarse.

숙달(熟達) adiestramiento *m*. ~하다 hacerse experto (en), adquirir mucha práctica (en), ser perito, llegar a la perfección, estar adepto, estar proficiente. 서반아어에 ~하다 saber a fondo el español [el castellano]. 영어에 ~되어 있다 dominar el inglés. 그는 컴퓨터 조작에 ~되어 있다 Es un experto en el manejo de la ordenadora [de la computadora].

숙당(肅黨) purga *f* en el partido. ~하다 hacer una purga en el partido, purgar el partido.

숙덕(淑德) castidad *f*, virtudes *fpl* femeninas. ~이 높은 부인 mujer *f* virtuosa.

숙덕거리다 susurrar, cuchuchear, cuchichear, murmurar, bisbisar, musitar, murmullar, murjujear, chuchear, rumorear.

숙덕숙덕 susurrando, cuchucheando, cuchicheando, murmurando.

숙덕공론(-公論) discusiones *fpl* secretas, conferencia *f* secreta. ☞쑥덕공론

숙덕이다 cuchuchear. ☞숙덕거리다

숙덜거리다 =숙덕거리다.

숙덜숙덜 =숙덕숙덕.

숙독(熟讀) lectura *f* detenida, lectura *f* cuidadosa, lectura *f* atenta. ~하다 leer (*algo*) con detenimiento, leer cuidadosamente. ~완미(玩味)하다 soborear el contenido de un texto.

숙람(熟覽) inspección *f* cuidadosa. ~하다 inspeccionar cuidadosamente, registrar cuidadosamente.

숙랭(熟冷) ① =숭늉. ② [제사 때 올리는 냉수] el agua *f* fría para el servicio funeral.

숙려(熟慮) deliberación *f*. ~하다 deliberar, aconsejar con la almohada, consultar con la almohada.

숙련(熟練) maestría *f*, destreza *f*, pericia *f*, [손재주] habilidad *f* manual. ~되다 adquirir la maestría (en), perfeccionarse (en), adiestrarse (en), ser diestro, ser hábil, ser perito (en), conocer a fondo. ~된 diestro, ducho, experto, perito, versado; [정통한]. conocedor; [경험을 쌓은] experimentado, de mucha experiencia práctica. ~되어 있다 estar experto, estar perito, estar diestro, estar práctico, estar adepto. 비상한 ~을 요하다 requerir una gran maestría técnica. 그녀는 교정(校訂)에 ~되어 있다 Ella tiene mucha experiencia práctica en la corrección de pruebas.

■ ~공 obrero *m* especializado, obrera *f* especializada; operario *m* experto, operaria *f* experta; operario *m* amaestrado, operaria *f* amaestrada; operario *m* adiestrado, operaria *f* adiestrada. ~ 노동 labor *f* experta, labor *f* diestrada. ~자 experto, -ta *mf*, perito, -ta *mf*.

숙망(宿望) deseo *m* antiguo, anhelo *m* antiguo. ~을 달성하다 conseguir el anhelo antiguo.

숙맥(菽麥) ① [콩과 보리] el haba *f* y la cebada. ② ((준말)) =숙맥불변(菽麥不辨)

■ ~불변(不辨) persona *f* estúpida.

숙면(熟眠) sueño *m* profundo. ~하다 dormir profundamente, dormir a pierna suelta, dormir como un tronco, coger un sueño profundo. 내 아내는 ~하고 있다 Mi mujer [esposa] está hecha un tronco / Mi esposa está bien profundamente dormida.

숙명(宿命) hado *m*, destino *m*, sino *m*, fatalidad *f*, estrella *f*, suerte *f*, predestinación *f*. 그것도 ~이라 생각하고 체념합시다 Resignémonos al destino que lo quiso así.

■ ~관 =운명관. ~론 =운명론. ~론자 =운명론자. ~적 fatal, destinado, predestinado. ¶~으로 fatalmente, por fatalidad. ~인 만남 encuentro *m* fatal.

숙모(叔母) tía *f* (carnal), esposa f de *su* tío.

숙박(宿泊) hospedaje *m*, hospedamiento *m*, alojamiento *m*, aposentamiento *m*, aposento *m*. ~하다 hospedarse, alojarse, aposentarse, albergarse, tomar aposentamiento; [숙박하다] pararse, pasar la noche, hacer noche. ~시키다 hospedar, alojar, aposentar. 하룻밤 ~하다 pasar una noche. 호텔에서 ~하다 hospedarse en un hotel, parar en un hotel. 김 선생의 집에서 ~하다 alojarse en casa del Sr. Kim. 손님을 ~시키다 [호텔이] recibir viajeros; [개인이] recibir (a uno) en *su* casa. 여행자를 ~시키다 alojar [hospedar] un viajero. 그는 어떤 여인숙에서 ~했다 El tomó hospedaje en una posada. 우리들은 친구를 ~시켰다 Nosotros hospedamos a un amigo. 어디에서 ~하시고 계십니까? ¿Dónde se hospeda usted? / ¿Dónde se aloja usted?

■ ~료 hospedaje *m*, pensión *f* del hotel, gastos *mpl* de aposentamiento, gastos *mpl* de posada. ~부 registro *m* de hotel, registro *m* de huéspedes, registro *m* de hospedaje, registro *m* de viajeros. ~에 기재하다 inscribir al registro de hotel. ~소 dormitorio *m*. ¶무료(無料) ~ cotarro *m*, recinto *m* donde se alberga por la noche a los vagabundos. ~자[인] huésped *mf*. ¶~명부 registro *m* de huéspedes. ~ 카드 ficha *f* de inscripción (para los viajeros).

숙번(熟蕃) tribus *fpl* dóciles, semicivilizados *mpl*.
숙변(宿便) ① [변(便)] heces *fpl* contenidas [excrementos *mpl* contenidos] por mucho tiempo en los intestinos. ② [증상(症狀)] coprostasia *f*, coprostasis *f*, estasis *f* fecal.
숙병(宿病) enfermedad *f* crónica.
숙부(叔父) tío *m* (carnal), hermano *m* de *su* padre.
■ ~모(母) tíos *mpl*.
숙부드럽다 ① [마음씨가 부드럽다] (ser) suave, benigno, dócil, tierno. 숙부드럽게 suavemente, benignamente, dtiernamente. ② [얌전하고 점잖다] (ser) apacible, sumiso, manso, dulce, tranquilo, agradable. 숙부드럽게 mansamente, apaciblemente, sumisamente, tranquilamente, agradablemente. ③ [(물건이) 노글노글 부드럽다] (ser) blando, tierno.
숙붙다 ((준말)) =도숙붙다.
숙사(宿舍) dormitorio *m*, alojamiento *m*, hospedaje *m*. ~를 제공하다 ofrecer alojamiento (a *uno*). ~를 준비하다 preparar un alojamiento.
숙사(熟思) =숙려(熟慮).
숙사(熟絲) hilo *m* de seda hervido.
숙상(肅霜) =된서리.
숙설거리다 =속살거리다.
숙성(熟成) ① [익어서 충분하게 이루어짐] maduración *f*, madurez *f*. ~하다 madurar. ② **【화학】** [물질을 적당한 온도로 오랜 시간 내버려 두고, 서서히 발효시키거나 그 밖의 화학 변화를 일으키게 하는 일] [술의] añejamiento *m*, crianza *f*; [치즈의] maduración *f*. ~하다 madurar. ~시키다 [술을] añejar, criar. 이 포도주는 아주 잘 ~되고 있다 Este vino se conserva muy bien.
숙성하다(夙成-) (ser) maduro. 숙성한 처녀 virgen *f* (*pl* vrgenes) madura, doncella *f* madura, muchacha *f* madura. 그녀는 나이에 비해 ~ Ella es madura para su edad.
숙세(宿世) ((불교)) existencia *f* anterior.
숙소(宿所) ① [주소(住所)] dirección *f*, morada *f*, residencia *f*, domicilio *m*, casa *f*. ~를 옮기다 cambiar de casa. ② [여관(旅館)] pensión *f*, posada *f*, hostal *m*, hospedería *f*, mesón *m* (*pl* mesones), hotel *m*. ~를 정하다 tomar albergue, hospedarse, alojarse.
숙수(熟手) ① [잔치 때 음식을 만드는 사람] cocinero, -ra *mf* en la fiesta. ② [음식을 잘 만드는 사람] buen cocinero *m*, buena cocinera *f*. ③ [어떤 일에 익숙한 사람] persona *f* experta; experto, -ta *mf*.
숙수(熟睡) sueño *m* profundo. ~하다 dormir profundamente, dormir a pierna suelta. ☞ 단잠
숙수그레하다 igualarse.
숙숙하다(肅肅-) (ser) solemne y silencioso. 숙숙히 solemne y silenciosamente.
숙습(熟習) ① [익숙한 버릇] hábito *m* hábil, costumbre *f* experta. ② [익숙하게 익힘] aprendizaje *m* hábil. ~하다 aprender hábilmente.
숙시(熟柿) níspola *f* madura.
■ ~주의 política *f* que hace esperar.
숙시(熟視) contemplación *f*, mirada *f* fija, fijación *f* de los ojos. ~하다 fijar los ojos (en), contemplar, mirar fijamente.
숙식(宿食) hospedaje *m*. ~하다 hospedar. ~비를 지불하다 pagar el hospedaje.
숙식(熟識) ① =숙지(熟知). ② [친한 벗] amigo *m* íntimo, amiga *f* íntima.
숙신산(-酸) **【화학】** ácido *m* succínico.
숙심(淑心) bondad *f*, benevolencia *f*, honradez *f*.
숙씨(叔氏) tercer hermano *m* del otro.
숙아(宿痾) =숙병(宿病).
숙악(宿惡) =구악(舊惡).
숙야(夙夜) la mañana temprana y la noche profunda [tardía].
숙어(熟語) modismo *m*, idiotismo *m*, expresión *f* idiomática, frase *f* idiomática, giro *m*.
숙어지다 ① [앞으로 기울어지다] inclinarse hacia adelante. ② [기운이 줄어지다] flaquear, decaer, debilitarse, perder la fuerza.
숙연(宿緣) ((불교)) karma *m*; [운명(運命)] destino *m*, predestinación *f*, hado *m*, fatalidad *f*, sino *m*, lazo *m* contraído en la vida anterior.
숙연하다(肅然-) conmoverse, quedarse impresionado. 숙연하게 하다 conmover, enternecer. 숙연한 노래 canción *f* conmovedora. 숙연한 장면 escena *f* conmovedora. 숙연히 quietamente; [감상적으로] con melancolía, melancólicamente.
숙영(宿營) acantonamiento *m*; [야영(野營)] campamento *m*, cuartel *m*. ~하다 acantonar, acampar, vivaquear, acuartelar.
■ ~지(地) acantonamiento *m*, campamento *m*.
숙우(宿雨) lluvia *f* larga, lluvia *f* de mucho tiempo.
숙운(宿運) =숙명(宿命).
숙원(宿怨) viejo rencor *m*, rencor *m* de hace mucho tiempo, enemistad *f* arraigada. ~을 갚다 desquitarse de un viejo rencor, sacarse la espina.
숙원(宿願) ① [오랜 소원] deseo *m* antiguo, deseo *m* largamente acariciado, deseo *m* anhelado (por) largo tiempo, anhelo *m*. ~이었던 사업(事業) negocio *m* anhelado mucho [largo] tiempo. ~을 이루다 realizar el deseo anhelado (por) mucho tiempo, conseguir el deseo antiguo, lograr el deseo largamente acariciado. 그것으로 모든 ~이 이루어졌다 Estoy satisfecho del todo. ② ((불교)) voto *m* hecho en una existencia anterior.
숙의(熟議) (larga) deliberación *f*, larga discusión *f*, consultación *f* cuidadosa. ~하다 deliberar plenamente, consultar cuidadosamente, deliberar (sobre), discutir de [sobre · por] (*algo*) a fondo.
숙이다 agachar, bajar la cabeza, ponerse cabizbajo. 머리를 ~ agachar la cabeza. 머

리를 숙이고 걷다 andar cabizbsjo. 머리를 숙이고 말하다 hablar con la cabeza baja, inclinar hacia abajo. 선풍기를 ~ inclinar el ventilador hacia abajo.

숙장(宿將) caudillo *m* veterano.

숙적(宿敵) enemigo *m* mortal, viejo enemigo *m*, enemigo *m* viejo.

숙정(肅正) vigorización *f* de la disciplina. ~하다 vigorizar la disciplina. 관기(官紀)를 ~하다 vigorizar la disciplina oficial.

숙제(宿題) deberes *mpl*, tarea *f*, trabajo *m* escolar; [현안(懸案)] cuestión *f* pendiente. 다년간(多年間)의 ~ cuestión *f* de hace mucho tiempo. ~를 내다 poner [imponer · dar] los deberes (a *uno*). ~를 하다 hacer los deberes, hacer la tarea. ~로 남겨 두다 dejar un problema para discusión futura. 나는 ~로 세 장을 읽어 오라고 학생들에게 했다 Les he mandado a los alumnos que se lean tres capítulos como deber(es).
■ ~장 cuaderno *m* de ejercicios.

숙죄(宿罪) pecado *m* original, pecado *m* de la vida anterior.

숙주 brote *m* de judía verde.
■ ~나물 =숙주.

숙주(宿主) huésped *m*.

숙지(熟地) lugar *m* bien conocido.

숙지(熟知) pleno conocimiento *m*. ~하다 conocer a fondo, conocer como la palma de la mano, tener pleno conocimiento (de).

숙지근하다 amainar, calmarse, aplacarse, disminuir, mitigarse.

숙지다 disminuir poco a poco.

숙직(宿直) guardia *f* de noche, vigilancia *f* de noche. ~하다 guardar por la noche, velar por la noche, estar de guardia de noche. 나는 오늘밤 ~이다 Esta noche me toca el turno de guardia.
■ ~실 sala *f* de guardia, cuarto *m* donde vela la guardia de noche. ~원 guardia *m* de noche. ~ 의사(醫師) médico, -ca *mf* de guardia.

숙질(叔姪) el tío y *su* sobrino.
■ ~간(間) entre el tío y *su* sobrino.

숙질(宿疾) =숙병(宿病).

숙채(宿債) deuda *f* vieja.

숙철(熟鐵) =시우쇠.

숙청(肅淸) depuración *f*, purga *f*, purgación *f*, limpia *f* perfecta del estado. ~하다 depurar, purgar, limpiar. 피의 ~ depuración *f* sangrienta.

숙체(宿滯) 【한방】 indigestión *f* crónica.

숙취(宿醉) resaca *f*, *AmC*, *Méj* cruda *f*, *Col* guayabo *m*, *Ven* ratón *m*, mal efecto *m* de licores, malestar *m* que se sufre al día siguiente de la borrachera. ~를 치료(治療)하다 suprimir el mal efecto de licores. ~로 머리가 아프다 tener resaca, *AmM* estar crudo, estar goma.

숙친하다(熟親-) tener intimidad (con).

숙폐(宿弊) vicio *m* inveterado, mal hábito *m* empedernido, convencionalismo *m*, abuso *m* de hace mucho tiempo, vicios *mpl* arraigados, mal *m* profundamente arraigado. ~를 일소(一掃)하다 erradicar todos los males profundamente arraigados.

숙피(熟皮) piel *f* curtida, pellejo *m* curtido; [양의] badana *f*, [영양의] gamuza *f*.
■ ~장(匠) curtidor *m*, noquero *m*.

숙혐(宿嫌) aversión *f* profundamente arraigada, odio *m* de largo tiempo.

숙환(宿患) enfermedad *f* crónica. ~을 앓고 있다 estar enfermo (por) largo tiempo, guardar came (por) mucho tiempo.

숙흥야매(夙興夜寐) el levantarse temprano por la mañana y el acostarse tarde por la noche.

순 muy, mucho. ~ 못된 놈 tipo *m* muy maligno.

순(旬) ① [10일간] período *m* de diez días. ② [10년] decenio *m*, curso *m* de diez años. 상(上)~ principios *mpl* del mes. 중(中)~ mediados *mpl* del mes. 하(下)~ fines *mpl* del mes. 시월 중~ mediados *mpl* de octubre.

순(巡) ① ((준말)) =순행(巡行). ② [돌아오는 차례] orden *m*. ③ [활쏘기의] vuelta *f*.

순(筍) retoño *m*. 새 ~ brote *m*, yema *f*, renuevo *m*, retoño *m*. ~이 나다 [식물이] echar retoños, retoñar; [잎이] brotar, salir; [씨앗이] germinar.
◆ 대나무 ~ retoño *m* del bambú.

순(純) puro, cierto, seguro, igual, idéntico, genuino, sincero, verdadero, inocente, sin mezcla. ~ 거짓말 pura mentira *f*, mentira *f* palpable. ~ 국산 fabricación *f* puramente doméstica. ~금(金) oro *m* puro. ~ 한국식 건축 arquitectura *f* típicamente coreana. ~ 한국풍 estilo *m* puramente coreano.

-순(順) [순서] orden *m*; [순번] turno *m*. 가나다~으로 en el orden alfabético, alfabéticamente. 나이~으로 por orden de edad. 성적~으로 en el orden de nota. 알파벳~으로 alfabéticamente, en el orden alfabético.

순간(旬刊) ① [열흘마다 발행함] publicación *f* de cada diez días. ② [열흘마다 발행하는 잡지] revista *f* que sale cada diez días.

순간(瞬間) momento *m*, instante *m*. ~의, ~적인 momentáneo, instantáneo. ~적으로 momentáneamente, instantáneamente. ~의 기쁨 alegría *f* fugaz, alegría *f* pasajera. ~의 행복 felicidad *f* pasajera, felicidad *f* efímera. 그 ~에 en el momento, en el instante. 다음 ~에 un momento después. 외출하려는 ~에 al [en el] momento de salir. 일어나는 ~에 나는 머리를 부딪쳤다 Al levantarme, me di un golpe en la cabeza. 내가 방에 들어가는 ~에 전화가 울렸다 En el momento en que entré en el cuarto, sonó el teléfono. 내가 외출하는 ~에 비가 내리기 시작했다 Apenas [No más] salí afuera, (cuando) empezó a llover. 그녀는 나를 보는 ~ 도망쳤다 Al verme, ella echó a correr. 그것은 ~적으로 일어난 사건이었다 Eso sucedió en un abrir y cerrar de ojos [en un santiamán].

■ ~ 노출기 exposímetro *m* instantánea. ~ 접착제 pegamento *m* [adhesivo *m*] instantáneo. ~ 촬영 foto *f*, instantánea *f*. ~ 풍속 velocidad *f* instantánea del viento. ¶최대 ~ velocidad *f* instantánea máxima del viento.

순강(巡講) viaje *m* de dar clase. ~하다 hacer un viaje por dar clase.

순검(巡檢) inspección *f*. ~하다 inspeccionar.

■ ~자 inspector, -tora *mf*.

순견(純絹) (tela *f* de) seda *f* pura.

■ ~ 양말 calcetines *mpl* de seda pura.

순결(純潔) pureza *f*, castidad *f*; [처녀성] virginidad *f*, integridad *f*. ~하다 (ser) puro, casto, inocente. ~한 사랑 amor *m* platónico. ~한 처녀(處女) virgen *f* pura y sin tacha. 마음이 ~한 사람 persona *f* pura en el corazón. ~을 바치다 dedicar la virginidad (a *uno*). ~을 빼앗다 desflorar (a *uno*), quitar la virginidad (a *uno*). ~을 잃다 perder la pureza, perder la castidad, perder la virginidad. ~을 지키다 guardar la castidad.

■ ~ 교육 educación *f* en moralidad sexual.

순경(巡警) policía *mf*, agente *mf* de policía; guardia *m* civil; [시(市)의] policía *mf* municipal; guardia *m* municipal.

◆교통 ~ policía *mf* de tráfico. 기마 ~ policía *m* montado; policía *mf* a caballo. 사복 ~ policía *mf* de civil. 청원 ~ policía *m* privado.

순경(順境) condición *f* favorable, circunstancia *f* favorable, situación *f* favorable. ~에 처하다 estar en circunstancia favorable, estar en agua mansa, estar en prosperidad.

순계(純系) línea *f* pura.

순교(殉教) martirio *m* (religioso). ~하다 padecer martirio, sufrir martirio, morir de mártir. 스테반 성인은 ~했다 San Esteban sufrió martirio.

■ ~사(史) martirologio *m*. ~자 mártir *mf*. ~자 열전 martirologio *m*. ~ 정신 espíritu *m* de martirio.

순국(殉國) muerte *f* por la patria. ~하다 morirse por la patria.

■ ~선열 mártir *m* (patriótico), mártir *f* (patriótica). ~ 정신 abnegación *f* por la patria, espíritu *m* de martirio, patriotismo *m*, amor *m* a la patria.

순금(純金) oro *m* puro. ~의 de oro puro.

■ ~ 반지 sortija *f* de oro puro, anillo *m* de oro puro. ~ 열쇠 llave f de oro puro.

순난(殉難) sufrimiento *m* de martirio, muerte *f* por una causa noble. ~하다 sufrir de martirio, morir por una causa noble.

순년(旬年) década *f*, diez años.

순당하다(順當—) (ser) normal, natural, razonable.

순당히 normalmente, naturalmente, razonablemente.

순대 salchicha *f*, chorizo *m*, *AmM* salame *m*.

■ ~집 salchichería *f*, choricería *f*, tienda *f* del choricero. ~ 장수 salchichero, -ra *mf*; choricero, -ra *mf*. ~ㅅ국 sopa *f* de salchicha.

순도(純度) (grado *m* de) pureza *f*. ~ 99% noventa y nueve por ciento de pureza.

순되다(順—) (ser) sencillo, simple, sincero.

순두부(—豆腐) tofu *m* sin cuajarse, queso *m* de soja sin cuajarse.

순라(巡邏) ① patrulla *f*, ronda *f*. ② ((준말)) =순라군.

■ ~군(軍) patrulla *mf*; policía *m*; guardia *m*. ~대(隊) cuerpo *m* de patrulla. ~선(船) (lancha *f*) patrullera *f*, barco *m* de patrulla.

순람(巡覽) ¶~하다 hacer un acto de visitar objetos [punto de interés], dar una vuelta, reconocer; [시찰하다] ir a inspeccionar. 공장을 ~하다 pasar por la fábrica.

순량(純量) peso *m* neto.

순량(純良/醇良) pureza *f*. ~하다 (ser) puro, genuino. 순량한 우유 leche *f* pura.

■ ~ 포도주 vino *m* genuino. ~품 artículo *m* genuino.

순량하다(順良—) (ser) bueno, manso, dócil, apacible, puro y buena calidad.

순량하다(馴良—) (ser) manso, dócil, sumiso, domado, domesticado.

순력(巡歷) itinerario *m*, peregrinación *f*, peregrinaje *m*, viaje *m* por el extranjero. ~하다 peregrinar, andar viajando por tierras extrañas.

순례(巡禮) peregrinación *f*, peregrinaje *m*, romería *f*. ~하다 peregrinar, hacer una peregrinación, hacer una romería, ir en peregrinación. 불국사 ~ peregrinación *f* al templo (budista) de *Bulguksa*.

■ ~자 peregrino, -na *mf*; romero, -ra *mf*. ~지 lugar *m* de peregrinación, centro *m* de peregrinación.

순로(順路) rumbo *m* regular, ruta *f*, itinerario *m*. ~를 정하다 fijar el itinerario. 파리, 로마, 아테네, 마드리드 및 리스본의 ~를 지나 vía [pasando por] París, Roma, Atenas, Madrid y Lisboa.

순록(馴鹿) 【동물】 reno *m*, rangífero *m*, rengífero *m*.

순리(純利) beneficios *mpl* netos.

순리(純理) razón *f* pura, principios *mpl* científicos.

■ ~론 racionalismo *m*. ~론자 racionalista *mf*. ~론적 racionalista *adj*.

순리(順理) lo razonable.

순리롭다 (ser) razonable.

■ ~적 razonable *adj*. ¶~으로 razonablemente.

순막(瞬膜) 【생리】 membrana *f* nictitante.

순망(旬望) el diez y el quince del calendario lunar. ~간(間) del diez al quince del calendario lunar.

순면(純綿) ((준말)) =순면직물(純綿織物).

■ ~ 제품 material *m* de algodón puro. ~ 직물 algodón *m* puro, puro algodón *m*.

순모(純毛) lana *f* pura, pura lana *f*.

순무【식물】nabo *m*, rábano *m*.
■~채(菜) ensalada *f* de nabo.
순문학(純文學) =순수 문학(純粹文學).
순미(純味) sabor *m* puro.
순미하다(純美—) ser de belleza absoluta.
순박하다(淳朴/醇朴—) (ser) simple (y honrado), sencillo, cándido, genuino. 순박한 시골 노인 campesino *m* viejo simple y honrado.
순방(巡訪) visitas *fpl*. ~하다 hacer visitas.
■~ 외교 diplomacia *f* de visitas.
순배(巡杯) ¶~하다 pasar la copa de vino en orden.
순백(純白) ① [순수하게 흼] blancura *f* nívea, pura blancura *f*. ~의 blanquísimo, de una blancura inmaculada, blanco como la nieve, níveo. ② ((준말)) =순백색(純白色). ¶~의 유니폼 uniforme *m* de blancura nívea.
■~색 color *m* níveo.
순번(順番) turno *m*, orden *m*. ~으로 por turno, en orden, por (su) orden. ~을 기다리다 esperar *su* turno. ~을 양보하다 ceder *su* turno (a *uno*). ~을 정하다 fijar el orden. ~이 오다 tocar*le* a *uno* el turno. 당신의 ~을 기다리십시오 Espere su turno. 당신의 ~이 왔다 Le toca a usted el turno. 내 ~이 돌아왔다 A mí me toca ser la víctima. 한 바퀴 돌아 내 ~이 왔다 Me llega el turno de nuevo.
순보(旬報) ① [열흘마다 내는 보고] informe *m* de cada diez días. ② [열흘에 한 번씩 발간(發刊)하는 신문이나 잡지] boletín *m* (*pl* boletines) que se publica [aparece] cada diez días.
순복(順服) sumisión *f*, rendimiento *m*, obediencia *f*. ~하다 someter, sujetar, obedecer.
순분(純分) [금의] quilate *m*; [금은(金銀)의] fineza *f*.
■~도 fineza *f* (de oro y plata); [금의] quilate *m*.
순뽕(筍—) hoja *f* de la morera recién brotada.
순사(巡査) =순경(巡警).
순사(殉死) inmolación *f*, suicidio *m* por la muerte de *su* señor, suicidio *m* en seguimiento de *su* señor, inmolación *f* de sí mismo a la muerte de *su* monarca [*su* señor]. ~하다 morir siguiendo al monarca, inmolarse inguiendo en la muerte a *su* señor, suicidarse siguiendo al monarca. A를 위하여[때문에] ~하다 dar *su* vida por A, sacrificarse por A, morir por A.
순삭(旬朔) el diez y el primero del mes.
순산(順産) alumbramiento *m* feliz, parto *m* feliz. ~하다 tener un parto feliz, tener un feliz alumbramiento. ☞안산(安産)
순색(純色) color *m* puro.
순서(順序) turno *m*, orden *m*, ordenación *f*. ~ 바른 ordenado, metódico. ~ 바르게 ordenadamente, en orden, por buen orden. ~를 따라 por orden debido. 우선 ~로 como trámite previo. ~를 세우다 ordenar, metodizar. ~를 거꾸로 하다 invertir el orden. ~대로 말하다 contar de una manera ordenada [por sus pasos]. ~대로 일하다 trabajar sistemáticamente. …의 ~를 어지럽히다 desordenar *algo*, perturbar *algo*. 사건의 ~를 따라 말하다 hablar siguiendo el orden del acontecimiento. 당신의 ~를 기다리십시오 Espere su turno. 우선 그의 의견을 듣는 것이 ~다 Como es debido, hay que escuchar primero su opinión / Conviene escuchar antes su opinión.
■~부동(不同) No se ha observado orden particular alguno. ~수(數) =서수(序數). ~표 lista *f*.
순석(巡錫) ((불교)) viaje *m* de predicación. ~하다 hacer viaje de predicación.
순성(順成) logro *m* satisfactorio. ~하다 lograr satisfactoriamente.
순소득(純所得) ingresos *mpl* netos, renta *f* neta.
순속(淳俗) =순풍(淳風).
순손해(純損害) pérdida *f* neta.
순수(巡狩) excursión *f* real, marcha *f* real.
■~비(碑)【역사】monumeto *m* para rendir homenaje al lugar de excursión real.
순수(純粹) ① [다른 것이 조금도 섞이지 않음] pureza *f*. ~하다 (ser) puro, sin mezcla; [진짜의] verdadero, auténtico, genuino, legítimo; [정통의] castizo, de pura cepa; [정제하지 않은] no diluido. ~하게 puramente, con pureza. ~한 술 alcohol *m* no diluido. ~한 한국인 coreano *m* de pura cepa. ~한 서반아인 verdadero español *m*, puro español *m*. ~한 기분으로 con un sentimiento desinteresado, desinteresadamente. ~하게 학문적인 견지에서 desde el punto de vista estrictamente científico. 그는 ~한 서울 사람이다 El es seulense de pura cepa / El es un puro seulense / El es un seulense castizo. ② [마음에 사욕(私慾)이나 사념(邪念)이 없음] inocencia *f*, sencillez *f*, candidez *f*, candor *m*, ingenuidad *f*. ~하다 (ser) inocente, sencillo, cándido, candoroso, ingenuo.
■~ 개념(槪念) concepto *m* puro. ~ 경제학 economía *f* política pura. ~ 경험 experiencia *f* pura. ~ 과학 ciencia *f* pura. ~ 논리학 lógica *f* pura. ~ 문학 literatura *f* pura, literatura *f* fina. ~ 배양 cultivo *m* axénico, cultivo *m* puro. ~ 법학 derecho *m* puro. ~ 소설 ficción *f* pura. ~시 poesía *f* pura. ~ 영화 película *f* pura. ~ 예술 arte *m* puro. ~ 의식 conciencia *f* pura. ~ 이성 razón *f* pura. ~주의 purismo *m*. ~ 철학 metafísica *f*.
순순하다(順順—) ① [성정이 아주 온순하다] (ser) dócil, sumiso, obediente. ② [음식의 맛이 순하다] (ser) ligero, *AmL* liviano.
순순히 ㉮ obedientemente, dócilmente, sumisamente. ~ 자백하다 confesar sumisamente. 잘못을 ~ 인정하다 confesar *su* falta sumisamente. ~ 항복해라 ¡Ríndete! / ¡No resistas! 식(式)이 거행되는 동안 그는

~ 있었다 El se mantuvo obediente durante la ceremonia. ㉯ [음식의 맛이] ligeramente, *AmL* livianamente.

순순하다(諄諄－) (ser) amable y dulce, serio, concienzudo, paciente.
순순히 de manera seria y persuasiva, de todo corazón, pacientemente. ~ 설명하다 explicar [enseñar] de manera seria y persuasiva. ~ 타이르다 inculcar.

순시(巡視) patrulla *f*, ronda *f*, inspección *f*. ~하다 patrullar, ir de ronda, rondar, vigilar la tienda, inspeccionar, mirar alrededor, hacer inspección.
■ ~선(船) (lancha *f*) patrullera *f*. ~정(艇) patrullero *m*.

순시(瞬時) =삽시간(霎時間).

순식(瞬息) =순식간(瞬息間).

순식간(瞬息間) tiempo *m* corto. ~에 en un abrir y cerrar de ojos, en un santiamán. ~에 매진(賣盡)되다 agotarse en seguida. 그 물건은 ~에 다 팔렸다 Se agotó ese artículo en seguida. 그 계획은 ~에 중지되었다 El plan quedó suspendido en seguida.

순실하다(純實－) (ser) honesto, honrado.

순실하다(淳實－) (ser) simple y sincero.

순애(純愛) amor *m* puro, amor *m* platónico, amor *m* genuino, amor *m* angélico, amor *m* angelical.
■ ~ 영화(映畵) película *f* que trata de la historia de un amor puro.

순양(巡洋) crucero *m*. ~하다 hacer un crucero, patrullar.
■ ~ 전함(戰艦) crucero *m* de batalla. ~함(艦) crucero *m*. ¶경(輕)~ crucero *m* ligero. 보조 ~ crucero *m* auxiliar. 장갑 ~ crucero *m* acorazado. 중(重)~ crucero *m* pesado.

순양(馴養) domesticación *f*. ~하다 domar, domesticar.

순업(巡業) vuelta *f* por las provincias de actores y artistas. ~하다 viajar por las provincias, hacer un viaje [una gira] alrededor las provincias.

순여(旬餘) más de diez días.

순역(順逆) ① [순종과 거역] obediencia *f* y desobediencia. ② [순리와 역리] lealtad *f* y traición.

순연(順延) aplazamiento *m*, *AmL* postergación *f*. ~하다 aplazar [proponer] al [para el] día siguiente 비가 올 경우에는 ~합니다 Lloviendo, será aplazado hasta el primer día de buen tiempo / En caso de que llueva, será pospuesto hasta primer día de tiempo hermoso. 운동회는 우천시(雨天時) ~함 La fiesta deportiva será aplazada al día siguiente si llueve.

순연하다(純然－) (ser) puro, absoluto, perfecto, total, auténtico, verdadero.
순연히 puramente, absolutamente, perfectamente, totalmente, auténticamente, verdaderamente.

순열(順列) 【수학】 permutación *f*.
■ ~ 조합 permutación *f* y combinación.

순외채(純外債) 【경제】 deuda *f* exterior neto.

순월(旬月) alrededor de diez días o un mes.

순위(順位) orden *m*, lugar *m*, puesto *m*, clasificación *f*, ranking *ing.m*; [등급] grado *m*. 테니스의 ~ clasificación *f* de tenis. ~를 결정하다 decidir la clasificación. ~를 다투다 competir por precedencia. ~를 정하다 fijar el orden.
■ ~ 결정전 las finales, la promoción. ~표 lista *f* de clasificación, lista *f* de ranking.

순유(巡遊) viaje *m*, gira *f*, [성(城)이나 박물관 등의] visita *f*, [도시의] visita *f* turística, recorrido *m* turístico. 유럽을 ~하다 viajar por Europa, recorrer Europa. 나는 유럽을 ~하러 갔다 Yo me fui de gira [de viaje] por Europa / Yo me fui a recorrer Europa.

순육(馴育) =순양(馴養).

순은(純銀) plata *f* pura.

순음(脣音) 【언어】 =입술소리.

순응(順應) adaptación *f*, [기후나 풍토에] aclimación *f*. ~하다 adaptarse (a), amoldarse (a), aclimatarse (a). 환경에 ~하다 adaptarse [amoldarse] a las circunstancias, aclimatarse al (medio) ambiente.
■ ~성(性) adaptabilidad *f*.

순이익(純利益) ganancia *f* neta, ganancia *f* líquida, ganancia *f* pura, ingresos *mpl* netos, rentas *fpl* netas, beneficio *m* líquido, beneficio *m* neto, utilidad *f*. 1억 원의 ~을 얻다 sacar un beneficio neto de cien millones de wones, tener una ganancia líquida de cien millones de wones.
■ ~금 ganancia *f* neta.

순익(純益) ((준말)) =순이익(純利益).

순익금(純益金) ((준말)) =순이익금(純利益金).

순일(旬日) ① [음력 초열흘] el diez del mes del calendario lunar. ② [열흘 동안] (por) diez días.

순일(純一) pureza *f*, autenticidad *f*, sinceridad *f*, homogeneidad *f*, uniformidad *f*. ~하다 (ser) puro, genuino, uniforme, constante, homogéneo.

순잎(筍－) hojas *fpl* brotadas.

순장(殉葬) 【역사】 entierro *m* del vivo con el muerto. ~하다 enterrar vivo con el muerto.

순장바둑 *sunchang baduc*, *baduc* *m* típico coreano.

순적백성(舜－百姓) buen pueblo *m*, hombre *m* puro y corazón simple.

순전(旬前) antes del diez del mes del calendario lunar.

순전하다(純全－) (ser) puro (순수한), eviddente (명백한), absoluto (전적인), perfecto (완전한), auténtico (진정한). 순전한 예술 작품 obra *f* de arte auténtica. 그것은 순전한 사기 행위다 Evidentemente, es un acto fraudulento.
순전히 puramente, evidentemente, totalmente, absolutamente, enteramente, cabalmente, perfectamente, auténticamente, completamente.

순절(殉節) muerte *f* por *su* castidad. ～하다 morir por *su* castidad, sacrificarse por *su* integridad.

순정(純正) simplicidad *f*, sencillez *f*, pureza *f*, honradez *f*, honestidad *f*, rectitud *f*. ～하다 (ser) puro, genuino, honesto, honrado, recto.

■～ 과학 ciencia *f* pura. ～ 수학 matemáticas *fpl* puras. ～ 철학 filosofía *f* pura, metafísica *f*. ～ 화학 química *f* pura.

순정(純情) corazón *m* puro, ingenuidad *f*, candor *m*, inocencia *f*. ～하다 (ser) cándido, inocente. ～의 소녀(少女) muchacha *f* ingenua.

■～ 소설 novela *f* de amor.

순정하다(順正－) (ser) razonable.

순조(順調) condición *f* favorable, condición *f* normal, normalidad *f*, suavidad *f*.

순조로이 favorablemente, normalmente, en orden, con regularidad, con éxito, sin novedad, sin accidente, sin incidentes, a pedir de boca, a medida del deseo, a las mil maravillas, fácilmente, rápidamente. ～ 일을 끝내다 terminar la obra con éxito. ～ 출세(出世)하다 ascender rápidamente en el mundo. 계획은 ～ 진척되고 있다 El proyecto se realiza a pedir de boca.

순조롭다 (ser) normal, favorable. 일이 순조로우면 si todo va bien, si las cosas van bien, si todo camina por sus pasos, si las cosas marchan con normalidad. 순조로운 사업 negocio *m* que va viento en popa. 만사가 ～ Toda va [marcha] bien. 경영 상태가 ～ Los negocios marchan bien. 환자는 경과가 ～ El enfermo sigue mejorando(se) con regularidad.

순종(順從) obediencia *f*, docilidad *f*. ～하다 obedecer, (ser) obediente, dócil, manso. 부모님께 ～하다 ser obediente a *sus* padres, obedecer a *sus* padres.

순종(純種) sangre *f* pura, casta *f* no mezclada, raza *f* castiza, pura *f* raza. ～의 de pura raza, castizo.

순주(醇酒) vino *m* selecto, vino *m* escogido.

순증가(純增加) aumento *m* puro.

순지르기(筍－) recorte *m*.

순지르다(筍－) ＝순(筍)치다.

순직(殉職) muerte *f* en deberes, muerte *f* en *su* puesto de trabajo. ～하다 morir en cumplimiento de *sus* deberes, caer víctima de *sus* deberes.

■～ 경관 policía *mf* que murió en *sus* deberes [en *su* servicio]. ～자 víctima *f* de *sus* deberes, mártir *m* del deber.

순직하다(順直－) (ser) inocente y recto.

순진(純眞) candor *m*, inocencia *f*, candidez *f*, ingenuidad *f*, sencillez *f*. ～하다 (ser) inocente, ingenuo, cándido, candoroso, genuino, puro, sencillo, infantil. ～하게 ingenuamente, inocentemente, cándidamente, sencillamente. ～한 마음 corazón *m* puro y sencillo. ～한 사랑 amor *m* puro, amor *m* platónico; [부부간의] amor *m* abnegado. ～한 생각 idea *f* infantil. ～한 소녀 muchacha *f* ingenua, muchacha *f* inocente. ～한 시골 처녀 doncella *f* campesina inocente. ～한 모습으로 con un aire inocente. ～한 질문을 하다 hacer una pregunta ingenua, preguntar inocentemente. ～한 체하다 tomar un aire inocente, fingirse ingenuo.

순차(順次) orden *m*, turno *m*.

■～적(的) gradual. ¶～으로 [점점] gradualmente; [차례로] en orden, por turno. ～ 통역(通譯) interpretación *f* [traducción *f*] consecutiva.

순찰(巡察) patrulla *f*, ronda *f*, vuelta *f* de inspección. ～하다 patrullar (por), estar de patrulla, rondar (por), ir inspeccionando (por). ～을 돌다 hacer *su* ronda. 그들은 걸어서 지역을 ～하고 있었다 Ellos estaban patrullando la zona a pie.

■～대(隊) patrulla *f*. ～ 대원 patrulla *mf*, [경찰] policía *m*, guardia *m*. ～병 soldado *m* patrullero. ～선 (lancha *f*) patrullera *f*. ～ 장교 oficial *m* patrulleo. ～차 (coche *m*) patrulla *f*, coche *m* radiopatrulla, *CoS*, *RPI* patrullero *m*, *Chi* autopatrulla *f*. ～함(函) caja *f* patrulla.

순치(脣齒) los labios y el diente.

■～음 sonido *m* labiodental, labiodental *f*.

순치(馴致) domadura *f*. ～하다 domar, domesticar, amansar; [초래하다] conducir, guiar, dirigir.

순치다(筍－) recortar, podar.

순탄하다(順坦－) ① [성질이 까다롭지 않다] (ser) dulce, tierno, delicado. ② [길이 평탄하다] (ser) poco accidentado, llano; [단조로운] monótono. 순탄한 길 camino *m* llano, camino *m* poco accidentado. 시합은 순탄하게 진행되었다 El partido se desarrolló sin incidentes.

순탄히 dulcemente, tiernamente, delicadamente; monótonamente, llanamente.

순풍(淳風) buena costumbre *f*.

■～미속(美俗) buena moral *f* y buenos modales.

순풍(順風) viento *m* favorable, viento *m* propicio, viento *m* de cola. ～을 타다 ir con viento favorable, ir viento en popa.

◆순풍에 돛을 달다 izar la vela al viento favorable, darse a la vela con el viento favorable; [비유적] tener el viento en popa.

순하다(殉－) sacrificarse, morir

순하다(順－) ① [성질이 부드럽다] (ser) dócil, obediente, apacible. ② [맛이 독하지 않다] (ser) dulce, suave, flojo. 순한 담배 tabaco *m* rubio, tabaco *m* suave. 이 술은 ～ Este vino es suave [flojo]. ③ [일이 까다롭지 않다] salir muy bien, ir bien.

순합(順合) 【천문】 ＝외합(外合).

순항(巡航) acción *f* de cruzar, crucero *m*. ～하다 hacer un crucero, navegar.

■～권 zona *f* de crucero. ～ 미사일 misil *m* de crucero. ～선(船) crucero *m*, transatlántico *m*.. ～ 속도 velocidad *f* de crucero.

순해선(巡海船) crucero *m*.

순행(巡行) patrulla *f*, ronda *f*, vuelta *f* de inspección. ~하다 patrullar, dar vueltas, andar alrededor; [담당 구역을] andar por su círculo.

순행(巡幸) viaje *f* real, gira *f* real, excursión *f* real, marcha *f* real. ~하다 hacer un viaje.

순행(順行) ① [순차대로 감] ida *f* en orden. ~하다 ir en orden. ② 【천문】 ((준말)) = 순행 운동.

■~ 운동 movimiento *m* progresivo.

순혈(純血) [깨끗한 피] sangre *f* limpia, sangre *f* pura; [순수한 혈통] linaje *m* puro.

■~종 pura casta *f*, [동물의] pura raza *f*. ¶~ 말 purasangre *m*.

순화(純化) purificación *f*, depuración *f*. ~하다 purificar, depurar.

순화(馴化) aclimatación *f*. ~하다 aclimatarse. ~시키다 aclimatar.

순화(醇化) refinamiento *m*, finura *f*, sublimación *f*, idealización *f*. ~하다 refinar, sublimar, idealizar.

순환(循環) circulación *f*, círculo *m*. ~하다 circular (por). ~의 circular, circulatorio, cíclico, periódico. 목욕은 혈액 ~을 좋게 한다 El baño estimula la circulación de la sangre.

■~ 계통 sistema *m* circulatorio. ~ 곡선 curva *f* periódica. ~급수 (級數) series *fpl* periódicas. ~기(器) aparato *m* circulatorio, ciclo *m*. ~기(期) ciclo *m*. ~ 논증[논법·론] círculo *m* vicioso. ~ 도로 carretera *f* circular. ~ 마디 nudo *m* circular. ~ 반응 reacción *f* circular. ~ 버스 autobús *m* circular. ~선 línea *f* de lazo, línea *f* circulante. ~성 정신병 psicosis *f* circular, insania *f* circular. ~ 소수(小數) ración *f* periódica. ~ 시간 hora *f* de circulación. ~ 운동 circunducción *f*. ~ 자원 recursos *mpl* circulares. ~ 장애 obstáculo *m* circular. ~ 정신병 psicosis *f* afectiva. ~ 정지 aciclia *f*. ~ 혈액량 volumen *m* de circulación.

순황색(純黃色) color *m* amarillo puro.

순회(巡廻) vuelta *f*, [야경·보초의] ronda *f*, [순찰] patrulla *f*. ~하다 dar vuelta (por), rondar (por), patrullar (por); andar alrededor. ~ 중인 경관(警官) agente *mf* en patrulla. (연극) 지방 ~ 흥행을 하다 hacer una gira (teatral) de las provincias.

■~ 강연 lectura *f* [conferencia *f*] que se hace viajando. ~ 관광 gira *f* (turística), tour *ing.m*. ~ 교사 maestro, -tra *mf* itinerante. ~ 대사(大使) embajador, -dora *mf* circulante. ~ 도서관 biblioteca *f* circulante. ~ 문고 biblioteca *f* circulante. ~ 비행 vuelo *m* de vigilancia. ~ 재판소 tribunal *m* circulante. ~ 지역 zona *f* de vigilancia. ~ 진료 tratamiento *m* médico ambulante. ~ 진료소[진료반] clínica *f* ambulante, dispensario *m* ambulante. ~ 판사 juez *mf* circulante. ~ 포교사(布敎師) predicador, -dora *mf* itinerante.

순후(旬後) después de pasar el diez del mes del calendario lunar.

순흑색(純黑色) color *m* negro puro.

숟가락 cuchara *f*. 작은 ~ cucharilla *f*, cucharita *f*, cuchareta *f*, cuchara pequeña. 큰 ~ cuchara *f* de mesa, cucharón *m* (*pl* cucharones). ~ 하나 가득 cucharada *f*. 한 ~ 분량의 una cucharada de. 설탕 한 ~ una cucharada de azúcar. 설탕 두 ~ dos cucharadas de azúcar. ~ 소리를 내다 cucharetear. ~으로 먹다 comer (*algo*) con una cuchara. ~으로 젓다 cucharetear. ~으로 푸다 cucharear, sacar una cuchara.

◆숟가락(을) 놓다 morir, fallecer.

■~ 꽂이 cucharero *m*. ~총 el asa *f* de la cuchara, tallo *m* de la cuchara.

술¹ [알코올 성분이 있어서 마시면 취하는 음료] *sul* *m*, bebida *f* coreana [vino *m* coreano] hecho de arroz; [주류(酒類)] vinos *mpl*, licores *mpl*, bebida *f* alcohólica; [포도주] vino *m*. ~을 따르는 사람 encanciador, -dora *mf*. 독한 ~ bebida *f* fuerte, bebida *f* espiritosa. 약한 ~ bebida *f* ligera. ~의 힘으로 a [por] fuerza del alcohol. ~로 인한 싸움 pelea *f* bajo influencia del alcohol. ~을 마시다 beber (licor), tomar el vino; [한 모금을] echar(se) un trago. ~에 빠지다 entregarse a la bebida [a la embriaguez]. ~로 고통을 잊다 disipar las penas bebiendo, ahogar las penas en el alcohol. ~을 과하게 마시다 beber con exceso. ~에 취하다 embriagarse [emborracharse] hasta perder el juicio. ~에 취해 있다 estar borracho. ~을 금하다 prohibirse de vino. ~을 삼가다 abstenerse de vino. ~을 따르다 servir, encanciar. ~을 끊다 dejar de beber. ~을 빚다 hacer vino, alambicar licores. ~을 못 마시다 no beber, ser abstemio, ser sobrio en la bebida. ~을 마시러 나가다 [가다] salir a tomar una copa, salir a tomar algo. 다시 ~을 마시다 volver a beber, beber de nuevo. ~을 마시면서 이야기합시다 Hablemos mientras tomamos el vino. ~은 못합니다 Yo no estoy acostumbrado [acostumbrada *f*] a beber. 그는 ~을 좋아한다 Le gusta el vino a él / A él le gusta empinar el codo. 나는 ~을 싫어한다 No me gusta el vino. 나는 ~을 마시지 못합니다 Yo no bebo (vino) / *AmL* Yo no tomo (alcohol). 그녀는 ~이 세다 Ella soporta bien el vino. 그는 ~이 약하다 El soporta mal el vino. 그는 ~을 마시면 명랑해진다 [우울해진다] El vino le vuelve alegre [lúgubre]. 나는 그의 ~ 상대를 했다 Le acompañé a tomar unas copas. ~에는 진실이 있다 ((서반아 속담)) En el vino, la verdad (취중진담). ~과 여자는 이성을 잃게 한다 ((서반아 속담)) El vino y la mujer, el juicio hacen perder. ~은 모든 것을 발가벗긴다 / ~ 취한 사람은 비밀이 없다 ((서반아 속담)) El vino anda sin calzas [sin bragas]. 좋은 ~

은 간판이 필요없다 ((서반아 속담)) El buen vino no ha menester [ramo] / El buen paño en el arca se vende. 친구와 ~은 묵을수록 좋다 ((서반아 속담)) Amigo y vino, el más antiguo.

■ 술과 안주를 보면 맹세도 잊는다 ((속담)) A mucho vino, poco tino / Donde entra el mucho vino, sale el tino. 술은 괼 때 걸러야 한다 ((속담)) Hacer su agosto / Hay que hacer las cosas cuando surge la oportunidad.

■ ~값 dinero *m* para trago, dinero *m* de vino. ~고래 ((속어)) gran bebedor *m* (*pl* grandes bebedores), gran bebedora *f*; bebedor *m* empedernido, bebedora *f* empedernida. ~구더기 granos *mpl* de arroz que no se necesitan en vino fermentado. ~국 caldo *m* preparado con vino. ~국밥 caldo *m* mezclado con arroz. ~기(氣) =술기운. ~기운 vapores *mpl* de vino, influencia *f* de vino, influencia *f* de líquido, embriaguez *f*, borrachera *f*, olor *m* al alcohol, olor *m* vinoso. ¶~을 띤 얼굴로 con el rostro enrojecido por el vino. ~이 돌다 embriagarse, emborracharse. ~을 띠고 있다 estar bebido, estar embriagado, oler al alcohol. ~김 influencia *f* de licor. ¶~에 bajo influencia de licor. ~에 하는 싸움 pelea *f* [reyerta *f*] borracha. ~에 부리는 객기 valentía *f* [arrojo *m*] que se debe a la ingestión de una bebida alcohólica. ~에 다투다 pelearse bajo la influencia de licor. ~꾼 bebedor, -dora *mf*; borracho, -cha *mf*; borrachín, -china *mf*; tomador, -dora *mf*. ~내 olor *m* a licor [vino]. ¶~가 나다 oler a licor [vino]. ~를 풍기다 exhalar un olor a vino. 너한테서 ~가 풍긴다 Te huele el vino. 그는 ~가 난다 El huele a vino. ~도가(都家) destilería *f*, cervecería *f*, fábrica *f* de cerveza. ~독 ㉮ [술을 담그거나 담는 독] tarro *m* [bote *m*] de licor. ㉯ [술을 많이 마시는 사람] borrachín *m*, -china *mf*. ~독(毒) intoxicación *f* por licor, envenenamiento *m* por licor. ~두루미 =술병(甁). ~맛 sabor *m* [gusto *m*] de licor ~망나니 borracho, -cha *mf*; borrachín, -china *mf*. ~먹은 개 borracho, -cha *mf*; persona *f* borracha. ~밑 levadura *f*, fermento *m*. ~밥 arroz *m* cocido al vapor para preparar vino. ~버릇 costumbre *f* de vino. ¶~이 좋다 ser un buen borracho [una buena borracha]. ~이 나쁘다 ser un mal borracho [una mala borracha]. 그는 ~이 나쁘다 El tiene mal vino / El es terrible cuando se emborracha / El es un mal borracho. ~벗 compañero, -ra *mf* de vino. ~병(病) enfermedad *f* por demasiada bebida. ~병(甁) botella *f* de vino, tinaje *m* de vino, jarro *m* de vino, cántaro *m* de vino. ~보 gran bebedor *m*, gran bebedora *f*; borrachín *m*, borrachina *f*. ~빚 deuda *f* por licor. ~살 grasa *f* por la bebida empedernida. ¶~이 오르다 engordar del alcohol. ~상(床) mesa *f* para el licor. ~쌀 arroz *m* para el licor. ~안주 callos *mpl*, tapa *m*, guarnición *f*, acompañamiento *m*, algo para picar, *AmM* botana *f*. ¶치즈를 ~로 맥주를 마시다 beber cerveza tomando queso como tapas. 이것은 ~로는 그만이다 Esto va muy bien con el vino / Esto es un acompañamiento capital de bebida. ~자리 banquete *m*, fiesta *f*, fiesta *f* de beber. ¶~에서 시비를 하다 pelearse bebiendo. 우리는 ~에 초대받았다 Nos han invitado a tomar algo [a tomar unas copas]. ~잔 ㉮ [술을 따라 마시는 그릇] vaso *m*, copa *f*; [가늘고 긴] caña *f*; copita *f* (de vino). ¶~을 돌리다 hacer pasar una copita. 권커니 잣커니 ~을 주고받다 servirse mutuamente vino. A 씨를 위해 ~을 높이 올리다 [건배하다] brindar (por) el Sr. A. ㉯ [몇 잔의 술] unos vasos de vino. ~이나 마시다 beber unos vasos de vino. ~잔치 borrachera *f*, juerga *f*, jarana *f*, fiesta *f*. ¶비극으로 끝난 ~ borrachera *f* [juerga *f*] que terminó en tragedia. ~를 열고 있다 estar de juerga, estar de jarana. ~장사 comercio *m* de venta de licor. ~장수 mercader, -ra *mf* de licores; vinatero, -ra *mf*. ~좌석 asiento *m* para beber. ~주자 barril *m* [tonel *m*] de licor. ~집 bar *m*, taberna *f*, cantina *f*, mesón *m*, licorería *f*, tienda *f* de vinos y licores, vinatería *f*, bodega *f*. ¶~의 여급(女給) moza *f* de taberna. ~ 주인 tabernero, -ra *mf*; dueño, -ña *mf* de cantina. ~을 순례하다 ir de tascas, ir de bar en bar tomando copas. ~찌끼 posos *mpl* [hez *f*] del vino. ~청 barra *f* del bar de comer de pie, bar *m*. ~추렴 recolección *f* de dinero para la juerga. ~친구 compañero, -ra *mf* de vino; amigo, -ga *mf* del alma. ~타령 acción *f* de entregarse a la bebida. ¶~하다 entregarse a la bebida [la embriaguez]. ~탈 enfermedad *f* debido a la bebida. ~통 cuba *f*, barril *m* (de vino); [큰] barrica *f*. ~파리 mosca *f* en la jarra de vino. ~판 juerga *f*, borrachera *f*.

술² ((준말)) =쟁깃술.

술³ [띠나 끈 따위의 끝에 달린 여러 가닥의 실] borla *f*, fleco *m*. ~이 달린 con borlas. 커튼의 ~(장식) borlas *fpl* de una cortina.

술⁴ [책이나 종이나 피륙 등의 포갠 부피] espesor *m* [grosor *m*] del libro [papel].

술⁵ [한 숟가락의 분량] cucharada *f*. 몇 ~만 더 드세요 Toma unas cucharadas más.

술(戌) ① [지지(地支)의 열한째] signo *m* de perro. ② ((준말)) =술시(戌時). ③ ((준말)) =술방(戌方).

-술(術) talento *m*, técnica *f*, arte *m*(*f*). 최면(催眠)~ hipnotismo *m*. 점성(占星)~ astrología *f*. 사교(社交)~ arte *m* de sociabilidad.

술가(術家) prestidigitador, -dora *mf*; mago, -ga *mf*; bruja *f*

술객(術客) =술가(術家).
술계(術計) =술책(術策).
술년(戌年) 【민속】 el Año del Perro.
술래 columpio *m*.
술래잡기 juego *m* del escondite. ~를 하다 jugar a la gallina ciega, jugar al corre que te pillo.
술렁거리다 ① [활기를 띠다] animarse. ② [긴장하다] ponerse tenso. ③ [흥분하다] agitarse, excitarse. 회장(會場)이 술렁거린다 La sala está agitada / Hay una agitación [una conmoción] general en la sala. 개전(開戰)이 알려지자 병사(兵士)들은 술렁거렸다 Se agitaron los soldados por la noticia de la declaración de guerra.
술렁술렁 agitándose, excitándose. ~거림 murmullo *m*, cuchicheo *m*, agitación *f*, revuelo *m*, conmoción *f*. 관객 사이에서 ~했다 Se produjo un revuelo entre los espectadores.
술렁이다 =술렁거리다.
술레 【식물】 una especie del peral.
술명하다 (ser) poco llamativo, poco aparente, obscuro, modesto.
술명히 modestamente, obscuramente.
술방(戌方) 【민속】 la Dirección del Perro.
술법(術法) truco *m* de magia, prestidigitación *f*, magia *f*.
술벗 =술친구.
술부(述部) predicado *m*.
술부대(-負袋) ☞술고래
술사(術士) ① =술가(術家). ② [술책에 능한 사람] persona *f* experta en una treta.
술서(術書) libro *m* de magia.
술수(術數) ① =술법(術法). ② =술책(術策).
술술 ① [막힘없이] fluidamente, fluentemente, con soltura, con fluidez, corrientemente, a las mil maravillas. ~ 쓰다 escribir a vuelapluma, dejar correr la pluma. 서반아어를 ~ 말하다 [읽다·쓰다] hablar [leer·escribir] español con soltura. 그는 불어를 ~ 말한다 El habla francés fluidamente [con fluidez] / El domina el francés. ② [문제 따위가 쉽게] fácilmente, con facilidad, sin dificultad. 난제(難題)를 ~ 풀다 resolver un problema difícil con facilidad. 일이 ~ 되어 갔다 El asunto ha ido como sobre ruedas. ③ [솔직하게] francamente, con franqueza, con toda sinceridad. ④ [물 따위가] fluidamente. 물이 천정으로 ~ 샜다 Había entrado agua por el techo. 자동차는 기름이 ~ 새고 있었다 El coche perdía aceite. ⑤ [비바람이] suavemente, sin hacer ruido; [비가] menudo, fino. 비가 오늘 아침 일찍부터 ~ 내리고 있다 Ha estado lloviznando *desde esta mañana temprano*. 바람이 ~ 분다 Sopla un viento suave / Hay una brisa suave.
술시(戌時) Hora *f* del Perro (periódo entre las siete y las nueve de la tarde o las 19:30 y las 20:30).
술어(述語) ① =서술어(敍述語). 풀이말. ② =빈사(賓辭).
■ ~절(節) =서술절(敍述節).
술어(術語) ((준말)) =학술어(學術語).
술월(戌月) *sulwol*, septiembre *m* del calendario lunar.
술일(戌日) 【민속】 el Día del Perro.
술적심 comida *f* con (la) sopa. ~도 없는 밥을 먹었다 Yo tomé la comida sin sopa.
술질 =숟가락질.
술집 bar *m*. ☞술[1]
술책(術策) estratagema *f*, ardid *m*, treta *f*, artificio *m*. ~에 빠지다 caer en una treta, ser cogido en una treta, ser víctima de una estratagema. ~을 부리다 hacer uso de una estratagema, acudir a una estratagema, hacer uso de un ardid, urdir una treta. 적의 ~에 빠지다 caer en la trampa del enemigo. 여기에는 ~이라곤 없다 Aquí no hay truco alguno / Aquí no hay trampa ni engaño.
술취하다(-醉-) embriagarse, emborracharse, achisparse.
술파제(sulfa 劑) medicamento *m* sulfa.
술프헤모글로빈(영 *sulfhemoglobin*) sulfohemoglobina *f*.
술회(述懷) recordación *f*. ~하다 relatar la reminiscencia, relatar la recordación, recordarse. 지난날을 ~하다 contar [narrar] lo pasado con nostalgia.
숨[1] ① [사람·동물이 코나 입으로 공기를 들이마시고 내쉬는 기운] respiración *f*; [흡기(吸氣)] aliento *m*; [인간 이외의] hálito *m*; [눈에 보이는] vaho *m*. ~이 찬, ~을 헐떡거리는 jadeante. 단~에 de un tirón, de una vez. ~을 쉬다 respirar, tomar aliento. ~을 내쉬다 espirar, expulsar aire. ~을 들이마시다 aspirar, inspirar. ~이 있다 estar respirando, estar vivo. ~이 없다, ~이 끊기다 estar sin aliento, quedar sin aliento, no respirar ya, cortarse la respiración, estar sin resuello. ~이 거칠다 respirar fuerte, resollar. ~이 차다, ~을 헐떡이다 jadear, respirar con dificultad, anhelar. ~이 가쁘다 tener la respiración fatigosa, respirar con dificultad. ~을 멈추다 detener la respiración. ~을 오래 참다 aguantar la respiración por mucho tiempo, tener buenos pulmones. ~을 오래 참지 못하다 no poder aguantar la respiración. ~이 멎다 expirar, dejar de respirar. ~을 죽이다 contener la respiración, aguantar el aliento, retener el aliento. ~을 죽이고 conteniendo la respiración. 그것을 보자 그는 ~을 죽였다 El contuvo el aliento al verlo. 하도 추워 내뱉는 ~이 하얗게 보였다 Hacía tanto frío que se notaba el vaho [el aliento]. ~을 깊이 쉬고 힘을 빼세요 Respire hondo y relájese.
② [채소 따위의 생생하고 빳빳한 기운] frescura *f* (de las verduras). ~을 죽인 배추 repollo *m* que se perdió la frescura. 배추가 ~이 죽었다 El repollo había perdido su frescura.
◆ 숨(을) 고다 jadear, resollar.

◆숨을 끊다 =목숨을 끊다.
◆숨을 몰아 쉬다 respirar hondo.
◆숨이 끊어지다 morir, fallecer, dejar de existir, perecer, fenecer, cerrar los ojos, dejar este mundo, llamarlo Dios, estirar las piernas, dar fin.
◆숨(이) 넘어가다 exhalar el último suspiro, expirar, morir, fallecer, dejar de existir.

숨² ((심마니말)) el agua *f*.

숨거두다 =숨지다.

숨결 aspiración *f*, respiración *f*. ~이 거칠다 respirar fuerte. ~이 가쁘다 estar corto de aliento, jadear, anhelar, ser corto de resuello, repirar con dificultad.

숨고다 jadear, resollar.

숨골【해부】=연수(延髓).

숨구멍 ① [숨을 쉬는 구멍] tráquea *f*, traquarteria *f*. ② =숫구멍. ③【곤충】=기공.

숨기(一氣) =숨기운.

숨기다 esconder, ocultar, disimular, encubrir, guardar secreto, resguardar, amparar, defender, proteger; [비밀로 하다] guardar en secreto, tener en secreto. 이름을 숨기고 anónimamente. 숨길래야 숨길 수 없는 증거(證據) prueba *f* indiscutible, prueba *f* innegable. 죄인(罪人)을 ~ ocultar un criminal, resguardar el criminal. 숨기는 것이 있다 tener secretos (para uno). 모습 [몸]을 ~ ocultarse, esconderse; [은둔 생활을 하다] vivir escondido. 본심(本心)을 ~ ocultar [disimular] *su* verdadera intención. 신분을 ~ disimular *su* identidad. 이름을 ~ ocultar *su* nombre. 돈을 다락방에 ~ esconder el dinero en el desván. 호주머니에 칼을 숨겨 놓다 llevar oculto un cuchillo en el bolsillo. 그는 결의(決意)를 마음속에 숨기고 있다 El guarda la decisión en el fondo del corazón. 나도 나이는 숨길래야 숨길 수 없다 Se me notan los años.

숨기운 aliento *m*.

숨기척 =숨기운.

숨김없이 francamente, con franqueza, sin ocultar nada, sin rodeos, sin reserva. ~ 말하다 hablar sin rodeos, decir francamente, decir con el corazón en la mano, desembuchar. ~ 대화하다 conversar sin reserva, conversar con franqueza, conversar libremente. ~ 의견을 말하다 expresar su opinión con toda franqueza.

숨넘어가다 exhalar el último suspiro, expirar, morir, fallecer.

숨다 esconderse, ocultarse, refugiarse. 숨은 oculto, escondido. 숨어서 ocultamente, secretamente, reservadamente, clandestinamente, bajo mano, por de bajo de cuerda, de so capa. 숨은 고뇌(苦惱) pena *f* secreta, pena *f* desconocida. 숨은 인재(人才) hombre *m* de talento desconocido. 숨은 자선가(慈善家) filántropo *m* desconocido, filántropa *f* desconocida. 숨은 재능(才能) talento *m* potencial. 군중 속에 ~ esconderse entre la multitud. 숲 속에 ~ esconderse en el bosque. 침대 밑에 ~ esconderse debajo de la cama. 숨어서 안 보이다 perderse de vista. 숨어서 선행을 베풀다 hacer buenos actos sin que nadie lo sepa. 시골에 숨어 살다 vivir retirado en el campo. 달이 구름 사이에 숨는다 La luna entra en las nubes. 달이 구름 뒤에 숨는다 La luna se oculta tras las nubes.

숨 돌리다 ① [가쁜 숨을 가라앉히다] calmar el respiro jadeante. ② [바쁜 중에 잠시 쉬다] respirar, tomar un reposo, tomar un descanso, permitirse unos momentos de respiro, desahogarse, divertirse, despejarse; [휴지(休止)] pausar. 숨 돌릴 짬도 없이 sin respirar, de un aliento. 일에서 숨 돌릴 사이에 차를 마시다 tomar té para descansar del trabajo. 나는 바빠서 숨 돌릴 짬도 없다 Estoy tan ocupado que no tengo tiempo ni de respirar. 이 영화는 끝까지 관객에게 숨 돌릴 짬도 주지 않는다 Esta película tiene al público en vilo hasta el fin.

숨 막히다 ahogarse, sofocarse, asfixiarse. 숨 막힐 듯한 bochornoso, sofocante, asfixiante. 숨 막힐 듯한 더위 calor *m* asfixiante, calor *m* sofocante, calor *m* bochornoso. 숨 막히는 분위기 ambiente *m* sofocante, ambiente *m* agobiante. 숨 막힐 듯한 장면(場面) escena *f* de gran tensión [suspensión]. 더위로 ~ ahogarse de calor. 숨 막힐 듯한 더위를 겪다 experimentar un calor sofocante. 숨 막힐 듯한 더위다 Hace un calor sofocante / Hace un calor que me ahoga. 방은 숨 막힐 듯했다 El cuarto estaba sofocante. 이 방은 숨 막힐 듯이 덥다 Hace un calor bochornoso en esta habitación / Este cuarto está sofocante. 나는 더위로 숨 막힐 듯했다 El calor me sofocaba. 이런 더운 방에서는 숨 막힌다 Me ahogo en esta sala tan caliente. 이런 비좁은 방에 있으면 숨 막힐 것 같다 Me ahogo [asfixio] en un cuarto tan estrecho como éste.

숨바꼭질 (juego *m* del) escondite *m*, dormirlas *m*. ~하다 jugar al escondite, jugar al dormirlas.

숨뿌리 raíz *f* (*pl* raíces) aérea.

숨소리 (sonido *m* de) respiración *f*. 깜짝 놀라서 ~를 죽이다 quedarse sin respiración del asombro.

숨숨하다 (ser) picado de viruelas.

숨 쉬다 ① [내쉬다] respirar. ② [들이마시다] inspirar, aspirar. ③ [내뿜다] espirar, expulsar aire.
◆숨 쉴 사이 없다 estar ocupadísimo.

숨은눈【식물】brote *m* letente.

숨은열(一熱)【물리】calor *m* latente.

숨은장【건축】estaquilla *f* oculta.

숨 죽다 ① [초목(草木)이 시들어서 생기(生氣)를 잃다] marchitarse. ② [소금 따위로 절인 야채가 싱싱한 기운을 잃다] perder la frescura.

숨죽이다 ① [숨을 멈추다] parar el aliento. ② [숨소리가 들리지 않게 조용히 하다] contener la respiración, retener el aliento, aguantar el aliento. 숨죽이고 conteniendo la respiración. ③ [소금 따위로 야채의 싱싱한 기운을 잃게 하다] hacer perder la frescura. 배추를 ~ hacer perder la frescura de los repollos.

숨지다 exhalar el último suspiro, morir, fallecer, dejar este mundo, estirar las piernas. ☞운명(殞命)하다

숨차다 sofocarse, faltar el aire, ahogarse. 숨차 하다 jadear, respirar con dificultad. 무거운 짐으로 ~ ahogarse con una pesada carga. 숨찬 목소리로 말하다 decir jadeando. 나는 ~ Me ahogo / Me falta el aire. 그는 계단을 오를 때 숨찬다 El se queda sin aliento al subir escaleras. 그녀는 매우 숨차서 도착했다 El llegó jadeando / El llegó sofocado / El llegó sin aliento.

숨탄것 animales *mpl*, criaturas *fpl* que respiran.

숨통(一筒) 【해부】 =기관(氣管).
◆숨통을 끊다 hacer morir, matar.

숫-[1] [다른 것이 섞이거나 더럽혀지지 않은 본디 생긴 대로] puro, inocente, impecable. ~처녀 virgen *f* (*pl* vírgenes), chica *f* inocente. ~총각 soltero *m* inocente.

숫-[2] [수컷] macho. ~양 carnero *m*. ~염소 cabra macho. ~쥐 rata macho.

숫값(數一) 【수학】 =수치(數值).

숫구멍 【해부】 fontanela *f*.

숫국 ① [사람] persona *f* inocente, persona *f* simple. ② [물건] cosa *f* virgen, nuevo artículo *m*.

숫기(一氣) inocencia *f*, franqueza *f*.
◆숫기(가) 좋다 ser avergonzado, *AmL* ser apenado, ser descarado, ser atrevido.
숫기 없다 ser muy tímido sin inocencia.
숫기 없이 muy tímidamente sin inocencia.

숫돌 afiladera *f*, piedra *f* aguzadera, afilón *m* (*pl* afilones), amoladera *f*, piedra *f* de afilar, asperón *m* (*pl* asperones), muela *f*. ~가루 polvos *mpl* para pulir. ~에 갈다 afilar [aguzar] (*algo*) sobre una piedra.

숫되다 (ser) cándido, ingenuo, sencillo. 숫된 처녀 soltera *f* cándida. 숫된 시골 총각 soltero *m* cándido del campo.

숫백성(一百姓) pueblo *m* cándido.

숫보기 ① [숫된 사람] persona *f* cándida. ② =숫총각, 숫처녀.

숫사람 persona *f* cándida sin mentiras.

숫색시 virgen *f*. ☞숫처녀

숫실(繡一) hilo *m* para el bordado.

숫양 carnero *m*.

숫염소 cabrón *m*, cabra *f* macho.

숫자(數字) cifra *f*, número *m*. 마지막 ~ última cifra *f*. 마지막 두 ~ las dos últimas cifras. 마지막 세 ~ las tres últimas cifras. 마지막 네 ~ las cuatro últimas cifras. 다섯 ~ las cinco cifras. 다섯 ~에 천만 원 diez millones de wones a las cinco cifras. ~로 나타내다 expresar con cifras. ~를 들다 exponer las cifras. 총액은 10만 달러의 ~로 올랐다 El importe total ascendía a (la cifra de) cien mil dólares.

숫잔대 【식물】 lobelia *f*.

숫접다 (ser) puro, inocente, casto. 숫저운 색시 muchaca *f* inocente.

숫제 ① [하기 전에 차라리·아예] preferible. 나는 네가 ~ 담배를 피우지 않기를 원했다 Yo prefería que no fumaras. ② [거짓이 아니고 참말로] sinceramente, sin reservas, verdaderamente, totalmente, completamente. ~ 마음을 바치다 dedicarse completamente. 그녀는 ~ 굶었다 Ella no comió totalmente.

숫쥐 rata *f* macho.

숫지다 (ser) sencillo, simple, ingenuo, cándido, inocentón (*pl* inocentones). 숫진 사람 persona *f* cándida.

숫처녀(一處女) virgen *f* (*pl* vírgenes), doncella *f*, muchacha *f* inocente, chica *f* inocente, muchacha *f* inexperto, virgen *f* inmaculada.

숫총각(一總角) soltero *m* inocente.

숫하다 (ser) ingenuo, cándido.

숭경(崇敬) reverencia *f*, veneración *f*, adoración *f*. ~하다 reverenciar, adorar, respetar. 국민의 ~의 우상이다 ser ídolo del pueblo.

숭고(崇高) sublimidad *f*, majestad *f*, excelsitud *f*. ~하다 (ser) sublime, majestuoso, noble, excelso, eminente, solemne. ~한 목적(目的) fin *m* noble. ~한 정신(精神) espíritu *m* sublime.
■ ~미(美) belleza *f* sublime.

숭굴숭굴하다 ① [얼굴이 귀염성이 있고 덕성스럽다] (ser) regordete, gordinflón, rellenito, rechoncho. 숭굴숭굴하게 살이 찐 어린이 niño, -ña *mf* regordete. ② [심성이 너그럽고 원만하다] (ser) afable, amable.

숭늉 *sungnyung* *m*, el agua *f* de beber hervienda en la olla en que el arroz ha sido cocido.

숭덩숭덩 =송당송당.

숭려하다(崇麗一) (ser) alto y espléndido.

숭배(崇拜) culto *m*, adoración *f*, veneración *f*; [찬탄] admiración *f*. ~하다 adorar, venerar, rendir culto (a), admirar. 태양 ~ culto *m* al sol, adoración *f* del sol. 스승으로 ~하다 respetar como su maestro. 나는 A 씨를 마음에서 ~하고 있다 Yo admiro de corazón al señor A.
■ ~자(者) fiel *mf*, adorador, -ra *mf*, admirador, -ra *mf*. ¶개인 ~ culto *m* de personalidad. 영웅 ~ culto *m* de héroe. 우상(偶像) ~ idolatría *f*. 자연 ~ culto *m* de naturaleza, naturismo *m*. 조상 ~ culto *m* de antepasados.

숭불(崇佛) veneración *f* al Buda, veneración *f* del budismo.

숭상(崇尙) respeto *m*, veneración *f*. ~하다 respetar, venerar, adorar, rendir culto (a); [상찬(賞讚)하다] admirar. 그들은 달(의 신)을 ~하고 있다 Ellos adoran a la Luna. 나는 영웅들을 맹목적으로 ~하지 않는다 Yo no admiro ciegamente a los héroes.

숭숭 molido, picado. ~ 썬 고기 carne *f* molida. ~ 썬 양고기 carne *f* de cordero molida [picada]. ~ 써는 기계 máquina *f* de moler, moledora *f*, *RPl* máquina *f* de picar carne, picadora *f* (de carne).

숭어 【어류】 mújol *m* (gris), múgil *m* (gris). ■~ 국수 *sungeoguksu*, fideo *m* en la sopa de mújol. ~찜 *sungeochim*, mújol *m* cocido con condimento [sazón].

숭어뜀 voltereta *f*, *Méj* vuelta *f* de manos.

숭엄하다(崇嚴—) (ser) majestuoso, sublime, solemne. 숭엄하게 majestuosamente, sublimemente, solemnemente.

숭하(崇廈) casa *f* alta y grande.

숯 carbón *m* (*pl* carbones) (de leña · de madera · de vegetal). ~을 굽다 hacer carbón. ~을 피우다 encender el carbón. ~이 되다 encarbonizarse. ~을 넣다 alimentar el fuego con carbón, echar carbón. ~으로 굽다 asar (*algo*) con carbón, asar (*algo*) al fuego del carbón.
■숯이 검정 나무란다 ((속담)) Dijo la sartén al cazo: quítate que me tiznas.
■~가마 horno *m* del carbón. ~검정 hollín *m* del carbón. ~구이 ㉮ [사람] abrasador, -dora *mf* de carbón (de leña). ㉯ [일] hechura *f* de carbón de leña. ~내 olor *m* al carbón. ~가 나다 oler al carbón. ~덩이 trozo *m* del carbón. ~등걸 carbonilla *f*, carboncillo *m*. ~막(幕) caseta *f* para hacer carbón. ~머리 dolor *m* de cabeza de las gases del carbón. ¶~를 앓다 ser envenenado por las gases del carbón. ~먹 tinta *f* china de pino. ~불 fuego *m* del carbón. ~섬 saco *m* del carbón. ~장사 carbonería *f*, comercio *m* de carbón. ~장수 ㉮ [숯을 파는 사람] carbonero, -ra *mf*; vendedor, -dora *mf* del carbón. ㉯ [얼굴이 검은 사람] el que tiene la cara negra como el carbón. ~장이 abrazador, -dora *mf* del carbón, quemador, -dora *mf* del carbón.

숱 densidad *f*, lo abundante, riqueza *f*; [수염의] lo poblado; [수량] cantidad *f*. ~이 많은 abundante, peludo, velludo; [수염의] poblado. ~이 많은 머리 mucho pelo, pelo grueso y abundante. 머리~이 많다 tener mucho pelo, tener el pelo grueso y abundante. 나는 머리~이 많다 Yo tengo mucho pelo / Yo tengo el pelo grueso y abundante.

숱하다 ① [물건의 부피나 분량이 많다] (ser) mucho, rico. 숱한 돈 mucho dinero. ② [흔하다] (ser) abundante, copioso. 숱하게 볼 수 있는 물건 cosa *f* abundante.

숲 bosque *m*, floresta *f*; [식림(植林)] arboleda *f*; [밀림] selva *f*; [잡목 숲] matorral *m*, maleza *f*. ~의 forestal. 소나무 ~ bosque *m* de los pinos. 아마존 ~ selva *f* amazónica. 울창한 ~ bosque *m* túpido, bosque *m* frondoso, bosque *m* espeso. ~을 이룬 굴뚝 una profusión de chimeneas.
■~길 sendero *m* [senda *f*] a través de los bosques. ~정이 bosque *m* cerca de la aldea.

쉐 ¡Fuera! / ¡Zape! / *Méj* ¡Uscale! 나는 새를 ~하고 쫓았다 Yo espanté [ahuyenté] a los pájaros.

쉐이 =쉐.

쉬[1] [파리의 알] hueva *f* de la mosca.

쉬[2] ((준말)) =쉬이.

쉬[3] [떠들지 말라는 뜻으로 하는 소리] ¡Chis! / ¡Chist! / ¡Chitón! ~, 조용히 해라 ¡Chis! ¡Cállate!

쉬[4] [어린이에게 오줌을 누라고 옆에서 부추기는 소리] pis *m*, pipí *m*. ~하다 hacer pis, hacer pipí, *Méj*, *Per* hacer del uno; [우연히] hacerse pis, hacerse pipí. 그는 팬티에 ~했다 El se hizo pis [pipí] en los calzoncillos. 너 ~하고 싶니? ¿Tienes ganas de hacer pis [pipí]?

쉬나무 【식물】 eleagno *m*.

쉬다[1] [음식이 상하여 맛이 시금하게 되다] echarse a perder, estropearse, corromperse, pudrirse, descomponerse; [우유 따위가] avinagrarse, estropearse, pasarse; [시큼해지다] agriarse. 쉰 corrompido, descompuesto, podrido, estropeado, agriado. 쉰밥 arroz *m* blanco pudrido. 이 우유는 쉬었다 Esta leche está echada a perder / Esta leche está estropeada / Esta leche está pasada. 여름철엔 음식이 금방 쉰다 La comida se pudre pronto en el verano.

쉬다[2] [목청에 탈이 생겨 목소리가 흐려지다] ronquear(se), ponerse ronco, enronquecerse, quedarse afónico. 쉰 목소리 voz *f* ronca, voz *f* bronca, ronquedad *f*. 쉰 목소리로 con voz ronca. 쉰 목소리로 말하다 ronquear, hablar roncamente, hablar con voz ronca. 목이 쉬는 일 ronquera, enronquecimiento. 목이 쉬게 만들다 enronquecer, poner ronco. 목이 쉬어 있다 estar ronco, tener la voz ronca. 감기로 목이 ~ estar ronco por el gripe. 목소리가 쉬었다 La voz se puso ronca / La voz se enronqueció. 그녀의 목소리가 쉬었다 Ella está ronca. 당신은 목이 약간 쉬었군요 Tú estás algo ronco / Tú tienes la voz tomada. 그들은 목이 쉴 때까지 외쳤다 Ellos gritaron hasta enronquecer. 나는 소리를 많이 질러 목소리가 쉬었다 Yo grité tanto que me puse ronco.

쉬다[3] ① [피로를 풀려고 몸을 편안히 두다] descansar, reposar; [마음을] tranquilizar. 몸을 ~ descansar el cuerpo. 머리를 ~ dar reposo a la mente, dar reposo a la cabeza; [기분 전환을 하다] despejarse. 잠시 쉬어라 Descansa un momento. 잠시 쉬십시오 Descanse un momento. 잠시 쉽시다 Descansemos un momento / Vamos a descansar un momento. ② [하던 일을 잠시 그만두다] cesar. 쉬지 않고 sin cesar, incesantemente, continuamente, sin interrupción, sin intervalos. ③ [잠을 자다] dormir; [잠자리에 들다] acostarse. 편히~ dormir bien, dormir (bien) perfectamente. 밤새 편히 쉬게 Duerme perfectamente por la noche. ④ [결근 또는 결석하다]

faltar (a *algo*), estar ausente. 나는 어제 학교를 쉬었다 Ayer yo falté a la clase. ⑤ [잠시 머무르다] quedarse un rato. 며칠 쉬어 가게 Vete después de quedarse unos días.

쉬다⁴ [호흡하다] respirar. 깊이 숨을 ~ respirar hondo, respirar profundo. 깊이 숨을 쉬세요 Respire hondo [profundo]. 그녀는 간신히 숨을 쉬고 있었다 Ella respiraba con dificultad. 아이들은 거의 숨을 쉬지 않고 내 말을 듣고 있었다 Los niños me escuchaban casi sin respirar.

쉬다⁵ [피륙의 빛을 곱게 하기 위해 뜨물에 담가 두다] dejar en remojo [dejar a remojo, poner en remojo, poner a remojo, dejar remojando] la tela en el agua en que el arroz ha sido limpiado para hacer brillar la tela.

쉬르리얼리스트(영 *surrealist*) surrealista *mf*

쉬르리얼리즘(영 *surrealism*) surrealismo *m.*

쉬쉬하다 acallar(se), echar tierra sobre, correr un velo sobre, ocultar, guardar un secreto, silenciar, amordazar. 그녀에 대해 쉬쉬해라 Déjate de hablar de ella.

쉬슬다 (la mosca) poner un huevo. 쉬슨 고기 carne *f* en mal estado.

쉬야 =쉬³. ¶~하다 hacer pipí, hace pis._

쉬어 ¡A discreción! / ¡Descanso!

쉬엄쉬엄 con descansos frencuentes, intermitentemente. 서두르지 말고 ~ 하라 No te des prisa y haz intermitentemente.

쉬이 ① [쉽게] fácilmente, con facilidad. ~ 부서지다 estropearse con facilidad. ~ 노하다 ser enfadadizo, enfadarse fácilmente. ~ 사람을 믿는 것이 네 약점이다 Tu debilidad es que eres un hombre demasiado crédulo / Tú tienes el defecto de creerse con facilidad lo que te dicen. ② [머지않은 장래에] pronto, dentro de poco, en el futuro cercano, poco después. ~ 만납시다 Hasta pronto. ~ 한 번 찾아 뵙겠습니다 Le visitaré en el futuro cercano. 그는 ~ 떠났다 El se fue poco después.

■쉬이 번 돈은 쉬이 없어진다 ((속담)) Los dineros del sacristán, cantando vienen y cantando van / Lo que el agua trae, el agua lleva.

쉬지근하다 oler a humedad, oler a moho.

쉬척지근하다 oler a humedad, oler a moho.

쉬파리 ① 【곤충】 [큰 파리] moscón *m* (*pl* moscones). ② 【곤충】 [쉬파릿과의 파리] moscarda *f*, mosca *f* verde, mosca *f* azul.

쉬하다 orinar, hacer pipí, hacer pis.

쉰 cincuenta. ~ 살 cincuenta años (de edad).

쉰내 [빵의] olor *m* no fresco, olor *m* añejo; [버터나 치즈의] olor *m* rancio; [맥주의] olor *m* pasado; [우유의] olor *m* agrio, olor *m* cortado..

쉰둥이 *shindungi*, niño, -ña *mf* que dio a luz cuando *su* padre o *su* madre tenía cincuenta años de edad.

쉴 새 없이 sin cesar, incesantemente, continuamente, sin interrupción, sin intervalos. 종을 ~ 울리다 repicar las campanas, echar las comapanas a vuelo. 전화가 ~ 울린다 El teléfono suena sin cesar / El teléfono suena continuamente / El teléfono no cesa [no deja] de sonar. 차량이 ~ 지나간다 Los vehículos pasan sin interrupción.

쉼표(-標) 【음악】 pausa *f*, silencio *m.*

쉽다 ① [어렵지 않다] (ser) fácil, no ser difícil. 쉬운 문제 problema *m* fácil, problema *m* simple. 쉬운 문장 frase *f* fácil. 쉬운 문체 estilo *m* fácil. 입으로 말하기는 ~ Es fácil decir (con la boca). 이 문제는 아주 ~ Este problema es muy fácil. 그것은 생각했던 것처럼 쉽지 않다 No es tan fácil como pensaba. ② [가능성이 많다] ser propenso a + *inf*, tener tendencia a + *inf*, tender a + *inf*. 그녀는 차멀미하기 ~ Ella es propensa [tiene tendencia · tiende] a marearse cuando viaja en coche.

쉽게 fácilmente, con facilidad. ~ 하다 facilitar, hacer fácil.

◆쉽게 여기다 ㉮ [쉽게 생각하다] pensar fácilmente. ㉯ [깔보다] despreciar, mirar por encima del hombro (a).

쉽사리 [매우 쉽게] muy fácilmente, con facilidad, sin dificultad; [순조롭게] favorablemente, normalmente, en orden, con regularidad. ~ 정할 수 없다 No es fácil decidirlo. 그것은 ~ 성공하지 못할 것이다 Es poco probable que termine bien / Es casi imposible que salga bien. 최근에 ~ 그를 보지 못한다 No lo veo desde hace tiempo. 나는 그것을 ~ 이해하지 못한다 No lo entiendo bien. 나는 그것을 ~ 믿을 수 없다 No puedo creerlo / No me convence.

쉿 ¡Chitón! / ¡Punto en boca!

슈미즈(불 *chemise*) camisa *f* de señora, camisa *f* de mujer, camisón *m.*

슈봉(독 *Schwung*) 【스키】 =회전(回轉).

슈샤인(영 *shoeshine*) =슈샤인 보이.

■~ 보이(boy) *AmL* limpiabotas *m.sing.pl*; *AmM* lustrabotas *m.sing.pl*; *Méj* bolero *m*; *Col* embolador *m.*

슈즈(영 *shoes*) zapatos *mpl*; [단화(短靴)] botas *fpl*.

슈크림(불 *chou* à *la creme*) petisú *m*, bollo *m* de crema.

슈트(영 *suit*) ① [남자의] traje *m* (completo), terno *m.* ② [여자의] traje *m* de chaqueta, traje *m* sastre.

■~케이스 [여행용 소형 가방] maleta *f*, valija *f*.

슈퍼(영 *super*) ((준말)) =슈퍼마켓.

슈퍼-(영 *super-*) super-, sobre-.

■~마켓 supermercado *m.* ~맨 superhombre *m*, sobrehombre *m.* ~박테리아 superbacteria *f.* ~ 수신기 superheterodino *m.* ~스타 superestrella *f*, gran estrella *f*, superstar *ing.m.* ¶테니스의 ~ superetrella *f* [gran estrella *f*] del tenis. ~컴퓨터 super-

ordenador *m*, *AmL* supercomputadora *f*, *AmL* supercomputador *m*. ~탱커 superpetrolero *m*.
슈퍼 섬유(super 纖維) superfibra *f*.
슈퍼 헤비급(super heavy 級) peso *m* superpesado.
슐라프자크(독 *Schlafsack*) =슬리핑 백.
슛(영 *shoot*) ① [발사(發射)] lanzamiento *m*. ② [구기에서] disparo *m*, chut *m*. ~을 하다 disparar, chutar. ③ [장미 따위의 뿌리에서 돋는 새순이나 줄기] brote *m*, retoño *m*, renuevo *m*. ④【영화】[촬영을 개시하는 일] rodaje *m*, filmación *f*.
스가랴서(Zechariah 書) ((성경)) Zacarías.
스낵바(영 *snack bar*) bar *m*, cafetería *f*, bar *m* público, puesto *m* público, cantina *f*.
스냅(영 *snap*) ① ((준말)) =스냅 파스너. ② ((준말)) =스냅 사진.
■ ~ 사진 (fotografía *f*) instantánea *f*. ~숏 ㉮ =속사(速射). ㉯ [스냅 사진] instantánea *f*. ¶~를 찍다 tomar [sacar] una instantánea. ~ 파스너 [똑딱단추] (botón *m*) automático *m*, botón *m* de presión.
스노타이어(영 *snow tire*) neumático *m* para la prevención de deslizamiento.
스님 ① [중이 그 스승을 부르는 말] maestro, -tra *mf*. ② ((높임말)) =중.
스라소니【동물】lince *m*.
스란치마 falda *f* larga.
스러지다 desaparecer, caer en desuso, hacerse anticuado.
스로(영 *throw*) tiro *m*, lanzamiento *m*.
■ ~인 ㉮ ((축구)) saque *m* de banda. ㉯ ((야구)) lanzamiento *m*.
스르르 con agilidad, suavemente. ~ 나무에 오르다 trepar a un árbol con agilidad. ~ 국기가 게양되었다 Se izó suavemente la bandera nacional.
스리랑카【지명】Sri Lanka. ~의 esrilanqués.
■ ~ 사람 esrilanqués, -quesa *mf*.
스리쿼터(영 *three-quarter*) ① [적재량 4분의 3톤 자동차] camión *m* (*pl* camiones) de tres cuartos de tonelada. ② ((준말)) =스리쿼터 백.
스리쿼터 백(영 *three-quarter back*) ((럭비)) tres cuartos.
스리피스(영 *three-piece*) traje *m* con chaleco, terno *m*.
스릴(영 *thrill*) emoción *f* (viva · electrizadora · apasionante), estremecimiento *m*. ~이 풍부한 emocionante, enloquecedor, electrizante. ~을 맛보다 emocionarse (con · de), sentir escalofríos (con · de), estremeterse (con · de).
스릴러(영 *thriller*) [소설] novela *f* de misterio [de suspenso · de suspense], novela *f* escalofriante [espeluznante]; [영화] película *f* de misterio [de suspenso · de suspense], película *f* escalofriante [espeluznante].
스마일(영 *smile*) sonrisa *f*.
스마트하다(smart－) (ser) esbelto, bien hecho, elegante, galano, distinguido.
스매시(영 *smash*) ((테니스)) smash *ing.m*, remate *m*, remache *m*, voleo *m*. ~하다 dar un smash, rematar, remachar, volear.
스멀거리다 picar. 내 코가 스멀거린다 Me pica la nariz. 내 [네 · 그녀의 · 우리의 · 너희들의 · 그들의] 눈이 스멀거린다 Me [Te · Le · Nos · Os · Les} pican los ojos. 나는 온몸이 스멀거린다 Me pica todo el cuerpo. 스멀스멀 picantemente, muy lentamente, a paso de tortuga.
스며들다 penetrar. 추위가 뼛속까지 스며든다 Hace un frío penetrante / El frío me penetra hasta los huesos.
스모그(영 *smog*) smog *ing.m*, niebla *f* tóxica, niebla *f* contaminante, neblumo *m*.
◆광화학 ~ neblumo *m* fotoquímico.
■ ~ 공해 contaminación *f* por la niebla tóxica. ~ 현상 (fenómeno *m* de) la niebla contaminante.
스모킹(영 *smoking*) [흡연] fumar *m*.
◆노(No) ~ [흡연 금지] Prohibido fumar / No fumar / No fume(n) / Se prohíbe fumar.
■ ~ 룸 [흡연실] salón *m* para fumadores. ~ 카 vagón *m* [carro *m*] de fumadores.
스무 veinte. ~ 번째(의) vigésimo *m*(*adj*).
스무나무【식물】zelkova *f*.
스무드하다(smooth－) (ser) liso, suave, terso. 스무드하게 suavemente; [문제 없이] sin problemas, sin complicaciones; [술술] con facilidad, con soltura. 만사가 스무드하게 진행되었다 Todo salió muy bien / No hubo contratiempos. 사업은 아주 스무드하게 되어 가고 있다 El negocio marcha sobre ruedas. 말들이 그녀의 펜에서 스무드하게 흘러나왔다 Las palabras fluían de su pluma.
스물 ① [열의 갑절] veinte. ② [스무 살의 나이] veinte años (de edad). 그녀는 몇 살입니까? － 그녀는 ~ 한두 살쯤 되었을 것이다 ¿Cuántos años tiene ella? / ¿Qué edad tiene ella? － Ella tendrá veintiún o veintidós años (de edad).
스미다 correrse, extenderse, emborracharse; [스미어 나오다] rezumar(se) (de); [스미어 들다] infiltrarse (en), penetrar (en), calar. 물에 스민 empapado en [de] agua. 습기가 벽에 스민다 La humedad penetra [se infiltra] en la pared. 비가 옷에 스민다 La lluvia cala [(se) empapa (en)] los vestidos. 셔츠에 땀이 스민다 El sudor rezuma de la camisa. 이 종이는 잉크가 스민다 En este papel se corre [se extiende] la tinta. 그의 이마에 땀이 스며 나왔다 El sudor le rezumaba por la frente. 상처에서 피가 스며 나온다 La sangre rezuma de la herida.
스바냐서(Zephaniah 書)【성경】Sofonías.
스스럼없다 (ser) familiar, amistoso, franco, íntimo, abierto, fácil. 스스럼없는 표현(表現) expresión *f* fácil [familiar]. 스스럼없는 이야기 cuento *m* familiar. 스스럼없는 사람 hombre *m* campechano, hombre *m* de carácter abierto. 스스럼없는 태도로 con una actitud familiar [amistosa · franca]. 스

스럼없는 어조로 말하다 hablar en tono familiar [íntimo].
스스럼없이 sin reserva, libremente, francamente, con franqueza, con el corazón abierto.

스스럽다 temer, tener recelo (de), ofender, molestar.

스스로 ① [저절로] se, por sí mismo; [자동적으로] automáticamente. 바퀴가 ~ 도는 것 같았다 La rueda parecía girar por sí sola [por impulso propio]. ② [자진하여] (de) motu propio, voluntariamente. 아이들은 ~ 도왔다 Los niños ayudaron (de) motu proprio [voluntariamente]. 그는 ~ 사임했다 El presentó su dimisión voluntariamente. 그것은 그가 ~ 한 짓이다 El lo hizo de motu proprio. ③ [제힘으로] por *su* propio esfuerzo. 자기 일은 ~ 해야 한다 Hay que hacer su trabajo por su propio esfuerzo. ④ [자기 자신] se, sí, sí mismo; [강조] uno mismo, en persona, persolmente. ~ 베다 cortarse. ~ 즐기다 divertirse. ~ 경험하다 experimentar (*algo*) uno mismo [personalmente]. ~에 대해서 말하다 hablar de sí mismo. 자기 일은 자기 ~ 해라 Cuídate a ti mismo. 그는 바다에 ~ 몸을 던졌다 El se arrojó al mar.

스승 maestro, -tra *mf*; ((성경)) enseñador *m*.. ~과 제자 maestro y discípulo.
■ ~의 날 el día del Maestro.

스와질란드 【지명】 Swazilandia *f*. ~의 swazi.
■ ~ 사람 swazi *mf*. ~어 swazi *m*.

스웨덴 【지명】 Suecia. ~의 sueco.
■ ~어 sueco *m*. ~인 sueco, -ca *mf*. ~ 체조 gimnasia *f* sueca.

스웨터(영 *sweater*) jersey *m*, suéter *m*, *Per* chompa *f*, *Chi* chomba *f*, *Urg* buzo *m*. 자라목 ~ jersey *m* de cuello alto. 신사용 목이 둥근 ~ jersey *m* de cuello redondo para caballo. 바둑판무늬 목이 패인 ~ jersey *m* con cuello de pico en jaquard.

스위스 【지명】 Suiza *f*. ~의 suizo. ~ 사투리의 독일어 [이태리어 · 불어] el alemán [el italiano · el francés] que se habla en Suiza. 독일어 [이태리어 · 불어]를 사용하는 ~ la Suiza alemana [italiana · francesa]. (로마 교황청의) ~ 출신 호위병 [병사(兵士)] guardia *m* suizo; [대(隊)] la Guardia Suiza.
■ ~인 suizo, -za *mf*. ¶독일어 [이태리어 · 불어]를 사용하는 ~ suizo *m* alemán [italiano · francés], suiza *f* alemana [italiana · francesa].

스위치(영 *switch*) ① [전기 회로를 개폐하는 장치] interruptor *m*, llave *f* (de encendido · de la luz); [버튼식의] pulsador *m*, botón *m* (*pl* botones). ~ 를 끊다 cortar la corriente. ~를 돌리다 torcer el interruptor. ~를 넣다 conectar la corriente, enchufar, encender. ~를 누르다 apretar el botón. 기계의 ~를 넣다 conectar la corriente de la máquina. 라디오의 ~를 넣다 poner [enchufar] la radio. 텔레비전의 ~를 넣다 poner la televisión. 텔레비전의 ~를 끄다 apagar la televisión. ~를 켜라 Enciende la luz. ~를 꺼라 Apaga la luz. 이 에어컨은 자동(自動)으로 ~가 들어온다 Este acondicionador de aire funciona [se conecta] automáticamente. ② [철도의 전철기(轉轍機)] agujas *fpl*.

스위트 홈(영 *sweet home*) [단란한 가정] hogar *m* dulce.

스윙(영 *swing*) ① ((권투)) golpe *m*, swing *ing.m*. ② ((야구)) swing *ing.m*. ③ ((골프)) swing *ing.m*. ④ ((음악)) música *f* de swing.

스쳐보다 ojear [mirar] (a *uno*) de soslao [de reojo · al soslayo · con el rabillo del ojo]

스치다 ① [서로 살짝 닿으면서 지나가다] rozar(se) (con), rasar, pasar rasando; [서로] cruzarse. 비단 스치는 소리 crujido *m* de la seda, frufrú. 옷 스치는 소리 frufrú *m*. 옷 스치는 소리를 내다 hacer frufrú, crujir. 지면(地面)을 스칠 듯이 날다 volar a ras de tierra, volar rasando el suelo. 해면(海面)을 스치면서 날다 volar rasando el mar, pasar peinando las olas. 열차가 스쳤다 Se cruzan los trenes. 나는 그의 자동차와 스치고 지나갔다 Me he cruzado con su coche. 탄환이 머리를 스치고 지나갔다 La bala pasó rozando la cabeza. 탄환이 내 팔을 스치고 지나갔다 Una bala me rozó / Una bala pasó rozándome. 새가 수면(水面)을 스칠 듯이 날고 있다 Un pájaro va volando a flor de agua. 머리가 천장을 스칠 듯하다 La cabeza casi toca el techo. ② [생각이] ocurrirse. 좋은 생각이 머리에 스쳤다 Se me ocurrió una buena idea. 한 아이디어가 내 머리를 스쳤다 Una idea me vino a la mente / Una idea me pasó por la cabeza.

스카라무슈(불 *scaramouche*) 【연극】 [이탈리아 즉흥 희곡 중의 익살꾼] scaramuccia *f*.

스카우트(영 *scout*) ① =척후병(斥候兵). ② [우수한 운동선수나 영화배우 등을 물색하여 내는 사람] cazatalentos *mf*. ~를 하다 buscar las personas de talento. ③ ((준말)) =보이[걸] 스카우트.
■ ~ 운동 escutismo *m*, movimiento *m* de los scouts.

스카이다이버(영 *sky diver*) paracaidista *mf*.

스카이다이빙(영 *sky diving*) paracaidismo *m*.

스카치(영 *Scotch*) ((준말)) =스카치위스키.
■ ~위스키 güisqui *m* escocés, (wisky *m*) escocés *m*. ~테이프 cel(l)o® *m*; *Am* cinta *f* Scotch®; *AmL* (cinta *f*) Dúrex® *m*. ¶~를 붙이다 pegar con cinta Scotch®, pegar con cel(l)o®.

스카프(영 *scarf*) bufanda *f*, pañuelo *m*, pañolón *m* (*pl* pañolones), chalina *f*, fular *m*. ~를 두르다 ponerse la bufanda sobre la cabeza. ~를 목에 두르고 있다 llevar la bufanda liada el cuello.

스칸듐(영 *scandium*) 【화학】 escandio *m*.

스칸디나비아 【지명】 Escandinavia *f*. ~의 escandinavo.

■ ~반도 la Península Escandinava. ~인[사람] escandinavo, -va *mf.*
스칼러십(영 *scholarship*) ① [학식. 박식] erudición *f.* ② [장학금] beca *f.* 체육 ~ beca *f* deportiva.
스캐너(영 *scanner*) ① [텔레비전의] antena *f* exploradora, dispositivo *m* explorador. ② [레이더의] antena *f* direccional giratoria. ③【전자】escansionador *m*, analizador *m.* ④ [그래픽 미술의] explorador *m* electrónico. ⑤【컴퓨터】escáner *m*, *scanner ing. m*, escudriñador *m*, analizador *m*, equipo *m* que electrónicamente lee y transmite información gráfica y escrita para su recepción y reconstrucción por el equipo receptor. ⑥【의학】tomógrafo *m*, scanner *ing.m.*
■ ~ 타워 [레이더의] torre *f* de barrido.
스캐닝(영 *scanning*) ① [라디오·텔레비전의] exploración *f.* ②【컴퓨터】barrido *m*, exploración *f.* ③ [형용사적] explorador, -dora.
■ ~ 레이더 radar *m* explorador.
스캔(영 *scan*) [(텔레비전·통신의) 주사(走査)] exploración *f.* ~하다 escandir, explorar, examinar, registrar.
스캔들(영 *scandal*) escándalo *m.* ~을 감추다 tapar la escándalo. ~을 일으키다 provocar un escándalo, causar un escándalo, escandalizar.
스커트(영 *skirt*) falda *f*, *CoS* pollera.
스컹크(영 *skunk*)【동물】mofeta *f*, *AmL* zorrillo *m*; *AmC, Ven* mapurite *m*; *CoS* zorrino *m.*
스케이터(영 *skater*) patinador, -dora *mf.*
스케이트(영 *skate*) patín *m* (*pl* patines) (para patinaje sobre hielo. ~를 타다 patinar. ~ 타러 가다 ir a patinar.
■ ~ 구두 patines *mpl.* ~ 링 pista *f* de patinaje, patinódromo *m.* ~보드 monopatín *m*, *Ven, CoS* patineta *f.* ~ 선수 patinador, -dora *mf.* ~장 patinador *m.*
스케이팅(영 *skating*) patinaje *m* sobre hielo.
■ ~ 링크 pista *m* de patinaje.
스케일(영 *scale*) ① [치수나 도수의 눈을 매긴, 측정하기 위한 기구] escala *f.* ② [저울눈] escala *f.* ③ [천칭의 접시] escala *f.* ④ [규모(規模)] escala *f.* ~이 큰 de gran escala, de mucho calibre. ~이 작은 de pequeña escala, de poco calibre. ⑤【음악】[음계] escala *f.*
스케줄(영 *schedule*) programa *m*, plan *m*, calendario *m.* ~을 세우다 hacer planes, planear, programar. 나는 금주 ~이 서 있다 Estoy cargado de planes esta semana / Tengo organizada toda esta semana.
스케치(영 *sketch*) bosquejo *m*, esbozo *m*, diseño *m*, croquis *m*, boceto *m.* ~하다 bosquejar, hacer un bosquejo, esbozar.
■ ~북 cuaderno *m* de bocetos, cuaderno *m* para dibujos [de bosquejo].
스코어(영 *score*) ① [경기의 득점] gol *m*, tantos *mpl*, resultado *m.* 최종 ~ resultado *m* final. ~를 적다 apuntar los tantos. ~가 어떻느냐? ¿Cómo van? / ¿Cómo va el marcador? ~는 어떠했느냐? ¿Cómo terminó el partido [el encuentro]? 20분 후에 ~는 A팀에 2대1 이었다 A los veinte minutos de juego el A ganaba (por) 2 a 1 / A los 20 minutos de juego iban 2 a 1 en favor de los tantos [goles]. ②【음악】[총보(總譜)] partitura *f.*
■ ~보드 marcador *m.* ~북 cuaderno *m* de tanteo.
스코치(영 *Scotch*) (tela *f* de) tweed *m* .
스코틀랜드【지명】Escocia *f.* ~의 escocés.
■ ~어 escocés *m.* ~인 escocés, -cesa *mf.*
스콜(영 *squall*) borrasca *f*, turbión *f*, aguacero *m.*
스콜라 철학(schola 哲學) filosofía *f* escolástica.
스콜라 철학자(schola 哲學者) escolástico, -ca *mf.*
스쿠너(영 *schooner*) goleta *f.*
스쿠버(영 *scuba*) escafandra *f.*
■ ~ 다이빙 buceo *m* con escafandra.
스쿠터(영 *scooter*) [어른의] moto *f*, (motosilla *f*) escúter *m*; [어린이의] patinete *m*; [자동의] autopatinete *m.*
스쿠프(영 *scoop*) [특종 기사] noticia *f* que publica un periódico antes que otros. ~하다 noticiar antes que otros, adelantarse a los otros periódicos en la publicación de una noticia.
스쿨(영 *school*) [학교] escuela *f.*
■ ~버스 autobús *m* escolar.
스쿼시(영 *squash*) refresco *m* a base de extractos. 레몬 ~ limonada *f.* 오렌지 ~ naranjada *f.*
스퀘어 댄스(영 *square dance*) cuadrilla *f*, contradanza *f*, danza *f* de figuras, baile *m* de figuras.
스크랩(영 *scrap*) recortes *mpl* (de periódicos). ~하다 hacer recortes, recortar.
■ ~북 álbum *m* de recortes, cuaderno *m* de recortes.
스크럼(영 *scrum*) reyerta *f*, mêlée *f*, línea *f* de luchadores fubolistas. ~을 짜다 formarse una mêlée; [데모 따위에서] entrelazar los brazos.
스크루(영 *screw*) ① [나선 추진기] hélice *m.* ② [나사(螺絲)] (tornillo).
스크린(영 *screen*) ① [병풍·휘장] biombo *m*, mampara *f*, [창문의] mosquitero *m*; [보호하는] cortina *f.* ② [영사막(映寫幕)] pantalla *f.* ③ [영화의 화면] pantalla *f.* 큰 ~ la pantalla grande. 와이드 ~ la pantalla ancha. ~ 판권 derechos *mpl* de adaptación al cine. ④【컴퓨터】pantalla *f.* ⑤【텔레비전】pantalla *f.* 작은~ la pequeña pantalla, *AmL* la pantalla chica. 레이더 ~ pantalla *f* de radar.
■~ 스타 estrellas *fpl* de la pantalla, estrellas *fpl* del cine. ~ 테스트 prueba *f* (cinematográfica). ¶~하다 hacerle una prueba (cinematográfica) a *uno.*

스크립터(영 *scripter*) guionista *mf.*
스크립트(영 *script*) ① [영화 대본·방송 대본] guión *m.* 영화의 ~ guión *m* de cine. 텔레비전의 ~ guión *m* de televisión. ② [필기체의 활자] caligrafía *f.*
스키(영 *ski*) esquí *m* (*pl* esquíes). ~를 타다 esquiar. ~ 타러 가다 ir a esquiar. ~를 신다 ponerse los esquíes. ~를 신고 미끄러지다 patinar con los esquíes, deslizar(se) en esquíes. 우리들은 ~를 타고 산 아래로 내려갔다 Bajamos la montaña esquiando.
◆도약용(跳躍用) ~ esquí *m* de saltos. 수상(水上) ~ esquí *m* acuático. 장거리용(長距離用) ~ esquí *m* de fondo.
■~ 교사 monitor, -tora *mf* de esquí. ~ 등산 esquí *m* de travesía, esquí *m* de montaña. ~ 마스크 [스키어가 쓰는 방한용 얼굴 가리개] verdugo *m*, pasamontañas *m.sing.pl.* ~모 gorra *f* de esquiador. ~ 바지 pantalones *mpl* de esquí, pantalones *mpl* fuseau. ~복 traje *m* de esquiar. ~장 campo *m* de esquí; [트랙] pista *f* de esquí. ~ 지팡이 bastones *mpl* (de esquí). ~화(靴) botas *fpl* de esquiar [de esquí]. ~ 활주로 pista *f* de esquí.
스키어(영 *skier*) esquiador, -dora *mf.*
스킨(영 *skin*) [피부] [사람의] piel *f*; [얼굴의] cutis *f*; [동물·새·물고기의] piel *f.*
■~ 다이버 submarinista *mf*; buceador, -dora *mf*; buzo *mf.* ~ 다이빙 submarinismo *m*, buceo *m* (sin escafandra), exploración *f* submarina; [수영] natación *f* submarina; [고기잡이] pesca *f* submarina.. ¶~하다 hacer submarinismo, bucear. ~하러 가다 ir a hacer submarinismo, ir a bucear. ~로션 loción *f* de la piel. ~ 테스트 [(알레르기 체질 등을 가리기 위한) 피부 시험] cutirreacción *f*, dermorreacción *f.*
스타(영 *star*) ① [별] estrella *f*, astro *m.* ② [인기 배우·가수·운동선수 등] estrella *f*, figura *f* destacada, figura *f* brillante, primera figura *f*, as *m.* 사교계의 ~ flor *f* de la sociedad. 그녀는 자고 나니 ~가 되었다 Ella se convertió en una estrella [alcanzó el estrellato] de la noche a la mañana. ③ ((속어)) [장성] estrella *f*, general *mf.* 투(two) ~ dos estrellas, general *mf* de división.
■~플레이어 jugador *m* destacado [brillante], jugadora *f* destacada [brillante].
스타덤(영 *stardom*) estrellato *m.* ~에 오르다 alcanzar el estrellato. 그녀를 ~에 올려놓은 역(役) papel *m* que la lanzó el estrellado.
스타디움(라 *stadium*) estadio *m.*
스타킹(영 *stocking*) medias *fpl.* ~ 한 켤레 un par de medias, unas medias. ~ 두 켤레 dos pares de medias. ~을 신다 ponerse las medias. ~을 벗다 quitarse las medias. ~을 신고 있다 llevar (las) medias.
스타터(영 *starter*) ① [시동기(始動機)] arrancador *m*, motor *m* de arranque. ② [시동기(始動器)] arranque *m*, aparato *m* de arranque. ③ [경기의] stárter *m*, juez *mf* de salida.
스타트(영 *start*) ① [시작] principio *m*, comienzo *m.* ~하다 empezar, comenzar, iniciar. 일찍 ~하다 empezar temprano; [여행에] salir temprano, ponerse en camino a primera hora. ② [운동의] salida *f*, partida *f.* ~를 끊다 partir, echar a correr. ~가 좋다 empezar bien, tener una buena salida [partida]. ~가 나쁘다 empezar mal, tener una mala salida [partida]. ③ [자동차의] arranque *m.* ~하다 arrancar, ponerse en marcha. 이 자동차는 ~가 좋다 Este coche arranca bien. ④ [스타팅 라인] salida *f*, línea *f* de partida.
■~ 라인 salida *f*, línea *f* de partida. ¶~에 서다 colocarse en la línea de salida. ~ 신호 señal *f* de salida, señal *f* de partida. ¶~를 하다 dar la señal de salida [de partida].
스타팅(영 *starting*) ① [자동차 시동] arranque *m.* ② [출발] salida *f.* ③ [시작] comienzo *m*, principio *m.* ④ 【기계】 puesta *f* en marcha.
■~ 라인 línea *f* de salida. ~ 멤버 primer participante *m*, primera participante *f.*
스태그플레이션(영 *stagflation*) [경기 침체하의 인플레이션] estagflación *f*, estanflación *f.*
스태미나(영 *stamina*) resistencia *f* (física), fuerza *f* física, vigor *m*, aguante *m*, nervio *m.* ~가 있는 남자 hombre *m* enérgico, hombre *m* infatigable. ~를 증가시키다 aumentar la resistencia [fuerza física].
스태프(영 *staff*) personal *m*, plantilla *f.* 편집 ~의 일원이다 formar parte del personal del redacción.
스택(영 *stack*) 【컴퓨터】 pila *f.*
스탠더드(영 *standard*) norma *f*, regla *f*; [모범] ejemplo *m.*
스탠드(영 *stand*) ① [관람석] tribuna *f* (de espectadores), gradería. ~를 열광시키다 entusiasmar a los espectadores. ② [매점] quiosco *m*, kiosco *m*, mostrador *m*, puesto *m*, soporte *m.*
스탠바이(영 *stand-by*) [(항공기의) 캔슬 대기(의)] stand-by *adj.* ~로 stand-by.
■~ 승객 pasajero, -ra *mf* stand-by. ~ 티켓 billete *m* [pasaje *m*] stand-by.
스탬프(영 *stamp*) sello *m*; *AmL* estampilla *f*; *Méj* timbre *f.* ~를 찍다 [편지에] franquear, poner*le* sellos (a), poner*le* estampillas (a), *AmL* estampillar, *Méj* timbrar; [여권이나 티켓에] sellar. 귀하의 주소가 쓰인 ~ 찍힌 봉투를 보내십시오 Envíe un sobre franqueado [*AmL* estampillado · *Méj* timbrado] con su dirección.
◆기념(紀念) ~ (sello *m*) conmemorativo *m.* 비자 ~ sello *m* de visado.
■~대(臺) tapón *m* (*pl* tapones). ~북 libro *m* de sellos. ~잉크 tinta *f* para sellos.
스턴트맨(영 *stunt man*) [(위험한 장면의) 대역(代役)] especialista *m*, doble *m*, doble *m*

especial.
스턴트우먼(영 *stunt woman*) [(위험한 장면의) 여자 대역] especialista *f*, doble *f*, doble *f* especial.
스턴트 카(영 *stunt car*) ① [자동차의 곡예] acrobacia *f* de automóviles. ② [곡예용 자동차] automóvil *m* para acrobacias.
스털링(영 *sterling*) [영국의 파운드화] libra *f* esterlina.
■ ~ 블록[지역] zona *f* de la libra esterlina.
스테레오(영 *stereo*) ① ((준말)) =스테레오 타입❶. ② [두 개 이상의 스피커를 사용하여 입체감을 낼 수 있게 한 음향 방식. 또, 그 장치] estereofonía *f*, estéreo *m*, equipo *m* estereofónico [estéreo]. ~의 estereofónico, estéreo. ~로 en estéreo, en sonido estereofónico.
■ ~그래프 estereografía *f*, estereoscópica *f*. ~레코드 disco *m* estereofónico. ~ 방송 emisión *f* estereofónica. ☞입체 방송(立體放送). ~ 전축 fonógrafo *m* estereofónico; [장치] tocadiscos *m* estereofónico. ~카메라 estereocámara *f*. ~ 타입 [판] ㉮ [연판(鉛版)] estereotipia *f*, estereotipio *m*, matriz *f*, cliché *m*, clisé *m*. ㉯ [틀에 박힌 사고 방식] estereotipo *m*.
스테로이드(영 *steroid*) 【화학】 esteroide *m*.
스테아르산(-酸)(영 *stearic acid*) 【화학】 ácido *m* esteárico.
스테아린(영 *stearin*) 【화학】 estearina *f*. ~의 esteárico.
스테이션(영 *station*) ① [역] estación *f*. ② [본부] cuartel *m*; [기지] base *f*. ③ [텔레비전 방송국] canal *m*; [라디오 방송국] emisora *f*, estación *f*, radio *f*.
스테이지(영 *stage*) escenario *m*, tablado *m*. ~를 밟다 entrar en el tablado.
■ ~ 매니저 director *m* de escena, directora *f* de escena. ~ 세트 decorado *m*, escenografía *f*. ~ 쇼 función *f* teatral, representación *f* teatral.
스테이크(영 *steak*) ① [서양 요리의 하나로, 구운 고기] filete *m*, bistec *m*; *AmS* churrasco *m*; *RPl* bife *m*. ② ((준말)) = 비프스테이크. ③ [썰어 놓은 고기] carne *f* para filete [biste].
■~ 나이프 cuchillo *m* para bistec. ~ 하우스 restaurante *m* especializado en bistecs, *AmS* churrasquería f.
스테인드글라스(영 *stained glass*) vidrio *m* [cristal *m*] de coloresl
■ ~ 윈도우 vitral *m*, vidriera *f* (de colores).
스테인리스강(stainless 鋼) acero *m* inoxidable.
스텐실(영 *stencil*) cliché *m*, ciclostil *m*, stencil *ing.m*, matriz *f*.. ~을 대고 찍다 [박다] hacer [picar] un stencil [una matriz].
■~ 페이퍼 papel *m* stencil [estarcido].
스텝(영 *step*) ① [걸음] paso *m*. ② [디딤판] peldaño *m*; [탈것의] estribo *m*. ③ [계단] escalón *m* (*pl* escalones).
스토리(영 *story*) cuento *m*, historia *f*.
스토브(영 *stove*) [난로] estufa *f*, hornillo *m*; [벽로] chimenea *f*. ~에 쬐다 calentarse a la estufa. ~에 불을 지피다 encender la estufa.
◆가스 ~ estufa *f* de gas. 석유(石油) ~ estufa *f* de petróleo. 전기(電氣) ~ estufa *f* eléctrica.
스토아주의(Stoa 主義) estoicismo *m*.
스토아 철학(Stoa 哲學) estoicismo *m*, filosofía *f* estoica.
스토아 철학자(Stoa 哲學者) estoico, -ca *mf*.
스토아 학파(Stoa 學派) 【철학】 escuela *f* estoica.
스톡(영 *stock*) ① [재고품] surtido *m* (de mercancías), existencias *fpl*, stock *m*, mercaderías *fpl* almacenadas. ~을 하다 almaenar, adquirir existencias. ② [주식] acciones *fpl*, valores *mpl*.
■ ~ 마켓 [증권 시장] mercado *m* de valores.
스톱(영 *stop*) parada *f*. ~하다 parar(se), detenerse. ~시키다 parar, detener. ~! ¡Alto! / ¡Pare! / ¡Stop! (발음은「에스똡」이라 함).
■ ~워치 cronómetro *m* (de segundos), reloj *m* de segundos muertos.
스튜(영 *stew*) [스튜 (요리)] estofado *m*, guisado *m*, guiso *m*; [이탈리아의] risotto *m*, arroz *m* a la cazuela.
■ ~ 요리 estofado *m*, guiso *m*; risotto *m*, arroz *m* a la cazuela. ¶~하다 [고기를] estofar, guisar; [과실을] hacer compota (de). ~로 한 [쇠고기 등을] estofado, guisado; [과실을] de compota. ~용 스테이크 carne *f* para estofar.
스튜던트 파워(영 *student power*) poder *m* estudiantil.
스튜디오(영 *studio*) estudio *m*.
◆영화 ~ estudio *m* de cine. 텔레비전 ~ estudio *m* de televisión.
스튜어드(영 *steward*) ① [비행기의] auxiliar *m* de vuelo, sobrecargo *m*, *AmL* aeromozo *m*. ② [선박의] camarero *m*.
스튜어디스(영 *stewardess*) ① [비행기의] azafata *f*, auxiliar *f* de vuelo, sobrecargo *f*, *AmL* aeromoza *f*, *Col* cabinera *m*, *Chi* hostess *ing.f*. ② [선박의] camarera *f*.
스트라이커(영 *striker*) ① [동맹 파업자(同盟罷業者)] huelguista *mf*. ② ((축구)) delantero, -ra *mf*; artillero, -ra *mf*; ariete *mf*.
스트라이크(영 *strike*) ① [동맹 파업] huelga *f*, *AmL* paro *m*. ~를 하다 ponerse [declararse] en huelga. ~로 들어가다, ~를 결행하다 ir a huelga, declararse en huelga, declarar la huelga, *AmL* ir al paro, declararse en paro. ~를 중지하다 suspender la huelga. ~를 보이콧하다 boicotear una huelga, esquirolear, carnerear. ~ 중이다 estar en [de] huelga; *AmL* estar en [de] paro. ~ 지령을 내리다 convocar la huelga. ② ((볼링)) pleno *m*, strike *ing.m*, *Méj* chuza *f*. ③ ((야구)) strike *ing.m*, golpe *m*.
◆공식 ~ huelga *f* [*AmL* paro *m*] oficial.

부분 ~ huelga *f* [*AmL* paro *m*] parcial. 비공식 ~ huelga *f* [*AmL* paro *m*] no oficial. 총~ huelga *f* general. 헝거 ~ huelga *f* de hambre.

■ ~ 존 zona *f* de golpe. ~ 참가자(參加者) huelguista *mf*.

스트럭아웃(영 *struck out*) ((야구)) struck-out *m*. ~하다 poncharse.

스트레스(영 *stress*) tensión *f*, ansiedad *f*, estrés *m*. ~로 생긴 병(病) enfermedad *f* provocada por [relacionada con] el estrés. 그녀는 ~를 많이 받고 있다 Ella está muy estresada. ~를 극복하는 법을 배우십시오 Aprenda a sobrellevar el estrés [las tensiones].

스트레이트(영 *straight*) ① ((권투)) derecho *m*. 레프트 ~ derecho *m* de izquierda. ② [연속적임] ¶~로 이기다 ganar dos partidas seguidas; [한 세트도 지지 않고] ganar la partida sin perder un set. ③ [술을] ¶ ~로 마시다 beber un licor puro. 위스키를 ~로 마시다 beber el whiski solo.

스트렙토마이신(영 *streptomycin*) estreptomicina *f*.

스트로(영 *straw*) ① [밀짚] paja *f*. ② [빨대] caña *f*, pajita *f*, paja *f*, *Col* pitillo *m*, *Méj* popote *m*. ~로 마시다 beber [sorber] (*algo*) con una pajita [una paja].

스트로크(영 *stroke*) ① ((테니스 · 골프)) golpe *m*. ② ((수영)) brazada *f*, [스타일] estilo *m*. ③ 【조정(漕艇)】 remada *f*, palada *f*. ④ [피스톤의 동작] tiempo *m*; [피스톤의 오르내리는 거리] carrera *f*. ⑤ [시계 · 종 등의 치는 소리. 울림] campanada *f*. ⑥ [붓의 놀림, 필법] [가는 붓의] pincelada *f*, [두꺼운 붓의] brochazo *m*; [펜 · 연필의] trazo *m*. ⑦ [(뇌졸중 등의) 발작] ataque *m* de apoplejía, derrame *m* cerebral. ~를 일으키다 tener [sufrir] un ataque de apoplejía [un derrame cerebral].

스트론튬(영 *strontium*) estroncio *m*.

스트리커(영 *streaker*) [벌거벗고 대중 앞을 달리는 사람] streaker *ing.mf*, persona *f* que corre desnuda en un lugar público.

스트리킹(영 *streaking*) [벌거벗고 질주하는 짓] corrida *f* desnuda en un lugar público, streaking *ing.m*. ~하다 correr desnudo en un lugar público, hacer streaking.

스트리퍼(영 *stripper*) striptisero, -ra *mf*, *Méj* encueratriz *f*.

스트립(영 *strip*) ① [벌거벗음] desnudez *f*. ② ((준말)) =스트립쇼.

■ ~쇼 strip-tease *m*. ¶~를 하다 hacer un strip-tease. ~ 클럽 club *m* de strip-tease.

스티커(영 *sticker*) ① [선전 광고 또는 어떤 표지로 붙이는, 풀칠되어 있는 작은 종이표] etiqueta *f* (engomada), (rótulo *m*) engomado *m*; [슬로건이 있는] pegatina *f*, adhesivo *m*. 자동차에 ~를 붙이다 pegar una etiqueta (engomada) en el coche. ② =빨간 딱지❹.

스틱(영 *stick*) ① [지팡이] bastón *m* (*pl* bastones); [나무 막대] palo *m*, vara *f*, [작은 가지] ramita *f*, [땔감용] astilla *f*. ~을 짚고 걷다 andar con bastón. ~을 짚고 산책하다 pasearse [dar un paseo] con un bastón en la mano. ② 【인쇄】 palo *m*. ③ ((하키)) palo *m*. ④ [드럼의] palillo *m*, *Méj* baqueta *f*. ⑤ 【항공】 palanca *f* de mando. ⑥ 【전자 · 컴퓨터】 mando *m*, joystick *ing.m*, palanca *f* de comandos manuales.

스팀(영 *steam*) vapor *m*; [난방] calefacción *f* de vapor. ~이 통하고 있다 estar calentado con vapor.

스파게티(이 *spaghetti*) espaguetis *mpl*, spaghetti *mpl*, fideos *mpl* largos, macarrones *mpl* delgados.

스파르타(영 *Sparta*) Esparta *f*. ~의 espartano. ~식으로 espartanamente, severamente, con severidad. 자식을 ~식으로 교육시키다 educar a *su* hijo espartanamente [severamente].

■ ~ 교육 educación *f* [enseñanza *f*] espartana. ~ 사람 espartano, -na *mf*.

스파링(영 *sparring*) ((권투)) sparring *ing.m*.

■ ~ 파트너 ((권투)) sparring *ing.m*, sparrring-partner *ing.m*.

스파이(영 *spy*) [사람] espía *mf*, [행위] espionaje *m*. ~ 노릇을 하다 espiar. 산업(産業) ~ 노릇을 하다 realizar un espionaje industrial.

◆ 역(逆)~ contraespionaje *m*.

■ ~망 red *f* de espionaje. ~ 소설 novela *f* de espionaje. ~전 guerra *f* [lucha *f*] de espionaje. ~ 행위 espionaje *m*.

스파이커(영 *spiker*) ((배구)) spiker *ing.m*.

스파이크(영 *spike*) ① [구두 밑창에 박는 뾰족한 징이나 못] clavo *m*, *Chi*, *Ven* púa *f*, *Col* carramplón *m* (*pl* carramplones). ② ((배구)) remate *m*, remache *m*. ~하다 rematar, remachar; [미국 풋볼에서] lanzar contra el suelo. ③ ((준말)) =스파이크 슈즈.

■ ~ 슈즈 ㉮ ((축구)) botas *fpl*. ㉯ ((육상)) zapatillas *fpl* de clavos [de puntas · *Chi*, *Ven* de púas · *Col* con carramplones], zapatillas *fpl* de atletismo, zapatos *mpl* con clavos, zapatos *mpl* con pernos, *Méj* picos *mpl*.

스파크(영 *spark*) [불의] chispa *f*, [전기의] chispa *f*, [자동차의] encendido *m*, chispa *f*. ~를 일으키다 [불이] chispear, chisporrotear, dar chispas, echar chispas; [전기의] echar chispas, despedir chispas.

스패너(영 *spanner*) [조절용] llave *f* inglesa; [상자형] llave *f* de tubo; [플러그 스패너] llave *f* de bujías.

스퍼트(영 *spurt*) aceleración *f*. ~하다 acelerar.

스펀지(영 *sponge*) esponja *f*. ~로 닦다 pasar una esponja [una toalla húmeda]. ~로 깨끗이 하다 limpiar [quitar] *algo* con esponja. ~로 얼굴을 닦아라 Pásate una esponja [una toalla húmeda] por la cara.

■ ~ 고무 espuma *f* de goma, gomaespuma *f*. ~ 백 neceser *m*, bolsa *f* del aseo. ~볼 pelota *f* blanda. ~케이크 bizcocho *m*.

스페어(영 *spare*) piezas *f* de recambio, recambios *mpl*. ~의 de repuesto.

■ ~ 운전사 chofer *mf* auxiliar. ~타이어 neumático *m* [rueda *f*] de repuesto [de recambio], llanta *f* de repuesto, *Méj* llanta *f* de refacción, *RPI* auxiliar *m*.

스페이드(영 *spade*) [트럼프의] pica *f*, espada *f*. ~의 여왕 reina *f* de espadilla.

스페이스(영 *space*) [공간·우주] espacio *m*.

스페인 【지명】 España. ☞서반아(西班牙). 에스빠냐.

■ ~ 사람 español, -la *mf*. ~어 español *m*. ¶~ 사용자 castellanohablante *mf*, hispanohablante *mf*, hispanoparlante *mf*.

스펙터클(영 *spectacle*) espectáculo *m*.

■ ~ 영화(映畵) película *f* [filme *m*] de espectáculo.

스펙트럼(영 *spectrum*) 【물리】 espectro *m*. ~의 espectral.

◆자외선(紫外線) ~ espectro *m* ultravioleta. 전자(電磁) ~ espectro *m* electromagnético.

■ ~ 분석 análisis *m* espectral. ~ 사진(寫眞) espectrograma *m*.

스펠링(영 *spelling*) ortografía *f*, [구두(口頭)의] .deletreo *m*. ~을 쓰다 escribir; [구두로] deletrear. 모로코의 ~은 어떻게 씁니까? ¿Cómo se escribe Marruecos? 짐바브웨의 ~을 말해 보아라 Deletrea la palabra Zimbabwe.

스포츠(영 *sports*) deporte *m*. ~하다 hacer deporte, practicar los deportes. ~의 deportivo.

■ ~계 mundo *m* deportivo. ~ 뉴스 noticiario *m* deportivo. ~ 담당 기자 cronista *m* deportivo, cronista *f* deportiva. ~ 마케팅 mercadotecnia *f* deportiva, mercadotecnia *f* de deporte. ~맨 deportista *m*. ~맨십 espíritu *m* deportivo, deportivismo *m*, deportividad *f*, juego *m* limpio. ~ 방송 emisión *f* deportiva, emisión *f* de deportes]. ~ 방송 아나운서 comentarista *m* deportivo, comentarista *f* deportiva; *Col*, *Ven* narrador *m* deportivo, narradora *f* deportiva. ~사(史) historia *f* del deporte. ~ 센터 centro *m* deportivo, centro *m* de deportes. ~ 시설 instalaciones *fpl* deportivas. ~ 신문 periódico *m* deportivo; [일간지] diario *m* deportivo. ~ 용어 términos *mpl* deportivos. ~ 용품 artículos *mpl* de deportes. ~ 용품점 tienda *f* de deportes. ~ 우먼 deportista *f*. ~ 웨어 ropa *f* [traje *m*] de deporte, prenda *f* [vestimenta *f*] deportiva; [캐주얼] ropa *f* (de) sport. ~ 의학 medicina *f* deportiva [de deportes]. ~ 잡지 revista *f* deportiva. ~ 재킷 chaqueta *f* [*AmL* saco *m*] sport *m*, americana *f*. ~ 정신 deportivismo *m*, espíritu *m* deportivo. ~카 coche *m* deportivo, *AmL* carro *m* deportivo (*CoS* 제외), *CoS* auto *m* sport [deportivo]. ~ 콤플렉스 polideportivo *m*. ~ 협회 asociación *f* deportiva.

스포크스맨(영 *spokesman*) [대변인] portavoz *m* (*pl* portavoces), *AmL* vocero *m*.

스포크스우먼(영 *spokeswoman*) [여자 대변인] portavoz *f* (*pl* portavoces), vocera *f*.

스포트라이트(영 *spotlight*) [극장의] foco *m*; [빌딩의] reflector *m*; [가정의] spot *m*, luz *f* (*pl* luces) direccional. …에 ~를 맞추다 poner de relieve *algo*.

스폰서(영 *sponsor*) ① [프로그램·쇼의] patrocinador, -dora *mf*, [스포츠 이벤트의] patrocinador, -dora *mf*, espónsor *mf*, spónsor *mf*.; [예술 분야의] mecenas *mf*. ~가 되다 [프로그램·스포츠 이벤트·페스티벌의] patrocinar, auspiciar; [학술 연구·탐험 등의] subvencionar, financiar. 이 프로그램의 ~는 A 회사였다 Este programa ha sido presentado por [se lo ha ofrecido] la compañía A / El patricinador de este programa fue la compañía A. ② [보증인·후원자] patrón *m* (*pl* patrones); patrono, -na *mf*.

스폿(영 *spot*) ① [(작고 둥근) 점] lunar *m*, mota *f*, *Col*, *Ven* pepa *f*. ② [동물의 피부에 나는 점] mancha *f*. ③ [얼룩] mancha *f*. 잉크의 ~ manchas *fpl* de tinta. ④ [여드름] grano *m*, *AmL* espinilla *f*. ⑤ [곳] lugar *m*, sitio *m*. ⑥ [성격·개인의] punto *m*. ⑦ [방울] gota *f*. ⑧ [라디오·텔레비전의] [타임] espacio *m*. 상업 ~ spot *m* publicitario, cuña *f* publicitaria, anuncio *m*; [역할] papel *m*. 그는 프로그램에서 손님의 ~으로 나왔다 El apareció como invitado en el programa. ⑨ [직업] puesto *m*. ⑩ ((당구)) punto *m*.

■ ~ 광고 anuncio *m* muy corto. ~ 뉴스 noticias *fpl* cortas y breves. ~라이트 [집중 광선] proyector *m* de luz concentrada; [극장에서] foco *m*; [건물에서] reflector *m*; [집에서] spot *m*, luz *f* direccional. ~라이트 스캐닝 [텔레비전의] exploración *f* de traza luminosa. ~ 랜딩 aterrizaje *m* de precisión. ~ 비즈니스 venta *f* inmediata. ~ 빔 안테나 antena *f* direccional. ~ 사이즈 tamaño *m* del punto luminoso. ~ 스피드 velocidad *f* de punto luminoso, velocidad *f* de exploración. ~ 아나운스 noticias *fpl* cortas. ~ 용접 soldadura *f* por puntos.

스푸트니크(러 *Sputnik*) Sputnik *m*, nombre *m* de satélite artificial.

스푼(영 *spoon*) [수저] cuchara *f*, [찻수저] cucharilla *f*, [작은 수저] cucharita *f*, [큰 수저] cucharón *m* (*pl* cucharones). 나무 ~ cuchara *f* de madera. 수프용 ~ cuchara *f* sopera.

스프레이(영 *spray*) rociador *m*, vaporizador *m*, pulverizador *m*.

■ ~ 건 pistola *f* pulverizadora.

스프린터(영 *sprinter*) sprinter *ing.m*, velocista *m*.

스프린트(영 *sprint*) esprint *m*, sprint *ing.m*.

스프링(영 *spring*) ① [계절의 봄] primavera

f. ② [도약] salto *m*, brinco *m*. ③ [용수철] muelle *m*, resorte *m*. ~의 por resorte. ~이 든 이불 colchón *m* (*pl* colchones) de muelles. 이 침대는 ~이 너무 탄력이 있다 El somier de esta cama es demasiado elástico. ④ ((준말)) =스프링코트.

■ ~보드 trampolín *m*. ~보드 다이빙 salto *m* de trampolín. ~코트 gabán *m* de entretiempo.

스프링클러(영 *sprinkler*) ① [호스 달린] aspersor *m*, válvula *f*, [설탕·소금·밀가루용] espolvoreador *m*; [샤워·물통용] roseta *f*, alcachofa *f*, *Col*, *Méj*, *Ven* regadera *f*, *RPI* flor *f*, [관개용] regadera *f*, sistema *m* de regadío. ② [소방용] rociador *m*.

■ ~ 장치 sistema *m* de rociadores, sistema *m* de aspersión automática.

스피드(영 *speed*) velocidad *f*, rapidez *f*. ~를 올리다, ~를 내다 [자동차 따위가] ganar [tomar·aumentar] la velocidad. ~를 떨어뜨리다 reducir [aminorar·disminuir] la velocidad. ~를 억제하다 moderar la velocidad. 그는 ~를 냈다 [차로] El ha aumentado la velocidad. 그렇게 ~를 내지 마십시오 Na vaya a tanta velocidad.

■ ~광 maníaco, -ca *mf* de la velocidad. ~ 범프 [(주택 지구·학교 주변의) 감속용 아스팔트 둔덕] badén *m* (*pl* badenes), guardia *m* tumbado, *Méj* tope *m*, *Col* policía *m* acostado, *Chi* baden *m*, *RPI* lomo *m* de burro. ~ 보트 (lancha *f*) motora *f*. ~ 스케이터 patinador, -dora *mf* de velocidad. ~ 스케이팅 patinaje *m* de velocidad. ~ 시대 era *f* [época *f*] de la velocidad. ~ 위반 exceso *m* de velocidad. ~ 제한 límite *m* de velocidad. ~ 트랩 [과속 차량 감시 구간·적발 장치] control *m* de velocidad (por radar).

스피디하다 (ser) rápido.

스피츠(영 *spitz*) 【동물】 perro *m* de Pomerania, (perro *m*) lulú *m*.

스피치(영 *speech*) el habla *f*, [연설] discurso *m*, alocución *f*. ~를 하다 pronunciar un discurso.

스피커(영 *speaker*) ① [연사(演士)] orador, -dora *mf*. ② [의장(議長)] presidente, -ta *mf*. ③ ((준말)) =라우드스피커. ④ [하이파이의] baf(f)le *m*, *AmS* parlante *m*.

스핑크스(영 *sphinx*) ① 【그리스 신화】 esfinge *f*. 대(大)~상(像) la Esfinge. ② [수수께끼의 인물] persona *f* enigmática.

슬(瑟) 【악기】 *seul*, instrumento *m* con veinticinco cuerdas.

슬개건 반사(膝蓋腱反射) 【의학】 =무릎 반사.

슬개골(膝蓋骨) 【해부】 rótula *f*. ~의 patelar. ~상(狀)의 pateliforme. ~ 앞의 prepatelar.

■ ~ 고정술 patelapexia *f*. ~ 절개술(切開術) patelectomía *f*.

슬개 반사(膝蓋反射) reflejo *m* rotuliano.

슬개 인대(膝蓋靭帶) ligamento *m* patelar.

슬겁다 (ser) tolerante, con mentalidad abierta, de criterio amplio, afectuoso, cariñoso, abierto, receptivo.

슬골(膝骨) 【해부】 =슬개골(膝蓋骨).

슬관절(膝關節) 【해부】 articulación *f* de la rodilla.

■ ~근(筋) músculo *m* articular de la rodilla. ~염(炎) gonartritis *f*. ~증 gonartrocace *f*.

슬그머니 de oculto, furtivamente, a hurtadillas, sigilosamente, ocultamente, secretamente, en secreto. ~가 버리다 irse furtivamente. ~ 들어오다 [들어가다] entrar a hurtadillas. 그는 ~ 방으로 들어왔다 El entró en la habitación a hurtadillas / El entró sigilosamente en la habitación.

슬금슬금 a hurtillas, furtivamente, a escondidas, secretamente, en secreto. ~ 들어가다 [들어오다] entrar a hurtadillas [con disimulo]. ~ 나가다 [나오다] salir a hurtadillas [con disimulo].

슬금하다 (ser) prudente y tolerante.

슬기 sabiduría *f*, cordura *f*, prudencia *f*, juicio *m*, inteligencia *f*, buen sentido *m*. ~가 있다 (ser) inteligente, sabio, tener buen sentido.

슬기로이 inteligentemente, sabiamente.

슬기롭다 (ser) inteligente, sabio, prudente. 슬기로운 소년 muchacho *m* inteligente. 슬기로운 아이 niño, -ña *mf* inteligente.

슬다[1] ① [푸성귀 따위가 진딧물 따위에 못 견디어 누렇게 죽어 가다] marchitarse, ponerse mustio. ② [몸에 돋았던 부스럼이나 소름의 자국이 없어지다] desaparecer, dejar de aparecer, dejar de verse.

슬다[2] ① [벌레나 물고기 등이 알을 깔겨 놓다] poner, depositar. 나비가 잎에 알을 슨다 La mariposa pone [deposita] huevos en la hoja. ② [쇠붙이에 녹이 생기다] oxidarse, herrumbrarse. 녹을 슬게 하다 oxidar, herrumbrar. 녹이 슨 oxidado, herrumbrado. 녹이 슨 칼 cuchillo *m* oxidado.

슬다[3] [풀이 센 빨래를 손질하여 풀기를 죽이다] ablandarse.

슬라브어(Slav 語) eslavo *m*.

슬라브인(Slav 人) eslavo, -va *mf*.

슬라브족(Slav 族) eslavos *mpl*. ~의 eslavo.

슬라브주의(Slav 主義) eslavismo *m*.

슬라브화(Slav 化) eslavización *f*. ~하다 eslavizar.

슬라이더(영 *slider*) guía *f*, cursor *m*, corredera *f*.

슬라이드(영 *slide*) ① 【사진】 diapositiva *f*, transparencia *f*. 컬러 ~ diapositiva *f* en color. ② [현미경의] portaobjeto *m*, platina *f*. ③ [미끄러짐] deslizamiento *m*, desliz *m*.

■ ~ 영사기 proyector *m* de diapositivas, proyector *m* de transparencia.

슬라이딩(영 *sliding*) ① [형용사] [미끄러져 움직이는] [지붕이] corredizo; [문이] corredera, de corredera; [이동하는] móvil. ② [명사] desplazamiento *m*, deslizamiento *m*, resbalamiento *m*.

슬래브(영 *slab*) ① [재목(材木)의 널빤지] tabla *f*. ② [석판(石板)] losa *f*, [콘크리트의] bloque *m*. 대리석(大理石) ~ placa *f* de mármol. ③ [(과자·빵 등의) 넓적하고 두꺼운 조각] pedazo *m*, trozo *m* (grueso). 초콜릿 ~ tableta *f* de chocolate. ④ [(병원 등의 돌로 만든) 시체 안치대] mesa *f* de autopsias.

슬랙스(영 *slacks*) [느슨한 바지] pantalones *mpl* (de sport), pantalones *mpl* flojos [sueltos].

슬랭(영 *slang*) vulgarismo *m*, jerga *f*, argot *m*; [무법자의] germanía *f*. ~의 argótico.
■ ~ 사전 diccionario *m* del argot.

슬러거(영 *slugger*) ① ((권투)) buen pegador *m*. ② ((야구)) bateador *m* que golpea muy fuerte la bola.

슬럼(영 *slum*) [빈민굴. 빈민가] barrio *m* bajo [pobre], gueto *m*, ghetto *ing.m*, chabolas *fpl*, *AmL* barriada *f* (*CoS* 제외), *CoS* barrio *m* de conventillos.
■ ~가(街) =슬럼.

슬럼프(영 *slump*) ① [불황. 불경기] depresión *f*. ~에 빠지다 estar pasando por una aguda crisis económica, caer en hundimiento, caer en baja forma, tener un desfallecimiento. ~를 벗어나다 reponerse de *su* baja forma, encontrarse en forma. 나는 지금 ~에 빠져 있다 Estoy en baja forma [en un marasmo]. ② [(물가 등의) 폭락] caída *f* [baja *f*] repentina, hundimiento *m*, caída *f* en picada, caída *f* en picado, bajón *m*.

슬레이트(영 *slate*) pizarra *f*. ~ 지붕 tejado *m* de pizarras, tejado *m* empizarrado. ~로 지붕을 인 empizarrado, de pizarras. 지붕을 ~로 이다 cubrir el tejado de pizarras, empizarrar el tejado.

슬로(영 *slow*) [느린] lento adj.
■ ~모션 [고속도 촬영에 의한 움직임] cámara *f* lenta. ¶~으로 a [en] cámara lenta. ~ 영화 película *f* a cámara lenta. ~ 촬영 filmación *f* a cámara lenta.

슬로건(영 *slogan*) eslogan *m*, slogan *ing.m*; [정치적인] lema *m*, consigna *f*, frase *f* de reclamo. ~을 내걸다 publicar un lema, lanzar un eslogan.

슬로바키아 【지명】 Eslovaquia *f*. ~의 esclovaco.
■ ~어[말] eslovaco *m*. ~ 사람 eslovaco, -ca *mf*.

슬로베니아 【지명】 Eslovenia *f*. ~의 esloveno.
■ ~어[말] esloveno *m*. ~ 사람 esloveno, -na *mf*.

슬롯머신(영 *slot machine*) ① [자동 판매기] máquina *f* expendedora, distribuidor *m* automático. ② [현금이 나오는 자동 도박기] (máquina *f*) tragamonedas *m.sing.pl*, (máquina *f*) tragaperras *m.sing.pl*. ~을 하다 jugar a las máquinas (tragamonedas · tragaperras).

슬리퍼(영 *slipper*) zapatilla *f*, *AmL* pantufla *f*, chinelas *fpl*, *Col* chancla *f*; [댄스용] zapatilla *f* (de ballet); [부인용] chapines *mpl*. ~를 신다 ponerse las zapatillas [*AmL* las pantuflas] ~를 신고 en zapatillas, en pantuflas.

슬리핑(영 *sleeping*) [수면] sueño *m*.

슬리핑 백(영 *sleeping bag*) [침낭] bolsa *f* de dormir, saco *m* de dormir.

슬립(영 *slip*) ① [(자동차 따위가) 미끄러지는 일] resbalón *m*, patinazo *m*. ~하다 resbalar(se), patinar. ② 【의복】 combinación *f*; [슈미즈] camisa *f* de señora.

슬며시 [드러나지 않게] a hurtadillas, furtivamente, a escondidas, sigilosamente, con sigilo, con secreto, secretamente; [가만히] con cuidado, cuidadosamente, suavemente, con suavidad, dulcemente, ligeramente, tranquilamente, silenciosamente, sin hacer ruido, tiernamente, con ternura. ~ 자리를 뜨다 dejar *su* asiento a hurtadillas [silenciosamente]. ~ 집에서 나가다 salir de casa a hurtadillas. 그들은 ~ 방으로 들어왔다 Ellos entraron en la habitación a hurtadillas / Ellos entraron sigilosamente en la habitación.

슬몃슬몃 continua y furtivamente.

슬미지근하다 (ser) algo tibio.

슬슬 lentamente, ligeramente, suavemente, tranquilamente; [조금씩] poco a poco; [곧] pronto. ~ 12가 되어 갑니다. 출발할까요? Pronto van a dar las doce. ¿Salimos? ~ 점심 시간이 되어 간다 Ya va siendo hora de almorzar. ~ 시작할까요? ¿Vamos empezando? ~ 갑시다 Vamos yendo. ~ 나가자 Vamos ya / Vamos saliendo. ~ 출발할 시간이다 Ya va siendo hora de marcharnos. 너 공부하고 있니? — 그래, ~ 시작하고 있어 ¿Estás estudiando? — Pues, sí, estoy [voy] comenzando poco a poco.

슬쩍 [몰래] secretamente, en secreto, furtivamente, a escondidas, a hurtadillas; [가볍게] ligeramente; [능숙하게] diestramente, sagazmente, mañosamente. ~ 훔치다 escamotear [hurtar] (*algo a uno*). 손에서 ~ 미끄러져 떨어지다 escurrirse de [entre] las manos.

슬쩍하다 robar en secreto.

슬퍼하다 sentir (triste), entristecerse (con · de · por), afligirse (de · por), lamentarse (de · por), apesadumbrarse, apensionarse, ponerse triste, ponerse melancólico. 슬퍼하게 하다 causar pena, dar pena, entristecer, afligir. 그는 어머니의 사망을 몹시 슬퍼했다 El sintió un profundo dolor por la muerte de su madre / La muerte de su madre le ha causado mucha pena. 아무리 우리가 슬퍼한들 그는 돌아오지 않을 것이다 Por más que nos aflijamos, él no va a volver.

슬프다 (ser · estar) triste; [사람이] apenado, afligido, melancólico; [물건이] desconsolador, afligente, lamentable. 슬픈 사건(事件) accidente *m* desconsolador. 슬픈 소식(消息) noticia *f* triste [desconsoladora · lamentable]. 슬픈 운명(運命) suerte *f* lamentable [triste]. 슬픈 이야기 historia *f* triste [dolorosa]. 슬픈 얼굴로 con una cara triste. 슬픈 생각을 하다 sentir tristeza, sufrir [tener] una experiencia triste. 슬픈 생각을 하게 하다 afligir [entristecer · apenar] (a *uno*). …하는 것은 슬픈 일이다 Es una lástima que + *subj*. / Es una pena que + *subj*. 어머님을 생각하면 나는 ~ Cuando yo pienso en mi madre me pongo triste. 어머님이 돌아가셔서 나는 무척 ~ Siento mucho la muerte de mi madre / Estoy afligido por la muerte de mi madre. 두 번 다시 그녀를 만날 수 없다는 것을 알고 나는 ~ He sabido con pena que yo no podré volver a verla a ella / Estoy afligido de saber que yo no puedo verla más. 그녀가 타락한 것을 보니 ~ Me da pena [lástima] verla tan degenerado. 아, 정말 ~! ¡Ay, qué pena! / ¡Ay, qué lástima!

슬픔 tristeza *f*, aflicción *f*, pena *f*, lástima *f*, pesar *m*, dolor *m*, pesadumbre *f*, melancolía *f*. ~에 겨운 나머지 dado *su* dolor excesivo. ~에 빠져 있다 estar sumido [hundido] en la tristeza. 깊은 ~에 잠기다 sumirse en una profunda tristeza. 그의 마음은 ~으로 가득 차 있다 El corazón se le llena de tristeza / Su corazón está cargado de dolor. ~을 표현할 적당한 말이 없습니다 No encuentro [hallo] una palabra apropiada con que pueda expresar el dolor. 헛되이 ~에 빠져 있을 수만 없다 No podemos entregarnos en vano a la tristeza. 어머니에게 ~을 안길 일은 하지 마라 No hagas cosas que causen pena [que entristezcan] a tu madre.

슬피 tristemente, con tristeza, con pena. ~ 울다 llorar tristemente [con tristeza].

슬하(膝下) cuidado *m* de *sus* padres. ~에 a *su* pie, bajo el cuidado de. 부모(父母)의 ~ casa *f* paternal, hogar *m* paternal. 부모의 ~를 떠나다 ㉮ irse de casa, dejar a *sus* padres. ㉯ [사회로 나가다] salir al mundo, dar los primeros pasos. 부모의 ~로 돌아가다 regresar a la casa paterna [de *sus* padres].

슴벅거리다 abrir y cerrar los ojos. 슴벅슴벅 abriendo y cerrando los ojos.

슴벅이다 abrir y cerrar los ojos.

슴베 espiga *f* (del cuchillo · de la azada · de la hoz)..

습격(襲擊) ataque *m*, asalto *m*, acometida *f*. ~하다 atacar, asaltar, acometer, tomar por asalto. 칼로 적을 ~하다 acometer al enemigo con la espada. 적(敵)의 ~을 받다 sufrir el ataque del enemigo.

습곡(褶曲) 【지질】 pliegue *m*.

▪ ~곡(谷) valle *m* de pliegues. ~ 산맥 sierra *f* de pliegues. ~ 운동 pliegue *m*.

습관(習慣) costumbre *f*; [풍속(風俗)] uso *m*, práctica *f*; [버릇] hábito *m*; [관습(慣習)] convención *f*, conveniencias *fpl* sociales; [타성(惰性)] inercia *f*, rutina *f*. 일찍 일어나는 ~ costumbre *f* madrugadora. ~에 반(反)한 contrario a las costumbres. 나쁜 ~을 고치다 corregir un vicio. …하는 ~이 있다 tener la costumbre de + *inf*, tener por costumbre + *inf*, soler + *inf*. …하는 ~이 생기다 adquirir la costumbre de + *inf*. 나쁜 ~이 생기다 contraer [pegarse] una mala costumbre. 세간의 ~에 따르다 obedecer [faltar] a las conveniencias sociales. 아이들에게 일찍 일어나는 ~을 들이다 acostumbrar a los niños a levantarse temprano. 그는 매일 아침 산책하는 ~이 있다 El tiene la costumbre de [tiene por costumbre] dar un paseo todas las mañanas. 아침에 커피를 마시는 것이 내 ~이 되었다 El tomar café por las mañanas se ha hecho una costumbre para mí. ~이 법을 지배한다 ((서반아 속담)) La costumbre hace ley (습관이 법을 만든다). 옛 ~이 제일이다 ((서반아 속담)) Antigua costumbre nadie la derrumbe (누구도 옛 습관을 무너뜨리지 못한다)..

▪ 습관은 제이의 천성(天性)이다 ((속담)) La costumbre es otra [una segunda] naturaleza.

▪ ~법 =관습법(慣習法). ~성 ㉮ [익혀 온 성질] hábito *m*. ~의 habitual, acostumbrado. ㉯ 【물리】 =관성(慣性). ~성 유산 aborto *m* habitual. ~성 중독 adicción *f*. ~적 acostumbrado, habitual, de convención, rutinario. ¶~으로 por costumbre, por hábito, por rutina. ~적 육식 carnismo *m*.

습기(濕氣) humedad *f*. ~(가) 차다 humedecerse. ~(가) 찬 húmedo, ligeramente mojado, cargado de humedad. 방에 ~가 차 있다 La habitación está húmeda. 이 방은 ~가 많다 En este cuarto hay mucha humedad.

▪ ~ 엄금 ((게시)) Consérvese [Guárdese · Manténgase · Presérvese] seco.

-습니까 ¿ser? 춥~? [몸이] ¿Tiene usted frío? / [날씨가] ¿Hace frío?

-습니다 ser. 날씨가 무척 춥~ Hace mucho frío.

습도(濕度) 【물리】 humedad *f*. ~를 재다 medir la humedad. ~가 높다 tener un clima muy húmedo, hacer mucha humedad (en).

▪ ~계 higrómetro *m*, psicrómetro *m*, higrómetro *m* de cabello, higrógrafo *m*. ~ 상태 estado *m* higrométrico. ~ 측정 higrometría *f*. ~ 측정법 higrometría *f*. ~학 higrología *f*.

습독(習讀) la acción de aprender a leer. ~하다 aprender a leer.

습독(濕 dock) =계선 독(繫船 dock).

습득(拾得) recogida *f*, hallazgo *m*. ~하다 recoger; [발견하다] hallar, encontrar.

▪ ~물 objeto *m* encontrado, objeto *m* hallado, hallazgo *m*, cosa *f* encontrada, cosa *f* hallada. ¶~을 발견하다 encontrar un objeto, hacer un hallazgo. ~자 hallador, -dora *mf*, el que encuentra.

습득(習得) adquisición *f*, aprendizaje *m*, adiestramiento *m*. ~하다 adquirir conocimiento (de), aprender del conocimiento. 지

식의 ~ adquisición *f* del conocimiento.
◆언어(言語) ~ adquisición *f* [aprendizaje *m*] de la lengua.

습래(襲來) envasión *f*, incursión *f*, ataque *m*, embestida *f*, arremetida *f*, asalto *m*. ~하다 invadir, atacar, hacer una incursión.

습랭(濕冷) 【한방】 reumatismo *m* en la parte inferior de *su* cuerpo.

습성(習性) hábito *m* (adquirido), costumbre *f*, segunda naturaleza f.

습성(濕性) humedad *f*. ~의 húmedo.
■~ 괴저 gangrena *f* húmeda. ~ 늑막염 pleuresía *f* húmeda. ~ 천식(喘息) asma *f* húmeda. ~ 해수(咳嗽) tos *f* húmeda. ~ 흉막염 pleuresía *f* húmeda.

습속(習俗) costumbre *f*, maneras *fpl* y costumbres.

습습하다 (ser) rápido y enérgico, brioso, a paso ligero, enérgico y eficiente.
습습히 con brío, rápida y enérgicamente.

습용(襲用) uso *m* hereditario. ~하다 adaptar, heredar.

습윤(濕潤) humedad *f*. ~하다 (ser) húmedo, mojado.

습의(襲衣) mortaja *f*, sudario *m*.

습자(習字) escritura *f*, caligrafía *f*. ~를 하다 aprender a escribir en letras caligráficas, aprender la caligrafía.
■~ 교본 modelo *m* de caligrafía. ~ 선생 profesor, -sora *mf* de caligrafía [de escritura]. ~지(紙) papel *m* de caligrafía. ~책 libro *m* de caligrafía [de escritura]. ~첩 cuaderno *m* de escritura.

습자배기(襲一) tazón *m* (*pl* tazones) que contiene el agua perfumada para limpiar el cadáver.

습작(習作) 【미술】 estudio *m*. 나체(裸體) ~ estudio *m* de desnudo.

습작(襲爵) =승습(承襲).

습전지(濕電池) 【물리】 pila *f* húmeda.

습종(濕腫) 【한방】 los abscesos y las úlceras.

습증(濕症) enfermedad *f* causada por la humedad.

습지(濕地) terreno *m* húmedo, tierra *f* húmeda; [늪지] tierra *f* pantanosa, marisma *f*, pantano *m*.

습지(濕紙) papel *m* húmedo.

습진(濕疹) 【의학】 eccema *f*, eczema *f*. ~투성이의 eccematoso. 발에 끈질기게 붙은 ~으로 고생하다 padecer eczemas pertinaces en el pie.

습창(濕瘡) 【한방】 =습종(濕腫).

습포(濕布) compresa *f* húmeda. 팔에 ~를 하다 [자신의] aplicarse una compresa húmeda sobre el brazo.

습하다(襲一) lavar el cadáver y cambiar de la ropa.

습하다(濕一) (ser) húmedo. 습한 땅 tierra *f* húmeda, terreno *m* húmedo; [늪지] tierra *f* pantanosa. 습한 초원(草原) dehesa *f* húmeda.

승[1](乘) ① ((준말)) =승법(乘法). ② ((구용어)) =곱하기.

승[2](乘) ((불교)) vehículo *m*.

승(勝) victoria *f*. 3~하다 obtener tres victorias. 우리 팀은 5~ 3패의 성적으로 끝났다 Nuestro equipo ha terminado con cinco victorias y tres derrotas.

승(僧) ① ((불교)) =중. ② ((불교)) =신중.

승[1](升) =되. ¶10 ~은 1 두다 Diez *seung* es un *du*.

승[2](升) [피륙의 날을 세는 단위] =새.

승가(僧伽) ((불교)) =중.

승가(僧家) ① [중의 집] casa *f* de los sacerdotes budistas. ② [중의 사회] comunidad *f* de los sacerdotes budistas.

승가람마(僧伽藍摩) ((불교)) templo *m* budista.

승강(昇降) ascenso *m* y descenso. ~하다 ascender y descender.
■~교(橋) =승개교(昇開橋). ~구(口) entrada *f*. ~기 ascensor *m*, elevador *m*; [화물용] montacargas *m.sing.pl*. ~장(場) plataforma *f*. ~키[타] timón *m* de profundidad, timón *m* de altura.

승강(乘降) entrada y salida.
■~구(口) [비행기 따위의] portezuela *f*; [갑판의] escotilla *f*.

승강이 riña *f* pequeña, altercado *m*, riña *f*, disputa *f*, pelea *f*. ~하다 tener una riña pequeña, discutir, reñir, pelear. 서로 ~를 벌이다 reñirse [pelearse] uno a otro.

승개교(昇開橋) puente *m* levadizo.

승객(乘客) pasajero, -ra *mf*; viajero, -ra *mf*.
■~ 명부(名簿) lista *f* de pasajeros [de viajeros]. ~수 número *m* de pasajeros. ~ 안내소 información *f* para los pasajeros.

승검초(一草) 【식물】 una especie de angélica.

승겁들다 ① [힘들이지 않고 저절로 이루다] lograr por sí mismo sin esfuerzo. ② [몸달아 하지 않고 천연스럽다] dejarse indiferente, quedarse impasible, estar calmado, estar tranquilo, no perder la calma.

승격(昇格) promoción *f*, ascenso *m*, elevación *f*. ~하다 obtener un ascenso, elevarse a un grado superior, promover a un grado [rango] superior. 한 교육 기관을 대학으로 ~시키다 elevar un centro didático al rango de universidad.
◆학교 ~ 운동 gestión *f* de la promoción [elevación] del rango de la escuela.

승경(勝景) paisaje *m* hermoso, vista *f* pintoresca.
■~지(地) lugar *m* [sitio *m*] pintoresco.

승계(承繼) sucesión *f*. ~하다 suceder, sustituir.
■~인(人) sucesor, -ra *mf*. ~ 취득(取得) adquisión *f* derivativa.

승교(乘轎) palanquín *m* (*pl* palanquines).

승군(僧軍) tropas *fpl* de los sacerdotes budistas.

승근(乘根) 【수학】 =거듭제곱근.

승급(昇級/陞級) promoción *f*, ascenso *m*. ~하다 ascender, ser promovido, promover, obtener una posición superior.

승급(昇給) aumento *m* de sueldo [de salario].

~하다 obtener un aumento de sueldo. ~시키다 aumentar el sueldo (de uno).
■ ~률 tipo *m* de aumento de sueldo.
승기(勝機) ocasión *f* de ganar. ~를 잡다 asir la ocasión de ganar. ~를 잃다 perder la ocasión de ganar.
승낙(承諾) [동의(同意)] consentimiento *m*, asenso *m*; [승인(承認)] aceptación *f*, aprobación *f*. ~하다 consentir, asentir (a), admitir, aceptar, aprobar, dar *su* consentimiento. ~을 주다 dar (a *uno*) el consentimiento. ~을 요청하다 pedir (a *uno*) el consentimiento. ~을 얻다 obtener el consentimiento (de *uno*). A 씨의 ~을 받고 [받지 않고] con el consentimiento [sin consentimiento] del Sr. A. 신청서를 ~하다 aceptar la solicitud. 그는 좀처럼 ~하지 않는다 El no da su consentimiento fácilmente.
■ ~서 consentimiento *m* escrito. ~ 연령 edad *f* a partir de la cual es válido el consentimiento que realiza un acto por su propia y libre voluntad.
승냥이【동물】chacal *m*.
승니(僧尼) ((불교)) el monje y la monja budistas.
승단(昇段) promoción *f*. ~하다 ser promovido [ascendido] (a).
승당(僧堂) monasterio *m* budista.
승도(僧徒) sacerdotes *mpl*, clero *m*.
승도복숭아(僧桃—)【식물】nectarina *f*.
승려(僧侶) monje *m* budista, sacerdote *m*. ~의 sacerdotal. ~가 되다 hacerse sacerdote, ser ordenado sacerdote. ☞중
■ ~ 계급 sacerdocio *m*. ~ 문학 literatura *f* sacerdotal. ~직 sacerdocio *m*.
승률(勝率) porcentaje *m* de victorias [de triunfos].
승리(勝利) victoria *f*, triunfo *m*. ~하다 ganar la victoria. 압도적인 ~ triunfo *m* decisivo [aplastante], victoria *f* decisiva [aplastante]. ~를 얻다 conseguir [obtener] una victoria, triunfar, vencer. 최후(最後)의 ~를 얻다 conseguir una victoria decisiva. ~는 우리의 것이다 Hemos ganado la batalla / La victoria es nuestra. 나는 반드시 ~할 것이다 Venceré sin falta / Nunca perderé. 그의 노력이 ~에 주효했다 Sus esfuerzas acabaron por triunfar / Sus esfuerzas fueron coronados con el triunfo.
■ ~의 사인 signo *m* de la victoria. ¶~을 하다 hacer el signo [la V] de la victoria. ~자 vencedor, -dora *mf*; ganador, -dora *mf*; triunfador, -dora *mf*. ~ 투수 lanzador, -dora *mf* de la victoria.
승림(僧林) ((불교)) gran templo *m*, monasterio *m*, convento *m*.
승마(乘馬) ① [말을 탐] paseo *m* a caballo, cabalgadura *f*, cabalgazón *m*, equitación *f*. ~를 배우다 aprender la equitación. ② =승용마(乘用馬).
■ ~대(隊) cuerpo *m* montado, cuerpo *m* de a caballo. ~ 바지 pantalones *mpl* de montar. ~복(服) traje *m* de montar [de cabalgar], *AmL* fundón *m*, [여자의] amazona *f*. ~상(像) estatua *f* hípica, estatua *f* ecuestre. ~술 equitación *f*, arte *m* de montar caballo. ~ 연습 ejército *m* de montar. ~ 장교 oficial *m* montado, oficial *m* de a caballo. ~ 클럽 club *m* de montar. ~ 학교 escuela *f* de equitación. ~화(靴) botas *fpl* de montar.
승멱(乘冪)【수학】=거듭제곱.
승명(僧名) =법명(法名)❶.
승모(僧帽) gorra *f* del sacerdote.
승모근(僧帽筋)【해부】trapecio *m*.
■ ~ 협착증【의학】estenosis *f* mitral.
승무(僧舞) baile *m* [danza *f*] budista (tradicional de Corea).
승무원(乘務員) [배 · 비행기의] tripulante *mf*; [집합적] tripulación *f*, personal *m* (de un vehículo).
■ ~ 명부(名簿) rol *m*.
승문(僧門) ((불교)) =불가(佛家).
승방(僧房) ((불교)) ((준말)) =여승방.
승법(乘法)【수학】((구용어)) =곱셈. 곱하기.
■ ~ 기호 ((구용어)) =곱셈 기호.
승벽(勝癖) ((준말)) =호승지벽(好勝之癖).
승병(僧兵) =승군(僧軍).
승보(僧寶) ((불교)) Joya *f* [Tesoro *m*] de Sangha.
■ ~ 사찰 Templo *m* [Monasterio *m*] de la Joya [del Tesoro] de Sangha.
승복(承服) sumisión *f*. ~하다 [복종하다] someterse (a), obedecer (a); [승인하다] aceptar, admitir. ~시키다 convencer (a). 그것은 ~할 수 없다 Eso es inaceptable [inadmisible] / No puedo aceptarlo / No puedo admitirlo.
승복(僧服) sotana *f*, hábito *m*, túnica *f* de sacerdote, traje *m* de bonzo.
승부(勝負) [승패] victoria o derrota; [경쟁] competición *f*, disputa *f*, lucha *f*, combate *m*; [시합] partido *m*, match *ing.m* (*pl* matchs); [경기] juego *m*; [일국(一局)] partida *f*, jugada *f*. 목숨을 건 ~ combate *m* a espada desnuda. 3회(回) ~ partida *f* de tres manos, juego *m* de tres jugadas. ~를 다투다 competir (con), disputarse, jugar, jugar un partido, tener un partido, jugar una partida, luchar una partida; [내기하다] apostar, jugar. ~에 이기다 ganar (la partida · en el juego). ~에 지다 perder (la partida · en el juego). ~를 짓다 jugar una partida decisiva, luchar hasta vencer [ser vencido]. 큰 ~를 하다 jugar una gran partida. 목숨을 건 ~를 하다 combatir con arma blanca. ~는 끝났다 ¡El juego ha terminado! / ¡Usted ha vencido!
■ ~운(運) buena suerte *f* en el juego. ¶ ~이 강하다 tener buena suerte en el juego.
승산(乘算)【수학】((구용어) =곱셈.
승산(勝算) esperanza *f* del triunfo [de ganar], probabilidad *f* de ganar, posibilidad *f* de triunfo, posibilidad *f* de la victoria, cálculo

m de la victoria, superioridad *f* en el favor. ~이 없는 sin posibilidad de la victoria. ~이 없는 싸움 batalla *f* desesperada. ~이 있다 tener esperanza de ganar. 내일의 시합은 ~이 있습니까? ¿Tiene usted mucha seguridad de ganar el partido de mañana? 전혀 ~이 없다 No hay ninguna posibilidad de triunfo. ~이 많다 Hay muchas probabilidades de ganar. 나는 그와는 ~이 없다 No tengo posibilidad alguna de vencerle a él.

승상(丞相) primer ministro *m*, premier *m*.

승서(陞敍) promoción *f*, fomento *m*. ~하다 promover, fomentar, avanzar, adelantar.

승선(乘船) embarco *m*, embarque *m*, embarcación *f*. ~하다 embarcar(se) (en un barco), subir (a un barco), subir a bordo. ~시키다 embarcar. ~해 있다 estar a bordo.

■ ~권 tarjeta *f* de embarque, billete *m* de barco, billete *m* [*AmL* boleto *m*] de embarque, *Chi*, *Méj* pase *m* de abordar. ~료 tarifa *f* de embarque, tarifa *f* de pasaje. ~운임 pasaje *m*. ~표 billete *m* [*AmL* boleto *m*] de embarque. ~항 puerto *m* de embarque.

승세(乘勢) acción *f* de aprovechar las circunstancias. ~하다 aprovechar las circunstancias.

승세(勝勢) =승산(勝算).

승소(勝訴) triunfo *m* en los tribunales. ~하다 ganar la causa, ganar el pleito. 사건(事件)은 원고(原告)의 ~로 끝났다 El pleito terminó con el triunfo del demandante.

승속(僧俗) los clérigos y los leicos [y los legos].

승수(乘數) 【수학】 multiplicador *m*.

승습(承襲) sucesión *f* de nombre. ~하다 suceder*le a uno* de nombre.

승승장구(乘勝長驅) ¶~하다 dar un paseo largo aprovechando la victoria, aprovechar la oportunidad.

승아 【식물】 =수영.

승압(昇壓) elevación *f* [aumento *m*] del voltaje. ~하다 elevar [aumentar] el voltaje.

■ ~기(器) elevador *m* de voltaje. ~ 변압기 transformador *m* elevador, transformador *m* regulador.

승야(乘夜) [밤을 타서] al abrigo [amparo] de la oscuridad [de la noche].

■ ~도주(逃走) escape *m* por la noche. ~월장(越牆) escalada *f* del muro al abrigo de la oscuridad [de la noche].

승용(乘用) uso *m*. ~하다 usar, dirigir.

■ ~마(馬) caballo *m* de silla. ~ 자동차 coche *m* (de uso) particular, automóvil *m* (de uso) particular [personal], (coche de) turismo. ~차 ((준말)) =승용 자동차.

승운(勝運) (buena) suerte *f*.

승원(僧院) ① [절] templo *m* (budista), monasterio *m*. ② [수도원] convento *m*, monasterio *m*.

승의(僧衣) traje *m* de bonzo.

승인(承認) [인가(認可)] aprobación *f*; [동의(同意)] consentimiento *m*; [인식(認識)] reconocimiento *m*. ~하다 aprobar, consentir, reconocer. 법률상의 ~ reconocimiento *m* legal. 사실상(事實上)의 ~ reconocimiento *m* de hecho. ~을 하다 dar el consentimiento. ~을 거부(拒否)하다 rehusar el consentimiento. 국회(國會)의 ~을 얻다 [구하다] obtener [pedir] la aprobación de las Cortes. 유엔에서 북한(北韓)을 ~하다 reconocer a Corea del Norte en las Naciones Unidas.

승인(勝因) causa *f* de la victoria.

승임(陞任) =승직(陞職).

승자(勝者) ganador, -dora *mf*, vencedor, -dora *mf*. ~가 되다 ganar (un partido), salir vencedor [triunfante] (de [en] un partido).

승적(僧籍) sacerdocio *m*. ~에 들다 ordenarse de sacerdote, hacerse bonzo, tomar el hábito. ~을 버리다 renunciar al hábito, colgar los hábitos.

승전(承前) continuación *f*.

승전(勝戰) victoria *f*, triunfo *m*.

■ ~고(鼓) tambor *m* victorioso. ~비(碑) monumento *m* victorioso, monumento *m* de la victoria.

승점(勝點) marca *f* de victoria.

승정(僧正) obispo *m*. 대(大)~ arzobispo *m*.

승제(乘除) 【수학】 la multiplicación y la división.

승중(僧衆) muchos monjes budistas.

승지(勝地) lugar *m* [sitio *m*] pintoresco, lugar *m* [sitio *m*] interesante [de interés].

승직(昇職/陞職) promoción *f*. ~하다 promover(se).

승직(僧職) sacerdocio *m*. ~을 받다 ordenarse de sacerdote.

승진(昇進/陞進) promoción *f*, ascenso *m*, ascensión *f*, avance *m*. ~하다 ascender (un rango), promoverse, ser promovido, subir, avanzar. ~시키다 promover, ascender. 그는 ~이 빠르다 El asciende rápido. 그는 ~이 늦다 El asciende despacio. 그녀는 부장(部長)으로 ~했다 Ella ha ascendido a jefa [directora] de un departamento. 그는 지점장으로 ~했다 El ha ascendido [ha subido] a director de sucursal.

승차(乘車) subida *f*. ~하다 [버스에] subir al autobús; [자동차에] subir a [en] un coche; [열차에] subir al tren. 부정(不正) ~하다 ir en tren pagando sólo una parte del trayecto. ~해 주십시오 [열차에] Suban al tren, por favor.

■ ~구 entrada *f* al andén. ~권 billete *m*, *AmL* boleto *m*. ¶무료 ~ pase *m* libre. ~운임 pasaje *m*. ~장 [정류장] parada *f* de autobuses. ¶택시 ~ parada *f* de taxis, *Méj* sitio *m*.

승차(陞差) ascenso *m* a la posición más alto. ~하다 ser ascendido a la posición más alto.

승창 taburete *m*, banco *m*.

승척(陞尺) cuerda *f* de la medida.
승천(昇天/陞天) ① [하늘에 오름] ascensión *f*. ～하다 ascender al cielo, subir al cielo [a los cielos]. ② ((기독교·천주교)) la Ascensión. ～하다 ascender al cielo, ir al paraíso. 예수의 ～ Ascensión *f*. 성모 마리아의 피～(의 축제일) Asunción *f* (de la Virgen Santísima).
■ ～일(日) día *m* de la Ascensión, fiesta *f* de la Ascensión. ～절(節) (Día *m* de) Ascensión *f*.
승천(陞遷) ＝승직(陞職).
승첩(勝捷) ＝승전(勝戰).
승치(勝致) buen paisaje *m*.
승통(承統) sucesión *f* al linaje. ～하다 suceder al linaje.
승패(勝敗) victoria y [o] derrota. ～를 판가름하는 순간(瞬間) [기회(機會)] momento *m* decisivo (de una batalla). ～를 다투다 disputar la victoria. ～는 시운(時運)이다 La victoria o la derrota depende de la suerte / El resultado de la lucha depende de la suerte.
승평세계(昇平世界) mundo *m* pacífico.
승평하다(昇平/承平－) El país es pacífico.
승표(乘標) ＝곱셈 기호.
승하(昇遐) fallecimiento *m* [muerte *f*] de un rey. ～하다 fallecer [morir] (el rey).
승하다(乘－) ＝곱하다.
승하다(勝－) ① ＝이기다. ② ＝낫다. 뛰어나다.
승함(乘艦) embarcación *f*, embarque *m*, embarreo *m*. ～하다 ir a bordo en un buque de guerra, embarcarse en un navío, subir a bordo de un navío.
승합(乘合) ＝합승(合乘).
■ ～ 자동차 [버스] autobús *m*, omnibús *m*, *Cuba* guagua *m*; [시내 버스] autobús *m*, *Guat* camioneta *f*. ～차(車) ((준말)) ＝승합 자동차.
승홍(昇汞) ＝염화제이수은(鹽化第二水銀).
■ ～수(水) solución *f* de solimán.
승화(昇華) 【화학·예술】 sublimación *f*. ～하다 sublimarse. ～시키다 sublimar.
■ ～물(物) sublimado *m*. ～열(熱) sublimación *f*.
시 [감탄사] ¡Bah!
시(市) ① [시장(市場)] mercado *m*, plaza *f*, feria *f*, *Méj* tianguis *m*. ～에 물건 사러 가다 ir al mercado para hacer compras. ② [도시] ciudad *f*, [행정체] ayuntameiento *m*, municipalidad *f*, municipio *m*. ～의 municipal, de la ciudad. ～의 중심부(中心部) centro *m* de la ciudad. ～ 당국(當局) autoridades *fpl* municipales, municipalidad *f*, ayuntamiento *m*. ～ 직원(職員) empleado, -da *mf* de la ciudad; [집합적] personal *m* municipal. 마드리드～ ayuntamiento *m* de Madrid 서울～ ciudad *f* de Seúl.
시(矢) ＝화살.
시(是) ① [옳음] correcto, bueno, bien. ～건 비(非)건 sea bueno o sea malo, velis nolis. ～일지 비(非)일지 si es bueno o no. ～를 ～라 비(非)를 비(非)라 하다 juzgar todo como merece. ② [도리(道理)에 맞음] lo razonable. ③ [이] este, esta, estos, estas; [이것] éste, ésta, éstos, éstas; [중성] esto. ④ [여기. 이곳] aquí, en este lugar [sitio].
시[1](時) hora *f*. 한 ～ la una. 열두 ～ las doce. 몇 ～에? ¿A qué hora? 몇 ～ 경에? ¿A qué hora más o menos? 아홉 ～에 a las nueve. 열여섯 ～ 에 a las 16:00 horas. 아홉 ～ 전에 antes de las nueve. 아홉 ～ 지나서 pasadas las nueve. 아홉 ～ 경에 hacia [a eso de] las nueve. 세 ～에서 네 ～까지 de las tres a las cuatro. 다섯 ～부터 여섯 ～ 사이에 entre las cinco y las seis. 열한 ～ 이십오 분발 열차 tren *m* de [que sale a] las once y veinticinco. 몇 ～입니까? ¿Qué hora es? / [당신의 시계로] ¿Qué hora tiene? 일곱 ～입니다 Son las siete / [내 시계로는] Mi reloj marca las siete. 일곱 ～ 이십 분[십오 분·십오 분 전·반]입니다 Son las siete y veinte [cuarto·menos cuarto·media]. 오전 열 ～ 반입니다 Son las diez y media de la mañana.
시[2](時) tiempo *m*.
시(詩) poesía *f* (총칭), poema *m* (한 편의), composición *f* poética; [시구(詩句)] verso *m*; [4행 단시(短詩)] coplas *fpl*; [연(聯)] estrofa *f*. ～의 poético. ～와 산문(散文) la poesía y la prosa. 가르시아 로르까의 ～ los poemas de García Lorca. ～를 짓다 componer una poesía [un poema·versos], hacer un poema, hacer versos, versificar. 풍경(風景)에 ～를 느끼다 tener un sentimiento poético ante el paisaje. 이 경치는 바로 한 편의 ～다 Estas vistas son un poema.
■ ～어 dicción *f* poética.
시(諡) ＝시호(諡號).
시(이 *si*) 【음악】 si *m*.
시- vivo, intenso, profundo. ～꺼멓다 (ser) negro azabache.
시-(媤) del esposo. ～누이 hermana *f* de *su* esposo, cuñada *f*.
시가(市街) calle *f*. ～를 산보하다 dar un paseo por la calle.
■ ～전(戰) lucha *f* [batalla *f*] urbana, combate *m* [batalla *f*] en las calles. ～ 전차 tranvía *m* urbano. ～지(地) barrio *m*, ciudad *f*, distrito *m* urbano. ¶신(新) ～ nuevo barrio *m*. ～ 철도 ferrocarril *m* urbano. ～행진 desfile *m* a lo largo de la calle.
시가(市價) precio *m* de mercado, valor *m* en plaza, valor *m* comercial, valor *m* de cotización. ～의 변동(變動) fluctuación *f* de mercado. ～의 30 퍼센트 할인으로 con una rebaja [un descuento] de treinta por ciento sobre el precio de mercado. ～로 사다 comprar (*algo*) al precio de mercado.
시가(時價) precio *m* corriente, precio *m* cotizado en el mercado, cotización *f* del

día. 가장 유리한 ~로 a los precios corrientes más favorables. ~로 사다 comprar (*algo*) al precio corriente [a la cotización del día]. ~ 만 원으로 견적(見積)하다 estimar (*algo*) en un precio corriente de diez mil wones. 폐사는 ~로 지불하겠습니다 Pagaremos al precio corriente en el mercado.

시가(媤家) [집] casa *f* de *su* esposo; [식구] familia *f* de *su* esposo.

시가(詩家) =시인(詩人).

시가(詩歌) ① =시(詩). ② [시와 노래] poesía *f* [poema *m*] y música [y canción]

시가(영 *cigar*) cigarro *m*.

시가레트(영 *cigarette*) cigarrillo *m*, pitillo *m*.
■ ~ 케이스 cigarrera *f*, pitillera *f*, estuche *m* de cigarillos. ~ 페이퍼 papel *m* de cigarillos [de fumar].

시각(時刻) tiempo *m*, hora *f*.
■ ~표 [열차 등의] horario *m*, itinerario *m*; [책자] guía *f* de trenes.

시각(視角) 【물리】 ángulo *m* visual [óptico · de vista · de la visión].
■ ~권(圈) 【천문】 =시권(時圈).

시각(視覺) vista *f*, visión *f*, sentido *m* de la vista. ~에 호소하는 광고(廣告) anuncio *m* que apela a la vista.
■ ~ 교육(教育) educación *f* visual. ~ 기관 órgano *m* de visión. ~ 신호 señal *f* óptica. ~ 언어 lengua *f* visual. ~ 예술 arte *m* cinético. ~ 예술가 artista *m* cinético, artista *f* cinética. ~적 visual. ¶ ~으로 visualmente. ~ 중추 centro *m* visual. ~ 표상(表象) idea *f* visual. ~ 혼합 mezcla *f* visual.

시간(屍姦) necrofilia *f*.

시간(時間) hora *f*, tiempo *m*. 몇 ~ 전에 hace algunas horas. ~당 80 킬로미터 ochenta kilómetros por hora. ~이 흐름에 따라 con el tiempo, con el correr [con el andar · al correr] del tiempo, mientras [a medida] que pase el tiempo. ~에 늦지 않고 a tiempo, sin retraso, sin demora. 미리 정한 ~에[전에 · 후에] a [antes de · después de] la hora prefijada. 언제나 정해진 그 ~에 a la hora de siempre. 하루 24 ~ las veinticuatro horas del día. 어제 이른 ~에 ayer de madrugada, en la madrugada de ayer. 낮[밤] 아무 ~이라도 a cualquier hora del día [de la *noche*]. 한 ~에 여러 차례 muchas veces por hora [a la hora]. ~에 늦다 retrasarse al tiempo, llegar tarde. ~에 대어 가다 estar a tiempo. ~이 걸리다 tardar. ~이 늦다 llegar tarde. ~이 이르다 llegar temprano. ~이 지나가다 pasar tiempo, correr tiempo. ~을 맞추다 ajustar [poner] el reloj en [a la] hora, regular la marcha del reloj. ~을 묻다 preguntar la hora. ~을 벌다 [이용하다] ganar el tiempo [horas]. ~을 보내다 pasar el tiempo. ~을 소비하다 matar el tiempo. ~을 보내기 위해서 para [por] el tiempo. ~을 알리다 anunciar la hora. ~을 엄수하다 guardar puntualmente la hora. ~을 유효하게 쓰다 utilizar el tiempo eficazmente, sacar la mayor partida del tiempo, aprovechar el tiempo. ~을 잡아먹다 tardar, tomar [costar] mucho tiempo. ~을 절약(節約)하다 ahorrar [economizar] el tiempo. ~을 지키다 ser puntual. ~을 틀리다 equivocarse de (la) hora. ~을 허비하다 perder el tiempo. ~당 지불된다 [받는다] cobrar por horas. ~을 엄수하려고 노력하다 tratar de ser puntual. ~을 할애하다 dedicar tiempo (para · a), emplear mucho tiempo. …할 ~을 주다 dar (a *uno*) tiempo de [para] + *inf* [para que + *subj*]. …하면서 ~을 보내다 matar el tiempo +「현재 분사」. …하면서 즐거운 ~을 보내다 pasar horas agradables +「현재 분사」. …의 ~을 정하다 fijar la hora de *algo*. 1일 여덟 ~ 근무하다 trabajar ocho horas diarias [al día]. 저녁 식사 ~을 앞당기다[늦추다] adelantar [retrasar] la hora de la cena. 출발을 한 ~ 늦추다 retrasar [retardar] una hora la salida. 하루 여덟 ~ 일하다 trabajar ocho horas diarias [al día]. 공부에 ~을 할애하다 dedicar mucho tiempo al [para el] estudio. …할 ~이 가까워진다 Se acerca la hora [el momento] de + *inf* [de que + *subj*] / Va siendo la hora de + *inf* [de que + *subj*]. …하기에 제일 좋은 ~이다 Es la mejor hora para + *inf*. ~이 지나간다 Pasa [Corre · Transcurre] el tiempo. ~이 정말 빨리 지나간다 El tiempo pasa volando / ¡Qué rápido pasa el tiempo! ~은 충분하다 Hay [tenemos] suficiente [bastante] tiempo. 벌써 ~이 다 됐다 Ya es hora / Se ha terminado el tiempo permitido. 이제 ~이 없다 Ya no hay tiempo. 나는 이제 ~이 없다 Ya no tengo tiempo. ~이 절박하다 El tiempo apremia. 그는 ~에 맞추어 왔다 El vino a la hora señalada. 벌써 네가 취침할 ~이다 Ya es hora [tiempo] de acostarte [(de) que te acuestes]. 이 일에는 ~이 많이 걸린다 Ese trabajo necesita largo tiempo / Ese trabajo lleva mucho tiempo / Es un tiempo que cuesta mucho tiempo. 나는 ~당 40 달러 번다 Yo gano cuarenta dólares por hora. 여기서 걸어서 한 ~이다 Está a una hora de aquí a pie. 여기서 자동차로 두 ~이다 Está a dos horas en coche. 시계가 ~을 알렸다 El reloj dio la hora. 왜 이런 (늦은) ~에 나한테 전화했니? ¿Por qué me llamas a estas horas (intempestivas)? 이제 끝냈니? - 아니, 아직 ~이 걸려야겠어 ¿Ya terminas? - No, todavía tengo [hay] para rato. 몇 ~ 일하십니까? ¿Qué horario tiene usted? 몇 ~ 열어 둡니까? / 영업 ~은 얼마나 됩니까? ¿Qué horario tienen? / Cuál es su horario de atención al público? 하루에 몇 ~ 공부하십니까? ¿Cuántas horas estudia usted al día? 이 일을 하는 데 ~이 얼마나 걸렸습니까? ¿Cuánto tiempo tardó usted en [le costó] hacer este trabajo? 나는 몇 ~ 걸리

지 않아 목적지에 도착했다 Yo no tardé muchas horas en llegar al destino. 저에게 ~을 좀 내주셨으면 합니다(만) Quisiera pedir hora para mí. 아무리 ~이 걸리더라도 그 일을 끝마쳐라 Termínalo, por más tiempo que tardes / Como no importa el tiempo que emplees, termínalo. 열차가 떠날 때까지는 아직 ~이 충분하다 Todavía hay suficiente tiempo antes de que salga el tren. 이 일을 하기에는 나는 ~이 충분하지 못하다 No falta [Carezco de · No tengo suficiente · No me sobra] tiempo para hacer este trabajo. 그는 나를 위해서 ~을 할애해 주었다 El se molestó en dedicarme parte de su tiempo. 그건 ~을 버는 일이다 Eso es para ganar tiempo. ~은 돈이다 El tiempo es oro. ~은 모든 것을 치료한다 ((서반아 속담)) Todo lo cura el tiempo. ~은 모든 것을 삼켜 버린다 ((서반아 속담)) No hay tal vencedor como el tiempo. ~은 지체 없이 흐른다 ((서반아 속담)) El tiempo corre que se las pela / El tiempo vuela. ~은 바람처럼 날아간다 ((서반아 속담)) Vuela el tiempo como el viento. ~은 위대한 약이다 ((서반아 속담)) El tiempo todo lo cura y todo lo muda / El tiempo cura al enfermo, que no el ungüento / El tiempo cura las cosas. ~은 가장 큰 슬픔을 고친다 ((서반아 속담)) No hay mal que el tiempo no alivie su tormento. ~은 모든 것을 밝혀 준다 El tiempo todo lo descubre. ~이 말할 것이다 Al tiempo el consejo. ~은 모든 것을 바꾼다 Todo lo muda el tiempo.

◆영업 ~ horas *fpl* de trabajo. 영업 ~에 en horas de trabajo. 집무 ~ horas *fpl* de oficina.

■~ 강사(講師) profesor *m* no numerario, profesora *f* no numeraria; profesor *m* universitario [profesora *f* universitaria] a tiempo parcial. ~ 개념 concepto *m* del tiempo. ~관념 idea *f* [concepto *m*] del tiempo. ~급 pago *m* por hora, paga *f* [retribución *f*]. por cada hora de trabajo. ~ 기록기 reloj *m* registrador, registrador *m* (horario). ~문제 cuestión *f* de tiempo. ¶그건 ~에 지나지 않는다 Solamente depende del tiempo. 사건의 해결은 ~다 La solución del caso es cuestión de tiempo. ~ 부사 adverbio *m* de tiempo. ~불 임금 sueldo *m* [salario *m*] por hora. ~ 엄수 puntualidad *f*. ¶~를 하다 ser puntual. ~해라 Sé puntual. ~ 하세요 Sea puntual. ~ 예술 artes *mpl* basadas en tiempo. ~외(外) tiempo *m* suplementario, horas *fpl* extraordinarias de trabajo. ~ 외 근무 horas *fpl extra(s), Chi, Per* sobretiempo. ¶~를 하다 hacer horas extra(s), *Chi, Per* trabajar sobretiempo. ~ 외 근무 수당 horas *fpl* extra(s), *Chi, Per* sobretiempo. ~ 외 수당 pago *m* para horas extraordinarias, premio *m* por horas extras. ~제한 plazo *m*, fecha *f* tope. ~차 lapso *m* de tiempo. ~표 ㉮ [날마다 할 일이나 학교의 수업 예정 등을 일정한 시간에 벌여 적어 놓은 표] horario *m*; [수업의] horario *m* escolar, horario *m* de clases. ¶~을 편성하다 [정하다] fijar el horario de clases. ㉯ [정해진 노선을 일정하게 다니는 항공기·기차·배·자동차 등의 떠나고 닿는 시각을 적어 놓은 표] horario *m*, itinerario *m* (de trenes), diagrama *m*.

시간(屍姦) necrófilia *f*.

시감(時感) =돌림감기.

시감(視感) =시각(視覺).

시감(詩感) sensación *f* poética. inspiración *f* poética.

시객(詩客) poeta *m*, poetisa *f*.

시거에 [우선 당장에] de momento, por el momento, a toda prisa, apresuradamente; [곧] inmediatamente, ahora mismo.

시건드러지다 (ser) descarado, insolente.

시건방지다 (ser) descarado, insolente, fresco, altisonante, rimbombante. 시건방진 행동(行動) conducta *f* [comportamiento *m*] altisonante [rimbombante].

시게 grano *m* vendido en el mercado.

■~전(廛) tienda *f* que se vende el grano. ~ㅅ금 cotización *f* del grano que se vende en el mercado. ~ㅅ돈 precio *m* del grano que cobra en el mercado. ~ㅅ장수 vendedor, -dora *mf* del grano.

시격(詩格) ① [시의 격식] forma *f* poética. ② [시의 풍격] estilo *m* poético.

시경(市警) ((준말)) =시 지방 경찰청(市地方警察廳).

시경(詩境) ① [시의 경지(境地)] escenario *m* poético. ② [시정(詩情)이 넘쳐흐르는 풍치] elegancia *f* poética.

시경(詩經) las Odas.

시계(時計) reloj *m*. ~의 소리 tic-tac del reloj; [시계 치는 소리] campanada *f* de un reloj. ~가 있는 라디오 radiodespertador *f(m)*. ~를 늦추다 atrasar [retrasar] el reloj. ~를 맞추다 poner el reloj en hora, poner bien el reloj. ~를 (5분) 빨리하다 adelantar el reloj (cinco minutos). ~를 보다 mirar [consultar] el reloj. ~를 정확한 시간에 맞추다 poner el reloj en la hora exacta. ~ 태엽을 감다 dar cuerda al reloj. 자신의 ~를 역의 ~에 맞추다 sincronizar *su* reloj con el de la estación. 내 ~는 빠르다[늦다·멈추었다] Mi reloj está adelantado [atrasado · parado]. 내 ~는 5분 빠르다[늦다] Este reloj está adelantado [atrasado] cinco minutos. 이 ~는 약간 늦다 Este reloj atrasa un poquito. 이 ~는 하루에 30초 빠르다[늦다] Este reloj (se) adelanta [(se) atrasa] treinta segundos al día. 이 ~는 쉬 빨라진다 Este reloj se fácil que adelante / Este reloj (se) adelanta con facilidad. 이 ~는 정확하다 Este reloj es exacto / Este reloj indica [marca · tiene] la hora exacta. 내 ~는 맞지 않는다 Mi reloj está fuera de la hora / Mi reloj marca mal la hora. 내 ~는 잘 간다

Mi reloj anda [marcha] bien. ~가 멈춘다 Se para el reloj. ~가 멈춰 있다 El reloj está parado. 이 ~는 쉬 부서진다 Este reloj se descompone fácilmente. ~는 열시를 가리키고 있다 El reloj marca las diez. 당신의 ~로는 몇 시입니까? ¿Qué hora tiene usted? / ¿Qué hora es en su reloj? ~가 열두 시를 친다 El reloj da las doce. ~가 멎어 몇 시인지 모르겠다 Se me ha parado el reloj y no sé qué hora es.

■~ 공업(工業) industria *f* relojera. ~공장 relojería *f*, taller *m* del relojero. ~문자판 esfera *f*, *Méj* carátula *f*. ~ 방향 sentido *m* de las agujas del reloj. ~ 상자 relojera *f*. ~ 수리공 relojero, -ra *mf*; el [la] que repara relojes. ~ 신관 espoleta *f* de(l) reloj. ~업 relojería *f*, arte *m* del relojero. ~자리 【천문】 Reloj *m*. ~ 장사 relojería *f*, comercio *m* del relojero. ~ 장수 relojero, -ra *mf*; el que vende relojes. ~점 relojería *f*, tienda *f* del relojero. ~점 주인 relojero, -ra *mf*. ~ 제조자[제조공] relojero, -ra *mf*; el que hace relojes. ~추 péndula *f*. ~탑 torre *f* de(l) reloj. ~(태엽) 장치 mecanismo *m* de relojería. ~포 relojería *f*, tienda *f* del relojero. ~ 폭탄 bomba *f* de tiempo, bomba *f* de relojería. ~학 horología *f*. ~ㅅ바늘 aguja *f* [manecilla *f*] del reloj. ¶~ 방향의 de las agujas del reloj. ~의 방향으로 en el sentido de las agujas del reloj, en un movimiento en el sentido de las agujas del reloj, en el mismo sentido que el movimiento de las manecillas de reloj. ~과 반대 방향으로 en el sentido opuesto al movimiento de las manecillas de reloj. ~ㅅ줄 [손목시계의] correa *f* de reloj; [회중시계의 쇠줄] leontina *f*.

시계(視界) vista *f*, ángulo *m* [campo *m*] visual [de visión], vista *f* extendida, visibilidad *f*. ~를 가리다 obstruir [impedir · tapar] la vista, limitar el horizonte. ~를 떠나다 salir del campo visual. ~ 에 들어오다 entrar en el campo visual [a la vista], tener en la vista. ~에서 사라지다 perderse de la vista. ~ 내(內)에 있다 estar dentro del campo visual (de uno) 안개로 ~가 잘 보이지 않는다 Hay poca visibilidad a causa de la niebla. 눈앞에 ~가 펼쳐진다 Ante mis ojos se extiende una amplia vista.

■~ 비행 vuelo *m* con visibilidad. ~ 제로 visibilidad *f* cero [nula].

시고(詩稿) minuta *f* del poema.

시고모(媤姑母) tía *f* de *su* esposo.

■~부(夫) tío *m* de *su* esposo, esposo *m* de la tía de *su* esposo.

시골 ① [서울에서 떨어진 지방] campo *m*, campiña *f*. ~의 campesino, campestre, rural, rústico. ~ 풍경(風景) paisaje *m* campesino, escena *f* campesina. ~ 냄새가 나는 rústico. ~풍의 campesino, rústico, de aire rústico. ~에 가다 ir al campo. ~에 살다 vivir en el campo, vivir en (la) provincia. 그곳은 외진 ~이다 Ese es un pueblo muy retirado. ② [고향(故鄕)] pueblo *m* natal, tierra *f* natal, suelo *m* natal. ~에 살다 vivir en su pueblo natal. ③ [지방(地方)] provincia *f*, región *f*, comarca *f*. ~의 provincial, provinciano, regional. ~에 가다 ir a la provincia. ~ 사투리 acento *m* provincial, provincialismo *m*.

■~고라리 campesino *m* estúpido, campesina *f* estúpida. ~구석 lugar *m* remoto, aldea *f* remota. ~내기 pueblerino, -na *mf*; campesino, -na *mf*. ~뜨기 paleto, -ta *mf*; rústico, -ca *mf*; campesino, -na *mf*; palurdo, -da *mf*; paisano, -na *mf*; aldeano, -na *mf*; provinciano, -na *mf*; *Méj* indio, -dia *mf*; *Col* montañero, -ra *mf*; *Chi* huaso, -sa *mf*; *RPl* pajuerano, -na *mf*. ~말 lenguaje *m* rústico; [방언] dialecto *m*, provincialismo *m*. ~ 사람 campesino, -na *mf*; pueblerino, -na *mf*; hombre *m* de(l) pueblo, mujer *f* de(l) pueblo; paleto, -ta *mf*. ~ 사투리 dialecto *m* campesino, acento *m* campesino, provincialismo *m*. ~ 생활 vida *f* rural, vida *f* en el campo. ~집 ㉮ [시골에 있는 집] casa *f* que hay en el campo. ㉯ [시골 고향에 있는 자기 집] *su* casa que hay en su tierra natal. ~티 aire *m* rústico, aire *m* rural.

시공(施工) construcción *f*. ~하다 hacer construcción.

시공(時空) espacio-tiempo *m*. ~의 espacio-temporal.

■~간 예술 arte *m* espacio-temporal. ~ 세계 mundo *m* espacio-temporal. ~ 연속체 continuo *m* espacio-temporal.

시구(市區) ① [시와 구] la ciudad y el barrio. ② [도시의 구역] barrio *m* de la ciudad.

시구(屍柩) ataúd *m* para el cadáver.

시구(詩句) verso *m*, estancia *f*.

시구(始球) primera bola *f* [pelota *f*]. A씨의 ~로 시합이 시작되었다 El partido se comenzó con la bola tirada [la pelota pateada] por el Sr. A.

■~식 ceremonia *f* de tirar la primera bola [pelota]. ¶~을 하다 tirar [patear 차다] la primera pelota [bola].

시국(市國) Ciudad *f*.

◆바티칸 ~ el Vaticano, la Ciudad del Vaticano.

시국(時局) situación *f* actual, estado *m* actual de las cosas, estado *m* actual en cuestión, circunstancias *fpl* políticas actuales; [비상시] emergencia *f*, [전시(戰時)] tiempo *m* de guerra. ~의 발전(發展) desarrollo *m* de las situaciones. ~의 추이(推移) cambio *m* de las situaciones. ~으로 보아서 en (vista de) las circunstancias actuales, dado el estado actual de las cosas. ~을 수습하다 arreglar una situación, arreglar las circunstancias difíciles. ~을 처리하다 manejar la situación, sujetar la

situación.
◆중대(重大)~ situación *f* crítica.
▪~ 강연회 (mitin *m* de) conferencia *f* sobre la situación. ~관 vista *f* sobre la situación. ~담(談) cuento *m* sobre la situación. ~ 편승자 oportunista *mf.*

시군(市郡) las ciudades y los pueblos.

시군법원(市郡法院) tribunal *m* de las ciudades y los pueblos.

시굴(試掘) perforación *f* experimental, exploración *f* de ensayo, sondeo *m*; [광산(鑛山)의] exploración *f* [reconocimiento *m* · cateo *m*] de una mina. ~하다 hacer perforaciones experimentales, realizar prospecciones, explorar, catear.
▪~갱 (pozo *m* de) mina *f* de prueba. ~권 derecho *m* de exploración de una mina. ~자 explorador, -ra *mf*, *AmC*, *AmS* cateador, -dora *mf.* ~정(井) pozo *m* de exploración [de prueba].

시굼하다 (ser) algo ácido [agrio].

시궁 pozo *m* negro [séptico · ciego].
▪~구멍 abertura *f* del pozo negro. ~창 albañal *m*, cloaca *f*, sumidero *m*, pozo *m* negro [séptico · ciego].

시궁쥐 【동물】 rata *f* (de agua).

시그널(영 *signal*) ① [신호(信號)] señal *f.* ② [신호기, 특히 철도의 신호기] señal *f.*
▪~맨 [철도의 신호원] guardavía *m*; 【군사】 [통신 대원] encargado *m* de señales. ~ 박스 [철도의 신호소] garita *f* de señales. ~ 코드 [팩스의] código *m* [sistema *m*] de señales. ~ 플래그 bandera *f* de señales.

시그마(그 Σ, σ) ① [그리스어의 여덟 번째 자모] Σ. ② 【수학】 [총합(總合) 기호] Σ.

시그러지다 marchitarse, desaparecer, disiparse.

시극(詩劇) drama *m* en verso, pieza *f* de teatro en verso.

시근거리다[1] [배가 부르거나 분이 치밀어 숨을 가쁘게 쉬다] jadear, resollar, respirar entrecortadamente. 시근거리며 말하다 decir jadeando. 나는 선도자(先導者)들의 뒤에서 시근거리며 달리고 있었다 Yo corría, jadeando, detrás de los primeros.
시근시근 con jadeo pesado.

시근거리다[2] [뼈마디가 잇따라 시근하다] sentir el temblor ligero de artritis.
시근시근 [뼈마디가] dolorosamente, con dolor. ~하다 [손가락 · 발 · 근육이] (ser) dolorido, adolorido; [눈이] irritado; [입술이] reseco. 난 팔다리가 ~하다 Tengo los brazos y las pernas doloridos [adoloridos]. 난 온몸이 ~하다 Me duele todo.

시근하다 (ser) dolorido, adolorido. 나는 뼈마디가 ~ Tengo la articulación dolorida [adolorida]. / Me duele la articulación.

시글시글 enjambrando.

시금(試金) ensayo *m.*
▪~석(石) piedra *f* de toque, prueba *f* decisiva. ~술(術) arte *m* de ensayar.

시금떨떨하다 (ser) algo ácido [agrio] y áspero.

시금시금하다 (ser) muy ácido [agrio].

시금씁쓸하다 (ser) algo ácido [agrio] y amargo.

시금치 【식물】 espinaca *f.* ~ 한 다발 un manojo de espinacas. ~ 데침 salteado *m* de espinacas. ~를 데치다 saltear la espinaca.
▪~ 잎 hoja *f* de espinaca.

시금털털하다 =시금떨떨하다.

시금하다 (ser) algo ácido.

시급(時急) emergencia *f*, urgencia *f*, inminencia *f.* ~하다 (ser) urgente, inminente. ~을 고하다 dar la alarma, poner en alerta. ~을 요하다 ser urgente. ~하다는 소식을 듣고 달려가다 acudir a una emergencia. 이 문제는 ~을 요한다 Este asunto es urgente. 사태는 ~을 요하고 있다 La situación es alarmante.
시급히 urgentemente, con urgencia, con emergencia, inminentemente; [즉시] en seguida, inmediatamente, cuanto antes.

시기(時期) tiempo *m*, temporada *f*, época *f*; [계절] estación *f*, sazón *m.* 같은 ~에 en la misma época. 곤란한 ~에 en un momento difícil. 그 ~에 나는 한국에 없었다 En ese momento [tiempo] yo no estaba en Corea. 그녀에게 말하는 것은 ~가 나쁘다 No es momento oportuno para hablarle a ella de eso / El momento no es propicio para que se le hable a ella de eso. 딸기는 이미 ~가 지났다 Las fresas ya están fuera de sazón.

시기(時機) [기회] (buena) oportunidad *f*, ventura *f*, suerte *f*, casualidad *f*; [경우] ocasión *f*, trance *m.* ~에 적합한 oportuno, conveniente, tempestivo, a propósito, pertinente. 적합한 ~가 왔다고 간주할 때 cuando considere que ha llegado el momento oportuno. ~를 보아 …하다 tomar ocasión, aprovechar oportunidad. ~를 노리다 asechar la ocasión, espiar el momento favorable [oportuno]. ~를 이용하다 aprovechar oportunidad [la ocasión]. …할 ~를 기다리다 esperar una oportunidad [una ocasión propicia] para + *inf.* …할 ~를 놓치다[잃다] perder la oportunidad de + *inf*, dejar pasar una buena ocasión de + *inf.*
▪~상조 madurez *f* antes de tiempo. ¶~의 prematuro. ~론을 제창하다 argüir que aún no está en sazón. 그 일을 하는 것은 ~다 Todavía no es tiempo de hacerlo / Es todavía prematuro hacerlo [que lo hagamos].

시기(猜忌) celos *mpl*, envidia *f*, celotipia *f.* ~하다 envidiar, tener celos (de), guardar envidia. ~를 받다 contraer envidia.
▪~심 recelo *m*, espíritu *m* receloso. ¶~이 강한 muy receloso [desconfiado · suspicaz].

시기(試技) intento *m.*

시꺼멓다 (ser) negro como el carbón, negro azabache.

시꺼메 quemándose negro como el carbón.

시꺼메지다 chamuscarse [quemarse] negro como el carbón.

시끄럽다 hacer ruido, (ser) ruidoso, bullicioso, alborotador, alborotado, estrepitoso, chillón (pl chillones), tumultuoso (사람이). 시끄럽게 ruidosamente, bulliciosamente, con alboroto, estrepitosamente. 시끄러운 거리 calle *f* de mucho ruido. 시끄러운 음악(音樂) música *f* ruidosa. 시끄럽게 떠들다 hacer (un) ruidoo, armar [meter] mucha bulla, hacer [meter] mucho ruido, armar jaleo, alborotar, agitar, causar sensación, escandalizar. 시끄럽게 하다 conmocionar. 무척 ~ Hay mucho ruido. 거리가 ~ Se está armando un barullo en la calle / Hay mucho ruido en la calle. 방 안이 ~ Hay mucho barullo en el cuarto. 세상이 ~ El mundo está agitado. 축제로 도시가 ~ La ciudad hierve (de bullicio) por la fiesta. 기계 소리가 무척 ~ La máquina mete mucho ruido. 시끄럽게 하지 마라 No hagas ruido / ¡Cállate! / ¡Silencio! / ¡A callar! 시끄럽게 하지 마세요 No haga (usted) ruido.

시끈가오리 【어류】 raya *f* eléctrica.

시끌벅적하다 hacer mucho ruido.

시끌시끌하다 hacer mucho ruido.

시나리오(영 *scenario*) guión *m*.
▪~ 작가 guionista *mf*.

시나브로 en el momento sobrante.

시나이(영 *Sinai*) 【지명】 (el) Sinaí.
▪~ 반도 (el) Sinaí. ~산 el (monte) Sinaí.

시난고난 el ser peor gradualmente, cada vez peor. ~하다 ir de mal en peor, empeorar, ser peor gradualmente. 그의 병은 ~하다 Su enfermedad va de mal en peor / Le duele cada vez menos.

시내 arroyo *m*; [작은] arroyuelo *m*, riachuelo *m*, río *m* pequeño.
▪~ㅅ가 orilla *f* del arroyo, ribera *f* del arroyo; ((성경)) río *m*, arroyo *m*. ~ㅅ물 el agua *f* del arroyo; ((성경)) torrente *m*, arroyo *m*.

시내(市內) ciudad *f* (propia), el área *f* (pl las áreas) entera de una ciudad; ((성경)) ciudad *f*, pueblo *m*. ~의 urbano, municipal, de la ciudad. ~에 살다 vivir en (el centro de) la ciudad. ~ 구경을 하다 ir a visitar los lugares de interés.
▪~ 거주자 habitante *mf* de ciudad. ~ 배달 distribución *f* [repartición *f*] local (de correo). ¶~ 무료 porte *m* libre dentro de la ciudad. ~버스 autobús *m*, *Arg* colectivo *m*, omnibús *m*, *Guat* camioneta *f*, *Cuba* guagua *f*. ~ 전차 tranvía *m* urbano [municipal]. ~ 통화 llamada *f* [comunicación *f* (telefónica)·conferencia *f*] urbana. ~판 edición *f* urbana.

시내(영 *Sinai*) 【지명】 ((성경)) Sinaí.
▪~ 광야 desierto *m* de Sinaí. ~산 el (monte) Sinaí.

시너(영 *thinner*) [도료(塗料), 특히 래커에 넣는 희석제] disolente *m*, diluyente *m*, *AmL* tíner *m*.

시너지 sinergía *f*.

시네라마(영 *Cinerama*) cinerama *m*.

시네마(영 *cinema*; 불 *cinéma*) ① [영화] cine *m*, película *f*. ② [영화관] cine *m*, *Chi* teatro *m*. ③ ((준말)) =시네마토그래프.

시네마스코프(영 *CinemaScope*) cinemascope *ing.m*.

시네마토그래프(영 *cinematograph*) ① =영사기(映寫機), 영화 촬영기(映畵撮影機). ② [영화] cine *m*.

시네카메라(영 *cinecamera*) [영화 촬영기] tomavistas *m.sing.pl*, *AmL* filmadora *f*, [크고 직업적인] cámara *f* cinematogáfica.

시네컬러(영 *cinecolor*) película *f* en color(es).

시네포엠(불 *ciné-poème*) poema *m* del cine.

시녀(侍女) doncella *f*, camareta *f*, dama *f* de honor; ((성경)) doncella *f*, criada *f*, sirvienta *f*, esclava *f*.

시누이(媤-) cuñada *f*, hermana *f* política, hermana *f* de *su* esposo.

시누이올케(媤-) cuñadas *fpl*, hermanas *fpl* políticas.

시늉 afectación *f*, aire *m*, apariencia *f*. …하는 ~을 하다 hacer como que + *inf*, fingir [afectar · aparentar · simular] +「명사」 [que + *ind*]. 놀란 ~을 하다 fingir sorpresa. 모르는 ~을 하다 afectar ignorancia, fingir no saber. 실신한 ~을 하다 fingir un desmayo. 아픈 ~을 하다 fingir una enfermedad. 우는 ~을 하다 fingir llorar. 죽는 ~을 하다 fingirse muerto, hacerse el muerto. 그는 나가는 ~을 한다 El hace como que sale. 그는 일하는 ~을 한다 El hace como que trabaja. 그는 자고 있는 ~을 했다 El se fingió dormido. 그는 내 말을 알아듣는 ~을 했다 El simuló que me comprendía [que lo que yo decía].
▪~말 =흉내말.

시다 ① [맛이 초 맛 같다] (ser) ácido, agrio, acedo, vinagrado. 세상의 신맛 단맛을 아는 사람 persona *f* que sabe las dulzuras y amarguras de la vida, persona *f* que sabe bien el mundo. 시어지다[우유 따위가] agriarse, avinagrarse. 시어진 우유 leche *f* cortada. 신 냄새가 나다 oler a agrio. 이 과실은 ~ Esta fruta está agria. 이 포도주는 시어지기 시작했다 Este vino ha empezado a avinagrarse. ② [뼈마디가 삐어서 시근시근하다] doler, ser doloroso, estar muy dolorido, sentir mucho dolor. 발목이 ~ sentir mucho dolor en *su* tobillo. ③ [눈이 강한 빛을 받아 슴벅슴벅 찔리는 듯하다] (ser) deslumbrante, resplandeciente, cegador, deslumbrador, deslumbrarse, encandilarse. 눈이 신 deslumbrante, resplandeciente, que encandila. ④ [하는 짓이 비위에 거슬리다] ofenderse.

시닥나무 【식물】 una especie de arce.

시단(詩壇) círculos *mpl* poéticos.

시달(示達) orden *f* (*pl* órdenes). ~을 내리다 dar órdenes, consignar órdenes. 당국 [관계자]의 ~에 의해 por orden de las autoridades competentes.

시달리다 ① [괴로움을 당하다] ser aquejado, ser preocupado. 더위에 ~ ser preocupado por el calor. 생활에 ~ ser aquejado por la vida. ② [괴롭게 굴다] acosarse, acuciarse, hostigarse, perseguir, molestar. 나는 빚쟁이에게 시달리고 있다 Me acosan los acreedores. 극장에 데리고 가라고 아이 녀석한테 시달리고 있다 Mi hijo me pide insistentemente [me molesta pidiendo] que le lleve al cine.

시담(示談) arreglo *m* privado [extrajudicial · amistoso], acomodamiento *m*. ~하다 arreglar privadamente. 사건(事件)을 ~하다 arreglar (amistosamente) el asunto entre los interesados.

시당숙(媤堂叔) tío *m* (que es un primo del padre de *su* esposo).

시대(時代) época *f*, era *f*, período *m*, periodo *m*, tiempos *mpl*; [시기] temporada *f*; [세대(世代)] generación *f*. ~에 뒤떨어진 anticuado, despasado. ~를 초월(超越)한 independiente de tiempo, sin limitación de tiempo, que trapasa los límites del tiempo. ~의 흐름 marcha *f* [curso *m*] del tiempo. 우리들의 ~ nuestra época *f*, tiempos *mpl* actuales. 다음 ~를 담당할 젊은이들 jóvenes *mpl* forjados de la época futura. 어느 ~에도 en todos los tiempos, en cualquier época. 근세조선 (近世朝鮮) ~에 en la época [en los tiempos] de la dinastía de *Choson Moderno*. 내 학창 ~에 en mis tiempos de estudiante. ~를 반영하다 reflejar la época. ~에 뒤지다 quedarse atrás en la marcha del tiempo, vivir atrasado. ~에 앞서다 adelantarse al tiempo, estar con retraso al tiempo. ~에 등을 돌리다 volver las espaldas a la evolución del tiempo. ~에 역행하다 ir en contra del curso natural del tiempo. ~와 보조를 맞추다 llevar el paso al tiempo. ~의 성격(性格)을 띠다 llevar el carácter de la época. ~의 조류에 끌려가다 dejarse llevar por la influencia de la época, dejarse arrastrar por las olas del tiempo. ~의 움직임을 정시(正視)하다 considerar bien el movimiento del tiempo. …하는 ~가 올 것이다 Llegará la época en que + *subj*. 그는 ~에 뒤떨어진 형(型)의 인간이다 El es un (hombre de) tipo anticuado. 그런 스타일은 이제 ~에 뒤떨어졌다 Ese estilo está ya pasado de moda. ~와 함께 습관은 변한다 Cada época tiene sus costumbres / Las costumbres cambian según los tiempos.
■ ~감각 sentido *m* de los tiempos. ~구분 *división f en períodos*. ~극 teatro *m* histórico; [영화] película *f* de época. ~병(病) idea *f* mórbida de los tiempos. ~사상 pensamientos *mpl* corrientes. ~사조 tendencia *f* de los tiempos. ~상(相) fase *f* de los tiempos. ~ 소설 novela *f* de período. ~적 de la época. ~정신 espíritu *m* de la época. ~착오 anacronismo *m*. ~풍조 tendencia *f* del día.

시댁(媤宅) ((높임말)) =시가(媤家).

시도(示度) indicación *f*, grados *mpl*.

시도(市道) ① [시와 도] la ciudad y la provincia. ② [시의 도로] carretera *f* municipal.

시도(始睹) primera vista *f*. ~하다 ver por primera vez.

시도(視度) 【물리】 visibilidad *f*.

시도(詩道) arte *m* del poema.

시도(試圖) prueba *f*, intento *m*, ensayo *m*; [기도(企圖)] empresa *f*. ~하다 probar, ensayar, experimentar, tratar de + *inf*; [기도하다] empresar, pretender (+ *inf*). 1992년에 있었던 두 차례의 쿠데타 ~ dos intentos de golpe de estado en 1992 (mil novecientos noventa y dos). 나는 그를 설득하려고 ~했다 Traté de convencerle a él. ~한 것마다 실패로 끝났다 Todos los intentos resultaron fracasados. 나는 그를 속이려고 ~했으나 실패했다 Pretendí engañarle a él, pero me salió el tiro por la culata.

시도식(始渡式) ceremonia *f* inicial de un nuevo puente.

시동(始動) arranque *m*. ~하다 arrancar. 자동차가 ~이 걸리지 않는다 El coche no arranca [*Chi* no parte].
◆ 시동(을) 걸다 arrancar, poner (*algo*) en marcha, *Chi* partir. 자동차(自動車) 엔진의 ~ arrancar el motor de automóvil.
■ ~기(器) aparato *m* de arranque. ~기(機) arrancador *m*. ~ 모터 motor *m* de arranque. ~ 배터리 batería *f* de arranque. ~ 밸브 válvula *f* de arranque. ~ 버튼 botón *m* de arranque. ~ 속도 velocidad *f* de arranque. ~ 스위치 interruptor *m* de arranque. ~ 장치 sistema *m* de arranque. ~ 저항 resistencia *f* en el arranque. ~ 저항기 reóstato *m* de arranque. ~ 전압 voltaje *m* de arranque. ~ 지레 palanca *f* de arranque. ~ 콘덴서 condensador *m* de arranque. ~ 크랭크 manivela *f* de arranque. ~ 키 [자동차 등의] llave *f* de contacto, *AmL* llave *f* del arranque.

시동(侍童) paje *m*.

시동생(媤同生) cuñado *m* menor, hermano *m* menor de *su* esposo.

시드(영 *seed*) ① [씨. 종자] semilla *f*. ② ((운동)) preselección *f*. ~하다 preseleccionar.
■ ~ 선수 jugador *m* preseleccionado, jugadora *f* preseleccionada.

시들다 ① [꽃 · 풀 등이 물기가 거의 말라 힘없게 되다] ponerse mustio, marchitarse, ajarse, secarse, enlaciarse. 시들게 하다 marchitar. 시든 marchito, marchitable. 시든 과실 fruta *f* enlaciada. 시든 꽃 flor *f* marchita. 시든 장미 rosas *fpl* marchitas. 해가 떴을 때 식물(植物)들은 시들어 버렸다 Cuando salió el sol, las plantas se marchitaron. 더위 때문에 꽃들이 시들었다 El calor marchitó las flores. ② [기운이 빠져 생기가 없고 풀이 죽다] (estar) descontento, insatisfecho. 일하기가 ~ estar descontento [insatisfecho] con el trabajo.

시들방귀 cosa *f* desagradable.

시들병(-病) marasmo *m*.

시들부들 ligeramente marchitándose.

시들시들 ligeramente marchitándose. ~하다 marchitarse un poco. 꽃이 ~ 시들었다 La flor se marchitó ligeramente.

시들하다 ① [마음에 차지 않아 내키지 않다] estar descontento [insatisfecho] 시들한 표정을 하고 있다 tener un semblante descontento. 일하기가 ~ estar descontento [insatisfecho] con el trabajo. ② [우습게 여길 만큼 보잘것없다] tener ningún valor, no valer nada.

시들히 con indiferencia, sin inmutarse, sin ganas, con poco entusiasmo, denigrantemente, descontentamente, con insatisfacción; con ningún valor. ~ 대답하다 contestar de manera poco entusiasta. ~ 여기다 desdeñar, desatender, desairar, hacer*le* un desaire [un desprecio] (a).

시디[1](영 *CD, cash dispenser*) [현금 자동 지급기] cajero *m* automático.

시디[2](영 *CD, certificate of deposit*) [예금 증서] certificado *m* de depósito.

시디[3](영 *CD, compact disc*) [콤팩트 디스크. 광학식 디지털 오디오 디스크] disco *m* digital de sonido, CD *m*.

시디[4](불 *CD, corps diplomatique*) [외교단(外交團)] cuerpo *m* diplomático, CD *m*.

시디롬(영 *CD-ROM, compact disc read only memory*) CD-ROM.

■ ~ 드라이브 unidad *f* de CD-ROM. ~ 버너 quemador *m* de CD-ROM.

시디시다 (ser) muy ácido, muy agrio.

시뜻하다 ① =시들하다. ② =싫증나다.

시래기 hojas *fpl* de nabo [rábano] secado.

시량(柴糧) la leña y la comida.

시러베아들 persona *f* informal, persona *f* tonta.

시러베장단(-長短) palabras y hechos informales.

시럽(영 *syrup*) jarabe *m*.

시렁 anaquel *m*, estante *m*.

시력(視力) vista *f*, poder *m* visual. ~의 결함(缺陷) defecto *m* de la vista. 불완전한 ~ vista *f* defectiva. ~을 잃다 perder la vista. ~을 회복하다 recuperar [recobrar] la vista. ~이 약하다 tener la vista débil. ~이 좋다 tener buena vista. ~이 나쁘다 tener mala vista. 김 씨의 ~을 검사하다 examinar la vista al Sr. Kim. 그녀의 ~은 정상이다 Su vista es normal / Ella tiene la vista normal. 내 ~이 감퇴되었다 La vista se me ha debilitado [enervado] / Tengo la vista muy gastada. 내 ~은 옛날의 ~이 아니다 [약해지고 있다] Mi vista ya no es lo que era.

■ ~ 감퇴 ambliopia *f*, ambliopía *f*. ~ 검사 examen *m* de (la) vista. ~ 검사표 tabla *f* del examen de la vista. ~ 검정 optometría *f*. ~ 검정기 optómetro *m*. ~ 검정법 optometría *f*.

시련(試鍊/試練) experimento *m*, prueba *f*. ~을 당한 probado, experimentado. ~을 견디다 resistir la prueba, aguantar la prueba, quedarse a prueba. ~을 받다[겪다] sufrir pruebas. 모진 ~을 겪다 sufrir torturas infernales. 우리들은 여러 가지 ~을 받았다 Nosotros hemos sufrido varias pruebas.

■ ~기 período *m* de prueba.

시로미 【식물】 empetro *m*, hinojo *m* marino.

시론(時論) vista *f* (sobre cuestión) corriente; [일반 여론] opinión *f* pública, idea *f* corriente.

시론(詩論) (ensayo *m* sobre) poética *f*, [시의 연구] estudio *m* sobre la poesía; [시의 비평] critismo *m* de poemas.

시론(試論) ensayo *m*.

시료(施療) tratamiento *m* médico, dispensación *f* libre de medicinas, tratamiento *m* gratuito. ~하다 curar y dar gratis las medicinas, curar gratis a un paciente.

시료(詩料) material *m* para poesías.

시료(試料) muestra *f*.

■ ~ 채취 muestreo *m*.

시루 *siru*, vaporera *f* de barro (cocido), recipiente *m* de vaporización.

■ ~떡 *siruteok*, pan *m* de arroz cocido al vapor. ~ㅅ밑 esterilla *f* puesta en el fondo de la vaporera. ~ㅅ방석 tapa *f* de esterilla de la vaporera. ~ㅅ번 masa *f* usada para llenar el espacio entre la vaporera y el caldero.

시룽거리다 (ser) ligero, poco ordenado. 그는 시룽거리는 사내다 El es un hombre ligero [poco ordenado].

시룽새룽 =싱숭생숭.

시류(時流) corriente *f* [tendencia *f*] de la época, tendencia *f* [moda *f*] del mundo, tono *m* de sociedad; [유행(流行)] moda *f*. ~를 따르다 seguir la corriente, seguir la moda del día. ~에 거역하다 ir contra la corriente de la época. ~에 뇌동하다 irse con [tras] la corriente. ~에 따르다 dejarse llevar de la [del] corriente. ~에 초월하다 no mezclarse en gentío, mantenerse apartado del tropel. ~에 편승하다 seguir la corriente de la época. ~에 편승하여 favorecido por la corriente de la época.

시르죽다 abatirse, desanimarse, desalentarse, descorazonarse, tener murria. 시르죽은 목소리 voz *f* (*pl* voces) desanimada [abatida · deprimida]. 그는 시르죽은 얼굴을 하고 있다 El tiene una cara desanimada [abatida · deprimida]. 그녀는 요즈음 시르죽어 있다 Ella está deprimida [muy triste · hecho polvo] estos días / Ella está qué se muere de abatimiento.

시름 ansiedad *f*, preocupación *f*, cuidado *m*.

시름겹다 estar lleno de preocupaciones.

시름시름 ¶~ 앓는 병(病) enfermedad *f* prolongada, larga enfermedad.

시름없다 estar preocupado [inquieto · distraído].

시름없이 distraídamente, sin comprender, lánguidamente, con expresión ausente, con apatía, con desgana, *AmL* con desgano. ~ 바라보다 mirar (a *uno*) sin comprender.

시리다 tener frío. 손[발·귀]이 ~ tener las manos frías [las orejas frías·los pies fríos], tener frío en las manos [los pies·las orejas].

시리아 【지명】 Siria *f.* ~의 sirio, siriaco, siríaco.
■~ 사람 sirio, -ria *mf.*

시리우스성(Sirius 星) 【천문】 Sirio *m.*

시리즈(영 *series*) ① [책이나 영화 따위에서 체제나 경향 등이 비슷한 연속물] serie *f,* serial *m, CoS* serial *f.* 텔레비전 ~ serie *f* [serial *m*·*CoS* serial *f*] de televisión. 이 영화는 ~물이다 Esta película forma parte de la serie. ② ((야구)) serie *f.* 코리안~ campeonato *m* de campeones de liga coreana.
시리즈로 por entregas, por capítulo, en forma de serial [serie]; 【컴퓨터】 en serie. ~ 방송하다 transmitir por capítulos [en forma de serial·en forma de serie]. ~출판(出版)하다 publicar por entregas. 그것은 ~ 출판되었다 Se publicó por entregas.

시립(市立) establecimiento *m* municipal. ~의 municipal.
■~ 대학교 universidad *f* municipal, universidad *f* metropolitana. ~ 도서관 biblioteca *f* municipal. ~ 병원 hospital *m* municipal. ~ 학교 escuela *f* municipal.

시말(始末) [상태] situación *f,* [결과] consecuencia *f,* resultado *m.*
■~서(書) excusa *f* [explicación *f*] escrita.

시망스럽다 (ser) cruel, severo, despiadado.

시매기다(時－) poner el tiempo fijo.

시맥(翅脈) 【곤충】 nervio *m,* nervadura *f,* nerviación *f.*

시먹 líneas *fpl* de la proyección negra.

시먹다 (ser) caprichoso, egoísta, arbitrario. 그 놈은 시먹은 놈이다 ¡Qué tipo tan egoísta! / Ese tipo cree que todo le está permitido.

시멘트(영 *cement*) cemento *m.* ~를 바르다 pegar con el cemento enmasillar. ~로 접합하다 aglutinar [fijar] (*algo*) con cemento.
◆내화(耐火) ~ cemento *m* refractario. 석면(石綿) ~ cemento *m* amianto. 수경(水硬) ~ cemento *m* hidráulico.
■~ 공업 industria *f* de cemento. ~ 공장 fábrica *f* de cemento. ~ 기와 teja *f* de cemento. ~ 모르타르 mortero *m* de cemento. ~ 바닥 piso *m* de hormigón. ~ 벽돌 ladrillo *m* de cemento. ~ 블록 bloque *m* de cemento. ~ 콘크리트 hormigón *m* [*AmL* concreto *m*] de cemento.

시모(媤母) ＝시어머니.
■~녀(女) suegra *f* y nuera.

시무(始務) reanudación f del trabajo oficial después de la recesión de(l) Año Nuevo. ~하다 reanudar el trabajo oficial después de la recesión de(l) Año Nuevo.

시무(時務) negocio *m* urgente.

시무룩하다 (estar) malcontento, caprichudo, hosco. 시무룩한 표정 semblante *m* hosco. 시무룩한 표정을 하다 hacer hocico, poner mala cara [cara hosca], mostrarse malhumorado.
시무룩이 malcontentamente, caprichudamente, hoscamente.

시문(時文) literatura *f* corriente.

시문(詩文) poesía *f* (y prosa *f*).
■~선 selección *f* de poesía y prosa. ~집 colección *f* de poesía y prosa. ~학 literatura *f* poética.

시문(試問) ① ((준말)) ＝시험 문제(試驗問題). ② [시험 삼아 물음] pregunta *f* experimental. ~하다 preguntar experimentalmente.

시물(施物) ((불교)) limosna *f,* caridad *f,* ofrenda *f.*

시민(市民) ciudadano, -na *mf,* [주민] habitante *mf,* vecino, -na *mf.* ~의 ciudadano, civil, cívico. ~의 소리 voz *f* del pueblo.
◆서울 ~ habitantes *mpl* [vecinos *mpl*] de Seúl, seulenses *mpl,* seulita *mf.*
■~ 계급 burguesía *f,* clase *f* burguesa. ~ 교육 educación *f* cívica. ~권 ciudadanía *f,* derecho *m* civil. ¶~을 얻다 obtener la ciudadanía. ~ 대회 asamblea *f* general de ciudadanos. ~ 독본 libro *m* cívico de lectura. ~ 문학 literatura *f* civil. ~ 밴드 banda *f* ciudadana. ~ 사회 sociedad *f* civil. ~세 impuesto *m* municipal. ~운동 campaña *f* de los ciudadanos. ~ 의식 conciencia *f* cívica. ~ 참여 participación *f* ciudadana. ~ 체포 detención *f* llevada a cabo por un ciudadano común. ~ 혁명 revolución *f* civil. ~ 회관 salón *m* de los ciudadanos, palacio *m* para los ciudadanos.

시반(屍斑) mancha *f* mortífera.

시발(始發) salida *f,* primera salida *f* (por la mañana). ~하다 partir, salir. 열차의 ~은 새벽 4시 30분이다 El primer tren sale a las cuatro y media de la madrugada.
■~역 estación *f* de origen. ~ 열차(列車) primer tren *m.* ~ 전차 primer tranvía *m.* ~점 punto *m* de origen.

시방(時方) ① ahora. ~이 바로 떠날 때다 Ahora es el momento [la hora] de salir. ② [부사적] ahora mismo. ~ 왔다 Vine ahora mismo / Acabo de venir.

시방서(示方書) especificación *f.*

시범(示範) buen ejemplo *m,* ejemplo *m* [modelo *m*] para los otros. ~하다 dar [mostrar] el buen ejemplo.
■~ 경기 deporte *m* de exhibición. ~ 농장 hacienda *f* ejemplar. ~ 학교 escuela *f* piloto, escuela *f* ejemplar, centro *m* piloto.

시법(詩法) arte *m* poético [de versificación], prosodia *f.*

시베리아 【지명】 Siberia *f.* ~의 siberiano.
■~ 사람 siberiano, -na *mf.* ~ 철도 ferrocarril *m* siberiano.

시변(市邊) ① [변두리] barrios *mpl* periféricos [de las afueras] (de la ciudad). ② [장변리] interés *m* llevado en un préstamo en el mercado.

시보(時報) ① [인쇄물 등의 표제] boletín *m* (*pl* boletines), gaceta *f*. 주식(株式) ~ el Boletín de Bolsa. ② [시간을 알림] anuncio *m* de la hora, señal *f* horaria, toque *m* de la hora. ~하다 dar la hora. 10시 ~를 알리려 한다 Ahora van a dar las diez.

시보(試補) novicio, -cia *mf*; meritorio, -ria *mf*; empleado, -da *mf* [maestro, -tra *mf*] que está cumpliendo *su* período de prueba. ~의 probatorio, a probación, de prueba.

◆사법관(司法官) ~ oficial *mf* judicial de prueba [a probación].

시복(諡福) beatificación *f*. ~하다 beatificar.

■ ~식(式) (ceremonia *f* de) beatificación *f*.

시봉(侍奉) servicio *m* a *sus* padres. ~하다 servir a *sus* padres filialmente.

시부(媤父) padre de *su* esposo, suegro *m* de la mujer.

■ ~모(母) padres *mpl* de *su* esposo, suegros *mpl* de la mujer.

시부(詩賦) poesía *f* china, poema *m* chino.

시부렁거리다 cotorrear, chacharear, balbucear, charlar, parlotear. 멋대로 ~ disparatar, decir disparates. 멋대로 시부렁거리는 말 disparate *m*, ocurrencia *f* absurda. 그는 그의 문제에 대해 끝없이 시부렁거렸다 El estuvo horas dale que te dale hablando de sus problemas.

시부렁시부렁 bulliciosamente, sin ton ni son. ~ 지껄이다 cotorrear, charlotear, charlar [parlotear] sin interrumpir.

시부저기 sin esfuerzo, fácilmente, con facilidad.

시부적시부적 =시부저기.

시분 【미술】 líneas *fpl* finas trazadas con polvos.

시불재래(時不再來) El tiempo que pasó no vuelve a venir.

시비(市費) gastos *mpl* [expensas *fpl*] municipales.

시비(是非) lo justo y lo injusto, justicia *f* e injusticia, el bien y el mal, lo bueno y lo malo, lo que está bien y lo que está mal. ~의 판단(判斷) discernimiento *m* de lo justo y lo injusto. ~를 불문하고 con razón o sin ella, bueno o malo. ~를 가리다 distinguir lo que está bien de lo que está mal. 일의 ~를 논하다 deliberar sobre el bien y el mal de un caso. 그는 ~를 가릴 줄을 모른다 El no sabe distinguir lo que está bien de lo que está mal. 아이들에게는 ~의 판단이 없다 Los niños no saben distinguir lo bueno de lo malo. 그는 여자(女子)에 관한 ~가 많다 El tiene muchas relaciones con mujeres.

■~곡직 lo justo y lo injusto. ~조 actitud *f* desafiante, actitud *f* agresiva [de agresión]. ¶~의 agresivo, belicoso. ~로 agresivamente, belicosamente, de manera provocadora. ~(로 덤비)다 ponerse agresivo [provocativo · provocador]. ~ㅅ주비 peleador, -dora *mf*; peleón *m*, -ona *mf*; [패] pendenciero *m*, buscapleitos *m.sing.pl*, picapleitos *m.sing.pl*.

시비(施肥) abono *m*, fertilización *f*, abonación *f*, estiércol *m*. ~하다 fertilizar, abonar, estercolar.

시비(柴扉) =사립문.

시비(詩碑) monumento *m* inscrito con el poema.

시뻐하다 no quedar satisfecho, quedar insatisfecho.

시뻘겋다 (ser) carmesí. 시뻘겋게 되다 ponerse colorarado [rojo]. 얼굴이 시뻘겋게 되다 ruborizarse. 성이 나서 얼굴이 시뻘겋게 되다 ponerse carmesí con enojo.

시뻘게 de rojo, de colorado, de carmesí.

시뻘게서 de carmesí.

시뻘게지다 [얼굴이] ruborizarse, ponerse colorado [rojo]; [하늘이] teñirse de rojo.

시뿌옇다 (ser) muy neblinoso, muy brumoso.

시뿌예지다 ponerse muy neblinoso [muy brumoso].

시쁘다 no llenar, no satisfacer; [직업이] ser poco gratificante.

시사(示唆) sugerencia *f*, sugestión *f*, insinuación *f*. ~하다 sugerir, insinuar, proponer, hacer una sugerencia.

■ ~적(的) sugestivo, insinuante, provocativo. ¶매우 ~이다 (ser) muy insinuante, muy provocativo, estar lleno de sugerencia, parecer indicar.

시사(時事) actualidades *fpl*, sucesos *mpl* corrientes, asuntos *mpl* (del día), tema *m*, cuestión *f*. ~를 논하다 discutir los sucesos corrientes. ~에 밝다 ser versado en las actualidades. ~에 어둡다 ignorar las actualidades. ~를 해설하다 comentar sobre los asuntos del día.

■ ~ 단평(短評) comentarios *mpl* breves de sucesos corrientes. ~ 문제 problemas *mpl* de la actualidad; cuestiones *fpl* contemporáneas. ~ 사진 fotografías *fpl* de actualidades. ~ 서반아어[에스빠냐어] español *m* corriente. ~ 소설 novela *f* de actualidades. ~ 용어 términos *mpl* de la época. ~ 평론 comentarios *mpl* sobre temas contemporáneos. ~ 프로그램 programa *m* de actualidades. ~ 해설(解說) comentario *m* de la actualidad. ~ 해설자 comentarista *mf* de la actualidad.

시사(詩史) ① =사시(史詩). ② [시의 발생 과정 · 변천 상태 · 발달 형식 등을 밝힌 저술] historia *f* de poesía.

시사(詩思) =시상(詩想).

시사(試射) disparo *m* de ensayo, ensayo *m* de disparo, tiro *m* de prueba. ~하다 ensayar el disparo.

■ ~터 lugar *m* [sitio *m*] del disparo de ensayo.

시사(試寫) 【영화】 prevista *f*, ensayo *m* de proyección.

▪ ~실(室) sala *f* de prevista. ~회(會) prevista *f* de película, presentación *f* de una película a los críticos.

시산(試算) [개산(槪算)] cálculo *m* aproximado; [검산(檢算)] verificación *f* de un cálculo, prueba *f*.

▪ ~표 balance *m* de prueba.

시살(弑殺) regicidio *m*, asesinato *m* de un rey [de]. ~하다 asesinar a su señor.

시삼촌(媤三寸) tío *m* de *su* esposo.

▪ ~댁(宅) ㉮ [시삼촌의 집] casa *f* del tío de *su* esposo. ㉯ [시삼촌의 아내] esposa *f* del tío de *su* esposo, tía *f* de *su* esposo.

시상(柹霜) =시설(柹雪).

시상(施賞) otorgamiento *m* de un premio. ~하다 otorgar [conceder] el premio.

▪ ~식(式) ceremonia *f* de otorgar el premio.

시상(時相) 【언어】 =시제(時制).

시상(視床) 【해부】 talamo *m*. ~의 talámico.

시상(詩想) idea *f* poética, imaginación *f* poética, pensamiento *m* poético.

시새 =세사(細沙).

시새우다 ① [저보다 나은 사람을 투기하다] envidiar, tener envidia. 시새우게 하다 dar celos. ② [서로 남보다 낫게 하려고 다투다] competir(se). 시새워 공부하다 estudiar para la competición.

시새움 celos *mpl*, envidia *f*. ~이 많은 envidioso, celoso. ~하다, ~을 내다 tener envidia, tener celos, envidiar. ~은 천한 사람들이 하는 나쁜 버릇이다 La envidia es un vicio de las malas viles. 남의 재산(財産)을 ~하지 마라 No envidies la fortuna ajena. 부자를 ~하지 마라 No envidies a los ricos. 우리보다 더 부유한 사람들을 ~할 필요는 없다 No debemos envidiar a los que son más ricos que nosotros. 두 사람만 보면 ~이 난다 Los dos me dan celos.

시생(侍生) yo, me, mi, su humilde siervo.

시생대(始生代) 【지질】 era *f* arqueozoica.

시서(詩書) ① [시와 글씨] el poema y la escritura [la caligrafía]. ② [시경(詩經)과 서경(書經)] las Odas y las Historias.

시서늘하다 (estar) muy frío.

시석(矢石) las flechas y las piedras.

시선(視線) mirada *f*, vista *f*. ~을 돌리다 volver la vista [mirada], ~을 떼다 apartar la mirada [la vista], desviar la mirada. ~을 향하다 dirigir una mirada (a), echar una mirada (a). ~이 마주치다 mirarse a los ojos, encontrarse las miradas. 애정 어린 ~으로 바라보다 dirigir (a uno) una mirada cariñosa. 두 사람은 ~이 마주쳤다 Los dos se miraron a los ojos / Se encontraron las miradas de los dos.

시선(詩仙) gran poeta *m*, gran poetisa *f*, poeta *m* divino, poetisa *f* divina.

시선(詩選) antología *f* poética, colección *f* [selección *f*] de poesías, cancionero *m*, florilegio *m*. 김소월의 ~ antología *f* poética de Kim So Wol.

시설(柹雪) vello *m*, pelusa *f*.

시설(施設) establecimiento *m*, instalación *f*, institución *f*, [설비(設備)] equipo *m*; [고아(孤兒)·노인 등의] fundación *f*, asilo *m*, patronato *m*. ~하다 equipar, instalar, instituir.

◆공공(公共)~ instalaciones *fpl* públicas, establecimientos *mpl* públicos. 문화(文化) ~ instalaciones *fpl* culturales. 스포츠 ~ instalacio- nes *fpl* deportivas. 아동 복지 ~ establecimiento *m* benéfico para niños. 오락 ~ instalaciones *fpl* de recreo [de diversión].

▪ ~물 establecimiento *m*, instituto *m*. ~비 gastos *mpl* [expensas *fpl*] de instalaciones. ~ 투자(投資) inversión *f* en instalaciones.

시성(詩聖) gran poeta *m*, gran poetisa *f*, poeta *m* eminente.

시성(諡聖) ((천주교)) canonización *f*. ~하다 canonizar. ~되다 canonizarse.

▪ ~식 (ceremonia *f* de) canonización *f*.

시성분석(示性分析) 【화학】 análisis *m* racional.

시성식(示性式) 【화학】 fórmula *f* racional, fórmula *f* empírica, fórmula *f* de constitución.

시세(市勢) ① [시의 인구·산업·재정·시설 등의 종합적인 상태] condiciones *fpl* de vida municipal, estado *m* de los asuntos municipales. ② 【경제】 condiciones *fpl* del mercado.

▪ ~ 조사 censo *m* municipal.

시세(時世) tiempo *m*, período *m*, generación *f*, siglo *m*, edad *f*, tendencia *f* de los tiempos. ~에 뒤떨어지다 rezagarse del tiempo. ~에 따르다 seguir la corriente, ir con la corriente.

시세(時勢) ① [그때의 형세] situación *f* actual [corriente], espíritu *m* del tiempo. ② [시가(時價)] cotización *f*, tipo *m*, tasa *f*, precio corriente, precio *m* (del mercado). 1 달러에 1,305원의 ~로 al tipo de mil trescientos cinco wones. 대미(對美) 달러 판매 1305원, 매입(買入) 1284원으로 a la tasa de 1305 Venta, 1284 Compra. ~가 오른다 Sube la cotización. ~가 내린다 Baja la cotización. ~가 강세를 보인다 El precio rige alto en el mercado. 이 주식의 ~는 12,500원이다 Esta acción se cotiza a doce mil quinientos wones.

◆미국 달러 ~ cotización *f* del dólar estadounidense. 시장(市場) ~ cotización *f* del mercado. 시세(가) 닿다 ser razonable en el precio.

▪ ~폭 escala *f* de precios.

시소(영 *seesaw*) ① [(걸터앉아서 하는) 널뛰기] balanchín *m* (*pl* balanchines), subibaja *m*. ~를 타고 놀다 jugar al balanchín. ~를 타다 columpiarse. ② [(아래위·앞뒤 움직임. 동요. 변동. 접전] vaivén *m*, oscilación *f*.

▪ ~게임 columpio *m* de balanchín.

시속(時俗) costumbres *fpl* de la edad.

시속(時速) velocidad *f* por hora. ~ 100킬로미터 cien kilómetros por hora. ~ 45마일 cuarenta y cinco millas por hora. ~ 120킬로를 내다 hacer ciento veinte kilómetros por hora. ~ 80킬로로 달리다[운전하다] ir [conducir] a ochenta kilómetros.
◆ 최고(最高) ~ velocidad *f* máxima por hora. 최저(最低) ~ velocidad *f* mínima por hora.

시솔(侍率) el servicio a los superiores y el cuidado a los subordinados.

시숙(媤叔) cuñado *m*, hermano de *su* esposo.

시술(施術) operación *f*. ~하다 operar, hacer una operación.
■ ~자 operador, -dora *mf*.

시스템(영 *system*) sistema *m*, mecanismo *m*, dispositivo *m*, instalación *f*; 【컴퓨터】 sistema *m*.
◆ 관리(管理) ~ sistema *m* administrativo.
■ ~ 에러 【컴퓨터】 error *m* del sistema. ~ 파일 【컴퓨터】 archivo *m* System.

시습(時習) repaso *m* frecuente. ~하다 repasar frecuentemente.

시승(試乘) [차량의] viaje *m* a prueba; [말의] cabalgadura *f* a prueba. ~하다 hacer un viaje a prueba, hacer la prueba, ensayar. 자동차에 ~하다 ensayar [hacer la prueba de] un coche.

시시(時時) cada momento.
■ ~각각(刻刻) cada hora, cada momento. ¶~으로 cada momento, sin cesar, momento por momento. ~으로 증가하다 aumentar a cada momento. 기한이 ~으로 박두하고 있다 El plazo expira por momentos.

시시덕거리다 retozar.

시시덕이 idiota *mf*; tonto, -ta *mf*.

시시부지 ¶~하다 desaparecer.

시시비비(是是非非) ¶~하다 llamar al pan pan y al vino vino, llamar cada cosa por *su* nombre.
■ ~주의 principio *m* de llamar cada cosa por *su* nombre.

시시티브이(영 *CCTV*, *closed circuit television*) [폐쇄 회로 텔레비전] televisión *f* en circuito cerrado, circuito *m* interno de televisión, televisión *f* por cerrado.

시시하다 (ser) insignificante, de poca importancia, fútil, trivial; [무익한] inútil; [가치없는] sin valor, indigno; [어이없는] absurdo, bobo, ridículo; [무미건조한] insípido, soso; [지루한] aburrido, tedioso, pesado. 시시한 남자(男子) hombre *m* insignificante. 시시한 소설(小說) novela *f* sosa [aburrida]. 시시한 일 trabajo *m* trivial [de poca importancia]. 시시한 책(冊) libro *m* de ningún interés, libraco *m*. 시시한 말을 하다 decir tonterías [absurdeces · majaderías]. 시시한 것으로 싸우다 pelear (con uno) por nada, reñir por poca cosa, disputar por nada. 시시한 것에 돈을 쓰다 gastar dinero en cosas inútiles. 시시한 말을 하지 마라 ¡Tonterías! / ¡No digas disparates!

시식(侍食) acción *f* de comer con los superiores. ~하다 comer con los superiores.

시식(施食) ((불교)) ofrecimiento *m* de la comida. ~하다 ofrecer la comida.
■ ~돌[대] ((불교)) *sisikdol*, piedra *f* de ofrecer la comida a los dioses leyendo las escrituras budistas después de la ceremonia al alma muerta.

시식(時食) comidas *fpl* propias de la estación

시식(試食) prueba *f* de una comida, degustación *f*, ensayo *m*. ~하다 probar, degustar, probar una comida, ensayar. ~해 보십시오 ¿Quiere usted probar? / Pruebe, por favor. ~을 해 보겠습니다 Quiero probarlo / Lo probaré / Voy a probarlo.

시식(試植) prueba *f* de plantación. ~하다 plantar por prueba.

시신(侍臣) cortesano, -na *mf*, acompañante *mf*.

시신(屍身) =송장.

시신경(視神經) 【해부】 nervio *m* óptico.
■ ~염 neuropapilitis *f*, neuritis *f* óptica, oftalmoneuritis *f*. ~ 척수염 neuromielitis *f* óptica.

시신세(始新世) 【지질】 =에오세(世).

시실리 【지명】 Sicilia *f*. ~의 siciliano.
■ ~ 사람 siciliano, -na *mf*.

시심(詩心) sentimiento *m* poético.

시아버님(媤—) ((높임말)) =시아버지.

시아버지(媤—) suegro *m*, padre *m* político, padre *m* de *su* esposo.

시아이디(영 *CID*, *Criminal Investigation Detachment*) [군사 범죄 수사대] Destacamento *m* de Investigación Criminal.

시아이시(영 *CIC*, *Counter Intelligence Corps*) [방첩 부대] cuerpo *m* de contraespionaje.

시아이에이(영 *CIA*, *Central Intelligence Agency*) [(미국의) 중앙 정보국] CIA *f*, el Servicio de Inteligencia Estadounidense [Norteamericana].

시아이에프(영 *CIF*, *Cost*, *Insurance and Freight*) 【경제】 CIF, costo, seguro y flete. ~ 가격으로 en términos CIF.

시아주버니(媤—) cuñado *m*, hermano *m* mayor de *su* esposo.

시안(試案) proyecto *m* [plan *m*] de prueba, plan *m* tentativo. ~을 작성(作成)하다 hacer [formar] un proyecto de prueba.

시안 【화학】 cianógeno *m*. ~의 ciánico.

시안화물(—化物) 【화학】 cianuro *m*.

시앗 concubina *f* de *su* esposo.
◆ 시앗(을) 보다 *Su* esposo tiene una concubina.

시야(視野) ① [눈의 보는 힘이 미치는 범위] vista *f*, visibilidad *f*, calidad *f* de visible, vista *f* extendida. ~에 들어오다 entrar la vista, tener en la vista. ~를 가리다 tapar [obstruir] la vista. ~에서 사라지다 desaparecer de la vista. ② [지식이나 사려가 미치는 범위] campo *m* visual. ~가 넓다 tener el campo visual abierto [amplio], tener una mirada amplia. ~가 좁다 tener una mirada estrecha.

시야비야(是也非也) =시시비비(是是非非).

시약(施藥) reactivo *m*.
■ ~병(甁) botella *f* de reactivo.

시약(試藥) administración *f* gratuita de medicina. ~하다 dar las medicinas gratuitamente.

시약불견(視若不見) ¶~하다 fingir que no había visto, fingir como si no hubiera visto, guiñar, *Col* picar.

시어(詩語) lenguaje *m* [término *m*] poético, dicción *f* poética.

시어머니(媤-) suegra *f*, madre *f* política, madre *f* de *su* esposo.

시어머님(媤-) ((높임말)) =시어머니.

시업(始業) comienzo *m* (de trabajo), principio *m* de obra. ~하다 comenzar [empezar] la obra. 학교는 아홉 시에 ~이다 La escuela empieza a las nueve / Las clases empiezan a las nueve.
■ ~ 시간 horario *m* inicial (de una escuela); [가게의] horario *m* comercial; [은행·사무소의] horario *m* de atención al público. ~식 ceremonia *f* de comienzo [de apertura] del curso, ceremonia *f* de inauguración.

시에라리온 【지명】 Sierra Leona. ~의 sierraleoés. ~ 사람 sierraleonés, -nesa *mf*.

시에이티브이(영 *CATV*, *cable television*) [유선 텔레비전] televisión *f* por cable, CATV *f*.

시에프(영 *CF*, *commercial film*) [광고 선전용 텔레비전 필름] película *f* de publicidad.

시에프(영 *cf.*) [비교·참조하라] cf., confróntese.

시엠(영 *CM*, *commercial message*) [라디오·텔레비전의 광고] spot *m* publicitario, emisión *f* publicitaria, anuncio *m*, *AmL* aviso *m*, comercial *m*.
■ ~송 canción *f* publicitaria.

시여(施與) donación *f*, donativo *m*, caridad *f*, limosna *f*, don *m*, dádiva *f*. ~하다 hacer una donación, hacer un donativo, hacer una contribución, hacer una obra de caridad.

시역 trabajo *m* duro.

시역(市域) límite *m* de ciudad, el área *f* (*pl* las áreas) municipal.

시역(始役) comienzo *m* de la obra de construcción. ~하다 comenzar [empezar] la obra de construcción.

시역(時疫) =유행병(流行病).

시역(弑逆) =시살(弑殺).

시연(試演) ensayo *m*. ~하다 ensayar. 이 작품은 많은 ~이 필요하다 Esta obra hay que ensayarla mucho / Esta obra necesita mucho ensayo.
◆ 공개(公開) ~ ensayo *m* público.

시영(市營) administración *f* municipal. ~의 municipal, comunal, de la municipalidad, de la ciudad. ~으로 하다 administrar en municipalidad.
■ ~ 버스 autobús *m* municipal. ~ 사업 servicios *mpl* [obras *fpl* públicas] de la municipalidad. ~ 아파트 apartamento *m* municipal. ~ 주택 vivienda *f* construida por la municipalidad, morada *f* municipal. ~화(化) municipalización *f*. ¶~하다 municipalizar.

시영(始映) ensayo *m* de la película. ~하다 ensayar la película.

시오니스트(영 *Zionist*) sionista *mf*.

시오니즘(영 *Zionism*) sionismo *m*. ~의 sionista.

시오리(十五里) seis kilómetros.

시온(영 *Zion*, *Sion*) ① 【지명】 [예루살렘 부근의 언덕 이름] Sión. ② 【지명】 Jerusalén.
■ ~ 운동 sionismo *m*. ~주의 sionismo *m*. ~주의자 sionista *mf*.

시외(市外) alrededores *mpl* [afueras *fpl*] de una ciudad, barrios mpl periféricos. ~의 suburbano. ~에 살다 vivir en los barrios periféricos [de las afueras] (de la ciudad).
■ ~ 전차 tranvía *m* suburbano. ~ 통화 llamada *f* [comunicación *f*] interurbana.

시외가(媤外家) familia *f* materna de *su* esposo.

시외삼촌(媤外三寸) tío *m* materno de *su* esposo.

시외삼촌댁(媤外三寸宅) ① [남편의 외숙모] tía *f* materna de *su* esposo. ② [시외삼촌의 집] casa *f* del tío materno de *su* esposo.

시외조모(媤外祖母) abuela *f* materna de *su* esposo.

시외조부(媤外祖父) abuelo *m* materno de *su* esposo.

시용(試用) ensayo *m*, prueba *f*, uso *m* tentatovo. ~하다 ensayar, probar, someter [poner] (*algo*) a prueba, usar (*algo*) con prueba, hacer la prueba (de).

시우(時雨) lluvia *f* propia de la época del año [de la estación], lluvia *f* intermitente a principios del invierno, lluvia *f* de estación.

시우(詩友) amigo *m* poético, amiga *f* poética.

시우쇠 hierro *m* en lingotes.

시운(時運) suerte *f*, fortuna *f*. ~이 불리하다 La condición nos es desfavorable. ~이 형통하다 La fortuna es buena para nosotros.

시운전(試運轉) ensayo *m*, prueba *f*; [열차 등의] viaje *m* de prueba; [기술을 익히는 운전] ejercicio *m* de práctica; [엔진 등의] marcha *f* de prueba; [자동차의] prueba *f* de circulación en carretera. ~하다 probar, hacer ensayo (de), hacer pruebas (de), someter a prueba; [자동차를] probar (en carretera).

시울 [눈·입 등의 언저리] borde *m*. 눈~ borde *m* de párpado.

시원림(始原林) =원시림(原始林).

시원섭섭하다 sentir emociones mezcladas de alegría y dolor. 학교를 졸업하니 ~ graduarse con emociones mezcladas.

시원스럽다 [태도가] (ser) rápido y enérgico, brioso; [걸음이] a paso ligero, activo; [성질이] franco, sincero, directo. 시원스러운

얼굴로 impasiblemente, con frescura. 시원스러운 얼굴을 하고 있다 tener el aire indiferente, quedarse poco preocupado, estar con cara fresca.

시원스레 con brío, con tono de eficiencia, francamente. ~ 말하다 decir con tono de eficiencia.

시원시원하다 (ser) claro y brioso, brillante, genial, animado, alegre, franco, vivo. 시원시원하게 대답하다 dar la respuesta franca, responder sin dobleces. 말을 시원시원하게 하다 decir claro y briosamente. 일을 시원시원하게 하다 hacer su trabajo de manera briosa, ser un trabajador brioso.

시원시원히 alegremente, claro y briosamente, brillantemente, con brío. ~ 말하다 decir alegremente.

시원찮다 (ser) insatisfactorio, poco satisfactorio, dificiente, aburrido, soso, poco entusiasta. 시원찮은 태도 conducta *f* poco entusiasta. 시원찮은 대답 respuesta *f* indeterminada y insatisfactoria. 먹은 것이 ~ tener *su* apetito insatisfecho todavía, no quedar satisfecho con *su* apetito, *su* apetito no satisfacerle (a *uno*). 나는 먹은 것이 시원찮았다 No quedé satisfecho con mi apetito / Mi apetito no me satisfizo.

시원하다 ① [알맞게 선선하다] hacer fresco. 시원해지다 hacerse fresco. 시원한 가을 날 día *m* refrescante de otoño. 시원한 날씨 tiempo *m* fresco [refrescante]. 시원한 바람 brisa *f* fresca [refrescante]. 시원한 아침공기 aire *m* fresco de la mañana. 시원함 fresco *m*, frescura *f*, [아침이나 여름의] fresca *f*. 시원한 곳에 놓다 dejar [poner] (*algo*) al fresco, quedar (algo) en un lugar fresco. 아침 시원할 때 산책하다 pasearse por la mañana con el fresco. 이곳은 ~ Hace fresco aquí. 날씨가 무척 ~ Hace mucho fresco. 날씨도 이제 꽤 시원해졌다 El tiempo ya se ha puesto bastante fresco. 이 셔츠는 시원하게 보인다 Esta camisa parece fresca. ② [더울 때 선선한 바람이 불어 몸이 서늘함을 느끼다] tener fresco. 나는 몸이 ~ Yo tengo fresco. ③ [답답하거나 아픈 느낌이 없어지다] sentirse de buen humor, alegrarse, sentir vivificarse el alma, sentirse renovado [despejado]. 시원한 기분으로 con una agradable sensación de frescor. 눈매가 ~ tener ojos claros. ④ [언행이 활발하고 명랑하다] (ser) enérgico [dinámico] y eficiente, activo, rápido, directo, franco. ⑤ [음식의 국물 맛이 텁텁하지 않다] no ser espeso. 국물이 ~ La sopa no es espesa. ⑥ [앞이 막힌 데 없이 되어 있어 답답하지 않다] (estar) abierto. 시원한 들 campo *m* abierto. 이 주변은 아주 시원한 들이다 Aquí estamos un pleno campo [en campo abierto].

시원히 frescamente, con frescor, enérgico y eficientemente, activamente, rápidamente, directamente, francamente, plenamente.

시월(十月) octubre *m*. ~ 10일 el diez de octubre.

■ ~막사리 alrededor del último día de octubre. ~상달 octubre *m*.

시위[1] ((준말)) =활시위.

시위[2] =홍수(洪水).

◆ 시위(가) 나다 inundarse.

시위(示威) manifestación *f*. ~하다 manifestarse públicamente, hacer una manifestación pública. ~에 참가(參加)하다 asistir [participar] a una manifestación. ~를 해산시키다 dispersar una manifestación. …을 지지하는 ~를 하다 manifestarse en apoyo de *algo*. …을 반대하는 ~를 하다 manifestarse en contra de *algo*. 그들은 ~에 참가했다 Ellos asistieron a la manifestación. 어제 10만 명 이상이 서울에서 ~를 했다 [~에 참가했다] Más de cien mil personas se manifestaron ayer en Seúl.

■ ~대 manifestación *f*. ~ 대원 manifestante *mf*. ~ 운동 manifestación *f*. ~ 운동자[참가자] manifestante *mf*. ~행진 desfile *m*. ¶~을 하다 desfilar.

시위(侍衛) la Guardia Real.

시위소찬(尸位素餐) sinecurismo *m*; [지위] sinecura *f*. ~의 몸 sinecurista *mf*.

시위적거리다 hacer de manera fácil, hacer sin complicaciones.

시위적시위적 de manera fácil, sin complicaciones.

시유(市有) propiedad *f* municipal. ~의 municipal, poseído por la ciudad.

■ ~ 재산 propiedad *f* municipal. ~지(地) terreno *m* municipal [del municipio]. ~화(化) municipalización *f*, conversión *f* en propiedad municipal. ¶~하다 convertir en propiedad municipal, municipalizar, pasar a la posesión municipal. ~되다 municipalizarse, convertirse en propiedad municipal.

시율(詩律) métrica *f*.

시은(施恩) acción *f* de hacer un favor. ~하다 beneficiar, hacer un favor.

시음(詩吟) recitación *f* de un poema chino, recitación *f* de poesías de estilo chino.

시음(試飮) prueba *f*, degustación *f*, cata *f*. ~하다 probar, degustar, catar. 포도주를 ~하다 degustar [probar · catar] el vino.

시읍면(市邑面) las ciudades, los pueblos y las aldeas; municipalidades *fpl*.

■ ~장(長) alcalde, -desa *mf*.

시의(侍醫) médico, -ca *mf* de la Familia [Casa] Real.

시의(時宜) circunstancias *fpl*, ocasión *f*, oportunidad *f*. ~에 적절한 oportuno, conveniente, tempestivo, pertinente, apropiado, con tiempo. ~에 적절하게 a tiempo, oportunamente. ~에 맞지 않은 inoportuno. ~를 얻은 적절한 조치 medidas *fpl* oportunas.

시의(猜疑) sospecha *f*, recelo *m*, desconfianza *f*. ~의 눈으로 보다 ver (a uno) con recelo, echar miradas de desconfianza.

■ ~심 recelo *m*, espíritu *m* receloso. ¶~

이 강한 muy receloso [desconfiado · suspicaz].
시의(詩意) significado *m* [significación *f*] del poema [de la poesía].
시의원(市議員) ((준말)) =시의회 의원.
시의회(市議會) Ayuntamiento *m*, Municipalidad *f*, Municipio *m*, Asamblea *f* Municipal, Consejo *m* Municipal.
■ ~ 의사당 Salón *m* de la Asamblea Municipal. ~ 의원 oonsejal, -la *mf*, edil, -la *mf*; miembro *mf* de asamblea municipal. ~ 의원 선거 elección *f* municipal (de consejales). ~ 의장 presidente, -ta *mf* de la Asamblea Municipal.
시인(是認) aprobación *f*, consentimiento *m*. ~하다 admitir, reconocer, aprobar, consentir, dar aprobación (a), dar consentimiento (a). 잘못을 ~하다 admitir [reconocer] *su* error. 진술이 사실임을 ~하다 admitir *su* declaración.
시인((詩人) poeta *m(f)*, poetisa *f*.
시일(侍日) ((천도교)) domingo *m*.
■ ~ 학교 ((천도교)) escuela *f* dominical.
시일(時日) ① [때와 날] el tiempo y el día; [날짜] fecha *f*, tiempo *m*. 단(短)~ tiempo *m* corto. ~을 요하다 requerir tiempo. ② [기일 또한 기한] plazo *m*. ~을 넘기다 pasar el plazo. ~을 연기하다 prorrogar el plazo. 부채자에게 ~을 주다 dar plazos a un deudor.
시자(侍者) cortesano *m* acompañante.
시작(始作) comienzo *m*, principio *m*; [기원(起源)] origen *m*. ~하다 comenzar, empezar, iniciar(se); [강(江)이] nacer; [습관이] originarse, empezar. ~으로 para empezar, al principio, al comienzo. 21세기가 ~할 때 al empezar el siglo veintiuno. 세상이 ~된 이래로 desde que el mundo es mundo. 일을 ~하다 empezar [comenzar] a trabajar. …하기 ~하다 empezar [comenzar · ponerse · echarse] a + *inf*. …부터[…으로] ~하다 empezar [comenzar] por +「명사」[por + *inf*]. …하면서 ~하다 comenzar [empezar] +「현재 분사」(-ando, -iendo). …하는 것을 말하면서 ~하다 empezar [comenzar] diciendo que …. 웃기 ~하다 echarse a reír. 울기 ~하다 echarse a llorar. 꽃이 피기 ~하다 comenzar a florecer. 기본 단어를 암기하는 것부터 ~하다 empezar [comenzar] por aprender de memoria los vocablos fundamentales. ~이 좋다 empezar [comenzar] bien, entrar con buen pie. ~이 나쁘다 empezar [comenzar] mal, entrar con mal pie. ~은 좋았으나 … Al principio todo iba bien, pero …. 나는 너와 함께 그것을 ~하겠다 Lo empezaré [comenzaré] contigo. 비가 내리기 ~한다 Está empezando a llover. 눈이 내리기 ~했다 Ha empezado a nevar. 그녀는 자기의 일에 대해 이야기하기 ~했다 Ella empezó a hablar sobre su trabajo. 모든 것은 ~ 문제이다 Todo es cuestión de empezar. 콘서트는 밤 아홉 시에 ~합니다 El concierto dará comienzo a las nueve de la noche. 이제 다시 ~합니다! ¡Ya empezamos de nuevo! 그이가 오지 않으리라고 나는 벌써 생각하기 ~했었다 Ya estaba empezando a pensar que él no vendría. 나는 가벼운 운동으로 하루를 ~한다 Yo empiezo [comienzo] el día con un poco de gimnasia. 처음부터 ~합시다 Empecemos por el principio. 나는 처음부터 다시 ~하겠다 Volveré a empezar desde el principio. 나는 어디에서(부터) ~해야 할 지 모르겠다 No sé por dónde empezar [comenzar]. 성당에서부터 ~합시다 Comencemos [Empecemos] por la catedral. 도둑들은 칼로 나를 위협하기 ~했다 Los ladrones comenzaron [empezaron] por amenazarme con los cuchillos. 우리들은 다시 ~해야 할 것이다 Tendremos que empezar de nuevo / Tendremos que volver a empezar. 첫 자(字)는 무엇으로 ~합니까? ¿Con qué letra empieza? 나는 공복을 느끼기 ~했다 Me empezó a entrar hambre. 국이 끓기 ~한다 La sopa empieza a hervir. 과정(課程)은 1월 3일에 ~합니다 El curso empieza el tres de enero. 추위가 벌써 ~되었다 Ya han empezado los fríos.
■시작이 반(半) ((속담)) Obra empezada, medio acabada.
시작(詩作) composición *f* de poemas, creación *f* poética, obra *f* poética. ~하다 componer poesías.
시작(試作) ensayo *m*, prueba *f*, producción *f* [labricación *f*] tentativa. ~하다 ensayar, fabricar de ensayo [a prueba], hacer una prueba. 새로운 자동차를 ~하다 fabricar a prueba un nuevo modelo de automóvil. 신종(新種) 벼를 ~하다 cultivar a prueba una nueva variedad de arroz.
■ ~ 공장 planta *f* piloto. ~품 artículo *m* fabricado de ensayo [a prueba].
시장 el hambre *f*, ganas *fpl* de comer, necesidad *f* de comer. ~하다 tener hambre, estar hambriento. 몹시 ~하다 tener mucha hambre, tener estómago en los pies, tener hambre canina. 나는 몹시 ~하다 Tengo mucha hambre / Tengo hambre canina. 나는 ~해서 죽겠다 Me muero de hambre.
■시장이 반찬 ((속담)) La mejor salsa es el hambre / A buen hambre no hay pan duro / A pan duro diente agudo.
■ ~기 el hambre *f*. ¶~를 느끼다 sentir hambre, dar*le* hambre, abrir*le* el apetito. 나는 ~를 느낀다 Siento hambre / Me da hambre / Me abre el apetito.
시장(市長) alcalde, -desa *mf*. ~의 임기(任期) alcaldía *f*. ~의 직(職) alcaldía *f*.
시장(市場) mercado *m*; [광장 등에서는] plaza *f*. ~ 시세의 변동 alteración *f* del mercado. ~의 상품 진열대 puesto *m* del mercado, puesto *m* del mercadillo. ~의 잠재 능력(潛在能力) potencial *m* del mercado. 활발한 ~ mercado *m* activo, mercado *m*

animado. ～에 가다 ir al mercado, ir a hacer la compra [*CoS* las compras]; *Col, Ven* ir a hacer el mercado. ～에 내놓다 lanzar [traer] (*algo*) al mercado. ～에 나와 있다 aparecer en el mercado. ～에 물건 사러 가다 ir al mercado para hacer compras. ～에 생산품을 내놓다 lanzar un producto al mercado. ～을 개척하다 crear [abrir] un mercado. ～을 좌우하다 apurar el mercado. ～을 확장하다 extender el mercado. 문전(門前) ～을 이루다 tener muchas visitas. 우리는 집을 ～에 내놓았다 Pusimos la casa en venta. 새 모델이 벌써 ～에 나왔다 El nuevo modelo ya salió al mercado.

■～ 가격 precio *m* de mercado, precio *m* corriente, cotización *f* del mercado. ～ 가격 결정 determinación *f* de percios del mercado, fijación *f* de precios del mercado. ～ 가치 valor *m* de [en el] mercado, valor *m* mercantil. ～ 경제 economía *f* de mercado. ～ 독점 monopolio *m* de mercados. ～ 동향 tendencia *f* del mercado. ～ 바구니 cesta *f* para compras, cesta *f* de la compra. ～ 분석 análisis *m* de(l) mercado. ～ 분석가 analista *mf* de mercado(s). ～ 생산 producción *f* para mercados. ～성(性) comercialización *f*, bursatilidad *f*. ¶～이 있는 comercializable, mercadeable. ～이 높은 comerciable, comercializable, vendible. ～세(稅) impuesto *m* de mercado. ～ 수요(需要) demanda *f* de mercado. ～ 전망 perspectivas *fpl* de mercado. ～ 점유율 cuota *f* de mercado, participación *f* en el mercado. ～ 조사 estudio *m* [investigación *f*] de(l) mercado. ～ 조사자 investigador, -dora *mf* de(l) mercado. ～ 평가 valoración *f* de mercado. ～ 폭락 【주식】 caída *f* en picado del mercado, hundimiento *m* del mercado. ～ 할인율 tipo *m* de descuento del mercado. ～ 확장 expansión *f* del mercado. ～ 회복 recuperación *f* del mercado.

시장(市葬) funeral(es) *m*(*pl*) municipal(es).

시재(時在) ① [당장에 가지고 있는 돈이나 곡식] dinero *m* [cereales *mpl*] que se tiene ahora. ② ＝현재(現在)❶.

■～ㅅ돈 dinero *m* que se tiene.

시재(試才) test *ing.m* de la persona de talento a través del examen. ～하다 probar el talento, examinar y seleccionar como una persona de talento.

시재(詩才) talento *m* para componer la poesía.

시적(詩的) poético. ～으로 poéticamente. ～으로 표현하다 expresar poéticamente.

■～ 감흥 inspiración *f* [delicia *f*] poética. ～ 공상(空想) fantasía *f* [imaginación *f*] poética. ～ 생활 vida *f* poética. ～ 풍경 paisaje *m* poético.

시적거리다 hacer a *su* pesar [a regañadientes · de mala gana].

시적시적 sin entusiasmo, con apatía, con desgana, sin ganas, a *su* pesar, a regañadientes, de mala gana, *AmL* con desgaño.

시전(詩箋) ＝시전지(詩箋紙).

■～지(紙) papel *m* para el poema o la carta.

시절(時節) ① ＝철[1]. ¶～에 맞지 않는 intempestivo, fuera de la estación. ② ＝때[1] ❷. ¶행복한 ～이었다 Eran [Fueron] unos tiempos felices. ③ [사람의 일생을 구분한 한 동안] ocasión *f*, oportunidad *f*, hora *f*, tiempo *m*. 어린 ～에 en *su* niñez, cuando era niño. 젊은 ～에 en *su* juventud, cuando era joven. ～이 오면 cuando viene el tiempo, en curso de tiempo, cuando se presente la ocasión. ～을 기다리다 esperar la oportunidad, aguardar para un tiempo conveniente. 드디어 ～이 왔다 ¡Por fin, ha llegado la hora!

시점(時點) momento *m*. 이 ～에서는 en este momento. 그 ～에서 en ese momento. 현재의 ～에서 en el momento actual. …의 ～에서 cuando [en el momento en que] + *ind* [미래에서는 + *subj*].

시점(視點) punto *m* visual; [관점(觀點)] punto *m* de vista.

시접 entrepierna *f*, margen *m* para coser.

시정(市井) ① ＝시가(市街). ¶～의 무뢰한 rufián *m* de barrio. ～의 소문 rumor *m* que circula. ② ((준말)) ＝시정아치.

■～아치[배] habitante *m* de la ciudad; [상인] comerciante *mf*; tendero, -ra *mf*. ～ 잡배 motón *m* de la ciudad.

시정(市政) administración *f* municipal.

■～ 감사 inspección *f* de la administración municipal. ～ 개혁 reforma *f* de la administración municipal.

시정(是正) rectificación *f*; [틀린 것의] corrección *f*. ～하다 rectificar, corregir, reajustar; [개선하다] reformar. 교육 제도(教育制度)를 ～하다 reformar el sistema educativo. 불미(不美)한 점을 ～하다 rectificar los puntos defectuosos.

시정(施政) gobernación *f*, gobierno *m*, administración *f*.

■～ 방침 plan *m* de gobierno. ～ 연설 discurso *m* sobre política administrativa.

시정(詩情) sentimiento *m* poético, sensibilidad *f* lírica. ～이 풍부하다 estar lleno de poesía.

시제(時制) 【언어】 tiempo *m*. ～의 일치(一致) concordancia *f* de tiempos.

시제(時祭) servicio *m* conmemorativo de los antepasados celebrado en cada estación del año.

시제(試製) producción *f* como prueba.

■～품 producto *m* [artículo *m* producido] como prueba.

시제(詩題) tema *m* poético.

시조(始祖) ① [한 겨레의 맨 처음되는 조상] antepasado *m*, ascendiente *m*, progenitor *m*, antecesor *m*. ② [어떤 학문 · 기술 등을 처음 연 사람] iniciador, -dora *mf*; primer promotor *m*, primera promotora *f*; padre *m*; [창시자(創始者)] fundador, -dora *mf*. 근세 조선의 ～ fundador *m* de la Dinastía de *Choson* Moderno. 노동 운동의 ~ el padre del movimiento laboral. 물리학의 ~ fundador *m* [padre *m*] de la física.

시조(時鳥) ① [철 따라 우는 새] pájaro m que canta según la estación. ② =두견이.

시조(時調) *sicho, shijo,* verso *m* coreano. ~를 읊다 recitar *sicho.* ~를 짓다 componer *sicho.*

■~집 colección *f* de versos (coreanos), antología *f* de *sicho.*

시조(翅鳥) el ave *f* (*pl* las aves) que vuela muy alta.

시조모(媤祖母) =시할머니.

시조부(媤祖父) =시할아버지.

시조새(始祖-) 【조류】 prototipo *m* de pájaro.

시종(始終) ① [처음과 끝] el principio y el fin. ② [처음부터 끝까지] desde el comienzo hasta el fin, desde el principio hasta el fin, desde el principio al final, de cabo a cabo, de cabo a rabo, siempre, en todo tiempo, todo el tiempo, a todas horas, de día y de noche, consistentemente, continuamente, incesantemente, constantemente, frecuentas veces. ~ 변할 수 없는 우정(友情) amistad *f* inalterable. ~ 침묵(沈默)을 지키다 seguir guardando el silencio. 회의는 ~ 잡담으로 끝났다 La conferencia no pasó de ser una charla hasta el final. 그녀는 ~ 자녀들 이야기를 하고 있다 Ella está siempre hablando de sus hijos. 그는 ~ 병을 앓고 있다 El se enferma en seguida. 그들은 ~ 그 안(案)에 반대했다 Desde el principio hasta el final ellos se opusieron a ese proyecto.

■~여일 constancia *f.* ¶~하다 (ser) constante. ~하게 constantemente. ~일관 ㉮ constancia *f,* consistencia *f.* ¶~하다 ser constante [consistente] en *su* principio o modo de obrar. ~한 정책 política *f* constante. ~한 행동을 하다 mantener una acción consistente. 그의 말은 ~하지 못하다 Lo que dice no tiene coherencia / Sus palabras carecen de consistencia. ㉯ [부사적] constantemente, firmemente, con toda consistencia, desde siempre. ¶~ 방어 태세를 취하다 ponerse a la defensa constante [constantemente].

시종(侍從) chambelán *m* (*pl* chambelanes), camarlengo *m,* gentilhombre *m* de cámara.

■~무관(武官) edecán *m* (*pl* edecanes) militar [해군 naval]. ~무관장 jefe *m* de edecán de Su Majestad. ~장(長) gran chambelán *m.*

시주(施主) ((불교)) [행위] ofrenda *f* [oblación *f*] a Buda; [사람] donador, -dora *mf,* persona *f* principal que llevan el duelo en un funeral.

■~함 caja *f* para la ofrenda a Buda.

시주(詩酒) el poema y el vino.

시준(視準) 【물리】 colimación *f.* ~하다 colimar.

■~기(器) colimador *m.* ~선[축] línea *f* de colimación. ~ 오차 error *m* de colimación. ~의 (儀) colimador *m.*

시준가(時準價) precio *m* de mercado más caro de entonces.

시중 servicio *m,* asistencia *f,* servidumbre *f.* ~하다 servir, atender, asistir, acompañar; [호위하다] escoltar; [간호하다] cuidar. ~ 없이 가다 ir sin acompañamiento, ir sin escolta.

◆시중(을) 들다 servir, atender, ayudar, asistir, servir de asistente, servie de ayudante, acompañar; [간호하다] cuidar; [호위하다] escoltar. 곁에서 시중을 드는 부모 padres *mpl* que acompañan a *sus* hijos. 노인에게 국 ~ servir la sopa al anciano. 노인을 시중들어 집까지 보내다 acompañar a un anciano hasta *su* casa. 환자를 곁에서 ~ cuidar a un enfermo. 먼저 부인들에게 시중을 드세요 Sirva usted primero a las señoras.

■~꾼 ayudante, -ta *mf;* asistente, -ta *mf;* auxiliar *mf;* acompañante *mf;* [집합적] escolta (호위); [신부의] dama *f* de honor.

시중(市中) (en) la ciudad, (en) la calle. ~에 풍문이 떠돌다 correr los rumores por la ciudad. ~을 행렬하다 andar procesión por las calles.

■~ 가격 precio *m* en el mercado. ~ 금리 tipo *m* de interés comercial. ~은행 banco *m* comercial. ~ 판매 venta *f* pública (en el mercado).

시즌(영 *season*) temporada *f,* época *f,* estación *f* del año, tiempo *m* oportuno, sazón *m.* 여름은 해수욕 ~이다 El verano es la temporada de los baños en el mar.

◆스키 ~ temporada *f* de esquí. 여행(旅行) ~ temporada *f* de viaje.

시즙(屍汁) =추깃물.

시지근하다 (ser) algo agrio, algo ácido.

시 지방 경찰청(市地方警察廳) Jefatura *f* Superior de la Policía Metropolitana.

■~장(長) superintendente *mf* general de la Policía Metropolitana.

시진(市塵) ① [거리의 티끌과 먼지] polvo *m* de la calle. ② [거리의 혼잡] congestión *f* de la calle.

시진(視診) 【의학】 diagnóstico *m* por el ojo.

시집(媤-) familia *f* de *su* esposo.

◆시집(을) 가다 casarse (con un hombre), contraer matrimonio. 홀아비에게 ~ casarse con un viudo. 김씨 가문에 ~ casarse con un hijo de los señores de *Kim.*

◆시집(을) 보내다 casar. 딸을 ~ casar a *su* hija, dar en matrimonio a *su* hija. A를 B에게 ~ casar a A con B. 외동딸을 ~ resignar a dar (a) *su* hija única en matrimonio.

◆시집오다 casarse. 그에게 시집올 여자는 아무도 없다 No hay ninguna muchacha que quiere casarse con él.

■시집가기 전에 기저귀 마련한다 ((속담)) No cantes victoria antes de hora / No cantes gloria hasta el final de la victoria.

■~살이 vida *f* matrimonial (de una mujer). ¶~하다 vivir con la familia de *su* esposo.

시집(詩集) obras *fpl* poéticas, poesías *fpl*, colección *f* de poesías.

시차(時差) ① 【천문】 =균시차. ② [지구상의 두 지점의 지방시의 차이] diferencia *f* horaria [de horas], diferencia *f* en tiempo. 마드리드와 서울 간의 ~는 몇 시간입니까? ¿Cuántas horas de diferencia hay entre Madrid y Seúl? 서울과 마드리드 간의 ~는 여덟 시간이다 Entre Seúl y Madrid hay ocho horas de diferencia. ③ [일정 시간과 시간과의 차] diferencia *f* entre las horas fijadas.
■ ~제 sistema *m* de horario escalonado. ~ 출근 diferenciación *f* de las horas de entrada [de la apertura de las oficinas].

시차(視差) paralaje *m*. 태양의 ~ paralaje *m* solar, paralaje *m* del sol.
■ ~ 운동 movimiento *m* de paralaje.

시찰(視察) inspección *f*, observación *f*, [견학] visita *f*. ~하다 inspeccionar, hacer la inspección (de), observar, visitar, hacer la visita (de).
■ ~관 inspector, -tora *mf*. ~단 cuerpo *m* de inspectores. ~ 여행 viaje *m* de inspección [de observación]. ¶~을 하다 hacer un viaje de inspección. ~원(員) observador, -dora *mf*; inspector, -tora *mf*.

시창 toldilla *f*, castillo *m* de popa.

시찾다(時-) estar al borde de la muerte.

시채(市債) deuda *f* [préstamo *m*·[채권] bono *m*] municipal.

시책(施策) medida *f*, política *f*, plan *m* [curso *m*] de acción.

시청(市廳) ayuntamiento *m*, municipalidad *f*, municipio *m*, alcaldía *f*, edificio *m* de la gobernación, *Méj* presidencia *f* municipal, *Urg* intendencia *f*.
■ ~사(舍) =시청(市廳).

시청(視聽) atención *f*. ~을 집중시키다 atraer la atención pública.
■ ~료 tarifa *f* de subscriptores. ~률 porcentaje *m* de televidentes. ~자 televidente *mf*. ¶~ 참가 프로그램 programa *m* en el que participan los televidentes.

시청(試聽) audición *f*. ~하다 hacer audiciones [pruebas] [레코드를] oir un disco.

시청각(視聽覺) sentido *m* audiovisual. ~의 audiovisual.
■ ~ 교실 laboratorio *m* de idiomas, librería *f* audiovisual, sala *f* audiovisual. ~ 교육 educación *f* [enseñanza *f*] audiovisual. ~ 교재 materiales *mpl* audiovisuales, software *m* de aprendizaje.

시체(屍體) cadáver *m*, cuerpo *m* muerto.
■ ~ 검사 investigación *f* llevada a cabo por un funcionario encargado de investigar las causas de muertes violentas, repentinas o sospechosas. ~ 검사관 funcionario *m* encargado de investigar las causas de muertes violentas, repentinas o sospechosas. ~ 검안(檢眼) necropsia *f*. ~ 안치소 [실] depósito *m* de cadáveres. ~ 해부 autopsia *f*.

시체(時體) la costumbre y la moda del tiempo.
■ ~병 ㉮ =유행병. ㉯ [그 시대에 유행하는 병] epidemia *f* del tiempo. ~시말 palabra *f* en moda.

시체(詩體) estilo *m* de un poema.

시초(市草) tabaco *m* de calidad inferior.

시초(始初) ① [맨처음] principio *m*, comienzo *m*. ~의 primero. ~에 al principio, en primer lugar, primero. 사랑의 ~ comienzo *m* del amor. ② [비롯됨] origen *m*. 싸움의 ~ origen *m* de pelea.

시초(柴草) hierba *f* seca para la leña.

시초(翅鞘) 【곤충】 =딱지벌레.

시초(詩抄) selección *f* de poemas. ~하다 seleccionar poemas.

시추(試錐) sondeo *m*, perforación *f* (experimental). ~하다 perforar (a prueba), hacer perforaciones, hacer pruebas perforadoras. 석유 ~를 하다 perforar a prueba [hacer pruebas perforadoras] para buscar petróleo, perforar en busca de petróleo.
◆석유(石油) ~ perforación *f* en busca de petróleo. 해저 석유 ~ perforación *f* en busca de petróleo submarino.
■ ~기(機) perforadora *f*, barreno *m*. ~대(臺) plataforma *f* de perforación. ~선(船) [해저 굴착선] plataforma *f* petolífera, buque *m* para perforaciones submarinas. ~ 장치 [해양 석유의] equipo *m* de perforación, tren *m* de sondeo, máquina *f* perforadora, plataforma *f* de perforación submarina. ~탑 torre *f* de perforación.

시축(詩軸) ① [시를 적은 두루마리] rollo *m* que se escribe la poesía. ② ((준말)) =시화축(詩畫軸).

시취(屍臭) olor *m* a cacáver, olor *m* a muerto.

시취(詩趣) ① =시정(詩情). ② [시를 짓거나 감상하는 취미, 또는 시적(詩的)인 취미] sabor *m* poético, atractivo *m* poético, buen gusto *m* poético, poesía *f*. ~가 풍부하다 estar lleno de atractivos. ~가 빈약하다 ser prosaico, ser vulgar. ~가 없다 faltar*le* la poesía a *uno*.

시치다 hilvanar.

시치름하다 =새침하다.

시치미[1] [매의] etiqueta *f* de investigación para el halcón.

시치미[2] [알고도 모르는 체하는 말이나 짓] inocencia *f* [ignorancia *f*] fingida, indiferencia *f* fingida, disimulación *f*.
◆시치미(를) 떼다 fingir [aparentar] inocencia, hacerse el tonto [el inocente·el ignorante]; [사람을 만나서] hacerse el sueco, afectar ignorancia. 시치미를 떼고 sin inmutarse, imperturbablemente, aparentando [fingiendo] inocencia, con semblante inocente, con frescura. 그는 시치미를 떼고 있다 El ha venido como si no supiera nada. 그 아이는 도둑질을 하고 시

치미 떼고 있다 El niño ha cometido un robo, pero se hace el inocente. 그는 아무것도 모른다고 시치미 뗐다 El declaró con indiferencia que no sabía nada.

시칠리아(이 *Sicilia*) 【지명】 Sicilia *f.* ☞시실리

시침 ① ((준말)) =시치미[1,2]. ② ((준말)) =시침질.

■ ~바느질 prueba *f*, hilván *m*, embaste *m*, baste *m*. ¶~하다 hilvanar, bastear, embastar. ~질 hilván *m*, hilvanado *m*. ¶ ~하다 hilvanar, bastear, embastar, coser (*algo*) con puntadas largas. ~용 실 hilván.

시침(時針) horario *m*.

시커멓다 (ser) muy negro, ser tan negro como un carbón.

시큰거리다 sentir el dolor sordo.

시큰둥하다 (ser) imprudente, descarado, chulo. 시큰둥한 소리 하지 마라 No me vengas con chulerías.

시큰시큰 siguiendo sintiendo el dolor sordo.

시큼하다 (ser) agrillo, algo agrio, algo ácido. 이 포도주는 맛이 ~ Este vino es algo agrio / Este vino tiene punta de agrio.

시키다 hacer + *inf.* 말을 ~ hacer decir.

-시키다 ① [명사 뒤에서「하게 하다」의 뜻을 나타냄] hacer + *inf.* 입학(入學)~ hacer ingresar en la escuela. ② ((속어)) [「하다」의 뜻으로 잘못 쓰인 말] hacer.

시탄(柴炭) la leña y el carbón.

■ ~상 comerciante *mf* de la leña y del carbón.

시탕(侍湯) administración *f* de la medicina a *sus* padres enfermos, servicio *m* [atendencia *f*] a *sus* padres enfermos. ~하다 servir [atender] a *sus* padres enfermos, administrar la medicina a *sus* padres enfermos.

시태 carga *f* de la vaca.

시태(時態) situación *f* corriente, tiempos *mpl*.

시토(영 *SEATO, South East Asia Treaty Organization*) [동남 아시아 조약 기구] OTASE *f*, O.T.A.S.E. *f*, la Organización del Tratado del Sudeste de Asia, la Organización del Tratado de Asia Suboriental

시퉁머리터지다 (ser) caradura, fresco.

시퉁스럽다 (ser) impertinente, insolente, descarado.

시퉁스레 impertinentemente, insolentemente, con insolencia, con descaro. ~하지 마라 ¡No seas impertinente!

시퉁하다 (ser) impertinente, insolente.

시트(영 *seat*) [앉는 좌석·자리] asiento *m*; [자전거의] asiento *m*, sillín *m* (*pl* sillines); [극장의] asiento *m*, butaca *f*; [기차의] plaza *f*.

■ ~ 벨트 cinturón *m* de seguridad. ¶~를 매다 [비행기의] abrocharse el cinturón de seguridad; [자동차의] ponerse el cinturón de seguridad. ~커버 cubierta *f* del asiento.

시트(영 *sheet*) ① [얇은 판] chapa *f*, plancha *f*, lámina *f*. ② [한 장의 종이] hoja *f*. ③ [자동차의 좌석이나 침대 따위의 아래위로 두 장 까는 흰 천] sábana *f*. 아래에 까는 ~ sábana *f* bajera [de abajo]. 위에 까는 ~ sábana *f* encimera [de arriba]. 침대에 ~를 깔다 extender [poner] la sábana sobre [en] la cama. ④ [우표의] pliego *m*, hoja *f* de sellos.

시트론(영 *citron*) ① 【식물】 cidra *f*, cidro *m*, acitrón *m*. ② [음료] limonada *f*.

시틋하다 ① [싫증나다] estar harto (de). ② [시들들다] (ser) insatisfactorio, poco satisfactorio, reacio, renuente.

시틋이 insatisfactoriamente, reaciamente, renuentemente.

시티(영 *CT, computed tomography*) [엑스선 단층 촬영 장치] tomografía *f* computerizada.

■ ~ 스캐너 escansionador *m* de tomografía computerizada.

시판(市販) venta *f* en el mercado. ~하다 vender en el mercado. ~의 en el mercado, en venta. ~ 가능한 comercializable, mercadeable. ~하지 않은 책 libro *m* que no sale a la venta pública. ~ 중이다 estar en venta. 이 물건은 이제 ~되지 않는다 Este artículo ya no circula en el mercado.

■ ~ 가격 precio *m* en el mercado.

시퍼렇다 ① [더 짙을 수 없이 퍼렇다] (ser) muy azul. ② [놀라거나 춥거나하여 몹시 질려 있다] (estar) pálido. 공포로 얼굴이 ~ estar pálido de horror. ③ [위풍이나 권세가 당당하다] (ser) poderoso, influyente. 서슬이 ~ tener mucha influencia.

시퍼레지다 [놀라서] palidecer, ponerse pálido. 그녀는 공포로 얼굴이 시퍼레졌다 Ella se puso pálida de horror.

시편(詩篇) ((성경)) (el libro de) los Salmos.

시평(時評) ① [그때의 비평이나 평판] crítica *f* de entonces. ② [시사에 관한 평론] crítica *f* de actualidades.

◆문예(文藝) ~ crónica *f* literaria, crítica *f* sobre literatura actual, crítica *f* sobre las obras literarias. 정치(政治) ~ comentarios *mpl* de la actualidad política.

■ ~가 comentarista *mf*. ~란 columnas *fpl* editoriales.

시평(詩評) crítica *f* poética.

시폐(時弊) depravación *f* extendida del tiempo, vicios *mpl* corrientes.

시풍(詩風) estilo *m* de poesía, estilo *m* poético.

시프트(영 *shift*) 【컴퓨터】 desplazamiento *m*.

시필(試筆) primera escritura *f* del año. ~하다 hacer la primera escritura del año.

시하(侍下) persona *f* que vive con *sus* padres.

■ ~인(人) Sr. ⋯.

시하(時下) estos días, hoy día, al presente, ahora, al momento presente.

시학(視學) inspección *f* de escuelas.

■ ~관 inspector, -tora *mf* de escuelas. ~제도 sistema *m* de la inspección de escuelas.

시학(詩學) poética *f*.

시한(時限) límite *m* de tiempo, período *m*, periodo *m*. 약속 ~에 a la hora señalada. ~을 넘기다 retrasar, pasarse el tiempo.
■ ~부 de tiempo, de duración limitada. ~부 조건 condición *f* de duración limitada. ~부 파업[스트라이크] huelga *f* de duración limitada. ~ 신관(信管) fusible *m* de tiempo. ~폭탄 bomba *f* de tiempo, bomba *f* de relojería, bomba *f* de reloj.

시할머니(媤－) abuela *f* de *su* esposo.

시할아버지(媤－) abuelo *m* de *su* esposo.

시합(試合) juego *m*, encuentro *m*, match *ing.m*; [주로 구기의] partido *m*; [격투기의] pelea *f*, lucha *f*, combate *m*; [장기나 바둑의] partida *f*; [마라톤 따위의] prueba *f*; [선수권 시합] campamento *m*; [토너먼트] torneo *m*. A와의 ~ partido *m* contra A. A팀과의 ~ partido *m* contra el equipo A. ~에 출전하다 jugar [tomar parte · participar] en el partido. ~에 이기다 ganar. ~에 지다 perder. ~을 승낙하다 aceptar el desafío. ~을 시작하다 comenzar [empezar] el partido. ~을 신청하다 desafiar, enviar un cartel de desafío.
◆권투 ~ combate *m* [match *m*] de boxeo. 단식 ~ juego *m* individual. 레슬링 ~ combate *m* [match *m*] de lucha libre. 복식 ~ juego *m* doble. 축구 ~ partido *m* de fútbol. 테니스 ~ torneo *m* de tenis. 하키 ~ partido *m* de hockey. 혼합 ~ juego *m* mixto.
■ ~장 [정구의] pista *f*, *AmL* cancha *f*; [야구의] estadio *m*, campo *m* [*AmL* cancha *f*] (de béisbol), *Méj* parque *m* de béisbol; [축구의] campo *m* [*AmL* cancha *f*] de fútbol [*Méj* futbol]; [권투 · 레슬링의] cuadrilátero *m*, ring *ing.m*.

시해(弑害) ＝시살(弑殺).

시행(施行) ① [실지로 행함] ejecución *f*, realización *f*. ~하다 llevar a cabo, ejecutar, hacer cumplir. ② [법령(法令)을 공포한 후 그 효력을 발생시킴] ejecución *f* de la ley. 법령을 ~하다 poner un decreto en vigor. 헌법(憲法)을 ~하다 poner la constitución en vigor.
■ ~ 규칙[세칙] reglamentos *mpl* detallados de la ejecución. ~ 기간 período *m* de ejecución. ~ 기일 fecha *f* de ejecución. ~ 기한 término *m* de ejecución. ~령 ordenanza *f* de ejecución. ~지 el área *f* (*pl* las áreas) de ejecución. ~착오 (sistema *f* de) ensayos *mpl* y errores, (método *m* de) tanteos *mpl*.

시향(時享) ① [가묘에 지내는 제사] ritos *mpl* funerales en el santuario familiar en febrero, mayo, agosto y noviembre del calendario lunar. ② [5대 이상의 조상의 산소에 가서 드리는 제사] ritos *mpl* funerales en las tumbas ancestrales de más de quinto antepasado en octubre del calendario lunar.

시허옇다 (ser) blanco como la nieve, níveo.

시험(試驗) ① [재능 · 실력 · 신앙 등을 실지로 경험하여 봄] [학교 등의] examen *m* (*pl* exámenes); [공무원 등의] oposiciones *fpl*; [콩쿠르] concurso *m*. ~을 치르다 examinarse, hacer [presentar · rendir · *CoS* dar] un examen. ~에 합격(合格)하다 aprobar [pasar · *Urg* salvar] el examen, ser aprobado en el examen, salir bien en el examen. ~에 낙방하다 suspender [reprobar · *Urg* perder] un examen, fracasar [fallar · ser suspendido · salir mal] en el examen. 문법(文法) ~을 실시하다 examinar (a uno) [hacer (a *uno*) un examen] de gramática. 문법 ~을 치르다 presentarse a un examen [examinarse · sufrir un examen] de gramática. 그는 수학 ~에서 일등을 했다 El sacó la mejor nota [El obtuvo la mejor calificación] en el examen de matemáticas.
② [사물의 성질 · 능력 등을 실지로 경험하여 봄] [성능(性能) 등의] ensayo *m*, prueba *f*; [실험] experimento *m*. ~하다 ensayar, probar, tratar, someter (*algo*) a prueba, poner (*algo*) a prueba, probar el valor (de). ~의 de prueba, de ensayo, experimental. 새 자동차의 성능(性能)을 ~하다 probar [examinar] la capacidad de nuevo coche. 신제품을 ~하다 probar un nuevo producto.
■ ~ 감독 supervisión *f* del examen; [사람] protector, -tora *mf*; encargado, -da *mf* de vigilar [supervisar] un examen, supervisor, -sora *mf* del examen. ~공부 estudios *mpl* preparativos para examen de ingreso o reválida o calificación. ¶~하다 prepararse para el examen, preparar el examen. ~ 과목 asignatura *f* para el examen, materias *fpl* de examen. ~관(官) examinador, -dora *mf*; [집합적] tribunal *m*. ~관(管) probeta *f*, tubo *m* de ensayo. ¶~ 틀 gradilla *f* para tubos de ensayo. ~관 아기 niño-probeta *m*, niña-probeta *f*, niño, -ña *mf* probeta; bebé *m* probeta. ~기(器) aparato *m* [instrumento *m*] de ensayo, aparato *m* de pruebas. ~ 기간 período *m* de prueba. ~ 기일 fecha *f* de examen. ~ 답안 contestaciones *fpl* (escritas) del examen. ~ 답안지 papel *m* del examen. ~대(臺) [기계의] tabla *f* de experimento; [항공기 엔진 등의] banco *m* de pruebas. ~로(爐) [화학 실험용] horno *m* de prueba; [원자로] reactor *m* de prueba. ~료 derecho(s) *m*(*pl*) de examen. ~ 문제 problemas *mpl* [preguntas *fpl*] del examen. ~ 발사 disparos *mpl* de prueba. ~ 방법 método *m* de examen. ~ 비행 vuelo *m* de ensayo, vuelo *m* de pruebas. ~ 비행사 piloto *mf* de prueba(s). ~ 생산 producción *f* piloto, producción *f* experimental. ~ 생산품 producto *m* piloto, producto *m* experimental. ~소(所) laboratorio *m*. ~실(室) laboratorio *m*. ~ 위원 examinador, -dora *mf*. ~장 ㉮ lugar *m* de examenes. ㉯ ＝시

험소(試驗所). ~ 제도(制度) sistema *m* de examen. ~ 조업 operación *f* de prueba. ~ 조종사 piloto *mf* de pruebas. ~ 준비 preparación *f* para el examen. ~지 ㉮ [학교 등의] (papel *m* para) examen *m*, prueba *f*. ㉯ 【화학】 papel *m* de tornasol, papel *m* reactivo. ~지옥 terrible experiencia *f* del examen, dura prueba *f* del examen, inquietud *f* por examen. ~ 채용 기간 período *m* de prueba. ~침(針) acupuntura *f* de prueba. ~ 프로그램 [라디오·텔레비전의] programa *m* piloto. ~필(畢) Probado.

시현(示現) [신불이 영험(靈驗)을 나타내는 일] revelación *f* divina, manifestación *f* divina. ~하다 revelarse, manifestarse.

시형(詩形) forma *f* poética, métrica *f*.

■ ~학(學) prosodia *f*.

시호(時好) moda *f* corriente, moda *f* del día.

시호(試毫) =시필(試筆).

시호(詩號) seudónimo *m* de un poeta.

시호(諡號) epíteto *m* [título *m*·nombre *m*] póstumo. ~를 추증(追贈)하다 conceder [ortogar] un título póstumo.

시홍(視紅) violeta *m* visual.

시화(詩畫) ① [시와 그림] el poema y el cuadro. ② [시를 곁들인 그림] cuadro *m* ilustrado, cuadro *m* pictórico.

■ ~ 전람회 exposición *f* de los cuadros ilustrados.

시화법(視話法) labiolectura *f*.

시황(市況) mercado *m*, condición *f* de mercado, estado *m* del mercado; [주식의] situación *f* de la bolsa. 활발한 ~ mercado *m* animado. ~은 폭등한다 El mercado registra la mayor alza. ~은 폭락한다 El mercado registra la mayor baja. ~은 상향(上向)이다 El mercado sube [avanza·se recupera]. ~은 활발하다 El mercado está flojo. ~은 한산하다 El mercado está firme.

■ ~ 보고 informe *m* sobre el mercado, *AmL* reporte *m* sobre el mercado. ~ 산업 industria *f* del mercado. ~ 상품 mercancías *fpl* del mercado.

시회(詩會) club *m* (*pl* clubs) poético.

시효(時效) prescripción *f*. ~에 걸리다 estar barreado por prescripción, prescribirse. ~를 원용(援用)하다 demandar el beneficio de prescripción. 10년으로 ~가 되다 prescribir [extinguirse por prescripción] al cabo de diez años.

■ ~ 기간 período *m* de la prescripción. ~ 정지 suspensión *f* de la prescripción. ~ 중단 interrupción *f* de la prescripción.

시후(時候) [계절] estación *f*; [기후] tiempo *m*, estado *m* atmosférico, fenómeno *m* [cambio *m*] meteorológico. 불순(不順)한 ~ tiempo *m* extemporáneo. ~의 인사말 palabras fpl de saludo de cada temporada del año, cumplimiento *m* de cortesía según las estaciones.

시흥(詩興) inspiración *f* poética.

식(式) ① [일정한 전례·표준·기준] estilo *m*, orden *m*. 도리스~ orden *m* dórico. 서반아~ estilo *m* español. 이오니아~ orden *m* iónico. 한국~ estilo *m* coreano. 한국~으로 a la coreana, a lo coreano, a usanza coreana. ② [수학 등의] fórmula *f*. ③ [의식] ceremonia *f*, celebración *f*, rito *m*, ritual *m*. ~을 거행하다 celebrar una ceremonia. ~이 거행된다 Tiene lugar [Se celebra] la ceremonia. / Se verifica el acto. ④ [방식] manera *f*; [방법] modo *m*. 이런 ~으로 하십시오 Hágalo usted de esta manera. 이런 ~으로 하지 마세요 No lo haga de esta manera.

식(蝕) 【천문】 eclipse *m*.

-식(式) estilo *m*. 한국~ estilo *m* coreano.

식각(蝕刻) grabado *m*.

■ ~ 요판[오목판] aguatinta *f*. ~ 요판화(凹版畵) aguatinta *f*. ~ 판화 aguafuerte *m* de grabar.

식간(食間) ¶~에 entre comidas. ~에 약을 먹다 tomar *su* medicina entre comidas.

식객(食客) gorrista *mf*; parásito, -ta *mf*; chupón (*pl* chupones), -pona *mf*; gorrón (*pl* gorrones), -rrona *mf*; mogollón (*pl* mogollones), -llona *mf*. ~ 노릇을 하다 vivir de gorrista.

식견(識見) conocimiento *m*, sabiduría *f*, discernimiento *m*, criterio *m*, vista *f*, visión *f*. ~이 있는 사람 hombre *m* de alto criterio.

식경(食頃) [부사적] a eso de la hora de comida, un momento.

식곤증(食困症) languidez *f* [langor *m*] de la comida.

식구(食口) familia *f*, miembros *mpl* de una familia; [부양 가족의 수] boca *f*. 많은 ~ gran familia *f*, familia *f* grande. 적은 ~ familia *f* pequeña. 다섯 ~ una familia de cinco (personas). ~가 많다 tener gran familia que mantener [sostener], tener muchas bocas (que dar de comer). ~가 적다 tener una familia pequeña que mantener [sostener], tener pocas bocas (que dar de comer). ~가 늘다 tener nuevas bocas que dar de comer. ~가 줄다 tener menos bocas que dar de comer. 한~처럼 대하다 tratar como el miembro de la familia.

식권(食券) cupón *m* (*pl* cupones) [talón *m* (*pl* talones)] de racionamiento, billete *m* [*AmL* boleto *m*] de comida.

식균성(食菌性) fagocitismo *m*.

식균 작용(食菌作用) 【생물】 fagocitosis *f*.

식기(食器) ① [음식을 담는 그릇] vajilla *f* (de mesa), cubertería *f*, cristalería *f*; [주발] tazón *m* (*pl* tazones); [접시·수저·포크·나이프의 일인분] cubierto *m*. ~를 씻다 lavar [limpiar·fregar] los platos y cubiertos. ~를 놓다 poner la mesa, poner el servicio necesario en la mesa. ~를 치우다 quitar [retirar·levantar] la mesa, quitar los cubiertos. ② =주발. ③ =주발대접.

■ ~장(欌) aparador *m*, vasar *m*, despensa *f*; [벽에 거는] alacena *f*.

식나무 【식물】 aucuba *f* japonesa.

식다 ① [더운기가 없어지다] [공기·방 등이] refrigerarse, ponerse frío; [엔진·음식 등이] enfriarse. 식은 refrigerado, enfrinado. 음식이 식는다 La comida se enfría. 국이 식었다 Se ha enfriado la sopa. 식기 전에 드세요 Sírvase antes (de) que se enfríe. 국이 식기 전에 드세요 Tome usted la sopa antes (de) que se enfríe. ② [열정·열성이 줄다. 감정이 누그러지다] mitigarse, entibiarse, debilitarse, enfriarse, aliviarse, aligerarse, atenuarse. 애정이 식고 있다 Se entibia [Se debilita·Se enfría] el afecto. 그는 열정이 식었다 Se le ha enfriado el entusiamo. 그녀에 대한 내 애정은 식었다 Se ha entibiado mi amor hacia ella. 그는 이미 그녀에게 열정이 식었다 El ya no estaba tan entusiasmado con ella. 부부의 애정이 완전히 식었다 Se ha enfriado completamente el amor del matrimonio. 그녀는 이미 극장에 갈 생각이 식었다 Ella ya no estaba tan entusiamada con la idea de ir al cine. ③ [일이 때가 늦거나 싹수없이 되어 틀어지다] fracacar, salir mal.

식단(食單) ① [메뉴] menú *m*, lista *f* de platos; [불란서어에서 온 말] carta *f*. ~을 부탁합니다 El menú, por favor. ② [식단표] orden *f* de platos, preparación *f*. ~을 준비하다 preparar.

▪ ~표 =식단(食單)❷.

식당(食堂) restaurante *m*, *AmS* restorán *m*; [집이나 학교 등의] comedor *m*; [간이식당] cafetería *f*, bar *m*, bodegón *m* (*pl* bodegones), taberna *f*; [대학·기숙사 등의 큰 식당] refectorio *m*. ~의 서비스 servicio *m* en el restaurante. 이 ~은 음식 솜씨가 좋다 Se come bien en este restaurante.

◆사원(社員) ~ comedor *m* de la compañía. 학교 ~ comedor *m* de la escuela.

▪ ~경영인 *Méj* restaurantero, -ra *mf*. ~업 industria *f* de restaurantes. ~차 coche *m* comedor, vagón *m* restaurante.

식대(食代) precio *m* para la comida.

식도(食刀) =식칼.

식도(食道) 【해부】 esófago *m*. ~의 esofágico.

▪ ~경(鏡) esofagoscopio *m*. ~암 cáncer *m* esofágico, cáncer *m* del esófago. ~염 esofagitis *f*, inflamación *f* del esófago. ~절개술(切開術) esofagotomía *f*. ~ 절제술 esofagectomía *f*. ~ 출혈 esofagorragia *f*. ~통 esofagalgia *f*, esofagodinia *f*. ~ 협착 esofagostenosis *f*, estrechez *f* [estenosis *f*] del esófago. ~ 확장 esofagectasia *f*.

식도락(食道樂) gastronomía *f*, gulo *m*, gulosidad *f*.

▪ ~가(家) gastrónomo, -ma *mf*.

식되(食-) taza *f* para medir, medida *f* de la cocina.

식량(食量) capacidad *f* para comer.

식량(食糧) provisiones *fpl*, víveres *mpl*, vituallas *fpl*, comestibles *mpl*, productos *mpl* alimenticios. ~의 결핍(缺乏) escasez *f* de víveres. ~을 공급하다 abastecer [proveer] de víveres. ~ 보급을 끊다 cortar los víveres.

▪ ~ 관리 control *m* de comestibles, racionamiento *m* de provisiones. ~ 관리 제도 sistema *m* de control de comestibles. ~국 departamento *m* de alimentos [de provisiones]. ~난 dificultad *f* de obtener las provisiones. ~ 문제 problema *m* de víveres [de comestibles]. ~ 배급표 vale *m* canjeable por alimentos que se da a personas de bajos ingresos. ~부족 falta *f* de provisiones, carestía *f* de víveres, déficit *m* de vituallas. ~ 사정 situación *f* de comestibles, circunstancia *f* de manjares. ~ 원조(援助) ayuda *f* alimentaria, ayuda *f* alimenticia. ~ 위기(危機) crisis *f* de comestibles. ~ 정책(政策) política *f* de provisiones.

식료(食料) alimento *m*, comida *f*.

식료품(食料品) alimentos *mpl*, comestibles *mpl*, productos *mpl* alimenticios, artículos *mpl* alimenticios, artículos *mpl* de boca, provisiones *fpl*, víveres *mpl*, abarrote *m*. ~ 값 인상 subida *f* de precios de los productos alimenticios.

▪ ~상 tendero, -ra *mf*; almacenero, -ra *mf*. ~점 almacén *m* [tienda *f*] de comestibles, tienda *f* de ultramarinos, tienda *f* de provisiones, abarrotería *f*, *Cuba*, *Per*, *Ven* bodega *f*, *AmC*, *Andes*, *Méj* tienda *f* de abarrotes, *CoS* almacén *m*.

식리(殖利) aumento *m* de la ganancia. ~하다 aumentar la ganancia.

식림(植林) forestación *f*, repoblación *f* forestal, cultivo *m* de bosques, plantación *f* de bosques. ~하다 plantar los bosques [los árboles], repoblar con árboles.

▪ ~ 계획 plan *m* de forestación. ~ 사업 proyecto *m* de forestación. ~지 plantación *f*.

식모(食母) criada *f* (que sirve en la cocina y ayuda a la cocinera), sirvienta *f*, muchacha *f*, doméstica *f*, cocinera *f*; [집합적] servidumbre *f*. ~를 두다 tomar una criada [una sirvienta]. ~를 두고 있다 tener una criada [una sirvienta]. ~ 구함 ((게시)) Se necesita (una) criada / Se busca una criada.

▪ ~방 habitación *f* [cuarto *m*] para la criada.

식모(植毛) 【의학】 trasplante *m* del pelo. ~하다 trasplantar el pelo.

▪ ~술(術) arte *m* de trasplantar el pelo.

식목(植木) plantación *f* (de un árbol). ~하다 plantar un árbol [árboles].

▪ ~일 el día del Arbol. ¶세계(世界) ~ el Día Mundial del Arbol.

식물(食物) comida *f*, alimento *m*, comestibles *mpl*, manjar *m*.

식물(植物) planta *f*, vegetal *m*; [한 시대·한 지역의] flora *f*; [집합적] vegetación *f*. ~의 vegetal, floral. 한국의 ~ flora *f* coreana [de Corea].

■～ 검역 cuarentena *f* de las plantas. ～계 reino *m* vegetal. ～구계 flora *f.* ～ 군락 comunidad *f* de las plantas. ～ 기재학 botanía *f* descriptiva. ～대 zona *f* floral, zona *f* de vegetación. ～ 도감 libro *m* ilustrado de las plantas. ～ 병리학(病理學) patología *f* vegetal. ～ 분류학 botánica *f* clasificadora. ～ 분포(分布) distribución *f* geográfica de las plantas. ～ 사회학(社會學) sociociología *f* vegetal. ～ 생리학(生理學) fisiología *f* vegetal. ～ 생태학 ecología *f* vegetal, botánica *f* fisiológica. ～ 섬유 fibra *f* vegetal. ～ 섬유소 celulosa *f.* ～성 vegetabilidad *f.* ～성 버터 vegetalina *f.* ～성 섬유 fibra *f* vegetal. ～ 세포 célula *f* vegetal. ～ 약리학 fitofarmacología *f.* ～ 염기 base *f* vegetal. ～ 염료 tintura *f* vegetal, tinte *m* vegetal. ～원 jardín *m* botánico. ～인간 humano *m* vegetal. ～ 조직학 histología *f* vegetal. ～ 중독(中毒) intoxicación *f* por la planta. ～지(誌) flora *f.* ～ 지리학 geografía *f* botánica. ～ 지리학자 geógrafo *m* botánico, geógrafa *f* botánica. ～질(質) materia *f* [sustancia *f*] vegetal. ～ 채집 colección *f* de plantas, colección *f* botánica, herborización *f.* ～ 채집가 herborista *mf;* herborizador, -dora *mf.* ～ 채집통 caja *f* de herborizadores. ～ 표본 espécimen *m* botánico, muestra *f* botánica. ～ 플랑크톤 fitoplancton *m.* ～학 botánica *f.* ～ 학자 botanista *mf;* botánico, -ca *mf.* ～ 해부학 anatomía *f* vegetal. ～ 형태학 botánica *f* morfológica. ～ 호르몬 hormona *f* [hormón *m*] vegetal. ～ 화학(化學) fitoquímica *f.*

식민(植民) colonización *f,* colonia *f;* [사람] colono *m,* poblador *m.* ～하다 colonizar. ～의 colonial.

■～국(國) país *m* colonizador. ～ 사업 colonización *f.* ～ 시대 período *m* colonial, tiempo *m* colonial, coloniaje *m.* ～ 업무 asuntos *mpl* coloniales. ～자 colonizador, -dora *mf,* colono *m.* ～ 정책 política *f* colonial, colonialismo *m.* ～ 회사 compañía *f* colonizadora.

식민지(植民地) colonia *f.* ～의 colonial.

■～ 기질 colonialismo *m.* ～ 시대 período *m* colonial, tiempo *m* colonial, coloniaje *m.* ～ 운동 movimiento *m* colonial. ～ 정책 política *f* colonial, coloniaje *m.* ～주의 colonialismo *m.* ～주의자 colonialista *mf.* ～풍 colonialismo *m,* estilo *m* colonial. ～화(化) colonización *f.* ¶～하다 colonizar.

식반(食盤) mesa *f* pequeña de comedor, bandeja *f* para la comida.

식별(識別) discernimiento *m,* distinción *f,* sindéresis *f,* discreción *f,* entendimiento *m,* juicio *m.* ～하다 discernir, distinguir. ～할 수 있는 discernible, distinguible. ～할 수 없는 indistinguible. A와 B를 ～하다 discernir [distinguir] A de B [entre A y B]. A 중에서 B를 ～하다 discernir [distinguir] A entre B.

◆색(色) ～ visión *f* de color. 개인(個人) ～법(法) método *m* de identificación.

■～력(力) poder *m* de discernimiento, discriminación *f.* ～역(閾) umbral *m* de discriminación. ～종(種) especies *fpl* diferencial.

식보(食補) vigorización *f* [tonificación *f*] de *su* cuerpo a través del régimen [de la dieta]. ～하다 vigorizar [tonificar] *su* cuerpo a través de la dieta, hacer régimen [dieta] en alimento.

식복(食福) bendición *f* con las cosas de comer. ～이 있다 ser bendito con las cosas de comer.

식부(植付) ① [나무나 풀을 심음] plantación *f.* ～하다 plantar. ② ＝모내기.

식분(飾分) 【천문】 fase *f* de eclipse.

식비(食費) gastos *mpl* de los alimentos, gastos *mpl* [costo *m*] de la comida. ～에 삼십만 원을 충당하다 destinar trescientos mil wones a los alimentos.

식빵(食－) pan *m,* *Méj* pan *m* blanco grande. ～ 한 덩어리 un pan, una barra de pan.

식사(式辭) discurso *m* (ceremonial). ～를 하다 pronunciar un discurso (en la ceremonia).

식사(食事) comida *f,* alimento *m,* sustento *m.* ～하다 comer, tomar, tener una comida. ～중이다 estar en [a] la mesa, estar comiendo, estar sentado a la mesa. ～ 준비를 하다 hacer [preparar] la comida; [식탁에] poner la mesa. ～에 초대하다 convidar [invitar] a comer. ～를 함께 하다 comer juntos. A와 ～를 함께 하다 comer con A. ～ 후 상을 치우다 levantar la mesa. 밖에서 ～하다 comer fuera de casa. 하루에 세 번 ～하다 tomar [hacer] tres comidas al día. 하루에 두 번 ～하다 reducir las comidas a dos veces al día, comer dos comidas al día. 하루에 세 끼 ～를 포함해서 하숙을 하다 hospedarse con pensión completa. 나는 ～ 포함해서 월 40만 원의 방세를 지불하고 있다 Pago de pensión completa cuatrocientos mil wones al mes. 이 방은 ～ 포함 35만 원이다 El precio de esta habitación es de trescientos cincuenta mil wones con la comida. ～는 몇 시입니까? ¿A qué hora es [se sirve] la comida? ～합시다 ¡A la mesa! / ¡A comer! / ¡Vamos a comer [tomar]!

■～ 시간 hora *f* de comer. ～ 예절(禮節) modales *mpl* [educación *f*] de mesa.

식산(殖産) explotación *f* industrial, fomento *m* de las industrias, aumento *m* de producciones, producción *f,* industria *f.* ～하다 aumentar producción, fomentar la industria nacional.

■～ 공업 industria *f* productiva.

식상(食傷) ① [물림] hartura *f,* hartazgo *m,* saciedad *f.* ～하다 hartarse (de), saciarse (con). ② [소화 불량으로 복통·토사 등이 나는 병] ahitera *f,* ahito *m;* [소화 불량]

indigestión *f.* ~하다 ahitarse, indigestarse.
식생활(食生活) vida *f* alimenticia, alimentación *f.* ~을 개선(改善)하다 mejorar la alimentación. ~을 보다 즐겁게 하다 aumentar la alegría de la mesa.
식성(食性) paladar *m*, preferencia *f.* ~에 맞는 음식 comida *f* favorita. ~에 맞다 ir [quedar] bien a *su* paladar. ~이 까다롭다 ser muy exigente en lo que se refiere a la comida.
식세포(食細胞)【생물】fagocito *m.*
■~ 작용 fagocitosis *f*, fagocitismo *m.*
식솔(食率) comensal *m.* ☞식구(食口)
식수(食水) el agua *f* potable, el agua *f* pura, el agua *f* dulce, el agua *f* que se puede beber.
■~난 escasez *f* de la agua potable.
식수(植樹) =식목(植木).
식순(式順) programa *m* de la ceremonia. ~에 따라 según el programa de la ceremonia.
식식 jadeando, respirando pesadamente.
식식거리다 respirar pesadamente, jadear, respirar entrecortadamente. 그는 식식거리며 도착했다 El llegó jadeando [sofocado · sin aliento].
식신(食神)【민속】dios *m* de la comida.
식언(食言) violación *f* de una promesa, falta *f* a *su* palabra. ~하다 violar la promesa, faltar a *su* palabra, desdecirse de lo dicho, volverse atrás. 그는 오겠다고 말했으나 ~했다 El me dijo que vendría, pero se ha vuelto atrás.
식염(食鹽)【화학】sal *f* de mesa.
◆생리적(生理的) ~ solución *f* salina fisiológica.
■~ 관장 lavativa *f* de sal. ~ 그릇 salero *m.* ~수 ㉮ =소금물. ㉯ ((준말)) =생리적 식염수. ~ 주사(注射) nyección *f* de sal, inyección *f* de suero fisiológico.
식예(植藝) =수예(樹藝).
식욕(食慾) apetito *m*, gana(s) *f(pl)* de comer, apetincia *f.* ~이 있다 tener apetito [ganas de comer]. ~이 없다 no tener apetito [ganas de comer], tener poco apetito, estar desganado. ~이 왕성(旺盛)하다 tener buen [mucho] apetito, tener muchas ganas de comer. ~이 동하다 ser atraído (por), ser engolosinado (por). ~을 돋구다 despertar [abrir] el apetito. ~을 돋구는 apetitoso. ~을 유발(誘發)하는 orexígeno. ~을 잃다 perder el apetito. ~을 증진시키다, ~을 자극하다 excitar el apetito. 나는 ~이 별로 없다 No tengo mucho apetito / No tengo muchas ganas de comer. 나는 걱정이 있을 때는 ~이 없어진다 Cuando tengo preocupaciones, se me quita el apetito. 저 나이에는 ~이 왕성하다 Muchachos en su edad tienen buen apetito.
■~ 감퇴 anepitimia *f*, decadencia *f* de apetito. ~ 결핍 anorexia *f*, inapetencia *f*, asitia *f.* ~ 도착(倒錯) parorexia *f.* ~ 부진 anorexia *f*, inapetencia *f*, falta *f* de apetito. ~ 불량(不良) anorexia *f.* ~ 이상(異常) alotriogeusia *f*, anomalía *f* de apetito. ~ 이상 항진(異常亢進) hiperorexia *f.* ~ 증진 mejora *f* de apetito. ~ 증진제 tapa *f*, aperitivo *m*, *Méj* botana *f.* ~ 촉진제 aperitivo *m*, tapa *f.* ~ 항진(亢進) bulimia *f.*
식용(食用) lo comestible, lo comible, uso m de comer; [부사적] para la comida. ~의 comestible, comible, de comer, de mesa. ~에 적합한 comestible. ~으로 되다 ser bueno para comer. ~으로 하다 tomar para comer, preparar para la mesa. ~으로 제공하다 servir para ser comido.
■~ 결핍 disorexia *f.* ~균(菌) germen *m* comestible. ~근(根) raíces *fpl* comestibles. ~ 버섯 hongo *m* comestible. ~ 색소 colorante *m* alimenticio. ~ 식물 planta *f* comsetible. ~어(魚) pez *m* (*pl* peces) comestible. ~유[기름] aceite *m* comestible [alimenticio]. ~ 작물 cultivo *m* comestible. ~품[물] =식료품(食料品).
식용 개구리(食用－)【동물】rana *f* comestible, rana *f* toro.
식용 달팽이(食用－)【동물】babosa *f* comestible.
식육(食肉) ① [고기를 먹음] acción *f* de comer carne. ~하다 comer carne, ser carnívoro. ② [식용으로 하는 고기] carne *f.*
■~ 동물 animal *m* predador [depredador · carnívoro]. ~업 carnicería *f.* ~ 업자 carnicero, -ra *mf.* ~우(牛) ganado *m* vacuno, ganado *m* bovino. ~점 carnicería *f.* ¶~ 주인 carnicero, -ra *mf.* ~조(鳥) el ave *f* (*pl* las aves) predadora [depredadora · carnívora]. ~ 중독(中毒) creotoxismo *m*, toxicosis *f* de carne.
식육류(食肉類)【동물】carniceros *mpl*, carnívoros *mpl*, animal *m* carnívoro.
식은땀 sudor *m* frío. ~을 흘리다 [무서워서] sudar de miedo. 나는 ~이 났다 Me corrió un sudor frío / [오싹] Se me erizó el pelo de miedo.
식은 죽(－粥) gachas *fpl* frías.
■식은 죽 먹기 ((속담)) Esto está tirado / Eso es coser y cantar para mí.
식음(食飮) la comida y la bebida.
◆식음을 전폐하다 abandonar la comida y bebida, ayunar.
식이(食餌) ① =먹이(alimento). ¶~의 dietético. ② [조리한 음식물] comida *f* cocida, alimento *m* cocido.
■~법 alimentación *f.* ~ 요법(療法) dieta *f*, régimen *m* (alimentario · alimenticio · dietético · de comidas), alimentoterapia *f*, sitoterapia *f*, dietoterapia *f*, cura *f* dietética, prescripciones *fpl* gastronómicas. ~학(學) alimentología *f.*
식인(食人) canibalismo *m.*
■~국 país *m* (*pl* países) de antropófagos. ~귀(鬼) ogro, -gra *mf*; demonio *m* caníbal. ~종(種) tribu *f* antropófaga, tribu *f* caníbal, antropófagos *mpl*, caníbales *mpl*, raza *f* caníbal.

식일(式日) ① [날마다] todos los días, cada día. ② [의식(儀式)이 있는 날] día *m* de celebración, ocasión *f* ceremoniosa, día *m* ceremonial.

식자(植字) composición *f* (de tipos), tipografía *f*. ~하다 componer los tipos.
■ ~가(架) componedor *m*. ~공 tipógrafo, -fa *mf*; cajista *mf*. ~기 [모노타이프] monotipia *f*. ~실 cuarto *m* en que se compone tipos. ~ 오류(誤謬) error *m* tipográfico, errata *f*, error *m* de imprenta. ~판 galerada *f*.

식자(識字) acción *f* de saber la letra.
■ ~우환(憂患) La ignorancia es dichosa / Poco conocimiento es una cosa peligrosa.

식자(識者) sabio, -bia *mf*; erudito, -ta *mf*; entendido, -da *mf*; persona *f* inteligente; público *m* inteligente; persona *f* que tiene buen sentido. ~의 의견을 구하다 pedir opiniones a los entendidos, consultar a las personas competentes.

식작용(食作用) 【생물】 =식세포 작용.

식장(式場) salón *m* (*pl* salones) [sala *f*·lugar *m*] de ceremonia,; [결혼 피로연 등의] sala *f* de banquetes [de fiestas].

식적(食積) 【한방】 indigestión *f*.

식전(式典) ceremonia *f*, rito *m*, ritual *m*.

식전(食前) ① [아침밥을 먹기 전] antes del desayuno, antes de desayunar. ② [밥을 먹기 전] antes de la comida, antes de comer. ~ 식후의 감사 기도 oración *f* antes o después de comer. ~에 목욕하다 bañarse antes de comer. ~에 손을 씻다 lavarse las manos antes de comer. ~에 복용하세요 Tómese antes de comer.
■ ~바람 antes de desayunar, en el estómago vacío. ~술 aperitivo *m*. ~잠 sueño *m* antes de desayunar. ~참(站) mañana *f* temprana antes de desayunar.

식중독(食中毒) 【의학】 intoxicación *f* alimenticia, intoxicación *f* por alimentos, envenenamiento *m* alimenticio, indigestión *f*, daño de la comida. ~에 걸리다 envenenarse con un alimento.

식지(食指) =집게손가락. 인지(人指).

식지(食紙) papel *m* lubricado [aceitado·engrasado] para cubrir la comida.

식체(食滯) 【한방】 (enfermedad *m* de) la indigestión, dispepsia *f*.

식초(食醋) vinagre *m*. ~를 치다 echar [poner] vinagre. ~에 담그다 encurtir, echar en escabeche, escabechar. ~에 담근 encurtido, en escabeche, escabechado. ~에 담그는 일 encurtido *m*; [생선 따위의] escabeche *m*. ~를 친 요리(料理) manjar *m* [plato *m*] envinagrado. ~를 친 오이 요리 (plato *m* de) pepino envinagrado. 샐러드는 소금과 기름과 식초로 만든다 La ensalada se prepara con sal, aceite y vinagre.
■ ~ 가게 vinagrería *f*. ~ 공장 vinagrería *f*. ~병(甁) vinagrera *f*. ~산(酸) ácido *m* acético. ~산균(酸菌) bacteria *f* acética. ~ 양조가(釀造家) vinagrero, -ra *mf*. ~ 장수 vinagrero, -ra *mf*.

식충(食蟲) ① [식충류가 벌레를 잡아먹는 일] zoófito *m*. ~의 insectívoro. ② =식충이 (comilón).
■ ~ 동물(動物) animal *m* insectívoro. ~류(類) insectívoros *mpl*. ~ 식물(植物) planta *f* insectívora.

식충이(食蟲-) comilón, -lona *mf*; glotón, -tona *mf*; tragón, -gona *mf*.

식칼(食-) cuchillo *m* (para·de cocina); [고기 자르는] cuchilla *f*; [큰] faca *f*. ~로 자르다 cortar con un cuchillo.

식탁(食卓) mesa *f* (de comedor). ~에 앉은 왕가(王家)의 그림 un cuadro de la familia real sentada a la mesa. ~에 앉다 sentarse a la mesa, tomar asiento a la mesa. ~을 준비하다 poner [preparar] la mesa. ~을 치우다 quitar [levantar] la mesa. ~에서 일어나다 levantarse de la mesa. ~을 이리저리 옮겨 다니다 ir de mesa a mesa. 4인용 ~을 예약하다 reservar un mesa para cuatro. ~에서 그러지 마라 No hagas eso en la mesa. 저녁이 ~에 준비되었다! ¡La cena está servida! 와서 우리 ~에 앉으십시오 (Ven y) Siéntate con nosotros.
■ ~보 mantel *m*. ~용 수저[스푼] cuchara *f* grande, cuchara *f* de servir.

식탈(食頉) indigestión *f*, estómago *m* causado por la sobrealimentación. 과식으로 ~이 나다 tener la indigestión por el sobrealimentarse.

식탐(食貪) glotonería *f*, gula *f*. ~하다 (ser) glotón, voraz, insaciable.

식품(食品) alimentos *mpl*, comestibles *mpl*, víveres *mpl*, provisiones *fpl*, vitualla *f*. 신선한 ~ víveres *mpl* frescos.
■ ~ 가공 procesamiento *m* de alimentos. ~ 가공기 robot *m* de cocina, multiusos *mpl*, procesador *m* de alimentos. ~ 가공업 industria *f* alimenticia, sector *m* de procesamiento de alimentos. ~ 가공 업자 procesador, -dora *mf* de alimentos. ~ 공업 industria *f* alimenticia [alimental]. ~ 공학 ingeniería *f* alimentaria [de alimentos]. ~ 공학과 departamento *m* de ingeniería de alimentos. ~ 공해 contaminación *f* de los alimentos. ~ 관리 control *m* de alimentos. ~ 관리 제도 sistema *m* de control de alimentos. ~ 도매 venta *f* mayorista de alimentos. ~론 bromatografía *f*, bromografía *f*. ~ 매장 departamento *m* de comestibles. ~법 ley *f* de productos alimentarios. ~ 소매 venta *f* minorista de alimentos. ~ 위생 higiene *f* alimenticia. ~ 의약품국 Oficina *f* de Control de Alimentos y Alimentación. ~ 위생법(衛生法) reglamentos *mpl* sobre la salubridad de los productos alimenticios, ley *f* de higiene alimenticia. ~점 tienda *f* de comestibles [de alimentación·de ultramarinos], *Cuba, Per, Ven* bodega *f*, *AmC, Andes, Méj* tienda *f* de abarrotes; *CoS* almacén *m* (*pl* almacenes). ~ 제조 fabricación *f* de ali-

mentos. ~ 제조업 industria *f* fabricante de alimentos. ~ 제조 업자 fabricante *mf* de alimentos. ~ 제조 업자 연맹 Federación *f* de Fabricantes de Alimentos. ~ 조사 inspección *f* de alimentos. ~ 중독(中毒) intoxicación *f* por alimentos. ~ 착색제 colorante *m* alimenticio. ~ 첨가물 aditivo *m* alimenticio. ~ 체인 cadena *f* alimenticia. ~학 bromatología *f*, sitología *f*. ~ 학자 bromatólogo, -ga *mf*. ~ 화학 química *f* alimentaria.

식피(植皮) injerto *m*. ~하다 injertar.

■ ~ 수술 dermatoplastia *f*, dermoplastia *f*.

식해(食醢) =생선젓.

식혜(食醯) bebida *f* dulce hecha de arroz fermentado.

■ ~ 가루 malta *f* secada usada para el arroz fermentado.

식후(食後) después de la comida, después de comer. ~에 먹는 과실 (fruta *f* de) postre *m*. ~에 마시는 술 digestivo *m*. ~의 연설 discurso *m* sobrecomido. ~의 한담(閑談) charla *f* sobrecomida. 하루에 세 번~ 복용(하세요) ((게시)) Tómese después de la comida tres veces al día.

■ ~경(景) Aunque sea buena la excursión por los lugares de interés, es mejor después de la hartura. ~복(服) acción *f* de tomarse después de comer.

식히다 [공기·방을] refrigerar; [엔진·음식·열정을] enfriar, poner frío, refrescar. 국을 ~ enfriar la sopa. 맥주를 ~ enfriar [refrescar] la cerveza. 머리를 ~ serenarse, refrescarse; [기분 전환을 하다] refrescar la cabeza, refrescarse, tomar el aire. 이마를 얼음으로 식히다 enfriar la frente con hielo.

신[1] [발에 신고 걷는 데 쓰는 물건] calzado *m*, zapatos *mpl*. ~을 신은 채로 sin descalzarse. ~을 신다 ponerse los calzados [zapatos]. ~을 벗다 quitarse los calzados [zapatos].

◆~ 신고 발바닥 긁기 lo insatisfactorio, lo poco satisfactorio.

신[2] [흥미와 열성이 생겨 매우 좋아진 기분] alegría *f*, júbilo *m*, gozo *m*, deleite *m*. ~이 나다 estar excitado. ~이 나서 춤을 추다 bailar [danzar] estando excitado.

신(申) ① [지지(地支)의 아홉째] [원숭이] el signo del mono. ② ((준말)) =신방(申方). ③ ((준말)) =신시(申時).

신(辛) ① 【민속】 el octavo de diez Signos Celestres. ② ((준말)) =신방(辛方). ③ ((준말)) =신시(辛時).

신(臣) ① =신하(臣下). ② [신하가 임금에 대하여 자기를 낮춤말] yo, su vasallo.

신(信) creencia *f*, fe *f*, crédito *m*.

신(神) ① [종교의 대상으로 우주를 주재하는 초인간적 또는 초자연적 존재] el Dios, el Ser Supremo; [잡신(雜神)] dios *m* (*pl* dioses); [여신(女神)] diosa *f*. ~의 divino, piadoso, religioso. ~의 조화 obra *f* divina. 로마 신화의 여러 ~들 dioses *mpl* en la mitología romana. ~으로 모시다 deificar, endiosar, divinizar. 이 신전(神殿)에서는 태양의 ~을 제사 지내고 있다 En este templo se adora [se venera] al dios del sol. ② ((종교)) [하느님, 하나님] el Dios, el Señor, la Providencia. ~의 divino. ~의 가호(加護) protección *f* divina, providencia *f*. ~의 은혜 gracia *f* [merced *f*] de Dios. ~의 종 sirviente *m* [siervo *m*] de Dios. ~의 가호로 gracias a Dios. ~에게 기도하다 rezar a Dios. ~에게 맹세하다 jurar por Dios (que + *ind*). ~을 믿다 creer en Dios. ~을 숭배하다 adorar al Dios. ~을 찬양하다 alabar [glorificar] a Dios. 무신론자(無神論者)들은 ~을 믿지 않는다 Los ateos no creen en Dios. ~께서 돌보아 주소서 ¡Venga Dios y véalo! ~이여, 나를 구원하소서 ¡Señor, ayúdame! 그것은 ~의 뜻에 달려 있다 Es lo que Dios quiere / Es la voluntad de Dios. ~만이 알고 있다 / ~이 아닌 범인으로서는 알 길이 없다 Sólo Dios sabe. ③ [귀신(鬼神)] demonio *m*, satán *m* (*pl* satanes), satanás *m* (*pl* satanases). ④ ((준말)) =신명(神明).

신(腎) ① ((준말)) =신장(腎臟). ② ((준말)) =신경(腎莖).

신(영 *scene*) escena *f*. 극적(劇的)인 ~에 나오다 asistir a [presentar] una escena.

신-(新) nuevo, neo-, moderno. ~감각파(感覺派) neosensualismo *m*. ~공항(空港) nuevo aeropuerto *m*. ~무기(武器) el arma *f* (*pl* las armas) nueva. ~세계(世界) el Nuevo Mundo. ~여성(女性) mujer *f* moderna.

신가정(新家庭) ① [결혼한 지 얼마 안되는 가정] hogar *m* recién casado. ② [신시대의 가정] nuevo hogar *m*.

신간(辛艱) =신고(辛苦).

신간(新刊) nueva publicación *f*, [책] libro *m* recién publicado, nuevo libro *m*. ~의 recién publicado, recién editado, de nueva publicación.

■ ~ 목록 lista *f* de libros recién publicados. ~ 비평(批評) crítica *f* de libros recién publicados. ~ 서적 libro *m* recién publicado, nuevo libro *m*, novedad *f*. ~ 서적 안내 [신문 등의] aviso *m* de libros. ~ 소개 crítica *f* de libros, reseña *f* de nuevos libros. ~ 예고 En imprenta, aviso *m* de publicación cercana.

신간(新墾) =개간(開墾).

신갈나무 【식물】 roble *m* mongol.

신감각파(新感覺派) neosensualista *mf*.

신건이 persona *f* tonta.

신것 lo agrio, lo ácido. 나는 ~을 싫어한다 No me gusta lo agrio.

신격(神格) divinidad *f*.

■ ~화(化) deificación *f*, divinización *f*. ¶~하다 deificar, divinizar.

신경(神經) ① 【해부】 nervio *m*. ~의 nérveo, nervioso. ~에 잘 듣는 nervino. ~에 잘 듣는 약 remedio *m* nervino. ~을 빼다 sacar [quitar·matar] los nervios. ~을 마비시키다 insensibilizar los nervios. ~을 안정시키

다 calmar los nervios. ~을 자극하다 aguzar los nervios. 미주(迷走) ~ nervio *m* neumogástrico, nervio *m* vago. 시(視) ~ nervio *m* óptico. 안면(顔面) ~ nervio *m* facial. ② [사물을 감각하거나 생각하는 힘] comprensión *f*, percepción *f*. ~이 둔한 insensible; [우둔한] lerdo, torpe, tardo de comprensión. ~이 둔하다 ser lerdo, tener una percepción lenta. ~을 건드리다 poner los nervios de punta, atacar los nervios, alterar los nervios, irritar, exasperar, sacer de quicio, poner irritado [excitado · nervioso], crispar los nervios. ~을 곤두세우다 aguzar los nervios. ~을 너무 쓰다 fatigar(se) los nevios. ~이 날카롭다 tener los nervios de punta; [초조하다] estar nervioso, impacientarse; [긴장하다] estar tenso. ~이 날카로워지다 ponerse nervioso. ~이 날카로워 잠이 오지 않는다 estar desvelado y no poder dormir. 당신의 병은 ~ 탓이다 Su enfermedad no es más que una pura imaginación. 그가 하는 일은 하나하나가 ~을 건드린다 Todo lo que él hace me saca de quicio.

◆신경(을) 쓰다 preocuparse (por · de). 신경을 쓰지 않은 libre de cuidados, libre de preocupaciones, despreocupado. 아무런 신경을 쓰지 않고 sin ninguna preocupación, sin preocuparse de nada. 신경을 쓰지 않는 표정을 하고 있다 tener el rostro libre de todo cuidado.

■ ~계 sistema *m* nervioso. ~ 계통 =신경계. ~공(孔) neuroporo *m*. ~과(科) neurología *f*. ~과민(過敏) hiperestesia *f*, hipersensibilidad *f*, nerviosidad *f*. ~과민증 hipersensibilidad *f*, nerviosismo *m*, eretismo *m*. ~과 의사(科醫師) neurólogo, -ga *mf*; neurópata *mf*. ~관(管) tubo *m* neural, cavidad *f* neural. ~ 돌기(突起) neuraxón *m*. ~ 마비 neurolepsis *f*, neuroplegia *f*. ~병 neuropatía *f*, neurosis *f*, enfermedad *f* nervosa. ~ 병학 neurología *f*. ~ 섬유 fibra *f* nerviosa. ~ 세포 célula *f* nerviosa, célula *f* ganglionar, neurocito *m*. ~쇠약 neurastenia *f*, nuerataxia *f*, aneuria *f*. ~ 안정제(安靜劑) calmante *m*. ~외과(外科) neurocirugía *f*. ~외과 의사 neurocirujano, -na *mf*. ~외과학 neurocirugía *f*. ~원 neurona *f*. ~ 이식(술) injerto *m* nervioso. ~전 guerra *f* psiciológica, guerra *f* de nervios. ~절 ganglio *m*, neuroganglio *m*. ~ 절개(切開) neurotomía *f*. ~ 절개도 neurótomo *m*. ~절 절제(술) ganglionectomía *f*. ~ 정신 과학 neuropsiquiatría *f*. ~ 정신병 neuropsicopatía *f*. ~ 조직 tejido *m* nervioso. ~ 조직학(組織學) neurohistología *f*, histoneurología *f*. ~ 중추 centro *m* de nervio. ~증 neurosis *f*, neuronosis *f*, nervosismo *m*, neuropatía *f*. ~ 지배(支配) inervación *f*, innervación *f*. ~질 nervosidad *f*, nervosidad *f*, neuroticismo *m*. ¶~적인 nervoso, nervioso. ~적으로 nerviosamente. ~적인 여자 mujer *f* nerviosa. ~적인 사람 hombre *m* nervioso, *AmL* rascarrabias *m.sing.pl*. ~통 neuralgia *f*, neurodinia *f*, enfermedad *f* nerviosa. ~학 neurología *f*. ~ 학자(學者) neurólogo, -ga *mf*. ~ 해부 neurotomía *f*. ~ 해부도(解剖刀) neurótomo *m*. ~ 해부학(解剖學) neuroanatomía *f*. ~ 해부 학자 neuroanatómico, -ca *mf*. ~ 형질 neuroplasma *f*. ~ 호르몬 neurohormona *f*.

신경(腎莖) 【해부】 pene *m*.

신경지(新境地) nuevo campo *m* de vivir. ~를 열다 tener el nuevo campo de vivir.

신경초(神經草) 【식물】 =미모사(minosa).

신경향(新傾向) nueva tendencia *f*.

■ ~파(派) escuela *f* anticonvencional.

신고(申告) declaración *f*, anuncio *m*, aviso *m*, manifestación *f*. ~하다 declarar, anunciar, avisar, manifestar, hacer una declaración. 소득을 ~하다 declarar la renta. 경찰에 도난을 ~하다 declarar un robo a la policía. 상사에게 결근을 ~하다 avisar [anunciar] su ausencia. al jefe. 외국에서 매입한 물건을 ~하다 [세관에서] declarar sus compras extranjeras. ~할 것이 있습니까? [세관에서] ¿Tiene usted algo que declarar? ~할 것이 아무것도 없습니다 No tengo nada que declarar. ~할 필요가 없다 No hay que declarar.

◆납세(納稅) ~ declaración *f* de la renta, *AmL* declaración *f* de impuestos. 녹색 ~ declaración *f* verde. 세관(稅關) ~ declaración *f* de aduana. 예정(豫定) ~ declaración *f* provisional. 재산(財産) ~ declaración *f* de bienes. 확정(確定) ~ declaración *f* final.

■ ~ 납부(納付) pago *m* por autoliquidación tributaria. ~ 납세 autoliquidacián *f* tributaria. ~ 납세 제도 sistema *m* de autoliquidación (tributaria). ~ 마감 날짜 día *m* final para declaración. ~서 declaración *f*, notificación *f*, informe *m*. ¶~를 제출하다 hacer una declaración, declarar. 소득세 ~ declaración *f* del impuesto sobre la renta, declaración *f* sobre la renta. ~세(稅) impuesto *m* de autoliquidación. ~ 용지 formulario *m* de declaración. ~자 relator *m*; declarante *mf*; declarador *m*. ~제 sistema *m* de informe.

신고(辛苦) penalidad *f*, penas *fpl*, tribulación *f*, congoja *f*. ~하다 sufrir, fatigarse, trabajar asiduamente. ~를 겪다 sufrir privaciones, sufrir duras penas.

신고전주의(新古典主義) neoclasicismo *m*.

신곡(新曲) nueva tonada *f* de música.

신곡(新穀) nuevos cereales *mpl*, nueva cosecha *f* de arroz, primera cosecha del año. ~으로 제사 지내다 practicar el servicio religioso con nuevos cereales.

■ ~머리 tiempo *m* de cosecha.

신곡(神曲) la Divina Comedia (de Dante).

신골 horma *f*.

■ ~방망이 martillo *m* del zapatería.

신공(神功) ayuda *f* divina, gracia *f* de Dios.

신관 ((존칭)) =얼굴. ¶~이 좋으십니다 Usted tiene buena cara. 그는 ~이 나쁘다 El tiene mala cara.

신관(信管) espoleta *f.*
◆시한(時限) ~ espoleta *f* de movimiento regular.

신관(新官) ① [새로 임명된 관리] funcionario *m* público nuevamente nombrado. ② [새로 부임한 관리] funcionario *m* público asumido nuevamente a su cargo.
■~ 사또 governador *m* nuevamente nombrado.

신관(新館) nuevo edificio *m*; [별관(別館)] nuevo anexo *m.*

신관(腎管) 【동물】 *lat* nephridium.

신괴하다(神怪－) (ser) maravilloso y extraño.

신교(信敎) creencia *f* religiosa. ~의 자유(自由) libertad *f* de creencia religiosa [de conciencia · de cultos].

신교(神敎) enseñanza *f* de Dios.

신교(新敎) ① ((기독교)) protestantismo *m.* ② ((기독교)) =신약(新約). 신약 성서.
■~도(徒) protestante *mf.*

신교육(新敎育) nueva educación *f.*

신구(新舊) lo nuevo y lo viejo. ~의 viejos y nuevos. ~ 사상의 충돌 colisión *f* entre las ideas nuevas y viejas.
■~ 관리(官吏) funcionario *m* público entrante y saliente. ~ 교대 sustitución *f* de las nuevas generaciones y las viejas generaciones. ~세(歲) el año nuevo y el año pasado. ~ 세계 [신대륙과 구대륙] el Nuevo Mundo y el Viejo Mundo. ~약(約) [신약 성서와 구약 성서] Viejo y Nuevo Testamentos. ~ 장관 ministro, -tra *mf* entrante y saliente.

신국(神國) ((기독교)) país *m* de Dios, reino *m* de Dios, teocracia *f,* tierra *f* divina.

신국면(新局面) aspecto *m* nuevo, fase *f* nueva. ~에 들어가다 presentarse bajo un aspecto nuevo, entrar en una fase nueva, desarrollarse una nueva fase.

신권(新券) [새로 발행된 은행권] nuevo billete *m* de banco.

신권(神權) derecho *m* divino.
■~설 ((준말)) =제왕 신권설. ~ 정치(政治) teocracia *f.*

신규(新規) nueva regulación *f,* nuevo proyecto *m.* ~의 nuevo, fresco. ~로 de nuevo, nuevamente, otra vez. ~로 사원을 채용하다 admitir nuevos empleados.
■~ 가입자(加入者) nuevo miembro *m,* nueva miembro *f,* neófito, -ta *mf,* recién ingresado, -da *mf,* [전화 등의] nuevo abonado *m,* nueva abonada *f.* ~ 개점 nueva apertura *f,* nueva inauguración *f.* ~ 등록(登錄) nuevo registro *m.* ~ 사업 nueva empresa *f.*

신극(新劇) teatro *m* moderno, teatro *m* nuevo, drama *m* nuevo, comedia *f* nueva.
■~단 compañía *f* del teatro nuevo. ~ 운동 movimiento *m* de reforma teatral.

신금(宸襟) corazón *m* del rey. ~을 괴롭히다 dar gran ansiedad a Su Majestad.

신급하다(迅急－) tener mucha prisa, dar mucha prisa.

신기(神技) destreza *f* divina, habilidad *f* divina, milagro *m,* portento *m,* prodigio *m.* ~에 가까운 솜씨 destreza *f* que ha superado en el poder humano. 그의 피아노 연주 솜씨는 ~에 가깝다 El toca el piano prodigiosamente [divinamente].

신기(神祇) ((준말)) =천신지기(天神地祇).

신기(神氣) ① [만물을 만드는 원기(元氣)] vigor *m,* energía *f,* vitalidad *f.* ② [신비롭고 불가사의한 운기(雲氣)] fuerza *f* maravillosa. ③ [정신과 기운] el espíritu y la fuerza.

신기(神器) ① [신령에게 제사를 올릴 때 쓰는 그릇] vasija *f* sagrada, tesoro *m* sagrado. 3종의 ~ tres tesoros sagrados. ② [임금의 자리] trono *m* real.

신기(神機) ① [신묘한 계기] oportunidad *f* maravillosa [divina]. ② [헤아릴 수 없는 기략(機略)] medios *mpl* divinos, recursos *mpl* divinos, tacto *m* divino.

신기(腎氣) ① [자지의 정력] energía *f* [fuerza *f*] del pene. ② [정력(精力)] energía *f,* vigor *m,* fuerza *f* vital.

신기다 calzar, poner el calzado. 자기 손으로 아기에게 신을 ~ calzar por *sus* manos al niño.

신기록(新記錄) plusmarca *f,* nuevo récord *m.* ~을 수립하다 batir un récord, alcanzar [establecer · hacer] un nuevo récord.
◆세계(世界) ~ nuevo récord *m* mundial. 한국(韓國) ~ nuevo récord *m* coreano.
■~ 보유자[수립자] plusmarquista *mf.*

신기롭다(神奇－) (ser) excéntrico, original. 신기로움을 자랑하다 darse aires de excéntrico, hacer ostentación de *su* originalidad [de *su* excentrici- dad].
신기로이 excéntricamente, originalmente.

신기롭다(新奇－) (ser) original, nuevo, novel, *AmL* novedoso. 신기로운 것 novedad *f.* 신기로운 문제 problema *m* nuevo. 신기로운 것을 좋아하다 gustar*le a uno* de las novedades. 신기로운 것이 좋다 ser aficionado a las novedades.
신기로이 originalmente, nuevamente; AmL novedosamente.

신기료장수 zapatero *m* (remendón).

신기루(蜃氣樓) espejismo *m.* ~가 나타나다 aparecer un espejismo.

신기운(新機運) nuevo espíritu *m,* nueva fuerza *f,* nuevo poder *m.*

신기원(新紀元) era *f* nueva, época *f* nueva. ~을 이루는 사건(事件) acontecimiento *m* [suceso *m*] que hace época [que marca un hito]. ~을 열다 abrir una época [una era] nueva. ~을 이루다 hacer una época nueva, marcar un hito.

신기축(新機軸) plan *m* [sistema *m* · mecanismo *m*] nuevo, nuevo rumbo *m,* originalidad *f.* ~을 안출(案出)하다 crear un nue-

vo rumbo. ~을 이루다 mostrar una originalidad, introducir un método nuevo.
신기하다(神奇-) (ser) maravilloso. 신기한 일 lo maravilloso.
신기하다(新奇-) (ser) original, nuevo, *AmL* novedoso. 신기한 물건 cosa *f* original. 신기한 방법으로 de una manera original.
신 나다 estar eufórico (por), estar entusiasmado (con), estar excitado. 신 나는 시합(試合) partido *m* entusiasmado [excitado]. 그들은 무척 신 나 있었다 Ellos estaban muy eufóricos.
신날 cuatro cuerdas principales que la suela de la sandalia de paja es tejida.
신남(信男) ((불교)) creyente *m*, fiel *m*, devoto *m*, budista *m*.
신낭(腎囊) escroto *m*.
신낭만주의(新浪漫主義) neorromanticismo *m*.
신내각(新內閣) gabinete *m* nuevo.
신내기(新-) recién llegado, -da *mf*.
신내리다(神-) 【민속】 estar poseído (por el demonio), estar endemoniado.
신녀(信女) creyente *f*, fiel *f*, devota *f*, budista *f*.
신년(申年) el Año del Mono.
신년(新年) [새해] el Año Nuevo; [정월 초하루] el Día de Año Nuevo. ~ 초에 al principio del año nuevo. ~을 맞이하다 recibir el año nuevo. ~을 축하하다 celebrar el año nuevo. 상중(喪中)이라 ~ 인사를 드릴 수가 없습니다 Por estar de luto me permito no presentarle a usted mis saludos del Año Nuevo (서반아어 사용국에서는 이런 풍습은 없음).
■ ~사 discurso *m* del Año Nuevo. ~ 연하장 carta *f* de felicitación del Año Nuevo. ~ 연회 fiesta *f* [convite *m* · banquete *m*] de Año Nuevo. ~회(會) =신년 연회.
신념(信念) fe *f*, creencia *f*, convicción *f*. ~이 있는 seguro de sí. ~을 가지고 con fe. ~이 강한 사람 hombre *m* de convicción. ~이 없는 여자 mujer *f* sin creencias. ~이 확고한 사람 hombre *m* de firmes convicciones. 확고한 ~이 있는 사회주의자 socialista *mf* cien por cien. 확고한 ~을 가지다 abrigar una firme convicción, tener una creencia inalterable. …라는 ~을 가지고 있다 tener la convicción [la confianza] de que + *ind*. 그는 별 ~ 없이 말했다 El habló sin mucha convicción.
신다 ponerse. 신을 ~ calzarse, ponerse los calzados. 구두를 ~ ponerse los zapatos. 신을 신어라 Ponte los zapatos / Cálzate. 오늘은 이 신을 신으세요 Póngase estos zapatos hoy.
신다윈설(新 Darwin 說) 【생물】 neodarvinismo *m*, neodarwinismo *m*.
신단(神壇) altar *m* para el servicio religioso a espíritu.
신당(神堂) santuario *m*, santo lugar *m*, capilla *f*, ermita *f*.
신당(新黨) partido *m* (político) nuevo. ~을 결성하다 organizar un partido nuevo.
신대륙(新大陸) ① [새로 발견한 대륙] el Nuevo Mundo, nuevo continente, Américas *fpl*. ② [남북 아메리카 및 오스트레일리아] América del Norte y del Sur y Australia.
신덕(神德) virtud *f* divina, divinidad *f*.
신데렐라(영 *Cinderella*) ① [유럽 옛 동화 속의 여주인공] (la) Cenicienta. ② [무명의 신세에서 하루아침에 명사나 스타가 된 사람] ganador, -dora *mf* sorpresa. 산업(產業)의 ~ el pariente pobre [la cenicienta] de la industria.
신도(信徒) creyente *mf*, fiel *mf*, devoto, -ta *mf*.
◆그리스도교 ~ cristiano, -na *mf*. 불교(佛敎) ~ budista *mf*.
신도시(新都市) nueva ciudad *f*, ciudad *f* creada para redistribuir la población y los centros de trabajo.
신돌이 ornamento *m* de unos zapatos.
신동(神童) niño *m* prodigioso, niña *f* prodigiosa; niño *m* prodigo, niña *f* prodiga.
신동(腎洞) 【해부】 seno *m* renal.
신동맥(腎動脈) 【해부】 arteria *f* renal.
신둥부러지다 (ser) impertinente, demasiado prominente.
신둥지다 =신둥부러지다.
신뒤축 tacón *m* (*pl* tacones). ~이 높은 [낮은] 구두 zapatos *mpl* de tacón alto [bajo]. ~을 바꾸다 cambiar el tacón a los zapatos.
신드롬(영 *syndrome*) 【의학】 [증후군(症候群)] síndrome *m*.
신들리다(神-) estar poseído por el demonio. 그녀는 신들렸다 Ella está poseída por el demonio / Un espíritu maligno ha entrado en ella. 그는 일에 신들린 사람이다 El es una fiera para el trabajo.
신디케이트(영 *syndicate*) ① 【경제】 [생산 할당이나 공동 판매 기능을 담당하는 카르텔 중앙 기관] sindicato *m*; 【은행】 consorcio *m* bancario, sindicato *m* bancario. ~를 조직하다 sindicarse, organizar el sindicado. ② 【경제】 [공사채의 인수를 위해 조직된 증권 인수단] grupo *m*, agrupación *f*. ③ [미국에서, 갱 조직] banda *f*. ④ [미국에서, 신문이나 텔레비전의] agencia *f* de distribución periódica.
◆투자자(投資者) ~ sindicato *m* de inversores.
신랄하다(辛辣-) ① [맛이 매우 쓰고 맵다] (ser) muy amargo y picante. ② [수단이나 비평이 몹시 날카롭고 매섭다] (ser) severo, incisivo, mordaz, acerbo, agudo, punzante, acre, corrosivo. 신랄하게 mordazmente, severamente. 신랄한 문구(文句) frase *f* mordaz [cáustica]. 신랄한 비평(批評) criticismo *m* mordaz [cáustico], crítica *f* mordaz [cáustica]. 신랄한 비꼼 ironía *f* mordaz. 신랄한 풍자(諷刺) sátira *f* punzante.
신랄히 mordazmente, severamente, agriamente, incisivamente, punzantemente. ~ 말하다 reprender [reprochar] agriamente, dirigir reproches.

신랑(新郞) novio *m*, recién casado *m*, desposado *m*
■ ~감 novio *m* apropiado [adecuado]. ¶나무랄 데 없는 ~ novio *m* apropiado impecable [perfecto]. ~들러리 amigo *m* que acompaña al novio el día de la boda, padrino *m*, testigo *m*. ~신부 novios *mpl*, el novio y la novia.

신래(新來) llegada *f* reciente. ~의 recién llegado.
■ ~ 환자 paciente *m* nuevo, paciente *f* nueva.

신력(神力) poder *m* divino, fuerza *f* sobrehumana.

신력(新曆) ① [새 책력] nuevo calendario *m*. ② =태양력(太陽曆). ¶~을 채택(採擇)하다 adoptar el calendario solar.

신령(神靈) ① [풍습으로 섬기는 모든 신] espíritu *m* divino. 산(山)~ dios *m* de una montaña. ② [신통하고 영묘함] maravilla *f*. ~하신 하느님의 조화 obra *f* divina de Dios maravilloso.
신령스럽다 (ser) divino.
신령스레 divinamente.
■ ~계(界) mundo *m* espiritual. ~체(體) cuerpo *m* divino.

신례(新例) nuevo ejemplo *m*, ejemplo *m* nuevo, precedente *m* nuevo. ~를 만들다 establecer un nuevo ejemplo, criar un precedente nuevo..

신록(新綠) verdor *m* fresco [tierno · nuevo]. ~의 계절 estación *f* de fresco verdor. ~의 들과 산 campos *mpl* y montañas en fresco verdor. 산과 들은 ~으로 덮여 있다 Los montes y llanos están cubiertos del follaje nuevo.

신뢰(迅雷) estruendo *m* repentino del trueno.

신뢰(信賴) confianza *f*, fe *f* en una persona, esperanza *f*, seguridad *f*, crédito *m*; [기대] espectación *f*. ~하다 confiar(se) (en), tener confianza (en), contar (con), estar seguro (de), fiar (en), fiarse (de). ~할 수 있는 fidedigno, confiable, digno de confianza, fiable, de confianza. ~할 수 없는 poco confiable, difícil de creer, indigno de confianza. 완전히 ~할 수 있는 de toda confianza. ~할 수 있는 상품(商品) géneros *mpl* auténticos. ~를 받다 merecer confianza. ~를 저버리다 traicionar la confianza (de). ~에 부응하다 corresponder a la confianza (de). 그는 사원들한테서 ~를 받고 있다 Los empleados tienen confianza en él. 그는 ~할 수 있다 Se puede confiar en él / El es digno de confianza. 그는 ~할 수 없다 No se puede confiar en él. 그는 완전히 ~받는 사람이다 El es de toda confianza. 우리는 유엔을 ~하고 있다 Tenemos confianza en las Naciones Unidas. 누구를 ~할 지 모르겠다 No sé quién confiar. 나는 ~할 만한 친구들이 없다 No tengo amigos con los que puedo contar [en los que puedo confiar]. 그 보고는 ~할 수 없다 No se puede uno fiar de ese informe.

신맛 sabor *m* ácido, sabor *m* agrio, agror *m*, gusto *m* agrio, acedía *f*, acidez *f*, agrura *f*, actosidad *f*. ~이 있는 ácido, agrio, acedo, que tiene sabor agrio. ~이 있는 과실 fruta *f* ácida. 이 귤은 ~이 있다 Esta naranja tiene sabor agrio [gusto agrio].

신망(信望) confianza *f*, [인망(人望)] popularidad *f*. 세인(世人)의 ~을 얻다 ganar confianza pública. 그는 학생(學生)들에게 ~이 두텁다 El goza de confianza entre sus alumnos.

신면목(新面目) nuevo aspecto *m*, nueva fase *f*. ~을 나타내다 presentar nuevo aspecto, entrar en nueva fase.

신명 alegría *f*, júbilo *m*, contento *m*, placer *m*.
◆신명(을) 내다 alegrarse.
◆신명(이) 나다 estar de buen humor. 신명이 난 alegre, de buen humor. 신명이 나서 con entusiasmo, alegremente.
신명지다 (ser) excelente, magnífico, elegante.

신명(身命) el cuerpo y la vida. ~을 걸고 a costa de la vida, a riesgo de la vida, sacrificándose. ~을 바쳐 충성을 다하다 dar su vida por la patria.

신명(神明) ((불교)) espíritus *mpl* del cielo y de la tierra, dioses *mpl*, naturaleza intelectual [espiritual].

신명(神命) ① ((천주교)) vida *f* espiritual. ② [신의 생명] vida *f* de Dios.

신명(晨明) =새벽녘.

신명기(申命記) ((성경)) Deuteronomio *m*.

신모델(新 model) último modelo *m*. 삼월에 ~이 나왔다 El último modelo salió en marzo.

신묘(辛卯) **【민속】** *sinmyo*, vigesimoctavo año *m* del ciclo sexagenario, el Año del Conejo.

신묘(新墓) nueva tumba *f*.

신묘하다(神妙—) (ser) misterioso y maravilloso, misterioso, maravilloso, sobrenatural, sumiso, humilde. 신묘하게 misterioso y maravillosamente, sobrenaturalmente, admirablemente, humildemente, resignadamente. 신묘한 멜로디 melodía *f* dulce [deliciosa]. 신묘한 음악 música *f* exquisita.

신문(訊問) interrogatorio *m*, interrogación *f*, investigación *f*, pesquisa *f* judicial, pregunta *f*, indagación *f*. ~하다 interrogar, someter a un interrogatorio, investigar, preguntar, inquirir, escudriñar, examinar. ~(하는) 투로 interrogativamente, con interrogación. 그는 나를 ~하는 투로 바라보았다 El me miró interrogativamente. 그는 나에게 ~하는 투로 말했다 El me habló con tono interrogativo. 경관이 그 종업원을 ~했다 El policía interrogó al empleado.
■ ~서(書) interrogatorio *m*. ~실 sala *f* de interrogatorios. ~자 interrogador, -dora *mf*; interrogante *mf*; examinador, -dora *mf*. ~ 조서 protocolo *m* de examinación,

deposición *f*, interrogatorio *m*.

신문(新聞) ① [새로운 소식] nueva noticia *f*. ② [정기 간행물] periódico *m*; [일간지] diario *m*; [일반 신문] prensa *f*; [저널리즘] periodismo *m*, *AmL* diarismo *m*. ~의 새벽판 [원거리로 발송하는] edición *f* matinal. 선정적인 ~ prensa *f* sensacionalista. (옛날의) 한 장 짜리 ~ hoja *f* [boletín *m*] de noticias. ~에 따르면 según los periódicos. ~에 쓰다 escribir en el periódico. ~에서 읽다 leer en el periódico. ~을 구독하다 subscribir un periódico, suscribirse a un periódico. ~을 읽다 leer un periódico. ~을 펴다 desplegar el periódico. ~을 흘깃 보다 echar un vistazo al periódico. ~ 기삿거리다 ser noticia para los periódicos, ser tema de un artículo periodístico. ~에 따르면 …라 한다 Dicen los periódicos que + *ind*. 그것은 ~에 보도되어 있다 Eso está en la prensa / Los diarios llevan una noticia. 오늘 ~을 읽어 보셨습니까? ¿Ha leído usted el periódico de hoy? 오늘 ~에 뭐라고 쓰였습니까? ¿Qué dice el periódico (de) hoy? / ¿Qué dice el diario de hoy? 오늘 ~에서 그것을 읽었습니다 Lo he leído en el periódico de hoy. ③ ((준말)) =신문지(新聞紙).

▪ ~계 periodismo *m*, *AmL* diarismo *m*. ~광고 anuncio *m* periodístico. ~ 구독(購讀) su(b)scripción *f* de un periódico. ~ 구독료 tarifa *f* de su(b)scripción (de un periódico), su(b)scripción *f*. ~ 구독자 su(b)scriptor, -tora *mf* [lector, -tora *mf*] de un periódico. ~ 기사 artículo *m* (de un periódico), artículo *m* perioditico. ~ 기자 periodista *mf*, reportero, -ra *mf*, *AmL* diarista *mf*. ~ 기자단(記者團) prensa *f* acreditada. ~ 기자증 pase *m* de periodista. ~ 발표 comunicado *m* de prensa. ~ 발행 부수 tirada *f*. ~ 발행인 editor, -tora *mf* de prensa. ~ 발행인 협회 la Asociación de Prensa, la Asociación de Editores de Prensa. ~ 배달원 repartidor, -dora *mf* de periódicos; *Méj* periodiquero, -ra *mf*; *CoS* diariero, -ra *mf*; diarero, -ra *mf*. ~ 보급소 agencia *f* de prensa. ~ 보급업 agencia *f* de prensa. ~ 브리핑 rueda *f* [conferencia *f*] de prensa. ~사 oficina *f* de periódico. ~ 사령(辭令) nombramiento *m* de prensa. ~ 사설 editorial *f*. ~ 산업 industria *f* periodística. ~ 소설 novela *f* de periódico, folletín *m*, folletón *m*. ~ 스크랩 recorte *m* de prensa [de periódico]. ~업 periodismo *m*, *AmL* diarismo *m*. ~ 열람실 sala *f* de redacción. ~ 용어(用語) *lenguaje m* periodístico. ~ 용지 papel *m* de prensa. ~ 윤리 강령 el Código de Moral Periodística [de Prensa]. ~인(人) periodista *mf*, *AmL* diarista *mf*. ~지 papel *m* de periódico, papel *m* de diario. ~철 carpeta *f* de periódicos. ~ 판매인 dueño, -ña *mf* [empleado, -da *mf*] de una tienda que vende prensa; [가판대의] vendedor, -dora *mf* de periódicos; *Col*, *Méj* voceador, -dora *mf*; *CoS* canillita *m*. ~ 판매점 kiosco *m* [puesto *m*] de periódico. ~팔이 ㉮ [배달원] repartidor, -dora *mf* de periódicos; *Méj* periodiquero, -ra *mf*; *CoS* diariero, -ra *mf*; diarero, -ra *mf*. ㉯ [신문 판매대의] vendedor, -dora *mf* de periódicos; *Col*, *Méj* voceador, -dora *mf*; *CoS* canillita *mf*. ~ 편집 redacción *f* (de un periódico). ~ 편집국 redacción *f*. ~ 편집실 sala *f* de redacción. ~학 (estudios *mpl* de) periodismo *m*. ~학과 departamento *m* de periodismo. ~학 교수 profesor, -sora *mf* de periodismo. ~ 협회 la Asociación de la Prensa. ~ 홍보 담당 encargado, -da *mf* de prensa.

신문명(新文明) nueva civilización *f*.

신문예(新文藝) nuevo arte *m* literario.

신문학(新文學) nueva literatura *f*.

신물 ① [먹은 것이 체하여 트림할 때 넘어오는 시척지근한 물] bilis *f* vomitada, vómito *m*. ② [지긋지긋하고 진절머리가 나는 일] aburrimiento *m*, fastidio *m*, tedio *m*, cansancio *m*, mal genio *m*. ~이 나다 aburrirse (de · con), hartarse (con), hastiarse (de), fastidiarse. ~ 나게 하다 aburrir, fastidiar, hartar. ~ 난 강의 clase *f* aburrida. ~ 난 일 trabajo *m* pesado. 이제 ~(이) 난다 Nunca volveré a hacer tal cosa. 그 녀석은 ~이 난다 Me causa una repulsión invencible [una aversión instintiva] ese hombre. 이런 생활은 이제 ~이 난다 Ya estoy harto de esta clase de vida. 나는 그의 끝이 없는 말에 ~이 난다 Su interminable charla me aburre muchísimo.

신물(信物) =신표(信標).

신물(神物) cosa *f* etérea, cosa *f* maravillosa..

신물(新物) novedad *f*, cosa *f* nueva; [수확의] cosecha *f* nueva.

신미(辛未) **【민속】** *sinmi*, octavo *m* de los ciclos sexagenarios.

신미(辛味) sabor *m* picante.

신미(新米) =햅쌀.

신미(新味) nuevo sabor *m*, originalidad *f*.

신민(臣民) súbito *m*, vasallos *mpl*. 충량(忠良)한 ~ súbito *m* leal (y bueno).

신바닥 suela *f* (del calzado). ~을 고치다 remendar la suela de los zapatos.

신바람 animación *f*, alegría *f*, júbilo *m*. ~이 나다 animarse, alegrarse. ~이 난 animado, alegre, alborozado, jubiloso. ~이 나서 alegremente, con alegría. 그녀는 ~이 날 나이다 Ella está en la plenitud de su vida. 그는 ~이 나서 일한다 El está en la plenitud de su trabajo. 휴가를 생각하면 ~이 난다 Salto de alegría al pensar en las vacaciones.

신발 =신. ¶~을 벗어 주십시오 Prohibido entrar con los zapatos puestos.

▪ ~장(欌) ((낮은말)) =신장.

신발명(新發明) nueva invención *f*, invención *f* reciente, última invención *f*. ~의 recién inventado.

신방(申方) 【민속】 dirección *f* del mono.

신방(辛方) 【민속】 *sinbang*, oeste *m* cuarta al noroeste.

신방(訊訪) visita *f.* ~하다 visitar.

신방(新房) cuarto *m* nupcial, cuarto *m* para los novios, cama *f* nupcial.

신벌(神罰) castigo *m* por Dios. ~이 내리다 ser castigado por Dios.

신법(新法) ① [새로 만든 법] nueva ley *f.* ② [새로운 방법] nuevo método *m.*

신변(身邊) (*su*) cuerpo *m.* ~의 위험 peligro *m* personal. ~을 정리(整理)하다 arreglar [poner en orden] las cosas [las pertenencias]; [교제 관계를] liquidar [poner término a] las relaciones personales. ~에 위험을 느끼다 sentirse en peligro. ~을 경계하다 cuidar de seguridad. 그의 ~이 위험하다 *Su* vida corre riesgo.

신병(身柄) coleto *m*, *su* persona, *su* cuerpo. ~을 넘겨주다 entregar. ~을 인수하러 가다 ir a recibir (a *uno*). …의 ~을 확보하다 pescar*le a uno* el coleto.

신병(身病) enfermedad *f*, [만성의] mal *m.* ~으로 사직하다 dimitir [renunciar] debido a la mala salud. ~으로 쓰러지다 sucumbir a la enfermedad.

신병(神兵) tropa *f* enviada por el Dios, tropa *f* protegida por el Dios.

신병(新兵) recluta *m*, soldado *m* recién alistado.

■~ 훈련 entrenamiento *m* de reclutas. ~ 훈련소 campamento *m* de entrenamiento de reclutas. ¶육군 ~ campamento *m* de entrenamiento de reclutas del Ejército.

신보(申報) aviso *m.* ~하다 avisar.

신보(新報) ① [새로운 뉴스] nueva noticia *f.* ② [새로 나온 잡지] nueva revista *f*, [새로 나온 신문] nuevo periódico *m.*

신보(新譜) ① [새로운 악보(樂譜)] nueva nota *f* musical. ② [새로운 곡의 레코드] nuevo disco *m.*

신복(臣僕) =신하(臣下).

신복(信服) sumisión *f.* ~하다 someter, estar convencido (de).

신볼 anchura *f* del calzado.

신봉(信奉) creencia *f*, fe *f*, confianza *f.* ~하다 profesar, adherirse. 명령(命令)을 ~하다 acatar [obedecer] una orden. 기독교를 ~하다 abrazar la fe cristiana.

■~자(者) devoto, -ta *mf.*

신부(神父) ((천주교)) (reverendo) padre *m.* 김 ~ el padre Kim. ~님 [호격] ¡Padre! / [편지에서] el Reverendo Padre, el señor cura.

신부(神符) =부적(符籍).

신부(新婦) novia *f*, desposada *f.* ~ 차림의 [으로] en vestido de boda, en traje de novia.

■~ 들러리 dama *f* de honor. ~ 의상 traje *m* de novia. ~ 학교 colegio *m* privado para señoritas donde se aprende a comportarse en sociedad.

신부전(腎不全) 【의학】 insuficiencia *f* renal.

■~증(症) 【의학】 =신부전.

신분(身分) ① [개인의 사회적 지위] posición *f* social, estatuto *m*, rango *m.* ~이 틀리는 결혼 matrimonio *m* morganático, matrimonio *m* de la mano izquierda. ~이 있는 사람 hombre *m* de buena posición. 일학년 ~으로 건방진 소리 마라 Siendo como eres de primero, no digas impertinencias. 너는 평사원 ~에 너무 과한 사치를 한다 Te permites demasiados lujos para ser un simple empleado. ② [명예] honor *m*, honra *f*, dignidad *f.* ~에 관계되다 recaer sobre el honor. ③ [재력] recursos *mpl*, ingreso *m*, entrada *f*, renta *f.* ~에 맞게 [맞지 않게] 지내다 vivir dentro de [fuera de] las rentas.

■~증 carnet *m* [carné *m*] de identificación [de identidad], tarjeta *f* de identidad [identificación], *AmL* cédula *f* de identidad. ~ 증명(證明) identificación *f*, identidad *f.* ~증명서 tarjeta *f* de identidad.

신불(神佛) el espíritu y el Buda. ~의 가호(加護) protección *f* divina.

신붕(信朋) amigo, -ga *mf* que se cree el uno del otro.

신비(神秘) misterio *m.* 자연(自然)의 ~ misterio *m* de naturaleza. 생명의 ~를 찾다 buscar el misterio de la vida.

신비로이 misteriosamente.

신비롭다 (ser) misterioso.

신비스럽다 (ser) misterioso. 신비스런 미소 sonrisa *f* misteriosa. 네팔은 세계에서 가장 신비스러운 나라 중의 하나이다 El Nepal es uno de los países más misteriosos del mundo.

신비스레 misteriosamente, misticamente, con misterio.

■~경 tierra *f* de misterio. ~교 mística *f*, misticismo *m.* ~극 drama *m* místico. ~설 mística *f*, misticismo *m.* ~ 소설 novela *f* de misterio. ~ 신학 teología *f* mística. ~ 요법 cura *f* milagrosa. ~주의 misticismo *m.* ~ 철학 filosofía *f* mística, esotéricas *fpl.* ~파 escuela *f* mística.

신빙(信憑) creencia *f*, confianza *f*, confidencia *f.* ~하다 confiar, tener confianza (en), contar (con). ~할 만하다 ser confiable, ser fiable.

■~성(性) autenticidad *f*, credibilidad *f.* ¶~이 있는 auténtico, creíble, fidedigno. ~이 없는 dudoso, sospechoso. ~이 없다 carecer de credibilidad. 이 정보는 ~이 없다 Esta información carece de credibilidad.

신사(辛巳) 【민속】 *sinsa*, decimoctavo año *m* del ciclo sexagenario, el Año de la Serpiente.

신사(神祀) servicio *m* funeral al dios del cielo.

신사(紳士) ① [품행·예의가 바르고 학덕·기풍을 갖춘 남자] caballero *m.* 그는 ~다 El es un caballero / El es un hombre muy educado. ~ 숙녀 여러분! ¡Damas y caballeros! / ¡Señoras y señores! / ¡Señoras y

caballeros! ② [상류 사회(上流社會)의 남자] hombre *m* de alta sociedad. ③ =남자(男子). ¶~용 (para) hombres, (para) caballeros. ④ ((속어)) [양복으로 의젓하게 차려입은 사람] hombre *m* puesto con el traje. 시골 ~ hidalgo *m*.
▪~도(道) caballería *f*, caballerismo *m*, caballerosidad *f*. ~록(錄) Quién es quién, anuario *m* que contiene los nombres y el historial de personas muy conocidas. ~복 traje *m* para caballeros, ropa *f* de caballeros; [저고리·조끼·바지로 이루어진] terno *m*; [웃옷] chaqueta *f*, americana *f*, *AmS* saco *m*. ~적 caballeresco, caballeroso, galante. ¶~으로 caballescamente, caballerosamente. 그는 ~으로 행동했다 El se llevó [se comportó] caballerosamente. ~ 협약 acuerdo *m* verbal (entre caballeros), convenio *m* a caballeros. ~화(靴) zapatos *mpl* de caballeros.

신사(神社) santuario *m* sintoísta, templo *m* sintoísta.

신사(神祠) santuario *m*, santo lugar *m*, capilla *f*, ermita *f*.

신사륙판(新四六判) 【인쇄】 nuevo dozavo *m*.

신사상(新思想) nueva idea *f*, nuevo pensamiento *m*, nueva ideología *f*.

신사실주의(新寫實主義) neo-realismo *m*.

신산(辛酸) ① [맛이 맵고 심] lo picante y lo agrio. ② [세상살이의 쓰라리고 고된 일] penalidad *f*, fatiga *f*, sufrimiento *m*, miseria *f*. 온갖 ~을 맛보다 experimentar las amarguras de la vida, sufrir muchas [todas las] penalidades, pasar por [sufrir·soportar] ásperas pruebas, sufrir [aguantar] las dificultades.

신산(神山) ① [신(神)을 모신 산] montaña *f* que consagra el dios. ② [신선(神仙)이 산다는 산] montaña *f* que vive el ermitaño. ③ =영산(靈山).

신산(神算) artificio *m* mágico.

신산(新山) nueva tumba *f* ancestral.

신상(身上) [몸] cuerpo *m*; [형편] condición *f*, circunstancia *f*; [경력] vida *f*, historia *f* personal, carrera *f*. ~의 말을 하다 contar *su* historia, hablar de *su* pasado. 선량함이 그의 ~이다 La benevolencia es su razón de ser.
▪~명세서 registro *m* [informe *m*] personal, datos *mpl* personales. ~ 문제(問題) asuntos *mpl* personales, cuestión *f* personal. ~ 발언(發言) palabras *fpl* sobre *sus* asuntos personales. ~ 상담 consulta *f* sobre *sus* asuntos personales. ~ 조사(調査) información *f*, investigación *f* referente a la persona. ¶~를 하다 obtener informes [datos] (de), informarse (de).

신상(紳商) comerciante *m* caudaloso [rico].

신상(神像) retrato *m* del dios.

신상필벌(信賞必罰) castigo *m* seguro y recompensa cierta. ~을 당사(當社)의 방침으로 하고 있다 Nosotros tenemos el sistema de castigo seguro y recompensa cierta.

신새벽 madrugada *f* muy temprana.

신색(神色) ((높임말)) =안색(顔色).

신생(申生) 【민속】 nacimiento *m* del Año del Mono.

신생(新生) nuevo nacimiento *m*, renacimiento *m*, el recién nacido.
▪~국(國) nuevo país *m*, nuevo estado *m*, país *m* emergente recientemente. ~대(代) era *f* cenozoica. ~ 대한민국 la nueva República de Corea.

신생명(新生命) vida *f* nueva. ~을 부여(附與)하다 inspirar una vida nueva.

신생아(新生兒) (bebe *m*) recién nacido *m*, (beba *f*) recién nacida *f*. ~의 neonatal.
▪~ 간염(肝炎) hepatitis *f* neonatal. ~기(期) (período *m*) neonatal *m*. ~ 의학 neonatología *f*. ~ 황달 ictiosis *f* neonata.

신생활(新生活) nueva vida *f*, nueva existencia *f*.
▪~ 운동 movimiento *m* de la nueva vida.

신서(信書) carta *f*, correspondencia *f* personal.
▪~의 비밀 privacidad *f* de correspondencia (personal). ¶~을 침범하다 violar la privacidad [la reserva·el secreto] de correspondencia.

신서(新書) nuevo libro *m* publicado.

신서적(新書籍) nuevo libro *m* publicado.

신석(晨夕) la madrugada y la noche temprana.

신석(新釋) nueva interpretación *f*. ~하다 interpretar de nuevo.

신석기(新石器) neolítico *m*. ~의 neolítico.
▪~ 시대 neolítico *m*, edad *f* neolítica. ¶~의 neolítico.

신선(神仙) semidiós *m*, ser *m* sobrehumano, ermitaño *m*, hada *f*.
▪~경(境) país *m* (*pl* países) de hadas, tierra *f* de hadas, lugar *m* encantado. ~담(譚) cuento *m* de hadas. ~도(圖) cuadro *m* de hadas. ~로(爐) ㉮ [상 위에 놓고 열구자를 끓이는 그릇] braserillo *m* calentado, hornillo *m* de latón para mantener la comida caliente en la mesa. ㉯ =열구자탕.

신선(新選) colección *f* nueva, selección *f* nueva, antología *f* nueva. ~하다 elegir nuevamente. ~의 elegido nuevamente.

신선하다(新鮮—) (ser) fresco, puro. 신선한 공기 aire *m* puro, aire *m* fresco. 신선한 과실 fruta *f* fresca. 신선한 문체(文體) estilo *m* original. 신선한 생선 pescado *m* fresco. 신선한 야채 verduras *fpl* [legumbres *fpl*] frescas. 신선미가 없는 작품 obra *f* estereotipada, obra *f* poco original. 신선하게 하다 refrescar. 신선한 공기를 들어오게 [들어가게] 하다 airear, ventilar. 그 그림은 나에게 신선한 인상을 주었다 Ese cuadro me dio una impresión fresca [nueva]. 생선은 오늘 아침에 잡혀서 신선하다 El pescado es fresco de esta mañana. 우리는 신선한 바람을 쏘이러 외

출했다 Salimos a tomar un poco de aire fresco.

■ ~도(度) frescura *f*, frescor *m*. ~미(味) frescura *f*. ~가 없는 작품(作品) obra *f* estereotipada, obra f poco original.

신설(伸雪) ((준말)) =신원설치(伸寃雪恥).

신설(新設) nueva fundación *f*. ~하다 crear, establecer [organizar] nuevo [nuevamente]. ~의 recién establecido, recién organizado, recién fundado. 학부(學部)를 ~하다 establecer una facultad nueva.

■ ~건물 edificio *m* nuevo, edificio *m* recién construido. ~ 공장 fábrica *f* nueva, taller *m* recién construido, fábrica *f* recién establecida. ~ 학과(學科) departamento *m* nuevo.

신설(新說) nueva teoría *f*, nueva opinión *f*. ~을 세우다 edificar [concebir · proponer] una nueva teoría.

신성(辰星) =샛별.

신성(神性) divinidad *f*, naturaleza *f* divina.

신성(神聖) santidad *f*, inviolabilidad *f*. ~하다 (ser) sagrado, consagrado, santificado, divino. ~한 교제(交際) amistad *f* espiritual. ~을 더럽히다 ofender [violar] la santidad (de). 어버이의 인격은 자녀에게는 ~해야 한다 La persona de los padres debe ser sagrada para los hijos.

■ ~ 동맹 la Alianza Sagrada. ~ 모독(冒瀆) blasfemia *f* de la santidad. ¶~을 하다 blasfemar la santidad. ~ 불가침(不可侵) no agresión *f* sagrada. ~화(化) santificación *f*, consagración *f*.

신성(晨星) =샛별.

신성(新星) ① 【천문】 nova *f*. ② [연예계에 새로 등장하여 인기를 모으는 사람] nueva estrella *f*.

신세 endeudamiento *m* de gratitud, obligación *f*. ~를 갚다 corresponder a *su* amabilidad, pagar *su* amabilidad. ~를 갚고 싶습니다 Quisiera corresponder a su amabilidad.

◆신세(를) 지다 recibir la ayuda de otros. 그때는 신세 많이 졌습니다 Muchas gracias por lo de aquella ocasión [vez].

신세(身世) *su* condición, *sus* circunstancias. 딱한 ~ circunstancias *fpl* desfavorables.

■ ~타령 cuento *m* de *su* pobre vida.

신세(新歲) =새해(Año Nuevo).

신세계(新世界) ① [새로운 세계] nuevo mundo *m*. ② =신대륙(新大陸).

신세기(新世紀) nuevo siglo *m*, nueva edad *f*.

신세대(新世代) nueva generación *f*.

신소리[1] [신을 끌면서 걷는 발자국 소리] sonido *m* de los zapatos al caminar.

신소리[2] [상대자의 말을 다른 말로 슬쩍 받아 엉뚱한 말로 받아넘기는 말] juego *m* de palabras, retruécano *m*, agudeza *f*, dicho *m* gracioso; [농담] chiste *m*, broma *f*. ~하다 hacer un juego de palabras. ~를 잘하다 saber hacer bien los juegos de palabras, ser muy chistoso. 그는 ~가 통하지 않은 사람이다 El es un hombre que no sabe coger las bromas [los chistes].

신소설(新小說) novela *f* [ficción *f*] de nuevo estilo.

신소재(新素材) nuevas materias *fpl*.

신소체(腎小體) corpúsculo *m* renal.

신속(迅速) velocidad *f*, rapidez *f*, celeridad *f*. ~하다 (ser) rápico, presto, veloz, acelerado, ligero. 이 일은 ~을 요한다 Este trabajo requiere un despacho urgente [urgencia de tratameinto] / Es necesario despachar este trabajo, urgentemente.

신속히 rápidamente, rápido, de prisa, prestamente, con prontitud, pronto, enseguida, en un vuelo, velozmente, a toda prisa, a todo correr. 일을 ~ 처리하다 despachar [liquidar] prestamente un trabajo [el asunto]. 그녀는 매우 ~ 읽는다 Ella lee muy rápido. 나는 되도록 ~ 그 일을 하겠다 Lo haré lo más pronto que pueda / Lo haré cuanto antes.

신속(神速) gran rapidez *f*, celeridad *f*. ~하다 (ser) muy rápido, acelerado, veloz.

신수(身手) *su* aparición, *su* aire, *su* semblante, *su* comportamiento, *sus* modales.

◆신수가 훤하다 tener una buena aparición, tener buen semblante. 신수가 훤한 사람 persona *f* de buena aparición.

신수(身數) *su* suerte, *su* fortuna. ~가 좋은 사람 persona *f* feliz, persona *f* afortunada. ~가 피다 estar de suerte, tener la buena suerte.

■ ~점(占) adivinación *f* de suerte.

신수(神授) gracia *f* divina.

■ ~설 teoría *f* del derecho divino.

신술(神術) talento *m* maravilloso.

신승(辛勝) ganancia *f* por un pelo, ganancia *f* con dificultad. ~하다 ganar por muy poco, ganar con dificultad, ganar apenas, vencer un juego después de un combate dificultoso. 그는 ~했다 El venció por un pelo. 한국 팀이 ~했다 El equipo coreano venció por un margen estrecho [por un pelo].

신승(神僧) sacerdote *m* budista mágico.

신승(新升) nueva medida *f*.

신시(申時) ① [십이시의 아홉째 시] la novena de las doce horas, desde las 15:00 horas hasta 16:00 horas. ② [이십사시의 열일곱째 시] la decimoséptima de las veinticuatro horas, desde las 15:30 hasta las 16:30.

신시(辛時) la vigésima de las veinticuatro horas, desde las 18:30 hasta 19:30.

신시(神市) 【역사】 la Ciudad de Dios, la Ciudad Divina.

신시(新詩) ① [새로 지은 시] poema *m* nuevo, poema *m* recién compuesto, poema *m* moderno. ② 【문학】 =신체시(新體詩).

신시가(新市街) ciudad *f* creada para redistribuir la población y los centros de trabajo.

신시대(新時代) edad *f* nueva, era *f* nueva, época *f* nueva. ~를 열다 abrir una era nueva [una edad nueva].

신시조(新時調) nuevo *sicho m*, nuevo *shijo m*, nuevo verso *m* coreano.

신식(新式) nuevo modelo *m*, modelo *m* nuevo, nuevo estilo *m*; [시스템] sistema *m* nuevo; [방법] método *m* nuevo. ~의 de modelo nuevo, de estilo nuevo, nuevo, moderno. ~화하다 modernizar. 이 기계는 ~이다 Esta máquina es un modelo nuevo.
■~ 교련 ejercicio *m* moderno. ~ 무기 el arma *f* moderna. ~ 생활 vida *f* moderna. ~총 pistola *f* moderna.

신신(申申) peticiones *fpl* repetidas.
■~부탁[당부] petición *f* seria, peticiones *fpl* repetidas. ~하다 pedir con seridad, pedir repetidas veces.

신신하다(新新—) (ser) fresco. 신신한 과실(果實) frutas *fpl* frescas.

신실하다(信實—) (ser) sincero, fiel, leal. 신실하게 sinceramente, con sinceridad, fielmente, lealmente, con lealtad, con fidelidad.

신심(信心) ① [옳다고 믿는 마음] creencia *f*, fe *f*. ② [종교를 믿는 마음] devoción *f*, piedad *f*. ~이 깊은 pío, piadoso, devoto. ~이 없는 impío, irreligioso, incrédulo, descreído. ~이 없음 impiedad *f*. ~이 없는 사람 persona *f* impía [descreía · incrédula]. ~이 두텁다 ser devoto, adorar, rendir culto [homenaje]. ~을 가지다 ser devoto (de), tener devoción (a). 그녀는 ~이 두텁다 Ella es una mujer devota [religiosa]. 그는 ~이 부족하다 A él le falta devoción.

신안(新案) idea *f* nueva, plan *m* nuevo; [의장(意匠)] designio *m* nuevo, invención *f*, novedad *f*.
■~ (의장) 등록 registro *m* de un nuevo designio. ~ 특허 patente *m* de invención [de modelo].

신앙(信仰) creencia *f*, fe *f*, religión *f*, devoción *f*, confianza *f*. ~하다 creer (en), tener fe (en). ~이 깊은 devoto, piadoso, religioso, de mucha devoción [religión · creencia]. ~이 없는 incrédulo. ~을 가진 사람 persona *f* de fe. ~을 가진 남자 hombre *m* de fe. ~을 가진 여자 mujer *f* de fe. ~을 가지다 tener (la) fe, tener (la) religión. ~을 버리다 abandonar [perder · dejar] la fe. ~을 가지지 않다 no tener fe, no tener religión. 기독교를 ~하게 되다 abrazar la religión cristiana, hacerse cristiano. 하나님을 ~하다 creer en Dios, tener fe en Dios.
■~ 개조 ((기독교 · 천주교)) credo *m*, artículo *m* de fe. ~ 고백 confesión *f* de fe, profesión *f* de fe. ~ 고백자 confesante *mf* de religión. ~ 무차별론 indiferentismo *m*. ~ 생활 vida *f* de fe, vida *f* religiosa. ~심(心) =신심(信心). ~ 요법 curación *f* por religión. ~의 자유 libertad *f* de creencia, libertad *f* de cultos. ~인 creyente *mf*, devoto, -ta *mf*.

신약(信約) =약속(約束). 맹세(盟誓).

신약(神藥) medicina *f* maravillosa, medicina *f* milagrosa; [만병통치약] panacea *f*, [만능고약] sanalotodo *m*.

신약(新約) ((준말)) =신약 성서(新約聖書).
■~ 성서 el Nuevo Testamento. ~ 시대 tiempos *mpl* del Nuevo Testamento. ~ 전서(全書) el Nuevo Testamento completo.

신약(新藥) ① [새로 제조 · 판매되는 약품(藥品)] medicamento *m* nuevo, medicina *f* nueva. ② =양약(洋藥).

신약하다(身弱—) el cuerpo es débil.

신어(新語) palabra *f* nueva, neologismo *m*. ~를 만들다 formar [inventar] una palabra.
■~법(法) neologismo *m*. ~ 사용(使用) neologismo *m*. ¶~의 neológico. ~ 사용자 neólogo, -ga *mf*, neologista *mf*.

신어미(神—) 【민속】 hechicera *f* que dar *su* iniciación a *sus* discípulos.

신여성(新女性) muchacha *f* moderna, mujer *f* moderna.

신역(身役) labor *f* física.

신역(神域) recinto *m* sagrado (del templo sintoísta), reino *m* de espíritu.

신역(新譯) nueva traducción *f*. ~하다 traducir nuevamente.

신열(身熱) fiebre *f*. ~이 나다 tener fiebre. ~이 내리다 pasar la fiebre. 부인, ~이 내릴 때까지 남편께서는 이삼일 누워 계셔야 할 겁니다 Su marido tendrá que guardar cama dos o tres días, señora, hasta que le pase la fiebre. 전처럼 ~이 많지 않은 것 같습니다 Me parece que no tengo tanta fiebre como antes.

신염(腎炎) 【의학】 nefritis *f*.

신예(新銳) nuevo y superior. ~의 fresco, escogido. ~의 등산가 alpinista *mf* joven lleno de promesas.
■~기 avión *m* de combate nuevamente producido. ~병(兵) soldado *m* recién llegado. ~ 병기(兵器) armas *fpl* nuevas. ~ 부대 tropas *fpl* frescas e intactas.

신용(信用) ① [믿고 씀] confianza *f*, confidencia *f*. ~할 수 없는 물건 artículo *m* no confidente. ~할 수 있는 가게 tienda *f* de confianza. ② [믿고 의심하지 않음. 틀림이 없을 것으로 믿음] creencia *f*, fe *f*, crédito *m*, confianza *f*. ~하다 creer (en), tener confianza [fe] (en), dar crédito (a). ~할 만한 confiable, creíble, fiable. ~이 없는 poco confiable, poco seguro. ~할 수 있는 사람 persona *f* confiable, persona *f* de confianza. …을 ~해서 poniendo confianza en *algo* · *uno*, dando crédito a *algo* · *uno*. ~을 얻다 ganar [obtener] la confianza. ~을 잃다 perder la confianza (de), desacreditarse (con). ~이 없다 no tener confianza. …의 ~이 있다 gozar de la confianza de *uno*. 신문 기사를 ~하다 creer en los artículos del diario. 그의 기술을 ~하다 tener confianza en su técnica. 자네 말을 ~해 보겠네 Te creeré / Creeré en ti. 나는 당신의 말을 ~한다 Creo en sus palabras. 나는 그를 소홀히 ~했다 Le creí por un descuido. 그의 말은 ~할 수 없다 No se puede creer en sus palabras. 그는 주인의 ~이 두텁다

El goza de mucha confianza del amo / Su amo tiene mucha confianza en él. 폐사는 ~을 제일로 하고 있다 Tratamos ante todo de no defraudar la confianza de nuestros clientes. ③ [평판이 좋고 인망이 있음] buena reputación *f*, buena fama *f*. ~을 잃다 perder *su* reputación. 그것은 회사의 ~을 손상시킨다 Eso compromete la reputación de la compañía. 내 ~이 위태롭다 Se arriesga mi fama / Mi fama se pone en tela de juicio. ④ 【경제】 crédito *m*. 도덕적 및 경제적 ~ crédito *m* moral y económico. 정부의 ~ 공여(供與) otorgamiento *m* gubernamental de créditos. ~으로 사다 comprar a crédito. ~을 잃다 perder crédito. ~을 손상(損傷)하다 perjudicar *su* crédito, tener descrédito. ~을 유지하다 mantener *su* crédito. ~량(量)을 규제하다 regular el volumen del crédito.

■ ~ 거래 transacción *f* a(l) crédito, transacciones *fpl* por crédito. ~ 경제 economía *f* de crédito. ~ 공황 =금융 공황. ~ 규제 dificultades *fpl* crediticias. ~ 금고 ((준말)) =상호 신용 금고. ~ 기관 órgano *m* de crédito. ~ 대부[대금] crédito *m*, dinero *m* prestado a crédito. ~도 평가(度評價) grado *m* de solvencia estimado, límite *m* de crédito. ~도 평가 제도 sistema *m* de límite de crédito. ~ 등급 =신용도 평가. ~ 매입 compra *f* a crédito. ¶~하다 comprar a crédito. ~ 보험 seguro *m* de crédito, seguro *m* de fidelidad. ~ 분석 análisis *m* de crédito. ~ 분석가 analista *mf* de crédito. ~ 상태 solvencia *f*. ~ 어음 letra *f* de crédito. ~장 (carta *f* de) crédito *m*. ¶~의 조건 위반 discrepancia *f* de condiciones de carta de crédito. ~을 개설하다 abrir [establecer] el crédito [carta de crédito]. ~을 취소하다 cancelar carta de crédito. ~의 조건을 변경하다 variar las condiciones de carta de crédito. 담보부(擔保附) ~ crédito *m* hipotecario. 무제한 ~ crédito *m* abierto. 무조건 ~ crédito *m* en descubierto. 백지 ~ crédito *m* en blanco. 선하(船荷) ~ crédito *m* documentario, crédito *m* documentado. 수입 ~ crédito *m* de importación. 수출 ~ crédito *m* de exportación. 양도 가능 ~ crédito *m* negociable, crédito *m* transferible. 양도 가능 선하 ~ crédico *m* documentario negociable, crédito *m* documentario transferible. 은행 ~ crédito *m* bancario. 잔고 승인 ~ crédito *m* comprobado. 취소 가능 ~ crédito *m* revocable. 취소 가능 선하 ~ crédito *m* documentario revocable. 취소 불능 ~ carta *f* de crédito irrevocable. 취소 불능 선하 ~ crédito *m* documentario irrevocable. 현금불 ~ crédito *m* en efectivo. 확정 ~ carta *f* de crédito confirmado. 회전 ~ carta *f* de crédito rotativo. ~ 정도 grado *m* de confianza. ~ 제한 dificultades *fpl* crediticias. ~ 조건(條件) condiciones *fpl* crediticias, condiciones *fpl* de crédito. ~ 조사 informes *mpl* de créditos. ~ 조사소 agencia *f* de crédito. ~ 조합 [소비자의] cooperativa *f* de crédito, unión *f* de crédito. ~ 조회 referencia *f* de crédito. ~ 조회소 agencia *f* de referencias de crédito. ~ 조회인 referencia *f*. ~ 증권 papel *m* de crédito, documento *m* de crédito. ~ 카드 tarjeta *f* de crédito. ¶~ 받으십니까? ¿Aceptan ustedes tarjetas de crédito? ~ 판매 venta *f* a crédito. ~ 한도액 línea *f* de crédito. ~ 협동 조합 cooperativa *f*, asociación *f* de crédito. ~ 화폐 moneda *f* despreciada, moneda *f* fiduciaria, moneda *f* nominal.

신우(神佑) ayuda *f* de Dios, ayuda *f* del Señor, ayuda *f* de Providencia, ayuda *f* divina.

신우(腎盂) 【해부】 pelvis *f*, pelvis *f* renal. ~의 piélico, renipélvico.

■ ~ 신염(腎炎) nefropielitis *f*. ~염 pielitis *f*, endonefritis *f*.

신운(身運) =운수(運數).

신원(身元) identidad *f*. ~을 알 수 없는 de origen dudoso. ~을 밝히다 revelar *su* origen, acreditar *su* identidad. ~을 숨기다 ocultar *su* origen. ~을 증명하다 probar *su* identidad. ~을 확인하다 identificar, demostrar *su* identidad. ~을 자세히 조사하다 investigar [averiguar] el origen (de). ~이 판명되다 identificarse. 당신은 ~을 밝힐 만한 서류가 필요합니다 Usted necesitará algún documento que acredite su identidad.

■ ~ 보증 garante *m*, garantía *f*, fianza *f*, referencia *f*. ~ 보증금(保證金) dinero *m* para caución. ~ 보증서 referencia *f*. ~ 보증인 fiador, -dora *mf*, garante *mf*, [집합적] referencia *f*. ~ 인수인 fiador, -dora *mf*, garante *mf*. ~ 조회 referencias *fpl*. ~ 조회처 referencia *f* (de crédito). ~ 증명 identificación *f*, certificado *m* de buena conducta. ~ 증명서 identificación *f*, certificado *m* de antecedentes penales. ~ 확인 identificación *f*.

신원(伸寃) vindicación *f*. ~하다 vindicarse.

■ ~설치(雪恥) vindicación *f* de *su* honor. ¶~하다 vindicar *su* honor.

신원(新元) =설날.

신월(新月) ① =초승달. ¶~형(形)의 formado de creciente de la luna nueva. ② [음력 초하루에 보이는 달] luna *f* del primero del calendario lunar.

신위(神位) placa *f* de un antepasado.

신위(神威) dignidad *f* de Dios.

신유(辛酉) 【민속】 *sinyu*, quincuagesimoctavo año *m* del ciclo sexagenario, el Año del Ave de Corral.

신은(神恩) favor *f* de Dios.

신음(呻吟) [병이나 고통으로 앓는 소리를 냄] gemido *m*, gruñido *m*. ~하다 gemir, gruñir, lanzar quejidos, lamentarse. ~하는 gemidor. 병상(病床)에서 ~하다 padecer dolores en cama. 배가 아파 ~하다 gemir a causa del dolor de estómago [de vientre]. 그는 아파서 ~ 소리를 내고 있다 El está gimiendo de dolor.

신의(信義) confianza *f*, lealtad *f*, fidelidad *f*, fe *f*. ~에 반(反)해 desleal. 벗에 대한 ~ confianza *f* al amigo. ~를 가지고 행동하다 conducirse con lealtad. ~를 깨뜨리다 apartarse de la lealtad. ~를 지키다 quedarse fiel, quedarse con la lealtad. ~에 반해 있다 ir en contra de la lealtad.

◆국제(國際) ~ confianza *f* internacional.

신의(信疑) creencia o incredulidad. ~가 반반이다 No puedo decir si es creíble o no.

신의(宸意) intención *f* del rey.

신의(神意) voluntad *f* de Dios, voluntad *f* divina, Providencia *f*.

■~설 providencialismo *m*. ~설 주장자 providencialista *mf*.

신의(神醫) gran médico *m*.

신이상주의(新理想主義) neo-idealismo *m*.

■~자 neo-idealista *mf*.

신이하다(神異-) (ser) novedoso y extraño.

신익다(神-) ser hábil [tener mucha habilidad] por mucha experiencia.

신인(信認) aceptación *f*, reconocimiento *m*. ~하다 reconocer, admitir, confirmar.

◆국제적 ~도 confianza *f* internacional.

신인(神人) ① [신과 사람] Dios y el hombre. ~ 공(共)히 용서하지 않다 no tener perdón de Dios ni de hombres. ② [신과 같이 숭고한 사람] hombre *m* de Dios; [초인(超人)] hombre *m* sobrenatural; [예언자] profeta *m*. ③ ((기독교)) Jesús Cristo.

■~ 동형설(同形說) antropomorfismo *m*.

신인(新人) ① =새댁❸. ② [예술계·체육계 등 어떤 사회에 새로 나타난 신진(新進)의 사람] nuevo, -va *mf*, novato, -ta *mf*, novel *mf*, principiante *mf*, cara *f* nueva; hombre *m* nuevo; novicio, -cia *mf*, [주로 가수나 배우 등의] debutante *mf*, [신세대] nueva generación *f*. ③ [현재의 인류와 동일종인 호모 사피엔스에 속하는 화석 인류] hombre *m* fósil.

■~ 배우 nuevo actor *m*, nueva actriz *f*. ~ 작가 nuevo escritor *m*, nueva escritora *mf*, escritor *m* novel, escritora *f* novel.

신인문주의(新人文主義) neo-humanismo *m*. ~의 neo-humanista.

■~자 neo-humanista *mf*.

신인상주의(新印象主義) neo-impresionismo *m*. ~의 neo-impresionista.

■~자 neo-impresionista *mf*.

신인상파(新印象派) escuela *f* neo-impresionista, impresionismo *m*.

■~ 예술가 neo-impresionista *mf*.

신일(申日) 【민속】 el Día del Mono.

신임(信任) confianza *f*, fe *f*, crédito *m*. ~하다 tener confianza (en), poner confianza (en), hacer confianza (de), contar (con), confiar, fiar. A의 ~이 두텁다 estar bien visto por A, ser favorito de A. 국민의 ~을 묻다 apelar al juicio de toda la nación. 그는 대통령의 ~이 두텁다 El presidente de la República tiene una gran confianza en él / El está visto por el presidente de la República / El es favorito del presidente de la República.

■~장(狀) carta *f* credencial, credenciales *fpl*. ¶~을 제출하다 presentar la carta credencial [las credenciales]. ~ 투표 voto *m* de confianza; [단일 후보로] votación *f* ratificatoria.

신임(新任) nuevo nombramiento *m*. ~의 nuevo, recién nombrado, recién designado, nombrado nuevamente, designado nuevamente.

■~ 공사(公使) ministro *m* recién nombrado, ministra *f* recién nombrada; nuevo ministro *m*, nueva ministra *f*. ~ 교수 nuevo profesor *m*, nueva profesora *f*. ~ 대사(大使) embajador *m* recién nombrado, embajadora *f* recién nombrada; nuevo embajador *m*, nueva embajadora *f*. ~ 인사(人事) discurso *m* inaugural, discurso *m* de investidura, discurso *m* de toma deposesión. ¶대통령의 ~ discurso *m* presidencial de toma de posesión. ~자(者) persona *f* recién nombrada [designada] (para un puesto [un cargo]). ~지(地) puesto *m* nuevo, destino *m* nuevo.

신입(新入) (nueva) entrada *f*. ~의 recién ingresado, recién llegado, recién entrado, recién venido, novato, novicio, nuevo.

■~ 사원(社員) nuevo empleado *m*, nueva empleada *f*. ~생 estudiante *mf* de primer año; *Chi* mechón, -chona *mf*, *Col* primíparo, -ra *mf*, nuevo estudiante *m*, nueva estudiante *f*, estudiante *m* recién ingresado, estudiante *f* recién ingresada; principiante *mf*, novato, -ta *mf*. ¶~ 환영회 banquete *m* de bienvenida a los novatos. ~자 novato, -ta *mf*, recién llegado *m*, recién llegada *f*, novicio, -cia *mf*, principiante *mf*.

신자(信者) creyente *mf*, fiel *mf*, devoto, -ta *mf*, [특히 불교의] adepto, -ta *mf*, budista *mf*. 독실한 ~ beato, -ta *mf*. 개신교 ~가 되다 hacerse protestante; [개종(改宗)] convertirse protestantismo.

신자(新字) caracteres *mpl* recién hechos.

신자본주의(新資本主義) neo-capitalismo *m*. ~의 neo-capitalista.

■~자 neo-capitalista *mf*.

신자유주의(新自由主義) neo-liberalismo *m*.

■~자 neo-liberal *mf*.

신작(新作) nueva obra *f*, nueva producción *f*. ~을 쓰다 escribir una nueva obra.

신작로(新作路) camino *m* para automóviles, carretera *f*.

신장(-欌) zapatera *f*, alacena *f* para zapatos, taquillón *m*.

신장(身長) estatura *f*, talla *f*. ~이 크다 ser alto de estatura. ~이 작다 ser bajo de estatura. ~을 재다 medir (a *uno*), medir la estatura (de *uno*). ~이 자라다 crecer en estatura. 당신은 ~이 얼마나 됩니까?

¿Cuánto mide usted? / ¿Qué estatura tiene usted? 나는 168센티미터입니다 Tengo un ciento sesenta y ocho centímetros. 그는 ~이 2센티미터 자랐다 El ha crecido dos centímetros.

◆평균(平均) ~ estatura *f* mediana, talla *f* mediana, estatura *f* media.

신장(伸張) extensión *f*, expansión *f*, dilatación *f*. ~하다 alargarse, extenderse, dilatarse.

▪~계 extensómetro *m*. ~근(筋) extensor *m*, músculo *m* extensor. ~기 camilla *f*. ~력 tensión *f*. ~률 coeficiente *m* de expansión. ~성 expansibilidad *f*.

신장(信章) =도장(圖章).

신장(訊杖) palo *m* para interrogar los criminales (en los tiempos antiguos).

신장(神將) ① [신병(神兵)을 거느리는 장수] general *m* con los soldados de Dios. ② [신(神)과 같은 장수] general *m* de habilidad superhumana. ③【민속】[장수격을 가진 귀신] espíritu *m* poderoso.

▪~대【민속】varita *f* mágica del hechicero.

신장(新裝) ① [새로 장치함. 또 그 장치] nuevo atavío *m*; [장정(裝幀)] nuevo ligazón *m*. ~하다 amueblar, amoblar; [개축(改築)하다] remodelar, reformar. ~된 amueblado, amoblado, remodelado, reformado, salido con nuevo atavío, todo nuevo. ② [새로운 복장] nueva ropa *f*, nuevo traje *m*, nuevo vestido *m*.

신장(新粧) renovación *f* del mobiliario, pintura *f* (y empapelado). ~하다 renovar el mobiliario (de), pintar, pintar y empapelar. ~된 renovado, enteramente transformado.

신장(腎臟)【해부】riñón *m* (*pl* riñones). ~의 renal, nefrítico. 그는 ~ 이식을 받았다 Le han hecho un trasplante de riñón.

▪~ 결석 nefrolito *m*, cálculo *m* renal. ¶~ 환자 calculoso, -sa *mf*. ~ 결석증(結石症) litonefrosis *f*, nefrolitiasis *f*. ~ 동맥 arteria *f* renal. ~ 마비(痲痺) nefroparalisis *f*. ~병(病) renopatía *f*, nefropatía *f*, enfermedad *f* de riñon. ~병 전문 의사 nefrólogo, -ga *mf*. ~병증 nefropatía *f*. ~병학 nefrología *f*. ~염(炎) nefritis *f*. ¶급성 ~ nefritis *f* aguda. 만성 ~ nefritis *f* crónica. 소아 ~ pedonefritis *f*, nefritis *f* infantil. ~ 정맥 vena *f* renal. ~증 nefrosis *f*. ~통 nefralgia *f*. ~ 확장 nefrectasia *f*.

신저(新著) nueva obra *f*; [신간서] último libro *m*, libro *m* recién publicado, nueva publicación *f*.

신적(神的) divino *adj*. ~ 존재 existencia *f* divina.

신전(-廛) tienda *f* de calzados, tienda *f* que se venden los calzados.

신전(伸展) extensión *f*, dorsiflexión *f*. ~하다 extenderse.

신전(神前) ante [delante de] Dios, ante relicario, delante del altar sintoísta. ~에 무릎을 꿇다 postrarse delante del altar sintoísta.

신전(神殿) santuario *m*, templo *m*.

신전(新錢) moneda *f* recién acuñada.

신절(臣節) lealtad *f* a un país [a un gobierno], fidelidad *f*.

신접(新接) ① [새로 살림을 차려 한 집안을 이룸] formación *f* de una familia. ② [타향에서 새로 옮겨 와서 삶] nueva vida *f*.

▪~살이[살림] vida *f* en el nuevo hogar.

신정(申正)【민속】las cuatro de la tarde.

신정(神政) teocracia *f*. ~의 teocrático.

신정(新正) ① [새해의 첫머리] primero del Año Nuevo, primer mes *m* del Año Nuevo, enero *m*. ② [양력설] el Día del Año Nuevo.

신정(新政) nueva política *f*.

신정(新訂) nueva revisión *f*.

▪~ 증보판(增補版) edición *f* revisada y aumentada. ~판 edición *f* revisada.

신정(新情) nuevo amor *m*.

신정권(新政權) nuevo régimen *m*.

신정책(新政策) nueva política *f*.

신제(新制) nuevo sistema *m*.

신제(新製) nueva fabricación *f*, nueva manufactura *f*. ~의 nuevo, recién hecho, recién fabricado, recién manufacturado, recién creado.

▪~품 nuevo producto *m*.

신조(信條) ① [신앙의 개조(箇條)] credo *m*, oración *f*, símbolo *m* de la fe. ② [굳게 믿고 있는 생각] credo *m*, principio *m*, artículos *mpl* de fidelidad. 내 생활 ~ principios *mpl* de mi vida. 정치적 ~ credo *f* político. ~로 하고 있다 tener por principios, tener como credo.

신조(神助) ayuda *f* de Dios.

신조(神造) creación *f* de Dios.

신조(新造) nueva construcción *f*. ~하다 construir [edificar · fabricar] nuevamente. ~의 recién hecho, recién construido, recién fabricado. 배를 세 척 ~하다 construir tres nuevos barcos.

▪~선(船) barco *m* recién construido. ~어(語) neologismo *m*. ¶~의 neológico. ~ 사용자 neólogo, -ga *mf*.

신조(新調) fabricación *f* de un nuevo traje. ~하다 hacer un nuevo traje. ~의 recién hecho, nuevo. ~한 옷을 입고 있다 llevar (puesto) traje nuevo.

신조소주의(新彫塑主義) neoplasticismo *m*.

신종(信從) seguimiento *m* con confidencia. ~하다 seguir con confidencia.

신종(新種) ① [새로운 종류] nuevo tipo *m*, nuevo estilo *m*. ~ 사기 fraude *m* de nuevo tipo. ② [새로 발견되거나, 새로이 인공적으로 만들어진 생물의 종류] nueva especie *f*; [변종(變種)] nueva variedad *f*.

신주(神主) sacerdote *m* sintoísta, guardián *m* de un sintuario sintoísta. ~를 모시다 conservar *su* placa ancestral.

신주(神酒) libación *f*, vino *m* al dios, vino *m* ofrecido a una deidad, vino m ofrendado a las divinidades. ~를 바치다 ofrecer libación a una deidad.

신주(新注/新註) nueva nota *f*, nuevo comentario *m*.

신주(新株) nueva acción *f*, nuevo valor *m*.
■ ~ 공모 subscripción *f* pública de nuevas acciones. ~ 발행 emisión *f* de nuevas acciones. ~ 인수권(引受權) derecho *m* de tanteo, derecho *m* de prioridad, derecho *m* del tanto, derecho *m* a la suscripción preferente de las nuevas acciones, derecho *m* preferente de suscripción en la emisión de nuevas acciones.

신주(新鑄) nueva acuñación *f*.
■ ~ 화폐 moneda *f* de nueva acuñación.

신중(愼重) prudencia *f*, circunstancia *f*, discreción *f*; [조심] precaución *f*, cautela *f*, recato *m*. ~하다 (ser) prudente, circunspecto, discreto, juicioso; [조심성 있는] cauteloso, precavido; [주의 깊은] atento. ~한 태도 actitud *f* prudente [cautelosa], modestia *f*. ~을 기해서 a medida de prudencia. ~을 기하다 obrar con precaución, obrar sin riesgos, ir sobre seguro, cuidarse bien, mejorarse, prudenciarse. ~한 고려를 하다 considerar seriamente, deliberarse sobre un asunto. ~한 태도를 취하다 tomar una actitud prudente [cautelosa]. ~론을 펴다 emitir una opinión cautelosa. 그는 ~하지 못하다 Le falta [Carece de] prudencia / Es un imprudente. ~을 기해 쉬어라 Descansa por si acaso [por lo que pueda ser·no sea algo grave]. ~을 기하십시오 Cuídese bien / Que se mejore. ~을 기해 나는 그에게 질문하지 않았다 No le pregunté por discreción.
신중히 prudentemente, con prudencia, con circunspección, detenidamente, cuidadosamente, minuciosamente, con cuidado. ~ 생각한 후에 después de detenida reflexión. ~ 검토하다 examinar cuidadosamente. ~ 다루다 tratar con cuidado. 행동(行動)을 ~ 하다 respetarse a sí mismo, tener prudente en *su* conducta. ~ 생각한 결과 나는 거절하기로 결정했다 Después de pensarlo bien, decidí negarme. 발언(發言)은 ~ 해 주십시오 Pese cuidadosamente sus palabras / Haga el favor de pesar sus palabras.

신중산 계급(新中産階級) neo-burguesía *f*.

신중상주의(新重商主義) neo-mercantilismo *m*.

신지식(新知識) nuevo conocimiento *m*.
■ ~인 persona *f* con nuevos conocimientos, intelectual *mf*.

신지피다(神-) (ser) poseído, endomoniado, poseso.

신진(新陳) lo pasado y lo nuevo.
■ ~대사 ㉮ [묵은 것이 없어지고 새것이 대신 생김] metabolismo *m*. ¶~ (작용)의 metabólico. ~가 심하다 tener un metabolismo alto. ~가 완만하다 tener un metabolismo bajo. 젊은 사원의 ~가 심하다 Los empleados jóvenes cambian con frecuencia. ㉯ 【생물】 =물질대사. ~ 대사학 biostática *f*.

신진(新進) nueva generación *f*. ~의 reciente, naciente, nuevo, joven. ~ 기예의 joven y vigoroso. ~ 기예의 학자 joven *m* (*pl* jóvenes) investigador [joven *f* investigadora] lleno de vigor.
■ ~ 작가 escritor, -tora *mf* de nueva generación; escritor, -tora *mf* joven.

신짚 pajas *fpl* para los calzados de pajas.

신짝 un zapato.

신착(新着) nueva llegada *f*. ~의 recién llegado.
■ ~ 서적 libro *m* recién llegado. ~ 잡지 revista *f* recién llegada. ~품 artículo *m* recién llegado. ¶~ 목록 catálogo *m* de los artículos reción llegados.

신찬(神饌) ofrenda *f* a un Dios.

신찬(新撰) nueva recopilación *f*. ~하다 recopilar nuevamente. ~의 recién recopilado, recién escogido, recopilado nuevamente.
■ ~ 독본 libro *m* de lectura de método nuevo.

신참(新參) recién llegado, -da *mf*; novicio, -cia *mf*, novato, -ta *mf*; principiante *mf*. ~의 nuevo, incipiente; [신임의] recién nombrado; [미숙한] verde.

신창 suela *f*. ~을 갈다 ponerle suela a uno, *Col* remontar. 나는 구두의 ~을 갈았다 [~을 갈아대게 했다] Les hice poner suelas a los zapatos.

신천옹(信天翁) 【조류】 el ave *f* (*pl* las aves) tonta, el ave *f* zonza.

신천지(新天地) nuevo mundo *m*. ~를 열다 descubrir un mundo nuevo [un(os) horizonte(s) nuevo(s)].

신청(申請) solicitud *f*, petición *f*, súplica *f*, alegación *f*, demanda *f*. ~하다 solicitar, hacer una solicitud formal (de), demandar, dirigir una petición (de). ~을 받아들이다 aceptar una demanda. ~을 기각하다 denegar una solicitud, rehusar una demanda. 사임을 ~하다 solicitar *su* dimisión. 특허 ~을 하다 pedir [solicitar] una patente de invención. 시청에 영업 허가를 ~하다 solicitar al ayuntamiento la autorización para abrir un negocio. 그들은 내 ~을 기각했다 Ellos rechazaron mi solicitud. 우리에게 값을 ~해 주십시오 Solicítenos precios. 폐사에 카탈로그를 ~해 주십시오 Solicítenos el catálogo. 응모자에게는 이력서와 함께 ~을 받습니다 A los interesantes solicitamos el envío de historial personal. 더 자세한 정보는 저희 회사에 ~해 주십시오 Solicite mayor información en nuestraa oficinas. 폐사(弊社)의 제품을 인터넷으로 ~하셔도 됩니다 Puede también solicitar nuestros productos por internet.
◆면허장(免許狀) ~ solicitud *f* para una licencia. 비자 ~ solicitud *f* de visa. 여권(旅券) ~ solicitud *f* para un pasaporte.
■ ~곡 canción *f* solicitada. ~서 carta *f* de petición, solicitud *f* escrita; [용지] formulario *m* de la solicitud, fórmula *f* de

petición. ¶~를 제출하다 presentar una solicitud. 우리는 100장 이상의 ~를 받았다 Recibimos más de cien solicitudes. ~순 orden *m* de solicitud. ~인 solicitante *mf*, suplicante *mf*, [청원자] peticionario, -ria *mf*.

신청부같다 [걱정이 많다] (estar) nervioso, tenso, abrumado [agobiado] por el trabajo [los problemas]; [불만족하다] quedar insatisfecho, no quedar satisfecho.

신체(身體) ① [사람의 몸] cuerpo *m*. ~의 corporal, corpóreo, físico. ~의 결함(缺陷) defecto *m* físico. ~의 구조 estructura *f* corpórea. ~가 부자유한 impedido. ~가 불구가 된 minusválido, discapacitado. ~ 강건하다 ser robusto, ser de hierro, tener una salud de hierro. ~를 단련(鍛鍊)하다 fortalecer *su* cuerpo sano. ② [갓 죽은 송장] cádaver *m* recién muerto.

■~ 개념(概念) imagen *f* corporal. ~검사(檢査) reconocimiento *m* médico, chequeo *m* (médico), examen *m* médico [físico], inspección *f* física; [소지품의] registro *m*; [무기 소지에 대한] cacheo *m*. ¶~를 하다 hacer un examen físico, reconocer *su* salud, registrar, cachear. ~ 검색 registro *m* físico. ~ 검색 영장 orden *f* de registro físico, orden *f* de reconocimiento [inspección] corporal. ~ 결함 defecto *m* físico; [불구(가 된 것)] invalidez *f*, discapacidad *f*, minusvalía *f*. ~권 derecho *m* físico. ~극 fisiodrama *m*. ~발부(髮膚) nuestro cuerpo y todos *sus* miembros. ~ 발육 부전 hipoevolución *f*. ~ 발육 이상 disgenopatía *f*. ~병 somatopatía *f*. ~ 비대(肥大) megasoma *f*. ~ 쇠약 somatastenia *f*. ~의 구속 detención *f* física. ~의 자유 libertad *f* personal. ~장애자 minusválido, -da *mf*; discapacitado, -da *mf*. ~장애자 복지법 ley *f* de asistencia social para los minusválidos. ~치료 somatoterapia *f*. ~학(學) somatología *f*.

신체(新體) nuevo estilo *m*.

■~시(詩) nuevo poema *m*.

신체제(新體制) nuevo sistema *m*, nuevo régimen *m* (*pl* regímenes).

신체조(新體操) =리듬 체조.

신초(辛楚) =괴로움. 고초(苦楚).

신초(神草) 【식물】 =산삼(山蔘).

신초(新草) =햇담배.

신추(新秋) ① [첫가을] otoño *m* temprano. ② [음력 7월] julio *m* del calendario lunar.

신축(辛丑) 【민속】 trigesimoctavo año *m* del ciclo sexagenario, el Año del Toro.

신축(伸縮) expansión *f* y contracción, elasticidad *f*. ~하다 dilatarse y contraerse, ensancharse y encogerse, alargarse y acortarse, ser elástico.

■~계 extensómetro *m*. ~ 관세 derechos *mpl* aduanales flexibles. ~성 elasticidad *f*. ¶~이 있는 elástico. ~이 있다 ser desigual en longitud, ser flexible, no ser uniformes. ~자재(自在) elasticidad *f*.

신축(新築) nueva construcción *f*, construcción *f* reciente; [건물] nuevo edificio *m*. ~하다 edificar nuevamente, construir nuevamente, hacer un nuevo edificio; [개축하다] reedificar, reconstruir. ~의 recién construido, nuevamente edificado. ~ 중의 en construcción, en edificación. ~ 축하 선물을 하다 dar un obsequio como felicitación por una nueva casa. 그는 집을 ~했다 El (se) construyó una nueva casa.

■~ 낙성식 ceremonia *f* de la terminación de un nuevo edificio [una nueva casa].

신춘(新春) ① [새 봄] nueva primavera *f*. ② [새해] año *m* nuevo, primer mes *m* del año. ~을 맞이하다 dar la bienvenida al año nuevo

■~ 휘호(揮毫) primera caligrafía *f* del año nuevo.

신출(新出) =만물.

■~내기 novicio, -cia *mf*; novato, -ta *mf*; principiante *mf*.

신출귀몰(神出鬼沒) fugacidad *f*, velocidad *f* prodigiosa, aparición *f* y desparición repentina. ~하다 aparecer en lugares imprevistos en momentos también imprevistos, aparecer repentinamente y desaparecer repentinamente. ~의 fugaz. ~한 행동(行動) movimiento *m* fugaz. ~한 도적 ladrón *m* (*pl* ladrones) fugaz.

신코 puntera *f*.

신탁(信託) fideicomiso *m*, depósito *m*, confianza *f*, comisión *f* de confianza, trust *ing.m*, consorcio *m* monopolístico, administración *f* por cuenta ajena. ~하다 dar en fideicomiso, dar en fideicomisaria, depositar, confiar, entregar, entregar y fiar. ~을 받다 mantener (*algo*) en fideicomiso (para *uno*).

◆개인(個人) ~ fideicomiso *m* particular, fideicomiso *m* privado. 공익 ~ fideicomiso *m* caritativo. 연금 ~ fideicomiso *m* de pensiones. 영구(永久) ~ fideicomiso *m* perpetuo. 취소 불능(取消不能) ~ fideicomiso *m* irrevocable.

■~ 가격 valor *m* fiduciario. ~ 계약(서) contrato *m* de fideicomiso. ~ 계정 cuenta *f* de fideicomiso. ~ 관리인 administrador, -dora *mf* de fideicomiso. ~국(局) departamento *m* de administración de bienes. ~물 objeto *m* depositado. ~법 ley *f* de fideicomiso. ~부(部) departamento *m* de administración de bienes. ~ 사업 negocio *m* de fideicomiso. ~ 수익자 beneficiario, -ria *mf* de bienes a cargo de fiduciario. ~ 예금 depósito *m* en fideicomiso, dinero *m* confiado. ~ 은행(銀行) banco *m* fiduciario, banco *m* fideicomisario. ~ 은행 업무 banco *m* fiduciario. ~자 fideicomitente *mf*. ¶피~ fideicomisario, -ria *mf*, fiduciario, -ria *mf*, administrador, -dora *mf* del consorcio; administrador *m* fiduciario, administradora *f* fiduciaria; síndico, -ca *mf*. ~ 자금[기금] fondo *m* de fideicomiso, fondo *m* de custodia, fondo *m* fiduciario. ~ 재산 bienes *mpl* fiduciarios, propiedad *f* fiduciaria. ~ 저당 hipoteca *f* fiduciaria. ~ 증서 escritura *f* fiduciaria, justificante *m* de depósito, documento *m* de un objeto depositado. ~ 통치 fideicomiso *m*, régimen *m* de tutela. ~ 통치령(統治領) territorio *m* fideicometido, territorio *m* bajo tutela. ~ 통치 이사회 el Consejo de Administración Fiduciaria. ~ 통치 지역 fideicomiso *m*. ~ 투자 inversión *f* de fideicomiso. ~ 협정 acuerdo *m* de fideicomiso. ~ 회사 compañía *f* fiduciaria.

신탁(神託) oráculo *m*, revelación *f*, mensaje *m* divino. 신(神)의 ~으로 por (el) oráculo, por (la) revelación. ~을 받다 recibir un oráculo, recibir un mensaje divino. 꿈에 ~을 받다 tener una comunicación divina en sueños.

신탄(薪炭) la leña y el carbón.
■ ~비 gastos *mpl* de la leña y el carbón. ~상 ㉮ [신탄을 파는 장사] comercio *m* de la leña y el carbón. ㉯ [신탄을 파는 가게] tienda *f* de la leña y el carbón. ㉰ [신탄을 파는 장수] vendedor, -dora *mf* de la leña y el carbón.

신토불이(身土不二) *sintoburi*, Los productos agrícolas domésticos son los mejores / Los productos agrícolas nacionales son convenientes a nuestra constitución (física).
■ ~ 운동(運動) la campaña de comprar los nuestros productos agrícolas.

신통(神通) ① ((불교)) misterio *m*. ② [신기하게 깊이 통달함] maravilla *f*. ~하다 (ser) maravilloso, extraordinario, admirable. ~하게 maravillosamente, de maravilla, extraordinariamente, admirablemente. ~한 아이 niño *m* extraordinario, niña *f* extraordinaria. 도(道)에 ~한 사람 hombre *m* maravilloso al arte. ~한 짓을 하다 portarse ingeniosamente. 거참 잘 그렸다. ~하구나 Es una buena pintura. ¡Qué maravilla!
신통스럽다 (ser) ingenioso, maravilloso.
신통스레 ingeniosamente, con ingenio, maravillosamente. ~ 말하다 hablar con ingenio.
신통히 maravillosamente, de maravilla, ingeniosamente, con ingenio.
■ ~력(力) poder *m* místico, poder *m* sobrenatural. ¶~을 얻다 ser maestro en el secreto de arte sobrenatural. ~을 잃다 perder el poder mágico; [비유적] perder todo *su* prestigio [*su* autoridad].

신트림 eructo *m* con el vómito ácido.

신틀 marco *m* de madera para las sandalias coreanas.

신파(新派) escuela *f* nueva; [연극] teatro *m* moderno y melodramático coreano.
■ ~극 =신파 연극. ~ 배우(俳優) actor, -triz *mf* de la escuela nueva. ~ 연극 teatro *m* de la escuela nueva.

신판(新版) [새로 출판된 책] nueva edición *f*, nueva publicación *f*. ~의 recién editado, recién publicado.
◆ 최(最)~ última edición *f*.

신편(新編) nueva edición *f*.

신품(神品) ① [가장 신성한 품위] la dignidad *f* más sagrada. ② [아주 뛰어난 물품이나 작품] obra *f* muy excelente. ③ ((준말)) = 신품 성사.
■ ~ 성사(聖事) órdenes *fpl* sagradas.

신품(新品) nuevo artículo *m*, nueva mercancía *f*. ~과 같다 parecer [estar] como nuevo, ser tan bueno como nuevo.

신풍(新風) ① [신선한 바람] viento *m* fresco. ② [새로운 풍조나 풍속] nueva tendencia *f*, nueva costumbre *f*, nueva sangre *f*. ~을 불어넣다 inyectar una nueva sangre.

신풍조(新風潮) nueva tendencia *f*.

신필(神筆) escritura *f* maravillosa, escritura *f* excelentísima, caligrafía *f* maravillosa.

신하(臣下) súbdito *m*, vasallo *m*.

신학(神學) teología *f*. ~의 teológico.
■ ~교(校) seminario *m*, seminario *m* conciliar, establecimiento *m* destinado para la enseñanza de los jóvenes que se dedican al estado eclesiástico. ~ 대학 facultad *f* de teología. ~ 대학장 decano, -na *mf* de la facultad de teología. ~ 박사 doctor, -tora *mf* en teología; [학위] doctorado *m*. ~사(士) licenciado, -da *mf* en teología; [학위] licenciatura *f* en teología. ~ 삼덕(三德) tres virtudes: la fe, la esperanza y el amor. ~생 seminarista *mf*; alumno, -na *mf* de un seminario. ~ 석사(碩士) poseedor, -dora *mf* de una maestría en teología; [학위] maestría *f* en teología, master *ing.m* en teología. ~원(院) instituto *m* para la enseñanza teológica. ~자(者) teólogo, -ga *mf*.

신학기(新學期) [2학기제의] nuevo semestre *m*; [3학기제의] nuevo trimestre *m*; [새로운 과정] nuevo curso *m*, nuevo período *m* del curso. ~에 al entrar en el nuevo semestre.

신학문(新學問) ciencias *fpl* modernas.

신해(辛亥) 【민속】 cuadragesimoctavo año *m* del ciclo sexagenario, el Año del Cerdo.

신허(腎虛) 【한방】 impotencia *f*.

신형(新型) nuevo estilo *m*, nuevo modelo *m*.
■ ~ 자동차 nuevo modelo *m* de automóvil; [신품(新品)] coche *m* nuevo, automóvil *m* nuevo, último coche *m*.

신호(信號) señal *f*, seña *f*; [장치] semáforo *m*. ~하다 señalar, dar la señal, hacer señas, dar señas, hacer señales, hacer el semáforo, observar el semáforo, indicar. 권총을 ~로 a la señal de un tiro de pistola. ~를 무시하다 violar el semáforo, no hacer caso de la señal. ~를 보내다 enviar una señal. ~를 받다 recibir una señal. 눈으로 ~하다 [윙크하다] guiñar. 출발 ~를 하다 dar la señal de arrancar. ~는 이 소리다 Este sonido es la señal. ~는 푸른색이다 El semáforo [La señal] es verde. ~가 빨

강이 되었다 El semáforo se ha puesto rojo. 너에게 ~할 때까지 기다려라 Espera que te dé la señal. 나는 위험하다고 ~했다 Hice señales de peligro.

■ ~기(旗) bandera *f* de señales. ~기(機) señal *f*, [철도의] telégrafo *m* de señales; [교통의] semáforo *m*; [원반식의] disco *m*. ~나팔 corneta *f* de señales. ~등(燈) semáforo *m*, lámpara *f* de señales. ~수[원] [철도의] guardavía *m*; [군의 통신 대원] encargado *m* de señales. ~ 정차역(停車驛) apeadero *m*. ~탄 bala *f* de señales. ~탑[소] torre *f* de señales; [철도의] garita *f* de señales.

신혼(新婚) nuevo matrimonio *m*, casamiento *m* reciente: [결혼 후 첫 한 달] luna *f* de miel. ~의 recién casado.

■ ~기 luna *f* de miel. ~부부 pareja *f* de recién casados, matrimonio *m* recién casado, pareja *f* recién casada. ~ 생활 vida *f* de luna de miel. ~ 시대 luna *f* de miel. ~여행 viaje *m* de luna de miel, viaje *m* de novios, viaje *m* de nupcias. ¶~을 하다 pasar la luna de miel, emprender un viaje de nupcias. ~여행 기간 luna *f* de miel. ~여행자 pareja *f* de luna de miel.

신화(神化) ① [신의 조화] creación *f* de Dios. ② [신기한 변화] cambio *m* novedoso. ③ [신으로 화함] deificación *f*. ~하다 deificar.

신화(神火) =도깨비불.

신화(神話) mito *m*; [집합적] mitología *f*, fábula *f*. ~의 mítico, mitológico.

◆ 건국 ~ mitología *f* de la fundación nacional. 그리스 ~ mitología *f* griega. 단군 ~ mitología *f* de Dangun. 로마 ~ mitología *f* romana.

■ ~극(劇) drama *m* mitológico. ~ 비평 criticismo *m* de la mitología. ~ 세계 mundo *m* mitológico. ~ 시대 época *f* mitológica, era *f* mitológica, tiempos *mpl* mitológicos. ~학 mitología *f*, mitografía *f*. ~ 학자 mitologista *mf*, mitológico, -ca *mf*, mitógrafo, -fa *mf*, mitólogo, -ga *mf*. ~학적 mitológico *adj*. ¶~으로 mitológicamente.

신환자(新患者) nuevo enfermo *m*, nueva enferma *f*, nuevo paciente *m*, nueva paciente *f*.

신효하다(神效-) (ser) notablemente eficaz.

신후(申後) 【민속】 después de las cinco de la tarde.

신후(身後) después de la muerte.

■ ~사(事) cosa *f* después de la muerte. ~지계(之計) plan *m* después de la muerte. ~지지(之地) sitio *m* de *su* tumba que se decidió antes de la muerte.

신후하다(信厚-) (ser) fiel y virtuoso.

신흥(新興) levantamiento *m* reciente, prosperidad *f* reciente, aupado *m* repentino. ~의 recién levantado, naciente, nuevo.

■ ~ 계급 clase *f* salida de la nada, clase *f* recién levantada, nueva clase *f*. ~ 공업국 país *m* industrial recién levantado. ~국(가) nación *f* recién levantada, país *m* recién levantado. ~ 도시 nueva ciudad *f*. ~ 문학 nueva literatura *f*. ~ 세력 fuerzas *fpl* nacientes. ~ 제국 naciones *fpl* nacientes. ~ 재벌 *jaebeol mf* naciente. ~ 종교 nueva religión *f*, nueva secta *f* religiosa.

신희(新禧) suerte *f* del Año Nuevo.

싣다 ① [물건을 운반하려고 배·수레·짐승 등에 얹다] cargar; [배에] embarcar. 화물을 다시 ~ cargar de nuevo las mercancías. 화물을 열차에 ~ cargar las mercancías en el tren, cargar el tren con [de] las mercancías. 트럭에 짐을 싣는 작업을 하다 efectuar el trabajo de cargar un camión. 배에 짐을 ~ cargar las mercancías a bordo, embarcar las mercancías. ② [출판물에, 글이나 그림 등을 나게 하다] registrar, publicar, poner, agregar 논문을 잡지에 ~ poner una tesis en la revista. 신문에 소설을 ~ publicar la novela en el periódico. ③ [보나 논바닥에 물이 괴게 하다] regar.

실 hilo *m*; [방적사] hilaza *f*, [재봉실] hebra *f*. ~을 꿰다 enhebrar. ~로 꿰매다 coser; [수술 후에 봉합하다] suturar, hacer una sutura. ~을 감다 enrollar (el hilo). ~을 뽑다 sacar el hilo. ~을 잣다 hilar. 바늘에 ~을 꿰다 enhebrar una aguja. 노파가 난로 옆에 앉아 ~을 잣고 있다 La vieja hilaba sentada junto al fuego. ~이 끊기지 않게 조심하세요 Cuidado con romper el hilo.

■ ~패 carrete *m* [bobina *f* · *RPI* carretel *m*] de hilo.

실(失) ① [노름판에서 잃은 돈] dinero *m* perdido en el garito. ② [손실. 잃음] pérdida *f*. 득(得)과 ~ ganancia *f* y pérdida.

실(室) sala *f*, salón *m* (*pl* salones), cuarto *m*, habitación *f*, cámara *f*.

실(實) ① =실질(實質). ¶명분(名分)보다 ~을 택하다 sacrificar la apariencia para quedarse con el provecho. ②【수학】=피승수. 피제수(被除數). ③【수학】=실수(實數).

실(영 *seal*) sello *m*. ~을 붙이다 sellar, poner un sello.

실- [가는. 엷은] delgado, fino; [작은] pequeño. ~ 바람 brisa *f*. ~연기 humo *m* fino.

실-(實) [실제의] real; [착실한] seguro (y honrado); [옹근] intacto, en perfecto estado, todo. ~수입 ingreso *m* real. ~생활 vida *f* segura y honrada. ~농가(農家) casa *f* de labranza segura.

-실(室) oficina *f*, cuarto *m*, habitación *f*, sala *f*, salón *m*. 비서~ oficina *f* del secretario. 사장~ oficina *f* del presidente. 장관~ oficina *f* del ministro.

실가(室家) ① [집] casa *f*. ② [가정(家庭)] hogar *m*, familia *f*.

■ ~지락(之樂) alegría *f* entre marido y esposa.

실가(實家) 【법률】 =친정(親庭).

실가(實價) precio *m* real, valor *m* intrínseco,

precio *m* de costo.

실가지 rama *m* fina, ramita *f*.

실각(失脚) ① =실족(失足). ② [권력 · 지위를 잃음] caída *f*, pérdida *f* de *su* puesto. ～하다 perder *su* puesto, ser destituido, perder *su* base, caer, venir a manos.

실감(實感) ① [실물을 접할 때 일어나는 감정] sensación *f* real, sentido *m* sólico de la realidad. ～하다 experimentar, sentir, darse cuenta cabal (de). ～을 가지고 con mucha realidad, con realismo; [감정을 가지고] con sentimiento. ～이 나다 [그림 따위가] ser vivo [fiel a la naturaleza · natural · muy gráfico]. ～이 나지 않다 no darse cuenta cabal (de). 생활이 개선되었다는 ～이 나지 않는다 No tengo la sensación de que la vida haya mejorado. ② [실제의 느낌] impresión *f* real.

실감개 carrete *m*, bobina *f*, *RPI* carretel *m*.

실개천 arroyuelo *m*, arroyo *m* muy estrecho, riachuelo *m* pequeño.

실갯지렁이 【동물】 lombriz *f* de tierra fina.

실거위 【동물】 =요충(蟯蟲).

실격(失格) descalificación *f*, inhabilitación *f*; 【법률】 incapacidad *f*. ～하다 ser descalificado, inhabilitarse; [의원(議員)이] perder *su* escaño; [경기에서] quedar eliminado. ～시키다 descalificar. 그런 일을 하는 것은 가장(家長)으로서 ～이다 Es indigno de un padre de familia hacer tal cosa.
■ ～자(者) persona *f* inhabilitada.

실경(實景) vista *f* real, vista *f* actual, paisaje *m* real.

실계(失計) =실책(失策).

실고추 ají *m* (*pl* ajíes) fino, chile *m* fino.

실골목 callejón *m* (*pl* callejones).

실공(實功) mérito *m* real.

실과(實果) fruta *f*. ☞과실(果實)

실과(實科) ① [실제 업무에 필요한 과목] curso *m* práctico. 우리는 이론을 먼저 공부하고 다음에 ～를 가르칩니다 Nosotros enseñamos la teoría del sujeto primero y luego su aplicación. ② [초등 학교의 한 과목] curso *m* práctico.

실구름 nube *f* fina.

실국수 *silguksu*, fideos *mpl* finos, tallarín *m* (*pl* tallarines) fino, espagueti *m* fino.

실국화(−菊花) margarita *f* de los prados, maya *f*.

실굽 base *f* de un plato de porcelana.
■ ～달이 vasija *f* con la base de un plato de porcelana.

실권(失權) [권력의] pérdida *f* del poder [de la autoridad]; [권리의] pérdida *f* del derecho. ～하다 perder *su* poder, perder *su* autoridad; perder *su* derecho; ser privado del derecho al voto.

실권(實權) poder *m* verdadero, poder *m* real, autoridad *f* verdadera, poder *m* ejecutivo. ～을 쥐다 empuñar la autoridad verdadera, apoderarse del poder. 이 회사의 ～을 쥐고 있는 것은 전무 이사이다 El director general es quien tiene la autoridad verdadera en esta compañía / El director general lleva las riendas de esta compañía.

실그러뜨리다 deformar, distorsionar.

실그러지다 tener crispado, ser deformado, ser distorsionado. 그녀의 얼굴은 화가 나서 [고통으로] 실그러져 있었다 Su rostro tenía crispado por la ira [del dolor].

실그물 red *f* de hilo.

실금 ① [그릇 따위에 가늘게 터진 금] rajadura *f* fina, fisura *f* fina. ② [실같이 가늘게 그은 금] línea *f* fina, grieta *f* fina.
◆ 실금(이) 가다[가다] [컵 등이] rajarse finamente; [바위 · 페인트 · 벽토 · 살갗 등이] agrietarse.

실금(失禁) incontinencia *f*.

실긋거리다 temblar, bambolearse; [의자가] tambalearse; [바퀴가] bailar. 실긋거리는 책상 mesa *f* tambaleada.
실긋실긋 temblando, bamboleándose, tambaleándose, bailando.

실기(失期) pérdida *f* del tiempo señalado. ～하다 perder el tiempo señalado.

실기(失機) pérdida *f* de la oportunidad [de la ocasión], tardanza *f*, retraso *m*. ～하다 perder la oportunidad [la ocasión], ser (demasiado) tarde.

실기(實技) técnica *f* práctica, habilidad *f* práctica.
■ ～ 시험 examen *m* práctico; [운전의] examen *m* de conducir, *AmL* examen *m* de manejar.

실기(實記) récord *m* verdadero, crónica *f* [historia *f* · relación *f*] verdadera.
◆ 한국 전쟁 ～ historia *f* de la Guerra Coreana, historia f de la Guerra de Corea.

실기죽거리다 temblar, bambolearse, tambalearse, bailar.
실기죽실기죽 temblando, bamboleándose, tambaleándose, bailando.

실기죽샐기죽 temblando, bamboleándose, tambaleándose.

실꾸리 ovillo *m* (del hilo). ～를 만들다 ovillar.

실꾼(實−) trabajador, -dora *mf* capaz de hacerlo.

실낱 hebra *f*, cabo *m*, solo hilo *m*.
◆ 실낱같다 ser débil. 실낱같은 목소리 voz *f* (*pl* voces) débil.

실내(室內) ① [방 안] interior *m* del cuarto, interior *m* de la habitación. ～의 interior, de interior(es), interno, de casa; [옷 · 신발의] para estar en casa; [수영장 · 테니스 코트의] cubierto, techado, bajo techo. ～에, ～로 dentro, adentro. ～에서 en un cuarto, dentro de la casa, dentro del cuarto, en el interior del cuarto, bajo techado. ～ 사진을 찍으려면 플래시를 사용해야 합니다 Hay que usar el flash para fotos en interiores. 나는 ～에서 일했으면 합니다 Yo prefería un trabajo que no fuera del aire libre. ② [남의 아내를 일컬음] su esposa, su señora.
■ ～ 경기 deportes *mpl* bajo techo. ～ 교향곡(交響曲) sinfonía *f* de cámara. ～등

(燈) lámpara *f* interior. ~ 디자이너 interiorista *mf.* ~ 디자인 interiorismo *m.* ~복 [여자의] bata *f,* salto *m* de cama; [남자의] batín *m* (*pl* batines), bata *f,* salto *m* de cama; [수건 천의] albornoz *m* (*pl* albornoces), salida *f* de baño. ~악[음악] música *f* de cámara. ~ 안테나 antena *f* interior. ~ 오락 juegos *mpl* recreativos de interiores. ~ 운동 ejercicio *m* dentro de la casa. ~ 유희 deportes *mpl* bajo techo. ~ 장식 [집의] decoración *f;* [직업] interiorismo *m,* decoración *f* de interiores. ~ 장식가 [페인트공] pintor, -tora *mf;* [디자이너] interiorista *mf;* decorador, -dora *mf* (de interiores), tapicero, -ra *mf.* ~ 장식법 tapicería *f.* ~ 체육관 gimnasio *m.* ~ 체조 gimnasia *f* de interiores. ~ 축구 fútbol *m* sala. ~ 풀 piscina *f* cubierta; *Méj* alberca *f* techada; *RPl* pileta *f* cubierta. ~ 한란계 termómetro *m* de casa. ~화(靴) zapatillas *fpl;* *AmL* pantuflas *fpl;* *Col* chancletas *fpl;* babuchas *fpl,* chinelas *fpl;* [무도화] zapatillas *fpl* de bailet.

실념(失念) olvido *m.* ~하다 olvidar, olvidarse (de); [생각이 나지 않다] no recordar, no acordarse (de).

실농(失農) pérdida *f* de la estación para el cultivo. ~하다 perder la estación para el cultivo.

실농가(實農家) =실농군(實農軍).

실농군(實農軍) ① [착실한 농군] agricultor *m* seguro y honrado. ② [실제로 농사를 지을 힘이 있는 사람] hombre *m* que se puede cultivar realmente.

실눈 ojos *mpl* finos, ojos *mpl* delgados y largos, ojos *mpl* entreabiertos. ~을 뜨다 entreabrir los ojos. ~을 뜨고 보다 mirar con los ojos entreabiertos. ~으로 보다 entrecerrar los ojos. ~으로 바라보다 mirar entrecerranado los ojos. 그는 ~을 뜨고 있다 Sus ojos están entreabiertos. 그는 ~을 하고 총신을 바라보았다 El miró por el cañón de la escopeta entrecerrando los ojos.

실담(悉曇) alfabeto *m* del sánscrito.

실담(實談) ① [진실한 말] historia *f* verdadera. ② [실제로 있던 이야기] historia *f* real.

실답다(實―) (ser) sincero, digno de confianza, fidedigno, fiel.

◆실답지 않다 (ser) de poca confianza, poco fidedigno, informal, falso, poco sincero. 그녀는 전혀 ~ Ella no es de fiar en absoluto.

실대패 cepillo *m* pequeño.

실덕(失德) pérdida *f* de virtud. ~하다 perder la virtud.

실덕(實德) favor *m* práctico y eficaz.

실도랑 arroyuelo *m* pequeño, riachuelo *m* pequeño..

실독증(失讀症) 【의학】 dislexia *f.*

실떡거리다 bromear, *AmS* chancearse; [놀리다] mofarse, burlarse, reírse.

실떡실떡 bromeando, chanceándose, mofándose.

실뚱머룩하다 sentirse inclinado, ser indiferente, no demostrar ningún interés.

실뜨기 el hacer cunitas. ~를 하다 (jugar a) hacer cunitas.

실띠 faja *f* de hilo.

실락원(失樂園) El Paraíso Perdido (de Milton).

실랑이질 ㉮ [남을 못 견디게 굴어 시달리게 하는 짓] molestia *f.* ~하다 molestar, fastidiar, dar*le* la lata a *uno.* 나에게 ~하는 걸 그만두어라 ¡Deja de molestarme [de fastidiarme · de darme la lata]! 그녀는 돈을 달라고 늘 나에게 ~을 한다 Ella siempre está molestándome [fastidiándome] para que le dé dinero. ㉯ [서로 옥신각신하는 짓] riña *f.* ~하다 reñir (con), habérselas (con). 나는 그들 모두와 ~했다 Me las hube con todos.

실력(實力) ① [실제의 역량] poder *m* real, habilidad *f* real, capacidad *f,* habilidad *f,* competencia *f.* ~이 있는 capaz, potente, apto, hábil, competente, de valía. ~을 발휘하다 mostrar [manifestar] *su* verdadera capacidad. 학력(學歷)보다는 ~을 더 중시하다 estimar la habilidad real más que el título académico. 그녀는 서반아어 ~이 있다 Ella es fuerte en español. 그는 대학교에 입학할 ~이 있다 El tiene capacidad para ingresar en la universidad. 두 피아니스트는 ~이 백중하다 Son dos pianistas a cuál más competentes. 이 문제는 내 ~으로는 안된다 Este problema está más allá de mis fuerzas / Este problema supera mi capacidad. ② [무력(武力)] fuerza *f.* ~에 호소하다 recurrir a la fuerza, recurrir a la acción directa.

■ ~자 ㉮ [실력이 있는 사람] persona *f* influyente, personaje *m* (influyente), personalidad *f,* notables *mpl,* hombre *m* de habilidad. ㉯ [한 사회 · 단체의] prohombre *m,* magnate *m,* primate *m,* gran figura *f,* gran personaje *m;* gran maestro *m,* gran maestra *f,* gran hombre *m,* gran mujer *f,* protagonista *mf.* ¶산업계의 ~ magnate *m* del mundo industrial. 석유업계의 ~ magnate *m* petrolero. 정계(政界)의 ~ gran figura *f* en el mundo político, líder *m* influyente del partido político. ~ 행사 [경찰관의] uso *m* por [de] la fuerza; [파업 따위의] acción *f* directa.

실력(實歷) experiencia *f* actual, *su* carrera.

실련(失戀) =실연(失戀).

실례(失禮) descortesía *f,* falta *f* de educación, falta *f* de cortesía, indelicadeza *f,* incorrección *f,* [무례] insolencia *f,* impertinencia *f,* grosería *f.* ~의 descortés (*pl* descorteses), mal educado, insolente, pertinente, grosero. ~의 말을 하다 decir palabras ofensivas [descorteses]. ~인줄 알면서 …하다 tomarse la libertad de + *inf.* ~합니다만 [모르는 사람에게 말을 걸 때 따위의 경우] Perdón / Con perdón / Perdone. ~합니다 ¡Perdón! / ¡Perdóneme (usted)! / ¡Dispénseme (usted)! / ¡Discúlpeme (usted)! / ¡Excúseme! / [남의 앞을 지나갈 때] (Con su) permiso / *AmL* Perdone. ~ 했습니다 [남을 방문하고 헤어질 때] Siento mucho molestarle [여자에게: molestarla; tú에게: molestarte, vosotros에게: molestaros; ustedes에게: molestarlos]. 그럼 이만 ~하겠습니다 [가 보겠습니다] Bueno, ya me voy. ~지만 이제 가 보아야 합니다 Lo siento, pero debo [tengo que] marcharme ya. ~지만 먼저 잠자리에 들겠습니다 Con su permiso voy a acostarme. ~지만 연세가 어떻게 되십니까? Si no es una indiscreción, ¿podría preguntarle a usted su edad?

실례(實例) ejemplo *m* (verdadero · real · actual). ~를 들다 citar [dar] un ejemplo (verdadero). ~를 두서넛 들면 citando algunos ejemplos.

실로(實－) realmente, en realidad, verdaderamente, en verdad, a la verdad, seguramente, ciertamente. ~ 위대한 인물이다 En realidad es un gran hombre. ~ 아름다운 경치다 Es un paisaje extremadamente hermoso.

실로(失路) pérdida *f* de camino. ~하다 perderse, extraviarse.

실로폰(영 *xylophone*) xilofón *m*, xilófono *m*.
▪ ~ 연주가 xilofonista *mf*.

실록(實錄) crónica *f* auténtica, historia *f* auténtica.
▪ ~물 historia *f* de hecho, historia *f* verdadera. ~ 소설 novela *f* histórica. ~자(字) tipo *m* de bronce para el récord verdadero de la Dinastía de *Choson*.

실론 【지명】 Ceilán (지금은 스리랑카 공화국). ~의 ceilanés, cingalés.
▪ ~ 어[말] ceilanés *m*, cingalés *m*. ~ 사람 ceilanés, -nesa *mf*; cingalés, -lesa *mf*.

실루르기(Silur 紀) 【지질】 =실루리아기.

실루리아기(－紀) 【지질】 silúrico *m*, siluriano *m*. ~의 silúrico, siluriano.

실루엣(불 *silhouette*) ① [윤곽 안이 검은 화상(畵像) · 검은 반면 영상(半面映像)] silueta *f*. ~으로 나타낸 옆 얼굴 perfil *m* en silueta. ~을 그리다 siluetear. ② [그림자 그림만으로 표현한 영화] silueta *f*.

실룩 nerviosamente, convulsivamente.
실룩거리다 crisparse [encogerse · contraerse] nerviosamente, moverse a tirones, temblar nerviosamente; [물고기가] agitarse, removerse. 그녀의 눈동자가 [볼이] 실룩거린다 Sus pupilas [Sus mejillas] tiemblan nerviosamente.
실룩실룩 nerviosamente, convulsivamente.

실룩샐룩 *nerviosamente, convulsivamente.*

실리(失利) pérdida *f*. ~하다 perder.

실리(實利) utilidad *f*. ~를 중시하다 dar importancia a la utilidad.
▪ ~ 소득[실익] ganancia *f* utilitaria. ~주의 utilitarismo *m*. ~주의자 utilitarista *mf*.

실리다 ① [((「싣다」의 피동)) 글이나 짐이 실음을 당하다] [글이] ser publicado, ser escrito, ser puesto, ser registrado; [짐을] ser cargado, ser embarcado (배에). ② [((「싣다」의 사동)) 글이나 짐을 싣게 하다] [글을] hacer publicar, hacer poner; [짐을] hacer cargar, hacer embarcar (배에).

실리카(영 *silica*) sílice *m*, dióxido *m* de silicio.

실리콘[1](영 *silicon*) 【화학】 [규소] silicio *m*. ~의 【컴퓨터】 de silicio, silíceo.
▪ ~ 벨리 el Valle Silíceo, el Valle de Silicio. ~ 칩 pastilla *f* de silicio.

실리콘[2](영 *silicone*) [규소 수지] silicona *f*, resina *f* silicónica, *Méj* silicón *m*.
▪ ~ 가공 corte *m* de silicona. ~ 고무 plástico *m* de silicona, goma *f* silicónica.

실린더(영 *cylinder*) [기통(汽筒)] cilindro *m*. ~의 cilindríco.

실링(영 *shilling*) [영국의 화폐 단위] chelín.

실마디 nudo *m* del hilo.

실마리 ① [실의 첫머리] borde *m* del hilo. ② [일 · 사건의 첫머리 · 단서(端緖)] indicio *m*, pista *f*, guía *f*, punto *m* de apoyo; [출발점] comienzo *m*. 해결의 ~ punto *m* de apoyo para la solución. 해결의 ~로 삼다 tomar (*algo*) como punto de apoyo para la solución. 해결의 ~를 찾다 encontrar indicios de solución, encontrar una pista que puede llevar a la solución. 성공의 ~가 되다 consistuir el comienzo del éxito. 그것이 해결의 ~가 되었다 Resultó ser una pista para la solución / Resultaron ser los primeros indicios de solución. 그의 발언으로 대화의 ~가 풀렸다 Sus palabras constituyeron el hilo que encauzó la conversación.

실망(失望) desilusión *f*, decepción *f*, chasco *m*. ~하다 desilusionarse, decepcionarse, llevarse (un) chasco, desanimarse, desalentarse, quedar desilusionado [desanimado · decepcionado], tener una decepción. ~시키다 desilusionar, decepcionar, desalentar, desanimar, dar un chasco. ~해서 desanimadamente, desalentadamente, desanimado, desalentado, con desánimo, con desaliento, con abatimiento, descorazonadamente, con aire decepcionado. ~한 듯한 목소리로 con voz abatida, con voz decepcionada. ~한 태도다 tener un aire de desaliento. 그렇게 ~하지 마라 No te desanimes tanto [de esa manera]. 나는 그녀한테 ~했다 Ella me desilusionó / Me llevé un chasco con ella. 나는 그 결과에 ~했다 Me decepcionó el resultado / Me quedé desilusionado con el resultado / Me llevé un chasco con el resultado.

실머리동이 *silmeoridongi*, cometa *f* con papeles de color en la cabeza.

실머슴(實－) mozo *m* de labranza trabajador

실면(實綿) algodón *m* sin quitar las semillas.

실명(失名) nombre *m* desconocido. ~의 anónimo, de nombre desconocido.
▪ ~씨(氏) =무명씨(無名氏).

실명(失明) pérdida *f* de la vista, ceguera *f*.

～하다 perder la vista, cegarse. 두 눈을 ～하다 perder la vista de dos ojos.
■～ 용사(勇士) soldado *m* ciego. ～자(者) ciego, -ga *mf*.

실명(失命) pérdida *f* de la vida, muerte *f*, fallecimiento *m*. ～하다 morir, fallecer, perder la vida.

실명(實名) nombre *m* real, verdadero nombre *m*.

실모(實母) [친어머니] *su* madre *f* real, *su* verdadera madre *f*, *su* propia madre *f*.

실무(實務) negocio *m* práctico, práctica *f*. ～의 재능(才能) habilidad *f* de negocios. ～에 경험이 많다 tener mucha experiencia en negocios. ～에 종사하다, ～를 담당하다 dedicarse a un negocio, encargarse de un negocio práctico. ～에 재능이 있다 tener talento [habilidad] para los negocios.
■～ 연수 cursos *mpl* de capacitación [de perfeccionaminto] para el personal de una empresa [una organización]. ～자[가] ㉮ [어떤 사무를 맡아 하는 사람] persona *f* encargada [hombre *m* encargado · mujer *f* encargada] de trabajo (de oficina). ㉯ [실무에 익숙한 사람] hombre *m* (de negocios) práctico. ～자(급) 회담 conversaciones *fpl* a nivel de hombres prácticos. ～적 práctico.

실물(失物) pérdida *f* de objetos. ～하다 perder *sus* objetos.

실물(實物) ① [실제로 있는 물건이나 사람] objeto *m* real, objeto *m* mismo, cosa *f* misma; [원물(原物)] original *m*; [진짜] objeto *m* genuino, cosa *f* auténtica, cosa *f* verdadera ～의 real, sincero, genuino, verdadero; [진짜의] auténtico, legítimo, de verdad. ～을 본 후 después de examinar el objeto mismo. ～과 같은 igual al original, copiado fielmente del original. ～보다 큰 más grande que el original. ～보다 작은 más pequeño que el original. ～은 아니지만 그것을 사진에서 본 적이 있다 Eso lo he visto en fotografía aunque no en realidad. ② [주식이나 상품 등의 현품 · 현물] artículo *m* real, artículo *m* actual.
■～ 거래 operación *f* de [al] contado. ～ 경제 =자연 경제. ～ 교수 perfecto ejemplo *m*. ～대(大) tamaño *m* natural. ¶～의 사진 fotografía *f* de tamaño natural. ～ 묘사주의 materialismo *m*. ～세(稅) =현물세. ～ 임금 salario *m* [sueldo *m*] al contado. ～크기 tamaño *m* natural.

실미적지근하다 ① [음식이 좀 식어 미지근하다] (estar) tibio. ② [게을러 빠져서 열성이 적다] (ser) poco entusiasta. 그는 실미적지근한 홍미를 나타냈다 El no mostró demasiado interés. 청중의 반응이 실미적지근했다 La reacción del público no fue muy entusiasta. 그는 그 아이디어에 무척 실미적지근했다 La idea no lo entusiasmó / No le hizo demasiada gracia.

실바람 brisa *f* ligera.

실밥 ① [실보무라지] hilacha *f*, hilacho *m*, residuos *mpl* [desechos *mpl*] del hilo. ② [솔기] costura *f*. 그녀의 스커트는 ～이 터져 있었다 Se le estaba descosiendo la falda. 내 셔츠는 막 ～이 터지려고 했다 La camisa me quedaba a punto de estallar.

실백(實柏) =실백잣.

실백자(實柏子) =실백잣.

실백잣(實柏－) almendra *f*.

실뱀 【동물】 serpiente *f* fina, culebra *f* fina.
■실뱀 한 마리가 온 바닷물을 흐린다 ((속담)) Una res mala a todo el rebaño daña.

실뱀장어(－長魚) 【어류】 angula *f*.

실버(영 *silver*) [은(銀)] plata *f*.
■～ 메달 [은메달] medalla *f* de plata. ～볼 [국제축구연맹(FIFA)의] balón *m* [*AmL* pelota *f*] de plata.

실버들 sauce *m* llorón.

실범(實犯) delincuente *mf* real.

실보무라지 hilacha *f*, hilacho *m*.

실본(失本) =낙본(落本).

실부(實父) *su* propio padre *m*, padre *m* real, verdadero padre *m*.

실부(實否) verdad *f* de un hecho, verdad *f* y mentira, hecho *m* real. ～를 조사하다 averiguar [indagar] la verdad.

실부모(實父母) *sus* propios padres, *sus* verdaderos padres.

실비(實費) precio *m* de coste, gastos *mpl* reales, costo *m* (de producción), precio *m* de fábrica. ～로 팔다 vender a precio de coste. ～를 지불하다 pagar el coste.
■～ 변상 indemnización *f* al costo. ¶～하다 indemnizar al costo. ～ 제공 servicio *m* [ofrecimiento *m*] al costo.¶ ～하다 servir [ofrecer] al costo. ～ 진료소 enfermería *f* pública.

실사(實査) inspección *f* actual. ～하다 inspeccionar actualmente.

실사(實寫) fotografía *f* real [de realidad]. ～하다 sacar*le* [tomar*le* · hacer*le*] una foto (a *uno*).
■～ 영화(映畵) documental *m*.

실사회(實社會) mundo *m* real [actual], vida *f* real. ～에 나가다 salir al mundo, empezar a vivir en sociedad. 그런 생각은 ～에서는 통용되지 않는다 Esas ideas no se admiten en la vida real / Esas ideas no son aplicables a los usos sociales.

실살(實－) ganancias *fpl* [beneficios *mpl* · utilidades *fpl*] invisibles.

실살스럽다(實－) tener la substancia real.

실상(實狀) [현상] circunstancias *fpl* actuales, actualidad *f*, estado *m* actual; [실태] realidad *f*, situación *f* real, situación *f* actual. ～을 호소하다 hacer un llamamiento para que se conozca la situación real. ～은 이렇다 Así es la realidad / Lo que pasa es esto.

실상(實相) aspecto *m* real, verdad *f*, realidad *f*.

실상(實像) 【물리】 imagen *f* real.

실색(失色) palidez *f*. ～하다 palidecer, perder el color, alterar el semblante.

실생(實生) 【식물】 planta *f* de semillero.
실생활(實生活) vida *f* real; [물질적인] vida *f* material; [일상의] vida *f* diaria, vida *f* cotidiana.
실선(實線) línea *f* llena.
실성(失性) insania *f*, insanidad *f*. ~하다 quedarse insano, volverse loco, perder su corazón.
■ ~증(症) afonía *f*.
실성(實性) ① =진여(眞如). ② [본성(本性)] índole *m* verdadero, naturaleza *f* sin mentiras.
실세(失勢) pérdida *f* de poder.
실세(實勢) ① [실제의 세력, 또 그 기운] poder *m* real. ~는 더 크다 El poder real es más grande. ② [실제의 시세] precio *m* de mercado real.
실세계(實世界) mundo *m* real.
실소(實一) toro *m* fuerte para el cultivo.
실소(失笑) risa *f* escapada. ~하다 echarse a reír, soltar el trapo, dejarse escapar una risa. ~를 금치 못하다 no poder menos de reír inpensadamente. 그의 발언은 모두의 ~를 샀다 Todos tomaron a risa sus palabras / Sus palabras suscitaron la risa de todos.
실속(實一) ① [실제로 들어 있는 속내용] contento *m* real. ② [겉으로 들어나지 않은 이익] ganancia *f* real. ~ 없는 물건 chuchería *f*, fruslería *f*. 자기의 ~만 차리다 despacharse con el cucharón.
실속(失速) 【항공】 pérdida *f* de velocidad.
■ ~ 속도 velocidad *f* (crítica) de desplome.
실속(實速) ① [실제의 속도] velocidad *f* real. ② [비행기의 대지(對地) 속도] velocidad *f* contra tierra.
실속도(實速度) =실속(實速)❶.
실수(失手) ① [부주의로 잘못함, 또, 그러한 행위] equivocación *f*, error *m*, yerro *m*; [부주의] descuido *m*, torpeza *f*. ~하다 equivocarse (de · en), cometer un fallo, cometer un error; [부주의하다] cometer descuido, hacer un descuido, hacer una torpeza. ~로 por error, por equivocación, erróneamente; [부주의로] por descuido, descuidadamente. ~ 없이 sin error, sin falta ni error. ~가 없는 남자 hombre *m* perfecto, hombre *m* eficiente. 약간의 ~도 하지 않도록 주의하다 tener cuidado para no cometer el menor error. 그것은 내 ~다 Me equivoqué / Es un error de mi parte. 그는 매사에 ~가 없다 Todo lo hace bien [impecablemente]. 나는 ~로 그를 그의 동생으로 착각했다 Me equivoqué tomándole por su *hermano menor*. ~해서 죄송합니다 Perdone mi descuido / Siento haberle cometido tal descuido. 손님에게 ~하지 않도록 조심하십시오 Cuide que los clientes sean bien atendidos. 나는 ~로 컵을 깨뜨렸다 Rompí el vaso por descuido. 나는 ~로 손을 다쳤다 Me herí la mano por descuido. ② =실례(失禮).
실수(實收) ① [실제의 수입] ingresos *mpl* netos, ganancia *f* neta. ② [실제의 수확고] cosecha *f* neta.
실수(實需) ((준말)) =실수요(實需要).
실수(實數) ① [추정이 아닌 실제의 수량] número *m* contado, número *m* exacto; [병력] fuerzas *fpl* efectivas, fuerzas *fpl* actuales. ② 【수학】 número *m* real.
실수요(實需要) demanda *f* efectiva.
실수익(實收益) ganancia *f* neta, ingresos *mpl* netos.
실수입(實收入) =실수(實收).
실습(實習) práctica *f*; [현장에서의] aprendizaje *m*, ejercicios *mpl*; [실업 학교 등에서의] clase *f* práctica, ejercicios *mpl* prácticos. ~하다 practicar, hacer ejercicios prácticos. 공장에서 ~을 하다 hacer las prácticas en la fábrica.
■ ~ 기간(期間) período *m* de prueba. ~생 practicante *mf*; aprendiz, -za *mf*; empleado, -da *mf* que está cumpliendo *su* período de prueba; [인턴] médico, -ca *mf* practicante; pasante *mf*. ~ 수업 clase *f* práctica. ~ 시간 hora *f* práctica. ~지(地) terreno *m* práctico.
실시(實施) ejecución *f*, realización *f*. ~하다 ejecutar, poner en *algo* práctica, efectuar, realizar, llevar a cabo. ~되다 efectuarse, ejecutarse, realizarse; [법률 따위가] entrar en vigor. ~되고 있다 estar en vigor. 계획을 ~하다 realizar [efectuar] un proyecto. 법률을 ~하다 poner la ley en vigor. 조사(調査)를 ~하다 efectuar la investigación.
실신(失神) desmayo *m*, desvanecimiento *m*, deliquio *m*, síncope *m*, insensibilidad *f*. ~하다 desmayarse, perder el sentido, perder el conocimiento, desvanecerse, dar un síncope, privarse. 그녀는 그의 전보를 읽자마자 ~했다 Ella cayó desmayada en cuanto leyó el telegrama.
실실 con risilla, con risita. ~ 웃기만 하다 reírse (por lo bajo), soltar una risita.
실심(失心) desanimación *m*, abatimiento *m*. ~하다 (estar) desanimado, alicaído, abatido, de desaliento, de abatimiento. ~되다 desanimarse. ~시키다 desanimar, desalentar, descorazonar.
실심(實心) =진심(眞心).
실쌈스럽다 (ser) sincero, fiel.
실쌈스레 sinceramente, con sinceridad, fielmente.
실안개 neblina *f* fina; [바다의] bruma *f* fina.
실액(實額) cantidad *f* actual.
실어(失語) ① [잘못 말을 함] palabra *f* imprudente. ~하다 usar palabras impropias. ② [말을 잊거나 바르게 말하지 못함] afasia *f*.
■ ~증(症) afasia *f*, paramnesia *f*. ¶~의 afásico. ~ 환자 afásico, -ca *mf*. ~학 afasiología *f*.
실언(失言) palabra *f* imprudente, desliz *f* en la lengua. ~하다 usar palabras impropias, deslizar, hablar sin consideración, irse la

lengua. ~을 취소하다 retirar *sus* palabras imprudentes, retractar *sus* palabras. ~을 사과하다 disculparse de *su* desliz en la lengua. 그는 ~을 했다 Ha sido una imprudencia haberlo dicho. 나는 깜박 ~을 했다 Se me fue la lengua.

실업(失業) desempleo *m*, desocupación *f*, paro *m*, sin empleo *m*, sin oficio *m*, *Chi* cesantía *f*; [취직난] caresía *f* de empleo. ~하다 perder empleo, perder *su* trabajo, desocuparse, perder ocupación, quedar sin empleo. ~의 desempleado, desocupado, parado, en paro, sin trabajo, *Chi* cesante. ~ 상태에 있다 estar desocupado, estar sin trabajo.

◆계절적 ~ desempleo *m* estacional. 위장(僞裝) ~ paro *m* encubierto, desempleo *m* encubierto, paro *m* disfrazado, desempleo *m* disfrazado, *Chi* cesantía *f* disfrazada. 잠재(적) ~ desempleo *m* latente.

▪~ 대책 medidas *fpl* contra el paro. ~ 대책비 gastos *mpl* de medidas contra el paro. ~률 tasa *f* de desempleo. ~ 문제 problema *m* de sin empleo. ~ 보험 seguro *m* de desempleo, seguro *m* contra el desempleo, seguro *m* de paro. ~ 수당(手當) paro *m*, subsidio *m* de paro, asignación *f* de paro, *Chi* subsidio *m* de cesantía. ~ 인구 población *f* sin empleo. ~자 desocupados *mpl*, desempleados *mpl*, persona *f* sin empleo, parados *mpl*, los sin trabajo; [전체] desocupación *f*, *Chi* cesantes *mpl*. ¶~수(數) paro *m*, desempleo *m*, número *m* de desempleados, *Chi* cesantía *f*. ~ 조사 censo *m* de desempleo, censo *m* de parados.

실업(實業) negocio *m*; [상업] comercio *m*; [공업] industria *f*. ~의 de negocios, comercial, industrial. ~에 종사하다 dedicarse de negocios.

▪~가(家) industrial *mf*, hombre *m* de negocios; industrialista *mf*, negociante *mf*, comerciante *mf*. ~계 círculos *mpl* comerciales, círculos *mpl* industriales, mundo *m* de negocios, mundo *m* industrial, mundo *m* comercial. ~ 고등 학교 escuela *f* superior profesional. ~ 교육 enseñanza *f* profesional, educación *f* industrial. ~ 단체 corporación *f* de negocios. ~ 시찰단 grupo *m* de inspección industrial. ~ 전문 학교 facultad *f* profesional. ~ 학교 escuela *f* vocacional, escuela *f* profesional, escuela *f* comercial, escuela *f* de peritos.

실없다 ser de poca confianza, no ser fidedigno, ser absurdo, ser disparatado. 실없는 말 divagaciones *fpl*, disparate *m*, tontería *f*. 실없는 말을 하다 hablar a tontas y a locas, divagar, desatinar, decir disparates, decir tonterías.

실없이 absurdamente, disparatadamente.

실없쟁이 persona *f* tonta, persona *f* boba, persona *f* estúpida, persona *f* ridícula.

실연(失戀) amor *m* fracasado, amor *m* perdido, amor *m* frustrado, desengaño *m* amoroso; [짝사랑] amor *m* no correspondido. ~하다 llevarse un chasco en *sus* amores, frustrarse en *sus* amores, sufrir un desengaño amoroso, recibir calabazas. ~한 소녀 muchacha *f* herida de amor. ~을 생각하면 마음이 아프다 Me parte el corazón recordar el amor fracasado.

실연(實演) representación *f*, demostración *f*, exhibición *f*; [쇼] espectáculo *m*. ~하다 representar, dar una exhibición, actuar en la escena.

실오라기 =실오리.

실오리 un hilo. ~ 하나 걸치지 않고 en cueros (vivos), completamente desnudo. ~ 하나 걸치지 않은 몸 cuerpo *m* completamente desnudo. ~ 하나 걸치지 않은 여인(女人) mujer *f* completamente desnuda, mujer *f* en cueros (vivos).

실온(室溫) temperatura *f* de la habitación.

실외(室外) exterior *m* de la habitación. ~의 [옷] de calle; [겨울용] de abrigo; [식물] de exterior; [수영장] descubierto, al aire libre; [화장실] fuera de la vivienda, exterior. ~에서 al aire libre, fuera, afuera. 왜 ~에서 놀지 않느냐? / ~에서 놀지 그래 ¿Por qué no vas a jugar al aire libre [afuera]?

▪~ 경기 juegos *mpl* al aire libre. ~ 방송 transmisión *f* de exteriores. ~ 생활 vida *f* al aire libre. ~ 안테나 antena *f* exterior.

실용(實用) uso *m* práctico, utilidad *f*, práctica *f*.

▪~ 가구(家具) mobiliario *m* funcional, mobiliario *m* práctico. ~ 단위 unidad *f* práctica. ~문 oración *f* práctica. ~ 서반아어 español *m* práctico. ~성 utilidad *f*. ¶~이 있는 practicable. ~ 신안 modelo *m* registrado. ~ 신안권(新案權) derecho *m* de modelo registrado. ~ 신안 허가증 certificado *m* de utilidad. ~ 위성 satélite *m* práctico. ~적 práctico *adj*. ¶~으로 prácticamente. ~주의(主義) utilitarismo *m*; 【철학】 pragmatismo *m*. ~주의자 utilitarista *mf*, pragmatista *mf*. ~품(品) artículo *m* práctico, objeto *m* de uso práctico.

실원(室員) empleado, -da *mf* de la oficina.

실은(實-) realmente, en realidad. ~ 네 말이 옳다 En realidad tú tienes razón.

실음(失音) 【한방】 ronquedad *f*, ronquera *f*.

실의(失意) desencanto *m*, desilusión *f*, decepción *f*, frustración *f*; [절망(絶望)] desesperación *f*, descorazamiento *m*. ~에 빠진 desesperado, descorazado, desilusionado. ~에 빠진 사람 hombre *m* desilusionado. ~에 빠져 있다 estar sumido en el abismo de la desesperación. ~ 속에 죽다 morir sumido en una frustración profunda.

실의(實意) intención *f* verdadera, sinceridad *f*, fidelidad *f*, honradez *f*, lealtad *f*.

실익(實益) ganancia *f* neta, ganancia *f* líquida, ventaja *f* real, utilidad *f*, lo útil. ~이 있다 ser útil, ser lucrativo, ser provechoso, tener ganancia líquida [neta]. 취미와

~을 겸하여 uniendo [combinando] lo útil con lo agradable. 취미와 ~을 겸하다 ser un pasatiempo lucrativo.

실인(失認) 【의학】 =실인증(失認症).
■ ~증(症) agnosia *f.*

실인(室人) mi mujer, mi esposa.

실인(實印) sello *m* legal, sello *m* registrado.

실인심(失人心) inpopularidad *f.* ~하다 hacerse inpopular.

실자(實子) hijo *m* verdadero. ~로 인정하다 reconocer por verdadero hijo.

실작인(實作人) ① [착실히 농사를 잘 짓는 소작인] aparcero, -ra *mf* que cultiva seguro y honradamente. ② [실제의 경작인] labrador, -dora *mf* real.

실작자(實作者) persona *f* confiable, persona *f* de confianza.

실장(室長) [부(部)·국(局)의] jefe, -fa *mf* del departamento [de la sección]; [연구실의] jefe, -fa *mf* del laboratorio.

실장갑(一掌匣) guantes *mpl* de hilo.

실재(實在) existencia *f* (actual), realidad *f.* ~하다 existir (realmente). ~의 real, actual, existente. ~의 인물 personaje *m* real. ~하지 않다 ser irreal, no ser real.
■ ~론 realismo *m.* ~론자 realista *mf.* ~성 realidad *f.* ~적 actual, real, existente. ¶~으로 actualmente, realmente.

실적(實績) resultados *mpl* reales; [일의 성적] expediente *m* profesional; [공적(功績)] méritos *mpl*, obra *f*, hechos *mpl*, hechos *mpl* reales. ~을 올리다 acreditarse con *su* obra, obtener mejores resultados. 수출(輸出) ~ exportaciones *fpl* efectivas. 개혁(改革)의 ~을 올리다 hacer que la reforma tenga un buen resultado. 그는 높은 보수를 받을 만한 ~이 있다 Hace méritos para recibir un salario tan elevado / Sus méritos le hacen acreedor del alto salario que recibe.
■ ~ 제도 sistema *m* de méritos. ~주의 principio *m* de méritos.

실전(實戰) guerra *f* real, combate *m* (actual), batalla *f.* ~에 참가하다 participar [tomar parte] en la batalla.
■ ~형 선수 jugador, -dora *mf* que da de sí mucho (en el partido).

실절(失節) acción *f* de no conservar [mantener] la castidad [la integridad].

실점(失點) tantos *mpl* perdidos.

실정(失政) política *f* mal llevada, desgobierno *m*, mala administración *f.* ~을 되풀이하다 repetir desaciertos en la dirección de la política.

실정(失貞) =실절(失節).

실정(實情) realidad *f*, condición *f* actual [real], estado *m* actual [real], circunstancia *f* real, circunstancias *fpl* actuales, actualidad *f*, situación *f* real. ~을 호소하다 hacer un llamamiento para que se conozca la situación real. ~은 이렇다 Así es la realidad / Lo que pasa es esto.

실정법(實定法) 【법률】 ley *f* positiva.

실제(實弟) hermano *m* (menor) de sangre, hermano *m* menor de *sus* propios padres, hermano *m* (menor) real.

실제(實際) [사실] hecho *m*; [진실] verdad *f*; [현실] realidad *f*; [실지] práctica *f*, actualidad *f.* ~의 real, verdadero, actual, práctico. ~로 realmente, en realidad, efectivamente, en efecto, verdaderamente; [현재] actualmente, en la actualidad. ~로는 en el fondo, en realidad; [사실상] en la práctica. ~로 해 보다 practicar, probar. 그것은 ~로 일어난 일이다 Es una cosa que ha ocurrido en realidad. 그것은 ~로는 불가능하다 Eso es imposible en la práctica. ~문제로 그것은 가능할까? ¿Es realmente posible en el campo de la práctica? ~로 이 장소는 무척 시끄럽다 Efectivamente [En efecto], hay mucho ruido en este lugar. 싸움은 ~로 시작되었다 La lucha ha empezado [comenzado] ya en la realidad. 그것은 ~로 네 눈앞에 있다 Aquí está presente delante de tus ojos. ~로 네 스스로 방금 말했지 않았나 Tú acabas de decirlo manifestamente tú mismo, ¿no es cierto? 그의 말은 ~와는 많이 다르다 Sus palabras difieren mucho de la realidad. 그 계획은 ~로는 실시되지 않았다 El proyecto no se llevó a cabo en realidad. 내 월급은 ~로 받는 금액이 100만 원이다 Cobro un sueldo de un millón de wones netos al mes. 농담이 아니고 ~다 No es chiste, sin verdad.
■ ~가(家) hombre *m* práctico. ~ 경험(經驗) experiencia *f* actual [práctica], conocimiento *m* práctico, experiencia *f.* ~ 교육 instrucción *f* práctica. ~ 문제 cuestión *f* práctica. ~ 비평 criticismo *m* práctico. ~ 생활 vida *f* práctica. ~ 소득 ingresos *mpl* reales. ~적 práctico, verdadero, real. ¶~으로 prácticamente, verdaderamente, de verdad, de veras, de hecho, en realidad, realmente. ~ 챔피언 actual campeón, -ona *mf.*

실조(失調) disfunción *f.*

실족(失足) resbalón *m*, resbalada *f*, pérdida *f* de *su* paso. ~하다 resbalar, perder el equilibrio, perder *su* paso.

실존(實存) existencia *f.* ~의 existencial.
■ ~주의 existencialismo *m.* ~주의 문학 literatura *f* existencial. ~주의자 existencialista *mf.* ~ 철학 existencialismo *m*, filosofía *f* existencial.

실종(失踪) fuga *f*, deserción *f*, escapada *f*, desapariencia *f*, huida *f.* ~하다 desaparecer, fugarse, desertar, huir, evadirse, tomar las de Villadiego. ~되다 desaparecer(se).
■ ~ 선고 adjudicación *f* de desapariencia. ~ 신고 reporte *m* de desapariencia. ~자 desaparecido, -da *mf*, fugitivo, -va *mf.*

실주(實株) acciones *fpl* reales.

실증¹(實證) prueba *f*, demostración *f*, muestra *f.* ~하다 demostrar con hechos, probar de positivo, probar, comprobar. 그 일 때문에 그의 이론은 ~되었다 Su teoría fue confirmada por esos hechos / Esos hechos demostraron su teoría.

■ ~론[주의] positivismo *m*. ~ 신학(神學) teología *f* positiva. ~적 positivo, demostrativo, positivista. ~주의자 positivista *mf*. ~ 철학 positivismo *m*, filosofía *f* positiva.

실증²(實證) 【한방】 estado *m* grave de la enfermedad.

실지(失地) territorio *m* perdido. ~를 회복하다 recuperar el territorio perdido.

실지(實地) práctica *f*. ~의 práctico. ~로 사용할 수 있는 practicable. ~로 사용할 수 없는 inpracticable. ~로 경험하다 tener experiencia (en). ~로 적용하다 aplicar en la práctica.

■ ~ 검사 inspección *f* personal. ~ 검증 inspección *f* a la vista. ~ 관찰 observación *f* actual. ~ 답사 inspección *f* actual, reconocimiento *m* actual, exploración *f* actual, estudio *m* sobre el terreno, investigación *f* sobre el terreno. ~ 시험 [자동차의] examen *m* práctico. ~ 연습 ejercicio *m* práctico, práctica *f*. ~ 응용 aplicación *f* (práctica). ~적 práctico *adj*. ~ 조사(調査) inspección *f* actual.

실직(失職) desempleo *m*, desocupación *f*, paro *m*, pérdida *f* del empleo, pérdida *f* de ocupación, *Chi* cesantía *f*. ~하다 perder *su* ocupación, perder *su* empleo [*su* posición], ser despedido de *su* oficio.

■ ~ 보험 seguro *m* de desempleo. ~ 수당 paro *m*, subsidio *m* de desempleo, *Chi* subsidio *m* de cesantía. ~자 desempleados *mpl*, desocupados *mpl*, parados *mpl*, *Chi* cesantes *mpl*.

실직(實直) honradez *f*, honestidad *f*, rectitud *f*. ~하다 (ser) honesto, honrado, recto. ~한 남자 hombre *m* honesto, hombre *m* honrado. ~한 여자 mujer *f* honesta, mujer *f* honrada. 그는 ~ 바로 그것이다 El es la personificación [la encarnación] de la honradez / El es la misma honradez.

실직히 honradamente, honestamente, rectamente, con honradez.

실진(失眞) 【한방】 =실성(失性).

실질(實質) sustancia *f*, substancia *f*, materia *f*, [본질(本質)] esencia *f*. 그는 ~상의 지도자이다 De hecho él es el jefe.

■ ~ 소득 renta *f* real. ~ 임금 salario *m* [sueldo *m*] real. ~적(的) substancial, real, substancioso. ¶~으로 substancialmente, realmente, en realidad. ~인 차이 diferencia *f* real. ~으로는 같은 것이다 Son, en realidad, la misma cosa. 그것은 ~으로는 천만 원의 수입이 된다 Resulta una entrada de diez millones de wones netos.

실쭉 ¶~하다 ㉮ [물건의 꼴이] ser deformado. ㉯ [얼굴이] ser crispado, ser malhumorado. 그녀는 ~해져 있다 Ella está enfurruñada [*Chi* amurrada · *RPI* alunada]. 그녀의 얼굴은 고통으로 ~해졌다 Ella tenía el rostro crispado del dolor.

실쭉거리다 [얼굴이] enfurruñarse, *Chi* amurrarse, *RPI* alunarse.

실쭉실쭉 [물건 모양이] deformadamente; [얼굴이] hoscamente, con resentimiento.

실쭉샐쭉 deformadamente; hoscamente, hurañamente, con resentimiento.

실책(失策) error *m*, equivocación *f*. ~하다 equivocarse, cometer un error. ~으로 por equivocación, por error. 심각한 ~ error *m* grave. ~이 약간 있음에 틀림없다 Debe de haber algún error. 우리 모두가 ~을 저질렀다 Todos cometemos errores. 누구나 ~을 범할 수 있다 Cualquiera se puede equivocar. 그는 그들에게 그의 주소를 말하는 ~을 범했다 El cometió el error de darles su dirección.

실천(實踐) práctica *f*. ~하다 practicar, poner en práctica, llevar a la práctica. ~에 옮기다 poner en práctica. 이론과 ~에는 커다란 차이가 있다 Hay una gran distancia entre la teoría y la práctica.

■ ~가 práctico, -ca *mf*. ~궁행 ¶~하다 poner el principio a práctica y obrar sobre ello. ~력 facultad *f* práctica. ~ 윤리(학) ética *f* práctica. ~ 이성 razón *f* práctica. ~적 práctico *adj*. ~ 철학(哲學) filosofía *f* práctica.

실첩 cesta *f* de coser de papel.

실체(失體) pérdida *f* del honor.

실체(實體) sustancia *f*, substancia *f*, esencia *f*, [현상(現象)에 대해] nóumeno *m*. ~가 없는 insustancial, insubstancial, falto de sustancica. 여론(輿論)의 ~를 알다 darse cuenta de lo que realmente es la opinión pública. 그 정당(政黨)의 ~가 불명(不明)하다 No está nada claro lo que es ese partido político.

■ ~경(鏡) stereoscopio *m*. ~ 관측 medida *f* estereoscópica. ~론 substancialismo *m*. ~론자 substancialista *mf*. ~법(法) ley *f* substancial. ~ 사진 fotografía *f* substancial. ~설(說) teoría *f* de substancialidad, substancialismo *m*. ~성 substancialidad *f*. ~ 자본 capital *m* substancial. ~ 진자(振子) péndola *f* substancial. ~ 현미경(顯微鏡) telescopio *m* substancial. ~화(化) substancialización *f*. ¶~하다 substancializar. ~화(畵) estereografía *f*.

실총(失寵) pérdida *f* del favor (real). ~하다 perder el favor (real).

실추(失墜) caída *f*, pérdida *f* de *su* título. ~하다 caer, defamarse; [명성을] perder *su* título [*su* derecho]. 권위(權威)를 ~하다 obscurecer *su* fama, desprestigiarse, perder *su* autoridad. 명예를 ~하다 deshonrar, infamar, quitar el honor. 신용을 ~하다 perder su crédito. 위신(威信)을 ~하다 desprestigiarse, perder *su* prestigio.

실측(實測) medida *f*, [토지(土地)의] inspección *f*, reconocimiento *m*, agrimensura *f*, apeo *m*, levantamiento *m* de un plano [de un terreno]; [지도 제작용의] medición *f*,

[건물의] inspección *f*, peritaje *m*, peritación *f*. ~하다 medir, inspeccionar, reconocer; [건물을] inspeccionar, llevar a cabo un peritaje (de). ~한 면적 superficie *f* inspeccionada.
■ ~도(圖) mapa *m* de medición.

실컷 mucho, en gran cantidad, abundantemente, en abundancia, hasta hartarse. ~ 웃다 reírse a más no poder, retorcerse de risa, reír mucho. 그 아이는 초콜릿을 ~ 먹었다 El niño tomó chocolate hasta hartarse. 그는 하고 싶은 말을 ~ 한다 El habla sin reserva / El dice lo que quiere. 그는 하고 싶은 대로 ~ 하고 있다 El hace lo que quiere [lo que le viene en gana · lo que le da la gana · lo que se le antoja] / Hace su santa voluntad. 그는 먹고 싶은 대로 ~ 먹는다 El come cuanto quiere [hasta hartarse]. 나는 선생님한테서 ~ 꾸중을 들었다 El profesor me reprendió severamente.

실켜기 hilado *m*, devanador *m*.

실켜다 hilar, devanar.

실크(영 *silk*) ① [생사(生絲)] seda *f*. ② =견직물(絹織物).
◆생(生) ~ seda *f* cruda. 인조 ~ seda *f* artificial. 천연 ~ seda *f* natural.
■ ~ 스크린 serigrafía *f*. ¶~의 serigráfico. ~을 하다 serigrafiar, estampar por serigrafía. ~ 스크린 프린트 serigrafía *f*. ~ 스타킹 medias *fpl* de seda. ~ 실 hilo *m* de seda. ~ 프린트 serigrafía *f*. ~ 해트 sombrero *m* de copa (alta).

실크 로드(영 *Silk Road*) el Camino de Seda.

실큼하다 no *le* gustar, tener el pensamiento que no *le* gusta en el corazán.

실탄(實彈) ① [쏘아서 실효(實效)가 있는 탄알] bala *f* de cartucho, cartucho *m* cargado, cartucho *m* con bala. ~을 발사(發射)하다 disparar bala de cartucho. ② [현금] (dinero *m*) efectivo *m*. ③ =현물(現物).
■ ~ 사격 tiro *m* con bala, descarga *f* de bala de cartucho. ~ 연습 ejercicios *mpl* de bala de cartucho. ~전(戰) [선거의] numerario *m* para la campaña electoral.

실태(失態) ① [실책] descuido *m*, error *m*, equivocación *f*, falta *f*. ~를 부리다 cometer una falta grave. ② [창피] vergüenza *f*, deshonra *f*, ignominia *f*, baldón *m*.

실태(實態) condición *f* actual, estado *m* actual, realidades *fpl*.
■ ~ 조사(調査) investigación *f* sobre la condición actual. ¶~를 하다 investigar las condiciones actuales. ~ 조사 위원회 comité *m* [comisión *f*] de investigación.

실터 el área *f* (*pl* las áreas) vacía estrecha entre dos casas.

실테 madeja *f* de hilo.

실토(實吐) confesión *f* verdadera. ~하다 confesar, decir la verdad entera, soltar la verdad.

실톱 sequeta *f*, sierra *f* de vaivén, sierra *f* de calar, sierra *f* de arco, sierra *f* de maquetería.

실톳 carrete *m* [bobina *f* · *RPI* carretel] de hilo.

실퇴 【건축】 galería *f* [veranda *f*] estrecha.

실투(失投) ((야구)) lanzamiento *m* descuidado. ~하다 lanzar una pelota de manera descuidada, lanzar una pelota descuidada.

실파 【식물】 puerro *m* fino, cebolla *f* escalonia.

실팍지다 (ser) substancial, robusto, macizo, masivo, sólido y resistente, fuerte, resistente. 실팍지게 지은 집 casa *f* de construcción sólida.

실팍하다 =실팍지다.

실패 carrete *m*, bobina *f*, canilla *f*.

실패(失敗) fracaso *m*, malogro *m*, fallo *m*, derrota *f*, quiebra *f*, pinchazo *m*. ~하다 frustarse, fracasar, fallar, malogarse, llevarse al diablo, sufrir un contratiempo; [시험에] suspender, no pasar, *AmL* ser reprobado (en), *Méj* reprobar, *Col*, *Urg* perder, *Chi* salir mal (en). ~하게 하다 hacer*le a uno* fracasar. ~로 끝나다 acabar por fracasar [fallar]. 사업(事業)에 ~하다 frustrarse en *sus* negocios. …하려는 시도(試圖)는 ~로 끝나다 fracasar [fallar] en *su* intento de + *inf*. 계획은 ~로 끝났다 El proyecto terminó en fracaso / El proyecto resultó fallido / Abortó el proyecto / Fracasó el proyecto. 그녀의 결혼은 ~했다 Su matrimonio fue un fracaso. 그는 입학시험에서 ~했다 El fracasón [salió mal] en el examen de ingreso. 나는 사업에 ~했다 Fracasé en el negocio / Mi empresa ha tenido un tropiezo. 그는 수학에 ~해서 시험에 떨어졌다 El no aprobó el examen porque falló en matemáticas. 그를 장관으로 임명한 것은 큰 ~였다 Ha sido un gran fallo haberle nombrado ministro. 그 계획은 결국 ~하게 되어 있다 El plan está condenado al fracaso. 이 방법은 결코 ~하지 않을 것이다 Este método no falla nunca. 두 팀은 득점에 ~했다 Ninguno de los (dos) equipos marcó un gol. 엔진에 시동을 거는 데 ~했다 El motor no arrancó de entrada. 그녀는 약속을 지키는 데 ~했다 Ella faltó a su palabra / Ella no cumplió con su palabra. 그 연극은 완전히 ~했다 Esa obra de teatro ha sido un fracaso [un fracaso rotundo] total. 비행기는 이륙[착륙]에 ~했다 El avión ha fallado en el despegue [en el aterrizaje]. 그 사람 혼자 그런 일을 해 보아야 결국은 ~한다 Si lo hace sin ayuda de nadie, terminará por fracasar / Si lo hace él sólo, el resultado es obvio fracaso. ~는 성공의 어머니 Los malos trances hacen al hombre sabio / Más enseña la adversidad que la prosperidad.
■ ~율 proporción *f* de quiebras; [교육의] índice *m* de fracaso escolar. ~자 fracaso *m*. ~작 obra *f* malogada, fracaso *m*.

실핏줄 【해부】 =모세혈관(毛細血管).

실하다(實一) ① [떡고물로 쓸 깨를 물에 불려 서 껍질을 벗기다] poner en remojo para pelar el ajonjolí. ② [튼튼하다] (ser) sano, saludable, robusto. 실하게 생긴 어린애 niño *m* robusto, niña *f* robusta. ③ [재산이 넉넉하다] (ser) rico, adinerado. ④ [속이 옹골지다] estar lleno, substancial, rico en contenidos, sólido. ⑤ [믿을 수 있다] (ser) digno de confianza, fidedigno.

실히 =족히. ¶~ 10킬로그램은 되겠다 Serán diez kilógramos abuntantemente.

실학(實學) ciencia *f* práctica, realismo *m*.

▪ ~주의 realismo *m*. ~주의자 realista *mf*. ~파 escuela *f* positiva.

실함(失陷) caída *f*. ☞함락(陷落)

실행(失行) fechoría *f*, delito *m*, mala conducta *f*. ~하다 portarse mal.

▪ ~증(症) apraxia *f*, parectropia *f*.

실행(實行) práctica *f*; [수행] ejecución *f*; [실현] realización *f*. ~하다 llevar a cabo; [수행하다] poner en obra, poner en ejecución; [실시하다] llevar a efecto, efectuar; [실현하다] realizar. ~ 가능한 practicable. ~ 불가능한 impracticable. ~에 옮기다 llevar [poner] en práctica, llevar a la práctica. 계획을 ~하다 ejecutar un proyecto.

▪ ~가 hombre *m* de acción. ~ 기관(機關) órgano *m* ejecutivo. ~난 impracticabilidad *f*. ~력 poder *m* de ejecución, habilidad *f* ejecutiva. ¶~이 있다 ser emprendedor, ser un hombre de acción. ~ 예산 presupuesto *m* de trabajo. ~ 운동 movimiento *m* de realización, movimiento *m* positivo para realizar. ~ 위원 miembro *mf* del comité *m* ejecutivo. ~ 위원회 comité *m* ejecutivo, comisión *f* ejecutiva; [조직 위원회] comité *m* organizador. ~자 ejecutante *mf*.

실향(失鄕) pérdida *f* del pueblo natal

▪ ~민 habitante *mf* que se perdió el pueblo natal.

실험(實驗) experimento *m*, prueba *f*, ensayo *m*. ~하다 experimentar, hacer un experimento, probar, ensayar. 동물을 ~하다 realizar un experimento con animales. 그것은 이미 ~에 통과되었다 Eso ya está experimentado / Ya ha pasado la prueba.

▪ ~ 공장 fábrica *f* piloto. ~ 과학 ciencia *f* experimental. ~ 교육학 pedagogía *f* experimental. ~ 극장(劇場) teatro *m* experimental. ~론 empirismo *m*, positivismo *m*. ~론자 empírico, -ca *mf*; posivitista *mf*. ~ 물리학 física *f* experimental. ~ 소설 novela *f* experimental. ~식 fórmula *f* empírica, fórmula *f* condensada, fórmula *f* bruta. ~실 laboratorio *m*. ~ 심리학(心理學) psicología *f* experimental. ~ 의학 medicina *f* experimental. ~자 experimentador, -dora *mf*. ~장 terreno *m* de pruebas. ~ 재료 sujeto *m*, material *m* de experimento; [비유적] cobayo *m*, cobaya *f*, conejillo *m* de Indias; *AmS* cuy *m*; *Chi* cuye *m*; *Col* curí *m*. ~적 experimental. ¶~으로 experimentalmente. ~ 지역 el área *f* (las áreas) de pruebas. ~ 철학 filosofía *f* empírica, filosofía *f* positiva. ~ 학교 escuela *f* experimental. ~ 현상학(現象學) fenomenología *f* empírica.

실현(實現) cumplimiento *m*, realización *f*; [실시] ejecución *f*, operación *f*; [실천] práctica *f*, acción *f*; [수행] ejecución *f*, función *f*, representación *f*. ~하다 cumplir, llevar a cabo, realizar. ~되다 cumplirse, realizarse, convertirse en realidad, ser realizado. ~ 가능한 realizable, que puede realizarse. ~ 불가능한 irrealizable. ~ 곤란한 difícil de realizar. 공동체의 ~ realización *f* de una comunidad. ~될 수 없는 계획 proyecto *m* que no es realizable. 이상(理想)을 ~하다 realizar el ideal. 그의 이상은 ~되었다 Su ideal se ha convertido en una realidad. 나의 대망(大望)은 ~ 되었다 Mi aspiración ha sido realizado. 꿈은 반드시 ~된다 El sueño se realizará sin falta.

▪ ~성 posibilidad *f* de realizar. ~화 realización *f*. ¶~하다 realizar.

실혈(失血) pérdida *f* de sangre, hematozemia *f*.

실형(實兄) hermano *m* (mayor) de sangre, hermano *m* mayor de *sus* propios padres, verdadero hermano *m* mayor.

실형(實刑) castigo *m* actual, encarcelamiento *m*, castigo *m* de prisión, castigo *m* sin la sentencia en suspenso.

실화(失火) incendio *m* accidental. ~하다 prender fuego accidentalmente. ~의 원인(原因) origen *m* del fuego accidental. ~가 아니라 방화(放火)였다 El fuego no fue accidental, sino incendiario. 화재의 원인은 ~였다 El fuego fue de origen accidental.

실화(實話) historia *f* verdadera [auténtica · verídica].

실황(實況) escena *f* real [actual], condición *f* actual. ~을 시찰(視察)하다 inspeccionar la condición real [actual].

▪ ~ 방송 transmisión *f* en directo. ¶~을 하다 emitir [difundir] en el mismo sitio.

실효(失效) efecto *m* perdido, invalidación *f*, invalidez *f*, caducidad *f*, extinción *f*, prescripción *f*. ~하다 perder efecto, caducar, vencer, perder la validez.

실효(實效) efecto *m* real; [실제의] efecto *m* práctico; [유효성] eficacia *f*, eficiencia *f*. ~가 있는 efectivo, eficaz.

▪ ~ 가격 precio *m* efectivo. ~성 eficacia *f*. ~치(置) valor *m* efectivo.

싫건 좋건 quiera o no quiera, de todas maneras, bien o mal, después de todo. ~ 나는 가야 한다 Tengo que ir, quiera o no quiera. ~ 오너라 ¡Tú vendrá, quieras o no quieras! ~ 오늘뿐이다 De todas maneras [Bien o mal · Después de todo] hoy es el último día. 그건 사장의 명령이니 ~ 따라야 한다 Es orden del presidente y debemos obedecerla queramos o no queramos.

싫다 no *le* gustar *a uno*, odiar, abominar, no querer, disgustar, desagradar. 싫은 ㉠ [불쾌한] desagradable, enfadoso, fastidioso, molesto, repugnante, repulsivo. ㉡ [증오할] abominable, aborrecible, detestable, odioso. ㉢ [사람이 호감이 가지 않은] antipático. 싫은 날씨 tiempo *m* desagradable, tiempo *m* fastidioso. 싫은 냄새 mal olor *m*, olor *m* desagradable. 싫은 맛 sabor *m* desagradable. 싫은 정도로 [너무] demasiado, en exceso; [물릴 때까지] hasta la saciedad, hasta más no poder. 싫은 얼굴을 하다 poner mala cara (a). 싫으시다면 si no le gusta, si le disgusta, si le desagrada. 싫지 않으시다면 si no le disgusta, si no le desagrada. 그건 싫은 일이다 Es un trabajo molesto. 무척 싫은 날씨다 Hace un tiempo muy desagradable [fastidioso]. 겨울은 추워서 ~ Me disgusta [No me gusta] el invierno por el frío. 여름은 더워서 ~ Me disgusta [No me gusta] el verano por el calor. 그는 다른 사람을 늘 헐뜯기 때문에 싫은 남자다 Es un tipo desagradable, que él está siempre hablando mal de los demás. 그런 싫은 얼굴을 하지 마라 No pongas esa cara de disgusto. 싫으면 그만두어라 Déjalo si no quieres. 그 일을 싫다고 하지 마라 No puedes rehusarlo / No dirás no. 나는 그런 일은 하기 ~ No quiero hacerlo. 그렇게 오래 기다리면 ~ Me canso [aburro] de esperar tanto tiempo. 싫으세요? [usted에게] ¿No le gusta (a usted)? / [tú에게] ¿No te gusta? / [ustedes에게] ¿No les gusta (a ustedes)? / [vosotros에게] ¿No os gusta? 거리에 나가기가 싫을 정도로 그 광고가 눈에 띈다 No podemos ir por la calle sin tropezar con ese anuncio. 나는 싫을 때까지 케이크를 먹었다 Yo comí pasteles hasta hartarme [hasta la sacieda · hasta que no podía más]. 싫지도 좋지도 않다 No hay ni sí ni no.

싫어하다 disgustar, no querer + *inf*, no tener ganas de + *inf*, querer mal, malquerer; [증오하다] odiar, sentir odio (contra). 싫어하는 odioso, abominable, detestable. 싫어하는 일 trabajo *m* detestable. 싫어하는 녀석 tipo *m* odioso. 내가 싫어하는 음식 comida *f* que no me gusta. 까닭 없이 ~ tener [tomar · coger · sentir] aversión [antipatía] (a · contra · hacia), prevenirse (contra). 몹시 ~ destestar, aborrecer, abominar, sentir aversión (contra). 싫어하는 일을 굳이 하다 vejar, agraviar, ofender, molestar. 싫어하는 말을 굳이 하다 vejar con palabras ofensivas, dirigir palabras vejatorias. 싫어하는 것을 무리하게 시키다 forzar (a *uno* a + *inf*, forzar (a que + *subj*), hacer (a *uno* a + *inf*) contra *su* voluntad. 그는 생선을 몹시 싫어한다 El detesta [aborrece] el pescado / No le gusta mucho el pescado. 나는 돼지고기를 싫어한다 No me gusta la carne de cerdo / Yo aborrezco [detesto] la carne de cerdo. 나는 거짓말을 싫어한다 Detesto de la mentira. 그녀는 남을 비방하기를 싫어한다 Ella detesta las calumnias. 내가 제일 싫어하는 것은 수학이다 Le tengo manía a las matemáticas / Lo que más odio es las matemáticas. 나는 치과(齒科)에 가는 것을 무척 싫어한다 Me molesta enormemente [Tengo horror a] ir al dentista. 그는 공부하기를 싫어한다 A él no le gusta estudiar. 나는 저 녀석을 싫어한다 Detesto a aquel tipo. 그녀는 술 마시는 사람들을 싫어한다 Ella aborrece a los bebedores. 그는 시골 생활을 싫어해서 가출했다 Como él detestaba la vida del campo se marchó de casa. 그 법(法)을 국민들이 싫어했다 Esa ley no ha sido bien acogida por el pueblo. 누구나 그 사람을 싫어한다 Todo el mundo le aborrece a él. 담배는 습기를 싫어한다 El tabaco es sensible a la humedad.

싫증(一症) aburrimiento *m*, fastidio *m*, tedio *m*, fatiga *f*, cansancio *m*. ~을 느끼다 sentir disgusto [asco · repugnancia] (por · en), sentirse disgustado (por · con), sentirse a disgusto (por · con), no querer, cansarse (de), aburrirse (de). ~을 일으키게 하다 disgustar, desagradar, dar asco, dar disgusto, causar repugnancia. ~을 일으키게 하는 aburrido. fastidioso, repugnante. ~을 잘 내다 tener poca constancia, ser poco constante, cansarse pronto, ser inconstante. 그는 매사에 ~을 잘 낸다 El es poco constante en todo.

◆싫증(을) 내다 fastidiarse, aburrirse, hastiarse.

◆싫증(이) 나다 estar cansado, quedar(se) cansado, estar aburrido, quedar(se) aburrido, hartarse (con), hastiarse (de), aburrirse (de · con), fastidiarse, cansarse (de · con), fatigarse. 싫증 나는 aburrido, cansado. 싫증 나게 하다 aburrir, fastidiar, cansar. 싫증 난 강의(講義) clase *f* aburrida. 싫증 난 일 trabajo *m* pesado. 보기에 ~ cansarse [aburrirse · estar harto] de ver. …에 ~ llegar a aborrecer *algo* [a *uno*]. 공부에 ~ estar cansado de estudiar. 대화(對話)가 싫증 난다 La conversación languidece. 나는 이제 생선이 싫증 난다 He llegado a aborrecer el pescado / Ahora no me gusta el pescado. 그는 최근 약간 싫증 났다 En estos días está un poco flojo. 이 영화는 후반이 싫증 난다 La segunda mitad de esta película es un poco floja [es peor]. 이런 생활은 이제 싫증 난다 Ya estoy harto de esta vida. 이 프로그램은 이제 (일반에게) 싫증 나기 시작하고 있다 Ya está empezado a cansar al público este programa. 이 책은 아무리 읽어도 싫증 나지 않는다 Este libro no me aburre por más que lo leo. 나는 초콜릿을 싫증 나도록 먹었다 Yo tomé chocolate hasta hartarme [hasta la saciedad]. 그는 항상 똑같은 레코드를 틀어도 싫증 나지 않는다 El no se cansa de poner siempre el mismo disco. 어떤 일에 싫증 나지 않기 위해서는 바꾸어 볼 필요가 있다 Entre col y col, lechuga.

심 [소의 심줄] nervio *m*, tendón *m*.

심(心) ① [죽(粥)에 곡식 가루를 잘게 뭉쳐 넣은 덩이] bola *f* de masa (que se come en sopas o guisos). ② [종기 구멍에다 약을 발라 찔러 넣은 헝겊이나 종잇조각] pedacito *m* de tela [de papel]. ③ [나무의 고갱이] médula *f*. ④ [무 따위의 뿌리 속에 섞인 질긴 줄기] cogollo *m*. ⑤ [양복 저고리 어깨나 깃 같은 데를 빳빳하게 하기 위해 넣는 헝겊] almohadillas *fpl*, hombreras *fpl*. ~을 넣다 enguatar, acolchar. ~을 넣은 enguatado, acolchado. 어깨에 ~을 넣은 코트 abrigo *m* con hombreras. ⑥ [연필 등대의 가운데에 있는, 글씨를 쓰게 된 부분] mina *f*, gráfito *m* del lapiz. ~이 단단한 [연한] 연필 lápiz *m* duro [blando]. ~을 뾰족하게 하다 afilar (la punta de) un lápiz. ~을 부러뜨리다 quebrar (la punta de) un lápiz. ⑦ ((준말)) =촉심(燭心). ⑧ ((준말)) =심성(心星). ⑨ [마음] corazón *m*, mente *f*, emoción *f*, sentimiento *m*. ¶~적(的) mental, psicológico. 애국~ patriotismo *m*, amor *m* a la patria, devoción *f* a *su* suelo y a *sus* tradiciones, a *su* defensa e integridad. ⑩ ((준말)) =심지.

심(審) proceso *m*, juicio *m*.

심(尋) [노끈·물 깊이 등을 재는 길이의 단위] *sim*, unidad *f* de la longitud para medir la cuerda o la profundidad del agua.

-심(心) corazón *m*, mente *f*. 허영(虛榮)~ vanidad *f*.

심각(深刻) escultura *f* profunda. ~하다 esculpir profundamente.

심각하다(深刻—) ① [일을 깊이 파고들어 생각하게 하는 것이 있다] (ser) serio, grave. 심각한 표정 expresión *f* grave, semblante *m* grave. 심각한 얼굴을 하다 poner la cara seria, tomar una expresión grave, tomar un aire serio. ② [아주 중대하고 절실하다] (ser) grave, serio, profundo, severo. 심각한 문제 problema *m* grave. 심각한 불황 depresión *f* profunda. 심각한 영향(影響) influencia *f* profunda. 심각한 인력 부족 grave escasez *f* de manos de obra. 심각한 인생 문제 problema *m* severo de la vida. 사태가 ~ La situación está [es] grave [seria]. 사태는 심각하게 되었다 La situación se ha puesto grave [seria] / La situación se agravó. 사태는 점점 심각해지고 있었다 La situación iba poniéndose seria. 내 친구의 상태는 매우 ~ El estado de mi amigo es muy grave.
심각히 seriamente, gravemente, profundamente, severamente, con seriedad. 그렇게 ~ 생각하지 마라 No lo tomes tan a pecho. 당신은 너무 ~ 생각하고 있다 Usted toma las cosas demasiado en serio.

심간(心肝) ① [심장과 간장] el corazón y el hígado. ② [깊이 감추어 둔 마음] *su* corazón, *su* mente.

심갱(深坑) hoyo *m* profundo.

심경(心經) ① [심장에서 갈려 나온 경락(經絡)] vaso *m* sanguíneo. ② ((준말)) =반야심경(般若心經).

심경(心境) estado *m* de alma, estado *m* de ánimo, sentimientos *mpl* íntimos. ~의 변화(變化) cambio *m* de parecer, cambio *m* de actitud mental. ~의 변화를 일으키다 cambiar de manera de pensar. ~을 피력하다 expresar *su* estado de alma. 그는 ~의 변화를 일으켰다 El ha cambiado de manera de pensar. 현재의 ~은 어떻습니까? ¿Cuél es su estado de ánimo actual?
■~ 소설 novela *f* psicológica.

심경(深更) =심야(深夜).

심경(深耕) arado *m* profundo (de la tierra). ~하다 arar (la tierra) profundamente.

심계(心界) mundo *m* del corazón.

심계(心悸) palpitación *f* del corazón.
■~동(動) impulso *m* cardíaco. ~ 항진 aceleración *f* [palpitación *f*] del corazón. ~ 항진증 cardiopalmia *f*, cardiopalmos *f*.

심계(深戒) vigilación *f* profunda. ~하다 vigilar profundamente.

심고 lazada *f* de la cuerda del arco.

심곡(心曲) corazón *m* sincero.

심곡(深谷) valle *m* profundo.

심골(心骨) ① [마음과 뼈] el corazón y el hueso. ② =마음속.

심규(深閨) gabinete *m*, camarín *m* (*pl* camarines), saloncito *m*.

심근(心筋) 【해부】 miocardio *m*, parte *f* musculosa del corazón.
■~ 경색 infarto *m* del miocardio. ~ 경색증 infarto *m* del miocardio. ~염(炎) miocarditis *f*, inflamación *f* del miocardio. ~ 운동도(運動圖) miocardiograma *m*. ~증 miocardiosis *f*.

심금(心琴) emoción *f* más profundo.
◆심금을 울리다 hacer *vibrar* la sensibilidad. 심금을 울리는 가락 tono *m* que hace vibrar la sensibilidad.

심급(審級) 【법률】 instancia *f*.

심급하다(甚急—) tener mucha prisa, darse mucha prisa, acelerarse mucho.

심기(心氣) mente *f*, humor *m*, sentimiento *m*.
■~ 전환 diversión *f* de *su* mente. ~증 hipocondría *f*, aerendocardia *f*.

심기(心機) mente *f*, actividad *f* mental.
■~일전(一轉) cambio *m* de idea, cambio *m* de vida, ardor *m* renovado, nueva actividad *f* mental. ¶~하다 cambiar de idea [de vida]. ~해서 일을 시작하다 ponerse a trabajar con un ardor renovado. 그는 ~했다 El se ha vuelto a nueva actividad mental.

심기다 ① [심어지다] ser plantado, plantarse. ② [심게 하다] hacer plantar.

심난하다(甚難—) (ser) muy difícil, dificilísimo.

심낭(心囊) 【해부】 pericardio *m*. ~의 pericardíaco.

심내막(心內膜) 【해부】 endocardio *m*.

■ ~염(炎) encarditis *f*, endocarditis *f*.
심뇌(心惱) angustia *f*, aflicción *f* mental.
심다 ① [풀이나 나무의 뿌리를 땅속에 묻다] plantar. 정원에 나무를 ~ plantar los árboles en el jardín. 화단에 꽃이 심어져 있다 El cuadro está plantado de flores. 정원에 나무가 심어져 있다 Hay árboles plantados en el jardín. ② [싹을 내려고 씨앗을 땅에 묻다] sembrar. 보리를 ~ sembrar la cebada. 밭에 밀을 ~ sembrar un campo de trigo.
심대(心一) eje *m*.
심대하다(甚大一) (ser) muy grande, grandísimo, enorme, intenso, serio, inmenso, extraordinario. 심대한 손해를 입다 sufrir grandes daños [estragos].
심덕(心德) virtud *f*. ~이 좋은 여자 mujer *f* virtuosa, mujer *f* de virtud.
심도(深度) profundidad *f*. ~를 재다 medir la profundidad, sondear.
■ ~계 batímetro *m*.
심독(心讀) =묵독(默讀).
심돋우개(心一) control *m* de la mecha.
심동(心動) movimiento *m* del corazón. ~하다 moverse el movimiento.
심동(深冬) pleno invierno *m*.
심드렁하다 ① [일이 급하지 않다] no tener prisa, no darse prisa. ② [병(病)이 더 중해지지 않고 오래 끌다] (ser) prolongado, largo. 심드렁한 병 enfermedad *f* prolongada.
심란하다(心亂一) (estar) confundido, turbado, inquietante, inquietador, trastornado. 마음을 심란하게 하다 inquietar, turbar. 마음이 심란해지다 turbarse. 마음이 무척 심란한 아이 niño, -ña *mf* con graves trastornos, niño, -ña *mf* con problemas emocionales 마음이 심란하여 con turbación, inquietantemente. 그녀는 마음이 ~ Ella tiene problemas mentales. 그들의 마음은 ~ Ellos tienen el corazón endurecido. 몇몇 장면은 관객의 마음을 심란하게 할 수 있다 Algunas escenas pueden herir la sensibilidad del espectador. 그 작품이 내 마음을 무척 심란하게 한다는 것을 알았다 La obra me afectó mucho. 네 소식으로 내 마음이 무척 심란했다 Me inquietaron tus noticias.
심려(心慮) peocupación *f*, miedo *m*, temor *m*, cuidado *m*, ansia *f*, tormento *m*, molestia *f*, ansiedad *f*, inquietud *f*. ~하다 temer, tener miedo (a), preocuparse. ~를 끼치다 dar la molestia, molestar. 당신에게 ~를 끼치고 싶지 않습니다 No quiero ocasionarle ninguna molestia. 여러 가지로 ~를 끼쳐 죄송합니다 Siento mucho haberle dado mucha molestia / Siento mucho molestarle.
심려(深慮) prudencia *f*, meditación *f* profunda. ~하다 meditar profundamente.
심력(心力) ① [마음과 힘] el corazón y la fuerza. ② [마음에 미치는 힘] poder *m* mental, facultad *f* mental.
심령(心靈) ① [마음속의 영혼] espíritu *m*, el alma *f* de un muerto. ~의 espiritual, psíquico. ② 【철학】 espritualismo *m*. ③ ((성경)) espíritu *m*, ánimo *m*. ~이 가난한 자는 복(福)이 있나니 천국이 저희 것임이요 ((마태복음 5:3)) Bienaventurados los pobres en espíritu, porque de ellos es el reino de los cielos / Dichosos los que reconocen su necesidad espiritual, pues el reino de Dios les pertenece.
■ ~계 mundo *m* espiritual, círculos *mpl* espiritual. ~력 poder *m* psíquico. ~론(論) espiritismo *m*. ~술(術) espiritismo *m*; 【철학】 espiritualismo *m*. ~ 연구 estudio *m* psíquico. ~학 metapsíquica *f*, espiritismo *m*. ~학자(學者) metapsíquico, -ca *mf*, espiritista *mf*, psíquico, -ca *mf*. ~ 현상 fenómeno *m* espiritista [psíquico].
심로(心勞) fatiga *f* mental, cansancio *m* nervioso, ansiedad *f*, preocupación *f*, trabajo *m*, pena *f*, tormento *m*. ~하다 fatigarse. ~되다 quedarse fatigado. 무척 ~하다 estar muy preocupado.
심리(心理) (p)sicología *f*, mentalidad *f*, estado *m* de ánimo. 그런 것을 말하는 그의 ~를 나는 이해하지 못한다 No comprendo los motivos que le han empujado a decir tal cosa.
■ ~극 ㉮ 【심리】 (p)sicodrama *m*. ㉯ 【연극】 drama *m* (p)sicológico. ~ 묘사(描寫) escripción *f* psicológica. ~ 분석(分析) psicoanálisis *f*. ~ 상태 estado *m* de espíritu. ~ 소설 novela *f* psicológica. ~ 실험실 laboratorio *m* psicológico. ~ 언어학 (p)sicolingüística *f*. ~ 언어 학자 (p)sicolingüista *mf*. ~ 요법 psicoterapia *f*. ~ 작용 psicosis *f*, efecto *m* psicológico, acción *f* mental. ~전(戰) ((준말)) =심리 전쟁. ~ 전쟁 guerra *f* psicológica. ~주의 psicologismo *m*. ~ 테스트 prueba *f* psicológica. ~ 철학(哲學) filosofía *f* psicológica. ~ 현상 fenómeno *m* psicológico.
심리(審理) juicio *m*, proceso *m*, examen *m*, examinación *f*, vista *f* de una causa, investigación *f*, indagación *f*, averiguación *f*. ~하다 someter a un juicio, indagar, examinar, investigar, averiguar. ~ 중이다 estar siendo procesado. 경찰관 살인 혐의로 ~ 중이다 estar siendo procesado por el asesinato de un policía. 그 사건은 ~ 중이다 El incidente se encuentra sometido a un juicio / El incidente está en juicio.
심리학(心理學) (p)sicología *f*.
◆ 교육(敎育) ~ psicología *f* pedagógica. 군중(群衆) ~ psicología *f* masiva. 동물 ~ psicología *f* animal. 문화 ~ psicología *f* cultural. 물리 ~ psicología *f* física. 범죄 ~ psicología *f* criminal. 변태(變態) ~ psicología *f* anormal. 비교(比較) ~ psicología *f* comprada. 사회 ~ psicología *f* social. 산업(産業) ~ psicología *f* industrial. 실험 ~ psicología *f* experimental. 아동(兒童) ~ psicología *f* infantil. 응용(應用) ~ psicología *f* aplicada. 이상(異常) ~ psicología *f* anormal. 인종(人種) ~ psicología *f* ética.

일반 ~ psicología *f* general. 임상(臨床) ~ psicología *f* clínica. 행동 ~ psicología *f* behaviorista.
■ ~과 departamento *m* de psicología. ~자 psicólogo, -ga *mf*. ~적 psicológico *adj*. ~적 비평 criticismo *m* psicológico. ~적 성별 sexo *m* psicológico. ~적 측정 medición *f* psicológica.
심림(深林) bosque *m* frondoso.
심마니 *simmani*, recogedor *m* profesional del ginseng.
심막(心膜) =심낭(心囊). ¶~의 pericardíaco, pericardiaco.
심매 ida *f* al monte a recoger el ginseng.
◆심매(를) 보다 encontrar la hoja del ginseng.
심모(深謀) táctica *f* profunda.
■ ~원려(遠慮) visión *f* amplia y profunda.
심목(心目) [마음과 눈] el corazón y los ojos.
심문(尋問) =심방(尋訪).
심문(審問) inquisición *f*, indagación *f*, examinación *f*, pesquisa *f*, interrogatorio *m*. ~하다 interrogar, preguntar, someter a un interrogatorio, inquirir, indagar, averiguar. ~을 받다 ser interrogado, ser sujeto a un interrogatorio.
■ ~ 조서(調書) interrogatorio *m*.
심미(審美) apreciación *f* de la belleza.
■ ~가(家) esteta *mf*. ~안(眼) sentido *m* estético, criterio *m* estético. ~주의(主義) esteticismo *m*. ~파 escuela *f* estética. ~학 estética *f*. ~ 학자 estético, -ca *mf*.
심박(心搏) latido *m* del corazón.
■ ~ 도수(度數) ritmo *m* cardíaco. ~동(動) latido *m* del corazón. ~동계(動計) ictómetro *m*.
심방 【건축】 viga *f* transversal de una puerta con tejado.
심방(心房) 【해부】 aurícula *f*. ~의 auricular.
◆우(右)~ aurícula *f* derecha. 좌(左)~ aurícula *f* izquierda.
심방(尋訪) visita *f*. ~하다 visitar, hacer una visita, ir a ver. 친구를 ~하다 visitar [hacer una visita] a un amigo.
심배(深杯) copa *f* grande y profundo.
심벌(영 *symbol*) [상징(象徵)] símbolo *m*. 청춘(青春)의 ~ símbolo *m* de juventud. 평화의 ~로 como símbolo de paz. 비둘기는 평화의 ~이다 La paloma es el símbolo de la paz.
심벌리즘(영 *symbolism*) simbolismo *m*.
심벌즈(영 *cymbals*) 【악기】 platillo *m*, címbalo *m*, cimbalillo *m*. ~를 연주하다 tocar los platillos.
■ ~ 연주자 cimbalista *mf*.
심법(心法) ① [마음씨를 쓰는 법] método *m* de usar el corazón. ② ((불교)) dharma *m* mental.
심병(心病) ① [마음속의 근심] ansiedad *f*, preocupación *f*. ② 【의학】 síncope *m*, desmayo *m*.
심보(心－) manera *f* de ser, modo *m* de ser, temperamento *m*, carácter *m*, natural *m*, mente *f*. ~가 고약한 사람 persona *f* de mal carácter, persona *f* desagradable. ~가 비틀어지다 tener la mente deshonesta.
심복(心服) ((준말)) =심열성복(心悅誠服).
심복(心腹) ① [가슴과 배] el pecho y el vientre. ② [매우 요긴하여 없어서는 안 될 사물] cosa *f* indispensable, cosa *f* muy necesaria. ③ ((준말)) =심복지인.
■ ~ 부하(部下) vasallo, -lla *mf* confidencial; criado *m* devoto, criada *f* devota. ~지인(之人) confidente *mf*, brazo *m* derecho, mano *f* derecha, persona *f* de confianza. ~지환(之患) ㉮ [없애기 어려운 근심] ansiedad *f*, preocupación *f*. ㉯ [고치지 못하는 고질] enfermedad *f* crónica, mal *m* crónico.
심복통(心腹痛) 【한방】 ardor *m* de estómago causado por la ansiedad.
심부(深部) parte *f* más profunda, profundidades *fpl*.
심부름 recado *m*, mensaje *m*, mandado *m*. ~하다 ser mensajero, ir a un recado. ~가다 ser mensajero, ir a un recado. ~ 보내다 mandar (por · a + *inf*). A를 ~ 보내다 enviar a A a un recado. A에게 ~ 보내다 enviar [mandar] a un mensajero a A. A의 ~을 하다 hacer los recados de A, hacer un recado [un mandado] de A. 세탁소에 ~ 보내다 mandar (algo) a lavar. 텔레비전 수리를 위해 ~ 보내다 mandar un televisor a reparar. 그는 나에게 ~을 부탁했다 El me encargó que hiciera un recado. 김 선생님의 ~을 왔습니다 Vengo de parte del Sr. Kim. 죄송하지만 이것을 그에게 ~ 좀 해 주시겠습니까? ¿Sería usted tan amable de entregarle esto? / ¿Podría usted hacerme el favor de entregarle esto?
■ ~꾼 recadero, -ra *mf*, mandadero, -ra *mf*, mensajero, -ra *mf*. ~삯 propina *f*, recompensa *f*, gratificación *f*.
심부전(心不全) 【의학】 fallo *m* de corazón, colapso *m* cardíaco.
■ ~증(症) insuficiencia *f* cardíaca.
심불(心佛) Buda *m* en el corazón, naturaleza *f* original; El corazón es Buda.
심사(心事) pensamiento *m* del corazón, inquietud *f*, sentimiento *m*, pesar *m*, zozobra *f*, desasosiego *m*. ~가 복잡하다 estar confundido en mente.
심사(心思) malevolencia *f*, mala intención *f*, malicia *f*, mal genio *m*.
◆심사가 나다 guardar*le* rencor *a uno*, hacer mala intención. 심사가 사납다 ser malévolo, ser de mal carácter, ser de mal genio. 심사(를) 부리다 molestar, frustrar.
심사(深思) meditación *f*, intercesión *f*, contemplación *f*, profundo pensamiento *m*, reflexión *f*, cogitación *f*. ~하다 meditar, contemplar, reflexionar.
■ ~숙고[묵고 · 숙고] meditación *f*, profunda reflexión *f*, consideración *f* cuidadosa. ¶~하다 entregarse a una profunda refle-

xión, meditar, cavilar, considerar cuidadosamente. ~한 끝에 después de la consideración cuidadosa.

심사(深謝) gracias *fpl* sinceras, gracias *fpl* cordiales, profundo agradecimiento *m.* ~하다 agradecer cordialmente [sinceramente], dar las gracias cordialmente [sinceramente].

심사(審査) examen *m*, investigación *f*, examinación *f*, inspección *f.* ~하다 examinar, investigar. ~에 합격하다 pasar el examen. 응모자를 ~하다 examinar a los solicitantes. 그녀는 ~ 결과 2등이 되었다 El jurado le concedió [otorgó] el segundo premio.
■ ~원 examinador, -dora *mf*; juez *mf*; miembro *mf* del jurado; [집합적] jurado *mf*. ~ 위원(委員) juez *mf* (*pl* jueces); examinador, -dora *mf*; [콩쿠르의] jurado *mf*; miembro *mf* de un jurado. ~ 위원장 presidente, -ta *mf* del jurado; jefe, -fa *mf* de jurado examinador. ~ 위원회 comité *m* de examinación.

심산(心算) intención *f*, propósito *m*, designio *m*, expectación *f*, cálculo *m.* …할 ~으로 con intención de …. …할 ~이다 intentar + *inf*, tener la intención de + *inf*, pensar en. 그것은 내 ~이 아니었다 Esa no era mi intención. ☞속셈❶

심산(深山) montaña *f* alta, montaña *f* remota, montaña *f* profunda, fondo *m* de una montaña, montaña *f* recóndita, corazón *m* de una montaña, lo más recóndito de una montaña.
■ ~계곡(溪谷) la montaña alta y el valle profundo. ~궁곡(窮谷) valle *m* empinado en las montañas altas. ~유곡(幽谷) montañas fpl altas y los valles aislados.

심산하다(心散-) =심란(心亂)하다.

심산하다(心酸-) tener la mente amarga.

심살내리다 tener la ansiedad pequeña en la mente.

심상(心狀) condión *f* del corazón, condición *f* mental.

심상(心象) 【심리】 imagen *f* (*pl* imágenes), imagen *f* mental, simulacro *m*, impresión *f*.

심상(心想) pensamiento *m* en el corazón.

심상엽(尋常葉) 【식물】 hoja *f* en la planta común.

심상하다(尋常-) (ser) ordinario, común, usual. 그는 심상한 인물이 아니다 El no es un hombre ordinario / El es alguien.
심상찮다 (ser) extraordinario, poco frecuente, raro, extraño, nada común; [병세(病勢)가] grave, serio, crítico. 심상찮은 소리 ruido *m* alarmante. 이것은 ~ Esto no es ninguna tontería. 분위기가 ~ Se percibe un aire extraordinario.
심상히 ordinariamente, comúnmente.

심설(深雪) nieve *f* profunda, nieve *f* que amontona profundamente.

심성(心性) ① ((준말)) =심성정(心性情). ② ((불교)) corazón *m* puro fundamental que existe en *sí* mismo.

심성암(深成巖) 【광물】 roca *f* plutónica.

심성정(心性情) naturaleza *f*, disposición *f*, mente *f*, mentalidad *f*.

심수(心髓) ① [중심되는 골수] médula *f* central. ② =마음속.

심수(深水) el agua *f* profunda.

심수(深愁) ansiedad *f* profunda.

심수도(深水道) =심해 수도(深海水道).

심술(心術) carácter *m* enojado [enfadado], genio *m* enojado [enfadado], malevolencia *f*, mala intención *f*, malicia *f*, mal genio *m*.
◆심술궂다 (ser) malicioso, maligno, malévolo, malo, de mal genio, malhumorado, de mal humor, de mal carácter, desagradable. 심술궂은 질문(質問) pregunta *f* maliciosa [insidiosa].
◆심술(을) 내다 hacerse obstinado [terco], portarse [comportarse] con obstinación.
◆심술(을) 부리다 enojarse, enfadarse, no ser amable (con).
◆심술(을) 피우다 portarse [comportarse] con obstinación a veces.
◆심술(이) 사납다 (ser) malo (a · para · con). 그 사람이 나에게 그것을 말하고 싶어하지 않는 것을 보니 심술이 사납군 ¡Qué malo es él que no quiere decírmelo!
■ ~기(氣) humor *m* malicioso. ~꾸러기 persona *f* malévola; [여자나 어린이] cascarrabias *mf*; gruñón, -ñona *mf*. ~패기 cascarrabias *mf*; gruñón, -ñona *mf*; niño *m* travieso, niña *f* traviesa; niño *m* malicioso [malévolo], niña *f* maliciosa [malévola].

심신(心身) el alma y el cuerpo, el corazón y el cuerpo. ~을 단련하다 templar el cuerpo y el espíritu, disciplinar el alma y el cuerpo. ~ 공(共)히 건전하다 estar sano de cuerpo de espíritu. ~ 공히 피로하다 estar fatigado física y moralmente.
■ ~증(症) psicosomatosis *f*. ~증 환자 psicosomático, -ca *mf*. ~ 피로(疲勞) agotamiento *m* mental y físico.

심신(心神) el corazón y el espíritu.

심신(深信) fe *f* profunda, creencia *f* profunda. ~하다 creer profundamente.

심실(心室) 【해부】 ventrículo *m*. ~의 ventricular.
◆우(右)~ ventrículo *m* derecho. 좌(左)~ ventrículo *m* izquierdo.

심심산천(深深山川) la montaña y el río profundísimos y aislados.

심심상인(心心相印) =이심전심(以心傳心).

심심소일(-消日) =심심풀이.

심심파적(-破寂) =심심풀이.

심심풀이 pasatiempo *m*, diversión *f*, recreación *f*, afición *f*, hobby *ing.m.* ~하다 matar el tiempo, distraerse. ~로 por distracción, por pasatiempo, por entretenerse, para distraerse, para divertirse. ~로 그림을 그리다 pintar por diversión, pintar por pasatiempo. ~로 책을 읽다 leer un libro como afición. ~로 우표를 수집하다 coleccionar los sellos para matar el tiempo. ~

로 시간을 보내기 위해 para matar el tiempo, para hacer tiempo. 우리들은 카드를 하면서 ~로 시간을 보냈다 Jugamos a las cartas para matar el tiempo / Hemos matado el tiempo jugando a las cartas.

심심하다¹ [맛이 조금 싱겁다] (ser) desabrido, insípido, tener poco sabor, desabrirse. 심심하게 하다 desabrir. 심심한 과실 fruta *f* insípida. 심심한 국 sopa *f* desabrida [insípida]. 심심한 음료 bebida *f* insípida. 심심한 수박 sandía *f* desabrida. 심심하게 간을 하다 echar el condimiento insípidamente [con poca sal].

심심하다² [할 일도 재미를 붙일 일도 없어서 시간 보내기가 지루하고 재미가 없다] estar aburrido, aburrirse, sentir aburrimiento, sentirse aburrido. 심심한 나머지 por ociosidad, ociosamente, holgadamente. 심심하게 하다 aburrir, molestar, fastidiar, hastiar. 심심해서 죽다 [미치다] morirse de aburrimiento. 할 일이 없어 ~ estar desocupado y sentirse muy aburrido, no tener nada que hacer. 심심해서 텔레비전 앞에 앉다 poner la televisión para matar el tiempo. 심심하게 하루를 보내다 pasarse los días sin hacer nada. 나는 할 일이 없어 ~ Estoy (muy) aburrido por no tener nada que hacer.
심심히 con aburrimiento, aburridamente.

심심하다(深甚－) (ser) profundo. 심심한 사과 apología *f* profunda. 심심한 사의(謝意)를 표하다 manifestar *su* profundo reconocimiento, expresar profunda gratitud. 귀하에게 심심한 사의를 표하는 바입니다 Le manifiesto mi profundo reconocimiento / Le expreso profunda gratitud a usted.
심심히 profundamente, con profundidad.

심심하다(深深－) (ser) muy profundo.

심쌀(心－) arroz *m* para las gachas.

심악스럽다(甚惡－) (ser) cruel, inhumano, diabólico, despiadado.
심악스레 cruelmente, con crueldad, inhumanamente, diabólicamente, despiadadamente, sin piedad, sin clemencia.

심악하다(甚惡－) ① [몹시 악하다] (ser) maligno, malévolo, perverso, cruel, inhumano, diabólico. ② [가혹하고 용서가 없다] (ser) severo, brutal, despiadado.

심안(心眼) ojos *mpl* espirituales, ojos *mpl* de la mente, ojos *mpl* mentales, percepción *f* mental. ~으로 보다 mirar con los ojos espirituales. ~을 뜨다 abrir *sus* ojos espirituales [mentales].

심야(深夜) plena noche *f*, media noche *f*, horas *fpl* avanzadas de noche, altas horas *fpl* de noche; [자정] medianoche *f*. ~에 avanzada la noche, muy tarde por la noche, en las horas avanzadas de la noche, a medianoche, en plena noche, a la hora avanzada de la noche. ~ 경에 alrededor de (la) medianoche, hacia media noche. ~ 전에 antes de (la) medianoche. ~ 후에 después de (la) medianoche. ~ 영업의 abierto después de la medianoche. ~까지 일하다 trabajar hasta muy tarde por [hacia altas horas de] la noche. ~에 거리를 배회하다 deambular por la calle a medianoche.
■ ~ 미사 misa *f* de(l) gallo. ~ 방송(放送) transmisiones *fpl* después de la medianoche. ~ 요금 tarifa *f* de media noche. ~ 프로그램 programa *m* después de la medianoche.

심약하다(心弱－) (ser) apocado, tímido, cohibido, de poco carácter, de poco ánimo. 심약하게 apocadamente. 심약한 성격(性格) carácter *m* tímido, poco carácter *m*. 심약한 남자 hombre *m* apocado. 심약한 여자 mujer *f* apocada.

심연(深淵) ① [물이 깊은 못] estanque *m* profundo. ② [좀처럼 헤어나기 힘든 깊은 구렁] abismo *m*, sima *f*. 절망의 ~ abismo *m* desesperado, abismo *m* de desesperación.

심열(心熱) ① [마음으로 무엇을 바라는 열망(熱望)] deseo *m* ardiente. ~을 기울이다 concentrar *su* deseo ardiente. ② [울화로 생기는 열] fiebre *f* causada por la cólera [por la ira].

심열성복(心悅誠服) admiración *f* y devoción, obediencia *f* honrada. ~하다 sentir [tener] devoción [admiración], guardar respeto. 부하는 그에게 ~한다 Sus subordinados le idolata

심오하다(深奧－) (ser) profundo, hondo, esotérico, abstruso, recóndito. 심오한 연구(研究) estudios *mpl* recónditos. 심오한 원리(原理) principio *m* abstruso, principio *m* esotérico. 심오한 의미(意味) significado *m* profundo. 심오한 학문(學問) conocimientos *mpl* profundos.

심옹(心癰) 【의학】 absceso *m* en el pecho.

심와(心窩) 【해부】 ＝명치.

심외(心外) ＝뜻밖.

심우(心友) amigo, -ga *mf* congenial.

심우(深憂) gran ansiedad *f*, inquietud *f* profunda.

심원(心願) deseo *m* interior, deseo *m* sincero, sentido deseo *m*. ~하다 (ser) sincero, sentido. 나의 ~한 애도(哀悼) mi más sentido pésame. ~한 애도를 친구에게 표합니다 Doy mi más sentido pésame a *su* amigo.

심원(深苑) jardín *m* (*pl* jardines) aislado.

심원(深怨) rencor *m* profundamente arraigado.

심원하다(深遠－) (ser) profundo, abstruso, esotérico, hermético. 심원한 문제 cuestión *f* abstrusa. 심원한 철학(哲學) filosofía *f* esotérica, filosofía *f* hermética.

심육(心肉) ＝등심.

심음(心音) sonido *m* cardíaco. 태아(胎兒)의 ~ ruidos *mpl* del corazón fetal.

심의(心意) ＝마음. 생각. 심사(心思).

심의(深衣) americana *f* del sabio de grado alto.

심의(深意) intención *f* profunda, voluntad *f* profunda, sentido *m* profundo.

심의(審議) deliberación *f*, discusión *f*. ～하다 deliberar, discutir. ～ 중이다 estar bajo deliberación. ～를 거듭한 끝에 después de considerado detenidamente. 오래 ～한 후에 tras [después de] largas deliberaciones, tras [después de] una larta deliberación. 법안(法案)의 ～를 보류하다 dar carpetazo a un proyecto de ley, diferir indefinidamente. 그 건(件)을 ～에 부치다 remitir el asunto a la sesión. 이런 의제(議題)들이 ～ 중이다 Estos proyectos están sobre el tapete [en estudio · discutiéndose]. 이 법안(法案)은 ～가 보류되었다 Se ha suspendido la deliberación sobre este proyecto de ley.
■ ～권 derecho *m* de deliberar. ～ 위원회 consejo *m* deliberante. ～회 asamblea *f* deliberante.

심이(心耳) 【해부】 aurícula *f* (del corazón).
◆ 우(右)～ aurícula *f* derecha. 좌(左)～ aurícula *f* izquierda.

심인(尋人) persona *f* perdida, persona *f* que busca.

심잡음(心雜音) murmullo *m* cardíaco.

심장(心腸) interior *m* del corazón.

심장(心臟) ① 【해부】 corazón *m*. ～의 cardíaco, cardiaco. ～이 강하다 tener un corazón robusto. ～이 약하다 tener un corazón débil. ② [중심이 되는 가장 중요한 곳] corazón *m*, centro *m*. 국가 통치의 ～부(部) centro *m* del gobierno. 도시의 ～(부) corazón *m* de la ciudad. 한국 경제의 ～(부) centro *m* vital de la economía coreana. ③ ＝뱃심. ¶～이 강하다 (ser) audaz, impudente, descarado. 일하면서 꾸벅꾸벅 조는 것은 대단한 ～이다 ¡Qué audaz [cara] dar cabezadas durante el trabajo!
■ ～ 결석(結石) cardiolito *m*. ～경(鏡) cardioscopio *m*. ～ 경화증 cardiosclerosis *f*. ～계 cardiómetro *m*. ～ 계측기 cardiomensurador *m*. ～ 마비(痲痺) parálisis *f* de corazón, cardioplejía *f*. ～ 발육 부전(發育不全) atelocardia *f*. ～ 발작 ataque *m* de corazón. ～ 방사선 사진 cardioroentgenograma *m*. ～병(病) cardiopatía *f*, enfermedad *f* cardíaca, enfermedad *f* del corazón. ～병 전문 의사 cardiólogo, -ga *mf*. ～병 환자 cardíaco, -ca *mf*; cardiaco, -ca *mf*. ～부 corazón *m* (de una ciudad). ～ 비대 megacardia *f*. ～ 비대증 cardiomegalía *f*, hipertrofía *f* cardíaca. ～ 수축 miocardia *f*. ～염 carditis *f*. ～ 이식(移植) trasplante *m* [transplante *m*] de corazón, xenotrasplante *m*. ～ 절개(切開) cardiotomía *f*. ～ 절개 수술 operación *f* a corazón abierto. ～ 절개술 cardiectasia *f*. ～ 파열 cardiorrexis *f*, reventazón *f* del corazón. ～ 판막 válvula *f* cardíaca. ～ 판막염(瓣膜炎) cardiovalvulitis *f*. ～ 판막증 enfermedad *f* de la válvula cardiaca. ～ 팽창(膨脹) dilatación *f* del corazón. ～학(學) cardiología *f*. ～ 학자(學者) cardiólogo, -ga *mf*. ～형(形) forma *f* del corazón. ～ 확장 cardiectasis *f*.

심장하다(深長－) (ser) profundo, hondo. 의미(意味) ～ tener un sentido hondo, ser de significación profunda.

심재(心材) madera *f* de corazón, corazón *m* de tronco, cogollo *m* de tronco, duramen *m*.

심적(心的) mental *adj*. ～으로 mentalmente.
■ ～ 결함(缺陷) efecto *m* mental. ～ 과학 ciencia *f* mental. ～ 작용 acción *f* mental. ～ 포화(飽和) saturación *f* mental. ～ 피로(疲勞) fatiga *f* mental. ～ 현상 fenómeno *m* mental.

심전(心田) ＝심지(心地).

심전계(心電計) (electro)cardiógrafo *m*.

심전도(心電圖) electrocardiograma *m*. ～를 재다 hacer un electrocardiograma.

심정(心情) emoción *f*, sentimiento *m*, corazón *m*. ～을 헤아리다 presumir [sospechar] *su* sentimiento. 그의 ～은 헤아리고도 남는다 Comprendo de sobra sus sentimientos. 그의 행위는 ～적으로는 이해할 수 있다 Puedo comprender su acto en el plano sentimental.

심중(心中) *su* mente, *su* intención, *su* corazón. ～이 편안하지 않다 [불안] estar inquieto; [불만] estar descontento. 그는 격렬한 열정을 ～에 숨겨 두고 있다 En el corazón guarda encerrada una pasión ardiente. 당신의 고통스런 ～을 잘 이해합니다 Comprendo bien su penoso estado de ánimo.

심중하다(深重－) (ser) prudente, cauteloso, cauto, discreto.
심중히 prudentemente, cautelosamente, con prudencia, discretamente. 그는 ～ 문을 열었다 El abrió cautelosamente la puerta.

심증(心證) ① [인상(印象)] impresión *f*. ～을 해치다 dar una mala impresión. 그의 발언은 재판관의 ～을 나쁘게 했다 Sus palabras causaron una mala impresión al juez. ② 【법률】 [판사의 확신] convicción *f*, creencia *f* fuerte. ～을 갖다 tener la creencia firme. ～을 얻다 ganar la creencia hecha en confianza.

심지(心－) [양초나 등잔 · 석유 난로 따위에서, 불을 붙이게 된 물건] mecha *f*, torcida *f*. ～를 올리다 levantar la mecha. ～를 내리다 bajar la mecha. 석유램프의 ～를 자르다 alisar la mecha del quinqué.

심지(心地) natural *m*, corazón *m*, carácter *m*. ～가 곱다 (ser) bondadoso, de buen corazón, de buen carácter, de buen natural. ～가 상냥하다 ser de natural amable, ser de corazón (amable · generoso · manso). ～가 비열하다 ser de corazón vil.

심지(心志) mente *f*, intención *f*, voluntad *f*, propósito *m*.

심지어(甚至於) hasta, incluso. 그곳은 ～ 12월에도 더웠다 Allí hace calor hasta [incluso] en diciembre. ～는 어린이까지도 그 일은 할 수 있겠다 Hasta un niño lo podrá hacer. 그들은 ~ 주먹질까지 했다 Ellos dieron hasta puñetazos / Ellos dieron el golpe dado hasta con el puño.

심천(深淺) grado *m* de profundidad. ~을 재다 sondar, sondear.

심청(深靑) azul *m* oscuro.

심축(心祝) bendición *f* calurosa, felicidades *fpl* de verdad. ~하다 bendecir de todo corazón.

심취(心醉) entusiasmo *m*, adoración *f*, [일시적인] admiración *f* exagerada, apego *m*, afición *f* acérrima *f*. ~하다 entusiasmarse (por), prendarse (de), adorar (a・en), fascinarse (por), estar absorto (en), amar apasionadamente. 동양 문화(東洋文化)에 ~하다 fascinarse por civilización oriental. 그는 동끼호떼에 ~되어 있다 El admira [adora] al Quijote / El está entusiasmado con el Quijote.

▪ ~자(者) admirante *mf* (entusiasta); admirador, -dora *mf*, entusiasta *mf*, aficionado, -da *mf*.

심취(深醉) borrachera *f*, embriaguez *f*, borrachez *f*, ebriedad *f*, emborrachamiento *m*. ~하다 (estar) borracho, ebrio, emborrachado.

심층(深層) profundidades *fpl*, espesura *f*.

▪ ~ 구조 estructura *f* profunda. ~ 심리(心理) mentalidad *f* profunda. ~ 심리학 psicología *f* profunda.

심통(心―) mal corazón *m*. ~이 사납다 (ser) obstinado, terco, perverso.

심통(深痛) gran dolor *m*, gran pesadumbre *f*, gran tristeza *f*. ~하다 tener mucho dolor, doler*le* mucho *a uno*; estar muy triste.

심통하다(心痛―) dar pena, dar lástima, ser doloroso.

심판(審判) ① 【법률】 juicio *m*, decisión *f*, fallo *m*; [사람] juez *mf*. ~하다 juzgar. ~을 내리다 dar [emitir] un juicio (sobre). 법(法)의 ~을 받다 someterse a la justicia. ② [경기의 승패 등을 판정함, 또, 그 사람] arbitraje *m*; [사람] árbitro *mf*, *AmL* réferi *mf*, referé *mf*. ~하다 arbitrar, hacer de árbitro, ejecutar como árbitro. 시합의 ~을 하다 actuar [hacer] de árbitro en un partido. ~에게 항의하다 protestar al árbitro. ③ ((기독교)) juicio *m*. 최후의 ~ el Juicio Final. 최후의 ~의 날 el día del Juicio Final.

▪ ~관 juez *mf*, [운동의] árbitro *mf*, *AmL* réferi *mf*, referé *mf*. ~원 árbitro *mf*, *AmL* réferi *mf*, referé *mf*. ~의 날 ((기독교)) el día del Juicio Final. ~장 jefe *mf* de los árbitros.

심포니(영 *symphony*) 【음악】 sinfonía *f*.

▪ ~ 오케스트라 orquesta *f* sinfónica.

심포닉 재즈(영 *symphonic jazz*) 【음악】 jazz *m* sinfónico.

심포닉 포엠(영 *symphonic poem*) 【음악】 [교향시(交響詩)] poema *m* sinfónico.

심포지엄(영 *symposium*) simposio *m*.

심피(心皮) 【식물】 carpelo *m*.

심하다(甚―) (ser) extremo, enorme, extremado, intenso, intensísimo, severo, serio, violento, grave, excesivo, terrible, demasiado, duro, fuerte, pesado, grande, mucho, muchísimo, en gran manera. 심한 감기 resfriado *m* fuerte. 심한 경쟁 competencia *f* muy reñida. 심한 눈 nieve *f* fuerte. 심한 더위 calor *m* penetrante [severo・intensísimo]. 심한 비 lluvia *f* fuerte. 심한 손실 pérdida *f* pesada. 심한 오해 malentendido *m* serio. 심한 잘못 error *m* grave. 심한 차이 gran diferencia *f*. 심한 추위 frío *m* glacial. 심한 통증 dolor *m* agudo [severo・violento]. 심한 폭풍우 tormenta *f* violenta. 여드름이 심하게 난 소년 chico *m* con mucho acné. 심한 타격을 받다 recibir un golpe duro. 심한 비다 / 비가 ~ Llueve a cántaros [a mares・torrencialmente]. 내 아내는 무척 심한 감기에 걸렸다 Mi esposa tiene un resfriado muy fuerte. 그는 기침이 ~ El tiene mucha tos. 그 소년은 말을 심하게 더듬는다 El chico tartamudea mucho. 심히 muy, mucho, muchísimo, extremamente, enormemente, intensamente, severamente, seriamente, violentamente, gravemente, excesivamente, terriblemente, demasiado, duramente, fuertemente, pesadamente, profundamente. ~ 괴로워하다 sufrir profundamente (por). ~ 마시다 beber mucho. ~ 피우다 fumar mucho. 그것은 ~ 유감이다 Eso es extremamente lamentable. 그는 무척 ~ 잔다 El tiene el sueño pesado / El duerme muy profundamente.

심해(深海) grandes profundidades *fpl* marinas, mar *m* profundo, abismo *m*, sima *f*, gran profundidad *f*. ~의 abismal, perteneciente al abismo, de las profundidades (marinas). ~를 측량하다 descender a las profundidades el mar.

▪ ~ 구조 작업 (救助作業) operación *f* de rescate, operación *f* de salvamento. ~ 동물 fauna *f* abismal. ~ 동식물 la fauna y la flora abismales. ~ 서식 동물 fauna *f* abismal. ~선 cable *m* submarino para las profundidades marinas. ~ 성층(成層) capa *f* abismal. ~ 수도(水道) valle *m* de poca profundidad en el abismo. ~ 식물 flora *f* abismal. ~어 pez *m* (*pl* peces) abismal, pez *m* pelágico. ~ 어업 pesca *f* de altura. ~저(底) fondo *m* del mar fuera de la plataforma continental. ~ 측연(測鉛) plomo *m* abismal. ~ 측정[측심] sondeo *m* de altura. ~ 측정기[측심기] batímetro *m*.

심혈(心血) ① [심장의 피] sangre *f* del corazón. ② [가지고 있는 최대의 힘] vitalidad *f*, energía *f*. ~을 기울이다 poner toda *su* energía (a), poner toda *su* alma (en), dedicarse (a *algo*) con todo el corazón, proponer toda *su* energía, consagrar- se (a). 연구(硏究)에 ~을 기울이다 dedicarse a *sus* estudios con todo el corazoón, poner toda *su* energía a los estudios.

심혈(深穴) agujero *m* profundo.

심협(深峽) aldehuela *f*.

심혜(深慧) sabiduría *f* profunda, inteligencia *f* profunda.
심호흡(深呼吸) respiración *f* profunda. ~을 하다 respirar profundamente. 매일 아침 ~을 하십시오 Practique la respiración profunda todas las mañanas.
심혼(心魂) *su* corazón, *su* alma. ~을 기울이다 conmover (a *uno*) el alma.
심홍(深紅) carmesí *m*. ~의 carmesí. ~색 드레스 vestido *m* carmesí.
심화(心火) ① [마음속에 일어나는 울화] cólera *f*, ira *f*, pasión *f*. ~를 끓이다 tomarse de la cólera, temblar de cólera, arder de cólera. ② [마음속의 울화로 가슴이 답답하고 몸에 열이 나는 병(病)] enfermedad *f* causada por la cólera reprimida.
■ ~병(病) =심화(心火)❷.
심화(深化) ¶~의 cada vez más profundo. ~하다 [우물·수로 등을] hacer más profundo [hondo]; [지식·이해력을] profundizar (en), ahondar (en); [동정심·관심을] aumentar; [우정을] estrechar; [목소리를] hacer más grave; [색깔을] intensificar. ~되다 hacerse [volverse] más profundo [hondo].
심황(一黃)【식물】cúrcuma *f*, azafrán *m* de las Indias.
심황(深黃) color *m* azafrán. ~의 color azafrán.
심회(心懷) pensamiento *m* del corazón, mente *f*, corazón *m*.
심후하다(深厚一) (ser) profundo, hondo.
심흉막염(心胸膜炎)【의학】pleuropericarditis *f*.
심흑(深黑) negro *m* intenso [subido].
십(十) diez. ~ 명(名) diez personas. ~ 일(日) [열흘] el diez; [열흘간] diez días. 시월 ~일 el diez de octubre. ~ 세기(世紀) diez siglos; [열 번째] décimo siglo, siglo diez. 제 ~(의) décimo *m*.
십각형(十角形)【수학】decágono *m*. ~의 decagonal.
십간(十干)【민속】*sibgan*, diez signos en el calendario lunar.
십걸(十傑) diez personas sobresalientes, diez mejores personas.
십계(十戒) ① ((불교)) diez prohibiciones. ② ((준말)) =십중금계(十重禁戒).
십계(十誡) ((준말)) ((기독교)) =십계명.
십계명(十誡命) ((기독교)) el Decálogo, las Tablas de la Ley, los Diez Mandamientos.
십구(十九) diez y nueve, diecinueve. 제 ~(의) decimonoveno, decimonono. ~ 일(日) [달의] el diecinueve, el diez y nueve; [기간] diecinueve días, diez y nueve días.
십구공탄(十九孔炭) briqueta f con diecinueve agujeros.
십 년(十年) diez años. ~마다 cada diez años. ~을 하루 같이 diez años como un día, constantemente. 그는 ~을 하루 같은 말을 하다 El sigue repitiendo lo mismo como si hubiera parado el tiempo. ~이면 강산도 변한다 Diez años es una época.
■십 년 세도 없고 열흘 붉은 꽃 없다 ((속담)) La riqueza no continúa mucho tiempo / La flor de la belleza es poco duradera.
십년감수(十年減壽) ¶그녀는 ~다 Ella está que se muere de miedo / Ella está con un miedo / Ella está con un susto que se muere.
십년일득(十年一得) un éxito en diez años.
십년지계(十年之計) política *f* con visión de futuro.
십년지기(十年知己) viejo amigo *m*, vieja amiga *f*.
십 대(十代) ① [열 번째의 대(代)] décima generación *f*. ② [10세에서 19세까지의 소년·소녀의 시대] adolescencia *f*. ~의 [소년·소녀·아들·딸] adolescente, que no llega a los veinte años; [패션] juvenil, para adolescentes. ~에 en la adolescencia. ~(의 소년 소녀)들 adolescentes *mpl*, chicos *mpl* jóvenes. ~의 소녀들 chicas *fpl* jóvenes. ~의 우상(偶像) un ídolo de los adolescentes. 그 소년은 ~ 초반이었을 것이다 El chico tendría unos trece o catorce años. 그 소녀는 ~ 후반(後半)이다 La chica tiene unos dieciocho o diecinueve años.
십 리(十里) diez *ri*, cuatro kilómetros.
◆십 리 반찬을 한다 preparar la comida del sabor extraordinario.
십만(十萬) cien mil. ~ 번째(의) cienmilésimo. 수 ~ 명(名) cientos de miles de personas.
십분(十分) bastante, suficientemente. ~ 유의하다 prestar atención suficientemente.
십사(十四) catorce. ~일(日) el catorce. ~일간 (por) catorce días.
십사금(十四金) catorce quilates de oro.
십삼(十三) trece. ~일(日) [열사흘] el trece; [열사흘 동안] trece días. 7월 ~일 el trece de julio.
십상 ① [썩 잘 된 일이나 물건을 두고 이르는 말] admirable, perfecto, ideal. 하이킹 날씨로는 ~이다 Es un día ideal para el excursionismo. ② [꼭 맞게·썩 잘 어울리게] admirablemente, a juego, haciendo juego. 재떨이로 쓰기엔 ~ 좋다 Hace juego con la cenicera admirable.
십상팔구(十常八九) diez por uno, muy probablemente, ocho o nueve entre diez, casi todos, casi completamente, prácticamente. 일은 ~ 끝났다 La obra está casi terminada / La obra está para terminar. 학생들은 ~ 출석하고 있다 Prácticamente todos los estudiantes asisten. ~ 그는 약속을 지키지 않으리라 내기를 걸겠다 Apuesto diez contra uno a que él no cumple su palabra.
십생구사(十生九死) =구사일생(九死一生).
십시일반(十匙一飯) Es fácil ayudar a uno en caso de que muchos se unan.
십억(十億) mil millones.
십여(十餘) unos diez. ~ 명(名) unas diez personas.
십오(十五) quince. ~ 일(日) [열닷새] el quince; [열닷새 동안] quince días. 제 ~(의)

decimoquinto.

십오야(十五夜) noche *f* del quince del calendario lunar, noche *f* de la luna llena, noche *f* de plenilunio. ~의 달 luna *f* llena de agosto. ~ 밝은 달 luna *f* brillante en su decimoquinto día.

십육(十六) diez y seis, dieciséis. ~ 일(日) [열엿새] el dieciséis; [십육 일간] dieciséis días. ▪~밀리 영화(映畫) película *f* de dieciséis milímetros. ~방위(方位) dieciséis direcciones.

십육분쉼표(十六分一標) 【음악】 pausa *f* semicorchea.

십육분음표(十六分音標) 【음악】 semicorchea *f*.

십육분휴지부(十六分休止符) 【음악】 =십육분쉼표.

십이(十二) doce. ~ 일(日) [열이틀] el doce; [열이틀 동안] doce días. 12월 ~ 일 el doce de diciembre.
▪~지(支) 【민속】 doce signos horarios, Doce Ramas de la Tierra.

십이각형(十二角形) 【수학】 dodecágono *m*.

십이궁(十二宮) 【천문】 constelaciones *fpl* zodiacales, signos *mpl* del zodíaco: Acuario 보병궁, Piscis 쌍어궁, Aries 백양궁, Tauro 금우궁, Géminis 쌍자궁, Cáncer 거해궁, Leo 사자궁, Virgo 처녀궁, Libra 천칭궁, Escorpión 전갈궁, Sagitario 인마궁, y Capricordio 마갈궁.
▪~도(圖) horóscopo *m*.

십이면체(十二面體) 【수학】 dodecaedro *m*.

십이 사도(十二使徒) ((기독교)) doce apóstoles.

십이 성좌(十二星座) 【천문】 signos *mpl* del zodíaco: Aries 양자리, Tauro 황소자리, Géminis 쌍둥이자리, Cáncer 게자리, Leo 사자자리, Virgo 처녀자리, Libra 저울자리, Escorpión 전갈자리, Sagitario 궁수(弓手)자리, Capriconio 염소자리, Acuario 물병자리, y Piscis 물고기자리.

십이월(十二月) diciembre *m*. ~ 11일 el once de diciembre.

십이음 기법(十二音技法) 【음악】 dodecafonismo *m*.

십이음 음악(十二音音樂) 【음악】 dodecafonía *f*, música *f* dodecafónica.

십이 음절(十二音節) dodecasílaba *f*.

십이 제자(十二弟子) ((기독교)) doce discípulos.

십이지(十二支) doce signos zodiacal: rata 쥐, toro 황소, tigre 범, conejo 토끼, dragón 용, serpiente 뱀, caballo 말, oveja 양, mono 원숭이, gallo 닭, perro 개 y jabalí 멧돼지.
▪~도(圖) horóscopo *m*.

십이지장(十二指腸) 【해부】 duodeno *m*. ~의 duodenal.
▪~ 궤양(潰瘍) úlcera *f* duodenal. ~염(炎) duodenitis *f*. ~ 절개 duodenotomía *f*. ~ 절제술 duodenectomía *f*. ~충 anquilostoma *m*, anquiloestomasia *f* duodenal, lombriz *f* intestinal. ~충병 anquilostomiasis *f*.

십이 진법(十二進法) numeración *f* de base doce.

십인십색(十人十色) Cuantos hombres, tantos pareceres / Cien cabezas, cien sentencias / Todos más hombres, cuantas más divergencias / Cada uno tiene su mérito.

십일(十一) once. 제 ~(의) undécimo. ~ 일(日) el once. ~ 일간 (por) once días.

십 일(十日) ① [열흘] diez días. ~ 동안 머무르다 quedarse (por) diez días. ② [열흘날] el diez. 6월 ~ el diez de junio.

십일세(十一稅) =십일조(十一租)❶.

십일월(十一月) noviembre *m*. ~ 1일 el primero de noviembre. ~ 말일 el último día de noviembre.

십일조(十一租) ① 【역사】 [중세 유럽 교회가 교구민에게 징수한 세] diezmo *m*. ② ((기독교)) diezmo *m*. ~를 교회(敎會)에 내다 diezmar, pagar el diezmo a la iglesia. ~를 내는 사람 diezmero, -ra *mf*.

십일조(十一條) 【역사】 un décimo.

십자(十字) cruz *f* (*pl* cruces). ~로 de través, al través, en cruz. ~를 긋다 hacer la señal de la cruz, hacer la cruz, trazar la cruz; [자신의 몸에] santiguarse, hacerse la cruz, trazar cruces sobre *su* pecho.

십자가(十字架) ((성경)) cruz *f*.
◆십자가를 지다 encargarse de *su* cruz, encargarse de la dificultad. 십자가에 못 박게 하다 ((성경)) crucificar. 십자가에 못 박다 ((성경)) crucificar, clavar [fijar] en la cruz. 십자가에 못 박히다 ((성경)) ser crucificado. 십자가에 못 박히신 나사렛 예수 ((성경)) Jesús nazareno, el que fue crucificado, Jesús de Nazaret, el que fue crucificado.

십자가상(十字架像) crucifijo *m*, cruz *f*, efigie *f* de Cristo crucificado.

십자과(一科) 【식물】 crucíferas *fpl*.

십자군(十字軍) Cruzada *f*.
▪~ 병사(兵士) cruzado *m*.

십자꽃(十字一) 【식물】 flor *f* crucífera.

십자 대훈장(十字大勳章) la Gran Cruz de la Orden.

십자로(十字路) encrucijada *f*, cruce *m*. ~에서 왼쪽으로 꺾어지다 doblar [torcer] a la izquierda en el cruce. ~에서 오른쪽으로 꺾어지십시오 Doble [Tuerza] a la derecha en el cruce.

십자말풀이(十字一) crucigrama *m*, *CoS* palabras *fpl* cruzadas, *Chi* puzzle *ing.m*.

십자매(十姉妹) 【조류】 bengalí *m*, uroloncha *f* doméstica, periquito *m*.

십자 절개(十字切開) incisión *f* crucial.

십자좌(十字座) 【천문】 =남십자자리.

십자 포화(十字砲火) fuego *m* cruzado.

십자표(十字表) cruz *f* (*pl* cruces).

십자형(十字形) cruz *f*, forma *f* de la cruz. ~의 crucial, cruciforme.

십자형 꽃부리(十字形一) 【식물】 corola *f* cruciforme.

십자형 화관(十字形花冠) 【식물】 =십자형 꽃부리.

십자화(十字火) =십자 포화(十字砲火).
십자화(十字花) 【식물】 =십자꽃.
십자화과(十字花科) ¶~의 crucífero.
■ ~ 식물 crucíferas *fpl*.
십자 화관(十字花冠) ((준말)) =십자형 화관.
십자 훈장(十字勳章) Cruz *f* de la Orden.
십장(什長) ① [인부의 감독·두목] capataz *m* (*pl* capataces). ② 【역사】 jefe *m* de diez soldados.
십장생(十長生) diez cosas de la vida eternal: sol 해, montaña 산(山), agua 물, piedra 돌, nube 구름, pino 소나무, hierba de juventud eternal 불로초(不老草), tortuga 거북, grulla 학(鶴), y ciervo 사슴.
십종 경기(十種競技) decatlón *m*.
십중팔구(十中八九) diez por uno. ☞십상팔구(十常八九).
십지(十指) diez dedos.
십진급수(十進級數) 【수학】 escala *f* decimal.
십진법(十進法) [수의] numeración *f* decimal; [도량형의] sistema *m* decimal.
십진 분류법(十進分類法) clasificación *f* decimal.
십진수(十進數) 【수학】 número *m* decimal.
십철(十哲) diez grandes discípulos de Confucio.
십칠(十七) diez y siete, diecisiete. 제 ~(의) decimoséptimo. ~ 일(日) el diecisiete. ~ 일간(日間) (por) diecisiete días.
십팔(十八) diez y ocho, dieciocho. ~ 일(日) el dieciocho. ~ 일간(日間) (por) dieciocho días. ~ 년(年) dieciocho años.
십팔금(十八金) dieciocho quilates de oro.
십팔기(十八技) dieciocho artes marciales.
십팔반 무예(十八般武藝) =십팔기(十八技).
싯누렇다 (ser) amarillo vivo.
싯누레지다 convertirse en amarillo vivo.
싯뻘겋다 (ser) vivamente rojo.
싯퍼렇다 =시퍼렇다.
싯허옇다 (ser) blanquísimo.
싱가포르 【지명】 Singapur. ~의 singapurense. ~ 사람 singapurense *mf*.
싱건김치 *singgeonkimchi*, *kimchi* de rábanos poco salado, *kimchi* del sabor algo desabrido.
싱건지(-漬) =싱건김치.
싱겁다 ① [짜지 않다] (ser) desabrido, soso, insípido, poco salado. 맛을 싱겁게 하다 hacer suave [ligero] el sabor. 이 올리브는 ~ Esta aceituna está poco salada. 국(의 맛)이 ~ La sopa está sosa / La sopa está poco condimentada / La sopa no tiene suficiente sabor. 맛이 ~ [국이] Es un aguachirle // [커피가] Sabe a chicoria / *CoS* Tiene gusto a jugo de paraguas / *Méj Tiene gusto a té de calcetín.* ② [술맛이 독하지 않다] (ser) suave; [물을 탄] aguado, insípico, flojo. 싱거운 술 vino *m* flojo. 맥주가 ~ La cerveza es suave. ③ [언행이 멋쩍다] (ser) rápido, sin personalidad, flojo, endeble, aburrido, tedioso. 싱거운 사람 persona *f* sin personalidad. 싱거운 결말(結末) desenlace *m* rápido; [예상외의] desenlace *m* inesperado. 싱겁게 지다 perder demasiado fácilmente, ser derrotado demasiado fácilmente. ④ [체격이 어울리지 아니하다] (ser) inconveniente, inadecuado, impropiado, impropio. 싱겁게 키만 크다 ser sólo alto inadecuadamente.
싱겅싱겅하다 (estar) frío.
싱그럽다 (ser) fresco y fragante. 싱그러운 5월의 신록 verdor *m* fresco y fragante de mayo.
싱그레 sonriendo ligeramente.
싱글(영 *single*) ① [한 개. 단일] solo, sola. ② ((테니스·탁구)) individuales *mpl*, *AmL* singles *mpl*. 남자 ~ individuales *mpl* masculinos, *AmL* individuales *mpl* de caballeros. 여자 ~ individuales *mpl* femeninos, *AmL* individuales *mpl* de damas. ③ [남자 양복의 섶이 좁은 것] single *ing.m*. ④ ((골프)) individual *ing.m*, simple *ing.m*. ⑤ ((속어)) =독신(獨身) (soltero, soltera). ¶그이는 아직 ~이라더라 Se dice que él es soltero todavía. ⑥ ((야구)) sencillo *m*. ⑦ ((크리켓)) tanto *m*. ⑧ 【음악】 single *m*, (disco *m*) sencillo *m*. 7인치 ~ single. 12 인치 ~ maxi-single. ⑨ ((준말)) =싱글 베드. ⑩ ((준말)) =싱글 히트. ⑪ [1인용 방] (habitación *f*) individual *f*, (habitación *f*) sencilla *f*.
■ ~ 룸 [1인용 방] (habitación *f*) individual *f*, (habitación *f*) sencilla *f*. ~베드 cama *f* individual, cama *f* sencilla. ~ 히트 [일루타] sencillo *m*.
싱글거리다 sonreír. 싱글거리면서 con una sonrisa, con una sonrisa radiante.
싱글벙글 con una sonrisa, con una sonrisa radiante, con una cara [un rostro] sonriente. ~하다 sonreír, sonreír felizmente, estar radiante de alegría, poner (la) cara risueña, reír entre dientes. ~ 웃는 얼굴 cara *f* [rostro *m*] sonriente.
싱글싱글 =싱글벙글.
싱긋거리다 seguir guiñando simpáticamente.
싱긋벙긋 guiñando continuamente, siguiendo guiñando.
싱긋싱긋 =싱긋벙긋.
싱긋이 siguiendo guiñando.
싱끗거리다 =싱긋거리다.
싱끗빙끗 =싱긋벙긋.
싱끗싱끗 =싱긋벙긋.
싱끗이 siguiendo guiñando.
싱둥싱둥하다 (ser) fuerte como un roble, fuerte con una salud de hierro.
싱둥하다 (ser) animado, lleno de vida, vivo.
싱숭생숭 ¶~하다 ponerse inquieto.
싱싱하다 (ser) fresco, nuevo, vivo, lleno de vida. 싱싱한 과일 fruta *f* fresca. 싱싱한 야채 verduras *fpl* frescas. 오늘 아침 생선은 ~ El pescado es fresco esta mañana.
싱어(영 *singer*) [가수] cantante *mf*.
싱크대(sink 臺) fragadero *m*, *Andes*, *Méj* lavaplatos *m.sing.pl*, *RPI* pileta *f*.
싱크로나이즈(영 *synchronize*) ① =동시 녹음(同時錄音). ② 【사진】 sincronización *f*.

싱크로나이즈드 스위밍 [수중 발레] natación *f* sincronizada, *Méj* nado *m* sincronizado.
싱크로트론(영 *synchrotron*) 【물리】 sincrotrón *m.*
싱크 탱크(영 *sink tank*) [두뇌 집단] gabinete *m* estratégico, comité *m* asesor.
싶다 desear [querer · tener ganas de] + *inf* [que + *subj*]. …하고 싶어 미치다 [죽다] tener grandes deseos de + *inf*, tener ganas enormes de + *inf*, morirse de ganas de + *inf.* 나는 …하고 ~ Yo quiero [deseo] + *inf* / Me gusta [gustan · gustaría] +「명사」. 당신과 함께 가고 ~ Me gustaría ir con usted / Quiero [Deseo] ir con usted. 그녀를 만나고 ~ ¡Quisiera verla a ella! 난 아르헨띠나에 가고 ~ Deseo [Quiero] ir a la Argentina. 당신과 결혼하고 싶소 Quiero casarme contigo. 하이킹 가고 ~ Me gustaría ir de excursión. 나는 학교에 가고 싶지 않다 No quiero ir a la escuela. 당신에게 한 가지 이야기하고 ~ Quiero decirle una cosa a usted. 무엇을 먹고 싶습니까? ¿Qué le apetece comer? / [tú에게] ¿Qué te apetece comer? 당신을 만나고 싶었습니다만 (만나지 못했습니다) Hubiera querido verte. 나는 그것을 사고 싶었다 Me vino [entró] el deseo de comprarlo / Quise comprarlo. 당신 하고 싶은 대로 하시오 [tú에게] Haz como quieras / Haz como te venga en gana.
-싶다 parecer. 비가 올 성~ Parece que va a llover.
싶어 하다 desear [querer · tener ganas de] + inf. 너는 무엇을 먹고 싶어 하느냐? ¿Qué te apetece comer? 네가 하고 싶어 하는 대로 해라 Haz como quieras / Haz como te venga en gana. 그녀는 나를 만나고 싶어 한다 Ella quiere verme. 그녀는 어머니를 만나고 싶어 한다 Ella desea ver a su madre. 그 아이는 학교에 가고 싶어 하지 않는다 El niño no quiere ir a la escuela.
싸각거리다 =사각거리다.
싸개 ① [물건을 싸는 종이나 헝겊] envoltorio *m*, envoltura *f*, funda *f*; [책이나 신문의] faja *f*; [종이] papel *m* de envolver; [선물용] papel *m* de regalo. ② ((준말)) =싸개통. ③ ((준말)) =갓싸개.
싸개장이(-匠-) tapicero, -ra *mf.*
싸개질 tapizado *m.*
싸개통 confusión *f*, barullo *m*, desorden *m*, ruido *m*, rebatiña *f.*
싸고돌다 proteger, salvaguardar, apoyar, amparar, no abandonar. 아들을 ~ proteger a *su* hijo.
싸구려 ① [장사치가 손님을 끌려고 싸다는 뜻으로 외치는 일] ¡Barato! ② [매우 값이 싼 물건] artículo *m* barato, artículo *m* de precio bajo, baratura *f*, hojarasca *f*, oropel *m*, relumbrón *m.* ~로 a bajo precio, por una nonada. ~ 같은 de aspecto barato [mezquino]. ~로 팔아 치우다 malvender. 이 그림은 ~다 Es un cuadro barato. ③ [값없는 낮은 물건] artículo *m* de mala calidad y de bajo precio.
■ ~ 물건 artículo *m* de pocotilla. ~ 소설 novela *f* mediocre, novelucha *f.* ~ 시장 mercado *m* barato. ~ 여인숙 fonda *f* barata. ~ 장난감 juguete *m* de pocotilla. ~ 집 casa *f* barata. ~ 책 libro *m* soldado.
싸구려판 venta *f* de regatear. 바나나의 ~을 벌리다 vender plátanos regateando su precio en un puesto callejero.
싸느랗다 ① [날씨가 쌀쌀하게 차다] hacer un poco de frío. ② [차가우리만큼 싸늘하다] ser algo frío. 손이 ~ Las manos son algo fríos. ③ [마음속에 찬 기운이 일어나는 것 같은 느낌이 있다] ser frío. 싸느란 표정 expresión *f* fría.
싸늘하다 ① [날씨 같은 것이 매우 산산하고 좀 추운 느낌이 있다] hacer (un poco de) frío. 싸늘한 겨울 날씨 tiempo *m* frío de invierno. ② [시체 같은 것이 찬 느낌을 주다] estar frío (como un cadáver). 시체는 벌써 싸늘해졌다 El cadáver ya está frío. ③ [마음속에 차가운 기운이 돌다] ser frío. 어딘가 싸늘한 분위기 una atmosfera *f* fría.
싸다¹ ① [보자기나 종이 등으로 물건을 넣고 보이지 않게 하다] envolver; [짐을 꾸리다] empaquetar, embalar, hacer la maleta; [덮다] cubrir; [자기의 몸을] envolverse. 종이로 싼 물건 objeto *m* [bulto *m*] envuelto en papel. 종이에 ~ envolver en papel. 모포로 몸을 ~ taparse [cubrirse] con una manta, envolverse en una manta. 아기를 모포에 ~ envolver al niño con [en · entre] mantas. 깨지기 쉬운 상품을 ~ embalar una mercancía frágil. 싸 드릴까요? ¿Quiere que se lo envuelva? / ¿Se lo envuelvo? 그것을 싸 주십시오 Envuélvamelo. 선물용으로 싸 주실 수 있겠습니까? ¿Me lo puede envolve para regalo? 나는 책을 종이로 쌌다 Envolví el libro con papel. 상품들은 선적용으로 싸져 있다 Las mercancías están embaladas y listas para ser despachadas. 나는 옷을 싸고 떠났다 Hice la maleta [*RPI* la valija] y me fui / *AmL* Empaqué (mi ropa) y me fui. 그녀는 밍크코트로 몸을 싸고 들어왔다 Ella entró envuelta en un abrigo de visón. 그녀는 모포로 몸을 싸고 잤다 Ella se envolvió en la manta y se durmió. 칫솔을 쌌느냐? ¿Llevas el cepillo de dientes? 그녀는 직장에 가지고 가려고 점심을 싼다 Ella se lleva el almuerzo [la comida] al trabajo. 나는 트렁크에 겨울옷을 쌌다 Yo guardé la ropa de invierno en un baúl. 내 아내는 아이의 점심을 쌌다 Mi esposa preparó la comida [el almuerzo] de los niños (para llevar al colegio). ② [보살펴 두둔하다. 감싸다] proteger, ayudar, amparar.
싸다² [불씨를 꾸러미 속에 넣어 지를 자리를 놓다] arder rápido. 불이 ~ El fuego arde intensamente.
싸다³ [똥 · 오줌 등을 급하게 누다] [똥을] excrementar, deponer los excrementos, excretar; [오줌을] orinar(se), hacer pipí

[pis], ir a hacer pipí [pis]; ((속어)) mear.

싸다[4] ① [입이 가볍다] (ser) frívolo, poco serio. 입이 싼 사람 persona *f* con mucha labia. 계집애가 입이 ~ La chica es frívola. ② [걸음이 빠르다] (ser) veloz, rápido, de pies ligeros. 싸게 걷다 andar velozmente [rápidamente · con rapidez]. ③ [물레 같은 것이 재빠르게 돌다] girar rápido. 싸게도 돈다 girar muy rápidamente. ④ [불꽃이 세다] (ser) fuerte. 싼 불로 끓이다 hervir a fuego fuerte. ⑤ [성질 같은 것이 곧고 굳세다] (ser) vigoroso, fuerte, firme. 성깔이 너무 ~ Su temperamento es demasiado irritable.

싸다[5] [물건 값이 마땅한 값보다 적다] (ser) barato, económico, de bajo precio, de precio reducido. 싸게, 싼값으로 barato, a bajo precio; [옷 · 식사 · 생활 따위를] con poco dinero, económicamente, a lo barato. (이자가) 싼 돈 dinero *m* barato, dinero *m* a bajo interés. 싼 물건 artículo *m* barato, artículo *m* de precio bajo, baratura *f*. 싼 호텔 hotel *m* económico. 싸게 하다 hacerse barato. 싸게 먹히다 salir barato, resultar económico. 싸게 사다 comprar a bajo precio, comprar barato. 싸게 팔다 vender a bajo precio, vender barato. 싸게 구하다 conseguir barato. 그것은 매우 ~ Es muy barato. 그 값이면 ~ A ese precio es barato / A ese precio resulta económico. 나는 그것을 싸게 샀다 [팔았다 · 구했다] Lo compré [vendí · conseguí] barato [a bajo precio]. 이 가게는 싸게 판다 Se compra barato con esta tienda. 이곳은 생활비가 ~ La vida es [está] barata aquí. 그녀는 싸게 살고 있다 Ella vive con poco dinero [a lo barato]. 그는 싸게 여행한다 El viaja con poco dinero [a lo barato]. 집은 싸게 팔리고 있었다 La casa se vendía barato. 여행은 생각했던 것만큼 싸지 않았다 El viaje no costó tan barato como pensaba. 창고 정리 판매에서 나는 그것들을 정말 싸게 구입했다 Las compré baratísimas en una liquidación. 결국 나는 그 차를 아주 싸게 샀다 Al final, el coche me salió baratísimo. 그 상점에서는 물건들이 아주 ~ En esa tienda venden muy barato. 시장에서는 물건을 더 싸게 구할 수 있다 Se compra más barato en el mercado.
■ 싼 것이 비지떡 ((속담)) Lo barato sale caro / Lo barato resulta caro, y lo caro barato.

싸다니다 ir de aquí para allá, trajinar, andar de un sitio a otro, moverse mucho, corretear, andar dando vueltas, andar de un lado para otro, correr de un lado para otro, correr de acá para allá, vagabundear, errar, vagar; [분주하다] ajetrearse, afanarse; [서성거리다] callejear, pasearse; [외출하다] salir. 자금을 모금하기 위해 ~ ajetrearse para [afanarse en [por] · atarearse en] reunir fondos. 운동장을 ~ corretear por el campo de deportes. 아이들이 정원을 싸다니고 있다 Los niños están correteando por el jardín. 나는 어제 온종일 미친 사람처럼 싸다녔다 Yo anduve todo el día dando vueltas [de un lado para otro] como un loco. 이렇게 늦게까지 어딜 싸다녔느냐? ¿Dónde has estado vagabundeando hasta tan tarde? 그녀는 늘 싸다닌다 Ella no para en casa / Ella siempre está callejeando.

싸데려가다 La parte del novio provee todas las expensas nupciales [de boda · de matrimonio].

싸라기 ① [쌀의 부스러기] arroz *m* medio triturado. ② ((준말)) =싸리기눈.
■ ~눈 bolita *f* de nieve, granizo *m*.

싸리 【식물】 =싸리나무.
■ ~문(門) puerta *f* de trébol de arbusto. ~비 escoba *f* de trébol de arbusto.

싸리나무 【식물】 trébol *m* de arbusto.

싸리버섯 【식물】 seta *f* comestible.

싸리철(-鐵) lingote *m*.

싸매다 (envolver y) atar, amarrar.

싸목싸목 lenta y [pero] constantemente.

싸바르다 aplicar pegamento (a), aplicar cola (a), pegar todo.

싸부렁거리다 ((센말)) =사부랑거리다.

싸부렁대다 =싸부렁거리다.

싸부렁싸부렁 ((센말)) =사부랑사부랑.

싸우다 ① [말이나 힘으로 상대를 이기려고 다투다] pelearse, discutir, reñir, disputar. 싸울 여지가 없는 indisputable, incontestable. 걸핏하면 싸우려 드는 (사람) pendenciero, -ra *mf*; camorrero, -ra *mf*; camorrista *mf*. A와 ~ pelearse con A. A와 유산(遺産) 때문에 ~ disputar con A por la herencia. 금방 싸울 듯이 덤벼들다 ponerse agresivo [provocativo · provocador]. 그들은 누구 차례인가를 놓고 싸우고 있었다 Ellos estaban discutiendo [se estaban peleando] sobre a quién le tocaba. 그는 상속 문제로 가족과 싸웠다 El riñó [se peleó] con su familia por cuestiones de herencia. 그는 사소한 일로 형과 심하게 싸웠다 El riñó terriblemente con su hermano por una insignificancia. 그들은 싸우고 헤어졌다 Ellos se separaron por una pelea. 두 사람은 사소한 일로 늘 싸운다 Los dos se pelean [riñen] siempre por cosas de poca importancia. ② [전쟁하다] hacer la guerra; [전투하다] librar batalla, combatir, luchar. 침략자와 ~ luchar contra los agresores. ③ [장애 · 곤란 등을 극복하려고 하다] luchar; [경쟁하다] competir. …을 위해 ~ luchar por *algo*. …에 반대해 ~ luchar contra *algo*. 계속 ~ seguir [continuar] luchando [combatiendo], luchar [combatir] continuamente. 자유를 쟁취하기 위해 ~ luchar por la libertad. 평화를 위해 ~ luchar por la paz. 한파(寒波)와 ~ luchar contra el frío. 편견(偏見)과 ~ luchar contra el prejuicio. 법정(法廷)에서 ~ recurrir a la justicia, ir a los tribunales. 가난과 싸워가며 공부하다 estudiar luchando contra la pobreza.

싸울아비 =무사(武士).

싸움 ① [언쟁. 불화] riña *f*, pelea *f*, reyerta *f*, pleito *m*, querella *f*, camorra *f*, discordia *f*, disensión *f*, desafío *m*; [분쟁] disturbio *m*, conflicto *m*. ~을 하다 reñir, pelearse, disputar, discutir; [분쟁을 일으키다] causar problemas, armar líos. ~을 걸다 buscar pelea, buscar pleito, buscar camorra, desafiar, buscar las cosquillas. ~을 받아들이다 aceptar el desafío [el veto] (de), recoger el guante (de), salir a la demanda (de). A와 ~을 하다 pelearse con A. ~을 시작하다 empezar a pelearse, empezar a darse puñetazos, venir a las manos. ~이 일어났다 Se produció una pelea / Estalló [Ocurrió] una lucha. 그는 누구에게나 ~을 건다 El es un hombre que busca siempre camorra. 부모들이 아이들의 ~에 끼어들었다 Los padres se metieron en las peleas de sus hijos. 그들은 상속권 문제로 ~을 했다 Ellos se pelearon por la herencia. 그는 상속권 문제로 가족과 ~을 했다 El riñó [se peleó] con su familia por cuestiones de herencia. 그들은 누구의 차례인가로 ~을 하고 있었다 Ellos se estaban peleando [estaban discutiendo] sobre a quién le tocaba. 어젯밤 시내에서는 ~이 있었다 Hubo disturbios en la ciudad anoche. 네가 ~을 원하면 나는 준비가 되었다 Si quieres pelea [Si quieres pelear], aquí estoy.
② [전쟁] guerra *f*; [전투] batalla *f*, lucha *f*, contienda *f*, combate *m*. ~을 하다 luchar, pelear, librar una batalla, combatir. ~에 이기다 ganar una batalla [la lucha]. ~에 지다 perder una batalla [la lucha]. ~을 도발하다 desafiar, retar, provocar; [선전포고를 하다] declarar la guerra. A와 ~을 하다 luchar con A. A에 대항해 ~을 하다 luchar contra A. ~을 그만두다 abandonar las armas, depojarse las armas. ~을 일으키다 provocar a combate.
③ [투쟁] lucha *f*, contienda *f*. 가난과의 ~ lucha *f* contra la pobreza. 생존을 위한 ~ lucha *f* por la supervivencia, lucha *f* para sobrevivir. 인플레이션과의 ~ lucha *f* contra la inflación. 암(癌)과 ~ lucha *f* contra el cáncer. 자유를 얻기 위한 ~ lucha *f* contra la libertad. 지휘권을 얻기 위한 ~ lucha *f* [contienda *f*] por el liderazgo. 더 좋은 노동 조건을 위한 ~ lucha *f* por conseguir mejores condiciones laborales. ~을 포기하다 abandonar la lucha. …과 ~을 하다 luchar con *uno*. …을 위해 ~을 하다 luchar para *algo*. …에 반대해 싸움을 하다 luchar contra *algo*. 진 소송(訴訟)을 위해 ~을 하다 luchar por la causa perdida. 나는 양심(良心)과 ~을 했다 Yo tuve problemas con mi conciencia. 환자는 삶과 죽음 사이에서 ~을하고 있었다 El paciente se debatía entre la vida y la muerte.
④ [경쟁] competencia *f*, competición *f*, rivalidad *f*. ~을 하다 competir.
■ ~꾼 ogro *m*, persona *f* muy feroz. ~닭 =투계(鬪鷄). ~배 buque *m* de guerra. ~질 pendencia *f*, pelea *f*, riña *f*, contienda *f*. ¶~하다 pendenciar, pelear, reñir. ~을 좋아하는 사람 hombre *m* pendenciero, amigo, -ga *mf* de pendencias, camorrista *mf*, matón *m* (*pl* matones), espadachín *m* (*pl* espadachines), valentón *m* (*pl* valentones). ~터 campo *m* de batalla. ¶~에 가다 entrar en batalla. ~판 escena *f* de pelea. ~패 banda *f* de vándalos.

싸이다[1] [둘러쌈을 당하다] envolverse, ser envuelto, ser cubierto. 종이에 싸인 책 [물건] libro *m* [bulto *m*] envuelto en el papel. 눈에 싸인 산정(山頂) cumbre *f* de montaña cubierta de nieve. A로 둘러싸여 있다 estar cubierto de A. 인파에 둘러~ ser envuelto por la marea de gente. 집은 화염에 싸였다 La casa se vio envuelta en llamas.

싸이다[2] [대소변을 싸게 하다] hacer excrementar, hacer orinar.

싸잡다 poner juntos, agruparse, ir junto, tachar, sintenizar, resumir, rodear, reunir.

싸잡히다 ponerse juntos, sintenizarse, resumirse, rodearse, reunirse.

싸전(一廛) arrocería *f*, tienda *f* de arroz.

싸지르다[1] ((속어)) =싸다니다.

싸지르다[2] ① ((속어)) =지르다[1]. ② ((속어)) =싸다[2].

싸하다 [박하 맛처럼] (estar) mentolado, tener mentol; [아리듯이] (ser) fuerte, pronunciado; [소스가] sabroso, bien sazonado; [샴페인처럼] gaseoso, efervescente, con gas. 싸한 물 el agua *f* mineral con gas. 입이 ~ La boca está mentola- da.

싹[1] ① [씨앗에서 처음 나오는 어린 잎이나 줄기] retoño *m*, brote *m*, pimpollo *m*, cogollo *m*, vástago *m*, botón *m* (*pl* botones), renuevo *m*, simiente *m*, embrión *m* (*pl* embriones), yema *f*. ~이 나온다 Las hojas brotan. ② [어떤 현상의 근원이나 시초] germen *m*. 악(惡)의 ~을 잘라 버리다 cortar el germen de un mal. 반란(叛亂)의 ~을 잘라 버리다 suprimir el germen de un levantamiento. ③ ((준말)) =싹수.
◆ 싹이 노랗다 (ser) incurable, incorregible.

싹[2] ① [종이 따위를 한 번에 베는 소리, 또, 그 모양] con tijereteo. 종이를 가위로 ~ 자르다 tijeretear el papel (con tijereta). ② [거침없이 밀거나 쓸어 나가는 모양] limppiamente, con limpieza. 마당을 ~ 쓸어 버리다 barrer [limpiar] el patio. ③ [조금도 남기지 않고 죄다] completamente, enteramente, todo, perfectamente. 핏기가 ~ 가시다 estar pálido completamente. 큰 상을 ~ 쓸어 버리다 barrer [arrasar] con todos los premios. ④ [전연 책임을 회피하거나 모른 체하는 모양] de repente, de pronto, repentinamente.

싹둑 con tijereteo. ~ 자르다 tijeretear, cortar (en trozos pequeños), picar.
싹둑거리다 cortar con tijera.
싹둑싹둑 en trozos pequeños. ~ 자르다

cortar en trozos pequeños.

싹둑싹둑하다 (ser) disparejo, abrupto, brusco, cortante, inconexo, sin ilación.

싹수 buen augurio *m*, buen agüero *m*, presagio *m*, esperanza *f*, perspectiva *f*, punto *m* digno de verse, gracia *f*, valor *m*.
◆ 싹수가 노랗다 =싹이 노랗다.
싹수없다 =싹이 노랗다.
싹수없이 sin esperanza.
싹수 있다 tener esperanza, tener perspectiva. 싹수 있는 청년 joven *m* (*pl* jóvenes) prometiente.

싹싹¹ ① [여러 번 싹 하는 모양. 또 그 소리] con tijereteo. 종이를 ~ 자르다 tijeretear el papel. ② [거침없이 밀거나 훑어 나가는 모양. 또 남김없이 죄다] todo, completamente. 돈을 ~ 쓸어 가다 llevar todo dinero. ③ [정성들여 깨끗이 쓸거나 문지르는 모양] completamente, bien. ~ 쓸어라 Barre bien. ~ 문질러라 Frota bien.

싹싹² [손을 비비거나 비는 모양] en tono de súplica, humildemente, con humildad, 잘못 했다고 ~ 빌다 rogar en tono de súplica que perdone.

싹싹하다 (ser) afable, amable, dócil, sumiso, de carácter franco, de carácter abierto, meloso, engolado, untuoso; [친해지기 쉬운] sociable, amigable. 싹싹하게 afablemente, amablemente, francamente, abiertamente, a la llana. 그는 매우 ~ El es muy buena persona / El tiene buen corazón. 그녀는 항상 나한테 싹싹했다 Ella siempre ha sido muy amable conmigo / Ella se ha portado muy bien conmigo. 그 여자는 누구에게나 ~ Ella es afable a cualquiera.

싹쓸바람 【기상】 =태풍(颱風).

싹쓸이 acción *f* de gastar todo. ~하다 gastar todo.

싹트다 ① [식물이 싹이 생겨나다] brotar, germinar, retoñar, abotonar, echar brotes, echar retoños, botones, echar renuevo. 만물이 싹트는 춘삼월(春三月) marzo *m* primaveral que brotan todas las cosas. 보리가 ~ brotar la cebada. 나무들이 싹트기 시작한다 Los árboles brotan. 들꽃들이 사방에서 싹트고 있었다 Las flores silvestres brotaban por todas partes. ② [어떤 일의 기운이 열리다] empezar a presentar. 다른 징조(徵兆)가 ~ empezar a presentar otros síntomas.

싼값 precio *m* barato.

싼거리 ganga *f*. ~를 하다 tener una ganga. 그것은 정말 ~다 Es una verdadera ganga.

싼흥정 ganga *f*.

쌀 ① arroz *m*. ~의 arrocero. ~을 씻다 lavar arroz. ~ 재배 지역 zona *f* arrocera. ~로 만든 de arroz. ~ 빻는 맷돌 molino *m* arrocero. 한국의 ~ 생산 producción *f* arrocera coreana. ② ((준말)) =입쌀.
■ ~가게 arrocería *f*, tienda *f* de arroz. ~가루 harina *f* de arroz. ~가마니 saco *m* de pajas para arroz. ~강정 galleta *f* coreana de arroz apelmazado achicharrado en aceite. ~겨 cáscara *f* de arroz. ~광 granero *m* [almacén *m* · depósito *m* · despensa *f*] de arroz. ~궤 cofre *m* [cubo *m*] de arroz. ~금 precio *m* de arroz. ~농사 [재배] cultivo *m* de arroz; [수확] cosecha *f* de arroz. ~누룩 arroz *m* malteaado. ~눈 embrión *m* de arroz. ~뜨물 el agua *f* dejado después de lavar el arroz. ~밥 arroz *m* blanco, arroz *m* cocido. ~벌레 gorgojo *m* de arroz. ~부대 saco *m* [costal *m*] para arroz. ~알 grano *m* de arroz. ~장사 comercio *m* [negocio *m*] de arroz. ~장수 arrocero, -ra *mf*, comerciante *mf* [negociante *mf*] de arroz. ~죽 gachas *fpl* de arroz. ~집 arrocería *f*, tienda *f* de arroz. ~책박 contenedor *m* de arroz hecho con ramitas. ~풀 almidón *m* de arroz.

쌀강아지 perrito *m* con pelo corto.

쌀개¹ [방아허리에 가로 맞추어 방아가 걸려 있도록 만든 나무 막대기] pivote *m* principal del molino.

쌀개² [털이 짧은 개] perro *m* con pelo corto.

쌀고치 capullo *m* blanco y fino.

쌀골집 una especie de la salchicha.

쌀랑거리다 =살랑거리다.

쌀랑쌀랑 =살랑살랑.

쌀랑쌀랑하다 =살랑살랑하다.

쌀랑하다 =살랑하다.

쌀래쌀래 =살래살래.

쌀보리 【식물】 centeno *m*.

쌀쌀 [배 속이 조금씩 쓰리면서 아픈 모양] un poco. 배 속이 ~ 아프다 tener un poco de dolor, doler*le a uno* un poco.

쌀쌀맞다 (ser) frío, indiferente, seco. 그렇게 쌀쌀맞게 굴지 마라 No te comportes tan fríamente.

쌀쌀하다 ① [날씨가 싸늘한 느낌을 주도록 하다] hacer un poco de frío. 쌀쌀한 초겨울 바람 viento *m* frío del otoño temprano. ② [정다운 맛이 없고 차다] (ser) áspero, brusco, seco, frío, indiferente, categórico. 쌀쌀하게 ásperamente, bruscamente, secamente, fríamente, con frialdad, categóricamente. 쌀쌀하게 거절하다 rechazar [rehusar] rotundamente [de plano · categóricamente]. 쌀쌀하게 대답하다 responder secamente [bruscamente], dar una respuesta indiferente. 쌀쌀하게 대하다 tratar con frialdad. 쌀쌀한 태도를 보이다 mostrarse indiferente [frío] (con). 쌀쌀하게 맞이하다 recibir glacialmente [con frialdad]. 마음씨가 ~ no tener corazón, tener el corazón frío, ser duro de corazón. A에게 쌀쌀하게 하다 enfriarse con A.

쌈¹ [김 · 상추 등으로 밥과 반찬을 싼 음식] *sam*, comida *f* envuelta [arroz *m* envuelto] en las hojas de la planta. 상추~ *sangchu-sam*, comida *f* envuelta en las hojas de lechuga. 김~ arroz *m* envuelto en la alga marina.

쌈² ((준말)) =싸움.

쌈³ [바늘 스물네 개를 단위로 세는 말] *sam*, veinte y cuatro agujas. 바늘 두 ~ dos *sames* de agujas, cuarenta y ocho agujas.
쌈김치 ((준말)) =보쌈김치.
쌈박 =삼박.
쌈싸우다 ① [서로 다투다] pelearse. ② [전쟁을 하 다] hacer la guerra, guerrear.
쌈지 petaca *f*.
쌉싸래하다 parecer algo [un poco · ligeramente] amargo, tener el sabor algo amargo.
쌉쌀하다 (ser) algo [un poco · ligeramente] amargo; [소스 따위가] salado; [술이] seco. 쌉쌀한 포도주 vino *m* seco.
쌍(雙) par *m*, pareja *f*. ~의 [소켓 등의] de conexión recíproca. 한 ~의 un par de. 비둘기 한 ~ una pareja de palomas. 이 셔츠는 한 ~으로 되어 있다 Estas camisetas hacen pareja.
쌍가마¹(雙-) [머리 위에 가마가 둘 있는 가마] dos rayas, rayas *fpl* dobles, *Sal* caminos *mpl* dobles.
쌍가마²(雙-) 【역사】 [말 두 필이 각각 앞뒤채를 메고 가는 가마] palanquín *m* (*pl* palanquines) tirado por dos caballos.
쌍가지 소켓(雙-socket) enchufe *m* múltiple, ladrón *m* (*pl* ladrones). ☞쌍소켓
쌍각(雙角) ¶~의 bicorne.
쌍각(雙脚) dos piernas.
쌍각(雙殼) ¶~의 bivalvo, bivalvular. ~ 열매 fruto *m* bivalvo. 굴은 ~이다 La ostra es bivalva.
■ ~류(類) bivalvos *mpl*.
쌍간균류(雙桿菌類) diplobacterio *m*.
쌍갈랫길(雙-) cruce *m*, encrucijada *f*.
쌍갈지다(雙-) dividir en dos partes.
쌍검(雙劍) ((준말)) =쌍수검(雙手劍).
쌍견(雙肩) ambos hombros *mpl*, *sus* hombros.
쌍견(雙繭) =쌍고치.
쌍겹눈(雙-) ojo *m* con un párpado doble.
쌍고치(雙-) capullo *m* doble.
쌍곡선(雙曲線) hipérbola *f*. ~의 hiperbólico.
■ ~ 공간(空間) espacio *m* hiperbólico. ~면 hiperboloide *m*. ~ 함수(函數) función *f* hiperbólica.
쌍구균(雙球菌) diplococo *m*.
쌍그렇다 parecer frío y triste.
쌍그레 fría y tristemente.
쌍극(雙極) doblete *m*.
■ ~ 안테나 antena *f* dipolar.
쌍극자(雙極子) dipolo *m*. ~의 dipolar.
쌍글거리다 sonreír con *sus* ojos.
쌍글빵글 ((센말)) =상글방글.
쌍글쌍글 sonriendo con sus ojos.
쌍긋 ((센말)) =상긋.
쌍긋빵긋 ((센말)) =상긋방긋.
쌍꺼풀(雙-) párpados *mpl* dobles.
■ 쌍꺼풀(이) 지다 tener párpados dobles.
쌍끌이 pesca *f* de la red barredera de dos barcos.
■ ~ 어선 dos barcos de la pesca de la red barredera. ~ 조업 operaciones *fpl* de la pesca de la red barredera de dos barcos. ~ 조업 어선 barco *m* pesquero de operaciones de la pesca de la red barredera de dos barcos.
쌍끗 ((센말)) =상긋.
쌍끗빵끗 ((센말)) =상긋방긋.
쌍끗이 ((센말)) =상긋이.
쌍날(雙-) doble filo *m*. ~의 de doble filo.
■ ~칼 espada *f* de doble filo.
쌍녀(雙女) =쌍동딸.
쌍녀궁(雙女宮) 【천문】 =처녀궁(處女弓).
쌍년 ((비어)) =상년.
쌍놈 ((비어)) =상놈.
쌍동(雙童) =쌍둥이.
쌍되다 ((센말)) =상되다.
쌍두(雙頭) un par de animales, dos cabezas.
쌍두마차(雙頭馬車) coche *m* de dos caballos.
쌍둥이(雙-) gemelos, -las *mfpl*; mellizos, -zas *mfpl*. [한쪽은 gemelo, -la; mellizo, -za]. ~를 낳다 dar a luz (a) los gemelos. 그들은 ~지만 닮지 않았다 Ellos son mellizos, pero no se parecen [no son parecidos].
■ ~ 자매 hermanas *fpl* mellizas, hermanas *fpl* gemelas. ~ 형제 hermanos *mpl* mellizos, hermanos *mpl* gemelos. ~자리 Gemelo *m*, Géminis *m*.
쌍떡잎(雙-) 【식물】 dicotiledóneas *fpl*.
■ ~식물 dicotiledón *m*, dicotiledóneas *fpl*.
쌍란(雙卵) huevo *m* doble.
쌍륜(雙輪) ① [두 개의 바퀴] dos ruedas. ② =쌍륜차(雙輪車).
■ ~차(車) carro *m* con dos ruedas.
쌍모(雙眸) ambos ojos.
쌍무(雙務) ¶~적 bilateral, sinalagmático.
■ ~ 계약 contrato *m* bilateral [recíproco · sinalagmático]. ~ 무역(貿易) comercio *m* bilateral. ~ 협정 acuerdo *m* bilateral.
쌍무지개(雙-) doble arco *m* iris.
쌍미(雙眉) cejas *fpl* de ambas partes, ambas cejas *fpl* de la izquierda y de la derecha.
쌍바라지 ventana *f* de dos batientes [hojas].
쌍반점(雙半點) 【언어】 punto y coma *m* (;).
쌍발(雙發) bimotor *m*. ~의 bimotor.
■ ~기 avión *m* (*pl* aviones) bimotor.
쌍방(雙方) ambas partes *fpl*, ambos lados *mpl*. ~의 ambos, mutuo, recíproco, de ambas partes, de ambos lados. ~의 합의(合意)로 por acuerdo mutuo, de común acuerdo. ~의 친구 amigo m común, amiga *f* común. ~이 양보하다 hacer concesiones por ambas partes. 그것은 ~을 모두 만족시킬 것이다 Eso satisfará ambas partes.
쌍방울표(雙-標) nombre de %.
쌍벽(雙璧) ① [구슬] bola *f*. ② [우열(優劣)] gemelos *mpl* preciosos. 로뻬와 깔데론은 바로크의 ~이다 Lope y Calderón son los dos grandes del teatro barroco.
쌍봉(雙峰) pico *m* doble.
쌍봉낙타(雙峰駱駝) 【동물】 camello *m*.
쌍봉약대(雙峰-) 【동물】 =쌍봉낙타.

쌍분(雙墳) tumba *f* doble.
쌍생(雙生) germinación *f*.
쌍생녀(雙生女) =쌍동딸(gemela).
쌍생아(雙生兒) =쌍둥이(gemelo).
쌍생자(雙生子) =쌍동아들.
쌍선모(雙旋毛) raya *f* doble, dos rayas *fpl*; camino *m* doble Sal.
쌍성화(雙−) [양난(兩難)] dilema *f*.
쌍소리 ((센말)) =상소리.
쌍소켓(雙−) enchufe *m* de conexión recíproca, enchufe *m* múltiple, ladrón *m*.
쌍수(雙手) ambas manos *fpl*. ~를 들어 환영하다 apoyar una proposición con ambas manos levantadas, sostener incondicionalmente, apoyar sin reservas, estar totalmente de acuerdo.
쌍수(雙袖) ambas mangas *fpl*.
쌍스럽다 ((센말)) =상스럽다.
쌍스위치(雙−) interruptor *m* de conexión recípro- ca.
쌍시류(雙翅類) 【곤충】 =파리목(目).
쌍심지(雙心−) ① [한 등잔에 있는 두 개의 심지] mecha *f* doble. ② [몹시 화가 난 두 눈에 핏발이 서는 일] lo inyectado de sangre.
◆ 쌍심지(가) 나다 montar en cólera, encolerizarse, explotar, saltar, ponerse furioso (con), tener muy mal genio, tener un genio del demonio, arder de enfado [AmL enojo].
◆ 쌍심지(를) 켜다 lanzar una mirada iracunda. 눈에 쌍심지를 켜고 con una mirada iracunda, frenéticamente, como un loco, locamente, desesperadamente.
쌍십절(雙十節) el Aniversario de Décimo Doble.
쌍쌍이(雙雙−) de dos en dos, por parejas, *AmL* de a dos. 젊은 연인들이 ~ 공원을 거닐고 있다 Los amantes se pasean por el parque de dos en dos.
쌍아(雙蛾) cejas *fpl* de ambas partes de la belleza.
쌍안(雙眼) ambos ojos *mpl*, dos ojos *mpl*, un par de ojos, binoculares *mpl*, gemelos *mpl*, prismáticos *mpl*, *AmL* anteojos *mpl* de la larga vista. ~의 binocular.
▪ ~경(鏡) gemelos *mpl*, anteojos de larga vista; [야외·육군용] gemelos *mpl*, prismáticos *mpl*, binoculares *mpl*; [극장용] gemelos *mpl* [anteojos *mpl*] de teatro; [야간의] catalejo *m* nocturno. ~ 망원경 telescopio *m* binocular. ~ 사진기 cámara *f* estérea. ~ 현미경 microscopio *m* binocular.
쌍알(雙−) huevo *m* con una yema doble.
쌍어궁(雙魚宮) 【천문】 Piscis *m*.
쌍열박이(雙−) pistola *f* de dos cañones.
쌍엽(雙葉) ¶~의 bifoliado, bifolial.
▪ ~ 식물 planta *f* bifoliada.)
쌍익(雙翼) ambas alas *fpl*.
쌍자궁(雙子宮) 【천문】 géminis *m*.
쌍자엽(雙子葉) 【식물】 =쌍떡잎.
▪ ~류 dicotiledóneas *fpl*. ~ 식물 =쌍떡잎식물.
쌍장부(雙−) espaldón *m* gemelo.
쌍전하다(雙全−) los dos cosas son perfectos.
쌍점(雙點) ① [두 점] dos puntos. ② [문장부호「:」의 이름] dos puntos.
쌍정(雙晶) 【광물】 macla *f*.
쌍조잠(雙鳥簪) pasador *m* engrabado con dos pájaros.
쌍지팡이(雙−) ① [두 다리가 아픈 사람이 짚는 두 개의 지팡이] muletas *fpl*. ~를 짚고 걷다 andar con muletas. ② [참견을 잘하는 사람을 비꼴 때 덧얹어 쓰는 말] persona *f* entrometida.
쌍창(雙窓) ventana *f* con dos hojas de vidrio.
▪ ~미닫이 puerta *f* móvil doble.
쌍창워라 【동물】 caballo *m* con caderas blancas.
쌍칼(雙−) dos espadas *fpl*; [사람] esgrimista *mf* de dos espadas.
쌍코(雙−) puntera *f* [punta *f*] del zapato decorada con dos tiras.
쌍코신 zapatos *mpl* con puntera decorada con dos tiras.
쌍태(雙胎) feto *m* doble.
▪ ~ 임신(姙娠) embarazo *m* gemelo, preñez *f* gemela.
쌍패류(雙貝類) bivalvos *mpl*.
쌍해사전(雙解辭典) diccionario *m* bilingüe.
쌍홍장(雙−欌) aparador *m* (de la cocina).
쌓다 ① [물건을 겹겹이 포개어 놓다] apilar, amontonar, hacer un montón (con), hacer una pila (con), colocar. 돌을 ~ hacer una pila de piedras, colocar una piedra sobre otra. 벽돌을 ~ hacer un montón con ladrillos, colocar ladrillos. 우리들은 뒷자리에 짐을 전부 쌓았다 Amontonamos todo el equipaje en el asiento trasero. ② [덕이나 공적을 여러 번 세우다] rendir. 공(功)을 ~ rendir servicios distinguidos, hacer hazañas meritorias, distinguirse, destacarse. ③ [기술·경험 등을 거듭 닦거나 이루다] poner, acumular, amasar, amontonar, hacer, adquirir, llenarse (de). 거액의 재산을 ~ amasar [hacer] la fortuna enorme. 경험(經驗)을 ~ acumular la experiencia. 기초를 ~ poner el fundamento. 수양(修養)을 ~ acumular la formación. 연구를 ~ acumular estudios. 지식을 ~ amontonar [llenarse de] conocimientos. 학문의 토대를 ~ poner el fundamento de la ciencia. 훈련을 ~ acumular la disciplina. 힘을 ~ reservar *sus* energías. ④ [구축하다] edificar, construir, hacer. 성(城)을 ~ edificar [construir ·hacer] un castillo. ⑤ [재산 따위를] reservar, atesorar, juntar, acumular, amontonar.
쌓아 넣다 amontonar (en), poner (en). 창고에 ~ amontonar [poner] *algo* en el almacén.
쌓아 올리다 apilar, acumular, amontonar. 상품(商品)을 ~ apilar mercancías.

쌓이다 ① [여러 개의 물건이 겹치다] apilarse, amontonarse, acumularse. 눈이 ~ cubrirse con nieve. 내 책상 위에 상자가 높이 쌓여 있다 Hay un montón [una pila] enorme de cajas sobre mi escritorio. 테이블 위에 책이 겹쳐 쌓여 있다 Los libros estón amontonados en la mesa. 상 위에 오지그릇이 쌓여 있었다 Sobre la mesa había un montón de loza. 내 서제에는 고서(古書)가 쌓인다 Los libros viejos se acumulan en mi librería. 눈이 50센티미터 쌓였다 Se acumuló la nieve cincuenta centímetros / La nieve ha alcanzado un grosor de medio metro [cincuenta metros de espesor]. ② [근심・걱정이 겹치다] estar en mucha ansiedad. 슬픔이 ~ estar acongojado, estar afligido. 쌓이고 쌓인 불만이 폭발했다 Estalló el descontento acumulado hasta el límite. ③ [할 일이 많이 밀리다] acumularse, amontonarse. 쌓인 일감 trabajo *m* amontonado. 쌓이는 빚으로 괴로워하다 gemir bajo una deuda creciente. 나는 할 일이 쌓여 있다 Se me ha amontonado el trabajo / Tengo acumulado el trabajo. 나는 빚이 쌓여 있다 Mis deudas se acumulan / Tengo deudas acumuladas. 체불(滯拂)이 쌓여 있다 Se acumulan los pagos atrasados. 집세가 반년분(半年分)이 쌓여 있다 Hay amontonados seis meses de alquiler / El alquiler de la casa está sin pagar durante seis meses. 빚이 쌓이고 싸여 1억 원이 되었다 La deuda fue amontonándose hasta que alcanzó los cien millones de wones. ④ [훌륭한 기술・경험을 얻게 되다] acumularse, adquirirse, amasarse.

쌔근거리다 ① [가쁘게 숨쉬다] respirar ásperamente, resoplar, bufar, jadear, resollar. 그는 쌔근거리면서 계단을 올라갔다 El subió las escaleras resoplando.「야, 계단이 많기도 하군」하고 그는 쌔근거리면서 말했다 ¡Cuántas escaleras! — dijo resoplando [bufando]. 나는 쌔근거리면서 리더의 뒤를 달렸다 Yo corría, jadeando, detrás de los primeros. ② [뼈마디가 새근하다] sentir el dolor artrítico. 나는 뼈마디가 쌔근거린다 Me duelen las articulaciones / Tengo dolor de articulacio- nes.

쌔근대다 =쌔근거리다.

쌔근쌔근 [자는 모양] con calma, tranquilamente, plácidamente. ~ 자다 dormir tranquilamente [plácidamente].

쌔다 [흔하다. 흔하게 있다] sobrar; [사물이 주어일 때] sobreabundar; [사람이 주어일 때] sobreabundar (en). tener en sobra [en exceso・en abundancia・a profusión]; [비인칭 표현] haber demasiada [excesiva] abundancia (de).

◆쌔고 쌘 demasiado abundante, excesivamente. abundante. ~ 것이 강변(江邊)의 모래라네 En la orilla del río hay demasiada abundancia de arenas.

◆쌔고 쌨다 (ser) abundante, copioso. 한국엔 박사 학위를 가진 사람이 ~ En Corea hay doctores en abundancia.

◆쌔 버렸다 sobrarse, sobreabundarse. 그 사람에게는 돈이 ~ El tiene dinero hasta sobrarle / Nada en dinero.

쌔비다 ((속어)) robar.

쌕쌕 con un sonido sibilante, sibilantemente.

쌕쌕이 ((속어)) =제트기.

쌘 abundante, copioso, común (*pl* comunes).

쌘구름 【기상】=적운(積雲).

쌘비구름 【기상】=적란운(積亂雲).

쌨다 (ser) abundante. 일년의 이맘때면 배가 ~ En esta época del año hay peras en abundancia [hay abundancia de peras].

쌩쌩 ¶~ 날다 revolotear. 그녀는 이 방 저 방을 ~날아다녔다 Ella iba y venía de una habitación a otra.

써내다 escribir y presentar.

써넣다 escribir, incluir, anotar, apuntar; [용지에] poner, rellenar, llenar. 써넣은 글자 apunte *m*, anotación *f*, nota *f*. 서류에 ~ rellenar [llenar] un documento. 주석(註釋)을 ~ escribir los comentarios. 답을 책에 ~ escribir las respuestas en el libro. 용지에 ~ rellenar [llenar] un formulario [un impreso・*Méj* una forma]. 이 책에는 써넣은 글자가 있다 Este libro tiene anotaciones / Hay apuntes en este libro.

써다 bajar [menguar] la marea. 바닷물이 썬 후 개펄에 조개잡이 가다 ir a coger mariscos a la playa durante la marea baja.

써레 trillo *m*.

써레질 trillo *m*. ~하다 trillar.

써렛발 diente *m* de trillo.

써리다 trillar

썩[1] ① [거침없이 빨리] enseguida, en seguida, ahora mismo, inmediatamente, *Chi* altiro. ~ 물러나지 못할까 Vete ahora mismo. ② [아주 뛰어나게] sumamente, extremadamente, magníficamente, excelentemente, muy bien, muchísimo. ~ 좋은 성적 muy buen resultado *m*, muy buena nota *f*. 그녀는 노래를 ~ 잘 부른다 Ella canta muy bien.

썩[2] =싹[2].

썩다 ① [부패하다] pudrir(se), podrirse, corromperse, echarse a perder, descomponerse. 썩은 podrido, corrompido, descompuesto; [이가] cariado, picado. 썩기 쉬운 fácil de corromperse, corruptible, perecedero. 썩은 과실 fruta *f* podrida. 썩은 달걀 huevo *m* podrido [pasado・huero]. 썩은 어금니 diente *m* molar cariado, diente *m* molar picado. 썩으려고 하는 바닥 suelo *m* medio podrido, suelo *m* que está para caerse [para hundirse]. 바나나는 빨리 썩는다 Los plátanos se echan a perder [se pican] pronto. 이 귤은 썩었다 Esta naranja está podrida. 마루 판자가 썩었다 Las tablas del suelo están podridas. 나무의 뿌리들은 너무 습한 곳에서는 썩는다 Las raíces de los árboles se pudren en los sitios demasiado húmedos. 그는 골수까지 썩었다 El está corrompido hasta la médula. ② [사용되지

않고 묵다] llenarse de polvo, *Méj* empolvarse. 도서관에서 책이 썩고 있다 Los libros se llenan de polvo en la librería. ③ [좋은 재주·능력을 발휘하지 못하다] no demostrar *su* buena habilidad. ④ [사상(思想)이 건전하지 못하다] la idea no ser sana. ⑤ [나라의 정치가 문란하다] pudrirse, corromperse. 썩은 정치 política *f* corrompida. 정부가 썩었다 El gobierno está podrido. ⑥ [분을 못 풀어 속이 상하다] desanimarse, perder el ánimo, partir*le a uno* el alma, romper muchos corazones, sufrir. 속이 썩어 죽겠다 Me muero de pena. 그녀가 우는 것을 보니 나는 속이 썩는다 Me parte el alma verla llorar.

썩썩[1] [종이나 헝겊 따위를 거침없이 가볍게 베어 나가는 모양. 또, 그 소리] cortando ligeramente sin parar.
썩썩거리다 cortar ligeramente sin parar.

썩썩[2] [사과·애걸할 때 손으로 비는 모양] en tono de súplica. ☞싹싹

썩썩하다 (ser) franco, de gran corazón. ☞싹싹하다

썩어빠지다 pudrirse completamente.

썩은새 paja *f* podrida.

썩이다 ① [부패하게 하다] pudrir, corromper, estropear, echar a perder; [썩게 두다] dejar pudrir. 더위는 고기를 썩인다 El calor corrompe la carne. ② [방치하다] dejar sin utilizar. 지식을 ~ no utilizar *sus* conocimientos. ③ [속을] preocuparse, inquietarse. 그녀는 무척 속을 썩이고 있다 Ella se preocupa. 속을 썩이면 좋은 일이 있을 수 없다 Con preocuparse no se gana [no se saca nada]. 속을 썩일 필요 없다 No hay por qué preocuparse. 속을 썩이지 마세요 No se preocupe.

썩정이 cosa *f* podrida.

썩초(一草) tabaco *m* negro de mala calidad.

썰다 ① [물건을 칼로 도막 내다] cortar. 얇게 ~ [빵을] cortar en rebanadas; [고기를] cortar en tajadas; [케이크를] cortar en trozos; [레몬 등을] cortar en rodajas; [햄을] cortar en lonchas. 둘로 ~ cortar en dos. 반으로 ~ cortar por la mitad. 그녀는 고기를 얇게 썰었다 Ella cortó una tajada de carne. ② =썰리다.

썰렁하다 =쌀랑하다.

썰레놓다 arreglar para realizar un trabajo difícil.

썰리다 bajar, retroceder. 조수가 썰리고 있었다 La marea estaba bajando.

썰매 trineo *m*; [작은] narria *f*, mierra *f*, rastra *f*. ~의 방울 cascabel *m*. ~를 타다 subir al [en el] trineo, pasear en trineo. ~에 태우다 montar en trineo. ~를 타고 가다 ir en trineo. ~ 타러 가다 ir a pasear en trineo. ~로 운반하다 transportar en trineo. 아이들은 ~로 비탈을 내려가고 있었다 Los niños se deslizaban en trineo por la ladera.

썰물 reflujo *m*, bajamar *f*, marea *f* baja [descendiente · menguante]. ~ 때에 en la marea baja. ~이 되고 있다 El mar refluye [mengua]. ~이 된다 Baja [Mengua] la marea.

썰썰하다 sentir hambre.

썰음질 aserradura *f*. ~하다 aserrar, serrar.

쏘가리【어류**】** pez *m* mandarino.
■ ~탕 sopa *f* [caldo *m*] de pez mandarino.

쏘개질 chisme *m*. ~하다 contar chismes, contar cuentos. 나는 네가 ~하러 온다면 듣고 싶지 않다 No me vengas con chismes [con cuentos] que no quiero saber nada. 그건 사실이 아니야! 넌 ~하고 있어! ¡Mentira! ¡Eso es un cuento chino!

쏘다 ① [화살이나 총탄을 날아가게 하다] tirar, disparar, arrojar, lanzar. 과녁을 ~ tirar al blanco. 화살을 ~ disparar una flecha, tirar flechas. 쏘아 떨어뜨리다 [비행기 따위를] derribar *algo* a tiros, abatir. 쏘아 올리다 [공중으로] lanzar. 쏘아 죽이다 matar de [con] un tiro, matar a tiros. 높이 쏘아 올리다 tirar al alto. 로켓을 쏘아 올리다 lanzar un cohete. 불꽃을 쏘아 올리다 lanzar fuegos artificiales. 사슴을 쏘아 맞추다 tirar al venado. 그는 총[화살]을 쏘았다 El disparó la escopeta [la flecha]. 그는 나에게 권총으로 과녁을 쏘는 법을 가르쳐 주었다 El me enseñó a tirar al blanco con pistola. 그들은 그의 다리에 세 방을 쏘았다 Le pegaron tres tiros en las piernas. 경찰이 시위자들에게 총을 쏘았다 La policía disparó sobre los manifestantes. 겨누고 쏘앗! ((구령)) Apunten ¡fuego! ② [벌레가 침으로 찌르다] picar. 벌이 ~ picar la abeja. ③ [매운맛이] picar. 겨자가 혀를 톡 쏜다 La mostaza pica la lengua. ④ [듣는 사람의 마음이 뜨끔하도록 말하다] despotricar, vociferar, regañar, reprender, reñir. 그는 지배인에게 쏘아 붙였다 El le dijo de todo al gerente. 그녀는 지연되어서 톡 쏘았다 El se puso furiosa por el retraso.「이건 모욕이야」라고 그녀는 톡 쏘았다 Esto es un escándalo — bramó ella.

쏘다니다 [여기저기] ir de un lado para otro, andar de la Ceca a la Meca, caminar sin rumbo fijo, errar, pasear, dar vueltas; [지방·도시를] vagar (por), deambular (por); [한곳을] recorrer. 거리를 ~ vagar [deambular] por las calles. 방안을 ~ andar de un lado para otro en el cuarto. 전국을 ~ recorrer todo el país. 호랑이는 밀림에서 자유롭게 쏘다닌다 Tigres deambulan en libertad por la selva. 나는 마드리드를 쏘다니면서 일주일을 보냈다 Yo pasé la semana dando vueltas por Madrid. 나는 네가 거리를 쏘다니는 것을 원하지 않는다 No quiero que andes deambulando [vagando] por las calles. 그녀는 전세계를 쏘다녔다 Ella se recorrió todo el mundo. 유목 민족은 대륙을 쏘다녔다 Tribus nómadas recorrían el continente. 우리는 마을을 쏘다니면서 오후를 보냈다 Pasamos la tarde paseando por el pueblo. 나는 그가

거리를 쏘다니는 것을 발견했다 Lo encontré deambulando [vagando] por las calles. 그녀는 넋을 잃고 방안을 쏘다녔다 Ella daba vueltas por la habitación como aturdida.

쏘삭거리다 incitar (a), instigar (a), provocar. 그는 폭력으로 군중을 쏘삭거렸다 El instigó [incitó] a las multitudes [la muchedumbre] a la violencia.

쏘삭쏘삭 incitando, instigando, provocando.

쏘아보다 lanzar*le* miradas, mirar*le* con el ceño fruncido, poner*le* cara de pocos amigos. 도전적인 태도로 ~ lanzar*le* miradas desafiantes *a uno*. 증오의 눈초리로 ~ lanzar*le* miradas de odio *a uno*. 그는 나를 쏘아보았다 El me miró con el ceño fruncido.

쏘아붙이다 ＝쏘다❹.

쏘이다[1] [쏨을 당하다] picarse, ser picado.

쏘이다[2] ＝쐬다[2].

쏘지르다 ＝쏘다니다.

쏙 【동물】 una especie del cangrejo.

쏙독새 【조류】 chotacabras *m(f)*.

쏙쏙 con un dolor agudo, agudamente. ~ 쑤시다 tener un dolor agudo.

쏜살같다 correr [pasar] como una flecha, ser muy rápido.

쏜살같이 rápidamente, con rapidez, como una flecha, a todo correr, a más correr, a salto de mata, a toda vela, a velas desplegadas. ~ 달리다 correr como una flecha, correr muy rápido. 세월은 ~ 흐른다 El tiempo corre [pasa] como una flecha.

쏟다 ① [그릇에 담긴 것을 한꺼번에 나오게 하다] verter, echar; [비우다] vaciar. 대야의 물을 ~ verter [echar] el agua del lavamanos. 잔의 물을 설거지통에 ~ verter [vaciar] el agua del vaso en el fragadero. ② [마음을 기울여 열중하다] aplicar, dedicar, consagrar. 일에 정력(精力)을 ~ consagrar [dedicar] *su* energía al trabajo. 온 정력을 일에 쏟아 넣다 dedicar todas *sus* energías a un trabajo. 자본(資本)을 쏟아 넣다 invertir capitales (en). 전 재산을 사업에 쏟아 넣다 gastar toda la fortuna en una obra. ③ [(피나 눈물 따위를) 흘리다] derramar. 피를 ~ sangrar. 그녀는 눈물 한 방울 쏟지 않았다 Ella no derramó ni una lágrima. 부상으로 피를 많이 쏟았다 La herida sangró mucho. ④ [생각을 모두 말하다] desahogarse (con), abrir*le* el pecho [el corazón] *a uno*, decir francamente.

쏟아지다 rebosar, derramarse. 그녀의 눈에서 눈물이 쏟아졌다 A ella se le derramaron las lágrimas. 풍작으로 시장에는 밤이 쏟아져 나왔다 Dada la buena cosecha, el mercado rebosó [estaba inundado] de castañas. 불똥이 쏟아졌다 Las pavesas caen como lluvia.

쏠 catarata *f* pequeña.

쏠다 ratonar, roer los ratones. 치즈가 쏠아져 있다 estar el queso ratonado.

쏠리다 ① [한쪽으로 치우치거나 몰리다] inclinar. 탑이 왼쪽으로 쏠려 있다 La torre está inclinada hacia la izquierda. 당은 좌익으로 쏠리고 있다 El partido es de tendencia izquierdista. ② [마음이나 눈길이 어떤 것에 끌리다] atraerse. 나는 그 아이디어에 별로 마음이 쏠리지 않는다 La idea no me atrae demasiado. 나는 그녀에게 마음이 쏠리지 않는다 Ella no me atrae / No siento atracción por ella. 동정[관심]이 그에게 쏠렸다 El es (el) objeto de compasión [de interés].

쏠쏠하다 (ser) así así, así asá, mediocre. 그 소설 어때요? ― 쏠쏠합니다 ¿Qué tal es esa novela? ― Ni fu ni fa.

쏴쏴 a cántaros, a mares, torrencialmente. ~ 내리는 비 chaparrón *m*, chaparrada *f*, lluvia *f* torrencial [recia]. 비가 ~ 내린다 Llueve a cántaros [a mares·torrencialmente].

쐐기[1] [물건과 물건 사이에 끼우는 물건] [물건을 쪼개기 위한] cuña *f*; [장소에 있도록 하기 위한] calce *m*, calzo *m*; [억지로 열게 하기 위한] calzo *m*; [구두 용의] cuña *f*. ~를 박아 죄다, ~로 움직이지 않게 하다 poner cuñas (a). 문을 열어 ~로 고정시켜 닫히지 않게 하다 dejar abierta una puerta poniéndo*le* una cuña, poner*le* una cuña [un calce] a una puerta para que no se cierre.

◆쐐기(를) 박다 ㉮ [쐐기를 두들겨서 박아 넣다] meter [poner·clavar] una cuña (en), acuñar, sujetar *algo* con una cuña; [쪼개기 위해] abrir con cuña. ㉯ [뒤탈이 없도록 미리 단단히 다짐을 두다] prometer de anmano. ㉰ [남을 이간하기 위해서 훼방을 놓다] interrumpir. 적진(敵陣)에 ~를 박고 쳐들어 가다 meter una cuña en las posiciones enemigas.

■ ~꼴 forma *f* de cuña. ~꼴 굽[밑창] tacón *m* de cuña, *Col* tacón *m* corrido, *Ven* tacón *m* cubano, *Chi* taco *m* terraplén, *Arg* taco *m* chino. ¶~(의) 구두 zapatos *mpl* con tacón de cuña. ~ 모양 forma *f* de cuña. ~ 문자[글자] escritura *f* cuneiforme.

쐐기[2] 【곤충】 (larva *f*) oruga *f*, larva *f*.

쐐기풀 【식물】 ortiga *f*. ~밭 ortigal *m*.

쐬다[1] ((준말)) ＝쏘이다.

쐬다[2] ① [바람이나 연기 등을 받다] tomar, poner. 바람을 ~ tomar el aire. 볕에 ~ exponer [poner] *algo* al sol. 시원한 바람을 ~ tomar el fresco, disfrutar del aire fresco. 일광(日光)을 ~ exponerse a la luz del sol, ponerse al sol; [일광욕하다] tomar un baño de sol. 찬바람을 쐬어 취기(醉氣)를 깨다 exponerse al [tomar el] aire fresco para despertar de la borrachera. ② [자기 물건의 가치를 남에게 평가받아 보다] recibir estimación. ③ ((준말)) ＝맞쐬다.

쑤다 cocer, cocinar, hervir, preparar, hacer. 죽을 ~ hacer gachas. 풀을 ~ preparar el engrudo.

쑤석거리다 ① [연해 들추고 뒤지며 쑤시다] [방·서랍을] revolver; [집을] registrar (de arriba a abajo), hurgar, rebuscar. 그는 그 고서(古書)들을 쑤석거렸다 El rebuscó [hurgó] entre esos libros viejos. 나는 열쇠를 찾느라고 호주머니를 쑤석거렸다 Yo hurgué en mis bolsillos buscando las llaves / *Col, Méj* Me esculqué los bolsillos para encontrar las llaves. 나는 그것을 찾느라 찬장을 쑤석거렸다 Hurgué [Col, Méj esculqué] los armarios buscándolo. 내 아내는 서랍을 쑤석거렸다 Mi esposa revolvió (en) [hurgó en] el cajón. 나는 오래된 물건들을 쑤석거렸다 Rebusqué entre mis cosas viejas. ② [가만히 있는 사람을 추기거나 꾀어 충동시키다] instigar (a), incitar (a), provocar. 몇몇 극단론자들이 폭동(暴動)을 쑤석거렸다 Uno pocos extremistas fueron los instigadores [incitadores] de la revuelta. 그의 [그들의 형제들의] 쑤석거림으로 그들은 정보를 숨겼다 Instigados por él [por instigación de su hermano], habían ocultado la información. 그는 강제로 대중을 쑤석거렸다 El instigó [incitó] a las multitudes a la violencia.

쑤시다[1] [바늘로 찌르듯이 아프다] doler*le* mucho *a uno*, tener mucho dolor (de), tener dolor sordo (de), sentir dolor sordo (de); [아픈 데가 주어일 때] doler*le a uno* sordamente. 몸이 쑤시고 아픈 증세 dolor *m* sordo, redolor *m*. 충치가 쑤시고 아프다 Me duele sordamente el diente picado / Siento [Tengo] dolor sordo de diente picado.

쑤시다[2] [구멍 같은 데를 막대기나 꼬챙이로 찌르다] mondar. 이를 ~ mondar los dientes, escarbarse los dientes. 손가락으로 콧구멍을 ~ meterse el dedo en la nariz, hurgarse la nariz. 손가락으로 눈을 ~ meter*le* el dedo en el ojo a *uno*.

쑥[1] 【식물】 absenta *f*, ajenjo *m*, moxa *f*, artemisa *f*, artemisia *f*.
■ ~국 sopa *f* de absenta. ~대 tallo *m* de la absenta. ~머리 pelo *m* despeinado [alborotado]. ~대밭 terreno *m* de la absenta. ¶~이 되다 ser completamente devastado. ~을 만들다 convertirse en ruinas. ~떡 *teok* [pan *m* típico coreano] de absenta, pastel *m* hecho con la harina de arroz y la pasta de artemisa. ~밥 arroz *m* de absenta, arroz *m* con la absenta. ~밭 ((준말)) =쑥대밭. ~버무리 pastel *m* de arroz cocido al baño (de) María y mezclado con artemisa. ~전 (煎) tortilla *f* de absenta.

쑥[2] [순하고 어리석은 사람] persona *f* dócil y estúpida.

쑥[3] ① [몹시 내밀거나 들어간 모양] bruscamente, de repente. ~ 내민 saliente; [건물의] saledizo. ~ 내민 끝 punta *f*, cabo *m*. 갑(岬)의 ~ 내민 끝에 al extremo del promontorio. 배가 ~ 내민 남자 hombre *m* de vientre saliente [abombado] barrigón. ~ 내민 눈썹 cejas *fpl* sobresalientes. ~ 나온 이마 frente *f* sobresaliente. ~ 들어간 눈 ojos *mpl* hundidos. ~ 들어간 볼 mejillas *fpl* hundidas. 길에서 ~ 들어간 집 casa *f* retirada [aislada] de la calle. 가슴을 ~ 내밀다 sacar (el) pecho. 혀를 ~ 내밀다 sacar la lengua. 그의 귀는 ~ 나왔다 El tiene las orejas salidas. 그는 창문으로 얼굴을 ~ 내밀었다 El se asomó bruscamente por la ventana. 허리띠로 인해 네 배가 ~ 나온다 El cinturón te hace salir la barriga / El cinturón te saca panza. ② [깊이 밀어 넣거나 길게 뽑아 내는 모양] de un tirón, ni a dos tirones. 무를 ~ 뽑다 sacar el rábano. 그는 그녀의 손에서 지갑을 ~ 뺐다 El le arrebató el monedero de la mano / El le quitó el menedero de la mano de un tirón. ③ [말이나 행동을 경솔하고 기탄없이 하는 모양] francamente. ~ 말을 꺼내다 empezar a decir francamente.

쑥갓 【식물】 margarita *f* de los prados, maya *f*.

쑥국화(-菊花) 【식물】 tanaceto *m*, hierba *f* lombriguera.

쑥덕거리다 conversar secretamente [en secreto].

쑥덕공론(-公論) conversación *f* secreta, conferencia *f* secreta. ~하다 discutir entre dientes, conversar secretamente.

쑥덕쑥덕 conversando secretamente [con secreto].

쑥덕이다 conversar secretamente.

쑥돌 ① 【광물】 =애석(艾石). ② 【광물】 =화강암(花崗巖).

쑥스럽다 estar desconcertado, estar confuso. 신사로서 쑥스러운 짓 conducta *f* indecorosa al caballero. 쑥스럽게 굴다 exponerse al ridículo.
쑥스레 con (un) aire confuso.

쑥쑥 ① [눈에 띄게] a ojos vistas, preceptiblemente, visiblemente. ~ 자라다 crecer a ojos vistas; [건강하게 자라다] crecer muy sano. ~ 나오다 brotar uno tras otro, brotar una tras otra. 남의 집에 ~ 들어가다 [들어오다] entrar de rondón en una casa ajena, entrar con toda frescura en una casa ajena. ② [계속해서 살을 쑤시듯 아픈 모양] agudamente. ~ 쑤시다 dolerle a uno agudamente, tener un dolor agudo.

쑬쑬하다 (ser) tolerable, soportable, pasable, aceptable.
쑬쑬히 razonablemente bien, pasablemente, de manera aceptable. 그녀는 ~ 노래를 부른다 Ella canta razonablemente bien / Ella canta pasablemente. 그들은 ~ 옷을 입고 있었다 Ellos estaban vestidos pasable [de manera aceptable].

쓰개 sombrero *m*, gorro *m*, casco *m*; [여자의] tocado *m*.

쓰기 escritura *f*, el escribir.

쓰다[1] ① [붓·펜 등으로 글씨를 그리다] escribir, describir, redactar; [서식(書式)에 따라] formular; [신문에] publicar. 소설을 ~ escribir una novela. 시를 ~ escribir una poesía. 책을 ~ escribir un libro. 신문에 ~ publicar *algo* en un periódico. 신청서를 ~ formular una petición. 지원서를 ~ formular una solicitud. 편지를 ~ escribir una carta. 서반아어로 ~ escribir en español. 유서(遺書)를 ~ hacer [otorgar] *su* testamento. 고쳐 ~ [갱신(更新)하다] renovar; [명의(名義)를] traspasar, transferir; [개정하다] corregir, revisar; [한 번 더 쓰다] volver a escribir, escribir de nuevo; [정서(淨書)하다] pasar a limpio, poner en limpio. 더 ~ añadir. 빠뜨리고 ~ omitir escribir, olvidarse de escribir. 휘갈겨 ~ garrapatear, garabatear, escribir de prisa y corriendo. 써서 나타내다 escribir, expresar *algo* por escrito; [묘사하다] describir. 써서 남기다 dejar por escrito. 써 두다 apuntar, anotar. 간판을 다시 ~ repintar un letrero. 어음을 고쳐 ~ renovar una letra (de cambio). 문제점을 뽑아 ~ apuntar puntos discutibles. 주권(株券)의 명의(名義)를 고쳐 ~ transferir las acciones. 슬픔을 시(詩)로 써서 나타내다 expresar la tristeza en una poesía. 쪽지를 써 두다 dejar un recado [una nota]. 편지를 써 보내다 escribir, enviar una carta. 주소를 수첩에 써 두다 apuntar la dirección en una agenda. 유언을 써서 남기다 dejar por escrito un testamento. 시험지에 휘갈겨 ~ garabatear el papel del examen. 어머님에게 인사말을 보내기 위해 몇 줄을 더 ~ añadir unos renglones para mandar un saludo a *su* madre. 흑판에 후보자의 이름을 ~ poner los nombres de los candidatos en la pizarra. 그의 편지에 …라 쓰여 있다 Dice en su carta que + *ind* / Su carta dice que + *ind*. 서류 쓰는 법을 가르쳐 주십시오 Dígame cómo rellenar el documento / Dígame la manera de escribir (la fórmula). ② [글을 짓다] componer. 시를 ~ componer las poesías. 베토벤은 많은 피아노 소나타를 썼다 Beethoven compuso muchas sonatas de piano.

쓰다² ① [모자 등을 머리에 얹다] ponerse. 모자를 ~ ponerse el sombrero. 왕관을 ~ ponerse la corona, coronarse. 모자를 써라 Ponte el sombrero. 모자를 쓰십시오 Póngase el sombrero. 모자를 쓰지 마세요 [tú에게] No te pongas el sombrero / [usted에게] No se ponga el sombrero / [vosotros에게] No os pongáis el sombrero / [ustedes에게] No se pongan el sombrero. ② [우산 등을 받쳐 들다] abrir el paraguas. ③ [(이불 따위를) 머리까지 푹 덮다] cubrir. ④ [(얼굴을) 보이지 않게 가리거나 덮다] taparse.

쓰다³ ① [사람을 두어 부리다] manejar; [고용하다] emplear. 가정부를 ~ emplear una ama de llaves, emplear una doméstica. 사람을 쓰는 일은 쉽지 않다 Es difícil [No es fácil] manejar a las personas. 이 가게에서는 점원을 세 명 쓰고 있다 En esta tienda hay tres empleados. ② [온 정신을 기울이다] dedicar, dedicarse (a). 그는 연구에 모든 시간을 썼다 El ha dedicado su tiempo al estudio. ③ [힘이나 기술을 발휘하다] hacer un (gran) esfuerzo. 힘을 다 써 버리다 agotarse, agotar [acabar con] *sus* fuerzas. ④ ㉮ [돈을 들이거나 없애다] gastar; [소비하다] consumir; [낭비하다] malgastar, derrochar, malrotar, despilfarrar, disipar, malbaratar, prodigar. 써서 닳은 usado, gastado. 써서 닳다 usar hasta el desgaste. 경비를 ~ gastar las expensas. 다 써 버리다 agotar(se), consumir, gastar(se). 공금(公金)을 다 써 버리다 malversar [substraer] los fondos públicos. 봉급(俸給)을 다 써 버리다 acabar gastando todo el sueldo. 옛날의 천 원은 쓸 만했다 Antes, con mil wones se podía hacer algo. 나는 돈을 쓰지 않고 남겨두었다 Dejé algún dinero sin gastar. 그는 이 사업에 전 재산을 다 써 버렸다 El gastó toda la fortuna en esta obra. 그는 여행에 많은 돈을 썼다 El gastó mucho dinero en el viaje. ㉯ [시간을 없애다] gastar, emplear. 그녀는 화장(化粧)하는데 시간을 너무 쓴다 El gasta demasiado tiempo en pintarse. 네 시간은 네 마음대로 써도 좋다 Puedes hacer lo que quieras de tu tiempo / Puedes emplear tu tiempo en lo que quieras. ⑤ [연장·원료로 사용하다] usar, servir, utilizar, servirse (de); [치다] echar. 쓰기 편한 fácil de utilizar, cómodo, manejable. 쓰기 불편한 difícil de utilizar, incómodo. 설탕을 적게 ~ echar un poco de azúcar. 이것은 무엇에 씁니까? ¿Para qué sirve esto? 이것을 써도 괜찮습니까? ¿Puedo servirme de esto? 그것은 무엇에다 [무엇을 만드는 데에] 씁니까? ¿Para [De] qué sirve hacer eso? 그것은 아무 데도 쓸 곳이 없다 Eso no sirve para nada. 이 전화를 좀 써도 될까요? ¿Se puede [Podría · Puedo] usar este teléfono? 이 도구는 어디에 씁니까? ¿Para qué sirve este instrumento? 네 펜 좀 써도 될까? ¿Puedo usar tu pluma? 지금은 약간 작지만 쓰면 곧 넓어질 것이다 Aunque le aprieta un poquito ahora, con el uso se ensancha en seguida. 우리 한국 사람은 식사 때에 젓가락을 쓴다 Los coreanos nos servimos de palillos para comer. ⑥ [말을 사용하다] hablar. 한국에서는 무슨 언어를 쓰고 있습니까? — 한글을 씁니다 ¿Qué lengua [idioma] se habla en Corea? — Se habla *hangul* [coreano]. ⑦ [약을 먹이거나 바르다] aplicar, poner. 한약(韓藥)을 ~ aplicar la medicina coreana. 찜질 요법을 ~ aplicar una cataplasma. ⑧ [색을] copularse, juntarse carnalmente, tener relaciones sexuales, tener unión sexual, tener coito. ⑨ [(권세 따위를) 행사하다] aplicar, usar, hacer uso (de). 어떤 수단을 써도 좋다 Puedes usar [hacer uso de] cualquier medio / Cualquier medio es aplicable.

쓰다⁴ [묏자리를 잡아 시체를 묻다] escoger el sitio de la tumba. 뫼를 ~ establecer la tumba.

쓰다[5] [윷놀이 같은 데서 말을 옮기다] mover el caballo.

쓰다[6] ① [맛이 소태의 맛과 같다] (ser) amargo. 쓴 맛 gusto *m* [sabor *m*] amargo. 쓴 약 medicina *f* amarga. 쓴 편도(扁桃) almendra *f* amarga. 맛이 ~ ser amargo, ser de gusto amargo. 이 쑥은 아주 쓰군 Esta artemisa es muy amarga. 입이 ~ La boca me sabe muy mal [amarga]. ② [입맛이 없다] no tener apetito. 나는 요즈음 음식이 ~ No he tenido apetito estos días. ③ [마음이 언짢다] (ser) amargo. 쓴웃음 sonrisa *f* amarga. 그것은 나에게 쓴맛으로 남았다 Me dejó un sabor amargo.

쓰다듬다 ① [귀엽거나 탐스러워 손으로 쓸어주다] acariciar, hacer caricias; [수염을] mesarse. 머리를 ~ acariciar la cabeza. 수염을 ~ mesarse la barba. 고양이의 털을 거꾸로 ~ acariciar un gato a contrapelo. 그는 그녀의 볼을 쓰다듬었다 El le acarició la mejilla. 그는 생각에 잠겨 수염을 쓰다듬었다 El se mesó la barba pensativamente. ② [성이 났거나 울고 있는 아이를 살살 달래다] acariciar, dar*le* una palmadita *a uno*. 턱을 쓰다듬어 어르다 dar*le* una palmadita en la barbilla *a uno*.

쓰디쓰다 ① [몹시 쓰다] (ser) muy amargo. ② [몹시 괴롭다] (ser) amargo. 쓰디쓴 경험 amarga experiencia *f*. 쓰디쓴 경험을 맛보다 tener [sufrir] una amarga experiencia.

쓰라리다 ① [상처가] [손가락·발·근육이] (ser) dolorido, adolorido; [눈이] irritado; [입술이] reseco. 나는 다리가 쓰라린다 Tengo las piernas doloridas [adoloridas] / Me duelen las piernas. 나는 사방이 쓰라린다 Me duele todo. 그녀는 목구멍이 ~ A ella le duele la garganta. 그것은 목이 쓰라린 데 좋다 Es bueno para el dolor de garganta. ② [괴롭다] (ser) doloroso, desagradable, amargo, penoso, angustiante, dar pena, angustiar. 쓰라린 경험 amarga experiencia *f*, experiencia *f* amarga. 가슴이 ~ partir*le* el corazón *a uno*. 쓰라린 경험을 하다 tener una experiencia amarga [dura·agria]. 할퀸 상처가 아직도 쓰라린다 El rasguño me sigue doliendo / El rasguño me sigue mortificando.

쓰라림 [상처의] dolor *m*; [괴로움] pena *f*, amargura *f*, apuro *m*. ~을 겪다 encontrarse [verse] en un apuro. 나는 패배(敗北)의 ~을 겪었다 Me vi miserablemente derrotado.

쓰러뜨리다 ① [쓰러지게 하다] hacer caer, tumbar, abatir, tirar, echar abajo, derribar, destruir, echar por tierra; [눕히다] acostar. 사람을 때려서 ~ echar por tierra de un golpe, derribar. 기둥을 ~ tumbar una columna. 나무를 ~ abatir un árbol. 의자를 ~ derribar una silla. 정부(政府)를 ~ derribar [volcar·derrocar] el gobierno. ② [패배시키다] vencer, derrotar, batir. 적을 ~ derrotar al enemigo. ③ [죽이다] matar, asesinar, acabar.

쓰러지다 ① [한쪽으로 쏠려 넘어지다] caer(se), tumbarse; [도괴(倒壞)하다] hundirse, derrumbarse, derribarse; [땅에] caer por el suelo. 쓰러진 집 casa *f* ruinosa, casa *f* en ruinas. 돌에 부딪쳐 ~ caerse al tropezar con una piedra. 옷을 입은 채 쓰러져 자다 dormirse vestido, dormirse sin cambiarse. 집이 쓰러졌다 La casa se hundió [se derrumbó]. 바람에 나무가 쓰러졌다 El viento derribó los árboles. 내각(內閣)이 쓰러졌다 El gabinete cayó [se derrocó]. 점포가 쓰러졌다 La tienda quebró. 누군가가 길에 쓰러져 있다 Alguien está echado [tumbado] en la calle. ② [회사 등이 망하다] quebrar, hacer bancarrota. ③ [앓아 눕다] caer enfermo, caer en cama. 그는 피로로 쓰러졌다 El cayó enfermo [en cama] por la fatiga. ④ [죽다] morir, fallecer, perecer, fenecer, cerrar los ojos, dejar este mundo, llamarlo Dios, estirar las piernas, dejar de existir, dejar de vivir, dar fin. 배고파 ~ morirse de hambre.

쓰렁쓰렁하다 estar separado y solitario.

쓰레기 basura *f*, barreduras *fpl*; [찌꺼기] residuos *mpl*. 가정의 ~ residuos *mpl* domésticos. 사회의 ~ hez *f* de la sociedad. ~ 버리는 곳 basurero *m*, vertedero *m* (de basuras), *AmL* basural *m*. ~로 가득찬 스타디움 estadio *m* lleno de basura. ~로 버리다 echar a la basura. ~를 줍다[모으다] recoger la basura. ~를 치우다 sacar la basura. ~ 버릴 곳이 없어 난처하다 verse en un apuro por falta de basureros. 군중을 동원해서 ~를 줍다 recoger la basura movilizando oleadas de personas. ~를 버리지 마시오 ((게시)) No tirar basuras / Se prohíbe tirar basuras [papeles rotos] / Prohibido arrojar [tirar] basuras / *AmS* No botar basuras.

◆음식 ~ 처리기 triturador *m* de basura. 인간(人間) ~ desecho *m* [escoria *f*·basura *f*] de humanidad.

■~ 공해 contaminación *f* de basuras. ~꾼 colector, -tora *mf* de basuras; basurero, -ra *mf*. ~ 더미 montón *m* (*pl* montones) de basura. ~ 바께쓰 cubo *m* de basura. ~ 버리는 곳 vertedero *m* (de basura), basurero *m*, *AmL* basural *m*, *Méj* tiradero *m*, *Andes* botadero *m* (de basura). ~ 봉지 bolsa *f* de [para] la basura. ~ 수거 recogida *f* de (la) basura, *RPl* recolección *f* de residuos. ~ 수거인 colector, -tora *mf* [recogedor, -dora *mf*] de basuras; basurero, -ra *mf*. ~ 수거차 camión *m* de la basura [de basuras], coche *m* basurero. ~차 =쓰레기 수거차. ~ 처리장 vertedero *m* (de basuras), basurero *m*, *AmL* basural *m*, Méj tiradero *m*, *Andes* botadero *m*. ~통 basurero *m*, basurera *f*, receptáculo *m* para ceniza [para polvo], *AmL* basural *m*, *ReD* zafacón *m* (*pl* zafacones), cubo *m*

[*CoS, Per, RPI* tacho *m* · *Chi* tarro *m* · *Méj* tambo *m*, bote *m* · *Col* caneca *f* · *Ven* tobo *m*] de la basura; *Chi, Méj* basurero *m*; [휴지통] papelera *f*. ~ 포대 bolsa *f* de [para] la basura.

쓰레받기 pala *f* (de recoger la basura *f*), recogedor *m* (de polvo).

쓰레질 barrido *m*, barrida *f*.

쓰레하다 (ser) tambaleante, inseguro, vacilante.

쓰르라미 【곤충】 una especie de la cigarra.

쓰르람쓰르람 chirrido *m*. ~ 울다 chirriar.

쓰리다 doler; [눈이] escocer, picar, arder; [상처가] escocer, *CoS* arder. 쓰린 가슴으로 con gran dolor de corazón. 계속 ~ seguir [continua] doliendo, seguir [continuar] mortificando. 가슴이 ~ tener ardor de estómago, tener acidez (de estómago). 피부가 ~ La piel escuece. 눈이 ~ Mis ojos escuecen.

쓰이다[1] ① [들다. 소용되다] gastarse, costar. 이 엔진에는 석유가 많이 쓰인다 Este motor consume mucho petróleo. ② [사용되다] usarse, emplearse, servir. 일상 생활에 쓰이는 물건 artículo *m* en la vida ordinaria.

쓰이다[2] ① [글씨가 써지다] escribirse. 쉽게 ~ escribirse fácilmente. 이 펜은 잘 쓰인다 Esta pluma (se) escribe bien. ② [글씨를 쓰게 하다] hacer escribir. 동생에게 쓰인 편지 carta *f* que hace escribir a *su* hermano.

쓰임새 =용도(用途).

쓰적거리다 ① [비비어지다] restregarse. ② [대강대강 쓸다] barrer descuidadamente.

쓰적쓰적 [비벼짐] restregándose; [쓰레질] barriendo descuidadamente.

쏙 [슬쩍] rápida y silenciosamente; [척] abruptamente, bruscamente, con brusquedad; [빨리] rápidamente, rápido; [슬슬] hábilmente, con destreza.

쓱싹거리다 raspar, esconfinar.

쓱싹하다 ① [돈 따위를] quedarse con, embolsarse, desfalcar, malversar. 그는 거스름돈을 쓱싹했다 El se quedó con el cambio / El se embolsó el cambio. ② [상쇄하다] cancelarse; [빚을] arreglar cuentas. ③ [얼버무리다] ocultar, tapar, disimular.

쓱쓱 frotándose las manos. 손을 ~ 비비다 frotarse las manos.

쓴맛 sabor *m* amargo, amargura *f*. ~이 있다 tener un ligero sabor amargo, ser un poco amargo. ~을 보다 tener [sufrir] una amarga experiencia. ~이 많은 [적은] 맥주 cerveza *f* muy [poco] amarga.

쓴맛 단맛 mucha experiencia *f*. ~ 다 보다 tener mucha experiencia.

쓴술 vino *m* amargo.

쓴웃음 risa *f* amarga. ~을 웃다 [짓다] reírse amargamente [con amargura].

쓸개 【해부】 hiel *f*, bilis *f*, vesícula *f* (biliar).

◆쓸개 빠지다 no tener fibra.

■쓸개 빠진 놈 ((속담)) persona *f* que pierde el sentido [el conocimiento].

■ ~골 rótula *f*, choquezuela *f*. ~머리 ternera *f* [carne *f* de vaca] pegada con la hiel de la vaca. ~즙 hiel *f*, bilis *f*.

쓸까스르다 ofender a otro poniéndole sobre el cuerno de la luna.

쓸다[1] ① [비로 쓰레기 등을 몰아서 없애다] barrer, limpiar con la escoba; [손으로 어루만져 문지르다] frotar. 마루를 ~ barrer el piso. 등을 알코올로 쓸었다 Le froté espalda con alcohol. 그녀는 방을 깨끗이 쓸었다 El barrió bien la habitación. 나는 책상에서 빵 부스러기를 쓸었다 Limpié la mesa de migas / Quité las migas de la mesa. 나는 뜰을 쓸어 모퉁이에 나뭇잎을 쌓아 두었다 Barrí el patio y amontoné las hojas en el rincón. 그는 상자에서 손으로 동전을 쓸어 모았다 Con la mano él reunió las monedas y las deslizó en una caja. ② [제 앞의 일만 깨끗이 처리하다] azotar, barrer, arrastrar, arrollar, arrasar. 심한 폭풍우가 해안을 쓸어 버렸다 Grandes tormentas azotaron [barrieron] la costa. 우리 팀은 코리언 리그를 쓸어 버렸다 Nuestro equipo arrolló [arrasó] en la Liga Coreana. 화재가 호텔을 완전히 쓸어 버렸다 El fuego se propagó [se extendió] por todo el hotel. ③ [유행병이 널리 퍼지다] extenderse. 유행병이 전국을 쓸고 있다 La epidemia se extiende como su reguero de pólvora por el país. ④ [혼자 독차지하다] poseer exclusivamente, monopolizar. 판돈을 ~ ganar todo dinero.

쓸다[2] [줄 따위로 물건을 문질러 닳게 하다] limar, raspar, esofinar, desbastar con la lima. 줄로 열쇠를 ~ limar una llave.

쓸데 uso *m*. 그는 돈의 ~를 모르고 있다 El no sabe gastar el [hacer uso del] dinero. 이 돈은 ~가 이미 정해져 있다 Este dinero ya tiene su destino.

쓸데없다 no tener ningún valor, no valer nada, no servir para nada, no ser de ninguna utilidad, ser inútil. 이 가위는 ~ Estas tijeras no sirven para nada.

쓸데없이 sin necesidad, inútilmente, fuera de propósito, en vano, en balde, para nada. ~ 돈을 쓰다 gastar dinero. ~ 시간을 보내다 malgastar el tiempo, pasar el tiempo en vano, matar el tiempo. ~ 떠들어대다 alborotar para nada, meter bulla inútilmente.

쓸리다[1] [풀이 센 옷 등에 쓰적거려 살갗이 벗겨지다] excoriarse, escoriarse. 무릎을 ~ escoriarse [excoriarse] las rodillas. 나는 얼굴을 쓸렸다 Me he escoriado [excoriado] la cara.

쓸리다[2] [곡식 · 풀 등이 바람에 비스듬히 기울어지다] inclinarse, ser inclinado.

쓸리다[3] [「쓸다」의 피동으로, 비나 줄에 씀을 당하다] barrerse, rasparse, limarse.

쓸모 uso *m*, utilidad *f*. ~가 있다 ser útil, ser utilizable, poderse usar. ~가 없다 ser inútil, no servir de [para] nada. ～가 많다 servir de mucho, ser de gran utilidad. 이 펜은 이제 ～가 없다 Esta pluma ya no sirve. 그것은 아무 데도 ～가 없다 No vale ni para pitos ni para flautas / Ni chicha ni limonada / No sirve para nada. 그는 아무 데도 ～가 없다 El no sirve para nada. 이 녀석은 아무짝에도 ～가 없다 Es una persona que no sirve para nada. 그는 우리에게 ～가 많은 사람이다 El es un hombre que nos sirve mucho.

쓸쓸하다 ① [날씨가 으스스하고 음산하다] (ser) deprimente, sombrío, lúgubre, fúnebre. ② [외롭고 적적하다] (ser) solitario, triste, sombrío, melancólico, desconsolado. 쓸쓸한 생활 vida *f* triste [solitaria · melancólica]. 쓸쓸한 풍경 paisaje *m* sombrío. 나의 쓸쓸한 밤 mis noches de soledad. 겨울철의 쓸쓸한 경치(景致) paisaje *m* desolado de invierno. 쓸쓸해지다 quedarse [ponerse] triste, entristecerse. 쓸쓸한 만년(晩年)을 보내다 pasar la última etapa de la vida en la soledad. 쓸쓸하게 살다 vivir solitario, vivir en la soledad. 쓸쓸한 듯한 얼굴을 하고 있다 tener la cara larga. 네가 없어 ～ Te echo (mucho) de menos / *AmS* Te extraño (mucho). 나는 무척 쓸쓸했다 Me sentía muy solo. 혼자 있으면 ～ La soledad me entristece. 그녀는 쓸쓸한 얼굴을 하고 있었다 Ella tenía un semblante muy sombrío.

쓸쓸히 solo, a solas, solitariamente. ～ 앉아 있다 estar sentado solo. ～ 사색에 잠겨 있다 estar meditando a solas.

쓸어 들이다 barrer adentro.

쓸어버리다 barrerse, arrastrar, arrasar con.

쓸음질 limadura *f*, limado *m*, acción *f* y efecto de limar. ～을 하다 limar, gastar [alisar] un metal [una madera].

쓿다 pulir(se).

쓿은쌀 arroz *m* (*pl* arroces) pulido.

씀바귀【식물】 cerraja *f*.

씀벅거리다 ((센말)) =슴벅거리다.

씀씀이 gastos *mpl*. ～가 헤픈 gastoso, manirroto, pródigo. 그는 ～가 헤프다 El es pródigo / El malgasta [derrocha] su dinero.

씁쓰레하다 ser algo [bastante · un poco · ligeramente] amargo.

씁쓰름하다 =씁쓰레하다.

씁쓸하다 ser algo [un poco] amargo.

씌다[1] ((준말)) =쓰이다. ¶글씨가 잘 ～ escribirse bien.

씌다[2] [귀신이 접하다] estar poseído [obseso] de un espíritu maligno. 악마(惡魔)가 씐 남자 hombre *m* poseído por el demonio. 귀신에 씐 눈으로 con una mirada que parecía poseída del diablo. 그는 귀신에 씐 것처럼 악을 썼다 El gritaba como un poseído [como un poseso].

씌다[3] ((준말)) =씌우다. ¶모자를 ～ ponerl*e* a *uno* el sombrero.

씌우개 cubierta *f*, cobertura *f*, cubertura *f*, tapadera *f*. 테이블 ～ cubierta *f* de mesa. 침대 ～ cubierta *f* de cama, cubrecama *f*, sobrecama *f*.

씌우다 ① [모자 따위를] poner, cubrir, extenderse (sobre). 모자를 ～ poner el sombrero. 탁자를 천으로 ～ cubrir la mesa con una tela. ② [허물을 남의 탓으로 돌리다] poner la culpa al otro. 누명을 ～ infamar, estigmatizar, deshonrar.

씨[1] ① [식물의 씨앗 · 종자] semilla *f*, simiente *m*; [포도 · 귤의] semilla *f*, *AmL* pepita *f*; [곡류의] grano *m*; [과실의] pepita *f*, pipa *f*. ～가 없는 sin pepitas, sin semillas. ～를 빼고 sin semilla. ～가 많은 abundante en semillas. ～ 없는 수박 sandía *f* sin semillas. 해바라기의 ～ pipa *f*, semilla *f* de girasol. ～를 뿌리다 sembrar, esparcir la semilla. ～를 빼다 quitar las pepitas [semillas] (a). ～를 다시 뿌리다 volver a sembrar. 밭에 보리의 ～를 뿌리다 sembrar un campo de cebada. 나는 묘상(苗床)에 이 토마토의 씨를 뿌렸다 Estos tomates los planté en el almácigo. 부모들이 ～를 뿌리면 자녀들이 그 혜택을 받을 것이다 Los padres siembran y los hijos recogerán el fruto. ② [동물의] casta *f*, raza *f*. ③ [아버지의 혈통] linaje *m* (del padre), línea *f* directa de una familia; [아이] hijo, -ja *mf*. ～가 다른 형제 hermanos *mpl* uterinos, hermanos *mpl* de madre. A의 ～를 배다 [잉태하다] estar encinta [embarazada] de A. ④ [사물의 근본] germen *m*, semilla *f*, causa *f*, origen *m*, sujeto *m*; [재료] tema *m*, materia *f*. 분쟁의 ～ causa *f* de disputa. 폭동의 ～ germen *m* [semilla *f*] de la revuelta. …의 ～를 뿌리다 sembrar, causar, provocar. 불화의 ～를 뿌리다 sembrar la discordia. 사람의 마음에 신앙의 ～를 뿌리다 sembrar la fe en los corazones. 악(惡)의 ～는 결코 없어지지 않는다 Mala hierba nunca muere.

씨[2] [피륙의 가로 건너 짠 실] trama *f*. ～와 날 trama *f* y urdimbre.

씨[3] [품사] parte *f* de la oración.

씨(氏) ① [성명 또는 이름 뒤에 붙어 존대의 뜻] señor *m*; [기혼녀에게] señora *f*; [미혼녀에게] señorita *f*; [이름 앞에서] don, doña. 김복남 ～ señor Kim Bok Nam. 수길 ～ Don Sukil. 영숙 ～ Doña Yeongsuk. ② [이름 대신 높이어 일컫는 말] señor, señora, señorita. 김, 이 양 ～ los señores Kim y Lee. ～는 선량한 사람이었다 El señor era bueno. 이것은 김 ～의 작품으로 그의 대표작 중의 하나이다 Esta es una obra del señor Kim, y es una de sus obras maestras.

-씨(氏) ① [같은 성(姓)의 계통을 표시하는 말] *si*. 김해 김～ *Kim* (procedente) de *Kimhae*. ② [성(姓)을 나타내는 말에 붙어 존대의 뜻] señor. 김～ señor Kim. 박～ señor Bak.

씨감자 patatas *fpl* [*AmL* papas *fpl*] de siembra.

씨고기 ＝종어(種魚).
씨곡(－穀) grano *m* [cereal *m*] de siembra.
씨그둥하다 (ser) desagradable al oído.
씨근거리다 ((센말)) ＝시근거리다.
씨근덕거리다 ((센말)) ＝시근덕거리다.
씨근벌떡거리다 jadear.
씨근씨근[1] [숨을 가쁘게 쉬는 모양] jadeando.
씨근씨근[2] [어린아이가 곤하게 자는 모양] muy profundamente.
씨금 ＝위선(緯線).
씨껍질 【식물】 cáscara *f* de las semillas.
씨끝 【언어】 ＝어미(語尾).
씨눈 embrión *m*; 【동물】 feto *m*.
씨다리 pepita *f* de oro aluvial.
씨닭 gallo *m* reproductor.
씨도(－度) grado *m* de latitud.
씨도리 ((준말)) ＝씨도리배추.
씨도리배추 repollo *m* dejado en el campo para la semilla.
씨돼지 cerdo *m* padre, verraco *m*, verrón *m*, cerdo *m* reproductor.
씨르래기 【곤충】 ＝여치.
씨름 ① [우리 나라 고유의 경기] *sireum*, lucha *f* (típica coreana); [승부] combate *m* de lucha. ～하다 luchar (con), tener un combate de lucha (contra). ② [어떤 사물을 극복·채득하기 위해 노력하는 일] esfuerzo *m*. ～하다 [문제와] lidiar, batallar, esforzarse por resolver; [어려운 일과] enfrentarse (con), tratar de vencer. 그는 세금 문제와 ～하고 있다 El se esfuerza por resolver el problema de los impuestos. 그는 얼마 전부터 그 문제와 ～해 왔다 El ha estado lidiando [batallando] con el problema desde hace poco tiempo. 그는 밤새도록 양심과 ～했다 El pasó toda la noche batallando con su conciencia.
■～꾼 *sireumista mf*; luchador, -dora *mf*. ～장방이 traje *m* para *sireum*. ～판 combate *m* de *sireum*.
씨말 semental *m*, caballo *m* garañón.
씨명(氏名) nombre y apellido(s). ～ 미상(未詳)의 no identificado. ～ 미상(未詳)의 남자 hombre *m* no identificado.
◆서반아어권(西班牙語圈)에서는 어머니쪽의 성(姓)도 사용한다. 그런 경우에는 성은 복수형으로 쓴다.
씨모 ＝종묘(種苗).
씨무룩하다 ((센말)) ＝시무룩하다.
씨물거리다 ((센말)) ＝시물거리다.
씨받기 ＝채종(採種).
씨받이 ① [채종(採種)] cruce *m*, apareamiento *m*. ～하다 cruzar. 소의 ～를 하다 cruzar una vaca con un toro semental. ② ＝대리모(代理母).
씨방(－房) 【식물】 ovario *m*.
씨벼 ＝볍씨.
씨보(氏譜) genealogía *f*, libro *m* genealógico, árbol *m* genealógico.
씨부렁거리다 ((센말)) ＝시부렁거리다.
씨뿌리 【식물】 ＝종근(種根).
씨뿌리다 ① [파종하다] sembrar, esparcir semilla en tierra para que germine. ② [사물의 근원을 만들다] causar, provocar.
씨소 toro *m* semental.
씨수퇘지 ＝종모돈(種牡豚).
씨식잖다 (ser) deficiente, faltar, crecer (de).
씨실 ＝위사(緯絲).
씨아 limpiadora *f* de algodón.
■～손 mango *m* de la limpiadora de algodón. ～질 limpiadura *f* de algodón.
씨알[1] [물고기의 크기] tamaño *m* de los peces. ～이 잘다 Los peces son pequeños.
씨알[2] ① ＝종란(種卵). ② [곡식 등의 종자로서의 낟알] grano *m* para la semilla. ③ [광물의 잔 알맹이] pepita *f* minúscula.
■～머리 mala persona *f*, persona *f* asquerosa. ¶～ 없다 (ser) malo, asqueroso.
씨올 pueblo *m*, humano *m* puro. ～의 소리 voz *f* del pueblo.
씨암탉 gallina *f* reproductora.
■～걸음 paso *m* menudo y afectado.
씨앗 semilla *f*.
씨양이질 alboroto *m* [tumulto *m*·obstáculo *m*·estorbo *m*] improvisto [inesperado], interrupción *f* improvista [inesperada].
씨억씨억하다 (ser) enérgico.
씨우적거리다 refunfuñar, gruñir, quejarse, lamentarse.
씨우적씨우적 refunfuñando, gruñendo, quejándose.
씨젖 【식물】 ＝배(胚)젖. 배유(胚乳).
씨조개 ＝종패(種貝).
씨족(氏族) tribu *f*, familia *f*, clan *m*.
■～ 사회 sociedad *f* tribual. ～ 제도(制度) sistema *m* tribual, organización *f* tribual.
씨주머니 【식물】 ＝자낭(子囊).
씨줄 ＝위선(緯線).
씨짐승 semental *m*.
씨토끼 conejo *m* semental.
씨황소 toro *m* semental.
씩[1] [소리 없이 한 번 싱겁게 웃는 모양] sin ruido. 혼자 ～ 웃다 sonreír solo sin ruido.
씩[2] ① [각각 같은 수효로 나누는 뜻을 나타내는 보조사] a, por. 하나～, 한 사람～ uno a uno, una a una; uno por uno, una por una. 하루에 세 번～ tres veces por día, tres veces al día. 두 사람에 하나～ uno para cada dos personas. 한 사람에 만 원 ～ 주다 dar diez mil wones por cabeza [a cada uno]. 세 개～ 나누어 주다 distribuir tres por cabeza. 탁자와 의자를 하나～ 준비하다 preparar una mesa y una silla. 두 사람～ 들어갔다 Entraron de dos en dos. 한 사람이 십만 원～ 받았다 Cada uno recibió cien mil wones. ② [제각기] cada uno, cada una, respectivamente, separadamente, por separado, individualmente. 한 개에 얼마～ 합니까? ¿Cuánto cuesta cada uno? ③ [크기나 정도를 나타내는 말 뒤에 붙어, 그와 거의 같음을 나타내는 보조사] como un puño. 주먹만큼～ 큰 돌멩이 piedra *f* como un puño. 주먹만큼～ 큰 달걀 huevo *m* como un puño.
씩둑거리다 charlar, parlotear, chacharear, cotorrear.

씩씩하다 (ser) vigoroso, enérgico, fuerte, robusto, airoso, gallardo, garboso. 씩씩함 vigor *m*, robustez *f*. 씩씩한 청년으로 자라다 hacerse un joven fornido. 씩씩하게 살다 vivir enérgicamente. 그는 ~ El está garboso. 그는 심신이 ~ El es fuerte física y moralmente. 그는 군복을 입고 씩씩하게 걷고 있다 El va con gallardía [con mucho aire] vestido de militar.

씰(영 *seal*) sello *m*. ~을 붙이다 sellar, poner un sello.

씰그러뜨리다 deformar, distorsionar, desviar, apartar.

씰그러지다 deformarse, distorsionar(se), tener crispado. 그의 얼굴은 고통으로 [화가 나서] 씰그러졌다 El tenía el rostro crispado del dolor [por la ira].

씹 ① [어른의 보지] vulva *f*, vagina *f*. ② ((속어)) [성교(性交)] coito *m*, cópla *f*, copulación *f*, relaciones *fpl* sexuales. ~하다 tener relaciones sexuales, tener coito, copularse, juntarse carnalmente.

씹거웃 vello *m* púbico [pubiano], pubis *m*, pubes *m*.

씹다 ① [입에 넣어 연해 깨물다] masticar, mascar; [깨물다] morder. 씹어서 잘게 깨다 machacar con los dientes. 담배를 ~ mascar [masticar · *AmS* chicar] tabaco. 연필을 ~ morder un lápiz. 밥을 잘 씹어 먹다 comer masticando el arroz bien. 잘 씹어 먹어라 Cómelo masticando bien. 씹는 담배 tabaco *m* de mascar. ② [남을 나쁘게 말하다] hablar mal (de). 씹어 뱉듯이 말하다 hablar con indignación.

씹두덩 pubis *m*, pubes *m*, parte *f* inferior del vientre.

씹히다 ① [씹음을 당하다] ser masticado, ser mascado. ② [남에게 씹는 말을 듣다] oír hablar mal. ③ [씹게 하다] hacer masticar [mascar].

씻가시다 lavar y enjuagar.

씻기다 ① [씻음을 당하다] ser lavado, lavarse. 이 와이셔츠는 잘 씻긴다 Esta camisa se lava bien. ② [씻게 하다] hacer lavar. 씻겨 주다 lavar. 아이의 손을 씻겨 주다 lavar las manos a *su* niño.

씻다 ① [물로 더러운 것을 없애다](영 *wash*) lavar; [훔치다] enjuagar; [접시 등을] fregar; [깨끗이 하다] limpiar; [세정(洗淨)하다] purificar, depurar; [자신의 몸을] lavarse. 얼굴을 ~ lavarse la cara. 손을 ~ lavarse las manos. 차를 ~ lavar el coche. 상처를 물로 ~ limpiar la herida con agua. 나는 융단을 씻으려고 한다 Voy a lavar la alfombra / *AmL* Voy a darle una lavada a la alfombra. 얼굴을 잘 씻어라 Lávate la cara bien. 밥을 먹기 전에 반드시 손을 씻어라 Lávate las manos sin falta antes de comer. 나는 찬물로 씻기를 좋아한다 Yo prefiero lavarme con agua fría. ② [누명을 벗다] borrar. 씻을 수 없는 치욕(恥辱) vergüenza *f* indeleble [inborrable]. 오명(汚名)을 ~ quitarse la deshonra.

씻부시다 lavar.

씻어 내다 limpiar, pasar un trapo (a).

씻어 버리다 lavarse, limpiarse, borrarse, enjuagarse.

씻은 듯이 muy limpiamente, completamente, del todo, totalmente, enteramente. ¶~ 잊어버리다 olvidarse completamente. 병이 ~ 낫다 estar completamente bien, recuperarse completamente. 그는 병이 ~ 나았다 El se ha curado como por encanto de la enfermedad.

씽 silbando, zumbando, como una bala, como un bólido.

씽그레 ((센말)) =싱그레.

씽글거리다 ((센말)) =싱글거리다.

씽긋 ((센말)) =싱긋.

씽긋거리다 ((센말)) =싱긋거리다.

씽끗빵끗 ((센말)) =싱긋벙긋.

씽씽 como una bala, como un bólico. 나는 자전거를 타고 언덕을 ~ 내려갔다 Bajé la colina en bicicleta como una bala [como un bólido].

씽씽하다 ((센말)) =싱싱하다.

ㅇ

아[1] ① [놀람·당황·초조 등을 나타내거나 급한 때에 내는 소리] ¡Ah! / ¡Oh! / ¡Ay! / ¡Uf! / ¡Anda! / ¡Vaya! ~, 깜짝이야 ¡Ah! ¡Qué susto! / ¡Anda [Vaya], qué sorpresa! ~, 알았다 ¡Ah! Ya caigo. ~ 피곤하다 ¡Ay, qué cansado! ~ 춥다 ¡Uf, qué frío! ~ 굉장하다 ¡Ay, qué maravilloso! ~ 정말이요? ¿De veras? / ¡No me digas! ② [상대자의 주의를 일으키는 말에 앞서 내는 소리] ¡Eh! / ¡Oye! / ¡Oiga! ~, 이 사람아 ¡Eh, tú! ~, 자네 잠깐 Oye, un momento. ~ 이제 됐네 ¡Oye, basta ya! 일을 얻었으니 ~, 얼마나 좋은가 Conseguí trabajo - ¡pero qué bien!

아[2] [기쁨·슬픔·칭찬·뉘우침·귀찮음·절실감 등을 나타낼 때 내는 소리] ¡Ay! / ¡Ah! / Bueno. ~, 슬프도다 ¡Ay, qué triste! ~, 세월은 잘 간다 ¡Ay, el tiempo corre como una flecha! ~, 정말 예쁜 장미다 ¡Ah, qué rosas más preciosas! ~, 걱정 마십시오 Bueno, no importa. ~, 당신은 김 선생이시군요. 나는 박 사장이라 생각했습니다 ¡Ah, es usted el señor Kim. Creí que es el señor Bak.

아[3] [받침 있는 명사 뒤에 붙어 손아랫사람이나 물건을 부를 때에 쓰는 호격 조사] ¶복동~ Bokdong. 달~ 달~ Luna, luna.

아(亞)【지명】Asia *f.*

아(阿)【지명】Africa *f.*

아-(亞) ① [다음가는] sub-. ~열대 zona *f* subtropical. ~열대 지방 subtrópico *m.* ② [생물 분류 단계에 부차적으로 쓰는, 그 아래 단계와의 중간을 나타내는 말] sub-. ~강(綱) subclase *f.* ~목(目) suborden *m.* ③【화학】¶~황산 ácido *m* sulfúrico.

-아(兒) ① [어린아이] niño, -ña *mf.* 신생~ recién nacido, -da *mf.* ② [남자다운 씩씩한 남아] hombre *m* varonil. 풍운(風雲)~ aventurero *m* afortunado.

아가 ((소아어)) =아기(nene).

아가(雅歌) ((성경)) Cantar de los cantares (de Salomón).

아가딸 ((속어)) hija *f* soltera, hija *f* que no se casa..

아가리 ① ((속어)) =입(boca). ¶~를 다물다 callarse (la boca), no abrir la boca, no decir nada, cerrar el pico. ~를 다물어라 ¡Cállate (la boca)! / ¡Cierra el pico! ② [그릇 등속의, 물건을 넣고 내고 하는 데] boca *f.* 병~ boca *f* de la botella.

◆아가리(를) 놀리다 ((속어)) hablar, decir.

◆아가리(를) 벌리다 ㉮ ((속어)) [울다] llorar. ㉯ ((속어)) [입을 열다] abrir la boca, hablar, decir, gritar, dar a gritos.

아가미【동물】agalla *f.*

아가사창(我歌査唱) El que se reprochará reprocha.

아가씨 ① [처녀(處女)나 젊은 여자] virgen *f* (*pl* vírgenes), señorita *f,* muchacha *f;* [딸] hija *f;* ((호격)) ¡Señorita! 촌 ~ muchacha *f* campesina. 도시 ~ muchacha *f* de la ciudad. ~, 어디서 오셨습니까? Señorita, ¿de dónde es [viene]? 그녀는 김 장군 댁의 ~다 Ella es la hija del general Kim. ② [손아래 시누이] cuñada *f* (menor), hermana *f* menor de *su* esposo.

아가위 fruta *f* del espino.

아가위나무【식물】=산사(山査)나무.

아가페(그 *agape*) ((종교)) ágape *m.*

아감【어류】agallas *fpl,* branquia *fpl.*

■~구멍 grieta *f* [hendidura *f*] branquial. ~딱지 opérculo *m,* cubierta *f* branquial. ~뼈 esqueleto *m* branquial, hueso *m* branquial. ~젓 agallas *fpl* saladas.

아강(亞綱)【동물】subclase *f.*

아객(雅客) ① [귀여운 손님] huésped *m* bonito, huésped *f* bonita. ② [마음이 바르고 품위 있는 사람] persona *f* bondadosa y elegante.

아고산대(亞高山帶)【지질】zona *f* subalpina.

아과(亞科)【생물】subfamilia *f.*

아교(阿膠) goma *f* de pegar, pegamento *m.* ~로 붙이다 pegar (con pegamento), encolar.

■~질 substancia *f* pegajosa, pegajosidad *f,* glutinosidad *f.* ~풀 =아교(阿膠).

아구(亞區)【생물】subregión *f.*

아구창(牙口瘡/鵝口瘡)【한방】fiebre *f* aftosa.

아국(我國) nuestro país, Corea.

아군(我軍) ① [우리 편의 군대] nuestras fuerzas, nuestras tropas, nuestro ejército. ② [우리 편] nuestro partido.

아궁이 hogar *m,* agujero *m* de combustible.

아귀[1] ① [물건의 갈라진 곳] horca *f,* bieldo *m,* horqueta *f.* ② [두루마기나 여자 속곳의 옆을 터놓은 구멍] entrepierna *f.* ③ [씨의 싹이 트고 나오는 곳] parte *f* que las semillas germinan.

아귀[2]【어류】pejesapo *m,* diablo *m* marino.

아귀(餓鬼) ① ((불교)) fantasma *m* [espíritu *m*] hambriento. ② [염치 없이 먹을 것이나 탐하는 사람] persona *f* glotona; glotón, -tona *mf.* ~ 같은 glotón, voraz. ~같이 con voracidad vorazmente. 그는 ~처럼 먹는다 El tiene un apetito voraz. ③ [싸움을 잘하는 사람] ogro *m.*

아귀다툼 =말다툼.

아귀아귀 con voracidad, vorazmente. ~ 먹다 engullir(se) (la comida), tragarse, zamparse (la comida). 그는 ~ 먹었다 El engulló [se zampó] la comida.

아귀차다 (ser) fuerte, bravucón. 그는 아귀찬

사람이 되려고 애쓰고 있다 El se está haciendo el gallito [el machito].

아그레망(불 *agrément*) beneplácito *m*, agrément *m*, acuerdo *m*. ~을 요청하다 pedir un beneplácito. ~을 주다 dar un beneplácito.

아그배나무【식물】((학명)) Malus sieboldii.

아긋하다 ① [목적하는 점에 겨우 미치다] alcanzar al punto objectivo con dificultad. ② [틈이 조금 벌어져 있다] estar algo abierto.

아기 ① [어린아이] bebé *m*; niño, -ña *mf*; *Per, RPl* bebe, -ba *mf*; *Andes* guagua *f*; criatura *f*. 안고 다니는 ~ bebé *m*, niño *m* de pañales, niño *m* de brazos. ~를 낳다 dar a luz, parir. 내 딸은 ~를 가지고 있다 Mi hija está embarazada / Mi hija va a tener un hijo [un niño]. 나는 5월에 ~를 가질 것이다 Espero un niño para mayo. ② [나이 어린 딸] hijita *f*, querida *f*; [나이 어린 며느리] nuera *f*, querida *f*. ③ [남을 어리게 여겨 하는 말] muchacho, -cha *mf*.

◆아기(가) 서다 estar embarazada, tener un hijo [un niño], concebir. 그녀는 아기가 선지 다섯 달 되었다 Ella está embarazada de cinco meses.

◆아기(를) 배다 concebir, ponerse preñada. 그녀는 사내아기를 뱄다 Ella concibió un hijo varón.

■~곰 osito, -ta *mf*. ~능(陵) tumba *f* del príncipe pequeño. ~뿌리 raíz *f* (*pl* raíces) tierna. ~살 flecha *f* corta y pequeña. ~씨 ㉮ [시집갈 만한 또래거나 갓 시집온 이에 대하여 아랫사람이 이르는 말] señorita *f*, cuñada *f*. ㉯ [계집애에 대한 경칭] muchacha *f*. ~씨름 *sirum* [lucha *f* coreana] poco hábil. ~잠 primera dormida *f* del gusano de seda. ~집 útero *m*, matriz *f*. ~태(太) [작은 명태] abadejo *m* pequeño.

아기똥거리다 caminar [andar] como un pato, tambalearse. 그는 아기똥거리기 시작하고 있다 El está empezando a caminar [a andar] / El está dando sus primeros pasos.

아기똥아기똥 con paso inseguro, inseguramente, vacilantemente, andando [caminando] como un pato, tambaleándose.

아기똥하다 (ser) altivo, altanero, soberbio, arrogante, orgulloso, imperioso, desdeñoso, despreciativo.

아기자기 ¶~하다 (ser) encantador, dulce, precioso, muy feliz, lleno de interés, sabroso. ~한 분위기 atmósfera *f* agradable, ambiente *m* agradable y en el que uno se siente a gusto. ~한 이야기 historia *f* sabrosa. ~하게 살다 vivir muy felizmente juntos. 김 군은 ~한 결혼 생활을 하고 있다 El señor Kim está guiando una feliz vida matrimonial.

아기작거리다 caminar [andar] como un pato [con paso inseguro].

아까 hace un rato, hace poco, hace poco tiempo. ~ 말씀드린 그 분입니다 Es el hombre que acabo de hablar. ~부터 비가 그쳤다 Hace un rato que ha dejado de llover. 그는 조금 ~ 출발 했다 El acaba de irse.

아까워하다 sentir lamentablemente, sentir con pesar.

아깝다 (ser) lamentable, lastimero, lastimoso; [귀중하다] precioso, valiosísimo, valioso; [너무 좋다] demasiado bueno. 아깝게도 lamentablemente. 아까운 듯이 a su pesar, a regañadientes, de mala gana. …하는 것은 ~ Es lamentable que + *subj*. 아까운 일이군 ¡Qué lástima! / ¡Qué pena! 나는 아까운 시간을 허비했다 Perdí un tiempo precioso.

아끼다 escatimar, economizar, ahorrar, estimar, apreciar. 돈을 ~ escatimar el dinero. 시간을 ~ apreciar el tiempo; [이용하다] aprovechar al máximo el tiempo. 생명을 ~ estimar *su* vida. 명예를 ~ estimar *su* honor. 비용을 아끼지 않다 no economizar gastos. 비용을 아끼지 않고 sin tener en cuenta los gastos, sin escatimar gastos, sin economizar gastos. 찬사(讚辭)를 아끼지 않다 no escatimar elogios (a). 협력을 아끼지 않다 cooperar con gusto (con).

■아끼는 것이 찌로 간다 ((속담)) Si se escatima el dinero y no se lo usa, no sirve para nada. 아끼다 똥 된다 ((속담)) Si se escatima algo, no sirve para nada.

아낌없다 (ser) generoso, pródigo; implacable, despiadado; libre; franco; voluntario. 아낌없는 비평 crítica *f* implacable.

아낌없이 [주다] generosamente, pródigamente, a manos llenas; [일하다] incansablemente, infatigablemente; [비평하다] implacablemente, despiadadamente; [자유롭게] libremente, con libertad; [솔직하게] francamente, con franqueza; [자발적으로] voluntariamente, de buen grado. 그들은 ~ 충고했다 Ellos fueron pródigos en consejos / Me prodigaron consejos.

아나[1] [여봐라] [옜다] toma. ~, 이것 먹어라 Toma, come esto.

아나[2] [고양이 부르는 소리] ¡Gatito!

아나나스(서 *ananas*)【식물】ananá *m* (*pl* ananáes), ananás *m* (*pl* ananases), anana *f*.

아나운서(영 *announcer*) [라디오・텔레비전의] comentarista *mf*; [프로그램 사이의] locutor, -tora *mf* de continuidad.

아나키(영 *anarchy*) [무정부] anarquía *f*.

아나키스트(영 *anarchist*) [무정부주의자(無政府主義者)] anarquista *mf*.

아나키즘(영 *anarchism*) [무정부주의(無政府主義)] anarquismo *m*.

아낙 ① [부녀가 거처하는 곳] habitación *f* para las mujeres, tocador *m*. ② ((준말)) =아낙네.

■~ 군수 persona *f* casera [hogareña].

아낙네 esposa *f*, mujer *f*.

아날로그(영 *analogue*) análogo *m*. ~의 analógico.

■~ 계산기 =아날로그 컴퓨터. ~ 컴퓨터 ordenador *m* [*AmL* computador *m*] analógico, *AmL* computadora *f* analógica.
아남자(兒男子) =사내아이.
아내 esposa *f*, mujer *f*.; [부인] señora *f*. 남의 ~ esposa *f* del otro. 젊은 ~ esposa *f* joven. A를 ~로 맞이하다 tomar a A por esposa, casarse con A, contraer matrimonio con A. 내 ~는 공무원이다 Mi esposa es una funcionaria pública. 당신의 ~에게 안부 전하십시오 Recuerdos a su señora. 좋은 ~는 빈집을 가득 채운다 ((서반아 속담)) La mujer buena, de la casa vacía hace llena.
■아내가 귀여우면 처갓집 말뚝 보고도 절한다 (((속담)) Quien bien quiere a Beltrán, bien quiere a su can / Quien bien quiere a Pedro, no hace mal a su perro.
아네로이드(영 *aneroid*) ¶~의 aneroide.
■~ 고도계 altímetro *m* aneroide. ~ 기압계 barómetro *m* aneroide.
아네모네(라 *anemone*)【식물】anémona *f*.
아녀자(兒女子) ① [어린이와 여자] el niño y la mujer. ② [여자(女子)] mujer *f*.
아노락(영 *anorak*) [방한용 외투] anorak *m*.
아뇨 ((준말)) =아니오.
아늑하다 (ser) acogedor, cómodo y acogedor, cómodo y calentito, cómodo, confortable. 아늑하게 cómodamente, confortablemente. 아늑한 방 habitación *f* acogedora, cuarto *m* acogedor. 그녀의 아늑한 침대에서 en su cama cómoda y calentita. 나는 이 의자에서 별로 아늑하지 않다 No estoy muy cómodo en esta silla. 아파트는 아늑하게 가구가 비치되어 있다 El piso [El apartamento] está confortablemente amueblado.
아는 체하다 fingir saber, fingir conocimiento. 아는 체하는 놈 sabelotodo *mf*, sabihondo, -da *mf*. 그는 그것을 아는 체했다 El fingió saberlo / El fingió conocimiento.
아니[1] [용언 앞에 쓰이어 부정 또는 반대의 뜻] no. ~ 가다 no ir. ~ 오다 no venir. 조금도 …~다 no … nada, no … para nada, no … en absoluto. 이것은 내 것이 ~다 Esto no es mío.
■아니 땐 굴뚝에 연기 날까 ((속담)) Cuando el río suena, agua lleva / Donde fuego se hace, humo sale / Por el humo se sabe donde está el fuego / Donde hay humo, hay cenizas.
아니[2] ① [그렇지 아니하다는 뜻을 대답으로 하는 말] no. 올 테냐 — ~, 못 가 ¿Vendrás? — No, no voy. ~, 그렇지 않소 No, no es así. 조금 더 드시겠어요? — ~, 이제 충분합니다 ¿No quiere tomar algo más? — No, gracias. ~ 괜찮습니다 No importa / [tú에게] No te preocupes / [usted에게] No se preocupe / [ustedes에게] No se preocupen / [vosotros에게] No os preocupéis.
② [말의 강조나 새삼스럽게 의심스러움을 나타낼 때 쓰는 말] ¡Vaya! / ¡Anda! / ¡Qué! / ¡Dios mío! / ¡Santo cielo! ~ 이게 웬일이냐? ¡Qué! ¿Qué pasa? ~ 그것을 어디서 구했느냐? ¡Anda! ¿Dónde lo encontraste? ~, 무슨 사람이 이렇게 많지 ¡Cuánta gente! / ¡Qué cantidad de gente! ~ 부모님이 돌아가셨다고? ¡Dios mío! ¿Murieron sus padres?
아니꼬워 하다 indignar.
아니꼽다 indignarse. 나는 그들의 행동이 아니꼬웠다 Me indignó su actitud. 그녀는 그가 ~ Ella está indignada [furiosa] con él.
아니나 다를까 como era de esperar. ~, 성적이 엉망이다 Como era de esperar, las notas son malas.
아니다 no ser. 고래는 어류가 ~ La ballena no es pez. 저기가 아니고 여기다 No es allí, sino aquí. 이것은 불가능한 일이 ~ No es imposible / Es posible. 그것은 결코 쉬운 일이 ~ No es (ninguna) broma / No es moco de pavo. 그는 헌신적이 ~ El no es nada egoísta / El no es generoso.
◆아닌 밤중에 inesperadamente, sin pensarlo, de imprevisto.
■아닌 밤중에 찰시루떡 ((속담)) Ganancia inesperada / Fortuna inesperada. 아닌 밤중에 홍두깨 ((속담)) Donde menos se piensa salta la liebre.
아니스(영 *anise*)【식물】 anís *m*.
아니야 no. ~, 그것은 틀렸다 No, es una equivocación.
아니오 [대답이 부정일 때] no; [대답이 긍정일 때] sí. ~, 그렇지는 않아요 No, no es así. 맥주 좋아하지 않습니까? — 아니오, 좋아합니다 ¿No le gusta la cerveza? — Sí, me gusta. 죄송합니다 — ~ 별 말씀을 Perdóneme — No importa.
아니참 esto …, este …, ah, ¡ay!, ¡Qué cosa!, ¡Vaya por Dios!, ¡Ay por Dios! ~, 내 정신 좀 봐. 깜박 잊었네 Ay por Dios, se me olvidó. ~, 내 모자 Ay, dejó mi sombrero.
아니하다 no. 자지 아니하고 무얼 하느냐? ¿Qué haces no durmiendo? 그다지 곱지 ~ No es muy bello.
아닌 게 아니라 realmente, de veras, verdaderamente, efectivamente, en efecto, por cierto. ~ 네 말이 옳다 Verdaderamente tú tienes razón. ~ 그녀는 아름답다 Efectivamente [En efecto], ella es hermosa. ~ 네 누이는 매력적이었어 De veras tu hermana era atractiva.
아닐린(영 *aniline*)【화학】anilina *f*.
■~ 수지 resina *f* de anilina. ~ 염료 tinta *f* [tinte *m*] de anilina.
아다지오(이 *adagio*)【음악】adagio.
아닥치듯 discutiendo violentamente.
아담(雅談) cuento *m* clásico y elegante.
아담(영 *Adam*)【인명】((성경)) Adán, hombre *m*.
아담스럽다(雅淡−) (ser) elegante.
아담하다(雅淡/雅澹−) (ser) elegante, fino, refino, ordenado, bien cuidado. 아담한 집 casa *f* fina. 아담한 문체(文體) estilo *m* elegante.
아담히 elegantemente, con elegancia, fina-

mente, refinamente, ordenadamente.

아데노이드(영 *adenoid*) 【의학】 adenoide *m*.
■ ~염 adenoiditis *f*, tumor *m* adenoideo. ~증 vegetaciones *fpl* (adenoideas). ~ 증후군 adenoidismo *m*.

-아도 pero, mas, sin embargo. 네가 옳~ 참아야 한다 Tú tienes razón pero tienes que tener paciencia. 그는 작~ 튼튼하다 El es pequeño pero fuerte.

아동(兒童) niño, -ña *mf*, muchacho, -cha *mf*; [생도(生徒)] alumno, -na *mf*; colegial, -la *mf*. ~의 infantil, para niños, juvenil. ~용 책 libro *m* para niños.
■ ~관(觀) vista *f* infantil. ~ 교육(教育) educación *f* infantil, educación *f* para los niños. ~극 drama *m* infantil, drama *m* para los niños. ~기(期) niñez *f*, infancia *f*, primer período *m* de la vida humana que llega hasta la adolescencia. ~ 도서관 librería *f* infantil. ~ 문학 literatura *f* infantil. ~ 문학자 escritor, -tora *mf* de cuentos infantiles. ~병(病) enfermedad *f* infantil. ~ 보호 protección *f* a la infancia. ~복 ropa *f* para los niños. ~ 복지(福祉) bienestar *m* [asistencia *f* social] para los niños. ~ 복지법 derecho *m* de bienestar para los niños. ~ 복지 시설 institución *f* de asistencia social para los niños. ~ 복지 프로그램 programa *m* de asistencia social para los niños. ~ 상담소 centro *m* de consulta para los niños. ~ 소설 novela *f* infantil. ~ 심리학 psicología *f* infantil. ~ 연구 estudio *m* de la niñez. ~ 작가 escritor, -tora *mf* infantil.

아둔패기 persona *f* estúpida [lerda · pesada]; mentecato, -ta *mf*, bobo, -ba *mf*. ~처럼 말하다 hablar como un mantecato.

아둔하다 (ser) estúpido, lerdo, pesado, bobo, tonto, torpe. 아둔하게 하다 entorpecer, embotar. 아둔해지다 entorpecerse, embotarse. 술을 마시면 머리가 아둔해진다 El alcohol entorpece el sentido / El vino confunde *su* cerebro.

아듀(불 *adieu*) ¡Adiós!

아드님 su hijo. ~께서 시험에 합격하기를 빕니다 Rezo que su hijo apruebe los exámenes.

아드득 ① [이를 한 번 세게 가는 소리] rechinando los dientes. ② [단단한 물건을 힘껏 깨물어 부서뜨리는 소리] mascando, masticando.
아드득거리다 rechinar repetidas veces, seguir rechinando, mascar repetidas veces, seguir mascando.
아드득아드득 con el sonido de mascar. ~ 씹다 mascar, masticar, mordiscar, mordisquear, ronchar, ronzar.

아드등거리다 pelear(se), discutir, reñir. 그들은 누구의 차례인가를 놓고 아드등거리고 있었다 Ellos se estaban peleando [estaba discutiendo] sobre a quién le tocaba. 그는 상속 문제로 가족과 아드등거렸다 El riñó [se peleó] con su familia por cuestiones de herencia.
아드등아드등 discutiendo, peleando, riñendo.

아드레날린(영 *adrenaline*) 【의학 · 화학】 adrenalina *f*.

아득하다 estar lejos, ser remoto, apartado; ((성경)) estar encerrado, no saber a dónde ir. 아득한 옛날에 en tiempos remotos, en el pasado remoto. 아득한 훗날에 en el futuro remoto, en un futuro lejano. 가도 가도 아득한 천리길 mucho camino por recorrer. 갈 길이 ~ quedar mucho camino por recorrer. 나는 갈 길이 아득하게 남아 있다 Me queda mucho camino por recorrer.
아득히 a lo lejos, en la distancia, en la lejanía.

아들 hijo *m*. 그녀의 큰 ~ su hijo mayor. 내 막내 ~ mi hijo menor. 사람의 ~ el Hijo del Hombre. 하나님의 ~ el Hijo de Dios. 내 ~에게 [편지에서] Hijo mío. 내 ~아 ((호격)) Hijo mío. 내 사랑하는 ~에게 [편지에서] Querido hijo mío. ~을 낳다 dar a luz a un hijo. 그녀는 ~이 둘이다 Ella tiene dos hijos.
■ ~딸 hijo(s) e hija(s), hijos *mpl*. ~아이 mi hijo, mi hijito. ~이삭 espiga *f* de al lado. ~자 vernier *m*. ~자식 mi hijo, mi hijito.

아등그러지다 alabearse, combarse, pandearse.

아디스아바바 【지명】 Adis-Abeba (에티오피아의 수도).

아딧줄 soga *f* de vela.

아따 oye, ¡No me digas!, bueno, bien, a ver. ~, 미안하다 Oye, lo siento. ~, 춥기도 하다 ¡No me digas! ¡Qué frío! ~, 그럼 문제가 무어냐? A ver, ¿qué es lo que pasa? ~, 이 사람아 듣고 있지 않나 Bien, tú dirás, ¿sí? Te escucho. ~, 네 맘대로 해라 Oye, haz lo que quieras.

아뜩하다 sentirse mareado, la cabeza darle vueltas, quedarse atónito [helado · pasmado]. 나는 정신이 아뜩했다 Me sentía mareado / La cabeza me daba vueltas. 그들이 그에게 그것을 말해 주었을 때 그는 정신이 아뜩했다 El se quedó atónito cuando se lo dijeron.

-아라 ① [명령으로] [동사의 3인칭 단수를 사용하면 tú에 대한 명령이 된다] 받~ Toma. 보~ Mira. 쫓~ Sigue. ② [감탄으로] ¡Qué + 명사 · 형용사 · 부사! 아이 좋~ ¡Qué bien! 달도 밝~ ¡Qué clara es la luz de la luna!

아라베스크(불 *arabesque*) [아라비아식 당초무늬] arabesco *m*. ~(식)의 arabesco. ~식 장식(裝飾) decoración *f* arabesca.

아라비아 【지명】 Arabia *f*.
■ ~고무 goma *f* arábiga. ~ 낙타 camello *m* arábe. ~말(馬) caballo *m* árabe. ~ 말투 arabismo *m*. ~ 문자 caracteres *mpl* arábigos. ~ 반도 la Península Arábiga. ~ 사막 el Desierto Arábigo. ~ 숫자 numeración *f* arábiga. ~ 어 arábigo *m*. ~ 어

학자 arabista *mf*, arabio, -bia *mf*. ~ 인 árabe *mf*, arábigo, -ga *mf*, arábico, -ca *mf*, arabio, -bia *mf*. ~ 풀 goma *f* de pegar, pegamento *m*, mucílago *m*. ~ 해(海) el Mar de Omán. ~화(化) arabización *m*.

아라사(俄羅斯) 【지명】 =노서아(露西亞).

아람 lo bien maduro en el árbol, fruta *f* bien madura en el árbol.

아람치 *su* propia posesión.

아랍 ① =아랍인. ② =아랍어.
■ ~ 게릴라 guerrilla *f* árabe. ~ 석유 수출국 기구 la Organización Arabe de Países Exportadores de Petróleo. ~ 어 árabe *m*. ~ 연맹 la Liga Arabe. ~ 연합 los Estados Unidos Arabes. ~ 인[사람] árabe *mf*. ~ 제국 países *mpl* árabes.

아랍 토후국 연방(Arab 土侯國聯邦) 【지명】 los Emiratos Arabes Unidos, la Unión de Emiratos Arabes.

아랑 poso *m* dejado en el aguardiente.

아랑곳 asunto *m*, interés *m*. ~하다 preocuparse (por), meterse (en), entromecerse (en), inmiscuirse (en). 그녀의 일에 아랑곳하지 마라 No te metas [te entrometas · te inmiscuyas] en sus asuntos. 나는 그들의 문제에 아랑곳하지 않는다 Yo no me inmiscuyo en sus asuntos. 그는 아무 일에도 아랑곳하지 않는다 El no se preocupa por nada. 그것은 네가 아랑곳할 바 아니다 Eso no es asunto tuyo / No es de tu incumbencia / Eso no te concierne / Eso no te incumbe (a ti).
아랑곳없다 no ser asunto *suyo*, no ser de *su* incumbencia, no concernir, no incumbir.

아랑주(-酒) aguardiente *m* de mala calidad hecho con el poso.

아래 ① [기준으로 삼는 점보다 상대적으로 낮은 방향, 또는 위치] [상자 · 병 · 서랍 · 가방의] fondo *m*; [산 · 언덕 · 계단 · 나무의] pie *m*; [언덕 · 기둥 · 벽의] base *f*, basa *f*; [페이지의] final *m*, pie *m*; [쌓아 올린 더미의] parte *f* de abajo; [척추의] base *f*, [램프의] pie *f*; [조각상(彫刻像)의] pedestal *m*; [아랫부분] parte *f* inferior, parte *f* de abajo.. ~의 inferior, de abajo. ~에 debajo, en el fondo. 맨 ~의 de más abajo. 페이지 ~ 반 la mitad inferior de la página. 왼쪽 ~ 코너 ángulo inferior izquierdo. 산 ~ el pie de la montaña. 침대의 ~ los pies de la cama. 페이지의 ~에 a pie de página. A 보다 ~의 inferior a A. B의 ~(에) debajo de B. ~부터 받치다 sostener *algo* de [por] abajo. ~부터 찬찬히 보다 contemplar *algo* desde abajo. 위에서 ~로 구르다 rodar de arriba abajo. A의 ~에 도착하다 llegar al fondo de A. 다리 ~를 지나다 pasar por debajo de un puente. ~에 있다 Está abajo. 그것은 탁자 ~ 있다 Está debajo de la mesa. 탁자 ~를 찾아보아라 Busca por debajo de la mesa. 너는 명부의 ~에 있다 Tú estás al final de la lista. ~에서 나를 기다려라 Espérame abajo. ~에서 당신을 기다리겠소 Te esperaré abajo. 우리들은 나무 ~에서 잠깐 쉬었다 Nosotros descansamos un rato debajo de un árbol. 더 ~를 바라보세요 Mire más abajo.
② [물건의 머리의 반대쪽] abajo. ~에서 desde abajo. ~에서 두 번째 서랍 el segundo cajón contando desde abajo. ~에서 열 번째 줄 la décima línea f (contando) desde abajo.
③ [지위나 신분 · 수량의 낮은 쪽] menos, menor; inferior, bajo. 쉰 살 보다는 ~인 여자 mujer *f* de menos de cincuenta años. 내 아내는 나보다 여섯 살 ~다 Mi esposa es seis años menor que yo. 김 선생님의 ~에서 근무하다 trabajar bajo la dirección del Sr. Kim. 대위는 소령의 ~다 El capitán es inferior al comandante.
④ [수준 · 질 · 정도 등이 다른 것보다 못한 쪽] bajo. 평균보다 ~다 ser más bajo que la media. 평균보다 ~ 성적(成績)이다 Es la nota más baja que la media.
⑤ [지배(支配) · 영향을 받는 처지를 나타냄] bajo, con. 김 씨의 ~에서 근무하다 trabajar bajo la dirección del Sr. Kim. 이러한 상황 ~에서는 곤란하다 ser muy difícil bajo estas situaciones. 김 교수 ~에서 서반아어를 공부한다 estudiar el español con el profesor Kim.
⑥ [아래 · 다음에 적은 것] siguiente, anotado abajo, mencionado abajo. ~와 같이 como sigue. 자세한 것은 ~와 같습니다 Lo detallado es como sigue. ~에 사람을 제명(除名)함 Serán expulsados los nombrados a continuación.
아래로 abajo. ~ 내려가다 bajar abajo.

아래위 arriba abajo. ~로 쳐다보다 mirar *a uno* de arriba abajo. ~로 뛰다 dar saltos. 피스톤은 초당 20 차례 ~로 움직인다 El pistón sube y baja quince veces por segundo.
아래위턱 mandíbula *f* inferior y superior.

아래윗벌 [남자의] traje *m*, *Chi* terno *m*, *Col* vestido *m*; [여자의] traje *m* (de chaqueta), traje *m* sastre, tailleur *m*.

아래짝 el inferior (de un par), la pieza inferior.

아래쪽 parte *f* inferior, parte *f* de abajo. ~의 de abajo. ~의 가지들 ramas *fpl* de la parte de abajo. 강의 ~에 río abajo. 거리가 ~에 보인다 La calle se ve allá abajo. ~에서 소리가 들린다 Oyese abajo ruido. 공장은 다리 저쪽 강 ~에 있다 La fábrica está má allá, río abajo.

아래채 ((준말)) =뜰아래채.

아래층(-層) piso *m* de abajo, piso *m* inferior; [일 층] planta *f* baja. ~에 abajo. 아버님께서는 ~에 계십니다 Mi padre está abajo. 우리들은 ~에 살고 있다 Nosotros vivimos en el [un] piso de abajo. 그녀는 우리의 ~에 살고 있다 Ella vive en el piso inferior al nuestro. 부엌은 ~에 있다 La cocina está abajo [en el piso de abajo].

아래턱 mandíbula *f* inferior, barbilla *f*, mentón *m*.

ㅇ

■ ~뼈 【해부】 quijada *f* inferior.
아래통 parte *f* inferior (del cuerpo).
아랫것 ((속어)) =하인(下人).
아랫길 ① [아래쪽에 있는 길] camino *m* de abajo. ② [품질이 그만 못한 물품, 또는 그 품질] objeto *m* de calidad inferior, calidad *f* inferior.
아랫녘 ① [전라도와 경상도] región *f* (del) sur de Corea, la provincia de *Cheolado* y la de *Gyeongsangdo*. ② =앞대.
아랫녘장수 puta *f*, ramera *f*, prostituta *f*.
아랫눈꺼풀 párpado *m* inferior.
아랫눈시울 borde *m* de párpado inferior.
아랫눈썹 pestañas *fpl* inferiores.
아랫니 diente *m* de abajo.
아랫대(一代) generación *f* futura.
아랫도리 parte *f* inferior (del cuerpo); [옷의] prenda *f* (de ropa) inferior.
■ ~옷 prenda *f* (de ropa) inferior.
아랫동 ((준말)) =아랫동아리.
아랫동네 aldea *f* de abajo.
아랫동아리 parte *f* inferior.
아랫마을 aldea *f* de abajo.
아랫막이 [먹은 부분] pieza *f* inferior; [옷] prenda *f* (de ropa) inferior.
아랫머리 fondo *m*.
아랫목 sitio *m* en el suelo de *ondol* más cercano del hogar.
아랫물 río *m* abajo.
아랫반(一班) clase *f* inferior.
아랫방(一房) habitación *f* exterior.
아랫배 abdomen *m*, vientre *m*, barriga *f*, bajo ombligo. ~의 abdominal. ~에 힘을 주다 poner toda *su* fuerza en el abdomen.
아랫벌 prenda *f* inferior.
아랫볼 parte *f* inferior de la mejilla.
아랫사람 ① =손아랫사람. ② [지위(地位)가 낮은 사람] subordinado, -da *mf*, subalterno, -na *mf*.
아랫사랑(一舍廊) cuarto *m* de huéspedes exterior de la casa.
아랫수염(一鬚髥) barba *f*.
아랫입술 labio *m* inferior, labio *m* de abajo. ~을 깨물다 morderse el labio inferior.
아랫잇몸 encía *f* inferior.
아랫자리 posición *f* inferior, puesto *m* inferior.
아랫중방(一中枋) =하인방(下引枋).
아랫집 casa *f* de al lado.
아량(雅量) generosidad *f*, tolerancia *f*, magnanimidad *f*, grandeza *f* de corazón. ~이 있는 generoso, dadivoso, magnánimo, tolerante. ~이 있다 (ser) generoso, tolerante (con). ~을 베풀다, ~을 보이다 mostrarse tolerante (con). 그녀는 자녀들에게 ~이 많다 Ella es muy generosa con sus hijos. 그녀는 아이들에게 별로 ~이 없다 Ella nunca ha sido muy tolerante [paciente] con los niños.
아련하다 ① [정신이 희미하다] (ser) borroso, vago. 마음에 ~ tener recuerdos vagos. 기억이 ~ La memoria es borrosa. ② [흐리마리하게 아렴풋이 보이다] (ser) débil, tenue, oscuro, poco iluminado. 아련한 달빛 borrosa luz de la luna.
아령(啞鈴) pesa *f*, mancuerna *f*, halteras *fpl*, halterio *m*.
■ ~ 체조 ejercicio *m* de pesa.
아로새기다 grabar. 묘비에 아로새겨진 이름 nombre *m* grabado en la lápida. 기억에~ grabar en la memoria. 나무에 이름을 ~ grabar el nombre en el árbol. 말들이 그의 기억에 아로새겨졌다 El tenía las palabras grabadas en la memoria. 그는 팔찌에 이름을 아로새겼다 El hizo grabar su nombre en la pulsera. 그것은 나의 마음에 깊이 아로새겨져 있다 Es escrito indeleblemente en mi corazón.
아롱다롱하다 (ser) de [a] lunares, de [a] motas, *Col*, *Ven* de pepas; manchado, con manchas, lleno de manchas, moteado; [대리석이] veteado, jaspeado. 아롱다롱한 개 un perro con manchas. 아롱다롱한 암탉 una gallina pinta [*RPl* bataraza]. 아롱다롱한 소 una vaca pintada.
아롱아롱[1] [점이나 줄이] manchadamente, moteadamente.
아롱아롱[2] [눈앞에 흐릿하게 아른거리는 모양] vagamente.
아롱이 lo manchado, manchas *fpl*; [동물] animal *m* con manchas.
아롱지다 (ser) rayado y listado, abigarrado, multicolor. 흑백(黑白)으로 아롱진 rayado y listado de blanco y negro.
아뢰다 hablar [informar] al superior, decir, mencionar. 아뢸 말씀은 … Perdóneme, señor, pero …. 아뢰옵니다 손님이 오셨습니다 Por favor, señor, alguien quiere verle.
아류(亞流) seguidor, -dora *mf*, sectario, -ria *mf*, imitador, -dora *mf*.
아르(불 *are*) [면적의 단위] el área *f* (*pl* las áreas).
아르곤(영 *argon*) 【화학】 argo *m*, argón *m*.
아르롱이 diseño *m* moteado, motas *fpl*, motitas *fpl*, pintitas *fpl*.
아르메니아 【지명】 Armenia *f*. ~의 armenio.
■ ~어 armenio *m*. ~인 armenio, -nia *mf*.
아르바이트(독 *Arbeit*) [임시의] trabajo *m* provisional; [부업(副業)] pluriempleo *m*, trabajo *m* subsidiario, negocio *m* secundario, negocio *m* suplementario, empleo *m* suplementario, actividad *f* suplementaria. ~를 하다 [파트 타임으로] echar horas, hacer un trabajo subsidiario. ~로 생활하다 vivir [ganarse la vida] con trabajo subsidiario.
■ ~ 학생 estudiante *mf* que trabaja durante las horas libres.
아르에스시(영 *RSC*, *Referee Stop Contest*) ((권투)) K.O. *m* técnico.
아르에이치(영 *Rh*, *rhesus*) Rh. *m*, Rhesus *m*.
아르에이치 네거티브(영 *Rh negative*) =아르에이치 음성(Rh 陰性).
아르에이치 마이너스(영 *Rh minus*) =아르에이치 음성(Rh 陰性).
아르에이치식 혈액형(Rh 式血液型) grupo *m*

sanguíneo Rh.

아르에이치 양성(Rh 陽性) positivo Rh, Rh +.

아르에이치 음성(Rh 陰性) Rh −, negativo Rh.

아르에이치 인자(Rh 因子) factor *m* Rhesus [Rh].

아르에이치 포지티브(영 *Rh positive*) =아르에이치 양성(Rh 陽性).

아르에이치 플러스(영 *Rh plus*) =아르에이치 양성(Rh 陽性).

아르오티시(영 *ROTC, Reserve Officer's Training Corps*) el Cuerpo de Entrenamiento del Oficial de la Reserva

아르 인자(R 因子) factor *m* de la resistencia.

아르키메데스(영 *Archimedes*) 【인명】 Arquímedes (기원전 287-212).

■ ~의 원리 principio *m* de Arquímedes.

아르페지오(이 *arpeggio*) 【음악】 arpegio.

아르헨띠나 【지명】 la República Argentina, la Argentina. ~의 argentino.

■ ~ 사람 argentino, -na *mf.* ~ 탱고 tango *m* argentino.

아른거리다 parpadear, titilar, oscilar, bailar. 아른거리는 parpadeante, titilante. 그의 눈꺼풀이 아른거렸다 El parpadeó. 그림자가 벽에 아른거리고 있었다 Las sombras bailaban en la pared. 우리는 아른거리는 불빛을 바라보고 있었다 Nosotros mirábamos bailar las llamas. 아이디어가 내 머리에 아른거렸다 La idea me pasó fugazmente por la cabeza.

아름 brazada *f*, brazado *m*. 세 ~ tres brazadas, tres brazados. 책 한 ~ una brazada *f* de libros. 두 ~이나 되는 몸통 tronco *m* que tiene dos brazas de grueso. 한 ~이나 되다 ser tan grande como apenas puede llevar en ambos brazos.

■ ~드리 brazada *f*. ¶장작 한 ~ una brazada de leña.

아름다움 hermosura *f*, belleza *f*. 경치(景致)의 ~ hermosura *f* [belleza *f*] del paisaje. 자연의 ~ hermosura *f* de la naturaleza.

아름답다 (ser) hermoso, bello, lindo, bonito, pintoresco, precioso; [얼굴이] guapo. 아름답게 hermosamente, bellamente, lindamente, bonitamente, pintorescamente, preciosamente, guapamente. 아름다운 건물(建物) edificio *m* bonito, edificio *m* maravilloso. 아름다운 경치 paisaje *m* hermoso, escena *f* pintoresca. 아름다운 꽃 flor *f* hermosa. 아름다운 목소리 voz *f* hermosa [de oro]. 아름다운 소녀 chica *f* hermosa, muchacha *f* hermosa. 아름다운 여자 mujer *f* guapa [hermosa · preciosa · bonita]. 아름다운 우정(友情) amistad *f* hermosa. 아름다운 이야기 cuento *m* hermoso, historia *f* hermosa, episodio *m* hermoso. 아름답게 하다 embellecer, hacer bello, poner bello, hermosear, hacer hermoso; [장식하다] adorar, decorar. 아름답게 되다 ponerse [volverse] hermoso, embellecerse. 아름답게 꾸미다 decorar hermosamente; [여자가] ataviarse bellamente [hermosamente]. 경치가 ~ El paisaje es hermoso [bello]. 마음씨가 ~ tener gran [buen] corazón. 경치가 아름답군요 ¡Qué hermoso es el paisaje!

아름차다 [힘에 벅차다 · 겹다] estar por encima de *su* capacidad, no ser de *su* competencia, estar fuera del control (de), escapar al control (de). 이 일은 내게는 아름찼다 Este trabajo estaba por encima de mi capacidad. 그것은 그녀에게는 ~ No es de su competencia.

아리다 ① [음식이 몹시 매워 혀끝이 쓰린 느낌이 있다] (ser) picante. 입이 ~ La boca es picante. ② [다친 살이 찌르듯이 아프다] tener [sentir] un cosquilleo [hormigueo], escocer, picar, arder. 상처가 ~ sentir un cosquilleo [hormigueo] en la herida. 내 손가락이 아린다 Tengo [Siento] un cosquilleo [un hormigueo] en los dedos. ③ [날감자를 씹을 때와 같은 맛이 나다] (ser) acre. 아린 맛 sabor acre.

아리땁다 (ser) precioso, encantador. 아리따운 처녀 doncella *f* encantadora, doncella *f* preciosa.

아리랑 ((준말)) =아리랑타령.

아리랑타령(—打令) 【음악】 *arirangtareyong*, una de las canciones tradicionales de Corea.

아리송하다 (ser) ambiguo.

아리스토텔레스 【인명】 Aristóteles (B.C. 384-322) (그리스의 철학자).

아리아(이 *aria*) 【음악】 aria *f*.

아리아(범 *Arya*) =아리아인(Arya 人).

■ ~ 인[사람] ario, aria *mf*.

아리아리하다 ① [여러 가지가 모두 아리송하다] (ser) ambiguo. ② [연해 아린 느낌이 있다] sentir un cosquilleo. 입안이 ~ sentir un cosquilleo en la boca.

아리안(영 *Aryan*) [아리아인] ario, aria *mf*.

■ ~ 어족 familia *f* de lengua aria. ~ 족[인종] arios *mpl*, razas *fpl* arias.

아리잠직하다 (ser) pequeño y dulce.

아린산(亞鱗酸) 【화학】 ácido *m* fosforoso.

■ ~염 fosfito *m*.

아릿하다 escocesr la punta de la lengua, ser acre.

아마[1] quizá, quizás, tal vez, acaso, probablemente (+ *subj*), a lo mejor. ~ …일 것이다 Es probable que + *subj*. ~ 그는 올 것이다 [확신할 때] Quizás él vendrá / [불확실할 때] Quizás [Tal vez · Probablemente] venga él. 그는 ~ 오지 않을 것이다 Probablemente no vendrá él. ~ 그는 오늘 올 것이다 Probablemente él venga hoy / Es probable que venga él. ~ 나는 늦게 올 것이다 Quizá [Quizás · Tal vez · Probablemente] venga yo luego / A lo mejor vengo luego. ~ 네 말이 옳을 것이다 Tal vez tengas razón. ~ 그녀는 듣지 못했을 것이다 A lo mejor ella no oyó / Quizás [Tal vez] ella no haya oído / Puede (ser) que ella no haya oído. 그는 ~ 서른 다섯 살일 것이다 El tendrá unos treinta y cinco / El andará por los treinta y cinco.

~ 그들은 직업을 잃을지도 모른다 Es muy probable que ellos pierdan su trabajo.
아마도 ((강조)) =아마[1].

아마² ((준말)) =아마추어(amateur).

아마(亞麻) lino *m*.
▪ ~사 hilo *m* de lino. ~유 aceite *m* de lino. ~인(仁) 【한방】 grano *m* de lino, linaza *f*. ~인유 aceite *m* de linaza. ~포(布) tela *f* de lino.

아마릴리스(영 *amaryllis*) 【식물】 amarilis *f*.

아마존 【식물】 =백미꽃.

아마존(영 *Amazon*) ① =아마존 강(el Amazonas). ② 【신화】 [여장부. 여걸] amazona *f*.
▪ ~ 강 el Amazonas. ¶~의 amazónico.

아마추어(영 *amateur*) aficionado, da *mf*; amateur *ing.mf* (*pl* amateurs).
▪ ~ 동아리 grupo *m* de gente sin ninguna profesionalidad. ~ 무선사(無線士) radioaficionado, -da *mf*. ~ 사진사 aficionado, -da *mf* a la fotografía.

아말감(영 *amalgam*) 【화학】 amalgama *f*. ~으로 만들다 amalgamar.
▪ ~ 은(銀) amalgama *f* de plata. ~ 충전(充電) abturación *f* de amalgama. ~ 합금 aleación *f* de amalgama.

아망 orgullo *m* de los niños.
◆ 아망(을) 떨다 (ser) engreído, presumido, estar orgulloso (de). 아망(을) 부리다 mostrar *su* orgullo.

아메리카 ① [대륙] América *f*, continente *m* americano. ② [미국] los Estados Unidos de América.
▪ ~ 대륙 América *f*, continente *m* americano. ~ 인 americano, -na *mf*; [영국인이 해학적으로] jotanás *m*; yanqui *mf*. ~ 인디언 indígena *mf*, indio, -dia *mf*, amerindio, -dia *mf*. ~화 americanización *f*. ¶~하다 americanizar.

아메리카 합중국(America 合衆國) 【지명】 los Estados Unidos de América. ~의 estadounidense.
▪ ~ 사람 estadounidense *mf*.

아메리칸드림(영 *American Dream*) [미국의 꿈] sueño *m* americano.

아메리칸 리그(영 *American League*) la Liga Americana.

아메리칸 인디언(영 *American Indian*) indio *m* americano, india *f* americana; amerindio, -dia *mf*. ~의 amerindio, de los indios americanos.

아메리칸 풋볼(영 *American football*) fútbol *m* [*Méj* futbol] americano.
▪ ~ 선수 futbolista *mf*; jugador, -dora *mf* de fútbol [*Méj* futbol].

아메바(영 *amoeba*) ameba *f*, amiba *f*.
▪ ~성 대장염 colitis *f* amebiana. ~ 이질 amebiasis *f*, amebas *fpl*, disentería *f* amébica, disentería *f* amibiana. ~ 운동(運動) movimiento *m* ameboideo.

아멘(그 *amen*) ((성경)) ¡Amén!, Así sea. 내가 진실로 속히 오리라 하시거늘 ~ 주 예수여 오시옵소서 ((요한계시록 22:20)) Ciertamente vengo en breve. Amén; sí, ven, Señor Jesús / Sí, vengo pronto. Así sea. ¡Ven, Señor Jesús!

아명(兒名) nombre *m* de *su* niño.

아모스서(Amos 書) 【성경】 Amós.

아목(亞目) 【동물】 suborden *m*.

아무 ① [꼭 이름을 지정하지 않는 대명사] alguien, alguno; [누구든지. 모든 사람] todo el mundo, todos; [아무든지] quien, quienquiera, cualquiera; [부정(否定)] nadie, ninguno. 입장권을 원하는 ~에게나 quienquiera una entrada. 젊은 사람은 ~나 cualquier persona joven, cualquiera que sea joven. ~나 나가라 Sal alguien / Sal alguno de vosotros. 네가 좋아하는 ~에게나 주어라 Dáselo a quien quieras. ~나 그 일을 할 수 있을 것이다 Cualquiera podría hacerlo. ~에게나 물어보아라 ¡Pregúntaselo a cualquiera! ~나 동의(同意)할까? ¿Están todos de acuerdo? / Está todo el mundo de acuerdo? ~도 모른다 Nadie lo sabe / No lo sabe nadie. ~에게나 약점은 있다 Nosotros todos tenemos el punto débil. ~도 우리를 보지 못했다 Nadie nos vio / No nos vio nadie. 집에는 ~도 없었다 No había nadie en casa. 이것에 관해서는 ~도 들어서는 안 된다 Que se entere nadie de esto.
② [어떤 사물이든지 꼭 지정하지 않고, 감추어 이르거나 가정하여 이를 때에 쓰는 말] alguno, cualquiera; [명사 앞에서] cualquier; [부정(否定)] ninguno; [부정이라도 강조할 경우에는 명사 뒤에서] alguno. ~일 없이 sin incidentes notables, con suavidad; [무사(無事)히] sano y salvo, sin accidentes, sin dificultad, sin tropiezo. ~말 없이 sin decir nada. ~ 일도 없었던 것처럼 como si no hubiese pasado nada, como si tal cosa. ~ 곤란 없이 sin ninguna dificultad, sin dificultad ninguna, sin dificultad alguna. ~ 이유(理由)도 없이 sin motivo especial, sin razán especial. ~ 말이 없다 no decir nada. ~ 할 일이 없다 no tener nada que hacer. ~ 하는 일 없이 하루를 보내다 pasar(se) todo el día sin hacer nada. ~ 결점이 없다 no tener ningún defecto, no tener defecto alguno. ~ 불편 없이 살다 vivir desahogado [con desahogo · con holgura]. ~ 일도 없었다 No pasó nada. ~ 변한 것이 없다 No hay ninguna novedad / No hay nada de particular. ~ 상관없다 No importa. 나 [너 · 그 · 우리 · 너 희들 · 그들]는 ~ 상관없다 No me [te · le · nos · os · les] importa. ~ 걱정 마세요 [usted에게] No se preocupe nada / [tú에게] No te preocupes nada / [ustedes에게] No se preocupen nada / [vosotros에게] No os preocupéis nada. ~ 걱정 맙시다 No nos preocupemos nada. 나는 ~ 할 말이 없다 No tengo nada que decir / No deja nada que desear / [만족한다] No hay más que decir. 네가 원하는 ~ 책이나 가져가거라 Llévate cual-

quier libro [el libro] que quieras. ~ 카드나 뽑아라 Elige una carta cualquiera. 그 말은 사실이니 ~ 의사에게나 물어보아라 Es verdad; pregúntale a cualquier médico. 그들은 ~ 날이든 도착하면 될 것이다 Ellos deberían llegar cualquier día de éstos. 제발 내 아내에게 ~ 일이 없기를 (빕니다)! ¡Ojalá que no le haya pasado nada a mi esposa!

아무개 Fulano de Tal; [여자] Fulana de Tal. ~의 말에 따르면 según dice un señor, según dice don Fulano de Tal.

아무것 algo, alguno, cualquiera; [~도 (…이 아니다)] nada, ninguno. ~도 없다 No hay nada. 나는 ~이든 좋다 Me gusta cualquiera. 그 일에 대해 ~도 모른다 No sé nada de eso. 해야 할 특별한 ~도 없다 No hay nada de particular que hacer. 할 말이 ~도 없다 No tengo nada que decir / [만족한다] No hay más que decir / No deja nada que desear. ~이나 마찬가지다 Me da lo mismo / Me es igual. 변한 것이라고는 ~도 없다 No ha cambiado absolutamente nada. ~이나 좋아하는 것을 드세요 Tome usted cualquiera que le guste. 두 개 값으로 ~이나 세 개를 가져가세요 Llévese tres a su elección por el precio de dos. 네가 성낼 일은 ~도 없다 No tienes por qué enojarte. ~도 차린 것은 없지만 많이 드세요 Que aproveche / Buen provecho / Buen apetito / *ReD* Que le aproveche. ~도 차린 것은 없지만 어서 드세요 Sírvase usted, por favor, de lo poco que hay.

아무데 cualquier lugar [sitio]. ~도 없다 No hay en cualquier sitio. ~도 나가지 않겠다 Prefiero no salir.

아무때 cualquier hora, cualquier momento, siempre, en todo caso; [언제나] siempre que, cada vez que. ~라도 a cualquier hora, en cualquier momento. 다음 월요일이나 ~나 el lunes o cuando sea. 지난 월요일이나 화요일이나 ~나 el lunes o martes pasado, o cuando haya sido. ~나 나한테 전화해라 Llámame cuando quieras. ~나 와도 좋습니다 Venga cuando quiera / [tú에게] Ven cuando quieras. 지불은 ~라도 좋다 Puedes pagar cuando quieras. 네가 도움이 필요할 때는 ~나 부탁만 해라 Siempre que necesitas ayuda, no tienes más que pedir. 나는 가능하면 ~나 열차로 가겠다 Siempre que puedo, voy en tren. 네가 준비되면 우리는 ~ 떠나겠다 Saldremos cuando estés listo.

아무래도 ① en ningún modo, en sentido alguno, de cualquier modo, absolutamente, en absoluto, por todos los medios, sea como fuere, como quiera que sea, todo lo que; [무슨 일이 있어도] a toda costa, cueste lo que cueste; [필요가 있어서] forzosamente, forzadamente, necesariamente; [불가피하게] inevitablemente. ~ … 같다 Parece [Supongo] que + *ind.* ~ 좋지 않다 No está bien en ningún sentido. ~ 그의 말이 거짓말 같다 Parece que él miente. ~ 그는 사직할 것 같다 Parece que él va a dimitir. ~ 감기에 걸린 것 같다 Temo haber cogido un resfriado. ~ 외출하기는 너무 늦었다 A pesar de todo, es demasiado tarde que salgas. ~ 그는 너무 잔인하다 Con todo, él es demasiado cruel. ~ 이제 참을 수 없다 Así y todo, ya he llegado al borde de la paciencia. 이 계획은 ~ 허가할 수 없다 Es absolutamente imposible sancionar este proyecto. 나는 ~ 오늘 그 일을 끝내야 한다 Yo he de terminar el trabajo hoy a toda costa / No tengo más remedio que terminar hoy el trabajo. 그는 ~ 가야 한다 El tiene que ir forzosamente [necesariamente] / El no tiene más remedio que ir / [좋건 싫건] Quiera o no quiera él tiene que ir. ~ 몸집이 큰 사람이 이기기 마련이다 Es inevitable que gane el que es más grande.
② [무관심] con indiferencia, indiferentemente. ~ 좋다는 태도로 con la actitud indiferente.

아무러면 lo que dice, quienquiera que diga. 사람들이 ~ 어쩌냐 No se preocupe lo que dicen.

아무런 ninguno; [남성 단수 명사 앞에서] ningún. ~ 사고 없이 sin ningún accidente, sin accidente ninguno, sin accidente alguno. ~ 생각도 없이 involuntariamente, sin querer, sin intención.

아무런들 =아무려면.

아무렇거나 en todo caso, por lo menos, de todos modos, de todas formas. ~ 꼭 오겠소 Yo vendré en todo caso. ~ 출발하자 Vamos a salir de todos modos.

아무렇게 cómo, en cualquier manera, en cualquier modo.

아무렇게나 con indiferencia, indiferentemente, sin ganas, con poco entusiamo, de manera despreocupada, sin la debida atención, al azar, a diestro y siniestro, a diestra y siniestra. ~ 대답하다 dar una respuesta aleatoria. ~ 말하다 hablar al azar. ~ 마구 때리다 dar golpes a diestro y siniestro [a diestra y siniestra]. 슬리퍼를 ~ 신다 calzarse las zapatillas. 구두를 ~ 신고 급히 나가다 salir de prisa con los zapatos calzados a medias, salir precipitadamente y medio descalzo. ~ 해라 Haz lo que quieras / Haz como quieras.

아무렇다 ((준말)) =아무러하다. ¶아무렇지 않다 (ser) involuntario, inocente, natural. 아무렇지 않은 듯이 con naturalidad, sin afectación, con el tono de siempre, como si tal cosa. 아무렇지 않은 듯한 어조로 en un tono natural. 아무렇지 않은 듯이 행동하다 portarse con naturalidad. 그는 아무렇지도 않다는 듯이 책을 훔쳤다 Portándose de la manera más inocente [natural], él robó el libro.

아무렇든 ((준말)) =아무러하든. ¶~ 나는 이겨야 한다 Debo ganar a toda costa. ~ 네

가 좋을 대로 해라 Haz como [lo que] quieras. 그가 오건 말건 ~ 상관없다 Importa poco que venga o no.

아무렇든지 en cualquier manera, en cualquier modo. ~ 좋다 salga lo que saliera, cueste lo que cueste. ~ 좋을 대로 하다 hacer como quiera. ~ 좋을 대로 하세요 Haga usted como quiera [guste].

아무려니 ¡Imposible! / ¡Increíble!

아무려면 ① [설마] en alguna manera, en algún modo. ~ 그럴까 ¿Cómo podría ser posible? / Yo no puedo creerlo / No puede ser así. ② [말할 필요도 없이 그렇다] ¡Claro (que sí)! / ¡Cómo no! / ¡Por supuesto! / ¡Desde luego!

아무렴 ((준말)) =아무려면❷. ¶그에게 답장했니? — ~ ¿Le contestaste? — ¡Cómo no! 내가 가느냐고? — ~ ¿Iré yo? — ¡Por supuesto!

아무르(불 *amour*) [사랑. 애정] amor *m*.

아무리 [~ … 하더라도] por (más · muy) + *adj* · *adv* que + *subj*. ~ 부자라 하더라도 Por (más) rico que sea. ~ 나쁜 날씨라도 Por malo que sea el tiempo. 그녀가 ~ 애를 썼어도 por más que ella trataba. 자물쇠는 ~ 단단해도 부서질 수 있다 Las cerraduras, por fuertes que sean, se pueden romper. ~ 비가 내리더라도 나는 나가겠다 Por mucho que llueva, no dejaré de salir. ~ 위험한 일이라도 그는 놀라지 않는다 El no tiene miedo por mucho que sea el peligro. ~ 노력해도 모두 허사가 될 것이다 Por más que se esfuerce, todo será en vano. 네가 ~ 달려도 제시간에 닿지 못할 것이다 Por más que corras, no llegarás a tiempo. 우리가 ~ 서둘러도 제시간에 도착하지 못할 것이다 Por mucho [más] que nos apresuremos, no llegaremos a tiempo. 그가 ~ 잔혹하더라도 이것으로 너는 이해할 것이다 Con esto habrás comprendido lo cruel que es él. 네가 ~ 일해도 내일까지는 끝내지 못할 것이다 Por mucho que trabajes, no acabarás el trabajo para mañana. ~ 그녀가 현명하다 하더라도 그 의문점을 풀 수 없을 것이다 Por inteligente que ella sea, no podrá resolver las dudas. 사람이 ~ 빨리 달리더라도 말을 이길 수 없다 Por muy rápido que el hombre corra, no puede vencer al caballo. 이 그림을 ~ 좋게 보아도 그것을 명화(名畵)라고 하기는 어렵다 Por más que lo apreciemos, es difícil decir que este cuadro sea una obra maestra. ~ 우리가 공부하더라도 결코 지나치지 않을 것이다 Por más que estudiemos nunca será demasiado / Nunca estudiaremos bastante. ~ 여아(女兒)지만 그 아이의 변덕을 받아 줄 수 없다 Aunque es [sea] una niña, no puedo admitir sus caprichos / El hecho de que sea una niña no quiere decir que yo deba admitir sus caprichos.

아무짝 algún uso; [부정(否定)] nada. ~에도 쓸모가 없다 No sirve para nada.

아무쪼록 todo lo posible, lo más + *adj* · *adv* posible, cuanto antes. ~ 몸조심해라 Ten mucho cuidado con tu salud / Por favor, cuídate bien. ~ 용서해 주시길 바랍니다 Le pido [suplico] perdón humildemente. ~ 부모님께 안부 전해 주십시오 Dé mis mejores [muchos] recuerdos [saludos] a sus padres, por favor. ~ 잘 부탁합니다 Su servidor de usted / Se lo dejo a su entera discreción. ~ 잘 다녀 오세요 Buen viaje (y buena suerte).

아무튼 en todo caso, como quiera que sea, sea lo que fuere, de todos modos, de todas maneras. ~ 나는 내일 가겠다 En todo caso yo iré mañana. ~ 그가 무사하다니 반갑습니다 En todo caso [De todos modos · De todas maneras] me alegro de que no le haya pasado nada.

아물거리다 ① [눈이나 정신이 희미해져서 아지랑이가 낀 것 같이 느껴지다] parpadear, titilar, bailar. ② [말이나 행동을 똑똑하지 않게 하다] hablar ambiguamente [vagamente], hablar con evasivas [con subterfugio], usar equívocos.

아물아물 parpeantemente, hablando con evasivas, usando equívocos.

아물다 cerrarse, cicatrizarse, desaparecer. 상처가 아문다 Se cierra [Se cicatriza · Desaparece] la herida.

아물리다 ① [부스럼이나 상처에 새살이 나와 맞붙게 하다] cerrar, cicatizar. ② [셈을 끝막다] terminar, acabar. ③ [이리저리 벌어진 일을 잘 되도록 어우르거나 잘 맞추다] tener *algo* controlado [bajo control].

아미(蛾眉) cejas *fpl* de la belleza.
◆아미를 숙이다 inclinar [bajar] la cabeza

아미노(영 *amino*) 【화학】 =아미노기(基).
■ ~기 amino *m*. ~산 aminoácido *m*.

아미타(阿彌陀; 범 *amitābha*) ((불교)) Amita Buda, Amitabha.
■ ~불(佛) Amita Buda. ~여래(如來) ((존칭)) =아미타.

아바나 【지명】 la Habana (꾸바의 수도 · 주(州)). ~의 habanero, habano.
■ ~ 사람 habanero, -ra *mf*. ~ 여송연(呂宋煙) habano *m*.

아바네라(서 *habanera*) ① 【음악】 [꾸바에서 생겨 서반아에서 유행한 민속 무곡, 또는 그 무용 및 민요] habanera *f*. ② [사교 댄스] *Cuba* habanera *f*.

아바마마(—媽媽) ¡Padre!

아방가르드(불 *avant-garde*) vanguardia *f*. ~의 de vanguardia, vanguardista.

아방게르(불 *avant-guerre*) período *m* anterior a la guerra.

아방튀르(불 *aventure*) ① [의외의 사건 · 모험] accidente *m* inesperado, aventura *f*. ② [모험적인 연애] aventura *f* amorosa.

아버님 ((존칭)) =아버지.

아버지 ① [남자 어버이] padre *m*; [아빠] papá *m*. ~의 paternal, paterno. ~ 같은 paternal. ~로서 paternalmente. ~ 없는 huérfano de padre, sin padre. ~의 사랑

cariño *m* paternal. 근대 음악(近代音樂)의 ~ padre *m* de la música moderna. 음악의 ~, 바하 Bach, el padre de la música. 그의 ~와 어머니 sus padres. ~의 후광(後光) 덕분에 gracias a la prestigiosa influencia de *su* padre. ~답다 ser paternal. ~가 없다 ser huérfano de padre, no tener padre. ~(를) 닮다 parecerse a *su* padre, ser parecido a *su* padre. ~를 잃다 perder a *su* padre. 정치가를 ~로 두다 ser hijo de un político. 그는 나에게는 ~와 같다 El ha sido como un padre para mí. 그는 그에게 ~다운 충고를 했다 El lo aconsejó como un padre. 나는 ~를 많이 닮았다 Me parezco a mi padre / Soy muy parecido a mi padre. ② ((성경)) [하나님] Padre *m*.

■아버지 종도 내 종만 못하다 ((속담)) Más vale pájaro en mano que ciento volando.

■~의 날 el día del Padre. ~ 하나님 ((성경)) Dios el Padre.

아범 ① ((비칭)) =아버지. ② [윗사람이 자식 있는 남자를 친근히 일컫는 말] *su* padre. 갑돌이의 ~ padre de *Gabdol*. ③ [늙은 남자 하인을 대접하여 이르는 말] criado *m* viejo.

아베 마리아(라 *Ave Maria*) ① ((경칭)) [성모 마리아] Avemaría *m*. ~를 세 번 말해라 Rece tres Avemarías. ② [성모 마리아의 찬송가] avemaría *f*.

아베크(불 *avec*) pareja *f*. A와 ~로 con A, acompañado de A. ~하다 salir (con). 그는 김 양과 일요일 ~를 했다 El salió con la señorita Kim el domingo.

아부(阿附) adulación *f*, lisonja *f*, halago *m*. ~하다 adular, lisonjear, halagar, dar un jabón (a), dar coba (a). ~하는 듯한 lisonjero. ~하듯이 lisonjeramente. 상사에게 ~하다 adular al superior. ~하는 사람은 속이는 법이다 Quien halaga engaña. ~를 믿어서는 안 된다 Hay que desconfiar de los halagos [la adulación].

■~자 adulador, -dora *mf*, lisonjero, -ra *mf*, lisonjeador, -dora *mf*, lisonjeante *mf*, halagador, -dora *mf*, zalamero, -ra *mf*.

아브라함【인명】((성경)) Abrahán, Abraham.

아비 ① ((속어)) ((비칭)) padre *m*. ~ 없는 자식 hijo sin padre. 그 ~에 그 아들 De tal palo, tal astilla. ② [자식을 낳은 뒤에, 아내가 시부모에게 자기 남편을 가리키는 말] mi marido.

아비규환(阿鼻叫喚) confusión *f* terrible. ~의 참상(慘狀) babel *f*.

아비산(亞砒酸)【화학】ácido *m* arsenioso.

■~염 arsenito *m*.

아비시니아【지명】Abisinia *f*.

■~어 abisinio *m*. ~인 abisinio, -nia *mf*.

아비지옥(阿鼻地獄) ((불교)) =무간지옥(無間地獄).

아빠 papá *m*.

아뿔사 ¡Ay de mí! / ¡Dios Santo! / ¡Dios mío! / ¡La hice! / ¡Maldito sea! / ¡Caray! / ¡Carajo! ~, 다방에 우산을 두고 왔다 ¡Ay (de mí) [Ahí va · La hice]! Se me ha olvidado el paraguas en la cafetería.

아사(餓死) muerte *f* de hambre, muerte *f* de inanición. ~하다 morir(se) de hambre. ~시키다 privar de comida (a), hacer pasar hambre (a). 그들은 모두 ~했다 Todos se murieron de hambre [de inanición].

■~선상(線上) =아사지경. ~자 muerto, -ta *mf* de hambre [de inanición]. ~지경(之境) borde *f* de la muerte de hambre, punto *m* de morir(se) de hambre. ¶~에 이르다 estar al borde de la muerte de hambre, estar a punto de morir(se) de hambre.

아삭 con un crujido, mascando.

아삭거리다 (ser) crujiente, crujir.

아삭아삭 crujientemente, *Arg* crocantemente. ~하다 (ser) crujiente, *Arg* crocante. ~한 것 lo crujiente, lo crocante. ~한 사과 manzana *f* crujiente. 과자를 ~ 먹다 mascar [ronchar · ronzar] la galleta.

아산화질소(亞酸化窒素)【화학】óxido *m* nitroso.

아생(芽生)【식물】=발아(發芽).

아서라 no hagas. ~, 그럼 못 쓴다 No lo hagas. No es bueno.

아성(牙城) cuartel *m* general, base *f* de operación, castillo *m* principal; [악인들의] guardia *f*; [군사의] fortaleza *f*, bastión *m*; [시(市)의] plaza *f* fuerte; [능보(稜堡)] bastión *m*, baluarte *m*. 보수(保守)의 ~ baluarte *m* del conservadurismo.

아성(亞聖) santo *m* de segundo rango.

아성(兒聲) ① [어린아이의 소리] voz *f* del niño. ② [유치한 말] palabra *f* pueril.

아성층권(亞成層圈) subestratosfera *f*, subestratoesfera *f*. ~의 subestratoesférico, subestratosférico.

■~ 비행 vuelo *m* subestratosférico. ~ 비행기 avión *m* subestratosférico.

아세아(亞細亞)【지명】Asia *f*. ☞아시아(Asia)

아세안(영 *ASEAN, the Asociation of South-East Asian Nations*) [동남 아시아 국가 연합] la Asociación de Naciones del Sureste Asiático.

■~ 각료 회의(閣僚會議) reunión *f* ministerial de la Asociación de Naciones del Sureste Asiático.

아세테이트(영 *acetate*) ① ((준말)) =아세테이트 인견(人絹). ② =아세트산염(酸鹽).

■~ 견사 =아세테이트 인견. ~ 레이온 rayón *m* acético. ~ 인견 acetato *m*, seda *f* al acetato.

아세톤(영 *acetone*)【화학】acetona *f*.

아세틸(영 *acetyle*) acetilo *m*.

아세틸렌(영 *acetylene*)【화학】acetileno *m*.

■~ 가스 gas *m* de acetileno. ~등(燈) lámpara *f* de acetileno. ~ 램프 =아세틸렌등. ~ 발생기 generador *m* de acetileno. ~ 용접 soldadura *f* de acetileno. ~ 용접 장치 equipo *m* de soldar de acetileno.

아셈(영 *ASEM, Asia-Europe Meeting*) [아시아 유럽 정상 회의] la Reunión Asiático-Europea.

아속(亞屬) ①【생물】subgénero *m.* ②【화학】subgrupo *m.*
아속(雅俗) cultura *f* y vulgarismo; [사람의] lo refinado y lo vulgar; [언어의] lo clásico y lo coloquial.
아손(兒孫) *su* hijo y *su* nieto.
아수라(阿修羅; 범 *Asura*) ((불교)) titán *m.* ~처럼 싸우다 pelear como un titán.
아순시온【지명】Asunción (빠라구아이의 수도).
아쉬워하다 echar de menos, sentir, lamentar, deplorar, llorar. 아쉬워할 만한 lamentable, deplorable. 김 씨의 죽음을 ~ sentir la muerte del Sr. Kim. 아쉽습니다만 … Es lástima que + *subj.* 네가 있었으면 하고 아쉬워했다 Te echaba de menos.
아쉽다 echar de menos, ser insuficiente, no satisfacer, no ser satisfactorio, *AmL* extrañar. 그 설명은 약간 아쉬운 느낌이다 La explicación no es satisfactoria. 너와 헤어지게 되어 정말 아쉽구나 Te echo muchísimo de menos / *AmL* Te extraño muchísimo / *AmL* Me haces mucha falta. 나는 부모님이 계시지 않아 ~ Echo de menos a mis padres. 외투가 없어 아쉬웠다 Estaba de menos el sobretodo.
◆아쉬운 대로 provisionalmente, como un arreglo provisional, *AmL* provisoriamente. ~ 이것을 쓰세요 Use esto provisionalmente.
아스라하다 [거리가] estar lejano; [소리 따위가] (ser) débil, vago.
아스라이 [아득히] a lo lejos, en la distancia, en la lejanía; [희미하게] débilmente, vagamente, apenas. ~ 비치는 방 habitación *f* poco iluminada, habitación *f* iluminada por una luz tenue. ~ 보이다 verse vagamente. 나는 ~ 그것을 기억한다 Lo recuerdo vagamente.
아스랗다 =아스라하다.
아스러뜨리다 =바스러뜨리다.
아스러지다 hacerse pedazos.
아스스 =으스스.
아스트린젠트(영 *astringent*) [수렴제] astringente *m.*
아스파라거스(영 *asparagus*)【식물】espárrago *m*; [관엽 식물] asparagus *m.*
아스팍(영 *ASPAC, Asian and Pacific Council*) [아시아 태평양 각료 이사회] el Consejo Asiático y Pacífico.
아스팔트(영 *asphalt*) asfalto *m.* ~의 asfáltico. ~를 깐 asfaltado. 길에 ~를 까는 인부 asfaltero, -ra *mf.* ~를 깔다 asfaltar, revestir de asfalto.. 도로를 ~로 포장하다 asfaltar la calle, pavimentar la calle con asfalto.
■~ 길 =아스팔트 도로. ~ 도로 asfaltado *m*, calle *f* asfaltada, calle *f* pavimentada con asfalto. ~ 도료 pintura *f* de asfalto. ~ 시멘트 cemento *m* de asfalto. ~ 콘크리트 hormigón *m* [*AmL* concreto *m*] de asfalto. ~ 타일 [바닥의] baldosa *f* [losa *f*] de asfalto; [벽의] azulejo *m* de asfalto. ~ 포장(鋪裝) asfaltado *m*, pavimentación *f* asfáltica. ~ 혼합기(混合器) mezcladora *f* de asfalto.
아스피린(영 *aspirin*; 불 *Aspirine*®; 독 *Aspirin*) aspirina *f.*
아슬아슬 ¶~하다 (ser) peligroso, arriesgado, crítico, delicado. ~하게 a duras penas, por un pelo, por los pelos, en el momento crítico, peligrosamente, arriesgadamente, críticamente, delicadamente. ~한 경기(競技) juego *m* muy reñido. ~한 문제 cuestión *f* delicada. ~한 일국(一局) jugada *f* [fauna *f*] peligrosa. ~한 곳에서 al momento crítico, por dos dedos, por poco. ~한 때에 구조받다 escapar por dos dedos. ~하게 학교에 도착하다 [지각하지 않고] llegar a tiempo a la escuela a duras penas, llegar justo a la escuela, llegar en el último momento a la escuela. ~하게 사고를 면하다 [위험을 모면하다] escapar por los pelos del accidente [del peligro]. 나는 ~한 차이로 열차를 탈 수 있었다 Pude tomar el tren por los pelos / Por poco (me) pierdo el tren. 그는 ~하게 시간에 댔다 El llegó a tiempo por un pelo / El estuvo a punto de no llegar a tiempo.
아슴푸레하다 =어슴푸레하다.
아습 nueve años (de la vaca o del caballo).
아시리아【지명】Asiria *f.* ~의 asirio.
아시아【지명】el Asia *f.* ~의 asiático.
◆동남(東南) ~ el Asia Sureste. 동남 ~ 국가 연합 la Asociación de Naciones del Sureste Asiático. 서(西)~ el Asia Occidental. 서남(西南) ~ el Asia Sudoeste. 소(小) ~ el Asia Menor. 중앙 ~ el Asia Central.
■~ 개발 은행 (開發銀行) el Banco Asiático de Desarrollo. ~ 경기 대회 los Juegos Asiáticos. ~ 경제 협력 기구 la Organización para la Cooperación Económica Asiática. ~ 극동 경기 위원회 la Comisión Atlética para el Asia y el Extremo Oriente [el Lejano Oriente]. ~ 극동 경제 위원회 la Comisión Económica para el Asia y el Extremo Oriente [el Lejano Oriente]. ~ 달러 dólar *m* asiático. ~ 대륙 el Continente Asiático. ~ 문제 연구소 el Instituto de los Asuntos Asiáticos. ~ 민족 nación *f* asiática. ~ 반공 연맹 la Liga Anticomunista de los Asiáticos. ~ 사람 asiático, -ca *mf.* ~ 생산성 기구 la Organización Asiático de Productividad. ~성 lo asiático. ~식 농업 agricultura *f* asiática. ~ 신문 재단 la Fundación Asiática de los Periódicos. ~ 야구 선수권 campeonato *m* asiático del béisbol. ~ 영화제 el Festival Cinematográfico Asiático [del Asia]. ~ 유럽 정상 회의 la Reunión Asiático-Europea. ~ 유행성 감기 influenza *f* asiática. ~인 asiático, -ca *mf.* ~ 인종 =몽고족. ~ 주 el Asia *f.* ~ 콜레라 cólera *m* asiático. ~ 태평양 각료 이사회 el Consejo Asiático y Pacífico. ~ 태평양 경제 사회 위원회 la

Comisión Económica y Social para el Asia y el Pacífico. ~ 태평양 경제 사회 이사회 el Consejo Económico y Social para el Asia y el Pacífico. ~ 태평양 경제 협력체 la Cooperación Econónica Asiático-Pacífica. ~ 태평양 경제 협의회 =아시아 태평양 경제 협력체. ~ 태평양 의원 연맹 la Liga Asiática y Pacífica de los Parlamentarios.

아시아 아프리카 Asia y Africa. ~의 afro-asiático.
■ ~ 그룹 el Grupo Afroasiático. ~ 블록 bloque *m* afroasiático. ~ 회의(會議) la Conferencia Afroasiática.

아식 축구(一式蹴球) =축구(蹴球).

아씨 señora *f*, dama *f* joven.

아아 ¡Ah! / ¡Eh! / ¡Anda! / ¡Vaya! ~ 놀랍군 ¡Anda [Vaya], qué sorpresa!

아아(阿亞) Africa y Asia. ~의 afro-asiático.
■ ~ 블록 bloque *m* afro-asiático. ~ 회의 la Conferencia Afro-asiática.

아악(雅樂) música *f* ceremonial, música *f* tradicional de la corte imperial coreana, música *f* clásica de la Real Casa de *Choson*.
■ ~기(器) instrumento *m* de la música ceremonial.

아야 ¡Ay! ~ 아프다 ¡Ay! Me duele.

아얌 *ayam*, gorra *f* puesta por las mujeres en el invierno.
■ ~드림 *ayamdrim*, cola *f* de seda larga pegada a *ayam*.

아양 coquetería *f*, coqueteo *m*, coquetismo *m*.
◆아양(을) 떨다 =아양(을) 부리다.
◆아양(을) 부리다 ㉮ [어린이가] mimar, acariciar, halagar, ser mimoso, enmadrarse, mostrarse amoroso un niño a *sus* mayores. ㉯ [여자가] coquetear (con), hacer coquetona, obrar con coquetería, tener coquetería, lisonjear, halagar, adular, hacer zalamerías, enjabonear, requebrar. ~을 부리는 여자 coquetona *f*.
◆아양(을) 피우다 =아양(을) 부리다.
아양스럽다 ser de coqueta.
아양스레 coquetonamente.

아어(雅語) lenguaje *m* elegante, término *m* refinado, dicción *f* refinada, lenguaje *m* castizo.

아역(兒役) ① [역(役)] papel *m* de niño, papel *m* que representan los niños. ② [연기자] actor *m* niño, actriz *f* niña.

아연(亞鉛) 【광물】 zinc *m*, cinc *m*.
■ ~광(鑛) mineral *m* de cinc. ~ 도금 galvanización *f* de cinc. ~ 연고 pomada *f* de cinc. ~ 제판(製版) zincografía *f*. ~ 철판(凸版) imprenta *f* en relieve, tipografía *f* en relieve, zincografía *f*; [인쇄물] impreso *m* en relieve. ~ 철판(鐵板) =함석. ~판(版) plancha *f* de zinc. ~화(華) óxido *m* [flores *fpl* · blanco *m*] de cinc. ~화 연고(華軟膏) pomada *f* de cinc. ~황(黃) amarillo *m* de cinc.

아연(俄然) de repente, repentinamente, de súbito, súbitamente. ~ 활기를 띠다 mejorar, repuntar. ~ 긴장하다 ponerse tenso de repente, tensarse repentinamente.

아연실색(啞然失色) asombro *m*, sorpresa *f*. ~하다 asombrarse, sorprenderse, palidecer, cambiar de color, quedar(se) atónito [pasmado · helado · estupefacto · boquiabierto · mudo de asombro · con la boca abierta]. ~하게 하다 dejar sin hablar, dejar con la boca abierta. ~해서 con la boca abierta, con estupor, atónito, estupefacto, con aire decepcionado, descorazonadamente. 내가 그녀에게 그 말을 했을 때 그녀는 ~했다 Ella palideció cuando se lo dije. 그 소식을 듣고 그는 ~했다 El cambió de color al oír la noticia.

아연하다(俄然一) (ser) repentino, súbito.
아연히 repentinamente, de repente, súbitamente, de súbito.

아연하다(啞然一) dejar atónito, dejar pasmado, quedarse atónito, estar asombrado. 아연하게 하다 dejar sin habla, asombrar. 우리는 그 소식에 아연했다 Nos quedamos atónitos con la noticia / La noticia nos dejó sin habla. 그는 그녀의 반응에 아연했다 Su reacción lo dejó atónito [pasmado]. 나는 당신이 약간 변한 것에 대해 아연하고 있습니다 Yo estoy asombrado de lo poco que has cambiado. 그들이 이긴 것에 대해 너는 아연하지 않느냐? ¿No te asombra que hayan ganado?

아열대(亞熱帶) zona *f* subtropical.
■ ~ 기후 clima *m* subtropical. ~림(林) bosque *m* subtropical. ~ 동물 animal *m* subtropical; [집합적] fauna *f* subtropical. ~ 식물 planta *f* subtropical; [집합적] flora *f* subtropical.

아열성열(亞熱性熱) temperatura *f* subfebril.

아예 ① [애초부터. 당초부터] desde el principio. ~ 나는 그의 말을 믿지 않았다 Desde el principio no le he creído. ② [절대로] absolutamente; [부정문에서] nunca, jamás. ~ 믿지 말게 No lo creas absolutamente. ~ 그런 짓은 말아라 No lo hagas jamás.

아옹 [고양이 우는 소리] miau *m*, maullido *m*, voz *f* del gato. ~하다 maullar, dar maullidos.

아옹거리다 refunfuñar, renegar, pelear(se), discutir, reñir.

아옹다옹 discutiéndose uno de otro, peleándose uno de otro. ~하다 discutirse uno de otro, pelearse uno de otro.

아옹하다 ① [굴이나 구멍 등이 속이 비어 침침하다] (estar) hundido, sumergido, a nivel más bajo. ② [속이 좁은 사람이 뜻에 덜 찬 모양이 있다] (ser) contrariado, descontento, refunfuñador.

아욕(我慾) propio interés *m*, egoísmo *m*, amor *m* propio, deseo *m* para *sí* mismo.

아우 ① [동기(同期)나 같은 항렬의 남자 사이에서 나이가 적은 사람] hermano *m* (menor), hermana *f* (menor). ② [동료 가운데서 나이가 적은 사람] menor *m* entre los compañeros.

◆아우(를) 보다 tener *su* hermano (menor). ◆아우(를) 타다 (el lactante) flaquear [debilitarse · perder la fuerza] por falta de la leche de *su* madre.

아우러지다 armonizar, poner en armonía, unirse.

아우르다 poner juntos; [길 · 강이] confluir; [색깔이] fundirse; [회사 · 아파트 · 학교가] unirse, fusionarse.

아우성 grito *m*, alarido *m*; [집합적] gritería *f*, griterío *m*, vocerío *m*.
◆아우성(을) 치다 gritar, dar gritos, dar voces, vociferar, vocear, chillar.

아욱【식물】malvavisco *m*.

아울러 y, con, ambos, junto con, también, al mismo tiempo, además.
◆아울러 가지다 tener ambas partes.

아울리다 =어울리다.

아웃(영 *out*) ① ((야구)) out *m*, hombre *m* fuera. ② ((축구 · 테니스)) fuera.
▪~도어 [집 밖의. 옥외의, 야외의] [옷의] de calle; [겨울용의] de abrigo; [식물의] de exterior; [수영장의] descubierto, al aire libre. ~사이더 forastero *m*, extraño *m*, persona *f* de fuera. ~사이드 ㉮ =외면(外面). ㉯ =아웃코너. ~코너 ((야구)) parte *f* más alejada del centro. ~풋 ㉮ [생산고] [공장의] producción *f*, [일꾼 · 기계의] rendimiento *m*. ㉯【컴퓨터】[출력] salida *f*. ㉰【전기】[출력] salida *f*. ~필더 ((야구)) [외야수] jardinero, -ra *mf*. ~필드 ((야구)) [외야] los jardines, las praderas.

ㅇ

아웅 ¡Miau!

아위(阿魏)【식물】asafétida *f*.

아유(阿諛) =아첨(阿諂).
▪~구용(苟容) halagos *mpl*, adulación *f*. ~하다 halagar, adular.

아음(牙音)【언어】 =어금닛소리.

아음속(亞音速)【물리】velocidad *f* subsónica.

아이[1] ① [나이가 어린 사람] niño, -ña *mf*, chico, -ca *mf*, muchacho, -cha *mf*, chiquillo, -lla *mf*, chaval, -la *mf*, [집합적] criatura *f*. ~다운 frívolo, trivial, pueril, propio de niño. ~때부터 desde *su* niñez, desde *su* infancia. 내가 ~ 적에 en mi niñez, en mi infancia, cuando (yo era) niño. ~로 돌아가다 volver a la niñez, volver a la infancia. 그녀는 나를 ~ 취급한다 Ella me trata como a [como si fuera] un niño. 어른들은 때때로 ~한테서 배운다 A veces los niños son maestros de los mayores. ~들과 바보는 거짓말을 할 줄 모른다 ((서반아 속담)) Los niños y los tontos no saben mentir. ~들과 바보들은 행복하다[즐겁게 산다] ((서반아 속담)) (Los niños y) Todos los tontos son dichosos. ~들과 바보들은 [미친 사람들은] 거짓말을 할 줄 모른다[사실을 말한다] ((서반아 속담)) Los niños y los locos dicen la verdad / Dicen los niños en el solejar lo que oyen a sus padres en el hogar. ② [자기나 남의 자식] *su* niño, *su* niña; *su* hijo, *su* hija. ~가 없는 부부 esposos *mpl* sin hijos. 매질을 아끼면 ~를 망친다 / ~가 귀엽거든 매를 아끼지 마라 ((서반아 속담)) Niño minado, niño ingrato / Niño mal vezado, difícilmente enmendado. ③ =태아(胎兒). ¶~를 배다 concebir, ponerse preñada. 그녀는 ~가 있다 Ella está embarazada [encinta] / Ella está en estado / Ella está esperando (un niño) / Ella va a tener un niño. ④ [막 태어난 사람] bebé *m*. ~를 낳다 dar a luz (a un niño). ⑤ [지난날에, 아직 결혼하지 않은 사람] soltero, -ra *mf*. ⑥ [남을 얕잡아 하는 말] tipo *m*, hombre *m*.
▪아이(가) 서다 estar embarazada, estar encinta. 그녀는 아이가 선 것 같다 Parece que ella está embarazada [encinta].
◆아이(를) 배다 concebir, hacerse preñada, estar embarazada, estar encinta. 그녀는 아이를 뱄다 Ella está embarazada / Ella está encinta.
◆아이(를) 지다 tener el parto en el que el niño nace muerto, tener el niño nacido muerto, tener el niño mortinato, dar a luz un feto muerto.
▪아이 자라 어른 된다 ((속담)) El niño es el padre del hombre. 늙으면 아이 된다 ((속담)) Los viejos, a la vejez, se tornan a la niñez.

아이[2] ((감탄사)) ① [남에게 무엇을 조를 때 내는 소리] ¡Mira! / ¡Dios mío! ~ 빨리 줘요 ¡Mira! Dame pronto. ② ((준말)) =아이고.

아이고 ① [아플 때, 힘들 때, 놀랄 때, 원통할 때, 기막힐 때 등에 내는 소리] ¡Madre mía! / ¡Ave María! / ¡Dios mío! / ¡Válgame Dios! / ¡Ah! / ¡Oh! / ¡Caramba! ~, 공연한 짓을 했군 ¡Dios mío, que he hecho! / ¡Ah, he metido la pata! / Buena la hemos hecho. ~, 위험해 ¡Ah, cuidado! / ¡Ojo! ~, 이제 생각났다 ¡Ah! Ahora me acuerdo. ~, 비다 ¡Mira! Empieza a llover. ~, 김 군이군 ¡Hombre, está [sí es] Kim! / ¡Ah, pero sí es Kim! ~, 다 틀렸다 ¡Dios mío! / ¡Santo cielo! / ¡Diantre! ~ 가엾어라 ¡Qué lástima! / ¡Qué pena! ~ 아파라 ¡Ay, qué dolor! ~ 좋아라 ¡Caramba, qué bien! ~ 죽겠다 ¡Ay, me muero! ② [우는 소리] *aigo*, lloradera *f*.

아이고나 ¡Qué cosas! / ¡Ay por Dios! ~ 너 혼자 이걸 다 치웠니 ¡Ay por Dios! ¿Recogiste todo esto tú solo?

아이고머니 ((힘줌말)) =아이고❶. ¶~나 ¡Ay por Dios! / ¡Ay! / ¡Qué cosas! / ¡Vaya por Dios! 너 그에게 투표했니? — ~, 너 무슨 말을 하는거야 ¿Votaste por él? — ¿Estás loco?

아이누(영 *Ainu*) Aino *m*.
▪~ 말 aino *m*. ~ 사람 aino, -na *mf*. ~ 종족 ainos *mpl*.

아이디어(영 *idea*) idea *f*. 크리스마스용 선물 ~ ideas *fpl* para regalos de Navidad. 문득 ~가 떠오르다 ocurrirse. 그것은 좋은 ~다 Es una buena idea. 나는 ~가 있다 Tengo una idea. 그것은 내 ~가 아니었다 No fue idea mía. 거참 기막힌 ~다 ¡Qué buena idea!

아이러니(영 *irony*) ironía *f.*

아이론(영 *iron*) ① [다리미] plancha *f.* 전기(電氣) ~ plancha *f* eléctrica. 증기(蒸氣) ~ plancha *f* de vapor. ② =헤어 아이론.

아이보리코스트【지명】la Costa de Marfil.

아이비엠(영 *IBM, international ballistic missile*) [대륙간 탄도탄] proyectil *m* balístico internacional.

아이섀도(영 *eye shadow*) [눈꺼풀에 바르는 화장품] sombra *f* de ojos, crema *f* para los párpados, sombreador *m* (de ojos). ~를 붙이다 sombrear los ojos.

아이소토프(영 *isotope*) [동위 원소(同位元素)] isótopo *m,* radioisótopo *m.*

아이스(영 *ice*) [얼음] hielo *m.*
■~ 댄스 baile *m* sobre hielo. ~ 댄싱 baile *m* sobre hielo. ~ 링크 pista *f* de (patinaje sobre) hielo. ~ 밀크 helado *m* hecho con leche descremada. ~박스 refrigerador *f,* nevera *f, RPI* heladera *f.* ~ 쇼 espectáculo *m* sobre hielo. ~ 스케이터 patinador, -dora *mf.* ~ 스케이트 patín *m* de cuchilla. ~ 스케이팅 patinaje *m* sobre hielo. ~ 캔디 [특히 막대기가 있는] polo *m* helado, paleta *f* helada, *RPI* palito *m* helado, *Chi* chupete *m* helado. ~커피 café *m* con hielo. ~ 케이크 torta *f* con baño de fondant. ~ 큐브 [(전기 냉장고에서 만들어내는) 각얼음] cubito *m* de hielo. ~ 팩 ㉮ [얼음 주머니] bolsa *f* de hielo. ㉯ [대부빙군(大浮氷群)] banco *m* de témpanos. ~ 필드 [빙원(氷原)] banca *f* de hielo, campo *m* de hielo, banquisa *f.*

아이스크림(영 *ice cream*) helado *m.*
■~ 가게 heladería *f.* ¶~ 주인 heladero, -ra *mf.* ~ 제조기 heladera *f,* heladora *f,* refrigerador *m* de helado. ~ 콘 corneta *f.* ~ 판매원 heladero, -ra *mf.*

아이스하키(영 *ice hockey*) hockey *m* sobre hielo, ice hockey *ing.m.* ~의 스틱 palo *m,* stick *ing.m.*

아이슬란드【지명】Islandia *f.* ~의 islandés.
■~ 어[말] islandés *m.* ~ 인[사람] islandés, -desa *mf.*

아이시[1](영 *IC, integrated circuit*)【물리】[집적 회로(集積回路)] circuito *m* integrado.

아이시[2](영 *IC, interchange*) [인터체인지] intercambiador *m,* enlace *m.*

아이시비엠(영 *ICBM, intercontinental ballistic missile*) [대륙간 탄도 미사일] proyectil *m* balístico intercontinental.

아이아르비엠(영 *IRBM, Intermediate Range Ballistic Missile*) =중거리 탄도 미사일.

아이아버지 ① [자녀를 가진 아버지] padre *m* que tiene hijos. ② [자기의 남편을 남에게 일컫는 말] mi marido, mi esposo.

아이아범 ① ((낮춤말)) =아이아버지. ② [자녀를 둔 아들이나 사위] hijo *m* (que tiene hijos), yerno *m* (que tiene hijos).

아이아비 =아이아범.

아이어머니 ① [자녀를 가진 부인] señora *f* que tiene hijos. ② [자기 아내를 남에게 일컫는 말] mi mujer, mi esposa.

아이어멈 ① ((낮춤말)) =아이어머니. ② [자녀를 둔 며느리나 딸을 일컫는 말] nuera *f* (que tiene hijos), hija *f* (que tiene hijos).

아이어미 =아이어멈.

아이에스비엔(영 *ISBN, the International Standard Book Number*) [국제 표준 도서 번호] ISBN *m,* la Numeración Internacional Normalizada de Libros.

아이에이이에이(영 *IAEA, International Atomic Energy Agency*) [국제 원자력 기구] OIEA *f,* la Organización Internacional de Energía Atómica.

아이엘오(영 *ILO, International Labor Organization*) [국제 노동 기구] OIT *f,* la Organización Internacional de Trabajo.

아이엠에프(영 *IMF, International Monetary Fund*) [국제 통화 기금] FMI *m,* el Fondo Monetario Internacional. ~의 fondomonetarista.

아이오시(영 *IOC, International Olympic Committee*) [국제 올림픽 위원회] COI *m,* el Comité Olímpico Internacional.

아이젠(독 *Eeisen*) crampón *m,* garfios *mpl* de trepar, trepadores *mpl.*

아이쿠 ¡Oh! / ¡Ah! / ¡Caramba! / ¡Dios! / ¡Ay Dios! / ¡Dios mío! / ¡Uf! ~, 실례했습니다 ¡Oh, perdón! ~, 조심하세요 ¡Cuidado! / ¡Ojo! ~, 그건 안돼 ¡Oh! Eso no / ¡Ah! No te dejo hacerlo. ~, 놀래라 ¡Dios mío, qué sorpresa!

아이큐(영 *IQ, intelligence quotient*) CI *m,* coeficiente *m* intelectual [de inteligencia], cociente *m* intelectual [de inteligencia].

아이템(영 *item*) [항목] ítem *m.*

아이티【지명】Haití *m.* ~의 haitiano.
■~ 사람 haitiano, -na *mf.* ~어 creole *m* (haitiano).

아이티브이(영 *ITV, industrial television*) televisión *f* industrial.

아이피아이(영 *IPI, International Press Institute*) [국제 신문인 협회] el Instituto Internacional de la Prensa.

아이피유(영 *IPU, InterParliamentary Union*) [국제 의원 연맹] la Unión Interparlamentaria.

아이형강(I 形鋼) =아이 빔(I-beam).

아인산(亞燐酸)【화학】ácido *m* fosforoso.

아인시타이늄(영 *Einsteinium*)【화학】einstenio *m.*

아일랜드【지명】Irlanda *f.* ~의 irlandés.
■~어[말] irlandés *m.* ~인[사람] irlandés, -desa *mf.*

아잇적 *su* niñez, *su* infancia. ~에 en *su* niñez, en *su* infancia, cuando (era) niño, cuando (era) niña.

아작 mascando, masticando.
아작거리다 mascar, masticar, ronchar, ronzar.
아작아작 mascando, ronchando, ronzando, masticando. ~ 먹다 mascar, ronchar, ronzar, masticar.

아장거리다 bambolear, marchar con paso incierto, andar *sus* primeros pasos. 아장거리기 시작하다 empezar a caminar, empezar a andar, dar *sus* primeros pasos. 아장거리는 아기 niño *m* chiquito de dos a tres años de edad.

아장걸음 paso *m* inseguro. 그 아이는 ~으로 방으로 들어갔다 El niño entró en la habitación con paso inseguro.

아장바장 =어정버정.

아장아장 caminando con afectación, al trote, de un modo vacilante, tambaleando; [걷기] pinos *mpl.* ~ 걷다 caminar con afectación, caminar con amaneramiento, hacer pinos, andar a tatas. ~ 걷는 아이 niño *m* pequeño, niña *f* pequeña (entre un año y dos años y medio de edad). ~ 걷기 시작하다 empezar a caminar, empezar a andar, dar *sus* primeros pasos. 이 여아는 ~ 방을 가로질렀다 La niña cruzó la habitación caminando con afectación.

아재 ((비어)) ① =아저씨. ② =아주버니.

아쟁(牙箏)【악기】*achaeng,* violín *m* tradicional coreano de siete cuerdas.

아저씨 ① [부모와 같은 항렬의 남자] tío *m.* ② [부모와 같은 또래의 사람을 정답게 부르는 말] tío *m,* señor *m.*

아전(衙前)【역사】*acheon,* oficial *m* insignificante de la ciudad provincial.

아전인수(我田引水) Todo molinero hace venir el agua a su molinero / epiqueya *f.* 그것은 ~격이다 Eso es un argumento interesado [egoísta].

ㅇ

아제 ① [자매의 남편을 여자 쪽에서 부르는 말] cuñado. ② ((속어)) =아저씨.

아제르바이잔【지명】Azerbaiyán, Azerbaiján. ~의 azerbaiyaní.

■ ~ 어[말] azerbaiyano *m.* ~ 인[사람] azerbaiyaní *mf.*

아종(亞種) subespecies *fpl.*

아주[1] ① [매우 · 썩] muy, mucho, bastante, suficientemente; [강조의 경우]「형용사」+ -ísimo. ~ 비싸다 (ser) carísimo [muy caro]. ~ 싸다 (ser) baratísimo [muy barato]. ~ 아름답다 (ser) hermosísimo [muy hermoso]. ~ 높다 ser muy alto. ~ 낮다 ser muy bajo. ~ 피곤하다 estar muy cansado. 그녀는 ~ 키가 크다 [영리하다 · 뚱뚱하다] Ella es muy alta [inteligente · gorda / [강조의 경우] altísima · inteligentísima · gordísima]. 그것은 ~ 좋다 [싸다 · 비싸다] Es muy bueno [barato · caro / [강조의 경우] bonísimo · baratísimo · carísimo]. 너 속상했었니? – 그래, ~ 많이 ¿Estabas disgustado? – Sí, mucho. 나는 그것을 ~ 잘 알고 있다 Yo lo sé muy bien. 나는 그것을 ~ 좋아한다 Me gusta mucho. 눈이 내리고 있지만 ~ 많지는 않다 Está nevando, pero no mucho. 날씨가 ~ 덥다 [춥다] Hace mucho calor [frío]. ② [완전히. 전혀] completamente, (bien) perfectamente. ~ 잘 자다 dormir bien perfectamente [muy bien], dormir a pierna suelta [a pierna tendida]. ③ [영영. 영원히] para siempre, por siempre. ~ 가 버렸다 irse para siempre. ~ 잊어버리다 olvidarse para siempre.

아주[2] [남의 잘하는 체하는 말이나 행동을 비웃는 말] ¡Ah, sí! / ¡Oh, de verdad! / ¡No me digas!; [조롱하는 투로] ¡Caray! / ¡Carajo! ~, 제법이야 ¡Caray! Es mejor de lo que pensaba.

아주(阿洲)【지명】continente *m* del Africa.

아주(亞洲)【지명】continente *m* del Asia.

아주까리 ①【식물】ricino *m,* castor *m.* ② =아주까리씨.

■ ~ 기름 aceite *m* de ricino [castor]. ~ 씨 semilla *f* de ricino.

아주머니 ① [부모와 같은 항렬인 여자] tía *f.* ② [한 항렬 되는 남자의 아내] cuñada *f.* ③ [부인네를 높이어 정답게 부르는 말] señora *f.*

아주먹이 ① [정미] arroz *m* refinado. ② [솜옷] ropa *f* rellada con algodón.

아주버니 cuñado *m,* hermano *m* mayor de *su* esposo.

아줌마 tía *f,* señora *f.*

아지랑이 ola *f* de calor, bruma *f,* niebla *f,* calina *f,* neblina *f.* 봄날의 ~ bruma *f* primaveral, bruma *f* de primavera. ~가 끼어 있다 Hay un velo de calina.

아지작 con un crujido, con un sonido crujiente. ~하다 mascar, masticar, ronchar, ronzar.

아지작거리다 mascar, masticar, ronchar, ronzar.

아지작아지작 mascando, masticando.

아지직 con un chasquido, con un crujido, con un estruendo.

아지직거리다 chasquear, restallar, crujir.

아지직아지직 crujiendo.

아지트 escondrijo *m,* escondite *m*; [악인(惡人)의] guarida *f.*

아직 todavía, aún, ni hasta ahora. ~ 안 했다 Todavía no. ~ 늦지 않았다 Aún ahora no es demasiado tarde / Más vale tarde que nunca. ~ 많이 남아 있다 Todavía [Aún] queda mucho. ~ 열두 시가 안 되었다 Aún no son las doce. 그는 ~ 자고 있다 El está durmiendo aún. 그는 ~ 도착하지 않았다 El no ha llegado todavía. ~ 모자 란다 Todavía falta mucho. 나는 ~ 먹지 않았다 Todavía [Aún] no he comido / *AmL* Todavía no comí. 그들은 ~ 춤추고 있다 Ellos todavía [aún] están bailando / Ellos siguen bailando. ~ 그녀를 사랑하고 있다 La quiero aún [todavía]. 그녀는 ~ 행방불명이다 Ella aún [todavía] no se sabe su paradero. 그 사건은 ~ 해결되지 않고 있다 Ese asunto sigue (todavía) sin solucionar.

아직까지 todavía, aún, hasta ahora, hasta este momento. ~ 우리들은 답장을 받지 못했다 Aún [Todavía · Hasta ahora] no hemos recibido respuesta. 그런 괴상한 동물은 ~ 본 적이 없다 No he visto tal animal monstruoso. 모든 것이 ~는 계획대로 됐다

Hasta ahora [hasta este momento] tod ha salido de acuerdo a lo planeado.
아직껏 =아직까지.
아직도 ((강조)) =아직. ¶우리는 ~ 친구니? ¿Seguimos siendo amigos?

아질산(亞窒酸) 【화학】 ácido *m* nitroso.
■ ~균 bacilo *m* nitroso. ~염 nitrato *m*.

아질아질 mareando. ~하다 estar mareado, tener vértigo. 머리가 ~하다 Yo estoy mareado / Tengo vértigo / Siento un vértigo.

아집(我執) egotismo *m*, tenacidad *f*, obstinacidad *f*, amor *m* por sí mismo. ~이 있다 (ser) terco, obstinado.

아찔아찔 mareando, sentiendo un vértigo. 나는 ~했다 Yo sentí (un) vértigo.

아찔하다 estar mareado, tener vértigo, sentir un vértigo.

아차 ¡Ay de mí! / ¡Dios santo! / ¡Dios mío! / ¡La hice! / ¡Maldito sea! ~ 하는 순간 el último momento. ~, 깜박 잊었군 ¡Dios mío! Se me olvidó. ~, 돈을 집에 두고 왔구나 ¡Ay (de mí) [Ahí va · La hice]! Se me ha olvidado la cartera en casa.

아첨(阿諂) adulación *f*, halago *m*, lisonja *f*, adulancia *f*, caratoña *f* (추파), coba *f*, pelotilla *f*, incienso *m*, servilismo *m*; [사랑의] requiebro *m*; [여자에게] piropo *m*; [감언] zalamería *f*, *Cuba* adulonería *f*. ~하다 adular, halagar, lisonjear, dar*le* jabón (a), dar coba (a), roncear, incensar, hacer la pelotilla, regalar*le* el oído [los oídos], hacer zalamerías, echar piropos, *Méj* hacerle la barba, *Chi* hacerle la pata (a). ~하는 adulador, adulante, adulatorio, halagueño, lisonjeante, lisonjero. ~하는 (듯한) 말 palabras *fpl* halagueñas. ~하는 편지 carta *f* adulatoria. ~하는 웃음을 보이다 dibujar [dejar asomar] una sonrisa aduladora. ~하는 사람은 속이는 법이다 El que halaga engaña.
■ ~꾼 adulador, -dora *mf*; adulón (*pl* adulones), -lona *mf*; lisonjero, -ra *mf*; lisonjeador, -dora *mf*; lisonjeante *mf*; halagador, -dora *mf*.

아취(雅趣) elegancia *f*, gracia *f*, gusto *m*, sabor *m*; [분위기] atmósfera *f*, ambiente *m*. ~가 있는 elegante, de buen gusto, refinado. 이 건물은 무척 ~가 있다 Este edificio es muy elegante.

아치(雅致) elegancia *f*, gracia *f*, donaire *m*, buen gusto *m*. ~가 있다 (ser) elegante, agraciado, donoso, de gusto.

아치(영 *arch*) ① 【건축】 arco *m*; [둥근 천정] bóveda *f*. ~형(形)의 arqueado. ~식(式) 댐 presa *f* en arco. ② [무지개 모양의 돌다리] puente *m* de piedra de la forma del arco. ③ ((야구)) =홈런.

-아치 ¶동냥~ mendigo, -ga *mf*. 벼슬~ oficial *m* inferior.

아침 ① [날이 새어서 아침밥을 먹을 때까지의 동안] mañana *f*. ~의 de la mañana, matinal, matutino. ~에 [오전 중] por la mañana, *AmL* en la mañana. 내일 ~(에) mañana por la mañana, *AmL* mañana en la mañana. 어제 ~(에) ayer por la mañana, *AmL* ayer en la mañaña. 오늘 ~(에) esta mañana. 전날 ~(에) por la mañana del día anterior. 그날 ~(에) esa mañana. 다음 날 ~(에) a la mañana siguiente. 어느 날 ~(에) una mañana. 일요일 ~(에) el domingo por la mañana. ~ 다섯 시에 a las cinco de la mañana. …에서 3일 째 ~(에) en [a] la mañana del tercer día de …. ~ 일찍 muy de mañana, muy temprano por la mañana, de madrugada. ~부터 밤까지 desde la mañana hasta la noche, de la mañana a la noche; [온종일] toda la noche. ~에 출발하다 salir por la mañana. ~ 일찍 일어나다 levantarse temprano, madrugar. ~ 일찍 출발하다 [길을 떠나다] salir muy de mañana. ② ((준말)) =아침밥. ¶~을 먹다 desayunar(se), tomar el desayuno. 토스트와 커피로 ~을 들다 desayunar con una taza de café y pan tostado.
■ ~거리 material *m* [productos *mpl* alimenticios · comestibles *mpl*] para el desayuno. ~결 por la mañana. ~ 나절 una mitad de la mañana después de desayunar. ~내 toda la mañana. ~ 노을 arrebol *m* (de la mañana). ~놀 ((준말)) = 아침노을. ~때 hora *f* de desayunar. ~뜸 calma *f* de la mañana. ~ 먹이 alimento *m* para el desayuno. ~ 문안(問安) salud *f* matutinal, Buenos días. ¶~을 드리다 decir buenos días, dar los buenos días. ~ 바람 brisa *f* de la mañana. ~밥 desayuno *m*. ¶푸짐한 ~ desayuno *m* substancial, gran desayuno *m*. ~을 먹다 desayunar, tomar el desayuno. ~은 드셨습니까? ¿Ha tomado el desayundo? ~ 배달 distribución *f* matitunal. ~상(床) mesa *f* del desayuno. ~ 상식 comida *f* propiciatoria ofrecida por la mañana a los difuntos, ofrenda *f* del desayuno al alma muerta. ~선반 hora *f* de descanso después de desayunar en el trabajo. ~술 vino *m* que se bebe por la mañana temprana. ~ 신문 [조간(朝刊)] diario *m* de la mañana. ~쌀 arroz *m* para el desayuno. ~ 안개 neblina *f* matutinal. ~ 예배 ((기독교)) servicio *m* de la mañana; ((천주교)) culto *m* de la mañana; [수도원에서] maitines *mpl*. ~ 이슬 rocío *m* matutinal. ~잠 sueño *m* de la mañana. ~ 저녁 mañana y tarde. ~참 duración *f* del descanso después de tomar el desayuno. ~해 sol *m* naciente, sol *m* matutinal, sol *m* de la mañana.

아카데미(영 *academy*) [한림원(翰林院)] academia *f*. ~식으로 하다 academizar, dar carácter académico.
◆ 예술 ~ escuela *f* de bellas artes. 서반아 왕립 국어 ~ Real Academia Española de la Lengua, Real Academia de la Lengua Española, Academia *f* Española. 음악 ~

conservatorio *m*.

■ ~상(賞) el Oscar, premio *m* Oscar. ~즘 academismo *m*. ~ 학파 platónicos *mpl*. ~ 회원 académico, -ca *mf*; academista *mf*.

아카시아(영 *acacia*) 【식물】 acacia *f*.

아케이드(영 *arcade*) arcada *f*; [회랑식의] soportales *mpl*.

아코디언(영 *accordion*) 【악기】 acordeón *m* (*pl* acordeones), *Urg* acordeona *f*.

■ ~ 연주자 acordeonista *mf*.

아퀴 toque *m* final.

◆아퀴(를) 짓다 dar*le* los últimos toques (a *algo*).

아크(영 *arc*) 【물리】 =아크 방전.

■ ~등(燈) arco *m* voltaico. ~ 방전 arco *m* eléctrico, arco *m* voltaico.

아크로바트(불 *acrobate*) ① [곡예] acrobacia *f*. ② [곡예사] acróbata *mf*.

■ ~ 댄서 danzante *m* acrobático, danzante *f* acrobática. ~ 댄스 danza *f* acrobática. ~ 비행 acrobacia *f* aérea.

아크릴(영 *acryl*) ① ((준말)) =아크릴 수지(樹脂). ② ((준말)) =아크릴 섬유(纖維).

■ ~ 도료 acrílico *m*. ~ 산(酸) ácido *m* acrílico. ~ 섬유 fibra *f* acrílica, acrílico *m*. ~ 수지 resina *f* acrílica.

아킬레스 ① 【인명】 Aquiles. ② 【천문】 Aquiles *m*.

■ ~ 건[힘줄] tendón *m* de Aquiles.

아탄(亞炭) lignito *m*, madera *f* fósil.

아테네 【지명】 Atenas *f*. ~의 ateniense.

■ ~ 사람 ateniense *mf*.

아토니(독 *Atonie*) 【의학】 atonía *f*.

아톰(영 *atom*) ① 【철학】 átomo *m*. ② 【화학】 [원자(原子)] átomo *m*.

아트지(-紙) papel *m* cuché.

아틀라스(영 *Atlas*) ① 【그리스 신화】 Atlante *m*, Atlas *m*. ② [미국에서 발사한 유도탄의 하나] Atlas *m*.

아틀리에(불 *atelier*) ① [화실(畫室)] [화가의] taller *m* de pintura; [조각가의] taller *m* de escultor, estudio *m* de escultor. ② [사진관의 촬영실] estudio *m*.

아파치족(Apache 族) apaches *mpl*. ~의 apache. ~ 사람 apache *mf*.

아파트 ① [(공동 주택 내의) 한 세대가 살림하는 몇 개의 방] piso *m*, apartamento *m*, *AmL* departamento *m*. 두 칸의 ~ piso *m* [apartamento *m*] de dos piezas. 가구(家具) 딸린 ~ apartamento *m* amueblado. ~에 살다 vivir en un piso [en un apartamento]; [빌린 방 하나에서] vivir en una pensión, vivir en un cuarto aquilado. ② [공동 주택] casa *f* [edificio *m*] de pisos, edificio *m* de apartamentos, *AmL* edificio *m* de departamentos.

◆고급 ~ edificio *m* de pisos de lujo. 분양 ~ apartamento *m* en venta, condominio *m*. 서민 ~ edificio *m* de apartamentos para los grupos de bajos ingresos. 임대 ~ apartamento *m* de alquiler.

■ ~군(群) bloque *m* de pisos.

아파하다 sentir(se) el dolor, quejarse de dolor. 가슴 ~ afligirse, sentir pena; [후회하다] tener remordimientos.

아페리티프(불 *apéritif*) ① [식전 술] aperitivo *m*, apéritif *m*, aperó *m*. ~를 들다 tomar el aperitivo, tomar el apéritif, tomar el aperó. ② =하제(下劑), 이뇨제(利尿劑), 발한제(發汗劑).

아펙(영 *APEC*, *Asia-Pacific Economic Cooperation*) [아시아 태평양 경제 협의회] la Cooperación Económica Asiático-Pacífica.

아편(阿片) opio *m*. ~을 함유한 opiado, opiato, opiáceo. ~을 피우다 fumar opio. 중국인은 ~을 많이 피운다 Los chinos fuman mucho opio.

■ ~굴 fumadero *m* de opio. ~ 남용(濫用) opiomanía *f*, abuso *m* del opio. ~ 매매 tráfico *m* de opio. ~ 밀매 =아편 매매. ~ 밀매자 traficante *mf* de opio. ~상(商) =아편 밀매자. ~ 상용자 opiomano, -na *mf*; fumador, -dora *mf* de opio. ~연(煙) ㉮ [아편을 넣어서 만든 담배] tabaco *m* [cigarrillo *m*] de opio. ㉯ [아편을 피우는 연기] humo *m* de opio. ~ 장사 =아편 매매. ~ 장수 =아편 밀매자. ~쟁이 ((속어)) =아편 중독자. ~ 전쟁 la Guerra del Opio. ~제(劑) opiata *f*, opiato *m*. ~ 중독 toxicosis *f* [intoxicación *f*] por el opio. ~중독자 opiomano, -na *mf*.

아포스트로피(영 *apostrophe*) apóstrofe *m*, apóstrofo *m*.

아폴로[1](영 *Apollo*) =아폴론(Apollon).

아폴로[2](영 *Apollo*) [미국의 인공 위성] Apolo *m*. ~계획 proyecto *m* de Apolo.

아폴론(영 *Apollon*) 【신화】 Apolo *m*.

아프가니(영 *afghani*) [아프가니스탄의 화폐 단위] afgani *m*. (1 afgani =100 puls).

아프가니스탄 【지명】 Afganistán; [공식 명칭] Estado *m* Islámico del Afganistán. ~의 afgano.

■ ~어[말] afgano *m*. ~인[사람] afgano, -na *mf*.

아프다 ① [몸에 고통이 있다] [아픈 곳이 주어일 때] doler; [사람이 주어일 때] tener dolor (de). 아프게 하다 [의사가 환자에게] hacer daño (a). 아파서 울다 llorar de dolor. 다리와 허리가 ~ tener dolor de piernas y espaldas; [사물이 주어일 때] doler*le* a *uno* las piernas y las espaldas. 아파서 얼굴을 찡그리다 hacer gestos [muecas] de dolor. 너 많이 아프니? ― 응, 많이 아파 ¿Te duele mucho? ― Sí, (me duele) mucho. 전혀 아프지 않다 No duele nada. 나[너·그·우리·너희들·그들]는 이[머리·배·목]가 ~ Me [Te·Le·Nos·Os·Les] duele una muela [la cabeza·el estómago·la garganta]. 나는 배가 무척 아팠다 Me dolía mucho el estómago. 나는 발[팔]이 ~ Me duelen los pies [los brazos]. 내 아내는 다리[발·손]가 아프다 A mi esposa le duelen las piernas [los pies·las manos]. 어디가 아프십니까? [usted에게] ¿Qué le duele? / ¿Dónde le duele? // [tú에게] ¿Qué te duele? / ¿Dónde te

ㅇ

duele? 나는 전신이 아픕니다 Me duele todo el cuerpo / Siento dolores por todo el cuerpo. 아직도 조금 아픕니다 Todavía me duele un poquito. 눈이 ~ Me duelen los ojos / Tengo dolor de ojos / Me pican [escuecen] los ojos. 근육이 ~ [운동 등의 후에] Tengo agujetas en el muslo. 이 구두는 ~ Estos zapatos me hacen daño. ② [마음이 괴롭다] afligirse (por), atormentarse (por), dolerse (de); [후회] tener remordimientos. 사고의 사진을 보니 마음이 ~ Me da mucha pena ver la fotografía del accidente. 복잡한 문제로 골치가 ~ Es un problema complejo que me da dolores de cabeza. 이 통계 때문에 골치가 ~ Estas estadísticas me dan dolor de cabeza. 그는 내 아픈 곳을 찔렀다 El me tocó en lo vivo / El me atacó el punto débil [el punto flaco]. 시험에서 순전한 부주의로 미스를 범해 마음이 아팠다 Fue una lástima que cometiera un error en el examen por puro descuido. 나는 돈을 잃어 먹는 큰 손해로 마음이 아팠다 Me ha causado un gran perjuicio la pérdida del dinero. 그런 일은 마음 아플 것이 없다 Eso no me importa nada [un bledo] / Ni me va ni me viene. 이유 없이 나를 의심하다니 마음이 ~ No me gusta que sospechen de mí sin razón.

아프레(불 *après*) después, luego.

아프레게르(불 *après-guerre*; 영 *postwar*) posguerra *f*, postguerra *f*.

아프로디테(영 *Aphrodite*) 【신화】 Afrodota.

아프리카 el Africa *f*. ~의 africano. ◆남(南)~ el Africa del Sur. 남~ 공화국 la República Sudafricana. 서남(西南) ~ el Africa del Sudoeste, el Sudoeste Africano. ■~ 단결 기구 OUA *f*, Organización para la Unidad Africana. ~ 사람[인] africano, -na *mf*. ~ 연합 la Unión Africana. ~주 el Africa *f*.

아프트식 철도(Abt 式鐵道) ferrocarril *m* (de) cremallera.

아플리케(불 *appliqué*) adorno *m*, aplicación *f*. ~하다 hacer un encaje de aplicación (de).

아픔 [육체의] dolor *m*; [정신적인] dolor *m*, pena *f*, [쑤시는] escozor *m*, escocimiento *m*, escocedura *f*, picadura *f*, [슬픔] dolor *m*, (profunda) pena *f*, pesar *m*, llaga *f*, úlcera *f*. 큰 ~ mucho dolor *m*, profunda pena *f*. 가슴의 ~ dolores *mpl* de pecho. 마음의 ~ dolor *m* de corazón. 위(胃)의 ~ dolores *mpl* de estómagos. ~을 느끼다 sentir dolor. ~을 가라앉히다 calmar el dolor. ~을 참다 soportar [aguantar · resistir] dolor. ~이 멎었다 [가셨다] Ya no me duele.

아하 ¡Dios mío! / ¡Ay por Dios! / ¡Válgame Dios! / ¡Vaya, vaya! / ¡Anda! / ¡Mira! / ¡Bueno! / ¡Bien! ~ 그것을 깜박 잊었구나 ¡Dios mío! Se me olvidó.

아하하 ¡Ja, ja! ~ 웃다 reírse a carcajada; [일부러] forzar [obligar] a reírse.

아한대(亞寒帶) zona *f* subglacial [subpolar · subfrígida].

아해(兒孩) =아이.

아형(雅兄) Señor *m*.

아호(雅號) seudónimo *m*, nombre *m* de guerra, apodo *m*, sobrenombre *m*, nombre *m* literario. 그는 다산이라는 ~를 썼다 El escribió bajo el seudónimo de *Dasan*.

아혹하다(訝惑-) dudar (de), desconfiar (de), no fiarse (de).

아홉 nueve. ~ 사람 nueve pernosas. ~ 시(時) las nueve. ~ 시간(時間) nueve horas. ~ 살 nueve años (de edad). ■아홉 섬 추수한 자가 한 섬 추수한 자더러 그 한 섬 채워 열 섬으로 달라고 한다 ((속담)) La riqueza hace el codioso

아홉무날 el tres y el dieciocho del ciclo de marea.

아홉수(-數) edad *f* que se contiene el número de nueve, considerado como un año climatérico.

아홉째 noveno *m*; [왕이나 교황의 칭호 앞에서] nono *m*. ~의 noveno, nono. 백과 사전(百科事典)의~ 권 noveno tomo *m* de la enciclopedia.

아환(兒患) ① [어린아이의 병(病)] enfermedad *f* infantil. ② [자기 자식의 병] enfermedad *f* de *su* hijo.

아황산(亞黃酸) 【화학】 ácido *m* sulfaroso. ■~ 가스 gas *m* del ácido sulfaroso. ~ 나트륨 sulfito *m* sódico. ~ 소다 sulfito *m* sódico. ~염 sulfito *m*.

아흐레 ① [아홉날] nueve días. ② ((준말)) =아흐렛날.

아흐렛날 ㉮ [아홉째의 날] el noveno día. ㉯ ((준말)) =초아흐렛날.

아흔 noventa. ~ 번째(의) nonagésimo. ~ 살 noventa años (de edad). 돼지 ~ 마리 noventa cerdos.

아희(兒戲) juego *m* de los niños; infantilismo *m*, puerilidad *f*. ~ 같다 (ser) infantil, pueril. ~ 같은 짓을 하지 마라 ¡No sear tan infantil! / ¡No seas niño!

악[1] [있는 힘을 다하여 모질게 마구 쓰는 기운] desesperación *f*, enfado *m*, ira *f*, enojo *m*. ~이 받치어 desesperadamente, frenéticamente. ~에 받쳐 하는 소리 palabras *fpl* dichas en un momento de ira. ~에 받치다 estar desesperado, ~에 받쳐 덤벼들다 arremeter con ira [con furia] (contra).

악[2] ((준말)) =아기. ¶~아 잘 자거라 Niño, duerme bien.

악[3] ¡Anda! / ¡Vaya! ~ 뱀이 있다 ¡Anda, hay una serpiente!

악(惡) ① [착하지 않음. 올바르지 않음] mal *m*, maldad *f*, [악덕(惡德)] vicio *m*; [사악(邪惡)] perversidad *f*, malignidad *f*. ~하다 (ser) malo, maligno, malvado, vicioso, perverso. ~하게 malvadamente, con maldad, con picardía. ~한 사람 persona *f* malvada [maligna · mala · perversa]. ~한 일 maldad *f*. ~한 기질 carácter *m* terrible, carácter *m* de todos los diablos. ~의 길

ㅇ

camino *m* de vicio, camino *m* del mal. ~에 물들다 empaparse [hundirse] de vicio, caer en vicio, mancharse del vicio. ~에 이기다 conquistar vicio, vencer al mal. ~에 굴복하다 caer en vicio, dejarse vencer por el mal. ~으로 유인하다 tentar al vicio. ~의 길로 들어가다 entrar en el camino del vicio [del mal]. 그녀한테는 전혀 ~이 없다 Ella no tiene ninguna maldad.

② 【윤리】 mal *m*, vicio *m*. 선(善)과 ~ el bien y el mal. ~에 대한 선의 투쟁 la lucha del bien y del mal. ~에 빠지다 entregarse [abandonarse] al mal [al vicio]. ~을 ~으로 누르다 curar el mal con el mal. 돈은 모든 ~의 원인이다 ((서반아 속담)) El dinero es la causa de todos los males. 돈을 좋아하는 것이 모든 ~의 근원이다 ((서반아 속담)) La raíz de todos los males es el afán de lucro. 백년 계속되는 선도 ~도 없다 ((서반아 속담)) No hay bien ni mal que cien años dure (쥐구멍에도 볕 들 날이 있다). 선이 되지 않는 ~은 없다 ((서반아 속담)) No hay mal que por bien no venga (흉이 복이 될 수 있다).

▪ 악으로 모은 재산(財産) 악으로 망한다 ((속담)) El dinero mal habido nunca prospera / Los bienes robados nunca prosperan / La propiedad injusta molesta mucho a su amo y se pierde inmediatamente.

악감(惡感) antipatía *f*, animosidad *f*, mal sentimiento *m*, malicia *f*; [나쁜 인상] mala impresión *f*, impresión *f* desagradable. 국제간의 ~ animosidades *fpl* internacionales. ~을 주다 dar una impresión desagradable. ~을 품다 sentir animosidad (hacia), guardar cierta antipatía (contra). 그는 나에게 ~을 품고 있다 El siente animosidad hacia mí / El guarda cierta antipatía contra mí.

악감정(惡感情) =악감(惡感).

악계(樂界) =악단(樂壇).

악곡(樂曲) composición *f* [pieza *f*] musical [de música].

악골(顎骨) 【해부】 mandíbula *f*, maxilar *m*, quijada *f*, quejada *f*, hueso *m* maxilar.

◆ 상(上)~ mandíbula *f* superior. 하(下)~ mandíbula *f* inferior.

악공(樂工) músico, -ca *mf*.

악구(惡球) ((야구)) pelota *f* loca.

악구(樂句) 【음악】 cláusula *f*, frase *f* (musical).

◆ 모방 ~ repitición *f*.

악귀(惡鬼) ① diablo *m*, demonio *m*, espíritu *m* maligno, espíritu *m* maléfico. ~가 들리다 estar endemoniado, estar poseído por el demonio. ~에 홀린 듯이 como (un) endemoniado, como un poseso. ② ((성경)) espíritu *m* malo, espíritu *m* maligno.

악극(樂劇) opera *f*, drama *m* músical.

▪ ~단 compañía *f* teatral, compañía *f* de ópera; [서커스의] troupe *f* (musical).

악기(惡氣) ① [고약한 기운이나 냄새] mal olor *m*. ② =악의(惡意).

악기(樂器) instrumento *m* musical. ~의 부속품 las partes y los accesorios musicales. ~를 연주하다 tocar un instrumento (musical). 그는 여러 가지 ~를 연주할 줄 안다 El sabe tocar varios instrumentos musicales.

▪ ~ 반주 acompañamiento *m* instrumental. ~점 tienda *f* de instrumentos musicales.

악기류(惡氣流) turbulencia *f*, aire *m* turbulento, corriente *f* de aire peligrosa. 우리는 ~ 속에서 비행을 했다 El avión se movió mucho.

악녀(惡女) mujer *f* malvada [maligna], mala mujer *f*, bruja *f*, hechicera *f*, virago *f*.

악념(惡念) mal concepto *m*, mala idea *f*, mente *f* viciosa, mala voluntad *f*, intención *f* malvada. ~이 있는 malévolo, maligno, malvado, malicioso, malintencionado, viperino, vipéreo, con un humor de perros.

악다구니 pelea(s) *f(pl)*, discusiones *fpl*, vilipendio *m*, insultos *mpl*, reyerta *f*, riña *f*, gresca *f*, altercado *m*; [반목] animadversión *f*, enemistad *f*, antagonismo *m*, hostilidad *f*, inquina *f*. ~하다 pelearse, armar camorra, discutir, reñir.

악단(樂壇) mundo *m* musical, mundo *m* músico, círculos *mpl* músicos.

악단(樂團) [관현악단] orquesta *f*; [취주악단] banda *f*, charanga *f*; [합주단] conjunto *m*.

▪ ~ 연주 concierto *m* de banda. ~원 miembro *mf* de una orquesta.

악담(惡談) insultos *mpl*, improperios *mpl*, contumelia *f*, injuria *f* [ofensa *f*] de palabra, afrenta *f*, burla *f*, ultraje *m*. ~하다 hablar mal (de), maltratar (de), burlarse con desprecio, insultar (a). ~을 퍼붓다 echar maldiciones (a), decir [echar] pestes (de), descarcar toda clase [suerte] de insultos (sobre), hablar descaradamente mal (de), desollar vivo (a), lanzar improperios (contra). 남편에게 ~을 퍼붓다 echar pestes contra *su* marido.

악당(惡黨) billano *m*, bellaco *m*, pícaro *m*, bribón *m* (*pl* bribones), tunante *m*, rufián *m* (*pl* rufianes), pillo *m*, malvado *m*.

악대 ((준말)) =악대소.

▪ ~말 caballo *m* castrado. ~소 toro *m* castrado, buey *m*. ~양 oveja *f* redil.

악대(樂隊) banda *f* (musical); [취주] charanga *f*; [관현] orquesta *f*. ~의 연주회 concierto *m* de banda (musical).

◆ 공군 ~ banda *f* de la fuerza aérea. 육군 ~ banda *f* militar. 해군 ~ banda *f* naval.

▪ ~원 músico, -ca *mf* de banda. ~장 director *m* de banda; músico *m* mayor.

악덕(惡德) vicio *m*, corrupción *f*, depravación *f*, inmoralidad *f*, conducta *f* de gran maldad, mala conducta, vileza *f*, torpeza *f*.

▪ ~ 기업주(企業主) empresario *m* vicioso, empresaria *f* viciosa. ~ 기자 periodista *m* corrupto, periodista *f* corrupta; periodista *mf* inmoral. ~ 변호사 abogado *m* corrupto, abogada *f* corrupta; amañador, -dora *mf*, *Méj* coyote *mf*. ~ 상인 comerciante *m* deshonesto, comerciante *f* deshonesta; vendedor *m* malintencionado, vendedora *f* malintencionada; comerciante *mf* inmoral. ~ 신문 prensa *f* amarilla [amarillista · sensacionalista], prensa *f* corrupta, periódico *m* venal. ~ 정치가(政治家) político *m* corrupto, política *f* corrupta. ~한(漢) ㉮ [마음씨 사나운 사람] hombre *m* maligno. ㉯ [인륜(人倫)에 어그러진 짓을 하는 사람] persona *f* contraria a la moralidad, persona *f* que transgrede la moral.

악도리 gallito *m*, machito *m*, matón *m* (*pl* matones), rufián *m* (*pl* rufianes), peleante *m*, peleador *m*.

악독스럽다(惡毒－) (ser) maligno, malvado.
악독스레 malignamente, malvadamente.

악독하다(惡毒－) (ser) vicioso, malo, travieso, pícaro, viperino, perverso, depravado, despiadado, sanguinario, fiero. 악독한 짓 conducta *f* viciosa, comportamiento *m* vicioso. 악독한 년! ¡Mala! / ¡Pícara! / ¡Pillina! 그는 악독한 혀를 가지고 있다 El tiene una lengua viperina.

악동(惡童) ① [행실이 나쁜 아이] galopín *m* (*pl* galopines), pícaro *m*, picaruelo *m*, pilluelo *m*, niño *m* travieso, niña *f* traviesa. ② ＝장난꾸러기.

악랄하다(惡辣－) (ser) vil, ruin, sucio, astuto, pícaro, taimado, ladino, tramposo, cruel. 악랄한 상인(商人) comerciante *m* astuto [pícaro], comerciante *f* astuta [pícara]. 악랄한 수단으로 por medios sucios [astutos]. 악랄한 짓을 하다 hacer una cosa obscena, jugar una manera tramposa. 악랄하게 골탕을 먹이다 dar un chasco cruel. 악랄한 장사를 하다 comerciar [negociar] suciamente [con antimañas], hacer negocios sucios.
악랄히 vilmente, ruinmente, tramposamente, de una manera tramposa, cruelmente, con vileza, con ruindad, con suciedad, astutamente, con astucia, con picardía, taimadamente, con taimería, suciamente.

악력(握力) fuerza *f* de puños, apretón *m* de mano. ~이 세다 tener mucha fuerza de puños.
▪ ~계 dinamómetro *m* de mano. ~ 측정계(測定計) gnatodinamómetro *m*. ~학(學) gnatodinámica *f*.

악령(惡靈) mal espíritu *m*, espíritu *m* maligno. ~을 내쫓다 exorcizar. ~이 씌여 있다 estar poseído por un mal espíritu, estar endemoniado, estar poseído [obseso] de un espíritu maligno.

악례(惡例) mal ejemplo *m*; [나쁜 선례(先例)] mal precedente *m*, mal antecedente *m*. ~를 남기다 dejar el mal ejemplo, establecer [sentar] un mal precedente [antecedente]. ~를 만들다 establecer un mal precedente.

악률(樂律) tono *m*, ritmo *m*.

악리(樂理) teoría *f* musical.

악마(惡魔) ① ((불교)) diablo *m*, demonio *m*, ángel *m* (*pl* ángeles) de las tinieblas; [마왕(魔王)] Satanás *m*, Lucifer *m*. ~ 같은 diabólico, demoníaco, satánico. ~가 씐 endiablado, endemoniado, poseído del [por el] demonio. ② ((종교)) mal *m*, maldad *f*, malignidad *f*. ~적 maligno, malvado. ③ [매우 악독한 짓을 하는 사람] persona *f* viciosa [maligna · malvada].
▪ ~주의 satanismo *m*. ~주의파 escuela *f* satánica. ~파 ＝악마주의파.

악머구리 rana *f*.
▪ 악머구리 끓듯 하다 Hace mucho ruido.

악명(惡名) mala reputación *f*, mala fama *f*. ~이 높은 de mala reputación. ~(이) 높다 tener mala fama [reputación]. 그녀는 ~ 높은 거짓말쟁이다 Ella tiene mala fama de mentirosa / Todos la conocen por mentirosa.

악모(岳母) suegra *f*, madre *f* política, madre *f* de *su* esposa.

악몽(惡夢) pesadilla *f*, hipnofobia *f*, incubo *m*, mal sueño *m*, sueño *m* malo, sueño *m* maligno. ~ 같은 pesadillesco, de pesadilla. ~ 같은 여행(旅行) excursión *f* pesadillesca [de pesadilla], viaje *m* pesadillesco [de pesadilla]. ~에 시달리다 sufrir de pesadillas. ~에 쫓기다 ser acosado por una pesadilla. ~을 꾸다 tener pesadillas [una pesadilla · un sueño malo].

악물다 apretar los dientes. 이를 악물고 con *sus* dientes apretados, apretando los dientes. 이를 악물고 고통을 참다 aguantar el dolor apretando los dientes.

악바리 ① [성미가 깔깔하고 고집이 세고 모진 사람] persona *f* terca [obstinada], tipo *m* terco [obstinado], hombre *m* terco [obstinado]. ② [지나치게 똑똑하고 영악한 사람] hombre *m* astuto, tipo *m* astuto, persona *f* astuta.

악법(惡法) ① [나쁜 법률] mala ley *f*. ② [나쁜 방법] mala manera *f*, mal modo *m*, mal método *m*.

악벽(惡癖) vicio *m*, mal hábito *m*, mala costumbre *f*. ~을 고치다 corregir el vicio [mal hábito]

악병(惡病) ＝악질(惡疾).

악보(樂譜) 【음악】 nota *f* musical, nota *f* de música; [쓰여져 있는 악보] música *f*; [총보(總譜)] partitura *f*. ~를 달다 poner (una canción) a música. ~를 읽다 leer la partitura. ~를 읽을 줄 알다 entender [saber leer] música. 너 ~를 읽을 줄 아니? ¿Sabes solfeo? / ¿Sabes leer música?
▪ ~대(臺) atril *m*. ~집(集) libro *m* de música.

악부(岳父) suegro *m*, padre *m* político, padre *m* de *su* esposa.

악부(惡婦) ① [성질이 나쁜 여자] mala mujer *f*. ② [보기 흉한 여자] mujer *f* fea.

악부(樂府) ＝악장(樂章).

악사(惡事) ＝악행(惡行).
▪ ~천리(千里) Una mala acción se conoce

en seguida / Una mala acción se sabe a mil leguas.

악사(樂士) músico, -ca *mf*; [악단원] miembro *mf* de una orquesta.

악사(樂師) 【역사】 maestro *m* músico.

악산(惡山) montaña *f* empinada [en picado].

악상(惡相) ① [흉측한 얼굴 모양] rostro *m* villano. ② [상서롭지 못한 상격(相格)] fisonomía *f* desafortunada.

악상(樂想) 【음악】 tema *m*, motivo *m*, sujeto *m* melódico.

악서(惡書) libro *m* dañino, publicaciones *fpl* indeseables, mal libro *m* (*pl* malos libros).

악선전(惡宣傳) vil propaganda *f*, propaganda *f* perniciosa, propaganda *f* falsa, rumor *m* siniestro.

악설(惡舌/惡說) ① [나쁜 말] improperios *mpl*, injuria *f*, insulto *m*. 그는 ～을 퍼붓기 시작했다 El empezó a lanzar improperios. ② [남을 해치려고 하는 음흉한 말] lenguaje *m* astuto, lenguaje *m* traicionero.

악성(惡性) maldad *f*, malignidad *f*, mal índole *m*, mal genio *m*, mala naturaleza *f*. ～의 maligno, malévolo, pernicioso, cáustico.
■～ 감기(感氣) gripe *f* maligna [peligrosa], resfriado *m* maligno. ～ 빈혈(貧血) anemia *f* perniciosa. ～ 인플레이션 inflación *f* perniciosa [viciosa · peligrosa · defectuosa · erránea]. ～ 종양(腫瘍) tumor *m* maligno.

악성(樂聖) (célebre) maestro, -tra *mf* de música; gran músico *m*, gran música *f*. ～ 베토벤 Beethoven, célebre maestro de música.

악세다 ① [악착스럽고 세차다] (ser) flexible y fuerte. ② [식물의 잎이나 줄기가 빳빳하게 세다] (ser) duro, tieso.

악센트(영 *accent*) ① 【언어】 acento *m*, énfasis *m*. ～가 있는 acentuado, tónico. ～가 없는 inacentuado, átono. ～가 있는 음절 sílaba *f* tónica. ～가 없는 음절 sílaba *f* átona. …에 ～를 찍다 acentuar. …에 ～를 두다 poner énfasis en *algo*, hacer hincapié en *algo*. 「까페」는 마지막 음절에 ～가 있다 En la palabra *café* el acento cae en la última sílaba / La palabra *café* es aguda. ② [어조] tono *m*, acento *m*. 까딸루냐 ～로 말하다 hablar con acento catalán. ③ 【음악】 [강세] acento *m*. ④ [복장 · 건축 · 도안 등의 디자인에서] acento *m*. ～를 주다 acentuar.

악소년(惡少年) ＝불량 소년(不良少年).

악속(惡俗) ＝악풍(惡風).

악송구(惡送球) ((야구)) pelota *f* loca, bola *f* loca.

악수 ＝억수.

악수(握手) estrechamiento *m* [apretón *m*] de manos; [화해(和解)] reconciliación *f*. ～하다 apretar la mano, estrechar la mano, saludar dando la mano; [서로] darse las manos, darse un apretón de mano, chocar las manos; [제휴하다] aliarse. ～를 청하다 dar [ofrecer · tender] la mano. 그는 ～ 공세를 받았다 Se vio saludado por un tropel de gente que le daba la mano.
■～례(禮) etiqueta *f* de apretar la mano.

악수(惡手) mal movimiento *m*, movimiento *m* equivocado. ～를 두다 poner un movimiento equivocado.

악순환(惡循環) círculo *m* vicioso. ～을 되풀이하다 seguir un círculo vicioso interminable. 물가(物價)와 임금(賃金)이 ～을 계속했다 Los precios y los sueldos siguen un círculo vicioso.

악습(惡習) vicio *m*, mala costumbre *f*, mal hábito *m*. ～에 물들다 contraer [adquirir] malos hábitos. ～에 빠지다 adquirir malas costumbres. ～을 고치다 perder [quitarse] una mala costumbre.

악식(惡食) comida *f* basta, mala comida *f*, comida *f* frugal.

악심(惡心) tentación *f*, mala intención *f*, malicia *f*. 그는 갑작스런 ～을 일으켜 돈을 훔쳤다 Inducido por una tentación repentina robó dinero.

악쓰다 gritar, dar a gritos, chillar. 도와달라고 ～ pedir ayudar a gritos, gritar pidiendo auxilio. 그는 나더러 들어오라고 악썼다 El me gritó que se entrara. 그는 그들에게 멈추라고 악썼다 El les gritó que se detuvieran.

악아 hijo mío, niño *m*, niñito *m*, hijito *m*; hija mía, niña *f*, niñita *f*, hijita *f*.

악액질(惡液質) 【의학】 caquexia *f*. ～의 caquéctico.

악어(鰐魚) 【동물】 [아시아 · 아메리카의] cocodrilo *m*; [아메리카의] caimán *m*, aligator *m*; [인도 등의] gavial *m*.
■～ 가죽 piel *f* de cocodrilo, cuero *m* de cocodrilo. ～류(類) cocodriloideos *mpl*.

악언(惡言) ＝악설(惡說).

악업(惡業) ((불교)) karma *m* maligno, karma *m* malvado.

악역(惡役) papel *m* de malo [de pícaro · de bellaco · de malvado · de traidor].

악역(惡疫) [역병] peste *f*, pestilencia *f*; [전염병] epidemia *f*. 이 마을에 ～이 만연하고 있다 En este pueblo hay epidemia.
■～ 유행지 región *f* contaminada (por la epidemia).

악연(惡緣) ① ((불교)) mal enlace *m*, relación *f* fatal. ② [헤어질래야 헤어질 수도 없는 남녀의 인연] amor *m* fatal, matrimonio *m* fatal; [특히 결혼의] mala boda *f*, mal casamiento *m*, mal matrimonio *m*. ～으로 체념하다 resignarse con [a] *su* mal casamiento.

악연실색(愕然失色) atontamiento *m*, pasmo *m*, sorpresa *f*, aturdimiento *m*, espanto *m*, susto *m*.

악연하다(愕然－) horrorizarse, quedarse estuprefacto [asombrado · atónito · pasmado]. 악연히 atónitamente, pasmadamente, estuprefactamente, asombradamente.

악영향(惡影響) malefecto *m*, mala influencia *f*, daño *m*. ～을 미치다 tener [ejercer] mala influencia. 중소 기업(中小企業)이 불황의 ~을 맨 먼저 받는다 Las pequeñas industrias son las primeras en recibir los golpes de la depresión económica.

악용(惡用) abuso *m*, mal uso *m*, uso *m* incorrecto; [연장의] mala utilización *f*; [자금(資金)의] malversación *f*, [자원(資源)의] despilfarro *m*. ~하다 abusar (de), usar mal, hacer mal uso (de); [말·연장을] utilizar mal, emplear mal; [자원을] despilfarrar; [자금을] malversar. 알코올의 ~ consumo *m* abusivo de alcohol. 금력(金力)을 ~하다 hacer mal uso de la riqueza. 권력 [지위·무력]을 ~하다 abusar de *su* autoridad [posición·poder]. 법률을 ~하여 돈을 벌다 ganar dinero abusando de las leyes, ganar dinero haciendo mal uso de las leyes.

악우(惡友) mal amigo *m*, mala amiga *f*, mal compañero *m*, mala compañera *f*, amigote *m*. ~와 사귀지 마라 No te juntes con malos amigos.

악운(惡運) mala suerte *f*, desventura *f*, desgracia *f*, suerte *f* favorable, pero no merecida. ~의 desafortunado, desventurado, desgraciado. ~이 세다 tener la suerte del diablo.

악음(樂音) sonido *m* [tono *m*] musical.

악의(惡衣) mala ropa *f*, mal traje *m*, mal vestido *m*.

■ ~악식(惡食) mala ropa *f* y mala comida, ropa *f* sencilla y comida sencilla.

악의(惡意) mala intención *f*, mala voluntad *f*, malevolencia *f*, malicia *f*. ~가 있는 malicioso, malintencionado, malévolo. ~가 없는 sin malicia, inocente, bueno como el pan. ~로 con mala intención, con malicia, maliciosamente, de mal intento, de mal propósito. ~를 품다 tener [abrigar] mala intención (contra). ~로 해석하다 tomar a mal, tomar palabra malamente. 나는 ~로 그렇게 한 것이 아니다 No lo hice con mala intención. 그에게 ~는 없었다 El no tenía malicia.

악인(惡人) malo, -la *mf*, malvado, -da *mf*, mala persona *f*, mal hombre *m*; hombre *m* perverso; bribón *m* (*pl* bribones); truhán *m* (*pl* truhanes); pícaro, -ra *mf*, pillo, -lla *mf*, canalla *m*. 그는 ~이다 El es un malvado [un pillo]. ~들 속에도 한 사람의 선인(善人)이 있는 법이다 ((서반아 속담)) Donde hay malos, nunca falta un bueno.

■ ~역(役) =악역(惡役).

악인(惡因) ((불교)) causa *f* maligna, causa *f* malvada.

■ ~악과(惡果) ((불교)) La causa maligna produce el efecto maligno / El que siembra el mal cosecha el mal. ~연(緣) ((불교)) =악연(惡緣).

악장(岳丈) ((경칭)) suegro *m*, padre *m* político, padre *m* de *su* esposa.

악장(樂匠) maestro, -tra *mf* de música; virtuoso, -sa *mf*.

악장(樂長) director, -tora *mf* de banda., jefe, -fa *mf* de la banda, músico, -ca *mf* mayor; [군악대장] tambor *m* mayor.

악장(樂章) 【음악】 movimiento *m* (de música). 제1 ~ primer movimiento *m*. 네 ~으로 된 교향곡(交響曲) sinfonía *f* en cuatro movimientos.

악장치다 pelear(se) gritando [dando a gritos].

악재(樂才) talento *m* músical.

악재(惡材) ((준말)) =악재료(惡材料)..

악재료(惡材料) 【증권】 factor *m* de carácter desfavorable.

악전(惡戰) combate *m* difícil, guerra *f* de muchos apuros [muchas dificultades·privaciones].

■ ~고투(苦鬪) combates *mpl* desesperados, combates *mpl* sangrientos, batalla *f* dificultosa, batalla *f* desventajosa, lucha *f*; [경기] partido *m* reñido, juego *m* reñido. ~하다 luchar a muerte, luchar desesperadamente (por), forcejear (para + *inf*), luchar. 살아남기 위한 ~ lucha *f* por la supervivencia. 그들의 더 좋은 노동 조건을 얻기 위한 ~ su lucha por conseguir mejores condiciones laborales. 역경에서 ~하다 luchar para conquistar las circunstancias desfavorables. 자유를 쟁취하기 위해 ~하다 luchar por la libertad. 나는 강도와 ~했다 Yo forcejeé con mi asaltante.

악전(惡錢) ① [부정하게 얻은 돈] dinero *m* ganado a poca costa [sin trabajo·sin esfuerzos]. ② [조악(粗惡)한 돈] billete *m* falso, moneda *f* [billete *m*] de mala calidad.

악전(樂典) reglas *fpl* para componer la música.

악절(樂節) 【음악】 pasaje *m*.

악정(惡政) mala administración *f*, mal gobierno *m*, desgobierno *m*. 30년간의 ~ treinta años de mal gobierno, treinta años de desgobierno. ~을 하다 gobernar mal. ~에 시달리다 sufrir [padecer] un mal gobierno. 문제는 ~에 기인한다 El problema se debe a la mala administración.

악제(惡制) mal sistema *m*.

악조(樂調) tono *m* musical.

악조건(惡條件) mala condición *f*, condiciones *fpl* [circunstancias *fpl*·factores *mpl*] desfavorables.

악조증(惡阻症) 【의학】 =입덧.

악종(惡種) ① [나쁜 종류] mala especie *f*. ② [성질이 흉악한 사람이나 동물] matón (*pl* matones), -tona *mf*, villano, -na *mf*, bribón (*pl* bribones), -bona *mf*, pillo, -lla *mf*, granuja *mf*, sinvergüenza *mf*, gorila *mf*.

악증(惡症) ① =악질(惡疾). ② [못된 짓] mal hábito *m*, mala conducta *f*, manera *f* maligna, modo *m* malvado, mala costumbre *f*.

악지 =억지.

악질(惡疾) epidemia *f*, pestilencia *f*, enfermedad *f* contagiosa [fastidiosa], enfermedad *f* maligna, enfermedad *f* virulenta.

악질(惡質) mala calidad *f.* ~의, ~적(인) malo, vicioso, maligno, malvado; [비열한] vil. ~적인 범죄(犯罪) crimen *m* vil. ~적인 사기 fraude *m* vil. 최근 선거법 위반은 ~적이었다 En estos días han cobrado proporciones [aspectos] viles las violaciones de la ley electoral.
■ ~ 범죄 delito *m* flagrante. ~ 분자 malos elementos *mpl.* ~ 선전 propaganda *f* perniciosa. ~ 업자 comerciante *m* malvado, comerciante *f* malvada.

악착(齷齪) intolerancia *f*, terquedad *f*, obstinación *f*, tozudez *f*, tenacidad *f*, maldad *f*, perversidad *f*.
악착같다 (ser) flexible, persistente, firme, tenaz, terco, testarudo, tozudo, tesonero, perseverante. 악착같은 여인 mujer *f* fuerte.
악착같이 con mucho empeño, asiduamente, atareadamente. ~ 일하다 trabajar duro, afanarse, trabajar asiduamente. 구조 대원들은 밤새 ~ 일했다 Los equipos de rescate trabajaron sin descanso toda la noche.
악착스럽다 (ser) flexible, persistente, terco, testarudo, atarearse, atrafagar. 돈에 ~ absorberse de lucro.
악착스레 flexiblemente, persistentemente, tercamente, testarudamente.
■ ~꾸러기 persona *f* muy flexible. ~빼기 niño, -ña *mf* muy flexible.

악처(惡妻) mala esposa *f*, esposa *f* maligna, esposa *f* malvada. ~는 일생의 환난(患難)이다 Una mala esposa es una adversidad de toda la vida / Una mala esposa es el naufragio de su esposo.

악천후(惡天候) mal tiempo *m*, tiempo *m* borrascoso, tiempo *m* tempestuoso; [폭풍우] temporal *m*, tempestad *f.* ~를 무릅쓰고 contra el mal tiempo, a pesar del mal tiempo, a la tempestad. ~에도 불구하고 출발하다 salir contra el [a pesar del] mal tiempo, salir desafiando a la tempestad. ~ 때문에 우리는 출발할 수 없었다 Nosotros no pudimos salir debido al mal tiempo.

악첩(惡妾) concubina *f* malvada.

악취(惡臭) mal olor *m*, hedor *m*, olor *m* fétido, olor *m* hediondo, olor *m* ofensivo, hediondez *f.* ~가 나는 hedionado, apestoso, maloliente, fétido, hediondo, pestilente, podrido. ~가 나는 고기 carne *f* podrida. ~가 나는 생선(生鮮) pescado *m* podrido. ~를 풍기다 exhalar [expedir · despedir] mal olor, oler mal, apestar. ~가 코를 찌른다 Huele que apesta / El mal olor hiere el ofalto / El mal olor ofende al olfato. 당신의 발에서 ~가 난다 Te huelen los pies. 내[네] 입에서 ~가 난다 Me [Te] huele la boca. 이 고기에서 ~가 나기 시작한다 Esta carne comienza a oler mal. 이곳에서 ~가 난다 Aquí huele muy mal / Aquí apesta.

악취미(惡趣味) ① [좋지 못한 취미] mal gusto *m*, gusto *m* vulgar, cursi *m.* ~가 있다 tener mal gusto, ser cursi. 너는 ~가 있구나 ¡Qué (mal) gusto tienes! / ¡Vaya un gusto que tienes! ② [괴벽스러운 취미] gusto *m* excéntrico, gusto *m* maniático.

악티늄(영 *actinium*) 【화학】 actinio *m*.

악평(惡評) [비평(批評)] crítica *f* desfavorable, censura *f*, reprobación *f*; [평판] mala fama *f*, mala reputación *f.* ~하다 hacer observación maliciosa, censurar severamente, crear mala fama. ~을 받다 ser criticado, recibir una crítica desfavorable. ~이 자자하다 tener (una) mala fama. 그의 신작(新作)은 ~을 받았다 Su nueva obra recibió una crítica desfavorable.

악평등(惡平等) igualdad *f* pervertida. ~에 시달리다 sufrir de la igualdad pervertida.

악폐(惡弊) costumbre *f* viciosa, malos hábitos *mpl*, vicios *mpl*, maldad *f*, depravación *f*, abusos *mpl*.

악풍(惡風) ① [나쁜 풍습 · 풍속] mala práctica *f*, mala costumbre *f.* ~에 물들다 contraer [adquirir] una mala costumbre. ② [모진 바람] viento *m* intenso [severo · fuerte].

악필(惡筆) ① [품질이 나쁜 붓] pluma *f* china de mala calidad. ② [서투른 글씨] mala mano *f*, malas letras *fpl*, mala caligrafía *f.* ~이다 tener mala letra, tener mala caligrafía.

악하다(惡—) ① [성질이 모질고 사납다] (ser) malo, perverso, cruel. …하는 것은 악한 짓이다 Es cruel que + *ind.* ② [양심에 어긋나고 도의에 벗어나다] (ser) malvado, maligno, inconsciente. 그렇게 악한 짓은 하지 마라 No seas tan malvado.

악한(惡漢) pícaro *m*, bribón *m* (*pl* bribones), pillo *m*, tunante *m*, golfo *m*.

악행(惡行) mala acción *f*, mala conducta *f*, mal acto *m*, mala actitud *f*, maldad *f*; [범죄(犯罪)] delito *m.* ~을 저지르다 hacer cosas malas, cometer delitos. ~을 재범(再犯)하다 volver a caer en malas acciones, reincidir en *sus* delitos. 그는 ~의 보복을 받았다 El pagó caro sus maldades.

악형(惡刑) castigo *m* cruel, castigo *m* severo; [고문(拷問)] tortura *f*.

악화(惡化) empeoramiento *m*; [병상(病狀)의] agravación *f*, [도덕적인] desmoralización *f*, deterioración *f*, corrupción *f.* ~하다 empeorar(se), agravar(se), desmoralizarse, deteriorarse, corromperse, echarse a perder, ponerse peor, ir a peor. ~되다 [병(病)이] agravarse, empeorar(se). 정세(情勢)가 ~되었다 La situación se empeora. 국제 정세(國際情勢)가 점점 ~되어 가고 있다 Va de mal en peor la situación internacional / Se pone cada vez más tensa la situación internacional. 국제 수지(國際收支)가 ~됐다 La balanza de pagos internacionales ha empeorado [se ha agravado]. 병세(病勢)가 ~되었다 La condición del enfermo empeora / Se agrava la enfermedad. 병이 갑자기 ~되었다 La enfermedad se agravó súbitamente. 그의 병은 매우 ~되었다 Su enfermedad se ha agravado mucho / Está muy avanzada su enfermedad.

악화(惡貨) mala moneda *f*, mal billete *m*, mal dinero *m*.
◆악화는 양화(良貨)를 구축한다 La mala moneda da desplaza la buena.

악희(惡戲) mal acto *m*, acto *m* pícaro [travieso], chiste *m* práctico, broma *f* práctica, picardía *f*, travesura *f*, diablura *f*.

안[1] ① [내부(內部)] interior *m*; [부사적] en, dentro (de), en el interior de. ~의 interior. ~으로 dentro, *AmL* adentro. ~에까지 hasta dentro. … ~에서 desde dentro de *algo*. ~에서 밖으로 desde el interior hacia afuera. ~이나 밖이나 por dentro y por fuera, *AmL* por adentro y por afuera. 집(의) ~에 en casa. 차의 ~에 en el coche. 건물의 ~에 dentro del edificio, en el interior del edificio. 우리의 영해(領海) ~에 dentro de nuestras aguas jurisdiccionales. 상자 ~에 넣다 meter [poner] en la caja. 공을 상자 ~에 넣다 poner la pelota en la caja. 집(의) ~으로 들어가다 entrar en casa. 바구니 ~에서 꺼내다 sacar de la cesta. 문을 ~으로 닫다 cerrar la puerta por dentro. 방의 ~을 들여다보다 mirar en [dentro de] la habitación. 공원 ~을 산책하다 pasear(se) [dar un paseo] por el parque. 서랍 ~에 있다 Está en el [dentro del] cajón. ~에 무엇이 있느냐? ¿Qué hay dentro [*AmL* adentro]? 침대 ~으로 들어가세요 Métate en la cama. 그것을 상자 ~에 넣었다 Lo puso en la caja. 이 ~으로 오너라 Ven aquí dentro [*AmL* adentro]. 거기 ~으로 들어가거라 Entra ahí. ~으로 들어오세요 [usted에게] Pase adentro / [tú에게] Pasa adentro / [ustedes에게] Pasen adentro / [vosotros에게] Pasad adentro. ~으로 들어갑시다 Pasemos adentro / Vamos a pasar adentro. ~에 들어오지 마세요 [usted에게] No pase adentro / [tú에게] No pases adentro / [ustedes에게] No pasen adentro / [vosotros에게] No paséis adentro. ~으로 들어가지 맙시다 No pasemos adentro. 그는 가게 ~으로 들어갔다 El entró en la tienda. 그들은 풀 ~으로 점프했다 Ellos se tiraron a la piscina / *Méj* Ellos se echaron a al alberca. 그는 손을 파이프 ~에 넣었다 El metió la mano en el conducto. 이 ~은 꽤 따뜻하다 Se está tan calentito aquí dentro. 개가 (집의) ~에서 자고 있다 El perro duerme dentro. ~이 푸르다 Es azul por dentro. 문은 ~으로 잠겼었다 Habían cerrado la puerta con llave por dentro. 재킷은 ~에 솜이 넣어졌다 La chaqueta es acolchada por dentro. ② [어느 표준 한계를 벗어나지 않는 정도] menos de, dentro de. 닷새 ~에 마치다 terminar [acabar] dentro de cinco días. ③ [집안에서 부인들이 거처하는 곳. 내실(內室)] gabinete *m* de señora, habitación *f* interior. ④ ((준말)) =안찝. ⑤ [이면(裏面)] revés *m*. 그는 가방 ~을 뒤지었다 El volvió la bolsa del revés / *CoS* El dio vuelta la bolsa. ⑥ ((속어)) [아내] esposa *f*, mujer *f*.

안[2] =아니. ¶비가 ~ 온다 No llueve. 나는 ~ 한다 Yo no hago.

안(案) ① ((준말)) =안건(案件). ¶~을 내다 hacer una propuesta. 파티의 ~을 짜다 planear una fiesta. ② [앞을 막는 산·고개 또는 담·벽의 총칭] monte *m*, colina *f*, muro *m*, muralla *f*. ③ =생각. 고안(考案). ¶좋은 ~이 있다 Tengo una buena idea.

안- mujer *m*. ~주인(主人) el ama *f* (*pl* las amas), dueña *f*, propietaria *f*.

-안(案) proyecto *m*. 예산(豫算)~ proyecto *m* del presupuesto.

안가(安家) casa *f* secreta (del grupo especial).

안간힘 afán *m*, desvelo *m*.
◆안간힘(을) 쓰다 desvelarse (por + *inf*), afanarse (por + *inf*). 가족 때문에 ~ desvelarse por *su* familia. 돈을 많이 벌려고 ~ afanarse por ganar mucho dinero.

안감 ① =안찝. ¶옷에 비단 ~을 대다 forrar el traje de seda. 이 장갑의 ~은 모피다 Estos guantes están forrados de piel. ② [물건의 안에 대는 물건] guarnición *f*.

안강(鮟鱇) 【어류】 =아귀.

안강하다(安康-) (estar) bien, (ser) sano, saludable, sano y salvo.

안갚음 ① [어버이의 은혜를 갚음] acción *f* de corresponder *su* deuda (para) con *sus* padres. ~하다 corresponder *su* deuda (para) con *sus* padres. ② =반포(反哺).

안개 niebla *f*, [바다의] bruma *f*, 【시어】 calígine *m*. ~ 낀 neblinoso, brumoso, nubuloso, caliginoso. ~에 갇힌, ~에 쌓인 afectado por la niebla. ~ 때문에 a causa de la niebla. ~가 자욱한 brumoso; [날이] de niebla; [날씨가] nebuloso. ~ 낀 아침 mañana *f* neblinosa. ~ 낀 날 día *m* neblinoso. 짙은 ~ brumazón *m*, niebla *f* espesa [densa]. 축축하게 젖은 ~ niebla *f* meona. 멀리 ~ 속에 lejos en la bruma. ~가 끼다 aneblar, estar brumoso, velarse de niebla [de bruma]. ~ 가 끼어 있다 estar cubierto de niebla [de bruma]. ~가 걷히다 aclarar [despejarse] la niebla. ~에 싸이다 ser envuelto por la niebla. ~가 끼어 있다 Hay niebla / Hay bruma / El cielo está brumoso. ~가 걷힌다 La niebla aclara [se despeja]. ~가 걷혔다 Se ha disipado la niebla. ~가 약간 끼어 있다 Hay una capa de neblina. ~가 길게 뻗어 있다 Hay neblina en el aire. 산이 ~로 덮혀 있다 La montaña está velada por la niebla. 멀리 ~ 낀 섬이 보인다 Se ve una isla borrosa a lo lejos. 오늘 아침은 ~가 짙다 Esta mañana hay [hace] una niebla espesa [densa].
■~ 경적 sirena *f* (de niebla). ~구름 ㉮ [층운(層雲)] estrato *m*. ㉯ ((속어)) [성교(性交)] relaciones *fpl* sexuales, coito *m*. ~등 faro *m* antiniebla, *Col* exploradora *f*. ~

비 ㉮ [안개처럼 뿌옇게 내리는 가는 비] lluvia *f* finita. ㉯ [가랑비] llovizna *f*. ~뿜이 =분무기(噴霧器). ~ 상자 cámara *f* de Wilson. ~속 [미궁(迷宮)] misterio *m*, laberinto *m*. ~집 【식물】=자낭(子囊).

안거(安居) ① [평안히 있음] vida *f* tranquila, vida *f* pacífica. ② =하안거(夏安居).

안건(案件) propuesta *f*, proposición *f*, proyecto *m*, asunto *m*, materia *f*, objeto *m*, cuestión *f*. 중요한 ~ proyecto *m* importante. ~을 내다 hacer una propuesta. ~을 제출하다 presentar el programa. ~을 철회하다 retirar la propuesta.

안걸이 ((씨름)) zancadilla *f* (de pie) interior.

안검(眼瞼) 【해부】=눈꺼풀. ¶~의 blefaral. ~ 사이의 interpalpebral.

■~ 경련 blefaroespasmo *m*, blefarismo *m*. ~염 =다래끼. ~ 염증 blefaritis *f*.

안걸장 【인쇄】 portada *f*.

안경(眼鏡) gafas *fpl*, *AmL* anteojos *mpl*, *AmL* lentes *mpl*; [코안경] lentes *mpl*, quevedos *mpl*; [외알 안경] monóculo *m*; [관극용] gemelos *mpl* de teatro con mango; [먼지 방지용] anteojos *mpl* de camino. ~ 하나 un par de gafas, unas gafas, unos anteojos. ~을 쓰다 ponerse las gafas [los anteojos · lentes]. ~을 벗다 quitarse las gafas [los anteojos · los lentes]. ~을 쓰고 있다 estar puesto gafas [anteojos]. ~을 쓰고 con *sus* gafas [anteojos]. ~ 너머로 por encima de gafas [anteojos].

◆금테 ~ gafas *fpl* con montura [con armazón] de oro. 두 초점 ~ gafas *fpl* [*AmL* anteojos mpl] bifocales. 볼록렌즈 ~ gafas *fpl* de lentes convexas. 색~ gafas *fpl* de color; [선글라스] gafas *fpl* [*AmL* anteojos *mpl* · *AmL* lentes *fpl*] de sol. 외알 ~ monóculo *m*.

◆안경(을) 쓰다 ㉮ [있는 그대로 보지 않고, 어떤 선입감을 가지다] mirar con prejuicio. ㉯ [술을 한꺼번에 두 잔 받다] recibir dos vasos de una vez.

■~ 다리 patilla *f*, brazo *m*. ~방 óptica *f*. ~사 óptico, -ca *mf*, oculista *mf*. ~ 상인 óptico, -ca *mf*. ~ 시험대 montura *f* [armazón *m* (*pl* armazones)] de prueba. ~알 lentes *fpl* de las gafas. ~ 자국 marca *f* [huella *f*] de las gafas. ~ 장이 óptico, -ca *mf*. ~쟁이((속어)) persona *f* con gafas, *AmL* persona *f* de anteojos, persona *f* de lentes. ~집 funda *f* para las gafas, estuche *m* de lentes, estuche *m* de anteojos. ~테 montura *f*, armazón *m(f)* (*pl* armazones), cerco *m*, marco *m*, aro *m* de gafas.

안계(眼界) visión *f*, extensión *f* de vista, alcance *m* de visión, campo *m* visual, campo *m* de visión, espacio *m* de visión, perspectiva *f*; [안계의 범위] horizonte *m*. 넓은 ~ amplio campo *m* visual. 좁은 ~ estrecho campo *m* visual. ~ 안[밖]에 있다 estar dentro de [fuera de] la visión. ~에 들어오다 entrar en la visión. ~가 전개된다 Se extiende un panorama. 과학은 인간 정신의 ~를 넓힌다 La ciencia amplia la visión [el horizonte] mental. 저 사람은 ~가 넓다 Su horizonte mental es ancho.

안고나다 asumir, encargarse (de), echarse encima. 책임을 ~ asumir la responsabilidad. 그는 책임을 안고나서 사임(辭任)했다 El asumió la responsabilidad y dimitió [presentó su dimisión]. 그녀는 모든 일을 안고나섰다 Ella se ha encargado de todo el trabajo / Ella se ha echado encima todo el trabajo. 그는 그녀를 파티에 초대하는 일을 안고나섰다 El se creyó con derecho a invitarla a mi fiesta / El tuvo el tupé de invitarla a mi fiesta. 그는 그들을 집에 데리고 오는 일을 안고나섰다 Se le ocurrió que tenía que acompañarlos a casa.

안고름 ((준말)) =안옷고름.

안고수비(眼高手卑) ilusiones *fpl*.

안고지다 entramparse [caerse en la trampa] por *su* propia trampa.

안공(眼孔) ① [눈구멍] órbita *f* (de los ojos). ② [견식의 범위] esfera *f* de vista.

안과(安過) vida *f* pacífica [tranquila]. ~하다 vivir en paz [pacíficamente], pasar pacíficamente [tranquilamente].

안과(眼科) oftalmología *f*. ~의 oftalmológico.

■~ 병원 hospital *m* oftálmico, clínica *f* oftálmica. ~ 용액제 solución *f* oftálmica. ~의 oftalmólogo, -ga *mf*, oculista *mf*. ~학 oftalmología *f*.

안광(眼光) ① [눈의 정기. 안채(眼彩)] brillantez *f* del ojo, luz *f* de ojo, visión *f*. ~이 날카롭다 ser de los ojos penetrantes. ~이 지배(紙背)를 철(徹)하다 penetrar a la intención, leer entre líneas. ② [보는 힘] poder *m* de observación.

안구(眼球) globo *m* ocular, globo *m* del ojo.

■~ 건조증 oftalmoxerosis *f*, xeroftalmia *f*. ~ 결막 conjuntiva *f* ocular. ~ 연화증 oftalmomalacia *f*. ~ 운동 oculogiración *f*. ~ 은행 banco *m* del ojo.

안구(鞍具) guarniciones *fpl*, arreos *mpl*.

안귀 【해부】=내이(內耳).

안기다 ① [남의 품속에 들다] abrazarse, echarse en brazos (de). 아이는 어머니한테 안겨 자고 있었다 El niño dormía en (los) brazos de su madre. ② [안도록 하다] hacer abrazar. 아이를 ~ hacer abrazar al niño. 어머니의 품에 아기를 ~ poner a un niño en el pecho de su madre. ③ [책임을 지게 하다] cargar. 책임을 ~ cargar la responsabilidad. ④ [날짐승이 알을 품어 새끼를 까게 하다] incubar, empollar. 알을 ~ empollarse, empollar el huevo. ⑤ ((속어)) [때리다] golpear, dar un golpe. 그 녀석에게 매를 안겨라 Da un golpe a ese tipo.

안깃 collar *m* interior.

안껍데기 cáscara *f* interior.

안날 día *m* inmediatamente anterior.

안남(安南) 【지명】 Anam, Annam.

■~ 말[어] [베트남 말] vietnamita *m.* ~미(米) arroz *m* de Anam. ~인 anaminense *mf,* anamita *mf,* [베트남 인] vietnamita *mf.*

안내(案內) ① [인도하여 일러 줌] guía *f,* conducción *f.* ~하다 guiar, conducir, llevar. 서울을 ~하다 guiar por Seúl, enseñar Seúl. 방으로 ~하다 pasar a la habitación [al cuarto]. 좌석으로 ~하다 guiar [llevar] al asiento. 시내 중심지를 ~하다 guiar por el centro de la ciudad. 그는 우리를 ~하기 위해 앞서 갔다 El iba delante para guiarnos. 도중에까지 ~해 드리겠습니다 Le guiaré [acompañaré] hasta la mitad del camino. 그는 나에게 ~를 부탁했다 El me pidió que le guiara [guiase]. 나는 내 딸로 하여금 나를 ~하게 하고 있다 Me dejo guiar por mi hija. 우리는 정상까지 ~를 받았다 Nos guiaron [condujeron] hasta la cima. 사제가 그들에게 성당 주변을 ~했다 Un sacerdote les hizo de guía en la catedral / Un sacerdote les mostró [les enseñó] la catedral. ② [내용이나 사정 따위를 알림] aviso *m,* comunicación *f,* información *f.* ~하다 avisar, comunicar, informar. ③ [초대] invitación *f.* ~하다 invitar. ④ ((준말)) =안내인(案內人). 안내서(案內書).

■~ 광고(廣告) anuncio *m* informativo. ~도 plano *m* informativo. ~란 columna *f* informativa. ~서 guía *f,* folleto *m* explicativo; [철도의] guía *f* de ferrocarriles. ¶서울 ~ la Guía de Seúl. 유럽 여행 ~ guía *f* de viajes por Europa. ~소 información *f,* oficina *f* de información; [관광객용의] oficina *f* de turismo. ~양 guía *f.* ~원 guía *mf.* ¶박물관 ~ guía *mf* de(l) museo. ~이 딸린 여행 visita *f* guiada. ~인 guía *mf.* ; [관광의] cicerone *m;* [극장의] acomodador, -dora *mf.* ~장 ㉮ invitación *f,* carta *f* [tarjeta *f* · esquela *f*] de invitación; 【상업】 carta *f* de aviso. ㉯ [어떤 행사가 있음을 알리고 거기에 참가해 줄 것을 원하는 서신] aviso *m,* comunicación *f.*

안녕(安寧) ① ((경칭)) =평안(平安). ② [안전하고 평안함] paz *f,* tranquilidad *f,* buena salud *f,* [복지] bienestar *m;* [질서] orden *m.* ~를 유지하다 mantener el orden de la sociedad. ~을 교란하다 perturbar [alternar] el orden público, producir revueltos [inquietudes] en la sociedad. ~과 질서를 유지하다 mantener la paz y el orden. ~과 질서를 교란하다 perturbar la paz y el orden. ~히 주무십시오 라고 말하다 decir buenas noches. ~하십니까? [usted에게] ¿Cómo está usted? // [tú에게] ¿Qué tal (estás)? / ¿Cómo estás? // [ustedes에게] ¿Cómo están (ustedes)? // [vosotros에게] ¿Cómo estáis? // [오전 인사] Buenos días, *Arg* Buen día / [오후 인사] Buenas tardes / [저녁·밤 인사] Buenas noches. ~히 계십시오 [가십시오] ¡Adiós! / *AmS* ¡Chau! / [또 만납시다] Hasta la vista / [나중에 또 봅시다] Hasta luego / [곧 또 만납시다] Hasta pronto. ~히 가십시오 Que le vaya bien / Siga bien / Vaya con Dios / Que le pase bien. ~히 주무십시오 ¡Buenas noches! / ¡Que descanse (bien)! / *ReD* ¡Pase bien! / ¡Duerme bien! / ¡Pase buenas noches! 부모님께서는 ~하시냐? — 예, ~하십니다 ¿Cómo están tus padres? — Sí, están bien. ③ [헤어질 때의 인사] ¡Adiós! / *AmS* ¡Chau!

안노인(—老人) vieja *f,* anciana *f.*

안다 ① [두 팔로 끼어 가슴에 붙이다] abrazar, mantener en *sus* brazos. 품에 ~ abrazar en *su* pecho, llevar en (los) brazos; [겨드랑이에] llevar bajo el brazo. 안아 올리다 tomar en brazos, alzar con los brazos. 안아 일으키다 levantar en *sus* brazos, ayudar levantarse; [상체(上體)를] incorporar en *sus* brazos, ayudar incorporarse. 그녀는 아이를 안고 있다 Ella lleva a un nene en los brazos. 나는 양팔에 겨우 안을 수 있는 많은 선물을 받았다 Me regalaron tantas cosas que apenas podía llevarlas en los brazos. 그녀는 아이를 품에 꼭 안았다 Ella apretó al niño contra su pecho [contra su seno]. ② [안으로 들어오는 것을 몸으로 바로 받다] hincharse. 위기를 안은 상태 situación *f* muy crítica [preñada de peligro · potencialmente explosiva]. 바람을 안고 가다 ir contra el [en contra del] viento. 돛이 바람을 안고 있다 La vela se hincha (de viento). ③ [남의 일을 책임지고 맡다] cargar. 책임을 ~ cargar la responsabilidad. ④ [새가 알을 품다] empollar, encobar(se), incubar (los huevos). ⑤ [생각으로서 지니다] tener. 슬픔을 안고 con tristeza, teniendo la tristeza.

안다미씌우다 cargar. 책임(責任)을 ~ cargar la responsabilidad.

안다미조개 【조개】 =꼬막.

안단테(이 *andante*) 【음악】 andante.

안단티노(이 *andantino*) 【음악】 andantino.

안달 impaciencia *f,* preocupación *f.* ~하다 (ser) impaciente, nervioso, inquietarse (por), preocuparse. ~하지 말게 ¡Tranquilízate! ~하지 마십시오 ¡Tranquilícese!

■~뱅이 persona *f* inquieta, persona *f* preocupada, persona *f* impaciente, persona *f* nerviosa.

안달복달하다 atormentarse, inquietarse, impacientarse, ponerse nervioso, irritarse. 안달복달하게 하다 atormentar, inquietar, impacientar, agitar, poner nervioso, poner los nervios de punta, irritar. 안달복달하는 impaciente, intranquilo, inquieto, nervioso.

안대(眼帶) venda *f* de los ojos, banda *f* ocular. ~를 하다 ponerse una venda en los ojos. ~를 하고 있다 llevar [tener] una venda en los ojos.

안대문(—大門) puerta *f* interior.

안댁(—宅) su señora, su esposa.

안데스 【지명】 =안데스 산맥. ¶~의 andino.

■~ 공동 시장 el Mercado Común Andino.

안데스 산맥(Andes 山脈) 【지명】 los Andes.

안도(安堵) alivio *m.* ~하다 sentir un gran alivio, sentirse aliviado, tranquilizarse, aliviarse, desahogarse, respirar. ~의 한숨을 내쉬다 dar un suspiro de alivio, respirar alivio, suspirar aliviado. 그녀는 ~의 한숨을 쉬었다 Ella dio un suspiro de alivio / Ella suspiró aliviada. 모든 것이 잘 되었다니 나는 ~한다 Menos mal que ya ha pasado todo bien. 그가 무사히 도착했다는 말을 듣고 우리 모두는 ~했다 A todos nos tranquilizó enterarnos de que él llegó sin novedad.

■ ~감 sentido *m* [sentimiento *m*] aliviado.

안도라 【지명】 Andorra *f.* ~의 andorrano.

■ ~ 사람 andorrano, -na *mf.*

안도라 라 베야 【지명】 Andorra la Vella (안도라의 수도).

안돈 dinero *m* de poca cantidad que llevan las mujeres.

안되다[1] [실패하다] fracasar. 잘 안된 defectuoso, imperfecto, mal hecho, chapucero. 잘 안된 작품 obra *f* fracasada, chapucería *f.*

안되다[2] [섭섭하거나 가엾고 애석한 느낌이 있다] sentir, ser una pena, ser (una) lástima. 감기 들었다고? — 그거 안됐구나 ¿Te has resfriado? — Es una pena / Lo siento, hombre. 정말 안됐습니다 Lo siento mucho / ¡Cuánto lo siento mucho! / ¡Qué lástima! / ¡Qué pena!

안 된다 ㉮ [금지] no deber + *inf*, no tener que + *inf.* …로는 ~ no deber ser *algo.* …해서는 ~ no deber + *inf*, no +「명령법」(2인칭 단수·복수 모두 접속법 현재를 취함). 너는 가서는 ~ Tú no debes ir / No vayas. 너는 게으름뱅이여서는 ~ No debes ser ocioso. 책을 더럽혀서는 ~ No hay que ensuciar el libro. 그것을 사서는 ~ No lo compras. 너는 달려가면 ~ No corras. ㉯ [의무] deber, tener que + *inf.* …하지 않으면 ~ deber + *inf*, tener que + *inf*, haber que + *inf.* 당신은 내일 되도록 빨리 오지 않으면 ~ Mañana usted debe venir lo más pronto posible. 나는 이제 곧 가지 않으면 ~ Tengo que ir ahora mismo. 나는 집에 돌아가지 않으면 ~ Debo regresar [irse] / Tengo que regresar. 당신은 곧 가지 않으면 안 됩니다 Usted debe ir inmediatamente / Usted tiene que ir en seguida.

안뒤껼 patio *m* del edificio principal.

안뒷간(一間) servicios *mpl* para las mujeres del edificio principal.

안드로메다 【신화】 Adrómeda *f.*

■ ~ 성운(星雲) nebulosa *f* de Andrómeda. ~자리 【천문】 Andrómeda *f.*

안뜰 patio *m* interior.

안락(安樂) bienestar *m*, comodidad *f*, confortación *f*, alivio *m*, felicidad *f*, paz *f*, tranquilidad *f.* ~하다 (ser) cómodo, confortativo, consolador, feliz, pacíficamente, deleitoso, tranquilo. ~하게 cómodamente, en paz, agradablemente, con gusto, pacíficamente, tranquilamente. ~한 생활 vida *f* tranquila. ~하게 살다 vivir tranquilamente, vivir con desahogo.

■ ~사(死) eutanasia *f.* ~의자 sillón *m* (*pl* sillones), poltrona *f*, butaca *f.*

안력(眼力) =시력(視力). ¶~이 있다 tener los ojos penetrantes.

안료(顏料) [화장용] cosmético *m*; [도료(塗料)] pintura *f*, color *m*; [색소(色素)] pigmento *m.*

안마(按摩) masaje *m*, amasamiento *m*; [운동 중 또는 운동 후의] fricción *f*, friega *f.* ~하다 masajear, dar un masaje, dar una fricción [una friega], amasar. 나는 내 아내의 목을 ~해 주었다 Le dio [Le hizo] en la nuca a mi esposa / A mi esposa le masajeé la nuca. 나는 수건으로 몸을 잘 ~했다 Me saqué frotándome [dándome fricciones] con una toalla.

◆발 ~ masaje *m* en los pies. 어깨 ~ masaje *m* en los hombros.

■ ~기(器) aparato *m* para el masaje. ~사(師) masajista *mf.* ~술 arte *m* de masaje. ~ 시술소 salón *m* (*pl* salones) de relex, burdel *m.* ~ 요법(療法) osteopatía *f*, quiropráctica *f*, tratamiento *m* de masaje. ~ 치료 amasamiento *m*, quiropráctica *f*, osteopatía *f.*

안마(鞍馬) ① ((체조)) potro *m* con arcos. ② [안장을 얹은 말] caballo *m* ensillado [con silla (de montar)].

안마당 patio *m* interior.

안면(安眠) sueño *m* tranquilo [profundo · sosegado · reposado]. ~하다 dormir tranquilamente [profundamente]. 이곳은 너무 시끄러워 ~할 수 없다 Aquí hay tanto ruido que no se puede dormir tranquilamente.

■ ~방해 perturbación *f* de sueño, alboroto *m* nocturno. ¶~를 하다 perturbar [interrumpir · estorbar · impedir] el sueño.

안면(顏面) =얼굴(cara, rostro). ¶~의 facial. ~의 표정(表情) expresión *f* facial. ② [서로 낯이나 익힐 만한 친분] conocimiento *m.* ~이 있다 conocer, conocer de vista. 그녀와는 옛날부터 ~이 있다 Ella y yo somos conocidos [Nos conocimos] desde hace mucho tiempo. 파티에는 ~이 있는 사람이 많았다 En la fiesta había muchos conocidos míos.

■ ~각 ángulo *m* facial, índice *m* facial. ~경련 prosopospasmo *m.* ~골 hueso *m* facial. ~근 músculo *m* facial. ~ 동맥 arteria *f* facial. ~ 마비 parálisis *f* facial, facioplejía *f.* ~박대 maltrato *m* [malos tratos *mpl*] al conocido (delante de *su* cara). ~부지(不知) desconocimiento *m*; [사람] desconocido, -da *mf.* ~ 성형술(成形術) facioplatia *f.* ~ 신경 nervio *m* facial. ~ 신경 마비 parálisis *f* facial. ~ 신경통 neutalgia *f* facial, opalgia *f*, opsialgia *f*, prosopalgia *f.* ~ 표정 expresión *f* facial.

안목(眼目) ① [사물을 보고 분별하는 견식]

punto *m* principal, substancia *f* de un escrito, ojo *m*, llave *f*, tonor *m*, sentido *m* de discernimiento. ～이 있는 사람 persona *f* discernible. ～이 있다 tener ojo. 그 화가는 색을 가리는 ～이 없다 El pintor no sabe discernir un color de otro. ② ＝주안(主眼).

안무(按撫) apaciguamiento *m*, aplacamiento *m*. ～하다 apaciguar, calmar, pacificar, aplacar, mitigar.

■～ 공작 operación *f* de apaciguamiento.

안무(按舞)【연극】coreografía *f*. ～하다 componer una coreografía. A씨 ～의「백조의 호수」*El lago de cisne*, coreografía por el [del] señor A.

■～가(家) coreógrafo, -fa *mf*.

안문(一門) ① [안으로 통하는 문] puerta *f* interior. ② [(이중으로 되어 있는 문이나 창에서) 안쪽에 있는 문이나 창] postigo *m*, contraventana *f*, puertaventana *f*.

안민(安民) apaciguamiento *m*. ～하다 apaciguar.

안반 *anban*, tabla *f* ancha y gruesa para amasar el *teok* [el pan coreano].

◆안반 같다 ser muy grueso y ancho. 안반 같은 엉덩판 nalgas *fpl* muy gruesas y anchas.

■～짝 ((힘줌말)) ＝안반. ¶엉덩판이 ～만하다 Las nalgas son muy gruesas y anchas.

안받다 ① [부모가 뒷날에 자식에게서 안갚음을 받다] disfrutar de [gozar del] la devoción de *su* hijo en *su* decrepitud. ② [어미까마귀가 새끼에게서 먹이를 받다] (la cría del cuervo) dar de comer a su cuervo madre.

안받음 disfrute *m* [gozo *m*] de la devoción en *su* decrepitud desde *su* hijo.

안받침 soporte *m* interior.

안방(一房) ① [집 안채의 부엌에 붙은 방] habitación *f* interior (en la parte del fondo), habitación *f* más retirada de la casa. ② [안주인이 거처하는 방] tocador *m*.

■안방에 가면 시어머니 말이 옳고 부엌에 가면 며느리 말이 옳다 ((속담)) Es difícil distinguir lo que está bien de lo que está mal, porque cada uno tiene razón.

■～샌님 hombre *m* que casi no sale fuera de la casa.

안배(按配/按排) [배치(配置)] disposición *f*; [배분(配分)] distribución *f*, asignación *f*. ～하다 arreglar, disponer; distribuir, asignar.

안벽(一壁) pared *f* interior.

안벽(岸壁) ① [깎아지른 듯한 낭떠러지로 된 물가] orilla *f* del agua del precipitadero. ② [항만·운하의 부두나 물가를 따라 만든 벽] muelle *m*, malecón *m* (*pl* malecones), escollera *f*, embarcadero *m*.

안보(安保) ((준말)) ＝안전 보장(安全保障). ¶국가의 ～ 문제 problema *m* de seguridad nacional. 집단 ～ seguridad *f* colectiva. 총력(總力) ～ seguridad *f* total. 한미(韓美) ～ 조약(條約) Pacto *m* [Tratado *m*] de Seguridad Coreano-Estadounidense.

■～ 외교 diplomacia *f* para la seguridad nacional. ～ 의식 sentido *m* de seguridad nacional. ～ 태세 확립 establecimiento *m* de posición para la seguridad nacional.

안부(安否) ① [편안함과 편안하지 않음] la paz y la intranquilidad. ② [편안(便安) 여부를 묻는 인사] saludos *mpl*, recuerdos *mpl*, memorias *fpl*, salud *f*, noticia *f*, destino *m*. ～를 걱정하다 inquietarse [temer] por la suerte [por la seguridad] (de). ～를 묻다 informarse de la salud (de), preguntar por el estado [por la seguridad] (de). ～를 전하다 dar recuerdos (a), dar memorias (a). A에게 B의 ～를 알리다 informar a A sobre el estado [sobre la situación · sobre la seguridad] de B. 부인(夫人)께 ～ 전해 주세요 Dé mis recuerdos [saludos · memorias] a su señora. 가족에게 ～ 전하세요 — 당신도 ～ 전하세요 (Dé mis) Recuerdos [Saludos] a su familia / Muchas memorias a su familia — Igualmente.

안부(眼部) ① [눈] ojo *m*. ② [눈이 있는 부분] región *f* de los ojos. ～의 통증 dolor *m* de la región de los ojos.

안부모(一父母) *su* madre.

안부인(一婦人) *su* estimada señora.

안분(按分) división *f* proporcional. ～하다 dividir proporcionalmente [pro rata].

■～ 비례 ＝비례 배분(比例配分).

안빈(安貧) vida *f* pacífica en la pobreza.

■～낙도(樂道) gozo *m* con la vida pacífica en la pobreza.

안사돈(一查頓) suegra *f* [madre *f* política] de *su* hija, madre *f* de *su* nuera.

안사람 ((속어)) mi esposa, mi mujer.

안산(安産) parto *m* feliz [fácil], buen parto *m*, buen alumbramiento *m*. ～하다 tener un buen parto, tener parto feliz, dar a luz fácilmente [con facilidad]. ☞순산(順産)

안산(案山) monte *m* (que está) enfrente de la casa.

안산암(安山巖)【광물】andesita *f*.

안살림 ((준말)) ＝안살림살이.

안살림살이 gobierno *m* de la casa, quehaceres *mpl* domésticos. ～ 비용(費用) dinero *m* (para los gastos) de la casa.

안색(顔色) semblante *m*, tez *f*, aspecto *m*, rostro *m*, cara *f*. ～이 나쁜 pálido. ～이 검은 moreno. ～이 흰 blanco. ～이 좋다 tener buena cara, tener buen aspecto. ～이 나쁘다 estar pálido, tener mala cara, tener mal aspecto. ～이 변하다 cambiar [mudar] de color, mudar de semblante, demudarse, alterarse, inmutarse. ～을 변해 demudado, alterado, inmutado. ～을 엄하게 하다 poner una cara severa. ～이 흐리다 tener un aire triste [taciturno]. ～을 읽다 leer en [adivinar por] la cara (de). ～을 걱정하다 preocuparse por el estado de ánimo (de). 화가 나서 ～이 변하다 encolerizarse, enfurecerse. 화가 나서 ～이 붉어지다 enojecer(se) de ira. 화가 나서 ~이 변한 얼굴 semblante *m* demudado por la ira. 당신은 오늘 ~이 무척 좋다 Hoy tiene usted muy buen semblante. 그는 사고 소식을 듣고 ~이 변했다 El se puso pálido al oir la noticia del accidente.

안성맞춤 conveniencia *f.* ~의 conveniente, oportuno, propicio, favorable, apropiado, adecuado, indicado, apropiado, adecuado, indicado, idóneo. ~으로 como llovido del cielo, como pedrada en ojo de boticario, con gran oportunidad, oportunamente, favorablemente, a pedir de boca, convenientemente, apropiadamente, adecuadamente. 이것은 정말 ~이다 Esto es a la medida de mi deseo. 그것은 나한테 ~이다 Eso me conviene / Eso es muy conveniente para mí. 당신한테 ~인 물건이 있습니다 Tenemos el artículo más conveniente para usted. 그는 이 직책에 ~이다 El es el más indicado para este puesto. 소풍에는 날씨가 ~이다 Hace un tiempo ideal para la excursión.

안섶 cuello *m* de *cheogori* doblado hacia el interior.

안손님 visitadora *f,* visitante *f.*

안수(按手) ((성경)) imposición *f* de manos, el imponer las manos. ~하다 poner las manos sobre *uno,* imponer las manos. 이에 금식하며 기도하고 두 사람에게 ~하여 보내니라 ((사도 행전 13:3)) Entonces, habiendo ayunado y orado, les impusieron las manos y los despidieron / Entonces, después de orar y ayunar, les impusieron las manos y los despidieron.

■~ 기도 ((성경)) oración *f* de (la) imposición de manos. ~례(禮) ((기독교)) ceremonia *f* de imposición de manos.

안식[1](安息) reposo *m,* descanso *m* (feliz [cómodo]), réquiem *m;* [식후의] quiete *m,* asueto *m.* ~하다 descansar felizmente [cómodamente].

■~소 =안식처(安息處). ~처 refugio *m.* ¶~를 찾다 refugiarse (de).

안식[2](安息) ((성경)) reposo *m.* ~하다 reposar, descansar. 여호와께서 너를 슬픔과 곤고와 및 너의 수고하는 고역에서 놓으시고 ~을 주시는 날에 ((이사야 14:3)) En el día que Jehová te dé reposo de tu trabajo y de tu temor, y de la dura servidumbre en que te hicieron servir / Pueblo de Israel, cuando el Señor te haga descansar de tus sufrimientos, de tus penas de la cruel esclavitud a que fuiste sometido.

■~교 ((기독교)) la Adventista del Séptimo Día. ~교 신도 adventista *mf* del Séptimo Día. ~교회 la Iglesia Adventista del Séptimo Día. ~년 ((성경)) año *m* de reposo. ~시(時) ((성경)) días *mpl* de reposo. ~일 ㉮ ((기독교)) domingo *m,* día *m* de descanso; ((성경)) día *m* de reposo. ¶~을 지키다 observar [guardar] el descanso dominical. ㉯ ((유대교)) sábado *m,* descanso *m* sabatino. ~일 재림파 la Adventista del Séptimo Día. ~일 재림파 신도 adventista *mf* del Séptimo Día.

안식[3](安息) ((성경)) ((준말)) =안식일.

안식[4](安息) 【역사】 =안식국(安息國).

안식(眼識) discernimiento *m,* perspicacia *f,* penetración *f,* ojos *mpl.* ~이 있다 entender (de), ser entendido (en). ~을 높이다 enriquecer [formar(se)] los ojos.

안식구(-食口) ① [여자 식구] familia *f* de las mujeres. ② ((속어)) esposa *f,* mujer *f.*

안식국(安息國) 【역사】 Jorasán, Partia, Partiene.

안식향(安息香) 【식물】 benzoina *f.* ~(성)의 benzoico, benzoílico. ~을 포함한 benzoado.

안신(安信) noticia *f* pacífica.

안심 carne *f* (de vaca) de costillas.

■~살 carne *f* magra de costillas. ~쥐 =안심살.

안심(安心) ① [마음을 편안히 가짐] tranquilidad *f,* calma *f,* confianza *f,* fe *f.* ~하다 sosegarse, tranquilizarse, quedarse tranquilo. ~시키다 tranquilizar, sosegar, poner tranquilo (a). ~하고 tranquilamente, con (toda) tranquilidad [seguridad]. ~할 수 있는 사람 persona *f* confiable, hombre *m* confiable, hombre *m* de toda confianza. ~하고 있다 estar tranquilo, estar poco precavido. ~하십시오 ¡Tranquilícese! / ¡Tranquilo! / ¡Descuide usted! / ¡Pierda cuidado! / ¡Sin cuidado! 환자는 이제 ~이다 El enfermo ya ha pasado la crisis. 부친의 용태(容態)는 아직 ~할 수 없다 El estado de mi padre aún no permite tranquilidad. 나는 이제 ~할 수 있다 Ya puedo estar tranquilo. 나는 그 소리를 듣고 ~했다 Me he tranquilizado al oírlo. 그 문제에 대해서는 ~해도 좋다 En cuanto a ese asunto uno puede estar tranquilo. ~하고 저에게 맡겨 주십시오 Déjemelo con toda confianza. ~하고 이곳에 있어라 Estáte aquí sin preocuparte. ② ((불교)) el tranquilizar el corazón.

안심찮다 ㉮ [안심이 되지 않고 걱정스럽다] (estar) inquieto, preocupado, incómodo, molesto, violento. 안심찮게 여기다 inquitar, preocupar, sentirse incómodo, no sentirse a gusto. 아이를 혼자 떠나게 하자니 ~ Me inquieta [Me preocupa] dejar al niño solo. 그녀는 안심찮은 양심을 가지고 있었다 Ella no tenía la conciencia tranquila. 그는 모르는 사람과 함께 있을 때는 ~ El se siente incómodo [no se siente a gusto] cuando está con gente que no conoce. ㉯ [남에게 폐(弊)를 끼쳐 마음이 꺼림하다] perdonar, disculpar, sentir, dar pena, dar lástima. 어젯밤의 일로 ~ Siento muchísimo lo de anoche / Mil perdones por lo de anoche. 네 파티에 갈 수 없어서 ~ Siento no haber podido ir a tu fiesta. 그가 거절당했을 때 나는 안심찮았다 Me dio pena [lástima] cuando lo rechazaron.

안심부름 recado *m* alrededor de la casa,

recado *m* de la mujer.
안심입명(安心立命) ((불교)) la paz espiritual y la iluminación.
안쓰럽다 sentir. 자네에게 돈을 치르게 하다니 안쓰럽기 짝이 없네 Siento muchísimo que tú pagaras la cuenta.
안아맡다 ((강조)) =안다[3].
안압(眼壓) 【해부】 tensión *f* intraocular. ■ ~계(計) tonómetro *m*, tenonómetro *m*.
안약(眼藥) colirio *m*, loción *f* para los ojos. ~을 넣다 aplicar loción a los ojos. ■ ~병(甁) cuentagotas *m.sing.pl*, gotero *m*.
안양반(-兩班) ((경칭)) =안주인.
안어버이 ① =안부모. ② =친정 어머니.
안어울림음(-音) 【음악】 disonancia *f*.
안어울림 음정(-音程) 【음악】 tono *m* disonante.
안염(眼炎) 【의학】 oftalmitis *f*, oftalmía *f*, inflamación *f* de los ojos. ~의 oftálmico.
안온(安穩) paz *f*, apacibilidad *f*, tranquilidad *f*. ~하다 (ser) apacible, pacífico, tranquilo. ~하게 pacíficamente, en paz, tranquilamente, apaciblemente. ~하게 살다 vivir tranquilo, vivir pacíficamente [en paz], llevar una vida tranquila.
안올리다 pintar el interior (de). 그릇을 ~ pintar el interior del tazón.
안옷 [속옷] prenda *f* interior, prenda *f* íntima; [여자 옷] ropa *f* interior de mujer.
안옷고름 cordón *m* [cinta *f*] de la chaqueta interior (de atar).
안와(安臥) reposo *m* [descanso *m*] tranquilo. ~하다 descansar [reposar] tranquilamente en la cama.
안와(眼窩) [눈구멍] órbita *f*, cuenca *f* del ojo.
안울림소리 【언어】 =무성음(無聲音).
안위(安危) la seguridad y el peligro, seguridad *f*, bienestar *m*, destino *m*. 국가(國家)의 ~ crisis *f* nacional. 이것은 국가의 ~에 관한 중대한 문제다 Esto es un asunto de importancia vital sobre el bienestar del Estado.
안이하다(安易-) (ser) fácil; [간단하다] sencillo; [안락하다] cómodo. 안이하게 fácilmente, con facilidad, cómodamente. 안이한 길 camino *m* llano, camino *m* fácil, medida *f* sencilla. 안이한 생각 juicio *m* optimista; [천박한] noción *f* ligera [superficial]. 안이한 생활(生活) vida *f* fácil. 안이한 문제 problema *m* fácil. 안이한 생활을 하다 llevar una vida fácil [poca seria].
안일 trabajo *m* casero, tarea *f* casera, trabajo *m* en casa que trabaja principalmente.
안일(安逸) facilidad *f*, indolencia *f*, ocio *m*, ociosidad *f*, vida *f* ociosa. ~하다 (ser) fácil, estar ocioso. ~하게 지내다 pasar los días en indolencia. ~한 생활을 하다 llevar una vida ociosa, vivir en el ocio [en la pereza].
안자일렌(독 *Anseilen*) 【등산】 cuerda *f*, soga *f*.
안잠자기 criada *f*, *AmL* mucama *f*.
안잠자다 vivir como una criada.
안장(安葬) entierro *m*, sepultura *f*, sepelio *m*. ~하다 enterrar, inhumar, sepultar.
안장(鞍裝) [말의] silla *f* (de montar), montura *f*, [짐 안장] albarda *f*, [자전거의] sillín *m* (*pl* sillines), asiento *m*. ~ 없는 말 caballo *m* sin silla. ~을 얹다 ensillar, poner la silla a la caballería, enalbardar. 말에 ~을 얹다 ensillar [poner la silla a] un caballo, albardar [enalbardar] a un caballo. 말에서 ~을 내리다 desensillar [quitar la silla a] un caballo. ■ ~코 nariz *f* chata; [사람] chato, -ta *mf*. ~틀 arzón *m* (*pl* arzones).
안저(眼底) 【해부】 fondo *m* de(l) ojo. ■ ~ 출혈 hemorragia *f* cerebral de fondo de ojo.
안저지 niñera *f*.
안전(-殿) =내전(內殿).
안전(安全) seguridad *f*, certeza *f*, certidumbre *f*. ~하다 (ser) seguro, salvo, confiable, sin peligro, sin riesgo, fiable; [안정된] estable, firme; [믿을 수 있는] de confianza. ~하게 seguramente, sin peligro, sin riesgo, a salvo, sano y salvo, con tranquilidad; [조심해서] con cuidado; [잘] bien. ~하게 하다 asegurar, salvar, poner en salvo. ~한 방법(方法) medio *m* seguro, método *m* garantizado. ~한 장소 lugar *m* seguro, lugar *m* libre de peligros. ~한 투자 inversión *f* segura. 몸의 ~을 도모하다 velar por *su* propia seguridad, tomar precauciones para protegerse. 이곳은 ~한 곳이다 Aquí está usted completamente seguro. 우리들은 ~하게 집에 도착했다 Nosotros llegamos a casa sin novedad [sin ningún percance]. ~하게 운전하십시오 Conduzca con prudencia [con cuidado]. 그 공항은 그리 ~하지 못하다 Ese aeropuerto no es muy seguro. 그 사다리는 ~하지 않다 Esa escalera no está segura. 그들은 ~했다 Los encontraron sanos y salvos. 모든 승객은 ~했다 Ningún pasajero resultó herido / Todos los pasajeros resultaron ilesos. ■ ~감 conciencia *f* de seguridad. ~ 개폐기 cortacircuitos *m.sing.pl*. ~ 계수 =안전율. ~ 계획 programa *m* seguro. ~ 관리 supervisión *f* de seguridad, administración *f* segura. ¶~ 없이 일하다 trabajar sin supervisión de seguridad. ~ 교육 educación *f* de seguridad. ~권 zona *f* de seguridad. ~기 =안전 개폐기. 두꺼비집. ~ 기간(期間) [월경 전후의 피임의] los días seguros (para no quedar embazada). ~ 기준 normas *fpl* de seguridad. ~답 =수리 안전답. ~대(帶) cinturón *m* de seguridad. ~등 lámpara *f* [linterna *f*] de seguridad. ~띠 cinturón *m* de seguridad. ¶~를 매다 abrocharse el cinturón de seguridad. 승객 여러분, 의자 아래 있는 ~를 매 주십시오 Pasajeros, abróchense los cinturones de seguridad debajo de la silla. ~망 [서커스 등의] red *f* de seguridad. ~

면도 =안전 면도기. ~ 면도기 maquinilla *f* de afeitar (de seguridad), *AmL* maquinita *f* de afeitar. ~모(帽) casco *m* de seguridad. ~ 밸브 válvula *f* de seguridad. ~ 벨트 =안전띠. ¶~를 착용하다 abrocharse el cinturón de seguridad. ~ 보장(保障) seguridad *f.* ¶집단 ~ seguridad *f* colectiiva. 한미 ~ 조약 el Tratado de Seguridad Coreano-Estadounidense. ~ 보장 이사회 ((준말)) =국제 연합 안전 보장 이사회. ~성 seguridad *f.* ~ 성냥 cerilla *f* [fósforo *m*] de seguridad, fósforos *mpl* seguros [confiables], *Méj* cerillo *m* de seguridad. ~ 수칙(守則) normas *fpl* de seguridad. ~ 신호(信號) señal *f* de seguridad. ~ 운전 conducción *f* prudente, manejo *m* prudente [cauteloso]. ~ 유리(琉璃) cristal *m* inastillable, cristal *m* de seguridad. ~율(率) coeficiente *m* de seguridad. ~ 장치(裝置) dispositivo *m* [aparato *m*] de seguridad; [총포의] seguro *m.* ~ 제일 la seguridad ante todo. ~ 제일주의 principio *m* de prevención de accidentes, principio *m* que pone la seguridad en primer lugar, política *f* de prudencia. ~ 제일 캠페인 campaña *f* de prevención de accidentes. ~주(株) acción *f* estable, acción *f* segura, acción *f* sólida. ~ 주간 semana *f* de seguridad. ~ 지대 zona *f* de seguridad, burladero *m.* ~ 책 medida *f* de seguridad. ¶~을 강구하다 tomar una medida de seguridad. ~판(瓣) válvula *f* de seguridad. ~ 표지 faro *m*, señal *f* luminosa, baliza *f* luminosa. ~ 핀 imperdible *m*, *Méj* seguro *m*, *Col* gancho, *Chi*, *RPI*, *Ven* alfiler de gancho.

안전(眼前) ① =눈앞. ② [눈으로 보는 그 당장] inmediatamente. ~의 inmediato. ~의 이익(利益) interés *m* inmediato.

안절부절못하다 impacientar, intranquilizarse, agitarse, inquietarse. 안절부절못해 con agitación, con inquietud, nerviosamente. 안절부절못하고 있다 estar agitado [inquieto · nervioso · desasosegado].

안정(安定) estabilidad *f*, estabilización *f*, firmeza *f*; [균형] equilibrio *m*, balanza *f*; [일정] constancia *f.* ~하다 mantenerse estable, estabilizarse, quedarse estable, equilibrarse, ponerse en equilibrio. ~된 estable, seguro, equilibrado. ~되지 못한 inestable, inseguro, desequilibrado; [일정하지 않은] variable. ~시키다 estabilizar, equilibrar; [진정시키다] calmar. ~되지 아니하다 estar inestable, estar desequilibrado, romper la estabilidad, romper el equilibrio, carecer de estabilidad. ~을 잃다 perder el equilibrio. ~을 유지하다 mantener el equilibrio, mantener la balanza. 마음을 ~시키다 calmar el corazón, calmarse, tranquilizarse. 몸의 ~을 잃다 perder el equilibrio del cuerpo. 물가를 ~시키다 estabilizar los precios. 생활을 ~시키다 estabilizar la vida. ~된 자세로 서다 ponerse de pie en una postura equilibrada. 날씨가 ~되었다 Se estabiliza el tiempo. 시세가 ~되었다 Se estabiliza la bolsa. 정국(政局)이 ~된다 La situación política se estabiliza.
■ ~가(價) precio *m* estabilizado. ~감(感) estabilidad *f*, equilibrio *m.* ~ 공황 crisis *f* de estabilización. ~기 estabilizador *m.* ~ 기금 fondo *m* de estabilización. ~도 estabilidad *f.* ~ 동위 원소 isótopo *m* estable. ~ 성장(成長) crecimiento *m* estable. ~ 세 poder *m* estable, poder *m* durable. ~ 세력 = 안정세. ~의(儀) estabilizador *m.* ~ 인구 población *f* estable. ~ 임금제 sistema *m* salarial estable. ~ 자금 fondo *m* de estabilización. ~ 정권 gobierno *m* estable. ~ 장치 estabilizador *m.* ~정책 política *f* de estabilización. ~ 주주 accionista *mf* estable. ~ 지대(地帶) zona *f* de estabilidad. ~책(策) medida *f* de estabilización. ~ 통화 moneda *f* sólida. ~화(化) estabilización *f.* ~ 화폐 moneda *f* sólida.

안정(安靜) quietud *f*, sosiego *m*, tranquilidad *f*, reposo *m*, descanso *m.* ~하다 descansar [reposar] tranquilamente, guardar reposo completo; ((성경)) ser quieto y reposado, ser tranquilo y seguro. ~하게 quietamente, tranquilamente, sosegadamente, en quietud. ~시키다 sosegar, tranquilizar, reposar. ~을 유지하다 mantener quietud, tener quietud, tenderse tranquilo, echarse tranquilo, reposar en quietud, tomar un buen reposo.
◆절대(絶對) ~ reposo *m* absoluto, descanso *m* absoluto.
■ ~ 요법 tratamiento *m* de reposo, cura *f* de reposo.

안정(眼睛) =눈동자.

안존(安存) ① [성질이 안온하고 얌전함] docilidad *f*, benevolencia *f.* ~하다 (ser) dócil, benévolo. ② [편히 있음] paz *f*, tranquilidad *f.* ~하다 (ser) pacífico, tranquilo.

안좌(安坐) ① [편히 앉음] el sentarse en paz. ~하다 sentarse en paz. ② ((불교)) [부처를 법당에 봉안함] consagración *f* de Buda al santuario. ~하다 consagrar Buda al santuario. ③ ((불교)) [부처 앞에 무릎을 꿇고 앉음] el sentarse de rodillas delante de Buda. ~하다 sentarse de rodillas delante de Buda.

안주(安住) ① [자리잡고 편히 삶] vida *f* tranquila, vivienda *f* tranquila. ~하다 vivir tranquilo. ~할 땅을 구하다 buscar un retiro [un asilo], buscar donde vivir tranquilo, buscar una vivienda permanente. 만년(晩年)을 위해 ~할 곳을 찾다 buscar un retiro [un asilo] para su vejez. ② [현재의 상태에 만족하여 그 이상을 바라지 않음] contento *m*, contentamiento *m*, satisfacción *f.* ~하다 estar contento (con · de), estar satisfactorio. 현재의 지위(地位)에 ~하다 estar contento [satisfactorio] con [de] *su* puesto actual.

안주(按酒) *anchu*, acompañamiento *m*, callos *mpl*, guarnición *f*, tapa *f*, bocadillo *m*, tapa *f* [vituallas *fpl* · *Méj* botana *f*] servida con la bebida.

■ ～감 material *m* para el acompañamiento. ～상(床) mesa *f* del acompañamiento con la bebida.

안주머니 bolsillo *m* interno.

안주인(－主人) el ama *f* (*pl* las amas) de casa, señora ama *f*, señora *f* de la casa, señora *f* de la familia.

안주장(－主張) ＝내주장(內主張).

안중(眼中) ① [눈 속] dentro del ojo. ② [눈에 비치는 바] atención *f*, consideración *f*. ～에 두지 않다 no prestar atención, no pensar nada.

◆안중에 없다 no haber caso (de), no tomar en consideración [en cuenta]. 이해는 그의 ～ El interés no le merece atención / El no toma el interés en consideración / El interés es lo que menos le preocupa. 그는 전혀 내 ～ No hago ningún caso de él / No le hago caso en absoluto.

안중문(－中門) puerta *f* central.

안지름 diámetro *m* interno.

안질(眼疾) enfermedades *fpl* de los ojos, mal *m* de ojos; [안염(眼炎)] oftalmía *f*. 그는 ～을 앓고 있다 El está aquejado de las enfermedades de los ojos.

안집 ① [안채] edificio *m* interior, edificio *m* principal (de la casa). ② [한 집에서 여러 가구가 살 때의 주인댁] casa *f* de *su* amo del condominio. ③ [하인들이 자기네 주인 집을 이르는 말] casa *f* de mi amo.

안짝 ① [표준 거리나 수에 미치지 못한 범위] dentro de, menos de, no más (que). 만 원 ～ menos de diez mil wones. 일주일 ～에 dentro de una semana. 역에서 100미터 ～에 dentro de cien metros de la estación (de ferrocarril). ② 【문학】 primera línea *f*.

안짱다리 patizambo, -ba *mf*; zambo, -ba *mf*. ～의 patizambo, zambo. ～ 걸음을 걷다 andar patituerto, andar con los pies hacia adentro.

안쪽 interior *m*, parte *f* interior. ～의 interior, interno. ～ 벽 pared *f* interior. …의 ～에 en el interior de *algo*, dentro de *algo*. 통의 ～을 씻다 lavar el interior del tonel. 문을 ～에서 잠그다 cerrar la puerta con la llave desde [por] dentro. 문이 ～으로 열린다 Se abre la puerta hacia dentro.

안쫑잡다 ① [마음속에 두다] poner en *su* corazón. ② [겉가량으로 헤아리다] considerar, deliberar.

안찝 ① [옷 안에 받치는 감] forro *m*, guarnición *f*. ～을 대다 forrar. ～을 대지 않은 sin forro. ～을 대지 않은 웃옷 chaqueta *f* sin forro. 옷에 비단 ～을 대다 forrar de seda un vestido. ② [소·돼지의 내장] intestinos *mpl* de la vaca o del cerdo. ③ [송장을 넣는 널] ataúd *m* para el cadáver.

안차다 (ser) valiente, bravo, audaz, intrépido.

◆안차고 다라지다 no tener miedo a nada. 그는 안차고 다라졌다 No le tiene miedo a nada a él.

안착(安着) llegada *f* sin novedad, feliz llegada *f*. ～하다 llegar sin novedad, llegar sano y salvo, llegar sin accidente alguno; [물건이] llegar con buena condición. 그가 목적지에 ～했다는 말을 들었다 Yo oí que él llegó sin novedad a su destino.

안찰(按擦) ((기독교)) masaje *m*, amasamiento *m*, toque *m*, palmadita *f*, golpecita *f*. ～하다 masajear, tocar; ((성경)) poner.

■ ～ 기도 oración *f* de poner las manos.

안창 suela *f* interior, plantilla *f*. 구두에 ～을 깔다 poner suelas a los zapatos.

안채 edificio *m* principal, edificio *m* interior.

안채(眼彩) ＝안광(眼光).

안총(眼聰) ＝시력(視力).

안추르다 ① [고통을 꾹 참고 억누르다] oprimir la pena. ② [분노를 눌러서 가라앉히다] calmar la ira.

안출(案出) invención *f*, idea *f*, plan *m*. ～하다 inventar, trazar, proyectar, idear.

안치(安置) puesta *f*, instalación *f*, colocación *f*. ～하다 instalar, colocar, depositar, poner con ceremonia, guardar como reliquia. 시체를 ～하다 colocar [depositar] un cadáver. 사원(寺院)에 상(像)을 ～하다 instalar [colocar] una estatua en el templo.

■ ～소(所) lugar *m* de depositar. ¶시체 ～ lugar *m* de depositar el cadáver.

안치다[1] ① [어려운 일이 앞에 와 밀리다] (ser) inminente. ② [앞으로 와 부딪듯이 안기다] amenazar.

안치다[2] [찌거나 끓일 물건을 솥에 넣다] preparar para cocer, estar listo para cocinar. 밥을 ～ preparar el arroz para cocer.

안치수(－數) medida *f* interior.

안타(安打) bateo *m* [golpe *m*] seguro. ～하다 dar un bateo [un golpe] seguro.

안타까워하다 estar [ponerse] nervioso, ser impaciente. 그녀는 무척 안타까워한다 Ella se pone nerviosísima. 너는 안타까워할 것이 없다 No tienes por qué ponerte nervioso.

안타까이 nerviosamente, impacientemente, con impaciencia, angustiadamente, afligidamente, lamentablemente.

안타깝다 (ser) lamentable; [애처롭다] sentir angustia, sentir aflicción, tener el corazón martirizado. 안타깝게 lamentablemente, angustiadamente, afligidamente. 안타까운 이별(離別) despedida *f* afligida [angustiada]. …하는 것이 ～ Es lamentable que + *subj*. 안타깝게도 매우 적은 사람이 참가했다 Lamentablemente asistió muy poca gente.

안타깝이 persona *f* impaciente, persona *f* nerviosa. 그는 진짜 ～다 El es todo diligencia.

안타깨비 seda *f* basta tejida con hilos rotos.

안타다 montar a caballo delante (de una persona).

안태우다 hacer montar a caballo delante (de una persona).

안태하다(安泰－) estar en paz, estar en seguridad. 집안은 ~ La familia está en paz [en seguridad].

안택(安宅) rito *m* de chamán para apaciguar el dios de la casa. ¶~하다 celebrar el rito para el dios de la casa.

■ ~경(經) ensalmo *m* que lee para apaciguar el dios de la casa. ~굿 rito *m* de chamán para el dios de la casa.

안테나(영 *antenna*) antena *f*, aerial *m*. ~를 세우다 instalar [levantar] la antena. ~를 치다 extender una antena.

◆공용(共用) ~ antena *f* colectiva. 레이더 ~ antena *f* de radar. 루프 ~ antena *f* de cuadro. 송신(送信) ~ antena *f* emisora. 수신(受信) ~ antena *f* receptora. 실내(室內) ~ antena *f* interior. 실내 소형 ~ [토끼 귀 모양의] antena *f* de conejo. 중계(中繼) ~ antena *f* repetidora. 지향성(指向性) ~ antena *f* direccional. 텔레비전 ~ antena *f* de televisión. 파라볼라 ~ antena *f* parabólica.

■~ 개폐기 =안테나 스위치. ~ 검파기 detector *m* de antena; [비행기의] alarma *f* antirradar. ~ 렌즈 lente *m* de antena. ~ 선(線) línea *f* de antena. ~ 스위치 conmutador *m* de antena. ~ 전류 corriente *f* de antena.

안틀다 estar dentro de un precio [una cantidad], ser menos de.

안티피린(영 *antipyrine*)【약】antipirina *f*.

안팎 ① [안과 밖] el interior y el exterior. ~으로 por dentro y por fuera, *AmL* por adentro y por afuera. ② [내외(內外)] más o menos, casi, unos, alrededor de. 일주일 ~ alrededor de una semana, unos ocho días, casi una semana. 100만 원 ~ (como) cosa de un millón de wones. 그녀는 서른 살 ~이다 Ella tiene alrededor de treinta años / Ella frisa en los treinta años. ③ [표리(表裏)] dos lados, ambos lados *mpl*, dobles juegos *mpl*. ~이 있는 maniobrero. ~이 있는 사람 hipócrita *mf*. 그는 ~이 있는 사나이다 El siempre (se) anda con dobles juegos. ④ [부부(夫婦)] marido *m* y mujer, esposos *mpl*. ~이 함께 오다 venir juntos los esposos.

■~곱사등이 persona *f* jorobada con el pecho prominente. ~노자 billete *m* [pasaje *m*] de ida y vuelta. ~벽(壁) paredes *fpl* interiores y exteriores. ~살림 quehaceres *mpl* domésticos y los de fuera de la casa. ~식구 familia *f* de los hombres y la de las mujeres. ~심부름 recado *m* dentro y fuera. ~일 tareas *fpl* dentro y fuera de la casa, trabajos *mpl* domésticos y exteriores de la casa. ~중매(仲媒) mediación *f* del matrimonio por los esposos. ~채 edificios *mpl* interiores y exteriores.

안편지(-便紙) carta *f* entre las mujeres.

안표(眼標) señal *f*, marca *f*, marca *f* en la oreja. ~하다 marcar en la oreja.

안피지(雁皮紙) papel *m* de arroz.

안하(眼下) debajo de los ojos, ante los ojos. ~에 내려다보다 mirar desde lo alto, despreciar, menospreciar. ~에 굽어보다 dominar *un sitio* con la vista. 바다를 ~로 굽어보는 언덕 colina *f* que domina el mar. 바다가 ~에 펼쳐진다 El mar se extiende bajo los ojos.

■~무인(無人) el despreciar a una persona y el ser arrogante. ¶~이다 ser audaz [osado · atrevido · descarado · impudente · arrogante · orgulloso].

안한(安閑) (paz *f* y) ociosidad *f*. ~하다 (ser) (pacífico y) ocioso. ~하게 ociosamente, vanamente, con los brazos cruzados. ~하게 지내다 vivir en la ociosidad, vivir en la indolencia, pasarse los días sin hacer nada, llevar una vida desahodada. ~하고 있을 수 없다 No puede estar en la ociosidad.

안항(雁行) su hermano.

안해 [전년(前年)] año *m* anterior.

안행(雁行) =안항(雁行).

안형제(-兄弟) hermanas *fpl*.

안호주머니 bolsillo *m* interior.

앉다 ① [엉덩이를 바닥에 붙이고 몸을 편하게 세우다] sentarse, tomar asiento; [가부좌(跏趺坐)하고] sentarse sobre *sus* piernas [en cuclillas]. 앉아 있다 estar sentado. 땅바닥에 ~ sentarse en el suelo. 의자에~ sentarse en una silla. 똑바로 ~ sentarse derecho. 저녁 먹으려고 ~ sentarse a cenar. 식탁 앞에 ~ sentarse a la mesa. 피아노 앞에 ~ sentarse al [ante el] piano. 앉아서 졸다 dormitar, descabezar un sueño, echarse un sueño, echar una cabezada, dar una cabezada. 앉아라 Siéntate / Toma asiento. 앉지 마라 No te sientes / No tomes asiento. 앉으십시오 [usted에게] Siéntese / Tome asiento // [tú에게] Siéntate / Toma asiento // [ustedes에게] Siéntense / Tomen asiento // [vosotros에게] Sentaos / Tomad asiento. 앉지 마세요 [usted에게] No se siente / [tú에게] No te sientes / [ustedes에게] No se sienten / [vosotros에게] No os sentéis. 앉읍시다 Sentémonos / Vamos a sentarnos / Tomemos asiento. 앉지 맙시다 No nos sentemos. 제발 앉으세요 Siéntese, por favor / Tome asiento, por favor. 여기 앉으세요 [usted에게] Siéntese aquí, por favor / [tú에게] Siéntate aquí. 우리들은 식탁에 앉는다 Nos sentamos a la mesa. 벤치에 앉자 Sentémonos en el banco. 그는 그 안락의자 [의자]에 앉았다 El se sentó en ese sillón [en esa silla]. 와서 내 옆에 앉아라 Ven y siéntate a mi lado [junto a mí]. 들어와서 앉아라 Pasa y siéntate. 앉을 곳이 없었다 No había donde sentarse.

② [새나 곤충 등이 발을 디디고 서거나 붙다] posarse, ponerse en percha. 새가 나뭇가지에 앉는다 Un pájaro se posa en la rama del árbol. 비행기가 비행장에 앉는다 El avión aterriza en el aeropuerto. 참새가 나무[전선(電線)]에 앉아 있다 Un gorrión

se posa en el árbol [en el cable de la electricidad].
③ [건물이 자리를 잡다] estar situado (en). 집이 들어 앉았다 La casa está situada.
④ [위치·장소·지위 등을 차지하다] tomar posición. 좋은 자리에 ~ ocupar una buena posición. 왕위(王位)에 ~ subir [ascender] al trono.
⑤ [가루·먼지들이 처지거나 붙다] congregarse, reunirse, juntarse, agruparse. 책상에 먼지가 앉았다 El polvo se reunió en la mesa.
앉으나 서나 siempre. ~ 당신 생각(을 한다) Yo siempre te pienso.
앉은걸음 andamiento *m* de rodillas. ~으로 다가들다 acercarse [aproximarse] de rodillas.
앉은검정 【한방】 hollín *m* en el fondo de la tetera.
앉은뱅이 baldado, -da *mf*; tullido, -da *mf*; lisiado, -da *mf*.
앉은뱅이걸음 andamiento *m* de rodillas. ~을 걷다 andar de rodillas.
앉은뱅이저울 báscula *f*.
앉은일 trabajo *m* sedentario, ocupación *f* sedentaria.
앉은자리 *su* asiento. ~의 inmediato, instantáneo, improvisado, espontáneo, rápido, pronto. ~에서 en seguida, enseguida, inmediatamente, en el acto, en el mismo momento. ~에서 거절하다 rehusar [declinar] en el mismo momento. ~에서 연설하다 pronuciar [dar] un discurso brusco. ~에서 맥주 열 병을 마시다 terminar [acabar] diez botellas de cerveza en el mismo momento.
앉은장사 comercio *m* sedentario.
앉은 차례 orden *m* de asientos.
앉은키 talla *f* sentada, altura *f* sentada, estatura *f* sentada. ~가 높다 ser alto de cuerpo. ~가 낮다 ser pequeño de cuerpo. 그는 ~가 1미터다 Sentado mide un metro.
앉을깨 asiento *m* de telar.
앉을자리 lugar *m* [sitio *m*] para sentarse.

앉음새 *su* postura sentada. ~가 좋다 hacer asiento, estar estable, estar firme. ~를 좋게 하다 dar asiento (a). ~를 바르게 하다 sentarse derecho, ponerse derecho en la silla. 이 대(臺)는 ~가 나쁘다 Este banco no hace asiento [no está firme]. 이 의자는 ~가 좋다 Esta silla es cómoda (para sentarse).

앉음앉음 =앉음새.

앉히다 ① [앉게 하다] sentar, hacer sentarse. ② [올려 놓다. 걸쳐 놓다] poner. 화덕에 솥을 ~ poner la olla en la cocina [*Col, Méj* estufa *f*]. ③ [어떤 자리에 취임시키다] nombrar, designar, elevar. 장관에 ~ nombrar ministro. 우리는 그를 회장에 앉혔다 Le nombramos presidente. ④ [버릇을 가르치다] disciplinar, enseñar. ⑤ [문서에 어떤 사항을 따로 잡아 기록하다] escribir [relatar] como un artículo.

않다 ① [(무엇을) 아니하다] no hacer. 말을 않고 그냥 앉아 있다 estar sentado silenciosamente. 나는 그런 짓은 하지 않는다 Yo no hago tal cosa. ② ((준말)) =아니하다. ¶마시지 ~ no beber. 먹지 ~ no comer. 아름답지 ~ no ser hermoso. 그는 정직하지 ~ El no es honrado [honesto].

않을 수 없다 obligar a + *inf*, no poder menos de + *inf*. 나는 그를 존경하지 ~ Yo no puedo menos de respetarle a él.

알 ①【생물】[새·물고기·벌레 등의 암컷의 생식 세포] huevo *m*; [물고기·조개류의] hueva *f*, freza *f*. ~을 깨뜨리다 romper [partir] un huevo. ~을 품다 empollar, calentar los huevos. ~을 부화하다 incubar, empollar. ~을 낳다 poner huevo. (새가) ~을 까다 calentar [empollar·incubar] los huevos. ② [열매 등의 낱개] fruto *m* seco (nuez, almendra, avellana, etc.), grano *m*, cereal *m*, baya *f*. ~이 들다 madurar. ③ [작고 둥근 물건의 낱개] bola *f*, cuenta *f*, abalorio *m*, bulbo *m*, *Chi* papa *f*. 콩~만 하다 ser pequeñísimo. ④ ((준말)) =낟알. ⑤ [달걀] huevo *m*. ⑥ [배추·양배추 등의 고갱이를 싸고 여러 겹으로 뭉친 덩이] cabeza *f*, bulbo *m*. 상추~ lechuga *f*.

알- desnudo, pelado; [옷감의] a [de] rayas, rayado, listado. ~밤 castaña *f* pelada. ~몸 cuerpo *m* desnudo.

알개미 hormiguita *f*, hormiga *f* pequeñísima.

알갱이[1] ① [열매 등속의 낱개·낟알] grano *m*, almendra *f*, baya *f*, [작은] gránula *f*. ② =미립자(微粒子).

알갱이[2] [장롱의 쇠목과 동자목 사이에 낀 널빤지] tabla *f*, tablón *m* (*pl* tablones).

알거지 persona *f* tan pobre como un ratón de sacristía, persona *f* que no tiene nada.

알건달(一乾達) libertino *m* verdadero.

알겨내다 estafar, timar, quitar. A에게서 무엇을 ~ quitarle *algo* a A

알겨먹다 estafar, timar, quitar. 그들은 그녀에게서 저금한 돈을 알겨먹었다 Ellos la estafaron [le quitaron] sus ahorros.

알겯다 cloquear para un gallo.

알고기씨 gallina *f* para la cría.

알고명 guarnición *f* de la yema y la clara del huevo, frita en la sartén y cortada.

알곡(一穀) ① [쭉정이나 잡것이 섞이지 않은 곡식] cereal *m*, grano *m* puro. ② [깍지를 벗긴 콩이나 팥 등속] grano *m* descascarado; [콩] soja *f* descascarada; [팥] haba *f* descascarada; [강낭콩] alubia *f* descascarada, frijol *m*] descascarado.

알곡식(一穀食) =알곡❶.

알과녁 diana *f*. ~을 맞추다 dar en el blanco, hacer diana.

알관(一管) 【해부】 =나팔관.

알구지 entrepiernas *fpl* de la vara de sostener.

알궁둥이 nalgas *fpl* desnudas.

알권리(一權利) derecho *m* de saber.

알근알근하다 ser algo picante y dulce.

알근하다 ① [술이 취하여 정신이 조금 몽롱

하다] estar borracho y irse borrando. 술이 알근하게 취하다 estar vagamente borracho. ② [맛이 매워서 입안이 조금 알알하다] ser algo picante.
알근히 vagamente; algo picantemente.

알금뱅이 persona *f* picada de viruelas.

알금삼삼 =알금솜솜.

알금솜솜 (marcas *fpl* de) viruelas *fpl* pequeñas y poco profundas.

알금알금 (marcas *fpl* de) viruelas *fpl* pequeñas y poco profundas.

알기살기 confusamente, complicadamente.

알긴산(-酸) ácido *m* algínico.

알까기 =부화(孵化).

알깍쟁이 ① [성질이 다부지고 모진 아이] niño, -ña *mf* firme [tenaz]. ② [아이 깍쟁이] tacaño, -ña *mf* desde la niñez.

알껍질 cáscara *f* de huevo.

알꼴 [달걀꼴] forma *f* oval. ~의 oval, ovalado, ovoide, en forma de huevo.

알다 ① [감각(感覺)하여 인식(認識)하거나 인정하다] saber, enterarse, tener conocimiento, informarse (de); [경험적으로] conocer. 많이 ~ saber mucho, saber cuántas son cinco. 아시다시피 como sabe usted. 내가 아는 한·아는 바로는 que sepa yo, según mi saber y entender, por lo que yo sé. 알기 쉽게 말하면 en términos claros. 그것에 대해서 아무것도 알지 못하고 sin saber nada de ello, sin darse cuenta de todo ello. 위험을 알지 못하고 sin darse cuenta del peligro. 사정을 잘 알면서 (일부러) a sabiendas de las circunstancias. 내가 알고 있는 서반아 사람 español, -la *mf* que yo conozco. 들어서 알고 있다 conocer *algo* de oído(s). …할 줄 ~ saber + *inf.* …에 대해서 아무것도 알지 못하다 no saber nada de *algo*, no tener ni idea de *algo*. 생활의 기쁨을 ~ conocer la alegría de vivir. 알고 싶어하다 querer saber [conocer] *algo*, tener curiosidad por [la curiosidad de] saber *algo*. 예의를 알고 있다 saber conducirse bien, ser bien educado. 아는 체하고 말하다 hablar con aire de suficiencia [de científico], hablar como quién lo entiende todo, decir cosas impertinentes. 알면서 일부러 틀리다 equivocarse a sabiendas. 유도(儒道)에 대해 약간 ~ tener algún conocimiento de judo, poseer ciertos fundamentos en judo. 다도(茶道)를 알고 있다 conocer bien el arte de la ceremonia de té. 수영할 [요리할·타자할] 줄 아니? ¿Sabes nadar [cocinar·escribir a máquina]? 나는 그녀의 이름을 알고 있다 Yo sé cómo se llama ella / Yo sé su nombre (de ella). 나는 그의 이름[얼굴]은 알고 있다 Le conozco de nombre [de vista]. 나는 그가 외국에 갔다는 것을 알고 있다 Yo sé que él se ha marchado al extranjero. 그가 정직하다는 것을 나는 알고 있다 Sé que él es un hombre honrado. 그것은 모두가 알게 되었다 Eso ha pasado a conocimiento de todo el mundo. 그것을 아는 사람은 안다 Sólo el que lo conoce, sabe apreciarlo. 나는 그 문제에 대해 충분히 알고 있다 Estoy completamente enterado [muy al tanto] de eso / Soy muy consciente de eso. 좋은 의사를 알고 계시지 않습니까? ¿(No) Conoce usted a un buen médico? 그녀는 벌써 글을 읽고 쓸 줄 안다 Ella ya sabe leer y escribir. 진상(眞相)을 우리는 알지 못한다 No sabemos la verdad. 김 양을 알고 있다 [만나지는 않았으나 말을 들어서] Yo sé a la señorita Kim. 나는 그에 대해서 아무 것도 알지 못하고 있다 Yo no le conozco de nada. 우리는 범인을 알았다 Hemos descubierto al autor del crimen. 나는 그의 이름을 알지 못한다 Yo no sé cómo se llama. 나는 그가 몇 살인지 알지 못한다 Yo no sé cuántos años tiene él. 너는 노랫말을 아느냐? ¿Sabes la letra de la canción? 너는 그것에 대해 무엇을 아느냐? ¿Tú qué sabes de eso? 나는 그 뉴스를 라디오로 알았다 Esa noticia la supe por la radio. 그는 영리해서 그것을 안다 El es listo y lo sabe. 내 아내는 그것을 알고 있다 Mi mujer lo sabe. 많이 안다는 것은 의심을 많이 한다는 것을 뜻한다 El mucho saber implica mucho dudar. 소크라테스는 아무것도 모른다는 것만 알고 있을 뿐이라고 이미 말했었다 Ya decía Socrats que sólo sabía que no sabía nada. 그의 열매로 그들을 알리라 ((마태 복음 7:20)) Por sus frutos los conoceréis / Ustedes los reconocerán por sus acciones. 아는 것은 장소를 차지하지 않는다 ((서반아 속담)) El saber no ocupa lugar. 친구를 보면 그 사람의 사람됨을 알 수 있다 ((서반아 속담)) Dime con quién andas y te diré quién eres. 아무것도 알지 못하는 자는 아무것도 의심하지 않는다 ((서반아 속담)) Quien de nada sabe, de nada duda (많이 아는 자가 의심을 많이 한다).
② [모르는 것을 깨닫다] reconocer, conocer; [양해하다] enterarse (de). 알고 있다 estar enterado. 소송의 사실을 ~ enterarse en el pleito. 그것에 대해서는 …로 안다 De eso se entiende de [se deduca] que + *ind.* 그녀의 남편은 그것을 알고 있다 Su marido está enterado. 나는 그 사건을 알고 있다 Estoy enterado del asunto. 걸음걸이로 그를 알았다 Le reconocí [conocí] por sus andares. 징후(徵候)로 병이란 것을 안다 Se conocen las enfermedades por sus síntomas. 그는 그 음모를 알았다 El se enteró de la intriga. 나는 편지의 내용을 알았다 Me enteré de la carta. 네가 그런 일을 해 보면 알게 될 것이다 Si haces tal cosa, te vas a enterar (de lo que es bueno). 정부의 고위 공무원의 어느 누구도 은행에서 일어난 일을 알지 못했다는 것은 믿을 수 없다 Es increíble que ninguno de los altos funcionarios del Gobierno estuviera enterado de lo que ocurría en el banco. 나는 목소리로 너라는 것을 알았다 Te conocí por la voz. 알았습니다 Entendido / Con

mucho gusto. 이 옷을 샀으면 싶습니다 − 알았습니다 Quiero comprar este traje − Muy bien, señor. 알았다 ¡De acuerdo! / ¡Conforme! / ¡Vale! / ¡Está bien!
③ [어떤 사람이나 사물을 대하여 인식 또는 경험한 기억을 가지다] experimentar, tener experiencia (de), conocer. 여자를 ~ conocer una mujer.
④ [서로 낯이 익다·사귀다] conocer. 저 분을 아십니까? ¿Conoce usted a ese señor? 나는 김 양을 알고 있다 Yo conozco a la señorita Kim. 나는 그를 잘 알고 있다 Yo le conozco muy bien.
⑤ [생각하여 판단하고 분별하다] considerar, juzgar. 자신(自身)을 ~ conocerse. 너 자신을 알라 Conócete a ti mismo.
⑥ [관계·관여하다] participar (en), tomar parte (en). 네가 알 바 아니다 Tú no tienes nada que ver con eso / Eso no te atañe. 그가 실패하건 말건 내 알 바 아니다 Que él fracase o no, (eso) me es completamente indiferente [(eso) me tiene sin cuidado].
⑦ [짐작하여 이해하다] comprender, entener. 모든 것을 잘 알았습니다 Conprendido en todos los detalles. 이제 알았다 Ya comprendo / Ya entiendo / ¡Ya caigo!
▪아는 것이 힘이다 ((속담)) Saber es poder. 아는 길도 물어 가라 ((속담)) Quien pregunta no yerra / Quien lengua ha, a Roma va / Por un clavo se pierde una herradura / Sé prudente a la culpa / Sé demasiado cauto [cauteloso]

알데히드(영 *aldehyde*)【화학】aldehido *m*.

알돌 piedra *f* redonda, adoquín *m*.

알둥지 nido *m* de poner huevos.

알땅 ① [비바람을 막을 준비가 없는 땅] tierra *f* sin la preparación contra el temporal de lluvias. ② [초목이 없는 헐벗은 땅] tierra *f* sin árboles.

알뚝배기 tazón *m* pequeño de barro.

알뜰살뜰 ¶~하다 (ser) muy frugal. ~한 여인(女人) mujer *f* muy de casa, esposa *f* abnegada.

알뜰하다 (ser) prudente, económico, frugal. 알뜰한 살림 vida *f* frugal. 알뜰한 살림꾼 el ama *f* (*pl* las amas) de llaves prudente. 알뜰하게 공부하다 estudiar con entusiasmo, dedicarse a estudiar.
알뜰히 prudentemente, económicamente, frugalmente. ~ 돈을 모으다 ahorrar dinero frugalmente.

알라(영 *Allah*) [회교의 신] Alá *m*.

알락해오라기【조류】avetoro *m* común.

알랑거리다 halagar, adular, lisonjear, alabar, roncear, incensar, camelar, enjabonar, jonjabar, dar coba, dar*le* jabón (a), hacer*le* la pelotilla (a), hacer coro; *Méj* hacer*le* la barba; *Chi* hacer*le* la pata (a); [여자가] coquetear, hacer coqueterías. 알랑거리는 adulador, lisonjero. 무척 ~ mostrarse [ser] muy lisonjero. 무턱대고 ~ lisonjear a diestra y siniestra. 그는 무척 알랑거린다 El es muy lisonjero. 이건 알랑거리는 말이 아니다 No le digo esto por cumplimiento. 그는 부장에게 알랑거린다 El prodiga adulaciones a su jefe.

알랑쇠 adulador, -dora *mf*, adulón, -lona *mf*, lisonjero, -ra *mf*, zalamero, -ra *mf*, alabancero, -ra *mf*.

알랑수 engaño *m* halagador.

알랑알랑 astutamente, con astucia, con adulación, con lisonja, como una lisonja, por cumplimiento, por cumplir, por adulación, como adulación. ~ 여자를 꾀다 seducir una mujer con adulación.

알량하다 ① [시시하고 보잘것없다] no tener ningún valor, no valer nada. 알량한 [물건이] sin ningún valor, sin valor; [사람이] despreciable. ② [품성과 인격이 천하다] (ser) humilde, vil, bajo, vulgar.

알레고리(이 *allegory*)【음악】alegoría *f*.

알레그레토(이 *allegretto*)【음악】allegretto.

알레그로(이 *allegro*)【음악】allegro.

알레르기(독 *Allergie*) alergia *f*. ~의 alérgico. 식량 ~ alergia *f* alimenticia.
▪~성 질환 enfermedad *f* alérgica. ~성 천식(性喘息) asma *f* alérgica. ~성 피부증 dermalergosis *f*.

알렉산더석(-石)【광물】alejandrita *f*.

알렐루야(라 *alleluia*) ((기독교)) =할렐루야.

알려지다 ((준말)) =알리어지다. ¶경찰에게 알려지지 않도록 de manera que la policía no sospeche nada. 그것은 잘 알려진 사실이다 Es un hecho evidente. 그녀는 명배우로 알려져 있다 Ella es conocida como actriz célebre. 어떻게 그것이 그에게 알려졌을까? ¿Cómo lo habrá podido saber él? 알려진 대로다 ㉮ [물론] Por supuesto / Claro (que sí) / Desde luego / Cómo no. ㉯ [대단한 것은 아니다] No es gran cosa. 사건은 전교(全校)에 널리 알려졌다 La noticia del acontecimiento se difundó [circuló] por toda la escuela.

알력(軋轢) ① [수레가 삐걱거림] crujido *m* del carro. ② [(집안이나 한 집단의 내부에서) 서로 사이가 벌어져 다투는 일] disputa *f*, lío *m*, embrollo *m*, complicación *f*, dificultades *fpl*. ~이 생기다 embrollarse, armar un lío, crearse dificultades. 저 가족은 늘 ~이 끊이지 않는다 No faltan [Siempre hay] líos [disputas] en esa familia.

알로까다 ((속어)) (ser) astuto, ladino, sagaz.

알로에(라 *aloe*)【식물】áloe *m*, palo *m* de áloe.

알로하(영 *aloha*) ((준말)) =알로하셔츠.

알로하셔츠(영 *aloha shirts*) aloha *f*, camisa *f* hawaiana.

알록달록 manchado, moteado; [대리석이] veteado, jaspeado. ~하게 하다 manchar. ~해지다 mancharse.

알록알록 con manchas.

알록점(-點) manchas *fpl*, mota *f*, lunar *m*, *Col*, *Ven* pepa *f*.

알록지다 mancharse.

알롱달롱 con manchas de varios colores.

알롱이 lo manchado.
알롱지다 mancharse.
알루마이트(영 *Alumite*) 【화학】 alumita *f.*
알루미나(영 *alumina*) 【화학】 alúmina *f.*
알루미늄(영 *aluminium*) 【화학】 aluminio *m.* ~을 함유한 aluminífero. ~으로 처리하다 aluminiar.
■~ 가루 aluminio *m* en polvo. ~박(箔) aluminio *m* batido, pan *m* de aluminio. ~새시 marco *m* [móvil *m*] de aluminio. ~제품 artículo *m* [producto *m*] de aluminio. ~ 합금 aleación *f* de aluminio.
알른거리다 refulgir, brillar, relumbrar, relucir, emitir destellos, centellear, destellar, relucir.
알른알른 centelleante, brillante, reluciente.
알리다 informar, comunicar, avisar, hacer saber, dar a conocer, enterar, dar parte; [예고하다] notificar anticipadamente; [공표하다] anunciar oficialmente, publicar oficialmente, hacer público. 경찰에 ~ denunciar a la policía. 진상(眞相)을 ~ hacer saber la verdad, hacer pública la verdad, revelar la verdad. 일반에게 ~ hacer público; [폭로하다] descubrir, revelar. 알리지 않고 두다 tener sin informar (de), mantener en secreto (para). 사건의 내용을 국민에게 ~ informar al público de [en · sobre] los incidentes. 협정 내용을 일반에게 ~ hacer público el contenido del acuerdo. 어머님이 돌아가셨다고 알려 왔다 Me dieron la noticia [el aviso] de que había muerto mi madre. 그는 건강하다고 편지로 알려 왔다 El me avisó por carta que estaba bien de salud. 주소를 알려 주십시오 Avíseme [Hágame saber] su dirección.
알리바이(라 *alibi*) [현장 부재 증명] coartada *f*, [변명. 구실] excusa *f*, pretexto *m.* ~가 있다 tener una coartada. ~를 입증하다 probar [comprobar] una coartada.
알리어지다 ① [알게 되다] ser conocido, conocerse, saberse, imaginarse. 일반에게 ~ revelarse, hacerse público. 사건이 일반에게 알리어졌다 Se ha hecho público el caso / Se ha revelado el caso. ☞알려지다. ② [유명하게 되다] hacerse famoso [célebre], llegar a ser famoso, ganar renombre, adquirir [ganar] fama [reputación].
알맞다 convenir (a), quedar bien (a), sentar bien (a), venir bien (a), ser adecuado (para), ser apto (para), ser conveniente (para). 알맞은 conveniente, conforme, razonable, adecuado, proporcionado, moderado, templado. 손에 쥐기에 (크기가) 알맞은 manejable, de tamaño apropiado [adecuado · conveniente]. 알맞은 값 precio *m* razonable. 살기에 알맞은 땅 tierra *f* adecuada para vivir. 크기가 알맞은 지팡이 bastón *m* (*pl* bastones) de tamaño apropiado. 카세트를 보관하기에 알맞은 방법 una manera muy práctica [cómoda] de guardar los cassettes. 하류층 사람들에게 알맞은 값 precio *m* moderado al alcance de la gente de clase baja. 정치 문제를 아는 데 알맞은 책 libro *m* adecuado para conocer el problema político. 그는 이 일에 ~ El es apto para este trabajo. 그 스포츠는 여성한테 ~ Ese deporte es adecuado para las mujeres. 이곳의 기후는 나에게 ~ El clima de aquí me viene [sienta] bien.
알맞게 convenientemente, de una manera conveniente, adecuadamente, proporcionadamente, razonablemente, moderadamente. ~오다 venir a tiempo. ~ 삶아지면 불을 끄세요 Cuando esté bien cocido, apáguese el fuego.
알맞추 =알맞게.
알맹이 ① [물건의 껍질을 벗기고 남은 속] [과실의] hueso *m*, cuesco *m*, *Col* pepa *f*, *CoS* carozo *m*; [과실 · 견과(堅果)의] almendra *f*, [옥수수 · 밀의] grano *m.* ② [사물의 중심 · 사물의 요점 · 핵심] subtancia *f*, contenido *m.* ~가 있는 substancial, sólido. ~가 없는 insustancial, endeble, poco sólido. ~가 있는 일 trabajo *m* sólido. ~가 없는 강의 clase *f* poco sólida. 그의 연설은 ~가 있다 Su discurso es instructivo. 이 책은 너무나 ~가 없다 Este libro es pobre en el contenido.
알몸 ① [벌거벗은 몸] cuerpo *m* desnudo, desnudez *f* completa, piel *f* (desnuda). ~으로 desnudándose completamente, en cueros vivos, tal como Dios lo trajo al mundo, al como uno vino al mundo, en traje de Adán/Eva. ~이 되다 desnudarse completamente, ponerse en cueros vivos. ~에 그대로 입다 ponerse [llevar] *algo* (directamente) sobre la piel. ~으로 있다 estar como Dios *le* trajo al mundo. ② [가진 재산이라고는 아무것도 없는 사람] persona *f* sin un céntimo. 나는 ~이다 Estoy sin un céntimo.
알바가지 calabaza *f* seca pequeña empleada como vasija.
알바늘 aguja *f* sin hilo.
알바니아 【지명】 Albania *f.* ~의 albanés.
■~어[말] albanés *m.* ~인[사람] albanés, -nesa *mf.*
알바트로스(영 *albatross*) ((골프)) golden eagle *ing.m.*
알반대기 =지단.
알밤 ① [익은 밤송이에서 까거나 떨어진 밤톨] castaña *f* (pelada). ② [주먹으로 머리를 한 대 치는 일] golpe *m* en la cabeza con el puño.
◆알밤(을) 먹이다 dar un golpe en la cabeza con el puño.
알방구리 jarra *f* pequeña (de agua).
알배기 ① [알이 들어 통통한 생선] pez *m* lleno de huevas. ② [겉보다 속이 야무진 상태] substancia *f.*
알버섯 =송로(松露).
알보지 vulva *f* sin pubis.
알부랑자(-浮浪者) golfo, -fa *mf* profesional.
알부민(독 *Albumin*) albumina *f.*
알부자(-富者) rico, -ca *mf* substancial.

알부피 tamaño *m* neto.
알뿌리 bulbo *m*.
알살 carne *f* del cuerpo desnudo.
알선(斡旋) buenos oficios *mpl*, cuidado *m*, atención *f*; [조정] mediación *f*; [추천] recomendación *f*. ～하다 interceder, arbitrar, ofrecer *sus* buenos oficios, prestar un servicio, mediar, recomendar para un puesto. A의 ～으로 por (la) mediación de A, por conducto de A, gracias a los buenos oficios de A. A와 B 사이를 ～하다 mediar entre A y B. 취직을 ～하다 ayudar a encontrar un empleo, ayudar a buscar empleo, trabajar para colocar, buscar empleo. 의사를 ～하다 recomendar [presentar] a un buen médico. 친구를 위하여 A씨에게 ～하다 interceder ante el Sr. A por el amigo.
■ ～자(者) mediador, -dora *mf*; medianero, -ra *mf*.
알선(－線) cables *mpl* pelados.
알섬 isleta *f* inhabitada.
알세포(－細胞) ＝난세포(卵細胞).
알속 ① [비밀히 알린 내용] substancia *f* secreta. ～하다 avisar el contenido secretamente. ② ＝핵심(核心). ③ [실속] contenido *m* actual.
알송편(－松－) huevo *m* frito doblado.
알슬다 desovar, poner las huevas. 알스는 곳 lugar *m* de desove.
알심 ① [은근히 동정하는 마음] simpatía *f* escondida. ② [보기보다 야무진 힘] poder *m* escondido, fuerza *f* escondida.
알싸하다 [맛이] (ser) pronunciado, fuerte; [소스가] sabroso, bien sazonado, picante, *Méj* picoso. 알싸한 고추 ají *m* picante, chile *m* picante. 알싸한 소스 salsa *f* sabrosa, salsa *f* bien sazonada, salsa *f* picante.
알쌈 rollito *m* (de) primavera.
알쏭달쏭 ① [무늬가] variopintamente, heterogéneamente. ～하다 (ser) variopinto, heterogéneo. ～한 무늬 figura *f* variopinta. ② [뜻이] vagamente, imprecisamente, ambiguamente. ～하다 (ser) vago, impreciso, ambiguo. ～한 물음 pregunta *f* ambigua.
알씬 adulando, lisonjeando.
알씬거리다 adular, lisonjear.
알씬알씬 adulando y adulando, lisonjeando y lisonjeando.
알아내다 ① [모르던 것을 새로 깨닫다] encontrar. 답을 ～ encontrar la solución. ② [찾거나 연구하여 내다] averiguar, aclarar, descubrir, comprobar. 비밀을 ～ descubrir el secreto. 범인을 ～descubrir al criminal. 신분을 ～ comprobar la identidad (de). 진상(眞相)을 ～ aclarar la realidad del asunto, descubrir la verdad. 사고 원인을 ～ averiguar la causa del accidente. 소문의 출처를 ～ localizar el origen del rumor. 그의 은닉처를 ～ descubrir *su* guarida, descubrir la casa donde se esconde.
알아듣다 entender, comprender, conocer, saber. 당신은 알아듣지 못하는군요 No sabe usted qué razonar / Usted no es muy lógico.
알아맞히다 acertar, adivinar. 내 나이를 알아맞춰 보아라 A ver, adivina [acierta] mi edad / ¿Cuántos años me echas?
알아방이다 poner en guardia, alertar.
알아보다 ① [조사하거나 탐지하여 보다] averiguar, examinar, investigar, indagar; [문의하다] inquirir, preguntar. 넌지시 ～ sondear, sondar. 그에게 넌지시 알아봅시다 Vamos a sondearle a él. ② [다시 볼 때에 잊지 않고 기억해 내다] reconocer, conocer. 걸음걸이로 너를 알아보았다 Te reconocí [conocí] por tus andares. 징후로 병(의 정체)을 알아본다 Se conocen las enfermedades por sus síntomas. 개가 주인을 알아보았다 El perro reconoció a su amo. ③ ＝인정하다.
알아주다 ① [남의 장점을 인정하다] admitir, reconocer. ② [남의 곤경을 이해하여 주다] entender. 슬픔을 ～ entender la tristeza.
알아차리다 ① [미리 정신을 모아 주의하거나 깨닫다] proveer (de), suministrar, proporcionar, preparar, tomar precauciones. ② ＝알아채다.
알아채다 adivinar, presentir, olfatear, percibir, sospechar, notar, advertir, observar, darse cuenta (de), enterarse (de). 왜 그것을 알아채지 못했을까? ¿Por qué no me hubiera dado cuenta de ello? 나는 그 점을 알아채지 못했다 No advertí [observé] ese punto / No puse atención en ese punto. 나는 그는 내 계획을 알아챈 것 같다 Parece que él sospecha de mi plan. 그들이 알아 채지 못하게 가만히 방에서 나갔다 Salí silenciosamente del cuarto sin que se enteraran [(lo) notaran] ellos. 나는 소년이 있다는 것을 알아채고 갑자기 브레이크를 밟았다 Apreté bruscamente el freno al advertir a [al darme cuenta de] un muchacho.
알아하다 hacer a criterio [a discreción]. 알아해라 Haz lo que quieras / Usa tu criterio / Haz lo que mejor te parezca.
알알 cada grano.
알알이 grano a grano, grano por grano. ～세다 contar uno a uno, contar uno por uno.
알알하다 ① [(맛이 맵거나 독하여) 혀끝이 몹시 아리다] picar, resquemar. 혀가 ～ Me pica la lengua / Me resquema la lengua. ② [(햇볕에 너무 쬐어서) 살갗이 좀 아프다] picar. 햇볕에 탄 등이 ～ Me pica la espalda tostada por el sol. ③ [(상처 같은 데가) 몹시 아리다] escocer. 알알하는 통증 escozor *m*, dolor *m* que escuece. 상처가 ～ Me escuece la herida.
알약(－藥) pastilla *f*, píldora *f*, tableta *f*.
알요강 orinal *m* pequeño para los niños.
알은체 intromisión *f*, injerencia *f*. ～하다 entrometerse (en), inmiscuirse (en), interferir (en). 내 일이 아니면 ～하고 싶지 않다 No quiero entrometerme en lo que no

es mi trabajo.
알음 ① [서로 아는 안면(顔面)] conocimiento *m*. ~이 있다 conocer, conocer de vista. ② [알고 있는 것] ㉮ [경험] experiencia *f*. ~이 많다 tener mucha experiencia. ㉯ [이해] entendimiento *m*, comprensión *f*. ㉰ [지식] sabiduría *f*, conocimiento *m*. ③ [신의 보호, 또는 신이 보호하여 준 보람] protección *f* divina.
알음알음 [아는 관계] relación *f* conocida; [친분] amistad *f*, intimidad *f*.
■ ~장 aviso *m* con guiño. ¶~하다 dar un guiño significante.
알자리 lugar *m* de poner huevos.
알장(—欌) el ropero más pequeño.
알전구(—電球) bombilla *f* eléctrica desnuda.
알젓 huevas *fpl* saladas, caviares *mpl* salados.
알제기다 aparecer la mancha blanca en la niña del ojo.
알제리 【지명】 Argelia *f*. ~의 argelino.
■ ~ 인[사람] argelino, -na *mf*.
알제이 【지명】 Argel *m* (알제리의 수도).
알조 lo que se puede saber.
알조판(—組版) 【인쇄】 [행간을 떼지 않은 조판] impresión *f* sólida (인쇄); composición *f* sólida.
알종아리 pantorilla *f* desnuda.
알주머니 ovisac *m*, bolsa *f* de huevas..
알줄 =나선(裸線).
알줄기 【식물】 bulbo *m*.
알집 【해부】 =난소(卵巢).
알짜 esencia *f*, nata *f*, quintaesencia *f*. ~를 고르다 llevarse a la flor y nata (de). 그들은 가장 젊은 음악가들 중에서 ~만 골랐다 Ellos se llevaron a la flor y nata del talento musical joven.
알짝지근하다 (ser) algo picante.
알짬 el más importante de los contenidos, material *m* esencial, esencia *f*, nata *f*.
알짱거리다 ① [알랑거리며 남을 속이다] engañar a los otros adulando. ② [하는 일 없이 자꾸 돌아다니다] vagabundear, errar, andar vagabundo, vagamundear.
알쫑거리다 soler festejar, tener contento.
알쫑알쫑 festejando. ~하다 festejar, tener contento.
알찌개 sopa *f* de mezcla con carne.
알찐거리다 soler hacer la pelota, soler dar coba.
알찐알찐 ¶~하다 hacer la pelota, dar coba.
알차다 ① [속이 꽉 차다] (estar) lleno, repleto, completo. 알차게 하다 enriquecer, completar, hacer *algo* más completo; [증강하다] reforzar; [증대하다] aumentar. 알찬 생활을 하다 llevar una vida llena [repleta·completa], vivir la plenitud de la vida. 알찬 하루를 보내다 pasar un día lleno [repleto]. ② [내용이 충실하다] (ser) sustancioso. 국력(國力)을 알차게 하다 perfeccionar [completar] el poder nacional, fortalezar la potencia de la nación.
알천 ① [재물 가운데 가장 값나가는 물건] núcleo *m* de su fortuna, el artículo más precioso de la fortuna. ② [음식 가운데 가장 맛있는 음식] la más sabrosa de las comidas.
알추녀 soporte *m* bajo el socarrén.
알치 moralla *f* con huevas.
알칼로이드(영 *alkaloid*) 【화학】 alcaloide *m*. ~(성)의 alcaloideo. ~를 함유한 alcaloifero.
■ ~ 음료 bebida *f* alcaloidea.
알칼리(영 *alkali*) 【화학】 álcali *m*.
■ ~ 결핍증 alcalipenia *f*. ~계 alcalímetro *m*. ~ 금속(金屬) metal *m* alcalino. ~도(度) alcalinidad *f*. ~ 비중계 alcalímetro *m*. ~ 식물 planta *f* alcalina. ~액 lejía *f*. ~ 요법 alcaliterapia *f*. ~ 적정법 alcalimetría *f*. ~ 정량(법) alcalimetría *f*. ~ 중독 alcalosis *f*. ~증 alcalosis *f*. ~ 토양 tierra *f* alcalina, álcali *m* térreo. ~ 혈증 alcalemia *f*.
알칼리성(alkali 性) 【화학】 alcalinidad *f*, alcalescencia *f*. ~의 alcalino, alcalescente, alcalificante. ~으로 하다 alcalificar. ~으로 만들다 alcalizar. 액체를 ~으로 만들다 alcalizar el líquido.
■ ~ 결핍 deficiencia *f* alcalina. ~ 단백 albúmina *f* alcalina. ~ 반응(反應) reacción *f* alcalina. ~ 식물 planta *f* alcalina. ~ 식품 alimentos *mpl* alcalinos. ~ 염료 tinte *m* alcalino. ~ 토양 tierra *f* alcalina, álcali *m* térreo. ~화 alcalización *f*.
알코올(영 *alcohol*) ① 【화학】 alcohol *m*. ~의 alcohólico, alcoholero. ~이 들어 있는 alcohólico. ~이 들어 있지 않은 음료 bebida *f* no alcohólica. ~에 담그다 conservar [poner] en alcohol. ~을 주입하다 [섞다] alcoholizar. 포도주에 ~을 섞다 alcoholizar un vino. ② [주정(酒精)] alcohol *m* (de vino). ③ [술의 대명사로 쓰이는 말] alcohol *m*, vino *m*, bebida *f* alcohólica, licor *m* alcohólico. ④ [소독용의 알코올] alcohol *m* desinfectante.
◆공업용 ~ alcohol *m* industrial. 메틸~ alcohol *m* metílico. 무수(無水) ~ alcohol *m* absoluto. 에틸~ alcohol *m* etílico. 연료용 ~ alcohol *m* para combustible, alcohol *m* de arder.
■ ~계 alcoholímetro *m*. ~ 공업 industria *f* alcoholera. ~ 공장 alcoholera *f*. ~ 농도(濃度) grado *m* alcohólico. ~램프 lámpara *f* de alcohol. ~ 발효 fermentación *f* alcohólica. ~버너 quemador *m* de alcohol. ~ 분해(分解) alcoholisis *f*. ~ 비중계 alcoholoscopio *m*. ~성 음료 bebida *f* alcohólica. ~ 소독 desinfección *f* alcohólica. ~ 온도계 termómetro *m*. ~음료 =알코올성 음료. ~제(劑) alcoholado *m*. ~ 중독(中毒) alcoholismo *m*. ¶~의 alcoholizado. ~이 되다 alcoholizarse. ~ 중독자 alcohólico, -ca *mf*. ~화 alcoholificación *f*.
알타이 【지명】 Altai. ~의 altaico.
■ ~계 인종 raza *f* altaica. ~ 말[어] altaico *m*. ~ 산맥 los Montes Altai. ~ 어족

familia *f* altaica.
알탄(一炭) briqueta *f* oval.
알탄(一彈) =탄알.
알토(이 *alto*)【음악】alto *m*.
■～ 가수(歌手) contratenor *m*, alto *m*, contalto *f*.
알토란 같다(一土卵一) ① [내용이 충실하다] (ser) fiel, honrado, honesto. ② [살림이 오붓하여 아무것도 그리운 것이 없다] (ser) bastante, suficiente, sustancial, confortable, cómodo.
알토란같이 fielmente, honradamente, honestamente; bastante, suficientemente, sustancialmente, confortablemente, cómodamente.
알통 bola *f*, músculo *m*. ～을 솟게 하다 sacar bola, sacar músculos.
알파(그 *A*, α; *alpha*) ① [그리스어의 첫째 자모] A *f*, α *f*. ② [처음. 첫째] alfa *f*, principio *m*, comienzo *m*. ③ [그 이상의 얼마쯤] algo. 플러스 ～ más algo.
■～선 rayos *mpl* alfa. ～ 입자 partícula *f* alfa.
알파벳(영 *alphabet*) alfabeto *m*, abecedario *m*.
■～순(順) orden *m* alfabético. ¶～의 alfabético. ～으로 alfabéticamente, por orden alfabético. ～의 배열 alfabetización *f*. ～으로 배열하다 alfabetizar, poner en [por] orden alfabético.
알파인 경기(Alpine 競技) =알파인 종목.
알파인 종목(Alpine 種目) pruebas *fpl* alpinas.
알파카(서 *alpaca*) ①【동물】alpaca *f*. ② [알파카의 털로 만든 실·옷감] alpaca *f*.
알팔(一八) uno y ocho en la baraja.
알프스(독 *Alps*)【지명】los Alpes.
■～ 산맥 los Alpes.
알피니스트(영 *alpinist*) alpinista *mf*, montañista *mf*.
알합(一盒) tazón *m* pequeño de madera.
알항아리 jarro *m*, jarra *f* pequeña, vasija *f* pequeña.
알현(謁見) audiencia *f* (real). ～하다 ser recibido en audiencia (por), tener una audiencia (con). ～을 허락하다 conceder [dar] audiencia. 국왕(國王)은 대사(大使)의 ～을 허락했다 El rey concedió [dio] audiencia al embajador / El rey recibió al embajador en audiencia.
■～실 sala *f* [cámara *f*] de audiencias.
앎 sabiduría *f*, conocimiento *m*, inteligencia *f*. ～이 있다 estar muy informado (sobre), estar muy al corriente (de), saber mucho, *Cos* estar muy interiorizado (de). ～은 힘이다 (El) Saber es poder.
앓다 ① [병에 걸리어 고통을 당하다] estar enfermo, estar mal, enfermarse; [병에 걸려 있다] padecer una enfermedad. 앓고 있다 guardar la cama, caer en la enfermedad grave. 이를 ～ doler*le* las muelas, tener dolor de muelas. 암을 ～ tener cáncer. 중이염을 ～ padecer de la otitis media. 그는 치통을 앓고 있다 El padece dolor de muelas / Le duelen las muelas. ② [마음에 근심이 있어 속태우다] preocuparse, inquietarse. 너무 앓지 마라 No te preocupes mucho. 앓을 필요가 없다 No hay por qué preocuparte.
-앓이 enfermedad *f*, dolor *m*. 가슴～ enfermedad *f* de pecho, dolor *m* de pecho. 배～ dolor *m* de estómago.
암 ((준말)) =아무려면. ¶～, 그렇고 말고 ¡Claro! / ¡Por supusto! / ¡Claro que sí! / ¡Desde luego!
암(庵) ((준말)) =암자(庵子).
암(癌) ①【의학】cáncer *m*, cancro *m*. ～의 canceroso. ～에 걸린 cancerado. ～을 유발하는 canceroso, cancerígeno. ～ 모양의 canceriforme, cancroideo. ～에 걸리다 cancerarse, tener (un) cáncer (de). ～으로 죽다 morir de cáncer. 그녀는 유방～에 걸렸다 Ella tiene un cáncer de mama. ② [고치기 힘든 나쁜 폐단] cáncer *m*. 정계(政界)의 ～ cáncer *m* de (la) vida política. 우리 사회의 ～ cáncer *m* de nuestra sociedad. 민주 사회의 ～ cáncer *m* de la sociedad democrática. 그것은 사회의 ～이다 Son un cáncer de la sociedad.
◆국제 ～ 퇴치 연합 Unión *f* Internacional contra Cáncer. 발～ 물질 carcinógeno *m*. 설(舌)～ cáncer *m* lengua. 식도(食道)～ cáncer *m* de esófago. 위(胃)～ cáncer *m* gástrico, cáncer *m* del estómago. 유방(乳房)～ cáncer *m* mamilar, cáncer *m* de mama. 자궁(子宮)～ cáncer *m* uterino. 직장(直腸)～ cáncer *m* de(l) recto. 폐(肺)～ cáncer *m* de(l) pulmón. 피부～ cancroide *m*.
■～공포증 cancerofobia *f*, carcinomatofobia *f*. ～성 종양 tumor *m* canceroso, tumor *m* cancroideo. ～세포 célula *f* cancerosa. ～연구소 laboratorio *m* de cánceres. ～의학 cancerología *f*. ～전문의 cancerólogo, -ga *mf*. ～절제술 carcinectomía *f*, carcinomectomía *f*. ～종 cáncer *m*, carcinoma *f*. ～증 carcinosis *f*. ～ 퇴치 운동 campaña *f* anticancerosa. ～학 carcinología *f*. ～학자 cancerólogo, -ga *mf*. ～환자 enfermo, -ma *mf* de cáncer.
암- ① [생물의 암컷] hembra, femenino. ～개미 hormiga *f* hembra, hembra *f* de hormiga. ～고양이 gata *f*. ～나비 mariposa *f* hembra. ～소 vaca *f*. ～캐 perra *f*. ～탉 gallina *f*. ～돼지 cerda *f*, puerca *f*. ～비둘기 paloma *f* hembra. ② [자성적·소극적 특성을 빌려, 비유적으로 쓰이는 말] hembra *adj*, *f*. ～나사 tuerca *f*, hembra *f* de tuerca, matriz *f*. ～단추 hembra *f* de botón. ～키와 hembra *f* de teja.
암-(暗/闇) negro, clandestino, de contrabando. ～거래 comercio *m* [trato *m*] de contrabando. ～시장 mercado *m* negro, *Cuba* bolsa *f* negra.
-암(岩/巖) roca *f*. 석회(石灰)～ caliza *f*. 수성(水成)～ roca *f* sentimentaria. 화강(花崗)～ granito *m*.

암각(岩角) pitón *m* [ángulo *m*] de una roca, borde *m* saliente.
암각화(岩刻畵) pintura *f* rupestre.
암갈색(暗褐色) (color *m*) pardo *m*, (color *m*) kaqui *m*, kaki *m*, color *m* de sepia. ~의 pardo, caqui, kaki, de color de sepia. ~ 말 caballo *m* pardo.
암거(暗渠) alcantarilla *f*, conducto *m* [canal *m*] subterráneo; [농업용] azarbeta *f*.
암거래(暗去來) comercio *m* clandestino, comercio *m* [trato *m*] de contrabando; [암시장] mercado *m* negro, *Cuba* bolsa *f* negra.
암거미 araña *f* hembra, hembra *f* de araña.
암게 cangrejo *m* hembra.
암고양이 gata *f*, hembra *f* del gato.
암곰 osa *f*, hembra *f* del oso.
암구다 copular, aparear.
암구렁이 boa *f* hembra.
암굴(岩窟) cueva *f*, caverna *f*, sibil *m*. ~의, ~ 같은 cavernoso.
암굴(暗窟) cueva *f* o(b)scura, caverna *f* o(b)scura.
암글 ① [배워 알기는 하나 실제로 쓸 줄 모르는 글의 지식] conocimiento *m* poco práctico, sabiduría *f* poco práctica. ② [지난날, 한글을 여자의 글이라고 낮추어 일컫던 말] *amgul*, *hangul*, idioma *m* coreano, lengua *f* coreana, caligrafía *f* de *hangul*, letra *f* de la mujeres.
암기(暗記) memoria *f*. ~하다 aprender *algo* de memoria. ~로 알다 saber *algo* de memoria. 교과서를 ~하다 aprender el libro de texto de memoria. 나는 그 시를 ~하고 있다 Yo sé el poema de memoria.
■ ~ 과목 asignatura *f* de memoria. ~력 retentiva *f*, memoria *f*. ¶~이 좋다 tener una buena memoria, estar fuerte en memoria. ~이 나쁘다 tener una mala memoria, estar débil en memoria.
암꽃 【식물】 flor *f* pistilada.
암꽃술 【식물】 pistilo *m*.
암꿩 faisana *f*.
암나무 árbol *m* hembra.
암나비 mariposa *f* hembra.
암나사(—螺絲) tuerca *f*, hembra *f* de tornillo, matriz *f*.
암내[1] [발정기에 암컷의 몸에서 나는 냄새] celo *m*.
◆ 암내(가) 나다 estar en celo, estar caliente. 암내 난 개 perro *m* en celo. 암내 난 소 vaca *f* en celo.
◆ 암내(를) 내다 encelarse, calentarse.
암내[2] [겨드랑이에서 나는 악취] sobaquina *f*, sobaquera *f*, mal olor *m* del sobaco, olor *m* de la axilia. 그녀는 ~가 난다 Ella huele a sobaquina.
암노루 corza *f*.
암녹색(暗綠色) (color *m*) verde *m* oscuro.
암놈 hembra *f*. ☞암컷
암단추 hembra *f* de botón, botón *m* (*pl* botones) hembra.
암달러(暗 dollar) dólar *m* negro, dólar *m* del mercado negro.
■ ~ 거래 transacción *f* del dólar negro. ~상 traficante *mf* del dólar negro. ~ 시장 mercado *m* del dólar negro.
암담(暗澹) ① [어두컴컴하고 쓸쓸함] tristeza *f* y melancolía. ~하다 (ser) sombrío, triste y melancólico, lóbrego, tenebroso, lúgubre. ② [희망이 없고 막연함] desanimación *f*, desilusión *f*, negras nubes *fpl*. ~한 기분이 다 ponerse desanimado [desilusionado · deprimido]. 그의 전도(前途)는 ~하다 Se ciernen negras nubes sobre su futuro.
암당나귀 asna *f*, burra *f*, borrica *f*.
암둔하다(闇鈍—) (ser) imbécil, tonto, estúpido, bobo, torpe, mentecado, zopenco, borrego. 암둔한 사람들 almas *fpl* estúpidas.
암띠다 (ser) tímido, reservado, vergonzoso, retraído. 암띤 기질 timidez *f*, reserva *f*, vergüenza *f*.
암루(暗涙) lágrimas *fpl* silenciosas.
암류(暗流) trasfondo *m*, corriente *f* subyacente.
암막새 【건축】 =내림새.
암만[1] [밝혀 말할 필요가 없는 값이나 수량] cierta cantidad *f*.
암만[2] =아무리. ¶~ 생각해도 모르겠다 Por mucho que yo piense, no lo sé.
암만해도 a toda costa, a cualquier precio, cueste lo que cueste, sea como sea, por las buenas o por las malas.
암만 【지명】 Ammán (요르단의 수도).
암말 yegua *f*, hembra *f* del caballo.
암매(暗買) compra *f* clandestina, compra *f* de un mercado negro. ~하다 comprar clandestinamente [ilegalmente · en el mercado negro].
암매(暗賣) venta *f* clandestina, venta *f* de un mercado negro. ~하다 vender clandestinamente [ilegalmente · en el mercado negro.
■ ~매(買) =암거래(暗去來). ~상(商) estraperlista *mf*, traficante *mf*, comerciante *m* clandestino, comerciante *f* clandestina.
암매장(暗埋葬) =암장(暗葬).
암맥(巖脈) 【지질】 dique *m*.
암모나이트(영 *ammonite*) 【생물】 amonita *f*.
암모늄(영 *ammonium*) 【화학】 amonio *m*.
암모니아(영 *ammonia*) 【화학】 amoníaco *m* (NH_3). ~의 amónico, amoníaco, amoniaco, amonical, amoniático. ~를 함유한 amoniacal.
■ ~ 가스 amoníaco *m*, gas *m* amoníaco. ~ 냉동법 refrigeración *f* amoníaca. ~ 비료 amonita *f*. ~수 el agua *f* amoníaca, amoníaco *m* (líquido).
암몬조개(ammon—) =암모나이트.
암무지개 arco *m* iris ligero de los arcos iris dobles.
암묵(暗默) silencio *m*, mudez *f*. ~의 silenlencioso, tácito, mudo, implícito. ~의 양해 consentimiento *m* tácito [implícito].
■ ~리(裡) ¶~에 silenciosamente, en silencio, calladamente, tácitamente, implícitamente.

암반(巖盤) suelo *m* de roca, roca *f* base.
암벌 abeja *f* hembra, hembra *f* de la abeja.
암범 tigresa *f*.
암벽(岩壁) pared *f* rocosa.
암비둘기 paloma *f* hembra, hembra *f* de la paloma.
암사(暗射) =맹사(盲射).
■~ 지도 =백지도(白地圖).
암사내 hombre *m* en celo.
암사돈 relación *f* matrimonial de la parte de *su* nuera.
암사슴 cierva *f*, gacela *f*.
암사자(-獅子) leona *f*.
암산(巖山) montaña *f* rocosa.
암산(暗算) cálculo *m* mental, aritmética *f* mental. ~하다 calcular mentalmente, hacer una cuenta mental.
암살(暗殺) asesinato *m*, homicidio *m*. ~하다 asesinar, matar alevosamente.
■~자 asesino, -na *mf*; homicida *mf*.
암삼 cáñamo *m* hembra.
암상 celos *mpl*, envidia *f*.
◆암상(을) 내다 estar celoso (de). 암상(을) 떨다 estar muy celoso (de), tener muchos celos (de). 암상(을) 부리다[피우다] envidiar, tener envidia.
암상궂다 estar celoso (de), tener celos (de).
암상스럽다 ponerse celoso.
암상스레 con envidia, celosamente.
■~꾸러기 persona *f* celosa [envidiosa].
암상(巖床) suelo *m* de roca.
암상(暗箱) 【사진】 fuelle *m*; 【전자 공학】 caja *f* negra.
암상부리다 ☞암상
암상 식물(巖上植物) planta *f* rupestre.
암상인(暗商人) estraperlista *mf*, comerciante *mf* [persona *f*] que comercia en el mercado negro.
암새 pájara *f*, pájaro *m* hembra, hembra *f* del pájaro.
암색(暗色) color *m* oscuro.
암생 식물(岩生植物) 【식물】 planta *f* rupestre.
암석(巖石) roca *f*, peña *f*; [큰바위] peñasco *m*; [반석] risco *m*. ~이 많은 rocoso, roqueño, peñascoso, escabroso, escarpado, pedregoso.
■~권 litosfera *f*. ~ 단구(段丘) banco *m* de roca. ~ 분류학 petrografía *f*. ~ 사막 desierto *m* rocoso. ~ 섬유 fibra *f* rocosa. ~ 숭배 adoración *f* de la roca. ~ 조각 petroglifo *m*. ~층 capa *f* de la roca. ~학 petrología *f*, litología *f*, geognosia *f*, mineralogía *f*. ~ 학자 litólogo, -ga *mf*.
암선(暗線) 【물리】 =흡수선.
암설(巖屑) 【지질】 detrito *m*, detritus *m*.
암소 vaca *f*, hembra *f* del toro.
암송(暗誦) recitación *f*. ~하다 recitar. 시를 ~하다 recitar un poema.
암쇠 ① [열쇠·자물쇠의 수쇠가 들어가서 걸릴 쇠] placa *f* del ojo de la cerradura. ② [맷돌 위짝 중앙의 구멍 뚫린 쇠] gorrón *m* (*pl* gorrones) de la piedra de molino.
암수 macho y hembra, masculino y femenino.
암수(暗數) =속임수. ¶~로 fraudulentamente, por medios fraudulentos.
■~거리 fraude *m*, estafa *f*.
암순응(暗順應) 【심리】 adaptación *f* oscura.
암술 【식물】 pistilo *m*.
■~대 estilo *m*. ~머리 estigma *f*.
암스테르담 【지명】 Amsterdam (네덜란드의 수도).
암시(暗示) sugestión *f*, insinuación *f*, alusión *f*. ~하다 sugerir, insinuar, aludir, sugestionar. ~가 풍부한 sugestivo, aleccionador. ~에 걸다 sugestionar. ~에 걸리다 dejarse sugestionar, obedecer [ceder] a una sugestión. …하도록 ~를 주다 sugestionar a *uno* que + *subj*, influir en *uno* para que + *subj*. ~에 걸리기 쉽다 ser sugestionable, ser fácil de sugestionar. 그는 사직(辭職)할 의향을 나에게 ~했다 El me dijo a medias palabras [dio a entender · sugirió] que iba a dimitir / El insinuó su propósito de dejar el puesto.
◆자기(自己) ~ autosugestión *f*. 피~성 sugestibilidad *f*.
■~력 poder *m* sugestivo. ~법 modo *m* sugestivo, método *m* sugestivo. ~ 요법(療法) terapia *f* sugestiva, tratamiento *m* por sugestión. ~적 sugestivo, insinuante, alusivo. ¶~으로 sugestivamente, alusivamente, insinuantemente.
암시세(暗時勢) estraperlo *m*, mercado *m* clandestino.
암시장(暗市場) estraperlo *m*, mercado *m* negro; *Cuba* bolsa *f* negra. ~에서 사다 comprar en el mercado negro. ~에서 팔다 vender en el mercado negro.
암실(暗室) cuarto *m* o(b)scuro, cámara *f* oscura.
■~ 램프 lámpara *f* de cuarto obscuro.
암암리(暗暗裡) ¶~에 tácitamente, implícitamente; [비밀리에] en secreto, secretamente, clandestinamente.
암야(暗夜) noche *f* o(b)scura [sin luna].
암약(暗躍) ((준말)) =암중비약(暗中飛躍). ¶~하다 intrigar secretamente, intrigar a ocultas, undir [maquinar] una intriga secreta.
암약하다(闇弱-) (ser) ignorante y débil.
암양(-羊) oveja *f*, hembra *f* del carnero.
암염(巖鹽) sal *f* gema, sal *f* de gema, sal *f* de piedra, sal *f* de grano.
■~갱 mina *f* de sal, salina *f*. ~ 채굴 minería *f* de sal. ~ 채굴소 salina *f*.
암염소 cabra *f*.
암영(暗影) sombra *f* o(b)scura, sombra *f* funesta. ~을 던지다 proyectar una sombra funesta.
암운(暗雲) nube *f* o(b)scura, nubarrón *m* (*pl* nubarrones). 유럽에 ~이 덮이고 있다 Negros nubarrones cubren toda Europa. 정계(政界)에 ~이 깔리고 있다 Negras nubes se amontonan sobre el horizonte político.

암울하다(暗鬱—) (ser) sombrío, triste y melancólico, o(b)scuro y muy cargado.
암유(暗喩) 【수사】 =은유(隱喩).
암은행나무(—銀杏—) gingko *m* hembra.
암자(庵子) ermita *f*, santuario *m* en despoblado, capilla *f* en despoblado. ~를 짓다 construir una ermita.
암자색(暗紫色) púrpura *f* [malva *f*] oscura.
암장(巖漿) =마그마(magma).
암장(暗葬) entierro *m* secreto, sepultura *f* secreta. ~하다 enterrar en secreto [secretamente].
암적(癌的) ☞암(癌)
암적갈색(暗赤褐色) (color *m*) marrón *m* rojizo oscuro.
암적색(暗赤色) color *m* rojo oscuro, granate *m*.
암전(暗轉) cambio *m* en oscuro. ~하다 cambiar en oscuro.
암종(癌腫) ☞암(癌)
암주(庵主) ((불교)) amo *m* de la ermita; monje, -ja *mf* budista que mora en la ermita.
암주(暗主) =혼군(昏君).
암죽(—粥) gachas *fpl* claras [poco espesas] de arroz, sopa *f* clara [poco espesa] de arroz para los niños.
암중(暗中) ① [어두운 속] en la o(b)scuridad, entre tinieblas. ② =암암리(에).
▪ ~모색 marcha *f* [búsqueda *f*] a tientras. ¶~하다 ir [andar·marchar] a tientas entre tinieblas, buscar a tientas en la oscuridad [entre tinieblas]. ~비약 intriga *f* secreta, ardid *m* secreto, maniobra *f* oculta. ¶~하다 intrigar secretamente [en secreto], intrigar a ocultas, maquinar [undir] una intriga secreta.
암쥐 rata *f* hembra, hembra *f* de la rata.
암지르다 completar, integrar, unir, amalgamar.
암쪽 matriz *f* (*pl* matrices), *AmL* talón *m* (*pl* talones).
암초(暗礁) ① [해면(海面) 가까이 숨어 보이지 않는 바위] escollo *m*, arrecife *m*, rompiente *m*. ~에 걸리다 dar contra una roca, encallar. 배가 ~에 부딘쳤다 El barco tropezó [encalló·quedó detenido] en el escollo / El barco varó en un arrecife. ② [뜻밖에 부닥치는 어려움] estancamiento *m*, estancación *f*, impedimiento *m*, obstáculo *m*. 교섭은 ~에 부딪쳤다 Las negociaciones han encallado [se han estancado·han llegado a un estancamiento].
▪ ~맥 arrecife *m*.
암치질(—痔疾) hemorroide *m* interno.
암캉아지 perrita *f*.
암캐 perra *f*.
암컷 hembra *f*, sexo *m* femenino.
암키와 teja *f* concava, teja *f* hembra.
암탈개비 larva *f* de mariposa.
암탉 gallina *f*; [병아리의] gallinita *f*.
▪암탉이 울면 집안이 망한다 ((속담)) Es infeliz la casa que la gallina canta [cacarea] más alto que el gallo / Si la mujer lleva pantalones la casa es triste. 암탉 울어 날 새는 일 없다 ((속담)) =암탉이 울면 집안이 망한다.
암탕나귀 asna *f*, burra *f*, borrica *f*.
암토끼 coneja *f*, hembra *f* del conejo.
암톨쩌귀 gozne *m* hembra, bisagra *f* hembra.
암퇘지 cerda *f*, puerca *f*.
암투(暗鬪) enemistad *f* latente, hostilidad *f* latente, enemistad *f* secreta, disensión *f* secreta, hostilidad *f* tácita. 그들 간에는 ~가 있다 Existe una hostilidad latente entre ellos.
암팡스럽다 (ser) audaz, atrevido, intrépido, fiero, feroz, osado, temerario, enérgico. 암팡스레 audazmente, con audacia, con atrevimiento, intrépidamente, con ferocidad, ferozmente, con osadía, osadamente, enérgicamente, con energía.
암팡지다 (ser) audaz, atrevido, intrépido, enérgico, osado. ☞암팡스럽다
암페어(영 *ampere*) 【전기】 amperio *m* (A), amper *m*, ampere *m*.
▪ ~계(計) amperímetro *m*. ~볼트 voltio-amperio *m*. ~수 amperaje *m*. ~시(時) amperio-hora *f* (Ah).
암평아리 pollita *f*, polla *f*.
암표(闇票) billete *m* [*AmL* boleto *m*] ilegal. ~를 팔다 revender.
▪ ~상 revendedor, -dora *mf* [acaparador, -dora *mf*] de billetes.
암표(暗標) marca *f* secreta, señal *f* secreta.
암하다 (ser) celoso (de).
암행(暗行) viaje *m* en secreto [de incógnito]. ~하다 viajar de incógnito.
▪ ~어사 inspector *m* secreto del rey.
암혈(巖穴) =석굴(石窟).
암호(暗號) [주로 상업용] código *m*; [군호(軍號)] contraseña *f*, santo *m* y seña; [비밀의] clave *f*, cifra *f*. ~로 쓰다 escribir [formular] en clave, cifrar. ~로 하다 cifrar, poner en clave. ~를 사용하다 utilizar una cifra, valerse de claves. ~를 해독하다 descifrar (un criptograma).
◆ 전신(電信) ~ código *m* telegráfico.
▪ ~ 말 contraseña *f*, santo *m* y seña; [표어] lema *m*. ~ 메시지 mensaje *m* cifrado [en clave]. ~명 nombre *m* cifrado. ~문 escritura *f* cifrada [en cifra·en clave], criptograma *m*. ~ 사용자 criptógrafo, -fa *mf*. ~ 작성법 criptografía *f*. ~ 전보(電報) telegrama *m* cifrado [en cifra·en clave]. ~ 판독자 descifrador, -dora *mf*. ~표 clave *f* criptográfica, lista *f* de claves. ~ 해독(解讀) desciframiento *m*, descifrado *m*. ~ 해독법 criptografía *f*. ~ 해독자 descifrador, -dora *mf*.
암회색(暗灰色) (color *m*) marrón *m* topo. ~의 (de color) marrón topo.
암흑(暗黑) o(b)scuridad *f*, tiniebla *f*, negrura *f*.
▪ ~가 bajos fondos *mpl*. ~계 el hampa *f*, bajos fondos *mpl*; 【신화】 infierno *m*,

averno *m*. ~기(期) = 암흑 시대. ~ 대륙 el Continente Negro. ~면 cara *f* o(b)scura [sombría]. ¶사회의 ~ cara *f* oscura [sombría] de la sociedad. ~ 사회 sociedad *f* o(b)scura. ~상 aspecto *m* o(b)scuro. ~색 color *m* muy o(b)scuro, color *m* (oscuro) como boca de lobo. ~ 세계(世界) mundo *m* oscuro. ~ 시대 edad *f* negra, edad *f* de tinieblas.

압각(壓覺) 【심리】 sensación *f* de presión.

압권(壓卷) lo mejor; [책의] las mejores páginas (de una obra); [클라이맥스] clímax *m*. 전집 중의 ~ lo mejor de *sus* obras. 그것은 당일의 ~이었다 Era la alta notabilidad del día.

압도(壓度) prensadura *f*, (grado *m* de) presión *f*.

압도(壓倒) aplastamiento *m*. ~하다 aplastar, abrumar, derribar. 청중을 ~하는 연설 discurso *m* que impresiona al público. 적의 힘에 ~당하다 sucumbir por la fuerza del enemigo. 나는 그의 열의에 ~당했다 Yo quedé abrumado por su entusiasmo. 나는 그의 앞에서 ~당한다 Estoy eclipsado ante él.

▪ ~적 abrumador, aplastante. ¶~ 승리 victoria *f* abrumadora, victoria *f* aplastante. ~ 다수로 por una abrumadora mayoría. ~으로 우세한 힘 fuerza *f* abrumadoramente superior. ~인 80%가 찬성 투표를 했다 Un abrumador 80% (ochenta por ciento) votó en favor. 그들은 ~으로 반대 투표를 했다 Una abrumadora mayoría votó en contra.

압려기(壓濾器) prensa *f* de filtro.

압력(壓力) presión *f*. 대기(大氣)의 ~ presión *f* atmosférica. 재계(財界)의 ~으로 por la presión de los círculos financieros. (상관에게 어떤 언동을 하도록) ~을 넣다 hacer presión (sobre), empujar. 그는 부하들한테서 맹렬한 ~을 받았다 El ha sido terriblemente presionado por sus subordinados.

◆압력을 가(加)하다 ejercer [dar · añadir] (una) presión (sobre), apretar.

▪ ~계 manómetro *m*. ~ 단체 grupo *m* de presión. ~솥 olla *f* a presión, olla *f* exprés, *Méj* olla *f* presto, *AmL*, *ReD* olla *f* de presión. ~ 시험 prueba *f* de presión.

압류(押留) embargo *m*, secuestro *m*, incautación *f*, comiso *m*. ~하다 embargar, secuestrar, incautarse (de), decomisar. ~를 해제하다 levantar el embargo. ~ 수속을 밟다 proceder al embargo. 밀수품에 대한 ~를 행하다 efectuar un embargo de los artículos de contrabando. 그는 집을 ~당했다 Le embargaron su casa.

▪ ~ 명령 orden *m* del embargo. ~물(物) objeto *m* embargado. ~ 영장(令狀) orden *f* judicial del embargo. ~인 embargador, -dora *mf*. ~ 재산 propiedad *f* embargada. ~ 집행 ejecución *f* del embargo. ~ 채권자 acreedor, -dora *mf* del embargo. ~품 objeto *m* embargado. ~ 해제(解除) levantamiento *m* del embargo.

압박(壓迫) opresión *f*, presión *f*; [강압(强壓)] coerción *f*; [압제] tiranía *f*. ~하다 oprimir, apretar, suprimir, coercer, refrenar, ejercer presión (sobre), hacer presión (sobre). 생활(生活)의 ~ aprieto *m* de la vida. ~을 느끼다 sentirse oprimido. 국내 산업을 ~하다 oprimir las industrias nacionales. 표현의 자유를 ~하다 suprimir la libertad de expresión. 언론의 자유를 ~하다 suprimir la libertad de palabras [de prensa]. 적(敵)을 ~하다 apretar los enemigos. 대국(大國)이 소국(小國)을 ~한다 Los países grandes oprimen a los pequeños.

▪ ~감 sensación *f* opresiva, sentimiento *m* de opresión. ~ 붕대 compresa *f*. ~자(者) opresor, -sora *mf*; tirano, -na *mf*.

압복(壓服/壓伏) sometimiento *m* [sujeción *f*] por fuerza, sometimiento *m*, sujeción *f*, dominación *f*, apastamiento *m*, arrollamiento *m*, apoderamiento *m*, invasión *f*. ~하다 someter [sojuzgar] por fuerza, someter, dominar, aplastar, arrollar, apoderarse (de), invadir.

압사(壓死) muerte *f* por apretón, muerte *f* por compresión. ~하다 morir aplastado.

압살(壓殺) matanza *f* por apretón. ~하다 apretar a la muerte, matar estrujando. 혁명 운동을 ~하다 sofocar el movimiento revolucionario.

압송(押送) convoy *m* de reos. ~하다 convoyar reos [criminales].

압수(押收) [재산의] confiscación *f*, incautación *f*; 【법률】 comiso *m*, decomiso *m*; [압류] embargo *m*. ~하다 confiscar, incautar (de), comisar, decomisar, embargar. 나는 그림 세 장을 ~당했다 Me decomisaron tres pinturas.

▪ ~ 수색 영장 orden *f* de confiscación y registro. ~ 영장 orden *f* judicial de confiscación. ~품 artículo *m* confiscado.

압수 펌프(壓水-) bomba *f* de fuerza.

압승(壓勝) victoria *f* abrumadora. ~하다 ganar una victoria abrumadora, abrumar, aplastar, derrotar contundentemente.

압연(壓延) laminación *f*. ~하다 laminar.

▪ ~강 acero *m* laminado. ~공 laminador, -dora *mf*. ~ 공장 fábrica *f* [taller *m*] de laminación. ~관 tubo *m* laminado. ~기 laminador *m*, laminadora *f*.

압운(押韻) rima *f*.

압인(壓印) sello *m*, precinto *m*. ~하다 [봉투 · 꾸러미를] cerrar; [테이프로] precintar; [밀랍으로] lacrar.

▪ ~기(機) máquina *f* de sello; [종이용] perforadora *f*; [금속용(金屬用)] sacabocados *m.sing.pl*.

압점(壓點) punto *m* de presión.

압정(押釘) chincheta *f*, tachuela *f*, *AmC*, *Méj*, *RPI* chinche *f*, *Andes* chinche *m*. ~을 박다 fijar con una chincheta, clavar.

압정(壓政) [학정] tiranía *f*; [견제] despostismo *m*, gobierno *m* arbitrario. ~하다 tiranizar. ~에 신음하다 sufrir [gemir] bajo la tiranía.

압제(壓制) [폭정] tiranía *f*, [강제] despotismo *m*; [압박] opresión *f*, [압제] coerción *f*. ~하다 tiranizar, oprimir. ~에 신음하다 sufrir [gemir] bajo la tiranía [bajo la opresión]. 그는 주민을 ~했다 El tiranizó a la población.

■ ~력 poder *m* despótico. ~자 tirano, -na *mf*, déspota *m*. ~ 정부(政府) gobierno *m* despótico. ~ 정치 despotismo *m*.

압지(押紙/壓紙) papel *m* secante; 【인쇄】 teleta *f*.

압착(壓搾) prensa *f*, prensadura *f*, compresión *f*, estrujón *m*. ~하다 prensar, comprimir, estrujar.

■ ~ 가스 gas *m* comprimido. ~ 공기 aire *m* comprimido. ~ 공기관 tubo *m* de compresión. ~공기판 válvula *f* de compresión. ~기 prensa *f*, compresor *m*. ~ 여과기 filtro *m* prensa, filtrador *m*. ~ 펌프 bomba *f* a compresión. ~ 효모 levadura *f* prensada.

압축(壓縮) [공기 등의] compresión *f*, [문장(文章) 등의] contracción *f*. ~하다 comprimir, condensar. 사전의 내용을 3분의 1로 ~하다 reducir a una tercera parte el contenido del diccionario.

■ ~ 가스 gas *m* comprimido. ~계(計) piezómetro *m*. ~ 공기 aire *m* comprimido. ~기 compresor *m*, prensa *f*. ~ 기관 motor *m* de compresión. ~ 냉동기 congelador *m* de compresión. ~ 냉동법 refrigeración *f* [congelación *f*] de compresión. ~력 fuerza *f* compresiva. ~률 compresibilidad *f*. ~ 산소 oxígeno *m* comprimido. ~성 compresibilidad *f*. ~ 시험기 aparato *m* [instrumento *m*] de ensayo de compresión. ~ 압력계 manómetro *m* de compresión. ~ 응력 tensión *f* de compresión. ~ 펌프 bomba *f* a compresión. ~ 화약 pólvora *f* comprimida.

압출(壓出) acción *f* de exprimir. ~하다 exprimir.

■ ~기 exprimidera *f*.

압핀(壓 pin) =압정(押釘).

앗 ¡Ah! / ¡Oh! / ¡Caramba! / ¡Dios mío! / ¡Válgame Dios! / ¡Hombre! ~ 큰일이다 ¡Dios mío! / ¡Santo cielo! / ¡Ay, por Dios! ~ 지갑이 없어졌다 ¡Dios, me ha desaparecido mi cartera! ~ 지하철에 우산을 놓고 왔다 ¡Ay por Dios, dejé [he dejado] mi paraguas en el metro..

앗기다 =빼앗기다.

앗다[1] ① ((준말)) =빼앗다. ¶목숨을 앗아간 화마(火魔) fuego *m* que se quitó la vida. ② [곡식의 껍질을 벗기다] descascarar, quitar la cáscara. ③ [(씨아 따위로) 목화의 씨를 빼다] limpiar. ④ [남의 하는 일을 가로채 가지다] apoderarse (de). ⑤ [(두부 따위를) 만들다] fabricar, manufacturar, hacer. ⑥ [깎아 내다] cortar.

앗다[2] ((준말)) =품 앗다.

앗아라 ¡Oh, no! / ¡Basta ya! ~ 싸우지 마라 ¡Oh, no! ¡Dejen de discutir!

앙[1] [어린아이의 울음] ¶~하고 울다 llorar fuerte, echarse a llorar, ponerse a llorar, romper a llorar..

앙[2] [놀라게 하는 소리] ¡Bu!

앙가발이 ① [다리가 짧고 굽은 사람] persona *f* patizamba. ② [잘 달라붙는 사람] gorrón (*pl* gorrones), -rrona *mf*.

앙가슴 [두 젖 사이의 가슴] parte *f* (del pecho) entre dos pechos.

앙가주망(불 *engagement*) empeño *m*, papeleta *f* de empeño, alistamiento *m*, ajuste *m*, contrata *f*, compromiso *m*, obligación *f*.

앙각(仰角) 【수학】 ((구용어)) =올려본각.

앙감질 salto *m* a la pata coja, salto *m* con un solo pie, *Méj* brinco *m* de cojito. ~하다 saltar a la pata coja, saltar con un solo pie, *Méj* brincar de cojito.

앙갚음 venganza *f*, desquite *m*, vindicta *f*. ~하다 [···의] vengar, vindicar, vengarse (de), desquitarse (de); [···에] vengarse (de · en), tomar venganza (en). 동생의 ~을 하다 vengar a *su* hermano. 동생이 받은 치욕의 ~을 하다 vengarse del ultraje en *su* hermano.

앙고라 ① 【지명】 Angora (터기의 수도 앙카라(Ankara)의 구칭). ② =앙고라토끼. ③ =앙고라 직물.

■ ~고양이 gato *m* de angora. ~모(毛) lana *f* de angora. ~염소 cabra *f* de angora. ~ 직물 angora *f*. ~토끼 conejo *m* de angora.

앙골라 【지명】 Angola *f*. ~의 angoleño.

■ ~ 사람[인] angoleño, -ña *mf*.

앙구다 ① [음식 같은 것을 식지 않도록 불에 놓거나 따뜻한 데에 묻어 두다] dejar caliente. ② [곁들이다] acompañar varias comidad del mismo plato. ③ [사람을 안동하여 보내다] acompañar*le* a *uno* de *su* camino.

앙그러지다 ① [하는 짓이 어울리고 짜인 맛이 있다] (ser) adecuado, apropiado. ② [모양이 보기 좋다] (ser) bien preparado, bien sazonado, bien condimentado. ③ [음식이 먹음직스럽다] (ser) apetitivo, sabroso.

앙글거리다 ① [어린아이가 소리 없이 연해 귀엽게 웃다] sonreír dulcemente [con dulzura]. ② [무엇을 속이면서 연해 꾸며서 웃다] reír engañosamente.

앙글앙글 [어린아이가] dulcemente, con dulzura; [선웃음으로] con una sonrisa, con una sonrisita, con una sonrisa deceptiva, con una sonrisa poco sincera.

앙글방글 con una sonrisita dulce.

앙금 ① [물에 가라앉은 녹말 등의 부드러운 가루] posos *mpl*, hez *f* (*pl* heces); *Col* cunchos *mpl*, *Chi* conchos *mpl*; [찌꺼기] residuo *m*, resto *m*; [웅어리] espuma *f*. ② 【화학】 [침전(沈澱)] sedimento *m*.

앙금앙금 muy lentamente, a paso de tortuga. ~ 가다 avanzar muy lentamente, ir a paso de tortuga.

앙기나(영 *angina*) 【의학】 angina *f*, inflamación *f* de la garganta.

앙달머리스럽다 (ser) exorbitante, desmedido, desmesurado, ambicioso, impertinente.

앙당그러지다 ① [뒤틀리다] alabear, combar, pandear, ser alabeado, combado, pandeado. 앙당그러져 있다 (estar) curvado, combado. ② [추워서 몸이 옴츠러지다] encogerse, acurrucarse, agarrotarse.

앙당그리다 =앙당그러지다❷.

앙등(昂騰) el alza *f* (súbita). ~하다 alzar súbitamente. 물가의 ~ alza *f* de los precios. 생계비의 ~ el alza *f* de costo de vida. 집세의 ~ el alza *f* de alquiler de casas. 환시세의 ~ el alza *f* de cambio. 물가가 놀랄만큼 ~하고 있다 El precio está disparándose.

앙망(仰望) ruego *m*, súplica *f*, esperanza *f*, deseo *m*. ~하다 suplicar, rogar, esperar, desear. …하시기 ~하나이다 Yo ruego que + *subj*.

앙모(仰慕) admiración *f*, adoración *f*. ~하다 admirar, adorar, encantar.

앙바틈하다 (ser) bajo y ancho de hombros [de espaldas], bajo y fornido, achaparrado, retacón. 앙바틈한 남자 hombre *m* bajo y fornido.

앙버티다 persistir (en), empeñarse (en), sufrir hasta el extremo, no quejarse de *algo* por dignidad [por amor propio]. 앙버티어 정상에 이르르다 echar arrestos y llegar a la cumbre.

앙살 alboroto *m* [escándalo *m*] en oposición. ~하다 preocuparse [inquietarse] en oposición.
◆앙살(을) 부리다 refunfuñar, rezongar, quejarse (de). 그 여자는 늘 앙살을 부린다 Ella siempre está refunfuñando de algo. 앙살(을) 피우다 preocuparse en oposición.

앙상궂다 (ser) terriblemente descarnado [delgado y adusto].

앙상블(불 *ensemble*) ① 【음악·연극】 conjunto *m*, conveniencia *f*. ② [같은 옷감으로 만든 한 벌의 부인복] traje *m* completo de mujer de un mismo modo. ③ [합주. 합창] coro *m*. ④ [주로 실내악을 연주하는 소규모의 악단] concierto *m* armonioso. ⑤ [부사적] [함께] juntos; [동시에] al mismo tiempo, a una vez, simultáneamente.

앙상하다 ① [꼭 째지 않아 어울리지 않다] no sentar bien. ② [살이 빠져서 보기에 까칠하다] adelgazarse (demasiado), enflaquecerse, demacrarse. 앙상한 flaco, delgazado, flacucho, esquelético, esbelto, delgado, muy magro, extenuado. 앙상해진 enflaquecido, demacrado. 앙상한 사람 persona *f* flaca, esqueleto *m*. 그는 뼈만 ~ El es un esqueleto vivo / El está hecho un esqueleto / El está esquelético / El está en los huesos / No le quedan más que huesos y piel. ③ [잎이 지고 가지만 남아서 나무가 스산하다] estar pelado. 나무가 ~ Los árboles están pelados.
앙상히 flacamente, delgadamente, esqueléticamente, peladamente.

앙세다 parecer débil y tener fuerza escondida.

앙숙(怏宿) rencor *m*, rencilla *f*. ~이다 tener [guardar] rencor, llevarse [estar siempre] como el perro y el gato. 그 두 사람은 ~이다 Esos dos se llevan [están siempre] como el perro y el gato.

앙시(仰視) =앙견(仰見).

앙시앵 레짐(불 *Ancien Régime*) [구체제] régimen *m* antiguo.

앙심(怏心) rencor *m*, enemistad *f*.
◆앙심(을) 먹다 guardar [tener] rencor. 앙심을 먹은 rencoroso. 앙심을 먹어 rencorosamente, con rencor. 앙심을 먹은 사람 rencoroso, -sa *mf*. 나는 아무에게도 앙심을 먹고 있지 않다 No guardo rencor a nadie / No tengo rencores en contra de nadie.

앙알거리다 =웅얼거리다(murmurar).
앙알앙알 murmurando.

앙앙거리다 ① [어린아이가 앙앙 소리 내어 울거나 괴로워서 성가시게 굴다] llorar fuerte, molestar. 앙앙거리지 마라 No me molestes. ② [가난의 괴로움을 하소연하다] solicitar [pedir] la pena de tristeza.

앙앙불락(怏怏不樂) turbación *f*, confusión *f*, disturbio *m*, aflicción *f*, pena *f*, congoja *f*, calamidad *f*.

앙앙지심(怏怏之心) corazón *m* frío, mente *f* fría.

앙앙하다(怏怏—) (estar) descontento (con), insatisfecho (con), desconsolado.

앙양(昂揚) exaltación *f*, ensalzamiento *m*, mejora *f*, realce *m*, aumento *m*, ampliación *f*, ascenso *m*, promoción *f*. ~하다 ensalzar, exaltar, realzar, dar realce (a), aumentar, mejorar, ampliar, procesar, ascender, promover. 국위(國威)를 ~하다 realzar el prestigio nacional.

앙와(仰臥) ¶~하다 acostarse boca arriba.

앙잘거리다 refunfuñar, rezongar, hablar entre dientes, quejarse, reclamar.
앙잘앙잘 refunfuñando, rezongando, hablando entre dientes.

앙증맞다 (ser) pequeñísimo, minúsculo, diminuto, menudo.

앙증스럽다 =앙증맞다.
앙증스레 diminutamente, menudamente, diminutivamente.

앙증하다 (ser) pizpireta, pizpereta, *Chi* pizpirigua, *Hon* pizpilina. ¶앙증한 계집애 una jovencita pizpireta.

앙짜 ① [앳되게 점잔을 빼는 짓] acción *f* de darse aires. ② [성질이 깐작깐작하고 암상스러운 사람] persona *f* de ponerse celoso.

앙천(仰天) ① [하늘을 우러러봄] acción *f* de mirar el cielo. ~하다 mirar el cielo. ② [탄식하는 모양] suspiro *m*, lamentación *f*. ~하다 suspirar, lamentar. ③ =앙천대소.
■~대소(大笑) risas *fpl* grandes, risotadas *fpl* muy fuertes, risas *fpl* muy fuertes. ~하다 reír fuerte, echarse a reír, ponerse

a reír, saltar una carcajada. 그는 ~했다 El se echó a reír / El saltó una carcajada / El se puso a reír.

앙칼스럽다 (ser) fiero, feroz, temible, furibundo, vehemente, terco, testarudo, tozudo, inflexible.
앙칼스레 fieramente, ferozmente, temiblemente, vehementemente, tercamente, testarudamente, inflexiblemente.

앙칼지다 (ser) agudo, intenso, duro, severo, tenaz, firme, pertinaz, persistente. 앙칼지게 agudamente, intensamente, duramente, severamente, tenazmente, firmemente, pertinazmente, persistentemente.

앙케트(불 *enquête*) encuesta *f*, cuestionario *m*, investigación *f*, información *f*, pesquisa *f*, indagación *f*. ~(를) 하다 hacer una encuesta (sobre), investigar, inquirir, hacer una información. …에 관한 ~ cuestionario *m* sobre …. ~의 결과는 …이다 El resultado de la encuesta es que … / Por medio de la encuesta se sabe que ….

앙코르(불 *encore*) repetición *f*, otra vez *f*, de nuevo. ~! ¡Otra vez! / ¡Que se repita! ~을 청하다 pedir la repetición. ~에 답하다 dar una repetición. ~에 답하여 respondiendo a la petición del público.

앙큼상큼 con paso inseguro, a hurtadillas, furtivamente; [발끝으로] de puntillas. ~ 걷다 andar con paso inseguro. ~ 나가다 salir a hurtadillas [en escondidas] (de). 그녀는 ~ 방으로 들어갔다 Ella entró en la habitación con paso inseguro.

앙큼스럽다 (ser) zorro. ☞앙큼하다

앙큼하다 (ser) zorro, zorrero, astuto, atrevido, descarado, impertinente. 앙큼한 사람 zorro, -rra *mf*; persona *f* astuta.

앙탈 refunfuñadura *f*, refunfuño *m*, gruñimiento *m*, rezongo *m*. ~하다 preocuparse, inquietarse, fastidiar, gemir, lloriquear, refunfuñar, gruñir en señal de disgusto, rezongar, quejarse, murmurar, hablar entre dientes.
◆ 앙탈(을) 부리다 rezongar, refunfuñar, quejarse. 앙탈을 부리는 여자 mujer *f* refunfuñadora.

앙토(仰土) yeso *m* [enlucido *m* · revoque *m*] entre las vigas del techo.

앙티로망(불 *anti-roman*) antinovela *f*.

앙혼(仰婚) casamiento *m* con una persona de la posición más alta, casamiento *m* morganático.

앙화(殃禍) influjo *m* maléfico, maldición *f*, maleficio *m*, calamidad *f*, catástrofe *m*, desastre *m*, siniestro *m*, desgracia *f*. ~를 받다 incurrir en la cólera divina, tener un influjo maléfico. ~를 입어서 죽게 하다 dar muerte por el maleficio. 이 집에는 ~가 있다 Una maldición ha caído sobre esta casa.

앞 ① [(바른 자세로 앉을 때) 얼굴이나 눈이 향한 쪽] frente *m*. ~에(서) delante (de), ante. 손님 ~에서 delante de los invitados. ~에서 찍은 사진 fotografía *f* tomada de frente. ~을 보다 mirar delante de sí. ~(쪽)으로 가다 ir adelante, ir hacia delante. 몸을 ~으로 구부리다 inclinarse hacia delante. 그는 다시는 내 ~에 나타나지 않았다 El no apareció más ante mí. 당신의 ~이지만 … Con su permiso me atrevo a + *inf*.
② [차례에서 먼저 있는 편] frente *m*. ~의 anterior. ~에 antes. ~ 페이지 página *f* anterior. ~을 양보하다 ceder el paso (a). …의 ~을 지나가다 tomar la delantera, adelantarse (a). 열(列)의 ~을 가다 ir al frente [a la cabeza] de la fila. ~에 서서 안내하다 ir delante sirviendo de guía. 나는 그에게 ~을 지나가게 했다 El me adelantó. ~에 가세요 Pase (delante) / Usted primero. 이 열차가 ~에 간다 Este tren sale antes.
③ [미래(未來). 전도(前途)] futuro *m*, porvenir *m*. ~으로 después, (de aquí) en adelante, en lo futuro, en el porvenir, desde ahora. ~으로의 전망(展望) perspectivas *fpl* futuras, perspectivas *fpl* del porvenir. 이 ~으로 de aquí en adelante, de ahora en adelante, en el futuro. ~을 생각하다 pensar en el futuro. ~을 예견하다 prever el futuro. 그는 ~으로 어떻게 될지? ¿Qué va a ser de él? 이 아이의 ~이 큰 걱정이다 Me preocupa mucho el futuro [lo que será] de este niño. 그것은 일주일 ~에 있을 일이다 Tenemos aún una semana (por adelante) para eso. 그것은 아직 먼 ~의 일일 것이다 Eso será cosa de un futuro todavía lejano. 이 일은 ~으로도 많은 시간을 요(要)한다 Este es un trabajo que dura todavía mucho tiempo. 우리들은 아직도 ~이 창창하다 Somos todavía muy jóvenes / Tenemos muchos años que vivir todavía [por adelante]. 우리는 ~이 밝다 Tenemos buenas perspectivas para el futuro. 이 ~으로는 무엇으로 생활하지? ¿De qué viviré de aquí en adelante?
④ [이전. 먼저] anterioridad *f*, precedencia *f*. ~의 anterior, precedente, último, pasado. ~에서 antes, anteriormente, con anterioridad; [옛날] antiguamente, hace mucho. ~ 대통령(大統領) el presidente anterior. ~ 토요일(에) el sábado pasado, el sábado anterior, el último sábado. ~ 페이지에 en la página anterior. 출발 3일 ~에 tres días antes de la partida. ~에서 그를 만났을 때 la última vez que le vi, cuando le vi últimamente. ~에서 내가 말한 바와 같이 como dijo [he dicho] antes. 이것은 ~에서도 말했다 Antes lo dije una vez / Esto es algo que he dicho ya antes.
⑤ [전면(前面)] [건물의] frente *m*, fachada *f*; [옷의] delantera *f*; [앞 부분] frente *m*, parte *f* delantera, parte *f* de delante, *AmL* parte *f* de adelante. ~의 [자리 · 바퀴 · 다리 등의] delantero, de delante, *AmL* de adelante; [선박 등의] de proa. ~에 en-

frente, delante. (이) ~으로 (más) adelante, más allá, más lejos. …의 ~에 delante de *algo*., *AmL* adelante de *algo*; [정면(正面)에] enfrente de *algo*. ~사람 gente *f* de delante [*AmL* de adelante]. ~자리 asiento *m* delantero; [자신의 앞에 있는] asiento *m* que está delante del *suyo*. ~줄 primera fila *f*. ~ 페이지 [신문의 제일면] primera plana *f*. 모두의 ~에서 delante de todos, en presencia de todos. 10미터 ~에 diez metros más adelante. 파출소 ~을 왼쪽으로 굽어지다 doblar [torcer] a la izquierda después de pasar el puesto de policía. 집 ~에 차가 멈춰 있다 Delante de la casa hay parado un coche. 문 ~에 한 남자가 서 있다 Delante de la puerta está de pie un hombre. ~으로 전진(前進)! ¡Adelante! / ¡Marche! / ¡En marcha! ~으로 전진하십시오 Adelántese. 이 ~의 코너를 왼쪽으로 꺾어지십시오 Doble la próxima esquina a la izquierda. 이 ~에 우체통이 있다 Hay un buzón un poco más allá. 그는 내 두세 발 ~을 걷고 있었다 El caminaba unos pasos delante de mí. 이 ~은 길이 막혔다 Un poco más adelante está cortado el camino. 여기서부터 ~은 버스를 탑시다 A partir de aquí, tomaremos el autobús. 나는 의정부에서 ~으로는 가 본 적이 없다 No he estado más allá de *Uicheongbu* / No he pasado de *Uicheongbu*. 스커트는 ~으로 동여맨다 La falda se abrocha por delante [*AmL* por adelante]. 너는 ~에 앉아라 Siéntate delante [*AmL* adelante]. 나는 그 여자의 ~에 앉았다 Me sentí delante [*AmL* adelante] de ella. 그것은 바로 네 코~에 있다! ¡Lo tienes delante de las narices! 그 여자는 처음부터 ~에 갔다 Ella llevó la delantera desde el principio / Ella fue en cabeza desde el principio. 우리의 ~에 큰일이 있다 Tenemos una gran tarea por delante. ~으로! 【군대】 ¡Al frente!

⑥ [몫] parte *f*, cuota *f*, ración *f*; [부사적] para. 맏아들 ~으로 가는 재산 bienes *mpl* para el hijo mayor. 7명이나 8명 ~ 식사 comida *f* para siete u ocho raciones. 다섯 사람 ~ 식사 comida *f* para cinco personas.

⑦ [편지나 물품 따위를 보낼 때,「에게」「께」의 뜻으로 받는이의 이름이나 직함 밑에 쓰는 말] a, para, dirigido (a). 서무 과장 ~ al jefe de la sección de asuntos generales. … ~으로 온 편지 carta *f* para [dirigida a] *uno*. A씨 ~으로 편지를 보내다 escribir [dirigirse] al señor A. …의 자택 ~으로 보내다 mandar [enviar] *algo* al domicilio de *uno*. A씨 ~으로 수표를 끊다 librar un cheque a favor [a la orden] del señor A. 여기 당신 ~으로 편지가 왔습니다 He aquí una carta para usted.

⑧ [사람 신체의 음부(陰部)] órganos *mpl* genitales, partes *fpl* genitales.

⑨ ((준말)) =앞가림.

◆ 앞(을) 다투다 contender por llegar primero. 앞을 다투어 사다 luchar [contender] por comprar *algo* el primero. 사람들은 앞을 다투어 열차에 올랐다 La gente luchaba por subir el primero al tren.

◆ 앞이 캄캄하다 tener perspectivas futuras, no tener buenas perspectivas para el futuro. 나는 ~ Mi futuro es todo oscuridad / No puedo prever el porvenir.

■ ~ 창구 ventanilla *f* de enfrente.

앞가르마 raya *f* [*Sal* camino *m*] de enfrente.

앞가리다 escapar de la ignorancia con dificultad.

앞가림 escape *m* de la ignorancia con dificultad. ~하다 escapar de la ignorancia con dificultad.

앞가슴 ① ((힘줌말)) =가슴. ② [윗도리의 앞자락] costadura *f*, [크게 터진] escote *m*. ~이 많이 터진 옷 vestido *m* muy escotado. 옷의 ~을 도려내다 escotar el vestido.

앞가지 【언어】 =접두사(接頭辭).

앞갈이 ① [애벌갈이] primer arado *m* del arrozal. ② [첫 농사] primera cosecha *f*.

앞 갑판(-甲板) [배의] cubierta *f* de proa.

앞길[1] ① [장차 나아갈 길] dirección *f* a dónde ir. ~을 막다 cerrar el paso (a). ② [앞으로 살아갈 길 · 전도] futuro *m*, porvenir *m*. ~이 캄캄하다 El futuro es todo oscuridad / No puedo prever el provenir.

◆ 앞길이 멀다 tener un camino largo que ir.

앞길[2] ① [집채의 앞쪽이나 마을의 앞에 있는 길] camino *m* de frente. ② [서북도 지방에서 남도(南道)를 가리키는 말] provincia *f* (del) sur.

앞꾸밈음(-音) 【음악】 apoyatura *f*.

앞날 ① [앞으로 올 날] futuro *m*, provenir *m*. ~은 아무도 모른다 Nadie sabe lo que nos reserva el año próximo. ② [남은 세월] tiempo *m* restante [sobrante]. ③ [전날] el otro día, hace unos días.

앞날개 ala *f* delantera.

앞니 dientes *mpl* delanteros, diente *m* frontero, diente *m* incisivo.

앞다리 ① [짐승의] pata *f* delantera, miembro *m* delantero del cuerpo. ② [이사할 집] nueva casa *f*, nueva residencia *f*. ③ [앞잡이] intermediario, -ria *mf*; agente *mf*.

앞다투다 ☞앞(을 다투다)

앞닫이 empeine *m*.

앞당기다 hacer [acabar] *algo* antes del tiempo, adelantar (el orden). 앞당겨지다 [기일 따위가] adelantarse. 기일을 ~ adelantar el término. 시각을 ~ adelantar la hora. 출발을 ~ adelantar la salida. 여행 일정을 ~ adelantar un día el itinerario del viaje. 출발 시각이 앞당겨졌다 Se ha adelantado [anticipado] la hora de salida.

앞대 región *f* (del) sur.

앞대문(-大門) puerta *f* principal delantera.

앞두다 esperar. 배후에 산을 앞두고 con una montaña atrás. 시험을 내일로 앞두고 있다 esperar el examen para mañana.

앞뒤 ① [전후(前後)] delante y detrás, de popa a proa, primero y último. ~가 바뀌다 ponerse al [del] revés. ~에 적(敵)을 맞다 ser atacado por delante y por detrás. ② [양 끝] ambas extremidades *fpl*; [순서] orden *m*; [결과] consecuencia *f*. ~를 모르는 atolondrado, atrevido, descuidado, imprudente. ~ 생각 없이 descuidadamente, negligentemente, sin consideración, sin reflexión, descuidado de consecuencia, atrevidamente, ciegamente, temerariamente. ~로 되다 desordenarse, no estar en orden. 이야기의 ~가 바뀌었지만 … yo debería hablar éste en primero, pero ….
◆ 앞뒤가 맞다 (ser) coherente, concordar.

앞뒷문(一門) puerta *f* delantera y la trasera.

앞뒷집 casas *fpl* vecinas.

앞뜰 jardín *m* (*pl* jardines) del frente.

앞마당 patio *m* delantero.

앞머리 ① 【해부】 frente *f*. ② [머리의 앞쪽에 난 머리털] flequillo *m*, copete *m*. ~를 자르고 con la frente desmochada. ③ [(앞뒤가 있는 물건의) 앞부분] proa *f*. 배의 ~ proa *f* (del barco).

앞메꾼 martillador *m*.

앞면(一面) ① [건물의] fachada *f*. ② [옷의] delantera *f*.

앞몸 =전반신(前半身).

앞 못 보다 ① [눈이 어두워서 보지 못하다] (ser) ciego. ② [무식하여 자기의 앞을 가리지 못하다] (ser) ignorante.

앞문(一門) puerta *f* de (la) calle; puerta *f* delantera; [차의] portezuela *f* delantera.

앞바다 ① [앞쪽의 바다] litoral *m*, costa *f* afuera. ~에 있는 섬 una isla costera, una isla del litoral. ② 【기상】 mar *m* cercano (20 kilómetros de la costa de la Península Coreana en el Mar Este y 40 kilómetros de la costa de la Península Coreana en el Mar Amarillo y el Mar Sur)..

앞바닥 suela *f* delantera de los zapatos.

앞바람 ① =마파람. ② =역풍(逆風).

앞바퀴 rueda *f* delantera.

앞발 ① [네발짐승의 앞쪽 두 발] patas *fpl* delanteras. ② [앞으로 차는 발길] patadas *fpl* con la pata delantera.

앞발질 patadas *fpl* con la pata delantera.

앞배 vientre *m*, abdomen *m*.

앞볼 remiendo *m* del dedo del pie (de los calcetines coreanos).

앞산(一山) monte *m* enfrente de la casa.

앞서 ① [먼저] primero, antes que nada, antes, ya. …하기에 ~ antes de + *inf*. 타사(他社)에 ~ 정보를 입수하다 adelantarse a otras casas en obtener la información, obtener la información antes que las otras casas. 여자와 어린이가 ~입니다 las mujeres y los niños primero. 부인들이 ~입니다 primero las damas. 그 사람이 ~ 나를 때렸다 El me pegó primero. 너는 가족과 출세 중 어떤 것이 ~냐? ¿Para ti qué está primero, tu familia o tu carrera? 나는 항상 내 아이들이 ~다 Para mí antes que nada [primero] están mis hijos. 그녀는 다른 사람들보다 한 시간 ~ 도착했다 Ella llegó una hora antes que los demás. ② [지난번에] el otro día, hace unos (pocos) días; [최근에] recientemente, últimamente. ~ 마드리드에서 당신을 만났지요? ¿Te vi en Madrid la otra vez, ¿verdad? ③ [미리] de antemano, con anticipación, con antelación, anticipadamente. 모든 것을 충분히 ~서 준비해라 Prepáralo todo con (la) suficiente antelación. 입장권을 ~ 예약할 수 있습니까? ¿Se pueden reservar entradas con anticipación [con antelación]?

앞서가다 ① [남의 앞에 서서 가다] ir al frente, ir a la cabeza, ir delante. 앞서가면서 안내하다 ir delante sirviendo de guía. ② [남을 앞질러 가다] delantarse tomando la otra ruta. ③ [남보다 뛰어나다] sobresalir (en), distinguirse (en), descollar (en), superar, aventajar. ④ [먼저 죽다] perder (a), sobrevivir (a). 3년 전에 아내가 앞서갔다 Hace tres años que perdí a mi mujer / Mi esposa murió hace tres años.

앞서다 ① [남보다 먼저 나아가다] adelantarse. 시대를 ~ adelantarse a la marcha del tiempo, adelantarse a *su* época. ② [남보다 훌륭하다] superar, aventajar. …에서 A보다 ~ superar [aventajar] a A en algo. 그는 수영에서 그들 모두를 앞섰다 El los superó [aventajó] a todos en natación. 아무도 경험이나 기술면에서 그를 앞서지 못한다 Nadie le supera en experiencia ni habilidad. 그들은 수적으로 우리를 앞선다 Ellos nos superan en número. 그는 키에서 그의 형보다 앞선다 El supera en estatura a su hermano mayor.
앞서거니 뒤서거니 a veces va adelante, a veces, atrás, a la par, *AmL* parejo. 그들은 ~했다 Ellos iban a la par / *AmL* Ellos iban parejos.
앞서서 ㉮ [정한 시간보다 먼저·일찍이] más temprano, antes. ㉯ [어떤 일보다 먼저] antes (de). 남보다 ~ con anterioridad a los demás, adelantando a los otros. 시합에 ~ antes de empezar el juego. 토론(討論) 시작에 ~ antes de empezar el debate. 봄에 ~ 피는 꽃 flor *f* precursora de la primavera. 여름에 ~ 수영복 발표회가 열렸다 Anticipándose al verano, se celebró una exposición de trajes de baño.

앞세우다 ① [앞에 서게 하다] hacer ir al frente, hacer preceder, hacer anteceder. ② [먼저 내어 놓다] dar prioridad. 경제 문제를 ~ dar prioridad al problema económico. 그는 말만 앞세우는 사나이다 El es un hombre que siempre dice buenas palabras. ③ [웃어른이 자기 생전에 자식이나 손자를 건지지 못하고 죽게 하다] vivir más largo que *su* hijo o *su* nieto. 외아들을 ~ sobrevivir más largo que *su* único hijo.

앞수표(一手票) cheque *m* posfechado.

앞앞이 para cada uno, delante de cada persona, cada uno, cada una, por persona, por cabeza, respectivamente. ~ 100달러씩 cien dólares cada uno [por persona · por cabeza]. ~ 방이 있다 Cada uno tiene su propia habitación.

앞에총 【군사】 ¡Presenten armas! ~ 하다 cruzar, presentar. ~을 하고 행진하다 marchar con el fusil cruzado.

앞이마 ① ((강조어)) =이마. ② [이마의 가운뎃부분] región *f* central de la frente.

앞일 futuro *m*, porvenir *m*. ~을 내다보다 prever el futuro. ~을 생각하다 pensar en el futuro. 그것은 아직도 요원한 ~이다 Eso es cosa de futuro todavía lejano.

앞자락 parte *f* delantera (de la falda).

앞잡이 ① [앞에서 인도하는 사람] [안내] guía *mf*, cicerone *mf*, líder *mf*. ~가 되다 hacer de guía. ② [주구(走狗)] instrumento *m*, agente *mf*, títere *m*. 경찰의 ~ soplón (*pl* soplones), -lona *mf*.; agente *mf* [espía *mf*] de la policía. A의 ~가 되다 volverse instrumento de A. A를 ~로 쓰다 hacer uso de A como instrumento.

앞장 [여럿이 나아갈 때에 맨 앞에 서는 사람, 또는 그 자리] [일] cabeza *f*, [사람] líder *mf*, dirigente *mf*, [원정대의] jefe, -fa *mf*, [갱의] cabecilla *mf*, jefe, -fa *mf*.

◆앞장(을) 서다 ㉮ [맨 앞에 서서 나아가다] ir a la cabeza (de), encabezar. ㉯ [중심이 되어 활동하다] sacrificarse, tomar la iniciativa. …하는 데 ~ tomar la iniciativa en + *inf*. …을 위해 몸을 ~ sacrificarse por *algo*. 몸을 앞장서서 난국에 대처하다 ofrecerse a afrontar una situación de crisis. 그들은 외국 회사들을 추방하는 데 앞장을 섰다 Ellos tomaron la iniciativa en expulsar a las compañías extranjeras.

◆앞장(을) 세우다 ㉮ hacer encabezar. ㉯ sacrificar.

앞장서다 ☞앞장(을 서다)

앞정강이 ((강조어)) =정강이.

앞지느러미 aleta *f* delantera.

앞지르다 ① [자기보다 앞서 가는 사람을] adelantar, pasar. 앞질리다 quedarse atrás, ir a la zaga (de). 뛰어서~ avanzar *un sitio* corriendo, correr a través de *un sitio*. 저 차를 앞질러라 Adelanta [Pasa] a ese coche. ② [남보다 힘이나 능력이 앞서게 되다] aventajar, exceder, superar, sobrepujar, adelantarse, anticiparse, tomar [ganar · coger] la delantera (a). 너무 앞지른 생각 idea *f* demasiado adelantada. 앞질러 일을 하다 hacer las cosas prematuramente. 그는 나를 앞질러 그 여자를 초대했다 El se me adelantó en invitarla a ella. 한국이 이 분야에서 일본을 앞질렀다 Corea ha superado [adelantado] al Japón en esta rama.

앞집 casa *f* de enfrente.

앞쪽 dirección *f* delantera, dirección *f* hacia delante. ~으로 hacia delante.

앞차(-車) ① [먼저 출발한 차] coche *m* que parte antes. ② [앞서 가는 차] coche *m* [vehículo *m*] de delante, coche *m* que va adelante. ~ 뒤를 바싹 따라가다 ir pisando los talones (a), *Col* chupar rueda (a). ~에 바싹 대어 차를 몰다 conducir [manejar] pegado al vehículo de delante, *Col* chupar rueda. ~를 따라가시오 Sigue [usted에게 Siga] al coche que va adelante.

앞차기 *apchaki*, patada *f* de la parte delantera del cuerpo.

앞참(-站) próxima parada *f*.

앞창 [신이나 구두의] media suela *f*. ~을 대다 poner media suela (a).

앞채[1] [한 울안의 몸채 앞에 있는 집] edificio *m* de frente (del edificio principal).

앞채[2] [가마 · 상여 등의 앞에서 메는 채] barra *f* delantera de llevar.

앞치마 delantal *m*, mandil *m*; [소매 있는] delantal *m* de cocina. ~를 두르다 ponerse el delantal [el mandil].

앞턱 mandíbula *f* delantera.

앞 페이지(-page) [신문의 제일면] primera plana *f*. ~에 나오다 salir en primera plana.

애[1] 【언어】 *ae*, nombre *m* de「ㅐ」, vocal *f* del alfabeto coreano.

애[2] ((준말)) =아이. ¶~를 밴 여인 mujer *f* embarazada. ~가 많다 tener muchos niños.

애[3] [수고] molestia *f*, esfuerza *f*; [걱정] preocupación *f*, ansiedad *f*.

◆애(가) 타다 impacientarse, irritarse. …로 애가 타서 가만히 있을 수 없다 morirse de [por] + *inf*, morirse de ganas [de deseos] de + *inf*.

◆애(를) 먹다 molestarse (de), fastidiarse (de), cansarse (de), verse en un gran apuro [aprieto] (a), confundirse totalmente, perturbarse totalmente, quedar(se) todo complejo, tener dificultades (con), no saber qué hacer (con), estar para volverse loco (con). 나는 비로 애를 먹었다 Me molestó [fastidió] mucho la lluvia. 그것 때문에 애 먹었다 Me cansé de eso. 나는 저 아이 때문에 무척 애를 먹는다 Aquel niño me trae loco / No sé qué hacer con este niño.

◆애(를) 먹이다 molestar, fastidiar, poner en un apuro (a), poner en un aprieto (a), hacer pasar un apuro (a), dar la lata (a), confundir, perturbar, desconcertar, turbar. 무리한 요구로 부모에게 ~ complicar la vida [poner en un apuro] a *sus* padres con peticiones imposibles.

◆애(를) 쓰다 tratar (de + *inf*), esforzarse por vencer. 시간을 지키려고 ~ tratar de ser puntual.

애[1](埃) ((준말)) =애급(埃及).

애[2](埃) 【수학】 10^{-10}.

애- [어린] joven; [첫] primero. ~호박 calabaza *f* joven. ~벌 primer tiempo *m*.

-애(愛) benevolencia *f*, amor *m*, cariño *m*, afecto *m*. 인류~ amor *m* para humanidad. 조국~ patriotismo *m*.

애가(哀歌) ① [슬픈 마음을 나타낸 시가(詩歌)] elegía *f*, [사행시(四行詩)] endechas *fpl.* ② [사람의 죽음을 슬퍼하는 노래] canto *m* fúnebre.

애간장(-肝腸) hígado *m.* ~이 녹다 abrasarse. ~이 타다 estar irritado, *Andal* estar a tres bombas. 사랑으로 ~을 다 녹이다 abrasarse vivo de amores.

◆애간장(을) 태우다 ahogarse, apurarse, abrasar. 하찮은 일로 ~ ahogarse en poca [en un vaso de] agua, apurarse por poca cosa.

애갈이 =애벌갈이.

애개 ¡Vaya! / ¡Anda! / ¡Caramba! ~ 이것뿐이냐? ¡Anda! ¿Es esto todo?

애개개 ¡Vaya, vaya! / ¡Anda, anda!

애걸(哀乞) pedimento *m,* suplicación *f,* súplica *f,* mendicación *f.* ~하다 pedir, suplicar, implorar, mendigar. A에게 …하기를 ~하다 suplicar a A que + *subj.* 가지 마오. 당신한테 ~한다 No te vayas, te lo suplico.

■ ~복걸 ¶~하다 suplicar, implorar, pedir de todo corazón.

애견(愛犬) perro *m* acariciado [mimado].

■ ~가 amante *mf* del perro [de los perros], aficionado, -da *mf* a los perros.

애경(愛敬) =경애(敬愛).

애고 ((준말)) =아이고.

애고(哀苦) tristeza *f* y dolor.

애고(愛顧) amparo *m,* favor *m,* gracia *f,* privanza *f,* patronazgo *m,* clientela *f,* parroquia *f,* patrocinio *m,* auspicio *m,* preferencia *f,* predilección *f.* ~하다 patrocinar, proteger, apadrinar, favorecer, apoyar. ~의 favorito, patrocinado. 종전처럼 ~하여 주시기 바라나이다 Espero verme honrado con el mismo favor que usted me ha dispensado.

애고대고 el grito y el llanto [los gemidos]. ~하다 gritar y llorar [gemir].

애고머니 ((준말)) =아이고머니.

애곡(哀哭) llanto *m,* gemidos *mpl,* luto *m,* lamentación *f,* duelo *m,* plañido *m,* lamento *m,* dolor *m,* profunda pena *f.* ~하다 llorar, lamentar, plañir, llorar la muerte (de)..

애교(愛校) amor *m* a *su* escuela. ~하다 amar a *su* escuela.

■ ~심 amor *m* a *su* escuela, adhesión *f* a la escuela en que se estudia o ha estudiado.

애교(愛嬌) gracia *f,* simpatía *f,* [매력(魅力) encanto *m,* atractivo *m.* ~ 있는 gracioso, simpático, encantador, atractivo, dulce. ~ 있는 목소리 voz *f* encantador, voz *f* dulce. ~ 있는 얼굴을 하고 있다 tener la cara graciosa. 그 여자는 ~가 넘쳐 흐른다 Es muy graciosa [encantadora] / Ella tiene mucho encanto. 지금 것은 ~로 봐 주세요 Lo hice sólo por gracia. 그는 ~가 넘치는 사람이다 El es un hombre gracioso [simpático · jovial].

◆애교(를) 떨다 ser muy gracioso, ser muy encantador. 그녀는 애교를 떨었다 Ella es muy graciosa / Ella es muy encantadora. 애교(를) 부리다 prodigar amabilidades (a), hacerse simpático (a), mostrarse amable (con).

애구 ((변한말)) =아이고.

애국(愛國) patriotismo *m,* amor *m* para con la patria, nacionalismo *m.*

■ ~가 himno *m* nacional. ~ 단체(團體) sociedad *f* patriótica, organización *f* patriótica. ~ 부인회 la Asociación Patriótica de Mujeres. ~ 선열 mártir *mf* (patriótico), patriotas *mpl* difuntos. ~심 patriotismo *m,* espíritu *m* patriótico, civismo *m.* ~애족 devoción *f* a [amor *m* de] *su* país y *su* pueblo. ~ 운동 movimiento *m* patriótico. ~자 patriota *mf.* ~적 patriótico; [사람이] patriota. ~지사 patriota *mf.*

애금가(愛禽家) amante *mf* de las aves, aficionado, -da *mf* a las aves.

애급(埃及) 【지명】 =이집트(Egypt).

애긍(哀矜) compasión *f,* lástima *f,* pena *f.* ~하다 (ser) lastimero, lastimoso, lamentable.

애기(愛己) =자애(自愛).

애기(愛妓) *su kisaeng* favorita.

애기(愛棋) *baduc* o *changki* (ajedrez coreano) favorito.

■ ~가 amante *mf* del *baduc* o del *changki.*

애기(愛機) avión *m* (*pl* aviones) favorito.

애기똥풀 【식물】 celidonia *f.*

애꾸 ((준말)) ①=애꾸눈. ② =애꾸눈이.

■ ~눈 un ojo ciego. ~눈이 tuerto, -ta *mf,* persona *f* que no ve con un ojo.

애꿎다 (ser) inocente, libre de culpa. 애꿎게 inocente. 애꿎은 사람 persona *f* inocente. 애꿎이 inocentemente.

애끊다 dejar destrozado, dejar con el corazón destrozado, estar inconsolable, desgarrar el alma, sentir que *su* corazón desgarre. 애끊는 desgarrador, desconsolado. 애끊는 마음 congoja *f,* sufrimiento *m.* 애끊는 슬픔 tristeza *f* desgarradora. 애끊게 하는 사람 rompecorazones *mf.sing.pl.* 그 소식을 들으니 애끊는 듯했다 Yo sentí que mi corazón desgarrara al oírlo.

애끌 cincel *m* grande.

애끓다 preouparse, inquietarse. 애끓지 마라 ¡No te preocupes! / ¡Tranquilízate! 그 여자는 무척 애끓는다 Ella se preocupa mucho. 애끓는 것은 누구에게도 좋지 않다 Con preocuparse no se gana [no se saca nada]. 애끓을 필요가 없다 No hay por qué preocuparse.

애늙은이 persona *f* joven que se comporta como una persona vieja.

애니메이션(영 *animation*) animación *f,* dibujos *mpl* animados.

애달다 impacientarse, irritarse. 애달은 impaciente, irritante, exasperante. 그이가 느려 애달아 죽겠다 Me irrita su lentitud. 아이구 애달아 죽겠네 ¡Qué irritante! / ¡Cuánto me impacienta! / Me saca de quicio.

애달프다 sentir angustia, sentir aflicción, tener el corazón martirizado, afligirse. 애달픈 이별 despedida *f* afligida, despedida *f* angustiada. 애달픈 마음을 털어놓다 revelar [exponer] la angustia de *su* corazón. 우리들은 아버지가 돌아가셔서 애달펐다 Nosotros nos afligimos por nuestro padre. 애달피 afligidamente, acongojadamente, angustiadamente. ~ 울다 llorar afligidamente.

애닯다 ☞애달프다

애당심(愛黨心) amor *m* para el partido.

애당초(一當初) ((힘줌말)) =애초. ¶~ 무리한 주문이었다 Desde el principio era un pedido poco razonable.

애도(哀悼) condolencia *f*, pésame *m*, duelo *m*. ~하다 expresar condolencia, rezar la paz del alma de un difunto [una difunta], llorar (a), llorar la pérdida [la muerte] (de). ~의 말 condolencias *fpl*. A의 죽음을 ~하다 sentir la muerte de A. ~의 뜻을 표하다 expresar *sus* condolencias (por), expresar profunda condolencia (por), dar el pésame por la muerte (de), condolerse del [por el] fallecimiento (de), dar [expresar] el pésame (por un fallecimiento. 나는 미망인에게 ~의 말을 전했다 Yo di [envié] el pésame [sus condolencias] a la viuda. 진심으로 ~를 표하는 바입니 다 Le acompaño en el [su] sentimiento / Le doy mi más sentido pésame / Le doy el pésame desde el fondo de mi corazón. 우리는 진심으로 ~의 뜻을 표하는 바입니다 Rogamos acepte nuestra más sinceras condolencias [nuestro más sentido pésame].

▪ ~가 lamentación *f*, elegía *f*. ~사 palabras *fpl* de pésame. ~자 doliente *mf*.

애독(愛讀) lectura *f* que interesa, amor *m* de la lectura. ~하다 leer con gusto, leer con vivo interés.

▪ ~서(書) libro *m* predilecto [favorito]. ~자 lector, -tora *mf*; [구독자] subscriptor, -tora *mf*. ~자란(者欄) columna *f* de los lectores. ~ 작가 autor *m* predilecto [favorito], autora *f* predilecta [favorita].

애동대동하다 (ser) muy joven, jovencito. 애동애동한 사나이 hombre *m* muy joven.

애돝 cerdo *m* [puerco *m*] de [que tiene] un año (de edad).

애드(영 *ad*) [광고] anuncio *m*, *AmL* aviso *m*.

▪ ~맨 [광고 업자] publicista *mf*. ~벌룬 globo *m* anunciador, globo *m* [balón *m*] de publicidad.

애디슨(씨)병(一病) 【의학】 enfermedad *f* de Addison.

애락(哀樂) tristeza *f* y placer.

애락(愛樂) amor *m* y placer.

애란(愛蘭) 【지명】 =아일랜드.

애련(哀憐) piedad *f*, misericordia *f*, lástima *f*, compasión *f*. ~하다 (ser) lastimero, patético. ~의 정을 금치 못하다 tener gran compasión.

애련(哀戀) amor *m* triste.

애련(愛憐) amor *m* a los débiles y los niños. ~하다 amar a los débiles y los niños.

애련(愛戀) anhelo *m* por amor. ~하다 anhelar por amor.

애로(隘路) ① [좁고 험한 길] camino *m* estecho y escarpado, vereda *f*, [산중(山中)의] desfiladero *m*, pasos *mpl* estrechos; [교통 체증이 일어나는 곳] cuello *m* de botella. ② [지장] impedimiento *m* (장애), dificultad *f* (곤란), obstáculo *m*, daño *m* (해), estrangulamiento *m*.

애림(愛林) protección *f* del bosque, conservación *f* del bosque, amor *m* de los bosques.

▪ ~ 녹화(綠化) forestación *f* de árboles, repoblación *f* forestal de árboles. ~ 사상 interés *m* en la conservación del bosque. ~ 주간 Semana *f* del Arbol.

애마(愛馬) caballo *m* favorito [preferido].

애매모호하다(曖昧模糊一) (ser) vago, o(b)scuro, indistinto, sombrío, problemático.

애매미 【곤충】 una especie de la cigarra.

애매하다 sufrir injusticia, sentir victimizado, sentir tratado injustamente, sentir discriminado. 애매하게 bajo una acusación falsa. 애매한 사람을 들볶다 molestar a una persona inocente [sin culpa].

애매히 injustamente, sin culpa.

애매하다(曖昧一) (ser) vago, impreciso, oscuro, obscuro, indeciso, confuso, irresoluto; [두 가지 뜻이 있는] ambiguo; [회피적] evasivo. 애매한 기사(記事) noticias *fpl* de las fuentes poco fidedignas. 애매한 대답 respuesta *f* ambigua [indecisa]. 애매한 이야기 galimatios *mpl*. 애매한 풍설(風說) rumor *m* vago. 애매하게 대답(對答)하다 quedar(se) en tinieblas, quedarse confuso. 애매한 대답을 하다 dar una respuesta ambigua [oscura · imprecisa]. 애매한 태도를 취하다 tomar una actitud indecisa [ambigua · evasiva · irresoluta], estar indeciso (sobre). 애매한 점이 많다 contener muchos puntos ambiguos. 이 문장은 의미가 ~ El sentido de esta frase es ambiguo [confuso].

애먹다 tener la experiencia amarga, estar preocupado [inquieto],

애먹이다 molestar, irritar, fastidiar, acosar, desconcertar, dejar perplejo, apabullar, hacerle pasar vergüenza (a), avergonzar, poner en una situación embarazosa, dar molestia, causar fasticio [irritación], poner en dilema, preocupar, inquietar. 어려운 질문으로 선생님을 ~ molestar a *su* maestro con la pregunta difícil.

애먼 ① [엉뚱하게 딴] irrelevante, intrascendente, incorrecto, equivocado, erróneo, exagerado, rocambolesco, inverosímil, increíble. ② [애매하게 딴] inocente, libre de pecado, que ignora el mal.

애면글면 luchando con *su* toda fuerza, haciendo lo mejor débilmente. ~하다 hacer lo mejor con la fuerza débil.

애모(哀慕) lamentación *f*, gemido *m*, lamento

m. ～하다 lamentar, llorar, llorar la muerte (de), llorar la pérdida (de).

애모(愛慕) cariño *m*, afecto *m*, amor *m*, anhelo *m*, ansia *f*. ～하다 amar, anhelar, ansiar, desear con vehemencia. ～의 정(情) sentimiento *m* de la afecto. ～를 받다 ser amado [querido] (de).

애무(愛撫) caricia *f*, mimo *m*. ～하다 acariciar, hacer caricia, mimar. 어린애를 ～해 주다 acariciar [hacer caricias] a un niño. 누구의 온몸을 ～하다 acariciar*le a uno* todo el cuerpo. 양손은 내 온몸을 ～하기 시작했다 Un par de manos empezaron a acariciarme todo el cuerpo. 그 여자는 개를 ～했다 Ella le hizo caricia al perro. 그 여자는 아이의 볼을 ～했다 Ella le hizo caricia al niño.

애물 ① [애를 태우는 물건이나 사람] cosa *f* preocupada, persona *f* preocupada. ② [나이 어려서 부모에 앞서 죽은 자식] hijo *m* que murió joven.

■ ～단지 ((낮은말)) ＝애물.

애바르다 estar entusiasta con negocio muy lucrativo [rentable]

애바리 avaro, -ra *mf*, tacaño, -ña *mf*, miserable *mf*.

애벌 primera vez *f*, primera vuelta *f*.

◆ 애벌 빨다 lavar por primera vez. 애벌 찌다 cocinar [cocer] al vapor por primera vez.

■ ～갈이 primer arado *m*. ～하다 arar la tierra por primera vez. ～구이 ＝설구이. ～김 primera deshierba *f* tosca. ¶～을 매다 desherbar por primera vez. ～논 arrozal *m* que se desherbó toscamente por primera vez. ～방아 molienda *f* que muela toscamente por primera vez. ～빨래 primera ropa *f* para lavar. ～칠 primera pintura *f* tosca, primera mano *f* de pintura, imprimación *f*, base *f*.

애벌레 【곤충】 larva *f*, oruga *f*.

애별(哀別) despedida *f* triste, separación *f* dolorosa.

애사(哀史) historia *f* triste, cuento m triste, tragedia *f*. 단종 ～ tragedia *f* del Rey *Danchong*.

애사(哀詞) condolencias *fpl*.

애사(哀思) pensamiento *m* triste.

애사(愛社) amor *m* de *su* compañía.

애산(礙産) parto *m* labrorioso.

애살스럽다 (ser) mezquino, tacaño, ruin, agarrado, *AmS* amarrete.

애살스레 mezquinamente, tacañamente.

애상(哀傷) lamentación *f*, lamento *m*, dolor *m*, (profunda) pena *f*, pesar *m*., pesadumbre *f*, aflicción *f*. ～의 곡(曲) canción *f* de lamento, elegía *f*.

애서(愛書) libro *m* favorito.

■ ～가 bibliófilo, -la *mf*, aficionado, -da *mf* a libros valiosos y raros. ～광(狂) bibliomanía *f*, [사람] bibliómano, -na *mf*, bibliomántico, -ca *mf*.

애서다 estar embarazada.

애석(愛惜) piedad *f*, lástima *f*, compasión *f*. ～하다 ser lamentable, ser (una) lástima, apesadumbrarse, tomar pesadumbre, entristecerse, afligirse. ～하게 생각하다 sentir, lamentar, deplorar, llorar. ～하게도 생명을 잃다 perder la vida en vano. ～하게도 좋은 기회를 놓치다 dejar escapar un oportunidad espléndida. A의 죽음을 ～하게 생각하다 sentir la muerte de A. …해서 ～하다 Es (una) lástima que + *subj* / Es lamentable que + *subj*. ～하구나! ¡Qué lástima! / ¡Qué pena! 그는 ～하게 졌다 El ha perdido el juego que tenía casi ganado.

애석하다(哀惜－) (ser) triste y mezquino.

애성이 furia *f*, cólera *f*, enfado *m*, enojo *m*, indignación *f*.

애소(哀訴) clamoreo *m*, súplica *f*. ～하다 clamar, rogar, suplicar.

애솔 pino *m* joven.

■ ～밭 pinar *m* joven.

애송(愛誦) recitación *f* de *su* poema, canción favorita. ～하다 cantar [recitar] con afición, aficionarse de recitar, recitar con gusto. ～하는 시(詩) poema *m* aficionado. 나는 로프까의 시를 ～한다 El es aficionado a [Me encanta] recitar los poemas de García Lorca.

■ ～시 poema *m* favorito. ～집 antología *f* de *sus* poemas favoritos.

애송아지 ternero *m* (joven), becerro *m*.

애송이 [풋내기] pipiolo, -la *mf*, novato, -ta *mf*, bisoño, -ña *mf*, [꼬마둥이] tirón *m* (*pl* tirones); [견습생] aprendiz, -za *mf*. ～의 prematuro. 나는 아직 ～라서 a pesar de mi falta de esperanza.

애수(哀愁) tristeza *f*, pesadumbre *f*, melancolía *f*. ～를 느끼다 sentir triste.

애순(－筍) retoño *m* joven.

애시(哀詩) elegía *f*.

애식(愛息) querido hijo *m*.

애쓰다 esforzarse (para · en · para), hacer todo lo que se pueda, hacer cuanto se puede. 애써 todo que se pueda, cuanto se puede, diligentemente, aplicadamente, con asiduidad, asiduamente. 몹시 ～ hacer gran esfuerzo. 애써 공부하다 estudiar mucho. 애쓴 보람이 있어 gracias a los esfuerzos (de). 애쓴 보람이 없다 trabajar en vano. 평온을 유지하려고 ～ esforzarse por mantener la calma. 그건 애쓴 보람이 없었다 Era una pérdida de tiempo. 고생만 하고 애쓴 보람이 없다 Buscar una aguja en un pajar (헛간에서 바늘 찾기 / 가망 없는 짓을 하다).

애애하다(靄靄－) ① [안개가 많이 끼다] (estar) neblinoso, brumoso, de calima. ② [평화롭다] (ser) pacífico. 화기(和氣)～ ser pacífico, ser armonioso.

애애히 pacíficamente, armoniosamente.

애연(愛煙) afición *f* al tabaco. ～하다 ser aficionado al tabaco.

■ ～가 aficionado, -da *mf* al tabaco; gran fumador *m*, gran fumadora *f*.

애오라지 algo, un tanto, de algún modo, de alguna manera, de alguna forma, de algún modo u otro. ～ 그는 빚을 갚을 수 있었다 De algún modo u otro, él pudo pagar sus deudas.

애옥살이 vida *f* pobre, circunstancias *fpl* necesitadas, circunstancia *f* estrechada, familia *f* pobre. ～하다 pasarse con un pequeño ingreso, ganar la vida escasa, vivir en pobreza. ～에 자식만 많다 Tiene muchos hijos en la vida pobre.

애옥하다 (ser) pobre, miserable, necesitado.

애완(愛玩) afición *f*, cariño *m*. ～하다 tener afecto [amor · cariño] (a), estar encariñado (con), estar aficionado (a), aficionarse, mimar, acariciar. ～용 작은 개 perro *m* de falda.
■～가 amante *mf*, aficionado, -da *mf*. ～견 perro *m* faldero [de falda]. ～ 동물(動物) animal *m* favorito, animal *m* mimado, animal *m* doméstico, animal *m* de compañía, mascota *f*. ～품 cosa *f* favorita, cosa *f* preferida.

애욕(愛慾) amor *m* sensual, pasión *f* de amor, apetito *m* sexual, lujuria *f*. ～의 노예가 되다 ser esclavo [estar cautivo] de amor sensual.

애용(愛用) uso *m* habitual, uso *m* favorito, uso *m* preferido. ～의 favorito, preferido, usado con preferencia. ～하다 usar con (mucha) preferencia, patrocinar. 국산품(國産品)을 ～하다 patrocinar la industria nacional. 그가 ～하는 만년필 estilográfica *f* de *sus* preferencias, *su* estilográfica preferida.
■～가 usuario, -ria *mf* habitual; cliente, -ta *mf*. ～약 medicina *f* favorita.

애원(哀願) ruego *m*, súplica *f*, imploración *f*, depreciación *f*. ～하다 rogar, suplicar, implorar. ～하는 suplicante, implorante. ～하듯이 en tono de súplica. ～하는 눈으로 바라보다 mirar con ojos suplicantes, implorar con la mirada. …하기를 ～하다 rogar [suplicar · implorar] que + *subj*. 너에게 ～하니 가지 마라 No te vayas, te lo suplico. 그 여자는 나에게 머물게 해달라고 ～했다 Ella me suplicó que la dejara quedarse.
■～자(者) suplicante *mf*, implorante *mf*, peticionario, -ria *mf*.

애육(愛育) crianza *f* cariñosa, crianza *f* tierna, educación *f* afectuosa. ～하다 criar [educar] tiernamente.

애음(愛飮) afición *f* a la bebida. ～하다 aficionarse a [de] la bebida, beber [tomar] regularmente.
■～가(家) aficionado, -da *mf* a la bebida; bebedor, -dora *mf* regular.

애인(愛人) novio, -via *mf*, amante *mf*, querido, -da *mf*, enamorado, -da *mf*. 그 여자는 어린 시절의 ～과 결혼했다 Ella se casó con el amor de su niñez.

애잇닦기 limpieza *f* tosca.

애자(哀子) yo que presido el duelo.

애자(愛子) *su* querido niño, *su* querida niña; niño *m* mimado, niña *f* mimada.

애자(碍子/礙子) 【전기】 aislador *m*.

애잔하다 (ser) muy débil, delicado, infantil, pueril. 애잔한 얼굴 cara *f* infantil. 수심에 잠긴 애잔한 모습 aparición *f* afligida.
애잔히 débilmente, delicadamente.

애장(愛藏) atesoramiento *m*. ～하다 atesorar, conservar, guardar (como un tesoro).
■～서 *su* libro atesorado.

애저(-豬/猪) puerco *m* [cerdo *m*] lactante.
■～구이 puerco *m* lactante asado. ～찜 puerco *m* lactante cocido al vapor.

애절하다(哀切/哀絶-) (ser) triste, patético. 애절한 이야기 historia *f* triste.
애절히 tristemente, con tristeza, patéticamente.

애젊다 parecer menor que *su* edad. 애젊은 여성 adolescente *f*, doncella *f*.

애젊은이 jovencito, cita *mf*, adolescente *mf*.

애정(哀情) tristeza *f*, profunda pena *f*, dolor *m*.

애정(愛情) ① [사랑하는 마음] amor *m*, cariño *m*, afecto *m*. ～이 있는 cariñoso, afectuoso, amoroso, amable, tierno. ～(이) 없는 frío, duro, sin compasión, sin amor. ～ 없는 결혼 casamiento *m* sin amor. 부부의 ～ amor *m* conyugal, amor *m* entre esposos. 동물에 대한 ～ cariño *m* a los animales. ～을 가지다 tener afecto [cariño]. ～을 느끼다 sentir afecto (a), sentir cariño (a), encariñarse (con), suspirar (por). ～ 없이 결혼하다 casarse (con *uno*) sin amor. ～을 표시하다 mostrar *su* amor. ② =연정(戀情).

애제자(愛弟子) discípulo *m* favorito, discípula *f* favorita; alumno *m* predilecto, alumna *f* predilecta.

애조(哀調) tono *m* triste, tono *m* lamentoso, melodía *f* de profunda tristeza, melodía *f* triste, entonación *f* dolorosa [pesarosa · afligida]. ～를 띤 triste, de profunda tristeza, acongojado, lamentable. ～를 띤 곡(曲) música *f* melancólica [triste · elegíaca]. ～를 띤 민요 canción *f* popular de tono triste.

애조(愛鳥) [보호] protección *f* de los pájaros; [새] pájaro *m* favorito.

애족(愛族) amor *m* de *su* pueblo. ～하다 amar a *su* pueblo.

애주(愛主) amor *m* a Dios. ～하다 amar a Dios.

애주(愛酒) afición *f* [amor *m*] de vino. ～하다 ser aficionado a vino, gustar*le* vino (a *uno*), amar al vino.
■～가(家) gran bebedor *m* (*pl* grandes bebedores), gran bebedora *f* (*pl* grandes bebedoras); aficionado, -da *mf* a vino.

애중(愛重) el amor y la preciosidad. ～하다 amar y ser precioso.

애증(愛憎) el amor y el odio. ～의 염(念)이 강하다 tener la parcialidad fuerte.

애지중지(愛之重之) mayor [mucho] cuidado

m [cariño *m*]. ~하다 tratar con cariño, querer tiernamente, mimar, sentir [tener] mucho cariño. ~하여 con el mayor cuidado, cuidadosamente. 외아들을 ~하다 tratar a *su* único hijo con cariño, querer a *su* único hijo tiernamente. 그 여자는 손자를 ~한다 Ella tiene mucho cariño a su nieto.

애착(愛着) apego *m*, afición *f*, afecto *m*, adhesión *f*, pasión *f*. ~하다 amar apasionadamente. 집에 대한 ~ apego *m* a *su* casa. ~을 가지다 tener apego (a). ~을 느끼다 apegarse (a), sentir afecto (por). 그는 내 시계에 굉장한 ~을 가지고 있다 El tiene mucho apego a mi reloj.

애창(愛唱) amor *m* de la canción. ~하다 ser aficionado a cantar (una canción).

■ ~곡(曲) canción *f* favorita, canción *f* que *le* gusta cantar.

애채 brote *m*, retoño *m*. ~가 나다 echar retoños, retoñar, brotar, salir.

애처(愛妻) ① [아내를 사랑함] amor *m* [cariño *m*] a *su* esposa. ② [사랑하는 아내] amada esposa *f*, querida esposa *f*, esposa *f* favorita.

■ ~가(家) marido *m* [esposo *m*] solícito, abnegado esposo *m*, esposo *m* leal, esposo *m* que quiere a *su* esposa. 그는 ~다 El es cariñoso con su esposa / El es un marido solícito.

애처롭다 (ser) lamentable, lamentoso, lastimoso, lastimero, patético, conmovedor, digno de lástima, doloroso, penoso, miserable, pobre, enternecedor, conmovedor. 애처로운 이야기를 듣다 oir un relato enternecedor. 넌 ~ ¡Das pena! / ¡Das lástima! / ¡Me sacas de quicio! 정말 애처로운 변명이군! ¡Qué excusa más pobre! 아이는 애처로운 눈으로 어머니를 바라보고 있었다 El niño contemplaba a su madre con ojos lastimeros. 그는 너무 말라 보기에도 ~ El está tan delgado que da lástima (de) verlo / El está lastimosamente delgado. 그것은 보기만 해도 ~ Sólo verlo da pena / Es una gran pena verlo. 보기에도 애처로운 광경이다 Es un espectáculo que da pena sólo verlo.

애처로이 lamentablemente, lastimeramente, lamentosamente, lastimosamente, con voz lastimera, enternecedoramente, enternecidamente.

애첩(愛妾) *su* concubina favorita.

애초 principio *m*, comienzo *m*; [부사적] primero. ~의 primero, original, inicial. ~부터 desde el principio. ~의 계획 intención *f* original. ~의 목적(目的) primer objeto *m*.

애초에 primero, en primer lugar, antes que nada, primariamente, originalmente, principalmente. ~ 이것이 실패의 원인이었다 En primer lugar, ésta fue la causa del fracaso.

애칭(愛稱) diminutivo *m* (familiar y) cariñoso, término *m* de encariñamiento; 【문법】 hipocorístico *m*. 롤라는 돌로레스의 ~이다 Lola es el diminutivo cariñoso de Dolores.

애타(愛他) amor *m* a los otros, altruismo *m*. ~하다 amar a los otros.

■ ~심(心) espíritu *m* altruista. ~적(的) altruista. ~주의 altruismo *m*. ~주의자 altruista *mf*.

애타다 impacientarse, irritarse, inquietarse. 애타는 inquietante, irritante. …에 ~ estar loco con [de · por] *algo*, ser esclavo de *algo*. 그는 사랑에 애타고 있다 El está loco de amor. 그이로부터 아무 소식이 없어 나는 애타고 있다 La falta de noticias suyas me tiene inquieto.

애태우다 impacientar, irritar, poner impaciente [irritado], tener sobre ascuas; [관객 등을] hacerse (de) rogar (por los espectadores). 애태우지 말고 빨리 말해라 No me pongas nervioso y dímelo pronto. 그 여자는 꾸물꾸물해서 그를 애태웠다 Ella le irrita con sus vacilaciones.

애터지다 estar muy preocupado (por).

애통(哀痛) lamentación *f*, lamento *m*, lástima *f*, duelo *m*, dolor *m*, profunda pena *f*. ~하다 lamentarse, llorar, llorar la muerte (de). ~할 만한 lamentable, deplorable. ~할 일 incidente *m* lamentable [deplorable]. 얼마나 ~하십니까 [문상할 때] Le acompaño en su sentimiento.

애통터지다 estar muy preocupado (por), tener preocupado, preocuparse (por), inquietarse (por), deplorar profundamente.

애틋하다 (ser) sincero, encarecido, profundo. 애틋한 소망(所望) deseo *m* sincero, deseo m encarecido. 그 여자의 슬픔이 애틋하여 나를 감동시켰다 Su tristeza me impresionó profundamente.

애틋이 sinceramente, profundamente.

애티 puerilidad *f*, calidad *f* de pueril, cosa *f* propia de niños. ~나다 ser pueril. ~를 벗다 crecer.

애프터서비스 servicio *m* post-venta.

애해 ¡Mira! / ¡Anda! / ¡Vaya! / ¿Ah, sí? / ¿En serio?

애햄 ¡Ejem!

애향(愛鄕) amor *m* de *su* pueblo natal.

■ ~심(心) patriotismo *m* local, amor *m* de su pueblo natal.

애호(哀號) llanto *m*, gemidos *mpl*. ~하다 llorar, gemir.

애호(愛好) afición *f*, gusto *m*. ~하다 aficionarse (a).

■ ~가(家) aficionado, -da *mf*. ¶미술 ~ aficionado, -da *mf* a [amante *mf* de] las bellas artes.

애호(愛護) protección *f*, amparo *m*. ~하다 proteger, amparar. 동물을 ~하다 proteger a los animales.

◆동물 ~ 협회 la Sociedad [la Asociación] Protectora de Animales.

애호박 calabaza *f* joven y verde.

애화(哀話) historia *f* triste, cuento *m* triste.

애환(哀歡) alegría y tristeza.
애휼(愛恤) caridad *f*, amor *m* al prójimo.
애희(愛戲) juego *m* de amor.
애희(愛姬) =애첩(愛妾)
액(厄) desgracia *f*, desastre *m*, infortunio *m*, calamidad *f*. ~을 막다 prevenir [evitar] la desgracia. ~을 당하다 tener un accidente. ~이 있다 tener la desgracia, tener la mala fortuna.
액(液) líquido *m*; [용액] solución *f*; [즙] jugo *m*; [나무의] savia *f*.
액(額) ((준말)) =편액(扁額).
-액(額) suma *f*, cantidad *f*, importe *m*. 생산 ~ cantidad *f* de producción.
액기(腋氣) =암내[2]
액날(厄-) día *m* calamitoso, día *m* funesto.
액년(厄年) año *m* calamitoso, año *m* climatérico, período *m* climatérico; [나이] edad *f* crítica [nefasta · climatérica].
액달(厄-) mes *m* funesto, mes *m* infausto. 이 달은 ~이었다 Este mes era el mes funesto para mí.
액때우다(厄-) exorcizar.
액때움(厄-) exorcismo *m*. ~을 하다 exorcizar.
액땜(厄-) ((준말)) =액때움.
액량(液量) medida *f* (de capacidad) para líquidos, medida *f* líquida.
액막이(厄-) exorcismo *m*, conjuro *m*, libramiento *m* de pejiguera. A의 ~를 하다 exorcizar a A, librar a A del demonio. 자신의 ~를 하다 evitar la calamidad. ~가 되어 있다 estar exorcizado.
■~굿 exorcismo *m*. ~ 부적 talismán *m* (*pl* talismanes) contra desgracias.
액면(液面) superficie *f* del líquido.
액면(額面) ① 【경제】 [공채 · 주식 · 화폐 등의 권면(券面)] suma *f*, monto *m*, cantidad *f*, importe *m*. ② ((준말)) =액면 가격. ③ [표면에 내세운 사물의 가치] letra *f*. ~ 그대로 a la letra, al pie de la letra, literalmente. ~대로 받아들이다 creerse, fiarse (de). A의 말을 ~ 그대로 받아들이다 creerse lo que dijo A, fiarse de A, tomar a la letra las palabras de A. 그 여자가 말한 것을 ~ 그대로 받아들였다 Yo me creí lo que dijo.
■~가 ((준말)) =액면 가격. ~ 가격 valor *m* nominal, valor *m* facial, valor *m* a la par. ~ 발행 emisión *f* de valores a la par. ~ 이율 tasa *f* de interés facial. ~주 =액면 주식. ~ 주식 acción *f* con valor par.
액모(腋毛) pelo *m* de la axila, pelo *m* del sobaco.
액비(液肥) fertilizante *m* licuado.
액사(縊死) (suicidio *m* [muerte *f*] por) ahorcamiento *m*, ahorcadura *f*. ~하다 ahorcarse, estrangularse, estrecharse.
액살(縊殺) estrangulación *f*. ~하다 estrangular.
액상(液狀) condición *f* líquida, forma *f* líquida. ~의 líquido.
액상(液相) fase *f* líquida.
액세서리(영 *accessory*) accesorios *mpl*, complementos *mpl*.
액셀러레이터(영 *accelerator*) [가속 장치(加速裝置)] acelerador *m*. ~를 밟다 apretar [pisar] el acelerador. ~를 놓다 aflojar el acelerador.
액션(영 *action*) actuación *f*, acto *m*, acción *f*.
■~ 드라마 drama *m* (lleno) de acción.
액수(額數) ① [금액] suma *f*, total *m*; [돈의] suma *f* [cantidad *f*] (de dinero). 그것은 ~보다 많다 Es algo más que la suma. 그 여자는 의류에 많은 ~를 쓴다 Ella gasta muchísimo (dinero) en ropa. ② [사람의 수효] número *m*.
액아(腋芽) 【식물】 =겨드랑눈.
액운(厄運) calamidad *f*, desastre *m*, desdicha *f*, desventura *f*. ~을 당하다 tener la calamidad, encontrarse con el desastre. ~을 면하다 escapar la calamidad [el desastre].
액월(厄月) 【민속】 =액달.
액일(厄日) 【민속】 =액날.
액자(額子) marco *m*. ~에 끼운 그림 cuadro *m*. ~에 끼우다 poner *algo* en un marco, enmarcar, encuadrar.
액자(額字) letras *fpl* escritas en la tablilla.
액정(液晶) cristal *m* líquido.
■~ 표시 소자 pantalla *f* de cristal líquido.
액즙(液汁) =즙(汁).
액체(液體) líquido *m*; [유체] liquidez *f*; [유동체] fluido *m*. ~의 líquido, fluido. 거른 ~를 솥에 부으세요 Vierta en la olla el líquido colado.
■~ 가스 gas *m* líquido, gas *m* licuado. ~ 공기 aire *m* líquido. ~ 금속 연료 comestible *m* metal líquido. ~ 금속 핵연료 combustible *m* nuclear líquido. ~ 냉각 refrigeración *f* por agua, refrigeración *f* por el líquido, enfriamiento *m* por líquido. ~ 냉각기 refrigerante *m* líquido. ~ 냉각 엔진 motor *m* de refrigeración líquida. ~ 동력학(動力學) hidrodinámica *f*. ~비중계 hidrómetro *m*, aerómetro *m*. ~ 비중 측정법 hidrometría *f*, aerometría *f*. ~석유 연료 combustible *m* líquido de petróleo. ~ 압력(壓力) presión *f* hidráulica. ~ 연료(燃料) combustibles *mpl* líquidos. ~ 열량계(熱量計) calorímetro *m* líquido. ~ 온도계 termómetro *m* líquido. ~ 정력학(靜力學) hidrostática *f* (líquida). ~ 추진 로켓 엔진 motor *m* cohete de propelente líquido. ~ 탄산 ácido *m* carbónico líquido. ~ 탄소 carbono *m* líquido.
액취(腋臭) sobaquina *f*, sobaquera *f*, olor *m* de la axila. 그는 ~가 난다 El huele a sobaquina.
액화(液化) licuación *f*, liquidación *f*, licuefación *f*. ~하다 licuar, liquidar. ~되다 convertirse en líquido, liquidarse. ~할 수 있는 licuable, liquidable. 가스는 간단히 ~된다 El gas se liquida fácilmente.
■~ 가스 gas *m* licuado [líquido]. ~ 산소 oxígeno *m* líquido. ~ 석유 가스 gas *m* de petróleo licuado. ~열 calor *m* licuado.

액화(厄禍) =재화(災禍). 재난(災難).
앤생이 ① [사람] persona *f* débil. ② [물건] cosa *f* poco preciosa, cosa *f* inútil.
앤저즈(영 *ANZUS, Australia, New Zealand and the United States (Security Treaty)*) [태평양 안전 보장 조약] A.N.Z.U.S. *m*, Organización *f* de Seguridad y Asistencia entre Australia, Nueva Zelanda y los Estados Unidos de América.
앨범(영 *album*) álbum *m*. 사진을 ~에 붙이다 pegar [poner] fotografías en un álbum.
앰뷸런스(영 *ambulance*) ambulancia *f*.
앰프 ((준말)) =앰플리파이어(amplifier).
앰플(영 *ampoule*) 【의학】 ampolla *f*.
앰플리파이어(영 *amplifier*) 【물리】 =증폭기.
앳되다 (ser) pueril, infantil.
앵[1] [모기나 벌 같은 벌레들이 빨리 날 때에 나는 소리] zumbido *m*. ~~거리다 zumbar. 모기가 ~~ 거린다 Los mosquitos zumban.
앵[2] [뉘우치거나 성나거나 딱하거나 싫증이 날 때 내는 소리] ¡Um! / ¡Ah!
앵글로색슨(영 *Anglo-Saxon*) [사람] anglosajón, -jona *mf*. ~의 anglosajón.
■~ 민족 raza *f* anglosajona, anglosajones *mpl*. ~ 어[말] anglosajón *m*.
앵돌아지다 estar de mal humor. 그 아이는 과자를 주지 않아 앵돌아져 있다 El niño está de mal humor porque no le dan dulces.
앵두 cereza *f*. ~ 같은 입술 labios *mpl* tan rojos como la cereza.
앵두나무 【식물】 cerezo *m*.
앵무(鸚鵡) 【조류】 =앵무새.
앵무병(鸚鵡病) 【의학】 psitacosis *f*.
앵무새(鸚鵡-) 【조류】 papagayo *m*, loro *m*, cotorra *f*. ~처럼 말을 되풀이하다 repetir como un loro [un papagayo], hablar como un papagayo, repetir las palabras del otro mecánicamente.
앵무조개(鸚鵡-) 【조개】 nautilo *m*.
앵미 arroz *m* de la calidad inferior.
앵속(罌粟) 【식물】 =양귀비(楊貴妃).
■~각 cáscara *f* de amapola. ~자 semilla *f* de amapola.
앵앵 zumbando.
앵앵거리다 zumbar.
앵하다 estar resentido [rencoroso] (por), resentirse. 나는 항상 그의 성공에 앵했다 Siempre he sentido celos de su éxito.
야[1] ① [매우 놀랍거나 반가울 때 내는 소리] ¡Ay! / ¡Ah! / ¡Oh! / ¡Oye! / ¡Hombre! / ¡Hola! ~, 멋있다 ¡Ah, qué espléndido! ~, 놀랍다 ¡Ay, qué sorpresa (más grande)! ~, 이거 오래간만일세 ¡Hola! Tanto tiempo (sin vernos). ② [어른이 아이를 부르거나 젊은 친구끼리 허물없이 상대를 부르는 소리] ¡Oye! ~, 거기 서 있어 ¡Oye, quédate allí!
야[2] [받침 없는 체언에 붙는 호격(呼格) 조사] ¶새~ 새~ 파랑새~ Pájaro, pájaro, azulejo. 철수~ 먼저 가거라 Cheolsu, ve(te) primero.
야(野) ① [야당(野黨)] partido *m* de oposición. ~에 있어 국가의 장래를 걱정하다 preocuparse por [con · de · en] el futuro nacional estando en el partido de oposición. ② [민간(民間)] pueblo *m*. ~에 있다 no ser gobernante, estar fuera de los medios administrativos.
야간(夜間) noche *f*, [부사적] por la noche, de noche, *AmL* en la noche. ~의 nocturno, de la noche. ~에 por la noche, de noche, *AmL* en la noche. ~에 일하다 trabajar por la noche.
■~ 개장 abierto por la noche. ~ 경기 juego *m* nocturno. ~ 교대 turno *m* [tanda *f*] de noche. ~ 근무 turno *m* nocturno [de la noche], servicio *m* nocturno [de noche · por la noche]. ¶~하다 trabajar de noche, trabajar fuera del tiempo estipulado. ~ 근무 수당 asignación *f* del trabajo nocturno, subsidio *m* para el servicio nocturno. ~ 근무자 [집합적] turno *m* nocturno [de la noche]. ~ 당직 vigilación *f* nocturna. ~ 당직자 vigilante *m* nocturno, vigilante *f* noctura. ~ 도주 fuga *f* de la noche, remoción *f* secreta por la noche. ~등 lamparilla *f* de noche, mariposa *f*. ~부 sección *f* nocturna de la escuela. ~ 비행 vuelo *m* nocturno (de noche). ~ 수업 clases *fpl* nocturnas. ~ 연습 práctica *f* nocturna, ejercicio *m* nocturno. ~ 열차 tren *m* nocturno. ~ 영업 servicio *m* nocturno. ~ 외출 salida *f* nocturna. ~ 외출 금지 toque *m* de queda. ~일 trabajo *m* nocturno. ~ 작업(作業) trabajo *m* nocturno, horas *fpl* extras, *Chi, Per* sobretiempo *m*. ~ 작업 수당 asignación *f* de horas extras. ~ 촬영 fotografía *f* por la noche. ~ 통행 금지 toque *m* de queda. ~ 통화 llamada *f* (telefónica) nocturna. ~ 폭격 bombardeo *m* nocturno. ~ 학교 escuela *f* nocturna, colegio *m* nocturno, instituto *m* nocturno. ~ 학생(學生) estudiante *mf* de la escuela nocturna ~ 흥행 funciónes *fpl* nocturnas [diarias · a diario · todas las noches].
야거리 barca *f* con un mástil.
야견(野犬) perro *m* silvestre, perro *m* suelto, perro *m* errante, perro *m* mostrenco, perro *m* cimarrón.
야경(夜景) vista *f* nocturna, escena *f* nocturna, perspectiva *f* nocturna [de noche]. 서울의 ~ escena *f* nocturna de Seúl.
■~ 사진 fotografía *f* de perspectiva nocturna. ~화(畵) nocturno *m*, cuadro *m* nocturno, pintura *f* nocturna.
야경(夜警) vigilancia *f* nocturna.
■~꾼 vigilante *m* nocturno, guarda *m* nocturno; [구역 내의] sereno *m*. ~단(團) cuerpo *m* de vigilancia. ~봉 porra *f*.
야경(野景) paisaje *m* del campo.
야경스럽다 (ser) ruidoso por la noche.
야경스레 ruidosamente por la noche.
야고보[1] 【인명】 ((성경)) Santiago.

야고보² 【인명】 ((성경)) Jacobo, Santiago (열두 사도 중 큰 야고보; 세베대의 아들).
야고보³ 【인명】 ((성경)) Jacobo, Santiago (열두 사도 중 작은 야고보; 알패오의 아들).
야고보서(-書) 【성경】 La Epístola Universal de Santiago, Carta *f* de Santiago.
야곡(夜曲) 【음악】 nocturno *m*.
야곱 【인명】 ((성경)) Jacob.
야광(夜光) ① [달] luna *f*. ② [밤에 빛나는 빛] luz *f* nocturna, luz *f* que resplandece [brilla] por la noche. ~의 noctiluco.
■~ 도료 pintura *f* luminosa. ~ 시계 reloj *m* de esfera luminosa, reloj *m* luminoso. ~주(珠) gema *f* que emite luz en noche.
야광충(夜光蟲) 【곤충】 noctiluca *f*.
야구(野球) béisbol *m*. ~를 하다 jugar al béisbbol.
■~계 círculos *mpl* de béisbol, mundo *m* de béisbol. ~공 pelota *f* de béisbol. ~단 equipo *m* de béisbol. ¶직업 ~ equipo *m* de béisbol profesional. ~방망이 palo *m* de béisbol. ~부 club *m* (*pl* clubs) de béisbol. ¶~장(長) presidente *m* [jefe *m*] del club de béisbol. ~ 선수(選手) jugador, -dora *mf* de béisbol; beisbolista *mf*. ¶직업 ~ beisbolista *mf* profesional. ~ 시합 partido *m* de béisbol. ¶~을 하다 hacer un partido de béisbol. ~열 fiebre *f* de béisbol, manía *f* por béisbol. ~장 [전체] campo *m* de béisbol; [베이스 안 지역] diamante *m*, cuadro *m*. ~팀 equipo *m* de béisbol. ~팬 aficionado, -da *mf* al béisbol, entusiata *mf* del béisbol. ~화 zapatos *mpl* para béisbol.
야근(夜勤) ((준말)) =야간 근무(夜間勤務).
야금(冶金) metalurgia *f*. ~의 metalúrgico.
■~ 공업 industria *f* metalúrgica. ~ 공장 taller *m* metalúrgico. ~ 기사 ingeniero *m* metalúrgico. ~술(術) arte *m* [técnica *f*] metalúrgica, metalurgia *f*. ~업 industria *f* metalúrgica. ~학 metalurgia *f*. ~ 학자 metalúrgico, -ca *mf*.
야금(野禽) pájaro *m* salvaje, el ave *f* (*pl* las aves) salvaje.
야금(夜禽) pájaro *m* nocturno, el ave *f* (*pl* las aves) nocturna.
야금거리다 comer mordiscando.
야금야금 poco a poco, *AmL* de a poco. ~ 먹다 comer poco a poco.
야기(夜氣) aire *m* nocturno [de la noche], frescura *f* nocturna [de la noche], sereno *m*.
야기(惹起) ¶~하다 causar, ocasionar, provocar, incitar, conducir. 분란(紛亂)을 ~하다 causar disturbio, causar confusión, perturarse, conmover turbación, provocar. 중대한 결과를 ~하다 causar [ocasionar] consecuencias graves.
야기부리다 reprender, regañar, refunfuñar, reñir, murmurar, *CoS* retar, *Urg* rezongar.
야기죽거리다 decir palabras irresponsables despacio y aborreciblemente.
야기죽야기죽 diciendo palabras irresponsables despacio y aborreciblemente.
야나차다 (ser) astuto, ladino; [타산적이다] calculador.
야뇨증(夜尿症) enuresis *f*, incontinencia *f* de orina, mojada *f* de cama en noche.
야다하면 en caso de emergencia.
야단(惹端) ① [떠들썩하게 벌어진 일] clamor *m*, tumulto *m*, alboroto *m*, barahúnda *f*, protesta *f*, airada *f*, pelea *f*, riña *f*. ~하다 (ser) tumultuoso, clamoroso, estrepitoso, enfervorizado; [소리 지르다] gritar. 아이들은 집에 가고 싶다고 ~하기 시작했다 Los niños empezaron a gritar que se querían ir a casa. ② [소리를 높여 마구 꾸짖는 일] reprimenda *f*, regaño *m*, reprensión *f*, regañina *f*, *Méj* regañiza *f*, *RPl* reto *m*. ~하다 regañar, reñir, reprender; [잡도리하다] amonestar. ③ ((준말)) =야기요단.
◆야단(을) 맞다 ser reprendido (severamente), reprenderse, recibir un rapapolvo, ser regañado [reprendido · increpado] (por). 나는 수업에 늦어 야단맞았다 Yo fui reprendido [Me han amonestado] por haber llegado tarde a clase. 그는 의무를 게을리한 탓으로 심하게 야단을 맞았다 Se lo reprendió seriamente por haber sido negligente en sus obligaciones.
◆야단(을) 치다 reprender (severamente), regañar, echar una regañina, echar un rapapolvo, *Méj* reñir, *CoS* retar, *Urg* rezongar, *RPl* dar [pasar] un café. 아무것도 아닌 걸 가지고 야단치지 마세요 No me reprenda por nada.
◆야단(이) 나다 ¶이거 야단났군! ¡Cáspita! / ¡Ay de mí! / ¡Qué lástima! / Estoy perdido / *ReD* ¡Coño!
■~받이 lo que es reprendido; [사람] persona *f* que es reprendida, persona *f* que se reprende [reprenden]. ~법석 confusión *f*, alboroto *m*, juerga *f*, parranda *f*, parrandeo *m*, francachela *f*. ¶~을 떨다 armar una juerga, irse de juerga, irse de francachela, irse [andar] de picos pardos. ~을 떠는 사람 juerguista *mf*.; parrandero, -ra *mf*. 그 소식에 동네가 온통 ~이 벌어졌다 La noticia produjo una gran confusión en el pueblo.
야단스럽다 (ser) bullicioso, ruidoso, vociferante, tumultuoso, clamoroso. 야단스런 선전 propaganda *f* engañosa.
야단스레 bulliciosamente, ruidosamente, haciendo mucho ruido, tumultuosamente, vociferantemente, clamorosamente.
야담(野談) romance *m* histórico, cuento *m* histórico no oficial, narración *f* histórica (profesional), novela *f* romántica histórica, novela *f* de amor histórica, novela rosa histórica.
■~가(家) narrador *m* histórico (profesional), narradora *f* histórica (profesional). ~책 libro *m* de romance histórico.
야당(野黨) partido *m* opositor [de (la) oposición], partido *m* antigubernamental, oposi-

ción *f.* ~의 del partido de (la) oposición, de (la) oposición, antigubernamental. ~의 영수(領袖) líder *m* del partido de oposición.

■ ~계 facción *f* de la oposición. ~ 공세 ofensiva *f* del partido de la oposición. ~권 círculo *m* de la oposición. ~ 기관지 órgano *m* del partido de la oposición. ~ 기질 temperamento *m* antigubernamental. ~ 당수 jefe, -fa *mf* de oposición. ~ 신문 periódico *m* del partido de la oposición. ~ 연합 combinación *f* de los partidos de la oposición. ~ 의석 escaños *mpl* de la oposición. ~원 oposicionista *mf.* ~ 지도자 líder *mf* de la oposición. ~ 통합 unión *f* de los partidos de la oposición.

야당스럽다 (ser) frío, cruel, malo, poco amable, sin corazón, insensible, duro, severo.

야당스레 fríamente, cruelmente, duramente, severamente, con severidad, con rigor, con dureza.

야도(夜盜) ① [밤을 타서 남의 물건을 훔치는 짓] robo *m* nocturno. ~짓을 하다 robar por la noche, cometer el robo nocturno. ② [밤을 타서 남의 물건을 훔치는 사람] ladrón *m* nocturno, ladrona *f* nocturna.

야도충(夜盜蟲) 【곤충】 lombriz *f* de tierra.

야독(夜讀) lectura *f* nocturna [de la noche], estudio *m* nocturno [de la ncohe]. ~하다 leer por la noche, estudiar hasta muy entrada la noche.

야드(영 *yard*) yarda *f* (0, 91 m). 여기서 100 ~ 거리에 있다 Está a unos cien metros de aquí.

■ ~자 regla *f* que mide una yarda.

야드르르하다 =야들야들하다.

야들야들 blanda y delicadamente, blandamente. ~하다 (ser) blando y delicado, blando; [가죽이] fino y flexible, suave. ~한 가죽 cuero *m* fino y flexible. ~한 살결 cutis *m* blando y delicado. ~한 손 manos *fpl* blandas y delicadas. ~하게 하다 ablandar, suavizar. ~해지다 ablandarse. 감촉이 ~하다 sentir blando [suave].

야료(惹鬧) ① [생트집을 하고 함부로 떠들어 대는 짓] interrupciones *fpl*, abucheo *m*, silba *f*, griterío *m*, vocerío *m* de censura, rechifla *f*, *AmS* silbatina *f*, *Chi* pifias *fpl*. ~하다 interrumpir (con preguntas o comentarios molestos), rechiflar, abuchear, *Chi* pifiar. ② ((준말)) =야기요단.

■ ~꾼 persona *f* que interrumpe a un orador para molestar.

야루하다(野陋一) (ser) vulgar, villano, vil.

야릇하다 (ser) raro, extraño, curioso, disparatado, excéntrico, extravagante. 야릇한 사람 persona *f* rara. 야릇한 생각 idea *f* extravangante. 야릇한 기분이다 sentir extraño. 야릇한 말을 하다 decir cosas extravagantes. 야릇한 짓을 하다 hacer cosas extravagantes. 참 야릇하군! ¡Qué raro! / ¡Qué extraño! / ¡Qué curioso!

야리다 ① [여리다] (ser) blando, tierno, suave, débil, frágil, precario, endeble. ② [조금 모자라다] no (ser) bastante, no (ser) suficiente, (ser) insuficiente, corto, escaso.

야마(野馬) ① =아지랑이. ② [야생의 말] caballo *m* montés [campestre · salvaje].

야만(野蠻) barbarie *f*, salvajez *f*, salvajismo *m*, barbarismo *m*. ~의 bárbaro; [미개한] primitivo; [난폭한] brutal, cruel. ~적인 풍습 costumbres *fpl* bárbaras.

야만스럽다 (ser) bárbaro, primitivo, brutal, cruel.

야만스레 bárbaramente, primitivamente, brutalmente, cruelmente.

■ ~국 país *m* incivilizado [primitivo]. ~ 시대 tiempos *mpl* primitivos, edad *f* primativa. ~인 bárbaro, -ra *mf*; primitivo, -va *mf*; salvaje *mf*. ~ 정책 política *f* primitiva.

야말로 en efecto, de veras, sólo, exactamente, con precisión. 저~ 실례했습니다 Soy yo el que debe pedir perdón. 그거~ 우리가 구하던 것이다 Eso es la misma cosa. 이것이~ 내가 찾고 있던 책이다 Este es el mismo libro que yo he estado buscando

야망(野望) ambición *f*, aspiración *f*. ~ 있는 ambicioso. ~을 가지고 ambiciosamente, con ambición. ~을 품다 tener aspiraciones, aspirar (a), ambicionar, ser ambicioso. ~이 없는 사람 persona *f* sin aspiraciones. 소년들이여, ~을 품어라 Muchachos, sed ambiciosos.

야맹(夜盲) =야맹증(夜盲症).

야맹증(夜盲症) 【의학】 hemeralopía *f*, ceguera *f* nocturna. ~의 hemerálope.

■ ~ 환자 hemerálope *mf*; hemeralópico, -ca *mf*.

야멸스럽다 (ser) acerbísimo, frío, insensible, sin corazón, cruel, desconsiderado. 야멸스런 말 lenguaje *m* acerbo. 야멸스런 행동(行動) acción *f* desconsiderada. 그는 야멸스러운 사나이다 El es un hombre sin corazón / El no tiene sentimiento. 나를 야멸스럽다고 그 여자는 말한다 Ella dice que mi corazón es una piedra.

야멸스레 acerbamente, acerbísimamente.

야멸치다 (ser) frío, insensible, desconsiderado. 야멸치게 fríamente, insensiblemente, desconsideradamente, de plano, rotundamente. 야멸치게 뿌리치다 rehusar rotundamente. 너는 정말 야멸치구나! ¡Qué desconsiderado eres tú!

야무지다 (ser) robusto, corpulento, firme, tenaz, resistente, fuerte, sólido, inquebrantable, testarudo, cabeza dura, cabezota. 야무지게 firmemente, con firmeza, bien, de manera substancial, de manera considerable, sólidamente, regularmente, a un ritmo constante. 야무진 데가 없는 negligente, dejado, descuidado, flojo, blando, relajado, laxo. 야무지게 한 일 trabajo *m* digno de confianza. 야무진 사람 hombre *m* de carácter firme, hombre *m* de complexión robusta. 야무진 성품(性品) carácter *m* acérrimo. 야무진 데가 없는 얼굴 cara *f* boba, cara *f* sin nervio. 야무진 데라곤 하나도 없는 입 boca *f* de tonto. 야무지게 묶다 atar bien, sujetar bien. 야무지게 묶여[죄어] 있는가 확인하세요 Asegúrese de que está bien atado [bien sujeto]. 이 집은 야무지게 지어져 있다 Esta casa está bien [sólidamente] construida. 그는 야무진 데가 없다 El falta la firmeza de carácter / El no tiene fibra.

야물거리다 mascar [masticar] con goma.
야물야물 mascando, masticando.

야물다 ① [씨가 단단하게 익다] madurar. ② [일이 잘 되어 탈이 없다] prosperar, ir bien. 그 사람 하는 일은 ~ Su trabajo va bien. ③ [사람됨이 헤프지 않고 단단하다] (ser) firme, tenaz. 그는 아주 야문 놈이다 El es muy buena persona.

야바위 *yabawi*, artimañas *fpl*, estafa *f*, fraude *m*, timo *m*, engaño *m*. ~로 fraudulentamente, por medios fraudulentos. 나는 ~당했다 Me han estafado [timado].
◆야바위(를) 치다 estafar, timar. 야바위를 쳐서 손에 넣다 conseguir *algo* con artimañas, obtener *algo* mediante [valiéndose de] engaño. 그들은 그녀에게서 저금을 야바위쳤다 Ellos la estafaron y le quitaron sus ahorros.
▪~꾼 estafador, -dora *mf*; timador, -dora *mf*; farsante *mf*; impostor, -tora *mf*.

야박(夜泊) ① [밤에 외박(外泊)함] dormida *f* nocturna fuera de casa. ~하다 dormir fuera de casa por la noche. ② [밤중에 배를 정박(碇泊)시킴] anclaje *m* del barco por la noche. ~하다 anclar el barco por la noche. ③ [밤을 배에서 지냄] velación *f* en el baco. ~하다 velar en el barco.

야박스럽다(野薄−) (ser) cruel, duro.
야박스레 cruelmente, con crueldad, con dureza, duramente.

야박하다(野薄−) (ser) duro de corazón, despiadado, poco amable, insensible, poco compasivo, duro, cruel, malo, tacaño, roñoso, agarrado, mísero, mezquino. 야박하게 con dureza (de corazón), despiadadamente, poco amablemente, insensiblemente, cruelmente, mal, con tacañería, tacañamente. 야박한 세상(世上) mundo *m* cruel, mundo *m* sin corazón. 야박한 짓을 하다 portarse [comportarse] de manera cruel. 그는 야박한 인간이다 El es una persona sin corazón.

야반(夜半) [밤중] medianoche *f*. ~의 de medianoche. ~에 a (la) medianoche, en el silencio profundo de la noche. ~까지 hasta medianoche. ~이 지나서 después de medianoche. ~이 지나서까지 hasta muy tarde por la noche, hasta muy entrada la noche.
▪~도주(逃走) fuga *f* de la noche, remoción secreta por la noche. ¶~하다 fugarse de noche, largarse, *RPI* tomarse los vientos (para no pagar). ~도주자 fugitivo *m* nocturno, fugitiva *f* nocturna; pirata *m*

야발 agudeza *f*, perspicacia *f*, actitud *f* descarada.
야발스럽다 (ser) agudo, perspicaz, penetrante, sofisticado, descarado, insolente, fresco, atrevido, pizpireta. 그 여자는 나이에 비해 무척 ~ Ella tiene mucha experiencia para su edad.
야발스레 agudamente, con agudeza, perspicazmente, con perspicacia.
▪~쟁이 persona *f* sofisticada.

야밤(夜−) noche *f* profunda., altas horas *fpl* de la noche. ~에 a altas horas de la noche.
▪~중(中) =한밤중.

야번(夜番) vigilancia *f* nocturna; [사람] vigilante *m* nocturno. ~을 하다 estar en turno nocturno, estar en guardia nocturna, estar de servicio nocturno.

야비하다(野卑/野鄙−) (ser) vulgar, grosero, villano, vil, bajo, indigno, basto, tosco, ordinario. 야비하게 de manera ordinaria, con ordinariez, vulgarmente, vilmente, bastamente, toscamente, con tosquedad. 야비한 사람 persona *f* vil, persona *f* de maneras toscas. 야비한 남자 hombre *m* vil, hombre *m* villano. 야비한 여자 mujer *f* vil, mujer *f* villana. 야비한 생각 pensamiento *m* vil [bajo]. 야비한 말 expresión *f* vulgar, vulgarismo *m*, lenguaje *m* grosero [basco]. 야비한 태도 actitud *f* basto [tosco · ordinario]. 야비하게 하다 volver basto [tosco · ordinario]. 야비해지다 volverse más basto [tosco · ordinario]. 야비한 말을 하다 decir groserías.

야사(野史) historia *f* no oficial, crónica *f* no autorizada.

야산(野山) loma *f*, otero *m*, monte *m* bajo cerca del campo.

야살 irritación *f*, obstinación *f*, terquedad *f*, testarudez *f*, porfía *f*, empeño *m*.
◆야살(을) 까다 ser impertinente.
◆야살(을) 떨다 estar enfadado, estar enojado, portarse de manera descarada.
◆야살(을) 부리다 portarse [comportarse] impertinentemente.
◆야살(을) 피우다 portarse [comportarse] muy impertinentemente.
야살스럽다 (ser) obstinado, terco, desagradable, malhumorado, impertinente.
야살스레 con obstinación, porfiadamrente, contra toda lógica, de mala manera, impertinentemente, desagradablemente, malhumoradamente. 그 여자는 ~ 물었다 Ella preguntó de mala manera / Ella preguntó irritada. ~ 굴지 마라! ¡No seas impertinente!
▪~쟁이 persona *f* malhumorada, tipo *m* impertinente,

야상곡(夜想曲) 【음악】 nocturno *m*. 쇼팽의 ~ los nocturnos de Chopin.

야생(野生) nacimiento *m* salvaje por sí mismo. ~하다 vivir en estado salvaje. ~의 [동물이] salvaje; [식물·꽃·딸기류가] silvestre; [초목이] agreste; [숲에서] salvaje, montaraz. ~의 개 perro *m* salvaje. 이 꽃들은 ~이다 Estas flores son silvestres. 정원이 일부는 ~으로 남아 있었다 Parte del jardín se había dejado sin cultivar.
 ■~ 과실 fruta *f* silvestre. ~ 동물 fiera *f*, bestia *f* salvaje. ~마 caballo *m* salvaje. ~ 생물 fauna *f* y flora *f*. ~ 식물 flora *f*, planta *f* silvestre. ~아 niño, -ña *mf* salvaje. ~ 염소 cabra *f* montés. ~인 salvaje *mf*. ~적 salvaje, silvestre. ~종(種) especie *f* salvaje, especie *f* silvestre. ~화(花) flor *f* silvestre.

야성(野性) salvajez *f*, naturaleza *f* brutal, naturaleza *f* salvaje [silvestre], rusticidad *f*, rustiquez *f*, rustiqueza *f*. ~적 salvaje, silvestre. ~을 나타내다 volver al estado silvestre. ~적으로 키우다 criar como salvaje.
 ■~미(美) belleza *f* rústica, rusticidad *f*.

야소(耶蘇)【인명】((기독교)) Jesús.
 ■~교 =예수교, 기독교. ~회 =예수회.

야속(野俗) ¶~하다 (ser) frío, insensible, sin corazón, poco compasivo, poco amistoso, antipático, desagradable, poco amable, inhospitalario, inhospitable, inhospital, duro, áspero, severo, enemigo, cruel, malo, desconsiderado. ~한 마음 corazón *m* frío, corazón *m* de piedra. ~한 말을 하다 decir cruelmente [fríamente]. ~하게 굴다 portarse [comportarse] fríamente. ~하게 거절하다 rehusar rotundamente.

야수(野手) ((야구)) fileador, -dora *mf*.
 ■~ 선택 selección *f* de fileador.

야수(野獸) fiera *f*, bestia *f*, animal *m* salvaje, bestia *f* montés. ~의 fiero, bestial. ~ 같은 brutal, feroz, bestial, selvático. ~ 같은 남자 hombre *m* brutal [feroz].
 ■~성 bestialidad *f*, brutalidad *f*, ferocidad *f*. ~주의 fauvismo *m*. ~파 fauvismo *m*. ~파 화가 fauvista *mf*.

야수다 esperar la oportunidad.

야숙(野宿) vivaque *m*, acampamiento *m*. ~하다 vivaquear, dormir al aire libre, acampar, *Bol* pascar.

야순(夜巡) vigilancia *f* nocturna, patrulla *f* nocturna. ~하다 vigilar por la noche, patrullar por la noche.

야스락거리다 charlar, chacharear, parlotear, cotorrear.
 야스락야스락 de manera profusa, charlando, parloteando.

야슬거리다 =야스락거리다.
 야슬야슬 =야스락야스락.

야습(夜習) ejercicio *m* nocturno. ~하다 estudiar por la noche, hacer el estudio nocturno.

야습(夜襲) asalto *m* nocturno, ataque *m* nocturno. ~하다 asaltar por la noche. 적(敵)을 ~하다 atacar [asaltar·sorprender] al enemigo de noche.

야시(夜市) ((준말)) =야시장(夜市場).

야시장(夜市場) mercado *m* nocturno, puesto *m* nocturno, tienda *f* ambulante que se abre por la noche. ~을 열다 abrir un puesto en una feria nocturna.

야식(夜食) cena *f*, sobrecena *f*, recena *f*. ~을 들다 tomar la sobrecena, cenar, tomar la cena.

야심(野心) ambición *f*. ~을 가지고 con ambición, ambiciosamente. ~이 없는 poco ambicioso, sin ambición. ~이 없는 사람 persona *f* sin ambición, persona *f* poco ambiciosa. 엉뚱한 ~ ambición *f* excesiva [desmesurado]. ~을 품다 tener ambición (de), ambicionar. ~으로 불타다 quemarse de ambición. ~을 만족시키다 satisfacer [calmar] *su* ambición. ~을 실현하다 tener una ambición realizada.
 ■~가(家) ambicioso, -sa *mf*. ~작 obra *f* ambiciosa. ~적(的) ambicioso. ¶~으로 ambiciosamente, con ambición. ~인 계획(計劃) plan *m* [proyecto *m*] grandioso.

야심만만하다(野心滿滿－) arder de ambición, estar lleno de ambición, ser muy ambicioso.

야심하다(夜深－) la noche ser profunda. 야심할 때까지 일하다 trabajar hasta muy entrada la noche.

야업(夜業) ((준말)) =야간 작업(夜間作業). ¶~ 수당 asignación *f* del trabajo nocturno [de horas extras]. ~ 철폐 abolición *f* del trabajo nocturno.

야연(夜宴) banquete *m* nocturno, fiesta *f* nocturna. ~을 베풀다 dar [hacer·celebrar] una fiesta nocturna.

야영(野營) campamento *m*, acampada *f*, vivaque *m*, vivac *m*, camping *ing.m*. ~하다 acampar, vivaquear, dormir al aire libre, asentar los reales. ~하러 가다 ir de campamento, ir de acampada, ir de camping. 나는 ~을 좋아한다 Me gusta ir de campamento [de camping·de acampada]. ~(을) 금지(함) ((게시)) Prohibido acampar / No acampar / No acampen / Se prohíbe acampar.
 ■~ 연습 ejercicios *mpl* de campamento. ~자 [텐트에서] campista *mf*, acampante *mf*, [수송 기관에서] cámper *mf*. ~지(地) campamento *m*, camping *ing.m*, sitio *m* para acampar. ~ 행군 marcha *f* de campamento.

야옹 miau *m*, maullido *m*, maúllo *m*. ~ ~ 울다 dar maullidos, maullar. 고양이가 ~ ~ 운다 El gato maúlla.

야외(野外) ① [들판] campo *m*, prado *m*. ~에서 al raso, a cielo descubierto, a la intemperie. ~에서 밤을 보내다 dormir al raso. ② [집 밖] fuera de casa. ~의 [옷] de calle; [겨울용] de abrigo; [식물] de exterior; [수영장] descubierto, al aire libre. ~에서 fuera de casa, al aire libre. ~에 나가다 salir de casa, salir fuera. ~에서 놀다

jugar al aire libre.

■ ～ 강연 conferencia *f* al aire libre. ～ 경기 juegos *mpl* al aire libre. ～ 교련(教鍊) instrucción *f* militar del campo. ～극(劇) función *f* en el campo. ～ 극장 teatro *m* al aire libre. ～ 사생 bosquejo *m* al aire libre. ～ 생활 vida *f* al aire libre. ～ 수업 clase *f* al aire libre. ～ 수영장 piscina *f* [*Méj* alberca *f*] descubierta [al aire libre]. ～ 안테나 antena *f* exterior. ～ 연설(演說) discurso *m* al aire libre. ～연습 ejercicios *mpl* [maniobras *fpl*] en el campo. ～ 연주회 concierto *m* al aire libre. ～ 요리 comida *f* al aire libre. ～운동 ejercicios *m* al aire libre. ～ 작업 trabajo *m* de campo. ～ 작업자 trabajador, -dora *mf* [investigador, -dora *mf*] de campo. ～ 집회 reunión *f* al aire libre. ～ 촬영(撮影) lugar *m* de filmación.

야우(夜雨) lluvia *f* nocturna.

야우(野牛)【동물】＝들소.

야운데【지명】Yaundé (카메룬의 수도).

야웨(영 *Yahw*도) ((성경)) ＝여호와.

야위다 ① [몸의 살이 빠져 수척하게 되다] ponerse delgado, adelgazar. 야윈 delgado; flaco; adelgazador, -dora. 그 여자는 무척 야위어 가고 있다 Ella está adelgazando mucho. ② [가난하여 살림이 보잘것없다] ser tan pobre como un ratón de sacristía.

야유(夜遊) diversiones *fpl* nocturnas. ～하다 salir en busca de diversiones nocturnas.

야유(野遊) excursión *f*, jira *f*, picnic *ing.m.* ～하러 가다 ir de picnic. ～ 가는 사람 excursionista *mf.*

■ ～회(會) fiesta *f* campestre.

야유(揶揄) bromas *fpl*, pullas *fpl*, chanzas *fpl*, barcia *f*, ahechaduras *fpl*, granzas *fpl*, burlas *fpl*, abucheo *m*, censura *f* implícita [irónica], alusión *f*, insinuación *f*. ～하다 bromear, hacer bromas, tomar el pelo, bularse (de), reírse (de), ridiculizar. 그의 억양을 ～했다 Estuvieron bromeando [haciendo bromas] sobre su acento.

■～자 persona *f* que interrumpe a un orador para molestar, bromista *mf.*

야음(夜陰) oscuridad *f* de la noche, tinieblas *fpl* nocturnas, noche *f*. ～을 타서 aprovechando [aprovechándose de · amparado por · al amparo de] la oscuridad de la noche. ～을 타서 도주하다 fugarse aprovechándose de la oscuridad de la noche.

야인(野人) ① [예절 없는 사람] persona *f* rústica, persona *f* tosca. ② [벼슬을 하지 않은 사람. 재야(在野)의 사람] persona *f* fuera de la posición oficial. ③ ㉮ [시골 사람] campesino, -na *mf*; pueblerino, -na *mf*; zaño, -ña *mf*; grosero, -ra *mf*; paleto, -ta *mf*; *RPl* pajuerano, -na *mf*; [농부] agricultor, -tora *mf*; granjero, -ra *mf*; *CoS*, *Per* chacarero, -ra *mf*. ㉯ [큰 농장의 소유주] hacendado, -da *mf*; *Méj* ranchero, -ra *mf*; *RPl* estanciero, -ra *mf*; *Chi* dueño, -ña *mf* de fundo. ㉰ [꾸밈 없고 순진한 사람] persona *f* inocente. ④ [미개인(未開人). 야만인(野蠻人)] primitivo, -va *mf*; salvaje *mf*. ⑤【역사】[옛날 압록강과 두만강 이북에 살던 종족] raza *f* que vivía en el norte del *Yalu* y del *Duman*.

야자(椰子) ①【식물】＝야자나무. ② [야자나무의 열매] coco *m*.

■ ～ 과즙 el agua *f* de coco. ～꽃 flor *f* de palmera. ～ 돗자리 estera *f* de fibra de coco. ～속 식물 palmáceas *fpl*. ～유 aceite *m* de coco. ～ 캔디 dulce *m* de coco.

야자나무(椰子－)【식물】cocotero *m*, palma *f*, palmera *f*, *Col* palma *f* de coco.

■ ～ 숲 palmeral *m*. ～ 잎 palma *f*.

야자수(椰子樹)【식물】＝야자나무.

야장(冶匠) ＝대장장이. 야공(冶工).

야적(野積) ＝노적(露積).

■ ～장 lugar *m* de montones de grano.

야전(夜戰) operaciones *fpl* nocturnas, batalla *f* nocturna.

야전(野戰) batalla *f* campal, campaña *f*.

■ ～군(軍) ejército *m* de campaña. ～ 병원 hospital *m* de campaña. ～ 우체국 oficina *f* de correos de campaña, estafeta *f* de correos de campaña, *AmL* correo *m* de campaña. ～ 우편 correo *m* de campaña. ～ 위생대 cuerpo *m* de ambulancia. ～장비 equipo *m* de campaña. ～ 전화 teléfono *m* de campaña. ～ 점퍼 chaqueta *f* de campaña. ～ 통신(通信) comunicaciones *fpl* de campaña. ～포 cañón *m* de campaña; [집합적] artillería *f* de campaña [de batalla · ligera · montada · rodada · volante]. ～ 포병 artillería *f* de campaña. ～ 포병 중대 batería *f* de campaña.

야정(野情) ＝야취(野趣).

야조(夜鳥)【조류】＝야금(夜禽).

야조(野鳥) ＝야금(野禽).

■ ～ 관찰 observación *f* de las aves. ～ 관찰자 observador, -dora *mf* de (las) aves.

야죽거리다 ((준말)) ＝야기죽거리다.

야죽야죽 ((준말)) ＝야기죽야기죽.

야지 región *f* poco montañosa y llena de campos.

야지(野地) llanura *f*.

야지랑 maneras *fpl* taimadas, maneras *fpl* astutas.

야지랑떨다 portarse impertérrita y astutamente.

야지랑부리다 portarse impertérrita y astutamente a propósito.

야지랑스럽다 (ser) taimado, astuto.

야지랑스레 taimadamente, astutamente, con astucia.

야지랑피우다 mostrar *sus* maneras taimadas.

야지러지다 menguar, decaer, disminuir, desportillarse, cascarse, saltarse.

야짓 todo, perfectamente, absolutamente, totalmente, completamente, enteramente.

야찬(夜餐) ＝밤참.

야채(野菜) [요리용] verdura *f*, legumbre *f*, hortaliza *f*, [식물] vegetal *m*. 싱싱한 ～

verdura *f* fresca. 냉동(冷凍) ~ verdura *f* congelada. 통조림 ~ verdura *f* enlatada. 화학 비료로 재배된 ~ verduras *fpl* cultivadas con abonos químicos. ~를 재배하다 cultivar verduras [hortalizas].

■ ~ 가게 verdulería *f*, verdurería *f*, tienda *f* de verduras ¶~ 주인 verdulero, -ra *mf*.; verdurero, -ra *mf*. ~밭 huerto *m*, huerta *f*, campo *m* de hortalizas. ~상 vendedor, -dora *mf* ambulante de verduras. ~ 샐러드 ensalada *f* de verduras. ~ 수프 sopa *f* de verduras, sopa *f* juliana. ~ 스튜 요리 pisto *m* (plato de berenjenas, tomates etc.). ~ 요리 plato *m* de verduras. ~ 원예 horticultura *f* de verduras. ~ 재배 cultivo *m* de hortalizas. ~ 접시 plato *m* para verduras. ~ 프라이 verduras *fpl* fritas.

야청(一靑) color *m* azul oscuro.

야초(野草) hierba *f* silvestre.

야취(野趣) ① [전야(田野)의 아름다움] hermosura *f* rural, escena *f* rural. ② [소박한 취미] gusto *m* sencillo.

야코죽다 sentirse sobrecogido. 우리는 야코죽었다 Nos sentimos sobrecogidos. 야코죽지 마라 No te dejes intimidar.

야코죽이다 intimidar (por). 나를 야코죽이지 마라 No me intimides.

야크(영 *yak*) 【동물】 yac *m*, yak *m*.

■ ~털 pelo *m* de yac.

야트막하다 (ser) bastante poco profundo. 야트막이 bastante poco profundamente.

야틈하다 (ser) algo poco profundo.

야포(野砲) 【군사】 ((준말)) =야전포(野戰砲).

■ ~대(隊) batería *f* de campaña. ~병(兵) artellería *f* de campaña.

야하다(冶一) ① [천하게 요염하다] (ser) chillón (*pl* chillones), brillante, llamativo, vistoso, estridente, *AmL* charro. 야한 색깔 color *m* chillón [llamativo · vistoso]. 야한 옷 traje *m* chillón [brillante · charro]. 야한 차림새 ropa *f* chillona. 야한 몸차림으로 chillonamente vestido. 그 여자의 옷은 야한 핑크색이었다 Su vestido era de un rosa chillón. ② [깊숙하지 못하고 되바라지다] (ser) pesado. 야한 행동 actitud *f* pesada. 야한 농담을 하다 decir una broma pesada, gastar una broma pesada, hacer una mala jugada.

야하다(野一) ① [품위가 없어 상스럽다] (ser) vulgar, vil, innoble, abyecto, humilde, bajo, indecente. 야한 사람 persona *f* vulgar. 야한 농담 broma *f* vulgar. 야한 이야기 historia *f* indecente. ② [박정할 만큼 이끗에만 밝다] ser muy versado en *su* ganancia.

야학(夜學) ① ((준말)) =야학교(夜學校). ② [밤에 공부함] estudio *m* nocturno. ~하다 estudiar por la noche, estudiar en la escuela nocturna [de noche].

■ ~교 escuela *f* nocturna. ~생 estudiante *mf* de la escuela nocturna.

야합(野合) ① [부부가 아닌 남녀가 서로 정을 통함] unión *f* ilícita, conexión *f* ilícita. ~하다 tener relaciones sexuales ilícitas. ~한 아내 concubina *f*, *Chi* conviviente *f*. ~한 결혼 concubinato *m*. ② [좋지 못한 목적 밑에 서로 어울림] conspiración *f*, colusión *f*, connivencia *f*. ~하다 conspirar, maquinar, coludir (con), actuar en colusión [en connivencia] (con). ~하여 en colusión, en connivencia. A와 ~하고 있다 estar coludido con A, estar en colusión [connivenccia] con A.

야행(夜行) ① [밤에 길을 감] viaje *m* nocturno. ~하다 viajar por la noche. ② [밤에 활동함] actividad *f* nocturna. ~하다 demostrar una actividad nocturna.

■ ~ 동물 animal *m* nocturno. ~성 hábito *m* nocturno (de un animal). ~성 동물 animal *m* nocturno. ~ 열차(列車) tren *m* nocturno.

야화(夜話) ① [밤에 모여 앉아 하는 이야기] cuento *m* nocturno, cuento *m* de noche. ② 【문학】 historia *f* popular [tradicional].

야화(野火) fuego *m* de sabana, fuego *m* prendido para quemar la hierba.

야화(野花) ① [들꽃] flor *f* silvestre, flor *f* del campo. ② [하층 사회나 화류계의 미녀] belleza *f* de la sociedad baja, belleza *f* de la zona roja.

야화(野話) ① [항간에 떠도는 이야기] rumor *m*. ② [시골 이야기] historia *f* rural.

야회(夜會) ① [밤에 있는 모임] reunión *f* nocturna, velada *f*, sarao *m*. ② [밤의 서양풍 무도회] fiesta *f* nocturna, fiesta *f* de noche, tertulia *f* nocturna. ~를 열다 celebrar una fiesta nocturna.

■ ~복(服) traje *m* [vestido *m*] de noche, traje *m* de etiqueta.

야훼(히 *Yahweh*) ((성경)) Jehová, Señor. ~여, 내가 당신의 사랑을 영원히 노래하리이다. 당신의 미쁘심을 대대로 전하리이다 ((공동 번역 시편 89:1)) Las misericordias de Jehová cantaré perpetuamente; de generación en generación haré notoria tu fidelidad con mi boca / Señor, siempre diré en mi canto que tú eres bondadoso; constantemente contaré que tú eres fiel. ☞여호와

약 [벌컥 일어나는 골] cólera *f*, ira *f*, enfado *m*, enojo *m*.

◆약을 올리다 enfadar, enojar, irritar. 약을 올리지 마라 No me enfades [enojes · irrites].

◆약이 오르다 enfadarse, enojarse, irritarse.

약(略) ((준말)) =생략(省略).

약(葯) ((식물)) =꽃밥.

약(藥) ① [병이나 상처를 고치는 데 복용하거나 주사하는 물품의 총칭] medicina *f*, [약제(藥劑)] medicamento *m*; [바르는 약] ungüento *m*, untura *f*, [특효약] específico *m*; [치료. 처방] remedio *m* (요법); [강장제] tónico *m*; [약종] droga *f*, [화학 약품] producto *m* químico; [알약] pastilla *f*, píldora *f*, [상처에 바르는 약] pomada *f* para [de]

las heridas (연고); [복용량] dosis *f*, toma *f*. ~ 한 첩 una dosis de medicina. ~을 먹다 tomar una medicina, tomar un remedio. ~을 처방하다 recetar. ~을 투약(投藥)하다 confeccionar una medicina. ~을 먹이다 hacer tomar una medicina, dar una medicina. 손가락에 ~을 바르다 aplicar un ungüento al dedo. ~이 효험이 있었다 La medicina obró eficazmente. 가장 좋은 ~은 ~을 되도록 쓰지 않는 것이다 ((서반아 속담)) La mejor medicina es usar poco de ella. ② ((준말)) =화약(火藥). ③ [유해 동식물을 제거하는 데 쓰는 물건] [농약(農藥)] insecticida *m* agrícola; [쥐약] raticida *m*; [살충제] insecticida *m*. ④ [물건에 윤을 내기 위해 바르는 물건] enceradora *f*, [구두약] betún *m*, *RPI* pomada *f* de zapatoso, *Chi* pasta *f* de zapatos. ⑤ ((곁말)) =술. 아편. ⑥ ((속어)) =전지약(電池藥). ⑦ ((속어)) =뇌물(賂物). ⑧ [몸이나 마음에 유익한 사물] lección *f*, escarmiento *m*. 그것은 나에게 좋은 ~이다 Eso es una buena lección [un escarmiento] para mí / Eso me servirá de buena lección.

◆가정 상비~ remedio *m* casero. 감기~ medicina *f* [remedio *m*] contra la gripe. 임상(臨床)~ medicina *f* clínica.

◆약에 쓰려도 없다 no haber [tener] para un remedio.

◆약(을) 팔다 ☞약팔다

■입에 쓴 약이 병에 좋다 ((속담)) Medicina que pica, cura / Medicina que pica, sana.

■~병(甁) frasco *m* de medicina. ~상자 botiquín *m*.

약(籥) 【악기】 *yac*, una especie de la flauta.

약(約) unos, unas; más o menos; alrededor de; aproximadamente. ~ 오백 unos quinientos, quinientos más o menos. ~ 100 명 unas cien personas. ~ 10 년 unos diez años. ~ 천 킬로미터 alrededor de mil kilómetros. ~ 30년전 hace unos [casi] treinta años.

-약(弱) algo menos de, aproximado. 10 킬로미터~ diez kilómetros escasas, un poco menos de diez kilómetros. 1만 명~ un poco menos de diez mil personas.

약가(藥價) =약값.

약가심(藥-) *eliminación f* del regusto *m* [dejo *m*] (amargo) de la medicina. ~하다 quitar [eliminar] el dejo [el regusto] amargo de la medicina. ~으로 과자를 먹다 comer un dulce para quitar el dejo amargo de la medicina.

약간(若干) unos, un poco, algo, una pizca, un poquito, un poquitín, ligeramente. ~의 [양(量)] un poco de, algo de, unos cuantos de, pocos, algún tanto, cierta cantidad de, una pequeña cantidad de; [수(數)] unos, unas; algunos, -nas; algún que otro, alguna que otra. ~의 돈 un poco de dinero. ~ 명의 사람들 unas (pocas) personas, unos (pocos) hombres. 문제점이 ~ 있다 Hay algunos puntos problemáticos. 나는 돈으로 ~ 곤란하다 Estoy un poco apurado de dinero. 할 말이 ~ 있습니다 Tengo algo que hablar con usted / Tengo algo que decirle a usted. 그는 ~ 건방지다 El es algo impertinente. 돈이 ~ 남아 있다 Me queda algo de dinero. 그 여자는 스무살을 ~ 넘었다 Ella tiene un poco más de veinte años de edad. 그는 ~ 슬픈 듯하다 El parece algo triste. 3미터에 ~ 모자란다 Falta algo para tres metros. 이 물건은 저것보다 ~ 비싸다 Este artículo es un poco más caro que aquél. 여기 돈이 ~ 있습니다 Aquí tiene usted un poco de dinero.

약갑(藥匣) cajita *f* de la medicina.

약값(藥-) precio *m* de la medicina, gasto *m* por asistencia medical, honorarios *mpl* de médico. ~을 치르다 pagar por la medicina.

약고추장(藥-醬) ① [볶은 고추장] *gochuchang m* tostado, pasta *f* de ají tostada. ② [찹쌀을 원료로, 고춧가루를 보통 것보다 많이 넣어 담근 고추장] pasta *f* de ají de arroz apelmazado.

약골(弱骨) ① [몸이 약한 사람] persona *f* débil, alfeñique *m*, debilucho *m*. ② [약한 골격(骨格)] constitución *f* débil. 그는 ~이다 El tiene una constitución débil.

약과(藥果) ① [과줄] tarta *f* [pastel *m*] de harina de trigo, aceite y miel. ② [감당하기 어렵지 않은 일] cosa *f* fácil, cosa *f* segura. 그건 ~다 Es muy fácil / Es pan comido / Es tirado / Es una papa / *RPI* Es un bollo / *Chi* Es botado.

◆약과 먹기 Es fácil de hacer y se alegra.

약관(約款) estipulación *f*, acuerdo *m*, convenio *m*, contrato *m*, artículo *m*, cláusula *f*.

약관(弱冠) ① [남자 나이 20세] veinte años de edad, joven *mf* (*pl* jóvenes). ~에 en veinte años, mientras es en *su* juventud. 그는 ~에 등과했다 El aprobó el examen alto del servicio civil en veinte años de edad. ② [약년(弱年)] juventud *f*, edad *f* joven. ~ 서른 일곱 살의 대통령 joven presidente *m* de treinta y siete años. 그는 ~ 열여덟 살로 큰 발명을 했다 El ha hecho un gran invento con sólo dieciocho años.

약국(弱國) país *m* (*pl* países) impotente, nación *f* impotente.

약국(藥局) ① [약사(藥師)가 약의 판매를 목적으로 조제를 하는 곳] farmacia *f*, botica *f*, droguería *f*. ~은 어디에 있습니까? ¿Dónde hay una farmacia? ② [병원 조제실(病院調劑室)] dispensario *m*, farmacia *f*. ③ [학교·공장의] enfermería *f*. ④ [전에, 한약을 지어 팔던 곳] droguería *f*.

■~방(方) farmacopea *f*, códice *m* farmacéutico. ~생(生) farmacéutico, -ca *mf* que prepara la medicina en la farmacia del hospital.

약그릇(藥-) recipiente *m* para la medicina.

약기(略記) esbozo *m*, bosquejo *m*, esquema

m, contorno *m*. ～하다 esbozar, bosquejar, explicar resumidamente, dar una idea general (de).

약꿀(藥-) miel *f* para la medicina.

약농(藥籠) caja *f* [arcón *m*] para medicinas.

약다 ① [제게 이롭게만 하다] (ser) astuto, sagaz (*pl* sagaces), vivo, artero, ladino, listo. 약게 astutamente, sagazmente. 약은 놈 tipo *m* astuto. 약은 사람 persona *f* astuta; [남자] hombre *m* astuto; [여자] mujer *f* astuta. ② [꾀가 바르다·영리하다] (ser) inteligente, perspicaz, hábil.

약대 【동물】 camello *m*. ～가 바늘귀로 나가는 것이 부자가 하나님의 나라에 들어가는 것보다 쉬우니라 ((마가 복음 10:25)) Más fácil es pasar un camello por el ojo de una aguja, que entrar un rico en el reino de Dios / Es más fácil para un camello pasar por el ojo de una aguja, que para un rico entrar en el reino de Dios. ☞낙타

약대(藥大) ((준말)) ＝약학 대학(藥學大學).

약대(藥代) ＝약값.

약대접(藥-) tazón *m* para la medicina.

약도(略圖) diseño *m*, esbozo *m*, bosquejo *m*, esquicio *m*, boceto *m*, esquema *m*. ～하다 bosquejar, esbozar. A의 ～를 그리다 bosquejar A, esbozar A, diseñar A, hacer un diseño [un esquema] de A.

약동(躍動) movimiento *m* (enérgico), moción *f* animada, agitación *f*, palpitación *f*. ～하다 mover animado, estar lleno de vida, latir con fuerza. 생(生)의 ～ vitalidad *f*. ～하는 육체(肉體) cuerpo *m* en pleno y enérgico movimiento. ～하는 산업 도시 ciudad *f* industrial llena de vida. 가슴이 ～함을 느끼다 sentir una conmoción en *su* corazón.

약되다(藥-) ser eficaz como una medicina, ser bueno para la salud.

약두구리(藥-) recipiente *m* de latón con asa para la cocción de la medicina.

약둥이 niño *m* astuto e inteligente, niña *f* astuta e inteligente.

약량(藥量) dosis *f*. 지시한 ～을 초과하지 마시오 ((게시)) No sobrepasar la dosis indicada. 추천한 ～을 초과하지 마시오 ((게시)) No sobrepasar la dosis recomendada. ～: 세 시간마다 한 알 (씩 드세요) ((게시)) Posología : uno cada tres horas.

약력(略歷) historia *f* personal breve, curriculum vitae *m* (somero), contorno *m* de *su* carrera.

약력학(藥力學) farmacocinética *f*.

약령(藥令) mercado *m* de drogas en primavera y otoño en otros tiempos.

◆약령(을) 보다 hacer compras en el mercado de drogas en otros tiempos. 약령(이) 서다 celebrarse el mercado de drogas.

■～시(市) ＝약령(藥令).

약리(藥理) cambio *m* fisiológico causado por el medicamento.

■～ 작용(作用) acción *f* medical. ～학(學) farmacología *f*. ～ 학자 farmacólogo, -ga *mf*.

약막대기(藥-) palo *m* para la tela de la medicina de cocción.

약명(藥名) nombre *m* de la medicina.

약모(略帽) gorra *f* ordinaria, escrito *m* sumario, epítome *m*.

약모음(弱母音) 【언어】 vocal *f* débil.

약문(約文/略文) oración *f* abreviada.

약물(藥-) el agua *f* medicinal, el agua *f* mineral.

약물(藥物) agente *m*. droga *f*, medicina *f*, fármaco *m*, medicamento *m*; [달인 약] pócima *f*. ～을 넣다 medicar.

■～ 남용 consumo *m* de drogas, consumo *m* de estupefacientes. ～ 내성(耐性) resistencia *f* de drogas, intolerancia *f* de drogas. ～ 사용법 farmacotécnica *f*. ～ 소독 desinfección *f* (por el desinfectante). ～ 알레르기 alergía *f* de drogas. ～ 요법(療法) farmacoterapia *f*. ～ 의존 dependencia *f*. ～ 작용 acción *f* de drogas. ～ 중독(中毒) envenenamiento *m* medicinal. ～ 치료(治療) medicamento *m*, medicación *f*. ～학 farmacología *f*, ciencia *f* de medicina. ～ 학자 farmacólogo, -ga *mf*.

약밥(藥-) *yacbab*, arroz *m* apelmazado sazonado, mezclado con miel, azúcar, aceite de ajonjolí, salsa china, castaña cocinada, dátil, caqui secada y piñón.

약방(藥房) ① farmacia *f*, droguería *f*. ② [약사 없이 양약의 소매만 하는 곳] botica *f*. ③ [대갓집의 약 짓는 방(房)] habitación *f* para preparar la medicina.

■약방에 감초 ((속담)) hombre *m* orquesta, mujer *f* orquesta; manitas *mf*.

■～문 prescripción *f*, receta *f*. ¶～을 쓰다 prescribir, recetar.

약변화(弱變化) 【언어】 conjugación *f* débil.

■～ 동사 verbos *mpl* débiles.

약병(藥甁) botella *f* de medicina, redoma *f*, vial *m*, ampolla *f*, botiquín *m* (*pl* botiquines); [점안기] cuentagotas *m.sing.pl*; [향수의] frasco *m*.

약병아리(藥-) polluelo *m*.

약보 persona *f* astuta.

약보(略報) información *f* sumaria.

약보합(弱保合) tendencia *f* alcista y bajista.

약복(略服) traje *m* [vestido *m*] ordinario, vestido *m* casero, ropa *f* de casa. ～을 입고 있다 estar de trapillo. ～을 입고 외출하다 salir de trapillo.

약봉지(藥封紙) sobre *m* de medicinas.

약분(約分) 【수학】 reducción *f* [simplificación *f*] de una fracción. ～하다 reducir [simplificar] una fracción.

약빠르다 (ser) ingenioso, agudo, astuto.. 약빠른 사람 persona *f* astuta; [남자] hombre *m* astuto [ingenioso]; [여자] mujer *f* astuta [ingeniosa].

약빨리 ingeniosamente, agudamente, astutamente.

약빠리 persona *f* ingeniosa [astuta · aguda].

약사(略史) historia *f* breve, historia *f* abreviada, historia *f* compendiada.

약사(藥事) asuntos *mpl* farmacéuticos.
■ ~법 código *m* farmacéutico.
약사(藥師) ① [약사(藥事)에 종사한 사람] farmacéutico, -ca *mf*; boticario, -ria *mf*. ② ((준말)) =약사여래(藥師如來).
약사발(藥沙鉢) tazón *m* para la medicina.
약사여래(藥師如來) ((불교)) =약사유리광여래(藥師琉璃光如來).
약사유리광여래(藥師琉璃光如來) ((불교)) *Tathāgata* de enfermedad.
약삭빠르다 (ser) astuto, sagaz, listo, artero, vivo, manejarse hábilmente. 약삭빠르게 굴다 desenvolverse [conducirse] con maña, adaptarse [acomodarse] a las circunstancias. 약삭빠르게 행동하다 portarse [comportarse] astutamente.
약삭스럽다 =약삭빠르다.
약삭스레 astutamente, con astucia.
약석(藥石) medicina *f* y acupuntura, medicinas *fpl*, droga *f*. ~의 보람도 없이 en vano con todas las atenciones medicales. ~의 효험 없이 죽다 morir a pesar del tratamiento médico cuidadoso.
약설(略設) instalación *f* breve. ~하다 instalar brevemente.
약설(略說) compendio *m*, epítome *m*. ~하다 epitomar, resumir, recapitular, dar un contorno (de).
약성(藥性) carácter *m* del medicamento.
약세(弱勢) ① [세력이 약함] influencia *f* débil. ② [물가(物價)나 주가(株價) 따위가 내려가는 시세] tendencia *f* bajista.
약소(弱小) la pequeñez y la debilidad. ~하다 (ser) pequeño y débil.
■ ~국 país *m* pequeño, nación *f* pequeña. ~민족 raza *f* pequeña.
약소하다(略少-) (ser) poco, escaso, insuficiente, poco abundante, frugal.
약속(約束) promesa *f*, compromiso *m*, palabra *f*; [만날 약속] cita *f*. ~하다 prometer, comprometer, hacer una promesa, dar *su* palabra; [만날 약속을 하다] citar. ~처럼 conforme a la palabra. ~의 장소 lugar *m* [sitio *m*] de cita. ~시간에 a la hora citada, a la hora prometida. ~날까지에는 para el día prometido. ~ 받다 prometerse. ~을 지키다 cumplir (con) *su* promesa, cumplir (con) *su* palabra, cumplir con lo prometido. ~을 어기다 romper [violar] *su* promesa, no cumplir lo prometido, faltar *su* palabra, faltar a *su* promesa, dejar incumplida *su* promesa. ~을 취소하다 cancelar [anular] el compromiso. 지키지도 못할 ~을 하다 prometer el oro y el moro. A와 만날 ~을 하다 citarse con A. …할 것을 ~하다 prometer + *inf*, prometer que + *ind*. 결혼 ~을 하다 comprometerse a casarse (con), dar palabra de matrimonio (a). 나는 (내) ~을 지켰다 Cumplí (con) mi promesa. 그 여자는 ~을 지켰다 Ella fue fiel a su promesa. 그는 돌아오겠다고 ~했다 El prometió que volviera. 너는 ~을 지키지 않았다 Tú no cumpliste (con) tu promesa / Tú faltaste a [rompiste] tu promesa. 그는 나에게 선물을 ~했다 El me prometió un regalo. 어머니는 나를 데리고 가겠다고 ~하셨다 Mi madre prometió llevarme. 나는 오후 세 시에 그 여자와 만날 ~이 있다 Tengo una cita [Estoy citado] con ella a las tres de la tarde. 그는 금연할 것을 아내에게 ~했다 El prometió dejar de fumar a su mujer. 그 조건을 이행하기로 나는 당신에게 ~한다 Le prometo que cumpliré lo estipulado. 두 사람은 결혼을 ~한 사이다 Los dos están prometidos. 그 여자에게는 이미 결혼을 ~한 남자가 있다 Ella tiene un prometido. 그들은 ~이나 한 듯이 지각했다 Ellos llegaron tarde como (si estuviesen) de común acuerdo. 그들은 ~한 돈을 받았다 Ellos recibieron el dinero (que les habían) prometido. 그들은 도움을 ~받았다 Se les ha prometido ayuda. 나는 할 수 있다고 보겠으나 아무 ~도 할 수 없다 Veré lo que puedo hacer, pero no puedo prometer nada. 그 여자는 아무에게도 말하지 않겠다고 그들에게 ~했다 Ella les prometió que no se lo diría a nadie. 그는 매일 편지하겠다고 ~했다 El prometió escribir todos los días / El prometió que escribiría todos los días. 아무에게도 말하지 않겠다고 나한테 ~해라 Prométeme que no se lo dirás a nadie. 지키지 못할 ~은 하지 마라 No me vengas con falsas promesas. 나는 다시는 그런 짓을 하지 않겠다. 너한테 ~한다 No lo haré más, te lo prometo. ~은 빚이다 ((서반아 속담)) Lo prometido es deuda. ~을 많이 하는 자는 거의 지키지 않는다 ((서반아 속담)) El que mucho promete, poco da. ~은 깨지기 위해 만들어진 것이다 ((서반아 속담)) Prometer y no cumplir, mil veces lo vi. ~한 사람은 빚진 것이나 마찬가지다 ((서반아 속담)) Quien fía y promete en deudas se mete. ~은 행하기보다 쉽다 ((서반아 속담)) Una cosa es prometer y otra cosa es dar grano / Una cosa es prometer y otra mantener.
약속 어음(約束-) pagaré *m*, abonaré *m*, vale *m*.
■ ~발행인 girador, -dora *mf*. ~ 수취인 tenedor, -dora *mf*; tomador, -dora *mf*.
약속의 땅(約束-) ((성경)) la Tierra Prometida, la Tierra de Promisión, la Tierra de Promesa.
약손(藥-) ① ((준말)) =약손가락. ② [아이들의 아픈 곳을 만지면 낫는다 하여 어루만져 주는 어른의 손] mano *f* medicinal. 내 손은 ~이다 Mi mano es la mano medicinal.
약손가락(藥-) (dedo *m*) anular *m*, dedo *m* médico.
약솜(藥-) =탈지면(脫脂綿).
약수(約數) 【수학】 divisor *m*.
약수(藥水) el agua *f* mineral [medicinal].
■ ~터 manantial *m* (de agua mineral)
약수건(藥手巾) tela *f* de cáñamo para escu-

rrir las hierbas medicinales.

약술(藥－) vino *m* [licor *m*] medicinal.

약술(略述) sumario *m*, informe *m* breve, esquema *m* breve. ～하다 hacer un esquema, esbozar, esquejar, resumir, hacer un resumen (de), explicar resumidamente, dar una idea general (de), hacer bosquejos, hacer bocetos. 한국 문화에 대해 ～하다 hacer un esquema de la cultura coreana.

약스럽다 (ser) raro, extraño, muy exigente. 약스런 사람 persona *f* rara [extraña]. 약스레 raramente, extrañamente, muy exigentemente.

약시(弱視) ambliopía *f*, ambliopia *f*, debilidad *f* de la vista. ～의 ambliope, de vista débil.

■ ～ 환자 ambliope *mf*.

약시시(藥－) administración *f* de la medicina al enfermo. ～하다 recetar (la medicina), administrar la medicina (al enfermo). 환자에게 ～하다 recetar al enfermo.

약시약시하다(若是若是－) ＝이러이러하다. 약차약차하다. 여시여시하다. 여차여차하다.

약시중(藥－) servicio *m* de la medicina (al enfermo). ～하다 servir [administrar] la medicina (al enfermo).

약식(略式) informalidad *f*. ～의 informal, simplificado;【법률】sumario. ～으로 informalmente, sin formalismo, sumariamente.

■ ～ 군사 재판 consejo *m* de guerra sumarísimo. ～ 명령 orden *f* sumaria. ～ 복장 traje *m* ordinario [informal]. ～ 소송 pleito *m* sumario. ～ 재판 proceso *m* [juicio *m*] sumario. ～ 절차 procedimiento *m* sumario. ～ 처분 disposición *f* sumaria.

약식(藥食) ＝약밥.

약실(藥室) ① [약을 조제하거나 간수하여 두는 방] dispensario *m*, sala *f* medicinal del doctor. ② [총통(銃筒) 안에 탄약을 장전하는 부분] cartucho *m*.

약심부름(藥－) recado *m* [mandado *m*] de la medicina. ～하다 hacer un recado [un mandado] de la medicina (para el enfermo).

약쑥(藥－) moxa *f*. 오늘날은 ～의 사용이 잦지 않다 El uso de las moxas es hoy muy frecuente.

약아빠지다 (ser) muy astuto. 약아빠진 놈 tipo *m* muy astuto.

약액(藥液) líquido *m* para la medicina.

약약하다 (ser) reacio, renuente, (estar) mal dispuesto, no estar dispuesto.

약어(略語)【언어】abreviatura *f*, abreviación *f*, [머리글자] sigla *f*. Sr.은 señor의 ～이다 Sr. es una abreviatura de señor.

■ ～표 lista *f* de abreviaturas. ～ 풀이 clave *f* de abreviaturas.

약언(約言) ① [약속한 말] palabra *f* prometida; [언약] promesa *f*, palabra *f*. ～하다 prometer, hacer una promesa. ② ＝약음(約音).

약언(略言) sumario *m*, resumen *m* (*pl* resúmenes), compendio *m*. ～하다 resumir, decir en pocas palabras, recapitular, hablar en resumen, hablar compendiosamente. ～한다면 en una palabra, en resumen, resumiendo, en resumidas cuentas.

약여(躍如) viveza *f*, lo vívido. ～하다 (ser) vívido, muy vivo, impresionante.

약오르다 ① [고추・담배 등의 자극성 약초가 잘 성숙하여 독특한 자극성 성분이 생기다] tener ingredientes estimulantes. ② [화가 나다] enfadarse, enojarse, irritarse, estar enfadado [enojado].

약올리다 enfadar, enojar, irritar, encolerizar, causar ira, provocar, enfurecer, poner en el disparadero. 약올리지 마라 No me enfades [enojes・irrites].

약용(藥用) uso *m* medicinal. ～의 medicinal.

■ ～ 비누 jabón *m* medicinal, jaboncillo *m*. ～ 식물 planta *f* medicinal, hierba *f* medicinal. ～ 식물학 botánica *f* médica. ～ 알코올 alcohol *m* medicinal. ～ 온스 onza *f* medicinal. ～ 우물 pozo *m* medicinal. ～ 작물 producto *m* agrícola medicinal. ～주(酒) vino *m* medicinal, licor *m* medicinal. ～ 크림 nata *f* medicinal. ～ 효모 levadura *f* medicinal.

약우물(藥－) pozo *m* que mana el agua mineral.

약원(藥園) ＝약포(藥圃).

약육강식(弱肉强食) Lo débil llega a ser víctima de lo fuerte / dominación *f* del fuerte sobre el débil / El pez grande se come [devora] al pequeño. ～의 산업계 selva *f* del mundo industrial. ～의 원칙(原則) ley *f* de la selva.

약은 꾀 trampa *f* [ardid *f*] astuta, astucia *f*, truco *m*.

약음(約音) ＝약언(約言).

약음(弱音) sonido *m* débil.

■ ～기(器) sordina *f*, apagador *m*. ～ 페달 pedal *m* débil.

약자(弱者) débil *mf*, persona *f* débil. ～를 돕다 defender [socorrer] a los débiles.

약자(略字) abreviatura *f*, [한자의] carácter *m* chino simplificado; [속기의] signos *mpl* estenográficos.

약장(約章) ＝약법(約法).

약장(略章) escudo *m* informal, emblema *m* informal, condecoración *f* informal.

약장(略裝) ropa *f* ordinaria [informal], traje *m* ordinario [informal].

약장(藥欌) armario *m* medicinal con cajones.

약장수(藥－) ① [약을 파는 사람] vendedor, -dora *mf* de las medicinas. ② ((속어)) narrador, -dora *mf*.

약재(藥材) ((준말)) ＝약재료(藥材料).

약재료(藥材料) medicinas *fpl*.

약저울(藥－) balanza *f* medicinal.

약전(弱電) corriente *f* eléctrica débil.

■ ～ 공업 industria *f* electrodoméstica, industria *f* electrocasera.

약전(略傳) biografía *f* breve, bosquejo *m* biográfico, nota *f* biográfica, historia *f* sumaria de la vida (de).

약전(藥田) campo *m* de las plantas medicinales.

약전(藥典) ① [약품의 기준에 관한 책] libro *m* de las medicinas. ② ((준말)) =대한 약전(大韓藥典).

약전(藥箋) 【의학】 =처방전(處方箋).

약전해질(弱電解質) 【화학】 electrólito *m* débil.

약점(弱點) flaco *m*, punto *m* débil, punto *m* flaco, defecto *m*, deficiencia *f*. ~을 공격하다 atacar el punto débil, atacar por *su* flaco. ~을 악용하다 aprovecharse [abusar] de debilidad [del punto débil de otro]. ~을 보이다 volver las espaldas, mostrar *su* lado flaco. ~을 알다 conocer el flaco. 그 여자는 ~도 있지만 그만큼 강점도 있다 Ella tiene tantos puntos fuertes como el flaco. 그는 ~을 찔려 아무 말도 못하고 얌전해졌다 Se le ha quitado su sarcasmo. 수학이 그의 ~이다 Las matemáticas son su punto débil.

약정(約定) contrato *m*, acuerdo *m*, compromiso *m*, convenio *m* mutuo, arreglo *m*. ~하다 hacer arreglos, acordar, concertar, convenir, ponerse de acuerdo entre *sí*. ~으로 por acuerdo, por arreglo. ~을 이행하다 cumplir *sus* compromisos. ~을 위배하다 violar [faltar a] *sus* compromisos.

■~ 기간 período *m* estipulado. ~서(書) convención *f* escrita, contrato *m*, pacto *m*. ~이자 interés *m* estipulado [establecido]

약제(藥劑) drogas *fpl*, medicamento *m*, producto *m* químico.

■~사 farmacéutico, -ca *mf*; boticario, -ria *mf*. ~실(室) dispensario *m*. ~학 farmacología *f*.

약조(約條) [언약] promesa *f*, [규정] regla *f*, acuerdo *m*, condición *f*. ~하다 prometer. ~한 바에 따라 según el acuerdo, conforme al acuerdo. ~를 지키다 cumplir *su* promesa.

■~금 depósito *m* de contrato, entrega *f* inicial de contrato.

약졸(弱卒) soldado *m* cobarde [débil].

약종(藥種) droga *f*.

약종(藥種) =약재료(藥材料).

■~상(商) vendedor, -dora *mf* de materia médica, comerciante *mf* de drogas.

약주(藥酒) ① [약(藥)술] vino *m* medicinal. ② [막걸리보다 맑은, 알코올분 11도의 술] *yakchu*, vino *m* de arroz. ③ ((높임말)) =술.

■~상(床) mesa *f* para el vino. ~술 =약주(藥酒)❷.

약지(弱志) voluntad *f* débil.

약지(藥指) =약손가락.

약지(藥紙) papel *m* para la medicina.

약지르다 poner la medicina para fermentar el alcohol.

약진(弱震) terremoto *m* débil [ligero], sacudida *f* débil, seísmo *m* débil.

약진(藥疹) exantema *m* medicinal.

약진(躍進) ① [힘차게 앞으로 뛰어나감] movimiento *m* rápido. ~하다 precipitarse. 모든 사람이 출구 쪽으로 ~했다 Todo el mundo se precipitó hacia la salida / Todos se precipitaron hacia la salida. ② [매우 빠르게 진보함] desarrollo *m* rápido, desarrollo *m* enorme, gran progreso *m*. ~하다 desarrollarse rápidamente, hacer un progreso enorme.

약질(藥-) ① [병을 고치려고 약을 쓰는 일] aplicación *f* de la medicina. ~하다 aplicar la medicina. ② [술을 빚을 때에 여러 가지 약을 넣는 일] lo que pone varias medicinas para fermentar el alcohol. ~하다 poner varias medicinas. ③ [마약 중독자가 모르핀을 쓰는 일] morfinomanía *f*. ~하다 aplicar la morfina.

약질(弱質) persona *f* de constitución *f* débil [delicada], alfeñique *m*, pelele *m*.

약차약차하다(若此若此-) =이러이러하다.

약차하다(若此-) ser así.

약체(弱體) ① [약한 몸] cuerpo *m* débil. ~의 débil, delicado, flojo, endeble. ② [약한 조직체] organización *f* débil.

■~ 내각(內閣) gabinete *m* débil. ~ 보험 seguro *m* débil. ~화 debilitación *f*, debilitamiento *m*. ¶~하다 debilitar. ~되다 debilitarse, ponerse débil, enflaquecer, hacerse menos fuerte, relajarse. ~ 회사 compañía *f* débil.

약초(藥草) hierba *f* medicinal, planta *f* medicinal, simples *mpl*. ~를 넣은 베개 almohadón *m* (*pl* almohadones) relleno de hierbas medicinales.

■~상(商) herborista *mf*, herbolario, -ria *mf*, [가게] herboristeriía *f*. ~ 요법(療法) remedios *mpl* a base de hierbas medicinales. ~원 =약포(藥圃), 약원(藥園). ~ 채집 herborización *f*. ~ 채집자 herbolario, -ria *mf*, herborizador, -dora *mf*. ~학 botánica *f* médica. ~학자 botanista *m* [botánico *m*] médico, botanista *f* [botánica *f*] médica.

약취(略取) captura *f*, apoderamiento *m*, ocupación *f*. ~하다 capturar, apoderarse (de), ocupar.

약칭(略稱) abreviatura *f*, abreviación *f*. ~하다 abreviar.

약탈(掠奪) pillaje *m*, saqueo *m*, rapiña *f*, despojo *m*, hurto *m*, robo *m* con violencia. ~하다 pillar, saquear, hurtar, robar, apoderarse de una cosa con violencia, despojar, desvalijar, tomar a viva fuerza, llevarse como un botín, robar. 금품을 ~하다 pillar el dinero. 집을 ~하다 saquear una casa. 집의 가구들을 ~하다 saquear los muebles de la casa. 지갑을 ~하다 hurtar un portamonedas.

■~물 botín *m*, despojo *m*, pillaje *m*, presa *f*, objetos *mpl* robados. ~자(者) saqueador, -dora *mf*, pillador, -dora *mf*, hurtador, -dora *mf*, rapiñador, -dora *mf*. ~품 =약탈물(掠奪物).

약탕(藥湯) baño *m* medicinal.

■ ~관 tetera *f*, hervidor *m*. ~기 ㉮ [약을 담는 탕기] tazón *m* para la medicina. ㉯ =약탕관.

약통 cuerpo *m* redondo (del ginseng).

약통(藥桶) cuba *f* para la medicina.

약팔다(藥－) ((속어)) charlar ampulosamente, chacharear, parlotear, cotorrear.

약포(葯胞) 【식물】 =꽃밥.

약포(藥包) ① =약지(藥紙). ② [화포(火砲)에 쓰는 발사용 화약] pólvora *f* para el lanzamiento.

약포(藥圃) herbario *m*.

약포(藥脯) *yakpo*, carne *f* de vaca cortada en tajadas, secada, mezclada con salsa china, aceite vegetal, azúcar, pimienta en polvo, etc.

약포(藥鋪) =약국(藥局)❸.

약풀(藥－) hierba *f* medicinal, planta *f* medicinal.

약품(藥品) ① =약(藥). ② [약의 품질] calidad *f* [cualidad *f*] mecinal. ③ =약제(藥劑). ◆불량(不良) ~ medicinas *fpl* ilegales, drogas *fpl* ilegales.

■ ~ 공업 industria *f* farmacéutica. ~류 productos *mpl* farmacéticos. ~명 nombres *mpl* de drogas. ~ 회사 compañía *f* farmacéutica.

약하(若何) =여하(如何).

약하다(約－) =약분(約分)하다. ☞약분(約分)

약하다(略－) ((준말)) =생략하다.

약하다(藥－) ① [약으로 쓰다] usar como la medicina. ② [약을 쓰다] usar la medicina.

약하다(弱－) ① [힘이 세지 않다. 세력이 강하지 않다] (ser) débil, endeble, flojo; [섬약하다] frágil, quebrandizo; [섬세하다] delicado, raquítico; [박약하다] flaco. 약하게 débilmente, con debilidad, flojamente, sin fuerzas. 약한 바람 viento *m* suave, viento *m* apacible. 약한 사람 el débil. 약한 사람을 학대하다 maltratar a los débiles. ② [튼튼하지 못하다] (ser) débil, frágil, delicado. 장(腸)이 ~ ser delicado del intestino, tener el intestino débil. 이 탁자는 ~ Esta mesa es frágil. 그는 체력이 약해졌다 El disminuyó [se debilitó] su vigor. 그녀는 기력이 약해졌다 Ella decayó su ánimo. 나는 시력이 약해졌다 Se me debilitó la vista. 나는 기억력이 약해졌다 Me entorpecí mi memoria. ③ [연하고 무르다] (ser) tierno, blando. 약한 나뭇가지 rama *f* blanda. ④ [견디어 내는 힘이 세지 못하다] (ser) débil. 열에 ~ ser débil al calor. ⑤ [의지 따위가 굳세지 못하다] (ser) débil (con), tener (una) debilidad (para · con · por). 여성에게 ~ ser baboso, tener flaqueza [debilidad] para [con] las mujeres, tener (una) debilidad por las mujeres, ser débil con las mujeres. ⑥ [표준에 못 미치다] (ser) débil. 시력(視力)이 ~ tener la vista débil. ⑦ [잘하지 못하다] (ser) débil (en), flojo (en). 나는 영어에 ~ Soy débil en inglés / Mi punto débil [flaco] es el inglés. 그는 수학에 ~ Las matemáticas son su asignatura débil / El es flojo en matemáticas. ⑧ [여리다] (ser) débil. 그의 맥박은 아주 약했다 Su pulso era muy débil. ⑨ [자극에 대한 저항력이 부족하다] (ser) pobre, faltar resistencia. 술에 ~ ser fácilmente borracho, faltar resistencia al alcohol. 나는 술에 ~ Soy fácilmente borracho / Soy un bebedor pobre.

약학(藥學) farmacia *f*, química *f* farmacéutica; [약리학] farmacología *f*.

■ ~과 departamento *m* farmacológico. ~대학 facultad *f* de farmacia, facultad *f* farmacológica, colegio *m* farmacológico. ~박사 doctor, -tora *mf* en farmacia [en farmacología]. ~부(部) departamento *m* de farmacia. ~사 bachillero, -ra *mf* en farmacia [en farmacología]. ~ 석사(碩士) licenciado, -da *mf* en farmacia [en farmacología]. ~자 farmacólogo, -ga *mf*.

약해(略解) explicación *f* compendiosa, explicación *f* abreviada. ~하다 explicar compendiosamente [abreviadamente].

약해(藥害) efecto *m* perjudicial de una medicina.

약해지다(弱－) decaer; [쇠약해지다] debilitarse, amainar; [쇠퇴해지다] declinar; [감퇴되다] disminuirse, menguar, venir a menos, caer. 산업이 약해지고 있다 Declina la industria. 나라가 약해지고 있다 Decae el país. 바람이 약해진다 Cae [Amaina] el viento. 그의 세력은 약해졌다 Su influencia ha menguado [decaído · venido a menos]. 그는 체력이 약해졌다 El disminuyó [se debilitó] su vigor. 내 아내는 체력이 약해졌다 Mi esposa se decayó su ánimo. 나는 시력이 약해졌다 Se me debilitó la vista. 나는 기억력이 약해졌다 Me entorpecí mi memoria.

약협(藥莢) caja *f* de cartucho.

약호(略號) signo *m* abreviado; [전신의] cifra *f*; abreviación *f*.

■ ~ 전보 telegrama *m* cifrado.

약혼(約婚) promesa *f* de matrimonio, palabra *f* de matrimonio, compromiso *m*, compromiso *m* matrimonial, esponsales *mpl*, noviazgo *m*. ~하다 prometerse, comprometerse. ~의 esponsalicio, de esponsales, de compromiso, de prometido, de noviazgo. ~한, ~ 중인 prometido, comprometido. ~한 남녀(男女) los prometidos, los novios. A와 ~하다 dar palabra de casamiento a A. A를 B와 ~시키다 desposar a A con B. ~을 파기(破棄)하다 romper [anular] promesa de matrimonio. ~ 중이다 estar prometido (a), estar comprometido (a). 그들은 어제 ~했다 Ells se comprometieron ayer. 그들은 ~을 발표했다 Ellos han anunciado su compromiso matrimonial. 나는 김 양과 ~ 중이다 Estoy prometido [comprometido] a la señorita Kim. 두 사람은 ~했다 Los dos se han dado palabra de casamiento. 그는 실업가의 딸과 ~했다 El se prometió en casamiento con la hija del comerciante. 그들은 ~을 파기했다 Ellos han roto su compromiso.

■ ~기(간) período *m* de compromiso, noviazgo *m*. ~녀 prometida *f*, novia *f*. ~반지 anillo *m* de noviazgo [de esponsales · de prometido · de compromiso · de pedida]. ~ 선물 =약혼 예물. ~식 ceremonia *f* esponsalicia. ~ 예물 regalo *m* esponsalicio [de esponsales]. ~자 novio, -via *mf*, desposado, -da *mf*, prometido, -da *mf*, futuro, -ra *mf*. ~ 잔치 fiesta *f* de compromiso, fiesta *f* de petición de mano. ~ 파기 violación *f* [infracción *f* · rompimiento *m*] de compromiso matrimonial.

약화(弱化) debilidad *f*, fragilidad *f*. ~하다 debilitarse, enflaquecer, hacerse menos fuerte. ~시키다 debilitar.

약화(略畵) esbozo *m*, boceto *m*, bosquejo *m*.

약화학(藥化學) química *f* farmacéutica.

약효(藥效) efecto *m* [poder *m*] medicinal [de medicina], resultado *m* del remedio, eficacia *f*, virtud *f* de una medicina. 그 약은 즉각 ~를 나타냈다 La medicina tuvo una eficacia inmediata. 그것은 만병에 ~가 있다고 한다 Se dice [Dicen] que es un remedio muy eficaz contra todas las enfermedades.

얄개 persona *f* obstinada [terca].

얄궂다 (ser) raro, extraño, singular, traicionero, traidor, obstinado, terco, asqueroso, repugnante, feo, desagradable, malo, malhumorado, curioso. 얄궂게 raramente, extrañamente, con obstinación, porfiadamente, contra toda lógica, con maldad, cruelmente, malhumoradamente, curiosamente, de forma extraña. 얄궂은 날씨 tiempo *m* desagradable. 얄궂은 사람 persona *f* traidora [traicionera]. 얄궂은 운명 destino *m* raro [extraño]. 얄궂은 행동 traición *f*. 얄궂은 기후 조건 condiciones *fpl* climáticas adversas. 성질이 ~ tener muy mal carácter. 날씨가 얄궂게 변했다 El tiempo se puso horrible [feísimo]. 상황이 얄궂게 되었다 La cosa se puso fea. 그는 취하면 얄궂게 된다 El se pone de lo más desagradable cuando se emborracha. 아이들은 얄궂어질 수 있다 Los niños pueden ser de lo más crueles. 그것은 말하기에 얄궂은 일이었다 Fue una maldad decirle eso. 그들은 그 여자에게 정말로 ~ Ellos son malos [crueles] con ella. 더운 날씨는 그를 무척 얄궂게 만들었다 El calor lo ponía de muy mal humor.

얄긋거리다 (ser) poco firme, sólido, desvencijado, destartalado. 얄긋거리는 의자 silla *f* poco firme.

얄긋얄긋 de manera sólida.

얄긋하다 tener deformado [crispado], ser retorcido. 얄긋해지다 crisparse, contraerse. 얄긋하게 하다 crispar, contraer. 몸을 얄긋하게 하다 contorsionarse. 그 여자의 얼굴은 화가 나서 얄긋했다 Ella tenía el rostro crispado por la ira. 그의 얼굴은 아파서 얄긋해졌다 Se le crispó [Se le contrajo] el rostro de dolor.

얄기죽거리다 menear [bambolear] de un lado a otro.

얄기죽얄기죽 meneando de un lado a otro.

얄따랗다 (ser) algo delgado, fino. 얄따란 월급 봉투 sobre *m* de salario muy fino. 얄따랗게 자르다 cortar algo en rebanadas [capas] delgadas. 잼을 얄따랗게 펴세요 Extienda [Ponga] una capa fina de mermelada / Ponga poca mermelada.

얄라차 ¡Vaya! / ¡Anda! / ¡Caramba! / ¡No me digas! / ¡Oye! / ¡Mi Dios! / *ReD* ¡Coño!

얄망궂다 (ser) imprudente, frívolo, descortés (*pl* descorteses). 얄망궂게 imprudentemente, frívolamente. 얄망궂은 짓 acto *m* descortés. 얄망궂게 굴다 portarse [comportarse] imprudentemente.

얄망스럽다 (ser) imprudente. ☞얄망궂다

얄밉다 (ser) ofensivo, insultante, descarado, insolente, fresco, atrevido, odioso, aborrecible, detestable. 얄밉게 ofensivamente, insultantemente, con frescura, descaradamente, odiosamente, repugnantemente, de manera detestable, irritantemente. 얄미운 놈 tipo *m* descarado [insolente]. 얄미운 태도 manera *f* imprudente.

얄밉상스럽다 (ser) algo odioso [aborrecible].

얄밉상스레 odiosamente, aborreciblemente.

얄브스레하다 =얄브스름하다.

얄브스레 =얄브스름히.

얄브스름하다 (ser) algo delgado, algo fino.

얄브스름히 algo delgadamente [finamente].

얄쭉거리다 menear de un lado a otro.

얄쭉얄쭉 meneando de un lado a otro.

얄찍하다 parecer algo delgado.

얄찍얄찍 pareciendo algo delgado.

얄찍이 algo delgadamente.

얄팍스럽다 parecer algo delgado [fino].

얄팍스레 algo delgadamente [finamente].

얄팍썰기 corte *m* fino; [빵의] corte *m* en rebanadas; [케이크의] corte *m* en trozos; [고기의] corte *m* en tajadas; [레몬 · 오이의] corte *m* en rodajas; [햄의] corte *m* en lonchas.

얄팍하다 (ser) muy delgado, muy fino. 얄팍한 책 libro *m* muy delgado. 얄팍하게 자르다 cortar algo en rebanadas [capas] delgadas.

얄팍얄팍 muy delgadamente [finamente].

얇다 ① [두께가 두껍지 아니하다] (ser) delgado, fino. 얇은 종이 papel *m* delgado [fino]. 얇은 천 tela *f* fina, paño *m* fino. 얇게 썬 조각 [빵의] rebanada *f*, [케이크의] trozo *m*, pedazo *m*; [치즈의] trozo *m*, pedazo *m*, tajada *f*, [레몬 · 오이의] rodaja *f*, [고기의] tajada *f*, [햄의] tajada *f*, loncha *f*, lonja *f*, *RPI* feta *f*, [참외의] raja *f*. 얇게 썰다 [빵을] cortar en rebanadas; [고기를] cortar en tajadas; [케이크를] cortar en trozos; [레몬 · 오이를] cortar en rodajas; [햄을] cortar en lonchas. 벽이 너무 ~ Las paredes son demasiado delgadas. ② [빛깔이 연하다] (ser) claro, pálido, ligero. 얇은 색 color *m* claro. ③ [언행이 빤히 들여다 보이다] (ser) descarado, insolente.

얇디얇다 (ser) muy delgado, delgadísimo.

얇아지다 adelgazar, ponerse delgado.

얌생이 ((속어)) robo *m*, hurto *m*, pillaje *m*.
◆ 얌생이 몰다 robar, hurtar, pillar.
■ ~꾼 robador, -dora *mf*; hurtador, -dora *mf*; pillador, -dora *mf*.

얌심 celos *mpl*, envidia *f*.
◆ 얌심(을) 부리다 mostrar celos. 얌심(을) 피우다 portarse envidioso.
■ ~꾸러기 envidiador, -dora *mf*. ~데기 envidiador, -dora *mf*.
얌심스럽다 (ser) envidioso.
얌심스레 envidiosamente.

얌전떨다 (ser) mojigato, gazmoño, portarse con buenos modales.

얌전부리다 =얌전떨다.

얌전빼다 =얌전떨다.

얌전스럽다 ser de buenos modales.
얌전스레 con buenos modales.

얌전이 persona *f* benévola [dulce · modesta].

얌전피우다 mostrar buenos modales.

얌전하다 ① [성질이 차분하고 언행이 단정하다] (ser) benévolo, tranquilo, calmado, apacible, dulce, delicado, bueno, lleno de gracia, modesto, decente, decoroso, que se porta bien; [행실이 바른] formal, bien educado; [순종하는] dócil, sumiso, obediente, manso. 얌전함 tranquilidad *f*, formalidad *f*, docilidad *f*. 얌전한 아이 niño *m* bonísimo. 얌전한 처녀 doncella *f* [muchacha *f*] modesta. 얌전하게 행동하다 portarse bien, comportarse. 그는 얌전한 성격이다 El es de carácter dócil [apacible]. 이 아이는 ~ Apenas me molesta este niño. 아이들이 오늘은 ~ Hoy los niños están muy tranquilos [formales · dóciles]. 얌전하게 굴어라! ¡Pórtate bien! / !Haz el favor de comportarte! ② [사람이나 물건의 모양이 좋고 쓸모가 있다] (ser) bueno, excelente.
얌전히 tranquilamente, formalmente, dócilmente, dulcemente, con gracia, con garbo, con gracilidad, modestamente, bien, decentemente, con decencia, excelentemente. ~ 걷다 andar con gracia. ~ 굴다 portarse bien, comportarse, ser formal, ser bueno. ~ 듣다 escuchar con paciencia. ~ 먹다 comer bien. ~ 앉다 sentarse bien. 일을 ~ 하다 hacer un buen trabajo. 글을 ~ 쓰다 escribir muy bien. ~ 굴지 않으면 아무 데도 데리고 가지 않겠다 Si no te portas bien, no te llevarás al sitio alguno. 그 여자는 옷을 얌전하게 입었다 Ella iba bien arreglada. ~ 굴어라 Pórtate bien. 애야, ~ 행동해라 ¡Pórtate bien, hijito mío!

얌체 persona *f* egoísta, sinvergüenza *mf*.

얌치 =염치(廉恥).
얌치없다 =염치없다.

양[1] ((준말)) =갓양태.

양[2] ① [어미「-인」「-ㄴ」「-는」의 뒤에 붙어,「모양 · 듯 · 것처럼」등의 뜻을 나타내는 말] como. 학자인 ~ 행세하다 portarse como un sabio. ② [어미「-ㄹ」「-을」의 뒤에 붙어,「의향」「의도」등의 뜻을 나타내는 말] intención *f*, intento *m*. 잘 ~으로 con la intención de dormir. 죽을 ~으로 con la intención de morir.

양(羊) ① 【동물】 oveja *f*; [거세하지 않은 수컷] carnero *m*; [거세한 수컷] carnero *m* castrado; [암컷] oveja *f* (hembra); [새끼] cordero *m*, corderillo *m*, corderito *m*, borrego *m* (한 살 이상), (corderillo *m*) recental *m* (포유기의). ~의, ~ 같은 carneruno, ovejuno. ~의 젖 leche *f* ovejuna. ~ 지키는 개 perro *m* pastor, perro *m* ovejero. 거세된 ~ oveja *f* redil. 하나님의 어린 ~ el Cordero de Dios. ~이 새끼를 낳다 parir. ~이 매 하고 울다 balar. ~은 고기와 털 때문에 길러진다 El cornero se cría por su carne y su lana. ② ((기독교 · 천주교)) [신자(信者)] fiel *mf*; creyente *mf*; devoto, -ta *mf*. 길 잃은 ~ fiel *m* perdido, fiel *f* perdida.
■ ~가죽 badana *f*; [무두질한] piel *f* de borrego [de cordero], *RPI* corderito *m*; [무두질한 새끼 양의] cordero *m*, borreguillo *m*, *AmL* corderito *m*. ¶~ 외투 abrigo *m* de piel de borrego [de cordero], *RPI* gamulán®. ~ 장갑 guantes *mpl* de borreguillo [*AmL* de corderito]. ~ 안을 댄 장갑 guantes *mpl* forrados de piel de borrego [de cordero]. ~을 입은 늑대 Piel de oveja, carne de lobo. ~고기 añojo *m*, cordero *m* (새끼 양의), carnero *m*, carne *f* de carnero, carne *f* de ovino (*de más de un año*), *RPI* capón *m*. ~ 떼 carnerada *f*. ~ 우리 redil *m*. ~치기 ovejero, -ra *mf*; carnerero *m*, pastor *m*. ~털 [새끼 양의] lana *f* de cordero.

양(良) bueno.

양(胖) [소의 위(胃)] estómago *m* de vaca.

양(陽) ① [역학상(易學上)의 원리로, 태극(太極)이 나누인 두 가지 성질, 또는 기운의 하나] *yang*, *Yang*, positividad *f*. ~과 음(陰) *Yin* y *Yang*, lo positivo y lo negativo, principio *m* masculino y femenino.. ② ((준말)) =양극(陽極). ③ 【수학】 positivo *m*.

양(量) ① ((준말)) =분량. 식량(食量). 국량(局量). ¶~에 차다 estar lleno; [만족하다] estar satisfecho, estar contento. ~껏 먹다 comer hasta hartazgo, darse un hartazgo (de). 나는 포도를 ~껏 먹었다 Me he dado un hartazgo de uvas. ② [수량 · 무게 · 부피의 총칭] cantidad *f*, volumen *m* (*pl* volúmenes). 내가 받은 우편물의 ~ la cantidad [el volumen] de correspondencia que recibo. ~이 늘다 aumentar en cantidad. ~이 줄다 disminuir en cantidad. ~을 초과하다 [음식의] tomar *algo* en [con] exceso. 식사의 ~을 줄이다 disminuir (la cantidad de) comida. 일의 ~을 줄이다 disminuir la cantidad del trabajo. 나는 술

의 ~이 늘었다 Bebo más que antes.

양(樣) ① ((준말)) =양식(樣式). ② ((준말)) =양태(樣態).

양(兩) ① [옛날 화폐·중량의 단위] *yang*. ② [한 냥] un *yang*. ~ 닷 돈 un *yang* y cinco *don*.

양(孃) señorita *f*, Srta. 김 ~ señorita Kim, Srta. Kim. 이 ~, 안녕하세요 Señorita Lee, ¿cómo está usted?

양-(兩) dos; ambos, -bas; un par. ~국가(國家) ambos países, dos países. ~측(側) ambas partes *fpl*. ~어깨에 짊어지다 llevar [pesar] *algo* sobre *sus* hombros. 한국의 장래는 우리의 ~어깨에 달려 있다 El porvenir de Corea depende totalmente de nosotros / El futuro de Corea pesa íntegramente sobre nuestros hombros.

양-(洋) occidental, del Occidente, europeo, de Europa, del estilo europeo, del estilo occidental. ~가구(家具) mueble *m* del estilo europeo. ~담배 cigarrillo *m* occidental, cigarrillo *m* importado, tabaco *m* importado. ~배추 col *m*, berza *f*. ~서(書) libro *m* europeo, libro *m* importado.

양-(養) adoptivo. ~아버지 padre *m* adoptivo. ~어머니 madre *f* adoptiva. ~아들 hijo *m* adoptivo. ~딸 hija *f* adoptiva.

-양(洋) océano *m*. 대서(大西)~ el Océano Atlántico. 북극(北極)~ el Océano Artico.

-양(孃) señorita *f*. 안내~ señorita *f* guía.

양가(良家) buena familia *f*, familia *f* respetable. ~의 처녀 hija *f* de buena familia.
■~ 여자 mujer *f* de buena familia. ~ 자제 hijo *m* de buena familia. ~ㅅ집 familia *f* respetable, buena familia *f*. ~ㅅ집 규수 hija *f* de buena familia.

양가(兩家) ambas [dos] casas *fpl*, ambas [dos] familias *fpl*

양가(養家) casa *f* de padres adoptivos.

양각(兩脚) ambas piernas *fpl*, dos piernas.
■~기(器) compás *m* de puntas.

양각(陽刻) grabado *m* en relieve. ~하다 tallar [grabar·esculpir] en relieve. ~된 tallado en relieve.
■~ 무늬 relieve *m*. ~ 세공 relieve *m*, obra *f* en relieve. ~ 장식 relieve *m*.

양갈보(洋-) ① [서양 사람을 상대로 하는 갈보] prostituta *f* a los europeos. ② [서양인 창부] prostituta *f* europea [occidental].

양감(量感) volumen *m* en el cuadro. ~이 있는 masivo, voluminoso, enorme, grande. ~이 있는 그림 cuadro *m* masivo.

양갱(羊羹) gelatina *f* dulce de alubia roja.

양견(兩肩) dos hombros, ambos hombros *mpl*.

양견(良犬) buen perro *m*.

양견(養犬) canicultura *f*. ~하다 criar los perros.

양경(陽莖) =음경(陰莖).

양계(養鷄) avicultura *f*, cría *f* de gallinas [de aves]. ~하다 criar las aves [las gallinas]. ~의 avícola.
■~가 gallinero, -ra *mf*; pollero, -ra *mf*; avicultor, -tora *mf*; criador, -dora *mf* de aves. ~업 industria *f* avícola. ~장 granja *f* avícola, gallinero *m*, pollera *f*, corral *m*; [산란장] ponedero *m*.

양곡(糧穀) grano *m*, cereal(es) *m(pl)*, provisiones *fpl*. ~의 de grano, de cereal(es).
■~ 거래소 centro *m* de cambio en cereales. ~ 관리 control *m* [administración *f*] de granos. ~ 관리법 ley *f* de control de granos. ~ 도매 venta *f* al por mayor de cereales. ~ 도매상 agente *mf* de cereales; comerciante *mf* al por mayor de cereales; *Arg, Chi* mayorista *mf* de cereales. ~ 도입 importación *f* de cereales. ~상(商) comerciante *mf* de cereales. ~ 생산지 granero *m*, territorio *m* rico en cereales. ~ 소매 comercio *m* menorista de cereales. ~ 소매상 comerciante *mf* al por menor de cereales; *Arg, Chi* menorista *mf* de cereales. ~ 시장 mercado *m* de cereales. ~ 증권 valores *mpl* de cereales. ~ 증산 producción *f* incrementada de cereales. ~ 창고 granero *m*.

양공주(洋公主) =양갈보.

양과자(洋菓子) pastel *m*, torta *f*, pastelillo *m*.

양관(洋館) ① [서양식의 집] casa *f* [edificio *m*] del estilo europeo. ② [서양 각국의 공관(公館)] legaciones *fpl* de los países europeos.

양광(佯狂) insania *f* [insanidad *f*] fingida *f*. ~하다 ingirse loco [insano].

양광(陽光) luz *f* del sol, luz *f* del día, rayo *m* de sol, sol *m*.

양구에(良久-) después de un rato, al cabo de un rato, dentro de poco.

양국(兩國) dos países *mpl*, ambos países *mpl*, dos naciones *fpl*, ambas naciones *fpl*. ~ 간의 유대(紐帶) vínculos *mpl* amitosos, vínculos *mpl* entre dos países.

양군(兩軍) ① [양편의 군사] ambos ejércitos *mpl*, los dos ejércitos *mpl*, ambas tropas *fpl*. ② [운동 경기에서, 양편 팀] ambos equipos *mpl*, los dos equipos *mpl*

양궁(良弓) buen arco *m* (*pl* buenos arcos).

양궁(洋弓) tiro *m* de arco (europeo), ballesta *f*.

양귀비(楊貴妃)【식물】adormidera *f*, amapola *f*.
■~꽃 flor *f* de amapola. ~씨 semilla *f* de amapola, semilla *f* de adormidera.

양극(兩極) ①【지리】dos polos *mpl*. ②【물리】polo *m* del norte y del sur, polo *m* positivo y negativo. ~의 bipolar. ③【전기】dos electrodos *mpl*.
■~단(端) dos extremos *mpl*. ~성(性) polaridad *f*. ~ 지방(地方) zonas *fpl* [regiones *fpl*·áreas *fpl*] polares. ~ 체제 regímenes *mpl* polares.

양극(陽極) ánodo *m*, polo *m* positivo. ~의 anódico, del polo positivo.
■~ 산화(酸化) oxidación *f* anódica. ~선 rayos *mpl* anódicos. ~액 anolito *m*. ~ 전류(電流) corriente *f* anódica. ~ 효과(效果)

efecto *m* de ánodo.

양근(陽根) ① [자지] pene *m*, miembro *m* viril. ②【화학】radical *m* positivo.

양글 ① [소가 논밭을 갈거나 짐을 싣는 일] arado *m* del arrozal y del campo o la carga del buey. ~하다 arar el arrozal y el campo, cargar (el buey). ② [한 해에 같은 논에서 두 번 수확함] dos cosechas *fpl* en el mismo arrozal en un año. ~하다 cosechar dos veces en el mismo arrozal.

양금(兩衾) sábanas *fpl* [ropa *f* de cama] de los novios.

양금(洋琴) ①【악기】*yanggum*, una especie de la cítara. ②【악기】piano *m*.

■ ~채 ㉮ [양금을 치는, 대나무로 만든 채] vara *f* de *yanggum*. ㉯ [가냘픈 것] lo fino, lo delgado, lo esbelto. ㉰ [고운 목소리] voz *f* dulce.

양기(良器) ① [좋은 그릇] buena vasija *f*. ② [좋은 기량(器量)·재능] buen talento *m*.

양기(涼氣) frescor *m*, frescura *f*.

양기(陽氣) ① [햇볕의 기운] luz *f* del sol, sol *m*. ② [양성의 기운] poder *m* positivo. ③ [남자의 몸 안의 정기(精氣)] vigor *m*, vitalidad *f*, virilidad *f*, energía *f*, fuerza *f*. ~가 왕성하다 estar lleno de energía, tener gran vigor. ~를 보호하다 cuidar [atender] su energía.

양기(養氣) atención *f* [cuidado *m*] de *su* energía. ~하다 cuidar [atender] *su* energía.

양기와(洋-) teja *f* de cemento.

양껏 hasta hartarse, hasta hartazgo. ~ 먹다 hartarse (con), darse hartazgo (de). ~먹어라 Hártate / Come hasta hartazgo. 그는 과일을 ~ 먹었다 El se hartó con fruta. 나는 포도를 ~ 먹었다 Me he dado un hartazgo de uvas.

양끝(兩-) ambos extremos *mpl*.

양끼(兩-) dos comidas: el desayuno y la cena. ~를 굶다 no comer dos comidas, no tomar el desayuno y la cena.

양난(兩難) dilema *m*.

양날(羊-)【민속】((속어)) el Día de Oveja.

양날(兩-) doble filo *m*, dos filos *mpl*, ambos filos *mpl*, dos cortes *mpl* de la espada [del cuchillo]. ~의 de doble filo, de dos filos. ~이 있는 칼 una arma de dos filos.

■ ~톱 sierra *f* de doble filo.

양냥거리다 importunar, asediar.

양녀(洋女) mujer *f* occidental [europea].

양녀(養女) hija *f* adoptiva, hija *f* de leche. ~로 삼다 adoptar, ahijar. ~가 되다 ser adoptada.

양념 ① [음식의 맛을 돕기 위해 쓰는 재료] especia *f*, condimento *m*, guiso *m*, salsa *f*. ~을 치다 condimentar, sazonar (con especia), dar sazón al manjar; [소금과 후춧가루로] salpimentar. ~이 든 sazonado, condimentado. 생선을 소금과 후추로 ~하세요 Sazone el pescado con la sal y la pimienta. ② [무엇이든 재미를 더하게 하는 재료] material *m*.

■ ~감 materiales *mpl* para el condimento, sazoamiento *m*, condimento *m*. ~값 expenas *fpl* del condimento. ~거리 =양념감. ~ 그릇 ampollera *f*, vinagrera *f*, aceitera *f*, *Chi* alcuza *f*. ~병 vinagrera *f*, aceitera *f*, *Chi* alcuza *f*. ~병대 convoy *m*, vinagreras *fpl*, *Chi* alcuzas *fpl*. ~장 salsa *f* china para el condimento. ~절구 (mano *f* de) mortero *m* para el condimento.

양놈(洋-) yanqui *m*, gringo *m*, extranjero *m*, europeo *m*, blanco *m*.

양다리(兩-) ambas piernas *fpl*, dos piernas *fpl*.

◆양다리(를) 걸다 servir a Dios y al diablo, jugar con dos barajas; [기회주의] mirar los toros desde la barrera, nadar entre dos aguas, no definirse, jugar dobles. 양다리를 걸칩시다 Juguemos (un partido de) dobles.

◆양다리(를) 걸치다 =양다리(를) 걸다.

양단(兩端) ① [두 끝] dos extremos *mpl*, dos puntas *fpl*, dos cabos *mpl*, dos márgenes *mpl*, ambas extremidadese *fpl*. ② [처음과 끝] el principio y el fin.

■ ~간(間) de todos modos, de todas formas, igual, de algún modo u otro. ¶~ 결정을 내려라 Decide de todos modos.

양단(兩斷) corte *m* de dos (partes), división *f* en dos partes. ~하다 cortar de dos (partes), dividir en dos. ~되다 cortarse en dos, dividirse en dos partes. 국토가 ~되었다 El territorio se cortó en dos (partes).

양단(洋緞) satén *m* [raso *m*] extranjero.

양달(陽-) solana *f*, lugar *m* soleado [bañado por el sol · en que da el sol]. ~에 al sol, en el sitio soleado. ~에 말리다 secar *algo* al sol.

■ ~쪽 lado *m* soleado.

양담배(洋-) tabaco *m* importado, tabaco *m* extranjero, tabaco *m* americano, cigarrillos *mpl* americanos.

양당(兩堂) *sus* padres *mpl*. ~께서는 안녕하신가요? ¿Están bien sus padres?

양당(兩黨) dos partidos (políticos), ambos partidos *mpl* (políticos). ~의 bipartidista, de dos partidos.

■ ~ 외교 diplomacia *f* bipartidista. ~ 정치 política *f* bipartidista. ~ 제[제도] sistema *m* bipartidista, bipartidismo *m*.

양대(兩大) dos grandes.

■ ~ 세력 dos grandes influencias *fpl*.

양도(兩刀) ① [두 칼] dos espadas *fpl*. ② =쌍수검.

■ ~ 논법 dilema *m* (lógico).

양도(洋刀) cuchillo *m*.

양도(糧道) ① [양식의 씀씀이] uso *m* de provisiones. ② [군량(軍糧)을 운반하는 길] ruta *f* de provisiones, camino *m* de abastecimiento militar. 적의 ~를 끊다 cortar la ruta de provisiones del enemigo, cortar el camino de abastecimiento del anemigo.

양도(讓渡) [재산의] transferencia *f*, enajenamiento *m*, transmisión *f*, entrega *f*, traspaso *m*; [권리의] concesión *f*; [영토(領土)의] cesión *f*; [어음의] negociación *f*. ~하다 traspasar, ceder, transmitir, transferir, conceder; 【법률】 enajenar; [유증(遺贈)하다] legar. ~할 수 있는 enajenable, transferible, transmisible; [배서(背書)에 의해] endosable. ~할 수 없는 intransferible. 재산의 ~ cesión *f* de bienes. 특허권의 ~ transmisión *f* de una patente. ~할 수 있는 재산 bienes *mpl* transferible. propiedad *f* no transferible. 점포는 자녀에게 ~하다 ceder la tienda a *su* hijo.
◆배서(背書) ~ transferencia *f* por endoso. 업무(業務) ~ cesión *f* de los negocios. 자금(資金) ~ transferencia *f* de fondos. 주주 명의(株主名義) ~ transferencia *f* de acciones. 피~인 concesionario, -ria *mf*.
▪~ 가격 precio *m* de cesión. ~ 가능 transmisibilidad *f*. ~ 담보 hipoteca *f* de transferencia. ~ 대금(代金) precio *m* de traspaso. ~ 배서(背書) endoso *m* por la negociación. ~성 transmisibilidad *f*. ¶~의 transferible. ~성 대출 증서 certificado *m* de préstamo transferible. ~성 신용장 crédito *m* transferible. ~성 정기 예금 증서 certificado *m* de déposito a plazo transferible. ~세(稅) impuesto *m* sobre transmisiones patrimoniales. ~ 소득(所得) plusvalía *f*. ~ 소득세 impuesto *m* sobre la plusvalía. ~인 cedente *mf*; concedente *mf*; enajenador, -dora *mf*; cesionista *mf*; otorgador, -dora *mf*; transgeridor, -dora *mf*; asignante *mf*. ~ 증서 título *m* traslativo de dominio, escritura *f* de traspaso.

양도체(良導體) 【물리】 buen conductor *m*. 구리는 전기의 ~다 El cobre es un buen conductor de la electricidad.

양돈(養豚) cría *f* de cerdos [porcinos], cría *f* del ganado porcino. ~하다 criar los cerdos [los puercos].
▪~가(家) criador, -dora *mf* de cerdos [porcinos]. ~업 industria *f* de la cría de cerdos. ~장(場) pocilga *f*, porqueriza *f*, zahurda *f*.

양동이(洋-) cubo *m* [balde *m* · *Méj* cubeta *f* · *Ven* tobo *m*] de metal. ~에 물을 붓다 verter [echar] el agua en el cubo de metal.

양동 작전(陽動作戰) operación *f* de diversión; ((운동)) finta *f*; 【군사】 amago *m*. ~을 하다 hacer una finta, fintar, *AmL* fintear; amagar, hacer un amago.

양돼지(洋-) ① [서양의 돼지] cerdo *m* [puerco *m*] europeo. ② [살찐 사람] persona *f* gorda; [남자] hombre *m* gordo; [여자] mujer *f* gorda.

양두(羊頭) cabeza *f* de la oveja, cabeza *f* del carnero.

양두구육(羊頭狗肉) Dar gato por liebre.

양두마차(兩頭馬車) =쌍두마차.

양두사(兩頭蛇) anfisbena *f*.

양두정치(兩頭政治) diarquía *f*.

양득(兩得) ① ((준말)) =일거양득(一擧兩得). ② =둘잡이.

양딸(養-) hija *f* adoptiva, niña *f* adoptada, hija *f* de leche.

양딸기(洋-) 【식물】 fresa *f* alpina.

양떼구름 【기상】 =고적운(高積雲).

양띠(羊-) 【민속】 =미생(未生).

양력(揚力) 【물리】 fuerza *f* propulsora, propulsión *f*.

양력(陽曆) ((준말)) =태양력(太陽曆).

양로(養老) socorro *m* a los ancianos.
▪~ 보험 seguro *m* de la vejez. ~ 보험 증권 póliza *f* dotal. ~ 시설 institución *f* para los ancianos. ~ 연금(年金) pensión *f* [anualidad *f*] para los ancianos. ~원 asilo *m* de ancianos.

양론(兩論) dos opiniones *fpl* opuestas.

양류(楊柳) 【식물】 =버드나무.

양륙(揚陸) desembarco *m*, desembarque *m*. ~하다 desembarcar.
▪~ 기간 días *mpl* para el desembarco. ~비 gastos *mpl* de desembarco. ~선 lancha *f* [barcaza *f* · gabarra *f*] de desembarco. ~ 수속 formalidades *fpl* de desembarco. ~ 인부(人夫) cargador, -dora *mf*, estibador, -dora *mf*. ~장 desembarcadero *m*. ~항 puerto *m* de desembarco.

양립(兩立) compatibilidad *f*, [공존(共存)] coexistencia *f*. ~하다 ser compatible, coexistir. ~할 수 있다 ser compatible. 할 수 없다 ser incompatible. 나한테는 가정과 일이 ~하지 못한다 Para mí el trabajo y la familia son incompatibles. 자본주의와 공산주의는 ~하지 못한다 El capitalismo es incompatible con el comunismo. 이 사상은 우리 나라의 전통과 ~하지 못한다 Esta idea no compadece con la tradición de nuestro país.

양마(良馬) buen caballo *m*, caballo *m* excelente.

양막(羊膜) 【해부】 amnios *m.sing.pl*.
▪~관(管) conducto *m* amniótico. ~낭(囊) saco *m* amniótico. ~염 amnionitis *f*.

양말(洋襪) calcetín *m* (*pl* calcetines); [긴 양말] medias *fpl*. ~ 한 켤레 un par de calcetines. ~ 열 켤레 diez pares de calcetines. ~을 신다 ponerse [calzarse] los calcetines [las medias]. ~을 벗다 quitarse los calcetines [las medias]. ~을 신고 있다 tener puestos los calcetines, tener puestas las medias.
▪~대님 ligas *fpl*, jarreteras *fpl*.

양머리(洋-) cabello *m* europeo de la mujer.

양면(兩面) ① [두 면. 양쪽의 면] ambos lados *mpl*, ambas facetas *fpl*, ambas caras *fpl*, dos caras. ~을 관찰하다 observar ambos lados. 물건에는 ~이 있다 Las cosas tienen dos caras. ② [두 가지 방면] dos campos *mpl*, ambos campos *mpl*.
▪~ 가치(價値) ambivalencia *f*. ~ 날염 impresión *f* dúplex. ~ 레코드 disco *m* de dos caras. ~ 작전 operación *f* por dos

frentes, operación *f* por ambos lados. ~ 테이프 cinta *f* de dos caras adhesivas.

양명(揚名) obtención *f* de la fama. ~하다 obtener la fama.

양명(陽明) ① [볕이 환하게 밝음] claridad *f* del sol. ~하다 ser claro el sol. ② =태양.

양명학(陽明學) 【철학】 filosofía *f* [doctrinas *fpl*] de *Wang Yangming*.
 ▪ ~자 estudioso, -sa *mf* de la escuela de *Wang Yangming*. ~파 escuela *f* de *Wang Yangming*.

양모(羊毛) lana *f*; [한 마리분의] vellón *m*. ~의 de lana, lanero. ~를 자르다 cortar la lana a un cordero, esquilar los corderos.
 ▪ ~ 공업 industria *f* lanera, industria *f* de la lana. ~ 무역 comercio *m* de la lana. ~상 comerciante *mf* de la lana. ~제(劑) regenerador *m* del cabello. ~ 제품(製品) productos *mpl* [artículos *mpl*] de lana. ~직(織) tejido *m* de lana. ~직 제조자 fabricante *mf* de lanas.

양모제(養毛劑) regenerador *m* del cabello, tónico *m* para el cabello, loción *f* capilar.

양목(洋木) =당목(唐木)

양묘(養苗) cultivo *m* del árbol joven. ~하다 cultivar el árbol joven.
 ▪ ~장 semillero *m* del árbol joven.

양묘기(揚錨機) cabrestante *m*, torno *m*.

양물(陽物) ① [자지] pene *m*. ② [양기 있는 사람] persona *f* muy varonil.

양미(兩眉) dos cejas *fpl*.
 ▪ ~간 entrecejo *m*. ¶~을 찌푸리다 fruncir el entrecejo.

양미(糧米) arroz *m* (para el alimento), provisiones *fpl*, comida *f*..

양민(良民) ① [선량한 백성] buenos ciudadanos *mpl*, buen pueblo *m*, gente *f* pacífica. ② [천역(賤役)에 종사하지 않은 일반 백성] pueblo *m* sin dedicarse al trabajo humilde.

양반(兩班) 【역사】 *yangban*, noble *mf*; hidalgo, -ga *mf*. 태어날 때부터 ~ noble *mf* de cuna. ~으로 태어나다 ser de noble, ser noble de nacimiento.

양방(兩方) ① [이쪽과 저쪽] ambos, los dos, ambas partes *fpl*, ambos lados *mpl*. ~의 ambos, de ambas partes, de ambos lados. ~ 모두 옳다 Ambos son correctos. ② [두 방향] dos direcciones, ambas direcciones *fpl*.

양배추(洋－) 【식물】 col *f*, berza *f*, repollo *m*.
 ▪ ~밭 berzal *m*.

양버들(洋－) 【식물】 álamo *m*.

양법(良法) ① [좋은 법규] buena ley *f*, buen reglamento *m*; [좋은 제도] buen sistema *m*. ② [좋은 방법] buen método *m*, buen modo *m*, buena manera *f*.

양변(兩邊) ① [양쪽의 변] dos lados, ambos lados *mpl*. ② [양쪽 가장자리] dos bordes, ambos bordes *mpl*.

양변기(洋便器) taza *f*, inodoro *m*.

양병(養兵) intensificación *f* de fuerzas militares. ~하다 intensificar las fuerzas militares.

양병(養病) ① [병을 잘 조섭하여 낫도록 함] cura *f* de la enfermedad, atención *f* [cuidado *m*] de la enfermedad. ~하다 curar la enfermedad, atender [cuidar] la enfermedad. ② [병을 더하게 함] empeoramiento *m* [agravamiento *m*] de la enfermedad. ~하다 agravar [empeorar] la enfermedad.

양보(讓步) concesión *f*, conciliación *f*, transacción *f*. ~하다 ceder, conceder, hacer concesión. ~의 concesivo. 서로 ~하는 일 concesión *f* mutua. 길을 ~하다 ceder el paso. 서로 ~하다 concederse, hacerse concesiones mutuas, transigir mutuamente. 자리를 ~하다 ceder un asiento. 자리를 서로 ~하다 cederse un asiento mutuamente. 그는 한 조항도 ~하지 않는다 El no cede ni un artículo. 그 점은 당신에게 ~하겠습니다 Le cederé ese punto a usted. 요구를 ~하지 마라 No cedas en su demanda / No hagas concesiones. 두 사람은 그들의 의견을 주장하면서 아무도 ~하지 않는다 Los dos insisten en su opinión y ninguno cede. 그는 늙었다는 핑계로 한 발짝도 ~하지 않았다 El viejo, con la testarudez propia de su edad, no cedió ni un punto. ~! ((게시)) ¡Ceda!
 ▪ ~문 oración *f* concesiva. ~절 cláusula *f* concesiva. ~ 접속사(接續詞) conjunción *f* concesiva.

양복(洋服) ropa *f*; [주로 남성용의] traje *m*; [여성용의] vestido *m*; [한복에 대해] vestido *m* europeo. ~을 입다 ponerse el traje, ponerse el vestido, vestirse. ~을 만들다 hacer un traje.
 ▪ ~감 paño *m*, tela *f*, tejido *m*, géneros *mpl* tejidos. ~걸이 percha *f*, colgante *m*, *Cuba* perchero *m*. ~바지 pantalones *mpl*. ~장 armario *m*, ropero *m*, cómoda *f*; [거울 달린] armario *m* de luna. ~장이 sastre, -tra *mf*. ~쟁이 ((속어)) persona *f* que se pone la ropa europea. ~저고리 saco *m*, americana *f*. ~점 sastrería *f*, tienda *f* de confección. ¶~ 주인 sastre, -tra *mf*; [부인복의] modista *mf*. ~지 paño *m*, tela *f*, tejido *m*, géneros *mpl* tejidos.

양봉(養蜂) apicultura *f*, cría *f* de abejas. ~하다 criar abejas, dedicarse a la apicultura. ~에 종사하다 dedicarse a la apicultura, criar abejas.
 ▪ ~가 colmenero, -ra *mf*; apicultor, -tora *mf*. ~ 상자 colmena *f* de madera. ~업 industria *f* de abejas, apicultura *f*. ~장 colmenar *m*, abejar *m*.

양부(良否) lo bueno y lo malo, calidad *f*.

양부(養父) padre *m* adoptivo.

양부모(養父母) padres *mpl* adoptivos.

양부인(洋婦人) ① [서양 부인] mujer *f* occidental, dama *f* extranjera. ② =양갈보.

양분(兩分) ① división *f* en dos partes iguales. ~하다 dividir en dos partes iguales. ② 【수학】 [이등분] bisección *f*. ~하다 bisecar.

양분(養分) alimento *m*, nutrición *f*, nutrimiento *m*, alimentos *mpl* nutritivos, sustento *m*. ～이 있는 nutritivo, nutriente. ～을 섭취하다 nutrirse. ～이 많다 ser alimentoso. 식량으로 ～을 섭취하다 nutrirse con manjares. 그것은 ～이 많다 Es de mucho alimento. ～이 없는 음식이 있다 Hay manjares que no alimentan.

■ ～ 비율 proporción *f* nutritiva. ～표 tabla *f* de nutrición.

양비둘기(洋－) 【조류】 una especie de palomas.

양사(洋絲) ＝양실.

양사(陽事) coito *m* [acto *m* sexual] del hombre.

양사자(養嗣子) heredero *m* adoptado.

양산(洋傘) paraguas *m.sing.pl.* ☞우산

양산(陽傘) parasol *m*, quitasol *m*, sombrilla *f*. ～으로 때리기 sombrillazo *m*. ～을 쓰다 ponerse el parasol. ～을 펴다 abrir el parasol. ～을 접다 cerrar el parasol. ～을 가지고 가다 llevar un parasol. ～으로 때리다 dar un sombrillazo.

양산(量産) fabricación *f* [producción *f*] en serie [en masa]. ～하다 fabricar en serie [en masa].

양상(樣相) aspecto *m*, apariencia *f*, fase *f*, cariz *m*; 【논리】 modalidad *f*. 불황은 심각한 ～을 띠고 있다 La depresión económica presenta un cariz cada vez más grave.

양상군자(梁上君子) ① [도둑] ladrón *m* (*pl* ladrones). ② [쥐] rata *f*; [생쥐] ratón *m* (*pl* ratones).

양상추(洋－) 【식물】 lechuga *f*.

양색(兩色) ① [두 가지 빛깔] dos colores. ② [두 가지 물건] dos artículos, dos objetos, dos cosas.

양생(養生) cuidado *m* de la salud; [병후(病後)의] recuperación *f* [conservación *f*] de la salud, aplicación *f* práctica de la ciencia sanitaria. ～하다 cuidar de la salud, cuidarse, recuperarse. 치료 보다는 ～이 낫다 Más curó dieta que lanceta / Cura más dieta que lanceta.

■ ～법 régimen *m*, higiene *f*, profiláctica *f*, método *m* de conservación de la salud.

양서(良書) buen libro *m*, libro *m* provechoso, libro *m* excelente. ～를 구하다 buscar [escoger · elegir] buenos libros.

■ ～ 출판 publicación *f* de los buenos libros.

양서(洋書) ① [서양 책] libro *m* occidental, libro *m* europeo, libro *m* extranjero, libro *m* importado. ② [서양 글씨] escritura *f* occidental.

양서 동물(兩棲動物) 【동물】 (animal *m*) anfibio *m*, anfibios *mpl*.

양서류(兩棲類) 【동물】 anfibios *mpl*.

양성(兩性) ① [남성과 여성] ambos sexos *mpl*, dos sexos. ～의 bisexual, de dos sexos, anfígamo. ② [웅성(雄性)과 자성(雌性)] estambres *mpl* y pistilos. ～의 bisexual, hermafrodita. ③ 【화학】 ¶～의 anfótero.

■ ～ 동체(同體)[구유(具有)] hermafroditismo *m*, hermafrodismo *m*. ～ 반응 reacción *f* anfótera. ～ 병존 ambisexualidad *f*. ¶～의 ambisexual. ～ 색소 tintura *f* anfótera. ～ 생식 alogamía *f*, gamogénesis *f*. ～ 생식체 anfigonio *m*. ～선(腺) ovotestis *f*. ～ 세대 generación *f* sexual. ～애(愛) bisexualidad *f*. ～ 에네르기 energía *f* positiva. ～ 원소 elemento *m* anfótero. ～ 음욕(淫慾) anfierotismo *m*. ～ 이온 anfión *m*. ～ 잡종 dihíbrido *m*. ～ 전해질 electrolito *m* anfótero. ～ 현상 anfoterismo *m*. ～ 혼합물 anfimixis *f*. ～화(花) flor *f* hermafrodita.

양성(良性) carácter *m* benigno. ～의 benigno, inocente.

■ ～ 종양 tumor *m* benigno.

양성(陽性) ① [양(陽)의 성질] posividad *f*, positiva *f*. ～의 positivo. ② ((준말)) ＝양성 반응(陽性反應).

■ ～ 반응 reacción *f* positiva; [투베르쿨린의] cutirreacción *f* positiva. ～ 원소(元素) elemento *m* positivo. ～자 protón *m*. ～ 전이(轉移) conversión *f* positiva.

양성(陽聲) 【언어】 voz *f* clara.

양성(養成) formación *f*, entrenamiento *m*, educación *f*, cultivación *f*, crianza *f*, fomento *m*, capacitación *f*. ～하다 entrenar, disciplinar, formar, educar, cultivar, criar, fomentar. 교원을 ～하다 entrenar a los maestros. 기사(技師)를 ～하다 formar [educar] a los ingenieros. 인재를 ～하다 cultivar el hombre de habilidad. 체력을 ～하다 cultivar *su* fortaleza física. 독립 정신을 ～하다 fomentar [cultivar] el espíritu de independencia.

■ ～ 기간 período *m* de capacitación; [스포츠의] período *m* de entrenamiento. ～소 escuela *f* [centro *m*] de capacitación, escuela *f* práctica, plantel *m*; [스포츠의] escuela *f* [centro *m*] de entrenamiento. ¶간호사 ～ escuela *f* de enfermeras. 교원 ～ escuela *f* práctica de maestros.

양성(釀成) ① [술이나 간장 등을 빚어 만드는 일] fabricación *f*. ～하다 fabricar, hacer. 맥주를 ～하다 fabricar cerveza. ② [어떤 분위기나 감정의 경향을 천천히 자아냄] fomento *m*. ～하다 fomentar.

양속(良俗) buena costumbre *f*, buen hábito *m*, costumbre *f* hermosa.

양손(兩－) ambas manos *fpl*, dos manos. ～에 꽃 las flores en ambas manos. ～에 꽃을 쥐다 [비유적] sentarse entre dos bellezas.

■ ～잡이 ambidextro, -tra *mf*; persona *f* ambidextra, persona *f* ambidiestra; persona *f* que se vale lo mismo de la mano izquierda que de la derecha. ¶～의 ambidextro, ambidiestro.

양손(養孫) hijo *m* adoptivo de *su* hijo, nieto *m* adoptivo.

■ ～녀 hija *f* adoptiva de *su* hijo. ～자 hijo *m* adoptivo de *su* hijo.

양송이(洋松栮) champiñón *m*, seta *f* europea,

hongo *m* europeo.

양수(羊水) 【생물】 líquido *m* amniótico. ~가 터지다 romper [salir] el líquido amniótico.
■~ 감소 hipoamnios *m.* ~경 amnioscopio *m.* ~경 검사법 amnioscopia *f.* ~ 과다(過多) polihidramnios *m.* ~ 과다증(過多症) hidramnios *m.* ~ 과소 oligohidramnios *m.* ~ 과소증(過少症) oligohidramnios *m.* ~증 amniosis *f.*

양수(兩手) ambas manos *fpl.* ☞양손

양수(揚水) bombeo *m* de agua.
■~기 bomba *f* de agua. ~식 발전기 dínamo *m* de bombeo. ~ 펌프 bomba *f* de agua.

양수(陽數) 【수학】 número *m* positivo.

양수(讓受) cesión *f,* traspaso *m.* ~하다 obtener por traspaso, tomar posesión (de), heredar. 나는 친구한테서 기타를 ~받았다 Mi amigo me ha dado una guitarra.
■~인 cesionario, -ria *mf.*

양수계(量水計) =양수기(量水器).

양수기(量水器) contador *m* [metro *m*] de agua.

양수사(量數詞) 【언어】 numeral *m* de cantidad.

양수표(量水標) filagrama *m.*

양순음(兩脣音) bilabial *m.*

양순하다(良順-) (ser) bueno, obediente, dócil, apacible, manso, benigno, sumiso, pacífico, dulce. 양순한 백성(百姓) pueblo *m* obediente [complaciente]. 양순한 성질(性質) carácter *m* [natural *m*] dulce, disposición *f* complaciente. 양순하게 말을 듣다 escuchar [prestar atención en] *su* sugerencia [*su* consejo]. 서커스의 동물들은 대개 ~ Los animales del circo casi son mansos.

양식(良識) buen sentido *m,* sensatez *f.* ~이 있는 sensato. ~이 있다 tener buen sentido. ~에 반(反)하다 ir contra el buen sentido. 그것은 네 ~에 맡긴다 Lo dejo a tu buen sentido.

양식(洋式) ((준말)) =서양식(西洋式).
■~ 가구(家具) mueble *m* (de estilo) europeo, mueble *m* occidental.

양식(洋食) comida *f* occidental, plato *m* extranjero, cocina *f* extranjera, comida *f* a la occidental [a la europea].
■~점 restaurante *m.*

양식(樣式) ① [일정한 형식. 일정한 형(型)·스타일)] estilo *m;* [서류의] formalidad *f.* ② [모양. 꼴] forma *f.* 판에 박힌 ~ forma *f* de estilo. ③ [예술 작품·건축물 등을 특징짓는 통일적인 표현 형태] estilo *m,* orden *m.* 건축 ~ orden *m,* estilo *m.* 고딕 ~ orden *m* gótico, estilo *m* gótico. 도리스 ~ orden *m* dórico, estilo *m* dórico. 로마네스크 ~의 사원(寺院) catedral *f* románica, catedral *f* del estilo románico.

양식(養殖) cultivo *m,* cultura *f,* cría *f,* [물고기의] piscicultura *f.* ~하다 cultivar, criar. 굴이 ~되고 있다 Se cultivan ostras.
◆굴 ~ ostricultura *f,* el arte de criar las ostras, cultura *f* de ostra. 진주(眞珠) ~ cultura *f* de perla.
■~ 어업(漁業) pesca *f* piscícola. ~업(業) piscicultura *f.* ~장 criadero *m;* [물고기의] piscina *f,* vivero *m.* ~ 진주(眞珠) perla *f* cultivada.

양식(糧食) alimento *m,* provisiones *fpl,* suministro *m,* abastecimiento *m,* víveres *mpl;* [특히 군의 1인분] ración *f,* ((성경)) pan *m,* alimento *m.* 마음의 ~ alimento *m* del espíritu. 매일매일의 ~을 벌다 ganarse el sustento diario.

양식기(洋食器) vajilla *f,* cubierta *f,* cristalería *f.*

양신(良辰) =가기(佳期).

양실(洋-) hilo *m* importado del occidente.

양실(洋室) habitación *f* [cuarto *m*] occidental, cuarto *m* europeo, habitación *f* europea, cuarto *m* a la europea, cuarto *m* de estilo europeo.

양심(良心) conciencia *f.* ~의 가책 reparo *m* de la conciencia. ~의 소리 voz *f* de la conciencia. ~이 없는 sin conciencia. ~의 가책을 받지 않은 concienzudo. ~에 따라 concienzudamente, a conciencia, en conciencia. ~이 없다 no tener conciencia. ~에 부끄러움이 없다 tener la conciencia tranquila [limpia]. ~에 호소하다 apelar a la conciencia (de). ~의 가책을 받다 acusar [argüir] la conciencia. ~의 가책으로 고통을 받다 cargar la conciencia. ~의 무거운 짐을 덜다 descargar la conciencia. ~이 마비되어 있다 tener la conciencia atrofiada. ~에 따라 행동하다 obrar según nos dicta la conciencia. ~의 가책으로 뒷맛이 개운하지 않다 no poder tener la conciencia tranquila. 그는 ~이 없는 사람이다 El es una persona sin conciencia. 나는 모든 것을 ~에 따라 하겠다 Yo haré todo a conciencia. 그 사람한테는 ~이라고는 눈곱만큼도 없다 El no tiene ni una pizca de conciencia. 좋은 ~은 천 명의 증인만큼 값어치가 있다 ((서반아 속담)) La buena conciencia vale por mil testigos. 가장 좋은 베개는 건전한 ~이다 ((서반아 속담)) La mejor almohada es la conciencia sana. 좋은 ~은 좋은 베개이다 ((서반아 속담)) Una buena conciencia es una buena almohada. ~의 가책을 받지 않는 사람은 어떤 경우에도 두렵지 않다 ((서반아 속담)) Ten segura tu conciencia y llame el juez a tu puerta.
■~범 criminal *mf* de conciencia. ~의 자유 libertad *f* de conciencia. ~적 honrado, honesto. ¶~으로 honradamente, honestamente, a conciencia, según conciencia, concienzudamente, con honradez, con honestidad. ~으로 장사를 하다 hacer negocio con honradez. 이 상점은 별로 ~이 못된다 Esta tienda es poco honesta. 이 재단사는 일을 ~으로 한다 Este sastre hace su trabajo a conciencia.

양심(兩心) corazón *m* doble.

양쌀(洋−) arroz *m* producido en el occidente, arroz *m* importado, arroz *m* extranjero.
양아들(養−) hijo *m* adoptivo, hijo *m* de leche.
양아버지(養−) padre *m* adoptivo.
양아욱(洋−)【식물】geranio *m*, *RPI* malvón *m*. ∼의 geraniáceo.
양아치 ((속어)) =넝마주이(recogedor de trapos).
양악(洋樂) ((준말)) =서양 음악(música occidental).
■ ∼가(家) músico, -ca *mf* de la música occidental [europea]. ∼기 instrumento *m* musical occidental.
양안(良案) buen proyecto *m*, buena idea *f*.
양안(兩岸) ambas orillas *fpl*, dos orillas *fpl*. 한강의 ∼에 a ambas orillas del (río) Han.
양안(兩眼) dos ojos *mpl*, ambos ojos *mpl*. ∼이 모두 안 보이다 cegar de ambos ojos.
양약(良藥) buena medicina *f*; ((성경)) medicina *f*, salud *f*, buen remedio *m*, alivio *m*, nueva fuerza *f*.
■ 양약은 입에 쓰다 ((속담)) Las buenas medicinas son amargas (al paladar).
양약(洋藥) medicina *f* [droga *f*] occidental, medicinas *fpl* importadas, medicinas *fpl* extranjeras.
■ ∼국(局) farmacia *f*, droguería *f*. ∼재 materiales *mpl* de la medicina occidental.
양양하다(洋洋−) ① [바다가 한없이 넓다] (ser) inmenso, extenso, vasto, infinito. 양양한 태평양 el Pacífico inmenso. ② [호수·큰 강에 물이 넘칠 듯이 가득하다] estar muy lleno (de agua). 호수가 ∼ El lago esta lleno de agua. ③ [사람의 앞길이 한없이 넓어 발전할 여지가 매우 많고 크다] (ser) prometedor, brillante. 양양한 앞길 futuro *m* [porvenir *m*] prometedor. 그에게는 양양한 전도(前途)가 있다 Sus perspectivas son muy prometedores / Su porvenir es muy brillante.
양양하다(揚揚−) (ser) triunfal, jubiloso, exultante (de alegría). 의기양양한 triunfal, exultante. 의기양양하게 triunfalmente, exultantemente, con exultación, con orgullo, en triunfo, con un aire victorioso, soberbiamente.
양양히 triunfalmente, exultantemente, con exultación, con orgullo, orgullosamente, arrogantemente, con arrogancia.
양어(養魚) piscicultura *f*, cría *f* de peces. ∼의 piscicultural, piscícola. ∼하다 criar el pescado.
■ ∼가(家) piscicultor, -tora *mf*. ∼법(法) piscicultura *f*. ∼술 pisciceptología *f*. ∼장 piscifactoría *f*. ∼지(池) piscina *f*.
양어깨(兩−) ambos brazos *mpl*.
양어머니(養−) madre *f* adoptiva.
양어버이(養−) =양부모(養父母).
양언(揚言) el habla *f* en público, anuncio *m*, declaración *f*. ∼하다 hablar públicamente [en público], anunciar, declarar.
양여(讓與) transferencia *f*, traspaso *m*; [영토의] cesión *f*; [이권의] concesión *f*. ∼하다 traspasar, ceder, transferir, conceder. ∼할 수 있는 transferible. 권리(權利)를 ∼하다 transferir *su* derecho (a).
■ ∼세 impuesto *m* de transferencia. ∼자 transferidor, -dora *mf*.
양옥(洋屋) =양옥집.
■ ∼집 casa *f* del estilo europeo.
양요(洋擾) rebelión *f* causada por los occidentales.
양요 렌즈(兩凹 lens) lentes *mpl* doble-cóncavos.
양요리(洋料理) cocina *f* occidental [europea], plato *m* occidental [europeo].
양용(兩用) uso *m* anfibio. ∼의 anfibio.
◆ 수륙(水陸) ∼ uso *m* anfibio. 수륙 ∼ 비행기 avión *m* anfibio. 수륙 ∼ 자동차 automóvil *m* anfibio.
양우(良友) buen amigo *m*, buena amiga *f*.; amigo, -ga *mf* excelente; verdadero amigo *m*, verdadera amiga *f*.
양우리(羊−) redil *m*.
양웅(兩雄) dos héroes, dos grandes hombres.
양원(兩院) ambas cámaras *fpl*, cámara *f* alta y cámara *f* baja. 법안(法案)은 의회의 ∼을 통과했다 El proyecto de ley fue aprobado en ambas Cámaras.
■ ∼ 의원 miembros *mpl* de dos cámaras, diputados *mpl* y senadores *mpl*. ∼ 의원 총회 asamblea *f* general de los diputados y de los senadores del partido. ∼ 제[제도] bicameralismo *m*, sistema *m* bicameral.
양위(讓位) abdicación *f*. ∼하다 abdicar. 왕은 그의 아들에게 ∼했다 El rey abdicó la corona en su hijo.
양유(羊乳) leche *f* de oveja.
양육(羊肉) carnero *m*, carne *f* de oveja.
양육(養育) crianza *f*, educación *f*, cultivo *m*. ∼하다 criar, cuidar, educar, mantener, sostener.
■ ∼비 gastos *mpl* [expensas *fpl*] de criar a los niños. ∼원(院) asilo *m* (de pobres), casa *f* de caridad, hospicio *m*; [고아의] orfanato *m*, orfelinato *m*. ∼자 [동물의] criador, -dora *mf*, reproductor, -tora *mf*, *Col* criandero, -ra *mf*, [식물의] cultivador, -dora *mf*
양으로(陽−) públicamente, en público, abiertamente, francamente, con toda sinceridad, con toda franqueza. 음으로 ∼ 도움을 주다 ayudar públicamente y privadamente.
양은(洋銀) ① [구리·아연·니켈을 합금하여 만든 쇠] metal *m* blanco, plata *f* alemana, alpaca *f*. ② ((준말)) =양은전(洋銀廛).
■ ∼ 그릇 recipiente *m* de metal blanco. ∼ 냄비 cacerola *f* de metal blanco. ∼전(廛) tienda *f* de metal blanco.
양의(良醫) buen médico *m*, buena médica *f*.
양의(兩儀) ①【철학】[양(陽)과 음(陰)] *yang* y *yin*. ② [하늘과 땅] el cielo y la tierra.
양의(洋醫) ① [서양 의학을 배운 의사] médico, -ca *mf* que aprendió la medicina europea. ② [서양 의사] médico *m* europeo,

médica *f* europea.

양이(洋夷) extranjero *m*.

양이(攘夷) expulsión *f* de los extranjeros. ~하다 excluir a los extranjeros.

■ ~론 exclusionismo *m*, exclusivismo *m* al extranjero. ~론자(論者) el que quiere expulsar a los extranjeros.

양이온(陽 ion) 【물리】 ion *m* positivo.

양익(兩翼) ① [좌우 두 쪽의 날개] ambas alas *fpl*. ② 【군사】 dos flancos *mpl*.

양인(兩人) ambos *mpl*, ambas *fpl*; los dos, las dos; ambas personas *fpl*.

양인(良人) ① [좋은 사람] buena persona *f*; [남자] buen hombre *m*; [여자] buena mujer *f*. ② 【역사】 =양민(良民). ③ [부부가 서로 상대를 일컫는 말] cariño *m*; querido, -da *mf*.

양인(洋人) europeo, -a *mf*; occidental *mf*.; extranjero, -ra *mf*.

양일(兩日) dos días *mpl*, ambos días *mpl*.

■ ~간 por [entre] dos días.

양자(兩者) los dos, las dos *mf*; ambos, -bas *mf*; ambas personas *fpl*; ambos partidos *mpl*; ambas partes *fpl*. ~가 모두 가지 않았다 Ni uno ni otro fueron. ~가 모두 만족하고 있다 Ambos están contentos [satisfechos].

■ ~택일 alternativa *f*, opción *f* entre dos cosas. ¶~의 alternativo.

양자(陽子) 【물리】 =양성자(陽性子).

양자(量子) 【물리】 cuanto *m* (*pl* cuanta, cuantos).

■ ~ 가설 hipótesis *f* cuántica. ~론 teoría *f* de los cuanta [de los cuantos]. ~수 número *m* cuántico. ~ 역학 mecánica *f* cuántica. ~ 화학 química *f* cuántica.

양자(養子) hijo *m* adoptivo, hijo *m* de leche, adoptado *m*; [행위] adopción *f*. ~ 관계의 adoptivo. ~로 삼을 수 있는 adoptable. ~를 맞는 (사람) prohijador, -dora *mf*. ~로 가는 집 familia *f* adoptiva. ~로 삼다 adoptar, prohijar, ahijar. ~가 되다 ser adoptado. ~로 주다 dar *su* hijo (a). 그들은 한 고아를 ~로 삼았다 Ellos prohijaron a un huérfano.

◆양자(로) 가다 ser adoptado en una familia, hacerse un hijo adotado. 양자(를) 들다 ser adoptado en una familia. 양자(를) 세우다 adoptar, ahijar, prohijar, recibir como hijo, adoptar al hijo ajeno.

■ ~ 결연 adoptación *f*, prohijamiento *m*, prohijación *f*, acción *f* de prohijar. ~ 입적 adoptario *m*.

양자리(羊—) 【천문】 Oveja *f*.

양잠(養蠶) sericultura *f*, sericicultura *f*. ~하다 *criar los gusanos* de seda. ~의 sericícola.

■ ~가 sericultor, -tora *mf*, sericicultor, -tora *mf*. ~ 농가(農家) agricultor, -tora *mf* sericícola, agricultor, -tora *mf* que se dedica a la sericultura. ~소 criadero *m* de gusanos de seda. ~실(室) vivero *m* de gusanos de seda. ~업(業) sericultura *f*, sericicul- tura *f*, industria *f* de sericultura.

양장(羊腸) ① [양의 창자] entraña *f* de la oveja. ② [양의 창자처럼 꼬불꼬불한 길] camino *m* zigzagueante.

양장(良將) general *m* hábil, general *m* potente.

양장(洋裝) ① [서양식의 복장(服裝)] ropa *f* europea [occidental · extranjera], traje *m* europeo [occidental · extranjero], vestido *m* europeo [occidental · extranjero]. ~하다 ponerse la ropa europea [el traje europeo · el vestido europeo]. 그들은 ~을 했다 Ellos adoptaron el modo de vestir occidental [la vestimenta occidental]. 그 여자는 ~을 하고 있었다 Ella llevaba [tenía puesto] un vestido occidental. ② [책을 만들 때의 양식 장정 (裝幀)] encuadernación *f* a la europea. ~하다 encuadernar [empastar] a la europea.

■ ~ 미인 belleza *f* vestida a la europea. ~점 almacén *m* (*pl* almacenes) de novedades, tienda *f* de costura. ¶~ 주인 modista *mf*.

양재(良才) buen talento *m*.

양재(良材) ① [좋은 재목 · 재료] buenos materiales *mpl*, maderaje *m* excelente (재목). ② [훌륭한 인재(人材)] buen talento *m*, buena persona *f* hábil, buen hombre *m* de habilidad.

양재(洋裁) alta costura *f*, costura *f* (a la europea). ~를 배우다 aprender la costura.

■ ~사 modista *mf*, modisto *m*. ~점 =양장점. ~ 학교 academia *f* de costura. ~ 학원 escuela *f* de artes de modista, instituto *m* de modistas.

양재기(洋—) vajilla *f* esmaltada [*CoS* enlozada].

양잿물(洋—) soda *f* [sosa *f*] cáustica.

양적(量的) cuantitativo. ~으로 cuantitativamente. ~ 규제 control *m* cuantitativo.

양전(兩全) satisfacción *f* para ambos lados. ~하다 ser satisfactorio para ambos lados.

■ ~지책 medida *f* satisfactoria para ambos lados.

양전(陽轉) 【의학】 ((준말)) =양성 전이.

양전극(陽電極) 【물리】 =양극(陽極).

양전기(陽電氣) 【물리】 electricidad *f* positiva.

■ ~선(線) rayos *mpl* positivos.

양전자(陽電子) 【물리】 positrón *m*.

양전하(陽電荷) 【물리】 carga *f* eléctrica positiva.

양정(糧政) administración *f* [política *f*] de cereales.

양젖(羊—) leche *f* de oveja.

양조(釀造) elaboración *f*, [증류(蒸溜)] destilación *f*, destilado *m*; [발효(醱酵)] fermentación *f*; [포도주의] vinificación *f*. ~하다 fermentar, elaborar licores, destilar, fabricar, hacer. 맥주를 ~하다 fabricar cerveza.

■ ~량 cantidad *f* de cerveza o licores que se hace una vez. ~법 método *m* de destilación. ~세 impuesto *m* de destilación.

～ 시험소 laboratorio *m* de elaboración de cerveza. ～업 industria *f* fermentadora de bebidas alcohólicas. ～(업)자 destilador, -dora *mf*; [맥주의] cervecero, -ra *mf*. ～장 destilería *f*; [맥주의] fábrica *f* de cerveza, cervecería *f*, *Méj* cervecera *f*; [포도주의] bodega *f*. ～주 bebida *f* producida por la fermentación. ～통 cuba *f* [tonel *m* · barril *m*] (de vino).

양조모(養祖母) abuela *f* adoptiva.

양조부(養祖父) abuelo *m* adoptivo.

양종(良種) ① [좋은 종자] buena semilla *f*. ② [좋은 품종] buena especie *f*, buena variedad *f*, buena raza *f*. ～을 선정(選定)하다 seleccionar la buena especie [buena variedad · buena raza].

양종(洋種) ① [서양의 계통] sistema *m* occidental. ② [서양 종자] semilla *f* occidental.

양종(陽腫) 【한방】 divieso *m* en el cuerpo exterior.

양주(良酒) buena bebida *f*, buen licor *m*, buen vino *m*.

양주(兩主) ((속어)) esposos *mpl*; marido *m* y mujer.

■양주 싸움은 칼로 물 베기 ((속담)) La pelea de los esposos se reconcilia pronto.

양주(洋酒) ① [서양에서 들어온 술] licores *mpl* occidentales [extranjeros · importados]. ② [서양식 양조법으로 만든 술] licor *m* hecho por el método de destilación occidental.

■～상(商) comerciante *mf* de licores extranjeros.

양즙(胖汁) caldo *m* de callos [de mondongo].

양지(羊脂) grasa *f* de (carne de) oveja.

양지(良知) ① [배우지 않고 알 수 있는 타고난 지능] inteligencia *f* de nacimiento. ② [양명학에서] substancia *f* del corazón.

양지(洋紙) papel *m* occidental, papel *m* importado, papel *m* fabricado por el método occidental.

양지(陽地) lugar *m* solar, solana *f*, lugar *m* soleado, lugar *m* bañado por el sol, lugar *m* en que da el sol. ～에 al sol, en el sitio soleado. ～에 말리다 secar al sol, asolear, solear, exponer al sol.

◆양지바르다 estar lleno de sol, ser soleado, hacer sol. 양지바른 soleado, con mucho sol. 양지바르지 못한 oscuro, obscuro, sin sol. 양지바른 방 habitación *f* soleada, cuarto *m* soleado. 양지바른 정원 jardín *m* soleado. 정원에서 제일 양지바른 코너 el rincón más soleado del jardín.

■양지가 음지(陰地)되고 음지가 양지된다 ((속담)) No hay bien ni mal que cien años dure.

■～쪽 lado *m* soleado, lugar *m* soleado, sitio *m* soleado.

양지(諒知) entendimiento *m*. ～하다 entender, saber. ～하시기 바랍니다 Permíteme informarle / Se lo suplico [ruego] que le informe.

양지머리 *yangchimeori*, el hueso y la carne de la costilla de la vaca.

■～뼈 hueso *m* de la costilla (de la vaca).

양진(兩陣) ambos campos *mpl*, ambos partidos *mpl*.

양진(痒疹) 【의학】 prurigo *m*.

양질(良質) buena calidad *f*, superior calidad *f*. ～의 de superior calidad, de buena calidad. ～의 원유(原油) petróleo *m* de buena calidad.

양짝(兩一) ambos homólogos *mpl*, ambos pares *mpl*, dos pares *mpl*.

양쪽(兩一) ambos lados *mpl*, ambas partes *fpl*; [사람] los dos, las dos; ambos, ambas. ～의 ambos. ～ 다 ambos a dos, ambas a dos, ambos, ambas. ～에 a ambos lados. ～ 손으로 con ambas manos. 그들 ～ 다 장기를 좋아한다 A los dos les gusta el ajedrez. 그의 부모는 ～ 모두 산책을 좋아한다 Tanto a su padre como a su madre les gusta el paseo. 그 여자는 당신들 ～에 안부를 보냈다 Ella mandó recuerdos a los dos.

양차(兩次) dos veces.

■～ 대전(大戰) dos Guerras Mundiales.

양차다(量一) ① [만족할 정도로 배가 부르다] estar harto, estar lleno. ② [마음에 만족하다] estar contento, estar satisfecho.

양찰(諒察) entendimiento *m*, conjetura *f*, consideración *f*, suposición *f*. ～하다 entender, conjeturar, considerar, suponer, tener consideración (de). 사정을 ～하여 주시기 바랍니다 Le ruego a usted que tenga consideración de las circunstancias.

양책(良策) buena medida *f*, buena idea *f*, buena táctica *f*. 그것 ～이군 Es una buena idea.

양처(良妻) buena esposa *f*.

■～현모(賢母) ＝현모양처. ～현모주의(賢母主義) rincipio *m* de hacer buenas esposas y madres discretas.

양처(兩處) dos lugares *mpl*, dos sitios.

양철(洋鐵) (hoja *f* de) lata *f*, hojalata *f*, hierro *m* galvanizado.

■～ 가게 hojalatería *f*. ～가위 tijeras *fpl* para la hojalata. ～공 hojalatero *m*. ～공장 hojalatería *f*. ～ 제품(製品) producto *m* de lata. ～집 casa *f* con el techo cubierto de hojalatas; [가게] hojalatería *f*. ～통 (vasija *f* de) lata *f*.

양철 렌즈(兩凸 lens) lentes *mpl* biconvexos.

양초(洋一) vela *f*, candela *f*. ～를 켜다 encender la vela.

■～ 동강 pabilo *m*. ～ 심지 chenilla *f*, mecha *f* de candela. ～ㅅ대 candelero *m*, candela *f*, palmatoria *f*; [가지 장식이 달린] candelabro *m*; [생일 케이크용의] portavela *f*.

양촉(諒燭) ＝양찰(諒察).

양추(涼秋) ① [서늘한 가을] otoño *m* fresco. ② [음력 구월] septiembre *m* del calendario lunar.

양춘(陽春) ① [음력 정월] enero *m* del calendario lunar. ② [따뜻한 봄] primavera *f*

templada. ~ 4월 abril, la plena primavera.
■ ~가절 buena primavera *f* templada. ~화기 ánimo *m* templado y claro de la primavera.

양춤(洋一) baile *m* del estilo occidental.

양측(兩側) ① [두 편] ambas partes *fpl.* ~의 대표자 representante *mf* de ambas partes. ② [양쪽의 측면] ambos lados *mpl.* ~에 a [por] ambos lados. 길 ~에 도랑을 파다 cavar la acequia en ambos lados del camino. 도로 ~에 집이 늘어서 있다 Ambos [Los dos] lados del camino están llenos de casas.
■ ~ 마비(痲痺) diaplegia *f.*

양치(養齒) ((준말)) =양치질. ¶소금물로 ~하다 enjuagar la boca [hacer gárgaras] con agua salada.
■ ~기 vasija *f* para el agua dentífrica. ~질 gárgaras *fpl,* gargarismo(s) *m(pl),* enjuague *m,* limpieza *f* de los dientes. ¶~하다 gargarizar, gargarear, enjuagar la boca, hacer gárgaras, enjuagarse. 소금물로 ~하다 hacer gárgaras con agua salada. ~ㅅ대야 palangana *f* para gárgaras. ~ㅅ물 agua *f* para gárgaras. ~ㅅ소금 sal *f* dentífrica.

양치기(羊一) cría *f* de ganado ovino [lanar]; [사람] ovejero, -ra *mf.*

양치류(羊齒類) 【식물】 helecho *m,* polipodio *m,* polidodiáceas *fpl.*

양치 식물(羊齒植物) 【식물】 helecho *m.*

양치질(養齒一) ☞양치(養齒)

양친(兩親) padres *mpl,* padre *m* y madre. ~의 사랑 amor paternal. 이 아이는 ~이 없다 Este niño es huérfano / Este niño no tiene padres / Este niño no tiene (ni) padre ni madre. 제 ~께서는 여러 해 전에 돌아가셨습니다 Hace muchos años que (se) murieron mis padres / Mis padres (se) murieron hace muchos años.

양친(養親) ① [길러 준 부모] padres *mpl* criadores. ② [양자 간 집의 부모] padres *mpl* adoptivos. ③ [부모를 봉양함] mantenimiento *m* [sostenimiento *m*] de *sus* padres. ~하다 mantener [sostener] a *sus* padres.

양코(洋一) ① [서양 사람] occidental *mf;* europeo, -a *mf.;* persona *f* occidental, persona *f* europea. ② [서양 사람의 코] nariz *f* (*pl* narices) del occidental. ③ [매우 높고 큰 코] nariz *f* alta y grande. ④ [매우 높고 큰 코를 가진 사람] persona *f* con la nariz alta y grande.
■ ~배기 ((비칭)) occidental *mf;* europeo, -a *mf;* persona *f* occidental [europea].

양키(영 *Yankee*) yanqui *mf.;* yanki *mf;* gringo, -ga *mf;* [미국 북부 출신] norteño, -ña *mf.* ~의 yanqui, norteño, gringo.

양탄자(洋一) alfombra *f,* tapiz *f* (*pl* tapices), moqueta *f, Col, Méj* tapete *m.* ~가 깔린 alfombrado, cubierto de alfombra. ~가 깔린 응접실 sala *f* alfombrada. ~ 만드는 사람 alfombrero, -ra *mf.* ~를 깔다 enmoquetar, alfombrar, cubrir el suelo con alfombra. 응접실에 ~를 깔다 alfombrar la sala.

양태[1] 【어류】 ((학명)) Platycephalus indicus.

양태[2] ((준말)) =갓양태.

양태(樣態) situación *f,* aspecto *m.*

양털(羊一) lana *f.* ~(제품)의 de lana, lanar.
■ ~ 모자 sombrero *m* de lana. ~ 스웨터 jersey *m* de lana, suéter *m* de lana, pulóver *m* de lana, *Per* chompa *f* de lana, *Urg* buzo *m* de lana, *Chi* chomba *f* de lana. ~실 (hilo *m* de) lana *f.* ~ 실꾸리 ovillo *m* de lana. ~ 옷 prendas *fpl* de lana. ¶겨울 ~ ropa *f* de lana de invierno. ~ 천 tela *f* de lana, paño *m* de lana.

양토(養兔) cunicultura *f,* cría *f* de conejos. ~하다 criar los conejos.
■ ~장(場) conejera *f.*

양토(壤土) ① 【농업】 mantillo *m.* ② =땅. 강토(疆土).

양파(洋一) 【식물】 cebolla *f.*
■ ~ 묘상(苗床) cebollino *m,* sementero *m* y simiente de cebollas. ~ 밭 cebollar *m,* sitio *m* sembrado de cebollas. ~ 상인 cebollero, -ra *mf.* ~ 요리 cebollada *f.* ~ 종자 cebollino *m.*

양판 tabla *f* de madera plana.

양팔(兩一) ambos brazos *mpl.*

양편(兩便) ambos lados *mpl.* 길 ~에 a ambos lados de la calle. 그렇게 하면 ~에서 만족할 것이다 Eso satisfará ambos lados.
■ ~짝 ambas partes *fpl.* ~쪽 ambos lados *mpl.*
양편하다 Ambos son cómodos.

양푼 cuenco *m* grande de latón.

양품(良品) buen artículo *m,* artículo *m* excelente.

양품(洋品) artículos *mpl* occidentales [europeos · extranjeros], artículos *mpl* importados.
■ ~점(店) camisería *f,* mercería *f.* ¶~ 주인 camisero, -ra *mf.*

양풍(良風) buena costumbre f.
■ ~미속(美俗) =미풍양속(美風良俗).

양풍(洋風) ((준말)) =서양풍(西洋風).

양풍(涼風) brisa *f* fresca, brisa *f* refrescante.

양피(羊皮) piel *f* de borrego, piel *f* de cordero, piel *f* de carnero, zamarro *m,* cabritilla *f, RPI* corderito *m.*
■ ~ 구두 zapatos *mpl* de cabritilla. ~ 배자(褙子) chaleco *m* de piel de borrego. ~ 오버 abrigo *m* de piel de borrego. ~ 옷 ropa *f* de piel de borrego, zamarra *f,* zamarro *m.* ~ 장갑 guantes *mpl* de cabritilla. ~지(紙) pergamino *m.*

양학(洋學) ciencia *f* occidental.

양항(良港) buen puerto *m.* 천연의 ~ buen puerto *m* natural.

양항라(洋亢羅) batista *f,* muselina *f* (de algodón).

양해(羊一) 【민속】 el Año de la Oveja.

양해(諒解) entendimiento *m,* comprensión *f,* [묵계] acuerdo *m* tácito. ~하다 entender, comprender. ~가 되다 llegar al entendimiento. ~하고 있다 tener entendido. ~를 구하다 solicitar entendimiento. ~를 바람 Ruego que usted entienda.

양행(洋行) ① [서양으로 감] ida *f* al Occidente. ~하다 ir al Occidente. ② [서양식 상점] tienda *f* del estilo occidental.

양향성(兩向性)【심리】ambiversión *f*.

양호(兩虎) ① [두 마리의 범] dos tigres. ② [역량이 비슷한 두 용사] dos héroes *mpl*
■ ~상투[공투] lucha *f* titánica.

양호(兩湖)【지명】*Honam* y *Hoseo*, la provincia de *Cheolado* y la de *Chungcheongdo*.

양호(養虎) cría *f* de tigre. ~하다 criar el tigre.
■ ~유환 El criar el tigre traerá preocupación.

양호(養護) cuidado *m* protectivo, protección *f*. ~하다 dar el cuidado protectivo, proteger. 아동(兒童)의 ~ protección *f* de los niños.
■~ 교사(教師) maestro, -tra *mf* para la protección de los estudiantes. ~ 시설 institución *f* protectiva. ~실 sala *f* de protección de los estudiantes.

양호하다(良好-) (ser) muy bueno, bonísimo, excelente, venturoso. 양호한 성적을 보이다 mostrar buen efecto, ser venturoso. 환자의 경과는 ~ El enfermo está recobrándose [recuperándose] satisfactoriamente. 시계(視界)는 ~ La visibilidad es buena.

양홍(洋紅) carmín *m*, carmesí *m*, cochinilla *f*.

양화(良貨) buena moneda *f*. 악화(惡貨)는 ~를 구축한다 La mala moneda expulsa la buena moneda.

양화(洋貨) ① [서양에서 수입된 물화(物貨)] artículo *m* importado de los países occidentales. ② [서양의 화폐] moneda *f* occidental.

양화(洋畵) ① =서양화(西洋畵). ② [서양에서 제작한 영화] película *f* occidental [europea], cine *m* occidental [europeo·extranjero], filme *m* occidental [europeo].
■~가 pintor, -tora *mf* al óleo. ~전(展) exhibición *f* de las pinturas occidentales.

양화(洋靴) zapatos *mpl*; [단화(短靴)] botas *fpl*. ~ 한 켤레 un par de zapatos, un par de botas, unos zapatos, unas botas.
■ ~점 zapatería *f*. ¶~ 주인 zapatero, -ra *mf*.

양화(陽畫) (prueba *f*) positiva *f*, imagen *f* (*pl* imágenes) positiva.

양화(釀禍) causa *f* del desastre. ~하다 causar [originar] el desastre.

양화구복(禳禍求福) Se expulsa el desastre y se busca la fortuna.

양화료(洋花-) colchón *m* (*pl* colchones) de alfombra.

양화포(洋花布) textil *m* de hilo de algodón con figuras de flores a la occidental.

양황(洋黄) tinte *m* amarillo hecho en Europa.

양회(洋灰) cemento *m*. ~로 바르다 unir con cemento.

얕다 ① [깊지 않다] [물·강·못이] (ser) poco profundo, haber poca profundidad, tener poca profundidad; [접시가] llano, plano, *Chi* bajo. 얕은 물 el agua *f* poco profunda. 얕은접시 plato *m* llano. 얕은 지붕 tejado *m* de poca [baja] pendiente. 얕은 무덤 tumba *f* poco profunda. 얕은 호흡 respiración *f* superficial. 한강은 ~ El (Río) Han tiene poca profundidad / El (Río) Han es poco profundo.
② [심지(心志)가 두텁지 않다] (ser) superficial. 얕은 생각 pensamiento *m* superficial.
③ [정도·정의·학문·지식(知識)이 적다] (ser) superficial, irreflexivo, imprudente, frívolo, ligero, leve. 얕게 supercialmente, irreflexivamente, imprudentemente, frívolamente. 소견(所見)이 얕은 사람 hombre *m* superficial, hombre *m* imprudente. 얕은 잠 sueño *m* ligero. 얕은 잠을 자다, 잠이 ~ tener un sueño ligero. 얕은 짓을 하다 hacer cosas imprudentes. 교제가 ~ tener relaciones poco íntimas (con), tener poca amistad (con). 지식(知識)이 ~ no tener sino conocimientos superficiales. …라 생각하는 것은 소견이 ~ Es superficial [poco prudente] pensar que + *ind*. 상처가 ~ La herida es leve / La herida no es grave. 그 여자는 소견이 얕아 그것을 믿었다 Ella lo creyó irreflexivamente.
■ 얕은 내도 깊게 건너라 ((속담)) Se tiene que tener cuidado con todo / Hay que ser prudente en todo.
얕디얕다 (ser) muy poco profundo, muy superficial, muy irreflexivo, muy imprudente, muy frívolo, muy ligero, muy leve.
얕은꾀 ingenio *m* superficial, inteligencia *f* superficial.
얕은맛 sabor *m* poco profundo.

얕보다 menospreciar, despreciar, desdeñar, hacer poco caso (de), hacer ningún caso (de), tener en menos, tener en poco, apreciar en menos lo que merece. 사람을 ~ menospreciar a *uno*. 적(敵)을 ~ menospreciar a *su* enemigo. 얕보고 대하다 tratar a *uno* con desprecio.

얕은정맥(-靜脈)【해부】vena *f* superficial.

얕잡다 menospreciar, desdeñar, despreciar. 나를 얕잡아 보지 마라 No me tomes por tonto / No me menosdesprecies / No me desprecies. 산을 얕잡아 보아서는 안 된다 No debes menospreciar [desdeñar] el peligro de las montañas.

얕추 poco profundamente, superficialmente, imprudentemente, frívolamente, ligeramente, levemente.

얘[1] ((준말)) =이애❶. ¶~랑 같이 갈 테야 Yo iré con este niño.

얘[2] ① [과연 놀랄 만함을 느낄 때 내는 소리] ¡Mira! / ¡Hombre! / ¡Ve! / ¡Anda! / ¡Vaya!. ~, 정말 놀랍구나 ¡Hombre, qué sorpresa! ② ((준말)) =이애❷. ¶~, 조용히 해라 ¡Este niño, cállate!

어¹ ① [가벼운 놀람이나 초조 같은 것을 나타내는 소리] ¡Vaya! / ¡Anda! / *ReD* ¡Coño! ~ 돈이 없어졌다 ¡Anda! ¡Se perdió el dinero! ~, 놀래라 ¡Anda, [Vaya], qué sorpresa! ② [문득 떠오른 생각이나 상대자의 주의를 일으키는 말에 앞서 내는 소리] ¡Ah!

어² ① [사물에 감동됐을 때 내는 소리] ¡Vaya! / ¡Anda! / *ReD* ¡Coño! ~ 그것 참 좋군! ¡Anda! ¡Qué bueno! ② [손아랫사람이나 벗 사이에 대답하는 소리] sí. ~ 곧 가겠다 Sí, iré pronto.

어-(於) en. ~남산 en el monte *Nam*.

어-(御) real, del rey. ~의(衣) ropa *f* real [del rey].

-어(語) palabra *f*, voz *f*; [언어. 국어] lengua *f*, idioma *m*; [전문어] término *m*, dicción *f*, vocabulo *m*. 공용(公用)~ idioma *m* oficial. 비공용(非公用)~ idioma *m* no oficial. 서반아(西班牙) ~ español *m*, lengua *f* española 외국~ lengua *f* extranjera.

어가(御駕) carruaje *m* real.

어가(漁歌) canción *f* de pescadores.

어간 ① [시간·공간의 사이] intervalo *m*. ② [집안의 넓은 사이] espacio *m* ancho en la casa.

어간(魚肝) hígado *m* del pez.
▪ ~유(油) aceite *f* de hígado del pez.

어간(語幹) **【언어】** radical *m*, raíz *f* (*pl* raíces) (de una palabra).

어감(語感) sentido *m* de la lengua, sentido *m* lingüístico. ~이 좋다 sonar bien, ser eufónico. ~이 나쁘다 no sonar bien, no tener eufonía, carecer de eufonía. ~이 예민하다 tener un sentido agudo de la lengua.

어개(魚介) ① [물고기와 조개] el pez y la concha. ② [해산 동물] productos *mpl* marinos.

어거리풍년(-豐年) año *m* récord, año *m* extraordinario, gran año *m* abundante.

어거하다(馭車-) ① [소나 말을 몰다] manejar (la vaca o el caballo). ② [거느려서 바른길로 나가게 하다] manejar, controlar. 어거하기 쉬운 fácil de maniobrar, manejable, controlable. 어거하기 어려운 difícil de maniobrar. 부하(部下)를 잘 ~ manejar [controlar] a *sus* subordinados bien.

어격(語格) =어법(語法).

어겹 desorden *m*, revoltijo *m*, embrollo *m*, confusión *f*, mezcolanza *f*.

어구(語句) ① [말과 구(句)] las palabras y las frases, frase *f*. ~의 용법 fraseología *f*. ② [말의 구절(句節)] párrafo *m*.

어구(漁具) utensilio *m* de pesca, aparejos *mpl* de pesca.

어구(漁區) zona *f* de pesca, zonas *fpl* pesqueras, *CoS*, *Per* pesquería *f*.

어군(魚群) cardumen *m*, banco *m*.
▪ ~ 탐지기 detector *m* de cardumen.

어군(語群) **【언어】** grupo *m* de la palabra.

어굴하다(語屈-) no saber qué contestar. 나는 어굴했다 No supe qué contestar.

어귀 entrada *f*; [관문] puerta *f*; [강(江)의] desembocadura *f*. 마을 ~ entrada *f* de la aldea. 강의 ~ estuario *m*, estero *m*, desembocadura *f* de un río. 항구의 ~ boca *f* de un puerto. 방의 ~ puerta *f* de una habitación.

어귀어귀 vorazmente, desafortunadamente, con voracidad, con gula, con glotonería. ~ 먹다 comer con glotonería.

어귀차다 (ser) fuerte, firme, sólido.

어그러지다 ① [빗나가 틀어지다] desviarse (de), apartarse (de), tener dislocado. 그의 어깨가 어그러졌다 El tenía el hombro dislocado. 그는 맞아서 팔꿈치가 어그러졌다 Se le dislocó el codo con el golpe. ② [생각과 달라지다] ser contrario (a), ir en contra (de), oponerse (a), ir contra, discrepar, estar reñido. 만일 일들이 그가 바라는 것과 어그러지면 si las cosas no salen como él quiere. 결정은 그들과는 어그러졌다 La decisión les fue desfavorable / La decisió fue en su contra. 만사가 어그러지고 말았다 Todo fue en contra de mí ③ [사이가 좋지 못하게 되다] estar [vivir] separado (de). 사이가 어그러진 그의 아내 su mujer, de quien está separado. 그들은 지금 사이가 어그러져 있다 Ellos ahora están separado.

어근(語根) raíz *f* (*pl* raíces) de una palabra.

어근버근하다 ① [사개가 꼭 맞지 않아 흔들리다] no encajar (en·con), no quedar bien, no engranar. ② [사람들의 마음이 화합하지 않다] no llevarse bien, no armonizar, no poner en armonía, tambalear(se).

어근버근해지다 no estar de acuerdo (con), disentir (de), discrepar (de), pelearse, reñir, estar [vivir] separado (de), tambalearse. 조직(組織)이 어근버근해졌다 La organización se ha tambaleado.

어금니 **【해부】** muela *f*, diente *m* molar, molar *m*. 큰 ~ molar *m*. 작은 ~ premolar *m*. ~가 큰 colmilludo. 나는 ~가 아프다 Me duele una muela / Tengo dolor de muela.

어금닛소리 **【언어】** sonido *m* velar. ~의 velar. ~를 내다 velarizar.

어금막히다 estar entrecruzado.

어금버금하다 =어금지금하다.

어금지금하다 (ser) casi igual, más o menos igual, casi parecido. 모두가 ~ Todos son más o menos iguales / Hay poco que escoger entre todos ellos / Son todos parecidos. 그들의 능력은 ~ Sus respectivas capacidades varían poco [son casi iguales]. 그들은 쌍둥이지만 어금지금하지 않다 Ellos son mellizos, pero no se parecen [no son parecidos].

어긋나다 ① [서로 엇갈리다] deslizarse, mudarse de sitio. 책상 놓은 장소가 어긋났다 La mesa no está en el debido sitio. 이 페이지는 인쇄가 어긋났다 Esta página está mal impresa. 그는 대부분 어긋났다 El anda muy descaminado. ② [서로 꼭 맞지 아니하다] dislocarse. 뼈가 ~ desarticularse. 팔이 ~ dislocarse un brazo. ③ [어그러지다] defraudar, fallar, no marchar. 계획이 예상에서 어긋난다 El proyecto no marcha como estaba previsto. 그는 우리의 기대에 어긋났다 El defraudó nuestras esperanzas. 일반 예상이 어긋났다 Falló la previsión general. 그것은 예의에 어긋난다 Eso no es decente / Eso falta a las conveniencias.

어긋놓다 poner transversalmente [en diagonal], amontonar [apilar] entrecruzado.

어긋맞다 formarse transversalmente [en diagonal], estar entrecruzado.

어긋매끼다 alternar, insertar en alternación.

어긋물리다 encajar (en · con), engranar, endentar, meter, estar enredado (en).

어긋버긋 desigualmente, con desigualdad, de nivel desigual. 타일이 ~ 놓였다 Han colocado las baldosas torcidas. 그는 내 머리를 ~ 잘랐다 El me dejó el pelo desigual [*AmL* disparejo].

어긋버긋하다 (estar) suelto, desigual, irregular, disparejo, disnivelado, torcido, quedar flojo. 그것들은 ~ Son muy dispares / Son de niveles muy desiguales.

어긋하다 tener un poco dislocado. 그는 어깨가 ~ El tiene el hombro un poco dislocado.

어기(漁期) temporada *f* de pesca, estación *f* de pesca.

어기다 ① [약속 · 시간 · 명령 등을 지키지 않다] faltar, no cumplir, oponer, desobedecer, violar, infringir, quebrantar. 시간을 어기지 않고 con puntualidad, puntualmente, a tiempo. 약속을 ~ faltar a [violar · quebrantar · romper · infringir] la promesa, faltar a la palabra, no cumplir *su* promesa. 법을 ~ infringir la ley. 계율(戒律)을 ~ infringir el precepto. 너희들은 법을 어겨서는 안 된다 No quebrantéis las leyes. 그는 ~을 어겼다 El faltó a la palabra. 그 여자는 나한테 약속을 어겼다 Ella ha faltado a una cita conmigo / Ella me ha dado un plantón / Ella me ha dejado plantado. 법률은 사람이 지키도록 만들어진 것이지 어기기 위한 것은 아니다 Las leyes se han hecho para que se cumplan y no para que se violen. ② [틀리게 하다] hacer equivocar.

어기대다 desobedecer, oponer. 부모한테 ~ desobecer a *sus* padres.

어기뚱거리다 caminar [andar] arrastrando los pies. 그는 어기뚱거린다 El camina [anda] arrastrando los pies.

어기뚱하다 (ser) altivo y insolente, audaz, atrevido, impertinente, descarado. 어기뚱대지 마라 ¡No seas impertinente!

어기뚱어기뚱 impertinentemente, con impertinencia, audazmente, con audacia.

어기적거리다 tambalearse, andar vacilante, caminar [andar] como un pato. 어기적거리는 노인 viejo *m* de andar vacilante. 감기 뒤에 나는 아직도 약간 어기적거린다 Todavía me siento algo débil a consecuencia de la gripe. 뚱뚱한 사람이 어기적거리면서 들어왔다 Un gordo entró caminando [andando] como un pato.

어기적어기적 inseguramente, vacilantemente, tambaleándose, lánguidamente. ~ 걷다 caminar [andar] como un pato. 노인이 우리에게 ~ 다가왔다 El viejo se nos acercó tambaleándose.

어기중하다(於其中－) estar en el centro [en (el) medio · en la mitad] (de).

어기차다 (ser) vigoroso, enérgico, fuerte, robusto, obstinado, terco, testarudo, tozudo, empecinado, persistente. 어기차게 vigorosamente, enérgicamente, fuertemente, robustamente, tercamente, obstinadamente. 어기찬 여자 mujer *f* (de carácter) fuerte. 어기찬 아이 niño *m* obstinado. 어기차게 살다 vivir enérgicamente.

어김 infracción *f*, violación *f*, fracaso *m*.

어김없다 (ser) certero, infalible.

어김없이 sin falta, seguramente, si duda, de modo certero, de modo infalible, infaliblemente. ~ 와 주십시오 Venga sin falta. 월말까지는 ~ 그 돈을 주겠다 Yo pagaré el dinero sin falta para el fin de mes.

어깨 ① [팔이 몸에 붙은 관절의 윗부분] hombro *m*. ~가 넓은 de hombros anchos. ~에 메고 a hombros. ~를 맞대고 hombro con hombro. ~까지 닿은 머리카락 pelo *m* [melena *f*] hasta los hombros. ~에 메다 cargar al hombro, llevar a hombros, echarse a la espalda, ponerse [echarse] al hombro. ~가 결리다[뻐근하다] tener [sentir] los hombros endurecidos. ~가 딱 벌어지고 올라가다 tener los hombros alzados. ~가 딱 벌어지고 올라간 남자 hombre *m* con los hombros alzados. ~로 밀다 empujar con el hombro. ~로 운반하다 llevar en [a] hombros. ~로 숨 쉬다 jadear, respirar con dificultad. ~를 나란히 하고 걷다 [주어는 복수] andar hombro con hombro. ~를 똑바로 하다 erguir [enderezar] los hombros. ~를 맞대고 싸우다 luchar hombro con hombro. ~를 맞대고 일하다 trabajar hombro con hombro. ~를 움츠리다 encogerse de hombros. 가방을 ~에 메다 echarse la bolsa al hombro. 가방을 ~에 메고 있다 llevar la bolsa al hombro. …의 ~에 닿다 llegar*le* al hombre *a uno*. 나는 짐을 ~에 메고 있다 Yo cargué mi equipaje al hombro. 선반은 ~ 높이에 있다 El estante está a la altura del hombro. ② [옷의 소매와 깃의 사이] entre la manga y el cuello. ③ [맡은 바 책임이나 사명] responsabilidad *f*, misión *f*. ~가 무겁다 asumir la responsabilidad pesada. ④ ((속어)) ＝불량배. 깡패.

◆어깨가 가벼워지다 sentir un gran alivio, sentirse aliviado.

◆어깨가 가볍다 relevarse de responsabilidad, sentirse descargado [libre] de la obligación. 나는 ~ Me siento descargado [libre] de la obligación.

◆어깨가 무겁다 echarse al hombro, asumir.

◆어깨가 으쓱거리다 pavonearse, contornearse.

◆어깨를 겨누다 parangonarse, rivalizar(se), competir, igualar(se), no ir en zaga, correr parejas, correr a parejas. 그와 어깨를 겨눌 사람은 아무도 없다 No hay nadie que pueda rivalizar [competir] con él.

◆어깨를 겨루다 =어깨를 겨누다.

◆어깨를 나란히 하다 =어깨를 겨누다.

◆어깨를 움츠리다 encogerse de hombros 그는 내 질문에 어깨를 움츠렸다 El se encogió de hombros a mi pregunta.

◆어깨를 으쓱하다 encogerse de hombros. 그는 어깨를 으쓱했다 El se encogió de hombros.

▪ ~걸이 chal *m*, mantón *m* (*pl* mantones), echarpe *m*. ~끈 tirante *m*. ~동갑(同甲) =자치 동갑. ~동무[1] [나이나 키가 비슷한 동무] amigo, -ga *mf* en niñez, compañero, -ra *mf* de juegos. ~동무[2] [팔을 서로 어깨위에 얹어 끼고 나란히 서는 짓] brazos *mpl* sobre los hombros. ¶~하고 con los brazos sobre los hombros. ~번호 número *m* superior. ~뼈 escápula *f*, omoplato *m*, omóplato *m*. ~차례 orden *m* de turnos, orden *m* de estatura. ~총! ¡Al hombro armas! / ¡Al hombro, ar! ~춤 danza *f* de hombros, danza *f* [baile *m*] de alegría. ¶~을 추다 danzar [bailar] de alegría. ~통 anchura *f* de hombros. ~판 parte *f* ancha de los hombros. ~ㅅ바대 hombrera *f*. ~ㅅ바람 fanfarronería *f*, fantochada *f*. ¶~이 나서 con solicitud, alegremente, con alegría, con aire arrogante, pavoneándose. ~ㅅ숨 respiración *f* con dificultad, jadeo *m*. ~ㅅ죽지 articulación *f* del hombro. ~ㅅ짓 movimiento *m* de los hombros.

어눌하다(語訥−) tener un impedimiento del habla, balbucear, farfullar, balbucir, titubear.

어느 ① [의문] ¿qué?, ¿cuál? 그것을 ~ 가게에서 샀습니까? ¿En qué tienda lo ha comprado usted? 너는 ~ 대학의 학생이니? − 한국 외국 대학교 학생입니다 ¿De dónde [De qué universidad] eres estudiante? − Soy estudiante de la Universidad Hankook de Estudios Extranjeros. 당신은 ~ 당을 지지합니까? ¿Qué partido apoya usted? 도대체 ~ 놈이 그럽디까? ¿Quién diablos lo ha dicho? ~ 누구 할 것 없이 모두 겁쟁이다 Todos (cuantos están) son unos cobardes / Aquí no hay más que cobardes. ~ 가방이 당신의 것입니까? ¿Cuál es su cartera? ~ 산에 오를 겁니까? ¿A cuál de las montañas va a subir? 나는 ~ 책도 재미가 없다 No me interesa ninguno de los libros. 이 책은 ~ 책보다 중요하다 Este libro es más precioso que ningún otro.

② [어느 …이나] algún, alguna; [모든 것의] cada; [부정문에서] ningún, niguna; [한] un, una; cierto; [어느 것이나] cualquier. ~ 날 un día, cierto día, algún día. ~ 날 아침 una mañana. ~ 날 오후 una tarde. ~ 날 밤 una noche. ~ 때 una vez. ~ 사람 una persona, un hombre. ~ 여자 una mujer. ~ 곳에서 en alguna parte, en algún sitio, en algún lugar. ~ 곳으로 a alguna parte, a algún sitio, a algún lugar. 이 근처 ~ 곳에서 por aquí cerca, en algún lugar cerca de aquí. 그들 중의 ~ 남자 uno [alguno] de ellos. ~ 사람은 … 또 ~ 사람은 … uno [una] …, otro [otra] … / éste [ésta] …, aquél [aquélla] …. ~ 사람들은 기뻐하고, ~ 사람들은 슬퍼한다 Unos [Estos] se alegran, otros [aquéllos] se entristecen.

◆어느 겨를에[틈에] rapidísimo, en un abrir y cerrar de ojos, en un santiamén, rápidamente, rápido, pronto, enseguida, ya. ~ 그들은 도착했다 Ellos llegaron práctimente enseguida [al instante] / Ellos llegaron en menos de lo que canta un gallo.

◆어느 누구 ((강조)) =누구.

◆어느 세월에[천년에] cuándo. ~ 그가 올지 아무도 모른다 Nadie puede decir cuándo él vendrá.

어느 것 ¿cuál?, ¿qué?; [~이나 모두] cualquiera; [부정문에서, ~이나 …이 아니다] ninguno (de). 당신의 차는 ~입니까? ¿Cuál es su coche? 홍차와 커피 중 ~을 더 좋아하십니까? − ~도 좋아하지 않습니다 ¿Cuál [Qué] le gusta más, el té o el café? − No me gusta ninguno de los dos. 그는 의사입니까 아니면 변호사입니까? − ~도 아닙니다. 화가입니다 ¿Es médico o abogado? − No es ni lo uno ni lo otro; es pintor. ~으로 결정할지 모르겠다 No sé cuál tomar. ~을 고를지 모르겠다 No sé cuál elegir. ~이나 좋다 Cualquiera es bueno / Cualquiera sirve. ~이나 좋아하는 것을 드세요[가지세요] Tome usted cualquiera que le guste. ~이나 마음에 드는 넥타이를 가지세요 Tome usted cualquier corbata que le guste.

어느덧 antes (de) que se sepa, mientras uno no es consciente (de), sin *su* conocimiento, inadvertidamente.

어느 때 =언제.

어느때고 siempre que, siempre y cuando que, siempre jamás, cada vez, siempre, todo el tiempo, en todo tiempo, en cualquier tiempo, en todo caso. ~ 좋을 때에 오세요 Venga cuando quiera usted. 그 여자는 ~ 나를 만나러 왔다 Siempre que podía, venía a verme. 시간이 있으면 ~ 너를 도와주겠다 Te ayudaré siempre que tenga tiempo. 나는 ~ 같은 일을 한다 Siempre hago las mismas cosas.

어느 분 alguien; alguno, -na. 실례지만 ~이십니까? ¿Podría preguntar su nombre? /

¿Cuál es su nombre? // [전화에서] ¿Con quién hablo? / ¿Quién habla? / ¿De parte de quién? ~이 나를 도와 일으켰다 Me ayudó a levantarme alguien.

어느새 sin ser advertido, sin que se dé, rapidísimo, en un abrir y cerrar de ojos, en un santiamén. ~ 돈을 도둑 맞았다 Resultó que el dinero había sido robado sin ser advertido. 열차가 ~ 서울에 도착했다 El tren llegó a Seúl sin que me diera cuenta. ~ 비가 왔는지 길이 젖어 있다 No sé cuándo, habrá llovido; la calle está mojada. ~ 그가 돌아왔지? Pero, ¿cuándo se habrá vuelto?

어느 정도(一程度) algo, un poco, en cierto modo, una parte, una porción. ~의 [양적으로] un poco de, algo de; [수적으로] unos, unas. ~까지 hasta cierto punto. 경기가 ~ 호전되고 있다 Los negocios van algo [un poco] mejor. 그 여자는 ~ 피아노를 칠 줄 안다 Ella sabe tocar el piano un poco. 여기 돈이 ~ 있다 Aquí tienes un poco de dinero. 그에게도 ~의 양심은 있다 El tiene algo de buen sentido. 없는 것보다는 ~ 있는 것이 낫다 Más vale algo que nada.

어느 쪽 ① [어느 편] ¿Qué lado?, ¿Dónde?, ¿Cuál? 너는 ~이 필요하느냐? ¿Cuál quieres? / ¿Qué te gusta? / ¿Cuál necesitas? ② [어느 방향] ¿Qué dirección?, ¿qué parte? 서울의 ~에서 사십니까? ¿En qué parte de Seúl vive usted?

어느 편(一便) =어느 쪽.

어는점(一點) 【화학】 =빙점(氷點).

어도(魚道) curso *m* regular para los peces.

어두워지다 o(b)scurecer(se), nublarse, ponerse oscuro. 어두워지면 al caer la noche. 어두워지기 전에 antes de anochecer. 겨울에는 일찍 어두워진다 En invierno obscurece pronto. 하늘이 어두워졌다 El cielo se ha obscurecido / El cielo se puso oscuro. 이제 여섯 시에는 어두워진다 A las seis ya está oscuro. 날이 어두워진다 Está oscureciendo / Se está haciendo de noche / Cierra la noche. 내가 집에 도착했을 때는 이미 어두워졌다 Cuando llegué a casa ya había oscurecido [ya estaba oscuro].

어두육미(魚頭肉尾) La cabeza del pez y la cola del animal son sabrosas [ricas].

어두일미(魚頭一味) En el pez la cabeza es la más sabrosa [rica].

어두커니 en el crepúsculo matutino.

어두컴컴하다 (ser) oscurísimo, muy oscuro. 어두컴컴한 밤 noche *f* oscurísima. 이 방은 ~ Esta habitación está muy oscura / Este cuarto está muy oscuro.

어둑새벽 =여명(黎明).

어둑어둑하다 (ser·estar) oscuro, obscuro, sombrío. 어둑어둑한 장소에서 en un sitio oscuro, en la punumbra, en la oscuridad, en lo oscuro. 어둑어둑한 불빛 아래에서 a la luz débil, a media luz. 어둑어둑해지다 o(b)scurecerse, ponerse oscuro, ensobrecerse.

어둑하다 ① [조금 어둡다] (ser·estar) algo o(b)scuro. 어둑한 밤 noche *f* algo oscura. ② [되바라지지 않고 어수룩하다] (ser) simple, ingenio, sencillo. 어둑한 사람 persona *f* simple.

어둔(語遁) lentitud *f* del habla, tartamudeo *m*, tartamudez *f*. ~하다 (ser) tímido, cohibido.

어둔하다(語鈍一) =말굳다.

어둠 oscuridad *f*, obscuridad *f*, tenebrosidad *f*, tinieblas *fpl*; [저녁] anochecer *m*; [황혼] crepúsculo *m*. ~ 속에서 en la oscuridad, en lo oscuro, a obscuras. 밤의 ~ oscuridad *f* de la noche. ~이 깔리면 al caer la noche. ~을 이용하여 도망치다 escapar aprovechándose de la oscuridad. 건물은 완전히 ~에 휩싸여 있었다 El edificio estaba totalmente a oscuras.

■ ~별 Venus *m*, lucero *m* (brillante en el cielo sur después de ponerse el sol). ~상자 caja *f* oscura.

어둠침침하다 (ser) oscuro, poco iluminado, sombrío, oscuro y apagado. 어둠침침한 방 habitación *f* oscura, cuarto *m* oscuro. 어둠침침한 빛 luz *f* oscura, luz *f* débil. 어둠침침한 곳에서 독서하다 leer en la luz oscura. 전등이 ~ La lámpara es oscura.

어둡다 ① [빛이 없어 환하지 않다] (ser·estar) oscuro, obscuro, sombrío, tenebroso. 어두운 동굴 cueva *f* oscura. 어두운 곳 sitio *m* [lugar *m*] oscuro [sombrío]. 어두운 방 habitación *f* oscura, cuarto *m* oscuro. 어두운 세상 mundo *m* oscuro. 어두운 곳에서 en la oscuridad, en lo oscuro. 어두울 때 al atardecer, al oscurecer, al anochecer, al cerrar la noche, al caer la noche. 어둡기 전에 antes de anochecer. 어두울 때 일어나다 levantarse antes de amanecer, madrugar. 어두운 길[숲]을 걷다 andar [caminar] por el camino [por el bosque]. 하늘이 ~ El cielo está oscuro. 방이 ~ [일시적으로] La habitación está oscura / [원래부터] La habitación es oscura. 주변이 ~ Está oscuro / Está a oscuras // [조명이 나빠서] No está bien alumbrado / El sitio está mal alumbrado [iluminado] // [구름이 끼어서] El tiempo está sombrío. 시내는 칠흑처럼 어두웠다 La ciudad estaba completamente a obscuras.
② [시력이나 청력이 약하다] (ser) débil. 귀가 ~ tener el oído débil. 시력이 ~ tener la vista débil. 밤눈이 ~ la visión nocturna es débi, ser ceguera nocturna.
③ [사물에 밝지 못하다] (ser) ignorante, no saber, no conocer, desconocer, ignorar. …에 ~ ser ignorante de *algo*, ser inexperto en *algo*, no estar al corriente de *algo*. 이 근처의 지리에 ~ ser forastero con esta localidad, ser extranjero aquí. 그는 경리(經理)에 ~ El es inexperto en contabilidad.
④ [빛깔이 짙거나 거무스름한 기운이 있다]

(ser) oscuro, obscuro. 어두운 색 color *m* oscuro.

⑤ [(분위기나 표정 따위가) 침울하고 어둡다] (ser) oscuro, obscuro, sombrío, tenebroso, taciturno, lóbrego, lúgubre. 어두운 그림자 ensombrecimiento *m*, oscurecimiento *m*. 경기(景氣)의 어두운 그림자 oscurecimiento *m* de la perspectiva económica, empeoramiento *m* de la coyuntura económica. 어두운 성격(性格) carácter *m* sombrío. 어두운 기분이 되다 entristecerse, ponerse triste y melancólico. 어두운 과거를 지니다 tener un pasado tenebroso. 어두운 얼굴을 하다 poner la cara triste y melancólica. 방의 분위기가 ~ Es oscura la atmósfera de la habitación. 전도가 ~ El futuro [El porvenir] se presenta sombrío.

어둡게 oscuramente, sombríamente, con oscuridad. ~ 하다 oscurecer, obscurecer, ofuscar, entenebrecer de la luz. ~ 되다 oscurecerse, entenebrecerse.

어드레스(영 *address*) ① [주소] dirección *f*, señas *fpl*. ② 【컴퓨터】 dirección *f*.

어드밴티지(영 *advantage*) ventaja *f*.

■ ~ 룰 relga *f* de ventaja.

어디[1] ① [어느 곳] ¿Dónde? ~에, ~에서 ¿Dónde? ~로, ~에 ¿Adónde?, ¿A dónde? ~로부터, ~에서(부터) ¿De dónde? ~로 해서, ~를 지나서 ¿Por dónde? 여기가 ~입니까? ¿Dónde estamos? 당신은 ~에 사십니까? ¿Dónde vive usted? 너 ~ 사니? ¿Dónde vives tú? ~(에) 가십니까? ¿A dónde va usted? / [tú에게] ¿A dónde vas? ~에서 오셨습니까? ¿De dónde es usted? / ¿De dónde viene usted? ~ 태생이십니까? – 한국 태생입니다 ¿De dónde es usted? / ¿De qué parte es usted? – Soy de Corea. 서반아 ~ 태생입니까? – 그라나다입니다 ¿De qué parte de España es usted? – Soy de Granada. 책은 ~ 있습니까? ¿Dónde está el libro? / ¿Dónde hay libros? 당신의 사무소는 ~에 있습니까? ¿Dónde está su oficina? ~서 그를 만났습니까? ¿Dónde le ha encontrado usted? 일은 ~까지 진척되었습니까? ¿Hasta dónde ha adelantado usted en su trabajo? / ¿A qué punto ha llegado su trabajo? ~를 지나서 가십니까? ¿Por dónde pasa usted? 그 여자가 ~로 들어왔는지 모른다 No se sabe por dónde entró. 오늘은 ~부터 입니까? [수업 따위에서] ¿Desde dónde empezamos hoy? ~부터 시작할까요? ¿Por dónde empezamos? 나는 ~서부터 시작하는지 모른다 No sé de [por] dónde comenzar [empezar]. 그것을 ~에 있는 가게에서 샀습니까? ¿En qué tienda lo ha comprado usted? 지금 ~쯤입니까? ¿Por dónde estamos ahora? 서반아의 수도는 ~입니까? ¿Cuál es la capital de España? ~가 아프십니까? ¿Qué le duele? / [tú에게] ¿Qué te duele? A와 B는 ~가 틀립니까? ¿Qué diferencia hay entre A y B? 그의 ~가 싫다는 겁니까? ¿Qué es lo que no le gusta de él? / ¿Qué tiene usted contra él? 서울 ~에 사십니까? ¿En qué parte de Seúl vive usted? 게르니까는 서반아 ~에 있습니까? ¿Por dónde cae Guernika en España? 정거장에 가려면 ~로 가면 됩니까? ¿Por dónde se va a la estación?

② [밝힐 필요가 없는 「어느 곳」] cualquier parte. ~에서도 볼 수 없다 No se puede encontrar en ninguna parte. ~에서나 있는 물건이 아니다 No es una cosa que se pueda encontrar en cualquier parte. 그가 ~에 숨어 있건 그를 찾겠다 Dondequiera que se esconda, le encontraré. 네가 어디에 가더라도 똑같은 어려움을 겪을 것이다 Adondequiera que vayas, encontrarás las mismas dificultades. 유럽은 ~에 가더라도 한국 사람을 만난다 En Europa encontramos coreanos en todas partes.

③ [무엇이나 말하기 어려운 「어떤 점」을 가리킬 때] qué punto. ~나 없이 de alguna manera, de algún modo, sin causa concreta. ~까지나 운이 좋은 남자다 ¡Qué hombre más afortunado! 너는 ~까지 고지식할 것이냐? ¿Hasta qué punto estás serio? ~까지 고집을 부릴 것이냐? ¿ Por qué estás tan terco? / ¿Por qué te obstinas tanto? 그는 ~인가 내 형을 닮았다 Se parece en algo a mi hermano (mayor) / El tiene cierta semejanza [tiene algún parecido] con mi hermano.

어디든지 dondequiera. 당신이 가는 곳은 ~ 따라 가겠소 Adondequiera que vayas, te acompañaré.

어디엔가 alguna parte; [~에서] en [por] alguna parte, por algún lado. ~에서 우리가 만났었죠? ¿Nos hemos visto en alguna parte, ¿verdad? ~에서 내가 본 그림이다 Es un cuadro que he visto en alguna parte. ~에서 내 책을 보았느냐? ¿Has visto mi libro por alguna parte [por algún lado]?.

어디[2] ((감탄사)) bueno, pues, entonces, (vamos) a ver. ~ 좀 보여 주세요 [봅시다] Bueno, déjeme ver / ¡A ver!

어따 ¡Oye!, *RPl* ¡Che! ~ 이것 먹어라 ¡Oye, come esto! ~ 이제 됐다 ¡Oye, basta ya!

어때 ¿Qué tal? 건강은 ~? ¿Qué tal (tu salud)? 그림 ~ ¿Qué tal el cuadro? 산책 ~? ¿Qué te parece si vamos de paseo? / ¿Te parece que vayamos de paseo?

어떠하다 Qué, Cómo. 몸은 어떠합니까? [환자에게] ¿Cómo [Qué tal] se encuentra usted? / ¿Cómo está usted? 경기(景氣)는 어떠합니까? ¿Cómo le van los negocios? 당신의 의견은 어떠합니까? ¿Qué le parece (a usted)? / ¿Qué opina usted? / ¿Qué piensa usted? / ¿Cuál es su opinión? 그 샐러드는 어떠합니까? – 아주 좋습니다 ¿Cómo está la ensalada? – Está muy buena. 차 한잔 어떠합니까? ¿Le apetece [Qué tal] una taza de té?

어떠하든지 de algún modo, de alguna manera, de alguna forma, en todo, de todas maneras, de todas formas, en cualquier cosa, de cualquier modo, de cualquier manera. ~ 그들은 그 여자를 설득하기에 이르렀다 De algún modo [De alguna manera · De alguna forma] lograron convencerla. ~ 우리는 해낼 터이니 우리 걱정은 하지 마라 Ya nos las arreglaremos, no te preocupes por nosotros. ~ 그는 빚을 갚을 수 있었다 De algún modo u otro, él pudo pagar sus deudas.

어떤 ① cierto; un, una; algún, alguna; no sé qué; [(막연히 어떤 사람을 가리켜) 모(某)…] no sé cuántos. ~ 날 un día, algún día, cierto día. ~ 아침 una mañana. ~ 오후 una tarde. ~ 밤 una noche. ~ 남자 un hombre. ~ 사람 una persona, un hombre. ~ 여자 una mujer. ~ 마을 un pueblo, cierto pueblo. 그들 중의 ~ 남자 uno [alguno] de ellos. 그 여자들 중의 ~ 여자 una [alguna] de ellas. ~ 사람은 … 또 ~ 사람은 … uno [una] …, otro [otra] … / Este [Esta] …, aquél [aquélla] …. ~ 나라의 ~ 학자 un estudioso de no sé qué país. ~ 새가 지저귀었다 Cantaba un no sé pájaro. 나는 ~ 카페에 들어갔다 Yo entré en un café. 그때 ~ 여배우가 왔다 La actriz no sé cuántos llegó entonces.
② [여하한. 어떠한] ¿qué?, ¿qué clase [especie · suerte · género · tipo] de?, ¿cuál? ~ 식으로 ¿cómo?, de qué manera, de qué modo. ~ 이유로 ¿Por qué? ~ 방법으로 de algún modo, de alguna manera, de alguna forma. ~ 것이든지 algo, cualquiera. ~ 이유냐? ¿Por qué (razón)? ~ 일이라도 일어났느냐? ¿Pasa algo? ~ 것이라도 부족하니? ¿Falta algo? ~ 책을 읽고 있느냐? ¿Qué libro estás leyendo? 벽은 ~ 색입니까? ¿De qué color son las paredes? 그 여자의 머리카락은 ~ 색입니까? ¿De qué color es su cabello? ~ 소설을 좋아하십니까? ¿Qué género [clase] de novela le gusta a usted? 그는 ~ 사람입니까? ¿Qué tipo de persona es él? / ¿Cómo es él? 이 학생은 ~ 학생입니까? ¿Cómo [Qué tal] es este estudiante? ~ 것이 문제가 되는 겁니까? ¿Qué cosa está en cuestión? / ¿De qué cosa se trata? / ~ 식으로 가구를 놓을까요? ¿Cómo colocamos los muebles? 그것은 ~ 자동차입니까? ¿Qué clase de coche es ése? ~ 부모가 자식을 위해 그것을 하겠는가? ¿Qué (clase de) padres le haría eso a su propio hijo? ~ 것을 더 원하십니까? ¿Qué más quiere usted?
③ [어떤 …라도] cualquiera, cualquier persona, todo, cada; [어떤 사람도 …이 아니다] nadie, ninguna persona. ~ 사람(이라도) alguien, alguno, cualquiera, cualquier persona. ~ 것이라도 cualquier cosa. ~ 경우든지 en cualquier caso, en todos los casos. ~ 이유로 por cualquier razón que sea. ~ 일이 있더라도, ~ 짓을 해서라도 a toda costa, a cualquier precio, cueste lo que cueste, cualquier cosa que se ocurriera, pase lo que pase. 입장권을 원하는 사람은 ~ 사람이건 quien quiera una entrada. ~ 사람이 물으면 si alguien pregunta, si alguien preguntara. 그 사람이 ~ 것을 말해도 Diga lo que diga él, Cualquier cosa que diga él. 집에 ~ 사람이라도 있니? ¿Hay alguien en casa? 그는 ~ 일이 있어도 너를 만나겠다고 한다 El insiste en verte. ~ 일이 있어도 네가 그 일을 하길 주장한다 Insisto en que lo hagas tú. ~ 일이 있어도 그것에 찬성해서는 안 된다 No se debe consentir en ello por nada del mundo. 그는 ~ 일에도 놀라지 않는다 A él no le asusta nada. ~ 경우든지 지도자가 필요하다 En cualquier caso se necesita un dirigente. ~ 사람도 재판을 받을 권리가 있다 Cualquier persona tiene derecho a [de] ser sometido a un juicio. ~ 일이 있어도 꼭 출석하겠습니다 Pase lo que pase me presentaré. ~ 조건이건 받아들이겠습니다 Voy a aceptar cualquier condición. 네가 원하는 사람에게는 ~ 사람에게라도 그것을 주십시오 Dáselo a quien quieras. 마드리드에 가 본 사람은 ~ 사람이라도 알고 있다 Cualquiera [Cualquier persona] que haya estado en Madrid sabe. 당신들 중에서 ~ 사람이 오늘 김 양을 만날 것이냐? ¿Alguno de ustedes va a ver a la señorita Kim hoy? ~ 걸로 하겠니? ― ~ 것이라도 좋다 ¿Cuál quieres? ― Cualquiera. 이 열쇠는 ~ 사람의 것입니까? ¿Esta llave es de alguien? ~ 사람이 자원하겠습니까? ¿Hay algún voluntario? ~ 짓을 해서라도 그것을 피해야 한다 Hay que evitarlo a toda costa [a cualquier precio · cueste lo que cueste]. ~ 사람도 우리를 보지 못했다 Nadie nos vio / No nos vio nadie. ~ 사람도 이것을 들어서는 안 된다 Que no se entere nadie de esto.

어떻게 ¿Cómo?, ¿Qué?, ¿Qué tal?, ¿De qué manera?, ¿De qué modo? ~ 지내느냐? ¿Cómo estás? / ¿Qué tal (estás)? 요즈음 ~ 지내십니까? ¿Cómo está usted estos días? ~ 할까요? ¿Qué hago? / ¿Qué haré? / ¿Qué podría hacer? 편지는 ~ 하지요? ¿Qué hago con la carta? 나는 ~ 행동해야 할지 모르겠다 No sé cómo hacer [actuar]. ~ 할 수 없다 No hay manera de hacer nada / No hay nada que hacer / No hay [queda] (más) remedio / Es inevitable. 그의 운명은 ~ 될까? ¿Qué le deparará el destino? / ¿Cuál será su destino? 당신의 이름은 ~ 씁니까? ¿Cómo se escribe su nombre? 정거장에는 ~ 갑니까? ¿Cómo se va a la estación? 앞으로 ~ 하실 생각입니까? ¿Qué piensa usted hacer de ahora en adelante? ~ 그것을 알았습니까? ¿Cómo lo ha sabido usted? 그는 ~ 할 수 없는 사람이다 Es un terco sin remedio. ~ 라도 좋을 대로 해라 Haz como quieras / Haz lo que quieras / Haz lo que te dé la [te venga en] gana. 결과는 ~ 되든지 상관없다 No me importa el resultado. 네가 오

늙은 ~ 됐군 ¡A ti te pasa algo hoy! 그는 최근 ~ 되었다 [이상하다] Algo le pasa a él estos días / El es otro [está cambiado] estos días. 그 사람이 그런 실패를 한 데는 ~ 되었음에 틀림없다 Algo le debe haber pasado para fracasar de esa manera. 나는 놀라 ~ 할 바를 몰랐다 Me quedé completamente trastornado.

어땧다 ((준말)) =어떠하다. ¶커피 한 잔 더 어떻습니까? ¿Quiere usted otra taza de café?

어땧든 ((준말)) =어떠하든.

어땧든지 ((준말)) =어떠하든지.

어땧씨【언어】adjetivo *m*.

어뜩 por casualidad, de casualidad. ~ 듣다 oír (por casualidad). ~ 보다 echar una ojada, echar [dar] un vistazo. 나는 그 여자가 내 말을 하는 것을 ~ 들었다 La oí hablar de mí. 그는 그 여자 쪽을 ~ 바라보았다 El dirigió la mirada hacia ella. 나는 그 여자가 있는 쪽을 ~ 바라보았다 Yo dirigí la mirada hacia donde ella estaba. 이 보고서를 ~ 보아 주시겠습니까? ¿Le daría un vistazo a este informe?

어뚝비뚝 ① [불손] indebidamente, incorrectamente, imprudentemente, con imprudencia. ~하다 (ser) indecoroso, incorrecto, inhonesto, imprudente. ~한 행동 conducta *f* [comportamiento *m*] imprudente. ② [줄이] sinuosamente, serpenteantemente, en zigzag, haciendo zigzag. ~하다 (ser) sinuoso, serpenteante, zigzaguear.

어뜩하다 (estar) mareado, sentirse mareado, darle vueltas la cabeza. 나는 정신이 ~ Yo estoy mareado / La cabeza me da vueltas. 그는 정신이 어뜩했다 El se sentía mareado / La cabeza le daba vueltas.

-어라 ① [명령의 뜻을 나타내는 종결 어미. 「ㅓ」로 끝나는 어간에 붙을 때는「어」가 생략됨] ¡Haz! 문을 밀~ Empuja la puerta. 거기 서라 Está de pie allí. ② [감탄의 뜻을 나타내는 종결 어미] ¡Qué! 아이구 가엾~ ¡Qué lástima! / ¡Qué pena! 영광이 있~ ¡Qué haya gloria!

어란(魚卵) ① [물고기의 알] freza *f*, hueva *f* (de los peces), ovas *fpl* de pescado, lechecillas *fpl* de peces. ② [소금을 쳐서 말린 생선의 알] huevas *fpl* de los peces secados con sal.

어람(御覽) inspección *f* real.

어량(魚梁) encañizada *f*.

어런더런 ajetreo *m* y bullicio.

어럽쇼 ((속어)) =어어(¡Caramba!). ¶~, 여기서 널 만나다니 ¡Caramba! Me encuentro contigo aquí.

어레미 tamiz *m* (*pl* tamices), criba *f* gruesa, ~질을 하다 cribar, tamizar, cernir.

어려움 dificultad *f*, apuros *mpl*, privaciones *fpl*, lo difícil. ~으로 con dificultad. ~ 없이 sin dificultad. 경제적인 ~ penuria *f* (económica). ~에 대처하다 hacer frente a [desafiar · afrontar] dificultades. 평생 ~ 없이 지낼 수 있는 돈 dinero *m* suficiente para vivir holgadamente toda la vida. ~과 싸우다 luchar contra las dificultades. ~을 겪다 apurarse, estar [verse] en aprietos [en apuros · en un apuro · en un aprieto]; [처치 곤란하다] no saber qué [cómo] hacer, estar en dificultad. 돈에 ~을 겪다 estar en apuros [en un apuro] de dinero, tener apuros de dinero, pasar apuros (pecuniarios). ~은 …에 있다 Lo difícil es … / La dificultad está en …. 나는 큰 ~을 겪었다 Yo pasé muchos apuros [muchas dificultades · privaciones]. 사랑은 모든 ~을 극복한다 ((서반아 속담)) Amor grande vence mil dificultades.

어려워하다 ① [윗사람을 어렵게 생각하다] sentirse obligado (a), tener escrúpulo (en + *inf*), vacilar (en + *inf*), tener miedo (a). 어려워하지 않고 sin reservas, profusamente, sin escrúpulo, sin titubear, sin vacilación. 그는 전혀 어려워하지 않는다 El no tiene ningún escrúpulo. 그는 어려워하지 않고 대답했다 El contestó sin titubear [sin vacilación]. 나는 어려워하지 않고 그를 추천한다 Yo le recomiendo sin reservas. ② [일할 때 힘이 들어 애를 쓰다] esforzarse.

어려이 difícilmente, con dificultad.

어련무던하다 ① [성질이 무던하다] (ser) generoso, con mentalidad abierta, de criterio amplio, tolerante, liberal. ② [그리 언짢을 것 없다] (ser) evasivo, inofensivo. 어련무던한 말을 하다 hacer observaciones inofensivas [inocentes]. 어련무던한 태도를 취하다 tomar una actitud neutral. 어련무던한 비평을 하다 hacer una crítica anodina [inocua · inofensiva].

어련무던히 generosamente, librelmente, tolerantemente; evasivamente, inofensivamente.

어련하다 (ser) seguro, natural, razonable, lógico. 당신은 만족합니까? — 어련하겠습니까요 ¿Estás contento? — Por supuesto / Naturalmente / Claro.

어련히 seguramente, sin duda, naturalmente, razonablemente, lógicamente. 그는 ~ 성공할까 Es seguro que él tendrá éxito. 그 여자가 ~ 그곳에 도착할까 Seguro que ella va a estar allí.

어렴성 reserva *f*, compostura *f*, circunspección *f*, coacción *f*, deferencia *f*, escrúpulo *m*. ~ 없는 incondicional, sin reservas, espontáneo, libre de las ataduras, grosero, demasiado prominente. ~ 없이 lisa y llanamente, sin rodeos, sin reservas, con descaro, con coquetería, pícaramente. ~ 없는 놈 tipo *m* con ningún escrúpulo. ~ 없는 친구 amigo *m* sincero. ~ 없이 말하다 hablar sin reservas.

어렴풋하다 ① [기억이 똑똑하지 않다] (ser) vago, confuso, tenue. 어렴풋한 기대 vislumbre *f* de esperanza. 어렴풋한 기억 memoria *f* vaga. 어렴풋한 풍문(風聞) rumor *m* vago. 어렴풋한 연정을 품다 sentir un

vago [tenue] amor (por), sentir [abrigar] un vago amor (hacia). ② [잘 보이거나 잘 들리지 않다] (ser) oscuro, poco iluminado, débil, tenue, apenas visible, apenas perceptible, ligero, leve, opaco. 어렴풋한 불빛 luz *f* opaca [débil · tenue]. 어렴풋한 목소리 voz *f* débil. 어렴풋한 소리 sonido *m* tenue. 어렴풋한 희망(希望) esperanza *f* ligera. 어렴풋한 방 habitación *f* poco iluminada, habitación *f* iluminada por una luz tenue. 어둠 속에서 집의 불빛이 어렴풋하게 보인다 La lucecita de una casa se vislumbra en la oscuridad. ③ [잠이 깊이 들지 않다] no dormir profundamente.
어렴풋이 vagamente, apenas, débilmente, levemente, legeramente, con poca claridad, con poca nitidez. 나는 그것을 ~ 기억한다 Lo recuerdo vagamente.

어렵(漁獵) ① =고기잡이(pesca). ~하다 pescar. ② [고기잡이와 사냥] la pesca y la caza. ~하다 pescar y cazar. ~ 금지 ((게시)) Prohibido pescar / No pesque / No pescar / Se prohíbe pescar.
■ ~선(船) barco *m* pesquero. ~ 시대(時代) edad *f* pesquera.

어렵다 ① [하기가 힘들거나 괴롭다] (ser) difícil; [복잡하다] (estar) complicado, delicado. 어렵지 않은 fácil, simple. 어려운 문제 cuestión *f* difícil. 어려운 수술 operación *f* delicada. 어려운 시험 examen *m* difícil. 어려운 입장(立場) posición *f* difícil, situación *f* difícil [apurada · perpleja · embarazosa]. 어려운 입장에 있다 encontrarse en una posición difícil, verse en una situación difícil, hallarse en un aprieto, estar en una situación difícil [angustiada]. 어려운 시기를 보내다 sufrir una prueba dura, pasar un momento angustioso. …하기가 ~ Es difícil de + *inf* / Es difícil que + *ind.* 나는 숨쉬기가 ~ Tengo una respiración difícil / Me es difícil respirar. 네가 어려울 때는 연락해라 Cuando estás en apuros [en dificultades], comunícamelo. 담배를 끊기가 ~는 것을 알고 있다 Le está resultando difícil dejar de fumar / Le está costando dejar de fumar. 어려울 때를 당해서야 비로서 깨닫는다 Sólo se acuerda de Santa Bárbara cuando truena / Pasado el trance, olvidado el santo. 그는 일이 없을지라도 어렵지 않다 El no se apura aunque no tenga trabajo. (가장) 좋은 것은 얻기가 ~ ((서반아 속담)) Lo bueno es difícil. 어려울 때 친구가 진정한 친구다 ((서반아 속담)) Amigo en la adversidad es amigo de verdad / En la necesidad se conoce la amistad / La verdadera amistad es inmortal.
② [살림이 가난하다] (ser) pobre. 어려운 사람들 los pobres, los necesitados. 가계(家計)가 ~ vivir en gran [con mucha] estrechez. 어려운 사람들을 돕다 ayudar a los necesitados. 물가의 상승으로 생활이 어려워졌다 La subida de los precios ha hecho difícil la vida. 회사는 지금 어려운 상황에 처해 있다 La compañía ahora está económicamente mal / La compañía atraviesa una situación difícil.
③ [성미가 까다롭다] (ser) particular, especial, maniático, mañoso, de mal humor, malhumorado, crítico, criticón, violento. riguroso.
④ [병이 중하다] (ser) grave, crítico. 어려운 병 enfermedad *f* grave.
⑤ [두렵다] temer, tener miedo.

어렵사리 muy difícilmente, con mucha dificultad.

어령칙하다 (ser) vago, oscuro, poco iluminado, débil, tenue.
어령칙이 vagamente, oscuramente, con oscuridad.

어로(漁撈) pesca *f*, pesquería *f*. ~의 pesquero.
■ ~과 departamento *m* de pesca, curso *m* pesquero. ~권(權) pesquería *f*, derecho *m* pesquero. ~ 금지 구역 zona *f* pesquera restrictiva. ~선 =어선(漁船). ~ 수역(水域) zonas *fpl* pesqueras, pesquerías *fpl.* ~술 arte *m* pesquero. ~작업 trabajos *mpl* pesqueros. ~장 pesquerías *fpl.* ~ 저지선 línea *f* de restricción pesquera. ~ 협정 acuerdo *m* pesquero.

어로불변(魚魯不變) ignorancia *f*, analfabetismo *m*.

어록(語錄) analectas *fpl.*

어뢰(魚雷) 【군사】 torpedo *m*. ~를 발사하다 lanzar torpedos, torpedear.
◆공중(空中) ~ torpedo *m* aéreo.
■ ~ 발사관(發射管) (tubo *m*) lanzatorpedos *m.sing.pl*, tubo *m* de torpedo. ~ 방어망 red *f* contra torpedo. ~정 torpedero *m*.

어룡(魚龍) ① [물고기와 용] el pez y el dragón. ② [수족(水族)의 총칭] animales *mpl* acuáticos. ③ 【동물】 ictiosauro *m*.

어루꾀다 ① [남을 얼렁거리어서 꾀다] sonsacar. 그 여자는 그를 어루꾀어서 돈을 빼앗았다 Ella le sonsacó el dinero / Ella lo cameló para que le diera el dinero. ② [남을 속이다] engañar. 남을 어루꾀지 마라 No engañes al otro.

어루더듬다 buscar a tientas. 그는 어둠 속에서 어루더듬었다 El buscaba algo a tientas y a ciegas en la oscuridad. 그 여자는 호주머니를 어루더듬었다 Ella revolvió [hurgó] en sus bolsillos. 그는 열쇠 구멍을 어루더듬었다 El buscó a tientas la cerradura.

어루러기 【의학】 leucodermia *f*, vitiligo *m*, albinismo *m*.

어루룽더루룽 albigarrado, multicolor. ~하다 (ser) abigarrado, multicolor.

어루만지다 ① [손으로 쓰다듬어 주다] pasar la mano (por), frotar suavemente, estregar suavemente, dar palmaditas; [애무하다] acariciar; [마사지하다] masajear, friccionar; [머리카락을] alisar. 등을 ~ pasar la mano por la espalda. …의 머리를 ~ acariciar *a* *uno* la cabeza. 나는 그의 어깨를 어루만졌다 Yo le di unas palmaditas en el hombro. ② [위로하여 마음이 편하도록 하여 주다] consolar, aliviar la pena, aliviar la afección, restañar, aplacar, amansar, suavizar, mitigar. 불우한 사람들을 ~ consolar a los desgraciados. 상처받은 자존심을 ~ restañar el orgullo herido.

어루쇠 espejo *m* de metal.

어룽 ((준말)) =어룽이.

어룽거리다 ser manchado [moteado]; [대리석이] ser veteado [jaspeado], mancharse. 그의 넥타이는 피로 어룽거렸다 El tenía la corbata manchada [salpicada] de sangre.

어룽더룽 =어루룽더루룽.

어룽이 lunar *m*, mota *f*, mancha *f*, *Col*, *Ven* pepa *f*; [동물] animal *m* con manchas; [물건] cosa *f* manchada [moteada].

어룽지다 (ser) manchado, moteado, jaspeado, veteado.

어류(魚類) 【동물】 peces *mpl*. 이 호수에는 많은 ~가 산다 Hay muchos peces en este lago.

■ ~지(誌) ictiografía *f*. ~학 ictiología *f*. ~학자 ictiólogo, -ga *mf*.

어르다[1] mecer. 어린아이를 팔에 품고~ mecer a un bebé en los brazos. 어린아이를 무릎에 앉히고 ~ mecer a un bebé sobre las rodillas.

어르다[2] ((준말)) =어우르다.

어르룽이 lunar *m* manchado, figura *f* manchada.

어르신네 ① [남의 아버지] *su* padre. ~께서는 댁에 계십니까? ¿Está en casa su padre? ② [나이 많은 사람] anciano, -na *mf*, viejo, -ja *mf*.

어른 ① [성인(成人)] adulto, -ta *mf*, mayor *mf*, hombre *m*, mujer *f*. ~의 adulto. ~ 요금(料金) tarifa *f* (de viaje) para adultos. ~의 세계(世界) mundo *m* adulto. ~의 생각 idea *f* adulta. ~이 되다 [남자] hacerse hombre, estar hecho (todo) un hombre; [여자] hacerse mujer, estar hecha (toda) una mujer; [성년이 되다] llegar a la mayoría de edad. 네가 ~이 되면 cuando tú seas un hombre [una mujer]. ~처럼 담배를 피우다 fumar dándose importancia de adulto, fumar presumiendo de adulto. 그 여자도 이제 ~이 되었다 Ella ya está hecha una mujer. ~처럼 행동해라 Compórtate como una persona mayor. 이 꼬마는 제법 ~처럼 말한다 Este chiquillo habla con el aplomo de un adulto. ② [지위나 항렬이 높은 사람] superior *mf*. 집안의 ~ jefe, -fa *mf* de una familia, el mayor [la mayor] en la familia. ③ [장가들거나 시집간 사람] casado, -da *mf*. ④ ((경칭)) anciano, -na *mf*, viejo, -ja *mf*, usted.

어른스럽다 ser digno [propio] de un adulto, parecer una persona adulta, ser sabio para *su* edad, ser precoz, ser prematuro. 어른스런 소년 muchacho *m* maduro; [조숙한 아이] muchacho *m* precoz; [몸집이 큰 아이] chicarrón (*pl* chicarrones), -rrona *mf*. 어른스럽지 못하다 ser indigno [impropio] de un adulto. 어른스럽게 굴다 portarse [comportarse] como un adulto. 그 아이는 어른스럽게 말한다 El niño dice como un adulto.

어른스레 precozmente, con precocidad, como un adulto.

어른거리다 parpadear, titilar, oscilar, vacilar una llama, brillar con luz trémula. 어른거리는 불빛 luz *f* débil, luz *f* tenue y trémula. 그 장면(場面)이 아직도 눈앞에 ~ Aquella escena aún está presente ante mis ojos. 그의 눈앞에 사장(社長)의 의자가 ~ Para él el puesto de presidente ya está al alcance de la mano. 그림자가 벽에 어른거렸다 Las sombras bailaban en la pared. 달빛이 개울에 ~ La luz de la luna cabrillea en el arroyo.

어른어른 parpadeando, titilando, oscilando, moviéndose. ~하다 moverse. 텔레비전 앞에서 ~하지 마라 Deja de moverte delante del televisor.

어름[1] ① [두 물건의 끝이 닿은 거리] cruce *m*, intersección *f*. ② [물건과 물건의 한가운데] centro *m*, mitad *f* de camino. 두 지점의 ~에 a mitad de camino entre dos puntos.

어름[2] 【민속】 el caminar por la cuerda floja.

어름거리다 ① [언행을 우물쭈물 똑똑하지 않게 하다] decir ambiguamente [con ambigüedad], hablar con evasivas [subterfugio], usar equívocos, hablar entre dientes, farfullar, andarse con rodeos, recurrir a evasivas. 말을 ~ arrastrar las palabras. 들을 수 없으니 어름거리지 마라 ¡Habla claro [No hables entre dientes], que no te oigo! 그는 항상 어름거린다 El habla mascullando [entre dientes]. ② [일을 엉터리로 하여 눈을 속이다] amañar, escatimar, cicatear, mezquinar. 일을 ~ amañar *su* trabajo.

어름어름 de modo equívoco, de modo ambiguo, sospechosamente, ambiguamente, con ambigüedad, entre dientes, farfullando, descuidadamente, con dejadez, de cualquier manera, *AmL* así nomás. 그는 ~ 말했다 El hablaba entre dientes [farfullando].

어리[1] 【건축】 marco *m* de la puerta, marco *m*.

어리[2] ① [병아리 등을 가두어 기르기 위해 덮어 놓는, 싸리나 가는 나무로 엮어 둥글게 만든 물건] gallinero *m* de madera fina. ② [닭 등을 넣어 팔러 다니는 닭장 비슷한 것] canasta *f* para las gallinas. ③ [새장] jaula *f*.

■ ~장사 comercio *m* de gallinas. ~장수 vendedor, -dora *mf* ambulante de gallinas. ~전 tienda *f* de gallinas.

어리광 coquetería *f* del niño.

◆어리광(을) 부리다[떨다] [여자가 남자에게] coquetear, hacer arrumacos, hacer zalamerías; [아이가] mimar. 어리광을 부리는 투로 en [con un] tono coquetón. 아이가 어머

니에게 어리광 부린다 El niño mima a su mamá. 어리광 부리지 마라 No seas mimoso.

◆어리광(을) 피우다 =어리광(을) 부리다.
어리광스럽다 tener la actitud coquetona.
어리광스레 con la actitud coquetona.

어리굴젓 *eorigulcheot*, ostras *fpl* saladas con pimiento picante [ají picante] en polvo.

어리눅다 fingir [pretender] ser estúpido [tonto · bobo].

어리다[1] ① [눈에 눈물이 괴다] llenarse de lágrimas, llorar de emoción, hacer llorar. 눈물이 ~ llenarse de lágrimas. 나는 눈물이 어리었다 Lloré de la emoción. 그 여자는 영화를 보고 눈물이 어리었다 La película le hizo llorar a ella. 그것 때문에 내 눈에서 눈물을 어리게 했다 Hizo que se me saltaran las lágrimas / Me hizo llorar. ② [엉기어 괴다] espesarse, solidificarse, cuajar, coagularse. 어리게 하다 coagular. 어린 피 sangre *f* coagulada. 피를 어리게 하는 절규 grito *m* que me heló la sangre. ③ [혼란한 빛을 볼 때 눈이 어른어른하여지다] deslumbrarse, escandilarse. 눈을 어리게 하다 deslumbrar. 눈이 어릴 정도로 희다 ser deslumbrantemente blanco. 강한 빛 때문에 눈이 어린다 La luz fuerte deslumbra mis ojos. 번쩍이는 헤드라이트 때문에 눈이 어리었다 Los faros deslumbrantes escandilaron nuestros ojos. 그 여자의 아름다움에 그는 눈이 어리었다 Su belleza lo deslumbró [escandiló]. ④ [어떤 현상·기운이 나타나 있다] (estar) lleno (de). 정기 어린 강토(疆土) territorio *m* lleno de esencia.

어리다[2] ① [나이가 적다] (ser) pequeño. 어릴 때(에) en *su* (tierna) infancia, en *su* niñez. 어릴 때부터 desde *su* infancia, desde *su* niñez, desde niño. 어릴 적부터 맡아 기른 하인 sirviente *m* educado desde niño por el patrón. 어릴 때 나는 시골에서 살았다 Cuando era niño, yo vivía en el campo. 그는 아직도 어릴 적 모습이 남아 있다 En su semblante queda aún algo de niño. ② [생각이 모자라다. 경험이 적거나 수준이 낮다] (ser) infantil, pueril, novicio, inexperto.

어리대다 pasear, deambular, vagar, caminar sin rumbo flojo, errar, andar con vueltas, holgazanear, haraganear, flojear, perder el tiempo. 그들은 그 사람이 거리를 어리대고 있는 것을 발견했다 Ellos lo encontraron deambulando [vagando] por las calles. 우리들은 마을을 어리대면서 오후를 보냈다 Nosotros pasamos la tarde paseando por el pueblo. 그는 그곳을 어리댔다 El anduvo merodeando por allí.

어리둥절하다 no saber qué + *inf*, despistarse, distraerse, estar despistado, estar distraído, estar aturdido, quedarse atónito [pasmado · helado], quedar perplejo [estupefacto]. 어리둥절해서 어찌할 바를 모르다 no saber qué hacer. 우리들은 어리둥절했다 Quedamos atónitos [pasmados · estupefactos]. 나는 정말 어리둥절했다 Quedé todo perplejo. 그들이 그에게 말했을 때 그는 어리둥절했다 El se quedó atónito [pasmado · helado] cuando se lo dijeron. 나는 그 뉴스에 완전히 어리둥절했다 No supe cómo reaccionar ante la noticia. 나는 지금 ~ No sé qué hacer ahora. 나는 무엇을 말해야 할 지 어리둥절했다 No supe qué decir. 그의 갑작스런 방문에 우리는 어리둥절했다 Su visita repentina me hizo pasar vergüenza. 그는 어리둥절하여 답이 틀렸다 El dio una respuesta equivocada en confusión.
어리둥절히 en confusión, de manera confusa, confusamente, con turbación, turbadamente.

어리마리 dormitando, adormitándose, adormilándose. ~하다 dormitar, estar medio dormido, adormitarse, adormilarse.

어리벙벙하다 (estar) desconcertado, perplejo. 어리벙벙하게 de manera desconcertante. 어리벙벙해지다 desconcertarse, confundirse. 어리벙벙하게 하다 desconcertar, confundir, dejar perplejo, apabullar. 그의 말은 나를 어리벙벙하게 했다 Lo que dijo me dejó absolutamente perplejo.

어리보기 persona *f* estúpida.

어리뻥뻥하다 ((센말)) =어리벙벙하다.

어리석다 (ser) estúpido, torpe, tonto, bobo, atontadado, borrego, necio, estólido, estulto. 어리석게 estúpidamente, con estupidez, tontamente. 어리석은 짓 estupidez *f*, tontería *f*. 어리석은 대답 respuesta *f* estúpida. 그것은 어리석기 짝이 없는 일이다 Es una gran necedad / Es el colmo de tontería.

어리숭하다 ① [보기에 어리석은 듯하다] (ser) algo estúpido, parecer algo estúpido. 그 아이는 보기에 어리숭하지만 꽤 재주가 있다 El muchacho parece algo estúpido, pero tiene bastante talento. ② [비슷비슷한 것이 뒤섞여 있어 분간하기 어렵다] (ser) borroso, vago, confuso, oscuro. 어리숭한 기억 memoria *f* vaga. 기억이 ~ tener una memoria vaga.

어리어리하다 (ser) vago, borroso, confuso.

어리치다 desvanecerse.

◆어리친 개 새끼 하나 없다 No se ve un alma.

어리칙칙하다 fingir ser joven y estúpido.

어리호박벌 【곤충】 moscardón *m*, avispón *m*, crabón *m*.

어린(魚鱗) escama *f* del pez.

어린것 ((속어)) niño, -ña *mf*.

어린나무 árbol *m* nuevo, árbol *m* adolescente, pimpillo *m*, arboilto *m*; 【원예】 resalvo *m*; [묘목] plantón *m* (*pl* plantones).

어린년 ((비어)) niña *f*.

어린놈 ((비어)) niño *m*.

어린눈 ((식물)) =어린싹.

어린뿌리 raíz *f* (*pl* raíces) joven.

어린 소견(-所見) ① [어린 사람의 소견] opiniones *fpl* infantiles [del niño] ② [유치한 생각] pensamiento *m* infantil [pueril].

어린순(-筍) retoño *m* nuevo.

어린싹 retoño *m* nuevo, brote *m* nuevo.

어린아이 niño, -ña *mf.* 그는 ~처럼 울었다 El lloró como un niño. ~ 같은 짓을 하지 마라 ¡No seas niño! / ¡No seas pueril!

어린애 ((준말)) =어린아이. ¶그 여자는 아직 ~다 Ella es todavía toda una niña.

어린양(-羊) ① ((기독교·천주교)) Jesús Cristo. ② [사나운 것에 대한 유순함] docilidad *f,* obediencia *f;* [음흉한 것에 대한 천진스러움] inocencia *f.*

어린이 niño, -ña *mf.;* infante, -ta *mf;* [영아(嬰兒)] niño, -ña *mf* de pechos; bebé *m;* *Per, RPl* bebe, -ba *mf; Andes* guagua *f.* ~ 같은 infantil, como un niño; [유치한] pueril, niñero, aniñado. ~를 좋아하는 amigo a niños, niñero. ~를 끄는 힘이 있는 atractivo a niño. ~를 위한 책 libro *m* para niños, lectura *f* para niños, lectura *f* infantil. ~가 그린 것 같은 유치한 그림 dibujo *m* pueril. ~ 취급하다 tratar como si fuera niño. 그 여자에게는 그 사람도 ~에 불과하다 Ella le trata como a un niño. 그의 머리는 ~와 같다 El piensa como un niño. 그는 ~ 같은 말을 한다 El dice cosas pueriles. ~ 같은 말을 하지 마오 No digas puerilidades / No seas niño. 그에게는 ~ 같은 데가 있다 En él hay algo de pueril. 그것은 ~나 하는 유치한 짓이다 Es una niñería / Es una puerilidad. ~와 바보들은 거짓말을 할 줄 모른다 ((서반아 속담)) Los niños y los tontos no saben mentir. 광인(狂人)과 ~는 사실을 말한다 / ~와 바보들은 사실을 말한다 ((서반아 속담)) Los locos y los niños dicen la(s) verdad(es) / Dicen los niños en el solejar lo que oyen a sus padres en el hogar. 늙으면 ~ 된다 Los viejos, a la vejez, se tornan a la niñez.

◆어린이 장난 같다 Es pueril / Es infantil. ◆어린이 장난 같은 짓은 하지 마라 ¡No seas tan infantil! / ¡No seas niño!

▪~ 공원 parque *m* infantil. ~ 교육 educación *f* para (los) niños. ~극 =어린이 연극. ~날 día *m* de los Niños, el cinco de mayo. ~답다 (ser) infantil, ser una muchachada. ¶어린이다운 행동 ademán *m* infantil. 어린이다운 짓을 하다 muchachear. ~방 ㉮ [집의] cuarto *m* [habitación *f*] de [para] los niños. ㉯ [일터의] guardería *f.* ~ 백서 papel *m* blanco sobre los niños. ~ 시간 [라디오나 텔레비전의] hora *f* para (los) niños. ~ 시절 infancia *f,* niñez *f.* ¶~에 en la infancia, en la niñez, cuando (era) niño. 그는 ~부터 공부에 뛰어났다 Desde niño [su infancia · su niñez] él se ha distinguido en los estudios. ~역 galán *m* joven, galancete *m,* papel *m* de galancete. ~ 연극 teatro *m* juvenil. ~옷 ropa *f* de niño, vestido *m* para (los) niños. ~ 요금 =어린이 운임. ~ 운임 tarifa *f* (de viaje) para niños. ~ 은행 banco *m* para (los) niños. ~ 프로그램 programa *m* para niños. ~ 학대 보호회 la Asociación de Protección a la Infancia. ~ 헌장 Carta *f* [Estatuto *m*] de Protección de Menores. ~ 회관 salón *m* (*pl* salones) para (los) niños.

어림 [견적] cálculo *m,* evaluación *f,* estimación *f;* [예측] pronóstico *m,* adivinación *f,* conjetura *f.* ~하다 calcular, evaluar, conjeturar, pronosticar, adivinar. ~으로 견적(見積)하다 calcular aproximadamente. 건설비를 ~하다 calcular los gastos aproximados de construcción.

◆어림(을) 잡다[치다] calcular aproximadamente. 어림(을) 잡은 moderado, cauteloso, prudente. 어림잡아 moderadamente, con moderación. 어림잡은 견적 cálculo *m* moderado, cálculo *m* prudente. 어림잡아 견적하다 calcular con moderación. 최소로 어림잡은 견적으로 como (cálculo) mínimo, calculando lo mínimo, por lo menos. 건축비를 ~ calcular los gastos aproximados de construcción. 어림잡아 몇 사람이나 출석할 것 같습니까? ¿Tiene usted la idea de cuántos van a asistir?

▪~ 견적(見積) cálculo *m* [supuesto *m*] aproximado. ~셈 cálculo *m* aproximado. ~수 número *m* aproximado.

어림없다 no llegar a la suela del zapato, ser insignificante (ante). 이 일은 내 실력으로는 ~ Este trabajo supera mis fuerzas. 해외여행이란 나로서는 ~ El viaje extranjero supera mis medios [mis posibilidades] / Para mí es imposible viajar al extranjero. 그것은 나 같은 범인(凡人)으로서는 ~ Eso escapa a una persona del montón como soy yo. 내 실력은 그의 실력에 ~ Su capacidad supera, y con mucho, a la mía.

어림없이 insignificantemente, con insignificancia.

어림쟁이 persona *f* débil [sin carácter].

어림짐작 adivinación *f* improvisada, conjeturas *fpl,* suposiciones *fpl.* 이것은 순전한 ~이다 Estas no son más que conjeturas [suposiciones].

어릿거리다 quedar aturdido, estar en las nubes, estar distraído, estar despistado, distraerse, absortarse, descuidarse, hacerse el [la] inocente, hacerse tonto, disimularse, fingir ignorancia. 어릿거리지 마라 ¡Alerta! / ¡Despierta!

어릿광대 payaso, -sa *mf,* bufón, -fona *mf.*

어릿보기 =난시(亂視).

어마 ((준말)) =어마나.

어마나 ¡Hombre! / ¡Caramba! / ¡Hola! / ¡Vaya! / ¡Toma! // [곤혹] ¡Ay! / ¡Dios mío! / ¡Jesús! / ¡Madre mía! / *ReD* ¡Coño! ~, 또 만났군요 ¡Vaya [Toma], otra vez nos vemos! ~, 우유를 흘리다니 ¡Ay, derramando la leche! ~, 누구시더라? A ver, ¿quién será?

어마어마하다 [대단하다] (ser) colosal, decomunal, tremendo, enorme, imponente, grande; [당당하다] magnífico, espléndido, majestuoso, ostentoso. 어마어마하게 colosalmente, tremendamente, enormemente, magníficamente, majestuosamente, espléndidamente. 어마어마한 고층 건물 rascacielos *m* imponente. 어마어마한 부자 rico *m* colosal. 어마어마한 직함(職銜) título *m* ostentoso.어마어마하게 큰 저택에서 살다 vivir en un gran palacio [una gran mansión]. 그는 그 일을 어마어마하게 잘 했다 El lo hizo magníficamente bien. 그 여자는 어마어마한 돈을 남겨 놓고 죽었다 Ella murió con un dineral [una fortuna].

어망(漁網/魚網) red *f* de pesca, red *f* para pesca, albareque *m*, cintagorta *f*, arenquera *f*, salmonera *f*.

어머 ((준말)) =어머나.

어머나 =어마나.

어머니 ① [자기를 낳은 여성] madre *f*, [엄마] mamá *f*. ~의 materno, maternal. ~ 쪽의 materno, maternal. ~다운 maternal, materno. ~답게 maternamente, maternalmente. ~의 사랑 amor *m* materno. ~가 없는 아이 huérfano, -fa *mf* de madre. ~ 역할을 하다 servir de madre al niño. 그 여자는 네 아이의 ~다 Ella es madre de cuatro hijos. 그들은 ~가 다르다 Ellos son hermanastros [hermanos de padre]. ② [자식을 가진 부인] madre *f*. ③ [무엇이 생겨난 근본] origen *m*, fuente *f*, madre *f*, causa *f*, motivo *m*. 필요는 발명의 ~ La necesidad es la madre de la invención. 좋은~는 (무엇을) 원하느냐고 묻기 전에 원하는 것을 준다 ((서반아 속담)) La buena madre no dice quieres / La buena madre no pregunta "quieres" sino da cuanto tiene.

■~ 교실 cursillo *m* para las madres. ~날 día *m* de la Madre.

어머님 ((경칭)) =어머니.

어멈 ① ((비칭)) =어머니. ② [남의 집에서 심부름하는 여자] criada *f* recadera. ③ [윗사람이 자식 있는 아랫사람을 친근하게 일컫는 말] nuera *f*. 애, ~아 ¡Oye, nuera!

어명(御名) nombre *m* real, nombre *m* personal del rey.

어명(御命) orden *f* real, mandato *m* real.

어묵(魚-) carne *f* de peces machucada y cocida.

어문(語文) la palabra y la escritura.

■~일치 =언문일치. ~학 la lingüística y la literatura.

어물(魚物) ① =물고기(pez). ② [가공하여 말린 해산물] pescado *m* salado [secado].

■~전 pescadería *f*.

어물(御物) propiedades *fpl* reales.

어물거리다 prevaricar, hablar con evasivas, hablar con subterfugio, usar equívocos, usar de expresiones ambiguas, dejar vago [impreciso · sin determinar], no precisar. 대답을 ~ dar una respuesta vaga. 그의 발언은 문제의 핵심을 어물거리고 있다 Su declaración deja vago [sin tratar] lo esencial del asunto / El eludió de propósito el referirse a lo más importante.

어물어물 equivocadamente, ambiguamente, de modo equívoco, de modo ambiguo, con evasivas, sin la debida atención, perezosamente, lentamente, con titubeos, vacilantemente. ~ 말하다 no hablar con franqueza, hablar con reserva displicente. ~하지 마라 ¡Rápido! ~하다가는 기차를 놓치겠다 Date prisa o tú perderás el tren.

어물다 (ser) débil, débil mental.

어물쩍 de modo equívoco, de modo ambiguo, con evasivas. ~하다 hablar con evasivas, hablar con subterfugio, usar equívocos. ~넘어가다 dejar perplejo, desorientar, desconcertar.

어물쩍거리다 hablar con evasivas, hablar con subterfugio, usar equívocos.

어물쩍어물쩍 de modo equívoco, de modo ambiguo, con evasivas.

어미 ① ((속어)) madre *f*, mamá *f*. ② [새끼를 낳은 암짐승] animal *f* hembra.

■~나무 patrón *m* (*pl* patrones). ~배 =모선(母船). ~젖 =모유(母乳). ~줄기 =원줄기.

어미(魚尾) ① [물고기의 꼬리] cola *f* del pez. ② =눈초리.

어미(魚味) sabor *m* del pescado.

어미(語尾) [단어의] final *m* [terminación *f*] de palabra, desinencia *f*, inflexión *f* (변화어미), última sílaba *f*; [동사의] terminación *f*. ~의 terminal.

■~변화 declinación *f*, desinencia *f*, inflexión *f*; [동사의] conjugación *f*. ~ 탈락 apócope *f*, apócopa *f*.

어미벌레 【곤충】 =성충(成蟲).

어민(漁民) pescador, -dora *mf*.

■~ 조합 sindicato *m* de pescadores, sociedad *f* cooperativa de pescadores.

어백(魚白) lechecillas *fpl* de los peces.

어버이 padres *mpl*, padre y madre. ~의 paterno, paternal, de padre. ~의 사랑 amor *m* paterno [paternal]. ~를 공경하라 Tienes que respetar a tus padres.

■~날 día *m* de los Padres.

어벌쩡하다 (ser) evasivo. 어벌쩡하게 con evasivas.

어법(語法) [표현법] fraseología *f*, uso *m* de dicción, modo *m* de expresión; [문법] gramática *f*, [문장론] sintaxis *f*. ~에 어긋나다 violar la gramática.

■~ 위반 solecismo *m*.

어보(魚譜) atlas *m* de peces.

어복(魚腹) ① [물고기의 배] vientre *m* del pez. ② 【해부】 =장딴지.

어부(漁夫/漁父) pescador, -dora *mf*.

■~가 piscatoria *f*, canto *m* [canción *f*] de pescadores. ~지리 A río vuelto, ganancia de pescadores. ¶~를 얻다 beneficiarse de un conflicto ajeno, pescar en río revuelto, aprovecharse del conflicto entre otros.

어부슴(魚-) 【민속】 *eobuseum*, servicio *m* de dar de comer a los peces el quince de enero del calendario lunar.

어분(魚粉) harina *f* de pescado, polvo *m* de peces secos.

어불성설(語不成說) falta *f* de lógica. ~의 ilógico. ~로 de modo ilógico, ilógicamente. ~이다 ser ilógico. 그것은 전혀 ~이다 Es contra toda la razón.

어비(魚肥) fertilizante *m* [abono *m*] de pescado.

어빡자빡 irregularmente, con irregularidad, desordenadamente.

어뿔사 ¡Mi Dios! / ¡Ay! ☞아뿔사

어사(御史) ① [왕명으로 특별한 사명을 띠고 지방에 파견되던 임시적 관리] inspector *m* secreto del rey. ② ((준말)) =암행어사.

어사(語辭) palabras *fpl*, lengua *f*, el habla *f*.

어사리(漁-) pesca *f* con la red amarrada. ~하다 pescar con la red amarrada.

어살(魚-) encañizada *f*.
◆어살(을) 지르다 encañizar.

어상(-商) vendedor *m* de vacas.

어상(魚商) pescadero, -ra *mf*.

어상반하다(於相半-) ser muy parecido, casi ser similar, igual. 마음이 어상반한 사람들 gente *f* con ideas casi afines. 이 문제에 우리가 어상반하니 난 기쁘다 Me alegro de que estemos de acuerdo [pensemos casi igual] sobre este asunto. 그들은 쌍둥이인데 어상반하지 않다 Ellos son mellizos, pero no se parecen [no son parecidos].

어새(御璽) ((존칭)) =옥새.

어색하다(語塞-) ① [서먹서먹하다] ser forzado, estar [sentirse] incómodo, sentirse cohibido. 어색한 미소 sonrisa *f* forzada. 어색한 수인사를 하다 dirigir cumplimientos forzados. ② [보기에 서투르다] ㉮ [동작이] (ser) rígido, tieso, desmañado. 어색한 동작 movimiento *m* rígido. ㉯ [표현이] (ser) torpe, desgarbado, difícil, duro. 어색한 문장 estilo *m* duro.

어서 ① [빨리. 곧] pronto, enseguida, en seguida, rápidamente, rápido, deprisa, sin tardanza, sin dilación, sin demora; [급히] apresuradamente; [감탄사적] ¡Ea¡ / ¡Vaya! / ¡Vamos! / ¡Ahora! / ¡Bien! / ¡Bueno! ~ 떠나라 Vete pronto. ~ 계속 해라 Continúa en seguida. ~ 대답해라 Contesta enseguida. ~ 오너라 Ven pronto / Date prisa / Apresúrate. ~ 가자 Vamos pronto / Pues, vamos. ~ 먹자 ¡Ea! A comer. ② [환영] por favor, amablemente. ~ 들어오십시오 Pase [Entre], por favor. ~ 많이 드세요 Sírvase todo lo que quiera, por favor. 창문 좀 열어도 될까요? - 예, ~ 여십시오 ¿Se puede abrir la ventana? - Sí, por supuesto. 실례지만 전화 좀 걸겠습니다 - 예, ~ 거십시오 Con su permiso voy a telefonear - Lo tiene usted / Vaya usted / Cómo no.

-어서 -ando, -iendo; (y) por eso, porque, que. 썰~ 먹다 comer cortando. 넓~ 좋다 Es bueno porque es ancho.

어석 mascando, ronchando.
어석거리다 mascar, ronchar, ronzar, hacer crujir
어석어석 mascando y mascando.

어석소 ((준말)) =어스럭송아지.

어석송아지 ((준말)) =어스럭송아지.

어선(漁船/魚船) barco *m* pesquero, barco *m* pescador, barco *m* de pesca.
▪ ~대(隊) flota *f* pesquera.

어설프다 (ser) descuidado; [어학이나 연구 등이] pobre; [표면적] superficial, somero; [불완전한] insuficiente, imperfecto. 어설픈 지식(知識) conocimientos *mpl* superficiales [someros], seudocultura *f*, conocimientos *mpl* insuficientes [imperfectos]. 어설픈 지식으로 참견하다 salir con *su* media espada. 그는 서반아어가 ~ El habla español pobre. 그녀는 매우 어설프게 옷을 입고 다닌다 Ella viste tan mal / Ella anda tan desaliñado [desarreglado].
어설피 superficialmente, someramente, insuficientemente, imperfectamente. 그는 유산을 ~ 받아 타락했다 El hecho de que heredara una fortuna lo arruinó.

어섯 ① [사물의 한 부분에 지나지 못하는 정도] parte *f*, un poco (de). ② [완전하게 다 되지 못하는 정도] lo incompleto.

어성(語聲) voz *f*, tono *m*.

어세(語勢) expresión *f*, énfasis *m*(*f*), tono *m*, voz *f*. ~를 높이다 acentuar, recalcar.

어소(御所) placio *m* real.

어수룩하다 ① [언행이 숫되고 후하다] (ser) inocente, generoso. ② [되바라지지 않고 좀 어리석은 듯하다] (ser) ingenuo, cándido, inocentón (*pl* inocentones, *f* inocentona), sencillo, simple, simplón (*pl* simplones, *f* simplona). 어수룩한 사람 persona *f* simple. 어수룩한 생각 idea *f* simple, idea *f* sencilla. 그는 좀 어수룩한 데가 있다 El es algo simplón. 너는 참 어수룩하구나 Tú tienes que saber mucho sobre el mundo.

어수선산란하다(-散亂-) estar en confusión total [absoluta · completa].

어수선하다 ① [사물이 얽히어 뒤섞여 어지럽고 헝클어져 있다] estar en desorden, estar en confusión, estar desordenado [revuelto · tumultuoso], reinar un gran desorden, reinar el desorden más absoluto, ser caótico, estar fuera de orden, quedar bullicioso [alborotado · agitado · clamoroso]. 어수선하게 desordenadamente, sin orden ni concierto, en desorden. 도시 생활의 어수선함 agitación *f* [agetreo *m*] de la vida urbana, vida *f* agitada de la ciudad. 방안이 ~ La habitación está revuelta [en desorden]. 정국(政局)이 어수선해졌다 La situación política se ha vuelto muy agitada. 서울에는 집들이 어수선하게 들어서 있다 En Seúl se levantan las casas sin orden ni concierto. 책들이 어수선하게 놓여 있다 Los libros están colocados desordenadamente. ② [근심이 많아서 마음이 산란하다] estar [sentirse] desasosegado [intranquilo], estar confuso, estar en confusión. 어수선한 설명 explicación *f* confusa. 내 생각은

아직 ~ Mis ideas están confusas.

어순(語順) orden *m* de palabras.

어숭그러하다 hacerse bastante bueno [bien · satisfactorio].

어스(영 *earth*) ① [지구. 땅] tierra *f.* ②【전기】tierra *f.*
■~선 cable *m* [toma *f* · cable *m* de toma] de tierra. ~판 lámina *f* de tierra.

어스러기 punto *m* gastado de costura.

어스러지다 ① [말이나 풍채가 정상 상태를 벗어나다] hacerse anormal [raro · extraño · imprevisible]. 그 사람은 약간 어스러진 성품이다 El tiene un carácter anormal. ② [옷의 솔기가 어슷하게 되다] romperse, gastarse.

어스럭송아지 ternero *m* grueso [pesado].

어스레하다 (ser) débil, tenue, oscuro, poco iluminado 어스레한 방 habitación *f* poco iluminada, cuarto *m* poco iluminado. 어스레한 빛 luz *f* tenue. 전등이 ~ La luz eléctrica es tenue.

어스름 penumbra *f,* crepúsculo *m* vespertino, anochecer *m.* ~에 en la penumbra, al anochecer. ~ 속에서 독서하다 leer en la penumbra. 그의 얼굴은 ~에 겨우 비쳤다 Apenas si se le veía el rostro en la penumbra.
■~달 luna *f* nublada [tenue]. ~ 달밤 noche *f* de luna neblinosa ~ 저녁 tarde *f* oscura.

어슬렁거리다 haraganear, holgazanear, andorrear, corretear, andar sin objetos, callejear, deambular, vagabundear, pingonear, cantonear, zanganear, merodear, mangonear, gallofar, ruar, gallofear, pindonguear, tunar, bordonear, pasear, vagar, errar, andar.
어슬렁어슬렁 lentamente, con lentitud, pausadamente, sin prisas, perezosamente, recorriendo, errando, vagabundeando. ~ 걷다 caminar [andar] lentamente [con lentitud · sin prisas], andorrear, corretear; andar sin dirección ni objeto fijo. 거리를 ~ 걷다 pasear sin objeto fijo [al azar] por una calle.

어슬하다 ((준말)) =어스레하다.

어슴새벽 amanecer *m* temprano, el alba *f,* amanecer *m.* ~에 al alba, al amanecer.

어슴푸레 vagamente, oscuramente, con oscuridad, ligeramente, suavemente. 나는 그것을 ~ 기억하고 있다 Lo recuerdo vagamente. 사람의 그림자가 ~ 보인다 Se ve vagamente una silueta humana.
어슴푸레하다 ㉮ [기억에 뚜렷이 떠오르지 않고 몹시 흐리마리하다] notar levemente [vagamente], tener el vago presentimiento (de que + *inf*). 어슴푸레한 기억 memoria *f* vaga [borrosa], recuerdo *m* confuso. 어슴푸레하게 기억이 나다 guardar un recuerdo confuso (de). 어슴푸레하게 알다 tener cierta idea [una ligera idea] (de). 어슴푸레하게 의심을 하다 tener un poco de sospecha (de). 나는 그것을 어슴푸레하게 기억하고 있다 Lo recuerdo vagamente. ㉯ [뚜렷이 보이거나 들리지 않고 희미하다] llegar a *sus* oídos. 그것은 어슴푸레하게 들렸다 Algo de eso ha llegado a mis oídos. ㉰ [좀 어둑하다] (ser) algo oscuro, opaco, vago, brumoso, sombrío. 어슴푸레한 불빛 luz *f* pálida [débil], claridad *f* vaga. 달빛이 ~ La luna está velada [opaca].

어슷거리다 no caminar con valor.

어슷비슷하다 ser más o menos igual. 그들 모두가 ~ Todos son más o menos iguales / Hay poco que escoger entre todos ellos / Son todos parecidos. 두 사람의 힘은 ~ Los dos contendientes tienen una fuerza igual. 그들의 능력은 ~ Sus respectivas capacidades varían poco [son casi iguales].

어슷하다 (ser) inclinado, oblicuo, diagonal. 어슷하게 oblicuamente, diagonalmente, en diagonal. 어슷하게 기울다 inclinarse. 어슷하게 기운 inclinado. 어슷하게 하다 inclinar. 어슷하게 자르다 cortar diagonalmente. 오른쪽[왼쪽]으로 어슷하게 기울다 inclinarse a la derecha [a la izquierda].

어시스트(영 *assist*) ((농구 · 축구)) ayuda *f,* asistencia *f.*

어시장(魚市場) mercado *m* de pescados.

어시호(於是乎) en ese momento.

어안(魚眼) ojo *m* de(l) pez.
■~ 렌즈 objetivo *m* de ojo de pez. ~석 piedra *f* de ojo de pez.

어안이 벙벙하다 quedar(se) estupefacto [atónito] (de). 어안이 벙벙해서 con estupor, con la boca abierta. 어안이 벙벙하게 하다 dejar sin habla, dejar atónito, dejar pasmado. 우리들은 그 소식에 어안이 벙벙했다 Nos quedamos atónitos con la noticia / La noticia nos dejó sin habla. 나는 그 여자의 반응에 어안이 벙벙했다 Su reacción me dejó atónito [pasmado]. 그 여자가 돌아왔다는 것을 알았을 때 나는 어안이 벙벙했다 Me quedé atónito [pasmado] cuando me enteré que él había vuelto.

-어야 deber (+ *inf*), tener que (+ *inf*). 너는 좀더 일찍 일어났~ 했다 Tú debías levantarte más temprano.

-어야지 ir a + *inf, inf* +「미래형 어미」(-é, -ás, -á, -emos, -éis, -án). 내 아내에게 이 돈을 주~ Voy a dar este dinero a mi esposa.

어어 ¡Caramba! / ¡Caray! / ¡Carajo! / ¡Coño! / ¡Mierda!

어어이 [부르는 소리] ¡Oye! / ¡Eh! ~, 시간 좀 말해 주겠니? ¡Oye! ¿Puedes decirme la hora?

어언간(於焉間) antes de que se sepa, mientras no se entera, sin que los demás se den cuenta, inadvertidamente. 필름이 ~ 지나갔다 La película pasó desapercibida. 그 여자는 ~ 방으로 들어갔다 Ella entró en la habitación sin que los demás se dieran cuenta.

어업(漁業) pesca *f,* [산업] industria *f* pes-

quera. ～에 종사하다 dedicarse a la pesca. 한국은 ～이 성하다 La industria pesquera está muy desarrollada en Corea.
◆공동 ～권 pesca *f* común. 근해(近海) ～ pesca *f* costera, pesca *f* del litoral. 연안(沿岸) ～ pesca *f* costera. 원양(遠洋) ～ pesca *f* de altura. 한일 ～ 협정 Acuerdo *m* Pesquero entre Corea y Japón.
▪～ 국(가) país *m* pesquero. ～권 derecho *m* de pesca. ～ 면허(免許) permiso *m* de pesquería. ～법 ley *f* de pesca. ～세(稅) impuesto *m* pesquero. ～ 자원 recursos *mpl* pesqueros. ～ 자원 보호법 ley *f* de protección de recursos pesqueros. ～ 전관 수역 zona *f* reservada de pesca. ～ 조약 acuerdo *m* pesquero. ～ 조합 sindicato *m* de pescadores. ～ 협동 조합 asociación *f* cooperativa de pesqueros. ～ 회사 compañía *f* de pesquería.

어여머리 tranzas *fpl* grande de peluca postiza llevada por la mujer en el vestido ceremonial.

어여쁘다 (ser) bonito, lindo, hermoso, bello.
어여삐 lindamente, bonitamente, hermosamente, bellamente.

어연간하다 (ser) considerable, moderado, tolerable, pasable, extraordinario, terrible.
어연간히 considerablemente, moderadamente, tolerablemente, pasablemente, extraordinariamente, terriblemente.

어연번듯하다 (ser) honrado y respetuoso a todas aparición.
어연번듯이 honrada y respetuosamente.

어염(魚鹽) el pescado y la sal.
▪～시수(柴水) el pescado, la sal, la leña y el agua; necesidades *fpl* diarias..

어엿하다 (ser) respetuoso, decente, decoroso. 어엿한 신사 caballero *m* honorable [decente]. 어엿한 집안 familia *f* respetuosa.
어엿이 respetuosamente, decentemente, decorosamente, honorablemente.

어옹(漁翁) ① [고기를 잡는 노인] pescador *m* viejo. ② ((존칭)) ＝어부(漁夫).

어용(御用) ① [임금이 씀] servicio *m* real, negocio *m* real. ② [정부에서 씀] servicio *m* gubernamental, negocio *m* oficial, asuntos *mpl* administrativos.
▪～ 기자 periodista *mf* progubernamental. ～ 문학 literatura *f* progubernamental. ～ 상인 abastecedor, -dora *mf* del gobierno; proveedor, -dora *mf* oficial. ～ 신문(新聞) órgano *m* gubernamental, periódico *m* comprometido con el gobierno, diario *m* (de tendencia) oficial. ～ 의원 parlamentario *m* controlado por el gobierno. ～ 조합 sindicato *m* pro empresarial. ～ 학자 estudioso *m* patrocinado por el gobierno.

어우러지다 harmonizar, poner en armonía, unirse. 두 강물이 어우러진다 Las aguas de los dos ríos confluyen.

어우렁더우렁 holgazaneando [haraganeando] en grupos. ～하다 holgazanear [haraganear] en grupos.

어우르다 poner juntos, unir, combinar, juntar. 두 물건을 ～ unir dos cosas. 힘을 ～ cooperar, obrar juntamente con otras personas.

어울리다 ① [조화되다] venir*le* bien (a), convenir*le* (a), sentar*le* bien (a), ir*le* (bien) (a), venir*le* bien (a), caer*le* bien (a), quedar*le* bien (a), favorecer*le* (a); armonizar (con), hacer juego (con), [적당하다] (ser) conveniente, apropiado, adecuado, apto, a propósito. 어울리는 de buena pareja. 어울리지 않는 desproporcionado, desigual, incongruente (부조화의), que no sienta [cae · va · viene · queda] bien (a). 어울리는 부부(夫婦) matrimonio *m* de buena pareja, matrimonio *m* bien avenido, matrimonio *m* que forma una buena pareja. 자신의 나이에 어울리는 correspondiente a *su* edad. …에 어울리는 광고(廣告) anuncio *m* adecuado para *algo*. 너에게 어울리지 않는 옷 traje *m* que no te viene bien. 어울리지 않는 결혼 matrimonio *m* mal combinado. 이 방에 어울리는 가구(家具) mueble *m* adecuado a esta habitación. …과 나이가 어울리지 않다 no ir a *uno* por la edad. 수입에 어울리지 않는 생활을 하다 llevar una vida que no corresponde a los ingresos. 그에게는 어울리지 않는 여성이다 Esa mujer no le va a él. 그 일은 그에게 어울리지 않는다 El trabajo no es para él / El trabajo no le va. 그런 말은 성직자에게는 어울리지 않는다 Ese vocabulario no es el que corresponde a un religioso / Ese vocabulario no es el que se espera de un religioso. 그들은 서로 잘 어울린다 Ellos son de caracteres muy compatibles. 이 코트는 나에게 어울리지 않는다 No me sienta esta levita. 저 옷에는 이 넥타이가 어울린다 Esta corbata hace un bonito juego con [queda bien a · sienta bien a] aquel traje. 그것은 당신에게 정말 잘 어울린다 Eso le conviene a usted perfectamente / Eso le va [cae] a usted muy bien. 이 모자는 너에게 잘 어울린다 Este sombrero te sienta [cae · va] muy bien. 스커트가 그 여자에게 잘 어울린다 A ella le sienta bien la falda. 이런 추운 날씨는 나에게 어울리지 않는다 Este tiempo frío no me sienta bien. 가구들이 집에 어울리지 않는다 Los muebles no van con la casa. 그 색깔은 정말 당신에게 잘 어울린다 Ese color te queda muy bien / Ese color te favorece. 나한테 잘 어울리는 넥타이를 하나 사고 싶다 Quiero comprar una corbata que me siente bien. 그 짧은 머리는 당신의 얼굴형에 아주 잘 어울린다 El pelo corto le va [queda] bien a la forma de cara. 이 프로그램은 어린이들에게 어울리지 않는다 Este programa no es apropiado [apto] para niños. 그는 재능과 노력이 어울려 성공했다 El tuvo éxito debido a su talento y a la vez a sus esfuerzos / La combinación de su talento y sus esfuerzos le han dado el éxito. 그는 수입에 어울리지 않는 생활을 하고 있다 El tren de vida que lleva no corresponde a sus ingresos / El lleva una vida por encima de sus ingresos. ② [교제하다] tratarse (con), frecuentar (a). 외국인과 ~ tratarse con el extranjero. 그녀는 파티에 잘 어울리지 않는다 A ella le cuesta entablar conversación con la gente en una reunión. 나는 외국인들과 어울렸다 Yo me trataba con los extranjeros.

어웅하다 (ser) hueco, hundido. 어웅한 눈 ojos *mpl* huecos [hundidos]. 어웅한 볼 mejillas *fpl* hundidas.

어원(語原/語源)【언어】etimología *f*, origen *m* (de una palabra). ~의 etimológico. ~을 조사하다 etimologizar, buscar la etimología (de las palabras). 그 말의 ~은 서반아어이다 Esa palabra tiene su origen en el español / Esa palabra deriva [viene] del español. 대부분의 서반아어 단어는 라틴어가 ~이다 La mayor parte de las voces españoles tienen etimología latina.

■ ~론 etimología *f*. ~ 연구 estudio *m* etimológico. ~ 연구자 etimologizante *mf*. ~학 etimología *f*. ~ 학자 etimologista *mf*.; etimólogo, -ga *mf*.

어유(魚油) aceite *m* de pescado.

어육(魚肉) ① [생선과 짐승의 고기] el pescado y la carne. ② [생선의 고기] carne *f* del pescado. ③ [짓밟고 으깨어 아주 결딴을 냄] destrucción *f*, derrumbe *m*, derrumbamiento *m*.

어음 letra *f* (de cambio). ~을 발행(發行)하다 librar [girar] una letra. ~을 인수하다 aceptar una letra. ~으로 지불하다 pagar por letra. A의 앞으로 ~을 발행하다 librar [girar] una letra a cargo de A.

◆부도 ~ letra *f* rechazada, letra *f* desacreditada. 수취(受取) ~ letra *f* a [por] recibir [cobrar]. 약속 ~ pagaré *m*, vale *m*, abonaré *m*. 은행 ~ giro *m* bancario. 일람불 ~ letra *f* [giro *m*] a la vista. 정기불 ~ giro *m* a plazo (fijo). 지불 ~ letra *f* a [por] pagar, giro *m* pagadero. 할인 ~ letra *f* descontada, giro *m* descuento, giro *m* negociado. 확정일불 ~ letra *f* a plazo fijo. 환~ letra *f* de cambio.

■ ~ 교환 compensaciones *fpl* bancarias. ~ 교환소 cámara *f* compensadora, cámara *f* de compensación. ~ 기간 usanza *f*, plazo *m*, término *m*. ~률 tasa *f* de letras de cambio, tipo *m* de letras de cambio. ~ 만기일 (día *m* de) vencimiento *m*. ~ 발행인 girador, -dora *mf*, librador, -dora *mf*. ~ 배서(背書) endoso *m*, endorso *m*. ~ 배서인 endosador, -dora *mf*, endosante *mf*. ~ 법 ley *f* de letras de cambio. ~ 수취인 recibidor, -dora *mf*. ~ 시장 mercado *m* de letras. ~ 원본(原本) original *m* de letra. ~ 인수인 aceptador, -dora *mf* (de una letra); aceptante *mf* (de una letra). ~장 talonario *m* de letras, libro *m* de letras. ~ 제삼권 la tercera de letra. ~ 제이권 la segunda de letra. ~ 제일권 la primera de letra. ~ 지불인 girado, -da *mf*, librado, -da *mf*, pagador, -dora *mf*. ~ 지참인 portador, -dora *mf* (de una letra). ~ 할인(割引) descuento *m* de una letra.

어음(語音) pronunciación *f*, sonido *m* de una palabra, tono *m*.

어의(御衣) ropa *f* del rey.

어의(御醫) médico *m* real, médico *m* del palacio real.

어의(語義) sentido *m* [significado *m* · significación *f*] de un vocablo, significación *f* de una palabra.

어이[1] [짐승의 어미] madre *f* animal.

어이[2] =어처구니.

어이[3] =어찌. ¶~ 잊으랴 ¿Cómo me olvidaré? 내 ~ 왔던고 ¿Por qué yo vine?

어이[4] ((준말)) =어이구. ¶~, 춥다 ¡Ah, qué frío!

어이[5] [평교(平交) 이하의 사람을 부르는 소리] ¡Hola! / ¡Oye!

어이구 ¡Anda! / ¡Vaya! / ¡Ah! / ¡No me digas! ☞아이고

어이어이 ¡Ay! / ¡Pobre de mí!

어이없다 quedar(se) estupefecto [atónito] (de). 어이없는 요구 petición *f* exorbitante. 어이없는 값 precio *m* astronómico, precio *m* exorbitante. 어이없는 말을 하다 decir absurdos.

어이없이 con estupor, con la boca abierta, sin poder contenerse, fácilmente, con facilidad, sin dificultad. 그는 ~ 패했다 El sufrió una decepcionante derrota.

어이쿠 ((강조어)) =어이구.

어인(御印) sello *m* del rey.

어일싸 ¡Ajá!

어장(漁場) pesquera *f*.

어저귀【식물】abutilón *m*, batista *f*.

어저께 ayer. ☞어제

어적 crujiendo, mascando.

어적거리다 mascar, masticar, ronchar, ronzar, mordiscar, tascar, cascar, morder, mascar despacio y con ruido, mascar a dos carrillos. 사과를 ~ mascar una manzana.

어적어적 mascando, masticando, crujiendo. ~하다 mascar, masticar, crujir. ~ 먹다 comer *algo* crujiente.

어전(御前) presencia *f* real, presencia *f* del rey.

■ ~ 회의(會議) consejo *m* [conferencia *f*] en presencia del rey, reunión *f* en presencia del rey.

어전(御殿) palacio *m*, corte *f*.

어전(漁箭) encañizada *f* (para pesca).

어정 ① ((준말)) =어정잡이. ② [일에 정성을 들이지 않고 건성으로 대강 해서 어울리지 않음] falta *f* de atención, falta *f* de cuidado, negligencia *f*.

어정거리다 deambular, pasear, andar sin objeto [al azar], vagar; [거리를] callejear, corretear. 종로를 ~ callejear por *Chongro*.

어정뜨다 (ser) descuidado, poco cuidadoso, poco cuidado, negligente. 어정뜨게 sin la debiba atención, negligentemente.

어정뱅이 ① [갑자기 잘된 사람] persona *f* que se hace rico repentinamente. ② [일을 제대로 하지 않고 어정대는 사람] persona *f* negligente.

어정버정 ociosamente, sin hacer nada, andando despacio, despacio, son ritmo lento, con cachaza; [목적 없이] a la ventura, sin objeto. ~ 걷다 andar despacio, pasear, dar un paseo.

어정어정 ociosamente, con ocio, sin hacer nada. 일요일이어서 아버님은 집에서 ~하신다 Como es domingo, mi padre pasa el día ociosamente [sin hacer nada] en casa.

어정잡이 =어정뱅이.

어정쩡하다 (ser) desconfiado, suspicaz (*pl* suspicaces), sospechoso, dudoso, discutible, de duda, de indecisión, dubitativo, evasivo, cuestionable, discutible; [애매하다] vago, ambiguo; [부정확한] incorrecto. 어정쩡하게 con desconfianza, con recelo, sospechosamente, de modo sospechoso, dudosamente, evasivamente, vagamente, ambiguamente, incorrectamente. 어정쩡한 태도 actitud *f* dudosa. 어정쩡한 인물(人物) carácter *m* cuestionable. 어정쩡한 대답 respuesta *f* evasiva.

어제 ayer. ~부터 de ayer acá. ~까지 hasta ayer. ~ 아침(에) ayer (por la) mañana, *AmL* ayer (en la) mañana. ~ 오후(에) ayer por la tarde, *AmL* en la tarde. ~의 신문(新聞) periódico *m* de ayer. ~ 오후 다섯 시에 ayer a las cinco de la tarde. ~ 어디 계셨습니까? ¿Dónde estuvo usted ayer? 나는 ~ 온종일 집에 있었다 Ayer estuve en casa todo el día.

■ ~오늘 [어제와 오늘] ayer y hoy; [요즈음] estos días, nuestro día, hoy día, hoy. ~ㅅ밤 anoche, ayer (por la) noche; [취침 후] la noche pasada, esta noche. ~ㅅ저녁 anoche, ayer tarde.

어제(御製) composición *f* de su Majestad, poema *m* por el rey.

어조(語調) tono *m* (de voz), acento *m*, entonación *f* (억양), eufonía *f* (계음), manera *f* de hablar. ~가 좋은 de tono claro [agradable · rítmico], bien sonante, rítmico, armónico, cadencioso, eufónico, musical. ~가 나쁜 discordante, que no suena bien. 엄한 ~로 en tono severo. ~가 나쁘다 ser disonante, carecer de eufonía, ser inarmónico. ~를 높이다 elevar [alzar] el tono. ~를 부드럽게 하다 suavizar la voz.

어조사(語助辭) partícula *f* en chino clásico.

어족(魚族) peces *mpl*; 【학명】 Pisces.

어족(語族) [언어의] familia *f* de lenguas; [단어의] familia *f* de palabras [de vocablos]. 인도 유럽 ~ lenguas *fpl* indoeuropeas, familia f indoeuropea.

어졸하다(語拙—) (ser) pobre, falto de fluidez.

어종(魚種) especie *f* de los peces.

어좌(御座) ① =옥좌(玉座). ② =왕위(王位).

어주(御酒) vino *m* que el rey da a *sus* vasallos [*sus* súbitos].

어줍다 ① [언어 · 동작이 부자연하고 시원스럽지 않다] (ser) aburrido, torpe, lerdo, indeciso, irresoluto, poco entusiasta, inanimado, vago, evasivo. 어줍은 대답(對答) respuesta *f* vaga, respuesta *f* evasiva. ② [서투르다] no (ser) cualificado, no calificado, no especializado, poco hábil, torpe, no estar familiarizado, no tener experiencia, no familiar. 나는 그의 일에 무척 ~ No estoy muy familiarizado con su obra. 나는 이런 상황에 ~ Tengo experiencia de este tipo de situación. ③ [저리다] (estar) entumecido.

어중간(於中間) ① [거의 중간쯤 되는 데] mitad *f*. ② [넘고 처져서 어느 것에도 알맞지 않음] lo incompleto. ~하다 (ser) incompleto, fragmentario. ~한 시간을 이용하다 aprovechar ratos perdidos. ~한 태도를 취하다 estar ni demasiado lejos ni demasiado cerca de *uno*, estar en una tira y afloja con *uno*.

어중되다(於中—) (ser) demasiado grande, demasiado pequeño, insuficiente, poco apropiado, poco adecuado.

어중이떠중이 todos *mpl*, montón *m*, masas *fpl*, muchedumbre *f*, cualquier hijo de vecino.

어지간하다 (ser) bastante, considerable, tolerable, suficiente, pasable, decente. 어지간한 성공 éxito *m* tolerable. 어지간한 수입(收入) ingresos *mpl* excelentes, excelentes ingresos *mpl*. 어지간한 식사 comida *f* decente como es debido]. 어지간한 옷 traje *m* decente [como es debido]. 어지간한 이익 excelente beneficio *m*. 어지간한 학교 성적 muy buen récord *m* (de la escuela). 이 그림은 ~ Este cuadro no está mal del todo / Este cuadro está bastante bien.

어지간히 bastante, considerablemente, muy bien, pasablemente, razonablemente bien, de manera aceptable, decentemente, con decencia. ~ 잘 muy bien, bastante bien ~ 좋은 연기(演技) una actuación pasable, muy. 나는 ~ 확신한다 Estoy casi seguro. 오늘 ~ 춥다 Hace bastante frío hoy. 어제는 ~ 더웠다 Ayer hizo bastante calor [calorcito]. 그는 ~ 노래를 부른다 El canta pasablemente [razonablemente bien]. 그들은 옷을 ~ 입었다 Ellos estaban vestidos pasablemente [de manera aceptable]. 그 여자는 서반아어를 ~ 잘한다 Ella habla español bastante bien. 나는 그 일에 ~ 시간이 걸렸다 Ese trabajo me ocupó bastante tiempo. 그 여자는 ~ 좋은 직업을 가지고 있다 Ella tiene un trabajo bastante bueno. 병자가 ~ 좋아졌다 El paciente se ha mejorado considerablemente.

어지러뜨리다 perturbar, trastornar, disturbar, poner en desorden, poner en confusión;

[지저분하게 하다] revolver. 서랍 안을 ~ revolver el cajón. 질서를 ~ perturbar el orden. 회사 안을 ~ causar disturbios en la compañía. 회의(會議)를 ~ perturbar la reunión. …의 마음을 ~ perturbar a *uno*, trastornar a *uno*.

어지러워지다 desordenarse.

어지럼 =현기(眩氣).

■ ~증(症) =현기증(眩氣症).

어지럽다 ① [눈이 아뜩아뜩하고 정신이 얼떨떨하다] estar mareado, sentir vaguido, desvanecerse; [현기증이 나다] dar vueltas. 눈이 어지러울 정도로 높은 곳 altura *f* vertiginosa. 어지럽게 변천하는 세상 mundo *m* de mucho movimiento. 어지럽게 하다 marear. 머리가 어지러웠다 Todo me daba vueltas / La cabeza me daba vueltas / Todo parecía girar a mi alrededor. 배가 출발하기 시작하자 나는 어지러웠다 Al empezar a marchar el barco me mareé. ② [모든 것이 혼란하고 어수선하다] (estar) en desorden, turbulento, caótico, desorganizado. 어지러운 세상 tiempos *mpl* turbulentos, tiempos *mpl* agitados. 어지러운 방 habitación *f* desordenada, cuarto *m* desordenado. 그 당시에는 무척 어지러웠다 Hubo grandes desórdenes. 그 나라는 대단히 어지러웠다 Reinaba un gran desorden en el país.

어지러이 turbulentamente, caóticamente, desordenadamente, en desorden.

어지럽히다 desordenar, perturbar, disturbar, poner en desorden, poner en confusión. 질서(秩序)를 ~ perturbar el orden.

어지르다 dejar en desorden, desordenar, desarreglar, revolver. 몹시 어질러진 방 habitación *f* muy desarreglada [desordenada], cuarto *m* muy desarreglado [desordenado]. 서랍을 ~ revolver el cajón. 장난감을 (사방에) 어질러 놓다 dejar juguetes por todos los sitios. 방을 어질러 놓다 dejar la habitación desordenada [en desorden]. 바람으로 쓰레기가 어질러졌다 El viento arrastró las basuras. 방이 어질러져 있다 La habitación está desordenada. 종이가 공원에 어질러져 있다 En el parque hay muchos papeles tirados / Papeles usados ensucian el parque.

어지자지 hermafrodita *mf*, bisexual *mf*.

어진(御眞) retrato *m* real, retrato *m* de un rey, retrato *m* de su Majestad.

어진혼(-魂) alma *f* [espíritu *m*] de buen hombre [de natural bondad].

어질다 (ser) bueno, dulce, delicado, amable, de buen corazón, bondadoso, generoso, davidoso, magnánimo, bonévolo, de benevolencia, sabio. 어진 마음 corazón *m* compasivo, benevolencia *f*. 어진 여자 mujer *f* benevolente, buena mujer *f*. 어진 임금 soberano *m* benevolente, rey *m* gracioso. 그 여자는 매우 어진 사람이다 Ella es muy buena / Ella es muy buena persona / Ella tiene muy buen corazón. 그의 마음씨는 ~ El tiene buen corazón.

어질더분하다 (estar) desordenado, patas (para) arriba. 모든 것이 ~ Todo está desordenado [patas (para) arriba].

어질병(-病) 【한방】 =현기증(眩氣症).

어질어질 vergitinosamente. ~하다 estar totalmente confundido, ser un torbellino, dar vueltas. 그는 ~했다 El estaba totalmente confundido. 내 머리가 ~했다 Mi cabeza era un torbellino / La cabeza me daba vueltas.

어질증(-症) 【한방】 =현운증(眩暈症).

어째 ((준말)) =어찌하여.

어째서 ((준말)) =어찌하여서. ¶~ 늦었느냐? ¿Por qué llegaste tarde?

어쨌든 ((준말)) =어찌하였든. 어찌 되었든. ¶~ 오겠습니다 De cualquier modo vendré. ~ 상세한 말을 듣지 않고는 대답할 수 없습니다 De todos modos, no puedo contestarle hasta saber los detalles.

어쨌든지 ((준말)) =어찌하였든지. 어찌 되었든지.

어쩌고저쩌고 =여차여차.

어쩌다 ((준말)) =어쩌다가.

어쩌다가 ① [뜻밖에 우연히] por casualidad, de caulidad, de manera fortuita, casualmente. ~ 만난 친구 amigo, -ga *mf* casual. ~ 오는 손님 visitante *mf* casual. ② [가끔] a veces, unas veces, algunas veces, de vez en cuando, de cuando en cuando. ~ 일어나는 사건(事件) acontecimiento *m* [suceso *m*] raro, ocurrencia *f* rara. 그것은 ~ 일어나는 일이다 No es algo frecuente / No ocurre con frecuencia.

어쩌면 ① [추측] posiblemente, tal vez, quizá, quizás, acaso, por ventura, probablemente, a lo mejor, puede ser, por acaso. ~ …다 Es probable que + *subj* / Es creíble que + *subj*. ~ 비가 밤에 올 지도 모른다 [불확실한 경우] Puede (ser) que llueva esta noche / Quizás llueva por la noche. ~ 내일 비가 올 것이다 [확신하는 경우] Tal vez lloverá mañana / Temo que llueva mañana. ~ 그는 합격할 것이다 Es probable que salga bien en los exámenes. ~ 그럴 수도 있을 것이다 Eso puede ser. ② [의외의 일을 탄복하는 소리] qué, cuán. ~ 색시가 그렇게 예쁠까 ¡Qué hermosa es ella! ~ 그 여자는 그렇게 선할까 ¡Qué buena es ella! ~ 자네 딸은 이렇게 예쁜가 ¡Cuán bonita que es tu hija! ~ 이렇게 좋은 경치일까 ¡Qué paisaje más hermoso! ~ 그렇게 일찍 그 일을 했느냐 ¡Qué rápido lo hiciste! ~ 너는 서반아어를 이렇게 유창하게 하느냐 ¡Cuán elocuentemente [Qué bien] hablas español!

어쩐지 sin intención especial, sin causa concreta, no sé por qué, indefiniblemente. ~ 나는 슬프다 Estoy triste sin causa concreta / No sé por qué, pero me siento triste. ~ 저 사람은 무섭다 Me da recelo por no sé que razón / Le temo a él no sé como lo es. ~ 그의 눈치가 이상하다 Me extraña su comportamiento. ~ 몸이 좋지 않다 No sé por qué pero no me encuentro bien. 그 사람이 아프단 말인가. ~ 요즈음 보이지 않더라니 ¿Está enfermo? ¡Ah …, no le he visto estos días! 그 여자가 멕시코에서 태어났단 말인가? ~ 서반아어가 유창하더라 ¿Nació ella en Méjico? Ahora me explico que hable español tan bien.

어쩔 수 없다 (ser) inevitable. 나이는 ~ La edad dirá / La edad va a decir.
어쩔 수 없이 inevitablemente, de mala gana, a regañadientes. ~ …하다 obligar a + *inf.* 나는 ~ 늦었다 No pude evitar llegar tarde. 열차는 ~ 연착을 했다 El tren sufrió un retraso inevitable. 나는 계약(契約)에 의해 ~ 집을 팔아야만 했다 El contrato me obligué a vender mi casa.

어쭙잖다 (ser) ridículo, absurdo, engreído, presuntuoso, creído, despreciable, deleznable, descarado, desenfadado, retozón (*pl* retozones), jeguetón (*pl* juguetones). 어쭙잖게 ridículamente, de manera [forma] ridícula. 어쭙잖은 놈 tipo *m* desenfadado. 어쭙잖은 값의 가구 muebles *mpl* a precios de risa. 그것은 어쭙잖게 비싸다 Es terriblemente caro / Es ridículo lo caro que es. 그는 어쭙잖게 일찍 일어난다 El se levanta a una hora ridícula / Es ridículo lo temprano que se levanta. 그들은 어쭙잖은 값을 부른다 Es ridículo lo que piden. 그가 우주인이 되겠다니 어쭙잖은 이야기다 El desea ser astronauta, ¡qué broma!

어찌 ① [방법] cómo, qué. ~해서든지 a toda costa, sin falta, sin duda, a cualquier precio. ~할 수 없는 inevitable. ~할 수 없이 inevitablemente. ~할 수 없는 경우엔 si fuera necesario, en caso necesario, en caso de emergencia. ~할 바를 모르다 no saber qué hacer. ~할 바를 모르게 하다 dejar perplejo, desconcertar. 그 소식에 나는 ~할 바를 몰랐다 No supe cómo reaccionar ante la noticia. 나는 지금 ~할 바를 모르고 있다 No sé qué hacer ahora. 그는 ~ 말해야 할 지 몰랐다 El no supo qué decir. 그 여자의 말에 나는 ~할 바를 몰랐다 Lo que ella dijo me dejó perplejo. 그의 대답에 나는 ~할 바를 몰랐다 Su respuesta me extrañó [me desconcertó · me dejó] perplejo. ② [어떠한 방법으로] ¿Cómo? 그 문제를 ~ 풀었니? ¿Cómo resolviste el problema? ③ [어떻게] demasiado, ¡qué!, muy. ~ 큰지 ¡Es demasiado grande! ~ 비싼지 ¡Es demasiado caro! 돈이 ~ 많은지 Había demasiado dinero. ~ 사람이 많았었던지 Había demasiada gente. ~ 자동차가 많았었던지 Había demasiadas 그는 ~ 친절한지 ¡Qué amable es él! ~ 어려운지 나는 이해하지 못한다 Es demasiado difícil para que lo entienda yo. ④ [왜] ¿Por qué? ~ 해서 ¿Por qué?

어찌나 ((강조어)) =어찌❸.

어찌씨 =부사(副詞)(adverbio).

어찌하다 qué hacer, cómo hacer. 기뻐서 어찌할 줄 모르다 embelesarse, transportarse. 어찌할 수 없다 No hay [queda] remedio / Es inevitable / No hay manera de hacer nada / No hay nada que hacer. ☞어찌❶

어찌하여 ① [왜] ¿Por qué?, ¿Por qué razón?, ¿Por qué motivo?; [무엇 때문에] ¿Para qué?, ¿Con qué objeto? ~ 지각하였느냐? ¿Por qué has llegado tarde? ~ 이곳에 오셨습니까? ¿Para qué ha venido usted aquí? ~ 그들이 가고 싶어하는 지 아십니까? ¿Sabe usted por qué ellos quieren ir? ~ 그들이 떠나고 싶어하지 않는다고 생각하십니까? ¿Por qué piensa usted que ellos no quieren salir? ② [어떻게] ¿Cómo?, ¿De qué manera?

어찌하였든 de cualquier modo que sea, en cualquier caso, en todo caso, de todas maneras, de todas formas, de todos modos, de cualquier modo, sea como se fuere, sea lo que sea [fuere], salga lo que saliere. ~ 오너라 Ven de cualquier modo. ~ 저는 아무것도 모릅니다 Pero, en todo caso no sé nada.

어찌하였든지 de cualquier modo, de todos modos.

어찔하다 sentir un mareo, dar un vahído. 나는 머리가 어찔했다 Sentí un mareo / Me dio un vahído.

어차피(於此彼) de todos modos, de todas maneras, de todas formas, igual, en todo caso; después de todo (결국). 범인은 ~ 체포될 것이다 En todo caso arrestarán al criminal. 그가 오건 말건 ~ 별 상관없다 Poco importa que él venga o no. ~ 그의 패배로 끝날 것이다 Al fin y al cabo él acabará por perder la partida. ~ 인간이란 그런 것이다 De todos modos [Al fin y al cabo] los hombres son así. ~ 나는 외출해야 한다 De todos modos tengo que salir. ~ 인간은 죽을 테니 즐기며 삽시다 Puesto que todos los hombres son mortales, gocemos de la vida. ~ 인간은 죽기 마련이다 Después de todo el hombre es mortal.

어채(魚采) trozo *m* de pescado rebozado y frito y verduras hervidas.

어처구니 persona *f* demasiado grande, cosa *f* demasiado grande, monstruo *m*, gigante *m*.

어처구니없다 ((속어)) =어이없다. ¶어처구니없어 con la boca abierta, con estupor. 어처구니없는 실수를 범하다 cometer una falta garrafal. 어처구니없어 말도 못하다 quedarse con la boca abierta de estupor. 어처구니없이 ridículamente, de forma ridícula, monstruosamente, escandalosamente, fabulosamente, absurdamente, de manera absurda. ~ 큰 벌 abeja *f* enorme. ~ 값이 싼 ridículamente barato.

어촌(漁村) aldea *f* de pescadores, pueblo *m* pesquero, pueblo *m* de pescadores.
▪ ~ 문학 literatura *f* pesquera.

어치 【조류】 arrendajo *m*.

-어치 valor *m.* 백만 원~ 가구 muebles *mpl* por valor de un millón de wones.

어치렁거리다 caminar con dificultad, tambalearse.
어치렁어치렁 inseguramente, vacilantemente, tambaleándose, haciendo eses. 그 여자는 ~ 방으로 들어갔다 Ella entró en la habitación tambaleándose [haciendo eses].

어치정거리다 caminar [andar] lentamente [a paso lento · a paso de tortuga].
어치정어치정 a paso lento, a paso de tortuga.

어칠거리다 =어치렁거리다.
어칠어칠 =어치렁어치렁.

어칠대다 =어칠거리다.

어칠비칠 tambaleantemente, inseguramente, vacilantemente, de modo inseguro, de modo vacilante, de manera insegura, de manera vacilante. ~하다 tambalearse. ~ 걷다 caminar [andar] a paso lento.

어탁(魚拓) imprenta *f* de pez.

어투(語套) manera *f* de hablar, tono *m*, hábito *m* en habla, frase *f* favorita. 떫은 ~로 말하다 hablar en [con] tono áspero. 그는 나에게 간청하는 ~로 말하곤 했다 El me hablaba en tono de súplica.

어패류(魚貝類) especie *f* de peces y conchas.

어퍼컷(영 *uppercut*) ((권투)) golpe *m* de abajo arriba, golpe *m* corto hacia arriba, uppercut *ing.m*, gancho *m*. ~을 먹이다 dar un uppercut.

어폐(語弊) palabra *f* inadecuada, términos *mpl* mal entendidos, abuso *m* de palabras, expresión *f* desdichada. ~가 있다 la expresión no es adecuada, expresarse inadecuadamente, ser mala aplicación [mal uso · uso impropio] de término [frase · locución]. 이런 말을 하면 ~가 있을지 모르겠습니다만 … Esta no es sería la [una] expresión propia [correcta], pero ….

어포(魚脯) tajadas *fpl* de pescado secado.

어피(魚皮) piel *f* del pez.

어필(御筆) escritura *f* del rey.

어필(영 *appeal*) ① [호소. 애원] ruego *m*, súplica *f*. ~하다 rogar, suplicar. ② [매력] atractivo *m*. 섹스 ~ atractivo *m* sexual, sex-appeal *ing.m*. ③ ((운동)) [심판 · 판정에 대해 이의를 제기함] apelación *f* al árbitro [al juez]. ~하다 recurrir [apelar] al árbitro [al juez].

어하다 mimar, consentir. 어린아이를 ~ mimar a un niño. 내 부모님은 내가 어렸을 때 나를 어하셨다 Mis padres me consintieron [me mimaron] demasiado cuando era niño.

어학(語學) ① [언어를 연구하는 학문] (estudio *m* de las) lenguas *fpl*. ~의 천재 genio *m* en lengua. ~을 공부하다 estudiar una lengua [lenguas]. 그는 ~에 능통하다 El tiene aptitud para las lenguas. ② ((준말)) =언어학. ¶~에 소질이 있다 tener talento lingüístico. ③ [외국어를 배우는 일] estudio *m* de la lengua extranjera.
■~ 교사 maestro, -tra *mf* de un idioma extranjero; profesor, -sora *mf* de lenguas (extranjeras). ~교수 instrucción *f* de lenguas. ~ 교육 enseñanza *f* de las lenguas, formación *f* lingüística, educación *f* lingüística, educación *f* de lenguas (estranjeras). ~도(徒) ㉮ [어학을 공부하는 사람] estudioso, -sa *mf* de las lenguas. ㉯ [외국어를 공부하는 학생] estudiante *mf* de estudiar la lengua extranjera. ~력 habilidad *f* lingüística. ~자(者) ((준말)) =언어학자 (lingüista). ~ 지식(知識) sabiduría *f* lingüística.

어학(魚學) ictiología *f*.
■~자 ictiolólogo, -ga *mf*.

어항(魚缸) pecera *f*.

어항(漁港) puerto *m* pesquero.

어허 ¡No me digas! / ¡Anda! / ¡Vaya! / ¡Ay! / ¡Ah! ~ 벌써 12시다 ¡Anda! Ya son las doce.

어험 ¡Ejem!

어혈(瘀血) 【한방】 sangre *f* extravasada.
◆어혈(이) 지다 extravarse, salirse la sangre.

어협(漁協) ((준말)) =어업 협동 조합

어형(語形) 【언어】 forma *f* de la palabra.
■~론 morfología *f*. ~ 변화 conjugación *f*, inflexión *f*, flexión *f*, accidente *m*.

어형 수뢰(魚形水雷) 【군사】 torpedo *m*.

어화(漁火) lumbre *f* de las barcas pesqueras, fuego *m* para pescar, fuego *m* encendido por los pescadores para atraer peces.

어황(漁況) situación *f* de pesquería.

어회(魚膾) tajadas *fpl* de pescado crudo, pescado *m* crudo cortado en tajadas, lonjas *fpl* de carne cruda de pescados.

어획(漁獲) pesca *f*, pesquería *f*.
■~고 (cantidad *f* de) pesca *f*, suma *f* de pesca, redaja *f*. ~기 temporada *f* de pesca. ~량 cantidad *f* de pesca. ~물 pesca *f*, peces *mpl*. ~장(場) pesquería *f*. ~ 할당 cuotas *fpl* [cupos *mpl*] de pesca.

어휘(語彙) vocabulario *m*, léxico *m*, glosario *m*. 풍부한 ~ vocabulario *m* abundante [rico]. ~가 풍부하다 tener mucho vocabulario, tener un vocabulario rico, ser rico de vocabulario. ~가 빈약하다 tener poco vocabulario, tener un vocabulario pobre, ser pobre de vocabulario. ~를 늘리다 enriquecer [aumentar] el vocabulario. 이 사전(辭典)은 ~가 대단히 풍부하다 Este diccionario tiene un vocabulario muy rico.
■~집(集) vocabularios *mpl*. ~ 학자(學者) vocabulista *mf*.

억(億) cien millones. 1~의 사람 cien millones de personas. 10~ mil millones, billón *m*.

억겁(億劫) ((불교)) eternidad *f*, perpetuidad *f*.

억년(億年) ① [1억년] cien millones de años. ② [매우 장구한 세월] tiempo *m* muy largo.

억누르다 oprimir, refrenar, frenar, dominar, contener, apretar, reprimir, restringir. 억누

를 수 없는 욕망 deseos *mpl* incontenibles [irresistibles]. 기쁨을 억누를 수 없어 sin poder dominar *su* alegría, sin poder contener *su* alegría. 감정(感情)을 ~ contener la emoción, ahogar el sentimiento. 눈물을 ~ contener las lágrimas. 물가를 ~ refrenar el alza de los precios. 여론(與論)을 ~ reprimir [oprimir] la opinión pública. 웃음을 ~ reprimir la risa. 자기 자신을 ~ contenerse, dominarse; *AmS* aprudenciarse. 재채기를 ~ reprimir el estornudo. 출비(出費)를 ~ refrenar [contener] el aumento de los gastos. 화(火)를 ~ reprimir la cólera, contener la ira, refrenar la ira. 흥분(된 마음)을 ~ dominar *su* excitación. 나는 눈물을 억누를 수 없었다 No pude contener las lágrimas.

억눌리다 oprimirse, ser oprimido, dominarse, ser dominado, ser contenido, ser refrenado.

억단(臆斷) conjetura *f*, suposición *f*, juicio *m* sin fundamento. ~하다 conjeturar, suponer, juzgar sin fundamento fidedigno, hacer una conjetura. 그것은 순전한 ~이다 No son más que conjeturas [suposiciones]. 그가 받아들일 것인지 아닌지는 ~할 수 없다 Sobre si aceptará o no sólo pueden hacerse conjeturas.

억대(億代) generación *f* muy larga.

억대(億臺) nivel *m* de cien millones. ~의 재산(財産) bienes *mpl* del nivel de cien millones.

억류(抑留) detención *f*, arresto *m*, internamiento *m*; [선박의] embargo *m*. ~하다 detener, arrestar, prender, embargar.

▪~소 campo *m* de detención, campo *m* de internamiento. ~자 detenido, -da *mf*.

억만(億萬) ① [억(億)] cien millones *mpl*, millar *m* de millones. ② [아주 많은 수효] números *mpl* incontables, los miles y los millares (de). ~의 incontable, innumerable. ~ 가지 걱정 preocupaciones *fpl* innumerables [incontables].

▪~년(年) largo tiempo *m* sin fin, años *mpl* incontables [innumerables]. ~장자 billonario, -ria *mf*, archimillonario, -ria *mf*, multimillonario, -ria *mf*.

억매(抑買) =강매(强買).

▪~흥정 compra *f* forzada.

억매(抑賣) =강매(强賣).

▪~흥정 transacción *f* forzada.

억병 cantidad *f* que se bebe sin fin, borrachera *f*, embriaguez *f*. ~으로 마시다 beber como un pez, beber como un cosaco, chupar como una esponja. 그는 ~이다 El tiene una capacidad enorme para licor.

억보 persona *f* obstinada [pertinaz · porfiada · testaruda].

억설(臆說) conjetura *f*, suposición *f*; [가설(假說)] hipótesis *f*; [학리적 가설] teoría *f*. ~하다 conjeturar, hacer una conjetura, suponer, hacer una hipótesis.

억세다 ① [뻣뻣하고 세다] (ser) rígido, duro, tieso, resistente, fuerte, tenso, inflexible, áspero, hirsuto. 억센 머리털 pelo *m* áspero. 억센 수염 barba *f* dura. 이 배추는 ~ Este es repollo duro. 쇠고기가 ~ Esta carne de vaca es dura.
② [몸이나 뜻이 굳고 세차다] (ser) fuerte, tenaz, firme, forzudo, vigoroso, robusto, muscular, sólido, violento, resuelto, decidido, tesonero, terco, testarudo, tozudo, obstinado, férreo, de hierro, indomable. 억세게 fuertemente, tenazmente, con tesón, obstinadamente, sólidamente, firmemente, con firmeza, indominablemente. 억센 기질 carácter *m* violento. 억센 경상도 사투리 dialecto *m* de *Gyeongsangdo* cerrado.

억수 lluvia *f* torrencial, aguacero *m*. ~ 같은 비 lluvia *f* torrencial. 비가 ~로 쏟아지다 llover a cántaros, llover copiosamente, diluviar, llover con mucha fuerza. 그는 ~같이 퍼붓는 빗속에서 외출했다 El salió en medio de una lluvia torrencial. 비가 ~같이 퍼붓는다 Llueve a cántaros.

▪~장마 período *m* largo [temporada *f* larga] de lluvia torrencial.

억압(抑壓) opresión *f*, represión *f*, sujeción *f*. ~하다 oprimir, reprimir, sujetar. 개성을 ~하는 경향이 있는 교육 educación *f* que tiende a reprimir la individualidad. ~당하다 ser oprimido. 언론(言論)의 자유를 ~하다 oprimir la libertad de palabra [la libertad de prensa].

▪~자 depresor, -sora *mf*. ~적 depresivo. ¶~으로 depresivamente.

억양(抑揚) entonación *f*, entonamiento *m*, acento *m*. 감탄조의 ~ entonación *f* exclamativa. 말끝을 올리는 ~ entonación *f* ascendente. 심문(審問)하는 투의 ~ entonación *f* interrogativa. ~을 붙이다, ~을 붙여서 말하다 entonar.

▪~격 yambos *mpl*. ~법 entonación *m*. ~ 음부 (acento *m*) circunflejo *m*.

억울 망상(抑鬱妄想) delusión *f* depresiva.

억울 병증(抑鬱病症) delusión *f* depresiva.

억울증(抑鬱症) depresión *f*.

억울하다(抑鬱—) ① [억제를 받아 답답하다] (ser) lamentable, desconcertado, deprimido, abatido. ② [애먼 일을 당하여 원통하고 가슴이 답답하다] sufrir injusticia, victimizarse, tratarse injustamente, discriminarse, ser tratado mal, ser maltratado, ser mortificado. 억울함 mortificación *f*. 억울해 하게 만들다 mortificar.

억제(抑制) represión *f*, supresión *f*, control *m*, freno *m*, inhibición *f*. ~하다 frenar, refrenar, contener, reprimir, mortificar, dominar, inhibir. ~할 수 없는 irresistible, irrefrenable. 인플레의 ~ supresión *f* de inflación. 노여움을 ~하다 reprimir la cólera, contener la ira. 눈물을 ~ contener las lágrimas. 웃음을 ~ reprimir la risa. 자신의 감정을 ~하다 refrenarse. 매입을 ~하다 contenerse de comprar, abstenerse de hacer compras. 재채기를 ~하다 reprimir el estornudo. 물가의 상승(上昇)을 ~하

다 frenar [impedir] la elevación de los precios. 자본의 유출을 ~하다 contener la salida del capital. 그 여자는 눈물을 ~할 수 없었다 Ella no pudo contener las lágrimas.

■ ~력(力) compostura *f*, circunspección *f*, control *m*. ~ 작용 acción *f* inhibitoria.

억조(億兆) ① [억과 조] cien millones y billón. ② [썩 많은 수] miríada *f*, número *m* grande e indeterminado.

■ ~창생(蒼生) miríada *f* de gente, masas *fpl*, multitud *f*, todo el mundo.

억지 sinrazón *f*, despropósito *m*, falta *f* de razón, obstinación *f*, aferramiento *m*, terquedad *f*, pertinacia *f*, sofistería *f*, sutileza *f*, objeción *f* de poca monta. ~가 아닌 razonable, natural. 네 행동(行動)은 ~다 Tu proceder es muy forzado. 그의 ~에는 아주 질렸다 Me molestó mucho su manera forzada de proceder.

◆ 억지(가) 세다 (ser) vigoroso, enérgico. 그는 ~ El es vigoroso [enérgico].

◆ 억지(를) 부리다 obstinarse, ergotizar, redargüir.

◆ 억지(를) 쓰다 tergiversar (el sentido de) las palabras, dar una interpretación abusiva [forzada], usar sofisterías, sutilizar. 그 해석은 억지를 쓴 것이다 Esa interpretación es forzada [tergiversada].

억지로 contra *su* voluntad, forzosamente, por (la) fuerza, a la fuerza, con violencia. ~…하게 하다 obligar, compeler. A를 B에 ~ 밀어 넣다 meter A en B por [a la] fuerza, forzar A dentro de B. ~ 열다 abrir a la fuerza, abrir dislocando, abrir rompiendo, abrir alzaprimando, abrir una cerradura con ganzúa. ~ 참다 sufrir hasta el extremo. ~ 빼앗다 apoderarse de *algo* por la fuerza. ~로 사용하다 hacer uso de *algo* a la fuerza. ~ 찬성을 요구하다 exigir a la fuerza *su* aprobación, forzar a aprobar. 문을 ~ 열다 forzar la puerta. 승객을 차량에 ~ 밀어 넣다 meter a los pasajeros en el vagón a empujones (por fuerza). 웃음을 ~ 참다 aguantarse [apagar] las ganas de reir, morderse los labios para no reír. 의류를 가방에 ~ 넣다 meter apretadamente la ropa en la maleta, forzar la ropa dentro de la maleta, atiborrar la maleta de ropa. 하품을 ~ 참다 reprimir un bostezo, reprimir las ganas de bostezar, aguantarse [apagar] las ganas de reír. 그는 나에게 ~ 승인하게 했다 El me obligó por la fuerza a consentir. 사람들은 그를 ~ 나오게 했다 Le forzaron a que saliera / Le forzaron a salir. 그는 ~ 나를 떠나게 하려 한다 El me va a obligar a que me marche.

억지스럽다 (ser) arbitrario, prepotente, obstinado, terco, testarudo, tozudo, insistente.

억지스레 arbitrariamente, prepotentemente, obstinadamente, porfiadamente, tercamente, insistentemente, con insistencia.

■ ~웃음 risa *f* forzada. ~춘향이 acción *f* de hacer contra *su* voluntad, lo convincente, lo persuasivo, compulsión *f*, coacción *f*. ~ㅅ손 medida *f* fuerte, prepotencia *f*, arbitrariedad *f*.

억지(抑止) =억제(抑制).

◆ 핵(核)~력(力) las armas nucleares como elemento de disuasión [como fuerza disuasoria].

억척 actitud *f* agresiva, firmeza *f*, terquedad *f*, obstinación *f*, tozudez *f*. ~ 같은 여인(女人) mujer *f* firme [testaruda].

◆ 억척(을) 부리다[떨다] mostrar terquedad.

억척같다 (ser) firme, terco.

억척같이 firmemente, tercamente.

■ ~꾸러기 persona *f* obstinada. ~보두 persona *f* terca. ~빼기 niño *m* terco, niña *f* terca.

억척스럽다 (ser) firme, terco, testarudo, tozudo, tenaz, tesonero, perseverante, valiente, animoso, brioso, resuelto.

억척스레 firmemente, con firmeza, tercamente, tenazmente, con tesón, valientemente, animosamente, briosamente, resueltamente.

억측(臆測) suposición *f*, conjetura *f* (infundada), adivinación *f*, imaginación *f*. ~하다 suponer, conjeturar (a la ventura), adivinar, imaginar. ~으로 en [por] conjeturas. 여러 가지로 ~하다 dar rienda suelta a *sus* conjeturas. 내 ~이 맞았다 Mi suposición ha acertado. 그것은 ~에 지나지 않다 No es más que una conjetura.

억판 situación *f* muy pobre. 사는 것이 ~이다 vivir en una situación muy pobre.

억패듯 severamente, con severidad, con rigor, con dureza, sin piedad, sin misericordia, implacablemente, despiadadamente, violentamente, con violencia.

억하심정(抑何心情) Es difícil de entender que … / Yo no sé por qué … / ¿Cómo es que …? 무슨 ~으로 그런 말을 하오 Yo no sé por qué tú me lo dice.

언감생심(焉敢生心) ① [감히 그런 마음을 먹을 수도 없음] ¿Cómo te atreves tú a + *inf*? ~ 여기에 왔느냐? ¿Cómo te atreves tú a venir aquí? ~ 내 앞에서 그런 말을 하느냐? ¿Cómo te atreves a decírmelo? ② =언감생심이지.

언감생심이지 =언감히.

언감히(焉敢−) ¿Cómo atreverse a + *inf*?, con arrojo, con coraje, con osadía, con audacia, con atrevimiento, audazmente, descaradamente, con descaro, con insolencia, insolentemente. ~ 그런 말을 내게 하느냐 ¿Cómo te atreves a decírmelo?

언거번거하다 (ser) hablador, conversador, parlanchín (*pl* parlanchines), hablanchín (*pl* hablanchines), charlatán (*pl* charlatanes), denso, prolijo. 너는 오늘 언거번거하지 않는군 Hoy estás muy callado. 언거번거하지 마라 No hables demasiado mucho.

언걸 implicación *f.* ~이 되다 implicarse en un crimen.
◆언걸(을) 먹다 implicarse.
◆언걸(을) 입다 verse [ser] envuelto. 싸움에 ~ verse envuelto en una pelea. 사건의 ~ ser [verse] envuelto en un suceso, meterse en el embrollo del caso.

언구력 actitud *f* ingeniosa pero insustancial.
◆언구력(을) 부리다 portarse [comportarse] ingenioso pero insustancial, sonsacar. 그 여자는 언구력을 부려 그에게서 돈을 빼앗았다 Ella le sonsacó el dinero / Ella lo cameló para que le diera el dinero.

언급(言及) mención *f*, referencia *f*, alusión *f*, comentario *m.* ~하다 mencionar (de), referirse (a), hacer referencia (a), hacer mención (de), hablar (de), hacer un comentario (sobre). 이미 ~한 antedicho, citado anteriormente, susodicho. 위에서 ~한 arriba mencionado. 아래 ~한 것 los abajo mencionados. 대통령은 그 문제에 ~해서 …라 했다 Refiriéndose al problema, el presidente dijo que …. 그는 편지에 그 건(件)에 대해 ~하고 있다 El hace mención de ese asunto en su carta. 위에서 ~한 출판물을 참고하십시오 Consulte las publicaciones mencionadas más arriba.

언니 ① [형(兄)] hermano *m* mayor. ② [여자 형제 사이에서, 손윗사람을 지칭하는 말] hermana *f* mayor. ③ [여자들 사이에서, 자기보다 나이 많은 사람을 정답게 부르는 말] *eonni*, hermana *f*. ④ [오빠의 아내를 지칭하는 말] cuñada *f*, hermana *f* política.

언더라인(영 *underline*) (línea *f* de) subraya *f*, raya *f* tirada por debajo. ~을 긋다 subrayar. 그 문구(文句)에 ~을 그으십시오 Subraye usted esa frase.

언더셔츠(영 *undershirt*) [속셔츠] camiseta *f* (interior).

언더스커트(영 *underskirt*) [속치마] enagua(s) *f(pl)*, viso *m*, combinación *f*.

언더웨어(영 *underwear*) [속옷] ropa *f* interior.

언덕 ① [땅이 비탈진 곳] cuesta *f*, declive *m*, pendiente *f*. 가파른 ~ declive *m* escarpado, cuesta *f* pina. 완만하게 비탈을 이룬 ~ cuesta *f* escarpada, cuesta *f* empinada. ② [나지막한 산] colina *f*, collado *m*, loma *f*, cerro *m*, monte *m*. 약간 높은 ~ pequeña colina *f*.
◆언덕(이) 지다 ㉮ [경사지다] inclinarse, declinar. ㉯ [길이 평탄하지 않고 높낮이가 있다] (estar) empinado, accidentado.
▪~길 cuesta *f*, declive *m*, repecho *m*, pendiente *f*. ~밥 arroz *m* cocido poniendo el arroz inclinado en la olla. ~배기 cima *f*, cumbre *f*.

언도(言渡) =선고(宣告).

언동(言動) palabras *fpl* y acciones. ~을 삼가다 tener cuidado en *sus* palabras y acciones, ser prudente en *sus* palabras y acciones. ~을 신중히 해야 한다 Tenemos que hablar y obrar con prudencia / Debemos ser prudente en las palabras y acciones.

언뜻 ① [잠깐] un momento, un rato. ~ 보면 a primera vista. ~ 듣다 oír sin querer [casualmente · por casualidad], entreoír, enterarse de *algo* por casualidad; [사물이 주어일 때] llegar a los oídos de *uno*. ~ 보다 echar [dar] un vistazo [una ojeada] (a), echar una mirada rápida (a). ~ 보아서는 그의 됨됨이를 알 수 없다 A simple vista no se puede entender su manera de ser. 그의 모습이 ~ 보였다 Yo lo vi de pasada / Yo lo vi sólo un momento. ~ 보고 말할 수 없었다 Con sólo echar un vistazo me di cuenta. ② [별안간. 문득] de repente, repentinamente, de súbito, súbitamente, de pronto.

언로(言路) camino *m* de palabras.

언론(言論) el habla *f*, palabra *f*, expresión *f*, prensa *f*, periodismo *m* ~의 자유 libertad *f* de palabra, libertad *f* de expresión; [신문(新聞)·잡지의] libertad *f* de prensa; [출판의] libertad *f* de imprenta. ~을 통해 연락하다 comunicar(se) mediante el habla. ~의 자유를 속박하다 poner un bando sobre libertad de palabra, amordazar. ~의 자유를 침해하다 violar [infringir · transgredir] la libertad de prensa. ~의 자유가 없는 자유란 존재하지 않는다 No hay libertad sin libertad de prensa.
▪~계(界) prensa *f*. ~ 기관 órgano *m* de expresión, órgano *m* de opinión pública. ~법 ley *f* de prensa. ~인 periodista *mf*. ~자유 libertad *f* de palabra, libertad *f* de expresión, libertad *f* de prensa. ~ 통제 control *m* de prensa.

언막이(堰—) dique *m* de irrigación, dique *m* de riego.

언명(言明) declaración *f*, afirmación *f*. ~하다 declarar, manifestar, afirmar, hacer una declaración [manifestación], proclamar. 정부가 앞서 ~한 바와 같이 como lo ha declarado recientemente el gobierno. 대통령의 ~에 따르면 según lo que ha declarado el Presidente. 확실한 ~을 피하다 refrenarse de hacer una declaración explícita. 나는 그것에 대해 ~할 수 없다 No puedo manifestar nada sobre ello.

언문(言文) palabra *f* y escritura .
▪~일치(一致) unificación *f* de la lengua hablada y de la escrita. ~체 estilo *m* dialogal.

언문(諺文) ((속어)) =한글(coreano).

언밸런스(영 *unbalance*) [불균형] desequilibrio *m*.

언변(言辯) elocuencia *f*, talento *m* oratorio. ~이 있는 elocuente. 그 여자는 ~이 좋다 Ella es muy elocuente.

언비천리(言飛千里) Las palabras corren rápidamente y lejos.

언사(言辭) palabras *fpl*, el habla *f*, lenguaje *m*, lengua *f*, [표현] expresión *f*. 외교적 ~ lenguaje *m* diplomático. 불손한 ~를 쓰다

emplear lenguajes impropios.

언색호(堰塞湖) ＝폐색호(閉塞湖).

언설(言說) comentario *m,* opinión *f,* declaración *f,* observación *f.*

언성(言聲) voz *f,* tono *m.* 가냘픈 ～ voz *f* débil. 굵은 ～ voz *f* profunda. 화난 ～ voz *f* colérica. 맑은 ～ voz *f* clara. ～을 높여 ruidosamente, aborotadamente, con mucho ruido, en voz alta, fuerte, alto. ～을 높이다 subir [aumentar] *su* voz.

언약(言約) promesa *f* verbal [oral · de palabra], palabra *f,* promesa *f,* voto *m.* ～하다 prometer de palabra, hacer una promesa de palabra.

언어(言語) lengua *f,* idioma *m,* el habla *f.* ～의 verbal, lingüístico. ～ 동작에 주의하다 cuidar [tener cuidado] de habla y conducta. ～로 표현할 수 없다 ser indescriptible, ser ultra de descripción.

■～ 공동체(共同體) ＝언어 사회. ～ 교정 logopedia *f.* ～ 기술 언어 lenguaje *m* de descripción de lenguaje. ～ 능력 facultad *f* de habla. ～도단 ¶～의 fuera de la ley, abdominable, prepóstero, ultrajoso, indecible, inexcusable, incalificable. ～의 요구 demanda *f* prepóstera. ～의 행위 conducta *f* escandalosa [inexcusable]. ～ 번역 프로그램 programa *m* de traducción de lenguajes. ～불통(不通) dificultad *f* de comunicación. ～ 사회(社會) comunidad *f* lingüística. ～상통(相通) facilidad *f* de comunicación. ～생활 vida *f* lingüística. ～ 실조 afasia *f,* impedimento *m* del habla. ～ 실조자(失調者) afásico, -ca *mf.* ～ 심리학 psicología *f* lingüística. ～ 심리 학자 psicólogo *m* lingüístico, psicóloga *f* lingüística. ～ 예술 arte *m* del habla. ～ 유희 juego *m* de palabras, retruécano *m.* ～의 섬 isla *f* del habla. ～ 장애 defecto *m* [impedimiento *m*] del habla; [실어증(失語症)] afasia *f.* ～ 정보 información *f* de habla. ～ 정책 política *f* de habla. ～ 중추 nervio *m* central de habla. ～ 지도 atlas *m* lingüístico. ～ 지리학(地理學) geografía *f* lingüística. ～ 처리 장치 procesador *m* de lenguaje. ～ 처리 프로그램 programa *m* de proceso de lenguaje. ～ 철학 filosofía *f* de lengua. ～ 치료사(治療士) terapeuta *mf* del habla. ～ 프로세서 ＝언어 처리 장치. ～학 lingüística *f,* filología *f,* filológica *f.* ¶～의 lingüístico, filológico. ～ 연구 estudios *mpl* lingüísticos. 고전 ～ filología *f* clásica. 비교 ～ lingüística *f,* filología *f* comparada. ～ 학과(學科) departamento *m* lingüístico. ～ 학자 lingüista *mf,* filólogo, -ga *mf.* ～학적 lingüístico, filológico. ¶～으로 lingüísticamente, filológicamente. ～ 학회 sociedad *f* lingüística. ～ 행동 ㉮ [입으로 하는 말과 몸으로 하는 행동] acto *m* de habla. ㉯ ＝언어 활동. ～ 형태학(形態學) morfología *f.* ～ 활동 función *f* de habla.

언언사사(言言事事) todas las palabras y todas las cosas, todo. ～에 간섭하다. meterse [entrometerse · inmiscuirse] en todo.

언외(言外) ¶～의 que no se puede expresar, fuera de palabras, entre líneas. ～의 뜻 significación *f* implícita [tácita · sobreentendida]; [책의] lo que hay entre líneas. 언외에 implícitamente. ～ 넌지시 비치다 aludir, insinuar, referirse implícitamente.

언월(偃月) ① [안으로 좀 구붓한 반달. 현월(弦月)] media luna *f.* ② [반달 같은 둥근 형상] forma *f* redonda como media luna.

■～도(刀) alabarda *f.*

언재(言才) elocuencia *f,* talento *m* oratorio.

언쟁(言爭) disputa *f,* discusión *f,* riña *f,* contienda *f,* pelea *f,* querella *f,* reyerta *f,* altercado *m,* palabras *fpl* mayores, polémica *f.* ～하다 disputar, discutir, pelear(se), reñir, altercar, contender. A와 ～하다 pelearse con A. 그들은 누구의 차례인가로 ～을 하고 있었다 Ellos es estaban peleando [estaban discutiendo] sobre a quién le tocaba. 그는 상속 문제로 가족과 ～했다 El riñó [se peleó] con su familia por cuestiones de herencia.

언저리 canto *m,* borde *m,* esquina *f,* ángulo *m,* margen *m,* ribete *m,* orilla *f,* límites *mpl.* 도시의 ～ los límites de la ciudad. 강의 ～에 al borde del río. 물의 ～에 a la orilla del agua. 컵을 ～까지 채우다 llenar el vaso hasta el borde.

언제 ① [의문] ¿Cuándo?; [몇 시] ¿Qué hora?; [며칠] ¿Qué día? ～까지 ¿Hasta cuándo? (늦어도) ～까지는 ¿Para cuándo? ～부터 ¿Desde cuándo? ～쯤 ¿Hacia [Para] cuándo? 그는 ～ 떠났습니까? ¿Cuándo salió él? 출발은 ～ 하십니까? ¿Cuándo se marcha [parte · sale] usted? ～ 도착했느냐? ¿Cuándo llegaste? ～부터 ～까지 한국에 계시겠습니까? ¿Desde y hasta cuándo va a estar en Corea? 일은 ～까지 계속될 것입니까? ¿Hasta cuándo durará el trabajo? 제가 ～까지 편지를 보내야 합니까? ¿Para cuándo tengo que mandar la carta? ～까지 대한민국에 있어야 합니까? ¿Para cuándo tiene usted que estar en la República de Corea? ～부터 그들은 농장을 가지고 있습니까? ¿Desde cuándo tienen ellos la granja? / ¿Cuánto hace que ellos tienen la granja? 너는 ～부터 전문가가 되었느냐? ¿Desde cuándo eres un experto? 그 신문은 ～ 것입니까? ¿De qué día es el periódico? / ¿De cuándo es el periódico? / ¿Qué fecha lleva el periódico? 사고가 ～ 일어났는지 모르겠습니다 Yo no sé cuándo ocurrió el accidente. 그 여자와 이야기한 것이 ～였느냐? ¿Cuándo fue que hablaste con ella? 다음 열차는 ～ 출발하느냐고 나는 그에게 물어보았다 Le pregunté cuándo salía el próximo tren.

② [미래] algún día, otro día, un día u otro; [근일 중에] un día de estos, uno de estos días, en un futuro cercano; [실현성이 전혀 없는] cuando la rana críe [tenga]

pelos, *ReD* la semana de tres jueves. ~ 사고가 일어날지 모르니 por si ocurre un accidente inesperadamente, como puede ocurrir un accidente en cualquier momento. ~ 찾아뵙겠습니다 Le visitaré algún día. ~ 한번 전화를 걸겠습니다 Le llamaré algún día. 다음 주에 ~ 만납시다 Nos veremos algún día de la semana que viene. ~ 또 만납시다 Nos veremos de nuevo [otra vez], si Dios quiere. ~ 조만간 여행 갑시다 Vamos a salir de viaje en un futuro no muy lejano. 넌 ~ 사고가 있을 것이다 Algún día vas a tener un accidente. ~ 서울에 오시거든 꼭 제 집에 들려 주세요 Cuando venga a Seúl, no deje de pasar por mi casa.
③ [과거의] antes, en otro tiempo, otras veces, antiguamente. ~ 우리가 만났었지요? Nos hemos visto antes, ¿verdad?
언제나 ㉮ [어느 때에나] siempre; [스물네 시간] a todas horas; [보통] ordinariamente; [평소에] usualmente, comúnmente; [습관적으로] habitualmente, como de costumbre, como siempre; [···할 때마다] siempre que, cada vez que, cuandoquiera, cuando ··· siempre, al + *inf* siempre. ~처럼 como de costumbre. ~ 그 태도로 en *su* actitud de siempre. ~ 그 방법으로 con *su* modo de siempre. 아버지께서는 ~ 후하시다 Mi padre siempre es generoso. 그는 ~ 담배를 피우고 있다 El siempre fuma. 너는 ~처럼 늦는군 Tú llegas tarde, como siempre. 그들은 거의 ~ 이긴다 Ellos casi siempre ganan. 나는 ~ 그 들보에 머리를 부딪친다 Siempre me doy con la cabeza contra esa viga. 내가 그를 만나러 가면 ~ 그는 집에 없었다 Cuando voy a verle, siempre está fuera / Siempre que [Cada vez que] voy a verle, él está fuera [se ausenta]. 그 여자는 ~ 스웨터를 입고 있다 Ella lleva siempre jersey. 그는 ~ 공부하고 있지는 않다 El no está siempre estudiando. 그 여자는 ~ 자신의 불행을 한탄하고 있다 Ella está a todas horas quejándose de su desgracia. 그는 ~보다는 덜 늦게 도착했다 El llegó menos retrasado de lo que suele / El llegó menos tarde que de costumbre. 저에게 ~ 친절을 베풀어 주신 데 대해 감사드립니다 Le estoy muy agradecido por la amabilidad que usted tiene siempre conmigo. 그 여자는 ~ 그러듯 벤치에 앉아 있다 Ella está sentada en el banco como de costumbre. ~ 만났던 그 장소에서 기다리겠습니다 Le espero a usted en el lugar de siempre. 그는 내 집에 올 때는 ~ 선물을 가지고 온다 El me trae el regalo siempre que viene a mi casa / Cuando viene [Al venir] a mi casa, él siempre me trae el regalo. ㉯ [끊임없이. 계속하여] constantemente, continuamente. ~ 변하는 세상 un mundo en constante cambio. 그는 ~ 불평만 하고 있다 El está constantemente [continuamente] quejándose.

언제든지 cuandoquiera, algún tiempo, en todo caso; [항상] siempre, siempre que + *ind* · *subj*, cada vez que + *ind* · *subj*. ~ (좋을 때) 오너라 Ven cuando quieras. ~ 좋으실 때 저를 방문해 주십시오 Visíteme cuando quiera usted. 그는 일요일에는 ~ 집에 있다 El siempre está en casa (todos) los domingos. 우리들은 일요일에는 ~ 교회에 간다 Nosotros siempre vamos a la iglesia el domingo. ~ 제 사무실에 오셔도 됩니다 Puede usted venir a mi oficina cuando quiera [a cualquier hora]. 우리는 내일 ~ 돌아올 수 있다 Siempre [En todo caso] podemos volver mañana. 나는 그 노래를 들을 때는 ~ 서반아를 생각한다 Siempre que [Cada vez que] escucho esa canción, me acuerdo de España. 네가 도움이 필요할 때는 ~ 부탁만 해라 Siempre que necesites ayuda, no tienes más que pedir.
언제인가 ㉮ [조만간] tarde o temprano. 그들은 ~ 양보하지 않으면 안 될 것이다 Tarde o temprano ellos tendrán que ceder. ~ 후회할 때가 올 것이다 Tarde o temprano te arrepentirás. ㉯ [이전(以前) 어느 때에] antes, en otro tiempo, otras veces, un día, el otro día. 우리가 ~ 본 일이 있다 Nos hemos visto antes.
언젠가 =언제인가.

언죽번죽 con atrevimiento, con (todo) descaro, descaradamente, con (la mayor) frescura, con insolencia, insolentemente.

언중(言中) en la palabra.
■ ~유골(有骨) sentido *m* implícito en comentarios, intención *f* cubierta con un velo en comentarios. ~유언 implicación *f* en la declaración directa.

언질(言質) promesa *f*, fianza *f* de palabra, palabra *f* (de honor). ~을 받다 coger [tomar · agarrar] la palabra (a), cogerse [agarrarse] a la palabra (a).
◆ 언질(을) 잡다 jurar no probar el alcohol.
◆ 언질(을) 주다 empeñar [dar] *su* palabra, prometer, soltar prenda. 그 여자는 돈을 모두 돌려주겠다는 언질을 주었다 Ella prometió devolver todo el dinero.

언짢다 estar de mal humor, estar malhumorado, tener cara de pocos amigos, sentirse mal. 언짢은 꿈 mal sueño *m*. 언짢은 날씨 mal tiempo *m*. 언짢은 소식 mala noticia *f*. 언짢이 mal. ~ 말하다 hablar mal (de). 내가 한 말을 ~ 여기지 마라 No te sientas mal lo que yo dijo.

언책(言責) ① [말로 하는 책망] reprensión *f* [censura *f*] verbal. ② [자기가 한 말에 대한 책임] responsabilidad *f* de dicción [de redacción], responsabilidad *f* por la palabra.

언청이 labihendido, -da *mf*.

언치[1] [마소의 등에 덮어 주는 방석이나 담요] almohadilla *f*.

언치[2] 【조류】 arrendajo *m*.

언탁(言託) pedido *m* verbal. ~하다 pedir

verbalmente.

언턱 ① [물건 위에 층(層)이 진 곳] parte *f* elevada. ② [언덕의 턱] cadena *f*. ~지다 estar desigual [con desniveles·lleno de baches].

언턱거리 causa *f* de disputa, excusa *f*, pretexto *m*. 아무 ~없이 sin causa alguna.

언필칭(言必稱) siempre que se abre *su* boca, siempre, por lo general, habitualmente, normalmente, invariablemente. 그는 ~ 자식 자랑이다 El nunca abre su boca sin el orgullo de su hijo 그는 ~ 옛날 자랑이다 El siempre insiste sobre la gloria de sus otros tiempos.

◆언필칭 요순(堯舜) Siempre se repite la misma palabra solamente.

언하(言下) el mismo sitio que se habla, el mismo tiempo que se acaba de decir.

언하에 sin ambages, inmediatamente, de inmediato, en el acto, sin demora, rápidamente, con prontitud, fácilmente, directamente, en una palabra. 제안을 ~ 물리치다 rechazar una propuesta rotundamente [de plano].

언해(諺解) anotación *f* [traducción *f*] coreana de los caracteres chinos, libro m que anotaron [tradujeron] los caracteres chinos en coreano.

언행(言行) dichos *mpl* y hechos, palabra(s) *f*(*pl*) y obra(s) [acciones]. ~의 불일치 desacuerdo *m* entre *sus* hechos y dichos. ~을 삼가다 tener cuidado con *sus* palabras y obras. 그는 ~에서 나를 지지했다 El me apoyó en palabra y obra.

▪~록 crónica *f* de dichos y hechos, memoria *f*, actas *fpl*. ~일치 conformidad *f* de la acción a la palabra, conformidad *f* entre las palabras y los hechos, concordancia f entre dichos y hechos.

얹다 ① [물건을 딴 물건 위에 올려놓다] poner, colocar, echar; [짐을] cargar. 선반에 ~ poner en el estante. 이마에 손을 ~ [자신의] ponerse la mano en la frente. 어깨에 손을 ~ ponerse la mano sobre [en] la frente. 지붕에 기와를 ~ tajar. 머리를~ casarse (con), contraer matrimonio. 그는 밴에 상자를 얹었다 El cargó [metió] las cajas en la camioneta. ② [돈을 덧붙이다] dar un extra. 수수료를 ~ dar una comisión. 돈을 조금 얹어 주다 dar un poco de extra.

얹은머리 pelo *m* puesto.

얹은활 arco *m* de cuerda.

얹혀살다 vivir a costa [a cuenta] (de). 당신의 아이들과 다른 얹혀사는 사람들 sus hijos y otras personas a su cargo, sus hijos y otras cargas familiares. 부모한테 ~ vivir a costa [en cuenta] de *sus* padres. 그 사람에게 얹혀사는 사람이 몇 명이나 됩니까? ¿Cuántas personas tiene él a su cargo? ☞얹히다❹

얹히다 ① [((「얹다」의 피동)) 물건이 다른 것 또는 높은 곳에서 올려 놓이다] ser puesto, ser colocado, ser cargado. 접시들이 선반에 얹혀 있다 Los platos están puestos en el estante. ② [배가 좌초하다] encallar (en). ③ [먹은 음식이 소화되지 않아서 체하다] pesar (sobre), ser pesado, ser indigesto. 돼지고기는 잘 얹힌다 La carne de cerdo es muy pesada [indigesta]. ④ [남에게 붙어서 살다] contar con *su* apoyo. 너는 그 여자에게 얹혀서 살면 된다 Tú puedes contar con su apoyo / Tú puedes contar con que te apoyará. ⑤ [((「얹다」의 사동)) 얹게 하다] hacer poner, hacer colocar, hacer cargar.

얻다[1] ① [주는 것을 받아 가지다] recibir. 형에게서 얻은 책 el libro que recibí de mi hermano. ② [구하던 것을 받거나 가지게 되다] conseguir, obtener, lograr, alcanzar, recibir, tener; [노동 따위에 의해] ganar, adquirir. 명성을 ~ conseguir la fama. 성과(成果)를 ~ lograr éxito, lograr buen resultado. 신용을 ~ obtener crédito. 원조를 ~ recibir una ayuda. 이익(利益)을 ~ conseguir [obtener] ganancias, sacar lucro [provecho] (de). 일자리를 ~ colocarse, conseguir [obtener] una colocación. 과반수를 ~ obtener la mayoría. 90점을 ~ ganar noventa puntos. 최고의 신용을 ~ gozar del más excelente crédito. 얻기가 불가능한 것을 부탁하다 pedir la Luna, pedir peras al olmo. 그는 끝내 일자리를 얻었다 El alcanzó un empleo. 고통 없이 얻은 것은 없다 ((서반아 속담)) No hay atajo sin trabajo (성공에는 첩경이 없다 / 부뚜막의 소금도 집어넣어야 짜다). ③ [보고, 읽고, 들어 자기 것으로 하다, 이해하다, 터득하다] aprender, enseñar, entender, comprender. 얻은 것이 많은 책 libro *m* que le ha enseñado mucho. 교훈(敎訓)을 ~ aprender una lección. 나는 이 책을 읽고 많은 것을 얻었다 La lectura de este libro me ha enseñado mucho. ④ [임자 없는 물건을 줍다] recoger. 길에서 얻은 모자 sombrero *m* que recogí en el camino. ⑤ [꾸거나 빌리다] tomar prestado, pedir prestado; [주택·방을] alquilar. 셋방을 ~ alquilar una habitación. 빚을 ~ contraer deudas. 아파트를 ~ alquilar un piso [un apartamento]. 집을 ~ alquilar una casa. 우리들은 독채집 [아파트]을 얻었다 Hemos alquilado una casa [un piso]. ⑥ [사람을 맞다] tomar, recibir, casarse, adoptar. 남편을 ~ casarse (con un hombre). 며느리를 ~ recibir a la nuera. 아내를 ~ casarse (con una mujer). 양자를 ~ adoptar un hijo. 그 여자는 사내를 얻었다 Ella se buscó un amante. 그는 첩을 얻었다 El mantuvo una amante. ⑦ [차지하거나 손에 넣다] ganar, sacar, apoderarse (de), conquistar. 폭리를 ~ usurear, sacar una ganancia exorbitante [excesiva]. 승리(勝利)를 ~ conquistar la victoria. ⑧ [힘 따위를 가지게 되다] ganar, tener. 힘을 ~ tener valor [coraje], alentarse, animarse, envalentonarse. ⑨ [병에

걸리다] padecer, contraer. 병을 ~ contraer [padecer] una enfermedad.

◆얻어 온 쐐기 gorrón, -rrona *mf*, gorrista *mf*, parásito, -ta *mf*, aficionado, -da *mf* a comer o divertirse a costa ajena.

얻다² ((준말)) =어디에다(¿Dónde?. ¶내 책을 ~ 두었니? ¿Dónde pusiste mi libro? 그런 사람을 ~ 쓰겠나? ¿Para qué se sirve tal persona?

얻다가 ((준말)) =어디에다가(¿dónde?). ¶~ 갖다 버렸니 ¿Dónde lo tiraste?

얻어걸리다 llegar a encontrar. 일자리가 ~ llegar a encontrar [conseguir finalmente] un empleo, llegar a colocarse en un puesto. 음식이 ~ encontrar por fin algo que comer.

얻어듣다 oír de los demás, conocer de segunda mano. 그는 항상 다른 사람한테서 얻어들은 말만 한다 El habla siempre de segunda mano / El no repite sino lo que ha oído de los demás.

◆얻어들은 풍월 conocimiento *m* conseguido indirectamente [fingido · de segunda mano].

얻어맞다 recibir un golpe. 얻어맞음 golpe *m*. 해머로 얻어맞음 golpe *m* con un martillo, martillazo *m*. 머리를 한 차례 ~ recibir un golpe en la cabeza. 나는 뺨을 얻어맞았다 Me dieron [pegaron] una bofetada.

얻어먹다 ① [남의 음식을 공으로 먹거나 빌어서 먹다] pedir limosna, vivir de limosna, vivir de la mendicidad, mendigar. ② [욕설을 당하다] difamarse, calumniarse, hablarse mal (de). 나는 심하게 욕을 얻어먹었다 Me reprendieron severamente / Me echaron una buena regañina.

얼¹ ① [밖에서 들어난 흠] rasguño *m*, arañazo *m*; [과일 · 식물의] magulladura *f*, *Méj*, *Ven* mallugadura *f*, *CoS* machucón *m* (*pl* machucones); [금. 균열] raja *f*, rajadura *f*, grieta *f*; [골절(骨折)] fractura *f*, rotura *f*. ~이 있는 [멍의] con moretones, con cardenales; [컵 · 잔의] rajado; [갈빗대의] fracturado; [벽 · 천장의] con grietas, resquebrajado; [입술의] partido, agrietado; [피부의] agrietado; [배 · 복숭아의] magullado, *Méj*, *Ven* mallugado, *CoS* machucado. ~이 생기다 agrietarse. ② ((준말)) = 언걸.

얼² [정신. 넋] espíritu *m*; [혼(魂)] el alma *f*; [의지(意志)] voluntad *f*. 민족(民族)의 ~ espíritu *m* del pueblo. 한국의 ~ espíritu *m* de Corea. 애국(愛國)의 ~ espíritu *m* patriótico, patriotismo *m*. ~빠진 abstraído, aturdido, distraído. ~이 빠져 fuera de sí, con expresión ausente, distraídamente, en las nubes. 술을 마셔 ~이 빠진 aturdido por el alcohol. 수면(睡眠) 부족으로 ~이 빠진 aturdido por la falta de sueño. ~이 빠지게 하다 aturdir. ~이 빠져 있다 estar en las nubes. 그는 그 소식에 ~이 빠졌다 La noticia lo dejó aturdido. 모든 것이 매우 빨리 일어나서 나는 완전히 ~이 빠졌다 Todo pasó tan rápido que quedé totalmente aturdido.

얼- ① [명사 앞에 붙어서 「덜된」 「똑똑하지 못한」의 뜻] estúpido, poco inteligente. ~뜨기 persona *f* estúpida; tonto, -ta *mf*, imbécil *mf*. ② [동사 앞에 붙어서 「여러 가지가 뒤섞여」 「분명하지 못하게」의 뜻] mezclado por muchas cosas, oscuro. ~버무리다 hablar con evasivas, hablar con subterfugio, usar equívocos.

얼-(孼) =서-(庶).

얼간 ① [소금에 조금 절이는 간] saladura *f* ligera, poca saladura *f*. ~하다 salar ligeramente [levemente · un poco], poner [echar] un poco de sal. ~한 salado ligeramente. ~한 고기 carne *f* ligeramente salada. ~한 생선 pescado *m* ligeramente salado. 고기[생선]를 ~하다 salar carne [pescado] un poco, echar carne [pescado] ligeramente. ② ((준말)) =얼간망둥이. ③ ((준말)) =얼간이.

▪~ 고등어 caballa *f* legeramente salada. ~구이 asado *m* salado a la parilla. ~망둥이 simplón (*pl* simplones), -plona *mf*, bobo, -ba *mf*, persona *f* indecisiva. ~쌈 cogollo *m* de repollo salado para comer en el invierno. ~이 idiota *mf*, tonto, -ta *mf*, bobo, -ba *mf*, persona *f* estúpida. ¶~ 같은 estúpido, tonto, bobo, necio, imbécil, idiota. ~ 얼굴을 하고 con un semblante estúpido. ~ 같으니라구! ¡Qué tonto [estúpido]! 이 ~이야! ¡Este tonto [idiota · estúpido]! ~ 같은 놈이다 Es torpe [bobo]. ~ 짓 tontería *f*, patochada *f*, patinazo *m*, coladura *f*. ¶~을 하다 hacer una tontería, meter la pata, hacer una patochada, tirarse la plancha, colarse.

얼갈이 ① [겨울에 논밭을 대강 갈아엎는 일] arado *m* del invierno. ~하다 arar la tierra en el invierno. ② [푸성귀를 겨울에 심는 일. 또, 그 푸성귀] plantación *f* de las verduras en el invierno, verduras *fpl* que plantan en el invierno. ~하다 plantar las verduras en el invierno.

얼개 =짜임새. 구조(構造).

얼거리 esbozo *m*, bosquejo *m*, resumen *m*, esquema *m*, estructura *f* general..

◆얼거리(를) 잡다 esbozar, explicar resumidamente, dar una idea general (de).

얼결 ((준말)) =얼떨결.

얼굴 ① [눈 · 코 · 입 등이 있는 머리의 앞면] cara *f*, rostro *m*, faz *f* (*pl* faces). 둥근 ~ cara *f* ovalada. 못생긴 ~ cara *f* fea, rostro *m* feo. 포동포동한 ~ cara *f* rolliza. ~을 맞대고 cara a cara. ~을 들고 boca arriba. ~을 숙이고 boca abajo. ~을 붉히다 ruborizarse, sonrojarse, ponerse colorado, ponerse rojo. ~을 붉히고 en bochorno, con rubor. 어린아이의 ~을 한 예쁜 소녀 una bella muchacha de rostro infantil. ~을 바라보다 mirar a *uno* en la cara, fijar los ojos en la cara de *uno*. ~을 씻다 lavarse la cara. ~을 씻어 주다 lavar la cara. ~을 때리다 cruzar la cara. ~을 숨기다 guardar la cara. ~ 표정에 나타나다 salir a la cara. ~을 서로 쳐다보다 mirarse (uno a otro). ~을 마주 대하다 enfrentarse (con), encontrarse (con), hacer rostro. ~을 알고 있다 conocer a *uno* de vista. 손으로 ~을 가리다 cubrirse [taparse] la cara con las manos. 싫은 ~을 하다 poner mala cara. 거만스런 ~을 하다 tomar un aire orgulloso, darse importancia, ser insolente. ~로는 웃고 마음으로는 울다 reir por fuera y llorar por dentro. …에서 ~을 돌리다 apartar la vista de *algo*. 영화[연극]에서 ~을 함께 하다 salir juntos en una película [en una función de teatro]. 그 여자는 ~이 둥글다 Ella tiene la cara redonda / Ella tiene cara de pan. 그의 얼굴은 길다 El tiene la cara larga. 두 사람은 서로의 ~을 바라보았다 Los dos se miraron a la cara. 그의 ~에는 흉터로 가득 차 있었다 El tenía la cara llena de cicatrices. 그 여자의 ~은 갸름하다 Ella tiene la cara delgada. 나는 어머님의 ~을 기억하고 있다 Me acuerdo de la cara de mi madre. 그 ~은 낯이 익다 Esa cara me suena. 그의 ~은 알고 있다 Le encuentro cara conocida. 잠시만 ~을 빌리자 Te necesito un momento. 형제가 모두 ~을 맞댄다 Se reúnen todos los hermanos. 이제 모두의 ~이 보인다 Ya estamos todos presentes. 그는 벽 쪽으로 ~을 돌렸다 El se puso de cara a la pared. 나는 부끄러워 ~이 화끈거리는 것을 느꼈다 Sentí que me ardía la cara de vergüenza. 그는 만족한 듯한 ~을 하고 있다 El parece estar alegre / El tiene cara de contento. 그는 불만스런 ~을 하고 있다 El parece estar descontento / El tiene cara de descontento. 나는 무척이나 화가 치밀었으나 ~에는 나타내지 않았다 Me enfadé mucho, pero lo disimulé. 그 사람과는 오래전부터 ~이 익은 사이다 El y yo somos conocidos [Nos conocimos] desde hace mucho tiempo. 그 여자의 ~이 기쁨으로 활짝 피었다 Se le alegraron a ella las facciones / A ella se le alegró la cara. 너에게 말할 때는 내 ~을 쳐다보아라 Mírame a la cara cuando te hablo.

② [얼굴의 생긴 모양. 용모] facciones *fpl*, fisonomía *f*. ~이 고운 bien parecido, de buen parecer. 그는 ~이 단정하다 El tiene facciones perfectas [correctas]. 그는 ~이 아버지를 꼭 닮았다 El tiene todas las facciones de su padre.

③ [남에게 잘 알려짐으로써 얻은 신용이나 평판. 또 체면] honor *m*, prestigio *m*. 두 ~을 가진 de dos caras, hipócrita. ~을 깎다 desprestigiar, deshonrar. ~을 세우다 salvar el honor (de). 이렇게 해서 내 ~이 섰다 Así se salvó mi prestigio. 좋은 ~보다 좋은 평판이 더 낫다 ((서반아 속담)) Más vale buena fama que buena cara.

④ [(감정을 나타내는 부분으로서의) 표정(表情)] semblante *m*, expresión *f*, aspecto *m*, gesto *m*, cara *f*. 쓸쓸한 ~ semblante *m* triste. 불쾌한 ~을 하다 poner cara de desagrado. 그는 엄한 ~을 하고 있다 El tiene la cara severa. 그는 좋은 ~을 하고 있다 Su semblante respira bravura. 그 여자는 ~이 환해졌다 A ella se le iluminó la cara [el rostro · el semblante].

⑤ [(사람들에게 잘 알려진 부분으로서의) 안면(顔面)] conocimiento *m*. ~이 넓다 ser popular. ~이 알려져 잘 통하다 tener influencia, ser influente. ~이 잘 알려져 극장에 들어가다 entrar en el teatro valiéndose de *su* influencia.

⑥ [(물건의) 눈에 잘 띄는 부분 · 표면] superficie *f*, aspecto *m*, apariencia *f*.

⑦ [어떤 분야에 활약하는 사람] personaje *m*, persona *f*. 낯모르는 ~ personaje *m* desconocido, persona *f* desconocida.

◆얼굴을 깎다 desprestigiar, deshonrar, hacer perder el prestigio.

◆얼굴을 내밀다 ㉮ [모습을 나타내다] presentarse, asomarse, aparecer, hacerse ver. 사무실에 ~ presentarse en la oficina. 창으로 ~ asomarse a la ventana. 나는 A씨 집에 잠깐 얼굴을 내밀겠다 Voy a asomarse a [pasar un momento por] la casa del señor A. ㉯ [남을 찾아가 보다] visitar. ㉰ [모임에 출석하다] asistir [participar] (a la reunión).

◆얼굴(이) 깎이다 desprestigiarse, deshonrarse.

◆얼굴(이) 두껍다 (ser) descarado, desvergonzado, sinvergüenza, impudente, fresco. 넌 얼굴이 두꺼운 놈이야 ¡Qué cara más dura tienes!

◆얼굴이 뜨겁다 (estar) avergonzado, vergonzoso, bochornoso, dar*le* vergüenza. 얼굴이 뜨겁게 de manera vergonzosa, vergonzosamente. 얼굴이 뜨거운 사실 la ignominiosa verdad. 그 집은 얼굴이 뜨거운 곳에 있었다 La casa estaba hecha una vergüenza. 그 여자는 자기가 한 일에 대해 얼굴이 뜨거웠다 Ella estaba avergonzada de lo que había hecho. 나는 그것을 인정하기는 얼굴이 뜨겁지만 사실이다 Me da vergüenza reconocerlo, pero es cierto.

◆얼굴이 반반하다 ser bien parecido, ser de buen parecer. 그는 ~ El tiene facciones perfectas [correctas].

◆얼굴이 팔리다 ser bien conocido.

▪~ 사진 fotografía *f* de la cara [del rostro].

얼굴빛 [안색(顔色)] tez *f*, [표정] cara *f*, rostro *m*, semblante *m*, expresión *f*, aspecto *m*. 어두운 ~ tez *f* oscura. 밝은 ~ tez *f* clara. ~이 좋다 tener buena cara, tener buen aspecto. ~이 나쁘다 tener mala cara, tener mal aspecto. ~이 병색이다 tener cara de enfermo. ~으로 알다 leer en la cara (de), adivinar por la cara (de). ~을 걱정하다 preocuparse por el estado de ánimo (de). 그 여자는 사고 소식에 접

하자 ~이 변했다 Ella se puso pálida al oir la noticia del accidente. 그는 일그러진 ~을 하고 들어왔다 Ella entró con el rostro demudado.
◆얼굴빛을 바로잡다 =정색(正色)하다.
◆얼굴빛이 변(變)하다 cambiar [mudar] de color.

얼굴색(-色) =얼굴빛.

얼근덜근 achispadamente.
얼근덜근하다 estar achispado.

얼근하다 ① [조금 매워서 입안이 얼얼하다] estar un poco picante. ② [술이 거나하여 정신이 어릿하다] estar medio borracho, estar un poco ebrio [borracho · embriagudo].
얼근히 con ebriedad, con embriaguez, con borrachez. 그는 ~ 취해 있다 El está entre Pinto y Valdemoro.

얼금뱅이 persona *f* picada de viruelas.

얼금숨숨 con picadura de pocas viruelas.

얼기설기 con enredo, en desorden completo, intrincadamente. ~ 얽힌 enredado, complicado, intrincado. ~ 얽힌 사건 asunto *m* enredado.

얼김 confusión *f*, agitación *f*, ajetreo *m*, bullicio *m*, ajetreo y bullicio.
얼김에 en confusión, sin pensarlo, de improviso, del momento. 그것은 ~ 한 결정이었다 Fue una decisión del momento / Lo decidí sin pensarlo / Lo decidí de improviso.

얼넘기다 chapucear, escatimar, cicatear, mezquinar.

얼넘어가다 =얼넘기다.

얼다 ① [찬 기운을 만나 응결하다] helar(se), congelarse, entumecerse de frío. 언 helado, congelado. 언 손가락 dedos *mpl* helados. 몸이 얼 것 같은 찬바람 viento *m* que hiela, viento *m* frío que entumece el cuerpo. 얼어 죽다 morir congelado. 꽁꽁 ~ helarse [congelarse] completamente [por completo]. 물이 얼었다 El agua está helada. 연못이 얼었다 Se ha helado el estanque. 나는 얼어 죽겠다 ¡Estoy helado! / Me estoy muriendo de frío! 나는 손이 얼었다 Tengo las manos heladas. 나는 발이 얼었다 [현재 얼어 있다] Tengo los pies helados / [과거에 얼었다] Se me helaron [congelaron] los pies. 얼 것 같은 추위다 Hace un frío que hiela. 나는 추위로 얼었다 Me hielo de frío / Hace un frío que pela / Hace frío que me hiela. 내 피가 얼었다 Se me heló [Se me congeló] la sangre en las venas. 그의 발가락이 얼었다 Se le congelaron los dedos de los pies. 지면(地面)이 추위로 딱딱하게 얼어 있다 El suelo está duramente helado con el frío. 바람막이 유리가 얼었다 El parabrisas estaba cubierto de hielo. 어젯밤에는 얼음이 얼었다 Anoche heló. 호수와 연못이 얼었다 Se helaron los lagos y los estanques. 오늘 아침에 얼음이 얼었다 He helado esta mañana. 날씨가 몹시 추울 때는 기름이 언다 Se hiela el aceite cuando hace mucho frío. 얼어 죽겠으니 창문을 닫아라 Cierra la ventana, que me estoy helando. 얼어 죽겠으니 난방을 하세요 Enciende la estufa que me estoy congelado. ② ((속어)) [남의 위압으로 기가 죽다] turbarse, ponerse nervio, perder la compostura, perder la tranquilidad. 그는 시험에서 얼어서 쩔쩔맸다 El perdió la tranquilidad en el examen / El se puso nervioso en el examen. ③ ((속어)) [술에 취하다] embriagarse.

얼더듬다 hablar ambiguamente.

얼떨결 confusión *f* del momento, perplejidad *f*, desconcierto *m*.
얼떨결에 en el momento de confusión, por descuido. 나는 ~에 사기당했다 Me he dejado engañar por descuido / Pasé inadvertido el engaño. 그 아이는 ~ 주변을 둘러보았다 El niño miraba perplejo a su alrededor.

얼떨떨하다 estar desconcertado [perplejo · de desconcierto · de perplejidad], estar [quedarse] perplejo [confuso · aturdido], quedar [estar] pasmado [atónito], turbarse, desorientarse, desconcertarse. 얼떨떨해 en confusión, de manera confusa, confusamente, con turbación. 얼떨떨한 표정 expresión *f* desconceratada [perpleja]. 얼떨떨해지다 confundirse. 얼떨떨하게 하다 confundir, desconcertar. 어떻게 대답할 지 ~ no saber qué responder. 나는 ~ Estoy perplejo [desconcertado]. 나는 아직도 약간 ~ Todavía estoy un poco confundido. 너는 얼떨떨해 보인다 Tú tienes cara de no entender [de estar confundido]. 그는 새로운 일에 얼떨떨해 한다 El está desorientado con [en] su nuevo trabajo.

얼떨하다 ① [뜻밖의 일을 갑자기 당하거나 복잡하여 정신을 못 차리다] estar perplejo [desconcertado]. ☞얼떨떨하다. ② [머리를 부딪쳐 골이 울리고 아프다] estar mareado, zumbar, dar vueltas. 나는 머리가 ~ Me duele la cabeza. 나는 귀가 얼떨했다 Me zumbaban los oídos. 나는 기억해야 할 모든 숫자 때문에 머리가 얼떨떨했다 La cabeza me daba vueltas con todos los números que me tenía que aprender.

얼뜨기 persona *f* estúpida; tonto, -ta *mf*, imbécil *mf*.

얼뜨다 (ser) estúpido, tonto, bobo, torpe, idiota.

얼락녹을락 ① [얼 듯 말 듯, 얼었다 녹았다 하는 모양] helándose y derritiéndose sucesivamente, ahora helándose y luego derritiéndose. 금년 겨울에는 얼음이 ~하여 스케이팅의 재미를 볼 수 없었다 Nosotros no pudimos gozar [disfrutar] del patinaje sobre hielo porque estaba helado y derretido sucesivamente. ② [남을 다잡았다 늦추었다 하며 놀리는 모양] seduciendo. 그는 ~ 여러 해를 두고 그 여자를 농락했다 El la había seducido por muchos años.

얼락배락 fluctuando, oscilando.

얼러기 animal *m* con manchas, animal *m* pintado.

얼러맞추다 halagar, dar*le* coba a *uno*, seguir*le* la corriente a *uno*.

얼러먹다 comer juntos, compartir.

얼러방치다 hacer más de dos trabajos seguidos [al mismo tiempo · simultáneamente · sin parar].

얼러붙다 forcejar (con), luchar (con), lidiar (con). 얼러붙어 싸우다 luchar cuerpo a cuerpo. 그들은 얼러붙어 싸웠다 Ellos luchaban cuerpo a cuerpo.

얼러치다 ① [둘 이상의 것을 한꺼번에 때리다] golpear dos o más al mismo tiempo. ② [둘 이상의 물건 값을 합산하다] contar dos cosas o más de una vez.

얼럭 mancha *f*; [잉크의] borrón *m*, manchón *m*. 피의 ~ mancha *f* de sangre.

얼럭광대 juglar, -resa *mf* regular, artista *mf* regular; actor, -triz *mf* regular.

얼럭덜럭 con manchas. ~하다 estar manchado (de).

얼럭말 caballo *m* con manchas, caballo *m* pintado.

얼럭소 vaca *f* pintada.

얼럭지다 estar manchado (de).

얼럭집 casa *f* construida en el estilo mixto.

얼렁거리다 halagar, adular.
얼렁얼렁 halagando, adulando, con halagos.

얼렁뚱땅 astutamente, con astucia, con trampa, con ardid, con halagos. ~ 빼앗다 sonsacar. 일을 ~ 해치우다 hacer un trabajo chapucero. 그 여자는 남편한테서 ~ 돈을 빼앗았다 Ella le sonsacó dinero a su esposo / Ella le cameló a su esposo para que le diera el dinero.
얼렁뚱땅하다 desconcertar, dejar perplejo, aturdir, ofuscar, portarse [comportarse] evasivamente, ridiculizar, burlarse (de), mofar, escarnecer. 얼렁뚱땅하여 돈을 빼앗다 sonsacar dinero.

얼렁장사 negocio *m* conjunto, sociedad *f* (colectiva).

얼레 carrete *m*, carretel *m*, bobina *f*. 실의 ~ carrete *m* [bobina *f*, *RPl* carretel *m*] de hilo. ~에 감다 ovillar [devanar] en el carrete. ~에서 실을 풀다 desovillar del carrete.

얼레빗 peine *m* basto.

얼레살풀다 empezar a gastar *su* fortuna, disipar [dilapidar] *su* fortuna.

얼레짓가루 fécula *f* de patata.

얼루기 ① [얼룩얼룩한 점] mancha *f*. ② [얼룩진 짐승] animal *m* con manchas.

얼룩 [오점] mancha *f*; [반점] mancha *f*, mácula *f*, borrón *m*, manchón *m*, lunar *m*, pintarrajo *m*. ~이 지다 mancharse. ~지게 하다 manchar, salpicar de manchas. ~진 manchado, moteado. …에 ~을 만들다 manchar *algo*, salpicar *algo* de manchas. …의 ~을 빼다 quitar [borrar] las manchas a *algo*, *AmS* desmanchar *algo*. ~ 빼는 약 quitamanchas *m.sing.pl*. 옷에 잉크로 ~을 만들다 manchar el traje con tinta. 그 ~은 벤젠으로 쉽게 지워진다 Esa mancha se puede quitar fácilmente con bencina.

얼룩덜룩하다 (ser) de [a] lunares [motas], *Col*, *Ven* de pepas. 얼룩덜룩한 모양의 rayado con múltiples colores. 흑백으로 얼룩덜룩한 개 perro *m* blanco moteado de negro, perro *m* blanco con manchas negras.

얼룩말 【동물】 cebra *f*.

얼룩무늬 raya *f* con múltiples colores.

얼룩소 vaca *f* pintada.

얼룩얼룩하다 (ser) abigarrado, multicolor, de [a] lunares [motas], *Col*, *Ven* de pepas. 얼룩얼룩한 개 perro *m* con manchas. 얼룩얼룩한 소 vaca *f* pintada. 얼룩덜룩한 옷 ropa *f* abigarrada.

얼룩점(一點) mancha *f*.

얼룩지다 estar manchado (de). 얼룩진 manchado, salpicado. 땀으로 얼룩진 manchado de sudor. 잉크로 얼룩진 manchado de tinta. 많이 얼룩진 탁상보 mantel *m* muy manchado. 그의 넥타이는 피로 얼룩졌다 El tenía la corbata manchada [salpicada] de sangre.

얼룽이 ① [동물] animal *m* de lunares. ② [점(點)] mancha *f*.

얼룽지다 haber figuras manchadas.

얼른 rápidamente, rápido, deprisa, pronto, enseguida, en seguida, sin demora, con prontitud, con toda prontitud, a toda prisa, apesuradamente, inmediatamente, de inmediato. ~ 읽다 leer rápido. ~ 해라 Date prisa / Apresúrate / Ten prisa / *AmL* Apúrate. ~ 대답해라 Contesta rápidamente. ~ 일해라 Trabaja rápidamente [con rapidez]. 그 일을 되도록 ~ 하겠다 Lo haré lo más pronto que pueda / Lo haré cuanto antes.

얼른거리다 =어른거리다.

얼리다[1] ((준말)) =어울리다.

얼리다[2] [((「얼다」의 사동)) 얼게 하다] helar; [냉동(冷凍)하다] congelar, refrigerar. 얼린 쇠고기 carne *f* de vaca congelada. 얼린 채소 verduras *fpl* [legumbres *fpl*] congeladas. 생선을 얼리다 congelar el pescado.

얼마 ① [양] ¿cuánto? / ¿cómo? / ¿qué precio? 이것은 ~입니까? ¿Cuánto cuesta [vale · es] esto? / ¿A cómo es esto? / ¿Qué precio tiene esto? 이 모자는 ~입니까? ¿Cuánto cuesta [vale · es] este sombrero? / ¿A cómo es este sombrero? 쇠고기는 1킬로에 ~입니까? ¿Cuánto cuesta la carne de vaca el kilo? 이것을 ~에 팝니까? ¿A cómo se vende esto? 이것을 나에게 ~에 팔겠습니까? ¿En [A] qué precio me vende esto? 전부 ~입니까? ¿Cuánto vale [cuesta · es] todo? ~ 전부터 이곳에 사십니까? ¿Cuánto tiempo hace que vive usted aquí? ~ 정도의 넥타이를 원하십니까? ¿De qué precio más o menos quiere usted la corbata? 요금(料金)은 ~입니까?

¿Cuánto es la tarifa? ② [밝혀 말할 필요가 없는 수량·값·정도 따위를 나타내는 말] algo, un poco, una parte, una porción. ~ 안 되다 no ser mucho. ~ 안 가서 poco (tiempo) después. ~ …이 아니다 poco, no … mucho. 그는 재산의 ~를 동생과 나누었다 El dividió parte de la hacienda con su hermano. 나는 가지고 있던 돈 중에서 ~를 기부했다 Contribuí con algo del dinero que llevaba conmigo. 그는 ~ 안 가서 죽었다 El murió poco tiempo después. 내 장서는 ~ 되지 않는다 No tengo muchos libros. 이 기계의 전기료는 ~ 되지 않는다 Es insignificante el coste de la electricidad para esta máquina / Esta máquina apenas gasta electricidad. 돈은 이제 ~ 남지 않았다 Ya no me queda mucho dinero. 역까지 ~ 남지 않았다 Estamos no muy lejos de la estación / La estación no está lejos. 발차(發車)까지는 ~ 남지 않았다 Falta poco para la salida del tren. 두 사람은 결혼한 지 ~ 되지 않았다 Hace poco que los dos se casaron. 그 유적을 방문한 사람은 ~ 되지 않는다 Son pocos los que han visitado las ruinas. 나는 결혼한 지 ~ 안 되었다 Hace poco que estoy casado / Hace poco que me casé. 시험까지는 ~ 남지 않았다 Faltan pocos días para el examen.

얼마간(一間) [수] algunos, -nas; [양] un poco de. ~의 돈 algún dinero, un poco de dinero. 일만 ~의 돈 un poco más de diez mil wones. 사과를 ~ 사거라만 너무 많이는 사지 마라 Compra algunas manzanas, pero no demasiadas. 나는 고기를 ~ 좋아하지만 지나치게 좋아하지는 않는다 Yo quisiera un poco de carne, pero no demasiada.

얼마나 ① [의문(疑問)] ¿cuántos?, ¿cuántas? (수); ¿cuánto? (양); ¿cuánto tiempo? (시간); cuánto (금액). 책이 ~ 있습니까? ¿Cuántos libros tiene usted? 돈은 ~ 필요합니까? ¿Cuánto dinero necesita usted? 여기서 역(驛)까지는 ~ 됩니까? ¿Cuánto [Qué distancia] hay desde [de] aquí hasta [a] la estación? 백두산의 높이는 ~ 됩니까? ¿Cuántos metros de altura tiene el monte *Baekdu*? 그것은 ~ 큽니까? ¿Qué tamaño tiene eso? 비용이 ~ 듭니까? ¿Cuánto cuesta? 시간이 ~ 걸립니까? ¿Cuánto (tiempo) se tarda? 시간이 ~ 걸릴지 모른다 No se sabe cuánto se tarda. 출발까지는 ~ 남았습니까? – 아직 10분 남았습니다 ¿Cuánto falta para la partida? – Todavía faltan diez minutos. 한국에 오신지 ~ 되십니까? ¿Cuánto tiempo hace que lleva usted en Corea? 하물의 무게는 ~ 됩니까? ¿Cuánto tiempo pesa el equipaje? 다리의 길이는 ~ 됩니까? ¿Cuánto mide [tiene de largo] el puente? / ¿Qué largura tiene el puente?
② [여북] ¡qué!, ¡cuánto!, ¡cómo!, qué punto. ~ 아름다운 경치냐 ¡Qué hermoso es el paisaje! 이 ~ 좋은 날씨인가 ¡Qué buen tiempo hace! 당신을 만나뵙게 되니 ~ 기쁜지 모르겠다 ¡Cuánto me alegro de verle a usted! 내가 얼마나 고통스러운지 아무도 모른다 Nadie sabe cuánto sufro [lo mucho que padezco·hasta qué punto padezco].

얼마든지 como quiera, cuanto quiera, todo lo que quiera, cualquier(a), tanto … como [cuanto], todo, sin cesar. ~ (모두라도) 드리겠습니다 Le doy cuanto [todo lo que] usted quiera. ~ (말하는 값으로) 그것을 사겠다 Lo compraré a cualquier precio (que me ofrezca). ~ (네가 원하는 만큼) 돈을 지불하겠다 Te pagaré tanto dinero como [cuanto] quieras. ~ (네가 필요한 만큼) 돈을 빌려 주겠다 Te prestaré tanto dinero como [cuanto] necesites / Te prestaré todo el dinero que necesites. 바람만 불면 요트는 ~ (무한히) 계속 간다 Con tal que haga el viento, el velero avanza sin cesar.

얼마르다 secarse poco a poco helandose.

얼마만큼 ① =얼마나. ② [정도] algo, un poco, una parte, una porción. 경기가 ~ 호전되어 가고 있다 Los negocios van algo [un poco] mejor. 나는 재산의 ~을 동생과 나누었다 Dividí parte de la hacienda con mi hermano. 그는 가지고 있던 돈의 ~을 기부했다 El contribuyó con algo del dinero que llevaba consigo.

얼마쯤 =얼마큼.

얼마큼 ((준말)) =얼마만큼.

얼맞다 no faltar.

얼먹다 quedar atónito de sorpresa.

얼멍덜멍하다 (estar) lleno de grumos, grumoso, desigual, con desniveles, lleno de baches.

얼밋얼밋 vacilantemente, titubeantemente, tambaleantemente. ~ 말하다 titubear, balbucear, farfullar. 그 여자는 ~ 문으로 가까이 갔다 Vacilante, ella se fue acercando a la puerta. 「나는 그렇게 생각한다」라고 그는 ~ 대답했다 Supongo – replicó, no muy convecido. 마지막 움직임을 ~ 시작한다 El último movimiento empieza con ciertas vacilaciones. 그는 ~하다 보니 불량배 틈에 끌려들었다 El se fue pegando a la banda de pilluelos hasta que se hizo uno de ellos.
얼밋얼밋하다 vacilar, titubear, (ser) vacilante, titubeante. 얼밋얼밋하지 않고 sin vacilar, sin titubear, sin vacilación. 천천히 말하려고 애써라 그러나 얼밋얼밋하지 마라 Trata de hablar despacio, pero sin vacilar [sin titubear]. 사무실에 들어가기 전에 나는 얼밋얼밋했다 Yo dudé [vacilé] antes de entrar en la oficina. 문제가 있으면 얼밋얼밋하지 말고 물어보아라 Si tienes algún problema, no dejes de preguntar. 더 필요하면 얼밋얼밋하지 말고 나한테 부탁해라 Si necesitas más, pídemelo con toda confianza.

얼바람둥이 persona *f* loca; chiflado, -da *mf*, chalado, -da *mf*.

얼바람맞다 portarse [comportarse] ridículamente [absurdamente]
◆얼바람맞은 놈 persona *f* absurda.

얼버무리다 ① [뒷말을 섞어 분명하지 않게 하다] equivar, eludir, soslayar, sortear, sisimular, obscurecer, valerse de subterfugios, hablar con evasivas, hablar con subterfugio, usar equívocos, usar paliativos, hablar ambiguamente, arreglárselas. 대답을 ~ responder [contestar] ambiguamente. 말끝을 ~ hablar ambiguamente, hablar de una manera vaga, andar con rodeos. 질문을 ~ esquivar [eludir] una pregunta. 말을 다른 데로 ~ esquivar el argumento mencionando otra cosa, soslayar el problema refiriéndose a otra cosa. ② [잘 씹지 않고 삼키다] tragar sin mascar bien, tragar rápidamente. ③ [여러 가지를 대충 섞어 버무리다] mezclar, combinar. 음식을 잘 ~ combinar bien la comida. 밀가루와 달걀을 ~ mezclar la harina con los huevos.

얼보다 ① [바로 보지 못하다] no poder ver incorrectamente. ② [분명하게 보지 못하다] no poder ver claro [con claridad].

얼보이다 ① [바로 보이지 않다] no poder verse incorrectamente. ② [분명하게 보이지 않다] no poder verse claro [con claridad], verse vagamente.

얼부풀다 hincharse helándose.

얼빠지다 estar loco, estar fuera de juicio, hacerse el [la] inocente, hacerse el tonto [la tonta], disimularse, fingir ignorancia. 얼빠진 사람 atolondrado, -da *mf*. 얼빠진 짓을 하다 meter la pata, tirarse una plancha. 그는 얼빠진 얼굴을 하고 있다 El tiene cara de bobo. 그는 그 여자한테 얼빠져 있다 El está loco [cautivado] por ella.

얼빼다 cautivar, encantar, atraer, captar, fascinar, seducir. 그 여자는 나를 얼뺐다 Esa mujer me ha seducido. 그 그림은 나를 얼뺀다 Me encanto ese cuedro. 그는 붙임성으로 모든 사람을 얼뺐다 El seduce a todos con su simpatía.

얼빰붙이다 dar una bofetada por descuido.

얼싸 ¡Bravo! / ¡Viva! / ¡Hurra! ~ 우리가 이겼다! ¡Viva [Hurra], hemos ganado!

얼싸안다 abrazar, dar un brazo (a), estrechar en *sus* brazos. 서로 ~ abrazarse (uno a otro). 목을 ~ echar*le* los brazos al cuello a *uno*. 나는 내 아내를 얼싸안고 달렸다 Corrí a estrecharla a mi esposa en [entre] mis brazos / Corrí a abrazarla a mi esposa. 두 사람은 얼싸안고 기뻐했다 Los dos se abrazaron con alborozo. 어머니는 기뻐서 나를 얼싸안았다 Mi madre me abrazó de alegría. 나는 그 여자의 목을 얼싸안았다 Yo le eché los brazos al cuello. 그들은 서로 얼싸안고 걸었다 Ellos iban abrazados.

얼쑹덜쑹하다 (ser) variopinto, heterogéneo, mezclado, variado, confuso.

얼씨구 ① [흥겨워 떠들 때에 장단을 가볍게 맞추며 내는 소리] ¡Hurra! / ¡Viva! / ¡Vaya! / ¡Yupi! / ¡Qué placer! / ¡Qué alegría! ~ 좋다 ¡Qué bueno! / ¡Yupi! ② [보기에 눈꼴사나울 때에 조롱으로 하는 소리] ¡Caramba! / ¡Coño!

얼씨구나 =얼씨구❶.

얼씬 apareciendo un rato.
◆얼씬 못 하다 no atreverse a aparecer ni un rato en *su* presencia. 그는 다시는 내 집에 얼씬 못 할 것이다 El no se atreverá a entrar en mi casa otra vez.
◆얼신 아니 하다 no aparecer ni un rato.

얼씬거리다 ① [눈앞에 자꾸 나타나다] aparecer frecuentemente en *su* presencia. ② =얼렁거리다.
얼씬얼씬 apareciendo frecuentemente en *su* presencia.

얼씬없다 no atreverse a aparecer ni un rato otra vez.
얼씬없이 sin aparecer ni un rato otra vez.

얼씬하다 aparecer un rato. 얼씬하지 않다 no aparecer nunca.

얼어붙다 ① [단단히 얼다] helarse completamente. 연못에 얼음이 얼어붙었다 El lago se heló completamente. ② [긴장·무서움 따위로] poner en tensión. 얼어붙어 있다 tener tenso. 마음을 얼어붙게 하다 poner el espíritu en tensión. 마음이 얼어붙어 있다 tener tenso el espíritu. 그때까지 얼어붙었던 마음이 일시에 풀렸다 El ánimo, tenso hasta entonces, se relajó en un instante.

얼얼하다 ① [(맛이 맵거나 독하여) 혀끝이 몹시 아리다] (estar) picante, salpimentado. 얼얼한 맛 sabor *m* picante. 혀가 ~ Me pica la lengua / Me resquema la lengua. ② [(햇볕에 너무 쬐어서) 살갗이 좀 아프다] picar. 햇볕에 탄 등이 ~ Me pica la espalda tostada por el sol. ③ [(상처 같은 데가) 몹시 아리다] escocer. 얼얼한 통증(痛症) escozor *m*, dolor *m* que escuece. 상처가 ~ Me escuece la herida. ④ [(술이 취하여) 정신이 어리숭하다] estar vago, estar confuso.

얼없다 (ser) correcto, cierto, exacto.
얼없이 correctamente, exactamente.

얼요기(-療飢) mitigación *f* del hambre que no es bastante. ~하다 no mitigar el hambre bastante.

얼음 hielo *m*. ~이 얼다 helarse. ~이 언 helado, congelado. ~같이 helado, álgido. ~같이 찬 helado, frío como el hielo. ~에 갇힌 bloqueado por el hielo. ~ 깨는 송곳 punzón *m* (*pl* punzones) (para romper hielo). ~처럼 찬 손 mano *f* glacial, mano *f* de hielo. ~처럼 찬 마음 corazón *m* glacial, corazón *m* de hielo. ~으로 식히다 enfriar con hielo. ~으로 싸다 empaquetar con hielo. ~을 깨다 romper el hielo. ~을 녹이다 deshelar el hielo. ~이 녹다 deshelarse, derretirse el hielo. 주스에 ~을 넣다 echar [poner] hielo en el zumo. ~이 녹는다 Se derrite el hielo. 호수의 ~이 녹았다 El lago se ha deshelado. 연못에 두꺼운 ~이 얼었다 El estanque se ha helado

densamente / Una densa capa de hielo ha cubierto el estanque. 환자의 이마를 ~으로 식혀 주십시오 Enfríele la frente al enfermo con hielo. 0°C에서 물은 ~으로 변한다 A 0°C el agua se transforma en hielo.
◆각(角) ~ cubito *m* de hielo. 겉~ capa *f* de hielo. 바닥 ~ hielo *m* de fondo. 살~ hielo *m* fino.
◆얼음에 박밀 듯 con mucha fluidez, con mucha soltura, con mucha labia, elocuentemente, con mucha facilidad.
◆얼음(을) 지치다 patinar. 얼음을 지치러 가다 ir a patinar.
◆얼음(이) 박이다 tener un sabañón.
■~과자 [막대기가 있는] polo *m* helado, paleta *f* helada, *RPl* palito *m* helado, *Chi* chupete *m* helado. ~ 냉수 =어름물. ~덩이 témpano *m* de hielo; [얼음 조각] trozo *m* de hielo. ~물 el agua *f* helada, el agua *f* con hielo. ~ 배달인 repartidor, -dora *mf* de hielo. ~베개 almohada *f* con hielo. ~ 사탕 azúcar *m* cande, azúcar *m* candi. ~ 상자 nevera *f*, refrigerador *m*, *RPl* heladera *f*. ~엿 caramelo *m* [*Guat* melcocha *f*] helada con huevos, leche, azúcar, maíz en polvo, etc. ~장 capa *f* de hielo; [얼음덩이] témpano *m* de hielo. ¶~ 같다 estar muy frío, tener helado, ser glacial, ser de hielo, estar helado. ~ 같은 glacial, de hielo, helado. ~ 같은 손 mano *f* glacial, mano *f* de hielo. ~ 같은 마음 corazón *m* glacial, corazón *m* de hielo. ~ 같은 시선 mirada *f* de hielo. 당신의 손이 ~ 같다 Tú tienes las manos heladas. 그 여자의 마음은 ~ 같다 Ella tiene el corazón como un témpano de hielo. ~ 장사 comercio *m* [venta *f*] de hielo. ~ 장수 vendedor, -dora *mf* de hielo. ~점 [빙점] punto *m* de congelación. ~ 조각 hielo *m* quebrado, pedazo *m* de hielo, trozo *m* de hielo. ~주머니 saco *m* [bolsa *f*] para [de] hielo, vejiga *f*. ~지치기 patinaje *m*. ~집 heladería *f*, casa *f* donde se vende hielo. ¶~ 주인 vendedor, -dora *mf* de hielo. ~찜 cataplasma *f* con la bolsa de hielo. ¶ ~을 하다 aplicar la cataplasma con la bolsa de hielo. ~찜질 =얼음찜. ~차(茶) té *m* con hielo. ~통 cubo *m* de(l) hielo, balde *m*, *AmL* hielera *f*; [포도주 따위를 냉각시키는] enfriadera *f*. ~판 pista *f* de (patinaja sobre) hielo. ~편자 herradura *f* para no deslizarse sobre hielo.

얼입다(孼－) ser [verse] envuelto (en), meterse (en).

얼자(孼子) =서자(庶子).

얼젓국지 *eolcheotgukchi*, *kimchi* [vegetables *mpl*] encurtidos *mpl*.

얼쩍지근하다 ① [살이 얼얼하게 아프다] picar. 그의 수염이 내 뺨을 얼쩍지근하게 한다 Me pinchó [*Méj* Me picó] la mejilla con la barba. ② [음식의 맛이 조금 맵다] (ser) algo picante. 맛이 ~ tener el sabor algo picante. ③ [술이 알맞게 취하다] estar borracho adecuadamente.

얼쩡거리다 ① [얼렁거리며 남을 속이다] engañar a otros halagando. ② [아무 일도 없으면서 자꾸 어정거리다] haraganear, holgazanear.
얼쩡얼쩡 holgazaneando continuamente.

얼쭝거리다 sonsacar, engatusar, camelar.
얼쭝얼쭝 sonsacando, engatusando, camelando, halagüeñamente, con halagos, con halagüeño, con adulación.

얼쯤 titubeantemente, vacilantemente, renuentemente, de mala gana. ~하다 vacilar, titubear, dudar, estar indeciso.
얼쯤얼쯤 continuamente vacilante. ~하다 vacilar contiunamente, titubear continuamente, seguir vacilando [titubeando].

얼찐거리다 halagar, adular.
얼찐얼찐 halagar continuamente.

얼추 [거의] casi; [대강(大綱)] unos, más o menos, aproximadamente; [개괄적으로] en líneas generales, en términos generales. ~ 계산(計算)에 의하면 según el cálculo provisional [aproximado]. ~ 말하면 hablando en líneas generales, hablando en general, poco más o menos. ~ 견적하다 calcular aproximadamente, hacer un cálculo aproximado (de). 나는 ~ 준비되었다 Estoy casi listo. ~ 자정이었다 Era casi medianoche. 서울은 여기서 ~ 100 킬로미터의 거리에 있다 Seúl está a casi cien kilómetros de aquí. 우리가 만난 것이 ~ 10년이 되었다 Hace casi diez años que no nos vemos. 그의 사고 방식은 항상 ~다 Su manera de pensar es siempre al buen tuntún. 그는 그것에 대해 ~ 알고 있다 El tiene conocimientos generales de eso.

얼추잡다 hacer un cálculo aproximado, calcular aproximadamente. 얼추잡아 haciendo un cálculo aproximado. 회사는 얼추잡아 7천만 원의 손해를 보고 있다 La compañía calcula aproximadamente que ha sufrido pérdidas del orden de setenta millones de wones. 그의 재산은 얼추잡아 5억 원이다 Se le calcula aproximadamente un patrimonio de quinientos millones de wones.

얼치기 ① [이것도 저것도 아닌 중간치기] lo medio. ② [탐탁하지 않은 사람] idiota *mf*, tonto, -ta *mf*. ③ [이것 저것이 조금씩 섞인 것] mezcla *f* con varias cosas.

얼크러뜨리다 enredar.

얼크러지다 enredarse (en). 얼크러진 실을 풀다 deshacer [desatar] los hilos enredados. 실이 얼크러졌다 Los hilos se enredaron. 그의 발은 그물로 얼크러졌다 Se le enredaron los pies en la red.

얼큰하다 =얼근하다.

얼키설키 complicadamente. ☞얼기설기

얼토당토아니하다 (ser) irrelevante, intrascendente, absurdo, ridículo, extravagante, fatídico, de funestas consecuencias, no tener relación (con), no tener que ver (con), ser una necedad, ser una tontería. 얼토당

토않은 말 [짓] ridiculez *f*. 얼토당토않은 요구 demanda *f* absurda, demanda *f* ridícula. 얼토당토않은 잘못 error *m* fatídico. 얼토당토않은 말을 하다 decir ridiculeces, decir muchas necedades, decir unas tonterías. 얼토당토않은 것이다 ¡Qué ridiculez! 그것은 ~ Eso es irrevelente / Eso no viene al caso / Eso es absurdo. 이 소설은 ~ Esta novela es absurda. 얼토당토않은 말을 하지 마라 ¡No digas ridiculeces! 네가 한 짓은 ~ No haces más que disparates. 네 대답은 ~ Tu contestación es completamente desacertada / Tu contestación no tiene sentido. 당신의 의견은 얼토당토아니한 것 같다 Su opinión parece no contar para nada. 건물의 크기가 ~ El tamaño del edificio no tiene ninguna importancia / El tamaño del edificio no viene al caso.

얽다[1] ① [얼굴에 마마의 자국이 생기다] tener picado de viruelas. 얽은 자리 (marca *f* de) viruela *f*. 그의 얼굴은 얽었다 El tiene la cara picada de viruelas. ② [물건의 거죽에 흠이 많이 나다] tener muchos defectos, magullarse, deshuesar, *CoS* descarozar. 얽은 magullado, deshuesado, sin hueso, *Méj*, *Ven* mallugado, *CoS* machucado, descarozado. 얽은 사과 manzana *f* deshuesada [sin hueso · *CoS* descarozada]. 이 사과는 얽었다 Esta manzana está magullada [deshuesada].

얽다[2] ① [노끈이나 새끼 따위로 이리저리 걸어서 묶다] atar, apretar, amarrar, vendar, entretejer. 끈으로 ~ atar con cuerdas, enlazar. 쇠사슬로 ~ amarrar con cadenas. 상처를 ~ vendar una herida. ② [없는 일을 있는 것처럼 꾸미다] inventar(se), acuñar, forjar.

얽동이다 atar, amarrar, agavillar. 단단히 ~ atar fuerte. 범인을 ~ atar al criminal con cuerdas. 그들의 손과 발을 얽동였다 Los ataron [amarraron] de pies y manos. 그의 발목이 얽동였다 El tenía los tobillos atados.

얽둑빼기 persona *f* marcada [picada] de viruelas.

얽둑얽둑 con viruelas profundas. ~하다 tener picado [marcado] de viruelas. ~ 얽은 사람 persona *f* que tiene la cara picada de viruelas. 얼굴이 ~ 얽다 tener la cara picada [marcada] de viruelas.

얽매다 ① [얽어서 매다] sujetar, atar, amarrar, ligar. 상자를 끈으로 ~ atar una caja con cuerdas. ② [일에 몸과 마음을 기울이다] sujetar. 규정에 ~ sujetar al reglamento.

얽매이다 ① [얽혀서 매이다] ser atado, ser amarrado. ② [어떤 일에 걸리어서 몸을 빼지 못하다] estar sujeto (a), tener limitación (de). 시간에 ~ estar sujeto al tiempo, tener limitación de tiempo. 사소한 일에 ~ andarse por las márgenes. 나는 일에 얽매여 그에게 편지를 보내지 못했다 Ocupado con [en] mi trabajo, no le he escrito.

얽어매다 atar, amarrar; [쇠사슬로] encadenar, atar con cadena. 개를 사슬에 ~ atar el perro con cadena, encadenar el perro a la cadena.

얽이 ① [물건을 보호하기 위해 거죽을 새끼나 노끈으로 이리저리 싸서 얽는 일] atadura *f* con cuerdas. ② [일의 대강 순서나 배치를 잡아 보는 일] idea *f* general.

얽이치다 atar en forma entrecruzada [transversalmente · en diagonal].

얽적빼기 =얽둑빼기.

얽죽얽죽 picado de muchas viruelas. ~하다 tener picado de muchas viruelas.

얽히다 ① [((「얽다[2]」의 피동)) 얽음을 당하다] enredarse, embrollarse, trabarse, enmarañarse. 얽힌 enredado, embrollado. ② [서로 엇갈리다] confundirse, complicarse. 얽힌 confundido. ③ [얽어 감기다] hacerse un ovillo. ④ [애매하게 걸리다] enredarse (a · con · en), abrazar. 그 싸움에는 돈이 얽혀 있다 En esa contienda está enredado el dinero. ⑤ [생각 등이 복잡해지다] complicarse. ⑥ [어떤 사실이 관련되다] verse envuelto, meterse, (estar) enrevesado, complicado. 나는 작년에 한 사건(事件)에 얽혔다 El año pasado me vi envuelto en un accidente. 가족 싸움이 있을 때마다 그는 얽혀 들었다 Siempre que hay una pelea en la familia él tiene que meterse. 사건에 얽힌 고급 관리가 여러 명이 있었다 Hay varios oficiales de alto rango implicados en el asunto.

◆얽히고 설키다 tener una relación (con), tener un enredo (con).

엄개(掩蓋) cubierta *f*.

엄격하다(嚴格―) (ser) estricto, severo, riguroso. 엄격함 severidad *f*, rigurosidad *f*, rigor *m*. 그의 교육(敎育)의 엄격함 lo estricto [lo riguroso] de su educación. …에게 ~ ser estricto [severo] con *uno*. 그는 부하에게 ~ El es estricto para con sus hombres. 그는 엄격한 가정에서 자랐다 El se crió en la familia estricta.

엄격히 estrictamente, severamente, rigurosamente, terminantemente. ~ 말하자면 estrictamente (hablando). ~ 가르치다 educar rigurosamente. ~ 금지하다 prohibir terminantemente [rigurosamente · estrictamente · severamente]. 흡연은 ~ 금지되어 있다 Se prohíbe estrictamente fumar. ~한 사람한테서 현명한 사람이 태어난다 ((서반아 속담)) De los escarmentados, nacen los avisados.

엄계(嚴戒) vigilancia *f* severa [estricta]. ~하다 tomar todas las precauciones, extremar las vigilancias, estar alerta.

엄교(嚴敎) enseñansa *f* estricta [severa].

엄금(嚴禁) prohibición *f* estricta [rigurosa]. ~하다 prohibir estrictamente [rigurosamente]. 이곳에서는 흡연을 ~함 ((게시)) Aquí se prohíbe estrictamente fumar / Se prohibe absolutamente fumar aquí / Prohibido absolutamente fumar aquí.

엄나무 【식물】 fresno *m* espinoso.

엄니 ① [식육류 짐승의 송곳니] diente *m* canino. ② =어금니.

엄닉(掩匿) =엄폐(掩蔽).

엄단(嚴斷) decisión *f* estricta, disposición *f* estricta. ~하다 decidir estrictamente [severamente].

엄달(嚴達) acción *f* de dar una orden estricta. ~하다 mandar [ordenar] estrictamente, dar una orden estricta.

엄동(嚴冬) la estación más fría, frío *m* picante, invierno *m* severo, pleno invierno *m*, lo más recio del invierno. ~에 en pleno invierno, en lo más recio del invierno.
■ ~설한 invierno *m* muy severo, invierno *m* muy frío, frío *m* del invierno.

엄두 pensamiento *m* que se atreve a hacer *algo*.
◆엄두가 나지 않다 no atreverse a hacer *algo* en *su* corazón.
◆엄두가 안 나다 =엄두가 나지 않다.
◆엄두를 못 내다 no atreverse a concebir la idea (de + *inf*), no entrar en *su* cabeza [en *su* corazón], ser inconcebible. 이야기한다는 것은 아무도 엄두를 못 냈다 Nadie se atrevió a hablar con él. 그러한 일은 엄두를 못 냈다 Tal cosa no entró en mi cabeza [en mi corazón]. 저항 따위는 엄두를 못 낼 일이다 La resistencia es inconcebible.

엄마 ((소아어)) mama *f*, mamá *f*.

엄매 mugido *m*; [양·염소의] balido *m*. ~하다 mugir; [양·염소가] balar.

엄명(嚴命) orden *f* estricta [rigurosa·severa], mandato *m* estricto [riguroso·severo], instrucciones *fpl* rígidas. ~하다 dar una orden estricta, mandar [ordenar] estrictamente. ~에 따라 según la orden estricta.

엄밀하다(嚴密－) (ser) severo, estricto, riguroso, estrechado, preciso, escrupuloso. 엄밀함 severidad *f*, rigurosidad *f*, rigor *m*, precisión *f*. 엄밀한 검사(檢査) inspección *f* rígida. 엄밀한 의미(意味)로 en el sentido estrcito [riguroso] (de la palabra).
엄밀히 estrictamente, severamente, rigurosamente, estrechamente, escrupulosamente. ~ 말하면 estrictamente (hablando), en rigor. ~ 조사하다 investigar estrechamente.

엄발나다 portarse de manera [de modo] aberrante.

엄벌(嚴罰) castigo *m* severo [riguroso], punición *f* severa. ~하다 castigar severamente [rigurosamente·sin benevolencia], condenar a un castigo severo [a una pena rigurosa]. 그는 ~을 받아 마땅하다 El merece ser castigado severamente / Merece que lo castiguen severamente.
■ ~주의 compulsión *f* de pena severa, disposición *f* rigurosa.

엄범부렁하다 (ser) grande pero estar vacío, descuidado, extravagante pero sin ningún valor.

엄벙덤벙 precipitadamente, sin reflexionar, imprudentemente, de modo temerario, sin la debida atención, de manera despreocupada. ~하다 portarse sin pensar, ser frívolo. 그는 일을 ~한다 El hace un trabajo descuidado.

엄벙뗑 =얼렁뚱땅.

엄벙하다 (ser) frívolo, ambiguo, evasivo, descuidado, no ser serio. 엄벙한 문장(文章) estilo *m* poco preciso.

엄봉(嚴封) sellado *m* estricto. ~하다 sellar perfectectamente.

엄부(嚴父) padre *m* estricto, padre *m* severo.

엄부럭 =엄살. 심술.
◆엄부럭(을) 부리다[떨다] exagerar el dolor.

엄부렁하다 ((준말)) =엄벙부렁하다.

엄비(嚴秘) secreto *m* estricto. ~에 부치다 guardar en secreto estricto.

엄살 exageración *f* de dolor, gran alboroto *m*.
◆엄살(을) 부리다[떨다] exagerar el dolor, hacer un gran alboroto. 엄살(을) 피우다 = 엄살(을) 부리다.
■ ~꾸러기 persona *f* quisquillosa; llorón, -llona *mf*, llorica *mf*, *Col* lloretas *mf*, *Méj* chillón, -llona *mf*.

엄선(嚴選) selección *f* estricta. ~하다 seleccionar rigurosamente, elegir severamente [cautelosamente].

엄수(嚴守) observancia *f* estricta [rigurosa·escrupulosa]. ~하다 observar estrictamente [rigurosamente·escrupulosamente]. 시간(時間)의 ~ puntualidad *f*. 비밀을 ~하다 guardar el secreto. 시간을 ~하다 ser puntual, guardar la máxima [la mayor] puntualidad. 시간을 ~할 것 ((게시)) Se ruega la máxima [la mayor] puntualidad.

엄수(嚴修) celebración *f* (del servicio funeral) con solemnidad. ~하다 celebrar (el servicio funeral) solemnemente. 희생자들의 추도식이 어제 ~되었다 El servicio funeral a las víctimas se celebró con ceremonia solemne ayer.

엄숙하다(嚴肅－) (ser) serio, solemne, majestuoso, augusto, grave. 엄숙함 seriedad *f*, solemnidad *f*, majestuosidad *f*, gravedad *f*, dignidad *f*. 엄숙한 분위기(雰圍氣) ambiente *m* [atmósfera *f*] solemne [grave]. 엄숙한 태도 actitud *f* grave. 엄숙한 어조로 con un tono solemne.
엄숙히 seriamente, con seriedad, solemnemente, con solemnidad, augustamente, con majestuosidad, gravemente, con gravedad. 식은 ~ 거행되었다 La ceremonia fue celebrada con solemnidad.

엄습(掩襲) ataque *m* repentino. ~하다 atacar repentinamente.

엄엄하다(奄奄－) respirar con dificultad.

엄연하다(儼然－) ① [겉모양이 장엄하고 엄숙하다] (ser) solemne, grave, majestuoso, autoritario, severo, duro. ② [어떠한 현상이 누구도 감히 부인할 수 없을 만큼 명백하다] (ser) evidente, innegable, indiscutible.

엄연한 사실 hecho *m* evidente [innegable · indiscutible].
엄연히 ㉮ solemnemente, con solemnidad, gravemente, majestuosamente, de manera autoritoria, severamente, con severidad, con dignidad, duramente. ㉯ evidentemente, innegablemente, indiscutiblemente.

엄전하다(嚴全-) (ser) decente, decoroso, modesto, afable, de modales suaves. 엄전한 부인(婦人) mujer *f* decente. 말씨가 ~ ser decente en el habla.

엄정 중립(嚴正中立) neutralidad *f* estricta [rigurosa · absoluta]. ~을 지키다 mantener una neutralidad estricta [rigurosa · absoluta].

엄정하다(嚴正-) (ser) severo, riguroso, estricto; [정확하다] exacto, justo; [공평하다] imparcial. 엄정함 severidad *f*, rigurosidad *f*, exactitud *f*, justicia *f*, imparcialidad *f*.
엄정히 severamente, rigurosamente, estrictamente; exactamente, justamente; imparcialmente. ~ 심사하다 examinar con imparcialidad.

엄존(儼存) existencia *f* indudable [real]. ~하다 existir indudablemente [realmente].

엄중(嚴重) severidad *f*, rigor *m*, rigurosidad *f*. ~하다 (ser) severo, estricto, riguroso, rigoroso. ~한 규칙 reglamento *m* estricto. ~한 조사 examen *m* riguroso [minucioso]. 이곳은 경계가 ~하다 Aquí la vigilancia es extrema.
엄중히 severamente, con severidad, estrictamente, rigurosamente. ~ 경계(警戒)하다 precaver estrictamente, cuidar rigurosamente. ~ 금지하다 prohibir estrictamente. ~ 취조하다 ejercer un control estricto [severo]. ~ 항의하다 protestar con vehemencia (contra).

엄지 ((준말)) =엄지가락.

엄지(-紙) papel *m* usado para la letra.

엄지가락 [손의] dedo *m* pulgar; [발의] dedo *m* pulgar del pie.

엄지머리 총각(-總角) soltero *m* de toda la vida.

엄지발 =엄지발가락.

엄지발가락 dedo *m* gordo (del pie), pulgar *m* (del pie).

엄지발톱 uña *f* del dedo gordo.

엄지손 =엄지손가락.

엄지손가락 pulgar *m*, dedo *m* pulgar, dedo *m* gordo.

엄지손톱 uña *f* del pulgar. 오른쪽 ~을 물어뜯다 [자신의] morderse la uña del pulgar derecha.

엄징(嚴懲) castigo *m* severo. ~하다 castigar severamente.

엄책(嚴責) reprimenda *f* severa, criticismo *m* amargo. ~하다 reprender severamente.

엄처시하(嚴妻侍下) gobierno *m* dominado por mujeres. ~에 있는 남자 hombre *m* que se manda [se domina] la mujer. ~의 남편 marido *m* dominado por *su* mujer, calzonazos *m.sing.pl.* 남편을 ~에 두다 ponerse los pantalones, mandar una mujer en la casa sin hacer caso del marido. 저 집은 ~다 En aquella casa manda [domina] la mujer.

엄청나다 (ser) numeroso, innumerable, incalculable, profuso, absurdo, terrible, grave, serio, tremendo, ridículo. 엄청나게 numerosamente, innumerablemente, terriblemente, absurdamente, terriblemente, gravemente, seriamente, tremendamente, ridículamente. 엄청나게 큰 muy grande, grandísimo, enorme, inmenso, gigantesco. 엄청난 값 precio *m* extravagante. 엄청난 숫자 número *m* enorme. 엄청난 군중(群衆) gentío *m* tremendo, gran muchedumbre *f*, multitud *f* de gente. 엄청나게 싸다 ser baratísimo. 엄청나게 비싸다 estar por las nubes, ser carísimo algo. 엄청난 잘못을 저지르다 cometer un error grave. 엄청난 짓을 하다 hacer una cosa tremenda. 엄청난 재난(災難)이다 ¡Qué desgracia! / ¡Qué desastre! / Es una catástrofe. 물가가 엄청나게 올랐다 Los precios han subido extraordinariamente.

엄친(嚴親) *su* (propio) padre.

엄탐(嚴探) espía *f* severa, investigación *f* estricta. ~하다 espiar severamente, investigar estrictamente.

엄파이어(영 *umpire*) [심판원] árbitro *mf*; [야구의] umpire *mf*, *Col* ampáyar *mf*.

엄펑소니 mañas *fpl*, ardid *f*, truco *m*, artificio *m*, estafa *f*.

엄펑스럽다 (ser) engañoso, falso, embustero.
엄펑스레 con engaño, con falsedad, engañosamente, falsamente, embusteramente.

엄폐(掩蔽) ocultación *f*. ~하다 ocultar, disimular.
■ ~물(物) cubierta *f*, tapa *f*, refugio *m*, protección *f*. ~호(壕) búnker *m*, trincheras *fpl*, refugio *m*.

엄포 amenazas *fpl* vanas, amenazas *fpl* que se las lleva el viento, farol *m*, fachenda *f*.
◆엄포(를) 놓다 amenazar. 엄포를 놓아 쫓아내다 asustar, espantar, ahuyentar.

엄하다(嚴-) (ser) duro, severo, estricto, rígido, riguroso, rigoroso, exigente, de mano dura. 엄한 규칙 reglamento *m* estricto, regla *f* estricta. 엄한 감시 vigilancia *f* estricta. 엄한 말 palabras *fpl* rudas [ásperas · duras]. 엄한 비판(批判) crítica *f* acerba, criticismo *m* severo. 엄한 선생 maestro *m* severo, maestra *f* severa. 엄한 성격 carácter *m* fuerte [firme · rigurosa]. 엄한 시선 mirada *f* severa. 엄한 눈으로 con (unos) ojos severos. 엄한 어투로 con un tono severo. 엄한 얼굴로 con una cara severa, con un semblante austero. 엄한 얼굴을 하다 poner cara de juez, mostrar un semblante severo. 음식에 ~ ser exigente en la comida. 복장(服裝)에 ~ ser estricto en el traje. 그의 채점은 ~ El es severo en las clasificaciones. 그는 부하에게 ~ El es rígido con sus subordinados. 이 학교의

규칙은 무척 ~ El reglamento de esta escuela es muy severo [rígido].
엄히 duramente, severamente, estrictamente, exigentemente, rígidamente, rigurosamente, rigorosamente, en rigor. ~ 교육시키다 educar rigurosamente. ~ 꾸짖다 reñir [reprochar] duramente [severamente]. ~ 벌주다 castigar severamente.

엄한(嚴寒) ① [엄한 추위] frío *m* severo, frío *m* intenso, frío *m* riguroso. ② ((준말)) = 엄동 설한(嚴冬雪寒).
▪ ~기 período *m* en que hace un frío intenso. ~지절(之節) lo más recio de invierno.

엄형(嚴刑) punición *f* [pena *f* · penitencia *f*] severa.

엄호(掩護) protección *f*, cubrimiento *m*. ~하다 proteger, cubrir. 퇴각을 ~하다 cubrir la retirada.
▪ ~ 사격 fuego *m* de protección.

엄혹하다(嚴酷－) (ser) severo, estricto, riguroso, austero. 엄혹함 severidad *f*, rigurosidad *f*, rigor *m*, aprieto *m*, estrechez *f*.
엄혹히 severamente, con severidad, estrictamente, rigurosamente.

업 【민속】 *eob*, mascota *f* de una casa, animal *m* afortunado, persona *f* afortunada.

업(業) ① ((준말)) =직업(職業) (ocupación, profesión) ¶변호사를 ~으로 하다 ser abogado de profesión. 의사(醫師)를 ~으로 하다 ser médico de profesión. ② ((불교)) [몸과 입과 뜻으로 짓는 선악의 소행] actos *mpl* hechos [pecados *mpl* cometidos] en esta vida y en otras anteriores. ③ ((불교)) [응보] karma *m*, retribución *f* inevitable.

-업(業) profesión *f*, ocupación *f*, -cultura. 농(農)~ agricultura *f*.

업계(業界) círculos *mpl*, sector *m* industrial. ~에 알려진 인사 hombre *m* conocido en la industria.
◆ 제철(製鐵) ~ círculos *mpl* siderúrgicos.
▪ ~ 신문 periódico *m* de un ramo comercial [industrial].

업고(業苦) ((불교)) dolor *m* de karma, sufrimiento *m* de karma.

업구렁이 ① 【민속】 serpiente *f* afortunada, culebra *f* afortunada. ② 【동물】 boa *f* azul y verde.

업다 [사람이나 물건을 등에 지다] llevar [cargar] al hombro [a cuestas · a las espaldas], cargar (con), cargar a *su* espalda. 아기를 ~ cargar a *su* niño al hombro. 아이를 업고 산책하다 pasearse [dar un paseo] con un niño sobre las espaldas. 업어 기른 자식에게 도리어 배운다 A veces los niños son maestros de los mayores.

업두꺼비 【민속】 sapo *m* afortunado.

업둥이 hijo *m* adoptivo expósito, hija *f* adoptiva expósita.

업무(業務) operación *f*, [일] trabajo *m*, negocio *m*, oficio *m*. ~상의 사고 accidente *m* de traba ~의 확장 extensión *f* de negocios.
◆ 은행(銀行) ~ operación *f* de banco. 할인 ~ operación *f* de descuento. 해운(海運) ~ operaciones *fpl* marítimas.
▪ ~ 감사 inspección *f* de operaciones. ~ 관리 administración *f* de operaciones. ~권 derecho *m* de negocio. ~ 명령 orden *f* empresarial. ~ 보고 informaciones *fpl* de operación. ~부(部) departamento *m* de operación. ~비 gastos *mpl* de operación. ~ 사원(社員) miembro *mf* del departamento de administración. ~상 과실 descuido *m* en el desempeño del cargo profesional. ~상 과실 치사죄 delito *m* de homicidio por descuido profesional en el desempeño del trabajo. ~상 부상 herida *f* debido a los casos profesionales. ~상 질병 enfermedad *f* debido a los casos profesionales. ~ 시간 horas *fpl* de oficina, horas *fpl* laborables, horas *fpl* hábiles. ~용 (destinado) para el uso profesional. ~용 서류 documento *m* para el uso profesional. ~ 제휴 cooperación *f* (entre empresas). ~ 집행 manejo *m* de negocios. ~ 집행 방해 intromisión *f* en el manejo de negocios.

업보(業報) ((불교)) karma *m*.

업숭이 persona *f* estúpida [boba · idiota]; burro, -rra *mf*; bruto, -ta *mf*.

업신여기다 despreciar, menospreciar, desestimar, hacer poco caso (de), tener en menos, tener en poco, no dar importancia. 직원(職員)을 ~ menospreciar a *sus* empleados, tener en nada a *sus* empleados.

업신여김 desprecio *m*, menosprecio *m*.

업왕(業王) ((불교)) dios *m* afortunado de la casa, dios *m* de la riqueza.

업원(業冤) ((불교)) efectos *mpl* de karma.

업자(業者) comerciante *mf*, nogociante *mf*, industrial *mf*. 당사(當社)를 출입하는 ~ comerciante *mf* que tiene relación con nuestra compañía.
▪ ~간 협정 acuerdo *m* entre las empresas interesadas.

업적(業績) [성과] resultado *m*, fruto *m*; [작품. 일] obra *f*, trabajo *m* realizado. ~을 올리다 arrojar buenos resultados, realizar un buen trabajo. 그의 연구(硏究) ~이 뛰어나다 El fruto de sus investigaciones es sobresaliente. 이 회사는 ~이 올랐다 La recuperación económica ha estimado las actividades comerciales de la empresa.

업종(業種) ① sección *f* de industria, sección *f* de empresa, rama *f* de comercio, rama *f* industrial, rama *f* comercial, ramo *m*. ~별로 por ramas industriales, por ramas comerciales. 많은 ~으로 사업을 하다 traficar en muchos ramos. ② ((불교)) semilla *f* de karma.
▪ ~별 clasificación *f* industrial, clasificación *f* por industria. ¶~로 하다 clasificar por industria. ~별 번호란 [전화 번호부의] páginas *fpl* amarillas.

업체(業體) ① ((준말)) =기업체(企業體). ②

((준말)) =사업체(事業體). ③ ((불교)) =업성(業性).

업태(業態) condiciones *fpl* de negocio, estado *m* de negocio.

업히다 ① [업힘을 당하다] abrazarse a las espaldas (de). 아기가 어머니의 등에 업힌다 El nene se abraza a las espaldas de su mamá. 갓난아이가 어머니의 등에 업혀 자고 있다 El nene está durmiendo en las espaldas de su madre. ② [남의 등에 업게 하다] hacer cargar [llevar] a la espalda.

없다 ① [어떤 곳을 차지하고 있지 않다] no ocupar, no haber, no estar. 나무 하나 없는 산 montaña *f* sin un árbol. 이 방에는 수도가 ~ En esta habitación no hay agua corriente. 내 차는 이곳에 ~ Mi coche no está aquí.

② [존재하지 않다] no existir, no haber, no estar, no encontrarse. 없어서는 안 될 imprescindible, indispensable, necesario. 나와는 관계가 없는 사람 persona *f* que no tiene relaciones conmigo. …이 없으면 sin *algo*, si no hay *algo*. 만일 …이 없다면 sin *algo*, si no hubiera [hubiese] *algo*, si no fuera por *algo*. …에 비교할 만한 것은 ~ Nada es comparable a *algo*. 구김살이 ~ No hay arrugas. 그런 습관은 한국에는 ~ En Corea no hay esa costumbre / Esa costumbre no existe en Corea. 찾아보았지만 그 책은 책상 위에 없었다 No encontré el libro en la mesa aunque lo busqué. 이 말은 없는 것이 좋다 Está bien sin esta palabra / No hace falta esta palabra. 그는 회사에 없어서는 안 될 사람이다 El es un hombre necesario para la empresa. 도망치는 것보다 더 좋은 방법은 없다 Lo mejor [Lo más seguro] es huir. 김 선생님은 모르는 것이 ~ El profesor Kim lo sabe todo / No hay nada que no sepa el profesor Kim. 네 도움이 없다면, 나는 성공할 수 없을 것이다 Sin tu ayuda [Si tú no me ayudes], no podré tener éxito.

③ [가지지 않다. 갖추고 있지 않다] no tener. 버릇이 ~ (ser) malcriado, descortés. 재주가 ~ no tener talento. 만날 겨를이 ~ no tener tiempo de ver. 나는 지금 돈이 ~ No tengo dinero ahora. 그는 자식이 ~ El no tiene hijos. 이 작품은 매력이 별로 ~ Esta obra tiene poco atractivo. 내가 돈이 없었더라면 그것을 사지 않았을 텐데 Si yo no tuviera [tuviese] dinero, no lo habría comprado. 그는 관심을 갖지 않는 것이 ~ El se interesa por cualquier cosa. 질문이 없으면 다음으로 넘어가겠습니다 Si no tienen nada que preguntar, paso al tema siguiente / Si no tienen [no hay] preguntas, proseguiré. 내일 일이 없으면 하이킹 갈 수 있을 텐데 Si no hubiera [no tuviéramos] trabajo mañana, podríamos ir de excursión.

④ [생겨나거나 일어나지 않다] no ocurrir. 사고 없는 날 día *m* sin accidentes. 일할 마음이 ~ no ocurrir el pensamiento de trabajar. 나는 그 여자를 만난 적이 ~ No la he visto nunca / Nunca la he visto (a ella). 아무 일도 없었던 것처럼 합시다 [잊읍시다] Olvidémoslo / Echemos a eso un tupido velo / Echemos tierra al asunto / Hagamos como si no hubiera ocurrido nada.

⑤ [가난하다. 구차스럽다] ser pobre. 없는 사람들 los pobres, los necesitados. 없는 집안에 태어나다

⑥ [죽어서 살아 있지 않다] (ser) difunto, morir. 가족이 없는 아이들 niños *mpl* que no tienen familias, huérfanos *mpl*. 부모(父母) 없는 아이 huérfano, -na *mf*. 아버지가 ~ su padre es difunto, no tener padre.

⑦ [부족하거나 드물다] faltar, carecer. …이 없어 por falta de *algo*. 의리가 ~ faltar a los deberes. 예의가 ~ faltar a la cortesía. 아는 것이 ~ no tener ningún conocimiento. 그는 인내심이 ~ El carece de todo sentido. 그는 상식이 ~ El carece de sentido común. 그 팀은 주력 선수가 ~ En ese equipo faltan los jugadores principales. 그 사람이 없이는 일에 진전이 ~ Sin él no adelanta la obra. 그 화가에게는 고야와 같은 정열이 ~ A ese pintor le falta la pasión de Goya. 찬은 없으나 많이 드시기 바랍니다 Buen apetito / Buen provecho / Que aproveche / *ReD* Que le aproveche.

⑧ [「-ㄹ 수 없다」 꼴로 쓰이어 불가능이나 거부의 뜻을 나타내는 말] no poder + *inf*, [사물이 주어일 때] No es posible (a *uno*), Es imposible (a *uno*). 갈 수 없는 곳 lugar *m* que no se puede ir. 학생으로서 있을 수 없는 행동 conducta *f* impropia de estudiante. 찬성할 수 ~ no poder aprobar. …은 있을 수 ~ Es imposible que + *subj* / No es posible que + *subj*. 나는 …할 수 ~ No puedo + *inf* / Me es imposible + *inf*. 나는 참을 수 ~ No puedo aguantar. 그는 일로 출석할 수 ~ El no puede asistir por su trabajo. 이 일은 나로서는 할 수 ~ Este trabajo es imposible para mí / Este trabajo está fuera de mi capacidad. 그것은 있을 수 없는 일이다 Es (una cosa) imposible / ¡No es posible! / (Eso) No puede ser. 나는 시간이 없어 갈 수 없었다 No pude ir por falta de [porque no tenía] tiempo. 태양이 서쪽에서 뜨는 일은 있을 수 ~ No es posible que salga el sol por el oeste.

◆없는 게 없다 no *le* falta nada. 그는 ~ A él no le falta nada.

없애다 ((준말)) =없이하다. ¶쌀을 다 없애지 않으려고 애쓰다 procurar que no se agote el arroz.

없어지다 [분실하다] perderse; [소멸하다] desaparecer, irse, pasar(se), alejarse. 위험이 없어졌다 Ha pasado el peligro. 통증이 없어졌다 Pasó [Desapareció] el dolor. 내 지갑이 없어졌다 Mi portamonedas ha desaparecido / No encuentro mi portamonedas. 나는 모든 희망이 없어졌다 He perdido [Se me han perdido] todas las esperanzas. 두통이 없어지지 않는다 No se me pasa [No se me va] el dolor de cabeza. 그 풍습은 완전히 없어졌다 Esa costumbre ha desaparecido completamente / Ya nadie guarda esa costumbre.

없이 sin, sin que + *subj*. 틀림~ sin falta, sin duda. 할 수 ~ inevitablemente. 그지~ infinitamente, sin fin, perpetuamente. 주의심 ~ con descuido. 휴일 ~ sin festividad. 예고 ~ sin pedir permiso. … 하는 것 ~ sin + *inf*, sin que + *subj*. …. ~는 sin *algo*. 돈 ~는 sin dinero. 재능이 ~는 음악가가 될 수 없다 Sin talento no se puede ser músico. 그는 우리의 도움 ~도 일을 잘 처리할 수 있다 El puede arreglárselas sin nosotros [sin nuestra ayuda].

없이 살다 vivir pobre, llevar una vida pobre [miserable].

없이하다 [제거하다] remover; [낭비하다] gastar; [잃다] perder; [멸하다] exterminar, destruir, aniquilar; [다 없애다] agotar, terminar.

엇- oblicuamente, diagonalmente, en diagonal.

엇가다 desviarse (de), apartarse (de), separarse, divergir, discrepar (de), desviar.

엇갈리다 discrepar (con), estar en desacuerdo (con); [모순] contradecirse (con); [길이] cruzarse. 엇갈리게 alternativamente. 길을 ~ cambiar otro camino. 남녀가 엇갈리게 놓였다 Los hombres y la mujeres se colocan alternativamente. 그들의 의견은 엇갈리고 있다 Ellos discrepan en sus opiniones / Ellos no son de la misma opinión. 그의 증언은 나와 엇갈렸다 Su testimonio discrepó con el mío. 말이 엇갈린 것 같다 Parece que hay un malentendido.

엇구뜰하다 (ser) algo sabroso [apetitoso · rico · delicioso].

엇구수하다 ① [음식 맛이 조금 구수하다] (ser) sabroso, apetitoso, delicioso, rico, jugoso, agradable, remilgado, melindroso, exquisito, bueno. 엇구수한 음식 plato *m* sabroso [delicioso · rico]. 엇구수한 포도주 vino *m* de muy buen paladar. ② [하는 말이 구미(口味)에 당거나, 이치에 그럴 듯하다] agradable, de mucho tacto, encantador. 그의 말투는 ~ El habla de una manera agradable.

엇구수히 sabrosamente, deliciosamente, jugosamente, agradablemente, encantadoramente.

엇그루 tocón *m* (*pl* tocones) del árbol que se cortó diagonalmente.

엇깎다 cortar oblicuamente.

엇나가다 =엇가다.

엇대다 ① [어긋나게 대다] fijar [poner] oblicuamente. ② [비꼬아 빈정거리다] insinuar, satirizar.

엇되다 (ser) esnob.

엇된놈 esnob *mf*.

엇뜨다 entrecerrar los ojos. 눈을 엇뜨고 바라보다 mirar entrecerrando los ojos. 그는 총신(銃身)을 통해 눈을 엇뜨고 바라보았다 El miró por el cañón de la escopeta entrecerrando los ojos.

엇바꾸다 cambiarse (el uno al otro), cambiar mutuamente, cambiar el uno al otro. 책을 ~ cambiar los libros el uno al otro.

엇바꾸이다 cambiarse.

엇베다 cortar oblicuamente.

엇보(一保) garantía *f* mutua.

엇부르기 ternero *m*, becerro *m*.

엇붙다 tocar al sesgo.

엇비슷하다 (ser) casi similar, casi parecido, casi semejante, casi el mismo, estar a la altura (de). 그의 성적은 작년과 엇비슷했다 Su calificación ha sido más o menos la misma que el año pasado.

엇비슷이 casi igualmente, casi de modo parecido, casi de modo similar.

엇섞다 mezclar alternativamente.

엇섞이다 mezclarse alternativamente.

엇송아지 ternero, -ra *mf*, becerro, -rra *mf*.

엉거능측하다 (ser) astuto, zorro, artero.

엉거주춤하다 vacilar, titubear, dudar, estar indeciso. 엉거주춤하게 medio, inclinado, medio agachado; [비유적] con actitud tímida. 엉거주춤한 자세(姿勢) postura *f* media, postura *f* medio inclinada. 엉거주춤하게 하다 inclinarse a medias. 엉거주춤하게 앉다 estar de medio anqueta. 나는 걱정 때문에 엉거주춤하고 있다 No puedo estar tranquilo por [Me comen] las preocupaciones.

엉겁 pegajosidad *f*, lo pegajoso, lo pringoso.

엉겁결에 sin querer, involuntariamente, inconscientemente, sin intención, de improviso, sin previo aviso, de forma imprevista, cuando nadie lo esperaba, de repente, de pronto, repentinamente. ~에 말하다 soltar, dejar escapar. ~ 터무니없는 말을 하다 soltar [dejar escapar] palabras disparatadas, decir cosas incoherentes. 그 여자는 ~ 웃기 시작했다 Ella se echó a reír sin querer. 어머니는 놀라 ~ 컵을 깨뜨리셨다 Por el susto [Por la sorpresa · Sorprendido] se le cayó la copa a la madre.

엉겅퀴 【식물】 cardo *m*, abrojo *m*, alcachoba *f*.

엉구다 concretar, confirmar, arreglar.

엉그름 grieta *f* (en el barro).

엉글벙글 gorjeando, desbordando. 아이가 ~ 웃는다 El niño se ríe.

엉금엉금 arrastrándose, gateando, yendo a gatas, a [en] cuatro patas. 우리는 ~ 기어갔다 Nosotros avanzamos a [en] cuatro patas.

엉기다 ① [액체 따위가 한데 뭉치어 굳어지다] coagularse, cuajar. 엉긴 coagulado, cuajado. 엉기게 하다 coagular, cuajar. 엉긴 피 sangre *f* coagulada, coágulo *m*. 우유가 ~ cuajar la leche. 피가 ~ coagularse la sangre. 피가 공기로 엉긴다 La sangre se coagula al aire. ② [무엇이 한데 뒤얽히다] enredarse. 엉긴 일 un asunto enredado [complicado]. 내 머리카락이 엉기었다 Se me enredó el pelo. ③ [일을 척척 못하고 허둥거리다] ponerse [estar] nervioso, aturullarse. 그는 무척 엉기었다 El se puso nerviosísimo. ④ [간신히 기어가다] arrastrarse sin dificultad.

엉기정기 confusamente, atropelladamente, a trochemoche, en confusión, desordenadamente, sin ton ni son, sin orden ni concierto. 옷은 가방 속에 ~ 넣어졌다 Habían metido ropa en las maletas desordenadamente [sin orden ni concierto].

엉너리 lisonja *f*, galantería *f*, adulación *f*.
◆엉너리(를) 치다 decir piropos, halagar, adular, lisonjear.

엉너릿손 habilidad *f* de congraciarse.

엉덩방아 tamborilada *f*, golpe *m* que se da al caer en el suelo, costalada *f*, costalazo *m*, porrazo *m*.
◆엉덩방아(를) 찧다 coger una liebre, caerse al suelo, caer de culo.

엉덩이 caderas *fpl*, nalgas *fpl*, culo *m*, trasero *m*. ~가 크다 tener unas nalgas voluminosas. ~가 큰 (사람) culón (*pl* culones), -lona *mf*, nalgón (*pl* nalgones), -gona *mf*, nalgudo, -da *mf*. ~가 넓다 ser ancho de caderas. ~가 좁다 ser estrecho de caderas. ~를 때리다 dar un azote en el culo. ~를 까고 a culo pajareo. ~를 흔들면서 걷다 andar nalgueando, andar contoneándose, contonearse, contonear [menear] las caderas. ~가 가볍다 [여자가] (ser) licenciosa, frívola, ligera.
◆엉덩이가 무겁다 tardar mucho en arrancar, quedarse demasiado largo tiempo. 그 여자는 ~ Cuando ella viene a casa, no hay modo que vuelva.
▪~뼈 hueso *m* de la cadera, hueso *m* ilíaco.

엉덩잇바람 andar *m* tambaleante.

엉덩잇짓 movimientos *mpl* de *sus* caderas, tambaleo *m* de *sus* caderas. ~하다 tambalearse *sus* caderas.

엉덩춤 baile *m* de caderas, hula-hula *m*. ~을 추다 bailar el hula-hula.

엉덩판 caderas *fpl*, nalgas *fpl*. ~이 넓다 ser ancho de caderas.

엉두덜거리다 refunfuñar, rezongar, quejarse.
엉두덜엉두덜 refunfuñando, rezongando, quejándose.

엉뚱하다 (ser) absurdo, ridículo, desmedido, desmesurado, raro, extravagante, disparatado, excéntrico, incoherente, incongruente, inconexo. 엉뚱한 결과(結果) resultado *m* absurdo. 엉뚱한 값의 가구(家具) muebles *mpl* a precios de risa. 엉뚱한 생각 idea *f* extravagante. 대답이 ~ dar una respuesta incongruente [inoportuna · fuera de lugar · que no hace al caso]. 엉뚱한 말을 하다 decir cosas extravagantes. 엉뚱한 실수를 범하다 cometer una falta garrafal. 엉뚱한 짓을 하다 hacer cosas extravagantes, cometer un acto temerario. 그는 엉뚱한 녀석이다 El tiene una audacia increíble. 그는 엉뚱한 시간에 나를 찾아왔다 El me visitó a una hora inoportuna. 그는 엉뚱한 희망을 품고 있다 El abriga una esperanza desmesurada. 나는 그런 엉뚱한 일을 할 수 없다 No puedo dar tal escándalo. 그것이 엉뚱한 소리라는 것을 나는 이미 알고 있다 Ya sé que parece ridículo. 그녀는 나를 엉뚱하게 보이도록 만들었다 Ella me hizo quedar en ridículo. 그들은 엉뚱한 값을 요구한다 Es ridículo lo que piden.

엉망 estropeamiento *m*, ruina *f*, destrucción *f*. ~의 afinado, esmerado, rebuscado, elaborado, sofisticado. ~인 문체(文體) estilo *m* rebuscado. ~으로 만들다 estropear, arruinar, destruir, corromper. ~으로 요리하다 preparar los platos con mucho esmero, cocinar elaboradamente. 일생을 ~으로 만들다 arruinar *su* vida. 태풍으로 벼가 ~이 되었다 El tifón destruyó los arroces. 비 때문에 구두가 ~이 되었다 Se estropearon los zapatos por la lluvia.

엉망진창 ((힘줌말)) =엉망.

엉머구리 una especie de rana, rana *f* algo grande y amarilla pero con manchas negras en la espalda.
◆엉머구리 소리 mucho ruido.

엉버틈하다 (ser) ancho, amplio, estar abierto anchamente.

엉성궂다 (ser) muy mal hecho, muy rudo, muy chapucero.

엉성하다 ① [꼭 째이지 않아 어울리지 않다] (ser) mal hecho, rudo, chapucero, poco esmero. 엉성하게 chapuceramente, con poco esmero. 엉성한 일 trabajo *m* chapucero, trabajo *m* poco esmerado. 엉성한 계획 proyecto *m* poco elaborado. 그의 일은 ~ Su manera de trabajar es ruda. 이 정원은 ~ Este jardín está mal cuidado. ② [탐탁하지 않다] (ser) desfavorable, insatisfactorio, poco satisfactorio, deficiente, poco convincente. ③ [뼈만 남도록 버쩍 마르다] (ser) descarnado, delgado y adusto, huesudo, delgado, flaco; [병후에] demacrado. 말라서 뼈만 ~ estar hecho un esqueleto, estar esquelético, estar en los huesos.
엉성히 chapuceramente, con poco esmero.

엉세판 penuria *f*, miseria *f*.

엉엉 llorando amargamente, vociferando, desgañitándose, con llanto desgarrado. ~울다 llorar amargamente, llorar a lágrima viva.

엉엉거리다 ① [목 놓아 울다] llorar amargamente. ② [가난의 괴로움을 하소연하다] quejarse de [reclamar] *su* aflicción de pobreza, deplorar [lamentar] *su* desgracia.

엉정벙정 con las cosas superfluas esparcidas.

엉치뼈 【해부】 hueso *m* sacro.

엉클다 enredar, enmarañar.

엉클리다 ser enredado, ser enmarañado.

엉클 샘(영 *Uncle Sam*) (el) Tío Sam, Uncle Sam.
엉클어뜨리다 enredar, enmarañar.
엉클어지다 [털이나 카펫이] apelmazarse; [머리카락이] enmarañarse. (털이) 엉클어져 있다 estar apelmazado. 그의 머리카락이 엉클어져 더럽다 El tiene el pelo enmarañado y sucio.
엉큼대왕(-大王) hombre *m* de ambición presuntuosa.
엉큼성큼 con pasos largos, dando grandes zancadas. ~ 걷다 andar dando grandes zancadas.
엉큼스럽다 (ser) absurdo, ridículo, estar lleno de ambiión profundamente arraigada.
엉큼엉큼 con pasos largos. ☞엉큼성큼
엉큼하다 tener un intento oculto, tener una segunda intención, estar lleno de ambición profundamente arraigada. 엉큼한 사람 persona *f* llena de ambición profundamente arraigada. 엉큼한 생각 ambición *f* absurda.
엉키다 ((준말)) =엉클어지다.
엉터리 ① [터무니없는 말이나 행동] disparate *m*, dicho *m* sin orden ni concierto, el habla *f* [plática *f*·conversación *f*] impensada [casual]; [쓰레기] basura *f*. ~의 disparatado; [어이없는] absurdo; [무책임한] irresponsable; [뒤죽박죽의] sin orden ni concierto, desatinado. ~로 disparatadamente, al azar, al tuntún, sin ton ni son, a la ventura. ~ 말을 하다 disparatar, decier disparates, decir lo primero que viene a la cabeza, hablar por hablar. 이 컴퓨터는 ~다 Este ordenador es un pedazo de basura. ② [허울만 있고 실속이 없는 사람이나 사물] fundamento. ~ 시인 poetastro, -tra *mf*. ~ 화가 pintorzuelo, -la *mf*. ③ [대강의 윤곽] esquema *m*, plan *m* general. 일의 ~ el plan general de un trabajo.
엉터리없다 (ser) absurdo, disparatado, fortuito, impensado, casual, sin orden ni conciero (뒤죽박죽의), irresponsable (무책임한), desatinado, infundado (근거가 없는). 엉터리없는 수작 comentarios *mpl* infundados. 그 값은 ~ El precio es extravagante. 엉터리없이 absurdamente, disparatadamente, al azar, a la ventura, extravagantemente.
엊그저께 hace dos o tres días.
엊그제 ((준말)) =엊그저께.
엊빠르다 ((준말)) =어지빠르다.
엊저녁 ((준말)) =어젯저녁.
엎다 trastornar, poner lo de arriba abajo; [물병·컵 등을] volcar; [우유·내용물을] derramar; [배를] volcar, hacer volcar; [책상·배를] dar*le* la vuelta (a), *CoS* dar vuelta; [정부를] derrocar, derribar. 우유잔을 ~ volcar un vaso de leche. 정부를 ~ derrocar [derribar] el gobierno.
엎드러뜨리다 hacer caer boca abajo.
엎드러지다 (resbalar y) caer boca abajo, caer de bruces.
엎드려 팔굽혀펴기 flexión *f* de brazos, flexión *f* de pecho. ~를 하다 hacer flexiones (del brazo), *Méj* hacer lagartijas.
엎드리다 prosternarse, ponerse de bruces, tenderse [tumbarse] boca abajo (en el suelo). 엎드려 눕다 tenderse, echarse, tumbarse. 엎드려 자다 acostarse boca abajo, ponerse de bruces. 엎드려 빌다 rogar a *uno* de rodillas, echarse a los pies de *uno*. 엎드려 절하다 postrarse delante de [ante] *uno*. 침대에 엎드려 누워 신문을 읽다 leer el periódico tendido en la cama. 엎드리세요 Tiéndase (usted) boca abajo / [tú에게] Tiéndete boca abajo.
엎디다 ((준말)) =엎드리다.
엎어 놓다 poner boca abajo. 카드를 ~ poner la carta cara [boca] abajo. 잔을 ~ poner el vaso boca abajo.
엎어누르다 presionar, oprimir.
엎어지다 ① [앞으로 넘어지다] caerse (hacia adelante). 나는 계단으로 엎어졌다 Me caí por la escalera. ② =뒤집히다. ③ [일이 결딴이 나다] fracasar, fallar, ser destruido, ser arruinado, ser estropeado, ser echado por tierra.
엎지르다 verter, derramar. 내 아내는 한 방울도 엎지르지 않고 커피를 이층으로 날랐다 Mi esposa subió el café sin derramar [verter] una gota. 홍차를 탁상보 위에 엎지르지 마라 No manches el mantel de té / No derrames té sobre el mantel.
■한 번 엎지른 물은 다시 주워 담을 수 없다 ((속담)) Una vez muerto el burro, la cebada al rabo / Lo hecho, hecho está / A lo hecho pecho.
엎질러지다 verterse, derramarse.
엎쳐뵈다 ① [구차하게 남에게 머리를 숙이다] humillarse. ② ((속어)) =절하다.
엎치다 ① [배를 땅 쪽으로 깔다] poner el vientre hacia la tierra, caer boca abajo. ② ((힘줌말)) =엎다.
◆엎친 데 덮친다 Siempre llueve sobre mojado / Las desgracias nunca vienen solas / Salir de las llamas y caer en las brasas / Salir de Herodes y entran en Pilatos. 엎친 데 덮쳤다 Llovieron desgracias sobre mojado. 나는 엎친 데 덮쳤다 Me ha caído encima otra desgracia.
엎치락뒤치락 dando vueltas (en la cama). ~하다 dar vueltas. 침대에서 ~하다 dar vueltas en la cama. 마음이 ~하다 (ser) caprichoso, veleidoso, inconstante, voluble.
에¹ ① [체언 뒤에 붙이어 쓰는 부사격 조사] ㉮ [처소(處所)·때·대상 등을 나타냄] a, en, de, por. 3시~ a las tres. 오전~ por la mañana, *AmL* en la mañana. 오후~ por la tarde, *AmL* en la tarde. 밤~ por la noche, de noche, *AmL* en la noche. 일요일 오후~ el domingo por la tarde. 10일 밤~ el (día) diez por la noche. 산 위~ 뜬 구름 nubes *fpl* en la montaña. 선반 위~ 올리다 poner sobre el anaquel. 공부~ 전념(專念)하다 dedicarse al estudio. 낮~ 만난

사람 hombre *m* con que me encontré de día. 내일 자네는 몇 시~ 오겠나? ¿A qué hora vendrás mañana? 필리핀은 대만의 남쪽~ 있다 Las Filipinas están situadas [se hallan] al sur de Formosa. ㉯ [진행 방향을 나타냄] a. 학교~ 가다 ir a la escuela. ㉰ [원인을 나타냄] por. 바람~ 날리는 갈대 junco *m* que se vuela por el junco. ㉱ [일정한 조건·기준 등을 나타냄] a. 다섯 살 적~ a los cinco años de edad, cuando yo tenía cinco años de edad. 일흔아홉~ 죽다 morir a los setenta y nueve años de edad. 삼십 대~ 죽다 morir antes de llegar a los cuarenta años. 그는 예순의 나이~ 죽었다 El murió a los sesenta años / El falleció a la edad de sesenta años. 선생님께서는 몇 살 때~ 남미에 가셨습니까? ¿A qué edad fue usted a la América del Sur? ㉲ [단위나 비율을 나타냄] a, por. 천 원~ 세 개 tres por mil wones. 만 원~ 사다 comprar a [por] diez mil wones. 백만 원~ 팔다 vender por un millón de wones. 하루~ 세 번 먹다 comer tres veces al día. 1킬로그램~ 얼마입니까? ¿Cuánto vale el kilo? ② [두 개 이상의 체언을 동등 자격으로 열거하는 접속 조사] y. 떡~ 술~ 고기~ 잘 먹다 comer *teok*, *sul* y carne bastante. ③ ((준말)) =에다가(en). ¶국~ 밥을 말다 poner el arroz en la sopa.

에² [감탄사로, 말을 할 때 뜸을 들이는 소리] bien, bueno, a ver. ~ 우리 시작할까? Bueno [Bien] ¿empezamos? ~ 문제가 뭡니까? A ver ¿qué es lo que pasa?

에게 a, para. 우리~ 돈을 주다 darnos dinero. 어머니~ 편지를 쓰다 escribir a *su* madre.

에게다 a. 누구~ 맡길까 ¿A quién depositaremos?

에게도 a (*uno*) también. 나는 김 씨~ 편지를 보냈다 Yo le envié al señor Kim también.

에게로 a. 어머니~ 가거라 Ve a tu madre. 영광은 그~ 돌아갔다 La gloria le volvió a él.

에게서 de. 어머니~ 편지가 왔다 La carta vino de mi madre / Mi madre me envió la carta / Yo recibí una carta de mi madre.

에고(라 *ego*) ①【철학·심리】el yo, el ego. ② [자만(自慢). 아욕(我慾)] amor *m* propio, ego *m*.

에고이스트(영 *egoist*) ① [이기주의자] egoísta *mf.* ② [자기 중심주의자] egotista *mf.*

에고이즘(영 *egoism*) ① [이기주의] egoísmo *m.* ② [자기 중심주의] egotismo *m.*

에고티즘(영 *egotism*) [자기 중심벽] egotismo *m.*

에구구 ¡Ay! / ¡Qué cosa! / ¡Vaya por Dios! / ¡Ay por Dios! ~ 무시무시하다 Ay por Dios, eso sí que es terrible.

에구데구 llorando, gimiendo.

에구머니 ((준말)) =어이구머니.

에구에구 llorando con tristeza.

에굽다 estar curvado formando un ángulo ladeado.

에꾸아도르【지명】el Ecuador. ~의 ecuatoriano. ~ 사람 ecuatoriano, -na *mf.*

에끄 ¡Dios (mío)! / ¡Válgame Dios!

에끼 ¡Caray! / ¡Maldita sea! ~ 뒈져라 ¡Por todos los demonios!

에끼다 compensar, cancelar, anular, invalidar, pasar. 이것으로 그 손실을 에낄 수 있을 것이다 Esto podrá compensar la pérdida.

에나멜(영 *enamel*) ① esmalte *m*; [피혁의] charol *m.* ~을 입히다 esmaltar, lacar, poner esmalte. …에 ~을 칠하다 esmaltar *algo*, charolar *algo.* ② ((준말)) =에나멜 페인트.

▪~가죽 piel *f* esmaltada, cuero *m* esmaltado, charol *m.* ~ 구두 zapatos *mpl* de charol. ~ 브로치 prendedor *m* esmaltado [de esmalte]. ~선(線) alambre *m* esmaltado. ~ 세공 esmalte *m.* ~질 [이의] esmalte *m.* ~페인트 esmalte *m*, pintura *f* esmaltada.

에너지(영 *energy*) energía *f.*

◆원자(原子) ~ energía *f* atómica. 전기 ~ energía *f* eléctrica. 태양 ~ energía *f* solar.

▪~ 관리 dirección *f* de energía, gerencia *f* de energía. ~ 공급(供給) suministro *m* de energía. ~ 낭비 derroche *m* de energía. ~ 능률 eficiencia *f* de la energía. ~ 대사 metabolismo *m* de energía. ~론 energética *f.* ~ 보존 법칙 ley *f* [principio *m*] de la conservación de energía. ~ 불멸 법칙 = 에너지 보존 법칙. ~ 비축(備蓄) reserva *f* energética. ~ 산업 industria *f* energética. ~ 소비(량) consumo *m* de energía. ~원 fuentes *fpl* de energía. ~ 위기(危機) crisis *f* energética, crisis *f* de energía. ~ 자원 recursos *mpl* energéticos. ~ 절약 ahorro *m* energético. ~ 정책 política *f* energética. ~ 체계 sistema *m* energético. ~ 혁명(革命) revolución *f* en la energía, revolución *f* de (la) energía. ~ 효율(效率) eficiencia *f* de la energía.

에넘느레하다 estar dispersado.

에네르기(독 *Energie*) energía *f.* ☞에너지

에누리 ① [받을 값보다 더 부르는 일] más cobranza *f.* ~하다 cobrar*le* de más a *uno.* 우리는 5만 원을 에누리했다 Nos cobraron cincuenta mil wones de más. ② [값을 깎는 일] rebaja *f*, descuento *m*, reducción *f.* ~하다 rebajar, descontar. ~ 없는 값 el último precio. ③ [사실보다 보태거나 깎아서 들음. 또는 말함] exageración *f.* ~하다 exagerar. 반 ~할지라도 aunque eso sea verdad a medias. 반 ~해서 듣다 no creer más que a medias.

에누리 없다 no rebajar, no descontar, no hacer una rebaja, no hacer un descuento.

에누리 없이 ㉮ [값을] sin rebaja, sin descuento. ㉯ [말을] sin exageración, francamente.

에는 ((힘줌말)) =에(en, a). ¶집~ 가기 싫다 No quiero ir a casa. 이번~ 안 지겠다 No perderé esta vez. 산~ 꽃이 피네 Se echan las flores en las montañas.

에다¹ ① ((준말)) ＝에우다. ② [칼로 도려내다] punzar, dar punzadas. 살을 에는 듯한 바람 viento *m* punzante [penetrante]. 살을 에는 듯한 추위 frío *m* punzante, frío *m* penetrante. 칼로 에는 듯한 종기 absceso *m* que punza. 추위로 살이 엔다 El frío me hiere la piel. ③ [마음을 아프게 하다] punzar. 에는 듯한 고통 dolor *m* punzante.

에다² ① [무엇이 더하여짐을 나타내는 부사격 조사] en. 국~ 밥을 말다 poner el arroz en la sopa. ② [두는 곳, 놓는 위치를 나타내는 부사격 조사] en. 길모퉁이~ 전주를 세우다 erigir el poste eléctrico en la esquina de la calle. 부엌~ 두어라 Ponlo en la cocina. ③ [접속 조사「에」를 강조하 는 말] y. 술~ 밥~ 실컷 먹었다 comer el vino y la comida hasta la saciedad [hasta hastiar].

에다가 ＝에다².

에덴(헤 *Eden*)【지명】((성경)) Edén, región *f* de Edén. 여호와 하나님이 동방의 ~에 동산을 창설하시고 ((창세기 2:8)) Jehová Dios plantó un huerto en Edén, al oriente / Después Dios el Señor plantó un jardín en la región de Edén, en el oriente.

■~ 동산(東山) el Paraíso Terrenal, el (jardín del) Edén.

에델바이스(독 *Edelweiss*)【식물】edelweiss *m*.

에도 ① [조차도] aún. ② [···도 또한. ···에 대하여도] también, además, así como, para. 무슨 일~ 시기와 장소가 있다 Hay tiempo y lugar para cualquier cosa.

에돌다 quedarse [entretenerse] vacilantemente.

에두르다 ① [둘러막다] rodear, encerrar, cercar. 집을 돌담으로 ~ cercar la casa con el muro de piedras. ② [바로 말하지 않고, 짐작하여 알 수 있도록 둘러서 말하다] hablar con rodeos, andar con circunloquios, andar con ambages. 에둘러 con rodeos, con perífasis. 에둘러 거절하다 negar [rechazar] con rodeos [con perífrasis].

에뜨거라 ¡Caramba! / *ReD* ¡Coño!

에라 ① [체념] Bueno, Bien. ~ 그럼 극장에 가자 Bueno, vamos al cine. ② [주의. 환기] ¡Oye! ~ 비켜라 ¡Oye! Hazte [Apártate] a un lado. ③ [금지] No / ¡Deja de hacer!

에러(영 *error*) ① [과실. 실책. 잘못] error *m*, equivocación *f*. ~로 por equivocación, por error. ~를 범하다 errar, equivocar, cometer un error. ② 【컴퓨터】error *m*.

◆철자 ~ error *m* ortográfico. 프린트 ~ error *m* de imprenta.

에로 ① ((준말)) ＝에로티시즘. ② [형용사적] erótico, obsceno, sexual, sensual, pornográfico, verde.

■~ 문학 pornografía *f*, literatura *f* obscena, literatura *f* pornográfica. ~ 사진 fotografía *f* obscena, fotografía *f* pornográfica, fotografía *f* verde. ~ 소설 novela *f* obscena, novela *f* pornográfica, novela *f* verde. ~ 시 poema *m* obsceno, poema *m* verde, poema *m* pornográfico, poesía *f* obscena, poesía *f* pornográfica, poesía *f* verde. ~ 영화 película *f* obscena, película *f* pornográfica, película *f* verde. ~ 잡지 revista *f* obscena, revista *f* verde, revista *f* pornográfica.

에로스(그 *Eros*) [사랑의 신]【그리스 신화】Eros *m*;【로마 신화】Cúpido *m*.

에루화 ¡Qué divertido!

에르그(영 *erg*)【물리】ergio *m*, erg *m*.

■~계 ergmetro *m*.

에리트레아【지명】Eritrea *f*. ~의 eritreo.

■~ 사람 eritreo, -a *mf*.

에메랄드(영 *emerald*) ①【광물】esmeralda *f*. ② [에메랄드 빛. 밝은 초록색] verde *m* esmeralda.

■~ 빛 verde *m* esmeralda, color *m* de esmeralda.

에멜무지로 ① [물건을 단단히 묶지 않는 모양] sin apretar. ~ 조여라 No lo aprietes. ~ 묶어라 Ates sin apretar. ② [언행을 헛일 겸 시험 삼아] a prueba. ~ 우리들은 당신에게 첫 권을 보내겠습니다 Le enviaremos el primer tomo a prueba.

에베레스트【지명】el Monte Everest.

에보나이트(영 *ebonite*) ebonita *f*.

에부수수하다 estar hirsuto. 에부수수해진 머리카락 hirsuta cabellera *f*. 머리가 ~ tener el cabello hirsuta, estar despeinado.

에비 ¡Cuidado! ~, 만지지 마라 ¡Cuidado! No toques.

에서 ① [어떤 사물의 처소] en, a. 한국~ en Corea. 서반아~ en España. 문간~ a la puerta. 외국~ 공부하다 estudiar en el (país) extranjero. 집~ 자다 dormir en casa. 공장~ 일하다 trabajar en la fábrica. 공원(公園)~ 산책하다 pasear(se) [dar un paseo] en el parque.

② [움직임의 출발점] de, desde. A~ B까지 de A a B, desde A hasta B. A~ B로 de A en B. 학교~ 집까지 de la escuela a la casa. 서울~ 뉴욕까지 de Seúl a Nueva York, desde Seúl hasta Nueva York. 꽃~ 꽃으로 de flor en flor. 집~ 집으로 de casa en casa. 마을~ 마을로 de pueblo en pueblo. 미국~ 온 배 barco *m* proveniente [que ha llegado] de los Estados Unidos de América. 앞~ 열 번째 좌석 asiento m de la décima fila (de adelante). 외국~ 오다 venir del extranjero. 학교~ 돌아오다 volver a casa de la escuela.

③ [주격 조사로] ¶우리 회사~ 이겼다 Ganó nuestra compañía. 회사~ 나에게 시계를 주었다 La compañía me dio un reloj.

④ [동기. 원인] de. 책임감~ del sentido de la responsabilidad. 호기심~ de la curiosidad.

⑤ [견지] desde, según, por. 교육적 견지~ 보면 desde el punto de vista educador. 동물학적 견지~ 보면 desde el punto de vista zoológico.

⑥ [보다] más. 이~ 더 큰 사랑은 없다 No hay amor más grande que éste. ⑦ [최상급에서] de, entre, en. 서울~ 가장 높은 건물 el edificio más alto de Seúl. 세계~ 가장 긴 강 el río más largo del mundo. ⑧ [단위(單位)] a. 물은 섭씨 100도~ 끓는다 El agua hierve a cien grados centígrados.

에서도 en también, de también. 멕시코~ 큰 지진이 있었다 En Méjico también había un gran terremoto. 회의에는 일본~ 사람이 왔다 La gente vino a la conferencia del Japón también.

에서만 sólo [solamente] en. 우리의 기백은 오로지 시단(詩壇)~ 찾아볼 수 있다 El espíritu de Corea puede verse solamente en el campo de poesía

에서부터 de, desde. 출발역~ 도착역까지 내내 졸았다 Yo seguía dormitando de la estación de salida a la de llegada.

에서처럼 como en. 너는 집~ 하면 된다 Tú puedes hacerlo como en casa.

에설랑 [처소] en. 산~ 새를 잡고 물~ 고기를 잡자 Vamos a coger los pájaros en las montañas y los peces en el agua.

에세이(영 *essay*) [수필] ensayo *m*. 김소운은 수많은 ~를 쓴 작가(作家)다 Kim So Wun es autor de numerosos ensayoes.

에세이스트(영 *essayist*) [수필가] ensayista *mf*.

에센스(영 *essence*) [본질. 정수] esencia *f*.

에스(영 *S, s*) ① 【언어】 [영어 알파벳의 열아홉째 자모] S, s *f*. ② [남쪽·남극의 부호] S *f*. ③ [여학생 사이의 동성애의 대상을 나타내는 말] hermana *f*. ④ [의류 등의 치수·크기가 작음을 나타내는 기호] (tamaño *m*) pequeño.

에스겔서(Ezekel 書) 【성경】 Ezequiel.

에스더서(Esther 書) 【성경】 Ester.

에스라서(Ezra 書) 【성경】 Esdras.

에스빠냐 【지명】 España. ~의 español. ☞서반아.

■~ 어 español *m*., castellano *m*, idioma *m* español, lengua *f* española. ~ 어 사전 Diccionario *m* de la Lengua Española. ~ 왕국 el Reino de España. ~ 인[사람] español, -la *mf*.

에스사이즈(영 *S size*) tamaño *m* pequeño.

에스에프(영 *SF, science fiction*) [공상 과학 소설] ciencia-ficción *f*.

에스오에스(영 *SOS*) S.O.S. *m*, SOS *m*. ~를 보내다 mandar [enviar·lanzar] un S.O.S.

■~ 메시지 S.O.S. *m*. ~ 호출 S.O.S. *m*.

에스컬레이션(영 *escalation*) escalada *f*, [심각화(深刻化)] gravación *f*.

에스컬레이터(영 *escalator*) escalera *f* mecánica.

■~ 조항 ㉮ [가격 증감을 인정하는 규정] cláusula *f* de revisión de precios. ㉯ [임금 증감을 인정하는 규정] cláusula *f* de escala móvil.

에스코트(영 *escort*) escolta *f*. ~하다 escoltar.

에스키모(영 *Eskimo*) esquimal *mf*. ~의 esquimal.

■~ 어[말] (aleuto)esquimal *m*.

에스파냐 【지명】 España. ☞에스빠냐. 서반아

에스페란토 【언어】 esperanto *m*.

■~ 사용자[주의자] esperantista *mf*.

에스피판(SP 板) disco *m* de 78 rotaciones por minuto.

에야디야 ((준말)) =어기야디야.

에어(영 *air*) [공기. 공중] aire *m*.

■~ 메일 [항공 우편] correo *m* aéreo. ~백 [안전용 공기 주머니] bolsa *f* de aire. ~브레이크 ㉮ [자동차의] freno *m* de aire, freno *m* neumático. ㉯ [비행기의] freno *m* aerodinámico. ~쇼 (demostración *f* de) acrobacia *f* aérea; [전시장] salón *m* (*pl* salones) aeronáutico. ~컨 ((준말)) =에어컨디셔너. ~컨디셔너 [냉난방 장치] acondicionador *m* de aire. ~ 포켓 bache *m* (aéreo), bolsa *f* de aire. ~포트 [공항] aeropuerto *m*.

에어로빅 ☞에어로빅스.

에어로빅 댄스(영 *aerobic dance*) danza *f* aeróbica.

에어로빅스(영 *aerobics*) aerobismo *m*, aerobic(s) *ing.m*, aeróbic *m*.

에우다 ① [사방을 빵 둘러싸다] rodear, cercar, circundar. ② [딴 길로 돌리다] cambiar. ③ [장부 등의 필요 없는 부분을 지우다] tachar.

에움길 camino *m* curvo. ~을 가다 ir dando un rodeo.

에워가다 ① [바른길로 가지 않고 둘러 가다] dar un rodeo, desviarse, rodear (por). 길을 ~ ir dando un rodeo. 그들은 숲을 에워갔다 Ellos rodearon por el bosque. ② [장부 등의 필요 없는 부분을 지워 나가다] tachar.

에워싸다 rodear, cercar. 성을 ~ rodear el castillo. 군중이 그를 에워싸고 있다 La muchedumbre le rodea. 그는 언제나 팬들에 에워싸여 있다 El está siempre rodeado de sus admiradores. 성벽이 도시를 에워싸고 있다 Las murallas rodean la ciudad. 집은 나무로 에워싸고 있다 La casa está rodeada de árboles.

에워싸이다 rodearse, ser rodeado. 그 여자의 가족에 에워싸여 rodeada de su familia. 그는 즉시 그의 보디가드들에게 에워싸였다 Inmediatamente lo rodearon sus guardaespaldas. 우리들은 매우 많은 미녀들에 에워싸여 있다 Estamos rodeados de tanta belleza.

에의 a. 성공~ 길 camino *m* al éxito. 행복~ 초대 invitación *f* a la felicidad.

에이 ① [실망하여 단념의 뜻을 나타내는 말] Bueno / Entonces / ¡Oh, sí! / ¿Qué? / ¿Eh? / ¡Bah! ~, 하고 싶은 대로 해라 Haz lo que quieras. 그는 ~ 하면서 돌을 던졌다 El tiró una piedra dando un grito. ~, 망할! ¡Diante, tómalo! ② ((준말)) =에이끼.

에이(영 *A, a*) ① [영어의 첫째 모음] A, a *f*.

② [최상. 최고] el primero, el mejor.
■ ~ 급 =제일급. 최상급.

에이 단조(A 短調) 【음악】 =가단조.

에이디(라 *AD, Anno Domini*) [서기. 그리스도 기원] dC, d. de C., d. de J.C., después de Jesucristo.

에이레 【지명】 Eire *m*, Irlanda *f*. ~의 irlandés, -desa.
■ ~ 어[말] irlandés *m*. ~ 인[사람] irlandés, -desa *mf*.

에이비시(영 *ABC*) ① [영어 자모 중의 처음 석 자] abc, ABC. ~ 순(順)으로 por orden alfabético, alfabéticamente. ② [영어의 초보] abecedario *m* del inglés. ③ [입문] introducción *f*; [초보] abecé *m*, abecedario *m*, alfabeto *m*. 댄스의 ~ abecé *m* de la danza. ~도 모르다 no entender el abecé, no saber el abecé, ser muy ignorante.

에이비엠(영 *ABM, anti-ballistic missile*) [탄도탄 요격 미사일] misil *m* antibalístico.
■ ~망(網) red *f* del misil antibalístico.

에이비형(AB 型) grupo *m* AB.

에이스(영 *ace*) ① [일(一). 트럼프·주사위의 한 끗] as *m*. 클로버의 ~ el as de tréboles. ② [제일인자. 최고 선수] as *m*. ~의 de primera, destacado. ~ 드라이버 un as del volante. ~ 파일럿 un as de la aviación. ③ ((테니스)) ace *m*. ④ ((야구)) ace *m*.

에이에스(영 *AS*) ((준말)) =애프터서비스.

에이에프피(불 *AFP, Agence France-Presse*) [불란서 통신사] AFP *f*, la Agencia France Presse.

에이엠(영 *AM, am*)(라 *ante meridiem*) [오전(午前)] de la mañana, am.

에이즈(영 *AIDS, Acquired Immnue Dificiency Syndrome*) [후천성 면역 결핍증(後天性免疫缺乏症)] sida *m*, Sida *m*, SIDA *m*, el Síndrome de Inmunodeficiencia Adquirida. ~에 걸린 sidoso.
■ ~ 환자(患者) sidoso, -sa *mf*.

에이치 아워(영 *H-hour*) 【군사】 hora *f* H.

에이커(영 *acre*) acre *m* (0,405 hectáreas).

에이펙(영 *APEC, Asia-Pacific Economic Cooperation*) [아시아 태평양 경제 협력 기구] APEC *f*, O.C.E.A.P *f*, la Cooperación Económica Asiático-Pacífica, la Organización de Cooperación Económica Asia-Pacífico.

에이프런(영 *apron*) [앞치마나 턱받이] [가정용] mandil *m*, delantal *m*; [노동자용] mandil *m*. 그 여자는 ~을 두르고 있다 Ella lleva mandil [delantera].

에이프릴 풀즈 데이(영 *April Fools' Day*) [만우절] el día de los (Santos) Inocentes.

에이피(영 *AP, The Associated Press of America*) [연합 통신사] la Prensa Asociada.

에이피 통신(AP 通信) =에이피(AP).

에이형(A 型) grupo *m* A.

에인절(영 *angel*) [천사(天使) ángel *m*.

에인절피시(영 *angelfish*) ① 【어류】 [전자리상어] angelote *m*. ② 【어류】 [관상용 열대어] chiribico *m*.

에잇 ¡Caray! / ¡Carajo! ~ 빌어먹을! ¡Caray! / ¡Carajo! ~ 맘대로 해라 ¡Caray! Haz lo que quieras. ~ 될대로 되어라 ¡Vete al cuerno! / ¡Vete al diablo! / ¡Vete a la mierda!

에참 ¡Caramba! / ¡Caray! / ¡Carajo! // *ReD* ¡Coño! / ¡Mierda!

에칭(영 *etching*) aguafuerte *f*, grabado *m*.
■ ~ 바늘 aguja *f* de hierro de la aguafuerte.

에카페(영 *ECAFE, United Nations Economic Commision for Asia and the Far East*) [(유엔의) 아시아 극동 경제 위원회] la Comisión Económica para Asia y Extremo Oriente, CEAEO *f*.

에코[1](영 *Echo*) 【그리스 신화】 [숲의 요정(妖精)] Eco *m*.

에코[2](영 *echo*; 그 *ekho*; 불 *écho*; 독 *Echo*) [반향] eco *m*.

에쿠아도르 【지명】 Ecuador. ☞에꾸아도르.

에크 ¡Dios mío! / ¡Santo cielo! / ¡Ay por Dios! / ¡Vaya por Dios!

에탄(영 *ethane*) 【화학】 etano *m*.

에탄올(영 *ethanol*) 【화학】 etanol *m*.

에테르(영 *ether*) 【화학】 éter *m*. ~의 etéreo.

에토스(그 *ethos*) ética *f*.

에튀드(불 *étude*) estudio *m*.

에티오피아 【지명】 Etiopía *f*. ~의 etiópico, etíope. ~ 사람 etíope *mf*.

에티켓(영 *etiquette*; 불 *étiquette*) ① [예절. 예법. 매너] buenas maneras *fpl*, urbanidad *f*, cortesía *f*, buenos modales *mpl*. ~을 지키다 guardar la urbanidad [los modales · las formas]. ② [사교상의 마음가짐이나 몸가짐] etiqueta *f*, protocolo *m*, ceremonial *m*. 그것은 ~에 어긋난다 Eso va en contra de las buenas maneras / Eso contraviene (a) la etiqueta.

에틸(영 *ethyl*) 【화학】 etilo *m*. ~의 etílico.
◆산화(酸化) ~ óxido *m* de etileno.
■ ~알코올 alcohol *m* etílico.

에틸렌(영 *ethylene*) 【화학】 etileno *m*.
■ ~ 가스 gas *m* de etileno.

에페(불 *épée*; 영 *epee*) ((펜싱)) espada *f* (de esgrima), épée *m*, epe(e) *m*.

에펠 탑(Eiffel 塔) la Torre Eiffel.

에포케(그 *epoche*) 【철학】 época *f*.

에프비아이(영 *FBI*) FBI *m*.

에프엠(영 *FM, frecuency modulation*) frecuencia *f* modulada, FM *f*.
■ ~ 방송 emisión *f* [radiodifusión *f*] en frecuencia modulada [en FM].

에프오비(영 *FOB, free on board*) [본선 인도] franco a bordo, FAB, FOB, f.a.b. ~ 가격으로 en término, FAB.

에프오아르(영 *f.o.r., free on rail*) [화차 인도] franco sobre vagón, puesto sobre vagón.

에피소드(영 *episode*) ① [삽화(揷話)] episodio *m*, capítulo *m*. ② [일화(逸話)] anécdota *f*, episodio *m*. 그들은 모든 ~를 부인했다 El negó toda la historia. ③ 【음악】 pasaje *m*.

에필로그(영 *epilogue*) epílogo *m*.
에헤 ¡Caramba! / ¡Dios bendito! / ¡Por Dios! / ¡Cómo se te ocurre! / ¡Ay, no!
에헴 ¡Ejem! ～하다 carraspear. 그는 ～하고 기침을 했다 El carraspeó / El tosió.
엑스(영 *X, x*) ① 【언어】 [영어의 스물넷째 자모] X, x *f*. ② [로마 숫자의 10] X. ③ 【수학】 [미지수의 부호] X *f*. ④ [시험 답안 등에서 틀림을 나타내는 부호] X *f*. 쓰실 수 없으면 ～를 하세요 Si no sabe escribir, haga [ponga] una cruz.
■ ～ 광선 =엑스선(X線). ～ 세대 Generación X. ～ 염색체 cromosoma *f* x. ～ 좌표 [횡좌표] coordenada *f* x, abscisa *f*. ～축 [가로축] eje *m* x.
엑스레이(X-ray) ① [엑스선] rayos *m* X. ② =엑스선 사진.
■ ～ 사진 fotografía *f* por rayos X.
엑스선(X線)(영 *X-ray*) rayos *m* X.
■ ～ 검사 examen *m* de rayos X. ～ 요법 roentgenoterapia *f*, terapia *f* de rayos X, tratamiento *m* de rayos X (de Roentgen). ～ 촬영 radiografía *f*, roentgenografía *f*. ～ 촬영기 roentgenógrafo *m*. ～ 투시기(透視器) roentgenoscopio *m*.
엑스 세대(X 世代) generación *f* X.
엑스트라(영 *extra*) ① [연극이나 영화의 단역 배우] extra *mf*. 영화에 ～로 출연하다 hacer [trabajar] de extra en una película. ② [잡지의 임시 증간호] número *m* extra. ③ [신문의 호외(號外)] número *m* extra.
엑스퍼트(영 *expert*) [전문가. 노련가. 숙련공] experto, -ta *mf*, perito, -ta *mf*.
엑스포(영 *EXPO, World Exposition*) [만국 박람회] la Exposición Internacional.
엔(일 えん 円) [일본의 화폐 단위] yen *m* (*pl* yenes) (¥).
엔간하다 ((준말)) =어연간하다(ser considerable). ¶엔간한 거리 buena distancia *f*. 엔간한 교육 buena educación *f*.
엔간히 considerablemente, razonablemente, pasablemente, de manera aceptable.
엔굽이치다 hacer una curva, serpentear. 초원을 엔굽이치는 개울 arroyuelo *m* que serpentea por la pradera. 오른쪽 [왼쪽]으로 ～ torcer a la derecha [a la izquierda]. 엔굽이치는 거리로 우리들은 그들을 따라갔다 Los seguimos por el laberinto de calles.
엔담 muro *m* que rodea todas las partes.
엔도르핀(영 *endorphine*) endorfina *f*.
엔들 aun cuando, a pesar de que, aunque, también. 명공(名工)～ 실수가 없으랴 Nadie es perfecto.
엔조이(영 *enjoy*) gozo *m*, alegría *f*. ～하다 divertirse, pasarlo bien.
엔지(영 *NG, no good*) 【영화】 no bueno.
엔지니어(영 *engineer*) ingeniero, -ra *mf*; técnico, -ca *mf*.
엔지오(영 *NGO, Non-Governmental Organization*) [비정부 기구] ONG *f*, la Organización no gubernamental, NGO *ing.f*.
엔진(영 *engine*) motor *m*. ～을 멈추다 parar el motor. ～을 걸다 hacer funcionar el motor, poner el motor en marcha. ～이 걸렸다 El motor se pone en marcha / El motor arranca. ～의 상태가 좋다 El motor corre bien. ～의 상태가 나쁘다 No marcha [funciona] bien el motor. ～ 고장을 일으킨다 Se para el motor.
◆내연(內燃) ～ motor *m* de combustión interna. 디젤 ～ motor *m* diesel. 보조(補助) ～ motor *m* [máquina *f*] auxiliar. 사행정(四行程) ～ motor *m* de cuatro tiempos. 선박용(船舶用) ～ motor *m* marino. 선외(船外) ～ motor *m* fuera (de) borda. 압축점화(壓縮點火) ～ motor *m* de encendido por compresión. 이행정(二行程) ～ motor *m* de dos tiempos. 추진(推進) ～ motor *m* [máquina *f*] de propulsión. 폭발(爆發) ～ motor *m* de explosión.
엔터 키(영 *enter key*) 【컴퓨터】 tecla *f* Entrar.
엔트로피(영 *entropy*) 【물리】 entropía *f*.
엔트리(영 *entry*) ① [경기 참가 신청자] participante *mf*; [참가자 수] número *m* de participantes. ② [(사전의) 표제어 · 수록 어휘] entrada *f*. ③ 【컴퓨터】 [데이터를 표로 만든 경우의 낱낱의 데이터] entrada *f*.
엔화(일 円貨) yen *m* (*pl* yenes), moneda *f* japonesa ((¥)).
엘(영 *L, l*) ① [영어의 열두째 자모] L, l *f*. ② [로마 숫자의 50] L.
엘니뇨 【기상】 El Niño.
■ ～ 현상(現象) 【기상】 El Niño.
엘레지 pene *m* del perro.
엘레지(영 *elegy*) elegía *f*.
엘렉트로닉스(영 *electronics*) [전자 공학(電子工學)] electrónica *f*.
엘렉트론(영 *electron*) [전자] electrón *m*.
엘리베이터(영 *elevator*) [승객용] ascensor *m*; *Méj* elevador *m*; [화물용] elevador *m*, montacargas *m.sing.pl*; [곡물 창고용] elevador *m* de granos. ～에 오르다 entrar en el ascensor. ～로 오르다 subir en ascensor. ～로 내리다 bajar en ascensor.
■ ～ 걸 ascensorista *f*.
엘리트(영 *elite*; 불 *élite*) [집합적] elite *f*, élite *f*, la flor (y nata), lo selecto, lo escogido; [개인] hombre *m* selecto. ～의 de elite, de élite, selecto. 사회의 ～ la flor y nata [la crema] de la sociedad. 그들은 ～ 의식을 가지고 있다 Ellos se creen hombres selectos [la élite].
■ ～ 그룹 grupo *m* selecto. ～ 의식 elitismo *m*. ～주의 elitismo *m*. ～주의자 elitista *mf*.
엘사이즈(영 *L size*) tamaño L, tamaño *m* grande.
엘살바도르 【지명】 El Salvador. ～의 salvadoreño. ～ 사람 salvadoreño, -ña *mf*.
엘시[1](영 *LC, lower case*) 【컴퓨터】 [소문자] letras *fpl* minúsculas.
엘시[2](영 *L/C, letter of credit*) [신용장] carta *f* de crédito.
엘에스디(영*LSD, lysergic acid diethylamide*)

LSD *m.*
엘피지(영 *LPG, liquefied petroleum gas*) gas *m* del petróleo licuado
엘피판(LP 板) disco *m* de larga duración, microsurco *m*, elepé *m*, LP *m*.
엠(영 *M, m*) ① [영어의 열셋째 자모] M, m *f.* ② [월경(月經)] menstruación *f.* ③ [로마 숫자의 천] M. ④ ((속어)) [음경(陰莖)] pene *m*, miembro *m* viril. ⑤ [남성] hombre *m.* ⑥ [돈] dinero *m*, *AmL* plata *f.* ⑦ [의복의 사이즈, 중(中)] M, tamaño *m* mediano.
엠브이피(영 *MVP, most valuable player*) jugador *m* más destacado, jugadora *f* más destacada.
엠사이즈(영 *M size*) [중(中)] tamaño *m* mediano, M.
엠시(영 *MC, master of ceremonies*) maestro, -tra *mf* de ceremonias.
엠에이(영 *MA, Master of Arts*) [문학 석사(文學碩士)] poseedor, -dora *mf* de una maestría en Humanidades.
엠피(영 *MP, military police*) [헌병] Policía *f* Militar.
엣 en, que está en. 눈~가시 monstruosidad *f*, adefesio *m*.
엥겔 계수(Engel 係數) coeficiente *m* de Engel.
엥겔 법칙(Engel 法則) Ley *f* de Engel.
여[1] [물속에 잠겨 있는 바위] roca *f* sumergida en el agua.
여[2] [호격 조사로] ¡ ! ¶형제~ ¡Hermanos! 학우(學友)~ ¡Compañero de colegio!
여(女) ((준말)) ① =여성(女性). ② =여성(女星).
여(汝) tú.
여(余/予) yo.
여-(女) mujer *f.* ~동생 hermana *f* (menor). ~선생님 profesora *f*, maestra *f.* ~배우 actriz *f.*
-여 ① [「하다」가 붙는 동사나 형용사의 어간에 붙어 부사형을 만드는 어미] -ando, -iendo. 노동하~ 먹고산다 ganarse la vida trabajando. ② ((방언)) =-야. ¶아니~ No. 무엇이~ ¿Qué es?
-여(餘) más (de). 백~ 명 más de cien personas. 이십~ 개 más de veinte piezas. 30~ 년 más de treinta años.
여가(餘暇) tiempo *m* libre, tiempo *m* desocupado. ~에 en ratos desocupados [libres], en el tiempo libre. 일의 ~에 a ratos perdidos, en los momentos de ocio. ~의 일 trabajo *m* accesorio. ~가 있다 tener tiempo libre [desocupado]. ~를 즐기다 gozar [disfrutar] del tiempo libre. ~를 이용하다 aprovechar el tiempo libre.
여가수(女歌手) cantatriz *f*, cantante *f*, cantadora *f*, cantarina *f.*
여각(餘角) 【수학】 ángulo *m* complementario.
여간(如干) unos, unas; un poco. ~ 힘들지 않다 no ser difícil un poco. ~ 영리하지 않다 ser sorprendentemente inteligente.
◆여간 아니다 ㉮ [보통이 아니다] (ser) raro, extraordinario, extraño, notable. 여간 아닌 미녀 belleza *f* rara. 여간 아닌 노력을 하다 hacer grandes esfuerzos. 오늘 추위는 ~ Hace mucho frío hoy. ㉯ [웬만한 정도가 아니다. 상당하다] (ser) considerable, tolerable, decente. ㉰ [업신여길 수 없다] no poder despreciar.
여간하다 =어지간하다. ¶최근 여간해서 그를 만나지 못한다 No lo veo desde hace tiempo. 여간해서 이해하지 못하겠다 No lo entiendo bien.
■~내기 mediocridad *f.* ~일 insignificancia *f.*
여간수(女看守) carcelera *f.*
여감(女監) =여감방(女監房).
여감방(女監房) celda *f* para mujeres.
여객(旅客) viajero, -ra *mf*; [주로 배·비행기의] pasajero, -ra *mf.* ~ 수용 능력 60명의 배 barco *m* de capacidad de sesenta pasajeros.
■~기 avión *m* de pasajeros. ~ 명부 lista *f* de pasajeros. ~선 barco *m* de pasajeros. ~ 수하물 equipaje *m* de viajero [de pasajero]. ~ 수하물 보관소 consigna *f* (de equipajes). ~ 안내소 oficina *f* de información turística, información *f* de pasajeros. ~ 열차 tren *m* de viajeros [de pasajeros]. ~ 운송 transportación *f* de pasajeros. ~ 운임 tarifa *f* de viaje. ~ 전무(專務) revisor, -sora *mf.*
여건(與件) ① [주어진 조건] presupuesto *m*, premisa *f.* ② 【논리】 dato *m.*
여걸(女傑) heroína *f*, amazona *f*, mujer *f* de espíritu varonil, mujer *f* espiritosa, mujer *f* valiente, mujer *f* valerosa, mujer *f* varonil.
여겨듣다 escuchar con cuidado [cuidadosamente]. 여겨들을 가치가 있다 valer la pena (de) escuchar.
여겨보다 ver atentamente.
여격(與格) ① ((준말)) =여격 조사. ② 【언어】 [간접 목적] objetivo *m* indirecto.
■~ 동사(動詞) verbo *m* dativo. ~ 조사 adverbio *m* dativo.
여경(女警) ((준말)) =여자 경찰관(policía).
여경(餘慶) bendición *f* del cielo, don *m* merecido, galardón *m* merecido.
여계(女系) descendencia *f* femenina, linaje *m* femenino, línea *f* femenima.
여고(女高) ((준말)) =여자 고등학교.
■~생 ((준말)) =여자 고등학교 학생.
여공(女工) ① [여자 직공] obrera *f.* ② =여공(女功).
여공(女功/女紅) tejido *m* de las mujeres.
여과(濾過) filtración *f.* ~하다 filtrar, colar, depurar.
■~기 filtro *m*, coladera *f*, colador *m*, destilador *m*, filtrador *m*, potabilizadora *f* (음료수). ~독 virus *m* filtrable, ultravirus *m.* ~성 filtrabilidad *f.* ~성 균 virus *m.* ~성 병원체 virus *m* filtrable, ultravirus *m.* ~액 líquido *m* filtrado, filtrado *m.* ~지(池) filtro *m.* ~지(紙) ((구용어)) =거름종이. ~통 =거름통.

여관(女官) cortesana *f*, dama *f* de honor, doncella *f* de honor.

여관(旅館) hostal *m*, pensión *f*, hotel *m*; [시골의 간이 여관] posada *f*, fonda *f*, mesón *m*. ~에 숙박하다 hospedarse [alojarse] en un hotel.

■~ 주인 hotelero, -ra *mf*, propietario, -ria *mf* del hotel; posadero, -ra *mf*, mesonero, -ra *mf*.

여광(餘光) ① [해나 달이 진 뒤의 은은히 남은 빛] arrebol *m*. ② =여덕(餘德).

여광대(女一) payasa *f*.

여교사(女教師) maestra *f*, profesora *f*.

여교우(女教友) ((천주교)) creyente *f*, fiel *f*, devota *f*, religiosa *f*.

여교장(女校長) directora *f*.

여구(旅具) varios artículos *mpl* para el viaje.

여구하다(如舊一)=여전(如前)하다.

여국(女國) ① [여자만 산다는 전설의 나라] país *m* (*pl* países) de mujeres (legendario). ② [여자만 모여 사는 곳] tierra *f* sin hombres; [여자만 모여 있는 곳] lugar *m* sin hombres.

여국(與國) =동맹국(同盟國).

여군(女軍) ① [군인으로 복무하는 여자] soldada *f*, militar *f*. ② [여자 군인으로 조직된 군대] legión *f* de mujeres.

여권(女權) derecho *m* de (la) mujer, sufragio *m* femenino, sufragio *m* de mujer.

■~ 신장(伸張) extensión *f* de derecho de mujer. ~신장론 femenismo *m*, sufragismo *m*. ~ 신장론자 femenista *mf*. ~주의 femenismo *m*. ~주의자 femenista *mf*.

여권(旅券) pasaporte *f*. ~을 신청하다 solicitar la expedición de un pasaporte, pedir un pasaporte. ~을 교부하다 expedir un pasaporte. ~을 보이다 enseñar *su* pasaporte. ~을 사증하다 visar un pasaporte. ~의 사증을 받다 hacer visar *su* pasaporte.

◆가짜 ~ pasaporte *m* falso. 관용(官用) ~ pasaporte *m* oficial. 외교관(外交官) ~ pasaporte *m* diplomático.

■~ 검사 revisión *f* del pasaporte. ~ 발급 expedición *f* del pasaporte. ~법 la Ley de Pasaporte. ~ 사증 visado *m*, *AmL* visa *f*.

여근(女根) 【해부】 vulva *f*, vagina *f*.

여급(女給) moza *f*, camarera *f*.

여기 ① [이곳] aquí, este lugar *m*, *AmL* acá. ~에 aquí, acá. ~에서 de aquí, desde aquí. ~까지 hasta aquí. ~로 por aquí. ~에서 서울까지 desde [de] aquí hasta [a] Seúl. 역에서 ~까지 desde [de] la estación hasta [a] aquí. ~가 어딥니까? ¿Dónde estamos? / ¿Dónde estoy? ~는 명동이다 Aquí estamos en Myeongdong / Esto es Myeongdong. ② [거론된 대상을「이것」「이 점」의 뜻으로 하는 말] esto, este punto *m*. ~에 a este punto. ~에서 desde este punto. ~가 문제점이다 Esto es un problema. ③ [이곳에] aquí, en este lugar. ~ 안에 [위에] 있다 Está aquí dentro [arriba]. ~ 앉아라 Siéntate aquí / [vosotros에게] Sentaos aquí.

여기(女妓) =기녀(妓女).

여기(餘技) pasatiempo *m*, diversión *f*, entretenimiento *m*, afición *f*, talento *m* secreto.

여기다 considerar, tratar. 어린애로 ~ tratar a *uno* como a un niño. 다행으로 ~ considerarse afortunado, darse por afortunado. 그들은 그 여자를 천재로 여기고 있다 Ellos la consideran un genio. 사람들은 우리를 왕처럼 여겼다 Nos trataron a cuerpo de rey.

여기자(女記者) periodista *f*, reportera *f*.

여기저기 aquí y allá, aquí y allí, aquí y acullá, acá y allá, en [por] varias partes, a trechos, en todas partes. ~에서 de [desde] varias partes. ~ 사방에 por todas partes. ~를 찾다 buscar por varias partes [por todas partes]. ~를 보다 mirar por todas partes. ~에 빚이 있다 tener deudas acá y allá. 잃은 물건을 ~ 찾다 buscar un objeto perdido por todas partes. 국내를 ~ 여행하다 hacer un viaje por diversas partes del país.

여뀌 【식물】 centinodia *f*, correhuela *f*.

여낙낙하다 (ser) amable, bueno, simpático, dulce, suave, encantador. 그 여자는 매우 여낙낙한 사람이다 Ella es un encanto (de persona) / Ella es una persona encantadora.

여난(女難) desgracia *f* por (causa de) mujeres, desgracia *f* causada por las mujeres.

여남은 unos diez, más de diez. ~ 날 unos diez días. ~사람 más de diez personas.

여년(餘年) =여생(餘生).

여년묵다 añejar, criar, (ser) consagrado (por la tradición), de larga tradición. 여년묵은 술 vino *m* añejo.

여념(餘念) idea *f* diferente.

◆여념(이) 없다 estar absorto [enfrascado] (en). 어머니는 편물에 ~ Mi madre está absorta en su labor de punto.

여념(이) 없이 seriamente, con todo el corazón.

여느 ① [보통의. 예사로운] ordinario, acostumbrado, habitual, usual, de siempre, de costumbre. ~ 때처럼 como de costumbre, como siempre. ② [그 밖의 다른] otro, diferente.

여단(旅團) brigada *f*. ~을 편성(編成)하다 formar una brigada.

◆보병(步兵) ~ brigada *f* de infantería. 혼성(混成) ~ brigada *f* compuesta [mixta].

■~ 부관(副官) comandante *mf* de brigada, *AmL* mayor *mf* de brigada. ~ 사령부 cuartel *m* general de brigada. ~장 general *mf* de brigada, brigadier *m*. ~ 편성(編成) formación *f* de brigada.

여닫다 abrir y cerrar.

여닫이 ① [열고 닫는 일] acción *f* de abrir y cerrar. 이 문은 ~가 나쁘다 Esta puerta cierra mal / Esta puerta está mal hecha. ② [밀거나 당겨서 여는 문] puerta *f* móvil, puerta *f* que gira sobre goznes, puerta *f* de dos batientes.

여담(餘談) digresión *f.* ~은 그만두고 volviendo ahora a nuestro tema. ~이지만 a propósito, por cierto, de pasada. ~을 하다 hacer una digresión. 그는 그것을 ~으로 말했다 El lo mencionó de pasada.

여당(與黨) partido *m* del [en el] poder, partido *m* del [en el] gobierno, partido *m* gubernamental, partido *m* gubernante. ~(측)의 ministerial.

■ ~권(圈) círculo *m* ministerial. ~ 대표 diputado, -da *mf* ministerial. ~ 사람 ministerial *mf.*

여당(餘黨) =잔당(殘黨).

여대(女大) ((준말)) =여자 대학(女子大學).

여대(麗代) 【역사】 ((준말)) =고려 시대.

여대생(女大生) ((준말)) =여자 대학생.

여덕(餘德) influencia *f* persistente de una gran virtud. 조상(祖上)의 ~ beneficios *mpl* recibidos de los antepasados, influencia *f* benigna de antepasados.

여덟 ocho. ~ 권 ocho libros. ~ 번 ocho veces. ~ 사람 ocho personas. ~ 살 ocho años (de edad). ~ 시(時) las ocho.

여덟달반(-半) =팔삭둥이.

여덟째 octavo *m.* ~의 octavo. ~ 날 el octavo día.

여덟팔자(-八字) ¶이마에 ~를 그리다 fruncir el ceño, fruncir el entrecejo.

여독(旅毒) fatiga *f* del viaje. 나는 ~을 느끼기 시작했다 Empecé a sentir la fatiga del viaje.

여독(餘毒) efecto *m* secundario.

여동생(女同生) hermana *f* (menor).

여드레 ① [여덟 날] ocho días. ② ((준말)) =여드렛날.

여드렛날 ① ((준말)) =초여드렛날(el ocho). ② [여덟째의 날] el ocho (del mes).

여드름 grano *m,* acné *m(f),* acne *f,* espinilla *f,* pústula *f,* postilla *f,* comedón *m* (*pl* comedones), erupciones *fpl.* ~투성이의 lleno de granos, granoso. ~ 난 얼굴 cara *f* llena de granos [de pústulas]. 얼굴에 ~이 나다 salir granos [pústulas] en la cara, tener granos en la cara, tener espinillas.

여든 ochenta. ~ 살 ochenta años (de edad). 책 ~ 권 ochenta libros.

여든대다 (ser) terco, testarudo, obstinado.

여들없다 (ser) torpe, desgarbado, patoso, bobo.

여들없이 tontamente, estúpidamente.

여듭 ocho años del caballo o la vaca.

여등(汝等) [너희들] vosotros, -tras.

여등(余等) [우리들] nosotros, -tras.

여래(如來) ① ((불교)) =석가(釋迦). ② ((불교)) ((준말)) =석가모니여래.

여러 mucho, varios, diversos. ~ 사람 muchas personas, distintos tipos de personas. ~ 학교 muchas escuelas *fpl,* varias escuelas *fpl.*

여러 가지 muchas especies, muchos tipos, distintos tipos, distintos géneros. ~의 diferentes, distintos, diversos, varios, varias clases de, varias especies de, distintos géneros de, distintos tipos de. ~로 de varias maneras, de distintos modos. ~ 물건을 사다 [팔다] comprar [vender] diversas cosas. ~ 방법을 시도하다 probar varios métodos. 세상에는 ~ 풍습이 있다 Hay distintos tipos de costumbres. 이 사과 얼맙니까? - ~입니다 ¿Cuánto valen estas manzanas? - Varía [Depende]. 장미꽃에는 ~가 있다 Hay muchas variedades de rosas.

여러 날 muchos días, varios días.

여러 달 muchos meses, varios meses.

여러 대(代) muchas generaciones.

여러 번 a menudo, frecuentemente, con frecuencia, varias veces, unas cuantas veces; [되풀이해서] repetidamente, reiteradamente, repetidas veces. 그들은 우리를 ~ 찾아왔다 Ellos nos visitaron varias [unas cuantas] veces.

여러 해 muchos años, varios años.

여러모로 todo, muchos campos. ~ 감사합니다 Gracias por todo.

여러분 caballeros *mpl,* señores *mpl,* ustedes. (신사 숙녀) ~! ¡Damas y caballeros! / ¡Señoras y caballeros! / ¡Señoras y señores! ~ 안녕하십니까? [오전] Buenos días, señores / [오후] Buenas tardes, señores / [저녁. 밤] Buenas noches, señores.

여러해살이 【식물】 =다년생(多年生).

■ ~뿌리 raíz *f* (*pl* raíces) perenne. ~ 식물[풀] planta *f* perenne.

여럿 ① [많은 사람] muchos, -chas *mf,* muchas personas *fpl,* muchos hombres. ~ 왔었다 Muchos vinieron. 파티에 ~ 와 있다 Hay muchos [mucha gente] en la fiesta. 그 시험에 ~ 합격했다 Muchos tuvieron éxito en el examen. ② [많은 수] muchos números.

여럿이 ① [여러 사람] muchas personas, muchos. ~서 함께 가다 ir juntos muchas personas. ② [여러 사람이 함께] junto con muchos, con muchas personas.

여력(餘力) fuerza *f* restante, energía *f* remanente, reserva *f* de energía. ~을 모으다 reunir todas las fuerzas restantes. ~이 충분히 있다 tener mucha reserva de energía [fuerza]. 아직 …할 ~이 있다 tener todavía la fuerza de + *inf.* 그는 아직 충분히 ~이 있다 El tiene mucha reserva de energía.

여례(女禮) etiqueta *f* de las mujeres.

여로(旅路) viaje *m,* jornada *f,* tránsito *m.* ~에 오르다 empezar el viaje.

여록(餘祿) beneficios *mpl* [ganancias *fpl*] adicionales.

여록(餘錄) récord *m* restante, historia *f* complementaria.

여론(餘論) discusión *f* complementaria.

여론(輿論) opinión *f* pública, sentimiento *m* popular, voz *f* popular. ~의 일치(一致) consenso *m* de la opinión pública. ~에 따르다 dejarse llevar de la corriente. ~에 호소하다 apelar a la opinión pública, despertar el sentimiento público. ~을 조사하다 encuestar. ~이 반대하고 있다 La opinión pública está en contra.

▪ ~ 비판 foro *m* de opinión pública. ~ 조사(調査) encuesta *f*, sondeo *m*. ~ 조사원 encuestador, -dora *mf*. ~ 조작 invención *f* de opinión pública.

여류(女流) dama *f*, mujer *f*, sexo *m* femenino, bello sexo *m*. ~의 femenino, de mujer.

▪ ~ 가수 cantante *f*, cantora *f*, cantatriz *f*, cantadora *f*, cantarina *f*. ~ 문인 literata *f*. ~ 문학(文學) literatura *f* escrita por las mujeres, obra *f* de la literata. ~ 문학가 = 여류 문인. ~ 문학자 =여류 문인. ~ 비행가 aviadora *f*. ~ 소설가 novelista *f*. ~수필가 ensayista *f*. ~ 시인 poetisa *f*. ~ 작가 escritora *f*, autora *f*. ~ 화가 pintora *f*.

여류하다(如流-) correr como una flecha. 세월이 여류하여 corriendo el tiempo como una flecha.

여름 verano *m*, estío *m*. ~의 veraniego, estival, de(l) verano, de(l) estío. ~에 en (el) verano. 올 ~ este verano. 내년 ~ el próximo verano, el verano que viene, el verano que entra. 지난 ~ el verano pasado. ~의 태양 sol *m* de verano. ~ 불경기 venta *f* baja en el verano. ~용(의) para uso estival [de verano]. 한 ~에 en pleno verano. ~이 끝날 때에 a fines [a finales · a la caída] de(l) verano. ~을 보내다 pasar el verano, veranear. 한 여름이었다 Era pleno verano. ~은 일년 중 가장 더운 계절이다 El verano es la estación más calurosa [más caliente] del año.

◆여름(을) 타다 (ser) veraniego, debilitarse por el calor de verano, abrumarse de calor, adelgazar a causa del calor del verano, debilitarse con el calor veraniego, sucumbir al calor del verano.

▪ ~날 día *m* del verano, día *m* veraniego, día *m* estival; [날씨] tiempo *m* veraniego [estival], clima *m* veraniego [estival]. ~내 todo el verano. ~ 목장(牧場) veranero *m*, veraneo *m*, sitio *m* donde veranea el ganado. ~ 방학 vacaciones *fpl* de verano. ~ 양말 calcetines *mpl* veraniegos [de verano]. ~옷 ropa *f* de verano, ropa *f* veraniega, traje *m* veraniego, vestido *m* veraniego.. ~철 verano *m*, estío *m*. ~ 휴가 vacaciones *fpl* de verano.

여리꾼 persona *f* que busca clientes.

여리다 ① [질기지 않고 연하다] (ser) blando, mullido. 여린 치즈 queso *m* blando. ② [의지나 감정 따위가 약하고 무르다] (ser) dulce, amable, tierno, suave. ③ [표준보다 조금 모자라다] (ser) insuficiente, escaso. 여린 십 리 길 camino *m* de cuatro kilómetros insuficientes.

여린뼈 =연골(軟骨).

여립켜다 atraer al cliente.

여망(餘望) ① [아직 남은 희망] esperanza *f* restante. ② [장래의 희망] esperanza *f* futura.

여망(輿望) popularidad *f*, confianza *f*, reputación *f*, estimación *f*, crédito *m*. 국민의 ~을 지다 gozar [asumir · disfrutar] de la confianza del pueblo.

여맥(餘脈) ① [남아 있는 맥박] pulso *m* restante. ② [세력이 점점 줄어들어 간신히 허울만 유지하는 일] influencia *f* reducida gradualmente.

여명(黎明) ① [희미하게 밝아 오는 새벽] el alba *f*, aurora *f*, amanecer *m*, madrugada *f*. ~에 al alba, al amanecer. ② [희망의 빛] luz *f* de la esperanza. 역사(歷史)의 ~ principio *m* de la historia.

▪ ~기 amanecida *f*, época *f* amaneciente, albores *mpl*, aurora *f*. ¶문명의 ~ 이래 desde los albores de la civilización. ~ 운동 movimiento *m* de nueva idea.

여명(餘命) =여생(餘生).

여모(女帽) gorro *m* [gorra *f*] para [de] la mujer.

여무(女巫) 【민속】 hechicera *f*.

여무지다 (ser) duro, fuerte, maduro. 여무진 나무 madera *f* dura. 여무진 사람. hombre *m* de espíritu.

여물[1] ① [마소를 먹이기 위해 말려서 썬 짚이나 풀] forraje *m*, pienso *m*, heno *m*, pasto *m*, *Cuba* maloja *f*, *Fil* zacate *m*. 말에게 ~을 주다 pastar caballo con forraje. ② [흙을 이길 때, 바른 뒤 헤지지 않고 붙어 있도록 섞는 썬 짚] pajas *fpl* cortadas.

▪ ~간 pajar *m*. ~바가지 calabaza *f* para el forraje. ~죽 forraje *m* hervido. ~통 pesebre *m*.

여물[2] [물이 좀 짜서 허드렛물로 쓰는 우물물] el agua *f* de pozo que tiene un poco del sabor salado.

여물다 ① [씨가 익어서 단단해지다] madurar, llegar a madurez. 잘 여문 옥수수 maíz *m* bien maduro. ② [일이 잘 되어 탈이 없다] estar bien maduro. ③ [사람이 헤프지 않고 단단하다] (ser) vigoroso, fuerte, firme.

여미다 adjustar, arreglar, poner en orden. 옷깃을 ~ adjustar *su* traje, ajustarse, arreglarse. 옷깃을 여미고 듣다 escuchar con atención, escuchar con sinceridad. 복장을 ~ arreglarse el traje, hacer presentable el vestido.

여반장(如反掌) (ser) muy fácil, facilísimo. 그런 일은 ~이다 Es muy fácil.

여배우(女俳優) actriz *f* (*pl* actrices).

▪ ~ 양성소(養成所) la Escuela Práctica de Actrices, el Plantel de Actrices.

여백(餘白) margen *m*, espacio *m*, blanco *m*. ~에 쓰다 escribir en el margen. ~을 메꾸다 llenar el espacio. ~을 남기다 dejar (un) margen, dejar (un) espacio en blanco.

여벌(餘-) ① [가외의 물건] extra *f*, sobras *fpl*, repuesto *m*, *AmL* restos *mpl*. ~의 sobrante, de sobra, de repuesto, que sobra, que queda, de más, libre. ~ 열쇠 duplicado *m* de una llave; [도작(盜作)한] llave *f* falsa; [마스터키] llave *f* maestra. ~의 케

이크 pasteles *mpl* que sobren [que queden]. ~이 있다 sobrar. 전구(電球)가 ~ 이 없다 No hay bombilla de repuesto. 나에게 빌려 줄 ~의 우산이 있느냐? ¿Tienes un paraguas de más que me puedas prestar? ② [입고 있는 옷 외에 여분으로 가지고 있는 옷] repuesto *m.* 바지 ~ pantalones *mpl* de repuesto. ~의 옷이 없다 No hay ropa de repuesto.

여법(如法) ① =합법. ② ((불교)) observancia *f* de la enseñanza de Buda.

여병(餘病) =합병증(合併症).

여보 ① ((낮춤말)) =여보시오. ② [자기 아내 또는 남편을 부르는 말] [남녀 공히 사용] ¡Cariño! / ¡Mi vida! / ¡(Mi) Amor! / ¡Tesoro! / [남편을 부르는 말] ¡Querido! / [아내를 부르는 말] ¡Querida! ~, 어서 잡시다 Vamos, tesoro [mi vida], a la cama.

여보게 ((낮춤말)) =여보시게.

여보세요 ((속어)) =여보시오.

여보시게 ¡Oye! / ¡Hola!

여보시오 ¡Hola! / ¡Oiga! / Por favor / Perdón / Perdóneme // [전화에서] [받는 측] ¡Diga! / ¡Dígame! / ¿Dígame? / *Cuba* Oigo // [거는 측] ¡Oiga! / ¡Oigame! ~, 서울의 …번을 부탁합니다 ¡Oiga, comuníqueme con Seúl …!

여보십시오 ((높임말)) =여보시오.

여복(女卜) adivina *f* ciega.

여복(女服) ① [여자의 옷] vestido *m,* ropa *f* para las mujeres. ② =여장(女裝).

여복(女福) =염복(艷福).

여봐라 ¡Mira! / ¡Oye! / ¡Eh! / ¡Oh! / ¡Pst! ~, 게 아무도 없느냐 ¡Oye! ¿No hay nadie ahí?

여봐란듯이 efusivamente, expresivamente, aparatosamente, ostentosamente, con ostentación, de manera llamativa, de manera extravagante. ~ 행동하다 portarse efusivamente. ~뽐내는 태도 actitud *f* ostentosa. 호화로운 드레스를 입고 ~ 걷다 pavonearse con un vestido lujoso.

여부(與否) sí o no, si. 성공 ~ éxito o fracaso. 그 일의 가능 ~를 알 수 없다 Yo no sé si se podría ser posible. ~를 똑똑히 대답하시오 Contesta 'sí' o 'no' claramente.

여부없다 ㉮ [여부를 말할 필요가 없다] No se necesita decir 'sí' o 'no'. ㉯ [조금도 틀림이 없다] (ser) seguro, confirmado, incuestionable, irrefutable, inequívoco. 너 내가 한 말의 뜻을 알겠니? — 여부없지 ¿Te das cuenta de que lo que quiero decir? — Desde luego.

여부없이 seguramente.

여북 ¡Qué …!, muy, mucho, enormemente, profundamente. ~ 슬프겠느냐 El debe ser muy triste. 그 사람이 이 소식을 들으면 ~이나 좋아할까 ¡Qué alegre será él al oír esta noticia!

여분(餘分) =나머지(extra, sobra).

여불비(餘不備) (Saluda) A usted atentamente / Atentamente / Cordiales saludos.

■ ~례(禮) =여불비.

여비(旅費) gastoss *mpl* de viaje, gastos *mpl* de desplazamiento, pasaje *m.* ~를 지급하다 pasar los gastos de viaje. 서울에서 마드리드까지 ~가 얼마입니까? ¿Cuánto es el pasaje de Seúl a Madrid?

여비서(女秘書) secretaria *f.*

여사(女士) dama *f,* mujer *f* sabia y virtuosa.

여사(女史) ① [시집간 여자의 존칭] señora *f.* ② [사회적으로 저명한 여성 이름 뒤에 쓰는 말] señora *f.* 김(金) ~ la señora Kim; [호격] ¡Señora Kim!

여사무원(女事務員) oficinista *f.*

여사장(女社長) presidenta *f.*

여삼추(如三秋) Se sienta estar aburrido.

여상(女相) cara *f* mujeril, cara *f* mujeriega, semblante *m* mujeril.

여상(女商) ① ((준말)) =여자 상업 고등학교. ② [여자 상인] comerciante *f,* vendedora *f,* negociante *f.*

여색(女色) ① [여자와의 육체적 관계] relaciones *fpl* sexuales con una mujer, coito *m*; [색욕(色慾)] deseo *m* sexual; [육욕(肉慾)] deleite *m* sexual. ~에 빠지다 dejarse engatusar por una mujer. ~에 탐닉하다 ser adicto a las relaciones sexuales. ~을 좋아하다 ser lascivo, ser lujurioso. ② [여자의 모습이나 얼굴빛] tez *f* mujeril, figura *f* mujeril. ③ [미인(美人). 미색(美色)] mujer *f* bella, mujer *f* hermosa; [집합적] belleza *f,* belleza *f* femenina.

여색(餘色) 【미술】 =보색(補色).

여생(餘生) (resto *m* de) la vida, tiempo *m* que queda vida. 나는 ~이 얼마 남지 않았다 Ya no me quedan muchos años de vida / Ya no me quedan más que muy pocos días / Mis días están contados ya.

여서(女壻) yerno *m,* hijo *m* político, esposo *m* de *su* hija.

여선생(女先生) maestra *f,* profesora *f,* instructora *f.*

여섯 seis. ~ 사람 seis personas. ~ 시(時) las seis. 남자 ~ 명(名) seis hombres. 여자 ~ 명(名) seis mujeres.

■ ~째 sexto. ¶~의 sexto. ~ 집 sexta casa *f.*

여성(女性) ① [여자(女子)] mujer *f,* sexo *m* femenino, bello sexo *m,* sexo *m* débil. ~의 femenino, femenil, de (la) mujer. ~의 몸매 ademanes *mpl* femeniles. ~의 몸짓 gestos *mpl* femeniles. ~의 정숙 gracia *f* femenina. ~의 풍모(風貌) rasgos *mpl* femeninos. ② [여자의 성질] femineidad *f,* femenilidad *f,* carácter *m* femenil. ③ [서구어 문법에서, 단어를 성(性)에 따라 구별하는 말] femenino *m,* género *m* femenino. ~의 femenino. 형용사의 ~형 forma *f* femenina del adjetivo.

여성답다 (ser) femenino, femenil. 여성다움 femenilidad *f.* 여성답게 femenilmente. 그 여자는 무척 ~ Ella es muy femenina / Ella es (una mujer) muy mujer.

■ ~관(觀) vista *f* de bello sexo. ~ 교육

educación *f* de mujeres. ~란(欄) columnas *fpl* de mujeres. ~ 명사(名詞) sustantivo *m* femenino, nombre *m* femenino. ~ 문제 problema *m* de mujeres. ~미 hermosura *f* [belleza *f*] femenina. ~복 vestido *m* para mujeres. ~부(部) el Ministerio de Igualdad Sexual. ¶~ 장관 ministro, -tra *mf* de Igualdad Sexual. ~ 상속권 mayorazgo *m* de femineidad. ~어 expresiones *fpl* femeninas, lengua *f* femenina. ~ 어미 terminación *f* femenina. ~용 uso *m* de las señoras; [부사적] para damas, para mujeres, para uso de las señoras. ~ 잡지 revista *f* para mujeres. ~적 femenino, femenil, mujeril, mujeriego, afeminado. ¶~ 감각 sensibilidad *f* femenina. ~ 주간 la Semana de las Mujeres. ~ 중심설 teoría *f* ginecocéntrica. ~ 찬미자 admirador, -dora *mf* del bello sexo. ~ 참정권 sufragio *m* [derecho *m* de voto] de la mujer. ~ 참정 운동 sufragismo *m*. ~ 합창 coro *m* femenino, coro *m* de voces femeninas. ~ 해방(解放) emancipación *f* [liberación *f*] de la(s) mujer(es), emancipación *f* femenina. ~ 해방론(解放論) feminismo *m*. ~ 해방론자(解放論者) feminista *mf*. ~ 해방 운동(運動) movimiento *m* de emancipación de las mujeres. ~호르몬 hormona *f* femenina. ~화(化) feminización *f*.

여성(女聲) [여자의 목소리] voz *f* femenina.
■~ 이부 합창(二部合唱) coro *m* a dos voces femeninas. ~ 합창(合唱) oro *m* femenino.

여세(餘勢) fuerza *f* sobrante. ~를 몰아서 por fuerza sobrante.

여송연(呂宋煙) cigarro *m*, (cigarro *m*) puro *m*. ~을 피우다 fumar un cigarro [un puro].

여수(女囚) prisionera *f*, reo *f*.

여수(旅愁) tedio *m* del viaje, soledad *f* del viajero, nostalgia *f*. ~를 느끼다 sentir nostalgia en el viaje. ~를 위로하다 entretener el tedio del viaje.

여수(與受) =수수(授受).

여수(餘數) número *m* restante.

여순경(女巡警) policía *f*.

여술(女-) cuchara *f* para la mujer.

여스님(女-) ((불교)) monja *f* (budista).

여습 seis años del caballo y de la vaca.

여습(餘習) costumbre *f* restante.

여승(女僧) ((불교)) monja *f* (budista), religiosa *f* budista. ~이 되다 hacerse [meterse a] monja, entrar en un convento, tomar hábitos.

여식(女息) hija *f*.

여신(女神) diosa *f*. 자유(自由)의 ~ diosa *f* de Libertad.

여신(與信) 【경제】 prestación *f*, préstamo *m*, crédito *m*, empréstito *m*.
■~ 계약 contrato *m* de crédito. ~ 업무 negocio *m* de crédito. ~ 한도 línea *f* de crédito, límite *m* de crédito. ~ 한도액 límite *m* de crédito.

여신도(女信徒) creyente *f*, devota *f*, fiel *f*; [불교의] budista *f*.

여신자(女信者) =여신도(女信徒).

여실하다(如實-) (ser) justo, real, realista, verosímil. 여실함 verosimilitud *f*. 여실히 justamente, como lo es, realmente, verosímilmente. 실생활을 ~ 묘사하다 describir la vida tal como es, reproducir fielmente la vida real.

여심(女心) ① [여자의 마음] corazón *m* de la mujer; [처녀의 마음] sentimiento *m* virginal, sentimiento *m* casto y pudoroso. ~은 가을 하늘과 같다 El corazón de la mujer cambia tan rápidamente como el cielo de otoño. ② [간사하고 중심이 없는 마음] corazón *m* astuto.

여아(女兒) ① [딸] hija *f*. ② [여자 아이] niña *f*, muchacha *f*. ~를 출산하다 dar a luz a una niña.

여압(與壓) [상태] presurización *f*.
■~복 traje *m* presurizado.

여앙(餘殃) retribución *f*, calamidad *f*.

여액(餘厄) desgracia *f* que no desaparece, restos *mpl* [sobras *fpl*] de mala suerte.

여액(餘額) resto *m*, balanza *f*.

여야(與野) el partido gubernamental y la oposición.

여열(餘熱) calor *m* residual.

여염(餘炎) llamas *fpl* sobrantes.

여염(閭閻) barrios *mpl* residenciales; [계층] comunidad *f* de clase media.
■~집 ㉮ [일반 서민의 살림집] residencia *f* privada, casa *f* popular. ㉯ [무슨 영업을 하는 집이 아닌 살림집] familia *f*.

여왕(女王) ① [여자 임금] reina *f*, soberana *f*. 이사벨 ~ la reina Isabel. ② [어떤 영역에서의 중심되는 여성] reina *f*, belleza *f*, beldad *f*. 미(美)의 ~ reina *f* de belleza. 사교계의 ~ reina *f* de círculos sociales.
■~개미 hormiga *f* reina. ~국 reino *m* de la reina. ~벌 abeja *f* reina.

여우 ① 【동물】 zorro *m*; [암컷] zorra *f*; [새끼] zorrillo *m*, cachorro *m* de zorro. ~에 홀린 느낌이다 Me siento completamente desorientado [desconcertado]. ② [매우 교활하고 변덕스러운 여자] zorra *f*, mujer *f* astuta y engañosa.
◆여우(를) 떨다 hacer coqueterías astutamente.
여우 같다 (ser) astuto (y engañoso). 여우 같은 astuto, zorruno. 여우 같은 년 (mujer *f*) astuta *f*. 그는 여우 같은 노인이다 El es un viejo zorro.
■~ 가죽 piel *f* de zorro. ~ 굴 zorrera *f*, raposera *f*, madriguera *f*. ~ 꼬리 rabo *m* de zorra, cola *f* de zorra. ~ 모피 zorro *m*. ~ 사냥 caza *f* del zorro, cacería *f* de zorros. ~ 사냥개 perro *m* raposero. ~털 zorro *m*.

여우(女優) ((준말)) =여배우.

여우별 sol *m* intermitente.

여우비 lluvia *f* intermitente, lluvia *f* irregular,

lluvia *f* con sol, chirapa *f*.

여우원숭이 【동물】 lémur *m*.

여운(餘韻) ① [음곡의] retumbo *m*, vibración *f* prolongada del sonido. ~이 있는 retumbrante. 시(詩)의 ~을 맛보다 saborear el gustillo que deja (lo insinuante de) la poesía. ② [맛의] resabio *m* agradable, dulzura *f* prolongada. ~이 있는 sabroso.

여울 recial *m*, raudal *m*, corriente *f* impetuosa del río, lugar *m* somero de un río; [급류] torrente *m*, corriente *f* rápida, rápido *m*. 얕은 ~ bajío *m*; [개울의] vado *m*, bajo *m* de arena; [바다의] banco *m* de arena. ~을 건너다 vadear el recial.
▪ ~목 istmo *m* del recial. ~물 el agua *f* del recial.

여위다 ① [몸이 수척하여지고 파리하게 되다] adelgazar(se), enflaquecer(se), ponerse flaco, ponerse delgado, demacrarse. 여윈 adelgazado, flaco, enflaquecido, descarnado. 여윈 몸매 figura *f* flaca. 여윈 팔 brazo *m* flaco, brazo *m* descarnado. 학과 같이 여윈 몸 cuerpo *m* flaquísimo. 여위어 보이다 parecer delgado. 더위로 ~ demacrarse por el calor de verano. 나는 일주일 만에 3킬로 여위었다 He adelgazado [He perdido] tres kilos en ocho días. ② [가난하여 살림이 보잘것없다] ser tan pobre como un ratón de sacristía, ser pobrecito.

여윈잠 sueño *m* insatisfecho, sueño *m* superficial, sueño *m* ligero [poco profundo], sueñecillo *m*. ~을 자다 dormir mal.

여유(餘裕) ① [넉넉하고 남음이 있음] sobra *f*, excedente *m*; [여지] lugar *m*, espacio *m*, margen *m*; [한가함] tiempo *m* libre. ~를 남기다 dejar espacio. 돈에 ~가 있다 tener dinero suficiente. 10센티미터 ~를 남겨두다 dejar diez centímetros de margen. 충분한 시간의 ~를 갖고 con tiempo de sobra. 이제 시간의 ~가 없다 Ya no hay [no queda] tiempo / Me falta tiempo. 아직 옷장을 놓을 ~가 있다 Todavía hay espacio para colocar la cómoda. 아직 시간의 ~가 있다 Estamos holgados de tiempo / Todavía hay [tenemos] tiempo. 예산에 ~가 있다 Tenemos un presupuesto amplio. ② [덤비지 않고, 사리를 너그럽게 판단하는 마음이 있음] soltura *f*, desahogo *m*, calma *f*, tranquilidad *f*. ~ 있는 생활 vida *f* holgada. ~가 없다 estar en apuros de vida, vivir en necesidad, llevar una vida apretada. 마음의 ~를 가지다 tener tranquilidad [libertad] de corazón. 생활에 ~가 있다 vivir a *su* gusto, vivir con desahogo, llevar una vida holgada [cómoda].
▪ ~ 자산(資産) propiedad *f* latente.

여의(女醫) ((준말)) =여의사(女醫師).

여의(如意) ① [뜻과 같음] igualdad *f* a *su* deseo. ~하다 ser igual a *su* deseo. ~하지 아니하다 [계획이] salir mal, fallar; [기계가] estropearse, *AmL* descomponerse. ② ((불교)) emblema *m* ceremonial.
▪ ~주 piedra *f* del filosofía, gema *f* fabulosa.

여의찮다 ((준말)) =여의하지 아니하다 (salir mal, fallar, estropearse, descomponerse). ¶우리 결혼에 무언가 여의찮았다 Algo ha fallado por su base en nuestro matrimonio.

여의다 ① [사별(死別)하다] perder; [죽은 사람이 주어일 때] morirse. 부모를 ~ perder *sus* padres. 김 선생은 모친을 여의었다 Se le ha muerto la madre al señor Kim. 나는 아내를 여의고부터 혼자 살고 있다 Yo vivo solo desde que se me murió mi esposa. ② [멀리 떠나 보내다] enviar [mandar] a *uno* al lugar lejano. ③ [(딸을) 시집보내다] casar. 막내딸을 ~ casar a *su* hija menor.

여의사(女醫師) médica *f*, doctora *f*.

여인(女人) mujer *f*, (mujer *f*) casada *f*; [집합적] mujerío *m*, mujeriego *m*.
▪ ~극 función *f* representada por las actrices. ~ 금제(禁制) ((게시)) Se prohíbe el acceso de [a] las mujeres / Entrada prohibida para las mujeres. ~상(像) ㉮ [여성의 상] estatua *f* de una mujer. ㉯ [여자로서 갖추어야 할 모습] figura *f* femenina. ~ 천하(天下) gobierno *m* dominado por mujeres.

여인(旅人) =나그네.
▪ ~숙 pensión *f*, posada *f*, fonda *f*, mesón *m*, hostal *m*, hostería *f*, *Col* residencial *m*.

여인(麗人) mujer *f* bella, mujer *f* hermosa; [집합적] belleza *f*.
◆ 남장(男裝) ~ bella mujer *f* disfrazada de hombre.

여인국(女人國) país *m* (*pl* países) de mujeres (legendario).

여일(如一) constancia *f*, consistencia *f*. ~하다 (ser) constante, consistente, invariable. 시종(始終) ~하게 constantemente, coherentemente, consecuentemente, sistemáticamente, invariablemente, siempre, de(l) principio a(l) fin. 그는 시종 ~하게 틀렸다 El ha estado sistemáticamente equivocado.

여자(女子) mujer *f*; [소녀] muchacha *f*, chica *f*; [여아(女兒)] chica *f*, hija *f*; [처녀] doncella *f*, señorita *f*, muchacha *f*; [암컷] hembra *f*. ~의 femenino, de (la) mujer. ~ 같은 afemenado, mujeril, mujeriego. ~처럼 como una mujer. ~ 같은 남자 hombre *m* afeminado. ~가 끼지 않은 연회 banquete *m* sin muchachas entretenedoras. ~ 필적의 편지 carta *f* escrita con letra femenina. ~를 싫어함 misoginia *f*, aversión *f* [antipatía *f*] para con las mujeres. ~를 싫어하는 남자 misógino *m*. ~ 역을 하는 남자 배우 actor *m* que representa papeles femeninos. ~에 미치다 ser un mujeriego, ser un mariposón. ~의 한창때이다 estar en la plenitud de la belleza femenina. ~의 마음은 갈대와 같다 El corazón de la mujer cambia tan rápidamente como el cielo de otoño. 그녀는 잘생긴 ~다 Ella es una mujer guapa. 그녀는 한창때가 지난 ~이다 Ella ya está de vuelta como mujer. 그는

~ 없이는 살 보람을 느끼지 못하는 사람이다 Le gustan mucho las mujeres / El es un enamorado de las mujeres. 그는 ~들이 좋아하는 스타일의 남자다 El es un rompecorazones / El tiene mucho éxito con las mujeres. ~와 개와 호두는 때리면 때릴수록 좋아진다 ((서반아 속담)) A la mujer y a la mula, vara dura. ~의 마음은 갈대와 같다 ((서반아 속담)) Cada día muda el viento, y la mujer, a cada momento / Veletas y mujeres, a cualquier viento se mueven / Veletas y mujeres, a cualquier viento se vuelven. ~ 없는 집은 집이 아니다 ((서반아 속담)) Casa sin mujer no es lo que debe ser / La mujer discreta edifica su casa. ~의 일은 끝이 없다 ((서반아 속담)) La hacienda de la mujer, siempre está hecha y siempre por hacer. ~의 머리는 길지만 생각은 짧다 ((서반아 속담)) La mujer tiene largo el cabello y corto el entendimiento. ~와 배는 늘 수선을 요한다 ((서반아 속담)) Quien no tuviera que hacer, arme navío o tome mujer. 남자를 집 밖으로 쫓아내는 세 가지가 있으니 그것은 연기와 비와 바가지 긁는 ~다 ((서반아 속담)) Tres cosas echan a un hombre de la casa fuera: el humo, la gotera y la mujer vocinglera. 노름과 ~와 술은 삼가야 한다 ((서반아 속담)) Naipes, mujeres y vino, mal camino. 침묵은 ~의 가장 좋은 옷이다 ((서반아 속담)) La mujer lista y callada, de todos es alabada. ■여자는 돌리면 버리고 그릇은 돌리면 깨진다 ((속담)) La mujer y el vidrio siempre están en peligro [en riesgo]. 여자 셋이 모이면 새 접시를 뒤집어 놓는다 ((속담)) Donde hay mujeres hay bulla.

여자답다 (ser) femenino, femenil. 여자다운 말 lenguaje *m* femenil.

■~ 감독 [영화의] directora *f*, [공원(工員)의] capataz *f*, capataza *f*. ~ 경찰관 policía *f*. ~ 고등 학교 escuela *f* superior femenina. ~ 교육(教育) educación *f* femenina, educación *f* de la mujer. ~ 급사 camarera *f*, *AmL* mesera *f*, *CoS* moza *f*, *Ven* mesonera *f*. ~ 대학교 la Universidad Femenina; [단과 대학] el Colegio de Mujeres. ~ 대학생 (estudiante *f*) universitaria *f*. ~ 마음 corazón *m* de la mujer. ~ 사무원 oficinista *f*, empleada *f* de oficina. ~ 손님 visitante *f*, visitadora *f*. ~ 승무원 [비행기의] azafata *f*, auxiliar *f* de vuelo, sobrecargo *f*, *AmL* aeromoza *f*, *Col* cabinera *f*, *Chi* hostess *f*. ~ 예술 대학 la Escuela de Bellas Artes de Mujeres. ~용(用) para damas, para (las) mujeres, de mujer, (de) uso *m* femenino. ~ 점원 dependiente *f*, tendera *f*, vendedora *f*. ~ 주인 el ama *f* (*pl* las amas), dueña *f*, propietaria *f*. ~ 중학교 escuela *f* secundaria femenina. ~ 차장 [기차의] revisora *f*; [버스의] cobradora *f*. ~ 친구 amiga *f*. ~ 팀 equipo *m* femenino. ~ 학생 alumna *f*, colegiala *f*, estudiante *f*. ~ 호주(戶主) jefa *f* [cabeza *f*] de familia. ~ 호주제(도) sistema *m* de la cabeza de familia.

여장(女裝) vestido *m* (femenino), atavío *m*, compostura *f*, traje *m* en la mujer. ~하다 disfrazarse [ataviarse con un vestido · vestirse con un disfraz] de mujer. ~한 disfrazado de mujer, vestido con un disfraz de mujer. ~한 남자 hombre *m* disfrazado de mujer.

여장(旅裝) vestido *m* [ropa *f*] de viaje, preparativos *mpl* de viaje. ~을 꾸리다 equiparse para el viaje, hacer la maleta. ~을 풀다 deshacer la maleta.

여장군(女將軍) ① [여자 장군] general *f*. ② [몸이 큰 여자] mujerona *f*, mujer *f* grande.

여장부(女丈夫) heroína *f*, mujer *f* varonil, mujer *f* valiente, amazona *f*.

여재(餘財) bienes *mpl* restantes, propiedad *f* restante, dinero *m* de sobra, fondo *m* disponible.

여적(女賊) ladrona *f*.

여적(餘滴) ① [글을 다 쓰거나 그림을 다 그리고 남은 먹물] tinta *f* china sobrante [restante]. ② =여록(餘錄).

여전하다(如前-) ser el mismo, ser como de costumbre, ser como siempre. 요새 어떻게 지내십니까? - 여전합니다 ¿Cómo está estos días? - Como siempre / Como de costumbre.

여전히 como siempre, como de costumbre, como antes, usualmente, sin novedad, como de ordinario; [아직도] todavía, aún. ~ 아름답다 ser tan hermoso como siempre. 당신은 ~ 미녀다 Tú estás guapa como siempre. 열차는 ~ 만원이다 El tren va lleno de gente como de costumbre. 잘 지내고 계십니까? - 예, ~ 잘 지내고 있습니다 ¿Está bien? - Sí, como siempre. 가족은 어떻습니까? - ~ 잘 있습니다 ¿Cómo siguen en su casa? - Sin novedad. 너는 ~ 자전거로 통학하느냐? ¿Vas a la escuela en bicicleta como antes? 나는 ~ 독신입니다 Estoy soltero todavía.

여점원(女店員) dependiente *f*, dependienta *f*, tendera *f*, vendedora *f*.

여정(旅情) soledad *f* del viajero. ~을 위로하다 consolar las soledades [entretener la monotonía] del viajero.

여정(旅程) ① [여행의 도정(道程)] trayecto *m*, itinerario *m*, ruta *f*. ② [여행의 일정(日程)] plan *m* de viaje.

여정하다 ser casi igual.

여제(女弟) hermana *f* (menor).

여제(女帝) emperadora *f*, soberana *f*.

여존남비(女尊男卑) predominio *m* del bello sexo, influencia *f* de las mujeres en el gobierno. ~의 나라 paraíso *m* de las mujeres.

여종(女-) esclava *f*.

여죄(餘罪) más crimen *m*, otro crimen *m*, otro delito *m*, delito *m* diferente. 그는 ~가 있었다 El había cometido otro delito.

여주(女主) reina *f.*
여주인(女主人) el ama *f* (*pl* las amas), dueña *f*, propietaria *f*; [여관의] posadera *f*, mesonera *f*, hospedera *f*; [하숙집의] patrona *f*.
여주인공(女主人公) protagonista *f*, heroína *f*.
여줄가리 imprevistos *mpl*, contingencias *fpl*, lo incidental, lo de menor importancia, cosas *fpl* sueltas, retales *mpl*, retazos *mpl*.
여중(女中) ((준말)) =여자 중학교.
여중군자(女中君子) mujer *f* casta y virtuosa.
여중호걸(女中豪傑) mujer *f* heroica, mujer *f* varonil [masculino · viril].
여증(餘症) ① [병(病)의 나머지 증세] síntoma *m* restante de la enfermedad. ② [어떤 병 끝에 덧붙여 나는 다른 병] complicación *f*, síntoma *m* distinto de los habituales de una enfermedad y que agrava el pronóstico de ésta. ～이 생기다 sobrevenir complicaciones.
여지(荔枝) 【식물】 lichi *m*.
여지(餘地) ① [남은 땅] terreno *m* sobrante, terreno *m* restante. ② [여망이 있는 앞길] futuro *m* de la esperanza. ③ [나위] espacio *m*, lugar *m*, sitio *m*, cabida *f*. margen *m*. 아직 ～가 있다 Hay espacio libre todavía / Hay sitio para más / Hay cabida para más. 개선(改善)의 ～가 많다 Hay muchos puntos que mejorar.
여지없다 ser evidente, no hay margen, no hay lugar, no admitir. 재검토할 ～ No hay margen para reconsiderar. 타협(妥協)의 ～ No admite compromiso / No hay lugar para compromiso.
여지없이 evidentemente.
여직공(女職工) obrera *f*, trabajadora *f*.
여직원(女職員) empleada *f*, oficinista *f*.
여진(餘震) temblor *m* secundario.
여질(女姪) =조카딸.
여짓거리다 vacilar, titubear, ponerse inquieto. 여짓거리며 con titubeos, vacilantemente, nerviosamente. 여짓거리지 마라 No seas tan inquieto. 그는 들어오기 전에 여짓거렸다 El vaciló [dudó] antes de entrar.
여짓여짓 titubeando, vacilando, no sabiendo qué hacer.
여쭈다 decir, informar, mencionar. 잠깐 여쭈어 보겠습니다 Perdóneme / Permítame preguntarle a usted.
여쭙다 ((높임말)) =여쭈다.
여차 nimiedad *f*, insignificancia *f*.
여차여차하다(如此如此—) ser tal y tal, ser tal y cual. 여차여차한 이유로 por tal y cual razón. 여차여차한 사람 fulano *m* de tal, fulana *f* de tal; un tal, una tal; el tal, la tal.
여차여차히 tal y tal, tal y cual.
여차장(女車掌) cobradora *f*.
여차하다(如此—) ser así.
여차히 así.
여차하면(如此—) si se ocurre algún caso, en caso necesario, en caso de emergencia, en una emergencia, en caso de que se necesite.
여창(女唱) soprano *m* masculino.
여창(旅窓) habitación *f* del (hotel que se hospeda el viajero).
여청(女—) ① [여자의 목청] voz *f* (*pl* voces) femenina. ② =여창(女唱).
여체(女體) cuerpo *m* mujeril.
여축(餘蓄) [저축] ahorro *m*; [저장] provisión *f*; [예비] reserva *f*. ～하다 ahorrar, guardar; surtir, abastecer; reservar.
여치 【곤충】 grillo *m*.
여타(餘他) los otros, resto *m*, sobra *f*.
여탈(與奪) acción *f* de dar y privar. 생살～지권을 쥐다 tener el poder de levantar o hundir. 비평가들은 작품의 생살～지권을 쥐고 있다 Los críticos tienen el poder de levantar o hundir una obra.
▪～권(權) poder *m* de dar y privar.
여탐 consultación *f* antes del acto. ～하다 consultar.
▪～굿 ritual *m* del baile de chamán dedicado a los espíritus de *sus* antepasados en la ocasión de la familia feliz.
여탕(女湯) baño *m* para las mujeres.
여태 ((준말)) =여태까지.
여태까지 hasta ahora, hasta este momento, aún, todavía. ～ 없었던 사건(事件) acontecimiento *m* sin precedentes. ～ 한 번도 … 이 아니다 jamás, nunca, nunca jamás. 그런 말은 ～ 한 번도 들어 본 적이 없다 Nunca he oído nada parecido [nada igual] / Jamás he oído nada como esto. 나는 ～ 점심을 못 먹었다 Todavía [Aún] no he comido / *AmL* Todavía no comí. ～ 우리들은 답장을 받지 못했다 Aún [Todavía · Hasta ahora] no hemos recibido respuesta.
여태껏 =여태.
여태(女態) actitud *f* afemenida.
여택(餘澤) bendición *f* [gracia *f* · beneficio *m*] restante [sobrante], gran beneficio *m*.
여투다 guardar, ahorrar, reservar. 집세를 주기 위해 돈을 여투어 두다 ahorrar dinero para el alquiler de casa.
여트막하다 (ser) poco profundo.
여틈하다 parecer ser poco profundo.
여파(餘波) efecto *m* secundario, resultados *mpl*, consecuencias *fpl*, secuela *f*, repercusión *f*, período *m* subsiguiente; [영향(影響)] influencia *f*. ～로 en el período subsiguiente. 경제 성장의 나쁜 ～ desequilibrios *mpl* producidos por el acto desarrollo económico. 소요의 ～로 tras los disturbios, en el período que siguió a los disturbios. 태풍의 ～를 받다 recibir la influencia del tifón. 파업의 ～로 주가(株價)가 내렸다 El valor de las acciones ha bajado debido a [por influencia de] la huelga.
여편네 ① [결혼한 여자] (mujer *f*) casada *f*. ② ((비칭)) =아내(mujer, esposa).
여폐(餘弊) reliquia *f*, vestigio *m*.
여풍(餘風) costumbre *f* restante [sobrante], reliquia *f*, vestigio *m*. 의식(儀式)은 중세(中世)의 ～이다 La ceremonia es un vestigio de una tradición medieval.

여풍(麗風) =북서풍(北西風).
여필(女筆) escritura *f* mujeril.
여필종부(女必從夫) Lo que la esposa debe seguir a su esposo.
여하(如何) qué, cómo, condición *f*, estado *m*. ~한 qué. ~한 이유로 por qué. ~한 회생을 내더라도 a toda costa. … ~에 달려 있다 depender de *algo*. 이유(理由) ~를 막론하고 sin hacer caso de razones, prescindiendo de toda razón, independiente de toda razón. 정황(情況) ~에 따라서 según las circunstancias.
여하간(間) de todos modos, de todas maneras, de cualquier modo, de todas formas, salga lo que saliere, en todo caso; [결국] en fin, después de todo; [이럭저럭] mal que bien. ~ 네 잘못이다 De todos modos es la culpa tuya. ~ 집에 돌아오너라 De todos modos regresa a casa. ~ 나는 시험을 칠 것이다 De todas formas me examinaré. ~ 찬성하겠다 De todos modos, daré mi aprobación. 그는 ~ 위기를 극복했다 Mal que bien él superó la crisis.
여하튼 =여하간. ¶~ 사정이 사정이라 그를 용서했다 En primer lugar, dadas las circunstancias, lo perdoné. ~ 그는 연로하므로 그를 용서하시길 간청합니다 Le ruego que le perdone porque ya es viejo como ve usted. ~ 날씨가 나빠서 나는 외출할 수 없었다 El caso es que como el tiempo estaba malo no pude salir.
여하히 qué hacer. 그것을 ~ 해야 할지 모르겠다 No sé qué hacer de eso / No hay más remedio.
여학교(女學校) escuela *f* femenina, escuela *f* secundaria [de segunda enseñanza] para niñas, escuela *f* de mujeres [niñas], liceo *m* de niñas.
여학사(女學士) ① [대학을 나와 학사 학위를 가진 여자] licenciada *f*. ② [학문이 훌륭한 여자] mujer *f* bien educada.
여학생(女學生) alumna *f*, colegiala *f*, estudiante *f*, [대학생] universitaria *f*.
여한(餘恨) rencor *m* sobrante [restante].
여한(餘寒) =늦추위.
여행(旅行) viaje(s) *m(pl)*; [일주(一周)] recorrido *m*; [원족(遠足)] excursión *f*, [순례(巡禮)] peregrinación *f*. ~하다 viajar (por), hacer un viaje (por). 저렴한 ~ viajes *mpl* a precios reducidos. 마드리드로 ~하는 승객 los pasajeros con destinos a Madrid. 2주간의 ~ viaje *m* de dos semanas, viaje *m* de quince días. ~ 가다 ir [salir] de viaje. ~ 중이다 estar de viaje. ~에서 돌아오다 volver [regresar] de viaje. ~ 중에 편지를 쓰다 escribir durante el viaje. ~ 중에 병에 걸리다 enfermarse [caer enfermo] en *su* viaje. 기차로 ~하다 viajar en tren. 비행기로 ~하다 viajar en avión, volar. 육로(陸路)로 ~하다 viajar por tierra [por carretera]. 장기(長期) ~을 하다 hacer un largo viaje. 전(全) 서반아를 ~하다 viajar por toda España. 너는 언제 ~하니? ¿Cuándo viajas? 나는 밤에 ~했다 Viajé de noche. 너는 ~을 좋아하니? ¿Te gusta viajar? 너 ~ 많이 했니? ¿Has viajado mucho? 그는 지금 ~ 중이다 El está de viaje. ~ 중에는 무슨 짓을 해도 묵인된다 En el viaje todo está permitido. 우리는 아주 가볍게 (차려 입고) ~했다 Viajábamos con muy poco equipaje [muy ligeros de equipaje]. 나는 내 일로 ~을 많이 해야 한다 Tengo que viajar mucho por cuestiones de trabajo. 그는 일로 ~을 많이 해야 한다 El tiene que viajar mucho por su trabajo. 나는 라틴 아메리카를 ~하면서 7개월을 보냈다 Yo estuve siete meses viajando por [recorriendo] la América Latina. 내 아내는 ~할 때는 멀미를 많이 한다 Mi esposa se marea mucho cuando viaja. ~ 중 무사하시기를 바랍니다 [잘 다녀 오십시오] ¡Buen viaje! / ¡Buena suerte y buen viaje! ~에는 길동무가 좋고 세상살이에는 인정이 최고다 En el viaje un compañero y en la vida simpatía.
◆ 개별(個別) ~ viaje *m* individual. 공중(空中) ~ viaje *m* aéreo, viaje *m* por aire. 그룹 ~ viaje *m* en grupo. 세계 일주(世界一周) ~ vuelta *f* al mundo.
■ ~가 viajero, -ra *mf*. ~ 가방 maleta *f*, baúl *m*; [1,2박용] fin *m* de semana, bolso *m* de viaje, bolso *m* de fin de semana. ~ 경비 gastos *mpl* de viaje. ~권 pasaporte *m*. ~기 libro *m* de viajes, relación *f* de un viaje, diario *m* de viaje. ~담 relato *m* de viaje. ~ 목적지 destino *m* del viaje. ~ 보험 seguro *m* de viaje. ~사 agencia *f* de viajes. ¶~ 직원 agente *mf* de viajes. ~ 안내 guía *f* turística, información *f* turística. ~ 안내소 información *f* de turismo, agencia *f* de viajes, agencia *f* de turismo. ~ 일정 itinerario *m*. ~자 viajero, -ra *mf*; [관광객] turista *mf*. ~자 수표 cheque *m* de viajero(s), cheque *m* de viaje. ~지 [목적지] destino *m* del viaje, destinación *f*.
여행(勵行) observancia *f* estricta [severa], cumplimiento *m* estricto [severo], ejecución *f* rigurosa, cumplimiento *m* riguroso. ~하다 hacer respetar [cumplir · obedecer] estrictamente [rigídamente · con rigidez]. 그들은 법률의 ~에 책임이 있다 Ellos son responsables de hacer cumplir [respetar] la ley.
여향(餘香) fragancia *f* restante [sobrante].
여향(餘響) sonido *m* restante [sobrante].
여형(女兄) hermana *f* (mayor).
여형(女形) forma *f* mujeril, aspecto *m* afeminado.
여형약제하다(如兄若弟-) ser íntimo como *su* hermano.
여형제(女兄弟) hermana *f*.
여호수아서(Joshua 書) 【성경】 Josué.
여호와(영 *Jehovah*) 【성경】 Jehová, Señor. 나와 함께 ~를 광대(廣大)하시다 하며 함께 그 이름을 높이세 ((시편 34:3)) Engrandeced a Jehová conmigo, y exaltemos a una

su nombre / Alabemos juntos y a una voz la grandeza del nombre del Señor.

■ ~의 증인 testigo *mf* de Jehová. ~ 하나님 ((성경)) Jehová Dios, Dios el Señor.

여혼(女婚) casamiento *m* de *su* hija.

여화(女禍) calamidad *f* por la belleza femenina.

여황(女皇) emperatriz *f*.

여흥(餘興) diversión *f*, entretenimiento *m* adicional. ~으로 como una extra, para el entretenimiento adicional.

역(易) =주역(周易).

역(逆) ① [반대] oposición *f*, inverso *m*, revés *m*, lo contrario. ~의 inverso, contrario, opuesto. ~으로 inversamente, a la inversa, al revés, del revés, al contrario, por el contrario. ~ 방향으로 con rumbo contrario, en (la) dirección opuesta [contraria], en sentido opuesto [inverso]. ~으로 하다 invertir, trastocar, volver al revés; [위아래를] volcar, poner boca abajo; [안팎을] poner al [del] revés. 의미를 ~으로 이해하다 entender [tomar] al revés [en el sentido contrario], interpretar en sentido opuesto. 순서를 ~으로 하다 invertir el orden. 시계의 바늘을 ~으로 돌리다 invertir la marcha de las manecillas del reloj. ②【철학】contrariedad *f*. ③【수학】recíproca *f*.

역(驛) estación *f* (de ferrocarriles). ~마다 정차하는 열차 tren *m* omnibús, tren *m* de escala. ~마다 정차하다 pararse en cada estación. 다음 ~에서 내리다 bajar(se) en la próxima estación.

◆서울~ estación *f* de Seúl.

■ ~원 empleado, -da *mf* de la estación; oficial *mf* de la estación; [집합적] personal *m* de la estación. ~장 jefe, -fa *mf* de estación.

역(役) papel *m*, parte *f*. ~을 하다 desempeñar *su* papel. 배우에게 ~을 주다 dar [confiar] un papel a un actor [una actriz]. 산초 빤사 ~을 하다 hacer el papel de Sancho Panza.

◆어린이 ~ papel *m* de niño (en una representación); [배우] actor *m* niño, actriz *f* niña.

역(譯) traducción *f*, versión *f*. 고전(古典)의 현대어 ~ traducción *f* [versión *f*] moderna de una obra clásica. 서반아 문학의 한글 ~ traducción *f* [versión *f*] coreana de la literatura española. ☞번역

역(亦) también. ☞역시(亦是)

역-(逆) inverso, reverso. ~비례(比例) proporción *f* inversa.

-역(役) papel *m*.

역강하다(力强—) (ser) fuerte, vigoroso.

역결(逆—) veta *f* inversa, veteado *m* inverso.

역겹다(逆—) (ser) pestífero, asqueante, repugnante, insoportable, dar mucha rabia, dar asco. 그는 역겨운 사람이다 El es un tipo repugnante. 역겹지? Da mucha rabia, ¿no? / Da asco, ¿no? / Es asqueante, ¿no? 그의 상사에게 하는 아첨은 정말 역겨웠다 Daba asco [Era asqueante] cómo él adulaba a los jefes.

역경(易經) =주역(周易).

역경(逆境) adversidad *f*, apuros *mpl*, infortunio *m*, desgracia *f*, situación *f* adversa. ~에 빠지다 caer en la desgracia. ~에 처하다 estar en apuros, verse perseguido por la desgracia, estar en la adversidad. ~과 싸우다 luchar contra la adversidad, luchar contra las circunstancias adversas. 그는 늘 눌려 ~에서 헤어나지 못하고 있다 El es un hombre que no puede salir de su mediocridad. ~에 처해 있을 때 친구가 진정한 친구다 ((서반아 속담)) Amigo en la adversidad es amigo de verdad / La verdadera amistad .es inmortal / En la necesidad se conoce la amistad. 좋은 시절에는 친구를 끌어들이고 ~에 처해 있을 때는 그 친구들을 시험한다 ((서반아 속담)) Amigo del buen tiempo, múdase con el viento / Los buenos tiempos atraen amigos y la adversidad los pone a prueba.

역광선(逆光線)【물리】contraluz *f*. ~으로 촬영하다 fotografiar a contraluz.

역군(役軍) ① [공사장에서 삯일하는 사람] jornalero, -ra *mf*; culí *mf*. ② =일꾼

역기(力技) =역도(力道).

역기(力器) haltera *f*, barra *f* (para pesas).

역내(域內) ¶~의 dentro de los límites, dentro de la región, intrazonal, interior, intracomunitario. 유럽 공동체는 ~ 관세를 철폐했다 La Comunidad Europea suprimió los aranceles dentro de la región.

■ ~ 무역 comercio *m* interior, comercio *m* intracomunitario, comercio *m* intrazonal. ¶ 유럽 연합의 ~ comercio *m* interior de la UE.

역내(驛內) interior *m* de la estación de ferrocarriles. ~에(서) en [dentro de] la estación de ferrocarriles.

역년(歷年) ① [해를 지냄. 또는 지나온 여러 해] muchos años pasados. ② [한 왕조가 왕업을 누린 햇수] años *mpl* duraderos de la dinastía.

역년(曆年) año *m* civil [del calendario].

역당(逆黨) =역도(逆徒).

역대(歷代) generaciones *fpl* sucesivas. ~의 sucecivo. 이 건물은 ~ 대통령이 살았다 Han habitado este edificio los presidentes sucesivamente.

■ ~기 crónica *f*. ~ 내각(內閣) todos los gobiernos que han sucedido. ~왕 reyes *mpl* de muchas generaciones.

역대수(逆對數)【수학】=진수(眞數).

역도(力道) halterfilia *f*, levantamiento *m* de pesos.

■ ~ 선수 halterofilo, -la *mf*; levantador, -dora *mf* de pesos.

역도(逆徒) =역당(逆黨).

역독(譯讀) traducción *f* oral. ~하다 traducir y leer, traducir oralmente.

역두(驛頭) =역전(驛前).

역량(力量) habilidad *f*, capacidad *f*, talento *m*. ~이 있는 hábil, capaz, de mucho talento. ~이 있는 정치가 estadista *mf* hábil. ~을 나타내다 demostrar [dar prueba de] *su* capacidad. 자신의 ~을 시험하다 probar *su* capacidad, poner *su* capacidad a prueba.
역량껏 con toda fuerza, con todas sus fuerzas.

역력하다(歷歷-) (ser) evidente, claro, vivo. 역력한 증거(證據) evidencia *f* manifiesta, testimonio *m* evidente.
역력히 evidentemente, claramente, obviamente, distintamente, vivamente, palpablemente, vivídamente. ~ 기억하고 있다 tener una memoria viva (de). ~ 보이다 ㉮ [사람이 주어일 때] poder imaginar bien. ㉯ [사물이 주어일 때] notarse claramente, verse a la legua. ~ 얼굴에 나타난다 Puede verse claramente en la cara. 그가 화낸 것이 ~ 보인다 Su enfado [Su ira] se nota claramente / Se ve a la legua que él está enfadado [enojado].

역류(逆流) contracorriente *f*, corriente *f* contraria, reflujo *m*. ~하다 fluir a la dirección contraria, correr a la dirección contraria, correr hacia atrás, refluir en sentido inverso, remontar. ~를 거슬러 노를 젓다 remar a contracorriente. 더러운 물이 ~한다 El agua sucia corre hacia atrás.

역리(疫痢) 【의학】 disentería *f* infantil; [설사(泄瀉)] diarrea *f*.

역리(逆理) paradoja *f*. ~의 paradójico, paradojo.

역마(驛馬) =역말[1].
■ ~살 desgracia *f* [mala fortuna *f*] que suele viajar por todas partes.

역마을(驛-) pueblo *m* del correo

역마차(驛馬車) diligencia *f*, coche *m* de diligencia, coche *m* público para los viajeros, coche *m* de posta.

역말[1](驛-) 【역사】 caballo *m* del correo, caballo *m* en cada *yeokcham*.

역말[2](驛-) 【준말】 =역마을.

역명(譯名) nombre *m* que traduce.

역모(逆謀) conspiración *f*. ~하다 conspirar, maquinar.

역모션(逆 motion) movimiento *m* inverso.

역무(役務) servicio *m* (obligatorio).
■ ~배상 indemnización *f* en el servicio, compensación *f* por servicios..

역무원(驛務員) personal *m* de la estación (de ferrocarril). ~과 통화하려면 노란색 인터폰을 이용하십시오 ((게시)) Para comunicarse con el personal de la estación utilice los interfonos amarillos.

역문(譯文) oración *f* traducida, traducción *f*, versión *f*.

역반응(逆反應) reacción *f* inversa.

역발산기개세(力拔山氣蓋世) Es muy fuerte y enérgico.

역방(歷訪) gira *f*. ~하다 girar, hacer una gira, visitar después de otro, visitar a un país después de otro, hacer peregrinación. 각국(各國)을 ~하다 hacer una gira por diversos países.

역법(曆法) calendario *m* (romano).

역병(疫病) 【의학】 epidemia *f*, enfermedad *f* contagiosa, peste *f*. ~이 발생했다 Se ha declarado [extendido] una epidemia. ~이 유행되고 있다 Hay [Corre · Existe · Prevalece] una epidemia.
■ ~ 유행지 región *f* [el área *f*] infectada, distrito *m* infectado..

역본(譯本) libro *m* traducido, traducción *f*, versión *f*.

역부족(力不足) falta *f* de habilidad. ~이다 ser incapaz (de), estar por encima de *su* capacidad. 나로서는 그 일에 ~이었다 El trabajo estaba por encima de mi capacidad.

역불급(力不及) (estar) por encima de *su* capacidad. ~하다 estar por encima de *su* capacidad.

역비(逆比) 【수학】 razón *f* inversa.

역비례(逆比例) 【수학】 proporción *f* inversa.

역빠르다 (ser) astuto, sagaz, vivo, inteligente, hábil, perspicaz. 역빠르게 con astucia, astutamente, con inteligencia, inteligentemente, con sagacidad, sagazmente, con agudeza.

역사(力士) luchador *m*, hércules *m*, hombre *m* muy fuerte.

역사(役事) obra *f* de construcción.

역사(歷史) historia *f*. ~의 histórico, historial. ~ 이전(以前)의 prehistórico. ~의 흐름 trayectoria *f* [curso *m*] de la historia. ~를 통해서 a lo largo de la historia. ~를 기록하다 historiar, escribir historias. ~에 남다 pasar a la historia. ~에 남을 만한 일을 하다 hacer historia. ~에 남을 만한 연주회 concierto *m* que hará historia. ~에 남을 날짜 fecha *f* que pasará a la historia. ~에 이름을 남기다 dejar *su* nombre en la historia. 이 학교는 ~가 오래다 Esta escuela tiene una larga historia. 그것은 이제 지나간 ~에 불과하다 Aquello ya pasó a la historia. 그는 서반아 ~를 완전히 알고 있다 El conoce a fondo la historia de España. 헤로도토스는 ~의 아버지라 불리운다 Heródoto ha sido llamado el padre de la historia. A씨는 위대한 정치가로 ~에 남을 것이다 A pasará a la historia como un gran político. ~는 반복한다 La historia se repite.
■ ~가 historiador, -dora *mf*, cronista *mf*, historiógrafo, -fa *mf*. ~ 과학(科學) ciencia *f* histórica. ~관(觀) vista *f* histórica, concepción *f* de la historia. ~극 drama *m* histórico. ¶셰익스피어의 ~ dramas *mpl* históricos de Shakespeare. ~ 문학(文學) literatura *f* histórica. ~물 cosa *f* histórica, historias *fpl*. ~ 법칙 regla *f* histórica. ~ 법학 ley *f* histórica. ~상 históricamente. ~성 historicidad *f*. ~ 소설 novela *f* histórica. ~ 시대 edad *f* histórica. ~ 신학 mitología *f* histórica. ~ 연표 tabla *f* de

una historia. ~ 이래 desde (el comienzo de) la historia. ~ 이야기 cuento *m* histórico. ~ 자료(資料) historiografía *f.* ~적 histórico. ~적 비평 criticismo *m* histórico. ~적 연구 estudio *m* histórico. ~적 진실 historicidad *f.* ~ 정신 mente *f* histórica, espíritu *m* histórico. ~주의 historismo *m*, historicismo *m.* ~ 지리학(地理學) geografía *f* histórica. ~책 libro *m* de historia. ~ 철학 filosofía *f* histórica. ~터 ruinas *fpl* históricas. ~ 편찬 historiografía *f.* ~ 편찬가 historiógrafo, -fa *mf.* ~학 historia *f*, estudio *m* histórico. ~학과 departamento *m* de historia, curso *m* [sección *f*] de historia. ~학파 escuela *f* histórica. ~화 cuadro *m* histórico, pintura *f* histórica. ~화가 pintor *m* histórico, pintora *f* histórica.

역사(轢死) muerte *f* del accidente automovilístico. ~하다 morir(se) del accidente automovilístico.

역사(驛舍) edificio *m* de la estación.

역사고(逆思考) pensamiento *m* contrario.

역산(逆産) ① [부역자·역적의 재산] propiedad *f* del traidor. ② 【의학】 =도산(倒産).

역산(逆算) calculación *f* inversa. ~하다 calcular inversamente. 재고(在庫)에서 ~하면 매상은 약 천만 원이 된다 Si echamos la cuenta en un sentido inverso tomando comp punto de referencia el surtido que queda veremos que las ventas ascienden a unos diez millones de wones.

역살(轢殺) matanza *f* por atropello. ~하다 matar por atropello.

역서(易書) libro *m* de la suerte.

역서(曆書) almanaque *m*, calendario *m.*

역서(譯書) libro *m* traducido, traducción *f.*

역선전(逆宣傳) contra-propaganda *f*, propaganda *f* opuesta a otra. ~하다 hacer contra-propaganda.

역선풍(逆旋風) contraciclón *m.*

역설(力說) afirmación *f*, aseveración *f.* ~하다 subrayar, recalcar, insistir (en), dar énfasis (a).

역설(逆說) paradoja *f.* 지구의 운동은 오랫동안 ~처럼 간주되었다 El movimiento de la Tierra se consideró largo tiempo como una paradoja.

■~가 paradójico, -ca *mf.* ~적 paradójico, paradojo, paradojal. ¶~으로 paradójicamente. ~인 의견 opinión *f* paradójica. ~으로 말하면 hablando paradójicamente.

역성 predilección *f*, preferencia *f*, parcialidad *f*, favoritismo *m.* ~하다 tener predilección (por · para).

◆역성(을) 들다 tener predilección (por · para).

역성 비누(逆性-) jabón *m* invertido.

역세(歷世) =역대(歷代).

역수(易數) arte *m* de adivinación.

역수(逆水) el agua *f* estancada.

역수(逆數) 【수학】 número *m* inverso, recíproca *f*, cociente *m* obtenido dividiendo la unidad por un número, lo que es recíproco.

역수입(逆輸入) reimportación *f.* ~하다 reimportar.

역수출(逆輸出) reexportación *f.* ~하다 reexportar.

역순(逆順) orden *m* inverso. ~으로 a la inversa, en orden inverso.

역술(譯述) traducción *f.* ~하다 traducir.

■~자 traductor, -tora *mf.*

역습(逆襲) contraataque *m.* ~하다 contraatacar, hacer un contraataque; [항의 따위를] devolver el golpe. 항의에 ~하다 responder a una protesta devolviendo el golpe.

역시(譯詩) poema *m* traducido, poesía *f* traducida..

■~집 obras *fpl* poéticas traducidas, libro *m* de poemas traducidos.

역시(亦是) [또한] también, igualmente, asimismo, del mismo modo; [부정문에서] tampoco, no … tampoco; [결국] después de todo, bien pensado todo. 나 ~ 몰랐다 Yo también no sabía. 나 ~ 그렇다 También soy yo. 두 번째의 계획도 ~ 실패였다 La segunda prueba fracasó asimismo [como la primera].

역신(疫神) ① =호구별성(戶口別星). ② =천연두.

■~마마(媽媽) ((존칭)) =역신(疫神).

역신(逆臣) vasallo *m* [súbdito *m*] traidor.

역심(逆心) proyecto *m* de rebelión [traición], doble corazón *m*, traición *f*, perfidia *f*, deslealtad *f.* ~을 품다 traicionar.

역아(逆兒) 【의학】 bebé *m* que viene de nalgas.

역암(礫岩) 【지질】 conglomerado *m.*

역어(譯語) traducción *f*, palabra *f* traducida. 정확한 ~를 사용하여 번역하다 traducir en palabra exacta. 한글에는 이 말에 해당하는 적절한 ~가 없다 No existe una palabra exacta en coreano que corresponda a esta palabra.

역연(逆緣) ((불교)) supervivencia *f* del viejo al joven, reversión *f* del hado, misa *f* budista para su enemigo antiguo.

역연하다(亦然-) ser (también) el mismo.

역연하다(歷然-) (ser) evidente, claro, distinto, notorio.

역연히 evidentemente, claramente, distintamente, notoriamente. 증거가 ~ 남아 있다 Existe una prueba evidente.

역영(力泳) natación *f* con brazada poderosa. ~하다 natar con brazada poderosa.

역외(域外) ¶~의 fuera de los límites, fuera de la región, extrazonal.

■~구매(購買) compra *f* extrazonal.

역용(逆用) uso *m* en sentido contrario. ~하다 usar en sentido contrario. 적(敵)의 선전(宣傳)을 ~하다 aprovechar la propaganda del enemigo para *su* ventaja.

역우(役牛) buey *m* (de labranza).

역운(逆運) suerte *f* triste, fortuna *f* triste, revés *m* de la fortuna, adversidad *f.*

역원(役員) oficial *mf*, funcionario, -ria *mf*, socio, -cia *mf*.
■ ~실 oficina *f* ejecutiva. ~회 consejo *m*.
역원(驛員) =역무원(驛務員).
역월(曆月) mes *m* (del calendario).
역이용(逆利用) =역용(逆用). ¶나는 그의 비난을 ~해서 그의 책임(責任)을 추궁했다 Devolviéndose su reproche, le exigí que tomara la responsabilidad.
역일(曆日) día *m* civil.
역임(歷任) servicio *m* consecutivo en varios puestos. 요직(要職)을 ~하다 ocupar sucesivamente puestos importantes.
역자(譯者) traductor, -tora *mf*.
역작(力作) obra *f* maestra.
역장(驛長) jefe, -fa *mf* de estación.
■ ~실 oficina *f* del jefe de estación.
역저(力著) obra *f* maestra.
역적(力積) 【물리】 impulso *m*, ímpetu *m*.
역적(逆賊) traidor, -dora *mf*, rebelde *mf*, insurgente *mf*, faccioso, -sa *mf*, insurrecto, -ra *mf*.
■ ~모의(謀議) conspiración *f* para levantar [para sublevarse]. ~질 rebelión *f*, traición *f*.
역전(力戰) lucha *f* ardua. ~하다 luchar [combatir] desesperadamente.
역전(逆轉) inversión *f*, reversión *f*, mudanza *f* de suerte. ~하다 invertirse, cambiar en sentido contrario. ~시키다 invertir, trocar. 적자를 ~하다 invertir el déficit. 형세(形勢)가 ~되었다 Se ha invertido la situación.
역전(歷戰) récord *m* largo del servicio activo. ~의 veterano. ~의 용사 veterano *m*.
역전(驛前) delante de la estación.
역전 경주(驛傳競走) carrera *f* de relevos (de posta). 경부 간 ~ carrera *f* de relevos entre Seúl y Busan.
역점(力點) ① [힘을 가하는 점] punto *m* de aplicación de potencia. ② [강조점] (punto *m* de) énfasis *m*. ~을 두다 poner énfasis (en).
역점(易占) adivinación *f*. ☞점
역정(逆情) ((높임말)) =성(enfado). ¶~을 사다 atraerse el enojo (de), incurrir en el disgusto (de).
◆역정(을) 내다 ((높임말)) =성(을) 내다. ☞성
◆역정(이) 나다 ((높임말)) =성(이) 나다. ☞성
역정(歷程) etapa *f* pasada, curso *m* pasado.
역조(力漕) remo *m* con todas *sus* fuerzas. ~하다 remar con todas *sus* fuerzas.
역조(逆潮) corriente *f* adversa, contramarea *f*, contracorriente *f*.
역조(逆調) condición *f* desfavorable [desventajosa]. ~의 desfavorable, desventajoso. 무역 수지가 ~다 La balanza comercial está desfavorable.
역조(歷朝) reinados *mpl*, dinastías *fpl* (sucesivas).
역주(力走) corrida *f* dura. ~하다 correr duro, correr a más no poder, correr a toda velocidad.
역주(譯註) ① [번역과 주석] la traducción y la anotación. ② [번역자가 다는 주석] notas *fpl* del traductor.
역증(逆症) =역정(逆情).
역진(力盡) agotamiento *m*. ~하다 ser agotado.
역진(逆進) movimiento *m* reverso, movimiento *m* de espaldas.
역질(疫疾) 【한방】 =천연두(天然痘).
역참(驛站) posta *f*. ~ 마을 pueblo *m* de posta.
역청(瀝青) 【화학】 betún *m*.
■ ~석[암] piedra *f* alquitranada. ~ 우라늄광 pechblenda *f*. ~탄(炭) carbón *m* bituminoso.
역촌(驛村) =역마을.
역코스(逆 course) sentido *m* contrario; [반동화(反動化)] tendencia *f* reaccionaria.
역타(逆打) ((정구)) revés *m*. ~로 con el revés, de revés.
역투(力投) ① [힘껏 던짐] lanzamiento *m* total. ~하다 lanzar [tirar] con todas *sus* fuerzas. ② ((야구)) lanzamiento *m* [tiro *m*] total. ~하다 lanzar [pichear] con todas *sus* fuerzas.
역투(力鬪) combate *m* dificultoso, combate *m* desesperado, lucha *f* ardua. ~하다 combatir desesperadamente, luchar con arduidad.
역풍(逆風) viento *m* contrario [opuesto · adverso], viento *m* de frente, viento *m* por la proa.
역하다(逆-) ① [거역하다] desobedecer. ② [배반하다] traicionar, hacer traición. ③ [구역이 날 듯 속이 메슥메슥하다] darse náuseas. ④ [마음에 거슬려 못마땅하다] repugnarse.
역학(力學) 【물리】 dinámica *f* ~의 dinámico.
■ ~자 dinamista *mf*. ~적 dinámico *adj*. ~적 세계관 vista *f* mundial dinámica. ~적 에너지 energía *f* dinámica.
역학(易學) arte *m* [ciencia *f*] de la advinación.
역학(疫瘧) 【한방】 paludismo *m* epidémico, malaria *f* epidémica.
역학(疫學) epidemiología *f*.
역학(曆學) ciencia *f* de adivinación.
역할(役割) papel *m*, rol *m*, parte *f*, oficio *m*; [사명] misión *f*. 중대한 ~ papel *m* importante. 여성의 사회적 ~ papel *m* social de la mujer. 국가의 경제적 ~ misión *f* económica del Estado. ~을 배분(配分)하다 distribuir los papeles. 중대한 ~을 하다 desempeñar un papel importante. …의 ~을 과하다 cumplir con *su* oficio de *algo*.
역함수(逆函數) 【수학】 función *f* inversa.
역항(逆航) navegación *f* contra el viento. ~하다 navegar contra el viento.
역해(譯解) traducción *f* con notas, interpretación *f*.

역행(力行) esfuerzo *m*, conato *m*, empeño *m*. ~하다 hacer gran esfuerzo, esforzarse, hacer lo posible.

역행(逆行) movimiento *m* contrario; [후퇴] retroceso, acción *f* de recular, retrogradación *f*. ~하다 moverse en dirección opuesta, recular, retroceder. 시대(時代)에 ~하다 ir en contra de [ir contra] la corriente de los tiempos. 시대에 ~된 판결 sentencia *f* anacrónica.

■ ~ 운동 movimiento *m* contrario.

역혼(逆婚) casamiento *m* a la inversa. ~하다 casarse a la inversa.

역효과(逆效果) efecto *m* contrario, resultado *m* contrario. ~의 contraproducente. 선전(宣傳)이 ~가 되었다 La propaganda ha resultado contraproducente. 그것은 도리어 ~를 낼 것이다 Eso más bien producirá el efecto contrario.

엮다 ① [노끈이나 새끼로 이리저리 여러 가닥으로 어긋매껴 묶다] tejer, tricotar; [셋으로] trenzar; [섞어 짜다] entretejer; [뜨개바늘로] hacer punto de aguja; [갈고리바늘로] hacer croché. 새끼줄을 ~ hacer sogas de paja. 그물을 ~ enredar, hacer una red. 머리털을 ~ trenzar el cabello. 내 머리카락을 엮어 줄래? ¿Me trenzas el pelo? / ¿Me haces trenzas [una trenza]? 그들은 지붕을 나뭇가지로 엮었다 Ellos hicieron un techo entretejiendo ramas. 그 여자는 작은 가지로 바구니를 엮었다 Ella tejió [hizo] un cesto con las ramitas. ② [물건을 얼기설기 맞추어 매다] tejer, entretejer. 울타리를 ~ tejer la cerca, hacer la cerca. ③ [여러 가지 사실을 줄대어 말하거나 적다] tejer, entretejer, intercalar, ponerse a escribir. 이야기를 ~ tejer [entretejer] una historia. 그는 이 사건들을 중심으로 소설을 엮었다 El tejió la trama de una novela en torno a estos sucesos. 영화(映畵)는 두 이야기를 엮는다 La película entreteje las dos historias. 내가 리포트를 엮는 것이 더 좋겠다 Va a ser mejor que me ponga a escribir el informe. ④ [책을 편찬하다] compilar. 자서전을 ~ compilar una autobiografía.

엮은이 =편자(編者). 편집자(編輯者).

엮음 compilación *f*, redacción *f*.

엮이다 tejerse, entretejerse.

연(年) año *m*; [일 년] un año. ~ 1회 una vez al año. ~ 1회의 anual. ~ 2회 dos veces al año. ~ 4회 trimestralmente, cada tres meses. ~ 2회의 semestral; [사건·축제 등] que se celebra dos veces al año. ~ 4회의 trimestral. ~ 1할의 이자 interés de diez por ciento al año. ~ 4회 발행 publicación *f* trimestral.

■ ~ 평균 promedio *m* anual.

연(延) [총계] total *m*, suma *f* total.

■ ~ 근로 시간 hora *f* hombre. ~ 근로 500 시간 500 (quinientas) horashombre.

연(鉛) 【광물】 plomo *m*.

연(煙) [연수정(煙水晶)의 빛깔] color *m* de cuarzo marrón oscuro.

연(鳶) cometa *f*, pandorga *f*, *RPI* barrilete *m*, *AmC*, *Méj* papalote *m*, *Ven* papagayo *m*, *Chi* volantín *m* (*pl* volantines). ~의 꼬리 cola *f*. ~을 날리다 (hacer) volar una cometa, *AmC*, *Méj* volar un papalote, *Ven* volar un papagago, *Col* encumbrar una cometa, *Chi* encubrar un volantín, remontar una cometa, *RPI* remontar una cometa [un barrilete].

■ ~날리기 juego *m* a cometa. ~달 marco *m* de bambú de la cometa. ~줄 cuerda *f* de la cometa.

연(蓮) 【식물】 loto *m*, ninfea *f*.

■ ~꽃 flor *f* de loto. ~못 estanque *m* de loto. ~잎 hoja *f* de loto.

연(緣) ① ((준말)) =연분(緣分). ② ((불교)) condición *f*, causa *f* secundaria. ③ =가. 가장자리.

연(輦) palanquín *m* (*pl* palanquines) real.

연(連) [양전지(洋全紙) 500장을 한 묶음으로 하여 이르는 말] resma *f*. 종이 두 ~ dos resmas de papel.

연-(軟) blando, tierno, ligero.

연-(連) continuamente, sucesivamente.

-연(宴) fiesta *f*, banquete *m*. 축하(祝賀)~ fiesta *f* [banquete *m*] de bienvenida.

연가(戀歌) canción *f* de amor, canto *m* amoroso, lírica *f* amorosa.

연간(年刊) publicación *f* anual. ~의 anual.

연간(年間) durante un año. ~의 anual. 쌀의 ~ 생산액 producción *f* anual de arroz. ~ 30억 원의 매상을 올리다 obtener un beneficio anual de tres mil millones de wones. 이 상은 ~을 통해 최고의 성적을 얻은 자에게 수여한다 Este premio se otorga la que ha obtenido las mejores notas durante un año.

■ ~ 계획 programa *m* anual. ~ 매상고(賣上高) suma *f* anual de ventas. ~ 생산고 producción *f* anual. ~ 소득 renta *f* anual.

연갈색(軟褐色) (color *m*) marrón *m* claro.

연감(年鑑) anuario *m*, almanaque *m*.

연감(軟-) =연시(軟枾).

연갑(年甲) =연배(年輩).

연강(軟鋼) acero *m* blando.

연강(煉鋼) acero *m* forjado.

연거푸(連-) muchas veces continuas, continuamente, sucesivamente, consecutivamente, de un modo sucesivo. ~ 세 번 이기다 ganar tres juegos seguidos. ~ 세 세트를 지다 perder tres sets seguidos. 예선을 ~ 이기다 pasar la (prueba) eliminatoria. 그는 ~ 담배를 피운다 El fuma un cigarrillo tras otro / El fuma como una chimenea / El fuma como un carretero / *Méj* El fuma como (un) chacuaco.

연건평(延建坪) espacio *m* total.

연결(連結) unión *f*, liga *f*, enlace *m*; [차량(車輛)의] enganche *m*, conexión *f*, acoñomiento *m*. ~하다 unir, ligar, juntar, enlazar, enganchar, conectar, acoplar. 밧줄의 양끝을 ~하다 ligar [atar] las dos puntas de una cuerda. 두 관(管)을 ~하다 conectar dos tubos. 차량을 ~하다 enganchar los vagones. 두 섬을 다리로 ~하다 unir dos islas con un puente. 열 량의 ~ 열차 tren *m* de diez vagones. 이 방들은 ~되어 있다 Estas habitaciones se comunican. (이 번호에 · A씨에게) 전화가 ~되었습니다 Al habla (su número · el señor A). 전화를 김 선생님께 ~해 주시겠습니까? – 벌써 ~되었습니다 ¿Puede usted ponerme con el Sr. Kim? – Ya tiene usted la comunicación / Al habla el Sr. Kim.

■ ~기(器) aparato *m* de conexión, enganche *m*; [기계의] enganche *m*; [전자의] conectador *m*. ~ 부(符) =이음표.

연계(連繫) liga *f*, unión *f*. ~하다 ligar, unir. ~되다 ligarse, unirse. 그들은 금전적으로 ~되어 있다 Ellos están ligados por el dinero / Los liga el dinero. 이 두 문제(問題)는 ~되어 있다 Estos dos problemas están relacionados entre sí.

연고(軟膏) ungüento *m*, pomada *f*, bizma *f*, unto *m*, untra *f*.

연고(緣故) ① [사유(事由)] razón *f*, causa *f*. ② [혈통 · 정분 또는 법률상으로 맺어진 관계] ㉮ [관계] relación *f*, conexión *f*, enlace *m*; [혈연] parentesco *m*; [중계] intermedio *m*, buenos oficios *mpl*. ~가 있다 tener buena recomendación. ~가 없다 no tener conexión. ~로 채용하다 emplear por relaciones personales. …의 ~가 있는 토지다 ser un sitio ligado a los recuerdos de *uno*. 친척의 ~를 믿고 상경하다 ir a Seúl confiando en la buena voluntad de *su* pariente. 깊은 ~가 있다 Hay una conexión estrecha. ㉯ [사람] [친척] pariente *mf*; [아는 사람] conocido, -da *mf*; [집합적] conocimiento *m*; [중계자] presentador, -dora *mf*, intermediario, -ria *mf*. ③ =인연(因緣).

■ ~권 derecho *m* preferente. ~자 pariente *mf*, pariente, -ta *mf*, familiar *mf*. ~지(地) lugar *m* preferente.

연고로(然故-) por eso, por consiguiente, así que.

연골(軟骨) ① [나이가 어려 채 뼈가 굳지 않은 체질. 또, 그 사람] persona *f* joven; pardillo, -lla *mf*, novato, -ta *mf*. ② [연골질로 이루어진 부드럽고 탄력 있는 뼈. 물렁뼈] cartílago *m*, cartilágine *m*, ternilla *f*. ~의 cartilagíneo, cartilaginoso. 많은 물고기의 뼈는 ~로 이루어져 있다 El esqueleto de muchos peces está fomado por cartílagos.

◆ 갑상(甲狀) ~ cartílago *m* tiroides, nuez *f* de la garganta, nuez *f* de Adán.

■ ~강(腔) laguna *f* cartilagínea. ~ 결합 sincondrosis *f*. ~ 두개 condrocráneo *m*. ~막 pericondrio *m*. ~성 경골 hueso *m* cartilaginoso. ~성 관절 articulación *f* cartilaginosa. ~ 세포 célula *f* cartilagínea, condrocito *m*. ~어 pez *m* cartilaginoso. ~어류 cartilagíneos *mpl*. ~염 condritis *f*. ~조직 tejido *m* cartilaginoso. ~질 condrina *f*. ~판 chapa *f* cartilaginosa. ~학 condrología *f*. ~ 한(漢) carácter *m* débil, persona *f* sin columna. ~ 형성 condrogénesis *m*, condroplasia *f*, condrosis *f*.

연공(年功) ① [오래 근속한 공로] servicio *m* largo y meritorio; [근속] servicio *m* largo, antigüedad *f* en el empleo. ~에 따라 por largo servicio, según la antigüedad, en consideración a la antigüedad. ② [여러 해 동안 익힌 기술] experiencia *f* larga. ~에 따라 por larga experiencia. ~을 쌓다 acumular las experiencias.

■ ~가봉(加俸) complemento *m* del servicio largo. ~서열 orden *f* de antigüedad. ~ 서열급 sistema *m* de salario por antigüedad.

연공(年貢) tributo *m*; [지조(地租)] impuesto *m* territorial, contribución *f* territorial; [지대(地代)] canón *m* (*pl* canones) anual, arriendo *m*, renta *f*. ~을 납부하다 pagar el tributo. ~을 받다 cobrar tributo.

연관(鉛管) tubo *m* de plomo.

■ ~공 fontanero, -ra *mf*, plomero, -ra *mf*, *Per* gasfitero, -ra *mf*, *Chi* gásfiter *mf*. ~공사(工事) obra *f* de fontanería. ~ 장치 instalación *f* de fontanería.

연관(聯關) =관련(關聯).

연구(硏究) estudio *m*; [조사] investigación *f*. ~하다 estudiar, investigar, indagar, hacer investigaciones (de · sobre). ~하는 investigador, -dora. ~할 수 있는 investigable. ~ 및 개발 investigación *f* y desarrollo, I+D. 과학적 ~ investigación *f* científica. 작업 시간 ~ investigación *f* del tiempo necesario para varias tareas. 라틴 아메리카 경제의 ~ estudio *m* de la economía política de la América Latina. 시장(市場)의 ~ estudio *m* de mercados. ~ 발표를 하다 [학회 등에서] leer una comunicación. 의학을 깊이 ~하다 penetrar hasta el fondo en el estudio de la ciencia médica. 사람들은 그를 ~하고 있다 Lo están estudiando. 원인(原因)을 ~할 필요가 있다 Hay que investigar la causa. 그는 실험실에서 ~를 하고 있었다 El investigaba en un laboratorio.

◆ 기초(基礎) ~ investigación *f* básica. 문학(文學) ~ investigación *f* literaria. 문법(文法) ~ estudio *m* en gramática.

■ ~가 estudiante *mf*, investigador, -dora *mf*. ~ 과 curso *m* de graduados, seminario *m*. ~과생 estudiante *mf* de postgrado; postgraduado, -da *mf*. ~ 과제(課題) tema *m* [materia *f*] de investigación. ~관 investigador, -dora *mf*. ~ 그룹 grupo *m* de estudios. ~ 기관 institución *f* de investigación. ~ 논문 tratado *m*, trabajo *m* de investigación; [학위 논문] tesis *f*. ~ 단체 organización *f* de investigadora. ~ 목적 objetivo *m* de investigación. ~ 문제(問題) tema *m* de estudios. ~물(物) investigación *f*, trabajo *m* de investigación. ~반 equipo *m* investigador, equipo *m* de investigación. ~ 방법(方法) método *m* de estudios. ~ 보고(報告) informes *mpl* de investigaciones, memoria *f.* ~ 보조금 beca *f* de investigación. ~ 부장 director, -tora *mf* de investigación. ~ 분야 campo *m* de investigación. ~비 fondos *mpl* para las investigaciones. ~생 becario, -ria *mf* de investigación; [대학원의] estudiante *mf* de posgrado que hace trabajos de investigación. ~소 instituto *m* [centro *m*] (de investigaciones), laboratorio *m.* ¶~ 간 학술 (조정) 위원회 el Comité Interdisciplinario. 인문 과학(人文科學) ~ Instituto *m* de las Ciencias Humanos. ~소원(所員) investigador, -dora *mf* [miembro *mf*] (del instituto). ~소장(所長) director, -tora *mf* de un instituto de investigación; director, -tora *mf* de investigación. ~ 수당(手當) complemento *m* para investigación. ~수업(授業) clase *f* de investigación. ~실 despacho *m* [cuarto *m*] de investigación, cuarto *m* de estudio; [화학 따위의] laboratorio *m* (de investigación). ~심(心) espíritu *m* investigador. ~ 여행 viaje *m* de estudios. ~열 espíritu *m* investigador. ~ 예산(豫算) presupuesto *m* para la investigación. ~원 investigador, -dora *mf.* ~일 día *m* de estudio. ~자 estudioso, -sa *mf*; investigador, -dora *mf.* ~ 재료(材料) materiales *mpl* para la investigación. ~ 제목 tema *m* de investigación. ~ 조사(調査_ investigación *f.* ~ 조성금 beca *f* para investigación. ~ 좌담회 simposio *m.* ~ 팀 equipo *m* de investigación. ~ 프로그램 programa *m* de investigación. ~ 학교 escuela *f* de investigación. ~ 활동 actividades *fpl* investigadoras. ~회 sociedad *f* de investigadores; [회합] reunión *f* de investigadores. ~ 휴가(休暇) licencia *f* para [de] estudios.

연구(軟球) pelota *f* blanda, softball *ing.m.*

연구(聯句) pareado *m*, dístico *m.*

연구개(軟口蓋) 【해부】 velo *m* del paladar.
■ ~음 sonido *m* velar.

연극(演劇) drama *m*, teatro *m*, función *f* teatral, representación *f* teatral; [희곡] obra *f* de teatro. ~의 teatral, de teatro. ~같은 teatral, exagerado. ~조로 teatralmente. ~이 끝날 때 al terminar la función. ~ 같은 기분이다 ser muy afectado [dramático]. ~을 보러 가다 ir al teatro, ir a ver una obra [una representación] teatral. …의 ~에 속다 ser engañado por la comedia de *uno.* ~을 해 본 적 있습니까? ¿Ha hecho teatro antes? / Tiene experiencia teatral? 그 극장에서는 무슨 ~을 공연합니까? ¿Qué obra se da [se representa] en ese teatro? 그것은 ~이다 Es una pura comedia. ~은 종합 예술이다 El teatro es un arte sintético. 그는 ~ 구경을 좋아한다 El es muy aficionado al teatro / El va mucho al teatro. ~을 구경하는 사람의 수가 줄었다 El número de asistentes al teatro ha disminuido. 그는 ~에 빠졌다 El se puso a hacer teatro. 나는 그런 ~조의 가락을 아주 싫어한다 Nada me gustó ese tono teatral.
◆아마추어 ~ teatro *m* amateur, teatro *m* de aficionados. 전위(前衛) ~ teatro *m* vanguardista.
■~계 mundo *m* del teatro, mundo *m* de las tablas, teatro *m.* ~ 관람객 público *m* asiduo al [del] teatro, *CoS* los habitués del teatro. ~단(團) =극단(劇團). ~론(論) dramaturgia *f.* ~배우 teatrólogo, -ga *mf.* ~부 club *m* (*pl* clubs) de teatro. ~ 비평 criticismo *m* dramático. ~사 historia *f* del teatro. ¶한국 ~ historia *f* del teatro coreano [de Corea]. ~ 안내란 cartelera *f* (teatral). ~ 애호가 aficionado, -da *mf* al teatro. ~인 artista *mf* teatral. ~ 작품 obra *f* (de teatro), pieza *f* (teatral). ~장 teatro *m.* ~제 fiesta *f* teatral. ~ 팬 aficionado, -da *mf* al teatro. ~ 프로그램 cartel *m* (de teatro), programa *m* de teatro. ~학 estudios *mpl* teatrales. ~학교 escuela *f* dramatúrgica, escuela *f* de teatro, escuela *f* teatral; [국립·공립의] conservatorio *m* dramatúrgico, conservatorio *m* de teatro. ~화 escenificación *f.*

연근(蓮根) 【식물】 raíz *f* (*pl* raíces) de loto, rizoma *f* de loto.

연금(年金) pensión *f*, anualidad *f*; [금리에 의한] renta *f.* ~을 받을 자격[권리]이 있는 pensionable. ~을 받을 수 있는 나이 edad *f* de jubilación. ~을 주다 conceder una anualidad. ~으로 생활하다 vivir con la pensión.
◆국민(國民) ~ pensión *f* nacional. 양로(養老) ~ pensión *f* a la vejez. 종신(終身) ~ pensión *f* vitalica.
■ ~ 계약 contrato *m* de anualidad. ~ 계획 plan *m* de pensiones, plan *m* de anualidades. ~ 공채 bono *m* de renta vitalicia. ~ 기금 fondo *m* de pensiones, fondo *m* de anualidad. ~법 ley *f* de pensión. ¶국민 ~ Ley *f* de Pensión Nacional, Ley *f* de Pensión Ciudadana. ~ 보험 seguro *m* de renta vitalicia. ~ 보험 증권 póliza *f* de anualidades. ~ 수령자 jubilado, -da *mf*, pensionado, -da *mf*, pensionista *mf.* ~ 수입 ingresos *mpl* por pensión, renta *f* anual. ~ 제도 sistema *m* de pensiones. ~ 조정 ajuste *m* de pensión. ~ 증서 certificado *m* de pensiones, certificado *m* de anualidades. ~ 지급 pago *m* de la pensión, pago *m* anual, pago *m* de .anualidad.

연금(軟禁) arresto *m* domiciliario. ~하다 limitar [restingir] a *su* casa. 자택에 ~하다 someter a arresto domiciliario.

연금술(鍊金術) alquimia *f.* ~의 alquímico. ~같은 alquímico. ~에 의해 alquímicamente.
■ ~사 alquimista *mf.*

연급(年級) grado *m* del año. 3 ~ grado *m* del tercer año.

연급(年給) ＝연봉(年俸).

연기(年紀) ① ＝연대(年代). ② [나이] *su* edad. ③ [자세히 적은 연보(年報)] anuario *m* escrito detalladamente.

연기(年期) ＝연한(年限).

연기(延期) aplazamiento *m*, prórroga *f*; [기간 연장] prolongación *f*, alargamiento *m*. ～하다 aplazar, diferir, prorrogar, posponer, prolongar, alargar. 여행을 1주일간 ～하다 aplazar el viaje una semana. 지불일(支拂日)을 ～하다 dar prórroga, prorrogar el plazo. 대부(貸付)에 대한 1년 ～ prórroga *f* por un año para préstamos.

연기(連記) escritura *f* seguida. ～하다 matricular nombres, escribir seguidos los nombres.

■～명 escritura *f* seguida más de dos nombres. ¶～으로 투표하다 votar con tres nombres en la misma papeleta. ～명 투표 voto *m* con más de dos nombres, votación *f* acumulativa. ～제 sistema *m* de balota plural. ～투표 ＝연기명 투표.

연기(煙氣) humo *m*. ～가 나는 humeante. ～로 가득 찬 방 habitación *f* llena [cargada] de humo. ～가 나다 humear, echar humo, estar humeante. ～를 내다 hacer humear, llenar de humo, ahumar, fumigar; [담배를 피우다] fumar; [굴뚝 따위가] humear, echar [arrojar · lanzar · despedir] humo; [담배의] expeler el humo. ～로 변하다 volverse en humo, pasar como humo, desvanecerse, desaparecer, disiparse. ～로 질식해 죽다 ser asfixiado por el humo. ～처럼 사라지다 [희망이] esfumarse, desvanecerse, desaparecer como humo; [야망 · 계획이] quedar en agua de borrajes; [책이] quemarse. 태워서 ～를 내다 ahumar. ～를 내서 굴에서 여우를 쫓아내다 hacer salir un zorro de la cueva ahumándola. ～가 사라진다 Se disipa el humo. ～가 솟아오른다 Una columna de humo se eleva al aire. 방에서 ～가 난다 Hay humo en la habitación. 굴뚝에서 ～가 솟아오른다 La chimenea está echando humo. 창으로 ～가 나온다 El humo sale por la ventana. 기차가 구름처럼 ～를 내면서 달린다 El tren marcha arrojando bocanadas de humo. 이 장작은 ～만 내고 잘 타지 않는다 Esta leña sólo echa humo y no arde bien.

■아니 땐 굴뚝에 연기 날까 ((속담)) Muerto el perro se acabó la rabia / No hay humo sin fuego / Donde hay humo hay fuego.

■～ 고리 [담배의] anillo *m* de humo, *Méj* bolita *f* de humo. ～ 탐지기 detector *m* de humo. ～ 피해 daños *mpl* causados por el humo.

연기(演技) ① [배우의] representación *f*, desempeño *m*, función *f*, interpretación *f*, actuación *f*. ～하다 actuar, representar *su* papel, desempeñar *su* papel.「동끼호떼」를 ～하다 representar *El Ingenioso Hidalgo Don Quijote de la Mancha*. 그의 ～는 훌륭하다 El actúa maravillosamente / El representa estupendamente su papel / Su representación es maravillosa. ② ((체조)) práctica *f*. ～하다 practicar.

■～자(者) actor, -triz *mf*.

연기(緣起) ① [징조] agüero *m*, suerte *f*, pronóstico *m*, presagio *m*, augurio *m*. ～가 좋은 de buen augurio [agüero], afortunado, dichoso, venturoso, próspero. ～가 나쁜 de mal agüero, siniestro, macabro, infortunado, desgraciado, desfortunado. ② ((불교)) [유래] historia *f* (del origen), origen *m*. ③ ((불교)) [불상 · 절 따위가 조성(造成)된 유래나 기록] origen *m* del templo, origen *m* de la imagen de Buda).

연꽃(蓮－) 【식물】 flor *f* de loto.

연내(年內) dentro del año. ～에 antes de finalizar el año, antes del fin del año, antes del Año Nuevo. 우리들은 ～에는 목표를 달성할 수 있을 것이다 Podremos alcanzar el objetivo antes de finalizar el año.

연년(年年) cada año, todos los años, anualmente, de año en año, año tras año, año por año. ～ 불어나다 aumentarse cada año.

■～세세(歲歲) ((강조)) ＝매년(每年).

연년(連年) años *mpl* sucesivos, por varios años.

■～생(生) hermanos *mpl* que nacieron en años seguidos, hermanos *mpl* que se llevan un año.

연년익수(延年益壽) longevidad *f*. ～하다 vivir mucho tiempo.

연노랑(軟－) (color *m*) amarillo *m* claro.

연녹색(軟綠色) (color *m*) verde *m* claro.

연놈 hombre y mujer.

연단(煉丹) ① [연금술] alquimia *f*, arte *m* de hacer elíxires. ② [체기(體氣)를 단전(丹田)에 모으는 수련법(手練法)] arte *m* de poner toda *su* fuerza en el abdomen.

연단(鉛丹) 【화학】 minio *m*, azarcón *m*, óxido *m* rojo de plomo.

연단(演壇) tribuna *f*, estrado *m*, plataforma *f*; [스테이지] tablado *m*; [설교단] púlpito *m*. ～에 오르다 subir [ascender] a la tribuna [a la plataforma]. ～을 내리다 dejar la plataforma.

연단(鍊鍛) ((성경)) prueba *f*, el salir aprobado. 인내는 ～을, ～은 소망을 이루는 줄 앎이로다 ((로마서 5:4)) La paciencia, prueba; y la prueba, esperanza / Esta firmeza nos permite salir aprobados, y el salir aprobados nos llena de esperanza.

연달(鳶－) ☞연(鳶)

연달(練達) experiencia *f*, destreza *f*. ～하다 (ser) experto, veterano. ～한 사람 experto, -ta *mf*; veterano, -na *mf*.

연달다(連－) continuar, seguir, sucederse. 연달은 [상호 연관이 있는] sucesivo; [연관이 없는] consecutivo. 연달아 continuamente, sucesivamente, sin intervalo, sin interrupción, sin cesar, incesantemente, uno después de otro, una después de otra, inmediatamente después de *uno*. 연달은 사건(事件) sucesos *mpl* sucesivos, sucesos *mpl* consecutivos. 포도주를 연달아 세 잔을 마시다 beber tres copas de vino seguidas. 사고가 연달았다 Se sucedieron los accidentes. 경관이 나가자 연달아 신문 기자가 왔다 Al salir los policías entraron los periodistas. 연달아 손님이 찾아왔다 Vinieron visitas una tras otra. 연달아 전화가 울리고 있다 El teléfono suena continuamente [sin cesar] / El teléfono no cesa [no deja] de sonar. 자동차가 연달아 지나간다 Los vehículos pasan sin interrupción.

연담(緣談) propuesta *f* de matrimonio, negociaciones *fpl* de casamiento. ~이 있다 tener una propuesta de matrimonio. ~을 거절하다 rehusar la propuesta de matrimonio. ~을 성립시키다다 ajustar el matrimonio. ☞혼담(婚談)

연당(鉛糖)【화학】acetato *m* de plomo.

연당(蓮堂) pabellón *m* (*pl* pabellones) de al lado del estanque de loto.

연당(蓮塘) =연못.

연대(年代) ① [지나온 시대] período *m* pasado. ② [시대] época *f*, período *m*, era *f*; [세대] generación *f*; [연호] fecha *f*. 1990 ~의 작가들 escritores *mpl* de la generación de 1990, en los años noventa.

■~기(記) crónica *f*, anales *mpl*. ~순(順) orden *m* cronológico. ¶~의 cronológico, de orden cronológico. ~으로 cronológicamente, por el orden cronológico. ~표 tabla *f* cronológica. ~학 cronología *f*. ~학자 cronógrafo, -fa *mf*.

연대(連帶) solidaridad *f*. ~하다 solidarizarse (con). ~의 solidario, conjunto. ~로 en solidaridad.

■~ 보증 garantía *f* solidaria. ~ 보증인 confiador, -dora *mf*, fiador *m* solidario, fiadora *f* solidaria. ~ 서명(署名) firma *f* conjunta. ~ 약속 어음 pagaré *m* solidario. ~ 운송 transportación *f* solidaria. ~ 의식 conciencia *f* solidaria. ~ 채무 obligación *f* solidaria. ~ 채무자 deudor *m* solidario, deudora *f* solidaria. ~ 채무 증서 bono *m* de deuda solidaria. ~ 책임 responsabilidad *f* solidaria, solidaridad *f*.

연대(聯隊) regimiento *m*. ~의 regimental.

◆기병 ~ regimiento *m* de caballería. 보병(步兵) ~ regimiento *m* de infantería.

■~기(旗) bandera *f* del regimiento. ~ 병력 fuerzas *fpl* regimentales. ~ 본부(本部) cuartel *m* general de regimiento, plana *f* mayor de regimiento. ~ 부관 ayudante *mf* de regimiento. ~장 comandante *mf* de un regimiento; jefe, -fa *mf* de regimiento; coronel, -la *mf*.

연도(年度) año *m*, término *m*; [달력의] año *m* del calendario; [회계 연도] año *m* fiscal, término *m* del año, ejercicio *m*; [학교] año *m* escolar; [사업 연도] año *m* del negocio. ~ 초에 a principios del término. ~ 말의 de finales del término. ~가 바뀌는 때(에) a transición del término. 2001 ~ 예산(豫算) presupuesto *m* del ejercicio de 2001 (dos mil uno).

연도(沿道) borde *m* de la carretera [del camino], camino *m*, ruta *f*. ~의, ~에 a lo largo del camino, al borde de la carretera [del camino], a la vera del camino. ~의 집들 las casas a ambos lados del camino. 그들은 ~에 앉았다 Ellos se sentaron al borde del camino. ~의 관중들은 주자(走者)들에게 박수를 쳤다 Los espectadores a lo largo de carretera aplaudieron a los corredores.

연도(煙道) conducto *m* de humo, canal *m* [cañón *m* · tragante *m*] de chimenea.

연도(煉禱) ((천주교)) letanía *f*.

연독(鉛毒) ① [납에 함유된 독] veneno *m* de plomo. ~에 걸리다 sufrir del veneno de plomo. ②【의학】[납중독] envenenamiento *m* [emponzoñamiento *m*] por plomo, plumbismo *m*. ~에 걸리다 sufrir del envenenamiento por el plomo.

연독(煙毒) envenenamiento *m* por fumar.

연돌(煙突) chimenea *f*, cañón *m* (*pl* cañones) de chimenea. ~을 세우다 construir una chimenea.

■~ 소제 deshollinamiento *m*. ~ 소제기 deshollinadera *f*. ~ 소제인 deshollinador, -dora *mf*.

연동(聯動/連動) engranaje *m*; [자동차의] embrague *m*, cambio *m* (de velocidades).

■~기 embrague *m*. ~ 장치 sistema *m* de engranaje.

연두(年頭) principio *m* del año; [설날] día *m* del Año Nuevo. ~에 al principio del año.

■~ 교서 mensaje *m* de(l) Año Nuevo (del Presidente). ¶~를 발표하다 publicar el mensaje del Año Nuevo (del Presidente). ~사 mensaje *m* [discurso *m*] del Año Nuevo.

연두(軟豆) ((준말)) =연둣빛.

■~색 =연둣빛. ~저고리 blusa *f* de un verde amarillento. ~ㅅ빛 verde *m* amarillento, (color *m*) verde *m* claro.

연등(燃燈) ① ((불교)) ((준말)) =연등절(燃燈節). ② ((불교)) ((준말)) =연등회(燃燈會).

■~절 =(사월 초)파일. ~회 *yeondeunghoe*, fiesta *f* de rogar [rezar] la bendición al Buda el quince de enero.

연락(宴樂) juerga *f*, festejos *mpl*.

연락(連絡/聯絡) [통지(通知)] aviso *m*, noticia *f*, información *f*; [접촉] enlace *m*, coordinación *f*, contacto *m*; [교통. 통신] comunicación *f*; [접속] empalme *m*. ~하다 avisar, informar, comunicar, empalmar. ~을 유지하다 establecer el contacto (con). ~을 차단하다 romper la comunicación. ~을 취하다 ponerse en contacto (con). A와 B 사이에 ~을 유지하다 establecer la comunicación entre A y B. ~이 끊기다 perder el contacto (con). ~ 사항이 있다 tener algo que comunicar. 항상 ~을 취하고 있다

estar siempre en contacto (con). 회합 일자를 ~하다 avisar la fecha de una reunión. 결정 사항을 ~하다 informar de las decisiones. ~이 끊겼다 Se han interrumpido todas las comunicaciones. 이 도로는 수도와 근교를 ~한다 Esta ruta pone en comunicación la capital y sus arrebales. 이 열차는 급행과 ~한다 Este tren empalma con el expreso. 이 역에서는 버스 ~이 있다 Desde esta estación hay servicio de autobús.

■~기 avión *m* de enlace. ~망 red *f* de comunicaciones. ~병 soldado, -da *mf* de enlace. ~부절 tráfico *m* incesante. ~선 barco *m* de empalme; [페리] ferribote *m*, transbordador *m*, ferry (boat) *ing.m*; [소형 페리] balsa *f*, barca *f*. ~소 oficina *f* de enlace [de contacto]. ~역 estación *f* de empalme. ~ 위원회 comité *m* de enlace, comisión *f* de enlace. ~ 장교 oficial *mf* de enlace. ~처 =연락소(連絡所).

연래(年來) desde hace muchos años. ~의 de mucho tiempo, antiguo, de muchos años. ~의 소망(所望) deseo *m* desde hace muchos años. ~의 꿈 sueño *m* de mucho tiempo. ~의 벗 amigo, -ga *mf* de muchos años.

연령(年齡) edad *f*, años *mpl* (de edad). ~의 차(差) disparidad *f* de (la) edad. ~에 불구하고, ~의 구별 없이 sin distinción de edad. ~이 어떻게 되십니까? ¿Qué edad tiene usted? / ¿Cuántos años (de edad) tiene usted? / ¿Cuál es su edad? ☞나이

◆결혼 ~ edad *f* casadera, edad *f* de casarse. 정신 ~ edad *f* mental. 평균 ~ edad *f* media.

■~별 grupo *m* etario. ~순 orden *m* de edad. ~ 제한 límite *m* de edad. ~차(差) disparidad *f* [discrepancia *f*] de (la) edad. ~층 grupo *m* de edad, grupo *m* etario. ~ 피라미드 pirámide *m* de edad.

연례(年例) ¶~의 anual.

■~ 보고 informe *m* anual. ~ 총회(總會) la Asamblea General Anual. ~ 행사(行事) eventos *mpl* anuales. ~회 asamblea *f* anual.

연로(年老) vejez *f*, edad *f* avanzada, edad *f* vieja, edad *f* anciana. ~하다 (ser) viejo, anciano.

연료(燃料) combustible *m*, carburante *m*. ~의 보급 abastecimiento *m* de combustible, repostaje *m*, reabastecimiento *m* de combustible. ~를 보급하다[공급하다] abastecer de combustible, reabastecer de combustible. ~를 절약하다 ahorrar combustible. ~의 보급을 받다 repostar, reabastecerse de combustible. 비행기에 ~를 보급하다 repostar un avión. ~가 떨어졌다 Se ha agotado de combustible. ~가 많이 부족하다 Faltan muchos combustibles.

◆고체(固體) ~ combustibles *mpl* sólidos. 기체(氣體) ~ combustibles *mpl* gaseosos. 액체(液體) ~ combustibles *mpl* líquidos. 항공(航空) ~ combustible *m* [carburante *m*] de aviación.

■~ 가스 gas *m* combustible. ~계 [가솔린의] medidor *m* de gasolina. ~ 공학 ingeniería *f* de combustible. ~ 보급 abastecimiento *m* de combustible. ~봉(棒) combustible *m* nuclear (en forma de la vara). ~ 부족 falta *f* de combustible. ~ 분사 엔진 motor *m* de inyección. ~ 분사 장치 [연료실의] inyección *f*. ~비 gastos *mpl* de combustibles. ~ 소비 consumo *m* de combustible. ~ 액화 licuación *f* de combustible. ~용 알코올 alcohol *m* de quemar. ~유(油) petróleo *m* [aceite *m*] combustible, gas *m* oil, fuel-oil *ing.m*. ~ 전지(電池) célula *f* electrógena, cámara *f* combustible. ~ 탱크 tanque *m* [depósito *m*] de combustible. ~ 펌프 bomba *f* de alimentación.

연루(連累) implicación *f*, complicidad *f* en un crimen. ~하다 ser cómplice en un crimen.

■~자 cómplice *mf*.

연륜(年輪) 【식물】 anillo *m* anual, círculo *m* anual.

연리(年利) interés *m* anual, interés *m* por año. ~ 5푼으로 a cinco por ciento de interés por año, al interés anual de cinco por ciento.

연립(聯立) alianza *f*, coalición *f*, unión *f*. ~하다 ser aliado, ser unido.

■~ 내각 gabinete *m* de coalición, gobierno *m* coalicionista, cohabitación *f*. ~ 방정식 ecuaciones *fpl* con varias incógnitas. ~ 정부 =연립 내각. ~ 주택(住宅) casa *f* de vecindad [de vecinos] de un solo piso; [두 세대 용의] casa *f* de dos viviendas adosadas.

연마(硏磨/鍊磨) ① [여러 번 갈고 닦음] pulimento *m*, brillo *m*, lustre *m*; [금속의] bruñido *m*; [칼의] afiladura *f*, amoladura *f*. ~하다 pulir, pulimentar, abrillantar, bruñir, afilar, amolar, dar brillo, sacar brillo; [금강사(金剛砂)로] esmerilar; [보석을] ciclar. ② [학문이나 기술을 연구하여 닦음. 단련] estudio *m*, ejercicio *m*, enseñanza *f*, educación *f*. ~하다 practicar constantemente, hacer el ejercicio, experimentar una disciplina dura.

■~기 molinillo *m*, afilador *m*, afiladora *f*. ~ 도구 pulidor *m*, *ReD* pulidora *f*. ~반 =연삭기(硏削機). ~재 abrasivo *m*. ~지 papel *m* de lija.

연막(煙幕) cortina *f* de humo (artificial), velo *m* de humo, mampara *f* de humo. ~을 치다 echar una cortina de humo, ocultarse tras el humo, despistarse.

■~탄 bomba *f* de humo.

연만하다(年滿/年晩-) ser bastante viejo, ser bastante senil.

연말(年末) fin *m* de(l) año. ~에 a fines de(l) año, a final de(l) año, al terminar el año. 2002년 ~에 al terminar el año 2002.

■~ 보고 informe *m* de fin de año. ~ 상

여금 bonificación *f* [gratificación *f*] del fin de año. ~ 세일 rebajas *fpl* de fin de año. ~ 정산 ajuste *m* del impuesto sobre la renta del fin de año.

연맥(軟脈) 【의학】 pulso *m* formicante.

연맥(燕麥) 【식물】 [귀리] avena *f*.

연맹(聯盟) liga *f*, federación *f*, unión *f*. ~을 맺다 unirse, aliarse. ~에 가입하다 participar en la unión.

◆경제(經濟) ~ liga *f* económica. 국제(國際) ~ la Liga de Naciones. 육상 경기 ~ la Federación de Deportes Terrestres. 인권 옹호 ~ la Liga de los Derechos Humanos. 한국 축구 ~ la Federación Coreana de Fútbol.

■~국 país *m* aliado, miembros *mpl* de la Liga. ~ 규약 estatuto *m* de la Liga. ~ 이사회 consejo *m* de la Liga. ~전 =리그전(戰). ~ 탈퇴 separación *f* de la Liga.

연면(連綿) continuación *f*, perpetuidad *f*. ~하다 (ser) continuo, interrumpido, consecutivo.

연면히 continuamente, consecutivamente, interrumpidamente, en una línea interrumpida. 인권 선언 정신은 ~ 계속하고 있다 El espíritu de la Declaración de Derechos Humanos y del ciudadano continúa hasta nuestros días.

연면적(延面積) superficie *f* total. 건물의 ~ superficie *f* total del edificio.

연명(延命) supervivencia *f*. ~하다 sobrevivir, quedar vivo, salvarse, ganarse la vida. 겨우 ~하다 ganarse la vida a duras penas. 내각(內閣)의 ~을 기도하다 tratar de prolongar la vida del gabinete [del gobierno].

연명(連名/聯名) firma *f* conjunta. ~하다 firmar conjuntamente. ~으로 de mancomún, unidamente, mancomunadamente, en común. ~의 성명(聲明) manifesto *m* en común. ~으로 편지를 보내다 mandar [enviar] una carta en común.

■~ 진정서 petición *f* conjunta. ¶~에 서명하다 firmar una petición conjunta.

연모 [도구] instrumento *m*; [재료] material *m*.

연모(年暮) =세밑.

연모(戀慕) amor *m*, enamoramiento *m*, galanteo *m*. ~하다 amar, querer, enamorarse (de), prendarse (de), sentir afecto (a), sentir cariño (a), encariñarse (con), suspirar (por). ~를 받다 ser amado (de). 그녀는 그를 아버지처럼 ~하고 있다 Ella le tiene un cariño de padre.

연목(軟木) árbol *m* blando.

연목(椽木) 【건축】 =서까래.

■~구어(求魚) Se trata de pedir la Luna / Se trata de pedir peras al olmo / Buscar un pez en el árbol.

연못(蓮-) estanque *m* de loto, estanque *m* (del agua).

■~가 borde *m* del estanque.

연무(煙霧/烟霧) bruma *f*, neblina *f*; [도시의] niebla *f* tóxica, smog *ing.m*.

연무(演武) instrucción *f* militar, ejercicio *m* de armas. ~하다 tener una instrucción militar.

■~장(場) sala *f* de armas, sala *f* de instrucción militar.

연무(鍊武) ejercicio *m* militar.

연문(衍文) pleonasmo *m*.

연문(戀文) carta *f* de amor, carta *f* amorosa.

연문학(軟文學) literatura *f* amatoria [sentimental · erótica · amorosa]

연미복(燕尾服) frac *m* (*pl* fraques).

연민(憐憫/憐愍) compasión *f*, lástima *f*, piedad *f*. ~의 정(情) piedad *f*, simpatía *f*, compasión *f*. ~을 느끼다 mover la lástima. ~의 정을 느끼다 tener compasión (por), tener piedad (por). ~의 정을 느끼게 하다 infundir lástima (a · en).

연발(延發) aplazamiento *m* de *su* salida. ~하다 salir tarde, partir tarde, aplazar *su* salida.

연발(連發) ① [연이어 일어남] ocurrencia *f* sucesiva. ~하다 ocurrir uno detrás de otro. 사고가 ~하다 los accidentes ocurrir uno detrás de otro. 질문을 ~하다 lanzar preguntas una tras otra. ② [잇따라 쏨] disparos *mpl* sucesivos. ~하다 disparar en sucesión rápida, tirar rápida y sucesivamente.

■~총(銃)[소총] revólver *m*, fusil *m* de repetición. ¶6 ~ revólver *m* de seis tiros.

연밥(蓮-) fruto *m* de la flor de loto.

◆연밥(을) 먹이다 seducir.

연방 continuamente, constantemente, sucesivamente. ~ …하다 seguir +「현재 분사」. ~ 들락거리다 seguir entrando y saliendo, entrar y salir continuamente. ~ 웃다 seguir sonriendo, sonreír continuamente.

연방(連放) =연발(連發)❷.

연방(聯邦) federación *f*, unión *f* federal, estado *m* federal, confederación *f*. ~의 federal, federativo. ~을 만들다 federar, confederar. ~을 형성하다 federarse.

■~ 법원 tribunal *m* federal. ~ 수사국 FBI *m*. ~ 재판소 corte *f* federal, tribunal *m* federal. ~ 정부(政府) gobierno *m* federal, gobierno *m* federativo, gobierno *m* nacional. ~제(도) sistema *m* federal, régimen *m* federal, federalismo *m*. ~주의 federalismo *m*. ¶~의 federal, federalista. ~주의자 federalista *mf*, federal *mf*. ~ 준비 은행 el Banco de (la) Reserva Federal. ~ 준비 제도 sistema *m* de la reserva federal.

연배(年輩) edad *f*, edad *f* madura. 동(同)~ la misma edad. 동~ (사람) persona *f* de la misma edad, contemporáneo, -a *mf*. ~의 신사 caballero *m* de la edad madura. 내 ~에는 a [para] mi edad. 상당한 ~다 ser ya de cierta edad. 그는 나와 동~이다 El es de mi edad.

연번(連番) ((준말)) =일련번호(一連番號).

연변(年邊) =연리(年利).

연변(沿邊) el área *f* (*pl* las áreas) a lo largo del río [del ferrocarri].
연별 예산(年別豫算) presupuesto *m* anual.
연병(練兵) ejercicio *m* militar, parada *f.* ~하다 hacer el ejercicio, formar en parada, pasar revista. ~을 하고 있다 estar al ejercicio.
■~장 campo *m* de maniobra.
연보(年報) anuario *m,* informe *m* anual, reporte *m* anual, boletín *m* anual.
연보(年譜) crónica *f* personal, sumario *m* biográfico, biografía *f* escrita año por año.
연보(捐補) ① [자기 재물을 내어 남을 도와줌] donación *f.* ~하다 donar, ayudar a los otros. ② ((성경)) ofrenda *f,* colecta *f,* [관대함] generosidad *f.*
■~궤((성경)) el arca *f* (*pl* las arcas) de la ofrenda, cofre *m* de las ofrendas. ~금[전] dinero *m* contribuido [ofrecido].
연보라(軟−) (color *m* de) lila *f.* ~의 lila.
연봇돈(捐補) ((기독교)) =연보금.
연봉(蓮−) brote *m* de loto.
연봉(年俸) salario *m* [sueldo *m*] anual. ~ 천만 원 salario *m* anual de diez millones de wones. 그의 ~은 2천만 원이다 Su sueldo anual es de veinte millones de wones / El gana un salario anual de veinte millones de wones.
연봉(連峰) cadena *f* montañosa, cadena *f* de montañas, cordillera *f,* sierra *f.*
연부(年賦) cuota *f* anual, instalación *f* anual, pago *m* anual. ~로 por pago anual. ~로 사다 comprar por pago anual.
■~금 cuota *f* de pago anual. ~불(拂) pago *m* anual.
연분(緣分) lazo *m* [vínculo *m*] predestinado, relación *f,* afinidad *f,* conexión *f,* destino *m.* ~이 두텁다 tener un vínculo íntimo. ~을 끊다 romper (con *uno*). 어떤 ~도 없다 no tener ninguna relación. 부부의 ~을 맺다 contraer matrimonio.
연분홍(軟粉紅) color *m* (de) rosa *m* (claro · ligero), (color *m*) rosa *m* pálido, color *m* de ibis. ~의 tirando a rosa.
■~ 오렌지 naranja *f* tirando a rosa. ~ 치마 falda *f* tirando a rosa.
연불(年拂) =연부(年賦).
연불(延拂) pago *m* diferido.
■~ 보상금 compensación *f* diferida. ~ 세금 impuesto *m* aplazado, impuesto *m* diferido. ~ 수입 ingresos *mpl* diferidos. ~ 수입세 impuesto *m* sobre la renta diferido. ~ 수출 exportación *f* diferida. ~액 cantidad *f* aplazada. ~ 연금 anualidad *f* diferida, jubilación *f* diferida.. ~ 임금 증가 aumento *m* salarial diferido.
연붉다(軟−) ser rojo tenue, ser de color rojo tenue.
연비(連比) 【수학】 ratio *m* continuo.
연비(聯臂) ① [사이에 사람을 넣어 소개함] presentación *f* indirecta. ~하다 presentar indirectamente. ② [서로 이리저리 알게됨] conocimiento *m* indirecto. ~하다 conocerse uno a otro.
연비례(連比例) 【수학】 proporción *f* continua.
연뿌리(蓮−) 【식물】 =연근(蓮根).
연사(連辭) =계사(繫辭).
연사(演士) orador, -dora *mf.*
연사(鳶絲) hilo *m* de la cometa.
연사(撚絲) hilo *m* retorcido.
연삭기(硏削機) afilador *m,* afiladora *f.*
연산(年産) producción *f* anual. 이 카메라는 ~ 5만 대에 달한다 La producción anual de esta cámara fotográfica alcanza el nivel de [llega a] cincuenta mil unidades.
연산(連山) cadena *f* de montañas, cordillera *f* (de montañas), sierra *f.*
연산(演算) 【수학】 operación *f,* cuenta *f,* cálculo *m.* ~하다 hacer una cuenta, calcular.
◆ 역(逆)~ operación *f* inversa.
■~자(子) 【수학】 operador *m.*
연상(年上) edad *f* mayor. ~의 de edad mayor, mayor. ~의 여인(女人) mujer *f* de edad mayor. ~의 아내 esposa *f* mayor que *uno.* 3년 ~이다 tener tres años más (que *uno*), ser tres años mayor (que *uno*). 누가 ~입니까? ¿Quién es mayor? 그는 당신보다 다섯 살 ~이다 El es cinco años mayor que usted / El tiene cinco años más que usted.
연상(聯想) asociación *f* de ideas; [환기] evocación *f,* [유추] analogía *f.* ~하다 asociar las ideas, acordarse (de), pensar (en). ~시키다 hacer pensar, evocar, sugerir. 이 음악을 들으면 강물이 흐르는 것이 ~된다 Esta música (me) evoca [sugiere] al corriente de un río.
■~ 심리학 asociacionismo *m.*
연서(連署) firma *f* en común, firmas *fpl* comunadas; [부서(副署)] refrendata *f,* refrendo *m.* ~하다 firmar en común, refrendar. 보증인(保證人) ~를 송부할 것 La demanda debe ser enviada con las firmas de los garantes.
■~인 confirmante *mf.*
연서(戀書) carta *f* de amor, carta *f* amorosa.
연석(宴席) banquete *m,* partida *f* de comida. ~에 참석하다 asistir a un banquete.
연석(連席) presencia *f,* asistencia *f.* ~하다 asistir, estar presente. 회의(會議)에 ~하다 asistir a la reunión.
■~자(者) asistente *mf.* ~ 회의 reunión *f* conjunta.
연석(硯石) piedra *f* para *byoru.*
연석(緣石) piedra *f* del bordillo (de la acera).
연선(沿線) el área *f* (*pl* las áreas) a lo largo de la línea. 철도 ~에 a lo largo de línea. 철도 ~의 각 읍면(邑面) las ciudades y pueblos a lo largo de la línea de ferrocarriles. 철도 ~에 살다 vivir cerca del ferrocarril.
연설(演說) discurso *m,* oración *f,* [훈시(訓示)] alocución *f,* [격려의] arenga *f.* ~하다 dar un discurso, pronunciar un discurso (ante), discursar (sobre); [개인에게] dirigirse (a). 대통령이 행한 ~ discurso *m*

pronuciado por el presidente. 그는 ~을 잘 한다 El es un buen orador. 그 입후보자는 ~을 못한다 El candidato es un mal orador. 그는 텔레비전에서 공해(公害)에 관해서 ~했다 El pronunció un discurso en la televisión sobre la contaminación del medio ambiente. 당신은 나에게 ~하시는 겁니까? ¿Se dirige usted a mí? 그는 국회에서 ~할 것이다 El pronunciará un discurso ante el Congreso.

■ ~가 orador, -dora *mf*, discursante *mf*. ~문 oración *f* de discursos. ~법 elocución *f*, oratoria *f*. ~ 어조(語調) =연설조. ~자 orador, -dora *mf*; predicador, -dora *mf*; discursista *mf*. ~조 tono *m* oratorio, tono *m* de discurso. ¶~로 말하다 hablar en tono oratorio [de discurso]. ~집 colección *f* de discursos. ~투 estilo *m* de discurso. ~회 reunión *f* oratoria.

연성(延性) 【물리】 ductilidad *f*, maleabilidad *f*.

연성(軟性) blandura *f*, lo blando. ~의 blando.

■ ~ 하감(下疳) úlcera *f* venerea.

연세(年歲) ((높임말)) =나이(edad). ¶~가 많다 ser viejo, tener muchos años. ~가 어떻게 되십니까? ¿Cuántos años tiene usted? 내 할아버지는 돌아가실 때 ~가 여든이셨다 Mi abuelo tenía ochenta años (de edad) cuando murió.

연소(年少) mocedad *f*, edad *f* tierna, pueridad *f*, niñería *f*. ~의 menor, joven, juvenil. ~하기 때문에 por motivo de *su* edad tierna. …에서 제일 ~하다 ser el menor de edad entre [en] ….

■ ~ 노동력 mano *f* de obra joven. ~ 노동자 obrero, -ra *mf* menor de edad. ~배(輩) los más jóvenes. ~자(者) joven *mf* (*pl* jóvenes); [집합적] juventud *f*. ~층(層) generación *f* más joven.

연소(延燒) extensión *f* del fuego [del incendio], propagación *f* del fuego [del incendio]. ~하다 extenderse [propagarse] el incendio, las llamas se extienden. ~를 방지하다 impedir la extensión del fuego, impedir que el fuego se propague. 내 집은 ~를 없앴다 Mi casa se libró del incendio. 불은 이웃집에 ~했다 El fuego se ha extendido a la casa vecina.

연소(燃燒) combustión *f*, encendimiento *m*, inflamación *f*. ~하다 quemarse, encenderse, inflamarse, abrasarse. ~시키다 quemar, encender, inflamar, abrasar.

◆ 완전(完全) ~ combustible *m* perfecto. 자연(自然) ~ combustible *m* espontánea.

■ ~관(管) tubo *m* de combustión. ~기 quemador *m*. ~로(爐) horno *m* de combustión. ~물 combustibles *mpl*, artículos *mpl* inflambles. ~성 combustibilidad *f*, inflamabilidad *f*. ~실(室) cámara *f* de combustión; [엔진의] cámara *f* de explosión. ~제 comburente *m*.

연속(連續) continuación *f*, continuidad *f*, sucesión *f*, serie *f*. ~하다 continuar. ~된 continuo, sucesivo. ~해서 continuamente, sucesivamente. 1주일 ~해서 una semana consecutiva [entera]. 살인 사건이 ~해서 일어났다 Ha habido repetidos asesinatos / Han ocurrido varios homicidios uno tras otro.

■ ~군(群) grupo *m* continuo. ~극 ㉮ [방송의] drama *m* consecutivo; [텔레비전의] telenovela *f*, culebrón *m*; [라디오의] radionovela *f*, *AmL* comedia *f*. ㉯ =연쇄극. ~만화 tira *f* cómica, historieta *f*. ~ 멜로 드라마 =연속극 ㉮. ~물 [텔레비전·라디오의] serie *f*, serial *m*, *CoS* serial *f*. ¶~로 방송하다 transmitir por capítulos, transmitir en forma de serial [de serie]. ~ 방송[방영] serialización *f*. ¶~을 하다 serializar, seriar. ~ 번호 número *m* de serie. ~범 delincuente *mf* en serie; delicuente *mf* múltiple. ~부절 continuación *f* sin cesar. ~ 살인자 asesino, -na *mf* en serie; asesino, -na *mf* múltiple. ~ 상연 sesión *f* continua, *AmL* función *f* continua (*CoS* 제외), *CoS* función *f* continuada; serialización *f*. ~ 스펙트럼 espectro *m* consecutivo. ~ 인자기(印字機) impresora *f* serial, impresora *f* en serie. ~적 sucesivo, consecutivo. ¶~으로 sucesivamente, consecutivamente. ~으로 출판하다 publicar por entregas. ~파 onda *f* consecutiva. ~ 프로(그램) serie *f*, serial *m*, *CoS* serial *f*. ¶라디오 ~ una serie [un serial · *CoS* una serial] de radio. 텔레비전 ~ una serie [un serial · *CoS* una serial] de televisión. ~ 홈드라마 =연속극 ㉮. ~ 흥행 función *f* de un espectáculo permanente [rotativa].

연송(連誦) recitación *f* de un libro. ~하다 recitar un libro desde el principio hasta el fin.

연쇄(連鎖) ① [양편을 연결하는 사슬] cadena *f*. ② [서로 연이어 맺음] conexión *f*, serie *f*. 사상(思想)의 ~ serie *f* de ideas encadenadas [eslabonadas].

■ ~가(街) calle *f* de las tiendas de una cadena. ~구균 estreptococo *m*. ~군(群) grupo *m* de conexión. ~극(劇) obra *f* combinada con el cine, obra *f* de combinación *f*. ~ 논법(論法) sorites *m.sing.pl.* ~ 반응 reacción *f* en cadena. ~법 sorites *m.sing.pl.* ~식(式) sorites *m.sing.pl.* ~점 tienda *f* de una cadena. ~ 편지 carta *f* de una cadena.

연쇄상(連鎖狀) estrepto-.

■ ~ 구균 estreptococo *m*. ~ 구균 감염증 estreptococicosis *f*, estreptococia *f*.

연수(年收) ingresos *mpl* anuales, entrada *f* anual, renta *f*. 그의 ~는 5천만 원이다 Su entrada anual es de cincuenta millones de wones / El gana cincuenta millones de wones anualmente [por año].

연수(年數) (número *m* de los) años *mpl*. 봉급은 경험 ~에 따라 변한다 El salario depende de los años de experiencia.

연수(延髓) 【해부】 medula *f* (oblonga), médula *f* (oblonga). ~의 medular.

연수(硏修) cursillo *m*, capacitación *f*, adiestramiento *m*; [스포츠의] entrenamiento *m*. ~하다 cursar, estudiar, adiestrar, entrenar. ◆직장(職場) ~ capacitación *f* mientras se trabaja.

■~생 cursillista *mf*; aprendiz, diza *mf*, persona *f* que está haciendo prácticas en un puesto junto a un empleado de mayor experiencia.. ~소[원] instituto *m* de estudio, instituto *m* [centro *m*] de formación profesional. ~ 여행 viaje *m* de estudio. ~회 reunión *f* de estudio, reunión *f* de adiestramiento.

연수(軟水) =단물(el agua dulce) .

연숙하다(鍊熟-) (ser) experto, diestro, cualificado, calificado, de especialista, especializado.

연습(演習) ① =연습(練習). ② [군대 또는 함대의] maniobras *fpl*, prácticas *fpl* militares. ~하다 realizar [hacer] las maniobras. ~중이다 estar de maniobras. ~ 나가다 salir de maniobras. ③ =세미나.

■~림(林) plantación *f* experimental.

연습(練習/鍊習) práctica *f*, ejercicio *m*; [반복 연습. 리허설] ensayo *m*; [스포츠의] entrenamiento *m*. ~하다 ejercitar (en); [연설(演說)·연극(演劇)·연주회(演奏會)를] ensayar(se) a [en·para]; [스포츠를] entrenarse (en). ~시키다 ejercitar, hacer práctica; [댄서·음악가를] hacer ensayar (a); [스포츠를] entrenar. ~ 중에 durante el ejercicio, durante el entrenamiento. ~ 중이다 [스포츠를] estar entrenando (para), estar entrenándose (para). ~하기 시작하다 [스포츠를] empezar a entrenar(se) (para). 말을 ~하다 ejercitarse [entrenarse] en hablar. 연설(演說)의 ~을 하다 ensayarse en el discurso. 피아노 ~을 하다 hacer ejercicios de piano. 테니스 ~을 하다 entrenarse en el tenis. ~을 잘 쌓고 있다 estar bien ejercitado [entrenado]. 학생들에게 독서 방법을 ~시키다 ejercitar a los alumnos en la lectura. 이 작품은 많은 ~이 필요하다 Esta obra hay que ensayarla mucho / Esta obra necesita mucho ensayo. ~은 선생을 만든다 La práctica hace al maestro. 음악가들은 ~을 계속해야 한다 Los músicos tienen que practicar [ensayar] continuamente. 그의 서브는 ~이 더 필요하다 El tiene que practicar más el saque.

◆기동(機動) ~ maniobra *f* simulacro. 사격(射擊) ~ ejercicios *mpl* de tiro, ejercicios *mpl* de disparo. 피아노 ~ ejercicios *mpl* de piano.

■~곡 estudio *m*. ~기(機) avión *m* de entrenamiento. ~ 문제 (cuestiones *fpl* de) ejercicio *m*. ~복(服) ropa *f* de entrenamiento. ~ 부족 falta *f* de ejercicio, falta *f* de entrenamiento. ~ 비행 vuelo *m* de práctica. ~생 aprendiz, -diza *mf*, estudiante *mf*. ~선(船) buque *m* escuela. ~소 escuela *f*, plantel *m*, práctica *f*. ~ 시간 hora *f* de ensayo. ~ 시합 partido *m* de entrenamiento. ~일 día *m* de entrenamiento. ~장(帳) cuaderno *m* de ejercicios. ~장(場) sala *f* [terreno *m*·lugar *m*] de entrenamiento [ejercicios], campo *m* de maniobras. ~함(艦) buque *m* escuela, buque *m* del entrenamiento. ~ 함대(艦隊) escuadra *f* en entrenamiento. ~화(靴) [테니스의] zapatillas *fpl* de deporte, tenis *m*.

연승(連乘) 【수학】 multiplicación *f* continua. ~하다 multiplicar continuamente.

연승(連勝) victorias *fpl* sucesivas. ~하다 vencer sucesivamente, traer una serie de victorias, ganar sucesivamente. 3~하다 ganar sucesivamente tres partidos [partidas], ganar tres veces consecutivas.

■~식(式) apuesta *f* doble. ¶~ 마권 billete *m* de apuesta doble.

연시(年始) ① =연초(年初). ② =설(día del Año Nuevo).

연시(軟柿) caqui *m* [kaki *m*] maduro.

연식(軟式) tipo *m* blando.

■~ 볼 pelota *f* blanda. ~ 야구 softball *ing.m*, béisbol *m* de pelota blanda. ~ 정구 tenis *m* de pelota blanda.

연식(軟食) comida *f* medio sólida.

연실(鳶-) cuerda *f* de la cometa.

연실(蓮實) =연밥.

연안(沿岸) costa *f*, litoral *m*. ~의 costero, litoral. ~을 따라 a lo largo de la costa. 대한해(大韓海) ~을 항해하다 navegar a lo largo de la costa del Mar de Corea.

■~ 경비대 los guardacostas, patrulla *f* de costas. ~ 경비 대원 guardacostas *mf*. ~ 경비정 guardacostas *m.sing.pl*. ~국 país *m* costero. ~류(流) corriente *f* litoral. ~ 무역 comercio *m* costero. ~ 무역선 barco *m* de cabotaje. ~ 방비 defensa *f* costera. ~ 방어 defensa *f* costera, defensa *f* de la costa. ~ 생물(生物) ser *m* viviente de las costas. ~ 수로 안내인 práctico *m* costero. ~ 어업 pesca *f* costera, pesquería *f* [pesca *f*] cercana a orilla. ~ 오염 contaminación *f* de las costas. ~항 puerto *m* costero. ~ 항로 línea *f* [servicio *m*] a lo largo de la costa. ~ 항해 navegación *f* costera, cabotaje *m*. ~해(海) mar *m* costero. ~ 해저 지역 =대륙붕(大陸棚).

연애(戀愛) amor *m*, enamoramiento *m*. ~하다 estar enamorado (de), enamorarse (de). ~의 신(神) Cúpido *m*, Venus *f*, dios, -sa *mf* de amor. ~의 노예 esclavo, -va *mf* de amor. ~하는 소녀 muchacha *f* enamorada. 순결한 ~ amor *m* puro. 정신적 ~ amor *m* platónico. ~로 고민하다 anamorarse, quedar herido de amor. ~를 걸다 hacer el amor. ~에 실패하다 llevarse chasco [camelo] en amor, ser despreciado de *su* dama, perder el amor. A와 ~ 관계에 있다 tener amorees con A.

■~ 감정 sentimiento *m* del amor. ~결혼(結婚) matrimonio *m* [casamiento *m*] por amor. ¶~을 하다 casarse de [por] amores. ~관 vista *f* de amor. ~ 대장 Don Juan. ~ 문제 cuestión *f* [problema *m*] de amor. ~ 문학 literatura *f* erótica. ~ 사건 aventura *f* amorosa, amores *mpl*. ~ 생활 vida *f* erótica, vida *f* amatoria. ~ 소설 novela *f* romántica, novela *f* de amor, novela *f* rosa. ~술 arte *m* de amor, arte *m* erótico. ~시 poesía *f* de amor, poema *m* amatorio, poesía *f* amatoria, romanza *f*. ~시인 poeta, -tisa *mf* de amor. ~ 지상주의 amor *m* por el amor. ~ 철학 filosofía *f* de amor. ~편지 carta *f* de amor, carta *f* amorosa.

연액(年額) suma *f* anual. ~ 천만 원의 원조금 subsidio *m* anual de diez millones de wones.

연야(連夜) continuación *f* de las varias noches, cada noche, todas las noches. ~하다 continuar las varias noches.

연약(軟弱) debilidad *f*, blandura *f*. ~하다 [성격이] (ser) débil [blando] de carácter, de carácter débil; [지반 등이] poco sólido, poco firme, blando. ~한 성격이다 ser débil de carácter. 날씬하나 ~한 몸매다 tener un cuerpo delicado [fino]. 그 토지는 지반이 ~하다 El terreno es poco sólido. 그 여자는 ~한 여자의 몸으로 일곱 자녀를 훌륭하게 키웠다 Siendo una mujer desamparada sin recursos, ella atendió maravillosamente a sus siete hijos. 여자의 ~한 팔로는 한 집안을 지탱하기란 어려운 일이다 Es imposible sostenerse una familia por los brazos débiles de mujer.

연어(鰱魚)【어류】salmón *m*.. ~의 salmonero. 소금에 절인 ~ salmón *m* salado. 얼린 ~ salmón *m* congelado. 훈제 ~ salmón *m* ahumado.

■~ 낚시 pesca *f* del salmón. ~류 salmónidos *mpl*. ~ 산업 industria *f* salmonera. ~ 살색 color *m* salmón, rosa *m* salmón, rosa *m* asalmonado. ¶~의 (de) color salmón, (color) salmón, rosa *m* salmón [salmonado], salmonero. ~ 양식(養殖) salmonicultura *f*. ~ 어업 pesca *f* del salmón. ~잡이 어망 salmonera *f*. ~통조림 salmón *m* en conservas.

연역(演繹)【논리】deducción *f*. ~하다 deducir. ~에 의해 por deducción.

■~법 lógica *f* deductiva, método *m* deductivo. ~적 deductivo. ¶~으로 deductivamente. ~적 논증 demostración *f* deductiva. ~적 방법 método *m* deductivo. ~학파 escuela *f* deductiva.

연연(涓涓) murmurando, gota a gota, a gotas.

연연(戀戀) afecto *m* fuerte. ~하다 ser aficionado.

연연하다(娟娟−) ① [빛이 엷고 곱다] ser (de color) claro. ② [아름답고 어여쁘다] (ser) hermoso, bello, bonito.

연연히 claramente; hermosamente, bellamente, bonitamente.

연연하다(軟娟−) =섬약(纖弱)하다.

연염(煙焰) el humo y la chispa.

연엽(蓮葉) hoja *f* de loto.

연예(演藝) representación *f*, función *f* (teatral), entretenimiento *m*, espectáculo *m*, atracción *f*. ~하다 representar, dar, interpretar.

■~계 mundo *m* del espectáculo, mundo *m* de entretenimiento. ~ 기자 gacetillero, -ra *mf*, reportero, -ra *mf* de función. ~란 columna *f* de entretenimiento, página *f* de espectadores. ~ 방송(放送) radiodifusión *f* [emisión *f*] de una función de variedades. ~업(業) mundo *m* del espectáculo. ~인 artista *mf*, ejecutante *mf*, actor, -triz *mf*, intérprete *mf*, festejador, -dora *mf* profesional. ~장 salón *m* de funciones. ~ 활동 actitud *f* de entretenimiento. ~회 función *f* teatral.

연옥(煉獄) ((천주교)) purgatorio *m*. ~ 같은 고통 frimiento *m* [dolor *m*] del purgatorio. 나는 ~의 고통을 겪었다 Aquello fue un purgatorio / Aquello fue un calvario / Pasé las de Caín.

연옥색(軟玉色) verde *m* azulado claro.

연와(煉瓦) =벽돌(ladrillo).

■~공 ladrillero, -ra *mf*. ~ 공장 ladrillar *m*, taller *m* de ladrillos. ~조 건물 edificio *m* de ladrillos.

연우(連雨) lluvia *f* sucesiva.

연우(煙雨) =안개비.

연우량(年雨量) precipitaciones *fpl* anuales.

연운(年運) fortuna *f* del año, suerte *f* del año. 나는 금년에는 ~이 좋다[나쁘다] Este es un año de buena [mala] suerte para mí.

연원(淵源) origen *m*, fuente *f*, principio *m*. ~하다 venir de, originarse (en), tener *su* origen (en) 교육(敎育)의 ~ origen *m* de la educación.

연월(連月) ① [여러 달을 계속함] meses *mpl* sucesivos. ② [달마다] cada mes, todos los meses.

연월(烟月/煙月) ① [흐릿한 달] (luz *f* de la) luna *f* empeñada. ② [세상이 태평한 모양] tiempos *mpl* pacíficos. 태평 ~ tiempos *mpl* pacíficos.

연월일(年月日) fecha *f*, data *f*. ~을 기입(記入)하다 fechar, datar. ~이 없는 편지 carta *f* sin fecha, carta *f* sin fechar.

■~시 hora, día, mes y año.

연유(煉乳) leche *f* condensada, leche *f* concentrada.

연유(緣由) ① =사유(事由)(razón). ② =유래(由來)(origen). ¶~하다 originarse. 사건의 ~ origen *m* del accidente.

연유(燃油) petróleo *m* combustible.

연율(年率) interés *m* anual.

연음(延音)【음악】sonido *m* prolongado.

■~ 기호 =늘임표.

연음(連音) sonido *m* de enlace.

■~ 법칙 regla *f* del sonido de enlace. ~부 =잇단음표.

연의(演義) ① [사실을 부연하여 재미있게 설명함] expansión *f*, amplificación *f.* ② [주해] exposición *f*, comentario *m.* ③ [통속적 개작] versión *f* popular, adaptación *f* para la lectura popular.
■ ～ 소설 novela *f* histórica popular.
연이나(然－) pero, sin embargo.
연이율(年利率) tasa *f* de interés anual.
연인(戀人) novio, -via *mf*, amigo *m* cariñoso, amiga *f* cariñosa; [정부(情夫)] amante *m*, querido *m*; [정부(情婦)] amante *f*, querida *f*, concubina *f.* ～ 사이 novios *mpl.* 두 사람은 ～ 사이다 Los dos son novios.
연인원(延人員) número *m* total de personas. 승객의 ～ número *m* total de pasajeros.
연일(連日) cada día, día tras día, días consecutivos; [매일] todos los días. ～ 계속되는 좋은 날씨 buen tiempo *m* día tras día, días consecutivos de buen tiempo. ～ 산책나가다 salir de paseo todos los días. ～ 비로 강물이 불어나고 있다 Está creciendo el río por la lluvia continua de estos días.
■～연야(連夜) cada día y cada noche, todos los días y todas las noches.
연일수(連日數) número *m* total de días.
연임(連任) renombramiento *m*, reelección *f.* ～하다 ser renombrado, ser redesignado, ser reelegido. A 은행장에는 김 씨가 ～되었다 El Sr. Kim fue renombrado presidente del Banco A / Al señor Kim le renombraron presidente del Banco A..
연잇다(連－) [연속하다] continuar sin interrupción; [연결하다] conectar juntos, comunicar juntos, unir juntos. 연이은 continuo; [서로 관련이 있는] sucesivo; [서로 관련이 없는] consecutivo. 연이은 불행(不幸) desgracias *fpl* consecutivas.
연이어 continuamente, en sucesión, uno tras otro, sin interrupción, sucesivamente, sin parar, uno inmediatamente después de otro. ～ 3일간 durante tres días seguidos, tres días consecutivos. ～ 뒤따라서 가다 seguir juntos y desordenados.
연잎(蓮－) hoja *f* de loto.
연자매(硏子－) muela *f* trabajada por el caballo [por el toro].
연자맷간(硏子－間) lugar *m* de la muela trabajada por el caballo.
연자방아(硏子－) ＝연자매.
연자줏빛(軟紫朱－) púrpura *f* clara, color *m* purpúreo claro.
연작(連作) ＝이어짓기. ¶～하다 plantar consecutivamente.
연장 ①【건축】heramienta *f.* ② ((비어)) ＝ 남근(男根)(pene).
■ ～궤 caja *f* de heramientas. ～ 주머니 bolsa *f* de heramientas.
연장(年長) [사람] mayor *mf.* ～의 mayor, de edad mayor, de más edad, más viejo, más anciano. A보다 열 살 ～이다 ser diez años mayor que A, tener diez años más que A. 그는 나보다 8년 ～이다 El es ocho años mayor que yo / El tiene ocho años más que yo.
■ ～자 mayor *mf*; señor *m* mayor, señora *f* mayor. ¶최(最)～ el mayor, la mayor. 너는 ～의 말에 복종해야 한다 Tú debes obedecer a los mayores.
연장(延長) extensión *f*, prórroga *f*, prolongación *f.* ～하다 alargar, prolongar, prorrogar, dilatar, extender. 계약을 ～하다 prolongar el contrato. 회의를 30분 ～하다 prolongar la sesión por treinta minutos. 노선을 5킬로미터 ～하다 prolongar la ruta por cinco kilómetros. 지불 기한(支拂期限)을 ～하다 dar prórroga, posponer [diferir] el plazo de pago. 수업은 다음 시간까지 ～되었다 La clase se ha alargado hasta la siguiente.
■ ～ 기호 ＝늘임표. ～선 línea *f* de extensión. ～ 시간 ((축구)) prórroga *f*, tiempo *m* suplementario, *Méj* tiempos *mpl* extra. ～전 prórroga *f.*
연재(連載) publicación *f* en serie. ～하다 publicar *algo* en serie [regularmente]. ～의 en serie, serial. ～되다 publicarse [aparecer] en serie. 신문에 소설(小說)을 ～하다 publicar una novela por entregas en un periódico.
■ ～만화(漫畵) [보통 1회 4컷의 신문·잡지의] tira *f* cómica, historieta *f*, *Chi*, *Méj* monitos *mpl.* ～만화가 humorista *mf*, *Méj* monero, -ra *mf.* ～물 [라디오·텔레비전의] serial *m.* ～소설 novela *f* por entregas, novela *f* en serie.
연적(硯滴) *yeoncheok*, recipiente *m* del agua para la tinta china
연적(戀敵) rival *mf* en amor, rival *mf* de amores.
연전(年前) hace unos años. ～에 있었던 일 lo de hace unos años.
연전(連戰) serie *f* de batallas. ～하다 luchar una serie de batallas, ir de batalla en batalla, ir de guerra en guerra; [스포츠에서] jugar una serie de partidos.
■～연승 serie *f* de batallas y victorias. ¶～하다 traer victoria sobre victoria. ～의 기세로 con espuelas exaltadas por una serie de victorias espléndidas. ～연패 serie *f* de derrotas. ¶～하다 ir de derrota en derrota.
연전(揀箭) recogimiento *m* de la flecha.
■ ～길 camino *m* de recoger la flecha caída. ～동(童) recogedor *m* de las flechas.
연접(連接) conexión *f*, combinación *f.* ～하다 juntar, unir, combinar.
■ ～봉 biela *f.*
연정(聯政) ((준말)) ＝연립 정부(聯立政府).
연정(戀情) amor *m*, pasión *f*, pasión *f* amorosa. 불타는 ～ pasión *f* ardiente. ～에 불타다 arder de pasión. ～을 고백하다 confesar su amor.～을 느끼다 tenerle mucho cariño [apego] a *uno.*
연제(演題) sujeto *m* [tema *m*·tesis *f*·materia *f*] de un discurso [plática·aren-

ga · alocución · habla].
■ ~ 미정(未定) tema *m* indeciso.
연좌(連坐) ① [잇따라 앉음] acción *f* de sentarse en grupo. ② [연루(連累)] complicidad *f*, implicación *f*. ~하다 ser cómplice, implicarse (en).
■ ~데모 sentada *f*, *Méj* sitin *m*. ~제(도) responsabilidad *f* colectiva.
연주(連珠) ① [구슬을 꿴] acción *f* de ensartar las cuentas; [꿴 구슬] cuentas *fpl* ensartadas. ② ((준말)) =연주창. ③ =오목(五目).
■ ~창 【한방】 escrófula *f*, lamparón *m*.
연주(演奏) ejecución *f* (musical), interpretación *f* (de una pieza musical). ~하다 [작품을] ejecutar, interpretar; [악기를] tocar, tañer. 즉석에서 ~하다 repentizar, tocar a la primera lectura (de la partitura). 피아노곡을 ~하다 ejecutar una obra para piano. 플루트를 ~하다 tocar la flauta. 쇼팽의 곡을 피아노로 ~하다 tocar [interpretar] una pieza de Chopín al piano.
■ ~가 concertista *mf*, intérprete *mf*, ejecutante *mf*. ~곡목(曲目) repertorio *m*, programa *m*. ~권(權) derecho *m* de interpretación. ~ 기술 técnica *f* de interpretación. ~법 ejecución *f*, interpretación *f*, método *m* de interpretación. ~ 여행 gira *f* de conciertos. ~자 músico *mf*, músico, -ca *mf*, instrumentista *mf*, tocador, -dora *mf*, tañedor, -dora *mf*. ~회 concierto *m*; [독주회] recital *m*. ~회장 salón *m* [sala *f*] de conciertos, auditorio *m*.
연죽(煙竹) =담뱃대(pipa de bambú).
연줄(緣-) relación *f*, conexión *f*, favor *m*, enchufe *m*; [중개] intermedio *m*, buenos oficios *mpl*; [소개자] presentador, -dora *mf*, intermediario, -ria *mf*, introductor, -tora *mf*; [아는 사람] conocido, -da *mf*. A의 ~로 por mediación de A, por intermedio de A, por conducto de A, a través de A. 친척의 ~로 por mediación de un pariente *suyo*. ~을 구하다 buscar a alguien que sirva de intermediario, buscar influencias, buscarse un enchufe, procurar a los mediadores. 모씨의 ~로 gracias al favor del Sr. Fulano de tal. ~이 있다 tener relaciones, tener buenas aldabas. A와 ~이 닿다 tener relaciones [enchufe · influencia] con A, estar enchufado con A. 그는 장관과 ~이 닿는다 El está apoyado por el ministro / El ministro está personalmente interesado por él.
연줄연줄 por *sus* conexiones, por *sus* relaciones.
연중(年中) todo el año, año *m* completo; [항상] siempre, incesantemente. 큰 거리는 ~ 내내 번잡하다 La calle principal está bulliciosa todo el año. 두 사람은 ~ 싸운다 Los dos están siempre peleando.
■ ~무휴 abierto todo el año, abierto 365 días. ~행사 ritos *mpl* (fijos) anuales [del año], ceremonias *fpl* (fijas) anuales [del año], funciones *fpl* anuales.
연즉(然則) ① =그러하니. ② =그러면.
연지(蓮池) =연못(estanque de loto).
연지(臙脂) ① [색] carmesí *m*, arrebol *m*, colerete *m*. ~의 carmesí (*pl* carmesíes). ~를 바르다 pintarse los labios de colorete, darse de colorete. ② [입술연지] [막대꼴] pintalabios *m.sing.pl*, lápiz *m* (*pl* lápices) de labios, barra *f* de labios, *AmL* lápiz *m* labial; [물질] rouge *m*, carmín *m*.
■ ~분 ㉮ [연지와 분] el pintalabios y los polvos (de tocador). ㉯ =화장품.
연지벌레(臙脂-) 【곤충】 quermes *m*, kermes *m*.
연직(鉛直) perpendicularidad *f*, aplomo *m*. ~의 perpendicular, aplomado, vertical. ~으로 perpendicularmente. 평면(平面)에 ~한 perpendicular al plano.
■ ~각 ángulo *m* vertical. ~거리 distancia *f* vertical. ~면(面) plano *m* vertical. ~선 perpendicular *f*, línea *f* vertical.
연질(軟質) suavidad *f*, tersura *f*, blandura *f*.
■ ~고무 goma *f* blanda. ~미(米) arroz *m* (*pl* arroces) blando. ~ 유리 cristal *m* blando.
연차(年次) ① [나이의 차례] orden *m* por edad. ② [햇수의 순서] orden *m* cronológico. ~의 anual. ③ [매년] cada año, todos los años.
■ ~ 계획 proyecto *m* anual, plan *m* anual. ~ 교서 mensaje *m* anual. ~ 대회(大會) asamblea *f* general anual. ~ 보고 reporte *m* anual. ~ 예산 presupuesto *m* anual. ~ 유급 휴가 asueto *m* asalariado anual. ~적 anual, cronológico. ~ 총회 asamblea *f* general anual.
연차(年差) 【천문】 variación *f* anual.
연착(延着) llegada *f* tardía, arribo *m* tardío, tardanza *f* en llegar. ~하다 llegar con retraso, tener retraso. 열차는 10분 ~이다 El tren tiene un retraso de diez minutos / El tren tiene diez minutos de retraso.
연착륙(軟着陸) aterrizaje *m* suave; [달 표면에] alunizaje *m* suave. 달에 ~하다 alunizar suavemente, aterrizar suavemente sobre la superficie lunar.
연찬(硏鑽) estudio *m* profundo, investigaciones *fpl* científicas. ~하다 estudiar profundamente. 해외에서 ~을 쌓다 proseguir asiduamente *sus* estudios en el extranjero.
연창(-窓) contraventana *f*.
연천하다(年淺-) ① [나이가 아직 적다] todavía ser jovencito. ② [시작한 지 몇 해 되지 않다] hace unos años que se ha empezado.
연철(軟鐵) hierro *m* dulce.
연철(鉛鐵) ① hierro *m* forjado. ② =단철(鍛鐵).
연철(鍊綴/練鐵) hierro *m* forjado, hierro *m* maleable.
■ ~로(爐) horno *m* de pudelar, pudeladora *f* mecánica. ~법 pudelado *m*.
연체(延滯) atraso *m*, retraso *m*, retardo *m*,

retardación *f*, caído *m* atrasado, lo atrasado. ～하다 ser atrasado, ser retrasado, tener atrasos. 한 달 ～로 지불하다 pagar con un mes de retraso. 그는 납세를 ～하고 있다 El tiene atrasado [está atrasado en] el pago de los impuestos.
■ ～금[료] importe *m* atrasado; [은행·주식의] deuda *f* atrasada. ～ 이자 interés *m* atrasado, interés *m* diferido, interés *m* no pagado al vencimiento.

연체(軟體) constitución *f* suave.
■ ～동물 molusco *m*.

연초(年初) principio *m* del año. ～에 al principio del año, a principios del año, a comienzos del año. ～에 세배 다니다 visitar a *uno* para felicitar*le* por el Año Nuevo.

연초(煙草) tabaco *m*. ☞담배

연출(演出) ejecución *f*, desempeño *m*, dirección *f*, representación *f*, [영화·텔레비전의] producción *f*, [연극] puesta *f* en escena, producción *f*, [라디오·연극의] dirección *f*, [쇼의] versión *f*, producción *f*. ～하다 ejecutar, poner en obra, dirigir, representar, interpretar; [영화·텔레비전에서] producir, realizar; [연극을] poner en escena; [쇼를] montar, poner en escena; [라디오·연극을] dirigir. ～되다 [영화·텔레비전이] encargarse de la producción [realización]; [연극이] encargarse de la puesta de escena; [라디오에서] encargarse de la dirección. 브로드웨이에서 쇼의 ～ la versión del espectáculo [la producción] que se presentó en Broadway. …의 역을 ～하다 hacer de *algo*, representar el papel de *algo*.
■ ～가[자] [영화·텔레비전·연극의] productor, -tora *mf*; [라디오·연극의] director, -tora *mf*. ～법 manera *f* de ejecución. ～효과 efecto *m* de la interpretación.

연치(年齒) edad *f*, años *mpl* (de edad).

연타(連打) [종 따위의] sonido *m* metálico repetido; [구타] golpe *m* repetido. ～하다 [종을] sonar repetidamente, repicar repetidamente, golpear repetidamente, dar un golpe repetido.

연타(軟打) toque *m* (de bola).

연탄(煉炭) briqueta *f*, losilla *f*, barra *f* de carbón.
■ ～가스 gas *m* de carbón. ～ 공장 fábrica *f* de briqueta. ～난로 estufa *f* de briqueta.

연통(煙筒) chimenea *f*.

연투(軟投) ((야구)) acción *f* de lanzar la pelota lenta. ～하다 lanzar la pelota lenta.

연투(連投)((야구)) acción *f* de tomar montículos sucesivos en más de dos partidos. ～하다 tomar montículos sucesivos en más de dos partidos.

연파(連破) derribo *m* sucesivo. ～하다 derribar sucesivamente.

연판(連判) sellos *mpl* unidos, firmas *fpl* unidas. ～하다 sellar unidamente. ～ 하에 bajo los sellos unidos.
■ ～장 pacto *m* firmado, convenio *m*.

연판(鉛版) 【인쇄】 estereotipia *f*, clisé *m*. ～을 뜨다 estereotipar.

연패(連敗) derrotas *fpl* sucesivas. ～하다 ser derrotado sucesivamente. 3～하다 ser derrotado tres veces seguidas.

연패(連覇) ＝연승(連勝). ¶3～하다 ganar tres veces seguidas el campeonato.

연평균(年平均) media *f* anual.
■ ～ 강우량 precipitación *f* pluvial media anual, media *f* anual de lluvia.

연평수(延坪數) espacio *m* total (de un edificio).

연포(練布) tela *f* glosada, paño *m* glosado.

연폭(連幅) unión *f*, juntura *f*.

연표(年表) ((준말)) ＝연대표. ¶역사 ～ tabla *f* cronológica de la historia. 세계사 ～ lista *f* [tabla *f*] cronológica de la historia universal. 한국사 ～ lista *f* [tabla *f*] cronológica de la historia de Corea.

연풍(軟風) brisa *f*, céfiro *m*, oreo *m*.

연필(鉛筆) lápiz *m* (*pl* lápices). ～로 쓰다 escribir con lápiz. ～로 그리다 dibujar a lápiz. ～을 깎다 afilar un lápiz, sacar punta a un lápiz.
◆ 색(色) ～ lápices *mpl* de colores. 제도(製圖) ～ lápiz *m* de dibujo.
■ ～깎이 sacapuntas *m.sing.pl*, afilalápices *m.sing.pl*, *Col* tajalápices *m.sing.pl*. ～심 mina *f*. ～화 dibujo *m* a lápiz.

연하(年下) edad *f* menor. ～의 menor, de edad menor. ～의 남자 hombre *m* de edad menor. ～의 여인 mujer *f* de edad menor. ～의 남편 esposo *m* [marido *m*] de edad menor. 그는 나보다 세 살 ～다 El tiene tres años menos que yo / El es tres años menor que yo.

연하(年賀) felicitaciones *fpl* del Año Nuevo, salutación *f* del Año Nuevo.
■ ～객 visitante *mf* del Año Nuevo. ～우편 correo *m* del Año Nuevo. ～장 tarjeta *f* [carta *f*] de felicitación del Año Nuevo.

연하(嚥下) deglución *f*. ～하다 deglutir, tragar, engullir.

연하다(連－) extenderse. 높은 산들이 동서(東西)로 연해 있다 Se extienden las altas montañas de este a oeste.

연하다(軟－) ① [무르고 부드럽다] (ser·estar) tierno, blando. 연한 고기 carne *f* blanda. 연하게 하다 ablandar; [가죽을] suavizar. 연해지다 ablandarse, suavizarse. 고기가 ～ La carne es blanda [tierna]. 이 쇠고기는 무척 ～ Esta carne de vaca está muy tierna. ② [빛이 옅고 산뜻하다] (ser) suave, claro, opaco. 연한 빛 luz *f* opaca. 연한 색 color *m* claro, color *m* suave.

-연하다(然－) darse aires (de), darse un aire (de), presumir (de), alardear (de). 예술가～ darse aires de artista. 대가(大家)～ darse aires de gran maestro. 인텔리～ presumir de intelectual. 그는 인텔리연하고 있다 Se les da [Se da aires] de intelectual.

연학(硏學) estudio *m*, aprendizaje *m*. 기타 ～을 위해 서반아에 가다 ir a España para aprender la guitarra.

연한(年限) período *m*, término *m*, plazo *m*. ~이 되다 vencer el término de años.
◆복무(服務) ~ término *m* del servicio. 의무(義務) ~ término *m* obligatorio del servicio. 의무 교육(義務敎育) ~ término *m* obligatorio escolar.

연합(聯合) ① [둘 이상의 것이 합동함] [결합] unión *f*, asociación *f*; [연맹] liga *f*, alianza *f*; [연결] combinación *f*; [합동] amalgamación *f*; [정당(政黨)·국가의] coalición *f*, alianza *f*. ~하다 unirse, aliarse, asociarse, ligarse, formar una alianza. ~의 unido, aliado. ~되어 en unión con *uno*, juntamente con *uno*. ② 【심리】 =연상(聯想).
■~고사 examen *m* conjunto. ~국 países *mpl* aliados. ~ 국가 =연방 국가. ~군(軍) ejército *m* aliado, fuerzas *fpl* aliadas, fuerzas *fpl* unidas; [1차·2차 세계 대전의] Aliados *mpl*. ~ 단체 federación *f*. ~ 작전 operación *f* combinada. ~ 전선 frente *f* unida. ~채무 deuda *f* combinada. ~ 함대 flotas *fpl* unidas.

연해(沿海) costa *f*, litoral *m*. ~의 costanero, litoral, costero, a lo largo de costa.
■~ 경비 defensa *f* costanera. ~ 기후 clima *m* costanero. ~ 무역 =연안 무역. ~변(邊) costa *f*, playa *f* costera. ~ 상업 comercio *m* costanero. ~선(線) =해안선(海岸線). ~선(船) barco *m* costanero. ~안 =해안(海岸). ~ 어업 pesca *f* costanera. ~ 지방 zona *f* litoral. ~ 항로 línea *f* [servicio *m*] a lo largo de costa. ~ 항해 navegación *f* costera, cabotaje *m*, viaje *m* costero.

연해(煙害) contaminación *f* de humo.

연해(連—) sucesivamente, continuamente, incesantemente, sin cesar, sin parar, sin descansar. ~ 일하다 trabajar sin parar [sin descansar]
■~연방 sucesivamente, continuamente.

연행(連行) arresto *m*. ~하다 arrestar, llevar consigo (forzadamente); [억지로 끌고 가다] arrastrar [acarrear] a la fuerza [por fuerza]. 용의자(容疑者)를 경찰서에 ~하다 llevar a un sospechoso a la comisaría.

연혁(沿革) historia *f*, [발달] evolución *f*, [변전(變轉)] vicisitudes *fpl*.

연호(年號) nombre *m* (cronológico) de una era. ~를 채택하다 adoptar un nombre para una nueva era.

연호(連呼) llamada *f* continua. ~하다 llamar continuamente.

연화(軟化) reblandecimiento *m*. ~하다 reblandecerse, ablandarse, ceder (a), quedar aplacado. ~시키다 reblandecer, ablandar, modificar. 신랄한 그의 의견을 ~했다 La aspereza de su opinión se ha modificado.
■~제 descalcificador *m*, suavizante *m*. ~증 malacia *f*, malacosis *f*.

연화(軟貨) ① [지폐] billete *m*. ② [금이나 외국 통화와 바꿀 수 있는 통화] moneda *f* blanda.

연화(蓮花/蓮華) flor *f* de loto.

연환(連環) cadena *f*, enlace *m*, enganche *m*, eslabón *m*.

연회(年會) reunión *f* anual.

연회(宴會) fiesta *f*, banquete *m*, festín *m* (*pl* festines). ~를 열다 tener [celebrar·preparar]. un banquete, banquetear, dar un festín. ~에 초대하다 ofrecer un banquete, invitar a un banquete.
■~석 asiento *m* de banquetes. ~장 sala *f* [salón *m*] de banquetes.

연후(然後) ① [그러한 후] después de eso, después. ② ((준말)) =연후에.
연후에 después, a pesar de entonces, desde entonces, a partir de entonces.
■~지사(之事) lo futuro, cosa *f* futura.

연휴(年休) ((준말)) =연차 휴가.

연휴(連休) días *fpl* feriados consecutivos. 하루 거른 ~ días *mpl* festivos escalonados. 5일간의 ~ cinco días de descanso seguidos. ~로 하다 [휴일과 휴일 사이의 근무일을 휴일처럼 쉬다] hacer puente.

연희(演戱) =연극(演劇).

열아홉 ocho o nueve. ~ 살 ocho o nueve años (de edad).

열아홉째 octavo o noveno.

열[1] diez. ~ 번째(의) décimo. ~ 시(時) las diez. ~ 사람 diez personas. ~ 시간(時間) diez horas.
■열 번 찍어 아니 넘어가는 나무가 없다 ((속담)) Muchos golpes derriban un roble.

열[2] ((준말)) =첫열.

열[3] ((준말)) =총열.

열(列) ① [사람·물건이 죽 벌여 선 줄] línea *f*, [횡렬] fila *f*, [종렬] columna *f*, hilera *f*, [창구 앞 등의] cola *f*, [행진] desfile *m*. 마지막 ~ la última fila. 자동차의 ~ hilera(s) *f(pl)* de automóviles. 술병의 ~ fila *f* de botellas. (물건) 사는 사람들의 ~ cola *f* de comparadores. ~의 선두[후미]를 걷다 marchar a la cabeza [a la cola] de fila. ~에 들어가다 [행진의] entrar en el desfile. ~을 짓다 formar un cortejo. ~을 지어 걷다 desfilar, marchar en filas. ~을 흩뜨리다 romper la fila. ~을 지어 기다리다 esperar en cola. ~에 서다 ponerse a la cola. 첫 번째 ~에 en la primera fila. 2~ 로 걷다 andar en dos filas. 의자를 횡 5~로 놓다 disponer [ordenar] las sillas en cinco filas horizontales. ② [줄을 세는 단위] línea *f*. 네 ~ cuatro líneas.

열(熱) ① [열기(熱氣)] calor *m*. ~을 가(加)하다 calentar. ~을 내다 irradiar, radiar, emitir calor. ~을 전하다 transmitir el calor. ② [체온(體溫)] temperatura *f*, [병(病)의] fiebre *f*, calentura *f*. ~이 높다 tener fiebre alta. ~이 있다 tener fiebre. ~을 재다 medir [tomar] la temperatura del cuerpo de *uno*. ~을 억제하다 sujetar [contener] la fiebre. ~이 39도이다 tener treinta y nueve grados de fiebre. ~이 많다 tener mucha fiebre. ~이 적다 tener un poco de fiebre. 나는 40도 가까이 ~이 났다 Tuve

[Medio] una fiebre de casi cuarenta grados. ~이 계속하고 있다 Continúa [Se mantiene] la fiebre. ~이 다시 오른다 Vuelve a subir la fiebre. ③ [열의. 열광] fiebre *f*, entusiasmo *m*, ardor *m*. ~을 올리다 entusiasmarse (con), apasionasrse (con · por). 그는 그 소녀에게 ~을 올리고 있다 El está loco [está apasionado] por la chica. 그는 일에 ~이 없다 El no tiene entusiasmo por su trabajo. ④ [격정. 노함] pasión *f*, cólera *f*, ira *f*, enfado *m*, *AmL* enojo *m*. ~이 나다 enfadarse, *AmL* enojarse.

◆열이 식다 desinteresarse (de).

■~기관 máquina *f* térmica, motor *m* térmico, termómetro *m*. ~교환 intercambio *m* térmico. ~ 교환기 termopermutador *m*, termointercambiador *m*. ~단위 unidad *f* térmica. ~복사 radiación *f* térmica. ~ 손실 pérdida *f* por efecto Joule, pérdida *f* de calor; 【전기】 pérdida *f* por resistencia. ~손실량 consunción *f* de calor. ~에너지 energía *f* térmica, energía *f* calorífica. ~용량 capacidad *f* térmica, capacidad *f* calorífica. ~응력 termoesfuerzo *m*. ~전달 transmisión *f* térmica. ~전도성 conductibilidad *f* calorífica. ~ 차폐 [우주선의] pantalla *f* térmica, escudo *m* térmico, coraza *f* térmica. ~처리 termotratamiento *m*, termovinificación *f*, tratamiento *m* térmico. ~추적 미사일 proyectil *m* termodirigido. ~파 ola *f* de calor, onda *f* térmica. ~펌프 compresor *m*, bomba *f*. ~평형 equilibrio *m* térmico, balance *m* calorífico. ~횟수 termorrecuperación *f*. ~효율 rendimiento *m* térmico [calorífico].

열- joven, nuevo, tierno. ~무 rábano *m* joven.

열각(劣角) 【기하】 ángulo *m* menor.

열간 가공(熱間加工) marcha *f* caliente, trabajo *m* en caliente, maquinado *m* de caliente.

열간 압연(熱間壓延) laminación *f* en caliente. ~하다 cilindar en caliente, apisonar en caliente, laminar en caliente. ~한 laminado en caliente, apisonado en caliente, calandrado en caliente.

■~ 압연 장치(壓延裝置) instalación *f* de laminación en caliente, instalación *f* para chapa negra.

열강(列强) (grandes) potencias *fpl*. 세계의 ~ potencias *fpl* del mundo. 유럽의 ~ potencias *fpl* europeas [de Europa].

열거(列擧) enumeración *f*. ~하다 enumerar, numerar, contar, calcular, detallar, especificar. 이점(利點)을 ~하다 enumerar las ventajas. 결점(缺點)을 ~하다 numerar los defectos. 주요 사건을 ~하다 enumerar los sucesos principales. 그는 순교자 중에 ~되고 있다 Le cuentan entre los mártires.

열 검파기(熱檢波器) termodetector *m*.

열고나다 darse prisa.

열 공학(熱工學) termotecnia *f*.

열 관리(熱管理) regulador *m* [control *m*] de calor.

열광(烈光) luz *f* intensa [fuerte].

열광(熱狂) pasión *f*, exaltación *f*, entusiasmo *m*, furor *m*, demencia *f*, manía *f*. ~하다 entusiasmarse (por), apasionarse (con · por), exaltarse (con · por), excitarse (con · por). ~시키다 entusiasmar, apasionar, excitar, exaltar. 모두가 ~하고 있다 Todos están excitándose.

■~적 apasionado, frenético, entusiástico, exaltado, fanático. ¶~으로 con entusiasmo, con frenesí, frenéticamente, entusiastamente, entusiásticamente, apasionadamente. ~인 팬 entusiasta *mf* (de), aficionado, -da *mf* (a), hincha *mf* (de). ~인 지지자(支持者) [정당 · 종교 운동 따위의 소수의] minoría *f* fanática. ~인 환영을 받다 ser acogido con mayor entusiasmo.

열구름 nubes *fpl* flotantes.

열국(列國) potencias *fpl* (del mundo), todos los países. ~의 간섭(干涉) intervención *f* extranjera.

■~ 회의(會議) conferencia *f* de las potencias, congreso *m* internacional.

열기 espíritu *m* intrépido.

열기(列記) enumeración *f*. ~하다 enumerar, detallar, especificar.

열기(熱氣) ① [뜨거운 기운] aire *m* caliente; [강한] aire *m* ardiente; [열] calor *m*. ~의 de aire caliente. ② =신열(身熱). ¶~가 있다 tener fiebre. ③ [흥분된 분위기] atmósfera *f* calurosa, entusiasmo *m*, fervor *m*, ardor *m*, pasión *f*. ~ 띤 어조 tono *m* ferviente, tono *m* ardiente. 회장(會場)에는 ~가 가득하다 La sala hierve de entusiasmo. 사건의 ~가 식었다 Ha desaparecido [Se ha calmado] el alboroto suscitado por el suceso.

■~ 기관 motor *m* de aire caliente. ~ 난방 calefacción *f* de aire caliente. ~ 소독 esterilización *f* de aire caliente. ~ 요법 terapia *f* de aire caliente. ~욕 baño *m* de aire caliente.

열기관(熱機關) motor *m* térmico.

열기구(熱器具) instrumentos *mpl* térmicos.

열기구(熱氣球) globo *m* de aire caliente.

열김(熱-) ① [가슴 속에서 타오르는 열의 운김] pasión *f*, entusiasmo *m*, fervor *m*, ardor *m*, excitación *f*, agitación *f*, conmoción *f*, calor *m*. ② [홧김] cólera *f*, furia *f*, enfado *m*, enojo *m*, indignación *f*.

열꽃(熱-) manchas *fpl* rojas en la cara o en el cuerpo cuando se empieza a tener fiebre.

열나다(熱-) ① [몸에서 열이 나다] tener fiebre. ② [열중하다] entusiasmarse (por), tener mucha afición (a), estar loco (por); [몰두하다] absorberse (en), entregarse (a); [전념하다] dedicarse (a), aplicarse (a). ③ [화가 나다] enfadarse, enojarse. 열나 있다 estar enfadado, estar enojado.

열나절 mucho tiempo, largo tiempo *m*.

열넷 catorce. 열셋에 하나를 더하면 ~이다 Trece más uno son catorce.

열넷째 decimocuarto *m*. ~의 decimocuarto.

열녀(烈女) mujer *f* virtuosa, mujer *f* de virtud.

■ ~문 puerta *f* a la mujer virtuosa. ~ 불경이부(不更二夫) La mujer virtuosa no se casa dos veces. ~비 monumento *m* a la mujer virtuosa. ~전 biografía *f* sobre la mujer virtuosa.

열다[1] [열매 등이 맺히다] dar, nacer, vegetar. 실과(實果)가 ~ dar fruto.

열다[2] ① [닫히거나 막히거나 가리어진 것을 터놓거나 당기거나 밀거나 젖혀서 틔우다] abrir. 문을 ~ abrir la puerta. 서랍을 ~ abrir el cajón. 대문을 ~ abrir la puerta principal. 창문을 ~ abrir la ventana. 자물쇠를 ~ abrir la cerradura. 입을 ~ abrir la boca. 뚜껑을 ~ abrir el tapón. 병마개를 ~ destapar una botella. 봉투를 ~ desellar, abrir el sobre. 트렁크를 ~ abrir una maleta; [속의 것을 꺼내다] desempaquetar una maleta. 편지를 ~ abrir una carta. 꾸러미를 ~ abrir [desatar · desembalar · desempacar · desenvolver] un paquete. 커튼을 ~ descorrer [abrir] la cortina. 마음을 ~ abrir *su* corazón (a *uno*). … 의 주둥이를 ~ abrir la boca de *algo*. …의 뚜껑을 ~ destapar *algo*. 문을 열어 두다 dejar [tener] la puerta abierta. 창문이 열려 있다 La ventana esta abierta [sin cerrar]. 도서관은 아홉 시에 연다 La biblioteca abre a las nueve. (문을) 열어라. 나다 ¡Abre! Soy yo. 열려진 금고(金庫) 앞에서는 정직한 사람도 죄를 범한다 ((서반아 속담)) En arca abierta, el justo peca. ② [사업 · 경영 · 홍행 등을 시작하다. 경영하다] abrir, establecer, fundar. 가게를 ~ abrir la tienda. 마을에 병원을 ~ fundar un hospital en el pueblo. 학교를 ~ fundar una escuela. ③ [어떤 모임을 개최하다] celebrar, dar. 강연회를 ~ celebrar una conferencia. 잔치를 ~ dar una fiesta. ④ [새로운 기틀을 마련하다] abrir. 새 시대를 ~ abrir una nueva era. ⑤ [어떤 관계를 맺다] establecer. 국교(國交)를 ~ establecer las relaciones diplomáticas.

열다섯 quince. 그 소녀는 ~ 살이다 La muchacha tiene quince años (de edad).

열다섯째 decimoquinto *m*, quince. ~의 decimoquinto.

열 단위(熱單位) 【물리】 unidad *f* térmica.

열대(熱帶) trópicos *mpl*, zona *f* tórrida, zona *f* tropical. ~의 tropical.

■ ~ 과실 fruta *f* tropical. ~ 기후 clima *m* tropical. ~림(林) selva *f* tropical. ~병(病) enfermedad *f* tropical. ~산 producto *m* tropical. ~ 식물 planta *f* tropical, flora *f* tropical. ~야 noche *f* tropical. ~어 pez *m* (*pl* peces) tropical. ~열 calor *m* tropical. ~ 의학 medicina *f* tropical. ~ 작물 cosecha *f* tropical. ~조 el ave *f* (*pl* las aves) tropical. ~ 지방(地方) regiones *fpl* tropicales. ~호(湖) lago *m* tropical.

열댓 unos quince. 집 ~ 채 unas quince casas.

열도(列島) cadena *f* [serie *f*] de islas; [군도(群島)] archipiélago *m*.

열도(熱度) [열] calor *m*; [온도] temperatura *f*.

열독(閱讀) lectura *f*, revisión *f*. ~하다 leer, repasar, revisar.

열두 doce. ~ 사람 doce personas.

■ 열두 가지 재주 가진 놈이 저녁거리가 없다 ((속담)) Aprendiz de mucho, maestro de nada.

■ ~ 사도 ((성경)) doce apóstoles *mpl*. ~ 제자 ((기독교 · 천주교)) =십이 제자(doce discípulos). ~ 지파 ((성경)) doce tribus *fpl*. ~째 duodécimo *m*. ¶~의 duodécimo.

열등(劣等) inferioridad *f*. ~하다 (ser) inferior, bajo, pobre, vulgar, soez, rústico. 품성이 ~한 남자 hombre *m* de carácter bajo. 견본에 비해 품질이 완전히 ~하다 La calidad es completamente inferior a la muestra. 그는 반에서 성적이 가장 ~하다 El es el peor estudiante de la clase.

■ ~감(感) humillación *f*, (complejo *m* de) inferioridad *f*. ¶~을 느끼다 sentir [tener] complejo de inferioridad; [사람에게] sentirse inferior [vergonzoso] (a *uno*). ~생 estudiante *m* atrasado, estudiante *f* atrasada. ~아 niño *m* atrasado, niña *f* atrasada. ~ 의식 complejo *m* de inferioridad.

열락(悅樂) alegría *f*, júbilo *m*, gozo *m*, gusto *m*, disfrute *m*, goce *m*, complacencia *f*, deleite *m*. ~하다 alegrarse, gozarse, disfrutarse, jubilar(se).

열람(閱覽) inspección *f*, lectura *f*. ~하다 leer, revisar, registrar, inspeccionar. 일반의 ~에 이용하게 하다 ofrecer *algo* para examen y lectura del público.

■ ~객 =열람자. ~권(券) billete *m* [*AmS* boleto *m*] de entrada de una biblioteca. ~료 cuota *f* [coste *m*] de entrada de una biblioteca. ~석 asiento *m* de lectura. ~실 sala *f* de lectura. ~자[인] lector, -tora *mf*; leyente *mf*; visitante *mf*. ~표 ficha *f* de préstamo.

열량(熱量) cantidad *f* de calor; [칼로리] caloría *f*. ~의 calorífico. ~을 측정하다 medir la cantidad de calor.

■ ~가 valor *m* calorífico. ~계 calorímetro *m*. ~ 단위 unidad *f* térmica. ~식(食) alimento *m* calorífico. ~ 측정 calorimetría *f*.

열력(閱歷) =경력(經歷).

열렬하다(熱烈/烈烈—) (ser) ferviente, fervoroso, ardiente, caluroso, vehemente, apasionado. 열렬한 사랑 amor *m* ardiente, amor *m* apasionado. 열렬한 애국자 patriota *mf* ardiente. 열렬한 박수를 보내다 aplaudir con vehemencia, aplaudir con entusiamo. 열렬한 환영을 받다 ser recibido calurosamente, encontrarse con un recibimiento caluroso [efusivo]. 나는 그 가수의 열렬한 팬이다 Soy un entusiasta [un

ferviente admirador] de ese cantante.
열렬히 fervientemente, ardientemente, calurosamente, con vehemencia, apasionadamente, vehementemente. ~ 사랑하다 enamorarse locamente (de), estar enamorado locamente (de). ~ 응원하다 vitorear con entusiasmo. ~ 선전하다 hacer una propaganda intensa (de). ~ 칭찬하다 prodigar elogios (de).

열록(列錄) =열기(列記).

열루(熱漏) lágrimas *fpl* calientes.

열릅 diez años de edad del caballo y de la vaca.

열리다[1] [열매가 맺혀서 달리다] darse, producirse, producir fruto. 열매가 ~ darse el fruto. 열매가 많이 열린다 Se producen muchos frutos. 나무에 열매가 열렸다 El árbol dio [produjo] frutos. 나무에 열매가 열려 있다 El árbol tiene frutos. 나무에 열매가 많이 열려 있다 El árbol está cargado de] frutos. 많은 과실이 열린 나무 árbol *m* cubierto de frutos, árbol *m* cargado de fruta.

열리다[2] ① [닫히거나 막히거나 가리어진 것이 트이다] abrirse. 열린 abierto. 열린 문(門) puerta *f* abierta. 문이 ~ abrirse la puerta. 열린 입이 다물어지지 않다 estar [quedarse] con la boca abierta de extrañeza, quedarse boquiabierto. 문이 열린다 Se abre la puerta. 문이 열려 있다 La puerta está abierta. 뚜껑이 열리지 않는다 No se abre la tapadera [el tapón]. 갑자기 문이 열렸다 De pronto se abrió la puerta. 문이 열리지 않는다 La puerta no se abre / No puedo abrir la puerta. 창문이 밖으로 열린다 La ventana (se) abre hacia afuera. 문이 꽝 열렸다 La puerta se abrió violentamente. 이 문은 바깥쪽으로 열림 ((게시)) Esta puerta se abre hacia el exterior. ② [문화가 개발되다] ser civilizado, ser ilustrado, ser modernizado. ③ [사업·흥행·경영 등이 시작되다. 경영되다] abrirse, empezarse. ④ [어떤 모임이 개최되다] celebrarse. 기념식이 ~ celebrarse la ceremonia conmemorativa. 개회식은 5월 18일에 열린다 La inauguración se celebrará en el dieciocho de mayo. ⑤ [가게 따위가] abrir(se). 가게는 오전 여덟 시에 열린다 La tienda (se) abre a las ocho de la mañana. 가게는 밤 열 시까지 열려 있다 La tienda está abierta hasta las diez de la noche. ⑥ [귀가] escuchar. 나는 귀가 열렸어 Yo puedo escuchar.

열망(熱望) anhelo *m*, deseo *m* (ardiente). ~하다 suspirar (por), anhelar, esperar encarecidamente, ansiar, desear ardientemente. 평화를 ~하다 anhelar la paz. 우리들은 세계 평화를 ~하고 있다 Nosotros anhelamos la paz mundial. 그 여자는 가족을 상봉하기를 ~하고 있었다 Ella suspiraba por [anhelaba] ver s su familia.

열매 ① [식물의 꽃이 수정한 후 씨방이 자라서 맺힌 것] fruto *m*; [과실] fruta *f*; [견과(堅果)] nuez *f* (*pl* nueces); [장과(漿果)] baya *f*. ~를 맺다 dar fruto. 이 나무는 ~가 열리지 않는다 Este árbol no da fruto. ② [어떠한 일에 힘써 거둔 결과] fruto *m*. 애정(愛情)의 ~ fruto *m* de amor. 좋은 교육의 ~ fruto *m* de buena educación.
▪열매 될 꽃은 첫 삼월부터 알아본다 ((속담)) La primera impresión es la más duradera.

열목어(熱目魚) 【어류】 =열목이.

열목이 【어류】 ((학명)) Brachymystax lenok.

열무 rabanillo *m*, rabinito *m*, rábano *m* joven. ~김치 *yeolmukimchi*, *kimchi* de rabanitos [de rabanillos].

열무날 el cuatro y el diecinueve del calendario lunar.

열반(涅槃) ① ((불교)) [해탈의 경지] estado *m* mental de Buda. ② ((불교)) =입적(入寂). ¶~에 가다 morir, fallecer, entrar en la nirvana.

열변(熱辯) [연설(演說)] discurso *m* ferviente; [웅변] elocuencia *f* vehemente. ~을 토하다 dar un discurso ferviente.

열병(閱兵) 【군사】 inspección *f* de tropas, revista *f*. ~하다 revisar las tropas, pasar revista a las tropas.
▪~식(式) revista *f* (militar), inspección *f* de las tropas.

열병(熱病) ① 【의학】 [고열을 수반하는 질병] fiebre *f*, calentura *f*, pirexia *f*. ② 【의학】 =장티푸스.
▪~ 환자 paciente *mf*, aquejado, -da *mf* de una fiebre.

열복(悅服) sumisión *f* de buen grado. ~하다 someterse con gusto [de buen grado · por voluntad propia].

열부(烈夫) hombre *m* casto y fiel.

열부(烈婦) =열녀(烈女).

열브스름하다 (ser) algo delgado, algo fino. 열브스름히 delgadamente.

열비(劣比) 【수학】 razón *f* menor.

열사(烈士) patriota *mf*, héroe *m*, heroína *f*.
◆순국(殉國)~ mártir *mf*.

열사(熱砂) arena *f* caliente. ~의 나라 país *m* de la arena caliente.

열사병(熱射病) insolación *f*.

열사욕(熱砂浴) amoterapia *f*.

열상(裂傷) herida *f* rasgada, herida *f* lacerada, laceración *f*, desgarradura *f*, fisura *f*. ~을 받다 recibir fisuras.

열석(列席) presencia *f*, asistencia *f*. ~하다 asistir, estar presente, tomar parte (en). 장례식에 ~하다 asistir a los funerales. 많은 친구들이 식(式)에 ~했다 Muchos amigos asistieron a la ceremonia.
▪~자 asistente *mf*; [집합적] concurrente *mf*.

열선(熱線) 【물리】 rayo *m* calorífico. ~ 흡수 유리 vidrio *m* endotérmico.

열성(劣性) inferioridad *f*, receso *m* de carácter. ~의 recesivo.
▪~ 유전(遺傳) herencia *f* recesiva. ~ 인자 factor *m* recesivo.

열성(列聖) reyes *mpl* sucesivos.

열성(熱誠) ardor *m*, devoción *f*, entusiasmo *m*; [성실] sinceridad *f*, [열의] celo *m*. ~에 가득 찬 lleno de sinceridad. ~을 다해 con mucho entusiasmo, entusiastamente, con celo.
열성껏 con entusiasmo, fervientemente, ardientemente.
열성스럽다 (ser) ardiente, ferviente, entusiasta.
열성스레 ardientemente, ferevientemente, entusiastamente, con entusiasmo, con gran aplicación, afanosamente, con celo.
■ ~적 entusiasta, ferviente, ardiente. ¶~인 교육가 pedagogo, -ga *mf* ardiente.

열세(劣勢) inferioridad *f*, desventaja *f*, inferioridad *f* numérica, inferioridad *f* en números. ~의 inferior en números. ~를 만회하다 recuperar la ventaja. 적에 수적(數的)으로 ~다 ser inferior en número al enemigo.

열셋 trece. 열둘에 하나를 더하면 ~이다 Doce más uno son trece.

열손(熱損) pérdida *f* del calor.

열쇠 ① [자물쇠를 여는 쇠붙이] llave *f*. ~로 열다 abrir con llave. ~로 자물쇠를 열다 abrir una cerradura con llave. ~를 잠그다 echar llave, cerrar con llave. ~를 잠그고 bajo llave, echando la llave. ~가 잠긴 cerrado con llave. 이 ~는 잘 맞지 않는다 Esta llave no entra bien / Esta llave no se ajusta a la cerradura. ② [일을 해결하는 데 필요한 사물] clave *f*, llave *f*. 문제 해결의 ~ clave *f*. 비밀을 밝히는 ~ clave *f* para revelar el secreto. 수수께끼를 푸는 ~ clave *f* de un enigma. 그는 분쟁 해결의 ~를 쥐고 있다 El tiene la clave para solucionar el conflicto. 게으름은 가난의 ~다 Pereza, llave de pobreza.
■ ~고리 llavero *m*. ~ 구멍 ojo *m* (de la cerradura). ~ 꾸러미 llavero *m*. ~ 다발 manojo *m* de llaves, llavero *m*. ~ 보관소 llavero *m*. ~ 보관함 llavero *m*. ~ 수리인 llavero, -ra *mf*. ~ 제조자 llavero, -ra *mf*.

열수(熱水) el agua *f* caliente.

열심(熱心) celo *m*, entusiasmo *m*, ahinco *m*, fervor *m*, ardor *m*, diligencia *f*, asiduidad *f*. ~한 [열렬한] entusiasta, apasionado, ferviente, ardiente, fervoroso, entusiástico; [근면한] diligente, asiduo, aplicado; [활동적인] activo, vigoroso; [전심의] afanoso; [주의 깊은] atento. ~이 아닌 poco celoso, poco entusiasta, desaplicado, indiferente. ~이 아님 falta *f* de celo, falta *f* de fervor, desaplicación *f*, [무관심] indiferencia *f*. …에 ~이다 [흥미를 보이다] mostrar un vivo interés por *algo*. 그는 대단히 ~이다 Su dedicación es absoluta / Su entusiasmo es admirable. 그는 공부에 매우 ~이다 El es muy aplicado en su estudio.
열심히 apasionadamente, fervientemente, con fervor, con ardor, asiduamente, con ahínco, con mucho entusiasmo, con toda el alma, en cuerpo y alma, atentamente, lo más posible, lo mejor posible, con todo el esfuerzo, con toda(s) la(s) fuerza(s), con afán, aplicadamente, diligentemente, bien, mucho, duro. ~ 강의를 듣다 prestar mucha atención a la clase, escuchar la clase muy atentamente. ~ 공부하다 estudiar mucho [duro], hacer un estudio aplicado. ~ 일하다 trabajar mucho [duro], trabajar con ahínco, trabajar con todas *sus* fuerzas. ~ 책을 읽다 leer un libro con mucho entusiasmo. ~ 기도하다 ofrecer una oración ardiente [ferviente]. ~ 듣다 escuchar atentamente. 그는 학교에서 ~ 공부한다 El es un alumno muy aplicado. ~ 공부해라 Estudia lo más posible / Esfuérzate más.

열십자(一十字) cruz *f*, carácter *m* chino 'diez'. ~로 en forma de cruz, transversalmente, en diagonal. ~를 긋다 persignarse, santiguarse, hacer la señal de la cruz. ~로 두르다 sujetar con cuerdas cruzadas, sujetar en forma de cruz.

열쌔다 (ser) muy rápido, ágil. 열쌔게 rápidamente, ágilmente. 열쌘 동작 movimiento *m* muy ágil.

열씨(列氏) Reaumur.
■ ~한란계 termómetro *m* de Reaumur.

열아홉 diez y nueve, diecinueve.
■ ~째 decimonoveno *m*, decimonono *m*, diez y nueve.

열악하다(劣惡-) (ser) inferior, malo, tosco, basto, ordinario. 열악한 상품(商品) mercadería *f* de mala calidad.

열애(熱愛) amor *m* apasionado. ~하다 amar apasionadamente, admirar ciegamente.

열어젖뜨리다 abrir empujando, abrir de un golpe. 나는 문을 열어젖뜨렸다 Yo abrí la puerta empujándola. 나는 창문을 열어젖뜨렸다 Yo abría la ventana de un golpe.

열없다 ① [조금 부끄럽다] (ser) tímido, vergonzoso, *AmL* penoso (*CoS* 제외), sentirse cohibido, estar un poco avergonzado, tener un poco de vergüenza. 나는 그렇게 많은 칭찬을 받으니 ~ Estoy un poco avergonzado de recibir tantos elogios. ② [담이 작고 겁이 많다] (ser) tímido, cobarde, miedoso, afeminado. 열없게 con cobardía, de manera afeminada.
열없이 tímidamente, vergonzosamente, ruborosamente; con cobardía, de manera afeminada.
열없쟁이 persona *f* ruborosa, persona *f* vergonzosa, persona *f* tímida.

열에너지(熱 energy) energía *f* térmica, energía *f* calorífica.

열여덟 diez y ocho, dieciocho. 내 누이는 ~ 살이다 Mi hermana tiene dieciocho años de edad.
■ ~째 decimooctavo *m*, diez y ocho. ~의 decimooctavo.

열여섯 diez y seis, dieciséis. ~ 명 dieciséis personas.
■ ~째 decimosexto *m*, diez y seis. ~의

decimosexto.
열역학(熱力學) termodinámica *f.*
열연(熱演) representación *f* apasionada, acción *f* apasionada, función *f* soberbia. ~하다 representar apasionadamente [ardientemente · con entusiasmo].
열 오르다 ① [신열이 올라 몸이 뜨거워지다] ponerse caliente por la fiebre. ② [열성이 나다] estar lleno de sinceridad. ③ [일시적으로 흥분하다] excitarse [entusiasmarse] temporalmente.
열 올리다(熱-) ① =열중하다. ② [무슨 일에 열중해서·매력에 사로잡혀 흥분하다] entusiasmarse, excitarse. ③ [기염(氣焰)을 토하다] darse importancia, darse infulas, fanfarronear, jactarse.
열왕기(列王記) ((성경)) el Libro de los Reyes.
■~상(上) ((성경)) el Primer Libro de los Reyes. ~하(下) ((성경)) el Segundo Libro de los Reyes.
열용량(熱容量) capacidad *f* térmica.
열원(熱源) origen *m* de calor, fuente *f* de calor.
열위(劣位) posición *f* inferior a los otros.
열읍(列邑) varios pueblos *mpl*, varias aldeas *fpl.*
열의(熱意) pasión *f*, entusiasmo *m*, ardor *m*, celo *m*, ahinco *m*, fervor *m.* ~ 있는 entusiástico, lleno de entusiasmo, celoso. ~를 가지고 con fervor, con ardor, apasionadamente, con entusiasmo. ~가 없다 no tener entusiasmo. ~를 보이다 mostrar entusiasmo. ~를 잃다 perder entusiasmo. ~를 잃게 하다 aplacer [apagar · enfriar · hacer perder] el entusiasmo (de). 나는 일에 ~를 잃었다 He perdido el entusiasmo hacia trabajo. 그는 일에 ~를 상실하고 있다 El carece de [Le falta] entusiasmo hacia su trabajo. 네가 ~를 가지고 일한다면 그 일을 단 하루로 끝낼 수 있을 것이다 Si trabajas en serio, podrás terminarlo en sólo un día.
열이온(熱-) 【물리】 termión *m.* ~의 termiónico.
■~ 검파기 detector *m* termiónico. ~관(管) tubo *m* termiónico. ~방사 emisión *f* termiónica. ~ 전류 corriente *f* termiónica.
열일곱 diez y siete, diecisiete.
■~째 decimoséptimo *m*, diez y siete. ~의 decimoséptimo.
열자기(熱磁氣) 【물리】 termomagnetismo *m.* ~의 termomagnético.
■~ 효과 efecto *m* termomagnético.
열자석 발전기(熱磁石發電機) generador *m* piromagnético.
열장이음 【건축】 ensambladura *f* a cola de milano. ~하다 encajar (en · con).
열전(列傳) (series *fpl* de) biografías *fpl.* 여러 고승(高僧)의 ~ biografías *fpl* de los santos de todas las sectas.
◆영웅(英雄) ~ vidas *fpl* de los héroes.
열전(熱戰) ① [열렬한 쟁패전] partido *m* muy reñindo, torneo *m* ardiente, torneo *m* fervoroso, lucha *f* ferviente. ② [무력에 의한 본래의 전쟁] guerra *f* caliente.
열전기(熱電氣) termoelectricidad *f.* ~의 termoeléctrico.
열전도(熱傳導) conducción *f* termal [térmica].
■~율 conductividad *f* termal [térmica].
열전류(熱電流) corriente *f* termoeléctrica.
열전 온도계(熱電溫度計) termómetro *m* termoeléctrico.
열전자(熱電子) ① 【전기】 termión *m.* ② 【물리】 termoelectrón *m*, electrón *m* térmico. ~의 termoelectrónico.
■~관(管) tubo *m* termoniónico. ~ 전도 conducción *f* termoniónica. ~ 전류(電流) corriente *f* termoniónica.
열정(劣情) ① [천박한 심정] sentimientos *mpl* bajos, pasiones *fpl* bajas, bajas pasiones *fpl.* ~을 자극하는 소설 novela *f* que excita [inflama] las bajas pasiones. ~을 자극하다 excitar los sentimientos bajos. ~을 도발(挑發)하다 excitar pasiones bajas, excitar pensamientos indecentes. ② =정욕(情慾). 육욕(肉慾).
열정(熱情) fervor *m*, ardor *m*, pasión *f*, vehemencia *f*, celo *m.* ~ 어린 편지를 쓰다 escribir una carta apasionada. 그는 일에 ~이 부족하다 Le falta la dedicación [el entusiasmo] a su trabajo. ~이 오르면 이성(理性)은 꺼진다 ((서반아 속담)) Lleno de pasión, vacío de corazón (~이 차면 마음이 비는 법).
■~가 persona *f* apasionada. ~적 ardiente, apasionado. ¶~으로 ardientemente, apasionadamente. ~인 사랑 amor *m* ardiente.
열좌(列坐) =열석(列席). ¶~하다 sentarse juntos, asistirse.
열주(列柱) columnas *fpl* que se forman en fila.
열중(熱中) entusiasmo *m.* ~하다 entusiasmarse (por · con), tener mucha afición (a), estar loco (por); [몰두하다] absorberse (en), entregarse (a); [전념하다] dedicarse (a), aplicarse (a), andar [bailar · ir] de coronilla. ~시키다 apasionar, entusiasmar. 학문에 ~하다 absorberse en el estudio. 경기에 ~하다 entregarse al deporte. 사진에 ~하고 있다 estar loco por las fotografías, ser un apasionado de las fotografías. 그는 일에 ~하고 있다 El está completamente entregado al trabajo. 그는 공부에 ~하고 있다 El se dedica al estudio. 나는 한가지 일에 ~하고 있다 Estoy dedicado con todo el alma a un solo trabajo.
열증(熱症) fiebre *f*, síntoma *m* de fiebre.
열진(烈震) terremoto *m* violento.
열째 décimo *m.* ~의 décimo. ~ 번 décimo *m.*
열쭝이 ① [겨우 날기 시작한 어린 새] cría *f* recién nacida. ② [작고 겁 많은 사람] persona *f* pequeña y tímida [miedosa].
열차(列車) tren *m.* 첫 ~ primer tren *m.* 마지막 ~ último tren *m.* 석탄을 실은 ~

tren *m* cargado de carbón. ~로 en tren. ~ 안에서 en el tren. ~ 편으로 por tren. ~의 운전 manejo *m* del tren, operación *f* del tren, servicio *m* del tren. ~를 기다리다 esperar el tren. ~를 타다 coger el tren, tomar el tren. ~를 놓치다 perder el tren. ~를 운전하다 manejar [dirigir] el tren. ~로 여행하다 viajar en tren. ~로 가다 ir en tren. ~로 보내다 mandar por ferrocarril. ~를 바꿔 타다 hacer transnbordo, cambiar de tren. 오후 4시 15분 ~로 출발하다 salir [partir] en tren de las cuatro y cuarto de la tarde. 우리는 ~에서 만났다 Nos conocimos en el tren. 그 ~는 밤 10시 반에 도착한다 El tren llega a las diez y media de la noche.
◆고속(高速) ~ tren *m* de alta velocidad. 교외선 ~ tren *m* de cercanías. 급행~ tren *m* expreso, tren *m* rápido. 디젤 ~ tren *m* diesel. 무인(無人) ~ tren *m* de cla cremallera, tren *m* fantasma. 보통~ tren *m* de escala, tren *m* de carreta. 상행(上行) ~ tren *m* ascendente. 석탄 ~ trenes *mpl* cargados de carbón. 야간(夜間)~ tren *m* nocturno, tren *m* de noche, tren *m* búho. 여객 ~ tren *m* de pasajeros. 완행~ tren *m* que para en todas las estaciones. 우편 ~ tren *m* (de) correo, tren *m* postal. 유람 ~ tren *m* de recreo, tren *m* de excursión. 임시(臨時) ~ tren *m* especial. 장거리 ~ tren *m* de largo recorrido. 전기 ~ tren *m* eléctrico. 증기 ~ tren *m* de [a] vapor. 증발(增發) ~ tren *m* suplementario. 직행(直行) ~ tren *m* directo. 특급 ~ tren *m* rápido, expreso *m* rápido. 하행(下行) ~ tren *m* descendente. 화물(貨物) ~ tren *m* de carga, tren *m* de mercancías.
■~ 계원 empleado, -da *mf* de ferrocarril, despachador, -dora *mf* de tren. ~ 기관사 maquinista *mf*. ~ 사고 accidente *m* de tren. ~ 승무원 empleado, -da *mf* del ferrocarril. ~ 시간표 horario *m* de tren, horario *m* de ferrocarril. ~ 여행 viaje *m* en tren.

열창(一窓) ventana *f* que abre.

열창(熱唱) acción *f* de cantar aplicadamente. ~하다 cantar aplicadamente.

열처리(熱處理) tratamiento *m* térmico, termotratamiento *m*.
■~공 trabajador *m* de tratamiento térmico. ~로(爐) horno *m* de tratamiento térmico.

열탕(熱湯) el agua *f* en ebullición, el agua *f* hirviente, sopa *f* hirviendo. ~을 끼얹다 echar agua hirviente (a).
■~ 소독 desinfección *f* en agua hirviente. ¶~을 하다 desinfectar en agua hirviente.

열퉁적다 (ser) torpe, patoso, desgarbado, poco elegante, basto, tosco. 열퉁적은 말 palabra *f* poco elegante. 열퉁적은 사람 persona *f* torpe.

열파(熱波) 【물리】 ola *f* de calor, onda *f* de calor.

열패(劣敗) derrota *f*. ~하다 ser derrotado, verse frustrado.

열팽창(熱膨脹) expansión *f* térmica.
■~률 coeficiente *m* de expansión térmica.

열품(劣品) artículo *m* de calidad inferior.

열풍(烈風) viento *m* violento, vendabal *m*, huracán *m*. ~에 뒤흔들려 agitando por viento violento.

열풍(熱風) viento *m* caliente [cálido · abrasador]; [사하라 사막 등의] simún *m*; [지중해 연안의] siroco *m*.

열하나 once.

열하다(熱一) calentar, calefaccionar.

열하루 once días; [열하룻날] el once.

열하룻날 el once del mes. 섣달 ~ el once de diciembre.

열학(熱學) 【물리】 física *f* de calor, termótica *f*.

열한째 undécimo *m*. ~ 줄 undécimas líneas.

열핵(熱核) núcleo *m* térmico. ~의 termonuclear.
■~ 동력(動力) poder *m* termonuclear. ~ 무기(武器) el arma *f* (*pl* las armas) termonuclear. ~ 반응 reacción *f* termonuclear. ~ 병기 bomba *f* de hidrógeno. ~ 분열 fisión *f* termonuclear. ~ 실험 prueba *f* termonuclear. ~ 에너지 energía *f* termonuclear. ~ 연료(燃料) combustible *m* termonuclear. ~ 원자로 reactor *m* termonuclear. ~ 융합 fusión *f* termonuclear. ~ 융합 반응 reacción *f* de fusión termonuclear. ~ 전쟁 guerra *f* termonuclear. ~ 중성자 neutrón *m* termonuclear. ~ 탄두 cabeza *f* termonuclear, ovija *f* termonuclear. ~ 폭발 explosión *f* termonuclear. ~ 폭탄 bomba *f* de hidrógeno.

열혈(熱血) sangre *f* ardiente, ahinco *m*, ardor *m*, celo *m*.
■~남아[한] hombre *m* (de temperamento) apasionado, hombre *m* (de sangre) ardiente. ~ 시인(詩人) poeta *m* apasionado, poeta *m* ardiente. ~ 청년 joven *m* ardiente [apasionado]

열호(劣弧) 【수학】 arco *m* menor.

열화(劣化) ① empeoramiento *m* de la calidad. ~하다 empeorarse (la calidad). ② 【화학】 deterioración *f*. ~하다 deteriorarse.

열화(烈火) fuego *m* en llamas.

열화(熱火) ① [뜨거운 불] fuego *m* caliente. ② [급한 화증(火症)] cólera *f*, ira *f*. ~ 같이 노하다 inflamarse de cólera, inflamarse de ira.

열화학(熱化學) termoquímica *f*.

열확산(熱擴散) difusión *f* térmica.

열효율(熱效率) 【물리】 rendimiento *m* térmico.

열흘 ① [십 주야] diez días. 나는 ~ 동안 서반아에 머물렀다 Yo me quedé en España diez días. ② [열흘날] el diez (del mes). 시월 ~ el 10 (diez) de octubre.

열흘날 el diez (del mes). 이달 ~ 나는 마드리드에 간다 Yo voy a Madrid el diez de este mes.

엷다 ① [두께가 두껍지 않다] (ser) delgado, fino, ligero. 엷게 delgadamente, finamente, ligeramente. 약간 엷은 algo delgado, algo fino, algo ligero. 엷은 판 chapa *f*, [나무] tabla *f* delgada; [금속] lámina *f*, placa *f*, plancha *f* delgada. 엷은 종이 papel *m* de seda. 엷은 명주 seda *f* fina, seda *f* ligera. 엷은 조각 trozo *m* delgado, loncha *f*, lonja *f*, rodaja *f*, rebanada *f*. 엷은 얼음 hielo *m* delgado. 엷은 천 tela *f* fina, tela *f* ligera. 엷은 옷 ropa *f* ligera. 엷은 날 filo *m* fino, filo *m* ligero. 엷은 햄 한 조각 una lonja de jamón. 엷게 자르다 cortar en trozos delgados cortar en rodajas, rebanar. 빵을 엷게 자르다 cortar el pan en trozos delgados. ② [사물의 밀도·농도·빛깔 따위가 짙지 아니하다] (ser) claro, ligero, flojo, pálido, suave, opaco. 엷게 ligeramente, claramente, pálidamente, suavemente, opacamente. 약간 엷은 algo [un poco] claro [ligero·flojo]. 엷은 빛깔 color *m* claro. 엷은 구름 nube *f* ligera. 엷은 분홍빛 color *m* (de) rosa clara [ligera]. 엷은 갈색 (color *m*) pardo *m* claro. 엷은 갈색의 de (color) pardo claro. 엷은 자줏빛 púrpura *f* clara, púrpura *f* pálida. 엷은 자줏빛의 de (color) púrpura clara. 엷은 하늘색 (color *m*) azul *m* claro. 엷은 안개 niebla *f* fina, niebla *f* ligera, niebla *f* poco densa. 엷은 차(茶) té *m* ligero. 엷은 화장(化粧) maquillaje *m* ligero. 엷은 화장을 한 여인(女人) mujer *f* discretamente pintada. 엷게 타다 [물을] aguar, diluir; [술을] bautizar. 주스를 두 배로 엷게 타다 diluir el zumo con la misma cantidad de agua. 잉크 색을 엷게 타다 diluir [suavizar el tono de] la pintura. 엷은 화장을 하다 maquillarse ligeramente, pintarse ligeramente. ③ [사람의 언행이 빤히 들여다보이다] (ser) frívolo, panal. ④ [웃음 따위가 보일 듯 말 듯 은근하다] (ser) ligero. 엷은 미소 sonrisa *f* ligera. ⑤ [학식·덕망·애정·감정 따위가 깊지 아니하다] (ser) superficial.

엷붉다 ser (de color) rojo tenue.

염 isleta *f* rocosa. 밤~ isleta *f* pequeña. 외~ isleta *f* rocosa solitaria.

염(炎) ((준말)) =염증(炎症)(inflamación).

염(念) intención *f*.
◆염도 못 내다 no tener [abarcar] hasta intención de hacer algo. 염도 없다 no tener hasta intención de hacer algo.

-염(炎) inflamación *f*. 피부~ dermatitis *f*, dermitis *f*. 위(胃)~ gastritis *f*. 편도선~ amigdalitis *f*.

염가(廉價) precio *m* barato, precio *m* de oferta, precio *m* de rebajas, precio *m* de ganga, precio *m* de oportunidad, precio *m* bajo, precio *m* moderado, precio *m* módico, precio *m* reducido, baratez *f*. ~의 de ganga, de rebajas, de oferta, de oportunidad, barato, de bajo precio, del precio bajo. ~로 a un precio bajo, baratamente. ~로 팔다 vender a bajo precio.
■~ 매입 ganga *f*, buena compra *f*. ~ 특매장 [백화점의] sección *f* de rebajas. ~판(版) edición *f* popular. ~ 판매 venta *f* de saldos. ~품 artículos *mpl* baratos.

염결하다(廉潔-) (ser) recto, justo, probo, honrado, honesto, equitativo, desinteresado. 염결히 rectamente, justamente, probamente, honradamente, honestamente.

염교 【식물】 chalote *m*, chalota *f*.

염기(鹽氣) sabor *m* de sal, gusto *m* salado, gusto *m* de sal. ~가 있는 salino, salobre. ~로 인한 피해 daños *mpl* causados por la sal del aire marino.

염기(鹽基) 【화학】 base *f*.
◆유기(有機) ~ base *f* orgánica.
■~도(度) basicidad *f*. ~성 물감[염료] clorante *m* básico. ~성 반응 reacción *f* básica. ~성 산화물 óxido *m* básico. ~성 암 roca *f* básica. ~성염 sal *f* básica. ~성 재료 materiales *mpl* básicos. ~성 탄산동 cardenillo *m*, verdín *m*. ~성 탄산연 plomo *m* blanco. ~화 basificación *f*.

염낭(-囊) bolsa *f*, portamonedas *m.sing.pl.*

염도(鹽度) grado *m* salado.

염두(念頭) mente *f*, pensamiento *m*. ~에 두다 tener en cuenta, tener presente; [고려하다] considerar, tener en consideración, pensar (en). ~에 두지 않다 no pensar (en), no tener interés (en); [고려에 넣지 않다] no tener en consideración, no prestar atención (a). 나는 항상 안전 운전을 ~에 두고 있다 Siempre procuro manejar el coche con seguridad. 그는 돈벌이 이외에는 ~에 없다 El no piensa más que en ganar dinero. 그 사람에 대한 것은 ~에 없다 No se aparta de mi memoria lo de él / Lo de él me persigue.

염라(閻羅) ((불교)) =염라대왕.
■~국 ((불교)) el Hades, mundo *m* inferior, infierno *m*, regiones *fpl* infernales. ~대왕 ((불교)) juez *m* de los infiernos, rey *m* del infierno que juzga a los muertos, rey *m* de la muerte.

염량(炎凉) ① [더위와 서늘함] el calor y el frescor. ② [세력의 성함과 쇠함] vicisitud *f*, altibajos *mpl*

염려(念慮) [걱정] ansiedad *f*, inquietud *f*, preocupación *f*; [불안] miedo *m*, temor *m*; [위험] peligro *m*, riesgo *m*; [가능성] posibilidad *f*. ~하다 inquietarse (de·con·en), temer (por), preocuparse (de·por). …을 ~해서 con temor de *algo*, con miedo de *algo*. 아이들을 ~하다 temer por *sus* hijos. …할 ~가 있다 Hay peligro [temor·posibilidad] de algo [de + *inf*·de que + *subj*]. 비가 올 ~는 없다 No hay temor de que llueva. 홍수(洪水)의 ~는 전혀 없다 No hay ninguna posibilidad de una inundación. 그가 낙제할 ~는 없다 No hay miedo de que le suspendan / Estoy seguro de que no le suspenderán. ~하지 마세요 No se preocupe / No se moleste.

염려스럽다 no estar seguro (de), preocuparse (de·por). 네가 운전을 하면 ~ No estoy seguro de tu conducción / Me preocupo por tu conducción.
염려스레 con un aire de preocupación, con una cara inquieta.

염려하다(艶麗—) (ser) encantador, fascinante, hermoso, bello, coqueto. 염려한 여자 belleza *f* voluptuosa, mujer *f* voluptuosa, belleza *f*, *AmS* churro *m*.

염료(染料) (material *m* de) tintura *f*, (materia *f*) colorante *m*.
◆간접(間接) ~ colores *mpl* indirectos. 무기(無機) ~ colorante *m* mineral. 인조(人造)~ colorante *m* artificial. 직접(直接)~ colores *mpl* directos. 천연(天然)~ colorante *m* natural. 합성(合成)~ colorante *m* sintético.
■~ 공업 industria *f* tintorera.

염류(鹽類) sales *fpl*.
■~천(泉) manantial *m* salino, manantial *m* de agua salada mineral.

염마(閻魔) ((불교)) =염라 대왕.

염매(廉買) ganga *f*, buena compra *f*, compra *f* a bajo precio, compra *f* con rebaja, compra *f* de rebajas, compra *f* barata. ~하다 comprar a bajo precio.

염매(廉賣) venta *f* a bajo precio, venta *f* con rebaja, venta *f* de oferta, venta *f* de ganga, venta *f* de saldos, venta *f* barata. ~하다 vender a bajo precio, vender con rebaja, liquidar, vender baratísimamente.
■~ 시장 bazar *m*, feria *f*. ~일 día *m* de ganga, día *m* de liquidación.

염문(艶文) =염서(艶書).

염문(艶聞) asuntos *mpl* amorosos, episodio *m* de amor, romance *m*. 그는 ~이 자자했다 El dio lugar a que se hablara sobre sus amores.

염발제(染髮劑) tinte *m* colorante.

염밭(鹽—) =염전(鹽田).

염백하다(廉白—) (ser) integro.
염백히 integramente.

염병(染病) ① [장티푸스] (fiebre *f*) tifoidea *f*, tifus *m* abdominal. ② ((준말)) =전염병.
◆염병에 땀을 못낼 놈 ¡Maldito sea!
염병할 ¡Coño! / ¡Mierda!

염복(艶福) fortuna *f* en amor.
■~가(家) galán *m*, Don Juan, petimetre *m*, pisaverde *m*, currutaco *m*.

염분(鹽分) porción *f* de la sal, cantidad *f* de sal, salinidad *f*, salobridad *f*. ~을 함유한 salino, salobre; 【지질】 salífero. 다량(多量)의 ~을 함유하다 contener gran cantidad de sal, contener mucha sal.
■~ 과다(過多) hipercloruración *f*.

염불 lo que el útero sale fuera de la vagina.
◆염불 빠진 년 같다 no andar bien tambaleándose. 염불(이) 빠지다 el útero salir fuera de la vagina.

염불(念佛) ((불교)) invocación *f* [rezo *m*·oración *f*] budista, repetición *f* del nombre de Buda. ~하다 repetir el nombre de Buda de forma audible o de forma inaudible, rezar a Buda, recitar oraciones, rezar la oración budista, rezar la oración de *Namuamitabul*.
■산까마귀 염불한다 ((속담)) Practicar hace maestro / El uso hace diestro, y la destreza, maestro.

염산(鹽酸) 【화학】 ácido *m* clorhídrico, ácido *m* hidroclórico; [공업] ácido *m* muriático.
■~가스 gas *m* de ácido clorhídrico. ~염 clorhidrato *m*.

염색(染色) tintura *f*, tinte *m*, teñidura *f*, teñido *m*. ~하다 teñir, colorear. ~이 잘[잘못] 되다 estar bien [mal] teñido. ~하러 보내다 mandar a al tintoría. 머리를 검게 ~하다 teñirse el caballo en [de] negro. ~한 머리를 하고 있다 tener los cabellos teñidos. 그는 옷감을 붉게 ~했다 El tiñó la tela de rojo. 그 여자는 머리카락을 금발로 ~한다 Ella se tiñe el pelo de rubio. 이 천은 ~이 잘 되지 않는다 Esta tela no se tiñe bien. 나는 치마를 푸르게 ~했다 Yo teñí la falda de azul. 네 어머니는 머리카락을 ~하니? ¿Tu madre se tiñe (el pelo)?
■~공 tintorero, -ra *mf*. ~ 공장 taller *m* de tintura. ~사(絲) cromonema *m*, genonema *m*. ~소 tintorería *f*. ~제 colorante *m*. ~ 형질 cromatoplasma *f*.

염색질(染色質) cromatina *f*. ~의 cromático.

염색체(染色體) cromosoma *m*. ~의 cromosómico.
■~ 돌연변이 mutación *f* cromosómica.

염생 식물(—植物) planta *f* halófila.

염서(炎署) calor *m* intenso, rayo *m* ardiente del sol.

염서(艶書) carta *f* amorosa, carta *f* de amor.

염세(厭世) pesimismo *m*.
■~가(家) pesimista *mf*, [사람을 싫어하는] misántropo, -pa *mf*. ~관 concepción *f* pesimista, pesimismo *m*. ~ 문학 literatura *f* pesimista. ~ 자살(自殺) suicidio *m* del asco para la existencia. ~ 적 pesimista *adj*. ~주의(主義) pesimismo *m*. ~주의자 pesimista *mf*. ~증 síntoma *m* pesimista. ~ 철학 filosofía *f* pesimista.

염세(鹽稅) impuesto *m* de la sal.

염소 【동물】 cabra *f*, chiva *f*, cabrón *m*; [수컷] macho cabrío *m*; [암컷] cabra *f*; [새끼] cabrito *m*, chivo *m*.
■~ 가죽 piel *f* de cabra. ~ 가죽 물주머니 odre *m*. ~ 가죽 장갑 guantes *mpl* de piel de cabra. ~ 수염 barbita *f* de chivo, perilla *f*, *AmL* chiva *f*. ~자리 【천문】 Cabra *f*. ~젖 leche *f* de cabra. ~지기 cabrero, -ra *mf*. ~해 el Año de la Cabra.

염소(鹽素) 【화학】 cloro *m*.
■~량 cantidad *f* clórica. ~법 método *m* clórico. ~산 ácido *m* clórico. ~산나트륨 sodio *m* potásico. ~산염 clorato *m*. ~산칼륨 clorato *m* potásico. ~ 살균(殺菌) desgaseado *m* de metales fundidos por adición de cloro. ~수 el agua *f* clorada, el agua *f* de cloro. ~족 원소 =할로겐족 원

소. ~ 처리 cloruración *f*, cloración *f*. ~ 처리 과정 proceso *m* de cloruración. ~표백 blanqueamiento *m* con cloro. ~ 화합물 cloruro *m*.

염수(鹽水) el agua *f* salada, salmuera *f*.
■ ~선(選) selección *f* de las semillas en el agua salada. ~어 pez *m* de mar, pez *m* de agua salada. ~호(湖) lago *m* salino.

염습(殮襲) envolvimiento *m* del cadáver en la mortaja. ~하다 envolver el cadáver en la mortaja.

염열(炎熱) calor *m* intenso [muy severo · extremo]. ~이 찌는 듯한 날 día *m* del calor ardiente. 참을 수 없는~ calor *m* insoportable.

염오(厭惡) antipatía *f*, odio *m*, aversión *f*, repugnancia *f*, aborrecimiento *m*, indignación *f*, asco *m*. ~하다 disgustar, no gustar, detestar, aborrecer, darle asco a *uno*, odiar. ~할 사건 incidente *m* abominable, escándalo *m*.

염원(念願) deseo *m*, anhelo *m*. ~하다 desear, anhelar, hacer votos (por), formular votos (por). 다년간의 ~ deseo *m* [anhelo *m*] de muchos años. 세계 평화를 ~하다 desear la paz del mundo. 그는~의 우승을 했다 Por fin consiguió la victoria que había soñado durante años. 우리들은 그 사람이 무사하기를 ~했다 Pedimos al cielo que él esté sano y salvo.

염의없다 (ser) descarado, desvergonzado, sinvergüenza. 그는 늦게 도착한 것에 대해 ~ No le da ninguna vergüenza llegar tarde.
염의없이 descaradamente, con todo descaro.

염장(鹽醬) condimento *m*, sazón *m*, especias *fpl*.

염장(鹽藏) preservación *f* con sal. ~하다 preservar con sal, salar, curar con sal.
■ ~법 método *m* de perservar con sal.

염장(殮匠) ＝염쟁이.

염장(殮葬) funerales *mpl* después de envolver el cadáver en la mortaja. ~하다 hacer funerales después de envolver el cadáver en la mortaja.

염쟁이(殮－) persona *f* que trabaja en una funeraria.

염전(鹽田) salina *f*, campo *m* de sal.

염접하다 hacer jaretas en el borde.

염정(鹽井) pozo *m* de sal.

염좌(捻挫) distorsión *f*, fractura *f* de la articulación, torcedura *f*, torcimiento *m*, esguince *m*. ~하다 torcerse, hacerse un esguince (en), producir un esguince (en).

염주(念珠) ((불교)) rosario *m*, cordón *m* (*pl* cordones) de cuentas. ~를 세다 contar las cuentas. ~를 세어 넘기다 pasar las cuentas del rosario, desgranar el rosario. ~를 세며 기도하다 rezar el rosario.
■ ~끈 sarta *f* de cuentas. ~알 cuenta *f*.

염증(炎症)【의학】inflamación *f*, enconamiento *m*; [피부의] dermatitis *f*, dermitis *f*. ~을 일으키다 inflamar(se), enconarse, causar inflamación. 피부 ~이 생기다 tener erupciones, tener ronchas, tener salpillido. 상처가 ~을 일으키고 있다 La herida está inflamada. 다친 곳이 ~을 일으켰다 La parte herida se inflamó.

염증(炎蒸) calor *m* sofocante.

염증(厭症) ＝싫증(disgusto, aversión).

염직(染織) ① [피륙에 물들임] tintura *f*, tinte *m*. ② [염색과 직조] la tintura y la textura.
■ ~ 공장(工場) taller *m* de tintura.

염직하다(廉直－) (ser) integro, honrado, honesto, recto. 염직한 사람 hombre *m* de integridad, hombre *m* recto.
염직히 integramente, honradamente, honestamente, rectamente.

염천(炎天) ① [여름의 몹시 더운 날씨] tiempo *m* caliente, tiempo *m* ardiente, calor *m* abrasador, sol *m* ardiente. ~에서 al sol picante. ~ 아래서 걷다 andar bajo el sol ardiente [abrasador]. ② [남쪽 하늘] cielo *m* (del) sur.

염천(鹽泉)【지질】＝식염천(食鹽泉).

염출(捻出) ① [비틀어 냄] torcedura *f*. ~하다 torcer. ② ＝안출(案出). ③ [돈을 억지로 장만함] preparación *f* por fuerza. ~하다 preparar por fuerza. 비용(費用)을 ~하다 arreglarse [arreglárselas · manejarse · manejárselas] para reunir los gastos. 나는 아이들의 학비를 간신히 ~하고 있다 Me manejo [Me (las) apaño] a duras penas para sacar los gastos de la escuela de mis hijos.

염치(廉恥) (sentido *m* de) honor *m*, integridad *f*, honradez *f*. ~를 중하게 여기다 mantener honor sobre cualquier cosa, estimar honor.
염치없다 (ser) impudente, descarado, indiscreto, sin miramientos, desvergonzado, sinvergüenza, descocado. 염치없는 일 descaro *m*, desparpajo *m*, indiscreción *f*. 그는 염치없는 사람이다 El es un hombre indiscreto.
염치없이 impudentemente, con la mayor desvergüenza, desvergonzadamente, atrevidamente, audazmente, osadamente, descaradamente. ~ …하다 ser bastante imprudente a *algo*, tomar la libertad de *algo*. ~ 귀하에게 …을 부탁드리려고 편지드립니다 Tomo la libertad de escribirle a usted para rogarle que + *subj*. 그는 ~ 돈을 빌리러 왔다 El ha tenido el descarado de venir a pedirme prestado el dinero. ~ 어떻게 돌아갈 수 있을까? ¿Cómo podría tener la desvergüenza de volver?

염탐(廉探) espinaje *m*. ~하다 espiar.
■ ~꾼 espía *mf*. ~질 espinaje *m*.

염통【해부】＝심장(心臟)(corazón).

염포(殮布) mortaja *f*.

염하다(念－) rezar las escrituras budistas silenciosamente.

염하다(殮－) ＝염습(殮襲)하다.

염하다(廉－) ① [값싸다] (ser) barato. ② ((준말)) ＝청렴하다.
염호(鹽湖) 【지질】 ＝함수호(鹹水湖).
염화(鹽化) 【화학】 clorización *f.* ～하다 clorizar.
■ ～가리 ＝염화칼륨. ～ 고무 caucho *m* clorado. ～구리 cloruro *m* de cobre. ～금 cloruro *m* de oro. ～나트륨 cloruro *m* sódico, cloruro *m* de sodio. ～동 cloruro *m* de cobre. ～마그네슘 cloruro *m* de magnesio. ～메틸 cloruro *m* de metilo. ～물 cloruro *m.* ～바륨 cloruro *m* de bario. ～비닐 cloruro *m* de vinilo. ～수소 cloruro *m* de hidrógeno. ～수은 cloruro *m* de mercurio. ～아연 cloruro *m* de zinc. ～알루미늄 cloruro *m* de aluminio. ～암모늄 cloruro *m* amónico. ～연 (鉛) cloruro *m* de plomo. ～ 요드소(素) monocloruro *m* de yodo. ～은 cloruro *m* de plata. ～ 제이수은 cloruro *m* mercúrico, solimán *m,* sublimado *m* (corrosivo). ～ 제일수은 calomelano *m,* cloruro *m* mercurioso. ～철 cloruro *m* de hierro. ～칼륨 cloruro *m* de potasio. ～칼슘 cloruro *m* de calcio.
엽견(獵犬) perro *m* de caza, galgo *m,* podenco *m,* sabueso *m.*
엽관 운동(獵官運動) buscaempleos *m.* ～을 하는 사람 pretendiente *mf* de buscaempleos.
엽궐련(葉－) cigarro *m,* (cigarro *m*) puro *m.*
엽기(獵奇) buscada *f* de curiosidad grotesca.
■ ～ 문학(文學) literatura *f* que excita una curiosidad insana. ～ 소설 novela *f* que excita una curiosidad insana. ～심(心) curiosidad *f* de rareza. ～적 curioso de rareza, que excita una curiosidad insana. ～ 취미 gusto *m* morboso.
엽기(獵期) ① [사냥하는 데 좋은 철] estación *f* [temporada *f*] de caza. ② [사냥을 허가하는 기간] época *f* [período *m*] de caza.
엽렵하다(獵獵－) (ser) muy inteligente y ágil.
엽렵히 inteligente y ágilmente.
엽록소(葉綠素) 【식물】 clorofila *f.* ～의 clorofílico.
엽록체(葉綠體) cloroplasto *m.*
엽맥(葉脈) 【식물】 ＝잎맥.
엽병(葉柄) 【식물】 ＝잎자루.
엽복(獵服) chaqueta *f* de caza.
엽부(獵夫) ＝사냥꾼(cazador).
엽사(獵師) ((높임말)) ＝사냥꾼(cazador).
엽색(獵色) lascivia *f,* lujuria *f,* aventuras *fpl* amorosas, libídine *f,* libidinosidad *f,* libertinaje *m,* disipación *f.*
■ ～가 mujeriego *m,* hombre *m* lascivo, hombre *m* lujurioso. ～꾼 mujeriego *m,* tenorio *m,* libidinoso *m.*
엽서(葉書) ((준말)) ＝우편(郵便)엽서. 그림엽서. ¶～를 보내다 enviar [despachar] una tarjeta postal.
◆관제(官製)～ tarjeta *f* postal oficial. 그림～ tarjeta *f* postal ilustrada. 만국 연합 우편～ tarjeta *f* postal universal. 반신용～ (tarjeta *f* de) respuesta *f* comercial. 복권부 연하 ～ tarjeta *f* postal del Año Nuevo con lotería. 봉함～ tarjeta *f* postal a carta. 사제(私製) ～ tarjeta *f* postal particular. 왕복(往復)～ tarjeta *f* postal de ida y vuelta. 항공 (봉함) ～ aerograma *m.*
엽술(獵術) arte *m* de caza, técnica *f* de cazar los aves y los animales.
엽연초(葉煙草) ＝잎담배.
엽우(獵友) compañero *m* de caza.
엽전(葉錢) ① [놋으로 만든 옛날의 돈] *yeobcheon,* moneda *f* de latón antigua de Corea. ② ((속어)) coreano, -na *mf.*
엽조(獵鳥) el ave *f* (*pl* las aves) que se permite la caza.
엽차(葉茶) ① [차나무의 잎을 따서 만든 찻감. 또 그 물] té *m* verde, té *m* ordinario. ② [한 번 우려낸 홍차를 재탕한 차(茶)] segundo brebaje *m* de té. ③ [차나무의 어린 잎을 따 쪄서 말린 차] té *m* cocido y secado de las nuevas hojas.
엽초(葉草) ＝잎담배.
엽총(獵銃) ＝사냥총.
엽치다 moler la cebada aproximadamente.
엿[1] *yeot,* gluten *m* de trigo, sacarosa *f,* azúcar *m* de caña, caramelo *m* (coreano), caramelo *m* masticable, *Guat* melcocha *f.* ～으로 만든 알사탕 bola *f* [bolita *f*] de caramelo.
◆엿 먹어라 ¡Sufre mil dolores! 엿 먹이다 injuriar, inferir injurias.
■ ～판 tabla *f* para *yeot.* ～물 líquido *m* de *yeot.* ～반대기 pieza *f* redonda y ancha de *yeot.* ～밥 restos *mpl* de arroz después de escurrir el líquido de *yeot.* ～장수 vendedor, -dora *mf* de *yeot.* ～죽방망이 ㉮ [엿을 골 때 엿물을 젓는 막대기] palo *m* para remover el líquido de *yeot.* ㉯ [쉬운 일] cosa *f* fácil.
엿[2] [여섯] seis. ～ 냥 seis *yang.*
엿- en secreto, secretamente. ～보다 mirar furtivamente. ～듣다 escuchar a hurtadillas.
엿가락 ＝엿가래.
엿가래 pieza de *yeot.*
엿가위 tijeras *fpl* para el vendedor de *yeot.*
엿기름 malta *f,* malta *f* de cebada, sojas *fpl* germinadas.
■ ～가루 malta *f* en polvo. ～물 líquido *m* de malta.
엿당(－糖) 【화학】 ＝말토오스(maltose).
엿듣다 escuchar a las puertas, escuchar a hurtadillas, escuchar por la ventana lo que se habla dentro de las casa, escuchar secretamente, atisbar, mirar a hurtadillas, entrever.
엿보다 ① [남이 모르게 가만히 보거나 살피다] acechar, espiar, atisbar, escrudriñar, mirar furtivamente. 살짝 ～ entrever, divisar, echar una ojeada, echar una mirada furtiva, atisbar. 옆방의 동정을 ～ espiar lo que pasa en el cuarto de al lado. ② [알맞은 때를 기다리다] acechar. 기회를 ～ ace-

char la oportunidad, acechar la ocasión.

엿살피다 acechar, espiar, atisbar, escrudriñar, vigilar, hacer la acechona.

엿새 ① [여섯 날] seis días. ② ((준말)) =엿샛날.

■ ~날 el seis (del mes). 이천이년 정월 ~ el 6 de enero de 2002 (dos mil dos).

영[1] ((준말)) =이엉.

영[2] [깨끗하게 잘 꾸민 집 안이나 방 안의 산뜻하고 생기 있는 밝은 기운] atmósfera *f* viva y clara. ~이 돌다 tener la atmósfera viva y clara.

영[3] =도무지. 전혀. ¶~ 입맛이 없다 no tener apetito de ninguna manera.

영(令) ① ((준말)) =명령(命令). ② ((준말)) =법령 (法令). ③ ((준말)) =약령(藥令).

영(英) ① ((준말)) =영국(英國). ② =영어(英語).

영(零) cero *m* (0), nada. 1대 ~으로 en 1 por 0. 1 대 ~으로 이기다 vencer por uno a cero. ~에서 출발하다 empezar [partir] de la nada. ~하 10도이다 Hace diez grados bajo cero. 기온이 ~하로 떨어졌다 La temperatura bajó de los cero grados. 너의 승리의 기회는 ~이다 No tienes ninguna posibilidad de ganar / Tus posibilidades de ganar son nulas.

■ ~시(時) hora *f* cero.

영(營) ((준말)) =영문(營門).

영(嶺) =재[2].

영(齡) período *m* del crecimiento del gusano de seda.

영(靈) ① ((준말)) =신령(神靈). ② ((준말)) =영혼(alma, espíritu). ¶~과 육(肉) el alma *f* y cuerpo, espíritu *m* y carne, espíritu *m* y cuerpo. ~의 세계 el otro mundo, el reino de los muertos. ③ ((성경)) espíritu *m*.

영(永) ((준말)) =영영(永永)(para siempre). ¶~ 소식이 없다 nunca hay ninguna noticia

영-(令) su (estimada). ~부인(夫人) su (estimada) señora [esposa].

영가(詠歌) =창가(唱歌).

영가(靈歌) 【음악】 (canto *m*) espiritual *m*. 흑인(黑人) ~ (canto *m*) espiritual *m*, espiritual *m* negro.

■ ~적 음악(的音樂) gospel *m*.

영각 [황소 울음] mugido *m*. ~하다 mugir.

영감(令監) ① [좀 나이 많은 남편] *su* esposo. ② [남자 늙은이] (hombre *m*) viejo *m*, anciano *m*, patriarca *m*. ③ [면장 · 군수 · 판검사 등 지체 있는 사람을 존대하여 일컫는 말] lord *m* (*pl* lores), señor *m*.

영감(靈感) inspiración *f*, numen *m*. ~을 주다 inspirar, dar inspiración. ~을 받다 inspirarse (en), recibir inspiración (en). 시인(詩人)은 ~을 얻었다 El poeta se fue inspirado.

영걸(英傑) ① [재지가 뛰어난 사람] gran hombre *m* (*pl* grandes hombres), héroe *m*. ② [영민하고 걸출함] carácter *m* heroico.

영걸스럽다 (ser) heroico y excelente.

영걸스레 heroica y excelentemente.

■ ~지주(之主) soberano *m* heroico.

영검(靈一) milagro *m*, respuesta *f* de Dios.

영겁(永劫) ((불교)) eternidad *f*. ~의 eterno.

영결(永訣) despedida *f* eterna (entre el vivo y el muerto). ~하다 despedirse de *uno* eternamente.

■ ~식 ceremonia *f* funeral.

영경(英京) capital *f* de Inglaterra, Londres.

영계(一鷄) polluelo *m*, pollito *m*.

■ ~백숙 polluelo *m* cocido con arroz.

영계(靈界) ① [정신 또는 그 작용이 미치는 범위] mundo *m* espiritual, mundo *m* mental, mundo *m* psíquico. ~의 현상(現象) fenómeno *m* espiritual. ② [영혼의 세계] reino *m* de los muertos, el otro mundo. ③ ((불교)) reino *m* de los difuntos espíritus, mundo *m* de los espíritus.

영고(榮枯) =영고성쇠(榮枯盛衰).

■ ~성쇠(盛衰) prosperidad *f* y decaecimiento, vicisitud *f* de la vida, esplendidez *f* y miserias, ascensión *f* y descenso de una nación.

영공(領空) espacio *m* (aéreo) territorial, espacio *m* aéreo soberano, aire *m* territorial, aire *m* jurisdiccional.

■ ~권 dominios *mpl* aéreos. ~설 teoría *f* del espacio aéreo territorial. ~ 침해(侵害) violación *f* del espacio (aéreo) territorial.

영관(領官) 【군사】 oficial *m* superior.

영관(榮冠) corona *f* de gloria; [월계수] lauro *m*, laurel *m*, corona *f* de laurel. ~을 얻다 ser coronado. 승리의 ~을 얻다 ser coronado con la victoria. 승리의 ~을 차지하다 conseguir los laureles de la victoria. 입상(入賞)의 ~을 차지하다 conseguir los laureles del premio.

영광(榮光) gloria *f*, aureola *f*, [명예] honor *m*, honra *f*. 신(神)의 ~ la Gloria de Dios. ~으로 알다 honrarse. …하는 ~을 가지다 tener el honor de + *inf*, verse honrado [premiado] de [con] *algo*. 한국 팀은 승리의 ~으로 빛났다 El equipo coreano se coronó con la gloria del triunfo / El equipo coreano resplandeció en la gloria de su victoria.

영광스럽다 (ser) glorioso, honroso. 영광스러운 역사 historia *f* gloriosa.

영광스레 gloriosamente, con gloria, honrosamente. 나는 그의 우정(友情)을 ~ 생각하고 있었다 Me honraba con su amistad.

영광(靈光) luz *f* divina, luz *f* milagrosa, brillo *m* sagrado.

영교(令嬌) =영애(令愛).

영교(靈交) comunión *f* espiritual. ~하다 celebrar comunión (con). 사람과 자연(自然)의 ~ intercomunicación *f* del hombre con la naturaleza.

영구(永久) eternidad *f*, perpetuidad *f*, permanencia *f*. ~하다 (ser) eterno, perpetuo, permanente, sempiterno.

영구히 eternamente, perpetuamente, permanentemente, para la eternidad, para siempre. ~ 헤어지다 separarse para siempre. 그의 명성(名聲)은 ~ 전해질 것이다 Su fama perdurará para la eternidad.

■~ 공채 deuda *f* permanente. ~ 운동 movimiento *m* permanente. ~ 자석 imán *m* permanente. ~적 perpetuo, permanente, eterno. ¶~으로 perpetuamente, permanentemente, eternamente. ~치(齒) diente *m* permanente. ~화 eternización *f*.

영구(靈柩) ataúd *m*, féretro *m*, caja *f*, *AmL* cajón *m* (*pl* cajones).

■~ 열차 tren *m* fúnebre. ~차 coche *m* fúnebre, carro *m* fúnebre; [말이 끄는] carroza *f* fúnebre.

영국(英國)【지명】Inglaterra, Reino Unido de Gran Bretaña e Irlanda del Norte. ~의 inglés, británico.

■~ 국교도 anglicano, -na *mf*. ~ 국교회 la Iglesia Anglicana. ~ 국민 pueblo *m* británico, los británicos. ~ 국왕 rey *m* británico. ~ 사람 inglés, -lesa *mf*, británico, -ca *mf*. ~ 여왕 reina *f* británica. ~ 영어 inglés *m* británico, briticismo *m*. ~ 정부 gobierno *m* británico. ~톤 tonelada *f* inglesa, tonelada *f* británica, tonelada *f* larga. ~화 anglicanización *f*. ~ 황태자 el Príncipe de Gales.

영국 연방(英國聯邦) la Comunidad Británica de Naciones.

영금 experiencia *f* amarga. ~을 보다 tener una experiencia amarga.

영남(嶺南)【지명】*Yeongnam*, provincia *f* *Gyeongsangdo*.

영내(領內) territorio *m*, dominio *m*. ~에서 en el territorio. ~에 난립(亂立)하다 invadir el territorio vecino, hacer una incursión al dominio ajeno.

영내(營內) (en el) cuartel *m*. 그들은 ~에서 수 주일(週日)을 보냈다 Ellos pasaron varias semanas acuartelados.

■~ 거주 residencia *f* en el cuartel. ~ 생활 vida *f* en el cuartel. ~ 수용 acuartelamiento *m*.

영년(永年) tiempo *m* largo, mucho tiempo, largo tiempo *m*, muchos años; [부사적] por muchos años.

■~ 근속 muchos años *mpl* de servicio. ~ 근속자 empleado, -da *mf* de muchos años de servicio.

영농(營農) explotación *f*, cultivo *m*, labranza *f*, agricultura *f*.

■~가(家) agricultor, -tora *mf*. ~ 기업 empresa *f* agrícola. ~ 방법 método *m* de cultivo. ~ 수입 ingresos *mpl* agrícolas. ~ 자금 fondo *m* de labranza.

영단(英斷) juicio *m* decisivo, decisión *f* audaz, decisión *f* firme, medida *f* drástica. ~을 내리다 cortar el nudo gordiano, emitir [tomar] un juicio decisivo.

영단(營團) corporación *f* pública, fundación *f* pública.

영달(榮達) encumbramiento *m*, adelantamiento *m*, ascenso *m*, fama *f* y fortuna, fama *f* y riqueza. ~하다 ascender a una alta posición, prosperar.

영대(永代) =영세(永世)(perpetuidad).

■~ 소유권(所有權) perpetuidad *f*, posesión *f* perpetua. ~ 소작 tenencia *f* perpetua. ~ 재산 perpetuidad *f*. ~ 차지 arrendamiento *m* perpetuo. ~ 차지권(借地權) arriendo *m* perpetuo, arriendo *m* en perpetuidad. ~ 차지인(借地人) arrendatario *m* perpetuo, arrendataria *f* perpetua.

영도(零度) grado *m* cero. ~ 아래 bajo cero. 기온이 ~로 내려갔다 La temperatura ha bajado a cero.

영도(領導) dirección *f*, guía *f*, liderazgo *m*, jefatura *f*. ~하다 dirigir, guiar.

■~권 derecho *m* de dirección. ~력 poder *m* de liderazgo. ~자(者) dirigente *mf*, líder *mf*.

영도(靈都) =성도(聖都).

영독(英獨) [영국과 독일] Inglaterra y Alemania. ~의 anglo-alemán.

영독하다(獰毒-) (ser) fiero, feroz, violento, salvaje, malhumorado y agresivo.

영동(嶺東)【지명】*Yeongdong*, región *f* de la provincia de *Gangwondo*.

영락(零落) ① [초목(草木)의 잎이 시들어 떨어짐] la marchitez y la caída. ~하다 marchitar y caer. ② [세력이나 살림 등이 아주 보잘것없이 됨] ruina *f*, arruinamiento *m*, decadencia *f*. ~하다 arruinarse, decaer, caer en la ruina, caer en la miseria, empobrecerse. 그는 거지로까지 영락했다 El ha quedado reducido a la miseria / El ha caído en la miseria.

영락없다 (ser) infalible, indefectible, seguro, inagotable, constante, inquebrantable.

영락없이 infaliblemente, indefectiblemente, seguramente, a toda prueba, sin falta.

영랑(令郞) su hijo.

영령(英領) territorio *m* de Inglaterra, dominio *m* británico. ~의 inglés, -lesa.

영령(英靈) [죽은 사람의 영혼(靈魂)] el alma *f* del muerto; [전사자의 영혼] el alma *f* de un soldado muerto [de un héroe caído] en la guerra [en el campo de batalla], espíritu *m* de los caídos (en el campo de batalla), espíritu *m* de los difuntos. ~을 위로(慰勞)하다 consolar el espíritu de los difuntos.

영롱하다(玲瓏-) (ser) brillante, transparente, esplendoso. 영롱함 brillantez *f*. 팔면(八面)이 영롱한 사람 persona *f* de rectitud, persona *f* sin mancha.

영롱히 brillantemente, transparentemente, esplendosamente.

영리(營利) lucro *m*, ganancia *f*, beneficio *m*. ~를 목적으로 하다 tener objeto lucrativo. ~에 급급하다 estar empeñoso en sacar ganancia.

■~ 경제 economía *f* lucrativa. ~ 기업 empresa *f* rentable. ~ 단체 organización *f* establecida con fines lucrativos. ~ 법인 persona *f* jurídica lucrativa. ~ 보험 seguro *m* de utilidades. ~ 사업 empresa *f* comercial. ~적 lucrativo, utilitario. ¶ ~으로 lucrativamente, utilitariamente. ~주의 utilitarismo *m*, mercantilismo *m*, comercialismo *m*. ~ 행위 acción *f* comercial. ~ 회사 compañía *f* establecida para sacar.

영리하다(怜悧-) (ser) inteligente, listo; [사려(思慮)가 깊은] prudente, cuerdo, discreto; [예민한] agudo, sagaz (*pl* sagaces), perspicaz (*pl* perspicaces). 영리함 inteligencia *f*, prudencia *f*, sagcidad *f*, perspicacidad *f*, perspicacia *f*, agudeza *f* de vista. 영리하게 inteligentemente, listamente, prudentemente, discretamente, agudamente, sagazmente, perspicazmente. 영리한 소년 niño *m* inteligente, niño *m* listo. 영리한 소녀 niña *f* inteligente, niña *f* lista. 이 아이는 영리한 눈을 하고 있다 Este niño tienes los ojos inteligentes.

영림(營林) administración *f* de los bosques, repoblación *f* forestal, silvicultura *f*.
■ ~국 la Oficina de Silvicultura. ~서 el Departamento Local de Silvicultura.

영마루(嶺-) pico *m* del paso de montaña.

영망(令望) buena fama *f*, buena reputación *f*.

영매(令妹) su hermana.

영매(永賣) venta *f* completa. ~하다 vender completamente.

영매(靈媒) medium *m*.

영매하다(英邁-) (ser) bravo y prudente, excelente y agraciado.

영면(永眠) sueño *m* eterno, fallecimiento *m*, muerte *f*. ~하다 dormir el sueño eterno, dormir el sueño de la eternidad, dormirse para siempre, fallecer, morir, cerrar los ojos para el eterno descanso. 부디 ~하소서 Que en paz descanse / Q.E.P.D. / q.e.p.d.

영명(令名) ① [훌륭하다는 평판(評判)·명성(名聲)·명예(名譽)] buena fama *f*, buena reputación *f*, buen honor *m*. ② [상대방의 이름의 경칭] su nombre.

영명(英名) fama *f*, gran nombre *m*, reputación *f*. ~을 얻다 ganar fama.

영명(榮名) =영예(榮譽).

영명하다(英明-) (ser) muy inteligente.

영몽(靈夢) sueño *m* maravilloso, sueño *m* de revelación, revelación *f* divina en sueños.

영묘(英妙) joven *mf* (*pl* jóvenes) que tiene el talento sobresaliente.

영묘(靈廟) mausoleo *m*, mauseolo *m*.

영묘하다(靈妙-) (ser) etéreo, inexplicable, exquisito, misterioso, admirable, milagroso, maravilloso, sobrenatural, inenarrable, indescriptible, inefable, inescrutable.

영문 ① [까닭] causa *f*, razón *f*, porqué *m*. 무슨 ~이냐? ¿Qué pasa? 무슨 ~일까? ¿Qué pasará? 무슨~이었을까? ¿Qué pasó? 너는 무슨 ~이냐? ¿Qué te pasa? 그는 무슨 ~이었습니까? ¿Qué le pasaba a él? 컴퓨터가 무슨 ~입니까? ¿Qué le pasa al ordenador [*AmL* a la computadora · *AmL* al computador]? 김 양은 무슨 ~이 있습니까? ¿Le pasa algo a la señorita Kim? ② [형편] circunstancias *fpl*.
◆영문(을) 모르다 no saber porqué. 나는 영문을 모르겠다 Yo no sé porqué.

영문(英文) ① [영어로 쓴 글] inglés *m*, texto *m* en inglés, composición *f* inglesa, escrito *m* inglés, oración *f* inglesa. ~으로 쓰다 escribir en inglés. ② =영서(英書).
■ ~ 국역(國譯) traducción *f* del inglés al coreano. ~법 gramática *f* inglesa. ~자(字) letra *f* inglesa. ~학 literatura *f* inglesa. ~학과 departamento *m* de literatura inglesa. ~학사 historia *f* de literatura inglesa. ~학자 estudioso, -sa *mf* de literatura inglesa. ~학회 la Sociedad Literaria de Inglés, la Sociedad de Literatura Inglesa.

영문(營門) ① [병영(兵營)의 문] puerta *f* del cuartel. ② ((구세군)) [교회] iglesia *f*. ③ 【역사】 =감영(監營).

영물(靈物) ser *m* espiritual, ser *m* sagrado, ser *m* divino, lo espiritual, lo divino, lo sagrado, animal *m* espiritual.
영물스럽다 (ser) espiritual, sagrado, divino. 영물스레 espiritualmente, sagradamente, divinamente.

영미(英美) [영국과 미국] Inglaterra y Estados Unidos de América. ~의 anglo-estadounidense, anglo-norteamericano.
■ ~ 문학(文學) literatura *f* anglo-estadounidense. ~법 ley *f* anglo-estadounidense.

영민하다(英敏-) (ser) inteligente, sagaz.

영바람 euforia *f*, excitación *f*, júbilo *m*. ~이 나서 jubilosamente, exultantemente, de júbilo, triunfantemente, orgullosamente, con orgullo. ~이 나다 llenarse de júbilo.

영별(永別) despedida *f* eterna. ~하다 despedirse eternamente.

영본(零本) libro *m* que faltan muchos volúmenes.

영본(影本) =탑본(榻本).

영봉(靈峰) pico *m* sagrado, cima *f* sagrada, montaña *f* sagrada.

영부인(令夫人) su (estimada) señora.

영불(英佛) [영국과 불란서] Inglaterra y Francia. ~의 anglo-francés.

영빈관(迎賓館) *Yeongbinkwan*, el Palacio de Huéspedes de Honor.

영사(映射) reflexión *f*. ~하다 reflexionar.

영사(映寫) proyección *f*, rodaje *m*. ~하다 proyectar, rodar. 슬라이드를 스크린에 ~하다 proyectar diapositivas en la pantalla.
■ ~기 proyector *m* (cinematográfico). ~기사 operador, -dora *mf*, proyectista *mf*. ~막(幕) pantalla *f*. ~실 cabina *f* de proyección. ~회 proyección *f*.

영사(領事) cónsul *mf*. ~의 consular. ~가 되다 hacerse cónsul.
◆대한민국 주재(駐在) 서반아 ~ cónsul *m* español en la República de Corea. 명예 ~ cónsul *m* honorario, cónsul *f* honoraria; cónsul *mf* ad honorem. 부(副)~ vicecónsul *mf*. 서반아 왕국 주재 대한민국 ~ cónsul *mf* de la República de Corea en el Reino de España. 총~ cónsul *mf* general.

■ ~관(官) cónsul *mf.* ~관(館) consulado *m.* ¶총~ consulado *m* general. ~관원 personal *m* del consulado. ~ 구역(區域) consulado *m.* ~국(局) departamento *m* consular. ~단 cuerpo *m* consular. ~ 대리 encargado, -da *mf* del cónsul. ~ 사증(査證) visado *m* [*AmL* visa *f*] consular, legalización *f* [visación *f*] consular. ~ 사증료 derechos *mpl* consulares. ~ 송장(送狀) factura *f* consular. ~ 인가증 esequátur *m.* ~ 재판 juicio *m* por tribunal consular. ~ 재판권 jurisdicción *f* consular. ~ 재판소 la Corte Consular. ~직 consulado *m,* dignidad *f* consular

영사(影寫) calco *m.* ~하다 calcar *algo.*

영사(營舍) (edificio *m* de) cuartel m.

영사(靈祠) ((불교)) monasterio *m,* templo *m* espiritual.

영산(靈山) ① [신령한 산] montaña *f* espiritual. ② [신불을 모시어 제사 지내는 산] montaña *f* para el servicio funeral al dios. ③ ((준말)) =영취산.

영산백(映山白) 【식물】 azalea *f.*

영산홍(映山紅) 【식물】 azalea *f* de la flor rosa.

영상(映像) imagen *f* (*pl* imágenes), reflección *f,* silueta *f.*

■~ 레이더 radar *m* de formación de imágenes. ~ 문화(文化) cultura *f* por imágenes. ~ 변환관 convertidor *m* de imagen, transformador *m* de imagen. ~ 송신기 videotransmisor *m.* ~ 신호 señal *f* de imagen, señal *f* de video. ~ 주파수 frecuencia *f* de imagen, videofrecuencia *f.* ~ 증폭기 amplificador *m* de imagen, videoamplificador *m.* ~ 표시 장치 terminal *f* visual de datos.

영상(零上) sobre el cero (centígrado). ~ 10도 diez grados sobre el cero.

영상(影像) ① =영정(影幀). ② =영상(映像).

영생(永生) ((기독교)) vida *f* eterna, vida *f* inmortal, inmortalidad *f.* ~하다 vivir inmortalmente, vivir eternamente, gozar de la inmortalidad; ((성경)) vivir para siempre.

■ ~불멸(不滅) vida *f* eterna.

영생수(永生水) =생명수(生命水).

영생이 【식물】 =박하(薄荷).

영서(令婿) su yerno, su hijo político.

영서(永逝) =영면(永眠).

영서(英書) libro *m* (de) inglés; [영문(英文)] literatura *f* inglesa.

영서(嶺西) 【지명】 tierra *f* (del) sur de *Daegwanryeong* de la provincia de *Gangwon-do.*

영선(營繕) construcción y reparación.

■ ~과(課) sección *f* de construcción y reparación. ~비 (費) gastos *mpl* de construcción y reparación.

영성(靈性) espiritualidad *f,* natuleza *f* divina, divinidad *f.*

영성체(領聖體) ((천주교)) Santa Comunión *f,* Sagrada Comunión *f,* Comunión *f* Sagrada.

영세[1](永世) eternidad *f,* permanencia *f,* perpetuidad *f.* ~의 eterno. ~토록 para siempre, eternamente, permanentemente, perpetuamente.

■ ~무궁(無窮) =영원(永遠)무궁. ~불망(不忘) recuerdo *m* eterno. ~ 중립 neutralidad *f* permanente, neutralidad *f* perpetua. ~ 중립국 estado *m* neutral permanente, país *m* permanentemente neutral.

영세[2](永世) ((성경)) siglos *mpl* perpetuos, todos los siglos, para siempre.

■ ~전(前) ((성경)) tiempos *mpl* eternos, antes que el mundo existiera.

영세(零細) lo pequeño, lo mezquino.

■ ~ 기업(企業) empresa *f* a pequeña escala, empresa *f* menuda. ~농 agricultor, -tora *mf* a pequeña escala; agricultor *m* pequeño, agricultora *f* pequeña. ~민(民) el indigente, el pobre, el pobrísimo. ~ 어민 pescador, -dora *mf* a pequeña escala. ~ 업자 negociante *mf* en [a] pequeña escala. ~ 자금 fondo *m* en pequeña escala. ~ 자본 pequeño capital *m,* capital *m* en pequeña escala.

영세(領洗) ((천주교)) bautismo *m.* ~를 베풀다 [주다] bautizar. ~를 받다 recibir el bautismo, ser bautizado.

■ ~명(名) nombre *m* de pila.

영세무궁하다(永世無窮-) =영원무궁하다.

영속(永續) permanencia *f,* duración *f,* persistencia *f.* ~하다 durar, perpetuarse, perdurar, permanecer, persistir.

■ ~성 permanencia *f,* perpetuidad *f.* ~적 duradero, permanente, perpetuo, perdurable, durable. ¶~으로 duraderamente, permanentemente, perpetuamente, perdurablemente, durablemente.

영손(令孫) su (estimado) nieto.

영솔(領率) mando *m,* supervisión *f,* dirección *f.* ~하다 dirigir.

영송(迎送) bienvenida *f* y despedida. ~하다 ver y despedirse.

영송(詠誦) =낭송(朗誦).

영수(永壽) =장수(長壽)(longevidad).

영수(領水) =영해(領海).

영수(領收/領受) recepción *f.* ~하다 recibir. 정(正)히 ~함 He recibido debidamente.

■ ~서 =영수증(領收證). ~원 recaudador, -dora *mf.* ~인 consignatario, -ria *mf,* depositario, -ria *mf* judicial; recaudador, -dora *mf,* síndico, -ca *mf,* destinatario, -ria *mf.* ~증 recibo *m,* comprobante *m.*

영수(領袖) dirigente *mf,* jefe, -fa *mf,* líder *mf.*

영수(靈水) el agua *f* maravillosa, el agua *f* milagrosa.

영시(英詩) [전체] poesía *f* (de) inglés; [시편] poema *m* (de) inglés.

영시(零時) cero horas *fpl,* entre las doce [las veinticuatro] y la una. 오전 ~에 a medianoche. 오후 ~에 a mediodía. ~ 20분이다 Son las cero y veinte / Son las veinticuatro y veinte.

영식(令息) su hijo. A씨의 ~ hijo *m* del señor A.
영아(嬰兒) =젖먹이(lactante).
■~ 사망률 mortalidad *f* de los infantes. ~ 살인범 infanticida *mf.* ~ 살해죄[살인죄] infanticidio *m.* ~ 세례 =유아 세례. ~ 위탁소 guardería *f* infantil.
영악스럽다 (ser) feroz, fiero, cruel. 영악스런 동물 animal *m* feroz.
영악스레 ferozmente, cruelmente, con ferocidad.
영악하다 (ser) inteligente, listo, astuto. 영악한 아이 niño *m* astuto, niña *f* astuta.
영악하다(獰惡－) (ser) feroz, fiero. 영악함 ferocidad *f,* crueldad *f.*
영안실(靈安室) depósito *m* de cadáveres, morgue *m.*
영애(令愛) su hija.
영약(靈藥) medicina *f* milagrosa, remedio *m* milagroso.
영양(令孃) =영애(令愛).
영양(羚羊)【동물】antílope *m;* [알프스의] gamuza *f,* [아프리카산의] gacela *f.*
영양(榮養) nutrimento *m,* nutrición *f,* alimentación *f,* nutricio *m.* ~의 alimentario. ~ 있는 nutritivo, alimentoso, alimenticio, nutricio; [영양도 있고 맛도 좋은] suculento. ~이 없는 poco nutritivo, poco alimenticio. ~이 되는 즙 zumo *m* [jugo *m*] nutrido. ~이 풍부한 식품(食品) alimento *m* sustancioso. ~이 풍부한 식사(食事) comida *f* muy nutritiva. ~을 섭취하다 nutrirse, alimentarse. 식량으로 ~을 섭취하다 nutrirse con manjares.
■~가 valor *m* nutritivo, caloría *f.* ~ 결핍 subalimentación *f,* falta *f* de alimentación, subnutrición *f.* ~ 과다 supernutrición *f.* ~률 porcentaje *m* calórico. ~물 alimento *m* sustancioso, sustancia *f* nutritiva. ~ 부족 falta *f* de nutrición, nutrición *f* insuficiente, hipoalimentación *f.* ~분 nutrimiento *m,* elementos *mpl* nutritivos, elementos *mpl* nutricios. ~ 불량 mala nutrición *f,* innutrición *f,* desnutrición *f,* nutrición *f* deficiente, oligotrofia *f.* ~사 dietista *mf;* experto, -ta *mf* en dietética; perito, -ta *mf* en alimentación [en nutrición]. ~ 상태 condiciones *fpl* nutritivas. ~ 생리학(生理學) fisiología *f* nutritiva. ~ 생식 reproducción *f* nutritiva. ~ 섭취 nutrición *f,* nutrimento *m.* ~ 섭취량 consumo *m* nutritivo. ~성(性) tropismo *m.* ~소(素) nutrimento *m.* ~식(食) comida *f* fortificante, comida *f* muy nutritiva. ~ 실조 inanición *f,* desórdenes *mpl* tróficos, desnutrición *f,* anomalotrofía *f.* ~ 연구소 laboratorio *m* dietético. ~ 요법 régimen *m* alimentario, trofoterapia *f.* ~ 장애 perturbación *f* de la nutrición. ~제 nutrición *f,* tónico *m.* ~학 nutriología *f,* bromatología *f.* ~ 학자 nutriólogo, -ga *mf;* nutricionista *mf;* bromatólogo, -ga *mf.*
영어(囹圄) =감옥(監獄)(prisión, cárcel). ¶그는 ~의 몸이 되었다 Le metieron en la cárcel.
영어(英語) inglés *m,* lengua *f* inglesa, idioma *m* inglés. ~를 말하다 hablar inglés. ~로 쓰다 escribir en inglés.
■~과 departamento *m* de inglés.
영어(營漁) pesca *f.*
■~ 자금 fondo *m* de pesca.
영업(營業) negocio *m,* comercio *m,* trabajo *m,* operación *f* (comercial). ~하다 hacer negocios, dedicarse a los negocios, llevar a cabo un negocio; [가게·사무소 등이] estar abierto; [개업하다] abrir un negocio. ~ 성적을 올리다 mejorar la marcha de los negocios. ~ 중(임) ((게시)) Abierto. ~하지 않습니다 ((게시)) Cerrado. 토요일과 일요일은 ~하지 않음 ((게시)) Cerrado sábados y domingos.
■~ 감찰 licencia *f* comercial. ~ 경험(經驗) experiencia *f* comercial. ~계 mundo *m* comercial, mundo *m* de los negocios, círculos *mpl* económicos. ~ 광고 publicidad *f* de la empresa. ~권(權) derecho *m* del negocio. ~ 금지(禁止) prohibición *f* de los negocios. ~ 면허 licencia *f* para abrir un negocio. ~ 방침 orientación *f* de negocios. ~ 보고 información *f* de negocios. ~ 보고서 memoria *f* de negocios, memoria *f* de operaciones. ~부 sección *f* de negocios, sección *f* comercial, departamento *m* de negocios. ~비 gastos *mpl* del negocio, gastos *mpl* operacionales [de operaciones], expensas *fpl* operacionales [de operaciones]. ~ 성적 resultados *mpl* de operaciones (para). ~세 impuesto *m* comercial. ~소 oficina *f* comercial, establecimiento *m* comercial. ~ 소득 ingresos *mpl* comerciales. ~ 수입(收入) renta *f* comercial. ~ 시간 horas *fpl* de comercio [de oficina·de trabajo]. ~ 신탁 fideicomiso *m* comercial. ~ 실패 quiebra *f* comercial. ~ 안내 guía *f* del negocio. ~ 양도 transferencia *f* del negocio. ~ 에티켓 etiqueta *f* comercial. ~ 여행 viaje *m* comercial, viaje *m* de negocios. ~ 연도(年度) término *m* (anual) de negocios, ejercicio *m* anual. ~ 예상(豫想) previsión *f* comercial, pronóstico *m* empresarial. ~ 외 비용 (外費用) gastos *mpl* del negocio. ~ 외 수익 ganancias *fpl* del negocio. ~용차(用車) coche *m* para el negocio. ~ 이익 ganancia *f* comercial. ~일 día *m* laborable, día *m* hábil. ~자(者) comerciante *mf,* negociante *mf,* vendedor, -dora *mf;* almacenista *mf.* ~ 자금[자본] capital *m* operacional, fondo *m* de operaciones. ~ 재산 bienes *mpl* del negocio. ~ 정지 suspensión *f* de los negocios. ~ 정책 política *f* de negocios. ~ 조합 asociación *f* comercial. ~ 종목(種目) categoría *f* de los negocios. ~주(主) propietario, -ria *mf* de negocios. ~ 투자 inversión *f* empresarial. ~ 투자세(投資稅) impuesto *m* sobre las inversiones empresariales, *AmL* impuesto

m sobre insumos empresariales. ~ 투자 손실 nivel *m* de ingresos básico, pérdidas *fpl* de inversión empresarial. ~ 팽창 expansión *f* del negocio. ~ 품목 (lista *f* de) artículos *mpl*. ~ 허가 permiso *m* comercial, licencia *f* comercial.

영역(英譯) traducción *f* al inglés. ~하다 traducir al inglés. ~의 traducido al inglés. 한글을 ~하시오 Traduzcan ustedes el coreano al inglés.
◆국문(國文) ~ traducción *f* del coreano al inglés. 서문(西文) ~ traducción *f* del español al inglés.

영역(塋域) =산소(山所).

영역(領域) ① [한 나라의 주권이 미치는 범위] territorio *m*. ② [학문·연구 등에서 그 관계자가 관심을 기울이고 있는 분야] dominio *m*, campo *m*, esfera *f*; [전문(專門)] especialidad *f*. 그것은 내 ~ 밖에 있다 Eso no es de mi competencia.
■ ~권(權) =영토권(領土權).

영역(靈域) ① [신령(神靈)한 지역] recinto *m* sagrado, región *f* sagrada. ② =산소(山所).

영연방(英聯邦) ((지명)) =영국 연방.

영영(永永) para siempre, eternamente, perpetuamente.
영영무궁하다 =영원무궁(永遠無窮)하다.

영예(榮譽) honor *m* (glorioso), gloria *f*, blasón *m*. 국가의 ~ gloria *f* de un país. ~로 여기다 considerar el honor. ~를 지니다 tener el honor de + *inf*.
영예로이 gloriosamente, honorablemente.
영예롭다 (ser) glorioso, honorable. 영예로운 날 día *m* glorioso. 그는 영예로운 일을 하고 사임했다 El hizo lo que correspondía, dimitió.
영예스럽다 (ser) glorioso.
영예스레 gloriosamente.

영외(營外) fuera del cuartel.
■ ~ 거주 residencia *f* fuera del cuartel. ¶ ~하다 vivir [morar · residir] fuera del cuartel.

영욕(榮辱) la gloria y la deshonra, honor y / o desgracia.

영용(英勇) la inteligencia y el valor. ~하다 (ser) inteligente y valiente.
영용무쌍하다 (ser) heroico y valiente.

영웅(英雄) héroe *m*, heroína *f*, gran hombre *m*, gran mujer *f*. ~시(視)하다 adorar a *uno* con (a) un héroe. 국민적 ~이 되다 hacerse un héroe nacional.
■ ~담(談) heroida *f*, cuento *m* heroico. ~숭배(崇拜) adoración *f*, culto *m* a los héroes. ~시 poesía *f* herocia, poema *m* heroico. ~ 시대 época f heroica. ~ 신화 mitología *f* heroica. ~심 ambición *f*. ¶~으로 불타다 arder de ambición. ~적 heroico. ¶~으로 heroicamente. ~인 행위 hazañas *fpl* heroicas, actos *mpl* de valor, actos *mpl* heroicos, hechos *mpl* heroicos, acciones *fpl* heroicas, heroicidad *f*, heroísmo *m*. ~전 biografía *f* de héroes. ~주의 heroísmo *m*. ~지재(之材) persona *f* que tiene el talento de ser un héroe. ~ 행위 hazañas *fpl* heroicas, actos *mpl* de valor, actos *mpl* heroicos, heroísmo *m*, heroicidad *f*, hechos *mpl* heroicos. ~호걸(豪傑) el héroe (y el hombre extraordinario).

영원(永遠) eternidad *f*, perpetuidad *f*; [불멸(不滅)] inmortalidad *f*. ~의 eterno, perpetuo, inmortal, perdurable, duradero. ~한 생명 vida *f* eterna. ~한 잠 sueño *m* eterno. ~한 진리 verdad *f* eterna. ~한 평화 paz *f* perdurable, paz *f* duradera.
영원무궁하다 no terminar eternamente.
영원히 para siempre, eternamente, perpetuamente; [무기한으로] infinitamente, indefinidamente; [결코 …이 아니다] ㉮ [동사 앞에서] nunca, jamás. ㉯ [동사 뒤에서] no … nunca, no … jamás. ~ 떠나 버리다 irse para siempre. ~ 전하다 transmitir el nombre a la posteridad, inmortalizar el nombre. 이름을 ~ 남기다 inmortalizar *su* fama. 그의 명성은 ~ 지속될 것이다 Su fama perdurará para la eternidad. 세계가 ~ 평화를 지속하길! ¡Que dure la paz para siempre en el mundo! 이 행복이 ~ 지속되길 바란다 Que dure para siempre esta felicidad. 네가 좋을 대로 ~ 머무를 수 있다 Puedes quedarte todo el tiempo que quieras. 당신을 ~잊지 않겠다 Nunca te olvidaré / Tu recuerdo me acompañará siempre. 나는 그대를 ~ 잊지 않겠다 No te olvido para siempre. 결정을 ~ 미룰 수 없다 No se puede aplazar indefinidamente la decisión.
■ ~불멸 inmortalidad *f*. ~성 eternidad *f* perpetuidad *f*.

영원(蠑螈) 【동물】 salamandra *f* acuática, tritón *m*.

영위(營爲) manejo *m*, administración *f*, operación *f*. ~하다 manejar, administrar, operar.

영유(領有) posesión *f*. ~하다 poseer, tomar posesión (de).
■ ~권(權) dominio *m*. ~물 posesión *f*.

영육(靈肉) el alma y el cuerpo, el espíritu y el cuerpo, el espíritu y la carne. ~의 싸움 conflicto *m* del alma con el cuerpo.
■ ~ 일치 unión *f* del cuerpo y alma.

영윤(令胤) =영랑(令郎).

영의정(領議政) 【역사】 primer ministro *m*.

영이별(永離別) despedida *f* eterna. ~하다 despedirse eternamente.

영인(英人) inglés, -lesa *mf*.

영인(影印) fotograbado *m*; [인쇄술] fototipografía *f*. ~하다 imprimir por fototipografía.
■ ~본(本) impresión *f* fototipográfica.

영일(寧日) día *m* pacífico.

영입(迎入) caluroso recibimiento *m*. ~하다 llevar, recibir calurosamente. 내각(內閣)에 ~하겠다는 약속을 지키다 cumplir la promesa de llevar al gabinete.

영자(英字) ((준말)) =영문자(英文字).
■ ~ 신문 periódico *m* (en) inglés.

영자(英姿) figura *f* impresiva, figura *f* galante, figura *f* noble.

영자(影子) sombra *f*.

영작(英作) ((준말)) =영작문(英作文).

■~문 composición *f* inglesa.

영작(榮爵) título *m* nobiliario glorioso, nobleza *f*.

영장(令狀) orden *f* judicial. ~의 발부(發付) emisión *f* de orden. ~을 발부하다 dar orden.

■~ 집행 cumplimiento *m* de orden.

영장(靈長) creatura *f* suprema, ser *m* superior. 만물(萬物)의 ~ el rey de la naturaleza, el rey de todas las creaciones. 인간은 만물의 ~이다 El hombre es el rey de la creación.

■~류 primates *mpl*.

영재(英才) (hombre *m* de) talento *m*, (hombre *m* de) genio *m*, hombre *m* de alta inteligencia.

■~ 교육 educación *f* especial para niños brillantes [precoces · de talento].

영적(靈的) espiritual, incorpóreo. ~으로 espiritualmente, incorpóreamente.

■~ 감응 respuesta *f* espiritual. ~ 교감(交感) telepatía *f* espiritual. ~ 교류 simpatía *f* espiritual. ~ 생활 vida *f* espiritual.

영전(榮轉) promoción *f*, cambio *m* favorable de cargo [de puesto]. ~하다 ser promovido, mudarse de un cargo a otro superior. 그는 과장에서 지점장으로 ~했다 El fue promovido de jefe de sección a director de sucursal.

영전(影殿) sala *f* que quedan los retratos reales

영전(靈前) ante el alma de un difunto, delante del espíritu de los muertos. ~에 바치다 dedicar una ofrenda al difunto.

영절스럽다 (ser) verosímil, especioso. 영절스레 de forma verosímil, especiosamente.

영점(零點) ① [득점 · 점수가 없음] cero *m*. 수학 시험에서 ~을 받다 dedicar un cero en matemáticas. ② [섭씨 · 열씨 온도계에서의 어는점] punto *m* cero. ③ [어떤 일의 성과가 전혀 없는 일] cero *m*.

■~ 에너지 energía *f* en el cero absoluto.

영접(迎接) recepción *f*, acogida *f*. ~하다 acoger.

■~ 위원회 comité *m* de recepción.

영정(影幀) retrato *m*.

영제(令弟) su (estimado) hermano menor.

영조(營造) construcción *f*. ~하다 construir.

■~물 establecimiento *m*, edificio *m*, estructura *f*, [총칭] obras *fpl* públicas.

영조(靈鳥) pájaro *m* sagrado, el ave *f* (*pl* las aves) sagrada.

영존(永存) ① [영원히 존재함] existencia *f* eterna. ~하다 existir eternamente. ② [영원히 보존함] conservación *f* eterna. ~하다 conservar eternamente.

영주(永住) residencia *f* permanente. ~하다 residir permanentemente, establecerse definitivamente, fijar *su* residencia [*su* domicilio] permanente.

■~권(權) derecho *m* a residencia permanente. ¶~을 얻다 obtener el derecho a la residencia permanente. ~민 residente *mf* permanente, poblador *m*, colono *m*. ~자(者) morador, -dora *mf*, habitante *mf*, residente *mf* permanente. ~지 domicilio *m* permanente.

영주(領主) ① 【역사】 señor *m* feudal. ② =지주(地主).

영주(英主) monarca *m* sabio, rey *m* extraordinario, discreto rey *m*.

영지(英智) sabiduría *f* etérea.

영지(領地) ① =영토(領土). ② =봉토(封土).

영지(靈芝) una especie de la seta, planta *f* prometedor, emblema *m* de la buena suerte o la vida larga.

영지(靈地) tierra *f* divina, tierra *f* sagrada, lugar *m* sagrado.

영지(靈智) inteligencia *f* sabia.

영진(榮進) promoción *f*. ~하다 ser promovido.

영질(令姪) su (estimado) sobrino, su (estimada) sobrina.

영집합(零集合) 【수학】 =공집합(空集合).

영차 ((준말)) =이엉차.

영창(詠唱/咏唱) 【음악】 aria *f*.

영창(映窓) =미닫이.

영창(營倉) calabozo *m*. ~에 넣다 meter a *uno* en el calabozo.

영채(映彩) color *m* brillante, brillantez *f*, esplendor *m*.

영척(英尺) ① [영국에서 쓰는 자의 한 가지] una especie de la regla que se usa en Inglaterra. ② [피트] pie *m*.

영천(靈泉) ① [신기한 약효가 있는 샘] fuente *m* mágico. ② =온천(溫泉).

영철하다(英哲-) (ser) sagaz, perspicaz, astuto. 염철함 sagacidad *f*, perspicacia *f*.

영치(領置) retención *f*. ~하다 retener.

■~금(金) retención *f*.

영탄(詠嘆/詠歎) ① [목소리를 길게 뽑아 깊은 정회(情懷)를 읊음] recitación *f* de un poema. ~하다 recitar un poema. ② =감탄(感歎).

■~법 recitación *f* de un poema.

영토(領土) territorio *m*, dominio *m*, posesión *f*. ~의 territorial. ~적 야심 ambición *f* territorial. ~를 잃다 perder *su* territorio. ~를 확장하다 extender *su* territorio.

■~ 고권(高權) supremacía *f* territorial. ~권 derecho *m* territorial. ~문제 problema *m* territorial. ~ 보전 integridad *f* territorial. ~ 분쟁 disputa *f* territorial. ~ 주권 soberanía *f* territorial. ~ 침범 invasión *f* territorial (de otro país). ~ 확장 expansión *f* de territorio. ~ 확장론자 expansionista *mf*. ~ 확장열 ambición *f* territorial. ~ 확장 정책 expansionismo *m*. ~ 확장주의 expansionismo *m*. ~ 획득 adquisición *f* de territorio.

영특하다(英特-) (ser) sabio, inteligente. 영특한 아이 niño *m* sabio, niña *f* sabia; niño, -ña *mf* inteligente.

영특하다(獰慝-) (ser) astuto, agudo. 영특함 astucia *f.*

영판 =아주[1].

영패(零敗) partido *m* ganado sin que marque el contrario. ~하다 ser vencido sin marcar ningún tanto. 3대0 ~ partido *m* ganado cuatro a cero.

영하(零下) bajo cero. ~ 20도 veinte grados bajo cero. ~ 5도이다 La temperatura es de cinco grados bajo cero.

영하다(靈-) ((준말)) =영검하다.

영한(英韓) ① [영국과 한국] Inglaterra y Corea. ~의 inglés-coreano, de Inglaterra y Corea, anglo-coreano. ② [영어와 한글] el inglés y el coreano.
■ ~ 사전 diccionario *m* inglés-coreano.

영합(迎合) ① [남의 마음에 들도록 뜻을 맞춤. 아첨하여 좇음] lisonja *f,* adulación *f,* halago *m.* ~하다 lisonjar, adular, halagar, congraciarse, insinuarse (con), insinuarse en el ánimo (de). …의 뜻에 ~하는 인물 persona *f* que satisface el gusto de *uno.* …의 의견에 ~하다 seguir la opinión de *uno,* adherirse a la opinión de *uno.* 그 제안은 대통령의 뜻에 ~했다 Esa proposición gustó [contentó] al presidente. ② [마음과 힘을 합하여 서로 맞게 함] congraciación *f.* ~하다 congraciarse (de · por).
■ ~주의 oportunismo *m.*

영해(領海) mar *m* territorial, aguas *fpl* territoriales, aguas *fpl* jurisdiccionales, soberanía *f* marítima. 대한민국 ~ 내[외]에 dentro [fuera] de las aguas territoriales de la República de Corea.
◆ 외국(外國) ~ aguas *fpl* extranjeras.
■ ~선(線) línea *f* de agua territorial, línea *f* de flotación territorial. ~ 어업 pesca *f* de aguas territoriales.

영향(影響) influencia *f,* efecto *m.* 날씨의 ~으로 debido al tiempo. 더위의 ~으로 debido al calor que hace. ~을 미치다 influir (en · sobre), ejercer influencia (sobre), *AmS* influenciar; [악영향] afectar (a). ~을 받다 tener la influencia (en). 좋은 [나쁜] ~을 끼치다 ejercer buena [mala] influencia (en · sobre). …의 ~ 아래 있다 estar bajo la influencia de *algo · uno.* 그의 발언은 학계(學界)에 큰 ~을 주었다 Su declaración ha tenido una gran influencia en los círculos académicos. 그는 친구한테서 나쁜 ~을 받았다 El recibió una mala influencia de su amigo. 내가 음악을 좋아하는 것은 형의 ~ 덕분이다 Gracias a la influencia de mi hermano, me he aficionado a la música. 그는 다른 사람의 ~을 받기 쉽다 El se deja fácilmente influir por dos demás. 나에게는 직접적인 ~이 없다 Me es indiferente / Me da igual / No me da ni calor ni frío. 그 여자는 그가 받아들이도록 설득하는 데 ~을 미쳤다 Ella influyó para que aceptara. 기후는 식물에 ~을 미친다 El clima influye en la vegetación. 그는 시간표 변경을 위해 상관(上官)에게 ~을 미쳤다 El influyó sobre el jefe para el cambio de horario. 그는 성과(成果)에 큰 ~을 끼쳤다 El tuvo gran influencia sobre el resultado / El influyó mucho en el resultado. 내 어머님은 내 생애에 커다란 ~을 끼치셨다 Mi madre fue la persona que ejerció mayor influencia en mi vida / La influencia de mi madre fue la más marcada en mi vida.
■ ~력 influencia *f.* ¶~ 있는 influyente, influente. ~ 있는 인물 personaje *m* influyente. ~ 있는 정치가 político, -ca *mf* influyente; político, -ca *mf* influente. ~을 행사하다 tener influencia (sobre). 그는 ~이 있다 El es influyente / Se impone él / El es un hombre de empuje.

영험(靈驗) =영검(milagro).

영현(英顯) =영령(英靈).

영형(令兄) ① [남의 형의 경칭] su (estimado) hermano. ② [편지에서,「친구」를 높이어 하는 말] mi estimado hermano.

영혼(靈魂) ① [죽은 사람의 넋] el alma *f* (*pl* las almas). ② ((불교)) el alma *f.* ③ ((성경)) el alma *f.* 내 ~이 여호와로 자랑하리니 곤고한 자가 이를 듣고 기뻐하리로다 ((시편 34:2)) En Jehová se gloriará mi alma; lo oirán los mansos, y se alegrarán / Yo me siento orgulloso del Señor; ¡óiganlo y alégrense, hombres humildes! ④ [혼(魂)] el alma *f.*
■ ~ 불멸설 (doctrina *f* de) la inmortalidad del alma, inmortalidad *f.*

영화(英貨) moneda *f* inglesa; [파운드화] libra *f* esterlina. ~ 100 파운드 cien libras esterlinas. ~로 환산하다 cambiar *algo* en moneda inglesa.

영화(映畵) película *f,* filme *m,* film *ing.m;* [집합적] cine *m,* cinematografía *f,* séptimo arte *m.* ~의 cinematográfico, del cine. ~를 보다 ver una película. ~ 구경 가다 ir al cine, ir a ver una película, *Col* ir a cine. ~를 제작하다 hacer una película. ~를 촬영하다 rodar [tomar] una película, filmar, cinematografiar. ~를 감독하다 dirigir [realizar] un filme. ~를 상연하다 proyectar una película, dar una película. ~에 출연하다 actuar [tener un papel] en una película.
◆ 개봉(開封) ~ película *f* de estreno. 교육(教育) ~ cine *m* pedagógico. 극(劇)~ cinedrama *m,* cinemadrama *m,* drama *m* cinematográfico. 기록(記錄) ~ cine *m* documental. 만화 ~ dibujos *mpl* animados. 무성(無聲) ~ cine *m* mudo. 문화(文化) ~ cine *m* cultural. 발성(發聲) ~ cine *m* sonoro, cine *m* hablado. 입체(立體) ~ cinestéreo *m.* 전쟁(戰爭) ~ cine *m* de guerra. 천연색(天然色) ~ cine *m* en color. 흑백(黑白) ~ cine *m* en blanco y negro.
■ ~가 barrio *m* cinematográfico. ~ 각본(脚本) guión *m.* ~ 각본가 guionista *mf;* dramaturgo, -ga *mf.* ~ 각색 adaptación *f*

cinematográfica, adaptación *f* al cine. ~ 각색권 derechos *mpl* de adaptación cinematográfica. ~감독 director, -tora *mf* de cine; cineasta *mf*. ~ 검열 censura *f* del filme. ~계 mundo *m* del cine, mundo *m* cinematográfico, mundo *m* de la pantalla, círculos *mpl* cinematográficos. ~관 cine *m*, cinema *m*. ¶개봉 ~ cine *m* de estreno. ~ 대본 guión *m* (de cine). ~ 배급 회사 compañía *f* [agencia *f*] distribuidora de películas. ~배우 actor, -triz *mf* (de cine); cineasta *mf*; artista *mf* de cine; estrella *f*. ~ 비평(批評) crítica *f* cinematográfica, criticismo *m* del cine. ~사 compañía *f* de películas. ~ 산업 industria *f* cinematográfica, industria *f* del cine, cine *m*. ~ 상영권 derechos *mpl* de adaptación cinematográfica, derechos *mpl* de adaptación al cine. ~ 소설 novela *f* de cine. ~ 스크린 pantalla *f* de cine. ~ 스타 estrella *f* de cine, cineasta *mf*. ~ 시나리오 guión *m* de cine. ~ 시나리오 작가 cinematurgo, -ga *mf*; guionista *mf*. ~ 애호가 cinéfilo, -la *mf*. ~ 연구회 cinefórum *m*. ~ 예술 arte *m* cinematográfico. ~ 윤리 위원회 el Comité Etico de Código Cinematográfico. ~ 음악(音樂) música *f* cinematográfica. ~인 cineasta *mf*; ((속어)) peliculero, -ra *mf*. ~제 festival *m* cinematográfico, festival *m* de cine. ¶아시아 ~ Festival *m* Cinematográfico Asiático. 칸느 ~ Festival *m* de Cine de Cannes. ~ 제작 producción *f* cinematográfica. ~ 제작소 estudio *m* de cine, centro *m* de producción cinematográfica. ¶국립 ~ el Centro de Producción Cinematográfica Nacional. ~ 제작자 productor *m* cinematográfico, productora *f* cinemantográfica; cineasta *mf*; director, -tora *mf* de producción. ~ 제작 회사 la Compañía Productora Cinematográfica. ~ 촬영 cinematografía *f*, filmación *f*, rodaje *m*. ¶~을 하다 cinematografiar, fotografiar con el cine, tomar una película, filmar. ~ 촬영기 tomavistas *m*., *AmL* filmadora *f*; [전문가용] cámara *f* cinematográfica, cámara *f* de cinematógrafo. ~ 촬영 기사 cinematografista *mf*. ~ 촬영소 estudio *m* cinematográfico. ~ 클럽 cinefórum *m*, cineclub *m*, cine-club *m*. ~팬 aficionado, -da *mf* al cine; cineísta *mf*. ~평(評) criticismo *m* cinematográfico. ~ 필름 película *f* (de cinematógrafo). ¶~ 보관소 cinemateca *f*. ~화 versión *f* cinematográfica. ¶~하다 filmar, rodar.

영화(榮華) prosperidad *f*, esplendor *m*; [호사(豪奢)] magnificencia *f*, fausto *m*, gloria *f*.
영화로이 con gloria, gloriosamente, fastuosamente, prósperamente. ~ 살다 vivir fastuosamente, llevar una vida fastuosa [gloriosa・próspera].
영화롭다 (ser) glorioso, próspero, fastuoso.

옅다 ① [바닥까지의 거리가 가깝다] (ser) poco profundo, no haber profundidad, tener poca profundidad. 옅은 물 el agua de poca profundidad. 강이 ~ El río tiene poca profundidad. ② [빛이 짙지 않다] (ser) claro, ligero. ③ [학문・지식 등의 정도・분량이 적다] (ser) superficial. ④ [뜻이나 정의(情誼)가 두텁지 않다] (ser) poco simpático.

옅디옅다 ① [깊이가] (ser) poco profundísimo, tener muy poca profundidad. ② [빛깔이] (ser) muy ligero.

옆 lado *m*; [측면(側面)] flanco *m*; [신체의 옆구리] costado *m*. ~의 lateral, de al lado. ~ 창구(窓口) ventanilla *f* de al lado. …의 ~에 al lado de *algo*, junto al *algo*; [가까이] cerca de *algo*. ~에 놓다 poner a *su* lado, poner al lado. ~에 끼다 llevar debajo del brazo. ~에 서다 apartarse a un lado, echarse a un lado. ~으로 기대다 echarse [hacerse] a un lado. ~을 보다 apartar la mirada, apartar la vista. ~으로 가까이 가다 acercarse (a). ~을 떠나다 alejarse (de). 부모의 ~을 떠나다 alejarse de *sus* padres, dejar al hogar. 내 집 ~에 차고가 있다 Hay un garaje al lado de [junto a] mi casa. 내 집은 그의 집 바로 ~에 있다 Mi casa está muy cerca de la suya. 그는 바로 이 ~에서 살고 있다 El vive muy cerca de aquí. 이 ~을 위로 하세요 ((게시])) Este lado hacia arriba. 그는 ~에서 잔다 El duerme de lado [de costado]. 나는 그 여자의 ~에 있었다 Yo estaba a su lado.

옆갈비 costilla *f* lateral.

옆구리 costado *m*, flanco *m*, lado *m*. 오른쪽 ~ costado *m* derecho. 왼쪽 ~ costado *m* izquierdo. ~가 아프다 tener dolor de costado, doler*le* a *uno* el costado. 나는 ~가 아프다 Me duele el costado [el lado] / Tengo dolor de costado.

옆길 camino *m* de al lado, carretera *f* secundaria, carretera *f* vecinal, calle *f* lateral, lateral *f*.

옆널 aparador *m*, *Col*, *Ven* seibó *m*.

옆들다 ayudar, asistir.

옆머리 lado *m* de la cabeza.

옆면(一面) lado *m*.

옆모습 perfil *m*. ~이 아름답다 tener un buen perfil.

옆문(一門) puerta *f* lateral, puerta *f* de al lado.

옆벽(一壁) pared *f* lateral.

옆얼굴 perfil *m*, silueta *f*. 그 여자는 ~이 우아하다 Ella tiene una silueta muy elegante.

옆옆이 de un lado al otro.

옆줄 línea *f* lateral.

옆질 balanceo *m*, bamboleo *m*. ~하다 balancearse, bambolearse.

옆집 casa *f* de al lado; [이웃집] casa *f* vecina, vecindad *f*. ~의 de al lado. 그는 ~까지 들릴 정도로 큰 소리를 질렀다 El gritó con voz tan alta que se le oyó hasta en la vecindad.

■ ~ 사람 vecino, -na *mf* de al lado.

옆찌르다 codear (ligeramente), dar*le* un golpe (suave) con el codo a *uno*. 옆찌르고 귓속말을 하다 codear y decir al oído. 나는 그 여자가 들어왔을 때 그를 옆찔렀다 Yo le codeé (ligeramente) cuando ella entró.

옆차기 puntapié *m* lateral.

옆폭(―幅) aparador *m*.

예[1] [옛적. 오래 전] pasado *m*, tiempos *mpl* antiguos. ~로부터 desde (los) tiempos antiguos, desde tiempo antiguo.

예[2] ((준말)) =여기(aquí). ¶~ 앉아라 Siéntate aquí. ~가 어딥니까? ¿Dónde estoy? / ¿Dónde estamos?

예[3] ① [존대할 자리에 대답하는 말. 네] sí. ~, 알겠습니다 Sí, yo lo sé. ② [존대할 자리에 재우쳐 묻는 말. 네] ¿eh?, ¿qué?, ¿cómo?. ~, 뭐라고요 ¿Cómo? / ¿Qué? ~ 그러세요 ¿De veras?

예(例) ① ((준말)) =전례(前例)(precedente). ¶~가 없는 sin precedente. 이런 ~는 없었다 No había otro precedente semejante a éste. ② [이미 말한 바. 늘 알고 있는 바] lo dicho. ~의 그 가게 la tienda de lo dicho. ③ [전거(典據)와 표준이 되기에 족한 사물. 본보기] ejemplo *m*; [경우] caso *m*. ~를 들면 por ejemplo. ~를 들면 서반아나 한국 같은 반도 국가 países *mpl* peninsulares como España o Corea. ~를 들면 영국이나 일본 같은 섬나라 países *mpl* isleños como Inglaterra o Japón. ~를 들다 dar [poner · citar] un ejemplo. ~를 인용하다 citar por [como] ejemplo. ~를 따르다 seguir el ejemplo. ~를 남기다 dar un (buen) ejemplo. 이런 ~는 많다 Hay muchos ejemplos parecidos / Hay muchos casos de este tipo. 여태 그런 ~는 없다 No hay otro ejemplo semejante a éste.

예(禮) ① [사람이 마땅히 지켜야 할 도리] razón *f* que cumplir. ② [사의(謝意)를 표하는 말. 또, 사례로 보내는 금품] gracias *fpl*. ③ [예법(禮法)] etiqueta *f*, cortesía *f*. ~를 잃다 faltar a la cortesía, faltar a la buena educación, ser descortés (con). ~를 다하다 darle a *uno* una prueba de *su* gran cortesía, demostrar*le* [manifestar*le*] a *uno* *su* plena cortesía. ④ ((준말)) =경례(敬禮). ⑤ [예식(禮式)] ceremonia *f*, rito *m*. ~를 올리다 celebrar la ceremonia.

예각(銳角) 【수학】 ángulo *m* agudo. ~을 이루다 formar un ángulo agudo.

■ ~ 삼각형 triángulo *m* acutángulo.

예각(豫覺) =예감(豫感).

예감(豫感) presentimiento *m*. 죽음의 ~ presentimiento *m* de la muerte. …의 ~을 하다 presentir *algo*, tener presentimiento de *algo*.

예견(豫見) previsión *f*, pronóstico *m*. ~하다 prever, pronosticar. ~할 수 있는 previsible. ~할 수 있는 미래 futuro *m* previsible. 미래를 ~하다 prever el provenir.

예결(豫決) ① [예산과 결산] el presupuesto y la liquidación. ② [어떤 일을 미리 결정함] decisión *f* previa. ~하다 decidir previamente.

예경(禮敬) culto *m* [servicio *m*] a Buda [al sabio]. ~하다 servir a Buda.

예고(豫告) aviso *m* (previo), advertencia *f*, información *f* previa, notificación *f* (previa), anuncio *m* previo; [허가] petición *f* de permiso [de licencia]. ~하다 anunciar (por anticipado · con anticipación), avisar [comunicar] (de antemano · con tiempo · previamente), advertir, prevenir; [허가를 구하다] pedir permiso [licencia] (para + *inf*). ~ 없이 sin previo aviso, sin permiso, sin licencia, sin reconocimiento, de improviso, inesperadamente. ~ 없는 방문(訪問) visita *f* sin previo aviso. ~ 없이 오다 venir de improviso.

■ ~ 기간(期間) período *m* de aviso. ~편 avance *m*, trailer *m*.

예과(豫科) [과정] curso *m* preparatorio; [부] departamento *m* preparatorio.

◆ 대학 ~ curso *m* preparatorio de la universidad.

■ ~생(生) estudiante *mf* del curso preparatorio.

예광탄(曳光彈) bala *f* trazadora.

예궐(詣闕) =입궐(入闕).

예규(例規) regulación *f* establecida.

예금(預金) depósito *m*; [돈] dinero *m* depositado; [저금(貯金)] ahorro(s) *m*(*pl*). ~하다 depositar dinero, ingresar dinero. ~을 인출(引出)하다 sacar dinero depositado (de la cuenta). ~이 천만 원 있다 tener diez millones de wones en cuenta de ahorro. 은행에 100만 원을 ~하다 depositar un millón de wones en banco.

■ ~계(係) sección *f* de depósito. ~ 계원 cajero, -ra *mf* de la sección de depósito. ~ 계정 cuenta *f* de ahorros, cuenta *f* de depósito, cuenta *f* a plazo. ~ 계좌 cuenta *f* de depósito. ~과 sección *f* de depósito. ~ 기관 institución *f* de depósito. ~ 담보 garantía *f* del depósito. ~ 동결 congelamiento *m* de depósitos. ~ 보험 seguro *m* de depósito. ~ 수수료 prima *f* de depósito. ~액 dinero *m* en depósito. ~ 어음 letra *f* de depósito. ~ 영수서 recibo *m* de depósito. ~ 용지(用紙) formulario *m* de depósito. ~ 은행(銀行) banco *m* comercial, banco *m* de depósitos. ~ 이율 tasa *f* de depósito. ~ 이자(利子) interés *m* sobre el depósito. ~자(者) depositador, -dora *mf*, depositante *mf*. ~주 depositante *mf*. ~증서 certificado *m* de depósito. ~ 채무 pasivo *m* por depósitos. ~ 통장 libreta *f* bancaria, libreta *f* [cartilla *f*] de ahorros.

예기 ¡Caramba! / ¡Caray! / ¡Carajo!

예기(銳氣) alto espíritu *m*, ardor *m*, coraje *m*, vigor *m*, energía *f*. ~에 찬 청년(青年) joven *m* (*pl* jóvenes) ardiente.

◆ 예기를 기르다 conservar *su* energía. 예기(를) 지르다 romper *su* energía.

예기(銳騎) caballería *f* fuerte y ágil.

예기(豫期) [기대] expectativa *f*, expectación *f*; [예상] previsión *f*, pronóstico *m*; [희망] esperanza *f*. ～하다 esperar, prever. ～치 못한 inesperado, imprevisto, impensado. ～한 결과(結果) resultado *m* previsto. ～했던 대로 como era de esperar, como se esperaba. ～에 반(反)해서 contra la expectación, contrariamente a la expectación. …을 ～해서 en espera de *algo* [de que + *subj*]. 우리가 ～한 이상의 que supera nuestra espectativa. ～치 않은 장애(물)에 부딪치다 no contar con la huéspeda, tropezar con un obstáculo impensado. 결과는 ～한 이상이었다 El resultado superó lo previsto. 그것은 전혀 ～치 못한 일이다 Eso es enteramente inesperado.

예기(禮器) ＝제기(祭器).

예기(藝妓) *kisaeng*, belleza *f* y artista profesional.

예끼 ¡Caramba! / ¡Caray! / ¡Hombre!

예납(豫納) pago *m* adelantado, pago *m* anticipado, pago *m* avanzado, pago *m* por adelantado, pago *m* antes del vencimiento. ～하다 pagar anticipadamente, pagar por adelantado. 회비는 ～제(制)이다 La cuota de socio debe pagarse anticipadamente [de antemano].

■ ～금 dinero *m* de pago adelantado. ～ 벌금 penalización *f* por pago anticipado. ～ 특전 privilegio *m* de pago anticipado.

예년(例年) ① [보통으로 지나온 해] año *m* normal, año *m* ordinario, año *m* promedio, año *m* medio. ～의 normal. ～대로 como usual, como en los otros años. ～과 달리 excepcionalmente. 금년은 ～에 없는 풍작이다 Este año la cosecha es excepcionalmente. 금년 여름은 ～에 비해 더위가 심하다 Este verano el calor es más riguroso que de ordinario [que de costumbre]. ② [매년. 해마다] cada año, todos los años. ～의 anual. ～대로 como cada año, como todos los años. ～의 행사 función *f* anual.

예능(藝能) ① [예술과 기능] el arte y la técnica. ② [연극·가요·음악·무용·영화 등의 총칭] talentos *mpl*, espectáculo *m*, conocimientos *mpl*.

■ ～계 círculos *mpl* artísticos, mundo *m* de espectáculo. ～과 curso *m* del arte. ～인(人) artista *mf*.

예니레 seis o siete días.

예닐곱 seis o siete. ～은 모였을 것이다 Se reunirán seis o siete personas.

예다제다 aquí y allí.

예단(豫斷) presupuesto *m*. ～하다 presuponer.

예답다(禮－) ((준말)) ＝예모(禮貌)하다.

예대(禮待) ＝예우(禮遇).

예대(藝大) ((준말)) ＝예술 대학(藝術大學).

예도(藝道) camino *m* del arte, cultivación *f* de artes, cultivo *m* de un arte. ～에 전념(專念)하다 dedicarse [entregarse] al cultivo de un arte. ～를 걷다 seguir la carrera de los artes.

예도옛날 otros tiempos *mpl* muy lejanos, muy antiguamente, érase que se era, hace muchísimo tiempo.

예둔(銳鈍) la agudeza y la estupidez.

예라 ① [아이들에게 비키라는 뜻으로 하는 말] ¡Anda (ya)! / ¡Dale! ② [아이들에게 「그리 말라」는 뜻으로 하는 말] ¡Por favor! / ¡Para! ③ [무슨 일을 해 보겠다거나, 그만두겠다고 작정할 때 내는 소리] Bueno / Bien / Vale / Está bien. ～ 모르겠다 Bueno, no sé. ～ 집어치워라 Bueno. ¡Basta ya!

예레미야 【인명】 ((성경)) Jeremías.

예레미야서(Jeremiah 書) ((성경)) Jeremías.

예레미야애가(Jeremiah 哀歌) ((성경)) Lamentaciones de Jeremías, los Trenos del profeta Jeremías.

예루살렘 【지명】 Jarusalén. ～의 jerosolimitano. ～ 사람 jerosolimitano, -na *mf*.

■ ～ 왕 ((성경)) rey *m* de Jerusalén.

예리하다(銳利－) ① [연장 따위가 날카롭다] (ser) afilado, *AmL* filoso, *Chi*, *Per* filudo. 예리한 날 hoja *f* afilada. 칼날을 예리하게 하다 afilar [sacar filo] un cuchillo. ② [두뇌나 판단력이 날카롭고 정확하다] (ser) agudo, perspicaz, muy bueno. 예리한 옵서버들 perspicaces observadores *mpl*. 예리한 판단 juicio *m* agudo. 그는 사업에 예리한 눈을 가지고 있다 El tiene mucha visión [mucho ojo] para los negocios.

예림(藝林) círculos *mpl* de los artistas.

예망(曳網) arte *m(f)* de cortina [cerco].

예매(豫買) compra *f* adelantada. ～하다 comprar anticipadamente.

예매(豫賣) venta *f* adelantada, venta *f* anticipada. ～하다 vender anticipadamente, vender de antemano, vender con anticipación. 표의 ～ venta *f* anticipada de billetes. ～로 사다 [좌석의 예약] reservar un lugar.

■ ～권 billete *m* [*AmL* boleto *m*] reservado.

예멘 【지명】 Yemen *m*. ～의 yemenita.

■ ～ 사람[인] yemenita *mf*.

예명(藝名) seudónimo *m*, nombre *m* de guerra.

예모(禮帽) sombrero *m* ceremonial, sombrero *m* de seda.

예모(禮貌) etiqueta *f*, buena costumbre *f*. ～ 있는 사람 persona *f* distinguida. ～ 없는 maleducado, descortés.

예모답다 (ser) cortés, educado, de buenos modales.

예문(例文) ejemplo *m* de frase, frase *f* ejemplar, modelo *m*. ～을 인용하다 citar una frase de ejemplo. ～을 인용하여 설명하다 explicar *algo* con una frase ejemplar. 이 사전(辭典)은 ～이 풍부하다 En este diccionario hay ejemplos abundantes.

예문(禮文) ① [예법에 관한 글] escrito *m* sobre los modales. ② [예법과 문물] los modales y la civilización.

예문(藝文) ① [학예와 문학] el arte y la literatura. ② [기예와 문필] la ciencia y el arte literal.

예물(禮物) ① [사례(謝禮)의 뜻을 표하여 주는 물건] regalo *m*, obsequio *m*. ～을 주다 dar el regalo. ② [신부한테서 첫인사를 받은 시집 어른들이 답례로 주는 물품] regalos *mpl* de los mayores de *su* novio a la novia. ③ [결혼식에서 신랑 신부가 답례로 주는 선물] regalo *m*, obsequio *m*. 결혼 ～ regalos *mpl* nupciales, regalos *mpl* de boda, regalos *mpl* de casamiento.

예민하다(銳敏－) (ser) agudo, penetrante, vivo, perspicaz, inteligente, sagaz, ingenioso, sutil. 예민한 감각 sentido *m* agudo. 예민한 관찰 observación *f* penetrante. 예민한 코 nariz *f* aguda. 그는 관찰이 ～ El es un observador penetrante. 그는 두뇌가 ～ El es muy inteligente / El tiene una inteligencia viva / El es vivo de inteligencia.
예민히 penetrantemente, perspicazmente, inteligentemente.

예바르다(禮－) (ser) cortés, bien educado, bien criado. 예바른 아이 niño *m* bien educado, niña *f* bien educada.

예방(豫防) prevención *f*, precaución *f*, protección *f*. ～하다 prevenir, precaver, tomar precaución (contra), proteger. ～의 preventivo, de precaución, profiláctico. ～으로 preventivamente, con previsión. 노동 재해의 ～ prevención *f* accidentes de trabajo. 병을 ～하다 prevenir una enfermedad. 전염을 ～하다 prevenir la infección.
◆범죄(犯罪) ～ prevención *f* de la delincuencia. 화재(火災) ～ prevención *f* de incendios.
▪～ 경찰 policía *f* preventiva. ～법 medida *f* preventiva, método *m* de precaución, precaución *f*. ～선 línea *f* de precaución. ～액 líquido *m* preventivo. ～약 profiláctico *m*, antídoto *m*, medicina *f* preventiva. ～왁친 vacuna *f* preventiva. ～ 위생 higiene *f* preventiva. ～ 의학(醫學) medicina *f* preventiva. ～ 의학자(醫學者) médico *m* preventivo, médica *f* preventiva. ～적 preventivo *adj*. ～적 치료 tratamiento *m* preventivo. ～ 전쟁 guerra *f* preventiva. ～접종 vacunación *f*. ¶～을 하다 vacunar, inocular. ～을 받다 ser inoculado, hacerse vacunar. 독감의 ～을 받다 vacunarse contra la influenza. ～ 접종 증명서 certificado *m* internacional de vacunación. ～ 정신 의학 ortopsiquiatría *f*. ～ 주사 inyección *f* preventiva. ¶～를 놓다 poner una inyección preventiva. ～를 맞다 ser inoculado. ～책 medio *m* de precaución, medidas *fpl* preventivas; [집합적] profilaxis *f*.

예방(禮訪) visita *f* de cortesía, visita *f* cortés. ～하다 visitar cortésmente, hacer una visita de cortesía.

예배(禮拜) ① [경의를 표하여 배례(拜禮)함] culto *m* al honor, adoración *f* al honor. ② [하나님・신・부처 앞에 경배하는 의식] culto *m* (천주교의), adoración *f*, servicio *m* (기독교의), ritos *mpl*, rezo *m*; [의식] oficio *m*. ～하다 adorar, venerar, rendir culto (a), rezar, hacer reverencia (a). ～의 cultual, del servicio, del culto. 우리가 ～를 보는 교회 Nuestra iglesia. 일요일에 ～에 참여하다 asistir al oficio [a los servicios] del domingo. ～에서 만납시다 Unámonos en oración. ～는 몇 시에 있습니까? ¿A qué hora es el servicio [el culto]? 그들은 비의 여신(女神)에게 ～를 드린다 Ellos rinden culto a la diosa de lluvia.
◆가정 ～ servicio *m* hogareño. 성모 ～ culto *m* de hiperdulía. 아침 ～ servicio *m* matutinal. 일요 ～ servicio *m* dominical. 저녁 ～ servicio *m* de la noche. 천사 ～ culto *m* de dulería. 천제 ～ culto *m* de ladría.
▪～당 ((기독교)) iglesia *f*, templete *m*, oratorio *m*; [학교・회사 등의] capilla *f*; [성체 안치소] relicario *m*. ～ 의식 ceremonia *f* religiosa. ～일 [기독교의] día *f* del servicio; [천주교의] día *m* del culto. ～자 fiel *mf*; adorador, -dora *mf*; cultor, -tora *mf*. ～ 장소 lugar *m* para el oficio religioso.

예법(禮法) cortesía *f*, etiqueta *f*, modales *mpl*, educación *f*, protocolo *m*. ～에 맞다 ajustarse a la etiqueta, cumplir con la etiqueta. ～에 어긋나다 ir en contra de la etiqueta. ～을 배우다 aprender buenos modales, tomar lecciones en modales.

예병(銳兵) ① [날래고 용감한 군사] tropa *f* escogida, escogidos *mpl* de un ejército, soldados *mpl* ágiles y valientes. ② [예리한 무기(武器)] el arma *f* (*pl* las armas) afilada.

예보(豫報) pronóstico *m*, predición *f*, pronosticación *f*. ～하다 pronosticar, predecir. 일기(日氣)를 ～하다 pronosticar (el tiempo). 남부 지방은 비가 ～된다 Se pronostican [Se prevén] lluvias en el sur. 일기 ～는 내일 비가 내릴 것이라고 한다 El pronóstico meteorológico dice que lloverá mañana.
▪～관 [관상대의] meteorólogo, -ga *mf*; pronosticador, -dora *mf*.

예복(禮服) uniforme *m* de gala, vestido *m* de gala, traje *m* de gala, traje *m* de etiqueta, traje *m* de ceremonia, vestido *m* de etiqueta, vestido *m* de ceremonia; [군인의] uniforme *m* completo; [부인의] traje *m* escotado; [연미복] frac *m* (*pl* fraques), casaca *f*. ～을 입고 en traje de etiqueta. ～을 착용할 것 ((게시)) Es obligatorio el traje de etiqueta.

예봉(銳鋒) ① [날카로운 창・칼의 끝] filo *m*, punta *f* afilada. ～을 피하다 escapar la punta afilada. ② [필봉] ataque *m* vigoroso. ～을 꺾다 embotar el furor de ataque. ③ [정예(精銳)한 선봉] vanguardia *f* escogida.

예불(禮佛) ((불교)) adoración *f* delante de la imagen de Buda. ～하다 adorar delante de Buda.

예비(豫備) ① [미리 준비함] reserva *f*, reservación *f*, repuesto *m*. ~하다 reservar. ~로 가지고 있다 tener reservado, tener de reserva. 나는 비상 사태를 ~해 이 돈을 가지고 있다 Este dinero lo tengo reservado [de reserva] para cualquier emergencia. ② 【법률】 preparación *f*. ~하다 preparar. ~의 preparativo, preliminar.

▪ ~건(件) asunto *m* preliminar. ~ 검사 inspección *f* preliminar, examen *m* previo. ~고사(考査) examen *m* preliminar. ~ 공작(工作) gestión *f* preliminar, trabajo *m* preparatorio. ~교(校) escuela *f* preparatoria. ~ 교섭 negociación *f* preliminar. ~ 교육 educación *f* preliminar. ~군 ㉮ [예비병으로 편성된 군대] reservas *fpl*. ㉯ =예비대. ㉰ ((준말)) =향토 예비군. ~군 포장 medalla *f* de reservas. ~금 reserva *f*. ~ 단계 paso *m* de reserva. ~대 tropa *f* de reserva. ~병 reservista *mf*; soldado, -da *mf* de reserva. ~ 부품(部品) pieza *f* de recambio, pieza *f* de repuesto. ~비 fondo *m* de emergencia, reserva *f*. ~ 사단(師團) división *f* de reserva. ~ 선거 elección *f* preliminar. ~ 선거전 precampaña *f* electoral. ~ 시험 examen *m* previo, examen *m* preparatorio. ~역(役) servicio *m* en reserva. ~역 장교 oficial, -la *mf* de complemento. ~ 자금 fondo *m* de reserva. ~ 자금 부족 escasez *f* de repuestos. ~ 자본 capital *m* de reserva. ~ 점검 inspección *f* preliminar. ~ 조사 investigación *f* preliminar. ~ 조판 composición *f* preliminar. ~ 지식 conocimiento *m* previo. ~ 타이어 llanta *f* de repuesto, neumático *m* de recambio. ~품 repuesto *m*. ~ 학교 escuela *f* preparatoria. ~함(艦) flota *f* de reserva. ~ 협정(協定) acuerdo *m* preliminar. ~ 회담(會談) conferencia *f* preliminar.

예빙(禮聘) invitación *f* de cortesía. ~하다 invitar cortésmente.

예쁘다 (ser) bonito, lindo, mono, monín, bello, hermoso, guapo. 예쁜 인형 muñeca *f* bonita. 예쁜 꽃 flor *f* bonita [hermosa · linda]. 예쁜 여아(女兒) niña *f* bonita. 예쁜 여자 mujer *f* guapa [hermosa · linda]. 예쁜 글씨 letra *f* bonita. 예쁘게 단장하다 vestir con elegancia. 예쁜 서반아어를 구사하다 hablar un español muy claro. 책이 예쁘게 꽂혀 있다 Los libros están bellamente ordenados. 내 아내는 최근에 예뻐졌다 Mi esposa se ha puesto muy bonita últimamente. 아이구 예뻐라 ¡Qué guapo! / [여자에게] ¡Qué guapa!

예쁘디예쁘다 (ser) muy guapo, muy bonito, guapísimo, bonitísimo.

예쁘장스럽다 (ser) guapito, hermosito, bellito, bonitito.

예쁘장스레 guapitamente, bonititamente.

예쁘장하다 (ser) algo [bastante] bonito [bello · lindo · hermoso · guapo]. 예쁘장하게 생긴 아이 niño *m* bastante guapo, niña *f* bastante guapa.

예사(例事) ① [보통] costumbre *f* [usanza *f*] común; [형용사적] usual, común (*pl* comunes), acostumbrado, ordinario, corriente. ~ 사람 hombre *m* corriente. 그는 ~의 병사(兵士)다 El es un soldado raso / El es un simple soldado. 이것은 ~의 물이다 Esto no es más que agua. 이 상은 ~의 문학상(文學賞)과는 다르다 Este no es un premio literario cualquiera. ② [일상사] asunto *m* usual, asunto *m* común. ③ [버릇] hábito *m*, costumbre *f*. …하는 것을 ~로 하다 tener el hábito de + *inf*, acostumbrar + *inf*, soler + *inf*.

예사내기 hombre *m* cualquiera. 그는 ~가 아니다 El no es un hombre cualquiera.

예사로 como de costumbre.

예사로이 comúnmente, ordinariamente, usualmente.

예사롭다 (ser) común (*pl* comunes), ordinario, usual. 예사롭지 않은 anormal, extraordinario, extraño, excepcional, raro. 그는 예사로운 인물이 아니다 El no es un hombre ordinario / El es alguien. 너는 예사로운 방법으로는 그를 이길 수 없다 Tú no podrás ganarle con medidas ordinarias.

▪ ~ㅅ일 ocurrencia *f* diaria.

예산(豫算) ① [미리 비용을 계산함] cuenta *f* previa de los gastos. ~하다 contar los gastos previamente. ② [진작부터의 작정] cálculo *m* aproximado. ~하다 calcular. ③ 【경제】 presupuesto *m*. ~하다 presupuestar. ~의 presupuestrario, *AmL* presupuestal. ~을 세우다 presupuestar, hacer un presupuesto (de); [돈의] asignar. ~을 초과(超過)하다 exceder el presupuesto. 빠듯한 ~으로 잘 먹는 방법 cómo comer bien económicamente [con un presupuesto reducido]. 우리에게는 ~이 없다 Nos falta el presupuesto. 프로젝트는 ~을 넘었다 El proyecto costó más de lo presupuestado / El proyecto excedió el presupuesto. 영화는 ~ 이하로 완성되었다 La película costó menos de lo presupuestado. 영화는 책정된 ~ 범위에서 완성되었다 La película se realizó dentro del presupuesto establecido. 총액 1억 원의 ~을 세운다 Se presupuesta la cifra global de cien millones de wones. 우리들은 여행 ~을 100만 원으로 했다 Nosotros hemos presupuesto el viaje en un millón de wones. 이 계획은 엄청난 ~을 필요로 한다 Este proyecto exige un presupuesto enorme.

◆가계(家計) ~ presupuesto *m* familiar. 광고(廣告) ~ presupuesto *m* publicitario, presupuesto *m* de publicidad. 국가 ~ presupuesto *m* (del Estado), presupuesto *m* nacional. 긴축(緊縮) ~ presupuesto *m* reducido. 불균형 ~ presupuesto *m* no nivelado. 세입 세출 ~ presupuesto *m* general de egresos e ingresos. 시(市) ~ presupuesto *m* municipal. 연간 광고 ~ presupuesto *m* anual destinado a la publicidad. 임시(臨時) ~ presupuesto *m* extraordinario. 자본 지출 ~ presupuesto *m* de gastos de capital. 총(總)~ presupuesto *m* general, presupuesto *m* total. 추가(追加) ~ presupuesto *m* suplementario, presupuesto *m* adicional. 탄력(彈力) ~ presupuesto *m* variable. 통상(通常) ~ presupuesto *m* ordinario. 판매(販賣) ~ presupuesto *m* de ventas.

■ ~ 결손 déficit *m* del presupuesto. ~ 단가(單價) coste *m* unitario del presupuesto. ~ 사정(査定) revisión *f* del presupuesto. ~ 삭감(削減) desmoche *m* presupuestario, reducción *f* presupuestaria. ~안 (proyecto *m* del) presupuesto *m*. ¶~을 가결하다 aprobar el presupuesto. ~을 부결하다 rechazar el presupuesto. ~을 제출하다 presentar el presupuesto. ~을 국회에 제출하다 presentar el presupuesto a la Asamblea Nacional. ~(안) 심의 deliberación *f* sobre el presupuesto. ¶~를 하다 deliberar sobre el presupuesto. ~안 제출일 =예산 제출일. ~액 cantidad *f* del presupuesto. ~ 연도(年度) año *m* presupuestario. ~ 외 수입 ingresos *mpl* fuera del presupuesto. ~ 위원회 comité *m* presupuestario, comité *m* de presupuesto. ~ 제도 sistema *m* del presupuesto. ~ 제출일 día *m* de presentación del presupuesto general del Estado a la nación. ~ 조치 medidas *fpl* presupuestarias. ~ 초과 exceso *m* del presupuesto. ¶~를 하다 exceder el presupuesto. ~ 편성 compilación *f* del presupuesto. ¶~을 하다 presupuestar, establecer el presupuesto, elaborar el presupuesto. ~ 항목 partida *f* [apartado *m*] de un presupuesto.

예상(豫想) pronóstico *m*; [추측(推測)] conjetura *f*, presunción *f*; [기대] expectativa *f*, expectación *f*. ~하다 prever, pronosticar, presuponer, conjeturar, presumir, esperar. ~대로 como se presumía, según se ha [había] previsto. ~대로의 previsto. ~에 반(反)하여 al contrario de la expectación, contrariamente a la expectación, contra toda expectación, contra toda previsión. ~ 이상의 대성공 éxito *m* por encima de toda expectación. ~ 밖으로 우승을 차지한 말 [경마에서] caballo *m* [ganador *m*] desconocido. 경마의 ~ pronóstico *m* de la carrera de caballos. ~을 뒤엎다 romper los pronósticos. ~을 벗어나다 resultar [salir] al contrario de lo esperado, desacertar, equivocarse. 최악의 사태를 ~하다 prever lo peor. ~에서 벗어난 대답을 하다 dar una respuesta incongruente. ~이 맞았다 El pronóstico resultó correcto. ~이 틀렸다 El pronóstico resultó fallido. 그는 ~대로 이겼다 El ganó como estaba previsto. 그의 ~은 틀렸다 El se ha equivocado en sus pronósticos. 어림잡아 천만 원이 ~된다 Se presupone la cifra global de diez millones de wones. ~과는 달리 그는 부인했다 El se negó contra lo que esperábamos. 결과는 ~에 반(反)했다 El resultado fue del todo inesperado. 물가 상승이 ~된다 Se espera que suban los precios.

■ ~고[량] estimación *f*. ~ 배당 dividendo *m* activo estimado. ~액 cantidad *f* estimada.

예상사(例常事) =예사(例事). ¶괴로워하는 것은 인간의 ~다 Es humano apenarse.

예상외(豫想外) improvisto, impensado; [틀린] desacertado, equivocado; [조리에 닿지 않은·엉뚱한] incoherente, incongruente, inconexo. ~로 inesperadamente, más de la cuenta, fuera de expectación, contrariamente a la expectación. ~다 desacertar, equivocarse. ~의 대답을 하다 dar una respuesta incongruente, dar una respuesta que no hace al caso. ~의 결과를 노리다 [경마에서] apostar [dar en el blanco apostando] a un caballo desconocido [no favorito]. 결과는 ~였다 El resultado fue una desilusión / El resultado fue decepcionante / El resultado fue menos satisfactorio (de lo) que se esperaba. 이것은 ~로 맛이 있다 Esta saborea mejor lo que parecía. 그것은 ~로 쉬웠다 Fue más fácil (de lo) que yo pensaba [creía] / No fue tan difícil como yo pensaba. 그는 ~로 여성들에게 인기가 있다 Ahí dondo lo ves, atrae mucho a las mujeres.

예새 cuchillo *m* de madera para la porcelana.

예서(豫壻) =데릴사위.

예서(禮書) ① [예법에 관한 책] libro *m* sobre los modales. ② =혼서(婚書).

예서 aquí, en este lugar. ~ 기다려라 Espera aquí.

예선(曳船) ① [배에 줄을 매어 끄는 일] remolque *m*. ~하다 remolcar (un barco). ~되다 llevar (a remolque), llevar un buque a jorro. ② [다른 배를 끄는 배] remolcador *m*, barco *m* remolque, lancha *f* de atoaje.

■ ~로(路) paso *m* de remolque. ~료(料) derecho *m* de remolque, atoaje *m*.

예선(豫選) eliminatoria *f*, prueba *f* preliminar; [선거] elección *f* previa, preelección *f*. ~을 하다 elegir previamente, hacer una eliminatoria. ~을 통과하다 pasar la (prueba) preliminar, pasar una (prueba) eliminatoria, salir vencedor de la eliminatoria; pasar la elección previa. 이차 ~에서 탈락하다 ser eliminado en la segunda eliminatoria.

예속(隷屬) sujeción *f*, sumisión *f*, servidumbre *f*. ~하다 sujetarse (a), someterse (a), sujetarse al yugo (de). ~ 상태에 있다 estar bajo el yugo (de).

■ ~국 =종속국(從屬國). ~ 자본 =매판자본(買辦資本).

예수(영 *Jesus*) ((성경)) Jesús.

■ ~교 ㉮ =기독교(基督敎). ㉯ ((기독교)) [신교(新敎)] protestantismo *m*. ~교인 cristiano, -na *mf*. ~교회 iglesia *f*. ~ 그리스도 Jesucristo. ~회(會) la Compañía de Jesús.

예수남은 sesenta y pico. 사람들이 ~은 모였다 Se reunieron sesenta y pico personas. 결혼 날짜는 ~날 남았다 Faltan sesenta y pico días hasta el día de casamiento.

예순 sesenta. ~ 명 sesenta personas. ~ 살 sesenta años (de edad).

예술(藝術) arte *m(f)*; [미술] bellas artes *fpl*. ~의 영원성 eternidad *f* artística. ~의 전당 palacio *m* de arte, torre *f* de marfil. ~을 감상하다 apreciar el arte. ~을 이해하다 saber apreciar el arte.

◆동양 [서양] ~ arte *m* oriental [occidental]. 시각(視覺) ~ arte *m* visual. 청각(聽覺) ~ arte *m* auditivo.

▪~가 artista *mf*. ~ 감각 sentido *m* artístico. ~계 mundo *m* del arte, círculos *mpl* artísticos. ~관 la Sala de Arte. ~ 교육(教育) educación *f* de arte. ~ 대학 la Universidad de Artes. ~미 belleza *f* de arte. ~ 본능 instinto *m* artístico. ~ 비평 criticismo *m* de arte. ~사 historia *f* del arte. ~ 사진 fotografía *f* artística. ~ 사진가 fotógrafo *m* artístico, fotógrafa *f* artística. ~ 운동(運動) movimiento *m* artístico. ~원 ((준말)) =대한 민국 예술원 (Academia Coreana de Artes). ~인 =예술가. ~ 작품 obra *f* de arte. ~적 artístico *adj*. ¶~으로 artísticamente. ~ 기분 espíritu *m* artístico, atmósfera *f* artística. ~양심 conciencia *f* artística, rectitud *f* de un artista. ~ 재능(才能) talento *m* artístico. ~ 충동 impulso *m* artístico. ~ 가치가 있는 작품 una obra de gran valor artístico. ~제(祭) la Fiesta Artística. ~ 지상주의 (teoría *f* del) arte *m* por el arte. ~ 지상파 arte *m* para la escuela artística. ~ 축구 fútbol *m* artístico, fútbol *m* del arte. ~파 escuela *f* artística. ~품 obra *f* del arte. ~학 ciencia *f* de artes. ~학부 departamento *m* de artes. ~ 형식 forma *f* artística.

예스럽다 (ser) anticuado. 예스럽게 con la gracia del ritual tradicional.

예습(豫習) preparación *f* (de la lección · de la clase); [극 · 음악 따위의] ensayo *m*. ~하다 preparar la lección, ensayar. ~시키다 [연극 · 콘서트 · 연설 등을] ensayar; [댄서 · 음악가들이] hacer ensayar (a). 텍스트를 ~하다 hojear un texto de antemano [de anticipación].

예시(例示) ejemplificación *f*, ejemplo *m*. ~하다 ejemplificar, demostrar con ejemplos.

예시(豫示) indicación *f*. ~하다 indicar.

예시(豫試) ((준말)) =예비 시험(豫備試驗).

예식(例式) forma *f*, forma *f* establecida.

예식(禮式) ceremonia *f*; [종교의] ritos *mpl*. ~의 ceremonial.

▪~장(場) salón *m* (*pl* salones) ceremonial, salón m de ceremonia nupcial.

예심(豫審) instrucción *f* (de un expediente), examen *m* preliminar (de una causa criminal). ~하다 examinar preliminarmente, instruir (una causa). ~ 중이다 estar en instrucción.

▪~ 결정서 decisión *f* del examen preliminar. ~정(廷) tribunal *m* preliminar de interrogación. ~ 조서 protocolo *m* del examen preliminar, deposición *f* tomada en el examen preliminar. ~ 종결 conclusión *f* del examen preliminar. ~판사 juez *mf* (*pl* jueces) de primera instancia, juez *mf* de tribunal de primera instancia, juez *mf* de instrucción.

예약(豫約) reserva *f*, reservación *f*; [구독 예약] su(b)scripción *f*. ~하다 reservar, hacer una reserva, *AmL* hacer una reservación; subscribir, suscribir, abonarse. ~을 취소하다 anular la reserva, desatonarse. ~을 개시하다 abrir la suscripción. ~을 마감하다 cerrar la suscripción. ~ 판매(販賣)를 하다 vender por suscripción. 신문을 ~하다 suscribirse [abonarse] a un periódico. 자리를 ~하다 reservar la localidad. 좌석을 ~하다 reservar asiento. 방 두 개를 ~해두었다 tener reservados dos cuartos, tener reservadas dos habitaciones. 방을 예약했으면 합니다만 [호텔에서] Quisiera reservar una habitación. 오늘 ~을 했으면 합니만 [병원에서] Quisiera pedir [tomar] hora para hoy.

▪~가(價) precio *m* mínimo. ~ 구독료(購讀料) suscripción *f*, subscripción *f*. ~ 구독자 suscriptor, -tora *mf*; subscriptor, -tora *mf*. ~금 cuota *f* de reserva; suscripción *f*, subscripción *f*. ~ 기한 plazo *m* de suscripción. ~ 발매 venta *f* por suscripción. ~석 asiento *m* reservado, plaza *f* reservada; [테이블] mesa *f* reservada. ~ 신청서 formulario *m* de reserva, formulario *m* de suscripción. ~ 신청금 (dinero *m* de) suscripción. ~자 suscriptor, -tora *mf*. ~전보 telegrama *m* reservado. ~ 정가 precio *m* suscripto. ~ 제도 sistema *m* de reserva. ~처 despacho *m* de billetes; oficina *f* de suscripción. ~ 출판(出版) publicación *f* por suscripción. ~ 카운터 mostrador *m* de reservas. ~ 판매 venta *f* por suscripción.

예언(例言) prefacio *m*, prólogo *m*, prefación *f*, explanación *f* preliminar.

예언(豫言/預言) profecía *f*, predicción *f*, pronosticación *f*, pronóstico *m*. ~하다 profetizar, predecir, pronosticar, anunciar lo futuro. 실패를 ~하다 pronosticar un fracaso. ~을 적중시키다 acertar en el pronóstico. 그의 ~이 맞았다 El se realizó su predicción. 그의 ~이 틀렸다 El falló su predicción. 그는 대지진이 일어날 것이라고 ~했다 El predijo que ocurriría un gran terremoto. 그 노파는 그 사건을 ~했다 La vieja ha predicho el acontecimiento.

▪~자(者) profeta, -tisa *mf*; profetizador, -dora *mf*; pronosticador, -dora *mf*.

예열(豫熱) precalentamiento *m*.

▪~기 precalentador *m*. ~로(爐) caldera *f* de precalentamiento.

예예 Sí, señor / Sí, está bien / Sí, vale. ~하다 arrastrarse, adular (a), lisonjear (a).

예외(例外) excepción *f*, caso *m* excepcional. ～의 excepcional, extraordinario. ～로 하다 exceptuar, hacer una excepción (a). ～ 없이 sin excepción. …은 ～로 하고 a [con] excepción de *algo*, excepto *algo*, salvo *algo*. 그 나라들은 ～로 하고 con excepción de esos países. 이것은 ～다 Este es un caso excepcional. ～ 없는 규칙(規則)은 없다 No hay regla sin excepción / La excepción confirma la regla.

▪ ～법(法) ley *f* excepcional. ～적(的) excepcional, extraordinario. ¶～으로 excepcionalmente. ～ 조치(措置) medida *f* de excepción.

예우(禮遇) tratamiento *m* respectuoso, recepción *f* cortés. ～하다 recibir cortésmente, tratar respectuosamente, atender con toda cortesía.

예원(藝苑/藝園) sociedad *f* de los artistas.

예의(銳意) con todo entusiasmo, con todo el alma, con fervor, con ardor, apasionadamente, con pasión y celo, con celo, encarecidamente, asiduamente. ～ …에 힘쓰다 dedicarse a *algo* con todo entusiasmo [con todo el alma]. ～ 노력하다 esforzar por + *inf* con celo [con ardor · con fervor].

예의(禮儀) cortesía *f*, (buena) educación *f*, etiqueta *f*, urbanidad *f*, buenos modales *mpl*, buenas formas *fpl*. ～를 모르는 descortés, impolítico, mal educado, grosero. ～를 차릴 줄 아는 사람 buen cumplidor *m* [buena cumplidora *f*] de la etiqueta. ～를 모르다 no tener cortesía [educación]. ～를 지키다 observar las reglas de la urbanidad. ～가 없다 faltar a la decencia [la urbanidad · los buenos modales]. 연필로 편지를 쓰는 것은 ～에서 벗어난 것이다 Es malas formas escribir la carta con lápiz.

예의 바르게 cortésmente, con cortesía. ～ 행동하다 portarse bien, comportarse. ～ 행동(行動)해라! ¡Pórtate bien!

예의 바르다 (ser) cortés, político, bien educado.

▪ ～범절(凡節) modales *mpl*, maneras *fpl*, educación *f*. ¶식사의 ～ modales *mpl* de la mesa. ～을 따르다 seguir los modales. ～을 모르다 no tener educación, tener malos modales. ～을 습득하다 adquirir buenos modales. ～을 알고 있다 tener buenos modales, estar bien educado. …하는 것은 ～이다 Es de buena educación que + *subj* / La buena educación manda que + *subj*. 국을 마실 때 소리를 내지 않는 것이 ～이다 Es de buena educación no hacer ruido al tomar la sopa.

예인(藝人) artista *mf*.

예인망(曳引網) red *f* barredera.

예인선(曳引船) remolcador *m*, barco *m* remolque.

예입(預入) depósito *m*. ～하다 depositar.

▪ ～금 depósito *m*, dinero *m* en depósito.

예장(禮狀) ① ＝혼서(婚書). ② [사례(謝禮)의 편지] carta *f* de agradecimiento.

예장(禮裝) traje *m* de ceremonia, traje *m* de etiqueta. ～하다 ir en traje de ceremonia [de etiqueta].

예장(禮葬) ① [예식을 갖추어 치르는 장사(葬事)] funerales *mpl* ceremoniales. ② 【역사】 ＝인산(因 山).

예전 otros tiempos *mpl*, tiempos *mpl* antiguos, pasado *m*. ～의 antiguo, de otros tiempos. ～에(는) antes, en otros tiempos, antiguamente, en tiempos antiguos, antaño, una vez. ～부터 desde los tiempos antiguos. ～대로 de costumbre, como antes. ～의 명우(名優) célebre actor *m* antiguo, célebre actriz *f* antigua; gran actor *m* de otro tiempo, gran actriz *f* de otro tiempo. ～에는 큰 도시가 있었던 곳에 en el lugar donde hubo una gran ciudad antiguamente. ～에 그 책을 읽었다 Antes he leído el libro. ～에 그런 말은 들은 적이 없다 (Jamás) En mi vida he oído tal cosa / No he oído nunca tal cosa / Nunca he oído tal cosa.

예절(禮節) etiqueta *f*, cortesía *f*, modales *mpl*, maneras *fpl*, educación *f*. ～ 바르게 de una manera educada. ～이 바르다 ser (una persona) de buena conducta, ser (una persona) de buenos modales, ser educado, tener buenos modales, portarse bien, comportarse bien. ～을 모르다 no conocer los (buenos) modales. ～ 바르게 행동해라 Pórtate bien.

예정(豫定) plan *m*, programa *m*, proyecto *m*, calendario *m*, arreglo *m* previo; [시간표] horario *m*. ～하다 proyectar, planear, acordar de antemano, concertar de antemano, arreglar previamente, fijar [designar]. de antemano [anticipadamente]. ～의 previo, arreglado de antemano. ～의 행동 (línea *f* de) acción *f* planeada. ～ 외의 비용 expensas *fpl* imprevistas. ～에 따라 conforme al plan, conforme al programa sañalada, según el plan. ～에 늦다 retrasarse en el proyecto. ～에 따르다 seguir el plan. ～을 세우다 preparar un proyecto, establecer un plan, hacer un programa. ～을 변경하다 cambiar el plan, cambiar el proyecto. ～보다 일찍 도착하다 llegar antes de la hora prevista. 숙박비(宿泊費)로 10만 원을 ～하다 preparar cien mil wones para el alojamiento, presuponer el alojamiento en cien mil wones. 나는 내일 마드리드로 출발할 ～이다 Tengo previsto salir para Madrid mañana. 그는 월요일에 한국에 도착할 ～이다 El debe (de) llegar a Corea el lunes. 그 계획은 금년 봄에 실현 ～이었다 El proyecto debía (de) realizarse [haberse realizado] esta primavera. 출석자가 다수로 ～된다 Se prevé una asistencia numerosa / Se esperan numerosos concurrentes. 오늘 밤 ～은 어떻습니까? ¿Cuál es su plan para esta noche? 1개월 ～으로 서반아 여행을 할 참이다 Voy a viajar por España con un plan de un mes. 그 사건 때문에 ~이 완전히 망가졌다 Debido al incidente, se ha perturbado completamente el programa. 자네를 과장으로 추천(推薦)할 ~이니 마음으로 준비하게 Prepárate mentalmente, ya que voy a recomendarte para jefe.

■~ 기일 fecha *f* concertada de antemano. ~설 doctrina *f* de predestinación. ~ 시간 hora *f* fijada. ~액 suma *f* estimada, cantidad *f* estimada. ~일 día *m* fijado, fecha *f* concertada de antemano. ~표 programa *m*.

예제 aquí y allí, acá y allá.
예제없다 no haber distinció ni aquí ni allí.
예제없이 sin distinción aquí y allí.

예제(例祭) rito *m* regular, rito *m* anual.

예제(例題) [보기] ejemplo *m*; [연습 문제] ejercicio *m*. ~를 주다 dar un ejemplo, dar un ejercicio.

예조(禮曹) 【역사】 la Dirección de Educación.
■~ 판서 director *m* de Educación.

예증(例症) ① [늘 앓는 병] enfermedad *f* que se duele muchas veces. ② =버릇(hábito).

예증(例證) ejemplo *m* (que prueba). ~하다 probar [demostrar] con ejemplo.

예지(銳智) inteligencia *f* aguda.

예지(豫知) previsión *f*, previdencia *f*, pronosticación *f*, presciencia *f*, conocimiento *m* previo. ~하다 prever, pronosticar, tener presciencia (de), tener conocimiento previo (de). ~할 수 있는 previsible. ~할 수 있는 장래 futuro *m* previsible. 지진을 ~하다 pronosticar [predecir] un terremoto.
■~ 능력 capacidad *f* de presciencia.

예지(叡智) sagacidad *f*, sabiduría *f*, inteligencia *f*. 인류(人類)의 ~를 모으다 reunir la sabiduría de toda la humanidad.
■~자 previsor, -sora *mf*. ~적 previdente, previsor. ~적 허무주의(的虛無主義) nihilismo *m* previdente.

예진(豫診) examen *m* médico preliminario.

예찬(禮讚) ① ((불교)) servicio *m* a tres Tesoros y admiración de sus méritos. ~하다 servir a tres Tesores y admirar *sus* méritos. ② [칭찬하여 높임] alabanza *f*, elogio *m*, adoración *f*, glorificación *f*. ~하다 alabar, elogiar, alabanzar, adorar, glorificar. 미(美)의 ~ culto *m* de belleza, glorificación *f* de hermosura. 자연의 ~ culto *m* de naturaleza.
◆모성(母性) ~ glorificación *f* de la maternidad.
■~자(者) adorador, -dora *mf*; admirador, -dora *mf*; quien rinde culto.

예체능계(藝體能系) sistema *m* de artes y deportes.

예측(豫測) previsión *f*, pronóstico *m*, predicción *f*, pronosticación *f*; [추측] suposición *f*, cálculo *m*. ~하다 pronosticar, predecir, suponer, calcular. ~되다 preverse, pronosticarse. ~할 수 없는 imprevisto, inesperado, inopinado, impensado, imprevisible. 수급(需給)의 ~ pronóstico *m* de la demanda y la oferta. 실패를 ~하다 pronosticar un fracaso. 그런 상태로는 중대한 사고가 ~되었다 Con aquellas condiciones se pronosticaba su grave accidente. 석유 가격이 인하될 것으로 ~되었다 Se prevé una baja en el precio del petróleo. 그의 사임(辭任)을 누가 ~할 수 있었겠느냐? ¿Quién podría haber previsto [prenosticado] su dimisión? / ¿Quién habría dicho que dimitiría? 경기의 동향(動向)은 ~이 안 된다 Es imprevisible la tendencia económica. ~ 불허의 사태가 발생했다 Ha estallado un caso imprevisto.
◆시장(市場) ~ pronosticación *f* del mercado. 판매 ~ pronosticación *f* de ventas.

예치(預置) depósito *m*. ~하다 guardar en depósito, guardar en consignación, depositar. 하물을 ~하다 guardar el equipaje en depósito [en consignación].
■~금(金) dinero *m* depositado, dinero *m* en depósito. ~물 depósito *m*, objeto *m* recibido en depósito [en consignación]. ~소 depositaría *f*. ~인 depositario, -ria *mf*; consignatario, -ria *mf*. ~증 recibo *m* de depósito.

예컨대(例一) por ejemplo.

예탁(預託) deposición *f*. ~하다 depositar.
■~금(金) dinero *m* en depósito. ~ 은행 banco *m* de depósitos, banco *m* comercial. ~자 depositante *mf*.

예탐(豫探) detección *f*, espía *f*. ~하다 detectar, espiar.
■~꾼 espía *mf*.

예편(豫編) reclutamiento *m* [alistamiento *m*] en la primera reserva. ~하다 reclutarse [alistarse] en la primera reserva. ~시키다 reclutar [alistar] en la primera reserva.

예포(禮砲) salva *f*, honras *fpl* militares [navales]. ~를 쏘다 descargar una salva. 21발의 ~ salva *f* de veintiún cañonazos.

예풍(藝風) tendencia *f* artística; [연극의] acciones *fpl*; [음악 등의] técnica *f*.

예하(猊下) Su Santidad.

예하(隷下) =휘하(麾下).

예항(曳航) remolque *m*. ~하다 remolcar.
■~선(線) remolcador *m*.

예해(例解) ejemplo *m*, ilustración *f*. ~하다 ilustrar con ejemplos.

예행(豫行) ensayo *m*, función *f* [representación *f*] preliminar. ~하다 ensayar, dar una función [una representación] preliminar.
■~연습(演習) ensayo *m* preliminar, ejercicios *mpl* preliminares. ~하다 ensayar (una obra), hacer un ensayo general, hacer un ejercicio preliminar. 운동회의 ~을 하다 ensayar la fiesta atlética.

예향(藝鄕) región *f* [comarca *f*] central de la cultura y el arte.

예화(例話) fábula *f*, alegoría *f*, parábola *f*.

예회(例會) reunión *f* regular, junta *f* regular, sesión *f* ordinaria. ~를 열다 tener una junta regular.

예후(豫後) ① [의사가 병자를 진찰한 다음 미리 그 병세의 진전을 단정한 병세] pronóstico *m*. ② [병 뒤의 경과] convalecencia *f*. ~의 convaleciente. ③ [(병의) 앞으로 내다 보이는 징조] síntoma *m*.
옌장 ¡Caray! / ¡Carajo! / ¡Mi Dios! / ¡Dios (mío)!
옐로카드(영 *yellow card*) ((축구)) tarjeta *f* amarilla. ~를 보이다 amonestar, mostrar la tarjeta amarilla (a).
옛 antiguo, viejo. ~ 친구 amigo *m* antiguo, viejo amigo *m*.
옛- antiguo, viejo. ~이야기 cuento *m* antiguo.
옛글 letras *fpl* antiguas, literatura *f* antigua, escritura *f* antigua.
옛길 camino *m* antiguo.
옛날 tiempos *mpl* antiguos, pasado *m*; [형용사적] antiguo, viejo. ~에 en la antigüedad, tiempo ha, una vez. 아주 오랜 ~의 muy antiguo, de época muy remota. 아주 오랜 ~에 en la antigüedad remota, muy antiguamente. 아주 먼 ~부터 desde tiempo inmemorial, desde tiempo muy antiguo, desde la antigüedad remota. 나는 ~의 전축을 가지고 있다 Yo tengo un tocadiscos prehistóricos [del año de la pera].
▪ ~ 사람 =옛사람. ~ 옛적 antigüedad *f* muy remota. ¶~에 en la antigüedad muy remota, muy antiguamente. ~ 이야기 cuento *m* antiguo, historia *f* antigua. ~ 풍속 costumbres *fpl* antiguas.
옛말 ① [고어(古語)] antigua palabra *f*. ② [격언] proverbio *m*, refrán *m* (*pl* refranes). 「시작이 반이다」 라는 ~이 있다 Hay un refrán que dice: Obra empezada, medio acabada.
옛 모습 *su* rostro, *su* cara, *su* semblante, *su* imagen, *su* figura, rastro *m*, indicio *m*, vestigio *m*, sombra *f*.
옛사람 los antiguos, el muerto. ~이 되다 fallecer, morir.
옛사랑 ① [지난날 맺었던 사랑] amor *m* pasado. ② [지난날 사랑하던 사람] examante *mf*
옛 이름 nombre *m* antiguo (de la cosa).
옛이야기 =옛날이야기.
옛일 cosas *fpl* pasadas, hechos *mpl* pasados, sucesos *mpl*, lo pasado.
옛적 años *mpl* pasados, antigüedad *f*. ~과 같이 como el otro tiempo, como antaño.
옛정(-情) antigua amistad *f*. ~을 새로이 하다 renovar [resucitar · recobrar · calentar] la antigua amistad.
옛집 ① [옛날의 집. 오래된 집] vieja casa *f*. ② [예전에 살던 집] casa *f* donde [en que] vivía antaño.
옛추억(-追憶) recuerdo *m* pasado, memorias *fpl* pasadas, memoria *f* de los tiempos antiguos.
옛친구(-親舊) viejo amigo *m*, vieja amiga *f*.
옛터 ruinas *fpl* (antiguas).
옛터전 =옛터.
옛풍속(-風俗) costumbres *fpl* antiguas.
옛풍습(-風習) =옛풍속.
옜네 Aquí está / Aquí tienes / Ten.
옜다 ① ((준말)) =여기 있다(Aquí está). ¶~, 애야 Aquí está, hijo mío / Aquí tienes, hijo mío. ② [에라, 모르겠다] Vale, no lo sé.
옜소 ((준말)) =여기 있소(Aquí está). ¶~, 돈 Aquí está el dinero / Aquí tienes el dinero / Ten dinero.
옜소이다 Aquí está / Aquí tiene usted.
옜습니다 Aquí está / Aquí tiene usted / Tenga usted. ~, 거스름돈 Aquí está la vuelta / Aquí tiene usted la vuelta / Tenga usted la vuelta.
옜어 ① ((준말)) =여기 있어. ¶~. 곧 올게 Aquí está. Vuelvo pronto. ② ((반말)) =옜다.
오 ① [옳지] Bien / Correctamente. ② ((준말)) =오냐. ③ [놀람 · 칭찬 등 절실한 느낌을 나타낼 때 내는 소리] ¡Ah! / Bueno. ~, 정말 아름다운 장미로군! ¡Ah, qué rosas más preciosas! ~, 너구나 Ah, eres tú. ~, 염려 마라 Bueno, no importa. ~, 정말 놀랍다 ¡Anda [¡Vaya] qué sorpresa!
오(午) ① [지지(地支)의 일곱째] (signo *m* del) caballo *m*, el séptimo de doce signos horarios. ② ((준말)) =오시(午時). ③ ((준말)) =오방(午方).
오(五) cinco. ~ 일(日) [달의 다섯째 날] el cinco del mes; [다섯 날] cinco días. ~ 년(年) cinco años, quinquenio *m*. ~분의 일 un quinto. 제~ 장 el capítulo cinco. ~ 배(倍) quintuplicación *f*, cinco veces. ~ 배의 quíntuplo. ~ 배로 하다 quintuplicar.
오(伍) cinco.
오가(五加/五佳) ((식물)) =오갈피나무.
오가(五家) ((불교)) cinco sectas.
오가다 ir y venir, ir y volver, venir e ir. 우리는 집과 병원 사이를 오가면서 온종일을 보냈다 Nosotros nos pasamos todo el día yendo y viniendo [en idas y venidas] de casa al hospital. 거리는 오가는 사람으로 붐빈다 La calle está animada con la gente que va y viene. 외교관들은 서울과 평양 간을 오갔다 Los diplomáticos iban y venían entre *Seúl* y *Pyeongyang*.
오가리 ① [박 · 호박 따위의 살을 길게 오리어 말린 것] rodaja *f* secada de la calabaza. ② [식물의 잎이 병들고 말라 오글쪼글한 상태] lo marchitado de las hojas de la planta.
◆오가리(가) 들다 marchitarse.
오가리솥 olla *f* con la boca más estrecha que el cuerpo.
오가피주(五加皮酒) =오갈피술.
오각(五角) cinco ángulos; [형용사적] pentagonal, pentangular.
▪ ~기둥 columna *f* pentagonal. ~뿔 cono *m* pentagonal. ~형 pentágono *m*. ¶정(正) ~ pentágono *m* regular.
오각(O脚) 【의학】 pierna *f* arqueada, pierna *f* torcida. ~의 patizambo, estevado, *Col* cascorvo.

오갈들다 ① ((준말)) =오가리(가) 들다. ☞오가리. ② [두려움에 기운을 펴지 못하다] estar muerto [cargado] de miedo (por).

오갈병(-病) enfermedad *f* rizada.

오갈피 【한방】 corteza *f* de la raíz de la aralia.

오갈피나무 【식물】 aralia *f.*

오감(五感) cinco sentidos: vista, oído, olfato, paladar y tacto.

오감스럽다 (ser) frívolo, poco serio, displicente, indiferente.
오감스레 frívolamente, con ligereza, displicentemente.

오감하다 valer la pena de estar contento (con).

오개년 계획(五個年計劃) plan *m* quinquenal. 경제 개발(經濟開發) ~ plan *m* quinquenal para el desarrollo económico.

오거리(五-) *ogori*, intersección *f* de cinco caminos, bifurcación *f* de cinco caminos, cinco esquinas.

오경(五經) ① [고대 중국의 다섯 가지 경서(經書)] cinco Clásicos (de la China antigua). ② ((성경)) [모세가 기록한 구약의 다섯 경전(經典)] cinco Libros Sagrados de la Santa Biblica que escribió Moisés: Génesis 창세기, Exodo 출애굽기, Levítico 레위기, Números 민수기 y Deuteronomio 신명기.

오계(五戒) ① ((불교)) los cinco Mandamientos [Preceptos] de Buda. ② 【역사】 =세속오계(世俗五戒).

오계(烏鷄) ① [털이 까만 닭] gallo *m* con el pelo negro. ② ((준말)) =오골계(烏骨鷄).

오계(誤計) =실책(失策).

오곡(五穀) ① [쌀·보리·콩·조·기장의 다섯 가지 곡식] cinco cereales: arroz, cebada, soja, mijo y kaoliang. ② =곡식(穀食).
■ ~밥 comida *f* de cinco cereales, comida *f* de arroz apelmazado, kaoliang, mijo apelmazado, soja negra, y soja roja. ~ 백과(百果) todos los cereales y muchas frutas.

오골계(烏骨鷄) *ogolgye*, gallo *m* que la carne, la piel y el hueso son de color negro

오공이(悟空-) persona *f* pequeña y firme.

오관(五官) cinco órganos sensorios (de los sentidos), cinco sentidos.

오구 *ogu*, una especie de la canasta de pesca.

오귀발 【동물】 =불가사리.

오그라들다 encogerse, acurrucarse, acortarse, dar calambre, entumecerse, agarrotarse; [작게 되다] achicarse, disminuir; [좁아지다] estrecharse; [옷감이] encogerse. 오그라든 노인 viejo *m* arrugado y consumido. 근육이 ~ tener calambre en el músculo. 추위로 ~ agarrotarse por el frío. 이 옷감은 빨아도 오그라들지 않는다 Esta tela no se encoge al lavarla.

오그라뜨리다 =오그리다.

오그라지다 ① [가장자리가 안쪽으로 옥아들다] inclinarse hacia adentro. ② [작아지다. 졸아들다] achicarse, disminuir, encogerse. ③ [두렵거나 춥거나 하여 몸이 옴츠러지다] encogerse, acurrucarse, agarrotarse. 추위로 agarrotarse por el frío. ④ [일이 잘 풀리지 아니하고 차차 글러지다] salir mal, fallar, malograrse.

오그랑이 ① [오그랑하게 생긴 물건] cosa *f* inclinada hacia adentro. ② [마음씨가 꼬부라진 사람] persona *f* perversa.

오그랑장사 negocio *m* de pérdidas.

오그랑하다 inclinarse hacia adentro.
오그랑오그랑 inclinándose hacia adentro. ~하다 arrugarse y consumirse. ~한 노파(老婆) vieja *f* arrugada y consumida.

오그리다 [몸을] agacharse, encogerse, bajarse doblando las rodillas; [등·팔·다리를] doblar, flexionar; [물건을] torcer, curvar, apalear, cascar, romper; [금속을] abollar; [나무를] hacer una marca (en). 그는 아파서 몸을 오그렸다 El se retorcía de dolor.

오글거리다 ① [물이 자꾸 오그르르 끓다] hervir a fuego lento, chisporrotear, crepitar. ② [벌레 같은 작은 것들이 오그르르 모여 자꾸 움직이다] enjambrar.
오글오글[1] hirviendo a fuego lento, chisporroteando; emjambrando.

오글보글 bullendo, hirviendo a fuego lento.

오글오글[2] [짧고 좁은 주름이 많이 잡힌 모양] arrugándose mucho.

오글쪼글 (arrugándose y) marchitándose; [피부가] ajándose, arrugándose, apergaminándose. ~한 노인 un viejo arrugado y consumido.

오금 ① [무릎의 구부러지는 안쪽] corva *f*, correjón *m* (*pl* correjones), jarrete *m*. ② ((준말)) =팔오금. ③ ((준말)) =한오금.
◆오금(을) 못 쓰다 estar dominado (por). 그는 마누라 앞에서 오금을 못 쓴다 El está dominado por su esposa.
◆오금이 쑤시다 reventar (por + *inf*). 지껄이고 싶어 오금이 쑤셔 견딜 수가 없다 reventar por hablar.

오금팽이 ángulo *m* interior de la corva.

오긋하다 ser abollado hacia adentro.
오긋이 abollando hacia adentro.

오기(傲氣) ① [남에게 지기 싫어하는 마음] obstinación *f*, pertinacia *f*, porfía *f*, orgullo *m*. ② [오만스런 기운] arrogancia *f*.

오기(誤記) error *m*, escrito *m* erróneo, errata *f*, [철자(綴字)의] falta *f* ortográfica. ~하다 equivocarse al escribir, escribir incorrectamente. ~ 탈락 없음 Salvo error u omisión.

오나가나 siempre, todo el tiempo, constantemente.

오냐 sí, vale. ~, 들어오너라 Sí, pasa. ~, 한번 해 보자 Vale, Vamos a hacer una vez. ~, 알았다 Sí, ya caigo. ~, 그렇게 해라 Sí, tú puedes hacerlo. ~ ~ 울지 마라 Vamos [Venga · *Méj* Andale], no llores.

오냐오냐하다 consentir, mimar. 그들은 그녀의 모든 변덕을 오냐오냐하면서 받아주었다 Ellos le consintieron todos los caprichos.

오년(午年) 【민속】 el Año del Caballo.
오뇌(懊惱) agonía *f*, congoja *f*, angustia *f*, preocupación *f*, inquietud *f*. ～하다 inquietarse, preocuparse.
오누이 hermano y hermana, hermanos *mpl*.
오뉘죽(－粥) gachas *fpl* de arroz mezclado con las sojas rojas molidas.
오뉴월 mayo y junio (del calendario lunar).
▪～ 염천(炎天) calor *m* sofocante de mayo y junio del calendario lunar.
오는 próximo, que viene, que entra. ☞오다
오늘 ① [지금 지내고 있는 이 날] hoy. ～부터, ～ 이후 de [desde・a partir de] hoy, de hoy en adelante. ～까지 hasta hoy, hasta la fecha. ～ 중으로 antes (de) que pase el día de hoy. ～의 메뉴 menú *m* del día. ～의 모습 condición *f* de hoy. ～의 상황 situación *f* de hoy. ～의 식단(食單) plato *m* del día. ～의 신문 periódico *m* de hoy. ～의 예정(豫定) programa *m* [plan *m*] para hoy. 다음다음 주의 ～ dentro de dos semanas este mismo día. 다음 달 [해]의 ～ este día del próximo mes [año]. 전주(前週)의 ～ este día de la semana pasada. 지난 달[해]의 ～ este día del mes [del año] pasado. ～ 당장에 그 일을 해라 Hazlo hoy mismo. ～은 며칠입니까? ¿Qué día del mes es hoy? / ¿A cuántos estamos hoy? ～은 2002년 10월 2일이다 Hoy es el seguno de octubre de dos mil dos. ② ((준말)) ＝오늘날.
오늘날 (en) estos días, en nuestros días, en nuestros tiempos, hoy día, hoy en día, hoy, en la actualidad, ～ 처한 문제 problema *m* de hoy.
오늘내일(－來日) [오늘이나 내일 사이에] entre hoy y mañana, en el futuro cercano; [당장] en seguida, inmediatamente; [빠른 시일에] dentro de muy poco.
오늘 밤 esta noche. 그럼 ～에 만납시다 Nos veremos esta noche / Hasta esta noche.
오늘 아침 esta mañana. ～부터 desde [a partir de] esta mañana. ～의 신문 periódico de esta mañana. ～은 무척 춥다 Hace mucho frío esta mañana. ～은 실례했습니다 Siento haberle molestado (a usted) esta mañana.
오늘 저녁 esta noche. ～은 무엇을 하시겠습니까? ¿Qué hará usted esta noche? ～은 영화 구경 가겠다 Voy al cine esta noche.
오늬 muesca *f* de la flecha.
▪～도피 corteza *f* del melocotonero que envolvió la muesca de la flecha.
오다 ① [이곳이나 이때를 향하여 움직이다. 공간적・시간적으로 가까이 닥치다] venir, llegar. 서울에서 온 손님 visitante *mf* que vino de Seúl. 기차가 올 때까지 hasta que llegue el tren; [과거에] hasta que llegó el tren. 만나러 ～ venir a ver (a *uno*). 멀리서 ～ venir de lejos. 이전에 내가 이곳에 왔을 때 cuando vine [estuve] aquí la última vez. 이리 오너라 Ven acá / Ven aquí. 이쪽으로 오세요 [usted에게] Venga acá / [ustedes에게] Vengan acá. 이쪽에 오지 마라 No vengas por acá. 물이 있으니 이쪽에 오지 마세요 No venga por acá, que hay agua. 또 오십시오 Venga otra vez. 어서 오십시오 ㉮ [사무실・가게 등에서] ¿En qué puedo servirle? / ¿Qué desea [deseaba] usted? / ¿Qué quiere usted? ㉯ [환영의 뜻으로, 공항 등에서 손님을 맞을 때] [남자 한 사람에게] ¡Bienvenido! / [여자 한 사람에게] ¡Bienvenida! / [남자 두 사람 이상이나 남녀가 섞여 있을 때] ¡Bienvenidos! / [여자들에게] ¡Bienvenidas! 나는 기차[버스・비행기]로 왔다 Yo vine en tren [autobús・avión]. 잠깐 이곳에 와 줄 수 있겠소? ¿Puedes venir un momento? 그는 오늘은 오지 않을 것이다 El no vendrá hoy. 자동차가 오는 것이 보였다 Vi un coche viniendo. 보세요, 버스가 옵니다 Mire, viene un autobús. 그는 벌써 집에 왔다 El ya ha venido a casa. 그는 뭐하러 왔습니까? ¿A qué vino él? 전기 기사는 왔습니까? ¿Ha venido el electricista? 담당자를 보러 왔습니다 ¡Que venga el encargado! 김 선생께서 보내서 왔습니다 Vengo de parte del señor Kim. 너 혼자 오니? － 아닙니다, 친구와 옵니다 ¿Vienes solo? － No, con un amigo. 제주도에는 관광객이 많이 온다 A la Isla de Chechu vienen muchas turistas. 그녀가 오기를 기다립시다 Vamos a esperar a que venga ella. 그이가 나를 부르러 [찾으러] 왔다 El vino a llamarme [a buscarme]. 친구들이 집에 왔다 Mis amigos vinieron a (mi) casa. 그는 앞으로 일주일간 오지 않을 것이다 El no vendrá de hoy en una semana. 어디에서 오시는 길입이까? ¿De dónde viene usted? 사무실에서 오는 길입니다 Vengo de la oficina.
② [비・눈・싸라기・서리 따위가 내리다] caer, venir. 비가 ～ llover. 눈이 ～ nevar. 서리가 ～ escarchar. 이슬이 ～ rociar. 비가 온다 Llueve. 비가 오고 있다 Está lloviendo. 눈이 온다 Nieva.
③ [잠・졸음・아픔 따위가 몸에 닥치다] venir, llegar. 잠이 ～ tener sueño. 나에게 감기가 왔다 Me vino una gripe.
④ [때・계절・기한 따위가 되다] llegar, venir. 오는 금요일 este viernes que viene. 봄이 ～ venir la primavera. …할 때가 왔다 Ha llegado la hora [el momento] de ＋ *inf* [de que ＋ *subj*]. 벌써 봄이 온다 Ya llega la primavera. 금년에는 봄이 일찍 왔다 La primavera llegó temprano este año.
⑤ [유래하다. 말미암다] venir, proceder, ser de. 기독교에서 온 사상(思想) idea *f* que vino del cristianismo. 그리스어에서 온 말 palabra *f* que viene del griego. 병은 그의 혈통에서 온다 La enfermedad le viene de familia. 이 말은 라틴어에서 왔다 Esta palabra procede [viene] del latín.
⑥ [어떤 일・사태가 닥치다] llegar, ocurrir.
⑦ [전등・불・가스・따위가 켜지다] encenderse. 전기가 오다 Encenderse la luz.

불이 왔다 Se enciende la luz.
⑧ [어떤 곳이나 정도에 미치다] llegar, subir. 무릎까지 오는 짧은 치마 falda *f* corta que llega hasta las rodillas. 물이 무릎까지 왔다 El agua me subió hasta las rodillas.
⑨ [전화·전보 또는 소식 따위가 전해지다] llegar, venir, recibir. 전보가 왔다 Ha llegado un telegrama. 나에게 편지가 많이 왔다 He recibido muchas cartas. 이 엽서는 서반아에서 왔다 Esta tarjeta es [ha venido] de España.
⑩ [(어떤 일을 하는 데) 차례나 순서가 되다] llegar. 차례가 ~ llegar el turno, tocar el turno. 귀하의 차례가 오면 cuando le toque el turno. 네 차례가 올 때까지 기다려라 Espera a que te llegue el turno.
⑪ [관념이나 개념 따위가 이내 떠오르다] ocurrírse*le* (a *uno*). 멋진 아이디어가 머리에 왔다 Se me ocurrió una buena idea.
⑫ [어떤 경우나 시기에 이르다] llegar.
⑬ [어떤 목적을 위해 이쪽으로 움직이다] venir. 면회를 ~ venir a entrevenirse, venir a visitar. 구경을 ~ venir a visitar.
⑭ [···에 갔다 오다. ···하고 오다] ir, volver. 나는 역에 갔다 오는 길이다 Voy a la estación. 오버를 가지러 [의사를 부르러] 갔다 온다 Voy a por mi abrigo [a por el médico]. 나는 일을 마치고 온다 Voy a terminar mis quehaceres. 그는 목포까지 갔다 왔다 El ha vuelto de Mocpo. 돌아오는 길에 약을 사 오너라 Compra la medicina en el camino de vuelta / A la vuelta compra la medicina.
⑮ [···해 오다] -ando, -iendo. 내가 여태까지 말해 온 건(件) el asunto de que he hablado hasta ahora. 나는 그 건(件)으로 고통스러워해 왔다 He venido sufriendo por el asunto.
오는 próximo, que viene, entrante, que entra, venidero. ~ 월요일 próximo domingo *m*, domingo *m* próximo, domingo *m* que viene, domingo *m* que entra, domingo *m* entrante. ~ 20일에 ㉮ [이달의] el veinte del (mes) corriente [presente], el veinte de este mes. ㉯ [다음 달의] el veinte del mes que viene [del próximo mes]. ~ 8월 10일부터 a partir del diez del próximo agosto. 다음에 ~ 선거 la próxima [siguiente] elección. 앞으로 ~ (신의) 세상 el mundo venidero.
오다가다 de vez en cuando, de cunado en cuando, a veces, unas veces, algunas veces, alguna que otra vez, ocasionalmente, de casualidad, por casualidad. ~ 있는 일 acontecimiento *m* raro, suceso *m* raro.
오단(誤斷) juicio *m* equivocado. ~하다 juzgar con equivocación.
오달지다 [물건이] (ser) sólido; [사람이] firme.
오답(誤答) respuesta *f* incorrecta, error *m*.
오대양(五大洋) cinco océanos.
오대주(五大洲) cinco continentes, el mundo entero.
오도(悟道) percepción *f* filosófica, percepción *f* religiosa, ilustración *f*, comprensión *f* de la verdad.
오도(誤導) orientación *f* equivocada. ~하다 orientar [dirigir] con equivocación.
오도깝스럽다 (ser) abrupto y frívolo, frívolo, poco serio, displicente, indiferente.
오도깝스레 abrupta y frívolamente, con ligereza, displicentemente, frívolamente, indiferentemente.
오도깨비 cosa *f* curiosa, cosa *f* extraña, cosa *f* rara.
오도독 mascando, haciendo crujir.
오도독거리다 crujir.
오도독오도독 crujiendo, ronchando. ~ 먹다 ronchar, ronzar, mascar, masticar.
오도독뼈 hueso *m* blando de la vaca o del cerdo.
오도방정 veleidad *f*, inconstancia *f*, frivolidad *f*, atolondramiento *m*.
◆오도방정(을) 떨다 actuar frívolamente.
오도카니 ociosamente, indiferentemente, vacíamente, sin comrender; [외롭게] solitariamente, solo, a solas. ~ 바라보다 mirar sin comprender. ~ 앉아 있다 estar sentado solo. ~ 사색에 잠겨 있다 estar meditando a solas.
오독(誤讀) mala lectura *f*, yerro *m* en la lectura. ~하다 leer mal, errar en la lectura.
오독오독 ((준말)) =오도독오도독. ¶~ 깨물다 ronchar, ronzar.
오돌또기 【음악】 *odoltogi*, una de las canciones populares de *Chechudo*.
오돌오돌 sólida y grumosamente, con mucho cartílago. ~하다 (ser) sólido y grumoso.
오돌토돌 desigualmente. ~하다 (ser) desigual. ~한 매트리스 colchón *m* (*pl* colchones) lleno de bultos.
오동(烏銅) cobre *m* rojo oscuro, cobre *m* oxidado.
오동(梧桐) 【식물】 =오동나무.
오동나무(梧桐-) 【식물】 parasol *m* de sultán, paulonia *f* (verde).
▪~ 옷장 ropero *m* [cómoda *f*] de paulonia.
오동보동 chapanecamente, rechonchamente. ~하다 (ser) chapaneco, rechoncho.
오동지(五冬至) mayo y noviembre del calendario lunar.
오동통하다 (ser) pequeño y gordito.
오동포동 carirredondamente, rollizamente. ~하다 (ser) carirredondo, rollizo.
오두막(-幕) choza *f*, cabaña *f*, barraca *f*, casuca *f*, casucha *f*, caseta *f*, tugurio *m*, chabola *f*, casa *f* abandonada, casa *f* ruinosa, *RPl* rancho *m*. 산속의 ~ refugio *m* de montaña.
▪~집 choza *f*, cabaña *f*, barraca *f*, sotechado *m* (지붕만 있는), cabaña *f* rústica, cabaña *f* de leño (원목); [전시장의] tabladillo *m*, barraca *f* [caseta *f*] de feria. ~촌(村) chabolas *fpl*, *AmL* barriada *f*, *Chi*

población *f* callampa, *Arg* villa *f* miseria, *Méj* ciudad *f* perdida, *Urg* cantegril *m*, *Ven* ranchos *mpl*.

오두미(五斗米) ① [닷 말의 쌀] arroz *m* de cinco *mal* (100 litros). ② [얼마 안 되는 봉급] sueldo *m* pequeño.

오둠지 ① [옷의 깃고대가 붙은 어름] cuello *m*. ② [그릇의 윗부분] parte *f* superior del vaso.

오들오들 temblando, trémulamente, tembladamente. ~ 떨다 temblar, estremecerse. 나는 무서워서 ~ 떨고 있었다 Yo temblaba de miedo. 그의 발[손]이 ~ 떨고 있었다 Le temblaban las piernas [las manos].

오등(吾等) nosotros, -tras; nos, a nosotros.

오디 mora *f*.

오디션(영 *audition*) audición *f*. ~을 받다 presentarse a la audición.

오디오(영 *audio*) audio *m*.

오뚝 alto. ☞우뚝.

오뚝오뚝 en alto. ☞우뚝우뚝

오뚝이[1] dominguillo *m*, tentetieso *m*, muñeca *f* volteante.

오뚝이[2] [오뚝하게] en alto. 그는 컵을 ~ 세웠다 El levantó la copa en alto.

오라 【역사】 cuerda *f* roja y gruesa para atar al criminal.

■ ~ㅅ줄 ((힘줌말)) =오라.

오라기 trocito *m*, pedacito *m*. 실~ trocito *m* de hilo. 한 ~의 짚 un trocito de paja, un pajito.

오라버니 hermano *m* (mayor).

오라범 ((낮춤말)) =오라버니.

오라범댁 cuñada *f*, esposa *f* de *su* hermano mayor.

오라비 ① =오라범. ② [여자가 자기의 사내 동생을 일컫는 말] mi hermano (menor).

오라이(영 *all right*) ¡Vale!

오라지다 ser atado, *AmL* ser amarado (*RPI* 제외).

오라질 =경칠.

오라토리오(라 *oratorio*) 【음악】 oratorio *m*.

오락(娛樂) entretenimiento *m*, recreo *m*, pasatiempo *m*, diversión *f*, recreación *f*, recreo *m*. 독서는 좋은 ~이다 La lectura es de buen pasatiempo.

◆실내(室內) ~ deportes *mpl* bajo techo, entretenimientos *mpl* interiores.

■ ~가 distrito *m* [centro *m*] de diversión. ~물 juguete *m*. ~ 센터 parque *m* [centro *m*] de atracciones. ~ 시설 comodidades *fpl* [facilidades *fpl* · instalaciones *fpl* · entretenimientos *mpl*] de recreo [de diversión]. ~실 sala *f* de juegos [de recreo · de diversiones · de entretenimientos]. ~용(用) para pasatiempo, para diversión. ~ 잡지 revista *f* para entretenimientos. ~장 centro *m* [casa *f* · jardín *m*] de recreo [de diversiones], casino *m*. ~ 프로그램 programa *m* de entretenimientos. ~회(會) reunión *f* de entretenimientos.

오락가락하다 volver y adelantar, ir de una parte a otra, ir continuamente de un lado para otro.

오랑우탄(말 *orangutan*) 【동물】 orangután *m*.

오랑캐 bárbaro *m*, salvaje *m*, hombre *m* bárbaro, hombre *m* salvaje.

오랑캐꽃 【식물】 violeta *f*.

오래[1] [한 동네의 몇 집이 한 골목으로 또는 한 이웃으로 되어 있는 구역 안] unidad *f* del barrio [del vecindario] dentro de la aldea.

오래[2] [시간상으로 길게] (por) mucho [largo] tiempo, largamente, dilatadamente. ~ 걸리다 [사물이 주어일 때] llevar mucho [largo] tiempo, durar mucho (tiempo), durar largo tiempo; [사람이 주어일 때] tardar mucho tiempo (en). ~ 계속하다 durar mucho, continuar mucho tiempo. ~ 끌다 durar mucho, alargarse, prolongarse. ~ 말하다 hablar largamente. ~ 머물다 quedarse mucho tiempo. ~ 걸릴까요? ¿Llevará [Durará] mucho tiempo? 그것은 ~ 걸릴 것이다 Eso llevará [Durará] mucho tiempo. ~는 걸리지 않는다 No lleva [dura] mucho tiempo. ~라야 1주일이 걸리지 않을 것이다 No llevará, a lo más, ni una semana. 통증이 ~ 계속되었다 El dolor continuó mucho tiempo. 당신은 서반아에 ~ 머무르시겠습니까? — 아닙니다. 주말만 있을 겁니다 ¿Piensa usted quedarse mucho tiempo en España? — No, señor. Solamente el fin de semana. 너무 ~ 머물렀습니다 No quería quedarme más de lo debido / No quería abusar de su hospitalidad.

오래가다 durar (mucho); [내구성(耐久性)이 있다] resistir; [보존성(保存性)이 있다] conservarse. 오래가는 duradero, durable, resistente; [튼튼한] fuerte; [견고한] sólido. 이 천은 무척 오래간다 Esta tela es muy fuerte.

오래간만 después de mucho tiempo. ~입니다 Hace mucho (tiempo) que no le veo [vi · he visto] // [강조] ¡Tanto tiempo! / ¡Cuánto tiempo no nos hemos visto! / Tanto tiempo sin verle [sin vernos]. ~에 날씨가 쾌청하다 Hacía mucho que no teníamos tan buen tiempo / Es el primer buen tiempo que hace en muchos días.

오래다 hacer mucho tiempo. 내 동생은 집을 나간 지가 ~ Hace mucho tiempo que mi hermano salió de casa. 나는 시골에 간 지 ~ Hace mucho (tiempo) que no fui a la tierra natal. 그녀가 한국을 떠난 지가 오래니? ¿Hace mucho tiempo que ella salió de Corea?

오래도록 (por) mucho [largo] tiempo, muchísimo tiempo.

오래되다 [시간이] tardarse mucho; [고기가] pasarse. 시간이 오래되면 a la larga. 오래된 습관으로 por la costumbre de muchos años. 이 계란은 오래되었다 Estos huevos no están frescos. 시간이 오래된 것 같다 El tiempo me parece largo / Encuentro el tiempo largo. 그녀를 만난 지 오

래되었다 Hace mucho (tiempo) que no la he visto [no la vi] / No la he visto (por) mucho [largo] tiempo. 그가 여행한 지 오래되었다 Hacía (mucho · largo) tiempo que estaba de viaje / Llevaba mucho tiempo de viaje.
오래오래 (por) muchísimo tiempo, para siempre, eternamente, (por) muchos [largos] años. 할아버지, ~ 사세요 Abuelito, (que) viva muchos años. ~ 행복하길 빕니다 Os deseo una felicidad eterna.
오래전(前) hace mucho tiempo, hace muchas lunas, hace un siglo, hace años. ~부터 desde hace (mucho) tiempo. ~부터 알고 있는 conocido de antiguo, conocido de hace mucho tiempo.
오랜 antiguo, largo, mucho. ~ 세월 mucho [largo] tiempo. ~ 옛날 tiempos *mpl* antiguos. ~ 전쟁으로 국토가 황폐되었다 La larta guerra dejó asolado el país.
오랫동안 (por) mucho [largo] tiempo. 그들은 ~ 뚫어지게 바라보았다 Se miraron con fijeza un buen rato. 그녀를~ 만나지 못했다 Hace (mucho) tiempo que no la veo [vi].

오래뜰 jardín *m* (*pl* jardines) del frente, patio *m* en frente de la puerta.

오량(五樑) 【건축】 construcción *f* de cinco vigas.
■ ~집 casa *f* de cinco vigas.

오레오마이신(영 *Aureomycin*) aureomicina *f.*

오렌지(영 *orange*) naranja *f.*
■ ~나무 【식물】 naranjo *m.* ~ 밭 naranjal *m.* ~색 (color *m*) anaranjado *m*, color *m* naranja, naranjado *m.* ~ 주스 naranjada *f*, zumo *m* [*AmL* jugo *m*] de naranja.

오련하다 ① [희미하다] (ser) o(b)scuro, poco iluminado, débil, tenue, vago, impreciso. ② [빛깔이 엷고 곱다] (ser) ligero y bonito.
오련히 o(b)scuramente, con oscuridad, débilmente, vagamente; legera y bonitamente.

오로라[1](라 *aurora*) [여명(黎明). 극광(極光)] aurora *f.* ~의 auroral.

오로라[2](영 *Aurora)* [여명(黎明)의 여신(女神)] Aurora *f.*

오로지 sólo, solamente, más aturdido que nunca, extraordinariamente aturdido. ~공부에 전념하다 dedicarse únicamente al estudio, entregarse seriamente a los estudios. ~ 열심히 공부하다 estudiar con más ahínco que nunca [que de costumbre]. 이것은 ~ 당신의 덕택입니다 Esto se debe únicamente [exclusivamente] a usted.

오롯이 solitariamente, ~ 앉아 있다 estar sentado solitariamente.

오롯하다 (ser) perfecto, completo, entero.

오롱이조롱이 grupo *m* de las cosas pequeñas. 그녀는 아이들을 ~ 데리고 내 집에 왔다 Ella vino a mi casa con un grupo de hijos.

오롱조롱 en grupo (de las cosas pequeñas). 토마토가 ~ 열린다 Los tomatos crecen [se dan] en ramilletes.

오류(誤謬) ① [그릇되어 이치에 어긋남] error *m*, equivocación *f*, yerro *m*, falta *f.* ~의 erróneo, defectuoso. 큰 ~ gran error *m.* ~투성이의 책 libro *m* lleno de erratas [de yerros]. 문법상의 ~ falta *f* gramatical. 인쇄상의 ~ errata *f*, error *m* de imprenta. ~로 가득 차 있다 estar lleno de errores. ~를 정정(訂正)하다 [고치다] corregir un error. ② 【논리】 [이치에 틀린 인식] juicio *m* equivocado, idea *f* errónea. ③ 【컴퓨터】 error *m.*
■ ~ 탈락 error y omisión.

오륙(五六) cinco o seis. ~명이 앉아 있다 Cinco o seis personas están sentados.

오륙십(五六十) cincuenta o sesenta. ~ 호의 마을 aldea *f* de cincuenta o sesenta casas.

오륜(五倫) cinco reglas morales en las relaciones humanas.

오륜(五輪) ① ((불교)) cinco ruedas. ② [오륜 마크의 다섯 개의 고리] cinco anillos ③ = 근대 올림픽.
■~기 bandera *f* olímpica. ~ 대회 [국제 올림픽 경기 대회] los Juegos Olímpicos, Olimpiada *f*, Olimpíada *f.* ~탑(塔) torre *f* olímpica

오르가슴(불 *orgasme*) [성교(性交)시의 쾌감의 절정] orgasmo *m.* ~의 orgásmico. ~의 최절정 étasis *m* orgásmico. ~에 달하다 alcanzar el orgasmo.

오르간(영 *organ*) [풍금(風琴)] armonio *m*; [파이프 오르간] órgano *m* (de la iglesia). ~을 치다 tocar al armonio.
■ ~ 연주자 organista *mf.*

오르내리 ascenso *m* y descenso, fluctuación *f*, oscilación *f*, vicistudes *fpl*, altibajos *mpl.*

오르내리다 ① [올라갔다 내려갔다 하다] subir y bajar; [가격 따위가 변동하다] fluctuar, oscilar. 계단을 ~ subir y bajar la escalera. 기압(氣壓)이 ~ oscilar la presión atmosférica. 물가가 ~ oscilar el precio de las mercancías. 가격은 1,500원에서 2,000원을 오르내리고 있다 El precio fluctúa entre mil quinientos y dos mil wones. ② [남의 입에 자주 말거리가 되다] ser chismorreado, ser chismeado. 뭇사람의 입에 ~ chismorrearse, chismearse. ③ [먹은 음식이 잘 삭지 않고 가끔 거꾸로 올라오는 느낌이 있다] sentir la indigestión. ④ [어떤 기준보다 조금 넘쳤다 모자랐다 하다] oscilar. 열이 40°를 오르내린다 La fiebre oscila cuarenta grados.

오르다[1] ① [아래에서 위로 옮다. 낮은 곳으로부터 높은 데로 가다] subir, escalar, ascender, elevarse, alzarse, trepar(se) (a). 계단을 ~ subir las escaleras. 나무에 ~ subir [trepar · treparse] a un árbol. 비탈길을 ~ subir la cuesta. 에베레스트 산에 ~ escalar el Everest, subir al Everest. 지붕에 ~ subir al tejado. 승강기가 오른다 El ascensor sube. 온도가 ~ La temperatura sube [asciende]. 연기가 오른다 El humo sube. 오르십시오 Haga el favor de subir / Suba, por favor. 곧 오르겠습니다 Inmediatamente subo. 그녀는 나무에 올랐다 Ella subió [trepó · se trepó] al árbol.

② [병독(病毒)이 옮아 앓게 되다] contagiarse, transmitirse, pegarse, ser infeccioso. 옴이 ~ contagiarse el picor.

③ [지위 · 계급이 높아지다. 높은 자리에 나아가다] ascender, subir. 왕위에 ~ ascender al trono. 지위가 ~ ascender [subir] de posición, mejorar de posición.

④ [탈것에 타다] coger, tomar, subir; [말 따위에] montar. 기차에 ~ coger el tren, tomar el tren, subir al tren. 자동차에 ~ tomar el coche, subir al coche. 말에 ~ montar a caballo.

⑤ [기록에 적히다] ser anotado, quedar registado, inscribirse, registrarse, matricularse, publicarse, insertar, ser publicado. 그것은 그의 의료 카드에 올랐다 El fue anotado [quedó registrado] en su ficha médica.

⑥ [값이 비싸지거나 임금 · 세금 등이 많아지다] alzarse, elevarse, subir, aumentar. 물가가 ~ alzarse [elevarse · subir] el precio. 세금이 오른다 Los impuestos aumentan. 물가 많이 올랐다 El precio se alzó [se elevó · subió] mucho. 봉급이 약간 올랐다 El sueldo aumentó un poco.

⑦ [몸에 살이 많아지다] estar gordo, engordar.

⑧ [실적 · 효과가 나타나다. 진보하다] subir, adelantar. 성적이 ~ subir las notas. 학력이 ~ adelantar en *su* estudio.

⑨ [술 · 약 따위의 기운이 몸 안에 퍼지다] subirse (a la cabeza). 나는 술기운이 올랐다 El vino se me ha subido a la cabeza.

⑩ [때 따위가 거죽에 묻다] ensuciarse, mancharse. 기름때가 ~ ensuciarse la mancha de petróleo, mancharse el petróleo.

오르다[2] ① [길을 떠나다. 출발하다] salir, partir. ② [솟아 일어나다] arderse. 불길이 ~ encenderse, estar (envuelto) en llamas. ③ [성하여지다] prosperar. 기세가 ~ estar en espíritu. ④ [식탁 · 도마 따위에 음식물이 놓여지다] ser puesto. 밥상에 고기가 ~ ser puesto la carne en la mesa. ⑤ [어떤 정도에 달하다] alcanzar. ⑥ [울분 · 화 따위가 나다] enfadarse, enojarse, irritarse. 이제 약이 오른다 Ya no aguanto más / Ya estoy harto / Ya basta. ⑦ [귀신 들리다] estar endemoniado, estar poseído (por el demonio). 신이 오른 것처럼 como (un) endemoniado, como un poseso.

▪오를 수 없는 나무는 쳐다보지도 마라 ((속담)) Abandone el pensamiento de hacer lo imposible desde el principio.

오르되브르(불 *hors-d'oeuvre*) entremés *m*

오르락내리락 subiendo y bajando, oscilando, fluctuando. ~하다 subir y bajar, oscilar, fluctuar. ~함 alza y baja; [가격 따위의 변동] fluctuación *f*, oscilación *f*. 주식(株式)의 ~(함) el alza y la baja de la bolsa.

오르로 hacia la derecha.

오르르 deprisa y corriendo, a la(s) carrera(s), a todo correr.

오르막 repecho *m*.

▪~길 camino *m* en cuesta, camino *m* en subida. 길이 죽 ~이다 Todo el camino es cuesta arriba.

오른 ① [오른쪽] derecha *f*. ② [오른쪽의] derecho, de la derecha.

오른다리 pierna *f* derecha.

오른발 pie *m* derecho.

오른뺨 mejilla *f* derecha.

오른손 mano *f* derecha.

오른짝 ① ((준말)) =오른편짝. ② [좌우 두 짝으로 한 벌이 되는 물건의 오른쪽의 것] lo de la derecha.

오른쪽 derecha *f*, mano *f* derecha, lado *m* derecho. ~에, ~으로 a la derecha, a mano derecha. 왼쪽에서 ~으로 de la izquierda a la derecha. 교차로에서 ~으로 꺾어지십시오 [돌아가십시오] Doble [tuerza] a la derecha en el cruce.

오른팔 ① [오른쪽 팔] brazo *m* derecho. ② [큰 힘이 되는 중요한 사람] brazo *m* derecho. 그는 대통령의 ~이다 El es el brazo derecho del presidente (de la República).

오른편(一便) derecha *f*.

오른편짝 derecha *f*.

오름세(一勢) tendencia *f* al alza, el alza *f*. (물가나 기세 따위가) 오르는 주가(株價)의 ~ tono *m* alcista. ~ 시장 mercado *m* al alza.

오름차(一次) 【수학】 series *fpl* ascendentes.

오리[1] ① [실 · 나무 · 대 따위의 가늘고 길게 오린 조각] pedacito *m*. ② [실 · 나무 · 대 따위를 세는 단위] pedacito *m*. 실 세 ~ tres pedacitos de hilo.

오리[2] ① 【조류】 pato *m*. ② ((준말)) =집오리. 새끼 ~ cerceta *f*.

오리(五里) cinco *ri*, dos kilómetros.

오리(五厘) medio *don*, medio *pun*.

오리(汚吏) oficial *m* corrupto, oficial *f* corrupta.

오리걸음 paso *m* tambaleante. ~으로 con paso tambaleante. ~을 걷다 andar con paso tambaleante.

오리나무 【식물】 aliso *m*.

오리너구리 【동물】 ornitorrinco *m*.

오리다 [신문이나 종이를] recortar, cortar. 신문 오린 것 recorte *m* de periódico. 신문의 기사를 ~ recortar un artículo del periódico.

오려 내기 [신문에서] recorte *m*, recorte *m* de prensa.

오려 내다 [기사(記事) · 사진을] recortar. 오려 낸 조각 recortes *mpl*, pedazos *mpl*. 달력에서 그림을 ~ recortar la ilustración de un calendario. 나는 그것을 신문에서 오려 냈다 Lo recorté del perió야 co.

오리목(一木) madera *f* aserrada fina y largamente.

오리무중(五里霧中) desorientado, a tientas, a ciegas, aturdimiento excesivo. ~에서 en aturdimiento excesivo. ~이다 no saber lo que se pesca, no saber por dónde (se) anda. 그가 뜻하는 것이 무엇인지 나는 아직 ~이다 Sigo sin entender lo que quiso decir.

오리발 ①【동물】=물갈퀴(aleta). ② [손가락이나 발가락 사이의 살가죽이 달라붙은 손발] mano *f* palmípeda, pie *m* palmípedo.

오리엔테이션(영 *orientation*) orientación *f.* ~을 하다 orientar (a *uno* en *algo*).

오리엔트(영 *Orient*) ① [동양(東洋)·동방(東方)] Oriente *m*, Levante *m*. ② =중근동(中近東).

오리온(그 *Orion*) ①【신화】Orión *m*. ② ((준말)) =오리온자리.

오리온자리【천문】Orión *m* (Rigel, Betelgeuse, Bellatrix).

오리지널(영 *original*) ① =원형(original). ② [독창적] original *adj*. ③ [미술·문학 작품의 원작 또는 원본] original *m*, obra *f* original. ~의 original. 새로운 번역본은 ~만 못하다 La nueva versión no es tan buena como la original. 앨범의 곡들은 모두 ~이다 Los temas del álbum son todos nuevos.

오림장이(-匠-) cortador *m* de listones, cortador *m* de madera.

오막 ((준말)) =오두막.

오막살이 ① [작고 낮은 초가(草家). 오두막집] cabaña *f* de paja, choza *f*. ② [오두막집에서 사는 살림살이] vida *f* en la cabaña de paja.

▪ ~집 =오막살이❶.

오만(五萬) ① [숫자] cincuenta mil. ② [퍽 많은 수량] bastante cantidad *f*. ~ 물건이 다 있습니다 Tenemos un gran surtido.

▪ ~가지 muchas cosas, varias cosas *fpl*. ~날 todos los días, cada día. ~상(相) mala cara *f*, mal gesto *m*, mueca *f*, ceño *m* fruncido. ¶~을 찌푸리다 poner mala cara, poner mal gesto, ponerse ceñudo, hacer una mueca, fruncir el ceño. 고통으로[메스꺼워] ~을 찌푸리다 hacer una mueca de dolor [asco]. 그는 ~을 찌푸리고 있었다 El tenía el ceño fruncido.

오만(傲慢) arrogancia *f*, altanería *f*, soberbia *f*, orgullo *m*, presunción *f*, altivez *f*. ~하다 (ser) arrogante, altanero, soberbio, orgulloso, altivo, vanidoso, presuntuoso. ~하게 arrogantemente, orgullosamente, soberbiamente, altivamente. ~한 태도(態度)를 취하다 tomar una actitud altiva [arrogante].

오만스레 arrogantemente, con arrogancia, orgullosamente, altivamente, presuntuosamente, soberbiamente.

▪ ~불손 arrogancia *f*, altivez *f*. ¶~한 태도 actitud *f* arrogante.

오만【지명】Omán. ~의 omaní.

▪ ~ 사람 omaní *mf*.

오망(迂妄) mal genio *m*. ~하다 (ser) malhumorado.

◆오망(을) 떨다 hacer las cosas malhumoradas, ser descabellado, ser disparatado..

오망부리 mala forma *f*, figura *f* deforme.

오망하다 =우멍하다.

오매(寤寐) cuando está despierto o dormido.

오매구지하다 buscar constantemente.

오매불망하다 tener [llevar] en el corazón constantemente.

오메가(그 Ω, ω) ① [그리스어의 최종 자모] Ω, ω. ② [최종. 끝] fin *m*. ③ [전기 저항의 실용 단위 옴(ohm)의 기호] Ω. ④ [스위스에서 생산하는 고급 시계의 상표(商標)] Omega.

오면가면 viniendo y yendo.

오면체(五面體)【수학】pentaedro *m*.

오명(汚名) ① [더러워진 이름이나 명예] deshonra *f*, deshonor *m*, mancha *f*, infamia *f*, nombre *m* deshonrado, ignominia *f*, oprobio *m*. ~을 쓰다 sufrir mala reputación, verse atribuido de una conducta fea. ~을 씌우다 infamar, difamar, deshonrar. ② =누명❷. ¶~을 벗다 quitarse una imputación falsa, borrar *su* estigma, quitar la mancha arrojada sobre *su* nombre.

오목(五目) *omok*, juego *m* de *baduc* con cinco fichas colocadas en hila.

오목거울 espejo *m* cóncavo.

오목누비 *omoknubi*, una especie de las puntadas guateadas profundidas.

오목눈 ojos *mpl* hundidos.

오목다리 *omokdari*, calcetines *mpl* coreanos cosidos en guata para los niños.

오목렌즈(-lens) lentes *fpl* cóncavas.

오목면경(-面鏡) =오목거울.

오목오목 con hundimiento, con abolladura. ~하다 ser hundido, ser abollado, ~하게 하다 abollar, hacer una marca (en), hacer*le* una abolladura a *algo*.

오목주발(-周鉢) *omokchubal*, cuenco *m* [tazón *m*] hundido para la comida.

오목판(-版)【인쇄】=요판(凹版).

오목하다 (ser) hundido, abollado. 오목한 눈 ojos *mpl* hundidos. 눈이 ~ tener los ojos hundidos, ser de ojos hundidos.

오묘스럽다(奧妙-) (ser) profundo, abstruso, recóndito.

오묘스레 profundamente, abstrusamente, recónditamente.

오묘하다(奧妙-) (ser) profundo, abstruso, recóndito. 자연(自然)의 오묘한 이치(理致) razón *f* profunda de la naturaleza.

오무래미 viejo, -ja *mf* sin dientes; viejo *m* arrugado y consumido, vieja *f* arrugada y consumida.

오문(誤聞) concepto *m* falso, equivocación *f*, mala inteligencia *f*; [오보(誤報)] informe *m* erróneo. …은 ~이다 ser una noticia falsa, ser falsedad.

오물(汚物) ① [지저분하고 더러운 물건] cosa *f* sucia [mugrienta · inmunda · cochina · asquerosa], suciedad *f*, inmundicia *f*, mugre *m*, basura *f*, porquería *f*, [하수의] aguas *fpl* sucias, aguas *fpl* negras, aguas *fpl* residuales], *CoS* aguas *fpl* servidas. ② [대소변 따위의 배설물] excremento *m*, excreción *f*, evacuación *f*.

■ ~ 수거 vaciamiento *m* (del agua sucia). ¶~를 하다 saguar [extraer] aguas sucias [residuales]. ~ 수거인 basurero, -ra *mf*; persona *f* que limpia las letrinas. ~ 수거차 camión *m* de la basura. ~ 처리 tratamiento *m* de aguas residuales [negras · sucias]. ~ 처리 공장 planta *f* de tratamiento de aguas residuales. ~ 처리 시설 instalaciones *fpl* de tratamiento de aguas residuales. ~ 처리장 vertedero *m* (de basuras), basurero *m*, *AmL* basural *m*. ~통 [부엌의] cubo *m*, *CoS*, *Per* tacho *m* [*Col* caneca *f* · *Méj* bote *m* · *Ven* tobo *m*] de la basura, *Chi*, *Méj* basurero *m*.

오물거리다¹ [작은 벌레나 물고기 따위가 한 군데에 모여 곰지락거리다] enjambrar, retorcerse.

오물오물 retorciéndose.

오물거리다² ① [입안에 든 음식을 이리저리 굴리면서 씹는 시늉을 하다] mordiscar, mordisquear. 빵 조각을 ~ mordiscar un pedazo de pan. ② [말을 속시원히 하지 않고 조금씩 나타내는 둥 마는 둥 하다] hablar entre dientes, farfullar, mascullar. 말을 ~ hablar mascullando, hablar entre dientes.

오물오물 ㉮ mordiscando, mordisqueando. ㉯ hablando entre dientes, mascullando, farfullando. ~ 말하다 hablar entre dientes, hablar farfullando.

오므라들다 cerrarse, encoger(se), marchitarse, secarse, resecarse y arrugarse, perder frescura; [풍선 따위가] desinflarse, deshincharse. 오므라든 encogido.

오므라뜨리다 encoger, contraer, estrechar, angostar, cerrar. 우산을 ~ cerrar el paraguas. 팔을 ~ encoger el brazo.

오므라이스(영 *omelet rice*) arroz *m* con omelette.

오므라지다 =오므라들다.

오므리다 encoger. 자기의 몸을 ~ encogerse. 입을 ~ fruncir los labios, fruncir la boca.

오믈렛(영 *omelet*) tortilla *f* (de huevos), tortilla *f* francesa, omelette *f*.

오미 hueco *m*.

오미(五味) cinco sabores: el ácido, el amargo, el salado, el picante y el dulce.

오미자(五味子) 【한방】 fruto *m* de Maximowiczia chinensis.

오미자나무(五味子－) 【식물】 ((학명)) Maximowiczia chinensis.

오밀조밀하다(奧密稠密－) ① [공예(工藝)에 관한 의장(意匠)이 세밀한 모양] (ser) muy meticuloso, minucioso, escrupuloso, circunspecto, cauto. ② [사물에 대한 정리의 솜씨가 세밀하고 자상한 모양] (ser) muy elaborado, detallado, minucioso, exquisito.

오바다¹ ((성경)) Abdías.

오바다² 【인명】 ((성경)) Abdíah.

오발(誤發) ① [잘못하여 발포 · 발사함] descarga *f* [disparo *m*] accidental. ~하다 descargar por casaulidad. 아군(我軍)에 대한 ~ fuego *m* amigo. 그는 권총을 ~했다 El se disparó la pistola accidentalmente. ② [실수로 말을 잘못함] equivocación *f* por error. ~하다 equivocar por error.

■ ~탄 bala *f* equivocada por error.

오밤중(午－中) =한밤중.

오방(午方) 【민속】 *obang*, sur *m*, dirección *f* del caballo.

오 배(五倍) quíntuplo *m*. ~하다 quintuplicar, multiplicar por cinco. ~의 quíntuplo.

오배자나무(五倍子－) 【식물】 agalla *f*, bugalla *f*.

오백(五百) quinientos, -tas. ~ 달러 quinientos dólares. ~ 뻬소 quinientos pesos. ~ 유로화 quinientos euros. ~ 원 quinientos wones. 책(冊) ~ 권 quinientos libros. 집 ~ 채 quinientas casas.

오버(영 *over*) ① [위의 · 밖의 · 위로부터 · 넘어서 따위의 뜻] sobre, (por) encima de. ② [초과함] exceso *m*. ③ ((준말)) =오버코트 (abrigo).

■ ~센스(sense) sentido *m* excesivo. ~슈즈 chanclos *mpl*. ~ 차지 importe *m* en demasía, recargo *m*, cobro *m* excesivo. ~ 코트 abrigo *m*, *RPl* sobretodo *m*. ~타임 horas *fpl* extra, horas *fpl* extraordinarias, tiempo *m* extra. ~타임 특별 수당 prima *f* por horas extraordinarias. ~타임 페이 paga *f* por horas extra, paga *f* por horas extraordinarias. ~ 펀딩 【주식】 provisión *f* excesiva de fondos, captación *f* excesiva de fondos. ~ 페이스 paso *m* excesivo, ritmo *m* excesivo. ~헤드 킥 patada *f* por encima de la cabeza.

오벨리스크(그 *obeliskos*) obelisco *m*.

오변형(五邊形) 【수학】 =오각형(五角形).

오보(誤報) información *f* [comunicación *f* · noticia *f*] errónea [equivocada]. 이 뉴스는 ~로 밝혀졌다 Esta noticia resultó errónea.

오보록하다 (ser) denso, grueso, gordo, espeso, copioso. 오보록하게 하다 espesar. 오보록해지다 espesar(se), hacerse más espeso [denso].

오보록이 densamente, espesamente, copiosamente. 그녀는 빵을 너무 ~ 자른다 Ella corta el pan demasiado grueso [gordo]. 빵이 잼으로 ~ 펼쳐져 있었다 El pan tenía una capa gruesa de mermelada.

오보에(이 *oboe*) 【악기】 oboe *m*.

■ ~ 연주자 oboe *mf*, oboísta *mf*, tocador, -dora *mf* de oboe.

오복(五福) cinco fortunas: longevidad 수(壽), riqueza 부(富), salud 강녕(康寧), amor de la virtud 유호덕(攸好德) y muerte pacífica 고종명(考終命).

오불관언(吾不關焉) lo que no *le* importa, actitud que no *le* importa. ~하다 hacer caso omiso (de), no prestar atención (a), no tomar [tener] en cuenta.

오붓하다 ① [허실이 없이 필요한 것만 있다] (ser) bastante, suficiente, abundante, sustancial. ② [살림이 포실하다] (ser) bueno, acomodado, confortable, cómodo. 오붓하게

살다 estar bien (de dinero). 나는 오붓한 생활을 즐긴다 Yo llevo una vida desahogada.
오붓이 bastante, suficientemente, abundantemente, sustancialmente; bien, acomodadamente, confortablemente, cómodamente.

오븐(영 *oven*) horno *m*. ~에 굽다 hacer al horno, asar en el horno.
◆가스 ~ horno *m* a [de] gas.

오비(영 *OB*, *old boy*) [(재학생에 대해) 졸업생] antiguo alumno *m*, antigua alumna *f*.

오비다 atizar. 불을 ~ atizar al fuego.

오비이락(烏飛梨落) Una pera cae en cuanto un cuervo vuela del árbol / Es sospechado inadvertidamente por los otros.

오비작거리다 seguir atizando.
오비작오비작 atizando continuamente, continuando [siguiendo] atizando.

오빠 hermano *m* mayor.

오사리(五－) ① [이른 철의 사리에 잡힌 해산물] productos *mpl* marinos de pescar temprano en la marea alta. ② [이른 철의 사리에 잡힌 새우] camarones *mpl* de pescar temprano en la marea alta

오사리잡놈(五－雜－) réprobo *m*, depravado *m*, libertino *m*, bribón *m*, truhán *m*, granuja *m*.

오사바사하다 (ser) afable pero caprichoso.

오산(誤算) ① [잘못 셈함] mal cálculo *m*, cómputo *m* erróneo, error *m* de cálculo. ~하다 calcular mal. ② [잘못된 추측이나 예상] desacierto *m*, equivocación *f*. 이 건(件)에는 ~이 있었다 Hubo algo equivocado en este asunto.

오산(鰲山/鼇山) 【민속】 =산대놀음.

오살(誤殺) homicidio *m* sin premeditación por error [por equivocación]. ~하다 matar por error [por equivocación].

오색(五色) ① [청색·황색·적색·백색·흑색의 총칭] cinco colores cardinales: azul, amarillo, rojo, blanco y negro. ② [여러 빛깔] varios colores *mpl*, colores *mpl* variados.
◆오색(이) 영롱하다 (ser) de colores muy vivos [vistosos].
■~실 hilo *m* de colores. ~잡놈 =오사리잡놈.

오서(誤書) error *m* de escribir. ~하다 escribir mal.

오선(五線) 【음악】 cinco líneas.
■~보 pentagrama *m*. ~지 papel *m* pautado, papel *m* de música.

오세아니아 【지명】 la Oceanía. ~의 oceánico.

오소리 【동물】 tejón *m* (*pl* tejones).
■~굴 tejonera *f*.

오손(汚損) daño *m*, perjuicio *m*, ensuciamiento *m*, mancha *f*. ~하다 dañar, perjudicar, ser perjudicial (para), manchar.

오솔길 sendero *m*, senda *f*. 숲 속의 ~ sendero *m* [senda *f*] a través del bosque.

오수(午睡) =낮잠(siesta). ¶~를 즐기다 gozar de [disfrutar de] la siesta.

오수(汚水) el agua *f* sucia; [하수의] aguas *fpl* residuales, aguas *fpl* negras, *CoS* aguas *fpl* servidas. ~를 냇물에 버리다 echar las aguas sucias al río.
■~관 desagüe *m*. ~ 처리 tratamiento *m* de aguas residuales [negras]. ~처리장 planta *f* de tratamiento de aguas residuales [negras · *CoS* servidas].

오순도순 armoniosamente, en armonía, con buenas relaciones. ~ 잘 지내다 vivir juntos felizmente.

오순절(五旬節) ① ((성경)) [맥추절] fiesta *f* de la siega, fiesta *f* de la cosecha. ② ((성경)) Pentecostés *m*, día *m* de Pentecostés.

오스뮴(독 *Osmium*) 【화학】 osmio *m*.

오스카상(Oscar 賞) [아카데미상] Oscar *m*. ~에 지명되다 ser nombrado para el Oscar.
■~ 수상 배우 actor, -triz *mf* de Oscar.

오스트레일리아 【지명】 Australia *f*. ~의 australiano. ~ 사람 australiano, -na *mf*.

오스트리아 【지명】 Austria *f*. ~의 austríaco, austriaco. ~ 사람 austríaco, -ca *mf*; austriaco, -ca *mf*.

오슬오슬 teniendo escalofríos. ~하다 tener escalofríos, tener chuchos (de frío). ~한 날씨 tiempo *m* enfriado. ~ 떨다 temblar de frío.

오시(午時) 【민속】 *osi*, mediodía *m*.

오시다 venir, llegar, volver. 어서 오십시오 (Sea usted) [남자 한 사람에게] Bienvenido / [여자 한 사람에게] Bienvenida / [남자들에게] Bienvenidos / [여자들에게] Bienvenidas. 또 오십시오 Vuelva usted otra vez.

오식(誤植) 【인쇄】 error *m* de imprenta, errata *f* (de imprenta), error *m* tipográfico.
■~ 정정표 fe *f* de erratas.

오신(誤信) mal entendimiento *m*, creencia *f* errónea.

오심(誤審) juicio *m* erróneo, juicio *m* errado, nulidad *f* juicio por motivo de error.

오십(五十) cincuenta. ~ 번째(의) quincuagésimo, cincuentenario. ~ 대 사람 cincuentón, -tona *mf*.
■~년제(年祭) [유대인의] jubileo *m*. ~ 주년 cincuentenario *m*. ¶~의 cincuentenario.

오십보백보(五十步百步) Lo mismo da / Da lo mismo / Tanto monta / Da igual / No hay mucha diferencia entre los dos / Lo mismo da el uno al otro / Los dos tuvieron parte de la culpa. 양자는 ~다 Hay poca diferencia entre los dos.

오싹 tiritando, teniendo escalofríos. ~하다 tiritar, tener escalofríos, enfriarse, sentir frío, tener frío. 몸이 ~하다 tener frío, sentir frío.
오싹오싹하다 estremecerse, horripilarse, aterrorizarse, horrorizarse [estremecerse · temblar] de miedo; [오한으로] sentir escalofríos, tiritar; [감동해서] temblar de emoción. 오싹오싹하게 하다 estremecer, escalofriar, dar [producir] escalofríos, horripilar, horrorizar, dar grima. 오싹오싹해지는 espeluznante, horripilante. 기쁨으로 ~ ex-

citarse de alegría, dar brincos de alegría. 나는 오싹오싹했다 Me atravesaron [dieron] escalofríos / Se me heló la sangre en las venas / Me entraron sudores de muerte. 한기가 오싹오싹 몸에 스미어 든다 El frío viene aumentando cada vez más / Hace un frío cada vez más fuerte [penetrante · intenso]. 그 사고를 보고 나는 오싹오싹했다 Me horroricé de miedo al ver el accidente / La escena del accidente me produjo [causó] escalofríos. 시험(試驗)을 생각하면 오싹오싹해진다 Me estremezco al pensar en el examen / Me da escalofríos [Me hace temblar] pensar en el examen. 그 일을 생각만 해도 오싹오싹해진다 Me estremece tan sólo el recordarlo.

오아시스(영 *oasis*) ① [사막 가운데서 물이 솟고 수목이 자라는 곳] oasis *m.sing.pl.* 사하라에는 ~가 많다 Existen en el Sahar numerosos oasis. ② [인생의 위안이 되는 것. 또, 그런 장소] oasis *m.*

오엑스 문제(OX 問題) cuestiones *fpl* verdaderofalsas.

오역(誤譯) traducción *f* errónea [equivocada · mala · inexacta]. ~하다 traducir mal, traducir con errores, interpretar siniestramente.

오연하다(傲然－) (ser) arrogante, altivo, altanero, orgulloso.
오연히 con arrogancia, arrogantemente, con altivez, con altanería, altivamente, altaneramente, orgullosamente.

오열(五列) ((준말)) ＝제오열(第五列).

오열(嗚咽) sollozo *m,* lloriqueo *m,* gimoteo *m.* ~하다 sollozar, lloriquear, gimotear.

오염(汚染) contaminación *f,* polución *f.* ~하다 contaminar. ~되다 contaminarse, ser contaminado. ~된 공기 aire *m* contaminado. ~을 제거하다 eliminar la contaminación. 강[바다]을 ~시키다 contaminar el río [el mar]. 산이 ~되다 contaminarse el monte [la montaña].
◆공기(空氣) ~ contaminación *f* del aire. 방사능 ~ contaminación *f* radiactiva. 환경(環境) ~ contaminación *f* ambiental [medioambiental], contaminación *f* de medio ambiente.
▪~도(度) nivel *m* de contaminación. ~물질(物質) contaminante *m,* materia *f* contamidora. ~원(源) fuente *f* contamidora, fuentes *fpl* de contaminación. ~ 제거 descontaminación *f.*

오엽송(五葉松) 【식물】 ＝잣나무.

오욕(汚辱) vergüenza *f,* deshonra *f,* deshonor *m,* ignominia *f,* oprobio *m.* ~하다 deshonrar. ~을 입다 ser deshonrado. ~을 참다 soportar la deshonra.

오용(誤用) mal uso *m,* uso *m* incorrecto, mal empleo *m,* uso *m* erróneo, mala aplicación *f,* [연장의] mala utilización *f,* [권력의] abuso *m;* [자금의] malversación *f,* [자원(資源)의] despilfarro *m.* ~하다 [언어 · 연장을] utilizar, emplear mal, usar mal, aplicar mal; [자원(資源)을] despilfarrar; [자본을] malversar; [권력을] abusar (de). 알코올의 ~ el consumo abusivo de alcohol.

오월(五月) mayo *m.* ~ 5일은 어린이날이다 El cinco de mayo es el día de (los) niños.
▪~ 단오 *Dano, Owol Dano,* festival *m* del cinco de mayo del calendario lunar.

오월(吳越) [원수 같은 사이] enemigos *mpl.*
▪~동주(同舟) nido *m* de víboras, los implacables enemigos reunidos en el mismo barco, los enemigos implacables en el mismo barco.

오유(烏有) reversión *f* en nada. ~로 돌아가다 revertir en nada.

오의(奧義) principios *mpl* profundos, secretos *mpl,* misterios *mpl,* arcanos *mpl.* ~를 닦다 conocer los principios profundos, dominar los secretos, conocer a fondo los secretos.

오이 【식물】 pepino *m;* [작은 오이] pepillo *m.*
▪~김치 *kimchi* de pepinos. ~밭 pepinar *m.* ~소박이김치 *oisobaguikimchi,* (*kimchi* de) ensalada *f* de pepino. ~씨 semilla *f* de pepino.¶~ 같다 Los pies con *boseon* [calcetines coreanos] son finos y bonitos. ~지 *oichi, kimchi* de pepinos, pepinos *mpl* encurtidos en sal y en varios condimentos. ~채 *oiche,* pepinos *mpl* cortados condimentados con vinagre y otros sazones.

오이시디(영 *OECD, Organization for Economic Cooperation and Development*) [경제 협력 개발 기구] la Organización para la Cooperación y el Desarrollo Económico, OCDE *f,* OECD *f.*

오이풀 【식물】 pimpinela *f.*

오인(吾人) ① [나] yo, me, mi, mío. ② [우리] nosotros, nos, nuestro. ③ [인류(人類)] humanidad *f,* género *m* humano.

오인(誤認) concepto *m* falso, idea *f* equivocada. ~하다 entender mal, recononocer erróneamente. … 을 범인(犯人)으로 ~하다 confundir [equivocar] a *uno* con el autor del crimen.
▪~ 체포 arresto *m* por error.

오일(五日) ① [닷샛날] el cinco. 칠월 ~ el cinco de julio. ② [기간] cinco días. 나는 마드리드에 ~ 머물렀다 Yo me quedé cinco días en Madrid.

오일(午日) 【민속】 *oil,* el Día del Caballo.

오일(영 *oil*) petróleo *m;* [윤활유] aceite *m,* lubricante *m;* [연료 오일] fuel-oil *m,* gasoil *m;* [가정이나 난로용의] queroseno *m,* kerosene *m,* combustible *m* líquido, *AmL* parafina *f.* ~의 petrolífero. ~을 넣다 poner el aceite [la gasolina]. ~을 바르다 [치다] lubricar, engrasar, aceitar; [나무나 배트에] dar*le* aceite (a). ~을 바꾸다 cambiar el (nivel del) aceite. ~을 빼다 quitar el aceite. ~을 체크하다 revisar el (nivel de) aceite.
▪~ 달러 petrodólar *m.* ~ 산업 industria *f* petrolera. ~ 쇼크 choque *m* de aceite. ~ 스토브 estufa *f* de aceite. ~ 엔진 motor

m diesel. ~ 탱커 [선박의] petrolero *m*; [트럭] camión *m* cisterna (para petróleo); [유조선] buque *m* petrolero. ~ 파이프 tubo *m* de lubricación, tubería *f* para petróleo. ~ 파이프라인 oleoducto *m*. ~ 펌프 bomba *f* de aceite, bomba *f* de lubricación. ~ 펌프 필터 filtro *m* de la bomba de aceite. ~ 필터 filtro *m* del aceite.

오입(誤入) acción *f* de irse de putas. ~하다 ir(se) de putas, putañear, llevar una vida pródiga.

■ ~쟁이 putañero *m*, putero *m*. ~질 acción *f* de irse de putas.

오자(誤字) letra *f* [palabra *f*] errónea, errata *f*, palabra *f* desacertada, error *m* clerical. 이 판(版)은 ~투성이다 Esta edición está llena de errores.

오작(誤作) operación *f* equivocada. 컴퓨터의 ~ operación *f* equivocada del ordenador [del computador].

오작(烏鵲) =까막까치.

오장(五臟) cinco vísceras: corazón, hígado, bazo, pulmón y riñón.

■ ~육부 【한방】=내장(內臟). ¶~를 뚫다 penetrar a todos los riñones del cuerpo.

오쟁이 saco *m* pequeño de pajas.

◆오쟁이(를) 지다 *Su* esposa comete adulterio con el otro hombre. 오쟁이를 진 남편 cornudo *m*. 그는 아내의 오쟁이를 졌다 Su mujer le puso los cuernos.

오적어(烏賊魚) =오징어.

오전(午前) mañana *f*. ~의 matutino, matinal, de la mañana. ~ 열 시에 a las diez de la mañana. 오늘 ~(에) esta mañana. 내일 ~(에) mañana por la mañana, *AmL* mañana en la mañana. 어제 ~ (에) ayer por la mañana, ayer mañana. 토요일 ~에 el sábado por la mañana, *AmL* el sábado en la mañana. ~ 내내 (durante) toda la mañana. 매일 ~(에) todas las mañanas, cada mañana. ~ 영 시에 a las doce de la noche. 나는 ~에는 집에 있다 Yo estoy en casa por la mañana.

■ ~반(班) clase *f* matutina.

오전(誤傳) información *f* falsa.

오점(汚點) ① [얼룩] mancha *f*, borrón *m*. ② [불명예스러운 점. 흠. 결점] mancha *f*, deshonra *f*. ~ 이 있는 manchado. ~을 남기다 manchar, dejar manchado, deslustrar. 그는 경력에 ~을 남겼다 El manchó [dejó manchada] su historia personal.

오정(午正) =정오(正午).

오조 【식물】 mijo *m* temprano.

오존(영 *ozone*) 【화학】 ozono *m*. ~을 포함시키다 ozonizar, ozonar, ozonificar. ~을 함유하다 contener ozono.

■ ~계 ozonómetro *m*. ~관 ozonizador *m*. ~ 발생기 ozonizador *m*. ~ 발생 장치 ozonador *m*. ~ 처리 ozonización *f*. ¶~하다 ozonizar, ozonar, ozonificar. ~ 측정 ozonometría *f*. ~ 측정법 ozonometría *f*. ~층 ozonosfera *f*, capa *f* de ozono. ~(층) 파괴 destrucción *f* de la capa de ozono.

오졸거리다 mover(se) rítmicamente. 오졸오졸 moviéndose rítmicamente.

오종(五種) ① [다섯 가지] cinco especies. ② =오곡(五穀).

오종 경기(五種競技) pentatlón *m* ([남자] salto de longitud, lanzamiento de la jabalina, 200 metros llanos, lanzamiento del disco, 1500 metros llanos; [여자] carrera de 80 metros con vallas, lanzamiento del peso, salto de altura, salto de longitud, carrera de 200 metros). ¶근대(近代) ~ pentatlón *m* moderno.

■ ~ 선수 pentatleta *mf*.

오종종하다 ① [잘고 둥근 물건이 빽빽이 놓여 있다] (ser) denso, espeso. ② [얼굴이 작고 옹졸스럽다] desastrado, mezquino, escaso, exiguo.

오죽 muy, mucho, verdaderamente, realmente, qué, cuánto. ~ 기쁘랴 ¡Qué alegría! ~ 배가 고프겠니 Tú debes tener mucha hambre.

오죽(烏竹) 【식물】 bambú *m* negro.

오죽잖다 (ser) insignificante, por debajo de la media. 오죽잖은 물건 morralla *f*. 오죽잖은 사람 persona *f* insignificante; [집합적] morralla *f*.

오줌 orina *f*, orines *mpl*; [어린이의] pis *m*, pipí *m*. ~을 재리다 ser incontinente, padecer incontinencia. 잠결에 싸는 ~ enuresis *f* nocturna.

◆오줌(을) 누다 orinar(se), mear; [어린이가] hacer pis, hacer pipí, *Méj*, *Per* hacer del uno.

◆오줌(을) 싸다 orinarse, ensuciar(se), mojar, hacer aguas; [어린이가] hacerse pis, hacerse pipí. 잠결에 ~ orinarse durante el sueño. 침대에 ~ orinarse en la cama. 그 아이는 속바지에 오줌을 쌌다 El niño se hizo pis en los calzones / El niño se ensució en los calzones. 여기에 오줌을 싸지 마시오 No orinar aquí.

◆오줌(이) 마렵다 tener ganas de orinar; [어린이가] hacer pis, hacer pipí. 너 오줌 마렵니? ¿Tienes ganas de hacer pis?

■ ~독(毒) veneno *m* de la orina. ~똥 la orina y el estiércol. ~버캐 poso *m* de la mancha de orina. ~소태 frecuencia *f* urinaria. ~싸개 niño, -ña *mf* que se orina durante el sueño; incontinente *mf*; [행위] incontinencia *f* (de orina), emisión *f* involuntaria de la orina. ~장군 recipiente *m* para la orina. ~통 ㉮ 【해부】 =방광(膀胱). ㉯ [오줌을 누거나 담아 두는 통] orinal *m*.

오중(五重) quíntuplo *m*. ~의 quíntuple. ~ 충돌(衝突) quíntuple colisión *f*.

■ ~주 【음악】 quinteto *m*, quintego *m*. ~창 【음악】 quinteto *m*. ~탑(塔) =오층탑.

오지 ① ((준말)) =오지그릇. ② ((준말)) =오짓물.

■ ~그릇 vasilla *f* de barro cocido. ~독 jarra *f* de barro cocido. ~동이 jarra *f* de vidriado. ~벽돌 ladrillo *m* de vidriado. ~

자배기 recipiente *m* de barro cocido. ~항아리 jarra *f* de barro cocido. ~ㅅ물 vidriado *m*, glaseado *m*.

오지(奧地) interior *m* (de un país), rincón *m* (*pl* rincones) remoto. ~에 들어가다 ir tierra adentro, internarse, penetrar. 브라질의 ~를 탐험하다 explorar regiones interiores y desconocidos del Brasil.

오지다 ((준말)) =오달지다.

오지랖 delantera *f* de la prenda exterior.

◆오지랖(이) 넓다 entrometerse, inmiscuirse, interferir.

오지리(奧地利) 【지명】 Austria *f.* ☞오스트리아

오지직거리다 crujir, rajarse, agrietarse, crepitar, chisporrotear. 오지직거리며 타다 crepitar, chisporrotear.

오지직오지직 crujiendo, crepitando, chisporroteando.

오직 sólo, solamente, simplemente. 그것은 ~ 형식에 지나지 않는다 Es solamente [sólo · simplemente] una formalidad / No es más que una formalidad. 너는 그것을 알고 있는 ~ 한 사람이다 Tú eres la única persona [el único] que lo sabe. 나는 그것을 ~ 한 번 입어 보았다 Sólo me lo he puesto una vez / Me lo he puesto solamente una vez / No me lo he puesto más que una vez. 나는 ~ 내 일을 하고 있을 뿐이다 Sólo estoy cumpliendo con mi trabajo. ~ 남아 있는 길은 네가 그를 설득시키는 일이다 No te queda otro camino que convencerle / El único camino que te queda es convencerle. 친구라고는 ~ 너 하나뿐이다 Tú eres el único amigo que yo tengo. 그는 ~ 공상 과학 소설만 읽는다 El no lee más que ciencia ficción. 나는 그녀에 대해서 ~ 좋은 말만 들었다 Todo lo que me han dicho de ella ha sido bueno.

오직(汚職) corrupción *f*, escándalo *m.* ~하다 dejarse sobornar, dejarse corromper, ensuciarse las manos.

■~ 관리 funcionario *m* (público) corrupto [sobornado], funcionaria *f* (pública) corrupta [sobornada]. ~ 사건 caso *m* de corrupción.

오진(誤診) diagnosis *f* errónea [incorrecta], diagnóstico *m* erróneo. ~하다 hacer una diagnosis errónea [incorrecta], diagnosticar erróneamente, diagnosticar equivocadamente, equivocarse de diagnosis.

오징어 【어류】 calamar *m* (등딱지가 없는), jibia *f* (등딱지가 있는), chipirón *m* (*pl* chipirones) (특히 깐따브리아 해(海)에서 나는 것). 마른 ~ calamar *m* seco, jibia *f* seca. 말린 ~ calamar *m* secado, jibia *f* secada.

◆뼈~ jibia *f*, sepia *f.*

■~ 먹물 tinta *f.* ~포 calamar *m* secado, jibia *f* secada, chipirón *m* secado.

오차(誤差) error *m*; 【천문】 aberración *f.*

◆개인 ~ error *m* personal. 관측 ~ error *m* observable. 불변 ~ error *m* constante. 주기 ~ error *m* mperiódico. 평균 ~ error *m* promedio.

■~율 tasa *f* de error.

오착(誤錯) error *m.* ~하다 cometer un error, equivocarse, errar.

오찬(午餐) almuerzo *m.* ~을 들다 almorzar, tomar un almuerzo, comer. ~에 초대하다 invitar al almuerzo, invitar a almorzar. ~을 같이 하다 almorzar juntos, almorzar con *uno.*

■~회 fiesta *f* de almuerzo. ¶~를 개최하다 dar una fiesta de almuerzo.

오채(五彩) cinco colores.

오체(五體) ① [사람의 온몸] todo el cuerpo del hombre, cuerpo *m* entero. ② ((불교)) cabeza *f* y (cuatro) miembros.

오촌(五寸) ① [다섯 치] cinco *chon*, cinco pulgadas coreanas. ② [종숙(從叔)] hijo *m* de *su* tío abuelo; [종질(從姪)] hijo, -ja *mf* de *su* sobrino; sobrino, -na *mf* de *su* padre.

오층탑(五層塔) pagoda *f* de cinco pisos.

오칭(誤稱) nombre *m* poco apropiado.

오카리나(영 *ocarina*) 【악기】 ocarina *f*, ocarín *m* (*pl* ocarines).

오케스트라(영 *orchestra*) ① [관현악단] orquesta *f.* ~의 [음악] orquestal; [주자(奏者)] de orquesta; [곡] para orquesta, orquestal. ② [(무대 앞의) 일등석] platea *f*, patio *m* de butacas, butaca *f* de platea.

◆심포니(symphony) ~ orquesta *f* sinfónica. 재즈(jazz) ~ orquesta *f* de jazz.

■~ 박스[석] orquesta *f*, foso *m* de la orquesta, foso *m* orquestal. ~ 음악(音樂) música *f* orquestal. ~ 주자(奏者) músico, -ca *mf* de orquesta.

오케이(영 *OK*) ① [완료 · 만사 해결 · 합격 · 옳다 따위의 뜻] ¡Vale! / ¡Bueno! / ¡De acuerdo! / ¡Muy bien! / ¡Está bien! / ¡Vaya (pues)! / *AmC* ¡Va pues! / ¡Okey! 만사가 ~다 Todo va [anda] bien. ② [교료(校了)] Visto Bueno (V^0. B^0.).

◆오케이(를) 놓다 dar*le* el visto bueno a *uno.* 그들은 최종적으로 우리에게 오케이를 놓았다 Ellos nos dieron el visto bueno finalmente.

오탁(汚濁) la suciedad y la turbidez. ~하다 (ser) sucio y turbio.

오토매틱(영 *automatic*) ① [자동적] automático *adj.* ② [자동 권총] pistola *f* automática; [연발의] revólver *m.*

■~ 승용차 coche *m* automático. ~ 카메라 máquina *f* (fotográfica) automática.

오토메이션(영 *automation*) [자동 조작 방식] automación *f*, automatización *f.* ~으로 por el sistema de automatización.

■~ 공장 fábrica *f* automatizada.

오토바이(영 *auto+bicycle*) motobicicleta *f*, moto *f*, *ReD* motorconcho *m*, motor *m*; [경찰의 흰] motocicleta *f* de policía.

오토자이로(영 *autogyro*) autogiro *m.*

오톨도톨 dentando, mellando, endentando. ~하다 (ser) escarpado, accidentado, escabroso. ～함 [특히 가장자리가] mella *f*, melladura *f*, recorte *m* en forma de dientes; [동전의] grafila *f*, gráfila *f*. ～한 동전 moneda *f* de (que tiene) grafila, moneda *f* dentellada [dentada · aspillerada]. ～한 것이 있는 잎 hoja *f* dentada. ～하게 하다 dentar, mellar, endentar, festonar, festonear, labrar en forma de dientes.

오트밀(영 *oatmeal*) harina *f* de avena.

오트볼타 【지명】 el Alto Volta.

오판(誤判) mal juicio *m*, error *m* de cálculo. ～하다 juzgar mal, calcular mal. ～으로 전쟁을 도발하다 provocar una guerra por el error de cálculo.

■～ 사건 caso *m* de mal juicio.

오팔(영 *opal*) 【광물】 [단백석] ópalo *m*.

오퍼(영 *offer*) ① [신청] ofrecimiento *m*, oferta *f*. ② 【경제】 oferta *f*. ～하다 ofrecer, hacer una oferta.

◆구두 ～ oferta *f* verbal. 구매 ～ oferta *f* de compra. 반대 ～ contraoferta *f*. 서면 ～ oferta *f* por escrito. 시험 ～ oferta *f* de prueba. 원(原)～ oferta *f* original. 특별 ～ oferta *f* especial. 판매 ～ oferta *f* de venta. 확정～ oferta *f* en firme.

■～상 [수출업자] exportador, -dora *mf* de oferta; [영업] negocio *m* de oferta..

오페라(영 *opera*) 【음악】 ópera *f*. 그랜드 ～ gran ópera *f*.

■～ 가수(歌手) operista *mf*, cantante *mf* de ópera. ～글라스 anteojos *mpl* [gemelos *mpl*] de teatro. ～단(團) compañía *f* de ópera. ～ 하우스 la Opera, teatro *m* de ópera.

오페레타(이 *operetta*) opereta *f*.

오펙(영 *OPEC, Organization of Petroleum Exporting Countries*) [석유 수출국 기구] Organización *f* de Países Exportadores de Petróleo, OPEP *f*, OPEC *f*.

오평(誤評) criticismo *m* erróneo. ～하다 criticar erróneamente.

오풍(午風) ＝마파람.

오프(영 *off*) ① [떨어짐. 벗어남] libre, fuera. ② [스위치나 기계 따위가 정지 중임] suspensión *f*.

■～사이드 fuera de juego, off side *ing.m*, *AmL* fuera de lugar. ¶～가 되다 estar fuera de juego. ～셋 (인쇄) impresión *f* offset, of(f)set *ing.m*. ¶～하다 imprimir en offset.

오프너(영 *opener*) [병따개] abridor *m*, abrebotellas *m.sing.pl*, *AmL* destapador; [깡통따개] abrelatas *m.sing.pl*.

오프닝(영 *opening*) ① [상점 등이 신장 개업하는 일] apertura *f*, comienzo *m*. ② [방송 프로 등을 시작하는 일] apertura *f*. ③ [경기가 시작하는 일] apertura *f*. ④ [전시회 · 건물의 처음 여는 일] inauguración *f*, [극장 · 연극의 데뷔] estreno *m*. ～하다 estrenar.

오픈(영 *open*) ① [열다] abrir. ② [열린] abierto.

■～ 게임 primer partido *m*, juego *m* inicial. ～ 세트 【영화】 set *m* montado al aire libre. ～ 소스 【컴퓨터】 código *m* abierto. ～ 숍 【컴퓨터】 tienda *f* abierta. ～ 시스템 【컴퓨터】 sistema *m* abierto. ～ 시즌 [수렵기] temporada *f* de caza. ～카 coche *m* descubierto.

오피스(영 *office*) [사무소] oficina *f*, [개인의] despacho *m*; [변호사의] bufete *m*. 회사의 마드리드 ～ oficina *f* de la compañía en Madrid.

■～ 걸 [여사무원] empleada *f* de oficina, oficinista *f*.

오한(惡寒) 【한방】 escalofrío *m*, calofrío *m*. ～이 나다 escalofriarse, sentir escalofríos, tener escalofríos.

오합(烏合) reunión *f* desordenada.

■～지졸(之卒) chusma *f*, muchedumbre *f* desordenada, gentío *m*, turba *f*, gentualla *f*, gentuza *f*, morralla *f*.

오합무지기(五合－) cinco faldas interiores de diferente largo.

오해(誤解) malentendido *m*, mal entendimiento *m*, mala interpretación *f*, concepto *m* erróneo, equívoco *m*. ～하다 entender mal, comprender mal, malinterpretar, interpretar mal, no entender, no comprender, equivocar, juzgar mal. ～하기 쉬운 propenso a causar malentendido. ～를 풀다 disipar un mal entendimiento. …의 ～를 사다 causar un mal entendimiento. 내 말을 ～하지 마라 Por favor entiéndeme / No me malinterpretes. 네가 ～했음에 틀림없다 Tú debes de haber entendido mal. 네 발언은 ～를 사기 쉽다 Tu declaración es fácil que cause un mal entendimiento / Tu declaración puede ser fuente de equívocos. 그는 내 진의(眞意)를 ～하고 있다 El juzga mal mi verdadera intención. 두 사람 사이에 ～가 생겼다 Entre los dos ha surgido un malentendido.

오행(五行) 【민속】 cinco elementos, cinco substancias primarias: madera, fuego, tierra, metal y agua.

오행시(五行詩) quintilla *f*.

오현(五絃) [다섯 줄] cinco cuerdas.

오현금(五絃琴) 【악기】 pentacordio *m*.

오형(O型) 【의학】 o-forma *f*.

오호(嗚呼) ¡Ay! / ¡Oh! / ¡Ah! ～라 ¡Ay!

■～애재(哀哉) [아아 슬프도다] ¡Ay!, qué lástima. ～통재 [아아 슬프고 원통하다] ¡Ay!, qué lástima y rencor.

오호호 ¡Ja, ja! / ¡Jajaja!

오활하다(迂闊－) (ser) imprudente, despistado. 오활하게 a la ligera. 경찰관의 집에 도둑질하러 들다니 … 정말 오활한 도둑이다 Entrar a robar en casa de un policía … qué ladrón más despistado.

오후(午後) tarde *f*, postmeridiano *m*, *lat* postmeridiem, P.M.; [형용사적] de la tarde, postmeridiano. ～에 por la tarde, *AmL* en la tarde, *RPI* a la tarde, de tarde. ～두 시에 a las dos de la tarde, a las catorce horas, a las dos p.m. 오늘 ～(에) esta tarde, hoy por la tarde. 내일 ~(에) mañana por la tarde, *AmL* mañana en la tarde. 어제 ~(에) ayer por la tarde, *AmL* ayer en la tarde. ~ 내내 toda la tarde. 매일 ~ todas las tardes, cada tarde. ~에는 언제나 por las tardes, *AmL* en las tardes, *RPl* a la tarde, de tarde. 매주 토요일 ~에 todos los sábados por la tarde [*AmL* en la tarde]. 그는 ~에 왔다 El vino por la tarde [*AmL* en la tarde · *RPl* a la tarde, de tarde].

■ ~반 clase *f* de la tarde.

오히려 menos mal, no tan mal; [차라리] más bien, antes (bien). 밤색이라기 보다 ~ 검은 머리카락 pelo *m* negro antes que castaño. 도둑질을 하느니보다 굶어 죽는 편이 ~ 낫다 Más bien moriría antes que hurtar. 사상이라기보다 ~ 감정이다 Es una idea o más bien un sentimiento. 그는 기세가 꺾기기는 커녕 ~ 적(敵)과 마주쳤다 El no se acobardó, antes se encaró con el enemigo. 우리는 친구라기보다는 ~ 아는 사이다 Somos conocidos, más que amigos / No somos amigos, más bien conocidos. 그녀는 가게라기보다 ~ 노점을 가지고 있다 Ella tiene una tienda, o mejor dicho un puesto. 솔직하게 [정직하게] 말해 나는 가지 않는 편이 ~ 좋겠다 A decir verdad, yo preferiría no ir.

옥(玉) ① [보석] gema *f*, piedra *f* preciosa, joya *f*. ~같이 고운 손 las manos hermosas como una piedra preciosa. ~도 갈지 않으면 빛이 나지 않는다 De nada sirve el talento si no se cultiva [si no se explora]. ② [경옥(瓊玉)] jade *m*, piedra *f* nefrítica. ③ [구슬] bola *f*.

■옥에도 티가 있다 ((속담)) No hay oro sin tacha / Hay mancha hasta en el sol.

■ ~가락지 anillo *m* de jade. ~가루 jade *m* en polvo. ~갑(匣) cajita *f* de jade. ~경(鏡) ㉮ [옥으로 만든 거울] espejo *m* de jade. ㉯ =달(luna). ~공(工) =옥장이. ~기(器) vasija *f* de jade. ~기(肌) piel *f* hermosa como un jade. ~난간 verja *f* adornada por un jade. ~니 diente *m* postizo de jade. ~니박이 persona *f* con un diente postizo de jade. ~대(帶) cinturón *m* de jade. ~ 도끼 el hacha *f* (*pl* las hachas) de jade. ~돌 piedra *f* de jade; [가공하지 않은 옥] jade *m* no elaborado. ~두(斗) cucharón *m* de jade. ~등(燈) linterna *f* de jade. ~띠 cinturón *m* de jade. ~렴(簾) estor *m* de bambú adornado con jade. ~문방(文房) enseres *mpl* de escritorio de jade. ~물부리 pipa *f* de jade. ~반(盤) ㉮ [쟁반 모양의 그릇] recipiente *m* en forma de la bandeja. ㉯ =예반. ㉰ =달(luna). ~방(房) taller *m* de jade. ~배(杯) copa *f* de jade, copa *f* de piedra preciosa. ~백(帛) [옥과 비단] el jade y la seda. ~병(屛) biombo *m* de jade. ~병(甁) botella *f* de jade. ~부(斧) el hacha *f* (*pl* las hachas) de jade. ~부(膚) =옥기(玉肌). ~비녀 pasador *m* de jade. ~색 azul *m* (celeste). ~의 azul. ~소(簫) ((준말)) =옥퉁소. ~의(衣) ropa *f* adorada con jades, vestido *m* del noble, ropa *f* hermosa. ~이(珥) pendiente *m* de jade. ~인(人) ㉮ =옥장이. ㉯ [용모와 마음이 아름다운 사람] persona *f* guapa y de buen corazón. ㉰ [옥으로 만든 인형] muñeca *f* de jade. ~인(印) sello *m* de jade. ~잠(簪) pasador *m* de jade. ~장(匠) =옥장이. ~장(帳) cortina *f* adornada con jades. ~장도 cuchillo *m* con vaina adornada con jades. ~장이 técnico, -ca *mf* [experto, -ta *mf*] de jade. ~저(箸) palillos *mpl* de jade. ~적(笛) flauta *f* de jade. ~정수(井水) pozo *m* del lugar donde se produce el jade. ~지환(指環) anillo *m* de jade. ~차(釵) pasador *m* de jade. ~치(巵) =옥배(玉杯). ~퉁소【악기】flauta *f* de jade. ~판(板) pedazo *m* fino de jade. ~패(佩) ornamentos *mpl* personales de jade. ~함(函) caja *f* de jade. ~합(盒) recipiente *m* pequeña de jade con tapa. ~항(缸) jarra *f* de jade. ~호(壺) botella *f* pequeña de jade. ~환(環) ㉮ [옥으로 만든 고리] anillo *m* de jade. ㉯ [둥근 달] luna *f* redonda. ㉰ =옥가락지.

옥(獄) =감옥(監獄). ¶~에 가두다 echar a la cárcel, encarcelar, tener preso, aprisionar.

-옥(屋) tienda *f*, restaurante *m*. 부산~ restaurante Busan.

옥경(玉京) capital *f* imaginaria que vive el Dios en el cielo.

옥경(玉莖) =음경(陰莖).

옥계(玉階) escalón *m* (*pl* escalones) de piedras en el palacio real.

옥계(玉鷄) gallina *f* blanca.

옥고(玉稿) sus manuscritos.

옥고(獄苦) apuros *mpl* de la vida en la cárcel. ~를 견디다 soportar [tolerar] los apuros de la vida en la cárcel. ~를 치르다 quejarse de apuros en la cárcel.

옥근(玉根) =음경(陰莖).

옥내(屋內) interior *m* de la casa. ~의 [옷·신발] para estar en casa; [식물] de interior(es); [풀·테니스 코트] cubierto, techado. ~에 dentro, en casa, bajo techo. ~에서 en el interior de la casa.

■ ~ 경기 juegos *mpl* bajo techado. ~ 경기장 gimnasio *m*. ~ 스포츠 deportes *mpl* bajo techo. ~ 운동장 gimnasio *m*. ~ 풀 piscina *f* cubierta.

옥녀(玉女) ① [마음과 몸이 옥같이 깨끗한 여자] mujer *f* inocente. ② [남의 딸을 아름답게 이르는 말] su hija hermosa. ③ =선녀.

옥니 diente *m* inclinado hacia adentro.

옥다 inclinarse hacia adentro.

옥답(沃畓) arrozal *m* fértil.

옥당목(玉唐木) calicó *m* de la calidad inferior, calicó *m* inferior.

옥도(沃度)【화학】=요오드.

■ ~정기(丁氣) =요오드팅크.

옥돔(玉-)【어류】pargo *m*.

옥동(玉童) =옥동자(玉童子).
옥동자(玉童子) precioso hijo *m*, bebé *m* precioso, una joya de niño.
옥란(玉蘭) 【식물】 magnolia *f* grandiflora.
옥리(獄吏) carcelero, -ra *mf*; calabocero, -ra *mf*.
옥문(獄門) puerta *f* de la cárcel.
옥바라지(獄-) provisión *f* al prisionero de la ropa y la comida de fuera de la cárcel. ~하다 proveer al prisionero de la ropa y la comida de fuera de la cárcel.
옥사(獄死) muerte *f* en la cárcel. ~하다 morir en la cárcel [en la prisión].
옥사(獄舍) edificio *m* de la cárcel.
옥사쟁이(獄-) carcelero, -ra *mf*.
옥살이(獄-) =감옥살이.
옥상(屋上) terraza *f*, azotea *f*. ~에서 en la terraza, en la azotea. 이 건물은 ~이 없다 Este edificio no tiene azotea.
■~가옥(家屋) Ir a vendimiar y llevar uvas de postre / Dorar sobre oro. ~ 정원 jardín *m* (*pl* jardines) terraza, jardín *m* azotea, terraza *f* [azotea *f*] ajardinada. ~ 주택 ático *m*.
옥새 teja *f* inclinada hacia adentro.
옥새(玉璽) sello *m* real, sello *m* del rey; [황제의] sello *m* imperial, sello *m* del emperador.
옥생각 perversión *f*, distorsión *f*, vista *f* deformada. ~하다 pervertir, deformar. 남의 말을 ~하다 pervertir las palabras de los otros.
옥석(玉石) ① =옥돌. ② [옥과 돌] la gema y la guija, los jades y las piedras. ③ [좋은 것과 궂은 것] lo bueno y lo malo, el trigo y la cizaña.
◆옥석을 가리다 distinguir el bien y el mal.
◆경주 돌이면 다 옥석인가 ((속담)) No es oro todo lo que reluce.
■~ 구분(俱焚) destrucción *f* común sin distinción del bien ni el mal ~혼효(混淆) confundimiento *m* de lo bueno y lo malo. ¶~하다 confundir la gema y la guija, confundir (el trigo y la cizaña), ser una mezcla de trigo y cizaña [y barcia].
옥셈 error *m* de cálculo. ~하다 calcular mal a *su* propia desventaja.
옥소(沃素) 【화학】 yodo *m*. ~의, ~를 함유한 yodado.
■~ 중독 yodismo *m*.
옥쇄(玉碎) muerte *f* al honor, combate *m* hasta la muerte. ~하다 morir de manera honorable, preferir la muerte al deshonra, combatir hasta la muerte.
옥수(玉水) el agua *f* bastante limpia.
옥수(玉手) ① [임금의 손] manos *fpl* del rey. ② [옥과 같이 아름답고 고운 손] manos *fpl* hermosas como un jade.
옥수수 【식물】 maíz *m* (*pl* maíces), *Guat*, *Nic* elote *m*.
■~밭 maizal *m*, campo *m* de maíz. ~ 이삭 panoja *f*. ~ 튀김 paloma *f*, palomita *f*.
옥시글거리다 aglomerarse, apiñarse, pulular. 시장에 사람들이 옥시글거렸다 La gente se aglomeraba en el mercado.
옥시다아제(독 *Oxydase*) =산화 효소.
옥시돌(영 *oxydol*) 【약】 el agua *f* exigenada, dos o tres por ciento solución de peróxido de hidrógeno.
옥시풀(영 *Oxyful*) =옥시돌.
옥신각신 escaramuza *f*, refriega *f*, disgusto *m*, desavenencia *f*, problemas *mpl*; [다툼] riña *f*, disputa *f*, altercado *m*, pelea *f*; [소동] tumulto *m*. ~하다 discutir, reñir, pelear(se), escaramuzar, sostener (una) escaramuza, crear un lío, armar un lío, provocar un disgusto. 서로 ~ 말다툼하다 pelearse uno del otro. 양가(兩家) 간에 ~했다 Han surgido dificultadades entre las dos familias / Ha surgido una desavenencia entre las dos familias. 두 사람은 늘 ~한다 Los dos riñen constantemente / Los dos siempre tienen problemas. 데모대와 경찰 간에 ~했다 Han tenido lugar escaramuzas entre los manifestantes y la policía.
옥신거리다 ① [몸의 탈 난 자리가 자꾸 쑤시면서 열이 치오르고 아파 오다] sentir [tener] un cosquilleo [hormigueo]. 손가락이 옥신거린다 Tengo [Siento] un cosquilleo [un hormigueo] en los dedos. ② [북적거리다] aglomerarse, apiñarse, pulular, revolotear, entrar en tropel, acudir en masa, irrumpir. 사람들이 노점 주변에 옥신거렸다 La gente se aglomeraba [se apiñaba · pululaba] alrededor de los puestos. 파리들이 고기 주변에서 옥신거린다 Las moscas revolotean [pululan] alrededor de la carne. 군중들이 광장에서 옥신거렸다 La multitud irrumpió en la plaza. 해변은 관광객으로 옥신거렸다 Las playas eran un hormiguero de turistas / Las playas estaban plagadas de turistas.
옥안(玉眼) ① [아름다운 눈] ojos *mpl* hermosos. ② [수정·주옥·유리 따위를 박은 불상(佛像) 등의 눈] ojos *mpl* de la estatua de Buda con jade.
옥안(玉顔) ① =용안(龍顔). ② [아름다운 얼굴] cara *f* hermosa, rostro *m* hermoso; [미인의 얼굴] cara *f* de la belleza, cara *f* de la mujer hermosa, rostro *m* de la belleza.
옥야(沃野) campo *m* fértil, llanura *f* fértil, campo *m* risueño, vega *f*.
옥양목(玉洋木) género *m* de lino, calicó *m*. ~의 de calicó.
옥양사(玉洋紗) calicó *m* fino.
옥외(屋外) exterior *m*, campo *m* raso, aire *m* libre. ~의 exterior, externo; [옷] de calle; [겨울용] de abrigo; [식물] de exterior; [풀] descubierto, al aire libre. ~에서 afuera, fuera de casa; [노천에서] al aire libre, al raso, a cielo descubierto, a la intemperie. 아마도 너는 ~ 촬영용 필터가 필요할지도 모른다 Quizás necesites un filtro para sacar fotos afuera. ~에서 놀지 그러니? ¿Por qué no vas a jugar al aire libre

[afuera].

■~ 놀이 juegos *mpl* exteriores [al aire libre]. ~등 lámpara *f* fuera de casa. ~ 생활 vida *f* al aire libre. ~ 스포츠 deportes *mpl* exteriores [al aire libre]. ~ 안테나 antena *f* exterior. ~ 집회 reunión *f* al aire libre. ~ 풀 piscina *f* descubierta.

옥음(玉音) ① [임금의 음성(音聲)] voz *f* [tono *m*] del rey. ② [미인의 음성] voz *f* de la belleza. ③ [남의 편지나 말을 높이어 이르는 말] su carta, su palabra.

옥의옥식(玉衣玉食) la buena ropa y la buena comida.

옥이다 =욱이다.

옥자강이 【식물】 arroz *m* temprano.

옥자귀 azuela *f* con la punta curvada hacia adentro.

옥자둥이(玉子—) niño, -ña *mf*.

옥작거리다 aglomerarse, apiñarse.

옥작옥작 aglomerándose.

옥잠화(玉簪花) 【식물】 ((학명)) Hosta undulata.

옥장사 ((준말)) =오그랑장사.

옥조이다 =옥죄다.

옥졸(獄卒) =옥사쟁이.

옥좌(玉座) trono *m* real, trono *m*, silla *f* del rey. ~에 오르다 ascender al trono.

옥죄다 apretar(se). 허리띠를 ~ apretarse el cinturón. 끈이 그의 목 주변을 옥죄었다 La cuerda se le apretó alrededor del cuello. 그는 내 팔을 더 옥죄었다 El me apretó más el brazo / El me agarró el brazo más fuerte.

옥죄이다 ser apretado, ser apretujado, ser ajustado, ser ceñido. 옥죄이는 스커트 falta *f* ajustada [ceñida]. 이 바지는 허리가 너무 옥죄인다 Estos pantalones me quedan apretados de cintura. 이 구두는 약간 옥죄인다 Estos zapatos me aprietan un poco / Estos zapatos me quedan un poco apretados.

옥중(獄中) interior *m* de la cárcel. ~에서 en la cárcel, en la prisión.

■~ 생활 estancia *f* en la cárcel.

옥지르다 apretar.

옥창(獄窓) ventana *f* de la cárcel.

옥체(玉體) ① [임금의 몸] cuerpo *m* del rey. ② =존체(尊體).

옥타브(영 *octave*) 【음악】 octava *f*. 1~ 올리다 elevar una octava. 1~ 내리다 bajar una octava. 1~ 내려서 bajando una octava, en una octava baja.

옥탄(영 *octane*) 【화학】 octano *m*.

■~값[가] índice *m* de octano.

옥토(玉免) ① =옥토끼❶. ② [달] luna *f*.

옥토(沃土) tierra *f* fértil.

옥토끼(玉—) ① [달 속에 산다는 전설상의 토끼] conejo *m* en la luna. ② [털빛이 흰 토끼] conejo *m* con pelo blanco.

옥편(玉篇) ① =자전(字典). ② ((속어)) diccionario *m* andante [viviente], enciclopedia *f* andante.

옥호(屋號) razón *f* social (de una casa comercial).

옥황상제(玉皇上帝) Dios *m*, rey *m* de los reyes.

온[1] [백(百)] ciento.

온[2] [모두의. 전부의. 전(全)] todo, entero, total, completo, perfecto. ~ 누리 todo el universo, todo el mundo. ~몸 todo el cuerpo. ~ 세상 todo el mundo. ~ 집안 [온 가족] toda (la) familia; [온 집] toda la casa. ~힘을 다하여 con todas *sus* fuerzas. ~ 힘을 다하여 밀다 empujar con todas *sus* fuerzas. ~ 나라에 알려지다 ser conocido en todo el país.

온[3] [뜻밖의 일, 놀라운 일 따위를 당했을 때 하는 말] ¡Ay! / ¡Qué cosa! / ¡Vaya por Dios! ~, 지독하군 Vaya por Dios, eso sí que es terrible.

온각(溫覺) termestesia *f*, sentido *m* de calor, sensación *f* de temperatura.

온감(溫感) ((준말)) =온도 감각(溫度感覺).

온갖 todos los +「명사」, todas las +「명사」, toda la clase de +「명사」; [여러 가지의] vario, diverso, distinto. ~ 것 todo. ~ 과실(果實) toda clase de frutas, frutas de todas clases. ~ 사람 toda la clase de personas. ~ 기회를 이용하다 aprovechar todas las oportunidades [las ocasiones] (posible). ~ 노력을 다하다 hacer todos los esfuerzos (posibles), hacer todo lo posible. 나는 늘 ~ 것을 잃고 있다 Siempre ando perdiéndolo todo. 그들은 야채부터 페인트 솔까지 ~ 것을 팔고 있다 Venden de todo, desde verduras a brochas.

온건론자(穩健論者) moderado, -da *mf*.

온건주의(穩健主義) moderantismo *m*.

온건주의자(穩健主義者) moderado, -da *mf*.

온건파(穩健派) palomas *fpl*, partido *m* moderado; [사람] moderado, -da *mf*.

온건하다(穩健—) (ser) moderado, bueno y moderado, sensible, calmoso y juicioso. 온건함 moderación *f*. 온건한 사상(思想) idea *f* moderada. 온건한 생각 opinión *f* moderada. 온건한 인물(人物) personaje *m* moderado, hombre *m* moderado, persona *f* moderada. 그는 최근 온건해졌다 El se ha vuelto moderado estos días. 온건한 말을 사용해라 Ten la bondad de cuidar el vocabulario que empleas.

온건히 con moderación, moderadamente.

온고지신(溫故知新) estudio *m* de lo antiguo y la busca de lo nuevo. ~하다 estudiar lo antiguo y buscar [aprender] lo nuevo.

온고지정(溫故之情) sentimiento *m* de pensar en lo antiguo.

온골 anchura *f* entera de la tela.

온공일(—空日) domingo *m*.

온기(溫氣) calor *m*, calor *m* templado, calor *m* moderado, aire *m* templado. ~가 있다 ser tibio, templado. 아직 ~가 있을 때 먹어라 Cómetelo antes de que se enfríe.

■~ 난방 calefacción *f* de aire caliente.

온난(溫暖) calor *m* templado, calor *m* moderado. ~하다 (ser) templado, de calor moderado, tibio, cálido. ~한 지방 región *f* [comarca *f*] templada. 이곳은 기후가 ~하다 Aquí el clima es templado.

■~ 고기압(高氣壓) alta presión *f* atmosférica cálida. ~ 전선 frente *m* cálido.

온달 luna *f* llena del calendario lunar, luna *f* más redonda.

온당하다(穩當-) (ser) apropiado, conveniente, propio, razonable, moderado. 온당한 요구 petición *f* moderada, petición *f* razonable.

온대(溫帶) zona *f* templada.

■~ 계절풍 기후 clima *m* monzonico de la zona templada. ~ 기후 clima *m* templado. ~림 selva *f* de la zona templada. ~ 몬순 기후 =온대 계절풍 기후. ~ 식물 flora *f* de la zona templada. ~어(魚) pez *m* (*pl* peces) de la zona templada. ~ 저기압 baja presión *f* atmosférica de la zona templada. ~ 지방 región *f* templada. ~호(湖) lago *m* de la zona templada.

온데간데없다 desaparecer de repente, no poder hallarse en ningún sitio repentinamente.

온도(溫度) temperatura *f*. 공기의 ~ temperatura *f* del aire. 몸의 ~ temperatura *f* del cuerpo. 물의 ~ temperatura *f* del agua. ~를 재다 medir la temperatura. ~를 조절(調節)하다 regular la temperatura. ~를 10도 올리다 elevar [subir] la temperatura diez grados. ~를 10도로 내리다 bajar la temperatura a diez grados. ~가 높다 La temperatura está alta. ~가 낮다 La temperatura está baja. ~가 5도 올랐다 La temperatura subió cinco grados. ~가 20도 내렸다 La temperatura bajó a veinte grados.

◆실내(室內) ~ temperatura *f* ambiente. 절대 ~ temperatura *f* absoluta. 평균 ~ temperatura *f* normal. 표준 ~ temperatura *f* intermedia.

■~점 punto *m* de temperatura. ~ 조절 termorregulación *f*, control *m* termostático. ~ 조절기 termorregulador *m*. ~조절 장치 termostato *m*, termorregulador *m*. ~ 측정 termometría *f*. ~ 측정법 termometría *f*.

온도계(溫度計) termómetro *m*. ~의 termométrico. ~는 영하(零下) 20도를 가리켰다 El termómetro marcó veinte grados bajo cero.

◆섭씨 ~ termómetro *m* centígrado. 열씨(列氏) ~ termómetro *m* Reaumur. 자기(自記) ~ termómetro *m* registrador. 최고(最高) ~ termómetro *m* de máxima. 최고 최저 ~ termómetro *m* de máxima y mínima. 최저(最低) ~ termómetro *m* de mínima. 화씨 ~ termómetro *m* Fahrenheit.

온돌(溫突/溫堗) *ondol*, hipocausto *m* coreano, sistema *m* de calefacción bajo el suelo a la coreana.

■~방 *ondolbang*, habitación *f* con *ondol*.

온두라스 【지명】 Honduras *f*. ~의 hondureño.

■~ 사람 hondureño, -ña *mf*.

온디콩 【식물】 alubia *f* amarilla.

온라인(영 *on-line*) 【컴퓨터】 conectado, en línea. ~으로 일하다 trabajar en línea, que está conectado directamente a la computadora.

■~ 방식 sistema *m* de precesamiento de información en línea. ~ 서비스 servicio *m* en línea. ~ 시스템 sistema *m* en línea, operación *f* directa en línea, reducción *f* de datos en línea.

온면(溫麵) *onmyeon*, tallarín *m* con sopa caliente, tallarines *mpl* calientes.

온몸 todo el cuerpo; [부사적] a pies a cabeza, desde la cabeza hasta el pie. 나는 ~이 아프다 Tengo dolores por todo el cuerpo / Me duele todo el cuerpo.

■~ 운동 ejercicio *m* de todo el cuerpo.

온밤 toda la noche. 우리는 간밤에는 ~을 꼬박 세웠다 Pasamos toda la noche en vela anoche.

온상(溫床) ① [인공적으로 따뜻한 열을 가하여 식물을 촉성 재배하는 장치를 한 묘상] semillero *m*, almajara *f*, almáciga *f*. ② [어떤 사물 또는 사상 따위의 양성에 적합한 지반이나 환경] vivero *m*, semillero *m*, sementera *f*, caldo *m* de cultivo, hervidero *m*. 악(惡)의 ~ vivero *m* de vicios, vivero *m* de males. 공산주의의 ~ almajara *f* de comunismo.

■~ 재배 cultivo *m* de semillero.

온새미로 intacto, en perfecto estado, todo, entero.

온색(溫色) ① [난색(暖色)] color *m* caliente. ② [온화한 얼굴빛] complexión *f* apacible, complexión *f* dulce.

온수(溫水) el agua *f* caliente, el agua *f* templada, el agua *f* tibia.

■~ 공급 suministro *m* de agua caliente. ~ 난방 calefacción *f* por agua caliente. ~ 방열기 radiador *m* de agua caliente. ~ 시설 sistema *m* de suministro de agua caliente. ~풀 piscina *f* climatizada.

온순하다(溫順-) (ser) apacible, dócil, benévolo, amable, obediente, sumiso. 온순한 그 이지만 이번에는 화를 냈다 El, que tiene un carácter apacible, se enojó esta vez. 온순히 dócilmente, apaciblemente, benévolamente, amablemente, obedientemente, sumisamente. 식(式)이 진행되는 동안 그 아이는 ~ 있었다 El niño se mantuvo obediente durante la ceremonia.

온쉼표(-標) 【음악】 silencio *m* entero.

온스(영 *ounce*) onza *f* (28. 35 g).

온실(溫室) ① [난방 장치가 된 방] habitación *f* con calefacción. ② [그린 하우스] invernadero *m*, invernáculo *m*. ~에서 재배하다 cultivar en un invernadero. 그는 ~에서 자랐다 El ha sido criado con demasiados cuidados [con muchos mismos · con miedo de que vaya a romperse].

■~ 꽃 flor *f* de invernadero. ~ 식물 planta *f* de invernadero. ~ 재배 cultivo *m* de invernadero. ~ 효과(效果) efecto *m* invernadero.

온아하다(溫雅—) (ser) afable, gentil, blando, suave, elegante. 온아함 afabilidad *f*, gentileza *f*, blandura *f*, suavidad *f*, gracia *f*, garbo *m*, gracilidad *f*. 온아하게 con gracia, con garbo, con gracilidad, con dignidad, gentilmente. 온아한 말 palabra *f* llena de gracia. 온아한 사람 persona *f* elegante. 온아한 남자 hombre *m* elegante. 온아한 여자 mujer *f* elegante.

온 에어(영 *on the air*) [방송 중] en el aire.

온열 마사지(溫熱 massage) termomasaje *m*.

온열 요법(溫熱療法) termoterapia *f*.

온욕(溫浴) baño *m* con el agua caliente. ~하다 bañarse con el agua caliente.
 ▪ ~ 요법 (療法) terapia *f* [cura *f*] de agua caliente.

온유하다(溫柔—) (ser) dócil, blando, suave, apacible. 온유함 docilidad *f*, suavidad *f*, delicadeza *f*, lo suave, lo templado.

온음(—音) 【음악】 tono *m* entero.
 ▪ ~계 escala *f* diatónica. ~ 음계 escala *f* de semibres. ~정 tono *m*. ~표 semibreve *f*, redonda *f*.

온이로 =통째로(enteramente, totalmente).

온장(—張) hoja *f* entera.

온장고(溫藏庫) armario *m* de calefacción.

온전하다(穩全—) (ser) entero, intacto, perfecto. 온전함 lo intacto, lo entero, lo perfecto.
 온전히 enteramente, intactamente, perfectamente.

온점(—點) punto (.).

온정(溫井) ① [더운물이 솟는 샘] pozo *m* que mana el agua caliente. ② =온천(溫泉).

온정(溫情) benevolencia *f*, ternura *f*, indulgencia *f*, cordialidad *f*, amabilidad *f*, cariño *m*, afecto *m*. ~이 있는 afectuoso, cariñoso, benévolo, indulgente, tierno, cordial, afectuoso, de buen corazón, amable. ~이 넘치는 사람 persona f benévola.
 ▪ ~주의 política *f* paternal, paternalismo *m*, política *f* benévola.

온종일(—終日) ① [진종일] todo el día, día m entero. ~ 책을 읽다 leer un libro todo el día. ② [부사적] de la mañana a la tarde, a todas horas, de día y de noche, durante todo el día, de sol a sol, desde que amanece hasta que se pone el sol.

온 집안 toda la casa; [가족 전체] toda la familia. ~을 찾다 buscar [mirar] en toda la casa.

온채 toda la casa, casa *f* entera.

온천(溫泉) termas *fpl*, fuente *f* termal, baños *mpl* calientes, caldas *fpl*. ~으로 유명한 지역 una zona famosa por sus termas [por sus fuentes termales]. ~에 가다 ir a las aguas termales, ir a las termas, visitar fuentes termales. ~에 들어가다 tomar baños termales.
 ▪ ~ 가스 gas *m* que sale de las termas. ~ 고장 pueblo *m* de fuentes termales. ~법 ley *f* de aguas termales. ~수 aguas *fpl* termales, el agua *f* mineral claiente. ~ 여관 hotel *m* con baños termales. ~ 요법 balneoterapia *f*, cura *f* termal, tratamiento *m* por aguas termales. ~ 요양법(療養法) balneotécnica *f*. ~장 balneario *m* de aguas termales, baños *mpl* termales. ~ 취락(聚落) comunidad *f* de las fuentes termales. ~ 치료(治療) balneología *f*. ~ 치료법 balneología *f*. ~ 치료학 balneoterapéutica *f*. ~학 balneología *f*.

온천하다 ① =온전하다. ② [상당히 많다] (ser) bastante mucho.
 온천히 bastante mucho.

온축(蘊蓄) sabiduría *f* profunda, conocimiento *m* profundo.

온탕(溫湯) ① [온천의 뜨거운 물] aguas *fpl* termales. ② [적당한 온도의 탕] sopa *f* de la temperatura templada.
 ▪ ~ 설비 sistema *m* de suministro de agua caliente.

온통 todo, totalmente, enteramente, completamente. ~ 손해보다 sufrir una pérdida total, perder totalmente, perder del todo. 벽에는 ~ 낙서로 채워져 있다 La pared está completamente cubierta de garabatos.

온폭(—幅) anchura *f* total de tela [de papel].

온풍(溫風) ① [따뜻한 바람] viento *m* templado. ② [장마가 개는, 음력 6월경에 부는 남풍] viento *m* sur que sopla alrededor de junio del calendario lunar.

온혈(溫血) ① 【한방】 sangre *f* caliente del ciervo como la medicina. ② 【동물】 sangre *f* caliente.
 ▪ ~ 동물 animal *m* de sangre caliente.

온화하다(溫和—) ① [기후가 따뜻하고 화창하다] (ser) templado, benigno, calmado, sereno, apacible, moderado, tranquilo, quieto, suave; [겨울에 날씨가] no muy frío. 온화하게 calmadamente, serenamente, tranquilamente, quietamente, suavemente, apaciblemente. 온화한 바다 mar *m* tranquilo, mar *m* (en) bonanza. 온화한 날씨다 Hace un tiempo apacible. 바다가 온화하다 El mar está en calma. 바람이 온화해졌다 Ha caído el viento / Se ha calmado el viento. 오늘은 날씨가 무척 ~ Hoy no hace nada de frío. ② [성질·태도가 온순하고 인자하다] (ser) apacible, dulce, manso, benigno, moderado, comedido, calmado, razonable. 온화한 조치 medida *f* razonable, medida *f* moderada. 온화한 어조로 en un tono moderado. 온화한 성격이다 ser de un carácter dulce [muy templado]. 그의 표정은 온화하게 되었다 El volvió a su expresión apacible.

온후하다(溫厚—) (ser) afable, manso, suave, cortés (*pl* corteses), amable, fino. 온후함 afabilidad *f*, suavidad *f*, cortesía *f*, finura *f*. 온후한 신사(紳士) caballero *m* cortés. 온후한 여인 mujer *f* cortés. 온후하고 견실한 사람 hombre *m* afable y leal.

올[1] ((준말)) ＝올해(este año). ¶~ 안에 en este año. ~ 여름 휴가 vacaciones *fpl* de verano que viene. ~에는 비가 많이 왔다 Ha llovido mucho este año.

올[2] ① [실이나 줄의 가닥] hebra *f*, cabo *m*, textura *f*, filamento *m*, comba *f*, torcedura *f*. ~이 성긴 basto. 스타킹의 (세로) ~이 줄줄이 풀려 있다 Las medias tienen carreras / Las medias están llenas de carreras. ② [실이나 줄의 가닥을 세는 말] hebra *f*, cabo *m*. 실 한 ~ una hebra de hilo, un cabo de hilo. 세 ~ 양모(羊毛) lana *f* de tres cabos [tres hebras].

올- temprano maduro. ~밤 castaña *f* temprana. ~벼 arroz *m* (muy) temprano.

올가미 ① [새끼나 노 따위로 고를 맺어 짐승을 잡는 장치] trampa *f*, cepa *f*, soga *f*, dogal *m*; [그물의] lazo *m* (corredizo), red *f*, [바구니의] armadijo *m*. 사자 ~ trampa *f* para leones. 코끼리 ~ trampa *f* para elefantes. ~로 잡다 cazar con trampa. ~를 장치하다 tender una trampa (a), armar una trampa (a), coger con lazo, hacer caer en la trampa. ~에 걸리다 caer(se) en la trampa, caer(se) en el lazo. …에게 ~를 놓다 tender*le* una trampa [una celada] a *uno*. 목에 ~가 씌어져 있다 estar con la soga al cuello. 곰이 ~에 걸렸다 Un oso cayó en la trampa. 조심해라. ~일 수도 있다 Ten cuidado. Puede ser una trampa. ② [사람이 걸려들게 꾸민 깜찍한 꾀] trampa *f*, ardid *f*, estafa *f*. 그것은 그가 자백하게 하기 위해서 놓은 ~였다 Fue una trampa [un ardid] para que confesara.
◆ 올가미(를) 쓰다 caer en una trampa.
◆ 올가미(를) 씌우다 tender*le* una trampa [una celada] a *uno*; [속이다] engañar, estafar, timar.

올감자 patata *f* temprana, *AmL* papa *f* temprana.

올고구마 boniato *m* temprano.

올곧다 (ser) honesto, honrado, muy serio. 올곧게 honestamente, honradamente, muy seriamente. 올곧은 남자(男子) hombre *m* honesto, hombre *m* honrado.

올나이트(영 *all-night*) [철야의. 밤새도록 하는] que dura toda la noche (파티 · 쇼의), que está abierto toda la noche (카페 · 다방 · 가게의). ~ 파티 fiesta *f* que dura toda la noche. ~ 카페 café *m* que está abierto toda la noche.

올내년(-來年) este año y año que viene, este año o el año que viene. 나도 ~에는 결혼해야지 Yo también tengo que casarme este año o el año que viene.

올되다[1] [피륙의 올 같은 것이 바짝 죄어서 되다] (ser) fino.

올되다[2] ① [나이보다 일찍 지각이 나다] (ser) precoz (*pl* precoces). 올된 아이 niño *m* precoz, niña *f* precoz. ② [일찍이 되다. 일되다] madurar temprano.

올드미스 [일본식 조어] solterona *f*, soltera *f* ya entrada en años.

올딱 vomitando lo que se ha comido.
올딱거리다 vomitar lo que se ha comido.

올라가다 ① [아래에서 위로, 낮은 데서 높은 데로 옮아 가다] subir, alzar, elevar, levantar, ascender; [산에] escalar, subir (a); [나무에] trepar (a), treparse (a), subirse (a); [탈것에] subir, tomar; [말 · 나귀에] montar, montarse (en); 【연극】 [막이] levantarse; [새 · 연이] elevarse, remontarse, remontar el vuelo. 산에 ~ subir al monte. 언덕을 ~ subir a la cuesta. 에베레스트 산에 ~ escalar el Everest, subir al Everest. 승용차에 ~ tomar el coche. 올라갑니다 [엘리베이터에서] ¡Sube! 우리는 지붕에 올라갔다 Subimos al tejado. 먼지 구름이 올라갔다 Se levantó una nube de polvo. 그는 하늘로 올라갔다 El subió a los cielos. 그는 남벽을 올라갈 때 미끄러졌다 El se resbaló al escalar la pared sur. 그는 간신히 계단을 올라갔다 El subió las escaleras con dificultad. 나는 나무에 올라갔다 Trepé [Me trepé] al árbol / Me subí al árbol. 그녀는 꼭대기까지 올라갔다 Ella subió hasta la cima. 그 아이는 탁자[의자]에 올라갔다 El niño se subió a una silla [la mesa] / El niño trepó [se trepó] a una silla [la mesa]. 자동차가 인도로 올라갔다 El coche se subió a la acera.
② [지위가 높아지다. 아래에서 위로 나아가다] ser ascendido, ser promovido. 그는 관리인[대령]으로 올라갔다 Le [*AmL* lo] ascendieron a supervisor [a coronel]. 학생들의 70%만 2학년에 올라갔다 Sólo el setenta por ciento de los alumnos fue promovido a segundo.
③ [흐름을 거슬러 상류로 가다] ir contra el río [la corriente]. 강을 거슬러 ~ ir el río arriba, ir contra la corriente.
④ [시골에서 서울로 가다. 상경하다] ir a Seúl, ir a la capital.
⑤ [값이 비싸지다] subir, alzar, aumentar, elevarse; [폭등하다] dispararse. 올라가는 달러 un dólar en alza. 값이 천 원 [10%] 올라갔다 El precio ha subido [aumentado] mil wones [en un ocho por ciento].
⑥ [밑천이나 재산이 없어지다] perder, perderse. 경마에 백만 원이 ~ perder un millón de wones en en las carreras de caballos. 화재로 재산이 다 올라갔다 Se perdió toda la propiedad debido al fuego.
⑦ [물에서 뭍으로 옮겨 가다. 상륙하다] desembarcar, tomar tierra.
⑧ ((속어)) ＝죽다(morir, fallecer).

올라서다 ① [낮은 데서 높은 데로 올라가 서다. 꼭대기에 다다르다] levantarse en el lugar más alto. ② [무엇을 디디고 그 위에 서다] estar de pie. 다른 사람의 위에 올라서 있다 estar por encima de los demás. ③ [낮은 지위에서 높은 지위로 가다] ser promovido.

올라앉다 ① [낮은 데서 높은 데로, 아래에서 위로 가 앉다] sentarse (en). ② [지위가 높아져서 어느 자리를 차지하다] ocupar (en un puesto). ③ [땅 위에서 떨어진 어느 물건에 가 앉다] sentarse (en).

올라오다 ① [낮은 데서 높은 데로, 아래에서 위로 가 앉다] subir. ☞오르다. 올라가다. ② [지위가 높아져서 어느 자리를 차지하다] ☞올라가다. ③ [시골에서 서울로 올라오다. 상경하다] venir a Seúl, venir a la capital. 시골에서 갓 올라온 처녀 muchacha f que acaba de venir del campo. ④ [물에서 육지로 옮겨 오다] subir. ☞올라가다.

올라운드(영 *all-round*) completo *adj*.
■ ~ 플레이어 jugador *m* completo, jugadora *f* completa.

올라타다 ① [탈것에 오르다] tomar, subir. 배에 ~ embarcar(se), subir a bordo, *Col, Méj* abordar. 경찰관 두 사람이 열차에 올라탔다 Dos policías subieron al tren. ② [몸 위에 오르다] cubrir.

올랑거리다 ① [너무 놀라거나 두려워서 가슴이 설레다] palpitar, latir. 올랑거리는 pulsante. 나는 흥분되어 올랑거리는 가슴으로 기다렸다 Esperé con el corazón palpitante de emoción. 나는 달린 후에 올랑거린다 Después de correr, me dan palpitaciones / Después de correr me da taquicardia. 대학 캠퍼스는 생동감으로 올랑거렸다 El campus universitario vibraba [palpitaba] de vida. ② [물결이 연해 흔들리다] oscilar, rizar(se), ondular. 호수가 미풍으로 올랑거렸다 La brisa rizaba [ondulaba] la superficie del lago.

올랑촐랑 ① [물결이 올랑거리고 촐랑거리는 모양이나 소리] chapoteando, chapaleando. ② [작은 그릇의 물이 흔드리는 모양] agitándose haciendo ruido.

올레산(一酸) 【화학】 ácido *m* oléico.

올려놓다 poner (en). 책을 선반 위에 ~ poner los libros en el anaquel. 접시를 상 위에 올려놓아라 Pon los platos en la mesa.

올려다보다 ① [아래쪽에서 위쪽을 바라보다] levantar la cara, mirar hacia arriba. 산을 ~ mirar la montaña. ② [존경하는 마음으로 높이 받들며 우러르다] respetar, admirar. 나는 항상 내 부친을 올려다보았다 Yo siempre he admirado [respetado] a mi padre.

올려다본각(一角) 【수학】 ángulo *m* de elevación.

올려붙이다 ① [높게 올리어서 붙이다] poner alto. 문패를 더 ~ poner la placa con el nombre más arriba. ② [따귀 따위를 때리다] dar un golpe, golpear. 따귀를 ~ dar una bofetada.

올록볼록하다 (ser) torcido, desigual, desnivelado, irregular, *AmL* disparejo. 타일이 올록볼록하게 놓였다 Han colocado las baldosas torcidas. 그는 내 머리카락을 올룩불룩하게 잘랐다 El me dejó el pelo desigual [*AmL* disparejo].

올리고세(一世) época *f* oligocena.

올리다 ① [오르게 하다] alzar, elevar, levantar, subir; [가격·지위를] subir, elevar, ascender, promover; [증가시키다] aumentar. 값을 ~ alzar [subir] el precio. 급료를 ~ aumentar el sueldo [el salario]. 속도를 ~ aumentar [acelerar] la velocidad. 손을 ~ levantar las manos. 실내 온도를 ~ elevar la temperatura de la habitación. 얼굴을 ~ levantar la cara. 한 급을 ~ promover a un grado superior. …의 지위(地位)를 ~ ascender [subir] la posición de *uno*. 한 손을 올리고 con la mano en alto. ② [칠·단청·도금 따위를 위에 입히다] cubrir, bañar, recubrir, enchapar, chapear, barnizar, dar una capa de laca, dorar, pintar. 금(金)을 올린 enchapado en oro. 초콜릿으로 올린 cubierto de chocolate, bañado en chocolate.
③ [윗사람에게 바치다] ofrecer, ofrendar, presentar, dedicar. 잔을 ~ ofrecer la copa. 묘전(墓前)에 꽃을 ~ ofrendar flores sobre una tumba, adornar una tumba con flores.
④ [병이나 병균 따위를 옮기다] infectar, contagiar. 너는 사무실에 있는 모든 사람에게 감기를 올리고 있다 Estás contagiándole el resfriado a toda la oficina. 너무 가까이 가지 마라. 어린아이에게 올릴 수 있다 No te acerques, que puedes contagiar al bebé. 그녀는 자매들에게 작은마마를 올렸다 Ella les contagió la varicela a sus hermanas.
⑤ [문서나 신문·입길에 드러내다] inscribirse. 명단에 이름을 ~ inscribirse en la lista.
⑥ [재산·밑천 따위를 없애다] perder. 몽땅 올려 버리다 perderse todo.
⑦ [따귀·매 따위를 때리다] dar. 따귀를 ~ dar una bofetada.
⑧ [기와 따위를 이다] cubrir. 지붕에 기와를 ~ tejar, cubrir con tejas.
⑨ [거행하다] celebrar. 결혼식을 ~ celebrar las bodas.
⑩ ((궁중어)) [먹다] comer, tomar.
⑪ [동사의 어미「-어」나「-아」뒤에 붙어, 상대편을 존대하여 무엇을 해 줌을 이르는 말] hacer. 전해 ~ avisar. 읽어 ~ leer.

올리브(영 *olive*) ① 【식물】 olivo *m*. ② [열매] aceituna *f*, oliva *f*.
■ ~나무 【식물】 olivo *m*. ~의 가지 [평화·화해의 상징] rama *f* de olivo. ~ 밭 olivar *m*. ~색 (color *m*) aceituna *m*, color *m* olivo, color *m* de aceituna verde. ~유 aceite *m* de oliva. ~ 재배 olivicultura *f*. ~ 재배자 olivicultor, -tora *mf*.

올림 ① =증정(贈呈). ② [편지에서] (Saluda) A usted atentamente / Le [Lo] saludo atentamente / Les [Los] saludamos atentamente / Saludamos a usted con atenta consideración / Atentamente / Muy atentamente / Afectuosamente.

올림표(一標) 【음악】 sostenido *m*, diesi(s) *f*.

올림피아(영 *Olympia*) 【지명】 Olimpia *f*.

올림피아드(영 *Olympiad*) ① 【역사】 cuatro años entre la fiesta de la Olimpiada y la otra Olimpiada. ② [올림픽 경기] Olimpiada *f*, Olimpíada *f*, los Juegos Olímpicos.

올림피아제(Olympia 祭) fiesta *f* de la Olimpiada.

올림픽(영 *Olympic*) ((준말)) =올림픽 경기. ¶~의 olímpico.

◆국제기능 ~ el Concurso Internacional de Formación de Jóvenes.

▪~ 게임(스) las Olimpiadas. ~ 경기 ㉮ [고대 그리스인이 올림피아제 때에 개최한 운동·시·음악 등의 경기] los Juegos Olímpicos, Olimpiadas *fpl*, Olimpíadas *fpl*, olimpiada *f*, olimpíada *f*. ~의 olímpico. ㉯ ((준말)) =국제 올림픽 경기 대회. ~ 경기 대회 los Juegos Olímpicos. ¶서울 ~ los Juegos Olímpicos de Seúl. ~ 경기장(競技場) estadio *m* olímpico. ~경기 조직 위원회 el Comité de Organización de los Juegos Deportivos Olímpicos. ~기 bandera *f* Olímpica. ~ 대회 =올림픽 경기. ~ 메달 medalla *f* olímpica. ~ 메달리스트 medallero *m* olímpico, medallera *f* olímpica. ~선수 atleta *m* olímpico, atleta *f* olímpica. ~ 선수촌 la Villa Olímpica. ~성화 antorcha *f* olímpica. ~ 스타디움 estadio *m* olímpico. ~ 위원회 Comité *m* Olímpico. ¶국제 ~ el Comité Olímpico Internacional. ~ 정신 olimpismo *m*, espíritu *m* olímpico. ~ 조직 위원회 el Comité Organizador Olímpico. ~ 종목 deportes *mpl* olímpicos, modalidades *fpl* de Juegos Olímpicos. ~ 찬가 himno *m* olímpico. ~촌 la Villa Olímpica. ~ 출전 선수 (deportista *mf*) olímpico, -ca *mf*. ~ 팀 equipo *m* olímpico. ~ 헌장 la Carta Olímpica. ~ 회의 el Congreso Olímpico.

올막졸막 =올망졸망.

올망(-網) red *f* de pesca en alta mar, red *f* de pesca de altura.

▪~대 vara *f* usada echando la red de pesca.

올망이졸망이 unidades *fpl* pequeñas, grupos *mpl* pequeños.

올망졸망 todo tipo de cosas pequeñas, toda clase de cosas pequeñas, varios tamaños *mpl* de cosas pequeñas, en grupo. ~하다 ser de varios tamaños pequeños. ~한 어린이들 niños *mpl* de los mismos tamaños aproximados. 아이들이 ~ 모여 있다 Los niños están reunidos en grupo.

올무[1] [새나 짐승을 잡는 올가미] trampa *f*, cepo *m*, cepa *f*; [그물의] lazo *m*. ~에 걸리다 caer en una trampa. ~로 잡다 cazar con trampa.

올무[2] [일찍 자란 무] rábano *m* temprano, nabo *m* temprano.

올바로 correctamente, justamente, honradamente, honestamente, rectamente, francamente. 판단을 ~ 하다 juzgar justo. ~ 살다 vivir rectamente. ~ 말하다 hablar francamente. ~ 행동(行動)하다 comportarse [portarse] correctamente. ~ 서다 poner de pie vertical.

올바르다 (ser) correcto, justo; [마음이] honrado, honesto, recto. 올바른 가르침 precepto *m* justo. 올바른 교육(敎育) educación *f* [enseñanza *f*] justa. 올바른 문장(文章) oración *f* correcta. 올바른 판단 juicio *m* justo. 올바른 행동 conducta *f* recta.

올밤 castaña *f* precoz, castaña *f* temprana.

올백(영 *all+back*) [일본식 조어] pelo *m* todo hacia detrás. ~으로 하다 sujetar [peinar] el pelo todo hacia detrás.

올벼 arroz *m* precoz, arroz *m* temprano.

▪~신미(新味) primera prueba *f* del arroz precoz (del mismo año).

올보리 cebada *f* precoz, cebada *f* temprana.

올봄 esta primavera.

올빼미 ① **【조류】** lechuza *f*; [큰] buho *m*; [작은] mochuelo *m*, cárabo *m*, antillo *m*, bruja *f*, oliva *f*, *Méj* tecolote *m*. ~ 우는 소리 ululato *m*, grito *m*. ~가 울다 ulular. ~가 운다 La lechuza lulula. ② [밤에 자주 나돌아 다니는 사람] vagabundo *m* nocturno, vagabunda *f* nocturna.

◆올빼미 눈 같다 No se puede ver de día.

올새 tejido *m*, trama *f*, textura *f*. ~가 가늘다 tener el tejido fino. ~가 굵다 tener el tejido áspero. ~가 거칠다 ser áspero en el tejido.

올서리 escarcha *f* temprana.

-올시다 ser. 이게 아니~ No es esto. 그 사람의 집이~ Es su casa.

올작물(-作物) ① [이르게 가꾸는 작물] cosecha *f* cultivada temprano. ② [다른 종류보다 이르게 익는 작물] cosecha *f* madurada más temprano que la otra especie.

올지다 ((준말)) =오달지다.

올차다 ① [야무지고 기운차다] (ser) substancial, robusto, macizo. 그 아이 참 ~ ¡Qué substancial es el niño! ② [곡식의 알이 일찍 들다] madurar temprano.

올챙이 **【동물】** renacuajo *m*.

▪~기자 periodista *mf* novato, -ta. ~배 barriga *f*, panza *f*, vientre *m* protuberante, abdomen *m* prominente, *Chi* guata *f*. ~ 작가 escritor *m* novato, escritora *f* novata.

올케 cuñada *f*, hermana *f* política.

올콩 haba *f* temprana, alubia *f* temprana.

올통볼통하다 [표면·잔디가] (ser) desigual, con desniveles, irregular, *AmL* disparejo; [길이] lleno de baches; [땅이] desnivelado, desigual, *AmL* disparejo.

올팥 haba *f* roja temprana.

올페우스 **【신화】** Orfeo *m*.

올해 este año, año *m* en curso. ~는 비가 많이 내렸다 Este año ha llovido mucho.

옭걸다 atar y calgar.

옭다 ① [친친 잡아매다] atar, amarrar; [밀이나 옥수수를] agavillar. ② [올가미를 씌우다] coger con un lazo, ahorcar. 목을 ~ estar con la soga al cuello. ③ [꾀로 남을 걸려들게 하다] armar trampa.

옭매다 atar, amarrar.

옭매듭 nudo *m* ciego.

옭매이다 atarse, amarrarse.

옭아내다 ① [올가미 따위를 씌워서 끌어내다] estar con la soga al cuello y sacar. ② [수단을 써서 남의 것을 약빠르게 끄집어 내다] estafar, engañar. 남의 돈을 ~ estafar [engañar · timar] quitándo*le*. 사람들은 그들의 땅을 옭아냈다 Los estafaron [engañaron · timaron] quitándoles las tierras.

옭아매다 atar, amarrar. 짐을 ~ atar el equipaje [el paquete], empaquetear, embalar. 개를 새끼줄로 ~ estar con la soga al cuello del perro.

옭아지다 cogerse con lazo.

옭히다 ① [올가미에 걸리어 꼭 매어지다] ser atado, ser amarado. ② [얽히어 풀리지 않게 되다] enredarse. 내 머리카락이 옭혔다 Se me enredó el pelo. ③ [남의 수단에 애매하게 걸리다] ser estafado, ser engañado. ④ [포박당하다] atarse, amarrarse, ser atado, ser amarrado.

옮겨가다 ir mudando el equipaje.

옮겨심기 =이식(移植).

옮기다 ① [사물의 자리를 바꾸어 정하다] ㉮ trasladar, mudar, cambiar. 짐을 ~ mudar el equipaje. 탁자를 창 옆으로 ~ cambiar [mudar] la mesa junto a la ventana. 책장과 탁자를 옮겨 놓다 poner la mesa en el lugar del estante y éste en el de la mesa. 자리를 식당으로 옮깁시다 Vamos a cambiar de sitio al comedor. 그 책은 그의 손으로 옮겨졌다 El libro ha ido a parar a sus manos. ㉯ [다른 그릇에] trasladar, travasar. 술을 통에서 병으로 ~ travasar el vino del barril a la botella.
② [주거 · 처소 따위를 바꾸어 가다] trasladar, cambiar(se), mudarse. 집을 ~ cambiar(se) [mudarse] de casa. 주거(住居)를 교외로 ~ trasladar *su* residencia a las afueras. 본적(本籍)을 서울로 ~ trasladar *su* domicilio legal a Seúl. 신축한 집으로 ~ trasladarse a la casa recién construida. 이 아파트를 좀 옮겼으면 싶습니다만 Quisiera mudarme de este piso [*AmL* apartamento]. 김 군은 이 학교로 옮겼다 Kim se ha incorporado a esta escuela. 김 선생님이 본교(本校)로 옮겼다 El profesor Kim ha sido trasladado a esta escuela. 나는 본적을 서울로 옮겼다 Mi domicilio legal ha sido trasladado a Seúl.
③ [들은 말을 딴 데에 전하다] hablar, hacer correr, difundir.
④ [글자 · 그림 따위를 본보기대로 쓰거나 그리다] copiar.
⑤ [병(病) 따위를 전염(傳染)시키다] pasar, comunicar, contagiar (con · de), propagar. 옮겨지다 contagiarse, propagarse. 병(病)을 ~ pasar una enfermedad, comunicar una enfermedad, contagiar con [de] una enfermedad. 그는 나에게 병을 옮겼다 El me contagió de su enfermedad. 그는 나에게 감기를 옮겼다 Se me pegó su resfriado. 네 감기가 나한테 옮겼다 Me has contagiado. 이 병은 옮겨진다 Esta enfermedad se contagia. 그 병은 옮겨지기 쉽다 Esa enfermedad se contagiosa. 친구의 나쁜 버릇이 그에게 옮겨졌다 Se le ha contagiado el mal hábito de su amigo.
⑥ [번역하다] traducir (a · en). 한글을 서반아어로 ~ traducir el coreano al [en el] español. 서반아어를 한글로 옮기시오 Traduzcan el español al coreano.
⑦ [발걸음을 한 걸음 한 걸음 떼어 놓다] dar un paso (adelante), seguir *su* camino, mover los pasos. 집으로 발걸음을 ~ seguir *su* camino a casa, mover los pasos a *su* casa.
⑧ [(관심이나 시선 따위를) 이제까지의 대상에서 다른 대상으로 돌리다] pasar. 화제가 …으로 옮긴다 La conversación pasa a versar sobre *un sitio*. 다음 화제로 옮깁시다 Pasemos al siguiente tema. 대화는 한 화제에서 다른 화제로 옮겨진다 La conversación ha ido pasando de un tema a otro. 그녀의 마음은 다른 남자한테로 옮겨졌다 Ella ha pasado a interesarse por otro.

옮다 ① [사물이 자리를 바꾸다] cambiar. ② [주거 · 처소 따위를 바꾸다] mudarse (de). 집을 ~ mudarse de casa. ③ [말 · 소문이 퍼져 가다] difundirse, propagarse, divulgarse. 그 소식은 전국으로 옮았다 La noticia se difundió por todo el país. ④ [병 · 버릇 · 사상 등이 감염하다] propagarse, contagiarse. 접촉으로 옮았다 Se contagió de [por · con] el roce.

옮아가다 ① [자리를 다른 데로 바꾸어 가다] cambiarse, acercarse, arrimarse, trasladarse, desplazarse. 창가로 ~ acercarse a la ventana. 불 가까이 옮아가지 그래 ¿Por qué no te acercas [te arrimas] al fuego? 그늘로 옮아갑시다 Pongámonos a la sombra. 우리는 탁자를 옮아갈 수 있을 텐데 Podríamos cambiarnos de mesa. 상을 차리고 싶으니 자리를 옮아가야 겠다 Quiero poner la mesa; tendrás que levantarte [cambiarte] de lugar. ② [주거 · 처소 따위를 바꾸다] mudarse (de), cambiarse. 일산으로 ~ mudarse a Ilsan. 언제 새집으로 옮아가십니까? ¿Cuándo te mudas [te cambias] a la casa nueva? 나는 일요일까지는 이곳을 옮아가야 한다 Tengo que mudarme de aquí para el [antes del] domingo. 나는 서울을 옮아갔으면 한다 Me gustaría irme de Seúl / Me gustaría mudarme [cambiarme] fuera de Seúl. ③ [말 · 소문 · 병 따위가 퍼져 가다] difundirse, propagarse, divulgarse. 소문은 벌써 전국으로 옮아갔다 El rumor ya ha difundido por todo el país.

옮아오다 ① [자리나 주소 · 처소 따위를 바꾸어서 오다] cambiarse, mudarse. ② [퍼져 오다] extenderse, propagarse, contagiarse. 전염병이 우리 나라로 옮아왔다 La plaga se extendió a nuestro país.

옰 compensación *f*, indemnización *f*, recompensa *f*.

옳다¹ [틀리지 않다. 사리에 맞다] [공정하다] (ser) justo; [정확하다] correcto, exacto; [정당하다] recto, legal; [합법적이다] legítimo, lícito; [일리가 있다] tener razón. 옳게

justamente, correctamente, exactamente, rectamente, legamente, legítimamente, lícitamente. 옳은 가르침 precepto *m* justo. 옳은 문장(文章) oración *f* correcta. 옳은 치수 medida *f* exacta. 옳은 판단 juicio *m* justo. 옳은 행동 conducta *f* recta. 마음이 옳은 honrado, honesto, recto. 옳지 않은 injusto, incorrecto, ilegítimo. (누구의) 말이 옳지 않다 no tener razón. 옳은 길을 가다 seguir el camino de la virtud. 옳게 발음하다 pronunciar correctamente. 상황을 옳게 판단하다 juzgar las circunstancias correctamente. 옳은 것은 옳다고 그른 것은 그르다고 하다 llamar al pan pan y al vino vino. 선생님의 말씀이 옳습니다 Tiene usted razón / Lleva razón en lo que dice usted / Estoy de acuerdo con usted / ¡Exactamente! / ¡Exacto!

옳다² [무엇이 마음에 맞을 때 하는 소리] ¡Vale! / ¡Bueno! / ¡Bien! ~, 그 말이 맞구나 ¡Vale! Tiene razón. ~, 이제 알았다 Oh, ya caigo.

옳다구나 =옳다².

옳아 =옳다².

옳은 길 =정도(正道)(rectitud, buen camino). ¶~로 인도하다 guiar por la rectitud. ~에서 벗나가다 apartarse del buen camino.

옳은 말 verdad *f*, palabra *f* recta, palabra *f* honrada, palabra *f* verdadera. ~을 하는 사람 persona *f* que habla verdaderamente. 자네 말이 ~이다 Tú tienes razón.

옳은 일 justicia *f*, lo justo. ~을 위해서 싸우다 luchar por la justicia.

옳지 ¡Bien! / ¡Bueno! / ¡Vale! / Sí. ~, 그렇게 하면 된다 ¡Bueno! Debes hacerlo.

옴¹ 【의학】 sarna *f*. ~투성이가 되다 enroñarse. ~에 걸리다 ensarnecer, sufrir de la sarna, estar sarnoso. ~에 걸린 sarnoso. ~에 걸린 사람 sarnoso, -sa *mf*.

▪~약 sanífugo *m*. ~쟁이 sarnoso, -sa *mf*. ~종 llaga *f* [úlcera *f*] causada por la sarna. ~ 치료제 sarnífugo *m*.

옴² [젖어미의 젖을 빨리는 젖꼭지의 가장자리에 오톨도톨하게 좁쌀 모양으로 돋은 것] proceso *m* minúsculo alrededor del pezón del ama de leche.

옴³ ((준말)) =옴쌀.

옴(영 *ohm*) 【물리】 ohmio *m*, ohm *m* (Ω).

▪~계 ohmímetro *m*. ~의 법칙 la Ley de Ohm.

옴나위 espacio *m*, sitio *m*, lugar *m*. 뒤로 물러서 나에게 ~를 주게 Retírate para dejarme espacio [lugar · sitio].

◆옴나위(도) 못 하다 no tener espacio de moverse, no dejar espacio.

옴나위없다 no tener espacio, no poder moverse.

옴나위없이 sin tener espacio.

옴니버스 영화(omnibus 映畵) película *f* ómnibus.

옴니암니 gastos *mpl* varios, varios gastos *mpl*, varias expensas *fpl*.

옴두꺼비 【동물】 sapo *m*.

옴벌레 【동물】 =개선충(疥癬蟲).

옴살 intimidad *f*, amistad *f* íntima, uña y carne.

옴실거리다 enjambrar, revolotear, pulular, apiñar, irrumpir. 파리들이 고기 주변에서 옴실거렸다 Las moscas revoloteaban [pululaban] alrededor de la carne.

옴실옴실 revoloteando, pululando, enjambrando.

옴죽거리다 retorcerse, moverse inquieto. 옴죽거리지 마라 ¡Quédate! / ¡Estáte quieto! 아이들이 의자에서 옴죽거렸다 Los niños se movían inquietos en sus asientos. 그녀는 불편해서 옴죽거렸다 Ella se retorció incómoda.

옴지락거리다 moverse lentamente.

옴지락옴지락 moviéndose lentamente.

옴직거리다 retorcerse.

옴질거리다 ① [몸피 작은 것이 많이 모여 천천히 자꾸 움직이다] moverse despacio y frecuentemente. ② [결단성이 없이 주저하다] vacilar, titubear. 옴질거리지 말고 sin vacilar, sin titubear. 옴질거리지 말고 천천히 말하려고 해 봐 Trata de hablar despacio sin vacilar [sin titubear]. ③ [작은 몸을 굼뜨게 움직이다] moverse lentamente. ④ [질긴 것을 입에 물고 오물거리며 씹다] mordiscar, mordisquear, masticar, mascar.

옴질옴질 vacilando, titubeando; mordiscando, mordisqueando; moviéndose despacio.

옴짝달싹 con un movimiento muy ligero, moviéndose ligeramente [levemente].

◆옴짝달싹 못하다 no moverse ni una pulgada, ponerse en el aprieto. 옴짝달싹 못하게 하다 poner en el aprieto. 옴짝달싹 못할 지경이다 estar en un aprieto [un apuro]. 빚에 묶어 ~ 못하다 estar entrampado hasta la camisa, estar atrampado hasta el cuello.

옴쭉 moviéndose ligeramente.

옴쭉거리다 moverse un poco fuerte.

옴쭉옴쭉 moviéndose un poco fuerte.

옴찍거리다 moverse un poco fuerte muchas veces.

옴찍옴찍 siguiendo moviéndose un poco fuerte.

옴찔 estremeciéndose de miedo.

옴찔거리다 seguir [continuar] estremeciéndose de miedo.

옴찔옴찔 estremeciéndose de miedo continuamente.

옴츠러들다 encogerse, achicarse, agarrotarse gradualmente [poco a poco · paso a paso].

옴츠러뜨리다 =옴츠리다.

옴츠러지다 agarrotarse (por). 추위로 몸이 ~ agarrotarse por el frío.

옴츠리다 encogerse, acurrucarse, estrecharse, angostarse, achicarse; [공포로] espantarse, estremecerse.

옴큼 puñado *m*. 내 머리카락이 한 ~ 빠졌다 El pelo se me caía a mechones [a manojos].

옴키다 =움키다.

옴파다 hacer una perforación.
옴파리 cuenco *m* pequeño de porcelana con forma de berenjena.
옴팡눈 ojos *mpl* hundidos y redondos. ~이다 tener los ojos hundidos y redondos.
옴팡눈이 persona *f* con ojos hundidos y redondos.
옴패다 ser hundido, a nivel más bajo. 옴패인 곳 lugar *m* hundido.
옴포동이같다 ① [어린애가 살이 올라 포동포동하다] (ser) regordete. ② [옷에 솜을 도도록하게 두어 어린애의 살결처럼 포동포동하다] (ser) suave y esponjoso.
옴포동이같이 regordetemente; suave y esponjosamente.
옴폭 con hueco. ~하다 ser hundido. ~ 패인 볼 mejillas *fpl* hundidas. 눈이 ~하다 tener los ojos hundidos.
옵서버(영 *observer*) observador, -dora *mf*.
◆유엔 ~ observadores *mpl* de la ONU (Organización de las Naciones Unidas).
옵션(영 *option*) opción *f*.
■~가(價) precio *m* de opción. ~ 계약 contrato *m* de opciones. ~ 교환 intercambio *m* de opciones. ~ 마켓 mercado *m* de opciones. ~ 바이어 comprador, -dora *mf* de opciones. ~ 셀러 vendedor, -dora *mf* de opciones. ~ 시리즈 serie *f* de opciones. ~ 프리미엄 prima *f* de opción.
옷 ropa *f*; [양복] traje *m*; [드레스] vestido *m*; [의류] vestuario *m*, ropaje *m*; prenda *f* de vestir; [의상] vestidura *f*. ~ 한 벌 terno *m*, traje *m* completo, flux *m*. ~ 한벌 감의 길이 corte *m* de vestido. 몸에 꽉 끼인 ~ ropa *f* bien ajustada, traje *m* bien ajustado. ~을 입다 vestirse, ponerse la ropa [un traje · un vestido]. ~을 갈아입다 cambiar vestido, mudar vestido. ~을 벗다 quitarse la ropa [el traje · el vestido], desvestirse, desnudarse. ~을 입히다 vestir, poner ropa. ~을 많이 가지고 있다 tener mucho vestuario. 흰 ~을 입고 있다 estar de blanco, ir vestido de blanco. ~을 만든다 Se confeccionan vestidos. ~을 훨훨 벗어던지다 despojarse la ropa. 이 옷은 더럽다 Esta ropa está sucia. 이 ~은 너한테 크다 [작다] Esta ropa te viene grande [pequeña]. 나는 그에게 ~을 사 주었다 Le compré la ropa. 이 ~은 처음 입는다 Este traje es nuevo / Este traje es de estreno / He estrenado este traje. 그녀는 ~을 입은 채 뛰어들었다 Ella se metió vestida. 나는 ~을 벗고 있었다 Yo estaba desnudo. ~을 벗고 [~을 입은 채] 그는 냇물로 뛰어들었다 Después de desnudarse [Con el traje puesto], él se lanzó al río. 나는 학교에 입고 갈 (적당한) ~이 없다 No tengo un traje adecuado para ir a la escuela. 이 ~을 입고는 파티에 갈 수 없다 Con este vestido no puedo asistir a la fiesta.
◆겉~ prendas *fpl* exteriores. 속~ ropa *f* interior.
■옷은 새 옷이 좋고 사람은 옛 사람이 좋다 ((속담)) Traje, el más nuevo y amigo, el más antiguo. 옷이 날개라 ((속담)) El sastre hace al hombre / Botas y gabán cubren mucho mal / Por el traje se conoce al personaje.
■~가게 tienda *f* de tela. ¶~ 주인 pañero, -ra *mf*. ~가슴 delantera *f*, [셔츠의] pechera *f*. ~가지 varios trajes *mpl*, varios vestidos *mpl*, trajes *mpl* varios, vestidos *mpl* varios. ~감 paño *m*, tela *f*, género *m*, tejido *m*, textura *f*. ¶고운 ~ paño *m* fino. 성긴 ~ tejido *m* raro. 촘촘한 ~ tejido *m* tupido. ~거리 apariencias *fpl* de *su* ropa. ~걸이 percha *f*, cuelgacapas *m.sing.pl.*; [(가지가 있는) 기둥꼴] perchero *m*. ~고름 cordón *m* (*pl* cordones) de la blusa. ~기장 longitud *f* de una manga y el medio torso, anchura *f* del vestido. ¶~을 줄이다 acortar el bajo (del vestido). ~깃 cuello *m*, solapa *f*. ¶셔츠의 ~이 더럽다 El cuello de la camisa está sucio. ~을 여미다 levantar el cuello. 외투의 ~을 여미고 con las solapas del abrigo levantadas. 그는 오버의 ~을 여몄다 El levantó el cuello del abrigo. ~농 cómoda *f*, armario *m*. ~단 dobladillo *m*, faldas *fpl*, alforza *f*, *Chi* basta *f*. ~매무새 =매무새. ~매무시 =매무시. ~맵시 vestidura *f*. ~밥 la ropa y la comida, vestido y alimento. ~벌 unos trajes, unos vestidos. ~보 persona *f* que codicia mucho la ropa. ~보(褓) tela *f* [paño *m*] para envolver la ropa, envoltorio *m* [envoltura *f*] para la ropa. ~사치 lujo *m* de la ropa. ~상자 arcón *m* (*pl* arcones) de la ropa. ~섶 cuello *m* exterior del abrigo. ~셋집 tienda *f* de modas de alquiler. ~소매 manga *f*. ~솔 cepillo *m* para [de] la ropa, *Chi* escobilla *f* de ropa. ~안 interior *m* de la ropa. ~엣니 piojo *m* en la ropa. ~자락 faldas *fpl*, bajo(s) *m*(*pl*), faldillas *fpl*; [긴] faldón *m* (*pl* faldones). ~장 armario *m*, ropero *m*, cómoda *f*, guardarropa *m*. ~차림 atuendo *m*, indumentaria *f*. ~치레 atuendo *m* lujoso [de lujo]. ~핀 horquilla *f*.
옷좀나방 【곤충】 polilla *f*.
옹(翁) anciano *m* (venerable). 함석헌 ~ el anciano Sr. Ham Seok Heon.
옹(癰) 【의학】 forúnculo *m*, furúnculo *m*, carbunco *m* (maligno), ántrax *m*.
-옹(翁) anciano *m*.
옹고집(壅固執) egoísmo *m*, terquedad *f*, obstinación *f*, porfía *f*, testarudez *f*, terquería *f*, terqueza *f*, terquez *f*, tozudería *f*, pertinacia *f*, tenacidad *f*, contumacia *f*. ~의 egoistón (*pl* egoistones), egoísta, terco, testarudo, tenaz, tozudo, obstinado, pertinaz, porfiado, cabezudo. ~을 부리다 empeñarse, obstinarse.
■~쟁이 egoísta *mf*, egoistón (*pl* egoistones), -tona *mf*, testarudo, -da *mf*, terco, -ca *mf*, persona *f* abstinada [tenaz · porfiada · pertinaz · cabezuda].

옹골지다 (ser) substancial, duro, sólido. 옹골진 과실 frutas *fpl* duras.

옹골차다 ① [견실하고 충만하다] estar bien lleno. ② [다부지다] (ser) duro, fuerte, robusto, sólido, firme, macizo.

옹관(甕棺)【역사】urna *f* funeraria.

옹구 albarda *f*.
■~바지 patalones *mpl* que se encorva alrededor de los tobillos. ~소매 manga *f* ancha de la forma de la albarda.

옹그리다 agacharse, ponerse en cuclillas. 고양이가 뛸 준비를 하고 몸을 옹그렸다 El gato se agazapó, listo para saltar. 아이가 모퉁이에서 옹그리고 있었다 El niño estaba agachado [en cuclillas] en un rincón.

옹글다 estar intacto, quedar entero.

옹기(甕器) =옹기그릇.
■~가마 horno *m* de cerámica. ~ 공장 alfarería *f*, taller *m* de cerámica. ~그릇 cerámica *f*. ~장수 vendedor, -dora *mf* de cerámica. ~장이 alfarero, -ra *mf*; ceramista *mf*; artista *m* cerámico, artista *f* cerámica. ¶~용 녹로 torno *m* de alfarero. ~ 제조소 alfarería *f*, taller *m* de cerámica. ~전(廛) tienda *f* de cerámica. ~점 tienda *f* de cerámica.

옹기옹기 =옹기종기.

옹기종기 densamente, espesamente, compactamente.

옹달- pequeño y hundido.

옹달샘 pozo *m* pequeño.

옹달솥 olla *f* pequeña y hunidida.

옹달시루 *ongdalsiru*, vaporera *f* de barro para hacer el pan coreano.

옹달우물 pozo *m* pequeño y profundo.

옹당이 ciénaga *f*.

옹동그라지다 contraerse, ser contraído.

옹두라지 nudo *m* pequeño (del árbol).

옹두리 nudo *m*.
■~뼈 hueso *m* de la pierna (de la vaca).

옹립(擁立) ① [군주(君主)를 받들어서 즉위시킴] entronización *f*, entronizamiento *m*. ~하다 entronizar, colocar en el trono, exaltar al trono, elegir rey. ② [떠받들어서 지도자로 세움] sostenimiento *m*, apoyo *m*, ayuda *f*. ~하다 sostener, apoyar [ayudar] a un puesto.

옹망추니 ① [고부라지고 오그라진 작은 형체] cosita *f* retorcida y curvada. ② =옹춘마니.

옹방구리 jarra *f* pequeña de agua.

옹배기 ((준말)) =옹자배기.

옹벽(擁壁) muro *m* de contención.

옹색하다(壅塞-) ① [생활이 군색하다] estar en un aprieto, estar en un apuro. 옹색함 privación *f*, apuro *m*. 금전(金錢)에 ~ estar privado de dinero, sufrir privaciones, pasar apuros. 옹색하게 살다 vivir en pobreza. 그는 담배 살 돈도 없이 ~ El no tiene dinero ni siquiera para comprar tabaco. ② [매우 비좁다] (ser) muy estrecho, muy angosto. 옹색한 방 habitación *f* muy estrecha. 집이 ~ La casa es demasiado estrecha. ③ [활달하지 못하여 옹졸하고 답답하다] (ser) de mentalidad cerrada, intolerante.

옹생원(-生員) persona *f* intolerante, persona *f* de mentalidad cerrada.

옹서(翁壻) suegro *m* y yerno *m*, padre *m* político y hijo *m* político, padre *m* de *su* esposa y esposo *m* de *su* hija.

옹성(甕城) ((준말)) =철옹산성(鐵甕山城).

옹송그리다 agacharse, ponerse en cuclillas, agazaparse. 소녀가 길모퉁이에서 몸을 옹송그리고 있었다 La niña estaba agachada [estaba en cuclillas] en un rincón. 고양이가 나무 아래에서 몸을 옹송그렸다 El gato se agazapó debajo del árbol.

옹송망송하다 (ser) vago, confuso. 무슨 일이 일어났는지 ~ No estoy muy seguro de lo que pasó / No sé muy bien qué pasó.

옹송옹송하다 =옹송망송하다.

옹송크리다 agacharse, ponerse en cuclillas.

옹솥 ((준말)) =옹달솥.

옹솥(甕-) olla *f* de barro.

옹스트롬(영 *angstrom*)【물리】angstrom *m* (10^{-4} micrómetros, 10^{-8} cm).

옹시루 ((준말)) =옹달시루.

옹알거리다 hablar entre dientes, refunfuñar, rezongar, murmurar, quejarse (de), parlotear, balbucear, farfullar.
옹알옹알 hablando entre dientes, refunfuñando, rezongando, murmurando.

옹알이 el balbuceo del bebé.

옹위(擁衛) salvaguarda *f*, escolta *f*. ~하다 vigilar, custodiar, proteger, escoltar, guardar, acompañar, llevar, conducir.

옹이 nudo *m*. ~가 있는 nudoso, lleno de nudos.
■~ 구멍 agujero *m* que deja un nudo en la madera. ¶~투성이다 estar lleno de agujeros.

옹자배기 tazón *m* pequeño de barro.

옹잘거리다 hablar entre dientes, refunfuñar, rezongar.
옹잘옹잘 hablando entre dientes, refunfuñando.

옹졸하다(壅拙-) ① [성질이 너그럽지 못하고 소견이 좁다] (ser) superficial. 옹졸한 사람 persona *f* superficial. 옹졸한 남자 hombre *m* superficial. 옹졸한 여인 mujer *f* superficial. ② [됨됨이가 옹색하고 졸렬하다] (ser) torpe, patoso, pobre.

옹종망종하다 (ser) denso.

옹종하다 (ser) de mentalidad cerrada, intolerante.

옹주(翁主) ①【역사】[임금의 서녀(庶女)] hija *f* ilegítima del rey. ②【역사】[조선 중엽 이전의 왕의 서녀 및 세자빈 외의 며느리] hija *f* ilegítima, nuera *f* aparte de la esposa del príncipe heredero.

옹춘마니 intolerante *mf*; fantático, -ca *mf*; beatón, -tona *mf*; persona *f* de mentalidad cerrada; persona *f* intolerante; persona *f* estrecha de miras.

옹치(雍齒) persona *f* que se odia.

옹크리다 agacharse, ponerse en cuclillas.
옹하다 ① ((준말)) =옹졸하다. ② ((준말)) = 옹종하다.
옹호(擁護) protección *f*, amparo *m*, defensa *f*, sostenimiento *m*, patrocinio *m*, auxilio *m*. ~하다 proteger, amparar, defender, favorecer, sostener, patrocinar, tomar a *uno su* jefe proclamándo*le*. …을 ~해서 en defensa de *algo* · *uno*. 권리를 ~하다 proteger los derechos.
◆헌법 ~ 운동 movimiento *m* de la defensa de la constitución.
▪~자 protector, -tora *mf*, defensor, -sora *mf*, amparador, -dora *mf*, patrono, -na *mf*, abogado, -da *mf*.
옻 barniz *m*, laca *f*, goma *f* laca.
◆옻(을) 칠하다 pintar con laca, lacar, laquear.
◆옻(을) 타다 (ser) alérgico a la hiedra venenosa.
◆옻(이) 오르다 ser envenenado por la laca contraer la enfermedad de la laca. 나는 옻이 올랐다 Fui envenenado por la laca / Contraje la enfermedad de la laca.
옻나무【식물】barniz *m* del Japón, ailanto *m*, árbol *m* del cielo, árbol *m* de laca, zumaque *m*. 독 있는 ~ zumaque *m* venenoso.
옻닭 pollo *m* cocido con la rama del árbol de laca.
옻오르다 ☞옻
옻칠(−漆) laca *f*, goma *f* de laca, barniz *m* (de laca). ~하다 barnizar (con laca). ~하는 barnizado, barnizador. ~을 한 laqueado. ~하는 사람 barnizador, -dora *mf*.
▪~하기 barnizado *m*, barnizadura *f*.
옻타다 ☞옻
와[1] [여럿이 한목에 움직이거나 떠드는 소리] con un gran clamor, fuerte, alto, en voz alta. 청중이 ~ 하고 웃었다 El auditorio se reventó de risa.
와[2] ((준말)) =우아❷.
와[3] ① [받침 없는 체언과 다른 체언 사이에 쓰여, 여럿을 열거할 때 쓰는 접속 조사] y; [i-·hi-로 시작되는 단어 앞에서] e. 개~소 el perro y la vaca. 아버지~ 아들 padre e hijo. 어머니~ 딸 madre e hija. 너~ 나 사이에 entre tú y yo. ② [받침 없는 체언에 붙어 다른 말과 비교하는 부사격 조사] a. 언니~ 닮은 동생 hermana *f* parecida a su hermana. 참외~ 비슷하다 parecerse al melón. ③ [받침 없는 체언에 붙어 함께 함을 나타내는 부사격 조사] con. 누나~ 같이 공부하다 estudiar con *su* hermana.
와[4] [「오다」의 해체 명령형꼴] Ven. 이리 ~ Ven acá. 내일 그리로 ~ Ven allá mañana.
와[5] [「오다」의 부사형 「오아」의 준말] Ven. 이리 ~ 앉아라 Ven acá y siéntate.
와가(瓦家) =기와집.
와각(蝸角) ① [달팽이의 촉각] tentáculo *m* de la babosa. ② [매우 작은 사물] cosa *f* pequeñísima.
와각거리다 hacer ruido, hacer sonar.
와각와각 haciendo ruido.
와그작거리다 arremolinarse, aglomerarse, apretujarse. 길에 사람들이 와그작거렸다 La gente se arremolinaba en la calle.
와그작와그작 arremolinándose, aglomerándose.
와글거리다 ① [많은 사람이나 벌레 등이 모이어 북적거리다] enjambrar, aglomerarse, apiñarse, pulular. 사람들이 광장 주변에 와글거렸다 La gente se aglomeraba [se apiñaba · pululaba] alrededor de la plaza. 파리가 고기 주위에서 와글거렸다 Las moscas revoloteaban [pululaban] alrededor de la carne. ② [적은 물이 넓은 곳에서 야단스럽게 소리를 내며 끓다] hervir haciendo mucho ruido.
와글와글 en tropel. 팬들이 운동장으로 ~ 입장했다 Los hinchas entraron en tropel al estadio.
와닥닥 de repente, repentinamente, de súbito, súbitamente, de prisa y corriendo, a la(s) carrera(s), a todo correr, a toda prisa. ~ 일어서다 levantarse [ponerse de pie] de un salto [como movido por un resorte]. 그들은 ~ 계단을 내려갔다 Ellos bajaron las escaleras corriendo [a toda prisa].
와당(瓦當) pedazos *mpl* de punta de la teja.
▪~문 figura *f* de pedazos de punta de la teja.
와당탕 ruidosamente, bulliciosamente, haciendo mucho ruido, a gritos. ~하다 hacer mucho ruido.
와당탕거리다 hacer mucho ruido. 아이들이 마루 위에서 와당탕거린다 Los niños corrieron alegremente en el suelo haciendo mucho ruido.
와당탕와당탕 haciendo mucho ruido.
와당탕퉁탕 bulliciosamente, haciendo mucho ruido.
와드등와드등 con un ruido sordo. 나는 마루에서 ~ 넘어졌다 Caí al suelo con un ruido sordo.
와들와들 temblando, estremeciéndose, titiritando, tiritando. 추워서 ~ 떨다 temblar [tiritar · estremecerse] de frío.
와락 bruscamente, en tropel, de repente, repentinamente, súbitamente, de súbito. 나는 문을 ~ 열었다 Abrí la puerta bruscamente. 사람들이 거리로 ~ 몰려 나왔다 La gente salió en tropel a las calles.
와락와락 dando sacudidas, con una sacudida repentina.
와류(渦流) remolino *m*, torbellino *m*. ~하다 arremolinarse.
와르르 ① [쌓여 있던 작고 단단한 물건이 갑자기 무너지는 소리나 모양] con enorme ruido. 바위가 ~ 무너져 내렸다 La roca se vino abajo haciendo un enorme ruido. ② [천둥소리가 야단스럽게 나는 소리] tronando. ③ [괴어 있던 물이 갑자기 쏟아져 나오는 소리] desplomado. ~ 넘어지다 caer desplomado. ④ [물이 야단스럽게 끓는 소리] hirviendo con mucho ruido.

와륵(瓦礫) ① [깨진 기왓조각] pedazo *m* roto de tejas. ② [기와와 자갈] la teja y el cascajo. ③ [하찮은 것] cascotes *mpl*; escombros *mpl*; [가치 없는 사람] persona *f* sin valor.

와병(臥病) acción *f* de acostarse en el lecho de enfermo. ～하다 acostarse en el lecho de enfermo.

와삭거리다 [나뭇잎이] susurrar; [종이가] crujir; [비단이] hacer frufrú. 와삭거림 [잎이] susurro *m*; [종이가] crujido *m*; [비단이] frufrú *m*. 바람에 나뭇잎이 와삭거렸다 El viento hacía susurrar las hojas.
와삭와삭 fuertemente. ～하는 소리 crujiente *m*. ～하게 풀을 먹인 침대 시트 sábana *f* fuertemente almidonada.

와상(臥像) estatua *f* yacente, yacente *m*.

와상(臥牀) ＝침상(寢牀).

와석(臥席) acción *f* de acostarse [el quedarse] en la cama. ～하다 quedarse en la cama, estar en la cama, estar acostado. 나는 열 시까지 ～했다 A las diez yo ya estaba acostado [en la cama]. 그는 자정까지 ～했다 El se quedó en la cama hasta la medianoche / El no se levantó hasta la medianoche.

와스스 ① [요란스럽게 나뭇잎이 흔들리거나 가랑잎이 떨어지는 소리] susurando. ② [가벼운 물건이 요란스럽게 무너져 헤지는 소리] viniéndose abajo. 우리의 많은 집들이 ～ 무너졌다 Muchas de nuestras casas se vinieron abajo.

와신상담(臥薪嘗膽) lucha *f* por la realización de *su* propósito soportando mucha dificultad. ～하다 luchar por la realizar *su* propósito soportando mucha dificultad. ～하기 20년 después de veinte años de la lucha difícil por *su* futuro.

와어(訛語) 【언어】 dialecto *m*.

와언(訛言) ① [잘못 전해진 말] historia *f* falsa, rumor *m* infundado. ② [사투리] dialecto *m*.

와옥(瓦屋) ＝기와집.

와우(蝸牛) 【동물】 ＝달팽이(caracol).
■～각 cáscara *f* de caracol; 【해부】 cóclea *f*. ～관 【해부】 [달팽이관] conducto *m* coclear.

와유강산(臥遊江山) alegría *f* de ver el paisaje.

와음(訛音) corrupción *f* de sonido, corrupción *f* fonético, variante *f*.

와의(瓦衣) musgo *m* cubierto en la teja.

와이더블유시에이(영 *YWCA, Young Women's Christian Association*) [기독교 여자 청년회] la Asociación de Jóvenes Cristianas, el Albergue Cristiano para Chicas Jóvenes, YWCA *f*.

와이드 스크린(영 *wide screen*) pantalla *f* ancha, gran pantalla *f*.

와이드 앵글(영 *wide angle*) ㉮ [텔레비전의] vista *f* general. ㉯ [형용사적] gran angular, amplio.
■～ 렌즈 lente *m* de ángulo ancho, (objetivo *m*) gran angular *m*.

와이드 채널(영 *wide channel*) canal *m* ancho.

와이셔츠 camisa *f*. ～를 입다[벗다] ponerse [quitarse] la camisa.

와이어(영 *wire*) ① [철사] alambre *m*. ② [전선] cable *m*. ③ [전신] cable *m*. ④ [전보] telegrama *m*. ⑤ [텔레타이프] teletipo *m*. ⑥ [철사 울타리] alambrada *f*, *AmL* alambrado *m*.

와이엠시에이(영 *YMCA, Young Men's Christian Association*) [기독교 청년회] la Asociación Cristiana de Jóvenes, la Asociación de Jóvenes Cristianos, el Albergue Cristiano para Chicos Jóvenes, YMCA *f*.
■～ 호(스)텔 albergue *m* de la YMCA, albergue *m* de la Asociación Cristiana de Jóvenes.

와이 염색체(Y 染色體) cromosoma *f* Y.

와이 좌표(Y 座標) 【수학】 coordenadas *fpl* Y.

와이축(Y 軸) 【수학】 [세로축] eje *m* y.

와이투케이(영 *Y2K*) ＝밀레니엄 버그.

와이퍼(영 *wiper*) limpiaparabrisas *m.sing.pl*, *Méj* limpiador *m*.

와이프(영 *wife*) [아내] esposa *f*, mujer *f*.

와인(영 *wine*) ① [포도주] vino *m*. ② [술. 주류(酒類)] vino *m*.
■～글라스 ㉮ [술잔. 양주용 잔] copa *f*. ㉯ [포도주, 특히 셰리주(酒)용의 술잔] copa *f* de vino.

와인드업(영 *wind-up*) ((야구)) mecánica *f*.

와일드 카드(영 *wild card*) ㉮ [카드 게임에서] comodín *m*. ㉯ ((골프 · 테니스)) invitación *f* a participar en un torneo aun cuando el jugador no cumple los requisitos. ㉰ ((축구)) puesto *m* en las finales adjudicado a los mejores equipos de entre los perdedores. ㉱ 【컴퓨터】 comodín *m*.

와장(瓦匠) ＝기와장이.

와전(訛傳) distorsión *f*, deformación *f*, tergiversación *f*. ～하다 deformar, falsear, tergiversar, falsear los hechos. 사실의 ～ tergiversación *f* de los hechos.

와전류(渦電流) 【전기】 corriente *f* de Foucault, corriente *f* de fuga, corriente *f* turbulenta..

와중(渦中) vorágine *m*, remolino *m*, vórtice *m*. 스캔들의 ～에 휩쓸려들다 estar [verse] envuelto [mezclado] en un escándalo. 싸움의 ～에 말려들다 verse implicado [comprometido] en una lucha.

와지끈 ¡Patapum!
와지끈거리다 estrellarse, chocar.

와짝 de repente, repentinamente, de súbito, súbitamente, bruscamente, abruptamente, con brusquedad. 날씨가 ～ 추워지기 시작한다 Está empezando a hacer frío de repente.

와트(영 *watt*) vatio *m*, watt *ing.m*.
■～계 vatímetro. ～시 vatio-hora *m* (Wh).

와판(瓦板) grabado *m* de teja.

와하하 ¡Ja, ja, ja!

와해(瓦解) [가족의] desintegración *f*, [회사의]

desmembramiento *m*; [정당(政黨)의] disolución *f*, [대화(對話)의] fracaso *m*; [왕(王)·독재자·제국의] caída *f*, derrumbe *m*, desmoronamiento *m*. ~하다 disolver, deshacer (가정을), desintegrar (팀·그룹을), desarticular (갱을), terminar (미팅·파티를), derrumbarse, desmoronarse, desplomarse, hundirse, venirse abajo. ~되다 [부부·애인들·무리가] separarse; [군중이] dispersarse, romperse, deshacerse, disolverse. 정당(政黨)의 ~ disolución *f* del partido político. 로마 제국의 ~ caída *f* del Imperio Romano. 그들의 결혼의 ~ su separación, su ruptura. 그들의 파트너십이 ~되었다 Se separaron / Dejaron de ser socios.

왁다그르르 con mucho ruido, con traqueteo. ~하다 hacer ruido.

왁다글거리다 seguir haciendo ruido.
왁다글왁다글 siguiendo haciendo ruido. ~하다 seguir haciendo (mucho) ruido.

왁달박달 groseramente, bruscamente, descortésmente, con brusquedad. ~하다 (ser) grosero, maleducado, descortés, brusco.

왁스(영 *wax*) ① [봉랍(蜂蠟)] cera *f*. ~를 바르다 encerar, aplicar cera (a). ② [스키용의] pasta *f*.

왁시글거리다 enjambrar, aglomerarse, apiñarse, pulular.
왁시글왁시글 en manadas.

왁시글덕시글 =왁시글왁시글.

왁자그르르 ruidosamente, bulliciosamente, escandalosamente, tumultuosamente.

왁자지껄하다 alborotar, armar jaleo, formar un estrépito; (ser) ruidoso, vociferante. 왁자지껄한 tumultuoso, ruidoso. 왁자지껄하게 tumultuosamente, ruidosamente, con mucho ruido, vociferantemente. 왁자지껄 떠드는 소리 algazara *f*, algarabía *f*, alboroto *m*, guirgay *m*, rumor *m* de voces, voces *fpl* confusas, bulla *f*. 왁자지껄하게 떠들다 meter bulla, meter rumor de voces.

왁자하다 ① [정신이 어지럽도록 떠들썩하다] alborotar. ② =왜자하다.

왁찐(독 *Vakzin*) 【의학】 =왁친.

왁친(영 *vaccine*; 독 *Vakzin*) 【의학】 vacunación *f*, vacuna *f*. ~의 vaccíneo.
◆생(生) ~ vacuna *f* viva.
■~ 요법 vacunoterapia *f*, vaccinoterapia *f*. ~ 주사(注射) vacunación *f*, inyección *f* de vacuna. ¶~를 놓다 vacunar (a).

완강하다(頑强—) (ser) forzudo, tenaz, obstinado, testarudo, terco, porfiado, pertinaz. 완강함 obstinación *f*, testarudez *f*, terquedad *f*, porfía *f*, tenacidad *f*, pertinacia *f*, resistencia *f*. 완강한 저항에 부딪치다 tropezar con una resistencia tenaz.
완강히 tenazmente, tercamente, obstinadamente, pertinazmente, testarudamente, porfiadamente, con obstinación, con tenacidad. ~ 저항하다 resistir(se) tenazmente, combatir vigorosamente, resistir obstinadamente. ~ 거절하다 rehusar obstinadamente, no querer aceptar por nada del mundo, negar [rehusar·rechazar] categóricamente, negarse (a *algo*) rotundamente.

완결(完結) conclusión *f*, terminación *f*, término *m*, acabamiento *m*, finalización *f*, fin *m*, final *m*. ~하다 completar, concluir (completamente), finalizar, terminar, acabar. ~되다 concluirse, terminarse, completarse, acabarse, ser concluido, ser terminado, ser completado, ser acabado. 이 책은 20권으로 ~한다 Este libro concluye en el tomo vigésimo. 이야기는 다음 호로 ~한다 El cuento será terminado en el número próximo. 한서 사전의 편찬은 늦어도 2002년 10월 31일까지는 일단 ~될 것이다 La compilación del Diccionario Coreano-Español se terminará prácticamente para el 31 de octubre del 2002 (dos mil dos).

완고하다(頑固—) (ser) obstinado, terco, de cabeza dura, pertinaz (*pl* pertinaces), tenaz (*pl* tenaces), tozudo, cabezudo, testarudo, porfiado. 완고함 obstinación *f*, terquedad *f*, pertinacia *f*, tenacidad *f*, porfía *f*, aferramiento *m*. 완고하게 obstinadamente, tercamente, tenazmente, inflexiblemente, porfiadamente, con tenacidad, con obstinación. 완고한 노인 viejo *m* testarudo. 완고한 마음 corazón *m* terco [obstinado·testarudo·tozudo]. 완고한 사람 persona *f* osbtinada, cabeza *f* dura.
완고히 tenazmente, con tenacidad, tercamente, obstinadamente, porfiadamente. ~ 주장하다 insistir con obstinación (en *algo*).

완곡하다(婉曲—) (ser) indirecto, perifrástico, caracterizado por el eufemismo. 완곡함 circunlocución *f*, circunloquio *m*, perífrasis *f*, eufemismo *m*, rodeo *m*. 완곡한 말 circunloquio *m*. 그는 완곡한 말로 초대를 거절했다 El rehusó la invitación empleando prudente circunloquios.
완곡히 de un modo indirecto, de manera indirecta, por un rodeo de palabras, de un modo eufemístico. ~ 말하다 hablar [expresar] con rodeo [de un modo indirecto], insinuar.
■~법(法) perifrasis *f*, circunlocución *f*, eufemismo *m*.

완공(完工) =준공(竣工).

완구(玩具) ① [장난감] juguete *m*. ② =완호지물(玩好之物).
■~점 jeguetería *f*.

완구(緩球) ((야구)) pelota *f* lenta.

완급(緩急) ① [느림과 빠름] lentitud y rapidez, circunstancia *f*. ~에 의해 según circunstancias. ② =위급(危急) ¶일단 ~할 경우에는 en caso de emergencia, cuando haya algo emergente.
■~기 freno *m*. ~차 furgón *m* del freno.

완납(完納) pago *m* completo [entero·íntegro]. ~하다 pagar completamente [enteramente·íntegramente]. 세금을 ~하다 pagar los impuestos enteros. 회비를 ~하다

pagar la cuota entera de socio.

완두(豌豆) 【식물】 guisante *m*.

완력(腕力) fuerza *f* del brazo, violencia *f*, fuerza *f* física, robustez *f* muscular. ～ 있는 musculoso, de brazos vigorosos, robusto de brazos. ～으로 a la fuerza, por fuerza, por violencia, con violencia. ～이 센 남자 hombre m de gran fuerza. ～에 호소하다 recurrir a la violencia. ～을 쓰다 [휘두르다] usar la fuerza, usar la violencia, pasar a violencia.
■ ～가(家) persona *f* que tiene gran robustez muscular, persona *f* musculosa. ～다짐 fuerza *f*. ¶～으로 por fuerza, a la fuerza.

완료(完了) ① [완전히 끝을 냄] terminación *f*, acabamiento *m*, conclusión *f*. ～하다 terminar, acabar, concluir, consumar, tener hecho. ～되다 terminarse, concluirse, acabarse, consumarse. 5개년 계획을 ～하다 perfeccionar el plan quinquenal. 준비는 ～됐다 Todo está listo. ② ＝완료상(完了相).
■ ～상(相) terminación *f* del movimiento. ～ 시제 tiempo *m* perfecto. ¶과거 ～ pretérito *m* perfecto indefinido. 현재 ～ pretérito *m* perfecto compuesto.

완만하다(婉娩－) ① [여자의 태도가 의젓하고도 부드럽다] (ser) formal y suave. ② ＝수더분하다.

완만하다(緩慢－) ① [행동이 느릿느릿하다] (ser) lento. 완만함 lentitud *f*. 완만한 동작 movimiento *m* lento. 그는 동작이 완만했다 Se han embotado sus movimientos / El ha perdido agilidad. ② [활발하지 않다] (ser) flojo, pausado, inactivo, paralizado. 완만함 flojedad *f*, inactividad *f*. 완만한 시황(市況) mercado *m* paralizado. 금융 사정은 ～ La situación monetaria está floja. ③ [경사가 급하지 않다] (ser) suave. 완만한 경사 declive *m* suave. 길은 완만한 커브를 이루고 있다 El camino hace [describe] una curva suave.
완만히 lentamente, despacio; pausadamente, flojamente, inactivamente.

완미(完美) belleza *f* completa, hermosura *f* completa, belleza *f* perfecta. ～하다 (ser) perfectamente bello [hermoso].

완미(玩味) ① [음식을 잘 씹어서 맛봄] saboreo *m*, saboreamiento *m*. ～하다 digerir, saborear. ② [시문(詩文)의 의미를 잘 음미함] aprecio *m*. ～하다 apreciar, estimar

완미하다(頑迷－) (ser) intolerante, fanástico, obstinado, terco, inflexible, intransigente. 완미한 비평가 crítico *m* fanástico, crítica *f* fanástica.

완벽(完璧) perfección *f*, gema *f* perfecta. ～하다 (ser) completo, perfecto, intachable, impecable, irreprochable. ～하게 perfectamente, completamente, impecablemente, a (la) perfección. ～을 기하다 pretender perfección. ～의 경지(境地)에 이르다 llegar al estado de perfección.

완보(完補) suplemento *m* perfecto. ～하다 suplir perfectamente.

완보(緩步) paso *m* lento. ～하다 andar lentamente.

완본(完本) ＝완질본(完帙本)(libro completo).

완봉(完封) ① [완전히 봉함] cierre *m* completo; [완전히 봉쇄함] bloque *m* completo. ～하다 cerrar completamente; bloquear completamente. ② ((야구)) partido *m* ganado sin que marque el contrario. ～을 거두다 ganar sin conceder ni un gol o carrera.

완불(完拂) pago *m* completo. ～하다 pagar completamente.

완비(完備) provisión *f* completa, preparación *f* completa, perfección *f*, integridad *f*, entereza *f*, totalidad *f*. ～하다 completarse, perfeccionarse, estar bien surtido, estar equipado completamente. ～된 completo, perfecto. ～된 설비(設備) instalaciones *fpl* equipadas completamente. 설비가 ～된 호텔 hotel *m* bien equipado, hotel *m* con buenas instalaciones. 냉난방 ～ climatizador *m*.

완상(玩賞) admiración *f*, apreciación *f*, disfrute *m*, goce *m*. ～하다 admirar, apreciar, disfrutar (de), gozar (de), gustar.

완성(完成) perfeccionamiento *m*, acabamiento *m*, cumplimiento *m*, terminación *f*, perfección *f*, confección *f*, factura *f*, hechura *f*, consumación *f*. ～하다 perfeccionarse, llevarse a cabo. …을 ～하다 perfeccionar, acabar (completamente), llevar a cabo, cumplir, terminar, concluir, completar. ～되다 terminarse, acabarse. ～된 (ya) hecho, confeccionado. ～에 가깝다 acercar a la consumación. 발명을 ～하다 perfeccionar una invención. 저술을 ～하다 completar la obra. 근대 국가를 ～하다 formar [organizar] una nación moderna. 집이 ～되었다 La casa se ha terminado (de construir). 결국 연구가 ～되었다 Por fin se ha acabado la investigación.
■ ～품 artículo *m* terminado, producto *m* terminado, producto *m* acabado.

완수(完遂) acabamiento *m*, efectuación *f* perfecta, ejecución *f* cabal, realización *f* perfecta. ～하다 acabar, realizar, llevar a cabo, lograr [conseguir · realizar] a la perfección, desempeñar, hacer, cumplir, ejecutar. 대사업을 ～하다 realizar una gran obra. 역할을 ～하다 desempeñar el papel. 책임을 ～하다 llevar a cabo la responsabilidad.

완숙(完熟) ① [완전히 익음] maduración *f*, maduramiento *m*, madurez *f*. ～하다 madurar, volverse maduro. ② [완전히 삶음] cocedura *f* completa, cocción *f* completa. ～하다 cocer (completamente). ～된 cocido completamente. 달걀을 ～하다 cocer el huevo. ③ [매우 능숙함] maduración *f*, maduramiento *m*, madurez *f*. ～하다 madurar. ～해지다 alcanzar la madurez, llegar a la madurez.

■ ~ 계란 huevo *m* duro. ~기 (época *f* de) madurez *f*.

완승(完勝) victoria *f* completa. ~하다 ganar una victoria completa, triunfar completamente.

완악하다(頑惡-) (ser) malvado, perverso, maligno, malo.

완역(完譯) traducción *f* completa. ~하다 traducir completamente. 동끼호떼를 한글로 ~하다 traducir completamente *El Ingenioso Hidalgo Don Quijote de la Mancha* al coreano.

완연하다(宛然-) ① [뚜렷하다. 분명하다] (ser) claro, obvio, evidente. ② [모양이 서로 비슷하다] (ser) parecido.
완연히 claramente, obviamente, evidentemente.

완우하다(頑愚-) (ser) terco y estúpido. 완우함 terquedad *f* y estupidez, torpeza *f*, inepcia *f*, necedad *f*.

완월(玩月) admiración *f* de la belleza de la luna, disfrute *m* de la luna. ~하다 admirar la belleza de la luna, gozar de [disfrutar de] la calidad de la luna, disfrutar de la luna.

완인(完人) ① [병이 완쾌한 사람] persona *f* completamente recuperada. ② [신분·명예에 흠이 없는 사람] persona *f* perfecta.

완자 *wancha*, albóndiga *f* frita después de mezclar con huevos y tofu etc.
■ ~탕 *wanchatang*, sopa *f* de *wancha*.

완자(卍字) ((변한말)) =만자(卍字)(svástica).
■ ~문(紋) figura *f* con svástica. ~창(窓) ventana *f* con marco de svástica.

완장(腕章) brazalete *m*, brazal *m*. ~을 달다 [차다] ponerse un brazalete [un brazal]. ~을 차고 있다 llevar un brazalete [un brazal].

완재(完載) publicación *f* completa. ~하다 publicar completamente.

완전(完全) perfección *f*, integridad *f*, entereza *f*, totalidad *f*. ~하다 (ser) perfecto, completo, entero, total, cabal. ~하게 하다 perfeccionar, completar. ~하게 되다 perfeccionarse, completarse, consumarse. 그의 컬렉션은 ~에 가깝다 Su colección está casi completa. 세상에 ~한 사람은 아무도 없다 Nadie es perfecto.
완전히 perfectamente, completamente, enteramente, a la perfección, por completo, plenamente, del todo, totalmente, a fondo. ~ 파기(破棄)하다 destruir completamente. 서류 검토를 ~ 끝내다 terminar de examinar todos los documentos. 집을 ~ 개조(改造)하다 transformar *su* casa totalmente. 계획은 ~ 성공했다 El plan ha salido bien del todo [perfecto · a la perfección]. 실험은 ~ 실패했다 El experimento fracasó por completo. 다리는 ~ 건설되어 있다 El puente está construido perfectamente. ~ 준비가 되어 있다 Todo está dispuesto / Ya está todo listo. ~ 밤이 밝아졌다 Ya es muy de día. 나는 그 일을 ~ 잊었다 Lo he olvidado completamente. 그는 ~ 변했다 El ha cambiado completamente. 그녀는 ~ 건강을 회복했다 Ella se ha restablecido perfectamente / Ella ha recobrado la salud del todo.
■ ~ 가동 operación *f* completa. ~ 경기 juego *m* perfecto. ~ 경쟁 competencia *f* completa. ~ 고용(雇用) pleno empleo *m*, colocación *f* completa. ~ 독점 monopolio *m* completo. ~ 동사 verbo *m* completo. ~ 명사 sustantivo *m* completo. ~ 무결 integridad *f*, impecabilidad *f*, perfección *f* absoluta. ¶~하다 (ser) íntegro, impecable, perfecto completamente, hecho y derecho. ~한 사람 hombre *m* hecho y derecho. 그의 작품은 ~하다 Su obra está hecha y derecha. ~ 범죄 crimen *m* perfecto. ~ 변태 (變態) anormalidad *f* perfecta. ~ 비료 fertilizante *m* perfecto. ~ 사회 sociedad *f* completa. ~ 시합 juego *m* perfecto. ~ 식품 alimento *m* perfecto. ~ 실업자(失業者) desempleado *m* completo. ~ 연소(燃燒) combustión *f* completa. ~ 음정 intervalo *m* completo. ~ 자동사 verbo *m* intransitivo perfecto. ~ 조업 operación *f* completa. ~ 종지(終止) cadencia *f* perfecta. ~ 주권국 país *m* soverano completo. ~ 중립국 país *m* neutral completo. ~ 타동사 verbo *m* transitivo perfecto. ~ 탄성 elasticidad *f* completa. ~ 형용사 adjetivo *m* perfecto.

완제(完製) fabricación *f* completa.
■ ~품(品) producto *m* completamente fabricado.

완제(完濟) ① [채무(債務)를 완전히 변제함] pago *m* completo, pago *m* integral. ~하다 pagar completamente, pagar [reembolsar] integralmente, liquidar. 빚을 ~하다 reembolsar la deuda integralmente, reintegrar [integrar] la deuda. ② =완료(完了).

완주(完走) corrida *f* entera. ~하다 terminar la carrera, correr la carrera entera. 그는 코스를 ~했다 El corrió toda la carrera.

완질(完帙) =완질본(完帙本).
■ ~본(本) libro *m* completo.

완충(緩衝) amortiguamiento *m* de sacudida; 【컴퓨터】 memoria *f* intermedia, memoria *f* interfaz, tampón *m*. ~하다 amortiguar la sacudida.
■ ~국 estado *m* tapón. ~기(器) amortiguador *m*. ~기(機) parachoques *m.sing.pl*; [철로의] tope *m*, *AmL* paragolpes *m*. ~ 범퍼 tope *m* amortiguador. ~ (용)액 solución *f* retardadora, solución *f* amortiguadora, solución *f* reguladora. ~ 작용 acción *f* reguladora. ~ 장치 amortiguador *m*; [열차 등의] tope *m*; [자동차의] parachoques *m*. ~ 지대(地帶) zona *f* neutral, zona *f* parachoques. ~ 회로 circuito *m* intermedio.

완치(完治) curación *f* completa. ~하다 curarse [recobrarse · recuperarse] completamente.

완쾌(完快) recuperación *f* completa de la salud, curación *f* completa de una enfermedad. ~되다 recuperarse [recobrar la salud · curar(se)] completamente. 그는 병이 ~되었다 El se ha curado completamente de la enfermedad. 하루 빨리 ~되시길 축원합니다 Ruego a Dios que recobre la salud cuanto antes.

완투(完投) lanzamiento *m* completo hasta nueve entradas. ~하다 lanzar [pichear] completamente hasta nueve entradas.

완패(完敗) derrota *f* total, derrota *f* completa. ~하다 sufrir una completa derrota, ser derrotado completamente. ~시키다 vencer completamente, derrotar del todo.

완하제(緩下劑) laxativo *m*, laxante *m*.

완행(緩行) ① [느리게 감] ida *f* lenta. ~하다 ir lentamente. ② ((준말)) =완행열차.
■ ~열차 tren *m* local, tren *m* omnibús.

완화(緩和) mitigación *f*, modificación *f*, alivio *m*. ~하다 mitigar, moderar, aflojar; [가볍게] aliviar, aligerar; [감하다] disminuir, reducir. 정세(情勢)를 ~하다 remediar la situación, modificar la virulencia de oposición. 제한을 ~하다 moderar [aflojar] el límite, mitigar la restricción. 국제 긴장을 ~하다 mitigar [relajar] la tensión internacional. 주택난(住宅難)을 ~하다 aliviar el problema de vivienda. 통증(痛症)을 ~시키다 aliviar [aligerar] el dolor. 교통 혼잡을 ~하다 descongestionar el tráfico. 규율[단속]이 ~되어 있다 Se relaja la disciplina [la inspiración].
■ ~제 paliativo *m*, emoliente *m*. ~책 medida *f* neutralizante.

왈(曰) ① [가로되. 가라사대] dice, dicen, dijo, dijeron, según. 김 씨 ~ el señor Kim dice, según el señor Kim. ② [소위. 이른바] (así) llamado. ~ 미국은 초강대국이다 Los Estados Unidos de América es uno de los países llamados [que se llaman] superpotencias.

왈가닥 mujerzuela *f*, muchada *f* revoltosa [retozona · activa], (moza *f*) descarada *f*, chica *f* poco femenina, niña *f* poco femenina, pícara *f*, tunanta *f*.
왈가닥거리다 traquetear, golpetear, hacer ruido.

왈가닥달가닥하다 hacer ruido.

왈가왈부(曰可曰否) argumento *m* en pro y en contra. ~하다 argüir [discutir · debatir] pro y contra.

왈각거리다 =왈가닥거리다.

왈딱 de repente, repentinamente, de súbito, súbitamente, con brusquedad.

왈왈[1] [물이 빨리 많이 흐르는 모양] corriendo rápidamente.

왈왈[2] ((준말)) =와들와들.

왈왈하다 ① [성질이 괄괄하다] (ser) impetuoso, impulsivo, precipitado. 왈왈하게 de manera impetuosa [impulsiva], precipitadamente, sin reflexionar. ② [성질이 매우 급하다] (ser) de genio vivo, de mucho genio, irascible. ~하게 irasciblemente.

왈츠(영 *waltz*) ① [춤] vals *m* (*pl* valses). ~를 추다 bailar el vals, valsar, valsear. ② [곡] vals *m*.

왈칵 de repente, repentinamente, de súbito, súbitamente. ~ 성내다 arrebatarse de ira, encenderse.

왈칵하다 (ser) colérico, irascible, de genio vivo, de mucho genio.

왈패(曰牌) [남자] matón *m*, alborotador *m*, camorrista *m*, pendenciero *m*; [여자] niña *f* [chica *f*] poco femenina, *RPl* machona *f*, *Méj* machetona *f*, *Arg* varonera *f*., alborotadora *f*, camorrista *f*, pendenciera *f*.

왔다 갔다 ① [자주 오고가고 하는 모양] yendo y viniendo, al retortero. ~ 하다 ir y venir, venir e ir, pasear(se), dar un paseo, andar al retortero, deambular, vagar, caminar sin rumbo fijo, errar. A와 B를 ~ 하다 ir y venir entre A y B; [왕복] hacer la ida y la vuelta entre A y B. 방 안을 ~ 하다 andar de un lado a otro de [en] la habitación. 거리를 ~ 하다 dar un paseo sin rumbo [sin objeto]. 해변을 ~ 하다 dar un paseo por la playa. 그들은 공원을 ~ 했다 Ellos se paseaban por el parque. 우리는 마을을 ~ 하면서 오후를 보냈다 Pasamos la tarde paseando por el pueblo. 두 사람 사이에 편지가 여러 번 ~ 했다 Muchas cartas se cambiaron entre los dos. 나는 매일 서울과 인천을 지하철로 ~ 한다 Todos los días hacer unos viajes en metro entre Seúl e Incheon. ② [정신이 맑았다 흐렸다 하는 모양] al retortero. ~ 하게 만들다 traer al retortero.

왕(王) ① [군주(君主). 임금] rey *m*, monarca *m*. ~의 real, del rey. ~으로 옹립하다 poner [colocar] en el trono, elegir rey. ~을 폐하다 destronar a un rey, bajar del trono a un rey. ~처럼 살다 vivir como un rey. ② [장(長). 우두머리] jefe, -fa *mf*. ③ [으뜸] pimate *m*, rey *m*. 백수(百獸)의 ~ rey *m* de los animales, rey *m* de la selva, león *m*. 발명~ rey *m* [pimate *m*] de los inventos. 석유~ rey *m* [pimate *m*] del petróleo. 재즈~ rey *m* del jazz. 홈런~ rey *m* [pimate *m*] de home run.
■ ~ 부처(夫妻) los reyes.

왕-(王) ① [아주 큼을 나타내는 말] grande. ~거미 araña *f* grande. ② [할아버지 항렬(行列)되는 사람에의 존칭(尊稱)] abuelo *m*. ~고모(姑母) hermana *f* de *su* abuelo.

왕가(王家) familia *f* real, casa *f* real. 부르봉~ casa *f* Borbónica, casa *f* de Borbón; [사람들] los Borbones. ~ 출신이다 pertenecer [ser de] una familia real.

왕가(枉駕) =왕림(枉臨).

왕감(王-) caqui *m* [kaki *m*] muy grande.

왕개미(王) [큰 개미] hormiga *f* grande.

왕거미(王-) [큰 거미] araña *f* grande.

왕게 ① [큰 게] camarón *m* (*pl* camarones) [cangrejo *m*] grande. ② 【동물】 centolla *f*, centola *f*.

왕겨(王-) barcia *f*, ahechaduras *fpl*, granzas *fpl*.

왕계(王系) linaje *m* real.
왕고모(王姑母) tía *f* abuela, hermana *f* de *su* abuelo.
왕고장(王考丈) *su* difunto abuelo.
왕고집(王固執) obstinación *f* muy seria; [사람] persona *f* muy obstinada.
왕골 【식물】 junco *m*, juncia *f*.
■ ~방석 colchón *m* de junco. ~자리 estera *f* (de junco).
왕공(王公) los reyes y los duques; nobleza *f*.
왕관(王冠) corona *f*, diadema *f*.
왕국(王國) reino *m*, monarquía *f*. 아라곤~ reino *m* de Aragón. 태권도 ~ 한국 Corea, país *m* campeón de taekwondo.
왕궁(王宮) palacio *m* real, alcázar *m*.
왕권(王權) autoridad *f* real, autoridad *f* de un soberano, soberanía *f* regia, dignidad *f* regia.
■ ~ 신수설 teoría *f* del derecho divino de la dignidad regia.
왕기 cuenco *m* grande de cerámica.
왕기(王氣) ① [왕이 날 징조] síntoma *m* que el rey va a nacer; [왕이 될 징조] síntoma *m* que va a ser rey. ② [대성할 징조] síntoma *m* que lleva a cabo satisfactoriamente.
◆왕기(가) 뜨이다 aparecer el síntoma que el rey va a nacer [va a ser el rey].
왕기(王旗) estandarte *m* real.
왕녀(王女) princesa *f* (real), infanta *f*, hija *f* del rey.
왕년(往年) tiempo *m* pasado, antigüedad *f*, época *f* anterior, pasado *m*, años *mpl* antiguos. ~의 pasado, antiguo. 그는 ~에 명배우였다 El era una famosa estrella de años pasados.
왕눈이(王-) persona *f* con ojos grandes.
왕니(王-) 【곤충】 piojo *m* grande.
왕당(王黨) monárquicos *mpl*; realistas *mpl*; partido *m* realista.
■ ~파 ㉮ [영국의] tory *mf*. ㉯ [미국 독립 전쟁 때의 영국파] realista *mf*.
왕대(王-) 【식물】 bambú *m* grande.
왕대부인(王大夫人) *su* estimado bisabuelo.
왕대비(王大妃) reina *f* madre.
왕대인(王大人) *su* estimado bisabuelo.
왕대포(王-) vaso *m* grande.
왕도(王道) camino *m* real, majestad *f*, regla *f* de derecho. ~로써 다스리다 gobernar [controlar] *su* pueblo con justicia. 학문에는 ~가 없다 No hay camino real en los estudios.
왕도(王都) capital *f* (de un reino).
왕둥발가락 tela *f* muy basto y grueso.
왕래(往來) ① [오고 감] ida y venida, ida y vuelta; [통행] circulación *f*, [교통] tránsito *m*, tráfico *m*. ~하다 ir y venir, ir y volver, circular, transitar, andar. 사람의~가 잦은 con mucho tráfico animado. 사람의 ~가 없는 con poco tráfico, solitario. 부산과 발빠라이소 간의 ~ 정기선 buque *m* de servicio regular entre Busan y Valparaíso. 새 한 마리 ~하지 않는 섬 la isla tan remota que no va ni un pájaro. 사람의 ~가 끊기다 quedar sesierto. 수원과 서울 간에는 버스가 ~하고 있다 Hay autobuses entre Suwon y Seúl. 이 거리는 자동차의 ~가 심하다 Hay mucho tráfico en esta calle / Hay gran circulación de coches en esta calle / Circulan gran número de coches en esta calle. 서울은 자동차의 ~가 많다 En Seúl hay mucho tráfico. 많은 여행자들이 이 길을 ~했다 Muchos viajeros iban y venían por este camino. ② =노자(路資).
왕로(往路) (viaje *m* de) ida *f*.
왕릉(王陵) tumba *f* del rey, mausoleo *m* (real).
왕림(枉臨) visita *f*. ~하다 visitar, hacer una visita. ~하여 주시면 고맙겠습니다 Le agradecería mucho que [Le quedaría muy agradecido si] tuviera la gentileza de hacerme una visita.
왕립(王立) institución *f* real. ~의 real.
왕마디(王-) articulación *f* grande.
왕매미(王-) ① 【곤충】 [큰 매미] cigarra *f* grande. ② 【곤충】 =말매미.
왕명(王命) orden *f* del rey.
왕모래(王-) arena *f* gruesa, arena *f* basta.
왕못(王-) clavo *m* grande.
왕바람(王-) =폭풍(暴風).
왕바위(王-) roca *f* grande.
왕밤(王-) castaña *f* gigantesca, castaña *f* grande.
왕방(往訪) visita *f*. ~하다 visitar, hacer una visita.
왕방울(王-) campanilla *f* grande.
왕뱀(王-) ① 【동물】 [대형의 뱀] serpiente *f* [culebra *f*] grande. ② 【동물】 [보아] boa *f*.
왕벌(王-) ① [큰 벌] abeja *f* grande. ② 【곤충】 [호박벌] abeja *f* carpintero. ③ 【곤충】 =말벌.
왕법(王法) estatuto *m* del rey.
왕복(往復) ida *f* y vuelta. ~하다 ir y venir, ir y volver, ir de acá para allá; [비행기로] volar regularmente; [버스·기차로] viajar regularmente. A와 B 사이를 ~하다 [버스 등이] hacer el servicio entre A y B, hacer el recorrido de ida y vuelta entre A y B, cubrir el recorrido entre A y B. A에서 ~세 시간 걸리다 tardar tres horas en ir y volver de A. 나는 비행기로 ~했다 Para ir y venir viajé en avión / Fui y vine en avión / Hice el viaje de ida y vuelta en avión. 나는 매일 서울과 안양 간을 ~하고 있다 Hago un viaje de ida y vuelta entre Seúl y Anyang todos los días.
■ ~ 비행 vuelo *m* de ida y vuelta, puente *m* aéreo. ~ 승차권(乘車券) =왕복표. ~ 여행 viaje *m* de ida y vuelta, *Méj* viaje *m* redondo. ~ 엽서 tarjeta *f* (postal) con respuesta pagada [con contestación pagada · de ida y vuelta]. ~ 운임 tarifa *f* de ida y vuelta (para), *Méj* tarifa *f* de viaje redondo. ~ 운행 [버스나 열차의] servicio *m* (regular) de enlace; [항공기의] puente *m* aéreo. ~ 차비(車費) pasaje *m* de ida y

vuelta. ~ 차표 =왕복표. ~편 servicio *m* de enlace; [항공의] puente *m* aéreo. ~표 billete *m* [pasaje *m* · *AmL* boleto *m*] de ida y vuelta, *Méj* boleto *m* redondo.

왕봉(王蜂) 【곤충】 =여왕벌.

왕부(王父) =할아버지.

왕부모(王父母) =조부모(祖父母).

왕비(王妃) reina *f*, esposa *f* del rey.

왕사(王事) ① [임금의 사업] negocio *m* real. ② [임금에 관한 일] asunto *m* sobre el rey.

왕사(王師) ① [임금의 군대] ejército *m* real; [관군] tropas *fpl* gubernamentales. ② [임금의 스승] maestro *m* del rey.

왕사(往事) lo pasado.

왕사마귀(王-) 【곤충】 mantis *m* religiosa grande.

왕산(王山) montaña *f* [monte *m*] grande.
◆왕산 같다 (ser) voluminoso. 왕산 같은 cuerpo *m* voluminoso.

왕새우(王-) 【동물】 langosta *f* (grande).

왕생(往生) ((불교)) vida *f* futura, muerte *f*, fallecimiento *m*. ~하다 morir, fallecer.
▪ ~극락 =극락왕생(極樂往生).

왕성(王城) ① =왕도(王都)(alcázar real). ② [왕도의 성] castillo *m* de la capital (real).

왕성(旺盛) florecimiento *m*, lozanía *f*, vigorosidad *f*, rebustez *f*. ~하다 (ser) vigoroso. 원기(元氣)가 ~하다 tener mucha energía [fuerza], estar lleno de vigor.

왕세손(王世孫) hijo *m* mayor del príncipe heredero, nieto mayor del rey.

왕세자(王世子) príncipe *m* heredero.
▪ ~비(妃) princesa *f* heredera.

왕소금(王-) sal *f* en grano, sal *f* gruesa.

왕손(王孫) ① [임금의 손자] nieto *m* del rey. ② [임금의 후손] descendientes *mpl* del rey.

왕수(王水) 【화학】 el agua *f* regia.

왕시(往時) tiempos *mpl* pasados, tiempos *mpl* antiguos.

왕신 persona *f* cascarrabias.

왕실(王室) familia *f* real.

왕얽이짚신 sandalias *fpl* de pajas toscas.

왕업(王業) reinado *m* del rey.

왕왕 haciendo mucho ruido.
왕왕거리다 ((속어)) hacer [meter] ruido.

왕왕(往往) a veces, unas veces, algunas veces, de vez en cuando, de cuando en cuando, de tarde en tarde, ocasionalmente. 명인(名人)도 ~ 실패할 때가 있다 A veces hasta los peritos fracasan.

왕운(旺運) fortuna *f* [suerte *f*] próspera.

왕위(王位) trono *m*, corona *f*. ~를 계승하다 suceder el trono. ~를 넘기다 abdicar (el trono) (en), ceder el trono (a). ~를 다투다 disputar por el trono [por la corona]. ~에 앉히다 poner [sentar] en el trono. ~에 오르다 subir [ascender] al trono, ocupar el trono. ~에 있다 estar en el trono. …의 ~를 찬탈하다 arrebatar a *uno* el trono, destronar a *uno*. …에게 ~를 양위하다 abdicar el trono [la corona] en *uno*, abdicar en *uno*.

왕위(王威) ① [왕의 위광(威光)] autoridad *f* [poder *m* · influencia *f*] del rey. ② [제왕의 위엄] dignidad *f* del rey.

왕유(王乳) =로열 젤리.

왕자(王子) príncipe *m*, infante *m*.

왕자(王者) ① [임금] rey *m*, monarca *m*. ② [으뜸인 것] campeón, -ona *mf*. 바둑계의 ~ campeón, -ona *mf* (del mundo) del *baduc*. 복싱의 ~ campeón *m* de(l) boxeo.

왕자(往者) =지난번.

왕잠자리(王-) 【곤충】 libélula *f* grande.

왕정(王政) ① [임금의 정치] política *f* real. ② [군주 정체] monarquía *f*, gobierno *m* monárquino, gobierno *m* real.
▪ ~복고 restauración *f* de la monarquía, restauración *f* del gobierno real, retorno *m* de la monarquía. ~를 하다 restaurar una monarquía.

왕제(王弟) hermano *m* (menor) del rey.

왕조(王祖) antepasados *mpl* del rey.

왕조(王朝) ① [왕이 직접 다스리는 조정(朝廷)] corte *f* que reina el rey directamente. ② [같은 왕가에 속하는 통치자의 계열. 또 그 왕가가 다스리는 시기] dinastía *f*, reinado *m*. 조선 ~ dinastía *f* (de) *Choson*. 프랑코 ~ dinastía *f* de los Francos.

왕족(王族) familia *f* real, miembro *mf* de la familia real.

왕존장(王尊丈) ① [남의 할아버지의 존칭(尊稱)] su abuelo. ② [할아버지와 나이가 비슷한 어른의 존칭] abuelo *m*.

왕좌(王座) ① [임금이 앉는 자리] asiento *m* regio; [임금의 지위] trono *m*. ~에 오르다 ascender [subir] al trono. ~에 올리다 coronar. ~가 있는 공식 알현실 salón *m* (*pl* salones) al trono. ② [으뜸가는 자리] el primer puesto, supremacía *f*, rey *m*, reina *f*. ~를 다투다 competir en supremacía. 그녀는 5월의 여왕의 ~에 올랐다 La coronaron reina de la primavera. 그는 장기의 ~에 올랐다 El ha pasado a ser el rey del ajedrez. 이 회사는 자동차 업계의 ~를 차지하고 있다 Esta compañía domina [tiene la hegemonía de] la industria automovilística.

왕지(王旨) ① 【역사】 [왕의 전지(傳旨)] orden *f* del rey. ② 【역사】 =교지(敎旨).

왕지네(王-) 【동물】 ciempiés *m* grande.

왕진(往診) visita *f* a un paciente. ~하다 visitar [hacer visitas] a un paciente [un enfermo], ir a examinar al enfermo en *su* casa. 의사는 지금 ~ 중이다 El médico está de visita ahora. 의사는 밤에는 ~하지 않는다 El médico no hace visitas por la noche.
▪ ~료 honorarios *mpl* de la visita del médico. ~ 시간 hora *f* de la visita del médico.

왕참(往參) participación *f*. ~하다 participar.

왕창 ((속어)) en gran escala. 나는 ~ 먹었다 Yo comí muchísimo.

왕청되다 Hay gran diferencia.

왕청스럽다 parecer que hay gran diferencia. 왕청스레 como si hubiera gran diferencia.
왕초(王一) jefe, -fa *mf* de los mendigos.
왕콩(王一) alubia *f* grande.
왕태자(王太子) =태자(太子).
왕토(王土) territorio *m* real [del rey].
왕통(王統) linaje *m* real, descendientes *mpl* reales.
왕파(王一) puerro *m* grande.
왕파리(王一) 【곤충】 mosca *f* grande.
왕학(王學) =양명학(陽明學).
왕화(王化) influencia *f* más educada del rey.
왕후(王后) =왕비(王妃).
왕후(王侯) los reyes y los aristócratas.
왜[1] [이유 · 원인] ¿por qué?, ¿Por qué razá?, ¿Por qué motivo?, ¿Cómo?; [목적] ¿Para qué?, ¿Con qué objeto? ~ 안 오느냐? ¿Por qué no vienes? ~ 웃느냐? ¿Por qué te ríes? ~ 시끄럽게 하느냐? ¿Por qué te callas? ~ 늦었습니까? ¿Por qué ha llegado usted tarde? ~ 이곳에 오셨습니까? ¿Para qué viene usted aquí? / ¿Para qué ha venido usted aquí? ~ 회의에 참석하지 않았습니까? ¿Por qué [Cómo] no asistió usted a la reunión?
왜[2] [의문을 나타낼 때 쓰는 말] ¿Cómo? ~? 무슨 일이냐? ¿Cómo? ¿Qué te pasa?
왜[3] ((준말)) =외어. ¶~ 써라 Escribe aprendiendo de memoria.
왜(倭) ((준말)) =왜국(倭國)(Japón).
왜-(倭) del Japón; japonés, -nesa. ~돗자리 estera *f* japonesa.
왜가리 【조류】 garza *f* (real), airón *m*.
왜간장(倭一醬) *waeganchang*, salsa *f* china destilada en la destilería
왜건(영 *wagon*) ① [뒷자리에 짐을 실을 수 있는 승용차] furgoneta *f*, wagon *ing.m*. ② [(요리(料理) 따위를 나르는) 손수레] carrito *m* (de servicio). ~ 서비스 servicio *m* de carrito. ③ [바퀴 달린 상품 진열대] vagón *m* de mercancías.
왜검(倭劍) =일본도(日本刀).
왜경(倭警) policía *f* japonesa (en la época japonesa).
왜곡(歪曲) deformación *f*, torcimiento *m*, falseamiento *m*. ~하다 deformar, torcer, falsear. 진실을 ~하다 desfigurar la verdad. 사실을 ~해서 보도하다 informar desfigurando los hechos. 그는 내 발언을 ~했다 El ha deformado mi propuesta.
왜골 patán *m* (*pl* patanes), villano *m*.
왜골참외 cantalupo *m*, cantaloup *m*, melón *m* pequeño de corteza rugosa y pulpa anaranjada.
왜구(倭寇) piratas *mpl* japoneses del siglo trece al siglo dieciséis, invasores *mpl* japoneses.
왜국(倭國) ((낮춤말)) el Japón, el Nipón.
왜군(倭軍) ((낮춤말)) ejército *m* japonés.
왜그르르 desmenuzándose, desmoronándose. ~하다 desmigajarse, desmenuzarse fácilmente.
왜나막신(倭一) sandalias *fpl* japonesas.
왜낫(倭一) hoz *f* del filo corto, fino y ligero.
왜냐하면 porque, como, pues, que.
왜녀(倭女) ((낮춤말)) (mujer *f*) japonesa *f*.
왜년(倭一) mujer *f* japonesa.
왜노(倭奴) japonés, -nesa *mf*, nipónés, -nesa *mf*.
왜놈(倭一) (hombre *m*) japonés *m*.
왜떡(倭一) galleta *f* japonesa de arroz.
왜뚜리 cosa *f* grande.
왜뚤삐뚤 en zigzag, haciendo zigzag. 길이 정상까지 ~ 올라간다 La carretera sube haciendo zigzag [en zigzag] hasta la cima.
왜란(倭亂) ① [왜인들이 일으킨 난리] guerra *f* por los japoneses. ② ((준말)) =임진왜란(壬辰倭亂).
왜림(矮林) matorral *m*, maleza *f*.
왜마(矮馬) 【동물】 =조랑말.
왜말(倭一) ((낮춤말)) japonés *m*, lengua *f* japonesa, idioma *m* japonés.
왜바람 viento *m* sin rumbo, viento *m* variable, viento *m* cambiable.
왜병(倭兵) soldado *m* japonés.
왜색(倭色) modales *mpl* japoneses.
왜성(矮性) naturaleza *f* enana.
왜소하다(矮小一) (ser) bajo, pequeño, enano, diminuto, minúsculo. 문제를 ~화하다 minimizar un problema.
왜식(倭式) estilo *m* japonés.
왜식(倭食) comida *f* a la japonesa. ~집 restaurante *m* japonés.
왜옥(矮屋) casa *f* baja y pequeña.
왜인(倭人) japonés, -nesa *mf*, nipónés, -nesa *mf*.
왜인(矮人) enano, -na *mf*, pigmeo, -a *mf*.
왜자기다 hacer barullo, alborotar, portarse [comportarse] escandalosamente, meter bulla, meter rumor de voces, *AmL* armar relajo.
왜자하다 correr, divulgarse. 기분 나쁜 소문이 왜자하고 있다 Corren rumores desagradables. 그는 소식을 왜자했다 El hizo correr la voz. 왠일인지 비밀이 왜자했다 De algún modo el secreto se divulgó.
왜장(倭將) general *m* japonés.
왜장녀(一女) ① [몸이 크고 부끄럼이 없는 여자] virago *f*, amazona *f*, mujerona *f* sin vergüenza. ② [산대놀음에서 여자 탈을 쓰고 춤추는 사람] bailarín *m* (*pl* bailarines) con la máscara de la mujer.
왜장치다 gritar en vano.
왜적(倭敵) el Japón como un país enemigo.
왜적(倭賊) piratas *mpl* japoneses.
왜정(倭政) reinado *m* japonés.
■~ 시대 período *m* del reinado japonés en Corea (1910-1945).
왜죽왜죽 con paso rápido. ~ 걷다 andar con paso rápido.
왜쭉왜쭉 enfadándose con facilidad. ~ 성내다 enfadarse con facilidad.
왜청(倭靑) tinte *m* azul añil japonés.
왜통스럽다 (ser) raro y tonto. 왜통스레 rara y tontamente.
왜틀비틀 en zigzag, haciendo zigzag. ~ 걷다

andar en zigzag [haciendo zigzag].

왜풍(倭風) costumbre *f* japonesa, modales *mpl* japoneses, estilo *m* japonés.

왝왝 vomitando, haciendo arcadas. ～하다 vomitar, hacer arcadas, tener arcadas. 먹은 것을 ～다 게우다 vomitar todo lo que se ha comido.

왠지 no saber por qué. 나는 ～ 쑥스럽다 No sé por qué es indecoroso.

왱 ① [날벌레가 날아갈 때 들리는 소리] con un zumbido. ～ 하다 zumbar. ② [돌팔매가 날아갈 때 들리는 소리] con un sonido que produce una cuerda tensa al soltarse. ～하다 vibrar. ③ [바람이 철사 등에 부딪칠 때 나는 소리] con un silbido. ～ 하다 silbar, aullar.

왱그랑댕그랑 con un sonido metálico. 종이 ～ 울리다 sonar la campana.

왱왱 silbando, aullando, en alto, en voz alta, ruidosamente, haciendo mucho ruido, a gritos. ～하다 silbar, aullar, hacer mucho ruido.

외 【식물】((준말)) ＝오이(pepino).

외(外) ① [이외] excepto, además (de). 그 ～에 fuera de eso. 그녀의 테니스에 관심 ～에 fuera de [aparte de] su interés por el tenis. ② [밖] fuera. …의 ～에 fuera de *algo*. 시～에 fuera de la ciudad.

외(椳) ramitas *fpl* del árbol tejidas en la pared para poner la tierra.

외- solo, único. ～아들 el único hijo.

외-(外) ① [외가(外家)] maternal, materno. ～손자 nieto *m* maternal. ～삼촌 tío *m* maternal. ～할아버지 abuelo *m* maternal. ② [밖. 표면] exterior, externo, extranjero, fuera. ～각(角) ángulo *m* exterior.

외가(外家) familia *f* [casa *f*] de línea maternnal. ～ 쪽의 maternal, materno, por parte de madre, de línea maternal.

■～댁(宅) casa *f* de línea maternal.

외가닥 [실·양모의] una sola hebra; [줄의] un solo ramal; [철사의] un solo filamento.

외각(外角) 【수학】 ángulo *m* exterior.

외각(外殼) ＝겉껍데기.

외간(外間) entre la gente fuera de las autoridades.

■～남자(男子) hombre *m* fuera de *sus* parientes.

외간(外簡) carta *f* de *su* esposo.

외간(外艱) luto *m* por *su* padre. ～을 당하다 ponerse de luto por *su* padre.

■～상(喪) ＝외간(外艱).

외갈래 una sola bifurcación.

■～길 camino *m* con una sola bifurcación.

외감(外感) ① 【한방】 ＝감기. ② 【심리】 ((준말)) ＝외부 감각. ③ [고르지 않은 기후 때문에 생기는 병] enfermedad *f* causada por el tiempo irregular.

외감각(外感覺) 【심리】 ＝외부 감각(外部感覺).

외강내유하다(外剛內柔－) ser fuerte afuera pero suave adentro.

외객(外客) ① [바깥 손님] huésped *mf*. ② [외부에서 온 손] visitante *mf*, [집합적] visita *f*. ③ [외국에서 온 손님] visitante *m* extranjero, visitante *f* extranjera.

외견(外見) apariencia *f*, aspecto *m*, aire *m*, vista *f* exterior. ～으로[에 따라] según las apariencias, por lo visto, al parecer. ～으로 판단하다 juzgar por *sus* apariencias.

외겹 una dobleza. ～의 solo.

■～실 hilo *m* de una dobleza.

외경(畏敬) veneración *f*, reverencia *f*, acatamiento *m*. ～하다 reverenciar, venerar, tener gran respeto (a · por). ～할 만한 augusto, reverendo, venerable, reverenciable.

외계(外界) ① [바깥 세계] mundo *m* exterior, mundo *m* externo; [지구 밖] espacio *m* exterior. ② 【철학】 fenómena *f* exterior, mundo *m* físico. ③ ＝환경.

■～인 hombre *m* espacial, hombre *m* del espacio.

외고집(－固執) terquedad *f*, obstinación *f*, tozudez *f*, porfía *f*, testarudez *f*. ～의 terco, obstinado, porfiado, testarudo, cabezudo, cabezota, tozudo, pertinaz. ～으로 con obstinación. ～을 부리다 obstinarse (en), empeñarse (en), porfiarse (en · por).

■～쟁이 persona *f* terca.

외골목 una sola callejuela.

외곬 ① [한 곳으로만 트인 길] único camino *m*, un solo camino. ② [단 한 가지 방법이나 일] una sola manera, un solo modo, único modo *m*, única manera *f*, única cosa *f*. ～의 fervoroso, apasionado. ～으로 simplemente, sencillamente, exclusivamente, con sencillez, con entusiasmo; [맹목적으로] ciegamente. ～이다 ser un obseso, no tener más que una idea en la cabeza. ～으로 공부하다 dedicarse a *sus* estudios. ～으로 살다 consagrarse [dedicarse] exclusivamente (a), vivir exclusivamente (para). ～으로 생각하다 creer a pies juntillas, estar absolutamente persuadido [convencido] (de que + *ind*). 일에 ～으로 살다 vivir completamente dedicado a *su* trabajo. 그는 ～이다 El es un hombre resuelto. 그는 성격이 ～이다 El es carácter fervoroso e ingenuo.

외과(外科) 【의학】 cirugía *f*. ～의 quirúrgico. ～적으로 quirúrgicamente.

■～ 기구 instrumentos *mpl* de cirugía, instrumentos *mpl* quirúrgicos. ～ 병동 sala *f* de cirugía. ～ 병리학 (病理學) patología *f* quirúrgica. ～ 병원 clínica *f*, hospital *m* quirúrgico. ～ 수술 operación *f* quirúrgica. ～수술실 quirófano *m*, sala *f* de operaciones. ～용 가제 gasa *f* esterilizada. ～용 마스크 mascarilla *f*. ～용 침대 cama *f* quirúrgica. ～용 칼 bisturí *m*. ～용 현미경 microscopio *m* operatorio. ～의(醫) cirujano, -na *mf*. ～ 치료(治療) intervención *f* quirúrgica, tratamiento *m* quirúrgico. ～ 해부 anatomía *f* quirúrgica. ～ 환자 paciente *m* quirúrgico, paciente *f* quirúrgica.

외과피(外果皮) epicarpio *m*.

외곽(外廓) ① [성 밖으로 다시 둘러 쌓은 성]

muro *m* exterior. ② [바깥 테두리] contorno *m*, perfil *m*, periferia *f*; [건물의] cerco *m* exterior.

■ ~ 단체 sociedad *f* dependiente a la otra. ¶정부의 ~ organización *f* dependiente [subsidiaria · auxiliar] del gobierno.

외관(外觀) apariencia *f*, aspecto *m*, vista *f* exterior; [외면] exterior *m*. ~에는 al parecer. 집의 ~ aspecto *m* (exterior) de una casa. 공장의 ~ vista *f* exterior de la fábrica. ~을 장식하다 hacer gala visible, lucirse. 이 건물의 ~은 고풍스럽다 El exterior de este edificio tiene un aire antiguo.

외광선(外光線) rayo *m* al aire libe.

외교(外交) ① [국제간의 교섭] diplomacia *f*, política *f* exterior, asuntos *mpl* exteriores, asuntos *mpl* internacionales, relaciones *fpl* exteriores. ~의 diplomático. ~상의 비밀(秘密) secreto *m* diplomático. ~ 관계의 단절 ruptura *f* de relaciones diplomáticas. 대한민국의 대(對) 서반아 ~ 정책 política *f* diplomática de la República de Corea con España. ~ 수단(手段)으로 por conducto diplomático. A국과 ~를 단절하다 romper las relaciones diplomáticas con A. ② [타인과의 교제] relaciones *fpl* con otros.

◆강경(强硬) ~ diplomacia *f* fuerte. 경제 ~ diplomacia *f* económica. 공개 ~ diplomacia *f* abierta. 달러 ~ diplomacia *f* del dólar. 무력(武力) ~ diplomacia *f* armada. 문화(文化) ~ diplomacia *f* cultural. 비밀 ~ diplomacia *f* secreta. 연약 ~ diplomacia *f* débil. 초당파 ~ diplomacia *f* bipartidista.

■ ~가 ㉮ [외교의 당국자] diplomático, -ca *mf*. ㉯ [사교에 능한 사람] hombre *m* sociable, mujer *f* sociable. ~계 mundo *m* diplomático, servicios *mpl* diplomáticos. ~ 공세(攻勢) ofensiva *f* diplomática. ~관 diplomático, -ca *mf*. ¶~이 되다 entrar en la diplomacia, ingresar en la carrera diplomática, hacerse diplomático. ~ 근무 servicio *m* diplomático. ~ 면책권 inmunidad *f* diplomática. ~ 시험(試驗) oposiciones *fpl* a diplomático, examen *m* de la carrera diplomática. 직업(職業)~ diplomático, -ca *mf* de carrera. ~ 관계 relaciones *fpl* diplomáticas. ¶서반아와 ~를 수립하다 establecer las relaciones diplomáticas con España. ~ 교섭(交涉) negociaciones *fpl* diplomáticas. ~권(權) derecho *m* diplomático. ~ 기관 vía *f* diplomática. ~단 cuerpo *m* diplomático. ¶ ~ 단장 decano *m* del cuerpo diplomático. ~ 단절 cese *m* diplomático, cesación *f* diplomática. ~ 담판 negociaciones *fpl* diplomáticas. ~ 문서 documento *m* diplomático, nota *f* diplomática, memoria *f* diplomática. ~ 문제(問題) problema *m* diplomático. ~ 백서(白書) libro *m* blanco diplomático. ~ 분과 위원장 presidente, -ta *mf* de la Comisión de Asuntos Exteriores. ~ 분과 위원회 la Comisión [el Comité] de Asuntos Exteriores. ~사 historia *f* de (la) diplomacia. ~ 사령 lenguaje *m* diplomático, palabras *fpl* de cortesía. ~ 사절(使節) misionario *m* diplomático, misionaria *f* diplomática; enviado *m* diplomático, enviada *f* diplomática. ~ 사절단(使節團) misión *f* diplomática. ~ 수단(手段) conducto *m* diplomático. ~ 수완 talento *m* diplomático. ~술 diplomacia *f*. ~ 용어(用語) términos mpl diplomáticos. ~원 representante *mf* comercial; *RPI* corredor, -dora *mf*. ~ 자원(資源) recursos *mpl* diplomáticos. ~적 diplomático. ¶~으로 diplomáticamente. 그 여자는 ~ 수완이 있다 Ella es diplomática (en sus relaciones) con los demás. ~ 정세 situación *f* de diplomacia extranjera. ~ 정책 política *f* diplomática, política *f* exterior. ¶한국의 대(對) 서반아 ~ política *f* diplomática de Corea con España. ~ 채널 vía *f* diplomática. ~ 통상부 el Ministerio de Asuntos Exteriores y Comercio. ¶~ 장관 ministro, -tra *mf* de Asuntos Exteriores y Comercio. ~ 통상 위원장 presidente, -ta *mf* de la Comisión de Asuntos Exteriores y Comercio. ~ 통상 위원회 la Comisión [el Comité] de Asuntos Exteriores y Comercio. ~ 특권 previlegio *m* diplomático. ~학 ciencias *fpl* diplomáticas. ~ 학과 departamento *m* de las ciencias diplomáticas. ~ 행낭 valija *f* diplomática.

외교(外敎) ① ((천주교)) religión *f* excepto el catolicismo. ② ((불교)) religión *f* excepto el budismo.

외구(外寇) =외적(外敵).

외구(畏懼) respeto *m* reverencial, temor *m* reverencial. ~하다 tener un respeto reverencial (por).

외국(外國) extranjero *m*, país *m* extranjero. ~의 extranjero, exterior, del exterior. ~에 (보내는) al exterior. ~에서 수입 ingresos *mpl* procedentes del exterior. ~에 가다 ir al extranjero. ~에서 돌아오다 volver del extranjero. ~에서 살다 vivir en el (país) extranjero. ~에 이민 가다 emigrar (al extranjero). 그는 ~에서 태어났다 El nació en el extranjero.

■ ~ 거래 comercio m exterior. ~ 관계 relaciones *fpl* extranjeras. ~ 국기 bandera *f* extranjera. ~ 국적(國籍) nacionalidad *f* extranjera. ~ 국적인 (國籍人) persona *f* de nacionalidad extranjera. ~ 담배 tabaco *m* importado, tabaco *m* extranjero. ~ 무역 comercio *m* exterior, comercio *m* extranjero. ~ 무역 흑자 superávit *m* del comercio exterior. ~ 물건 artículo *m* extranjero. ~ 물품 artículo *m* importado. ~ 미(米) arroz *m* importado del país extranjero. ~법(法) ley *f* extranjera. ~ 법인(法人) corporación *f* extranjera. ~ 사신(使臣) enviado *m* extranjero. ~ 사절 enviado *m* extranjero, enviada *f* extranjera. ~ 사절단 misión *f* [delegación *f*] extranjera. ~ 사절단원 misionario *m* extranjero, misionaria *f* extranjera. ～산(産) producción *f* extranjera [exterior]. ～ 상사 firma *f* [compañía *f*·empresa *f*] extranjera. ～선 buque *m* [barco *m*] extranjero. ～ 소유 은행 banco *m* de propiedad extranjera. ～ 소유 재산 propiedad *f* extranjera. ～ 소유 컨테이너 contenedor *m* de propiedad extranjera. ～숭배자 xenófilo, -la *mf*. ～ 시장 mercado *m* extranjero. ～ 쌀 arroz *m* importado del país extranjero. ～어 lengua *f* extranjera, idioma *m* extranjero. ¶현대 사회에서는 ～를 아는 것이 필요하다 En la sociedad actual es necesario saber una lengua extranjera. 제이(第二) ～ segunda lengua *f* extranjera. ～로서의 서반아어 교수(법) enseñanza *f* del español como lengua extranjera. ～어 대학 universidad *f* de lenguas extranjeras. ¶한국 ～교 la Universidad de Estudios Extranjeros de Hankook. ～어 학교 escuela *f* de lenguas extranjeras. ～ 여행 viaje *m* al [por el] extranjero. ～ 여행비 gastos *mpl* para el viaje extranjero. ～ 영화 película *f* extranjera. ～ 우편 [외국으로] correo *m* internacional; [외국에서] correo *m* procedente del extranjero. ～ 원조(援助) ayuda *f* exterior, ayuda *f* externa. ～ 은행(銀行) banco *m* extranjero. ～인 extranjero, -ra *mf*. ¶～과의 결혼 matrimonio *m* internacional. ～을 위한 방송 emisión *f* para el extranjero. ～인 거류지 colonia *f* extanjera. ～인 관광객 turista *m* extranjero, turista *f* extranjera. ～인 노동자 trabajador *m* extranjero, trabajadora *f* extranjera. ～인 등록법 ley *f* de identificación extranjera [de registro extranjero]. ～인 등록증 cédula *f* de identificación extranjera. ～인 등록 카드 tarjeta *f* de identificación extranjera. ～인 방문객 visitante *m* extranjero, visitante *f* extranjera. ～인 배척 xenofobia *f*. ～인 사회 comunidad *f* extranjera. ～인 상사 compañía *f* [firma *f*·empresa *f*] extranjera. ～인 유학생 estudiante *m* extranjero, estudiante *f* extranjera. ～인촌 villa *f* extranjera. ～인 토지법 ley *f* de propiedad de la tierra extranjera. ～인 투자 inversión *f* extranjera. ～인 투자법 ley *f* sobre inversión extranjera. ～인 투자 수입 ingresos *mpl* por inversiones extranjeras. ～인 투자자 inversor *m* extranjero, inversora *f* extranjera. ～인 투자 제한 límite *m* de la inversión extranjera. ～인 학교 escuela *f* para los extranjeros. ～인 혐오 xenofobia *f*. ～자본 capital *m* externo [extranjero]. ～자산 activos *mpl* en divisas. ～ 재산(財産) propiedad *f* extranjera. ～ 전보 telegrama *m* internacional, cablegrama *m*. ～제(품) fabricación *f* extranjera. ～ 주식 acciones *fpl* extranjeras. ～채 deuda *f* exterior [del extranjero·en el exterior]. ～ 통화(通貨) moneda *f* extranjera. ～ 통화(通話) comunicación *f* internacional. ～품(品) artículo *m* extranjero. ～풍 manera *f* extranjera. ～학생 estudiante *m* extranjero, estudiante *f* extranjera. ～ 항로 línea *f* de navegación internacional. ～ 항로선(航路船) buque *m* de servicio oceánico. ～행 destinado al extranjero, con destino al país extranjero. ～ 화폐 moneda *f* extranjera. ～ 회사(會社) compañía *f* extranjera, sociedad *f* extranjera.

외국환(外國換) divisa *f* (extranjera), (letra *f* de) cambio *m* extranjero.
■ ～ 거래 transacción *f* en divisas. ～ 거래자 cambista *mf*. ～ 관리법 ley *f* de control de divisas extranjeras. ～ 매입 증명서 comprobante *m* de compra de divisas. ～ 보유 reserva *f* de divisas. ～ 브로커 corredor, -dora *mf* de cambios. ～ 사무소 oficina *f* de cambio. ～ 시세 cotización *f* de divisas extranjeras. ～ 시세표 tablas *fpl* de cambio de divisas. ～ 시장 mercado *m* de divisas. ～ 어음 letra *f* extranjera, letra *f* sobre el exterior]. ～ 업자 corredor, -dora *mf* de divisas. ～ 은행 banco *m* del cambio extranjero. ～ 환율 tipo *m* de cambio extranjero.

외군(外軍) tropas *fpl* extranjeras, fuerzas *fpl* extranjeras.

외근(外勤) servicio *m* externo. ～하다 trabajar fuera de la oficina.
■～ 기자(記者) reportero, -ra *mf*. ～ 사원 [직원] empleado, -da *mf* de servicio externo.; [세일즈 따위의] representante *mf*; viajante *mf*; solicitador, -dora *mf*. ～ 순경 policía *mf*, guardia *mf*. ～자 persona *f* que trabaja externamente; solicitador, -dora *mf* (de pedidos).

외기(外氣) aire *m* (libre). ～에 쐬다 exponer al aire, airear. ～를 쐬다 airearse, exponerse al aire. ～를 마시다 tomar el fresco.
■ ～권 espacio *m* exterior.

외길 el único camino.
■ ～목 la entrada *f* estrecha al callejón sin salida.

외나무다리 puente *m* de leño [palo], puente *m* hecho con un solo tronco.

외난(外難) dificultad *f* exterior.

외날 un solo filo. ～ 면도칼 navaja *f* de un solo filo.

외눈 ① [한쪽 눈] un solo ojo. ～의 de un solo ojo. ② ＝애꾸눈.

외다[1] ((준말)) ＝외우다.

외다[2] ((준말)) ＝오이다.

외다[3] [물건이 좌우가 뒤바뀌어 놓여서 쓰기가 불편하다] ser difícil de alcanzar.

외대 un solo tallo.

외대(外待) ＝푸대접(maltratamiento).

외대다[1] [사실과 반대로 일러 주다] dar el informe falso.

외대다[2] ① [소홀히 대접하다] tratar mal, tratar con poca amabilidad, tratar cruelmente. ② [싫어하고 꺼리어 배척하다] rechazar, no aceptar.

외대머리 *oedaemeori*, mujer *f* no casada que lleva *su* pelo como si se casara.

외대박이 barco *m* con una sola vela.
외도(外道) ① [바르지 않은 길·노릇] camino *m* injusto. ② =오입(誤入). ③ [옛날에 경기도 밖의 다른 도를 일컫던 말] las provincias excepto la provincia de *Gyeongki-do* (en el pasado). ④ ((불교)) otras religiones *fpl* aparte del [excepto el] budismo.
◆외도(를) 하다 ㉮ =오입하다(putañear). ㉯ [다른 잡짓에 손을 대다] tocar en las otras cosas vulgares
외돌다 mantenerse distante, guardar las distancias (con). 그녀는 늘 동료들과 외돌았다 Ella siempre ha guardado las distancias con sus colegas.
외돌토리 una sola persona, una persona solitaria.
외동딸 ((애칭)) =외딸.
외동아들 ((애칭)) =외아들.
외둥이 ((애칭)) =외아들.
외등(外燈) ((준말)) =옥외등(屋外燈).
외따님 *su* única hija, *su* sola hija, *su* hija única. 그의 ~ su única hija.
외딴 solitario, apartado, aislado, separado.
■~곳 un lugar solitario, un lugar apartado, un lugar aislado. ¶그는 ~에서 살고 있었다 El vivía en un lugar aislado. ~길 camino *m* solitario, camino *m* aislado. ~몸 un cuerpo solitario. ~방 habitación *f* aislada, cuarto *m* aislado. ~ 생활 vida *f* solitaria. ~섬 isla *f* solitaria [aislada·remota]. ~ 지역 el área *f* (*pl* las áreas) aislada, el área *f* apartada. ~집 casa *f* aislada, casa *f* apartada, casa *f* solitaria.
외딸 ① [아들 없이 단 하나뿐인 딸] *su* única [sola] hija sin hijos. 그의 ~ su única hija sin hijos. ② [딸로는 하나뿐인 딸] una sola hija. 내 ~ una sola hija mía.
외딸다 (ser) solo, solitario, aislado.
외따로 solo, a solas, solitariamente, aisladamente, incomunicado, separadamente, por separado. 나는 너와 ~ 있고 싶다 Quiero estar a solas contigo. 그는 한 달 동안 ~ 있었다 Hace un mes que él está incomunicado.
외떡잎 【식물】 monocotiledón *m*.
■~식물 monocotiledóneas *fpl*.
외람되다(猥濫—) atreverse, osarse.
외람되이 atrevidamente, osadamente, audazmente. ~ …하다 atreverse a + *inf*, osar + *inf*. 그는 ~ 나를 비판했다 El se atrevió a criticarme. ~ 제가 사회를 보겠습니다 Permítame dirigir esta reunión / Con el permiso de ustedes dirigiré esta reunión.
외람스럽다 (ser) insolente, descarado, impertinente, atrevido.
외람스레 insolentemente, con insolencia, con descaro, impertinentemente, con impertinencia, con atrevimiento.
외랑(外廊) corredor *m* exterior, pasillo *m* exterior.
외래(外來) ① [밖에서 옴] venida *f* de fuera. ② [외국에서 옴] venida *f* del país extranjero. ~의 extranjero, exótico, de fabricación extranjera, de origen extranjero; [수입된] importado. ③ [환자가 외부에서 병원에 다님] ida *f* al hospital de fuera. ④ = 외래 환자(外來患者).
■~ 관념 ideas *fpl* adquiridas. ~ 광선 luz *f* externa. ~ 동물 animal *m* exótico. ~ 문화 cultura *f* extranjera. ~ 사상 ideas *fpl* extranjeras, pensamiento *m* importado. ~ 식물 planta *f* exótica. ~어 vocablo *m* de origen extranjero, palabra *f* de origen extranjero, palabra *f* exótica; [어법(語法)] extranjerismo *m*. ~자(者) extranjero, -ra *mf*; visitante *mf*. ~종(種) especies *fpl* introducidas. ~ 진료(診療) consulta *f* de enfermos no hospitalizados. ~품 artículos *mpl* importados. ~ 환자(患者) paciente *m* externo, paciente *f* externa; paciente *mf* de consulta; paciente *m* no internado, paciente *f* no internada. ~ 환자 진료 consultas *fpl* para pacientes externos.
외력(外力) 【물리】 fuerza *f* exterior.
외로 ① [왼쪽으로] a la izquierda, a mano izquierda. ~ 가다 ir a la izquierda. ~ 돌다 torcer a la izquierda. ② [비뚤게] en la dirección incorrecta, por mal camino. ~ 가다 llevar por mal camino, pervertir (a), descarriar (a); [편지·사람이] extraviarse, perderse; [동물이] descarriarse.
외로움 soledad *f*, aislamiento *m*.
외롭다 (ser) solitario. 외로운 나그네 viajero *m* solitario, viajera *f* solitaria. 외로운 사람 persona *f* solitaria. 외로운 생활(生活) vida *f* solitaria. 나의 외로운 밤 mis noches de soledad. 배우자[친구]를 구하는 외로운 중년의 사람들 corazones *mpl* solitarios. 나는 무척 외로웠다 Yo me sentía muy solo. 영화 배우의 생활은 무척 외로울 수 있다 La vida de una estrella de cine puede ser muy solitaria.
외로이 solitariamente, solo. ~ 지내다 vivir solitariamente.
외륜(外輪) ① [바깥쪽의 바퀴] rueda *f* exterior. ② [바퀴 바깥쪽에 단 쇠나 강철제의 둥근 테] llanta *f* redonda. ③ [월형을 이룬 바깥쪽. 바깥 둘레] circunferencia *f* exterior.
■~선(船) =외차선(外車船).
외륜산(外輪山) caldera *f* volcánica.
외마디 ① [양쪽 끝 사이가 밋밋하게 한 결로 된 동강] un pedazo, una pieza, una articulación, una sección, un nudo. ② [한 음절로 된 소리의 마디] un solo sonido.
■~설대 caña *f* [boquilla *f*] hecha de un solo nudo de bambú. ~ 소리 chillido *m*, voz *f* aguda, voz *f* chillona, voz *f* estridente, grito *m*, alarido *m*. ¶~를 지르다 dar un grito agudo, chillar, gritar agudamente.
외며느리 una sola nuera.
외면[1](外面) ① [겉면] exterior *m*, parte *f* exterior, faces *fpl* exteriores; [표면] superficie *f* (externa). ~의 exterior, externo, visible. ② [겉모양] aspecto *m*, apariencia *f*

(exterior). ~적인 superficial, aparente. ~적으로 superficialmente, aparentemente. ~적인 미(美) belleza *f* aparente. ~을 보고 판단하다 juzgar por *su* aspecto. ~은 평정을 유지하고 있다 Se queda en calma superficialmente. 이 집은 ~만 훌륭하다 Esta casa es espléndida sólo en su apariencia. 그는 물건의 ~ 밖에 보지 않는다 El no considera más que la superficie de las cosas.

▪~ 묘사 descripción *f* externa [exterior]. ~적 exterior, externo. ¶~인 표면 superficie *f* exterior. ~치레 lucimiento *m*.

외면²(外面) [보기를 꺼려 얼굴을 돌려 버림] vuelta *f* de la cara, desviación *f* de mirada. ~하다 volver la cara, desviar de mirada, desviar la mirada, no mirar de frente, torcer las narices. 눈을 ~하다 desviar la mirada de una escena horrible. 얼굴을 ~하다 volver el rostro [la cara]. 진실을 ~하다 tener una venda en los ojos, desconocer la verdad. 그는 내가 불렀지만 계속 ~했다 Aunque le llamé, él siguió mirando para otro lado. 그는 모든 사람들로부터 ~을 당하고 있다 Todos le dan de lado.

외모(外貌) apariencia *f*, planta *f*. ~가 좋은 de buena apariencia, bien parecido. ~가 나쁜 de mala apariencia, mal parecido. ~가 좋다 tener buena apariencia, tener buena planta. ~가 나쁘다 tener mala apariencia, tener mala planta. ~가 좋으면 많은 결점을 감출 수 있다 Una buena capa todo lo tapa.

외목 ① ((준말)) =외길목. ② ((준말)) =외목장사.

▪~장사 monopolio *m*.

외몬다위 =단봉낙타(單峰駱駝).

외몽고(外蒙古) 【지명】 Mongolia *f* Exterior.

외무(外務) ① [외국에 관한 정무] asuntos *mpl* exteriores, relaciones *fpl* exteriores, asuntos *mpl* extranjeros, relaciones *fpl* extranjeras. ② [집 밖에 다니며 보는 사무] negocio *m* fuera de la casa. ③ =외근(外勤).

▪~부 el Ministerio de Asuntos [Relaciones] Exteriores, *Hon, Méj* la Secretaría de Relaciones Exteriores. ¶~ 장관 ministro, -tra *mf* de Asuntos [Relaciones] Exteriores, *Hon, Méj* secretario, -ria *mf* de Relaciones Exteriores. ~ (사)원 viajante *mf*; representante *mf*; *RPI* corredor, -dora *mf*. ~ 통일 위원회 la Comisión [el Comité] de Relaciones Exteriores y Unificación.

외문(一門) una sola puerta.

외문(外門) puerta *f* exterior.

외문(外聞) rumor *m* fuera de la casa. 이것은 ~을 퍼뜨리기 위해서가 아니다 Esto no es para que se divulgue.

외미(外米) ((준말)) =외국미(外國米).

외바퀴 una sola rueda.

외박(外泊) alojamiento *m* fuera de *su* propio domicilio; [선원 등의] licencia *f*, 【군사】 pase *m* de pernocta. ~하다 no volver a casa, pernoctar, alojar fuera de la casa, quedarse por ahí. 사병(士兵)에게 ~을 허가하다 dar un pase de pernocta a un soldado. 나는 간밤에 ~을 했다 No volví a casa anoche.

▪~일 [선원 등의] día *m* de licencia.

외방(外方) ① [서울 밖의 모든 지방] todas las regiones fuera de Seúl. ② =바깥쪽.

▪~살이 vida *f* fuera de Seúl como un oficial gubernamental.

외방(外邦) extranjero *m*, país *m* (*pl* países) extranjero. ☞외국(外國)

외방(外房) ① [바깥에 있는 방] habitación *f* exterior. ② [첩(妾)의 방] habitación *f* de la concubina.

▪~출입 ida *f* al burdel, ida *f* a la casa de putas. ¶~을 하다 ir de putas, ir a la casa de putas, ir al burdel.

외배엽(外胚葉) 【생물】 capa *f* germinal exterior.

외배유(外胚乳) 【생물】 albumen *m* exterior.

외벽(外壁) 【건축】 pared *f* exterior.

외변(外邊) circunferencia *f* exterior.

외보(外報) novedades *fpl* extranjeras, comunicaciones *fpl* extranjeras, informe *m* de la comunicación del país extranjero, noticias *fpl* extranjeras, informaciones *fpl* extranjeras.

외부(外部) exterior *m*, parte *f* exterior, parte *f* de fuera, superficie *f*, exterioridad *f*, *AmL* parte *f* de afuera. ~의 exterior, externo, fuera de la vivienda, aparente, superficial, de fuera, *AmL* de afuera. ~에 al exterior, afuera, por fuera. ~에서 desde fuera, *AmL* desde afuera. ~의 사람 forastero, -ra *mf*; persona *f* de fuera; [문제와 무관한] persona *f* ajena al asunto. ~의 원조 ayuda *f* exterior. ~와의 관계 relaciones *fpl* exteriores. ~에 나타나다 aparecer a superficie. 기밀을 ~에 누설하다 divulgar el secreto (al exterior). 집은 ~에서 보기에 매우 예쁘다 La casa parece muy bonita vista desde fuera [*AmL* afuera].

▪~ 간섭 interferencia *f* exterior. ~ 감각 sensibilidad *f* exterior. ~ 경제 economía *f* exterior. ~ 관계 relación *f* externa. ~ 기생(寄生) parasitismo *m* externo. ~ 기생충 parásito *m* exterior. ~ 부채(負債) deuda *f* externa. ~ 사람 extranjero, -ra *mf*. ~ 손해 daño *m* externo. ~ 원조(援助) ayuda *f* exterior. ~ 위험 riesgo *m* externo. ~ 은하(銀河) galaxia *f* exterior. ~ 자본 capital *m* externo. ~ 잡음 ruido *m* externo. ~ 침략 agresión *f* externa. ~ 효과 efecto *m* externo.

외분(外分) ① [자기 것 이외의 몫] porción *f* aparte de lo suyo. ② 【수학】 división *f* externa. ~하다 dividir externamente.

외분비(外分泌) 【해부】 secreción *f* externa. ~의 exocrino, de secreción externa.

▪~샘 glándula *f* exocrina, glándula *f* de secreción externa. ~선(腺) =~샘.

외비(外備) defensa *f* contra la invasión extranjera.
외빈(外賓) [외국 손님] huésped *m* [turista *m*・visitante *m*] extranjero, huésped *f* [turista *f*・visitante *f*] extranjera; [외부 손님] huésped *mf*, visitante *mf*; [전체적으로] visita *f*.
외뿔소자리 【천문】 Unicornio *m*.
외사(外史) ① [외국 역사(歷史)] historia *f* extranjera. ② [야사(野史)] historia *f* extraoficial, historia *f* no oficial.
외사(外事) asuntos *mpl* exteriores, asuntos *mpl* extranjeros.
▪ ~과 la Sección de Asuntos Extranjeros.
외사촌(外四寸) ((준말)) =외종 사촌.
외산(外産) =외국산(外國産). ☞외국(外國)
외삼촌(外三寸) tío *m* materno, hermano *m* de *su* madre.
▪ ~댁 ㉮ =외숙모. ㉯ [외삼촌의 집] casa *f* de *su* tío materno.
외상 crédito *m*, fiado *m*. ~으로 a crédito, a plazo, al fiado. ~으로 사다 comprar a crédito [a plazo・(al) fiado]. ~으로 팔다 vender a crédito [a plazo・(al) fiado].
▪ ~ 거래 transacciones *fpl* a crédito. ~ 매입 계정 cuenta *f* de compras al fiado. ~ 매입 대금 cuenta *f* por pagar. ~ 매출(금) venta *f* a crédito [al fiado]. ~ 매출 계정 cuenta *f* de venta a crédito [al fiado・por cobrar]. ~ 수금 cobranza *f* [cobro *m*] de una cuenta. ~ 수금원 cobrador, -dora *mf* de cuentas. ~질 compra *f* a crédito. ~ 판매 venta *f* a crédito [al fiado]. ¶~ 사절 ((게시)) No vendemos a crédito [al fiado].
외상(-床) ① [한 사람 몫으로 차린 음식상] mesa *f* para una ración. ② [반달 모양의 소반] mesa *f* pequeña de la forma de la media luna.
외상(外相) ministro, -tra *mf* de Asuntos Exteriores [Extranjeros]; *Hon, Méj* secretario, -ria *mf* de Relaciones Exteriores..
외상(外傷) ① herida *f* externa, lesión *f* visible. ② 【의학】 traumatismo *m*, lesión *f* traumática. ~의 traumático.
◆ 중증(重症) ~ trauma *m*, traumatismo *m*.
▪ ~ 치료(治療) traumatoterapia *f*. ~학(學) traumatología *f*.
외생(外甥) yo, su yerno.
외서(外書) ((준말)) =외국 도서(外國圖書).
외선(外線) ① [바깥쪽에 있는 선] línea *f* exterior. ② [옥외에 가설한 전선] línea *f* eléctrica al aire libre, alambre m exterior. ③ [관청・회사 등에서 외부에 통하는 통화] comunicaciones *fpl* al exterior.
외설(猥褻) obscenidad *f*, indecencia *f*, lascivia *f*, libertinaje *m*, pornografía *f*. ~의 obsceno, lascivo, indecente, pornográfico, impúdico, soez, lujurioso, subido al tono, verde, licencioso, inmoral, *Méj* colorado.
▪ ~ 문학(文學) pornografía *f*, literatura *f* obscena [pornográfica・lasciva・verde]. ~ 문학 작가 pornógrafo, -fa *mf*. ~물 cosas *fpl* pornográficas. ~ 소설 novela *f* obscena [lasciva]. ~ 신문 periódico *m* pornográfico. ~죄 ultraje *m* [ofensa *f*] al pudor, indecencia *f* pública ~책 libro *m* obsceno. ~ 행위 acto *m* indecente [inmoral].
외성(外姓) apellido *m* materno.
외성(外城) muro *m* exterior fuera del castillo.
외성기(外性器) genitalia *f* externa, órganos *mpl* genitales externos.
외성 인자(外性因子) factor *m* extrínseco.
외세(外勢) ① [바깥의 형세] circunstancias *fpl* externas, condición *f* externa, situación *f* externa. ② [외국의 세력] influencia *f* extranjera, poder *m* extranjero.
외손 ① [한쪽 손] una mano. ~으로 들어올리다 levantar con una (sola) mano. ② [(두 손을 다 가지지 아니한) 한쪽만의 손] una sola mano. ~의 사람 manco, -ca *mf*, persona *f* de una sola mano.
▪ ~뼉 una sola palma. ~잡이 persona *f* con una sola mano.
외손(外孫) ① [딸이 낳은 자식] nietos *mpl* políticos, hijos *mpl* de *su* hija. ② [딸의 자손(子孫)] descendientes *mpl* de *su* hija.
▪ ~녀 *su* nieta política, hija *f* de *su* hija. ~자 *su* nieto político, hijo *m* de *su* hija.
외수(外需) demanda *f* del país extranjero.
외수(外數) =속임수.
외숙(外叔) tío *m* materno, hermano *m* de *su* madre.
▪ ~모 tía *f* materna, esposa *f* de *su* tío materno. ~부 tío *m* materno. esposo *m* de *su* tía materna. ~질(姪) tío *m* materno y sobrino.
외시골(外-) distrito *m* remoto, campo *m* lejano.
외식(外食) cena *f* de fuera, comida *f* que se toma fuera del propio domicilio. ~하다 comer fuera, comer en el restaurante, cenar fuera, *AmL* cenar afuera.
▪ ~권 cupón *m* (*pl* cupones) de comida. ~산업 industria *f* de comida de fuera. ~자 persona *f* que come fuera de casa.
외식(外飾) ① [바깥쪽의 장식] ornamento *m* externo. ② =면치레.
외신(外信) noticias *fpl* extranjeras.
▪ ~ 기자 reportero, -ra *mf* de noticias extranjeras. ~부(部) departamento *m* de noticias extranjeras. ~ 부장 editor, -tora *mf* del departamento de noticias extranjeras.
외실(外室) =사랑(舍廊).
외심(外心) ① [딴 마음. 두 마음] intención *f* traidora, intención *f* traicionera. ② 【수학】 circuncentro *m*.
▪ ~각(角) ángulo *m* excéntrico. ~점(點) metacentro *m*.
외씨버선 *oesibeoseon*, calcetines *mpl* coreanos pequeños.
외아들 el único hijo, el solo hijo.
외압(外壓) presiones *fpl* externas.
외야(外野) ① ((야구)) los jardines, las praderas (*el perímetro del campo de juego*),

campo *m*, parte *f* de campo más lejano del bateador. ② ((준말)) =외야수. ③ ((준말)) =외야석.

■ ~석(席) tribuna *f* descubierta en los jardines. ~수 jardinero, -ra *mf*.

외양(外洋) alta mar *f*, océano *m*, mar *m* extenso lejano de la tierra.

외양(外樣) aspecto *m*, apariencia *f*, cariz *m* exterior, mera apariencia *f*. ~은, ~으로 aparentemente, superficialmente, en apariencia, por apariencia. 사람은 ~으로 판단해서는 안 된다 No se puede juzgar una persona por apariencia.

외양간(喂養間) [말의] caballeriza *f*, cuadra *f*, [말 이외의 다른 동물용] establo *m*; [소의] corral *m* de vacas.

■소 잃고 외양간 고친다 ((속담)) Después del caballo hurtado, cerrar la caballeriza.

외어서다 hacerse a un lado, apartarse.

외어앉다 sentarse a un lado.

외연(外延) 【논리】 extensión *f*, denotación *f*.

외연 기관(外燃機關) motor *m* de combustión externo.

외열(外熱) ① [밖의 더운 기운] calor *m* externo. ② [몸 거죽의 열기] calor *m* del piel del cuerpo.

외올 una sola hebra.

■~뜨기 obra *f* de punto de una sola hebra. ~베 tela *f* tejida de una sola hebra. ~실 hilo *m* de una sola hebra.

외외가(外外家) casa *f* materna de *su* madre.

외욕질 náusea *f*, vómito *m*. ~하다 vomitar. ~을 느끼다 nausear, sentir náuseas. ~이 나게 하다 provocar vomitar.

외용(外用) uso, *m* externo, uso *m* tópico, aplicación *f* externa. ~하다 aplicar externamente.

■~약(藥) medicina *f* para uso externo, medicina *f* para aplicación externa, medicamento *m* para aplicación externa.

외우(外憂) ① =외환(外患). ② =외간(外艱).

외우(畏友) estimado amigo *m*, estimada amiga *f*, amigo *m* respetado, amiga *f* respetada.

외우다 ① [글을 눈으로 보지 않고 읽다] leer sin ver con ojos. ② [암기하다] aprender de memoria, memorizar. 시를 ~ recitar un poema. 악보(樂譜)를 외워 연주하다 [노래하다] tocar [cantar] de memoria.

외원(外苑) jardín *m* (*pl* jardines) exterior.

외원(外援) ① [외국의 원조(援助)] ayuda *f* extranjera, ayuda *f* externa, ayuda *f* exterior. ② [외부의 도움] ayuda *f* exterior, ayuda *f* externa.

외유(外遊) viaje *m* por el extranjero, viaje *m* por el mundo. ~하다 viajar por el extranjero, viajar por el mundo, ir al extranjero. ~에서 돌아오다 volver del viaje extranjero.

외유내강하다(外柔內剛―) (ser) suave y dócil aparentemente pero robusto espiritualmente, ser manso por apariencia pero fuerte como un roble en espíritu.

외음(外陰) 【해부】 vulva *f*, órgano *m* genital externo de la mujer. ~의 vulvar, vulvario.

외음부(外陰部) 【해부】 pudenda *f*. ~의 pudendal, púbico.

■~ 동맥 arteria *f* pudendal externa. ~ 상피증 elefantiasis *f* vulvar. ~ 정맥 vena *f* pudendal externa. ~ 질염 vulvovaginitis *f*.

외읍(外邑) campo *m* aislado [apartado].

외응(外應) ① [외부 사람과 몰래 통함] comunicación *f* secreta con la persona exterior. ~하다 comunicar secretamente con la persona exterior. ② [외부의 반응] reacción *f* exterior.

외의(外衣) prendas *fpl* exteriores.

외이(外耳) oído *m* externo, oreja *f*, pabellón *m* (*pl* pabellones) de la oreja.

■~염 otitis *f* externa, conchitis *f*.

외인(外人) ① [자기와 관계 없는 사람] persona *f* sin relación. ② [어느 일에 관계 없는 사람] persona *f* de fuera. 상황에 대한 ~의 견해 la opinión de alguien ajeno a la situación. 그들은 나로 하여금 완전한 ~처럼 느끼게 했다 Me hicieron sentirse como una verdadera intrusa. ③ ((준말)) =외국인. ④ ((천주교)) ateísta *mf*.

■~ 강사(講師) instructor *m* extranjero, instructora *f* extranjera. ~ 교사 profesor *m* extranjero, profesora *f* extranjera. ~ 묘지 cementerio *m* de los extranjeros. ~ 부대 legión *f* extranjera. ~ 사회 comunidad *f* extranjera, colonia *f* extranjera. ~ 상사 firma *f* [compañía *f*] extranjera. ~촌 villa *f* del área de la residencia de los extranjjeros, villa *f* para los extranjeros. ~ 출입 금지 ((게시)) Prohibido el paso / Prohibida la entrada / Prohibida la entrada a toda persona ajena a la empresa.

외인(外因) causa *f* externa.

외입(外入) =오입(誤入).

외자(一字) una letra. ~ 이름 nombre *m* de una sola letra.

외자(外字) lengua *f* extranjera, letra *f* extranjera, carácter *m* extranjero. ~ 신문(新聞) periódico *m* de lengua extranjera.

외자(外資) capital *m* extranjero; [투자(投資)] inversión *f* extranjera. ~를 도입하다 introducir [acoger] las inversiones extanjeras.

■~ 도입(導入) introducción *f* [inducción *f*] de inversiones extranjeras, importación *f* del capital extranjero, inducción *f* del capital extranjero. ~ 유입(流入) afluencia *f* [entrada *f*] del capital extranjero.

외자식(一子息) un solo hijo.

외장(外裝) ① [포장] envoltorio *m*, envoltura *f*. ~하다 envolver. ② 【전기】 cubierta *f*. ~하다 cubrir. ③ [자동차의] embellecedor *m*, banda *f* lateral, *Col* bocel *m*. ④ [선박의] blindaje *m*. ~하다 blindar. ~의 blindado. ⑤ 【토목】 revestimiento *m*. ~하다 revestir.

외장골(外腸骨) 【해부】 hueso *m* iliaco externo, iliaca *f* externa.

■ ~ 동맥 arteria *f* iliaca externa. ~ 정맥 vena *f* iliaca externa.

외적(外的) ① [사물의 외부에 관한 (것)] exterior, externo, extrínseco. ~ 조건(條件) condición *f* exterior. ② [물질이나 육체에 관한 (것)] material, físico, corporal. ~ 욕망 deseo *m* material, deseo *m* corporal.

■ ~ 관련 relaciones *fpl* externas. ~ 생활 vida *f* externa. ~ 연합 unión *f* externa. ~ 요인 factor *m* externo. ~ 원인 causas *fpl* extrínsecas. ~ 증거 evidencia *f* externa.

외적(外賊) ladrón, -drona *mf* que entra del exterior.

외적(外敵) enemigo *m* extranjero. ~의 침입을 받다 sufrir del enemigo extranjero.

외전(外電) telegrama *m* extranjero, cablegrama *m*, noticias *fpl* telegrafiadas del extranjero. 마드리드에서 ~이 들어왔다 Hemos recibido un cablegrama [unas noticias] de Madrid.

외전(外傳) historia *f* suplemental.

외전(外轉) 【해부】 abducción *f*, eversión *f*. ~의 abductor.

■ ~근(筋) músculo *m* abductor. ~ 신경(神經) nervio *m* abductor. ~ 신경 마비(神經痲痺) paraquinesis *f* abductora. ~ 운동(運動) abducción *f*.

외절(外切) 【수학】 =외접(外接).

외접(外接) 【수학】 circunscripción *f*. ~하다 circunscribir.

■ ~원(圓) círculo *m* circunscripto.

외정(外征) expedición *f* extranjera. ~하다 invadir, mandar una expedición.

■ ~군 cuerpo *m* expedicionario.

외정(外政) asuntos *mpl* diplomáticos.

외정(外情) situación *f* exterior, situación *f* extranjera.

외제(外製) ((준말)) =외국제(外國製).

■ ~차 coche *m* de fabricación extranjera. ~품(品) artículos *mpl* hechos en el extranjero, artículos *mpl* importados.

외조모(外祖母) =외할머니.

외조부(外祖夫) =외할아버지.

외족(外族) ① [외가 쪽의 일가] pariente *m* materno, pariente *f* materna. ② [제 족속이 아닌 외부의 족속] raza *f* diferente.

외종(外從) ((준말)) =외종 사촌(外從四寸).

■ ~ 사촌 primo *m* materno, prima *f* materna. ~제(弟) hermano *m* menor materno.

외주(外注) pedido *m* exterior.

■ ~ 가격 precio *m* del pedido exterior. ~ 제품 producto *m* exterior.

외주(外周) circunsferencia *f* (exterior), perímetro *m* (exterior).

외주둥이 una sola boca.

외주물구석 chabolas *fpl*, *AmL* barriada *f*, *Chi* población *f* callampa, *Arg* villa *f* miseria, *Méj* ciudad *f* perdida, *Urg* cantegril *m*, *Ven* ranchos *mpl*.

외주물집 choza *f* abierta, casucha *f* abierta, casa *f* pequeñísima que se ve de fuera sin patio.

외줄 una sola línea [cuerda].

■ ~낚시 pesca *f* con una sola línea.

외줄기 un solo tallo.

외증(外症) 【의학】 síntoma *m* externo de una enfermedad.

외지(外地) ① [자기 고장 밖의 남의 땅] región *f* extranjera, país *m* extranjero, tierra *f* extranjera. ② [내지와는 다른 법이 시행되는 영토] colonia *f*, territorio *m* exterior, territorio *m* de ultramar, tierra *f* ultramarina, territorio *m* ultramarino.

■ ~ 근무 servicio *m* en el extranjero. ~ 생활(生活) vida *f* ultramarina. ~ 한인(韓人) coreanos *mpl* ultramarinos.

외지(外紙) ((준말)) =외국 신문(外國新聞).

외지(外誌) ((준말)) =외국 잡지(外國雜誌).

외지다 (estar) aislado, apartado. 외진 산길 sendero *m* aislado [remoto], senda *f* aislada [remota].

외직(外職) puesto *m* gubernamental fuera de la capital, puesto *m* del gobierno local.

외진(外診) 【의학】 consulta *f* en la casa del enfermo.

외짝 un solo miembro.

■ ~다리 una sola pierna.

외쪽 [한 쪽] un lado, una sola dirección; [한 조각] una pieza, un pedazo. ~의 parcial.

■ ~생각 pensamiento *m* parcial.

외채 =외챗집

■ ~ㅅ집 una sola casa.

외채(外債) ① ((준말)) =외국채(外國債). ¶~를 모집하다 emitir [colocar · procurar] un bono [un emprésito] (en el) extranjero, levantar el bono [el emprésito] extranjero. ② [외국에 대한 채무] deuda *f* externa.

■ ~ 모집(募集) emisión *f* de un emprésito extranjero. ~ 발행 emisión *f* de un emprésito extranjero. ~ 상환 기금 fondo *m* de rescate para el bono extranjero. ~ 시장 mercado *m* de la deuda extranjera.

외척(外戚) ① [같은 본 이외의 친척] pariente *mf* excepto el mismo linaje. ② [외가 쪽 친척] parentesco *m* materno, parientes *mpl* maternos, lado *m* materno, línea *f* materna, ramo *m* materno, relación *f* materna.

외청도(外廳道) 【해부】 canal *m* auditorio externo.

외촌(外村) pueblo *m* fuera de la ciudad.

외축(畏縮) pasmo *m*, aterramiento *m*, horror *m*. ~하다 pasmarse, aterrorizarse, horrorizarse, achicarse, humillarse, acobardarse.

외출(外出) salida *f*. ~하다 salir (de casa). ~을 싫어하는 (사람) casero, -ra *mf*. ~ 중에 durante *su* ausencia. ~하려 할 때 en el momento de salir, cuando *uno* va a salir. 내가 ~하려 할 때 손님이 왔다 Vino una visita en el momento de salir / Vino una visita cuando yo iba a salir. 부친께서는 ~ 중이십니다 Mi padre no está (en casa) / Mi padre está ausente [fuera]. 나는 오늘은 ~하지 않았다 No he salido de casa hoy / Me he quedado en casa hoy. 그가 ~할 곳을 당신께 말씀드리겠습니다 Voy a decirle dónde está él.

■ ~ 금지령 toque *m* de queda. ~복 traje *m* de calle. ~ 부재(不在) ausencia *f.* ~ 시간 hora *f* de salida. ~일(日) día *m* de salida. ~증 permiso *m* de salida.

외출혈(外出血) 【의학】 hemorragia *f* exterior.

외측(外側) lado *m* exterior, parte *f* de fuera.

외측(外厠) retrete *m* [servicio *m*] para hombres.

외층(外層) piso *m* exterior.

외치(外治) ① =외교(外交). ② [조정의 공식적인 정치] política *f* oficial. ③ 【의학】 cura *f* quirúrgica.

외치(外痔) 【한방】 =수치질.

외치다 ① [큰 소리를 질러서 알리다] gritar, dar un grito, dar a gritos, exclamar, vocear, chillar, lanzar un grito. 기뻐서 ~ gritar [dar un grito] de alegría. 아파서 ~ gritar [dar un grito] de dolor. 도와 달라고 ~ pedir auxilio a gritos. 「도둑 [불]이야」라 ~ gritar: ¡Ladrón! [¡Fuego!]. 「구해 주세요」라 ~ gritar: ¡Socorro!, gritar en busca de auxilio. 그는 「만세」라고 외쳤다 ¡Viva! — exclamó él. 나는 「떠나라」라고 외쳤다 ¡Vete! — grité. 나는 그에게 경고하면서 외쳤다 Grité advirtiéndole a él. 너는 외칠 필요가 없다 Na hace falta que grites. 나는 그에게 돌아오라고 외쳤다 Yo le grité que volviese. 그는 도움을 청하면서 외치기 시작했다 El empezó a gritar pidiendo ayuda. 나는 그에게 외쳤지만 그는 내 말을 듣지 못했다 Yo le grité pero no me oyó. 그들은 슬로건을 외치면서 걸었다 Ellos caminaban gritando [coreando] consignas. 시위자들은 반정부 슬로건을 외쳤다 Los manifestantes gritaban consignas en contra del gobierno. ② [사회나 상대방에게, 의견이나 요구 등을 강력히 주장하다] reclamar, levantar la voz de protesta. 무죄를 ~ reclamar *su* inocencia. 조약 반대를 ~ levantar la voz de protesta contra el tratado.

외침 grito *m*, griterío *m*, vocerío *m*. 독립(獨立)의 ~ el grito de independencia. 민족(民族)의 ~ voz *f* de la raza. 항의의 ~ gritos *mpl* de protesta.

외침(畏鍼) temor *m* de la acupuntura.

외탁(外—) parecido *m* con la parte de la familia materna. ~하다 parecerse a la parte de la familia materna.

외토리 ((준말)) =외돌토리.

외톨 ① [밤송이·마늘통 등의 한 톨만이 여문 알] [마늘의] un solo diente maduro; [밤의] una sola castaña madura. ② ((준말)) =외돌토리.

■ ~박이 =외톨❶.

외통 ((장기)) (jaque *m*) mate *m*.

■ ~목 sentido *m* único. ~수 ((장기)) movimiento *m* [jugada *f*] de (jaque) mate.

외투(外套) abrigo *m*, gabán *m* (*pl* gabanes); [엷은 복지의] gabardina *f*; [소매 없는] capa *f*; [군인용] capote *m*; [부인·어린이용] tapado *m*; *RPI* sobretodo *m*, *Cuba* chaquetón *m* (*pl* chaquetones). ~를 입다 ponerse el abrigo [*RPI* el sobretodo]. ~를 벗다 quitarse el abrigo [*RPI* el sobretodo].

■ ~걸이 cuelgacapas *m.sing.pl.*

외판(外販) venta *f* ambulante, representación *f* comercial.

■ ~원(員) viajante *mf* (de comercio); representante *mf*, agente *m* viajero, agente *f* viajera; *RPI* corredor, -dora *mf* (de comercio).

외팔 un solo brazo. ~의 manco.

외팔이 manco, -ca *mf*, persona *f* con una sola mano.

외풍(外風) ① [밖에서 들어오는 바람] corriente *f* de aire, viento *m* que entra de fuera. 이 방에는 ~이 있다 Hay corriente de aire en esta habitación. ② [외국에서 들어온 풍속(風俗)] costumbre *f* introducida del extranjero.

외피(外皮) ① [겉껍질] cubierta *f*. ② 【동물】 epidermis *f*, cutícula *f*, [피부] piel *f*, [거북의] carapacho *m*. ③ 【식물】 [과일의] cáscara *f*, [나무의] corteza *f*, [콩 따위의] vaina *f*, [소맥의] cascabillo *m*; [과피(果皮)] hollejo *m*, pericarpio *m*.

외할머니(外—) abuela *f* materna, madre *f* de *su* madre.

외할아버지(外—) abuelo *m* materno, padre *m* de *su* madre.

외항(外航) navegación *f* oceánica, navegación *f* de altura.

■ ~선 barco *m* [buque *m*] transatlántico.

외항(外港) puerto *m* exterior.

외해(外海) océano *m*, alta mar *f*, mar *m* exterior, mar *f* ancha, mar *m* abierto. ~의 물고기 pez *m* (*pl* peces) oceánico.

외향성(外向性) extroversión *f*, extraversión *f*. ~의 extrovertido. ~의 사람 extrovertido, -da *mf*.

외형(外形) forma *f* externa, figura *f*, [외관] apariencia *f*, exterioridad *f*, aspecto *m* exterior. ~(상)의 externo, visible, aparente superficial.

외화(外貨) ① [외국의 화폐(貨幣)] divisa *f* (extranjera), moneda *f* extranjera. ~를 획득하다 obtener [adquirir] divisas. ② [외국에서 오는 화물] mercancías *f* importadas, mercaderías *fpl* importadas.

■ ~ 거래 transacción *f* en divisas. ~ 관리 control *m* de divisas. ~ 단위 unidad *f* monetaria extranjera. ~ 대출 préstamo *m* de divisas. ~ 발행 emisión *f* en divisas. ~ 배척(排斥) boicoteo *m* de mercancías importadas. ~ 보유고 reserva *f* de divisas. ~ 보유량 cantidad *f* de tenencia de divisas. ~ 부족 escasez *f* de divisas. ~ 브로커 corredor, -dora *mf* de cambios. ~ 시장 bolsa *f* de divisas. ~ 어음 letra *f* de divisas. ~ 예산 presupuesta *f* de divisas. ~ 유입 ingreso *m* de divisas. ~ 유출 salida *f* de divisas extranjeras, fuga *f* de divisas. ~ 자금 fondo *m* de divisas. ~ 절약 economía *f* [ahorro *m*] de divisas. ~

준비 reserva *f* en divisas. ~ 준비고(準備高) reserva *f* de divisas. ~ 차관 crédito *m* en divisas. ~ 채권 obligaciones *fpl* extranjeras. ~ 환전 conversión *f* a una moneda extranjera. ~ 획득 adquisición *f* de divisas.

외화(外畵) ((준말)) =외국 영화(外國映畵).

외환(外患) temor *m* por agresión extranjera, incomodidad *f* externa.

외환(外換) divisas *fpl*, divisa *f* extranjera.
■ ~ 거래 transacción *f* en divisas. ~ 거래자 cambista *mf*. ~ 계좌(計座) cuenta *f* en divisas. ~ 관리법 ((준말)) =외국환 관리법. ~ 교환 cambio *m* de divisas. ~ 교환 비율 tipo *m* de cambio extranjero. ~ 교환표 tablas *fpl* de cambio de divisas. ~ 보유고 reserva *f* de divisas. ~ 사무소 oficina *f* de cambio. ~ 시세 ((준말)) =외국환 시세. ~ 시장 mercado *m* de divisas. ~율 =환시세. ~ 은행 ((준말)) =외국환 은행. ~ 환전상 corredor, -dora *mf* de divisas.

왹질 ((준말)) =외욕질.

왼 izquierda *f*. ~ 눈 ojo *m* izquierdo.
■ ~구비 vuelo *m* alto de la flecha. ~낫 hoz *f* para zurdos. ~다리 pierna *f* izquierda. ~발 pie *m* izquierdo.

왼뺨 mejilla *f* izquierda.

왼소리 noticia *f* de muerte.

왼손 mano *f* izquierda [zurda · siniestra]; ((성경)) izquierda *f*. ~으로 때리다 golpear con la (mano) izquierda. 학교는 ~ 쪽에 있다 La escuela está a mano izquierda.
■ ~편(便) izquierda *f*, mano *f* izquierda, lado *m* izquierdo.

왼손잡이 zurdo, -da *mf*; persona *f* que usa la mano izquierda. ~의 zurdo. ~용의 para zurdos. ~용 가위 tijeras *fpl* para zurdos. ~용 연장 instrumentos *mpl* para zurdos.

왼쪽 izquierda *f*, mano *f* izquierda, lado *m* izquierdo. ~의 izquierdo. ~에 al la izquierda, a mano izquierda, al [en el] lado izquierdo. ~으로 a la izquierda, a mano izquierda. ~ 방향의 hacia la izquierda. ~ 방향으로 hacia [a] la izquierda. 내 ~에 a mi izquierda. …의 ~에 a la izquierda de *algo*. 길 ~에 a la izquierda de la carretera. 대통령의 ~에 a la izquierda del presidente. 페이지 ~에 a la izquierda de la página. ~에서 오른쪽으로 de izquierda a derecha. ~으로 돌다[꺾어지다] girar [torcer · tomar · doblar] a la izquierda. ~으로 운전하다 conducir [*AmL* manejar] por la izquierda. 머리카락을 ~으로 가르다 peinarse (los cabellos) con raya [*Sal* camino] a la izquierda. 은행은 호텔의 ~에 있다 El banco está al lado izquierdo. 자동차는 ~에 핸들이 있다 El coche tiene el volante a la izquierda. 방은 입구 ~에 있다 La habitación está a la izquierda de la entrada. ~으로 도십시오 Tuerza [Tome · Doble] a la izquierda.
■ ~ 문 puerta *f* de la izquierda, puerta *f* izquierda, puerta *f* de la mano izquerda.

왼팔 brazo *m* izquierdo.

왼편(-便) izquierda *f*, lado *m* izquierdo, mano *f* izquierda, dirección *f* hacia [a] la izquierda.

욀재주(-才-) talento *m* de aprender de memoria.

욀총(-聰) *su* memoria, habilidad *f* de aprender de memoria.

욋가지(椳-) ramas *fpl* de listón.

요[1] [사람이 눕거나 앉을 때 바닥에 까는 금침의 하나] *yo*, colchón *m* (*pl* colchones). ~를 깔다 hacer la cama, poner el colchón.
■ ~ㅅ속 guata *f*, relleno *m*. ~ㅅ잇 cubierta *f* del colchón.

요[2] ① [눈앞의 일이나 물건을 얕잡아 일컫는 말] este, esta, estos, estas. ~놈 저리 가거라 Este tipo, vete allá. ~ 일을 하여라 Haz este trabajo. ② [시간이나 거리의 가까움을 가리키는 말] este, esta, estos, estas. ~ 근처 estas cercanías.
요같이 como esto. ~ 하여라 Haz como esto.
요대로 como esto.

요[3] ① [설명어의 어미 또는 부사어 등에 붙어 존칭이나 주의를 끌게 하는 보조사] ser. 눈이 와~ Nieva. 바람이 불어~ Sopla el viento. ② [의문] ¿ser? 저이는 누구~? ¿Quién es él?

요(尿) orina *f*, urina *f*. ~의 orinal, urinario.

요(要) =요점(要點). 요지(要旨). 대요(大要).

요(窯) horno *m* para las tejas, tejar *m*, tejería *f*.

-요[1] [「이다」「아니다」의 어간에 붙어, 사물이나 사실을 열거할 때에 쓰는 연결 어미] ser. 저 분은 나의 선배~, 스승이시다 Aquél es mi superior y maestro.

-요[2] [서술적 조사 「이다」의 어간 「이」와 종결 어미 「-오」가 합치어 변한 종결 어미] ser. 저 건물은 학교~ Aquel edificio es una escuela.

-요(謠) canción *f*, canto *m*. 노동(勞動)~ canción *f* [canto *m*] del trabajo.

요가(범 *yoga*) yoga *f*.
■ ~ 교리 yoguismo *m*. ~ 수행자 yogi *mf*, yogui *mf*, yoghi *mf*.

요강 bacín *m* (*pl* bacines), orinal *m*, *AmL* bacinica *f* (*RPl* 제외), *CoS* escupidera *f*.
■ ~대가리 =대머리.

요강(要綱) principio *m* principal, resumen *m*, idea *f* general, esquema *f*.

요개 ¡Este perro!

요건(要件) [필요 조건] requisito *m*, condición *f* necesaria, condición *f* indispensable; [중요한 건] asunto *m* importante. ~을 만족시키다 satisfacer

요것 esto. ~으로 주세요 Dame esto.

요격(邀擊) ataque *m* por sorpresa, emboscada *f*, celada *f*, sorpresa *f*. ~하다 atacar por sorpresa, poner celada, asechar, asaltar, sobrecoger, sorprender.
■ ~기 interruptor *m*. ~ 미사일 ㉮ [지대공 미사일] misil *m* tierra-aire. ㉯ [탄도탄 요

격 미사일] misil *m* antimisil. ~ 위성(衛星) satélite *m* antisatélite.
요결(要訣) ① [일의 중요한 비결] llave *f*, secreto *m*. 성공(成功)의 ~ secreto *m* de buen éxito. ② [긴요한 뜻] punto *m* vital, sentido *m* esencial.
요골(腰骨) 【해부】 ilion *m* (*pl* íliones).
요골(橈骨) 【해부】 radio *m*. ~의 radial.
요관(尿管) 【해부】 uréter *m*.
■ ~염(炎) ureteritis *f*. ~통 ureteralgia *f*.
요괴(妖怪) fantasma *m*, espectro *m*; [괴물(怪物)] monstruo *m*, duende *m*, aparición *f*. 그 집에서는 ~가 나타난다 En la casa andan fantasmas.
요괴스럽다 (ser) malvado y misterioso, extraño e inquietante, fantasmagórico, misterioso. 요괴스런 이야기 historia *f* espeluznante de fantasmas.
요괴스레 malvada y misteriosamente, extraña e inquietantemente, fantasmagóricamente, misteriosamente.
■ ~의 집 casa *f* de fantasmas.
요구(要求) requerimiento *m*, reclamación *f*, exigencia *f*, [정당한 권리로서의] reivindicación *f*, [집합적으로 노조의 요구] plataforma *f* reivindicativa; [요청] demanda *f*, petición *f*. ~하다 requerir, reclamar, exigir, reivindicar, demandar, pedir; [강요하다] obligar. ~에 의해 a demanda, de acuerdo con la demanda. 노동자의 ~ reivindicación *f* de los obreros. 시대(時代)의 ~ exigencia *f* [necesidad *f*] de los tiempos. ~를 만족시키다 satisfacer las exigencias. 지불을 ~하다 demandar el pago. 군사 기지의 철거를 ~하다 reclamar la evacuación de una base militar. 봉급 인상을 ~하다 pedir aumento del salario. 파업권을 ~하다 reivindicar el derecho de huelga. 우리들은 그에게 사임을 ~했다 Le exigimos que dimitiera. 나에게 빚의 지불을 ~했다 Me exigen el pago de una deuda.
■ ~불 어음 giro *m* a la vista. ¶은행~ giro *m* del banco a la vista. ~불 예금 depósito *m* a la vista, depósito *m* exigible a la vista. ~서 petición *f* escrita. ~액 cantidad *f* demandada. ~ 조건 condiciones *fpl* deseadas.
요구르트(영 *yog(h)urt*) yogur *m*, yogurt *m*, yoghurt *m*. (복수형은 yogurts).
요귀(妖鬼) =요마(妖魔)
요금(料金) precio *m*; [표시된] tarifa *f*; [항공의] billete *m*, pasaje *m*; [버스의] billete *m*, *AmL* boleto *m*; [수수료] derechos *mpl*, honorario *m*; [비용] coste *m*, *AmL* costo *m*. 싼 ~ billetes *mpl* baratos, pasajes *mpl* baratos. ~을 내지 않고, ~을 받지 않고 libre de coste, gratuitamente, gratis, libremente, sin cargo. 보통 ~에 100원 증가 cien wones sobre el precio ordinario. ~을 받다 cobrar [recibir] el precio (de). ~을 지불하다 pagar el precio (de). ~을 올리다 subir el precio. ~을 내리다 bajar el precio. ~은 6천 5백 원입니다 El precio es de seis mil quinientos wones. 이것은 별도 ~이다 Este tiene otro precio.
◆비수기(非需期) ~ tarifa *f* baja, precio *m* de tarifas bajas. 성수기(盛需期) ~ tarifa *f* alta, precio *m* de temporada alta. 우편 ~ tarifas *fpl* postales. 인상(引上) ~ tarifa *f* aumentada. 인하(引下) ~ tarifa *f* reducida. 전기(電氣) ~ tarifas *fpl* eléctricas. 택시 ~ tarifa *f* del taxi. 특별 ~ precio *m* especial. 표준 ~ tarifa *f* normal.
■ ~ 경쟁 guerra *f* de tarifas. ~ 인상 aumento *m* de(l) precio. ~ 인하 reducción *f* de(l) precio. ~ 인하 경쟁 =요금 경쟁. ~ 징수소 [유료 도로·다리의] cabina *f* de peaje. ~표 lista *f* de precio, tarifa *f*. ¶우편(郵便) ~ tarifa *f* postal. 철도 ~ tarifa *f* ferroviaria. ~ 후납 (後納) A franquear en destino.
요기 ① [요 곳] este lugar, aquí. ~에 핀을 꽂아라 Pon el alfiler aquí. ② [요 곳에] en este lugar, aquí. ~ 앉아라 Siéntate aquí. ③ [요것] esto. ~에 대해서 설명해 보아라 Explica sobre esto.
요기(妖氣) aire *m* siniestro, aire *m* extraño, aire *m* demoníaco, atmósfera *f* misteriosa.
◆요기(를) 부리다 comportarse demoníacamente.
요기스럽다 (ser) siniestro, misterioso, extraño, demoníaco.
요기스레 siniestramente, misteriosamente, extañamente, demoníacamente.
요기(腰氣) 【한방】 =자궁병(子宮病).
요기(療飢) el hambre *f* mitigante. ~하다 mitigar el hambre. 사과 두 개로 ~하다 satisfacer *su* hambre con dos mazanas.
요긴목(要緊—) posición *f* crítica.
요긴하다(要緊—) (ser) esencialmente importante, de importancia vital; ((성경)) ser necesario, necesitarse.
요긴히 importantemente, con importancia, necesariamente.
요까짓 =이까짓. ¶~ 것 ¡Ya verás! / ¡Ya verá usted! / ¡Al domonio! / ¡Al diablo! ~ 것, 질 것 같으냐 ¡Ya verás cómo no pierdo!
요나서(Jonah 書) ((성경)) Jonás.
요녀(妖女) tentadora *f*, maga *f*, bruja *f*, sirena *f*.
요다음 luego, después. ~의 próximo, que viene, que entra. ~에 la próxima vez. ~에 그에게 물어보겠다 Se lo preguntaré la próxima vez.
요단 【지명】 ((성경)) Jordán, el río Jordán.
요단강(—江) 【지명】 ((성경)) el (río) Jordán.
요단들 ((성경)) llanura *f* del Jordán, valle *m* del río Jordán.
요담(要談) negociación *f*, conversación *f* de negocios importantes. ~하다 negociar, platicar sobre negocios.
요대(腰帶) =허리띠.
요도(尿道) 【해부】 uretra *f*. ~의 uretral.
■ ~ 검사 uretroscopia *f*. ~ 결석 cálculos

mpl uretrales, uretolitiasis *f.* ~경(鏡) uretroscopio *m.* ~ 경련(痙攣) uretrismo *m*, uretrospasmo *m.* ~계 uretrómetro *m.* ~관 canal *m* uretral. ~ 괄약근 músculo *m* de esfínter uretral. ~구(口) meato *m* uretral. ~구(球) bulbo *m* uretral. ~염 uretritis *f*, inflamación *f* de la uretra. ~ 절개술 uretrotomía *f.* ~ 종양 uretrofima *f.* ~ 출혈 uretrorragia *f.* ~ 협착 anquilouretra *f*, estenosis *f* de la uretra.

요독증(尿毒症) uremia *f.*

요동(搖動) sacudida *f*, temblor *m*, vacilación *f*, fluctuación *f*, movimiento *m*, oscilación *f*; [자동차의] traqueteo *m.* ~하다 temblar, agitarse, vacilar, fluctuar, moverse; [크게] balancearse, mecerse; [흔들흔들] oscilar, balancearse; [자동차가] traquetear; [횡(橫)으로] balancearse; [종(縱)으로] cabecear; [빛·불꽃이] oscilar, vacilar. ~시키다 sacudir, hacer temblar, agitar, menear. 마음을 ~시키다 mover el corazón (de), conmover (a). 천지를 ~시키다 sacudir el cielo y la tierra.

요들(영 *yodel*) 【음악】 canción *f* tirolesa.
■~ 가수 cantante *m* tirolés, cantante *f* tirolesa.

요때기 sábanas *fpl* sucias.

요란(搖亂/擾亂) ruido *m*, conmoción *f*, alboroto *m*, tumulto *m*, jaleo *m*, escándalo *m.* ~하다 [기계·기차가] (ser) ruidoso, hacer mucho ruido; [사무실·거리가] ruidoso; [사람·아이·파티가] bullicioso; [모임이] acalorado. 이곳은 매우 ~하다 Aquí hay tanto ruido. 그들은 ~하게 반대했다 Ellos se opusieron vehementemente.
요란스럽다 (ser) ruidoso, tumultoso, bullanguero. 거리는 요란스러운 모습이었다 La calle era un pandemónium / La calle era muy bulliciosa.
요란스레 ruidosamente, tumultosamente, con mucho ruido.

요란하다(燎亂一) (ser) tumultoso, ruidoso.

요람(要覽) informe *m* del perito, peritaje *m*, peritación *f*, resumen *m*, contorno *m*; [안내서] manual *m*, guia *f.*

요람(搖籃) cuna *f*, mecedor *m.* ~에서 desde la infancia, desde la cuna. ~에 넣다 acunar, mecer. ~에서 배운 것은 항상 계속된다 ((서반아 속담)) Lo que se aprende en la cuna, siempre dura (세 살 버릇 여든까지 간다).
◆요람에서 무덤까지 (durante) toda la vida. 그들은 ~ 그를 돌보았다 Ellos se ocuparon de él durante toda la vida / Ellos se ocuparon de él desde que nació hasta que murió.
■~기 ㉮ [요람에 들어 있던 어린 시절] *su* infancia. ~에 있다 estar en *su* infancia. ㉯ [사물 발달의 초창기·요람 시대] cuna *f.* 문명(文明)의 ~ cuna *f* de la civilización. ~지 ㉮ =고향. ㉯ [사물이 발달하기 시작한 곳] cuna *f.*

요략(要略) resumen *m*, contorno *m*, perfil *m*, epítome *m.* ~하다 resumir, hacer un resumen (de), epitomar.

요량(料量) cálculo *m*, juicio *m*, plan *m*, intención *f.* ~하다 calcular, adivinar, intencionar, juzgar.

요령(要領) ① [요점(要點)] punto *m*, lo esencial, lo substancial, quid *m.* ~ 없는 대답 respuesta *f* vaga, respuesta *f* equívoca. ~이 좋은 사람 persona *f* que dice [hace] cosas concisas. ~을 얻다 coger el punto, coger lo esencial. ② [기교] habilidad *f*, tacto *m*, maña *f*, secreto *m*, tino *m*, don *m.* ~이 좋은 남자 hombre *m* astuto [sagaz]. ~을 가르치다 enseñar el secreto (de), coger el tino (de), ~을 배우다 aprender los secretos. ~이 나쁘다 ser torpe, ser desmañado. 일의 ~을 배우다 aprender los secretos de la obra [del trabajo], coger el tino del trabajo. 이것은 ~이 있다 Para esto hace falta maña [tacto]. 그는 물건을 파는 ~을 터득하고 있다 El tiene habilidad para vender. 그는 연기의 ~을 터득했다 El domina [ha llegado a dominar] el secreto del arte dramático.
■~부득 equivocidad *f*, ambigüedad *f* vaguedad *f.* ¶~하다 (ser) equívoco, ambuguo, vago, indefinible. 그의 말은 언제나 ~이다 Es difícil saber lo que quiere decir cuando habla.

요령(搖鈴) campanilla *f.*

요로(要路) ① [가장 긴요한 길] camino *m* principal, arteria *f* principal, carrera *f* principal. 교통의 ~ arteria *f* principal del tráfico. ② [중요한 자리. 주요한 지위(地位)] puesto *m* importante, posición *f* importante; [당국] autoridades *fpl.* ~에 있는 사람들 las autoridades. ~에 있다 estar en autoridades, ocupar la posición importante, poseer el puesto importante. ~에 아는 사람이 많다 tener muchos amigos en las autoridades.

요론(要論) discurso *m* importante.

요르단 【지명】 Jordania *f.* ~의 jordano.
■~강 el (río) Jordán. ~ 사람 jordano, -na *mf.*

요리 ① [요 곳으로] por esta dirección, por aquí, acá. ~로는 오지 마라 No vengas acá. ② [요러하게] tal, como esto, así. ~해 봐라 Hazlo así.

요리(料理) ① ㉮ [입에 맞도록, 식품의 맛을 돋우어 조리함] cocina *f*, arte *m* culinario. ~하다 cocinar, cocer, guisar; [장만하다] hacer, preparar. 집에서 장만한 ~ cocina *f* casera. ~에 밝은 사람 gastrónomo, -ma *mf.* ~를 잘하다 cocinar bien, ser buen cocinero. ~를 못하다 cocinar mal, ser mal cocinero. 내 아내는 ~ 솜씨가 좋다 Mi esposa cocina muy bien / Mi esposa es muy buena cocinera. 그것은 ~에 사용된다 Se usa para cocinar [en cocina]. ㉯ [조리한 음식] comida *f*, manjar *m* que se sirve, plato(s) *m*(*pl*); [진미(珍味)] golosina *f.* 내가 좋아하는 ~ mi plato favorable. ~에 손

을 대지 않다 no tocar la comida. 맛있는 ~를 만들다 hacer una comida sabrosa [deliciosa · rica]. 그는 집에서 장만한 ~가 생각났다 El echaba de menos la comida casera. ② [다루어 처리함] manejo *m*. ~하다 manejar, despachar el asunto. 적(敵)을 ~하다 derrotar a *su* adversario (con facilidad).

◆동양(東洋) ~ cocina *f* oriental. 생선(生鮮) ~ plato *m* de pescados. 서반아(西班牙) ~ cocina *f* española, plato *m* español, comida *f* española, gastronomía *f* española. 서양(西洋) ~ cocina *f* occidental, cocina *f* europea. 야외 ~ (파티) comida *f* al aire libre. 야채 ~ plato *m* de verduras. 중화 ~ cocina *f* china. 한국 ~ cocina *f* coreana, plato *m* coreano, comida *f* coreana.

■~ 교실 clase *f* de cocina. ~ 기구 utensilios *mpl* de cocina. ~대 tocador *m*, aparador *m*, tajo *m* de cocina. ~ 도구 cocina *f*, *Col*, *Méj* estufa *f*. ~법 [특정 요리의] receta *f*, [일반적인] arte *m* culinario, arte *f* culinaria, gastronomía *f*. ~사 cocinero, -ra *mf*. ~상(床) mesa *f* para los platos. ~용 [기름] comestible; [소금] de cocina; [백포도주 · 사과] para cocinar; [기구] de cocina. ¶~ 기름 aceite *m* comestible. ~ 사과 manzana *f* para cocinar. ~인 cocinero, -ra *mf*. ~장 cocina *f*. ~점 = 요릿집. ~책 libro *m* de (la) cocina, libro *m* de recetas, recetario *m*. ¶한국 ~ libro *m* de la cocina coreana. ~ 코스 curso *m* de cocina. ~학(學) gastrología *f*. ~ 학원 escuela *f* de cocina. ~ㅅ집 restaurante *m* (tradicional coreano).

요리조리 aquí y allá.

요마(妖魔) duende *m* travieso, trasgo *m*, demonio *m*, coco *m*, *CoS* cuco *m*.

요마적 recientemente, últimamente.

요만것 esta cosa pequeña, un poco, un poquito. ~도 모르느냐? ¿No sabes hasta esto?

요만큼 esta cosita pequeña.

요맘때 estos días, nuestros tiempos.

요망(妖妄) frivolidad *f*, capricho *m*. ~하다 (ser) veleidoso, inconstante, frívolo, superficial, caprichoso.

◆요망(을) 떨다 decir frívolamente.

◆요망(을) 부리다 portarse frívolamente [caprichosamente · veleidosamente].

요망스럽다 (ser) frívolo, caprichoso.

요망스레 frívolamente, caprichosamente.

요망(要望) demanda *f*, deseo *m*, grito *m*. ~하다 demandar, desear, gritar. A의 ~에 부응하다 corresponder a los deseos de A. 혁신을 ~하는 소리가 높다 Hay un grito para la reforma.

요면(凹面) superficie *f* cóncava, lo cóncavo, concavidad *f*.

■~경 espejo cóncavo. ~ 동판 plancha *f* de cobre cóncova.

요모조모 =이모저모.

요목(要目) ① [중요한 조목] artículo *m* principal. ② [교수 요목] plan *m* de estudios, programa *m*.

요무(要務) negocio *m* importante.

요물(妖物) ① [요사스런 물건] cosa *f* extraña. ② [언행이 간악한 사람] tentador, -dora *mf*. 여자는 ~이다 La mujer es tentadora / Uno se debe guardar de las mujeres.

요물 계약(要物契約) contrato *m* real, contrato *m* substancial.

요민(擾民) molestia *f* al pueblo. ~하다 molestar al pueblo.

요민(饒民) pueblo *m* abundante.

요밀요밀하다(要密要密—) (ser) meticuloso, minucioso, escrupuloso, circunspecto, cauto. 요밀요밀한 사람 persona *f* meticulosa.

요밀하다(要密—) (ser) detallado, minucioso, meticuloso, escrupuloso.

요번(—番) esta vez *f*, vez *f* siguiente.

요법(療法) terapia *f*, tratamiento *m*, cura *f*, terapéutica *f*, método *m* de tratar a los enfermos..

요변(妖變) ① [요사스럽고 변덕스럽게 행동함] conducta *f* suspicaz, una traición. ② [괴이쩍은 변사(變事)] suceso *m* misterioso.

요변스럽다 (ser) misterioso, traicionero, traidor.

요변스레 misteriosamente, traidoramente, a traición.

■~쟁이 persona *f* de poca confianza, persona *f* traidora.

요부(妖婦) tentadora *f*, maga *f*, bruja *f*, sirena *f*, bampiresa *f*, seductora *f*. ~형의 여자 mujer *f* del tipo de vampiro.

요부(要部) parte *f* esencial [principal · importante].

요부(腰部) cadera *f*, cintura *f*, ijada *f*, ijar *m*, región *f* lumbar.

요부하다(饒富—) vivir desahogadamente, vivir con holgura.

요분질 movimiento *m* de la cadera. ~하다 mover la cadera.

요사(夭死) =요절(夭折)(muerte prematura). ¶~하다 morir prematuramente, morir joven. 그는 ~했다 El murió joven.

요사(妖邪) volubilidad *f*, veleidad *f*, inconstancia *f*.

◆요사(를) 부리다[떨다] comportarse caprichosamente.

요사스럽다 (ser) caprichoso, veleidoso, inconstante, voluble.

요사스레 caprichosamente, veleidosamente, volublemente, inconstantemente.

■~꾼 traidor *m*, judas *m*, persona *f* voluble.

요사(要事) ① [긴요한 일] cosa *f* esencial. ② [중요한 일] cosa *f* importante.

요사(寮舍) [학교 등의 기숙사] dormitorio *m*.

요사이 ahora, actualmente, en la actualidad, recientemente, últimamente, hace poco, (en) estos días, en nuestros tiempos, hoy día, hoy en día. ~의 유행 moda *f* actual, moda *f* de hoy. ~의 젊은이들 los jóvenes de hoy día. 그는 ~ 일주일 동안 오지 않았다 El no ha venido estos últimos ocho días. ~ 나는 무척 건강합니다 Estos días me siento muy bien de salud.

요산(尿酸) 【화학】 ácido *m* úrico.

요산요수(樂山樂水) amor *m* de la naturaleza.

요상(要償) reclamación *f* de compensación. ~하다 demandar por daños.

■ ~권(權) demanda *f* por daños.

요새 ((준말)) =요사이. ¶~ 젊은이 los jóvenes de hoy [estos días].

요새(要塞) fortaleza *f*, fuerte *m*, bastión *m* (*pl* bastiones), plaza *f* fuerte, baluarte *m*, fortificación *f*. ~를 구축하다 construir una fortaleza.

■ ~ 군항(軍港) puerto *m* fortificado. ~ 도시 ciudad *f* fortificada, plaza *f* fuerte. ~전(戰) guerra *f* de sitio. ~지(대) zona *f* fortificada, zona *f* estratégica. ~포 cañón *m* de una fortaleza. ~화 fortificación *f*.

요샛말 =유행어(流行語).

요서(夭逝) =요사(夭死).

요서(妖書) libro *m* caprichoso.

요석(尿石) 【의학】 urolito *m*.

요설(饒舌) locuacidad *f*, garrulería *f*, charlatanería *f*, habladuría *f*, parladuría *f*. ~하다 (ser) locuaz (*pl* locuaces), gárrulo, charlatán (*pl* charlatanes), parlero, lenguaz (*pl* lenguaces).

요성(妖星) 【민속】 cometa *m*.

요셉 【인명】 ((성경)) José.

요소(尿素) 【화학】 urea *f*.

■ ~계 ureámetro *m*. ~ 수지 resina *f* de urea.

요소(要所) posición *f* importante, punto *m* importante, lugar *m* importante; [전략상(戰略上)의] lugar *m* estratégico. ~ ~에 en los puntos estratégicos. 시내 ~ ~에 감시원을 배치하다 colocar vigilantes en los puntos estratégicos de la ciudad.

요소(要素) elemento *m*, parte *f* esencial; [요인(要因)] factor *m* (importante); [필수 요건] requisito *m*. ~의 elemental. 생활 수준을 결정하는 ~ elementos *mpl* que determinan el nivel medio de vida. 행복의 ~ factor *m* de felicidad. 건강은 행복의 ~다 La salud es esencial para la felicidad. 승리의 제일 ~는 협동이다 La cooperación es el primer requisito para la victoria.

요술(妖術) magia *f*, brujería *f*, hechicería *f*, sortilegio *m*, nigromancia *f*, juego *m* de manos, pasapasa *f*, prestigitación *f*, juglaría *f*. ~을 걸다 hechizar, encantar. ~을 부리다 practicar nigromacia. ~을 하다 hacer juegos de manos, prestidigitar. ~로 속이다 engañar con prácticas mágicas.

■ ~객 ㉮ =요술쟁이. ㉯ ((성경)) adivino *m*. ~ 방망이 la lámpara de Aladino. ~자 ((성경)) orador *m*, brujo *m*.

요승(妖僧) ((불교)) sacerdote *m* malvado.

요시찰인(要視察人) persona *f* bajo la observación, individuo *m* sospechoso. 저 사람은 ~이므로 주의해야 한다 Siendo él una persona bajo observación por policía, tenemos que estar en precaución.

■ ~ 명부(名簿) lista *f* negra. ¶~에 올리다 poner en la lista negra.

요식(要式) formalidades *fpl* formales.

■ ~ 계약 contrato *m* formal. ~ 행위 acto *m* [conducta *f*·actitud *f*] formal.

요식업(料食業) negocio *m* de restaurante.

■ ~자 propietario, -ria *mf* de restaurante.

요신(妖臣) vasallo *m* [súbdito *m*] traidor [caprichoso].

요신(妖神) Satanás *m*, Satán *m*, espíritu *m* maligno, espíritu *m* maléfico, demonio *m*, diablo *m*.

요실금(尿失禁) 【한방】 incontinencia *f* urinaria.

요악스럽다(妖惡―) tener la actitud caprichosa.

요악스레 caprichosamente, de manera caprichosa.

요악하다(妖惡―) (ser) caprichoso y traidor.

요약(要約) resumen *m*, compendio *m*, epítome *m*. ~하다 resumir, hacer un resumen (de), compendiar, condesar, epitomar. ~하면, ~해서 말하자면 en resumen, resumiendo, en suma, en síntesis. 뉴스의 ~ resumen *m* [reseña *f*] de las noticias. 강연의 요점을 ~하다 resumir el discurso. 문제는 이 몇 줄에 ~되어 있다 La cuestión se resume en estas líneas.

요양(療養) recuperación *f*; [치료] cura *f*, tratamiento *m* médico. ~하다 recuperarse, recobrar la salud, recibir tratamiento, seguir un tratamiento, tratarse para la recuperación. ~ 중이다 estar bajo el tratamiento médico, estar en tratamiento. 시골에 ~하러 가다 ir al campo para recobrar la salud.

◆자택(自宅) ~ tratamiento *m* domiciliario, método *m* curativo en casa. 자택 ~하다 cuidarse en casa.

■ ~비 gastos *mpl* [expensas *fpl*] de asistencia médica. ~소[원] hogar *m* [residencia *f*] de ancianos [de la tercera edad], sanatorio *m*, *Chi* casa *f* de reposo.

요양(擾攘) =요란(擾亂).

요언(妖言) palabra *f* caprichosa.

요언(要言) compendio *m* de puntos esenciales.

요업(窯業) industria *f* cerámica, cerámica *f*, alfarería *f*.

■ ~가 ceramista *mf*, alfarero, -ra *mf*. ~ 미술 arte *m* cerámico. ~소 alfarería *f*. ~ 제품 fabricación *f* [manufactura *f*] de cerámicas, cerámica *f*. ~학 ingeniería *f* cerámica.

요엘서(Joel 書) 【성경】 Joel.

요연하다(瞭然―) (ser) claro, evidente, obvio. 일목~ ser claro a la vista, ser tan claro como el agua.

요염(妖艶) coquetería *f*, fascinación *f*, hechicería *f*, encanto *m*, encantamiento *m*, encantación *f*, encantamento *m*, coquetismo *m*, seducción *f*, voluptuosidad *f*. ～하다 (ser) hechicero, fascinador, fascinante, encantador, coquetón (*pl* coquetones), seductor, amoroso, apasionado, sugestivo, atractivo, voluptuoso. ～한 자태(姿態) figura *f* encantadora. ～한 눈초리로 con los ojos coquetones. ～한 눈짓을 던지다 echar una mirada coquetona [seductora]. 그녀는 눈매 [걷는 모습]가 ～하다 Ella tiene una mirada atractiva [un contoneo atractivo].

요오드(불 *iode*, 독 *Jod*) yodo *m*.

■～산 ácido *m* yódico. ～산염 yodato *m*. ～산염 적정 yodimetría *f*. ～ 요법(療法) yodoterapia *f*. ～ 정량법 yodometría *f*. ～ 중독(증) yodismo *m*. ～팅크 tintura *f* de yodo.

요요(영 *yoyo*) yoyo *m*.

요요하다(搖搖－) sacudir continuamente.

요요하다(了了－) ① [나이가 젊고 아름답다] (ser) joven y hermoso. ② [화색이 좋다] el semblante es bueno. ③ [물건이 가냘프고 아름답다] (ser) delgado y hermoso.

요요하다(姚姚－) (ser) hermoso, linto, bonito.

요요하다(寥寥－) (ser) solitario.

요요하다(遙遙－) (estar) lejos, remoto, distante.

요요하다(擾擾－) (ser) ruidoso, tumultuoso, clamoroso, estrepitoso.

요용(要用) utilización *f* útil. ～하다 utilizar útilmente.

■～건(件) asunto *m* importante, artículo *m* indispensable. ～품 necesidad *f*, artículo *m* importante.

요우(僚友) ＝동료(同僚).

요원(要員) ① [필요한 인원] personal *m* necesario. ② [중요한 지위에 있는 임원] personal *m*. 정부 ～ personal *m* del gobierno. 경비 ～ personal *m* de guardia. 연구소의 ～ personal *m* del laboratorio.

요원(燎原) campo *m* que estalla el fuego, pradera *f*.

◆요원한 불길 ＝요원지화(燎原之火). ¶～처럼 퍼지다 extenderse como un reguero de pólvora.

■～지화(之火) reguero *m* de pólvora, fuego *m* arrasador, fuego *m* que quema toda una campaña, llamadas *fpl* en la pradera.

요원하다(遙遠/遼遠－) (estar) muy lejos. 계획의 실현은 전도～ La realización del plan está muy lejos.

요율(料率) tarifa *f*, precio *m* elevado.

요의(要義) contorno *m*, puntos *mpl* esenciales, puntos *mpl* fundamentales..

요인(妖人) persona *f* veleidosa.

요인(要人) personaje *m*, personalidad *f*, persona *f* importante, persona *f* principal, persona *f* esencial, hombre *m* prominente.

◆정부(政府) ～ persona *f* importante del gobierno, oficial *m* alto del gobierno.

요인(要因) factor *m*, elemento *m*; [주요 원인] causa *f* principal. 중요한 ～ elemento *m* importante. 물가는 임금(賃金)을 결정하는 ～의 하나이다 Los precios constituyen un factor al determinar el salario.

요일(曜日) días *mpl* de la semana. 오늘은 무슨 ～입니까? － 월요일입니다 ¿Qué día (de la semana) es hoy? － Es el lunes.

요임(要任) misión *f* importante.

요전(－前) [며칠 전] el otro día, hace unos [algunos · pocos] días, hace algún tiempo; [최근] recientemente, últimamente; [전번] antes. ～의 del otro día, último, anterior, pasado. ～의 건(件) lo del otro día. ～ 일요일에 el último domingo, el domingo pasado [anterior]; el domingo de hace unas semanas. ～부터 desde hace unos [algunos · pocos] días. 나는 그를 ～에 만났다 Hace poco que le vi. 그것은 ～의 사건이다 Es un suceso reciente. ～ 일 고맙습니다 Gracias por lo del otro día. 나는 ～부터 아프다 Estoy enfermo (desde) hace unos días.

■～번 el otro día, hace unos días.

요절(夭折) muerte *f* prematura, fallecimiento *m* intempestivo, malogro *m*. ～하다 morir(se) prematuramente, morir(se) joven, fallecer intempestivamente, morir antes de tiempo, malograrse. 그는 ～했다 El se murió joven.

요절(腰折/腰絶) ¶～하다 retorcerse de risa, desternillarse de risa.

■～복통 ¶～하다 desternillarse de risa.

요절나다 estropearse, arruinarse, destrozarse, destruirse. 요절난 차 coche *m* inutilizado.

요절내다 estropear, arruinar, destrozar, desfigurar, destruir, aniquilar; [기계 · 무기 따위를] inutilizar.

요점(要點) punto *m* esencial [importante · vital · clave · culminante · principal], esencia *f*, pasaje *m* apasionante [vital], lo esencial, lo importante, argumento *m*, resumen *m* (*pl* resúmenes), explicación *f* resumida [sumaria], líneas *fpl* generales. ～을 간추리다 ceñirse a los puntos esenciales. ～을 간추려 말하다 hablar ciñéndose al [sin salirse del] tema. ～을 파악하다 asir los puntos esenciales. 말의 ～만 말씀해 주십시오 Dígame los puntos esenciales del asunto. 이야기의 ～만 말하겠습니다 Me limitaré a contarte sólo los pasajes apasionantes del relato.

요정(了定) ① [끝을 마침] conclusión *f*. ～하다 concluir. ② ＝결정(決定)(decisión).

◆요정(을) 짓다 concluir, terminar.

◆요정(이) 나다 ser decidido, decidirse, ser concluido, concluirse, terminarse.

요정(妖精) hada *f*, ninfa *f*, duente *m*. 꽃의 ～ hada *f* de flores. 숲의 ～ dríada *f*, dríade *f*.

요정(料亭) *yocheong*, restaurante *m* (coreano) con *kisaeng*, casa *f* de *kisaeng*.

요조(凹彫) 【미술】 ＝음각(陰刻).

요조(窈窕) modestia *f*, castidad *f*, decencia *f*, decoro *m*. ～하다 (ser) modesto, casto, puro, decente, decoroso.

■～숙녀 mujer *f* casta y modesta.

요주의(要注意) ¡Cuidado! / ¡Ojo!

■ ~자 일람표 lista *f* negra.
요즈막 recientemente, últimamente, estos días, nuestros días.
요즈음 ① [요 때의 즈음. 작금(昨今)] hoy (en) día, actualmente, en la actualidad, estos días, hoy, ahora. ~의 de hoy (día). ~의 젊은이 los jóvenes de hoy. 이렇게 추운 ~ 몸조심하십시오 (Ojalá que) Tenga mucho cuidado con su salud en estos días de tanto frío. 그는 ~ (세상에) 특이한 인물이다 Un tipo como él es raro en estos días. ② [부사로, 요 때의 즈음에] recientemente, últimamente, hace poco. ~까지 hasta hace poco.
요즘 ((준말)) =요즈음. ¶~의 유행 la moda de hoy. ~ 아가씨들 las chicas de hoy.
요지(要地) [교통상의] lugar *m* importante, posición *f* importante para comunicaciones; [전략상의] punto *m* estratégico, posición *f* estratégica.
요지(要旨) punto *m* esencial, punto *m* principal, lo esencial, lo fundamental; [대요(大要)] resumen *m*. ~를 이해하다 captar [comprender] lo esencial [lo fundamental] (de), captar [comprender] el quid de una cuestión. 편지의 ~를 설명하다 explicar los puntos esenciales de la carta. 그녀가 말하고 있던 ~는 …이었다 En esencia lo que estaba diciendo era que ….
요지(窯址) alfarería *f*.
요지경(瑤池鏡) espejo *m* mágico.
요지부동(搖之不動) firmeza *f*, tenacidad *f*, perseverancia *f*. ~하다 (ser) firme, adamantino, diamantino, inquebrantable, inexorable, invencible.
요직(要職) ① [중요한 직위(職位)] rango *m* importante, puesto *m* importante, posición *f* importante. ~에 있다 estar en una posición importante. ~에 취임하다 ocupar una posición [una función] importante. 정부의 ~을 차지하다 ocupar el rango importante del gobierno. ② [중요한 직업] ocupación *f* importante, profesión *f* importante.
요진(要津) ① [배로 건너는 중요한 나루] embarcadero *m* importante. ② =요로(要路).
요처(要處) punto *m* importante, punto *m* estratégico.
요철(凹凸) concavidad y convexidad, irregularidad *f*, lo desnivelado. ~의 cóncavo y convexo, convexocóncavo.
■ ~ 렌즈 lente *m* convexocóncavo.
요청(要請) ① [요긴하게 청함] demanda *f*, petición *f*, solicitud *f*, reclamación *f*, reivindicación *f*, instancia *f*. ~하다 demandar, pedir, solicitar, reclamar, reivindicar, instar. 정당한 ~ petición *f* razonable. 부당한 ~ petición *f* excesiva, petición *f* poco razonable. …의 ~에 답해서 a petición de *uno*. ~에 답하다 satisfacer la reclamación. 나는 그들에게 떠나라고 ~했다 Les pedí que se fueran. 그들은 우리의 ~을 받아들였다 Ellos han aceptado nuestra demanda de auxilio. 전시품에 손을 대지 말 것을 고객들에게 ~하고 있다 Se ruega a los señores clientes no tocar las mercancías expuestas. 그는 그의 고객을 만나게 허락해 달라고 ~했다 El solicitó que se le permitiera ver a su cliente. ② =공준(公準).
■ ~서(書) petición *f*.
요체(要諦) ① [중요한 점] clave *f*, punto *m* cardinal, punto *m* importante. 성공의 ~ clave *f* de éxito. ② [중요한 깨달음] ilustración *f* importante.
요추(腰椎) 【해부】 vértebra *f* lumbar, vértebra *f* abdominal. ~의 lumbar.
■ ~염(炎) osfiitis *f*.
요충(要衝) ((준말)) =요충지(要衝地).
■ ~지(地) punto *m* importante, posición *f* importante, puesto *m* importante; [전략상의] punto *m* estratégico, posición *f* estratégica. 지브롤터는 지중해의 ~이다 Gibraltar es un punto estratégico del mar Mediterráneo.
요충(蟯蟲) 【동물】 oxiuro *m*.
요치(療治) =치료(治療). ¶~를 받다 ser tratado médicamente, recibir el tratamiento curativo, recibir una operación.
요컨대 en resumen, en suma, en una palabra, en fin, después de todo. ~ 그는 몽상가이다 En una palabra él es un soñador.
요탓조탓 con toda la excusa.
요통(腰痛) lumbalgia *f*, lumbago *m*, dolor *m* lumbar. ~을 앓다 tener el dolor lumbar.
요트(영 *yacht*) [큰 것] valero *m*, yate *m*; [작은 것] balandro *m*. ~를 타다 navegar (a vela).
■ ~ 경주[레이스] regata *f* (por yates). ~ 놀이 navegación *f* a vela, paseo *m* en yate. ~ 선수 regatista *mf*. ~ 애호가(愛好家) aficionado, -da *mf* a la vela. ~ 조종자 timonel *m* de un yate. ~ 클럽 club *m* (*pl* clubs) náutico.
요판(凹版) 【인쇄】 chapa *f* convexa de cobre.
■ ~ 인쇄 impresión *f* en chapa convexa de cobre.
요포대기 edredón *m* del bebé.
요피부득(要避不得) =회피부득.
요하다(要-) necesitar, requerer, pedir, demandar, querer, desear, tardar. 휴식을 ~ necesitar el descanso. 열흘을 ~ tardar diez días. 이것은 세심한 주의를 요하는 일이다 Este trabajo requiere una atención minuciosa. 그는 이 작품을 완성하는 데 약 20년을 요했다 El tardó unos veinte años en completar esta obra / El necesitó unos veinte años para completar esta obra / Le costó unos cinco años completar esta obra.
요한 【인명】 ((성경)) [세례 요한] Juan.
요한 계시록(-啓示錄) ((성경)) [신약 성서의 끝 권] El Apocalipsis de San Juan, El Apocalipsis.
요한복음(-福音) ((성경)) El Santo Evange-

lio según San Juan, El Evangelio según San Juan.
요한 삼서(一三書) ((성경)) Tercera Epístola de San Juan Apóstol, Tercera Carta de San Juan.
요한 이서(一二書) ((성경)) Segunda Epístola de San Juan Apóstol, Segunda Carta de San Juan.
요한 일서(一一書) ((성경)) Primera Carta de San Juan, Primera Epístola de San Juan.
요함(夭陷) ＝요절(夭折).
요항(要項) punto *m* esencial; [개요(概要)] substancia *f*. 입학 시험 ～ guía *f* para el examen de ingreso.
요항(要港) puerto *m* importante. 해군(海軍)의 ～ el puerto importante de las fuerzas navales.
요해(了解) entendimiento *m*. ～하다 entender. ～에 이르다 entender al entendimiento. ～를 구하다 solicitar el entendimiento.
요해(要害) ① ＝요충(要衝). 요충지(要衝地) (fortaleza). ¶자연(自然)의 ～ fortaleza *f* natural. ② [몸의 중요한 부분] parte *f* importante del cuerpo.
■ ～지 ＝요해(要害)❶. ～처 ＝요해(要害).
요행(僥倖) ① [행복을 바람] deseo *m* [esperanza *f*] de la felicidad. ② [뜻밖에 얻는 행복] chiripa *f*, fortuna *f* inesperada, buena suerte *f*, buena fortuna *f*, buena ventura *f*, casualidad *f* (favorable), azar *m*. ～으로 por suerte, afortunadamente, de chiripa, por chiripa, por (una) casualidad. 그는 ～히도 합격되었다 El salió bien afortunadamente. ～히도 자리가 몇 개 남아 있었다 Por suerte [Afortunadamente], quedaban algunos asientos. 우리가 만난 것은 순전히 ～이었다 Nos encontramos de [por] una casualidad. ③ [부사적으로, 뜻밖에 다행히. 운수 좋게] por suerte, afortunadamente.
■ ～수(數) casualidad *f* feliz [afortunada], buena fortuna *f* inesperada. 만일의 ～를 바라고 일하다 adivinar el tema del examen.
요혈(尿血) 【의학】 hematuria *f*, hematuresis *f*, hematocituria *f*.
요희(一妖姬) ＝요녀(妖女).
요힘빈(영 *yohimbine*) 【약】 yohimbina *f*, yohimbenina *f*.
욕(辱) ① ((준말)) ＝욕설(maledicencia, maldición. ¶～하다 maldecir, insultar, injuriar. …의 ～을 하다 hablar mal de *algo*·*uno*. ～을 주고받다 cambiar inurias. ～하지 마라 No me insultes. ② [명예스럽지 못한 일] vergüenza *f*, humillación *f*, insulto *m*, injuria *f*. 그가 한 일은 가족에 대한 ～이었다 Lo que hizo él fue la vergüenza de la familia. ③ ((속어)) ＝수고(受苦)(apuros, dificultades, privaciones). ¶～보셨습니다 Pasó usted muchos apuros.
욕(慾/欲) ((준말)) ＝욕구(欲求)(deseo).
◆권세(權勢)～ voluntad *f* al poder. 금전(金錢)～ amor *m* de dinero, deseo *m* para la riqueza. 명예(名譽)～ deseo *m* para la fama. 소유(所有)～ actitud *f* posesiva. 육(肉)～ deseo *m* sexual [carnal], pasión *f* sexual [carnal]. 지식(知識)～ sed *f* de conocimieto.
욕가마리(辱一) blanco *m* de las críticas. 그는 ～이다 El es el blanco de las críticas.
욕마태기(辱一) persona *f* que suelen hablar mal.
욕객(浴客) bañador, -dora *mf*; [해수욕·온천 따위의] bañista *mf*.
욕계(欲界) ((불교)) mundo *m* del deseo, mundo *m* codicioso [avaro].
욕구(欲求/慾求) deseo *m*, apetito *m*, necesidad *f*. ～하다 desear. 생(生)의 ～ voluntad *f* de la vida. 성적(性的) ～ deseo *m* sexual. ～를 채우다 satisfacer *su* necesidad.
■ ～ 불만(不滿) frustración *f*. ¶～을 일으키다 sentirse frustrado, tener frustración.
욕기(慾氣) ＝욕심(慾心).
◆욕기(를) 부리다 ser codicioso, ser avaro, codiciar.
욕념(欲念) ＝욕심(慾心).
욕되다(辱一) (ser) vergonzoso, bochornoso, ser una vergüenza. 욕된 행실 conducta *f* vergonzosa. 욕되게 하다 deshonrar, traer la deshonra. 그의 행동은 그의 가족을 욕되게 했다 Su conducta trajo la deshonra a la familia.
욕망(慾望) deseo *m*, apetito *m*; [야망(野望)] ambición *f*, [갈망] ansia *f*, [탐욕] codicia *f*. ～을 만족시키다, ～을 채우다 satisfacer el deseo. ～을 억제하다 contener [reprimir] el deseo. ～을 일으키다 despertar el deseo [el apetito]. ～을 품다 abrigar la ambición.
◆동물적(動物的) ～ apetitos *mpl* animales.
욕먹다(辱一) hablarse mal (de), ser reprendido.
욕보다(辱一) ① [치욕을 당하다] ser deshonorado. ② [곤란을 겪다. 몹시 고생하다] costar (trabajo) (a), pasar apuros [dificultades·privaciones]. 나는 이 일로 욕보았다 Este trabajo me ha costado muchos esfuerzos. 그는 별로 욕보지 않을 것이다 A él no le costará mucho trabajo. ③ [강간을 당하다] ser violado, sufrir abusos deshonestos. 많은 아이들이 욕보았다 Muchos niños habían sufrido abusos deshonestos.
욕보이다(辱一) ① [치욕을 주다] deshonorar. ② [곤란·수고를 당하게 하다] abusar (de). ③ [여자를 범하다] violar, insultar. 소녀를 ～ violar a una chica.
욕설(辱說) malediciencia *f*, maldición *f*, injuria *f*, insulto *m*, invectiva *f*, ofensa *f*, afrenta *f*, calumnia *f*, difamación *f*, murmuración *f*, palabras *fpl* ofensivas, lenguaje *m* ofensivo, detracción *f*, denigración *f*, voces *fpl* de reproche [censura·vituperación·reprobación]. ～하다 hablar mal (de), denigrar, denostar, poner motes (de), poner apodos (de). ～을 퍼붓다 emplear lenguaje ofensivo, soltarla sin hueso, proferir insultos (a·contra), proferir invectivas (a·contra).
욕실(浴室) ((준말)) ＝목욕실.

욕심(慾心) ① [물질적] avaricia *f*, codicia *f*. ~ 덩어리 encarnación *f* de la avaricia. ~이 많은 codicioso, avariento, avaro, insaciable. ~ 없는 desinteresado, desprendido, generoso, sobrio. ~에 눈이 어둡다 afuscarse por la avaricia. ~을 말하면 si yo expresase por la avaricia. ~을 떠나서 일하다 hacer una cosa sin tener consideración de interés. ~은 금물 ((서반아 속담)) La codicia rompe el saco / Codicia mala, saco rompe / El codicioso, lo mucho tiene por poco. ~은 모든 악의 근원이다 ((서반아 속담)) La codicia es raíz de todos los males. ~에는 끝이 없다 ((서반아 속담)) A la codicia no hay cosa que la hincha. ~ 많은 사람은 하나를 아끼려다 백 개를 잃는다 ((서반아 속담)) Hombre avariento, por uno pierde ciento. ② [관능적] deseo *m*, apetito *m*, pasión *f*.

◆ 욕심(을) 내다 = 욕심(을) 부리다. ¶모든 것을 욕심 내면 모든 것을 잃는다 ((서반아 속담)) La codicia lo quiso todo, y púsose del lodo (모든 것을 원하는 자는 아무것도 없이 끝난다, 대탐대실(大貪大失)).

◆ 욕심(을) 부리다 codiciar, avariciar, desear con vehemencia. 욕심을 부리는 codicioso, avaricioso. 욕심을 부려 codiciosamente, avaramente, avarientamente, vorazmente, insaciablemente.

▪ ~꾸러기[쟁이] codicioso, -sa *mf*; avaro, -ra *mf*.

욕의(浴衣) albornoz *m* (*pl* albornoces), bata *f* de baño.

욕장(浴場) baño *m*.

욕쟁이(辱-) calumniador, -dora *mf*; difamador, -dora *mf*.

욕정(欲情) ① [충동적으로 일어나는 욕심] deseo *m*, pasión *f*, apetito *m*. ~을 억제하다 dominar [contener · refrenar] *su* pasión. ② = 색욕(色慾)(deseo sexual).

욕조(浴槽) = 목욕통(bañera).

욕지거리(辱-) ((속어)) = 욕설.

욕지기 náusea(s) *f*(*pl*), mareo *m*.

◆ 욕지기(가) 나다 tener ganas de vomitar, tener ganas de devolver, tener náuseas, estar mareado.

▪ ~질 náuseas *fpl*.

욕탕(浴湯) ((준말)) = 목욕탕(沐浴湯).

욕하다(辱-) hablar mal (de), calumniar, difamar, censurar, culpar, reprender, tachar, criticar, reprobar. 욕하지 마라 No hables mal.

욕화(浴化) influencia *f* de virtud.

욕화(浴火/慾火) ((불교)) deseo *m* ardiente.

욧속 guata *f*, relleno *m*.

욧의(-衣) cubierta *f* [funda *f*] del colchón.

욧잇 sábana *f*.

용(用) ① ((준말)) = 용돈. ② ((준말)) = 비용(費用).

용(勇) ((준말)) = 용기(勇氣)(coraje, valentía).

용(茸) ((준말)) = 녹용(鹿茸).

용(龍) [상상의 동물] dragón *m*.

▪ 용 될 고기는 모이 철부터 안다 ((속담)) La primera impresión es la más perdurable. 용의 꼬리보다 닭의 머리가 낫다 ((속담)) Más vale ser cabeza de ratón que cola de león.

-용(用) uso *m*, para. 아동~ para los niños.

용가마 olla *f* grande de hierro.

용감무쌍하다(勇敢無雙-) (ser) de una bravura sin igual. 용감무쌍함 bravura *f* sin igual.

용감무쌍히 con bravura sin igual.

용감스럽다(勇敢-) (ser) valiente, bravo.

용감스레 valientemente, con valentía.

용감하다(勇敢-) (ser) valiente, bravo, valeroso, corajudo, de valor, de valentía, esforzado, varonil, heroico, intrépido. 용감함 valentía *f*, coraje *m*, valor *m*, bravura *f*, intrepidez *f*. 용감한 병사(兵士) soldado, -da *mf* valiente. 용감한 자는 행운이 돕는다 ((서반아 속담)) Al hombre osado, la fortuna le da mano.

용감히 valientemente, con valor, con valentía, valerosamente, varonilmente. 그는 ~ 선두에 서서 (적에게) 돌격했다 Poniéndose valientemente a la cabeza, él se lanzó sobre el enemigo.

용강하다(勇剛-) (ser) intrépido, firme, tenaz.

용강히 intrépidamente, firmemente, con firmeza.

용건(用件) negocio *m*, asunto *m*; [방문(訪問)의] objeto *m* de la visita. 급한 ~ negocio *m* urgente. 다른 ~ 없이 sin otro motivo, sin otros pormenores. ~이 무엇입니까? ¿En qué puedo servirle?

용고뚜리 gran fumador (*pl* grandes fumadores), gran fumadora (*pl* grandes fumadoras) *mf*; persona *f* que fuma un cigarrillo tras otro.

용골(龍骨) ① [동물의] huesos *mpl* del mastodonte. ② [배의] quilla *f*, costillaje *m* de buque. ~을 설치하다 poner la quilla. ~이 나올 때까지 기울이다 dar de (la) quilla.

▪ ~ 돌기 quilla *f*, carina *f*. ~자리 【천문】 Quilla *f*. ~판 quilla *f*.

용골때질 lo malhumorado.

용공(容共) simpatía *f* por el comunismo.

▪ ~ 사상 ideología *f* procomunista. ~ 정책 política *f* procomunista, política *f* simpatizante por el comunismo. ~파 facción *f* procomunista.

용광로(鎔鑛爐) horno *m* de fusión, horno *m* de fundición; [높은] alto horno *m*.

용구(用具) [공구] herramienta *f*, instrumento *m*; [용품] utensilios *mpl*, útiles *mpl*; [장치] aparato *m*; [집합적] equipo *m*.

◆ 등산(登山) ~ equipo *m* de alpinismo.

용궁(龍宮) el Palacio de Dragón.

용기(用器) ① [기구를 사용함] uso *m* del instrumento, uso *m* de la herramienta. ② [사용하는 기구] instrumento *m*, herramienta *f*.

▪ ~화(畵) dibujo *m* instrumental.

용기(勇氣) coraje *m*, valor *m*, bravura *f*, ánimo *m*, osadía *f*, intrepidez *f*. ~ 있는

valiente, bravo, valeroso, brioso, animoso, osado, intrépido, denodado. ~ 없는 cobarde. ~를 가지고 con valor, con coraje, con ánimo. ~ 백배해서 con coraje fresco [redoblado]. ~ 있는 사람 persona *f* valiente, persona *f* corajuda. ~ 있는 말 palabras *fpl* valientes. ~ 있는 행동(行動) actitud *f* de valor, actitud *f* de valentía. ~가 있다 (ser) valiente, corajudo, valeroso, de valor, de valentía, tener valor, tene coraje. ~가 없다 ser un cobarde, ser tímido, ser pusilánime. ~를 내다 armarse de valor, armarse de coraje. ~를 잃다 acobardarse. ~를 꺾다 desanimar, descorazonar, desalentar. ~를 돋우다 animarse, mostrar coraje, espolear coraje, cobrar coraje. ~를 돋우어 주다 animar, alentar, dar ánimo. … 하기 위해서는 ~가 필요하다 Hace falta valor para … / Hay que tener coraje para …. 그는 ~가 없다 El es un cobarde / El carece de valor / Le falta valor / El no tiene valor / El no es valiente [valeroso]. 그는 ~를 잃었다 El se desanimó / El se desalentó / El perdió el ánimo. 나는 사실을 말할 ~가 없다 No me atreve a decir la verdad / No tengo valor para decir la verdad. ~를 잃지 마라 ¡Animo, no te dejes abatir! / ¡No te desanimes! 나는 ~를 내어 그녀를 방문했다 Armándome de valor, la visité.

■ ~백배(百倍) inspiración *f* con coraje fresco.

용기(容器) recipiente *m*, receptáculo *m*, vasija *f*.

용기병(龍騎兵) dragón *m*.

용꿈(龍-) sueño *m* con suerte, suerte *f* afortunada.

◆ 용꿈(을) 꾸다 tener [soñar] un sueño con suerte.

용날(龍-) 【민속】 el Día del Dragón.

용납(容納) toleración *f*, aprobación *f*, admisión *f*, permiso *m*. ~하다 tolerar, admitir, aprobar, permitir. ~할 수 없는 inexcusable, imperdonable.

용녀(龍女) 【민속】 ① [용왕의 딸] hija *f* del dios del mar. ② [용궁에 산다는 선녀] ninfa *f* en el Palacio del Dragón.

용뇌(龍腦) ① 【한방】 ((준말)) =용뇌향(龍腦香). ② 【식물】 ((준말)) =용뇌수(龍腦樹).

■ ~수(水) borneol *m*. ~향(香) alcanfor *m* refinado.

용단(勇斷) decisión *f* valerosa, medida *f* decisiva. ~을 내리다 tomar una decisión valerosa.

용달(用達) servicio *m* de reparto a domicilio. ~하다 repartir a domicilio. ~하는 사람 repartidor, -dora *mf*.

■ ~료 gastos *mpl* de envío [de transporte. ~사(社) compañía *f* de reparto a domicilio. ~차 camioneta *f* [furgoneta *f*] de los repartos.

용담(用談) [상담] conversación *f* de negocio; [볼일] negocio *m*. ~하다 conversar en negocio.

용도(用度) gastos *mpl*, provisiones *fpl*.

■ ~과(課) departamento *m* de provisiones.

용도(用途) ① [씀씀이] uso *m*, servicio *m*, aplicación *f*, aprovechamiento *m*. ~가 넓은 de uso amplio. ~ 불명의 돈 [지출] gastos *mpl* no justificados. ~가 넓다 ser del uso extensivo, tener muchos usos, ser bueno para varios fines [numerosos propósitos], ser muy útil, servir de mucho, ser de gran utilidad. ~가 없다 ser inútil, ser inservible, no tener uso, no servir de [para] nada, no poder utilizarse. 그는 돈의 ~를 모른다 El no sabe gastar el dinero / El no sabe hacer uso del dinero. ② [드는 비용] gastos *mpl*, expensas *fpl*. ③ [관청·회사에서 물품을 공급하는 일] suministro *m* (a la oficina gubernamental o a la compañía)..

용도(鎔度) 【물리·화학】 =녹는점.

용돈(用-) dinero *m* para gastos personales, asignación *f*, dinerillo *m*, dinero *m* disponible; [주로 여자의] alfileres *mpl*; [여행용] gastos *mpl*; [어린이용] dinero *m* de bolsillo, *AmL* mesada *f*, *Per* propina *f*. ~ 버는 일 trabajo *m* extraordinario. ~을 주다 dar dinero para gastos menudos. ~을 벌다 ganar para *sus* gastos. ~을 매월 10만 원 받다 recibir cien mil wones al mes para gastos personales. 내 ~은 월 20만 원이다 Tengo doscientos mil wones al mes para mis gastos personales. 그녀는 ~을 벌기 위해 일할 뿐이다 Ella sólo trabaja para tener dinero para sus gastos [sus vicios].

용되다(龍-) ser grande y glorioso. 그는 미꾸라지가 용되었다 El se ha hecho de la pobreza a la fortuna.

용두(龍頭) ① 【건축】 =망새. ② [회중 및 손목시계의 태엽을 감는 꼭지] corona *f* (del reloj).

용두레 cazo *m* grande de agua, cubo *m* de pala.

용두사미(龍頭蛇尾) anticlímax *m*, suceso *m* caracterizado por un descenso de la tensión, paso *m* repentino de lo sublime a lo prosaico y trivial, mucho ruido y pocas nueces. ~로 끝나다 quedar(se) en agua de borrajas. 마지막이 ~였다 El final no fue tan emocionante como se esperaba.

용두질 masturbación *f*, onanismo *m*. ~하다 masturbarse, procurarse solitariamente goce sensual, practicar la masturbación.

용띠(龍-) 【민속】 nacimiento *m* del año del dragón.

용략(勇略) el valor y la estratagema.

용량(用量) [약의] dosis *f*.

용량(容量) ① [용기(容器) 안에 들어갈 수 있는 분량] capacidad *f*, cabida *f*, contenido *m*, volumen *m*. ② 【물리】 =전기 에너지. 전기량. ③ ((준말)) =전기 용량. ④ ((준말)) =열용량(熱容量).

■ ~계 metro *m* de capacidad. ~ 계수 coeficiente *m* de capacidad. ~ 분석(分析)

analisis *m* volumétrico. ~ 분석법(分析法) volumetría *f.* ~ 전류 corriente *f* de capacidad. ~ 측정법 volumetría *f.*

용력(用力) empleo *m* de la fuerza espiritual [física]. ~하다 emplear la fuerza espiritual [física].

용력(勇力) fuerza *f* varonil, vigor *m* impertérrito.

용렬하다(庸劣一) (ser) mediocre, inferior, estúpido, tonto, bobo, torpe, ridículo. 용렬함 mediocridad *f*, medianía *f*, estupidez *f*, inferioridad *f*. 용렬한 사람 persona *f* torpe; mediocre *mf*. 용렬한 짓 desatino *m*, metedura *f* de pata, payasadas *fpl*.

용례(用例) ejemplo *m*. ~를 들다 dar [citar] un ejemplo.

■ ~ 사전 diccionario *m* de ejemplos.

용루(龍淚) lágrima *f* del rey.

용립(聳立) lo elevado, lo imponente. ~하다 elevar [levantar] alto.

용마(龍馬) caballo *m* bastante excelente.

용마루 caballete *m*.

■ ~ 기와 【건축】 teja *f* de caballete. ~ 높이 【건축】 altura *f* de caballete.

용마름 【건축】 cubierta *f* de un caballete.

용매(溶媒) 【화학】 disolvente *m*, solvente *m*. ~의 disolvente, solvente.

용맹(勇猛) bravura *f*, valor *m*, valentía *f*, coraje *m*. ~하다 (ser) intrépido, heroico, varonil, impávido, valiente, bravo, feroz (*pl* feroces), fiero, temerario, osado. ~한 이야기 cuento *m* heroico, historia *f* heroica. 화재가 있었을 때 그의 ~이 증명되었다 El dio prueba de su valor en medio del incendio.

용맹스럽다 (ser) guerrero, bélico, enardecedor. 용맹스런 나팔 소리 toque *m* guerrero de trompeta.

용맹스레 bélicamente, heroicamente, osadamente.

■ ~심 espíritu *m* intrépido, espíritu *m* valiente, voluntad *f* indomable.

용명(勇名) fama *f* (por *su* bravura), gran reputación *f*, gran fama *f*.

용명(溶明) 【영화】 fundido *m*, entrada *f* disuelta.

용모(容貌) fisonomía *f*, semblante *m*, facciones *fpl*, rasgos *mpl*, cara *f*, rostro *m*. ~가 깨끗한 bien formado, guapo, hermoso, gentil, donoso, ~가 야무진 호남자(好男子) cara *f* muy varonil. 가냘픈 ~ facciones *fpl* delicadas, rasgos *mpl* delicados. 매력적인 ~ rostro *m* encantador, cara *f* encantadora, facciones *fpl* atractivas, rasgos *mpl* atractivos. ~가 매우 아름다운 여인 mujer *f* de gran belleza personal. ~가 추한 사람 persona *f* fea, persona *f* poco agraciada. 미소가 그의 ~를 환하게 했다 Una sonrisa le iluminó el rostro.

용무(冗務) negocio *m* trivial.

용무(用務) negocio *m*, asunto *m*, empleo *m*. ~로 por [para] negocios. ~를 마치다 llevar a cabo [realizar · hacer] el negocio.

용법(用法) uso *m*, modo *m* de empleo, modo *m* de usar, cómo usar, manera *f* de usar; [용법서] instrucciones *fpl* (para uso · sobre el uso), indicaciones *fpl*; [응용] aplicación *f*. 보통의 ~ uso *m* común. 전치사의 ~ uso *m* de preposiciones. ~을 모르다 no saber cómo usar [manejar], desconocer el manejo (de). ~에 주의하다 tener mucho cuidado en el modo de empleo (de).

용변(用便) necesidades *fpl* (naturales). ~을 보다 hacer de vientre, hacer del cuerpo. ~을 보고 싶다 tener ganas de hacer de vientre, tener ganas de hacer del cuerpo, sentir la necesidad.

용병(用兵) táctica *f*, manipulación *f* de tropas. ~하다 manipular las tropas. ~의 táctico.

■ ~법 táctica *f*. ~술 táctica *f*, estrategia *f*. ~학 táctica *f*.

용병(勇兵) guerrero *m* bravo, soldado *m* valiente.

용병(傭兵) (soldado *m*) mercenario *m*.

용봉탕(龍鳳湯) *yongbongtang*, caldo *m* [sopa *f*] de gallo y carpa.

용부(勇夫) hombre *m* valiente, héroe *m*.

용부(庸夫) hombre *m* mediocre [estúpido].

용부(傭夫) (hombre *m*) empleado *m*.

용부(傭婦) (mujer *f*) empleada *f*.

용불용(用不用) el uso y el deuso.

■ ~설 teoría *f* de uso y deuso.

용비(冗費) gastos *mpl* inútiles.

용비(用費) =비용(費用).

용사(勇士) ① [용맹스런 사람] hombre *m* valiente, hombre *m* bravo, héroe *m*, guerrero *m*. ② =용병(勇兵).

용상(龍床) ((준말)) =용평상(龍平床).

용색(用色) unión *f* sexual, relaciones *fpl* sexuales. ~하다 tener relaciones sexuales (con).

용색(容色) semblante *m*.

용서(容恕) perdón *m*, excusa *f*, disculpa *f*, tolerancia *f*, remisión *f*. ~하다 perdonar, disculpar, excusar, dispensar, tolerar. ~할 수 있는 perdonable, disculpable, tolerable. ~할 수 없는 imperdonable, indisculpable, intolerable, inaguantable, implacable, desapiadado, riguroso, irremisible. ~하지 못하는 desapiadado, cruel, riguroso. ~를 빌다 pedir [implorar] perdón (por · de). ~해 주십시오 Perdóneme / Dispénseme / Discúlpeme / Excúseme. 다음에는 ~ 않겠다 La próxima vez no te perdono. 늦은 것을 ~하십시오 Haga el favor de perdonar mi tardanza. 이번만 ~하겠다 Te perdono sólo (por) esta vez. 이제는 ~할 수 없다 Yo no aguanto más / Se me acaba la paciencia / No tengo más paciencia / Me ha sacado de quicio.

용서 없다 no perdonar, no tolerar, no tener paciencia, no mostrar tolerancia.

용서 없이 sin perdón, implacablemente, sin reserva, rigurosamente, sin misericordia, cruelmente.

용석(熔石/鎔石) 【광물】 lava *f*, roca *f* volcánica.
용선(傭船) ① [선박을 운송용으로 차입하는 일] fletamento *m*, fletamiento *m*. ~하다 fletar (un barco), alquilar un barco. ~ 중이다 estar bajo el fletamento. ② [운송용으로 차입하는 선박] barco *m* fletado.
■ ~ 계약 (contrato *m* de) fletamento *m*. ~ 계약서 póliza *f* de fletamento, contrato *m* [póliza *f*] de flete. ~ 계약자 fletador, -dora *mf*. ~료 flete *m*. ~주(主) fletador, -dora *mf*.
용설란(龍舌蘭) 【식물】 agave *f*, pita *f*, maguey *m*, *AmL* henequén *m*.
용소(龍沼) taza *f* [fondo *m*] de una cascada.
용솟음(湧-) chorro *m*; [말의] torrente *m*; [감정・혈액의] efusión *f*. 애정의 ~ efusión *f* de afecto.
◆용솟음(을) 치다 chorrear. 기운이 ~ entusiasmarse, alentarse, animarse. 기운이 용솟음 치고 있다 estar muy animado [alentado・animoso]. 상처에서 피가 용솟음 치기 시작했다 La sangre comenzó a chorrear por la herida.
용수 colador *m*, filtro *m*.
◆용수(를) 지르다 poner el colador.
용수(用水) el agua *f* de uso, el agua *f* del aljibe
■ ~로(路) canal *m* de irrigación. ~지(地) alberca *f*. ~통 arca *f* [depósito *m*・cisterna *f*] de agua.
용수철(龍鬚鐵) muelle *m*, resorte *m*. ~ 장치의 que se mueve por resortes. ~ 장치로 por resorte. ~이 든 매트리스 colchón *m* (*pl* colchones) de muelles interiores.
■ ~저울 peso *m* de muelle, balanza *f* de muelle.
용숫바람 =회오리바람.
용신(容身) movimiento *m* del cuerpo. ~하다 moverse (el cuerpo). ~ 못하다 no poder moverse, no poder mover ni un paso.
용신(龍神) ((불교)) =용왕(龍王).
■ ~굿 ritual *m* del Dios del Dragón. ~제 festival *m* del Dios del Dragón.
용심 mal carácter *m*, perversidad *f*.
◆용심(을) 부리다 descargar *sus* celos [*su* envidia].
■ ~꾸러기 persona *f* maligna, persona *f* de mal carácter. ~쟁이 =용심꾸러기.
용심(用心) cuidado *m*. ~하다 tener cuidado.
용심지(-心-) mecha *f* de hilo [de papel・de piezas de tela].
용쓰다 ① [기운을 몰아 쓰다] animarse, alentarse. ② [힘을 들이어 괴로움을 억지로 참다] tolerar [soportar・aguantar] por la fuerza.
용안(容顔) =얼굴(cara, rostro).
용안(龍顔) cara *f* [rostro *m*] del rey.
용암(溶暗) fundido *m*, salida *f* disuelta.
용암(鎔巖/熔巖) 【지질】 lava *f*. ~을 분출하다 vomitar [emitar] lava. 분화구에서 ~이 분출한다 La lava brota del cráter.
■ ~굴[터널] curva *f* de lava. ~류(流) corriente *f* de lava, torrentes *fpl* de lava. ~층 capa *f* de lava.
용액(溶液) 【물리・화학】 solución *f*.
용약(勇躍) euforia *f*, júbilo *m*, exultación *f*. ~하다 exultar, regocijarse, hacer alto espíritu, animarse. ~하여 con valor, con ánimo, valientemente.
용약(踊躍) salto *m* de alegría, salto *m* de júbilo. ~하다 saltar de alegría [de júbilo].
용어(用語) palabra *f*, dicción *f*; [어휘] vocabulo *m*; [술어] términos *mpl*; [집합적] terminología *f*. ~의 선택 selección *f* de las palabras. ~에 주의하다 cuidarse de dicción. 예술의 ~는 현재 대중에게 이전보다는 더 알려져 있다 Los términos de las artes son en la actualidad menos ignorados del pueblo. 이 작가는 ~를 골라서 사용하고 있다 Este autor hace uso de términos escogidos.
◆관청 ~ términos *mpl* oficiales. 문법 ~ término *m* gramatical. 법률 ~ términos *mpl* legales. 전문(專門) ~ términos *mpl* técnicos. 학술(學術) ~ terminología *f* científica.
■ ~ 사전 diccionario *m* de términos, léxico *m*. ~집 vocabularios *mpl*.
용언(用言) palabra *f* conjugada.
용언(庸言) palabra *f* mediocre.
용역(用役) servicio *m*.
■ ~단 cuerpos *mpl* del servicio. ~불(弗) dólares *mpl* de servicios. ~ 산업 industria *f* de servicios. ~ 수출 exportación *f* de servicios.
용왕(龍王) ((불교)) Dios *m* [Rey *m*] del Dragón.
용왕매진(勇往邁進) avance *m* bravo. ~하다 avanzar bravamente, arrojar adelante.
용원(傭員) empleado *m* temporáneo.
용융(熔融/鎔融) fusión *f*, derretimiento *m*. ~하다 fundirse, derretirse.
■ ~점(點) 【물리・화학】 =녹는점.
용의(用意) preparativa *f*, precaución *f*, prevención *f*. ~하다 preparar, proveer.
용의(容疑) sospecha *f*. 살인 ~로 체포하다 arrestar [detener] bajo la sospecha de homicdia.
■ ~자(者) sospechoso, -sa *mf*; presunto autor *m*.
용의(容儀) =의용(儀容).
용의(庸醫) médico, -ca *mf* mediocre.
용의주도하다(用意周到-) (ser) prudente, cuidadoso, cauto, precavido, sagaz. 용의주도한 사람 persona *f* precavida.
용이하다(容易-) (ser) fácil, simple, sencillo. 용이함 facilidad *f*, sencillez *f*. 용이하게 하다 facilitar, allanar. 용이하지 않은 dificultoso, serio, grave, alarmente. 용이하지 않은 일 asunto *m* serio. 용이한 문제 problema *m* fácil, problema *m* simple, cuestión *f* sencilla. 그것은 용이한 일이다 Es cosa fácil de hacerlo. 그것은 용이한 일이 아니다 Es difícil [No es fácil] de hacer [de practicar]. 입으로 말하기는 ~ Es fácil

decir (con la boca). 이 책은 용이하게 입수할 수 있다 Podemos adquirir este libro fácilmente / Se puede hallar este libro sin dificultad.
용이히 fácilmente, con facilidad, sin dificultad.
용인(用人) empleo *m*. ~하다 emplear.
용인(容忍) tolerancia *f* y paciencia. ~하다 (ser) tolerante y paciente.
용인(容認) toleración *f*, consentimiento *m*, admisión *f*, asentimiento *m*; [허가] permiso *m*. ~하다 tolerar, consentir, admitir, asentir (a), dar consentimiento (a), permitir.
용인(庸人) ＝범인(凡人).
용인(傭人) empleado, -da *mf*.
용자(勇姿) apariencia *f* brava [valiente].
용자(容姿) comportamiento *m*, comporte *m*, presencia *f*, continente *m*, aire *m*, apariencia *f*, cara *f* y figura. 품위 있는 ~ figura *f* elegante. ~가 수려하다 tener buena presencia.
용자리(龍－) 【천문】 Dragón *m*.
용잠(龍簪) pasador *m* ornamental con la forma de la cabeza del dragón.
용장(勇將) general *m* bravo, gran soldado *m*. ~ 밑에 약졸(弱卒) 없다 Tal para cual / Tal para cual, Pedro para Juan / Tal para cual, Pascuala con Pascual.
용장(庸將) general *m* mediocre.
용장하다(勇壯－) (ser) bravo, heroico. 용장함 bravura *f*, heroísmo *m*. 용장한 이야기 historia *f* heroica, cuento *m* heroico. 용장한 행진곡 marcha *f* de un aire heroico.
용재(用材) materiales *mpl*, maderaje *m*, madera *f* de construcciones.
◆ 건축(建築) ~ materiales *mpl* para construcciones.
■ ~림(林) bosque *m* para materiales.
용재(庸才) habilidad *f* mediocre, mediocridad *f*, talento *m* mediocre.
용재(鎔滓) ＝광재(鑛滓).
용적(容積) [용량(容量)] capacidad *f*, cabida *f*; [체적(體積)] volumen *m*. ~을 재다 medir la capacidad. 이 병의 ~은 2리터이다 Esta botella tiene la capacidad de dos litros.
◆ 입방(立方) ~ capacidad *f* cúbica.
■ ~량 capacidad *f*, medida *f* cúbica. ~률 ratio *m* del área de suelo. ~ 톤 tonelada *f* de arqueo, tonelada *f* de cubicación.
용전(用錢) ＝용돈.
■ ~여수(如水) dinero *m* para gastos personales como el agua. ~하다 gastar dinero como el agua.
용점(鎔點) 【물리·화학】 ＝녹는점.
용접(容接) recibimiento *m*, acogida *f*, entrevista *f*. ~하다 recibir.
용접(鎔接) soldadura *f*, soldeo *m*. ~하다 soldar. 수도관(水道管)이 아직 ~되지 않았다 Todavía no han soldado la cañería. 배관공은 납과 주석의 ~을 사용한다 Los plomeros usan la soldadura de plomo y estaño.
◆ 가스 ~ soldadura *f* autógena. 사면(斜面) ~ soldadura *f* a solapa. 전기(電氣) ~ soldadura *f* eléctrica.
■ ~ 계수 coeficiente *m* de soldadura. ~공 soldador, -dora *mf*. ~공용 안경 cristales *mpl* inactínicos para soldadores. ~기 soldadora *f*. ~ 기술 técnica *f* del soldeo. ~대 banco *m* para soldar. ~대판 bancada *f* soldada. ~ 도금(鍍金) recrecimiento *m* con soldadura. ~로 forja *f* para soldar. ~물 construcción *f* soldada, pieza *f* soldada. ~법 proceso *m* de soldadura. ~봉 varilla *f* para soldar, electrodo *m* infungible. ~불 forja *f* de soldar. ~ 섀시 chasis *m* soldado. ~용 인두 soldador *m*. ~제 fundente *m* para soldar.
용제(溶劑) disolvente *m*, fundente *m*.
용졸하다(庸拙－) (ser) torpe, patoso, estúpido. 용졸함 torpeza *f*, estupidez *f*.
용지 antorcha *f*, tea *f*.
용지(用地) terreno *m* (reservado); [건설용 공터] solar *m*. ~를 선정하다 seleccionar [escoger] un solar.
◆ 건축(建築)~ solar *m* para construcciones. 군(軍)~ reserva *f* militar, terreno *m* para el uso militar. 농업(農業) ~ tierras *fpl* de labranza, terreno *m* para el uso agrícola. 목장(牧場) ~ tierra *f* de pastoreo, pradera *f*. 주택(住宅) ~ solar *m* de viviendas. 철도(鐵道) ~ terreno *m* (reservado) para ferrocarril.
용지(用紙) formulario *m*, papel *m* en blanco, *AmL* planilla *f*. ~에 기입하다 rellenar el formulario.
◆ 원고(原稿) ~ cuartilla *f*. 전보(電報) ~ formulario *m* de telegrama. 주문(注文) ~ formulario *m* de pedidos.
용지판(－板) 【건축】 revestimiento *m* de paneles de madera, boiserie *f*.
용진(勇進) avance *m* bravo. ~하다 avanzar bravamente.
용질(溶質) soluto *m*, solvente *m*.
용집 mancha *f* de sudor en los calcetines.
용처(用處) lugar *m* de usar.
용출(湧出) borbotón *m*, chorro *m*; [화산(火山)의] erupción *f*. ~하다 salir a borbotones, salir a chorros, manar a chorros; [화산·간헐 온천이] entrar en erupción, hacer erupción. ~하는 물 el agua *f* manante [manantía]. ~하는 샘 pozo *m* manantío, pozo *m* manante. 그의 상처에서 피가 ~했다 Le manaba la sangre de la herida. 바위에서 샘이 ~하고 있었다 De la roca manaba una fuente.
용출(溶出) 【화학】 flujo *m*. ~하다 fluir.
■ ~액 vertidos *mpl*.
용출(聳出) lo elevado, lo imponente. ~하다 descollar (sobre), ser mucho más alto (que).
용춤 halago *m*, adulación *f*.
◆ 용춤(을) 추다 dejarse adular, dar [prestar] oídos a las palabras lisonjeras.
◆ 용춤(을) 추이다 engatusar [camelar] para que hacer, halagar, adular.

용태(容態) condición *f* de un paciente. ～가 좋다 estar bien, estar bueno.
용퇴(勇退) retirada *f* [dimisión *f*·jubilación *f*] voluntaria. ～하다 retirarse [dimitir·jubilarse] voluntariamente [triunfantemente·como vencedor]; [자발적으로] resignar voluntariamente.
용통하다 (ser) insensible, inconsciente, estúpido, torpe, tonto.
용트림 eructo *m* hecho a propósito. ～하다 eructar a propósito.
용틀림(龍一) pintura *f* [grabado *m*] del dragón en el edificio, decoraciones *fpl* del dragón.
용품(用品) artículos *mpl*, utensilios *mpl*.
◆가정 ～ artículos *mpl* de domésticos. 부엌 ～ utensilios *mpl* de la cocina. 사무 ～ artículos *mpl* de la oficina. 일상 ～ lo necesario del uso diario. 학교 ～ artículos *mpl* escolares. 화학 실험 ～ juego *m* de química.
용품(庸品) ① [품질이 낮은 물건] artículo *m* de calidad inferior. ② [낮은 품계(品階)] rango *m* inferior.
용하다 ① [재주가 뛰어나고 특이하다] (ser) hábil, diestro. 용한 의사 médico *m* diestro, médica *f* diestra. ② [갸륵하고 장하다. 착하고 훌륭하다] (ser) bueno y excelente. ③ [순하고 용렬하다] (ser) dócil y estúpido.
용히 hábilmente, con habilidad, maravillosamente, magníficamente, espléndidamente, admirablemente, de forma admirable, sumamente, extraordinamente.
용합(溶合) fusión *f*. ～하다 fundirse, derretirse, mezclarse. 두 가지 색이 하나로 ～한다 Los dos colores se funden en uno.
용해(溶解) ① [액체에 의한] disolución *f*, solución *f*. ～하다 disolver, licuar, liquidar, desleír. ～되다 disolverse. 물은 소금을 ～한다 El agua disuelve la sal. 가솔린은 지방(脂肪)을 ～한다 La gasolina disuelve la grasa. ② [열에 의한] fundición *f*, derretimiento *m*. ～하다 fundir, derretir, deshacer. ～되다 fundirse, derretirse. 일광(日光)이 눈을 ～한다 El sol derrite [deshace] la nieve.
◆기계적(機械的) ～ solución *f* mecánica. 화학적 (化學的) ～ solución *f* química.
■～도(度) solubilidad *f*, temperatura *f* de fusión. ～로(爐) horno *m* de fusión. ～성 solubilidad *f*. ～ 속도(速度) velocidad *f* de disolución. ～액 solución *f*. ～열 calor *m* de disolución. ～점 punto *m* de fusión. ～제 disolvente *m*. ～질 ＝용질(溶質).
용해(龍一) 【민속】 el Año del Dragón.
용해(鎔解) derremiento *m*, fundición *f*. ～하다 derretirse, fundirse.
■～로 horno *m* de fusión. ～성 fusibilidad *f*. ～ 점 punto *m* de fusión.
용호(龍虎) ① [용과 범] el dragón y el tigre. ② [역량이 비슷한 두 영웅] dos héroes, dos gigantes.
■～상박 lucha *f* entre dos gigantes, lucha *f* de buena pareja, diamante *m* contra diamante, cuando griego encuentra griego, entonces vienen contienda de tiro de cuerda en que los contrincantes tiran los extremos de una cuerda en direcciones opuestos.
용화(熔化/鎔化) fusión *f*, derremiento *m*, fundente *m*, licuafacción *f*, licuación *f*. ～하다 fundir, licuar. 금속(金屬)의 ～ fusión *f* de metales.
용훼(容喙) ingerencia *f*, interposición *f*, intervención *f*, mediación *f*. ～하다 ingerir, interponerse, meterse, intervenir, entremeterse.
우 [많은 떼가 일시에 몰려오거나 몰려가는 모양] a toda prisa, de repente. ～ 몰려 올라가다 [내려가다] subir [bajar] corriendo [a todo correr·a toda prisa].
우(右) derecha *f*. ～측 통행(側通行) ((게시)) Mantenga su derecha. ～로 나란히! ¡Alineación, derecha!
우(羽) 【음악】 *u*, una de la escala pentatónica coreana.
우(優) excelencia *f*, superioridad *f*; [평점] excelente, A; [논문에 대해] mención *f* honorífica. ～를 받다 sacar [tener] excelente.
우각(牛角) cuerno *m* de toro.
우각(優角) 【수학】 ángulo *m* mayor.
우간다 【지명】 Uganda *f*. ～의 ugandés.
■～ 사람 ugandés, -desa *mf*.
우거(寓居) ① ㉮ [임시로 몸을 부쳐 삶] vida *f* temporaria [temporánea]. ～하다 vivir [morar·habitar·residir] temporariamente [temporalmente]. ㉯ [임시로 몸을 부쳐 사는 집] residencia *f* temporaria [temporánea]. ② [자기의 주거(住居)를 낮추어 이르는 말] mi humilde residencia, mi humilde casa.
우거지 ① [푸성귀의 위 껍데기] *ukeochi*, hojas *fpl* exteriores de repollos [de otras verduras]. ② [새우젓·김치 등의 위쪽에 두는 품이 낮은 것] *ukeochi*, lo seco y lo de mal gusto de la capa superior de la vasija de las gambas o los encurtidos.
■～상(相) cara *f* avinagrada, cara *f* de vinagre, ceño *m* fruncido, sobrecejo *m*, semblante *m* ceñudo [enfadado·disgustado·emperrado], mueca *f*. ¶～을 하다 fruncir el ceño, fruncir el entrecejo, torcer el gesto (por), poner mala cara, ponerse ceñudo, poner mal gesto, hacer una mueca, enfurruñarse. 그녀는 ～을 하고 있었다 Ella tenía el ceño fruncido. 그는 우리에게 ～을 했다 El nos puso cara de pocos amigos. 그녀는 저녁 식사 내내 ～을 하고 앉아 있었다 Ella estuvo con ceño fruncido toda la cena.
우거지다 darse bien, crecer bien, crecer en abundancia, darse en abundancia, crecer frondoso [lozano·exuberante·espeso·en abundancia], cubrir (con plantas·con hierbas). 숲이 우거진 곳 espesura *f*, lugar

m frondoso. 우거진 정원 jardín *m* (*pl* jardines) lleno de maleza. 잡초로 우거진 정원 jardín *m* (*pl* jardines) cubierto [lleno] de mala hierba. 길을 따라 풀이 우거져 있다 La hierba crece frondosa [espesa] a lo largo del camino.

우걱뿔 cuerno *m* arqueado.
▪ ~이 buey *m* con cuerno arqueado.

우겨대다 insistir (en), mantener, sostener, mantenerse (en), persistirse (en), perseverar (en). 자신의 의견을 ~ mantener [sostener] *su* opinión. 그는 그 안(案)이 부결되어야 한다고 우겨대고 있다 El insiste en que la proposición debe ser rechazada. 그녀는 내가 즉시 돌아오라고 우겨대고 있다 Ella insiste en que yo vuelva en seguida. 그는 자신은 결백하다고 우겨댄다 El insiste en su inocencia.

우격다짐 prepotencia *f*, arbitrariedad *f*, compulsión *f* fuerte, compulsión *f* violenta, coerción *f*. ~하다 obligar [precisar] por fuerza. ~의 autoritario, dominante, imperativo, imperioso. ~으로 fuertemente, forzadamente, violentamente, por fuerza, autoritariamente, imperativamente, imperiosamente.

우격으로 arbitrariamente, prepotentemente, contra *su* voluntad, por la fuerza.

우견(愚見) *su* opinión, *su* parecer. ~으로는 en mi opinión, a mi parecer, desde mi punto de vista.

우경(右傾) viraje *m* [inclinación *f*] a [hacia] la derecha. ~하다 inclinarse a la derecha, dar vueltas a derecha, virar hacia la derecha.
▪ ~ 운동 movimiento *m* de derechas. ~파 derechista *mf*, extremo *mf* derechista, el ala *f* (*pl* las alas) derecha. ~ 학생 estudiante *mf* derechista. ~화(化) inclinación *f* derechista.

우계(雨季) =우기(雨期).

우계(愚計) proyecto *m* estúpido.

우곡하다(迂曲—) (ser) serpentino.

우곡하다(紆曲—) torcer, retorcer, ir en zigzags, zigzaquear.

우골(牛骨) hueso *m* de la vaca.

우공(牛公) vaca *f*, buey *m*, toro *m*.

우구(雨具) =우비(雨備).

우구(憂懼) la preocupación y el temor. ~하다 preocuparse y temer.

우국(憂國) patriotismo *m*.
▪ ~단충(丹忠) lealtad *f* verdadera del corazón. ~지사 patriota *mf*. ~지심 corazón *m* de preocuparse por el asunto nacional. ~지정 patriotismo *m*, espíritu *m* público, *espíritu m patriótico*. ~충정(衷情) *su* patriotismo intenso.

우군(友軍) fuerzas *fpl* amigas, ejército *m* aliado.

우군(右軍) ((준말)) =우익군.

우그러뜨리다 hundir, hacer cóncavo, abollar.

우그러지다 hundirse, abollarse. 우그러진 hundido, hueco, cóncavo. 냄비가 우그러져 있다 Está abollada la cacerola. 충돌로 차체(車體)가 우그러졌다 Se abolló la carrocería por el choque.

우그르르[1] [깊은 그릇의 물이 끓어오르는 소리나 모양] a la deriva. ~ 떠 있다 flotar a la deriva.

우그르르[2] [벌레 따위가 들끓는 모양] hormigueando, pululando.

우그리다 hundir, hacer cóncavo, abollar.

우글거리다 hormiguear, pulular.
우글우글 en enjambre, a manadas, hormigueando, pululando, bullendo. ~하다 bullir, hormiguear, pulular. 돌이 ~한 길 camino *m* pedregoso. 광장에 사람이 ~ 모여 있다 La plaza es un hormiguero de la gente / La plaza hierve de gente. 개미가 설탕에 ~하다 Las hormigas se apiñan en torno al azúcar.

우글다 ser abollado, ser hecho una marca (en).

우글부글 bullendo, burbujeando, hirviendo a fuego lento. ~하다 bullir, burbujear, hervir a fuego lento.

우글쭈글 arrugado, abollado. ~하다 arrugarse, abollarse.

우금 valle *m* estrecho y empinado con la corriente rápida.

우금(于今) hasta ahora.

우긋하다 estar curvado hacia adentro.
우긋이 curvando hacia adentro.

우기(右記) mención *f* arriba. ~의 arriba mencionado.

우기(雨氣) indicio *m* de lluvia.

우기(雨期) temporada *f* [estación *f*·época *f*] de (las) lluvias; [7월·9월의] invernazo *m*. ~가 시작된다 Empieza la temporada de lluvias. 벌써 ~에 접어든 것 같다 Parece que ya hemos entrado [ya estamos] en la temporada de lluvias.

우기다 insistir (en), mantener, sostener, mantenerse (en), persistir (en), perseverar (en). 자신의 의견을 ~ mantener [sostener] *su* opinión. 그녀는 자신의 결백을 우기고 있다 Ella insiste en su inocencia.

우김성(—性) terquedad *f*, testarudez *f*, obstinación *f*, tozudez *f*. ~이 많다 (ser) empecinado, testarudo, obstinado, terco, tozudo.

우내(宇內) todo el mundo, universo *m*, cosmos *m*.

우는살 flecha *f* con la cabeza de la forma del nabo.

우는소리 queja *f*, *AmL* reclamo *m*, quejido *m*, gemido *m*, lamento *m*, lamentación *f*. ~하다 quejarse, reclamar, gemir, gimotear, lloriquear, lamentarse, murmurarse, gruñir, dolerse. ~하지 마라 No te quejes.

우닐다 ① [시끄럽게 울다] llorar con mucho ruido. ② [울고 다니다] ir llorando.

우단(羽緞) terciopelo *m*. ~ 제품의 de terciopelo. ~ 같은 terciopelado, aterciopelado.

우담(牛膽) hiel *m* de la vaca.

우당(友黨) partido *m* amigo.

우당(右黨) partido *m* político derechista.

우당탕 con un ruido sordo, con un baque, con un sonido ligero, con un ruido pesado, ruidosamente, de rondón, atropelladamente, atroche moche, pesadamente, con un golpe pesado. ~ 떨어지다 caer [chocar] con un golpe [ruido] sordo, caer(se) pesadamente, caer(se) con un golpe pesado. ~ 떨어뜨리다 dejarse caer con un ruido sordo. 그는 ~ 마루에 넘어졌다 El cayó al suelo con un ruido sordo. 나는 그가 계단을 ~ 오르는 소리를 들었다 Le oí subir pesadamente las escaleras.

우당탕퉁탕 con un ruido sordo. ~하다 dejarse caer.

우대(優待) tratamiento *m* [trato *m*] especial [cordial · generoso · cortés], buena acogida *f*, bienvenida *f*, hospitalidad *f*, predilección *f*, servicio *m* especial. ~하다 tratar cordialmente [con predilección], recibir con agasajo [con buena acogida], dar la bienavenida, recibir hospitaliamente. ~를 받다 ser tratado afectuosamente, ser recibido con buena acogida.

■ ~권(券) invitación *f*, billete *m* de regalo [de obsequio], billete *m* [*AmL* boleto *m*] por el cual se dan servicios especiales.

우도(友道) normas *fpl* de amistad.

우두(牛痘) 【의학】 vacuna *f*, vacunación *f*, vaccinación *f*. ~를 놓다 vacunar, inocular las vacunas.

■ ~ 바이러스 virus *m* de vacuna. ~ 백신 vacuna *f*. ~ 자국 marca *f* de vacunación. ~ 증명서 certificado *m* de vacunación.

우두덩거리다 caerse con mucho ruido.

우두덩우두덩 con mucho ruido.

우두둑 crujiendo.

우두둑거리다 crujir.

우두둑우두둑 crujiendo, chiquechaque. ~ 먹다 comer crujiente. 그것을 씹을 때 ~ 소리가 난다 Al mascarlo, produce un ruido rechinante.

우두망찰하다 ponerse nervioso, aturullarse, confundirse, estar perplejo, no saber cómo hacer.

우두머리 ① [물건의 꼭대기] [높은 부분] parte *f* superior, parte *f* de arriba; [산의] cima *f*, cumbre *f*, cúspide *f*; [나무의] copa *f*. ② [단체의 두령] jefe, -fa *mf*; líder *mf*, dirigente *mf*; director, -tora *mf*; [정계(政界)의] cacique *mf*; [반도(叛徒)· 갱의] cabecilla *mf*; jefe, -fa *mf*. ~가 되다 ir a la cabeza, encabezar, dirigir a los otros.

우두커니 distraídamente, cruzado de brazos. ~ 서 있다 quedarse cruzado de brazos. 그는 창가에 ~ 서 있었다 El se quedaba cruzado de brazos a la ventana.

우둔우둔하다 (el corazón) latir fuertemente [con fuerza].

우둔하다(愚鈍—) (ser) estúpido, lerdo, tonto, torpe, necio, bobo, idiota, imbécil, memo. 우둔함 estupidez *f*, imbecilidad *f*, necedad *f*, bobería *f*, torpeza *f*. 우둔하게 con estupidez, neciamente, de una manera tonta, tontamente, idiotamente. 우둔한 사람 persona *f* estúpida [tonta]; tonto, -ta *mf*; necio, -cia *mf*; bobo, -ba *mf*.

우둘우둘하다 (ser) fibroso, con mucho cartílago.

우둥퉁하다 (ser) rollizo, gordo, corpulento, regordete.

우듬지 copa *f* de árbol.

우등(優等) ① [훌륭하게 빼어난 등급] grado *m* superior. ~의 superior, de superior clase. ② [성적이 높은 등급] excelencia *f*, superioridad *f*. ~의 excelente, sobresaliente, superior. ~으로 졸업하다 graduarse con mención honorífica, terminar brillantemente *sus* estudios.

■ ~상(賞) [학교의] premio *m* de excelencia, premio *m* de honor; [콩쿠르 등의] premio *m* de honor. ~ 상장 diploma *m* de honores, certificado *m* honorario, certificado *m* de mérito. ~생 alumno, -na *mf* sobresaliente [excelente]; estudiante *mf* sobresaliente [excelente]

우뚝 ① [높이 솟은 모양] alto, en alto, en lo alto, arriba, prominentemente. ~하다 (ser) alto, majestuoso. ~ 솟은 despeñaero. ~한 코 nariz *f* (*pl* narices) prominente. 하늘에 ~ en lo alto del cielo. 구름 위로 ~ 솟은 산들 las montañas que se yerguen sobre las nubes. ~ 솟아 있다 levantarse, erguirse, alzarse. 놀라 ~ 서다 estremecerse de sorpresa; [말이] encabritarse. 멍청하게 ~ 서 있다 quedarse plantado distraídamente. 큰 바위가 ~ 솟아 있다 Se alza una abrupta pena. 탑이 그 도시 위에 ~ 솟아 있었다 La torre se erguía [se alzaba] por encima de la ciudad. 산이 내 앞에 ~ 솟아 있었다 La montaña se alzaba ante mí. ② [남보다 뛰어난 모양] eminentemente, prominentemente, extraordinariamente.

우뚝우뚝 (en) alto, altísimo, elevado, imponente.

우뚝이 alto, elevadamente, prominentemente.

우라늄 【화학】 uranio *m* (U, Ur).

◆ 농축(濃縮) ~ uranio *m* enriquecido. 천연(天然) ~ uranio *m* natural.

■ ~광 uranita *f*, yacimiento *m* de uranio. ~원자로 reactor *m* de uranio.

우라닐(영 *uranyl*) 【화학】 uranilo *m*.

우라질 ¡Caramba! / ¡Carambita! / *ReD* ¡Coño!

우락부락 ① [몸집이 크고 얼굴이 험상한 모양] siniestramente, ferozmente, fieramente, macabramente. ~하다 (ser) macabro, siniestro, feroz, fiero, de facciones duras. ~하게 생긴 사나이 hombre *m* siniestro. ② [행동이나 말이 난폭한 모양] groseramente, descortésmente, ásperamente, roncamente, con aspereza. ~하다 (ser) maleducado, grosero, descortés, áspero, ronco, brutal, bruto, violento, rudo, brusco, basto, poco educado, agresivo, impetuoso. ~하게 brutalmente, rudamente, con brusquedad, con rudeza. ～ 말하다 hablar groseramente. comportarse groseramente. 그는 성격이 ～하다 El es un hombre de carácter violento.

우란(독 *Uran*) uranio *m*.

우랄 【지명】 Ural.
■～ 산맥 los Urales, los montes Urales. ～알타이 ¶～의 uralaltaico, uraloaltaico. ～알타이 어족 uraloaltaica *f*. ～ 어족(語族) familia *f* urálica.

우람스럽다 (ser) imponente.
우람스레 imponentemente.

우람지다 ＝우렁차다.

우람하다 (ser) imponente, impresionante, magnífico, espléndido, majestuoso. 우람함 majetuosidad *f*, grandiosidad *f*, magnificencia *f*, esplendor *m*. 우람하게 majetuosamente, magníficamente, espléndidamente. 우람한 경치 paisaje *m* magnífico [espléndido], vista *f* magnífica [espléndida]. 우람한 저택(邸宅) mansión *f* magnífica.

우량(雨量) ＝강우량(降雨量). ¶8월의 총 ～ precipitación total caída en el mes de agosto. 어제의 ～은 40밀리미터였다 Ayer hubo una precipitación de cuarenta milímetros.
■～계 pluvímetro *m*, pluviómetro *m*, udómetro *m*, hietómetro *m*. ～도(圖) hietógrafo *m*, pluviógrafo *m*, mapa *m* pluviométrico, pluviograma *m*. ～ 측정 hietometría *f*, pluviometría *f*. ～학 hietografía *f*, pluviografía *f*.

우량(優良) excelencia *f*, superioridad *f*. ～하다 (ser) excelente, superior, bueno, escogido; [질이] de calidad superior, de mejor calidad; [종자가] de casta superior; [말이] de pura sangre, de raza; [그레이하운드가] de raza; 【경제】 de primera clase, de primer orden.
■～ 고객 cliente *mf* de primer orden. ～공(工) operario *m* cualificado, operaria *f* cualificada. ～ 교사 maestro, -tra *mf* competente. ～ 도서 libros *mpl* excelentes. ～ 동물 animal *m* de raza. ～마 pura sangre *mf*, caballo *m* de pura sangre. ～ 산업주 valores *mpl* industriales de primera clase. ～ 성적 resultado *m* excelente. ～아 niño, -ña *mf* ideal [superior]; niño *m* físicamente perfecto, niña *f* físicamente perfecta. ～어음 buena letra *f*. ～ 유가 증권 valores *mpl* de primera clase. ～종 pura raza *f*. ～주 acciones *fpl* de primer orden, acciones *fpl* de toda confianza. ～ 증권 valor *m* de primera clase. ～품 producto *m* excelente, producto *m* de buena calidad.

우러나다 salir. 천의 빛깔이 ～ salir el tinte de la tela.

우러나오다 surgir, nacer. 진심에서 우러나온 감사 gracias *fpl* cordiales. 진심에서 우러나온 친절 amabilidad *f* cordial.

우러러보다 ① [높은 데를 쳐다보다] mirar, mirar [ver] hacia arriba, levantarse los ojos [las cejas]. 하늘을 ～ mirar al cielo. ② [앙모(仰慕)하다] admirar, respetar. 스승으로서 ～ respetar como maestro. 나는 항상 내 삼촌을 우러러보았다 Yo siempre he admirado [respetado] a mi tío.

우러르다 ① [고개를 의젓이 쳐들다] levantar su cabeza. ② [공경하는 마음을 가지다] respetar, admirar.

우러리 tapa *f* de mimbre, tapa *f* trenzada.

우럭우럭 ① [불기운이 세게 일어나는 모양] llameando, en llamas. ② [주기가 얼굴에 나타나는 모양] ruborizándose [sonrojándose · poniéndose colorado] con borrachera [con embriaguez].

우렁쉥이 【동물】 ＝멍게.

우렁우렁 estruendosamente, ruidosamente, con ruido sordo, con gran estruendo. ～하다 hacer un ruido sordo, retumbar. 트럭이 ～ 지나갔다 Un camión pasó con gran estruendo.

우렁이 【동물】 caracol *m* (del río).

우렁잇속 inescrutabilidad *f*, impenetrabilidad *f*, hermetismo *m*. ～ 같다 (ser) inescrutable, impenetrable, incomprensible, insondable, inconmensurable.

우렁차다 gritar en voz alta, dar un grito en voz alta. 우렁찬 목소리 voz *f* resonante. 우렁차게 외치다 gritar heroicamente, lanzar un grito de guerra.

우레[1] [천둥] trueno *m*. ～가 울리다 tronar. ～와 같은 박수(소리) salva *f* de aplausos. 그 말에 ～와 같은 박수가 터졌다 Esas palabras levantaron una salva [una tempestad] de aplausos.
■～ㅅ소리 trueno *m*. ¶～가 나다 tronar, retumbar el trueno. ～가 난다 Truena.

우레[2] [꿩사냥 때 장끼 소리처럼 내어 암꿩을 부르는 물건] silbato *m* usado para atraer a la faisana.
◆우레(를) 켜다 imitar la llamada de la faisana.

우레탄(영 *urethane*) ① 【화학】 uretano *m*. ② ((준말)) ＝우레탄 수지(樹脂).
■～ 수지 resina *f* de uretano.

우려(憂慮) preocupación *f*, inquietud *f*, ansiedad *f*, ansia *f*, pena *f*, intranquilidad *f*, angustia *f*. ～하다 angustarse, apurarse, ponerse ansioso, inquietarse (de · por), preocuparse (por · de), temer, sentir ansiedad (por), atormentarse (de · por). ～할 만한 사태다 La situación es muy grave [seria] / El asunto está en una situación deplorable. 나는 그의 장래를 ～한다 Me preocupo de [por] su porvenir.

우려내다 ① [달래거나 청해서 금품을 억지로 얻어 내다] hacer chantaje (a). 돈을 ～ mendigar dinero, sacar de gorra dinero. 친구한테서 담배를 ～ mendigar [sacar de gorra] unos cigarrillos a un amigo. ② [물건을 물에 담가 그것의 성분 · 맛 · 빛 등을 풀어서 내다] reducir, extraer. 끓여 맛을 ～ reducir [extraer] por cocción, hacer un cocimiento (de). 쓴 맛을 ～ reducir [extraer] el sabor amargo.

우려먹다 ① [재탕·삼탕으로 여러번 우려내어 먹다] tomar extrayendo la medicina coreana por cocción dos o tres veces. ② [위협하다가 달래다 가하여 남의 물건을 억지로 빼앗아 먹다] hacer chantaje. ☞우려내다❶

우력(偶力)【물리】=짝힘.

우련하다 (ser) tenue, débil, oscuro, obscuro, vago, neblinoso, brumoso. 모습이 안개 속에서 우련하게 나타났다 La figura surgió de entre las tinieblas. 산이 우리의 앞에 우련하게 나타났다 La montaña se erguía [se alzaba] imponente ante nosotros.

우로(雨露) la lluvia y el rocío.
■ ~지택(之澤) ㉮ [넓고 큰 임금의 은혜] gran favor *m* del rey. ㉯ [이슬과 비의 은혜] favor *m* del rocío y de la lluvia.

우로봐(右-) ((구령)) ¡Vista a la derecha!

우론(愚論) ① [어리석은 의론(議論)] argumento *m* disparatado, opinión *f* absurda, opinión *f* estúpida. ~을 펴다 expresar *su* opinión estúpida. ② [자기 논설이나 견해(見解)의 겸칭] mi opinión (humilde), mi parecer.

우롱(愚弄) mofa *f*, burla *f*, irrisión *f*, ridículo *m*, befa *f*, escarnio *m*. ~하다 mofar(se) (de), burlarse (de), hacer mofa (de), hacer burla (de), ridiculizar, poner en ridículo, hacer el ridículo, befar, escarnecer. ~하는 듯한 burlador, burlón. 다른 사람의 불행을 ~하지 마라 No te burles de las desgracias de otro. 그 어리석은 정치가들은 국민을 ~하였다 Los políticos estúpidos se burlaron del pueblo.

우료(郵料) ((준말)) =우편 요금.

우루과이【지명】=우루구아이.

우루구아이【지명】el Uruguay. ~의 uruguayo. ~ 사람 uruguayo, -ya *mf*.

우르르 ① [사람이나 짐승이 무리지어 바쁘게 몰려다니는 모양] en tropel. ~ 밀어닥치다·몰려들다 entrarse (todos juntos) (en), precipitarse (todos juntos) (a), lanzarse (todos juntos) (a). ~열차에 오르다 subir al tren en tropel. 학생들이 교실에 ~ 들어갔다 Los alumnos han entrado en la clase en tropel. ② [물이 끓어오르거나 쏟아지는 소리] hirviendo a fuego lento. 물이 ~ 끓고 있다 El agua está hirviendo. ③ [쌓였던 물건이 무너지는 소리] desplomado. ~ 넘어지다 caer desplomado. ④ [천둥치는 소리] con ruido sordo, con estruendo. 천둥소리가 먼 데서 ~ 났다 El trueno retumbó en la distancia.

우리[1] [짐승을 가두어 두는 곳] [조류·동물의] jaula *f*; [양의] redil *m*, aprisco *m*; [소의] corral *m*. ~에 든 호랑이 tigre *m* enjaulado. ~에 넣다 enjaular. ~에 가두다 encerrar, cercar. 사자를 ~에 집어넣다 meter un león en la jaula, enjaular un león. 돼지~ pocilga *f*, *AmL* chiquero *m*.

우리[2] [기와를 세는 단위] *uri*, dos mil (tejas).

우리[3] [자기나 자기 무리를 대표하여 스스로 일컫는 말] nosotros, -tras. ~의 nuestro, -tra, -tros, -tras. ~를, ~에게 nos, a nosotros. ~의 것 el nuestro, la nuestra, los nuestros, las nuestras, lo nuestro. ~자신 nosotros mismos, nosotras mismas. ~ 집 nuestra casa. ~나라 nuestro país. ~ 한국 사람 nosotros, los coreanos. ~ 동양 사람 nosotros, los orientales.
■ ~말 *hangul m*, coreano *m*, lengua *f* coreana, idioma *m* coreano. ~ 집사람 mi esposa, mi mujer.

우리다[1] [더운 볕이 직사(直射)하다] entrar a raudales. 햇빛이 창문으로 우렸다 El sol entraba a raudales por la ventana.

우리다[2] ① [물건을 물에 담가 그 잡맛이나 성분이 우러나게 하다] reducir, extraer. 끓여 맛을 ~ reducir [extraer] por cocción, hacer un cocción (de). 쓴맛을 ~ extraer el sabor amargo por cocción. ② [달래거나 청해서 무엇을 억지로 얻다] hacer chantaje, sacar de gorra, usurpar, arrebatar, sacar, extraer. 금품을 ~ sacar de gorra el dinero. A에게서 돈을 ~ extorsionar a A. 그는 그들에게서 돈을 더 우리려고 애썼다 El trató de sacarles más dinero. ③ [힘주어 때리다] pegar*le* [dar*le*] una bofetada a *uno* fuerte, dar*le* un golpe fuerte a *uno*, *AmL* dar*le* una cachetada fuerte a *uno*, abofetar*le* a *uno* fuerte.

우마(牛馬) la vaca y el caballo. ~처럼 혹사하다 hacer trabajar como (a) una bestia.
■ 우마가 기린 되랴 ((속담)) No es el diablo tan feo como lo pintan / No es tan fiero el león como lo pintan.
■ ~차 coches *mpl*.

우매하다(愚昧-) (ser) estúpido, tonto, torpe, bobo, necio, memo, mentecato, imbécil. 우매함 estupidez *f* (y ignorancia), insensatez *f*, torpeza *f*, necedad *f*, mentecada *f*. 우매한 짓 locura *f*. 우매한 백성을 선동하다 instigar a la muchedumbre. 우매한 사람들을 계몽하다 ilustrar al ignorante. 그것은 진짜 우매한 짓이었다 Fue una auténtica locura.

우맹(愚氓) =우민(愚民).

우먼 파워(영 *woman power*) poder *m* de la mujer, labor *f* de la mujer.

우멍거지 =포경(包莖).

우멍하다 (ser) hundido. 우멍한 그릇 vasija *f* hundida.

우모(羽毛) ① [깃과 털] la pluma y el pelo. ② [깃털] pluma *f*, [집합적] plumaje *m*.

우무 =한천[1](寒天).

우묵하다 (ser) hueco, hundido. 우묵한 눈 ojos *mpl* hundidos. 우묵한 땅 hondonada *f*, hondón *m* (*pl* hondones), tierra *f* hundida. 우묵한 볼 mejillas *fpl* hundidas. 우묵해지다 abollarse, sumirse, hundirse. 그는 피곤하여 눈이 우묵하게 들어가 있다 El tiene los ojos hundidos por el cansancio.

우문(愚問) cuestión *f* estúpida.
■ ~우답(愚答) diálogo *m* estúpido. ~현답(賢答) respuesta *f* sabia a la cuestión estúpida.

우물 pozo *m*, aljibe *m*; ((성경)) pozo *m*,

cisterna *f.* 땅을 깊이 판 ~ pozo *m* artesiano. ~ 파는 인부(人夫) pocero *m*. ~을 파다 hacer [cavar · perforar] un pozo. ~에서 물을 푸다 sacar agua de un pozo.

■ 우물에 가 숭늉 찾겠다 ((속담)) El buscar el agua caliente bajo el hielo frío. 우물 안 개구리 ((속담)) La rana en el pozo no conoce el océano / La rana en el fondo del pozo no sabe qué grande es el océano / Manejo de la casa en juventud nunca conoce los juicios domésticos / Un pez gordo (en un lugar pequeño). 그는 ~다 El es un pez gordo. 우물을 파도 한 우물을 파라 ((속담)) El que no llora no mama.

■ ~가 lado *m* del pozo. ~가 공론(公論) chismorreo *m* [cotilleo *m*] de vecinas. ~곁 alrededor del pozo. ~ 귀신 espíritu *m* de una persona ahogada en el pozo. ~물 el agua *f* de(l) pozo. ~지다 ㉮ [뺨에 보조개가 생기다] hacerse hoyuelos. ¶그녀는 웃을 때 뺨에 우물진다 Se le hacen hoyuelos en las mejillas cuando ella sonríe / Al sonreír se le dibujan hoyuelos en las mejillas. ㉯ [우묵하게 되다] ser hundido. ¶우물진 뺨 mejillas *fpl* hundidas.

우물(愚物) idiota *mf*, tonto, -ta *mf*, hombre *m* muy estúpido.

우물거리다[1] [벌레나 물고기 등이 한군데에 모여 움직이다] enjambrar, aglomerarse, apiñarse, pulular, revolotear, estar repleto, estar abarrotado. 파리들이 고기 주변에서 우물거렸다 Las moscas revoloteaban [pululaban] alrededor de la carne.

우물거리다[2] ① [음식을 입에 넣고 이리저리 굴리면 시원스럽지 않게 자꾸 씹다] mascar, masticar, mascujar. ② [의사 표시를 시원스럽게 하지 않고 꾸물거리다] hablar entre dientes, farfullar, mascullar. 한마디로 들을 수 없으니 우물거리지 마라 ¡Habla claro [No hables entre dientes], que no te oigo! 그는 항상 말을 우물거린다 El habla mascullando [entre dientes]. 그녀는 변명을 우물거렸다 Ella farfulló [masculló] una disculpa.

우물우물 ㉮ [음식을] mascando, masticando, mascujando. ㉯ [말을] entre dientes, farfullando, mascullando; [둔하게] torpemente, lerdamente; [망설여] indecisamente, con vacilación; [태만하게] perezosamente, con holgazanía. ~하다 ㉮ [시간이 걸리다] tarder mucho (en + *inf*); [주저하다] vacilar (en *algo* · en + *inf*). ㉯ [말을] gruñir, rezongar, murmurar (entre dientes); [불평을] quejarse (de). ~하지 않고 sin perder el tiempo, sin demora alguna; [즉시] pronto, en seguida. 무언가 ~ 말하다 hablar algo entre dientes, hablar algo farfullando. ~할 시간이 없다 No podemos perder tiempo / No hay tiempo que perder. ~하지 마라 No seas remiso / No rezongues / No pierdas tiempo / Date prisa. ~하지 말고 빨리 가거라 Vete pronto, sin perder ni un momento.

우물마루 suelo *m* a [de] cuadros.

우물반자 【건축】 techo *m* a [de] cuadros.

우물지다 ☞우물

우물쩍주물쩍 ((힘줌말)) =우물쭈물.

우물쭈물 perezosamente, con vacilación, vacilando, titubeando. ~하다 vacilar (en *algo* · en + *inf*), titubear. ~하지 않고 sin vacilar, sin titubear, sin vacilación. ~하지 말고 분명하게 대답해라 Contesta claramente sin vacilación / No vaciles en contestar. 「나는 그렇게 생각합니다」라고 그녀는 ~ 대답했다 Supongo — ella replicó, no muy convencida. 그는 천천히 말하려고 애쓰지만 ~하지는 않는다 El trata de hablar despacio, pero sin vacilar [sin titubear]. 나는 들어가기 전에 ~했다 Yo vacilé [dudé] antes de entrar.

우뭇가사리 【식물】 agar-agar *m*.

우므러들다 reducirse, estrecharse, angostarse.

우므러뜨리다 reducir, estrechar, angostar.

우므러지다 reducirse, estrecharse.

우므리다 hacer reducirse.

우미하다(愚迷－) =우매(愚昧)하다.

우미하다(優美－) (ser) gracioso, elegante, fino, refinado, exquisito, delicado. 우미함 gracia *f*, elegancia *f*, finamiento *m*, exquisitez *f*, delicadeza *f*.

우민(愚民) pueblo *m* estúpido, pueblo *m* ignorante, populacho *m*, chusma *f*, gentuza *f*.

■ ~ 정책 política *f* oscurantista. ~주의 oscurantismo *m*, obscurantismo *m*.

우민(憂悶) preocupación *f*, agonía *f* mental. ~하다 preocuparse, inquietarse, estar desesperado de dolor, estar en un grito.

우박(雨雹) granizo *m*. ~이 내리다 granizar. 간밤에 ~이 내렸다 Granizó anoche.

우발(偶發) ocurrencia *f*, incidente *m*, suceso *m* causal. ~하다 producirse accidentalmente, ocurrir [suceder · acontecer] casualmente.

■ ~ 사건 accidente *m*, asunto *m* incidental, acontecimiento *m*. ~ 사고 accidente *m* (incidental). ~설(說) accidentalismo *m*. ~성 eventualidad *f*, casualidad *f*. ~적(的) incidental, eventual, accidental, casual, fortuito. ¶~으로 accidentalmente, casualmente, por casualidad. ~인 사고 accidente *m*, incidente *m*, contingencia *f*. ~인 충동으로 por el impulso [por un capricho · por la tentación] del momento. 자신도 모르게 ~인 충동으로 나는 그 일을 했다 Lo he hecho llevado por el impulso del momento. ~ 전쟁 guerra *f* accidental. ~ 증상(症狀) epifenómeno *m*.

우방(友邦) país *m* amigo, país *m* amistoso, nación *f* (*pl* naciones) amistosa; [맹방(盟邦)] los Aliados, nación *f* aliada.

우방(右方) derecha *f*, lado *m* derecho, mano *f* derecha.

우범(虞犯) lo responsable de cometer un crimen [un delito].

■～ 소년 menor *m* responsable de cometer un delito, menor *m* con inclinaciones criminales. ～자 persona *f* responsable de cometer un delito. ～ 지대 distrito *m* de cometer un delito.

우변(右邊) lado *m* derecho.

우보(牛步) [소의 걸음] paso *m* de tortuga; [느린 걸음] paso *m* lento.

우부(愚夫) hombre *m* estúpido.

우부(愚婦) mujer *f* estúpida.

우부룩하다 (ser) denso, espeso.
우부룩이 densamente, espesamente.

우분(牛糞) estiércol *m* de la vaca.

우비(雨備) impermeable *m*, *Arg* piloto *m*, *Urg* pilot *m*; [몸에 꼭 맞는] gabardina *f*, impermeable *m*, *Arg* piloto *m*, *Urg* pilot *m*; [우산] paraguas *m.sing.pl.* ～를 입다 ponerse el impermeable. ～를 준비하다 prevenir contra la lluvia. ～ 준비를 하고 나가다 ir prevenido contra la lluvia.

우비(優比) 【수학】 razón *f* de desigualdad mayor.

우비다 atizar, hurgar(se), sacar (con pala · con cuchara), meterse el dedo (en), escarbarse, tocarse. 불을 ～ atizar el fuego, hurgar la lumbre. 코를 ～ meterse el dedo en la nariz, hurgarse la nariz. 이를 ～ escarbarse los dientes.
◆우비어 넣다 sacar y poner. 우비어 파다 sacar (con pala · con cuchara), ahuecar, vaciar.

우비적거리다 seguir atizando.
우비적우비적 atizando, sacando.

우사(牛舍) ＝외양간.

우산(雨傘) paraguas *m.sing.pl.* ～을 쓰다 abrir un paraguas. ～을 펴다 abrir un paraguas. ～을 접다 cerrar un paraguas.
■～걸음 paso *m* con un rebote. ～꽂이 paragüero *m*. ～살 varilla *f* [ballena *f*] del paraguas. ～손잡이 mango *m* del paraguas. ～이끼 hepática *f*. ～ 종이 papel *m* de paraguas. ～집 funda *f* del paraguas.

우상(羽狀) forma *f* pinada. ～의 pinado.
■～복엽 hoja *f* pinada compuesta. ～엽 hoja *f* pinada.

우상(偶像) ídolo *m*, imagen *f*. ～을 숭배하다 idolatrar, adorar un ídolo. 그 야구 선수는 어린이들의 ～이다 Ese jugador de béisbol es el ídolo de los niños.
■～교(教) paganismo *m*. ～ 숭배 idolatría *f*, adoración *f* de ídolo, paganismo *m*, gentilidad *f*. ～ 숭배자 idólatra *mf*. ～시(視) idolatría *f*. ¶～하다 idolatrar, hacer (de *uno*) *su* ídolo. ～ 연구 idolología *f*. ～ 예배 culto *m* idólatra. ～ 타파[파괴] iconoclasmo *m*, iconoclasia *f*. ～ 타파주의 iconoclasmo *m*. ～ 타파주의자 iconoclasta *mf*. ～ 파괴주의 iconoclasmo *m*. ～화 idolatría *f*.

우색(憂色) aire *m* melancólico, aire *m* inquieto, tristeza *f*, melancolía *f*, intranquilidad *f*. ～을 띠다 tener un aire inquieto, ponerse inquieto. 얼굴에 ～을 띠고 con el aire melancólico en *su* cara.

우생(優生) aristogénesis *f*. ～의 eugenésico.
■～ 결혼 casamiento *m* eugenésico. ～ 배우(配偶) eugenesia *f*. ～ 보호법 ley *f* de protección a la eugenesia. ～ 수술(手術) operación *f* eugenésico. ～적 인공 수태 autelegénesis *f*. ～질 dominador *m*. ～학 eugenesia *f*, eugénesis *f*, eugenia *f*. ～ 학자 eugenista *mf*.

우서(郵書) carta *f* que envía por correo.

우서(愚書) ① [가치가 없는 서적] libro *m* sin ningún valor. ② [자기 편지의 겸칭] mi carta.

우선(郵船) ((준말)) ＝우편선(郵便船).
■～ 회사 compañía *f* de paquebotes.

우선(優先) precedencia *f*, preferencia *f*, prioridad *f*. ～하다 preceder (a), tener prioridad (sobre). ～시키다 dar preferencia (a), otorgar la preferencia (a). A보다 B를 ～시키다 anteponer A a B. A를 ～시키다 dar la máxima prioridad a A. 자연 보호가 개발보다 ～되어야 한다 La protección de la naturaleza debe tener prioridad sobre la explotación / La protección de la naturaleza se debe anteponer a la explotación.
■～권 (derecho *m* de) prioridad *f*. ¶～을 가지다 tener la prioridad (a · sobre). ～을 얻다 preceder en prioridad (a). ～을 주다 dar la prioridad (a). ～ 동의(動議) moción *f* privilegiada. ～ 명부 lista *f* de prioridad. ～ 배당 dividendo *m* preferente, dividendo *m* privilegiado. ～ 수익자 beneficiario, -ria *mf* preferente. ～ 순위 orden *m* de prioridad. ～ 외화 divisas *fpl* preferentes. ～ 외화 자금 fondo *m* de divisas preferentes. ～ 외화 제도 sistema *m* de divisas preferentes. ～ 원조 ayuda *f* preferente. ～적 de preferencia, preferente. ～주 acción *f* preferente [preferida · priviligiada], acciones *fpl* preferentes, acción *f* de preferencia. ～주 배당 dividendo *m* de acciones preferentes. ～주 배당 범위 cobertura *f* de dividendo de acciones preferentes. ～주 비율 proporción *f* de acciones preferentes. ～ 지불 pago *m* prioritario. ～ 채권자 acreedor, -dora *mf* preferente; acreedor *m* privilegiado, acreedora *f* privilegiada; acreedor, -dora *mf* que precede a otros en cobra. ～ 채무 deuda *f* preferente. ～ 취급 tratamiento *m* preferente. ～ 투자 inversión *f* preferente. ～ 투자 증서 certificado *m* de inversión preferente. ～ 할당 asignación *f* preferente.

우선(于先) primeramente, primero, en primer lugar, al principio, en el principio, ante todo, antes que nada; [좌우간] de todos modos, de todas maneras, en todo caso; [당장은] por lo pronto, por de pronto, por el momento, por ahora; [형식적이지만] por pura formalidad, si bien formalmente; [가볍게] de paso, ligeramente, por encima; [임시로] provisionalmente. ～ 필요한 물건 cosas *fpl* necesarias por el momento, cosas *fpl* de uso inmediato. ~ 예치해 두다 guardar por de pronto. ~ 대충 훑어보다 ojear por encima. ~ 나는 그의 목소리를 좋아하지 않는다 Primero [Para empezar] no me gusta su voz. ~ 문제점을 열거합시다 Vamos a enumerar ante todo los puntos conflictos. ~ 선생님과 상의해 보겠습니다 De todos modos [En todo caso], consultaré con el profesor. ~여기서 끝내자 Por el momento [Por ahora · Por lo pronto] vamos a terminar con esto. ~ 식사합시다 Antes de nada [Antes que nada · Ante todo] vamos a comer.

우선하다 ① [앓던 병이 좀 나은 듯하다] mitigarse, calmarse, aliviarse. 통증이 우선했다 El dolor se mitigó. ② [몰리거나 급박하던 형편이 한결 완화된 듯하다] relajarse.

우설(愚說) ① [자기 설의 겸칭] mi opinión. ② [어리석은 설] opinión *f* estúpida.

우성(優性) 【유전】 carácter *m* dominante, dominancia *f*. ~의 dominante.
▪~ 법칙 ley *f* de dominancia. ~ 상위 epistasis *f* dominante. ~ 유전 prepotencia *f*. ~ 인자(因子) gen *m* dominante. ~ 전환 cambio *m* de dominancia. ~ 조건 condición *f* dominante. ~ 형질 carácter *m* dominante.

우세 vergüenza *f*, humillación *f*.
우세스럽다 (ser) vergonzoso, humillante.
우세스레 vergonzosamente, humillantemente.

우세(郵稅) franqueo *m*.

우세(優勢) superioridad *f*, preponderancia *f*, predominancia *f*, predominación *f*, predominio *m*, prepotencia *f*. ~하다 (ser) superior, dominante, preponderante, predominante, poderoso. ~를 차지하다 prevalecer. A보다 ~하다 prevalecer [dominar · ser superior · llevar ventaja] a A. 수적으로 ~함을 믿고 contando con la superioridad en número. 반란군이 ~하게 되었다 El ejército rebelde ha ganado superioridad. A팀은 B팀보다 ~하다 El equipo A es superior al equipo B.
▪~승 victoria *f* por puntos.

우송(郵送) envío *m* postal, envío *m* por correo. ~하다 mandar [enviar] *algo* por correo.
▪~료 porte *m* (de correos), franqueo *m*. ~ 무료 libre de porte de correo.

우수 ① [일정한 수효 외에 더 받는 물건] adición *f*, extra *f*, bonificación *f*. ② ((준말)) =우수리.

우수(右手) mano *f* derecha.

우수(雨水) ① [이십사절기(節氣)의 하나] *usu*, lluvia *f*, alrededor del diecinueve de febrero del calendario solar. ② [빗물] el agua *f* de lluvia.

우수(偶數) ((구용어)) =짝수(número par).

우수(憂愁) melancolía *f*, tristeza *f*, pesadumbre *f*, congoja *f*, pena *f*, dolor *m*. ~의 melancólico, triste. ~에 젖다 ponerse [encontrarse] melancólico [triste]. tener un aire triste. ~에 잠기다 ser presa de la tristeza, sumirse en el dolor. ~에 잠긴 시선(視線)으로 con una mirada melancólica. 그의 얼굴은 ~를 띠고 있다 Su cara tiene una expresión melancólica.

우수리 ① [물건 값을 제하고 거슬러 받는 잔돈] vuelta *f*, cambio *m*, *AmL* vuelto *m*, *Col* vueltas *fpl*. ~ 250원 doscientos cincuenta wones de vuelta. ~ 주세요 La vuelta, por favor. ~ 여기 있습니다 Aquí está la vuelta / Aquí tiene (usted) la vuelta. ② [일정한 수량이나 수에 차고 남은 것] fracción *f*.

우수마발(牛溲馬勃) ① [가치 없는 말] palabra *f* sin ningún valor. ② [가치 없는 글] oración *f* sin ningún valor. ③ [품질이 나쁜 약의 원료] materia *f* prima de la medicina de la calidad inferior.

우수성(優秀性) excelencia *f*, superioridad *f*.

우수수 ① [물건이 많이 쏟아지는 모양] en grandes masas, en conjunto. ② [가랑잎이 떨어져 흩어지는 모양] susurrando. ~하다 susurrar. 바람에 나뭇잎이 ~ 떨었다 El viento hacía susurrar las hojas.

우수아(優秀兒) niño, -ña *mf* excelente.

우수하다(優秀－) (ser) excelente (en), destacado, sin par, brillante, superfino, sobrefino; [최고급의] superior, sobresaliente; [뛰어나다] aventajar (en), superar (en), sobrepujar (en). 우수함 excelencia *f*, superioridad *f*, predominancia *f*, predominación *f*. 우수한 품질 cualidad *f* superior. 우수한 학생 estudiante *mf* excelente. 성적이 ~ ser sobresaliente. 우수한 성적을 얻다 obtener [sacar] buenas notas (en). 우수한 재능을 가지고 있다 tener unas dotes extraordinarias. 그는 수학이 ~ El es excelente en matemáticas. 그는 여러 면에서 나보다 ~ El me aventaja en varios puntos / El es superior a mí en varios puntos. 그는 우수한 과학자이다 El es un científico excelente.

우수하다(優數－) (ser) numeroso.

우스개 jocosidad *f*, festividad *f*.

우스갯소리 chiste *m*, historieta *f*, chanza *f*, broma *f*, dicho *m* burlesco, burla *f*, chocarrería *f*. ~로 en chanza, de burlas, en zumba. ~를 하다 bromear, hacer bromas, contar un chiste, chancear, chancearse, usar de chanzas, decir un chiste. ~를 잘하는 사람 bromista *mf*. 종교에 관해서 그 사람과 ~를 하지 마라 Con él no bromees [no hagas bromas] sobre religión.

우스갯짓 graciosidad *f*, lo cómico.

우스꽝스럽다 (ser) ridículo, gracioso, chistoso, humorístico. 우스꽝스런 말을 하다 bromear(se), chancear(se). 우스꽝스럽게 만들다 ridiculizar. 그의 말은 무척 ~ Su conversación es muy chistosa / Su conversación está llena de humor / Su conversación tiene muchísima gracia. 우스꽝스러워 죽을 뻔했다 Yo no podía aguantar la risa / Me moría de risa / Me partía la risa.

우스꽝스레 ridículamente, graciosamente, chistosamente, humorísticamente.

우스티드(영 *worsted*) [긴 양털을 꼬아서 짠 모직물의 일종] estambre *m*.

우습다 ① [웃음이 날 만하다] [농담(弄談)] (ser) gracioso, cómico, chistoso; [사람이] divertido, gracioso, entretenido, burlesco; [묘하다] raro, extraño, curioso. 우습게 de forma muy entretenida, de forma muy divertida, cómicamente. 우스운 남자 humorista *m*, bromista *m*, cómico *m*, bufón *m* (*pl* bufones). 우스운 이야기 historia *f* graciosa, cuento *m* gracioso, cuento *m* cómico. 우스운 몸짓 gesto *m* cómico. 우스운 얼굴 cara *f* graciosa, rostro *m* gracioso. 우스운 말을 하다 decir cosas graciosas. 정말 우습구나! ¡Es tan gracioso [divertido]! 별로 우스운 것 같지 않다 No le veo la gracia / No me parece muy gracioso. 모자 참 우습군! ¡Qué sombrero más gracioso! 우스워 죽겠다 Me muero de reír.
② [하찮다. 가소롭다] (ser) ridículo, risible, de risa, absurdo. 우습게 ridículamente, de forma ridícula, irrisoriamente. 우스운 용모(容貌) figura *f* ridícula. …라니 ~ Es ridículo + *inf* [que + *subj*]. 네가 화가가 되면 우스울 것이다 Sería ridículo que tú fueras pintor.
◆우습게 보다 [남을 업신여기다. 얕보다] despreciar, desestimar, menospreciar.
◆우습게 알다 [대수롭지 않게 여기다] no tener ninguna consideración (por). 그들은 다른 사람들의 감정을 우습게 알고 있다 Ellos tienen ninguna consideración por los sentimientos de los demás.
◆우습게 여기다 ㉮ [대수롭지 않게 여기다] no tener ninguna consideración (por). ㉯ [쉽게 여기다] parecer fácilmente.

우승(優勝) victoria *f*, triunfo *m*; [선수권(選手權)] campeonato *m*. ~하다 ganar [obtener · conseguir] la victoria, triunfar, salir victorioso. 콩쿠르의 ~을 겨루다 disputarse un concurso.
■~ 결승전 final *m* de una copa, final *m* de un torneo. ~기 bandera *f* de triunfo, bandera *f* de campeonato. ~배[컵] copa *f* de trofeo. ~열패 ㉮ [우월한 자가 이기고 열등한 자가 지는 일] Los fuertes ganan y los débiles pierden / Supervivencia de los más idóneso. ㉯ =적자 생존. ~자(者) vencedor, -dora *mf*; triunfador, -dora *mf*; triunfante *mf*. ~팀 equipo *m* triunfador. ~후보 [경마 따위의] favorito *m*, ganador *m* probable, ganadora *f* probable.

우시장(牛市場) mercado *m* de las vacas.

우식(愚息) mi hijo.

우심하다(尤甚-) (ser) más grave, extremo, excesivo, severo.

우썩 con una disminución repentina, con un aumento repentino, con un progreso firme. ~ 늘다 [학문 · 기술이] hacer un progreso firme. ~ 추워진다 Está empezando a hacer frío.
우썩우썩 más (y más). ~ 자라다 crecer más alto. ~ 커지다 hacer un expansión firme.

우아 [뜻밖에 기쁜 일을 당해서 내는 소리] ¡Hurra! / ¡Viva! ~ 우리들이 이겼다 ¡Hurra [Viva], hemos ganado!

우아스럽다(優雅-) (ser) elegante.
우아스레 elegantemente, con elegancia.

우아하다(優雅-) (ser) gracioso, elegante, refinado, fino, bellido, agraciado, donairoso, cortés (*pl* corteses), educado, correcto. ~하게 graciosamente, elegantemente, con elegancia, con gracia. 우아함 elegancia *f*, gracia *f*, gentileza *f*, refinamiento *m*. 우아한 드레스 vestido *m* elegante. 우아한 문체 estilo *m* elegante. 동작이 ~ mover con gracia.

우악살스럽다 (ser) muy feroz, muy fiero, muy cruel, muy atroz.
우악살스레 muy ferozmente, muy cruelmente, muy fieramente.

우악스럽다(愚惡-) (ser) feroz, fiero, cruel, atroz, salvaje, voraz, rapaz, violento, grosero, maleducado, brusco, tosco, rudo. 우악스러움 ferocidad *f*, crueldad *f*, atrocidad *f*. 우악스런 공격 ataque *m* violento. 우악스런 사람 persona *f* ruda. 우악스런 치료 tratamiento *m* drástico, tratamiento *m* violento. 그녀는 우악스런 말을 했다 Ella dijo una grosería [una palabrota · una mala palabra].
우악스레 ferozmente, fieramente, cruelmente, con ferocidad, violentamente, como una fiera, bruscamente, de manera violenta, toscamente. ~ 다루다 maltratar, tratar mal.

우악하다(愚惡-) ① [무지하고 포악하다] (ser) ignorante y feroz. ② [미련하고 불량하다] (ser) estúpido y malo.

우안(右岸) orilla *f* derecha del río.

우안(愚案) mi proyecto, mi plan.

우애(友愛) amistad *f*, fraternidad *f*, hermandad *f*. ~ 있는 amistoso, fraternal. ~ 있게 amistosamente, fraternalmente.
우애로이 amistosamente.
우애롭다 (ser) amistoso.
■~ 결혼 casamiento *m* cordial.

우엉 【식물】 bardana *f*, cadillo *m*, lampazo *m*.

우여곡절(迂餘曲折) vicisitudes *fpl*, peripecias *fpl*. 인생(人生)의 ~ vicisitudes *fpl* de la vida. ~을 겪다 dar vueltas. ~ 끝에 después de varias peripecias. 계획을 실현하기까지는 아직도 더 많은 ~이 있을 것이다 Ocurrirán aún más incidentes antes de la realización del plan.

우역(牛疫) epidemia *f* de la vaca.

우연(偶然) casualidad *f*, eventualidad *f*, contingencia *f*. ~의 casual, fortuito, impensado, accidental, eventual, inesperado, inopinado, improvisto. ~의 사고(事故) contingencia *f*, suceso *m* fortuito, accidente *m*. ~의 일치 coincidencia *f* fortuita, pura coincidencia *f*. 고의든 ~이든 intencional o involuntariamente. 같은 열차에서 우리가 만난 것은 정말 ～입니다 ¡Qué casualidad encontrarnos en el mismo tren!

우연히 por casualidad, casualmente, accidentalmente, de improviso, por azar, por ventura, inesperadamente, inpensadamente. ～ …하다 acertar a + *inf.* ～ 들리다 pasar casualmente (por). ～ 만나다 tropezar (con), encontrarse casualmente (con), encontrarse por casualidad (con). ～(도) …하게 되었다 La suerte quiso que + *subj* / La casualidad [La coincidencia] hizo que + *subj.* 나는 ～ 그녀를 만났다 Acerté a encontrarme con ella. 사고 현장에서 그를 ～ 만났다 El se encontraba por casualidad en el lugar del accidente.

■ ～론 accidentalismo *m,* casualismo *m.* ～론자 accidentalista *mf,* casualista *mf.* ～발생 generación *f* espontánea. ～ 발생설 abiogénesis *f.* ～사(死) muerte *f* accidental. ～성(性) accidentalidad *f,* contingencia *f,* posibilidad *f.*

우연만하다 (ser) bastante bueno, pasable. 우연만히 bastante bien, pasablemente.

우열(右列) fila *f* derecha.

우열(優劣) superioridad e inferioridad, mérito y demérito. ～ 없이 sin ninguna diferencia, de igual a igual. ～을 다투다 competir por la superioridad, disputar por la superioridad, disputar por la preeminencia, ver quién puede más. …과 ～이 없다 ser igual a [que] *algo · uno,* correr parejas con *algo · uno.* 두 사람의 ～을 논하다 discutir sobre los méritos y los defectos de ambos. 그들 간에는 ～이 없다 No se puede decir quién es superior entre ellos. 두 사람은 ～을 가릴 수가 없다 No se puede ver [señalar] diferencia entre los dos.

■ ～의 법칙 ley *f* de dominación. ～ 전환 cambio *m* de dominación.

우열하다(愚劣) (ser) estúpido (y feo), idiota, tonto, bobo, ridículo, absurdo, disparatado. 우열함 estupidez *f,* idiotez *f.*

우완(右腕) brazo *m* derecho.

우왕좌왕(右往左往) ya a la derecha ya a la izquierda, ora por un lado ora por otro, entre unas cosas y otras. ～하다 confundirse, desordenarse, correr de un lado para otro en total confusión. 그는 ～하는 사이에 많은 수입을 올렸다 Entre unas cosas y otras, él tiene unos buenos ingresos.

우운(雨雲) [비구름] nube *f* lloviosa, nube *f* lluviosa, nimbo *m.*

우울광(憂鬱狂) demonomelancolia *f.*

우울병(憂鬱病) ＝우울증(憂鬱症).

우울성(憂鬱性) ＝우울질(憂鬱質).

우울 신경증(憂鬱神經症) neurosis *f* depresiva.

우울증(憂鬱症) melancolía *f,* hipocondría *f,* lipemanía *f.* ～ 환자 hipocóndrico, -ca *mf.*

우울질(憂鬱質) temperamento *m* melancólico.

우울하다(憂鬱－) (estar) melancólico, triste, de un humor melancólico. 우울함 melancolía *f,* tristeza *f,* esplín *m.* 우울한 날씨 tiempo *m* tenebroso, tiempo *m* lóbrego. 우울한 얼굴 aspecto *m* triste [melancólico · mohino], cara *f* de viernes. 우울해지다 entristecerse, ponerse triste y melancólico. 우울하게 하다 hacer*le* a *uno* melancólico, entristecer. 우울하게 만들다 tener una melancolía. 우울한 얼굴을 하다 poner cara triste y melancólica. 우울한 얼굴을 하고 있다 estar en semblante triste. 우울함에 빠지다 caer en la melancolía. 우울함에 빠지다 caer en la melancolía. 우울한 얼굴을 하다 tener la cara melancólica [triste]. 나는 요즈음 ～ Estoy melancólico [muy triste · deprimido · hecho polvo] estos días. 그는 우울한 듯하다 Parece triste / El tiene cara triste. 그런 우울한 표정을 짓지 마라 No pongas esa cara tan triste. 그것을 알고 나는 우울해졌다 Me puse melancólico al saberlo. 그녀에게는 우울한 데가 있다 Hay algo de sombrío en su gesto / Ella tiene carácter sombrío [taciturno].

우원하다(迂遠－) (ser) vagaroso, perifrástico, no ir directo.

우월감(優越感) sentimiento *m* de predominio [superioridad], complejo *m* de superioridad. ～을 가지다 creerse superior (a), tener un sentimiento de superioridad (respecto a). ～을 맛보다 gozar [disfrutar] de *su* superioridad.

우월성(優越性) superioridad *f.*

우월 콤플렉스(優越 complex) 【심리】 complejo *m* de superioridad.

우월하다(優越－) (ser) superior, supremo, predominante, preponderante, incomparable, sin par, predominar, prevalecer. 우월함 superioridad *f,* supremacía *f,* predominio *m,* predominación *f.* 우월한 지위 posición *f* prominante.

우위(優位) superioridad *f,* precedencia *f,* posición *f* predominante; [절대적인] supremacía *f.* A보다 ～이다 estar por encima de A, ser más que A. ～를 점하다, ～에 서다 llevar ventaja (a), tomar la delantera (a), aventajar (a), ganar [establecer] superioridad (sobre), prevalecer. 다른 메이커를 압도하여 절대적 ～를 유지하다 mantener una supremacía sobre los demás fabricantes.

우유(牛乳) leche *f,* leche *f* de vaca. ～ 한 잔 un vaso de leche. ～로 기르다 criar con la leche (de vaca). ～를 짜다 ordeñar (las vacas).

◆무균(無菌) ～ leche *f* libre de bacteria. 분말(粉末) ～ leche *f* en polvo. 살균(殺菌) ～ leche *f* pasteurizada, leche *f* pasterizada. 탈지(脫脂) ～ leche *f* desnatada, leche *f* descremada.

■ ～ 배달원 lechero, -ra *mf.* ～ 배달차 camioneta *f* de leche. ～병 botella *f* de leche. ～ 상자 caja *f* de leche. ～ 상점 lechería *f.* ～ 소독기 esterilizador *m* de leche. ～ 요법 galactopatía *f,* lactoterapia *f.* ～ 운반차 camioneta *f,* carreta *f* de la leche. ~ 장수 lechero, -ra *mf.* ~ 판매소 lechería *f.* ~ 판매인 lechero, -ra *mf.*

우유부단하다(優柔不斷-) (ser) irresoluto, indeciso. 우유부단함 irresolución *f*, indecisión *f*. 우유부단한 성격 carácter *m* indeciso. 그는 우유부단한 사람이다 El es un hombre irresoluto [indeciso]. 그는 그 문제에 대해 너무 우유부단했다 El es demasiado flojo sobre ese tema.

우유성(偶有性) 【철학】 accidente *m*, calidad *f* accidental, casualidad *f*.

우육(牛肉) carne *f* de vaca, *AmL* carne *f* de res.

우은(優恩) favor *m* del rey.

우음(牛飮) mucha bebida como la vaca. ~하다 beber mucho como la vaca.
■ ~마식(馬食) mucha comida y mucha bebida como la vaca o el caballo. ¶~하다 comer mucho y beber mucho como la vaca o el caballo.

우의(友誼) amistad *f*, relación *f* amistosa, fraternidad *f*, camaradería *f*, buena voluntad *f*. ~의 정신으로 con espíritu de amistad. ~가 두텁다 ser un amigo cariñoso. ~를 두텁게 하다 promover relaciones amistosas. ~를 맺다 cultivar la amistad. ~를 깨뜨리다 violar la amistad. ~를 다하다 conducirse con mucha amistad. 그는 그 일을 ~로 했다 El lo hizo por la amistad.
■ ~적 amistoso, fraternal, cariñoso.

우의(羽衣) ropa *f* de plumas.

우의(雨衣) =비옷(impermeable).

우의(寓意) simbolismo *m*, insinuación *f*, alusión *f*, [이야기의] alegoría *f*. ~적인 alusivo, alegórico.
■ ~ 소설 fábula *f*, novela *f* alegórica.

우이(牛耳) ① =쇠귀. ② [일당·일파·한 단체의 수령] jefe *m* (del grupo).
◆우이(를) 잡다 llevar la batuta, tener la sartén por el mango. 회사에서 ~를 잡다 llevar la batuta en la compañía, tener la sartén por el mango en la compañía.
■ ~독경(讀經) Es lo mismo que predicar al viento / Entra por un oído y sale por otro / Echar margaritas al puerco. ¶내 충고도 그에게는 ~이었다 Mis consejos le entraron por un oído y le salieron por otro.

우익(右翼) ① [오른쪽의 날개] el ala *f* (*pl* las alas) derecha. ② [오른쪽의 부대. 대열의 오른쪽] el ala *f* derecha; [오른쪽의 부대의 병사] soldados *mpl* del ala derecha. ③ [보수파·국수주의·파시즘 등의 입장] derecha *f*, [사람] derechista *mf*. ~의 de derechas, derechista, de derecha. ~ 정당(政黨) partido *m* de derechas, partido *m* derechista. 그는 ~이다 El es un derechista. ④ ((야구)) [라이트 필드] parte *f* derecha del campo. ⑤ ((축구)) [라이트 윙] extremo *m* derecha, el ala *f* derecha.. ⑥ ((준말)) =우익수. ⑦ ((준말)) =우익군.
■ ~군(軍) fuerzas *fpl* derechas, el ala *f* derecha de un ejército. ~ 단체(團體) organización *f* de derechas. ~수 jugador, -dora *mf* de la parte derecha del campo. ~ 운동 movimiento *m* derechista. ~ 정당 partido *m* derechista.

우익(羽翼) ① [새의 날개] el ala *f* (*pl* las alas) del pájaro. ② [보좌하는 사람] brazo *m* derecho, ayudante *mf*.

우인(友人) amigo, -ga *mf*. ~ 대표 A씨 el señor A, representante de todos los amigos. 내 ~인 피아니스트 mi amigo pianista.

우인(愚人) tonto, -ta *mf*, bobo, -ba *mf*, estúpido, -da *mf*, idiota *mf*.

우자(愚者) persona *f* tonta [boba · idiota · estúpida]; tonto, -ta *mf*, bobo, -ba *mf*, idiota *mf*, estúpido, -da *mf*, mentecato, -ta *mf*, imbécil *mf*.
우자스럽다 (ser) tonto, idiota, estúpido.
우자스레 tontamente, como un tonto.

우작(愚作) ① [보잘것없는 작품] obra *f* sin ningún valor. ② [자기 작품의 겸칭] mi (humilde) obra.

우장(雨裝) impermeable *m*, ropa *f* impermeable, ropa *f* para lluvia, *Arg* piloto *m*, *Urg* pilot *m*.
■ ~옷 =비옷.

우적(雨滴) =빗방울(gota de lluvia).

우적우적 ① [일을 무리하게 급히 해 나가는 모양] apresuradamente, rápidamente, a las carreras. ② [야채 또는 깍두기나 김치 등을 마구 씹는 소리나 모양] masticando, mascando. ③ [단단하고 무거운 물건이 무너지거나 버그러지는 소리나 모양] crujiendo. ④ [거리낌없이 나아가는 모양] sin reserva.

우접(寓接) =우거(寓居).

우접다 ① [남보다 빼어나게 되다. 낫게 되다] hacerse eminente, hacerse destacado [superior]. ② [선배를 이겨 내다] superar a *sus* superiores.

우정(友情) amistad *f*, sensibilidad *f* amistosa, intimidad *f*, amor *m*, cariño *m*, simpatía *f*. ~이 있는 amistos, amigable. ~이 없는 poco amigable. ~을 가지고 con amistad, amigablemente. ~ 없이 sin amistad, sin amigos. ~으로 por amistad. 따뜻한 ~ amistad *f* cordial, amistad *f* con ternura. 그의 ~에 힘입어 sostenido por su amistad. ~을 품다 sentir (la) amistad (a). ~이 두텁다 ser fiel a sus amigos. ~을 맺다 trabar [hacer] amistad (con). 그들은 ~이 두텁다 Ellos son amigos muy íntimos. 두 사람은 굳건한 ~을 맺고 있다 La amistad une [liga] firmemente a los dos.

우정(郵政) servicio *m* postal, administración *f* postal.

우제(愚弟) ① [자기 동생의 겸칭] *su* hermano menor. ② [형(兄) 대접하는 사람에 대한 자기의 겸칭] yo, hermano *m* estúpido.

우제류(偶蹄類) artiodáctilos *mpl*.

우조(羽調) 【음악】 *wu*, la nota más alta de la escala pentatónica coreana.

우족(牛足) pie *m* de la vaca.
우족(右足) pie *m* derecho.
우졸하다(愚拙―) (ser) estúpido, torpe, tonto, bobo, idiota. 우졸함 estupidez *f*, torpeza *f*, torpedad *f*, tontería *f*, idiotez *f*.
우주(宇宙) universo *m*, cosmos *m*, espacio *m*. ∼의 universal, espacial, del espacio, cósmico. ∼로, ∼를 향하여 en dirección al espacio, hacia el espacio. 로켓을 ∼에 쏘아 올리다 lanzar un cohete al espacio.
◆ 대(大)∼ macrocosmo *m*, macrocosmos *m*. 소(小)∼ microcosmo *m*, microcosmos *m*.
▪ ∼ 개발 desarrollo *m* espacial. ∼ 개발 경쟁 carrera *f* espacial. ∼ 개벽론 teoría *f* de la creación espacial. ∼견 perro *m* espacial. ∼ 경쟁 competencia *f* espacial. ∼ 계획 programa *m* de vuelos espaciales, proyecto *m* espacial, programa *m* espacial. ∼ 공간 espacio *m*. ∼ 공학 ingeniería *f* espacial, tecnología *f* espacial. ∼ 공해 contaminación *f* espacial. ∼ 과학 ciencia *f* espacial. ∼관 vista *f* sobre el universo. ∼ 기지 base *f* espacial. ∼ 대국(大國) superpotencia *f* espacial. ∼ 랑데부 reunión *f* cósmica. ∼ 로켓 cohete *m* espacial, proyectil-cohete *m*. ¶∼을 발사하다 lanzar un cohete espacial. ∼ 로켓 발사 lanzamiento *m* de un cohete espacial. ∼론 cosmología *f*, teoría *f* de la evolución cósmica. ∼론 학자 cosmológico, -ca *mf*. ∼ 망원경 telescopio *m* espacial. ∼ 먼지 polvo *m* cósmico. ∼모 casco *m* espacial. ∼ 물리학 cosmofísica *f*, astrofísica *f*. ∼ 발생론(發生論) cosmogonía *f*. ∼ 발생론자 cosmogonista *mf*. ∼병(病) enfermedad *f* espacial. ∼ 병기 el arma *f* (*pl* las armas) espacial. ∼ 보행 =우주 유영. ∼복 traje *m* espacial, vestido *m* espacial, traje *m* para vuelos espaciales. ∼ 비행(飛行) astronavegación *f*, astronáutica *f*, vuelo *m* espacial, vuelo *m* cósmico, vuelo *m* astronáutico, navegación *f* espacial. ∼ 비행 기지(飛行基地) cosmódromo *m*. ∼ 비행사 astronauta *mf*, cosmonauta *mf*, piloto *m* espacial. ∼ 산업 industria *f* espacial. ∼ 산책 paseo *m* espacial. ¶∼을 하다 pasear por el espacio. ∼ 생물학 cosmobiología *f*, astrobiología *f*, biología *f* espacial. ∼선(船) astronave *m*, cosmonave *m*, nave *m* espacial, vehículo *m* espacial. ¶∼ 발사장 cosmódromo *m*. ∼선(線) rayos *mpl* cósmicos. ∼선 망원경 telescopio *m* de rayos cósmicos. ∼ 센터 centro *m* espacial. ∼ 소설 ficción *f* espacial. ∼ 속도 velocidad *f* espacial. ∼ 시대 era *f* espacial, época *f* espacial. ∼식(食) comida *f* espacial. ∼ 식민지 colonia *f* espacial. ∼어(語) lengua *f* espacial. ∼ 여행 viaje *m* espacial, viajes *mpl* espaciales, viajes *mpl* por el espacio, viaje *m* astronáutico, astronáutica *f*. ∼ 여행자 viajero, -ra *mf* espacial. ∼ 역학 mecánica *f* celestial, astronomía *f* gravitacional. ∼ 연구 investigación *f* espacial, estudios *mpl* espaciales. ∼ 왕복선(往復船) transbordador *m* espacial, lanzadera *f* espacial. ∼ 왕복선 발사장 cosmodromo *m*. ∼운(雲) nubes *fpl* espaciales. ∼ 위성(衛星) satélite *m* espacial. ∼ 유영 paseo *m* espacial. ∼의학 medicina *f* espacial. ∼인 astronauta *mf*, cosmonauta *mf*, hombre *m* espacial. ∼ 인력 gravitación *f* espacial, atracción *f* espacial. ∼ 자기(磁氣) magnetismo *m* cósmico. ∼ 잡음(雜音) susurro *m* espacial. ∼ 전자 공학 electrónica *f* espacial. ∼ 정류장[정거장] estación *f* espacial. ∼ 정복 conquista *f* del espacio. ∼ 중계 relé *m* espacial, retransmisión *f* espacial. ∼ 중계국 estación *f* relé espacial. ∼지(誌) cosmografía *f*. ∼ 지리학(地理學) geografía *f* espacial. ∼진(塵) polvo *m* cósmico. ∼ 진화론(進化論) cosmogonía *f*. ∼ 진화론자 cosmogonista *mf*. ∼ 천문학 astronomía *f* espacial. ∼총 fusil *m* espacial. ∼ 침입자 [게임] marcianitos *mpl*. ∼ 캡슐 cápsula *f* espacial. ∼ 탐사 exploración *f* espacial [cósmica]. ∼ 탐사용 로켓 sonda *f* espacial [cósmica]. ∼ 탐색기 vehículo *m* de exploración cósmica, sonda *f* cósmica [espacial]. ∼ 탐험 exploración *f* espacial, exploración *f* cósmica. ∼ 통신(通信) comunicaciones *fpl* espaciales. ∼학 cosmología *f*. ∼ 학자 cosmológico, -ca *mf*. ∼ 항법 astronáutica *f*, cosmonáutica *f*. ∼ 협정 acuerdo *m* espacial. ∼ 화학 química *f* espacial.
우죽 rama *f* superior (del árbol).
우죽거리다 andar a toda prisa.
우죽우죽 andando a toda prisa.
우줄거리다 enorgullecerse, jactarse, vanagloriarse. 생각대로 되어 ∼ engreírse, crecerse. 그는 생각대로 되어 우줄거리고 있다 Se está pasando de la raya / ¿Qué se habrá creído? / Se ha subido a la parra. 그는 칭찬을 받자 우줄거렸다 Al ser elogiado, se lo creyó / Al ser elogiado, se llenó de vanidad. 그는 지나치게 우줄거렸다 El se dejó llevar excesivamente. 그는 사람들이 아첨하는 것도 모르고 너무 우줄거린다 El está demasiado engreído de sí mismo para darse cuenta de que le adulan.
우줅거리다 andar tambaleándose,m, andar de modo inseguro [vacilante]..
우줅우줅 andando de modo inseguro [vacilante].
우줅이다 hacer por la fuerza, hacer con terquedad, hacer con tozudez.
우중(雨中) durante la lluvia. ∼에 en la lluvia, mientras llueve. ∼임에도 불구하고 a pesar de lla lluvia. ∼에 외출하다 salir de casa en la lluvia.
우중충하다 ① [어둡고 침침하다] (ser) sombrío, lúgubre. 우중충한 날 día *m* sombrío. 우중충한 날씨 tiempo *m* sombrío. 우중충한 방 habitación *f* lúgubre [sombría]. ② [색이

오래 되어 바래서 선명하지 못하다] [색깔이] (ser) apagado, desvaído; [직물·진바지가] que ha perdido el color, desteñido; [사진·글씨가] descolorido, desvaído.

우즈베키스탄 【지명】 Uzbekistán *m.* ~의 uzbeko.

▪~ 사람 uzbeko, -ka *mf.* ~어 uzbeko *m.*

우지 [걸핏하면 우는 아이] llorón *m,* -rona *mf,* niño *m* llorón, niña *f* llorona.

우지(牛脂) grasa *f* de vaca.

우지끈 con gran estrépido, con un estallido. ~하다 crepitar, chisporrotear, estrellarse, chocar, romperse, quebrarse. ~하고 큰 나무가 쓰러졌다 Un árbol grande se cayó con gran estrépido.

우지끈거리다 hacer ruido agrietado.
우지끈우지끈 con gran ruido agrietado.

우지끈뚝딱 con gran estrépido.

우지직 ① [마른 보릿짚 따위가 불타는 소리] crepitando, chiporroteando. ② [장국물 등이 바짝 졸아 드는 소리] hirviendo, llevando a punto de ebullición. ③ [마른 솔가지 따위를 부러뜨릴 때 나는 소리] rompiéndose, quebrándose. ④ [큰 조개 껍데기 같은 것이 밟히어 부서지는 소리] crujiendo.

우지직거리다 crepitar, chisporrotear.
우지직우지직 crepitando, chisporroteando.

우직하다(愚直一) (ser) estúpido y indiscreto, simple (y honesto), ingenuo, cándido y crédulo, tontamente honesto. 우직함 simplicidad y honradez, estupidez e indiscreción. 우직한 사람 persona *f* estúpida y indiscreta.

우질(牛疾) =우역(牛疫).

우집다 despreciar.

우짖다 ① [울며 부르짖다] dar alaridos, gritar en voz alta. ② [울어 지저귀다] chillar.

우쩍 =와짝.

우쩍우쩍 =우적우적.

우쭐거리다 ((센말)) =우줄거리다.
우쭐우쭐 ((센말)) =우줄우줄.

우쭐대다 =우쭐거리다.

우쭐하다 engreírse, vangagloriarse, envanecerse, enorgullecerse, infatuarse, estar orgulloso (de). 우쭐하는 engreído, vanidoso; [거만한] arrogante, soberbio. 우쭐하는 태도 actitud *f* presumida, actitud *f* engreída. 우쭐하게 만들다 dejar engreírse. 그는 명성이 나자 우쭐하고 있다 El se vanagloria de [con] su fama. 그는 우쭐해 있다 El se cree alguien.

우차(牛車) coche *m* que se tira por un toro.

우책(愚策) plan *m* estúpido.

우처(愚妻) mi mujer, mi esposa.

우천(雨天) ① [비가 오는 날] día *m* [tiempo *m*] lluvioso, lluvia *f.* 계속된 ~ lluvia *f* continua. ~에도 불구하고 a pesar de lluvia. ~으로 인해서 a causa de la lluvia. ~인 경우 en caso de lluvia, en caso de que llueva. ② [비 내리는 하늘] cielo *m* que llueve.

▪~순연(順延) postergado al primer día hermoso.

우체(郵遞) =우편(郵便).

▪~국 oficina *f* de correos, casa *f* de correos, correos *mpl, AmL* correo *m*; [본국] (oficina *f*) central *f,* oficina *f* principal de correos; [지국] estafeta *f* de correos. ¶ ~장 administrador, -dora *mf* [director, -tora *mf*] de correos. ~ 직원 empleado, -da *mf* de correos. 간이~ agencia *f* postal. 군사 ~ oficina *f* de correos del ejército. 야전 ~ oficina *f* de correos del campo. 중앙 ~ Central *f* de Correos. 철도 ~ oficina *f* de correos del ferrocarril. 특정 ~ correos *mpl* especiales. ~ 저축 예금 계좌 cuenta *f* de ahorro en la Caja Postal. ~부 cartero, -ra *mf.* ~통 [가정용] buzón *m, Ven* casillero *m*; [거리의] buzón *m* (de correo). ¶~에 엽서를 넣다 echar al [en el] buzón una tarjeta postal. 편지를 ~에 넣다 echar una carta al buzón [al correo]. ~함 buzón *m.*

우취(郵趣) filatelia *f,* afición *f* filatélica, afición *f* sobre los sellos.

▪~회 la Sociedad Filatélica.

우측(右側) derecha *f,* lado *m* derecho, mano *f* derecha. ~의 derecho. ~의 집 casa *f* de al lado derecho. ~으로 돌다 tomar [torcer·doblar] a la derecha, dirigirse hacia la derecha. ~으로 도세요[꺾어지세요] Doble [Tuerza] a la derecha.

▪~면 lado *m* derecho. ~통행(通行) ((게시)) Mantenga su derecha.

우치(疣痔) =혈치(血痔).

우치(齲齒) 【의학】=충치(蟲齒).

우쿨렐레(영 *ukulele*) 【악기】 ukelele *m,* guitarra *f* hawaiana.

우크라이나 【지명】 Ucrania *f.* ~의 ucraniano, ucranio.

▪~ 어[말] ucraniano *m,* ucranio *m.* ~ 인[사람] ucraniano, -na *mf,* ucranio, -nia *mf.*

우택(雨澤) favor *m* de la lluvia.

우퉁하다 (ser) muy lento.

우툴두툴 escarpadamente, accidentadamente. ~하다 [바위·산·해안이] (ser) escarpado; [지형(地形)이] accidentado, escabroso, agreste; [나무가] nudoso; [표면·잔디가] desigual, con desniveles; [땅·길이] desigual, lleno de baches. ~한 가죽 piel *f* [cuero *m*] desigual. ~한 길 camino *m* desigual [escabroso]. ~한 나무 madera *f* nudosa.

우파(右派) derecha *f,* [사람] derechista *mf.*

▪~ 공산당 el Partido Comunista Derechista. ~ 사회당 el Partido Socialista Derechista.

우편(右便) derecha *f,* lado *m* derecho, mano *f* derecha. ~의 derecho.

우편(郵便) correo *m.* ~의 postal, de correos. ~으로 por correo. ~으로 보내다 mandar [enviar] *algo* por correo. ~을 배달하다 distribuir el correo. 별도 ~으로 en sobre aparte, por separado.

◆국내(國內) ~ correo *m* [correspondencia *f*] nacional. 일급(一級) ~ correo *m* de entrega más rápida. 소포(小包) ~ servicio *m* de paquetes postales, *AmL* servicio *m* de encomiendas. 전자(電子) ~ correo *m* electrónico. 항공 ~ correo *m* aéreo.

■ ~낭(囊) saca *f* de correos, saco *m* de correspondencia; [우편 집배원용] cartera *f* (del cartero). ~료 ((준말)) =우편 요금. ~물 envíos *mpl* postales, correo *m*, objeto *m* postal. ¶국내 ~ correo *m* nacional. 외국 ~ [외국으로의] correo *m* internacional; [외국에서의] correo *m* procedente del extranjero. ~물 소인 인쇄기 máquina *f* franqueadora-etiquetadora. ~ 배달(配達) distribución *f* [repartición *f*] del correo. ~ 배달 구역 zona *f* de distribución del correo. ~ 번호 código *m* postal. ~ 번호 제도 sistema *m* del código de correos. ~ 부대 saca *f* de correos. ~ 사무 servicio *m* postal. ~ 사무 처리기 máquina *f* franqueadora-etiquetadora. ~ 사서함 apartado *m* postal, apartado *m* de correos, casilla *f* postal, *CoS*, *Per*, *Urg* casilla *f* de correo(s). ~선(船) paquebot *m*, paquebote *m*, buque *m* de correos, barco *m* correo. ~선 회사 compañía *f* de paquebotes.. ~ 소인 matasellos *m.sing.pl*. ~ 소포 paquete *m* postal, servicio *m* de paquetes postales, *AmL* servicio *m* de encomiendas. ~ 수취자 명단 banco *m* [lista *f*] de direcciones. ~ 업무(業務) servicio *m* postal. ~ 연락처 dirección *f* postal. ~ 열차 tren *m* correo. ~엽서 tarjeta *f* postal, postal *f*. ~ 요금 porte *m* (de correos), franqueo *m*, tarifa *f* postal, gastos *mpl* de franqueo. ¶~을 지불하다 pagar el porte. ~ 면제 franquicia *f* de porte. ~ 무료 franco *m* de porte. ~ 미납 No franqueados. ~ 별납(別納) Porte pagado / Franqueado. ~ 부족 franqueo *m* [porte *m*] insuficiente; ((게재)) Faltan sellos. ~ 선불 franqueo *m* pagado, porte *m* pagado por el destinatario [a entrega]. ~ 지급필 봉투 franqueo *m* pagado. ~필 Franqueo *m* pagado. 부가 ~ sobretarifa *f*. ~ 요금표 tarifa *f* postal. ~ 운반차 vagón *m* correo. ~ 이용자 usuario, -ria *mf* de correos. ~ 저금 ahorro *m* postal, ahorro *m* en Caja Postal, depósito *m* postal. ~ 저금 계좌 cuenta *f* de ahorro en Caja Postal. ~ 저금 통장 libreta *f* de correos postales. ~ 전신환 transferencia *f* telegráfica postal. ~ 제도 sistema *m* postal. ~ 조약 tratado *m* postal, convención *f* postal. ~ 주문 venta *f* por correo. ~ 주문 회사 compañía *f* de venta por correo. ~ 주문 카탈로그 catálogo *m* de venta por correo. ~ 집배국(集配局) oficina *f* de correos de distribuición. ~ 집배원 cartero, -ra *mf*, valijero, -ra *mf*. ~ 투표 votación *f* [voto *m*] por correo. ~함 buzón *m*. ~환 giro *m* postal. ¶100만 원[수업료]을 ~으로 보내다 enviar [mandar] un millón de wones [el importe de la matrícula] por giro postal.

우표(郵票) sello *m*, sello *m* de correos, sello *m* postal, *AmL* estampilla *f*, *Méj* timbre *m*. 180 원 짜리 ~ 20 장 veinte sellos de correos de 180 (ciento ochenta) wones. 편지에 ~를 붙이다 poner un sello a la carta, franquear la carta. 이 편지는 얼마짜리 ~를 붙어야 합니까? ¿Qué franqueo necesita esta carta? ~는 어린이들의 떼어 놓을 수 없는 친구다 El sello es un compañero inseparable de los niños.

■ ~ 수집 filatelia *f*, colección *f* de sellos, timbrofilia *f*. ~ 수집가 filatelista *mf*, coleccionista *mf* de sellos [de estampillas]; timbrófilo, -la *mf*. ~ 애호 timbrofilia *f*. ~ 연구 timbrología *f*. ~ 자동 판매기 máquina *f* estampilladora, máquina *f* expendedora de sellos. ~첩 álbum *m* de sellos.

우피(牛皮) cuero *m* de vaca.

우합(偶合) coincidencia *f* casual. ~하다 coincidir casualmente. 단순한 ~ coincidencia *f* simple.

우향우(右向右) ((구령)) ¡Media vuelta a la derecha! / ¡A la derecha!

우현(右舷)【항해】 estribor *m*. ~으로 기울 inclinarse a estribor. 키를 ~으로 돌리다 girar a estribor. 키를 ~으로 놓다 poner el timón a estribor. ~에 섬이 보인다 Se ve una isla a estribor. 키를 ~으로 꺾어라 ¡A estribor!

우형(愚兄) ① [어리석은 형] hermano *m* mayor estúpido. ② [자기 형의 겸칭] mi hermano mayor.

우호(友好) amistad *f*, bienquerencia *f*.

■ ~ 관계 relaciones *fpl* amistosas, relaciones *fpl* de amistad. ¶~를 유지하다 mantener relaciones amistosas. 대한민국은 서반아 왕국과 1965년부터 ~를 유지하고 있다 La República de Corea ha mantenido relaciones amistosas con el Reino de España desde 1965.. ~국 país *m* amigo. ~ 단체 organización *f* amiga. ~ 적(的) amistoso, amigable. ¶~으로 amistosamente, amigablemente. ~인 분위기를 만들다 crear un ambiente amistoso. ~ 사절 delegado, -da *mf* fraternal. ~ 조약 tratado *m* de amistad.

우화(羽化) ① [곤충의 번데기가 변태하여 엄지벌레가 되는 일] emergencia *f*. ② ((준말)) =우화등선.

■ ~등선(登仙) el hacerse hada.

우화(雨靴) botas *fpl* de agua, chanclos *mpl* (de goma), *CoS* galocha *f*.

우화(寓話) fábula *f*, alegoría *f*, parábola *f*.

◆동물(動物) ~ fábula *f* animal.

■ ~ 소설 novela *f* de fábulas. ~시(詩) fábula *f*. ~ 작가 fabulista *mf*, autor, -tora *mf* de fábulas. ~적 alegórico, parabólico, apólogo. ~집(集) fabulario *m*, repertorio *m* de fábulas, fábulas *fpl*.

우화등선(羽化登仙) acción *f* de hacerse ermitaño que vuela el cielo creciendo las alas al hombre.

우환(憂患) ① [근심이나 걱정되는 일] ansiedad *f*, preocupación *f*, molestia *f*. ~이 있다

tener ansiedades, estar preocupado. ② [병으로 인한 걱정] enfermedad *f*. 오랜 ~ enfermedad *f* larga.

■ ~질고(疾苦) ansiedad *f*, preocupación *f*, enfermedad y penalidad.

우황(牛黃) 【한방】 bezoar *m*. ~이 든 bezoárdico, bezoárico. ~이 든 소 vaca *f* bezoárdica [bezoárica · con bezoar].

■ 우황 든 소 같다 ((속담)) Se sufre no sabiendo qué hacer.

우회(迂廻/迂回) rodeo *m*, desvío *m*, vuelta *f*, camino *m* indirecto. ~하다 desviarse, dar un rodeo, dar una vuelta, hacer un rodeo, rodear, tomar camino indirecto, ir por un camino más largo que el directo [que el ordinario], dar una larga vuelta [un gran rodeo]. 버스는 공사중인 곳을 ~하고 있다 El autobús da un rodeo en el sitio en construcción. 우리는 침수된 교차로를 ~해야 했다 Tuvimos que dar un rodeo [que desviarnos] para evitar el cruce inundado. 우리는 ~해서 왔다 Vinimos dando un rodeo.

■ ~ 도로 carretera *f* de circunvalación, desvío *m*, camino *m* tortuoso, camino *m* muy largo. ~ 생산 producción *f* tortuosa. ~선 ruta *f* indirecta, línea *f* de vuelta. ~작전 operación *f* indirecta.

우회전(右回轉/右迴轉) vuelta *f* a la derecha. ~하다 girar [torcer · doblar · tomar] a la derecha. 모퉁이에서 ~하십시오 Por favor gire [tuerza · doble · tome] a la derecha.

■ ~ 금지 ((게시)) Se prohíbe girar a la derecha / Prohibido girar a la derecha / No girar a la derecha / No gire a la derecha.

우후(雨後) después de llover, después de la lluvia, después de aguacereo.

■ ~죽순 hongos *mpl* después de la lluvia. ~처럼 나오다 crecer [surgir] como hongos después de la lluvia, crecer de la noche a la mañana. ~처럼 나타나다 aparecer tanto como los hongos después de la lluvia.

욱기(一氣) impetuosidad *f*, temeridad *f*, arrojo *m*, espereza *f*, tosquedad *f*, vehemencia *f*, excitabilidad *f*, ferocidad *f*, fiereza *f*. ~가 있다 ser irascible, exaltado.

욱다 ① [안으로 우그러지다] hundirse, abollarse. 욱은 그릇 cuenco *m* profundo. ② [기운이 남한테 굽혀지다] debilitar.

욱대기다 ① [난폭하게 위협하다] amenazar violentemente. ② [우락부락하게 우겨내다] decir bruscamente. ③ [억지를 부려 마음대로 해내다] hacer en libertad persistiendo tercamente.

욱둥이 exaltado, -da *mf*; persona *f* salvaje.

욱박지르다 intimidar, *AmL* matonear. 욱박질러 말을 못하게 하다 hacer callar a gritos.

욱시글거리다 enjambrar, apiñarse, pulular, revolotear.

욱시글욱시글 enjambrando, apiñando, pululando, revoloteando.

욱신거리다 ① [머리나 상처 등이 쑤시면서 아프다] sentir un cosquilleo, sentir un hormigueo, sentirse con pena. 욱신거리게 하다 hacer sentir un cosquilleo [un hormigueo] (en). 손가락이 욱신거린다 Tengo [Siento] un cosquilleo [un hormigueo] en los dedos. ② [큰 것 여럿이 뒤섞여서 세게 북적거리다] enjambrar, hormiguear, pulular, revolotear, apiñar, estar de bote en bote.

욱신욱신 sintiendo un cosquilleo; enjambrando, hormigueando, pululando. 나는 손가락이 ~ 쑤시며 아프다 Tengo un dolor punzante en el dedo / El dedo me da punzadas.

욱여들다 congregarse [reunirse · juntase] del alrededor al centro.

욱여싸다 rodear, cercar. 그의 가족에 의해 욱여싸인 rodeada de su familia. 그의 보디가드들이 그를 즉시 욱여쌌다 Inmediatamente le rodearon sus guardaespaldas. 우리는 많은 미녀들에 욱여싸여 있다 Estamos rodeados de mucha belleza.

욱이다 curvar hacia adentro, abollar.

욱일(旭日) sol *m* de la mañana, sol *m* saliente, sol *m* matinal.

■ ~승천(昇天) prosperidad *f* de la influenza como el sol saliente. ¶~의 기세다 estar en plena ascensión.

욱적거리다 apiñarse, pulular.

욱적욱적 pululando, apiñándose.

욱죄다 sentir el dolor punzante.

욱죄이다 sentir apretado.

욱지르다 intimidar. 그들은 내가 그들과 결합하도록 욱지르려고 애썼다 Ellos intentaron intimidarme para que me uniera a ellos.

욱질리다 ser intimidado, intimidarse.

욱하다 enfadarse [enojarse · irritarse] impetuosamente, subirse la sangre a la cabeza, ponerse fuera de *sí*, enajenarse de *sí*, perder la cabeza. 욱해서 arrebatadamente, fuera de *sí*. 욱하기 쉬운 성질 carácter *m* explosivo. 그는 욱하는 기질이다 El es irascible. 그는 그 소리를 듣고 욱했다 Al oírlo, se le subió la sangre a la cabeza / El se puso fuera de sí al oírlo / El se enajenó de sí al oírlo / El perdió la cabeza al oírlo.

운(運) ((준말)) =운수(運數). ¶~이 좋은 afortunado. ~이 나쁜 desgraciado, de poca suerte, de mala suerte. ~ 좋게 afortunadamente, por suerte, por fortuna. ~ 좋다 tener buena suerte. ~에 맡기다 resignarse con *su* suerte, someterse a *su* destino, someterse a *su* fatalidad. ~을 시험하다 probar fortuna, probar suerte. ~을 시험하기 위해서 para probar suerte. ~을 하늘에 맡기다 abandonarse a la suerte. ~을 하늘에 맡기고 a la (buena) ventura, al azar, a la buena de Dios, al (buen) tuntún. ~이 트다 tener golpe de fortuna, estar en suerte. ~ 좋게 …하다 tener (la) suerte de + *inf*. ~ 나쁘게 …하다 tener la mala suerte de + *inf.* 나는 ~이 좋았다 Yo tenía buena suerte. 너 ~이 참 좋구나 ¡Qué buena suerte tienes! 그는 ~이 좋다 El tiene buena suerte. 그는 ~이 나쁘다 El tiene mala suerte. 오늘은 ~이 좋다 Hoy es un día de suerte / Tengo buena suerte hoy. 나는 ~이 따르고 있다 Tengo buena suerte. 나는 ~이 나빴다 No he tenido suerte / He tenido mala suerte. 무슨 ~이 이리도 좋을까 ¡Qué buena suerte! 무슨 ~이 이리도 나쁠까 ¡Qué mala suerte! / ¡Qué desgracia! 나는 요즈음 ~이 따르지 않는다 Estoy de malas suertes estos días. 장사의 ~이 돌아왔다 El negocio tiene éxito / El negocio va viento en popa. 나한테도 조금씩 ~이 오기 시작한다 Poco a poco me empieza a sonreír la fortuna. 나에게 ~이 돌아왔다 Por fin me ha sonreído la suerte / Por fin tengo suerte. 나한테는 ~이 없다 No hay [No tengo] suerte / La suerte no me sonríe. 매사에는 ~과 불운이 있다 En todo juega su parte el destino. 너처럼 ~이 좋았으면 싶구나 Quisiera tener tanta suerte como tú / ¡Me gustaría ser tan afortunado como tú! 나한테도 조금씩 ~이 오기 시작한다 Poco a poco me empieza a sonreír la fortuna.

운(韻) ① ((준말)) ＝운자(韻字). ¶~을 맞추다 rimar (con). ② ((준말)) ＝운향(韻響).
◆운을 달다 rimar, poner la rima.

운각(雲刻) talla *f* [escultura *f*] de la forma de nube en los bordes del mueble.

운각(韻脚)【시】pie *m*.

운간(雲間) entre las nubes.

운객(雲客) ＝선인(仙人). 은자(隱者).

운경(雲鏡)【기상】nefoscopio *m*.

운구(運柩) transporte *m* del ataúd. ~하다 transportar el ataúd.

운기 ánimo *m* templado que casi se puede sentir.

운기(雲氣) ① [기상에 따라 구름이 움직이는 모양] movimiento *m* de la nube según el tiempo. ② [공중으로 떠오르는 기운] ánimo *m* que sube hacia el cielo.

운기(運氣) ① [전염하는 열병] fiebre *f* epidémica. ② ＝운수(運數).

운김 ① [남은 기운] indicio *m* del aire templado. ② [여러 사람이 한창 함께 일할 때에 우러나는 힘] secuela *f*, consecuencia *f*.

운니(雲泥) gran diferencia *f*.
■ ~지차(之差) (bastante) gran diferencia. ¶~가 있다 ser tan distintos como si fueran tiza y queso.

운동(運動) ① [물체의] movimiento *m*, moción *f*. ~하다 moverse. ~의 motor. ② ㉮ [신체의] gimnasia *f* (체조), agonística *f*, ejercicio *m*. ㉯ [경기] deporte *m*, atletismo *m*. ~하다 hacer ejercicio, hacer gimnasia, hacer deporte, practicar deportes. ~의 deportivo, de deportes. 가벼운 ~을 하세요 [usted에게] Haga un pequeño ejercicio físico / [tú에게] Haz un pequeño ejercicio. 수영(水泳)은 좋은 ~이다 La natación es un excelente ejercicio. ③ [어떤 목적을 달성하기 위해 여러 방면에 적극적으로 활동하는 일] movimiento *m*, promoción *f*, campaña *f*, cruzada *f*. ~하다 promover. ~을 일으키다 organizar una campaña, suscitar un movimiento.
■ ~가 atleta *mf*, deportista *mf*, gimnasta *mf*. ~ 감각(感覺) cinestesis *f*, sensación *f* de movimiento. ~ 경기 atletismo *m*. ~ 공포증 cinesofobia *f*. ~ 과다 acrocinesia *f*, acrocinesis *f*. ~구(具) instrumentos *m* para deportes. ~구점 tienda *f* de deportes. ~권 círculo *m* de movimiento. ~ 근육 músculo *m* motor. ~ 기관 órganos *mpl* de locomoción. ~ 기능 감소증 hipocinesia *f*. ~ 기능 부전 hipoanacinesia *f*. ~ 기능 부전증 dispragia *f*. ~ 기능 항진(機能亢進) hiperanacinesia *f*. ~ 기사(記事) artículos *mpl* deportivos. ~ 기자(記者) cronista *m* deportivo, cronista *f* deportiva; periodista *m* deportivo, periodista *f* deportiva. ~ 능력 capacidad *f* para locomoción. ~ 단위 unidad *f* motriz, unidad *f* motora. ~란(欄) columnas *fpl* deportivas. ~량 capacidad *f* de la moción, capacidad *f* del ejercicio, capacidad *f* de(l) movimiento;【물리】momento *m*, ímpetu *m*. ~ 마찰 fricción *f* cinética. ~모(자) gorro *m* de deportes. ~ 법칙 ley *f* de movimiento. ~복 traje *m* de deportes, vestdio *m* deportivo. ~부 [신문사의] redacción *f* de deportes; [학교의] club *m* (*pl* clubs) de deportes. ~ 부족 falta *f* de ejercicio físico. ~ 불능 acinesia *f*, acinesis *f*. ~비 fondos *mpl* de la campaña, gastos *mpl* [expensas *fpl*] de la campaña (para conseguir votos). ~ 선수 atleta *mf*, deportista *mf*. ~성 motilidad *f*. ~성 실어증 alogia *f*, anandia *f*, afemia *f*. ~ 셔츠 camisa *f* de deportes. ~ 시설 instalaciones *fpl* deportivas. ~ 신경 nervio *m* motor. ~ 실조(失調) ataxia *f*. ~ 에너지 energía *f* cinética. ~열 pasión *f* para deportes, amor *m* de deportes, fiebre *f* atlética, afición *f* por el deporte. ~ 요법 cura *f* de ejercicio, cura *f* de movimiento. ~원 [선거의] colaborador, -dora *mf*, mantenedor, -dora *mf*, solicitador, -dora *mf*, agente *mf*, persona *f* que solicita votos durante una campaña electoral; [정치상의] defensor, -sora *mf*, agitador, -dora *mf*. ¶선거 ~ colaborador, -dora *mf* electoral; agente *mf* electoral; solicitador, -dora *mf* de votos; agente *mf* de elecciones. ~ 자금 fondos *mpl* de la campaña. ~장 [학교의] patio *m* (de recreo), campo *m* de recreo [de deportes]; [경기장] estadio *m*. ~ 장애 discinesia *f*, disturbio *m* motor. ~ 전위 potencial *m* electrocinético. ~ 정신(精神) espíritu *m* deportivo, deportividad *f*. ~ 중추 centro *m* motor. ~ 충동 impulso *m* motor. ~팬 aficionado, -da *mf* a los deportes. ~ 팬츠 pantalones *mpl* atléticos.

~학 cinemática *f*, cinesiología *f*. ~화 tenis *m*, zapatillas *fpl* de deportes. ~회 fiesta *f* deportiva [atlética · de los deportes], reunión *f* atlética, fiesta *f* de ejercicios atléticos.

운두 altura *f* de los zapatos, altura *f* del cuenco. ~가 낮은 구두 zapatos *mpl* escotados.

운명(運命) suerte *f*, destino *m*, fatalidad *f*, fortuna *f*, sino *m*, estrella *f*. ~의 여신(女神) la Fortuna. ~의 장난 caprichos *mpl* de la vida [de la suerte]. 슬픈 ~ triste destino *m*, triste sino *m*. ~과 싸우다 luchar contra el destino, desafiar al destino. ~에 맡기다 confiar a la suerte, dejar [abandonar] a *su* suerte. ~을 같이 하다 correr la misma suerte (que), estar en la misma situación. …하는 것도 ~으로 정해져 있다 estar predestinado a + *inf*. 그것도 ~이었다 El destino lo quiso así. 그는 실패할 ~에 놓여 있었다 El estaba destinado al fracaso. 선장(船長)은 배와 ~을 같이 했다 El capitán compartió la suerte del barco.

■ ~론 fatalismo *m*. ~론자 fatalista *mf*. ~선 [손금에서] línea *f* de la fortuna. ~신(神) dios *m* de la fortuna. ~적 fatal. ¶~으로 fatalmente.

운명(殞命) muerte *f*, fallecimiento *m*. ~하다 morir, fallecer, perecer, fenecer, estirar las piernas, cerrar los ojos, dejar este mundo, llamarlo Dios.

운모(雲母)【광물】mica *f*. ~ (모양)의 micáceo.

■ ~병(屛) biombo *m* de mica. ~지 papel *m* de mica en polvo. ~ 편암 micacita *f*.

운무(雲霧) la nube y la niebla.

■ ~중(中) lo muy sospechoso.

운문(雲紋) figura *f* de la forma de nube.

운문(韻文) verso *m*, poema *m*, poesía *f*.

■ ~극 drama *m* en verso. ~ 문학(文學) literatura *f* en verso. ~체 estilo *m* en verso.

운반(運搬) transporte *m*, transportación *f*. ~하다 transportar, llevar. 철도로 ~하다 transportar por ferrocarril. 그는 트럭으로 생선을 ~하고 있다 El se dedica al transporte de pescado en camión. 그 환자는 즉시 병원으로 ~되었다 En seguida llevaron al paciente al hospital.

■ ~비 gastos *mpl* de transporte, *AmL* flete *m*. ~인 porteador, -dora *mf*, [역 · 공항의] maletero *m*, mozo *m*, *RPI* changador *m*; [병원의] camillero, -ra *mf*. ~차 furgoneta *f*, camioneta *f* de reparto, vagón *m* de mercancías, camión *m*. ¶환자 ~ ambulancia *f*.

운봉(雲峰) ① =뭉게구름. ② [머리 위에 구름이 떠도는 봉우리] pico *m* de la montaña cubierto de la nube.

운산(雲山) montaña *f* lejana cubierta de la nube.

운산(雲散) dispersión *f* como la nube. ~하다 dispersar como la nube.

운산(運算) calculación *f*, operación *f*. ~하다 calcular, operar.

운산무소(雲散霧消) desaparición *f* como la neblina. ~하다 desaparecer [disiparse] como la neblina.

운석(隕石)【광물】aerolito *m*, meteorito *m*, piedra *f* meteórica, bólido *m*.

운성(隕星)【천문】=유성(流星).

운세(運勢) destino *m*, hado *m*, estrella *f*, suerte *f*. ~가 좋다 tener buena estrella, estar bajo una buena estrella. ~가 나쁘다 tener mala estrella, estar bajo una mala estrella. ~를 보다 presagiar [adivinar] la ventura (de). 좋은[나쁜] ~로 태어나다 nacer con una buena [mala] estrella. 내 ~가 나쁘게 나왔다 He sacado una suerte mala.

■ ~ 점(占) astrología *f*, horóscopo *m*. ¶~을 치다 predecir [adivinar] la suerte de *uno* por el curso de estrellas. ~ 점성가 astrólogo, -ga *mf*, planetista *mf*.

운속계(雲速計) =운경(雲鏡).

운송(運送) transporte *m*, transportación *f*, porte *m*. ~하다 transportar, portear, trajinar. ~ 중의 손해(損害) deterioro *m* causado en el transporte.

■ ~ 계약 contrato *m* de transporte. ~국(局) departamento *m* de envíos. ~료(料) precio *m* de transporte; [배의] flete *m*; [트럭의] camionaje *m*. ~ 보험 seguro *m* de transportes. ~비(費) gastos *mpl* de transporte. ~선 buque *m* de transporte. ~업 empresa *f* de transportes. ~업자(業者) transportista *mf*, empresario, -ria *mf* de transportes. ~역(驛) estación *f* de envío. ~원 expedidor, -dora *mf*. ~인 porteador, -dora *mf*, [공항의] maletero *m*, mozo *m*, *RPI* changador *m*; [병원의] camillero, -ra *mf*. ~장 carta *f* de porte. ~ 증권 póliza *f* de transportes. ~ 취급소 casa *f* de expedición. ~ 취급인 transitario, -ria *mf*. ~ 취급인 선하 증권 conocimiento *m* de embarque del agente expedidor. ~ 취급인 수수료 comisión *f* de agente expedidor. ~ 취급인 영수증 recibo *m* del agente expedidor, resguardo *m* del agente expedidor. ~품(品) mercancías *fpl*. ~ 회사(會社) compañía *f* de transportes, empresa *f* de transportes, empresa *f* expedidora.

운수(運數) suerte *f*, fortuna *f*. ~가 좋다 tener buena suerte. ~가 나쁘다 tener mala suerte. 너 ~가 나쁘군 ¡Qué mala suerte (has tenido)! / ¡Qué experiencia tan terrible! 나는 이번에 ~가 없었다 No he tenido suerte esta vez. 이번에 ~가 좋으면 복권에 당첨될지도 모른다 Si yo tuviera [tuviese] buena suerte esta vez, me tocaría la lotería.

◆ 운수(가) 사납다 tener mala suerte.

■ ~ 불길[불행] mala suerte *f*, mala fortuna *f*. ~ 소관 cuestión *f* de fortuna.

운수(運輸) transporte *m*, transportación *f*.

■ ~ 기관 medios *mpl* de transportes. ~국(局) departamento *m* de expedición. ~ 사업(事業) negocio *m* de transportes. ~업(業) empresa *f* de transportes. ~업자 transportista *mf*, empresario, -ria *mf* de transportes. ~ 협정 acuerdo *m* de tráfico. ~ 회사 compañía *f* de transportes.

운신(運身) movimiento *m*, agitación *f*. ~하다 mover, agitar. ~조차 못하다 no poder mover nada.

운영(雲影) sombra *f* de la nube.

운영(運營) operación *f*, manejo *m*, administración *f*, dirección *f*. ~하다 operar, manejar, administrar, dirigir. 조직(組織)을 ~하다 administrar una organización. 그는 사업의 ~을 잘못했다 El se equivocó en la dirección de la empresa.

■ ~ 규칙(規則) regulaciones *fpl* directivas, regulaciones *fpl* de dirección. ~ 기구 estructura *f* administrativa, organización *f* administrativa. ~비 gastos *mpl* directivos. ~ 위원 miembro *mf* del comité directivo. ~ 위원회 comité *m* directivo, comisión *f* de iniciativas, consejo *m* de administración. ~ 자금 fondo *m* de operación, fondo *m* de explotaciones. ~ 체제 sistema *m* directivo.

운예(雲霓) la nube y el arco iris.

운예(雲翳) =운영(雲影).

운용(運用) ① [적용] aplicación *f*, empleo *m*. ~하다 aplicar, hacer funcionar, emplear. 우리들은 법률의 ~을 잘못했다 Hemos aplicado la ley erróneamente. ② [자금의] operación *f*, manejo *m*; [투자] inversión *f*. ~하다 operar, manejar; [투자하다] invertir.

■ ~ 자금 fondo *m* de operaciones.

운우(雲雨) ① [구름과 비] la nube y la lluvia. ② [대업을 이룰 기회] oportunidad *f* de llevar a cabo la gran obra. ③ [남녀간의 육체적인 어울림] relaciones *fpl* sexuales entre hombre y mujer.

■ ~지락(之樂) alegría *f* de relaciones sexuales (ente hombre y mujer). ~지정(之情) pasión *f* de relaciones sexuales (entre hombre y mujer).

운운(云云) ① [이러이러함] tal, tal y cual, que si tal que si cual; […따위·등] etcétera, etc., y (lo) demás. 그는 바쁘다니 ~하면서 이유를 붙여 출석하지 않을 것이다 El no se presentará con la excusa de que está ocupado y demás. ② [이러쿵저러쿵 말함] el habla *f*; [주석(註釋)] comentario *m*; [비평] crítica *f*, criticismo *m*. 그는 약의 효능에 대해 ~하고 있다 El está comentado la eficacia de la medicina.

운유(雲遊) deambulación *f*, vagabundeo *m*, vagabundería *f*, vagabundez *f*. ~하다 deambular, vagar, caminar sin rumbo fijo.

운율(韻律) ritmo *m*. ~의 rítmico. ~이 없는 sin ritmo. ~적으로 rítmicamente. ~에 맞다 ser rítmico.

■ ~학(學) prosodia *f*.

운임(運賃) [운송료] precio *m* de transporte; [배의] flete *m*; [여객 운임] precio *m* de viaje, tarifa *f*; [배·비행기의] pasaje *m*. ~ 무료로 libre de flete. ~ 도착지 불(拂)로 con flete pagadero en destino [al hacer la carga]. ~ 선불로 con el pago anticipado de flete. 다음 달부터 철도 ~이 오른다 En el próximo mes suben las tarifas del ferrocarril.

■ ~ 경쟁 guerra *f* de tarifa. ~ 동맹 unión *f* de tarifa. ~ 보험 seguro *m* de flete. ~ 보험료 완납 flete y seguro pagados, porte y seguro pagados. ~ 보험료 포함 가격 costo, seguro y flete; CSF; CIF. ~ 선불필 carga *f* prepagada, flete *m* pagado por anticipado, portes *mpl* pagados. ~ 완납(完納) flete *m* pagado, porte *m* pagado. ~ 정산소 taquilla *f* de liquidación de pasaje. ~ 지수 índice *m* de flete. ~ 포함 가격 costo y flete. ~표 tarifa *f*. ~ 할증 prima *f* de carga. ~ 협정 acuerdo *m* de tarifa.

운자(韻字) carácter *m* rimante.

운전(運轉) ① [기계나 수레 따위를 움직여 굴림] conducción *f*, *AmL* manejo *m*. ~하다 conducir, manejar; [경주용 차를] pilotar, pilotear. ~의 de conducir, de manejar. 자동차를 ~하다 conducir un automóvil. 내 아내는 체어맨을 ~한다 Mi esposa tiene un Chairman. 그는 ~ 잘못으로 담에 부딪쳤다 Un error de conducción le llevó a chocar contra una tapia. 나는 그의 ~을 별로 좋아하지 않는다 No me gusta mucho como conduce [*AmL* maneja]. 너는 ~을 많이 해서 피곤할 것이다 Tú debes estar cansado después de tanto conducir [*AmL* manejar]. 누가 나와 ~을 교대했으면 한다 Quiero que alguien se turne conmigo para conducir [*AmL* manejar]. 그는 무모한 ~을 해서 기소되었다 El fue acusado de conducir con imprudencia temeraria. 그녀는 ~을 잘한다 Ella conduce [*AmL* maneja] bien. ~할 줄 아십니까? ¿Sabe usted conducir? / *AmL* ¿Sabe usted manejar? ② [자본이나 어떤 일 같은 것을 움직여 나아가게 함] operación *f*, función *f*, trabajo *m*, funcionamiento *m*; [자본의] manejo *m*. ~하다 operar, funcionar, hacer funcionar; [자본을] manejar. 승강기는 ~ 중이다 El ascensor está funcionado.

◆ 시(始)~ prueba *f* de carretera. 야간 ~ conducción *f* nocturna. 주간 ~ conducción *f* diurna.

■ ~ 교습소 autoescuela *f*, *Méj* escuela *f* de manejo. ~ 교습소 강사(教習所講師) instructor, -tora *mf* de autoescuela. ~기사 [자가용·버스·트럭의] conductor, -tora *mf*, chófer *mf*, chofer *mf*, [택시의] taxista *mf*, [경주용 자동차의] piloto *mf*, [열차의] maquinista *mf*. ~대 ((속어)) =핸들. ~대(臺) =운전석. ~ 면허 =운전 면허증. ~ 면허 시험 examen *m* de conducir [*AmL* de manejar]. ~ 면허증 permiso *m* de conducción, permiso *m* de conducir, *AmL* licencia *f* de conducción, licencia *f* de conductor, carnet *m* [carné *m*] de conductor, carnet *m* [carné *m*] de conducir, *Chi* carné *m*, *Méj* licencia *f*, *Urg* libreta *f*, *Col* pase *m* (de conducir), *Arg* registro *m*, *Per* brevete *m*. ~사 =운전기사. ¶스페어 ~ coconductor, -tora *mf*; copiloto *mf*. ~사 면허 시험 =운전 면허 시험. ~석(席) asiento *m* del conductor. ~수 =운전 기사. ~실 cuarto *m* operacional. ~자 [기계의] operario, -ria *mf* (de la máquina); maquinista *mf*. ~ 자금 fondo *m* de trabajo, fondo *m* de manejo. ~ 자본 =운전 자금. ~ 자산 activo *m* de exploración.

운지법(運指法) 【음악】 digitación *f*.

운집(雲集) enjambre *m*, nube *f*, multitud *f* (de gente reunida), concurrencia *f*, gentío *m*. ~하다 enjambrar, aglomerarse, apiñarse, pulular, acudir (en gran número · en masa), congregarse, reunirse. 사람들은 광장 주위에 ~했다 La gente se aglomeraba [se apiñaba · pululaba] alrededor de la plaza. 모든 사람들은 시장의 말을 듣기 위해 ~했다 Todo el mundo acudió a escuchar al alcalde. 사람들은 카니발을 위해 도시로 ~했다 Muchísima gente acudió [vino] a la ciudad para los carnavales. 팬들은 그들의 우상의 주변에 ~했다 Los fans roidearon a su ídolo.

운철(隕鐵) hierro *m* meteórico.

운치(韻致) elegancia *f*, sabor *m*, encanto *m*, buen gusto *m*, gracia *f*. ~가 있는 elegante, sugetivo, expresivo, de buen gusto, distinguido, refinado, encantador. ~가 없는 insípido, insulso, seco. ~ 있는 옷을 입고 있다 ir vestido con distinción [con elegancia · con buen gusto]. 이 그림은 ~가 있다 Este cuadro es expresivo / Este cuadro tiene un no sé qué de encanto. 이 글은 읽으면 읽을수록 ~가 난다 Esta frase, cuanto se lee, resulta más atrractiva. 이 그림은 은근한 ~가 있다 Este cuadro tiene un sentido profundo.

운크라(영 *UNKRA, the United Nations Korean Reconstruction Agency*) la Agencia de Reconstrucción Coreana de las Naciones Unidas.

운필(運筆) pincelada *f*, brochazo *m*, uso *m* del pincel. ~하다 pintar, escribir, dibujar.

운하(雲霞) ① [구름과 놀] la nube y la neblina. ② [봄의 계절] estación *f* de la primavera.

운하(運河) canal *m*. ~를 만들 수 있는 canalizable. ~를 열다 canalizar, abrir [hacer] canales (en). ~를 만들다 canalizar.

▪~ 개착(開鑿) canalización *f*. ~선(船) barcaza *f*. ~ 지대 zona *f* del Canal, zona *f* [región *f*] canalizada. ¶파나마 ~ zona *f* del Canal de Panamá. ~ 통과료 (derechos *mpl* de) pasaje *m* por [de] un canal.

운학(韻學) prosodia *f*.

운항(運航) transporte *m* por agua, servicio *m* marítimo, navegación *f*, operación *f*; [비행기의] vuelo *m*. ~하다 navegar, operar, hacer servicio, volar. 이 배는 부산과 제주간을 ~하고 있다 Este barco hace el servicio entre Busan y Chechu. 태풍으로 배가 ~할 상태가 못 된다 Por la tormenta, el mar no está en condiciones de navegar.

운해(雲海) ① [구름이 덮인 바다] mar *m* cubierto de la nube. ② [바다나 호수의 수면이 구름에 닿아 보이는 먼 곳] lugar *m* lejano que la nube parece alcanzar a la superficie del mar o del lago. ③ [산꼭대기 · 비행기 따위에서 내려다본, 바다처럼 널리 깔린 구름] nube *f* como el mar.

운행(運行) ① [운전하며 진행함] [열차 · 버스의] servicio *m*, marcha *f*. ~하다 hacer el servicio. 안개로 열차의 ~이 중지되었다 A causa de la niebla fue suspendido el servicio de trenes. 열차 ~이 방해되고 있다 Están perturbados los servicios de trenes. 사고로 열차 ~에 혼란이 있었다 Debido a un accidente ha habido cambios imprevistos en el horario. ② 【천문】 movimiento *m*.

▪~ 노선 ruta *f*, línea *f*. ¶버스 ~ ruta *f* de autobuses. 철도 ~ línea *f* de ferrocarril. ~ 시간표 horario *m*. ¶버스 ~ horario *m* de autobuses. 열차 ~ horario *m* de trenes. ~ 정지[중지] suspensión *f* del servicio. ~표 diagrama *m*. ¶열차 ~ diagrama *m* de la marcha de trenes.

운형자(雲形-) 【수학】 =곡선자.

운휴(運休) suspensión *f* [parada *f*] del servicio. 열차가 ~되었다 El tren fue cancelado / El servicio del tren se paró..

울[1] ① ((준말)) =울타리(cerca). ② ((준말)) =신울. ③ [속이 비고 위가 트인 것의 가른 두른 부분] aro *m*.

울[2] [떨거지] pariente *mf*, familiar *mf*, familia *f*, parentela *f*.

울[3] ((준말)) =우리[2]. ¶~ 엄마 nuestra mamá. ~아버지 nuestro padre.

울(영 *wool*) [양모] lana *f*.

◆올~ pura lana *f*. 올~ 카펫 alfombra *f* de pura lana.

▪~ 마크 marca *f* de lana.

울가망하다 ① [마음이 편하지 못하다] sentir incómodo, no sentir a gusto. 나는 그곳이 울가망했다 No me sentía a gusto allí. ② [늘 근심으로 지내다] sentir ansiedad.

울거미 ① [얽어 맨 물건의 거죽에 댄 테] aro *m* exterior. ② [짚신이나 미투리의 총을 꿰어 갱기 친, 기다랗게 둘린 끈] cuerda *f* del aro exterior.

울걱거리다 gargarizar, hacer gárgaras.
울걱울걱 gargarizando, haciendo gárgaras.

울겅거리다 =올강거리다.
울겅울겅 =울근울근.

울겅불겅 =울근울근.

울결(鬱結) abatimiento *m* [desánimo *m*] del corazón, depresión *f*, abatimiento *m*.

울고불고 llorando y gritando. ~하다 llorar y gritar [dar gritos].

울골질 intimidación *f*, extorsión *f*, exacción *f*.

~하다 intimidar, matonear.

울근거리다 mascullar, farfullar, hablar entre dientes, mascar, masticar.

울근울근 mascullando, farfullando, masticando, mascando.

울근불근[1] [서로 으르대며 감정 사납게 맞서서 지내는 모양] en desacuerdo, en pugna.

울근불근[2] [울근거리며 불근거리는 모양] mascando, mascullando. 질긴 고기를 ~ 씹다 mascar carne.

울근불근[3] [몸이 여위어 갈빗대가 드러난 모양] huesudamente. ~하다 (ser) huesudo.

울금(鬱金) 【식물】 =심황(深黃).

■ ~색 =등색(橙色). ~향 =튤립.

울긋불긋 en varios colores, en diversos colores. ~하다 (ser) pintoresco, de colores vivos [vistosos], multicolor, lleno de colores, lleno de colorido, vistoso.

울기(鬱氣) melancolía *f*, depresión *f* mental.

울꺽 ① [먹은 음식을 토하려고 하는 모양] esputando, vomitando, tosiendo. ~ 토하다 esputar, expectorar, vomitar, devolver, arrojar. ② [분한 생각이 한꺼번에 꽉 치미는 모양] teniendo un ataque de furia.

울꺽거리다 ① [자꾸 울꺽하다] esputar frecuentemente [con frecuencia]. ② [분한 생각이 자꾸 울꺽 치밀다] tener un ataque de furia con frecuencia.

울꺽울꺽 vomitando frecuentemente, teniendo un ataque de furia frecuentemente.

울남(-男) (niño *m*) llorón *m*.

울녀(-女) (niña *f*) llorona *f*.

울다 ① [정신적·육체적 자극을 견디다 못해 소리를 내면서 눈물을 흘리다] llorar; [눈물을 흘리다] derramar [verter] lágrimas; [특히 아이들이 칭얼거리다] gemir, chillar; [갓난애가] dar vagidos; [흐느껴] sollozar; [통곡(痛哭)하다] llorar, gemir; [엉엉] lloriquear. 울어서 퉁퉁 부은 lloroso. 울어서 퉁퉁 부은 눈 ojos *mpl* llorosos. 잘 우는 (아이) llorón, -rona *mf*. 우는 아이 niño, -ña *mf* llorando; niño, -ña *mf* que llora. 울면서 llorando, con lágrimas (el los ojos). 우는 얼굴 cara *f* llorosa, cara *f* manchada con lágrimas. 울게 만든 영화(映畵) [눈물을 짜는 영화] película *f* que hace llorar, película *f* lacrimógena, *Chi* película *f* cebollenta. 울면서 말하다 decir *algo* llorando, decir *algo* en voz ahogada por las lágrimas. 우는 얼굴을 하다 mostrar la cara llorosa. 울려고 하다 estar a punto de llorar, tenera ganas de llorar. 울고 싶다 querer llorar. 울 듯하다 tener ganas de llorar. 울며 밤을 지새우다 llorar toda la noche, pasar la noche llorando, 울다가 잠들다 sollozar hasta quedarse dormido, dormirse llorando. 기뻐서 ~ llorar de alegría, llorar de gozo. 분해서 ~ llorar de coraje. 까딱하면 ~ ser llorón, llorar con poco motivo. 소리 없이 ~ *Arg* lloritar. 쓰러져 ~ anegarse en llanto, deshacerse en lágrimas, deshacerse en llanto, echarse llorando (sobre), lanzarse llorando (sobre). … 때문에 ~ llorar por *uno*; [죽은 사람 때문에] llorar a *uno*. …를 울게 하다 hacer llorar a *uno*. 울며 세월을 보내다 pasarse la vida llorando. 술만 취하면 ~ ser un bebedor llorón [sensiblero], tener un vino triste. 울기 시작하다 ㉮ empezar [comenzar] a llorar. ㉯ [와악] echarse a llorar, romper a llorar, prorrumpir en sollozos, prorrumpir en llanto, estallar en llanto. 울다가 웃다 reír llorando, reír con lágrimas en los ojos. 울면서 애원하다[호소하다] implorar [suplicar] *algo* a *uno* [que + *subj*] con lágrimas. 우는 흉내를 내다 fingir llorar, verter lágrimas de cocodrilo. 울고 싶은 것을 참다 contener las lágrimas. 몹시 울어 눈이 퉁퉁 부어 있다 tener los ojos hinchados de [por] las lágrimas. 너는 울 이유가 없다 No tienes razón para llorar / No tienes por qué llorar. 어린애가 젖 달라 울고 있다 El nene da vagidos reclamando leche. 그 아이는 울려고 했다 El niño estaba a punto de llorar. 그것은 너를 울게 하기에 충분하다 Es como para ponerse [echarse] a llorar. 그녀는 요즈음 잘 운다 De un tiempo a esta parte ella llora por nada / De un tiempo a esta parte ella está muy llorona. 그는 나에게 돈을 빌려 달라고 울면서 애원했다 El me suplicó que prestara [prestase] dinero. 나는 밤새도록 울었다 Yo lloraba toda la noche. 그는 그 소식을 듣고 기뻐서 울었다 El lloró de gozo al oír la noticia. 우리는 웃다가 울었다 Nos reímos hasta que se nos saltaron las lágrimas.

② [새·짐승·벌레 따위가 소리를 내다] [짐승이] gritar, dar voces; [새가] cantar, cotorrear, gritar; [작은 새가] piar; [예리하게] chillar; [개·원숭이 따위가 슬프게] aullar, dar aullados; [개가] ladrar, aullar; [강아지가] gañir, ladrar; [소가] mugir; [말이] relinchar; [돼지가] gruñir; [고양이가] maullar; [수탉이] cacarear, cantar; [암탉이] clocar, cacarear; [알을 낳는 암컷이] cloquear; [병아리가] piar, pipiar; [집오리가] graznar, hacer cua cua; [칠면조가] gluglutear; [부엉이가] ulular; [까마귀가] graznar, grajear, crascitar; [뻐꾸기가] cantar, dar cucúes; [비둘기가] arrullar, cantalear, zurear; [올빼미가] ulular; [학이] gritar, chillar; [개구리가] croar, cantar; [매미가] cantar; [양·산양·염소가] balar; [사슴이] balar, balitar, roncar; [코끼리가] barritar; [원숭이가] parlotear; [쥐·토끼가] chillar; [곰이] gruñir; [사자·곰이] rugir; [당나귀가] rebuznar; [나이팅게일 등이] trinar, gorjear; [이리·늑대가] aullar; [벌레가] chirriar, cantar; [벌이] zumbar; [귀뚜라미가] chirriar. 우는 소리 [짐승의] voz *f* (*pl* voces), grito *m*; [새의] voz *f*, grito *m*, canto *m*; [벌레의] canto *m*, chirrido *m*; [개의] ladrido *m*; [강아지의] gañido *m*; [오리의] graznido *m*; [소의] mugido *m*; [말의] relincho *m*; [양·염소의] balido *m*; [고양이의] maullido *m*, maúllo *m*; [개구리의]

croar *m*, canto *m*; [당나귀의] rebuzno *m*; [까마귀의] graznido *m*; [부엉이의] grito *m*, ululato *m*; [학의] grito *m*, chillido *m*; [벌의] zumbido *m*; [귀뚜라미의] chirrido *m*. 우는 벌레 insecto *m* cantor. 이 동물은 웁니까? ¿Este animal da voces? 울어 대는 고양이는 쥐 못 잡는다 ((서반아 속담)) Gato maullador, nunca buen cazador.
③ [도배·장판·바느질 자리 등이 반듯하지 못하고 우글쭈글하여지다] arrugarse, ser arrugado.
④ [건물·세간 등에서 저절로 소리가 나다] sonarse.
⑤ [종·천둥 따위가 소리를 내다] [종이] sonar, repicar, tañer; [천둥이] tronar. 벨이 ~ tocarse el timbre. 종이 ~ tocarse la campana.
⑥ [귀에서 저절로 소리가 들리다] resonar en *sus* oídos, oír. 그들의 외치는 소리가 우리의 귀에서 아직도 울고 있다 Todavía oímos sus gritos / Sus gritos aún resuenan en nuestros oídos.
⑦ [짐짓 어려운 체하다] fingir difícil. 우는 소리를 하다 quejarse.
■ **울지 않는 아이 젖 주랴** ((속담)) El que no llora no mama / El que se queja, obtiene / Se engrasa la rueda que chirría, no las otras, claro / Hay que solicitar sin cansarse lo que se quiere obtener / Al que llora le es fácil de encontrar.

울대¹ [울타리의] estaca *f*.

울대² [새의] órgano *m* vocal.

울대뼈 =결후(結喉).

울뚝 impetuosamente, imprudentemente. ~하다 (ser) impetuoso, imprudente.

울뚝불뚝 con impetuosidad repetida.

울띠 tabla *f* transversal de la cerca de madera.

울렁거리다 ① [너무 놀라거나 조심스럽거나 두려워 가슴이 두근거리다] palpitar, latir con fuerza. 울렁거리는 palpitante, vibrante. 울렁거림 latido *m*. palpitación *f*. 울렁거리는 가슴 corazón *m* palpitante. 기뻐서 가슴이 ~ *su* corazón palpitar con alegría. ② [물결이 연해 흔들리다] agitarse, sacudirse, rodar; [보트가] bambolearse, dar bandazos. ③ [뱃속이 토할 것 같이 메슥메슥하여지다] nausear, sentir náusea, tener ganas de vomitar. 속이 울렁거린다 Siento náuseas / Nauseo.
울렁울렁 ㉮ [가슴이] palpitando, latiendo. 나는 가슴이 ~하다 Me hierve de emoción el corazón. ㉯ [물결이] agitándose, sacudiéndose.

울렁이다 ① [가슴이 설레며 뛰놀다] palpitar. ② [먹은 것이 토할 것 같이 메슥거리다] nausear, sentir náuseas.

울력 fuerza *f* combinada, cooperación *f*, colaboración *f*. ~하다 trabajar juntos, cooperar, colaborar.

울룩불룩 ásperamente, rogosamente, bastamente, toscamente, gruesamente, desigualmente, con desniveles. ~하다 (ser) áspero, rogoso, basto, tosco, grueso, desigual.

울룽대다 amenazar (por fuerza), intimidar. 죽인다고 ~ amenazar a *uno* con muerte. 울룽대어 쫓아버리다 asustar; [동물을] espantar, ahuyentar.

울리다 ① [울게 하다] hacer llorar; [눈물을 흘리게 하다] arrancar lágrimas; [감동시키다] conmover, emocionar; [슬프게 하다] afligir, desconsolar, apenar. 심금을 울리는 이야기 historia *f* patética, historia *f* conmovedora, historia *f* enternecedora. 감동으로 ~ hacer llorar a *uno* de la emoción. 아이를 울리지 마라 No hagas llorar al niño. 울리는 이야기다 Es una historia conmovedora [patética]. 그는 부모를 울렸다 El constituyó la desesperación de sus padres / El costó mucho llanto a sus padres. 그는 선생님을 울렸다 El es un alumno que molesta mucho a sus maestros [a sus profesores]. 기뻐 가슴이 울린다 El corazón palpita con [de] alegría.
② [종 따위를 두들겨 소리를 내다] sonar, tocar, hacer sonar, repicar. 초인종을 ~ tocar la timbre, llamar al timbre, llamar a la puerta. 종을 ~ tocar la campana. 벨이 울린다 Suena el timbre.
③ [널리 세상에 알려지게 하다] (ser) famoso, popular, conocido mucho, tener fama, sonar. 장안을 울리는 명망(名望) fama *f* conocida en toda la ciudad. 무척 울리는 이름 nombre *m* muy conocido, nombre *m* que suena bien. 그의 이름은 잘 울리고 있었다 Su nombre sonaba bien. 그의 명성은 세계에 울려 퍼졌다 Su fama ha alcanzado resonancia universal. 그의 이름은 전세계에 울린다 Su nombre es sonado en el mundo entero [en todo el mundo].
④ [소리가 나다. 소리가 퍼지다. 반향하다] tronar, retumbar, detonar, sonar. 울려 퍼지다 resonar, retumbar, repercutir, detonar, producir [dar] un estampido. 종이 ~ sonar la campana. 뇌성이 울린다 Truena. 천둥이 울리고 있다 Está tronando. 밤새 천둥이 울렸다 Tronó toda la noche. 포성이 울린다 Truenan los cañones. 크리스마스 종이 울린다 Se oyen [Están sonando] las campanas de la Navidad. 천둥이 온 계곡(溪谷)에 울려 퍼졌다 Retumbó el trueno por todo el valle. 종소리가 울려 퍼진다 El sonido de las campanas resuena [vibra] en la lejanía.
⑤ [널리 퍼지다. 모두에게 알려지다] ejercer. 권력을 ~ ejercer el poder.

울림 sonido *m*; [음향] resonancia *f*; [소음] ruido *m*; [반향(反響)] eco *m*, retumbo *m*, repercusión *f*, [진동] vibración *f*, [폭음(爆音)] estampido *m*, detonación *f*, [큰 음향] estruendo *m*; [음색(音色)] sonido *m*, timbre *m*. 무시무시한 ~으로 con un ruido ensordecedor, con un estampido estruendoso [estrepitoso], con un gran estruendo.

울먹거리다 seguir estando a punto de llorar.

울먹울먹 estando a punto de llorar continuamente.

울먹이다 estar a punto de llorar, tener ganas de llorar. 울먹이는 소리로 말하다 hablar llorando [en voz ahogada por las lágrimas · con la voz empapada en lágrimas · con voz lacrimosa]. 그녀는 울먹였다 Su voz quedó embargada [empañada] por el emoción. 그녀는 울먹이면서 말했다 Se le enturbió la voz al hablar.

울먹줄먹 en grupo, en abundancia. ~하다 apiñarse, agruparse, tener muchos hijos. 모든 호텔들이 정거장 주변에 ~해 있었다 Todos los hoteles están agrupados [concentrados] alrededor de la estación.

울멍줄멍 =울먹줄먹.

울며불며 llorando y gritando. ~ 가지 말라고 애원하다 implorar [suplicar] llorando y gritando que no te vaya.

울민하다(鬱悶-) (ser) doloroso, lastimoso, lúgubre, triste.

울밀하다(鬱密-) (ser) denso.

울밑 debajo de la cerca. ~에 선 봉선화 bálsamo *m* debajo de la cerca.

울바자 cerca *f* de paja.

울보 (niño *m*) llorón *m*, (niña *f*) llorona *f*. 그녀는 ~다 Ella es llorona / Ella llora con poco motivo.

울부짖다 aullar, gritar (llorando), dar un grito, llorar, gemir, lamentarse, chillar, dar alaridos.

울분(鬱憤) reconcomio *m*, resentimiento *m*, enfadado *m* (contenido), rencor *m*, rabia *f*, cólera *f* contenida, enfado *m*, enojo *m*, furia *f*, reprimida *f*, ira *f*, disgusto *m*. ~하다 enfadarse, enojarse, irritarse. ~을 참다 controlar *su* cólera. ~을 풀다 desahogar *su* cólera [resentimiento], satisfacer *su* resentimiento. ~을 터뜨리다 desembuchar [descargar] el resentimiento reprimido (sobre), desahogar *su* reconcomio. 술로 ~을 풀다 desahogar *su* furia bebiendo vino.

울상(-相) cara *f* llorosa, cara *f* triste, rostro *m* lloroso. ~이다 estar a punto de llorar. ~을 하다 poner (la) cara llorosa [triste]. ~을 하고 있다 tener (la) cara llorosa [triste]. ~이군 그래! ¡Lo vas a lamentar!

울새 【조류】 petirrojo *m* [ceón *m* · tordo *m* norteamericano] de cola roja.

울섶 maleza *f* usada para hacer la cerca.

울세다 tener una gran familia, tener un gran número de parientes.

울쑥불쑥 dentadamente, serradamente, quebradamente, abolladamente, con picos, recortadamente, accidentadamente. ~하다 marcar, dejar marcas (en) ~한 해안 litoral *m* recortado [accidentado]. 산이 ~하다 La montaña es recortada [accidentada].

울안 interior *m* de la cerca. ~에서 en la cerca.

울어대다 seguir llorando, continuar llorando.

울울창창하다(鬱鬱蒼蒼-) (ser) espeso, denso, frondoso, lujuriante. 울울창창함 espesura *f*, densidad *f*, frondosidad *f*. 울울창창한 숲 bosque *m* denso. 숲의 울울창창한 식물(植物) vegetación *f* lujuriante de los bosques. 밀림에 나무가 ~ Los árboles son frondosos en la selva.

울울하다(鬱鬱-) ① [마음이 상쾌하지 않고 가슴이 아주 답답하다] (ser) melancólico, lúgubre, fúnebre, triste, descorazonado. 울울함 melancolía *f*, tristeza *f*, pesimismo *m*. 울울하게 melancólicamente, tristemente, con pesimismo. ② [나무가 무성하다] ser frondoso, lujuriante.

울음 llanto *m*, grito *m*, lágrimas *fpl*. ~을 그치다 dejar de llorar. (와락) ~을 터뜨리다 echarse a llorar, ponerse a llorar, romper a llorar. ~을 참다 contener las lágrimas. ~으로 날을 보내다 gastar *sus* días en lágrimas, vivir en tristeza.

■ ~바다 mar *m* de llanto. ~보 llanto *m* de romper sin contener. ¶~를 터뜨리다 romper a llorar, echarse a llorar, ponerse a llorar. ~소리 ㉮ ㉠ [갓난애의] vagido *m*. ㉡ [우는 소리] voz *f* lacrimosa, voz *f* ahogada por las lágrimas. ㉢ [흐느낌] llanto *m*, sollozo *m*, gemido *m*. ㉯ ㉠ [짐승의] voz *f* (*pl* voces), grito *m*. ㉡ [새의] voz *f*, grito *m*, canto *m*. ㉢ [벌레의] canto *m*, chirrido *m*. ㉣ [개 · 원숭이 따위의] aullido *m*, aúllo *m*. ☞우는 소리. ~주머니 bolsa *f* de llanto. ~큰새 fama *f* [reputación *f*] más alta que la verdad. ~통 ㉮ 【동물】 =울대². ㉯ ((속어)) =울음.

울인(鬱刃) espada *f* que aplica el veneno.

울적(鬱積) ① [울화가 쌓임] acumulación *f* del cólera reprimida. ② [불만이 쌓임] acumulación *f* del descontento latente. ~하다 [불만 따위가] estar latente, incubarse. ~된 latente, oculto, reprimido. 청년들 사이에는 불만이 ~되어 있다 Entre los jóvenes se acumula latentemente el descontento / Entre los jóvenes hay un encerrado [reprimido] descontento.

울적하다(鬱寂-) (ser) melancólico, triste, solitario, sentirse solo. 울적함 melancolía *f*, tristeza *f*, soledad *f*. 울적한 생활 vida *f* solitaria. 내 울적한 밤 mis noches de soledad. 울적해 하다 ponerse melancólico. 울적해져 있다 estar deprimido, estar abatido, tener murria, sentirse triste, sentirse melancólico. 그녀는 최근 몹시 울적해 한다 Ella tiene un aire triste estos días / Ella parece hundida estos días. 나는 무척 울적했다 Me sentía muy solo. 그녀는 혼자 살지만 결코 울적하지 않다고 말한다 Ella no vive con nadie, pero dice que nunca se siente sola.

울증(鬱症) melancolía *f*, hipocondría *f*.

울짱 barrera *f*, estacada *f*, valla *f*, [둘러싼] cerca *f*, palizada *f*. ~을 만들다 hacer una barrera. ~을 둘러치다 cercar, vallar. ~을 뛰어넘다 saltar la barrera.

울창하다(鬱蒼-) (ser) frondoso, espeso, denso. 울창하게 frondosamente, espesamente, densamente. 울창함 frondosidad *f*, espesura *f*, densidad *f*. 울창한 숲 bosque *m* frondoso [tupido · espeso]. 울창한 밀림 selva *f* espesa. 나무가 ~ Los árboles son muy frondosos.

울컥 ① [먹은 것을 급히 토하려는 모양] de repente, de pronto, repentinamente, de súbito, súbitamente, bruscamente. ~ 토하다 vomitar de repente. ② [분한 생각이 한꺼번에 꽉 치미는 모양] de [en] cólera, de repente, de pronto, repentinamente. ~해서 en un arranque de cólera, en un acceso de cólera; [흥분해서] a sangre caliente. ~ 화내다 arder de cólera, enfurecerse, estar rabioso, ponerse rabioso, enajenarse de cólera, quedar enajenado de cólera, ponerse furioso, montar en cólera; [냉정을 잃고] perder el control, perder los estribos.

울컥거리다 ① [먹은 것을 잇따라 세게 게우거나 게우려 하다] seguir [continuar] vomitando, ir a vomitar continuamente. ② [분한 생각이 자꾸 세게 치밀다] soler sentir indignado.

울타리 cerca *f*, valla *f*, cercado *m*, *AmL* cerco *m*; [산울타리] seto *m* verde, seto *m* vivo. ~ 너머로 por encima del seto. 철사 ~ alambrada *f*, *AmL* alambrado *m*.

울툭불툭 =울퉁불퉁. ¶~하다 (ser) abollado, traqueteado, escabroso, desigual. 옹이가 박혀 ~한 nudoso. 그의 손가락은 옹이가 박혀 ~하다 Sus dedos son nudosos.

울퉁불퉁 desigualmente, accidentadamente, toscamente, ásperamente. ~하다 (ser · estar) desigual, accidentado, tosco, áspero. ~함 desigualdad *f*, irregularidad *f*. ~한 길 camino *m* desigual [escabroso · lleno de baches · áspero]. ~한 바위 roca *f* tosca. ~한 데가 있다 tener desigualdades. ~한 데를 고르다 nivelar, allanar.

울혈(鬱血) 【의학】 hiperemia *f*, congestión *f*. ~되어 있다 estar congestionado.

울화(鬱火) cólera *f* (reprimida), furia *f* (reprimida), ira *f*. ~가 치밀다 hervir la sangre de rabia. ~가 터지다 ofenderse, irritarse, picarse. ~가 터지는 ofensivo, irritante, exasperante. 나는 ~가 치밀었다 Me hervía la sangre de rabia. 그는 너무 거만해 ~가 터졌다 El estuvo tan insolente que me ofendió. 그를 따라잡을 수 없어 ~가 치밀었다 Me dio rabia no poder alcanzarle. 정말로 ~가 터진다 Es verdaderamente ofensivo [irritante · molesto] / ¡Qué fastidio! / ¡Qué rabia! / ¡Qué lata! / ¡Qué vejación! / ¡Mecachis! / ¡Maldito sea!

■ ~병[증] 【한방】 cólico *m*.

울화통 ((힘줌말)) =울화.

◆울화통(이) 터지다 ofenderse, irritarse, picarse.

움[1] [싹] brote *m*, retoño *m*, renuevo *m*, yema *f*, germen *m*; [꽃의] capullo *m*. ~이 트다 [식물이] echar, echar retoños, retoñar; [잎이] brotar, salir; [씨가] germinar. 식물이 ~이 트고 있다 La planta está echando retoños / La planta está retoñando.

움[2] [땅을 파고 위에 거적 따위를 얹고 흙을 덮어 추위 · 더위 · 비바람을 막거나 겨울에 화초 · 채소 등을 넣어 두는 곳] sótano *m*, cova *f*; [포도주용] bodega *f*; [석탄용] carbonera *f*.

움나다 echar brotes.

움나무 retoño *m*.

움돋다 echar brotes, echar retoños, echar renuevos, retoñar, brotar, salir, germinar.

움돋이 brote *m*, retoño *m*, renuevo *m*, yema *f*, germen *m*.

움딸 segunda esposa *f* de *su* hijo político que se casó otra vez después de que *su* hija casada murió.

움라우트(독 *Umlaut*) diéresis *f*.

움막(一幕) sótano *m*, bodega *f*, cova *f*.

■ ~살이 vida *f* en el sótano. ~집 casa *f* con el sótano.

움실거리다 aglomerarse, apiñarse, pulular, enjambrar, revolotear.

움실움실 aglomerándose.

움쑥 abollando. ~하다 abollarse.

움씰하다 estremecerse.

움죽거리다 =움직거리다.

움직거리다 moverse, agitarse; [지렁이 · 물고기가] retorcerse, avanzar serpenteando [culebreando]. 움직거리지 마라 ¡Quédate [Estáte] quieto! 아이들은 의자에서 움직거렸다 Los niños se movían inquietos en sus asientos. 그녀는 불편해서 움직거렸다 Ella se retorció incómoda.

움직움직 moviéndose, agitándose.

움직씨 【언어】 verbo *m*.

움직이다 ① [위치를 바꾸다. 자리를 옮기다] mover(se), trasladar(se). 환자가 간신히 움직인다 El enfermo se mueve con dificultad. 이 탁자를 구석 쪽으로 움직여 주시겠습니까? ¿Quiere usted mover esta mesa hacia el rincón? 움직이지 말고 여기서 기다려라 Espérame aquí. No te muevas. 말을 움직일 방법이 없다 No hay modo de que el caballo se mueva. ② [정지하여 있지 않다. 동작을 계속하다] mover(se), agitarse; [이동하다] correr; [조작하다] manejar, hacer funcionar, accionar; [시동을 걸다] poner en marcha; [작동하다] funcionar, andar; [동원하다] movilizar. 움직일 수 있는 movible. 움직일 수 없는 inamovible, inmóvil, fijo, inmoto. 움직일 수 없다 [인파로] no poder moverse [menearse]; [자동차가 진탕 때문에] estar atascado; [교통 체증으로, 주어는 길] estar embotellado, estar congestionado. 군(軍)을 ~ [동원하다] movilizar tropas. 핸들을 ~ manejar [accionar] el volante. 탁자를 벽 쪽으로 ~ correr la mesa hacia la pared. 장관을 움직여 공사를 중단시키다 pedir la intervención del ministro para suspender la obra. 움직이지 마세요 [usted에게] No se mueva / [tú에게] No te muevas / [vosotros에게]

No os mováis / [ustedes에게] No se muevan. 머리를 움직이지 마세요 No mueva la cabeza. ③ [바뀌다. 변동하다] cambiar, alterar. 움직일 수 없는 결정(決定) decisión *f* irrevocable. 움직일 수 없는 사실 hecho *m* innegable. 움직일 수 없는 의지(意志) voluntad *f* inquebrantable. 움직일 수 없는 증거(證據) prueba *f* indiscutible, prueba *f* irrefutable. 그 결정(決定)은 움직이기 어렵다 Esa decisión es difícil de cambiar. ④ [의향을 가지고 활동하다] moverse, trabajar. 기계적으로 ~ moverse mecánicamente. ⑤ [경영하다. 운영하다] operar, manejar. 공장을 ~ manejar la fábrica. ⑥ [제자리에서 흔들리다] moverse. 앞니가 ~ moverse el diente delantero. ⑦ [마음이 끌리거나 흔들리다. 감동하다] conmover, emocionar. 마음을 움직이는 이야기 historia *f* conmovedora. 그는 그 이야기에 마음이 움직였다 El se emocionó [se conmovió · se enterneció] con el relato. 그는 쉽게 마음이 움직인다 El se emociona fácilmente. 나는 그의 말에 마음이 움직였다 Me emocionaron sus palabras. 그녀는 감정으로 움직이고 있다 Ella obra impulsada por los sentimientos.

움직임 ① [움직이는 일] movimiento *m*, actividad *f*. 나는 추위로 수족의 ~이 둔하다 El frío me embota el movimiento de los miembros. 발레리나의 발 ~에 주목해 주십시오 Fíjense en los movimientos de los pies de la bailarina. ② [변화. 변동] cambio *m*, fluctuación *f*, oscilación *f*. 시세의 ~ fluctuación *f* del precio. ③ [동정(動靜). 동태(動態)] cambio *m*, condiciones *fpl*. 여론(與論)의 ~ cambio *m* de la opinión pública. 정계(政界)의 ~ condiciones *fpl* del mundo político.

움질거리다 mover tímidamente, mover con timiez, entretenerse. 길에서 움질거리지 마라 No te entretengas en el camino.
움질움질 movindo tímidamente.

움집 sótano *m* usado como la residencia.
▪ ~살이 vida *f* en el sótano como la residencia.

움쭉달싹 moviéndose. ~ 않다 no moverse.

움찔 con sobresalto, con susto. ~하다 acobardarse, titubear, arredrarse.

움찔거리다 asustarse, sobresaltarse, sobrecogerse, tener un sobresalto, entremecerse.
움찔움찔 asustándose, sobresaltándose.

움츠러들다 encogerse, estremecerse.

움츠러뜨리다 ((힘줌말)) =움츠리다.

움츠러지다 encogerse, achicarse; [공포로] espantarse, estremecerse.

움츠리다 acurrucarse, acocharse, meter, encogerse (de), agachar. 머리를 ~ meter la cabeza entre los hombros; [숙이다] agachar la cabeza. 몸을 ~ acurrucarse, encogerse el cuerpo. 어깨를 ~ encogerse de hombros. 나는 추워 몸을 움츠리고 걸었다 Anduve con el cuerpo encogido por el frío.

움칠 con sobresalto, con susto. ~하다 asustarse, sobresaltarse, tener un sobresalto, sobrecogerse.

움칫 con sobresalto ligero, con gusto ligero. ~하다 asustarse ligeramente.

움켜잡다 agarrar, aferrar, asir fuertemente. 나는 그의 허리를 움켜잡았다 Le agarré de [por] la cintura.

움켜잡히다 agarrarse, aferrarse, asirse fuertemente.

움켜쥐다 agarrar(se), empuñar, arrebatar.

움큼 un puñado, una pizca, un pellizco. 한 ~의 흙 una pizca [un pellizco] de tierra. 한 ~의 모래 un puñado de arena. 한 ~의 쌀 un puñado de arroz.

움키다 agarrar, sujetar. 그녀는 백을 단단히 움켰다 Ella sujetó [agarró] firmemente el bolso.

움트다 echar brotes, echar retoños, echar yemas.

움파 puerros *mpl* cultivados en el sótano.

움파다 hundir.

움파리 charco *m*.

움패다 hundirse. 움패인 hundido. 움패인 눈 ojos *mpl* hundidos. 움패인 땅 hondonada *f*, hondón *m* (*pl* hondones). 도로가 움패여 있다 El camino tiene baches / Hay baches en el camino.

움펑눈 ojos *mpl* hundidos y redondos. ~이다 tener los ojos hundidos y redondos.

움펑눈이 persona *f* con los ojos hundidos (y redondos).

움푹 hundidamente. ~ 패인 hundido, hueco, cóncavo. ~ 들어간 눈 ojos *mpl* hundidos. ~ 패인 곳 cavidad *f*, hoyo *m*, depresión *f*, abolladura *f*. ~ 패인 땅 hondonada *f*, hondón *m* (*pl* hondones). 손의 ~ 패인 곳 el cuenco [*Méj* la cuenca] de la mano. 주전자의 ~ 패인 곳 abolladura *f* en [de] una tetera. ~ 패이다 hundirse. 손가락으로 눌러 ~ 들어가다 hundirse al apretar con el dedo, ceder bajo el peso del dedo. 마루가 ~ 패였다 El suelo se hundió. 냄비가 ~ 들어가 있다 Está ahollada la cacerola. 충돌로 차체(車體)가 ~ 들어갔다 Se abolló la carrocería por el choque. 지면(地面)이 ~ 패여 있다 Se hunden las tierras. 그는 피곤해서 눈이 ~ 들어갔다 El tiene los ojos hundidos por el cansancio.

움푹움푹하다 estar hundido.

웁쌀 *ubsal*, arroz *m* extra puesto en los cereales mezclados antes de cocinar.
◆ 웁쌀 얹다 poner *ubsal*.

웃- superior, de arriba; [계급 · 등급에서] superior, más elevado.

웃거름 =덧거름.

웃기다 hacer reír, dar risa, move a risa. 농담으로 ~ excitar [mover] a risa con un chiste. 웃기는 일이다 Me hace reír / Es una cosa de risa. 그녀는 나를 무척 웃겼다 Ella me hizo reír. 나를 웃기지 마라 No me hagas reír. 나를 웃기지 마시오 No me haga reír. 남을 웃기는 일이 내 직업이다

Hacer reír a otros es mi profesión.

웃날들다 aclarar. 웃날들거든 고기나 잡으러 가자 Vamos a ir de pesca si aclara.

웃다 ① [기뻐서 소리를 내다. 얼굴에 기쁜 표정을 짓다] reír(se); [미소 짓다] sonreír(se); [큰소리로] echar [lanzar · soltar] una carcajada, reírse a carcajadas, prorrumpir en una carcajada. 웃기 잘 하는 tentado a [de] risa. 웃는 얼굴 cara *f* [rostro *m*] sonriente, cara *f* risueña, rostro *m* alegre, semblante *m* risueño, sonrisa *f*. 웃는 얼굴로, 웃으면서 riendo, riéndose, sonriendo. 웃어 보이다 mostrar la sonrisa, mostrar un semblante risueño. 술 취하면 웃는 버릇이 있는 사람 bebedor, -dora *mf* alegre; persona *f* que tiene un vino alegre. 잘 웃는 사람 reidor, -dora *mf*. …을 보고 ~ reírse de *algo* · *uno*. 속으로 ~ sonreír por adentro, reír para *sus* adentros, reprimir la risa. 배꼽을 쥐고 ~ desteernillarse [caerse · morirse · reventar] de risa. 실없이 크게 ~ reírse a carcajadas. 실컷 ~ reírse con ganas. 웃는 얼굴로 맞이하다 recibir con cara risueña. 웃는 얼굴로 바라보다 mirar con una sonrisa. 웃기 시작하다 ponerse a reír, echarse a reír. 웃지 않을 수 없다 no poder contener la risa. 그는 웃는 예가 없다 El no ha reído nunca. 그들은 웃기 시작했다 Ellos se echaron a reír. 우리들은 미친 사람처럼 웃었다 Nos reímos como locos. 우리는 함께 있을 때 많이 웃는다 Me río mucho con él. 무엇을 보고 웃느냐? ¿De qué te ríes? 그는 껄껄 웃었다 El se rio a carcajadas. 그녀는 그의 얼굴을 보고 웃었다 Ella se rio de él en su propia cara. 나는 너무 웃어 눈물이 났다 Lloré de la risa / Se me soltaron las lágrimas de tanto reírme. 나는 우스워 죽을 뻔했다 Casi me muero de (la) risa. 마지막 웃는 자가 제일 잘 웃는다 / 너무 성급히 웃지 [기뻐하지] 마라 ((서반아 속담)) Quien ríe el último ríe mejor. 건강하게 살고 싶은 자는 늘 웃어야 한다 ((서반아 속담)) Quien quiera vivir bien, de todo se ha de reír. ② [빈정거려 조롱하다] burlarse, mofarse, abuchear. 그가 연설하려고 일어났을 때 군중들은 웃기 시작했다 Cuando él se levantó para hablar, el público le abucheó. ③ [꽃봉오리가 벌어져 꽃이 활짝 피다] abrirse hermosamente, estar en plena floración, estar en flor. 새가 울고 꽃이 웃는 봄 primavera *f* que cantan los pájaros y las flores están en plena floración. ④ [비웃다] reírse (de). 백발을 ~ reírse de la cana. 동료들은 그를 웃고 있다 Sus compañeros se ríen de él. 나를 웃지 마라 No te rías de mí.

◆웃어 넘기다 reírse como si no pasara. 웃어 넘길 일이 아니다 No es una cosa de risa [de broma] / Hablo en serio / No lo digo en broma.

▪웃는 낯에 침 뱉으랴 ((속담)) Cortesía de boca, gana mucho y poco cuesta / Más apaga la buena palabra que caldera de agua / Una respuesta amable calma la ira.

웃더껑이 [뚜껑] tapa *f*, [덮개] cubierta *f*, [호주머니 · 봉투의] solapa *f*.

웃돈 diferencia *f*. ~을 치르다 pagar la diferencia en efectivo [en metálico].

웃돌다 exceder (de), sobrepasar, rebasar, ser más que.

웃물 ① ☞윗물. ② [겉물] el agua *f* flotante sobre el otro sin mezclarlo.

웃비 lluvia *f* suspendida de repente.

▪웃비 걷다 dejar de llover. 웃비 걷자 해가 반짝인다 Tan pronto como deja de llover, el sol brilla.

웃어 대다 reír(se) a menudo.

웃어른 mayor *mf*, anciano, -na *mf*, superior *mf*.

웃옷 [겉옷] guardapolvo *m*; [의사 따위의] bata *f*, [공원(工員) 따위의] mono *m*; [어린이의] delantal *m*; [상의(上衣)] chaqueta *f*, americana *f*, *AmL* saco *m*; [오버] abrigo *m*. ~을 벗다 quitarse la chaqueta. ~을 입다 ponerse la chaqueta.

웃음 risa *f*, [미소(微笑)] sonrisa *f*, [폭소(爆笑)] carcajadas *fpl*, risotadas *fpl*. 거짓 ~ la risa falsa. 속으로 웃는 ~ [소리를 죽이고 웃는 ~] risa *f* sofocada [ahogada]. 싱거운 ~ la risa del conejo. ~을 죽이다 comerse de risa. ~을 자아내다 provocar a risa. 관객의 ~을 자아내게 하다 provocar hilaridad en el público, producir la hilaridad del público. 나는 ~이 터지려고 했다 Me entraron ganas de reír. 나는 ~을 멈출 수 없었다 Yo no podía parar de reír(se). 나는 기뻐서 ~을 참을 수 없다 No puedo contener la risa de alegría. ~은 인간 고유의 것이다 La risa es propia del hombre. ~은 제일 좋은 약이다 La risa es el mejor remedio.

웃음가마리 hazmerreír *m*, objeto *m* de risa, irrisión *f*. (모두의) ~가 되다 hacerse [ser] el hazmerreír [el objeto de risa · la irrisión], quedar en ridículo, hacer el ridículo, ponerse en ridículo. ~를 만들다 ridiculizar, poner en ridículo, burlarse (de). 그는 공장의 ~다 El es el hazmerreír de la fábrica. 그 여인은 마을의 ~다 Esa mujer es el del pueblo. 나는 시내의 ~가 될 것이다 Seré el hazmerreír de la ciudad. 그는 경쟁자의 ~가 되었다 El dejó [puso] a su contrincante en ridículo.

웃음거리 ridiculez *f*, fábula *f*, objeto *m* de murmuración, motivo *m* de risa, cosa *f* de risa, cosa *f* de broma. ~로 만들다 ridiculizar, poner en ridículo, tomar a risa, *RPI* jugar risa. 이것은 ~가 아니다 No es motivo de risa / No es para tomarlo a risa. 그것은 완전히 ~다 Es una cosa de risa [de bromas] / Eso me hace reír. 사람들은 그를 ~로 만들었다 Le pusieron en ridículo. 그 희극(喜劇)은 부자들을 ~로 만들었다 La comedia ridiculizó a los ricos. 그녀는 마을의 ~다 Ella es la fábula del pueblo.

웃음엣소리 chiste *m*, historieta *f*, [농담] broma *f*, chanza *f*.

웃통 parte *f* superior (del cuerpo). ~을 벗다 quitar la ropa de la parte superior, quitarse la americana.

웅거하다(雄據-) mantener *su* territorio y defenderlo firmemente.

웅건하다(雄健-) (ser) vigoroso, robusto, corpulento, resistente, fuerte, sólido y resistente. 웅건한 기상 espíritu *m* vigoroso. 웅건한 문장 estilo *m* vigoroso. 웅건한 표현 expresión *f* vigoroso.

웅걸(雄傑) héroe *m*, gran hombre *m* (*pl* grandes hombres). 당대(當代)의 ~ el gran héroe de la era.

웅계(雄鷄) gallo *m*.

웅그리다 agacharse, ponerse en cuclillas. 덤불 뒤에 웅그린 두 아이 dos niños agachados [en cuclillas] detrás de los arbustos. 그는 웅그리고 앉았다 El se sentó en cuclillas.

웅긋쭝긋 erizándose, poniéndose de punta. ~하다 erizarse, ponerse de punta. ~한 수염 bigote m hirsuto.

웅기웅기 =옹기종기.

웅기중기 =옹기종기.

웅녀(熊女) *ungnyeo*, madre *f* de *Dangun*, fundador *m* de Corea.

웅담(熊膽) 【한방】 hiel *m* del oso.

웅대하다(雄大-) (ser) grandioso, magnífico, grande, sublime, imponente. 웅대함 grandeza *f*, magnificencia *f*, sublimidad *f*. 웅대한 파노라마 panorama *m* magnífico. 웅대한 계획(計劃) gran proyecto *m*.

웅덩이 charco *m*, charca *f*, balsa *f*, alberca *f*, ciénaga *f*, pantano *m*. ~가 많다 ser cenagoso, pantanoso.
웅덩이지다 formar un charco.

웅도(雄圖) gran plan *m*, gran proyecto *m*, proyecto *m* ambicioso. ~를 끝내지 못한 채 그는 병에 걸렸다 El cayó enfermo dejando sin terminar su gran proyecto.

웅략(雄略) plan *m* grande, gran proyecto *m*, plan *m* magnífico.

웅변(雄辯) elocuencia *f*. ~의 elocuente, oratorio. ~적으로 elocuentemente. 이 사실에 관해서는 통계가 ~으로 증명하고 있다 En cuanto a este hecho, la estadística es una prueba elocuente.
▪ ~가(家) orador, -dora *mf*. ~ 대회(大會) competencia *f* oratoria. ~법 elocuencia *f*, oratoria *f*, elocución *f*. ~술 arte *m* de la elocuencia, oratoria *f*, elocuencia *f*. ~조 tono *m* elocuente.

웅보(雄-) mentalidad *f* abierta, criterio *m* amplio, magnanimidad *f*.

웅보(雄步) paso *m* espléndido, paso *m* magnífico.

웅봉(雄蜂) 【곤충】 zágano *m*.

웅비(雄飛) gran ambición *f*. ~하다 saltar [elevarse · remontarse · cernerse] en alto. 해외에 ~한 한국인 los coreanos que hacen negocios activos allende los mares. 해외에 ~하다 extender *sus* actividades al extranjero.

웅성(雄性) ① [수컷. 남성] macho *m*; [사람] varón *m*. ~의 androide. ② [수컷의 성질. 수컷다운 성질] carácter *m* masculino.
▪ ~ 배우자 gameto *m* macho. ~ 식물 planta *f* macho. ~화(花) flor *f* macho.

웅성거리다 hacer ruido, hablar atropelladamente, hablar confusamente, murmurar, cuchichear, agitarse, excitarse. 웅성거림 murmullo *m*, cuchicheo *m*, agitación *f*, revuelo *m*, conmoción *f*. 관객 사이에서 웅성거렸다 Se produjo un murmullo entre los espectadores. 그 소식을 듣자 사람들이 웅성거렸다 Se produjo un revuelo entre la gente al oír la noticia.
웅성웅성 murmurando, cuchicheando. ~하다 murmurar, cuchichear, agitarse.

웅숭그리다 =웅크리다.

웅숭깊다 (ser) generoso, prudente, inescrutable, magnánimo. 웅숭깊은 사람 persona *f* inescrutable.

웅심(雄心) =웅지(雄志).

웅심하다(雄深-) (ser) magnífico y profundo.

웅얼거리다 murmurar, mascullar, farfullar.
웅얼웅얼 murmurando, mascullando, farfullando.

웅예(雄蕊) 【식물】 =수술(estambre).

웅자(雄姿) figura *f* valerosa [majestuosa · soberbia]. ~ 당당히 con compostura intrépida.

웅장하다(雄壯-) (ser) grande, grandioso, magnificente, espléndido, sublime, espectacular. 웅장함 grandeza *f*, magnificiencia *f*, esplendor *m*, fausto *m*, soberbia *f*. 웅장한 건물 edificio *m* espléndido, edificio *m* magnificente. 웅장한 경치 vista *f* magnificente, paisaje *m* magnificente, escena *f* espectacular. 웅장한 구상 gran concepción *f*.

웅절거리다 hablar entre dientes, refunfuñar, rezongar, decir quejumbrosamente, decir lloriqueadno, gruñir, funfuñar, quejarse.
웅절웅절 hablando entre dientes, refunfuñando, quejándose.

웅지(雄志) gran ambición *f*.

웅천 persona *f* informal, persona *f* incierta, persona *f* indigna de confianza..

웅크리다 agacharse, ponerse en cuclillas, acurrucarse, acuclillarse, agazaparse, hacerse un ovillo, *Col* acurrujarse. 나는 그것을 더 잘 보기 위해 웅크리고 앉았다 Me puse en cuclillas para verlo mejor. 그는 싸우고 몸을 웅크렸다 El se encogió [se achica] por haber sido reñido.

웅판(雄板) generosidad *f* magnificente.

웅편(雄篇) obra *f* maestra.

웅필(雄筆) letra *f* magnificente.

웅혼하다(雄渾-) (ser) grande, magnificente, sublime. 웅혼함 grandeza *f*, magnificiencia *f*, sublimidad *f*. 웅혼하게 magnificentemente, sublemente.

웅화(雄花) 【식물】 =수꽃.

워걱거리다 hacer ruido (con).

워걱워걱 haciendo ruido.

워낙 ① [본디부터. 원래가] naturalmente, de un modo natural, por naturaleza, constitucionalmente, originariamente, al principio, fundamentalmente, principalmente, de nacimiento. 그것은 ~ 절이었다 Fue originariamente un templo budista. 그녀는 ~ 장님이었다 Ella es ciega de nacimiento. 아이들은 ~ 앞을 못 본다 Las crías nacen ciegas. ② [아주. 두드러지게. 원체] muy, mucho. ~ 길이 험하다 El camino es muy accidentado

워낭 cencerro *m*.

워드(영 *word*) 【컴퓨터】 palabra *f*.

▪ ~ 프로세서 【컴퓨터】 procesador *m* de textos. ~ 프로세싱 【컴퓨터】 tratamiento *m* de textos, procesamiento *m* de textos, procesamiento *m* de palabras.

워리 ¡Aquí, perrito!

워밍업 precalentamiento *m*. ~하다 hacer ejercicios de precalentamiento.

워싱턴 【지명】 Washington (미국의 연방 수도).

워크맨(영 *Walkman®*) walkman®.

워키토키(영 *walkie-talkie*) transmisor-receptor *m* portátil, walkie-talkie *ing.m*.

워터 폴로(영 *water polo*) [수구] waterpolo *ing.m*.

웍더그르르 con ruido, con traqueteo. ~하다 hacer ruido, traquetear.

원[1] [우리 나라 화폐의 단위] *won m* (*pl* wones). 천 ~ mil wones. 만 ~ diez mil wones. 백만 ~ un millón de wones. ~은 강하다 [약하다] El won es una moneda fuerte [débil]. ~의 가치가 올랐다 [내렸다] El valor del won ha subido [bajado]. 만 ~은 유로화로 얼마입니까? ¿Cuánto es en euro diez mil wones? / ¿A cuánto equivalen diez mil wones en euro?

원[2] ((준말)) =워낙.

원[3] [뜻밖의 일에나, 놀라울 때나, 마음에 언짢을 때에 하는 말] ¡Mi Dios! / ¡Dios (mío)! / ¡No me digas! / ¡Por Dios!

원(怨) ((준말)) =원한(怨恨).

원[1](院) [중앙 행정 기관의 이름] Academia *f*, Institución *f*, Secretaría *f*, Corte *f*, Tribunal *m*. 과학~ Academia *f* de Ciencia. 대법~ Corte *f* Suprema, Tribunal *m* Supremo. 통일~ Secretaría *f* de Unificación.

원[2](院) ((준말)) =의원(議院). ¶~을 구성하다 formar la cámara de parlamento.

원[1](圓) ① =동그라미(círculo, redondo, esfera). ¶~을 만들다 formar un círculo. ~을 그리면서 날다 volar dibujando un círculo. ~을 만들면서 앉다 [춤추다] sentarse [bailar] formando un círculo. ② 【수학】 círculo *m*. ~의 circular. ~을 그리다 trazar [dibujar] un círculo. 컴퍼스로 ~을 그리다 dibujar [trazar] un círculo con un compás.

▪ ~운동 movimiento *m* circular.

원[2](圓) [화폐 개혁 전의 우리 나라 화폐 단위] *won m*, moneda *f* coreana del pasado.

원(願) ((준말)) =소원(所願).

원-(元·原) original. ~주인(主人) propietario, -ria *mf* original. ~작자(作者) escritor, -tora *mf* original.

-원(苑) ① [정원. 동산] jardín *m* (*pl* jardines). ② [요정 등의 이름으로 쓰이는 말] restaurante *m*.

-원(員) miembro *mf*; empleado, -da *mf*. 철도 ~ empleado, -da *mf* de ferrocarriles; ferroviario, -ria *mf*. 사무~ oficial *mf*.

-원(院) instituto *m*. 대학~ escuela *f* (de) pos(t)grado. 요양~ sanatorio *m*. 학(學)~ instituto *m*.

-원(園) ① [「위락용(慰樂用)의 정원」의 뜻] jardín *m* (*pl* jardines). 동물~ jardín *m* zoológico. 식물~ jardín *m* botánico. ② [어린이를 맡아 교육·보호하는 시설] jardín *m*, escuela *f*. 보육~ jardín *m* de infancia, escuela *f* de párvulos. 유치~ jardín *m* de la infancia.

-원(源) [원천. 근원] fuente *f*, origen *m*, prodencia *f*. 에너지~ fuente *f* de energía. 동력(動力)~ fuente *f* de energía.

-원(願) [원서(願書)] solicitud *f*, aplicación *f*. 사직(辭職)~ solicitud *f* de dimisión, dimisión *f* escrita.

원가(原價) ① [본디 사들일 때의 값] coste *m*, *AmL* costo *m*, precio *m* de coste, costo *m* primo; [공장·제조 원가] precio *m* de fábrica. ~로 al precio de fábrica. 제조된 상품의 ~ coste *m* de las mercancías fabricadas, *AmL* costo *m* de las mercancías fabricadas. 판매된 상품의 ~ coste *m* de las mercancías vendidas, *AmL* costo *m* de las mercancías vendidas. ~ 이하로 팔다 vender a menos del costo. 제조 ~를 내리다 reducir el precio de fábrica. ② =생산비(生産費).

◆ 생산(生産) ~ coste *m* de producción, *AmL* costo *m* de producción.

▪ ~ 계산 contabilidad *f* de costes, *AmL* contabilidad *f* de costos, cálculo *m* de costes, balance *m* en el precio de fábrica.

원간(原刊) =초간(初刊).

원거리(遠距離) larga distancia *f*, distancia *f* larga.

원격(遠隔) distancia *f* remota. ~하다 (ser) lejano, distante, remoto, apartado. ~의 remoto.

▪ ~ 계기(計器) telémetro *m*; 【전기】 teleindicador *m*. ~ 계측기 teleindicador *m*. ~ 방사선 요법 telerradioterapia *f*. ~ 엑스선 투시 검사 telefluoroscopia *f*. ~ 운동(運動) telecinesia *f*, telecinesis *f*. ~ 유도(誘導) teleguiaje *m*. ~ 의료(醫療) tratamiento *m* médico remoto [a distancia]. ~ 의학(醫學) telemedicina *f*. ~ 전기 요법(電氣療法) tele-electroterapéutica *f*. ~ 제어[조작] control *m* remoto, telecontrol *m*, telemanipulación *f*. ~ 조종 telemando *m*, telecontrol *m*, teledirección *f*, control *m* remoto, control *m* a distancia, manejo *m* remoto. ¶~

하다 teleguiar, teledirigir, controlar a distancia, manejar a distancia, controlar [manejar] desde lejos. ~ 진단 teledignosis *f.* ~ 측정 telemetría *f,* telemedida *f,* telemedición *f,* 【전기】 teleindicación *f.* ~ 측정법 telemetría *f.* ~ 치료 telecura *f.*

원경(遠景) paisaje *m* distante, vista *f* distante, perspectiva *f;* [그림의] lontananza *f,* fondo *m,* lejos *m.*

■ ~법 =투시 도법(透視圖法).

원고(原告) demandante *mf;* actor, -tora *mf;* querellante *mf.*

■ ~ 대리인 representante *mf* [abogado, -da *mf*] de demandante. ~측 parte *f* demantante. ¶~ 변호사 abogado, -da *mf* de demandante.

원고(原稿) manuscrito *m,* cuartillas *fpl;* [초안] borrador *m;* [인쇄의] original *m* (de imprenta), texto *m.* ~를 쓰다 hacer [preparar] un manuscrito.

◆연설(演說) ~ manuscrito *m* para el discurso. 자필(自筆) ~ manuscrito *m* autógrafo, autógrafo *m.*

■ ~료 remuneración *f* (para el autor), recompensa *f* por cuartillas. ~(용)지 cuartilla *f,* papel *m* de borrador. ~ 정리 corrección *f,* edición *f.* ¶~를 하다 corregir, editar. ~ 정리원 [신문・잡지의] corrector, -tora *mf,* editor, -tora *mf.*

원공(猿公) mono *m.*

원광(原鑛) ① =원석(原石). ② [주가 되는 광산] mina *f* principal.

원광(圓光) ① [둥글게 빛나는 빛] halo *m,* halón *m,* corona. ② ((불교)) =후광(後光). ③ [햇빛] luz *f* del sol; [달빛] luz *f* de la luna.

원광(遠光) ① [먼 곳에서 바라보는 경치] paisaje *m* que mira de lejos. ② [멀리 보이는 빛] luz *f* que se ve de lejos.

원교(遠郊) lugar *m* remoto de la ciudad.

원국(遠國) país *m* (*pl* países) lejano.

원군(援軍) resfuerzos *mpl,* fuerza *f* socorredora, socorro *m.* ~을 기다리다 esperar refuerzos. ~을 보내다 mandar [enviar] refuerzos. ~을 요청하다 pedir refuerzos.

원그림(原-) dibujo *m* principal.

원근(遠近) distancia *f.* ~을 묻지 않고 배달해 드립니다 Servimos a domicilio sin tener en cuenta la distancia.

■ ~법(法) perspectiva *f.* ~ 조절 [눈의] acomodación *f.* ~화법 escenografía *f.*

원근해(遠近海) mar *m* lejano y cercano.

원금(元金) capital *m,* fondo *m;* [이자에 대한] principal *m.*

■ ~ 보증 garantía *f* de principal.

원급(原級) 【언어】 grado *m* positivo.

원기(元氣) ánimo *m,* vigor *m,* fuerza *f,* aliento *m;* [건강] (buena) salud *f.* ~가 좋은 vigoroso, brioso, alegre. ~가 없는 abatido, descorazonado, desanimado. ~가 왕성한 rebosante de salud. ~가 있다 estar bien (de salud). ~가 왕성하다 tener muchos ánimos, ser muy vigoroso, ser rebosante de salud. ~를 회복하다 recobrar [recuperar] el ánimo, animarse, adquirir ánimos; [환자가] restablecerse, recobrar [recuperar] la salud [las fuerzas]. 그는 병으로 ~가 없다 El no tiene ánimo por estar enfermo. 나는 이제 말할 ~도 없다 Ya no tengo ni el ánimo para hablar. 저 노인(老人)은 ~가 왕성하다 Aquel anciano está muy vigoroso / Aquel anciano tiene muchos ánimos. 그는 전처럼 ~가 없다 El no tiene el mismo ánimo que antes. 내 어머님은 일흔아홉 살이신데 ~가 왕성하시다 Mi madre tiene setenta y nueve años (de edad) y sigue rebosante de salud.

■ ~ 부족 falta *f* de ánimo.

원기(原器) [도량형의] patrón *m,* prototipo *m.*

◆미터 ~ patrón *m* del metro. 킬로그램 ~ patrón *m* del kilogramo.

원기둥(原-) columna *f* en la parte más importante.

원기둥(圓-) 【수학】 cilindro *m.*

원내(院內) ① [「원(院)」 자가 붙은 각종 기관의 내부] interior *m* del instituto; [병원의] interior *m* del hospital. ② [국회(國會)의 안] interior *m* de la cámara [del parlamento・de la Asamblea Nacional・de las Cortes・del congreso].

■ ~ 간사 diputado, -da *mf* responsable de la disciplina de *su* grupo parlamentario, diputado *m* [senador *m*] encargado [diputada *f* encargada] de mantener la disciplina de partido. ~ 교섭 단체 grupo *m* de negociación en el parlamento. ~ 부총무 subdirigente *mf* del parlamento [de la Asamblea Nacional]. ~ 총무 dirigente *mf* del parlamento [de la Asamblea Nacional]. ¶야당의 ~ dirigente *mf* del parlamento del partido de la oposición. 여당의 ~ dirigente *mf* del parlamento del partido gubernamental.

원년(元年) ① [임금이 즉위한 해] primer año *m* del reinado del rey. ② [나라를 세운 해] año *m* de la fundación de un país. ③ [연호(年號)로 정한 첫 해] primer año *m* que se decidió la era cronológica.

원님(員-) ((높임말)) jefe *m* del pueblo.

원단(元旦) (mañana *f* del) día *m* del Año Nuevo.

■ ~ 휘호 escritura *f* en el día del Año Nuevo.

원단(原緞) tela *f* no elaborada (como la materia prima).

원단위(原單位) unidad *f* básica.

원당(原糖) ((준말)) =원료당(原料糖).

원대(原隊) *su* unidad. ~에 복귀하다 volver a *su* unidad.

원대(遠代) generación *f* de la época lejano [del antepasado lejano].

원대하다(遠大-) (ser) de gran alcance, trascendental, con visión de futuro, clarividente, de gran escala, no por de pronto, remoto, grande. 원대함 visión *f* de futuro, clarividencia *f.* 원대한 사람 persona *f* con visión de futuro, persona *f* clarividente. 원대한 결정(決定) decisión *f* con visión de futuro. 원대한 계획(計劃) plan *m* [proyecto *m*] de gran escala [con visión de futuro]. 원대한 목적(目的) propósito *m* con visión de futuro. 원대한 포부 gran ambición *f*. 원대한 뜻을 품다 concebir un ideal grandioso [una ambición].

원도(原圖) =원그림(dibujo principal).
■~지(紙) papel *m* del dibujo principal.

원동(原動) motivo *m* para la acción.
■~기 motor *m*, máquina *f* motriz. ~력 fuerza *f* motriz, motor *m*, promotor *m*. ¶ 공업화의 ~ fuerza *f* impulsora de la

원두(原頭) borde *m* del campo.

원두(園頭) melones *mpl* sembrados en el campo.
◆원두(를) 놓다 cultivar sembrando los melones, las sandías o los pepinos.
◆원두(를) 부치다 sembrar las semillas de los melones o pepinos.
■~ 덩굴 parra *f* del pepino, la calabaza, la sandía, o melón. ~막 cabaña *f* de puesto de observación para el campo de melones. ~밭 campo *m* de melones. ~한(이) persona *f* que siembra las semillas de los melones.

원둘레(圓-) 【수학】 =원주(圓周).

원래(元來/原來) [원래는] originalmente, originariamente; [최초에는] primitivamente; [태어날 때부터] de nacimiento; [본질적으로] por naturaleza; [처음부터] del [desde el] principio; [처음에는] al principio, al comienzo. 그는 ~ 정직한 사람이다 El es honrado de nacimiento. ~ 나쁜 사람은 아니다 El no es malo de nacimiento. 이 계획은 ~ 그 사람이 제안했던 것이다 Este proyecto es el que él había propuesto originalmente. 인간은 ~ 사교적인 동물이다 El hombre es un animal social de nacimiento / El hombre nace un animal social.

원래(遠來) venida *f* desde el lugar lejano. ~하다 venir desde el lugar lejano, venir desde muy lejos. ~의 진객(珍客) huésped *mf* que ha venido desde muy lejos.

원려(遠慮) previsión *f*, reflexión *f* previa, prudencia *f*, premeditación *f*, modestia *f*. ~하다 recatarse, ser ceremonioso. ~ 없이 sin recatarse, sin cumplido.

원령(怨靈) espectro *m*, espíritu *m*, ánima *f* vengativa, espíritu *m* maligno, espíritu *m* diabólico.

원로(元老) decano *m*, veterano *m*, mayores *mpl*. 정계(政界)의 ~ viejo, -ja *mf* estadista.
■~원 ㉮ [고대 로마의] senado *m*. ㉯ [일부 공화국에서의 상원(上院)] senado *m*. ~원령 senadoconsulto *m*. ~원 의원 senador *m*.

원로(遠路) larga distancia *f*, largo viaje *m*. ~를 무릅쓰고 오다 venir de lejos. ~를 무릅쓰고 와 주셔서 고맙습니다 Le agradezco por haberse molestado en venir desde tan lejos.

원론(原論) teoría *f*, principios *mpl*.
◆경제학 ~ principios *mpl* de economía política. 의학(醫學) ~ principios *mpl* de medicina.

원료(原料) materia *f* prima. ~가 부족한 나라 país *m* (*pl* países) que falta la materia prima. ~를 확보하다 procurar la materia prima.
■~당(糖) azúcar *m* bruto, azúcar *m* crudo. ~ 분쇄기(粉碎機) desintegrador *m*. ~유(油) petróleo *m* crudo. ~탄 carbón *m* crudo.

원룸 아파트 piso *m* con una habitación.

원룸 주택(-住宅) vivienda *f* con una habitación.

원류(源流) ① =수원(水源). ② =기원(起源).

원리(元利) principal *m* [capital *m*] e interés.
■~ 합계액 suma *f* del principal e interés.

원리(原理) principio *m*, teoría *f*. 궁극적 ~ principio *m* final.

원림(園林) arboleda *f*, bosquecillo *m*, jardín *m* (*pl* jardines), plantación *f*.

원만스럽다(圓滿-) (ser) apacible.
원만스레 apaciblemente.

원만하다(圓滿-) (ser) apacible, afable, pacífico, armonioso, amistoso, perfecto. 원만함 plenitud *f*, paz *f* perfecta, armonía *f*. 성질이 원만하지 못한 áspero, agresivo, rígido, rudo. 원만한 성격이다 tener un carácter apacible. 그의 가정은 ~ Su familia está muy unida / La armonía reina su casa. 부부 사이가 ~ El matrimonio se lleva bien. 두 사람 사이는 ~ [원만하지 않다] Los dos se llevan bien [mal].
원만히 apaciblemente, afablemente, pacíficamente, armoniosamente, amistosamente, perfectamente. ~ 해결하다 solucionar en forma amigable, dar solución amistosa (a). 싸움을 ~ 해결하다 arreglar una disputa amistosamente.

원말(原-) idioma *m* original, palabra *f* primitiva.

원망(怨望) [원한] rencor *m*, enemistad *f* antigua, resentimiento *m*; [증오] odio *m*; [불평] queja *f*. ~하다 resentir, reprochar, vituperar. 자신을 ~하다 reprocharse a sí mismo. 너는 사업에 실패한 것에 대해 아무도 ~해서는 안 된다 Tú no tienes que reprochar a nadie por haber fracasado en el negocio.
원망스럽다 guardar [sentir] rencor (contra · a). 원망스런 얼굴로 con una cara de rencor [de reproche]. 그것을 모르다니 내 자신의 부주의가 ~ Me reprocho [Me arrepiento por] no haberme dado cuenta de ello.
원망스레 de manera increpadora, con un tono de reproche, con un aire reprochador. ~ 말하다 hablar con un tono de reproche. ~ 바라보다 mirar con un aire reprochador.

원망(遠望) vista *f* distante, perspectiva *f.* ～하다 mirar desde lejos.
원망(願望) deseo *m*, ansia *f*, anhelo *m*, aspiración *f.* ～하다 desear, ansiar, anhelar.
원매인(願買人) persona *f* que quiere comprar.
원매인(願賣人) persona *f* que quiere vender.
원매자(願買者) =원매인(願買人).
원매자(願賣者) =원매인(願賣人).
원맥(原麥) trigo *m* como la materia prima.
원맨(영 *one-man*) una sola persona.
■～ 밴드 ㉮ [일인 악단] hombre-orquesta *m.* ㉯ [(남의 도움을 받지 않는) 단독 기업] empresa *f* llevada por un solo individuo. ～ 쇼 función *f* de un solo artista.
원면(原綿) algodón *m* en rama.
원명(原名) título *m* original, verdadero título *m*, nombre *m* original..
원모(原毛) lana *f* en rama, lana *f* natural, lana *f* burda.
원모(遠謀) previsión *f*, plan *m* a largo plazo.
원목(原木) tronco *m*, madero *m*, madera *f.*
원무(圓舞) vals *m.*
■～곡(曲) vals *m.*
원문(原文) (texto *m*) original *m.* ～으로 읽다 leer en el original. ～에 충실하게 번역하다 traducir literalmente
원반(原盤) disco *m* original.
원반(圓盤) ① [원반던지기에 쓰는 운동구] disco *m.* ② =두리반.
■～던지기 lanzamiento *m* de disco. ～던지기 선수 discóbolo, -la *mf.* ～톱 sierra *f* circular.
원발(原發) 【의학】 idiopatía *f.*
■～병(病) enfermedad *f* primaria.
원방(遠方) lugar *m* lejano, lejanía *f.* ～의 lejano, remoto. ～에 a lo lejos.
원방(遠邦) país *m* (*pl* países) lejano.
원배(遠配) exilio *m* [destierro *m*] al lugar remoto. ～하다 exiliar a un lugar remoto. ～된 사람 hombre *m* exiliado a un lugar remoto.
원범(原犯) =정범(正犯).
원병(援兵) refuerzos *mpl*, socorro *m.* ～을 보내다 mandar [enviar] refuerzos. ～을 요청하다 pedir refuerzos.
원보(原譜) nota *f* musical principal.
원보험(原保險) seguro *m* original.
원본(原本) ① ((준말)) =원간본(原刊本). ② [등사·초록(抄錄)·개정·번역 등을 하기 전의 본디의 서책] (libro *m*) original *m.* ③ [등본(謄本)·초본 (抄本)의 근본이 되는 문서] (documento *m*) original *m.*
원부(怨府) objeto *m* del odio popular.
원부(怨婦) =원녀(怨女).
원부(原簿) libro *m* mayor.
원분(圓墳) tumba *f* redonda.
원불교(圓佛敎) *Wonbulgyo*, una secta del budismo.
원비(元妃) esposa *f* legítima [legal] del rey.
원비(原肥) =밑거름.
원뿌리(元一) raíz *f* (*pl* raíces) principal.
원뿔(圓一) 【수학】 cono *m.* ～의 cónico.
■～ 곡선 sección *f* cónica. ～꼴 forma *f* de cono. ～대 cono *m* truncado. ～면 cono *m* circular, superficie *f* cónica. ～형 cono *m.*
원사(元士) sargento mayor; *Arg*, *Chi* suboficial *m* mayor; *Per* [육군] técnico *m* de I (primero); [해군] maestro *m* técnico supervisor; [공군] técnico *m* supervisor.
원사(原絲) hilo *m* como la materia prima del tejido; 【의학】 arcoplasmo *m*
■～ 소포(小胞) vesícula *f* arcoplástica. ～체(體) protonema *m.*
원사(冤死) acusaciones *fpl* falsas. ～하다 hacer acusaciones falsas.
원사이드 게임(영 *one-sided game*) juego *m* desigual.
원산(原産) origen *m* (de un producto). 한국～의 de origen coreano.
■～물(物) producto *m* primario. ～지(地) procedencia *f*, origen *m*, lugar *m* de origen; [동물·식물의] habitat *m.* ～지 증명서 certificado *m* de origen. ～지 표시제 sistema *m* indicado de origen.
원산(遠山) ① [멀리 있는 산] montaña *f* remota. ② =풍잠(風簪).
원삼(元蔘) =현삼(玄蔘).
원삼(圓衫) una de la ropa para las mujeres.
원상(原狀) estado *m* original. ～으로 복구(復舊)하다 restaurar a *su* primitivo estado [a *su* estado original].
■～ 복귀 restauración *f* a *su* estado original. ～ 회복(回復) recuperación *f* a *su* estado original.
원색(原色) color *m* primario, color *m* original, color *m* natural.
◆삼(三)～ los tres colores primarios.
■～ 사진 heliocromía *f.* ～적 indecente, lascivo, lujurioso, subido de tono, verde. ¶～으로 indecentemente, lascivamente, lujuriosamente. ～인 농담 chiste *m* verde, chiste *m* subido de tono. 그 그림은 지나치게 ～이다 Ese cuadro es demasiado provocativo. ～판 impreso *m* por los colores primarios, heliotipia *f*, heliotipo *m*, fotograbado *m.*
원생(原生) 【생물】 abiogénesis *f*, abiogenesia *f.* ～의 primitivo, primero, original.
■～대(代) era *f* proterozoica. ～동물 protozoo *m*, protozoario *m.* ～림(林) =원시림 (selva virgen). ～생물 protisto *m.* ～식물 protofite *m.* ～ 암석 rocas *fpl* primarias. ～자(子) zooblasto *m*, bioblasto *m.* ～ 중심주(中心柱) protostele *m.* ～토(土) tierra *f* sedimentaria. ～포(胞) bioblasto *m.* ～품 producto *m* primario.
원서(原書) ① [번역한 책 등에 대해 그 원책] (texto *m*) original *m*, obra *f* original. ～로 읽다 leer en el original. 동끼호떼를 ～로 읽다 leer el Quijote en el original. ② =양서(洋書).
원서(願書) solicitud *f*, aplicación *f.* ～를 제출하다 presentar [formalizar] *su* solicitud [*su* aplicación].
◆입학(入學) ～ solicitud *f* para el ingreso.

■ ~ 용지 formulario *m* de solicitud. ~ 제출 presentación *f* de solicitud.

원석(原石) ① =원광(原鑛). ② [가공(加工) 전의 보석] joya *f* cruda.

원석기(原石器) 【고고학】 eolito *m*.

■ ~ 시대 era *f* eolítica.

원선(圓扇) abanico *m* redondo.

원성(怨聲) queja *f*, pesar *m*, molestia *f*.

원소(元素) 【화학】 elemento *m* (químico), cuerpo *m* simple.

◆동위 ~ isótopo *m*. 불안정 ~ elemento *m* inestable. 일가(一價) ~ mónada *f*.

■ ~ 구성 composición *f* elemental. ~ 기호 símbolo *m* químico. ~ 분석 análisis *f* elemental. ~ 주기율 =주기율. ~ 주기율표 =주기율표.

원손(元孫) hijo *m* mayor del príncipe heredero.

원손(遠孫) descendientes *mpl* distantes.

원수(元首) ((준말)) =국가 원수(國家元首).

원수(元帥) ① 【역사】 jefe *m* de los generales. ② [군인의 가장 높은 계급] [육군의] mariscal *m*, general *m* en jefe; [해군의] almirante *m* supremo.

원수(元數) ① [근본이 되는 수] número *m* cardinal. ② [본디의 수] número *m* original, primer número *m*.

원수(怨讐) ① [원한이 맺힌 사람] enemigo, -ga *mf*. 불구대천의 ~ enemigo mortal. ~가 되다 resultar funesto. 그의 친절이 도리어 ~가 되었다 Su amabilidad resultó ser su enemiga / Su bondad se volvió contra él. ② [원한의 대상이 되는 물건] objeto *m* de su rencilla.

◆원수(를) 갚다 [자신의] vengarse (de *uno* por [de] *algo*). 아버지의 원수를 갚다 vengar a su padre. 네가 나를 속인 데 대해 그 원수를 갚겠다 Me vengaré de ti por haberme engañado.

◆원수(를) 지다 resultar funesto.

■원수는 외나무 다리에서 만난다 ((속담)) Si se echa encima como enemigo, le vengan en el momento más critico.

원수(員數) número *m* de las personas. ~를 갖추다 procurar que esté completo el número (de).

원수폭(原水爆) [원자 폭탄과 수소 폭탄] bombas *fpl* atómicas y de hidrógeno.

원숙하다(圓熟—) ① [무르익다] (ser) maduro. ② [능숙하다] (ser) hábil, diestro, experto, experimentado, maduro. 원숙함 habilidad *f*, destreza *f*, madurez *f*. 그의 연기는 원숙한 경지에 이르렀다 Su representación ha llegado a la madurez. ③ [인격·지식 따위가 깊고 원만하다] (ser) maduro. 그는 원숙한 인물(人物)이다 El es un hombre madurado por la vida. ④ [빈틈이 없다] (ser) minucioso, riguroso, profundo, maduro, perfecto.

원숭이 ① 【동물】 mono, -na *mf*; mico, -ca *mf*; [꼬리 없는] simio *m*, macaco *m* (아프리카 북부 지방의). 나무에서 떨어진 ~ gallina *f* en corral ajeno, *RPI* sapo *m* de otro pozo. ~들은 흉내의 본능을 소유하고 있다 Los monos tienen instinto de imitación. ② [남의 흉내를 잘 내는 사람] mona *f*.

◆거미~ mono *m* araña. 재주를 배운 ~ mono *m* sabio. 짖는 ~ mono *m* aullador.

◆원숭이 볼기짝이라 Se sonroja / Se sonrosea / Se pone colorado / Se abochorna.

■원숭이도 나무에서 떨어진다 ((속담)) Nadie es perfecto / Al mejor mono se le cae el zapote.

■ ~날 el Día del Mono. ~띠 nacimiento *m* del Año del Mono. ~해 el Año del Mono.

원시(元是/原是) =본디.

원시(原始/元始) ① =처음. 시초(principio). ② [본디대로여서 진화 또는 발전하지 않음] lo primordial, lo original. ~의 originario, original, primordial. ③ [자연 그대로 사람의 손이 가해지지 않음] estado *m* original de naturaleza, lo natural. ~의 primitivo, originario, primigenio. ④ =원생(原生).

■ ~ 공동체[공산체] comunidad *f* primitiva. ~ 그리스도교 cristianismo *m* primitivo. ~ 동물 =원생 동물. ~림 selva *f* virgen. ~ 민족 raza *f* primitiva. ~ 사회 sociedad *f* primitiva. ~ 산업 industria *f* primaria. ~ 생활 vida *f* primitiva. ~ 석기 시대 era *f* eolítica. ~성(性) primitivismo *m*. ~ 세포 célula *f* primordial. ~ 시대(時代) edad *f* primitiva, tiempos *mpl* primitivos. ~ 식물 =원생 식물. ~ 언어(言語) lengua *f* primitiva. ~ 예술 arte *m* primitivo. ~인 ㉮ [고대 인류] (hombres *mpl*) primitivos *mpl*, pueblo *m* primitivo. ㉯ =미개인. ~적(的) primitivo *adj*. ¶~으로 primitivamente. ~ 본능 instinto *m* primitivo. ~인 방법으로 por un medio primitivo, por un medio anticuado. ~ 종교 religión *f* primitiva. ~주의 primitivismo *m*.

원시(原詩) poema *m* original, poesía *f* original, verso *m* original.

원시(遠視) ① [멀리 봄. 먼 곳까지 보임] vista *f* remota, vista *f* distante, visión *f* de futuro. ~의 con visión de futuro, clarividente. ② ((준말)) =원시안(遠視眼).

■ ~경 gafas *fpl* contra la hipermetropía. ~안(眼) presbicia *f*, hipermetropía *f*. ~화 perspectiva *f*.

원식구(原食口) miembro *m* de familia original.

원신(元辰) ① =원단(元旦). ② [좋은 때] buen tiempo *m*, tiempo *m* feliz, tiempo *m* agradable.

원심(怨心) rencor *m*, rencilla *f*. ~을 품다 tener*le* rencor a *uno*, guardar*le* rencor a *uno*.

원심(原審) juicio *m* [sentencia *f*] original. ~을 파기하다 anular la sentencia original.

■ ~ 파기[기각] anulación *f* de la sentencia original.

원심(圓心) centro *m* del círculo.

원심(遠心) fuerza *f* centrífuga.

■ ~력(力) fuerza *f* centrífuga. ~ 분리기

centrifugadora *f*, centrifugador *m*.

원아(院兒) niños *mpl* del orfanato.

원아(園兒) niños *mpl* de jardín de infancia; niños *mpl* de kindergarten; párvulo, -la *mf* de jardín de infancia.

원안(原案) proyecto *m* [plan *m*] original; [의안(議案)] proposición *f* original. ～을 수정(修正)하다 rectificar el proyecto original. ～을 작성하다 preparar el proyecto original. ～을 제출하다 presentar el proyecto original. ～을 지지하다 apoyar [secundar] el proyecto original. ～대로 통과하다 el proyecto original pasa sin ser corregido.

원안(遠眼) ((준말)) ＝원시안.

■～경(鏡) ＝원시경.

원앙(鴛鴦) ①【조류】ánade *m* mandarín. ② [화목하고 늘 동반하는 부부(夫婦)] matrimonio *m* muy unido.

■～금(衾) ㉮ [원앙을 수놓은 이불] colchón *m* abordado con ánades mandarines. ㉯ [부부가 함께 덮는 이불] colchón *m* que el matrimonio usa juntos. ～금침(衾枕) el colchón y la almohada abordados con ánades mandarines. ～새 【조류】＝원앙. ～침(枕) ㉮ [원앙을 수놓은 베개] almohada *f* abordada con ánades mandarines. ㉯ [부부가 함께 베는 베개] almohada *f* que el matrimonio usa juntos.

원액(元額/原額) número *m* original, cantidad *f* original.

원액(原液) solución *f* no diluida.

원야(原野) campo *m*, llano *m*, llanura *f*; [황무지] yermo *m*; [미개간의] erial *m*, landa *f*, terreno *m* inculto, páramo *m*; [처녀지] terreno *m* baldío. ～를 개간하다 roturar un terreno inculto.

원양(遠洋) océano *m* remoto, alta mar *f*. ～의 de las profundidades (marinas), de altura, en alta mar.

■～ 동물 fauna *f* abismal. ～ 어선 barco *m* pesquero de altura. ～ 어업 pesca *f* de altura, pesca *f* en alta mar, pesca *f* en mares lejanos. ～태(太) abadejo *m* que se pesca en la alta mar. ～ 항로 derrotero *m* oceánico, ruta *f* oceánica. ～ 항해(航海) navegación *f* transoceánica.

원어(原語) idioma *m* original, palabra *f* primitiva. ～로 읽다 leer en *su* idioma original.

원언(怨言) palabras fpl malignas.

원영(遠泳) natación *f* de [a] larga distancia. ～을 하다 hacer una excursión a nado.

원예(園藝) [야채의] horticultura *f*; [화초·정원수의] jardinería *f*. ～의 hortícola, de horticultura. ～는 화란에서 매우 발달되어 있다 La horticultura está muy desarrollada en Holanda.

■～가 horticultor, -tora *mf*; jardinero, -ra *mf*. ～농(農) agricultura *f* para la horticultura. ～ 달력[책력] calendario *m* de horticultores. ～ 도구[용구] instrumentos *mpl* para la horticultura. ～사 horticultor, -tora *mf*; jardinero, -ra *mf*. ～술(術) arte *m* hortícola. ～ 시험소 estación *f* experimental hortícola. ～ 식물[작물] planta *f* jardinera, planta *f* para jardín. ～ 식물 재배장 vivero *m*. ～ 잡지 revista *f* hortícola. ～장 vivero *m*, plantel *m*, plantío *m*, plantario *m*, almáciga *f*, criadero *m*. ～학 ciencia *f* hortícola. ～ 학과 departamento *m* de horticultura. ～ 학교 escuela *f* hortícola. ～학자 horticultor, -tora *mf*.

원외(員外) ¶～의 supernumerario.

■～자 supernumerario, -ria *mf*.

원외(院外) ¶～의 no parlamentario, extraparlamentario.

■～ 교섭 단체(交涉團體) grupo *m* extraparlamentario. ～ 운동 movimiento *m* extraparlamentario. ～자[당원] (partidario *m*) no parlamentario. ～ 투쟁 lucha *f* no parlamentaria, lucha *f* extraparlamentaria.

원용(援用) invocación *f*, alegación *f*. ～하다 invocar, alegar.

원위치(原位置) posición *f* original.

원유(原油) petróleo *m* bruto, petróleo *m* no refinado, crudos *mpl* petrolíferos, petróleo *m* crudo, aceite *m* crudo.

원유(遠遊) juego *m* en el lugar lejano. ～하다 jugar en el lugar lejano.

■～회 fiesta *f* en jardín, fiesta *f* al aire libre. ¶～를 개최하다 dar una fiesta en jardín.

원음(原音) pronunciación *f* original, sonido *m* original, tono *m* original.

원의(原意) ① [본디의 의사] voluntad *f* original. ② ＝원의(原義).

원의(原義) sentido *m* primitivo, sentido *m* original, acepción *f* original.

원의(院議) decisión *f* del congreso de los diputados [de los senadores].

원의(願意) objeto *m* de una suplicación, petición *f*.

원이름(原一) nombre *m* original.

원인(原人) hombres-monos *mpl*, hombre *m* primitivo.

■～ 생활 vida *f* primitiva. ～ 시대 época *f* primitiva, época *f* prehistórica, edad *f* prehistórica.

원인(原因) causa *f*, origen *m* (*pl* orígenes), motivo *m*, principio *m*, raíz *f* (*pl* raíces), razón *f* (*pl* razones). …의 ～으로 debido a *algo*, por [a] causa de *algo*. ～[불명의 inexplicable, de origen desconocido. ～ 불명의 화재 fuego *m* cuya causa no se conoce. ～과 결과 la causa y el efecto, causalidad *f*. …에 ～을 가지다 tener origen en *algo*. …에 의한 ～이다 ser causado [ocasionado · producido] por *algo*, provenir de *algo*, resultar de algo. …의 ～이 되다 causar *algo*, ocasionar *algo*, producir *algo*, ser causa de *algo*, originar *algo*. A의 ～을 B로 돌리다 atribuir A a B. 그 발견을 ～을 우연으로 돌리다 atribuir el descubrimiento a la casualidad. 그 ～은 불명(不明)이다 Las causas son inexplicables / Se ignora la causa. 부주의도 그 사고(事故)의

한 ~이었다 El descuido también ha sido una de las causas del accidente. 그의 부주의가 사고의 ~이 되었다 Su descuido causó el accidente. 그 전쟁은 종교 문제에 ~이 있었다 Esa guerra ha sido ocasionada por problemas religiosas. 그의 병의 ~은 과음에서 비롯되었다 Su enfermedad proviene de haber bebido excesivamente. 사소한 ~으로 두 사람은 싸웠다 Los dos reñeron por trivialidades [por insignificacias].

■ ~ 요법 tratamiento *m* de la causa de la enfermedad.

원인(猿人) pitecantropo *m*, hombre *m* mono.

원인(遠因) causa *f* remota, causa *f* mediata. 과로가 그의 병(病)의 ~이 되었다 El trabajo excesivo ha constituido la causa remota de su enfermedad. ~이 없이 결과가 생길 리가 없다 Sin sembrar no hay cosecha / Muerto el perro se acabó la rabia.

원인(願人) suplicante *mf*, peticionario, -ria *mf*.

원일(元日) =설날(día del Año Nuevo).

원일점(遠日點) afelio *m*.

원자(元子) 【역사】 hijo *m* mayor del rey.

원자(原子) ① 【철학】 átomo *m*. ② 【화학】 átomo *m*. ~의 atómico. 물의 분자는 수소 2 산소 1의 ~로 구성되어 있다 La molécula de agua consiste de dos átomos de hidrógeno y un átomo de oxígeno.

◆ 방사성(放射性) ~ átomo *m* radiactivo.

■ ~가 valencia *f*, valor *m* atómico. ~결합 enlace *m* atómico, enlace *m* covalente. ~ 과학 ciencia *f* atómica. ~ 과학자 científico *m* atómico, científica *f* atómica. ~ 구조 estructura *f* atómica. ~ 궤도(軌道) órbito *m* atómico. ~ 기기 armas *fpl* nucleares. ~ 기호 =원소 기호. ~량 peso *m* atómico. ~력 energía *f* atómica, energía *f* nuclear, potencia *f* nuclear. ¶~의 평화적 이용 usos *mpl* pacíficos de la energía atómica [nuclear], uso *m* de la energía atómica para el propósito pacífico. 국제 ~ 기구 la Agencia Internacional de Energía Atómica. 한국 ~ 연구소 el Instituto de Investigación de Energía Atómica de Corea. ~력 공업 industria *f* de energía nuclear. ~력 공학 tecnología *f* nuclear. ~력 관리 control *m* atómico. ~력 국제 관리 control *m* internacional de energía atómica. ~력 로켓 cohete *m* de propulsión nuclear, cohete *m* nuclear. ~력 발전 generación *f* de energía atómica, generación *f* de la electricidad por la energía. ~력 발동기 motor *m* atómico. ~력 발전기 reactor *m* generador. ~력 발전소 central *f* (eléctrica) nuclear. ~력 병원(力病院) el Hospital Centro del Cáncer de Corea. ~력 사고 accidente *m* atómico. ~력 산업 industria *f* nuclear ~력 상선 barco *m* atómico. ~력선 barco *m* atómico, barco *m* nuclear. ~력 시대 era *f* atómica. ~력 엔진 motor *m* atómico. ~력 연구소 el Instituto de Investigación de Energía Atómica. ~력 연료 combustible *m* atómico. ~력 위원회 la Comisión (Nacional) de Energía Atómica. ~력 잠수함 submarino *m* atómico, submarino *m* de propulsión nuclear. ~력 전쟁 guerra *f* atómica. ~력청 la Dirección de Energía Atómica. ~력 추진 propulsión *f* nuclear. ~력 평화 이용 계획 programa *m* para el uso pacífico de energía atómica. ~력 항공 모함 portaaviones *m* atómico. ~력 협정 acuerdo *m* de energía atómica. ~로 (horno *m*) reactor *m*, pila *f* atómica, horno *m* atómico. ¶발전용 ~ reactor *m* nuclear. ~론 =원자설. ~론자 atomista *mf*. ~ 물리학 física *f* nuclear. ~ 물리 학자 físico, -ca *mf* nuclear; atomista *mf*; investigador, -dora *mf* de física nuclear. ~ 번호(番號) número *m* atómico. ~병(病) enfermedad *f* atómica, enfermedad *f* causada por la radiación de la bomba atómica. ~ 병기 =핵무기. ~병 환자 quienes sufren de enfermedad atómica. ~ 분열 fisión *f* atómica. ~ 붕괴 desintegración *f* atómica. ~설 teoría *f* atómica, atomismo *m*, hipótesis *f* atómica. ~ 세포 célula *f* germinal. ~시(時) hora *f* atómica. ~ 시계 reloj *m* atómico. ~ 시대 era *f* atómica. ~식 fórmula *f* atómica. ~ 에너지 =원자력. ~ 역학 mecánica *f* atómica. ~열 calor *m* atómico. ~운(雲) nube *f* atómica. ~ 이론 teoría *f* atómica. ~전(戰) guerra *f* atómica. ~ 질량(質量) masa *f* atómica. ~ 질량 단위 unidad *f* de masa atómica. ~ 충돌 colisión *f* atómica. ~탄 =원자 폭탄. ~ 탄두 cabeza *f* [ovija *f*] nuclear. ~파 ondas *fpl* atómicas. ~ 파괴 rotura *f* atómica. ~ 파괴 장치 acelerador *m* electrónico, acelerador *m* atómico, acelerador *m* nuclear, acelerador *m* de partículas atómicas. ~포 cañón *m* atómico. ~ 폭발 explosión *f* (爆發) atómica. ~ 폭탄 bomba *f* atómica, bomba *f* de fusión nuclear. ~학 nucleónica *f*. ~핵 núcleo *m*, núcleo *m* atómico. ~핵 공학 nucleónica *f*. ~핵 물리학 física *f* nuclear, nucleónica. ~핵 물리학자 físico, -ca *mf* nuclear. ~핵 반응 reacción *f* nuclear. ~핵 분열 fusión *f* nuclear. ~핵 붕괴 =핵붕괴. ~핵 실험 prueba *f* nuclear. ~핵 에너지 =핵에너지. ~핵 연구 investigación *f* nuclear. ~ 핵 연구자 investigador, -dora *mf* nuclear. ~핵 연료 =핵연료. ~핵 융합 =핵융합. ~핵 파괴 장치 =원자 파괴 장치. ~핵 화학 química *f* nuclear. ~ 핵 화학자 químico, -ca *mf* nuclear. ~화 atomización *f*, pulverización *f*. ~회 cenizas *fpl* radiactivas.

원자재(原資材) materia *f* prima.

원작(原作) (obra *f*) original *f*.

■ ~료 honorarios *mpl* de la obra original. ~자 =원저자(原著者). ¶~ 미상의 책 un libro de la autoría incierta.

원잠(原蠶) gusano *m* de seda

원장(元帳) libro *m* mayor.

원장(原狀) petición *f* original.
원장(院長) director, -tora *mf*; presidente, -ta *mf*.
원장(園長) director, -tora *mf*.
원장부(元帳簿) ① [근본이 되는 장부] libro *m* mayor básico. ② =원장(元帳).
원재료(原材料) materia *f* prima.
원재판(原裁判) sentencia *f* original, juicio *m* original.
원저(原著) obra *f* original, libro *m* original.
원저자(原著者) autor, -tora *mf* original; escritor, -tora *mf*.
원적(怨敵) enemigo, -ga *mf* mortal; enemigo *m* acérrimo, enemiga *f* acérrima; enemigo *m* declarado, enemiga *f* declarada.
원적(原籍) ① [호적의 변경이 있었을 때, 본디의 본적] domicilio *m* permanente, domicilio *m* original, lugar *m* de origen. 나의 ~은 광주에 있다 Mi domicilio original está en *Gwangchu*. ② [본적] domicilio *m* legal.
■ ~지 domicilio *m* de origen, lugar *m* de *su* domicilio (registrado), lugar *m* de origen.
원적토(原績土) tierra *f* sedentaria.
원전(原典) texto *m* original, libro *m* original.
■ ~ 비판 crítica *f* del texto original. ~ 석의(釋義) comentario *m* del texto original.
원전(原電) ((준말)) =원자력 발전. 원자력 발전소.
원점(原點) ① [근원·기준으로 되는 점·지점] punto *m* de partida, punto *m* de arranque; [근원] origen *m*, principio *m*. ~으로 돌아가다 volver al principio, recuperar el espíritu original. ② 【수학】 origen *m*.
원점(圓點) punto *m* redondo.
원정(園丁) =정원사(庭園師)(jardinero).
원정(遠征) expedición *f*. ~하다 hacer una expedición (a). ~의 expedicionario. 나폴레옹의 러시아 ~ expedición *f* de Napoleón a Rusia.
■ ~ 경기 partido *m* de gira deportiva. ~군 ejército *m* expedicionario, fuerza *f* expedicionaria. ~대 expedición *f*. ~ 대원 expedicionario, -ria *mf*. ~ 부대 tropa *f* expedicionaria. ~ 팀 equipo *m* de gira deportiva. ¶유럽 ~ equipo *m* de gira deportiva por Europa.
원제(原題) título *m* original.
원조(元祖) ① [시조(始祖)] fundador *m*. 조선(朝鮮)의 ~ fundador *m* de la Dinastía de *Choson*. ② [어떤 일을 시작한 사람] fundador, -dora *mf*; iniciador, -dora *mf*; padre *m*; [발명자] inventor, -tora *mf*. 노동 운동의 ~ padre *m* del movimienmiento de labor. 지압술(指壓術)의 ~ padre *m* de la terapéutica manual.
원조(元朝) =원단(元旦).
원조(援助) ayuda *f*, asistencia *f*, auxilio *m*, apoyo *m*; [구원] socorro *m*; [비호] amparo *m*; [지원] sostén *m*; [보조] subsidio *m*. ~하다 ayudar, auxiliar, asistir, apoyar, socorrer, amparar. 유족(遺族)에의 ~ auxilios *mpl* a los familiares de los fallecidos. 최신기재(最新器材)의 ~ ayuda *f* del equipo más moderno. 개발 도상국에 대한 한국의 경제 ~ ayuda *f* [asistencia *f*] económica de Corea a los países en vías de desarrollo. ~를 요청하다 pedir ayuda. ~를 약속하다 prometer ayuda (económica). ~를 얻다 recibir ayuda (económica). 친구에게 자금의 ~를 요청하다 pedir ayuda monetaria a *su* amigo. 이재민(罹災民)에게 ~의 손길을 뻗치다 ofrecer ayuda a los damnificados. 나는 그를 ~하고 싶다 Yo quiero ayudarle a él. 이 학교는 정부로부터 ~를 받고 있다 Esta escuela está subvencionada por el gobierno. 정부는 다른 나라에 경제 ~를 한다 El gobierno presta (su) ayuda económica a otros países.
◆외국(外國) ~ ayuda *f* [asistencia *f*] económica al exterior, ayuda *f* externa. 재정(財政) ~ ayuda *f* financiera.
■ ~ 계획 programa *m* de ayuda, plan *m* de ayuda. ¶해외 ~ programa *m* de la ayuda económica al exterior. ~국 país *m* de ayuda. ~ 금 fondo *m* de ayuda, dinero *m* de ayuda, ayuda *f* monetaria. ~ 물자 artículos *mpl* de ayuda. ~ 발전 차관 préstamo *m* de ayuda al desarrollo. ~자 partidario, -ria *mf*; [스폰서] patrocinador, -dora *mf*. ~ 제공자 donante *mf* de ayuda. ~ 차관 préstamo *m* de ayuda.
원족(遠足) excursión *f*; [장거리 도보] caminata *f*. ~하다 hacer una excursión, darse una caminata. 우리들은 학교의 ~으로 제주도에 갔다 Fuimos de excursión escolar a *Chechudo*.
원족(遠族) pariente *m* lejano, parienta *f* lejana.
원종(原種) raza *f* pura, variedad *f* pura, germen *m*.
원죄(冤罪) acusación *f* falsa. ~를 입다 ser falsamente acusado, ser imputado un pecado.
원죄(原罪) ((종교)) pecado *m* original. 무~의 잉태 la Inmaculada Concepción.
원주(原主) propietario, -ria *mf* original.
원주(原住) ① ((준말)) =원주소(原住所). ② [본디부터 살고 있음] morada *f* original.
원주(原註) notas *fpl* originales.
원주(圓周) 【수학】 círculo *m*, circunferencia *f*.
■ ~각 ángulo *m* central. ~율 coeficiente *m* de la circunferencia.
원주(圓柱) ① columna *f*. ② 【수학】 ((구용어)) =원기둥.
■ ~ 투영법 proyección *f* cilíndrica.
원주민(原住民) indígena *mf*; aborigen *mf* (*pl* aborígenes); nativo, -va *mf*; autóctono, -na *mf*.
■ ~ 보호주의 indigenismo *m*, nativismo *m*.
원주소(原住所) residencia *f* original.
원주지(原住地) residencia *f* pasada.
원줄기(元－) tallo *m* principal.

원지(原紙) ① [닥나무 껍질을 원료로하여 뜬 종이 ((누에씨를 받음))] papel *m* en que se ponen huevezuelos del gusano de seda. ② [등사판 따위의 원판에 쓰이는 초 먹인 종이] cliché *m*, clisé *m*, ciclostil *m*, papel *m* stencil, matriz *f*, papel *m* mimeográfico, papel *m* estarcido.
원지(圓池) estanque *m* redondo.
원지(園池) ① [정원과 못] el jardín y el estanque. ② [정원 안의 못] estanque *m* en el jardín.
원지(遠地) región *f* lejana, lugar *m* remoto, lugar *m* distante.
■ ~점(點) apogeo *m*.
원지(遠志) intención *f* de gran alcance, intención *f* trascendental, gran ambición *f*.
원질(原質) substancia *f* elementaria.
원채(原—) edificio *m* principal.
원천(源泉) ① [물이 흘러나오는 근원] fuente *f*, manantial *m*. ② [사물의 근원] fuente *f*, origen *m*, procedencia *f*. 지식(知識)의 ~ fuente *f* de conocimiento. ③ ((성경)) manantial *m*, fuente *f*. ■ ~ 과세 impuesto *m* deducido de la fuente de ingresos, parte *f* de los impuestos de un empleado que el empleador paga directamente al gobierno.. ~ 소득세 impuesto *m* retenido. ~ 징수 retención *f*. ~ 징수 제도 sistema *m* de retención.
원초(原初) principio *m*, comienzo *m*.
■ ~적 del principio. ~인 것 lo del principio.
원촌(原寸) tamaño *m* natural. ~ 대(大)의 de tamaño natural ~은 이것의 세 배다 El tamaño natural es tres veces de éste.
■ ~도 dibujo *m* a escala natural.
원촌(遠寸) aldea *f* lejana, pueblo *m* lejano.
원추(圓錐) 【수학】 ((구용어)) =원뿔.
■ ~근 raíz *f* redonda. ~ 꽃차례 panícula *f*, panoja *f*. ~ 투영법 proyección *f* cónica.
원추리 【식물】 asfódelo *m*.
원축(原軸) 【기계】 eje *m* telescópico.
원치수(原—數) tamaño *m* natural.
원칙(原則) principio *m*, norma *f*, regla *f* general, regla *f* fundamental, ley *f* fundamental. ~으로 하다 tener por principio. ~을 세우다 establecer un principio. …하는 것을 ~으로 하다 tener por principio + *inf*, tener [ponerse] por regla + *inf*, sentar el principio de + *inf*. 당점(當店)은 현금 거래를 ~으로 하고 있습니다 En esta tienda tenemos por regla hacer el negocio al contado.
◆ 경제(적) ~ principio *m* económico. 근본 ~ principio *m* cardinal [básico]. 상호 호혜(相互互惠) ~ principio *m* de reciprocidad. 자유 시장(自由市場 ~ principio *m* del mercado libre.
■ ~법 ley *f* fundamental. ~적 principal.
¶~으로 principalmente, en principio, por principio(s), por regla general.
원컨대(願—) ¡Ojalá! / ¡Dios quiera que …! / Desearía que …! / ((성경)) por favor. 하나님이시여, ~ 저를 지켜 주십시오 ¡Válgame Dios!
원탁(圓卓) mesa *f* redonda.
■ ~ 기사단 Caballeros *mpl* de la Mesa Redonda. ~ 회의 mesa *f* redonda, conferencia *f* a mesa redonda.
원탑(圓塔) pagoda *f* de piedras redondas.
원통(圓筒) ① [둥근 통] cilindro *m*. ② 【수학】 =원기둥.
■ ~관(罐) caldera *f* cilíndrica. ~형 forma *f* cilíndrica, forma *f* cilindroidea.
원통하다(冤痛—) tener pena [dolor · pesadumbre]. 원통함 resentimiento *m*, compunción *f*, dolor *m* de conciencia, tristeza *f* llena de remordimientos.
원통히 con resentimiento, con remordi-
원투(영 *one-two*) ((권투)) uno dos, uno-dos.
■ ~ 펀치 ((권투)) =원투.
원판 =원래.
원판(原板) 【사진】 cliché *m* (negativo), negativa *f*; [인화하기 전의] plancha *f* seca.
원판(原版) 【인쇄】 molde *m* original, forma *f* original, comoposición *f* original.
원판(圓板) tabla *f* redonda.
원판결(原判決) juicio *m* original, sentencia *f* original. ~을 파기하다 anular [revocar] la sentencia original.
원포(園圃) huerto *m*, huerta *f*.
원폭(原爆) ((준말)) =원자 폭탄(原子爆彈).
■ ~ 기지 base *f* atómica. ~ 실험 prueba *f* atómica. ~ 실험 중지 prohibición *f* de la prueba atómica. ~전 guerra *f* atómica. ~증(症) ((준말)) = 원자 폭탄증. ~ 피해자 víctima *f* de la bomba atómica.
원표(元標) punto *m* de partida de mojón.
원풀다(願—) lograr *su* deseo.
원풀이(怨—) venganza *f*. ~하다 vengar, tomar venganza.
원풀이(願—) logro *m* de *su* deseo. ~하다 lograr *su* deseo.
원품(原品) artículo *m* original.
원피(原皮) piel *f* cruda.
원피고(原被告) el demandante y el acusado.
원하다(願—) ① [바라다] desear, querer. 서반아에 가기를 ~ querer ir a España. 의사(醫師) 되기를 ~ querer ser médico. 너는 무엇을 원하느냐? ¿Qué deseas? 당신은 무엇을 원하십니까? ¿Qué quiere [desea · necesita] usted? / ¿Qué desearía usted? / ¿Qué es lo que desea [necesita] usted? / [정중한 표현] ¿Qué deseaba usted? 당신은 무엇을 원하셨습니까? ¿Qué deseaba usted? 원하는 것을 말씀해 주십시오 Dígame lo que desea. 마실 것 [먹을 것]을 원합니다 Quiero algo que beber [comer]. 나는 백만장자가 되기를 원한다 Deseo ser millonario. 나는 이런 오버를 사기를 원했다 Me han entrado ganas de comprar un abrigo como éste. 나는 진실(眞實)을 알기를 원했다 Yo deseaba saber la verdad. 나는 명예를 원하지 않는다 No quiero [apetezco] (ni una pizca de) honores. 원하는 것은 무엇이든지 가지고 가거라 Llévate todo lo que

quieras. 나는 그녀가 사실을 알기를 원한다 Quiero que ella sepa la verdad. 제가 당신을 위해 무엇을 해 주길 원하십니까? ¿Qué quiere usted que haga yo para usted? 부모님께서는 내가 변호사가 되기를 원하셨다 Mis padres deseaban que yo me hiciera abogado. 그는 가까운 장래에 외교관이 되기를 원하고 있다 El desea llegar a ser diplomático en el futuro cercano. 나는 여러분들이 서반아어를 배우기를 원합니다 Deseo que ustedes aprendan español. 여러분께서는 나를 기다려 주기를 원합니다 Quiero que ustedes me esperen. 내 조카는 자전거 한 대를 가지기를 원한다 Mi sobrino quiere tener una bicicleta. 나는 내 딸을 위해 옷을 사기를 원한다 Quiero un vestido para mi hija. 나는 네가 속히 귀국하기를 원한다 Quiero que tú vuelvas al país pronto. 당신에게 무슨 말을 하기를 원하십니까? ¿Qué quiere que le diga yo? 네가 원하지 않는 것을 다른 사람에게 바라지 마라 Lo que no quieras para ti, no lo quieras para tu prójimo. ② [하고자 하다] querer hacer. ③ [부러워하다] envidiar, tener envidia. ④ [청원하다] pedir. ⑤ [기원하다] rezar, orar, rogar, pedir. 나는 당신이 성공하기를 원합니다 Pido que usted tenga buen éxito. ⑥ [갈망하다] aspirar. 큰 사람이 되기를 ~ aspirar a un gran hombre.

원한(怨恨) rencor *m*, resentimiento *m*, odio *m*, encono *m*, animosidad *f*, ojeriza *f*, afrenta *f*, [악의(惡意)] malevolencia *f*, [혐오] tirria *f*, [적의(敵意)] hostilidad *f*. ~을 품은 rencoroso, quejumbroso. ~을 품다 guardar rencor (contra · a), tener resentimiento (contra · a), estar resentido (contra · de), resentir (contra · con). ~을 사다 incurrir en el rencor (de). ~을 억제하다 reprimir el rencor. ~을 품은 투로 말하다 hablar con un tono rencoroso. …에 대한 ~을 풀다 vengarse de *uno* por la ofensa. 아버지의 ~을 풀다 vengar a *su* padre. 여러 해 쌓인 ~을 풀다 satisfacer *su* odio inveterado. 나는 그에게 ~을 품고 있다 Tengo rencor contra él. 당신이 나를 만나러 오지 않은 데 대해 ~을 품고 있다 Estoy resentido de que usted no haya venido a verme. 나는 너에게 아무런 ~도 없다 No te guardo ningún rencor. 언젠가 그에게 사기당한 ~을 풀겠다 Algún día me vengaré de él por haberme engañado. 이 ~은 평생 잊지 않을 것이다 En la vida me olvidaré de esta afrenta. 그는 내가 오래 ~을 품어 온 적이다 El es un enemigo contra quien guardo rencor (por) mucho tiempo. 나는 ~이 골수에까지 맺혔다 El resentimiento me penetró hasta la médula. 이제부터 우리 사이에 ~ 같은 것은 없는 겁니다 De ahora en adelante, nada de rencor entre nosotros, ¿eh? 당신이 나에게 ~을 품을 만한 일을 한 적이 없다 No he hecho nada para que usted me guarde rencor. 그는 자신이 저지른 잘못에도 불구하고 도리어 나에게 ~을 품고 있다 Aunque él tiene la culpa, abriga un resentimiento injustificado para conmigo.

원항(遠航) ((준말)) =원양 항해.

원해(遠海) alta mar *f*, océano *m*, mar *f* ancha.
■ ~어(魚) pez *m* pelágico [oceánico].

원행(遠行) viaje *m* lejano, viaje *m* largo. ~하다 hacer un viaje lejano, dar un paseo largo.

원형(原形) forma *f* original. 그 비행기는 이미 ~을 잃었다 Ese avión ya ha perdido [no tiene] su forma original.

원형(原型) arquetipo *m*, prototipo *m*, modelo *m*.

원형(圓形) círculo *m* redondo. ~의 circular, redondo.
■ ~ 극장 teatro *m* circular; [로마 시대의] anfiteatro *m*. ~ 동물 =선형 동물. ~엽(葉) hoja *f* orbicular. ~ 처녀막 himen *m* circular. ~ 탈모증 alopecia *f*.

원형질(原形質) 【생물】 protoplasma *m*.
■ ~체 protoplasto *m*.

원호(元號) =연호(年號).

원호(援護) amparo *m*, ayuda *f*, patrocinio *m*, apoyo *m*, sostén *m*, protección *f*. ~하다 apoyar, patrocinar, proteger.

원호(圓弧) 【수학】 arco *m* circular. ~를 그리다 dibujar el arco circular.

원혼(冤魂) espíritu *m* maligno. ~을 위로하다 consolar el espíritu maligno.

원화(−貨) papel *m* moneda de *won*.
■ ~ 예치율 tasa *f* de depósito de *won*.

원화(原畵) original *m*, pintura *f* original, dibujo *m* original. 피카소의 ~ original *m* de Picasso.

원활하다(圓滑−) (ser) armonioso, suave, moderado, regular. 원활함 armonía *f*, suavidad *f*. 국가 기관들의 원활한 운용(運用) la aplicación lisa de las maquinarias del Estado. 회의의 원활한 진행을 하게 하다 hacer que la conferencia marche suavemente [sin el menor contratiempo]. 원활히 armoniosamente, suavemente, con suavidad, sin contratiempo, regularmente, sin dificultad. 일이 ~ 진행된다 El trabajo progresa sin dificultad (sobre ruedas).

원훈(元勳) ① [나라를 위한 가장 큰 훈공] el mayor mérito (por *su* país). ② 【역사】 hombre *m* de estado veterano.

원흉(元兇) instigador, -dora *mf*, inductor, -tora *mf*, cabecilla *mf*, abanderizador, -dora *mf*.

월 =글월. 문장(文章).

월(月) ① [태음(太陰)] luna *f*. ② [한 해의 십이분의 일] mes *m*. 지금이 몇 ~입니까? ¿En qué mes estamos? 몇 ~에 결혼하십니까? ¿En qué mes se casa usted? 강습회는 몇 ~부터 시작합니까? ¿En qué mes empieza el curso? ③ ((준말)) =월요일. ④ [달을 세는 단위] mes *m*. 8~ 보름 el quince de agosto. 삼 개~ tres meses. ⑤

[세월. 광음(光陰)] tiempo *m*. ⑥ [다달이. 달마다. 매월] todos los meses, cada mes. ~급(給) salario *m* [sueldo *m*] mensual.

월(越) ① [넘다] pasar. ② [지나다. 세월을 경과하다] pasar, pasar el tiempo.

월가(Wall 街) 【지명】 Wall Street.

월간(月刊) publicación *f* mensual. ~의 mensual. 이 잡지는 ~이다 Esta revista se publica mensualmente.

■ ~ (잡)지 revista *f* mensual.

월간(月間) por un mes.

월갈 【언어】 =문장론(文章論)(sintaxis).

월강(越江) ① [강을 건넘] cruce *m* del río. ~하다 cruzar [atravesar] el río. ② [압록강이나 두만강을 건너 중국에 감] ida *f* a China atravesando el Yalu. ~하다 ir a China atravesando el Yalu.

월경(月頃) un mes más o menos.

월경(月經) menstruación *f*, menstruo *m*, regla *f*, ciclo *m* mensual, menorrea *f*, catamenia *f*. ~의 menstrual, menstruo, catamenial. ~ 중(中)인 menstruante, menstruoso. ~ 중인 여자(女子) menstruante *f*, menstruosa *f*. ~이 나오다 menstruar, evacuar la menstruación. ~이 있다, ~을 가지다 menstruar, tener *sus* reglas, tener el menstruo. ~이 멈추다 cesar la menstrualidad.

◆ 대상(代償) ~ menstruación *f* vicaria.

■ ~ 감퇴(減退) espanomenorrea *f*. ~ 과다 epimenorragia *f*, menorragia *f*. ~기 período *m* menstrual. ~대 [생리대] cinturón *m* higiénico, banda *f* higiénica; [월경용 냅킨] paño *m* higiénico, compresa *f*. ~ 불순 dismenorrea *f*, menoxenia *f*, paramenia *f*, irregularidad *f* menstrual, menstruación *f* irregular. ~ 순조 menstruación *f* regular. ~ 연령 edad *f* menstrual. ~ 이상(異常) eminiopatía *f*, menstruación *f* irregular. ~ 정상 eumenorrea *f*. ~ 주기 intermenstruo *m*. ~통(痛) menalgia *f*, algomenorrea *f*, metromenorragia *f*, menorralgia *f*, cólico *m* menstrual. ~ 폐지 menolipsis *f*, isquiomenia *f*.

월경(越境) violación *f* de la frontera. ~하다 pasar [atravesar] la frontera; [침입하다] violar la frontera.

월계(月計) cuenta *f* mensual. ~하다 contar mensualmente.

■ ~표 balance *m* (general) mensual.

월계관(月桂冠) lauréola *f*, laureola *f*, corona *f* de laurel. ~을 쓴 laureado; 【시어】 laurífero. ~을 쓰다 cubrirse de laureles, ser laureado. ~을 씌우다 laurear, coronar con laurel.

월계수(月桂樹) laurel *m*, lauro *m*. ~의 láureo.

■ ~ 숲 lauredal *m*.

월계화(月季花) 【식물】 rosa *f* china.

월광(月光) =달빛(luz de la luna).

■ ~곡 la Sonata de Luz de la Luna.

월구(月球) 【천문】 =달(luna).

월궁(月宮) palacio *m* en la luna (de la leyenda).

월권(越權) abuso *m*.

■ ~ 행위 abuso *m* de la autoridad. ¶~를 하다 abusar de su autoridad. ~ 행위자 abusón, -sona *mf*.

월귤(越橘) 【식물】 arándano *m*.

월급(月給) salario *m* mensual, sueldo *m* mensual, mensualidad *f*, paga *f*, pago *m*. ~을 받다 cobrar el salario [sueldo]. 100만 원의 ~을 받고 있다 tener un sueldo mensual de un millón de wones, ganar un millón de wones mensuales de sueldo.

■ ~날[일] día *f* de pago. ~ 대장(臺帳) = 월급 지불 명부. ~ 봉투 envoltura *f* de pago. ~쟁이 asalariado, -da *mf*; empleado, -da *mf*. ~ 지불 명부 plantilla *f*, nómina *f*, *AmL* planilla *f* (de sueldos).

월남[1](越南) ① [남쪽으로 넘어감] venida *f* al sur, venida *f* a Corea del Sur. ~하다 venir al sur, venir a Corea del Sur. ② [삼팔선 또는 휴전선 이남으로 넘어옴] venida *f* al sur del paralelo 38°, venida *f* al sur de la Línea de Armisticio. ~하다 venir al sur del paralelo38°, venir al sur de la Línea de Armisticio.

■ ~ 동포 refugiado, -da *mf* de Corea del Norte.

월남[2](越南) 【지명】 Vietnam *m*. ~의 vietnamita.

■ ~ 사람[인] vietnamita *mf*. ~어[말] vietnamita *m*.

월내(月內) dentro del mes, en menos de un mes.

월년(越年) acción *f* de pasar un año. ~하다 pasar un año.

월단(月旦) el (día) primero de cada mes.

월당(月當) =월액(月額).

월동(越冬) invernación *f*. ~하다 [동물(動物)·새가] invernar, hibernar; [사람·군(軍)이] pasar el invierno, invernar.

■ ~비 gastos *mpl* para invernar. ~ 자금 fondos *mpl* para invernar. ~준비(準備) preparación *f* para invernar.

월드 시리즈(영 *the World Series*) ((야구)) la Serie Mundial, el campeonato mundial de béisbol.

월드 와이드 웹(영 *WWW, World Wide Web*) World Wide Web, red *f* mundial, telaraña *f* mundial, WWW, Web.

월드컵(영 *World Cup*) el Mundial, la Copa del Mundo, la Copa Mundial.

월등하다(越等-) (ser) superior, extraordinario. 월등함 superioridad *f*.

월등히 sumamente, extraordinariamente, excepcionalmente. ~ 좋은 [품질이] de primera calidad, de buena calidad. ~ 낫다 (ser) mucho mejor, muy superior. ~ 나쁘다 (ser) mucho peor. ~ 많다 mucho más. ~ 우수하다 (ser) mucho superior. ~ 크다 (ser) gigantesco, enorme, inmenso, mucho más grande. 나는 이 텔레비전을 ~ 싸게 샀다 Compré el televisor a un precio excepcional. 그녀는 언니보다 ~ 못하다

Ella no le llega ni a la suela del zapato a la hermana.

월따말 caballo *m* rojo con crines negros.

월래(月來) ① [지난 달 이래(以來)] desde el mes pasado. ② [두어 달 동안] por unos dos meses.

월레미소나무(Wollemi－) 【식물】 wollemi *m*.

월력(月曆) ＝달력(calendario).

월령(月齡) 【천문】 edad *f* de la luna.

월례(月例) cada mes. ～의 mensual.

■ ～회 reunión *f* mensual.

월리(月利) ＝달변(interés mensual).

월말(月末) fin *m* del mes, fines *mpl* de(l) mes, finales *mpl* de(l) mes. ～에 a fines del mes, al fin del mes. 7～에 a fines de julio. ～에 지불하겠습니다 Le pagaré al fin del mes.

■ ～도(渡) entrega *f* del fin de mes. ～ 잔고 balance *m* del fin de mes. ～ 지불 pago *m* del fin de mes.

월면(月面) ① [달의 표면] superficie *f* lunar, superficie *f* de la luna. ～에 착륙하다 alunizar, posarse en la superficie de la Luna. ～에 연착륙하다 alunizar suavemente, aterrizar suavemente en la luna. ② [달처럼 환하게 잘 생긴 얼굴] cara *f* hermosa, cara *f* guapa.

■ ～도(圖) selenografía *f*, mapa *m* selenográfico. ～ 보행 paseo *m* lunar, paseo *m* en la Luna. ～ 차량 vehículo *m* lunar. ～ 착륙 alunizaje *m*.

월반(越班) promoción *f* a la clase superior.

월번(月番) turno *m* mensual.

월변(月邊) ＝달변(interés mensual).

월별(月別) distinción *f* según el mes. ～ 생산량(生産量) producción *f* mensual.

월보(月報) boletín *m* [revista *f*·información *f*·publicación *f*] mensual.

월봉(月俸) ＝월급(salario mensual).

월부(月賦) ① [다달이 나눈 할당] distribución *f* mensual. ② ((준말)) ＝월부불(月賦拂).

■ ～금 dinero *m* de la cuota mensual. ～불 cuota *f* mensual, plazo *m* mensual, pago *m* mensual, entrega *f* mensual. ¶～로 por pagos mensuales. ～로 사다 comprar a plazos. ～로 지불하다 pagar mensualmente [por mensualidades·por plazo mensual]. 5개월 ～로 사다 comprar en cinco mensualidades. ～ 지불 pago *m* por mensualidad. ～ 판매 venta *f* a plazos, venta *f* por mensualidad.

월북(越北) ① [북쪽으로 넘어감] ida *f* al norte. ～하다 pasar por el norte, ir al norte. ② [삼팔선 또는 휴전선 이북으로 넘어감] ida *f* a Corea del Norte a través de la Línea de Paralelo 38° [la Línea de Armisticio]. ～하다 ir a Corea del Norte a través de la Línea de Paralelo 38° [la Línea de Armisticio].

월불(月拂) pago *m* mensual.

월비(月費) gastos *mpl* mensuales.

월사(月事) ＝월경(月經)(menstruación).

월사금(月謝金) honorarios *mpl* mensuales, gratificación *f* mensual, honorarios *mpl* de pedagonía en mensualidad, honorarios *mpl* de escuela; [학교의] derechos *mpl* de enseñanza, matrícula *f*.

월삭(月朔) el primero del mes.

월산(月産) producción *f* mensual. ～ 10만 개를 목표로 하다 tener como meta la producción de cien mil unidades al mes. ～은 만 톤이다 La producción mensual es de diez mil toneladas.

월상(月像) forma *f* de la luna.

월색(月色) ＝달빛(luz de la luna).

월석(月石) roca *f* lunar. ～의 견본을 채취하다 recoger algunas muestras de rocas lunares.

월세(月貰) alquiler *m* mensual. ～는 얼마입니까? ¿Cuánto es el alquiler (mensual)?

월세계(月世界) ① [달의 세계] luna *f*, mundo *m* lunar. ～ 여행(旅行) viaje *m* lunar. ② [달빛이 환히 비치는 온 세상] todo el mundo que la luz de la luna brilla claramente.

월수(月水) ＝몸엣것(menstruación).

월수(月收) ① ((준말)) ＝월수입. ② [본전에 변리를 얹어서 다달이 갚아가는 빚] deuda *f* que se paga mensualmente con el interés en el principal.

■ ～입 entrada *f* mensual, ganancias *fpl* mensuales, ingresos *mpl* mensuales.

월수당(月手當) complemento *m* [sobresueldo *m*] mensual.

월 스트리트 【지명】 Wall Street.

월식(月蝕) 【천문】 eclipse *m* lunar, eclipse *m* de la luna.

월액(月額) suma *f* mensual, cuota *f* mensual. 회비는 ～ 만 원이다 Son diez mil wones la cuota mensual de los socios.

월야(月夜) ＝달밤(noche con la luna). ¶오늘 밤은 ～다 Hay luna esta noche.

월여(月餘) un mes más o menos.

월요(月曜) ((준말)) ＝월요일(月曜日).

■ ～병 *wolyobyeong*, astenia *f* del domingo que se siente la fatiga a causa del trabajo excesivo. ～ 토론 debate *m* del lunes.

월요일(月曜日) lunes *m*. ～마다 (todos) los lunes. 오는 ～(에) el lunes que viene. ～에 만납시다 Hasta el lunes / Nos veremos el lunes. 나는 매주 ～ 오후에 서점에 들린다 Yo visito la librería (todos) los lunes por la tarde.

월용(月容) cara *f* hermosa como la luna.

월일(月日) ① [달과 해] la luna y el sol. ② [달과 날] el mes y el día, fecha *f*, data *f*.

월자(月子) cabello *m* artificial, cabello *m* falso. ～하다 ponerse el cabello falso.

월 저축(月貯蓄) ahorro *m* mensual.

월전(月前) hace un mes.

월정(月定) contrato *m* mensual. ～의 mensual. ～으로 mensualmente, por mes(es). ～으로 집세를 지불하다 pagar el alquiler mensualmente. ～으로 방을 빌리다 alquilar una habitación por mes. ～으로 인부를 고용하다 contratar obreros por mes.

■~ 구독료 subscripción *f* mensual. ~(구)독자 su(b)scriptor, -tora *mf* mensual.

월중(月中) ① [그 달 동안] durante el mes. ② [달 가운데] dentro del mes. ③ [달이 밝은 때] cuando la luna brilla claramente.

■~ 행사 rituales *mpl* del mes.

월차(月次) ①【천문】posición *f* de la luna en el cielo. ② =매달(todos los meses). ③ ((준말)) =월차 휴가.

■~ (유급) 휴가 vacaciones *fpl* pagadas [retribuidas] de cada mes.

월척(越尺) pez *m* (*pl* peces) que el tamaño excede en un *cha* [treinta y tres centímeros].

월천(越川) acción *f* de cruzar el arroyo. ~하다 cruzar el arroyo.

■~꾼 persona *f* que lleva al otro cruzando el arroyo.

월초(月初) prinicpios *mpl* del mes. ~에 a principios de(l) mes, a comienzos de(l) mes.

월출(月出) salida *f* de la luna, luna *f* saliente.

월파(月波) ondas *fpl* de la luz de la luna.

월편(越便) =건너편(lado opuesto, otro lado).

월평(月評) comentario *m* mensual.

월표(月表) lista *f* [tabla *f*] mensual.

월하(月下) luz *f* de la luna. ~의 iluminado por la luna. ~에 a la luz de la luna.

■~노인 anciano *m* tradicional que se dice que hace relaciones del matrimonio. ~빙인(氷人) =중 매인(中媒人).

월훈(月暈) =달무리.

월흔(月痕) sombra *f* de la luna casi decreciente en la madrugada.

웨딩(영 *wedding*) [결혼식] boda *f*, casamiento *m*, *AmS* matrimonio *m* (*RPI* 제외)

■~드레스 vestido *m* [traje *m*] de novia, ropa *f* [vestido *m*] de boda. ~ 마치 marcha *f* nupcial. ~ 케이크 tarta *f* [pastel *m*] de boda, tarta *f* de mantrimonio.

웨이브(영 *wave*) ① [물결] ola *f*. ② [전파(電波)] onda *f*. ③ [곱슬곱슬한 물결 모양] onda *f*, ondulación *f*.

웨이스트(영 *waist*) ① [사람·의복의 허리] talle *m*, cintura *f*. ② [물건에서 중앙부(中央部)의 잘록한 부분] [옷의] talle *m*; [선박·비행기의] sección *f* central; [기타·바이올린의] parte *f* estecha.

웨이터(영 *waiter*) [남자 종업원] camarero *m*, mozo *m*; ((호격)) ¡Mozo, (por favor)!

웨이트리스(영 *waitress*) [여자 종업원] camarera *f*, moza *f*, *AmL* mesera *f*, ((호격)) ¡Camarera! / ¡Señorita, (por favor)!

웩웩거리다 hacer arcadas, dar arcadas.

웬 ¿Qué?, ¿Qué clase de? ~ 책이냐? ¿Qué clase de libro es? / ¿Qué libro es?

◆웬 떡이냐 ¡Qué suerte!

웬걸 ¡Mi Dios! / ¡Dios mío! / ¡Válgame Dios! ~ 이렇게 많은 사과를 가져 오셨습니까 ¡Dios mío! ¡Cuántas manzanas me ha traído usted!

웬만큼 pasablemente, bastante, considerablemente, en gran medida, casi. ~ 좋은 결과 resultados *mpl* bastante buenos. ~ 좋은 공연 una actuación pasable. 그녀는 ~ 노래부른다 Ella canta pasablemente. 상황이 ~ 개선되었다 La situación ha mejorado considerablemente [en gran medida]. 나는 ~ 확신한다 Estoy casi seguro. 그것은 오래됐지만 아직 ~ 쓸 만하다 Está viejo, pero todavía sirve [se puede usar] bastante.

웬만하다 (ser) pasable, aceptable, tolerable, satisfactorio, excelente, amplio. 나는 적은 투자로 웬만한 이익을 얻었다 Obtuve un excelente beneficio de mi pequeña inversión. 그들은 웬만한 마진을 얻었다 Ellos ganaron por un amplio margen.

웬일 qué cosa, qué causa, qué razón. ~입니까? ¿Qué pasa? ~이었습니까? ¿Qué pasaba? 자네 ~인가? ¿Qué te pasa? 자네 ~이었나? ¿Qué te pasaba? 거짓말을 하다니 ~이냐? ¿No te avergüenzas de mentir? 컴퓨터가 ~이냐? ¿Qué le pasa al ordenador [a la computadora]? 네가 그것을 먹으려 하지 않으니 ~이냐? ¿Qué tiene (de malo) que no lo quieres comer?

웰터급(-級) peso *m* medio-mediano, peso *m* mediano ligero, (peso *m*) welter *m*; ((레슬링)) peso *m* semimedio. ~ 복서 boxeador, -dora *mf* de peso welter.

웹(영 *Web*) ((준말)) =월드 와이드 웹(Web).

■~ 디렉터리 directorio *m* Web. ~ 디벨러프먼트 desarrollo *m* de Web. ~마스터 Webmaster, webmaster. ~ 사이트 sitio *m* Web. ~ 서버 servidor *m* (de) Web. ~ 어드레스 dirección *f* Web. ~ 에디터 editor *m* de texto para la creación de documentos. ~웨버 webweaver. ~ 인덱스 índice *m* Web. ~캐스팅 difusión *f* por web. ~ 컴퓨터 ordenador *m* de red. ~ 터미널 terminal *f* Web. ~ 티브이 Web TV. ~페이지 página *f* Web. ~ 폰 teléfono *m* Web.

위 ① [기준으로 삼는 사물이나 부분보다 높은 쪽] la parte superior. ~의 superior, de arriba. ~에 encima de, sobre, en. ~로 arriba. ~에서 de arriba. ~를 향해서, ~쪽으로 hacia arriba. 비탈길 ~로 cuesta arriba. ~에서 아래로 de arriba a abajo. 얼굴을 ~로 하고 boca arriba. 부엌 ~에 있는 방 la habitación que está encima de [sobre · *AmL* arriba de] la cocina. ~를 쳐다보다 mirar a lo alto, volver la cara hacia arriba. 너는 울타리 ~를 뛰어넘을 수 있다 Tú puedes saltar (por encima de) la valla. 그들은 강 ~에 다리를 놓았다 Ellos construyeron un puente sobre el río. 초상화가 벽난로 ~에 걸려 있다 El retrato está colgado encima de la chimenea. 물이 허리 ~까지 찼다 El agua me llegaba por encima de la cintura.

② =꼭대기(cima, cumbre, pico, cúspide). ¶맨 ~의 más alto, de más arriba. 산 ~에 en la cima [la cumbre] de la montaña. 집의 ~에 있는 방 una habitación en el último piso. 산장은 언덕 ~에 있다 El chalet está en la cima [en lo alto] de una colina. 그는 사다리 ~에서 있었다 El estaba en lo alto de la escalera. 그의 이름은 리스트의 ~에 있다 Su nombre es el primero de la lista / Su nombre encabezaba la lista. 그는 건물의 ~에서 뛰어내렸다 El se tiró desde el último piso [la azotea] del edificio.

③ [거죽. 표면(表面)] superficie *f.* ~의 de arriba. ~에 en, sobre, encima de. 땅 ~에 en el suelo. 책상 ~에 sobre la mesa, en la mesa, encima de la mesa. 탁자 ~에 그것을 놓아라 Ponlo en [sobre · encima de] la mesa. 나는 ~의 선반에 그것을 놓았다 Yo lo puse en el estante de arriba.

④ [(지위나 정도 · 능력 · 품질 따위가) 보다 높거나 나은 쪽. 또 그 사람] superior, fuerte, habilidad *f.* …에 있어서는 A보다 ~이다 ser más fuerte que A en *algo.* 품질이 ~다 La calidad es superior. 장기에 있어서는 그는 나보다 한 수 ~다 El es más fuerte [hábil] que yo en ajedrez. 그의 ~에는 사장 밖에 없다 Por encima de él no está más que el presidente. 에이스 ~에는 아무것도 없다 No hay nada superior al as. 중위는 소위의 ~다 Un teniente está por encima de un alférez. 그것은 법 ~에 있지 않다 No está por encima de la ley.

⑤ [(수가 어떤 것에 비하여) 많은 편] mayor. 신랑의 나이가 두 살 ~다 El novio es dos años mayor. 그는 열 살 먹은 사내아이를 ~로 다섯 자녀가 있다 El tiene cuatro hijos, el mayor de los cuales tiene diez años de edad.

⑥ [「앞」 또는 「앞에 적은 것」 의 뜻] arriba, arriba mencionado. ~에 든 이유 때문에 por la razón arriba mencionada.

⑦ [「(그) 위에」 의 꼴로 쓰이어 「그것에 더하여」 의 뜻] por añadidura, además, encima, … y además, … y encima. 그 ~에 덧붙이면 … De paso puedo referirme también a …, A todo esto se puede añadir …. 그 ~에 나쁜 것은 Y lo peor todavía es que + *ind.* 그 ~에 눈까지 내리기 시작했다 Además [Por añadidura], empezó a nevar. 그는 건강한 ~에 머리가 좋다 El tiene buena salud y, además, es inteligente. 그는 영어 ~에 서반아어도 공부한다 Además [Aparte] del inglés él estudió español también.

⑧ [임금] rey *m*, soberano *m*.

위(位) ① ((준말)) =지위(地位). ¶장관(長官)의 ~에 오르다 llegar al cargo de ministro. ② =위치. ③ [등급이나 등수를 나타내는 말] lugar *m*, puesto *m*, rango *m*. 제2~ el segundo lugar. 멕시코 시의 인구는 세계 제일~다 La ciudad de México ocupa el primer lugar del mundo en cuanto a (la) población. 그는 올림픽의 마라톤 경주에서 2~가 되었다 El quedó en segundo lugar en la carrera de maratón de los Juegos Olímpicos.

위(胃) ① 【해부】 estómago *m*; [새의] buche *m*; [소의] cuajar *m*; [육식 동물의] fauces *fpl*; [반추 동물의] panza *f*, barriga *f*. ~의 gástrico. ~가 약하다 tener el estómago débil [delicado], ser delicado de estómago. ~가 강하다 [좋다] tener el estómago sano [fuerte]. 너무 먹어 ~에 탈이 나다 comer demasiado y estropearse el estómago. 나는 ~가 답답하다 Tengo el estómago pesado / Siento pesado el estómago. 반추 동물의 ~는 네 개다 El estómago de los rumiantes tiene cuatro divisiones. ② ((준말)) =위경(胃經). ③ ((준말)) =위성(胃星).

■ ~검사법 estomagoscopia *f.* ~장애(障碍) gastropatía *f.* ~절개술 gastrotomía *f.* ~절제술 gastrectomía *f.* ~출혈 gastrorragia *f*, gastrostaxis *f.* ~충수염 apendalgia *f.* ~파열 gastrorrexis *f.*

위(緯) ① ((준말)) =위도(緯度). ② [피륙의 씨] trama *f.*

위-(僞) falso *adj.* ~폐(幣) billete *m* falso.

위결장(胃結腸) colón *m* gástrico. ~의 gastrocólico.

위결핵(胃結核) tuberculosis *f* estomacal.

위경(危境) situación *f* crítica, peligro *m*, riesgo *m*, crisis *f.* ~에 en peligro.

위경(胃經) ① 【해부】 ligamento *m* estomacal. ② 【한방】 vaso *m* sanguíneo estomacal.

위경(胃鏡) gastroscopio *m.* ~의 gastrocópico.

■ ~ 검사법 gastroscopia *f.*

위경련(胃痙攣) convulsión *f* estomacal, calambre *m* de(l) estómago, gastrodinia *f*, gastropasmo *m.* ~을 일으키다 tener una convulsión de estómago.

위경화증(胃硬化症) gastrosclerosis *f.*

위고정술(胃固定術) gastropexia *f.*

위계(危計) treta *f*, artería *f*, ardid *m*, trampa *f*, plan *m* peligroso.

위계(位階) rango *m*, grado *m*.

위계(爲計) [한문 투의 편지에서, 그리할 계획임] Será un plan / Será una decisión.

위계(僞計) plan *m* engañoso, estratagema *f* fraudulenta. ~를 쓰다 usar el plan engañoso.

위곡(委曲) detalle *m*, pormenor *m*, circunstancia *f* completa. ~을 다하다 explicar detalladamente [minuciosamente].

위골(違骨) dislocación *f* del hueso. 내 어깨가 ~되었다 Yo tenía el hueso dislocado.

위공(偉功) gran hazaña *f*, gran mérito *m*, gran desempeño *m*.

위관(位官) [위계와 관직(官職)] el rango y el puesto oficial.

위관(胃管) 【의학】 tubo *m* estomacal.

위관(尉官) oficial *m* subalterno.

위관(偉觀) grandiosidad *f*, vista *f* magnífica, vista *f* espléndida, vista *f* grandiosa, vista *f* suntuosa.

위관절(胃關節) seudo-artrosis *f.*

위광(威光) [권위] prestigio *m*, autoridad *f*, [세력] influencia *f*, poder *m*. 아버지의 ~으로 gracias a la influencia [a la autoridad] de *su* padre.

위구(危懼) preocupación *f*, ansiedad *f*, inquietud *f*. ～하다 preocuparse (con · de · por), inquietarse (por), temer, recelar (de que + *subj* [*ind*]).

위구스럽다 estar preocupado (de), sentir preocupado (por), verse atormentado de preocupaciones, atormentarse, morirse de inquietud.

위구스레 con preocupación, ansiosamente, con un aire de ansiedad.

■～심 recelo *m*, preocupación *f*, inquietud *f*. ¶～을 품다 no tener las todas consigo, temer (a *algo* · por *uno*), preocuparse (de), tener recelo (de), inquietarse (por). ～을 갖지 마세요 No tenga miedo.

위국(危局) crisis *f*, situación *f* aguda, situación *f* crítica. 유럽의 ～ situación *f* crítica de Europa.

위국(爲國) servicio *m* a *su* patria. ～하다 servir a *su* patria.

■～ 충절(忠節) fidelidad *f* patriótica a *su* país.

위국(衛國) defensa *f* de *su* país. ～하다 defender *su* país.

위권(威權) [위광과 권력] el prestigio y el poder.

위권(僞券) billete *m* falso.

위궤양(胃潰瘍) úlcera *f* del estómago, gastrohelcoma *f*.

■～증 gastrohelcosis *f*.

위규(違規) violación *f* de las regulaciones. ～하다 violar las regulaciones.

위극(危極) ① [극히 위태함] mucho peligro. ～하다 ser muy peligroso. ② **【경제】** pánico *m* económico.

■～인신(人臣) ascenso *m* al primer ministro.

위근(胃筋) músculo *m* estomacal.

위근시(僞近視) ＝가성 근시(假性近視).

위금(僞金) **【화학】** oro *m* mosaico.

위급(危急) emergencia *f*, crisis *f*, peligro *m* inminente. ～하다 (ser) crítico. ～에 대비하다 disponerse con tino en una emergencia. ～에 처하다 estar en peligro inminente. ～에서 구하다 librar de peligro, salvar de peligro, sacar de un apuro alarmante, sacar de una situación alarmante, ayudar en peligro.

■～존망지추(存亡之秋) momento *m* crítico, tiempo *m* de emergencia.

위기(危機) crisis *f*, momento *m* crítico, momento *m* crucial, emergencia *f*. ～의 crítico, agudo. 절박한 ～ apuro *m*, aprieto *m*. ～를 벗어나다 escaparse a [de] la ciris, salir de la crisis, librarse de la crisis, librarse de un aprieto. ～에 처하다 caer en estado de crisis. 회사는 경영 ～에 빠져 있다 La compañía atraviesa una crisis financiera.

■～감 sentido *m* de emergencia. ～ 관리 administración *f* de emergencia. ～ 의식 conciencia *f* del estado de crisis. ¶～을 가지다 tener la conciencia del estado de crisis (en). ～일발 momento *m* crítico. ¶～에서 en el momento crítico. ～로 모면하다 salvarse por un pelo [por los pelos · por muy poco], escaparse por una tabla. ～이다 prender de un hilo. ～의 상태에 있다 coger el lobo por las orejas.

위기(胃氣) función *f* del estómago.

위기(偉器) gran talento *m* sobresaliente.

위기(圍碁) acción *f* de jugar al *baduc*. ～하다 jugar al *baduc*.

위기(違期) violación *f* del plazo. ～하다 violar el plazo.

위난(危難) peligro *m*, riesgo *m*, trance *m*. ～에 빠지다 correr peligro.

위남자(偉男子) hombre *m* varonil, gran hombre *m*.

위낮은청 **【음악】** ＝바리톤.

위대하다(偉大―) (ser) grande. 위대함 grandeza *f*. 위대한 국민 gran pueblo *m*. 위대한 사람 gran hombre *m*. 위대한 사람들 grandes hombres *mpl*. 위대한 여인 gran mujer *f*. 위대한 여왕 gran reina *f*. 위대한 공적 gran mérito *m*, gran hazaña *f*. 위대한 예술가 gran artista *mf*.

위덕(威德) virtud *f* majestuosa, dignidad *f* benigna.

위도(緯度) latitud *f*. A는 B와 같은 ～에 있다 A está en la misma latitud que B. A는 B보다 높은[낮은] ～에 있다 A se encuentra a una latitud más alta [más baja] que B. 파나마는 ～가 낮다 Panamá se encuentra a baja latitud.

◆고～ latitud *f* alta. 저～ latitud *f* baja. 지구 ～ latitud *f* terrestre. 천구 ～ latitud *f* celestial.

■～관측소 observatorio *m* de latitud. ～ 변화 variación *f* de latitud. ～선 paralelo *m*. ～ 효과 efecto *m* de latitud.

위독(危篤) gravedad *f*, peligro *m* de muerte. ～하다 estar muy grave, agonizar, estar en peligro de muerte. ～해지다 ponerse muy grave. 환자는 ～했다 El enfermo se ha puesto grave.

위동맥(胃動脈) **【해부】** arteria *f* estomacal.

위락(萎落) el marchitamiento y la caída. ～하다 marchitarse y caerse.

위락(慰樂) entretenimiento *m*.

■～ 시설(施設) instalaciones *fpl* de entretenimiento.

위란(危亂) crisis *f*, situación *f* crítica. ～하다 (ser) crítico, tumultuoso, tumultuario, estar en una crisis crítica.

위략(偉略) estratagema *f* extraordinaria, gran táctica *f*, táctica *f* espléndida.

위력(威力) poder *m*, autoridad *f*, influencia *f*, poderío *m*. ～ 있는 poderoso, fuerte, potente, fortísimo, influyente. 교회의 ～ poder *m* de la iglesia. 국가의 ～ autoridad *f* nacional, influencia *f* nacional. 국민의 ～ poder *m* popular, poder *m* del pueblo. 돈의 ～ poder *m* del dinero. 언론(言論)의 ～ poder *m* de la prensa. 폭탄의 ～ poder *m* de la bomba. 돈의 ~으로 con el poder del dinero. ~을 행사해서 업무를 방해하다 obstruir los negocios por la fuerza. 그 신병기(新兵器)는 파괴적 ~을 가지고 있다 Esa nueva arma posee un gran poder destructivo.

위력(偉力) gran poder *m*, fuerza *f* poderosa.

위령(威令) autoridad *f*, orden *f* autoritativa.

위령(違令) violación *f* de la orden.

위령(慰靈) consuelo *m* al alma de un difunto.

■ ~제 honras *fpl* fúnebres, oficios *mpl* para el descanso del alma de un difunto, servicio *m* memorial a los difuntos. ~탑 cenotafio *m*, monumento *m* funerario.

위로(慰勞) ① [수고를 치하하여 마음을 즐겁게 해 줌] reconocimiento *m* [apreciación *f*] de servicios. ~하다 reconocer [apreciar] servicios, agradecer el servicio, recompensar por el servicio. ② [괴로움·슬픔을 잊도록 마음을 편하게 해 줌] consuelo *m*, consolación *f*, conforte *m*. ~하다 consolar, confortar. ~의 consolador. ~가 되는 consolador, consolativo, consolatorio. ~하는 consolativo. ~하는 사람 consolador, -dora *mf*. ~의 말 palabras *fpl* de consuelo. 달갑지 않은 ~ poca consolación *f*. …로 스스로를 ~하다 consolarse con *algo*, encontrar consuelo en *algo*. ~의 말을 건네다 dirigir unas palabras consoladoras [de consuelo]. 공부를 ~로 삼다 consolarse con el estudio. …의 슬픔을 ~하다 consolar*le* a *uno* en la tristeza. 음악은 내 유일한 ~다 La música es mi único consuelo. 독서는 내 마음을 ~해 준다 Me consuela la lectura. 나는 늘 그녀의 불행을 ~해 주었다 Yo siempre la consolaba a ella en su desgracia.

■ ~금(金) recompensa *f*, gratificación *f*, gratificación *f* pecuniaria por los servicios. ~ 모임 reunión *f* de agradecimiento, divertimiento *m* en agradecimiento por los servicios. ~ 연회 fiesta *f* para agradecer el servicio recibido. ¶~를 개최하다 celebrar una fiesta para agradecer el servicio recibido. ~조 tono *m* consolador. ¶~로 말하다 hablar con un tono consolador. ~휴가 asueto *m* en agradecimiento por los servicios.

위막(僞膜) seudomembrana *f*.

위망(位望) la posición y la fama.

위망(威望) la influencia y la popularidad, alta reputación *f*. ~이 있는 popular e influente, poderoso.

위망(僞妄) falsedad *f*.

위명(威名) fama *f*, reputación *f*, renombre *m*, prestigio *m*. ~을 세계에 떨치다 ganar la fama por todo el mundo. 한국의 ~을 빛내다 mostrar el prestigio de Corea.

위명(偉名) gran fama *f*, gran reputación *f*.

위명(僞名) nombre *m* falso, nombre *m* fingido. ~ 아래 bajo un nombre falso. ~을 쓰다 usar un nombre falso, fingir el nombre.

위무(威武) potencia *f*, majestad *f*, influencia *f*, podería *f*, autoridad y tropa.

위무(慰撫) consolación *f*, mitigación *f*. ~하다 consolar, mitigar, aliviar, pacificar, aplacar.

위문(慰問) consolación *f*, consuelo *m*, visita *f* (de consuelo). ~하다 preguntar por la salud, expresar la simpatía, ir a consolar.

■ ~대 bolsa *f* de regalo. ~문 carta *f* consolatoria. ~사(使) mensajero, -ra *mf* de condolencia [de consolación]. ~선(船) barco *m* de servicios. ~ 편지 carta *f* consolatoria, carta *f* de simpatía. ~품 regalos *mpl*, obsequios *mpl*.

위반(違反) violación *f*, infracción *f*, contravención *f*, transgresión *f*, quebrantamiento *m*, ultraje *m*. ~하다 violar, infringir, contravenir, quebrantar, cometer una infracción. …을 ~하여 con infracción de *algo*. 규칙을 ~하다 infringir la regla. 명령을 ~하다 desobedecer una orden, contravenir una orden. 법(法)을 ~하다 infringir la ley [el reglamento]; [형사상으로] cometer un delito, delinquir. 약속을 ~하다 faltar a [romper·quebrantar·infringir] la promesa, infringir un tratado. 형법 제5조를 ~하다 contravenir el artículo cinco del derecho penal.

◆교통 ~ infracción *f* de tráfico. 규칙 ~ infracción *f* de la regla. 명령(命令) ~ desobediencia *f* a la orden. 법률(法律) ~ infracción *f* contra la ley, violación *f* de la ley. 선거법 ~ violación *f* de la ley electoral. 조건(條件) ~ infracción *f* de las condiciones. 조약 ~ infracción *f* de un tratado. 주차(駐車) ~ violación *f* de aparcamiento. 헌법(憲法) ~ acto *m* anticonstitucional.

■ ~자 contaventor, -tora *mf*, infractor, -tora *mf*. ~ 행위 infracción *f*, delito *m*.

위배(違背) violación *f*. ☞위반(違反)

위법(違法) violación *f* de la ley, ilegalidad *f*, ilegitimidad *f*, ofensa *f* contra una ley; [경기의 파울] falta *f*.

■ ~성 ilegalidad *f*. ~자 infractor, -tora *mf* de la ley; transgresor, -sora *mf* de la ley; delincuente *mf*. ¶어린 ~ menor *mf* (que ha cometido un delito). ~ 처분 disposición *f* ilegal. ~ 행위 (行爲) ilegalidad *f*, acto *m* ilegal. ¶~를 하다 cometer un acto ilegal, actuar ilegalmente. ~를 하는 사람 infractor, -tora *mf* de la ley.

위벽(胃壁) pared *f* del estómago.

위병(胃病) gastrosis *f*, dolor *m* de estómago, turbación *f* del estómago, enfermedad *f* del estómago, enfermedad *f* gástrica.

■ ~ 치료 gastroterapia *f*. ~학 gastología *f*. ~ 학자 gastrólogo, -ga *mf*. ~ 환자 dispéptico, -ca *mf*.

위병(衛兵) ① 【역사】 soldados *mpl*. ② [호위하는 군졸] guardia *f*, centinela *f*, soldado *m* de guarnición. ③ 【군사】 guardia *mf*.

■ ~ 교대 relevo *m* de guardias. ~ 근무

servicio *m* de guardia. ~ 사령관 comandante *mf* de guardias. ~소 puesto *m* de guardia, cuarto *m* de guardia, cuartel *m*. ~ 장교 oficial *mf* de la guardia. ~ 텐트 tienda *f* de la guardia.

위복(威服) sujeción *f* por autoridad. ~하다 subyugar, sojuzgar, intimidar, amedrentar.

위복(威福) bendición *f*. ~하다 bendecir.

위복막염(胃腹膜炎) gastroperitonitis *f*.

위본(僞本) libro *m* falso, libro *m* falsificado.

위부(委付) abandono *m*. ~하다 abandonar.
■ ~ 조항 cláusula *f* de abandono. ~ 통지 aviso *m* de abandono.

위부(胃部) región *f* gástrica.

위산(胃散) poder *m* médico por el estómago.

위산(胃酸) ácido *m* gástrico.
■ ~ 결핍증 anaclorhidria *f*. ~ 과다(過多) hiperclorhidria *f*, acidez *f* de estómago, ácido *m* excesivo en el estómago. ~ 과다증 gastroxinsis *f*, hiperquilia *f*, clorhidria *f*. ~ 분비선(分泌腺) glándula *f* ácida. ~통 gastrocólico *m*, cólico *m* gástrico.

위산(違算) ① [계산이 틀림] equivocación *f* de la cuenta; [틀린 계산] cuenta *f* equivocada. ② [계획이 틀림] equivocación *f* del plan.

위상(位相) 【전기】 fase *f*. ② 【천문】 fase *f*. ③ 【수학】 topología *f*. ④ 【물리】 cambio *m* de fase, desplazamiento *m* de fase, defasaje *m*.
■ ~계 medidor *m* de fase. ~ 공간 espacio *m* topological; 【물리】 espacio *m* de fase. ~ 기하학 topología *f*. ~ 변조 modulación *f* de fase. ~ 속도 velocidad *f* de fase. ~ 수학 topología *f*. ~ 정수 constante *m* de fase, fase *f* inicial. ~차 defase *f*, decalaje *m*, desfasamiento *m*, diferencia *f* de fase. ~차 현미경 microscopio *m* de contraste de fase.

위샘(胃 ─) 【해부】 glándula *f* gástrica.
■ ~ 창자 동맥 arteria *f* gastroduodenal.

위생(衛生) higiene *f*, sanidad *f*, salubridad *f*. ~의 higiénico, sanitario. ~에 주의하다 tener cuidado de la higiene. 식전에 손을 씻지 않는 것은 ~상 좋지 않다 No es higiénico comer sin lavarse las manos.
■ ~가(家) higienista *mf*. ~ 경찰 policía *f* sanitaria. ~ 공학 ingeniería *f* sanitaria. ~관 oficial *m* sanitario, oficial *f* sanitaria. ~ 관념(觀念) idea *f* sanitaria. ~ 관리(管理) administración *f* sanitaria. ~ 관리자(管理者) administrador *m* sanitario, adminitradora *f* sanitaria. ~국(局) Dirección *f* de Higiene, Dirección *f* de Salud, Junta *f* de Sanidad. ~ 기사 higienista *mf*, sanitario, -ria *mf*. ~ 냅킨 compresa *f*, paño *m* higiénico, toalla *f* sanitaria. ~대(帶) cinturón *m* utilizado para sujetar una compresa. ~대(隊) sanidad *f*, sanidad *f* militar. ~반 unidad *f* sanitaria. ~법 (ley *f* de) higiene *f*. ~병 sanitario, -ria *mf*. ~ 보험 seguro *m* sanitario. ~복 ropa *f* sanitaria. ~사 higienista *mf*. ~ 상태 condiciones *fpl* de salubridad, estado *m* de sanidad. ¶~를 조사하다 examinar el estado de sanidad. ~ 설비 instalaciones *fpl* sanitarias. ¶~를 완비하다 higienizarse. ~ 수칙(守則) reglas *fpl* de la salud. ~ 시설 instalaciones *fpl* sanitarias. ~ 시험소 laboratorio *m* de la higiene. ~실 =양호실. ~ 재료 impedimenta *f* médica. ~적 higiénico, sanitario, salubre. ¶비(非)~ poco higiénico, antihigiénico, insalubre. ~으로 higiénicamente. ~으로 하다 higienizar. ~ 조례 Normas *fpl* Sanitarias. ~ 컵 copa *f* sanitaria. ~ 타월 compresa *f*, paño *m* higiénico. ~학 higiene *f*, profiláctica *f*, ciencia *f* sanitaria. ~ 학자 higienista *mf*.

위서(僞書) ① [가짜 편지] carta *f* falsa. ② [비슷하게 만든 가짜 책] libro *m* falso. ③ [남의 필적을 흉내 내어 씀] imitación *m* de la escritura del otro. ④ ((준말)) =위조 문서(僞造文書).

위서다 ① [혼인 때 신랑 또는 신부를 따라가다] acompañar. ② [존귀한 사람의 뒤를 따라가다] acompañar, escoltar.

위석(胃石) gastrolito *m*, bezoar *m*.

위선(胃腺) =위샘(glándula gástrica).

위선(僞善) hipocresía *f*. ~의 hipócrita. ~을 행하다 conducirse la hipocresía.
■ ~자 hipócrita *mf*, lobo *m* disfrazado de cordero. ~적 hipócrita *adj*. ¶~으로 hipócritamente. con hipocresía.

위선(緯線) paralelo *m*, línea *f* paralela.

위성(衛星) 【천문】 satélite *m*.
◆간첩 ~ satélite *m* espía. 감시 ~ satélite *m* de vigilancia. 과학 ~ satélite *m* de la investigación *f* científica. 군사 ~ satélite *m* militar. 극궤도 ~ satélite *m* de órbita polar. 기구 ~ satélite *m* de globo. 기상(관측) ~ satélite *m* meteorológico. 다목적 ~ satélite *m* polivalente. 미사일 탐지 ~ satélite *m* para detección anticipada de misiles. 중계 ~ satélite *m* repetidor. 통신 ~ satélite *m* de comunicaciones. 학술 조사용 ~ satélite *m* de investigación.
■ ~ 공항 aeropuerto *m* satélite. ~ 국가 país *m* satélite, estado *m* satélite, satélite *m*. ~ 궤도 orbita *f* de un satélite. ~ 도시 ciudad *f* satélite. ~ 발사 lanzamiento *m* de un satélite. ~ 방송 radiodifusión *f* por satélite. ~ 방송 기지 estación *f* satélite. ~ 백화점 almacenes *mpl* satélites. ~선(船) barco *m* satélite. ~ 속도 velocidad *f* del satélite. ~ 자동 무선 레이더 transpondedor *m* por satélite. ~ 전자 통신 telecomunicación *f* vía satélite. ~ 주택 도시 ciudad *f* residencial satélite. ~ 중계 retransmisión *f* por (vía) satélite. ~ 추적 레이더 radar *m* para seguimiento de satélites. ~ 텔레비전 televisión *f* por satélite. ~ 통신 telecomunicaciones *f* por satélite. ~ 통신 안테나 antena *f* de comunicación por satélite. ~ 폭탄 bomba *f* satélite.

위성형술(胃成形術) gastroplastia *f*.

위세(威勢) ① [힘. 세력] poder *m*, influencia

f, autoridad f, aliento m. ~가 당당하다 tener un poder irresistible. ~를 떨치다 ejercer su autoridad [su influencia · su poder] (sobre). ② [원기] espíritu m, energía f, aliento m. ~ 있는 animado, valiente, gallardo, activo, trenzado. ~ 없는 abatido, amilanado, exánime, cariacontecido. ~ 좋은 vigoroso, lleno de fuerza, brioso. ~ 좋게 con ánimo, con ardor, con brío. ~를 부리다 animar, alentar, infundir brío, estimular, excitar, avivar, incitar; [자신에게] animarse, alentarse.

위세척(胃洗滌) lavado m del estómago, irrigación f gástrica. ~하다 lavar el estómago. ~용 솔 cepillo m estomacal.
■~기 bomba f estomacal. ¶~용 고무관 tubo m estomacal.

위수(位數)【수학】orden m.

위수(衛戍) guarnición f.
■~령(令) decreto m de guarnición. ~병 tropas fpl de guarnición. ~ 병원 hospital m de guarnición. ~ 사령관 comandante mf de guarnición. ~지(地) lugar m de guarnición.

위스키(영 whisky) whisky m, whiski m, güisqui m.
◆스카치 ~ whisky m escocés, güisqui m escocés.
■~ 소다 whisky m con soda. ~ 잔 vaso m de whisky.

위시(爲始) comienzo m, principio m. ~하다 comenzar, empezar.

위식(違式) irregularidad f, violación f de formas.

위신(威信) prestigio m, influencia f, dignidad f, autoridad f. ~ 있는 prestigioso. ~에 관계되다 afectar el prestigio [la dignidad]. ~을 잃다 perder su prestigio. ~을 지키다 guardar su prestigio. ~을 손상시키다 comprometer el prestigio (de).

위신경절(胃神經節) seudoganglio m.

위신경종(胃神經腫) seudoneuroma m.

위신경증(胃神經症) neurosis f gástrica.

위십이지장염(胃十二指腸炎) gastroduodenitis f.

위아래 ① =상하(上下). ¶~ 한 벌 traje m (completo), la chaqueta y el pantalón, la chaqueta y los pantalones. ② [윗사람과 아랫사람] el superior y el inferior.

위아랫물지다 ① [한 그릇에 든 두 가지 액체가 잘 섞이지 않고 위아래로 나누어지다] no mezclarse bien, no combinarse bien. ② [연령이나 계급의 차이로 말미암아 서로 어울리지 않고 배돌다] costar entablar conversación con la gente, no tratarse (con), no frecuentar (a).

위 아토니(胃 atony)【의학】atonía f gástrica.

위안(慰安) consuelo m, consolación f, recreo m, solaz m. ~하다 consolar, recrear, solazar. 일시적 ~으로 para consolar (a), a fin de que se mitigue el temor [la inquietud] (de). ~ 여행을 하다 hacer un viaje de recreo. 자식들의 무사(無事)가 그의 유일한 ~이었다 Su único consuelo lo era que los niños estaban sanos y salvos.
■~물 comodidad f, comfort m. ~부 mujeres fpl de confort ~소 club m del servicio. ~ 시설 instalaciones fpl de recreo. ~처 oasis m. ~회 reunión f de recreo, fiesta f de recreo. ¶~를 열다 celebrar una fiesta de recreo.

위암(胃癌)【의학】cáncer m del estómago, cáncer m gástrico..

위압(威壓) coacción f, intimidación f por autoridad. ~하다 coaccionar, intimidar, amedrentar, acobardar, imponer. ~으로 bajo coacción, por la fuerza. 나는 그의 태도에 완전히 ~당했다 Me quedé completamente intimidado por su actitud / Me acobardó totalmente su actitud.
■~감(感) sentido m de coacción. ~적 imponente. ¶~인 태도로 con un tono autoritario, de una manera altiva. ~으로 돌변한 강도 ladrón m que se vuelve amenazador. ~으로 나오다 tomar una actitud provocativa [de desafío]. ~으로 돌변하다 volverse agresivo [amenazador].

위액(胃液) jugo m gástrico.
■~ 결핍증 aquilia f gástrica. ~ 분비 과다증 gastrorrea f. ~ 분비선 glándula f gástrica [péptica].

위약(胃弱) indigestión f, gastrastenia f, apepsia f, dispepsia f, estómago m débil.

위약(胃藥) medicamento m para el estómago.

위약(違約) [계약의] incumplimiento m [infracción f] del contrato; [약속의] incumplimiento m [infracción f] del compromiso [de la promesa], falta f de promesa. ~하다 incumplir [infringir · quebrantar · romper] el contrato, faltar a su palabra [a su promesa], incumplir [infringir · quebrantar · romper] su compromiso [su promesa]. ~을 할 경우에는 en caso de no cumplir el compromiso.
■~금 indemnización f. ~ 보증금 multa f. ~자 persona f que ha roto un contrato; defraudador, -dora mf. ~ 처분 disposición f de incumplimiento del contrato.

위양(委讓) transferencia f. ~하다 transferir.

위언(違言) =위약(違約).

위언(僞言) mentira f.

위엄(威嚴) dignidad f, majestad f, prestigio m. ~ 있는 digno, majestuoso, imponente, augusto. ~이 없는 humilde, falto de dignidad, sin dignidad, poco serio. ~을 보이다 mostrar su dignidad. ~을 유지하다 mantener [conservar] su dignidad. ~을 잃다 perder su dignidad. ~이 없다 carecer la dignidad. 그에게는 ~이 있다 El tiene dignidad / Le envuelve un aire de dignidad. 그에게는 ~이 없다 Le falta (la) dignidad.
위엄스럽다 (ser) digno.
위엄스레 dignamente, con dignidad.
위엄차다 tener mucha dignidad.

위업(爲業) acción f de ganase la vida,

administración *f* del negocio. ~하다 ganarse la vida, ganarse el sustento, administrar el negocio.

위업(偉業) gran obra *f*, gran empresa *f*, obra *f* noble, hazaña *f*. 조상(祖上)의 ~ hazañas *fpl* de los antepasados. ~을 성취하다 llevar a cabo una gran empresa.

위없다 (ser) el mejor, (ser) alto y bueno, inigualable, incomparable, no tener rival, no tener igual. 본래의 아름다움 때문에 위없는 장소 lugar *m* incomparable por sus bellezas naturales.

위없이 inigualablemente, incomparablemente.

위여 ¡Fuera! / ¡Zape! / *Méj* ¡Uscale!

위여일발(危如一髮) momento *m* crítico. ☞위기일발.

위연하다(威然－) (ser) imponente, impresionante.

위열(偉烈) ① [위대한 공적] gran mérito *m*. ② [위대한 공적을 남긴 사람] persona *f* con gran mérito.

위열(胃熱) fiebre *f* gástrica.

위염(胃炎)【의학】gastritis *f*.

위염색체(僞染色體) seudocromosoma *f*.

위요(圍繞) rodeo *m*. ~하다 rodear.

■~지(地) ㉮ [어떤 땅을 빙 둘러싸는 둘레의 토지] terreno *m* de la circunferencia que rodea alguna tierra. ㉯ [다른 한 나라에게 완전 둘러싸인 영토] territorio *m* completamente rodeado a otro país.

위용(威容) dignidad *f*, majestuosidad *f*.

위용(偉容) aspecto *m* majestuoso, aspecto *m* imponente, apariencia *f* majestuosa, apariencia *f* imponente, grandeza *f*, grandiosidad *f*, [주로 사람의] porte *m* [aire *m*] majestuoso [señorial].

위원(委員) miembro *mf* de una comisión [de un comité]; comisionado, -da *mf*.

◆국무(國務) ~ ministro, -tra *mf*, secretario, -ria *mf* de Estado. 상임 ~ miembro *mf* de la comisión permanente. 예산 ~ miembro *mf* de la comisión presupuestaria. 운영 ~ miembro *mf* de la comisión de la dirección. 유럽 공동체 ~ comisario, -ria *mf* de CE (Comunidad Europea). 집행 ~ miembro *mf* de la comisión ejecutiva.

■~단 grupo *m* de los miembros de la comisión. ~실 sala *f* de las reuniones del comité [de la comisión]. ~장 jefe *mf* (de la comisión); presidente, -ta *mf* (de la comisión).

위원회(委員會) comisión *f*, comité *m*, junta *f*. ~를 소집하다 convocar (los miembros de) una comisión.

◆교육(敎育) ~ Junta *f* (Nacional) de la Educación; [의회의] comisión *f* de la educación. 군사 정전 ~ Comisión *f* de Armisticio Militar. 분과 ~ subcomisión *f*, subcomité *m*. 상임(常任) ~ comisión *f* permanente. 소~ subcomité *m*; [의회의] subcomisión *f*. 시험 ~ comisión *f* del examen. 심사(審査) ~ comisión *f* de la investigación; [의료의] comisión *f* de la revisión (médica). 심의(審議) ~ consejo *m* deliberante. 예산(豫算) ~ comisión *f* presupuestaria. 운영 ~ comité *m* directivo (de cuerpo legislativo). 유럽 공동체 ~ la Comisión Europea, la Comisión de las Comunidades Europeas. 적격 심사(適格審査) ~ comisión *f* de la investigación de antecedentes. 정부(政府) ~ comisión *f* gubernamental. 조사(調査) ~ comisión *f* investigadora. 준비(準備) ~ comité *m* encargado de los preparativos. 집행 ~ comisión *f* ejecutiva, comité *m* ejecutivo. 창립 ~ comisión *f* organizadora. 회원 자격 심사 ~ comisión *f* de los socios.

■~ 멤버 miembro *mf* de la comisión [del comité]. ~ 회의실 sala *f* de las reuniones del comité [de la comisión].

위의(威儀) dignidad *f*, postura *f* majestuosa, aire *m* ceremonioso. ~ 있는 majestuoso, señorial. ~를 갖추다 tomar una actitud digna [majestuosa], comprotarse solemnemente [gravemente]. ~를 갖추고 de una manera digna [majestuosa・imponente], de ademán solemne [grave].

■~당당(堂堂) manera *f* majestuosa, modo *m* majestuoso.

위인(偉人) gran hombre *m*, gran mujer *f*, héroe *m*, heroína *f*.

■~전(傳) vida *f* de un gran hombre.

위인(爲人) [사람의 됨됨이. 또는 됨됨이로 본 그 사람] ㉮ [개성(個性)] personalidad *f*, individualidad *f*. 그림에 그의 ~이 드러나 있다 Su pintura es el retrato de su alma / En su cuadro se refleja su personalidad. ㉯ [성격] carácter *m* (*pl* caracteres).

위인(僞印) sello *m* falso.

위임(委任) comisión *f*, delegación *f*;【상업】poder *m*;【법률】mandato *m*. ~하다 delegar, comisionar, otorgar poder, encomendar, confiar (a・en), dejar en manos (de), encargar. 유엔의 ~ 아래 bajo el mandado de la ONU (organización de las Naciones Unidas). 책임(責任)을 ~하다 depositar la responsabilidad (en). 나는 자네에게 내 아들을 ~하네 Te encomiendo a mi hijo. 나는 서명을 부장에게 ~했다 He delegado la firma en el director.

■~권(權) poder *m* (notarial). ~ 권한(權限) competencia *f* de mandato. ~ 대리 representación *f* de mandato. ~ 명령 orden *f* delegada. ~ 입법 legislación *f* de mandato. ~자 mandante *mf*, poderdante *mf*. ¶피~ mandatario, -ria *mf*. ~장 poder *m*, procuración *f*, poder *m* general, procura *f*, carta *f* credencial, credenciales *fpl*. ¶주식 양도(株式讓渡) ~ carta *f* de poder sobre acciones, carta-poder *f* para la venta de valores, poder *m* escrito para vender acciones. ~ 제도 sistema *m* de mandato. ~ 조건 condición *f* de mandato. ~통치 mandato *m* (internacional). ~ 통치국 país *m* manatario, estado *m* mandatario. ~ 통치권 mandato *m*. ~ 통치령 territorio *m* bajo mandato. ~ 투표 voto *m* por poderes [poder]. ~ 행정 administración *f* de mandato.

위자(慰藉) consuelo *m*, consolación *f*, comfort *m*. ~하다 consolar.

■ ~료(料) solatium *m*, compensación *f*, indemnización *f*. ¶~를 청구하다 reclamar la compensación, reclamar por los daños y perjuicios. ~로 1억 원을 지불하다 dar cien millones de wones como precio para conseguir la separación.

위작(位爵) título *m* [dignidad *f*] de lord.

위작(僞作) ① =위조(僞造). ② [딴 사람의 작품을 모방하거나 그 작품] obra *f* apócrifa [falsa · sospechosa], imitación *f*.

위장(胃腸) ①【해부】el estómago y los intestinos. ~의 gastrointestinal. ~이 강하다 tener una buena digestión. ~이 약(弱)하다 tener una mala digestión. ~을 버리다 tener trastornos digestivos. ② =배, 복부(abdomen, vientre).

■ ~병 enfermedad *f* gastrointestinal. ~병학(病學) gastroenterología *f*. ~병 학자(病學者) gastroenterólogo, -ga *mf*. ~약 medicamento *m* gastrointestinal; [소화제] digestivo *m*. ~염 gastroenteritis *f*, enterogastritis *f*. ~ 장해(障害) indisposición *f* digestiva. ~ 절개술 gastroenterotomía *f*. ~ 하수증 gastroenteroptosis *f*.

위장(胃臟)【해부】=위(胃).

위장(圍障) muralla *f* en el límite.

위장(僞裝) disfraz *f*, simulación *f*, fingimiento *m*, camuflaje *m*. ~하다 disfrazar, simular, fingir, camuflajar, *AmL* camuflajear; [자신을] disfrazarse. 도둑맞은 것처럼 ~하다 disimular [fingir] haber sido robado.

■ ~ 공장 planta *f* camuflajada. ~ 군함(軍艦) buque *m* de guerra disfrazado. ~ 도산 bancarrota *f* [quiebra *f*] fraudulenta. ~망 red *f* de camuflaje. ~ 병영 cuartel *m* de camuflaje. ~ 수출(輸出) exportación *f* fraudulenta. ~ 실업 =잠재 실업. ~ 폭탄 bomba *f* trampa.

위재(偉才) ① [재능] talento *m* espléndido [extraordinario · raro]. ② [사람] prodigio *m* de talento, hombre *m* de gran talento, hombre *m* de talento espléndido.

위적(偉績) gran hazaña *f*, servicio *m* distinguido.

위점막(胃粘膜) membrana *f* mucosa gástrica.

위점액(胃粘液) moco *m* gástrico.

위정(爲政) administración *f* de la política.

■ ~자 administrador, -dora *mf*, estadista *mf*, gobernante *mf*, hombre *m* de estado.

위조(僞造) falsificación *f*, falseamiento *m*. ~하다 falsificar, contrahacer. ~의 falsificado, falso. 문서를 ~하다 falsificar un documento. 화폐를 ~하다 falsificar moneda.

■ ~ 문서 documento *m* falso. ~ 복사(複寫) copias *fpl* falsificadas. ~ 수표 cheque *m* falsificado, cheque *m* falso. ~ 여권(旅券) pasaporte *m* falsificado, pasaporte *m* falso. ~자 falsificador, -dora *mf*. ~죄 falsificación *f*. ¶문서 ~ falsificación *f* de documentos. 공문서 ~ delito *m* de falsedad en documento oficial. ~ 증서 bono *m* falso. ~ 지폐[화폐] billete *m* falso, falsificación *f*, moneda *f* falsa. ~ 지폐 제조 falsificación *f* de billetes. ~ 지폐 제조인 falsificador, -dora *mf* (de billetes). ~품 falsificación *f*, imitaciones *fpl* ilegales, artículo *m* contrahecho.

위족(僞足) seudopodio *m*, seudópodo *m*.

위주(爲主) acción *f* de poner primero. ~하다 poner primero. 자기 ~의 egocéntrico. 자기 ~의 사고 방식 pensamiento *m* egocéntrico. 아동(兒童) ~의 교육 educación *f* en torno a las inquietudes del niño.

위중하다(危重－) estar en condición crítica, ser grave.

위증(危症) síntoma *m* de la enfermedad grave.

위증(僞證) testimonio *m* falso, evidencia *f* falsa, falsa evidencia *f*, perjurio *m*. ~하다 dar un testimonio falso, testimoniar en falso, perjurar, jurar en falso.

■ ~자 perjuro, -ra *mf*, perjurador, -dora *mf*. ~죄(罪) perjurio *m*. ¶~를 범하다 cometer perjurio, jurar en falso, perjurar(se).

위지(危地) ① [위험한 곳] situación *f* peligrosa, peligro *m*, riesgo *m*, crisis *f*, garras *fpl* de la muerte. ~에 빠뜨리다 poner en peligro, hacer peligrar, arriesgar. ~에 빠지다 correr un gran peligro. ~에서 벗어나다 salir de apuros. ~를 벗어나다 escapar sólo con la vida. ② [위험한 지위] posición *f* peligrosa, puesto *m* peligroso.

위집(蝟集) agolpamiento *m*, hormigueamiento *m*, hormigueo *m*, pululación *f*. ~하다 agolparse, hormiguear, pulular.

위짝 parte *f* superior.

위쪽 dirección *f* superior.

위차(位次) rango *m* de posiciones, orden *m* de asientos.

위채 casa *f* superior de unas casa coreanas en una familia.

위촉(委囑) [위탁] comisión *f*, encargo *m*, encomienda *f*, [의뢰] solicitud *f*, petición *f*, ruego *m*, súplica *f*. ~하다 encargar, encomendar. …의 ~에 의해 a petición de *uno*, a instancia de *uno*. 시장 조사를 연구소에 ~하다 encargar al instituto la investigación del mercado.

위축(萎縮) ① [마르고 시들어서 쭈그러듦] encogimiento *m*, contracción *f*. ~하다 encogerse, marchitarse, achicarse. ②【의학】atrofia *f*. ~하다 atrofiarse. ~되다 paralizarse, quedarse de piedra, quedarse hecho una estatua, quedarse paralizado.

■ ~감 sentimiento *m* de contracción. ~병 =오갈병. ~선 estría *f* atrófica. ~성 atrófico *adj*. ~신(腎) riñón *m* atrófico. ~증 craurosis *f*.

위층(―層) piso *m* superior, planta *f* superior; [부사적] arriba. ~에 가다 ir arriba, subir al piso superior. 어머니는 ~에 계신다 Mi madre está arriba. ~에 올라가거라 Sube arriba.
■ ~방 cuarto *m* [habitación *f*] de arriba [del piso superior].
위치(位置) ① ㉮ [자리] asiento *m*, posición *f*. 지도에서 마드리드의 ~를 표시해 주라 Señálame en el plano la posición de Madrid. ㉯ [지위] puesto *m*, posición *f*, rango *m*. 높은 ~에 있는 사람 hombre *m* de rango (alto). ② [처소] residencia *f*. ③ [곳. 장소] lugar *m*, sitio *m*, suelo *m*. ~를 재다 medir el lugar (de). 이곳은 ~가 좋지 않다 Aquí el suelo no está firme. ④ [추상적] lugar *m*, posición *f*. 문학사(文學史)에 있어서 세르반떼스의 ~ lugar *m* [posición *f*] de Cervantes en la historia de la literatura.
■ ~ 감각 conciencia *f* de posición corporal. ~ 선정 locación *f*. ~ 설정 locación *f*, posicionamiento *m*. ~ 에너지 energía *f* potencial. ~ 조절 control *m* para el centrado; [텔레비전의] pulsador *m* de encuadre. ~ 조정(調整) posicionamiento *m*, colocación *f*, reglaje *m*. ~ 천문학 astrometría *f*. ~ 측정기 indicador *m* de posición, posicionador *m*. ~하다 estar situado, situarse. ¶대한민국은 극동에 위치해 있다 La República de Corea está situada en el Lejano Oriente.
위친(爲親) respeto a sus padres, devoción *f* a *sus* padres, mucho cariño *m* a *sus* padres. ~하다 respetar a *sus* padres, tener devoción por *sus* padres, tener mucho cariño a *sus* padres.
■ ~지도(之道) razón *f* de tener devoción por *sus* padres.
위칭(僞稱) =사칭(詐稱).
위 카메라(胃 camera) gastro-cámara *f*.
위 카타르(胃 catarrh) gastritis *f*, catarro *m* estomacal.
위탁(委託) encargo *m*; 【상업】 consignación *f*. ~하다 confiar, encargar, consignar. 조사(調査)를 ~하다 confiar [encargar] la investigación. 판매를 ~하다 consignar la venta y compra.
■ ~ 가공(加工) procesamiento *m* [elaboración *f*] en comisión. ~금(金) dinero *m* fiduciario. ~ 매매 la venta y compra en comisión. ¶~하다 consignar la venta y compra. ~ 모집(募集) reclutamiento *m* de reclutamiento laboral. ~ 보증금 dinero *m* de garantía de consignación. ~ 수수료 honorarios *mpl* de consignación. ~ 인수인 fiduciario, -ria *mf*; administrador *m* fiduciario, administradora *f* fiduciaria. ~자 consignador, -dora *mf*. ~ 증거금 dinero *m* en depósito de consignación. ~ 증권(證券) valores *mpl* de consignación. ~ 출판 publicación *f* de consignación. ~ 판매 venta *f* en depósito [en comisión], (venta *f* por) consignación *f*. ~ 판매인 comisionista *mf*. ~ 판매품 consignación *f*. ~품(品) mercancías *fpl* consignadas.
위태롭다(危殆―) (ser) peligroso, arriesgado, riesgado. 위태롭게 하다 poner *algo* en peligro, hacer peligrar, arriesgar, comprometer. 몸을 위태롭게 하다 comprometerse, arriesgar la vida, exponer la vida, arriesgarse. 국가의 안전을 위태롭게 하다 comprometer [arriesgar] la seguridad de la nación. 위태로운 경우를 당하다 ponerse a un peligro. 그의 생명이 ~ Su vida corre [está en] peligro.
위태로이 peligrosamente, arriesgadamente.
위태위태하다(危殆危殆―) (ser) muy peligroso, muy arriesgado.
위태하다(危殆―) ① [형세 · 형편이 어려운 지경이다] estar mal de dinero, tener una gran pobreza, tener una gran escasez. ② [마음을 놓을 수가 없다] no poder respirar tranquilo, no quedarse tranquilo. ③ [위험하다] (ser) peligroso, arriesgado. 위태롭게 하다 hacer peligrar, arriesgar, poner en peligro.
위턱 ① [위의 턱] mandíbula *f* superior. ② [위쪽으로 턱처럼 내민 것] saliente *m* hacia arriba, parte *f* saliente hacia arriba.
■ ~ 동맥 arteria *f* maxilar. ~뼈 mandíbula *f*, quijada *f*; 【고어】 maxila *f*. ~ 신경 nervio *m* maxilar. ~ 정맥 vena *f* maxilar.
위통 ① [상체(上體)] cuerpo *m* superior. ② [윗부분] parte *f* superior. ③ =웃옷.
위통(胃痛) dolor *m* de estómago; 【의학】 gastralgia *f*.
위트(영 *wit*) ingenio *m*, agudeza *f*, ocurrencia *f*, salida *f*. ~가 있는 ingenioso, agudo, ocurrente.
위팔 brazo *m*.
위패(位牌) tablilla *f* mortuaria (budista), tablilla *f* monumental. 조상(祖上)의 ~ tablilla *f* ancestral.
위폐(僞幣) moneda *f* falsa; [위조 지폐] billete *m* falso, billete *m* falsificado. ~를 만들다 hacer monedas falsas, falsificar monedas, falsificar billetes, hacer billetes falsos. 나는 ~를 받았다 Me dieron un billete falso.
■ ~범 crimen *m*; [사람] criminal *mf* de falsificación de billetes; falsificador, -dora *mf* de billetes. ~ 제조 falsificación *f* de monedas, falsificación *f* de billetes. ~ 제조인 falsificador, -dora *mf*.
위품(位品) rango *m* (oficial).
위풍(威風) aire *m* imponente, aire *m* majestuoso, ademán *m* dignificado.
위풍늠름하다 =위풍당당하다.
위풍당당하다 (ser) majestuoso, imponente; [행진 따위가] marcial. 위풍당당하게 majestuosamente, con majestad, con un aire marcial.
위필(僞筆) escritura *f* falsificada, pintura *f* falsificada, quirografía *f*, contrahecha *f*, copia *f*. ~하다 falsificar [falsear · contrahacer · imitar] una escritura [una pintura].

~의 falsificado, contrahecho, copiado.
■ ~자(者) falsificador, -dora *mf* de una escritura.

위하(威嚇) =위협(威脅).

위하다(爲-) ① [(어떤 사람이나 사물을) 사랑하거나 소중히 여기다] querer, tener en gran estima, estimar, apreciar, valorar, estimar. 책을 신주(神主)처럼 ~ querer mucho los libros. 어린이를 위한 영화(映畵) película *f* infantil, película *f* de [para] niños. 희생자를 위한 연주회 un concierto a beneficio de los damnificados. 이 그림은 너를 위해 그린 것이다 Pinté este cuadro para ti. ② [공경하다] respetar, tener en cuenta, venerar, reverenciar, admirar, honrar. 부모를 ~ honrar a *sus* padres. ③ [(일정한 목적이나 행동을) 이루려고 생각하다] pensar. 너를 위해 내 조언을 받아들이는 편이 낫다 Si piensas en tu bien es mejor que aceptes mi consejo. ④ [(무엇을) 이롭게 하려고 생각하다] pensar (para). 대학에 들어가기 위해 공부하다 estudiar para ingresar en la universidad. 너를 위해 그렇게 했다 Lo he hecho por tu bien.
위하여 ㉮ [편의(便宜)] por el beneficio de, a favor, en pro de, a su cuenta, en ventaja de, a la ventaja de, en favor de, en interés de. 당신을 ~ en pro de usted, por usted, para usted, en favor de usted. 공익(公益)을 ~ 일하다 trabajar para [por] el interés público. 돈을 ~ 일하다 trabajar por dinero, trabajar para hacer dinero. 약자(弱者)를 ~ 싸우다 luchar en favor de los débiles. 향토(鄕土)를 ~ 봉사하다 servir a *su* patria chica. …을 ~ 생각하다 querer bien para *algo*, tener presente el interés de *algo*, mirar por el interés de *algo*. A 씨를 ~ 파티를 열다 dar una fiesta en honor del señor A. 너를 ~ 그것을 만들었다 Lo he hecho por tu bien. 너를 ~ 그의 조언을 받아들이는 편이 좋다 Si piensas en tu bien es mejor que aceptes su consejo. 아이들을 귀여워하는 것은 아이들을 ~ 좋지 않다 No es bueno mimar a los niños / Para los niños no es bueno el mimo. ㉯ [결과] en consecuencia de, debido a. ㉰ [목적] para, para el propósito de, con la intención de, por, con el objeto de, a fin de, para que + *subj*. …하지 않기 ~ para que no + *subj*, de medio de que + *subj*. 평화를 ~ por [para causa de] la paz. 장래(將來)를 ~ para el porvenir, para el futuro. 감기에 걸리지 않기 ~ para que no me coja el resfriado. 모든 것을 조국을 ~ Todo por la patria. 돈을 ~ 일하다 trabajar por dinero. 인도(人道)를 ~ 싸우다 luchar por la humanidad. 조국을 ~ 죽다 morir por (el amor de) la patria. 감기에 들지 않기 ~ 나는 외출하지 않았다 Yo no quería salir por miedo de que me cogiera [pesquiera] el resfriado. ㉱ [원인. 이유] por causa de, por motivo de, por razón de, debido a, por, gracias a, por mediación de, a causa de, por consecuencia de.

위하수(胃下垂) 【의학】 gastroptosis *f*, ptosis *f* gástrica.

위학(胃學) gastrología *f*.

위학(胃瘧) 【의학】 malaria *f* causada en el estómago.

위한(胃寒) 【한방】 síntoma *m* que se enfría el estómago.

위해(危害) daño *m*, perjuicio *m*, injuria *f*, peligro *m*, riesgo *m*. ~를 가하다 hacer daño [mal] (a), dañar (a), perjudicar (a), herir (a). 사람에게 ~를 가하다 injuriar, agraviar, ofender, dañar.
■ ~물(物) artículo *m* peligroso. ~ 방지 prevención *f* de peligro.

위헌(違憲) inconstitucionalidad *f*, violación *f* de la constitución. ~하다 ser inconstitucional, infringir [violar] la constitución. ~의 inconstitucional, anticonstitucional, contrario a la constitución.

위험(危險) peligro *m*, riesgo *m*. ~하다 (ser) peligroso, arriesgado. ~한 arriesgado, peligroso, expuesto, inseguro; [모험적] aventurado, aventurero. ~하게 peligrosamente, arriesgadamente, con peligro. 선체(船體)와 선구(船具)에 대한 ~ riesgo *m* sobre casco y aparejos. 전쟁의 ~ riesgo *m* de la guerra. 하물(荷物)의 ~ riesgo *m* sobre mercancía. 해상(海上)의 ~ riesgo *m* de mar, riesgo *m* marítimo. 화재(火災)의 ~ riesgo *m* de incendio. ~한 길 camino *m* peligroso. ~한 사업 negocio *m* arriesgado, negocio *m* inseguro. ~한 장난감 juguete *m* peligroso. …의 ~을 무릅쓰고 a riesgo de *algo*, con peligro de *algo*. 생명의 ~을 무릅쓰고 arriesgando [aventurando · costando] la vida, a riesgo de la vida, con peligro de la vida. ~을 같이하다 estar en la misma situación. ~을 당하다 correr peligro, correr riesgo. ~을 돌보지 않다 jugarse el pellejo, jugarse la vida. ~을 막다 prevenirse contra el peligro (de). ~을 면하다 salvar el pellejo, salvarse por poco, salvarse por los pelos, salvarse por un pelo de un gran peligro [trance], librarse de una buena. ~을 무릅쓰다 arriesgarse, aventurarse, correr peligro. ~에 빠지다 caer en el riesgo, ponerse en peligro, exponerse a un peligro, meterse en la boca del lobo. ~에 빠뜨리다 hacer caer en el riesgo, poner en peligro. ~에 몸을 던지다 ponerse en peligro, exponerse a un peligro. ~한 경우를 당하다 exponerse a un peligro. ~한 순간을 피하다 huir en el último momento. …하는 ~을 무릅쓰다 correr (el) riesgo de + *inf*. …하는 것은 ~하다 Es peligroso + *inf* [que + *subj*]. ~은 거의 없다 El peligro es casi cero / No hay casi nada de peligro. 그는 ~한 인물이다 El es una persona muy peligrosa. 도로에서 노는 것은 ~하다 Es peligroso jugar en la calle. ~해! ¡Cuidado! / ¡Ojo!

고압 전류 ~ ((게시)) Aviso: Corriente eléctriaca de alto voltaje. 폭발물 ~! ((게시])) Cuidado: explosivo.

◆인적 ~ riesgo *m* personal. 전쟁 ~ riesgo *m* de guerra. 해상 ~ riesgo *m* marítimo, riesgo *m* de mar. 화재 ~ riesgo *m* de incendio.

■ ~각[도] ángulo *m* peligroso, ángulo *m* crítico. ~ 건축물 edificio *m* peligroso. ~ 구역 zona *f* peligrosa, zona *f* de peligro. ~률 proporción *f* de peligro. ~ 문서(文書) documento *m* peligroso, literatura *f* peligrosa. ~물 objeto *m* peligroso, artículo *m* peligroso. ~ 물질 sustancia *f* peligrosa. ~ 보험 seguro *m* contra riesgos. ~ 부담 riesgo *m* compartido. ~ 분산(分散) diversificación *f* de riesgos. ~ 분석 análisis *m* de riesgos. ~ 분자 elemento *m* peligroso. ~ 사상 ideas *fpl* peligrosas, ideas *fpl* perniciosas, concepto *m* peligroso. ~ 사업 negocio *m* peligroso, empresa *f* peligrosa. ~ 상태 condición *f* peligrosa, estado *m* peligroso. ~성 peligrosidad *f*. ~ 소포 paquete *m* de riesgo. ~ 속도 velocidad *f* peligrosa; [축(軸)의] velocidad *f* crítica (de ejes). ~ 수당(手當) prima *f* del riesgo, indemnización *f* de riesgo. ~ 수역 aguas *fpl* peligrosas. ~ 수위 nivel *m* de agua peligroso. ~시(視) consideración *f* peligrosa. ¶~하다 considerar peligroso. ~ 신호 señal *f* de peligro. ~ 신호기 bandera *f* roja. ~ 약물 drogas *fpl* peligrosas. ~ 요소 factor *m* de riesgo. ~ 인물 hombre *m* peligroso, carácter *m* peligroso, petardista *mf*. ~ 자본 capital *m* de riesgo. ~ 자산 제도 sistema *m* de activos de riesgo. ~ 조정 arbitraje *m* con riesgo. ~ 지구[지대·지역] zona *f* de peligro. ~ 지점 lugar *m* peligroso. ~ 직업 empleo *m* peligroso. ~천만(이다) Es como poner un cuchillo en manos de un loco. ~ 통보 mensaje *m* peligroso. ~평가 estimación *f* de riesgos. ~ 표지 señal *f* peligrosa. ~ 표지판 señal *f* de aviso, señal *f* de alerta. ~ 화물 mercancías *fpl* peligrosas, productos *mpl* peligrosos, carga *f* peligrosa, artículos *mpl* peligrosos. ~ 회전수(回轉數) revoluciones *fpl* críticas.

위협(威脅) amenaza *f*, intimidación *f*. ~하다 amenazar, intimidar, amedrentar, atemorizar, meter miedo (a), dar miedo (a), inspirar miedo (a). 권총으로 ~하다 amenazar con la pistola. 그에게는 ~이 소용없다 Con él no valen amenazas. 그는 권총으로 나를 죽이겠다고 ~했다 El amenazó matarme con la pistola.

■ ~ 사격 disparo *m* de aviso. ¶~을 하다 dar un disparo de aviso, disparar al aire para amenazar. ~ 수단(手段) medidas *fpl* intimidatorias. ~자 amenazador, -dora *mf*. ~적 amenazador, amenazante. ¶~인 말 lenguaje *m* amenazador, lenguaje *m* de intimidación. ~인 태도를 취하다 tomar una actitud amenazadora.

위화(違和) discordancia *f*.

■ ~감 discordancia *f*, disentimiento *m*.

위확장(胃擴張) gastrectasia *f*, dilatación *f* gástrica, dilatación *f* del estómago.

■ ~증 macrogastria *f*.

위황병(萎黃病) 【의학】 clorosis *f*.

위훈(偉勳) gran mérito *m*, hazaña *f*, proeza *f*, desempeño *m* meritorio, gran hazaña *f*, gran proeza *f*, acción *f* meritoria, obra *f* meritoria. ~을 세우다 hacer una hazaña. ~을 찬양하다 elogiar la hazaña (de).

윈도(영 *window*) ① [건물의 창(窓)] ventana *f*, [자동차의] ventanilla *f*, luna *f*. ② ((준말)) =쇼윈도. ③ 【컴퓨터】 ventana *f*, recuadro *m*.

■ ~ 브러시 lavaparabrisas *m.sing.pl*.

윈드서핑(영 *wind surfing*) surf *m* a vela, wind-surf *ing.m*, windsurfing *ing.m*.

윈치(영 *winch*) cabrestante *m*, torno *m*, montacargas *m.sing.pl*, malacate *m*. 수동(手動) ~ torno *m* de mano. 전기(電氣) ~ torno *m* eléctrico.

윗- de arriba, superior.

윗간(-間) habitación *f* lejana de la cocina coreana.

윗구멍 agujero *m* de arriba.

윗길 ① [위쪽에 난 길] camino *m* hacia arriba. ② [질적으로 더 나은 물건] artículo *m* de la calidad *f* superior, artículo *m* de la mejor calidad.

윗녘 ① =위쪽. ② =뒤대.

윗누이 hermana *f* mayor.

윗눈시울 borde *m* del párpado.

윗눈썹 cejas *fpl* superiores.

윗니 diente *m* de arriba, diente *m* superior.

윗대(-代) generación *f* superior.

윗도리 ① [몸뚱이의 허리 윗부분] parte *f* superior de la cintura. ② 【속어】 =웃옷.

윗동 ((준말)) =윗동아리.

윗동네(-洞-) aldea *f* alta.

윗동아리 pedazo *m* de arriba.

윗마기 abrigo *m*.

윗마을 aldea *f* alta.

윗머리 parte *f* extrema de arriba.

윗면(-面) superficie *f* exterior de arriba.

윗목 parte *f* superior de la habitación *ondol*.

윗몸 parte *f* superior del cuerpo humano.

윗물 el agua *f* de la corriente de arriba.

■윗물이 맑아야 아랫물이 맑다 ((속담)) La más ruin oveja sigue a la buena / Ovejas bobas, por do va una van todas / La gente se copia y hace lo que hacen los demás / El criado es solamente tan honrado como su amo.

윗바람 ① [겨울에 방 안의 천장이나 벽 사이로 스며드는 찬바람] viento *m* frío de invierno que entra en la habitación. ② [연을 날릴 때의 서풍(西風)] viento *m* oeste al hacer volar la cometa. ③ [물의 상류 쪽에서 불어오는 바람] viento *m* que viene soplando de la corriente de arriba.

윗방(-房) habitación *f* de arriba entre las

habitaciones.
윗배 parte *f* superior del vientre, estómago *m*.
윗벌 americana *f*, saco *m*.
윗변(一邊)【수학】lado *m* superior.
윗볼 mejilla *f* superior.
윗사람 superior *mf*; mayor *mf*.
윗수염(一鬚髥) bigote(s) *m*(*pl*). ~이 있다 tener bigote(s). ~이 나다 dejarse bigote(s), dejarse el bigote.
윗아귀 boca *f* superior.
윗옷 =상의(上衣).
윗입술 labio *m* superior.
윗잇몸 encía *f* superior, encía *f* de arriba.
윗자리 asiento *m* de honor, cabecera *f*. ~에 앉다 sentarse a la cabecera de la mesa.
윗중방(一中枋)【건축】=상인방(上引枋).
윗집 otra casa *f* vecina hacia arriba, otra casa *f* en el lugar más alto.
윙 silbando. ~하다 silbar.
윙윙 silbando, zumbando. ~하다 silbar, zumbar. 팔을 ~ 휘두르다 mover violentamente los brazos.
윙윙거리다 silbar, zumbar. 윙윙거리는 silbante, zumbador. 윙윙거림 silbido *m*, silbo *m*, zumbido *m*. 나는 귀가 윙윙거린다 Tengo un zumbido fuerte de oídos / Me zumban mucho [fuertemente] los oídos. 탄환이 윙윙거리면서 날아간다 Las balas vuelan zumbando. 팽이가 윙윙거린다 El peón zumba.
윙크(영 *wink*) guiño *m*, guiñada *f*, señas *fpl* de un ojo. ~하다 guiñar, guiñar el ojo, hacer un guiño [guiños], hacer una guiñada, cucar un ojo [los ojos]. …에게 ~하다 guiñar*le* el ojo a *uno*, hacer*le* un guiño [una guiñada · guiños] a *uno*., cucar*le* un ojo [los ojos] a *uno*.
유(有) ① [있음. 존재함] existencia *f*. ② ((불교)) lo que existe, existencia *f*. ③【철학】existencia *f*. ④ =또(y). ¶십(十)~삼년(三年) trece años.
유(酉) ① [십이지(十二支)의 열째] el Signo del Gallo. ② ((준말)) =유방(酉方). ③ ((준말)) =유시(酉時).
유(類) ① =무리[1]. ② ((준말)) =종류(種類). ¶~가 드문 excepcional, extraordinario, raro, singular. 사기꾼이나 도둑의 ~ especie *f* de estafadores o ladrones. 그는 ~가 드문 재능이 있는 사람이다 El es un hombre de dotes singulares. ③【생물】=강(綱). 목(目). ④【철학】((준말)) =유개념(類概念).
유-(有) existencia *f*. ~공자(功者) persona *f* meritosa.
유가(有價) lo valioso. ~의 valioso, negociable.
■ ~물(物) artículo *m* valioso económico. ~ 증권 títulos *mpl* valores, valoress *mpl*, valores *mpl* mobiliarios; [채권] obligaciones *fpl*, bonos *mpl*, acciones *fpl*. ¶정부 발행 ~ valores *mpl* gubernamentales. ~이 필요함 ((게시)) Se necesitan valores. ~ 증권 거래 operaciones *fpl* de valores. ~ 증권 거래소 la Bolsa de Valores, la Bolsa de Comercio. ~ 증권 계좌 cuenta *f* de valores. ~ 증권 관리자 administrador, -dora *mf* de valores. ~ 증권 대부 préstamo *m* en valores. ~ 증권법 la Ley de Valores. ~ 증권부 departamento *m* de valores. ~ 증권 분석 análisis *m* de valores. ~ 증권세 impuesto *m* sobre valores. ~ 증권 시세표 cotización *f* de valores. ~ 증권 시장 la Bolsa de Comercio. ~ 증권 업무 operaciones *fpl* con valores. ~ 증권 위조죄 falsificación *f* de valores. ~ 증권 일람표 portfolio *m*, cartera *f* de valores. ~ 증권 차용 préstamo *m* en valores. ~ 증권 처리 transacción *f* de títulos. ~ 증권 취소 cancelación *f* de títulos. ~ 증권 투자 inversión *f* en acciones, inversión *f* en bonos.
유가(油價) precio *m* del petróleo.
유가(儒家) confuciano, -na *mf*; confucionista *mf*.
■ ~서 libros *mpl* sobre el confucionismo.
유가족(遺家族) ① [죽은 사람의 뒤에 남은 가족] familia *f* del difunto, familia *f* de la difunta. ② ((준말)) =전몰 군경 유가족.
■ ~ 연금(年金) pensión *f* a la familia sobreviviente.
유감(有感) Hay una sensación.
■ ~ 지진 terremoto *m* sensible que puede sentir el que trabaja tranquilamente.
유감(遺憾) lástima *f*, sentimiento *m*. ~의 뜻 sentimiento *m*, pesar *m*. ~으로 생각하다 sentir [lamentar] *algo* [que + *subj*]. …은 ~이다 Es de lamentar que + *subj* / Es (una) lástima [una pena] + *subj*. ~입니다 ¡Qué lástima! / ¡Qué pena! / Es un asunto lamentable. 장관은 그 일에 대해 ~의 뜻을 표명했다 El ministro declaró que lamentaba lo ocurrido. 그를 만날 수 없어 ~입니다 Siento no haber podido verle. 시간이 없어 ~입니다 Lamento no tener tiempo. 그가 시험에 실패했다니 ~입니다 Es una lástima que él no haya podido pasar el examen. 네가 오지 못해 ~이다 Siento que no hayas venido. 당신을 도울 수 없어 ~이다 Siento no poder ayudarle a usted. 일전에 당신을 뵈올 수 없어 ~이었습니다 Sentí no haber podido verle a usted el otro día. 보내 드릴 수 없어 ~입니다 Sentimos no poder enviársele a ustedes.
유감스럽다 (ser) lamentable, deplorable, ser lástima. …해서 ~ Es (una) lástima [una pena] que + *subj*. 품질은 좋으나 너무 비싸서 유감스럽습니다 Es de buena calidad, pero es lástima que sea demasiado caro. 시간이 없어서 조용히 볼 수 없어 유감스럽습니다 Es (una) lástima que, por falta de tiempo, no hayamos podido verlo con más calma.

유감스레 con pesar mío, muy a mi pesar, con mucha pena, sintiéndolo mucho.
유감없다 (ser) satisfactorio, perfecto.
유감없이 satisfactoriamente, perfectamente. 재능을 ~ 발휘하다 desplegar toda *su* capacidad.
◆유감천만이다 ser mucha lástima.

유개(有蓋) acción *f* de tener la tapa [el tejado]. ~의 cubierto, con tapa.
■ ~차 carromato *m*, carreta *f* (con toldo), carro *m* cubierto, coche *m* cubierto. ~ 화(물)차 vagón *m* de carga, furgón *m* (cubierto).

유개념(類概念) 【논리】 género *m*.

유객(幽客) ermitaño, -ña *mf*, eremita *mf*.

유객(遊客) ① [유람하고 다니는 이] turista *mf*. ② [할 일 없이 노는 이] holgazán, -zana *mf*, vago, -ga *mf*, haragán, -gana *mf*, flojo, -ja *mf*. ③ [주색으로 소일하는 이] libertino *m*, vicioso *m*, calavera *m*, vividor *m*.

유객(誘客) solicitación *f* de (los) clientes; [매춘부의] alcahuetería *f*. ~하다 solicitar (a los clientes); [매춘부의] alcahuetear.
■ ~꾼 solicitante *mf*, [매춘 행위의] alcahuete, -ta *mf*.

유거(幽居) [장소] ermita *f*, [생활] residencia *f* solitaria, reclusión *f*, aislamiento *m*, soledad *f*. ~하다 vivir recluido, vivir aislado.

유건 악기(有鍵樂器) instrumento *m* que tiene llaves [teclas].

유격(遊擊) diversión *f*, divertimiento *m* estratégico, asalto *m*, incursión *f*. ataque *m* repentino, sorpresa *f*, guerrilla *f*. ~하다 eludir, esquivar, asaltar, atracar.
■ ~대(隊) guerrilla *f*, tropa *f* [fuerza *f*·columna *f*] volante. ~병 guerrillero, -ra *mf*, partisano, -na *mf*, miembro *mf* de la resistencia. ~수 ((야구)) torpedero, -ra *mf*, *Méj* parador, -dora *mf* en corto. ~전 guerrilla *f*. ¶~을 벌이다 guerrillear.

유견(謬見) criterio *m* equivocado, vista *f* errada, noción *f* falsa, parecer *m* erráneo.

유경(流景) paisaje *m* de la puesta de sol.

유경(幽境) soledad *f*, lugar *m* solitario.

유계(幽界) =저승(infierno).

유계(遺戒) =유훈(遺訓).

유고(有故) [사고] accidente *m*; [까닭] causa *f*, razón *f*. ~시(時)에 al tiempo de un accidente, en caso de un accidente.

유고(遺孤) niño *m* solitario que *sus* padres murieron.

유고(遺稿) obra *f* póstuma, restos *mpl* literarios, escritos *mpl* póstumos, manuscritos *mpl* dejados por el difunto.

유고(諭告) ① [타이름] consejo *m*, instrucción *f*. ~ 하다 aconsejar, dar instrucción. ② [포고(布告)] decreto *m*, ordenanza *f*, proclamación *f*. ~하다 decretar, proclamar, anunciar.

유고슬라비아 【지명】 Yugoslavia *f*. ~의 yugoslavo. ~ 사람 yugoslavo, -va *mf*.

유곡(幽谷) barranca *f* profunda.

유골(遺骨) restos *mpl*, cenizas *fpl*. ~을 모으다 recoger las cenizas. ~을 봉안하다 poner las cenizas.

유공(有功) mérito *m*. ~의 meritoso, benemérito.
■ ~ 상패(賞牌) medalla *f* por mérito. ~자 hombre *m* de mérito, persona *f* de mérito. ~증 certificado *m* de mérito. ~ 훈장 orden *f* de mérito.

유공성(有孔性) porosidad *f*.
■ ~ 석회암 (piedra *f*) caliza *f* porosa.

유공충(有孔蟲) foraminíferos *mpl*.

유과(油菓) ((준말)) =유밀과(油蜜菓).

유과(乳菓) dulce *m* de leche.

유곽(遊廓) distrito *m* de prostitutas, barrio *m* nocturno de diversiones.

유관(有關) Hay relación.

유관속(維管束) 【식물】 =관다발.

유광지(油光紙) papel *m* glaseado.

유괴(誘拐) rapto *m*, secuestro *m*, *AmL* plagio *m*. ~하다 secuestrar, raptar, cometer un rapto, *AmL* plagiar. ~된 아이 niño *m* secuestrado, niña *f* secuestrada; niño *m* raptado, niña *f* raptada. ~된 여인(女人) (mujer *f*) raptada *f*.
■ ~범[자] secuestrador, -dora *mf*, raptor, -tora *mf*. ~ 사건 caso *m* de secuestro. ~죄 secuestro *m*, rapto *m*.

유교(遺教) =유명(遺命).

유교(儒教) confucianismo *m*, confucionismo *m*. ~의 confuciano, confucionista. ~의 감화 influencia *f* confuciana. ~를 믿다 creer en el confucianismo.
■ ~도 confuciano, -na *mf*, confucionista *mf*. ~ 사상(思想) ideas *fpl* confucianas. ~적 confuciano, confucionista. ~주의 confucianismo *m*. ~주의자 confucianista *mf*, confucionista *mf*.

유구(類句) frase *f* análoga, frase *f* sinónima, frase *f* similiar.

유구무언(有口無言) Hay boca pero no hay palabra de decir / No hay palabras de excusar.

유구하다(悠久—) (ser) eterno, permanente. 유구함 eternidad *f*, permanencia *f*. 유구한 역사(歷史) historia *f* eterna. 유구한 자연(自然) naturaleza *f* eterna, permanencia *f* de la naturaleza. 유구한 옛날부터 desde tiempos inmemoriales.

유군(幼君) rey *m* joven, soberano *m* joven.

유권(有權) posesión *f* del derecho.
■ ~자 poseedor, -dora *mf* del derecho; [선거의] elector, -tora *mf*, votante *mf*. ¶~ 명부(名簿) lista *f* electoral. ~ 해석(解釋) interpretación *f* autoritaria.

유근(幼根) 【식물】 radícula.

유금(遊金) dinero *m* [capital *m*·fondo *m*] flotante.

유금(遊禽) 【조류】 =유금류.
■ ~류 【조류】 palmípedas *fpl*.

유급(有給) Hay salario. ~의 asalariado, pagado.
■ ~ 고용 empleo *m* retribuido, empleo *m*

remunerado, trabajo *m* remunerado. ~ 외교원(外交員) representante *mf* comercial remunerado [remunerada]. ~ 위원 miembro *mf* de una comisión remunerado [remunerada]. ~직(職) posición *f* pagada, oficina *f* que recibe un sueldo mensual. ~ 직업 ocupación *f* retribuida, ocupación *f* remunerada. ~ 직원 miembro *mf* de los empleados en plantilla. ~ 휴가 vacaciones *fpl* pagadas, vacaciones *fpl* retribuidas. ~ 휴가 수당 prestación *f* de vacaciones pagadas.

유급(留級) =낙제(落第).

유기(有期) ((준말)) =유기한(有期限). ¶~의 rescindible, redimible, limitado.

■~ 공채 bono *m* [obligación *f*; título *m*] rescindible, empréstito *m* redimible [limitado]. ~ 금고(禁錮) prisión *f* de duración limitada. ~연금 anualidad *f* rescindible, renta *f* vitalicia rescindible, pensión *f* limitada. ~ 징역 trabajos *mpl* forzados de duración limitada. ~한 duración *f* limitada. ~ 형 cadena *f* de duración limitada.

유기(有機) ① ((준말)) =유기 화학. ② ((준말)) =유기 화합물.

■~ 감각 sensación *f* orgánica. ~ 감정 emoción *f* orgánica. ~계 mundo *m* orgánico. ~ 광물 mineral *m* orgánico. ~ 금속 화합물 compuesto *m* metálico orgánico. ~ 농업 agricultura *f* ecológica,. agricultura *f* biológica, agricultura *f* sin pesticidas ni fertilizantes artificiales. ~물(物) materia *f* orgánica. ~ 비료 fertilizante *m* [abono *m*] orgánico [natural]. ~산 ácido *m* orgánico. ~성 organicidad *f*. ~ 수은 mercurio *m* orgánico. ~암 roca *f* orgánica. ~ 염기(鹽基) base *f* orgánica. ~ 영양소 nutrimento *m* orgánico, elemento *m* nutricio orgánico. ~ 유리 cristal *m* orgánico. ~인 화합물(燐化合物) compuesto *m* fosforoso orgánico. ~적 [질병·생활] orgánico; [농업] ecológico, biológico, sin pesticidas ni fertilizantes artificiales; [채소] biológico, cultivado sin pesticidas ni fertilizantes artificiales; **【화학】** orgánico; [전체·신체·제도] orgánico; [완전한] integral, integrante. ¶~으로 biológicamente, orgánicamente. ~으로 하다 organizar. ~으로 재배되다 ser cultivado biológicamente [sin pesticidas ni fertilizantes artificiales]. ~적 관련성 conexión *f* orgánica. ~적 생활 vida *f* orgánica. ~적 세계관 vista *f* mundial orgánica. ~적 연대 solidaridad *f* orgánica. ~적 통일 unidad *f* orgánica. ~질 substancia *f* orgánica. ~질 비료 fertilizante *m* [abono *m*] orgánico [natural]. ~ 채소 vegetal *m* biológico, vegetal *m* cultivado sin pesticidas ni fertilizantes artificiales. ~체 organismo *m*, cuerpo *m* orgánico. ~체설 organicismo *m*. ~토(土) tierra *f* orgánica. ~ 화학 química *f* orgánica. ~ 화합물 compuesto *m* orgánico.

유기(柳器) fardo *m*, paca *f*.

■~장(이) =고리장이.

유기(遺棄) abandono *m*, desamparo *m*. ~하다 abandonar, dejar, desamparar.

◆불법 ~ abandono *m* malicioso. 시체 ~ abandono *m* de un cadáver. 영아(嬰兒) ~ abandono *m* de un bebé. 직무(職務) ~ abandono *m* de deber.

■~물 cosa *f* abandonada, der(r)elicto *m*. ~선 der(r)elicto *m*, barco *m* abandonado. ~ 시체(屍體) cadáver *m* abandonado. ~자 desertor, -tora *mf*. ~죄(罪) crimen *m* abandonado.

유기(鍮器) =놋그릇(recipiente de latón).

■~그릇 recipiente *m* [vasija *f*] de latón.

유기음(有氣音) **【언어】** consonante *f* aspirada.

유나하다(柔懦-) (ser) afeminado, débil y tímido. 유나함 afeminamiento *m*.

유난 lo poco corriente, lo poco común, lo poco frecuente, lo inusual, lo muy exigente, meticulosidad *f*. ~하다 (ser) poco corriente, poco común, poco frecuente, inusual, muy exigente, fuera de lo corriente [común], excepcional, fastidioso, particular, quisquilloso.

유난히 extraordinariamente, singularmente, fuera de lo normal, excepcionalmente, inusitadamente. 머리가 ~ 큰 아이 niño, -ña *mf* con cabeza muy grande. 날씨가 ~ 덥다 Hace un calor fuera de lo normal.

◆유난(을) 떨다 portarse [comportarse] fastidiosamente.

유난스럽다 (ser) fastidioso, particular.

유난스레 fastidiosamente, particularmente.

유네스코(영 *UNESCO, United Nations Educational, Scientific and Cultural Organization*) [국제 연합 교육 과학 문화 기구] la Organización de las Naciones Unidas para Educación, Ciencia y Cultura; la Organización Educacional, Científica y Cultural de las Naciones Unidas; la Organización para la Educación, la Ciencia y la Cultura de las Naciones Unidas, UNESCO *f*.

유녀(幼女) niña *f*, infanta *f*, niñita *f*.

유년(幼年) niño, -ña *mf*.

■~기 infancia *f*, niñez *f*. ¶~의 infantil. ~에 en *su* niñez, en *su* infancia, cuando era niño. ~부터 desde *su* niñez, desde *su* infancia. 나는 ~에 아르헨띠나에서 살았다 Yo vivía en la Argentina / Cuando yo era niño, vivía en la Argentina.

유년(有年) ① =풍년. ② [여러 해] muchos años.

유년(酉年) el Año de la Gallina.

유념(留念) atención *f*, consideración *f*. ~하다 prestar atención (a).

유뇨증(遺尿症) =야뇨증(夜尿症).

유능(有能) habilidad *f*, competencia *f*, capacidad *f*, talento *m*. ~하다 (ser) hábil, competente, talentoso. ~한 사람 persona *f* competente, hombre *m* de talento, hombre *m* de habilidad. ~한 남자 hombre *m* competente. ~한 여자 mujer *f* competente.

유니버시아드(영 *Universiade*) [국제 학생 경기 대회] universíada *f*, universiada *f*.
유니버시티(영 *University*) [종합 대학] universidad *f*.
유니세프(영 *UNICEF, United Nations International Children's Emergency Fund*) [국제 연합 아동 기금] el Fondo de la Infancia de las Naciones Unidas, UNICEF *m*.
유니섹스(영 *unisex*) unisex.
유니언(영 *union*) ① [연합. 동맹] unión *f*. ② =동업 조합. ③ =노동조합.
유니언 잭(영 *Union Jack*) ① [영국의 국기] bandera *f* del Reino Unido, pabellón *m* (*pl* pabellones) nacional del Reino Unido, la Unión Jack. ② =영국(英國)(Reino Unido de Gran Bretaña e Irlanda del Norte).
유니폼(영 *uniform*) uniforme *m*. ~을 입다 ponerse el uniforme. ~을 입히다 uniformar. 그들은 다시 팀의 ~을 바꾸었다 Ellos han vuelto a cambiar los colores del equipo.
유다[1] 【인명】((성경)) [야곱의 넷째 아들] Judá.
유다[2] 【인명】((성경)) [사도 중 한 사람; 일명 다대오라고도 함] Judas.
유다[3] 【인명】((성경)) [예수의 동생] Judas.
유다[4] 【인명】((성경)) Judas Iscariote (가롯 유다).
유다르다(類—) (ser) raro, poco corriente, poco común, poco frecuente, singular, fuera de lo corriente [común], inusual.
유달리 extraordinariamente, singularmente, fuera de lo normal, excepcionalmente, inusitadamente, sobre todo, entre otros, señaladamente, notablemente. ~ 눈에 띄다 saltar a los ojos, señalarse [destacarse · sobresalir] entre otros. 그는 ~ 뛰어나다 El es notablemente superior / El es con mucho [de lejos] el mejor. 그는 학급에서 ~ 키가 크다 El es señaladamente alto en la clase.
유다서(Judah 書) ((성경)) la Epístola Universal de San Judas Apóstol, la Carta de San Judas.
유단자(有段者) poseedor, -dora *mf* de más de primer *dan* [primer grado], poseedor, -dora *mf* de grado.
유당(乳糖) lactosa *f*.
유대(紐帶) vínculo *m*, lazo *m*; [관계] relación *f*, liga *f*. ~를 가지다 establecer [tener] una relación (con). ~를 끊다 romper los lazos, romper los vínculos. 나는 그와 아무런 ~가 없다 No tengo nada que ver con él. 두 사람은 우정의 ~로 맺어져 있다 Lazos [Vínculos] de amistad unen a los dos.
유대(히 *Judea*) ((성경)) Judea *f*. ~의 judío.
■~교 ((성경)) judaísmo *m*. ~력 calendario *m* judío. ~ 민족 raza *f* judía. ~ 여자 ((성경)) mujer *f* judía, judía *f*. ~인 ((성경)) judío, -día *mf*. ~주의 sionismo *m*.
유대류(有袋類) 【동물】 marsupial(es) *m*(*pl*).
유덕(遺德) mérito *m*, virtud *f*. 고인(故人)의 ~을 기리다 recordar con emoción los méritos [las virtudes] del difunto.
유덕하다(有德—) (ser) virtuoso. 유덕함 virtud *f*. 유덕한 사람 hombre *m* de virtud, persona *f* virtuosa. 유덕한 여자 mujer *f* de virtud, mujer *f* virtuosa.
유도(乳道) ① [젖이 나오는 분량] cantidad *f* que la leche sale. ② [젖이 나오는 분비선] glándula *f* secretoria que la leche sale.
유도(柔道) yudo *m*, judo *m*. ~를 하다 practicar (el) judo. ~를 배우다 aprender (el) judo.
■~가[인] judoka *mf*, yudoca *mf*. ~ 고단자 hombre *m* experto de yudo, mujer *f* experta de yudo. ~복 traje *m* [uniforme *m*] de yudo. ~ 사범 instructor, -tora *mf* de judo. ~ 선수 judoka *mf*, yudoca *mf*, luchador, -dora *mf* de yudo. ~장(場) plataforma *f* de competición.
유도(誘導) ① [꾀어서 이끎] incitación *f*, instigación *f*, dirección *f* guiada. ~하다 incitar, instigar, dirigir, guiar, conducir. 비행기를 활주로에 ~하다 dirigir un avión a la pista. 관객을 출구로 ~하다 guiar al público a la salida. 그는 군중에게 폭력(暴力)을 ~했다 El incitó [instigó] a las multitudes a la violencia. ② 【물리】 inducción *f*. ③ 【화학 · 수학】 derivación *f*.
■~ 가속기(加速器) betatrón *m*. ~ 가열 장치 calorífero *m* de inducción, aparato *m* de calefacción de inducción. ~ 결합 conexión *f* inductiva. ~기 inductor *m*. ~기동력 fuerza *f* de electromotriz inducida. ~ 기전기 máquina *f* de influencia. ~ 기전력 fuerza *f* electromotriz inducida. ~ 단위 unidad *f* derivada. ~력 inductividad *f*. ~로(路) [비행장의] pista *f* de rodaje. ~ 무기 misil *m*, el arma *f* (*pl* las armas) guiada. ~ 물질 substancia *f* inductora. ~ 미사일 proyectil *m* teledirigido. ~ 반응 reacción *f* inducida. ~ 발전기 generador *m* de inducción. ~ 방해(妨害) efecto *m* inductivo perturbador, ruido *m* por inducción. ~ 병기(兵器) misil *m*. ~성 inductividad *f*. ~ 속력(速力) velocidad *f* inducida. ~ 신문(訊問) pregunta *f* tendenciosa, pregunta *f* capciosa (hecha de tal manera que sugiere la respuesta deseada). ~자(子) inductancia *f*. ¶자기(自己) ~ autoinductancia *f*. ~자 inductor, -tora *mf*, guía *mf*, instigador, -dora *mf*. ~ 장치 sistema *m* de telegiamiento, control *m* de teleguiamiento. ~ 전기(電氣) electricidad *f* inducida. ~ 전기 치료 faradización *f*. ~ 전류 corriente *f* inductiva, corriente *f* inductora. ~체 derivado *m*. ~ 코일 corriente *f* de inducción. ~탄 proyectil *m* dirigido, proyectil *m* teledirigido. ¶지대공(地對空) ~ misil *m* tierraaire. 지대지(地對地) ~ misil *m* tierra-tierra. ~ 회로(回路) circuito *m* inductivo.
유도(儒道) ① [유교의 도] confucianismo *m*. ② [유교와 도교] el confucianismo y el taoísmo.

유독(有毒) lo venenoso, lo ponzoñoso, lo nocivo, lo tóxico. ~하다 (ser) venenoso, ponzoñoso, nocivo, tóxico.
■ ~ 가스 gas *m* tóxico. ~균 hongo *m* venenoso. ~ 균류 hongos *mpl* venenosos. ~ 물질 substancia *f* venenosa. ~성(性) toxicidad *f*, venenosidad *f*. ~ 식물 planta *f* venenosa.

유독(惟獨) sólo, solamente.

유독하다(幽獨－) (ser) solitario.

유동(流動) fluidez *f*, liquidez *f*, flote *m*, flotación *f*, fluctuación *f*. ~하다 flotar, fluctuar, fluir, correr, circular.
■ ~ 공채 bono *m* circulante, bono *m* corriente. ~물 líquido *m*, flúido *m*, comida *f* líquida. ~ 부채 pasivo *m* circulante, pasivo *m* corriente. ~ 비율 proporción *f* corriente, proporción *f* del circulante, ratio *m* corriente, ratio *m* del circulante. ~ 상태 situación *f* flúida. ~성(性) fluidez *f*, liquidez *f*, 【사회】 movilidad *f*. ~식(食) alimento *m* líquido, comida *f* líquida. ~ 자금 fondo *m* circulante. ~ 자본 capital *m* circulante. ~ 자산 activo *m* circulante, activo *m* corriente, activo *m* líquido. ~적 flotante, movible, inestable. ~체 fluido *m*; [액체] líquido *m*. ~ 측정 reometría *f*. ~학 reología *f*.

유동(遊動) movimiento *m* libre. ~하다 mover libremente.
■ ~ 원목(圓木) palo *m* mecedor, viga *f* mecedora.

유동법(類同法) 【논리】 método *m* de acuerdo.

유두(油頭) cabello *m* [pelo *m*] aceitado.
■ ~분면(粉面) maquillaje *m* de las mujeres.

유두(乳頭) ① [젖꼭지] papila *f*, mamila *f*, pezón *m* (*pl* pezones); [남자의] tetilla *f*. ~의 mamilar. ~가 있는 papilífero. ~ 모양의 papilar. ~ 돌기 모양의 papiliforme. ② [동물의 혀나 피부에 있는 젖꼭지 모양의 작은 돌기] papila *f*, apendículo *m* papilar.
■ ~ 결여증 atelia *f*. ~ 과다증 politelia *f*. ~관 conducto *m* papilar. ~근 músculo *m* papilar. ~륜 aréola *f*. ~선 línea *f* mamilar. ~ 성형술 mamiliplastia *f*. ~암 papilocarcinoma *f*. ~염 mamilitis *f*, acromastitis *f*, papilitis *f*. ~ 절개술 papilotomía *f*. ~ 절제술 papilectomía *f*. ~종 tumor *m* papilar, papiloma *m*.

유두(流頭) 【민속】 *yudu*, el quince de junio del calendario lunar.

유들유들 descaradamente, frescamente, sin vergüenza. ~하다 (ser) descarado, fresco, atrevido. ~한 소년 muchacho *m* descarado, muchacho *m* fresco. ~하게 descaradamente, con frescura, frescamente. ~ 거짓말을 하다 mentir descaradamente [frescamente · sin vergüenza]. 그런 일이 일어난 후에도 그는 ~하다 El está tan fresco aun después de lo que ha ocurrido.

유라시아(영 *Eurasia*) 【지명】 Eurasia *f*.
■ ~ 대륙 el Continente Eurásico. ~ 사람 eurásico, -ca *mf*.

유락(乳酪) mantequilla *f*.

유락(流落) ① [(고향을 떠나) 타향에 삶] vida *f* en la tierra extranjera. ~하다 vivir en la tierra extranjera. ② [(망하여) 떠돌아다님] vagabundeo *m*. ~하다 vagabundear.

유락(遊樂) diversión *f*. ~하다 divertirse.

유람(遊覽) excursión *f*, viaje *m* de recreo, excursión *f* por los lugares de interés.
■ ~ 가이드 ㉮ [책] guía *f* turística. ㉯ [사람] guía *mf* de turismo, *Méj* guía *mf* de turistas. ~객 turista *mf*, visitante *mf*. ~ 버스 autobús *m* (*pl* autobuses) de turismo, autobús *m* de excursión. ~ 비행 vuelo *m* de turismo, vuelo *m* de excursión. ~선 barco *m* de excursión, lancha *f* de excursión, lancha *f* de recreo; [요트] yate *m*. ~ 안내소 información *f* de turista, oficina *f* de (información y) turismo. ~ 열차 tren *m* de excursión. ~ 자동차 autocar *m* de turismo. ~ 지도 mapa *m* de turistas. ~ 철도 ferrocarril *m* de excursión. ~표 billete *m* [*AmL* boleto *m*] de excursión.

유랑(流浪) vagabundeo *m*, vagabundez *f*, vagabundería *f*, vagancia *f*, divagancia *f*. ~하다 vagabundear, errar, vagar. ~의 errante, vagabundo, nómada, nómade.
■ ~민 pueblo *m* errante; nómada *mf*. ~벽 hábito *m* vagabundo. ~ 생활 vida *f* errante, vida *f* vagabunda, nomadismo *m*. ¶~을 하다 llevar una vida errante, llevar una vida vagabunda, vivir como nómada, nomadizar. ~아 niño *m* [muchacho *m*] vagabundo, niña *f* [muchacha *f*] vagabunda. ~인 vagabundo, -da *mf*, vago, -ga *mf*.

유래(由來) [기원] origen *m*, génesis *f*, [내력] historia *f*, [출처] fuente *f*, procedencia *f*, derivación *f*, [원인] causa *f*. ~하다 proceder, originarse, venir, derivar(se), tener *su* origen (en), tener su principio (en). ~를 찾다 buscar el origen.

유량(乳量) cantidad *f* de leche.

유량(流量) caudal *m*.
■ ~계 flujómetro *m*, gastómetro *m*, aforador *m*.

유러달러(영 *Eurodollar*) eurodólar *m*.

유럽(영 *Europe*) 【지명】 Europa *f*. ~의 europeo.
◆ 동(東)~ la Europa Oriental. 서(西)~ la Europa Occidental.
■ ~ 개발 기금 el Fondo Europeo de Desarrollo. ~ 경제 공동체 la Comunidad Económica Europea, CEE *f*. ~ 경제 협력 기구 la Organización para la Cooperación Económica Europea. ~ 공동 시장(共同市場) el Mercado Común Europeo. ~ 공동체 la Comunidad Europea, CE *f*. ~ 공산주의 eurocomunismo *m*. ~ 사람 europeo, -a *mf*. ~ 연합 la Unión Europea, UE *f*. ~ 열강 potencias *fpl* europeas. ~ 의회 el Parlamento Europeo. ~ 정치 공동체 la Comunidad Política Europea. ~주 Europa

f, continente *m* europeo. ~ 중앙 은행 el Banco Central Europeo. ~ 통화 기금 el Fondo Monetario Europeo. ~ 통화 단위 la Unidad Monetaria Europea, ECU *f*. ~ 통화 제도 el Sistema Monetario Europeo, SME *m*. ~화 europeización *f*. ¶~하다 europeizar.

유려하다(流麗—) (ser) suave y elegante, fácil y afluyente, fluido y elegante. 유려한 문장(文章) estilo *m* fluido y elegante.
유려히 fluida y elegantemente, suave y elegantemente, fácil y afluyentemente.

유력(遊歷) viaje *m* sin itinerario fijo, peregrinación *f*. ~하다 viajar vueltas, dar vueltas, peregrinar.
■ ~자 turista *mf*, viajero, -ra *mf*.

유력자(有力者) personaje *m* poderoso [influyente · prominente]; gran personaje *m*; potentado, -da *mf*, persona *f* importante, persona *f* de importancia.

유력하다(有力—) (ser) poderoso, potente, influyente, fuerte; [증거가] convincente; [믿을 만한] fidedigno, solvente, fiable. 유력한 소식통 fuente *f* fidedigna. 유력한 신문 periódico *m* influyente. 유력한 용의자(容疑者) sospechoso, -sa *mf* clave. 유력한 일 corroboración *f*. 유력한 실업가 hombre *m* de negocios muy pudiente. 유력한 증거 prueba *f* convincente. 유력한 후보자 candidato, -ta *mf* fuerte. 유력한 증거를 발견하다 encontrar una prueba convincente. 차기 대통령으로는 그가 가장 ~ El es el candidato más fuerte para la próxima elección presidencial.

유렵(遊獵) caza *f* de recreo. ~하다 cazar yendo a visitar.
■ ~가 cazador, -dora *mf*. ~기 temporada *f* de caza. ~지(地) tierras *fpl* de caza, cazadero *m*.

유령(幼齡) edad *f* pequeña, edad *f* joven.

유령(幽靈) fantasma *m*, espectro *m*, aparición *f*, aparecido *m*, duende *m*, espíritu *m*, visión *f*, sombra *f*, quimera *f*, trasgo *m*, alma *f* en pena. ~의 fantasmal, espectral. ~ 같은 fantasmal. ~의 집 casa *f* de fantasma. 그 집에서는 ~이 나타난다 En la casa anda un fantasma / La casa está embrujada. 너는 마치 ~을 본 것 같구나! ¡Parece que hubieras visto un fantasma!
■ ~ 도시 pueblo *m* fantasma, ciudad *f* fantasma. ~선 buque *m* fantasma, barco *m* de fantasma. ~ 인구 población *f* fantasma, población *f* falsa. ~주 acción *f* fantasma. ~ 회사 compañía *f* fantasma, sociedad *f* fantasma.

유례(類例) ejemplo *m* semejante, ejemplo *m* análogo, caso *m* similar, ejemplo *m* similar.
유례없다 (ser) excepcional, singular, único, raro, sin ejemplo semejante [análogo], sin paralelo, sin precedentes, sin parangón, sin igual, sin rival, sin par, incomparable, no tener paralelo en historia. 사상 ~ ser sin paralelo en historia.
유례없이 sin igual, sin par, sin precedentes.

유로(영 euro) ① [유럽의] euro-. ② [유럽 연합의 통합 화폐 단위] euro *m*. 1~ un euro. 10~ diez euros. ~는 유럽 연합 국가들의 공통 화폐 단위이다 El euro es la unidad monetaria común a los Estados de la Unión Europea.
■ ~ 달러 eurodólar *m*. ~ 뱅크 eurobanco *m*. ~비전 eurovisión *f*. ~화(貨) euro *m*.

유로퓸(영 *europium*) 【화학】 europio *m* (Eu).

유료(有料) Se necesita peaje [pago]. ~의 de pago; [통행이] de peaje. 이 화장실은 ~다 Debe pagar para usar este servicio.
■ ~ 교량 puente *m* de peaje, *Méj* puente *m* de cuota. ~ 도로 carretera *f* de peaje, *Méj* carretera *f* de cuota. ~ 도서관 librería *f* de pago. ~ 변소 servicios *mpl* de pago. ~ 시사회 función *f* de preestreno de pago. ~ 입장 entrada *f* de pago. ~ 주차장 aparcamiento *m* de pago. ~ 직업 소개소 agencia *f* de empleos de pago. ~ 터널 túnel *m* de peaje, *Méj* túnel *m* de cuota. ~ 텔레비전 televisión *f* por abonados. ~ 통화 llamada *f* (telefónica) de pago.

유루(遺漏) omisión *f*. ~하다 ser omitido. ~없이 completamente, perfectamente, sin omisión de nada, con pleno cuidado.

유류(油類) petróleo *m*, aceite *m* de toda clase.
■ ~ 파동(波動) fluctuación *f* violenta en petróleo.

유류(遺留) dejamiento *m*. ~하다 dejar.
■ ~분 parte *f* legal de un heredero. ~품[물] ㉮ [잊어버리고 놓아둔 물건] objeto *m* dejado en un lugar, cosa *f* dejada por olvido, artículo *m* extraviado; [잃은 물건] objeto *m* perdido; [습득물] objeto *m* hallado. ㉯ [죽은 뒤에 남겨 둔 물건] objeto *m* dejado después de *su* muerte.

유리(有利) ventaja *f*. ~하다 (ser) favorable, conveniente, ventajoso, provechoso, lucrativo, útil. ~하게 favorablemente, ventajosamente, con ventaja. ~한 조건 término *m* ventajoso. ~한 투자 계획 plan *m* de inversión lucrativo. ~한 위치에 있다 llevar ventaja. 우리들은 ~한 입장(立場)이다 Levamos ventaja a los demás / Quedamos más favorecidos que los demás. 네가 나보다 ~하다 Tú tienes más ventajas que yo. 교섭은 우리에게 ~하게 진전되고 있다 Las negociaciones llevan una marcha favorable para nosotros. 영어에서는 그가 너보다 ~하다 En inglés él te lleva ventaja. 영어와 서반아어를 알고 있으면 훨씬 ~(하게 평가)함 ((게시)) Se valorarán conocimientos de inglés y español.

유리(有理) racionalidad *f*. ~의 racional.
■ ~ 방정식 ecuación *f* racional. ~수(數) número *m* racional. ~식 expresión *f* racional. ~ 지수 índice *m* racional. ~ 함

수 función *f* racional.

유리(流離) ((준말)) =유리표박. ¶~하다 vagabundear sin rumbo, errar, tunar.
■~걸식[개걸] limosna *f* vagabundeando sin rumbo. ¶~하다 pedir limosna vagabundeando sin rumbo. ~표박 vagabundeo *m* sin rumbo. ¶~하다 vagabundear sin rumbo.

유리(琉璃) cristal *m*, vidrio *m*. ~ (제품)의 vítreo, de vidrio, de cristal. ~ 모양의 hialoideo, hialoide, hialino, vitreo. 깨어진 ~ cristales *mpl* rotos, vidrio *m* roto. 쇠그물이 들어간 ~ vidrio *m* armado, cristal *m* armado. 창[문]에 ~를 끼우다 poner*le* cristal(es) [vidrio(s)] a una ventana [a una puerta], colocar un cristal [un vidrio] en la ventana [en la puerta]. 도둑들은 들어가기 위해 ~를 깼다 Los ladrones rompieron el cristral para entrar.
◆색~ cristal *m* [vidrio *m*] colorado [que tiene color · pintado · teñido]. 시계 ~ cristal *m* de reloj. 안전~ cristal *m* [vidrio *m*] insatillable. 창~ cristal *m* [vidrio *m*] (de una ventana). 판~ cristal *m* [vidrio *m*] cilidrado.
■~ 가게 cristalería *f*, vidriería *f*, tienda *f* [almacén *m*] de cristales. ~ 공업 hialotecnia *f*, hialurgia *f*, industria *f* del cristal [vidrio]. ~ 공예 hialotecnia *f*, hialurgia *f*. ~ 공장 cristalería *f*, vidriería *f*, taller *m* de cristal, fábrica *f* de cristal. ~관 tubo *m* de cristal. ~구슬 bola *f* de cristal. ~그릇 vidriería *f*, cristalería *f*, todo género de vidrios y cristales. ~눈 un ojo de cristal, un ojo de vidrio. ~막 membrana *f* hialoidea. ~문 puerta *f* de cristal, puerta *f* de vidrio, puerta *f* vidriera, puerta *f* con cristales. ~병 botella *f* de cristal [vidrio]. ~ 상자 vitrina *f*. ~ 섬유 fibra *f* de cristal [vidrio], lana *f* de cristal. ~ 세공 [기술] hialotecnia *f*, hialurgia *f*, [제품] cristalería *f*, cristales *mpl*, vidrios *mpl*, objetos *mpl* eleborados de cristal [vidrio]. ~솜[면] lana *f* [tela *f*] de vidrio, cristal *m* hilado. ~알 bola *f* de cristal. ~잔 vaso *m* de vidrio. ~ 장수 cristalero, -ra *mf*, vidriero, -ra *mf*. ~ 제품 cristalería *f*, cristal *m*. ~창 vidriera *f*, ventana *f* de cristal [vidrio]. ¶ 자동 ~ 올리개 elevalunas *m.sing.pl* (eléctricos). ~칼 cortavidrios *m.sing.pl*. ~컵 copa *f* de cristal [vidrio]. ~판 hialógrafo *m*, tabla *f* de cristal [vidrio].

유리(遊離) isolación *f*, separación *f*, aislamiento *m*. ~하다 isolarse, aislarse, apartarse. ~시키다 isolar, aislar, apartar. 국민으로부터 ~된 정책(政策) política *f* que se aleja del pueblo, política *f* que no basada en la situación actual del pueblo. 원소(元素)를 ~시키다 aislar un elemento. 집행부가 일반 조합원들로부터 ~된다 El comité ejecutivo se aisla de los miembros generales del sindicato. 그것은 현실(現實)에서 ~된 생각이다 Es una idea alejada de la realidad.

유리(瑠璃) lapislázuli *m*. ~의 esmaragdino.
■~빛[색] azur *m*, azul *m* brillante. ~의 azur, azul celestre.

유리론(唯理論) 【철학】 racionalismo *m*.
■~자 racionalista *mf*.

유린(蹂躪) [국토 따위의] devastación *f*, invasión *f*, [권리 따위의] ofensa *f*, atropello *m*, pisoteo *m*, infracción *f*, violación *f*. ~하다 devastar, asolar, invadir, pisotear, infringir, atropellar, violar. 인권(人權)을 ~하다 infringir derechos humanos. (여인의) 정조(貞操)를 ~하다 violar a una mujer.
■~자 devastador, -dora *mf*, [여인의 정조를] violador, -dora *mf*.

유림(儒林) confucianos *mpl*, especialistas *mpl* confucianos.

유만부동(類萬不同) mucha diferencia mutua. ~하다 ser muy diferente uno al otro.

유망주(有望株) ① 【증권】 acciones *fpl* activas. ② [사람] hombre *m* prometedor, hombre *m* prometiente, joven *m* (*pl* jóvenes) prometedor, joven *m* prometiente.

유망하다(有望-) (ser) prometedor, prometiente. 유망한 prometedor, que promete, de porvenir, de futuro. 유망한 산업(産業) industria *f* prometedora, industria *f* de porvenir. 전도유망한 청년 un joven prometedor, un joven que promete mucho, un joven de brillante futuro. 전도(前途)가 ~ ser prometedor, ser prometiente, llenarse de promesa, tener brillante porvenir. 이 피아니스트는 매우 ~ Este pianista promete mucho / Este pianista tiene un gran porvenir.

유머(영 *humor*) humor *m*, humorismo *m*, sentido *m* del humor, chiste *m*. 자연스러운 ~ humor *m* natural, humor *m* sin artificio. ~가 있다, ~가 풍부하다 ser humorístico. ~가 없다 carecer de sentido del humor. ~를 알다, ~ 감각이 있다 tener sentido del humor.
■~리스트 humorista *mf*. ~ 소설 novela *f* humorística. ~ 작가 escritor *m* [novelista *m*] humorístico, escritora *f* [novelista *f*] humorística; humorista *mf*.

유머러스하다 (ser) humorístico, chistoso, gracioso. 유머러스하게 말하다 hablar de modo humorístico.

유면(宥免) perdón *m*, indulgencia *f*. ~하다 perdonar.

유명(有名) fama *f*, reputación *f*, notoriedad *f*. ~하다 (ser) famoso, célebre, ilustre, conocido, renombrado, afamado, notorio, reputado. ~한 술 vino *m* [lícor *m*] de marca (conocida). ~하게 되다 hacerse famoso, llegar a ser famoso, ganar renombre, adquirir fama [reputación], ganar fama [reputación]. …으로 ~하다 ser famoso [conocido · célebre] como [por] algo. 이곳은 관광지로 ~하다 Este es un conocido lugar de turismo / Este lugar tiene fama por el turismo. 이 상점은 치즈로 ~하다

Esta tienda es famosa por su queso. 그는 박식하기로 ~하다 El es famoso por su sabiduría.

■ ~세 nobleza *f* obliga. ~점(店) tienda *f* famosa. ~지인(之人) celebridad *f*.

유명(幽明) ① [어둠과 밝음] oscuridad y claridad. ② [저승과 이승] este mundo y el otro.

◆ 유명을 달리하다 fallecer, morir, cerrar los ojos. ☞죽다

유명(幽冥) ① [그윽하고 어두움] oscuridad *f*, penumbra *f*. ~하다 (ser) profundo y oscuro. ② [명토(冥土). 황천(黃泉)] otro mundo *m*, el Hades. ~객이 되다 dejar de existir.

■ ~계 el otro mundo, el Hades.

유명(遺命) voluntad *f*, precepto *m* [mandato *m*] de un muerto. 아버지의 ~에 따라 según la voluntad de *su* difunto padre.

유명론(唯名論)【철학】nominalismo *m*.

■ ~자 nominal *mf*, nominalista *mf*.

유명무실하다(有名無實一) (ser) nominal. 유명무실하게 nominalmente. 이 나라의 의회 제도는 유명무실하게 되었다 De la institución parlamentaria de este país no queda más que los restos.

유모(乳母) niñera *f*, nodriza *f*, el ama *f* (*pl* las amas) de cría.

■ ~차 cochecito *m* (de bebé), coche *m* silla, *Méj* carriola *f*.

유목(幼木) árbol *m* joven.

유목(流木) madera *f*, tablas *fpl* etc. que flotan en el mar a la deriva o que arrastra el mar hasta la playa; madera *f* flotante [arrojada] a la playa por el agua.

유목(遊牧) nomadismo *m*. ~의 nómada, nómade.

■ ~민 nómada *mf*, pueblo *m* nómada. ~민족 pueblo *m* nómada. ~부족 tribu *f* nómada. ¶아라비아의 ~ las tribus nómadas de los árabes. ~생활 nomadismo *m*, vida *f* nómada. ¶~을 하다 nomadizar, vivir como nómada. ~시대(時代) edad *f* nómada, época *f* nómada.

유무(有無) existencia *f* (o no existencia), sí o no. 유령(幽靈)의 ~ existencia *f* de un fantasma, si existen realmente fantasmas o no. 회답 ~에 관계없이 aparte de si hay respuesta o no, que haya respuesta o no.

■ ~상통 suministro *m* de la necesidad mutua. ¶~하다 suministrar la necesidad mutua.

유묵(遺墨) autógrafo *m* de un difunto.

유문(幽門)【해부】píloro *m*. ~의 pilórico.

■ ~ 동맥 arteria *f* pilórica. ~통 piloralgia *f*.

유문(遺文) obra *f* póstuma.

■ ~집(集) colección *f* de obras póstumas.

유물(唯物) existencia *f* del material.

■ ~관 concepción *f* materialítica. ~론(論) materialismo *m*. ¶변증법적 ~ mmaterialismo *m* dialéctico. 사적(史的) ~ materialismo *m* histórico. ~론자 materialista *mf*. ~론적 materialista *adj*. ~ 변증법 dialéctica *f* materialística. ~ 사관 materialismo *m* histórico, concepción *f* materialística de la historia. ~주의 materialismo *m*. ~주의자 materialista *mf*.

유물(遺物) ① =유품(遺品). ¶~을 분배(分配)하다 distribuir las prendas de recuerdo de un difunto. ② [유적에서 출토·발견된 고대인의 제작품] reliquias *fpl*, restos *mpl*, vestigio *m*. 고대(古代)의 ~ restos *mpl* de la antigüedad. 그는 과거의 ~이다 El es una pieza de museo / El es una supervivencia del pasado. 의식은 중세(中世)의 ~이다 La ceremonia es un vestigio de una tradición medieval.

유미(乳糜)【해부】quilo *m*.

■ ~관 vaso *m* quilífero, vaso *m* lácteo. ~학 quilología *f*.

유미(柳眉) cejas *fpl* de la belleza, cejas *fpl* hermosas. ~를 곤두세우다 erizarse las cejas hermosas.

유미주의(唯美主義) estetismo *m*, esteticismo *m*.

■ ~자(者) esteta *mf*, estetista *mf*.

유미파(唯美派) escuela *f* estética, estetas *mpl*.

유민(流民) refugiado, -da *mf*, desamparado, -da *mf*.

유민(遊民) gente *f* ociosa; haragán, -gana *mf*.

유민(遺民) pueblo *m* del país destruido.

유밀과(油蜜菓) masa *f* con aceite y miel.

유바지(油一) pantalones *mpl* para lluvia.

유박(油粕) =깻묵.

유발(乳鉢) mortero *m*, almirez *f*.

유발(誘發) inducción *f*, provocación *f*. ~하다 inducir, provocar, producir. 사건을 ~하다 causar un accidente. 그 폭발은 많은 재해를 ~했다 La explosión provocó muchos daños.

■ ~방사(放射) radiación *f* artificial. ~방사능 radiactividad *f* artificial. ~변이(變異) mutación *f* inducida.

유발(遺髮) cabello *m* del difunto, cabello *m* cortado a un difunto.

유방(酉方)【민속】*yubang*, la Dirección del Gallo, oeste *m*.

유방(乳房) pecho *m* (de la mujer), mama *f*, [남자의] mamila *f*, tetilla *f*. ~의 mamario, mamilar. ~모양의 mamiliforme. ~이 부풀다 tener los pechos llenos.

■ ~성형(成形) mamoplastia *f*. ~성형술 mamiliplastia *f*, mastoplastia *f*. ~암 cáncer *m* mamario, cáncer *m* en el [del] pecho. ~염 mamitis *f*, mastitis *f*, inflamación *f* de la mama. ~왜소증 hipomastia *f*. ~통 mamalgia *f*, mazodinia *f*, mastodinia *f*.

유배(流配) destierro *m*, exilio *m*. ~하다 desterrar, exiliar, exilar. ~되다 ser desterrado [enviado] al exilio. 섬으로 ~보내다 desterrar a una isla. 그는 제주도로 ~되었다 El fue desterrado a la isla de Jejudo.

■ ~자 desterrado, -da *mf*, exiliado, -da

mf, exilado, -da *mf*. ~지 (lugar *m* del) exilio *m*, destierro *m*.

유백색(乳白色) color *m* blanco como la leche.

유별(有別) distinción *f*. ~하다 distinguir (entre), hacer distinciones.

유별나다 (ser) distintivo, característico, peculiar, personal, inconfundible. 유별난 사람 persona *f* peculiar; [남자] hombre *m* peculiar; [여자] mujer *f* peculiar.

유별스럽다 (ser) raro, extraño, peculiar, característico, personal.

유별스레 de manera muy particular, de manera personal, con personalidad, de forma rara, de forma extraña, especialmente, particularmente, típicamente, peculiarmente

유별(類別) clasificación *f*, ordenación *f*. ~하다 clasificar, ordenar.

유병(有病) Hay enfermedad. ~하다 tener la enfermedad.

유보(留保) reservación *f*, reserva *f*. ~하다 reservar.

유복(有服) ((준말)) =유복지친(有服之親).

■ ~(지)친(之親) pariente *m* cercano [pariente *f* cercana] que lleva luto.

유복자(遺腹子) hijo *m* [niño *m*] póstumo.

유복하다(有福-) (ser) bienaventurado, bendito, dichoso, afortunado, feliz. 유복하게 afortunadamente, felizmente, con suerte. 그녀는 유복한 사람이다 Ella es una persona afortunada [con suerte]. 그는 유복하게 태어났다 El nació con suerte.

유복하다(裕福-) (ser) rico, adinerado, acaudalado, acomodado, opulento, abundante. 유복함 abundancia *f*, opulencia *f*, riqueza *f*. 유복하게 opulentamente, copiosamente. 유복한 가정(家庭) familia *f* rica. 유복한 사람 persona *f* acomodada, los ricos *mpl*, gente *f* adinerada; [남자] hombre *m* acomodado; [여자] mujer *f* acomodada. 유복하게 살다 llevar una vida acomodada.

유부(幼婦) mujer *f* joven.

유부(有夫) el tener *su* marido. ~의 casada.

■ ~간(姦) adulterio *m* con el otro hombre. ~녀 (mujer *f*) casada *f* con *su* esposo.

유부(有婦) el tener *su* esposa.

■ ~남 (hombre *m*) casado *m* con *su* esposa.

유부(油腐) *yubu*, tofu *m* [queso *m* de soja] frito después de cortar muy fino

■ ~국수 *yubuguksu*, tallarines *mpl* [fideo *m*·espagueti *m*] de *yubu*. ~초밥 *yubuchobab*, pasta *f* de tofu [queso de soja] frito rellena de arroz con vinagre.

유불(儒佛) el confucianismo y el budismo.

■ ~선(仙) el confucianismo, el budismo y el taoísmo. ~선 삼도(仙三道) tres doctrinas del confucianismo, el budismo y el taoísmo.

유비(有備) La prevención ya ha terminado.

■ ~무환(無患) Hombre prevenido vale por dos / Más vale prevenir que curar / Mira antes de saltar / Provisión es prevención / Si quieres la paz prepárate para la guerra.

유비(油肥) fertilizante *m* [abono *m*] hecho de la grasa animal.

유비(類比) ① [비교함] comparación *f*. ~하다 comparar. ②【논리】=유추(類推). ③【철학】analogía *f*.

유비 통신(流蜚通信) ((속어)) =유언비어.

유빙(流氷) témpano *m* de hielo flotante.

유사(有史) comienzo *m* de la historia, existencia *f* de la historia. ~ 이전의 prehistórico.

■ ~ 시대 tiempo *m* prehistórico, época *f* prehistórica. ~ 이래 desde que hay historia, en historia. ¶~의 큰 전쟁(戰爭) la mayor guerra en historia. ~ 오늘날까지 desde tiempos prehistóricos hasta el presente [hoy].

유사(有司) ① [어떤 단체의 사무를 맡아보는 직무] oficial *m* de una organización. ② ((기독교)) =집사(執事).

유사(有事) emergencia *f*, urgencia *f*.

■ ~시 caso *m* de urgencia, caso *m* de emergencia, caso *m* de necesidad, punto *m* crítico, momento *m* decisivo. ¶일단 ~에 en caso de urgencia [de emergencia·de necesidad], si es necesario [preciso], llegado el caso, si llega el caso, si lo exige el caso. 일단 ~가 되면 llegado el punto crítico [el momento decisivo]. 일단 ~에 대비하다 tomar precauciones contra una desgracia imprevista [contra el tiempo de escasez]. 일단 ~에는 비럭질할 준비까지 되어 있다 Estoy dispuesto hasta a mendigar en caso de necesidad.

■ ~지추(之秋) =유사시(有事時).

유사(流砂) arenas *fpl* movedizas.

유사(遺事) ① [유전해 오는 사적(事蹟)] restos *mpl* históricos. ② [죽은 사람이 남긴 사적] reminiscencia *f*, memoria *f* (de un difunto).

유사(類似) semejanza *f*, analogía *f*, similitud *f*. ~하다 semejarse (a), asemejarse (a), parecerse (a), semejar. ~한 semejante, parecido, análogo, similar.

■ ~ 뇌염 encefalitis *f* sospechosa. ~ 사건 caso *m* similar. ~ 사항 asunto *m* similar. ~ 상표 marca *f* similar. ~점 punto *m* de semejanza. ~ 종교 religión *f* semejante. ~증 enfermedad *f* semejante, caso *m* análogo de enfermedad. ~품 imitación *f*, producto *m* similar.

유사 분열(有絲分裂)【생물】mitosis *f*.

유산(有産) propiedad *f*. ~의 dueño de bienes raíces, adinerado, acaudalado.

■ ~ 계급(階級) burguesía *f*, clase *f* burgesa [adinerada·acaudalada]. ~자(者) adinerados *mpl*; acaudalados *mpl*; burgués, -guesa *mf*.

유산(油酸) =올레산(ole 酸).

유산(乳酸) ((구용어)) =젖산.

■ ~균 =젖산균. ~균 음료(菌飲料) bebida

f [fresco *m*] a base de fermento láctico.

유산(流産) ① [낙태] aborto *m*, malparto *m*, aborción *f*. ~하다 abortar, malparir, motivar aborto. ② [중지] suspensión *f*, anulación *f*, cancelación *f*. ~되다 suspenderse, anularse, cancelarse. 계획이 ~되었다 Ha abortado el plan. 비로 시합이 ~되었다 Debido a la lluvia se anuló el partido.
◆인공(人工) ~ aborto *m* artificial.

유산(硫酸) ((구용어)) =황산(黃酸).

유산(遊山) excursión *f*, picnic *m*, partida *f* de campo, gira *f*. ~하다 ir de picnic, hacer una excursión.
■~객(客) excursionista *mf*.

유산(遺産) ① [사후에 남긴 재산] herencia *f*, bienes *mpl* relictos, legado *m*. ~을 남기다 legar a *uno* una fortuna [una propiedad], dejar a *uno* una herencia [un legado]. ~으로 집을 남기다 dejar una casa en herencia. ~을 상속하다 heredar una propiedad. ~을 받다 adir [aceptar · recibir] la herencia (de). ② [후대에 남긴 가치 있는 문화나 전통] patrimonio *m*. ~의 patrimonial. 자연은 우리 모두의 ~이다 La naturaleza es patrimonio de todos.
◆국가 ~ patrimonio *m* nacional. 문화 ~ patrimonio *m* cultural. 역사 ~ patrimonio *m* histórico. 예술(藝術) ~ patrimonio *m* artístico.
■~ 관리 administración *f* de herencia. ~ 관리인 administrador, -dora *mf* de herencia. ~ 분쟁[다툼] disputa *f* sobre la herencia. ~ 분할 división *f* de la herencia. ~ 상속 (sucesión *f* de) herencia *f*. ¶~을 받다 adir [aceptar · recibir] la herencia. ~ 상속세 impuesto *m* sobre herencia [sucesión de legado]. ~ 상속인 heredero, -ra *mf* (de la propiedad). ~ 수취인 legatario, -ria *mf*.

유산탄(榴散彈) granada *f* de metralla.

유상(有償) compensación *f*; 【법률】 consideración *f*. ~의 oneroso.
■~ 계약 contrato *m* leonino [oneroso]. ~ 대부 préstamo *m* oneroso. ~ 몰수 confiscación *f* onerosa. ~ 원조 ayuda *f* onerosa. ~ 증자 aumento *m* del capital oneroso. ~ 취득 adquisición *f* onerosa. ~ 행위 acto *m* jurístico oneroso.

유상(油狀) forma *f* igual al aciete. ~의 oleaginoso.

유상(乳狀) ¶~의 lácteo, lactífero, lechoso, emulsionado.
■~액 jugo *m* lácteo, emulsión *f*, [식물의] látex *m*.

유상무상(有象無象) ① [우주간에 존재하는 물체의 전부] seres *mpl* visibles e invisibles, todas las cosas del mundo. ② =어중이떠중이.

유상석회(乳狀石灰) =석회유(石灰乳).

유색(有色) Hay colores. ~의 de color.
■~성(星) estrella *f* de color. ~ 야채(野菜) verduras *fpl* de color con mucha vitamina. ~ 인종 raza *f* de color. ~체 cromatóforo *m*, cromoplasto *m*.

유생(幼生) 【동물】 larva *f*.
■~ 기관 órgano *m* larval. ~ 생식(生殖) paedogénesis *f*.

유생(有生) =생물(生物).
■~ 기원설 biogénesis *f*. ~물 ser *m* vivo.

유생(酉生) 【민속】 nacimiento *m* del Año del Gallo.

유생(儒生) confuciano, -na *mf*, confucianista *mf*.

유서(由緖) origen *m*; [역사] historia *f*. ~ 있는 de buen origen, con historia clara, noble, histórico. ~ 있는 건축물 edificio *m* histórico. ~ 깊은 가문 familia *f* histórica, linaje *m* histórico. ~ 깊은 교회 iglesia *f* histórica. ~ 깊은 성당 catedral *f* histórica. ~ 깊은 절 templo *m* (budista) histórico. 그는 ~ 있는 가문 태생이다 El es de familia ilustre.

유서(遺書) testamento *m*. ~를 쓰다 [만들다] hacer [otorgar] *su* testamento.

유서(遺緖) =유업(遺業).

유서(類書) libros *mpl* de materias análogas.

유서(鼬鼠) 【동물】 =족제비.

유석영(乳石英) 【광물】 cuarzo *m* lácteo.

유선(有線) alambre *m*, cable *m*.
■~망 red *f* de cables. ~ 방송(放送) radiodifusión *f* por cable. ~ 시스템 red *f* de cables. ~ 전기 통신 telecomunicación *f* por cable. ~ 전신 telegrama *m* por cable. ~ 전화 teléfono *m* por cable. ~ 중계 reemisión *f* por cable. ~ 텔레비전 televisión *f* por cable. ~ 통신 comunicaciones *fpl* por cable.

유선(乳腺) 【해부】 glándula *f* mamaria.
■~염 mastitis *f*, mastadenitis *f*.

유선(乳線) línea *f* mamaria.

유선형(流線型) líneas *fpl* aerodinánicas. ~의 aerodinámico.
■~ 열차 tren *m* aerodinámico. ~ 자동차 automóvil *m* aerodinámico.

유설(流說) =유언(流言).

유설(謬說) palabra *f* [opinión *f*] equivocada.

유성(有性) Hay distinción entre el macho y la hembra. ~의 【생물】 sexual.
■~ 생식(生殖) reproducción *f* sexual, gamogénesis *f*.

유성(油性) naturaleza *f* oleaginosa. ~의 de aceite.
■~ 도료[페인트] pintura *f* de aceite.

유성(流星) 【천문】 estrella *f* fugaz, exhalación *f*, bólido *m*, meteoro *m*.
■~군(群) grupo *m* meteórico. ~우(雨) chubasco *m* meteórico. ~진(塵) polvo *m* meteórico.

유성(遊星) 【천문】 planeta *f*.

유성기(留聲機) =축음기(蓄音機).

유성 영화(有聲映畵) película *f* sonora.

유성음(有聲音) 【언어】 sonido *m* sonoro.

유성 자음(有聲子音) consonante *f* sonora.

유성화(有聲化) sonorización *f*. ~하다 sonorizar.

유세(有稅) ¶~의 imponible, sujeto a im-

puesto, sujeto a derechos arancelarios, sujeto a la tributación.
■ ~ 수입 ingresos *mpl* gravables, base *f* imponible. ~지(地) terreno *m* sujeto a la tributación. ~품 artículos *mpl* imponibles, mercaderías *fpl* sujetas al impuesto.

유세(遊說) campaña *f* oratoria, vuelta *f* por una comarca en solicitación (de votos); [선거의] viaje *m* electoral. ~하다 viajar por la campaña oratoria, hacer una campaña; [선거의] hacer un viaje [una gira] electoral, ir de viaje para solicitar votos, ir a solicitar. 거리를 ~하고 다니다 hacer campaña por las calles. 전국(全國)을 ~하다 hacer campaña por el país.
■ ~ 계획 programa *m* de campaña. ~원 solicitador, -dora *mf* (de votos). ~ 자금 fondos *mpl* de la campaña. ~ 행각 gira *f* para hacer campaña.

유세(誘說) persuación *f*, solicitación *f*. ~하다 persuadir, solicitar.

유소(類燒) incendio *m* comunicado. ~하다 quemarse por el juego tendido, incendiarse por comunicación.
■ ~ 가옥(家屋) casas *fpl* incendiadas por comunicación.

유소년(幼少年) el niño y el muchacho.

유소시(幼少時) cuando era niño [niña], en *su* niñez. ~부터 desde *su* niñez, desde *su* infancia.

유소하다(幼少-) (ser) joven, niño. 유소함 infancia *f*, niñez *f*. 유소할 때 cuando era joven, en *su* niñez.

유속(流俗) costumbres *fpl* corrientes, convención *f*.

유속(流速) velocidad *f* de corriente.
■ ~계 tacómetro *m*, hidrómetro *m*, hidrotaquímetro *m*, medidor *m* de corriente. ~측정 tacometría *f*.

유속(遺俗) costumbres *fpl* hereditarias, tradición *f*.

유수(有數) número *m* contado. 우리나라 ~의 음악가(音樂家) uno de los músicos eminentes de nuestro país. 한국 ~의 항구(港口) uno de los mejores puertos de Corea. 한국은 세계 ~의 석유 소비국이다 Corea es uno de los países que consumen más petróleo del mundo. 그는 우리나라 ~의 과학자이다 El es uno de los científicos eminentes de nuestro país.
■ ~존언(存焉) Hay que tener suerte en todo.

유수(幽囚) reclusión *f*, confinamiento *m*, encarcelamiento *m*.

유수(流水) el agua *f* corriente. 세월은 ~와 같다 El tiempo corre [pasa] como una flecha.

유수 정책(誘水政策) 【경제】 política *f* de la reactivación de la economía, política *f* de la reactivación estimulada.

유수지(遊水池) estanque *m* natural o artificial (para el control de la cantidad de la inundación del río).

유수하다(幽邃-) (estar) apartado, aislado, retirado, silencioso y retirado. 유수한 마을 villa *f* silenciosa y retirada.
유수히 silenciosa y retiradamente.

유숙(留宿) alojamiento *m*, hospedamiento *m*. ~하다 alojar, hospedar, aposentar, poner en alojamiento.
■ ~객 inquilino, -na *mf*.

유순하다(柔順-) (ser) dócil, manso, obediente, sumiso. 유순함 docilidad *f*, mansedumbre *f*, obediencia *f*, sumisión *f*, apacibilidad *f*, benignidad *f*. 유순한 사람 persona *f* dócil [mansa · obediente · sumisa]; cordero, -ra *mf*. 유순한 아이들 niños *mpl* obedientes. 저 아이는 매우 ~ Aquel niño es muy obediente [sumiso].

유술(柔術) =유도(柔道).

유스타키오관(Eustachio 管) trompa *f* de Eustaquio.

유스 호스텔 (영 *youth hostel*) albergue *m* juvenil, albergue *m* de (la) juventud.

유습(遺習) costumbre *f* antigua, costumbre *f* hereditaria, tradición *f*.

유습(謬習) vicio *m*, mala costumbre *f*.

유시(幼時) infancia *f*, niñez *f*. ~에 en *su* infancia, en *su* niñez. ~부터 desde *su* infancia, desde *su* niñez. ~ 적에 cuando (era) niño [pequeño], en *su* niñez, en *su* infancia.

유시(酉時) ① período *m* entre las cinco y las siete de la tarde. ② período *m* entre las cinco y media y las seis y media de la tarde.

유시(流矢) flecha *f* perdida.

유시(諭示) instrucción *f*, mensaje *m*, advetencia *f*, amonestación *f*. ~하다 amonestar, instruir, dar instrucción, ordenar. 대통령의 ~ instrucción *f* [mensaje *m*] presidencial.

유시계 비행(有視界飛行) vuelo *m* visual. ~을 하다 hacer un vuelo visual.

유시류(有翅類) lepidóteros *mpl*.

유시무종(有始無終) imperfección *f*, lo incompleto. ~하다 (ser) imperfecto, incompleto.

유시유종(有始有終) lo constante, lo continuo. ~하다 (ser) constante, continuo,

유식(有識) erudición *f*, inteligencia *f*. ~하다 (ser) docto, sabio, erudito, culto, educado. ~한 사람의 의견을 구하다 pedir consejos a los doctos [a los eruditos · a los sabios].
■ ~ 계급 clase *f* educada, intelectualidad *f*. ~자 persona *f* inteligente; sabio, -bia *mf*, erudito, -ta *mf*.

유식(遊食) vida *f* ociosa. ~하다 vivir en ociosidad, holgazanear, haraganear, flojear.
■ ~ 생활 vida *f* ociosa, ~자 holgazán, -zana *mf*, haragán, -gana *mf*, azotacalles *mf.sing.pl.* ~ 지민(之民) pueblo *m* ocioso.

유신(維新) *yusin*, reforma *f* vigorizante, renovación *f*, [복고(復古)] restauración *f*.
■ ~ 헌법 la Constitución para Reforma Vigorizante.

유신(諛臣) vasallo *m* [súbdito *m*] adulante.

유신(儒臣) vasallo *m* [súbdito *m*] muy versado en el confucianismo.

유신(遺臣) vasallo *m* [súbdito *m*] de la dinastía anterior.

유신론(有神論) teísmo *m*. ~의 teísta.
■~자(者) teísta *mf*.

유실(流失) despojo *m* por avalancha. ~하다 perderse por avalancha, llevarse, perderse lavado por un diluvio [desbordamiento].
■~ 가옥(家屋) casa *f* llevada [arrastrada] por la inundación.

유실(幽室) habitación *f* en el lugar tranquilo y solitario.

유실(遺失) pérdida *f*. ~하다 perder, dejar con descuido.
■~물 objeto *m* [artículo *m*] perdido, pérdidas *fpl*, propiedad *f* perdida, objeto *m* olvidado. ~물 광고 anuncio *m* de objetos perdidos. ~물 보관소[취급소] oficina *f* de objetos perdidos.

유실수(有實樹) frutal *m*, árbol *m* frutal.

유심(留心) =유의(留意).

유심(唯心) ((불교)) idealismo *m*, corazón *m* único.
■~관(觀) vista *f* espiriualista. ~론(論) espiritualismo *m*, idealismo *m*. ~론자 espiritualista *mf*, idealista *mf*. ~ 사관(史觀) vista *f* idealista de historia. ~적 espiritualista, idealista, mental.

유심하다(有心-) ① [깊은 뜻이 있다] tener la intención profunda. ② [마음을 유독히 한 곬으로 쏟고 있다] hacer cuanto pueda, hacer todo lo posible, poner toda la energía (en), concentrar toda la energía (en), estar dedicado en cuerpo y alma (a).

유심하다(幽深-) (ser) profundo y tranquilo.

유아(幼兒) =어린아이(infante, niño pequeño, bebé). ¶~의 놀이 juegos *mpl* infantiles.
■~기(期) primera infancia *f*. ~ 기질(氣質) infantilidad *f*. ~병 enfermedades *fpl* infantiles. ~ 병원 el Hospital Infantil. ~ 보험 seguro *m* infantil. ~ 사망률 índice *m* de mortalidad infantil. ~ 살해 infanticidio *m*. ~ 살해자 infanticida *mf*. ~ 세례 bautismo *m* infantil. ~차 =유모차(乳母車).

유아(幼芽) 【식물】 =어린싹.

유아(乳兒) lactante *mf*, criatura *f*, niño, -ña *mf* de teta; niño, -ña *mf* de pecho; niño *m* mamón, niño *m* recién nacido; nene *m*; *AmS* guagua *f*..
■~ 각기(脚氣) beriberi *m* infantil. ~기(期) lactación *f*, lactancia *f*, período *m* de latancia. ~식(食) comida *f* infantil. ~원 institución *f* para bebés. ~ 학교 escuela *f* para niños (de entre cinco y siete años de edad).

유아(唯我) Solo soy yo el mejor.
■~독존 egolatría *f*, santo *m* solo soy yo por todo el cielo y la tierra. ¶~의 ególatra, egolátrico. ~론(論) olipsismo *m*. ~적 egoísta.

유아(遺兒) ① [부모가 죽고 남아 있는 아이] huérfano, -na *mf*; niño, -ña *mf* del difunto; niño *m* póstumo, niña *f* póstuma. ② =기아(棄兒).

유아등(誘蛾燈) lámpara *f* para atraer los insectos.

유안(留案) suspensión *f*.

유안(硫安) 【화학】 sulfato *m* (de) amoníaco.

유암(乳癌) 【의학】 =유방암(乳房癌).

유암하다(幽暗-) (ser) oscuro, obscuro, sombrío, lúgubre.

유압(油壓) presión *f* del aceite.
■~계 manómetro *m* de aceite, indicador *m* de presión de aceite, indicador *m* hidráulico.

유애(有涯) ((불교)) =이승.

유액(乳液) ① 【식물】 látex *m*. ② 【화학】 loción *f* lechosa.

유액(誘掖) orientación *f*, instrucción *f*. ~하다 orientar, guiar, instruir.

유야무야(有耶無耶) vaguedad *f*, incertidumbre *f*. ~하다 (ser) evasivo, vago, ambiguo, indeciso, irresoluto, no decisivo, no concluyente, no comprometer a nada. ~가 되다 dejar en incertidumbre, quedar(se) en tinieblas, quedarse confuso, quedarse a oscuras. 사건을 ~하다 echar tierra al asunto. 소문은 ~하게 사라졌다 El rumor se olvidó.

유약(釉藥) vidriado *m*. ~을 칠한 vidriado. ~을 칠한 그릇 vasija *f* vidriada. ~을 바르다 vidriar.
■~ 자기 vidriado *m*, cerámica *f* vidriada.

유약하다(幼弱-) (ser) joven y frágil.

유약하다(柔弱-) (ser) afeminado, débil, blando, amujerado, enclenque, carecer de vigor varonil. 유약함 afeminación *f*, debilidad *f*. 유약해지다 afeminarse.

유어(幼魚) pecezuelo *m*.

유어(游魚) pez *m* en el agua.

유어(類語) sinónimo *m*.
■~ 사전 diccionario *m* de sinónimos. ~ 수집가 sinonimista *mf*.

유언(幽言) ① [깊고 그윽한 말] palabra *f* profunda y tranquila. ② [귀신·도깨비의 말] palabra *f* de la fantasma.

유언(流言) rumor *m* (falso), bulo *m*, noticia *f* sin fundamento.
■~비어 rumor *m*, rumor *m* falso, rumor *m* infundado, bulo *m*. ¶~를 퍼뜨리다 rumorear, divulgar un rumor, hacer correr [difundir·lanzar] rumores (falsos), esparcir [propagar] rumores falsos. ~가 퍼지다 rumorearse, correr el rumor. ~가 퍼지고 있다 Corren [Circulan] rumores falsos.

유언(諛言) palabra *f* de adulación.

유언(遺言) testamento *m*, última voluntad *f*. ~하다 testar, hacer [otorgar] testamento. ~을 남기지 않고 intestado, ab intestato, sin testamento. 구두로 ~하다 testar de palabra. ~을 남기지 않고 죽다 morir intestado. ~하여 재산을 물려주다 legar *su* propiedad por un testamento.
■~자 testador, -dora *mf*. ~장 testamento

m. ¶~을 작성하다 hacer [otorgar] testamento. 비밀 ~ testamento *m* cerrado [escrito]. 자필 ~ testamento *m* ológrato. ~ 집행자 testamentario, -ria *mf*; albacea *mf*.

유업(乳業) industria *f* lechera, industria *f* láctea, industria *f* lacticínea.

유업(遺業) trabajo *m* dejado (por *uno*). 부친의 ~을 계승하다 seguir el trabajo dejado por *su* padre. 부친의 ~을 대성하다 completar [concluir] la obra dejada sin acabar por el padre.

유에스(영 *US, United States*) [미국] los Estados Unidos de América.

유에스에이(영 *USA, United States of America*) [아메리카 합중국] los Estados Unidos de América.

유에프오(영 *UFO, U.F.O., unidentified flying object*) [미확인 비행 물체] objeto *m* volante [volador] no identificado, ovni *m*, OVNI *m*.

유엔(영 *UN, United Nations*) Naciones *fpl* Unidas. ☞국제 연합(國際聯合)

■~ 가입 adquisición *f* de las Naciones Unidas. ~ 경찰군(警察軍) las Fuerzas de Emergencia de las Naciones Unidas. ~군 =국제 연합군. ~군 방송 la Voz del Comando de Fuerzas de Emergencia de las Naciones Unidas. ~군 사령부 el Comando de Fuerzas de Emergencia de las Naciones Unidas. ~기(旗) bandera *f* de las Naciones Unidas. ~ 기구 la Organización de las Naciones Unidas, ONU *f*. ~ 대사 embajador, -dora *mf* en las Naciones Unidas. ~ 대한민국 대사 =유엔 한국 대사. ~ 대한민국 대사관 la Embajada de la República de Corea en las Naciones Unidas. ~ 데이 =국제 연합일. ~ 본부 sede *m* de las Naciones Unidas. ~ 사무총장 secretario, -ria *mf* de las Naciones Unidas. ~ 안전 보장 이사회 el Consejo de Seguridad de las Naciones Unidas. ~ 안전 보장 이사회국 miembro *m* del Consejo de Seguridad de las Naciones Unidas. ~ 총회 la Asamblea General de las Naciones Unidas. ~ 한국 대사 embajador, -dora *mf* de la República de Corea en las Naciones Unidas. ~ 헌장 la Carta de las Naciones Unidas. ~ 회원국 miembro *m* de las Naciones Unidas.

-유여(有餘) y pico, más de, o más. 10킬로그램~ diez kilogramos y pico [o más].

유여하다(有餘-) ser muy bastante para sobrar.

유역(流域) cuenca *f*; [큰 강의] valle *m*. 한강 ~ cuenca *f* [valle *m*] del Han.

유연(油煙) negro *m* de humo, hollín *m*. ~을 내다 humear.

유연(類緣) ① =친척(親戚). ② 【생물】 afinidad *f*.

유연노장(幽燕老將) general *m* veterano, general *m* viejo que tenía mucha experiencia en la batalla.

유연성(柔軟性) flexibilidad *f*, elasticidad *f*. ~이 없다 carecer de flexibilidad [elasticidad].

유연탄(有煙炭) carbón *m* bituminoso.

유연하다(柔軟-) (ser) blando, elástico; [구부러지기 쉬운] doblegable, flexible. 유연한 근육 músculo *m* elástico. 유연한 몸 cuerpo *m* elástico. 유연한 정신(精神) espíritu *m* flexible. 유연하게 하다 ablandar, dar flexibilidad (a). 유연해지다 ablandarse, hacerse flexible, cobrar flexibilidad. 유연한 태도를 보이다 mostrar una actitud flexible. 유연하게 대처하다 obrar [proceder] con flexibilidad (respecto a *algo*). 몸을 유연하게 하다 hacer elástico el cuerpo, dar elasticidad [flexibilidad] al cuerpo.

유연히 con flexibilidad, flexiblemente, elásticamente, suavemente.

유연하다(悠然-) ser tranquilo. 유연한 태도를 취하다 comportarse tranquilamente.

유연히 tranquilamente, con tranquilidad.

유열(愉悅) alegría *f*, goce *m*.

유영(遺影) retrato *m* del difunto [de la difunta].

유영(遊泳) ① [물속에서 헤엄치며 놂] natación *f* en el agua. ~하다 nadar. ② =처세(處世). ③ [어떤 경지에서 즐김] diversión *f*. ~하다 divertirse.

■~ 기관(器官) órgano *m* natatorio. ~ 동물 necton *m*. ~술 arte *m* de natación. ~자 nadador, -dora *mf*. ~장 =수영장.

유예(猶豫) ① [망설여 일을 결행하지 않음] vacilación *f*, duda *f*, hesitación *f*. ~하다 vacilar, dudar, hesitar. ② [시일을 미루거나 늦춤] aplazamiento *m*, *AmL* postergación *f*; [형집행·징병 등의] prórroga *f*; 【경제】 gracia *f*, respiro *m*. ~하다 aplazar, posponer, prorrogar, *AmL* postergar. 일주일간의 ~를 요청하다 pedir una semana de prórroga [de aplazamiento]. 형집행을 ~하다 aplazar una ejecución, suspender la ejecución de la sentencia. ③ ((준말)) =집행 유예(執行猶豫).

■~ 기간 [해고의] plazo *m* de despedida; [지불의] días *mpl* de gracia. ~미결 aplazamiento y suspensión.

유용(有用) utilidad *f*. ~하다 (ser) útil, provechoso, valioso. ~한 물건 cosa *f* útil. ~한 인물(人物) hombre *m* útil. 개는 인간에게 ~한 동물이다 El perro es un animal útil para el hombre.

■~ 가격 valor *m* de uso. ~ 식물 planta *f* útil.

유용(流用) malversación *f*, apropiación *f* indebida, incautación *f*. ~하다 malversar, incautarse. 자금(資金)의 ~ malversación *f* de caudales, malversión *f* de fondos, malversión *f* de dinero. 공금(公金)을 ~하다 malversar fondos gubernamentales.

유용종(乳用種) vaca *f* lechosa.

유우(乳牛) =젖소.

유원(幽園) montecillo *m* profundo y solitario.

유원(遊園) parque *m* de atracciones.

■ ~지 parque *m* de atracciones, parque *m* de diversiones, parque *m* [plaza *f*] de juegos infantiles, lugar *m* de recreo, jardín *m* (*pl* jardines) público, feria *f*.

유원하다(悠遠－) (ser) eterno, remoto. 유원함 eternidad *f*, lo remoto.
유원히 eternamente, remotamente.

유월(六月) junio *m*. 음력 ~ 그믐날은 내 어머님의 생신날이다 El último día de junio del calendario lunar es el cumpleaños de mi madre.

유월(酉月) agosto *m* del calendario lunar.

유월(流月) junio *m* del calendario lunar.

유월(逾越) exceso *m* de límite. ~하다 exceder [pasar] el límite.

유월(踰月/逾月) exceso *m* de mes. ~하다 exceder [pasar] el mes.

유월절(逾月節/踰月節) ((유대교)) Pascua *f*.

유위(有爲) aptitud *f*, competencia *f*, eficiencia *f*, eficacia *f*, talento *m*, habilidad *f*. ~하다 (ser) apto, competenten, eficiente, eficaz, talentoso, hábil.

유위부족(猶爲不足) falta *f*, escasez *f*.

유위전변(有爲轉變) cambio *m* incesante, mutabilidad *f*, instabilidad *f*, alterabilidad *f*.

유유낙낙(唯唯諾諾) consentimiento *m* obediente [dócil · sumiso]. ~하다 consentir obedientemente [dócilmente · sumisamente], hacer muy de buen grado [con gusto · sumisamente · dócilmente · mansamente]. ~하게 obedientemente, dócilmente, sumisamente.

유유도일(悠悠度日) vida *f* ociosa. ~하다 vivir ociosamente [reposamente], pasar las horas muertas.

유유범범하다(悠悠泛泛－) (ser) lento, pausado, tedioso, fastidioso, aburrido.

유유상종(類類相從) Cada oveja con su pareja / Dios los cría y ellos se juntan / Los pájaros se juntan con sus iguales.

유유아(乳幼兒) el infante y el lactante.

유유자적(悠悠自適) comodidad *f*, tranquilidad *f*. ~하다 descansar a gusto y con toda comodidad, ponerse cómodo, estar a *sus* anchas, sentirse en *su* propia casa. ~하는 생활을 하다 llevar una vida de retiro con toda holgura. ~하게 텔레비전을 보다 ver la televisión cómodamente. 이제 ~할 수 없다 Ya no podemos quedarnos tranquilos. 그는 돈이 없으면서도 ~하다 El está tranquilo a pesar de que no tiene dinero.

유유창천(悠悠蒼天) cielo *m* azul y lejano sin límites.

유유하다(唯唯－) obedecer bien.

유유하다(幽幽－) (ser) profundo y tranquilo.

유유하다(悠悠－) ① [태연하고 느긋하다. 침착하고 여유가 있다] (ser) tranquilo. 유유한 태도를 취하다 comportarse tranquilamente [plácidamente]. ② [(움직임이) 느릿느릿하고 한가하다] (ser) lento y ocioso. ③ [아득히 멀다] (estar) muy lejos.
유유히 ㉮ con calma, con toda tranquilidad, tranquilamente, lentamente, quietamente, sin precipitación, sin preocupaciones. ~ 살아가다 vivir tranquilamente [sin preocupaciones], llevar una vida holgada. ~ 시험 결과를 기다리다 esperar serenamente [con calma] el resultado del examen. 그것을 ~ 합시다 Vamos a hacerlo tranquilamente. 그는 ~ 일어나 인사했다 El se levanta lentamente y saludó. ㉯ [(움직임이) 느릿느릿하고 한가히] con tiempo, despacio. ~ 아침을 들다 desayunar despacio [con tiempo]. 그는 ~ 시간에 맞추어 도착했다 El llegó con mucho tiempo.

유음(溜飮) 【한방】 pirosis *f*, acedía *f*.

유음료(乳飮料) bebida *f* que el zumo frutal se mezcla en la leche.

유의(有意) lo voluntario, buena voluntad *f*, buena disposición *f*, intención *f*. ~하다 (ser) voluntario.

■ ~미수[막수] involuntariedad *f*, lo involuntario. ~범(犯) ㉮ [범죄] ofensa *f* premeditada [deliberada · intencionada]. ㉯ [죄인] delincuente *m* deliberado [intencionado], delincuente *f* deliberada [intencionada].

유의(油衣) ① [비를 막기 위해 종이 · 포목으로 지어 기름에 결은 옷] ropa *f* grasa. ② ＝유삼(油衫).

유의(留意) atención *f*. ~하다 prestar atención (a), preocuparse (por), hacer caso (de), tomar en cuenta, tener en cuenta. 건강에 ~하다 tener cuidado de la salud; [자신의] cuidarse.

유의어(類義語) sinónimo *m*.

유의유식(遊衣遊食) ＝무위도식(無爲徒食).

유의의하다(有意義－) (ser) significante, instructivo.

유익하다(有益－) (ser) útil, provechoso, edificativo, edificante, lucrativo; [교육적인] educativo, instructivo. 유익함 utilidad *f*, ventaja *f*. 유익하게 útilmente, con utilidad, aprovechadamente, provechosamente, lucrativamente, educativamente, instructivamente. 유익한 경험 experiencia *f* útil. 유익한 교훈 lección *f* instructiva. 유익한 충고 buen consejo *m*. 젊은이들에게 유익한 책 libro *m* útil [instructivo] para los jóvenes. 유익하게 쓰다 utilizar, usar útilmente. 시간을 유익하게 이용하다 aprovechar el tiempo.

유인(有人) acción *f* de tripular. ~의 tripulado.

■ ~ 우주선 astronave *f* tripulada. ~ 위성 satélite *m* tripulado.

유인(幽人) ermitaño, -ña *mf*, eremita *mf*.

■ ~ 생활 vida *f* retirada.

유인(流人) exiliado, -da *mf*, exilado, -da *mf*, desterrado, -da *mf*.

유인(遊人) ① [일정한 직업 없이 노는 사람] haragán, -gana *mf*, holgazán, -zana *mf*, ocioso, -sa *mf*. ② [놀러 다니는 사람] excursionista *mf*.

유인(誘引) tentación *f*, seducción *f*. ~하다 tentar, inducir, seducir.

유인(誘因) causa *f* provocadora, motivo *m* incitador, incentivo *m*, motivo *m* directo, causa *f* inmediata. 전쟁(戰爭)의 ~ causa *f* de la guerra. ~이 되다 conducir, ser motivo (de), ser causa (de), causar, provocar, ocasioanar.

유인물(油印物) impresos *mpl*.

유인원(類人猿) antropoide *m*. ~의 antropoide.

■ ~류(類) antropomorfos *mpl*.

유일(酉日) 【민속】 el Día del Gallo.

유일(唯一) unidad *f*. ~하다 (ser) único. ~한 친구 único amigo *m*, única amiga *f*. 그것은 내 ~한 목적이다 Es mi único objeto. 그것은 우리들의 ~한 희망이었다 Era la única esperanza que teníamos.

유일무이하다 (ser) único, incomparable, sin igual, sin par. 그는 산초 빤사의 역(役)에서 ~ No hay quien lo iguale en el papel de Sancho Panza / En el papel de Sancho Panza él no tiene par.

■ ~ 사상 única idea *f*. ~신(神) Dios *m*, Señor *m*. ~신교(神敎) monoteísmo *m*, unitarismo *m*. ~신교도 monoteísta *mf*; unitario, -ria *mf*.

유임(留任) retención *f* en el cargo. ~하다 quedarse [permanecer] en *su* cargo.

■ ~ 운동 gestión *f* de retener una persona en *su* oficio.

유입(流入) afluencia *f*, entrada *f*. ~하다 afluir (a), entrar (en); [강물이] desembocar (en). 외자(外資)의 한국에의 ~ afluencia *f* del capital extranjero a Corea.

유입(誘入) seducción *f*. ~하다 seducir.

유자(幼子) hijo *m* pequeño.

유자(幼者) =어린이.

유자(有刺) Hay espino [púas].

■ ~ 식물 planta *f* con púas [espino]. ~ 철조망 alambre *m* de púas [de espino].

유자(柚子) cidra *f*.

■ ~나무 【식물】 cidro *m*.

유자(猶子) ① =조카. ② [편지에서, 나이 많은 삼촌에게 자기를 일컫는 말] tu sobrino.

유자(遊資) ((준말)) =유휴 자본(遊休資本).

유자(遺子) =유복자(遺腹子).

■ ~녀 ㉮ [죽은 사람의 자녀] hijos *mpl* del difunto. ㉯ [나라나 겨레를 위해 전사한 군인이나 경찰관의 자녀] hijos *mpl* de los caídos en la guerra.

유자(儒者) =유생(儒生).

유자(孺子) niño *m*, infante *m*.

유자(類字) letra *f* similar.

유자격(有資格) Hay calificación. ~의 diplomado, titulado, calificado, habilitado.

■ ~자 persona *f* calificada [habilitada].

유자관(U 字管) *tubo m* en U.

유자망(流刺網) traína *f*, red *f* de fija, red *f* de posta.

유자생녀(有子生女) ① [아들도 두고 딸도 낳음] producción *f* del hijo y de la hija. ~하다 dar a luz al hijo y también a la hija. ② [아들·딸을 많이 낳음] fecundidad *f* de muchos hijos y de muchas hijas. ~하다 dar a luz a muchos hijos (y a muchas hijas).

유자형(U 字形) forma *f* en U.

■ ~ 굴곡부 [파이프의] curva *f* en U. ~ 맞대기 용접 soldadura *f* a tope en U. ~ 볼트 escribo *m*. ~ 접합부 [교량의] estribo *m* en U. ~ 플러그 clavija *f* en U.

유작(遺作) obra *f* póstuma.

유장(油醬) el aceite y la salsa china.

유장(乳漿) suero *m* (de la leche).

유장(儒將) general *m* de estudioso.

유장하다(悠長—) ① [길고 오래다] (ser) largo. ② [서두르지 않고 마음에 여유가 있다] (ser) lento, pausado, deliberado. 유장한 태도를 취하다 tomárselo con calma, tomarse las cosas con calma.

유장히 con calma.

유재(遺財) bienes *mpl* dejados por el difunto.

유저(遺著) obra *f* póstuma.

유적(流賊) ladrón (*pl* ladrones), -drona *mf* ambulante; merodeador, -dora *mf*.

유적(遺跡/遺蹟) ruinas *fpl*, vestigios *mpl*, reliquia *f*, restos *mpl*, huellas *fpl*. ~을 찾다 visitar ruinas, visitar restos, visitar escenas de eventos históricos. 백제의 ~ ruinas *fpl* de *Baekche*. 고대 문명의 ~ vestigios *mpl* [huellas *fpl*] de una civilización antigua. 끄리스또발 꼴론이 1493년 아메리카에 처음으로 세운 도시의 ~ ruinas *fpl* de la primera ciudad de la América fundada por Cristóbal Colón en 1493 (mil cuatrocientos noventa y tres). 이곳에는 고대 주민들의 ~이 남아 있다 Quedan aquí vestigios de los habitantes de la antigüedad remota.

■ ~ 박물관 museo *m* de ruinas

유적하다(幽寂—) (ser) aislado, retirado, recluido. 유적한 곳 lugar *m* aislado. 유적한 경지 soledad *f*.

유전(油田) petrolífero *m*, yacimientos *mpl* petrolíferos, campos *mpl* petroleros, campo *m* de petróleo.

■ ~ 지대 distrito *m* petrolífero. ~ 탐사[개발] exploración *f* petrolífera.

유전(流轉) ① [변전] vicisitud *f*, [방랑] vagabundeo *m*, divagación *f*. ~하다 vagar, errar, andorrear. ② ((불교)) [윤회] transmigración *f*, metempsícosis *f*. ~하다 transmigrar.

유전(流箭) =유시(流矢).

유전(遺傳) herencia *f*. ~하다 heredar, heredarse, transmitirse. ~의 genético. ~할 수 있는 transmisible por herencia. ~에 의한 por herencia. ~하는 병이 있다 Hay enfermedades transmisibles por herencia. 그의 성격은 아버지한테서 ~이다 El ha heredado el carácter de su padre / El debe su carácter a su padre. 알코올 중독자의 병리적 ~은 무섭다 La herencia patológica de alcohólico es espantosa.

■ ~ 가능성 heritabilidad *f*. ~ 감염 heredoinfección *f*. ~ 공학(工學) ingeniería *f* de herencia. ~ 면역 heredoinmunidad *f*. ~물

herencia *f.* ~ 법칙 ley *f* de herencia. ~병 heredopatía *f*, enfermedad *f* hereditaria. ~ 부호(符號) código *m* genético. ~설[론] hereditismo *m*. ~성 heredodegeneración *f*, natura *f* hereditaria, transmisibilidad *f*. ~ 인자 =유전자. ~자 gen *m*, gene *m*. ~자 돌연변이 mutación *f* genial. ~자량(子量) cantidad *f* genial. ~자 변환 conversión *f*. ~자 은행 banco *m* de gene. ~자 조작 manipulación *f* genial. ~자 치료 curación *f* genial. ~(자)형 genotipo *m*. ~질 idioplasmo *m*. ~학 genética *f*. ~학자 geneticista *mf*, genetista *mf*. ~ 형질 보유자 conductor, -tora *mf*.

유정(有情) ① afecto *m*, cariño *m*, sentimientos *mpl* compasivos, sensibilidad *f*. ~하다 (ser) afectuoso, cariñoso, sensible, sensitivo. ② ((불교)) =중생(衆生).

유정(油井) pozo *m* petrolero, pozo *m* de petróleo.

■~관 tubo *m* de pozos de petróleo. ~굴착 장치 cabria *f* para sondeos de petróleo. ~ 시추 perforación *f* de pozos de petróleo. ~ 시추기 perforador *m* [perforadora *f*] de pozos de petróleo. ~용 펌프 bomba *f* para pozos petrolíferos. ~ 폭파 dinamitación *f* de pozos de petróleo.

유정(遺精) 【의학】 emisión *f* involuntaria de semen, polución *f* nocturna, espermatorrea *f*.

유제(乳劑) emulsión *f*.

유제(類題) cuestiones *fpl* similares.

유제류(有蹄類) 【동물】 ganado *m* de pezuña.

유제품(乳製品) producto *m* lácteo.

유조(有助) Hay ayuda. ~하다 (ser) servicial, amable, útil, eficaz, práctico.

유조(油槽) tanque *m* petrolero, tanque *m* de aceite.

■~선(船) petrolero *m*, buque *m* petrolero, barco *m* [buque *m*·vapor *m*] tanque, buque *m* cisterna. ~차 camión *m* cisterna, vagón *m* tanque.

유조(留鳥) =텃새.

유조(遺詔) testamento *m* del rey.

유족(遺族) los deudos, familia *f* del difunto, familia *f* de la difunta, familia *f* que lo sobrevivió [sobreviviva]. 환자들과 ~들 los enfermos y las personas que han perdido a un ser querido.

■~ 보험 seguro *m* de supervivencia. ~ 연금 renta *f* vitalicia, anualidad *f* de supervivencia.

유족하다(有足—) (ser) suficiente, rico. 유족히 suficientemente, con riqueza.

유족하다(裕足—) (ser) abundante, adinerado, acomodado. 유족하게 살다 ser adinerado, vivir en la abundancia.

유족히 abundantemente, con abundancia.

유종(有終) acabamiento *m* perfecto. ~하다 acabar [terminar] perfectamente

■~의 미(美) perfecto fin *m*, canto *m* de cisne. ¶~를 장식하다 [거두다] concluir brillantemente, acabar con perfección.

유종(乳腫) 【의학】 mastitis *f*.

유죄(有罪) culpabilidad *f*, criminalidad *f*. ~하다 (ser) culpable. ~의 culpable. ~를 선고하다 declarar [sentenciar] culpable (a *uno*). 그는 ~가 선고되었다 El fue declarado delincuente [culpable].

■~인(人) persona *f* culpable. ~ 판결(判決) veredicto *m* de culpabilidad. ~ 혐의자 criminal *m* sospechoso, criminal *f* sospechosa.

유죄(流罪) =유형(流刑).

유주(幼主) ① [나이 어린 군주] monarca *m* joven. ② [나이 어린 주인] amo *m* joven.

유주무량(有酒無量) bebida *f* ilimitada de la capacidad alcohólica.

유주물(有主物) artículo *m* que tiene el poseedor.

유즙(乳汁) leche *f*, [식물의] látex *m*. ~의 lácteo.

■~ 분비 lactación *f*. ~질 lactescencia *f*.

유증(遺贈) donación *f*, [동산의] legado *m*. ~하다 donar por voluntad de un difunto; [동산을] legar.

◆피~자 legatario, -ria *mf*.

■~물(物) legado *m*.

유증(類症) enfermedad *f* similar.

유지(有志) ① [어떤 일에 참가 또는 그것을 성취하려는 뜻이 있음] el tener la intención (de participar o cumplir). ② [세상 일을 근심함. 또 그 사람] preocupación *f* de la cosa mundial; [사람] persona *f* interesada; simpatizante *mf*; partidario, -ria *mf*; voluntario, -ria *mf*. ~하다 (ser) voluntario, interesado, comprensivo. ③ ((준말)) =유지자(有志者). ¶~를 모으다 reunir voluntarios.

■~ 단체 organización *f* voluntaria. ~자[가] voluntario, -ria *mf*; interesado, -da *mf*; partidario, -ria *mf*; simpatizante *mf*. ~지사(之士) persona *f* que se preocupa por la cosa mundial.

유지(乳脂) ① =크림(cream). ② =유지방(乳脂肪).

■~ 비누 jabón *m* (*pl* jabones) de crema.

유지(油脂) aceite y grasa, grasa y aceite graso.

■~상 aceitería *f*, [사람] aceitero, -ra *mf*.

유지(油紙) papel *m* untado de aceite, papel *m* de aceite, papel *m* a óleo.

유지(維持) mantenimiento *m*, sostenimiento *m*, preservación *f*, conservación *f*. ~하다 mantener, sostener, conservar, guardar. 가계(家計)를 ~하다 mantener la economía casera. 건강을 ~하다 conservar la salud. 균형을 ~하다 mantener el equilibrio. 별장을 ~하다 mantener una casa de campo. 수령(首領)의 지위를 ~하다 mantenerse en el puesto de jefe. 일정한 거리를 ~하다 guardar cierta distancia. 질서를 ~하다 mantener el orden. 체면을 ~하다 salvar las apariencias, conservar *su* dignidad. 평화를 ~하다 mantener la paz, mantenerse en paz. 효력을 ~하다 conservar los efectos. 긴밀한 관계를 ~하다 sostener estrechas relaciones. 사장의 지위를 ~하다 mantener la presidencia. 균형이 ~된다 El equilibrio se mantiene.

■ ~비 gastos *mpl* de mantenimiento, gastos *mpl* de conservación. ~ 위원회 consejo *m* de mantenimiento. ~자 encargado, -da *mf* del servicio de mantenimiento. ~ 자금 fondo *m* de mantenimiento. ~책(策) medida *f* para mantenimiento. ~ 회원(會員) miembro *m* bienhechor.

유지(遺旨) pensamiento *m* del difunto en *su* vida.

유지(遺志) deseo *m* [intención *f* · voluntad *f*] de un difunto, último deseo *m*. 아버지의 ~를 받들어 conforme al [de conformidad con el] deseo de *su* (difunto) padre, en sucesión del intento del padre.

유지(遺址) =유적(遺跡).

유지질(類脂質) 【화학】 lipoide *m*.

유진무퇴(有進無退) avance *m* sin retirada. ~하다 avanzar sin retirada.

유질(乳質) ① [젖의 성질·품질] carácter *m* de la leche, cualidad *f* de la leche. ② [젖과 같은 성질] carácter *m* como la leche.

유질(流質) juicio *m* hipotecario. ~로 하다 sustanciar y decidir un juicio hipotecario.

유질(留質) =볼모.

유질(類質) carácter *m* similiar.

유징(油徵) 【지질】 síntoma *m* que hay gas natural en el subterráneo.

유착(癒着) ① 【의학】 cicatrización *f*, conglutinación *f*, aglutinación *f*, adhesión *f*. ~하다 cicatrizarse, conglutinarse, aglutinar. ~시키다 cicatrizar, conglutinar, aglutinar. ~의 conglutinante, aglutinante. ② [사물이 깊은 관계가 있어 서로 떨어지지 않게 결합되어 있음] vínculo *m*, unión *f*. A 당(黨)은 대기업과 ~해 있다 El partido A tiene un vínculo con las grandes empresas.

◆늑막(肋膜) ~ adhesión *f* pleural.

■ ~성(性) adherencia *f*. ¶~의 adherente, adhesivo. ~ 심막 pericardio *m* adherente.

유착스럽다 parecer tosco y grande

유착스레 tosca y enormemente.

유착하다 (ser) tosco y grande [enorme · colosal]. 유착한 질항아리 tarro *m* de barro tosco y grande.

유찬(流竄) =유배(流配).

유찬(類纂) ① [같은 종류의 것을 편찬함. 또 그 책] compilación *f* del libro de la misma clase, libro *m* compilado en la misma clase. ② [각 종류로 분류하여 편찬함] compilación *f* clasificada en cada especie.

유찰(流札) anulación *f* de licitación. ~하다 anularse la licitación.

유창 *yuchang*, el intestino más largo de la vaca para la sopa.

유창하다(流暢-) (ser) fluido, afluente, corriente, elocuente. 유창함 afluencia *f*, soltura *f*. 유창한 문장을 쓰다 escribir con estilo suelto.

유창히 fluidamente, con fluidez, corrientemente, afluentemente, elocuentemente, con soltura, con facilidad, de corrido. ~ 말하다 hablar fluidamente [elocuentemente]. 김 교수는 영어를 ~ 한다 El profesor Kim habla inglés muy bien [fluidamente · con fluidez · elocuentemente]. 그녀는 서반아어를 ~ 한다 Ella habla español muy bien [con fluidez] / Ella tiene facilidad para el español / El español se le da muy bien a ella.

유채(油菜) 【식물】 =평지(colza).

유채(油彩) =유화(油畵).

유채색(有彩色) 【미술】 color *m* con el tono de color.

유체(有體) materialidad *f*. ~의 material, físico, tangible, corporal; 【법률】 corpóreo.

■ ~ 동산(動産) muebles *mpl* corpóreos, mercaderías *fpl* y enseres. ~물 objetos *mpl* materiales. ~ 자산 inmovilizado *m* material.

유체(流涕) derramiento *m* de lágrimas. ~하다 llorar, derramar lágrimas.

유체(流體) 【물리】 fluido *m*.

■ ~ 공학 ingeniería *f* hidráulica. ~ 동력학 hidrodinámica *f*. ~ 압력 presión *f* hidráulica. ~ 역학 hidrodinámica *f*. ~ 정력학 hidrostática *f*.

유체(遺體) =송장(cadáver).

유체스럽다 (ser) afectado, mojigato, raro, poco corriente, poco común, poco frecuente.

유체스레 raramente, poco comúnmente.

유촉(遺囑) pedido *m* en *su* vida. ~하다 pedir en *su* vida.

유추(類推) analogía *f*. ~하다 razonar [explicar] por analogía. …에서 ~하면 a juzgar por *algo*, a razonar por *algo*.

■ ~법 analogismo *m*. ~ 작용 acción *f* analógica. ~적 analógico. ¶~으로 analógicamente. ~ 진단 analogismo *m*. ~ 추리 analogismo *m*. ~ 해석 interpretación *f* analógica.

유출(流出) salida *f*, fuga *f*, efusión *f*, derrame *m*; [물의] desagüe *m*, flujo *m*. ~하다 salir(se), fluir, verterse, derramarse. 두뇌(頭腦)의 ~ huida *f* de cerebros. 외화의 ~ fuga *f* de divisas. 자본의 ~ salida *f* [fuga *f*] del capital. 현금의 ~ salidas *fpl* en efectivo. 금이 외국으로 ~한다 Sale el oro al extranjero.

유충(幼蟲) 【곤충】 =애벌레. ¶~의 larval.

■ ~기 período *m* larval.

유취(乳臭) olor *m* a leche.

유취(類聚) agrupación *f* en clases. ~하다 agrupar en clases, clasificar.

유취만년(遺臭萬年) ¶~하다 dejar *su* mala fama a la posteridad.

유층(油層) estrato *m* [yacimiento *m*] petrolífero.

유치(乳齒) =젖니(diente de leche).

유치(留置) retención *f*, detención *f*, arresto *m*, captura *f*. ~하다 detener, retener, poner en calabozo.

■ ~권 derecho *m* de retención. ~료(料) sobrestadía *f*. ~ 우편 lista *f* de correos, *AmL* poste *m* restante. ~장 calabozo *m*, cuarto *m* [casa *f*·estación *f*] de detención. ~ 전보 telégrafo *m* restante.

유치(誘致) invitación *f*. ~하다 invitar. 공장을 ~하다 invitar la instalación de una fábrica.

유치원(幼稚園) jardín *m* (*pl* jardines) de infancia, *Méj* jardín *m* de niños, *RPI* jardín *m* de infantes, *Chi* jardín *m* infantil, *AmL* kindergarten *m*; [영국의] escuela *f* para niños de entre cinco y siete años de edad.

■ ~ 보모[선생] parvulista *mf*; educador, -dora *mf*. ~생[원아] niño, -ña *mf* del jardín de infancia; párvulo, -la *mf*.

유치하다(幼稚―) ① [나이가 어리다] (ser) infantil, joven. 유치함 infancia *f*. ② [언행이나 수준의 정도가 낮다] (ser) pueril. 유치함 puerilidad *f*. 그만한 일로 성을 내는 것은 ~ Es pueril el enfadarse por semejante cosa. ③ [기술이나 지식 따위가 아직 익숙하지 않다] (ser) rudimental, rudimentario. 유치함 rudimento *m*.

유쾌하다(愉快―) (ser) alegre, jovial, festivo; [즐거운] divertido, jubiloso, gracioso. 유쾌함 alegría *f*, placer *m*, goce *m*, disfrute *m*, solaz *f*, júbilo *m*, regocijo *m*, jovialidad *f*, fiesta *f*. 유쾌하게 alegremente, jubilosamente, con júbilo, gozosamente, regocijadamente, agradablemente. 유쾌한 남자(男子) hombre *m* jovial. 유쾌한 여자 mujer *f* jovial. 유쾌하게 되다 ponerse alegre. 유쾌하게 지내다 pasar el tiempo alegremente [con júbilo], pasarlo bien. 유쾌한 것을 말하다 decir cosas divertidas. 아주 유쾌하게 보내다 pasarlo muy bien, pasarlo la mar de bien, pasarlo bomba, divertirse mucho.

유클리드【인명】Euclides. ~의 euclidiano.

■ ~ 기하학 geometría *f* euclidiano.

유타하다(遊惰―) (ser) holgazán.

유탄(流彈) bala *f* perdida, bala *f* extraviada, balazo *m* al tuntún. ~에 맞다 herirse por balas extraviadas.

유탄(榴彈)【군사】granada *f*, metralla *f*.

■ ~ 발사기 lanzagranadas *m.sing.pl*. ~포 obús *m* (*pl* obuses).

유탈(遺脫) omisión *f*. ~하다 ser omitido.

유탕(遊蕩) disipación *f*, libertinaje *m*, crápula *f*. ~에 빠지다 abandonarse al libertinaje.

■ ~ 문학(文學) pornografía *f*, literatura *f* pornográfica. ~아 =탕아(蕩兒).

유태(猶太)【역사】=유대. ¶~의 judío.

■ ~교 =유대교. ~ 교회 sinagoga *f*. ~력 =유대력. ~ 민족 judíos *mpl*, hebreos *mpl*. ~인 =유대인(judío). ¶~ 박해 persecusión *f* de los judíos. ~인 가[구역] judería *f*. ~인 거리 gueto *m*. ~인 교회 sinagoga *f*. ~주의 sionismo *m*. ~주의자 sionista *mf*.

유택(幽宅) =무덤(tumba).

유택(遺澤) ① [후세까지 남아 있는 은혜] favor *m* dejado hasta la posteridad. ② [남아 있는 은덕] beneficio *m* [favor *m*] dejado.

유턴(영 *U-turn*) cambio *m* de sentido, media vuelta *f*, *CoS* giro *m* [vuelta *f*] en U. ~하다 cambiar de sentido, dar media vuelta, virar en redondo, virar en U, *CoS* dar vuelta en U, girar en U.

■ ~ 금지 ((게시)) Prohibido dar la vuelta.

유토피아(영 *utopia*) ① [이상향] utopía *f*, utopia *f*. ~의 utópico. 완전 고용의 ~ la utopía del pleno empleo. ② [실현성이 없는 공상·계획] fantasía *f*.

■ ~ 사회주의 socialismo *m* utópico.

유통(乳筩) carne *f* de pecho (de la vaca o del puerco).

유통(流通) ① [공기나 액체 따위가 거침없이 흘러 통함] ventilación *f*. ~하다 ventilar, airear. 공기의 ~이 좋다 tener buena ventilación, estar bien ventilado. 공기의 ~이 나쁘다 tener mala ventilación, estar mal ventilado. ② [화폐나 수표 등이 세상에 널리 통용됨] circulación *f*; [어음의] negociación *f*. ~하다 circular, correr, tener curso legal. ~시키다 poner en circulación. 수표는 은행권(銀行券)과 함께 ~한다 Los cheques circularn como cualquier billete de banco. ③ [상품이 생산자·상인·소비자 사이에 거래됨] distribución *f*. ~하다 distribuir.

■ ~ 가격 precio *m* de circulación. ~ 경제 economía *f* de circulación. ~ 기구(機構) mecanismo *m* de distribución. ~량 cantidad *f* de moneda corriente. ~ 선하 증권 conocimiento *m* de embarque negociable. ~성 negociabilidad *f*. ~세 impuesto *m* de circulación. ~ 속도 velocidad *f* de circulación. ~ 수표 cheque *m* negociable, cheque *m* circulante. ~ 시장 mercado *m* de circulación. ~ 어음 valor *m* circulante. ~ 자본 capital *m* circulante. ~ 증권 título *m* negociable. ~ 질서 orden *m* de circulación. ~ 혁명 revolución *f* (en el dominio) de la distribución. ~ 화폐 moneda *f* corriente, moneda *f* en circulación, moneda *f* de curso legal. ~ 환어음 letra *f* de cambio negociable.

유파(流派) escuela *f*, secta *f*.

유폐(幽閉) encierro *m*, encerramiento *m*, confinamiento *m*, reclusión *f*, prisión *f*. ~하다 encerrar, confinar, recluir, poner preso.

유폐(流弊) abuso *m* de raíz profunda.

유포(油布) hule *m*.

유포(流布) circulación *f*, propaganda *f*, diseminación *f*, divulgación *f*, difusión *f*. ~하다 circular, difundirse, extenderse, esparcirse. ~되고 있다 estar en circulación. 허위(虛僞)의 풍설(風說)을 ~하다 circular noticias falsas. 소문이 ~되고 있다 Hay un rumor fuera. 불쾌한 소문이 ~되고 있다 Corren rumores desagradables.

유표(有表) lo extraordinario, lo excepcional.

유표나다 (ser) extraordinario, excepcional, destacado. 유표나게 excepcionalmente, extraordinariamente.

유품(遺品) legado *m*, objeto *m* [artículo *m*] dejado por un difunto.

유풍(流風) =유속(流俗).

유풍(遺風) costumbre *f* antigua, tradición *f*, costumbre *f* heredada de tradición, estilo *m* heredado de tradición. 그것은 고대(古代)의 ~이다 Esta costumbre es de origen antiguo.

■ ~여속(餘俗) costumbre *f* que se ha sido transmitido desde hace tiempos antiguos.

유피(柔皮) piel *f* blanda.

유피(鞣皮) piel *f* curtida, cuero *m* curtido, pellejo *m* curtido; [양의] badana *f*; [영양의] gamuza *f*.

■ ~상 curtidor, -dora *mf*. ~제 medicina *f* para ablandar la piel.

유피아이(영 *UPI*, *United Press International*) la United Press Internacional, UPI *f*.

유하다(有-) haber. ☞있다.

유하다(留-) ① [자다] dormir. ② [묵다] hospedarse, alojar(se), aposentar.

유하다(柔-) ① [부드럽다] (ser) blando, tierno. ② [성질이 태평스럽고 눅다] (ser) benigno. ③ [걱정이 없다] No hay preocupación.

유학(留學) estudio *m* en el extranjero. ~하다 ir a estudiar al extranjero, estudiar en el extranjero. 서반아에 ~하다 ir a España para [a] estudiar.

■ ~생 estudiante *mf* que estudia en el extranjero. ¶외국인 ~ estudiante *m* extranjero (en Corea), estudiante *f* extranjera (en Corea). 재서반아(在西班牙) 한국 ~ estudiantes *mpl* coreanos (que estudian) en España.

유학(遊學) viaje *m* para estudio. ~하다 viajar para estudiar. 마드리드에 ~하다 ir a Madrid a estudiar.

유학(儒學) confucianismo *m*, confucionismo *m*, enseñanza *f* de Confucio, filosofía *f* china. ~의 confuciano.

■ ~자 confuciano, -na *mf*; confucio, -cia *mf*; confucianista *mf*; sabio *m* chino, sabia *f* china; estudioso *m* chino, estudiosa *f* china.

유한(有限) lo limitado. ~의 limitado; 【수학】 finito.

■ ~ 급수 series *fpl* finitas. ~ 소수 decimal *m* finito. ~ 직선 =선분(線分). ~ 책임 responsabilidad *f* limitada. ~ 책임 사원 socio *m* comanditario, socia *f* comanditaria. ~ 책임 회사 =유한 회사. ~ 회사 sociedad *f* de responsabilidad limitada, S.L., *AmS* S. (de) R.L.

유한(有閑) ociosidad *f*, ocio *m*, holgazana *f*, tiempo *m* desocupado, tiempo *m* de descanso. ~하다 (ser) ocioso, lento, pausado.

■ ~계급[층] gente *f* acomodada, clase *f* desocupada, clases *fpl* ricas que llevan una vida de ocio. ~마담[부인] dama *f* rica y ociosa.

유한(油汗/柔汗) =진땀.

유한(流汗) transpiración *f*, sudor *m*.

유한(遺恨) rencor *m*, rencilla *f*, enemistad *f*, malicia *f*. ~을 품다 tener rencor, guardar rencor.

유한하다(幽閑/幽閒-) (ser) tranquilo y estar libre.

유합(癒合) coalición *f*, coaptación *f*, adhesión *f*. ~하다 coaptar, adherirse, unirse, cicatrizarse.

유해(有害) lo nocivo, lo dañino, lo pernicioso, perjuicio *m*, daño *m*. ~하다 perjudicarse, ser dañoso, ser perjudicial. ~한 dañoso, perjudicial, pernicioso, dañino; [벌레의] nocivo; [유독(有毒)한] ponzoñoso, toxico, venenoso. ~한 사상(思想) pensamiento *m* nocivo. 매우 ~한 편지 carta *f* llena de ponzoña. 인체(人體)에 ~한 물질(物質) sustancia *f* perjudicial al cuerpo humano. …에 ~하다 ser dañoso [perjucial] para *algo*. 건강에 ~하다 ser perjudicial a la salud. 그녀는 ~한 사람이다 Ella es una víbora. 담배는 몸에 ~하다 El tabaco es perjudical para la salud.

■ ~ 곤충 insecto *m* nocivo. ~무익(無益) perjuicio *m* e intilidad. ~물 substancia *f* nociva, objeto *m* nocivo, artículo *m* nocivo. ~ 식품 comida *f* venenosa.

유해(遺骸) ① [죽은 사람의 몸] cuerpo *m* muerto. ② =유골(遺骨).

유행(流行) ① [의복·화장·사상 등의] moda *f*. ~하다 estar en moda, estar en boga, ser de moda, reinar. ~의 de moda, a la moda. ~의 변화가 없는 libre de modas. ~의 변화가 심한 sujeto al cambio de la moda. 최신 ~스타일 estilo *m* de última moda. ~시키다 imponer la moda (de), poner de [en] moda. ~을 따르다 seguir la moda. ~을 만들다 crear la moda. ~에 뒤지다 atrasarse en la moda. ~에 뒤져 있다 estar con retraso en la moda, estar pasado de moda. ~에 뒤진 pasado [atrasado] de modas, fuera de moda. ~이 한물 가다 pasar de moda. 대~이다 estar en mucha boda. ~의 첨단을 걷다 crear la moda. … 하는 것이 ~이다 Está de moda + *inf*. 금년은 이 색이 ~하고 있다 Este color está de moda este año. 오토바이가 대~이다 Las motos están muy de moda. 이것은 ~에 뒤진다 Esto está pasado de moda. 현재 이 노래가 ~되고 있다 Esta canción está de moda ahora. 그 복장은 아직 ~중이다 Ese traje todavía está de moda. 이 형은 이제 ~에 뒤진다 Este tipo ya se ha pasado de moda / Este tipo ya no tiene popularidad. 그 ~은 지나갔다 Esa moda está anticuada. ② [병이나 재해가 일시적으로 세상에 널리 퍼지는 일] propagación *f*. ~하다 propagarse, extentenderse, reinar. 이 지역에서는 콜레라가 ~하고 있다 En esta área se propaga el cólera. 학교에 감기가 ~되고 있다 En la escuela se está propagando la gripe / Hay mucha gripe en la escuela.

■ ~가(歌) canción *f* popular; [유행중인] canción *f* de [a] la moda. ~가 가수 cantante *mf* popular; cantador, -triz *mf* popular. ~병(病) epidemia *f*, enfermedad *f* epidémica. ~복 traje *m* de moda, vestido *m* de moda. ~색 color *m* de moda. ~성 epidemicidad *f*, carácter *m* epidémico de una enfermedad. ~성 각결막염 queratoconjuntivitis *f* (epidémica). ~성 간염 hepatitis *f* epidémica. ~성 감기 influenza *f*, gripe *f*. ~성 뇌염 encefalitis *f* epidémica. ~성 뇌척수막염 meningitis *f* cerebrospinal epidémica. ~성 말초신경염 acatama *f*, akatama *f*. ~성 무도병 coreomaina *f*. ~성 발진티푸스 tifus *m* epidémico, tifus *m* exantemático. ~성 이하선염 parotina *f* epidémica, parotiditis *f* (epidémica), paperas *fpl*. ~성 이하선염 바이러스 virus *m* de la parotiditis epidémica. ~성 지방병 enfermedad *f* endomoepidémica. ~성 출혈열 fiebre *f* hemorrágica aguda epidémica. ~성 혈색소 요증 hemoglobinuria *f* epidémica. ~성 흉막통 pleurodinia *f* epidémica. ~어 palabra *f* popular. ~ 작가 escritor, -tora *mf* en boga; autor, -tora *mf* muy popular. ~ 잡지 revista *f* popular. ~지 distrito *m* infectado, localidad *f* infectada. ~형 tipo *m* de moda, estilo *m* moderno.

유행(遊行) ① viaje *m* por todas las partes. ~하다 viajar por todas las partes. ② ((불교)) propaganda *f* viajando por todas las partes.

유향(乳香) incienso *m*, olíano *m*, gomorresina *f*.

유향(遺香) ① [남아 있는 냄새] olor *m* sobrante. ② [고인이 남긴 미덕(美德)] virtud *f* dejada por el difunto.

유현(幽玄) (misterio *m* y) profundidad *f*. ~하다 (ser) (misterioso y) profundo, abstruso.

유혈(流血) derramiento *m* [efusión *f*] de sangre, matanza *f*. ~의 참사 accidente *m* sangriento.

유형(有形) ① [형체가 있음] materialidad *f*. ~의 material, corporal, concreto, tangible. ② ((불교)) lo corpóreo.

■ ~ 무역 comercio *m* visible. ~무형 lo material y lo inmaterial, visibilidad e invisibilidad. ¶~의 materail e inmaterial, visible e invisible, moral y material. ~으로 material y inmaterialmente, visible e invisiblemente, moral y materialmente. ~으로 원조하다 prestar una ayuda moral y materialmente. ~ 문화재 bienes *mpl* culturales visibles. ~물 objeto *m* material. ~자본 capital *m* tangible. ~ 자산 activos *mpl* tangibles, bienes *mpl* tangibles. ~재산 bienes *mpl* tangibles. ~적 material, tangible. ~체 cuerpo *m* material.

유형(流刑) 【역사】 destierro *m*; [정치범의] exilio *m*, deportación *f*, expatriación *f*. ~을 보내다 desterrar, poner en el exilio, deportar, exiliar, expatriar. ~에 처하다 condenar a destierro.

■ ~살이 vida *f* de exilio. ~수 desterrado, -da *mf*; exiliado, -da *mf*; deportado, -da *mf*. ~지 lugar *m* [sitio *m*] de exilio.

유형(類型) tipo *m*, ejemplo *m*. ~의 típico. 그것은 ~이 많다 Hay muchos tipos [ejemplos] de eso.

■ ~적 típico. ~학 tipología *f*.

유형제(乳兄弟) hermanos *mpl* de leche; [자매(姉妹)] heramanas *fpl* de leche.

유혹(誘惑) tentación *f*, seducción *f*. ~하다 tentar, seducir. ~을 거절하다 rechazar la tentación. ~에 빠지다, ~에 넘어가다, ~에 지다 caer en la tentación, ceder [sucumbir] a la tentación, dejarse llevar por la tentación. ~에 이기다 vencer la tentación. ~을 견디다 resistir la tentación. 돈의 ~과 싸우다 resistir a la tentación de dinero, luchar con la tentación de dinero. 그는 많은 돈에 ~되어 친구를 배반했다 El traicionó al amigo seducido por una gran cantidad de dinero.

■ ~자 tentador, -dora *mf*; seductor, -tora *mf*. ~적 seductivo, seductor.

유혼(幽魂) espíritu *m* del difunto, el alma *f* (*pl* las almas) del difunto.

유화(乳化) emulsionamiento *m*, emulsificación *f*, emulsión *f*. ~하다 emulsionar, convertir en emulsión.

■ ~유(油) aceite *m* emulsionado. ~ 작용 emulsificación *f*. ~제 emulsionante *m*, emulsificante *m*. ~ 중합 polimerización *f* por emulsión.

유화(油畵) (pintura *f* al) óleo *m*. ~로 그리다 pintar al óleo. ~를 그리다 pintar un cuadro al óleo.

■ ~가(家) pintor, -tora *mf* al óleo. ~구(具) óleos *mpl*. ~ 물감 colores *mpl* de la pintura al óleo. ~ 수집 colección *f* de óleos. ~ 초상화 retrato *m* al óleo.

유화(柳花) flor *f* de sauce.

유화(宥和) apaciguamiento *m*, pacificación *f*, aplacamiento *m*. ~하다 apaciguar, mitigar, aplacar, pacificar.

■ ~ 정책 política *f* contemporizadora, política *f* de contemporización, política *f* de apaciguamiento, política *f* de pacificación.

유화(流火) = 유성(流星).

유화(硫化) 【화학】 sulfuración *f*. ~하다 sulfurar.

■ ~ 고무 caucho *m* vulcanizado. ~ 나트륨 sulfuro *m* sódico, sulfuro *m* de sodio. ~물 sulfuro *m*. ~ 수소 hidrógeno *m* sulfúrico. ~ 안티몬 =유화 암모늄. ~ 암모늄 [안티몬] sulfuro *m* de antimonio, estibina *f*. ~ 작용 sulfurización *f*. ~ 창연 bismutina *f*, sulfuro *m* de bismuto. ~철 sulfuro *m* de hierro.

유화(榴花) flor *f* de granado.

유화(類化) asimilación *f*. ~하다 asimilar.

유화하다(柔和―) (ser) dócil, manso, apacible,

dulce. 유화함 docilidad *f*, mansedumbre *f*, apacibilidad *f*, dulzura *f*. 유화한 얼굴 fisonomía *f* dulce, semblante *m* apacible.

유황(硫黃) 【화학】 azufre *m*. ~의 sulfúrico, sulfúreo, sulfuroso.
◆ 천연(天然) ~ azufre *m* vivo.
▪ ~불 fuego *m* de azufre. ~천 manantial *m* sulfuroso. ~화(華) asufre *m* sublimado, flor *f* de azufre.

유회(流會) suspensión *f* de una asamblea, postergación *f* indefinita de una junta. ~하다 suspender la junta, suspender la reunión. 오늘은 ~할 것 같다 Parece que va a suspenderse la reunión de hoy. 집회가 ~됐다 Se suspendió la reunión.

유효(有效) validez *f*, eficacia *f*, eficiencia *f*. ~하다 (ser) eficaz, efectivo; [표 등이] válido, valedero; [사용할 수 있는] utilizable. ~하게 eficazmente, eficientemente, válidamente. ~한 방법 método *m* eficaz. 2005년 8월 15일까지 ~한 여권(旅券) pasaporte *m* válido hasta el quince de agosto de dos mil cinco. ~한 증서(證書) certificado *m* válido. ~한 표 billete *m* [*AmL* boleto *m*] válido. ~하게 하다 validar. 3일간 [이달 말까지] ~한 표(票) billete *m* válido [valedero] por tres días [hasta el fin de este mes]. 6개월 ~한 왁친 vacuna *f* que inmuniza [tiene efecto] por seis meses. 돈[시간]을 ~하게 사용하다 usar eficazmente el dinero [el tiempo]. 이 증서(證書)는 아직 ~하다 Es valedero [válido] todavía este certificado. 이 여권은 5년간 ~하다 Este pasaporte es válido por cinco años.
▪ ~ 기간 plazo *m* [término *m*] de validez, plazo *m* vigente, período *m* utilizable. ~ 마력 caballo *m* de vapor efectivo. ~ 사격 disparo *m* eficaz. ~ 사거리[사정] alcance *m* efectivo, distancia *f* eficaz. ~성 validez *f*, eficacia *f*, eficiencia *f*. ~ 속도 velocidad *f* efectiva. ~ 수요 demanda *f* efectiva, demanda *f* eficaz. ~ 숫자 figura *f* significante. ~ 압력 presión *f* efectiva, voltaje *m* real. ~ 에너지 energía *f* efectiva. ~ 열량 caloría *f* efectiva. ~ 전류 corriente *f* eficaz. ~ 증명 certificado *m* de validez. ~ 투표 voto *m* válido, voto *m* eficaz.

유훈(遺訓) instancias *fpl*, instrucciones *fpl*, últimas instrucciones *fpl* del difunto, último precepto *m*. …의 ~에 따라 a instancia de *uno*. 선조(先祖)의 ~ testamento *m* dejado por antepasados, precepto *m* hereditario. 그는 부친의 ~을 받들고 있다 El sigue las instrucciones que dejó su padre antes de morir [la muerte].
▪ ~ 정치 política *f* a instancia (de).

유훈자(有勳者) poseedor, -dora *mf* de condecoración.

유휴(遊休) inactividad *f*, desocupación *f*. ~의 inactivo; [기계가] muerto; [공장 등이] en paro.
▪ ~ 공장 fábrica *f* en paro. ~ 물자(物資) comodidades *fpl* inactivas. ~ 생산력 capacidad *f* de producción inactiva. ~ 설비 equipo *m* parado, facilitación *f* ociosa; [공장] fábrica *f* en paro. ~ 시설 facilidades *fpl* inactivas. ~ 자금 dinero *m* inactivo. ~ 자본(資本) capital *m* inactivo, capital *m* desocupado. ~ 자산(資産) propiedades *fpl* inactivas. ~ 자재(資材) materiales *mpl* inactivos. ~지 tierra *f* muerta. ~ 현금 dinero *m* inactivo.

유흔(遺痕) huella *f* dejada.

유흥(遊興) diversión *f*, fiesta *f*, festejos *mpl*. ~하다 divertirse.
▪ ~가 centro *m* de diversiones. ~비 gastos *mpl* de diversiones. ~세 impuesto *m* de divessión. ~업(業) negocio *m* con instalaciones de diversiones. ~업소 lugar *m* de festejos. ~ 음식세 impuestos *mpl* sobre diversiones, comida y bebida.

유희(遊戱) ① [장난으로 놂. 즐겁게 놂] juego *m*, recreo *m*. ~를 하다 jugar. ② [유치원·초등학교 등에서, 일정한 방법으로 재미있게 하는 율동] juego *m*; [스포츠] deporte *m*. ~하다 entretenerse, divertirse, distraerse.
▪ ~ 본능 instinto *m* juguetón. ~실 sala *f* de juego, cuarto *m* de los juguetes. ~장 campo *m* de recreo, parque *m* de atracciones, lugar *m* de diversiones; [공원의] el área *f* (*pl* las áereas) donde están los columpios, toboganes etc.; [학교의] patio *m* (de recreo).

육(六) seis. ~ 일(日) [달의 여섯째 날] el seis (del mes); [여섯 날] seis días. 칠월 ~일 el seis de julio. 제~(의) sexto *m*. ~ 배(의) séxpulo *m*. ~ 배(로) 하다 sextuplicar, multiplicar por seis.

육(肉) ① [짐승의 고기] carne *f* de animal. ② [살] carne *f*. ~과 영(靈) carne y espíritu, cuerpo y alma.

육각(六角) ① 【악기】 tambor, *changgu*, *haekeum*, flauta, y *taepyeongso*. ② =육모.
▪ ~형 hexágono *m*. ¶~의 hexagonal.

육감(六感) ((준말)) =제육감(第六感)(sexto sentido). ¶~으로 por instinto, por intuición. ~으로 알다 saber por instinto.

육감(肉感) deseo *m* carnal, sentido *m* sensual, sensualidad *f*, lujuria *f*, concupiscencia *f*, voluptuosidad *f*. ~을 자극하다 excitar al sentido sensual.
▪ ~적 sensual, voluptuoso. ¶~으로 sensualmente, voluptuosamente. ~ 미인(美人) belleza *f* voluptuosa. ~ 쾌락 placer *m* sensual. ~주의 sensualismo *m*.

육갑(六甲) ((준말)) =육십갑자(六十甲子).

육개장(肉－) *yukgaechang*, sopa *f* de carne de vaca cocida con varios condimentos.

육계(肉界) mundo *m* sensual.

육계(肉桂) ① 【식물】 canelo *m*, canelero *m*. ② [수피(樹皮). 분말] canela *f*. ~가 들어 있는 acanelado.

육계(肉鷄) gallina *f* para la carne.

육괴(肉塊) ① [고깃덩어리] masa *f* de carne;

[가는 고깃덩어리] pedazo *m* [trozo *m*] de carne, carne *f* desmenzada. ② [살진 사람을 놓으로 하는 말] persona *f* gorda; [남자] hombre *m* gordo; [여자]. mujer *f* gorda.

육교(肉交) relaciones *fpl* carnales, relaciones *fpl* sexuales, acto *m* sexual, copla *f*, coito *m*. A와 ~를 가지다 tener relaciones sexuales con A.

육교(陸橋) viaducto *m*, puente *m* de ferrocarril elevado.

육군(陸軍) ejército *m*. ~의 militar, del ejército. ~에 복무하다 servir al ejército.
■~ 군악대 banda *f* militar. ~ 당국(자) autoridades *fpl* militares. ~ 대령 coronel, -la *mf*. ~ 대위 capitán, -tana *mf*. ~ 대장 capitán *m* general. ~ 대학 la Academia Militar del Estado Mayor. ~ 무관(武官) agregado *m* militar, oficial *m* del ejército, oficial *m* militar. ~ 병력 poder *m* militar. ~ 병원 hospital *m* militar. ~ 보병 학교 la Escuela Militar de Infantería. ~ 본부 el Estado Mayor General del Ejército, cuartel *m* general del ejército. ~ 비행대 cuerpo *m* de la aviación del ejército. ~ 사관학교 la Academia Militar. ~ 사관 후보생 (士官候補生) cadete *mf* militar. ~성 [미국의] el Ministerio de Guerra, el Ministerio del Ejército. ~ 소령 comandante, -ta *mf*. ~ 소위 alférez *mf*. ~ 소장 general *m* de división, *Chi* mayor general *m*. ~ 장관 ministro *m* de Guerra, ministro *m* del Ejército. ~ 장교 oficial *mf* militar. ~ 준사관 subteniente *mf*. ~ 준장 general *m* de brigada, *Chi* brigadier general *m*, *Urg* general *m*. ~ 중령 teniente *m* coronel, teniente *f* coronela. ~ 중위 teniente *mf*. ~ 중장 teniente *m* general, *Ven* general *m* en jefe. ~ 참모 총장[차장] jefe *m* [subjefe *m*] del Estado Mayor del Ejército. ~ 하사관 brigada *f*, sargento *m* primero, sargento *m*, cabo *m* primero, cabo *m*. ~ 항공(航空) aviación *f* de ejército. ~ 항공 전투 지원 apoyo *m* de combate de aviación de ejército. ~ 현물 통제 체제 sistema *m* de control de existencias del Ejército.

육담(肉談) ① [음담(淫談) 등과 같은, 야비한 이야기] lenguaje *m* inmoral, historia *f* lasciva, historia *f* verde, *Méj* historia *f* colorada. ② [품격이 낮은 말] charla *f* vulgar.

육대주(六大洲) ① [여섯 주] seis continentes: Asia, Africa, Europa, América del Norte, América del Sur y Oceania. ② [전 세계] todo el mundo, mundo *m* entero.

육덕(肉德) gordura *f* que se ve virtuosa.

육도(陸稻) arroz *m* de secano.

육량(肉量) cantidad *f* que se come la carne.

육력(戮力) cooperación *f*, esfuerzo *m* conjunto. ~하다 cooperar, trabajar juntos.

육로(陸路) ruta *f* por tierra. ~로 por tierra, por vía terrestre.
■~ 수송 transporte *m* por tierra. ~ 여행 viaje *m* por tierra.

육류(肉類) carne *f*. ~를 먹지 않다 abstenerse de la carne, hacer abstinencia.

육륜(肉輪) dos párpados.

육면체(六面體) hexaedro *m*. ~의 hexaedral.
◆정(正)~ hexaedro *m* regular.

육모(六一) hexágono *m*. ~ 나다 ser hexagonal.
■~ 방망이 garrote *m* [porra *f*] con seis lados. ~정(亭) pabellón *m* hexagonal.

육묘(育苗) cultura *f* de la planta de semillero. ~하다 criar la planta de semillero.

육미(六味) seis sabores: el amargo, el ácido, el dulce, el picante, el salado y el insípido.

육미(肉味) ① [짐승 고기로 만든 음식] comida *f* preparada con la carne animal. ② [고기의 맛] sabor *m* de la carne.
■~붙이 carne *f*, platos *mpl* de carne.

육박(肉薄) persecución *f* de cerca, acosamiento *m*. ~하다 perseguir de cerca, acosar, acercarse con amenaza, combatir mano a mano. 적(敵)에 ~하다 acosar [hostigar] al enemigo.
■~전(戰) combate *m* cuerpo a cuerpo.

육발이(六一) ① [발가락이 여섯 개 달린 사람] persona *f* con seis dedos de pie. ② ((속어)) coche *m* con seis ruedas.

육방정계(六方晶系) 【광물】 sistema *m* hexagonal.

육 배(六倍) séxtuplo *m*, seis veces. ~하다 sextuplicar, multiplicar por seis. ~의 séxtuplo.

육백[1](六百) seiscientos, -tas. ~ 년(年) seiscientos años. ~ 명(名) seiscientas personas.

육백[2](六百) [화투놀이의 하나] *yukbaek* (de los naipes).

육법(六法) seis códigos.
■~전서 compendio *m* [código *m*] de leyes, conjunto *m* de seis códigos.

육보(肉補) dieta *f* [régimen *m*] de carne. ~하다 hacer régimen [dieta] con carne, comer carne para *su* salud.

육본(陸本) ((준말)) =육군 본부(陸軍本部).

육봉(肉峰) 【동물】 joroba *f*, giba *f*.

육분의(六分儀) sexante *m*.

육붙이(肉一) ((준말)) =육미붙이.

육사(陸士) ((준말)) =육군 사관학교.

육산(陸産) ((준말)) =육산물(陸産物)

육산물(陸産物) productos *mpl* de la tierra.

육삼삼제(六三三制) sistema *m* educativo [educacional] de 6-3-3 (seis tres tres).

육상(陸上) ① [육지(陸地)의 위] en la tierra. ~의 terrestre. ~으로 por tierra, por vía terrestre. ② ((준말)) =육상 경기.
■~ 경기 deportes *mpl* atléticos, atletismo *m*. ~ 근무 servicio *m* en tierra. ~ 수송(輸送) transporte *m* terrestre, transporte *m* por tierra.

육색(肉色) ① =살빛. ② [살빛처럼 불그스름한 빛] color *m* rojizo.

육서(陸棲) vida *f* en la tierra. ~의 terrestre, terrenal, que vive en la tierra.
■~ 동물(動物) animal *m* terrestre. ~ 식

물(植物) planta *f* terrestre.

육성(肉聲) voz *f* natural, voz *f* viva, voz *f* humana.

육성(育成) crianza *f*, crecimiento *m*, desarrollo *m*. ～하다 criar, nutrir, educar; [형성하다] formar; [조성하다] desarrollar, fomentar, promover. 사업을 ～하다 desarrollar una empresa. 인격(人格)을 ～하다 formar el carácter (de). 청소년을 ～하다 educar los jóvenes.

▪ ～회(會) asociación *f* de apoyo de la escuela. ～ 회비 derechos *mpl* de apoyo de la escuela.

육손이(六－) persona *f* con seis dedos.

육송(陸松)【식물】＝소나무(pino).

육송(陸送) transporte *m* terrestre. ～하다 transportar por tierra.

육수(肉水) *yuksu*, el agua *f* de la carne cocida.

육순(六旬) ① [예순 날] sesenta días. ② [예순 살] sesenta años de edad.

▪～ 노인 sexagenario, -ria *mf*; sesentón, -tona *mf*.

육시(戮屍) decapitación *f* póstuma. ～하다 decapitar póstumamente.

육식(肉食) comida *f* de carne, alimento *m* animal. ～하다 comer carne, alimentarse de carne. 나는 ～을 별로 하지 않는다 No como mucha carne. 그는 ～을 좋아하지 않는다 A ella no le gusta la carne.

▪ ～가 persona *f* que come carne. ～ 동물 (animal *m*) carnívoro *m*, animal *m* de rapiña. ～류 carnívoros *mpl*. ～수 animal *m* carnívoro. ～조 el ave *f* (*pl* las aves) de rapiña, rapaz *f*. ～충(蟲) insecto *m* de rapiña, insecto *m* rapaz.

육신(肉身) cuerpo *m*.

육십(六十) sesenta. ～ 세(歲) sesenta años de edad. ～ 번째(의) sexagésimo. 책 ～ 권 sesenta libros. ～ 대(代)의 노인 sexagenario, -ria *mf*; sesentón, -tona *mf*.

▪ ～갑자(甲子) ciclo *m* sexagenario. ～진법 numeración *f* de base sesenta.

육아(肉芽)【식물】granulación *f*.

▪ ～종 granuloma *m*.

육아(育兒) crianza *f* (de bebé), puericultura *f*, cuidado *m* de los niños.

▪ ～법 puericultura *f*. ～비 gastos *mpl* de puericultura. ～ 시간 hora *f* de puericultura. ～ 시설 guarderías *fpl*. ～식 comida *f* infantil. ～실 [가정의] cuarto *m* de los niños; [직장의] guardería *f*. ～원 asilo *m* de huérfanos, inclusa *f*. ～학(學) puericultura *f*.

육안(肉眼) ojo *m* nudo. ～으로 볼 수 있는 visible [perceptible] a simple vista. ～으로 볼 수 없는 invisible [imperceptible] a simple vista. ～으로 보다 ver con los ojos (nudos).

육양(育養) ＝양육(養育).

육양(陸揚) ＝양륙(揚陸).

육영(育英) educación *f* de jóvenes talentosos.

▪ ～ 사업 obra *f* de educación, obra *f* docente, obra *f* educativa, trabajo *m* educacional. ～ 자금 becas *fpl*. ～ 재단(財團) fundación *f* de becas. ～ 제도 sistema *m* de becas. ～회(會) institución *f* para la concesión de becas, asociación *f* de becas.

육영(育嬰) crianza *f* de los infantes. ～하다 criar a los infantes.

육욕(肉慾) apetito *m* [deseo *m*] sexual [carnal], pasión *f* animal, deleite *m* sexual [carnal], carnalidad *f*. ～이 왕성한 con apetito carnal fuerte, lujurioso, voluptuoso. ～에 빠지다 darse a los placeres sexuales, dejarse arrastrar por los apetitos carnales. ～을 억제하다 dominar [contener] *sus* pasiones. ～을 채우다 satisfacer *su* apetito carnal. ☞성욕(性慾). 색욕(色慾)

▪ ～적 carnal, voluptuoso, lujurioso. ～주의 sensualismo *m*.

육욕(戮辱) ignominia *f*, vergüenza *f*.

육용(肉用) uso *m* comestible. ～하다 usar comestiblemente.

▪ ～종 casta *f* comestible.

육우(肉牛) ganado *m* vacuno, ganado *m* bovino.

육운(陸運) transporte *m* terrestre.

▪～국(局) el Departamento de Transporte Terrestre. ～ 화물(貨物) artículos *mpl* de transporte terrestre. ～ 회사 compañía *f* de transporte terrestre.

육자배기(六字－)【음악】*yukchabaeki*, tono *m* folclórico brioso y alegre (con seis palabras en una línea).

육장(六場) ① [한 달에 여섯 번씩 열리게 되는 장] mercado *m* que se abre seis veces al mes. ② ＝항상. 늘(siempre).

육장(肉漿) *yukchang*, el agua *f* de sopa hirviendo la carne de los aves y los animales.

육장(肉醬) *yukchang*, pedazos *mpl* de carne de vaca hirviendo en la salsa de soja.

육적(肉的) ＝육체적(肉體的).

육적(肉炙) carne *f* asada en la salsa de soja.

육전(陸戰) guerra *f* terrestre.

▪ ～대(隊) infantería *f* de marina. ～대원(隊員) infantes *mpl* de marina.

육젓(六－) *yukcheot*, camarones *mpl* encurtidos en sal cogidos en junio.

육정(六情) seis emociones humanos: alegría 희(喜), enfado 노(怒), tristeza 애(哀), diversión 낙(樂), amor 애(愛), y odio 오(惡).

육정(肉情) deseo *m* carnal. ☞육욕(肉慾)

육조(六曹)【역사】seis Ministerios.

육종(肉腫)【의학】＝종양(腫瘍)(sarcoma).

육종(育種) cría *f*, crianza *f*. ～하다 cirar.

육중주(六重奏)【음악】sexteto *m*.

육중하다(肉重－) (ser) pesado. 육중하게 pesadamente.

육즙(肉汁) jugo *m* de carne, caldo *m*. ～을 만들다 hacer [preparar] caldo.

육지(陸地) tierra *f*. ～에 오르다 desembarcar.

육지니(育－) polluelo *m* de halcón.

육질(肉質) ① [살로 되어 있는 질. 살이 많은 성질] sustancia *f* carnosa. ～의 carnoso, carnudo. ② [고기의 품질] calidad *f* de la carne.

육찬(肉饌) *yukchan*, platos *mpl* de carne de vaca.

육 척(六尺) seis pies. ~ 장신의 사나이 gigante *m*, hombre *m* muy alto.

육체(肉滯) digestión *f* causada por la carne.

육체(肉體) cuerpo *m*; [정신에 대한] carne *f*. ~의 [신체의] corpóreo, corporal, físico; [살의] carnal.

■~ 관계 relaciones *fpl* sexuales. ¶~를 맺다 tener relaciones sexuales (con), hacer el amor (con). ~ 노동 trabajo *m* físico, trabajo *m* de brazos. ~ 노동자 obrero, -ra *mf* (manual); peón, -ona *mf*; bracero, -ra *mf*. ~ 문학(文學) literatura *f* sensual, literatura *f* erótica. ~미(美) hermosura *f* física, belleza *f* física. ~적(的) corpóreo, corporal, físico, carnal. ¶~ 욕망 deseo *m* [apetito *m*] carnal. ~ 쾌락 voluptuosidad *f*, placeres *mpl* carnales, placeres *mpl* de la carne. ~파 glamour *ing.m*. ¶~ 여인 seductora *f*, mujer *f* glamorosa.

육초(肉一) vela *f* [candela *f*] de de sebo.

육촌(六寸) ① [여섯 치] seis pulgadas. ② [사촌(四寸)의 아들딸] sexto grado *m* de consanguinidad; primo *m* segundo, prima *f* segunda; hijo, -ja *mf* del primo.

육축(六畜) seis animales domésticos: vaca 소, caballo 말, cerdo 돼지, oveja 양, gallo 닭 y perro 개.

육친(六親) seis relaciones familiares: padre 부, madre 모, hermano mayor 형, hermano menor 제, esposa 처 e hijo 아들.

육친(肉親) pariente *m* consanguíneo [carnal], consanguinidad *f*. ~의 de un parentesco, cercano en sangre. ~처럼 con tierno cuidado, con un cariño de padre. 그의 ~들 los suyos. ~의 정(情) sentimiento *m* de consanguinidad.

■~ 관계 relación *f* entre parientes carnales, relación *f* de consanguinidad, parentesco *m* carnal.

육탄(肉彈) bomba *f* humana.

■~ 공격 ataque *m* de suicidio. ~ 십용사 diez bombas humanas. ~전 combate *m* mano a mano, batalla *f* cuerpo a cuerpo. ¶~을 하다[벌이다] combatir [luchar · pelear] cuerpo a cuerpo.

육탈(肉脫) ① [몸이 여위어 살이 빠짐] adelgazamiento *m*. ~하다 adelgazar, ponerse delgado. ② [매장한 시체가 살이 완전히 썩어 뼈만 남음] corrupción *f* completa de la carne del cadáver.

육탕(肉湯) sopa *f* de carne.

육태(陸駄) carga *f* desembarcada.

■~질 cargamento *m* desembarcado.

육통터지다(六通一) fracasar en el último momento.

육포(肉脯) *yukpo*, pedazos *mpl* de carne de vaca secada, cecina *f*, tasajo *m*, *AmS* charquí *m*.

육풍(陸風) brisa *f* terrestre, brisa *f* suave de la tierra; [육지에서 바다로 부는 미풍] terral *m*.

육필(肉筆) autógrafo *m*, quirógrafo *m*. ~의 autógrafo.

■~ 원고 manuscritos *mpl* autógrafos. ~ 편지 carta *f* autógrafa.

육하원칙(六何原則) seis elementos básicos para el reporte de noticias: ¿quién? 누가, ¿cuándo? 언제, ¿dónde? 어디서, ¿qué? 무엇을, ¿por qué? 왜 y ¿cómo? 어떻게.

육해공(陸海空) tierra, mar y aire. ~의 terrestre, naval y aéreo. ~에서의 공격(攻擊) ataques *mpl* terrestre, naval y aéreo. ~ 삼군(三軍)을 지휘하다 mandar [ejercer el mando supremo de] los ejércitos de Tierra, Mar y Aire.

■~군 fuerzas *fpl* terrestres, navales y aéreas. ~ 합동 작전 operaciones *fpl* conjuntas de fuerzas terrestres, navales y aéreas.

육행(陸行) ida *f* terrestre, viaje *m* por tierra. ~하다 ir por tierra, viajar por tierra.

육혈포(六穴砲) revólver *m* con seis cámaras.

육혹(肉一) varruga *f* carnosa.

육회(肉膾) *yukhoe*, plato *m* de carne de vaca cruda cortada en tajadas.

육후(肉厚) carne *f* gruesa. ~하다 la carne es gruesa.

윤(潤) ((준말)) =윤기(潤氣)(lustre).

◆윤(을) 내다 lustrar, bruñir, pulir, pulimentar, dar brillo (a), dar lustre (a). 구두에 ~ lustrar los zapatos. 가구에 ~ dar lustre a un mueble. 윤(이) 나다 ponerse lustroso.

윤-(潤) bisiesto. ~달 mes *m* bisiesto.

윤가(允可) =윤허(允許).

윤간(輪姦) violación *f* (de una mujer) en grupo, múltiple violación *f* de una mujer. ~하다 violar (una mujer) en grupo [en turno].

윤감(輪感) =돌림감기.

윤곽(輪廓) contorno *m*, perfil *m*; [자태의] silueta *f*; [얼굴의] rasgos *mpl*; [소묘. 개략] esbozo *m*, bosquejo *m*. ~이 뚜렷한 bien contornado. ~을 그리다 contornar, perfilar, esbozar, bosquejar. ~을 세우다 formar, dar forma. ~이 서다 formarse. ~이 뚜렷한 용모다 tener las funciones pronunciadas.

윤기(倫紀) disciplina *f* moral, leyes *fpl* morales, regulaciones *fpl* morales.

윤기(潤氣) lustre *m*, brillo *m*, viso *m*, cutis *m.sing.pl*, tez *f* (*pl* teces), color *m* de la piel, color *m* del rostro. 그의 피부는 ~가 흐른다 [없다] El tiene tez sonrosada [pálida].

윤나다(潤一) ponerse lustroso. ☞윤(潤)

윤납(輪納) pago *m* por turno. ~하다 pagar por turno.

윤내다(潤一) lustrar, bruñir, pulir. ☞윤(潤)

윤년(閏年) año *m* bisiesto.

윤달(潤一) mes *m* bisiesto.

윤독(輪讀) lectura *f* por turno. ~하다 leer por turno.

윤똑똑이 persona *f* dada aires de inteligente.
윤락(淪落) ruina *f*, miseria *f*. ～하다 caer a la miseria.
■ ～가 brudel *m*. ～녀 mujer *f* arruinada, mujer *f* abandonada, mujer *f* perdida.
윤리(倫理) ① [사람이 지켜야 할 도리] código *m* de conducta. ② ((준말)) =윤리학.
◆한국 방송 [신문] ～ 위원회 el Comité Etico de Radiodifusión [Prensa] de Corea.
■ ～관(觀) vista *f* ética. ～ 교화 운동 movimiento *m* ético. ～ 신학 teología *f* ética. ～적(的) ético, moral. ¶～으로 éticamente, moralmente. ～적 법규 código *m* ético. ～적 사회주의 socialismo *m* ético. ～적 종교 religión *f* ética. ～학 ética *f*, moral *f*. ¶동양 ～ ética *f* oriental. 실천 ～ ética *f* práctica. ～학자 ético, -ca *mf*.
윤몰(淪沒) ① [물에 빠져 들어감] hundimiento *m*, sumersión *f*, inmersión *f*. ～하다 hundirse, sumergirse. ② [죄에 빠짐] hundimiento *m* en el vicio. ～하다 hundirse en el vicio.
윤무(輪舞) =원무(圓舞).
■ ～곡(曲) rondó *m*.
윤번(輪番) turno *m*, rotación *f*. ～으로 por turno, por rotación.
■ ～제 sistema *m* de por turno.
윤벌(輪伐) desmonte *m* por turno. ～하다 desmontar por turno.
윤삭(閏朔) 【천문】 mes *m* bisiesto del calendario lunar.
윤색(潤色) embellecimiento *m*. ～하다 embellecer, hermosear, adornar.
윤생(輪生) 【식물】 verticilo *m*. ～의 verticilado.
윤선(輪船) ((준말)) =화륜선(火輪船)(vapor).
윤시(輪示) circulación *f* de exposición. ～하다 circular exposición.
윤월(閏月) =윤달(mes bisiesto).
윤음(綸音) palabras *fpl* del rey.
윤일(閏日) día *m* bisiesto.
윤작(輪作) rotación *f* de cultivos, siembra *f* de rotación. ～하다 alternar cultivos.
윤재(輪栽) =돌려짓기.
윤전(輪轉) rotación *f*. ～하다 rotar.
■ ～기[인쇄기] rotativa *f*, prensa *f* de rollo; [등사판의] multicopista *f*. ～의(儀) giroscopio *m*. ～ 재료 material *m* rodante.
윤준(允準) =윤허(允許).
윤중제(輪中堤) malecón *m* (*pl* malecones) construido rodeando la periferia de la isla en el centro del río.
윤증(輪症) =유행병(流行病). 돌림병.
윤지(綸旨) =윤음(綸音).
윤직(輪直) guardia *f* nocturna por turno.
윤질(輪疾) =유행병(流行病). 돌림병.
윤차(輪次) =윤번(輪番).
윤창(輪唱) 【음악】 canon *m*. ～하다 cantar (una canción) en canon.
윤척없다(倫脊－) (ser) incoherente, contradictorio. 윤척없는 말을 하다 decir incoherentemente, contradecirse.
윤척없이 incoherentemente, de manera incoherente, contradictoriamente, con coherencia.
윤택(潤澤) ① [윤기 있는 광택] lustre *m*, brillo *m*. ② [물건이 풍부함. 넉넉함] abundancia *f*, copia *f*, fertilidad *f*. ～하다 (ser) abundante, copioso, amplio, fértil. 자금이 ～하다 tener mucho capital en mano, estar en caudal, disponer de capital abundante, tener fondos en abundancia.
윤필(潤筆) ① [붓을 적심. 곧, 글씨를 쓰거나 그림을 그림] acción *f* de escribir o pintar. ② ((준말)) =윤필료.
■ ～료 remuneración *f* de la pintura.
윤하(允下) =윤허(允許).
윤형(輪形) forma *f* de rueda, anillo *m*, círculo *m*.
윤화(輪禍) accidente *m* tráfico, accidente *m* causada por los vehículos. ～를 당하다 tener un accidente tráfico
윤활(潤滑) lubricación *f*. ～하다 (ser) lubricante, lubricativo, lubricador.
■ ～성 lo lubricativo. ～유 lubricante *m*, aceite *m* lubricante, aceite *m* lubricador, aceite *m* lubrificante. ～ 장치 lubricador *m*. ～재(材) lubricante *m*, antifricción *f*. ～제 lubricante *m*.
윤회(輪廻) ① [차례로 돌아감] moción *f* perpetua, mutación *f* constante. ② ((불교)) metempsicosis *f*, transmigración *f*. ～하다 transmigrar, rotar, dar vueltas, girar. ～의 transmigratorio.
■ ～ 사상(思想) idea *f* transmigratoria. ～설 transmigracionismo *m*.
율(律) ① ((준말)) =음률(音律). ② 【음악】 ((준말)) =육률(六律). ③ ((준말)) =기율(紀律). ④ =풍류(風流). ⑤ =형률(刑律). ⑥ ((불교)) =계율(戒律). ⑦ ((불교)) ((준말)) =율종(律宗).
율(率) ① ((준말)) =비율(比率)(proporción, razón). ¶ 높은 ～로 a razón alta. 10%의 ～로 a un seis por ciento. ～을 높게 하다 subir la proporción. ～을 낮게 하다 bajar la proporción. ～이 높다 La razón es alta. ② ((준말)) =능률(能率)(eficiencia).
-율(律) ley *f*, principio *m*. 인과(因果)～ ley *f* de causa y efecto, principio *m* de la casualidad.
-율(率) proporción *f*, ratio *m*, porcentaje *m*. 백분(百分)～ porcentaje *m*.
율격(律格) ① [격식. 규격] regla *f*, estatuto *m*. ② [한시의] reglas *fpl* de versificación.
율동(律動) ① [주기적인 운동] ritmo *m*, movimiento *m* rítmico; 【시학】 cadencia *f*. 생(生)의 ～ ritmo *m* de vida. 빠른 ～으로 연주하다 tocar en el ritmo rápido. ② ((준말)) =율동 체조.
■ ～ 감각(感覺) sentido *m* rítmico. ～ 교육 enseñanza *f* rítmica. ～미 belleza *f* rítmica. ～법 método *m* rítmico. ～적 rítimico. ¶～으로 rítmicamente. ～인 미(美) belleza *f* rítmica. ～ 체조 gimnasia *f* [gimnástica *f*] rítmica.
율령(律令) ley *f*, estatuto *m*, ordenanzas *fpl*.

율례(律例) código *m* penal, estatuto *m*, ley *f*.
율모기【동물】culebra *f*.
율목(栗木)【식물】=밤나무.
율무【식물】lágrima *f* de Job, lágrima *f* de David.
■ ~밥 arroz *m* cocido de lágrima de Job. ~쌀 lágrima *f* de Job.
율문(律文) artículos *mpl* de código criminal.
율법(律法) ley *f*, regla *f*, mandamiento *m*. 모세의 ~ Ley *f* mosaica, Ley *f* de Moisés. 하나님의 ~에 따르다 observar los mandamientos de la ley de Dios.
율사(律士) =법률가(法律家).
율서(律書) libro *m* sobre la ley.
율시(律詩) estilo *m* del verso chino.
율학(律學) jurisprudencia *f* criminal.
융(絨) franela *f* de algodón.
융기(隆起) ① [높게 일어나 들뜸. 또, 그 부분(部分)] protuberancia *f*. ~하다 sobresalir. ②【지질】elevación *f*, levantamiento *m*. ~하다 elevarse, levantarse. 지각(地殼)의 ~ levantamiento *m* de la corteza de la tierra.
■ ~도(島) isla *f* elevada. ~ 산호초(珊瑚礁) arrecife *m* de coral elevado, barrera *f* coralina elevada. ~ 해안 costa *f* elevada.
융단(絨緞) alfombra *f*, moqueta *f*, *Col*, *Méj* tapete *m*, *RPl* moquette *f*, [벽포] tapiz *m* (*pl* tapices).
■ ~ 폭격(爆擊) bombardeo *m* por [de] saturación.
융동(隆冬) =엄동(invierno severo).
융로(隆老) viejo, -ja *mf* de más de setenta años de edad.
융모(絨毛) vello *m*, vellosidad *f*. ~의 velloso, corial, coriónico.
융비술(隆鼻術) operación *f* rinoplástica.
융성(隆盛) prosperidad *f*, florecimiento *m*. ~하다 (ser) próspero, floreciente. ~이 극에 달하다 llegar a la plena prosperidad; [상태] estar en el zenit de la prosperidad.
융숭하다(隆崇—) (ser) atento, hospitalario, cariñoso, cordial. 융숭함 hospitalidad *f*, cariño *m*, cordialidad *f*. 융숭한 대접 trato *m* cordial, trato *m* hospitalario.
융숭히 atentamente, hospitalariamente, cariñosamente, cordialmente, con mucha hospitalidad. ~ 대접하다 tratar con mucha hospitalidad.
융자(融資) financiación *f*, financiamiento *m*; [대부(貸付)] préstamo *m*. ~하다 financiar, prestar. ~를 받다 ser financiado. 은행에서 ~를 받다 recibir un préstamo de un banco. 은행에 ~를 의뢰하다 pedir un préstamo a un banco. 회사에 1억 원을 ~하다 hacer un préstamo de cien millones de wones a una compañía.
◆ 단기(短期) ~ préstamo *m* a corto plazo [a la vista]. 장기(長期) ~ financiación *f* a largo plazo. 조건부(條件附) ~ financiación *f* condicional.
■ ~금 préstamo *m*. ~ 기관 organismo *m* de financiación. ~ 회사(會社) compañía *f* financiera.
융점(融點) ((준말)) =융해점(融解點).
융통(融通) ① [막힘 없이 통용함] circulación *f*. ② [금전·물품 등을 서로 돌려 씀] préstamo *m*. ~할 수 있는 돈 dinero *m* disponible. 돈을 ~하다 agenciárselas [agenciarse·arreglárselas·arreglarse] para juntar dinero. 추가 자금을 ~하다 agenciarse cantidades adicionales de dinero. ③ [임기응변으로 일을 처리함. 변통의 재주가 있음] flexibilidad *f*, adaptabilidad *f*.
■ ~성 flexibilidad *f*, adaptabilidad *f*, espíritu *m* flexible, carácter *m* flexible. ¶~이 있다 tener un espíritu [un carácter] flexible. ~이 있는 사람 persona *f* adaptable, persona *f* comprensiva. ~이 없는 사람 persona *f* inadaptable, persona *f* incomprensiva. 규칙에 ~을 두다 dar flexibilidad a la ley. ~ 어음 letra *f* de favor, pagaré *m* de favor.
융합(融合) fusión *f*, unión *f*, amalgamación *f*. ~하다 fusionarse, fundirse, amonizarse, unir, amalgamar.
융해(融解) fusión *f*, fundición *f*, derretimiento *m*, disolución *f*. ~하다 fundirse, derretirse. ~시키다 fundir, derretir, disolver.
■ ~로(爐) horno *m* de fusión. ~ 석영(石英) cuarzo *m* fundido. ~열 calor *m* de fusión. ~점 punto *m* de fusión.
융화(融化) delicuescencia *f*. ~하다 licuarse.
융화(融和) armonía *f*, propiciación *f*, concierto *m*, buenas relaciones *fpl*; [화해(和解)] reconciliación *f*. ~하다 armonizarse, propiciar, reconciliarse. 양국간에 ~를 꾀하다 trabajar para la reconciliación entre ambos países. 조합원 상호간에 ~를 꾀하다 promover las relaciones amistosas entre los miembros del sindicato. 저 신입생은 새로운 분위기에 완전히 ~하고 있다 Aquel estudiante nuevo está completamente asimilado al nuevo ambiente.
■ ~ 정책 política *f* de reconciliación. ~책 medida *f* de reconciliación.
융흥(隆興) resucitación *f*, prosperidad *f* vigorosa. ~하다 resucitar, prosperar vigorosamente.
윷 *yut*, juego *m* de cuatro-ramita.
◆ 윷짝 가르듯 claramente, nítidamente.
윷놀다 jugar a *yut*.
■ ~놀이 juego *m* de *yut*. ~점 adivinación *f* con *yut*. ~판 tablero *m* de *yut*.
으그러뜨리다 mojar, moler, triturar, desmigajar, desmenuzar, hacer migas, aplastar, apabullar.
으그러지다 ser mojado. ☞우그러지다
으깨다 ① [굳은 물건을 눌러 부스러뜨리다] aplastar, moler, triturar, majar, estrujar, mascar, masticar, machacar. 낟알을 ~ reventar un grano. 마늘을 ~ majar [machacar] ajos. 손가락을 ~ aplastarse un dedo, pillarse un dedo. ② [억센 물건을 부드럽게 만들다] ablandar, poner blando.
-으나 ① [그러나. …하지만] pero, sin embargo. 가고 싶~ 시간이 없다 Quiero ir, pero

no tengo tiempo. ② [어쨌든. …간에] de todos modos, de todas formas, igual. ③ [매우 …한] muy. 높~ 높은 산 montaña *f* muy alta. 깊~ 깊은 물 el agua *f* muy profunda.

-으나마 pero, aunque, todavía. 그는 돈은 많~ 행복하지는 않다 El es rico pero no feliz.

-으냐 ¿Es? 좋~ ¿Es bueno?

으늑하다 (ser) acogedor, cómodo y calentito. 으늑한 침대 cama *f* cómoda y calentita.

-으니(까) ① [원인·이유] por, porque, que, pues. 시간이 충분히 없~ 서두르자 Démonos prisa, que no tenemos bastante tiempo. ② […했더니] cuando. 이름을 물~ 김이라 했다 Cuando yo pregunté su nombre, él dijo que era Kim.

으드득거리다 crujir.
으드득으드득 crujientemente. ~ 소리 나는 crujiente. ~ 소리 내며 먹다 ronzar. 그는 ~ 이를 간다 Le rechinan los dientes.

으드등거리다 [서로] llevarse mal uno a otro, llevarse como el perro y el gato; [불화] estar en discordia, estar en enemistad; [싸우다] reñir (con), pelear (con); [다투다] disputar (con), altercar (con). 두 사람은 늘 으드등거린다 Los dos están en malas relaciones / Los dos se llevan mal el uno al otro.
으드등으드등 llevándose mal uno a otro.

으뜸 ① [첫째] primero *m*. ② [우두머리] jefe, -fa *mf*, líder *mf*. ③ [기본. 근본] base *f*, fundación *f*, raíz *f* (*pl* raíces). 건강은 행복의 ~이다 La salud es una base de felicidad humnana. 효도는 윤리의 ~이니라 La piedad filial es una base de la ética.
▪ ~음 tónica *f*.

으뜸가다 ser el primero entre muchos, ser el mejor de muchos. 학교에서 으뜸가는 공붓벌레 el más estudioso de la clase.

으레 ① =의당(宜當). ② =대개. ¶부자들은 ~ 인색하기로 유명하다 Los ricos suelen tener fama de ser tacaños.

으로 como, por, en calidad de. 정직한 사람~ 통하다 pasar por honrado. ☞로

으로는 para. 그의 작품~ 이것은 나쁜 편이다 Para ser obra suya, ésta es mediocre.

으르다¹ [물에 불린 쌀 등을 으깨다] majar, moler, machacar.

으르다² [상대자를 위협하다] amenazar, intimidar. 그는 권총으로 나를 죽이겠다고 을렀다 El amenazó matarme con la pistola.

으르대다 amenazar.

으르렁 rugiendo, con un rugido.
으르렁거리다 ㉮ [동물이] rugir, bramar, mugir, aullar. 으르렁거리는 rugiente. 으르렁거림 ㉮ [동물의] rugido *m*, bramido *m*, aullido *m*; [고양이의] ronroneo *m*, runrún *m*. ㉯ [몹시 화가 나서] gemido *m*, gruñido *m*. 으르렁거리는 사자 león *m* rugiente. 고양이가 ~ ronronear, runrunear, dar un susurro de gozo. ㉯ [몹시 화가 나서] llevarse uno a otro, llevarse con el perro y el gato, disputar [altercar].
으르렁으르렁 rugiendo, bramando, mugiendo, aullando.

으르르 temblando, tiritando, estremeciéndose.

으름덩굴 clemátide *f*.

으름장 amenaza *f*, intimidación *f*. ~을 놓는 말 lenguaje *m* de amenazador, lenguaje *m* de intimidación, amenaza *f*. 그에게는 ~이 소용없다 Con él no valen amenazas.
◆ 으름장(을) 놓다 amenazar, intimidar. 으름장을 놓는 amenazador.

으리으리하다 (ser) magnífico, espléndido, majestuoso, imponente, impresionante, solemne. 으리으리하게 magníficamente, espléndidamente, majestuosamente, imponente, impresionantemente, solemnemente. 으리으리한 저택(邸宅) mansión *f* majestuosa. 으리으리한 교회 iglesia *f* espléndida. 으리으리한 성당 catedral *f* espléndida. 으리으리한 빅토리아식 건물 señorial edificio *m* victoriano.

-으면 si, cuando, cuandoquiera. 돈이 있~ 은행에 저축해라 Ahorra en el banco, si tienes dinero.

으밀아밀 cuchicheando. ~ 이야기하다 hablar cuchicheando.

-으셔요 [접속법 동사를 사용하는 명령형] -a(n), -e(n). 받~ Reciba. 앉~ Siéntese.

-으소서 ¡Que + *subj*! 저의 소원을 들~ ¡Que escuche mi deseo!

으스대다 presumirse, ponerse moños, ponerse soberbio, engreírse, pavonearse, imponerse, fanfarronear; [자만하다] enorgullecerse, jactarse, vanagloriarse. 무척 으스대면서 de [con] aire fanfarrón, con gran arrogancia. 으스대는 어투로 en tono altanero, en tono soberbio, en voz solemne, en voz imponente. 으스대며 걷다 pavonearse, contonearse, andar con pasos arrogantes.

으스러뜨리다 romper, destrozar, hacer añicos.

으스러지다 desmenuzarse, desmoronarse, desrrumbarse.

으스름달 luna *f* neblinosa, luna *f* brumosa.
▪ ~밤 noche *f* con luz de la luna neblinosa.

으스름하다 (ser) neblinoso, brumoso.

으스스 temblando con frío. ~한 날씨 tiempo *m* fresquito. 오늘 날씨가 ~하지? ¿Hace fresquito hoy, ¿no? 오늘은 ~ 춥다 Hoy hace un poco de frío. ~ 추운 밤이었다 Era una noche un un poco fría.

으슥하다 (estar) apartado, aislado, solitario. 으슥한 곳 lugar *m* solitario. 으슥한 방 habitación *f* aislada. 밤이 으슥하게 깊어 간다 La noche está muy avanzada.

으슬으슬 temblando. ~하다 hacer fresquito, hacer frío.

으슴푸레하다 (ser) neblinoso, brumoso, oscuro, poco iluminado, débil, tenue. 달빛이 ~ La luna brilla débil.

으쓱¹ [갑자기 무섭거나 차가울 때 몸이 움츠러지는 모양] horriblemente, horrosamente.

～하다 (ser) horrible, horroso, espeluznante, aterrador, escalofriante.

으쓱² [잘난 듯이 느껴 어깨를 들먹이는 모양] orgullosamente. ～하다 animarse, reanimarse, estar orgulloso.
으쓱거리다 [어깨를] alzar los hombros, erguir los hombros. 어깨를 으쓱거리며 걷다 andar con los hombros alzados.
으쓱으쓱 alzando los hombros, erguiendo los hombres.

으악 ① [토하는 소리] vomitona *f.* ② [놀라거나 놀라게 하려고 지르는 소리] ¡Bu!

으크러뜨리다 machacar, desmenuzar, aplastar.

으크러지다 ser machacado, ser aplastado.

윽물다 apretar entre dientes.

윽박다 intimidar, amedrentar, atemorizar.

윽박지르다 intimidar, amedrentar, atemorizar.

은(恩) ((준말)) ＝은혜. 은공. 은덕.

은(銀) 【광물】 plata *f.* ～의 de plata, argentino.

은가락지(銀－) anillo *m* de plata.

은가루(銀－) plata *f* en polvo, polvo *m* de plata, plata *f.*

-은가 보다 parecer. 그는 기분이 매우 좋～ El parece muy feliz.

은감(殷鑑) advertencia *f,* lección *f,* aviso *m.*

은갱(銀坑) mina *f* de plata.

은거(隱居) retiro *m,* retirada *f.* ～하다 retirarse de la vida activa, entregar la herencia al hijo y recogerse. 그는 ～를 즐긴다 El goza de un retiro tranquilo.
■～소 retiro *m.* ～자 retirado, -da *mf;* jubilado, -da *mf.*

은고(恩顧) favor *m,* atención *f,* amparo *m.* ～를 받다 recibir un favor.

은공(恩功) favor *m,* mérito *m.*

은광(銀鑛) ① [은을 캐내는 광산] mina *f* de plata. ② [은을 함유한 광석] mineral *m* que contiene plata.

은괴(銀塊) lingote *m* de plata, plata *f* en barras.

은근(慇懃) ① [태도가 겸손하고 정중함] cortesía *f,* (buena) educación *f.* ～하다 (ser) cortés, civil. ～한 태도 actitud *f* cortés. ② [은밀하게 정이 깊음] intimidad *f,* amistad *f.* ～하다 (ser) íntimo, amistoso. ～한 사이 relación *f* íntima. ③ [음흉스럽고 은밀함] maldad *f,* perversidad *f.* ～하다 (ser) malvado, perverso, maligno, malo.
은근히 indirectamente, encubiertamente, implícitamente; cortésmente, con cortesía, íntimamente, amistosamente; malvadamente, perversamente, malignamente.. ～ 비난하다 criticar indirectamente [implícitamente · encubiertamente]. ～ 기대하다 esperar, estar a la expectativa (de), estar a la espera (de).

은근짜 ((속어)) ① [몸을 파는 여자] cantonera *f,* puta *f,* ramera *f,* mujer *f* de la calle. ② [의뭉스러운 사람] persona *f* astuta.

은급(恩給) 【역사】 pensión *f,* renta *f,* retiro *m.*

은기(銀器) vajilla *f* [vasija *f*] de plata.

은니(銀－) diente *m* de plata.

은니(銀泥) pasta *f* de plata.
■～ 그림 pintura *f* plateada.

은닉(隱匿) encubrimiento *m,* ocultación *f,* escondimiento *m.* ～하다 esconderse, encubrir, ocultar, receptar, dar refugio (a), dar asilo (a). 범인(犯人)을 ～하다 encubrir al delincuente.
■～ 물자 objetos *mpl* encubiertos. ～처 escondite *m,* escondrijo *m.*

은덕(恩德) favor *m,* beneficio *m.*

은덕(隱德) actitud *f* secreta de virtud.

은도금(銀鍍金) plateadura *f,* plateado *m.* ～하다 argentar, platear. ～의 plateado.

은돈(銀－) moneda *f* de plata.

은둔(隱遁) retiro *m* (del mundo), reclusión *f.* ～하다 retirarse del mundo, retirarse de vida pública, vivir en lugar retirado, recluirse de sociedad.
■～ 생활 vida *f* solitaria. ～자 asceta *mf,* ermitaño, -ña *mf;* solitario, -ria *mf;* monje, -ja *mf;* cartujo, -ja *mf.* ～주의 monacato *m.* ～처 ermita *f.*

은딱지(銀－) caja *f* de plata.
■～ 시계 reloj *m* de plata.

은딴 jefe *m* del grupo de los cazadores de serpientes

은로(銀露) rocío *m* de la noche que brilla en la luz de la luna.

은륜(銀輪) ① [은으로 만든 바퀴] rueda *f* de plata. ② ＝자전거(bicicleta).

은막(銀幕) ① ＝영사막(pantalla de cine). ② ＝영화계. ¶～의 여왕(女王) reina *f* del mundo de la pantalla.

은메달(銀 medal) medalla *f* de plata.

은메달리스트(銀 medalist) medallista *mf* de plata.

은명(恩命) palabras *fpl* graciosas.

은물결(銀－) ola *f* blanca, ola *f* argentina.

은밀(隱密) secreto *m.* ～하다 (ser) secreto, confidencial.
은밀스럽다 (ser) secreto.
은밀스레 secretamente, en secreto.
은밀히 secretamente, en secreto.

은박(銀箔) hoja *f* de plata.
■～지 papel *m* de plata.

은반(銀盤) ① [은으로 된 쟁반] plato *m* de plata. ② ＝달(luna). ③ [얼음판] pista *f* de (patinaje sobre) hielo.
■～계 mundo *m* del deporte de hielo. ¶～의 여왕 reina *f* del mundo del deporte de hielo.

은반지(銀斑指) anillo *m* de plata.

은발(銀髮) ① [은빛의 머리털] pelo *m* platinado, pelo *m* platino, pelo *m* argentino. ② ＝백발(白髮)(cana, pelo blanco).

은방(銀房) platería *f.*

은방울(銀－) campanilla *f* de plata.

은방울꽃(銀－) 【식물】 muguete *m,* lirio *m* de los valles.

은배(銀杯) copa *f* de plata.

은백색(銀白色) color *m* blanco como la plata.

은벽하다(隱僻－) (estar) apartado, aislado, solitario.
은병(銀甁) ① [은제품 병] botella *f* de plata. ② [고려 때 사용했던 화폐] *eunbyong*, una especie de la moneda de la era de Koryo.
은본위제(銀本位制) patrón *m* (de) plata, ley *f* de la plata, teoría *f* económica que propende al empleo de la plata como base menetaria.
은부(殷富) abundancia *f*. ～하다 (ser) abundante.
은분(銀粉) ＝은가루.
은붙이(銀－) objetos *mpl* de plata.
은비(隱庇) protección *f*. ～하다 proteger, ocultar.
은비녀(銀－) pasador *m* de plata.
은빛(銀－) color *m* argentino. ～의 argentino, plateado.
은사(恩師) maestro *m* venerado [respetado], maestra *f* venerada [respetada]; [옛날의] maestro *m* antiguo, maestra *f* antigua.
은사(恩赦) amnistía *f*, indulto *m*. ～를 받다 recibir la amnistía [un indulto], ser amnistiado.
은사(銀沙) arena *f* blanca (como el color argentino).
은사(銀絲) ＝은실.
은사(隱士) ermita *m*.
은사(隱事) secreto *m*.
은산(銀山) ＝은광(銀鑛).
은산덕해(恩山德海) favor *m* grande y profundo como la montaña y el mar.
은상(銀賞) premio *m* de plata, segundo premio *m*.
은색(銀色) ＝은빛.
은서(隱棲) vida *f* aislada, aislamiento *m*. ～하다 vivir aislado [recluido].
은설(銀屑) polvo *m* de plata.
은성(殷盛) prosperidad *f*. ～하다 (ser) próspero.
은세계(銀世界) mundo *m* cubierto de nieve, paisaje *m* nevado. 주변이 온통 ～를 이루고 있다 Todo el paisaje está bellamente cubierto de nieve / Todo el paisaje está cubierto de un manto de plateada nieve.
은세공(銀細工) vajilla *f* de plata, artículos *mpl* de plata.
은수저(銀－) cuchara *f* de plata.
은시계(銀時計) reloj *m* de plata.
은신(隱身) escondimiento *m*. ～하다 esconderse.
■ ～처 escondrijo *m*, escondite *m*, refugio *m*; [범인의] guarida *f*.
은실(銀－) hilo *m* de plata.
은애(恩愛) ① [은혜와 사랑] el favor y el amor. ② [부모 자식 사이나 부부간의 애정] afecto *m*, cariño *m*, amor *m*.
은어(銀魚) 【어류】 pez *m* fluvial coreano, (una especie de) trucha *f*.
은어(隱語) jerga *f*, jerigonza *f*, argot *m* (*pl* argots); [비어(卑語)] lengua *f* verde; [도적의] germanía *f*. ～를 사용하다 emplear jerga, hablar en jerigonza, hablar en argot.
■ ～ 사전 diccionario *m* del argot.
은여우(銀－) 【동물】 zorro *m* azul.
은연중(隱然中) secretamente, en secreto, tácitamente.
은연중에 ＝은연중.
은연하다(隱然－) (ser) latente. 은연한 세력 poder *m* latente. 은연한 세력을 가지고 있다 tener una influencia (en · sobre).
은연히 latentemente.
은옥색(銀玉色) color *m* verde ligero.
은우(恩遇) trato *m* beneficiario, hospitalidad *f*.
은원(恩怨) el amor y el odio, el favor y el rencor.
은위(恩威) la merced y la justicia, el favor y la dignidad, la justicia y la clemencia.
은유(隱喩) ＝은유법(隱喩法).
■ ～법 metáfora *f*. ～적 metafórico. ¶～으로 metafóricamente.
은은하다(殷殷－) (ser) retumbante, tronador.
은은히 de manera retumbante, de manera tronadora, con retumbo.
은은하다(隱隱－) ① [겉으로 드러나지 않고 아슴푸레하고 흐릿하다] (ser) vago, impreciso, poco claro. ② [먼 데서 울려오는 소리가 아득하여 똑똑하지 않다] (ser) distante, lejano, remoto.
은은히 vagamente, imprecisamente; a lo lejos. 산사(山寺)의 종소리가 ～ 들렸다 Se oía campanas del templo en la montaña a lo lejos.
은의(恩義) ① [은혜와 덕의(德義)] el favor y la moralidad. ② [갚아야 할 의리와 은혜] favor *m*, bondad *f*, obligación *f*. ～에 보답하다 pagar la bondad, (re)compensar por los favores recibidos.
은익(銀翼) ① [비행기의 은빛 날개] alas *fpl* argentinas del avión. ② ＝비행기(avión).
은인(恩人) bienhechor, -chora *mf*, benefactor, -tora *mf*. 당신은 내 생명의 ～이다 Te debo la vida.
은인(隱人) ermitaño, -ña *mf*, anacoreta *mf*, [회교의] derviche *m*.
은인(隱忍) paciencia *f*, aguante *m*. ～하다 perseverar, persistir.
■ ～자중 aguante *m*. ¶～하다 aguantarse, contenerse, dominarse.
은일(隱逸) aislamiento *m*. ～하다 aislarse.
은자(銀子) moneda *f* de plata.
은자(銀字) letra *f* escrita con el polvo de plata.
은자(隱者) ＝은인(隱人).
■ ～암 ermita *f*, (choza *f* de) retiro *m*.
은잔(銀盞) vaso *m* de plata, copa *f* de plata.
은장(銀匠) ＝은장이.
■ ～이[색] platero, -ra *mf*.
은장도(銀粧刀) cuchillo *m* ornamental de plata.
은장식(銀裝飾) ornamento *m* [decoración *f* · adorno *m*] con plata. ～하다 decorar [ornar · adornar] con plata.
은재(隱才) talento *m* escondido.
은저울(銀－) balanza *f* de plata.

은적(隱迹) fuga *f*, huida *f*. ～하다 fugarse, huir.
은전(恩典) gracia *f* [favor *m*] especial. 특사(特赦)의 ～을 입다 ser (el) objeto de una amnistía.
은전(銀錢) moneda *f* de plata.
은정(恩情) afecto *m* benévolo, cariño *m* benévolo, favor *m*.
은제(銀製) [은으로 된] hecho de plata; [은제품] artículo *m* de plata. ～의 (hecho) de plata.
은제품(銀製品) artículo *m* de plata.
은조사(銀造紗) seda *f* fina hecha en China.
은족반(隱足盤) bandeja *f* redonda con el fondo plano.
은종이(銀－) ① [은지(銀紙)] papel *m* de plata. ② [납과 주석의 합금을 종이처럼 편 것] papel *m* de estaño.
은줄[1](銀－) ＝은맥(銀脈).
은줄[2](銀－) cuerda *f* hecha de plata como el hilo.
은지(銀紙) papel *m* de plata.
은지환(銀指環) [은반지] anillo *m* de plata.
은진(殷賑) prosperidad *f*.
은진(癮疹)【한방】＝두드러기(urticaria).
은짬 secreto *m*.
은총(恩寵) ① [높은 사람으로부터 받는 특별한 은혜와 사랑] favor *m*. ～을 받다 recibir el [gozar del] favor del soberano. ② [하느님의 인류에 대한 사랑] gracia *f*. ～을 받다 recibir la gracia de Dios.
은총이(銀－) caballo *m* con los testículos blancos.
은침(銀鍼) aguja *f* de plata, acupuntura *f* de plata.
은칭(銀秤) balanza *f* de plata.
은컵(銀 cup) copa *f* de plata.
은택(恩澤) gracia *f* e influencia benévola. 문명의 ～을 입다 gozar del beneficio de civilización.
은테(銀－) montura *f* de plata, aro *m* plateado.
■～ 안경 gafas *fpl* con montura de plata, gafas *fpl* con armazón plateado.
은테두리(銀－) borde *m* [aro *m*] de plata.
은퇴(隱退) [직업으로부터] jubilación *f*, retiro *m*; [군에서] retiro *m*. ～하다 jubilarse, retirarse. ～한 jubilado, retirado. ～시키다 jubilar, retirar. ～해 있다 estar retirado. 정계(政界)에서 ～하다 retirarse de la política. 그 투우사는 ～했다 El matador se cortó la coleta. 그는 ～하고 시골로 살러 갔다 Cuando él se jubiló se fue a vivir al campo.
■～ 경기 [야구 등 구기의] partido *m* de despedida; [권투·레슬링 등의] combate *m* [lucha *f*] de despedida. ～ 생활 vida *f* retirada, vida *f* jubilada.
은파(銀波) ＝은물결.
은폐(隱蔽) encubrimiento *m*, ocultación *f*. ～하다 encubrir, ocultar, esconder, tapar. 사실을 ～하다 ocultar la realidad. 진실을 ～하다 ocultar la verdad.
■～소 escondrijo *m*, escondite *m*.
은피(隱避) ocultación *f*. ～하다 ocultar.
은하(銀河) ① [우리 은하] vía *f* láctea, camino *m* de Santiago. ② [외부 은하] galaxia *f*.
■～계 galaxias *fpl*, sistema *m* galáctico. ～군 ＝성운군(星雲群). ～단 ＝성운단(星雲團). ～면 plano *m* galáctico. ～수 ＝은하(銀河)❶. ～ 작교 ＝오작교(烏鵲橋). ～ 좌표 coordenadas *fpl* galácticas.
은합(銀盒) cuenco *m* de plata con tapa.
은행(銀行) banco *m*. ～의 bancario. ～에 예금된 돈 dinero *m* despositado en un banco. ～에 돈을 예금하다 depositar dinero en un banco. ～에서 돈을 인출하다 sacar el dinero del banco. ～에서 돈을 빌리다 conseguir un préstamo [un crédito] del banco.
◆국제 결제 ～ el Banco Internacional para la Liquidación. 국제 부흥 개발 ～ el Banco Internacional para la Reconstrucción y el Desarrollo.
■～가(家) banquero, -ra *mf*. ～가(街) centro *m* de bancos. ～ 감독원 Consejo *m* de Inspección Bancaria. ～ 강도(强盜) ladrón, -drona *mf* del banco; [행위] robo *m* del banco. ～ 거래 cuenta *f* bancaria. ～권(券) billete *m* de banco, pagaré *m* bancario, billete *m* emitido por el banco. ¶한국 ～ billete *m* emitido por el Banco de Corea. ～ 규약(規約) código *m* bancario. ～ 그룹 cadena *f* de bancos, grupo *m* bancario, grupo *m* de bancos. ～ 대부 préstamo *m* bancario, préstamo *m* de banco. ～ 대부 이자 interés *m* sobre préstamos de un banco. ～ 대출 anticipo *m* bancario. ～ 도산(倒産) quiebra *f* bancaria, bancarrota *f* bancaria. ～망 red *f* bancaria. ～ 배서 endoso *m* bancario. ～법 ley *f* bancaria, ley *f* de banco. ～ 보증(保證) garantía *f* bancaria. ～ 부기 contabilidad *f* bancaria. ～ 부채 deudas *fpl* bancarias. ～ 서비스 servicio *m* bancario. ～ 서비스료 cargo *m* por servicio bancario, comisión *f* por servicio bancario. ～ 송금 transferencia *f* del banco, traspaso *m* del banco. ～ 수수료 comisión *f* bancaria. ～ 수표 cheque *m* bancario. ～ 신용장 crédito *m* bancario. ～ 어음 giro *m* bancario, letra *f* bancaria. ～업 banca *f*, negocios *mpl* bancarios. ～ 영업 시간 horario *m* bancario, horas *fpl* bancarias. ～ 예금 depósito *m* bancario. ～ 예금 보험 seguro *m* de depósito bancario. ～ 예금률 tasa *f* de depósito bancario. ～ 운영 자금(運營資金) capital *m* bancario. ～원 banquero, -ra *mf*, empleado, -da *mf* de banco. ～ 이율 tipo *m* de interés de un banco, tasa *f* de intereses de un banco. ～ 이자 interés *m* bancario, intereses *mpl* bancarios. ～ 인수 aceptación *f* bancaria. ～ 인수 어음 letra *f* aceptada por un banco. ～ 자본 capital *m* bancario. ～ 자회사 filial *f* bancaria. ～장 presidente, -ta *mf*

de un banco; director, -tora *mf* de un banco. ~ 제도 sistema *m* bancario. ~주 acciones *fpl* bancarias, acciones *fpl* de banco. ~ 지로 giro *m* bancario. ~ 지점 sucursal *f* de banco. ~ 지주 회사 sociedad *f* de control del banco. ~ 집회소 club *m* [asociación *f*] de banqueros. ~ 카드 tarjeta *f* bancaria. ~ 통장 libreta *f* de banco. ~ 할인(割引) descuento *m* bancario, descuento *m* de un banco. ~ 할인율 tasa *f* de descuento bancario, tipo *m* de (descuento de un) banco. ~ 현금 비율 coeficiente *m* bancario de caja. ~ 현금 준비 reserva *f* en efectivo de un banco. ~환 giro *m* bancario.

은행(銀杏) [은행나무의 열매] fruto *m* de brenea, fruto *m* de gingo, nuez *f* (*pl* nueces) de gingko.

은행나무(銀杏-) 【식물】 gingo *m*, gincgo *m*, gingko *m*, brenea *f*.

은현(隱現) la aparición y la desaparición. ~하다 aparecer y desaparecer.

은혈(銀穴) mina *f* de plata.

은혈(隱穴) agujero *m* invisible.

은혈로 secretamente, en secreto.

▪ ~못 clavo *m* de dos puntas, clavo *m* de doble cabeza.

은혜(恩惠) ① [베풀어 주는 혜택] favor *m*, beneficio *m*, gracia *f*; [은의(恩義)] obligación *f*, deuda *f*; [자비] merced *f*; [친절] bondad *f*, benignidad *f*, benevolencia *f*. 부모님의 ~ deuda *f* filial con los padres. ~를 입다 ser favorecido (con · de · por), gozar del favor (de), recibir un favor (de), recibir una merced (de). ~를 베풀다 beneficiar, hacer un favor, poner bajo una obligación. ~를 입고 있다, ~에 감사하다 sentir agradecimiento (por), estar agradecido (por). ~를 입히다 obligar (con favores). 자못 ~라도 베푼 듯한 태도로 con actitud interesada. 자못 ~라도 베푼 듯이 말하다 hablar en tono interesado. 당신의 ~를 입고 있다 Le quedo muy reconocido [obligado]. 당신의 ~를 결코 잊지 않겠습니다 Nunca olvidaré sus favores / Agradezco profundamente sus favores. 당신의 ~는 평생 잊지 않겠습니다 En toda la vida olvidaré lo mucho que le debo. ② ((기독교)) gracia *f*, amor *m* de Dios, favor *m* divino, ayuda *f* divina. ~를 입은 dichoso, propicio. 나는 ~를 입었다 Mis deseos fueron escuchados [correspondidos].

은혼식(銀婚式) bodas *fpl* de plata, vigésimo quinto aniversario del casamiento.

은화(銀貨) moneda *f* de plata.

은화식물(隱花植物) criptogamas *fpl*, planta *f* sin flores, acotiledóneas *fpl*.

은회색(銀灰色) (color *m*) gris *m* plateado.

은휘(隱諱) ocultación *f*. ~하다 ocultar, disimular.

을 ① [대상] ¶ 말~ 타다 montar a caballo. 신문~ 읽다 leer un periódico. 나는 탑~ 본다 Veo la torre. 나는 물~ 마시고 싶다 Quiero beber agua. 나는 음악~ 좋아한다 Me gusta la música. ② [강조 · 생략] ¶하늘에는 영광~, 땅에는 평화를! ¡Que haya gloria en el cielo, y paz en la tierra! 해외 여행에는 대한 항공~! ¡Vuela en KAL al extranjero! 나에게 자유가 아니면 죽음~ 달라 Dame libertad, o muerte. ③ [목표 · 방향] a. 언제 스페인~ 가느냐? ¿Cuándo vas a España? ④ [장소] a. 강~ 건너다 cruzar el río. 일본~ 가다 ir al Japón. ⑤ [동안] por. 세 시간~ 자다 dormir (por) tres horas. ⑥ [목적] a. 영화 구경~ 가다 ir a ver una película, ir al cine. ⑦ [서반아어에서 사람이 목적어일 때] a. 김 선생~ 방문하다 visitar al señor Kim.

을(乙) ① [차례에서 둘째] segundo; [급수의] B; [두 사람 중에서 후자] segundo, último. ② ((준말)) =을방(乙方). ③ ((준말)) =을시(乙時).

을근거리다 amenazar.

을근을근 amenazando.

을러메다 amenazar, asustar, amedrentar.

-을망정 aun cuando + *subj*, aunque + *subj*, a pesar de que + *subj*. 굶어 죽~ 그에게 부탁은 하지 않겠다 Aun cuando yo me muriera de hambre [tuviera un hambre canina], no le pediría. 죽~ 그 짓은 못하겠다 Yo preferiría morir a hacerlo. 나한테 답장을 하지 않~ 나는 토요일에 떠나야 한다 Aun cuando no me responda tendré que partir el sábado.

을모 ángulo *m* truncado.

을묘(乙卯) 【민속】 *eulmyo*, quincuagesimosegundo período *m* binario del ciclo sexagenario.

을미(乙未) 【민속】 *eulmi*, trigesimosegundo período *m* binario del ciclo sexagenario.

을밋을밋 tardíamente, con retraso, de día en día, día a día.

을방(乙方) 【민속】 *eulbang*, este cuarta al sudeste [sureste].

을사(乙巳) 【민속】 *eulsa*, el cuadragesimosegundo período binario del ciclo sexagenario.

을시(乙時) 【민속】 *eulsi*, el octavo de los períodos de veinticuatro horas, entre las seis y media y las siete y media de la mañana.

을씨년스럽다 ① [남이 보기에 퍽 쓸쓸하다] muy triste, desconsolado, sombrío, lúgubre, solitario, desanimado. ② [살림이 매우 군색하다] (ser) pobre, miserable.

을씨년스레 desconsoladamente, tristemente; solitariamente, desanimadamente; pobremente, miserablemente, míseramente.

을야(乙夜) =이경(二更).

을유(乙酉) 【민속】 *eulyu*, el vigesimosegundo período binario del ciclo sexagenario.

을종(乙種) clase B, segundo grado *m*.

을축(乙丑) 【민속】 *eulchuk*, el segundo período binario del ciclo sexagenario.

을해(乙亥) 【민속】 *eulhae*, el duodécimo período binario del ciclo sexagenario.

읊다 recitar. 시(詩)를 ~ recitar un poema.

읊조리다 recitar, cantar, canturrear, tatarear, tararear.

음(音) ① [물체의 진동으로 일어나는 청관(聽官)의 감각] [음향] sonido *m*, tono *m*; [유쾌한 소리] son *m*, resonancia *f*; [잡음] ruido *m*; [악기의 음] toque *m*, tañido *m*. 높은 ~ tono *m* alto. 낮은 ~ tono *m* bajo. l의 ~과 r의 ~을 구별하다 distinguir el sonido de la l y el de la r. ② ((준말)) = 자음(字音). ③ [한자를 읽을 때의 소리] pronunciación *f*. 한자를 ~으로 읽다 leer los caracteres chinos fonéticamente.

음(陰) ①【철학】Yin, principio *m* negativo en naturaleza. ②【수학】signo *m* negativo. ③ ((준말)) =음극(陰極).

◆음으로 양으로 tanto en secreto como en público, implícita y explícitamente, pública y ocultamente.

음가(音價) valor *m* fonético.

음각(陰角) ángulo *m* negativo.

음각(陰刻) grabado *m*. ~하다 grabar.

음감(音感) sentido *m* de sonido.

■~ 교육 educación *f* auditiva.

음건(陰乾) secado *m* a la sombra. ~하다 secar a la sombra.

음경(陰莖)【해부】pene *m*, falo *m*, miembro *m* viril; ((속어)) polla *f*. ~의 fálico.

■~ 귀두(龜頭) glande *m* del pene, bálano *m* del pene. ~ 귀두관 corona *f* del glande del pene. ~ 꺼풀 prepucio *m*. ~ 성형술 faloplastia *f*. ~ 숭배 falismo *m*. ~염(炎) penitis *f*, priapitis *f*, falitis *f*. ~ 절단술 falectomía *f*. ~ 출혈 falorragia *f*. ~통(痛) falodinia *f*. ~ 포피(包皮) prepucio *m* del pene.

음계(音階)【음악】escala *f* (musical), gama *f*. ~ 연습을 하다 practicar [ejercitar] la escala. ~로 노래를 부르다 solfear. (피아노로) ~를 켜다 hacer gamas (en el piano).

◆단~ escala *f* menor. 반~ escala *f* cromática. 장~ escala *f* mayor. 전(全)~ escala *f* diatónica.

음계(陰界) mundo *m* del difunto.

음계(陰計) =음모(陰謀).

음곡(音曲) interpretación *f* musical, representación *f* musical.

음공(陰功) méritos *mpl* ocultos.

음극(陰極)【전기】polo *m* negativo, cátodo *m*. ~의 catódico.

■~관 tubo *m* de rayos catódicos. ~선 línea *f* de cátodo, rayos *mpl* catódicos.

음기(陰氣) ① [음침(陰沈)한 기운] lobreguez *f*, lobregura *f*, oscuridad *f*, melancolía *f*. ②【한방】frío *m*.

음낭(陰囊)【해부】escroto *m*. ~의 escrotal.

음넓이(音-) =음역(音域).

음녀(淫女) mujer *f* lasciva [licenciosa].

음높이(音-) altura *f* de tono.

음담(淫談) charla *f* verde [inmoral · obscena · indecente]. ~을 하다 hablar de cosas obscenas [indecentes].

■~패설 fábula *f* milesia.

음덕(陰德) actitud *f* oculta de caridad. …의 ~을 입다 deber a *uno*, estar en deuda con *uno*. …의 ~으로 gracias a [debido a · en virtud de] *algo* · *uno*, por [a] causa de *algo* · *uno*. 내가 성공한 것은 부모님의 ~이다 Mi éxito se lo debo a mis padres / Les debo mi éxito a mis padres / Gracias a mis padres he tenido éxito.

음덕(蔭德) ① [조상의 덕] virtud *f* de los antepasados. ② =음덕(陰德).

음도(音度) tono *m*.

음독(音讀) lectura *f* en voz alta, lectura *f* en pronunciación de los caracteres chinos.

음독(飮毒) accin *f* de tomar el veneno. ~하다 tomar el veneno.

■~자살 suicidio *m* por veneno. ¶~하다 suicidarse con veneno, envenenarse.

음동(陰冬) invierno *m* sombrío.

음락(淫樂) placer *m* sensual.

음란(淫亂) lujuria *f*, lascivia *f*, libídine *m*, libidinosidad *f*, lubricidad *f*, impudicia *f*, carnalidad *f*, intemperancia *f*, libertinaje *m*, obscenidad *f*, incontinencia *f*; [색광(色狂)] andromanía *f*; [남자의] satiriasis *f*; [여자의] ninfomanía *f*. ~하다 (ser) lujurioso, lascivo, libidinoso, liviano, lúbrico, impúdico, carnal, intemperante, incontinente, libertino, obsceno, licencioso, sensual, rijoso, salaz. ~한 남자 hombre *m* lujurioso, sátiro *m*. ~한 여자 mujer *f* lujuriosa, mujer *f* libre, mujer *f* disoluta, ninfomaniaca *f*. ~한 말을 하다 decir obscenidades, decir groserías. 여자와 ~한 짓을 하다 hacer libertinaje con una mujer. ~한 짓이다 ¡Qué grosero!

◆피학대 ~ masoquismo *m*. 학대(虐待) ~ sadismo *m*.

■~증(症) andromanía *f*.

음랭(陰冷) la oscuridad y el frío. ~하다 (ser) oscuro y frío.

음량(音量) volumen *m* (de la voz), volumen *m* del sonido. 라디오의 ~을 올리다 subir [aumentar] el volumen de la radio.

■~계 volúmetro *m*. ~ 조절 regulación *f* de(l) volumen, regulador *m* [control *m*] de(l) volumen.

음력(陰曆) ((준말)) =태음력(太陰曆). ¶~ 섣달 그믐날 el último día de diciembre del calendario lunar.

■~설 día *m* del Año Nuevo del calendario lunar.

음료(飮料) bebida *f*, licor *m*, refresco *m*, potación *f*. ~에 적합한 potable. ~에 적합하지 않은 impotable, no potable. 이 물은 ~에 적합하다 Esta agua es potable / Esta agua apta para ser bebida.

◆알코올 ~ bebidas *fpl* alcohólicas. 청량(淸凉)~ bebidas *fpl* refrescantes. 혼합(混合) ~ bebidas *fpl* mezcladas.

음료수(飮料水) el agua *f* potable.

음률(音律) ritmo *m*.

■~적 rítmico. ¶~으로 rítmicamente.

음매 mu. ~ 울다 mugir.

음매(淫賣) ＝매음(賣淫).

음모(陰毛) ＝거웃(pubis).

음모(陰謀) complot *m* (*pl* complots), conjura *f*, conspiración *f*, intriga *f*. ~를 꾸미다 tramar un complot, conjurarse, conspirar, intrigar. 정부에 대한 ~가 꾸며지고 있다 Traman una conspiración contra el gobierno.
■ ~가 intrigante *mf*, maquinador, -dora *mf*. ~단 banda *f* de conspiradores. ~자 conspirador, -dora *mf*; conjurado, -da *mf*; intrigante *mf*.

음문(陰門) vulva *f*, vagina *f*, partes *fpl* genitales, partes *fpl* pudendas. ~의 vulvar, vulvario.
■ ~ 소양증 prurito *m* vulvar. ~염(炎) vulvitis *f*.

음물(淫物) persona *f* lasciva [lujuriosa].

음미(吟味) examen *m*, prueba *f*, indagación *f*, investigación *f*. ~하다 examinar, probar, investigar, inquirir. 잘 ~된 포도주 vino *m* escogido. 잘 ~해서 택하다 seleccionar a través de un examen concienzudo.

음미하다(淫靡―) (ser) lascivo, lujurioso, obsceno.

음반(音盤) disco *m*. ~을 틀다 poner un disco. ~에 녹음하다, ~을 취입하다 hacer [grabar] un disco. ~으로 음악을 듣다 escuchar una canción en disco.
■ ~ 가게 disquería *f*, tienda *f* de discos, casa *f* de música. ~ 회사 compañía *f* discográfica.

음방(淫放) la lascivia y la prodigalidad. ~하다 (ser) lascivo y pródigo.

음보(音譜) 【음악】 ＝악보(樂譜)(partitura).

음복(飮福) ¶~하다 compartir la comida y la bebida expiatorias, beber y comer después de celebrar el sacrificio..

음부(音符) 【음악】 ＝음표(音標).
◆ 전[2분 · 4분 · 8분 · 16분 · 32분] ~ (nota *f*) redonda *f* [blanca *f* · negra *f* · corchea *f* · semicorchea *f* · fusa *f*]
■ ~ 기호 clave *f*, llave *f*. 솔 [파 · 도] ~ clave *f* de sol [de fa · de do].

음부(淫婦) ＝음녀(淫女)(mujer lasciva).

음부(陰府) ((기독교)) ＝저승.

음부(陰阜) 【해부】 ＝불두덩.

음부(陰部) 【해부】 región *f* pubiana, partes *fpl* genitales, parte *f* privada, órganos *mpl* genitales, pubis *m*, verija *f*.
■ ~ 신경(神經) nervio *m* pudendo.

음부 기호(音部記號) 【음악】 ＝음자리표.

음분(淫奔) salacidad *f*. ~하다 (ser) salaz, lujurioso, impúdico, lascivo.

음사(淫事) ① [음란한 일] lascivia *f*, lujuria. *f* sensualidad *f*, lubricidad *f*. ② ＝성교(性交).

음사(淫祠) templo *m* establecido por la superstición [estafa religiosa].

음사(淫辭) charla *f* lasciva [verde · incedente · colorada · obscena]

음사(陰私) secreto *m* personal.

음사(陰事) ① [비밀한 일] lo secreto, secreto *m*, asuntos *mpl* confidenciales. ② [남녀가 잠자리를 같이함] relaciones *fpl* sexuales, coito *m*, copla *f*.

음산(陰散) ¶~하다 (ser) nublado y sombrío.

음색(音色) tono *m*, timbre *m*, entonación *f*, entonamiento *m*.

음서(淫書) libro *m* erótico, pornografía *f*.

음성(音聲) voz *f* (*pl* voces), sonido *m*. 감미로운 ~ voz *f* dulce. 남자다운 ~ voz *f* varonil [masculina · viril]. 좋은 ~ buena voz *f*. ~을 높이다 subir [aumentar] la voz. ~이 좋다 tener la voz dulce.
■ ~ 기관 órgano *m* fonético. ~ 기호(記號) signo *m* fonético. ~ 단위 unidad *f* fonética. ~ 신호(信號) audioseñal *f*, señal *f* acústica. ~ 체계 sistema *m* fonético. ~학 fonética *f*. ~학자 fonetista *mf*. ~학적 fonético. ¶~으로 fonéticamente.

음성(淫聲) sonido *m* lascivo.

음성(陰性) negatividad *f*, caso *m* nagativo. ~의 negativo.
■ ~ 거래 transacción *f* ilícita. ~ 반응(反應) reacción *f* negativa; [투베르쿨린의] cutirreacción *f* negativa. ~ 수입 (beneficio *m*) extra *m*, incentivo *m*. ~ 자금 fondo *m* ilícito.

음소(音素) 【언어】 fonema *m*. ~의 fonémico.
■ ~ 기호(記號) símbolo *m* fonémico. ~론(論) fonemática *f*. ~ 문자(文字) escritura *f* fonemática. ~ 체계 sistema *m* fonémico.

음속(音速) velocidad *f* del sonido. ~의 벽 barrera *f* del sonido.
◆ 극초~ velocidad *f* hipersónica. 초~ velocidad *f* supersónico.

음송(吟誦) recitación *f*, declaración *f*. ~하다 recitar, declarar.

음수(陰水) ＝정액(精液).

음수(陰數) ① ＝우수(偶數). ② 【수학】 número *m* negativo.

음순(陰脣) 【해부】 labios *mpl* de la vulva.
◆ 대(大)~ labios *mpl* grandes de la vulva. 소(小)~ labios *mpl* pequeños de la vulva, lobio *m* menor, ninfas *fpl*.

음습(淫習) costumbre *f* lasciva [lujuriosa · libertina].

음습하다(陰濕―) (ser) sombrío, melancólico. 음습함 melancolía *f*.

음식(飮食) ((준말)) ＝음식물. ¶~의 즐거움 placer *m* de la mesa. 간단한 ~ pequeño refrigerio *m*, refrigerio *m* ligero. 조잡한 ~ humilde comida *f*, humildes platos *mpl*. ~을 식당에 주문하다 pedir la comida al restaurante. 간단한 ~이 제공됩니다 Se servirá un pequeño refrigerio. 이 식당은 전통적인 ~을 내놓는다 Este restaurante tiene una carta tradicional. 저 하숙집은 ~이 나쁘다 En aquella pensión se come mal.
◆ 한국 ~ comida *f* coreana, plato(s) *m*(*pl*) coreanos.
■ ~물 la comida y la bebida, alimentos *mpl*, comestibles *mpl*, provisiones *fpl*, manjar *m*, comida *f*, platos *mpl*. ¶~ 맛에

일가견이 있는 사람 gastrónomo, -ma *mf*; persona *f* de paladar delicado [fino]. ~을 끊다 abstenerse del alimento; [단식하다] ayunar. ~을 섭취하다 alimentarse, nutrirse, tomar alimento. ~을 찾다 buscar algo para comer. …에게 ~을 주다 dar comida a *uno*, dar de comer a *uno*. …을 ~로 하고 있다 alimentarse de *algo*, nutrirse de *algo*, tomar *algo* para *su* alimento. ~에 조심하세요 Tenga cuidado con lo que come / Tenga cuidado con la comida / Preste atención a la comida. 그녀는 ~ 맛의 권위자다 Ella tiene el paladar fino. ~상(床) mesa *f* para la comida. ~세(稅) impuesto *m* [arbitrios *mpl*] sobre el consumo de comidas y bebidas. ~점 restaurante *m*; [싸구려 식당] bodegón *m* (*pl* bodegones), casa *f* de comidas.

음신(音信) comunicación *f*, correspondencia *f*. ~하다 comunicar, corresponderse. 그 사람과는 ~이 불통이다 No tengo comunicación con él [noticias suyas] / El y yo permanecemos incomunicados.

음심(淫心) inclinación *f* hacia la lascivia.

음악(音樂) música *f*. ~의 músico, musical. ~을 좋아하는 filarmónico. ~의 대가(大家) gran músico *m*, gran música *f*. ~의 밤 velada *f* de música. 한국의 고유 ~ música *f* tradicional de Corea. ~을 공부하다 estudiar música. ~을 연주하다 tocar música. ~을 이해하다 entender la música, saber apreciar la música. ~을 틀다 [라디오에서] tocar [pasar] música. ~에 취미가 있다 tener oído para la música. ~에 맞추어 춤추다 bailar a la música. 그는 ~을 좋아한다 A él le gusta la música. 나는 ~을 별로 좋아하지 않는다 No me gusta mucho la música. 그녀는 ~을 싫어한다 A ella no le gusta la música. 우리들은 ~을 듣고 있다 Estamos escuchando música.

◆고전 ~ música *f* clásica. 교회 ~ música *f* de la iglesia. 구체(具體) ~ música *f* concreta. 극장 ~ música *f* panorámica. 실내 ~ música *f* de cámara. 절대 ~ música *f* absoluta. 표제 ~ música *f* de programa. 현대 ~ música *f* moderna.

■~가 músico, -ca *mf*. ~ 감독 director, -tora *mf* de la música. ~ 감상 estimación *f* musical. ~ 감상실 teatro *m* de variedades, sala *f* de conciertos. ~계 ㉮ campo *m* musical. ㉯ =악단(樂團). ~과(科) ㉮ [초등·중등·고등학교의 교육 과정에서 음악 교육을 하는 교과] curso *m* musical. ㉯ [대학의] departamento *m* de música. ~광 melómano, -na *mf*; filarmónico, -ca *mf*. ~ 교육 educación *f* musical. ~당 pabellón *m* de música, quiosco *m* [kiosco *m*] (de música). ¶야외 ~ quiosco *m* al aire libre. ~대(隊) banda *f*. ~사(史) historia *f* de música, historia *f* musical. ~ 상자 caja *f* de música. ~ 선생 maestro, -tra *mf* de música. ~ 애호가 aficionado, -da *mf* a la música, amante *mf* de la música. ~ 영화 película *f* musical. ~ 요법 musicoterapia *f*, melodioterapia *f*, meloterapia *f*. ~원(院) el Conservatorio de Música. ¶왕립 ~ el Conservatorio Real de Música. ~인 ㉮ [음악계에 종사하는 사람] músico, -ca *mf*. ㉯ [음악을 즐겨하는 사람] amante *mf* de la música; aficionado, -da *mf* a la música. ~적 musical, músico, armónico, armonioso, melodioso. ¶~으로 melodiosamente. ~ 감각 sentimiento *m* musical. ~ 멜로디 melodía *f* musical. ~ 견지에서 desde el punto de vista musical. ~책 libro *m* de música. ~ 콩쿠르 대회 concurso *m* musical. ~학(學) musicología *f*. ~학자 musicólogo, -ga *mf*. ~ 학교(學校) academia *f* [escuela *f*·colegio *m*] de música, conservatorio *m*. ¶국립(國立) ~ el Conservatorio Nacional de Música. ~회(會) concierto *m*. ¶비공개 ~ concierto *m* casero. ~를 개최하다 celebrar el concierto. 오늘 A 홀에서 ~가 있다 Hoy hay un concierto en el salón A. ~ 효과 efectos *mpl* musicales.

음악(淫樂) música *f* voluptuosa.

음액(陰液) =정액(精液)(semen).

음약(淫藥) =미약(媚藥).

음양(陰陽) ① [천지 만물을 만들어 내는 상반하는 성질의 두 가지 기운] principios *mpl* de varón y hembra, el sol y la luna. ~의 화합(和合) armonía *f* de principios de varón y hembra. ② [전기 또는 자기(磁氣)의 음극과 양극] lo positivo y lo negativo. ③【철학】Yin y Yang.

■~가 adivino, -na *mf*. ~력 el calendario lunar y el solar. ~성 polaridad *f*, dualidad *f*.

음역(音域) [악기의] diapasón *m*; [소리의] registro *m*.

음역(音譯) transcripción *f*, transliteración *f*. ~하다 tanscribir, transliterar.

음염(淫艶) voluptuosidad *f*.

음영(吟詠) recitación *f* del poema chino. ~하다 recitar el poema chino.

음영(陰影) ① =그림자. ¶그림에 ~을 그리다 sombrear [dar sombra a] la pintura. 삽화에 연필로 ~을 그리다 sombrear un dibujo con el lápiz. ② =그늘. ③ =뉘앙스(matiz).

■~ 화법 claroscruro *m*.

음예(陰翳) sombra *f* oscura.

음욕(淫慾) deseo *m* carnal, apetito *m* sexual.

음용(音容) la voz y el semblante.

음용(飮用) (el uso) para la bebida, para beber. ~하다 usar para beber.

■~수(水) =음료수.

음우(陰佑) ayuda *f* secreta. ~하다 ayudar en secreto.

음우(陰雨) ① [몹시 흐린 가운데 오는 비] lluvia *f* en el tiempo malísimo. ② [오래 내리는 궂은 비] lluvia *f* que continúa mucho tiempo.

음운(音韻) fonema *m*, fonograma *m*.

■~학[론] fonética *f*, fonología *f*. ~학자

fonetista *mf*; fonólogo, -ga *mf*.

음울하다(陰鬱－) (ser) melancólico, sombrío, lúgubre, triste, fúnebre, lóbrego. 음울함 melancolía *f*, tristeza *f*, tenebrosidad *f*, oscuridad *f*. 음울한 사람 persona *f* sombría. 음울한 남자 hombre *m* sombrío. 음울한 여자 mujer *f* sombría. 음울한 얼굴 cara *f* fúnebre. 음울한 얼굴을 하고 있다 tener cara fúnebre.
음울히 melancólicamente, sombríamente, fúnebremente, tristemente.

음월(陰月) abril *m* del calendario lunar.

음위(陰痿) 【의학】 agenesia *f*, impotencia *f*.

음유 시인(吟遊詩人) trovador, -dora *mf*.

음으로(陰－) ocultamente, secretamente, en secreto, sin que nadie lo sepa.
◆음으로 양으로 sin que nadie lo sepa, tanto en público como en privado. ～ 돕다 ayudar tanto en público como en privado.

음음하다(陰陰－) (estar) nublado y oscuro. 하늘이 몹시 ～ El cielo está nublado y oscuro.

음읍(飮泣) sollozo *m*. ～하다 sollozar.

음의(音義) el sonido y el significado de los caracteres chinos.

음이온(陰 ion) anión *f*, ión *m* negativo.

음일(淫佚) indulgencia *f* licenciosa.

음자(音字) 【언어】 ((준말)) ＝표음 문자.

음자(陰字) 【인쇄】 signo *m* fonético.

음자리표(音－標) 【음악】 clave *f*. ☞음부 기호(音符記號).
■낮은[높은] ～ clave *f* de fa [sol].

음전(音栓) 【음악】 registro *m*.

음전(陰電) 【전기】 ＝음전기(音電氣).

음전극(陰電極) 【전기】 ＝음극(陰極).

음전기(音電氣) 【전기】 electricidad *f* negativa.

음전자(陰電子) 【물리】 electrón *m* negativo, negatrón *m*, negatón *m*.

음전하(陰電荷) 【물리】 carga *f* eléctrica negativa.

음절(音節) sílaba *f*. ～의 silábico. Corea는 3 ～이다 La palabra COREA tiene tres sílabas.
◆단～어 monosílabo *m*. 이～어 bisílabo *m*. 삼～어 trisílabo *m*. 다(多)～어 polisílabo *m*.
■～ 문자 carácter *m* silábico. ～ 분해(分解) silabación *f*. ¶～하다 silabear, silabar. 단어를 ～하다 silabear una palabra. ～순 ＝가나다순.

음정(音程) 【음악】 intervalo *m* (musical), tono *m*. 그의 노래는 ～이 맞지 않는다 Su canto está desafinado.

음조(音調) ① [소리의 높낮이와 강약 및 빠르기] ㉮ [악센트] acento *m*. ㉯ [인토네이션] entonación *f*. ㉰ [어조(語調). 색조(色調)] tono *m*. 빈정거리는 ～로 con un tono irónico. ～를 변하다 [말의] cambiar de tono. ～를 붙여 읽다 leer con entonación. 강한 ～로 말하다 hablar en tono fuerte [duro]. ② [(음악이나 시가의) 가락] tono *m*. ～에 맞지 않은 desentonado, discordante. ～가 맞다 estar en el mismo tono. ～가 맞지 않다 desentonar(se), salir de tono, desafinar(se). ～를 올리다 subir el tono. ～를 내리다 bajar el tono. ～에 맞지 않게 노래하다 cantar desafinadamente, desafinar(se), desentonar(se). …의 ～를 변하다 modular *algo*. 악기의 ～를 맞추다 afinar un instrumento; [몇 개의] poner los instrumentos en el mismo tono.

음조(陰助) ayuda *f* secreta. ～하다 ayudar secretamente [en secreto].

음종(陰腫) úlcera *f* en la superficie de la vulva.

음주(飮酒) bebida *f*, el beber (alcohol). ～하다 beber (alcohol).
■～가(家) bebedor, -dora *mf*. ～ 운전(運轉) conducción *f* en estado de embriaguez, delito *m* de conducir bajo la influencia del alcohol. ¶～하다 conducir en estado de embriaguez. 그것은 그의 두 번째 ～ 위반이었다 Era la segunda vez que le detenían por conducir. ～ 운전자 conductor, -tora *mf* en estado de embriaguez.

음증(陰症) ① [음침한 성격] carácter *m* traicionero. ② 【한방】 [오후에 더하는 병] enfermedad *f* que se empeora por la tarde.

음지(陰地) lugar *m* donde hay sombra *f*, sombra *f*. ～에서 a la sombra. ～에서 온도가 29°였다 La temperatura fue 29° a la sombra.
■음지도 양지(陽地) 된다 ((속담)) No hay bien ni mal que dure cien años.

음질(音質) calidad *f* del sonido [tono], sonoridad *f*.

음집(陰－) vagina *f* (de un animal).

음차(音叉) 【물리】 ＝소리굽쇠(diapasón).

음창(陰瘡) 【의학】 úlcera *f* en la vulva.

음청(陰晴) tiempo *m* nublado y despejado.

음축(陰縮) atrofia *f* del pene.

음충맞다 ＝음충하다.

음충스럽다 ＝음충하다.
음충스레 perversamente, malignamente.

음충하다 (ser) malvado, perverso, maligno, malo. 음충한 사람 persona *f* maligna. 음충한 남자 hombre *m* maligno. 음충한 여자 mujer *f* maligna.

음치(音癡) sin talento musical. ～이다 no tener un oído musical [para la música].

음침하다(陰沈－) (ser) sombrío, lúgubre, fúnebre. 음침한 방 habitación *f* sombría, cuarto *m* sombrío.

음탐(淫貪) gusto *m* para la lascivia, el hambre para la lascivia. ～하다 (ser) lascivo, libidinoso, amar el placer lujurioso [concupiscente].

음탕하다(淫蕩－) (ser) lascivo, lujurioso, libertino, voluptuoso, disipado. 음탕함 lascivia *f*, libertinaje *m*, voluptuosidad *f*, disipación *f*. 음탕한 풍조 morales *fpl* lujuriosas.

음택(陰宅) tumba *f*, sepulcro *m*.

음파(音波) onda *f* sonora.
■～계 audiómetro *m*. ～ 측정 audiometría *f*. ～ 측정기 fonómetro *m*. ～ 측정 기술

fonometría *f.* ~ 탐지기 sónar *m.*

음표(音標)【음악】nota *f* (musical). ~의 길이 largo *m* de la nota. ~를 적다 escribir la nota. ~를 읽을 줄 알다 poder leer la nota.

음표 문자(一文字) ①【언어】=음성 기호(音聲記號). ②【언어】=표음 문자(表音文字).

음풍(淫風) costumbres *fpl* lascivas.

음풍농월(吟風弄月) entusiasmo *m* poético.

음풍영월(吟風咏月) =음풍농월.

음하다(淫一) (ser) lascivo, lujurioso, voluptuoso, libertino.

음하다(陰一) ① [날씨가 흐리다] (ser) nublado, nubloso. ② [마음이 검다] (ser) oscuro, obscuro.

음해(陰害) perjuicio *m* al otro. ~하다 perjudiciar al otro.

음핵(陰核) clítoris *m*, monte *m* de Venus.
■~ 귀두(龜頭) glande *m* del clítoris. ~꺼풀 prepucio *m* del clítoris. ~ 동맥(動脈) arteria *f* del clítoris. ~ 발기 clitorismo *m*. ~ 성형술 clitoroplastia *f*. ~염 clitoriditis *f*. ~ 절개(切開) clitoridotomía *f*. ~ 절제술 clitoridectomía *f*, clitorotomía *f*. ~통(痛) clitoralgia *f*. ~ 포피(包皮) prepucio *m* del clítoris.

음행(淫行) conducta *f* lasciva.

음향(音響) sonido *m*, resonancia *f*, eco *m*, ruido *m*.
■~ 관제(管制) control *m* de sonido. ~기 resonador *m*. ~ 신호 señal *f* acústica. ~실 caja *f* acústica, caja *f* de resonancia. ~ 측심(測深) sondeo *m* acústico. ~ 측심기 sondador *m* acústico, ecosonda *f*. ~ 측정기 medidor *m* de acústica. ~ 탐지(探知) ecoscopia *f*, sonodetección *f*. ~ 탐지기 sonodetector *m*. ~학 acústica *f*. ~학자 acústico, -ca *mf*. ~ 효과 efectos *mpl* sonoros.

음험하다(陰險一) (ser) insidioso, malévolo, malintencionado, taimado, astuto, caprichoso, mañoso, ladino, artero, trapacero. 음험하게 insidiosamente, malévolamente, taimadamente, astutamente, mañosamente. 그의 행동 방식은 항상 ~ Su forma de actuar es siempre insidiosa.

음호(陰戶) vulva *f*.

음호(陰號)【수학】=뺄셈표.

음화(陰畵) negativo *m*; [유리 제품의] placa *f* negativa;【사진】fotografía *f* negativa;【인쇄】clisé *m*, cliché *m*.

음흉(陰凶) maldad *f*, perversidad *f*. ~하다 (ser) malvado, perverso, malo, maligno, astuto, taimado. ~한 사람 persona *f* taimada, persona *f* astuta. ~한 남자 hombre *m* taimado, hombre *m* astuto. ~한 여자 mujer *f* taimada, mujer *f* astuta.
음흉스럽다 (ser) astuto, taimado.
음흉스레 astutamente, taimadamente.
■~주머니 persona *f* muy taimada.

읍(邑) ① [지방 행정 구역의 하나] *Eub*, pueblo *m*. ② ((준말)) =읍내(邑內).
■~사무소 oficina *f* de *Eub*.

읍(揖) reverencia *f* baja con *sus* manos delante. ~하다 hacer una reverencia con *sus* manos delante.

읍간(泣諫) protestas *fpl* llorosas. ~하다 protestar con lágrimas.

읍곡(泣哭) llanto *m* (triste). ~하다 llorar tristemente.

읍내(邑內) (en) un pueblo. ~에 살다 vivir en *Eub*.

읍례(揖禮) =읍(揖).

읍리(邑吏) funcionario, -ria *mf* de *Eub*.

읍민(邑民) habitante *mf* de *Eub*.

읍소(泣訴) súplica *f* con lágrimas. ~하다 implorar [suplicar] con lágrimas.

읍속(邑俗) costumbre *f* del pueblo.

-읍시다 Vamos a + *inf*. 먹~ Vamos a comer / Comamos.

읍양(揖讓) concesión *f* cortés. ~하다 ceder cortésmente, hacer concesiones cortésmente.
■~지풍(之風) costumbre *f* de la concesión cortés.

읍장(邑長) alcalde, -desa *mf* (de *Eub*).

읍지(邑誌) crónica *f* de *Eub*.

읍참마속(泣斬馬謖) acción *f* de castigar a cualquiera que se equivoca.

읍청(泣請) petición *f* sincera con lágrimas. ~하다 hacer [presentar] una petición sincera con lágrimas.

읍체(泣涕) =체읍(涕泣).

읍촌(邑村) ① [읍에 속한 마을] aldea *f* que pertenece al pueblo. ② [읍과 촌] el pueblo y la aldea.

읍폐(邑弊) males *mpl* del pueblo.

읍호(邑豪) el más rico del pueblo.

응 sí, vale, Está bien.

응가 caca *f*.

응가하다 ((유아어)) [똥누다] hacer caca. 너 응가했니? ¿Has hecho caca?

응결(凝結) congelación *f*, [피의] coagulación *f*, [기름의] coajadura *f*. ~하다 congelarse, coagularse, cuajarse.
■~기 aparato *m* frigorífico, refrigerador *m*, congelador *m*. ~물 congelación *f*, coagulación *f*. ~ 시간 tiempo *m* de fraguado. ~점 punto *m* de congelación. ~제 coagulante *m*. ~핵 núcleos *mpl* de congelación.

응고(凝固) solidificación *f*, [피·우유 따위의] coagulación *f*, cuajadura *f*, congelación *f*. ~하다 solidificarse, congelarse, endurecerse, ponerse sólido; [우유·기름·피 따위가] coagularse, cuajarse; [시멘트 따위가] fraguar. ~된 피 coágulo *m* de sangre, grumo *m* de sangre. 피가 ~한다 Se coagula la sangre. 젤리가 ~한다 Se cuaja la jalea. 시멘트[모르타르]가 ~한다 Fragua el cemento [la argamasa].
■~열 calor *m* de solidificación. ~점(點) punto *m* de congelación, temperatura *f* de solidificación.

웅그리다 ① [얼굴을 찌푸리다] fruncir, arrugar. ② [손으로 움키다] agarrar, sujetar.

그녀는 가방을 꽉 웅그렸다 Ella sujetó [agarró] firmemente el bolso.

응급(應急) emergencia *f*, urgencia *f*, primera asistencia *f*, despacho *m* provisional. ~의 urgente (y provisional) de emergencia, de urgencia, provisional, emergente. ~ 수리를 하다 hacer un arreglo [una reparación] urgente y provisional.
 ■~ 수단(手段) disposición *f* urgente y provisional [de urgencia]. ¶~을 취하다 tomar una disposición urgente y provisional [de urgencia]. ~ 조처 medidas *fpl* urgentes, disposición *f* de emergencia. ¶~를 취하다 tomar medidas urgentes (para), tomar una disposición de emergencia (para). ~ 치료 remedio *m* provisional, cura *f* provisional, primeros auxilios *mpl*. ¶~를 하다 aplicar remedio [cura] provisional, prestar [dar] los primeros auxilios.

응낙(應諾) consentimiento *m*, aprobación *f*, permiso *m*, acuerdo *m*. ~하다 consentir, permitir.

응달 sombra *f*, umbría *f*. ~의 umbrío, sombreado; [나무] que da mucha sombra, umbroso. ~진 [장소·정원이] sombreado, donde hay sombra. ~진 정원 jardín *m* (*pl* jardines) sombreado, jardín *m* donde hay sombra. ~에 놓다 poner en [a] la sombra. 이곳이 더 ~져 있다 Aquí hay más sombra.
 ◆응달이 지다 tapar el sol, mantener a la sombra. 나무 때문에 창이 응달이 져 있다 El árbol tapa el sol a la ventana / El árbol mantiene la ventana a la sombra.
 ■응달에도 햇빛 드는 날이 있다 ((속담)) No hay mal que dure cien años.

응답(應答) ① respuesta *f*, contestación *f*. ~하다 responder, contestar. ~이 없습니다 [전화에서] No hay respuesta / Nadie contesta / No contestan. ② ((성경)) respuesta *f*, juicio *m*, palabra *f* final, justicia *f*. ~하다 responder, contestar.

응당(應當) ① [마땅히. 당연히] naturalmente, sin falta, necesariamente. ~ 너는 그렇게 믿어야지 Te es natural creerlo. 식사 전에는 ~ 손을 씻는 법이다 Sin falta es natural lavarse antes de la comida. ② [당연함] lo natural.
 응당히 naturalmente.

응대(應待) atención *f*. ~하다 atender. ☞응접(應接)

응대(應對) ① [상대하여 응답함. 손님을 접대함] respuesta *f*, contestación *f*; [면담] entrevista *f*, conferencia *f*; [접대] recepción *f*. ~하다 responder, contestar, entrevistarse, conferir (con). 손님을 ~하다 recibir huésped [visitante]. 그는 ~하는 솜씨가 보통이 아니다 El es una persona simpática. 그는 ~하는 솜씨가 좋지 않다 El es una persona antipática. ② [어떤 문제에 대해 서로 이야기함] conversación *f* personal. ~하다 conversar personalmente.

응등그러지다 ① [마르거나 졸아지거나 굳어지면서 뒤틀리다] ser retorcido, ser torcido. ② [춥거나 겁이 나서 몸이 움츠러지다] agacharse, ponerse en cuclillas.

응등그리다 ser retorcido, ser torcido.

응력(應力) 【물리】 esfuerzo *m*.
 ◆압축 ~ esfuerzo *m* de compresión.

응모(應募) participación *f*, subscripción *f*, súplica *f*, petición *f*, solicitud *f*. ~하다 participar (en), tomar parte (en), subscribirse (a·para). 콘테스트에 ~하다 participar [tomar parte] en un concurso.
 ■~ 가격[액] suma *f* su(b)scrita, importe *m* su(b)scrito. ~ 원고(原稿) artículo *m* presentado al concurso. ~자 participante *mf*, subscriptor, -tora *mf*, suscriptor, -tora *mf*, aspirante *mf*. ~ 작품 obra *f* presentada al concurso.

응받다 ((준말)) =응석(을) 받다.

응변(應變) ((준말)) =임기응변.

응보(應報) justo castigo *m*, compensación *f*, retribución *f*.
 ◆인과 ~ Quien mal siembra, mal coge.

응분(應分) acuerdo *m* con *sus* circunstancias [*su* habilidad]. ~의 según *su* habilidad, según *sus* recursos. ~의 기부를 하다 hacer una donación conforme a *sus* medios económicos.

응사(應射) respuesta *f* al disparo. ~하다 responder al disparo.

응석 mal genio *m*, rabieta *f*.
 ◆응석(을) 받다 mimar (demasiado), malcriar, consentir, chiquear, regalar. 응석(을) 부리다 rabiar, importunar, porfiar, mimar, portarse como un niño mimado. 응석을 부리며 기대다 reclimarse [arrimarse] amorosamente (sobre·a). 어머니에게 ~ mimar a mamá.
 ■~꾸러기[둥이] niño *m* displicente [mimado·mimoso], niña *f* displicente [mimada·mimosa]. ~받이 ㉮ [응석을 받아 주는 일] mimo *m*. ㉯ =응석둥이. ¶~로 키우다 criar a *su* hijo demasiado indulgentemente. 그는 ~로 자랐다 El creció mimado / Le educaron con mucho mimo.

응소(應召) alistamiento *m*. ~하다 alistarse, sentar plaza en la milicia.
 ■~병(兵) soldado *m* alistado, recluta *m*.

응소(應訴) aceptación *f* del juicio jurídico [legal]. ~하다 aceptar el juicio jurídico [legal].

응송(應訟) =응소(應訴).

응수(應手) contraataque *m*. ~하다 hacer un contraataque.

응수(應酬) contestación *f*, respuesta *f*. ~하다 contestar, responder, devolver un insulto, replicar, argüir, objetar, llevar la contraria, reponer. 신랄한 ~ respuesta *f* aguda, réplica *f* aguda. 격한 말의 ~가 있었다 Hubo un intercambio de palabras violentas y amargas. 강타의 ~가 계속되었다 Siguieron atacándose con fuertes golpes / Siguió una serie de ataques con fuertes golpes.

응시(凝視) mirada *f* fija, mirada *f* fija sin

parpadear. ～하다 mirar fijamente, mirar de hito en hito, fijar (estrechamente) la vista [la mirada] (en), aguzar la vista, clavar la vista (en), no quitar los ojos (de).

응시(應試) solicitud *f* de un examen, presentación *f* para un examen. ～하다 solicitar un examen, presentarse para un examen.
■ ～자 candidato, -ta *mf*.

응애응애 ¡Ña! ¡ña! ¡ña! / ¡Gua! ¡gua! ¡gua! ～ 소리를 내다 dar primer grito infantil, venir al mundo, nacer. 갓난아이가 ～ 울고 있다 El bebé está berreando [verraqueando].

응어리 ① [근육이 뭉쳐 된 덩어리] endurecimiento *m*, induración *f*, dureza *f*. ～가 생기다 tener una induración. ② [원한 따위로 맺혀 있는 감정] tibieza *f*, frialdad *f*, reserva *f*. 두 사람 사이에 ～를 풀다 hacer desaparecer la tibieza [la frialdad] que existe entre los dos. 두 사람 사이에 ～가 생겼다 Entre los dos ha nacido un sentimiento de tibieza [de frialdad · de repulsión]. 그들 사이에는 아직 ～가 남아 있다 Todavía queda [se nota] cierta frialdad [reserva] entre ellos.

응얼거리다 hablar entre dientes, refunfuñar, rezongar.
응얼응얼 hablando entre dientes, refunfuñando.

응용(應用) aplicación *f*, adaptación *f*. ～하다 aplicar, poner en la práctica. ～의 aplicado. ～이 넓은 de aplicación general [amplia]. ～할 수 있는 aplicable, practicable, adaptable. ～할 수 없는 inaplicable. A를 B에 ～하다 aplicar A a B. 이론을 실생활에 ～하다 aplicar la teoría a la vida práctica. 이 학문은 ～이 넓다 [좁다] Esta ciencia tiene mucha [poca] aplicación.
■ ～ 경제학 economía *f* aplicada. ～ 과학(科學) ciencia *f* aplicada. ～ 문제 tema *m* aplicado. ～ 물리학 física *f* aplicada. ～미술 bellas artes *fpl* aplicadas, arte *m* aplicado. ～ 미술학과 departamento *m* de arte aplicado. ～ 범위 radio *m* de aplicación, campo *m* de aplicación. ～ 수학(數學) matemáticas *fpl* aplicadas. ～ 식물학 botánica *f* aplicada. ～ 심리학 psicología *f* aplicada. ～ 역학 mecánica *f* aplicada. ～ 화학 química *f* aplicada.

응원(應援) [원조] ayuda *f*, asistencia *f*, subsidio *m*, auxilio *m*; [지원] apoyo *m*; [성원] animación *f*, estímulo *m*; [성원] vítores *mpl*; [원군] refuerzos *mpl*. ～하다 ayudar, asistir, auxiliar, socorrer, apoyar, sostener, reforzar, animar, estimular, vitorear. ～하러 가다 ir a la ayuda, ir a asistir, ir a vitorear. 후보자를 ～하다 apoyar a un candidato.
■ ～가(歌) canción *f* de los hinchas. ～군 refuerzos *mpl*. ～단 partido *m* de vítores, grupo *m* de hinchas. ～ 단장 jefe, -fa *mf* de los hinchas; animador, -dora *mf*; *Col*, *Méj* porrista *mf*. ～석 sección *f* de los vítores [de los hinchas · de los aplausos]. ～ 연설 discurso *m* para apoyar (a). ～자 partidario, -ria *mf*, [스포츠의] hincha *mf*, seguidor, -dora *mf*.

응전(應戰) respuesta *f* al ataque del enemigo. ～하다 responder al ataque del enemigo, tomar desafío.

응접(應接) atención *f*, recepción *f*, entrevista *f*. ～하다 atender, recibir, tener entrevista. ～을 잘하다 atender bien. ～을 못하다 atender mal. 전화로 ～하다 atender por teléfono. 그는 손님 ～에 바쁘다 El está ocupado con las visitas / El está ocupado recibiendo las visitas / [가게에서] El está ocupado atendiendo a sus clientes.
■ ～ 세트 juego *m* de muebles para el recibidor. ～실 salón *m* (*pl* salones) de recepciones, sala *f* de recibo.

응종(應從) obediencia *f*. ～하다 obedecer.

응집(凝集) ① [엉겨 모임] agregación *f*, [기계·액체 중의 미립자(微粒子)의] floculación *f*, [세균 등의] aglutinación *f*. ～하다 adherirse. ② 【물리】 cohesión *f*, coherencia *f*.
■ ～력(力) poder *m* cohesivo, cohesión *f*, coherencia *f*. ～ 반응 reacción *f* cohesiva.

응징(膺懲) ① [징계] castigo *m*, reprensión *f*, censura *f*, amonestación *f*, escarmiento *m*, punición *f*, corrección *f*, mortificación *f*. ～하다 castigar, repender, censurar, amonestar, escarmentar, corregir, poner bajo la penitencia disciplinaria. ～을 받다 ser castigado. 그것은 그에게 좋은 ～이 될 것이다 Será un buen castigo para él. ② [적국(敵國)을 정복함] dominio *m* [conquista *f*] al país enemigo. ～하다 dominar [conquistar] al país enemigo.

응찰(應札) aceptación *f* de la licitación. ～하다 aceptar la licitación.

응천순인(應天順人) la obediencia a la voluntad del cielo y el seguimiento al voz del pueblo.

응체(凝滯) interrupción *f*, impedimento *m*. ～하다 ser impedido, ser dificultado.

응축(凝縮) condensación *f*. ～하다 condensarse, comprimirse, espesarse. ～의 condensativo. ～된 condenso. ～할 수 있는 condensable. ～시키다 condensar. 우유를 ～하는 새로운 방법을 발명했다 Han inventado un nuevo procedimiento para condensar la leche.
■ ～기(器) condensador *m*. ～열 calor *m* condensado. ～ 장치 condensador *m*.

응취(凝聚) ＝응집(凝集).

응하다(應－) ① [답하다] contestar, responder, dar contestación. 질문에 ～ contestar a la pregunta. 융자에 관해서는 상담에 응합니다 Aconsejamos sobre préstamos. ② [승낙하다] acceder (a), consentir (en), aceptar, concertar. 도전에 ～aceptar el desafío. 의뢰에 ～ aceptar la petición. 제안에 ～ aceptar la proposición. 조건에 ～ aceptar las condiciones. 초대에 ～

aceptar la invitación. A 회사와의 거래에 ~ concertar operaciones comerciales con la compañía A. ③ [응모하다] presentarse. 현상 모집(懸賞募集)에 ~ presentarse a la convocatoria del concurso. ④ [필요·수요에] conceder, otorgar, satisfacer. 희망에 ~ satisfacer el deseo. 시대의 요구에 ~ satisfacer las exigencias de la época. 저희 회사는 어떤 주문에도 응합니다 Estamos en condiciones de satisfacer cualquier pedido. ⑤ [따르다] corresponder(se), ajustar, concordar. …에 응해서 de acuerdo con, conforme a, según. 수입에 응한 생활을 하다 vivir de acuerdo con el sueldo. 수요에 응한 생산을 하다 producir conforme a la demanda. 상황에 응한 방책을 세우다 tomar las medidas necesarias según el caso.

응혈(凝血) coágulo *m*, coagulación *f* de sangre. ~하다 coagularse la sangre.

응화(應和) respuesta *f*. ~하다 responder.

의 [체언과 체언 사이에 쓰이어 앞의 체언을 관형어로 만드는 관형격 조사] de. 나~ 책 mi libro. 평화~ 댐 dique *m* de la paz. 국민~ 한 사람 uno del pueblo. 장군~ 아들 hijo *m* del general.

의(義) ① [사람으로서 지켜야 할 도리] justicia *f*. ~를 보고 행하지 않음은 용기가 없음이니라 Ver lo que es justo y no hacerlo es carecer de valor. ② [오륜(五倫)의 하나] deber *m*. ~에 충실하다 ser fiel [leal] a *su* deber. ③ ((준말)) =덕의(德義). ④ ((준말)) =도의(道義). ⑤ [글자나 글의 뜻] significado *m*, significación *f*. ⑥ [남과 맺은, 혈연과 같은 관계] juramento *m*. 형제의 ~를 맺다 jurar ser hermanos de por vida.

의(誼) ((준말)) =정의(情誼). ¶~가 두터운 형제(兄弟) hermanos *mpl* íntimos, hermanos *mpl* llenos de intimidad.

의가(衣架) =옷걸이.

의가(醫家) ((준말)) =의술가(醫術家).

의거(依據) dependencia *f*. ~하다 apoyarse (en), fundarse (en), depender (de). 그의 학설은 A에 ~하고 있다 Su teoría se apoya en A.

의거(義擧) conducta *f* caballerosa, conducta *f* caballeresca, acto *m* heroico [loable·honesto].

의견(意見) opinión *f*, parecer *m*; [생각] idea *f*, concepto *m*; [견해] vista *f*, [판단] juicio *m*. ~의 대립 divergencia *f*. ~의 일치 consenso *m*. ~을 달리하는 국가 estado *m* disidente. 내 ~으로는 a mi parecer, a mi opinión, en mi opinión, en mi concepto, Yo juzgo que. …의 ~에 의하면 en opinión de *uno*, según *uno*, desde el punto de vista de *uno*. ~에 따르다 seguir la opinión. ~을 교환하다 intercambiar opiniones. ~을 듣다·구하다·모으다·청하다 pedir el parecer (de), pedir opinión (a), pedir consejo (a). ~을 말하다 dictaminar. ~을 바꾸다 cambiar de opinión, mudar de opinión. ~을 발표하다 emitir *su* opinión, declarar *su* parecer. ~의 일치에 도달하다 llegar a un consenso. …과 ~이 같다 ser de la misma opinión que *uno*, tener la misma opinión que (la de) *uno*. …의 ~과 일치하다 estar conforme con *uno*, estar de acuerdo con *uno*, compartir la opinión de *uno*, convertir con *uno*. …에 관해 ~을 말하다 dar [decir·expresar·exponer·manifestar] *su* opinión acerca de *algo*, opinar sobre *algo*. …과 ~의 일치를 보다 ponerse de acuerdo con *uno*. …와 ~이 틀리다[맞지 않다] no estar conforme con *uno*, no estar de acuerdo con *uno*, discrepar de la opinión de *uno*, ser de diferente parecer que *uno*, ser de otro parecer que *uno*, tener opinión diferente de la de *uno*. ~에 결론을 얻지 못하다 no llegar a una opinión definida [a la conclusión]. 당신의 ~은 무엇입니까? ¿Qué opina usted? / ¿Qué le parece? / ¿Cuál es su opinión? / ¿Cuál es su parecer? 나는 당신과 같은 ~이다 Comparto su opinión / Soy del mismo parecer que usted. 모두가 같은 ~이다 Todos son de la misma opinión / Todos tienen una misma opinión. 그것에 관해서는 ~이 다르다 Hay diversos pareceres sobre eso / Sobre eso, las opiniones están divididas. 나는 그 사람과 같은 ~이다 Yo también soy de la misma opinión [del mismo parecer] que él. 이것에 대해 어떤 ~을 가지고 있습니까? ¿Qué piensa [opina] usted de esto? / ¿Qué opinión [idea] tiene usted de esto? 이 문제에 대한 무슨 ~이 있느냐? – 아니, 별로 없어 ¿Tienes algo que opinar sobre este problema? – No, nada de particular. 그는 그 계획을 포기해야 한다는 ~이다 El es del parecer de [Opina] que se debe abandonar ese plan.

■ ~서 opinión *f* escrita, declaración *f* de *su* vista. ¶~를 제출하다 presentar una opinión escrita, presentar una declaración de *su* vista.

의결(議決) decisión *f*, resolución *f*, determinación *f*. ~하다 decidir, resolver, determinar.

■ ~권 derecho *m* de voto, derecho *m* de votar, voto *m*. ¶~을 행사하다 expresar el voto, votar. 우선주(優先株)에 대한 제한의 하나는 ~이 없다는 것이다 Una de las limitaciones a las acciones preferentes es la falta de voz y voto. ~ 기관 órgano *m* de decisión.

의경(義警) ((준말)) =의무 경찰(義務警察).

의고(擬古) ① [옛것을 본뜸] lo clásico. ② [시가(詩歌)나 문장 등을 옛 형식에 맞추어 지음] lo arcaico.

■ ~주의 clasicismo *m*, arcaísmo *m*. ~체 estilo *m* arcaico. ~풍 costumbre *f* arcaica.

의과 대학(醫科大學) Escuela *f* Superior de Medicina, Facultad *f* de Medicina, Colegio *m* de Medicina.

의관(衣冠) la ropa y el sombrero, vestido *m* para la corte, la levita y la diadema.

■~ 문물 ropa y costumbres, civilización *f* de un país.

의관(醫官) oficial *m* médico.

의구(疑懼) recelo *m*. ~하다 recelar. 그가 알고 있는 전부를 말하지 않았을까 나는 ~하고 있다 Recelo que él no ha dicho todo lo que sabe. 너희들이 나를 속이려 할까 ~하고 있다 Recelo que me vais a engañar. 그들이 친구에 대해 품고 있던 ~가 곧 풀렸다 Los recelos que ellos tenían de su amigo se desvanecieron en seguida.

의구하다(依舊一) celebrarse de la misma forma.

의기(意氣) [원기] ánimo *m*, brío *m*; [사기] espíritu *m*, moral *f*, [정력. 힘] vigor *m*. ~ 왕성하다 estar animadísimo, estar muy brioso [animoso], tener una moral elevada. ~가 꺾이다 desalentarse, abatirse, desanimarse, perder el ánimo, perder el coraje. ~를 저해(沮害)시키다 desanimar. …의 ~에 감동(感動)하다 ser atraído [influido] por el espíritu [el ánimo] de *uno*. 그들은 ~가 꺾여 있다 Ellos tienen la moral baja. ■~상투[투합] lo congenial. ¶~하다 congeniar bien (con). ~소침(銷沈) enflaquecimiento *m*. ¶~하다 extenuarse, adelgazarse, enflaquecerse, estropearse, desencajarse. ~한 enflaquecido, extenuado, macilento. ~해 있다 estar atatido [deprimido · sin moral]. ~양양 orgullo *m* con la victoria. ¶~하다 ponerse orgulloso con la victoria, estar engreído con buen éxito, soberbiarse de la victoria, engreírse por buen éxito, estar triunfante, estar victorioso, estar engreído de *su* victoria. ~한 triunfal, victorioso. ~하게 triunfalmente, victoriosamente, triunfantemente, con la cabeza levantada, con la cerviz erguida, en triunfo, con un aire triunfante [triunfal]. ~해지다 levantar la cerviz. ~하게 걷다 andar con paso imponente, contonearse. 그는 큰 공이라도 세운 듯 ~하다 El se ufana como si hubiera hecho una proeza. ~충천 moral *f* elevada. ¶그들은 ~해 있다 Ellos tienen la moral elevada / Ellos están amimosos / Ellos están llenos de brío.

의기(義妓) *kisaeng f* que hizo lo recto.

의기(義氣) espíritu *m* caballeroso, caballería *f*, sentimiento *m* de justicia, sentimiento *m* de honor, espíritu *m* de sacrificio personal, caballerosidad *f*, hidalguía *f*, heroísmo *m*. ~ 있는 caballeroso, heroico.

■~남아(男兒) hombre *m* caballeroso.

의녀(義女) =의붓딸(hijastra).

의녀(醫女) *kisaeng* con arte médico.

의논(議論) consulta *f*, conferencia *f*, conversación *f*, [교섭] negociación *f*, [조정] ajuste *m*. ~하다 consultar, conversar, mantener una conversación. ~으로 분쟁을 해결하다 resolver el conflicto por medio de negociaciones. ~의 여지가 없다 No cabe negociación. 그들 사이에는 ~이 있었다 Se han arreglado / Se han puesto de acuerdo.

의당(宜當) naturalmente, necesariamente. …에게 ~ 받아야 할 것을 주다 dar*le* a *uno su* merecido. 그는 ~ 받아야 할 것을 받았다 El se llevó su merecido.

의당하다 (ser) natural, necesario, razonable.

의당히 naturalmente, necesariamente, razonablemente, como Dios manda, como es debido.

의대(醫大) ((준말)) =의과 대학.

의도(意圖) ① [장차 무엇을 하려는 계획] intención *f*, propósito *m*. ~하다 intentar, tener intención (de), proponerse, pretender. 침략 ~ intención *f* agresiva. ~ 없이 sin querer, sin intención. …할 ~로 con intención de + *inf*. …할 ~가 있다 tener la intención [la idea] + *inf*, proponerse + *inf*, estar dispuesto a + *inf*. 살해할 ~로 유인해 밖으로 끌어내다 sacar fuera con la intención de matar. 나는 그럴 ~였다 Esa fue también mi intención. 그것이 네 ~였느냐? ¿Eso es lo que intentabas? ② [생각] pensamiento *m*, lo que se esconde, intención *f* oculta. 말의 ~를 간파하다 captar lo que se esconde entre palabras. 마음의 ~를 읽다 leer el pensamiento (de).

■~적 intencionado. ¶~으로 intencionadamente, deliberadamente, con intención.

의량(衣糧) la ropa y el alimento, la ropa y las provisiones.

의례(依例) ((준말)) =의전례(依前例).

의례(儀禮) =의식(儀式). 전례(典禮).

■~적 ceremonial, de cortesía, solemne, ceremonioso, protocolario; [형식적인] formulario. ¶~으로 con un ademán ceremonioso, con aire formal. ~인 방문 visita *f* de cortesía; [형식적인] visita *f* formularia.

의론(議論) argumento *m*, discusión *f*, debate *m*, controversia *f*, polémica *f*, disputa *f*. ~하다 discutir, debatir, argüir, argumentar, contender, disputar. ~의 여지가 없는 indiscutible. ~하기를 좋아하는 discutidor. ~에 이기다 vencer en una discusión. ~에 지다 dejarse vencer en una discusión. 그것은 ~의 여지가 없다 Eso es indiscutible. 국회에서는 통화(通貨) 문제가 ~되고 있다 En el Parlamento están discutiendo (sobre) los problemas monetarios.

의롭다(義一) (ser) recto, justo, caballeroso, solidario, de espíritu cívico.

의로이 rectamente, justamente, caballerosamente, solidariamente.

의롱(衣籠) armario *m*, cómoda *f*.

의뢰(依賴) ① [남에게 의지함] dependencia *f*. ~하다 depender. ② [남에게 부탁함] petición *f*, encargo *m*, ruego *m*, solicitud *f*, súplica *f*. ~하다 pedir, encargar, rogar; [위임하다] confiar, encomendar, poner en manos (de). …의 ~로 a petición de *algo*, a ruego de *uno*, a súplica de *uno*. ~를 거절하다 rechazar la petición, desechar la petición. ~에 응하다 acceder a [aceptar] la petición. 전언(傳言)을 ~하다 encargar un recado. 재산 관리를 ~하다 confiar la administración de *sus* bienes. 사건을 변호사에 ~하다 encargar el pleito a un abogado. 우리들은 A 씨로부터 ~를 받았다 Nos ha hecho un encargo el señor A.

■ ~서(書) solicitud *f* escrita, carta *f* de encargo, carta *f* de petición. ~심 deseo *m* de depender de otra persona. ~인 cliente *mf*.

의료(衣料) material *m* para la ropa, vestidos *mpl*, prendas *fpl* de vestir, ropaje *m*, vestuario *m*.

■ ~비 gastos *mpl* de ropa. ~품 매장 sección *f* de vestidos, departamento *m* de ropa.

의료(醫療) tratamiento *m* médico, tratamiento *m* medicinal, tratamiento *m* curativo, asistencia *f* médica, cuidados *mpl* médicos. ~를 받다 padecer el trato médico.

■ ~계 mundo *m* médico, círculos *mpl* médicos. ~ 기계 aparato *m* médico. ~ 기관(機關) institución *f* médica. ~ 기구(器具) instrumentos *mpl* médicos. ~ 기사 ingeniero *m* médico. ~단(團) cuerpo *m* médico, médicos *mpl*, profesión *f* médica. ~반 equipo *m* médico. ~ 법인(法人) corporación *f* médica. ~ 보험 seguro *m* de gastos médicos. ~ 보험 제도 sistema *m* de seguro de gastos médicos. ~ 보험증 certificado *m* de seguro de gastos médicos. ~비 gastos *mpl* médicos. ~ 비용 costes *mpl* médicos, *AmL* costos *mpl* médicos. ~ 산업 industria *f* médica. ~ 상자 botiquín *m* (*pl* botiquines). ~ 설명서 [진단서] certificado *m* médico. ~ 센터 centro *m* médico. ~ 수가 cargo *m* para gastos médicos, honorario *m* para el tratamiento médico, honorario *m* médico. ~ 시설(施設) establecimiento *m* médico, instalaciones *fpl* médicas. ~실(室) sala *f* clínica. ~업 industria *f* médica. ~원(院) centro *m* médico. ¶국립 ~ el Centro Médico Nacional. ~인 médico, -ca *mf*. ~ 지원 asistencia *f* médica. ~차(車) coche *m* médico. ~팀 equipo *m* médico. ~ 품(品) artículos *mpl* médicos.

의류(衣類) ropa *f*, vestidos *mpl*, vestidura *f*.

■ ~ 가게 ropería *f*, tienda *f* de modas, casa *f* de modas. ~ 가게 주인 propietario, -ria *mf* de una casa de modas. ~ 공장 taller *m* de confección, fábrica *f* de prendas de vestir. ~ 산업 industria *f* de la confección.

의리(義理) ① [도리] rectitud *f*, sentido *m* moral, justicia *f*, moralidad *f*. ~가 강한 사람 hombre *m* de probidad. ~로 보아 할 말이 아닙니다만 … aunque no tengo derecho a decir estas cosas …. ② [신의(信義)] lealtad *f*, integridad *f*, obligación *f*, (sentido *m* de) deber *m*, deuda *f*, gratitud *f*. ~로 por cumplir, por respeto a la obligación. ~가 강한 formal, concienzudo. 세간(世間)의 ~ conveniencias *fpl* sociales, convencilaismo *m*. ~가 있는 남자 hombre *m* que tiene (un) gran sentido del deber [de las conveniencias sociales]. ~가 없는 사람 persona *f* ingrata. ~를 지키다 ser leal. ~로 방문하다 hacer una visita por cumplir. ~가 부족하다 faltar a los deberes, ser negligente de los deberes, faltar a las conveniencias sociales. ~ 없는 짓을 하다 ser ingrato (a), faltar (a). … 에게 ~를 지키다 cumplir la obligación hacia *uno*, cumplir con *uno*. 그는 ~를 모르는 사람이다 El es un hombre que no tiene sentido del deber. ~로도 그런 일은 할 수가 없다 Ni siquiera por cumplir puedo hacer tal cosa. ③ [결의(決意)] fraternidad *f* jurada. ~를 맺다 jurar fraternidad.

■ ~부동 deslealtad *f*, falta *f* de fe, lo poco fidedigno, informalidad *f*.

의모(義母) ① =의붓어머니. ② =수양어머니. ③ [의리로 맺은 어머니] madre *f* jurada.

의무(義務) deber *m*, obligación *f*, responsabilidades *fpl*. ~로 por obligación, por deber. 시민으로서의 ~ deber *m* de ciudadano. ~를 다하다 cumplir con *su* deber [*sus* deberes · *su* obligación · *sus* obligaciones] (para con). ~를 게을리하다 faltar a *su* deber, descuidar *sus* responsabilidades. ~를 지우다 obligar a *uno* a + *inf*. …하는 ~를 지다 obligarse a + inf. …할 ~가 있다 deber + *inf*, estar obligado a + *inf*. 투표는 모든 시민(市民)의 ~이다 Votar es el deber [la obligación] de todo ciudadano. 우리들은 세금을 납부할 ~가 있다 Estamos obligados a pagar impuestos / Tenemos [Nos vemos en] la obligación de pagar impuestos.

■ ~감 sentido *m* del deber. ~ 경찰 policía *f* obligatoria. ~ 교육 enseñanza *f* obligatoria, educación *f* obligatoria. ~론 deontología *f*. ~ 면제 excusa *f* del deber. ~ 연한 término *m* de servicio obligatorio. ~ 이행 ejercicio *m* [desempeño *m*] de las funciones. ~자 persona *f* de responsabilidad; persona *f* en cargo; deudor, -dora *mf*. ~적 obligatorio. ¶~으로 obligadamente, por obligación.

의무(醫務) asuntos *mpl* médicos, negocios *mpl* medicinales.

■ ~국 departamento *m* de negocios medicinales. ~실(室) ㉮ [병원의] farmacia *f*, despensario *m*. ㉯ [학교 · 공장의] enfermería *f*.

의문(疑問) ① [의심해 물음] cuestión *f*. ② [의심스러운 문제나 점] duda *f*. ~의 죽음 muerte *f* misteriosa. ~을 품다 dudar, concebir una duda, abrigar una duda, tener duda, sospechar. ~시하다 dudar, poner en duda. 그 점은 ~이 남았다 Ese punto ha quedado dudoso. 그의 성공은 ~의 여지가 없다 No cabe [hay] duda de que tendrá buen éxito. 그녀가 올지 ~이다 No se sabe si vendrá o no / Dudo que ella venga. 그것의 안전성에는 ~이 있다 Se duda de su seguridad. 나는 그의 말에 ~을 느끼고 있다 Pongo en duda lo que dice él. ③【언어】interrogación *f.* ~의 interrogativo.

의문스럽다 (ser) dudoso.

의문스레 dudosamente.

■ ~ 대명사 pronombre *m* interrogativo. ~문 oración *f* interrogativa. ~부 (signos *mpl* de) interrogación (¿ ?). ~ 부사 adverbio *m* interrogativo. ~사 interrogativo *m.* ~점 punto *m* dudoso. ~표 =의문부(疑問符). ~ 형용사 adjetivo *m* interrogativo.

의뭉 astucia *f,* sagacidad *f.* ~하다 (ser) astuto. 여우는 ~한 동물이다 El zorro es un animal muy astuto.

의뭉스럽다 (ser) astucioso, astuto, sagaz.

의뭉스레 astutamente, con astucia.

의미(意味) sentido *m,* significación *f,* significado *m;* [어의(語義)] acepción *f.* ~하다 significar, querer decir. ~ 있는 significante. ~ 없는 sin sentido, absurdo, disparatado, insensato. ~를 통할 수 없는 ininteligible. ~가 분명하지 못한 문구(文句) frase *f* indescifrable. ~를 이해할 수 없는 문장(文章) frase *f* ininteligible. …의 ~로 al significado de *algo,* en sentido de *algo.* 어떤 ~로는 en un sentido, en cierto sentido. 이 ~로 en este sentido. 다른 ~로 en otro sentido. 엄밀한 ~로 en sentido estricto. 좁은 ~로 en un sentido restringido. ~를 이해하다 comprender el significado (de). ~를 잘못 이해하다 comprender mal el significado (de). ~를 틀리다 equivocar el sentido, errar el sentido, interpretar siniestramente, torcer el sentido, viciar el sentido, entender mal, trasoír, tomar en sentido erróneo. ~를 이해할 수 없는 말을 하다 decir absurdas, decir cosas absurdas. 문장의 ~를 파악하다 coger [captar] el sentido de una frase. 좋은 ~로 알다 tomar a bien. 나쁜 ~로 알다 tomar a mal. 말을 본래의 ~로 사용하다 emplear la palabra en *su* propio sentido [en *su* sentido original]. 이것은 무슨 ~입니까? ¿Qué quiere decir esto? / ¿Qué significa esto? 이것은 서반아어로 무엇을 ~합니까? ¿Qué significa [quiere decir] esto en español? / ¿Cómo se dice esto en español? 이 문장은 여러 ~로 해석할 수 있다 Se puede interpretar esta oración en distintos sentidos.

■ ~론 semántica *f,* semasiología *f.*

의미심장하다(意味深長－) (ser) expresivo, de profunda significación, muy significatico, tener un sentido profundo. 의미심장함 profunda significación *f.* 의미심장하게 con profunda significación, con aire insinuante, con aire significante, expresivamente.

의법(依法) conformidad *f* con la ley. ~하다 ser de conformidad con la ley, ser con arreglo a la ley.

■ ~ 처단 castigo *m* según la ley. ~ 처리 disposición *f* según la ley.

의병(義兵) tropas *fpl* leales, fuerzas *fpl* por razón de la justicia leal.

■ ~장 jefe *m* de tropas leales.

의병(疑兵) tropas *fpl* camufladas.

의복(衣服) =옷(ropa, traje, vestido). ¶~ 한 벌 un traje. 좋은 ~을 입은 사람들 personas *fpl* bien arregladas.

■ 의복이 날개라 ((속담)) Por el traje se conoce al personaje.

의부(義父) ① =의붓아버지. ② =수양아버지. ③ [의리로 맺은 아버지] padre *m* jurado.

의분(義憤) indignación *f* justa (contra la injusticia). ~을 느끼다 indignarse (contra). ~을 참다 reprimir [contener] la indignación justa.

의불합(意不合) desacuerdo *m,* disconformidad *f,* incongruencia *f* de espíritus. ~하다 (ser) poco amigable, poco amistoso.

의붓딸 hijastra *f.*

의붓아들 hijastro *m.*

의붓아버지 padrastro *m,* padre *m* adoptivo.

의붓아범 =의붓아버지.

의붓아비 ((낮춤말)) =의붓아버지.

의붓어머니 madrastra *f,* madre *f* adoptiva.

의붓어미 ((낮춤말)) =의붓어머니.

의붓자식 hijastro, -tra *mf,* entenado, -da *mf.* 그녀의 ~ su hijo por el esposo anterior. ~ 취급하다 tratar como oveja negra, tratar como a un hijastro, dejar al margen, dejar a la luna de Valencia, dejar colgado, desfavorecer. ~ 취급을 당하다 quedarse a la luna de Valencia.

의빙(依憑) =의거(依據).

의사(義士) partidario, -ria *mf* leal.

의사(義死) muerte *f* por la justicia. ~하다 morir por la justicia.

의사(意思) intención *f,* intento *m,* propósito *m;* [의지(意志)] voluntad *f,* [생각] pensamiento *m,* idea *f.* ~가 통하다 hacerse entender, llegar a entenderse (con). ~를 전하다 hacer conocer *sus* intenciones (a).

■ ~ 능력(能力) capacidad *f* mental. ~ 소통 entendimiento *m* mutuo. ~ 통지 aviso *m* de *su* pensamiento. ~ 표시 expresión *f* de intención.

의사(擬似) sospecha *f,* duda *f.*

■ ~ 콜레라 cólera *f* dudosa, colerina *f,* cólera *f* esporádico, caso *m* que tiene semejanza con el cólera.

의사(醫師) médico, -ca *mf,* doctor, -tora *mf,* [내과의] médico, -ca *mf;* [외과의] cirujano, -na *mf;* [개업의] médico, -ca *mf;* [일반 개업의] médico, -ca *mf* de medicina general; [주치의] médico, -ca *mf* de cabecera; [공의(公醫)] médico, -ca *mf* titular; [산부인과 의사] ginecólogo, -ga *mf,* [입회 의사] médico, -ca *mf* de apelación; [경찰 의사] médico, -ca *mf* forense; [신체검사 의사]

médico *m* encargado de las revisiones médicas; [돌팔이 의사] curandero, -ra *mf*, matasanos *m.sing.pl*; *Per* médico *m* boliviano. ~가 되다 ser médico. ~가 되고 싶다 querer [desear] ser médico. ~를 부르다 llamar al médico, hacer visitar [venir] al médico. ~를 부르러 가다 ir a llamar al médico, ir por el médico. ~를 부르러 보내다 enviar por el médico, enviar a buscar [a llamar] al médico, mandar por el médico. ~에게 보이다, ~의 진찰을 받다 consultar al médico. ~에게 치료를 받고 있다 estar en tratamiento médico. ~로서 개업(開業)하다 abrir [establecer] un consultorio.

▪~ 국가 시험 examen *m* nacional para médicos. ~ 면허장 licencia *f* médica (para ejercer la medicina). ~회 colegio *m* de médicos.

의사(議事) [심의] debate *m*, deliberación *f*; [의제] materia *f* de discusión, asunto *m* de discusión, tema *m* para discusión. ~를 방해하다 obstruir [obstruccionar] el debate. ~를 진행(進行)하다 dar curso al debate.

▪~ 규칙(規則) reglamentos *mpl* parlamentarios. ~당 la Sala de Actos, el Parlamento, la Sala de Sesiones, la Sala de Juntas. ¶국회 ~ la Sala de Asamblea, el Edificio Parlamentario, el Edificio de Cortes. ~록 el acta *f* (de la sesión), libros *mpl* de actas. ~ 목록 agenda *f*. ~ 방해 obstrucción *f* (parlamentaria), táctica *f* obstructiva, obstruccionismo *m*. ~ 방해자 obstruccionista *mf*. ~봉 mazo *m*, martillo *m*. ~ 일정 orden *f* de(l) día, agenda *f*. ~ 정족수 número *m* fijo de debate. ~ 진행 procedimiento *m* de debate. ~ 진행 방해 intervención *f* parlamentaria hecha con el propósito de impedir que un asunto se someta a votación. ~ 진행 방해 작전 maniobras *fpl* dilatorias.

의상(衣裳) ① [겉에 입는 저고리와 치마] la falda y la blusa. ② [옷] ropa *f*; [주로 남자용] traje *m*; [주로 여성용] vestido *m*; [집합적] vestimenta *f*, vestidura *f*, ropaje *m*, vestuario *m*, indumentaria *f*. ~이 많다 tener muchos trajes, tener una gran colección de vestidos. 화려한 ~을 입고 있다 ir [estar] vestido de gala.

▪~ 담당자 [영화·연극의] accesorista *mf*, diseñador, -dora *mf* de vestuario; ayudante, -ta *mf* de camerino; attrezzista *mf*, encargado, -da *mf* del vestuario. ~실 [극장의] guardarropía *f*.

의서(醫書) tratado *m* médico, libro *m* medicinal, obra *f* medicinal, libro *m* de referencia de medicina.

의석(議席) ① [회의하는 자리] asiento *m* en una cámara. ~에 앉다 sentarse en un asiento, tomar un asiento. 의회(議會)에 ~을 보유하다 tener un asiento. ② [회의장에서 의원이 앉은 자리] escaño *m*, banco *m* de los parlamentarios. 근소한 차로 얻은 ~ escaño *m* obtenido por escasa mayoría. 국회 의원이 근소한 차로 ~을 얻은 선거구 distrito *m* electoral cuyo representante obtuvo el escaño por escasa mayoría. 국회에 ~을 얻다 ganar [obtener] un escaño en las Cortes.

▪~수 número *m* de escaños.

의성(擬聲) =의음(擬音).

▪~법 onomatopeya *f*. ~ 부사 adverbio *m* onomatopéyico. ~어(語) palabra *f* onomatopéyica, onomatopeya *f*.

의성(醫聖) gran médico *m*, gran médica *f*.

의수(義手) mano *f* postiza, mano *f* artificial.

의술(醫術) medicina *f*, arte *m* médico, arte *f* médica, ciencia *f* médica. ~의 médico, medicinal, curativo. ~은 인술(仁術)이다 La medicina es una arte benévola.

의식(衣食) la ropa y el alimento, la ropa y la comida. ~이 궁하다 estar apurado [en apuro] de ropa y comida, tener dificultades para asegurarse *su* sussistencia.

▪~주(住) techo, ropas y alimentos; el vestido, el alimento y la vivienda; [생활 필수품] subsistencias *fpl*.

의식(意識) conciencia *f*, consciencia *f*, conocimiento *m*, sentido *m*. ~하다 tener conciencia (de), tomar conciencia (de), estar consciente, estar sensible. ~ 있는 concienzudo. ~ 없이 inconscientemente, sin querer. 죄(罪)의 ~ conciencia *f* culpable, conocimiento *m* de pecado. 결과를 ~하지 않고 sin tener en cuenta el resultado. ~하지 못하다 estar inconsciente, estar insensible. ~을 회복하다 recobrarse, recobrar conocimiento, recuperar conocimiento, volver en sí. ~이 분명하다 tener la conciencia clara. ~이 흐리다 tener la conciencia oscura. 자신의 결점(缺點)을 ~하다 tener conciencia de *sus* defectos. 하나님을 ~하다 tener conciencia de Dios. 그는 죄~이 없다 El no es consciente de su culpa / El no tiene conciencia de su culpa.

◆국민 ~ 조사 encuesta *f* acerca del modo de pensar del pueblo. 정치 ~ conciencia *f* política, sentido *m* político.

◆의식을 잃다 perder el conocimiento, perder el sentido.

▪~ 구조 estructura *f* de conciencia. ~ 몽롱 obnubilación *f*. ~ 불명 estado *m* sin conciencia. ¶~ 상태에 있다 estar sin conciencia. ~ 상실 inconsciencia *f*. ~ 소실 atimia *f*. ~ 수준 nivel *m* de conciencia. ~ 운동 ideomoción *f*. ~적 consciente; [의도적] intencional, intencionado. ¶~으로 conscientemente, con conciencia, a sabiendas, intencionalmente, con intención. 호흡은 ~인 행위가 아니다 La respiración no es una acción consciente. 그녀는 ~으로 거짓말을 했다 Ella mintió a sabiendas [con intención]. ~ 혼탁 subconsciencia *f*, estupor *m*, anoesia *f*.

의식(儀式) ceremonia *f*; [종교의] rito *m*, ritual *m*. ~을 행하다 hacer una ceremonia;

[주관하다] presidir una ceremonia. ~에 치우친 ceremonioso, solemne.

■ ~적 ceremonial. ~주의 ritualismo *m*.

의심(疑心) duda *f*, [불신] desconfianza *f*, escama *f*, [미심쩍음] malacia *f*, suspicacia *f*, [혐의(嫌疑)] sospecha *f*. ~하다 dudar (de · que + *subj*); [불신하다] desconfiar (de · que + *subj*); [혐의가 있다] sospechar (de · que + *ind* · *subj*), recelar (de · que + *ind* · *subj*). ~ 없는 indudable; [확실한] cierto, seguro. ~이 많은 receloro, suspicaz (*pl* suspicaces). ~ 없이 sin duda, indudablemente. 아무런 ~ 없이 sin ninguna duda, sin duda alguna [ninguna], fuera de toda duda, sin sombra de duda. ~을 두다 poner en duda, sospechar (de). ~을 일으키다 hacerse sospechoso, despertar recelos. ~을 품다 abrigar duda (de · sobre), abrigar sospechas (de · sobre), sospechar (de), recelar (de). ~하는 눈초리로 바라보다 dirigir una mirada recelosa. …에게 ~을 일으키다 despertar los recelos de *uno*. …인지 ~하다 dudar si + *ind*. … 을 ~하지 않다 no dudar que + *ind*. 자신의 눈[귀]을 ~하다 no dar créditos a *sus* ojos [a *sus* oídos]. ~의 여지가 없다 No cabe duda. 그것은 ~의 여지가 없다 No cabe duda de eso / No hay duda de eso / No hay lugar a duda de eso / No queda lugar a duda de eso / Eso no admite duda. 그는 살인범으로 경찰에게 ~받고 있다 La policía sospecha que él es el homicida. 그것은 ~없는 사실이다 Eso es un hecho indudable. 그의 성공은 ~의 여지가 없다 No dudo de su éxito / No cabe duda de que tendrá éxito. 그의 사망은 ~의 여지가 없다 No cabe duda de su muerte. 그가 폐렴이 있다고 ~하고 있다 Se sospecha que él tiene neumonía. 나는 ~ 없이 그녀가 오리라고 생각한다 No dudo que viene ella / Creo sin duda que vendrá ella. 그에 대한 ~이 풀렸다 Se disipó la sospecha (que caía) sobre él. 그는 ~ 없이 우수한 기사(技師)이다 El es, sin duda, un ingeniero excelente. ~받을 일을 하지 마라 No hagas nada que invite a sospecha. 너의 나에 대한 ~을 해소시키겠다 Voy a disipar [a quitar · a aclarar] tus dudas [tus sospechas] (que creen) sobre mí. 우리는 그녀가 거짓말을 한다고 ~하고 있다 Sospechamos que ella miente.

◆ 의심(이) 가다 ser sospechoso; [상태] estar bajo sospecha. 스파이 의심이 가는 사람 sospechoso, -sa *mf* de ser espía. 의심(이) 나다 causar la sospecha.

의심스럽다 (ser) dudoso; [불확실한] incierto; [문제가 되는] cuestionable, discutible; [혐의가 있는] sospechoso. 의심스러운 이야기 historia *f* dudosa. 의심스러운 인물 tipo *m* sospechoso. 그가 성공할지 ~ Es dudoso que él tenga (buen) éxito. 그것이 사실인지 ~ Dudo que sea verdad. 나는 갈 수 있을지 없을지 ~ Dudo que él venga. 그녀의 동기(動機)가 아주 ~ Sus motivos resultan sumamente sospechosos. 그는 결핵이 아닐까 의심스러워 병원으로 보내졌다 Sospechoso [Bajo la sospecha] de tuberculosis, se le envió al hospital.

의심스레 dudosamente, con duda, inciertamente, cuestionablemente, discutiblemente, sospechosamente, en ademán de sospecha; [불신(不信)] desconfiadamente, con recelo. ~ 바라보다 mirar con sospecha.

의심쩍다 (ser) bastante sospechoso.

■ ~꾸러기 sospechoso, -sa *mf*. ~점 punto *m* dudoso, cuestión *f*.

의아(疑訝) duda *f*, sospecha *f*. ~하다 dudar, sospechar (de), no saber, preguntarse. ~해하다 sospechar (de), extrañarse (de), dudar (de). 그가 왜 그런 일을 하는지 ~하다 ¿Por qué lo hará? / Me pregunto por qué lo hará. 나는 왜 내가 귀찮은지 ~하다 No sé por qué me molesto.

의아스럽다 (ser) dudoso, sospechoso. 의아스러운 얼굴을 하다 mostrarse extrañado. 그들의 행동은 아주 ~ Su comportramiento es sumamente sospechoso.

의아스레 dudosamente, sospechosamente, de modo sospechoso, con (un aire de) extrañeza.

의안(義眼) ojo *m* postizo [artificial · falso · de cristal].

의안(議案) proyecto *m* de ley. 정부가 제출한 ~ proyecto *m* de ley del gobierno. ~을 의회에 제출하다 presentar [introducir] un proyecto de ley ante la Asamblea Nacional. ~을 통과시키다 aprobar el proyecto de ley. ~을 부결시키다 rechazar el proyecto de ley.

◆ 개인(個人) ~ proyecto *m* de ley presentado por un diputado, *Chi* moción *f*.

■ ~서(書) cédula *f* ante díem.

의약(醫藥) ① [의료(醫療)에 쓰는 약품] medicina *f*, medicamento *m*. ② [의술(醫術)과 약품(藥品)] el arte médico y el medicamento.

■ ~ 분업(分業) separación *f* de las funciones de los médicos y de los farmacéuticos, división *f* de la medicina y la farmacia. ~품 (artículo *m* de) medicamento *m*, medicina *f*.

의업(醫業) profesión *f* médica, medicina *f*, médico *m* en profesión. ~에 종사하다 practicar de médico.

의역(意譯) traducción *f* libre. ~하다 traducir libremente, hacer una traducción libre (de). 그의 번역(飜譯)은 너무 ~에 치우쳤다 Su traducción es demasiado libre.

의연(義捐) contribución *f*, donación *f*. ~하다 contribuir, donar.

■ ~금 contribución *f*, suscripción *f*, donación *f*. ¶~ 모금(募金) colectación *f* de dádivas.

의연하다(依然－) no es diferente de antes, es igual a antes.

의연히 como antes, inalterablemente, como

de costumbre, como lo era.

의연하다(毅然－) (la voluntad ser) firme, resuelto, decidido. 의연한 태도 actitud *f* resuelta, actitud *f* decidida.

의연히 firmemente, resueltamente, decididamente, valorosamente, con firmeza, con resolución.

의열 지사(義烈志士) hombre *m* heroico y leal [noble].

의열하다(義烈－) (ser) noble, heroico, valiente, valeroso, galante, cortés (pl corteses).

의예과(醫豫科) curso *m* premedical.

의옥(疑獄) pleito *m* criminal (grande), escándalo *m*. ～ 사건에 관련되다 ser envuelto en un crimen sospechoso.

의외(意外) sorpresa *f*, lo inesperado, lo imprevisto, accidente *m*. ～의 impensado, imprevisto, inesperado, inopinado; [불의의] accidental, fortuito; [놀랄만한] sorprendente. ～의 일 lo imprevisible, accidentalidad *f*. ～의 재난(災難) desgracia *f* inesperada. ～의 순간에 en el momento menos pensado. ～의 사람을 만나다 encontrarse con una persona inesperada. 여기서 당신을 만나다니 ～였다 ¡No esperaba encontrarme con usted aquí! / ¡Qué sorpresa encontrarme con usted aquí! / No tenía la menor idea de encontrarle a usted aquí. 이것은 전혀 ～다 Esto es completamente inesperado. 그것은 ～였다 Eso no lo había ni soñado siquiera / Eso no podía ni soñarlo. 그가 온 것은 ～였다 No esperaba [Ni soñar] que él viniera. 그런 결과는 ～였다 Estoy desagradablemente sorprendido del resultado.

의외로 inesperadamente, imprevistamente, de improviso, sin previo aviso, de forma imprevista, cuando nadie lo esperaba, inopinadamente, impensadamente, de repente, repentinamente, contra toda previsión. 나는 ～ 지체(遲滯)했다 Tuve un retraso imprevisto. 나는 그것을 ～ 생각하고 있다 Estoy sorprendido de eso / No contaba con eso. 그는 ～ 시험에 불합격했다 Para mi sorpresa fracasó [salió mal] en el examen / Contrariamente a lo que se esperaba fracasó [salió mal] en el examen.

의욕(意慾) ① [하고 싶어하는 마음] gana *f*, afán *m* (*pl* afanes), anhelo *m*, deseo *m*, entusiasmo *m*; [야심] ambición *f*. ～을 잃다 perder la gana. …할 ～이 강하다 tener muchas ganas de + *inf*, estar muy deseoso [ambicioso] + *inf*. 그는 어떤 일에도 ～이 강하다 Le entusiasma cualquier cosa / El pone mucho afán en todo lo que hace. ② ＝의지(意志). 노력(努力).

▪～적 entusiasta, ambicioso. ¶～으로 de buena gana, con entusiasmo, con gana; [관심을 가지고] con interés. ～인 작품 obra *f* ambiciosa.

의용(義勇) heroísmo *m*, coraje *m*, hombrada *f*.

▪～군 tropas *fpl* voluntarias, ejército *m* de voluntarios, cuerpo *m* de voluntarios. ～병 (soldado *m*) voluntario, (soldada *f*) voluntaria *f*. ～소방대 retén *m* [equipo *m*・*Chi* compañía *f*] de bomberos voluntarios. ～ 함대 armada *f* voluntaria.

의용(儀容) aire *m*, maneras *fpl*, presencia *f*.

의원(依願) destitución *f* a *su* solicitud.

▪～ 면직(免職) destitución *f* a solicitud, jubilación *f* voluntaria.

의원(醫員) cirujano, -na *mf*; miembro *mf* del cuerpo médico.

의원(醫院) clínica *f*, consultorio *m* (de médico).

의원(議員) miembro *mf* de una asamblea (legislativa); parlamentario, -ria *mf*; congresista *mf*; diputado, -da *mf*; miembro *mf* del Congreso; miembro *mf* del Parlamento. ◆국제 ～ 연맹 la Unión Interparlamentaria. 국회 ～ diputado *m* parlamentario, diputada *f* parlamentaria; diputado, -da *mf* a Cortes. 참의원 ～ senador, -dora *mf*; miembro *mf* de Senado.

▪～단 delegación *f* [misión *f*] parlamentaria. ～ 생활 carrera *f* parlamentaria. ～ 외교 diplomacia *f* parlamentaria. ～ 총회 asamblea *f* general de los parlamentarios. ～회관(會館) el Edificio de Oficina de Parlamentarios. ～ 후보 candidato, -ta *mf* de parlamentario.

의원(議院) cámara *f* de Parlamento, cámara *f* de un cuerpo legislativo, gabinete *m*.

▪～ 내각제 parlamentarismo *m*, sistema *m* parlamentario, gobierno *m* parlamentario. ～법(法) ley *f* parlamentaria. ～ 제도 sistema *m* parlamentario.

의음(擬音) onomatopeya *f*, sonido *m* imitado, imitación *f* de sonidos.

의의(意義) ① [의미. 뜻] significado *m*, significación *f*, sentido *m*; importancia *f*. ～ 있는 significativo, significante; [중요한] importante; [유익한] útil. ～ 없는 sin sentido, insignificante; [무익한] inútil. ～를 주다 dar significado, conceder importancia. ～를 인정하다 reconocer el valor (de), dar por significativo. 이 운동은 사회적 ～가 있다 Esta campaña tiene un sentido social. ② **【철학】** valor *m*. 나는 이 제안에 많은 ～를 부여할 수 없다 No puedo conceder que tenga mucho valor esta proposición.

의의 깊다 la importancia es profunda. 의의 깊은 말 término *m* de importancia profunda.

의의(疑義) duda *f*, sentido *m* dudoso, asunto *m* dudoso, punto *m* dudoso. ～를 캐다 [조사하다] averiguar [indagar] las dudas; [사람에게] pedir la explicación de los puntos dudosos.

의인(義人) hombre *m* justo, hombre *m* leal, hombre *m* fiel, hombre *m* recto, hombre *m* que tiene corazón noble, mártir *m*.

의인(擬人) personificación *f*, imitación *f*. ～하다 personificar, imitar.

▪～법 personificación *f*. ¶～을 쓰다 personificar, imitar. ~화 personificación *f.* ¶~하다 personificarse. ~시키다 personificar.

의자(椅子) silla *f,* [팔걸이가 있는] sillón *m* (*pl* sillones), butaca *f,* [등이 없는 긴] banco *m,* taburete *m;* [소파] sofá *m;* [총칭] asiento *m.* ~에 앉다 sentarse en una silla. ~에서 일어나다 levantarse de la silla. ~를 권하다 ofrecer una silla, invitar a sentarse.

◆안락(安樂)~ sillón *m,* butaca *f,* poltrona *f.* 회전(回轉)~ silla *f* giratoria.

■~ 팔걸이 brazo *m;* [객차의] ménsula *f.*

의장(衣欌) armario *m,* cómoda *f.*

의장(倚仗) dependencia *f* y creencia. ~하다 depender y creer.

의장(意匠) diseño *m,* dibujo *m* (decorativo).

■~가(家) dibujante *mf,* diseñador *m* (artístico), diseñadora *f* (artística). ~권 propiedad *f* de diseño, propiedad *f* de dibujo. ~ 등록 registro *m* de diseño, registro *m* de dibujo.

의장(儀仗) 【역사】 cortejo *m,* guardia *f.*

■~기(旗) bandera *f* de honor. ~대(隊) guardia *f* de honor. ~병 guardia *m* de honor.

의장(儀裝) adorno *m* ceremonial.

의장(艤裝) equipo *m* de un barco [un buque], apresto *m.* ~하다 equipar [armar] un barco [buque], aviar, tripular un barco.

의장(議長) ① [의원을 통솔하고 의회를 대표하는 사람] presidente, -ta *mf.* 국회(國會) ~ Presidente, -ta *mf,* Presidente *mf.* 국회 ~님! !Señor Presidente!, ¡Señora Presidentei ② [의회를 주재하는 사람] presidente, -ta *mf,* presidente *mf.* ~님! ¡Señor presidente!, ¡Señora presidenta! ~이 되다 ocupar el sillón de la presidencia. ~에 선출되다 ser elegido presidente [presidenta]. …를 ~에 선출하다 elegir presidente a *uno,* elegir a *uno* de [como] presidente. 회의의 ~을 맡다 encabezar [presidir · dirigir] una reunión.

◆공동(共同) ~ copresidente *mf,* copresidente, -ta *mf.* 부(副)~ vicepresidente *mf,* vicepresidente, -ta *mf.* 임시 ~ presidente, -ta *mf* de acción.

■~ 서리 presidente *m* adjunto, presidenta *f* adjunta. ~석(席) sillón *m* [silla *f*] presidencial. ~직(職) presidencia *f.* ~ 직권(職權) autoridad *f* del presidente.

의장(議場) sala *f* de actos [de sesiones · de conferencia · de juntas · de asambleas], cámara *f.*

의적(義賊) ladrón *m* (*pl* ladrones) generoso con los pobres, ladrón *m* benévolo.

의전(義戰) guerra *f* justa.

의전(儀典) ceremonia *f,* protocolo *m,* formalidad *f.*

■~관 oficial *mf* ceremonial [de protocolo]. ~ 비서 secretario, -ria *mf* de protocolo. ~실 oficina *f* de protocolo.

의절(義絶) expulsión *f,* [상속권의 박탈] desheredación *f.* ~하다 romper [interrumpir] la afinidad [parentesco] (con), expulsar, echar de casa, desheredar. 아들과 ~하다 echar a *su* hijo de casa, negar a *su* hijo.

의절(儀節) =예절(禮節)(etiqueta).

의점(疑點) punto *m* de sospecha.

의젓잖다 (ser) indecoroso, poco decoroso, poco digno, imprudente, indiscreto.

의젓하다 (ser) digno, generoso, magnánimo, liberal, dadivoso, bueno, portarse bien. 의젓이 de manera digna, de modo digno, generosamente, con aire magnánimo. ~ 행동하다 darse aires de gran señor. ~ 동의하다 asentir con aire magnánimo.

의정(醫政) administración *f* de asuntos médicos.

의정(議定) acuerdo *m,* avenencia *f,* ajustamiento *m,* concordia *f,* promulgación *f* de una ley. ~하다 decretar, conferir y concordar sobre concierto.

■~관 consejal, -la *mf.* ~서 protocolo *m.*

의정(議政) ((준말)) =의회 정치(legislativa). ¶~ 단상에 서다 hacerse parlamentario, ser elegido parlamentario.

의제(義弟) hermano *m* menor jurado.

의제(擬制) ficción *f.* 법률의 ~ ficción *f* de ley.

의제(擬製) =모조(模造).

■~ 자본(資本) capital *m* ficticio, capital *m* fingido.

의제(議題) tema *m* [sujeto *m* · materia *f*] (de discusión). ~에 올리다 poner en deliberación, poner bajo discusión. 오늘 ~는 평화통일이다 Los asuntos a tratar hoy son la unificación pacífica. 그 계획이 ~에 올랐다 Se ha discutido ese plan.

의족(義足) pierna *f* postiza, pierna *f* artificial.

의존(依存) dependencia *f.* ~하다 depender (de). 외국 시장에의 ~ dependencia *f* del mercado extranjero. 외국 원조에 ~ dependencia *f* de la ayuda extranjera. 나는 아직 경제적으로 부모님에게 ~하고 있다 Sigo dependiendo de mis padres económicamente.

◆상호(相互) ~ interdependencia *f,* dependencia *f* mutua.

■~도 grado *m* de dependencia. ¶석유의 해외 ~ grado *m* de dependencia del petróleo extranjero. ~ 관계 dependencia *f.*

의좋다(誼一) (ser) íntimo, familiar. 의좋은 사이 relación *f* íntima. 의좋은 자매 hermanas *fpl* íntimas. 의좋은 친구 amigo *m* íntimo, amiga *f* íntima. 의좋은 형제 hermanos *mpl* íntimos. 가장 의좋은 사람들 간에 entre los más íntimos. …와 의좋게 지내다 intimar(se) con *uno,* cobrar amistad a [con] *uno.* …와 의좋은 사이다 estar en muy buenas relaciones con *uno.* 대통령님과 의좋게 말하다 hablar con familiaridad [en términos familirares] con el Sr. Presidente. 그들은 의좋은 사이다 Ellos son muy buenos amigos.

의중(意中) mente *f,* corazón *m,* pecho *m,*

intención *f*, pensamiento *m*, opinión *f*. ~의 사람 querido, -da *mf*; amante *mf*; Dulcinea *f*, amada *f*, mujer *f* querida. ~을 떠보다 sondear los pensamientos (de), tantear las intenciones (de). ~을 밝히다 abrir el corazón, abrir el pecho, desahogarse (con), expansionarse (con). 그는 나의 ~의 사람이다 El es el hombre en el que estoy pensando. 그녀는 내 ~의 인물이다 [결혼 상대로] Ella es la dueña de mis pensamientos.

■ ~인(人) querido, -da *mf*; amante *mf*.

의증(疑症) dubitación *f*, duda *f*, indecisión *f*.

의지(依支) ayuda *f*, asistencia *f*, dependencia *f*, confianza *f*, amparo *m*, sostén *m*. ~하다 depender (de), contar (con), confiar (en), arrimarse (a), apoyarse (en), recurrir (a), buscar ayuda (en). ~가 되는 digno de confianza. ~할 곳 없는 no confiable, inseguro, vago. ~할 만한 친구 amigo, -ga *mf* de confianza. ~할 곳이 없는 신세 condición *f* desamparada. ~할 수 있는 사람 persona *f* en quien se puede confiar. ~가 되다 poner confianza (en), apoyarse (en), contar (con). ~하고 있다 tener confianza (en). 지팡이에 ~하다 apoyarse en el bastón. 지팡이에 ~해 걷다 andar con la ayuda de un bastón, andar apoyado en un bastón. 친구의 원조에 ~하다 contar con la ayuda de *su* amigo. 친구를 ~하여 상경하다 ir a Seúl contando con la ayuda de un amigo. 남에게 ~하다 depender de otros. 그는 ~할 곳이 없다 El no inspira confianza / No sé hasta dónde podemos confiar en él. 나는 ~할 사람이 없다 No puedo contar con nadie / No tengo ninguna persona con quien contar [en quien apoyarme]. ~할 사람은 너뿐이다 Tú eres la única persona con la que puedo contar / Tú eres mi único apoyo / Sólo cuento contigo. 나는 ~할 친구들이 없다 No tengo amigos con los que puedo contar [en los que puedo confiar].

의지(意志) ① [뜻] voluntad *f*, albedrío *m*. 굳은 ~ voluntad *f* fuete [de hierro]. 박약(薄弱)한 ~ voluntad *f* débil [frágil]. ~가 강한 de voluntad firme. ~가 약한 de voluntad débil. ~에 반(反)하여 contra *su* voluntad, a pesar *suyo*, mal de *su* agrado. ~가 강한 사람 persona *f* de voluntad firme; [남자] hombre *m* de voluntad firme; [여자] mujer *f* de voluntad firme. ~가 강하다 tener una voluntad firme [de hierro], ser resuelto, ser decidido. ~가 약하다 tener una voluntad débil [frágil], ser indeciso.

■ ~ 결여(缺如) abulia *f*. ~력(力) poder *m* voluntario. ~ 박약 hipobulia *f*, patolesia *f*. ~주의 voluntarismo *m*. ~ 항진(亢進) hiperbulia *f*. ~ 행위(行爲) bulesis *f*. ~ 활발 eunoia *f*.

의지(義肢) miembro *m* artificial, prótesis *f* de miembro.

의지가지없다 (ser) desemparado. 의지가지없는 신세 condición *f* desamparada.

의처증(疑妻症) sospecha *f* morbosa [mórbida] sobre la castidad de *su* esposa.

의초 fraternidad *f*, unión *f* entre los hermanos.

의총(義冢/義塚) ① ((불교)) tumba *f* que no tiene conexiones. ② [의사(義士)의 무덤] tumba *f* del partidario leal.

의취(意趣) =지취(志趣).

의치(義齒) =틀니(diente postizo).

■ ~술 prótesis *f* dental.

의타(依他) dependencia *f* al otro. ~하다 depender al otro.

의탁(依託) dependencia *f*. ~하다 depender (de).

의태(擬態) mimetismo *m*, fingimiento *m*, simulación *f*. ~하다 imitar, fingir, simular. ~의 mimético.

■ ~법(法) método *m* mimético. ~ 부사(副詞) adverbio *m* mimética. ~어 palabra *f* mimética.

의표(意表) sorpresa *f*. ~를 찌르다 sorprender (con un plan inesperado), coger de [por] sorpresa.

의하다(依－) ((준말)) =의거(依據)하다.

의하다(疑－) (ser) inseguro, incierto.

의학(醫學) medicina *f*, ciencia *f* médica. ~상의 médico, medicinal. ~상으로 médicamente.

■ ~계(界) mundo *m* médico, círculos *mpl* medicinales. ~ 박사 doctor, -tora *mf* en medicina. ~부 facultad *f* [departamento *m*] de medicina. ~사(士) licenciado, -da *mf* en medicina. ~생(生) estudiante *mf* de medicina. ~서 libro *m* médico. ~ 실습생 interno, -na *mf*. ~자 médico, -ca *mf*; doctor, -tora *mf*. ~적(的) médico, de medicina. ¶~으로 en medicina. ~ 견지에서 desde el punto de vista médica [clínica]. ~ 전문학교 la Escuela de Medicina.

의향(意向) intención *f*, propósito *m*, disposición *f*; [생각] idea *f*; [의견] opinión *f*. ~을 떠보다 sondear la intención [la opinión] (de). …할 ~이다 tener la intención de + *inf*, estar dispuesto a + *inf*, pensar + *inf*, proponer + *inf*. 나는 내년에 불란서어를 배울 ~이다 Tengo la intención de estudiar el francés el año que viene.

의혁지(擬革紙) cuero *m* de imitación, cuero *m* de papel.

의혈(義血) sangre *f* justa.

의협(義俠) caballería *f*, hombría *f*, conducta *f* caballerosa, caballerosidad *f*, heroicidad *f*, generosidad *f*. ~적인 caballeroso, heroico, generoso, desinteresado.

■ ~심(心) caballerosidad *f*, caballería *f*, espíritu *m* caballeresco [caballeroso], heroísmo *m*, cortesía *f*, magnanimidad *f*, el alma *f* generosa. ~이 강한 caballeresco, caballeroso, magnánimo, varonil, viril, galante. ~이 강한 사람 persona *f* caballerescsa, persona *f* caballerosa. ~을 발휘하

다 mostrar [enseñar] el espíritu caballeroso.

의형(義兄) hermano *m* jurado.

의형제(義兄弟) hermanos *mpl* jurados. ~를 맺다 jurar ser hermano, formar los vínculos hermanales.

의혹(疑惑) duda *f*, sospecha *f*, recelo *m*. ~하다 dudar, sospechar. ~을 품다 sospechar, tener duda, acoger duda, abrigar una sospecha (de). ~이 생기게 하다 excitar sospecha. ~을 풀다 dispersar la duda, dispersar la sospecha (de), quitar la sospecha (a), disipar la sospecha (de). ~의 눈으로 보다 ver [mirar] con los ojos incrédulos.

의혼(議婚) discusión *f* sobre el casamiento. ~하다 discutir sobre el casamiento.

의화학(醫化學) medicoquímica *f*.

의회(議會) Cortes *fpl*, Parlamento *m*, Congreso *m*, Asamblea *f* Nacional; [일본의] Dieta *f*. ~의 parlamentario. ~를 통하여 parlamentariamente. ~를 소집하다 convocar las Cortes [el Parlamento]. ~를 해산하다 disolver las Cortes.

◆임시 ~ sesión *f* extraordinaria de la Asamblea. 제25차 ~ el vigesimoquinta sesión del Parlamento. 지방 ~ parlamento *m* regional. 특별 ~ sesión *f* especial de la Asamblea.

■~ 민주주의 democracia *f* parlamentaria. ~사 historia *f* del Parlamento. ~ 소집 convocación *f* (del parlamento). ~ 정치 parlamentarismo *m*, política *f* parlamentaria. ~제(도) sistema *m* [régimen *m*] parlamentario, parlamentarismo *m*. ~주의 parlamentarismo *m*, doctrina *f* parlamentaria. ~ 회기 período *m* legislativo.

이[1] ① 【해부】[사람·동물의] diente *m*; [어금니] muela *f*; [송곳니] diente *m* canino; [뻐드렁니] diente *m* de embustero; [젖니] diente *m* de leche; [앞니] dientes *mpl* de adelante, incisivos *mpl*, palas *fpl*, paletas *fpl*; [사랑니] muela *f* del juicio. ~의 dental. ~가 있는 dentado, puntado, con dientes. ~가 없는 desdentado. ~가 나다 salir los dientes. ~가 뜨다 alargarse los dientes. ~가 솟다 dar dentera, sentir dentera. ~가 덜덜 맞부딪치다 dar diente con diente. ~가 좋다 tener buenos dientes. ~가 나쁘다 tener malos dientes. ~를 갈다 rechinar los dientes, crujir los dientes. ~를 닦다 lavarse [cepillarse·acepillar] los dientes. ~가 아프다 doler*le* (a *uno*) la muela, tener dolor de muela. ② [기구·기계 등의 가장자리에 잘게 나란히 뾰족뾰족 내민 부분 ((톱니 따위))] [톱의] diente *m*; [톱니바퀴의] punto *m* (de rueda), diente *m* (de rueda).

이[2] 【곤충】 piojo *m*. ~투성이의 lleno de piojos, cubierto de piojos, piojoso. ~투성이의 머리 cabeza *f* piojosa, cabeza *f* piojenta, cabeza *f* llena de piojos. ~를 잡다 despiojar, quitar los piojos; [자신의] despiojarse, quitar los piojos. ~가 끓다 criarse los piojos.

◆이 잡듯 하다 mirar [buscar] hasta en el último rincón [recoveco], rebuscar, hurgar, rastrear.

이[3] [사람] persona *f*, el que, quien. 저 ~가 누굽니까? ¿Quién es aquella persona?

이[4] ① ((준말)) =이이(esta persona). ② ((준말)) =이것(éste). ③ [이러한 형편] esta condición. ④ [형용사적] este, esta, estos, estas. ~ 물건 este artículo. ~ 사람 esta persona. ~ 일 este trabajo, esta tarea. ~ 달 este mes. ~ 집 esta casa. ~ 집들 estas casas. ~ 책 este libro. ~ 책들 estos libros.

이[5] ① [주격 조사] ¶ 산~ 높다 La montaña es alta. 하늘~ 맑다 El cielo está claro. 한 사람~ 이리로 뛰어온다 Un hombre viene acá corriendo. ② [무엇이 변하여 그것이 됨을 나타내는 보격 조사] ¶물이 얼면 얼음~ 된다 Cuando se hiela el agua, se hace hielo. ③ [그것이 아님을 나타내는 보격 조사] ¶그것은 금(金)~ 아니다 No es oro.

이(二/貳) ① [둘] dos. 제~(의) segundo. ~분의 일 un medio, mitad *f*. ~~는 사(四) Dos por dos son cuatro. ② [두] dos. ~명(名) dos personas.

이(伊) ((준말)) =이태리(伊太利).

이(利) ① [장사하여 덧붙는 돈] ganancias *fpl*. ② ((준말)) =이익(利益). ③ ((준말)) =변리(邊利).

이(里) [우리 나라의 지방 행정 구역(區域)] *Ri*, aldea *f*.

이(理) ① =이치(理致). ② ((준말)) =이학(理學). 이과(理科).

이(哩) =마일(mile).

이(浬) =해리(海里).

이가(二價) 【화학】 bivalencia *f*.

■~ 원소 radical *m* divalente.

이가(離家) salida *f* de casa. ~하다 salir de casa.

이간(離間) alienación *f*, alejamiento *m*, distanciamiento *m*, separación *f*, ruptura *f*, desunión *f*. ~하다 alienar, alejar, separar, desunir, crear discordia. 한국과 미국을 ~하다 separar Corea de los Estados Unidos de América. 이 일은 그의 모든 친구들을 ~시켰다 Esto ha hecho que todos sus amigos se alejen [distancien] de él.

◆이간(을) 붙이다 hacer alejar la relación creando discordia.

■~질 =이간(離間). ~책(策) intriga *f* para desunir a los amigos.

이 갈다[1] [젖니가 빠지고 새 이가 나다] salir los dientes.

이 갈다[2] ① [아래윗니를 맞대고 문질러 소리 내다] rechinar [crujir] los dientes. ② [분에 못 이겨 이를 악물고 벼르다] dar diente con diente.

이 갈리다 rechinarse [crujirse] los dientes.

이감(移監) mudanza *f* al encarcelado de una prisión a otra. ~하다 mudar al encarcelado de una prisión a otra.

이같이 como esto, así, de este modo, de esta manera. ~ 대답하다 responder de esta manera. ~ 말하다 decir de esta manera. 그는 ~ 말했다 El dijo así.

이거 ((준말)) =이것. ¶~ 얼마요? ¿Cuánto es [vale · cuesta] esto? / ¿Qué precio tiene esto?. ~ 놀랐는걸 ¡Qué sorpresa!

이거(移去) mudanza *f*, traslado *m*. ~하다 mudarse, trasladarse.

이거(移居) =이주(移住).

이거(離居) vivienda *f* separada. ~하다 vivir separadamentew.

이거나 ① o (bien); [o-나 ho-로 시작되는 말 앞에서] u; sea … sea, que sea … o que sea. 펜~ 볼펜으로 쓰십시오 Escríbase con pluma o con bolígrafo. 아들~ 딸 하나만 낳자 Sea hijo, sea hija [Hijo o hija · Que sea hijo o que sea hija], vamos a dar a luz sólo uno. 금~ 은~ 다 귀중한 것이다 El oro o la plata es precioso. ② [모음 밑에서는「이」가 생략되기도 하며, 강조할 때에는「간에」와 어울려 쓰이기도 함] o, u. 물~ 술~ 마실 것 좀 다오 Dame el agua o el vino.

이것 ① [지시 대명사] éste, ésta, éstos, éstas, esto. ~을 보자마자 al ver esto, al mirar esto. ~은 무엇입니까? ¿Qué es esto? ~은 책이다 Este es un libro. ~을 원하십니까 저것을 원하십니까? ¿Toma [Quiere] usted éste o aquél? ~은 책이고 저것은 연필이다 Este es un libro y aquél un lápiz. ~을 나에게 주십시오 Déme esto. ~으로 끝났다 Hasta aquí / Nada más. ② [이제 막 말한 내용이나 지금의 상황 등을 두루 가리키는 말] esto, este asunto. ~으로 con esto, ahora, así. ~뿐 no más. ~에 관해서 sobre [respecto de] este asunto, en cuanto a esto. ~에 반(反)해서 en cambio, al contrario. ~이 인생이다 La vida es así. ③ [사람을 얕잡아 가리킬 때 일컫는 말] este tipo, este hombre, esta mujer. ④ [「이 아이」를 귀엽게 이르는 말] este niño, esta niña; este niñito, esta niñita.

이것저것 unas y otras cosas, tal y cual, esto y aquello, una cosa u otra. ~을 말하다 hablar de tal y cual, hablar de esto y aquello, hablar de una cosa u otra. ~을 생각하다 pensar en unas y otras cosas. 과거지사(過去之事)를 ~ 말해 봐야 소용없다 Es inútil dar vueltas a lo pasado [a las cosas pasadas] / No sirve para nada resolver el pasado.

이게 =이것이. ¶~ 뭐냐? ¿Qué es esto?

이겨 내다 vencer, salvar, superar, resistir. 어려움을 ~ vencer [salvar · superar] la dificultad. 병을 ~ vencer la enfermedad. 유혹을 ~ resistir a la tentación. 나이는 이겨 낼 수 없다 No se puede luchar contra la edad.

이견(異見) opinión *f* diferente, objeción *f*.

이결(已決) asunto *m* ya solucionado, lo decidido ya. ~의 decidido.

이겹실(二―) hilo *m* de dos cabos, hilo *m* de dos hebras.

이경(二更) ① segunda vigilancia *f* de la noche, alrededor de las diez de la noche. ② ((성경)) segunda vigilia *f*, medianoche *f*.

이경(離京) salida *f* de Seúl, salida *f* de la capital. ~하다 salir de Seúl, salir de la capital.

이고 y; [i-와 hi-로 시작되는 말 앞에서] e. 형은 작가~ 동생은 화가다 El hermano mayor es escritor y el menor (es) pintor.

이골[1] 【해부】 =치수(齒髓).

이골[2] [들어서 몸에 푹 밴 버릇] hábito *m*. ◆이골(이) 나다 estar acostumbrado al hábito.

이곳 ① [여기] aquí, acá, este lugar. ~으로 오너라 Ven aquí [acá]. ② [이 지방] esta comarca, esta región.

이공(理工) ciencias *fpl* e ingeniería.
■ ~과(科) departamento *m* de ciencias e ingeniería. ~ 학부 facultad *f* de ciencias e ingeniería.

이과(耳科) otología *f*.
■ ~ 전문의(專門醫) otólogo, -ga *mf*.

이과(理科) [학문] ciencia *f*; [과목] curso *m* de ciencias; [학부] facultad *f* de ciencias.
■ ~ 대학 la Escuela Superior de Ciencias, la Facultad de Ciencias.

이관(移管) transferencia *f*, cesión *f*. ~하다 transferir, ceder. 권한을 다른 관청에 ~하다 transferir la autoridad a otro departamento del gobierno.

이관왕(二冠王) bicampeón, -ona *mf*. 올림픽 헤비급 ~ bicampeón *m* olímpico de los pesos pesados.

이교(異敎) ① [이단의 가르침] doctrina *f* de la herejía. ② [자기가 믿는 종교 이외의 종교] heterodoxia *f*, herejía *f*. ~의 heterodoxo, hereje, infiel. ③ ((기독교)) paganismo *m*, gentilidad *f*, idolatría *f*. ~의 pagano, gentil, idólatra.
■ ~국(國) país *m* (*pl* países) pagano. ~도 pagano, -na *mf*; infieles *mpl*; gentil *mf*; idólatra *mf*; [집합적] paganismo *m*. ~주의 paganismo *m*.

이구(異口) las bocas de varias personas, la palabra de varias personas.
■ ~동성(同聲) voz *f* unánime, común acuerdo *m*, consentimiento *m* común. ¶~의 unánime. ~으로 a una voz, al unísono, unánimemente, de común acuerdo, a coro.

이국(夷國) país *m* (*pl* países) bárbaro.

이국(理國) =치국(治國).

이국(異國) (país *m*) extranjero *m*, tierra *f* extranjera. ~에 묻히다 morir en el extranjero, enterrar en el extranjero.
■ ~인 extranjero, -ra *mf*, exótico, -ca *mf*. ~적 exótico. ¶~으로 exóticamente. ~ 정취(情趣) exotismo *m*. ~ 취미 exotismo *m*, exoticidad *f*. ~풍 exotismo *m*, costumbres *fpl* extranjeras.

이군(二軍) ((야구)) equipo *m* de reserva.
■ ~ 선수 reserva *mf*, jugador *m* de reserva.

이궁(离宮) ① [태자궁] el Palacio del Prícipe Heredero. ② [별궁] palacio *m* de retiro, palacio *m* apartado, villa *f* real.

이궁(離宮) ① =이궁(离宮). ② =행궁(行宮).

이권(利權) privilegio *m*, concesión *f*, derecho *m*. ~을 얻다 conseguir el derecho, obtener la concesión. ~을 주다 conceder el derecho. 외국인에게 광산 개발의 ~을 주다 dar la concesión de mina a los extranjeros.

■~ 소유자 concesionario, -ria *mf*. ~ 양도(讓渡) transferencia *f* de concesión. ~ 추구(追求) chanchullos *mpl*. ~ 회복(回復) recuperación *f* de concesión. ~ 획득(獲得) adquisición *f* de concesión.

이글거리다 ① [불꽃이 어른어른하며 잘 타다] (estar) encendido. 이글거리는 숯(불) brasa *f*. ② [얼굴이 자꾸 붉어지다] ponerse colorado [rojo] frecuentemente. 나는 술 때문에 얼굴이 이글거렸다 Yo tenía el rostro encendido por el vino. ③ [정열·정기·노염 따위가 자꾸 얼굴 등에 내비치다] (estar) encendido. 이글거리는 눈동자 niñas *fpl* del ojo encendidas.

이글이글 vivamente, encendidamente. ~하다 (estar) vivo, encendido. 불이 ~ 타오르고 있다 El fuego arde vivamente.

이글루(영 *igloo*) ① [얼음과 눈덩어리로 만든, 지붕이 둥근 에스키모 사람들의 집] iglú *m*. ② [이글루형의 건물] iglú *m*.

이금(泥金) pasta *f* de oro. ~한 그림 pintura *f* dorada.

이급(二級) segunda clase *f*.

■~주 vino *m* de segunda grado. ~품(品) artículos *mpl* de segunda clase.

이기(二氣) 【철학】 =음양(陰陽).

이기(二期) ① [두 기간] dos períodos. ② [1년을 두 기간으로 나누는 일. 또 그 기간] dos sesiones. ③ [(봄·가을) 1년에 두 번] dos veces.

이기(利己) propio interés *m*, egoísmo *m*.

■~설 doctrina *f* egoísta. ~심 espíritu *m* egoísta. ~적 egoísta *adj*. ~주의 egoísmo *m*. ~주의자 egoísta *mf*. ~한(漢) egoísta *mf*.

이기(利器) ① [썩 잘 드는 연모. 아주 날카로운 병기] el arma *f* (*pl* las armas) blanca, arma *f* cortante. ② [편리한 기구] instrumento *m* ventajoso, conveniencia *f*, comodidad *f*. 문명의 ~를 이용하다 utilizar instrumentos ventajosos de la civilización. ③ [쓸모 있는 재능] talento *m* útil. ④ [마음대로 처치할 수 있는 권력] poder *m* disponible.

이기(理氣) 【철학】 predisposición *f* de naturaleza.

이기다[1] ① [싸워 적을 쳐부수다] derrotar, vencer, triunfar. 적에게 ~ vencer al enemigo. 전쟁에 ~ triunfar en la batalla. ② [우열·승부 등을 다투어 상대자를 지게 하다] ganar, llevarse la victoria, triunfar. 경쟁 상대에 ~ triunfar sobre *su* rival. 내기에 ~ ganar una apuesta. 소송에 ~ ganar un pleito. 시합에 ~ ganar el partido. 재판에 ~ ganar el proceso. 2대1로 이기고 있다 ganar por dos juegos (a). A 팀을 더 많이 이기고 있다 tener más victorias que derrotas frente al equipo A. 그는 싸움에 이겼다 El ganó la batalla. 그는 장기에서 나를 이길 수 있다고 믿고 있다 El se cree que me puede ganar al ajedrez. 지는 것이 때로는 이기는 것이다 Ganar a veces es perder. 이기면 충신(忠臣) El poder es el derecho. ③ [억제하기 힘든 일을 애써 억누르다] vencer, superar. 유혹을 ~ vencer la tentación. ④ [몸을 가누거나 바로 하다] mantener el equilibrio.

■이기면 충신(忠臣), 지면 역적(逆賊) ((속담)) Héroes si vencedores, y si vencidos, traidores.

이기다[2] ① [흙·가루 따위에 물을 부어 반죽하다] amasar, formar una masa, hacer una masa, trabajar, sobar. 밀가루를 ~ amasar harina de trigo. 점토(粘土)를 ~ amasar arcilla, trabajar arcilla. ② [칼로 두드려서 잘게 짓찧다] picar (en trozos menudos), moler. (잘게) 이긴 쇠고기 carne *f* de vaca picada [molida]. 이긴 양고기 carne *f* de cordero picada [molida]. 고기를 ~ picar [moler] la carne. ③ [빨래 등을 이리저리 뒤치며 두드리다] batir, montar, zurrar.

이기죽거리다 criticar por criticar, quejarse (sin motivo) (de), decir tonterías. 그는 그녀에 대해 세세한 점까지 이기죽거린다 El se queja de ella hasta por el más mínimo detalle. 이기죽거리지 마라! ¡No digas tonterías!

이기죽이기죽 insinuantemente, diciendo tonterías, quejándose.

이까짓 esto, tal cosa, esta cantidad. ~ 것으로 놀리지 마라 Esto no es nada / No te asustes de tal cosa. ~ 돈으로는 아무것도 할 수 없다 Con esta cantidad de dinero, no se puede hacer nada.

이깔나무 【식물】 alerce *m*.

이끌다 ① [앞에서 잡고 끌다] acompañar, conducir, hacer pasar, indicar. 자리에(까지) ~ conducir hasta *su* asiento, indicar *su* asiento. 나는 그녀를 방으로 이끌었다 Yo la hice pasar a la habitación. 그는 나를 문까지 이끌었다 El me acompañó hasta la puerta. ② [따라오도록 인도하다] dirigir, encabezar; [군대 등을] mandar, conducir, guiar. A 씨가 이끄는 통상 사절단 misión *f* comercial dirigida [encabezada] por el señor A. ③ [마음이나 시선이 쏠리게 하다] encantar, embelesar, seducir. 그의 노래는 뭇시선을 한 몸에 이끌었다 Su canto embelesó a todos los asistentes.

이끌리다 ser guiado, ser acompañado, ser conducido, ser mandado, ser encabezado.

이끎음(一音) 【음악】 sensible *f*.

이끗(利一) clave *f* de la ganancia.

이끼[1] 【식물】 musgo *m*; [지의(地衣)] lique *m* (*pl* líquenes); [우산이끼] hepática *f*. ~낀 musgoso, cubierto de musgo. ~ 같은

como de musgo.

■ 구르는 돌에는 이끼가 끼지 않는다 ((속담)) Piedra movediza, nunca moho cobija.

이끼² ((준말)) =이끼나.

이끼나 ¡Caramba! / ¡Dios! / ¡Dios mío! / *ReD* ¡Coño!

이나 ① [그러나] pero, sin embargo, aunque. 그의 말은 사실~ 행동은 나빴다 El dijo la verdad, pero lo que hizo era malo. ② [여럿을 나열하거나 비교하는 데 씀] o, u. 당신~ 나 tú o yo. 어느 것~ 좋은 것을 골라라 Elige cualquiera [lo] que te guste. ③ [수량이나 예상되는 정도를 넘거나 한도에 이르렀음을 나타냄] alrededor de, unos, más o menos, aproximadamente. 두 시간쯤~ unas dos horas, alrededor de dos horas, dos horas más o menos. 벌써 다섯 명~ 모였다 Ya se han reunido cinco personas. 그는 내 나이쯤~ 먹었다 El tiene más o menos mi edad. 그녀는 서른 살쯤~ 되었음에 틀림없다 Ella debe (de) tener alrededor de [unos] treinta años / Ella debe (de) andar por los treinta.

이나마¹ [이것이나마] aunque es esto.

이나마² [아쉬운 대로] aunque, a pesar de que. 한 달에 만 원~ 저축하고 싶다 Quiero ahorrar dinero a pesar de que son diez mil wones al mes. 초라한 집~ 내 집을 한 채 가졌으면 좋겠다 Quisiera tener mi propia casa por más que sea humilde.

이날 ① [오늘] hoy, este día. ~에 이르기까지 hasta hoy día. ~의 메뉴 menú del día. ② [특정한 날] ese día, el mismo día. ~의 연사(演士) orador, -dora *mf* del día.

◆ 이날 이때까지 hasta ahora.

이날 저 날 día tras día, de día en día, día a día. ~ 미루어 나가다 aplazar [posponer · *AmL* postergar] de día en día.

이남(以南) ① [어떤 한계로부터 남쪽] sur *m*, región *f* (del) sur. ② [우리 나라에서, 북위 38°선 이남의 곳] Corea del Sur, Sudcorea.

이남박 palangana *f* (de madera) de lavar el arroz.

이내¹ [해질 무렵 멀리 보이는 푸르스름하고 흐릿한 기운] ánimo *m* azul y oscuro a lo lejos.

이내² ((힘줌말)) =나의(mi, mío). ¶애타는 ~ 가슴 mi corazón preocupadísimo. 슬프다, ~신세 ¡Ay, circunstancias mías!

이내³ ① [그때에 곧. 지체 없이 바로] pronto, dentro de poco, en seguida, enseguida, inmediatamente, ahora mismo. ~ 와야 해 Tú tienes que venir ahora mismo. 나는 ~ 그것을 하겠다 Enseguida [Ahora mismo] lo hago. ② [그때의 형편대로 내처] desde entonces. 나는 40년 전에 서울에 이사 와 ~ 이곳에 살고 있다 Me mudé a Seúl hace cuarenta años y desde entonces vivo aquí.

이내(以內) menos de, dentro. …의 ~에 dentro de *algo*. 10년 ~에 menos de diez años, antes de diez años. 15일 ~에 돈을 지불하다 pagar la deuda en el plazo de quince días. 한 시간 ~에 답하다 contestar en menos de una hora. 이곳에서 5킬로 ~에는 집이 한 채도 없다 No hay casa alguna de aquí en cinco quilómetros.

이냥 intacto. ~ 남다 seguir intacto.

이네(들) ellos,

이녁 yo, mi, me, a mí.

이년 esta puta, esta bruja, esta tía, esta tunanta, esta mocosa. ~(아)! ¡Esta puta! / ¡Esta bruja!

이년생(二年生) [대학의] estudiante *mf* de segundo curso.

이념(理念) ① 【철학】 idea *f*, ideología *f*. ② =관념(觀念).

■ ~적 ideológico. ¶~으로 ideológicamente.

이놈 este tipo, este individuo, este tío. ~아! ¡Este granuja! / ¡Este pillo! // [때릴 때] ¡Toma, para que aprendas! // [친한 사이에서] ¡Qué tío! / ¡Vaya, vaya, este tío! / ¡Caramba, este tío! // [자식에게] ¡Qué mocoso! / ¡Granuja! / ¡Pillo! / ¡Qué pillo (que) estás hecho! // *ReD* [남녀노소가 공통적으로 사용함] ¡Coño!

이농(離農) éxodo *m* rural. ~하다 dejar la labranza, dejar el cultivo.

이뇨(利尿) diuresis *f*, uresis *f*.

■ ~ 과다 hiperdiuresis *f*. ~제 diurético *m*.

이눌린(영 *inulin*) inulina *f*.

이니셔티브(영 *initiative*) iniciativa *f*. …의 ~로 bajo la iniciativa de *uno*. ~를 잡다 tomar la iniciativa.

이니셜(영 *initial*) inicial *adj*.

이닝(영 *inning*) ((야구)) entrada *f*, manga *f*. 9~ nueve entradas; [아홉째] novena entrada *f*.

◆ 라스트 ~ última entrada *f*. 첫 ~ primera entrada *f*.

이다¹ [머리 위에 얹다] llevar en *su* cabeza. 물동이를 머리에 ~ llevar el tarro de agua en *su* cabeza.

이다² [기와 · 볏짚 등으로 지붕 위를 덮다] cubrir, techar. 기와를 ~ tejar, cubrir de tejas. 지붕을 짚으로 ~ cubrir [techar] el tejado con paja. 지붕을 다시 ~ recubrir el tejado. 짚으로 인 de paja, *AmS* de quincha. 짚으로 인 집 casita *f* con el tejado de paja, *AmS* quinchado *m*. 지붕을 이는 사람 empajador, -dora *mf* (de tejados); *RPI* quinchador, -dora *mf*.

이다³ [서술격 조사] ser; [되다] cumplir, tener. 이것은 책~ Este es un libro. 당신은 예쁜 여자~ Usted es hermosa. 개는 동물~ El perro es un animal. 아메바는 동물~ La ameba es un animal. 이번 토요일에 나는 만 쉰 살~ Cumplo cincuenta años el sábado próximo [que viene] / Tengo cincuenta años cumplidos el sábado que viene. 그는 신장이 175센티미터~ El mide [tiene] ciento setenta y cinco centímetros de estatura. 그것은 폭이 5미터~ Tiene cinco metros de ancho.

이다음 próximo, próxima vez *f*. ~의 próximo. ~에 luego, después. ~에 무엇을 말하겠느냐? ¿Y luego [después] qué dirás?

이다지 [형용사와 부사 앞에서] tan; [동사를 수식할 때] tanto. ~ 많이 tanto. ~ 빨리 tan rápido. ~ 오래 tan largo tiempo. ~ 아침 일찍이 tan temprano por la mañana. ~ 눈이 많이 올 줄은 몰랐다 Yo no esperaba tanta nieve aquí.

이단(異端) [카톨릭에 대한] herejía *f*, paganismo *m*; [정통에 대한] heterodoxia *f*. ~의 herético, heterodoxo.

■ ~설 doctrina *f* herética. ~자 hereje *mf*, heterodoxo, -xa *mf*.

이 단조(E 短調) 【음악】 =마 단조.

이단 조율(一調律) ritmo *m* bigémino.

이단 추출(一抽出) submuestreo *m*.

이단 층화(一層化) subestratificación *f*.

이단 평행봉(二段平行棒) paralelas *fpl* dobles.

이단 현상(一現象) bigeminia *f*.

이달 este mes, mes *m* presente, mes *m* corriente. ~ 15일 el 15 (quince) de este mes. ~의 작가(作家) escritor, -tora *mf* del mes.

이당(離黨) separación *f* (de un partido), secesión *f*. ~하다 separar de *su* pardido, dejar *su* partido.

이당류(二糖類) heterosacárido *m*, disacárido *m*.

이대(二大) dos grande. ~ 정당 dos grandes partidos políticos. ~ 원칙(原則) dos grandes principios.

이대로 así, de esta manera, de este modo, a este ritmo. ~ 계속 가세요 Siga usted todo derecho por este camino. 나를 ~ 둬 두세요 Déjame en paz. ~ 둘 수 없다 No puedo dejar las cosas como están. ~는 되지 않을 것이다 [너는] No creas que todo va a quedar así // [상황이] La cosa no terminará así / La cosa va a traer cola. ~ 가면 계획은 실패한다 Si las cosas siguen así, fracasa seguramente nuestro proyecto. ~ 가면 내일은 퇴원할 수 있겠다 Si todo sigue normal, puede salir del hospital mañana.

이데아(그 *idea*) [이념] idea *f*.

이데올로기(독 *Ideologie*) ideología *f*. ~의 ideológico. ~의 상충(相衝) conflicto *m* ideológico. 그것은 ~의 차이다 Eso quiere decir la diferencia en ideología entre nosotros.

이도(吏道) ① sistema *m* oficial, deberes *mpl* de oficiales. ② =이두(吏讀).

■ ~ 쇄신(刷新) renovación *f* del sistema oficial.

이동(以東) más al este (de un límite).

이동(異同) identidad y [o] diferencia, distinción *f*, diferencia *f*. ~을 말할 수 있다 discernir de las cosas cuáles son mismas y cuáles otras. ~이 없다 No hay cambio.

이동(異動) alteración *f*, cambio *m*, mudanza *f*. 내부의 ~ cambio *m* en el cuerpo. 인사(人事) ~ alteración *f* del personal.

이동(移動) mudanza *f*, traslado *m*, movimiento *m*, transferencia *f*, [민족·조류의] migración *f*, emigración *f*. ~하다 mudarse, moverse, pasar, trasladarse, migrar. ~의 migratorio, móvil, movible. ~시키다 trasladar, mudar, transferir. 권리의 ~ transferencia *f* del derecho. 돈의 ~ movimiento *m* de oro. 인구의 ~ movimiento *m* de la población. 자본의 ~ movimiento *m* de capital. 군대가 ~ 중이다 Las tropas están desplazándose. 전쟁의 무대가 북부 지방으로 ~했다 El campo de batalla ha pasado a la región del norte.

■ ~ 경찰 policía *f* ferroviaria, policía *f* que traslada. ~ 노동자(勞動者) trabajador *m* migratorio, trabajadora *f* migratoria. ~ 도서관 biblioteca *f* móvil. ~ 라디오 방송국 estación *f* radiotelegráfica móvil. ~력 fuerza *f* locomotriz. ~ 무대 escena *f* móvil. ~ 무선국 estación *f* móvil, emisora *f* móvil, emisora *f* portátil. ~ 발사 센터 centro *m* móvil de lanzamiento. ~ 방송 radiodifusión *f* móvil. ~ 병원 ambulancia *f*. ~성 고기압 anticiclón *m* migratorio. ~ 세포 célula *f* móvil. ~ 안테나 antena *f* orientable. ~ 연극 teatro *m* móvil. ~원격 측정 telemedida *f* por enlace móvil. ~ 원자력 발전소 instalación *f* transportable de energía nuclear. ~ 장치 desplazamiento *m*. ~ 전화 teléfono *m* portátil, teléfono *m* móvil. ~ 주택 caravana *f* fija, *CoS*, *Ven* casa *f* rodante. ~ 지상 기지 발진 미사일 misil *m* móvil de base en tierra. ~ 진료소 ambulancia *f*, coche *m* sanitario. ~차 [영화·텔레비전의] dolly *ing.m.*. ~ 촬영 travelling *ing.m.* ~ 축제 fiesta *f* móvil, fiesta *f* movible. ~ 취락 comunidad *f* móvil, colonia *f* móvil. ~통신 comunicación *f* móvil. ~판(瓣) válvula *f* móvil ~ 하중 carga *f* móvil.

이동치마(二一) *idongchima*, una especie de la cometa con dos colores.

이두(吏讀/吏頭) *idu*.

■ ~ 문학 literatura *f* de *idu*.

이두(二頭) dos cabezas. ~의 ancipital, bicipital.

■ ~증 dicefalismo *m*, dicefalia *f*. ~체 bicéfalo *m*. ~ 후부 결합 기형 miodidimo *m*, miodimo *m*.

이두근(二頭筋) bíceps *m*. ~의 bicipital.

이두 기형(耳頭畸形) otocefalia *f*.

■ ~체 ageniocefalia *f*.

이두박근(二頭膊筋) bíceps *m* braquial.

이두 유착증(耳頭癒着症) otocefalia *f*.

이두정치(二頭政治) =양두 정치(兩頭政治).

이드거니 en abundancia, abundantemente.

이드르르 brillantemente, lustrosamente. ~하다 (ser) brillante, lustroso; [피부 따위가] blando y brillante.

이득(利得) ganancia *f*, beneficio *m*. ~이 많은 lucrativo, lucroso. ~을 올리다 lucrarse.

이든 ((준말)) =이든지. ¶칼~ 총~ (o) la espada o el fusil. 택시~ 버스~ 타고 갑시다 Vamos a tomar el taxi o el autobús /

Vamos en taxi o en autobús.

이든지 si … o (no), (o) … o; [o-나 ho-로 시작되는 단어 앞에서] (u) … (u), sea (… sea …), bien (…bien). 무엇~ cualquiera, lo que, todo lo que. 당신~ 나든지 (que) sea usted o yo. 오늘~ 내일~ (que) sea hoy o mañana. 무엇~ 마음대로 골라 보아라 Elige lo que quieras. 무엇~ 원하시는 것을 드리겠습니다 Le daré cualquiera que [lo que] quiera usted.

이들이들하다 (ser) brillante. ☞이드르르하다

이듬 segundo arado *m*, segundo hierbajo *m*, segunda azanadona *f*. ~하다 arar por segunda vez, azadonar por segunda vez, pasar la azada por segunda vez, arar la tierra por segunda vez.

이듬- próximo, que viene, que entra, entrante.

■ ~달 el mes próximo, el próximo mes, el mes que viene, el mes que entra, el mes entrante. ~해 el próximo año, el año próximo, el año que viene, el año que entra, el año entrante.

이듭 dos años del caballo y de la vaca.

이등(二等) segunda clase *f*, segundo puesto *m*, segundo grado *m*, segundo premio *m*, el segundo. ~으로 여행하다 viajar en segunda (clase).

■ ~국 país *m* de segundo orden. ~ 도로 segunda carretera *f*. ~병(兵) soldado *m* raso, soldada *f* rasa. ~상 segundo premio *m*. ~ 선실(船室) camarote *m* de segunda (clase), camarote *m* de clase de turista. ~차 vagón *m* de segunda (clase). ~표 billete *m* [*AmL* boleto *m*] de segunda (clase).

이등변(二等邊) ¶~의 isósceles.

■ ~ 사다리꼴 trapecio *m* isósceles. ~ 삼각형 triángulo *m* isósceles. ~ 직삼각형 triángulo *m* rectangulo isósceles.

이등분(二等分) bisección *f*. ~하다 bisecar, dividir en dos partes iguales.

■ ~선(線) isectriz *f*.

이디엄(영 *idiom*) [관용구] modismo *m*.

이디오피아 【지명】 Etiopía *f*. ~의 etiópico. ☞에디오피아

이따 ((준말)) =이따가.

이따가 después de un rato, al cabo de un rato, poco después. ~ 다시 오겠습니다 Vendré otra vez después de un rato. ~ 내게 오게나 Ven a verme después de un rato.

이따금 a veces, algunas veces, unas veces, de vez en cuando, de cuando en cuando, alguna que otra vez, ocasionalmente. 담배 피우십니까? — 예, 아주 ~(만) 피웁니다 ¿Fuma usted? — Sí, (sólo) muy de vez en cuando.

이따위 tal, así, como ése, de ese tipo. ~ 것 tal cosa. ~ 어른들 tales adultos. ~로 en esta manera, en este modo.

이때 en este momento, en esta ocasión, ahora. 바로 ~에 en este mismo momento. ~까지 hasta ahora, hasta este tiempo, hasta hoy día.

이때껏 hasta ahora; [아직] todavía, aún. 그런 큰 공사(工事)는 ~ 본 적이 없다 Nunca he visto una obra de construcción tan fabulosa hasta ahora. 그녀는 ~ 독신이다 Ella todavía [aún] sigue soltera.

이똥 sarro *m*. ~이 낀 sarroso.

이라는 llamado, que se llama, un tal, un cierto. 박~는 사람한테서 전화가 있었습니다 Le ha llamado un tal [un cierto] Kim / Le ha llamado una persona llamada Kim. 김~는 사람이 너를 찾아왔다 Una persona que se llama Kim te visita.

이라도 aunque. 나는 할 일이 없으니 산책~ 하겠다 Como no tengo nada que hacer, voy a pasear. 이번 일요일~ 오십시오 Venga a verme, por ejemplo, el domingo próximo [que viene].

이라든지 y; [i-와 hi-로 시작되는 단어 앞에서] e. 책~ 연필 등을 가져 오너라 Trae contigo libros, lápices, etc. 회합의 시간~ 날짜~ 장소~는 내일 결정합시다 Decidiremos mañana la hora, la fecha y lugar de la reunión.

이라면 si + *subj*. 그것이 사실~ si eso fuera verdad. 내가 당신~ 그렇게 하지는 않을 겁니다 Si yo fuera usted, no lo hubiera hecho.

이라크 【지명】 Irak *m*, Iraq *m*. ~의 iraquí, iraqués.

■ ~ 사람 iraquí *mf*, iraqués, -quesa *mf*.

이락(利落) 【경제】 ① ((준말)) =이자락(利子落). ② ((준말)) =이락 가격. ¶~의 ex-dividendo, sin dividendo, sin derecho a dividendo.

■ ~ 가격 precio *m* ex-dividendo, precio *m* sin dividendo.

이란 ((준말)) =이라는. ¶「인생은 일장 춘몽(春夢)」~ 말이 있다 Se dice que *la vida es sueño*. 사랑~ 무언가? ¿Qué es el amor?

이란 【지명】 Irán *m*. ~의 iraní, iranio, iranés.

■ ~ 사람 iraní *mf*, iranés, -nesa *mf*, iranio, -nia *mf*.

이란성(二卵性) ¶~의 bivitelino.

■ ~ 쌍둥이 gemelos *mpl* bivitelinos, gemelos *mpl* falsos.

이랑[1] [한 두둑과 한 고랑을 합해 이르는 말] caballón *m* (*pl* caballones), lomo *m*, camellón *m* (*pl* camellones). ~을 만들다 acaballonar.

■ ~ 재배 cultivo *m* en caballones.

이랑[2] [접속 조사] y, e, o, u, con. 산~ 강~ 구름~ la montaña, el río y la nube. 일본 ~ 영국과 같은 섬나라들 países *mpl* isleños como Japón e Inglaterra. 산~ 들~ 가다 ir a la montaña y al campo. 당신~ 나랑 함께 갑시다 Vamos juntos tú y yo.

이래 dicen, se dice. 그는 도둑놈~ Dicen [Se dice] que él es ladrón.

이래(以來) desde, desde que; [그 후] desde

entonce, desde aquel tiempo, después de aquello; [금후] en el futuro. 유사(有史) ~ desde los albores de la historia. 그의 출발 ~ desde su marcha, desde que él se marchó. 우리가 처음에 그녀를 만난 ~ desde que la vimos por primera vez. 지난달 ~ 그를 만난 적이 없다 Desde el mes pasado no le he visto [no le veo]. 나는 십 년 ~ 이곳에서 살고 있다 Aquí vivo desde hace diez años / Hace diez años que vivo aquí.

이래봬도 como yo soy, a pesar de mi aparición. ~ 나는 바로 여기 서울 태생입니다 Aquí donde usted me ve, he nacido en el mismo Seúl.

이래서 así … (como), de este modo, de esta manera, como éste. ~ 그는 전쟁에 패했다 Así fue como perdió la guerra.

이래저래 con esto y eso, una cosa o otra, en varias maneras, en varios modos. 나는 ~ 바쁘다 Estoy ocupado con una cosa o otra. ~ 나는 10만 원이 필요하다 Necesito cien mil wones con esto y eso. ~ 신세만 집니다 Le estoy muy agradecido. ~ 신세만 지게 되었습니다 Le quedaría muy agracedido. ~ 우리는 신세를 많이 지고 있습니다 Le estamos muy agradecido.

이랬다저랬다 esta manera y esa manera. ~ 하다 (ser) cambiante, variable, veleidoso, inconstante, voluble, informal. ~ 마음이 늘 변하다 (ser) inestable, informal. 너무 ~ 하지 마라 No seas tan veleidoso.

이러나저러나 por lo menos, en todo caso, de todos modos, de todas maneras, de cualquier manera.

이러니저러니 por esto y por otras cosas. 이제 와서 ~ 말해 보아도 소용없다 [반대를] A estas alturas sobran las objeciones / Es demasiado tarde para poner objeciones.

이러다 hacer [decir · pensar] así. 서둘러라 ~ 기차 놓칠라 Date prisa, o perderemos el tren.

이러루하다 ser similar a éste.

이러므로 por eso, por esta razón, así.

이러이러하다 (ser) tal y tal, tal y cual. 이러이러한 것 unas cosas tales y cuales, tales y tales cosas, tal y tal, tal o cual, tal cosa y tal otra, tal y otra cosa. 이러이러한 사람 fulano *m* de tal; un tal; una tal; el tal, la tal.

이러저러하다 ser tal y tal, ser tal y cual. ☞ 여차여차하다

이러쿵저러쿵 por esto y por otras cosas, molestamente, enfadosamente. ~ 말하다 pedir [mandar] molestamente [importunamente], decir tal y cual, decir esto y aquello, criticar; [간섭하다] entrometerse (en); [불평하다] murmurar (de), quejarse (de). 다른 사람의 일을 ~ 말하지 마라 No te entrometas en asuntos ajenos.

이러하다 ser éste, ser el siguiente, ser así. 내 생각은 ~ Mi opinión es ésta [la siguiente].

이럭저럭 de algún modo, de alguna manera, de alguna forma, antes de que se sabe. ~ 하는 동안에 mientras tanto, entre tanto, entretanto. ~ 살아가다 vivir al día. ~하는 동안에 비가 오기 시작했다 Mientras tanto, comenzó [empezó] a llover.

이런[1] ((준말)) =이러한(tal, este, de este modo, de tal modo, así). ¶~ 식으로 en este modo, de este modo, de esta manera, como esto, como éste. ~ 일 una cosa de esta forma, una cosa tal. ~ 남자 un hombre así. ~ 시간에 a estas horas. ~ 아름다운 경치 un paisaje tan hermoso. ~ 때에는 en un momento como éste, en una época como ésta, en caso semejante. ~ 경우에는 en tal [este] caso, en estas circunstancias. ~ 더위는 이제 참을 수 없다 Ya no puedo soportar este calor. ~ 카메라를 원합니다 Quiero una cámara fotográfica como ésta. ~ 사람이 되고 싶다 Quiero hacerme [llegar a ser] un hombre como éste [como él]. ~ 일은 하지 마라 No hagas tal cosa [cosa semejante]. ~ 일이 있으리라 이미 생각하고 있었다 Esto es lo que yo imaginaba / Ya me lo imaginaba.

이런[2] ① [가볍게 놀랐을 때] ¡Hombre! / ¡Caramba! / ¡Hola! / ¡Vaya, vaya! / ¡Qué milagro! / ¡Qué sorpresa más agradabel! ~, 누구시더라? A ver, ¿quién será? ~, 또 만났군요¡ ¡Vaya [Toma], otra vez nos vemos! ~, 잘 오셨습니다 ¡Hola, bienvenido! ② [만류할 때] ¡Aguarde! / ¡Espere! / ¡Aguarde un momento! ③ [경탄할 때] ¡Dios mío! / ¡Válgame Dios! / ¡Caramba! / ¡Ave María! / ¡Cáspita! ~, 이게 뭐요? ¡Caramba! ¿Qué es esto?

이런저런 esto y eso, una cosa o otra. ~ 일로 바쁘다 Estoy ocupado con una cosa y otra. ~ 일로 돈이 필요하다 Necesito dinero para esto y eso.

이렁성저렁성 como esto y como eso.

이렇게 tan, así. ~ 나쁜 tan malo. ~ 일찍 tan temprano. ~ 많은 tanto. ~ 많이 tanto. ~ 하여 así, de este modo, de esta manera. ~ 많은 사람 tanta gente. ~ 된 바에야 dadas las circunstancias, en vista de esto. ~ 된 이상은 Ahora [Puesto] que la cosa ha resultado así. ~일찍 떠나십니까? ¿Se va tan temprano? 나는 ~ 건강합니다 Estoy bien como ve usted. ~ 그는 성공했다 Así él tuvo éxito. ~ 해 주십시오 Hágalo así [de esta manera · de este modo] / [지금 내가 말씀드린 대로] Hágalo como le digo / [앞으로 내가 말씀드릴 것을] Hágalo como le diga. ~ 하면 당신에게 좋을 것이다 Con [Si hace] esto te irán bien. ~ 아름다운 경치는 본 적이 없다 No he visto nunca un paisaje tan hermoso como éste.

이렇다 ((준말)) =이러하다. ¶그 방법은 ~ El método es éste [el siguiente]. 내 생각은 ~ Mi opinión es ésta [la siguiente].

이렇든저렇든 de todos modos, de todas formas, igual, de cualquier manera. ~ 나는 갈 수 없다 Igual [De todos modos · De todas formas] no puedo ir.

이렇듯 tan, tanto, así, de este modo, de esta manera. ~ 많은 tanto. ~ 잘될 줄은 몰랐다 No esperaba tener éxito tan bien.

이레 ① ((준말)) =이렛날(el siete del mes). ② [일곱 날. 칠 일] siete días.

이렛날 ① [일곱째의 날] séptimo día *m*. ② [초이렛날] el siete. 음력 사월 ~ el siete de abril del calendario lunar.

이렛동풍(-東風) viento *m* que sopla siete días.

이력(履歷) historia *f* personal, carrera *f*, antecedentes *mpl*. ~이 좋은 사람 hombre *m* que tiene buenos antecedentes. ~이 좋다 tener buenos antecedentes. ~이 나쁘다 tener malos antecedentes.
◆이력(이) 나다 hacerse experto por mucha experiencia, llegar a la perfección por mucha experiencia.
▪ ~서(書) historia *f* personal, curriculum vitae *m*, currículo *m*, antecedentes *mpl* de *su* vida, hoja *f* de vida.

이령(二齡) segundo sueño *m*.
▪ ~잠(蠶) gusano *m* de seda de segundo sueño.

이례(異例) excepción *f*, caso *m* excepcional.
▪ ~적 inaudito, excepcional, sin precedente. ¶~ 승진(昇進) ascenso *m* excepcional.

이로(理路) lógica *f* de un argumento. ~ 정연한 lógico, ordenado, coherente. ~ 정연하게 lógicamente, ordenadamente, coherentemente. ~가 정연하다 El argumento es lógico.

이로부터 desde ahora.

이로써 ① [이것을 가지고] con esto. ② [이 일로 해서] por esto.

이론(異論) objeción *f*, oposición *f*, opinión *f* diferente. ~ 없이 unánimemente. ~이 없다 no tener objeción. ~을 제기하다 protestar, presentar objeción.

이론(理論) teoría *f*. ~을 세우다 teorizar, especular, expresar teoría, formar teoría. 우리들은 ~과 실천의 수련을 교육받았다 Nos dieron una lección teórico-práctica.
◆경기 ~ teoría *f* de los juegos. 경제 ~ teoría *f* económica. 음악(音樂) ~ teoría *f* musical, teoría *f* de la música. 조세(租稅) ~ teoría *f* del impuesto, teoría *f* impositiva. 케인스 ~ teoría *f* de Keynes.
▪ ~가(家) teórico, -ca *mf*. ~ 경제학(經濟學) economía *f* política teórica. ~ 과학 ciencia *f* teórica. ~ 물리학 física *f* teórica. ~ 물리학자 físico *m* teórico, física *f* teórica. ~ 생계비 costo *m* de vida teórico. ~ 수학 matemáticas *fpl* abstractas. ~ 이성(理性) razón *f* teórica. ~적 teórico. ¶~으로 teóricamente, en teoría. ~ 천문학 astronomía *f* teórica. ~ 철학 filosofía *f* teórica. ~ 투쟁 lucha *f* teórica. ~화(化) teorización *f*. ~ 화학 química *f* teórica. ~ 화학자 químico *m* teórico, química *f* teórica.

이롭 siete años del caballo y de la vaca.

이롭다(利-) (ser) bueno, beneficioso, provechoso, útil, ventajoso. 이웃사람들에게 이로운 provechoso a [para] los vecinos.
이로이 provechosamente, útilmente, ventajosamente.

이롱(耳聾) sordera *f*.
▪ ~증(症) enfermedad *f* sorda.

이루 ① [있는 것을 모두] (lo) todo. 한이 없는 사랑 어찌 ~ 말하랴 ¿Se puede cómo decirlo todo acerca del amor infinito? ② [여간해서는 도저히] de ninguna manera, de ningún modo, (no es) posible, imposible, de alguna posibilidad, para nada, (no) en absoluto, ni con mucho. ~ 말할 수 없는 indescriptible, inefable, inenarrable. ~ 헤아릴 수 없는 innumerable, incontable, incomprensible, inexplicable. ~ 말할 수 없이 indescriptiblemente, inefablemente, insoportablemente. ~ 헤아릴 수 없이 innumerablemente, incontablemente, incomprensiblemente, inexplicablemente. ~ 헤아릴 수 없는 경우에 en innumerables ocasiones, en infinidad de ocasiones. 나는 그에게 ~ 헤아릴 수 없이 그것을 말했다 Se lo he dicho infinidad de veces.

이루(二壘) ((야구)) segunda base *f*, base *f* segunda.
▪ ~수 segundo base *mf*, jugador, -dora *mf* de segunda base; basevolero, -ra *mf* de la segunda. ~타 golpe *m* de dos bases, doblete *m*, tubey *m*. ¶~를 치다 batear un dos bases.

이루다 ① [어떤 상태나 결과가 되게 하다] formar, hacer. 한 가정을 ~ formar una familia. 30도의 각도(角度)를 ~ formar un ángulo de treinta grados. 15의 각도를 이루고 있다 tener un ángulo de quince grados. ② [일을 마무리 짓다] completar, efectuar, llevar a cabo, realizar. ③ [목적을 성취하다] conseguir, alcanzar. 이룰 수 없는 사랑 amor *m* que no se puede alcanzar, amor *m* imposible. 소원을 ~ alcanzar el deseo. 소원을 이루어 주다 satisfacer los deseos (de), acceder al ruego (de). ④ [구성하다] componer, constituir. 주성분을 ~ componer los ingredientes principales.

이루어지다 realizarse, efectuarse, cumplirse, quedar satisfecho. 이루어질 수 없는 사랑 amor *m* desespereado, amor *m* sin esperanza. 그의 소원이 이루어졌다 Sus deseos se han cumplido / Sus deseos han quedado satisfechos.

이룩되다 completarse, efectuarse, cumplirse, construirse, establecerse, fundarse, edificarse.

이룩하다 ① [달성하다] completar, efectuar. ② [나라 · 도읍 · 집 등을 새로 세우다] edificar, construir, establecer, fundar.

이류(二流) segunda clase *f*, segundo orden *m*, segunda categoría *f*. ~의 de segunda

clase, de segundo orden, de segunda categoría.
■~ 소설가(小說家) novelista *mf* de segunda categoría. ~ 시인 poeta, -tisa *mf* de segunda categoría. ~ 작가 escritor, -tora *mf* de segunda categoría. ~ 학교 escuela *f* de segunda categoría. ~ 호텔 hotel *m* de segunda clase, hotel *m* de segunda categoría.

이류(異類) especies *fpl* diferentes, clases *fpl* diferentes, variedades *fpl*.
■~ 감각 sensación *f* diferente. ~ 개념(概念) concepto *m* diferente. ~항 término *m* diferente.

이륙(離陸) despegue *m*, *AmL* descolaje *m*. ~하다 despegar, *AmL* descolar. ~하는 동안 al efectuar la maniobra de despegue. 인천 국제 공항을 ~하다 despegar del Aeropuerto Internacional de Incheon. 비행기는 ~ 준비가 되어 있다 El avión está listo para despegar.
◆수직(垂直) ~ despegue *m* vertical.
■~ 거리 distancia *f* de despegue. ~ 시간 hora *f* de despegue. ~지(地) lugar *m* de despegue. ~ 활주 pista *f* de despegue.

이륜(耳輪) =귓바퀴.

이륜(彝倫) =인륜(人倫).

이륜차(二輪車) vehículo *m* de dos ruedas.

이르다[1] ① [장소·시간에 닿다] llegar, alcanzar, conducir. 종착점에 ~ llegar al paradero. 이 길은 동대문을 경유해 광화문에 이른다 Este camino conduce [va·lleva] a *Gwanghwamun* pasando por *Dongdaemun*. ② [다른 데에 미치다] [마침내 …하기에] acabar por [en] + *inf*; [결과가 …하기에] resultar *algo* + *adj*; […하기에] llegar a + *inf*, venir a + *inf*.; [수미(首尾)가 …하기에] lograr + *inf*, conseguir + *inf*. 오늘에 이르기까지 hasta hoy día, hasta ahora. 장군에서 사병에 이르기까지 desde el general hasta el soldado (raso). 그가 자살하기에 이르기까지의 마음의 동요(動搖) agitaciones *fpl* mentales que le llevaron hasta el suicidio. 최악의 사태에 이르렀다 La situación se ha puesto peor que nunca. 피해 금액은 100억 원에 이르렀다 Los daños han alcanzado [ascienden a] diez mil millones de wones. 부상자는 100여 명에 이르렀다 Los heridos totalizaron unos ciento. 피해는 전국에 이르고 있다 Los daños se extienden a [por] todo el país. 공사는 아직 완성 단계에 이르지 못했다 La construcción no se ha acabado todavía. 영업의 부진 결과 도산하기에 이르렀다 La inactividad de los negocios condujo a la quiebra. ③ [일정한 시간에 미치다] alcanzar, llegar. 10시간에 이르는 오랜 토론 끝에 después de prolongarse la discusión por diez horas, a final de diez horas de prolongada discusión. 회의는 자정에 이르렀다 La conferencia se prolongó hasta pasada la media noche.

이르다[2] ① [무엇이라고 하다. 말하다] decir. 성경에 이르기를 심령이 가난한 자는 복이 있나니 천국이 저희 것임이요 라고 했다 La Biblia dice que Bienaventurados los pobres en espíritu, porque de ellos es el reino de los cielos. ② [알아듣거나 깨닫게 말하다] dárselo todo mascado (a). 그 아이에게 잘 알아듣도록 일러 주시오 Déselo todo mascado al niño. ③ [고자질하다] acusar, chivarse, *RPI* alcahuetear, *Méj* rajarse. 선생님께 일러바치다 acusar a *su* maestro.

이르다[3] [더디지 않고 빠르다] (ser) temprano. 이른 아침 la mañana temprana.

이르집다 ① [껍질을 뜯어 벗기다] pelar. ② [없는 일을 만들어 말썽을 일으키다] tramar, inventar(se).

이른모 plantas *fpl* de arroz jóvenes sembradas temprano.

이른바 (así) llamado. ~ 미국은 초강대국이다 Los Estados Unidos de América es uno de los países llamados [que se llaman] superpotencias.

이른 봄 primavera *f* temprana.

이를터이면 por así decirlo; [요컨대] en una palabra; [예를 들면] por ejemplo.

이를테면 ((준말)) =이를터이면. ¶그는 ~ 살아 있는 사전이다 El es, por así decirlo, un diccionario viviente [andante·ambulante]. 인생이란 ~ 아침 이슬과 같은 것이다 La vida es, por así decirlo, un rocío madrugador.

이름 ① [사람의 성 뒤에 붙여 다른 사람과 구별하는 명칭] nombre *m*; [성명(姓名)] nombre y apellido. 만수라는 ~의 사내아이 niño *m* que se llama Mansu. ~을 대다 decir *su* nombre, dar *su* nombre; […라] llamarse. 아이에게 ~을 지어 주다 poner nombre al niño. 아이의 ~을 …라 짓다 poner al niño el nombre de *algo*. ~으로만 알고 있다 conocer sólo de nombre. …의 ~을 밝히다 decir el nombre de *uno*. ~을 밝히지 않다 permanecer en el anominato, conservar el anonimato. 네 이름은 무엇이냐? — 내 ~은 김복남입니다 ¿Cómo te llamas? — Me llamo Kim Boknam. 당신의 ~은 무엇입니까? ¿Cómo se llama usted? 그녀의 ~은 무엇입니까? — 그녀의 ~은 김수아이다 ¿Cómo se llama ella? — Se llama Kim Sua / Su apellido es Kim y su nombre, Sua.
② [개념을 대표하고, 그 사물과 딴 사물과를 구별하기 위한 칭호] nombre *m*. 꽃의 ~ nombre *m* de la flor. 이 나무의 ~은 무엇이냐? ¿Qué árbol es éste? / ¿Cuál es el nombre de este árbol? / ¿Cómo se llama este árbol?
③ [개개의 단체 등을 가리키는 칭호] nombre *m*. 회사의 ~ nombre *m* de la compañía.
④ [평판] fama *f*, reputación *f*, celebridad *f*. ~이 알려진 célebre, bien conocido, famoso, renombrado. ~이 알려지지 않은, ~도 모르는 desconocido, de carrera obscura. (훌륭한 사람으로서) ~이 알려지다 hacerse un nombre. A라는 ~에 어울리는 digno de

llamarse A. ~날 만하다 no desmentir *su* reputación, ser digno de *su* reputación, merecer *su* reputación. ~을 떨치다 nombrar, citar. 그는 ~이 팔려 있다 Su nomre es muy conocido. 그의 ~은 후세에 남을 것이다 Su nombre será transmitido a [quedará para] la posteridad. 그는 의사로 ~을 날리고 있다 El tiene fama de ser un gran médico.

⑤ [명예] honor *m*. ~을 더럽히다 ㉮ [자신의] deshonrarse, manchar *su* nombre. ㉯ [타인의] deshonrar, manchar el nombre (de), perjudicar la reputación (de). ~을 버리고 실리를 취하다 sacrificar el honor a la ventaja.

⑥ [구실. 명분] pretexto *m*, excusa *f*. 자선이란 ~ 아래 bajo el pretexto de la beneficencia. 법의 ~ 때문에 en virtud de la ley. 정의라는 ~ 아래 a [con el · bajo] pretexto de la justicia. 자위(自衛)라는 ~ 아래 a [con el · bajo] pretexto de la propia defensa.

⑦ [명의. 자격] nombre *m*, título *m*. ~만의 nominal, sólo de título. ~만의 회원 miembro *mf* nominal. ~만의 국무총리 primer ministro *mf* nominal [sólo de nombre]. ~만의 승급(昇給) aumento *m* nominal de sueldo. 자신의 ~으로 bajo *su* nombre. 중역 회의 ~으로 en nombre [de parte] del consejo. …에 A라는 ~을 붙이다 llamar a algo A, poner a algo de [por] nombre A. 그 ~이 가리키는 것처럼 como indica su nombre. ~을 빌려 주다 prestar *su* nombre. 그는 ~만 사장에 불과하다 El no es más que el presidente nominal de la compañía.

◆이름(을) 날리다 obtener [ganar · adquirir · cobrar] buena reputación [gran nombre · buena fama], hacerse célebre, hacerse famoso, adquirir celebridad, adquirir fama.

◆이름(을) 남기다 dejar *su* nombre.

◆이름(을) 짓다 poner nombre. 아이의 ~ poner nombre al niño.

◆이름(을) 팔다 ㉮ [이름이나 명성 따위가 널리 알려지도록 하다] ser conocido mucho el nombre o la reputación. ㉯ [이름 · 명성을 이용하다] aprovechar el nombre, aprovechar la reputación [la fama].

◆이름(이) 나다 hacerse célebre, hacerse famoso, adquirir celebridad [fama · reputación].

이름 붙이다 poner el nombre.

이름씨 【언어】 =명사(名詞).

이름 없다 (ser) desconocido, de carrera oscura.

이름 있다 (ser) bien conocido, famoso, célebre, renombrado.

이름 짓다 poner el nombre.

이름하다 llamar (el nombre).

■ ~씨 =명사(名詞). ~자 nombre *m*. ¶제 ~도 못 쓰는 무식쟁이 ignorante *mf* que no sabe escribir su nombre. ~표 =명찰 (etiqueta de identificación). ¶~를 달다 etiquetar, poner*le* una etiqueta (a).

이리[1] [물고기 수컷의 배 속에 있는 흰 정액 덩어리] lechecillas *fpl* de los peces, lecha *f*.

이리[2] 【동물】 lobo *m*. 양의 탈을 쓴 ~ un lobo disfrazado de cordero.

■ ~ 떼 una manada de lobos.

이리[3] ① [이곳으로. 이쪽으로] acá, a este lugar. ~ 오너라 Ven acá. 모두 ~ 오너라 Venid acá todos. ~ 오십시오 [usted에게] Venga acá / [ustedes에게] Vengan acá. ~ 앉아라 Siéntate aquí. ~ 오신 지 얼마나 됩니까? ¿Cuánto tiempo hace que está usted aquí? ② [이러하게] tan, así. ~ 많이 tanto. ~ 귀여울 수가 있을까 ¡Qué precioso es!

◆이리 뒤척 저리 뒤척 하다 estar lleno de inquietudes, cansarse de dar vueltas.

이리듐(영 *iridium*) 【화학】 iridio *m* (Ir). ~이 섞인 iridiado.

이리박이 pez *m* que contiene la lecha en el intestino.

이리 오너라 Ven acá.

이리 온 Ven acá. 아가, ~ Hijito, ven acá.

이리저리 de un lado a [para] otro, de acá para allá. ~ 뛰어다니다 correr de un lado para otro, correr de acá para allá, corretear; [분주하다] ajetrearse, afanarse. ~ 흩어지다 ir de un lado a otro, correr en tropel de un lado a otro. 운동장을 ~ 뛰어다니다 corretear por el campo de deportes. 자금 모집(資金募集)을 위해 ~ 뛰어다니다 ajetrearse para reunir fondos, afanarse en [por] reunir fondos, atarearse en reunir fondos.

이리하다 decir como esto.

이리하여 así, de este modo, de esta manera.

이립(而立) treinta años de edad.

이마 ① [얼굴의 눈썹 위로부터 머리털이 난 아래까지의 부분] frente *f*. 넓은 ~ frente *f* ancha, frente *f* alta. 좁은 ~ frente *f* angosta. 주름(살)이 깊은 ~ frente *f* surcada de arrugas. ~를 맞대고 상담하다 consultarse juntos, consultar con las cabezas juntadas. ~를 찌푸리다, ~에 주름살을 짓다 fruncir la frente, fruncir el ceño, arrugar la frente, enfurruñarse. ~의 땀을 훔치다 enjugarse el sudor de la frente. 손을 ~ 위에 가리고 보다 mirar sombreando los ojos con la mano. ② ((준말)) =이맛돌.

◆이마에 내 천(川) 자를 쓰다 arrugar la frente, enfurruñarse..

◆이마에 피도 안 마르다 todavía ser jovencito.

이마마하다 ser tanto como esto.

이마받이 frentazo *m*, golpe *m* dado con la frente.

이마적 recientemente, últimamente, poco ha, hoy día, hoy en día, estos días.

이만 ① [이만한. 이 정도의] este, esta. ~한 크기 este tamaño. ~한 높이 esta altura. ② [이만하고서. 이것만으로써] con esto, ya. 오늘은 ~ 하자 Vamos a dejar de hacer aquí hoy.

이맘때 a [por] este tiempo, en esta época, a estas horas. 내년 ~ a [por] estas fechas [en esta época] del año que viene. 어제 ~ ayer a estas horas. 일 년의 ~ en esta época del año. 팔 월 ~ en época de agosto. 주(週)의 ~ en esta época de la semana. 밤의 ~ a estas horas de la noche. 매년 ~ 초설(初雪)이 내린다 Cada año, por estas fechas [por este tiempo], tenemos la primera nevada. 작년 ~ 나는 서반아에 있었다 El año pasado, por estas fechas [por este tiempo], yo estaba en España.

이맛살 arrugas *fpl* en la frente.
◆이맛살을 찌푸리다 arrugar el entrecejo. 이맛살을 찌푸리고 바라보다 mirar con entrecejo.

이맛전 ¶~이 넓다 tener la frente alta [ancha].

이 맞다 engranar, meter, ocluir.

이며 y, o. 나는 책~ 돈~ 몽땅 잃었다 Yo he perdido los libros, el dinero y todo. 그는 작가~ 학자다 El es escritor y erudito.

이면 en. 일주일~ 여름 방학이다 Falta una semana para las vacaciones de verano. 우리들은 자동차로 삼십 분~ 집에 도착한다 En coche llegamos a casa en treinta minutos.

이면(裏面/裡面) ① [속. 안. 내면] interior *m*. ② [겉으로 나타나지 않은 속사정] secreto *m*, pensamiento *m*, intención *f* oculta. 인생의 ~ lado *m* sórdido de la vida. 그는 정계의 ~을 잘 알고 있다 El conoce los secretos del mundo político.
■~경계 los detalles y méritos de un caso. ~공작 maniobra *f* entre bastidores, tabajo *m* de zapa. ¶~을 하다 maniobrar entre bastidores. ~사(史) historia *f* interior. ~ 생활 vida *f* privada. ~ 술책(術策) amiguísimo *m*, enchufismo *m*, *AmL* palanca *f*.

이면각(二面角)【수학】ángulo *m* diedro.

이명(耳鳴) resonido *m* [zumbido *m*] de los oídos.
■~증(症) timpanofonia *f*.

이명(異名) sobrenombre *m*; [별명(別名)] otro nombre *m*, apodo *m*, mote *m*. …라는 ~을 가지다 tener el sobrenombre de *algo*.

이명법(二名法) nomenclatura *f* binominal.

이명주(耳明酒) =귀밝이술.

이모(二毛) ① [검은 털과 흰 털] pelo *m* negro y pelo blanco. ② ((준말)) =이모지년.
■~작 cultivo *m* de dos cosechas, dos cosechas anuales de arroz de un mismo campo, dos cosechas por año, dos producciones de arroz y trigo en sucesión. ~지년(之年) treinta y dos años de edad.

이모(姨母) hermana *f* de *su* madre, tía *f* (materna).
■~부 esposo *m* de *su* tía materna, tío *m*. ~ 자매 hermana *f* de *su* madre, media hermana *f*, hermanastra *f*. ~할머니 hermana *f* menor de *su* abuela, tía *f* de *su* padre.

이모(異母) madre *f* diferente, madrastra *f*.
■~제(弟) hermano *m* menor de padre, medio hermano *m*, hermanastro *m*. ~형(兄) hermano *m* mayor de padre, medio hermano *m*, hermanastro *m*.

이모저모 todo, todos los aspectos. 문제를 ~로 생각하다 estudiar [considerar] todos los aspectos de un problema. ~로 고맙습니다 Muchas gracias por todo.

이목(耳目) ① [귀와 눈] las orejas y los ojos. ② [남들의 주의] atención *f* de otro, atención *f* pública. ~을 피하다 engañar al mundo, evitar *su* atención. 세상의 ~을 놀라게 하다 espantar todo el mundo, hacer [causar] la sensación por el mundo. 세상의 ~을 피해 살다 vivir apartado [retirado] del mundo, vivir en el retiro, vivir escondido. 그것은 그 사람이 세상의 ~을 피하기 위한 가장이다 Es un disfraz que lleva para engañar al mundo. ③ =시청(視聽).
◆이목을 끌다 llamar la atención de uno, llamar la atención pública.
■~구비(口鼻) ㉮ [귀·눈·입·코] orejas, ojos, boca y nariz. ㉯ [용모] facciones *fpl*, rasgos *mpl*. ¶선이 굵은 ~ facciones *fpl* abultadas. ~가 반듯하다 tener fracciones regulares. ~가 반반하다 tener buenas facciones. 그녀는 ~가 수려하다 Ella tiene bellas facciones.

이무기【동물】(serpiente *f*) pitón *f*.

이문(利文) ① [이가 남은 돈] ganancias *fpl*, beneficios *mpl*, utilidades *fpl*. ② =이자(利子)(interés)..

이문(里門) puerta *f* en la entrada de la aldea.

이문(異聞) noticias *fpl* extrañas, cuento *m* curioso, episodio *m* extraño.

이문목견(耳聞目見) experiencia *f* práctica.

이물 proa *f*. ~부터 침몰하다 hundirse por la proa.
■~간(間) compartimiento *m* hacia la proa. ~대 mástil *m* hacia la proa.

이물(異物)【의학】cuerpo *m* extraño, substancia *f* extraña.

이물스럽다 (ser) insidioso, taimado, astuto, artero.
이물스레 insidiosamente, taimadamente, astutamente, arteramente.

이므로 porque, pues. 내일은 정기 휴일(定期休日)~ 쉽니다 Mañana descansamos porque es día de descanso regular.

이미 ya, antes (de ahora), ya hace tiempo, ya hace mucho. 우리가 ~ 입수한 정보(情報) información *f* que ya está en nuestras manos. ~ 말한 바와 같이 como he dicho antes, como he mencionado anteriormente. ~ 때가 늦었다 El tiempo ya es tarde. ~ 시간이 너무 늦었다 Es demasiado tarde ahora. 그런 일은 ~ 알고 있다 Ya lo sabía hace mucho tiempo. 내가 역에 도착했을 때는 열차는 ~ 출발하고 없었다 Cuando yo llegué a la estación, ya había salido el tren. 그가 외출한 지 ~ 세 시간이 되었다 Ya hace tres horas que él salió (de casa). 그것으로 ~ 그의 무죄를 증명하고 있다 Eso mismo testifica su inocencia.

이미지(영 *image*) ① [영상(映像)] imagen *f* (*pl* imágenes). ~를 개선하다 mejorar *su* imagen [*su* reputación]. 이 잡지는 새로운 ~를 주었다 Han dado una nueva fisonomía [un nuevo porte]. 그것은 회사의 좋은 ~에 먹칠을 했다 Eso repercutirá en la buena reputación de la compañía. ②【심리】=심상(心象).

이미테이션(영 *imitation*) imitación *f.* ~의 de imitación, imitado, contrahecho. 이 보석은 ~이다 Esta es una joya de imitación.

이민(移民) ① [외국으로] migración *f*, emigración *f*, [사람] emigrante *mf.* ~하다 emigrar, migrar, hacer una migración. ~의 emigratorio. 그의 부모는 아르헨띠나로 ~ 갔다 Sus padres emigraron a la Argentina. ② [외국에서] inmigración *f*, [사람] inmigrante *mf.* ~하다 inmigrar. ~의 inmigratorio. 미국의 서반아계 ~ inmigrantes *mpl* hispanos en (los) Estados Unidos de América.
◆ 영구(永久) ~ migración *f* permanente. 일시적 ~ migración *f* temporal.
■ ~ 관리 사무소 oficina *f* de inmigración. ~ 교섭 negociaciones *fpl* para inmigración. ~ 문제 problema *m* de migración. ~법 ley *f* de [para] inmigración. ~선(船) barco *m* de emigrantes, vapor *m* para emigrantes. ~ 수속 trámites *mpl* inmigratorios. ~청 *Guat* la Dirección General de Migración. ~ 회사(會社) compañía *f* de inmigración.

이민위천(以民爲天) El pueblo es el cielo.

이민족(異民族) raza *f* diferente.

이바지 ① [공헌함] contribución *f.* ~하다 contribuir, hacer una contribución, constituir una ayuda (para). 평화 유지를 위해 ~하다 contribuir para conserver la paz. 물가 억제를 위해 ~하다 contribuir a contener la subida de los precios. ② [힘들여 음식 등을 보내 줌. 또, 그 음식] suministro *m*, provisión *f*, servicio *m*; [음식] comida *f* para servir. ~하다 suministrar, abastecer, proveer, proporcionar, facilitar. 우리는 그들에게 음식과 담요를 ~했다 Los proveímos de comida y mantas / Les suministramos comida y mantas / Les proporcionamos comida y mantas.

이반(離反/離叛) enajenamiento *m*, enajenación *f*, separación *f.* ~하다 separarse, alejarse, enajenarse. 사람들의 마음은 그에게서 ~하고 있다 El pueblo está alejado de él / El ha perdido la simpatía del pueblo.

이발(理髮) corte *m* de pelo, peinado *m*, peluquería *f.* ~하다 cortarse el pelo, peinarse. ~시키다 hacer cortar el pelo. ~해 주다 cortar el pelo. ~하러 가다 ir a la peluquería. 아버지께서 내 ~을 해 주셨다 Mi padre me cortó el pelo. 나는 ~하러 간다 Voy al peluquero / Voy a la peluquería.
■ ~기 máquina *f* para peinado. ~ 기구 útiles *mpl* de peinado. ~사 peluquero, -ra *mf*, barbero, -ra *mf*, peinador, -dora *mf.* ~소 peluquería *f*, ((고어)) barbería *f.* ¶~에 가다 ir a la peluquería, ir al peluquero.

이밥 arroz *m* blanco, arroz *m* cocido.

이방(異方) [풍속·습관 등이 다른 지방] región *f* [comarca *f*] extaña [extranjera].
■ ~성 anisotropía *f*, heterotropía *f.*

이방(異邦) país *m* extranjero.
■ ~인 ㉮ [다른 나라 사람] extranjero, -ra *mf*, forastero, -ra *mf.* ㉯ [유대 사람이 선민(先民) 의식에서 그들 이외의 여러 민족을 얕잡아 이르는 말] gentil *mf.* ㉰ ((성경)) hijo *m* de los extraños, gente *f* extranjera.

이 배(二倍) doble *m*, dos veces. ~하다 doblar(se), duplarse, duplicarse. …보다 ~크다 ser dos veces más grande que *algo.* 여느 때보다 ~의 시간을 쓰다 gastar el doble de tiempo (para *algo* · para + *inf*) que de costumbre. 6은 3의 ~다 Seis es [son] el doble de tres. 도시의 인구는 10년 만에 ~가 되었다 La población de la ciudad se ha duplicado en diez años. 금년의 이익은 작년의 ~다 Las ganancias de este año doblan a [son el doble de] las del año pasado.

이백(二百) doscientos, -tas. ~ 주년 bicentenario *m.*

이번(一番) esta vez, ahora. ~은 당신 차례다 Ahora es tu turno / Ahora te toca el turno. ~만은 용서하겠다 Esta vez te perdonaré. 정말이지 ~에는 더 참을 수 없다 De verdad esta vez, no puedo aguantar más.

이법(理法) ① [원리와 법칙] el principio y la regla. ② [도리와 예법] la razón y la cortesía.

이베리아【지명】Iberia *f.* ~의 ibérico.
■ ~ 반도 la Península Ibérica.

이벤트(영 *event*) ① [사건] acontecimiento *m*, suceso *m.* ② [경기 따위의 종목·시합] prueba *f.* ③ [불특정의 사람들을 모아 놓고 개최하는 행사] acontecimiento *m*, evento *m.* 올 여름의 빅 ~ gran acontecimiento *m* de este verano.

이변(異變) ① [괴이한 변고(變故)] fenómeno *m* extraordinario, suceso *m* extraordinario. ② [예상 밖의 사태] caso *m* anormal, situación *f* fuera de expectación; [사고] accidente *m*, contratiempo *m*, percance *m*; [재앙(災殃)] catástrofe *f*, desastre *m*, siniestro *m*, calamidad *f*, [급변] emergencia *f.* 기후의 ~ tiempo *m* anormal. 정계(政界)에 무슨 ~이 일어난 것 같다 Parece que se ha producido alguna alteración en el mundo político.

이별(離別) despedida *f*, separación *f*, división *f*, [이혼] divorcio *m.* ~하다 despedirse

(de), separarse (de), decir adiós; [이혼하다] divorciarse (de). ~의 눈물 lágrima *f* de la despedida. ~을 서운해하다 sentir mucho la despedida. 아내와 ~하다 divorciarse de *su* esposa. 이것으로 우리는 ~이다 Con esto nos despedimos [nos separamos].
■~가 canción *f* de la despedida. ~주(酒) vino *m* de la despedida.

이병(罹病) =이환(罹患).

이보다 (más · menos · mejor · peor que esto, en comparación con esto. ~낫다 ser mejor que esto. ~ 더한 불행은 없다 No se puede ser más desgracia que ésta.

이보다(利-) ① [이익이 되다] sacar provecho. ② [이익을 얻다] obtener [lograr] ganancia.

이복(異腹) madre *f* diferente. ~의 nacido de madre diferente, medio hermano, media hermana; hermanastro.
■~동생 hermano *m* menor de padre, medio hermano *m* menor. ~형 hermano *m* mayor de padre, medio hermano *m* mayor. ~형제 hermano *m* de padre, medio hermano *m*, hermanastro *m*.

이본(異本) ① [진기한 책] libro *m* raro. ② [같은 책으로 내용 · 글자가 다소 다른 책] versión *f* diferente, copia *f* de una edición diferente.

이봐 ¡Mira! / ¡Ve! / ¡Hombre! / ¡Hola! ~, 여기서 무얼 하는 거야 ¡Hombre!, ¿qué haces aquí? ~, 저기 버스가 온다 Mira, ahí viene un autobús. ~, 어제 말했잖아 Te lo conté ayer, ¿te acuerdas?

이부(二部) escuela *f* nocturna.
■~ 교수 profesor, -sora *mf* [catedrático, -ca *mf*] de la escuela nocturna. ~ 수업 ㉮ [이부 교수] enseñanza *f* de la escuela nocturna. ㉯ [이부제로 하는 수업에서 나중에 하는 수업] segunda clase *f*. ~작 obra *f* de dos partes. ~제 ㉮ [이부 교수를 하는 제도] sistema *m* dual de enseñanza, sistema *m* de la enseñanza de la escuela nocturna. ㉯ [주야간제] sistema *m* diurno y nocturno. ~ 합주 =이중주. ~합창 =이중창.

이부(利付/利附) ((준말)) =이자부(利子附).
■~ 가격 precio *m* con interés. ~ 공채 título *m* al portador de gran liquidez. ~ 어음 letra *f* con interés.

이부(異父) padre *m* diferente, padrastro *m*.
■~동모(同母) el padre diferente y la misma madre. ~형제(兄弟) hermano *m* de madre, medio hermano *m*, hermanastro *m*.

이부자리 ropa *f* de cama, colchón *m* (*pl* colchones). ~를 펴다 hacer cama. ~를 개다 quitar (la ropa de) cama. ~를 접다 doblar [plegar] colchones.

이북(以北) ① [어떤 지점을 한계로 한 북쪽] más al norte, más septentrional. 적도(赤道)~ más al norte de la línea equinoccial. ② [우리 나라에서는 북위 38°선 이북] norte *m* del paralelo 38°. ③ [북한(北韓)] Corea del Norte, Norcorea. ~에서 온 사람 norcoreano, -na *mf*, persona *f* de Corea del Norte.

이분 ① [이 어른] este mayor. ② [이 사람] esta persona *f*, éste, ésta *mf*, este señor *m*, este caballero *m*; [기혼 여성] esta señora *f*, [미혼 여성] esta señorita *f*. ~이제 선생님이십니다 Este es mi maestro [maestra].

이분(二分) ① [둘로 나눔] división *f* en dos. ~하다 dividir [partir] en dos. ~의 일 un medio, la mitad. 이 문제는 여론(輿論)을 ~했다 Este asunto dividió en dos la opinión pública. 이 정당은 정계를 ~하는 큰 세력이다 Este partido constituye una de las dos grandes fuerzas que dividen el mundo político. ② [춘분과 추분] el equinoccio primaveral y el otoñal. ③ [춘분점과 추분점] el equinoccio primaveral y el equinoccio otoñal.
■~법 dicotomía *f*. ~쉼표 medio silencio *m*. ~음표(音標) (nota *f*) blanca, (nota *f*) mínima *f*.

이분자(異分子) elemento *m* heterogéneo; [사람] forastero, -ra *mf*.

이불 colchón *m* (*pl* colchones), colcha *f*, cubrecama *f*, sobrecama *f*, cobertor *m*. 깃털 넣은 ~ colchón *m* de plumas, enredón *m* (*pl* enredones). 얇은 ~ colchón *m* delgado. ~을 덮다 ponerse [cubrir] el colchón. ~을 펴다 hacer el colchón. ~을 걷다 guardar el colchón. ~을 뒤집어쓰다 tirar el colchón sobre *su* cabeza.
◆누비~ endredón *m*, *RPI* acolchado *m*.
■~감 tela *f* para el colchón. ¶누비~ guata *f*, tela *f* acolchada, tela *f* acolchonada. ~보 cobertor *m*, manta *f* para la cama. ~잇 tela *f* de cubrir el colchón. ~장 cómoda *f* para los colchones.

이불리간(利不利間) sea lo que sea ganancia o pérdida.

이불줄 【광산】 veta *f* horizontal del mineral.

이브(영 *Eve*) ((기독교)) Eva. ☞하와

이브닝(영 *evening*) ① [저녁] noche *f*, [어둡기 전] tarde *f*. ② ((준말)) =이브닝 드레스.
■~ 가운 traje *m* de noche. ~ 드레스 [남자용] traje *m* de etiqueta; [부인용] traje *m* de noche. ~ 코트 traje *m* de etiqueta.

이비(理非) razón *f* y sin razón, justicia *f* e injusticia. ~ (곡직)을 밝히다 aclarar quién tiene razón y quién no en el asunto, poner en claro el bien y el mal (de), hacer justicia (a). ☞시비(是非)

이비인후과(耳鼻咽喉科) otorrinolaringología *f*.
■~ 의원 clínica *f* de otorrinolaringología. ~ 의사 otorrinolaringólogo, -ga *mf*.

이쁜둥이 ① [예쁜 어린이] niño *m* lindo, niña *f* linda. ② [어린아이를 귀엽게 부르는 말] niño, -ña *mf*.

이사(二死) dos fueras.

이사(理事) director, -tora *mf*, administrador,

-dora *mf.*

◆대표(代表) ~ director *m* representativo, directora *f* representativa. 상무 ~ director *m* ejecutivo, directora *f* ejecutiva; gerente *m* ejecutivo, gerente *f* ejecutiva. 전무~ director *m* ejecutivo, directora *f* ejecutiva; director *m* administrativo, directora *f* administrativa.

■~관 comisionado, -da *mf* oficial. ~국 nación *f* [país *m*] miembro. ¶국제 연합 상임 ~ el País [la Nación] Miembro permanente de las Naciones Unidas. ~장(長) director *m* jefe, directora *f* jefa; presidente, -ta *mf* (del) consejo de administración, administrador, -dora *mf* general. ¶부(副) ~ vicepresidente, -ta *mf.* ~회 junta *f* directiva, consejo *m* de administración, directorio *m.* ¶~ 회장 presidente, -ta *mf* de la junta directiva [del consejo de administración · del directorio].

이사(異事) cosa *f* extraña, cosa *f* extraordinaria.

이사(移徙) mudanza *f,* cambio *m* de casa. ~하다 mudarse, cambiar de casa. ~ 중이다 estar de mudanza. 다른 집으로 ~하다 mudarse a otra casa. 늦어도 이달 십 일까지는 ~해야 한다 Nosotros tendremos que mudarnos para el diez de este mes. 다음 주소로 ~했습니다 Nos mudamos a la dirección siguiente.

■~ 비용 gastos *mpl* de mudanza. ~ㅅ짐센터 mudanzas *fpl,* agencia *f* de mudanzas. ~ㅅ짐 운반차 carro *m* de mudanzas.

이사야서(Isaiah 書) ((성경)) Isaías.

이사이 estos días, hoy (en) día, actualmente, en la actualidad, recientemente, últimamente.

이삭 espiga *f* (caída), *AmS* espigajo *m.* ~의 끝 cabeza *f* [punta *f*] de la espiga. 보리의 ~이 나왔다 Se ha espigado la cebada.

◆이삭(을) 줍다 espigar, recoger las espigas. 이삭 줍는 사람 espigador, -dora *mf.*

◆이삭(이) 패다 espigar(se).

■~줍기 recogimiento *m* de espigas.

이산(離散) dispersión *f,* separación *f.* ~하다 dispersarse, separarse, esparcirse, desparramarse. ~의 separado. 우리 가족은 1950년 육이오 전쟁 때 ~했다 Nuestra familia se dispersó durante la Guerra Coreana en 1950.

■~가족(家族) familia *f* dispersada, familia *f* separada.

이산염기(二酸鹽基) 【화학】 base *f* diácida.

이산화(二酸化) 【화학】 dióxido *m,* bióxido *m.*

■~규소 dióxido *m* de silicón. ~납 dióxido *m* [bióxido *m*] de plomo. ~망간 dióxido *m* de manganeso. ~물 bióxido *m* de carbono. ~염소 dióxido *m* de cloro. ~질소 dióxido *m* de nitrógeno. ~탄소 dióxido *m* [bióxido *m*] de carbono.

이삼(二三) dos o tres. ~ 일(日) dos o tres días. ~ 개월(個月) dos o tres meses. ~ 년(年) dos o tres años. ~ 명(名) dos o tres personas. ~ 회(回) dos o tres veces. ~ 일마다 cada dos o tres días.

■~삭(朔) dos o tres meses.

이상(以上) ① [수량 · 정도] más de, más que, sobre, encima, ultra además. 5인 ~의 가족 familia *f* (que consta) de más de cinco miembros. 일곱 살 ~의 아이들 niños *mpl* de que tiene más de siete años de edad. 아기는 매일 8시간 ~ 잔다 El nene duerme más de ocho horas todos los días. 출석자의 삼분의 이 ~의 찬성이 필요하다 Es precioso tener la aprobación de más de dos tercios de los asistentes. 일의 반 ~이 끝났다 Ya está hecha más de la mitad del trabajo. ② [비교] más (que). 나는 이 ~ 지불할 수 없다 No puedo pagar más. 이 ~ 말할 것이 없다 Ya no hay nada que decir. 이제 이 ~ 더 할 말이 없다 Ya no tengo nada más que decir. 이런 상태에서는 더 ~ 참을 수 없다 No puedo tolerar [aguantar] más esta situación. 이 ~ 더 잘할 수 없다 No lo puedo hacer mejor / Esto es lo mejor que yo lo puedo hacer. 온도가 한도 ~으로 상승했다 La temperatura ha superado el límite. 그는 수입 ~의 생활을 하고 있다 El vive gastando más de lo que gana. 그녀는 생각 ~으로 아름답다 Ella es más guapa de lo que yo pensaba [creía]. ③ [(말이나 글 따위에서) 이제까지 말한 내용] contenido *m* arriba [indicado · mencionado]. ~과 같이 como arriba mencionado. ~(입니다) Nada más / Eso es todo / [강연 등에서] He dicho. 제 말은 ~입니다 Eso es todo lo que quiero decir / He dicho. ~이 당사(當社)의 계약 조건이다 Hasta aquí las condiciones que pone nuestra compañía para el contrato. 예산안(豫算案)이 ~과 같이 가결되었다 Queda aprobado el presupuesto de la manera acordada. ④ [이미 …한[된] 바에는] ya que + *ind,* puesto que + *ind,* visto que + *ind,* una vez que + *ind.* 그 사람도 인간인 ~은 … Ya [Puesto] que él es un ser hermano …. 약속한 ~ 지켜야 한다 Ya que tú has dado tu palabra, debes guardarla. 한 번 나에게 약속한 ~ 그것을 지켜야 한다 Una vez [Puesto] que me lo has prometido, no debes faltar a tu palabra. 네 불행에 처방이 없는 ~ 참고 견뎌라 Ya que tu desgracia no tiene remedio, llévala con paciencia. 그가 반대한 ~ 무슨 이유가 있음에 틀림없다 Puesto que él se opone, debe de haber alguna razón.

이상(異狀) anomalía *f,* condición *f* anormal, síntoma *m* anormal, indisposición *f,* novedad *f.* ~이 있다 (estar) anormal, descompuesto, desconcertado, en desorden (impropio). ~이 없다 estar normal, estar en un estado normal, estar conforme, estar todo correcto, estar en (buen) orden. 정신 ~을 보이다 mostrarse con desarreglo mental. ~이 없습니다 No hay novedad / Sin novedad / Todo está bien / Todos está en orden. 환자는 ~이 없다 El enfermo no presenta ningún síntome especial. 엔진에 ~이 있다 El motor no anda bien / El motor no funciona bien / Le pasa algo al motor. 기계에 ~이 생겼다 Se estropeó la máquina.

이상(異常) rareza *f*, cosa *f* rara, singularidad *f*, lo extraño, lo raro, anormalidad *f*, anomalía *f*, extrañeza *f*, irregularidad *f*, aberración *f*. ~하다 (ser) extraño, raro, anormal, anómalo, singular, extraordinario, insólito. ~의 anormal, aberrante. ~하게 de una manera extraña, de una manera rara, de un modo extraño, de un modo raro, anormalmente, de modo abnormal, extraordinariamente. ~한 나라 país *m* (*pl* países) de las maravillas. ~한 남자 hombre *m* raro. ~한 복장 traje *m* singular. ~한 사건 suceso *m* extraño. ~한 사람 ser *m* extraño, persona *f* rara, persona *f* extraña. ~한 나라의 앨리스 Alicia en el país de las maravillas. ~한 여자 mujer *f* extraña. ~한 복장을 한 vestido de modo singular. ~한 자태로 con una apariencia extraña. 그의 죽음을 둘러싼 ~한 분위기 las extrañas circunstancias en torno a su muerte. ~한 복장을 하고 있다 vestirse de una manera rara. ~한 눈으로 보다 mirar sospechosamente. ~하게 생각하다 extrañarse (de), sentir raro, encontrar extraño. ~하게 들릴지 모르지만 … Aunque parezca extraña …. ~한 것은 …이다 Lo extraño es que + *ind*. …은 ~하다 Es extraño [curioso] que + *subj*. …은 ~하지 않다 No es de extrañar que + *subj*, No es nada extraño que + *subj*, No hay nada de raro en que + *subj*. 그는 ~하다 El es (un) anormal. 그는 요즈음 좀 ~하다 El está un poco raro estos días. 기계 상태가 ~하다 La máquina no está bien [en buenas condiciones]. ~한 소리가 들린다 Se oye un ruido extraño. 그는 머리가 약간 ~하다 El está un poco loco / El no anda bien de la cabeza. 참 ~하군! ¡Qué extraño! / Me extraña mucho! / ¡Qué raro! / ¡Qué curioso! ~한 녀석[놈]이다 Es un tipo raro. 그것은 ~하다 Es extraño. ~한 냄새가 난다 Hay un olor raro.

이상야릇이 extrañamente, curiosamente.

이상야릇하다 (ser) extraño, curioso.

■~ 건조 sequedad *f* excesiva. ~ 건조 주의보 aviso *m* [advertencia *f*] contra una sequedad excesiva. ~ 난동(暖冬) invierno *m* cálido anormal. ~ 반응 alergía *f*. ~ 식욕(食慾) apetito *m* pervertido. ~ 심리 ㉮ mentalidad *f* anormal. ㉯ =이상 심리학. ~ 심리학 psicología *f* anormal. ~아 niño, -ña *mf* anormal.

이상(異象) ① [이상한 모양] forma *f* extraña. ② [특수한 현상] fenómeno *m* especial.

이상(理想) ideal *m*; [집합적] idealismo *m*. ~의 ideal; [완벽한] perfecto. 높은 ~ ideal *m* noble, ideal *m* sublime. ~을 품다 tener [concebir] un ideal. ~에 불타다 afanarse por *su* ideal. ~을 실현하다 realizar [llevar a cabo] *su* ideal. ~과 현실은 다르다 El ideal y la realidad son cosas distintas / Lo ideal es diferente de lo real. 전쟁이 없는 사회를 실현하는 것이 그의 ~이었다 Su ideal era realizar una sociedad sin luchas. 예술가는 미(美)의 ~을 추구한다 Los artistas persiguen un ideal de belleza.

■~가 idealista *mf*. ~론 idealismo *m*. ~선거 elección *f* ideal. ~성 idealidad *f*. ~세계 mundo *m* ideal. ~적 ideal; [완벽한] perfecto. ¶~으로 idealmente, perfectamente. ~인 미인(美人) la belleza ideal. 두 사람은 ~인 커플이다 Los dos son una pareja ideal. ~주의 idealismo *m*. ~주의자 idealista *mf*. ~파 escuela *f* idealista, disciplina *f* idealista. ~향 utopía *f*, utopia *f*. ~화 idealización *f*.

이색(二色) dos colores.

■~쇄(刷) impresión *f* con dos colores. ~판(版) impreso *m* con dos colores.

이색(異色) ① [다른 빛깔] diverso color *m*, color *m* diferente. ② [색다름. 또 그러한 것] novedad *f*, singularidad *f*, lo original, lo novedoso.

■~ 인종 raza *f* de color diferente. ~적 singular, único.

이생(一生) esta vida.

이서(以西) más al oeste.

이서(吏書) =이두(吏讀).

이서(異書) libro *m* raro.

이서(裏書) 【법률】((구용어)) =배서(背書).

이선(離船) desembarco *m*, salida *f* del barco. ~하다 salir del barco, desembarcar.

이설(異說) ① [세상에 통용되는 설과는 다른 설 또는 의견(意見)] opinión *f* diferente, heterodoxia *f*, noción *f* chocante. ~을 세우다 exponer una opinión diferente. ~을 펴다 oponer su opinión. ② [내용이 기괴하고 헛된 저술] obra *f* misteriosa y vana.

이성(二姓) ① [두 가지의 성] dos apellidos. ② [성이 다른 두 임금] dos reyes con los apellidos diferentes. ③ [두 남편] dos maridos, dos esposos.

■~지합(之合) =결혼(結婚)(matrimonio).

이성(異性) ① [성질이 다름. 또는 다른 성질] naturaleza *f* diferente, carácter *m* diferente. ② [남녀·암수의 성이 다름. 또, 다른 것] sexo *m* opuesto, otro sexo *m*. ~의 heterosexual. ③ [남성이 여성을, 여성이 남성을 가리키는 말] hombre *m*, mujer *f*. ~간의 교제 relaciones *fpl* entre el sexo opuesto. ~을 알다 saber un hombre, saber una mujer. ④ 【화학】 isomeria *f*.

■~애(愛) amor *m* heterosexual. ~화(化) isomerización *f*. ¶~하다 isomerizar.

이성(異姓) apellido *m* diferente.

■~친(親) pariente *m* materno.

이성(理性) razón *f*, seso *m*. ~이 있는 razonable. ~이 없는 irracional, irrazonable. ~에 부여받은 racional, dotato de razón. ~에 호소하다 apelar a la razón. ~을 되찾다

recuperar la razón. ~을 잃다 perder la razón; [미치다] enloquecer, perder el seso, volverse loco. 입이 있는 자는 누구나 실수를 하지만 ~이 있는 자는 그렇게 말하지 않는다 Quien tiene boca, se equivoca pero quien tiene seso, no dice eso.

◆순수(純粹) ~ razón *f* pura.

▪~ 개념 =이념(理念)❶. ~ 동물 criatura *f* racional, animal *m* racional. ~론(論) racionalismo *m*. ~적 racional; [분별이 있는] razonable. ¶~으로 racionalmente, razonablemente. ~인 판단 juicio *m* razonable. ~주의 =합리주의(合理主義).

이세(二世) ① [어떤 나라에 이주해 간 이민의 자녀로서 그 나라의 시민인 사람] segunda generación *f*. 그는 멕시코 ~이다 El es un mejicano [mexicano] de padres coreanos. ② ((준말)) =이세 국민. ③ ((속어)) =자녀(子女). ④ ((불교)) mundo *m* del presente y del futuro, dos vidas. ⑤ [다음 세대] generación *f* siguiente. ⑥ [같은 이름을 가지고 둘째 번으로 자리에 오른 황제·교황 등의 일컬음] Segundo, -da. 펠리뻬 ~ Felipe II [Segundo]. 이사벨 ~ Isabel II [Segunda].

▪~ 국민(國民) pueblo *m* de la generación siguiente, los niños.

이솝 우화(-寓話) las Fábulas de Esopo.

이송(移送) transporte *m*, transportación *f*, transferencia *f*, traspaso *m*, transmisión *f*. ~하다 llevar, transportar, transferir. ~되다 ser traslado. 사건(事件)의 ~ transferencia *f* de un caso. 부상자들은 병원으로 ~되었다 Los heridos fueron traslados al hospital.

이수(利水) riego *m*, irrigación *f*. ~하다 regar, irrigar.

▪~ 공사(工事) obra *f* de riego, obra *f* de irrigación. ~도(道) =이뇨(利尿). ~약 =이뇨제(利尿劑).

이수(里數) ① [거리를 이(里)의 단위로 측정한 수] *isu*, número *m* de *ri*, leguas *fpl*, kilómetros *mpl*. ② [마을의 수효] número *m* de las aldeas.

▪~표 tabla *f* de distancia.

이수(理數) la ciencia y las matemáticas.

이수(移囚) traslado *m* de los prisioneros. ~하다 trasladar a los prisioneros.

이수(履修) complemento *m* (de un curso de estudio), práctica *f*, ejercitación *f*. ~하다 completar, terminar, practicar, ejercitar. 본과(本科)를 ~하다 terminar [estudiar] un curso regular.

이수(離水) despegue *m* de hidroavión. ~하다 despegar.

이수(離愁) tristeza *f* de la despedida.

이순(耳順) sesenta años de edad.

이술(異術) mágica *f* extaordinaria.

이슈(영 *issue*) [논점(論點). 논쟁점] tema *m*, asunto *m*, cuestión *f*.

이스라엘【지명】Israel *m*. ~의 israelí, israelino. ▪~ 민족 pueblo *m* de Israel. ~ 사람[인] ㉮ israelí *mf*; israelita *mf*. ㉯ ((성경)) hijo *m* de Israel, varón *m* israelita, descendiente *m* de Israel, israelita *m*.

이스트(영 *yeast*) [효모] levadura *f*, fermento *m*.

이슥토록 hasta entrada la noche.

이슥하다 avanzar la noche. 이슥한 밤에 tarde por la noche. 이슥할 때까지 hasta avanzada la noche. 이슥해짐에 따라 a medida que avanza la noche. 밤이 이슥하도록 공부하다 estudiar hasta avanzada la noche. 이제 이슥해졌다 Ya está bien avanzada la noche. 이슥해 갔다 La noche avanzaba.

이슬 ①【물리】rocío *m*. 밤 ~ relente *m*. 아침 ~ rocío *m* (matinal). ~ 맺힌 húmedo. ~로 덮인 cubierto de rocío. ~ 맺힌 눈으로 con los ojos húmedos. 아침 ~에 젖은 rociado, mojado por el rocío. ~이 내리다 rociar. ~이 내린다 Rocía / Cae el rocío. ~이 내렸다 Roció / Cayó el rocío. ② [덧없는 생명] vida *f* efímera. ③ [눈물] lágrima *f*. ④ [여자의 월경 전·해산(解産) 전에 조금 나오는 누르스름한 물] desprendimiento *m* del tapón mucoso.

◆이슬로 사라지다 terminar *sus* días, perder la vida, morir. 교수대의 ~ morir [terminar *sus* días] en la horca. 이슬이 되다 =이슬로 사라지다.

▪~방울 gotas *fpl* de rocío. ~아침 mañana *f* temprana con rocío. ~점 punto *m* de rocío, punto *m* de condensación, temperatura *f* de saturación. ~점 미터기 medidor *m* del punto de rocío. ~점 습도계 higrómetro *m* de rocío. ~점 압력 presión *f* del punto de rocío. ~점 표시기 indicador *m* del punto de rocío. ~풀 hierbas *fpl* cubiertas de rocío

이슬람(영 *Islam*) ① [이스람교도가 자기의 종교를 부르는 말] islam *m*. ~의 islámico. ② [이슬람교의 세계. 이슬람교도 전체] islamismo *m*, mahometismo *m*. ~의 mahometano, musulmán.

▪~교(敎) islamismo *m*, mahometismo *m*, musulmanismo *m*. ~교도(敎徒) islamita *mf*, mahometano, -na *mf*, musulmán, -mana *mf*. ~력(力) calendario *m* islámico.

이슬비 llovizna *f*, chispa *f*, cernidillo *m*, *AmL* garúa *f*. ~가 내리다 lloviznar, *AmL* garuar. ~가 내린다 [내렸다] Llovizna [Lloviznó].

이승 ((불교)) este mundo, esta vida, mientras se vive. ~에서 en este mundo. ~의 행복(幸福) felicidad *f* terrenal [de este mundo].

◆이승을 떠나다 morir, fallecer, cerrar los ojos, estirar las piernas, llamarlo Dios, dejar de vivir, dejar este mundo.

이승(二乘) ①【수학】((구용어)) =제곱. ② ((불교)) dos vehículos.

이시(영 *EC, European Community*) [유럽 공동체] la Comunidad Europea.

이식(二食) ① [두 끼분의 식사] dos comidas. ② [하루에 두 번 식사함] dos comidas al día. ~하다 comer dos veces al día.

이식(利息) interés *m.* ☞이자(利子)

이식(利殖) acumulación *f* de dinero, ganancia *f*, lucro *m.* ~하다 acumular dinero. ~을 계산하다 tratar de conseguir, tratar de hacer dinero.

■ ~법 método *m* de conseguir ganancia, método *m* de sacar dinero.

이식(移植) [식물의] trasplantación *f*, [장기(臟器)의] trasplante *m*, transplante *m*; [피부의] injerto *m.* 심장(心臟) ~ 수술을 하다 hacer un trasplante de corazón. 외국 식물을 ~하다 colonizar plantas extranjeras. 정원사들이 이 소나무들을 ~했다 Los jardineros han trasplantado estos pinos.

◆간 ~ trasplante *m* de hígado. 세포 ~ trasplante *m* celular, trasplante *m* de las células.

■ ~술 trasplantación *f*, transplantación *f*. ~ 조직 trasplante *m*, transplante *m*.

이신론(理神論)【철학】deísmo *m.*

이실직고(以實直告) acción f de decir la verdad.

이심(二心) ① [두 가지 마음] dos corazones. ② [배반하는 마음] negras intenciones *fpl*, doblez *f*, traición *f*. ~의 doble, traidor, alevoso. ~을 품다 abrigar negras intenciones. ③ [변하여 바뀌기 쉬운 마음] veleidad *f*, inconstancia *f*, volubilidad *f*. ~의 veleidoso, inconstante, voluble.

이심(二審) ((준말)) =제이심(第二審).

이심(異心) ① [딴 마음] intención *f* diferente. ~을 품다 abrigar la intención diferente. ② =이심(二心)❶. ③ ((불교)) corazón *m* diferente.

■ ~ 동체 dos almas en un cuerpo.

이심률(離心率)【수학】excentricidad *f.*

이심스럽다(已甚-) parecer ser demasiado grave.

이심전심(以心傳心) telepatía *f*, mutua comprensión *f* tácita, entendimiento *m* tácito. ~의 [메시지] telepático; [사람] con telepatía, telépata. ~으로 telepáticamente, con telepatía, telépatamente, tácitamente.

이심하다(已甚-) (ser) demasiado grave.

이십(二十) ① [스물] veinte. ~ 명(名) veinte personas. ~세기 siglo *m* veinte. ~ 번째(의) vigésimo. ~ 대에 en *su* edad de veinte. ~ 대의 de los veinte a los treinta años (de edad). ② [나이 스무 살] veinte años de edad.

이십사(二十四) veinte y cuatro, veinticuatro.

■ ~시간 veinticuatro horas. ~ 시간 근무 trabajo *m* [jornada *f*] de veinticuatro horas.

이십사금(二十四金) oro *m* puro, veinticuatro quilates de oro.

이십사방위(二十四方位) veinticuatro direcciones

이십사절기(二十四節氣) veinticuatro estaciones del calendario lunar.

이십세기(二十世紀) el siglo veinte.

이쑤시개 mondadientes *m.sing.pl.*, escarbadientes *m.sing.pl*, palillo *m.*

이아치다 ① [자연의 힘이 미치어 손해가 있게 하다] hacer daño, perjudicar. ② [거치적거려 일에 방해를 놓다] dificultar, obstruir. ③ [못된 짓으로 방해를 끼치다] ser un obstáculo, ser un lastre.

이악스럽다 (ser) inteligente, listo.

이악스레 inteligentemente, hábilmente.

이악하다 (ser) listo, vivo, inteligente, agudo, hábil. 이악한 아이 niño *m* listo, niña *f* lista.

이앓이 dolor *m* de muela. ~를 하다 tener dolor de muela, doler las muelas, doler los dientes.

이앙(移秧) =모내기(transplante del arroz). ¶~하다 transplantar el arroz.

■ ~기 máquina *f* plantadora de arroz.

이야기 ① [담화] conversación *f*, plática *f*, narración *f*, relato *m*, habla *f*, [잡담] charla *f*, [사실. 허구] historia *f*, ficción *f*. ~하다 decir, hablar, conversar, contar, charlar, relatar, narrar, describir, referir, dar cuenta (de). ~를 주고받다 hablarse, charlar entre sí. …와 ~하다 conversar [hablar·charlar] con *uno*. …을 ~하다 decir *algo*. …에 대해 ~하다 hablar de *algo*. 밤새워 ~하다 conversar [charlar] toda la noche, pasar la noche charlando. 진실을 ~하다 decir la verdad. 체험을 ~하다 contar *su* experiencia. 장시간 ~하다 charlar (por) mucho [largo] tiempo, entusiasmarse en la conversación. 그것은 ~할 만한 것이 못된다 No vale la pena (de) hablar de eso. 그는 ~ 중에 무심히 진심을 말해 버렸다 El se traicionó huablando. ② =소설(novela). ③ =소문 (rumor). 평판(fama, reputación). ④ [화제] tema *m*, tópico *m*, asunto *m*. ⑤ [진술] declaración *f*. ~하다 declarar. ⑥ [교섭] negociación *f*. ~하다 negociar. ⑦ [상담] consulta *f*, discusión *f*. ~하다 consultar, discutir. ⑧ ((준말)) =옛날이야기.

■ ~꾼 narrador, -dora *mf*. ~ 상대(相對) compañero, -ra *mf*. ¶좋은 ~ buen compañero *m*, buena compañera *f*. ~쟁이 narrador, -dora *mf*. ~책 libro *m* de cuentos.

이야깃거리 tema *m* (de conversación). 이제 ~가 없다 Ya he agotado todos los temas. 그의 용기는 지금까지도 우리의 ~가 되고 있다 Su valor aún constituye tema de conversación para noso- tros.

이야깃주머니 persona *f* que tiene muchos temas, persona *f* con muchas cosas interesantes de decir.

이야말로¹ [이것이야말로] el mismo …, el verdadero …. ~ 바로 내가 찾고 있던 책이다 Este es el mismo libro que yo estaba buscando.

이야말로² [그것이야 참말로] precisamente, exactamente, justo. 그것~ 내가 찾고 있는 책이다 Ese es precisamente el libro que yo estoy buscando. 이번~ 꼭 성공하겠다 Esta vez sí que tendré éxito.

이양(耳痒) 【의학】 =이양증.
■ ~증 síntoma *m* del oído que pica.
이양(移讓) cesión *f*, transferencia *f*, traspaso *m*. ~하다 ceder, transferir, traspasar. 재산의 ~ traspaso *m* de la propiedad al otro. 권리를 귀사에 ~했다 Cedemos el derecho a su compañía.
이어(서) posteriormente, ulteriormente, siguiente, seguido, consecutivo, próximo 3년 연~ durante tres años consecutivos [seguidos].
이어(耳語) =귀엣말.
이어(俚語) =이언(俚言).
이어(移御) cambio *m* de la residencia real. ~하다 cambiar de la residencia real.
이어 나가다 durar, continuar. 전통 문화를 ~ durar la cultura tradicional.
이어달리기 (carrera *f* de) relevos *mpl*. 400미터 ~ los cuatrocientos metros relevos. 800미터 자유형(自由型) ~ cuatro por doscientos metros relevos libres.
■ ~ 주자 corredor, -dora *mf* de relevos.
이어링(영 *earring*) [귀고리] pendiente *m*, zarcillo *m*, *AmL* arete *m*, *CoS* aro *m*, *Urg* caravana *f*; [다아아몬드·보석이 박힌] dormilona *f*.
이어받다 [(재산이나 지위·신분·권리·의무 따위를) 조상이나 선임자에게 물려받다·계승(繼承)하다] suceder, heredar. 부친의 뒤를 ~ suceder a *su* padre. 재산을 ~ heredar los bienes. 부친의 사업을 ~ heredar el negocio de *su* padre. 고인의 유지를 ~ cumplir el último deseo del difunto.
이어지다 ser continuado, ser relacionado, ser conectado. 남북 아메리카는 파나마 지협으로 이어져 있다 La América del Norte y La del Sur son conectados por el istmo de Panamá.
이어짓기 planta *f* consecutiva.
이어폰(영 *earphone*) audífono *m*, auricular *m*, receptor *m* teléfono. ~을 끼다 ponerse el auricular.
이언(二言) ① [두 번 말함] el decir dos vez. ② [한 번 말한 것을 뒤집어 다시 말함. 두말] duplicidad *f*, doble juego *m*.
이언(俚諺) refrán *m*, proverbio *m*.
이엉 paja *f*, juncos *mpl*. 지붕에 ~을 이다 cubrir [techar] con paja [juncos], empajar, *AmS* quinchar. ~을 이는 사람 empajador, -dora *mf* (de tejados); *RPl* quinchador, -dora *mf*.
■ ~ 지붕 tejado *m* de paja [juncos], *AmS* techo *m* de quincha. ~집 casa *f* de paja, casa *f* de juncos.
이에 en ese momento, inmediatamente, consiguientemente, por consiguiente.
이에서 que éste, comparado con éste. ~ 더한 불행은 없을 것이다 No habrá desgracia más grande que ésta.
이에짬 unión *f*, junta *f*, ensambladura *f*, coyuntura *f*, conexión *f*, enlace *m*.
이여 ¶슬픔~ 안녕 ¡Adiós, tristeza! 하나님~ ¡Oh, Dios!
이여(爾汝) tuteo *m*, relaciones *fpl* de tutear. ~의 교분(交分) amistad *f* del tuteo.
이여(爾餘) =기여(其餘).
이역(二役) ① [두 가지 역할] dos papeles. ② [배우가 두 사람의 역을 함] papel *m* doble. 일인(一人) ~을 하다 hacer [interpretar] un papel doble.
이역(異域) ① [이국의 땅] tierra *f* extranjera, tierra *f* extraña, extranjero *m*, país *m* (*pl* países) extranjero. ~ 땅에 묻히다 ser enterrado en la tierra extranjera. ② [제고장이 아닌 딴 곳] aldea *f* diferente, pueblo *m* diferente; [먼곳] lugar *m* lejano. ~에서 고국(故國)을 그리워하다 añorar en suelo extraño el país natal.
이역시(一亦是) asimismo, de la misma manera, lo mismo, otro tanto, esto también, esta persona también, este hombre también; [여자] esta mujer también.
이연(移延) aplazamiento *m*, *AmL* postergación *f*. ~하다 aplazar, posponer, *AmL* postergar.
이연(離緣) divorcio *m*, separación *f*; [양자(養子)의] anulación *f* del contrato de adoptación [de ahijamiento]. ~하다 divorciarse, separarse.
이연발총(二連發銃) revólver *m*, escopeta *f* de dos cañones, fusil *m* provisto de doble cañones.
이연하다(怡然一) (ser) feliz, alegre.
이연히 alegremente, con regocijo, con mucho gusto, con el mayor grado.
이열(怡悅) alegría *f*, júbilo *m*, dicha *f*, placer *m*, deleite *m*. ~하다 (ser) alegre, feliz, alegrarse (de), estar encantado (de), disfrutar (con), gozar (con).
이 열(二列) [두 줄] dos líneas, dos hileras, dos hilas; [종(縱)의] dos columnas; [횡(橫)의] dos filas. 앞에서 [뒤에서] ~에 en la segunda fila contando desde delante [desde detrás]. ~로 놓다 poner en dos líneas [hileras·hilas]. ~로 놓이다 colocarse en dos filas [dos columnas]. ~로 행진하다 marchar de dos en dos [en dos columnas].
이열치열(以熱治熱) Un veneno expulsa el otro / Pagar con la misma moneda / El poder expulsa con el poder / El calor expulsa el otro.
이염(耳炎) 【의학】 otitis *f*.
◆ 내(內)~ otitis *f* interna, otitis *f* internal. 외(外)~ otitis *f* externa. 중(中)~ otitis *f* media.
이염기산(二鹽基酸) 【화학】 ácido *m* dibásico.
이오늄(영 *ionium*) 【화학】 ionio *m*.
이오니아 【지명】 Jonia. ~의 jónico, jonio.
■ ~ 방언(方言) dialecto *m* jónico. ~ 사람 jónico, -ca *mf*. ~식 orden *m* jónico, estilo *m* jónico. ¶~의 jónico. ~ 기둥 columna *f* jonia.
이온(영 *ion*) 【물리·화학】 ion *m*, ión *m*.
◆ 양(陽)~ catión *m*. 음(陰)~ anión *m*.
■ ~ 결합 enlace *m* iónico. ~관 tubo *m* iónico. ~ 교환 intercambio *m* de iones. ~

교환 수지 resina *f* permutadora de iones, resina *f* intercambiadora de ion. ~권(圈) ionosfera *f*. ~층(層) capa *f* ionosférica, ionosfera *f*. ~화 ionización *f*.

이완(弛緩) relajación *f*. ~하다 relajarse, ponerse flojo. ~된 relajado. 근육(筋肉)의 ~ relajación *f* del músculo.

▪ ~증(症) atonía *f*.

이왕(已往) ① =이전(以前)(el pasado). ¶~의 de antaño, pasado. ② ((준말)) =이왕에.

이왕에 ya, una vez (que). ~ 시작했으니 네가 멈추기란 어렵다 Una vez que empiezas, es difícil parar. ~ 늦었으니 천천히 갑시다 Ya es tarde, luego vamos con tiempo.

이왕이면 si, mientras, con tal de que (+ *subj*), siempre que (+ *subj*). ~ 유효하게 돈을 써라 Si debes gastar dinero, gástalo útilmente. ~ 나하고 같이 가자 Siempre que tú vas de todos modos, acompáñame.

▪ ~지사(之事) pasado *m*. ¶~는 묻지 말자 Lo pasado, pasado está.

이외(以外) excepción *f*. … ~에 excepto *algo*, salvo, menos, fuera de, con [a] excepción de; […에 덧붙여] además de, aparte de, (no …) sino, (no …) más que. 이 ~에 además, además de esto, fuera de esto. 일요일 ~에 menos el domingo, a excepción de los domingos. …하는 것 ~에는 salvo que + *ind* · *subj*. 이것 ~의 문제 los otros [los demás] problemas aparte de éste. 그 사람들 ~의 사람들 los otros fuera [aparte] de él. 나 ~의 전원(全員) todos menos yo. A 씨 ~ 열 명 el señor A y [con] otros diez señores, diez personas además del señor A. 나는 한글 ~는 모른다 No hablo más que el coreano / No hablo otra lengua que el coreano. 나는 산에 가는 것 ~에는 낙이 없다 Aparte del montañismo, no tengo ninguna otra diversión. 그것 ~의 것은 아무것도 모른다 No sé nada más que eso / Eso es todo lo que sé. 그렇게 하는 것 ~에는 방법이 없다 No hay más [otro] remedio que hacerlo. 그는 영어 ~에 서반아어를 한다 El habla inglés y además el castellano. 나 ~에도 세 사람이 말했다 Hablaron tres personas además de mí. 월급 ~에 특별 수당(特別手當)을 지불했다 Pagaron gran gratificación aparte del sueldo. 여기서는 포도주 ~의 술은 마실 만한 것이 없다 Excepto el [Salvo el · Fuera del] vino, no hay bebida que merezca beberse aquí. 회원 ~의 사람은 출입 금지 ((게시)) Se prohibe la entrada a toda persona ajena a la asociación.

이욕(利慾) avaricia *f*, codicia *f*, avidez *f*. ~의 avaro, codicioso. ~에 눈이 멀다 cegarse de avaricia, estar ciego por el logro.

이용(利用) uso *m*, utilización *f*, aprovechamiento *m*. ~하다 usar, utilizar, aprovechar, hacer uso (de), utilizarse (de), servirse (de), valerse (de), aprovecharse (de). ~할 수 있는 utilizable, aprovechable. ~할 수 없는 inservible, no utilizable, no aprovechable. ~ 가치가 있는 útil. ~ 가치가 없는 inútil. 이 기회를 ~해서 aprovechando esta oportunidad [esta ocasión]. 미성(美聲)을 ~하다 aprovecharse de su buena voz para propaganda. 잘 ~하다 aprovechar bien, sacar buen partido (de). 최대한으로 ~하다 sacar el mejor partido (de). 친구를 ~하여 놀러 가다 ir a divertirse tomando [a pretexto a] la invitación de un amigo. 친절을 ~하다 aprovecharse de *su* amabilidad para propaganda. 타인(他人)을 ~하다 valerse de la influencia [la posición] de otros. 온통 나를 ~해 먹었다 Me han aprovechado a su gusto. 나는 기회를 최대로 ~했다 Aproveché al máximo la oportunidad. 그녀는 그들의 무지(無知)를 ~했다 Ella se aprovechó de su ignorancia. 그는 지위(地位)를 ~해서 나쁜 짓을 했다 Abusando de su puesto, él ha cometido un delito.

▪ ~ 가치(價値) utilidad *f*. ¶~가 많다 tener mucha utilidad. ~률 coeficiente *m* de utilización. ~법 uso *m*, utilización *f*. ~자 usuario, -ria *mf*. ¶버스 ~ usuario, -ria *mf* de autobús. ~후생 aumento *m* de la utilidad pública y el bienestar social.

이용(理容) corte *m* de pelo y la cara hermosa.

▪ ~사 peluquero, -ra *mf*.

이우다 poner *algo* en *su* cabeza.

이운(移運) ① [자리를 옮김] cambio *m* de *su* asiento. ~하다 cambiar de *su* asiento. ② [부처를 옮겨 임시로 모심] cambio *m* temporal del asiento de Buda. ~하다 cambiar del asiento de Buda temporalmente.

이울다 ① [꽃 · 잎이 시들다] marchitarse. 꽃들이 벌써 이울었다 Las flores ya se han marchitado. ② [점차 쇠약해지다] disminuir, decrecer. 저 나라의 국운(國運)도 이울고 있다 El prestigio de ese país está en decadencia [en declive].

이웃 ① [가까이 있거나 나란히 있어서 경계가 서로 접해 있음] vecindad *f*, vecino *m*, lugar *m* cercano, sitio *m* cercano. ~의 vecino, próximo, contiguo. ~한 나라 país *m* vecino. ~ 방 habitación *f* contigua. ~관계에 있는 정원 jardienes *mpl* colindantes. ~에 앉다 sentarse al lado (de). ~에 살다 vivir al lado (de). 내 집은 그의 집과 ~에 있다 Mi casa está al lado de la suya / Mi casa está junto a la suya / Mi casa linda con la suya. 내 집은 빵집과 ~이다 Mi casa está al lado de la panadería. ② [서로 접하여 사는 집] casa *f* vecina, casa *f* contigua, casa *f* próxima. ③ [서로 접하여 사는 사람] vecino, -na *mf*, [집합적] vecindario *m*. ~과의 교제 trato *m* con los vecinos. …와 ~이다 ser vecino de *uno*. ~과 교제를 하다 tratar con los vecinos. ~과 잘 사귀다 ser sociable para con los vecinos. ~을 귀찮게 하다 molestar a los vecinos. ④ ((성경)) vecino *m*, prójimo *m*, amigo *m*. 네 ~을 네 몸과 같이 사랑하라 ((마태복음 19:19)) Amarás a tu prójimo como a ti mismo / Ama a tu prójimo como a ti mismo.

■ 이웃사촌 ((속담)) Más vale vecino cercano que un hermano lejano / Vale más un buen amigo [vecino] que un pariente lejano.

■ ~간 relaciones *fpl* vecinas; [부사적] entre vecinos. ~불안 inquietud *f* causada por la casa vecina. ~집 casa *f* vecina, casa *f* contigua, casa *f* próxima, casa *f* de al lado. ¶우체국 ~ la casa vecina a [próxima a · al lado de] correos.

이원(二元) ① [두 개의 요소] dos elementos. ② 【철학】 dualidad *f*. ③ [두 곳의 방송 장소를 동시에 사용하는 일] ¶ ~의 dual.

■ ~론 dualismo *m*. ~론자 dualista *mf*. ~방송 radioemisión *f* dual. ~성 dualidad *f*. ~적 dual, dualístico. ¶~으로 dualmente.

이원(利源) fuente *f* de la ganancia.

이원(梨園) jardín *m* de los perales..

이원제(二院制) sistema *m* bicameral, sistema *m* de dos cámaras.

이월(二月) febrero *m*.

이월(移越) suma y sigue, transferencia *f*, trapaso *m*, traslado *m*. ~하다 trasferir, trasladar, sumar y sigue. 앞 페이지에서 ~ balance *m* que viene desde la página anterior, saldo m anterior. 다음 페이지로 ~ pasa al frente, pasa al siguiente, suma y sigue. A를 B로 ~하다 transferir [trasladar] A a B; [보태다] añadir A a B. 예산을 ~하다 trasladar al presupuesto. 별도 계정에 ~하다 llevar a otra cuenta. 이자를 원금에 ~하다 añadir el interés al capital, capitalizar el interés. 잔고를 다음 연도에 ~하다 pasar el saldo al siguiente año fiscal.

◆ 전기(前期) ~ 잔고(殘高) saldo *m* del ejercicio anterior.

■ ~금 dinero *m* trasladado, suma *f* de la vuelta, saldo *m* anterior. ¶차기(次期) ~ monta *f* que pasa al término próximo.

이유(理由) razón *f* (*pl* razones), porqué *m*; [원인] causa *f*, [동기(動機)] motivo *m*; [구실(口實)] pretexto *m*. ~ 있는 razonable. ~ 없는 sin razón, mal fundado, infundado, inmotivado. ~ 없이 sin razán, sin motivo, sin ton ni son, sin ocasión. ~ 없는 반항 resistencia *f* sin razón, resistencia *f* infundada. 아무런 ~ 없이 sin motivo alguno, sin razón alguna. ~야 어떻든 간에 cualquiera que sea la razón. …의 ~로 por razón de *algo*, por razones de *algo*, a causa de *algo*, por causa de *algo*. 어떤 ~로 ¿Por qué (razón)?, ¿Con qué razón?, ¿Por qué motivo? 이런 ~로 por esta razón, en consecuencia de esto. 어떤 ~가 있어서 por cierta razón, bajo circunstancias desconocidas. ~를 듣지 않고 sin escuchar la razón. 경제적(經濟的) ~로 por razones económicas. ~를 묻다 preguntar la razón. 그런 ~에서 … Si (eso) es así …. …하는 ~를 모르다 no saber [no ver] por qué + *ind*. …할 충분한 ~가 있다 tener suficiente razón para + *inf*. …하려는 ~를 모르겠다 No entiendo [comprendo] que + *subj*. …하는 데는 ~가 있다 Es que + *ind*. 그런 ~로 …하다 Así es como + *ind*. / Así (es que) + *ind*. / De tal manera que + *ind*. 내가 반대하는 데는 충분한 ~가 있다 Tengo suficiente razón para oponerme. 이것에는 여러 ~가 있다 Hay muchas razones para esto. 그런 것은 ~가 되지 않는다 No es una razón suficiente / Eso no explica nada. 나는 그 ~를 모르겠다 No sé porqué / No sé la razón. 왜 당신이 그런 일을 했는지 ~를 말씀해 주세요 Diga por qué lo hizo usted / Explique el porqué de tal acción suya.

이유(離乳) destete *m*, ablactación *f*. ~하다 ablactar, destetar, desmamar, despechar. ~하는 ablactante. ~된 어린애 niño *m* destetado, niña *f* destetada.

■ ~기 período *m* de destete. ~ 설사(泄瀉) diarrea *f* de destete. ~식 régimen *m* del niño destetado.

이윤(利潤) ganancia(s) *f(pl)*, beneficio(s) *m(pl)*, provecho *m*, utilidades *fpl*, rédito *m*, fruto *m*; [순익(純益)] ganancia *f* neta. ~과 손해 pérdidas *fpl* y ganancias. ~을 추구하다 perseguir ganancias. 상당한 ~을 올리다 hacer un buen provecho.

■ ~ 감소 reducción *f* de las ganancias, reducción *f* de márgenes en los beneficios. ~ 개선 mejora *f* de beneficios, aumento *m* en las utilidades. ~ 마진 margen *m* de beneficio, margen *m* de ganancia. ~ 분배 reparto *m* de ganancias, participación *f* en las ganancias, participación *f* de los trabadores en los beneficios. ~ 분배 제(도) (sistema *m* de) participación *f* en las ganancias. ~ 분석(分析) análisis *m* de beneficios, comprobación *f* de beneficios. ~ 예측(豫測) expectativa *f* de beneficio, perspectivas *fpl* de beneficio. ~율 tipo *m* de provecho.

이율(利率) tipo *m* de interés, tasa *f* de interés, tanto *m* por ciento. (선물(先物)의) ~의 위험(危險) riesgo *m* de los tipos de interés. ~을 올리다 subir [alzar] el tipo de mercado. ~을 내리다 bajar el tipo de mercado.

◆ 은행(銀行) ~ tipo *m* bancario.

■ ~ 감소 reducción *f* de los tipos de interés. ~ 변동 movimiento *m* de la tasa de interés, cambio *m* del tipo de interés. ~ 조정 ajuste *m* de la tasa de interés, ajuste *m* del tipo de interés. ~ 증서(證書) instrumento *m* de tipo de interés. ~ 최고한도 tasa *f* de interés tope, techo *m* del tipo de interés.

이율배반(二律背反) antinomia *f*. ~의 antinómico.

이욱고 después de un rato, al cabo de un rato, luego, poco después, con el tiempo. ~ 그녀는 도착했다 Ella llegó poco después. ~ 그의 명성은 높아졌다 Con el tiempo él fue aumentándose su reputación.

이은(二恩) ① [부모의 은혜] favor *m* de los padres. ② [스승과 어버이의 은혜] favor *m* del maestro y los padres.

이음 conexión *f*, enganche *m*, juntura *f*.
 ■ ~판 chapa *f* de unión, cubrejunta *f*.

이음매 juntura *f*; [뼈의] coyuntura *f*; [바느질의] costura *f*; [용접의] juntura *f*, costura *f*. ~ 없는 sin juntura.

이음법(一法)【언어】=접속법(接續法).

이음씨【언어】=접속사(接續詞).

이음줄 ligado *m*.

이음표(一標)【언어】=연결부(連結符).

이의(異意) ① [다른 의견] opinión *f* diferente. ② [모반하려는 마음] corazón *m* que va a alzarse en armas.

이의(異義) sentido *m* diferente, homonimia *f*. ~의 homónimo. 동음(同音)~의 homófono. 동형 ~의 homógrafo.

이의(異議) [반대] objeción *f*, oposición *f*, reparo *m*; [불찬성] disentimiento *m*; [항의] protesta *f*. ~ 없이 sin objeción; [만장일치로] por unanimidad. ~를 제기하다 objetar, hacer objeciones, oponerse, poner reparos, disentir (de), protestar (contra · de). ~ 있습니다 Yo protesto / Me opongo / No estoy de acuerdo. ~ 없습니다 No hay objeción. 이 안에 ~가 있습니까? ¿Tienen ustedes alguna objeción a este proyecto? 나는 그것에 ~가 없다 No pongo objeciones a eso / No tengo nada que objetar a eso.
 ■ ~ 신청(申請) objeción *f*, reclamación *f*,【법률】recusación *f*. ~을 하다 reclamar (contra), recusar. ~ 신청인 reclamante *mf*.

이이 éste, -ta *mf*; esta persona *f*; [남자] este señor *m*, este caballero *m*, este hombre *m*; [여자] esta mujer *f*, esta señora *f*; [미혼 여자] esta señorita *f*.

이이시(영 *EEC*, *European Economic Community*) [유럽 경제 공동체] CEE *f*, Comunidad *f* Económica Europea.

이이제이(以夷制夷) ataque *m* a aquel país aprovechándose a este país.

이익(利益) ① [물질적으로나 정신적으로 보탬이 됨] beneficio *m*. ② [유익하고 도움이 됨] utilidad *f*, interés *m*. ~이 있는 fructuoso, útil. …의 ~을 위해서 en [por] interés de *uno*. 자신의 ~을 위하여 por *su* (propio) interés. ③【경제】ganancia *f*, beneficio *m*, provecho *m*, utilidad *f*. ~이 있는 lucrativo, rentable, remunerado. ~이 많은 장사 negocio *m* exorbitante [muy lucrativo · magnífico]. …의 ~을 위해서 en beneficio de *uno*, en provecho de *uno*. 자신의 ~을 위해서 en beneficio propio, en provecho propio. ~을 얻다, ~을 올리다 beneficiarse, sacar provecho. ~이 되다 beneficiar. 큰 ~을 얻다 obtener [lograr] mucha ganancia, ganar mucho (de), sacar un gran provecho, sacar mucha ganancia (de), obtener pingües beneficios (de). 상호 ~을 위해서 일하다 trabajar en beneficio [en provecho] mutuo. 수월하게 많은 ~을 남기다 hacer ganancias excesivas, ganar mucho sin trabajo. 이 사업은 ~이 많다 Este negocio es una mina (de oro). 이 장사는 별로 ~이 없다 Este negocio no trae muchos beneficios / Este negocio es poco lucrativo. 그런 일을 해서 무슨 ~이 되느냐? ¿Qué provecho sacas haciendo eso? 오늘의 ~은 얼마나 되느냐? ¿Cuál ha sido la ganancia de hoy?
 ◆경제적 ~ beneficio *m* económico. 단기(短期) ~ ganancia *f* a corto plazo. 독점 ~ beneficio *m* del monopolio. 매상 총~ beneficio *m* bruto. 미배당(未配當) ~beneficio *m* sin repartir. 부정(不正) ~ ganancia *f* ilícita. 상호 ~ beneficio *m* mutuo. 생산 ~ beneficios *mpl* del producto. 생산자 ~beneficios *mpl* del productor. 세금을 뺀 ~ beneficio *m* despuàs de impuestos. 세금을 공제하지 않은 ~ ganancia *f* antes de impuestos. 순(純)~ beneficio *m* líquido, beneficio *m* neto, ganancia *f* neta. 연(年)~ ganancias *fpl* anuales. 영업(營業) ~ beneficio *m* de explotación, beneficio *m* operativo, beneficio *m* de la empresa. 우발(偶發) ~ beneficio *m* inesperado, ganancia *f* insesperada. 장기(長期) ~ ganancia *f* a largo plazo. 총~(금) ganancia *f* bruta, beneficio *m* bruto.
 ■ ~금 ganancia *f*, beneficio *m*. ~ 배당[분배] reparto *m* de ganancias, participación *f* en las ganancias, participación *f* en los beneficios, dividendo *m* activo. ~ 분배 제도 sistema *m* de reparto de ganancias. ~율 tasa *f* de beneficio. ~ 잉여금 beneficio *m* acumulado. ~ 준비금 reserva *f* de ganancias, reserva *f* de beneficios. ~폭 margen *m* de benefico.

이인(二人) ① [두 사람] dos personas. ② [부모] padres *mpl*, padre y madre. ③ [부부] marido y esposa, esposos *mpl*.
 ■ ~삼각 carrera *f* en que una persona lleva atada una pierna a la del compañero, *Chi* carrera *f* a tres pies, carrera *f* de tres piernas. ~승 biplaza *f*. ~조 dúo *m*. ~칭 segunda persona *f*.

이인(異人) ① [재주가 신통하고 비범한 사람] persona *f* extraordinaria. ② [다른 사람] persona *f* diferente; extranjero, -ra *mf*, forastero, -ra *mf*.

이임(移任) =전임(轉任).

이임(離任) acción *f* de dejar *su* puesto. ~하다 dejar *su* puesto.

이입(移入) introducción *f*, importación *f*. ~하다 introducir, importar, transportar.
 ◆감정(感情)~ empatía *f*.
 ■ ~ 노동자(勞動者) trabajador, -dora *mf* inmigrante. ~인구 población *f* inmigrante. ~자 inmigrante *mf*. ~ 조직 tejido *m* de

transfusión.

이자 【해부】 páncreas *m.* ～의 pancreático.
■ ～액 jugo *m* pancreático.

이자(一者) esta persona; [남자] este hombre, este tipo, este sujeto; [이 여자] esta mujer.

이자(利子) interés *m* (*pl* intereses), rédito *m.* 높은 ～로 con alto interés. 낮은 ～로 a [con] bajo interés. 무～로 sin interés. 연 6% ～로 a interés del seis por ciento al año, con [a · por] interés anual del seis por ciento. ～를 올리다 rendir intereses, redituar intereses. 연 5%의 ～를 받다 cobrar un interés del cinco por ciento al año.
◆무～ 대출 préstamo *m* sin interés. 법정 ～ interés *m* legal. 연체 ～ interés *m* por el retardo.
■～ 마진 margen *m* de interés neto. ～부(附) con intereses, que devenga interés. ～부 채무 obligaciones *fpl* que devengan intereses. ～ 소득세 impuestos *mpl* a los réditos. ～ 수입[소득] ingresos *mpl* por interés, interés *m* devengado. ～(부) 증권 título *m* con intereses. ～ 지불 pago *m* de intereses. ¶～필(畢) intereses *mpl* pagados.

이자택일(二者擇一) alternativa *f.* ～하다 elegir entre los dos. ☞양자택일(兩者擇一)

이작(裏作) segunda cosecha *f,* cosecha *f* de invierno.

이장(里長) alcalde, -desa *mf* (de *ri*); jefe, -fa *mf* de la aldea.

이장(移葬) =개장(改葬).

이재(異才) talento *m* raro, talento *m* original, genio *m.*

이재(理財) finanzas *fpl,* recursos *mpl* financieros, situación *f* financiera, situación *f* económica, economía *f,* ciencia *f* rentística. ～에 밝다 ser versado a la economía.
■～가 economista *mf,* financiero, -ra *mf.* ～국(局) el Departamento Financiero, el Departamento Rentístico. ～학 economía *f* política.

이재(罹災) sufrimiento *m* de catástrofe [calamidad]. ～하다 sufrir catástrofe [calamidad].
■～ 구조 기금 fondo *m* de socorro para víctimas calamitosas. ～민(民) damnificado, -da *mf,* [사망자] víctima *f.* ¶～ 구조 기구 organismo *m* de ayuda a los damnificados de una catástrofe. ～ 구조 기금 fondo *m* de ayuda a los damnificados de una catástrofe. ～지 localidad *f* agobiada.

이적(利敵) favor *m* al enemigo.
■～ 행위(行爲) actitud *f* que favorece al enemigo.

이적(移籍) ① [혼인 · 양자 등에서 호적을 딴 곳으로 옮김] cambio *m* de *su* domicilio permanente. ～하다 cambiar de *su* domicilio permanente. ② [운동선수가 소속 팀으로부터 다른 팀으로 적을 옮김] traspaso *m.* ～하다 traspasar.

이적(異蹟) ① [기이한 행적] logro *m* extraño. ② [신의 힘으로 되는 불가사의한 일. 기적(奇蹟)] milagro *m,* misterio *m,* maravilla *f.* ～의 milagroso. ～을 행하다 hacer milagros, hacer maravillas. ③ ((기독교)) señal *f.* 하늘에 큰 ～이 보이니 ((요한 계시록 12:1)) Apareció en el cielo una gran señal.

이적(離籍) borradura *f* de *su* nombre del registro familiar. ～하다 suprimir [borrar] *su* nombre del registro familiar.

이전(以前) ① [이제보다 전] antes, anteriormente. ～의 anterior, ex-. ～처럼 como antes. ～부터 desde antes, desde (mucho) tiempo. 내 ～의 아내 mi ex-esposa. 그의 ～의 주소 su dirección antigua. 우리 ～의 행복한 가정 nuestro otrora feliz hogar. 이 마을은 ～에는 조용했다 Antes, este pueblo era muy tranquilo. 나는 그를 ～에 몇 번 만났다 Le he visto varias veces antes. 그는 이제 ～의 그가 아니다 El ya no es lo que era antes / El ya no es el mismo de antes. ② [아주 전. 옛날. 이왕] antes, antiguamente, en otros tiempos. ～의 antiguo. ③ [기준이 되는 때를 포함해서 그 전] antes de. ～의 anterior (a). 오후 네 시 ～(에) antes de las cuatro de la tarde. 30세 ～에 antes de los treinta años de edad. 60세 ～의 저작 obra *f* antes de los sesenta años de edad. 그는 결혼하기 ～에 자주 산에 올라갔다 El solía subir a las montañas antes de casarse.
■～번 otro tiempo *m.*

이전(利錢) ganancia *f,* beneficio *m,* interés *m.*

이전(移轉) ① [장소 · 주소 등을 다른 데로 옮김] mudanza *f,* traslado *m,* cambio *m* de domicilio. ～하다 mudarse, trasladarse, mudarse de casa [lugar], cambiarse de casa [lugar], moverse. ～시키다 mudar, trasladar. ～한 주소(住所) nueva dirección *f,* nuevo domicilio *m.* 사무소는 종로로 ～했다 La oficina se ha trasladado a *Chongro.* 아래 주소로 ～했습니다 Me he mudado [trasladado] a la dirección abajo mencionado. 사옥(社屋)은 번화가로 ～했습니다 La oficina ha sido trasladada a la calle principal. ② [권리 따위를 넘김] transferencia *f,* traspaso *m.* ～하다 transferir [pasar · traspasar] el derecho.
◆기술 ～ transmisón *f* de tecnología. 기술 ～ 방법 método *m* de transferencia de tecnología. 자금(資金) ～ transferencia *f* de fondos. 자금 ～ 증서 comprobante *m* de transferencia de fondos.
■～ 등기 registro *m* de transferencias. ～ 문제 problema *m* de traspaso. ～ 소득(所得) ingresos *mpl* de transferencia. ～ 주소 dirección *f* de transferencia. ～ 지급 pago *m* de transferencia. ～ 통지 aviso *m* del cambio de domicilio.

이전투구(泥田鬪狗) injurias *fpl.* ～를 연출(演出)하다 cubrirse de injurias. 논쟁(論爭)은 ～의 양상을 보였다 La discusión se ha

vuelto un intercambio de injurias.
이점(利點) ventaja *f.* ~이 있다 tener ventaja (sobre). 나는 서반아어를 아는 ~이 있었다 Yo tenía la ventaja de saber el español. 그의 경험은 ~이 나보다 한 수 위다 Su experiencia le coloca en una situación de ventaja con respecto a mí. 이 기계에는 ~이 많다 Esta máquina tiene mucha ventaja.
이접(移接) cambio *m.* ~하다 cambiar.
이정(里程) distancia *f* (recorrida) (en millas), kilometraje *m,* número *m* de leguas; [항공기 등의 마일리지] millaje *m.* 부산까지의 ~ distancia *f* a *Busan.*
■ ~표(表) tabla *f* de distancias. ~표(標) mojón *m,* hito *m* kilométrico, mojón *m* kilométrico, piedra *f* miliar, poste *m* miliar, poste *m* indicador.
이정(釐正/理正) disposición *f,* arreglo *m,* corrección *f.* ~하다 disponer, arreglar, corregir.
이제 ① [지금] ahora; [이미] ya. ~부터 desde ahora; [금후(今後)] de aquí (en) adelante, en lo futuro. ~ 너무 늦었다 Ya es demasiado tarde. ~ 어떻게 할 수 없다 ¡Ya no hay remedio! ~ 후회해도 소용없다 Ya no sirve para nada lamentarlo / A lo hecho, pecho. ~ 돌이킬 수 없다 Ya no se puede retroceder. ~ 희망이 없다 Ya no hay esperanza. ~부터 시작한다 Empezamos desde ahora. ~부터(는) 건강에 유의하십시오 Tenga usted de su salud de aquí [de ahora] en adelante. ~ 가면 언제 오나 Si te vas ahora, ¿cuándo vendrás? 그것은 ~ 말해 보아야 소용없다 Sobra decirlo / Eso no es ninguna revelación. ② [지금 곧] ahora mismo. ~ 갑니다 Ahora mismo me voy.
이제까지 hasta ahora. ~ 무엇을 했느냐? ¿Qué has hecho hasta ahora?
이제껏 hasta ahora. 선생께서는 ~ 무엇을 하셨습니까? ¿Qué ha hecho usted hasta ahora?
이제야 ahora; *AmS* recién. ~ 그의 본심을 알겠다 Ahora [*AmS* Recién] comprendo su verdadera intención. 나도 잘못이었다는 것을 ~ 알았다 Ahora me doy cuenta de que yo también tenía la culpa.
이제 와서 ahora. ~ 취소할 수도 없다 Es demasiado tarde cancelarlo.
이젤(영 *easel*) [화가(畵架)] caballete *m.*
이조(李朝) *Icho,* la dinastía Yi.
이조(移調) 【음악】 transposición *f.* ~하다 transportar. 다조에서 라조로 ~하다 transportar (una composición) de do a re.
이족(異族) ① [다른 민족] raza *f* diferente. ② =이성(異姓).
이종(二種) dos clases, dos especies.
■ ~ 우편물 correo *m* [correspondencia *f*] de segunda clase.
이종(姨從) ((준말)) =이종 사촌.
■ ~ 사촌(四寸) primo, -ma *mf* por la tía maternal. ~ 자매 hermana *f* por la tía maternal. ~ 형제 hermano *m* por la tía maternal.
이종(異種) ① [다른 종류] especie *f* diferente, clase *f* diferente; [또 하나의] otra especie *f* [clase *f*]. ~의 de especie diferente, de clase distinta, de otra especie, de otra clase. ② [변한 종자] variedad *f,* heterogeneidad *f.*
■ ~ 교배[번식] hibridación *f.* ~ 구조(構造) heterología *f.* ~ 피질 alocorteza *f.* ~ 항원 heteroantigen *m.*
이종(移種) trasplante *m,* transplante *m.* ~하다 trasplantar, transplantar.
이주(移住) migración *f,* [외국으로] emigración *f,* [외국에서] inmigración *f.* ~하다 emigrar, inmigrar, colonizar. 빠라구아이에 ~하다 emigrar al Paraguay. 한국에서 ~하다 emigrar de Corea.
■ ~민(民) poblador, -dora *mf,* [외국에 간] emigrante *mf,* [외국에서 온] inmigrante *mf.*
이주(移駐) trasbordo *m,* transferencia *f,* traspaso *m.* ~하다 trasladar, transferir, mover.
이죽거리다 ((준말)) =이기죽거리다.
이죽이죽 quejándose, criticando por criticar.
이중(二重) duplicación *f,* doble *m,* doblez *f,* dobladura *f.* ~의 doble, duplicado. ~으로 doblemente, por duplicado, dos veces. ~의미가 있는 de doble sentido, que tiene dos sentidos. ~으로 하다 hacer doble, duplicar, doblar. ~으로 포장하다 envolver dos veces. 문의 걸쇠를 ~으로 하다 duplicar [hacer doble] el cerrojo de las puertas.
■ ~ 가격(價格) precio *m* doble. ~ 가격 제도 sistema *m* de cotización doble. ~ 간첩 espía *mf* doble. ~ 결합 doble enlace *m,* enlace *m* doble. ~ 결혼 bigamia *f.* ~ 과세(過歲) celebración *f* del Año Nuevo del calendario solar y del calendario lunar. ~ 과세(課稅) imposición *f* doble. ~ 구조(構造) estructura *f* doble, estructura *f* dualística. ~ 국적(國籍) doble nacionalidad *f,* nacionalidad *f* doble, dos nacionalidades. ¶~을 가지다 ser de nacionalidad doble, tener dos nacionalidades, tener una doble nacionalidad. ~ 노출 doble exposición *f.* ~ 매매 compraventa *f* doble. ~ 모음(母音) diptongo *m.* ~ 방송 [라디오의] radiodifusión *f* doble; [텔레비전의] televisión *f* doble. ~ 번역 traducción *f* doble. ~ 부정 doble negativa *f.* ~생활 vida *f* doble, vida *f* inconsistente. ¶~을 하다 llevar una vida doble. ~성 duplicidad *f.* ~성격 doble personalidad *f.* ~ 외교 diplomacia *f* doble. ~ 유리(琉璃) doble ventana *f,* doble acristatalaminento *m.* ~ 의식(意識) doble conciencia *f.* ~인격 doble personalidad *f,* personalidad *f* doble, personalidad *f* dual, carácter *m* doble. ~인격자 persona *f* que tiene dos caras distintas. ~ 자음(子音) consonante *m* doble. ~주(奏) dúo *m,*

dueto *m*. ~창(唱) dúo *m*, dueto *m*. ~창(窓) contraventana *f*. ~ 촬영 superposición *f*. ~ 턱 papada *f*. ~ 필터 doble filtro *m*. ~ 회로 circuito *m* doble. ~ 효과 efecto *m* doble.

이즈막 =요즈막.

이즘(영 *ism*) [주의(主義). 설(說)] -ismo, teoría *f*.

이지(理智) intelecto *m*, inteligencia *f*.
■ ~적(的) intelectual, inteligente. ¶~으로 intelectualmente, mentalmente, inteligentemente. ~인 얼굴을 하고 있다 tener una cara intelectual, tener cara de inteligencia. 그 여자는 ~인 여자이다 Ella es una mujer inteligente.
■ ~주의(主義) intelectualismo *m*. ~주의자 intelectualista *mf*.

이지다 ① [몸이 차차 발육하다] crecer. ② [물고기·닭·돼지 등 짐승이 살쪄서 기름지다] engordar.

이지러뜨리다 desportillar.

이지러지다 ① [한 귀퉁이가 떨어지다] desportillarse, *RPI* cascarse, *Chi* saltarse. (사기 그릇 따위의) 이지러진 파편 desportilladura *f*. ② [한쪽이 차지 않다] menguar. 달이 이지러져 간다 La luna está menguando.

이지렁스럽다 (ser) astuto y tranquilo. 이지렁스레 astuta y tranquilamente.

이지마는 aunque, pero, no obstante, sin embargo. 봄~ 바람이 차다 Estamos en primavera, sin embargo, hace viento frío.

이지만 ((준말)) =이지마는. ¶그는 시인~ 소설도 쓴다 El es poeta, pero también escribe las novelas.

이직(移職) =전직(轉職).

이직(離職) separación *f* de *su* posición, pérdida *f* de empleo. ~하다 desocuparse, dejar *su* trabajo, dejar *su* empleo, dejar *su* posición, abandonar *su* empleo, dimitir, separar de *su* posición; [실직하다] perder *su* empleo, perder *su* trabajo.
■ ~률 porcentaje *m* de separación. ~자 parado, -da *mf*, desempleado, -da *mf*, desocupado, -da *mf*, *Chi* cesante *mf*. ~자 총수 el nivel de desempleo [de desocupación], el número total de desempleados [de parados · *Chi* de cesantes]

이진법(二進法) escala *f* binaria.

이질(姨姪) ① [여자의 자매간의 자녀] hijos *mpl* de *su* hermana. ② [아내의 자매의 자녀] hijos *mpl* de la hermana de *su* esposa.
■ ~녀 ㉮ [자매(姉妹)끼리의 딸] hija *f* de *su* hermana, sobrina *f*. ㉯ [아내의 자매의 딸] hija *f* de la hermana de *su* esposa, sobrina *f*. ~부(婦) esposa *f* de *su* sobrino. ~서(壻) esposo *m* de *su* sobrina.

이질(異質) heterogeneidad *f*.
■ ~적 heterogéneo, de calidad diferente, de naturaleza diferente.

이질(痢疾) **【의학】** disentería *f*. ~(성)의 disentérico.
■ ~균 bacilo *m* disentérico. ~ 아메바 ameba *f* disentérica. ~ 염색질 alosoma *f*. ~ 염색체 heterosoma *f*. ~ 통증 alodinia *f*.

이집트 **【지명】** Egipto *m*. ~의 egipcio.
■ ~ 사람 egipcio, -cia *mf*. ~학 egiptología *f*.

이징가미 pedazo *m* roto de porcelana [de cerámica · de barro].

이쪽[1] [이의 부스러진 조각] pedazo *m* roto del diente.

이쪽[2] [이곳을 향한 쪽] aquí, acá, este lado *m*; [방향] esta dirección *f*. ~으로 por aquí, por acá. 약간 더 ~으로 un poco más acá. 거리의 ~에 a este lado de la calle. ~으로 오너라 Ven por aquí [acá]. ~으로 오십시오 Venga por aquí. ~으로 들어오너라 Entra [Pasa] por aquí. ~으로 들어오십시오 Entre [Pase] por aquí, por favor. ~으로 더 가까이 오세요 Acérquese más acá. ~을 보세요 Mire hacia aquí / Vuélvase a esta parte.

이쪽저쪽 este lado y aquel lado.

이차(二次) ① [두 번째] segundo *m*. ② [부차(副次)] segunda importancia *f*. ~의 secundario. ③ **【수학】** ¶~의 cuadrático.
■ ~ 다항식 polinomio *m* cuadrático. ~ 대전 la Guerra Mundial II [Segunda], la Segunda Guerra Mundial. ~ 방정식(方程式) ecuación *f* cuadrática, ecuación *f* de segundo grado. ¶~의 근(根)을 푸는 공식 fórmula *f* cuadrática. ~을 풀다 resolver una ecuación cuadrática. ~ 산업 =제이차 산업. ~색 color *m* compuesto. ~ 시험 segunda serie *f* de exámenes, segundo examen. ~식 expresión *f* cuadrática. ~원 segunda dimensión *f*. ~ 자료 dato *m* secundario. ~적 secundario. ¶~인 문제 cuestión *f* secundaria, problema *m* secundario. 그것은 ~인 문제다 Es una cuestión secundaria / Es una cuestión de poca importancia. ~ 전류 corriente *f* inducida, corriente *f* secundaria. ~ 전압 voltaje *m* secundario, voltaje *m* del circuito inducido. ~ 전자 electrón *m* secundario. ~ 전지 [축전지] acumulador *m*, batería *f* de acumuladores. ~ 코일 bobina *f* secundaria. ~ 함수 función *f* cuadrática. ~항 término *m* cuadrático. ~회 segunda junta *f*, segunda reunión *f*.

이 착(二着) segundo lugar *m*, segundo puesto *m*; [사람] segundo, -da *mf*. ~하다 ganar el segundo puesto, ocupar el segundo lugar.

이착륙(離着陸) el despegue y el aterrizaje. ~하다 despegar y aterrizar.

이채(異彩) ① [이상한 광채] brillo *m* extraordinario. ② [남다름. 뛰어남] prodigio *m*, maravilla *f*, pasmo *m*, figura *f* conspicua. ~를 띠다 lucir (mucho), brillar, destacarse, descollar, sobresalir, ser conspicuo. 그는 재필(才筆)로 ~를 띠고 있다 El brilla por su talento literario.

이처럼 así, tanto. ~ 많은 분이 참석해 주셔서 고맙습니다 Agradezco la presencia de

tantas personas.
이첨판(二尖瓣)【해부】válvula *f* bicúspide.
■ ~막 válvula *f* bicúspide.
이첩(移牒) notificación *f*, información *f*, comunicación *f*. ~하다 notificar, noticiar, informar, comunicar.
이체(異體) cuerpo *m* diferente.
이초(異草) hierba *f* extraña, planta *f* extraña.
이촉 raíz *f* (*pl* raíces) del diente, colmillo *m*.
이축(移築) el movimiento y la reconstrucción. ~하다 mover y reconstruir.
이출(移出) embarque *m*, cargamiento *m*. ~하다 embarcar, poner a bordo, exportar.
이출혈(耳出血)【의학】otorragia *f*, otemorragia *f*, hemorragia *f* aural.
이취(泥醉) crápula *f*, embriaguez *f*, borrachera *f*, borrachez *f*. ~하다 embriagarse, emborracharse. ~되어 있다 estar ebrio [borracho · embriagado].
이취임(離就任) acción *f* de dejar su puesto y asumir *su* puesto.
이층(二層) ① [단층 위에 한 층 더 올려 지은 층] dos pisos. ② [고층 건물에서, 밑에서 두 번째 층] primer piso *m*, primera planta *f*, piso *m* principal, *AmS* segundo piso *m*. ~의 de arriba, del principal. ~에서 arriba. ~에 en los altos. ~의 방 habitación *f* del primer piso. ~에 올라가다 subir al primer piso. ~에 있다 estar arriba. ~에서 살다 vivir en el primer piso.
■ ~ 버스 autobús *m* (*pl* autobuses) de dos pisos. ~장(欌) cómoda *f* de dos pisos. ~집 casa *f* de dos pisos, casa *f* de dos plantas.
이치(理致) razón *f*, principio *m*. ~를 말하다 razonar. ~에 맞다 ser razonable. ~에 맞는 razonable. ~에 맞게 razonablemente.
이치다 ((준말)) =이아치다.
이칭(異稱) otro nombre *m*, otro título *m*, alias *m*.
이코노미(영 *economy*) [경제] economía *f*.
■~ 클래스 clase *f* económica. ~ 티켓 billete *m* [*AmL* boleto *m*] económico.
이코노믹(영 *economic*) [경제적] económico.
■~ 섹션 [신문의 경제면] sección *f* económica. ~ 클래스 clase *f* económica.
이키 ¡Ah! / ¡Oh! / ¡No me digas! ~, 뱀이다 ¡Oh! Es serpiente. ~, 그 사람이 죽었다고? ¡No me digas! ¿Se murió él?
이키나 =이키.
이타(利他) altruismo *m*.
■ ~적(的) altruista, altruítico. ¶~으로 altruísticamente. ~주의 altruismo *m*. ~주의자 altruista *mf*.
이탄(泥炭)【광물】=토탄(土炭).
이탈(離脫) secesión *f*, separación *f*. ~하다 separarse (de), escindirse (de). 당적(黨籍)을 ~하다 separarse de *su* partido.
■~ 속도 =탈출 속도.
이탈리아【지명】Italia *f*. ~의 italiano.
■ ~ 사람[인] italiano, -na *mf*. ~ 어[말] italiano *m*.
이탓저탓 con esta excusa y ésa.
이태 dos años. 나는 ~ 동안 해외에 있었다 Yo estuve en el extranjero dos años.
이태리(伊太利)【지명】Italia *f*. ~의 italiano. ☞이탈리아
이탤릭(영 *italic*)【인쇄】(letra *f*) itálica *f*, cursiva *f*, carácter *m* cursivo.
■ ~ 문자[활자] (letra *f*) itálica *f*. ~체 cursiva *f*. ¶~로 en cursiva.
이테르븀(영 *ytterbium*)【화학】yterbio *m*, terbio *m*.
이토(泥土) =진흙(barro, fango).
이토록 como esto, tal.
이통(耳痛)【의학】dolor *m* de oído.
이트륨(영 *yttrium*)【화학】itrio *m*, ytrio *m*.
이튿날 ① [둘째날] el segundo día. ② [다음날] el día siguiente. ③ ((준말)) =초이튿날.
이틀[1] ① [두 날] dos días, ambos días. ~마다 cada dos días. ~ 걸러 cada tres días. ~ 계속 휴식 descanso *m* de dos días. 도착 ~째에 al segundo día de la llegada, a los dos días de la llegada. ② ((준말)) =이튿날. ③ ((준말)) =초이틀.
이틀[2] =치조(齒槽).
이틀거리【한방】malaria *f*.
이파(異派) otra escuela *f*, otra secta *f*, escuela *f* diferente, secta *f* diferente.
이판본(異版本) =이본(異本).
이판사판 situación *f* de cómo no poder hacer en el callejón sin salida. ~이다 *Méj* estar de arrancar.
이판암(泥板岩)【광물】esquisto *m*.
이팔(二八) ((준말)) =이팔청춘.
■ ~방년(芳年) edad *f* de diecisés años de edad. ~청춘 joven *mf* (*pl* jóvenes) de dieciséis años de edad, joven *mf* de antes de o después de dieciséis años de edad.
이페리트(불 *ypérite*)【화학】yperita *f*.
이편(一便) ① [이쪽의 편] este lado. ~으로 옮기시오 Mueva a este lado. 우체국은 길 ~에 있다 La oficina de correos está en este lado de la calle. ② [자기] nuestra parte, nuestro lado, nosotros, yo. ~의 잘못 mi culpa, nuestra culpa, la culpa de nuestra parte. 축구에서 ~이 이겼다 Nosotros ganamos el partido de fútbol.
이편저편(一便一便) ① [이쪽저쪽. 여기저기] de un lado a otro, aquí y allá. ② [이편짝 사람 저편짝 사람] la persona de este parte y la de aquella parte.
이편짝(一便一) este lado, esta parte.
이풀 pasta *f* de arroz.
이품(異稟) disposición *f* [talento *m*] natural más excelente que el otro.
이풍(異風) ① [이상스러운 기풍(氣風). 이상한 모양] carácter *m* extraño, disposición *f* extraña, aspecto *m* extraño, novedad *f*. ② =이속(異俗).
이 핑계 저 핑계 en este pretexto y otro.
이하(以下) ① [수량 · 정도] menos de, bajo, inferior a. 스무 살 ~의 사람 persona *f* menor [que no pasa] de veinte años. 이천 미터 ~의 산 montaña *f* de menos de dos

mil metros de altura. 만 원 ~로 a menos de diez mil wones. 평균 ~의 성적 nota *f* inferior al promedio. 중류 ~의 가정 familia *f* inferior a la clase media. ② [거기에서 뒤] lo siguiente, el resto, lo demás. ~ 등등 y así lo demás, etc. ~와 같이 como sigue. ~에 지시한 대로 como se indica abajo, como se cita abajo. ~ 같음 Sigue lo mismo. ~ 동문(同文) idem. ~ 다음 호에 계속 Continuará. 선장(船長) ~ 전(全) 승무원이 구조되었다 Fueron socorridos el capitán y toda la tripulación.

이하부정관(李下不整冠) No hagas nada que invite a sospecha de los otros desde principio.

이하선(耳下腺) 【해부】 [귀밑샘] parótida *f.*
■ ~염 parotiditis *f,* inflamación *f* de la parótida.

이학(理學) ① [물리·생물·지질·천문·화학 등 자연 과학을 연구하는 학문] ciencias *fpl* naturales, física *f.* ② =철학(哲學). ③ ((준말)) =성리학.
■ ~계 mundo *m* científico. ~ 무기(武器) el arma *f* (*pl* las armas) científica. ~ 박사 doctor, -tora *mf* en ciencias. ~부 facultad *f* de ciencias. ~사(士) licenciado, -da *mf* en ciencias. ~자 científico, -ca *mf;* físico, -ca *mf.*

이한(離韓) salida *f* [partida *f*] de Corea. ~하다 salir de Corea.

이 할(二割) el veinte por ciento.

이합(離合) la separación y la unión.
■ ~집산 alineamiento *m.*

이합사(二合絲) hilo *m* de dos hebras.

이항(二項) ¶~의 binomial.
■ ~ 방정식(方程式) ecuación *f* binomial. ~식(式) binomio *m.* ~ 정리 binomio *m* de Newton.

이항(移項) ① [항목을 옮김] movimiento *m* de términos. ~하다 mover los términos. ② 【수학】 transposición *f.* ~하다 transponer.

이해 este año, (año *m*) corriente *m.* ~ 오월(五月) mayo del año corriente, mayo de este año.

이해(利害) interés *m* (*pl* intereses). ~의 대립(對立) oposición *f* de intereses. ~의 일치(一致) coincidencia *f* de intereses. ~의 충돌 conflicto *m* de intereses. …과 ~를 같이하다 tener intereses comunes con *uno.*
■ ~관계 intereses *mpl* (comunes). ~관계인 los interesados. ~득실 las ganancias y las pérdidas, la ventaja y la desventaja. ~상반(相反) tanto las ganancias como las pérdidas, tanto la ventaja como la desventaja. ¶~하다 ser tanto provechoso como no provechoso. ~타산(打算) [계산] cálculo *m* de la pérdida y la ganancia; [욕심] interés *m* personal, egoísmo *m.* ~에 밝은 perspicaz para las ganancias.

이해(理解) comprensión *f,* entendimiento *m,* aprehensión *f,* inteligencia *f.* ~하다 comprender, entender; [깨닫다] ver, darse cuenta (de); [알다] enterarse (de); [알고 있다] saber, conocer; [납득하다] explicarse. ~시키다 hacer comprender; [설득시키다] persuadir, inculcar. ~가 빠른 de comprensión pronta [rápida], comprensivo, sensible, inteligente, de una inteligencia rápida, discreto. ~가 둔한 incomprensivo, torpe de ingenio, estúpido, de una comprensión lenta, duro de molleras, duro de entenderse. ~가 부족한 que carece de entendimiento. ~할 수 없는 incomprensible, inexplicable. ~하기 어려운 difícil de entender, de comprensión difícil; [읽기가] ilegible. ~하기 쉬운 fácil de comprender, fácil de entender, fácilmente comprensible. 쉬 ~가 가는 comprensible. 서로 ~하다 entenderse, comprenderse. ~가 빠르다 ser penetante, ser agudo, aprender pronto, aprender con facilidad. ~가 높다 aprender difícilmente, aprender con lentitud. ~하기 쉽게 설명하다 explicar de una manera comprensible, explicar de una manera fácil de entender. 사정을 잘 ~시키다 hacer comprender las circunstancias. 단념하도록 ~시키다 persuadir a resignarse. 내 말을 ~하시겠습니까? — 예, ~합니다 ¿Me entiende [comprende] usted? — Sí, le entiendo [comprende]. 아직 ~하지 못하겠습니다 Todavía no le entiendo [comprendo]. 이제 ~하겠다 Ya lo entenderé [veré · comprenderé]. 어떻게 할지 ~ 못한다 No sé qué hacer. ~했습니다 He entendido / Entendido / De acuerdo / Vale. 아, 이제 ~했습니다 Ah, ya caigo / Ah, sí entiendo / Ah, ya veo. 그는 사정을 잘 ~하고 있다 El comprende de bien las circunstancias. 이제 우리들은 그것을 더 잘 ~한다 Nosotros lo entendemos [comprendemos] mejor. 나는 그의 침묵을 ~할 수 없다 No me explico su silencio. 나는 그것에 대해 아무것도 ~하지 못한다 No entiendo [comprendo] nada de eso. 그는 서반아어를 ~한다 El entiende [comprende · conoce] (el) español. 너는 시(詩)를 ~하지 못한다 Tú no entiendes nada de poesía / En poesía tú eres una nulidad. 내가 ~할 수 없는 단어가 몇 개 있다 Hay una cuantas palabras que no entiendo. 나는 그가 왜 그 일을 했는지 ~할 수 없다 No logro entender [comprender] por qué él lo hizo. 마지막 질문을 제외하고는 전부 ~했습니다 Lo entendí todo, excepto la última pregunta. 당신은 아직도 나를 잘 ~하지 못하고 있다 Todavía no me conoce usted bien. 왜 당신이 나한테 화를 내고 있는지 ~하지 못하겠다 No me explico por qué estás enojado conmigo. 당신이 화내는 걸 ~합니다 Comprendo su enfado [su enojo]. 당신이 말씀하시는 것을 ~합니다 Le comprendo [entiendo] a usted / Entiendo [Comprendo] lo que dice usted.
■ ~력 comprensividad *f,* facultad *f* de comprensión. ¶~이 있는 comprensivo, entendido. ~이 없는 incomprensivo. ~이

있는 사람 hombre *m* juicioso, persona *f* sensible. ~이 좋다 ser comprensivo. ~심 entendimiento *m.* ¶어린이의 ~은 한정되어 있다 El entendimiento de un niño es limitado.

이행(移行) traslado *m,* transición *f.* ~하다 pasar, trasladarse; [변화하다] convertirse. 봉건 제도가 자본제(資本制)로 ~되었다 El régimen feudal se convirtió en un régimen capitalista.

이행(履行) cumplimiento *m,* ejecución *f,* desempeño *m,* realización *f,* ejercicio *m.* ~하다 cumplir, desempeñar, llevar a cabo, realizar. ~하지 못하다 incumplir, faltar (a). 그의 의무의 ~으로 en el ejercicio [el desempeño] de sus funciones. 계약을 ~하다 cumplir el contrato, desempeñar un contrato. 약속을 ~하다 cumplir *su* compromiso.

이향(異鄕) =타향(他鄕).

이향(離鄕) salida *f* [partida *f*] de *su* tierra natal. ~하다 salir de *su* tierra natal.

이현령비현령(耳懸鈴鼻懸鈴) Una verdad se puede interpretar de esta manera o de aquella manera.

이형(異形) variación *f.*
■ ~성 atipia *f.* ~ 수정 heterogamia *f.* ~ 유전 paraherencia *f.* ~ 융합 anisogamia *f.* ~ 이질 paradisentería *f.*

이형(異型) heteromorfia *f,* heteromorfismo *m.* ~의 heteromorfo.
■ ~ 배우(配偶) heterogamia *f.* ~ 염색체 heterocromosoma *f.*

이혼(離婚) divorcio *m,* separación *f.* ~하다 divorciarse (de), separarse (de), anular *su* matrimonio. ~을 제안하다 proponer el divorcio. 이것으로 우리는 ~이다 Con esto nos separamos. 그녀는 남편과 ~했다 Ella se divorció de su esposo. 그의 부모는 ~했다 Sus padres están divorciados.
■ ~ 소송 pleito *m* de divorcio. ¶~을 제기하다 presentar una demanda de divorcio. ~ 수당 alimentos *mpl,* asistencias *fpl.* ~ 수속 procedimiento *m* [trámites *mpl*] de divorcio. ~자(者) divorciado, -da *mf.* ~장 libelo *m* de repudio.

이혼병(離魂病) =몽유병(夢遊病).

이화(李花) ① [자두꽃] flor *f* del ciruelo. ② =모자표. ③ [대한 제국 때 관리들이 쓰던 휘장(徽章)] insignia *f.*

이화(異化) disimilación *f,* 【생물】 catabolismo *m.*

이화(梨花) flor *f* del peral.

이화 수분(異花受粉) 【식물】 =딴꽃가루받이 (polinización cruzada). ¶~하다 polinizar mediante polinización cruzada.

이화 수정(異花受精) 【식물】 =딴꽃정받이(fecundación cruzada). ¶~하다 fecundar mediante fecundación cruzada.

이화 작용(異化作用) 【생물·생리】 disimilación *f.*

이화학(理化學) fisicoquímica *f.*
■ ~ 연구소 instituto *m* de investigación físicoquímica.

이환(耳環) =귀고리.

이환(罹患) infección *f* de una enfermedad. ~하다 tomar contracto la enfermedad, contraer [coger] una enfermedad.
■ ~율(率) morbilidad *f.* ~자 persona *f* infectada, víctima *f.*

이 회(二回) dos veces. 월(月) ~ (발행)의 bimensual. 연(年) ~ (발행)의 semestral.
■ ~전 segundo encuentro *m,* segundo combate *m;* [퀴즈·토너먼트의] segunda vuelta *f,* segunda eliminatoria *f;* [권투·레슬링에서] segundo asalto *m;* [골프에서] segunda vuelta *f,* segundo recorrido *m;* [장애물뛰어넘기에서] segundo recorrido *m.*

이후(以後) ① [지금으로부터 뒤] en adelante, de aquí en adelane, de hoy en adelante, desde ahora (en adelante), a partir de ahora, a partir de hoy; [장래에] en el futuro, en lo porvenir, en lo sucesivo. ~네 행동(行動)에 조심해라 De aquí en adelante ten cuidado con tu conducta. ② [일정한 때로부터 뒤] desde, de, a partir de, después de, desde … en adelante. 그 ~ desde entonces, a partir de entonces, después (de eso), luego, más tarde. 8월 2일 ~ a partir del dos de agosto. 1944년 ~오늘까지 todo el tiempo desde 1944 (mil novecientos cuarenta y cuatro) hasta hoy día. 오후 다섯 시 ~는 집에 있겠습니다 Estaré [Me quedaré] en casa de las cinco de la tarde en adelante.

익-(翌) siguiente, próximo, que viene, que entra, entrante. ~년 el año que viene, el año próximo. ~일 el día siguiente.

익곡(溺谷) valle *m* sumergido.

익년(翌年) el año que viene, el año próximo, el próximo año, el año que entra, el año entrante.

익다¹ ① [열매·씨가 충분히 여물다] madurar(se). 익은 madurado. 익지 않은 verde. 익은 과실 fruta *f* madura. 익지 않은 과실 fruta *f* verde. 아주 잘 익은 사과 manzana *f* bien madura. 익게 하다 madurar, volver maduro. 벼가 익는다 El arroz se madura. 포도가 아주 잘 익었다 Las uvas han madurado muy bien. 이 토마토는 너무 익었다 Este tomate está demasiado maduro. 포도가 익기 시작한다 Colorean las uvas. ② [뜨거운 기운을 받아 날것이 먹을 수 있게 되다] estar cocido, estar hecho. 익은 cocido, hecho; [감자·밥·야채 등이] hervido. 너무 ~ estar reconocido. 야채가 익고 있다 Las verduras se están haciendo. ③ [술·김치·장 등이 맛이 들다] fermentar, añejarse; [치즈가] madurar. 익게 하다 añejar, criar. 술이 ~ añejarse, fermentar. 잘 익은 포도주 el vino bien añejo. 이 포도주는 아주 잘 익었다 Este vino se conserva muy bien.
■ 익은 밥 먹고 선소리한다 ((속담)) Decir con inmadurez / Decir como un tonto.

익다² ① [자주 경험하여 조금도 서투르지 않

다] (ser) hábil, experto, diestro, habilidoso; [일꾼이] cualificado, calificado; [일에] de especialista, especializado; estar familiarizado (con), estar experimentado, tener experiencia (para). 그들은 대립 상태를 피하는 데 아주 익었다 Ellos son muy hábiles [tienen mucha habilidad] para evitar enfrentamientos. 그녀는 바느질에 아주 익어 있다 Ella es bastante habilidoso para la costura / Ella se da bastante maña para coser. ② [여러 번 겪어 보아 설지 않다] familiarizarse, estar acostumbrado (a). 귀에 익은 목소리 voz *f* acostumbrada al oído. 내 손에 익은 사전 mi diccionario bien familiarizado. 귀에 ~ estar acostumbrado a escuchar. ③ [여러 번 보거나 들어서 잘 아는 사이다] conocer bien.

익명(匿名) anónimo *m*, seudónimo *m*, alias *m*, incognito *m*. ~의 anónimo, incognito. ~으로 anónimamente, de manera anónima, alias, bajo un seudónimo, usando un alias, bajo un nombre falso. ~의 편지 carta *f* anónima. ~의 중상 편지 anónimo *m* ponzoñoso. ~으로 쓰다 escribir en anónimo.
▪ ~ 광고 publicidad *f* ciega. ~ 기부 contribuciones *fpl* anónimas. ~ 기증 donación *f* anónima, regalo *m* anónimo. ~ 비평 artículo *m* de crítica sin firma. ~ 사원(社員) socio *m* silencioso, socia *f* silenciosa. ~자 anónimo, -ma *mf*. ~ 작가 escritor *m* anónimo, escritora *f* anónima. ~ 조합 asociación *f* anónima. ~ 투고 contribución *f* anónima [sin firma]. ~ 투서 anónimo *m*, letras *fpl* anónimas. ~ 투표 votación *f* secreta.

익모초(益母草) 【식물】 agripalma *f*.

익반죽 amasamiento *m* [amasadura *f*] con agua caliente. ~하다 amasar la harina con agua caliente.

익사(溺死) ahogamiento *m*, ahogo *m*. ~하다 ahogarse (en el agua), morir ahogado. ~시키다 ahogar. ~에서 …를 구하다 salvar a *uno* de morir ahogado. 그는 ~할 뻔했다 El casi iba a ahogarse.
▪ ~자 ahogado, -da *mf*. ~체 cadáver *m* de un ahogado.

익살 broma *f*, chiste *m*, gracia *f*, chanza *f*, comedia *f*, chunga *f*, humorada *f*, chuscada *f*, humorismo *m*.
◆ 익살(을) 떨다[부리다 · 피우다] echar a broma, hacer una cosa jocosa, guasearse.
▪ ~극 comedia *f*, farsa *f*, entremés *m*, sainete *m*, zarzuela *f*. ~꾼[꾸러기 · 쟁이] bromista *mf*, humorista *mf*, bufón, -fona *mf*, payaso, -sa *mf*, chistoso, -sa *mf*.

익살스럽다 (ser) humorístico, gracioso, ridículo, ridiculoso, chistoso, jocoso, cómico, con chispa, juguetón (*pl* juguetones). 익살스러운 말을 하다 decir una jocosidad.
익살스레 humorísticamente, graciosamente, ridículamente, cómicamente. ~ 이야기하다 hablar humorísticamente.

익수(-手) persona *f* experta, persona *f* cualificada.

익숙하다 (ser) hábil, experto, cualificado, calificado, diestro, habilidoso, tener experiencia, tener habilidad. 익숙해 있다 encontrarse [sentirse] a gusto (con). 익숙하지 않다 no estar acostumbrado [habituado] (a), no acostumbrarse (a), no habituarse (a). 익숙하지 못한 일 trabajo *m* no acostumbrado. 나는 아직 새 컴퓨터에 익숙해 있지 않다 Todavía no me he hecho al nuevo ordenador [a la nueva computadora].
익숙해지다 acostumbrarse (a), habituarse (a); [친해지다] familiarizarse (con); [풍토에] aclimatarse (a). …에 익숙해진 acostumbrado (a), habituado (a). 여러 번 경험해서 익숙해진 experimentado. 익숙해진 솜씨로 con manos expertas, hábilmente, con habilidad. …에 익숙해져 있지 않다 no estar acostumbrado a *algo* · *uno*. 새로운 일에 ~ acostumbarse al nuevo trabajo. 내가 쓰기 익숙해진 만년필 estilográfica *f* con la que estoy acostumbrado a escribir. 나는 소음에도 익숙해져 있다 Estoy acostumbrado aun a los ruidos. 나는 가난에는 익숙해져 있다 Estoy acostumbrado a la pobreza. 그는 이곳에 아직 익숙해져 있지 않다 El todavía no se ha aclimatado [habituado] a esta tierra.
익숙히 bien, hábilmente, con habilidad.

익야(翌夜) noche *f* del día siguiente.

익우(益友) amigo, -ga *mf* útil; amigo *m* provechos, amiga *f* provechosa.

익월(翌月) el mes que viene [entra], el mes próximo.

익은말 【언어】 =관용어(慣用語). 숙어(熟語).

익은이 carne *f* cocida, carne *f* de vaca asada después de cocer.

익일(翌日) =이튿날(día siguiente).

익자(益者) persona *f* que ayuda útilmente a otros.
▪ ~삼요(三樂) tres cosas aficionadas: la afición a la música, la afición al bien y la afición a muchos amigos buenos. ~삼우 tres amigos provechosos para sí mismo: el amigo honesto, el amigo fiel y elamigo de gran sabiduría.

익조(益鳥) 【조류】 pájaro *m* útil, el ave *f* (*pl* las aves) útil.

익충(益蟲) insecto *m* útil.

익효(翌曉) madrugada *f* del día siguiente.

익히 ((준말)) =익숙히. ¶~ 알다 saber bien [completamente · perfectamente · a fondo]

익히다 ① [익게 하다] madurar, volver maduro; [날것을 뜨거운 기운으로] hacer, preparar. 과일을 익히는 장소 madurero *m*. 과일을 익히는 적당한 장소 maduradero *m*. (요리를) 너무 ~ cocinar demasiado, recocer, dejar pasar. 감자를 ~ hacer [preparar] las patatas. ② [빚거나 담근 음식물이 제맛이 들게 하다] añejar, hacer fermentar. 포도주를 ~ añejar el vino. ③ [익숙하게 하다] tener ejercicio (de), practicar, entrenarse (en), ejercitarse (en), tomar lecciones (de), aprender (a + *inf*). 검도를 ~ entrenarse en esgrima. 바이올린을 ~ ejercitarse en el violín; [··한테서] tomar lecciones de violín con *uno*. 젊은 여성들이 교양으로 익혀야 할 일들 educación *f* digna de una mujer que se va a casar.

인 hábito *m* acostumbrado.

◆인이 박이다 acostumbrarse (a). 담배에 ~ acostumbrarse a fumar.

인(人) ① =사람(hombre). ② [사람의 수효를 나타내는 말] persona *f*. 삼십삼 ~ treinta y tres personas.

인[1](仁) 【윤리】 benevolencia *f*, humanidad *f*, filantrofía *f*.

인[2](仁) ① [씨에서 껍질을 벗긴 배(胚) 및 배젖의 총칭] embrión *m*. ② [세포의 핵 안에 있는 비교적 큰 입상체] gránulo *m*.

인[1](印) =도장(sello).

인[2](印) ((준말)) =인도(印度).

인(因) ① [원인이 일어나는 근본 동기] motivo *m*. ② ((불교)) causa *f*.

인(寅) 【민속】 ① [십이지지(十二地支)의 세 번째] *in*, el tercero de doce señales horarias. ② ((준말)) =인방(寅方). ③ ((준말)) =인시(寅時).

인(燐) 【화학】 fósforo *m*. ~의, ~을 함유(含有)한 fosfórico, fosforado.

▪~광석(鑛石) rocas *fpl* fosfatadas. ~중독(中毒) fosforismo *m*, envenenamiento *m* por el fósforo.

인-(人) persona *f*. ~쥐 persona *f* ilícita.

-인(人) persona *f*, hombre *m*, individuo *m*. 동양~ oriental *mf*. 서양~ occidental *mf*.

인가(人家) casa *f*, domicilio *m* humano. ~ 가까이 alrededor de la aldea, cerca de la aldea. ~가 드문 poco poblado, poco habitado. ~가 조밀한 muy poblado, densamente habitado, con casas aglomeradas. ~에서 떨어진 retirado, apartado, solitario. ~가 드문 마을 aldea *f* de poca población, pueblo *m* con pocas casas, pueblo *m* con casas esparcidas.

▪~ 근처 alrededor de la aldea, cerca de la aldea.

인가(認可) autorización *f*, aprobación *f*, permiso *m*, sanción *f*. ~하다 autorizar, aprobar, permitir, sancionar. 예산(豫算)의 ~ autorización *f* del presupuesto. ~를 내주다 dar sanción, otorgar permiso, dar licencia. ~를 얻다 obtener la autorización, obtener la sanción, ser autorizado, ser sancionado. 철도 건설의 ~를 받았다 Se ha autorizado la construcción del ferrocarril.

▪~장 [영사에 대한] exequátur *m*. ~증 certificado *m*, licencia *f*, patente *m*, permiso *m*, autorización *f*. ~ 학교 escuela *f* autorizada, escuela *f* aprobada por el Ministerio de Educación.

인가(隣家) casa *f* vecina.

인가난(人一) falta *f* [escasez *f*] de las personas cualificadas.

인각(印刻) grabado *m* de sello.

▪~사(師) grabador, -dora *mf* de sellos.

인간(人間) hombre *m*, ser *m* humano, humano *m*, mortales *mpl*; [가치 판단에서] persona *f*. ~의 humano, personal. ~은 죽기 마련이다 El hombre es mortal. ~은 만물의 영장이다 El hombre es el Señor de creación. ~ 도처(到處)에 유청산이라 La ocasión espera al hombre en todas partes.

▪~ 개조 reforma *f* en humanidad. ~ 게놈 genoma *m* humano. ~계 mundo *m* de mortales, mundo *m* terrestre. ~고(苦) sufrimiento *m* humano, amargura *f* de vida. ~ 고락(苦樂) placer y tristeza de vida. ~ 고해(苦海) mundo *m* humano amargo de vida; ((불교)) este mundo *m*. ~ 공학(工學) cibernénica *f*, ergonomía *f*, ingeniería *f* humana. ~관 vista *f* humana. ~ 관계 relaciones *fpl* humanas. ~ 국보 tesoro *m* nacional viviente. ~ 기계 máquina *f* humana. ~ 독 reconocimiento *m* médico general, examen *m* médico completo. ¶~에 들어가다 someterse a un reconocimiento médico general, entrar en el hospital para un examen médico completo. ~ 문화재 patrimonio *m* cultural humano. ~미(味) sentimiento *m* humano, humanidad *f*. ~ 사회 sociedad *f* humana. ~성(性) humanismo *m*, humanidad *f*, naturaliza *f* humana, cualidad *f* humana. ~ 송충 oruga *f* humana. ~애(愛) humanidad *f*. ~적 humano. ¶~으로 humanamente. ~ 중심주의 antropocentrismo *m*. ~ 탐구 estudio *m* de hombre. ~ 폭탄 bomba *f* humana. ~ 혐오 misantropía *f*. ~ 혐오자 misántropo, -pa *mf*, misantrópico, -ca *mf*. ~화(化) humanización *f*. ¶~하다 humanizar.

인감(印鑑) impresión *f* de sello.

▪~도장 sello *m* registrado, sello *m* legal. ~ 신고 registro *m* de impresión de sello. ¶~를 하다 hacer que *su* sello sea registrado, tener *su* impresión de sello registrada. ~ 증명 autorización *f* [legalización *f*] de un sello, certificado *m* de impresión de sello. ~ 증명서 certificado *m* de impresión de sello.

인갑(鱗甲) ① [비늘과 껍데기] la escama y la cáscara. ② [상어·악어 등의 딱딱한 껍데기] caparazón *m*(*f*), caparacho *m*.

인건(人件) asuntos *mpl* de personal.

▪~비 desembolso *m* del personal, gastos *mpl* de personal, costos *mpl* de mano de obra.

인걸(人傑) persona *f* distinguida, hombre *m* eminente, carácter *m* eminente, gran hombre *m*, hombre *m* extraordinario.

인격(人格) personalidad *f*, carácter *m* (*pl* caracteres); 【법률】 individuo *m*. ~이 높은 de alto carácter. ~을 존중하다 respetar la personalidad, respetar la dignidad humana. ~을 무시하다 ignorar la personalidad, ignorar la dignidad humana. ~을 형성하다 formar el carácter. ~을 존중하는 것이 필

요하다 Es preciso respetar la personalidad humana.

◆다중(多重) ~ personalidad *f* múltiple. 무(無)~ impersonalidad *f.* 법적(法的) ~ personalidad *f* jurídica. 전(全)~ personalidad *f* entera.

■~ 교육 formación *f* de carácter. ~권 derechos *mpl* personales. ~ 문제 asunto *m* [cuestión *f*] de personalidad. ~ 분열 disociación *f* de personalidad. ~ 상실 despersonalización *f.* ~자 hombre *m* de bien; hombre *m* de carácter; virtuoso, -sa *mf.* ~주의 personalismo *m.* ~ 해체 despersonalización *f.* ~화(化) personificación *f.* ¶~하다 personificarse. ~시키다 personificar.

인견(人絹) ① ((준말)) =인조견(人造絹). ② ((준말)) =인조 견사(人造絹絲).

■~사(絲) ((준말)) =인조 견사(人造絹絲).

인견(引見) audiencia *f,* recepción *f.* ~하다 dar audiencia (a), conceder audiencia (a), recibir en audiencia.

인경 *ingyong,* gong *m* grande de latón usado como campana de toque de queda.

인경(隣境) límite *m,* linde *m(f),* frontera *f.*

인계(引繼) entrega *f,* traspaso *m,* sucesión *f.* ~하다 [사무를] entregar, transferir, tomar posesión de (negocios); [계승하다] suceder, seguir, ser sucesor de, reemplazar. 사무를 ~하다 transferir los negocios oficiales. 아버지의 사업을 ~하다 suceder de los negocios a *su* padre.

인고(忍苦) resistencia *f,* aguante *m,* estoicismo *m;* [정신적인] entereza *f,* fortaleza *f.* ~의 생애(生涯) vida *f* estoica.

인골(人骨) huesos *mpl* del hombre, huesos *mpl* humanos.

인공(人工) ① [사람이 하는 일] trabajo *m* humano, obra *f* humana. ② [사람이 자연물에 가공하는 일. 인조(人造)] artificialidad *f,* calidad *f* artificial, calidad *f* de artificio, artificio *m.* ~의 artificial. ~으로 artificialmente. ~을 가하다 transformar, elaborar.

■~ 감미료 dulcificante *m* artificial. ~ 강설(降雪) nieve *f* artificial. ~ 강우 lluvia *f* artificial. ~ 건조 secado *m* artificial. ~ 교배 cruzamiento *m* artificial. ~ 낙태(落胎) aborto *m* artificial. ~ 두뇌 =컴퓨터 (ordenador). ~ 두뇌학 cibernética *f.* ~림 bosque *m* artificial. ~ 면역 inmunidad *f* artificial. ~물 artefacto *m.* ~미 =예술미(藝術美). ~ 방사능 radioactividad *f* artificial. ~ 배양 cultura *f* artificial. ~ 부화 incubación *f* artificial. ~ 분만(分娩) parto *m* artificial. ~ 수정(受精) caprificación *f,* cabrahigadura *f,* fecundación *f* artificial, partenogénesis *f* artificial, inseminación *f* artificial, inseminación *f* probeta, inseminación *f* de tubo de ensayo. ~ 수정아 niño, -ña *mf* probeta. ~ 수태(受胎) concepción *f* artificial. ~ 신장 riñón *m* artificial. ~ 심박 조율기 marcapasos *m* cardíaco artificial. ~ 심장(心臟) corazón *m* artificial. ~ 심폐 (장치) bomba *f* corazón-pulmón. ~어 lengua *f* artificial. ~ 영양 alimentación *f* artificial. ~위성 satélite *m* artificial. ~ 유산 =인공 임신 중절 수술. ~ 의치(義齒) dentura *f* postiza artificial. ~ 일광 luz *f* del sol artificial. ~ 임신 중절 수술 aborto *m* provocado. ~ 장기(臟器) vísceras *fpl* artificiales. ~적(的) artificial. ¶~으로 artificialmente. ~ 접종 inoculación *f* artificial. ~ 조림(造林) repoblación *f* forestal artificial. ~ 진주 perla *f* artificial, perla *f* de imitación. ~치(齒) diente *m* artificial; [집합적] dentadura *f* postiza artificial. ~ 태양등 lámpara *f* de cuarzo. ~ 피임법 anticoncepción *f* artificial, contraconcepción *f* artificial. ~항 puerto *m* artificial. ~ 향료 perfumes *mpl* sintéticos. ~ 혜성(彗星) cometa *m* artificial. ~ 호흡 respiración *f* artificial. ~ 호흡기 pulmotor *m,* máquina *f* respiratoria artificial. ~ 혹성 planeta *f* artificial.

인공(人共) ((준말)) =인민 공화국.

인과(因果) ① [원인과 결과] la causa y el efecto. ② ((불교)) karma *m;* [전생(前生)의] retribución *f* de los bienes o males cometidos en una vida anterior; [운명(運命)] destino *m.* 피할 수 없는 ~ retribución *f* inevitable.

■~ 관계 relación *f* causal. ~성(性) casualidad *f.* ~율[법칙] causalidad *f,* ley *f* de causa y efecto, principio *m* de la casualidad. ~응보 Quien mal siembra, mal coge / Donde las dan, las toman / El que quiere a la col quiere a las hojas de alrededor.

인광(燐光) fosforescencia *f,* luz *f* fosforosa. ~을 발하다 fosforecer, fosforescer.

인광(燐鑛) roca *f* fosfática, mineral *m* de fosfato.

인교(隣交) relaciones *fpl* amistosas con *sus* vecinos, amistad *f* con *su* país vecino.

■~ 정책(政策) política *f* de las relaciones amistosos con sus vecinos.

인구(人口) población *f,* [주민의 수] número *m* de habitantes. ~의 poblacional. ~의 증가 aumento *m* [crecimiento *m*] de población. ~의 감소 disminución *f* [baja *f*] de población, despoblación *f.* ~가 많은 de mucha población. ~가 적은 de poca población. ~가 조밀(稠密)한 densamente poblado. ~가 희박(稀薄)한 con poca densidad de población. ~에 회자(膾炙)된 que está en labios de todo el mundo; [시문(詩文) 따위] frecuentemente citado. ~에 회자(膾炙)하다 ser muy común, ser muy conocido. ~가 증가한다 La población aumenta. ~가 감소한다 La población disminuye. 서울의 ~는 몇 명입니까? ¿Cuántos habitantes tiene Seúl? 한국의 ~는 몇 명입니까? ¿Cuántos habitantes tiene Corea? / ¿Qué población tiene Seúl?

◆과잉 ~ población *f* excesiva, población *f*

superabundante. 노동(勞動) ~ población *f* activa. 농업 ~ población *f* agrícola. 맬서스 ~ 이론 teoría *f* maltusiana de la población. 부동 ~ población *f* flotante. 적정 ~ población *f* óptima. 학생 ~ población *f* estuantil.

■ ~ 과소 subpoblación *f*, baja densidad *f* de población. ~ 과잉 exceso *m* de población, superpoblación *f*, *AmL* sobrepoblación *f*. ¶~의 superpoblado, *AmL* sobrepoblado. ~ 지역 distrito *m* superpoblado. ~ 국세조사 censo *m*. ~ 동태 movimiento *m* de la población. ~ 문제 problema *m* de población, problema *m* demográfico. ¶~ 연구소 el Instituto de Investigación de Población. ~ 밀도 densidad *f* de población, densidad *f* demográfica. ¶~가 높은 de población densa. ~가 낮은 de población reducida. ~수 número *m* de habitantes. ~ 요인 factor *m* de población. ~ 정책(政策) política *f* demográfica. ~ 조사 censo *m* de población, censo *m* demográfico. ¶~를 하다 hacer el censo de los habitantes. ~ 증가 crecimiento *m* poblacional, crecimiento *m* demográfico, aumento *m* de la población. ¶2005년의 ~ crecimiento *m* poblacional para el año 2005 (dos mil cinco). ~ 증가율 tasa *f* de crecimiento demográfico, razón *f* de aumento de la población. ~ 지수 índice *m* de población. ~ 최적 밀도 densidad *f* óptima de población. ~ 통계 estadísticas *fpl* demográficas, estadísticas *fpl* sobre población. ~ 통계학 demografía *f*. ~ 폭발 explosión *f* demográfica. ~표 tabla *f* de población. ~ 피라미드 pirámide *m* de población. ~학 demografía *f*.

인구(印歐) ((지명)) la India y la Europa.

■ ~어 lengua *f* indoeuropea.

인구론(人口論) El ensayo sobre el principio de la población (de Malthus).

인국(隣國) país *m* (*pl* países) vecino.

인군(人君) =임금(soberano).

인군(仁君) soberano *m* benévolo.

인권(人權) ① =자연권(自然權). ② [인간이 인간으로서 당연히 갖는 기본적 권리] derechos *mpl* humanos. ~을 유린하다 infringir [atropellar] los derechos humanos, atropellar derecho personal. ~을 존중하다 respetar los derechos humanos. ~을 지키다 amparar [proteger · defender] los derechos humanos.

■ ~ 기구 organización *f* pro derechos humanos. ~ 문제 problema *m* [caso *m*] de los derechos humanos. ~ 상담소 centro *m* de consultación de derechos humanos. ~ 선언 la Declaración del Derechos Humanos; [불란서 혁명의] la Declaración de los Derechos del Hombre y del Ciudadano. ¶세계 ~ la Declaración Universal de los Derechos del Hombre. ~ 옹호 위원회 comisión *f* de los derechos humanos. ~ 유린(蹂躪) atropello *m* [violación *f*] de derecho personal, violación *f* de los derechos humanos. ~ 침해 violaciones *fpl* de los derechos humanos.

인근(隣近) vecindad *f*. ~의 vecino, cercano (a), próximo, adyacente.

인금(人—) *su* personalidad, *su* valor personal.

인기(人氣) popularidad *f*. ~ 있는 popular, favorito. ~ 없는 impopular. ~ 상승 중의 cada vez más popular. ~ 있는 산업 industria *f* floreciente, industria *f* muy próspera. ~가 떨어지다 perder *su* popularidad. ~가 없다 ser impopular, no tener popularidad, no tener el favor del público. ~가 있다 adquirir (la) popularidad. ~를 끌다 ganar la popularidad. ~를 얻다 ganar [gozar de] una buena reputación, adquirir una gran popularidad. ~ 절정이다 estar en el apogeo de *su* popularidad. 사람들에게 ~가 있다 tener buena acogida del público. 그는 학생들에게 ~가 좋다 El es muy popular entre los alumnos. 그는 부하들에게 ~가 있다 El es muy querido de sus subalternos / El es popular entre sus subalternos. 이 물건은 ~가 있다 Este artículo es muy solicitado. 한국관이 ~를 모았다 El pabellón coreano gozó de una gran popularidad. 이 신제품은 ~가 있다 Este producto nuevo tiene popularidad [buena acogida].

■ ~ 배우 actor, -triz *mf* popular; ídolo *m* del escenario; [영화의] ídolo *m* de la pantalla, estrella *f* de cine. ~ 선수 figura *f* popular; as *m*. ~ 소설 novela *f* popular, novela *f* que causa sensación. ~인(人) favorito, -ta *mf*; ídolo *m*. ¶그는 반에서 ~이다 El es muy popular entre sus companeros de clase. ~ 작가(作家) escritor, -tora *mf* popular. ~ 정책 política *f* popular. ~주(株) acciones *fpl* activas. ~ 직업 negocio *m* basado en el favor del público. ~투표 voto *m* de popularidad, examen *m* de popularidad.

인기척(人—) indicación *f* de la persona que hay alrededor.

인꼭지(印—) mango *m* del sello.

인끈(印—) =인수(印綬).

인날(人—) el siete de enero del calendario lunar.

인내(人—) ① [사람의 몸에서 나는 냄새] olor *m* al cuerpo humano. ② [짐승 · 벌레 등이 맡는 사람 냄새] olor *m* humano que huelen los animales y los insectos).

인내(忍耐) paciencia *f*, perseverancia *f*, sufrimiento *m*, aguante *m*. ~하다 tener paciencia, perserverar, aguantar. ~할 수 있는 aguantable. 그것은 ~를 요하는 일이다 Es un trabajo que requiere paciencia. ~는 용기보다도 더 유익하다 La paciencia es más útil que el valor. 진짜 ~는 참을 수 없는 일을 참아 내는 데 있다 La verdadera paciencia está en aguantar lo inaguantable.

■ ~력 paciencia *f*. ¶~이 부족하다 carecer

de paciencia. 그 일을 하기 위해서는 ~이 필요하다 Hace falta (tener) paciencia para hacerlo. ~성 disposición *f* paciente. ~심 paciencia *f*. ¶~이 강한 paciente, perseverante, sufrido. 그는 ~이 부족하다 El carece de la paciencia.

인내- Dame. ~게 Dámelo. ~시오 Démelo.

인내천(人乃天) ((천도교)) El hombre es el cielo.

인년(寅年) 【민속】 el Año del Tigre.

인니(印尼) 【지명】 Indonesia *f*. ☞인도네시아

인다오 Dámelo.

인대(靭帶) 【해부】 ligamento *m*. ~의 ligamentoso.

■ ~병(病) desmopatía *f*. ~염 sindesmitis *f*, desmitis *f*. ~종 sindesmoma *m*. ~ 종양 desmocitoma *m*.

인덕(人德) virtud *f* (natural). ~을 갖춘 남자(男子) hombre *m* de alta virtud. 이것도 당신의 ~ 때문이다 Esto se debe a su virtud.

인덕(仁德) benevolencia *f*, humanidad *f*, generosidad *f*.

인덱스(영 *index*) ① =색인(索引). ② 【수학】 =지수(指數).

인도(人道) ① [넓은 도로에서 차도와 구별하여 사람만이 다니는 길. 보도(步道)] acera *f*. ② [인간으로서의 마땅한 도리] humanidad *f*. ~에 반(反)한 inhumano, cruel.

■ ~교(教) ((종교)) religión *f* de humanidad. ~교(橋) pasarela *f*, puente *m* peatonal. ~적 humano, humanitario. ¶~으로 humanamente, humanitariamente. 그것은 ~인 문제다 Eso es un problema de orden humanitario. ~주의 humanitarismo *m*. ~주의자 humanista *mf*.

인도(引渡) ① [물건 · 권리를 건네어 줌] entrega *f*, [권리의] traspaso *m*, cesión *f*, [범인의 국제적인] extradición *f*. ~하다 entregar, poner en manos (de); [권리의] traspasar, transferir, rendir, ceder. 범인을 경찰에 ~하다 entregar [llevar] un criminal a [ante] la policía. 범인을 그의 본국에 ~하다 hacer la extradición de un reo (a su país). 상품의 ~는 대금과 교환으로 합니다 Entregamos los géneros a [contra] reembolso. ② 【법률】 entrega *f*. ~하다 entregar.

◆도착항 ~ puerto *m* franco de destino. 범인 ~ 조약 tratado *m* de extradición. 본선 ~ franco a bordo, f.o.b. 즉시(卽時) ~ entrega *f* inmediata.

■~ 가격 precio *m* entregado. ~ 기간 plazo *m* de entrega. ~ 날짜 fecha *f* de entrega. ~ 달 mes *m* de entrega. ~ 명령 orden *f* de entrega. ~ 부두 dique *m* de entrega. ~ 부족 entrega *f* de mercancía incompleta. ~ 비용(費用) gastos *mpl* de entrega. ~ 수령증 nota *f* de entrega. ~식 ceremonia *f* de entrega. ~ 영수증 recibo *m* de entrega. ~일 día *m* de (la) entrega, fecha *f* de (la) entrega. ~ 장소 lugar *m* de (la) entrega. ~ 제도 sistema *m* de entrega. ~ 조건(條件) condiciones *fpl* de entrega. ~증(證) nota *f* de entrega. ~필 entregado. ~항 puerto *m* de entrega.

인도(引導) ① [가르쳐 일깨움] despertamiento *m* después de la enseñanza. ~하다 despertar después de enseñar. ② [길을 안내함] guía *f*. ~하다 guiar. ③ ((불교)) [사람을 불도(佛道)로 이끄는 일] guía *f* al budismo. ~하다 guiar al budismo. ④ ((불교)) [장례 때 중이 관 앞에서 경을 외는 일] recitación *f* de la fórmula que asegura el paso de un alma al otro mundo. ~하다 recitar la fórmula que asegura el paso de un alma al otro mundo..

■ ~자(者) guía *mf*.

인도(印度) 【지명】 la India. ~의 indio, hindú.

■~ 문학 literatura *f* india. ~ 사람 indio, -dia *mf*; hindú *mf*. ~어 hindi *m*. ~ 철학 filosofía *f* india.

인도네시아 【지명】 Indonesia *f*. ~의 indonesio.

■~ 사람[인] indonesio, -sia *mf*. ~ 어[말] indonesio *m*.

인도양(印度洋) el (Océano) Indico.

인도어(영 *indoor*) [실내의] [옷 · 구두] para estar en casa; [식물] de interior(es); [수영장 · 테니스 코트] cubierto, techado.

■~ 사커 fútbol *m* sala.

인도유럽 어족(Indo-Europe 語族) lenguas *fpl* indoeuropeas, familia *f* indoeuropea.

인도차이나(영 *Indo-China*) 【지명】 Indochina *f*.

인도차이나 어족(Indo-China 語族) lenguas *fpl* indoeuropeas, familia *f* indoeuropea.

인도코끼리(印度-) 【동물】 elefante *m* de Asia.

인동(忍冬) ① 【식물】 =인동덩굴. ② 【한방】 los tallos y las hojas de la madreselva secada.

■ ~덩굴 madreselva *f*.

인두 ① [바느질할 때 불에 달구어, 천의 구김살을 눌러 펴는 데 쓰이는 기구] *indu*, planchuela *f* [plancha *f* pequeña] con la forma de corazón para planchar el pliegue de la tela. ② ((준말)) =납땜인두(soldador). ③ [이발용의] tenacillas *fpl*, encrespador *m*. ④ [머리를 곱슬곱슬하게 하는] rizador *m*.

■~질 el planchar; [납땜] soldadura *f*. ¶~하다 planchar; [납땜하다] soldar. ~판 tabla *f* para la planchuela.

인두(人頭) ① [사람의 머리] cabeza *f* humana. ② [사람의 머릿수] número *m* de las personas.

■~세 capitación *f*, impuesto *m* comunitario de capitación.

인두(咽頭) 【해부】 faringe *f*. ~의 faríngeo.

■~염 faringitis *f*. ~통 faringalgia *f*.

인두겁(人-) máscara *f* humana.

인둘리다(人-) estar mareado de los aborrotados.

인듐(영 *indium*) 【화학】 indio *m*.

인들 hasta, incluso, aun cuando, a pesar de

que, aunque. 세 살 먹은 아이~ hasta el niño de tres años de edad.
인디고(영 *indigo*) añil *m*, indigo *m*.
인디아(영 *India*) 【지명】=인도(印度).
인디언(영 *Indian*) ① [인도(印度) 사람] indio, -dia *mf*, hindú *mf*. ~의 indio, hindú. ② [아메리칸 인디언] indígena *mf*, indio, -dia *mf*. ~의 indígena, indio.
인디오(서 *indio*) indio, -dia *mf*.
인력(人力) ① [사람의 힘] poder *m* humano, fuerza *f* (humana), facultad *f* humana. 그것은 ~이 미치지 못한다 La fuerza humana no alcanza eso / Eso supera a la fuerza humana. ② [인간의 노동력] mano *f* de obra, personal *m*; [인적 자원] recursos *mpl* humanos. ~이 필요하다 necesitar la mano de obra.
■~ 감사 auditoría *f* de la mano de obra, auditoría *f* de recursos humanos. ~ 관리 dirección *f* de recursos humanos. ~난 dificultad *f* de la mano de obra. ~ 수출 exportación *f* de la mano de obra.
인력(引力) [지구의] gravedad *f*, gravitación *f* terrestre; [물체간의] atracción *f*; [자기의] magnetismo *m*.
인력거(人力車) carrito *m* [vehículo *m*] tirado por un hombre, calés *m*, calesa *f* (oriental de dos ruedas tirada por un hombre).
■~꾼 calesero *m*.
인례(引例) cita *f*. ~하다 citar.
인류(人類) ser *m* humano, humanidad *f*, género *m* humano, raza *f* humana. ~의 humano. ~의 행복 felicidad *f* humana.
■~ 발달사 historia *f* de progreso humano. ~사 historia *f* de ser humano. ~ 사회 sociedad *f* humana. ~애 amor *m* a la humanidad.~ 역사 historia *f* humana. ~학 antropología *f*. ~학자 antropólgo, -ga *mf*.
인륜(人倫) [도덕] moralidad *f*, moral *f*; [인도(人道)] humanidad *f*. ~에 반(反)하다 ser contrario a la humanidad, atentar contra la moralidad. 그의 행위는 ~에 어긋난다 Su conducta es inmoral.
■~대사 asunto *m* importante en la vida humana. ~ 도덕 la ética y la moralidad.
인마 este hombre, este tipo.
인마(人馬) ① [사람과 말] el hombre y el caballo. ② [마부와 말] el cochero y el caballo. ③ 【천문】((준말)) =인마궁(人馬宮).
■~궁 Arquero *m*, Sagitario *m*.
인마자리(人馬-) 【천문】 Centauro m.
인망(人望) ① [신뢰] confianza *f*. ② [존경] estimación *f*, respeto *m*. ~ 있는 estimado, respetado. ~ 없는 poco estimado. ~이 높다 disfrutar de la reputación alta. ~을 잃다 perder la confianza. 그는 학생들에게 ~이 있다 Los estudiantes tienen confianza en él / El es respetado por los estudiantes. ③ [인기] popularidad *f*. ~ 있는 popular. ~ 없는 impopular. ~을 잃다 perder la popularidad. 민중(民衆)의 ~을 모으다 disfrutar de la popularidad del pueblo.
■~가(家) persona *f* popular, ídolo *m* del pueblo.
인맥(人脈) relaciones *fpl* estrechas de las personas de la misma línea.
인면(人面) cara *f* del hombre.
■~수심(獸心) Bestia con la cara humana / Cara de santo, corazón de gato.
인멸(湮滅) extinción *f*, apagamiento *m*; [고의적] destrucción *f*, abolición *f*, supresión *f*. ~하다 extinguirse, apagarse, suprimir, destruir. 증거를 ~하다 suprimir las pruebas.
인명(人名) nombre *m* del hombre.
■~록 directorio *m*, publicación *f* que consiste en una lista de las personas importantes en determinado campo. ~부 lista *f*, lista *f* de nombres, directorio *m*. ~사전(辭典) diccionario *m* biográfico. ~색인 índice *m* del nombre, índice *m* de personas.
인명(人命) vida *f* humana, vida *f*. ~의 손해 pérdida *f* de la vida. ~은 무엇보다도 중요하다 La vida humana es inestimable. 그 사고로 다수(多數)의 ~을 잃었다 En ese accidente perecieron muchas vidas.
■~ 경시 desprecio *m* de la vida humana. ¶~를 하다 despreciar la vida humana. ~의 풍조가 있었다 Había una tendencia a despreciar la vida humana. ~ 구조(救助) salvamento *m* (de la vida humana). ~재천(在天) La vida y la muerte del hombre dependen del cielo. ~ 존중 respeto *m* a la vida humana.
인모(人毛) pelo *m* del hombre.
인문(人文) civilización *f*, cultura *f*. ~의 civil, cultural. ~이 발달된 civilizado, culto. ~의 발달 avance *m* [progreso *m*·adelanto *m*] de civilización.
■~ 과학 ciencias *fpl* humanas, ciencia *f* de cultura. ~주의 humanismo *m*. ~주의자 humanista *mf*. ~ 지리학 geografía *f* humana [descriptiva·política]. ~ 학부(學部) facultad *f* de humanidades [de ciencias humanas].
인물(人物) ① [사람과 물건] el hombre y el objeto. ② [인품(人品)] personalidad *f*, carácter *m*. ~을 보증하다 garantizar la personalidad (de). ~을 시험하다 poner a prueba la personalidad (de). ③ [인재(人材)] hombre *m* (de habilidad), talento *m*. 금년의 ~hombre *m* del año. 그는 굉장한 ~이다 El es una persona extraordinaria. 그는 상당한 ~이다 El es alguien (en el mundo) / El es un hombre algo. ④ [용모(容貌)] figura *f* (humana). 걸출(傑出)한 ~ figura *f* sobresaliente. 역사상의 ~ figura *f* histórica. 위대한 ~ gran hombre *m*, hombre *m* de calibre. ⑤ [등장인물] personaje *m*. ~을 등장시키다 hacer aparecer a un personaje. ~을 묘사하다 hacer la descripción de un personaje. ~과 동일하다 identificarse con el personaje. ⑥【미술】((준

말)) =인물화. ¶~을 묘사하다 retratar a una persona. 그 그림에는 세 사람의 ~ 이 묘사되어 있다 Hay tres figuras en el cuadro.

■ ~가난 escasez *f* de hombre de talento. ~고사 examen *m* de personalidad. ~ 묘사 descripción *f* de un personaje. ~평 crítica *f* personal, caracterización *f*. ~ 평론 crítica *f* personal. ~화 figura *f*; [초상화] retrato *m*; [풍경. 정물] pintura *f* de figura. ~ 화가 retratista *mf*; pintor, -tora *mf* de retratos.

인민(人民) pueblo *m*. ~의 popular. ~의 소리 voz *f* popular, voz *f* del pueblo.

■ ~당(黨) Partido *m* Popular. ~ 민주주의 democracia *f* popular. ~ 위원 miembro *mf* del comité popular. ~ 위원회 comité *m* popular. ~ 재판 juicio *m* popular. ~ 전선 frente *m* popular. ~ 정부 gobierno *m* popular. ~ 정치 gobierno *m* por [para] el pueblo, gobierno *m* del pueblo. ~ 주권 soberanía *f* popular. ~ 투표 voto *m* popular, plebiscito *m*, referéndum *m*.

인 박이다 acostumbrarse (a). 술에 ~ acostumbrarse a beber (el vino).

인발(印-) marca *f* del sello sellado.

인방(引枋) 【건축】 dintel *m*.

◆상(上)~ dintel *m* superior. 하(下)~ dintel *m* inferior.

인방(寅方) 【민속】 la Dirección del Tigre.

인방(隣邦) país *m* (*pl* países) vecino.

인보(印譜) colección *f* de las marcas del sello sellado; colección *f* de facsímiles de varios sellos, especialmente de pintores y calígrafos.

인보(隣保) ① [가까운 이웃집] casa *f* vecina cercana; [가까운 이웃집 사람] vecino *m* cercano, vecina *f* cercana. ② [가까운 이웃끼리 서로 도움] cooperación *f* entre los vecinos cercanos.

■ ~ 사업 obra *f* social.

인보이스(영 *invoice*) 【경제】 [송장] factura *f*.

인복(人福) =인덕(人德).

인본(印本) libro *m* impreso.

인본 교육(人本教育) educación *f* humanitaria.

인본주의(人本主義) 【철학】 humanismo *m*, humanitarismo *m*.

■ ~자(者) humanista *mf*.

인봉(印封) selladura *f* con un sello oficial.

인부(人夫) peón *m* (*pl* peones); jornalero, -ra *mf*; trabajador, -dora *mf*; operario, -ria *mf*; bracero, -ra *mf*; culí *mf*; [짐꾼] maletero *m*, mozo *m*, *RPl* changador *m*.

■ ~ 십장(什長) capataz *mf*, capataza *f*.

인분(人糞) excrementos *mpl* (humanos), estiércol *m* humano, heces *fpl*.

■ ~뇨 el estiércol humano y la orina humana. ~ 비료 estiércol *m* humano.

인비(人秘) ((준말)) =인사 비밀.

인비(燐肥) ((준말)) =인산 비료.

인비늘(人-) piel *f* escamosa, piel *f* con escamas.

인사(人士) persona *f*, hombre *m*.

인사(人事) ① [남에게 공경하는 뜻으로 하는 예의] saludo *m*, salutación *f*. ~하다 saludar, complimentar, hacer una reverencia, inclinarse en señal de saludo. ~도 없이 sin decir adiós, sin mandar ni siquiera un saludo, a la francesa. ~를 나누다 cambiar salutación, saludarse. ~를 되받다 devolver un saludo. ~ 없이 떠나다 irse sin despedirse, irse sin decir adiós, irse sin saludar. ~ 없이 헤어지다 despedirse a la francesa. 서로 ~하다 saludarse uno a otro [el uno al otro · uno de otro · el uno del otro · mutuamente]. 아침 ~를 나누다 dar los buenos días. 고개를 약간 숙여 ~하다 saludar*le* a *uno* inclinando levemente la cabeza. 허리를 몹시 굽혀 공손한 ~를 하다 hacer una reverencia profunda. 이것이 ~입니까? ¿Es ésta manera de saludar? / ¿A qué viene eso? ② [처음 만나는 사람끼리 통성명을 통함] intercambio *m* de *sus* nombres. ~하다 intercambiarse los nombres, presentarse uno de otro. ③ [사람들 사이에 지켜야 할 예의] complimentos *mpl*, cortesía *f*, etiqueta *f*. 그것은 ~가 아니다 No es etiqueta. ④ [사람이 하는 일] negocio *m* personal, negocio *m* humano, asunto *m* humano, lo que el hombre puede hacer. ⑤ [개인의 의식·능력·신분에 관한 일] asuntos *mpl* personales, personal *m*. ~는 그의 임의대로 단행한다 El arregla a su voluntad las cuestiones de personal.

■ ~계 sección *f* de personal. ~ 계장 jefe, -fa *mf* de personal. ~ 고과 clasificación *f* de méritos, rendimiento *m* efectivo. ~과 departamento *m* de personal. ~ 과장 jefe, -fa *mf* de departamento de personal. ~ 관리 dirección *f* [administración *f* · gerencia *f* · gestión *f*] de personal. ~ 교류(交流) intercambio *m* de personal (entre). ¶부처간(部處間) ~ reorganización *f* de personal interministerial. ~권(權) derecho *m* de la dirección de personal. ~ 기록 récord *m* de personal. ~란 columna *f* de personal. ~말 preámbulos *mpl*. ~ 문제 cuestiones *fpl* de personal, problema *m* de relaciones humanas. ~부(部) división *f* de personal, departamento *m* de personal. ~불성 insensibilidad *f*, desmayo *m*. ¶~의 insensible, inconsciente. ~이 되다 desmayarse. ~이다 estar sin conocimiento, estar sin sentido. ~에 빠지다 caer inconsciente, perder el conocimiento. ~ 비밀 secreto *m* de asuntos personales. ~ 상담란 columna *f* de asuntos personales, columna *f* de relaciones humanas. ~ 상담소 consultorio *m* de asuntos personales. ~성 cortesía *f*, sociabilidad *f*. ~ 소송(訴訟) pleito *m* de personal. ~ 위원회 la Comisión de Personal, el Comité de Personal. ~ 이동 movimiento *m* de personal, reorganización *f* de personal. ¶내각(內閣)의 ~ [개편] remodelación *f* del gabinete. ~을 단행하다 cambiar de personal. ~장(狀) tarjeta *f* de saludo, carta *f* de saludo, carta *f* de salutación. ~ 정책 política *f* de personal. ~처 la Oficina de Negocios Humanos. ~ 행정 administración *f* de(l) personal.

인산(人山) corro *m*, corrillo *m*.
■ ~인해(人海) corro *m*, corrillo *m*, muchedumbre *f* de personas, multitud *f* de personas, horda *f*. ¶~를 이루고 있다 Se reúnen formando corro. 해변은 ~였다 Había miles de personas en la playa / Había una multitud de personas en la playa / Estaba de bote en bote en la playa.

인산(因山) funeral *m* nacional.

인산(燐酸) 【화학】 ácido *m* fosfático, ácido *m* fostótado.
■ ~ 비료 fertilizante *m* fosfatado, abono *m* fosfórico. ~석회 fosfato *m* de cal. ~염 fosfato *m*. ~칼슘 fosfato *m* cálcico, fosfato *m* de calcio.

인삼(人蔘) 【식물】 *insam*, ginseng *m*, ginsén *m*. 고려 ~ ginsén *m* [ginseng *m*] coreano.
■ ~주 vino *m* de ginsén. ~차 té *m* de ginsén.

인상(人相) fisonomía *f*, fisionomía *f*, facciones *fpl*. ~이 좋은 de buena fisonomía. ~이 나쁜 de mala fisonomía, de expectación ominosa. ~이 나쁜 남자 hombre *m* de fisonomía ominosa. ~을 보다 adivinar el destino por la fisonomía, predecir el porvenir por *sus* facciones, leer el carácter por *sus* facciones. 그는 ~이 완전히 변했다 El ha cambiado completamente de fisonomía.
■ ~서 descripción *f* fisonómica. ¶범인의 ~를 작성하다 hacer una descripción fisonómica del criminal. ~학 fisonomía *f*. ~학자 fisonomista *mf*, fisónomo, -ma *mf*.

인상(引上) ① [끌어 올림] levantamiento *m*. ~하다 levantar. ② [물건 값·요금·봉급 등을 올림] subida *f*, el alza *f*. ~하다 subir, alzar. ③ ((역도)) levantamiento *m*.

인상(印象) impresión *f*. 첫~ las primeras impresiones. 마드리드에 대한 나의 ~ mis impresiones que tengo de Madrid. ~을 남기다 dejar la impresión. ~을 받다 recibir la impresión. ~을 주다 impresionar, dar impresión, producir impresión, causar, parecer. 좋은 ~을 주다 causar*le* a *uno* (una) buena impresión. 나쁜 ~을 주다 causar*le* a *uno* (una) mala impresión. 선명하고 강렬한 ~을 받다 recibir una impresión muy viva. 철부지 ~을 주다 dar una impresión pueril. …에게 …하는 ~을 주다 dar*le* a *uno* la impresión de que …. 그는 나에게 아주 좋은 ~을 주었다 El me impresionó muy bien. 그 사람에 대해 흐릿한 ~밖에 남아 있지 않는다 De él no me queda más que una vaga impresión. 그는 우리들에게 좋은 [나쁜] ~을 주었다 El nos dio [causó · hizo · produjo] (una) buena [mala] impresión. 네 일은 우리에게 아주 좋은 ~을 주었다 Tu trabajo nos causó muy buena impresón. 그녀가 가고 싶어하지 않다는 ~을 나는 받는다 Tengo [Me da] la impresión de que ella no quiere ir. 한국의 첫~은 어떻습니까? ¿Cuál es su primera impresión de Corea? 서반아는 당신의 ~에 어떠했습니까? ¿Qué le ha parecido España? / ¿Qué impresión ha tenido usted de España?
◆신(新)~주의(主義) neoimpresionismo *m*.
◆인상(이) 깊다 tener [dar*le*] la impresión profunda, impresionar*le* mucho a *uno*.
■ ~적 impresionante. ~주의 impresionismo *m*. ~주의자 impresionista *mf*. ~파 ㉮ escuela *f* impresionista. ㉯ [사람] impresionista *mf*. ¶~ 음악 música *f* impresionista. ~ 화가(畵家) pintor *m* impresionista, pintora *f* impresionista.

인새(印璽) =옥새(玉璽).

인색하다(吝嗇―) (ser) mezquino, avaro, tacaño, miserable, avaricioso. 인색함 mezquindad *f*, avaricia *f*, tacañería *f*. 인색한 사람 tacaño, -ña *mf*; avaro, -ra *mf*; persona *f* mezquina; cicatero, -ra *mf*. 인색하기가 말할 수 없다 llevar una vida mezquina. 돈에 ~ no aflojar la bolsa, ser tacaño en dinero. 교제비에 ~ economizar los gastos sociales. 인색한 생활로 돈을 모으다 ahorrar dinero llevando una vida de tacaño. 그는 ~ El es un mezquino. 인색하게 굴지 마라 No seas tacaño / Sé más generoso.

인생(人生) vida *f*, vida *f* humana, vida *f* del hombre. 가시밭 ~ vida *f* de espinas. 장밋빛 ~ vida *f* de rosas. ~을 즐기다 gozar de la vida, disfrutar de la vida. 행복한 [비참한] ~을 보내다 llevar una vida feliz [miserable]. 괴롭고 쓰라린 ~을 보내다 pasar muchas fatigas en la vida, llevar una vida arrastrada, llevar una vida de perros. 이것이 ~이다 Así es la vida / Tal es la vida / Esto es la vida humana. 그는 ~ 경험이 풍부하다 El tiene un gran experiencia de la vida / El es un hombre de mucha experiencia en la vida. ~은 일장춘몽이다 La vida es (un) sueño.
◆인생은 짧고 예술은 길다 La vida es corta, el arte largo. 인생 칠십 고래희(一七十古來稀) Es muy difícil vivir hasta setenta años de edad.
■ 인생은 겨우 오십 년 ((속담)) La vida es un soplo / La vida es (un) sueño. 인생은 뿌리 없는 평초(萍草) ((속담)) La vida es peregrinación.
■ ~관 vista *f* de la vida, idea *f* de la vida, concepto *m* de la vida, concepción *f* de la vida. ~ 기록 memoria *f* de vivir humano, documento *m* humano. ~무상(無常) vida *f* efímera. ~ 문제 problemas *mpl* de vida. ~ 여로[항로] viaje *m* de vida. ~ 철학 filosofía *f* de vida. ~행로 curso *m* de *su* vida.

인생(寅生) 【민속】 nacimiento *m* del año del Tigre.

인서(仁恕) generosidad *f*. ~하다 (ser) generoso.

인석(人石) dos estatuas de piedra antes de la tumba del rey.

인석(茵席) esteras *fpl*.

■ ~장이 esterero, -ra *mf*.

인선(人選) selección *f* del personal. ~하다 seleccionar una persona. ~ 중이다 estar buscando una persona adecuada. 각료(閣僚)의 ~을 하다 distribuir las carteras (ministrales), escoger a los ministros. 그들은 위원의 ~을 잘못했다 Ellos se equivocaron en la selección de los miembros del comité. 그는 후보자의 ~에서 누락되었다 El no fue incluido en la selección para la candidatura. 후임자를 현재 ~ 중이다 El sucesor ahora está bajo consideración.

■ ~난 dificultad *f* de seleccionar persona adepta.

인성(人性) naturaleza *f* humana, humanismo *m*; [본성] instinto *m* humano.

■ ~론 tratado *m* de naturaleza humano. ~주의자 humanista *mf*. ~학 etología *f*.

인성(人聲) voz *f* humana.

인성(靭性) tenacidad *f*. ~의, ~이 있는 tenaz (*pl* tenaces); [집착성이 강한] pertinaz (*pl* pertinaces).

인성만성 ① [여러 사람이 복작거려 떠들썩한 모양] alborotadamente, tumultuariamente, tumultuosamente, con tumulto, con alboroto. ② [정신이 혼미하여 눈앞이 어른어른한 모양] vertiginosamente. ~하다 (estar) vertiginoso, mareado.

인세(印稅) ① 【법률】 =인지세(印紙稅). ② [저자 또는 저작권자가 출판자와의 계약으로 그 정가에 대해 일정한 비율로, 저서 뒤에 붙인 검인의 수만큼 출판사로부터 받는 돈. 또, 작곡가·가수 등이 취입 레코드의 발매 수에 따라 받는 돈] derechos *mpl* de autor, regalías *fpl*, royalties *ing.mpl*, honorarios *mpl*. ~를 지불하다 pagar derechos de autor, pagar honorarios.

인솔(引率) mando *m*, guía *f*, dirección *f*, mandamiento *m*. ~하다 dirigir, encabezar; [군대 등을] mandar, conducir, guiar. A씨가 ~하는 사절단 misión *f* dirigida [encabezada] por el señor A. …에 ~되어 con *uno* a la cabeza, conducido por *uno*.

■ ~자 líder *mf*, dirigente *mf*, jefe, -fa *mf*, guía *mf* responsable; conductor, -tora *mf*.

인쇄(印刷) imprenta *f*, impresión *f*, estampación *f*. ~하다 imprimir, tirar, estampar, dar *algo* a la imprenta [a la estampa]. ~된 impreso. ~할 수 있는 que se puede imprimir. ~의 발명(發明) invención *f* de imprenta. 한국에서 ~된 책 libro *m* impreso en Corea. ~ 중이다 estar en prensa, estar en imprenta. …을 5천 부 ~하다 imprimir cinco mil ejemplares de *algo*. 새 활자로 ~하다 imprimir con [de] letra nueva.

◆삼색(三色) ~법(法) proceso *m* a tres colores. 착색(着色) ~ imprenta *f* de color.

■ ~공 impresor, -sora *mf*, tipógrafo, -fa *mf*, prensista *mf*. ~ 공장 taller *m* de impresión. ~국 la Oficina de Imprenta. ~기 ((준말)) =인쇄 기계. ¶공판(孔版) ~ multicopista *m*. 윤전(輪轉) ~ rotativa *f*. ~ 기계 máquina *f* de imprimir, máquina *f* impresora, imprensora *f*, prensa *f*, máquina *f* de estampar. ~ 기기 equipos *mpl* de impresión. ~물 impresos *mpl*. ¶~ 재중(在中) Impresos. ~을 배포하다 enviar impresos, distribuir folletos. ~ 부수 tirada *f*. ~소 imprenta *f*, tipografía *f*. ~술 tipografía *f*, arte *m* de imprimir, arte *m* de la imprenta. ~업 imprenta *f*. ~업자 impresor, -sora *mf*. ~용지 papel *m* para imprimir. ~인[자] impresor, -sora *mf*. ~잉크 tinta *f* de imprenta, tinta *f* para imprimir. ~체 (문자) letra *f* impresa, letra *f* de imprenta, letra *f* de molde. ¶~로 쓰다 escribir con letra de imprenta [de molde]. ~판 clisé *m*, plancha *f*, placa *f* (de imprenta).

인수(人數) número *m* de personas. ~를 조사하다 averiguar el número de personas. ~로 압도하다 aplastar por [en] el número. ~가 부족하다 Faltan algunos. ~가 찼다 El número está completo. 아직 ~가 다섯 명 부족하다 Todavía nos faltan cinco personas.

인수(引受) recibo *m*; [환어음의] aceptación *f*, [보증] garantía *f*, seguridad *f*, empresa *f*, [청부] contratación *f*. ~하다 ㉮ [청부하다] encargarse (de), comprometerse (a), recibir, admitir, emprender, tomar por *su* cuenta, tomar en mano; [보증하다] garantizar. ㉯ [어음을] aceptar, honrar una letra de cambio; [주(株)를] suscribir (por 50 acciones). ㉰ [책임을] ser responsable (por), tener la responsabilidad, tener cargo (de), ser obligado (para), salir fiador (por). 책임을 ~하다 asumir la responsabilidad ((en lugar) de *uno*). ㉱ [남의 대신으로] encargarse (de *algo* en lugar de [en vez] de *uno*), reemplazar. 빚을 ~하다 encargarse de la deuda (de).

◆단순(單純) ~ aceptación *f* absoluta, aceptación *f* directa. 어음 ~ 상사 casa *f* de aceptaciones. 조건부 ~ aceptación *f* condicionada, aceptación *f* en firme.

■ ~ 가격 precio *m* de aceptación. ~ 거절 falta *f* de aceptación, recusación *f*. ~ 어음 letra *f* aceptable. ~ 은행 banco *m* de aceptación. ~인 garante *mf*, fiador, -dora *mf*, [지불의] dita *f*, [환어음의] aceptante *mf*, aceptador, -dora *mf*. ~증 certificado *m* de aceptación. ~ 회사(會社) casa *f* de aceptaciones.

인수(印綬) galón *m* de sello oficial.

인수(因數) 【수학】 factor *m*.

■ ~ 분해 【수학】 descomposición *f* factorial, descomposición *f* en factores, factorización *f*, resolución *f* a factores. ~하다 descomponer en factores.

인순(因循) ① [내키지 않아 머뭇거림] vacilación *f.* ~하다 vacilar. ② [낡은 인습을 고집하고 고치지 않음] conservadurismo *m*, conservadorismo *m*, conservatismo *m*.

인술(仁術) ① [인을 행하는 방법] método *m* de hacer la benevolencia. ② [의술(醫術)] arte *m* benevolente, ciencia *f* de medicina. 의술은 ~이다 La medicina es un arte benevolente. 의(醫)는 ~이다 La caridad debe inspirar el ejecicio de la medicina / La medicina tiene que ser caritativa.

인슐린(영 *insulin*) 【화학】 insulina *f*.
■~ 쇼크 shock *m* de insulina. ~ 요법 insulinización *f*. ~ 혈증 insulinemia *f*.

인스턴트(영 *instant*) [즉석] instante *m*.
■~ 식품 comida *f* precocinada.

인스피레이션(영 *inspiration*) [영감] inspiración *f*. ~을 얻다 inspirarse.

인습(因習) convención *f*, costumbres *fpl* inveteradas, costumbres *fpl* viejas, tradición *f*, rutina *f*. 일상(日常)의 ~ rutina *f* de la vida cotidiana. ~을 타파하다 arrancar [abandonar · quitar] la costumbre inveterada. ~에 사로잡히다 hacerse esclavo de una costumbre inveterada [de una rutina].
■~ 도덕 moralidad *f* convencional. ~적 convencional, tradicional, rutinario. ~ 타파 abandono *m* de la costumbre inveterada.

인시(寅時) 【민속】 la Vigilancia del Tigre.

인시류(鱗翅類) 【곤충】 lepidópteros *mpl*.

인식(認識) conocimiento *m*, cognición *f*, [이해] comprensión *f*, [확인] reconocimiento *m*. ~하다 conocer, comprender, reconocer, darse cuenta (de). ~을 새롭게 하다 cambiar completamente de idea, renovar la comprensión, ver bajo una nueva luz. 그는 경제 사정에 대해 ~이 부족하다 El no se da plena cuenta de la situación económica / El no tiene más que una idea muy insuficiente de la situación económica / El carece de [Le falta] la comprensión de la situación económica.
■~ 능력 facultad *f* de conocimiento. ~력 cognición *f*. ~론 epistemología *f*, teoría *f* del conocimiento. ~ 발달 desarrollo *m* cognitivo. ~ 부족 falta *f* de comprensión. ~ 비판 crítica *f* de cognición. ~ 작용 cognición *f*. ~표 disco *m* de identificación. ~학 epistemología *f*.

인신(人臣) =신하(臣下)(súbdito). ¶지위가 ~을 극하다 lograr la cima [la cumbre] de los honores.

인신(人身) ① [사람의 몸] cuerpo *m* humano. ② [개인의 신상 · 신분] *su* persona.
■~공격 ataque *m* personal, agresión *f* personal. ¶~을 하다 lanzar ataques personales. ~매매 tráfico *m* humano; [여성의] trata *f* de blancas. ~ 보호 영장 hábeas *m* corpus. ¶~을 신청하다 presentar un recurso de hábeas corpus. ~ 보호율 la Ley de Hábeas Corpus.

인신(印信) =도장(圖章). 관인(官印).

인심(人心) espíritu *m* humano, corazón *m* de hombre, sentimiento *m* popular, sentimiento *m* humano, natura *f* humana, clánimo *m* de la gente; [여론(輿論)] opinión *f* pública. ~이 동요하다 inquietarse el pueblo, agitarse el pueblo. ~을 동요시키다 inquietar [agitar] al pueblo [la opinión pública]. ~을 안정시키다 calmar la inquietud popular. ~을 일신시키다 renovar el ambiente nacional, renovar la atmósfera del país. ~의 통일을 꾀하다 buscar [procurar] la unidad morar del pueblo. ~이 동요한다 Se inquieta [Se agita] el pueblo.
■~소관 dependencia *f* en *su* corazón.

인심(仁心) benevolencia *f*, bondad *f*, buen corazón *m*, corazón *f* benévolo.

인아(人我) ① [다른 사람과 나] otros *mpl* y yo. ② ((불교)) personalidad *f*, el alma *f* humana, vista *f* falsa.

인애(仁愛) beneficencia *f*, benevolencia *f*, caridad *f*, filantropía *f*, afecto *m* humano.

인양(引揚) salvamento *m*, rescate *m*, salvataje *m*. ~하다 salvar, rescatar. 화물의 ~ salvamento *m* del cargamento.
■~ 작업 operación *f* de rescate, operación *f* de salvamento.

인어(人魚) [여자] sirena *f*, [남자] tritón *m*.

인연(因緣) ① [서로의 연분] lazo *m*. 부부의 ~ lazos *mpl* matrimoniales, lazos *mpl* entre marido y mujer, lazos *mpl* entre esposos. ② [어느 사물에 관계되는 연줄] ㉮ [관계] relación *f*, conexión *f*, [유대] lazo *m*. A와 B 사이에는 깊은 ~이 있다 Hay una íntima conexión entre A y B. 나는 그와 ~이 깊다 El y yo estamos estrechamente unidos / Tengo una relación estrechar con él. 나는 그녀와 아무런 ~이 없다 No tengo nada que ver con él. ㉯ [혈연] parentesco *m*. ㉰ [친척 관계] alianza *f*, afinidad *f*. ㉱ [숙연(宿緣)] destino *m*, fatalidad *f*. 우리가 여기서 만난 것도 무슨 ~이다 Un extraño destino nos ha llevado a encontrarnos aquí. ③ =유래. 내력(origen). ④ =이유 (razón). 원인(causa). ⑤ ((불교)) karma *m*.
◆인연을 끊다 romper (con). 부모와 자식의 ~ romper los lazos [las relaciones] de padres e hijos [paterno-filiales].

인영(人影) sombra *f* del hombre; [사람의 모습] figura *f* humana, forma *f*, hechura *f*.

인영(印影) =인발.

인욕(忍辱) fortaleza *f*, indulgencia *f*, lenidad *f*, paciencia *f*, tolerancia *f*.

인용(引用) cita *f*, citación *f*, referencia *f*. ~하다 citar, referirse. ~되다 ser citado. 아리스토텔레스의 말을 ~하다 citar a Aristóteles, citar palabras de Aristóteles. 그는 그 말들을 성경에서 ~했다 El citó las palabras de la Biblia.
■~구 cita *f*. ~례 ejemplos *mpl* citados. ~문 frase *f* citada, cita *f*. ~부 comillas *fpl* (≪ ≫); raya *f* (—). ~서 libro *m* [obra *f*] de referencia. ~어 cita *f*. ¶~ 사전 diccionario *m* de citas.

인용(認容) admisión *f*, tolerancia *f*. ~하다

admitir, tolerar.

인원(人員) ① [사람의 수효] número *m* de personas. 적은 ~ poca gente *f*, pequeño número *m* de personas. 데모 참가 ~ número *m* de participantes en la manifestación. 적은 ~으로 por pocas personas, en pequeño número. ~을 채우다 completar el número de personas. ② [한 떼를 이룬 여러 사람] grupo *m*; [직원] cuerpo *m*, empleados *mpl*; [정원] personal *m* fijo, plantilla *f*; [집합적] personal *m*, dotación *f*. ~을 배치하다 dotar de personal. ~을 증감하다 aumentar el número del personal. ~을 삭감하다 disminuir el número del personal. ~이 부족하다 carecer de personal.

■~ 점호 acto *m* de pasar lista. ¶~를 하다 pasar lista. ~ 정리 reducción *f* [economización *f*] del personal.

인월(寅月) 【민속】 enero *m* del calendario lunar.

인위(人爲) calidad *f* artificial.

■~ 사회(社會) sociedad *f* artificial. ~ 선택 selección *f* artificial. ~적 artificial. ¶~으로 artificialmente, artificiosamente. 최근의 물가 상승은 ~이었다 El alza de los precios recientes ha sido artificial.

인유(人乳) leche *f* del hombre, leche *f* humana.

인유(引喩) alusión *f*. ~하다 aludir.

■~법(法) alusión *f*.

인육(人肉) ① [사람의 고기] carne *f* del hombre. ~을 먹는 야만인 [식인종] caníbal *mf*, antropófago, -ga *mf*. ② [사람의 육체] cuerpo *m* humano.

인의(仁義) la benevolencia y la rectitud, la humanidad y la justicia; [도덕] moral *f*; [깡패의] código *m* moral, código *m* de conducta. ~에 반(反)하다 ser contrario a la moral. ~를 보이다 presentar *sus* respetos [las formalidades] (como es costumbre entre los gansteres de Corea).

■~예지(禮智) benevolencia, rectitud, corrección y sabiduría. ~예지신(禮智信) benevolencia, rectitud, corrección, sabiduría y sinceridad. ~지정(之情) substancia *f* de benevolencia y rectitud.

인의(隣誼) amistad *f* entre los vecinos.

인일(寅日) 【민속】 el Día del Tigre.

인자(人子) ① [사람의 아들] hijo *m* del hombre. ② ((기독교)) Jesús. ③ ((성경)) hijo *m* de los hombres, hijo *m* de hombre, hombre *m*.

인자(仁者) persona *f* benévola.

인자(因子) ① 【수학】 =인수(因數). ② [어떤 사물의 관계·조건을 구성하는 낱낱의 요소] elemento *m*, causa *f* elemental, concausa *f*. ③ =유전자(遺傳子).

인자(印字) impresión *f*, mecanografía *f*.

■~기 =타자기.

인자롭다(仁慈-) =인자스럽다.
인자로이 benévolamente.

인자스럽다(仁慈-) (ser) benévolo.
인자스레 benévolamente.

인자하다(仁慈-) (ser) benévolo, benevolente.
인자한 어머니 madre *f* benévola.

인장(印章) ① =도장(圖章). ② =인발.

인재(人才) hombre *m* de habilidad, hombre *m* de facultad, hombre *m* de talento.

인재(人材) hombre *m* capacitado, hombre *m* hábil, hombre *m* de talento, hombre *m* de habilidad, hombre *m* capable, personaje *m*, talento *m*. 널리 ~를 구하다 buscar públicamente a los hombres de talento. 이 회사는 ~가 많다 Esta compañía cuenta con muchos hombres competentes.

■~ 등용(登用) selección *f* de las personas capacitadas para los puestos más altos. ~주의 sistema *m* de mérito.

인재(人災) calamidad *f* causada por el descuido del hombre.

인재(印材) material *m* para el sello.

인적(人跡) huella *f* humana. ~이 끊긴 despoblado, solitario, no pisado no hollado, inhabitado. ~이 닿지 않는 virgíneo, inexplorado.

인적(人的) humano *adj*.

■~ 관계 relaciones *fpl* humanas. ~ 손해 pérdida *f* de recursos humanos. ~ 자원 recursos *mpl* humanos. ~ 증거 testimonio *m* de un testigo.

인절미 *incheolmi*, tarta *f* hecha [pan *m* hecho] de arroz apelmazado, pan *m* coreano típico.

인접(隣接) vecindad *f*. ~하다 confinar, limitar, lindar, colindar. ~한 contiguo, inmediado, lindante, convecino, adyacente. ~한 마을 aldea *f* adyacente.

■~지(地) terrenos *mpl* colindantes, tramo *m*.

인정(人情) ① [사람이 본디 가지고 있는 온갖 욕망] deseo *m* humano, pasión *f* humana, naturaleza *f* humana. ② [남을 동정하는 마음씨] sentimientos *mpl* humanos; [동정심] compasión *f*, piedad *f*; [인간성] humanidad *f*. ~이 있는 humano, humanitario, compasivo, piadoso. ~이 없는 inhumano, despiadado. ~을 베풀어 por caridad, por un favor especial, con [por] misericordia. ~사정없이 despiadadamente, cruelmente ~있는 사람 persona *f* bondadosa, persona *f* de buen corazón. 그렇게 생각하는 것이 ~이다 Es muy humano pensar así. ~을 베푸는 자는 반드시 보답을 받는다 Un hecho bueno, nunca cae en vacío / El que da, recibe. ③ [세상 사람의 다사로운 마음] afabilidad *f*. 이곳 사람들은 ~이 넘친다 Aquí la gente es muy afable. 어디 가나 ~은 있다 En el mundo no hay más que gente buena. ④ [옛날, 벼슬아치들에게 은근히 주던 선물] regalo *m* que se daba al funcionario público.

◆인정이 없다 no tener corazón, ser despiadado, ser inhumano, ser duro, ser cruel.
인정스럽다 (ser) bondadoso, de buen corazón, compasivo, humano, humanitario,

compasivo, piadoso, caritativo, misericordioso, comprensivo, alentador, reconfortante.
인정스레 bondadosamente, humanamente, caritativamentte, compasivamente, misericordiosamente, piadosamente, comprensivamente.
인정없이 inhumanamente, despiadadamente, cruelmente, duramente, de una manera inhumana.

인정(仁政) gobierno *m* benévolo [misericordioso], administración *f* benévola. ～을 베풀다 gobernar con la mano benigna [con clemencia · con bondad].

인정(認定) [확인] comprobación *f*, constatación *f*, [승인] autorización *f*, reconocimiento *m*; [증명] atestación *f*, certificación *f*. ～하다 comprobar, constatar, reconocer, atestar, autorizar, admitir; [평가하다] estimar, apreciar. …을 사실로 ～하다 constatar la realidad de *algo*. …의 능력을 ～하다 estimar la habilidad de *uno*. 기량을 ～하다 notar [reconocer] *su* habilidad. 그것이 사실임을 ～하다 reconocer que es verdad.
◆문교부 ～ 교과서 libro *m* de texto autorizado por el Ministerio de Educación.
■～ 사채(社債) bono *m* autorizado. ～서 certificado *m*, diploma *m*.

인정법(人定法) ley *f* artificial.

인정 신문(人定訊問) interrogación *f* de identidad. ～하다 interrogar *su* identidad.

인제 ① [이제에 이르러] ahora, ya. ～ 끝났다 Ya se acabó. ② [이제로부터 곧] desde ahora, pronto. ～ 곧 가겠다 Me voy pronto / Me voy ahora mismo.

인조(人造) trabajo *m* humano, obra *f* humana, artificialidad *f*. ～의 artificial; [모조의] postizo; [합성의] sintético.
■～견(絹) seda *f* artificial, rayón *m*. ～ 견사 hilo *m* para el rayón. ～고기 carne *f* sintética. ～ 고무 goma *f* sintética. ～금(金) oro *m* de imitación. ～ 물감[염료] tinte *m* [tintura *f*] artificial. ～미(米) arroz *m* artificial, arroz *m* de imitación. ～ 버터 margarina. ～ 보석(寶石) piedra *f* preciosa sintética. ～ 비료(肥料) abono *m* artificial, fertilizante *m* artificial. ～빙(氷) hielo *m* artificial. ～ 사향 almizcle *m* artificial. ～ 상아 marfil *m* artificial, marfil *m* de imitación. ～석(石) piedra *f* de imitación. ～ 석유(石油) petróleo *m* sintético, aceite *m* sintético. ～ 섬유 fibra *f* sintética. ～육 carne *f* sintética. ～인간(人間) autómata *m*, robot *m* (*pl* robots), hombre *m* artificial, hombre *m* postizo, hombre *m* mecánico. ～ 진주 perla *f* artificial, perla *f* imitada, perla *f* de imitación, perla *f* falsa. ～ 피혁 cuero *m* sintético. ～호(湖) lago *m* artificial.

인종(人種) raza *f*, razas *fpl* humanas, etnía *f*, [인류학상의] raza *f* etnológica.
■～ 개량 mejora *f* de la raza, eugenesia *f* racial. ～ 개량론 eugenismo *m*. ～ 개량주의자 eugenista *mf*. ～론 etnografía *f*. ～ 문제 problema *m* racial. ～ 생물학(生物學) etnobiología *f*. ～ 언어학 etnolingüística *f*. ～적 de raza, racial, etnológico, étnico, etnográfico. ¶～ 편견 prejuicio *m* racial. ～ 집단 grupo *m* racial. ～ 차별(差別) discriminación *f* [segregación *f*] racial. ～ 차별주의 segregacionismo *m*; [나치의] racismo *m*. ～ 차별주의자 segregacionista *mf*, racista *mf*. ～ 평등 igualdad *f* racial. ～학 etnología *f*. ～학자 etnógrafo, -fa *mf*, etnólogo, -ga *mf*.

인종(忍從) sumisión *f*, resignación *f*, abnegación *f*. ～하다 someterse (a), resignarse (con), abnegarse (por).

인주(印朱) tampón *m* (*pl* tampones) (de sello), almohadilla *f* (para entintar), tinta *f* de sello.
■～갑(匣) caja *f* para tampón. ～합(盒) cuenco *m* de latón con tapa para tampón.

인주머니(印－) bolsita *f* de los sellos.

인준(認准) aprobación *f* del cuerpo legislativo. ～하다 aprobar.

인줄(人－) *inchul*, cuerdas *fpl* colgadas en la puerta para guardar contra el espíritu maligno.

인중(人中) hoyuelo *m* en el labio superior.
◆인중이 길다 gozar de larga vida.

인쥐(人－) persona *f* ilícita, persona *f* ilegal.

인즉 en cuanto a, respecto a, hablando de. 사실～ a decir verdad, si quieres que te diga la verdad. 말～ 옳소 Lo que él dice es verdad.

인증(人證) ((준말)) ＝인적 증거(人的證據).

인증(引證) alegación *f*, cita *f*, invocación *f*. ～하다 alegar, aducir, citar, invocar.

인증(認證) ratificación *f*, sanción *f*, certificación *f*. ～하다 ratificar, sancionar, certificar.
■～식 ceremonia *f* de atestación, ceremonia *f* de investidura. ¶은행 ～ certificación *f* bancaria.

인지 si. 그가 범인～ 아닌지 경찰이 조사할 것이다 La policía investigará si él es el criminal o no. 누구와 상담할 것～ 나는 모르겠다 No sé con quién consultar.

인지(人指) ＝둘째 손가락. 집게손가락.

인지(人智) intelecto *m*, conocimiento *m* (humano), inteligencia *f* humana, erudición *f*. ～의 intelectual. ～할 수 없는 a lo lejos de conocimiento humano, inescrutable. 그것은 ～가 미치지 못한다 Eso escapa al conocimiento humano / Eso sobrepasa la inteligencia humana.

인지(印紙) timbre *m*, estampilla *f*, sello *m*, poliza *f*. ～를 붙이다 timbrar, poner un timbre, pegar un sello, poner un sello; [우편 요금을 지불하다] franquear. 이 증명서에 ～를 붙여야 한다 Hay que ponerle un timbre a este certificado.
■～세 timbrado *m* fiscal, sellado *m* fiscal, timbre *m*, timbre *m* nacional, derecho *m* de timbre, impuesto *m* de timbre. ～ 수입

timbre *f.* ~ 조례 ley *f* de timbre.
인지(認知) reconocimiento *m*, legitimación *f.* ~하다 reconocer, legitimar.
인지상정(人之常情) naturaleza *f* humana, humanidad *f.*
인질(人質) =볼모(rehén). ¶~로 잡다 tomar como rehén. …를 ~로 하다 tener*le* a *uno* como rehén.
인질(姻姪) [고모부에 대하여 자기를 일컫는 말] yo, tu primo.
인찰지(印札紙) papel *m* con renglones.
인창(刃創) cicatriz *f* herida por el filo.
인책(引責) responsabilidad *f* de *sí* mismo. ~하다 asumir la responsabilidad (de), declararse responsable (de).
■~ 사직(辭職) dimisión *f* por responsabilidad. ¶~하다 dimitir asumiendo la responsabilidad (de), retirarse de posición por responsabilidad, asumir la responsabilidad y retirarse de *su* posición.
인척(姻戚) pariente *m* político, parienta *f* política; pariente, -ta *mf* por afinidad.
■~ 관계 afinidad *f*, parentesco *m* político. ¶~를 맺다 contraer parentesco.
인체(人體) cuerpo *m* humano. ~에 유해한 nocivo a [para] la salud, malsano. ~에 해가 되는 inofensivo.
■~ 구조 estructura *f* del cuerpo. ~ 기생충 parásito *m* humano. ~ 면역 결핍 바이러스 virus *m* de inmunodeficiencia humana, VIH *m.* ~ 모형 maniquí *m*; [해부의] anatomía *f.* ~ 실험 experimento *m* con el cuerpo humano. ~ 측정 antropometría *f*, somatometría *f.* ~ 해부 anatomía *f* del cuerpo humano, somatotomía *f.*
인촌(隣村) aldea *f* vecina.
인축(人畜) el hombre y el animal.
■~ 무해 inocuidad *f* para el hombre y los animales. ¶~의 no nocivo para el hombre y los animales.
인출(引出) retirada *f*, *AmL* retiro *m* (de fondos). ~하다 retirar. 돈을 ~하다 retirar el dinero, retirar fondos. 은행에서 돈을 ~하다 retirar el dinero (despositado) del banco.
◆자금(資金) ~ retirada *f* de fondos. 자본(資本) ~ retirada *f* de capital. 주식 ~ retirada *f* de existencias. 특별 ~권 [국제통화 기금의] derechos *mpl* especiales de giro.
■~ 초과(超過) descubierto *m*, balance *m* descubierto, sobregiro *m.* ~ 통지 aviso *m* de retirada de fondos. ~ 허가 autorización *f* para retirar fondos.
인치(영 *inch*) pulgada *f.* 10~ 반 diez pulgadas y media. 24~ 텔레비전 televisor *m* de veinticuatro pulgadas.
인 치다(印-) sellar, estampar el sello, imprimir.
인칭(人稱) 【언어】 persona *f.* ~의 personal. 비~의 impersonal.
■제일~ primera persona *f.* 제이~ segunda persona *f.* 제삼~ tercera persona *f.*
■~ 대명사 pronombre *m* personal. ~ 변화 variación *f* de persona.
인커브(영 *incurve*) curva *f* adentro.
인코너(영 *in+corner*) ángulo *m* interior.
인큐베이터(영 *incubator*) [보육기] incubadora *f.*
인터내셔널 ① [국제적(國際的)] internacional *adj.* ② [노동자 및 사회주의 단체의 국제적 조직] Internacional *f.* ~의 노래 canción *f* de Internacional. 제1 ~ la Primera Internacional. 제2 ~ la Segunda Internacional. 제3 ~ la Tercera Internacional. 공산주의 ~ la Internacional Comunista.
인터내셔널리즘(영 *internationalism*) [국제주의(國際主義)] internacionalismo *m.*
인터넷(영 *Internet*) Internet *m*, la Web, la Red, la Telaraña. ~으로 다시 볼 수 있습니다 Se puede ver de nuevo por el Internet.
■~ 도메인 dominio *m* de Internet. ~ 바이러스 virus *m* del ordenador. ~ 사용자 internauta *mf.* ~ 주소 dirección *f* de protocolo de Internet.
인터뷰(영 *interview*) entrevista *f*, interviú *m.* ~하다 entrevistar(se) (con), tener una entrevista (con).
인터체인지(영 *interchange*) intercambiador *m*, enlace *m*, empalme *m*, nudo *m* (de carreteras).
■~ 공사 obra *f* del intercambiador.
인터페론(영 *interferon*) interferón *m.*
인터폰(영 *interphone*) interfono *m.*
인터폴(영 *Interpol*) Interpol *f.*
인턴(영 *intern*) interno, -na *mf.*
인테리어(영 *interior*) interior *m.*
■~ 디자이너 interiorista *mf.* ~ 디자인 interiorismo *m.* ~ 장식(裝飾) ㉮ [주택의] decoración *f.* ㉯ [직업] interiorismo *m*, decoración *f* (de interiores). ~ 장식가 ㉮ [페인트공] pintor, -tora *mf.* ㉯ [디자이너] interiorista *mf*; decorador, -dora *mf* (de interiores).
인텔리 ((준말)) =인텔리겐치아. ¶그는 ~이다 El es un intelectual.
■~ 계급 clase *f* intelectual.
인텔리겐치아(러 *intelligentsia*) intelectual *mf*; [집합적] intelectualidad *f*, los intelectuales.
인토네이션(영 *intonation*) [억양] entonación *f.*
인파(人波) oleada *f* (de gente), ola *f* (de gente), muchedumbre *f*, multitud *f* (de olaje), gente *f* inundante, mar *m* de cabezas, circulación *f* de transeúntes. ~를 누비고 걷다 abrirse [hacerse] paso entre la multitud. ~에 시달리다 ser empujado [empellado · codeado] por la multitud [por la muchedumbre]. ~를 가르고 나아가다 avanzar abriéndose paso entre la muchedumbre.
인파이터(영 *infighter*) luchador, -dora *mf.*
인편(人便) agencia *f* de una persona. ~으로 por una persona. ~으로 보내다 enviar [mandar] por una persona.
인품(人品) personalidad *f*, carácter *m* (perso-

nal), apariencia *f* personal. ~이 고상하다 ser de apariencia noble, ser de una noble apostura. ~이 좋다 tener una buena personalidad. ~이 나쁘다 tener una mala personalidad.

인플레 ((준말)) =인플레이션.

인플레이션(영 *inflation*) inflación *f*. ~의 inflacionista, inflacionario. ~에 대처하다 combatir la inflación. ~을 억제(抑制)하다 detener [frenar] la inflación. ~을 없애다 hacer desaparecer la inflación. ~을 완화하다 reducir la inflación.

◆가격(價格) ~ inflación *f* de precios. 급성(急性) ~ inflación *f* galopante. 도매가격 ~ inflación *f* de los precios al por mayor. 두 자릿수 ~ inflación *f* de dos cifras, inflación *f* de dos dígitos. 세계적 ~ inflación *f* mundial. 수요 과잉 ~ inflación *f* de demanda. 수입 ~ inflación *f* debido a importación. 악성(惡性) ~ espiral *f* inflacionaria [inflacionista]. 임금 ~ inflación *f* de salarios. 임금 압력 ~ inflación *f* provocada por aumentos de salarios. 잠재적(潛在的) ~ inflación *f* latente, inflación *f* subyacente. 잠행성(潛行性) ~ inflación *f* reptante. 저(低)~ 유지(維持) mantenimiento *m* de una baja inflación. 코스트 ~ inflación *f* de costes, *AmL* inflación *f* de costos. 통제 ~ inflación *f* controlada.

■~ 경기 auge *m* inflacionario. ~ 경향 tendencia *f* inflacionista, tendencia *f* inflacionaria. ~ 기대(期待) expectativas *fpl* inflacionarias. ~ 대책(對策) medidas *fpl* anti-inflacionarias. ~ 상태 situación *f* inflacionaria. ~ 쇼크 choque *m* de la inflación. ~ 압력 presión *f* inflacionista. ~ 요인 factores *mpl* inflacionarios. ~율 tasa *f* de inflación. ~ 정책(政策) política *f* inflacionista.

인플루엔자(영 *influenza*) 【의학】 influenza *f*, gripe *f*. ~에 걸리다 coger la gripe. ~에 걸려 있다 tener la gripe.

인하(引下) rebaja *f*, reducción *f*, disminución *f*. ~하다 rebajar, reducir. 가격을 20% ~하다 rebajar un 20 por ciento del precio. 가격을 천 원으로 ~하다 reducir el precio a mil wones.

◆관세(關稅) ~ reducción *f* de los derechos aduaneros. 물가(物價) ~ rebaja *f* de los precios. 물가 ~ 운동 campaña *f* por la rebaja de los precios. 임금 ~ reducción *f* de los salarios.

■~책 medida *f* de reducción.

인하다(因−) ① [본디 그대로 하다] hacer como lo original. 옛 풍속에 인하여 식을 올리다 celebrar una ceremonia como la costumbre antigua. ② [말미암다] deberse a. 인하여 por, debido a, a causa de, de. 폭풍우로 인하여 por la tormenta, debido a la tormenta, a causa de la tormenta. 병으로 인하여 죽다 morirse de enfermedad.

인해(人海) una riada de gente, mar *m* de personas.

■~ 전술 estrategia *f* de lanzar olas de hombres al combate.

인행(印行) =간행(刊行)(publicación).

인허(認許) =인가(認可).

인형(人形) ① [사람의 형상] figura *f* (del hombre). ② [흙·나무·종이·헝겊 등으로 사람의 모양을 흉내내어 만든 장난감] [여자 형상의] muñeca *f*, [남자 형상의] muñeco *m*; [꼭두각시 인형] títere *m*, marioneta *f*. ~의 옷 ropa *f* de muñeca. ~을 사용하다 manejar los títeres. ~ 놀이를 하다 jugar a las muñecas. 이 소녀는 진짜 ~ 같다 Esta niña es una verdadera muñeca. ③ [자기 의지대로 행동하지 못하는 사람] títere *m*.

■~극 función *f* [espectáculo *m*] de marionetas [de títeres]. ~ 극장 teatro *m* de mariontas, teatro *m* de títeres. ~ 조종자 titiritero, -ra *mf*.

인형(仁兄) [편지에서] Mi querido amigo:

인혜(仁惠) benevolencia *f*, caridad *f*, merced *f*.

인화(人和) armonía *f* [unión *f*] entre personas, unión *f* de corazones, concordia *f*, paz *f*, unión *f*, armonía *f*. 그들은 ~가 부족하다 Les falta la armonía / No hay concordia entre ellos.

인화(引火) encendido *m*, ignición *f*, inflamación *f*. ~하다 prenderse fuego, inflamarse. ~하기 쉬운 inflamable.

■~물 inflamable *m*, fosfuro *m*. ~성(性) inflamabilidad *f*. ~성 물질 inflamable *m*. ~점 punto *m* de inflamación, temperatura *f* de inflamabilidad, temperatura *f* de inflamación. ~점 시험(點試驗) prueba *f* de la temperatura de inflamación.

인화(印畵) impresión *f*, tiraje *m*, prueba *f*, fotografía *f* impresionada; [사진의] copia *f*. ~하다 imprimir, tirar, imprimir copias (de), tirar copias (de).

■~지 papel *m* fotosensible, papel *m* de copias, papel *m* para estampa, papel *m* para impresión por contacto.

인화(燐火) =도깨비불(fosforescencia).

인환(引換) ① =상환(相換). ② ((구용어)) = 교환.

■~증 ((구용어)) =상환증(相換證).

인회석(燐灰石) 【광물】 apatita *f*.

인회토(燐灰土) 【광물】 fosforita *f*.

인후(咽喉) 【해부】 =목구멍(garganta).

■~병 enfermedad *f* laringofaringeal. ~선(腺) gládula *f* gutural. ~염 esfagitis *f*.

인후하다(仁厚−) (ser) humano y generoso.

일 ① [업으로 삼고 하는 모든 노동] trabajo *m*, tarea *f*, labor *f*, cargo *m*; [손일] oficio *m*, obra *f* de mano. ~을 하다 trabajar, hacer un trabajo, desempeñar *su* cargo, dedicarse al trabajo. ☞일하다. ~을 쉬다 descansar del trabajo. ~을 배우다 aprender un oficio. ~에 착수하다 ponerse al [empezar el] trabajo. ~에 쫓기다 atarearse. 집에서 ~을 하다 trabajar en casa. 그는 ~이 손에 잡히지 않는다 El no puede concentrarse en el trabajo. 저 목수는 ~이

빠르다 Aquel carpintero trabaja muy rápido. 자, ~을 합시다 ¡Hola, a trabajar! / ¡Manos a la obra! / Vamos a trabajar / Trabajemos. ~ 중에는 금연 ((게시)) Prohibido fumar durante el trabajo. 그것은 큰 ~이다 Es un trabajo muy difícil. ② [용무] negocio *m*, asunto *m*. ~이 있을 경우에는 en caso de que ocurra algo. 어떤 ~이 일어나더라도 (Aunque) Suceda lo que suceda / Pase lo que pase. ~의 진상을 밝히다 averiguar la verdad del asunto. ~이 여기에 이르렀으므로 [이르른 이상(은)] Ahora [Puesto · Ya] que las cosas son así [están así · han llegado a este punto]. 그것은 중대한 ~이다 Eso es un asunto serio. 무슨 ~로 오셨나요? ¿En qué puedo servirle? 무슨 ~입니까? ¿Qué le pasa a usted? / [사람과 관계없이] ¿Qué pasa? / *ReD* ¿Qué (le) fue? ③ [큰 난리 · 변동] tumulto *m*, revuelto *m*, disturbio *m*; [혼란] confusión *f*. 거리에서 큰~이 났다 Había un tumulto [revuelto *m*] en las calles. ④ [사고] incidente *m*, accidente *m*, problema *m*. ~이 생기면 en caso de emergencia. ~을 저지르다 causar*le* problema a *uno*, dar*le* dolores de cabeza a *uno*. ⑤ [특별한 형편. 사정] circunstancia *f*. 어떤 ~이 있더라도 en algunas circunstancias. ⑥ [어떤 경험] experiencia *f*, haber +「과거분사」. 그를 만난 ~이 있습니까? ¿Le ha visto usted alguna vez? 나는 한 번 서반아에 가본 ~이 있다 He estado una vez en España. 나는 그런 말은 들어 본 ~이 없다 Jamás en mi vida he leído cosa semejante. ⑦ [돈이 많이 드는 행사] gran acontecimiento *m*. ⑧ [다스리는 책임] responsabilidad *f*. 나랏~을 맡기다 hacer asumir la responsabilidad. ⑨ [말의 끝에 써서 무엇을 바라거나 가벼운 명령을 함] [2인칭 직설법 미래형] *inf* + -ás. 신을 벗을 ~ Quítate los zapatos. ⑩ [용언을 명사화시키는 말] el + *inf*. 먹는 ~ el comer. 섬기는 ~ el servir. ⑪ =굿. 치성(致誠). ⑫ [계획. 사업] plan *m*, negocio *m*, proyecto *m*, programa *m* ~을 꾸미다 planear, hacer planes. ⑬ [어떤 일에 관계된 문제 · 사건] asunto *m*, cuestión *f*, cosa *f*. 대수롭지 아니한 ~ insignificancia *f*, nimiedad *f*, cosa *f* insignificante. 대수롭지 않은 ~에 시간을 허비하지 마라 No pierdas el tiempo en nimiedades. 네 문제는 내 문제와 비교하면 사소한 ~에 불과하다 Tu problema no es nada [es una nimiedad] comparado con el mío. ⑭ [성교(性交)] relaciones *fpl* sexuales, coito *m*, cópula *f*, intimidad *f* sexual, contacto *m* sexual. ~을 치르다 copularse (con), hacer el amor (con). ⑮【물리】trabajo *m*. 열(熱)의 ~당량(當量) equivalente *m* mecánico del calor.

일(一) uno; [형용사적] un, una. ~ 가구 una familia. 제~과 lección una, lección primera. 제~(의) primero.

일(日) ① ((준말)) =일요일. ② [날. 해. 하루. 낮] día *m*. 기념~ aniversario *m*, día *m* conmemorativo. ③ [날짜 · 날수를 셀 때 쓰는 말]「남성 정관사 el + 기수」(1일은 기수 대신에 서수를 씀), día *m*. 1~ el primero. 2~ el dos. 15~ el quince. 31~ el treinta y uno. 12월 10~ el diez de diciembre. 십오 ~간(間) (por) quince días.

일- temprano. ~심다 plantar temprano.

일가(一家) ① [성과 본이 같은 겨레붙이] pariente *m*, parienta *f*, [집합적] parentesco *m*. 가까운 ~ pariente *m* cercano, parienta *f* cercana. 먼 ~ pariente *m* lejano, parienta *f* lejana. ② [한집안] una familia, miembro *mf* de una familia; [가정] un hogar. 장남 ~ familia *f* de *su* hijo mayor. ~의 장(長) cabeza *m* de familia. ~를 이루다 tener casa propia; [결혼하여] formar un hogar, formar una familia. ~를 부양하다 sostener una familia. ③ [학문 · 예술 · 기술 분야 등에서 독립한 한 유파(流派)] una escuela; [대가(大家)] una autoridad. ~를 이루다 ser una autoridad (de).

■ ~ 단란 placer *m* de un hogar dulce. ~몰살 aniquilamiento *m* de una familia entera. ~문중(門中) parientes *mpl*. ~붙이 parientes *mpl*. ~친척 parientes *mpl*. ~ 화합 armonía *f* en una familia.

일가(一價)【화학】univalencia *f*. ~의 univalente.

■ ~ 알코올 alcohol *m* univalente. ~ 원소(元素) mónada *f*.

일가견(一家見) vista *f* personal, vista *f* privada, *su* propia opinión.

일각(一角) ① [한 귀퉁이] un rincón, una esquina. 하늘의 ~에 en un rincón del cielo. 회장(會場)의 ~에 en un rincón de la sala. 공원은 마을의 ~에 있다 El parque está en un rincón del pueblo. ② [한 개의 뿔] un cuerno.

■ ~(대)문 portillo *m*. ~수(獸) unicornio *m*. ¶~자리【천문】Unicornio *m*. ~ 중문 puerta *f* interior con dos columnas y un tejado.

일각(一刻) ① [한 시의 첫째 시각. 곧, 15분] quince minutos, un cuarto. ② [삽시간. 짧은 시간] momento *m*, instante *m*, tiempo *m* corto, un minuto. ~을 다투는 urgente. ~이라도 빨리 lo más pronto posible, a la mayor brevedad, cuanto antes. ~을 다투다, ~도 유예할 수 없다 No se puede perder ni un momento / No hay tiempo que perder.

■ 일각이 삼추(三秋) 같다 ((속담)) El tiempo corto se siente ser largo como los diez años debido a la esperanza sincera.

■ ~천금(千金) El tiempo es oro / Cada momento vale mil onzas de oro.

일간(一間) un compartimiento (de la casa).

■ ~두옥(斗屋) choza *f*, cabaña *f*, casa *f* solitaria, casa *f* humilde, casa *f* con una sola habitación. ~초옥(草屋) choza *f*, cabaña *f*.

일간(日刊) ① [날마다 간행함] publicación *f*

diaria. ~의 diario, de publicación diaria, que se publica diariamente, que sale todos los días. ② ((준말)) =일간 신문(diario).

■~ 신문 diario *m*, periódico *m* diario. ~지 =일간 신문.

일간(日間) ① ((준말)) =일일간(一日間)(por un día). ② [가까운 며칠 사이] dentro de unos días, un día de éstos, uno de estos días; [곧] pronto, dentro de poco. ~ 만나자 A ver si nos vemos pronto / Nos veremos un día de éstos / Hasta luego / Hasta pronto. ~ 다시 들르겠네 Pasaré dentro de unos días. ~ 다시 찾아뵙겠습니다 Cualquier día de éstos le haré una visita / Le visitaré uno de estos días.

일갈(一喝) un grito recio. ~하다 gritar con voz en trueno, tronar (contra), reprender con voz recia, dar un grito recio.

일감 =일거리.

일개(一介) ① [보잘것없는 한 낱] un polvo, poquedad *f*, nimiedad *f*. ② [한낱 보잘것없는] mero, simple. ~ 서생(書生) mero estudiante *m*, nada más que un estudiante. 나는 ~ 샐러리맨에 불과합니다 No soy más que un simple oficinista / No soy sino un pobre empleado / Yo soy un mero oficinista.

일 개(一個/一箇) uno, una; una pieza. ~의 un, una. ~ 십 유로(Euro) diez euros cada uno. ~ 500원짜리 사과를 다섯 개 주세요 Déme cinco manzanas de quinientos wones.

일개미 【곤충】 (hormiga *f*) trabajadora *f*.

일개인(一個人) un individuo, una persona particular, una persona privada. ~의 individual, privado, personal, particular. ~의 자격으로 un calidad individual, como una persona privada.

일거(一擧) ① [한 번의 동작] un movimiento, una acción, un esfuerzo. ② [단번] una sola vez, un solo golpe. ~에 por un solo empeño, de un golpe, de un solo golpe, de una vez. ~에 무너뜨리다 destruir de un solo golpe. ~에 열세를 만회하다 superar la desventaja de un solo golpe. ~에 적을 무찌르다 vencer al enemigo de un solo golpe [ataque]. ~에 재산을 만들다 hacer una fortuna de un golpe.

■~양득(兩得) Matar dos pájaros con una piedra / Matar dos pájaros de un tiro. ~일동(一動) todo movimiento. ¶~을 주시하다 Observar cuidadosamente todos *sus* movimientos.

일 거다 Creo [Supongo] que + *ind*, Me parece que + *ind*, será. 이 그림은 고야의 것~ Creo que esta pintura es un Goya / Esta pintura será un Goya.

일거리 trabajo *m*, cosas *fpl* que trabajar, trabajo *m* que hacer, cosas *fpl* que hacer. ~가 있다 tener trabajo que hacer. ~가 없다 no tener trabajo que hacer, estar sin trabajo, llevar en el paro, llevar parado, estar desocupado. 이것은 미장이가 할 ~다 Este es un trabajo para un albañil. 나는 3개월 동안 ~ 없이 지낸다 Hace tres meses que estoy sin trabajo [que estoy desocupado · que estoy desempleado] / Llevo tres meses parado [en el paro].

일거수일투족(一擧手一投足) =일거일동.

일 거야 será. 그의 말이 사실~ Será verdad lo que dice él.

일건(一件) un asunto, un negocio, una cuestión. 예(例)의 ~은 어떻게 되었습니까? ¿Cómo resultó aquel asunto? / ¿Qué fue de aquel asunto?

■~ 기록[서류] expediente *m*.

일격(一擊) un golpe; [총의] un disparo, un tiro; [칼의] una estocada; [주먹의] un puñetado. ~을 가해 de un golpe, con un solo golpe. ~을 가하다 dar un golpe. 얼굴에 ~을 가하다 dar un golpe en la cara. 머리에 ~을 당하다 recibir un golpe en la cabeza.

일견(一見) ① [한 번 봄] una vista, un vistazo. ~하다 pasar los ojos (sobre), dar un vistazo, ver con una ojeada. ② [한 번 보아. 언뜻 보기에] al parecer, según parece, a primera vista, por el aspecto, a simple vista. ~ 그는 훨씬 좋아졌다 Al parecer, él está mejor. 그 남자는 ~ 학생처럼 보였다 Por el aspecto, ese hombre parecía estudiante. 그는 ~ 어른 같다 A primera vista parece una persona mayor. 그는 ~ 사기꾼 같더라 A primera vista parecía un estafador.

일결(一決) ① [한 번에 결정함] decisión *f*, acuerdo *m*. ~하다 decidir, resolver, parar en decisión, acordar. 만장(滿場) ~하다 ser adoptado unánimemente. ② [(제방 따위가) 한 번에 터짐] rompimiento *m*. ~하다 romperse.

일경(一更) =초경(初更).

일계(一計) un plan, un proyecto, una trata. ~를 세우다 hacer [formar · idear · trazar] un plan.

일계(日系) descendiente *m* japonés, descendiente *f* japonesa. ~ 미국인 americano *m* (de origen) japonés, americana *f* japonesa.

일계(日計) cuenta *f* diaria, gastos *mpl* diarios.

■~표 balance *m* de comprobación diario.

일고(一考) consideración *f*, pensamiento *m*. ~하다 considerar, pensar, tener una consideración. 그 문제는 ~를 요한다 Hay que considerar bien problema. ~하여 주시길 바랍니다 Solicitamos que lo considere bien.

일고(一顧) atención *f*, consideración *f*. ~의 가치도 없다 no valer la pena (de), ser indigno, ser totalmente despreciable, no darse un bledo (de), no darse un comino (de), no darse un pepino (de). 그것은 ~의 가치도 없다 No se me da un bledo de ello.

일고동 punto *m* vital, pivote *m*, quid *m*.

일고삼장(日高三丈) mañana *f* tardía.

일고여덟 siete u ocho.

일곱 siete. ~ 사람 siete personas. ~ 남자 siete hombres. ~ 여자 siete mujeres. 책 ~ 권 siete libros. 그 아이는 ~ 살이다 Ese niño tiene siete años (de edad).

일곱이레 cuarenta y nueve días después de que el niño nació.

일곱째 séptimo *m.* ~의 séptimo. ~ 날 el séptimo día.

일공(日工) ① [하루의 공전·품삯] jornal *m.* ② [하루에 일정한 품삯을 주고 시키는 일] trabajo *m* diario.

일과(一過) ① [한 번 눈을 거침] una mirada, una ojeada, una vista. ~하다 mirar, echar una mirada, echar una ojeada. ② [한 번 지남] una pasada. ~하다 pasar. 태풍 ~ 후 después de que pasó el tifón.

■ ~성(性) ¶~의 temporal, transitorio, pasajero, fugitivo, efímero, fugaz, evanescente, *AmL* temporario.

일과(日課) tarea *f* diaria, trabajo *m* diario, trabajo *m* cotidiano; [예정] programa *m* de trabajo del día. ~를 정하다 fijarse un plan diario. ~가 부과되어 있다 tener cargado el horario del día. …하는 것을 ~로 하고 있다 tener por norma diaria + *inf.*

■ ~표 programa *m* diario.

일곽(一郭/一廓) un bloque.

일관[1](一貫) ① ((준말)) =일이관지(一以貫之). ② [처음부터 끝까지 같은 주의·방법으로 계속함] consistencia *f*, coherencia *f.* ~하다 ser consistente, ser coherente, penetrar, pasar de parte a parte. ~하여 consistentemente, coherentemente. ~하지 않은 inconsistente, incoherente, inconsecuente. 사고방식이 ~한 consistente en *su* manera de pensar. 정책에 ~하도록 노력하다 procurar que la política sea coherente.

■ ~성(性) consistencia *f*, coherencia *f*, consecuencia *f.* ¶~ 있는 consistente, coherente, consecuente. ~ 없는 inconsistente, incoherente, inconsecuente. 그의 의견은 ~이 없다 Su opinión carece de coherencia / No es consecuente en sus opiniones. ~ 작업 trabajo *m* sistematizado, trabajo *m* alineado.

일관[2](一貫) ① [엽전의 한 꿰미] un cordón de moneda de latón coreana ② [한 관] un *gwan*, 3.75 kg.

일괄(一括) bulto *m*, resumen *m.* ~하다 englobar, abarcar, amarrar en un atado, hacer un lío, poner juntos, hacer un bulto (con), juntar; [요약하다] resumir, recapitular, epitonar. ~하여 en bloque, en conjunto, en masa, en resumen, en bulto, a granel. ~하여 사다 [팔다] comprar [vender] en montón [en un lío · todos juntos]. ~하여 운반하다 transportar en un lío [en montón · todos juntos].

■ ~ 계약 contrato *m* a granel. ~ 구입(購入) compra *f* en bloque. ¶~하다 comprar en bloque [en montón · en un lío]. ~ 배급 racionamiento *m* colectivo. ~ 사표(辭表) dimisión *f* en masa. ~ 상정 presentación *f* en conjunto. ¶법안(法案)의 ~ presentación *f* de proyectos de ley en conjunto. ~ 소송(訴訟) pleito *m* en bloque. ~ 제안 propuesta *f* global. ~ 지불 pago *m* por entero. ~ 타결 acuerdo *m* global. ~ 판매 venta *f* en bloque.

일광(日光) luz *f* del sol, rayos *mpl* de sol, solana *f*, sol *m.* ~에 말리다 secar al sol. ~에 소독하다 desinfectar por exposición al sol. ~이 눈부시다 La luz del sol me deslumbra / El sol ofusca la vista. ~이 벌써 나왔다 Ya está apareciendo el sol.

◆인공 ~ luz *f* del sol artificial. 자연 ~ luz *f* del sol natural. 직사 ~ luz *f* del sol directa.

■ ~ 공포증 heliofobia *f.* ~ 반사경(反射鏡) helióstato *m.* ~ 반사기 heliotropo *m*, heliotropio *m.* ~ 소독 desinfección *f* por exposición al sol, desinfección *f* solar. ¶~을 하다 desinfectar por exposición al sol. ~ 요법 helioterapia *f*, cura *f* helioterápica. ~욕 insolación *f*, baño *m* de sol, baño *m* solar. ¶~을 하다 bañarse al sol, tomar el sol. 엎드려 ~을 하다 tostarse la espalda. ~욕실 solario *m.*

일교차(日較差) diferencia *f* que la temperatura se cambia al día.

일구(一口) ① [한 사람] una persona. ② [한결같은 여러 사람의 말] palabras *fpl* constantes de mucha gente. ③ [한 마디의 말] una palabra. ④ [한입 가득히] un bocado lleno. ⑤ [하나의 구멍] un agujero. ⑥ [칼 따위의 한 자루] uno, un, una. 칼 ~ una espada, un cuchillo.

■ ~난설(難說) lo difícil sin dar explicaciones en una palabra. ~이언(二言) palabra *f* hipócrita, palabras *fpl* con doble sentido. ¶~하다 hablar con segundas, ser hipócrata, ser falso, ser embustero, contradecirse.

일구(逸球) pelota *f* pasada.

일구다 ① =기경(起耕)하다. ② [두더지 등이 땅을 쑤셔 겉이 솟게 하다] cavar (la tierra).

일구월심(日久月深) lo que se espera atentamente.

일국(一國) ① [한 나라] un país, una nación. ② [온 나라] todo el país.

■ ~ 이체제(二體制) un país, dos sistemas.

일국(一掬) ① [한 움큼] un puñado. ~의 물 un poco de agua. ~의 눈물을 흘리다 derramar lágrimas. ② [두 손으로 움키는 일] lo que agarra con ambas manos.

일군(一軍) ① [온 군대] todo el ejército, toda la tropa, un ejército, una tropa. ② [제1군] el Primer Ejército.

일군(一郡) ① [한 군] un *Gun*, un pueblo. ② [온 고을] todo el pueblo.

일그러뜨리다 deformar, distorsionar.

일그러지다 torcerse; [변형되다] deformarse. 고통으로 그의 얼굴이 일그러졌다 El tenía el rostro crispado del dolor / El torció la cara de dolor. 그녀는 화가 나서 얼굴이 일그러졌다 Ella tenía el rostro crispado por la ira.

일근(日勤) servicio *m* diario. ~하다 trabajar cada día.

일금(一金) (suma *f* de) dinero *m.* ~ 10만 원 (suma *f* de) cien mil wones.

일급(一級) ① [한 계급] un grado. ② [등급의 첫째] primero *m,* primera clase *f,* primera categoría *f.* ③ [최고 수준] primer orden *m,* primera clase *f.* ~의 de primer orden, de primera clase. 이 포도주는 ~(품)이다 Este vino es de primera categoría [calidad · clase]. 제~ 영화 작품 película *f* de primer orden [de primera categoría]. ④ [바둑·유도·태권도 등의 초단 바로 밑의 급수] primer grado *m.*
■~ 비밀 secreto *m* de primera clase. ~품 artículo *m* de primera categoría [primera calidad · primera clase].

일급(日給) jornal *m,* paga *f* diaria, sueldo *m* diario. ~으로 일하다 trabajar a jornal [por día]. ~ 5만 원이다 El jornal es de cincuenta mil wones / El pago es de cincuenta mil wones por día.
■~쟁이 jornalero, -ra *mf.* ~제 sistema *m* de pago a diario [a jornal].

일긋거리다 sacudirse, temblarse.
일긋일긋 vacilantemente, tambaleantemente, con paso tembloroso, temblorosamente, de modo inseguro, de modo vacilante.

일기(一己) un cuerpo de sí mismo.

일기(一技) una técnica, un talento.
◆일인(一人) ~ un hombre, una técnica.

일기(一氣) ① [한 호흡] una respiración. ② [만물의 원기(元氣)] ánimo *m.*

일기(一基) [묘비(墓碑) 등의 하나] una lápida sepulcral.

일기(一期) ① [어떠한 시기를 몇으로 나눈 것의 하나] un término, un período, una temporada. ② [한평생] toda la vida, toda *su* vida. 50세를 ~로 세상을 떠나다 morir a los cincuenta años. 25세를 ~로 죽다 morir a la edad juvenil de veinte y cinco años.

일기(一朞) =일주년(un aniversario).

일기(一騎) un solo jinete.
■~당천(當千) un guerrero que vale por mil, guerrero *m* incomparable.

일기(日記) diario *m.* ~를 쓰다 llevar el diario, escribir *su* diario, apuntar *su* diario. ~에 적다 apuntar [anotar] en el diario. 그는 밤마다 ~를 썼다 El escribía su diario por las noches.
■~장 cuaderno *m* del diario; [영업상의] diario *m,* libro *m* (de) diario. ~체 estilo *m* de diario, forma *f* de diario. ¶~의 소설 novela *f* en forma [al estilo] de diario.

일기(日氣) tiempo *m,* condición *f* atmosférica. 좋은 ~ buen tiempo *m.* 나쁜 ~ mal tiempo *m.* 더운 ~에 cuando hace calor, en tiempo caluroso. ~가 좋으면 cuando haya buen tiempo. ~가 밝아지다 aclararse el cielo, escampar. ~를 예측(豫測)하다 prever el tiempo. 오늘 ~가 좋다 Hoy hace buen tiempo. 어제는 ~가 나빴다 Ayer hizo mal tiempo. 서반아의 ~는 어떻습니까? ¿Qué tiempo hace en España? / ¿Qué clima tiene España?
■~ 개황(槪況) condiciones *fpl* generales meteorológicas. ~도(圖) mapa *m* meteorológico. ~ 불순(不順) tiempo *m* inclemente, mal tiempo *m.* ~ 예보 pronóstico *m* [predicción *f*] del tiempo, boletín *m* meteorológico, pronosticación *f* meteorológica. ¶~에 의하면 según la notificación del tiempo. 라디오에서 ~를 듣다 escuchar al anuncio [la predicción] del tiempo a la radio. ~는 날씨가 맑다 La notificación del tiempo dice que hará buen tiempo. 내일의 ~는 비다 Se pronostica que lloverá mañana. ~가 맞았다 El pronóstico del tiempo ha resultado cierto / La pronosticación meteorológica ha sido cierta. ~가 틀렸다 El pronóstico del tiempo ha equivocado / La pronosticación meteorológica ha sido falsa.

일기죽거리다 =얄기죽거리다.

일까 ¿será? 그가 오는 게 정말~? ¿Será verdad [Es cierto] que él va a venir?

일깨다[1] [잠을 일찍이 깨다] despertarse temprano.

일깨다[2] ((준말)) =일깨우다[1·2].

일깨우다[1] [자는 사람을 일찍이 깨우다] despertar temprano.
일깬날 día *m* que se despertó temprano.

일깨우다[2] [가르쳐서 깨닫게 하다] convencer (a *uno* de *algo*). 무식한 사람을 ~ convencer al ignorante. 그는 그들에게 그의 무죄를 일깨워 주는 데 실패했다 El no logró convencerlos de su inocencia. 어떻게 우리가 그들에게 마음을 바꾸도록 일깨워 줄 수 있을까? ¿Cómo podemos convencerlos para que cambien de opinión?

일껏 con un gran esfuerzo, en mucho dolor.

일꾼 ① [삯을 받고 육체 노동을 하는 사람] trabajador, -dora *mf,* obrero, -ra *mf,* culí *mf.* ② [어떤 일이든지 잘 처리하거나 또는 맡아 할 만한 사람] hombre *m* de habilidad. ③ [중대한 일을 맡아 하거나 할 만한 사람] pilar *m.* 나라의 ~ pilar *m* del país.

일끝 [일의 단서] fin *m* de un trabajo.

일 나가다 salir a trabajar.

일내다 hacer, cometer (un error), arruinar, echar por tierra, estropear. 일낼 사람 persona *f* que va a cometer un error.

일녀(日女) japonesa *f.*

일년(一年) ① [한 해] un año. ~의 anual. ~에 al año, por año. ~ 안에 en un año. ~마다 cada año, anualmente. ~ 안에 완성시키다 acabar en un año, acabar dentro de un año. ~마다 차용금을 변제하다 reembolsar analmente el préstamo, satisfacer una deuda cada año. ~마다 사업을 확대하다 agrandar [desarrollar] la empresa año tras año. 그는 ~에 몇 번 병에 걸린다 El cae enfermo varias veces al año. 이곳

은 ~ 중 어느 때도 비가 오지 않는다 Aquí no llueve en ninguna época del año. ~은 365일이다 El año tiene trescientos sesenta y cinco días. ~의 계획은 원단(元旦)에 세워야 한다 El día de año nuevo constituye la clave de todo el año / Deberías hacer planes para todo el año el día de año nuevo. ~ 안에 부자가 되고자 하는 자는 반년 만에 교수형당한다 ((서반아 속담)) Quien en un año quiere ser rico, al medio le ahorcan. ② [일 학년] primer año *m*, primer grado *m*.

■ ~감 tomate *m*. ~근(根) raíz *f* de un año. ~ 내 todo el año, durante un año. ¶ 그녀는 ~ 아팠다 Ella ha estado enferma durante un año. ~생 ㉮ [일 학년 학생] alumno, -na *mf* del primer grado. ㉯ 【식물】 =한해살이. ㉰ ((준말)) =일년생 식물.

일념(一念) ① [한결같은 생각] una voluntad firme, un intento, un deseo ardiente, un deseo vehemente. ~으로 con mucho celo, con fervor, con recogimiento, de todo corazón. ~의 바람으로 por la ansia del deseo. 그의 ~의 작품 obra *f* en la que él ha puesto toda el alma. …하는 데 ~하다 decidirse resueltamente + *inf*. 그녀는 어머니의 ~으로 자식의 생명을 구했다 Ella salvó la vida de su hijo con su celo maternal. ② ((불교)) un pensamiento, una concentración de corazón, un momento, el tiempo de un pensamiento.

일능(一能) un talento.

일다[1] ① [없었던 것이 처음으로 생기다] levantarse. 바람이 ~ levantarse el viento. 쓸면 먼지가 인다 Al barrer se levanta el polvo. ② [약하거나 희미한 것이 성해지다] hacerse vivo [próspero・denso]. 불이 ~ arder vivamente el fuego.

일다[2] ① [몸・물건이 저절로 위로 향하여 움직이다] moverse hacia arriba. 거품이 ~ burbujear, hacer burbujas. 불꽃이 ~ chisporrotear, echar chispas, chispear. ② [형세의 힘이 점점 두드러지게 나타나다] aparecer notable más y más. 가운(家運)이 ~ la fortuna de familia es próspera.

일다[3] ① [곡식을 물속에 넣어 모래・티를 가려내다] cribar. 쌀을 ~ separar cribando arroz. ② [물건을 물속에 넣어 쓸 것만 고르다] lavar. 사금을 ~ lavar oro, cribar oro.

일다[4] ☞일구다.

일다[5] ((준말)) =이르다. ¶아직 시간이 ~ Todavía es temprano.

일단(一段) ① [계단 따위의 한 층계] un paldaño, un escalón. 계단을 ~ 오르다 [내리다] subir [bajar] un escalón. ② [문장・이야기 등의 한 토막] un párrafo. ③ [인쇄물의 한 단] columna *f*. ~ 기사(記事) artículo *m* de una columna. ④ [자동차 따위에서 기어를 변속할 경우에, 그 첫 단(段)] (la) primera, primera marcha *f*, primera velocidad *f*. ~ 기어를 넣다 poner [meter] (la) primera. ⑤ [바둑・태권도・검도・유도 등의 초단 또는 한 단] [한 단] un grado; [초단] primer grado *m*. ⑥ [한 단보, 곧 300평] un *dan*, unos 0.245 acres.

일단(一團) un grupo, una banda, una tropa. 관광객의 ~ un grupo de turistas. 도적의 ~ una banda [una cuadrilla] de ladrones.

일단(一端) ① [한 끝] un extremo. ② [사물의 일부분] una parte, un aspecto. 사건의 ~ un aspecto del acontecimiento. ~을 피력하다 indicar una parte. 책임의 ~은 나에게 있다 Soy responsable en parte.

일단(一旦) [한 번] una vez; [좌우간에] de todos modos, en todo caso; [당장은] por lo pronto, por de pronto, por el momento; [형식적이지만] por pura formalidad, si bien formalmente; [가볍게] de paso, ligeramente, por encima; [임시로] provisionalmente. ~ 유사시(有事時)에 en caso de emergencia. ~ 귀국하다 regresar al país provisionalmente. ~ 예치(預置)해 두다 guardar por de pronto. ~ 훑어보다 ojear por encima. ~은 네 말이 맞다 Tienes razón hasta cierto punto [en cierto sentido]. ~ 선생님과 상의해 보아라 De todos modos [En todo caso], consulta con el maestro.

일단락(一段落) pausa *f*, conclusión *f*, etapa *f*. ~을 짓다 acabar, terminar, concluir, poner fin (a), poner término (a), cortar. ~되었다고 생각하다 pensar llegando a conclusiones rápidas y equivocadas. 오늘로 일은 ~되었다 Hoy hemos llegado al final de una etapa del trabajo / Lo más duro del trabajo se ha acabado hoy. 지금이 일을 ~지을 때다 Ahora es un momento para suspender el trabajo. 되도록 빨리 일을 ~지읍시다 Despachemos el trabajo cuanto antes.

일당(一堂) un salón, un edificio. ~에 모이다 reunirse en un salón.

일당(一黨) ① [행동이나 목적을 같이하는 무리] cuadrilla *f*, bando *m*. 도둑의 ~ cuadrilla *f* de los ladrones. ② [한 개의 정당이나 당파] un partido.

■ ~ 국회 legislatura *f* de un partido. ~ 독재 dictadura *f* de un solo partido. ~ 일파 un partido, una facción. ¶~에 치우치지 않다 ser imparcial.

일당(日當) paga *f* diaria, jornal *m*. ~으로 지불하다 pagar por día. ~을 지불하다 pagar el jornal. ~ 3만 원을 지불하다 dar treinta mil wones al día.

일당백(一當百) una persona que vale cien personas.

일대(一代) una generación; [일생(一生)] una vida, toda la vida; [한 시대] una época. ~의 de *su* tiempo, de *su* época. ~의 영웅 el héroe de su época, el héroe de su tiempo. ~에 재산을 이루다 hacer una gran fortuna en una sola generación. ■ ~기 biografía *f*, vida *f*.

일대(一帶) zona *f*, región *f*, vecindad *f*, cercanía *f*, barrio *m*. 이 ~에 en la vecindad, por aquí, alrededor, en estas cercanías, en este barrio, por aquí cerca. 이 주변 ~에 por todas estas cercanías, por toda esta vecindad. 산악 지방 ~에 en las zonas montañosas. 영동 지방 ~에는 눈이 내렸다 Ha nevado por toda la región [por todo el distrito] de *Yeongdong*.

일대(一隊) un grupo, una compañía, una banda, una tropa, una bandada (del ave).

일대(一對) [한 쌍] un par, una pareja. ~를 이루다 formar [hacer · ir de] pareja (con).
■ ~일 hombre a hombre. ~로 싸우다 hacer combate singular. ~로 승부하다 jugar un partido sin desventaja.

일대(一大) grande, grave, maravilloso, excelente, precioso. ~ 성황 una gran prosperidad.
■ ~사(事) suceso *m* muy grande, asunto *m* serio, negocio *m* serio, asunto *m* grave, noticia *f* grave. ¶~가 일어났다 Ha acontecido algo grave. 그것은 가족의 ~다 Es una cuestión grava para la familia [para la casa].

일더위 calor *m* temprano (desde el principio del verano).

일도양단(一刀兩斷) medida *f* drástica, nudo *m* gordiano. ~의 조치를 취하다 tomar la medida drástica, cortar el nudo gordiano.

일독(一讀) (una) lectura *f*. ~하다 leer (una vez), leer de cabo a cabo, hojear un libro. 이 책은 ~의 가치가 있다 Vale la pena (de) leer este libro / Este libro merece la pena de leerse una vez.

일동(一同) todos *mpl*. 우리들 ~ todos nosotros. 사원(社員) ~ todos los empleados de la compañía. 회원(會員) ~ todos los miembros. 그들은 ~이 함께 놀러 갔다 Fueron todos juntos a divertirse.

일동(一洞) [한 동리] una aldea; [온 동리] toda la aldea.

일동일정(一動一靜) todo el movimiento, toda la conducta, toda la moción.

일되다 madurar temprano, crecer temprano. 일되게 하다 hacer madurar, hacer crecer. 일된 아이 niño *m* precoz, niña *f* precoz. 금년은 벼가 일되었다 La cosecha de arroz ha sido temprana este año.

일 두(一頭) una cabeza. 소 ~ una vaca. 돼지 ~ un cerdo, un puerco.

일득일실(一得一失) una ventaja y una desventaja. ~이 있다 En parte es ventajoso y en otras desventajoso. ~은 당연하다 No hay rosa sin espina / Toda ventaja está acompañada por desventaja.

일등(一等) ① [첫째 등급] primer puesto *m*, primer lugar *m*, primera categoría *f*, el número uno, N°.1; [사람] el primero, la primera. ~의 primero; [남성 단수 명사 앞에서] primer. ~으로 primeramente, primero, en primer lugar. 마을의 ~ 미녀(美女) belleza *f* sin par de la aldea, la más hermosa del pueblo. ~으로 가다 ir en primera. ~으로 도착하다 llegar el primero, llegar antes que nadie. ~으로 여행하다 viajar en primera. 경주(競走)에서 ~을 하다 llegar el primero en la carrera, ganar la carrera. 그는 (공부에서는) ~이다 El es el primero [el número uno] de su clase (en los estudios). ② [한 등급] una categoría, una clase, un grado. ③ ((불교)) igualdad *f*.
■ ~국 primera potencia *f*, estado *m* de primer orden. ~급 matrícula *f* de honor, *AmL* la nota más alta. ¶그는 ~을 받았다 El sacó la carrera con matrícula de honor / *AmL* El se recibió con la nota más alta. ~ 도로 camino *m* de primera clase. ~병 soldado, -da *mf* (de segunda clase). ~상 primer premio *m*. ¶~을 받다 ganar el primer premio. ~을 주다 otorgar el primer premio. ~ 선객 pasajero, -ra *mf* de primera clase. ~ 선실 camarote *m* de primera clase. ~성(性) estrella *f* de primera magnitud. ~ 열차 el primer tren. ~차 coche *m* [vagón *m*] de primera (clase). ~표 billete *m* [*AmL* boleto *m*] de primera (clase). ~품 artículo *m* de primera clase.

일떠나다[1] [기운차게 일어나다] estar levantado, estar despierto, saltar.

일떠나다[2] [길을 일찍이 떠나다] salir temprano por la mañana.

일떠서다 levantarse con brío.

일떠세우다 levantar con brío.

일락(一樂) ① [첫째의 즐거움] primera alegría: Los padres están vividos y los hermanos gocen de la salud. ② [한 가지의 낙] una alegría, un gozo.

일락(逸樂) placer *m*, deleite *m*. ~에 잠기다 entregarse a la voluptosidad.

일락서산(日落西山) puesta *f* del sol por el oeste. ~하다 El sol se pone por el oeste.

일란성(一卵性) ¶~의 monocigótico, uniovular, encigótico, monovular.
■ ~ 쌍생아 gemelos *mpl* monocigóticos, mellizos *mpl* uniovulares, gemelos *mpl* encigóticos.

일람(一覽) una ojeada, un vistazo. ~하다 dar un vistazo, dar una ojeada (a), echar una mirada (sobre); [책 등을] recorrer, hojear.
■ ~불(拂) ¶~의 pagadero a la vista. ~불 어음 letra *f* a la vista, efecto *m* a la vista. ¶~을 발행하다 librar la letra a la vista. ~표 lista *f*, tabla *f* (sinóptica), cuadro *m* (sinóptico). ~후 삼 개월불 어음 letra *f* a tres meses vista. ~후 정기불 pagadero al día fijo después de vista.

일러두기 notas *fpl* preliminares.

일러두다 decir, pedir, solicitar, ordenar.

일러바치다 delatar, dar el soplo, ir con el soplo, soplar, acusar, soplonear. 그는 그 날 일어났던 일을 전부 사장에게 일러바쳤다 El le sopló al jefe todo lo que ocurrió ese día.

일러 주다 ① [가르쳐 주다] enseñar, hacer saber. ② [알려 주다] decir, informar, aconsejar.

일렁거리다 mecerse, balancearse, menearse, agitarse, sacudirse. 배가 가볍게 파도에 일렁거렸다 El barco se mecía suavemente en las olas.
일렁일렁 meciéndose, balanceándose.

일렁이다 ＝일렁거리다.

일렉트론(영 *electron*) [전자(電子)] electrón *m.*

일력(日曆) calendario *m* (diario), almanaque *m.* ~에 의하면 이제 봄이다 Según el calendario ya estamos en primavera.

일련(一連) una serie. ~의 una serie de. ~의 문제들 una serie de problemas.
▪ ~번호 números *mpl* seguidos, números *mpl* consecutivos, números *mpl* en serie.

일련탁생(一蓮托生) compartimiento *m* de la fortuna con otros. 나는 친구들과 ~이다 Comparto la suerte con mis amigos.

일렬(一列) ① [하나의 줄] una línea; [세로의] una fila; [가로의] una hilera. ~로 en fila, en hilera. ~로 서다 formarse [ponerse] en fila, alinearse. ② [첫째 줄] primera línea *f*, primera pila *f.*
▪ ~종대 fila *f* india. ¶~로 en fila india.

일령(一齡) durante el primer sueño del gusano de seda.

일례(一例) un ejemplo. ~를 들면 por ejemplo. 위험한 스포츠의 ~로 등산을 들다 citar el montañismo [el alpinismo] como (un) ejemplo de deportes peligrosos.

일로(一路) ① [한 방향으로 곧장 뻗어 나가는 길] camino *m* derecho. 악화(惡化) ~를 가다 ir empeorándose, ir de mal en peor. 증가 ~에 있다 ir en continuo aumento, seguir aumentando. ② [곧장] inmediatamente, derecho. ~ 고향을 향해 달려가다 ir corriendo inmediatamente hacia *su* tierra natal.
▪ ~매진(邁進) avance *m* hacia el camino derecho. ¶~하다 ponerse en camino directamente (a), avanzar todo derecho (hacia).

일루(一縷) un hilo. ~의 un hilo de. ~의 희망 un hilo de esperanza, centelleo *m* de esperanza, esperanza *f* tenue, última paja *f.* ~의 희망을 품다 abrigar un hilo de esperanza. ~의 희망이 없어졌다 Se ha desvanecido [esfumado] el último resto de esperanza.

일루(一壘) ((야구)) primera base *f.*
▪ ~수(手) ((야구)) (beisbolista *mf* de) primera base *mf*, jugador, -dora *mf* de primera base. ~타 ((야구)) sencillo *m.*

일루미네이션(영 *illumination*) [조명. 전광 장식] iluminación *f.*

일류(一流) ① [첫째가는 지위] primer rango *m*, primer orden *m*, primera categoría *f*, primera clase *f.* ② [같은 유파] la misma escuela.
▪ ~ 가수 cantante *mf* de primera. ~ 극작가 dramaturgo, -ga *mf* de primera clase. ~ 극장 teatro *m* de primera categoría. ~ 대학 universidad *f* de primera categoría. ~ 브랜드 marca *f* de renombre. ~ 신문 periódico *m* líder. ~신사 caballero *m* de renombre. ~ 작가 escritor, -tora *mf* de renombre. ~ 정치가 político, -ca *mf* de primer rango. ~피아니스트 pianista *mf* de primer orden. ~ 회사 compañía *f* líder.

일륜(一輪) ① [한 둘레. 한 바퀴] una vuelta. ② [한 송이의 꽃] una flor. ~ 꽃병 florero *m* para una sola flor. ③ [밝은 달] luna *f* clara.
▪ ~차 [곡예용] monocicleta *f*, [운반용] carretilla *f.*

일륜(日輪) ＝태양(太陽).

일률(一律) uniformidad *f.*
▪ ~적 uniforme. ¶~으로 uniformemente, de la misma manera. ~으로 10만 원씩 승급하다 obtener todos un aumento de sueldo de cien mil wones. 그런 문제는 ~으로 논의할 수 없다 Esos problemas no se pueden discutir en el mismo plano [desde el mismo punto de vista].

일률(一率) 【물리】 poder *m.*

일리(一里) ① [이정(里程)의 단위] un *ri.* ② [한 동네] una aldea.

일리(一理) ① [하나의 이치] una razón. 그의 말에도 ~가 있다 El tiene razón desde cierto punto de vista / El tiene algo de razón. ② [동일한 이치] la misma razón.

일막극(一幕劇) ＝단막극(單幕劇).

일말(一抹) una sombra, un dejo, una escena; [약간. 다소] un poco. ~의 불안(不安) una inquietud vaga, un hilo de inquietud. ~의 슬픔 una sombra [un poco] de tristeza. ~의 연기 un hilo de humo. ~의 불안을 느끼다 sentir algo [un dejo] de inquietud.

일망(一望) una (sola) mirada. 그 언덕에서는 전 시가지를 ~할 수 있다 La colina domina toda la ciudad / Desde la colina se puede abarcar, con una sola mirada, toda la ciudad.
▪ ~무제[무애] infinidad *f.* ¶~하다 (ser) infinito, sin límites. ~한 바다 mar *m* sin límites, océano *m.*

일망타진(一網打盡) redada *f.* ~하다 hacer una redada. 도둑의 ~ una redada de ladrones. 도둑을 ~으로 검거하다 arrestar de un golpe una banda de ladrones.

일매지다 (ser) plano, uniforme. 바닥이 일매지지 않다 El suelo no está nivelado.

일맥(一脈) una vena.
▪ ~상통(相通) un hilo sutil de relación. ¶…과 ~하다 tener algo en común con *algo* · *uno.* …과 ~한 점이 있다 tener una relación sutil con *algo.*

일면(一面) ① [한쪽. 일방. 일방면] un lado, un aspecto. ~으로는 por un lado, por una parte, desde un punto de vista. 다른 ~으로는 en cambio, por otra parte. 그는 사물의 ~밖에 보지 않는다 El no considera [mira] más que un aspecto de las cosas. 그의 말에도 ~으로는 진실이 있다 Lo que dice es verdad [El tiene razón] hasta cierto punto. ② [주위의 일대 · 전체] toda la superficie. ～에 por todas partes. 들 ～에 꽃이 만발해 있다 Todo el campo está lleno [cubierto · inundado] de flores. ③ [처음으로 한 번 만나 봄] una vista por primera vez. ～하다 ver a una persona desconocida una vez. ④ [행정 구역인 면의 하나] un *Myon*. ⑤ [부사적] en cambio, por otra parte. 고맙기는 하지만 ～ 섭섭한 마음도 없지 않았다 Le di muchas gracias, pero, en cambio lo sentí también. ⑥ [신문의] primera plana *f*. ～ 기사 artículo *m* en primera plana. ⑦ [구기용 코트의] una pista.

■ ～식 conocimiento *m* de cara. ¶～도 없는 사람 desconocido, -da *mf*, forastero, -ra *mf*. 나는 그 사람과는 ～도 없다 No le he visto nunca / Es un completo desconocido para mí. ～여구(如舊) acción *f* de ser muy íntimo en el primer encuentro. ～지분(之分) intimidad *f* del conocimiento de cara.

일명(一名) ① [한 사람] una persona; [남자 한 명] un hombre; [여자 한 사람] una mujer. ② [본이름 이외에 따로 부르는 이름] seudónimo *m*, alias *m*, apodo *m*, otro nombre *m*.

일명(一命) una vida. ～을 걸고 al riesgo de *su* vida, por *su* vida, a costa de *su* vida.

일모(一毛) un pelo, la cantidad pequeñísima como un pelo.

■ ～작(作) una sola cosecha anual, cosecha *f* única al año, cosecha *f* simple. ¶이 지방은 ～이다 Esta región sólo produce una cosecha al año.

일모(一眸) ＝일견(一見).

일모(日暮) puesta *f* de(l) sol; [황혼] crepúsculo *m*, anochecer *m*, nochecita *f*, vespertino *m*. ～하다 ponerse el sol. ～의 vespertino. ～에 al anochecer, al atardecer, a crepúsculo, al caer la tarde, al caer el día. ～ 전에 antes de anochecer, antes de atardecer. ～ 후에 después de anochecer, después de atardecer. ～가 되다 anochecer, atardecer. ～가 된다 Anochece / Atardece. ～가 되면 돌아갑시다 Regresaremos al anochecer.

■ ～도궁(途窮) la soledad y la aflicción, descomposición *f* senil.

일목(一目) ① [하나의 눈] un ojo. ② [한 번 봄] una mirada, una ojeada. ③ ((바둑)) una piedra, una casa.

■ ～요연 evidencia *f*, claridad *f*. ¶～하다 (ser) evidente, obvio, claro, claro con sólo echar un vistazo. 그것은 ～하다 Es [Está] claro como el agua / Es [Está] más claro que el agua / Eso salta a la vista.

일몰(日沒) puesta *f* de(l) sol. ～하다 ponerse el sol. ～ 때에 a la puesta del sol, al ponerse el sol, al sol puesto, al anochecer. ～ 전(前)에 antes de anochecer. ～ 후(後)에 después de la puesta del sol, anochecida.

일무(一無) nada. ～하다 no haber nada. ～했다 No había nada.

■ ～가관(可觀) No hay ninguna cosa que vale la pena de ver. ～가론(可論) No hay ninguna cosa que discutir. ～가취(可取) No hay ninguna cosa que tomar. ～소득(所得) No hay ninguna ganancia. ～소식(消息) No hay una noticia ninguna.

일문(一門) ① [한 개의 문] una puerta. ② [혈족의 한 파] un clan. ③ [한집안] una familia. ④ [대포 하나] un cañón. ⑤ [같은 부류] la misma especie.

일문(日文) japonés *m*, literatura *f* japonesa, caracteres *mpl* japoneses.

일문(逸文) ① ＝명문(名文). ② [세상에 알려지지 않은 글] escritura *f* deconocida. ③ [흩어져서 전해지지 않은 문장] oración *f* no transmitida.

일문(逸聞) anecdota *f*.

일문일답(一問一答) una pregunta y una respuesta, diálogo *m*. ～하다 sostener un diálogo (con); [서로] intercambiar preguntas y respuestas. ～ 형식의 설명서(說明書) folleto *m* explicativo en forma de diálogo [en forma catequística].

일물(逸物) cosa *f* excelente; [걸작] obra *f* maestra.

일미(一味) ① [첫째가는 좋은 맛] el mejor sabor. ② ((불교)) enseñanza *f* de Buda.

일박(一泊) aposentamiento *m* [alojamiento *m* · hospedaje *m*] de una noche. ～하다 hospedarse una noche, parar una noche, alojarse una noche. ～ 여행을 하다 hacer un viaje de dos días.

일반(一般) ① generalidad *f*, contorno *m*, plan *m* general; [요목] esquema *m*. ② [일반 사람] público *m*. ～의 평판에 따르면 según la opinión general, a juicio del público en general. ～에게 공개하다 abrir al público.

■ ～ 감각 sensación *f* general. ～ 개념(概念) concepto *m* general. ～ 교서 mensaje *m* presidencial sobre el estado de la Nación. ～ 교양(教養) cultura *f* general, educación *f* general. ～ 교양 과목 asignaturas *fpl* para educación general. ～ 국민 público *m* general. ～ 규정 regla *f* general, regla *f* universal. ～ 대중(大衆) público *m* general. ～ 독자 lectores *mpl* en general, lectores *mpl* ordinarios, lectores *mpl* comunes. ～ 동향 movimiento *m* general. ～론 teoría *f* general. ～법 ley *f* general. ～사면 perdón *m* general, amnistía *f* general. ～석 asiento *m* de entrada general. ～성 generalidad *f*, popularidad *f*. ～ 시민(市民) ciudadanos *mpl* corrientes, ciudadanos *mpl* comunes. ～ 심리학 psicología *f* general. ～ 여권 pasaporte *m* general. ～ 예금(預金) ahorro *m* general. ～ 원칙 principio *m* general. ～인 público *m* general. ～적 [전반적인] general; [보편적인] universal; [보통의] corriente, común, ordinario; [대중적인] popular. ¶～으로 generalmente, en general, por lo general, comúnmente, por lo común, ordinariamente, popularmente.

~으로 말하면 hablando en términos generales, hablando por lo general, generalmente hablando. ~으로 과학에 흥미가 있다 tener interés en la ciencia en general. 그 회사의 제품은 ~으로 품질이 좋다 Los productos de esa empresa son generalmente de buena calidad. ~화 generalización *f*, popularización *f*. ¶~하다 generalizar, popularizar. ~ 회계 cuenta *f* popular.

일발(一發) un disparo, un tiro; [타격] un golpe. ~로 de un tiro. ~을 가하다 dar [pegar] un golpe [un puñetazo] (a). ~을 쏘다 dar un tiro, dar un golpe. ~로 명중하다 dar en el blanco de un solo tiro. ~의 총성이 들렸다 Se oye disparo.

일발(一髮) ① [한 가닥의 머리털] un pelo, un cabello. ② [극히 작음] pequeñez *f*, cosa *f* muy pequeña, cosa *f* pequeñísima. ③ [아주 짧은 사이] momento *m* muy corto; [아주 긴박한 상태] momento *m* crítico. 위기 ~의 순간 momento *m* crítico.

일방(一方) [한쪽] un lado, una parte; [다른 쪽] otro lado *m*, otro bando *m*; [적대 관계의] un bando. ~의 [거리의] de sentido único.

■ ~적 unilateral, oblicuo, parcial; [전횡적(專橫的)] arbitrario. ¶~으로 unilateralmente, parcialmente, arbitrariamente, por una parte. ~인 승리(勝利) victoria *f* abrumadora. ~인 판단 규준 criterio *m* unilateral. 원고 측에 유리한 ~인 판결 sentencia *f* injustamente favorable para los demandantes. ~으로 계약을 파기하다 anular el contrato unilateralmente. 그 결정은 ~이다 La decisión es arbitraria. ~통행 una vía, tráfico *m* uniteral; ((게시)) Sentido *m* único, Dirección *f* única. ¶~의 de dirección única, de una (sola) dirección. ~ 교통 circulación *f* de sentido único. 이 도로는 ~이다 Esta calle es de dirección única / Esta es una calle de una (sola) dirección.

일방(一放) =단방(單放).

일배(一杯) una copa, un vaso, una caña, una taza.

일백(一百) ciento; [명사 앞에서] cien. ~ 명의 한국인 cien coreanos. 책 ~ 권 cien libros. ~ 가지 걱정 las cientas preocupaciones. ~ 년이 지나면 모든 문제는 잊혀질 것이다 / ~ 년 있으면 모두 같아질 것이다 ((서반아 속담)) En cien años todos calvos (~ 지나면 모두가 대머리가 된다).

일 번(一番) ① [1위] el primer lugar, el número uno, N°. 1; [1위의 사람] el primero, la primera. ~의 primero. ~으로 primero, primeramente, en primer lugar. 경주에서 ~이 되다 llegar el primero en la carrera, ganar la carrera. 그는 학급에서 ~이다 Es el primero [el número uno] de su clase. ② [우등] el mejor; [열등] el menos.

■ ~ 열차 el primer tren. ~ 타자 ((야구)) primer bateador *m* [primera bateadora *f*] en turno; primer bateador *m* [primera bateadora *f*] al bate; bateador, -dora *mf* inicialista.

일벌 【곤충】 abeja *f* neutra, abeja *f* obrera.

일변(一邊) ① [한쪽. 한편] una parte, un lado. ② 【수학】 un lado. ③ [다른 한편으로] en otra parte.

■ ~도(倒) exclusivismo *m*. ¶~의 exclusivista. ¶…에 ~의 adherido completamente a *algo*. 친미(親美) ~의 정책 política *f* absolutamente proestadounidense.

일변(一變) cambio *m* completo, cambio *m* repentino. ~하다 cambiar completamente, manifestar un cambio completo, asumir un nuevo aspecto. 태도를 ~하다 cambiar completamente de actitud. 구역의 모습이 ~했다 El aspecto del barrio ha cambiado completamente. 그는 의사에서 ~해 소설가가 되었다 El dio un cambio y, de médico que era, se hizo novelista.

일변(日邊) tasa *f* de rédito diario, interés *m* diario, interés *m* por día.

일별(一別) una separación. ~하다 separar una vez.

일별(一瞥) una ojeada, un vistazo, una vista. ~하다 echar una ojeada (a), dar un vistazo (a). ~하여 a primera vista, a la primera ojeada.

일병(一兵) ① 【군사】 ((준말)) =일등병. ② [한 사람의 병사] un soldado, una soldada.

일병(日兵) soldado *m* japonés.

일보(一步) un paso. ~마다 a cada paso. ~ 양보(讓步)하다 ceder un paso, hacer una pequeña concesión, conceder un punto. ~ 전진하다 dar un paso (hacia) adelante. ~ 후퇴하다 dar un paso (hacia) atrás. ~ 앞으로 나아가다 adelantarse un paso, dar un paso más. ~도 양보하지 않다 no ceder ni un paso, no ceder ni un punto, no hacer la menor concesión. ~도 집 밖으로 나가지 않다 no salir ni a la puerta de la casa. 민주 정치로 ~를 내딛다 dar los primeros pasos hacia una política democrática. 이 회사는 도산 ~ 직전에 있다 Esta compañía está al borde de la quiebra.

일보(日報) ① [나날의 보고 또는 보도] informe *m* diario, información *f* diaria, reporte *m* diario, boletín *m* (*pl* boletines) diario. ② [신문] periódico *m*; [일간지] diario *m*.

일 보다 cuidar de sus negocios, poder con el trabajo, trabajar.

일복(一服) =작업복(作業服).

일복(一福) muchos trabajos (que hacer).

◆일복(이) 많다 seguir teniendo muchos trabajos que hacer. 일복(이) 터지다 tener muchos trabajos que hacer.

일본(日本) el Japón, el Nipón. ~의 japonés, niponés.

■ ~ 뇌염 encefalitis *f* japonesa. ~도(刀) espada *f* japonesa. ~ 문학 literatura *f* japonesa. ~ 사람[인] japonés, -nesa *mf*; niponés, -nesa *mf*. ~어 japonés *m*, lengua *f* japonesa, idioma *m* japonés, niponés *m*.

～ 영화 película *f* japonesa, filme *m* japonés. ～ 요리 cocina *f* japonesa, plato *m* japoés, comida *f* japonesa. ～제(製) fabricación *f* japonesa. ～ 제국주의 imperialismo *m* japonés. ～풍 estilo *m* japonés. ～학 estudio *m* japonés, japonología *f.* ～학 학자 japonólogo, -ga *mf.* ～화(化) japonización *f.* ¶～하다 japonizar. ～되다 japonizarse.

일봉(一封) una carta, un sobre.

일봉(日捧) colección *f* diaria. ～하다 coleccionar diariamente.

일부(一夫) ① [한 사내] un hombre. ② [한 개의 필부(匹夫)] un hombre ordinario, un hombre común. ③ [한 남편] un marido, un esposo.

▪～다처 poligamia *f.* ¶～의 polígamo. ～의 풍습 costumbre *f* polígama. ～다처주의자 polígamo *m.* ～다처혼 poligamia *f.* ～양처 bigamia *f.* ¶～자(者) bígamo *m.* ～일처[일부] monogamia *f.* ～일처주의자 monógamo *m.* ～일처혼 monogamia *f.* ～종사 servicio *m* a un solo esposo. ～종신 servicio *m* a un solo esposo durante toda su vida.

일부(一部) ① [한 부분(部分)] una parte, una porción, una sección, una división. ～의 parcial. ～의 사람들 unas personas. 제～ la parte primera. ～의 반동분자 unos pocos reaccionarios. 시(市)의 ～에서 en una parte de la ciudad. ～를 개정(改正)하다 enmendar en parte. ～를 수정하다 corregir parcialmente. …의 ～를 이루다 formar [constituir] parte de *algo.* 계획이 ～ 실현되었다 Se ha realizado una parte del proyecto. 대한민국은 아시아의 ～다 La República de Corea forma parte del Asia. ～의 위원(委員)이 반대하고 있다 Algunos de los miembros del comité se oponen. ② [한 벌] una colección. ③ [서책의 한 부] un ejemplar; [1권] un tomo. 복사한 것을 ～ 주십시오 Déme un ejemplar de las copias.

▪～ 결정(決定) decisión *f* parcial. ～ 보험 seguro *m* que cubre insuficientemente. ～분 una parte, una sección, una porción, una división. ¶～의 parcial, seccional. ～수정 corrección *f* parcial. ～ 이행(履行) cumplimiento *m* en parte. ～ 인사 unas personas. ～ 주권국(主權國) país *m* semiindependiente. ～ 파산(破産) quiebra *f* parcial. ～ 판결 juicio *m* parcial.

일부(日附) fecha *f.*

▪～ 변경선 [날짜 변경선] línea *f* del cambio de fecha. ～인 fechador *m.* ¶～을 찍다 fechar.

일부(日賦) pago *m* diario, entrega *f* cotidiana. ～ 적립 저금 depósito *m* cotidiano.

▪～금 dinero *m* diario de pago a plazos, dinero *m* diario de pago aplazado. ～불 pago *m* a plazos diario. ～ 판매 venta *f* a plazos diaria.

일부러 a propósito, de propósito, de intento, intencionalmente, intencionadamente, con intención, deliberadamente, expresamente, ex profeso, adrede. ～ 틀리다 equivocarse a sabiendas. ～ 와 주셔서 고맙습니다 Le agradezco que haya venido expresamente a verme. ～ 오시게 해서 죄송합니다 Dispénseme que le haya hecho venir. ～ 설명(說明)할 필요는 없다 No hace falta explicarlo especialmente. ～ 그런 것 같다 Parece forzado. 나는 ～ 대답하지 않았다 No respondí intencionadamente [adrede]. 나는 ～ 그것을 하지 않았다 No lo he hecho de propósito [con intención]. 네가 ～ 올 필요는 없다 No tienes que molestarte en venir.

일부일(日復日) todos los días, cada día, de día en día.

일부토(一抔土) [한 줌의 흙] un puñado de tierra; [무덤] tumba *f,* sepulcro *m.*

일분(一分) ① [한 치의 십분의 일] un décimo de un *chi.* ② [한 돈의 십분의 일] un décimo de un *don,* 0,37565 gramos. ③ [한 시(時)의 60분의 일] un minuto. ④ [1할의 10분의 일] uno por ciento. ⑤ [각도・경위도(經緯度) 1도의 60분의 1] un sexagésimo de un grado. ⑥ [하나를 몇 개로 등분한 것의 한 부분] una parte, una sección, una división, una porción.

▪～일초 ㉮ [한 분과 한 초] un minuto y un segundo. ㉯ [극히 짧은 시간] un momentito, muy corto momento m. 이 문제는 ～가 급하다 Este problema es urgentísimo.

일비(日費) gastos *mpl* diarios, expensas *fpl* diarias.

일비일희(一悲一喜) ＝일희일비(一喜一悲).

일비지력(一臂之力) fuerza *f* [energía *f*] muy pequeña, asistencia *f.*

일사(一死) ((야구)) un out, un hombre fuera.

일사(一事) ① [한 가지의 일] una cosa. ② [한 사건] un asunto.

▪～부재리 cosa *f* juzgada. ¶～의 원칙 principio *m* de cosa juzgada.

일사(一絲) ① [한 오리의 실] un hilo. ② [극히 작은 사물] cosa *f* muy pequeña.

일사(日射) brillo *m* de la luz del sol.

▪～병 termoplejía *f,* heliosis *f,* insolación *f,* asoleamiento *m.* ¶～에 걸리다 insolarse, asolearse, coger [pillar] una insolación.

일사(逸士) sabio *m* retirado del mundo.

일사(逸史) historia *f* desconocida al mundo, historia *f* no oficial.

일사(逸事/軼事) incidente *m* personal que llama atención, anécdota *f,* episodio *m.*

일사분기(一四分期) primer trimestre *m.*

일사불란하다(一絲不亂－) (ser) inquebrantable, perfecto. 일사불란한 단결 unión *f* inquebrantable, unión *f* perfecta. 일사불란하게 하다 marchar en perfecta alineación.

일사천리(一瀉千里) con gran rapidez, con mucha velocidad, a todo correr, rápidamente; [기세 좋게] vigorosamente; [쉬지 않고] sin cesar. ～로 도망치다 huir rápidamente. ～로 팔리다 venderse bien, venderse como churros. ~로 일을 하다 trabajar vigorosamente, trabajar sin cesar. 그는 ~로 걸어갔다 Aunque traté de detenerle, él siguió caminando sin parar. 물가가 ~로 오른다 Los precios suben rápidamente. ~로 돈이 벌렸다 Se ganó el dinero a espuertas.

일삭(一朔) un mes.

일산(日産) ① [매일의 생산고] producción *f* diaria. 이 공장은 철강의 ~이 500톤이다 Esta fábrica produce quinientas toneladas de acero diarias [por día] / La producción de acero de esta fábrica es de quinientas toneladas diarias. ② [일본에서 난 물건] producto *m* japonés, producto m hecho en el Japón.

일산(日傘) sombrilla *f*.

일산화물(一酸化物) monóxido *m*.

일산화질소(一酸化窒素) monóxido *m* de nitrógeno.

일산화탄소(一酸化炭素) monóxido *m* de carbono.

일삼다 ① [그 일에 종사하다] dedicarse (a). 술 마시는 것을 ~ dedicarse a beber. ② [자기의 직무로 알다] saber como *su* negocio.

일상(日常) [날마다] diariamente, de diario, cada día, todos los días; [늘. 항상] siempre. ~의 cotidiano, diario, de todos días; [보통의] ordinario, corriente. ~ 필요한 de necesidad cotidiana. 그것은 ~ 다반사이다 Eso ocurre todos los días. 그것은 ~ 잘 사용되는 물건이다 Es un artículo que se utiliza mucho en la vida cotidiana.

■ ~생활 vida *f* diaria, vida *f* cotidiana, vida *f* de todos los días. ¶~에서 없어서는 안 될 indispensable [imprescindible] para la vida diaria [de todos los días]. ~성 lo cotidiano; [습관성] rutina *f* cotidiana. ¶~에서 탈피하다 librarse [alejarse · salirse] de la rutina cotidiana. ~ 업무 asuntos *mpl* diarios, asuntos *mpl* de cada día. ~ 용어 palabra *f* cotidiana. ~적 cotidiano, diario. ~ 회화 conversación *f* diaria.

일색(一色) ① [한 빛] un (solo) color. ~의 de un solo color, monocromo. ② [뛰어난 미인(美人)] belleza *f* excelente. 천하(天下) ~ belleza *f* sin par (en el mundo). ③ [그 한 가지로만 이루어진 특색이나 정경] un carácter, una escena.

일생(一生) *su* vida, *su* vida entera; [부사적] toda la vida, por todo el curso de la vida. ~의 de toda la vida. ~의 경험 toda una vida de experiencia. ~의 기회 oportunidad *f* de *su* vida. ~의 소원 deseo *m* de toda *su* vida. ~의 일 trabajo *m* [obra *f*] de toda la vida. ~에 한 번 있는 기회(機會) una oportunidad única (en la vida) [irrepetible]. 그의 ~의 전기(傳記) su biografía. ~에 한 번 una vez en la vida. ~을 통해 (durante) toda la vida, durante *su* vida, a lo largo de *su* vida, de ; [부정문에서] en toda *su* vida, jamás en *su* vida. …의 ~의 사업 obra *f* principal de la vida de *uno*. …에 ~을 허비하다 malograr la vida por *algo*. 혁명가로 ~을 보내다 pasar *su* vida como un revolucionario. ~을 바치다 dedicar [consagrar] *su* vida. ~을 독신으로 지내다 permanecer [quedarse] soltero [soltera *f*] toda la vida. ~에 한 번 오는 호기(好機)다 Esta oportunidad no llega más que una vez en la vida / Es una oportunidad única en la vida. 그런 일은 내 ~ 동안 일어나지 않을 것이다 No lo verán mis ojos / No sucederá mientras yo viva. 귀하의 친절을 ~ 동안 잊지 않겠습니다 No olvidaré su amabilidad en toda mi vida. 그녀는 가난한 사람들을 돕는 데 ~을 바쳤다 Ella dedicó [consagró] su vida a ayudar a los pobres.

일생토록 (durante) toda la vida, toda *su* vida, durante *su* vida, mientras se vive.

■ ~일대 toda la [*su*] vida. ¶~의 걸작 máxima obra *f* maestra de *su* vida. ~의 명연기를 보이다 presentar la mejor actuación de toda *su* vida. ~일사 vida y muerte, el vivir y el morir.

일서(逸書) libro *m* perdido.

일석이조(一石二鳥) Matar dos pájaros de una pedrada / Matar dos pájaros de un tiro.

일선(一線) ① [하나의 선] una línea. ② ((준말)) =제일선(第一線).

일설(一說) ① [하나의 설] una teoría. ② [어떤 말] una palabra. ③ [다른 말] otra opinión *f*. ~에 따르면 según otra opinión, otros dicen que + *ind*, Se dice que + *ind*, Dicen que + *ind*.

일성(一聲) una voz, un grito.

■ ~호가(胡笳) sonido *m* de la flauta de un tono, un tono [una melodía] de la flauta.

일세(一世) ① [사람의 일생] toda la vida. ② [온 세상] todo el mundo, el mundo entero. ~를 풍미하다 dominar [reinar] todo el mundo [la época]. ③ [한 임금의 시대] reinado *m* (de un rey). ④ [한 혈통이나 유파의 원조. 또는 같은 이름의 황제나 법왕 중 첫 대의 사람] primero, -ra. 이사벨 ~ Isabel I [Primera]. 페데리꼬 ~ Federico I [Primero]. ⑤ [그 시대. 당대] una época, una era, una edad. ~의 영웅 héroe *m* de la época. ⑥ [과거 · 현재 · 미래의 삼세 중의 하나] uno del pasado, el presente y el futuro. ⑦ [이주민 등의 최초의 대(代)의 사람] primera generación *f*. 재일 동포 ~ residente *m* coreano [residente *f* coreana] en el Japón de primera generación. 한국계 미국인 ~ estadounidense *mf* de origen coreano de primera generación. ⑧ [아버지로부터 아들에 걸치는 일대(一代)] una generación. ⑨ [30년 동안] (por) treinta años.

■ ~일대(一代) toda la vida. ~지웅(之雄) héroe *m* sin par de la época.

일 세기(一世紀) ① [백 년(百年)] un siglo,

cien años. ② [첫 세기] primer siglo *m*.

일소 buey *m* (de labranza).

일소(一笑) ① [한 번 웃음] una risa, una sonrisa, una risada. ～하여 con una risa, con una sonrisa. ② [경시(輕視)하는 웃음] risa *f* de desprecio.

◆일소에 부치다 tomar a broma, reírse (de), echar a risa, tomar a risa, carcajearse (de), ridiculizar, hacer callar a un orador a carcajadas, no hacer caso (de).

▪～일소 일노 일노(一少一怒一老) Si se pasa riendo, no se envejece; si se pasa enfadando, se queda viejo pronto.

일소(一掃) exterminio *m*, exterminación *f*, aniquilación *f*, aniquilamiento *m*, extirpación *f*, depuración *f*; [추방] expulsión *f*. ～하다 quitar, barrer, limpiar, extirpar, depurar; [근절하다] exterminar, aniquilar; [추방하다] expulsar. 의심(疑心)을 ～하다 aclarar [barrer] las deudas. 재고품을 ～하다 liquidar todas las mercancías almacenadas. 적(敵)을 ～하다 barrer [exterminar] a los amigos. 폭력을 ～하다 extirpar [acabar con] la valentía. 도시에서 부랑아를 ～하다 expulsar a [acabar con] los golfos de la ciudad.

일손 ① [일하고 있는 손] mano *f* de trabajar. ② [일하는 솜씨] habilidad *f* de trabajar. ③ [일하는 사람] mano *f* de obra, brazos *mpl*, trabajadores *mpl*. ～이 부족하다 [모자라다] carecer de la mano de obra, carecer de manos, estar escaso de manos. ～이 부족합니다 Es escasa la mano de obra. 우리들은 ～이 필요하다 Estamos faltos [escasos] de manos / Nos hacen falta manos.

일수(一手) ① [상수(上手)] experto, -ta *mf*, superior *mf*, la mejor mano. ② [한 손] una mano. ③ [같은 수. 동일한 수법] el mismo estilo, la misma técnica. ④ [바둑 장기에서 한 수] un juego.

▪～판매(販賣) representación *f* exclusiva, agencia *f* exclusiva. ¶～하다 realizar una venta exclusiva (de). ～판매인 representante *m* exclusivo, representante *f* exclusiva; representante *m* único, representante *f* única; agente *m* exclusivo, agente *f* exclusiva.

일수(日收) ① [원금과 변리를 일정한 날짜에 나눠 날마다 거둬들이는 일. 또, 그 빚] préstamo *m* coleccionado a plazos diarios. ② ((준말)) ＝일수입.

▪～놀이 préstamo *m* a plazos diarios. ～입(入) ganancias *fpl* diarias. ～쟁이 prestamista *mf* que colecciona a plazos diarios [en cuotas diarias]. ～ㅅ돈 dinero *m* de préstamo a plazos diarios.

일수(日數) ① [날의 수] número *m* de los días. 그 일을 끝내려면 ～가 얼마나 걸릴까요? ¿Cuántos días se tardará en acabar [en hacer] el trabajo? / ¿Cuántos días harán falta para hacer ese trabajo? ② [그 날의 운수] suerte *f* del día. ～가 좋다 tener buena suerte, tener un buen día. ～가 사납다 tener un mal día, tener mala suerte. ～가 좋다 El día es afortunado. 너 참 ～가 좋구나! ¡Qué suerte tienes.

일숙(一宿) hospedaje *m* [alojamiento *m*·hospedamiento *m*] de una noche. ～하다 hospedarse [alojarse] una noche.

▪～일반(一飯) recibimiento *m* del favor. ¶～의 은혜 favor *m* pequeño.

일숙직(日宿直) servicio *m* de día y vigilancia de noche.

일순(一巡) un círculo, una vuelta, una patrulla, una ronda. ～하다 dar una vuelta, patrullar, estar de patrulla, volver el turno al principio, hacer un viaje circular.

일순(一瞬) un momentito.

▪～간(間) un momentito, un instante; [부사적] momentáneamente, instantáneamente. ¶～에 al momento, en un momento, en un instante, en un abrir y cerrar de ojos, en un santiamén. ～이겼다고 믿었으나 Por un momento creí haber ganado, pero …. 나는 ～ 놀랐다 Quedé atónito (por) un instante [(por) unos segundos]. 합격 발표의 ～이 기대된다 Se espera con ansia el momento del anuncio de los aprobados. ～에 그의 모습이 사라졌다 Su figura desapareció en un momento [en un abrir y cerrar de ojos].

일습(一襲) [(옷·그릇·기구 따위의) 한 벌] un juego; [장비] un equipo. 가구 ～ un juego de muebles, mobiliario *m* de una casa. 골프채 ～ un equipo de palos. 식기류 ～ un juego de cubiertos. 침구 ～ un juego de cama.

일승일패(一勝一敗) los triunfos y las derrotas alternativos, empate *m*. ～의 승부(勝負) combate *m* [batalla *f*] de suertes aternativas.

일시(一時) ① [한때. 한동안] (por) un momento, por algún tiempo. ～ 예치해 두다 depositar (por algún tiempo); [역 따위에] dejar en consigna. 돈을 ～ 그에게 빌리겠다 Por lo pronto, le pediré prestado el dinero. 우리들은 ～나마 우리의 일이 걱정되었다 Temimos por un momento lo que sería de nosotros. ② [같은 때] el mismo tiempo, un tiempo, una vez. 벚꽃이 ～에 핀다 Los cerezos florecen a un tiempo. ③ [그 당시. 동시대(同時代)] entonces, en aquel tiempo, tiempo *m* simultáneo.

▪～ 거주 residencia *f* temporal. ～ 거주 비자 visado *m* [*AmL* visa *f*] de residencia temporal. ～ 거주자 residente *mf* temporal. ～ 고용 empleo *m* temporal. ～금 suma *f* global, asignación *f* global. ¶연말 ～ suma *f* global que se paga al fin del año. 퇴직 ～ asignación *f* global de retiro. 하기 ～ suma *f* global que se paga en verano. ～불 pago *m* íntegro, pago *m* global. ～소득 ganancias *fpl* temporales. ～ 수입(輸入) importaciones *fpl* estacionales. ～ 수출 exportación *f* temporal. ～에 al mismo tiempo, a la vez, simultáneamente, a un tiempo, de una vez; [갑자기] de repente, repentinamente, de súbito, súbitamente. ~적 provisional, temporal, eventual, ocasional, pasajero, transitorio, fugaz. ¶~으로 provisionalmente, temporalmente. ~인 사랑 amorío *m*, amor *m* pasajero. ~인 일 trabajo *m* temporal, trabajo *m* eventual, trabajo *m* ocasional. ~ 차이 diferencia *f* temporal. ~ 처방 paliativo *m*, expediente *m* temporal, arreglo *m* provisional, medida *f* provisional. ~인 행복 felicidad *f* fugaz, felicidad *f* fugitiva. ~ 차입금 préstamo *m* temporal.

일시(日時) la fecha y la hora.

일시동인(一視同仁) [박애] benevolencia *f* universal, confraternidad *f* universal, espíritu *m* fraternal; [공평] imparcialidad *f*. ~의 imparcial, cosmopolita.
■ ~설 cosmopolitanismo *m*.

일식(一式) un juego. ~의 completo. 차도구(茶道具) ~ juego *m* completo de té.

일식(日食) comida *f* japonesa, comida *f* a la japonesa, plato *m* japonés.
■ ~ 전문점 restaurante *m* japonés.

일식(日蝕/日食) eclipse *m* solar, eclipse *m* de(l) sol.

일신(一身) ① [자기의 한 몸] *su* vida, *sí* mismo. ~을 걸고 al riesgo de la vida. ~을 걸다 arriesgar la vida, jugarse la vida. ~을 바치다 dedicarse a la vida. … 때문에 ~을 걸다 arriesgarse la vida por *algo*. ② [온몸. 전신(全身)] todo el cuerpo, el cuerpo entero.
■ ~상(上) *su* propio asunto, *su* asunto personal, *su* asunto particular. ¶~의 personal, particular, privado. ~의 문제 problema *m* personal. ~의 사정으로 por la razón personal, por razones personales, por razones particulares.

일신(一新) renovación *f*, renuevo *m*, reformación *f*. ~하다 renovar, reengendrar, rehacer, reformar, cambiar completamente. 기분을 ~하다 sentirse otro, sentirse renovado, sentirse animado; [머리를 식히다] despejarse. 면목(面目)을 ~하다 renovar el aspecto, asumir nuevo aspecto.

일신(日新) renovación *f* diaria. ~하다 ser renovado diariamente.

일신교(一神教) ((종교)) monoteísmo *m*. ~의 monoteísta.
■ ~도(徒) monoteísta *mf*.

일실(一室) ① [한 방] una habitación, un cuarto. ② [한집안에서 사는 가족] una familia.

일실(逸失) pérdida *f*. ~하다 perderse.

일심(一心) ① [한마음] un corazón, una mente, el mismo corazón. ~으로 con todo *su* corazón, fervorosamente, asiduamente, atentamente. ~이 되다 entregarse, dedicarse. ~으로 빌다 ofrecer una oración ardente [ferviente]. ~으로 사과드립니다 Le ruego a usted encarecidamente [sinceramente] que me perdone. ② [한쪽에만 마음을 씀] entusiasmo *m*. ③ [여러 사람의 마음이 일치함] incorporación *f*, unificación *f*.
■ ~동체 incorporación *f*, unificación *f*, un cuerpo. ¶~가 되다 incorporarse, hacerse uno. 전 사원이 ~가 되어 일한다 Trabajan en un cuerpo [como un cuerpo · en bloque · como un solo hombre] todos los miembros de la compañía. ~불란 mucho entusiasmo *m*. ¶~하다 entregarse en cuerpo y alma (a). ~전력 todos esfuerzos posibles. ¶~하다 hacer lo mejor posible, hacer todo lo posible, hacer todos esfuerzos posibles.

일심(一審) ((준말)) =제일심(第一審).

일심하다(日甚－) ser grave de día en día.

일쑤 ① [가끔 잘하는 짓] práctica *f* habitual, práctica *f* acostumbrada. 극장 가기가 ~다 soler ir al cine. ② [곧잘] a menudo, con frecuencia, frecuentemente. ~ 지각을 하다 soler llegar tarde al trabajo [a la clase].

일안 리플렉스 카메라(一眼 reflex camera) (cámara *f*) réflex *f* (con un solo objetivo).

일야(一夜) una noche, toda la noche.

일야(日夜) día y noche, noche y día.

일약(一躍) de repente, repentinamente, de súbito, súbitamente, de un salto, a un salto, de golpe, de una vez, a un brinco, en una zancada. ~ 유명하게 되다 hacerse célebre de repente, alcanzar la fama de la noche a la mañana. 사병에서 ~ 장교가 되다 ascender [subir] de golpe de soldado raso a oficial. 주가(株價)가 ~ 오르고 있다 La cotización de las acciones registra una alza repentina. 그는 ~ 장교가 되었다 De un salto pasó a oficial del ejército.

일양(一樣) uniformidad *f*, constancia *f*, modo *m* uniforme, regularidad *f*, similitud *f*, semejanza *f*, parecido *m*, igualdad *f*.

일양일(一兩日) ① [하루나 이틀] un día o dos días. ② [오늘과 내일] hoy y mañana.

일어(日語) ((준말)) =일본어(日本語).

일어나다 ① [누웠다가 앉거나, 앉았다가 서다] levantarse; [일어서다] levantarse, ponerse de pie, *AmL* pararse; [상체를 일으키다] incorporarse; [쓰러졌던 사람이] erguirse, enderezarse. 의자에서 ~ levantase de la silla. 병상(病床)에서 ~ [환자가] levantarse de la cama. 침대에서 ~ levantarse de la cama, incorporarse de la cama. 일어나거라 Levántate. 땅바닥에서 일어나거라 Levántate del suelo. 그 환자는 이제 일어날 수 있다 El enfermo ya se puede levantar. 너는 일어나 그 땅을 종과 횡으로 행하여 보라 내가 그것을 네게 주리라 ((창세기 13:17)) Levántate, recorre esta tierra a lo largo y a lo ancho, porque yo te la voy a dar.
② [자지 않고 깨어 있다] despertarse, dejar de dormir. 그는 아직 일어나 있다 El todavía está despierto. 간밤에는 공부하면서 늦도록 일어나 있었다 Anoche estuve despierto hasta muy tarde estudiando. 네가

계속 떠들면 젖먹이가 일어난다 Si sigues haciendo ruido, el bebé se despierta.
③ [일·기운이 생기다·발생하다] ocurrir, suceder, acontecer, pasar; [돌발하다] estallar, sobresalir. 무슨 일이 일어나더라도 pase lo que pase. 전쟁이 일어났다 Ha estallado la guerra. 사고는 부주의(不注意)에서 일어나는 일이 많다 Muchos accidentes suelen ocurrir por descuido. 그녀에게 무슨 일이 일어났음에 틀림없다 Algo debe de haberle pasado.
④ [한창 성해지다] prosperar, surgir, salir a luz. 나라가 일어난다 Prospera el país. 각종 산업이 일어났다 Han surgido varias industrias / Han salido a luz varias industiras.
⑤ [잠에서 깨어 잠자리에서 나오다] levantarse. 일찍 ~ madrugar, levantarse temprano. 일찍 일어나는 madrugador, que acostumbra madrugar. 일찍 일어나는 사람 quien madruga, el que madruga. 일어나거라 [tú에게] Levántate / [vosotros에게] Levantaos. 일어나십시오 [usted에게] Levántese / [ustedes에게] Levántense. 일어납시다 Levantémonos / Vamos a levantarnos. 너는 몇 시에 일어나느냐? — 나는 여섯 시 반에 일어난다 ¿A qué hora te levantas? — Me levanto a las seis y media. 하나님은 일찍 일어나는 사람을 도와주신다 / 새도 일찍 일어나야 벌레를 잡는다 ((서반아 속담)) A quien madruga, Dios le ayuda (부지런해야 수가 난다). 일찍 일어나는 새가 벌레를 잡는다 El que madruga coge la oruga. 번성하기 위해서는 일찍 일어나야 한다 ((서반아 속담)) Para prosperar, madrugar (동트기 전에 일하는 자는 남의 속박을 받지 않을 것이다). 일찍 일어나는 것보다 하나님의 도움이 더 낫다 ((서반아 속담)) Más hace a quien Dios ayuda que el que mucho madruga (하나님의 도움이 없이는 어려운 일이 이루어질 수 없다).
⑥ [불이 붙기 시작하다] arder, quemarse. 불이 잘 일어난다 El fuego está ardiendo animado.
⑦ [바람이] soplar, levantarse, correr; [전기가] generarse. 바람이 일어났다 Corrió [Se levantó] el viento. 전기가 일어난다 Se genera la electricidad.

일어서다 ① [앉았다가 서다] levantarse, poner de pie, *AmL* pararse. 일어서라 Levántate. 일어서십시오 Levántese. 일어서지 마라 No te levantes. 일어서지 마십시오 No se levante. 일어섭시다 Levantémonos / Vamos a levantarnos. 이제 일어설 수 없다 Ya no me sostienen las piernas. ② [기운이 생겨 번창해지다] levantarse, prosperarse, recuperarse. 사업(事業)이 다시 일어섰다 Se recupera el negocio. 국민은 압정(壓政)에 반대해 일어섰다 Se ha levantado el pueblo contra la tiranía. 이 나라는 패전(敗戰)의 폐허에서 다시 일어섰다 Este país se levantó de las ruinas en que le había sumido la derrota. 그는 정신적 슬럼프에서 다시 일어섰다 Se ha recuperado de una depresión mental.

일어앉다 sentarse después de levantarse.

일어탁수(一魚濁水) El error de un hombre es perjudicial para muchos.

일 억(一億) cien millones.

일언(一言) ① [한 마디 말] una palabra. ~하다 hablar en una palabra, dar [gastar] dos palabras. 남자의 ~ una palabra del hombre. ~으로 말하면 en una palabra. ~도 없이 sin decir una palabra. ② [간단한 말] palabra *f* breve.
■ ~반구 una sola palabra, palabra *f* muy breve. ¶~도 없다 no tener excusa, no hay con qué excusarse [disculparse]. 그녀는 ~의 인사도 없이 떠나 버렸다 Ella se fue sin decir ni una sola palabra de despedida. ~이폐지(以蔽之) Una oración puede cubrirlo todo. ~일행(一行) hechos y palabras triviales. ~지하(之下) una sola palabra. ¶~에 en el acto, rotundamente. ~에 거절하다 rechazar rotundamente, denegar en el acto, rehusarlo en una sola palabra.

일없다 ① [필요 없다] no necesitar, no haber necesidad, no querer, no desear. 그런 건 ~ No quiero tal cosa. 네 도움은 ~ No necesito tu ayuda. 옷은 일없으니 돈으로 주십시오 Déme dinero, que no quiero ropa. ② [괜찮다] no importar. 나는 일없습니다 No me importa. 너는 일없니? ¿No te importa?

일여덟 ((준말)) =일고여덟.

일역(日域) ① [햇빛이 비치는 곳. 곧, 천하] el cielo y la tierra. ② [해가 뜨는 곳] lugar *m* que sale el sol.

일역(日譯) traducción *f* al japonés. ~하다 traducir al japonés.

일엽지추(一葉知秋) el saber el otoño de una sola hoja.

일엽편주(一葉片舟) una barca.

일요(日曜) ((준말)) =일요일.
■ ~판 edición *f* dominical [de domingo], suplemento *m* dominical. ~ 학교 escuela *f* dominical. ~ 행사 domingada *f*. ~화가 aficionado, -da *mf* a la pintura. ~ 휴식 descanso *m* dominical.

일요일(日曜日) domingo *m*. ~의 dominical. ~마다 (todos) los domingos, cada domingo. ~ 이외의 날 día *m* de semana. 이번 ~에 el domingo próximo [que viene]. 오늘은 ~이다 Hoy es domingo. 나는 ~에는 교회에 간다 Voy a la iglesia todos los domingos [el domingo].

일용(日用) uso *m* diario, necesidad *f* diaria. ~의 de uso diario, de necesidad diaria.
■ ~품 artículo *m* de uso diario, artículo *m* de necesidad cotidiana, necesarios *mpl*, géneros *mpl* diarios.

일용(日傭) =날품팔이.

일우(一隅) un rincón, una esquina, un rincito.

일울다 cantar temprano (el gallo), cacarear temprano, cacarear por la mañana.

일원(一元) ① [같은 본원] causa *f* única, origen *m*. ② 【수학】 lo que contiene una inógnita.

■ ~론 monismo *m*. ~론자 monista *mf*. ~설 monogénesis *f*, unidad *f* de origen. ~이차 방정식 ecuación *f* de segundo grado con una inógnita. ~ 일차 방정식 ecuación *f* simple. ~화 unificación *f*. ¶~하다 unificar. ~되다 unificarse.

일원(一員) un miembro; [조합·클럽 등의] socio, -cia *mf*; [구성원] componente *mf*, integrante *mf*. 클럽의 ~이 되다 afiliarse a un club, hacerse socio de un club. 개도 가족의 ~이다 El perro también es un miembro de la familia.

일원(一圓) =일대(一帶). ¶경기도 ~ todas partes de la provincia de *Gyeongkido*.

일원제(一院制) ((준말)) =일원 제도.

일원 제도(一院制度) sistema *m* unicameral. ~의 unicameral, de una sola cámera.

일월(一月) enero *m*. ~ 일일(一日) el primero de enero. ~ 31일 el treinta y uno de enero. ~은 일 년의 첫 달이다 Enero es el primer mes del año.

일월(日月) ① [해와 달] el sol y la luna. ② [날과 달] el día y el mes. ③ =광음(光陰).

■ ~광 la luz de sol y de luna. ~성신 el sol, la luna y las estrellas. ~식 el eclipse solar y el eclipse lunar.

일위(一位) ① [첫째의 지위] el primer puesto, el primer lugar, el primer rango, el número uno, N° 1. ~를 점하다 obtener [ganar] el primer lugar; [상태] ser el primero, ocupar el primer lugar. ~에 있다 ir a la cabeza en la lista, estar en cabeza de la lista. 경주(競走)에서 ~를 하다 llegar el primero en la carrera, ganar la carrera. ② [한 분. 한 사람] una persona; [남자 한 분] un hombre; [여자 한 분] una mujer.

일으키다 ① [일으켜 세우다] levantar, poner a pie, enderezar. 상체(上體)를 ~ incorporarse. 넘어진 사람을 ~ levantar al hombre caído. ② [일 따위를 시작하다] causar, ocasionar, producir; [감정을] suscitar, provocar. 교통사고를 ~ causar un accidente de tráfico. 모두에게 경멸을 ~ provocar el desprecio de todos. 중대한 결과를 ~ causar [ocasionar] consecuencias graves. 그의 부주의로 큰 사고를 일으킬 수 있었다 Su descuido pudo causar [acarrear] un grave desastre [accidente]. ③ [세우다. 창설하다] fundar, establecer, iniciar, organizar. 개혁을 ~ iniciar una reforma. 학교를 ~ fundar [establecer] una escuela. 산업을 ~ iniciar la industria. 나라를 ~ fundar un país. 운동을 ~ iniciar una campaña. 회사를 ~ organizar una compañía. ④ [깨우다] despertar. 여섯 시에 일으켜 주십시오 [호텔 등에서] Despiértenme a las seis (de la mañana). ⑤ [발병(發病)하다] enfermarse, caer enfermo. ⑥ [발생시키다] generar. 전기를 ~ generar la electricidad. ⑦ [활기를 돋우다] prosperar. 가세(家勢)를 ~ prosperar la suerte familiar. ⑧ [입신(立身)하다] tener éxito en la vida, avanza en *su* carrera.

일읍(一邑) ① [한 읍] un *Eub*, un pueblo; [한 고을] una aldea, un pueblo. ② [온 읍] todo el pueblo, todo *Eub*.

일의대수(一衣帶水) corriente *f* estrecha, estrecho *m* angosto.

일이(一二) ① [한둘] uno o dos. ~등을 다투다 contender para la posición delantera, disputar el primer puesto. ~ 등을 다투는 인물 uno de los más eminentes hombres [las personajes principales]. 그는 반에서 ~ 등을 다투는 수재다 El es el primero o el segundo alumno más inteligente de la clase / El es uno de los chicos más inteligentes de la clase. ② [한두] uno o dos. ~ 명 uno o dos personas.

일익(一翼) una parte, un papel, un rol. ~을 담당하다 formar parte (de). 이 정당은 여당 연합의 ~을 담당하고 있다 Este partido forma parte de la coalición gubernamental.

일익(日益) cada día más, todos los días más, día tras día, día a día, de día en día. ~ 더워진다 Está haciendo más calor de dia en día.

일인(一人) una persona; [남자] un hombre; [여자] una mujer. ~당 per cápita, por persona, por barba, por cabeza. ~용(用)방 habitación *f* sencilla, habitación *f* simple.

■ ~ 독재(獨裁) dictadura *f* unipersonal. ~분 una ración. ¶갈비 ~ una ración de *Galbi*. ~ 부탁합니다 Una ración, por favor. ~승 비행기 monoplaza *f*. ~이역(二役) papel *m* doble. ~일기(一技) un hombre, un arte. ~자(者) ((준말)) =제일인자. ~ 지도 체제 liderazgo *m* unitario. ~칭(稱) ㉮ 【언어】 primera persona *f*. ㉯ 【문학】 yo.

일인(日人) japonés, -nesa *mf*; niponés, -nesa *mf*.

일일(一日) ① [하루] un día. 개회를 ~ 연기하다 diferir la apertura de la sesión por un día. ② [달의 초하루] el primero (del mes). 3월 ~ el primero de marzo.

■ ~여삼추 Sentir como si el día fuera años, esperar impacientemente. ¶나는 그가 돌아오길 ~같이 한다 Se me hacen los días muy largos esperando su regreso. ~일선(一善) Buenas acciones al día / Buenas obras al día. ~지장(之長) superioridad *f*, un poco mayor. ~학(瘧) malaria *f* diurna, fiebres *fpl* palúdicas cotidianas.

일일(日日) todos los días, cada día.

일일이 todas las cosas.

일일이(一一一) uno por uno, una por una; uno a uno, una a una; individualmente, separadamente, por separado; [모조리] todo; [상세히] en detalle. ~ 말할 수 없다 no poder decir de los detalles. ~ 답장을

쓰다 responder a todas las cartas. 나는 서류를 ~ 볼 수 없다 No puedo ver todos los documentos uno por uno.

일임(一任) encargo *m*. ~하다 confiar, dejar, encargar, dejar un negocio enteramente.

일자(一字) ① [하나의 문자] una letra. ② [짧은 글] oración *f* corta. ③ [한일자] línea *f* recta. ~로 todo derecho, en línea recta. 입을 ~로 다물다 cerrar la boca en línea recta.

■ ~무식(無識) ignorancia *f* total, ignorancia *f* completa. ~양의(兩義) dos significados en una palabra.

일자(日字) =날짜(fecha).

일자리 trabajo *m*, empleo *m*, puesto *m* (de trabajo), plaza *f*, colocación *f*; [직업] profesión *f*, ocupación *f*. ~를 구하다 buscar un empleo, buscar una colocación, buscar un trabajo. ~를 얻다 colocarse, encontrar un empleo, adquirir un empleo. ~를 바꾸다 cambiar de profesión. ~를 잃다 perder *su* puesto [*su* trabajo]. ~가 없다 no encontrar empleo [colocación · donde colocarse].

일자이후(一自以後) desde entonce hasta ahora.

일잠 sueño *m* temprano.

일장(一場) una escena, una vez. ~의 연설을 하다 tomar la palabra, hacer un discurso, dirigir la palabra.

■ ~춘몽(春夢) prosperidad *f* vana como un sueño primaveral, sueño m vano en primavera. 인생은 ~이다 La vida es un sueño.

일장검(一長劍) una espada larga y grande.

일장기(日章旗) (bandera *f* del) Sol Naciente.

일장월취(日將月就) =일취월장(日就月將).

일장일단(一長一短) méritos *mpl* y deméritos, ventajas y desventajas. 이것에는 ~이 있다 Hay ventajas y desventajas [ventajas e inconvenientes · méritos y desméritos · conveniencias e inconveniencias] en esto.

일재(逸才/逸材) talento *m* superior, hombre *m* de gran talento, genio *m*.

일재간(一才幹) talento *m* de trabajar.

일적(一適) una gota.

일전(一戰) una batalla. ~을 하다 librar una batalla. 적과 ~을 하다 batallar con un enemigo; [경기를] jugar una partida.

일전(一轉) ① [한 번 돎. 한 바퀴 돎] una vuelta. ~하다 dar una vuelta. ② [아주 변함] cambio *m* completo, cambio *m* total. ~하다 cambiar completamente, cambiar totalmente. 무대를 ~하여 al cambiar el escenario, al cambiar la escena.

일전(日前) hace unos días, el otro día, un día, recientemente. ~에는 실례했습니다 Le pido perdón por mi descortesía del otro día.

일절(一切) todo, totalmente, completamente, absolutamente, rotundamente, terminantemente. ~ …하지 않다 nunca, jamás, no … nada, no … para nada. 나는 ~ 걱정하지 않는다 No estoy preocupado en absoluto / No estoy para nada preocupado.

일점혈육(一點血肉) un solo niño que dio a luz ella misma. ~도 없는 노부부 matrimonio *m* viejo sin (tener ni) un solo niño.

일점홍(一點紅) ① =홍일점(紅一點). ② =석류꽃.

일정(日政) =왜정(倭政).

일정(日程) programa *m* [orden *m*] del día. ~에 넣다 ejercer el orden del día, poner manos a la obra. ~을 짜다 determinar [fijar] el programa del día. ~을 변경하다 alterar el programa [el orden] del día.

■ ~표 lista *f* del programa del día.

일정량(一定量) cantidad *f* fija.

일정액(一定額) cantidad *f* fija, suma *f* fija.

일정하다(一定一) fijar, definir, unificar, afirmar. 일정한 [고정된] fijo; [결정된] decidido, determinado, definido; [규정의] establecido; [규칙적인] regular; [불변의] invariable, perpetuo. 일정한 가격 precio *m* fijo. 일정한 서식 fórmula *f* establecida. 일정한 수입 ingresos *mpl* fijos. 일정한 날에 en el día determinado [definido]. 일정한 시간에 a la hora definida [establecida]. 일정한 속도로 con una velocidad constante. 일정한 간격으로 [공간] con [a] cierta distancia; [시간] con [a] cierto intervalo. 일정하게 하다 fijar, establecer, hacer uniforme, uniformar. 일정한 수입을 얻다 tener un ingreso fijo. 일정한 목적을 가지다 tener un objetivo fijo. 일정한 직업을 얻다 conseguir un empleo fijo. 일정한 기간을 보존하다 conservar durante un determinado tiempo.

일제(一齊) juntos, todos juntos, en conjunto; […와 함께] con *uno*, en compañía de *uno*; […와 협력하여] en cooperación con *uno*; [그룹으로] en un grupo; [동시에] a un tiempo, a la vez, simultáneamente. ~ 박수로 맞이하다 recibir con una salva de aplausos. ~ 소리 지르다 gritar a coro. ~ 직장을 포기하다 abandonar simultáneamente el trabajo. ~ 질문의 화살을 던지다 lanzar una descarga de cuestiones.

■ ~ 검거 detención *f* general, detención *f* en masa. ~ 단속 vigilancia *f* general. ~ 사격 descarga *f* cerrada; [함선(艦船)의] andanada *f*; [예포] salva *f*. ¶~을 하다 lanzar una (nube de) descarga.

일제(日帝) ((준말)) =일본 제국. 일본 제국주의(日本帝國主義).

일제(日製) ((준말)) =일본제(日本製).

일조[1](一兆) [하나의 조짐] un síntoma.

일조[2](一兆) ① [일억의 만 갑절] un billón, un millón de millones. ② [극히 많은 수] muy mucho número.

일조(一朝) ① ((준말)) =일조일석(一朝一夕). ② [만일의 경우] caso *m* de emergencia. ~ 유사시에 en el caso de emergencia, en el caso de dificultades. ③ [하루 아침. 어느 날 아침] una mañana.

일조(日照) sol *m*.

■ ~계 heliógrafo *m*. ~권 derecho *m* al

sol, derecho *m* a la insolación. ~량(量) cantidad *f* del sol. ~ 시간 duración *f* del sol, (hora *f* de) insolación *f*. ~율(率) porcentaje *m* del sol.

일조일석(一朝一夕) en un día, en tiempo breve. 로마는 ~에 이루어지지 않았다 ((서반아 속담)) No se fundó Roma en una hora / No se ganó Zamora en una hora.

일족(一族) [친족] parentesco *m*, parentela *f*; [씨족] clan *m*; [가족] familia *f*. 김씨 ~ el clan del señor Kim.

일종(一種) ① [한 종류] una especie, un género, una clase; [변종] una variedad. ~의 una especie [una clase] de, una variedad de. 동물의 ~ una especie de animal. 앵두의 ~ una variedad de cerezo. 야마는 ~의 낙타이다 La llama es una especie de camello. 인간도 동물의 ~이다 El hombre pertenece a la especie animal. ② [어떤 종류] cierta especie *f*, cierta clase *f*.

일좌(一座) un asiento; [온 좌석] todo el asiento; [같은 자리] el mismo asiento.

일주(一周) una vuelta, una rotación, un rodeo, un giro; [주항(周航)] una circunnavegación. ~하다 dar una vuelta, circunnavegar. 그라운드를 ~하다 dar una vuelta al campo. 시내를 ~하다 dar una vuelta por el centro. 마을의 상공을 ~하다 dar una vuelta sobre el pueblo. 전국을 ~하다 viajar por todo el país. 공원(公園)을 ~하다 dar una vuelta por el parque.

◆유럽 ~ viaje *m* [gira *f*] por toda Europa.

일주(一株) ① [나무 등의 한 그루] un árbol. ② 【경제】 [하나의 주식 또는 주권] un valor, una acción.

일주(一週) ① =일주(一周). ② ((준말)) =일주간(一週間). 일주일(一週日).

▪~간 una semana, ocho días. ~기(忌) (servicios *mpl* religiosos con motivo del) primer aniversario *m* de la muerte (de). ~년 un año cumplido, un aniversario. 개점 ~을 기념하다 conmemorar el primer aniversario (de la apertura) de una tienda. ~년 기념 el primer aniversario. ~일(日) una semana. ¶~ 이내에 dentro de una semana, en menos de una semana. ~ 전에 hace una semana. ~ 후에 después de una semana, pasada una semana. ~에 한 번 una vez a la semana, una vez por semana. ~에 한 번씩 semanalmente. ~에 10만 원 cien mil wones semanales, cien wones por semana. ~에 두 번 하는 그의 방문 su visita que me hace dos veces a la semana [por semana]. 우리가 소식을 듣지 못한 지가 ~ 되었다 Hace una semana que no tenemos noticias.

일주 운동(日周運動) moción *f* diurna.

일중(日中) ① [오정(午正) 때] mediodía *m*. ~의 de(l) mediodía. ② ((준말)) =일중식.

▪~식(食) acción *f* de almorzar una vez al día sin tomar el desayuno y la cena por la pobreza.

일증월가(日增月可) prosperidad *f* diaria y mensual. ~하다 prosperar diaria y mensualmente.

일지(日誌) diario *m*. ☞일기(日記)

일지라도 aunque, aun, aun cuando. 아무리 농담~ 너무 심하다 Aunque sea una broma, es demasiado.

일지언정 aunque + *ind*; [미래에서] aunque + *subj*.

일직(日直) servicio *m* de día, servicio *m* de fiesta. ~하다 estar de servicio de día, estar de guardia de día, servir al día.

▪~ 사령 oficial *m* al día.

일직선(一直線) ① [하나의 직선] una línea recta. ~의 recto, derecho, directo. ~으로 en línea recta, directamente. ② [쭉 곧음. 또 그 줄] lo derecho; [곧은 줄] línea *f* recta. ~으로 가다 ir derecho (a), ir en línea recta (hacia).

일진(一陣) ① [한 떼의 군사의 진] una tropa, un grupo. ② [첫째의 진] primera tropa *f*, primer grupo *m*. 선수단의 제~ el primer grupo de jugadores. ③ [바람 따위가 한바탕 일어남] un soplo, una ráfaga.

▪~광풍(狂風) una ráfaga de viento, una racha, una bocanada de aire de viento. ¶~이 분다 Corre un soplo de viento / Se lavanta una ráfaga de viento. ~청풍 una ráfaga de brisa. ~흑운(黑雲) una ráfaga de nube oscura [negra].

일진(日辰) suerte *f* del día. ~이 좋은 날 día *m* propicio (de un buen augurio). ~이 사나운 날 día *m* de un mal augurio.

일진(日進) progreso *m* diario. ~하다 progresar diariamente.

▪~월보(月步) progreso *m* constante, progreso *m* rápido, avance *m* firme, adelanto *m* rápido. ¶~하다 hacer progresos rápidos, progresar muy rápidamente. ~의 progresivo, muy rápido, rapidísimo. ~한 오늘날 hoy día en que todo progresa tan rápido. 오늘날은 ~하는 시대다 Estamos en una época de progresos cada vez más rápidos. 공업화는 ~로 발전하고 있다 Progresa la industrialización cada vez más rápidamente.

일진일퇴(一進一退) avances y retroceso. ~하다 ya adelantarse ya atrasarse, fluctuar. ~의 접전(接戰) contienda *f* de dindán; [득점이] batalla *f* de vaivén. ~한다 Ya se adelanta ya se atrasa. 승부는 ~다 El partido está muy reñido. 병세(病勢)가 ~하고 있다 La enfermedad se mejora un poco pero después vuelve a empeorarse / La enfermedad tiene sus altibajos.

일질(一帙) ① [한 책갑에 들어 있는 책] libros *mpl* de una caja de libros. ② [여러 권으로 된 한 벌의 책] un juego de muchos tomos.

일질(逸帙) libro *m* perdido de los tomos.

일쩝다 dar rabia, estar enfadado, estar enojado. 편지를 다시 써야 하니 무척 ~ Da mucha rabia tener que escribir la carta otra vez. 나는 기다려야 해서 무척 일쩝었다 Me dio mucha rabia tener que esperar.

일쭉거리다 seguir sacudir la cadera de un lado al otro.

일쭉일쭉 siguiendo sacudiendo la cadera de un lado al otro.

일찌감치 =일찌거니.

일찌거니 (un poco) más temprano. ~ 나서다 salir [partir] más temprano.

일찍 ((준말)) =일찍이. ¶~ 자다 acostarse temprano, acostarse con las gallinas. ~ 자고 ~ 일어나다 acostarse temprano y levantarse temprano.

일찍이 ㉮ [이르게. 늦지 않게] temprano. 매우 ~ muy temprano; [정해진 시간 전에] antes de la hora determinada; [기일 전에] antes de la fecha determinada. 아침 ~ temprano por la mañana, muy de mañana. 조금 ~ un poco antes, un poco más temprano. ~ 자다 dormir temprano. ~ 잠자리에 들다 acostarse temprano. ~ 깨어나다 despertarse temprano. ~ 일어나다 despertarse temprano; [잠자리에서] levantarse temprano. ㉯ [이전에. 이전까지] antes, antiguamente, antaño, una vez, en otro tiempo. ~ 이런 일은 없었다 Antes no había tal cosa.

일차(一次) ① [한 차례. 한 번] una vez. ② [첫 번] la primera vez. ~의 primero; [남성 단수 명사 앞에서] primer. ~ 시험(試驗) primer examen *m.* ③ 【수학】 primer grado *m.* ④ [부사적] una vez. ~ 왕림해 주시면 감사하겠습니다 Le agradecería que me visitara una vez.

■ ~ 방정식 ecuación *f* de primer grado. ~ 산업 ((준말))=제일차 산업. ~ 산품 productos *mpl* de (la) industria primaria. ~색 color *m* elemental, color *m* primario. ~ 시험 primer examen *m*; [예비 시험] examen *m* preliminar. ~ 에너지 energía *f* eléctrica primaria. ~적 primero, primario. ¶~으로 primero. ~ 전류(電流) corriente *f* primaria, corriente *f* inductora. ~ 전지(電池) batería *f* de pilas. ~ 제품 productos *mpl* primarios. ~ 코일 arrollamiento *m* primario, enrollamiento *m* de entrada, bobina *f* primaria. ~ 회로(回路) circuito *m* primario.

일착(一着) ① [첫째로 도착함] primera llegada *f*, primer lugar *m*, primer puesto *m.* ~하다 llegar el primero, ganar la carrera, ocupar el primer lugar, ocupar el primer puesto. ~한 사람 ganador, -dora *mf* de la carrera, primero, -ra *mf* en llegar a la meta. ② [첫째로 착수함] primer comienzo *m.*

일처다부(一妻多夫) poliandria *f.*

일척(一擲) una tirada, un abandono. ~하다 tirar, abandonar.

일천(一喘) ① [한 번 숨을 쉼] una respiración. ② [매우 짧은 시간(時間)] tiempo *m* muy corto.

일천하다(日淺-) hacer poco (tiempo), (ser) corto, no ser largo, no ser mucho (la fecha) 창립한 지는 일천하지만 Hace poco que se fundó, pero ….

일체(一切) ① [모든 것. 온갖 사물] todo, todas las cosas. ② [모든] todo. ~의 재산을 잃다 perder todos los bienes. ~의 사업(事業)을 자녀에게 양도하다 transferir *su* hijo todo el negocio. ③ [통틀어서. 모두] en total, totalmente.

■ ~중생(衆生) ((불교)) todos los vivientes, toos los vivos; [좁은 뜻으로] humanidad *f.*

일체(一體) ① [한결같음] uniformidad *f*, constancia *f.* ② [전부(全部)] todo. ③ [한 몸] un cuerpo. ~가 되어 en uno, en un grupo, en masa. ~가 되다 incorporarse, hacerse uno. 전 사원(全社員)이 ~가 되어 일했다 Trabajaron en un cuerpo [como un cuerpo · en bloque · como un solo hombre] todos los miembros de la compañía. 부부는 ~다 Marido y mujer son una carne.

일촉즉발(一觸卽發) explosión *f* posible a cada momento. ~의 상태(狀態) situación *f* que puede explotar de un momento a otro, situación *f* explosiva, situación *f* crítica, situación *f* que echa chispas. 양자간의 관계가 ~의 위기에 있다 La relación entre los dos está sumamente delicada.

일촌광음(一寸光陰) tiempo *m* muy corto, un momentito *m.*

■ ~ 불가경(不可輕) No se tiene que malgastar ni un tiempo muy corto en vano.

일축(一蹴) ① [한 번 참] una patada. ~하다 dar una patada [un puntapié], pegar una patada [un puntapié]. ② [단번에 물리침] rechazo *m.* ~하다 rechazar, rehusar, denegar, negar.

일출(日出) salida *f* del sol, sol *m* naciente, orto *m.* ~하다 salir el sol.

일출(逸出) escapada *f*, escape *m*, fuga *f.* ~하다 escapar, fugarse.

일출(溢出) ① efusión *f.* ~하다 derramarse, desbordarse, rebosar. ② 【의학 · 지질】 extravasación *f.*

일출하다(逸出-) (ser) sobresaliente.

일취(日就) =일취월장(日就月將)

■ ~월장 progreso *m* diario y mensual. ¶ ~하다 progresar diariamente y mensualmente, progresar constantemente.

일층(一層) ① [한 겹] un piso, una capa. ② [여러 층으로 겹친 것의 맨 밑] piso *m* bajo, planta *f* baja, *Chi* primer piso *m.* ③ [한결 더. 한층] más, aún más, tanto más, doblemente, por duplicado. ~ 좋은 mejor. ~ 나쁜 peor. ~ 노력하다 redoblar el esfuerzo, hacer todos esfuerzos posibles. 책임이 ~ 무거워지다 hacerse más responsable. 정세가 ~ 심각해졌다 La situación se ha agravado todavía más / La situación se ha hecho aún más grave.

일치(一致) coincidencia *f*, [의견(意見) 따위의] acuerdo *m*, concierto *m*, concordia *f*, unanimidad *f*, consenso *m*; 【언어】 concordancia *f.* ~하다 coincidir (con), concordar (con). ~시키다 hacer coincidir, acordar, conciliar, concordar. ~된 coincidido, de acuerdo, acordado, concorde. ~하여 de acuerdo, por unanimidad, unánimemente. ~하지 아니하다 no corresponder (a), no ser correspondiente (a), no estar de acuerdo (con). 견본과 ~하고 있다 estar conforme a la muestra. 언행을 ~시키다 concordar las palabras con las acciones. 서로 의견이 ~하다 acordarse, quedar de acuerdo, llegar a un acuerdo; [상태] tener la misma opinión, compartir la opinión. 내 정보(情報)는 그의 것과 ~했다 Mis noticias coincidieron con las suyas. 이상과 현실은 ~하지 않는다 El ideal no concuerda con la realidad / El ideal no se acomoda a la realidad.

▪ ~단결(團結) unión *f,* solidaridad *f,* cooperación *f* armoniosa, colaboración *f* armoniosa. ~점 punto *m* de reunión. ~ 협력 cooperación *f.* ¶~하다 cooperar (con).

일침(一針/一鍼) una aguja.

◆일침(을) 놓다 aconsejar severamente, aconsejar con severidad.

일컫다 ① [이름 지어 부르다] poner*le* nombre a *uno.* ② [무어라고 부르다] llamar. ③ = 칭찬하다.

일탈(逸脫) omisión *f,* desviación *f,* aberración *f,* descarrío *m.* ~하다 omitir, desviarse (de), descarriarse. 임무에서 ~한 행동(行動) acciones *fpl* que se desvían del deber.

일터 trabajo *m,* taller *m*; [사무소] oficina *f.* ~에 가다 ir al trabajo. ~에서는 몇 시에 퇴근하십니까? ¿A qué hora sale usted del trabajo? ~로 전화해라 Llámame al trabajo. 정거장은 내 ~ 근처다 La estación queda cerca de mi trabajo.

일통(一統) unión *f.* ~하다 unir.

◆일통(을) 치다 unir.

일파(一派) ① [하천(河川)의 한 지류(支流)] un afluente. ② [학문·종교·예술·무술 등의, 본디 계통에서 갈려 나온 한 분파(分派)] una escuela; [종파(宗派)] una secta. ~를 세우다 fundar una escuela, fundar una secta. ③ [주의·주장 또는 목적을 같이하는 한 동아리] una facción; [당파(黨派)] un partido. ~를 이루다 formar una facción.

일패도지(一敗塗地) una derrota completa. ~하다 tener una derrota completa, sufrir una derrota (completa).

일편(一片) una pieza, un pedazo, un trozo, un fragmento, una pizca, una miaja, un mendrugo. ~의 동정(同情) un pedazo de simpatía.

▪ ~고운(孤雲) una luna solitaria. ~단심(丹心) corazón *m* sincero. ¶~의 sincero, entusiasta. ~으로 sinceramente, con sinceridad, con entusiasmo.

일편(一便) =한편.

일평생(一平生) =한평생.

일폭(一幅) un cuadro, una hoja. ~의 명화(名畵) una pintura notable. 한국화(韓國畵) ~ una pintura a la coreana.

일품(一品) ① [하나의 물품] un objeto, un artículo. ② [품질이 제일 나은 물건] el mejor objeto, el objeto de la mejor calidad.

▪ ~요리 ㉮ [한 가지마다 값을 정해 놓고 손님의 주문에 응하는 요리] (platos *mpl*) a la carta. ㉯ [아주 맛 좋은 고급 요리] plato *m* de lujo que es muy sabroso. ㉰ [한 가지만의 간편한 요리] un plato sencillo.

◆천하(天下) ~ artículo *m* de calidad sin par [sin igual · incomparable], artículo *m* único.

일품(逸品) artículo *m* excelente, cosa *f* excelente, artículo *m* raro.

일필(一筆) ① [하나의 붓] un *but,* una pluma, un cepillo de escribir, una brocha, un instrumento escrito. ② [붓에 먹을 다시 먹이지 않고 단번에 씀] una pincelada [un brochazo · un trozo] de cepillo de escribir. ③ [같은 필적] la misma letra. ④ [한 줄의 글] escritura *f* de una línea. ⑤ [한 통의 문서] una copia de documento.

▪ ~난기(難記) dificultad *f* de escribir brevemente. ~휘지(揮之) escritura *f* con una pincelada de un cepillo de escribir. ¶~하다 escribir unas líneas fuerte y claramente de una vez.

일하다 trabajar, hacer un trabajo; [근무하다] estar empleado, servir. 열심히 ~ trabajar mucho [duro · con ahínco · con entusiasmo]. 일하기 시작하다 empezar a trabajar, comenzar a trabajar, ponerse a trabajar, poner manos a la obra. 일하러 나가다 trabajar fuera (de casa), *AmL* trabajar afuera. …로 ~ trabajar de [como] *algo.* 그는 열심히 일했다 El trabajó mucho. 그의 양친은 일한다 Tanto la madre como el padre trabajan (afuera). 그는 밤에 일한다 El trabaja de noche. 나는 내일 일하기 시작한다 Empezo a trabajar mañana. 너는 몇 시에 일하기 시작하느냐? ¿A qué hora entras a trabajar? 화요일은 일하지 않는다 [휴일이다] El martes no se trabaja. 우리들은 주당 48시간을 일한다 Nuestra semana laboral es de cuarenta y ocho horas. 어디서 일하십니까? — 방송계에서 일하고 있습니다 ¿Qué profesión tiene usted? / ¿Cuál es su profesión? / ¿A qué se dedica usted? — Trabajo en el campo de la radiodifusión. 나는 은행에서 일하고 있다 Trabajo en un banco. 그는 밤에 일한다 El trabaja de noche. 그녀는 외국 회사에서 일한다 Ella trabaja para una compañía extranjera.

일한(日限) fecha *f,* tiempo *m* fijo. ~을 정하다 fijar la fecha.

일 할(一割) un [el] diez por ciento. ~ 할인(割引) rebaja *f* [descuento *m*] de diez por ciento.

일행(一行) ① [한동아리] un grupo, una partida. 관광객 열 명 ~ un grupo de diez turistas. ~ 10명으로 출발하다 partir en un grupo de siete personas. 우리들은 ~이 다섯 명이다 Somos cinco (personas). ② [함께 가는 사람] compañía *f*, comitiva *f*, séquito *m*. 김 씨 ~ el señor Kim y su comitiva. 통일부 장관 ~ el ministro de Unificación y su séquito.

일현금(一絃琴)【음악】monocordio *m*, instrumento *m* de una cuerda.

일혈(溢血)【의학】hemorragia *f*, extravasación *f*. ~의 증상(症狀) hiperemia *f*. ~을 일으키다 extravenarse.

일호(一毫) pelo *m* muy fino y pequeño.
■ ~반점(半點) ((강조어)) =일호(一毫). ¶ ~의 흠도 없다 no haber ni un defecto pequeñísimo.

일화(日貨) ① [일본 화폐] moneda *f* japonesa, billete *m* japonés. ② [일본에서 수입(輸入)된 상품] mercancía *f* importada del Japón.

일화(逸話) anécdota *f*, episodio *m*, chismografía *f*, chismería *f*. 그에게는 ~가 많다 Se cuentan muchas anécdotas de él.

일확(一攫) ① [한 움큼] una puñada. ② [손쉽게 얻음. 힘 안 들이고 얻음] adquisición *f* fácil. ~하다 adquirir fácilmente.
■ ~천금(千金) captura *f* de la riqueza de golpe, golpe *m* súbito de azar. ¶~을 꿈꾸다 soñar con hacerse millonario, soñar con ser millonario.

일환(一環) ① [줄지어 있는 많은 고리 중의 하나] una cadena. ② [밀접한 관계가 있는 사물의 일부분] una parte, un vínculo, un lazo. …의 ~으로 como parte integral de *algo*. …의 ~을 이루다 formar una parte de *algo*. 계획의 ~을 이루다 formar una parte del programa.

일 회(一回) una vez; [승부의] una partida. ~로 de una vez. 단 ~의 기회 única ocasión. ~로 시험에 합격하다 aprobar el examen en el primer intento. ~로 전액(全額)을 지불하다 pagar toda la suma de una vez.
■~분 [약의] una dosis. ~전(戰) primer partido *m*, primer juego *m*; [토너먼트의] primera vuelta *f*; [권투의] primer asalto *m*, primer round *m*; [골프에서] primera vuelta *f*, primer recorrido *m*.

일회용(一回用) un solo uso.
■ ~ 주사기 inyector *m* desechable.

일후(一吼) un rugido, un bramido. ~하다 rugir, bramar.

일후(日後) =뒷날.

일훈(日暈) =햇무리.

일흔 setenta. ~ 번째(의) septuagésimo. ~ 개의 사과 setenta manzanas.

일희일비(一喜一悲) sentimiento *m* de alegría y tristeza. ~하다 sentirse ya alegre, ya triste.

읽기 lectura *f*.

읽다 leer; [낭독하다] recitar. 읽는 법 lectura *f*, modo *m* de leer, pronunciación *f*. 신문을 읽으세요 Lea usted los periódicos. 동끼호떼를 읽어 본 적이 있느냐? ¿Has leído *El Ingenioso Hidalgo don Quijote de la Mancha*? 어린 시절에 어머니는 나에게 동화를 읽어 주셨다 Mi madre me leyó un cuento en mi niñez.

읽을거리 contento *m* (de leer).

읽히다 ① [읽게 하다] hacer leer. 어린이에게 동화를 ~ hacer leer a los niños el libro infantil [los libros de cuentos infantiles]. ② [읽음을 당하다] ser leído, leerse. 잘 읽히는 책 libro *m* bien leído. 우나무노는 청년들 사이에 많이 읽혔다 Unamuno fue muy leído entre la juventud.

잃다 ① [가졌던 사물이 자기도 모르게 없어지다] perder, malograr, extraviar. 시력을 ~ perder la vista. 재산을 ~ perder los bienes. 지갑을 ~ perder *su* portamonedas. 호기(好機)를 ~ perder [dejar escapar] una buena oportunidad. ② [도둑을 맞거나 노름·내기에 져서 빼앗기다] perder. 그는 경마에서 100만 원을 잃었다 El perdió un millón de wones en las carreras de caballos. ③ [남편·자식·손아랫사람·친구가 죽다] perder. 부모를 ~ perder a *sus* padres. 교통사고로 많은 인명을 잃는다 Cada año se pierden muchas vidas por los accidentes de tráfico. ④ [가까운 친구 사이가 끊어지다] apartarse; ((성경)) pecar contra, apartarse. 벗을 ~ apartarse de *su* amigo. ⑤ [가는 길을 못 찾다] perderse, descarriarse, extraviarse.

잃어버리다 [물건을] perderse, extraviar. 잃어버린 세월 tiempos *mpl* perdidos. 나는 시계를 잃어버렸다 He extraviado el reloj.

임[1] [사모하는 사람] querido, -da *mf*. ~을 그리워하다 añorar a *su* querido [a *su* querida].
■ 임도 보고 뽕도 딴다 ((속담)) Matar dos pájaros de un tiro.

임[2] [머리 위에 인 물건] artículo *m* puesto en la cabeza.

임[3] [체언 뒤에 붙어, 앞의 말이 사실이라는 뜻을 나타내는 종결형 또는 명사형 서술격 조사] es, será. 회의 장소는 강당~ El lugar de conferencias será salón de actos. 이 사람은 학생~을 증명함 Por la presente certifico [doy fe de] que éste es un estudiante.

임(壬)【민속】① [십간(十干)의 아홉째] el noveno de los diez Tallos del Cielo. ② ((준말)) =임방(壬方). ③ ((준말)) =임시(壬時).

임(任) nombramiento *m*. ~하다 nombrar.

임간(林間) entre los bosques, dentro del bosque.
■ ~ 학교 escuela *f* [curso *m*] en el campo de verano, escuela *f* al aire libre.

임갈굴정(臨渴掘井) falta *f* de visión (de futuro), miopía *f*.

임검(臨檢) inspección *f*, visita *f* de inspección, inspección *f* oficial. ~하다 inspeccionar, visitar y examinar. 선박(船舶)의 ~ inspección *f* de un barco. 선박의 ~을 하다 inspeccionar un barco.

◆ ~ 경관 policía *mf* de inspección.

임계(臨界) ¶~의 crítico.

■ ~각 ángulo *m* crítico. ~ 고도 altura *f* crítica. ~기 período *m* crítico. ~량 masa *f* crítica. ~ 상태 estado *m* crítico. ~ 실험 experimento *m* crítico. ~ 압력 presión *f* crítica. ~ 온도 temperatura *f* crítica. ~점 punto *m* crítico. ~ 현상 fenómeno *m* crítico.

임관(任官) ① [관직에 임명됨] nombramiento *m*. ~하다 nombrar. ~되다 ser nombrado (a un oficio), nombrarse. 그는 재판관으로 ~되었다 El fue nombrado juez. ② [사관후보생·사관생도가 장교로 임명됨] nombramiento *m* de un grado de oficial, instalación *f* militar. ~하다 nombrar oficial.

■ ~식 ceremonia *f* de instalación. ~ 장교 oficial *mf* (del ejército) (con grado de teniente o superior a teniente).

임균(淋菌) 【의학】 gonococo *m*.

■ ~성 결막염 conjuntivitis *f* blenorrágica, conjuntivitis *f* gonorreica. ~성 귀두염 balanitis *f* blenorrágica. ~성 안염 oftalmía *f* gonorreica. ~성 요도염 uretritis *f* gonorreica.

임금 rey *m*, reina *f*; monarca *mf*; soberano *m*, soberana *f*.

임금(賃金) salario *m*, sueldo *m*, paga *f*, gaje *m*, jornal *m*. ~의 salarial, de salario, de sueldo. ~을 내리다 bajar el sueldo. ~을 얻다 ganar el sueldo. ~을 올리다 subir [aumentar] el sueldo. ~을 지불하다 pagar el sueldo. ~이 싸다 [비싸다] La labor es barata [cara].

■ ~ 가이드라인 directrices *fpl* de salarios. ~ 격차 diferencial *m* de salarios. ~ 계층 categoría *f* salarial. ~ 교섭 negociación *f* salarial. ~ 노동자 peón *m*; jornalero, -ra *mf*. ~ 동결 congelación *f* salarial. ~법 ley *f* salarial. ~ 보너스 prima *f* salarial. ~ 보류 retención *f* salarial. ~ 상승 인플레이션 inflación *f* de salarios. ~ 상한 límite *m* superior de salario. ~ 수준 nivel *m* de sueldo. ~ 안정 estabilización *f* salarial. ~ 인상 aumento *m* salarial, aumento *m* [aumentación *f*] de salario. ~ 인상 요구 reclamación *f* de aumento salarial, reivindicación *f* salarial. ~ 인상 파업(引上罷業) huelga *f* por aumento salarial. ~ 인플레이션 inflación *f* de salarios. ~ 인하 reducción *f* salarial. ~ 장려금 subsidio *m* salarial. ~ 정산 liquidación *f* salarial. ~ 정책 política *f* salarial. ~ 제도 sistema *m* salarial. ~ 조정 ajuste *m* salarial. ~ 중재 arbitraje *m* salarial. ~ 지불일 día *m* de pago, día *m* de pago de jornales. ~ 지수 índice *m* salarial. ~ 철칙 Ley *f* de Hierro Salarial. ~ 체계(體系) estructura *f* de los salarios. ~ 최고 한도 =임금 상한. ~ 통제 control *m* de salarios, regulación *f* salarial. ~ 투쟁 lucha *f* por salarios altos. ~표 escala *f* de salarios, escala *f* de sueldos. ~ 학설 teoría *f* salarial. ~ 할당(割當) asignación *f* salarial. ~ 협정 convenio *m* salarial. ~ 형태(形態) forma *f* de pago salarial.

임기(任期) mandato *m*, término *m* de servicio. ~가 만료된 cumplido el servicio. 4년 ~의 시장으로 선출되다 ser elegido alcalde para un mandato de cuatro años. 금년 2월로 그의 ~는 끝난다 [만료된다] El vence [expira] su mandato este febrero.

■ ~ 만료 cumplimiento *m* [expiración *f*] de servicio.

임기응변(臨機應變) entrada *f* ingeniosa, ocurrencia *f* ingeniosa, ingenio *m*, sagacidad *f*. ~의 de acuerdo con circunstancias, de expediente, oportuno, improviso, improvisto, ingenioso, sagaz, agudo, inteligente, paliativo, gracioso, ocurrente. ~으로 ingeniosamente, conforme a las circunstancias, como el caso requiere, improvisamente, a la improvista, de improviso. ~의 재주 talento *m* de improvisación, ingenio *m*. ~의 처방(處方) remedio *m* paliativo. ~의 조치를 취하다 recurrir a un expediente. ~으로 행동하다 comportarse según las circunstancias. ~으로 척척 대답하다 dar una respuesta ingeniosa [aguda], contestar muy a propósito [con ingeniosidad], ser oportuno en respuesta [en réplica].

■ ~주의 oportunismo *m*. ~주의자 oportunista *mf*.

임대(賃貸) alquiler *m*, arriendo *m*, arrendamiento *m*. ~하다 alquilar, arrendar, dar en arriendo, dejar en arriendo, *Méj* rentar. 관광객(觀光客)들에게 자전거를 ~한다 Les alquilan bicicletas a los turistas. 자동차 ~합니까? ¿Alquilan [Arriendan] coches? ~합니다 ((게시)) Se alquila / *Andes* Se arrienda / *Méj* Se renta. 자동차 ~함 ((게시)) Alquiler de coches / Se alquilan coches / *Andes* Se arriendan coches / *Méj* Renta de coches.

■ ~ 가격 valor *m* de arriendo. ~ 계약(서) contrato *m* de alquiler, escritura *f* de arrendamiento. ~권(權) derecho *m* de arrendamiento. ~ 기간 período *m* del alquiler. ~료 (precio *m* de) alquiler *m*, arriendo *m*, coste *m* de arrendamiento, *AmL* costo *m* de arrendamiento. ¶자전거의 ~를 받다 cobrar el alquiler de la bicicleta. 집 ~는 얼마입니까? ¿Cuánto es el alquiler de la casa? ~료 동결 congelación *f* de alquileres. ~료 지불 pago *m* del alquiler. ~물 artículo *m* alquilado. ~ 수입 renta *f* por arrendamiento. ~ 수준 nivel *m* de arrendamiento. ~ 아파트 piso *m* de alquiler, apartamento *m* de alquiler, *AmL* departamento *m* de alquiler. ~율 tarifa *f* de arrendamiento, tipo *m* de alquiler. ~인 arrendador, -dora *mf*; arrendante *mf*; alquilador, -dora *mf*. ~ 자동차 coche *m* de alquiler. ~ 주택 casa *f* de alquiler. ~지(地) terreno *m* arrendado. ~차 alquiler *m*.

¶~하다 alquilar, arrendar. ~차 계약(借契約) contrato *m* de alquiler, contrato *m* de arriendo. ¶~을 맺다 hacer un contrato de alquiler (con). ~ 협정(協定) acuerdo *m* de arrendamiento.

임대책중(任大責重) importancia *f* de la responsabilidad. ~하다 la responsabilidad es importante.

임독(淋毒/痳毒) veneno *m* de la gonorrea.

임란(壬亂) ((준말)) =임진왜란(壬辰倭亂).

임립(林立) numerosa erección *f*, numeroso erguimiento *m*. ~하다 erguirse numerosamente, erguirse en gran cantidad. 굴뚝이 ~해 있다 Se yerguen muchas chimeneas.

임마누엘 【인명】 ((성경)) Emanuel.

임면(任免) nombramiento y destitución. ~하다 nombrar y destituir.

■~권(權) derecho *m* [autoridad *f*] de nombramiento y destitución. ¶~을 가지다 tener el derecho [la autoridad] de nombramiento y destitución.

임명(任命) nombramiento *m*, designación *f*, nominación *f*. ~하다 nombrar, designar. ~되다 ser nombrado, ser designado. 자신의 후계자를 ~하다 nombrar [designar] a *su* sucesor. 그는 부사장으로 ~되었다 Le han nombrado vicepresidente.

■~권 derecho *m* de nombramiento. ~식 ceremonia *f* de nombramiento, investidura *f*. ~장 carta *f* de nombramiento.

임목(林木) árbol *m* del bosque.

임무(任務) cargo *m*; [직무] oficio *m*; [사명] misión *f*, [역할] papel *m*; [의무] deber *m*; tarea *f*, obligación *f*. 중대한 ~를 띠고 encargado de una misión importante, con cierta misión. ~를 과하다 asignar [designar] un cargo. ~를 수행하다 [다하다] desempeñar bien *su* cargo. …을 ~로 하다 tener por cargo + *inf*. 매일의 ~를 다하다 cumplir con *sus* deberes diarios [*su* trabajo de cada día]. 이것은 내 ~다 Esto es mi tarea. 그는 적(敵)의 동정을 살필 ~를 받았다 Le han encomendado la misión de espiar los movimientos del enemigo. 그것은 시장(市長)의 ~다 Eso es incumbencia al alcalde.

임박(臨迫) urgencia *f*, apremio *m*, inminencia *f*. ~하다 (ser) urgente, apremiante; [위험 따위가] inminente, aproximarse, acercarse. 적진(敵陣)에 ~하다 aproximarse a la posición enemiga. 지불 기일이 ~해 있다 El día del pago está muy cerca. 위험이 ~해 있다 El peligro es inminente / El peligro ronda. 시험 날짜가 ~해 있다 Se está aproximando la fecha del examen. 출발이 ~해 있다 La partida es inminente / Se acerca la hora de partir.

임방(壬方) 【민속】 *imbang*, nornoroeste *m*.

임부(妊婦/姙婦) mujer *f* preñada *f*, mujer *f* encinta, mujer *f* embarazada.

■~복 vestido *m* de embarazada, vestido *m* de futura mamá, vestido *m* de premamá.

임삭(臨朔) último mes *m* de embarazo, mes *m* del parto. ~의 여인 mujer *f* en el último mes de embarazo. 그녀는 ~이 가깝다 Se acerca su tiempo.

임산(林産) =임산물.

■~물 productos *mpl* forestales. ~ 자원 recursos *mpl* forestales.

임산부(姙産婦) mujer *f* embarazada, mujer *f* parturienta.

임상(臨床) asistencia *f* a la cama.

■~ 강의 lección *f* clínica, clínica *f*. ~ 검사실(檢査室) laboratorio *m* clínico. ~ 교수 instrucción *f* clínica. ~ 병리학 patología *f* clínica. ~ 신경병학 neurología *f* clínica. ~ 신문(訊問) examen *m* clínico. ~ 실험 ensayo *m* clínico. ~ 심리학 psicología *f* clínica. ~ 유전학 genética *f* clínica. ~ 의(醫) terapeuta *mf*; clínico, -ca *mf*. ~ 의학 medicina *f* clínica, clínica *f*, terapéutica *f*. ~ 의학자 clínico, -ca *mf*; terapeuta *mf*. ~ 일기(日記) diario *m* de médico. ~ 진단 diagnosis *f* clínica. ~ 진찰(診察) consulta *f* (médica) clínica.

임석(臨席) asistencia *f*, presencia *f*. ~하다 asistir (a), estar presente (en), presentarse. ~의 asistente. …의 ~하에 bajo la [en] presencia de *uno*.

■~ 경찰관 policía *mf* presente. ~자 persona *f* presente; [총칭] todos los presentes.

임술(壬戌) 【민속】 quincuagesimonoveno período *m* binario del sexagésimo ciclo.

임습(霖濕) humedad *f* durante la estación de las lluvias.

임시(壬時) 【민속】 el último de los períodos de veinte y cuatro horas, de las diez y media a las once y medeia de la noche.

임시(臨時) período *m* temporal. ~의 [일시적인] temporal, provisional; [대리의] interino; [특별한] especial, extraordinario; [부정기적인] eventual, ocasional; [조건부의] condicional; *AmS* provisorio. ~로 provisionalmente, temporalmente, especialmente, extraordinariamente, como eventual. ~로 고용하다 emplear temporalmente. ~로 일하다 trabajar como eventual. 친구 집에서 ~로 거주하다 alojarse por el momento en casa de amigo *suyo*. 그는 아파서 ~로 내가 출석했다 Como él estaba enfermo, asistí provisionalmente en su lugar.

■~ 각의(閣議) consejo *m* extraordinario del gabinete. ~ 결정 decisión *f* provisional. ~ 고용 empleo *m* temporal. ~ 고용인 jornalero, -ra *mf*; obrero, -ra *mf* eventual; interino, -na *mf*; empleado *m* temporáneo, empleada *f* temporánea. ~공(工) laborero, -ra *mf* eventual. ~ 교수(教授) catedrático *m* interino, catedrática *f* interina. ~ 국회 sesión *f* extraordinaria de la Asamblea Nacional. ~ 급여 pago *m* extra. ~ 노동자 trabajador, -dora *mf* temporal; trabajador, -dora *mf* provisional; [농장의] jornalero, -ra *mf*; [공장의] obrero,

-ra *mf* eventual. ~ 뉴스 noticia *f* especial. ~법 ley *f* temporal. ~변통 expediente *m*, medidas *fpl* de emergencia, recurso *m* provisional, arreglo *m* provisional. ~비 gastos *mpl* extraordinarios. ~ 사무소 oficina *f* temporal, oficina *f* provisional. ~ 소집 llamamiento *m* de emergencia. ~ 손실 pérdida *f* temporal. ~ 수당 subsidio *m* especial. ~ 수입 ingreso *m* extraordinario. ~ 시험 examen *m* especial. ~ 열차 tren *m* extraordinario, tren *m* suplementario, tren *m* especial. ~ 영업소 oficina *f* temporal. ~ 예산 presupuesto *m* provisional. ~ 의장 [국회의] presidente *m* interino (de la asamblea), presidenta *f* interina. ~ 의회 asamblea *f* extraordinaria (de las Cortes). ~적 provisional, temporal, extraordinario, especial ~ 정부 gobierno *m* provisional. ~ 증간호 número *m* extraordinario. ~ 지출 gastos *mpl* extraordinarios. ~직 puesto *m* provisional. ~ 채용 designación *f* condicional [provisional] (para un empleo). ~ 총회 asamblea *f* general extraordinaria. ~회 ㉮ sesión *f* extraordinaria. ㉯ ((준말)) =임시 국회. ~ 휴교 cierre *m* temporal de la escuela. ~ 휴업 cierre *m* temporal, cierre *m* provicional, descanso *m* especial, festividad *f* especial, día *m* de asueto.

임신(壬申) 【민속】 noveno período *m* binario del sexagésimo ciclo.

임신(姙娠) [수태(受胎)] concepción *f*, [임신 상태] preñez *f*, embarazo *m*, gravidez *f*, gestación *f*, [임신 기간] preñado *m*. ~하다 concebir, embarazarse, quedarse embarazada. ~시키다 preñar, embarazar, empreñar, poner encinta a una mujer. ~ 7개월의 embarazada de seis meses (우리 나라와는 숫자가 다르다). ~ 중이다 estar [quedar · encontrarse] embarazada [encinta · preñada]. ~ 8개월이다 estar ocho meses pasados con niño.

◆자궁 외 ~ embarazo *m* extauterino.

■~ 경련 eclampsismo *m*. ~ 구토 vómito *m* de preñez. ~기 período *m* de preñez. ~ 기간 계산표 periodoscopio *m*. ~ 망상 quimera *f* de preñez. ~부 preñada *f*, mujer *f* preñada, mujer *f* encinta. ~성 구역 náusea *f* gravídica. ~성 당뇨병 diabetes *f* gestacional. ~성 포진 herpe(s) *f* gestacional. ~ 신우염(腎盂炎) enciopielitis *f*. ~ 자간 eclampsia *f* grávida. ~ 자궁 útero *m* grávido. ~ 자궁 누수증 hidrorrea *f* grávida. ~ 조절 control *m* de nacimiento. ~ 중독증 toxemia *f* de prañez. ~ 중절 aborto *m* (provocado), abortamiento *m* (provocado). ~ 징후 gravidismo *m*. ~ 치은염 gingivitis *f* de prañez.

임야(林野) bosques *mpl* y campos, selva *f*, bosques *mpl*.

■~ 관리국 el Departamento de Bosques. ~세 impuesto *m* de bosques.

임어(臨御) presencia *f* real, visita *f* real. ~하다 hacer una visita real.

임업(林業) silvicultura *f*, ingeniería *f* forestal. ~의 forestal.

■~ 경제 economía *f* forestal. ~과 curso *m* forestal. ~ 기술원(技術員) técnico, -ca *mf* forestal. ~ 시험장(試驗場) estación *f* experimental de silvicultura. ~ 연구원 el Instituto de Investigación de Silvicultura.

임오(壬午) 【민속】 decimonoveno período *m* binario del sexagésimo ciclo.

임오군란(壬午軍亂) 【역사】 Sublevación *f* Militar de *Imo* (de junio de 1882).

임용(任用) nombramiento *m* (oficial), empleo *m* oficial. ~하다 nombrar, designar para un empleo oficial. 정부는 그를 고위직에 ~했다 El gobierno le ha nombrado alto funcionario.

◆공무원 ~령(令) los Reglamentos de Nombramiento Oficial. 특별 ~령 las Ordenanzas de Nombramiento Especial.

임우(霖雨) =장마.

임원(任員) oficial *mf*.

■~석 asiento *m* para oficiales. ~ 선거 elección *f* de oficiales. ~ 회의 reunión *f* de oficiales.

임의(任意) voluntad *f*, voluntariedad *f*. ~의 libre, facultativo, arbitrario; [자발적인] espontáneo, voluntario.

■~ 공매 subasta *f* voluntaria. ~ 공채 bono *m* voluntario. ~ 규정 regulación *f* voluntaria. ~ 단체 organismo *m* privado que no es objeto de protección legal. ~ 대리 representación *f* voluntaria. ~ 동행 compañía *f* voluntaria. ~로 facultativamente, libremente, arbitrariamente, espontáneamente, voluntariamente, a voluntad. ¶~ 선출하다 elegir al azar, elegir arbitrariamente. ~ 추출하다 escoger al alzar. ~ 발췌 escandallo *m* a voluntad, escandallo *m* al alzar. ~법 ley *f* voluntaria. ~ 보험 seguro *m* voluntario. ~ 선택 opción *f*. ~성 lo voluntario. ~ 소각 incineración *f* voluntaria. ~ 수사(搜査) investigación *f* voluntaria. ~ 양도(讓渡) transferencia *f* voluntaria, traspaso *m* voluntario. ~ 자백 confesión *f* voluntaria. ~ 적립금 reserva *f* voluntaria. ~ 조정 arbitraje *m* voluntario. ~ 준비금 reserva *f* voluntaria. ~ 추출 muestreo *m* aleatorio. ~ 추출법 método *m* de muestreo aleatorio. ~ 출두 comparecencia *f* voluntaria. ¶경찰에 ~를 요구하다 invitar a presentarse voluntariamente, pedir que se presente voluntariamente. ~ 퇴직 retiro *m* voluntario, jubilación *f* voluntaria. ~ 표본 muestreo *m* voluntario.

임인(壬人) persona *f* insignificante y astuta.

임인(壬寅) 【민속】 trigesimonoveno período *m* binario del sexagenario ciclo.

임자[1] [주인] dueño, -ña *mf*, [경영자] propietario, -ria *mf*, [소유자] poseedor, -dora *mf*. ~ 없는 집 casa *f* libre. ~ 있는 여자 mujer *f* casada. 이 개의 ~는 누구입니까? ¿Quién es el dueño de este perro? 이 가게의 ~는 누구입니까? ¿Quién es el dueño [el propietario] de esta tienda?

■～말 sujeto *m.* ～씨 nombres *mpl*, elementos *mpl* sustantivos.

임자² ① [자네] *imcha*, tú. ② [부부끼리 쓰는 이인칭 대명사] *imcha*, tú.

임자(壬子)【민속】cuadragesimonoveno período *m* binario del sexagésimo ciclo.

임전(臨戰) presencia *f* en una batalla. ～하다 estar en frente, tomar parte en una batalla.

■～무퇴 no saber retirada en un campo de batalla. ～태세(態勢) preparación *f* para acción. ¶～를 취하다 prepararse para la guerra. ～에 있다 estar en pie de guerra.

임정(林政) administración *f* de los bosques.

■～학 silvicultura *f*.

임정(臨政) ((준말)) ＝임시 정부. ¶～ 요인(要人) persona *f* importante del gobierno provisional.

임종(臨終) ① [죽음에 임함] momento *m* final, última hora *f*, hora *f* suprema (de la muerte), fin *m* de la vida. ～에 al momento de la muerte, al último momento de la vida, en el momento de morir, en el momento de expirar. ～의 고백(告白) confesión *f* de lecho de la muerte. 조용한 ～ momento *m* final tranquilo. ② [부모가 돌아갈 때 그 자리에 같이 있음] presencia *f* en el lecho de muerte de sus padres. ～하다 esperar el momento de muerte de *sus* padres. 부친의 ～을 보다 ver a *su* padre en *su* último momento, poder cerrar los ojos de *su* padre.

임지(任地) *su* puesto, *su* lugar de nombramiento. 서울의 ～로 떠나다 partir a [para] *su* (nuevo) puesto en Seúl. 그의 ～는 마드리드이다 El tiene su puesto en Madrid.

임직(任職) nombramiento *m* a una oficina.

임진(壬辰)【민속】vigesimonoveno período *m* binario del sexagésimo ciclo.

임진란(壬辰亂) ((준말)) ＝임진왜란.

임진왜란(壬辰倭亂)【역사】Invasión *f* Japonesa de Corea (en 1592).

임질 el poner sobre la cabeza.

임질(淋疾)【의학】gonorrea *f*, blenorragia *f*, blenorrea *f*. ～의 gonorreico, blenorrágico.

■～균 gonococo *m.* ～ 환자 caso *m* de gonorrea.

임차(賃借) alquiler *m*, arriendo *m*, arrendamiento *m*, préstamo *m*, empréstito *m.* ～하다 alquilar, arrendar.

■～ 가격 valor *m* de arrendamiento. ～ 관계 relación *f* producida de un préstamo. ～권 locación *f*, inquilinato *m*, derecho *m* de arrendamiento. ～ 대조표 balance *m*, avanzo *m.* ～료 (precio *m* de) alquiler *m*, arriendo *m*, renta *f.* ～물(物) artículo *m* arrendado. ～ 부동산 bienes *mpl* forales. ～인(人) arrendatario, -ria *mf*; arrendador, -dora *mf*; inquilino, -na *mf.* ～지 terreno *m* arrendado.

임치(任置) depósito *m.* ～하다 depositar.

■～자 depositante *mf.* ～ 증서 certificado *m* de depósito.

임파(淋巴)【해부】linfa *f.* ☞림프(lymph)

■～관 vaso *m* linfático. ～관염 linfangitis *f.* ～선(腺) glándula *f* linfática. ～선염 linfadenitis *f.* ～선종 linfadenoma *m.* ～ 세포 linfocito *m.* ～액 linfa *f.* ～절 ganglio *m* linfático.

임포텐스(영 *impotence*)【의학】impotencia *f*.

임하다(任－) [관직의 자리를 주다] nombrar.

임하다(臨－) ① [높은 곳에서 낮은 곳을 대하다] venir, ir. 네게 속히 ～((성경)) venir a ti pronto, ir pronto a ti. ② [치자(治者)가 피치자를 대하다] enfrentarse (a). ③ [높은 사람이 낮은 사람의 집으로 가다] asistir, ir. ④ [어떤 장소에 도달하다] alcanzar (a). ⑤ [어떤 일에 당하다] enfrentarse (a), hacer frente (a). ⑥ ＝면(面)하다.

임학(林學) ((준말)) ＝삼림학(森林學).

임항(臨港) aproximación *f* al puerto.

■～선[철도] línea *f* de ferrocarril de puerto. ～ 열차 tren *m* que enlaza con un barco. ～ 지대(地帶) zona *f* lindante con el puerto.

임해(臨海) orillas *fpl* del mar.

■～ 공업 단지(工業團地) complejo *m* industrial litoral, parque *m* industrial litoral. ～ 공업 지역 zona *f* industrial litoral. ～ 실습 práctica *f* del mar. ～ 실습소 escuela *f* a orillas del mar. ～ 학교 escuela *f* de verano a orillas del mar.

입 ① [체내에 먹이를 섭취하며, 소리를 내는 기관] boca *f.* ～으로 oralmente, verbalmente. ～으로만 de boca. ～에서 ～으로 de boca en boca. ～을 벌리고 con la boca abierta, boquiabierto. ～을 딱 벌리고 con la boca muy abierta, en boqueada. ～을 모아서 unánimemente, a una voz, al unísono, de común acuerdo, de común consentimiento. ～에 발린 adulador, zalamero, lisonjero, engatusador, embaucador, camelista. ～이 사나운 infamatorio, calumnioso. ～이 사나운 사람 mala lenuga *mf.* ～을 열다 abrir la boca; [자백하다] acabar por confesar, acabar por cantar. ～을 닫다 cerrar la boca. ～을 막다 tapar la boca. ～을 크게 벌리다 abrir bien la boca. ～을 열게 하다 hacer confesar (a), hacer cantar (a). ～에서 꺼내다 decir. ～을 삐죽 내밀다 fruncir los labios; [불만으로] poner hocico. ～이 사납다 tener mala lengua [boca], tener lengua viperina [de víbora · de serpiente]. 벌린 ～이 닫히지 아니하다 quedarse boquiabierto, quedarse atónito. ～ 속으로 말하다 hablar entre dientes. ～을 열어 말을 꺼내다 tomar la palabra. ～이 고급이다 tener un paladar delicado, ser un buen gastrónomo. ～이 째지게 웃다 sonreír de oreja a oreja. 놀라서 ～이 닫히지 않는다 quedarse boquiabierto de sorpresa. 사람의 ～에 오르다 correr de boca en boca. 쓸데없이 ～을 놀리다 hablar lo que no se debe. 난폭하게 ～을 놀리다 hablar de una manera violenta. ～에서 ～으로 전

하다 transmitir [pasar] de boca en boca. 요리[술]에 ~을 대다 probar el plato [el vino]. 그녀는 그의 ~에 키스했다 Ella le dio un beso en la boca. 그녀는 멍청하게 ~을 벌리고 있었다 Ella se quedó boquiabierta [con la boca abierta] (del asombro). 그는 밤새 ~을 열지 않았다 El no abrió la boca en toda la noche / El no dijo ni pío en toda la noche. ~을 크게 벌리세요 Abra bien la boca. ~(을) 닥쳐라¡ ¡Cállate la boca! / ¡Cierra el pico! ~조심해라 ¡Ojo con lo que dices! / [외설에 대한 대답으로] ¡Qué boca! ~으로 말하기는 쉽다 Es muy fácil decir con la boca. 나는 차마 ~이 떨어지지 않는다 Me cuesta mucho confesarlo. 그는 ~만 벌리면 으레 돈 이야기다 Cuando él habla, siempre habla sobre dinero. 그것은 서민의 ~에는 들어갈 수 없다 Eso no está al alcance de cualquiera. 그는 ~도 잘 놀리고 일도 잘한다 Tan buen trabajador [cumplidor] como hablador. 그는 너무 감동해서 열린 ~을 닫을 수 없었다 El estaba tan emocionado que no pudo pronunciar palabra. 그것은 ~에서 꺼내기가 어렵다 Es difícil de expresarlo con palabras / La decencia prohíbe hablar de eso. 나는 하마터면 그 말을 ~에서 꺼낼 뻔했다 Por poco lo digo. 닫혀진 ~에는 파리가 들어가지 않는다 ((서반아 속담)) En boca cerrada no entran moscas (말은 적을수록 좋다) / Habla poco, escucha más, y no errarás (말은 적게 하고 더 많이 들으면 실수가 없을 것이다).

② =말씨, 말투. ¶~에 담을 수 없는 inmencionable, innombrable, tabú. ~을 모아 a coro, al unísono. ~ 밖에 내다 revelar, delatar, mencionar, expresar. ~이 사납다 (ser) malhablado, calumnioso, difamatorio, *RPI* boco sucia.

③ [남의 말. 소문] palabra *f* de otros, rumor *m*. 남의 ~에 오르내리다 correr de boca en boca.

④ =식구. ¶우리 집은 ~이 다섯이다 Nosotros somos una familia de cinco. 집에서 기다리는 ~이 많네 Los miembros de familia que esperan son muchos.

◆입에 맞다 agradar*le* a *uno* el gusto, gustar*le* a *uno*, apetecer*le* a *uno*, agradar*le* a *uno* el gusto, satisfacer, ir bien al gusto (de). 입에 맞지 않다 agradar*le* a *uno* poco el gusto.

◆입에 발린 소리 palabras *fpl* de alabanza sólo de cumplido, puros cumplimientos *mpl*, homenaje *m* de boca, jarabe *m* de pico, cumplimientos *mpl* vacíos [rebuscados]. ~를 하다 decir sólo por cumplir, decir sólo de boca.

◆입에 올리다 hablar (de), hablar siempre, mencionar, pronunicar. 그는 자주 네 말을 입에 올린다 El habla de ti muchas veces. 그런 말은 입에 올려서는 안 된다 No se debe pronunciar esa palabra.

◆입에 침이 마르다 hacerse lengua (de), hablar bien de los demás, alabar [aplaudir · admirar] a los demás. 입에 침이 마르도록 칭찬하다 hacer el mejor elogio (de), colmar de elogios. 그는 입에 침이 마르도록 이 작품을 칭찬했다 El se hizo lenguas de esta obra. 그는 입에 침이 마르기도 전에 지각했다 Casi antes de prometer que no llegaría tarde, ya volvía a las andadas.

◆입이 가볍다 (ser) ligero, suelto de lengua, hablador, irse*le* a *uno* la lengua con facilidad. 그녀는 ~ A ella se le va la lengua con facilidad.

◆입이 걸다 ser de lengua melosa. 입이 건 여자 verdulera *f*. 그는 입이 건 사람이다 El es una sacamuelas / El es una contorra.

◆입이 무겁다 ㉮ [말수가 적다. 과묵(寡默)하다] (ser) taciturno, callado, silencioso, hombre de pocas palabras, duro de boca. 그는 ~ [신중히 말한다] El pesa cuidadosamente sus palabras. ㉯ [말해서는 안 될 말은 하지 않는 성질이다] ser discreto, ser guardador de secretos, saber callar el secreto, saber guardar el secreto.

▪입에 든 떡도 넘어가야 제 것이다 ((속담)) Del plato a la boca se enfría la sopa / De la mano a la boca se enfría la sopa.

▪입에 쓴 약이 병에도 좋다 ((속담)) Medicina que pica, cura / Medicina que pica, sana / El que algo quiere, algo le cuesta / No hay miel sin hiel / No hay atajo sin trabajo.

입가 labios *mpl*, boca *f*.

입가심하다 quitar el dejo [el resabio · mal gusto de boca]. ~으로 para quitar el dejo [el resabio · mal gusto de boca].

입각(入閣) entrada *f* en el gabinete. ~하다 entrar en el gabinete, ocupar un asiento en el gabinete, ser miembro del gabinete, estar en posición de cartera.

입각(立脚) ¶~하다 basarse (en), fundarse (en), apoyarse (en), estribar (en), estar al elemento (de), convenir (a), adaptarse (a), responder (a). …에 ~해서 basado [fundado · apoyado] en *algo*, al elemento de *algo*, en conformidad con *algo*, conforme a *algo*, según *algo*, de acuerdo con *algo*. 법률에 ~해서 de acuerdo con las leyes, según (dictan) las leyes. 정세(情勢)에 ~해서 en conformidad con las circunstancias, adaptándose a las circunstancias.

▪~점(點) punto *m* de vista.

입간판(立看板) pancarta *f*, tablero *m* de anuncio de pie.

입감(入監) encarcelamiento *m*, internamiento *m*. ~하다 ser encarcelado, ser metido en la cárcel.

입거(入渠) entrada *f* en el arsenal.

▪~료 derechos *mpl* de arsenal.

입건(立件) proceso *m*. ~하다 procesar [enjuiciar] a *uno* por *algo*. 그는 도둑으로 ~되었다 Le procesaron por ladrón.

입경(入京) entrada *f* en la capital, entrada *f*

en Seúl. ～하다 entrar en la capital, entrar en Seúl.

입고(入庫) ① [상품의] almacenamiento *m*, almacenaje *m*, guarda *f* en depósito. ～하다 almacenar (las mercancías). ② [버스·전차의] entrada *f* en el garaje. ～하다 entrar en el garaje. ～시키다 meter en el garaje.

■ ～료 gastos *mpl* de almacén, almacenaje *m*.

입관(入棺) colocación *f* del cadáver en un ataúd. ～하다 colocar *su* cadáver en un ataúd.

■ ～식 rito *m* de la colocación del cadáver en el ataúd, rito *m* de ataúd.

입교(入校) ① [군사 학교에의 입학] ingreso *m* en la escuela militar. ～하다 ingresar [entrar] en la escuela militar. ② ＝입학(入學)(ingreso).

■ ～식 ceremonia *f* de ingreso (en la escuela militar).

입교(入敎) entrada *f* en la iglesia. ～하다 entrar en la iglesia.

입구(入口) entrada *f*, [문] puerta *f*, [동굴의] boca *f*, [흥행장의] puerta *f* de entrada. 방의 ～ puerta *f* de la habitación. 항구의 ～ boca *f* del puerto. 동굴의 ～ boca *f* de la caverna. 터널의 ～ entrada *f* en el túnel.

입구(入寇) invasión *f*. ～하다 invadir.

입국(入國) ingreso *m* [entrada *f*] en un país; [이민(移民)·여행자의] inmigración *f*. ～하다 ingresar [entrar] en un país. ～을 거절하다 rehusar la entrada en el país. ～을 금지하다 prohibir la entrada en el país. ～을 허가하다 permitir la entrada en el país.

◆ 불법 ～ ingreso *m* [entrada *f*] ilegal.

■～ 관리국(管理局) el Departamento de Inmigración. ～ 관리 사무소 la Oficina Nacional de Inmigración. ～ 금지(禁止) prohibición *f* de ingreso. ～ 비자 visado *m* [*AmL* visa *f*] de ingreso, visado *m* de entrada. ～사증(査證) visado *m*, visa *f*. ～세 derechos *mpl* de entrada. ～ 수속 trámites *mpl* de entrada. ～자 inmigrante *mf*. ～ 신고서 tarjeta *f* de embarque (y/) o desembarque. ～ 카드 tarjeta *f* de entrada. ～ 허가(증) permiso *m* de ingreso, permiso *m* de entrada.

입국(立國) *establecimiento m* de un estado. 산업(産業) ～ establecimiento *m* del estado sobre base industrial.

입궁(入宮) entrada *f* en el palacio real. ～하다 entrar en el palacio real.

입궐(入闕) ida *f* [visita *f*] al palacio real. ～하다 ir [acudir·visitar] al palacio real.

입금(入金) [수령] recibo *m*; [수령금] dinero *m* recibido, suma *f* recibida. ～하다 ingresar en cuenta, abonar en cuenta. 천만원의 ～이 있었다 Ha habido un recibo de diez millones de wones. 나는 은행[계좌]에 돈을 ～했다 Ingresé el dinero en el banco [en mi cuenta]. 우리는 귀하의 계좌(計座)에 이 금액을 ～했다 Hemos ingresado esta cantidad en su cuenta.

■ ～ 전표 nota *f* de recibo; [은행의] recibo *m* de depósito..

입길 boca *f* del que habla mal del defecto de otros. ～에 오르내리다 ser discutido por otros.

입김 ① [입에서 나오는 더운 김] vapor *m* de aliento. ② [입으로 나오는 내쉬는 숨의 기운] aliento *m*. ③ ＝영향력.

◆ 입김(이) 세다 El aliento es fuerte.

입내[1] [소리·말로써 내는 흉내] imitación *f* de la voz, imitación *f* de la manera de hablar, bufonada *f*, bufonería *f*.

◆ 입내(를) 내다 imitar la voz, imitar la manera de hablar, bufonear(se).

■ ～쟁이 imitador, -dora *mf* de la voz, imitador, -dora *mf* de la manera de hablar; bufonicista *mf*.

입내[2] [입에서 나는 고약한 냄새] (mal) olor *m* a boca. 너는 ～가 난다 Te huele la boca.

입다 ① [옷을 착용하다] ponerse, vestirse. 입고 있다 llevarse (una prenda), estar vistiéndose (de). 옷을 ～ vestirse, ponerse el vestido. 오버를 ～ ponerse el abrigo. 웃옷을 ～ ponerse la chaqueta [la americana·el saco]. 급히 옷을 ～ vestirse apresuradamente. 스웨터를 입고 자다 acostarse el jersey puesto. 그녀는 흰옷을 입고 있다 Ella se viste de blanco / Ella lleva un traje blanco / Ella está vestida con un traje blanco / El va vestida de blanco. 그는 입은 채로 도망쳤다 El escapó con lo que tenía puesto. 이 아이는 이제 혼자 옷을 입는다 Este niño se viste ya solo. ② [피해·손해를 보거나 부상을 당하거나 누명 등을 쓰다] sufrir. 피해를 ～ sufrir daños. ③ [도움을 받다] recibir, gozar (de). 은혜(恩惠)를 ～ ser favorecido (con·de·por), gozar del favor (de), recibir un favor (de), recibir una merced (de). ④ [상(喪)을 당하다] estar de luto (por *uno*), guardar luto (por *uno*). 그녀는 아직 남편의 상을 입고 있다 Ella todavía está de luto [guarda luta] por su marido.

입 다물다 callar, no hablar.

입단(入團) afiliación *f* (a una organización [una asociación]). ～하다 afiliarse (a), ingresar (en), unirse (a).

입담 ＝언변(言辯). ¶～이 좋다 (ser) locuaz, con mucha labia [palabrería]. ～이 사납다 (ser) malhablado.

입당(入黨) afiliación *f* [adhesión *f*] a un partido político, ingreso *m* [entrada *f*] en un partido político. ～하다 afiliarse a [adherirse a·ingresar en·entrar en] un partido político.

입대(入隊) alistamiento *m*, incorporación *f*. ～하다 alistarse [ingresar·entrar] en el ejército [en la armada], alistarse en la milicia, entrar en un servicio militar; [지원하다] hacerse soldado.

■ ～식 parada *f* ceremonial de recluta. ～

자 recluta *mf.*

입덧 indisposición *f* causada por la preñez, náuseas *fpl* [vómitos *mpl*] (de mujer encinta), mareo *m.*
◆ 입덧(이) 나다 perder *su* apetito, tener mareo, marearse.

입도(入道) entrada *f* en taoísmo. ～하다 hacerse taoísta.

입도(立稻) arroz *m* natural en el arrozal.
▪ ～선매(先賣) venta *f* del arroz antes de madurar. ～ 압류 embargo *m* del arroz en el arrozal.

입동(立冬) primer día que empieza el invierno, comienzo *m* del invierno, el noveno de veinte y cuatro divisiones estacionales.

입되다 ser gastrónomo, ser muy exigente (en la comida), ser maniático, tener un paladar exquisito.

입 떼다 empezar a hablar abriendo la boca.

입뜨다 (ser) reticente.

입력(入力) ① 【전기】 potencia *f* de entrada, potencia *f* específica ② 【컴퓨터】 entrada *f.*
▪ ～ 데이터 datos *mpl* de entrada, datos *mpl* a procesar. ～ 에러 error *m* de entrada. ～ 장치 dispositivo *m* de entrada, órgano *m* de entrada.

입례(立禮) saludo *m* en la postura que está de pie.

입론(立論) argumentación *f,* argumento *m,* razonamiento *m.* ～하다 argumentar, razonar, argüir, debatir.

입마개 bozal *m.* 개에게 ～를 씌우다 poner el bozal al perro.

입 막다 obligar a callar, obligar a que no se hable.

입막음 prohibición *f* de habla. ～하다 prohibir hablar, parar, imponer el silencio, obligar a guardar el secreto, amordazar, silenciar. ～하는 돈 dinero *m* con que se compra el silencio de uno, unto *m* de rana, soborno *m,* cohecho *m, CoS, Per* coima *f, Méj* mordida *f.*

입말 ＝구어(口語).

입맛 apetito *m,* sabor *m,* gusto *m,* paladar *m.* ～에 맞는 de buen paladar, bueno al paladar. ～이 있다 tener buen apetito. ～이 없다 no tener apetito. ～을 잃다 perder *su* apetito. ～을 떨어뜨리다 quitar el apetito. 이 포도주는 ～에 맞다 Este vino tiene buen paladar / Este vino es bueno al paladar. 나는 ～을 잃었다 Se me ha ido [quitado] el apetito. 그것은 나한테서 ～을 떨어뜨렸다 Me quitó el apetito. 식전에 단 것을 먹으면 ～을 떨어뜨릴 것이다 Si comes el dulce antes de comer, no vas a tener apetito. 지금 먹지 마라. 네 ～을 떨어뜨릴 것이다 No lo comas ahora, te va a quitar el apetito [las ganas de comer].
◆ 입맛(을) 다시다 chuparse los labios, chascar la lengua, chasquear la lengua, relamerse (los labios); [맛있게 먹다] comer con gusto. 입맛(이) 당기다 paladear. 입맛(이) 돌다 abrir el apetito. 나는 이 소풍 때문에 입맛이 돌았다 Esta caminata me ha abierto el apetito. 입맛(이) 떨어지다 quitarse el apetito. 나쁜 소식 때문에 나는 입맛이 떨어졌다 La mala noticia me quitó el apetito. 입맛(이) 쓰다 tener (un) sabor [gusto] amargo, saber amargo.

입맞추다 besar, dar un beso; [서로] besarse. 빰에 ～ dar*le* a *uno* un besito en la mejilla. 손에 ～ besar la mano. 두 주연이 서로 입맞추는 장면 la escena donde se besan los protagonistas. 그녀는 내 입술에 입맞추었다 Ella me dio un beso [me besó] en los labios [en la boca]. 나는 아내의 손에 입맞추었다 Le besé la mano a mi esopsa. 그들은 서로 입맞추었다 Ellos se besaron (uno de otro) / Ellos se dieron un beso (el uno del otro).

입맞춤 beso *m*; [가벼운] besito *m.* ～을 하다 besar, dar un beso; [가볍게] dar un besito. 이별의 ～을 하다 dar*le* un beso de despedida a *uno.* 그녀는 그의 이마에 ～을 했다 Ella le dio un beso en la frente. 가벼운 ～이 어때요? ¿Me das un besito? 그는 나에게 ～을 보냈다 El me tiró un beso.

입매 ((준말)) ＝입맵시. ¶～가 곱다 tener una boca bonita [mona].

입맵시 (forma *f* de) la boca mona [bonita].

입면(立面) plano *m* horizontal.

입멸(入滅) ((불교)) ＝입적(入寂).

입모습 forma *f* de boca, boca *f.* 매력적인 ～을 하다 tener la boca atractiva [amable].

입 모으다 Varias personas hablan la misma opinión.

입목(立木) árbol *m* que está creciendo, arboleda *f,* alamenda *f,* grupo *m* de árboles.

입몰(入沒) ＝죽음(muerte).

입묘(入廟) transferencia *f* de lápida de depósito de cadáveres a la tumba familiar después del segundo aniversario de la muerte. ～하다 transferir la lápida de depósito de cadáveres a la tumba familiar.

입묵(入墨) tatuaje *m.* ～하다 tatuarse el cutis. ～하는 사람 tatuador, -dora *mf.*

입문(入門) ① [스승을 따라 그 제자가 됨] aprendizaje *m.* ～하다 hacerse discípulo (de). ② [어떤 학문을 배우려고 처음 들어감] entrada *f* (en una escuela privada). 정계(政界)의 ～ entrada *f* en el mundo político, dedicación *f* a la política. ③ ((준말)) ＝입문서(入門書).
▪ ～서(書) introducción *f,* iniciación *f.* ¶서반아어 ～ el español para los principiantes, el Curso elemental de español, la Introducción a la lengua española, la Introducción al español.

입바르다 (ser) franco, sincero, directo, sin dobleces. 입바른 소리 palabra *f* franca, palabra *f* sincera. 입바른 사람 persona *f* franca, persona *f* sincera. 입바른 소리를 하다 hablar sin rodeos, llamar al pan, pan y al vino, vino, llamar a las cosas por su nombre.

입방(立方) 【수학】 ((구용어)) ＝세제곱.

■ ~근 ((구용어)) =세제곱근. ~미터 ((구용어)) =세제곱미터. ~체 cubo *m.* ¶~의 cúbico.

입방아 찧다 rezongar, estar*le* encima a *uno*, meterse (con). 입방아 찧는 사람 persona *f* de lengua mordaz.

입버릇 expresión *f* favorita (de), muletilla *f*, estribillo *m.* ~처럼 말하다 decir casi por costumbre, repetir casi insensiblemente. 그것이 그의 ~이다 Esa es su muletilla.

입 벌리다 abrir la boca.

입법(立法) legislación *f.* ~의 legislativo, legislador.

◆노동(勞動) ~ legislación *f* laboral. 재정 ~ legislación *f* financiera.

■ ~권 poder *m* legislativo. ~ 기관 cuerpo *m* legislativo, órgano *m* legislativo, *AmL* legislatura *f.* ~부 cuerpo *m* legislativo, órgano *m* legislativo, *AmL* legislatura *f.* ~ 의회 asamblea *f* legislativa, legislatura *f.* ~자 legislador, -dora *mf.* ~화 legislación *f.* ¶~하다 legislar. ~ 회의 asamblea *f* constituyente.

입병(-病) infección *f* de boca.

입비뚤이 persona *f* con la boca retorcida.

입사(入社) entrada *f* en una firma, entrada *f* en una compañía. ~하다 entrar en un compañía, entrar en una sociedad [una firma].

■ ~ 계약 [졸업 전] contrato *m* de trabajo antes de graduarse. ~ 시험 examen *m* (*pl* exámenes) de colocación, examen *m* de admisión [de entrada] en una compañía.

입사(入射) 【물리】 incidencia *f.* ~의 incidente.

■ ~각 ángulo *m* de incidencia, ángulo *m* incidente. ~ 광선 rayo *m* de luz incidente. ~점 punto *m* incidente.

입산(入山) ① [산에 들어감] entrada *f* en la montaña. ~하다 entrar en la montaña. ② ((불교)) entrada *f* en la montaña para hacerse sacerdote budista [para ser ordenado sacerdote budista]. ~하다 hacerse sacerdote budista, ser ordenado sacerdote budista.

■ ~ 수도 ascetismo *m* en la montaña. ¶~하다 hacer una vida ascética. ~ 수도사 asceta *mf* en la montaña.

입상(入賞) obtención *f* de premio. ~하다 *ganar* un premio. 1등에 ~하다 ganar el primer premio.

■ ~자 ganador, -dora *mf* del premio, laureado, -da *mf.* ~ 작품 obra *f* laureada, obra *f* premiada.

입상(立像) estatua *f*, [작은] figurilla *f.*

입상(粒狀) forma *f* granular. ~의 en grano, granulado, granular. ~으로 하다 granular. ~ 설탕 azúcar *m* granular.

■ ~반(斑) gránulo *m.*

입석(立石) ① [무덤 앞에 비갈(碑碣)이나, 도정(道程)의 표시로 돌을 세움. 또, 그 돌] acción *f* de erguir la piedra delante de la tumba, piedra *f* erigida delante de la tumba. ② 【역사】 =선돌.

입석(立席) paraíso *m* [cazuela *f*] de un teatro. ~만 있음 ((게시)) ¡No quedan asientos!

■ ~ 손님 espectador, -dora *mf* [pasajero, -ra *mf*] de pie.

입선(入船) =입항(入港).

입선(入選) acción *f* de ser escogido. ~하다 ser escogido, ser seleccionado, pasar el examen de selección.

■ ~자 ganador, -dora *mf*, persona *f* seleccionada, persona *f* escogida; triunfante *mf.* ~화 pintura *f* escogida. ¶국전(國展) ~ pintura *f* escogida para la Exposición de Arte Nacional.

입선(入禪) ((불교)) entrada *f* en la habitación de zen para hacer el zen. ~하다 entrar en la habitación de zen para el zen.

입성 ((속어)) =옷. ¶~이 무척 더럽다 La ropa está muy sucia.

입성(入城) entrada *f* en el castillo, entrada *f* triunfal en la ciudad. ~하다 entrar al castillo, entrar en la ciudad triunfalmente.

■ ~식 entrada *f* triunfal.

입성수(-星數) el decir la buenaventura por la forma del mes.

입소(入所) entrada *f*, admisión *f*, [교도소에] encarcelamiento *m*, internamiento *m*, prisión *f.* ~하다 ser admitido a la institución; [교도소에] entrar a la prisión.

입속말 murmullo *m*, murmurio *m*, susurro *m.* ~하다 murmurar, susurrar, murmullar.

입수(入手) adquisición *f*, consecución *f*, conseguimiento *m*, obtención *f*, recibo *m.* ~하다 obtener, adquirir, conseguir, lograr, alcanzar, recibir, llegar a manos. ~ 곤란한 difícil de conseguir.

입술 labios *mpl.* ~의 labial. ~이 두터운 de labios gruesos. ~이 얇은 de labios finos. 두터운 ~ labios *mpl* gruesos. 얇은 ~ labios *mpl* finos. 터진 ~ labios *mpl* agrietados, labios *mpl* partidos, *RPl* labios *mpl* paspados. ~을 오므리다 fruncir la boca. ~을 핥다 [빨다] relamarse, lamerse los labios (gozosamente).

◆아랫~ labio *m* inferior. 윗~ labio *m* superior.

◆입술을 깨물다 morderse los labios, morderse la lengua. 입술을 깨물면서 참다 aguantar mordiéndose los labios. 그녀는 화가 나서 입술을 깨물었다 Ella se mordió los labios de rabia. 입술을 비죽거리다 torcer el gesto, hacer un mohín.

■ ~소리 【언어】 sonido *m* labial. ~연지 ㉮ [막대 꼴의] pintalabios *mpl*, lápiz *m* (*pl* lápices) [barra *f*] de labios, lápiz *m* labial. ㉯ [물질] carmín *m*, rouge *m*, carmín *m* rojo [pintura *f*] de los labios. ¶~를 바르다 llevar los labios pintados, tener los labios pintados, pintarse los labios. ~를 닦아 내다[지우다] quitarse el carmín [el rojo] de los labios. 그녀는 ~를 바르고 있었다 Ella llevaba [tenía] los labios pintados / Ella se había pintado los labios.

입시(入試) ((준말)) =입학 시험.

입식(立食) comida *f* de pie. ~하다 comer de pie. 나는 ~을 좋아하지 않는다 No me gusta comer de pie.

■ ~ 부엌 cocina *f* de pie. ~ 식당 buffet *m*.

입신(入神) ① [기술이 영묘한 경지에 이름] maestría *f* divina, habilidad *f* divina. ~의 divino. ~의 경지에 든 기술 destreza *f* [habilidad *f*] divina, arte *m* exquisito. ~의 경지에 이른 작품 obra *f* de arte de una perfección divina. ② ((바둑)) *ibsin*, nueve grados.

입신(立身) ascenso *m* [avance *m*] en el mundo, triunfo *m* en la vida. ~하다 ascender en el mundo.

■ ~양명 ascenso *m* en el mundo y obtención de la fama. ~출세 avance *m* en *su* carrera, éxito *m* en la vida, carrera *f* de éxito. ¶~하다 avanzar [progresar] en *su* carrera, tener éxito en la vida.

입실(入室) ① [방에 들어감] entrada *f* en la habitación. ② [어떤 기관·군대의 부속 의무실 등에 환자로 들어감] entrada *f* en el hospital como un enfermo. ~하다 entrar en el hospital como un enfermo. ③ ((불교)) entrada *f* en el estudio de maestro para el examen o la instrucción.

입심 locuacidad *f*, elocuencia *f*. ~이 좋다 (ser) locuaz, elocuente.

입 싸다 (ser) palabrero, palabrón.

입쌀 arroz *m* no apelmazado.

입쓰다 =못마땅하다. 언짢다.

입씨름 peleas *fpl*, discusiones *fpl*, reyerta *f*, disputa *f*, riña *f*, gresca *f*. ~하다 pelear(se), discutir, armar camorra, debatir, reñir.

입 씻기다 dar dinero para callar la boca, comprar el silencio (de).

입 씻다 ① [입을 씻다] lavar la boca. ② [이문(利文) 등을 쓱싹하거나 가로채고 모르는 체 시치미떼다] fingir inocente, fingir no saber.

입씻이 dinero *m* dado para comprar el silencio (de). ~하다 comprar el silencio (de).

입아귀 comisura *f* de la boca.

입안(立案) planeamiento *m*, planeación *f*, plan *m*, proyecto *m*. ~하다 planear, diseñar, proyectar, planificar.

■ ~자 planificador, -dora *mf*, proyectista *mf*, autor, -tora *mf* de un proyecto; creador, -dora *mf*.

입양(入養) ① =입후(入後). ② **【법률】** adoptación *f*. ~하다 adoptar. ~의 무효(無效) anulación *f* de adoptación. ~의 취소(取消) revocación *f* de adoptación. …를 양자로 ~하다 adoptar*le* a *uno* por hijo.

입어(入漁) pesca *f* en la zona pesquera de otros.

■ ~권 derecho *m* de entrada a la zona pesquera. ~료 precio *m* para la pesca en la zona pesquera de otros.

입언(立言) expresión *f* de *su* opinión, proposición *f*, propuesta *f*. ~하다 expresar *su* opinión, proponer.

입영(入營) alistamiento *m*, reclutamiento *m*. ~하다 alistarse (en), entrar en el cuartel. ~시키다 alistar, reclutar.

입옥(入獄) [행동] encarcelamiento *m*, encarcelación *f*; [상태] prisión *f*. ~하다 encarcelar, meter en la cárcel, entrar en la prisión. ~ 중이다 estar en prisión, estar en la cárcel.

입욕(入浴) baño *m* caliente. ~하다 tomar un baño, bañarse. ~시키다 bañar.

■ ~자 bañador, -dora *mf*.

입원(入院) hospitalización *f*, internamiento *m*, *CoS* internación *f*, entrada *f* en un hospital, ingreso *m* en un hospital; [상태] hospitalidad *f*. ~하다 hospitalizarse, entrar en un hospital, ser llevado a un hospital. ~시키다 ingresar, hospitalizar, internar en un hospital. ~ 중이다 estar hospitalizado, entrar en el hospital, *CoS* estar internado. 그는 사고로 A병원에 ~했다 El resultó herido en el accidente y ha ingresado en el hospital. 그는 과로로 ~해야 했다 Debido al [A consecuencia del] trabajo excesivo él tuvo que hospitalizarse. 그는 ~ 후 곧 수술을 받았다 El fue operado poco después de ingresar en el hospital.

■ ~료[비] gastos *mpl* para hospitalizar, gastos *mpl* de hospitalización, cargos *mpl* de acomodación en el hospital. ~ 수속 trámites *mpl* para hospitalizar, tramites *mpl* de hospitalización, formalidades *fpl* requeridas para entrar en un hospital. ~실 sala *f* de hospitalización. ~ 환자 (enfermo *m*) hospitalizado *m*, (enferma *f*) hospitalizada *f*, paciente *m* internado, paciente *f* internada.

입자(粒子) partícula *f*, grano *m*.

■ ~량 peso *m* de partícula.

입장(入場) admisión *f*, entrada *f*. ~하다 entrar (en). ~을 거절(拒絶)하다 rehusar la entrada. 엄숙하게 ~하다 hacer una entrada solemne. 무용자(無用者) ~을 금함 ((게시)) No se permite [Prohibido·No] entrar excepto sobre negocios. 어린이는 ~을 못함 ((게시)) No se admiten niños.

◆ 개별(個別) ~ entrada *f* individual.

■ ~객 [관객] espectador, -dora *mf*; [청중] auditorio, -ria *mf*; [집합적] público *m* asistente, entrada *f*. ~권 (billete *m* [*AmL* boleto *m*] de) entrada *f*; [정거장의] billete *m* [*AmL* boleto *m*] de andén, tique(t) *m* de (acceso al) andén. ¶~을 사다 sacar [comprar] la entrada. ~권 판매소 taquilla *f* (de billete de entrada), *AmL* boletería *f*. ~권 판매원 taquillero, -ra *mf*. ~료 precio *m* de entrada, (derechos *mpl* de) entrada *f*. ¶~를 받다 cobrar la entrada. ~ 무료 ((게시)) Entrada *f* gratis / Entrada *f* libre / Admisión *f* libre. ~세 impuesto *m* sobre espectáculos. ~식 [운동 경기의] desfile *m* inaugural de los atletas.

입장(立場) situación *f*, puesto *m*; [견지] punto *m* de vista. ~이 곤란하다 estar en una situación delicada. ~을 밝히다 denotar su punto de vista. ~을 분명히 하다 definir su posición. ~을 바꾸어 보다 pensar desde otro punto de vista. …의 ~이 되어 보다 ponerse en el lugar [en el caso] de *uno*. 곤란한 ~에 있다 estar en una situación difícil. 어려운 ~에 동정하다 comprender la delicadeza de *su* situación. 유리한 ~에 있다 estar en una posición ventajosa. 불리한 ~에 있다 estar en una posición desventajosa. 그는 나와 ~을 달리하고 있다 El está en una posición distinta de la mía. 그렇게 되면 내 ~이 난처하게 된다 Eso me pondrá en una situación embarazosa. 나는 그것을 결정할 수 있는 ~에 있지 않다 No estoy en (la) posición de poder decidirlo.

입적(入寂) ((불교)) fallecimiento *m*, muerte *f*, entrada *f* en el nirvana. ~하다 fallecer, morir, corporarse en el nirvana.

입적(入籍) entrada *f* en un registro familiar. ~하다 entrar [inscribirse] en un registro familiar, poner nombre en el registro familiar. 아내를 ~하다 poner el nombre de *su* mujer en el registro familiar.

입전(入電) telegrama *m* recibido, cablegrama *m* recibido, arribo *m* de telegrama.

입정 =입버릇. 입노릇.

◆입정(을) 놀리다 seguir comiendo entre comidas. 입정(이) 사납다 ㉮ [입버릇이 점잖지 못하다] ser malhablado, hablar groseramente. ㉯ [음식을 탐식하다] comer con gula, comer con glotonería.

입정(入廷) entrada *f* en la sala de un tribunal. ~하다 entrar en la sala de un tribunal. 피고를 ~시키다 introducir a un acusado [a una acusada].

입정(入定) ① ((불교)) [선정(禪定)에 들어감] contemplación *f* [meditación *f*] tranquila. ② ((불교)) [수행하기 위해 방 안에 들어감] entrada *f* en la habitación para los ejercicios ascéticos.

입조(入朝) asistencia *f* [visita *f*] de los extranjeros a la corte real. ~하다 asistir a la corte real.

입조(立朝) asistencia *f* [visita *f*] al Palacio Real. ~하다 asistir [visitar] al Palacio Real.

입주(入住) instalación *f*, ocupación *f*. ~하다 instalarse (en una casa), ocupar (una casa), mover en (el apartamento); [가정에] vivir (en), vivir con una familia. 새 집에 ~하다 mover en una nueva casa.

▪~ 가정 교사 profesor, -sora *mf* particular residente. ~자 habitante *mf*; morador, -dora *mf*.

입증(立證) prueba *f*, testimonio *m*, comprobación *f*, demostración *f*. ~하다 probar, comprobar, demostrar, atestigar. 무죄를 ~하다 demostrar la inocencia (de).

입지(立地) localización *f*.

▪~(적) 조건 factores *mpl* de localización, situación *f* geográfica, condición *f* de localidad. ¶~이 좋다 estar bien situado. ~이 나쁘다 estar mal situado.

입지(立志) propuesta *f* que se hace a *sí* mismo de hacer *algo*.

▪~전(傳) biografía *f* del hombre [de la mujer] que ha alcanzado *su* posición gracias a *sus* propios esfuerzos, historia *f* de éxito. ¶~ 속의 인물 hombre *m* que ha alcanzado *su* posición gracias a *sus* propios esfuerzos.

입질 mordedura *f*, picadura *f*.

입짓 movimiento *m* de la boca. ~하다 mover la boca.

입차다 =장담하다.

입찬말 =입찬소리.

입찬소리 fanfarronada *f*, fanfarronería *f*. ~하다 decir impertinencias, alardear, fanfarronear, fanfarrear. ~입니다만 … Me atrevería a decir que + *ind*, Con perdón de usted, Yo diría que + *ind*.

입찰(入札) licitación *f*. ~하다 licitar, hacer una oferta, hacer una propuesta, hacer una licitación escrita. ~에 의해 por licitación. ~에 부치다 poner en licitación, vener (artículo) por propuesta [licitación]. 천만 원으로 ~하다 hacer una licitación por diez millones de wones.

▪~ 공고 aviso *m* público de licitación. ~자 licitador, -dora *mf*; licitante *mf*; [경매의] postor, -tora *mf*.

입천장(-天障) 【해부】 paladar *m*. ~의 palatino.

▪~소리 【언어】 =구개음(口蓋音).

입체(立替) adelanto *m*, anticipo *m*. ~하다 pagar por adelantado, pagar por anticipado, adelantar el pago (a · para). 그 지불은 내가 ~하겠습니다 Yo le adelanto el pago.

▪~금 adelanto *m*, anticipo *m*, dinero *m* adelantado, suma *f* adelantada.

입체(立體) sólido *m*; 【기하】 cuerpo *m*. ~의 sólido.

▪~각 ángulo *m* sólido. ~감 efecto *m* estereoscópico. ~ 감각(感覺) sentido *m* estereognóstico. ~경 estereoscopio *m*. ~ 교차(交叉) paso *m* a desnivel. ~ 교차로 autopista *f* (sin peaje). ~ 기하학 geometría *f* sólida, geometría *f* del espacio. ~ 묘사 delineación *f* sólida [cúbica]. ~미(美) hermosura *f* sólida. ~ 방송 emisión *f* estereofónica. ~ 사진 estereofotografía *f*, fotografía *f* estereoscópica, estereograma *m*, anáglifo *m*. ~ 사진술 estereofotografía *f*. ~ 엑스선 사진 estereoradiograma *m*, estereoentgenografía *f*. ~ 영화(映畵) cine *m* tridimensional, cine *m* en tres dimensiones. ~ 음악 música *f* estereofónica. ~ 음향 estereofonía *f*. ~전(戰) guerra *f* tridimensional. ~파 cubismo *m*; [단체] cubistas *mpl*. ¶~ 예술가 [화가 · 조각가]

cubista *mf.* ~ 현미경 microscopio *m* estereoscópico. ¶~ 사진 estereofotomicrografía *f.* ~ 효과 estereoefecto *m.*

입초(入超) exceso *m* de la importación sobre la exportación, balanza *f* desfavorable del comercio exterior, balanza *f* comercial desfavorable, déficit *m* de la balanza comercial.

입초(立哨) guardia *f,* centinela *f;* [순경의] servicio *m* de puesto. ~하다 estar de guardia; [보초] estar de centinela, estar de servicio de puesto.
■~병(兵) centinela *m.*

입촌(入村) entrada *f* en la aldea. ~하다 entrar en la aldea.

입추(立秋) primer día *m* del otoño, comienzo *m* del otoño, uno de veinte y cuatro divisiones estacionales.

입추(立錐) acción *f* de erguir la barrena. ~의 여지도 없다 Está de bote en bote / No hay espacio ni de estar de pie. 회장(會場)은 ~의 여지가 없다 La sala está atestada.
■ ~지지(之地) terreno *m* muy estrecho / No cabe ni un poco porque es muy estrecho.

입춘(立春) comienzo *m* de la primavera, primer día *m* de la primavera (alrededor del tres o cuatro de febrero). ~ 전날 víspera *f* del día inicial de la primavera.

입출력(入出力) **【컴퓨터】** entradas-salidas *fpl,* entrada-salida *f,* entrada/salida.
■ ~ 장치 dispositivo *m* de entrada-salida, dispositivo *m* de entrada/salida. ~ 제어 장치 controladora *f* de entrada/salida. ~ 채널 canal *m* de entrada/salida.

입태자(立太子) nombramiento *m* formal de Príncipe Heredero.

입평(立坪) *pyeong m* cúbico, 6.008 metros cúbicos.

입하(入荷) llegada *f* (de mercaderías), llegada *f* (de mercancías). ~하다 llegar. 포도가 ~됐다 Han llegado uvas.
■ ~ 통지 notificación *f* de arribada.

입하(立夏) comienzo *m* del verano, primer día *m* del verano, uno de las veinticuatro divisiones estacionales, alrededor del cinco o seis de mayo.

입학(入學) ingreso *m* en una escuela, entrada *f* en una escuela, matrícula *f,* [허가] admisión *f.* ~하다 ingresar en una escuela, entrar en una escuela, ser admitido (en una escuela), matricularse en la escuela. 내가 대학에 ~한 해 el año de mi ingreso a [en] la universidad. ~을 허가하다 admitir. ~을 축하합니다 Le felicito a usted por su admisión / Enhorabuena por su ingreso (en la universidad).
■ ~금 derechos *mpl* de ingreso, derechos *mpl* de matrícula. ~기 tiempo *m* para la admisión [para el ingreso]. ~난 admisión *f* difícil de escuela, dificultad *f* de admisión. ~ 등록 matrícula *f,* matriculación *f.* ¶~하다 matricularse. ~생 [대학의] estudiante *mf* que ingresa a la universidad. ~수속 matrícula *f,* trámites *mpl* de ingreso. ¶~을 하다 matricularse, hacer los trámites de ingreso. ~ 시험 examen *m* de ingreso, examen *m* de admisión. ¶~을 보다 someterse al examen de admisión [de ingreso], examinarse de ingreso. ~ 시험문제 preguntas *fpl* del examen de ingreso. ~식 ceremonia *f* de admisión [ingreso]. ~ 원서(願書) solicitud *f* de ingreso [de admisión]. ~ 자격 aptitud *f* [requisito *m* · requerimiento *m*] para el ingreso. ~ 절차 formalidades *fpl* de ingreso. ~ 지원자 solicitante *mf* de ingreso [de admisión]. ~ 허가 (permiso *m* de) admisión *f.* ~ 허가서 permiso *m* de admisión.

입항(入港) entrada *f* del [en el] puerto, llegada *f* al puerto. ~하다 entrar en el puerto, llegar al puerto; [기항하다] tocar en el puerto. ~ 중이다 estar en el puerto. 부산에 ~하다 entrar en el puerto de Busan. ~ 예정이다 Se espera llegar.
■ ~선 barco *m* que entra en el puerto. ~세 derechos *mpl* de puerto [de quilla]. ~ 수속 despacho *m* de entrada. ~수수료 derechos *mpl* [honorarios *mpl*] de entrada. ~ 증명서 certificado *m* de entrada en el puerto. ~ 허가서 permiso *m* de entrada.

입향순속(入鄕循俗) Hay que bailar al son que se toca / Donde fueres haz como vieres.

입헌(立憲) constitucionalismo *m.* ~ 사상을 고취하다 inculcar las ideas constitucionales.
■~국 país *m* constitucional. ~ 군주국 monarquía *f* constitucional. ~ 군주제 monarquía *f* constitucional. ~ 민주 정체 democracia *f* constitucional. ~ 정체 régimen *m* constitucional. ~ 정치 política *f* [gobierno *m*] constitucional. ~주의 constitucionalismo *m.*

입회(入會) ingreso *m,* entrada *f,* [등록] inscripción *f.* ~하다 entrar (en), ser miembro (de), asociarse (a). 클럽에 ~하다 entrar [ingresar] en un club. 협회에 ~를 신청하다 pedir [solicitar] la admisión en una asociación.
■ ~금 derechos *mpl* de ingreso, cuota *f* de entrada. ~비 cuota *f* de inscripción. ~원서 solicitud *f* de inscripción. ~자(者) persona *f* admitida (a una sociedad); nuevo miembro *m,* nueva miembro *f,* socio, -cia *mf.*

입회(立會) ① presencia *f,* asistencia *f,* sesión *f.* ~하다 presenciar, asistir; [증인으로] actuar [servir] de testigo (en). 증인의 ~ 아래 en presencia del testigo. ~를 요구하다 requerir la presencia (de). 결혼에 ~하다 actuar de testigo en la boda. ② [거래소의] sesión *f.* 오전의 ~ sesión *f* de la mañana.
◆전장(前場) ~ sesión *f* de la mañana. 후장(後場) ~ sesión *f* de la tarde.

■～ 변호사(辯護士) abogado, -da *mf* compareciente. ～시간 horario *m* de mercado. ～ 연설 discurso *m* conjunto. ～ 연설회 reunión *f* pública en que pronuncian discursos los candidatos. ～ 의사(醫師) consultante *mf*. ～인 [증인] testigo *mf*; [투표의] escrutador, -dora *mf*. ～ 정지[중지] suspensión *f* de sesión. ～ 증인 testigo *mf*. ～ 진찰 consulta *f*.

입후보(立候補) candidatura *f*. ～하다 presentarse como candidato, declarar [anunciar · presentar] *su* candidatura. ～를 선언하다 anunciar *su* candidatura. ～를 사퇴하다 retirar *su* candidatura. 그는 대통령 선거에 ～했다 El se ha presentado como candidato para la presidencia. 그는 시장에 ～했다 El presentó su candidatura para la alcaldía.

◆ 이중(二重) ～ candidatura *f* doble.

■～ 등록 registro *m* de su candidatura. ～ 사퇴 retirada *f* de *su* candidatura. ～자 candidato, -ta *mf*. ¶국회 의원 ～ candidato, -ta *mf* para diputado.

입히다 ① ㉮ [의(衣)생활을 시켜 주다] vestir, poner. 옷을 ～ vestir (a), poner el vestido (a). 옷을 입힌 인형 muñeca *f* que se puede vestir. 자식에게 파티복을 ～ poner [vestir] a *su* hijo el vestido de fiesta. ② [입게 하다. 당하게 하다. 끼치다] hacer sufrir, ocasionar, causar. 상처를 ～ herir, dar un golpe que produzca llaga, fractura o contusión. 손해를 ～ hacer sufrir daños (a), ocasionar daños (a), causar daños (a). ③ [물건의 거죽에 무엇을 올리거나 바르다] cubrir, bañar, recubrir (de), enchapar (en). 설탕을 입힌 cubierto de azúcar. 초콜릿을 입힌 cubierto de chocolate, bañado en chocolate. 금을 입힌 enchapado en oro, 은을 입힌 enchapado en plata. 구리에 금을 ～ enchapar el oro en cobre.

잇[1] [이부자리 · 베개 따위의 거죽을 싸는 피륙] colchón *m* (*pl* colchones); [베개 · 소파 · 타이프라이터 등의] funda *f*; [침대의] cubrecama *m*, sobrecama *f*, colcha *f*.

잇[2] 【식물】＝잇꽃.

잇꽃 【식물】 alazor *m*, cártamo *m*.

잇다 ① [끝과 끝을 맞대어 서로 붙게 하다] juntar, ligar, unir, atar. 두 관(管)을 ～ conectar dos tubos. 판자 두 개를 ～ unir dos tablas. 밧줄의 양 끝을 ～ ligar [atar] las dos puntas de una cuerda. 새끼를 이어 쓰다 usar juntando la cuerda de paja. 그는 두 개의 전기 코드를 이었다 El juntó los dos cordones eléctricos. ② [앞뒤가 끊어지지 않게 계속하다] heredar, suceder (a *uno* en *algo*), seguir (a *uno* en *algo*). 가업(家業)을 ～ suceder el negocio familiar. 고인(故人)의 유지(有志)를 ～ cumplir el último deseo del difunto. 부친(父親)의 뒤를 ～ suceder a *su* padre. 왕위(王位)를 ～ subir al trono. 그는 목숨을 겨우 ～ El apenas vivió. 그녀는 회장으로 아버지의 뒤를 이었다 Ella sucedió a su padre en la presidencia. 누가 그의 뒤를 이었습니까? ¿Quién lo sucedió? / ¿Quién fue su sucesor? ③ [뒤를 잇달다] continuar. …에 이어 a continuación de *algo*. 강연에 이어 영화를 상연함 ((게시)) Representamos una película a continuación de la conferencia. A팀은 작년에 이어 금년에도 우승했다 El equipo A ha ganado el campeonato por segundo año consecutivo.

잇단음표(一音標) 【음악】 tresillo *m* (3), quintillo *m* (4), cinquillo *m* (5), seisillo *m* (6), etc.

잇달다 ① [뒤를 이어 달다. 연달다] unir, juntar, conectar, ligar. ② [잇따르다. 연달다] continuar, sucederse. 잇단 [서로 관련이 있는] sucesivo; [관련이 없는] consecutivo. 잇달아 uno tras otro, uno detrás de otro, uno inmediatamente después de otro, uno después otro; [계속해서] continuamente, sucesivamente, sin interrupción, sin parar, consecutivamente, alternativamente (교대로); en sucesión rápida; [줄곧] a cada paso. 잇단 방 habitación *f* contigua. 두 시간 잇달아 durante dos horas seguidos. 10일간 잇달아서 durante diez días seguidos, diez días consecutivos. 잇단 불행 desgracias *fpl* sucesivas. 잇단 사건 sucesos *mpl* sucesivos, sucesos *mpl* consecutivos. 부상으로 잇단 병(病) enfermedad *f* consecutiva a la herida. 사고(事故)가 잇달았다 Se sucedieron los accidentes. 사건이 잇달아 일어난다 Suceden los acontecimientos uno tras otro. 손님이 잇달아 온다 Los visitantes van llegando sucesivamente. 저 집은 불행(不幸)이 잇달고 있다 En esa familia se suceden desgracias.

잇닿다 continuar, formar parte (de). 땅에 잇닿는 comunicable por tierra. 잇닿은 토지(土地) tierra *f* contigua. 대륙과 ～ formar parte del continente.

잇대다 continuar, durar. 잇대서 continuamente, sin interrupción. 말을 ～ seguir [continuar] hablando. 10일간 잇대어 눈이 왔다 La nieve continuó [duró] por diez días.

잇따르다 seguir, suceder. 잇따라 일주일(간) durante la semana que sigue. 불운(不運)이 잇따랐다 Sucedieron malas suertes. 사람들이 잇따라 앉았다 Se sentaron unos tras otros.

잇몸 encía *f*. ～의 gingival. ～을 드러내고 웃다 sonreír abiertamente.

■～ 고랑 surco *m* gingival. ～ 염증 gingivitis *f*. ～ 인대 ligamento *m* gingival.

잇바디 ＝치열(齒列)(dentadura). ¶～가 고르지 않다 tener una dentadura irregular, tener los dientes desiguales.

잇살 grieta *f* de las encías.

잇새 entre el diente y el diente, entre los dientes. ～에 끼이다 metersele a uno entre dientes; [사람이 주어] tener *algo* entre los dientes.

잇소리 ＝치음(齒音).
잇속[1] [이의 중심부의 연한 부분] parte *f* blanda del centro de los dientes.
잇속[2] [이의 생긴 모양] forma *f* de *sus* dientes.
잇속(利－) fuente *f* de ganancias, fuente *f* de beneficios. ～ 있는 장사 negocio *m* rentable. ～이 있다 (ser) rentable, lucrativo. ～이 없다 no ser rentable, no producir beneficios.
잇자국 huella *f* del diente; [어금니의] huella *f* del colmillo. 오른쪽 다리에 ～이 있었다 En la pierna derecha estaban las huellas de los colmillos.
잇줄(利－) conexión *f* lucrativa.
잇집 ＝치조(齒槽)
잇짚 paja *f* de arroz no apelmazado.
있다[1] ① [어떤 장소에 존재하다] estar; [유무(有無)] existir, hallarse, encontrarse, verse, haber (3인칭 단수형으로 직설법에서는 hay); [살다] vivir, residir, habitar, morar. 이 방에는 사람이 많이 ～ Hay mucha gente en esta habitación. 수상한 남자가 집 앞에 ～ Hay un hombre sospechoso delante de la casa. 이 강에는 송어가 ～ En este río hay truchas. 책상 위에 연필이 ～ Hay un lápiz en la mesa. 열쇠 여기 ～ Aquí tienes la llave. 동생이 정원에 ～ Mi hermano está en el jardín. 우리는 서반아의 그라나다에 ～ Estamos [Nos encontramos] en Granada, España.
② [어느 위치에 머물러 움직이지 않다. 어느 상태를 지속하다] quedarse. 웃고 있는 사진(寫眞) la fotografía *f* que está sonriendo. 게 있거라 Quédate ahí. 내가 돌아올 때까지 여기 있어라 Quédate [Espérate] aquí hasta que yo vuelva.
③ [어떤 지위·직장·처소를 차지하다] estar; [위치해 있다] estar situado (a), encontrarse (a). 요즘 어디 있나 ¿Dónde estás tú estos días? 파출소는 길의 오른쪽에 ～ El puesto de policía está a la derecha de la calle. 역은 도시의 남부에 ～ La estación está en la parte sur de la ciudad. 카리브 해에는 많은 섬이 ～ Hay muchas islas en el mar Caribe. 부산은 서울 남방 약 400킬로미터 거리에 ～ Busan está (situado) a unos cuatrocientos kilómetros al sur de Seúl.
④ [유형의 물건·돈 등을 가지다] tener, poseer; [향유하다] gozar (de), disfrutar (de). 있는 사람과 없는 사람 el rico y el pobre. 그에게 재산이 있건 없건 tenga o no tenga fortuna. 그에게는 아들이 세 명 ～ El tiene tres hijos. 빈방 있습니까? *¿Tienen ustedes una habitación* libre? 그에게는 우수한 재질이 ～ El tiene excelentes dotes / El está dotado de un talento excelente. 그는 책임감이 ～ El tiene sentido de responsabilidad. 누구나 장점은 있는 법이다 Cada uno tiene su mérito. 이 회사에는 종업원이 500명 ～ Hay quinientos empleados en esta compañía / Esta compañía tiene quinientos empleados.
⑤ [무형의 것·뜻·사랑·믿음 등이 존재하다] existir, consistir (en), estar (en), residir (en). 하나님은 ～ Existe Dios. 정의(正義)는 ～ La justicia existe. 달에는 생물이 있지 않다 En la luna no existen serer vivientes. 사고의 원인은 그의 부주의에 ～ La causa del accidente está en [es] su descuido.
⑥ [몸에 지니거나 품거나 배다] llevar. 아이가 ～ concebir, ponerse preñada.
⑦ [(직장 따위에) 다니다·근무하다·재직하다] trabajar. 그녀는 32년째 정보 통신부에 ～ Ella trabaja treinta y dos años en el Ministerio de Información y Comunicaciones / Hace treinta y dos años que ella trabaja en el Ministerio de Información y Comunicaciones.
있다[2] ① [「-고」 다음에 쓰이어, 어떤 동작을 계속 하다] estar +「현재 분사」(-ando · -iendo). 자고 있는 아이 el niño que está durmiendo. 먹고 ～ estar comiendo. 누이는 자고 ～ Mi hermana está durmiendo. 나는 지금 일하고 ～ Estoy trabajando ahora. 비는 아직 계속 내리고 ～ Todavía sigue lloviendo.
② [「-아」·「-어」 다음에 쓰이어, 어떤 상태가 지속되다] estar +「과거 분사」(-ado · -ido). 앉아 ～ estar sentado.
③ [경험] haber +「과거 분사」(-ado · -ido). 서반아에 가 보신 적이 있습니까? ¿Ha estado usted en España? 나는 그를 한 번 본 적이 ～ Le he visto una vez.
④ [완료] tener +「과거 분사」(-ado · -ido) (과거 분사는 목적 보어의 성과 수에 일치함). 이 문에는 열쇠가 채워져 ～ Está cerrada con llave esta puerta. 이미 식사를 준비해 두고 ～ Ya tenemos preparada la comida.
⑤ [발생하다] ocurrir, pasar, producirse, haber. 어젯밤에 화재가 있었다 Anoche hubo [se produjo] un incendio. 교통사고가 매일 ～ Hay accidentes de tráfico todos los días.
⑥ [행해지다. 실시되다] tener lugar, haber; [식이 거행되다] celebrarse. 내일 시험(試驗)이 ～ Hay exámenes mañana. 오후에 결혼식이 ～ Por la tarde hay una boda / Se celebra una boda por la tarde.
⑦ [숙박하다] vivir, alojarse, hospedarse, estar alojado. 나는 로스 안데스 호텔에 ～ Estoy alojado [Vivo] en el Hotel Los Andes. 며칠 동안 제 집에 있으십시오 Alójese en mi casa unos días.
⑧ [「ㄹ[을] 수 있다」의 꼴로 쓰이어 가능하다는 뜻을 나타냄] poder, ser posible. 있을 수 없는 행동 conducta *f* impropia de estudiante. …은 있을 수 ～ Es posible que + *subj*. 나도 해낼 수 ～ Yo también puedo hacerlo. 그것은 있을 수 있는 일이다 (Eso) Es posible / (Eso) Puede ser. 이 문장은 어떻게 하든 해석할 수 ～ Esta frase puede interpretarse de cualquier manera. 그가

시험에 실패할 수도 ~ Es posible [Puede] que él falle [salga mal] en el examen. 있을 수 없는 일이 일어났다 Ocurrió lo imposible.

⑨ [체류하다] quedarse, permanecer, estar. 나는 마드리드에서 10일간 있을 예정이다 Voy a permanecer [quedarme] diez días en Madrid.

⑩ [수량 따위가] quedar, faltar. 아직 10분 남아 ~ Todavía quedan [hay · tenemos] diez minutos. 달이 뜨려면 아직 한 시간 남아 ~ Aún falta una hora para la salida de la luna.

있음 직하다 (ser) posible, probable. 있음 직한 일 posibilidad *f*, probabilidad *f*. 있음 직하지도 않은 imposible, improbable, poco probable. 있음 직하지도 않은 일 imposibilidad *f*, improbabilidad *f*, lo poco probable.

잉걸불 ① [이글이글 핀 숯불] fuego *m* de carbón vivamente ardiente. ② [다 타지 않은 장작불] fuego *m* de leña no ardiente completamente.

잉글랜드 【지명】 Inglaterra *f*. ~의 inglés. ☞ 영국.

잉꼬(일 いんこ) 【조류】 papagayo *m*, cotorra *f*, guacamayo *m*, perico *m*, zapoyolito *m*.

잉부(孕婦) =임부(姙婦).

잉손(仍孫) posteridad *f* de la generación séptima.

잉아 lazo *m* de urdimbre.

잉앗대 vara *f* del lazo de urdimbre.

잉어 【어류】 carpa *f*; [관상용의] carpa *f* roja, carpa *f* dorada.

잉여(剩餘) sobrante *m*, excedente *m*, superávit *m*, sobra *f*.

■ ~ 가치 valor *m* de la plusvalía, valor *m* del excedente. ~금 superávit *m*. ~ 농산물 excedentes *mpl* agrícolas. ¶~을 수출하다 exportar los sobrantes de los productos agrícolas. ~ 물자(物資) materias *fpl* sobrantes. ~ 생산물 productos *mpl* sobrantes. ~ 자금 fondos *mpl* sobrantes.

잉잉 [어린애가 연달아 우는 소리] gimoteando, lloriqueando, con quejidos. ~ 울다 gimotear, lloriquear. ~ 울면서 말하다 decir gimoteando, decir lloriqueando.

잉잉거리다 seguir gimoteando, seguir lloriqueando.

잉존(仍存) ¶~하다 retener como antes.

잉카(서 *inca*) [사람] inca *mf*; [민족] incas *mpl*. ~의 incaico.

■ ~ 국왕 inca *m*. ~ 문명 civilización *f* incaica. ~ 문화 cultura *f* incaica. ~ 사람 inca *mf*. ~ 제국 el Imperio Incaico. ~족 los incas.

잉크(영 *ink*) tinta *f*. 붉은 ~ tinta *f* roja [colorada · encarnada]. 제도용 [복사용] ~ tinta *f* para plano [copiar]. 펜과 ~ 스케치 bosquejo *m* a pluma y a tinta. ~로 쓰다 escribir con tinta. ~로 더럽히다 entintar, manchar con tinta. (연필 밑그림을) ~로 칠하다 repasar con tinta. ~로 써 주십시오 Se ruega escribir con tinta.

◆스탬프 ~ tinta *f* de marcar. 인쇄 ~ tinta *f* de imprenta. 제도(製圖) ~ tinta *f* china.

■ ~병 tintero *m*. ~ 얼룩 [심리 테스트용의] mancha *f* de tinta, borrón *m*. ~ 지우개 goma *f* de tinta, líquido *m* borrador de tinta, raspador *m* líquido de tinta.

잉태(孕胎) ① [임신(姙娠)] preñez *f*, preñado *m*, concepción *f*. ~하다 concebir, hacerse preñada, quedarse embarazada, embarazarse. ~시키다 embarazar, preñar, empreñar. ~한 여인(女人) mujer *f* preñada, mujer *f* embarazada, mujer *f* encinta. ~ 중이다 estar embarazada, estar encinta, estar en estado. ② [어떤 현상이나 사건을 안에 내포함] contenido *m*. ~하다 contener.

잊다 ① [망각(忘却)하다] olvidar, olvidarse (de), desmemoriarse; [생각이 나지 않다] no recordar, no acordarse (de). 잊을 수 없는 inolvidable, memorable, que no se debe olvidar nunca, imposible de olvidar; [생각 따위를] imborrable. 잊을 수 없는 날 día *m* inolvidable. 잊지 말고 sin falta. 본분을 ~ olvidarse de *su* deber. 자신을 ~ olvidarse de *sí* mismo, no recordar a *sí* mismo. 완전히 ~ olvidar(se) completamente [enteramente]. 공부할 걸 ~ desatender *sus* estudios. 시간 가는 것을 ~ olvidar el paso del tiempo. 가정을 잊고 일에 몰두하다 dedicarse al trabajo olvidando a [descuidándose de] *su* familia. …하는 것을 ~ olvidar + *inf*, olvidarse de + *inf*. 샐러드에 소금 넣는 것을 ~ olvidarse de echar sal a la ensalada. 나는 그녀에게 그것을 말하는 것을 잊었다 Me olvidé de decírselo a ella / Se me olvidó decírselo a ella. 내가 내일 집에 있지 않을 것이라고 너에게 말하는 것을 잊고 있었다 Se me olvidaba decirte qeu mañana no estaré en casa. 당신의 은혜는 결코 잊지 않겠습니다 Nunca olvidaré su bondad. 나를 영원히 잊지 말아 다오 No me olvides para siempre. 그는 한 번 들은 것은 잊지 않는다 El tiene un oído fino [agudo]. 나는 그 책의 이름을 잊었다 Olvidé el [Me olvidé de · Se me olvidó el] título del libro. 그런 일은 평생 잊지 못할 것이다 En mi vida nunca lo olvidaré. 이 일은 서로 잊읍시다 No pensemos más en este asunto.

② [놓고 오다] olvidar, dejar olvidado (*algo* en *un sitio*). 잊은 물건 objeto *m* dejado en un lugar; [습득물] objeto *m* hallado; [잃은 물건] objeto *m* perdido. 물건을 ~ olvidar un objeto. …을 …에 두고 ~ dejar *algo* olvidado en *un sitio*. 지하철에서 책을 잊고 안 가져왔다 Dejé olvidado un libro en metro. 나는 집에 돈지갑을 잊고 두고 왔다 Dejé olvidada [Se me olvidó] la cartera en casa.

잊어버리다 olvidarse, olvidar completamente. 나는 완전히 잊어버렸다 Se me ha olvidado del todo.

잊히다 olvidarse. 잊혀진 olvidado, caído en

el olvido, enterrado en el olvido. 잊혀진 이름 nombre *m* olvidado. 잊혀지다 olvidarse, caer [enterrarse] en el olvido.

잎 【식물】 hoja *f*; [집합적] follaje *m* (nuevo); [새 잎] hojas *fpl* nuevas, hojas *fpl* jóvenes; [푸른 잎] verdura *f*. 마른 ~ hoja *f* seca. 말린 ~ hoja *f* secada; [표본용의] herbario *m*. ~이 무성한 frondoso, copetado. ~이 없는, ~이 떨어진 sin hojas, deshojado, pelado, desnudo. ~이 나오다 echar hojas, salir hojas, tener hojas. 나무들은 아직 ~이 나오지 않았다 Los árboles no tienen hojas todavía.

잎담배 tabaco *m* de hojas.

잎말이벌레 【곤충】 revoltón *m*.

잎맥(一脈) vena *f*.

잎사귀 hoja *f*.

잎샘 frío *m* de la primavera temprana.
■ ~추위 =잎샘.

잎숟가락 cuchara *f* curda.

잎잎이 cada hoja, todas las hojas.

잎자루 pecíolo *m*, rabillo *m*.

잎줄기 filocladio *m*, cladodio *m*.

잎파랑이 【식물】 clorofila *f*.

ㅈ

자[1] [길이를 재는 제구] regla *f*, [접자] metro *m* plegable, metro *m* plegadizo. ~로 선을 긋다 trazar una línea con una regla.
◆계산~ regla *f* de cálculo. 받침~ falsa regla *f*. 보통 ~ regla *f* graduada.

자[2] [길이의 단위의 하나] *cheok*, medida *f*, una unidad de longitud, pie *m* coreano, 0.33 metro. 옷감을 ~로 팔다 vender la tela la medida.

자[3] [남의 주의를 불러일으켜 행동을 재촉할 때 내는 소리] ¡Ea! / ¡Vaya! / ¡Vamos! / ¡Ahora! / ¡Bien! / ¡Bueno! / ¡A ver! / Pues / Ahora bien / Entonces. ~, 가자 ¡Ahora, vámonos! / Pues, vamos. ~, 오너라 Ahora ven. ~, 오십시오 Ahora venga usted. ~, 또 시작해 봅시다 ¡Ea! Vamos a empezar otra vez. ~, 식사합시다 ¡Ea! A comer / Ahora vamos a comer. ~, 일합시다 ¡Ea! ¡A trabajar! ~, 다 왔다 Bueno, hemos llegado / Bueno, aquí estamos. ~, 울음을 그쳐라 Vamos, déjate de llorar.

자(子) ① [아들] hijo *m*. ② ((존칭)) =공자(孔子)(Kong-Fu-Tse, Confucio). ¶~왈(曰) Dijo Confucio. ③ ((준말)) =자작(子爵). ④【법률】=적출자(嫡出者). 서자(庶子). 양자(養子). ⑤ [십이지(十二支)의 첫째] Signo *m* de la Rata. ⑥ ((준말)) =자방(子方)(norte). ⑦ ((준말)) =자시(子時).

자[1](字) [사람의 본이름 외에 부르는 이름] (p)seudónimo *m*, alias *m*, apodo *m*, sobrenombre *m*.

자[2](字) ① [글자] letra *f*, carácter *m* (*pl* caracteres). 3~ la 3. a ~ la a. 낫 놓고 기역~도 모르다 no entender el abecé, no saber el abecé. ② [「글자」의 뜻으로 그 수효를 나타내는 말] letra *f*. 200~ 원고지 papel *m* de manuscrito con doscientas letras.

자(紫) =자줏빛(púrpura).

자(者) tipo *m*, hombre *m*, persona *f*, gente *f*, uno *m*, individuo *m*; […하는 자] quien, el que, la que, los que, las que. 그 ~ él, ése, ese tipo *m*. …라는 ~ un individuo (que se llama), el señor. 너무 많이 얻고자 하는 ~는 전부를 잃는다 ((서반아 속담)) Quien todo lo quiere todo lo pierde. 하려고 했던 ~는 길이 있었다 ((서반아 속담)) Quien quiso, hizo. 하려고 하는 ~에게는 길이 있다 ((서반아 속담)) Quien quiere, mucho puede (정신일도 하사불성(精神一到何事不成)). 얻을 수 없는 ~가 더 많이 원한다 ((서반아 속담)) Quien no puede es quien más quiere. 너를 좋아하는 ~가 너를 울릴 것이다 ((서반아 속담)) Quien bien te quiere te hará llorar. 하나님은 일찍 일어나는 ~를 돕는다 ((서반아 속담)) A quien madruga, Dios le ayuda (새도 일찍 일어나야 벌레를 잡는다 / 부지런해야 수가 난다).

자-(自) de, desde. ~5일 지(至)10일 de el cinco al diez.

-자 ① [친구나 손아랫사람에게 함께 하기를 청하는 뜻의 종결 어미] vamos a + *inf*, [접속법 현재 1인칭 복수형] -emos, -amos. 여기 앉~ Sentémonos aquí / Vamos a sentarnos aquí. 어서 가~ Vamos, Vámonos. ② [동작이 막 끝남과 동시에 다른 동작이나 사실이 생김을 나타내는 연결 어미] en cuanto, así que, luego que, tan pronto, tan pronto como, apenas, al + *inf*, en +「현재분사」(-ando · -iendo). 집에 들어가~ al entrar en casa. 그는 소식을 듣~ tan pronto como oyó la noticia. ③ [「이다」의 어간에 붙어 그 자격과 동격으로 다른 자격을 나타낼 때 쓰이는 연결 어미] y, e. 그는 시인(詩人)이~ 대학 교수이다 El es poeta y catedrático.

-자(子) ① [아주 작은 것을 나타내는 말] partícula *f*. 미립~ corpúsculo *m*. ② [신문 · 잡지 등의 어느 난을 맡은 기자가 자칭할 때 쓰는 말] periodista *mf*. 편집~ redactor, -tora *mf*.

-자(者) ① [어떠한 사람] persona *f*, -dor, -dora *mf*. 승리~ vencedor, -dora *mf*, ganador, -dora *mf*, triunfador, -dora *mf*. ② [어느 방면에 능통한 사람] experto, -ta *mf*, -ista *mf*. 과학~ científico, -ca *mf*.

자가(自家) *su* propia casa *f*, *su* propia familia *f*. ~의 *su* propio, personal, privado, particular.
■~ 감염 autoinfección *f*. ~ 광고 =자가선전. ~당착 contradicción *f* manifiesta. ~ 면역(免疫) autoinmunidad *f*, autoinmunización *f*. ~ 발전(發電) generación *f* de electricidad independiente. ~ 발전 장치(發電裝置) generador *m* privado. ~ 생식 autogamia *f*. ~ 선전(宣傳) autoanuncio *m*, autopropaganda *f*. ~ 수정 autofecundación *f*, autogamia *f*. ~ 수혈 autotransfusión *f*. ~용 [개인용] uso *m* propio, uso *m* personal; [자동차] *su* coche. ~용 운전사 chofer *mf* en *su* empleo. ~용족 los que tienen *su* propio coche. ~용차 coche *m* particular, coche *m* privado. ~ 운전 autoconducción *f*. ~ 전염(傳染) autoinfección *f*. ~ 접종(接種) autoinoculación *f*. ~ 제품 producto *m* hecho en casa. ¶~의 casero, doméstico, hecho en casa. ~의 비스킷 galleta *f* casera. ~의 포도주 vino *m* casero, vino *m* de la casa. ~ 중독(中毒) autointoxicación *f*, intoxicación *f* interna (endógena), toxicosis *f*. ~ 진단 autodiagonosis *f*, autognosis *f*.

～ 혈액 autosangre *f.*

자가사리【어류】siluro *m*, bagre *m*.

자각(自覺) conciencia *f*, conocimieno *m* de *sí* mismo; [각성(覺醒)] despertar *m*; [정신병자의] perspicacia *f.* ～하다 tener conciencia (de), ser consciente (de), despertarse, darse acato, realizar. 국민의 ～을 촉구하다 despertar la conciencia del pueblo. 나는 내 자신의 책임을 ～하고 있다 Soy consciente de mi responsabilidad.

■～ 증상(症狀) síntoma *m* subjetivo, síntoma *m* concreto.

자간(子癎)【의학】eclampsia *f.*

자간(字間) intervalo *m* de las letras. ～을 넓히다[좁히다] espaciar [estrechar] el intervalo de las letras.

자갈 guija *f*, piedrecita *f*, canto *m*, rodado *m*, pedrejón *m* (*pl* pedrejones), china *f*; [철도 선로 등의] balasto *m*; [작은 돌] cascajo *m*; [콘크리트용의] [거친] grava *f*; [자디잔] gravilla *f*; [조약돌] guijarro *m*; [쇄석(碎石)] piedra *f* machacada. ～을 깔다, ～로 덮다 cubrir de grava, cubrir de gravilla, llenar [cubrir] con cascajo, pavimentar con cascajo.

■～길 camino *m* de grava, camino *m* de gravilla, camino *m* arenoso, camino *m* con cascajos. ～밭 cascajal *m*, cascajar *m*, cascajera *f*, pedregal *m*, campo *m* pedregoso, campo *m* de grava. ～ 채취장 gravera *f*. ～ 트럭 camión *m* para gravas.

자갈색(紫褐色) marrón *m* purpúreo.

자강(自强/自彊) esfuerzos *mpl* estrenuos. ～하다 hacer esfuerzos estrenuos.

■～불식(不息) esfuerzos *mpl* incesantes, esfuerzos *mpl* sin descanso. ～술(術) arte *m* de culturismo, arte *m* de fisiculturismo.

자개 madreperla *f*, nácar *m*, *Chi* concha *f* de perla. ～의 de nácar, de madreperla. ～를 박다 hacer incrustaciones de nácar (en), taracear *algo* con nácar. 나무는 ～로 상감되었다 La madera tenía incrustaciones de nácar / La madera había sido taraceada con nácar.

■～그릇 cuenco *m* de madera taraceado con nácar. ～농(籠) ＝자개장롱. ～단추 botón *m* (*pl* botones) de nácar. ～상 mesa *f* taraceada con nácar. ～ 세공 obra *f* de nácar. ～소반 bandeja *f* taraceada con nácar. ～일꾼 trabajador, -dora *mf* de nácar. ～장 armario *m* taraceado con nácar. ～장롱 armario *m* taraceado con nácar. ～함 caja *f* taraceada con nácar.

자개미 depresión *f* (en los sobacos o de las rodillas).

자객(刺客) asesino *m*. ～의 흉도에 죽다 caer bajo daga de un asesino. 그는 ～의 손에 죽었다 El fue asesinado.

자격(資格) calificación *f*; [요건] requisito *m*; [능력] capacidad *f*, aptitud *f*; [권능] facultad *f*, atribución *f*; [타이틀] título *m*; [권리] derecho *m*. ～이 있는 calificado, habilitado, idóneo, apto, competente, capaz. ～이 없는 descalificado, incompetente, no calificado, no capacitado, sin título; [무면허의] sin carnet, sin carné, sin licencia, sin permiso, no autorizado. …의 ～으로 en calidad de *algo*. 개인 ～으로 en calidad personal, a título personal. 교수의 ～으로 en calidad de catedrático, a título de catedrático. (…할) ～이 있다 tener los requisitos (para + *inf*), satifacer las condiciones necesarias (para + *inf*), tener capacidad (para + *inf*), estar autorizado (para + *inf*), estar capacitado (para *algo*), tener derecho (a + *inf*), calificarse, competerse. ～이 없다 ser descalificado, ser incompetente, no tener derecho (a). ～을 박탈하다 descalificar. ～을 얻다 obtener el título (de), tener el diploma (de). ～을 잃다 perder el derecho (a + *inf*), incapacitarse (para + *inf*), inhabilitarse (para + *inf*), perder las facultades [las atribuciones] (para + *inf*). ～을 주다 conceder facultades (para + *inf*), conceder atribuciones (para + *inf*), calificar (para + *inf*), autorizar (para + *inf*), habilitar (para + *inf*).

◆입사(入社) ～ título *m* exigido para la colocación, requisitos *mpl* para ingresar en la compañía. 교사(敎師) ～ título *m* de maestro [profesor]; [여자의] título *m* de maestra [profesora]. 초등학교 교사 ～ 검정 시험 examen *m* de reválida para maestros de primera enseñanza. 후보자 ～ 심사 examen *m* de calificación de los candidatos.

■～ 박탈(剝奪) descalificación *f*. ～ 상실(喪失) inhabilitación *f*. ～ 시험 examen *m* de calificación. ～ 심사(審査) examen *m* de calificaciones. ～ 임용 nombramiento *m* de calificación. ～자 persona *f* calificada. ¶무～ persona *f* descalificada. 유(有)～ persona *f* calificada. ～ 정지 suspensión *f* de calificación. ～주(株) acción *f* calificada. ～증(證) certificado *m* de calificación, constancia *f* de calificación.

자격지심(自激之心) remordimientos *mpl* de conciencia, conciencia *f* sucia, complejo *m* de culpabilidad. ～이 들다 sentirse culpable. ～을 가지다 tener remordimientos de conciencia, tener la conciencia sucia. 그것에 ～을 갖지 마라 No te sientas culpable por eso.

자결(自決) ① [자기의 일을 스스로 해결함] autodeterminación *f*, determinación *f* propia, resignación *f* voluntaria. ～하다 determinar por *sí* mismo. ② ＝자살(自殺)(suicidio). ¶～하다 suicidarse.

■～권 derecho *m* de autodeterminación. ～주의 principio *m* de autodeterminación. ¶민족 ～ principio *m* de autodeterminación de las naciones.

자경(自警) autovigilancia *f*, vigilancia *f*, cautela *f*.

■～단(團) grupo *m* de autovigilancia, grupo *m* parapolicial. ～ 단원 miembro *mf*

ㅈ

del grupo de autovigilancia; vigilante, -ta *mf*, miembro *mf* de un grupo parapolicial.

자계(自戒) autodisciplina *f*, disciplina *f* de sí mismo, amonestación *f* propia. ～하다 amonestarse, enmendrarse, corregirse, escarmentarse, refrenarse, hacer examen de conciencia; [주의하다] ponerse en guardia (contra).

자계(磁界) =자기장(磁氣場).

자고(鷓鴣)【조류】perdiz *f*, perdigón *m*.

자고급금에(自古及今-) desde la antigüedad hasta ahora.

자고로(自古-) ((준말)) =자고이래로. ¶～ 내려온 풍습(風習) costumbres *fpl* de larga tradición.

자고송(自枯松) pino *m* marchito.

자고이래(自古-) =자고이래로.

자고이래로 desde tiempos antiguos, desde la antigüedad, tradicionalmente.

자공(自供) confesión *f* (voluntaria). ～하다 confesar.

자괴(自愧) desintegración *f*, disolución *f*. ～하다 desintegrarse, disolverse, destruirse, demolerse, desmoronarse; [국가・경제 따위가] hundirse; [건물이] derrumbarse; [문명이] desplomarse.

■ ～지심(之心) remordimiento *m* de culpabilidad, sentido *m* de vergüenza. ¶～이 있다 tener el sentido de vergüenza.

자구(字句) palabras *fpl* y frases; [집합적] fraseología *f*, dicción *f*, expresión *f*, letra *f*. ～의 verbal. ～를 수정하다 retocar el estilo (de). ～에 구애되다 adherirse a la letra, aferrarse [adherirse demasiado] a las palabras. ～대로 해석하다 interpretar literalmente, interpretar al pie de la letra.

자구 행위(自救行爲) autoayuda *f*;【경제】autofinanciación *f*, autofinanciamiento *m*.

자국 [물건이 닿아서 생긴 자리] marca *f*, mancha *f*; [피부에 베거나 데거나 수술한 자국] cicatriz *f*; [우두의 자국] marca *f*, señal *f*. 긁힌[할퀸・손톱] ～ rasguño *m*, arañazo *m*, araño *m*, rascadura *f*. 눈 ～ nieve *f* muy menudita, nevada *f* ligera. 벤 ～ cortadura *f*, corte *m*. 쓸린 ～ desolladura *f*. 지문(指紋) ～ huella *f* digital, huella *f* dactilar. ～을 남기다 dejar marca (en). ～을 남기고 낫다 cicatrizar. 얼굴에 손톱 ～이 있다 tener un arañazo en la cara. 이마에 상처 ～이 있다 tener una cicatriz en la frente. 그의 깃에 립스틱 ～이 있었다 El tenía una marca [una mancha] de lápiz labial en el cuello. 너는 수술을 받아도 ～이 남을 것이다 Aun después de la operación te quedará la cicatriz. 그는 수술로 인해 ～이 남았다 La operación le dejó (una) cicatriz.

◆ 자국(을) 밟다 seguir*le* la pista [el rastro] a *uno*, rastrear. 자국(이) 나다 mancharse, dejarse (una) marca (en), quedar la cicatriz.

■ ～눈 nieve *f* que cayó muy poco. ～물 muy poca agua *f*.

자국(自國) *su* (propio) país, *su* patria, *su* tierra natal, *su* tierra nativa, madre patria *f*.

■ ～민[인] compatriota *mf*, paisano, -na *mf*. ～민 대우 tratamiento *m* de compatriota. ～어(語) lengua *f* materna, lengua *f* nativa vernácula. ～ 통화 moneda *f* nacional.

자궁(子宮)【해부】útero *m*, matriz *f*. ～의 uterino. ～을 수술하다 operar la matriz. ～을 제거하다 retirar la matriz.

■ ～경(鏡) uteroscopio *m*, histeroscopio *m*, metroscopio *m*. ～ 내 임신 uterogestación *f*. ～ 내 피임 contracepción *f* intrauterina. ～ 동맥(動脈) arteria *f* uterina. ～ 마비(痲痺) metroparálisis *f*. ～ 발육 부전 hipoplasia *f* uterina. ～벽(壁) pared *f* uterina. ～병(病) enfermedad *f* uterina. ～암 metrocarcinoma *m*, cáncer *m* uterino. ～ 엑스선 사진 histerografía *f*. ～염 metritis *f*, uteritis *f*, inflamación *f* del útero. ～ 외 임신(姙娠) embarazo *m* extrauterino, embarazo *m* ectópico, preñez *f* extrauterina. ～ 전굴(前屈) anteversión *f* uterina. ～ 절개(술) histerotomía *f*. ～ 양 metrofima *m*. ～ 진찰 metroscopia *f*. ～질 vagina *f* uterina. ～ 출혈 hemorragia *f* uterina. ～통 metralgia *f*, uteralgia *f*. ～ 파열(破裂) histerorrexis *f*, metrorrexis *f*. ～ 후굴(後屈) retroflexión *f* del útero, retroversión *f* uterina.

자귀[1] [강아지 따위가 너무 먹어 생기는 병] enfermedad *f* canina causada por la demasiada comida.

◆ 자귀(가) 나다 contraer una enfermedad por la demasiada comida.

자귀[2] [짐승의 발자국] huella *f*, rastro *m*, pisada *f*.

◆ 자귀(를) 짚다 seguir la huella del animal.

자귀[3] [연장의 하나] azuela *f*; [큰] doladera *f*.

■ ～벌 madero *m* cortado por azuela. ～질 uso *m* de la azuela. ¶～하다 usar la azuela. ～ㅅ밥 astillas *fpl* de la azuela.

자귀나무【식물】árbol *m* de la seda.

자규(子規)【조류】=두견이.

자그락거리다 =지그럭거리다.

자그르르 rompiendo el hervor, hirviendo a fuego lento.

자그마치 un poco, unos; [반의적으로] tanto. 술을 ～ 마셔라 No bebas tanto.

자그마하다 (ser) algo pequeño. 매우 자그마한 muy pequeño, pequeñísimo, pequeñuelo, minúsculo; [사소한] insignificante. 자그마한 체격 estatura *f* pequeña. 키가 자그마한 청년 joven *m* de estatura muy baja.

자그맣다 ((준말)) =자그마하다.

자극(刺戟) estímulo *m*; [흥분] excitación *f*; [추진] impulso *m*. ～하다 estimular, excitar, impulsar. ～이 없는 생활(生活) vida *f* monótona, vida *f* desprovista de estímulos. ～이 강한 음식 comida *f* muy picante, comida *f* de sabor fuerte y picante. (…하도록) ～을 주다 dar estímulo (para que + *subj*). ～을 찾다 buscar excitación; [성적(性的)인] buscar estímulos sensuales. 식욕

ㅈ

(食慾)을 ~하다 estimular [excitar] el apetito. 경기(景氣)를 ~하다 impulsar la actividad económica, activar el comercio. 욕망에 ~되다 ser estimulado por un deseo. 호기심에 ~되다 ser excitado por la curiosidad, ser estimulado por la curiosidad. …의 성공에 ~을 받다 ser impulsado por el buen éxito de *uno*. 연기가 눈을 ~한다 El humo irrita los ojos. 그의 신경을 ~시키지 않는 것이 좋다 Es mejor no alterarle [crisparle] los nervios / Haremos mejor en no excitarle [irritarle]. 이 영화는 어린이에게 ~이 너무 강하다 Esta película es demasiado fuerte para los niños. 심한 운동은 몸에 ~이 크다 El ejercicio duro me fatiga [agobia].

■~ 감응성(感應性) irritabilidad *f*. ~물(物) estimulante *m*, excitante *m*, incentivo *m*. ~ 완화제(緩和劑) abirritante *m*. ~ 운동(運動) tropismo *m*. ~적(的) estimulante, excitante, provocativo, irritador, irritante. ~제(劑) excitante *m*, estimulante *m*. ~취(臭) olor *m* irritante.

자극(磁極) polo *m* magnético.

■~성 polaridad *f* magnética.

자금(自今) desde ahora, de aquí en adelante, en lo futuro.

자금(資金) capital *m*, fondos *mpl*, dinero *m*. ~의 흐름 flujo *m* de fondos, corriente *f* de fondos. 외국에 있는 ~ fondos *mpl* en el extranjero. ~ 융통이 막힘 apuros *mpl* económicos, escasez *f* de dinero, penuria *f* de medios económicos. 당(黨)의 ~ fondos *mpl* del partido. 정부의 ~ fondos *mpl* gubernamentales. ~이 있다 tener capital, tener fondos. ~이 없다 no tener fondos, carecer de fondos. ~을 마련하다 preparar fondos. ~을 조달하다 recaudar fondos, reunir fondos, proveerse de los fondos, reunir el dinero necesario. ~ 융통이 막히다 quedarse apurado económicamente, quedarse escaso [mal] de dinero [de fondos]. ~ 융통(融通)이 어렵다 andar mal de fondos, tener dificultades financieras. 기업에 ~을 불입하다 aportar [proveer de] fondos a una empresa, financiar una empresa. 필요한 ~이 부족하다 faltar los fondos necesarios. ~ 없음 No fondos. 저 회사는 ~ 융통이 어렵다 Las finanzas de aquella compañía no van bien / Aquella compañía no anda bien de fondos. 이 공사에는 엄청난 ~이 투자되었다 Se ha invertido una fabulosa cantidad de dinero [de capital] en esta obra. 그는 무리를 해서라도 일을 계속하여 ~ 조달을 하지 않으면 망하는 불안정한 경영 상태이다 Su negocio debe estar en continuo movimiento para no quebrar.

◆공공(公共) ~ fondos *mpl* públicos. 유동(流動) ~ capital *m* flotante. 운영(運營) ~ fondos *mpl* resultantes de las operaciones, recursos *mpl* de las operaciones, capital *m* circulante, fondo *m* de maniobra. 적립(積立) ~ fondos *mpl* de reserva. 준비(準備) ~ fondos *mpl* de reserva. 회전(回轉) ~ fondo *m* rotatorio, fondo *m* renovable.

■~ 고갈(枯渴) falta *f* [carestía *f*] de fondos. ~ 공급 financiación *f*, financiamiento *m*. ~난 dificultades *fpl* financieras. ~ 동결 congelación *f* de fondos. ~ 부족 falta *f* de fondos, escasez *f* de fondos. ~ 상태 estado *m* de fondos, estado *m* de flujos. ~ 이전 transferencia *f* de fondos. ~ 이전 증서 comprobante *m* de transferencia de fondos. ~ 조달 financiación *f*. ¶~ 운동 campaña *f* para recaudar fondos. ~통제 control *m* de fondos. ~화(化) capitalización *f*. ¶~하다 capitalizar. ~ 회전(回轉) rotación *f* de fondos.

자금거리다 (ser) arenoso, (estar) lleno de arena.

자급(自給) autosuficiencia *f*, autarquía *f*, suministro *m* por *sí* mismo. ~하다 suministrar por *sí* mismo. ~의 autosuficiente, autárquico. 그 나라는 석유를 ~하고 있다 El país se autoabastece de petróleo.

■~ 경제(經濟) economía *f* autosuficiente, autarquía *f*. ~ 경제주의 autarquía *f*. ~ 국가 país *m* (*pl* países) autosuficiente. ~ 비료 fertilizante *m* autosuficiente. ~자족 autosuficiencia *f*, autarquía *f*, suficiencia *f* de sí mismo. ¶~하다 autoabastecerse (de), suministrarse por sí mismo, bastarse a sí mismo (en). ~의 autárquico, autosuficiente. ~할 수 있는 나라 país *m* autosuficiente. ~자족 경제 autarquía *f*. ~자족주의[자족 정책] política *f* autofinanciada y autosuficiente. ~ 정책 política *f* autosuficiente.

자긍(自矜) orgullo *m*, presunción *f*, arrogancia *f*, [자찬] alabanza *f* de *sí*, admiración *f* de *sí*. ~하다 enorgullecerse (de), estar orgulloso (de).

■~심(心) orgullo *m*.

자기(自己) ① [그 사람 자신] *sí*, *sí mismo*, uno mismo, el yo, el ego. ~의 personal, privado, particular. ~ 위주의 egoísta. ~에 대해 말하다 hablar de *sí* mismo. ~의 것이 되다 hacerse (con), apoderarse (de), cosechar, conseguir. ~가 무엇을 하다 hacer *algo* uno mismo. 그녀는 ~만을 생각한다 Ella sólo piensa en sí misma. ~ 이외는 누구도 믿어서는 안 된다 No hay peor cuña que la de la misma madera.

■~ 감응(感應) autoinducción *f*. ~ 감정 autosensibilidad *f*, 【철학】 libertad *f*. ~ 개발(開發) autodesarrollo *m*. ~ 결정(決定) autodeterminación *f*, autodecisión *f*. ~ 고찰(考察) autoconsideración *f*. ~ 관찰(觀察) autoobservación *f*. ~ 광고 autoanuncio *m*. ~ 교육 autoeducación *f*. ~ 기만(欺瞞) autoengaño *m*, engaño *m* de *sí* mismo. ~ 도취 narcisismo *m*. ~ 도취자 narcisista *mf*. ~ 독소(毒素) autotoxina *f*. ~류(流) *su* propia manera, *su* modo, *su* gusto, *su* propio estilo, estilo *m* [uso *m*] propio *su*-

ㅈ

yo, costumbre propia *suya*. ~만족(滿足) (auto)suficiencia *f*, complacencia *f* en sí mismo, autosatisfacción *f*, satisfacción *f* de sí mismo, satisfacción *f* de sí mismo. ~모순 contrasentido *m*. ~방어 autodefensa *f*. ~방위 defensa *f* propia; [싸우는 기술] defensa *f* personal. ~방위권 derecho *m* de legítima defensa. ~방전(放電) descarga *f* en circuito abierto. ~변호(辯護) justificación *f* de sí mismo, defensa *f* propia, autojustificación *f*. ~보존(保存) conservación *f*, supervivencia *f*. ~본위 egoísmo *m*. ~부정 negación *f* de sí mismo. ~분석(分析) autoanálisis *m*. ~비판[비평] autocrítica *f*, crítica *f* de sí mismo. ~비평가 autocrítico, -ca *mf*. ~상실 pérdida *f* de sí mismo. ~생산 autoproducción *f*. ~성형 (수술) autoplastia *f*. ~소개(紹介) presentación *f* de sí mismo, autopresentación *f*. ~숭배(崇拜) autoadoración *f*. ~신뢰 independencia *f*. ~실현 expresión *f* personal. ~암시 autosugestión *f*. ~앞 수표 cheque *m* al portador. ~애(愛) narcisismo *m*. ~억제 dominio *m* de sí mismo, autocontrol *m*. ~연민 autocompasión *f*. ~예찬 autobombo *m*. ~유도 autoinducción *f*, [로켓의] autoconducción *f*. ~인식 autognosia *f*. ~자본 capital *m* propio. ~접종 autoinoculación *f*. ~주의 =이기주의. ~중독(中毒) autotoxemia *f*, autotoxis *f*, autoindoxicación *f*, autotoxicosis *f*. ~중심 egocentrismo *m*; [자기 본위] egoísmo *m*. ~중심벽 egocentrismo *m*, egotismo *m*. ~중심주의 egocentrismo *m*, egotismo *m*. ~진단 =자기 평가. ~최면 autohipnotismo *m*, autohipnosis *f*. ~통제 autocontrol *m*. ~파괴 autodestrucción *f*. ~혐오 odio *m* a sí mismo, repugnancia *f* de sí mismo. ~희생 sacrificio *m*, autotomía *f*.

자기(自記) ① [스스로 기록함] inscripción *f* por sí mismo. ~하다 inscribirse. ~의 inscrito por sí mismo. ② [기계가 자동 작용으로 부호나 문자를 기록하는 일] autoregistro *m*. ~하다 registrar.

■~검력기(檢力器) dinamógrafo *m*. ~기압계 barógrafo *m*, barómetro *m* registrador. ~미압계(微壓計) microbarógrafo *m*. ~수위계(水位計) hidrógrafo *m*, carta *f* hidrográfica, hidrograma *m*. ~심도계 registrador *m* de profundidades, sondeador *m* registrador. ~온도계 termómetro *m* registrador. ~우량계 pluviógrafo *m*, pluviómetro *m* registrador, pluvímetro *m* registrador, udómetro *m* registrador. ~온도 기압계 termobarógrafo *m*. ~청우계=자기 기압계. ~풍속계 anemógrafo *m*.

자기(自棄) autoabandono *m*, abandono *m* por sí mismo.

자기(瓷器/磁器) porcelana *f*, cerámica *f*, china *f*, loza *f*. ~인형 muñeca *f* de china. ~접시 plato *m* de porcelana. ~커피 잔 taza *f* para café de porcelana. ~컵 taza *f* de porcelana.

자기(磁氣) magnetismo *m*. ~의 magnético. ~를 띤 magnético. ~를 띠게 하다 magnetizar, imanar.

■~감응 inducción *f* magnética. ~검출기 magnetoscopio *m*. ~계 magnetómetro *m*. ~구역 dominio *m* magnético. ~극(極) polo *m* magnético. ~기뢰(機雷) mina *f* magnética. ~나침의(羅針儀) compás *m* magnético, brújula *f* magnética. ~남극 sur *m* magnético. ~녹음(錄音) grabación *f* magnética. ~녹음기 grabador *m* magnético. ~녹화 장치 equipo *m* de grabación magnética. ~대(帶) [크레디트 카드 등에 붙인, 폭 6mm 정도의 얇은 갈색 띠] pista *f* magnética. ~디스크 disco *m* magnético. ~디스크 기억 장치 almacenamiento *m* en disco, memoria *f* magnética de disco. ~람(嵐) =자기 폭풍. ~력 fuerza *f* magnética. ~메모리 memoria *f* magnética. ~모멘트 momento *m* magnético. ~방위 desviación *f* magnética. ~버블 메모리 [정보 기억 소자] memoria *f* de burbujas magnéticas. ~북극(北極) norte *m* magnético. ~브레이크 freno *m* magnético. ~사운드 트랙 banda *f* magnética de sonido. ~요란 =자기 폭풍. ~유도(誘導) inducción *f* magnética. ~인력(引力) atracción *f* magnética. ~자오선 meridiano *m* magnético. ~작용 acción *f* magnética. ~저항 resistencia *f* magnética, reluctancia *f*. ~적도(赤道) ecuador *m* magnético. ~증폭기(增幅器) amplificador *m* magnético. ~체 cuerpo *m* magnético, magnético *m*, imanado *m*, electromagnético *m*. ~측정(測定) magnetometría *f*. ~카드 tarjeta *f* magnética, ficha *f* magnética. ~카드 메모리 memoria *f* de ficha magnética. ~카드 저장 almacenamiento *m* en tarjeta magnética. ~카드 컴퍼스 brújula *f* magnética de graduación vertical. ~카세트 cinta *f* magnética en casete. ~컴퍼스 compás *m* magnético, brújula *f* magnética. ~탐광(探鑛) cateada *f* magnética. ~탐사 exploración *f* magnética. ~탐지기 detector *m* magnético. ~테스터 histeresímetro *m*, permeámetro *m*. ~테이프 cinta *f* magnética, cinta *f* magnetofónica, cinta *f* grabadora. ~테이프 녹음 grabación *f* en cinta magnetofónica. ~테이프 컴퓨터 calculadora *f* de cinta magnética. ~펌프 bomba *f* electromagnética. ~편차(偏差) variación *f* magnética, declinación *f*. ~폭풍(爆風) tempestad *f* magnética, borrasca *f* magnética. ~학 magnetismo *m*, ciencia *f* magnética. ~학자(學者) magnetista *mf*. ~화(化) magnetización *f*, imanación *f*, imantación *f*, polarización *f* magnética. ~화학 magnetoquímica *f*. ~회로 circuito *m* magnético. ~회로 차단기 interruptor *m* magnético.

자깝스럽다 ser precoz (e impertinente), ser sabio para *su* edad, ser prematuro. 자깝스러운 아이 niño, -ña *mf* precoz (e impertinente); niño *m* prematuro, niña *f* prematura.

자깝스레 precozmente, con precocidad. 나이에 비해 ~ 말하다 hablar como un adulto para *su* edad.

자꾸 repetidamente, repetidas veces, frecuentemente, con frecuencia, a menudo, muchas veces, siempre. ~ 만지다 toquetear, tocar repetidamente. 그는 수업 중에~ 잠만 잔다 El duerme frecuentemente en la clase.

-자꾸나 -emos, -amos; Vamos a + *inf*, ¿Qué tal …? 두고 보~ Vamos a esperar y ver. 한잔하~ Vamos a tomar una copa / ¿Qué tal es beber una copa?

자꾸만 ((강조)) =자꾸.

자꾸자꾸 [신속하게] rápidamente, en sucesión rápida; [기운 좋게] vigorosamente, enérgicamente; [소리내어] ruidosamente, bulliciosamente, con mucho ruido. 문을 ~ 두드리다 golpear a la puerta. 비가 ~ 온다 Llueve a torrente.

자끈 =지끈.

자나깨나 día y noche, todo el tiempo, dormido y despierto. 그는 ~ 독서에 몰두하고 있다 El dedica todo el tiempo a la lectura / El se pasa (el) día y (la) noche leyendo.

자낭(子囊) 【식물】 asca *f*, ascospora *f*, esporangio *m*.

■ ~균(菌) =자낭균류. ~균류 ascomicetos *mpl*. ~ 포자(胞子) ascospora *f*. ~ 홀씨 ascospora *f*.

자네 tú. ~의 [명사 앞에서] tu; [명사 뒤에서] tuyo, tuya, tuyos, tuyas. ~에게 te, a ti. ~를 te, a ti. ~와 함께 contigo. ~ 자신 te, tú mismo, tú misma. ~ 자신을 [에게] te, a ti mismo, a ti misma. ~의 것 el tuyo, la tuya, los tuyos, las tuyas; [중성] lo tuyo. ~도 먹게 Come tú mismo. ~와 함께 가겠네 Yo iré contigo.

자네들 vosotros, -tras. ~의 [명사 앞·뒤에서] vuestro, vuestra, vuestros, vuestras. ~에게 os, a vosotros, a vosotras. ~을 os, a vosotros, a vosotras. ~ 자신을 [에게] os, a vosotros mismos, a vosotras mismas. ~의 것 el vuestro, la vuestra, los vuestros, las vuestras; [중성] lo vuestro.

자녀(子女) hijos *mpl*, hijo e hija, niños *mpl*. 양가(良家)의 ~다 ser hijos [niños] de buena familia.

■ ~ 교육 educación *f* para los hijos. ~분 *sus* hijos.

자년(子年) 【민속】 el Año de la Rata.

자늑자늑하다 (ser) suave.

자닝스럽다 (ser) demasiado lastimero.

자닝하다 =자닝스럽다.

자다 ① [눈이 감기며 의식 없는 상태가 되어 활동하는 기능이 쉬는 상태로 되다] dormir(se); [잠자리에 들다] acostarse, irse a la cama; [꾸벅꾸벅 졸다] adormecer, adormilarse, dormitar; [잠들다] dormirse, quedarse dormido. 자는 모습 postura *f* en que se está dormido. 자기 전에 antes de dormir; [잠자리에 들기 전에] antes de acostarse. 자지 않고 de día y de noche, 자지 않는 밤 noche *f* pasada en vela, noche *f* pasada sin dormir. 잘 ~ dormir bien. 잘못 ~ dormir mal. 아주 잘 ~ dormir bien perfectamente. 자는 체하다 simular durmiendo, fingirse dormido, fingir dormir, fingir estar durmiendo. 잘 수 없다 no poder dormir. 잘 잘 수 없다 no poder dormir bien. 자면서 오줌을 싸다 hacerse pis [mearse · orinarse] en la cama. 자지 않고 간병하다 velar a un enfermo, cuidar [atender] a un paiente sin dormir. 잘 시간도 없이 일하다 sacrificar el sueño para *su* trabajo, trabajar robando horas al sueño. 늦게까지 ~ dormir hasta tarde. 너 자니? ¿Duermes? / ¿Estás dormido? 그는 자고 있다 El está durmiendo. 그는 자고 있었다 El estaba durmiendo. 그는 자고 있을 것이다 [현재의 추측] El estará durmiendo. 그녀는 자고 있었을 것이다 [과거의 추측] Ella estaría durmiendo. 자러 가거라 Vete a dormir. 그는 벌써 잔다 El ya se quedó dormido. 나는 잘 잤다 He dormido bien / Pude dormir bien. 나는 푹 잤다 He dormido [Dormí] perfectamente bien. ② [불던 바람이나 움직이던 물건이 그 움직임을 쉬다] calmar(se), ponerse en calma, apaciguarse, tranquilizarse, serenarse, disiparse. 바람[폭풍우 · 파도]이 잔다 Se calma el viento [la tempestad · el mar]. 폭풍우(暴風雨)가 잤다 Se ha disipado la tempestad. 바다가 잔다 El mar está en calma. 바람이 잤다 Ha caído el viento / Se ha calmado el viento. ③ [남녀가 잠자리를 함께하다] tener relaciones sexuales. ④ [(잠을) 취하다] dormir(se). 낮잠을 ~ dormirse la siesta, tomar la siesta. 단잠을 ~ [정신없이] dormirse como una piedra, dormir profundamente, dormirse, dormir a piedra suelta, dormir a pierna tendida, dormir tranquilamente, dormir(se) como un lirón [un bendito · un tronco].

■ 자는 범 코침 주기 ((속담)) No despiertes el león que está durmiendo.

자단(紫檀) 【식물】 sándalo *m* rojo.

자담(自擔) pago *m* de *su* bolsillo, *su* propia costa, *su* propia cuenta. ~하다 pagar de *su* bolsillo. ~으로 a *su* (propia) costa, a *sus* expensas, a costa suya, de *su* propia cuenta, de *su* bolsillo. 교통비는 각자가 ~한다 Los gastos de viaje corren a cargo de cada uno.

자당(自黨) *su* propio partido.

자당(慈堂) su madre.

자당(蔗糖) sacarosa *f*.

자독(自瀆) masturbación *f*. ~하다 masturbar.

자동(自動) automación *f*, automatismo *m*. ~의 automático. 전(全)~의 totalmente automático. ~으로 움직이다 moverse automáticamente.

■ ~ 경운기 cultivadora *f* automática. ~계단 =에스컬레이터. ~ (개폐) 유리 elevalunas *m* (eléctrico). ~ 고도 표시기(高度表示器) altígrafo *m*. ~ 권총 pistola *f* automática; [연발] revólver *m* automático. ~ 금전 출납기 cajero *m* automático. ~ 기계 máquina *f* automática, autómata *m*. ~ 기록기 registro *m* automático. ~ 기중기 grúa *f* automática. ~ 다이얼 llamada *f* automática. ~ 면역 inmunidad *f* activa. ~ 문(門) puerta *f* automática. ~ 번역(飜譯) traducción *f* automática. ~ 변속기(變速器) transmisor *m* automático. ~ 변속 장치 transmisión *f* automática. ~ 불입 계좌 [은행의] cuenta *f* presupuestaria. ~ 브레이크 freno *m* automático. ~사(詞) verbo *m* intransitivo, verbo *m* neutro. ~ 삽 pala *f* automática. ~ 선반 torno *m* automático. ~설(說) automatismo *m*. ~성 automaticidad *f*. ~ 소방 장치 aspersor *m* [rociador *m*] automático. ~ 소총 fusil *m* automático; [기관단총] metralleta *f*. ~ 소화기 extintor *m* automático. ~ 송신기 transmisor *m* automático. ~ 수신기 receptor *m* automático. ~ 승인제 sistema *m* de aprobaciones automáticas. ~ 시계 reloj *m* de cuerda automática. ~ 식자기 linotipia *f* (automática). ~식 전화 teléfono *m* automático. ~식 차단기 cortocircuitador *m* automático, cortador *m* automático de circuito. ~ 신호 señal *f* automática. ~ 신호기 semáforo *m* automático. ~ 악기(樂器) instrumento *m* automático. ~ 안마기 vibrador *m*. ~ 안전 장치 [선박의] estabilizador *m*; [항공기·우주선의] estabilizador *m*, empenaje *m*; [자전거의] estabilizador *m*. ~ 양수기(揚水機) ariete *m* hidráulico. ~ 에러 검색 detección *f* automática de errores. ~ 에러 검색 및 교정 시스템 sistema *m* de detección y corrección automática de errores. ~ 에러 교정 corrección *f* automática de errores. ~ 엘리베이터 ascensor *m* automático. ~ 연결기 conector *m* automático. ~ 연결 장치 acoplamiento *m* automático; [철도의] enganche *m* automático. ~ 온도 조절기 regulador *m* automático de temperatura. ~ 운동 movimiento *m* automático. ~ 운행 operación *f* automática. ~ 유도 장치 radiocompás *m*, radiobrújula *f*, indicador *m* automático de ruta, radioguía *f* para recalada. ~ 응답기(應答機) contestador *m* automático, contestador *m* telefónico. ~ 인형(人形) muñeca *f* automática, autómata *m*. ~ 작용 acción *f* automática. ~ 장치 autómata *m*. ~ 재투자 reinversión *f* automática. ~ 저울 balanza *f* automática. ~적 automático *adj*. ¶~으로 automáticamente, mecánicamente. 어두워지면 ~으로 불이 켜진다 Se enciende la luz automáticamente cuando cierre la noche. ~ 전철기 interruptor *m* automático; 【전기】 conmutador *m* automático; [철도의] aguja *f* automática. ~ 전화 teléfono *m* automático. ~ 전화 응답기 contestador *m* automático. ~ 점멸 장치 = 자동 전철기. ~ 접지기 máquina *f* de plegar automática, plegadora *f* mecánica automática. ~ 제동기 freno *m* automático. ~ 제어 control *m* automático, regulación *f* automática. ¶원격(遠隔) ~ control *m* remoto automático. ~ 제어 장치 aparato *m* de automatización, servomecanismo *m*. ~ 조작 operación *f* automática. ~ 조절(調節) regulación *f* automática. ~ 조종(操縱) pilotaje *m* automático. ~ 조종 장치 piloto *m* automático. ~ 직기 telar *m* automático. ~ 천문 항법 navegación *f* astronómica automática, navegación *f* con referencia a cuerpos celestres. ~ 체크 comprobación *f* automática. ~총(銃) fusil *m* automático, automática *f*, revólver *m* automático. ~ 컴퓨팅 시스템 sistema *m* informático. ~ 판매 venta *f* automática. ~판매기 tragaperras *m.sing.pl*, tragamonedas *m.sing.pl*, traganíqueles *m.sing.pl*, autómata *m*, máquina *f* vendedora [expendedora] automática, vendedora *f* automática, distribuidor *m* automático, expendedor *m* automático. ¶~에서 표를 사다 sacar un billete [*AmL* un boleto] en el tragaperras [en el expendedor automática]. 표(票) ~ tragaperras *m.sing.pl*, máquina *f* vendedora automática de billetes. ~ 프로그래밍 programación *f* automática. ~ 프로그래밍 언어 lenguaje *m* automático de programación. ~ 피아노 autopiano *m*. ~ 행동설(行動說) [동물의] automatismo *m*. ~ 현금 인출 장치 cajero *m* automático, cajero *m* bancario, dispensador *m* de dinero en efectivo. ~ 현금 지급기 cajero *m* automático, cajero *m* bancario, dispensador *m* de dinero en efectivo. ~ 현상 automatismo *m*. ~화(化) automatización *f*. ~ 화기(火器) el arma *f* (*pl* las armas) de fuego automática. ~ 회로 차단기(回路遮斷器) cortacircuito *m* automático, interruptor *m* automático, disyuntor *m* automático. ~ 화재 경보기 alarma *f* contra incendios automática, detección *f* de incendio automática.

자동차(自動車) vehículo *m*, automóvil *m*, coche *m*, *CoS* auto *m*, *AmL* carro *m* (*CoS* 제외). ~의 automovilístico. ~로, ~를 타고 en coche, en automóvil. ~ 안에서 en el coche. ~에 오르다 subir en [a] un automóvil, montar en automóvil. ~로 가다 ir en coche, ir en automóvil. ~에서 내리다 bajar(se) [apearse] de un coche. ~로 운반하다 transportar en un camión [en un coche]. ~를 운전하다 conducir el coche, *AmL* manejar el coche. 환자[화물]를 ~로 운반하다 llevar un enfermo [un equipaje] en coche. 부산은 서울에서 ~로 다섯 시간 거리에 있다 Busan está a cinco horas en automóvil de Seúl.

◆경주용 ~ coche *m* de carrera, bólido *m*. 승합 ~ autobús *m* (*pl* autobuses), omnibús *m* (*pl* omnibuses) 화물 ~ camión *m* (*pl* camiones); [소형의] camioneta *f*.

ㅈ

■~ 강도 agresor *m* del chofer de un automóvil ~ 경주 carrera *f* de automóviles, automovilismo *m.* ~ 경주자 corredor, -dora *mf,* piloto *mf.* ~ 경주장 motódromo *m,* pista *f* de carreras. ~ 공업 =자동차 산업. ~ 관리법 ley *f* de mantención de automóviles. ~ 교습소 autoescuela *f.* ~ 도로 autovía *f,* autopista *f,* carretera *f* (de primer orden). ~ 등록 registro *m* de automóviles. ~ 번호판 matrícula *f, AmL* placa *f, CoS* patente *f, PRI* chapa *f.* ¶한국 ~ matrícula *f* coreana. ~ 보험 seguro *m* de automóviles. ~ 부품(部品) piezas *fpl* [accesorios *mpl*] de automóviles. ~ 사고 accidente *m* automovilístico. ~ 산업(産業) industria *f* de la automoción, industria *f* automotriz, industria *f* del automóvil. ~ 서류 documentos *mpl* del coche. ~세(稅) impuesto *m* sobre el automóvil [los automóviles]. ~ 손해 배상 보장법 ley *f* de garantía a indemnización de daños causados por automóviles. ~ 손해 배상 책임 보험 seguro *m* obligatorio contra los accidentes automovilísticos. ~ 수리공(修理工) mecánico, -ca *mf.* ~ 수리 공장 taller *m* de reparación. ~ 여행 viaje *m* [turismo *m*] en automóvil. ~용 나룻배 =자동차용 페리. ~용 대부 préstamo *m* para automóvil. ~용 페리 transbordador *m* de vehículos. ~ 운반차(運搬車) portaautomóviles *m.* ~ 운전기사(運轉技士) chofer *m,* chófer *m,* automovilista *mf;* conductor, -tora *mf* de automóvil; motorista *mf.* ~ 임대(賃貸) alquiler *m* de coches. ~ 임대 서비스업 servicio *m* de alquiler de coches. ~ 임대업자 agente *mf* de coches de alquiler. ~ 전시회(展示會) exposición *f* de automóviles. ~ 전용 도로 autopista *f.* ~ 전화(電話) teléfono *m* de automóviles. ~ 정비공 mecánico, -ca *mf.* ~ 정비 공장 taller *m* de reparación. ~ 제조 fabricación *f* de coches. ~ 제조원 =자동차 제조자. ~ 제조자 fabricante *mf* de coches. ~ 주차(駐車) aparcamiento *m,* estacionamiento *m.* ~ 주차장(駐車場) aparcamiento *m.* ~ 책임 보험 seguro *m* de responsabilidad civil de automóviles. ~ 취득세 impuesto *m* sobre la adquisición de automóviles. ~ 취득세법 ley *f* de impuesto sobre la adquisición de automóviles. ~ 클럽 club *m* de automóvil. ~ 통행세 *Guat* impuesto *m* sobre circulación de vehículos. ~ 편승 여행자 autoslopista *mf.* ~ 학원 autoescuela *f, Méj* escuela *f* de manejo. ~ 행렬 desfile *m* de vehículos, caravana *f.* ~ 협회 la Ayuda del Automovilista, la Organización para el Automovilista.

자두 endrina *f.*

자두나무 【식물】 endrino *m.*

자두지미(自頭至尾) =자초지종(自初至終).

자드락 declive *m* de una colina.

■~길 sendero *m* de una colina. ~밭 campo *m* en el declive de una colina.

자득(自得) ① [스스로 마음에 흡족하게 여김] autosatisfacción *f,* adquisición *f* para sí mismo, complacencia *f* a sí mismo. ~하다 autosatisfacerse. ~의 adquirido para sí mismo, complaciente a sí mismo. ② [스스로 깨달아 얻음] aprensión *f,* entendimiento *m.* ~하다 percibir, darse cuenta (de), entender.

자디잘다 (ser) muy pequeño, pequeñísimo.

자라 【동물】 especie *f* de tortuga (fluvial), tortuga *f* de mar; 【학명】 Amyda japónica. ■자라 보고 놀란 가슴 소댕 보고 놀란다 ((속담)) El gato escaldado, del agua fría huye / De los escarmentados nacen los avisados.

■~구이 tortuga *f* de mar asada. ~눈 hueco *m* hacia las ambas nalgas del niño. ~목 ㉮ [자라의 목] cuello *m* de la tortuga de mar. ㉯ [짧고 작게 줄어드는 사물] cosa *f* corta y encogida. ㉰ [유달리 목이 짧은 사람] persona *f* con el cuello muy corto. ~배 【한방】 =복학(腹瘧). ~자지 ㉮ [양기가 동하지 않아 자라목처럼 바짝 움츠러드는 자지] pene *m* impotente. ㉯ [평시에는 작아도 발기하면 매우 커지는 자지] pene *m* aparentemente pequeño, pero grande al ser eréctil.

자라다[1] ① [차차 커지다·어른이 되다] crecer, criarse. 건강하게 ~ crecer sin conocer ninguna enfermedad, crecer sano. 내가 자라면 cuando yo sea grande [mayor]. 그녀는 시골에서 자랐다 Ella se crió en el campo. 너 많이 자랐구나! ¡Qué grande estás! 나는 2센티미터 자랐다 He crecido dos centímetros. 이 나무는 잘 자란다 Este árbol crece mucho. 이 아이는 분유로 자랐다 Este niño se ha criado con leche en polvo. 나는 시골에서 태어나 도시에서 자랐다 Nacido en el campo, he crecido [me he criado] en la ciudad. ② [발전하다] desarrollarse, formarse. ③ [차차 많아지다] aumentar, subir, incrementar.

자라다[2] ① [모자람이 없다] (ser) suficiente, bastante. 만 원 있으면 자라겠다 Diez mil wones serán suficientes. ② [표준에 미치다] alcanzar, llegar. 손이 자라는 곳에 a *su* alcance. 팔이 자라는 곳에 al alcance de la mano. 나는 손 자라는 곳에 책을 가지기를 좋아한다 Me gusta tener los libros muy a mano.

자락 ① [옷이나 피륙의] dobladillo *m,* falda *f,* pollera *f, Chi* basta *f.* ~을 감치다 hacer*le* el dobladillo [*Chi* la basta] a *uno.* ~을 올리다 subir [meter] el dobladillo [la basta]. ~을 내리다 bajar [sacar] el dobladillo [la basta]. 스커트 ~을 걷어 올리다 arremangar(se) [remangar(se)·recoger(se)] las faldas. ② =거웃[2].

자락자락 con impertinencia, impertinentemente, con insolencia, con descaro, insolentemente, descaradamente, con frescura.

자란자란 desbordantemente, rebosante. ~하다 desbordarse, rebosar. 포도주가 잔에서

ㅈ

~하다 El vino rebosa de la copa. 댐은 물이 ~하고 있었다 El embalse estaba rebosando .

자랑 [제 물건이나 제 일을 드러내어 칭찬함] orgullo *m*, jactancia *f.* ~하다 orgullecerse (de), gloriarse (de), sentir orgullo (por), ponerse orgulloso (de); [뽐내다] jactarse (de), alardear (de), ufanarse (de · con), vanagloriarse (de · por), envanecerse (de), pavonearse (de). ~으로 생각하다 estar [sentirse] orgulloso (de), orgullecerse (de), tener por un orgullo. 성공을 ~하다 enorgullecerse del éxito. 학문(學問)을 ~하다 hacer ostentación [gala · alarde] de *su* saber. 그가 ~하는 정원 jardín *m* (*pl* jardines) de que está enorgullecido. ~하는 이야기 fanfarronada *f*, palabras *fpl* jactanciosas. 자신의 아름다움을 ~하다 pavonearse de su belleza. 백 년의 역사를 ~하다 contar con *su* larga historia de cien años. ~할 만한 것이 못된다 No es para enorgullecerse. 그 아이는 그가 ~하는 자식이다 El es el orgullo de su padre.
■ ~거리 honor *m*, gloria *f*, orgullo *m*; [명성] fama *f*, reputación *f.* ¶나라의 ~ gloria *f* de la nación. 그 학생은 우리 학교의 ~다 Ese alumno es el honor [el orgullo] de nuestra escuela.
자랑스럽다 sentirse orgulloso.
자랑스레 orgullosamente, con orgullo, con vanidad, con jactancia, lleno de orgullo. ~생각하다 orgullecerse (de), sentir orgullo (de), sentirse orgulloso (de).

자래 saco *m* de huevas doble.

자력(自力) fuerza *f* propia. ~으로 solo, sin ayuda de nadie, por sí mismo, por la fuerza propia, por sí solo, por el esfuerzo propio. ~으로 성공하다 salir bien en *algo* por *sus* propios medios.
■ ~갱생(更生) regeneración *f* por *sus* propios esfuerzos.

자력(資力) medios *mpl* (financieros), recursos *mpl* (económicos); [자금(資金)] fondos *mpl*, caudal *m*, riqueza *f*, capital *m.* 나는 자식을 대학에 보낼 ~이 없다 No tengo recursos para mandar a mi hijo a la universidad.

자력(磁力) atracción *f* magnética, fuerza *f* magnética; [자성(磁性)] magnetismo *m.*
■ ~ 검출기(檢出器) magnetoscopio *m.* ~계(計) magnetómetro *m.* ~ 기록(記錄) magnetograma *m.* ~ 기록기 magnetógrafo *m.* ~ 녹음기 grabador *m* magnético. ~선 línea *f* de fuerza magnética. ~ 전화기 magnetoteléfono *m.*

자료(資料) datos *mpl*, documentos *mpl*, materiales *mpl*; [집합적] documentación *f.* ~를 수집하다 coleccionar datos, reunir documentos, documentarse. ~를 제공하다 proporcionar [facilitar] datos.
■ ~ 수집【컴퓨터】recogida *f* de datos. ~실 (室) archivo *m* (de los datos). ~ 엔트리【컴퓨터】entrada *f* de datos. ~ 엔트리 오퍼레이터【컴퓨터】grabador *m* [grabadora *f*] de datos. ~ 엔트리 터미널【컴퓨터】terminal *m* de entrada de datos. ~ 유출(流出) flujo *m* de datos. ~ 은행【컴퓨터】banco *m* de datos. ~ 카드 ficha *f* de documentación. ~ 커뮤니케이션【컴퓨터】comunicación *f* de datos. ~ 파일 fichero *m* de datos.

자루[1] [헝겊으로 길고 크게 만든 주머니] saco *m*, bolsa *f*, saca *f*, [큰] bolsón *m* (*pl* bolsones), costal *m*, talega *f*, [작은] saquete *m*, saquillo *m.* ~에 넣다 meter en un saco, meter en una bosa, ensacar, embolsar. ~를 채우다 llenar un saco. ~를 비우다 vaciar un saco.

자루[2] [연장 · 기구 따위에 박거나 낀 손잡이] mango *m*, puño *m*, asa *f.* …에 ~를 달다 poner un mango a *algo*.

자루[3] ① [긴 물건의 세는 단위] unidad *f*, pieza *f.* 연필 두 ~ dos lápices. 총 세 ~ tres pistolas. ② [자루에 든 것을 세는 단위] saco *m.* 콩 한 ~ un saco de habas.

자루걸레 fregona *f*, mopa *f*, *AmL* trapeador *m.* ~로 마루를 닦다 limpiar, pasar*le* la fregona [la mopa] (a), *AmL* trapear el suelo.

자류(磁流)【물리】flujo *m* magnético.

자르다 ① [단단히 동여매다] atar, *AmL* amarrar (*RPI* 제외); [조이다] apretar, ajustar, tensar. ② [동강을 치다. 끊어 내다] cortar, *Méj* rajar. 둘로 ~ cortar en dos. 빵을 ~ cortar pan. 손톱을 ~ [남의] cortar las uñas; [자기의] cortrarse las uñas. 목을 ~ degollar. 염소의 목을 ~ degollar un chivo. 도끼로 나무를 ~ cortar los árboles con el hacha. 끝을 뾰족하게 ~ sacar punta (a). 잘라 내다 cortar, recortar, quitar. 잘라 버리다 cortarse, quitar, desechar. 잘라서 팔다 vender por trozos [por pedazos]. 가지를 잘라 버리다 desramar, podar las ramas. 숲의 나무를 잘라 버리다 derribar [talar · cortar] los árboles de un bosque, talar el bosque. 위(胃)의 반을 잘라 내다 quitar la mitad del estómago. 캘린더에서 그림을 잘라 내다 recortar la ilustración de un calendario. 신문에서 기사를 잘라 내다 cortar un artículo del periódico. ③ [해고시키다] despedir, destituir, quitar*le* a *uno* el empleo. 과장의 목을 ~ despedir a un jefe de sección. 나는 노인을 자르지 않으면 안 됐다 No pude menos de despedir al viejo. ④ [일 따위의 단락을 짓다] terminar, acabar, resolver, solucionar.

자른면(一面) =단면(斷面).

자리[1] ① [앉거나 서거나 누울 장소] asiento *m*, [장소] lugar *m*, sitio *m*, plaza *f*, [빈자리] espacio *m*; [의자] silla *f*, [의장(議長) · 회장(會長) 등의] sillón *m* (*pl* sillones) de la presidencia. 네 옆 ~ el asiento [el sitio] al lado del tuyo. ~에 앉다 tomar asiento, sentarse. ~에 앉히다 senatar en el asiento. ~에서 일어나다 ㉮ levantarse del asiento, dejar *su* asiento. ㉯ [자리를

ㅈ

떠나다] retirarse, abandonar *su* asiento; [뜨다] ausentarse [retirarse] por un momento. ㊁ [살짝 가다] despedirse a la francesa, escabullirse. ~를 권하다 ofrecer una silla, invitar a sentarse. ~를 다투다 luchar por un asiento. ~를 메우다 tomar [ocupar] espacio. ~를 양보하다 ceder el asiento. ~를 예약하다 reservar un asiento [una plaza] (para). ~를 잡아 두다 =~를 예약하다. ~를 채우다 cubrir un vacante. ~를 흥이 나게 하다 animar la mesa. 높은 ~에 친구가 있다 tener amigos influyentes. ~ 좀 비켜 주시겠습니까? [우리들 둘만 남겨 주십시오] ¿Podría usted dejarnos solos? 조금만 ~를 좁혀 주십시오 Haga el favor de correrse un poco. 이 ~는 비었다 [사람 있다] Este asiento está libre [ocupado]. 이 ~에서는 말할 것이 못된다 No es el momento de hablar de eso. 빈~가 없다 No hay asientos libres. 당신을 위해 이 ~를 예약하겠습니다 Reservo este puesto para usted. 나는 너무 바빠서 ~에 앉아 있을 짬도 없다 Me encuentro muy ocupado / Siempre estoy de acá para allá. ~를 함께할 수 없는 비열한 사람이다 Es un hombre despreciable [menospreciable]. 우리는 (일)~가 스물 있다 Nosotros tenemos 20 puestos de trabajo [20 vacantes].

② [무슨 일이 있었던 곳] lugar *m*, sitio *m*. 그 ~에서 en el mismo lugar [sitio], ahí mismo; [즉석에서] en el acto; [현장(現場)에서] en flagrante. 그 ~에 우연히 있다 acertar a estar en el mismo lugar. 그 ~에서 결정하다 decidir en el acto. 그는 그 ~에서 붙잡혔다 El fue sorprendido en flagrante [in flagranti].

③ [무엇을 두거나 놓는 곳] lugar *m*, sitio *m*, situación *f*. 가방 하나 더 들어갈 ~ 있습니까? ¿Hay sitio [lugar] para otra maleta? / ¿Cabe otra maleta?

④ [무엇이 있었던 자국] marca *f*, señal *f*, nota *f*, impresión *f*, huella *f*. 상처(받은) ~ abertura *f* [labio *mpl* · boca *f*] de la herida. 상처 ~를 소독하다 desinfectar la herida. 상처 ~가 열린다 Se abre la herida. 상처 ~가 아문다 Se cierra [Se cicatriza · Desaparece] la herida.

⑤ [계급이나 직무로 보아 몸이 놓인 곳] puesto *m*, posición *f*, plaza *f*; [교수의] cátedra *f*. 장관 ~ cartera *f*. 중요한 ~ posición *f* importante. 아내의 ~ puesto *m* de la esposa en el hogar. 정처(正妻)의 ~에 앉다 llegar a ser esposa legítima (de). 사장의 ~를 내놓다 resignar [abandonar] el puesto de presidente. 국무 총리의 ~를 노리다 pretender [aspirar a] la cartera de primer ministro. 그는 능력도 없으면서 부장(部長)의 ~를 차지하고 있다 El ocupa el puesto de director sin tener la debida capacidad. 그는 자신의 실력으로 감당하기 어려운 ~에 있다 El no está a la altura de su posición.

⑥【수학】[십진법(十進法)에 의한 숫자의 위치] guarismo *m*, lugar *m*, parte *f*. 두 ~대의 인플레이션 inflación *f* de dos dígitos. 소수점 이하 두 ~까지 몫을 구하십시오 Busque el cociente hasta la segunda parte decimal.

◆자리(가) 잡히다 ㉮ [서투르던 것이 익숙해지다] acostumbrarse. ㉯ [어수선하던 것이 가라앉아 안정되다] calmarse, tranquilizarse, apaciguarse, sosegarse, encontrar un sitio. 그는 결혼으로 자리 잡혔다 El ha encontrado su sitio enel matrimonio.

◆자리를 뜨다 ausentarse [retirarse] por un momento, abandonar *su* asiento, levantarse, dejar *su* asiento momentáneamente. 도중에서 ~ ausentarse; [돌아가다] retirarse sin asistir hasta el final, marcharse sin estar presente hasa el momento. 그는 잠깐 자리를 떴다 El se ha levantado un momento.

◆자리(를) 보다 ㉮ [잠을 자려고 이부자리를 깔다] hacer la cama. 자리를 보아 주시겠어요? ¿Me podrías hacer la cama? ㉯ [잠을 자려고 자리에 드러눕다] acostarse. 자리를 봅시다 Acostémonos / Vamos a acostarnos.

◆자리(를) 잡다 ㉮ [들어서다. 들어앉다] instalarse. ㉯ [일정한 곳에 살게 되다] asentarse, instalarse, establecerse, quedarse, permanecer mucho tiempo, fijar *su* residencia. 서울에 ~ instalarse [establecerse] en Seúl. 호텔[여관 · 여인숙]에 ~ hospedarse en un hotel [en un hostal · en una pensión]. 개가 집에 자리잡았다 Un perro se quedó [se instaló] en la casa. 이 가게는 점원이 자리잡지 못했다 En esta tienda no paran mucho tiempo los empleados. ㉰ [어떤 생각이 마음속에 뿌리박다] arraigarse en el corazón.

◆자리에 눕다 estar en cama, caerse enfermo, estar enfermo.

■ ~다툼 lucha *f* por el buen asiento. ¶~하다 luchar por el buen asiento. ~보전 acostamiento *m* en el lecho de enfermo. ~옷 =잠옷. ~ㅅ세(貰) precio *m* de local, precio *m* de localidad, precio *m* de asiento; [방세] (precio *m* de) alquiler *m* de una sala; [식당의] precio *m* extra por la mesa; [노름판의] renta *f* de garito, renta *f* de casa de juego. ~ㅅ수(數)【수학】grado *m*, unidad *f*, cifra *f*. ¶100 ~ guarismo *m* de tres cifras. 1000 ~ guarismo *m* de cuatro cifras. 3 ~ número *m* de tres cifras. 4 ~ cifra *f* de mil. ~가 틀리다 calcular sobre una unidad errónea.

자리² ① [앉거나 눕도록 바닥에 까는 물건] estera *f*, esterilla *f*; [문 앞의] felpudo *m*, *Col* tapete *m*; [욕실의] alfombrilla *f*, alfombrita *f*, *Col* tapete del baño. ② [깔고 덮고 잘 이부자리] colchón *m* (*pl* colchones). ③ ((준말)) =잠자리.

자리³【어류】((준말)) =자리돔.

자리⁴【천문】constelación *f*.

◆오리온~ el Orión. 큰곰~ la Osa Mayor.

자리(自利) [자기의 이익] *su* propia interés.
자리개 cuerda *f* de paja gruesa.
자리끼 *chariki*, el agua potable puesta junto a *su* cabecera por la noche.
자리돔【어류】((학명)) Chromis notatus.
자리자리하다 tener dolorido, tener adolorido, dolerse. 나는 다리가 ~ Tengo las piernas doloridas / Tengo las piernas adoloridas / Me duelen las piernas. 나는 온몸이 ~ Me duele todo.
자리표(―標)【수학】＝좌표(座標).
자린고비(玼吝考妣) avaro, -ra *mf*, tacaño, -ña *mf*, avaricioso, -sa *mf*, avariento, -ta *mf*, codicioso, -sa *mf*, mezquino, -na *mf*, miserable *mf*.
자림(子淋) enfermedad *f* que la mujer encinta suele orinar.
자립(自立) independencia *f*, manutención *f* por *sí* mismo. ~하다 independizarse, hacerse independiente, mantenerse por *sí* mismo, echarse a volar, volar con *sus* propias alas, establecerse, ser independiente. ~한 económicamente independiente, autofinanciado. ~ 자활하다 arreglárselas solo, *Chi*, *Méj* rascarse con sus propias uñas. 그는 이제 ~할 수 있는 나이다 El ya tiene la edad suficiente para vivir solo [para ir solo por el mundo · para independizarse].
■~ 경제 economía *f* autofinanciada. ~어(語) palabra *f* independiente. ~적(的) económicamente independiente, autofinanciado.
자릿내 olor *m* no fresco a ropa.
자릿상(―牀) mesa *f* para los colchones.
자릿쇠 arandela *f*.
자릿자릿하다 tener entumecido, tener [sentir] un cosquilleo [un hormigueo]. 나는 추위로 손이 자릿자릿했다 Yo tenía las manos entumecidas por el frío. 나는 손가락이 ~ Tengo [Siento] un cosquilleo [un hormigueo] en los dedos.
자릿장(―欌) armario *m* para los colchones.
자릿저고리 blusa *f* para dormir.
자릿하다 (ser) picante. 자릿한 맛 sabor *m* picante.
자마구 polen *m*.
-자마자 en cuanto, tan pronto (como), luego que, así que, apenas (··· cuando), no bien, en +「현재 분사」. 집에 도착하~ inmediatamente después de volver a casa, nada más volver a casa. 내년이 되~ en los primeros días del año próximo [del año que viene]. 그는 도착하~ [과거] en cuanto él llegó; [미래] en cuanto él llegue. 우리가 출발하~ 비가 쏟아졌다 Llovió a cántaros, tan pronto como nosotros salimos. 우리가 길을 나서~ 비가 내리기 시작했다 Apenas nos habíamos puesto en camino cuando empezó a llover / No bien nos pusimos en camino, empezó a llover. 너는 끝내~ 가도 된다 En cuanto [Tan pronto como] hayas terminado, te puedes ir. 남편이 외출하~ 손님이 왔다 Apenas salió de casa mi marido, vino una visita.
자막(字幕) subtítulo *m*. ~이 넣어진 con subtítulos, subtitulado. ~을 넣다 subtitular.
자막대기 regla *f* que mide una yarda.
자만(自慢) jactancia *f*, arrogancia *f*, presunción *f*, alabanza *f* de *sí*, admiración *f* de *sí*, vanidad *f*, orgullo *m*. ~하다 jactarse (de), enorgullecerse (de), envanecerse (de), presumirse (de), ufanarse (de), estar orgulloso (de). ~해 있다 estar orgulloso de *sí* mismo. 성공을 ~하다 enorgullecerse del éxito. 그녀는 자신의 아름다움을 ~하고 있다 Ella presume de su belleza.
■~심(心) engreimiento *m*, presunción *f*, autosuficiencia *f*, vanidad *f*, el yo, el ego. ~이 강하다 ser muy engreído.
자만(自滿) autosuficiencia *f*. ~하다 ser autosuficiente, estar ufano, estar satisfecho de si mismo.
자매(姉妹) hermanas *fpl*. 배다른 ~ media hermana *f*. (도시가) ~ 관계에 있다 estar hermanado (con). 이 도시는 마드리드와 ~ 관계에 있다 Esta ciudad está hermanada con Madrid.
■~결연 establecimiento *m* de solidaridad entre hermanas. ~교(校) escuela *f* hermana. ~ 국가(國家) nación *f* hermana. ~ 기관 agencias *fpl* hermanas. ~ 도시 ciudad *f* hermana. ~ 도시 결연 afiliación *f* de ciudad hermana. ~선(船) buque *m* gemelo. ~ 신문 periódico *m* de nuestro grupo. ~점(店) tienda *f* filial. ~지(紙) ＝자매 신문. ~편 obra *f* hermana. ~함 barco *m* de guerra hermano. ~ 회사 sociedad *f* hermana, compañía *f* subsidiaria.
자맥질 ((준말))＝무자맥질.
자메이카【지명】Jamaica *f*. ~의 jamaicano, jamaiquino. ~ 사람 jamaicano, -na *mf*, jamaiquino, -na *mf*.
자멸(自滅) [자연 멸망] destrucción *f* natural; [자기 파멸] destrucción *f* de *sí* mismo, perdición *f* espontánea. ~하다 destruirse naturalmente, perderse, provocar *su* propia ruina, destruirse a *sí* mismo, arruinarse a *sí* mismo; [패배] provocar *su* propia derrota, destruirse por *sí* mismo. 정치적 ~을 하다 cometer suicidio político.
■~적(的) suicida. ~책(策) medida *f* suicida.
자멸(自蔑) desprecio *m* de sí, menosprecio *m* de sí. ~하다 despreciarse a sí, menospreciarse a sí.
자명(自鳴) el sonar naturalmente.
■~악(樂) ＝음악 상자. ~종(鐘) (reloj *m*) despertador *m*.
자명하다(自明―) (ser) evidente, obvio, manifiesto. 자명한 이치(理致) verdad *f* evidente, verdad *f* inconstable, axioma *m*, hecho *m* que salta a la vista. 자명한 진리(眞理) perogrullada *f*. ···은 자명한 일이다 Es evidente que + *ind*. 그것은 자명한 이치다 Eso es evidente.

ㅈ

자모(子母) hijo y *su* madre.
■ ～음(音) la consonante y la vocal. ～자(字) la letra consonante y la vocal.
자모(字母) ① [낱자] alfabeto *m*, abecedario *m*. ②【인쇄】＝모형(母型)(matriz de letra, tipo).
■ ～순(順) orden *m* alfabético. ¶～의 alfabébico. ～으로 alfabéticamente.
자모(自侮) desprecio *m* de sí mismo. ～하다 despreciarse a sí mismo.
자모(姊母) *su* hermana y *su* madre.
■ ～회 reunión *f* de hermanas y madres.
자모(慈母) ① [어머니] madre *f* afectuosa, madre *f* bondadosa, madre *f* cariñosa. ② [어머니를 여읜 뒤 자기를 길러 준 서모] concubina *f* de *su* padre.
자못 muy, excesivamente, sumamente, extremadamente. ～ 만족한 듯이 con (un) aire de verdadera satisfacción, rebosando de alegría. 그 일은 ～ 어렵다 Eso es un trabajo muy difícil.
자문(自問) pregunta *f* a sí mismo. ～하다 preguntarse a sí mismo.
■ ～자답(自答) soliloquio *m*, monólogo *m*. ¶～하다 soliloquiar, monologar, hablar para sí.
자문(諮問) consulta *f*, información *f*. ～하다 consultar, informarse (de). 위원회에 ～하다 consultar [presentar] a un comité para deliberación.
■ ～ 기관(機關) organismo *m* consultivo. ～단(團) equipo *m* asesor. ～ 위원회(委員會) comité *m* consultivo, comisión *f* consultiva.
자물쇠 cerradura *f*, cerrojo *m*, *Méj* chapa *f*, [돈주머니 모양의 작은 자물쇠] candado *m*. ～가 잠기다 cerrarse con llave. ～를 채우다 cerrar (con llave), cerrar con cerradura [candado]. ～를 열다 abrir la cerradura. ～를 달다 instalar [poner] una cerradura (a). ～를 억지로 열다 forzar la cerradura. ～구멍에 열쇠를 끼우다 insertar la llave en el ojo de la cerradura. 금고의 ～를 열다 abrir la cerradura de la caja fuerte. 문에 ～를 채우다 cerrar la puerta con llave [con candado], echar la llave [con candado] a la puerta. 문에 ～를 채워 두다 dejar cerrada la puerta con llave. 문의 ～를 부수고 열다 descerrajar la puerta. 문에 ～를 채우지 마라 No cierra la llave de la puerta. 금고는 ～가 채워져 있다 La caja fuerte está cerrada con llave. 나는 ～를 부수고 문을 열었다 Descerrajé la puerta.
자물통 ＝자물쇠.
자미(滋味) ① [자양분이 많고 맛있는 음식] comida *f* exquisita, comida *f* rica, comida *f* sabrosa, comida *f* deliciosa . ② ＝재미❷.
자바【지명】Java *f*. ～의 javanés.
■ ～ 말[어] javanés *m*. ～ 사람[인] javanés, -nesa *mf*. ～ 원인(猿人) pitecántropo *m* en posición vertical. ～ 원주민(原住民) javanés, -nesa *mf*.
자바라【악기】platillo *m* pequeño.
자박[1] [사금광(砂金鑛)에서 캐어 낸 생금의 큰 덩어리] pepita *f* de oro.
자박[2] [가만히 내디디는 발자국 소리] con un paso suave.
자박거리다 andar suavemente.
자박자박 con pasos suaves.
자반 pescado *m* salado y secado.
자반뒤집기 retorcimiento *m* de dolor. ～를 하다 retorcerse de dolor.
자반병(紫斑病)【의학】púrpura *f*.
자발(自發) espontaneidad *f*.
■ ～성(性) espontaneidad *f*, iniciativa *f*, voluntad *f*. ～적 espontáneo, voluntario. ¶～으로 (de) motu proprio, por *su* cuenta, por iniciativa propria, voluntariamente, espontáneamente, por *su* propia voluntad, por *sí* mismo. ～으로 사직하다 dimitir [renunciar · presentar *su* dimisión · presentar *su* renuncia] voluntariamente.
자발머리없다 ((속어)) ＝자발없다.
자발머리없이 ((속어)) ＝자발없이.
자발없다 (ser) colérico, impaciente, desasosegado, inquieto.
자발없이 sin paciencia, impacientemente, irreflexivamente, sin pausar en las consecuencias.
자방(子方)【민속】*chabang*, norte *m*.
자방(子房)【식물】＝씨방(ovario).
자배기 cuenco *m* de cerámica redondo y ancho con la boca grande.
자백(自白) confesión *f*, declaración *f* del delito, reconocimiento *m* del delito. ～하다 confesar (*su* crimen · *su* delito), declarar *su* crimen [*su* delito], reconocer el delito en una declaración; ((속어)) cantar. ～시키다 arrancar la confesión, hacer confesar *su* crimen. 죄상을 ～하다 confesar [cantar] de plano, desembuchar. 그는 돈을 받았다고 ～했다 El confesó que había recibido el dinero. 그는 도둑질을 ～했다 El confesó el robo.
자벌레【곤충】geómetra *f*.
자법(子法) ley *f* filial.
자변(自辯) *sus* gastos, *sus* expensas, costa *suya*, *su* costa, *su* propia cuenta. ～하다 pagar *sus* gastos [expensas].
자복(子福) bendición *f* con muchos hijos. ～이 많은 사람 persona *f* bendita con muchos hijos.
자복(自服) ＝자백(自白).
자본(資本) capital *m*, fondos *mpl*, capital *m* comercial, capital *m* líquido. ～의 축적 acumulación *f* de capital. 막대한 ～ capital *m* fuerte. ～을 공급(供給)하다 proporcionar los fondos. ～을 묵히다 guardar el capital sin invertir, dejar dormido el capital. ～을 투자하다 invertir capital. ～을 축적하다 acumular fondos.
◆ 고정(固定) ～ capital *m* fijo. 공칭(公稱) ～ capital *m* autorizado. 단기(短期) ～ capital *m* a corto plazo. 불입 완료 ～ capital *m* suscrito y pagado. 불입필(拂入畢) ～ capital *m* realizado. 수권(授權) ～

capital *m* autorizado. 유동(流動) ~ capital *m* circulante [líquido]. 장기(長期) ~ capital *m* a largo plazo. 회전(回轉) ~ capital *m* de rotación.

■ ~가 capitalista *mf*. ~가 계급 clase *f* capitalista. ~ 개선 aumento *m* de capital. ~ 계급 =자본가 계급. ~ 계수 coeficiente *m* de capital. ~ 계정 cuenta *f* de capital. ~ 구성 estructura *f* de capital. ~ 국가 potencia *f* capitalista, país *m* capitalista. ~금 capital *m*, capital *m* principal, capital *m* de acciones. ¶~ 1억 원의 회사 compañía *f* con un capital de cien millones de wones. 수권 ~ capital *m* autorizado. 불입 ~ capital *m* pagado. 예약 ~ capital *m* suscripto. ~금 계정 cuenta *f* de capital. ~도피(逃避) evasión *f* de divisas. ~ 사회 sociedad *f* capitalista. ~ 생산 비율 proporción *f* capital-producto, relación *f* capital-producto. ~ 설비 equipo *m* capital, bienes *mpl* de equipo [capital]. ~ 소득 renta *f* del capital. ~ 소비 consumo *m* de capital. ~ 손실 minusvalías *fpl*, pérdida *f* de capital. ~ 수입(輸入) importación *f* de capital. ~ 수입세 impuesto *m* sobre la renta del capital. ~ 수출 exportación *f* de capital. ~ 시장 mercado *m* de capitales. ¶~의 영향 influencia *f* del mercado de capitales. ~액 suma *f* de capital. ~ 예산 presupuesto *m* de capital, presupuesto *m* de activo fijo, presupuesto *m* de gasto de capital. ~ 유입(流入) afluencia *f* de capital, entrada *f* de capital. ~ 유출 salida *f* de capital. ~ 유통 flujos *mpl* de capital. ~ 이동 movimiento *m* de capital. ~ 이익 ganancias *fpl* de capital, rendimiento *m* del capital invertido, plusvalía. ~ 이익 배당금 dividendo *m* de los rendimientos del capital. ~ 이익 분배 distribución *f* de plusvalías. ~ 이익세 impuesto *m* sobre la plusvalía. ~ 이자(利子) intereses *mpl* del capital. ~ 이자세(利子税) impuesto *m* sobre intereses del capital. ~ 잉여금 prima *f* de emisión, excedente *m* de capital, plusvalía *f* de capital, superávit *m* de capital. ~ 자산 activo *m* fijo, activo *m* inmovilizado. ~ 자산 계정 cuenta *f* de activo de capital. ~ 자유화 liberalización *f* del capital. ~재(財) bienes *mpl* de equipo, bienes *mpl* de capital. ~적 제국주의 imperialismo *m* capitalista. ~주(主) propietario, -ria *mf* del capital. ~주의 capitalismo *m*. ¶~의 capitalista. 국가(國家) ~ capitalismo *m* de estado. 독점(獨占) ~ capitalismo *m* monopolítico. 산업(産業) ~ capitalismo *m* industrial. 수정 ~ capitalismo *m* modificativo. 신~ neocapitalismo *m*. ~주의 경제 economía *f* capitalista. ~주의자 capitalista *mf*. ~주의 국가 país *m* capitalista. ~ 준비금 reserva *f* de capital, reserva *f* no distribuible. ~ 지출 gastos *mpl* de capital, desembolso *m* de capital, inversión *f* en capital fijo. ~ 지출률(支出率) coeficiente *m* de capital desembolsado. ~ 집약 산업 industria *f* con alto coeficiente de capital, industria *f* con empleo intensivo de capital, industria *f* intensiva en capital. ~ 체제 régimen *m* capitalista. ~ 총액 suma *f* de capital. ~ 축적(蓄積) acumulación *f* de capital [fondos], inversión *f* en capital productivo. ~ 투자 inversión *f* de capital. ~ 투자 전략 estrategia *f* de inversión. ~ 투자 평가(投資評價) evaluación *f* de capital. ~ 프로그램 programa *m* de capital. ~ 프로젝트 proyecto *m* de inversión. ~화(化) capitalización *f*.

자본론(資本論)【책】el Capital.

자부(子婦) nuera *f*, hija *f* política.

자부(自負) jactancia *f*, presunción *f*, orgullo *m*, arrogancia *f*, espíritu *m* jactancioso. ~하다 jactarse, vanagloriarse, tener presunción, creerse, presumir (de), ufanarse (de). 그는 이 길의 권위자(權威者)라 ~하고 있다 El se cree un autoridad en esta materia. 그는 큰 정치가로 ~하고 있다 El se cree un gran político. 그것으로 좋다고 ~한다 Creo que está bien.

■ ~심(心) confianza *f* en sí mismo, presunción *f*, orgullo *m*, engreimiento *m*. ¶~이 강한 jactancioso, creído, presumido, orgulloso, engreído, vanidoso, presuntuoso. ~을 상하다 herir el orgullo (de). 그는 ~이 강하다 El es un engreído.

자부(姉夫) =자형(姉兄).

자부(慈父) padre *m* benévolo.

자부락거리다 soler molestar.

자부락자부락 molestando a menudo.

자부지 mango *m* del arado.

자북극(磁北極)【물리】=자기 북극(磁氣北極).

자비 vehículo *m*.

자비(自費) *sus* propios gastos, *su* costa propia. ~로 a costa propia. 그는 ~로 유학했다 El ha estudiado en el extranjero a sus costas propias.

■ ~생 estudiante *m* privado, estudiante *f* privada. ~ 출판 publicación *f* costeada por el autor.

자비(慈悲) caridad *f*, misericordia *f*, amor *m* al prójimo, conmiseración *f*, [동정] compasión *f*, piedad *f*. ~를 요구하다 pedir misericordia, pedir clemencia.

자비로이 misericordiosamente.

자비롭다 (ser) misericordioso.

자비스럽다 (ser) misericordioso, piadoso.

자비스레 misericordiosamente, piadosamente.

■ ~심(心) misericordia *f*, caridad *f*, compasión *f*, piedad *f*. ¶~이 많은 misericordioso, caritativo, compasivo, piadoso. ~을 베풀다 hacer un acto de caridad. ~옷 ((불교)) =가사(袈裟). ~지심(之心) =자비심.

자빗간(一間) depósito *m* de los vehículos.

자빠뜨리다 derribar, derrocar, tumbar; [건물을] tirar [echar] bajo, *Méj* tumbar; [나무를] talar; [기(旗)를] bajar; [정부(政府)를] tirar bajo, derrocar. 나무를 ~ talar un árbol. 집을 ~ echar [tirar] bajo una casa.

자빠지다 ① [넘어지다] caerse, tumbarse. 하마터면 자빠질 뻔했다 Por poco [Casi] me caí. ② [같이 하던 일에서 따로 물러나다] no hacer nada, holgazanear. 늘 자빠져 있지 말고 일 좀 해라 Deja de holgazanear y haz un poco de trabajo. ③ ((속어)) =눕다 (acostarse).

자빡 rechazo *m* (decisivo).
◆자빡(을) 대다 rechazar (claramente), no aceptar. 자빡(을) 맞다 ser rechazado rotundamente [categóricamente · de plano].

자빡뿔 cuerno *m* torcido.

자뼈 【해부】 =척골(尺骨).

자산(資産) bienes *mpl*, propiedades *fpl*, fortuna *f*, recursos *mpl*; 【상업】 activo *m*; [세습 재산] patrimonio *m*. ~과 부채 activos *mpl* y pasivos. ~이 있다 tener fortuna, poseer fortuna. ~을 남기다 dejar la propiedad. ~을 동결하다 congelar los bienes. ~을 만들다 hacer una fortuna.
◆고정(固定) ~ activo *m* fijo, activo *m* movilizado. 동결(凍結) ~ activo *m* congelado. 명목(名目) ~ activo *m* nominal. 무형(無形) ~ activo *m* intangible, activo *m* inmaterial, bien *m* inmaterial, bien *m* intangible. 소모(消耗) ~ activo *m* consumible, activo *m* no renovable. 실(實) ~ activo *m* actual. 유동(流動) ~ activo *m* flotante, activo *m* circulante. 유형(有形) ~ activo *m* material, activo *m* tangible, bien *m* material, bien *m* tangible. 은닉(隱匿) ~ activo *m* oculto.
■~가(家) hombre *m* de fortuna, hombre *m* de bienes, persona *f* opulenta. ~ 계정 cuenta *f* de activos. ~ 동결 congelación *f* de bienes. ~세 contribución *f* territorial. ~ 재평가 revalorización *f* de la propiedad [del patrimonio]. ~ 재평가법 ley *f* de revalorización de la propiedad [del patrimonio]. ~주(株) acciones *fpl* de propiedades. ~ 평가 importe *m* total de activos.

자살(自殺) suicidio *m*. ~하다 suicidarse, matarse, darse voluntariamente muerte. ~ 행위의 suicida. ~ 행위의 광기(狂氣) locura *f* suicida. 부자(父子) 동반 ~ suicidio *m* del padre con sus hijos. 실연(失戀)으로 ~하다 suicidarse por amor. 혼자 그 산에 오르는 것은 ~ 행위(行爲)다 Subir solo a esa montaña es [cometer] un suicidio.
◆가스 ~ suicidio *m* por gas.
■~골 autogol *m*, *CoS* gol *m* en contra. ¶~을 넣다 meter un autogol, *CoS* meter un gol en contra. ~광 manía *f* suicida. ~극 suicidio *m* fingido, suicidio *m* falso. ~미수 intento *m* de suicidio. ~ 미수자(未遂者) aspirante *mf* a suicidio. ~ 방조(幇助) complicidad *f* en el suicidio. ~ 방조죄(幇助罪) crimen *m* de complicidad en el suicidio. ~자(者) suicida *mf*. ~ 특공대(特攻隊) escuadrón *m* de la muerte. ~ 행위 acto *m* de suicidio.

자살(刺殺) asesinato *m* a puñaladas. ~하다 matar [asesinar] a puñaladas.

자상(自傷) herida *f* autoinfligida. ~하다 ser autoinfligido.
■~ 행위 herida *f* autoinfligida. ¶그의 상처는 ~이었다 El se había producido él mismo las heridas / Sus heridas eran autoinfligidas.

자상(刺傷) puñalada *f*, estocada *f*, pinchazo *m*. ~을 내다 dar una estocada.

자상스럽다(仔詳－) (ser) detallado.
자상스레 detalladamente.

자상하다(仔詳－) (ser) detallado, minucioso, pormenorizado. 자상함 detalle *m*, pormenor *m*.
자상히 detalladamente. ~ 바라보다 mirar de hito en hito, fijar la mirada (en).

자새 carrete *m* pequeño.

자새질 lo tambaleante.

자색(姿色) belleza *f*, hermosura *f*. ~이 아름답다 (ser) hermoso, bello.

자색(紫色) =자줏빛.

자생(自生) autogénesis *f*, generación *f* espontánea; [야생(野生)] crecimiento *m* natural, crecimiento *m* silvestre. ~하다 vegetar silvestre, nacer naturalmente, crecer naturalmente, ser autógeno. ~의 silvestre, natural.
■~ 식물 plantas *fpl* nativas. ~ 작물(作物) cultivos *mpl* nativos. ~적(的) natural, nativo, silvestre. ~지 tierra *f* nativa.

자서(字書) ① =자전(字典). ② =사전(辭典).

자서(自序) prólogo *m* del autor, prefacio *m* del autor. ~하다 escribir *su* propio prefacio.

자서(自敍) escritura *f* de *su* propia historia. ~하다 escribir *su* propia historia.
■~ 문학 literatura *f* autobiográfica. ~전 autobiografía *f*. ¶~의 autobiográfico. ~작가(作家) autobiógrafo, -fa *mf*. ~적(的) autobiográfico. ~으로 autobiográficamente.

자서(自書) =자필(自筆). ¶~하다 autografiar.

자서(自署) *su* propia firma. ~하다 firmar personalmente.

자석(紫石) ① ((준말)) =자석영(紫石英). ② =눈동자. ③ =벼루.

자석(磁石) ① [철을 끌어당기는 성질이 있는 물체] imán *m* (*pl* imanes); [지남철] brújula *f*, compás *m*. ~의 magnético. ~의 인력(引力) atracción *f* magnética. ② =자철광(磁鐵鑛).
◆막대~ imán *m* de barra. 말굽~ imán *m* de herradura. 영구(永久) ~ imán *m* permanente. 일시 ~ imán *m* temporario. 천연 ~ imán *m* natural, piedraimán *m*.
■~강(鋼) acero *m* magnético. ~광(鑛) =자철광. ~반(盤) =자기 나침의. 자기 컴퍼스. ~ 발전기 máquina *f* magnetoeléctrica, magnetodínamo *m*. ~ 벨 timbre *m* de corriente alterna, timbre *m* electromagnético. ~식(式) sistema *m* telefónico por magneto. ¶~ 교환기 cuadro *m* de distribución magnético. ~ 전화기 teléfono *m*

magnético.

자석영(紫石英) 【광물】 =자수정(紫水晶).

자선(自選) ① [선거 따위에서, 자기 자신에게 투표함] votación *f* a sí mismo, elección *f* de *sí* mismo. ~하다 votarse a *sí* mismo. ② [제 작품을 제가 골라 뽑음] *su* propia selección *f*. ~하다 hacer una selección de su propia obra.

■~ 시집 colección *f* de poemas escogidos por el autor. ~집 antología *f* del autor. ~투표 votación *f* a *sí* mismo, elección *f* de *sí* mismo.

자선(慈善) caridad *f*, beneficencia *f*, filantropía *f*, amor *m* al prójimo. ~의 benéfico, de beneficiencia, con fines benéficos, filantrófico, caritativo. ~을 베풀다 hacer (el) bien, dar limosna. ~을 베풀 때는 사람을 고르지 마라 ((서반아 속담)) Haz bien y no cates a quién.

■~가 bienhechor, -chora *mf*, benefactor, -tora *mf*, caritativo, -va *mf*, filántropo, -pa *mf*, persona *f* caritativa. ~ 공연(公演) función *f* benéfica, función *f* de beneficiencia, beneficio *m*, espectáculo *m* benéfico. ~ 기관(機關) organización *f* caritativa, organización *f* de beneficiencia, obra *f* benéfica. ~ 기금 fondo *m* benéfico, fondo *m* de beneficiencia. ~냄비 olla *f* benéfica, olla *f* de caridad. ~ 단체(團體) organización *f* caritativa, organización *f* benéfica, organización *f* de beneficiencia, institución *f* benéfica, institución *f* filantrófica, organización *f* de caridad, obra *f* benéfica, corporación *f* de caridad, sociedad *f* de caridad. ~ 달리기 carrera *f* con fines benéficos. ~ 디너쇼 cena *f* para fines benéficos. ~ 목적 fin *m* benéfico. ~ 무도회(舞蹈會) baile *m* de beneficiencia. ~ 병원 hospital *m* benéfico, hospital *m* de beneficiencia. ~ 사업(事業) obra *f* benéfica, obras *fpl* de beneficiencia, obra *f* filantrófica, obra *f* de caridad, obra *f* de misericordia, obra *f* pía. ~시(市) bazar *m*. ~ 시설 institución *f* benéfica. ~심(心) espíritu *m* benéfica, benevolencia *f*. ~ 음악회 concierto *m* benéfico, concierto *m* de beneficio, concierto *m* con fines benéficos. ~ 판매장 bazar *m* benéfico. ~ 학교(學校) escuela *f* benéfica. ~ 행위(行爲) obras *fpl* benéficas. ~회 ㉮ [자선 사업의 자금을 마련하기 위하여, 어떤 흥행(興行)을 하거나, 물품을 판매하거나 하는 모임] reunión *f* para fines benéficas, fiesta *f* benéfica. ㉯ =자선 단체. ~ 흥행 función *f* benéfica, función *f* de beneficiencia, obra *f* benéfica. ¶~ 입장권 (billete *m* de) entrada *f*.

자설(自說) *su* propia opinión [vista · teoría]. ~을 굽히지 않다 no convertir su propia opinión. 그는 절대로 ~을 굽히지 않는다 El nunca da su brazo a torcer / El se aferra de todas a su propia opinión.

자성(自省) introspección *f*, reflexión *f*, examen *m* de conciencia. ~하다 reflexionar, hacer examen de conciencia.

자성(資性) naturaleza *f*, disposición *f* natural, carácter *m*. ☞천성(天性)

자성(雌性) femineidad *f*, feminidad *f*.

■~ 식물(植物) hembra *f*.

자성(磁性) magnetismo *m*. ~의 magnético. ~을 띤 magnético, imantado. ~을 띠게 하다 magnetizar.

■~ 산화철 óxido *m* magnético de hierro, magnetita *f*. ~ 인력 polaridad *f*. ~체(體) substancia *f* magnética.

자세(姿勢) postura *f*, posición *f*; [태도(態度)] actitud *f*; [포즈] pose *m*; [모양] apariencia *f*, figura *f*, porte *m*; [걸을 때의] andares *mpl*. ~가 좋은 de buena postura. 여자답지 않은 ~로 en postura indecorosa [indecente]. ~가 좋다 ser de buena postura. ~가 나쁘다 tener un porte desarreglado [dejado]. ~를 바로 하다 enderezar la postura. ~를 바르게 하다 ponerse derecho [recto]. ~를 바르게 하고 듣다 dar una seria importancia (a). ~를 풀다 relajar la postura, relajarse. 거만(倨慢)한 ~를 취하다 mostrarse altivo, adoptar una actitud arrogante.

◆기본 ~ posición *f* básica. 고~ actitud *f* altiva. 방어 ~ postura *f* de defensa. 저~ actitud *f* humilde. 직립(直立) ~ posición *f* [postura *f*] derecha [erguida].

■~ 검사 examen *m* de postura. ~ 반응 reflejo *m* de postura.

자세(藉勢) dependencia *f* a otros. ~하다 depender a otros.

자세하다(仔細/仔細−) (ser) detallado, minucioso. 자세함 detalle *m*, pormenor *m*. 자세한 내용은 면담(面談) 때 이야기합시다 Vamos a hablar los detalles en la entrevista personal.

자세히 detalladamente, en detalle, con detalle, con todo detalle, minuciosamente. ~ 말하다 hablar detalladamente (de), hablar minuciosamente (de), detallar, contar con todo detalle. ~ 돌보다 atender cuidadosamente.

자손(子孫) ① [아들과 손자] el hijo y el nieto. ② [후손(後孫)] descendiente *mf*, [집합적] descendencia *f*, posteridad *f*. ~에게 전하다 transmitir a la posteridad. 김씨의 ~이다 ser descendiente de Kim.

자수(自手) (con) *sus* propias manos.

자수로 con *sus* propias manos.

■~삭발 corte *m* de pelo con *sus* propias manos. ~성가(成家) alcance *m* de *su* posición gracias a *sus* propios esfuerzos. ¶~한 사람 persona *f* que crea *su* fortuna de la nada, persona *f* que ha alcanzado *su* posición gracias a *sus* propios esfuerzos, *self-made man ing.m.*

자수(自首) denunciación *f* por *sí* mismo. ~하다 denunciarse a las autoridades, entregarse a la policía, denunciarse a la policía.

자수(自修) instrucción *f* por *sí* mismo, estudio *m*, aplicación *f*, obra *f* en casa. ~하다

instruir por sí mismo, estudiar por sí mismo, estudiar sin maestro.

자수(字數) número *m* de letras.

자수(刺繡) bordado *m*, bordadura *f*, encaje *m*. ~하다 bordar, labrar, recamar. ~한 블라우스 blusa *f* bordada. 금은몰 ~ bordado *m* a canutillo. 금실로 ~된 bordado con hilos de oro. 머리글자를 ~하다 bordar las iniciales (sobre). 손수건에 ~하다 bordar un pañuelo.

■~ 바늘 aguja *f* de bordado. ~실 hilo *m* de bordado. ~자 bordador, -dora *mf*. ~틀 bastidor *m*, tambor *m* de bordar.

자수정(紫水晶)【광물】amatista *f*.

자숙(自肅) continencia *f*, abstinencia *f*. ~하다 contenerse, abstenerse (de). 호사스러운 파티를 ~하다 abstenerse de dar una fiesta lujosa.

자습(自習) instrucción *f* por sí mismo, estudio *m*, aplicación *f*, obra *f* en casa. ~하다 instruir por sí mismo, estudiar por sí mismo, estudiar sin maestro.

■~서(書) enseñanza *f* por sí mismo, enseñanza *f* sin maestro. ¶서반아어 ~ enseñanza *f* española por sí mismo [sin maestro]. ~ 시간 hora *f* de estudios.

자승(自乘)【수학】((구용어)) =제곱.

■~근【수학】((구용어)) =제곱근. ~멱(冪)【수학】((구용어)) =제곱멱. ~비【수학】((구용어)) =제곱비. ~수【수학】((구용어)) =제곱수.

자승자박(自繩自縛) caída *f* en la trampa *suya* propia. ~하다 caer en *su* propia trampa.

자시(子時)【민속】*chasi*, mediodía *m*.

자시다 comer, tomar.

자시하(慈侍下) =편모슬하(偏母膝下).

자식(子息) ① [아들과 딸] hijos *mpl*, hijo e hija. ~이 많다 tener muchos hijos. ~이 없다 no tener hijos. ~이 셋 있다 tener tres hijos. 아끼는 ~처럼 돌보다 cuidar como a las niñas de *sus* ojos. 그 부부는 ~이 여럿이다 Ese matrimonio tiene muchos hijos. 그는 상인의 ~으로 태어났다 El nació en la familia de un comerciante. ~을 가져 보아야 부모의 마음을 안다 No entenderás lo mucho que te quieren tus padres hasta que tengas hijos. 저렇게 비싼 장난감을 사 주다니 ~ 귀여운 줄밖에 모르는 어리석은 부모군! ¡Qué tonto está por su hijo que le compra un juguete tan caro! 초달을 차마 못하는 자는 [매를 아끼는 자는] 그 ~을 미워함이라 ~을 사랑하는 자는 근실히 징계하느니라 ((잠언 13:24)) El que detiene el castigo, a su hijo aborrece; mas el que lo ama, desde temprano lo corrige / Quien no corrige a su hijo, no lo quiere; el que lo ama, lo corrige. 매질을 아끼면 ~을 망친다 / ~ 귀엽거든 매를 아끼지 마라 ((서반아 속담)) Quien ahorra la vara odia a su hijo (회초리를 아끼는 자는 자기의 자식을 미워한다). ② [「놈」보다 낮추어 욕하는 말] tío *m*, tipo *m*, hombre *m*, *Méj* chavo *m*. 나쁜 ~ mal tipo *m*, mal hombre *m*. ~아 ¡Eh! / ¡Mira! / ¡Qué haces! / ¡Sinvergüenza! / ¡Pillo! 개~ ¡Hijo de puta! 저 ~은 사기꾼이다 Ese tipo es un estafador. ③ [어린아이를 귀엽게 이르는 말] niño, -ña *mf*, guapito, -ta *mf*. ~ 참 귀엽기도 하지! [남자 아이에게] ¡Qué guapito! / [여자 아이에게] ¡Qué guapita!

◆자식을 보다 tener un hijo, dar a luz un niño.

■자식 둔 골은 호랑이도 돌아본다 ((속담)) No hay nadie que no quiera a sus propios hijos / El animal también ama su cría y mucho más el hombre.

■~ 살해(殺害) infanticidio *m*. ~ 살해자 infanticida *mf*, homicida *mf* de niños.

자신(自身) se, sí mismo. ~의 *su*, propio, mismo, de sí mismo; [개인의] personal, particular. ~에 의해 por sí mismo, en persona, personalmente. ~이 [스스로]「주어의 인칭 대명사」+ mismo, -ma, -mos, -mas; en persona, personalmente. ~을 위하여 para sí mismo. 그 ~ él mismo. 그녀 ~ ella misma. 그들 ~ ellos mismos. 그녀들 ~ ellas mismas. ~혼자서 por sí solo, solo. ~의 방식으로 a *su* modo, a *su* manera, a *su* vez. 내 ~의 자세 mi propia [misma] postura. 당신 ~의 손으로 con sus propias manos. 당신 ~의 눈으로 con sus propios ojos. ~의 이익에 반(反)해 en contra de *su* propio beneficio. ~을 모르다 no conocer a sí mismo. ~에 엄하다 ser exigente con*sigo* mismo. ~에 초조하다 exasperarse de sí mismo, impacientarse con*sigo* mismo. ~에 만족하고 있다 estar contento de sí mismo. ~을 위해 챙기다 reservar para *su* uso personal. ~의 눈으로 확인하다 asegurar con *sus* propios ojos. ~의 것으로 만들다 hacerse dueño (de), apoderarse (de). 농담을 하고 ~부터 웃다 reírse de *sus* propias bromas. 그들은 각자 ~의 일이 있다 Ellos tienen respectivos trabajos particulares. ~의 일은 ~이 해라 Tus cosas hazlas tú mismo.

자신(自信) confianza *f* en sí mismo, seguridad *f* en sí mismo. ~하다 confiar (en), tener (la) plena confianza (de). ~ 있는 [사람이] seguro en sí mismo; [날씨 따위가] hecho con confianza, hecho con seguridad. ~ 있는 사람 persona *f* segura en sí mismo. ~이 솟아나다 cobrar la seguridad en sí mismo, ganar la confianza en sí mismo. ~을 가지고 있다 tener confianza en sí mismo. ~을 얻다 ganar confianza. ~을 잃다 perder confianza. …에 ~이 있다 ser fuerte en *algo*. …할 ~이 없다 sentirse incapaz de + *inf*. 내가 ~ 있는 학과(學科) asignatura *f* en la que yo soy fuerte. 나는 ~이 있다 Me fío de mí mismo / Tengo confianza en mi capacidad / Tengo confianza en mí mismo. 그는 확고한 ~을 가지고 있다 El tiene una firme confianza en sí mismo. 그는 ～이 너무 과하다 El está demasiado seguro de sí mismo. 나는 수학에 ～이 있다 Soy fuerte en matemáticas. 그는 테니스에 ～이 있다 El es un buen jugador de tenis. 그녀는 부침개에 ～이 있다 La tortilla es la especialidad de ella. 그는 노래에 ～이 없다 El canto no es su fuerte. 그는 제일 ～ 있는 노래를 불렀다 El ha cantado la canción que mejor canta. 우리는 승리를 ～한다 Confiamos en la victoria.

■ ～감(感) confianza *f.* ～을 불어넣다 inspirar confianza.

자신만만하다 estar plenamente seguro de *sí* mismo, estar lleno de confianza en *sí* mismo, rebosar seguridad de *sí* mismo, estar rebosante [desbordante] de confianza en *sí* mismo.

자실(自失) desatención *f,* descuido *m,* distracción *f,* estupefacción *f.* ～하다 perder el conocimiento, estar insensible. 망연～하다 absorberse.

자심하다(滋甚－) ponerse peor, empeorar, ser de mal en peor.

자심히 peor.

자씨(姉氏) su hermana mayor.

자아(自我) ego *m,* egoísmo *m,* yo *m,* uno mismo, sí mismo. ～의 해방(解放) emancipación *f* del yo. ～의 확립(確立) afirmación *f* del yo. ～를 확립하다 afirmar *su* personalidad. ～에 눈뜨다 despertarse a la conciencia de sí mismo. 그는 ～가 아주 강하다 El es (un hombre) muy egoísta.

■ ～ 보존(保存) conservación *f,* supervivencia *f.* ¶ ～의 본능(本能) instinto *m* de conservación [supervivencia]. ～비판 ＝자기비판. ～의식 conciencia *f* de la propia identidad. ～주의 egoísmo *m,* egotismo *m.* ～주의자 egoísta *mf,* egotista *mf.*

자아내다 ① [기계의 힘으로 실을 연달아 뽑아 내다] hilar. ② [기계의 힘으로 액체나 기체를 잇따라 흘러나오게 하다] extraer [sacar] por máquina, succionar, aspirar. ③ [느낌이나 일이나 말을 끄집어서 일으켜 내다] provocar, excitar, estimular, despertar, suscitar. 눈물을 ～ excitar [hacer saltar] las lágrimas. 웃음을 ～ provocar a reír. 측은한 마음을 ～ provocar a lástima. 그 강은 헤엄을 치고 싶은 생각을 자아낸다 El río provoca a bañarse.

자아올리다 chupar, succionar, bombear.

자안(慈眼) ((불교)) ojos *mpl* misericordiosos.

자안(慈顔) cara *f* misericordiosa, rostro *m* misericordioso.

자애(自愛) egoísmo *m.* 아무쪼록 자중 ～하시기를 바랍니다 Tenga usted mucho cuidado con [de] su salud / Cuídese usted mucho / Deseo que usted se cuide de su salud.

■ ～주의 egoísmo *m,* egotismo *m.*

자애(慈愛) caridad *f,* amor *m* al prójimo, benevolencia *f,* cariño *m,* afecto *m,* ternura *f.* ～ 깊은 benévolo, cariñoso, afectuoso, amoroso. ～로 가득한 눈으로 con los ojos llenos de afecto y ternura. ～는 가정에서부터 시작한다 La caridad bien entendida empieza por uno mismo [por casa].

자애로이 benévolamente.

자애롭다 (ser) benévolo, amoroso.

■ ～지정(之情) cariño *m,* afecto *m.*

자약하다(自若－) (ser) dueño de sí (mismo), sereno, tranquilo. 자약하게 serenamente, tranquilamente.

자양(滋養) nutrición *f,* nutrimiento *m.*

■ ～ 가치(價値) valor *m* nutritivo. ～과다 supernutrición *f,* hipertrofia *f.* ～ 관장 alimentación *f* rectal. ～물(物) artículo *m* nutritivo, comida *f* nutritiva, comida *f* sustancial, nutrimento *m.* ～분(分) substancia *f* nutritiva, materia *f* nutritiva, nutrimento *m.* ～품 ＝자양물(滋養物).

자양화(紫陽花)【식물】hortensia *f.*

자업자득(自業自得) consecuencia *f* del acto propio, castigo *m* bien merecido, justo castigo *m,* Con tu pan te lo comas. 그가 실패한 것은 ～이었다 El sembró su propio fracaso. 너는 ～이다 ¡Tú lo has querido! / ¡Te está bien empleado!

■ 자업자득이다 ((속담)) Quien mal siembra, mal coge / Quien siembra vientos recoge tempestades / Dios le ha castigado.

자연(自然) ① [사람의 힘을 더하지 않은 천연(天然) 그대로의 상태] naturaleza *f.* ～의 natural;【광물·야금】nativo. ～과 인생(인생) naturaleza y hombre. ～의 묘(妙) maravilla *f* de la naturaleza. ～ 그대로 al natural. ～을 거슬러 contranatural. ～에 반(反)하다 ir contra la naturaleza, ir en contra de la naturaleza. ～으로 돌아가다 [사람이] regresar [volver] a la naturaleza; [정원이] volver a *su* estado natural. ～을 벗으로 삼다 no tener amigo más que la naturaleza, vivir (en contacto) con la naturaleza. ～을 즐기다 vivir en amistad con la naturaleza. ～의 맹위(猛威)에 위협받다 ser amenazado las fuerzas naturales, estar a merced de las fuerzas naturales. …하는 것은 ～이다 Es muy lógico [natural] que + *subj.* 우리는 ～을 사랑해야 한다 Nosotros tenemos que amar la naturaleza. 그의 연기(演技)는 ～이 아니다 Su interpretación es poco natural. ② ＝자연히.

■ ～가격 ＝정상 가격. ～가스 ＝천연가스. ～경관(景觀) paisaje *m* natural. ～경제 economía *f* natural. ～계 (mundo *m* de la) naturaleza *f.* ～공원 parque *m* natural. ～과학 ciencia(s) *f(pl)* natural(es). ～과학자 científico, -ca *mf.* ～관(觀) visión *f* [idea *f*] de la naturaleza. ～ 관찰(觀察) observación *f* natural. ～광(光) luz *f* natural. ～교 ＝자연 종교. ～권 derecho *m* natural. ～금(金) oro *m* natural. ～대수 ((구용어)) ＝자연로그. ～ 도태 ((구용어)) ＝자연 선택. ～력 [자연계의 작용] agencia *f* natural; [풍력·수력 등] fuerzas *fpl* de la naturaleza. ~로그 logaritmo *m* natural. ~림(林) ㉮ =원시림. ㉯ [자연적으로 이루어진 수풀] bosques *mpl* naturales. ~ 면역 inmunidad *f* natural. ~ 묘사 descripción *f* de la naturaleza. ~물 objeto *m* natural. ~미(美) belleza *f* natural, belleza *f* de la naturaleza. ~ 발생(發生) generación *f* espontánea; 【생물】 abiogénesis *f*. ~ 발생설(發生說) abiogénesis *f*. ~ 발생적(發生的) espontáneo. ~ 발화(發火) combustión *f* espontánea. ~ 방사능(放射能) radioactividad *f* natural. ~법 derecho *m* natural, ley *f* natural. ~ 법칙 ㉮ [자연적인 법칙] ley *f* natural, leyes *fpl* de la naturaleza. ㉯ =인과율. ~법학 derecho *m* natural. ~ 보호 conservación *f* de la naturaleza, protección *f* del medio ambiente natural. ~ 보호론자 [보호주의자] conservacionista *mf*. ~ 분류(分類) clasificación *f* natural. ~ 분리(分離) avulsión *f*, extirpación *f*. ~ 분만 parto *m* natural. ~사(史) historia *f* natural. ~사(死) muerte *f* natural. ~ 사회 sociedad *f* natural. ~ 상태 estado *m* natural. ~색(色) color *m* natural. ~생(生) nacimiento *m* natural. ~석(石) roca *f* viva, piedra *f* natural. ~ 선택 selección *f* natural. ~성 naturalidad *f*. ~ 소멸(消滅) extinción *f* natural. ~수(水) el agua *f* natural. ~수(數) número *m* natural. ~ 수은 mercurio *m* nativo. ~ 숭배 culto *m* a la naturaleza. ~ 숭배자(崇拜者) adorador, -dora *mf* a la naturaleza. ~시(詩) poema *m* a la naturaleza. ~ 시인(詩人) poeta, -tisa *mf* de la naturaleza. ~식(食) alimientos *mpl* naturales. ~식품(食品) =자연식. ~신교(神敎) deísmo *m*. ~신론(神論) deísmo *m*. ~ 신학 teología *f* natural. ~ 신학자 teólogo, -ga *mf* natural. ~ 신화(神話) mitología *f* natural. ~애(愛) amor *m* natural. ~ 연소 =자연 발화(自然發火). ~ 영양 nutrición *f* natural. ~ 영양법 =자연 영양. ~ 요법(療法) fisioterapia *f*. ~ 요법 의사 fisioterapeuta *mf*. ~ 유황 =자연황. ~율(律) =자연법. ~은(銀) plata *f* nativa. ~인 hombre *m* natural, hombre *m* ingenio, niño *m* natural. ~ 인류학 antropología *f* natural. ~ 자원 recursos *mpl* naturales. ~재해 siniestro *m* natural. ~적(的) natural. ¶~으로 [타고나다] por naturaleza; [웃다 · 행동하다 · 말하다] con naturalidad; [낫다 · 형성하다] de manera natural. ~인 상태 condición *f* natural, estado *m* natural. ~적 경계 límite *m* natural, frontera *f* natural. ~ 정화(淨化) purificación *f* natural. ~ 종교 religión *f* natural. ~주의 naturalismo *m*. ~주의자 naturalista *mf*; lakista *mf*. ~주의파 escuela *f* lakista. ~ 증가(增加) crecimiento *m* natural, aumento *m* natural. ~ 증가율 proporción *f* de crecimiento natural. ~지(智) sabiduría *f* natuaral. ~ 지리학 geografía *f* física, fisiografía *f*. ~철(鐵) hierro *m* natural. ~ 철학 filosofía *f* natural. ~파(派) escuela *f* lakista. ~ 폭발 explosión *f* espontánea. ~ 현상 fenómeno *m* natural, fenómeno *m* de la naturaleza. ~ 혈족 consanguíneo *m* natural. ~ 화장품 cosméticos *mpl* naturales. ~ 화폐(貨幣) moneda *f* natural. ~환경 medio *m* ambiente natural. ~환경 보전법 ley *f* de protección de medio ambiente natural. ~황(黃) azufre *m* natural.

자연히 naturalmente, con naturalidad; [저절로] por sí mismo, (por sí) solo; [자발적으로] espontáneamente, voluntariamente; [본능적으로] instintivamente. 상처는 ~ 아물었다 La herida se curó por sí misma. 그것은 ~ 알게 되실 겁니다 De eso se enterará usted por sí solo.

자연(紫煙) ① [담배 연기] humo *m* del cigarrillo [del tabaco]. ② [보랏빛 연기] humo *m* purpúreo.

자엽(子葉) 【식물】 =떡잎(dicotiledónea).
◆단(單)~ 식물 monocotiledónea *f*. 쌍(雙)~ 식물 dicotiledónea *f*.

자영(自營) autodirección *f*, autoadministración *f*, autofinanciación *f*. ~하다 llevar un negocio independiente, hacer *sus* negocios independientemente. ~의 independiente, económicamente autofinanciado.
■~ 농민(農民) agricultor *m* propietario, agricultora *f* propietaria. ~업 empresa *f* independiente, negocio *m* independiente

자오선(子午線) ① 【천문】 meridiano *m*. ~의 meridiano, meridional. ② =경선(經線).
◆본초 ~ el primer meridiano.
■~ 고도(高度) altitud *f* meridiana, altitud *f* meridional. ~ 관측(觀測) observación *f* meridiana. ~ 통과 culminación *f*, tránsito *m* (de meridiano).

자오의(子午儀) instrumento *m* de tránsito meridiano.

자오환(子午環) 【천문】 círculo *m* meridiano, círculo *m* de tránsito.

자욱하다 estar lleno (de), estar cubierto (de), ser denso. 자욱한 안개 bruma *f* densa. 부엌에 연기가 ~ La cocina está llena de humo. 구름이 하늘에 ~ Las nubes erran por el cielo. 향수의 향기가 ~ El aroma del perfume embriaga el ambiente. 홀에는 연기가 자욱했다 La sala era una humareda.

자욱이 densamente, copiosamente.

자외선(紫外線) rayos *mpl* ultravioletas, luz *f* ultravioleta. ~의 ultravioleta.
■~ 레인지 gama *f* del ultravioleta. ~ 사진 fotografía *f* ultravioleta. ~ 스펙트럼 espectro *m* ultravioleta. ~ 요법(療法) tratamiento *m* por los ultravioletas. ~ 웨이브 longitud *f* de onda ultravioleta. ~ 천문학 astronomía *f* ultravioleta. ~ 치료(治療) tratamiento *m* ultravioleta. ~ 필터 filtro *m* para luz ultravioleta. ~ 현미경(顯微鏡) microscopio *m* ultravioleta.

자용(自用) uso *m* por sí mismo, *sus* propios gastos. ~하다 usar para el propósito privado, apropiarse de sí mismo. ~의 privado, particular, para el uso por *sí* mismo, para el uso personal, para el uso privado.

자용(姿容) figura *f*, aspecto *m*.

자우(慈雨/滋雨) ① [생물에게 혜택이 되게 오는 비] lluvia *f* propia de la época del año. ② =단비 (lluvia benéfica). ¶가뭄 뒤의 ~ lluvia *f* benéfica después de una sequía.

자우룩하다 estar nublado y sin viento. 자우룩이 con nubes y sin viento.

자욱하다 (ser) denso. ☞자옥하다 자욱이 densamente, copiosamente.

자운(字韻) ritmo *m* de las letras.

자운(紫雲) ① [상서로운 구름] nubes *fpl* auspiciosas. ② [자줏빛 구름] nube *f* violeta.

자운영(紫雲英) 【식물】 ((학명)) Astragalus Sinicus.

자웅(雌雄) ① =암수(macho y hembra). ¶병아리의 ~을 감별(鑑別)하다 determinar la sexualidad de los polluelos [los pollitos]. ② [강약・승부・우열의 비유] victoria o derrota, supremacía *f*, maestría *f*. ~을 다투다 luchar por la hegemonía, rivalizar (con).

◆자웅(을) 겨루다 enfrentarse para una lucha definitiva. A와 ~ medirse con A.

■~눈 un par de ojos que no es el mismo tamaño. ~눈이 persona *f* cuyos ojos no igualan. ~ 도태 ((구용어)) =자웅 선택(雌雄選擇). ~ 동주(同株) monoecismo *m*. ~ 동체 hermafroditismo *m*. ~ 동화(同花) = 양성화(兩性花). ~목(目) ㉮ =자웅눈. ㉯ =자웅눈이. ~ 생식 gamogénesis *f*. ~ 선택 selección *f* sexual. ~ 이가(異家) =자웅이화. ~ 이주(異株) dioecismo *m*. ~ 이체(一異體) =암수딴몸. ~ 이형(異形) dimorfismo *m* sexual. ~ 이화(異花) =단성화(單性花).

자원(自願) lo voluntario. ~하다 ofrecer [contribuir] voluntariamente. ~해서 voluntariamente, por voluntad propia. ~ 봉사를 지원하다 ofrecerse de voluntario [voluntaria].

■~ 봉사자(奉仕者) voluntario, -ria *mf*. ~자 voluntario, -ria *mf*. ¶~를 요청하다 pedir voluntarios.

자원(資源) recursos *mpl* (naturales). 국가의 ~ recursos *mpl* nacionales. ~을 개발하다 explotar recursos naturales. ~이 남아돌다 *Ven* estar en la sabana. ~이 풍부하다 ser rico de recursos naturales.

◆광물(鑛物) ~ recursos *mpl* minerales. 물적(物的) ~ recursos *mpl* materiales. 인적(人的) ~ recursos *mpl* humanos. 지하(地下)~ recursos *mpl* subterráneos. 천연(天然)~ recursos *mpl* naturales.

■~ 개발 desarrollo *m* de recursos. ~ 보호(保護) conservación *f* de recursos. ~ 위성 satélite *m* de recursos. ~ 전쟁 guerra *f* de recursos. ~ 혁명(革命) revolución *f* de recursos.

자월(子月) 【민속】 *chawol*, noviembre *m* del calendario lunar.

자위[1] [눈알이나 새 따위의 알에 있어 빛깔에 따라 구분된 부분] [눈의 흰자위] blanco *m*; [달걀의 흰자위] clara *f*; [달걀의 노른자위] yema *f*. 검은 ~ [눈의] parte *f* de color. 노른~ [달걀의] yema *f* (de huevo). 흰~ [눈의] blanco *m* del ojo.

자위[2] ① [무거운 물건이 움직이기 전까지 붙박이로 놓였던 자리] posición *f* fija. ② [배 속의 아이가 놀기 전까지의 정적 상태] estado *m* tranquilo. ③ [밤톨이 완전히 익기 전까지 밤송이 안에서의 미숙한 상태] estado *m* no maduro.

◆자위(가) 돌다 mover. 태아가 마침내 자위가 돌기 시작했다 El feto ha empezado a mover.

◆자위(를) 뜨다 ㉮ [무거운 물건이 다른 힘을 받아 겨우 자리에서 움직이다] moverse. ㉯ [배 안의 어린이가 놀기 시작하다] el feto empezar a mover(se).

자위(自慰) ① [스스로 위로하여 안심을 얻음] consuelo *m* de sí mismo. ~하다 consolarse. ② [수음(手淫)] onamismo *m*, masturbación *f*. ~ 행위를 하다 masturbarse, entregarse a la masturbación.

자위(自衛) defensa *f* propia, autodefensa *f*. ~하다 defenderse.

■~권 derecho *m* de defensa propia. ~대 ㉮ [자위를 위하여 조직한 부대] tropas *fpl* de defensa propia. ㉯ [제이차 세계 대전 이후의 일본의 방위 조직] Fuerzas *fpl* Armadas de Autodefensa. ¶육상(陸上) ~ Fuerzas *fpl* Terrestres de Autodefensa. 해상(海上) ~ Fuerzas *fpl* Marítimas de Autodefensa. 항공 ~ Fuerzas *fpl* Aéreas de Autodefensa. ~ 본능(本能) instinto *m* de defensa propia. ~책(策) medidas *fpl* defensivas, medio *m* de defensa.

자유(自由) libertad *f*. 개인(個人)의 ~ libertad *f* personal. 결사(結社)의 ~ libertad *f* de asociación. 경쟁(競爭)의 ~ libertad *f* de competencia. 사상(思想)의 ~ libertad *f* de pensamiento. 선택(選擇)의 ~ libertad *f* de elección. 신교(信教)의 ~ libertad *f* de conciencia. 신앙(信仰)의 ~ libertad *f* de cultos. 양심의 ~ libertad *f* de conciencia. 언론의 ~ libertad *f* de palabra; [신문의] libertad *f* de prensa. 출판의 ~ libertad *f* de imprenta. 행동(行動)의 ~ libertad *f* de acción. ~를 박탈하다 privar de libertad, quitar (la) libertad, coartar la libertad. ~를 주다 libertar, poner en libertad. ~의 몸이 되다 libertarse. 개인의 ~를 존중하다 respetar la libertad personal. …하는 것은 네 ~다 Tienes la libertad de + *inf* / Puedes + *inf* como quieras / Eres libre de + *inf*. 그것은 내 ~다 Eso es cuenta mía. 복장은 ~다 No es obligatiorio [de rigor] ir de etiqueta. 그것을 승낙하거나 거절하거나는 당신의 ~다 Usted tiene plena libertad para aceptarlo o rehusarlo.

■~ 가격(價格) precio *m* libre. ~ 개방 시장 mercado *m* libre y abierto. ~ 결사(結社) asociación *f* voluntaria. ~ 결혼(結婚)

matrimonio *m* libre. ~ 경쟁(競爭) libre competencia *f*. ~ 경제 economía *f* libre. ~ 계약 contrato *m* libre, contrato *m* de trabajador autónomo. ~ 계약 기자 corresponsal *mf* independiente. ~ 계약 노동자 trabajador, -dora *mf* por cuenta propia; trabajador *m* autónomo, trabajadora *f* autónoma. ~ 계약 작가 escritor, -tora *mf* independiente; escritor, -tora *mf* *freelance*. ~ 공업 지역 zona *f* franca industrial. ~ 교육 educación *f* liberal. ~ 국가 país *m* libre. ~권 derechos *mpl* civiles. ~ 기업(企業) libre empresa *f*. ~ 기업가 empresario, -ria *mf* libre. ~ 기업 경제 economía *f* competitiva, economía *f* de mercado, economía *f* sin intervención. ~ 기업 시장 mercado *m* de libre empresa, mercado *m* no intervenido. ~ 기업 제도 sistema *m* de libre empresa. ~ 낙하 caída *f* libre. ~ 노동 jornal *m*, labor *f* libre. ~ 노동자 jornalero, -ra *mf*; labrero, -ra *mf* libre. ~ 농업(農業) agricultura *f* libre. ~ 당 partido *m* liberal. ~당원 liberal *mf*. ~ 도시 ciudad *f* libre. ~로이 libremente, con libertad, sin reserva; [능숙하게] con habilidad, hábilmente; [솔직하게] con franqueza, francamente. ¶~ 다루다 ㉮ [사람을] tener a *uno* en un puño, manejar a *uno* a su antojo. ㉯ [도구를] manejar *algo* con habilidad. 서반아어를 ~ 구사하다 dominar el español, saber a fondo el español. 약간의 돈을 ~ 쓸 수 있다 poder disponer de cierta cantidad de dinero. ~ 말씀하십시오 Hable usted con toda franqueza. 제 자동차를 ~ 쓰십시오 Tiene mi coche a su disposición. ~ 드십시오 [음식 따위를] Sírvase usted a su discreción. ~ 입장해 주십시오 [무료 입장] Entrada libre. 이 돈은 내가 ~ 쓸 수 없다 No puedo disponer de este dinero / No puedo usar este dinero libremente. 나는 (입학 수속 없이) ~ 청강했다 He estudiado por libre. ~롭다 (ser) libre. 자유로운 libre. 자유롭게 libremente, con libertad, sin reserva, libertadamente. 몸이 자유롭지 못하다 no tener libertad de movimientos (de miembros). 인간은 자연 앞에서 ~ El hombre es libre por naturaleza. 나는 새를 자유롭게 하기 위해 새장을 열었다 Yo abrí la jaula para dejar libre al pájaro. ~ 무역(貿易) libre comercio *m*, comercio *m* libre, libre cambio *m*, librecambio *m*. ~ 무역론(貿易論) librecambismo *m*. ~ 무역론자(貿易論者) librecambista *mf*. ~ 무역 정책 política *f* de libre cambio. ~ 무역주의(貿易主義) librecambismo *m*. ~ 무역주의자(貿易主義者) librecambista *mf*. ~ 무역 지대 zona *f* franca, zona *f* de libre comercio. ~ 무역 지역 el área *f* (*pl* las áreas) de libre comerecio. ~ 무역항(貿易港) puerto *m* libre, puerto *m* franco. ~ 무역 협정 el Acuerdo de Libre Comercio. ~ 문제 ((체조)) ejercicios *mpl* libres. ~민 pueblo *m* libre; [영국 역사상의] vasallo *m* propietario de la tierra que cultivaba. ~ 민권론 derechos *mpl* democráticos. ~ 민주당 el Partido Democrático Liberal. ~ 민주당원 demócrata *mf* liberal. ~ 발행 publicación *f* libre. ~ 방임 no intervención. ~ 방임주의 principio *m* [sistema *m*] no intervencionista. ~ 번역(飜譯) traducción libre. ~ 법학 derecho *m* libre. ~ 보유권(保有權) plena propiedad *f*. ~ 분방 bohemio *m*. ~ 사상 librepensamiento *m*, pensamiento *m* libre, ideas *fpl* libres. ~ 사상가(思想家) librepensador, -dora *mf*. ~ 상공업 지역 zona *f* franca industrial y comercial. ~석 asiento *m* no reservado. ~ 세계 mundo *m* libre. ~스럽다 (ser) libre, libertado. ~스레 libremente, con libertad, sin reserva, liberetadamente; [솔직히] con toda franqueza; [마음대로] a *su* disposición, a *su* discreción. ~시(市) =자유 도시. ~시(詩) verso *m* libre, verso *m* blanco. ~ 시간 tiempo *m* libre, hora *f* libre. ~ 시세 tasa *f* [cotización *f*] libre. ~ 시장 mercado *m* libre, mercado *m* sin intervención. ~ 시장 경제 economía *f* de (libre) mercado. ~ 시장 경제 지지자 partidario, -ria *mf* de la economía de (libre) mercado. ~ 시장 제도 sistema *m* de libre mercado. ~ 시장 지역 zona *f* de libre mercado. ~ 어업 pesca *f* libre. ~업 =자유 직업. ~ 에너지 energía *f* libre. ~ 연구 investigación *f* independiente. ~ 연상 asociación *f* de ideas libre. ~ 연애 amor *m* libre. ~ 예금 ahorro *m* libre. ~ 의사(意思) pensamiento *m* libre, voluntad *f* libre, idea *f* libre. ~ 의지(意志) voluntad *f* libre, libre voluntad *f*, libre albedrío *m*. ~ 의지론 doctrina *f* de libre voluntad. ~ 이민 [출국의] emigración *f* libre; [입국의] inmigración *f* libre. ~인(人) =자유민. ~ 임용 nombramiento *m* libre. ~자재 ¶~의 libre y liberal, libre y no restrictivo, libre de toda cartapisa. ~로 con facilidad, a *su* gusto, como una seta, libremente, sin restricción. ~로 다루다 manejar bien. 그는 영어와 서반아어를 ~로 구사한다 El domina perfectamente el inglés y el español. ~ 작가(作家) escritor, -tora *mf* que trabaja por cuenta propia; freelance *ing.mf*; freelancer *ing.mf*. ~재(財) mercancías *fpl* libres. ~ 재량 libertad *f*, flexibilidad *f*, discreción *f*. ~ 재화 =자유재. ~ 전기 electricidad *f* libre. ~ 전자 electrón *m* libre. ~ 종목(種目) ((체조)) ejercicios *mpl* libres. ~주의 liberalismo *m*, librecambismo *m*. ~주의 경제 economía *f* liberal. ~주의 경제학 economía *f* liberal. ~주의자 liberalista *mf*; liberal *mf*. ~ 지대 zona *f* de libre mercado, zona *f* franca, zona *f* no intervenida. ~ 직업 profesión *f* liberal. ~ 직업인 profesional *mf*, persona *f* que ejerce una profesión liberal. ~ 진동 vibración *f* libre. ~ 진영 el Mundo Libre. ~ 토론[토의] discusión *f* libre. ~ 통상(通

ㅈ

商) comercio *m* libre. ~투 tiro *m* libre. ~파괴자 liberticida *mf.* ~ 판매 venta *f* libre. ~항(구) puerto *m* libre, puerto *m* franco. ~ 항로 ruta *f* aérea libre. ~항 지역 zona *f* de puerto franco, zona *f* franca portuaria. ~ 항행(航行) navegación *f* libre. ~ 해방 emancipación *f,* liberación *f.* ~ 행동(行動) actitud *f* libre, actitud *f* independiente; [자유 시간] tiempo *m* libre. ~형 ㉮ ((수영)) estilo *m* libre, natación *f* libre. 100미터 ~ los cien metros libres, los cien metros estilo libre. ㉯ ((레슬링)) lucha *f* libre, lucha *f* de estilo libre. ~ 혼인 =자유 결혼. ~화(化) liberalización *f.* ¶~하다 liberalizar. 무역(貿易)의 ~ liberalización *f* de comercio. 자본(資本)의 ~ liberalización *f* de capital. 완전 ~ liberalización *f* total e integral. ~ 화물 mercancía *f* libre. ~화 정책(化政策) política *f* de liberalización. ~ 화폐 moneda *f* libre. ~ 환시세 tipo *m* de cambio libre.

자율(自律) dominio *m* de sí mismo, autocontrol *m,* autodominio *m,* determinación *f* de sí mismo, autoregulación *f;* 【철학】 autonomía *f.* ~의 autónomo.
■ ~권(權) derecho *m* autónomo. ~성(性) autonomía *f.* ~ 신경(神經) nervios *mpl* autónomos. ~신경계 sistema *m* nervioso autónomo. ~ 신경 불안정증 ataxia *f* autónoma. ~ 신경 실조증 desequilibrio *m* autónomo. ~신경절 ganglio *m* autónomo. ~적 autónomo. ¶~으로 autónomamente.

자음(子音) 【언어】 consonante *f.* ~의 consonántico.
■ ~자(字) letra *f* consonante, consonante *f.*

자음(字音) pronunciación *f* de sonido que representa carácter chino.

자의(字義) sentido *m* de una palabra. ~대로의 literal, textual. ~대로 literalmente, conforme a la letra, conforme al sentido literal. 지나친 ~대로의 해석 interpretación *f* demasiado literal. ~대로 해석하다 interpretar literalmente, interpretar textualmente, tomar a la letra, tomar al pie de la letra.

자의(自意) *su* propia voluntad. ~로 voluntariamente, espontáneamente, de libre voluntad.
■ ~식(識) conciencia *f* de sí mismo, conciencia *f* de *su* propia estimación, conciencia *f* de la propia identidad. ~식 과잉 exceso *m* de conciencia de sí mismo.

자의(恣意) corazón *m* impertinente, corazón *m* impudente. ~적 arbitrario, caprichoso. ~적으로 arbitrariamente, a *su* capricho, a *su* gusto.

자이레 【지명】 Zaire *m.* ~의 zaireño.
■~ 사람 zaireño, -ña *mf.*

자이로스코프(영 *gyroscope*) 【물리】 giroscopio *m,* giróscopo *m.* ~의 giroscópico.

자이로컴퍼스(영 *gyrocompass*) 【물리】 brújula *f* giroscópica, girocompás *m.*

자이로 호라이즌(영 *gyro horizon*) 【물리】 horizonte *m* giroscópico.

자이언트(영 *giant*) ① [거인(巨人)] gigante, -ta *mf.* ② [큰 인물] gran hombre *m* (*pl* grandes hombres), héroe *m;* gran mujer *f* (*pl* grandes mujeres), heroína *f.*

자익(自益) *su* propio interés, *su* propia ganancia, *su* propio beneficio.

자인(自刃) suicidio *m* por la espada. ~하다 suicidarse por la espada.

자인(自認) reconocimiento *m,* confesión *f.* ~하다 reconocer, admitir, confesar. 그는 범행을 ~했다 El reconoció su crimen.

자인(瓷印) sello *m* de tierra de la materia de cerámica.

자일(子日) 【민속】 *chail,* el Día de la Rata.

자일(독 *Seil*) 【등산】 cuerda *f,* soga *f.*

자일하다(恣逸-) =방자(放恣)하다.

자임(自任) pretensión *f,* presunción *f.* ~하다 ser (un) creído, estimarse apto para hacer una cosa. 그는 너무 ~하고 있다 El es muy creído / Se lo tiene muy creído. 그는 배우로 ~하고 있다 Se las da de actor.

자자손손(子子孫孫) descendientes *mpl,* hijos *mpl,* posteridad *f.* ~까지 hasta los nietos y bisnietos. ~에 전하다 transmitir a *sus* descendientes.

자자하다(孜孜-) (ser) constante y diligente. 자자히 constante y diligentemente.

자자하다(藉藉-) difundirse (por), propagarse, extenderse (por). 그 소식은 전 지역에 자자했다 La noticia se difundió por toda la región.

자작(子爵) vizconde *m.*
■ ~ 부인(夫人) vizcondesa *f.*

자작(自作) ① [자제(自製)] *su* propia obra, *su* propia producción, *su* propia composición, producción *f* de *su* mano. ~하다 hacer solo, escribir solo. 그의 ~시(詩) poema *m* de *su* composición [de *su* propia pluma], *su* propio poema. ② [제 땅으로 농사 지음] cultivo *m* de *su* propio cortijo [*su* propia hacienda · *su* propia granja]. ~하다 cultivar *su* propio cortijo [*su* propia hacienda · *su* propia granja]
■ ~곡(曲) *su* propia composición. ~농(農) agricultura *f* propietaria, agricultura *f* hacendada; [농민] agricultor *m* [labrador *m*] propietario [hacendado], agricultora *f* [labradora *f*] propietaria [hacendada]. ~시(詩) *su* propio poema. ~일촌(一村) aldea *f* familiar. ~자급 autosustento *m,* autoalimento *m.* ~자연(自演) representación *f* de *sus* propias piezas; 【음악】 interpretación *f* de *sus* propias obras. ~자음(自飮) autoservicio *m.*

자작(自酌) ((준말)) =자작자음(自酌自飮).

자작거리다 caminar [andar] con paso inseguro, tambalearse. 자작거리며 tambaleándose, tambaleantemente.
자작자작 tambaleándose.

자작나무 【식물】 abedul *m* blanco.

자작자작 casi seco. ~하다 (el agua) casi secarse.

자잘하다 (todos) ser pequeños.
자장(磁場) =자기장(磁氣場).
자장가(—歌) canción *f* de cuna, nana *f*.
자장면(중 醉醬麵) *chachangmyeon*, fideo *f* mixto con carne, verduras, etc. en la salsa china tostada.
자장자장 ¡ro ro!
자재(自裁) =자살(自殺).
자재(資材) materiales *mpl*, recursos *mpl*.
◆건축 ~ materiales *mpl* de construcción. 교육 ~ materiales *mpl* para educación. 군수(軍需) ~ materiales *mpl* de guerra.
■ ~과(課) la Sección de Suministro. ~ 관리 administración *f* de materiales. ~국 el Departamento de Materiales. ~난 escasez *f* de materiales. ~ 보관소 depósito *m* de materiales.
자재(資財) =자산(資産).
자재하다(自在—) ① [저절로 있다] existir naturalmente. ② [속박이나 장애가 없이 마음대로이다] ser ilimitado.
자저(自著) *su* propia obra.
자적(自適) satisfacción *f* de *sí* mismo, autosuficiencia *f*. ~하다 gozar de la vida libre y saludable, estar satisfecho de *sí* mismo.
자전(字典) diccionario *m*, léxico *m*.
자전(自傳) ((준말)) =자서전(自敍傳). ¶~풍의 autobiográfico.
■ ~ 소설(小說) novela *f* autobiográfica.
자전(自轉) rotación *f* (sobre *su* eje). ~하다 girar, dar vuelta, rodar. 지구는 ~하는 데 24시간이 걸린다 La Tierra tarda veinticuatro horas en dar una vuelta sobre su eje. 지구의 ~이 밤과 낮을 생기게 한다 La rotación de la Tierra causa día y noche.
자전거(自轉車) bicicleta *f*, bici *m*; [2인용의] tendem *m* (*pl* téndemes). ~ 타는 사람 ciclista *mf*. ~를 타고 가다, ~로 여행하다 ir en bicicleta. ~를 타다 montar en bicicleta. ~의 페달을 밟다 pedalear la bicicleta. 나는 ~를 타고 일터에 간다 Voy al trabajo en bicicleta. 그는 지금 ~를 타고 일하러 간다 El ahora va a trabaja en bicicleta. 너 ~ 탈 줄 아니? ¿Sabes montar en bicicleta? 그는 ~를 탔다 El se montó en la bicicleta. 그는 ~에서 내렸다 El se bajó de la bicicleta.
■ ~ 경기 ciclismo *m*, carrera *f* ciclista, carrera *f* de bicicletas. ~ 경기장(競技場) velódromo *m*. ~ 선수 ciclista *mf*. ~ 여행 gira *f* en bicicleta. ~ 여행자 ciclista *mf*. ~포 tienda *f* de bicicletas.
자전관(磁電管)【물리】=마그네트론.
자전지계(自全之計) medida *f* de la protección de *sí* mismo.
자절(自切/自截)【동물】autotomía *f*.
자정(子正) medianoche *f*.
자정(自淨) ① [바다・강・대기 등이 자력(自力)으로 오염을 지워 없애는 일] autopurificación *f*. ~하다 autopurificar. ② [어떤 조직이 자체 내의 나쁜 부분을 자력으로 없애는 일] eliminación *f* de la mala parte.
■ ~ 작용(作用) autopurificación *f*.
자정향(紫丁香) lila *f*.
자제(子弟) ① [남의 아들의 경칭] su hijo. ② [남의 집안의 젊은이] joven *m* (*pl* jóvenes) de la familia de otros. 양가(良家)의 ~ joven *m* de la buena familia. 김씨의 ~ hijo *m* del señor Kim.
자제(自制) abnegación *f*, autocontrol *m*, dominio *m* de *sí* mismo. ~하다 abnegarse, refrenarse, contenerse, reprimirse. ~의 abnegado.
■ ~력 autodominio *m*, dominio *m* [control *m*] de *sí* mismo. ¶~을 잃다 perder el dominio de *sí* mismo. 그는 ~을 되찾았다 He recobrado el dominio de sí mismo. ~심 dominio *m* de *sí* mismo.
자제(自製) *su* propia manufactura, *su* propia hechura, obra *f* hecha [artefacto *m* hecho] por *su* mano.
자제(姊弟) la hermana menor y el hermano menor.
자조(自助) autoayuda *f*,【경제】autofinanciación *f*, autofinanciamiento *m*.
■ ~ 정신 espíritu *m* de autoayuda.
자조(自照) reflejo *m* de sí mismo. ~하다 reflejarse a *sí* mismo.
■ ~ 문학(文學) literatura *f* que refleja al escritor mismo.
자조(自嘲) burla *f* de sí mismo. ~하다 burlarse de *sí* mismo.
■ ~적 burlador de sí mismo. ¶그는 ~인 어조로 말했다 El habló con un tono que parecía como si se burlara de sí mismo.
자족(自足) independencia *f*,【경제】autosuficiencia *f*, autarquía *f*. ~하다 (ser) independiente, autosuficiente, autárquico.
■ ~ 경제 economía *f* autosuficiente.
자존(自存) existencia *f* independiente.
자존(自尊) respecto *m* propio, orgullo *m*, amor *m* propio. ~하다 respetarse a *sí* mismo.
자존심(自尊心) orgullo *m*, amor *m* propio, propia estimación *f*, (propia) dignidad *f*, pundonor *m*. ~이 강한 사람 persona *f* con amor propio muy grande. ~이 있다 tener amor propio [pundonor], tener dignidad. ~이 강하다 ser orgulloso [arrogante・soberbio]. ~을 상하다 herir*le* a *uno* en *su* amor propio. ~을 손상시키다 herir [comprometer] la propia estimación (de), rebajar [herir] a *uno* en *su* propia estimación, humillar (a), humillar el orgullo (de), abatir el orgullo [la altivez] (de). ~을 잃다 perder *su* propia dignidad. …의 ~을 해치다 herir*le* a *uno* en *su* amor propio. 그녀는 ~이 상했다 Ella se sintió herida en su amor propio / La hirieron en su amor propio.
자주 muchas veces, a menudo, frecuentemente, con frecuencia, repetidas veces, repetidamente, con mucha frecuencia, una y otra vez; [끊임없이] continuamente, sin cesar, sin interrupciones; [끈질기게] con insistencia, encarecidamente. ~ 반복되는

일화(逸話) una anécdota muy repetida. ~ 다니다 frecuentar. ~ 틀리다 equivocarse con frecuencia. 그의 집에 ~ 가다 frecuentar su casa. 비가 ~ 내린다 Llueve sin cesar / Llueve incesantemente / Sigue lloviendo continuamente. 나는 그녀를 아주 ~ 만난다 Yo la veo bastante seguido [a menudo]. 나는 그녀를 ~ 만났다 Yo la veía a ella muy a menudo. 당신은 얼마나 ~ 그녀를 만나십니까? ¿Con qué frecuencia la ves? / ¿Cada cuánto la ves? 당신은 이곳에 ~ 오나요? ¿Viene usted mucho [seguido · a menudo] por aquí? 나는 ~ 그 공원에 간다 Frecuento ese parque. 그는 ~ 추억을 말한다 Eon frecuencia él habla de sus recuerdos. 그는 ~ 내 집을 방문한다 El me visita con frecuencia en mi casa / El viene a visitarme con frecuencia.
자주자주 muy a menudo, repetidamente, reiteradamente, repetidas veces.

자주(自主) independencia *f*, autonomía *f*. ~의 soberano.
■~ 국가 país *m* independiente. ~ 국방(國防) independencia *f* de defensa nacional, defensa *f* propia de *su* país. ~권(權) autonomía *f*, derechos *mpl* soberanos. ~ 규제 control *m* voluntario. ~ 독립(獨立) independencia *f*. ¶~의 정신 espíritu *m* de independencia. ~ 무역 comercio *m* activo. ~민(民) pueblo *m* libre. ~법(法) ley *f* independiente. ~성(性) autonomía *f*, independencia *f*, soberanía *f*. ~ 외교 (정책) política *f* exterior independiente, política *f* exterior basada en la autonomía. ~적 autónomo, voluntario; [독립의] independiente, libre. ¶~으로 voluntariamente, por *su* propia iniciativa. ~ 외교 diplomacia *f* asertiva, diplomacia *f* positiva. ~ 정신 espíritu *m* independiente.

자주(紫朱) =자줏빛.
■~꼴뚜기 persona *f* con la cara púrpurea. ~색(色) =자줏빛. ~ㅅ물 tinte *m* purpúreo. ~ㅅ빛 púrpura *f*, color *m* púrpureo, color *m* morado; [짙은] color *m* purpúreo oscuro; [엷은] color *m* purpúreo pálido. ¶~의 purpúreo. ~ 장미 rosa *f* purpúrea.

자주장(自主張) autoafirmación *f*. ~하다 afirmarse, hacer como se quiera.

자중[1](自重) amor *m* propio, dignidad *f*, [신중함] prudencia *f*, circunspección *f*. ~하다 cuidarse de *sí* mismo, tener prudencia, ser prudente, ser circunspecto. ~해서 con prudencia, con moderación. 더 ~해야 한다 Hay que ser más moderado / Hace falta tener más prudencia.
■~심(心) amor *m* propio, prudencia *f*. ~ 자애(自愛) cuidado *m* de *sí* mismo.

자중[2](自重) [물건 자체의 무게] peso *m* muerto, peso *m* vacío.

자중지란(自中之亂) lucha *f* [contienda *f*] entre ellos mismos, conflictos *mpl* internos.

자지 pene *m*, miembro *m* viril; ((속어)) polla *f*, herramienta *f*, verga *f*, *RPI* pija *f*, *Chi* pico *m*.

자지러뜨리다 ① [몹시 놀라서 몸을 움츠러뜨리다] achicarse, estremecerse. ② [생물이 중간에 병이 나서 기운을 펴지 못하다] agotarse.

자지러지다[1] ① [놀라서 몸이 움츠러지다] paralizarse, quedarse de piedra, quedarse hecho una estatua, quedarse paralizado. 나는 자지러져 발이 움직이지 않았다 Yo casi no podía sostenerme de miedo / El miedo me dejó patitieso. ② [생물이 중간에 병이 나서 잘 자라지 못하다] no crecer bien por la enfermedad. ③ [웃음소리 · 울음소리 · 치는 장단 등이 빨라서 잦아지다] morirse (de), desternillarse (de). 우스워서 ~ morirse [desternillarse] de risa.

자지러지다[2] [그림 · 조각 · 음악 · 수(繡) 등이 정밀하고 교묘하다] (ser) exquisito, magnífico, espléndido, encantador, precioso, fascinado.

자지레하다 ((준말)) =자질구레하다.

자진(自進) ¶~하다 servir como voluntario, sentar plaza. ~해서 por *su* propia voluntad, voluntariamente, de buena gana. ~해서 위험한 곳에 들어가다 meterse en la boca del lobo.
■~ 규제(規制) control *m* voluntario; [보도의] autolimitación *f*, [영화 따위의] autocensura *f*, [생산 · 수출 따위의] autorestricción *f*, restricción *f* voluntaria. ¶~하다 autolimitarse. ~ 납부 기간 período *m* de pago voluntario. ~ 납세 신고(納稅申告) autoliquidación *f* tributaria. ~ 납세 (신고) 제도 sistema *m* de autoliquidación (tributaria). ~ 신고 기간 período *m* de declaraciones voluntarias. ~ 철거 removimiento *m* voluntario.

자진(自盡) =자살(刺殺).

자질 medida *f*. ~하다 medir.

자질(資質) manera *f* de ser, modo *m* de ser, temperamento *m*, natural *m*, cualidad *f*, don *m*, naturaleza *f*, carácter *m*.

자질구레하다 (ser) insignificante, frívolo, sin importancia, nimio. 자질구레한 물건 artículos *mpl* menudos; [집합적] mercería *f*. 자질구레한 세공 artificio *m*, maniobra *f*. 자질구레한 일 cosa *f* insignificante, cosa *f* sin importancia, nimiedad *f*, bagatela *f*, paparrucha *f*, fruslería *f*, friolera *f*, cualquier cosa *f* de poca substancia y valor.

자질자질 casi secamente.

자차분하다 (ser) fino y enredado.
자차분히 fina y enredadamente.

자찬(自讚) alabanza *f* de sí mismo. ~하다 alabarse, admirarse, glorificarse.

자책(自責) reproche *m* de sí mismo, reconvención *f* de sí mismo. ~하다 reprochar [convenir] a sí mismo, reprocharse, reconvenirse, acusarse.
■~감 conciencia *f* sucia, remordimientos *mpl* de conciencia ¶~에 사로잡히다 tener remordimientos de conciencia, tener la

conciencia sucia. ~골 autogol *m*. ~심(心) =자책감. ~점 carrera *f* limpia.
자처(自處) ① =자살(自殺). ② [자기 스스로 어떤 사람인 체함] pretensión *f*. ~하다 fingirse, aparentarse, considerarse.
자처울다 cacarear convulsivamente.
자천(自薦) autorecomendación *f*, recomendación *f* de sí mismo. ~하다 autorecomendarse, recomendarse a sí mismo, proponerse a sí mismo, presentarse.
자철(磁鐵) hierro *m* magnético.
■ ~광(鑛) magnetita *f*.
자청(自請) lo voluntario. ~하다 ofrecer [contribuir] voluntariamente, servir como voluntario, sentar plaza, servirse. 안내를 ~하다 ofrecerse de guía.
자체(自體) ① [자기의 몸] *su* propio cuerpo. ② [그 자신] *sí*, *sí* mismo; [부사적] en sí, por sí, por naturaleza, de por sí, en efecto, originalmente, fundamentalmente. 그 ~로 de sí, en efecto. 물건 ~ cosa *f* en sí. 그의 행위 ~는 잘못이 없다 Su actuación en sí no está equivocada.
자체(字體) forma *f* de letra, carácter *m* (*pl* caracteres) de letra, letra *f*, [필적(筆跡)] quirografía *f*, escritura *f*; [활자(活字)의] tipo *m*.
◆ 고딕 ~ letra *f* negrilla.
자초(自初) desde el principio.
■ ~지종(至終) (todas las) circunstancias *fpl*, toda historia *f*, todos los detalles. ~을 듣다 informarse de las circunstancias. 사건의 ~을 이야기하다 contar todo lo ocurrido, contar el asunto de cabo a cabo [de pe a pa].
자초(自招) ¶~하다 buscarse, exponerse. 재앙을 ~하다 exponerse la calamidad. 화(禍)를 ~하다 buscarse la calamidad. 그는 자신이 불행을 ~했다 El se buscó su desgracia.
자촉 반응(自觸反應)【화학】autocatalisis *m*.
자총(慈蔥) puerro *m* para los (vegetales) encurtidos preparados para el invierno.
자축(自祝) celebración *f* de sí mismo. ~하다 celebrarse a sí mismo.
■ ~연 fiesta *f* de celebración de sí mismo.
자축거리다 cojear, renquear [renguear] de una pierna.
자축자축 siguiendo cojeando.
자춤거리다 cojear ligeramente.
자춤발이 lisiado, -da *mf*, tullido, -da *mf*, cojo, -ja *mf*, renco, -ca *mf*, rengo, -ga *mf*.
자춤자춤 cojeando ligeramente.
자취 ① [(어떤 원인으로 하여) 남아 있는 흔적] rastro *m*, huella *f*, pisada *f*. 그곳에는 중세(中世)의 ~가 남아 있다 Allí se conserva una atmósfera medieval. ② [(사람·동물 따위의) 행방·간 곳] rastro *m*, paradero *m*. ~를 감추다 desaparecer(se), huir sin dejar rastro, cubrir el rastro, esconderse, ocultarse. ~를 감추고 사라지다 desaparecer sin dejar huellas. 강도단은 이제 ~도 없다 Los bandidos permanecen ahora escondidos. ③【수학】lugar *m* geométrico.
자취(自炊) preparación *f* de comida por *sí* mismo. ~하다 preparar [hacer] comida por *sí* mismo. 나는 ~를 하고 있다 Yo me hago la comida / Yo cocino mi propia comida.
자취(自取) =자초(自招).
■ ~기화(其禍) exposición *f* de calamidad por *sí* mismo. ¶~하다 exponerse la calamidad. ~지화(之禍) calamidad *f* que se busca.
자치(自治) autogobierno *m*, autonomía *f*, regionalismo *m*. ~의 autonómico.
■ ~구(區) distrito *m* autónomo, región *f* autónoma. ~국 país *m* autónomo. ~권 (derecho *m* a la) autonomía *f*. ~ 기관 órgano *m* de autonomía. ~ 단체(團體) autonomía *f*, colectividad *f* autónoma, cuerpo *m* de autogobierno. ~대 cuerpo *m* de la paz pública. ~령 dominio *m*. ~론자 autonomista *mf*. ~ 식민지(植民地) colonia *f* autonómica. ~적 autónomo, autonómico. ~ 정신 espíritu *m* de autogobierno. ~제 autonomía *f*, sistema *m* de autogobierno. ~ 제도(制度) autonomía *f*, sistema *m* de autogobierno. ~ 체(體) comunidad *f* autónoma, cuerpo *m* autónomo, municipio *m*. ~ 통제 control *m* autónomo. ~ 행정 administración *f* de autonomía. ~ 활동 actitud *f* autónoma, movimiento *m* autónomo. ~회 asociación *f* autónoma.
자치동갑(一同甲) persona *f* de casi misma edad.
자친(慈親) mi madre.
자침(自沈) hundimiento *m* de *su* propio barco [buque]. ~하다 (hacer) hundir *su* propio barco [buque].
자침(自鍼) lo que se acupuntura en *su* propio cuerpo. ~하다 acupunturar en *su* propio cuerpo.
자침(磁針) aguja *f* magnética, aguja *f* imantada.
■ ~ 검류계 galvanómetro *m* de aguja. ~ 검파기 detector *m* magnético. ~로(路) ruta *f* magnética, rumbo *m* magnético. ~ 방위(方位) demora *f* magnética, azimut *m* magnético, marcación *f* magnética. ~ 편차계 declinómetro *m*. ~ 편차도 carta *f* hidrográfica de variación magnética.
자칫 casi, por poco. ~ 잘못하면 si sucede lo peor, en caso (de) que haya emergencia. ~ …하는 경향이 있다 inclinarse a + *inf*, propender + *inf*, ser propenso a + *inf*, [자주] soler + *inf*. 나는 ~ 넘어질 뻔했다 Por poco me caí. 그는 ~ 일을 심각하게 생각하는 경향이 있다 El tiene tendencia [es propenso] considerar las cosas seriamente.
자칫거리다 empezar a andar con paso inseguro.
자칫자칫 andando con paso inseguro.
자칫하면 ¶~ 잠들 뻔했다 Yo estaba a

punto de dormirse.

자칭(自稱) ① [남에게 대해 자기 자신을 일컬음] llamamiento *m* de *sí* mismo. ~하다 llamarse a *sí* mismo. ② =자찬(自讚). ③ [스스로 일컬음] presunción *f*, pretensión *f*. ~하다 pretenderse, darse el título (de), titularse (de), llamarse. ~의 pretendido, supuesto, presunto, sedicente, autollamado. ~ 사장 딸 pretendida hija de presidente. 김이라고 ~하는 남자 hombre *m* que dice [pretende] ser Kim. 그는 마흔 살이라 ~하고 있다 El se echa cuarenta años. 그는 ~ 대통령의 아들인 척했다 El se pretendió hijo del presidente. ④ [문법에서] [제1인칭] primera persona *f*: yo, nosotros, -tras.
■ ~ 군자(君子) =자칭 천자. ~ 대명사(代名詞) ronombre *m* de la primera persona. ~ 박사(博士) doctor *m* fingido, doctora *f* fingida. ~ 시인(詩人) poeta *m* autollamado, poetisa *f* autollamada. ~ 신사(紳士) supuesto caballero *m*. ~ 의인(義人) supuesto justo *m*. ~ 천자(天子) supuesto emperador *m*.

자카르타【지명】Yakarta *f*.

자키(영 *jockey*) ① [경마의 기수] jinete *mf*, jockey *ing.mf*. ② ((준말)) =디스크자키.

자타(自他) ① [자기와 남] sí y el otro. …은 ~가 다 인정하고 있다 Está públicamente reconocido que + *ind*. 그는 ~가 인정하는 이 분야의 제일인자이다 El es indiscutiblemente la primera figura en este campo. ② ((불교)) *su* propia fuerza y la del otro.

자탁(藉託) =칭탁(稱託).

자탄(自歎/自嘆) sentimiento *m* de la profunda pena a *sí* mismo, queja *f* a *sí* mismo. ~하다 quejarse a *sí* mismo, sentir la profunda pena a *sí* mismo.

자태(姿態) ① [모습] figura *f*, forma *f*, imagen *f*. 내 누이는 ~가 아름답다 Mi hermana tiene una figura preciosa. ② [체격] tipo *m*, talle *m*, planta *f*. ~가 좋다 tener un buen tipo. 그녀는 ~가 무척 아름답다 Ella tiene un tipo precioso. ③ [윤곽] silueta *f*, contorno *m*, perfil *m*. ④ [양상] aspecto *m*, apariencia *f*, presentación *f*. ⑤ [복장] indumentaria *f*, vestimento *m*.

자택(自宅) *su* propia casa, *su* propia familia, *su* propio domicilio, *su* propio hogar. ~에 돌아가다 ir a casa, volver a casa. ~에서 요양(療養)하다 curarse en casa, someterse al tratamiento en casa.
■ ~ 구금 arresto *m* domiciliario. ~ 요법 curativa *f* [método *m* curativo] en *su* casa.

자토(瓷土) caolín *m*, arcilla *f* china.

자통(自通) ¶~하다 dominar sin ayuda de nadie, dominar sin maestro.

자퇴(自退) dimisión *f* [renuncia *f*·resignación *f*] voluntaria; [입후보 따위의] retirada *f*. ~하다 presentar *su* dimisión [*su* renuncia].

자투리 pedazo *m*, sobras *fpl*, trozo *m*, recorte *m*. ~ 땅 terreno *m* sobrado.

자파(自派) *su* propio partido, *su* propia facción.

자판(自判) ① [저절로 판명됨] evidencia *f* voluntaria. ~하다 (ser) evidente, obvio, manifiesto. ② [상급 법원에서 원판결을 파기하고 독자적으로 새로운 판결을 내림] revocación *f* de la decisión original. ~하다 revocar la decisión original.

자판(字板)【컴퓨터】=키보드. 글자판. 문자판(文字板).

자판(自辦) ① [제 일을 스스로 처리함] disposición *f* de sí mismo. ~하다 disponerse. ② =자변(自辯).

자판기(自販機) ((준말)) =자동판매기.

자패(紫貝)【조개】moreta *f*.

자폐선(自閉線)【수학】=폐곡선(閉曲線).

자폐성(自閉性)【심리】=내폐성(內閉性)

자폐아(自閉兒) niño *m* autista, niña *f* autista.

자폐 장애(自閉障碍) afección *f* autista.

자폐증(自閉症)【의학】autismo *m*.

자포(自暴) ((준말)) =자포자기(自暴自棄).
■ ~자기 desesperación *f*, desesperanza *f*, abandono *m* (de *sí* mismo). ~하다 desesperarse, abandonarse a la desesperación, coger [tocar] el cielo con las manos. ~의 abandonado, desesperado. ~해서 en el colmo de la desesperación, desesperado, desesperadamente, sumergido en *su* desesperación. ~로 술을 마시다 ahogar en vino *sus* penas [*su* desgracia·*su* fracaso].

자폭(自爆) autodestrucción *f*, explosión *f* suicida. ~하다 autodestruirse; [배가] hundirse; [비행기가] estrellar *su* avión contra un objetivo; [폭탄으로] matarse con una bomba.

자풀이 venta *f* de la tela por yarda. ~하다 vender por yarda.

자품(資稟) disposición *f* (natural), carácter *m* inherente, carácter *m*, natural *m*.

자필(自筆) autógrafo *m*, *su* propia escritura. ~의 autógrafo, escrito por *sí* mismo, manuscrito, de *su* puño y letra; [유언 등이] ológrafo. ~로 autógrafamente. ~로 쓰다 autografiar.
■ ~ 서명(署名) firma *f* autógrafa. ~ 원고(原稿) autógrafo *m*. ~ 유언 testamento *m* autógrafo. ~ 유언장 (testamento *m*) ológrafo *m*. ~ 이력서 historia *f* personal autógrafa. ~ 증서 autógrafo *m*. ~ 편지 carta *f* autógrafa. ~ 헌사 dedicación *f* autógrafa.

자학(自虐) masoquismo *m*. ~하다 torturarse. ~적인 경향이 있다 tener tendencia al masoquismo.
■ ~ 행위 crueldad *f* a *sí* mismo.

자학(自學) estudio *m* sin ayuda de nadie. ~하다 estudiar sin ayuda de nadie.
■ ~자습(自習) =독학(獨學). 자습(自習).

자해(自害) suicidio *m*. ~하다 suicidarse, matarse, darse voluntariamente muerte.

자해(字解) glosario *m*.

자행(恣行) rebeldía *f*. ~하다 hacer como se quiera, permitirse.

자형(字形) forma *f* de carácter, tipo m.

자형(姉兄) cuñado *m* mayor, esposo *m* de *su* hermana mayor.

자형(慈兄) hermano *m* mayor de buen corazón.

자혜(慈惠) caridad *f*, ternura *f*, benevolencia *f*, bondad *f*, amor *m* al prójimo, humanidad *f*.
자혜로이 benévolamente, bondadosamente, con benevolencia, con bondad.
자혜롭다 (ser) benévolo, bondadoso.
■ ~ 의원 hospital *m* benévolo, hospital *m* de benevolencia, hospital *m* gratuita. ~원(院) casa *f* de benevolencia.

자화(自畵) *su* propio cuadro, *su* propia pintura.
■ ~상(像) autorretrato *m*. ~자찬(自讚) autobombo *m*, alabanza *f* de sí mismo, admiración *f* de sí mismo, egolatría *f*. ¶~하다 alabarse a sí mismo, hacer autobombo, hacerse el autobombo. ~의 ególatra. ~을 늘어놓다 alabar *sus* cosas, elogiar *sus* cosas.

자화(磁化) 【물리】 =자기화(磁氣化). ¶~하다 magnetizar, imantar, imanar.

자화 수분(自花受粉) 【식물】 =자가 수분.

자화 수정(自花受精) 【식물】 =자가 수정.

자활(自活) automantención *f*, independencia *f*, mantención *f* por *sí* mismo. ~하다 automantener, mantenerse a *sí* mismo, vivir con *sus* propios recursos, sustentar por *sí* mismo, componér*se*las. ~의 económicamente independiente, autofinanciado. ~한 여자(女子) mujer *f* económicamente independiente.

자회사(子會社) empresa *f* filial, empresa *f* subsidiaria, casa *f* filial, sociedad *f* filial, compañía *f* asociada, compañía *f* afiliada, filial *f*.

자획(字畫) trazo *m* de una representación gráfica.

작(勺) [양(量)의 단위] *chak*, unidad *f* de medida.

작(作) [제작(製作)] fabricación *f*, producción *f*; [저작(著作)] obra *f*; [농작(農作)] cosecha *f*, cultivo *m*.

작(昨) ayer. ~ 20일 ayer, el veinte.

작(爵) título *m* [dignidad *f*] de lord.

작가(作家) autor, -tora *mf*; escritor, -tora *mf*. 나는 항상 ~가 되기를 원했다 Siempre he querido ser ecritor.
◆동화 ~ escritor, -tora *mf* de cuentos infantiles. 소설 ~ novelista *mf*. 신진(新進) ~ novelista *mf* joven. 여류(女流) ~ autora *f*, escritora *f*. 유행(流行) ~ escritor, -tora *mf* popular. 인기(人氣) ~ escritor, -tora *mf* popular.
■ ~ 동맹(同盟) liga *f* de escritores. ~ 협회 asociación *f* de escritores.

작가(作歌) [노래를 지음] composición *f* de la canción, versificación *f*; [지은 노래] canción *f* compuesta. ~하다 escribir una canción, componer una canción.

작고(作故) muerte *f*, fallecimiento *m*. ~하다 morir, fallecer, dejar de existir. ~한 difunto, muerto, fallecido. ~한 사람들 los difuntos, los muertos. ~하신 부모님 mis difuntos padres, mis padres que en paz descanse.

작곡(作曲) composición *f* (música). ~하다 componer (la música), dar (una canción) a música. ‥의 ~ puesto a música por *uno*, compuesto por *uno*.
■ ~가 compositor, -tora *mf*. ~계 mundo *m* de la composición. ~ 기술 técnica *f* de composición. ~자 compositor, -tora *mf*.

작금(昨今) recientemente, en nuestros días, hoy (en) día, estos días. ~의 세상 el mundo de hoy día.
■ ~양년(兩年) el año pasado y este año. ~양일(兩日) ayer y hoy.

작년(昨年) el año pasado. ~부터 desde el año pasado.
■ ~ 가을 otoño *m* pasado. ~ 겨울 invierno *m* pasado. ~ 봄 primavera *f* pasada. ~ 여름 verano *m* pasado.

작다 ① [크지 않다] (ser) pequeño, chico; [키가] bajo. 작은 나라 país *m* pequeño. 작은 돌 piedra *f* pequeña. 작은 집 casa *f* pequeña. 작은 키 estatura *f* baja. 몸집이 ~ ser pequeño. 키가 ~ ser bajo. 그녀는 어머니보다 키가 ~ Ella es más baja que su madre. 작은 물병에는 물이 조금밖에 들어가지 않는다 ((서반아 속담)) En pequeño botijo, poca agua cabe. 작은 개가 쫓는 토끼를 큰 개가 잡는다 ((서반아 속담)) El pequeño can levanta la liebre y el grande la prende (재주는 곰이 부리고 돈은 되놈이 챙긴다). ② [어리다] (ser) jovencito, pequeño, chico, niño. 작은 아이 niño *m* (pequeño), niña *f* (pequeña). 작을 때부터 desde niño, desde *su* niñez, desde *su* infancia, desde cuando era pequeño [niño]. ③ [도량이 좁다] (ser) de mentalidad cerrada, de miras estrechas, intolerante, cerrado, poco generoso, pusilánime. 마음이 작은 사람 hombre *m* poco generoso, hombre *m* de mentalidad cerrada. ④ [음성이 낮다] (ser) bajo. 작은 목소리 voz *f* baja. 작은 소리로 en voz baja. 작은 소리로 말하다 hablar en voz baja. ⑤ [사소하다] (ser) trivial. 사소한 일 cosa *f* trivial. ⑥ [단위가 낮다] (ser) poco. 몇 푼 안 되는 작은 돈 poca cantidad *f* de dinero, poco dinero *m*, un poco de dinero. ⑦ [규모가 크지 않다] (ser) pequeño. 작은 회사(會社) compañía *f* pequeña. ⑧ [옷·신발 따위가 몸에 맞지 않다] (ser) pequeño, chico. 구두가 ~ Los zapatos son pequeños. 이 모자는 나한테 ~ Este sombrero es pequeño [chico] para mí.
■작은 것부터 큰 것 이룬다 ((속담)) De chicas causas, grandes efectos.
작게 en menudos trozos, con pequeñez; [드묾] pequeñamente. ~ 하다 empequeñecer, achicar; [축소하다] reducir, disminuir. ~ 되다 empequeñecerse, hacerse pequeño.

～ 자르다 cortar *algo* en menudos pequeños. 텔레비전의 소리를 ～ 하다 bajar (el volumen de) la televisión. 텔레비전의 소리를 ～ 해라 Baja el volumen de la televisión.

작다리 persona *f* muy baja, hombre *m* de estatura baja; enano, -na *mf*, CoS petiso, -sa *mf*; *Méj* chaparro, -rra *mf*.

작달막하다 (ser) achaparrado, retacón (*pl* retacones); [다리가] corto.

작달비 lluvia *f* recia, lluvia *f* torrencial, chaparrón *m*, aguacero *m*. ～가 내렸다 Llovían chuzos / Llovía a cántaros.

작당(作黨) formación *f* de banda. ～하다 formar una banda, unirse, hacer causa común. 적에게 ～하여 난입하다 asaltar [atacar] al enemigo.

작대(作隊) ¶～하다 ponerse en fila, formar fila, hacer cola.

작대기 varilla *f*, vara *f*, barra *f*, larga *f*, palo *m*, pértiga *f*, vardasca *f*, verdasca *f*; [길쭉한] varal *m*. ～로 때리기 vardascazo *m*, verdascazo *m*.
 ■～바늘 aguja *f* grande.

작도(作圖) ① [그림·지도·설계도 등을 그림] dibujo *m*, figura *f* de dibujos. ～하다 dibujar figuras. ② 【기하】 construcción *f*. ～하다 construir.
 ■～ 문제 problema *m* para construcción, construcción *f*.

작동(作動) funcionamiento *m*. ～하다 funcionar, marchar, andar. ～하기 시작하다 entrar en funcionamiento. 브레이크가 ～한다 Funciona el freno. 이 기계는 ～하지 않는다 Esta máquina no funciona. 승강기가 잘 ～하지 않는다 El ascensor no funciona bien.

작동(昨冬) invierno *m* pasado.

작두(斫－) el hacha *f* (*pl* las hachas) para el foraje [el pienso].
 ■～질 corte *m* de foraje [pienso]. ¶～하다 cortar el foraje [el pienso].

작디작다 (ser) muy pequeño, pequeñísimo.

작란(作亂) levantamiento *m* de rebelión. ～하다 rebelarse, sublevarse.

작량(酌量) consideración *f*, deliberación *f*. ～하다 considerar, deliberar. ～해서 en consideración. 정상(情狀)을 ～하다 tener en cuenta las circunstancias.

작렬(炸裂) estallido *m*, reventón *m*, explosión *f*, voladura *f*. ～하다 estallar, reventarse, volar, hacer soltar (una mina).

작례(作例) ejemplo *m*, modelo *m*. ～를 보이다 dar un ejemplo.

작만(昨晩) anoche.

작말(作末) pulverización *f*. ～하다 pulverizar.

작명(作名) bautizo *m*, bautismo *m*. ～하다 poner*le* nombre a *uno*, bautizar, poner*le* por nombre a *uno*., apodar. 우리는 그를 다니엘이라 ～했다 Le pusimos Daniel / Le bautizamos con el nombre de Daniel. 그들은 아이를 철수라 ～했다 Le pusieron Cheolsu al niño / Al niño le pusieron por nombre Cheolsu.

작문(作文) composición *f*. ～하다 componer, hacer una composición. …에 관한 ～을 하다 hacer una composición sobre *algo*.
 ◆서반아어 ～ composición *f* española. 자유 ～ composición *f* libre.
 ■～ 시간 clase *f* de composición. ～ 제목 tema *m*, sujeto *m* para composición. ～책 libro *m* de composición.

작물(作物) producto *m* agrícola, productos *mpl* del campo; [수확] cosecha *f*. 이 지방의 대표적 ～ producto *m* agrícola típico de esta comarca. 가뭄 때문에 ～을 망쳤다 Hemos tenido mala cosecha debido a la sequía. 이곳 토양은 ～의 생육에 적당하다 El suelo de aquí es adecuado para el cultivo de los productos agrícolas.

작박구리 cuerno *m* desafinado.

작반(作伴) acompañamiento *m*. ～하다 ir juntos, acompañar, viajar juntos.

작배(作配) emparejamiento *m*, emparejadura *f*. ～하다 poner en parejas, emparejar, formar pares (con).

작법(作法) composición *f*, método *m*. ～하다 hacer una ley.

작벼리 arenas *fpl* de guijarros.

작별(作別) despedida *f*. ～하다 despedirse (de), decir adiós (a), separarse, desunirse, despegarse, desprenderse. ～의 de despedida. ～의 연설(演說) discurso *m* de despedida. ～의 편지 carta *f* de despedida. ～의 파티 fiesta *f* de despedida. ～ 인사를 하다 despedirse de *uno*, decir adiós a *uno*. ～ 인사를 하고 떠나다 retirarse (de), irse (de), dejar (a), despedirse (de). 인사 없이 ～하다 despedirse a la francesa, irse sin decir adiós. …에게 ～을 고하다 despedirse de uno. 나는 그녀에게 슬픔으로 ～을 고했다 Me despedí de ella con tristeza.

작보(昨報) informe *m* previo [anterior].

작부(作付) plantación *f*. 벼의 ～ 면적 superficie *f* dedicada al cultivo del arroz.

작부(酌婦) camarera *f*, mesera *f*, *Col*, *CoS* moza *f*.

작사(作詞) composición *f* (de la letra). ～하다 componer [escribir] la letra (de una canción). A ～ B 작곡의 노래 canción *f* con letra de A y música de B. A ～ 작곡(作曲)의 노래 canción *f* con letra y música de A.
 ■～자(者) autor, -tora *mf* de la letra.

작사리 puntal *m*.

작살 ① [물고기를 찔러 잡는 기구] arpón *m* (*pl* arpones), fisga *f*. ～을 던지다 arponear, arponar. ② ((준말)) ＝작사리.
 ■～창 bieldo *m*, cargador *m*.

작성(作成) redacción *f*, preparación *f*, hechura *f*, armadura *f*. ～하다 redactar, hacer, preparar, formar. 계약서를 ～하다 redactar un contrato. 계획을 ～하다 trazar un proyecto. 명부를 ～하다 hacer una lista. 법안(法案)을 ～하다 elaborar un proyecto de ley. 서류(書類)를 ～하다 rellenar el formulario.

시험 문제를 ~하다 preparar las cuestiones del examen. 예정표를 ~하다 hacer un plan. 차변 전표를 ~하다 formular la nota de débito.
■ ~법(法) versificación *f*. ~자 redactor, -tora *mf*.

작시(作詩) versificación *f*. ~하다 versificar.
■ ~법 versificación *f*. ~자 versificador, -dora *mf*, versista *mf*.

작신거리다 ① [몸을 슬쩍슬쩍 건드려 가며 검질기게 조르다] importunar, asediar, burlar*le* el pelo a *uno*, burlarse (de), reírse (de), tomar el pelo. ② [지그시 힘을 주어 자꾸 누르다] soler apretar suavemente.

작신작신 importunando, asediando.

작심(作心) resolución *f*, determinación *f*. ~하다 resolver, determinar.
■ ~삼일(三日) decisión *f* [determinación *f*] efímera [fugaz], plan *m* poco firme, plan *m* inestable.

작야(昨夜) =어젯밤(anoche).

작약(芍藥) 【식물】 peonía *f*.

작약(炸藥) explosivos *mpl*, pólvora *f* de explosión.

작약(雀躍) salto *m* [baile *m*] de gozo [de alegría]. ~하다 bailar [saltar] de alegría [de gozo], no cabar en sí de gozo, hacer zapatetas, cabriolar, chozpar.

작업(作業) trabajo *m*, obra *f*, operación *f*. ~하다 trabajar, obrar. ~을 시작하다 poner mano a la obra. ~ 중이다 estar de trabajo. ~ 중(中) ((게시)) En obra.
■ ~ 가설(假說) hipótesis *f* de trabajo. ~ 강도(强度) intensidad *f* de trabajo. ~ 검사 prueba *f* de desempeño, prueba *f* de rendimiento. ~ 경험 experiencia *f* laboral. ~ 공정(工程) proceso *m* de trabajo. ~ 교대 turno *m* de trabajo. ~ 규칙 norma *f* de trabajo, pauta *f* de trabajo. ~ 능률 eficiencia *f* de trabajo. ~ 명령 orden *f* de trabajo. ~모 gorra *f* de faena. ~반 grupo *m* de trabajo, reunión *f* de trabajo. ~복 ropa *f* [uniforme *m*] de faena, blusa *f*, vestido *m* [ropa *f*] de trabajo, traje *m* de faena; [아래위가 붙은 청색의] blusa *f* de obrero; *RPl* ropa *f* [uniforme *m*] de fajina, *Col* ropa *f* [uniforme *m*] de fatiga. ~ 분류 clasificación *f* de trabajo. ~비 gastos *mpl* de trabajo, expensas *fpl* de trabajo. ~ 스케줄 horario *m* de trabajo, plan *m* de trabajo, programa *m* de trabajo. ~ 스트레스 estrés *m* laboral. ~ 시간 hora *f* de trabajo, horario *m* de trabajo. ~ 시간표 horario *m* de trabajo. ~실 taller *m*. ~ 연구(硏究) estudio *m* del trabajo. ~ 요법 ergoterapia *f*, cura *f* por el trabajo. ~원 trabajador, -dora *mf*; obrero, -ra *mf*. ~ 윤리 ética *f* del trabajo. ~일 día *m* de trabajo, día *m* laborable, jornada *f* laboral. ~자 trabajador, -dora *mf*. ~자 분석 análisis *m* de trabajadores. ~장 taller *m*, taller *m* artesanal, lugar *m* de trabajo, lugar *m* de obra. ~ 정지 =작업 중지. ~ 조건 condiciones *fpl* de trabajo. ~ 중지 interrupción *f* del trabajo. ~ 중지 기간 período *m* de interrupción del trabajo. ~ 허가(許可) permiso *m* de trabajo. ~화(靴) zapatos *mpl* de faena. ~ 환경 ambiente *m* laboral. ~ 회계 cuenta *f* de trabajo. ~훈련(訓練) formación *f* en la empresa, entrenamiento *m* en el puesto, *AmL* capacitación *f* en la empresa.

작열(灼熱) candencia *f*. ~하다 arder(se). ~하는 ardiente, candente, tórrido. ~하는 사랑 amor *m* fervoroso, amor *m* ardiente. ~하는 쇠 hierro *m* candente. ~하는 태양 sol *m* tórrido.

작용(作用) acción *f*, ejecución *f*, función *f*, efecto *m*, proceso *m*. ~하다 actuar, obrar, accionar, ejecutar, funcionar, operar. ~과 반작용 acción y reacción. 전기의 ~으로 por la acción de la electricidad. …하게 ~하다 inducir [empujar·incitar·impulsar·impelar] a *uno* a + *inf* [a que + *subj*]. 촉매(觸媒) ~을 하다 actuar como catalizador. 산(酸)은 금속에 ~한다 El ácido actúa sobre el metal. 그는 내가 찬성하도록 ~했다 El me empujó a consentar [a que consintiese].
◆반(反)~ reacción *f*. 소화(消化) ~ función *f* digestiva. 심리(心理) ~ proceso *m* mental. 인력(引力) ~ influencia *f* de gravedad. 정신(精神) ~ operación *f* de la mente. 화학(化學) ~ acción *f* química.
■ ~ 가설(假說) =작업 가설. ~량 acción *f*. ~선 línea *f* de acción. ~ 양자 cuanto *m* de acción. ~점 punto *m* de acción. ~ 중심(中心) centro *m* de acción.

작월(昨月) mes *m* pasado.

작위(作爲) artificio *m*, acción *f* intencional, acción *f* positiva. ~의 intencional.
■ ~범(犯) delito *m* de perpetración fechoría, fechuría *f*. ~적 artificial, artificioso; [의도적] intencional, intencionado. ¶~으로 artificiosamente, intencionalmente, intencionadamente.

작위(爵位) título *m* [dignidad *f*] de lord, título *m* nobiliario. ~를 내리다 conceder el título de lord.

작은개자리 【천문】 el Can Menor.

작은계집 concubina *f* del hombre bajo.

작은골 【해부】 =소뇌(小腦).

작은곰별 【천문】 la Osa Menor.

작은곰자리 【천문】 la Osa Menor.

작은꾸리 carne *f* de la parte interior de la pata delantera de la vaca.

작은마마(一媽媽) 【한방】 varicela *f*, *Chi* peste *f* cristal.

작은말 【언어】 isótopo *m* pequeño de una palabra.

작은아버지 tío *m*, hermano *m* menor de *su* padre.

작은어머니 ① [작은아버지의 아내] tía *f*, esposa *f* de *su* tío menor. ② =서모(庶母).

작은집 ① [따로 사는 아들 또는 아우의 집] la casa de *su* hijo, la casa de *su* hermano

menor. ② [남의 본마누라에 대하여 작은집을 일컫는 말] la casa de *su* concubina.
작의(作意) ① [작가가 작품을 창작하려는 의도] motivo *m*, plan *m*, idea *f*. ② [창작하려는 작품의 의도] intención *f*, intento *m*.
작인[1](作人) ((준말)) =소작인(小作人).
작인[2](作人) [사람의 생김생김이나 됨됨이] *su* carácter, *su* disposición, *su* personalidad.
작인[3](作人) [인재(人材)를 양성하는 일] capacitación *f* de los talentos.
작일(昨日) ayer.
작자(作者) ① =소작인(小作人)(aparcero). ② ((낮춤말)) =위인(爲人)(personalidad). ③ ((준말)) =저작자(著作者)(autor, escritor). ¶이 소설의 ~는 누구입니까? ¿Quién es el autor de esta novela? ④ [물건을 살 사람] comprador, -dora *mf*. ~가 없다 no hay comprador.
작작 [대강. 어지간히] apropiadamente, adecuadamente, con moderación, no demasiado mucho. 술을 ~ 마셔라 No bebas demasiado mucho [tanto].
작작하다(灼灼-) ① [빛나거나 번쩍거림이 눈부시다] (ser) deslumbrante, resplandeciente. ② [붉게 핀 꽃 따위가 화려하고 찬란하다] (ser) espléndido, brillante.
작작하다(綽綽-) hay sitio [lugar · espacio].
작전(作戰) ① [싸움하는 방법을 세움] estrategia *f*, táctica *f*, plan *m* de campaña. ~의 estratégico. ~상 estratégicamente. ~상 중요한 estratégicamente importante. ②【군사】operación *f* (militar). ~의 operacional, operativo. ~하다 operar, hacer una operación, montar una operación. ~을 세우다 proyectar la estrategia. 구출(救出) ~을 착수하다 montar una operación de rescate. 상륙(上陸) ~을 실시하다 efectuar una operación de desembarco. 언제 ~을 시작할 것입니까? ¿Cuándo piensan empezar a operar. 우리들의 ~이 적중했다 Ha acertado nuestra estrategia / Nuestra maniobra ha sido perfecta. 우리들은 ~이 틀렸다 Nos equivocamos en la táctica.
■~ 개시일 día *m* D. ~ 계획 plan *m* de operaciones. ~ 구역 el área *f* operacional. ~ 기지 base *f* [centro *m*] de operaciones. ~ 명령 orden *f* de operación. ~ 목표(目標) objetivo *m* de operaciones. ~ 비행(飛行) vuelo *m* operacional. ~ 연구(硏究) investigaciones *fpl* operativas, investigaciones *fpl* operacionales. ~ 준비 완료(準備完了) preparación *f* operacional. ~지 zona *f* de operación. ~ 지도 mapa *m* operacional. ~ 지역(地域) el área *f* operacional [de operación]. ~ 지휘실(指揮室) centro *m* de operaciones. ~ 참모(參謀) el Estado Mayor Operacional. ~ 책임 전술 지역 el área *f* táctica de responsabilidad operacional. ~ 행동 acción *f* operacional. ~ 회의 consejo *m* de guerra.
작정(作定) decisión *f*, determinación *f*, intención *f*, idea *f*, plan *m*, propósito *m*. ~하다 decidir, determinar, intentar + *inf*. …할 ~이다 pensar + *inf*, ir a + *inf*. 나는 내일 오후에 출발할 ~이다 Pienso [Voy a] partir mañana por la tarde. 이번 주말(週末)에는 무엇을 할 ~이십니까? ¿Qué piensa hacer usted este fin de semana?
작조(昨朝) la mañana de ayer, ayer por la mañana.
작주(昨週) semana *f* pasada.
작차다 ① [가득히 차다] llenarse, estar lleno. ② [기한이나 한도 따위가 꽉 차다] hacer efectivo, caducar, vencer.
작첩(作妾) ¶~하다 buscarse una concubina.
작추(昨秋) otoño *m* pasado.
작춘(昨春) primavera *f* pasada.
작파(作破) abandono *m* de trabajo. ~하다 abandonar el trabajo.
작품(作品) obra *f*,【영화】producción *f*. 좋은 ~ buenas obras *fpl*. 베토벤의 ~ 16번 la obra dieciséis de Beethoven. 그 화가는 헤아릴 수 없이 많은 ~을 세상에 내놓았다 Ese pintor dio al mundo innumerables obras.
■~ 가치 valor *m* de obras. ~란 columna *f* de obras. ~집 obras *fpl*. ¶시~ obras *fpl* poéticas.
작풍(作風) estilo *m*, manera *f*. 피카소의 ~을 모방하다 imitar (el estilo de) Picasso.
작하(昨夏) verano *m* pasado.
작황(作況) cosecha *f*, cultivo *m*, recolección *f*, prospectiva *f* de un cosecha. ~이 좋다 tener buena cosecha.
■~ 보고 informe *m* de cosecha. ~ 예보(豫報) pronóstico *m* de cosecha. ~ 예상 perspectiva *f* de cosecha. ~ 지수 índice *m* de cosecha.
작희(作戲) interrupción *f*, estorbo *m*, obstáculo *m*. ~하다 interrumpir, dificultar, interferir.
작히나 =오죽.
잔(殘) =나머지(resto).
잔(盞) ① [술 · 차 · 물 등 음료를 따라 마시는 작은 그릇] vaso *m*, copa *f*, taza *f*, [가느다란 잔] caña *f*. 커피 한 ~ una taza de café. 물 한 ~ un vaso de agua. 포도주 한 ~ una copa de vino. 맥주 한 ~ una caña de cerveza, un vaso de cerveza. ~을 비우다 desecar una copa, beberse una copa. ~을 제공하다 ofrecer una copita. ~을 주고받다 cambiarse una copa. 손님께서는 벌써 다섯 ~이나 마시셨습니다 Usted ya ha rellenado cuatro veces. ② ((준말)) =술잔.
◆잔(을) 돌리다 ㉮ [(술잔을 비운 뒤 상대편에게) 잔을 권하다] aconsejar que reciba una copa. ㉯ [술잔 하나로 좌중에 차례로 돌려 술을 권하다] hacer pasar una copa. 잔(을) 받다 aceptar una copa.
잔- pequeño, delgado. ~돌 piedra *f* pequeña.
잔가시 espina *f* fina (del pescado), espinita *f*. ~가 많은 생선(生鮮) pescado *m* huesudo, pescado *m* osudo.
잔가지 ramita *f*.
잔걸음 ① [방 안이나 집 안에서 왔다 갔다 하는 걸음] pasos *mpl* dentro de la distancia

corta. ② [가까운 거리를 재게 걷는 걸음] pasos *mpl* menudos y afectados, trote *m*. ~으로 가다 trotar, ir al trote, corretear.

◆잔걸음(을) 치다 corretear, ir al trote, trotar.

잔고(殘高) =잔액(殘額)(resto, saldo, balance). ¶~에 이월하다 pasar el saldo. 내 은행 예금의 ~는 5만 원이다 Me queda cincuenta mil wones en mi cuenta del banco.

◆전(前) ~ saldo *m* anterior. 평균(平均) ~ saldos *mpl* promedios. 현금 ~ saldo *m* en caja.

▪~ 계정 cuenta *f* de balance. ~장 libro *m* de balances. ~표 balance *m*, balance *m* general, balance *m* ejercicio, balance *m* de situación. ~ 회계 balance *m*.

잔고기 pececito *m*, pez *m* pequeño, pez *m* menudo; [집합적] morralla *f*, [식품으로] pescadito *m*.

▪잔고기 가시 세다 ((속담)) Aunque se tiene el cuerpo pequeño, es fuerte.

잔교(棧橋) ① [계곡에 높이 걸쳐 놓은 다리] puente *m* puesto cruzando los barrancos. ② [부두에서 선박에 걸쳐 놓아 화물을 싣고 부리거나 선객(船客)이 오르내리게 된 다리] muelle *m*. ~를 통과하여 승선하다 subir a bordo pasando por el muelle. 배를 ~에 대다 poner el barco al muelle.

◆부(浮)~ muelle *m* flotante.

▪~ 사용료 muellaje *m*, derechos *mpl* de muelle.

잔글씨 escritura *f* fina, letra *f* fina. ~용(의) para escritura fina. ~로 쓰다 escribir en letras finas, escribir con letra fina.

잔금 líneas *fpl* finas, arruga *f* fina.

잔금(殘金) saldo *m*, resto *m*, lo restante, dinero *m* sobrante. ~ 10만 원 cien mil wones de resto. ~은 3개월 후에 지불하겠습니다 Pagaremos el resto dentro de tres meses.

잔기(殘期) tiempo *m* quedado, resto *m* del período.

잔기침 tos *f* ligera, tos *f* leve. ~하다 toser ligeramente.

잔꾀 astucia *f* pequeña, artificio *m* mezquino.

◆잔꾀(를) 피우다 emplear un artificio mezquino.

잔나비 【동물】 mono *m*; [암컷] mona *f*.

잔누비 guata *f*, tela *f* acolchada, tela *f* acolchonada.

▪~질 guateado *m* fino.

잔다리밟다 ascender a un puesto alto paso a paso. 우리의 사장(社長)은 직공부터 잔다리 밟은 분이다 Nuestro presidente comenzó por ser un simple [mero] obrero.

잔달음 trote *m*. ~으로 가다 trotar, ir al trote, corretear.

잔당(殘黨) restos *mpl*; superviviente *mf*, sobreviviente *mf*, refugiado, -da *mf*. 나폴레옹군(軍)의 ~ lo que quedaba del ejército napoleónico.

잔대 【식물】 campánula *f*, farolillo *m*.

잔대(盞臺) platillo *m* para la copa de vino.

잔도(殘徒) =잔당(殘黨).

잔도(棧道) camino *m* estrecho de maderos.

잔돈 ① [작은 돈] cambio *m*, monedas *fpl*, *AmL* sencillo *m*, *Méj* feria *f*, *Col* menudo *m*; [호주머니 속 등에 있는 잔돈] dinero *m* suelto. ~으로 1달러 un dólar en monedas. ~으로 바꾸다 cambiar en monedas, cambiar en sencillos, cambiar en moneda suelta. ~을 모으다 ahorrar un poco. 천 원을 ~으로 바꾸다 cambiar mil wones en monedas. ② =우수리. ③ ((준말)) =잔돈푼.

▪~ 주머니 monedero *m*. ~푼 ㉮ [용돈] dinero *m* para gastos personales. ㉯ [어린이용의] dinero *m* de bolsillo, *AmL* mesada *f*, *Per* propina *f*.

잔돌 guija *f*, guijarro *m*, piedrecita *f*, china *f*.

잔디 【식물】 césped *m*, céspede *m*. ~ 깎는 기계 cortadora *f* [fundidora *f*] de césped, fundidora *f*, cespedera *f*. 깎은 ~ tepe *m*. ~를 밟다 pisar el césped. ~를 심다 encespedar, cubrir con céspedes. ~를 밟지 마시오 ((게시)) Prohibido pisar el césped / No pisen el césped / No pisar el césped / Se prohíbe pisar el césped.

▪~밭 prado *m*, gramal *m*, césped *m*.

잔뜩 muchísimo, extremamente, sumamente, completamente. ~ 화가 나서 en un arranque de cólera. 책을 상자에 ~ 채우다 rellenar [llenar por completo] una caja de [con] libros. 그는 ~ 화가 나 있다 El está encendido de ira [furioso · hecho una furria] / A él se le llevan los demonios. ~ 먹었습니다 [자꾸 권할 때] Estoy harto / Estoy (muy) lleno. 상자에는 금화(金貨)가 ~ 채워져 있었다 La caja estaba llena de monedas de oro.

잔루(殘壘) ((야구)) corredor *m* dejado en base.

잔류(殘留) quedada *f*. ~하다 quedarse, permanecer, seguir en el mismo sitio.

▪~ 부대(部隊) fuerzas *fpl* quedadas. ~ 시간(時間) tiempo *m* quedado. ~ 자기(磁氣) magnetismo *m* remanente.

잔말 refunfuñadura *f*. ~하다 refunfuñar, buscar quisquillas, regañar duro. ~이 많은 (사람) quisquilloso, -sa *mf*, reparón (*pl* reparones), -rona *mf*, refunfuñador, -dora *mf*, refunfuñón, -ñona *mf*.

▪~쟁이 quisquilloso, -sa *mf*, reparón, -rona *mf*, refunfuñador, -dora *mf*, refunfuñón, -ñona *mf*, regañón, -ñona *mf*.

잔망(殘亡) =잔멸(殘滅).

잔멸(殘滅) ruina *f*, declive *m*, decadencia *f*, deterioro *m*. ~하다 echarse a perder, estropearse, deteriorarse, decaer.

잔명(殘命) resto *m* de *su* vida condenada.

잔무(殘務) asuntos *mpl* restantes, negocio *m* restante, negocios *mpl* por despachar. ~를 정리하다 liquidar los negocios, liquidar los asuntos que (se) han quedado en suspenso. 회사의 ~를 정리하다 liquidar [ajustar · cerrar] los asuntos [los negocios] de una compañía.

잔물결 olas *fpl* rizadas, olas *fpl* pequeñas, rizos *mpl* del agua. 바람으로 수면(水面)에 ~이 인다 La brisa hace rizarse la superficie del agua.

잔밉다 (ser) detestable, odioso, aborrecible, repugnante. 잔밉게 de manera detestable, odiosamente, repugnantemente.

잔반(殘飯) sobras *fpl* [residuo *m*] de (una) comida [de arroz cocido]. 이 요리는 ~으로 만들었다 Estos platos están hechos con las sobras.

잔병(一病) insalubridad *f*, estado *m* enfermizo. ~이 많다 ser enfermizo, estar enfermo constantemente. 그는 어렸을 때부터 ~을 늘 앓는다 El ha sido enfermizo desde su niñez.

잔병(殘兵) tropas *fpl* abandonadas, tropas *fpl* que han perdido a su comandante.

잔부끄럼 timidez *f*. ~을 타다 (ser) tímido, vergonzoso, *AmL* penoso (*CoS* 제외).

잔상(殘像) imagen *f* (*pl* imágenes) consecutiva, imagen *f* restante.

잔서(殘暑) calor *m* que hace en otoño, calor *m* del tardío verano. ~가 대단하다 Es severo el calor del tardío verano.

잔설(殘雪) restos *mpl* de nieve, nieve *f* que queda sin disolverse, nieve *f* de antaño.

잔셈 cuenta *f* pequeña.

잔소리 ① =잔말(refunfuñadura). ② [꾸중으로 하는 여러 말] reprimenda *f*, regaño *m*, reproche *m*, reprobación *f*, censura *f*, regañina *f*, *Méj* regañiza *f*, *RPl* reto *m*. ~하다 reprender, regañar, reprochar, censurar, *Méj* reñir, *CoS* retar, *Urg* regonzar. 그녀는 사소한 일에도 ~를 한다 [며느리에게] Ella ve defectos en todo lo que hace la nuera.

■ ~꾼 parlanchín (*pl* parlanchines), -china *mf*, charlatán (*pl* charlatanes), -tana *mf*, tarabilla *mf*, rezongón (*pl* rezongones), -gona *mf*, gruñón (*pl* gruñones), -ñona *mf*.

잔속 detalles *mpl* íntimos, contenidos *mpl* detallados. ~을 알다 tener el conocimiento íntimo, tener la sabiduría íntima.

잔손 atención *f* minuciosa, toque *m* pequeño. ~이 많이 가는 trabajoso.

◆ 잔손(이) 가다 requerir muchas molestias.

■ ~질 toque *m* final, toque *m* pequeño. ¶ ~이 안 가는 일 trabajo *m* sencillo, trabajo *m* fácil.

잔솔 pino *m* pequeño.

■ ~밭 pinar *m* de pinos pequeños. ~잎 hojas *fpl* del pino pequeño.

잔술(盞一) vino *m* por la copa.

■ ~집 bar *m* que vende por la copa.

잔심부름 mandados *mpl*. ~하다 hacer [ir a] los mandados. ~꾼 recadero, -ra *mf*, mandadero, -ra *mf*.

잔악하다(殘惡一) (ser) atroz, cruel. 잔악함 atrocidad *f*, crueldad *f*. 잔악하게 atrozmente, muy mal, pésimamente, fatal.

잔액(殘額) balance *m*, resto *m*. ☞잔고(殘高)

잔약하다(孱弱一) (ser) débil, delicado, precario, endeble, frágil. 잔약함 debilidad *f*, flaqueza *f*, precariedad *f*, endeblez *f*. 잔약한 남자(男子) hombre *m* de constitución débil. 잔약한 여자 mujer *f* de constitución débil.

잔업(殘業) horas *fpl* extra(s), horas *fpl* extraordinarias, trabajo *m* de sobretiempo, trabajo *m* de horas extras [suplementarias], *Chi* sobretiempo *m*. ~하다 hacer horas extra(s), *Chi*, *Per* trabajar sobretiempo. 두 시간 ~하다 hacer [echar] dos horas extras. 학생들에게 ~을 시키다 mandar a los alumnos quedarse después de las clases.

■ ~ 금지 prohibición *f* de tiempo extra. ~ 수당 horas *fpl* extra(s), jornal *m* [sueldo *m*] de horas extraordinarias, pago *m* para sobretiempo, paga *f* por horas extras, paga *f* por horas extraordinarias, prima *f* de [por] horas extras, *Chi*, *Per* sobretiempo *m*. ~ 시간(時間) horas *fpl* extra(s), horas *fpl* extraordinarias.

잔여(殘餘) resto *m*. ~의 restante, sobrante, que sobra, residual.

■ ~액 balance *m*. ~ 재산(財産) bienes *mpl* residuales, activo *m* después de la disolución, legado *m* residual. ~ 재산 상속자 legatario, -ria *mf* del remanente.

잔열(殘熱) ① =잔서(殘暑). ② [남은 신열(身熱)] fiebre *f* prolongada.

잔영(殘影) rastros *mpl*, indicios *mpl*, reliquias *fpl*.

잔용 dinero *m* para gastos personales.

잔월(殘月) luna *f* del alba, luna *f* en el cielo de alborada.

잔읍(殘邑) aldea *f* arruinada.

잔인(殘忍) atrocidad *f*, crueldad *f*, brutalidad *f*, inhumanidad *f*. ~하다 (ser) atroz, cruel, brutal, sangriento, inhumano, despiadado. ~하게 atrozmente, cruelmente, brutalmente, inhumanamente, despiadamente. ~한 사람 persona *f* cruel, persona *f* brutal. ~한 남자 hombre *m* cruel. ~한 여자(女子) mujer *f* cruel. ~하게 대하다 tratar cruelmente. …하는 것은 ~한 짓이다 Es cruel + *inf*. 그것은 너무 ~한 짓이다 ¡Eso es de- masiado! / ¡No seas cruel!

■ ~무도(無道) crueldad *f* abominable, inhumanidad *f*. ¶~하다 ser cruelísimo. ~성(性) naturaleza *f* cruel, crueldad *f*, inhumanidad *f*, atrocidad *f*, brutalidad *f*.

잔일 asuntos *mpl* pequeños, detalles *mpl* finos.

잔입 boca *f* que todavía no come nada después de levantarse por la mañana.

잔자누룩하다 (ser) tranquilo, en calma.

잔잔하다 ① [(바람・물결・소리 따위가) 가라앉아 조용하다] calmarse, sosegarse, amainar. 잔잔한 바다 mar *m* tranquilo. 바람이 (멎어) 잔잔해진다 El viento amaina / El viento se calma / El viento se sosega. 바

다가 잔잔해져 있다 El mar está tranquilo [en calma]. ② [(병세·형세 따위가) 더하지 아니하고 가라앉다] calmarse, ceder, mitigarse. 잔잔하게 하다 calmar, mitigar. 잔잔히 tranquilamente, en calma.

잔재(殘滓) ① [남은 찌꺼기] residuo *m*, desperdicio *m*, restos *mpl*; [액체의] posos *mpl*, *Col* cunchos *mpl*, *Chi* conchos *mpl*. ~만 남았다 Sólo quedan los restos. ② [지난날의 낡은 의식이나 생활 방식] escoria *f*, vestigio *m*. 사회의 ~ escoria *f* de la sociedad. 인류(人類)의 ~ escoria *f* de la humanidad. 고대 문명의 ~ los vestigios de una antigua civilización. 일제(日帝)의 ~ los vestigios del imperialismo japonés.

잔재미 placer *m* leve.

잔재주(—才—) ① [자질구레한 일을 잘 해내는 재주] artificio *m* mezquino, trabajo *m* hecho a la ligera, habilidad *f*, talento *m*, destreza *f*. ~가 있는 habilidoso, mañoso, diestro, hábil. ~가 있다 ser habilidoso, ser mañoso, ser diestro con las manos. ② [얕은 재주] astucia *f* somera, treta *f* inútil, artificio *m* inútil. ~가 있다 ser astuto.

잔적(殘賊) ① [패하고 남은 도둑] ladrones *mpl* que quedan después de la derrota. ② [잔인하게 사람이나 재물을 해침] acción *f* de perjuiciar cruelmente.

잔적(殘敵) enemigos *mpl* de remanente; rezagados *mpl*.

잔전(殘錢) =잔금(殘金).

잔존(殘存) sobrevivencia *f*, supervivencia *f*. ~하다 sobrevivir, perdurar, quedar, subsistir. ~하는 quedado, sobrevivo, residual, vestigial, rudimentario. 그 풍습은 아직 ~하고 있다 Subsiste esa costumbre.

▪~ 기관 órgano *m* residual [vestigial · rudimentario]. ~ 세력 fuerza *f* subsistente.

잔주 queja *f* borracha. ~하다 quejarse bebiendo.

잔주(—註) nota *f* pequeña.

잔주름 arruga *f* fina, arruga *f* pequeña; [눈꼬리의] patas *fpl* de gallo; [치마의] frunce *m*, pliegue *m*. ~을 잡다 fruncir, hacer frunces. ~이 잡히다 tener pequeñas arrugas. 코에 ~을 모으다 arrugarse las narices.

▪~살 piel *f* con arrugas finas.

잔줄 raya *f* fina, línea *f* fina.

잔질다 (ser) pusilánime, timorato.

잔짐승 animal *m* pequeño.

잔챙이 variedad *f* pequeña, la cosa más pequeña.

잔치 ① [경사 때에 음식을 차려 놓고 여러 사람을 청하여 먹으며 즐기는 일] fiesta *f*, banquete *m*, festín *m* (*pl* festines). ~를 벌이다 dar una fiesta, celebrar un banquete, celebrar un festín. ② =결혼식.

▪~ㅅ날 día *m* de fiesta, día *m* de banquete. ~ㅅ상 mesa *f* para la fiesta. ~ㅅ집 casa *f* que se celebra la fiesta.

잔칼질 corte *m* en trozos pequeños, ~하다 [고기·사과를] cortar en trozos pequeños; [양파 등을] picar.

잔털 pelo *m* fino.

잔판머리 conclusión *f*, clausura *f*, desenlace *m*. 연극의 ~ desenlace *m* del drama.

잔풀 hierba *f* joven, hierba *f* tierna.

▪~나기 primavera *f* que se brotan las hierbas jóvenes. ~내기 persona *f* jactanciosa de su primer éxito pequeñito. ~호사(豪奢) lujo *m* contra *sus* situaciones.

잔품(殘品) artículos *mpl* invendibles, artículos *mpl* no vendidos.

▪~ 정리 liquidación *f*, saldo *m*.

잔학(殘虐) crueldad *f*, brutalidad *f*, inhumanidad *f*, atrocidad *f*, barbaridad *f*. ~하다 (ser) cruel, brutal, inhumano, atroz, bárbaro. ~하게 cruelmente, brutalmente, inhumanamente, atrozmente, bárbaramente, con inhumanidad, con crueldad. ~한 범행(犯行) crimen *m* brutal. ~한 행위 salvajada *f*, bestialidad *f*. ~하게 대하다 tratar cruelmente. ~한 행위를 하다 cometer una salvajada.

▪~성(性) crueldad *f*, carácter *m* cruel.

잔해(殘骸) restos *mpl*, residuos *mpl*, esqueleto *m*; [건물의] ruinas *fpl*, escombros *mpl*.

잔향(殘響) reverberación *f*, retumbo *m*.

잔허리 cintura *f* delgada, cintura *f* fina.

잔혹하다(殘酷—) (ser) cruel, sangriento, brutal, atroz, inhumano. 잔혹함 crueldad *f*, atrocidad *f*, brutalidad *f*, inhumanidad *f*, sangre *f* fría. 잔혹하게 cruelmente, brutalmente, atrozmente, inhumanamente, despiadadamente. 잔혹 무도한 cruelísimo. 매우 잔혹한 cruelísimo, muy cruel, muy inhumano. 잔혹한 사람 persona *f* cruel [brutal]. 잔혹한 남자 hombre *m* cruel. 잔혹한 조롱 burla *f* brutal. 잔혹한 행위 acto *m* cruel, actitud *f* brutal. 잔혹한 짓을 하다 cometer un acto cruel. 잔혹하게 취급하다 tratar cruelmente. 동물을 잔혹하게 다루다 tratar los animales cruelmente [con crueldad]. 그는 잔혹하게도 내 청원을 거절했다 El ha tenido la crueldad de rechazar mi petición.

잔화(殘火) fuego *m* restante, brasa *f*, ascua *f*.

잔흔(殘痕) rastro *m*, indicio *m*, marca *f*, señal *f*, [피부의 덴 자국 · 벤 자국 · 수술의 자국] cicatriz *f*.

잗갈다 moler finamente.

잗갈리다 molerse finamente.

잗널다 roer en trozos pequeños.

잗다듬다 recortar finamente.

잗다랗다 (ser) sumamente fino, finísimo.

잗달다 (ser) de mentalidad cerrada, intolerante, pequeño, inferior, tacaño, roñoso.

잗젊다 parecer más joven para *su* edad. 그는 ~ El parece más joven de lo que es.

잗주름 raya *f* fina, *Méj*, *Ven* pliegue *m*. ~을 잡다 arrugar finamente. 네 옷에 ~을 잡아라 Te vas a arrugar el vestido / Arruga el vestido.

잗타다 moler finamente.

잘¹ [검은담비의 털가죽] marta *f* (cebellina).

잘² ① [옳고 바르게] bien, bueno, correcto, honesto, honrado. 마음을 ~ 써라 Sé bueno / Sé honrado. ② [좋게. 훌륭하게] bien. ~ 그린 그림 cuadro *m* bien pintado. ~ 나가다 ㉮ salir [ir · andar] bien. ㉯ [성공하다] tener éxito, tener buen resultado, salir bien (en). ㉰ [사이좋게] llevarse bien (con), entenderse bien (con). 그는 아내와 ~ 지내지 못한다 El no se lleva bien con su esposa. ③ [익숙하고 능란하게] bien, hábilmente, excelentemente, con arte, con ingenio, con maña. 아주 ~ muy bien. ~하다 hacer bien. ~ 속이다 engañar con maña. 노래를 ~ 부르다 cantar bien. 서반아어와 불란서어를 ~하다 hablar el español y el francés bien. 탁구를 ~ 치다 jugar bien al pingpong. ~했다! ¡Qué bien lo has hecho! / ¡Te saliste con la tuya / [운이 좋았다] ¡Qué suerte tienes! 이 국은 간이 ~ 되었다 Esta sopa está bien condimentada. 벌금을 물지 않으려고 머리를 ~ 썼군 ¡Qué bien te ls ingeniaste para no tener que pagar la multa. ~ 짖는 개는 집을 잘 지킨다 ((서반아 속담)) Perro que mucho ladra, bien guarda la casa. ④ [탈없이. 편하게] bien, en paz, pacíficamente. ~ 가시오 Vaya con Dios / Adiós. 이곳에서 ~ 있습니다 Aquí estoy bien. ~ 있었는가? ¿Has estado bien? ⑤ [만족하게] muy satisfecho, satisfactoriamente, con satisfacción. ~ 먹었습니다 Estoy muy satisfecho. ⑥ [예쁘고 아름답게] bien, hermosamente, guapamente. ~ 다진 마늘 한 쪽 un diente de ajo, bien picado. ~생긴 얼굴 cara *f* bien parecida, rostro *m* bien parecido. ⑦ [버릇으로 늘 · 곧잘] siempre, frecuentemente, con frecuencia. ~ …하다 soler + *inf.* 나는 그 집에 ~ 놀러 간다 Yo suelo visitar a esa casa. ⑧ [아주 적절하게] muy adecuadamente, muy convenientemente. 마침 ~ 왔다 Tú has venido muy adecuadamente. ⑨ [쉽게] fácilmente, con facilidad. 문제가 ~ 풀리다 resolverse fácilmente el problema. ⑩ [실히. 족히] bastante, suficientemente.
▪잘 자랄 나무는 떡잎부터 알아본다 ((속담)) Los genios se revelan ya en su tierna infancia / La primera impresión es la más duradera.

잘³ 【고어】 =억(億).

잘가닥 cacharreando, guachapeando, tableteando.
잘가닥거리다 [쇠붙이 따위가] cacharrear, guachapear, tabletear. 쇠사슬을 ~ hacer sonar la cadena.
잘가닥잘가닥 cacharreando, guachapeando.

잘가당 cacharreando.
잘가당거리다 cacharrear, guachapear, tabletear.
잘가당잘가당 cacharreando.

잘각 cacharreando.
잘각거리다 cacharrear, guachapear, tabletear.
잘각잘각 cacharreando.

잘강거리다 seguir mordiendo.
잘강잘강 mordiendo, mascando.

잘그랑 tintineando.
잘그랑거리다 tintinear.
잘그랑잘그랑 tintineando.

잘근잘근 siguiendo mascando. 껌을 ~ 씹다 seguir mascando el chicle.

잘금 saliendo un hilito.
잘금거리다 salir un hilito. 물이 파이프에서 잘금거린다 Salía un hilito de agua de la cañería. 그의 이마에서 땀이 잘금거린다 Le corrían gotas de sudor por la frente.
잘금잘금 saliendo un hilito.

잘끈 ajustado, ceñido, apretado. 허리띠를 ~ 동여매다 atar ajustado el cinturón.

잘나다 ① [똑똑하고 뛰어나다] (ser) inteligente, sobresaliente, distinguido, excelente; [위대하다] grande, importante. 잘난 체하다 darse aires, darse ínfulas, darse aires de importancia, darse importancia, darse aires de superioridad, fanfarronear, echar bravatas. 그는 잘난 사람이다 El es una persona muy equilibrada / El es una gran persona. 그는 잘난 체하지만 아무 데도 쓸모가 없는 사람이다 A pesar de que fanfarronea [echa bravatas], no vale [sirve] para nada. ② [잘생기다] (ser) guapo. 잘난 여인(女人) mujer *f* guapa. 잘난 사나이 hombre *m* guapo. 그녀는 잘났다 Ella es guapa.

잘다 ① [크기가 작다] (ser) pequeño. 잘게 자르다 cortar [partir] en trozos [en pedazos]. 잘게 썰다 picar, desmenuzar, cortar en pedazos pequeños. 잘게 썬 것 picado *m*, picadura *f*, muesca *f*. 잘게 썬 담배 tabaco *m* picado. 몇 개로 잘게 자르다 cortar en unas partes pequeñas. 야채를 잘게 썰다 cortar [picar] verduras. 잘게 떼다 arrancar. 잘게 찢다 despedazar, hacer pedazos, romper en pedazos. 빵을 잘게 자르다 pellizcar [partir en trozos] el pan. 종이를 잘게 찢다 hacer pedacitos el papel. ② [가늘다] (ser) delgado, fino. 잔 뿌리 raíz *f* fina. 잘게 다진 고기 picadillo *m*. 잘게 다진 고기 요리 picado *m*. 잘게 다지다 [고기를] cortar en trozos pequeños; [양파를] picar. ③ [자세하다] (ser) detallado. 잔 주석(註釋) notas *fpl* detalladas. ④ [성질이 좀스럽다] (ser) cerrado, de miras estrechas. 잘게 굴다 portarse de miras estrechas.

잘되다 salir bien, tener buen éxito; [번영하다] prosperar. 옳지 잘되었다는 듯이 aprovechando la oportunidad [la ocasión]. 잘되면 좋고 Si marcha bien, podrías darte por satisfecho / Si me sale bien, apláudanme. 일이 잘되면 si la cosa marcha bien. 이 곡(曲)은 아주 잘되었다 Esta pieza musical es bastante buena. 네 일은 잘될 것이다 La fortuna te sonreirá con el tiempo. 만사가 잘되었다 Todo ha salido perfecto. 일이 잘되지 않는다 Los negocios no andan [marcharn] bien. 아주 잘되었다 ¡Qué bien ha salido!

잘똑거리다 cojear (a menudo), renquear, *AmL* renguear.
잘똑잘똑 cojeando, renqueando.

잘뚜마기 parte *f* fina, parte *f* estrecha.

잘라 말하다 decir definitivamente, decir de forma concluyente [fehaciente], declarar, manifestar, afirmar.

잘라매다 atar [*AmL* amarrar (*RPI* 제외)] fuerte. 허리띠를 ~ abrocharse el cinturón. 허리띠를 잘라매라 Abróchate el cinturón.

잘라먹다 ① [동강을 내어 먹다] comer cortando en pedazos, cortar y comer. 떡을 ~ cortar la tarta y comerla. ② [남에게 갚거나 돌려주거나 전해 줄 돈이나 물건을 떼먹거나 제 것으로 삼다] apoderarse (de), estafar. 빚을 ~ apoderarse de la deuda, no pagar la deuda. 그녀는 빚을 잘라먹었다 Ella se hizo la sueca y no pagó la deuda. ③ [중간에서 횡령하다] usurpar, desfalcar. 공금을 ~ usurpar el dinero público.

잘라뱅이 artículo *m* corto.

잘랑거리다 tintinear. 잘랑거림 tintineo *m*, cascabeleo *m*. 잘랑거리게 하다 hacer tintinear, hacer sonar.
잘랑잘랑 tintineando.

잘래잘래 sacudiendo *su* cabeza.

잘록하다 (ser) delgado, esbelto; [목·허리가] fino. 잘록한 허리 cintura *f* fina.

잘름발이 cojo, -ja *mf*.

잘리다 ① [남에게 잘라먹음을 당하다] ser estafado, ser timado. 나는 잘렸다 Me han estafado [timado]. 그녀는 그들한테 빚을 잘렸다 A ella le estafaron [le quitaron] la deuda. ② [끊어지게 되다] cortarse, romperse; [칼이] cortar; [중간에서 끊기다] interrumpirse.. 얇게 잘린 빵 pan *m* de molde cortado en rebanadas. 얇게 잘린 토마토 tomates *mpl* en rodajas finas. 잘 잘리지 아니하다 no cortar bien, estar embotado. 이 가위는 잘 잘린다 Estas tijeras cortan bien. 이 빵은 잘 잘리지 않는다 Este pan es muy difícil de cortar / Este pan no se puede cortar bien. 실이 잘렸다 Se cortó el hilo. 전선(電線)이 잘려 있다 El cable está cortado. ③ [해고당하다] ser despedido, ser destituido. 목이 ~ ser despedido, ser destituido. 그는 직무 태만으로 목이 잘렸다 El fue despedido porque descuidaba sus deberes.

잘 먹다 ① [식생활(食生活)에 부족함이 없다] no faltar el alimento. ② [가리지 않고 먹다] comer cualquier cosa; [어떤 특정한 것을 좋아하여 먹다] gustar*le* la comida especial.

잘못 ① [잘하지 못한 짓] equivocación *f*, culpa *f*, falta *f*, yerro *m*, errata *f*; [종교·도덕상의] pecado *m*; [범죄] delito *m*. ~하다 equivocarse, cometer un error. ~으로 por error, por equivocación, erróneamente; [부주의로] por descuido, descuidadamente. 문법상의 ~ falta *f* gramatical. 기억의 ~ error *m* [fallo *m*] de memoria. 심한 ~ un grave error. 철자(綴字)의 ~ una falta de ortografía. ~투성이 책 libro *m* lleno de erratas [de yerros]. ~을 사과하다 disculparse. ~을 깨닫다 apearse [bajarse · caerse] del burro. ~을 저지르다 cometer una falta, cometer un error, incurrir en un error, equivocarse. ~을 바로잡다 corregir [reparar] la falta [el error]. 자신의 ~을 깨닫다 caer de *su* burro. 큰 ~을 범하다 cometer una gran equivocación. 내 ~이 아니라면 si no me equivoco, a menos que esté muy equivocado. 죄송합니다. 제 ~입니다 Lo siento, es culpa mía. 대답이 ~되었다 La respuesta está mal [equivocada]. 약간의 ~이 있음에 틀림없다 Debe de haber algún error. 우리는 모두가 ~을 범한다 Todos cometemos errores. 누구나 ~을 저지를 수 있다 Cualquiera se puede equivocar / Nadie es perfecto. ② [그릇되게. 틀리게] mal, incorrectamente, por error, por equivocación. ~ 보다 tomar [tener] por otro, equivocar (por). ~ 쓰다 equivocarse al escribir, escribir incorrectamente. ~ 알다 confundir. ~ 이해하다 entender mal, interpretar mal. ~ 이해함 mal entendimiento *m*, contrasentido *m*. ~ 알아볼만큼 아름다워지다 ponerse tan hermoso como no es capaz de reconocer*le*. 값을 ~ 알다 equivocarse en el precio. 길을 ~ 들다 descarriarse. 뜻을 ~ 이해하다 entender mal el sentido. A를 B로 ~ 알다 tomar [equivocar] A por B; [혼동하다] confundir A con B. 서류를 ~ 쓰다 escribir mal los documentos. 너는 그녀를 ~ 판단하고 있다 Tú juzgas mal. 당신은 시간을 ~ 알고 있다 Usted se equivoca de hora. 그는 자기 것으로 ~ 알고 남의 우산을 가져갔다 El se llevó un paraguas ajeno creyendo que era el suyo. 나는 너를 네 언니로 ~ 알았다 Yo te confundí con tu hermana. 나는 뒷문으로 ~ 갔다 Me fui a la puerta trasera por error [por equivocación]. 나는 이 문장의 뜻을 ~ 이해했다 He interpretado mal el sentido de esta oración. 나는 그의 진의(眞意)를 ~ 이해했다 He comprendido mal su verdadera intención. 나는 그의 말을 ~ 이해했다 He interpretado mal sus palabras. 그들은 내 이름을 ~ 썼다 Ellos escribieron mal mi nombre. 우리들은 버스를 ~ 탔다 Nos hemos equivocado de autobús.

잘못되다 ① [(어떤 일이) 실패로 끝나다·나쁜 결과로 되다] fracasar, salir mal. 그는 일이 잘못되었다 El fracasó en su trabajo. ② [(품성이나 성질이) 나쁘게 되다] hacerse peor. ③ [(뜻밖의 사고나 병 따위로) 죽다] morir (de enfermedad · accidente inesperado).

잘못짚다 =헛다리짚다.

잘못하다 equivocarse (de · en), cometer un error, cometer una equivocación, tener la culpa, errar (en), errarse, no tener razón. 계산을 ~ calcular mal, cometer un error de cálculo. 잘못해서 다른 데 넣다 equivocarse de sitio al colocar. 대답을 ~ errar en la respuesta. 너는 잘못해서 그녀에게 말했다 Tú hiciste mal en decirle a ella. 나는 잘못해서 그것을 집에 가져왔다 Me lo llevé a casa por equivocación. 우리 모두가 잘못하고 있다 Todos cometemos errores. 그녀는 합계를 낼 때 잘못했다 Ella se equivocó al sumar el total.

잘박 salpicando, con salpicadura. ~하다 salpicar.
잘박거리다 salpicar.
잘박잘박 salpicando.

잘생기다 [모양이] [얼굴이] (ser) guapo, bien parecido, hermoso, bello, bonito. 잘생긴 남자 hombre *m* guapo. 잘생긴 여자 mujer *f* guapa [bonita].

잘 입다 ① [의생활(衣生活)에 부족함이 없다] no faltar*le* la vida de vestir a *uno*. ② [옷따위를 안목 있게 입을 줄 알다] ponerse elegantemente.

잘잘[1] ((준말)) =잘래잘래.

잘잘[2] [열이나 온도가 매우 높아 더운 모양] hirviendo (a fuego lento). 커피가 ~ 끓고 있다 El café está hirviendo / El café está que pela. 방이 ~ 끓는다 La habitación es un horno. 오늘은 날씨가 ~ 끓는다 Hoy hace un calor espantoso. 한국의 여름은 ~ 끓는다 Hace un calor sofocante en el verano en Corea.

잘잘[3] [물건을 손에 쥐고 가볍게 흔드는 모양] sacudiendo ligeramente.

잘잘[4] [이리저리 채신없이 바삐 쏘다니는 모양] como una flecha. 방으로 ~ 들어가다 entrar como una flecha en una habitación. 방에서 ~ 나가다 salir como una flecha de la habitación. 그는 숲 뒤로 ~ 숨었다 El corrió a esconderse detrás de un arbusto.

잘잘[5] ① [땅에 축 늘어져서 끌리는 모양] arrastrando. 발을 ~ 끌면서 걷다 andar arrastrando los pies. 그녀의 옷은 뒤로 ~ 끌렸다 El vestido le arrastaba por detrás. 개는 부러진 다리를 ~ 끌고 갔다 El perro iba arrastrando la pata rota. ② [기름기나 윤기가 겉에 드러나게 반드르르 흐르는 모양] [물건에서] oleaginosamente; [넝마에서] manchando de aceite; [음식에서] grasientamente, aceitosamente; [피부·머리카락에서] grasamente, grasosamente.

잘잘[6] [물이 많지 않게 또는 얕게 흐르는 모양] corriendo poco a poco.

잘잘못 justicia o injusticia, lo correcto y lo incorrecto, meritos y deméritos. ~을 분간할 줄 알다 saber distinguir entre lo que está bien y lo que está mal.

잘코사니 ¡Viva! / ¡Yupi!

잘크라지다 ponerse mustio, marchitarse.

잘하다 ① [옳고 착하게 하다] hacer correto, ser bueno; [좋고 훌륭하게 하다] hacer excelentemente, hacer perfectamente. 서반아어를 ~ hablar afluentemente [perfectamente · muy bien]. 공부를 잘하는 학생 alumno, -na *mf* brillante, alumno, -na *mf* de mucha capacidad. 공부를 잘하지 못하는 학생 estudiante *mf* mediocre, estudiante *mf* de poca capacidad. ② [익숙하고 능란하게 하다] hacer bien, hacer hábilmente. 요리를 ~ ser un buen cocinero, cocinar bien. 잘했구나! ¡Bravo! / ¡Has hecho bien! 그는 수학을 잘한다 El es fuerte en matemáticas. 나는 수학을 잘하지 못한다 Las matemáticas son mi asignatura débil / Soy flojo [débil] en matemáticas. ③ [순편하고 만족하게 하다] hacer satisfactoriamente. 잘하면 si es posible, si favorece la fortuna, si la ocasión se presenta, si hay oportunidad, si favorece la ocasión. ④ [버릇으로 자주 하다] hacer frecuentemente, hacer mucho. 웃기를 ~ reír mucho.

잘해야 =기껏해야.

잠 ① [눈을 감고 쉬는 의식 없는 상태] sueño *m*; [낮잠] siesta *f*. ~ 못 이루는 sin poder dormir, en blanco. ~ 못 이루는 밤 una noche en blanco, una noche sin poder dormir. 깊은 ~ sueño *m* pesado, sueño *m* profundo. 얕은 ~ sueño *m* ligero. ~을 자다 dormir(se). ~을 재우다 dormir, hacer dormir. ~이 오다 tener sueño. ~에 떨어지다 caerse de sueño. ~을 쫓다 espantar el sueño. ~에서 깨우다 despertar. ~에서 깨어나다 despertarse. ~을 자러 가다 ir a dormir, ir a acostarse. 나는 여덟 시간의 ~이 필요하다 Yo necesito mis ocho horas de sueño. ~이 부족하다 Lo que tiene es falta de sueño. 간밤에는 나는 한~도 자지 못했다 Anoche no dormí nada / Anoche no puede dormir. 그녀의 눈은 ~으로 감겼다 A ella se le caían los ojos de sueño. ② [누에가 허물을 벗기 전에 뽕을 먹지 않고 잠시 쉬는 상태] dormida *f*, sueño *m*. 첫 ~ primera dormida *f*, primer sueño *m*, 두 번째 ~ segunda dormida *f*, segundo sueño *m*. 세 번째 ~ tercera dormida *f*, tercer sueño *m*. 넉 ~을 자고 허물을 벗다 despellejarse después de cuarta dormida [cuarto sueño].

잠간(暫間) ((준말)) =잠시간(暫時間). ¶~ 들어오시겠습니까? ¿Quiere pasar [entrar] un momento? ☞잠깐

잠결 estando dormido. ~에 en *su* sueño, estando dormido. ~에 듣다 escuchar medio dormido.

잠구(蠶具) equipo *m* de sericultura.

잠귀 oído *m* estando dormido.
◆잠귀(가) 밝다 dormir ligeramente, dormir con un ojo abierto, tener el sueño ligero. 잠귀(가) 어둡다 dormir profundamente [pesadamente], tener el sueño pesado.

잠그다[1] [여닫는 물건을 열지 못하게 무엇을 걸거나 꽂거나 채우다] cerrar (con llave), acerrojar. 열쇠로 ~ cerrar con llave. 가스를 ~ cerrar la llave del gas; [사고·요금 미지불 따위로] cortar el gas. 문을 ~ cerrar la puerta con llave.

잠그다[2] ① [액체 속에 물건을 넣어 가라앉게 하다] mojar, bañar, meter, sumergir, poner a [en] remojo, hundir. 잠궈 두다 dejar a [en] remojo. 손가락을 물에 ~ meter un dedo en agua. 옷을 물에 ~ meter la ropa en agua. ② [장래를 바라고 어떤 일에 돈이나 물건을 들이다] investir. 사업 자금으로 돈을 ~ investir el dinero en el fondo de negocio.

잠기다[1] ① [여닫게 된 물건이 잠가지다] cerrarse. 문이 ~ cerrarse la puerta con llave. ② [목이 쉬어 소리가 제대로 나오지 않다] roncarse, hacerse ronco. 잠긴 목소리 voz *f* ronca. 목이 ~ roncarse la garganta.

잠기다[2] ① [액체 속에 가라앉다] hundirse, sumergirse, inundarse. 물에 ~ hundirse al agua. 진흙탕에 무릎까지 ~ hundirse hasta las rodillas en el fangal. 그는 목까지 물에 잠겼다 El se sumergió en el agua hasta el cuello. 큰비로 마루가 물에 잠겼다 El suelo de la casa quedó inundado por la fuerte lluvia. 앵두가 코냑 속에 잠겨 있다 Las cerezas están a remojo en el coñar. 앙금이 항아리 바닥에 잠긴다 El sedimento se deposita en el fondo del frasco. ② [어떤 일에 밑천·물건 등이 들어 있다] estar atado. ③ [한 가지 일에만 골똘하다] estar absorto (en). 생각에 ~ estar absorto en pensamientos. 슬픔에 ~ estar absorto en tristeza. 그녀는 완전히 생각에 잠겨 있었다 Ella estaba completamente absorta en sus pensamientos. ④ [(어떤 분위기나 상황에) 휩싸이다] sumergirse (en), meterse (en). 감격에 ~ sumergirse profundamente en una emoción.

잠깐 un momento, un rato, un instante, un minuto, un segundo, muy poco rato; [아주 짧은 순간] un momentito, un ratito; [부사적으로] por un tiempo, por un instante, por un rato, por algún tiempo, poco después, a poco rato. ~ 있으면 dentro de poco, en breve, en un momento, en un rato, en un segundo, en un minuto, en poco tiempo. ~ 있다가 un momento después, en un poco timepo, en un momento, de momento, por el momento, a poco rato, al poco rato, en seguida. ~ 전부터 desde hace algún tiempo (acá). ~ 만납시다 Vamos a vernos un momento. ~만 기다려라 (tú에게) Espera un momento; [전화에서] No cuelgues. ~만 기다리십시오 Espere (usted) un momento; [전화에서] No cuelgue.

잠꼬대 ① [잠을 자면서 저도 모르게 중얼거리는 헛소리] somnilocuencia *f*, lo que uno dice dormido. ~하다 hablar en sueño, hablar alto. ② [사리에 닿지 않는 엉뚱한 말] el habla *f* necia, opinión *f* necia, disparate *m*, divagaciones *fpl*, tonterías *fpl*, estupideces *fpl*, majaderías *fpl*. ~하다 hablar disparates, hablar tonterías, hablar a tontas y a locas, disparatar, divagar, desatinar.

잠꾸러기 dormilón (*pl* dormilones), -lona *mf*, lirón (*pl* lirones), -rona *mf*.

잠동무 el dormir juntos; [사람] personas *f* que duerme con la otra.

잠두(蠶豆) 【식물】 haba *f*.

잠들다 ① [잠을 자게 되다] dormirse, adormir, quedarse dormido, conciliar el sueño. 잠들게 하다 dormir, hacer dormirse. 잠들 수 없다 no poder dormirse. 푹 ~ dormirse profundamente. 잠들어 있다 estar dormido, quedarse dormido. 나는 곧 잠들었다 Me quedé dormido enseguida. 그는 깊이 잠들어 있었다 El estaba profundamente dormido. 마을은 모두 잠들어 고요해졌다 Dormía toda la aldea. 가족이 모두 잠들어 조용한 것을 확인한 후에 그는 외출했다 El salió después de asegurar que toda la familia estaba [se había quedado] dormida. ② [죽다] morir, fallecer, yacer, descansar. 그의 시신이 여기에 잠들어 있다 Aquí yacen sus restos mortales. 고이 잠드소서 Que en paz descanse / q.e.p.d. / Q.E.P.D.

잠란(蠶卵) huevos *mpl* del gusano de seda.
■ ~지(紙) papel *m* en que ponen huevos del gusano de seda.

잠망경(潛望鏡) periscopio *m*.

잠매(潛寐) ＝영면(永眠).

잠매(潛賣) ＝암매(暗賣).

잠바 pichi *m*, cazadora *f*, blusa *f* holgada de obrero, zamarra *f* de piel, *AmL* compera *f*, *jumper ing.m.* ☞점퍼(jumper)

잠박(蠶箔) ＝누에채반.

잠방이 calzoncillos *mpl*.

잠버릇 hábito *m* de dormir.

잠보 dormilón (*pl* dormilones), -lona *mf*.

잠복(潛伏) ① [몰래 숨어 엎드림] escondite *m*, escondrijo *m*, emboscada *f*, ocultación *f*. ~하다 esconderse, ocultarse, mantenerse escondido, estar al acecho, vigilar, ocultarse. ~중인 간부(幹部) dirigente *m* que está oculto. 경찰관(警察官)을 ~시키다 colocar policías al acecho. 범인은 서울에 ~중이다 El criminal está escondido en Seúl. ②【의학】 incubación *f*, latencia *f*. ~의 latente. ~하다 permanecer [quedar] en un estado latente.
■ ~ 감염(感染) contagio *m* latente. ~근무 servicio *m* de emboscada. ~기 período *m* de incubación, incubación *f*. ~성(性) latencia *f*. ~성 보균자 persona *f* que haya estado en contacto con el portador. ~성 질환 enfermedad *f* latente. ~성 촉매 catalizador *m* latente. ~아(芽) ＝숨은눈. ~ 장소 refugio *m*, guarida *f*. ~ 초소 garita *f*, puesto *m* de guardia.

잠비아 【지명】 Zambia *f*. ~의 zambiano.
■ ~ 사람[인] zambiano, -na *mf*.

잠사(蠶絲) hilo *m* de seda.
■ ~ 시험장 laboratorio *m* de sericicultura. ~업 industria *f* sericultural.

잠상(潛商) contrabandista *mf*.

잠성(潛性) 【생물】 ＝열성(劣性).

잠세력(潛勢力) energía *f* potencial, fuerza *f* latente.

잠수(潛水) sumersión *f*, sumergimiento *m*,

zumbullida *f*, inmersión *f*, buceo *m*, submarinismo *m*. ~하다 sumergirse, bucear, zambullirse, tirarse (al agua).

■ ~교(橋) puente *m* sumergido en la inundción. ~기(器) aparato *m* de buceo. ~모(帽) yelmo *m* de buceo. ~ 모함(母艦) buque *m* de depósito de submarinos, abastecedor *m* de marinos. ~병 enfermedad *f* submarina, enfermedad *f* de los buzos. ~복 escafandra *f*, traje *m* de buzo, sumergible *m*. ~사 buzo *mf*; submarinista *mf*; hombre-rana, mujer-rana *mf*. ~ 시험(試驗) prueba *f* de buceo. ~업 buceo *m*, submarinismo *m*. ~ 영법(泳法) submarinismo *m*, natación *f* subacuática. ~정 submarino *m* pequeño. ~종(鐘) campana *f* de inmersión, campana *f* de buzo. ~질 buceo *m*. ~함(艦) submarino *m*, buque *m* submarino. ¶원자력(原子力) ~ submarino *m* atómico. ~함 승무원 submarinista *mf*. ~함 탐지기 sonar *m*.

잠시(暫時) momento *m*, rato *m*; [부사적으로] en un momento. ~의 momentáneo. ~ 동안에 en un instante, al momento. ~ 후 después de un rato, al cabo de un rato. ~도 눈을 떼지 않다 no apartar la vista ni por un momento. 그가 돌아온 후 ~ 있다가 al ratito [al poco rato] él estaba de vuelta. ~ 쉽시다 Vamos a descansar [Descansemos] un rato. ~ 기다려 주십시오 Espere usted un momento [un rato], por favor / [tú에게] Espera un momento / [며칠·몇 주 동안] Espere un tiempo / [아주 짧은 동안] Espere un momentito [un ratito].

■ ~간(間) momento *m*, rato *m*. ☞잠시

잠식(蠶食) ((준말)) =초잠식지(稍蠶食之). ¶ ~하다 usurpar, invadir.

잠실(蠶室) cuarto *m* donde se crían los gusanos de seda.

잠아(蠶蛾) =누에나방. 잠복아(潛伏芽).

잠언[1](箴言) ① máxima *f*, aforismo *m*, proverbio *m*, sentencia *f*, dicho *m* sentencioso, adagio *m*. ② ((성경)) proverbio *m*, palabra *f*, dicho *m*. 다윗의 아들 이스라엘 왕 솔로몬의 ~이라 ((잠언 1:1)) Los proverbios de Salomón, hijo de David, rey de Israel / Dichos de Salomón, hijo de David, rey de Israel.

잠언[2](箴言) ((성경)) Proverbios *mpl*.

잠업(蠶業) ((준말)) =양잠업(養蠶業).

■ ~ 시험소 estación *f* experimental de sericultura. ~ 시험장 laboratorio *m* de sericultura.

잠열(潛熱) calor *m* latente, fiebre *f* interna.

잠옷 ropa *f* de dormir, camisón *m* (*pl* camisones), pijamas *mpl*, piyamas *mpl* (*AmL fpl*).

잠입(潛入) ① [남몰래 들어감] penetración *f*, infiltración *f*. ~하다 penetrar, infiltrarse, entrar secretamente, entrar clandestinamente, colarse, introducirse a hurtillas; [밀입국하다] matutearse. 적진(敵陣)에 ~하다 penetrar [colarse] en el campo enemigo, infiltrarse en las filas enemigas. 스파이가 국내(國內)에 ~했다 El espía entró clandestinamente [se coló] en el país. ② [물속에 잠기어 들어감] sumersión *f*. ~하다 sumergirse.

잠자다 ① [잠에 빠져 무의식 상태에 들다] dormir; [낮잠을] dormir una siesta, tomar una siesta; [취침하다] acostarse. 잠자는 약 somnífero *m*, pastilla *f* para dormir. 잠잘 시간 hora *f* de acostarse. 늦도록 ~ dormir hasta tarde. 일찍 ~ dormir temprano. 잠자고 싶어하다 estar soñoliento, tener ganas de dormir, dar*le* ganas de dormir a *uno*. 나는 잠자고 싶다 Tengo ganas de dormir / Me dan ganas de dormir. ② [사물이 기능을 잃고 침체 상태에 빠지다] (estar) estancado, paralizado. ③ [부풀어 오른 물건 따위가 착 가라앉다] apretarse, hacerse presión, comprimirse, alisarse.

잠자리[1] ① [잠을 자는 곳] cama *f*, lecho *m*, lugar *m* de dormir. ~를 펴다, ~를 만들다 hacer una cama, *AmL* tender una cama. ~에 들다 acostarse, meterse en la cama, irse a la cama. ~를 걷다 levantar la cama. ~에서 일어나다 levantarse (de la cama). ~에서 책을 읽다 leer en la cama. A와 ~에 들다 acostarse con A. ~에 들 때 justo antes de acostarse, en el momento de retirarse a dormir. ~에서 하는 이야기 [아이들의] cuentos *mpl* para dormir; [부부의] charla *f* amorosa en la cama. 그는 정오까지 ~에 있었다 El se quedó en la cama hasta el mediodía / El no se levantó hasta el mediodía. 벌써 ~에 들 시간이다 ¡Ya es hora de acostarse [irse a la cama]! ② =동침(同寢). ¶~를 같이하다 dormir juntos, acostarse (con), tener realciones sexuales.

◆잠자리(를) 보다 hacer la cama para dormir.

잠자리[2] 【곤충】 libélula *f*, caballito *m* del diablo, *RPI* alguacil.

◆잠자리 나는 듯 en vestido de fiesta. 잠자리 날개 같다 ser muy fino y hermoso.

■ ~채 red *f* para las libélulas.

잠자코 sin decir (ni una) palabra, sin decir nada, en silencio, silenciosamente; [허락 없이] sin pedir permiso; [이의 없이] con obediencia, obedientemente. ~ 있다 permanecer (en silencio), callarse, guardar silencio, no decir nada, quedarse [permanecer] silencioso [callado]; [사람에게 말하지 않다] ocultar, permanecer con la boca cerrada; [대답하지 않다] no responder nada; [눈을 감다] taparse los ojos. ~ 있게 하다 hacer callar, imponer silencio. ~ 있어라 ¡Silencio! / ¡Cállate! 그는 무슨 말을 해도 ~ 있었다 Por mucho que le criticaban permanecía callado.

잠잠하다(潛潛-) callarse, ser tranquilo. 잠잠해지다 ponerse en calma, apaciguarse, tranquilizarse. 잠잠하게 하다 calmar, apaciguar, serenar, tranquilizar; [진압하다] reprimir, contener. 바람[폭풍우 · 바다]이 잠잠해진다 Se calma el viento [la tempestad · el mar]. 회장(會場)이 잠잠해졌다 En la sala reinaba un silencio absoluto.

잠재(潛在) estado *m* latente. ～하다 estar latente, estar ocultado, quedarse en el estado lantente. 내란(內亂)의 씨가 ～해 있다 Está latente la semilla de una guerra civil. ◆성욕(性慾) ～기 período *m* de latencia.
 ■～ 구매력 poder *m* adquisitivo latente. ～ 능력 facultad *f* latente. ～력 energía *f* potencial. ～ 세력 poder *m* latente, poder *m* potencial. ～ 수요 demanda *f* latente. ～ 실업 ＝잠재적 실업. ～ 실업자 parados *mpl* no inscritos, obreros *mpl* en paro no inscritos, empleados *mpl* latentes [potenciales · invisibles]. ～열 calor *m* interno. ～ 의식 subconciencia *f*. ～ 자아 el ego subliminal. ～ 자원 recursos *mpl* potencial. ～적 latente. ¶～으로 latentemente. ～적 실업 empleo *m* latente. ～적 인플레 inflación *f* latente. ～ 전력(戰力) potencial *m* de guerra. ～ 주권(主權) soberanía *f* teórica, soberanía *f* en potencia.

잠재우다 ① [잠자게 하다] hacer dormir. 아기를 잠재우세요 Haz al bebé dormir. ② [부풀어 오른 것을 가라앉히다] prensar. 솜을 ～ tener el algodón prensado.

잠적(潛跡) escondimiento *m*.

잠정(暫定) acción *f* de decidir provisionalmente.
 ■～ 내각 gabinete *m* provisional, gobierno *m* provisional. ～안 plan *m* provisional, *AmL* plan *m* provisorio. ～ 예산(豫算) presupuesto *m* provisional. ～적 provisional, interino, temporal, accidental, *AmL* provisorio. ¶～으로 provisionalmente, de manera temporal, temporalmente. ～으로 임명하다 nombrar como interino. ～적 합의 acuerdo *m* provisional. ～ 조약 tratado *m* provisional. ～ 조치(措置) medida *f* provisional. ～ 협정 protocolo *m*, acuerdo *m* provisional.

잠종(蠶種) ＝누에씨. ¶～ 개량(改良) mejora *f* de especies de gusanos de seda.

잠지 pene *m* del niño.

잠투정 mal humor *m* del niño antes de [después de] dormir. ～하다 tener mal humor antes de [después de] dormir, despertarse siempre de mal humor.

잠함(潛艦) ((준말)) ＝잠수함(潛水艦).

잠항(潛航) navegación *f* submarina. ～하다 navegar sumergido, sumergirse, hundirse en el agua, navegar debajo del agua.
 ■～ 시간(時間) hora *f* submarina. ～ 어뢰 torpedo *m* submarino. ～정(艇) buque *m* submarino. ～정 방어망(艇防禦網) red *f* antisubmarina.

잠행(潛行) viaje *m* en disfraz, viaje *m* de incógnito, andanza *f* secreta. ～하다 viajar en disfraz, viajar en incógnito, andar secretamente, andar sin ser visto; [몸을 숨기다] esconderse, ocultarse. 지하(地下)에 ～하다 esconderse en la clandestinidad, viajar de incógnito.
 ■～ 운동 movimiento *m* furtivo, movimiento *m* clandestino. ☞지하 운동

잡-(雜) ① [여러 가지가 뒤섞여 순수하지 않음] mixto, varios, misceláneos, diversos. ～수입(收入) ingresos *mpl* misceláneos. ② [아무렇게나 막됨] ruin, vulgar. ～놈 hombre *m* ruin, hombre *m* vulgar.

잡가(雜歌) ① [잡상스러운 노래] canción *f* vulgar. ② [민요] canto *m* folclórico, canción *f* folclórica, balada *f* folclórica. ③ ＝속요(俗謠).

잡감(雜感) impresiones *fpl*, pensamientos *mpl*, observaciones *fpl*.

잡거(雜居) residencia *f* mixta, residencia *f* de los indígenas y los extranjeros en vecindad. ～하다 vivir juntos, vivir vecinamente los indígenas y los extranjeros. 한 집에서 ～하다 vivir juntos en una casa.
 ■～ 구금 encarcelamiento *m* sin reclusión solitaria. ～지(地) barrio *m* de residencia mixta.

잡건(雜件) asuntos *mpl* misceláneos.

잡것(雜－) [물건] cosas *fpl* misceláneas; [사람] tipo *m* vulgar, patán *m* (*pl* patanes), bellaco *m*, canalla *f*.

잡계정(雜計定) cuentas *fpl* misceláneas.

잡곡(雜穀) cereales *mpl* (misceláneos).
 ■～ 도매상 mayorista *mf* de cereales; comerciante *mf* al por mayor de cereales. ～밥 *chabgokbab*, arroz *m* cocido y cereales, comida *f* de cereales. ～상(商) comerciante *mf* de cereales. ～전(廛) tienda *f* de cereales. ～주(酒) vino *m* de cereales.

잡귀(雜鬼) demonio *m*.

잡균(雜菌) gérmenes *mpl* varios, bacterias *fpl* varias.

잡급(雜給) paga *f* miscelánea.

잡기(雜技) ① [여러 가지 자질구레한 기예] artes *mpl* misceláneos. ② [잡된 노름] juegos *mpl* misceláneos.
 ■～꾼 jugador, -dora *mf*. ～판 garito *m*.

잡기(雜記) notas *fpl* misceláneas, miscelánea *f* literaria, misceláneos *mpl*.
 ■～장(帳) memorándum *m*, libro *m* de apuntes, agenda *f*, cuaderno *m*.

잡년(雜－) mujer *f* sucia, mujer *f* asquerosa, abandonada *f*, futilla *f*, fulana *f*, puerca *f*, guarra *f*.

잡념(雜念) distracciones *fpl*, ideas *fpl* varias, divagaciones *fpl*, diversos pensamientos *mpl*. ～을 없애다 alejar de *sí* las distracciones.

잡놈(雜－) hombre *m* ruin, hombre *m* vulgar, patán *m*, ballaco *m*, canalla *m*.

잡다[1] ① [손 따위로 움켜쥐고 놓지 않다] tomar, sujetar, agarrar, asir, empuñar, coger, aprehender, captar; [공 · 물건을] coger, agarrar; [덫으로 쥐 · 사자를] coger, atrapar; [물고기를] coger, pescar. 나비를 ～ coger una mariposa. 핸들을 ～ tomar

[agarrar] el volante. 손을 ~ coger a *uno* de la mano, apretar la mano, estrecharse la mano; [서로] apretarse la mano, estrecharse la mano. 손을 잡고 걷다 caminar cogido [tomado · agarrado] de la mano. …의 어깨를 ~ coger a *uno* por el hombro [los hombros]. 증거를 잡고 있다 tener una prueba. 그들은 손을 잡고 걸었다 Ellos caminaban cogidos [tomados · agarrados] de la mano. 내 손을 잡고 길을 건너자 Dame la mano para cruzar la calle. 그는 그녀의 손을 잡고 있었다 El la tenía cogida [tomada] de la mano. 그는 내 어깨를 잡았다 El me agarró del hombro. 나는 그녀의 팔을 잡았다 La cogí [agarré] del brazo. 두 당(黨)이 손을 잡는다 Los dos partidos se dan las manos. 네가 여러 시간 운전을 했으니 내가 핸들을 잡을까? ¿Llevas horas conduciendo [*AmL* manejando] ¿tomo yo el volante?
② [권리 따위를 쥐다] tomar, asumir, hacerse (con), apoderarse (de); [기회(機會)를] aprovechar. 권력을 ~ tomar [asumir] el poder [el mando]. 정권(政權)을 ~ apoderarse del poder político. 기회를 ~ aprovechar la oportunidad. 민주당이 정권을 잡았을 때 Cuando asumió el gobierno demócrata.
③ [담보로 맡다] embargar.
④ [주인 · 집 또는 직장 · 가질 물건 · 목표 등을 정하다] fijar, decidir, determinar; [선정하다] elegir; [예약하다] reservar. 골라 ~ elegir, seleccionar. 날짜를 ~ fijar la fecha. 일자리를 ~ obtener un puesto. 장소를 ~ ocupar mucho espacio. 극장에 자리를 ~ reservar un asiento en el cine.
⑤ [논에 물을 끌어넣다] regar, irrigar.
⑥ [결점을 집어 내다] hallar (el defecto). 트집을 ~ tachar, criticar.
⑦ [어떤 내용을 대강 적어 두거나, 증거 따위를 장악하다] apuntar, obtener, tener 증거를 ~ obtener la prueba.
⑧ ((준말)) =붙잡다(arrestar). ¶범인(犯人)을 ~ arrestar al criminal.
⑩ [기차 · 비행기를 타다] coger, tomar; [제시간에 대다] alcanzar. 나는 막 그것을 잡았다 Lo alcancé con el tiempo justo / Por poco lo pierdo.
⑪ [전파 · 암호 따위를 알아내다] detectar, descubrir.

잡다² [마음으로 헤아리다] estimar. 지나치게 많이 ~ sobreestimar. 지나치게 적게 ~ subestimar.

잡다³ ① [동물을 죽이다] matar. 돼지를 ~ matar el cerdo. ② [남을 헐뜯어 구렁에 넣다] calumniar, difamar, deshonrar. 사람 잡을 소리 그만해 Deja de calumniarme. ③ [화재를 끄다] extinguir, apagar. 불을 ~ extinguir el incendio, apagar el fuego. ④ [노한 마음이나 방탕한 마음을 가라앉히다] calmar, mitigar. 통증을 ~ calmar el dolor. …의 마음을 ~ [매력으로] cautivar a *uno* por *su* encanto. 행복(幸福)을 ~ lograr [conseguir] la felicidad.

잡다⁴ ① [굽은 물건을 곧게 하다] enderezar. 굽은 철사를 곧게 ~ enderezar el alambre curvado. ② [의복에 주름을 내다] arrugar. 바지 주름을 ~ arrugar los pantalones.

잡다⁵ ((준말)) =잡치다.

잡다하다(雜多－) (ser) misceláneo, varios, diversos, variados. 잡다한 것 miscelánea *f*, varios *mpl*, géneros *mpl* diversos. 잡다히 misceláneamente.

잡담(雜談) chismorreo *m*, cotilleo *m*, chisme *m*, charla *f*, cháchara *f*, parla *f*, conversación *f* deshilvanada [sin sustancia · sin orden ni concierto], chismografía *f*; ((속어)) labia *f*, parloteo *m*, palique *m*. ~하다 chismorrear, cotillear, contar chismes, charlar, parlar, parlotear, chacharear, chismear, charlatear; [상태] estar de palique. ~으로 시간을 보내다 pasar el tiempo chismorreando. ~할 시간도 없다 No tengo tiempo de chismorrear. 근무 중에는 ~을 해서는 안 됩니다 No hagáis comentarios [No charléis] durante las horas de trabajo.

잡답(雜沓) aglomeración *f*, concentración *f*, gentío *m*, barullo *m*, bullicio *m*, muchedumbre *f*, tropel *m* de gente, confusión *f*, congestión *f*. ~하다 amontonarse, apiñarse, congestionarse, reunirse [empujarse] de mucha gente, estar bullicioso. ~한 거리 calle *f* bulliciosa, vía *f* pública donde se apiñan de mucha gente.

잡도리 amonestación *f*, reprensión *f*. ~하다 amonestar, reprender, dar una lección. 장래를 ~하다 advertir [dar consejos] a *uno* para *su* porvenir. 악행(惡行)을 저지른 데 대해 ~하다 amonestar [reprender] a *uno* (por haber obrado mal). 그의 부친은 그의 악행을 ~했다 Su padre le reprendió su mala conducta.

잡동사니 batiburrillo *m*, batiborrillo *m*, ensalada *f*, mezcolana *f*, géneros *mpl* diversos, cachivache *m*, bagatela *f*, cascotes *mpl*, escombros *mpl*, trastos *mpl* viejos, moralla *f*, deshecho *m*; [가구(家具)의] armatoste *m*; [고물(古物)] antiguallas *fpl*, objetos *mpl* [utensilios *mpl*] antiguos [usados]. ~를 쌓아 놓은 방 [광] leonera *f*, trastera *f*.

잡되다(雜－) ① [여러 가지가 섞여 순수하지 못하다] (ser) impuro, no ser puro, mixto. 잡된 물질 sustancia *f* impura. 잡된 생각 pensamientos *mpl* impuros. ② [됨됨이가 천하고 난잡하고 조촐하지 못하다] (ser) vulgar, grosero, ordinario, basto, tosco. 잡된 제스처 un gesto grosero. 음식물이 가득 찬 입으로 말하는 것은 잡된다 Es grosero [de mala educación] hablar con la boca llena.

잡록(雜錄) =잡기(雜記).

잡말(雜－) charla *f* (sucia), parloteo *m*. ~하다 charlar, parlotear.

잡맛(雜－) sabor *m* impuro, sabor *m* no original.

잡매다 ((준말)) =잡아매다.

잡목(雜木) maleza *f*, tallar *m*, soto *m*, madera *f* inferior de construcción; [땔나무] leña *f*. 산에 ~을 베러 가다 ir al monte para recoger leña.
■ ~림(林) monte *m* tallar, soto *m*.

잡무(雜務) ocupaciones *fpl* menudas, pequeñas obligaciones *fpl*, negocios *mpl* misceláneos, deberes *mpl* misceláneos, diversos trabajos *mpl*, pequeños quehaceres *mpl*. ~에 쫓기다 estar agobiado de pequeños quehaceres.

잡문(雜文) artículo *m* de tema ligero, miscelánea *f* literaria, divagaciones *fpl* literarias; [수상(隨想)] trabajo *m* ensayístico. 잡지에 ~을 쓰다 escribir un trabajo ensayístico para una revista.

잡문(雜問) [질문] pregunta *f* miscelánea; [문제] problema *m* misceláneo.

잡물(雜物) géneros *mpl* misceláneos, objetos *mpl* diversos, cosas *fpl* misceláneas.

잡박하다(雜駁-) (ser) confuso, desordenado, incoherente, deshilvanado, incongruente. 잡다함 confusión *f*, desorden *m*. 잡박한 의론 argumento *m* incoherente, argumento *m* deshilavanado. 잡박한 연구 estudio *m* poco metódico [sistemático]. 잡박한 지식(知識) conocimiento *m* desordenado.

잡배(雜輩) hombre *m* vulgar, gente *f* menuda, pececillos *mpl*.

잡범(雜犯) crímenes *mpl* misceláneos.

잡병(雜病) varias enfermedades *fpl*, diversas enfermedades *fpl*.

잡보(雜報) noticias *fpl* misceláneas, noticias *fpl* generales.

잡부(雜夫) =잡역부(雜役夫).

잡부금(雜賦金) cuotas *fpl* misceláneas.

잡비(雜費) gastos *mpl* misceláneos [varios·diversos]. ~로 10만 원이 필요하다 Se necesitan cien mil wones para gastos varios.

잡사(雜事) asuntos *mpl* misceláneos, negocios *mpl* misceláneos.

잡살뱅이 cosas *fpl* sueltas, retales *mpl*, retazos *mpl*, chucherías *fpl*, cachivaches *mpl*, trastos *mpl* viejos.

잡살전(-廛) tienda *f* de semillas.

잡상스럽다(雜常-) ① [난잡(亂雜)하고 상스럽다] (ser) vulgar, grosero, ordinario, indecente. ② [조촐하지 못하고 음탕(淫蕩)하다] (ser) lascivo, lujurioso, obsceso.

잡상인(雜商人) comerciante *m* misceláneo, comerciante *f* miscelánea.

잡색(雜色) ① [갖가지 색이 뒤섞인 빛깔] varios colores *mpl*. ② [온갖 종류의 사람이 뒤섞임] todas las clases de gente.

잡서(雜書) libros *mpl* misceláneos.

잡석(雜石) escombros *mpl*. ~ 속에 아직 산 사람이 있다 Todavía hay gente con vida entre los escombros.

잡설(雜說) =잡소리.

잡세(雜稅) impuestos *mpl* misceláneos.

잡소리(雜-) conversación *f* sucia, conversación *f* obscena, bagatelas *fpl*, fruslerías *fpl*.

잡손질(雜-) toque *m* inútil, trabajo *m* innecesario. ~하다 tocar inútilmente.

잡수당(雜手當) asignación *f* miscelánea.

잡수입(雜收入) ingresos *mpl* misceláneos, rentas *fpl* misceláneas.

잡술(雜術) brujería *f*, hechicería *f*, artimañas *fpl*.

잡스럽다(雜-) (ser) incedente, licencioso, libertino, indecoroso, grosero.
잡스레 indecentemente, licenciosamente, libertinamente, indecorosamente.

잡식(雜食) dieta *f* mixta, polifagia *f*. ~의 omnívoro.
■ ~ 동물(動物) animal *m* omnívoro. ~류 omnívoros *mpl*. ~성 polifagia *f*.

잡식구(雜食口) =군식구.

잡신(雜神) dios *m*, espíritu *m* maligno, espíritu *m* maléfico.

잡아가다 llevar (arrestado).

잡아 가두다 encerrar, aprisionar.

잡아내다 ① [속의 것을 잡아 밖으로 나오게 하다] echar, sacar, arrancar, expulsar. ② [결점이나 틀린 곳을 지적하다] señalar, observar, criticar.

잡아넣다 poner (cogido).

잡아당기다 tirar, *AmL* jalar (*CoS* 제외). 뒤로~ tirar hacia atrás. 앞으로 ~ tirar hacia adelante. 코를 ~ pellizcar [hurgarse] la nariz. 잡아당기세요 ((게시)) Tirar. 그녀는 내 소매를 잡아당겼다 Ella estaba tirando de [*AmL* estaba jalando] la manga. 나는 온힘을 다해 밧줄을 잡아당겼다 Tiré de [*AmL* Jalé] la cuerda con todas mis fuerzas.

잡아들이다 detener, arrestar, hacer la detención [el arresto].

잡아떼다 ① [붙어 있는 것을 잡아당겨서 떨어지게 하다] separar. ② [아는 것을 모른다거나 한 짓을 안 하였다고 우겨 말하다] fingir ser ignorante, negar descaradamente lo evidente.

잡아매다 [구두끈·꾸러미·동물을] atar (a), *AmL* amarrar (a) (*RPl* 제외). 소를 ~ atar la vaca. 허리를 ~ atar por la cintura. 목을 ~ atar por el cuello. 개를 나무에 ~ atar el perro a un árbol. 남의 손발을 ~ atar*le* a *uno* de pies y manos. 도둑은 그의 손과 발을 잡아맸다 El ladrón le ató de pies y manos. 구두끈을 잘 잡아매라 Atate bien los zapatos.

잡아먹다 ① [(어떤 동물을) 잡아죽여서 그 고기를 먹다] matar y comer; [짐승이] devorar. 잡아먹고 살다 alimentarse (de·con). 뱀은 개구리를 잡아먹는다 La serpiente se alimenta de la rana. ② [(남을) 모해하여 구렁에 빠뜨리다] conspirar para perjudiciar, atormentar, torturar. ③ [(시간·자재(資材)·경비 따위를) 낭비하다] gastar, tomar, costar, llevar. 시간(時間)을 ~ tomar [costar·llevar] tiempo.

잡아 죽이다 coger y matar.

잡아채다 arrebatar. 나는 그의 책을 잡아챘다 Le arrebaté el libro.

잡아타다 coger. 택시를 ~ coger el taxi.
잡역(雜役) trabajos *mpl* misceláneos, tareas *fpl* misceláneas, quehaceres *mpl* misceláneos, asuntos *mpl* misceláneos, servicio m misceláneo.
■ ~꾼 peón *m* (*pl* peones). ~부(夫) peón *m*, gañan *m*, jornalero *m*, bracero *m*, hombre *m* que hace pequeños o arreglos. ~부(婦) asistenta *f*, mujer *f* de la limpieza, limpiadora *f*.
잡용(雜用) gastos *mpl* misceláneos, deberes *mpl* misceláneos, varias expensas *fpl*, quehaceres *mpl*.
잡은것 【광산】 herramientas *fpl* mineras.
잡을손(이) 뜨다 (ser) perezoso en *su* trabajo.
잡음(雜音) ruido *m*; [전파(電波)의] interferencias *fpl*, parásitos *mpl* [ruidos *mpl*] atmosféricos. 도시의 ~ ruido *m* de la ciudad. 라디오에 ~이 없다 La radio tiene interferencias. ~이 들어가 라디오가 들리지 않는다 No se oye la radio por las interferencias.
잡음씨 【언어】 cópula *f*.
잡인(雜人) persona *f* de fuera, intruso *m*, entremetido *m*.
잡일(雜一) =잡역(雜役).
잡제(雜題) problemas *mpl* misceláneos, temas *mpl* misceláneos.
잡종(雜種) cruce *m*, *AmL* cruza *f*; [동물의] híbrido *m*; mestizo, -za *mf*; [사람의] mestizo, -za *mf*. ~의 híbrido, cruzado, mestizo, bastardo.
■ ~ 강세(强勢) heterosis *f*, vigor *m* híbrido. ~ 개 perro *m* mestizo, perro *m* bastardo. ~ 말 caballo *m* cruzado. ~세(稅) impuestos *mpl* locales misceláneos.
잡죄다 ① [다잡아 죄치다] meter*le* prisa a *uno*, *AmL* apurar. ② [잡도리를 엄히 하다] supervisar, dirigir.
잡증(雜症) complicaciones *fpl*. ~을 일으키다 causar complicaciones. ~이 생겼다 Surgieron complicaciones.
잡지(雜誌) revista *f*; [정기 간행물] publicación *f* periódica. ~를 구독하다 suscribirse a una revista. ~를 편집하다 dirigir una revista. ~에 기고하다 escribir en una revista.
◆경제(經濟) ~ revista *f* económica. 계간(季刊) ~ publicación *f* trimestral, revista *f* trimestral. 과학 ~ revista *f* científica. 대중(大衆) ~ revista *f* popular. 문예(文藝) ~ revista *f* literaria. 문학 ~ revista *f* literaria. 상업 ~ revista *f* comercial. 연간(年刊) ~ revista *f* anual. 여성(女性) ~ revista *f* para mujeres. 월간(月刊) ~ revista *f* mensual, publicación *f* mensual. 의학(醫學) ~ revista *f* médica. 종합(綜合) ~ revista *f* general. 주간(週刊) ~ revista *f* semanal, semanario *m*. 지방 ~ revista *f* local. 평론 ~ revista *f*, publicación *f*. 학술 ~ publicación *f* especializada.
■ ~ 기사 artículo *m* de una revista. ~ 기자 redactor, -tora *mf* de una revista. ~ 진열 선반 revistero *m*. ~ 편집 edición *f* de una revista. ~편집자 redactor, -tora *mf* de una revista.
잡차래 retales *mpl* cocidos de carne de vaca.
잡채(雜菜) *chabchae*, plato *m* mixto con verduras y carne de vaca, *chino* chop suey *m* (plato de comida china con brotes de soja, carne o pescado etc.).
잡초(雜草) hierbajo *m*, mala hierba *f*, *RPl* yuyo *m*, *AmL* maleza *f*. ~를 뽑다 deshierbar, desherbar, *AmL* desmalezar, *RPl* sacar los yuyos. …의 ~를 뽑다 deshierbar *un sitio*, desherbar *un sitio*, escardar hierbajos de *un sitio*, *AmL* desmalezar *un sitio*, *RPl* sacar los yuyos de *un sitio*. ~는 순식간에 자란다 ((서반아 속담)) Mala hierba, presto crece.
잡치다 ① [잘못해 그르치다] estropear, arruinar, afear, aguar, deteriorar, destruir. 이 빌딩들은 도시를 잡쳤다 Estos edificios han afeado la ciudad. 나는 당신들의 파티를 잡치고 싶지 않습니다 No les quiero aguar la fiesta. 그 사건은 그의 승진의 기회를 잡쳐 버렸다 El incidente dio al traste con sus perspectivas de ascenso. 그것은 네 입맛을 잡칠 것이다 Te quitará el apetito. 그것을 먹으면 저녁 식사의 입맛을 잡칠 것이다 Si comes eso, luego no vas a tener ganas de cenar. ② [기분을 상하다] ofender. 기분을 ~ ofender, herir susceptibilidades. 기분이 ~ levantarse con el pie izquierdo. 나는 오늘 기분이 잡쳤다 Hoy me he levantado con el pie izquierdo. 당신의 기분을 잡치게 했다면 미안합니다 Siento haberte ofendido. ③ [물건을 못쓰게 만들다] estropear. 우리 아이가 이 시계를 잡쳤다 Nuestro niño ha estropeado este reloj.
잡칙(雜則) reglamentos *mpl* misceláneos.
잡탕(雜湯) ① [쇠고기·해삼·전복·무 따위에 갖은 양념과 고명을 하여 끓인 국 또는 볶은 음식] callos *mpl* coreanos, sopa *f* mixta, caldo *m* mixto, comida *f* tostada mixta. ② ㉮ [여러 가지가 뒤섞여 난잡한 모양이나 물건] mezcla *f*, combinación *f*, confusión *f*, desorden *m*, promiscuidad *f*. ㉯ [난잡한 행동을 하는 사람] golfo, -fa *mf*, persona *f* que no tiene disciplina, persona *f* que pierde el control.
잡풀(雜一) mala hierba *f*. ☞잡초(雜草)
잡품(雜品) artículos *mpl* misceláneos.
잡필(雜筆) =잡기(雜記).
잡혼(雜婚) matrimonio *m* mixto, casamiento *m* mixto, matrimonio *m* endogámico, matrimonio *m* promiscuo, casamiento *m* entre gente de otros grupos raciales, casamiento *m* entre personas de diversas razas, casamiento *m* [matrimonio *m*] mutuo que se celebra entre dos familias. ~하다 casarse con gente de otros grupos raciales, casarse mutuamente cuatro o más personas de dos familias.
■ ~번식 panmixia *f*. ~제 promiscuidad *f*.

잡화(雜貨) miscelánea *f*, artículos *mpl* diversos [varios · en general], mercancías *fpl* misceláneas, mercaderías *fpl* en general; [일용 잡화] enseres *mpl* domésticos, utensilios *mpl* domésticos.
■ ~상(商) ㉮ [장수] tendero, -ra *mf*; almacenero, -ra *mf* (특히 *CoS*); mercero, -ra *mf*; comerciante *mf* de enseres domésticos; *AmS* almacenista *mf*. ㉯ [장사] comercio *m* de enseres domésticos. ㉰ [상점] mercería *f*, tienda *f* de comestibles [de ultramarinos · de mercaderías misceláneas · de enseres domésticos · de utensilios domésticos], *Cuba*, *Per*, *Ven* bodega *f*, *AmC*, *Andes*, *Méj* tienda *f* de abarrotes, *CoS* almacén *m*.

잡히다[1] ① [잡음을 당하다] cogerse. ② [논 등에 물이 들어가 차게 되다] regarse, irrigarse. ③ ((준말)) =붙잡히다. ¶범인이 ~ arrestarse [detenerse] el delincuente. 그는 잡혔다 Le cogieron [pillaron · agarraron].

잡히다[2] [도조를 얼마로 정하게 되다] ser estimado.

잡히다[3] ① [동물이 잡음을 당하다] cogerse; [사냥에서] cazarse; [낚시에서] pescarse. 잘 안 잡힌다 Se caza poco / Es pobre la caza. 고기가 잘 안 잡힌다 La pesca es escasa / Se pesca poco. ② [남의 모해를 입다] entramparse, caerse, ser conspirado. ③ [결점이나 흉잡음을 당하다] descubrirse. ④ [화재가 진화되다] extinguirse, apagarse. 불이 ~ extinguirse el fuego, apagarse el incendio. ⑤ [어떤 일이나 마음 또는 자리가 안정되다] calmarse, tranquilizarse. 마음이 ~ concentrarse. 결혼식이 가까워지자 그는 마음이 잡히지 않는다 La proximidad de la boda no le deja concentrarse en el trabajo.

잡히다[4] ① [굽은 것이 곧게 잡음을 당하다] enderezarse, ponerse derecho. ② [의복 따위에 주름이 서게 되다] ser arrugado, ser plisado. 주름이 잡힌 바지 los pantalones arrugados. 주름이 잘 잡힌 치마 la falda bien plegada [plisada].

잡히다[5] ① [담보로 맡게 되다] empeñar, dejar *algo* en prenda, entrampar. 시계를 ~ empeñar el reloj, dejar el reloj en prenda. 그는 재산을 몽땅 잡혔다 El tiene toda la fortuna entrampada. ② [손으로 잡게 하다] hacer coger (con la mano).

잣 [잣나무의 열매] piñón *m* (*pl* piñones).
■ ~가루 piñón *m* de polvo. ~기름 aceite *m* de piñón. ~송이 ramo *m* de piñones. ~송진 resina *f* de piñón. ~죽 gachas *fpl* de piñón. ~즙 zumo *m* [*AmL* jugo *m*] de piñón. ~집게 tenazas *fpl* para piñón.

잣나무 【식물】 pino *m* blanco coreano.

잣눈[1] [자에 푼 · 치 · m · cm 등 길이 표시를 새긴 금] escala *f*, graduación *f*.

잣눈[2] [한 자 깊이 정도로 온 눈] mucha nieve. 산에 ~이 쌓여 있었다 Había mucha nieve en las montañas.

잣다 ① [물레를 돌려 실을 뽑다] hilar. 노파가 난로 옆에 앉아서 실을 잣고 있었다 La vieja hilaba sentada junto a la estufa. ② [물을 높은 곳으로 빨아올리다] aspirar, succionar, bombear.

잣새 【조류】 =솔잣새.

잣징 tachuela *f* pequeña.

장[1] [화투놀이에서] diez. ~땡 dos diez, diez doble.

장[2] [무덤을 셀 때 쓰는 말] *chang*, tumba *f*. 두 ~의 큰 뫼 dos tumbas *fpl* grandes.

장(丈) [길이의 단위, 10척] diez *cheok*.

장[1](長) =길이(longitud).

장[2](長) [단체나 관청의 각 부처의 우두머리] jefe, -fa *mf*; presidente, -ta *mf*; director, -tora *mf*.

장(章) capítulo *m*. 제1~ primer capítulo *m*.

장(帳) [장막] cortina *f*.

장(張) ① [종이 같은 넓적한 조각으로 생긴 물건을 세는 데 쓰는 말] hoja *f*; [수건 따위의] unidad *f*. 종이 두 ~ dos hojas de papel. 수건 네 ~ cuatro unidades de toalla. ② [활 · 쇠뇌 · 금슬(琴瑟)을 세는 말] un arco.

장(將) ① =장수(將帥). ② 【장기】 *Cho* (楚).

장[1](場) [시장] mercado *m*, plaza *f*; [정기적인] feria *f*. ~에 가다 ir a la feria, ir al mercado. ~에 내다 exponer *algo* en la feria. 마늘을 사러 ~에 가다 ir al mercado a comprar los ajos. ~이 선다 Hay mercado [feria] / Tiene lugar la feria. ② ((준말)) =장날.

장[2](場) 【물리】 campo *m*.

장[3](場) 【연극】 escena *f*.

장(腸) 【해부】 intestino *m*, entrañas *fpl*, vísceras *fpl*; [동물의] tripas *fpl*. ~의 intestinal.
■ ~가스 gas *m* intestinal. ~질환 afección *f* [perforación *f* · estenosis *f*] intestinal.

장(醬) ① ((준말)) =간장(salsa de soja). ② [간장 · 된장의 총칭] salsa *f* de soja y pasta de soja.
■ ~물 ㉮ [간장을 탄 찬물] el agua *f* fría con salsa de soja. ㉯ [간장을 담글 때에 쓰는 소금물] el agua *f* salada para la salsa de soja. ~조림 *changchorim*, carne *f* de vaca cocia en soja.

장(欌) armario *m*, ropero *m*, estante *m*, guardarropa *f*.
■ ~발 pata *f* del armario.

장-(長) largo. ~거리 distancia *f* larga.

-장(丈) adulto *m*. 어른~ el adulto. 춘부~ *su* padre.

-장(狀) carta *f*, certificado *m*, diploma *m*, tarjeta *f*. 감사~ (carta *f* de) agradecimiento *m*. 졸업~ diploma *m*. 초대~ (carta *f* de) invitación *f*.

-장(長) jefe, -fa *mf*; presidente, -ta *mf*; director, -tora *mf*. 후원회~ presidente, -ta *mf* de la asociación de patrocinadores.

-장(葬) funeral *m*, ceremonias *fpl* fúnebres. 국민~ funerales *mpl* nacionales, funerales *mpl* del pueblo. 사회(社會)~ funerales *mpl* públicos.

장가 matrimonio *m*, casamiento *m*.
◆장가(를) 가다 ㉮ [장가들러 가다] ir a casarse. ㉯ =장가(를) 들다. 장가(를) 들다 casarse, contraer matrimonio. 장가(를) 들었니? ¿Estás casado? / ¿Eres casado? 장가(를) 들이다[보내다] casar a su hijo. 막내아들을 ~ casar a su hijo menor.
▪~처(妻) *su* primer esposa, *su* esposa legal.

장간막(腸間膜)【해부】mesenterio *m*.

장갑(掌匣) guantes *mpl*; [손가락 끝이 나온 장갑] mitones *mpl*; [벙어리장갑] manoplas *fpl*, milones *mpl*. ~ 한 켤레 un par de guantes. ~을 끼다 ponerse los guantes. ~을 벗다 quitarse los guantes. ~을 끼고 있다 llevar guantes. ~을 낀 손 mano *f* enguantada.
◆가죽 ~ guantes *mpl* de piel, guantes *mpl* de cuero.

장갑(裝甲) coraza *f*, blindaje *m*, armadura *f*,【군대】acorazado *m*. ~하다 acorazar, blindar. ~한 blindado;【군대】acorazado.
▪~ 부대 unidades *fpl* acorazadas. ~ 사단 división *f* acorazada. ~ 순양함 crucero *m* acorazado. ~ 열차 tren *m* acorazado. ~ 자동차 coche *m* blindado. ~차 tanque *m*, coche *m* blindado, carro *m* blindado, blindado *m*. ~ 차량(車輛) vehículos *mpl* blindados. ~판(板) plancha *f* de blindaje, planta *f* de blindaje. ~ 포대(砲臺) batería *f* acorazada. ~함(艦) buque *m* acorazado, barco *m* acorazado.

장강(長江) ① =양쯔 강(el Yang-Tze, el Río Azul). ② [긴 강] río *m* largo.

장거(壯擧) gran empresa *f*, empresa *f* decidida, empresa *f* grande, hazaña *f*. 남극 탐험의 ~ gran expedición *f* al Polo del Sur.

장거리[1](場-) [장이 서는 번화한 거리] calle *f* del mercado, calle *f* de la plaza.

장거리[2](場-) [장에 내다 팔아 돈을 마련하거나 또는 사올 물건] artículos *mpl* de vender, artículos *mpl* de comprar.

장거리(長距離) larga distancia *f*, gran distancia *f*. ~의 [트럭 운전수] que hace largos recorridos; [기차] de largo recorrido; [레이스·주자(走者)] de fondo; [미사일] de largo alcance; [항공기] para vuelos largos; [포격·폭격] a distancia. ~를 항행하다 *cubrir* [*hacer*] *grandes distancias* (sin escala).
▪~ 경주 carrera *f* de fondo, carrera *f* de larga distancia, maratón *m*. ~달리기 corrida *f* de fondo, carrera *f* de fondo. ~ 미사일 proyectil *m* [misil *m*] de largo alcance. ~ 버스 autobús *m* de línea. ~ 비행 vuelo *m* de largo recorrido, vuelo *m* a distancia, vuelo *m* de resistencia. ~ 사격 descarga *f* de larga distancia. ~ 여객기 avión *m* de largo recorrido [trayecto]. ~ 열차 tren *m* de largo recorrido. ~ 운전기사 conductor, -tora *mf* que hace largos recorridos. ~ 전화 conferencia *f*, (teléfono *m* de) larga distancia *f*, llamada *f* interurbana. ¶~를 걸다 poner una conferencia (de larga distancia). ~ 전화 요금 [전체] gastos *mpl* telefónicos de larga distancia; [통화료] coste *m* de la llamada interurbana. ~ 주자(走者) corredor, -dora *mf* de fondo. ~ 통화(通話) una llamada de larga distancia, una conferencia (internaurbana). ¶~를 하다 poner una conferencia, hacer una llamada de larga distancia. ~포(砲) cañón *m* de largo alcance. ~ 폭격(爆擊) bombardeo *m* a distancia. ~ 항공기 avión *m* para vuelos largos.

장검(長劍) espada *f* larga.

장결석(腸結石)【의학】coprolito *m*, enteritis *f*, cálculo *m* intestinal.

장결핵(腸結核)【의학】tuberculosis *f* intestinal, enterofimia *f*.

장경(粧鏡) =경대(鏡臺).

장경성(長庚星)【천문】=태백성(太白星).

장계(長計) ((준말)) =장구지계(長久之計).

장고(長考) largo pensamiento *m*. ~하다 pensar mucho (en), pensar largamente (en), reflexionar (sobre). ~ 끝에 después de haber pensado mucho.

장곡(長谷) valle *m* profundo y largo.

장골(壯骨) hombre *m* muscular.

장골(掌骨)【해부】metacarpio *m*.

장골(腸骨)【해부】ilión *m*.

장공(長空) cielo *m* vasto.

장과(漿果) baya *f*.

장관(壯觀) ① [훌륭한 광경] vista *f* magnífica, espectáculo *m* grandioso, panorama *m* maravilloso, vista *f* majestuosa, vista *f* espléndida. 천하(天下)의 ~이다 ser uno de las grandísimas vistas imaginables. 정말 ~이다 Es verdaderamente un espectáculo grandioso / ¡Qué vista tan magnífica! ② =구경거리.

장관(長官) ministro, -tra *mf*; *Méj* secretario, -ria *mf*. ~이 되다 aceptar una cartera.
◆외교 통상부 ~ ministro, tra *mf* de Asuntos Exteriores y Comercio. 환경부 ~ ministro, -tra *mf* de Medio Ambiente.
▪~급 회담 conferencia *f* a nivel de ministros. ~석(席) banco *m* ministerial [de los ministros].

장관(將官) ① =장수(將帥). ② [원수·대장·중장·소장 및 준장의 총칭] [육군] general *m*; [해군] almirante *m*.

장관(腸管)【해부】canal *m* intestinal.

장광(長廣) longitud y anchura.
▪~설 largo discurso *m*, palabrería *f* tremenda. ¶~을 늘어놓다 pronunciar un largo discurso, perorar, hablar larga y enfáticamente, hacer gran discurso.

장교(將校) oficial *mf*, oficiala *f*. ~에 임명하다 ser nombrado oficial.
◆공군 ~ oficial *mf* de la Fuerza Aérea. 육군 ~ oficial *mf* del ejército. 해군 ~ oficial *mf* de la marina.
▪~단(團) cuerpo *m* de oficiales. ~ 숙소 residencia *f* de oficiales.

장구【악기】*changgu*, tambor *m* del cuerpo

de ánfora.

■ ~매듭 una especie del nudo corredizo. ~채 ㉮ [장구를 치는 채] palillo *m* (de *changgu*), baqueta *f.* ㉯ 【식물】 ((학명)) Melandrium firmum. ~통배 panzón *m.*

장구(長軀) estatura *f* alta, estatura *f* elevada, cuerpo *m* alto.

장구(章句) párrafos *mpl* y frases, pasaje *m*, versículo *m.*

장구(葬具) utensilios *mpl* de funeral.

장구(裝具) [사람의] equipo *m*; [말의] arnés *m*, arreos *mpl*, jaeces *mpl.*

장구벌레 【곤충】 larva *f* de mosquito, *AmL* sancudo *m.*

장구지계(長久之計) política *f* perpetua.

장구하다(長久—) (ser) eterno, permanente. 장구함 eternidad *f*, mucho tiempo *m*, largo tiempo *m*. 무운장구하기를 빌다 rezar por la larga duración de buena fortuna militar.

장국(醬—) ① [맑은 국] sopa *f* clara. ② [간장을 탄] sopa *f* con salsa de soja.

■ ~밥 *changgukbab*, arroz *m* servido en sopa de carne de vaca.

장군 ① [물·술·간장 등을 담아 옮길 때 쓰는 나무로 만든 그릇] balde *m* [cubo *m*] de madera. ② ((준말)) =오줌장군.

장군[1](將軍) ① [군을 통솔·지휘하는 무관] general *mf.* ② ((속칭)) =장관(將官).

장군[2](將軍) ① ((장기)) jaque *m* mate; [감탄사적] ¡Jaque al rey! ② [장군을 부를 때 지르는 소리] ¡Señor general!.

◆ 장군(을) 부르다 dar jaque mate al rey.

장군목(將軍木) cerrojo *m*, tranca *f*, barra *f.* 문에 ~을 걸다 atrancar la puerta, echar el cerrojo a la puerta. 문의 ~을 벗기다 destrancar la puerta, quitar el cerrojo [la tranca] a la puerta.

장군석(將軍石) =무인석(武人石).

장군풀(將軍—) 【식물】 ((학명)) Rheum coreanum.

장궁(長弓) arco *m* cubierto con cuerno.

장궤양(腸潰瘍) 【의학】 enterelcosis *f*, enterohelcosis *f*, ulcera *f* intestinal.

장금(場—) precio *m* del mercado.

장기(長技) habilidad *f* especial, fuerte *m*, especialidad *f.* 그 노래가 그의 ~이다 Esa canción es su fuerte [su especialidad].

장기(長期) largo plazo *m*, plazo *m* largo, período *m* largo, término *m* largo. ~의 largo, prolongado, que dura mucho tiempo. ~로 a largo plazo, a largo término.

■ ~간 período *m* [término *m*·plazo *m*] largo; [부사적] mucho tiempo, largo tiempo. ~ 거래 ((준말)) =장기 청산 거래. ~ 계획 planificación *f* a largo plazo, planificación *f* de largo alcance. ~ 공채 bono *m* a largo plazo. ~ 금융 finanzas *fpl* a largo plazo. ~ 금융 투자 inversión *f* financiera a largo plazo. ~ 대부 préstamo *m* a largo plazo. ~ 동향 tendencia *f* a largo plazo. ~ 목표 objetivo *m* a largo plazo. ~ 보증 garantía *f* a largo plazo. ~ 사채(社債) bono *m* depositado. ~ 손해(損害) pérdida *f* a largo plazo. ~ 신용 crédito *m* a largo plazo. ~ 신용 은행 banco *m* de crédito a largo plazo. ~ 신탁 fideicomiso *m* a largo plazo. ~ 실업(失業) desempleo *m* de larga duración, paro *m* de larga duración ~ 실업자 desempleado, -da *mf* de largo tiempo, persona *f* que ha estado desempleada por largo tiempo. ~ 어음 letra *f* a largo plazo. ~ 예금 déposito *m* a largo plazo. ~ 예보 pronóstico *m* a largo plazo. ~ 예산(豫算) presupuesto *m* a largo plazo. ~ 융자 financiación *f* a largo plazo. ~ 이율 tipo *m* de interés a largo plazo. ~ 이익(利益) ganancia *f* a largo plazo. ~ 자금 fondos *mpl* a largo plazo. ~ 자본 capital *m* a largo plazo. ~적 de largo plazo, de largo tiempo, de largo término. ¶~으로 a largo plazo. ~전(戰) larga guerra *f.* ~ 정부 채권 bono *m* del Estado a largo plazo. ~ 정책 política *f* a largo plazo. ~ 증서 bono *m* a largo plazo. ~ 차관 préstamo *m* a largo plazo. ~채(債) bono *m* a largo plazo. ~ 채권 obligación *f* a largo plazo. ~ 채무 deuda *f* a largo plazo. ~화(化) eternización *f.* ¶~하다 durar mucho tiempo, eternizarse. ~ 흥행(興行) larga permanencia *f* en cartel.

장기(將棋) *changki*, (juego *m* de) ajedrez *m* (coreano). ~를 두다 jugar a *changki*, jugar al ajedrez.

■ ~ 세트 juego *m* de ajedrez. ~짝 pieza *f* de ajedrez. ~판(板) tablero *m* de ajedrez, damero *m.*

장기(瘴氣) miasna *f*, paludismo *m.*

장기(臟器) vísceras *fpl*, entrañas *fpl.*

■ ~ 이식 trasplante *m* de vísceras. ~ 적출(摘出) exenteración *f.* ~통 visceralgia *f.*

장기종(腸氣腫) enfisema *m* intestinal.

장기튀김(將棋—) repercusión *f.* ~이 되다 caer como los bolos.

장끼 faisán *m* (*pl* faisanes).

장나무(長—) poste *m* largo (para soporte).

장난 juego *m*; [오락] diversión *f*, entretenimiento *m*; [농담] broma *f*, chanza *f*; [못된 장난] broma *f* pesada, broma *f* de mal gusto; [짓궂은] travesura *f*, diablura *f*, jugarreta *f.* ~하다 jugar; [즐겁게 놀다] divertirse, entretenerse; [희롱거리다] juguetear, bromear, burlarse (de), mofarse (de); [남녀가] flirtear, coquetear; [짓궂게] hacer travesuras, hacer una picardia, hacer una jugarreta, jugar una mala pesada; [부인에게] atentar contra el pudor (de). ~삼아 para juguetear, sin seriedad. 아이들 ~ 같은 infantil, pueril. 아이들에게 물리는 ~ chupete *m.* 고양이와 ~하다 jugar con un gato. 사촌과 ~하다 flirtear con *su* primo. ~으로 시(詩)를 짓다 escribir un poema por entretenimiento. 못된 ~을 하다 gastar una broma pesada, hacer travesuras, hacer una jugarreta. 반~으로 공부하다 estudiar medio en broma [medio en serio]. 성냥으로 ~하지 마라 No juegues con las cerillas. 그것은 아이들 ~ 같다 Es como un juego [una diversión] de niños / Es igual a un capricho infantil. 반~삼아 했지만 결과는 심각했다 Lo hice medio en broma, pero ha resultado una cosa seria.

■ ~기 lo juguetón, lo travieso, diabluras *fpl*, travesuras *fpl*. ¶아이들의 ~ lo juguetón que era [es] el niño. ~꾸러기 chiquillo *m* travieso, chiquilla *f* traviesa; niño *m* travieso, niña *f* traviesa; pilluelo, -la *mf*; gracioso, -sa *mf*; diablillo *m*; pícaro, -ra *mf*. ~꾼 juguetón, -tona *mf*.

장난치다 juguetear, hacer travesuras. 컴퓨터를 가지고 장난치지 마라 No juguetees con el ordenador [con la computradora · el computador]. 아이들이 장난치지 못하게 지켜라 Vigila a los niños para que no hagan travesuras.

장난감 juguete *m*. ~의 de juguete, juguetero. 사람들과 자동차들은 ~ 같았다 La gente y los coches parecían de juguete.

■ ~ 가게 juguetería *f*. ¶~ 주인 juguetero, -ra *mf*. ~ 병정(兵丁) soldadito *m* (de juguete). ~ 보관소 ludoteca *f*. ~ 사업(事業) juguetería *f*. ~ 총 pistola *f* de juguete. ~ 판매자 vendedor, -dora *mf* de juguetes.

장날(場一) feria *f*, mercado *m*, plaza *f*.

장남(長男) hijo *m* mayor, primogénito *m*.

장남하다 ((속어)) el hijo hacerse mayor.

장내(場內) interior *m* de la sala. ~에서 en el interior de la sala, dentro de la sala, en cámara; [경기장의] en el estadio. ~는 열기로 꽉 찼다 La sala ardía de entusiasmo. ~ 모두가 일어섰다 Toda la sala se puso de pie sobresaltada.

■ ~ 금연(禁煙) ((게시)) Prohibido fumar dentro de la sala.

장내(腸內) interior *m* del intestino. ~의 enteral, intraintestinal.

■ ~ 가스 aneilema *f*. ~ 기생충 helminto *m*. ~ 소화 digestión *f* intestinal.

장내기(場一) objetos *mpl* para el mercado.

■ ~옷 ropa *f* para el mercado.

장녀(長女) hija *f* mayor, primogénita *f*.

장년(壯年) edad *f* viril, primogenita *f*. ~의 남자 hombre *m* maduro, adulto *m*.

■ ~기 edad *f* madura, edad *f* adulta. ~ 시대 flor *f* de la juventud, primavera *f* de la vida, edad *f* viril. ~자 hombre *m* de edad viril.

장년(長年) ① [늙은이] viejo, -ja *mf*, anciano, -na *mf*. ② [긴 세월] muchos años, largos años. ~의 습관(習慣) costumbre *f* de muchos años, vieja costumbre *f*. ~의 경험 experiencia *f* de largos años, mucha experiencia *f*.

■ ~기 madurez *f*, edad *f* adulta. ¶~에 이르르다 llegar a la edad adulta.

장뇌(長腦) 【식물】 =장로(長蘆).

장뇌(樟腦) 【화학】 canfor *m*, alcanfor *m*. ~를 넣다 alcanforar.

◆ 정제(精製) ~ alcanfor *m* refinado. 조제(粗製) ~ alcanfor *m* crudo.

■ ~산 ácido *m* canfórico. ~산염 canforato *m*. ~유 aceite *m* alcanforado, aceite *m* de alcanfor, canforato *m*, líquido *m* de alcanfor. ~정(精) espíritu *m* de canfor. ~중독증(中毒症) canforismo *m*. ~ 탐식자(貪食者) canforomanía *f*.

장닉(藏匿) ocultación *f*, encubrimiento *m*. ~하다 ocultar, esconder, encubrir.

■ ~자 encubridor, -dora *mf*; ocultador, -dora *mf*.

장님 ciego, -ga *mf*. ~이나 다름없다 ser más ciego que un topo, no ver tres en un burro. ~의 나라에서는 애꾸눈이가 왕이다 ((서반아 속담)) En el país de los ciegos, el tuerto es rey. ~의 아내는 화장을 할 필요가 없다 ((서반아 속담)) La mujer del ciego, ¿para quién se afeita?

■ 장님이 장님을 인도한다 ((속담)) Si el ciego guía al ciego, ambos caerán en el hoyo / Si un ciego guía a otro, los dos caerán en algún hoyo.

장단(長短) ① [긴 것과 짧은 것] lo largo y lo corto, longitud *f*. ~ 여러 가지의 de diversas longitudes. ② [장점과 단점] el mérito y el demérito, el mérito y el defecto, buen punto y mal punto. ~을 분간하기 어렵다 Es difícil distinguir el mérito y el demérito. 사람은 누구나 ~이 있다 Cada uno tiene sus defectos y cualidades. ③ [노래 · 춤 · 풍류 등의 길고 짧은 가락] ritmo *m*.

◆ 장단(을) 맞추다 animar el canto.

■ ~점(點) =장단(長短)❷.

장담(壯談) afirmación *f*, aseveración *f*, jactancia *f*. ~하다 asegurar, garantizar, jactarse, fanfarronear. 그는 그것이 제시간에 끝나리라고 나에게 ~했다 El me aseguró [me garantizó] que se terminaría a tiempo.

장대(長一) palo *m* (largo), vara *f* larga, barra *f* larga, pértiga *f*, vara *f* de bambú. ~ 같은 사나이 hombre *m* de talla gigantesca, hombre *m* altísimo.

◆ 대나무 ~ palo *m* de bambú.

■ 장대로 하늘 재기 ((속담)) No hay posibilidad.

■ ~높이뛰기 salto *m* de [con] pértiga, salto *m* con garrocha. ¶~를 하다 saltar con pértiga, saltar con garrocha. ~의 막대 pértiga *f*. ~의 바 listón *m*, barra *f*. ~높이뛰기 선수 saltador, -ra *mf* con pértiga, saltador, -dora *mf* con garrocha, *AmL* garrochista *mf*.

장대하다(壯大一) (ser) grandioso, magnífico, colosal, soberbio. 장대함 grandeza *f*, magnificencia *f*. 장대한 건물 edificio *m* magnífico. 장대한 계획 proyecto *m* de gran magnitud.

장대히 grandiosamente, magníficamente, colosalmente, soberbiamente.

장도(壯途) misión *f* importante, curso *m* ambicioso. ~에 오르다 empezar en el curso ambicioso.

장도(壯圖) gran proyecto *m*, gran empresa *f*.

세계 일주 비행(世界一周飛行)의 ~ gran proyecto *m* del vuelo alrededor del mundo.

장도(長刀) espada *f* larga.

장도(長途) viaje *m* largo, jornada *f* larga. ~에 오르다 empezar [comenzar] el viaje largo. ~의 노고를 치하하다 agasajar por haber hecho viaje largo.

장도(粧刀) =장도칼.
▪ ~칼 cuchillo *m* ornamental revestido [recubierto].

장도리 pata *f* de cabra, martillo *m*. ~의 대가리 cabeza *f* de martillo. ~의 손잡이 asa *f* de martillo. ~로 치다 martillar. ~로 못을 박다 clavar (con un martillo).
◆노루발~ martillo *m* con pala hendida.

장독(醬-) tarro *m* de salsa de soja.
▪ ~간 depósito *m* de los tarros de salsa de soja. ~대 altar *m* para los tarros de salsa de soja. ~받침 soporte *m* para el tarro de salsa de soja. ~소래기 tapa *f* para el tarro de salsa de soja.

장돌림(場-) vendedor, -dora *mf* ambulante de una feria a otra.

장돌뱅이(場-) ((속어)) =장돌림.

장두(長頭) dolicocefalia *f*. ~의 dolicocéfalo.

장두(檣頭) tope *m*.

장딴지 pantorrilla *f*. ~가 굵은 pantorrilludo.

장땡 ① [(화투·투전·골패 따위에서) 가장 높은 끗수] *changtaeng*, as *m*. ② ((속어)) =제일. 최고. 상책(上策). ¶~을 잡다 ponerse las botas.

장떡(醬-) *changteok*, torta *f* de arroz con la salsa de soja.

장래(將來) ① [앞날] futuro *m*, porvenir *m*. ~의 futuro, venidero. ~에 en el futuro, en lo futuro; [언젠가는] un día, algún día. ~가 유망한 청년 joven *m* de porvenir, joven *m* con mucho porvenir. 먼 ~의 생활에 곤란이 없도록 para asegurarse contra las vicisitudes del porvenir. ~를 생각하다 pensar en el futuro [en el provenir]. ~의 계획을 세우다 hacer planes para el futuro. ~에 대비해서 공부하다 estudiar en previsión de *su* porvenir. ~의 일은 알 수 없다 El futuro es incierto / ¡Quién conoce el porvenir! 그는 ~가 촉망되는 청년이다 El es un joven que promete mucho. 그는 ~ 대실업가가 되리라 기대된다 El promete ser un gran hombre de negocios. 이 아이는 ~가 걱정이다 Nos preocupamos por lo que va a ser de este niño / Nos preocupa el porvenir de este niño. 그의 ~가 걱정이다 Me preocupa por su porvenir / Me preocupa su porvenir. ② =전도(前途) (perspectiva, porvenir). ¶~가 촉망되다 prometer mucho, tener mucho futuro. ③ =장래에(en el futuro, en lo futuro).
▪ ~ 계획 plan *m* para el futuro. ~성(性) perspectiva *f* futura. ¶~이 있는 de porvenir. 이 회사는 ~이 있다 Esta compañía tiene un gran porvenir.

장려(獎勵) exhortación *f*, fomento *m*. ~하다 fomentar, exhortar.
▪ ~금 subsidio *m*, subvención *f*, prima *f*. ~금 계획 plan *m* de incentivos salariales. ~상 premio *m* fomentador. ~자 promotor, -tora *mf*.

장려하다(壯麗-) (ser) magnífico, espléndido, grandioso, suntuoso. 장려함 magnificencia *f*, magnificación *f*, esplendor *m*, grandiosidad *f*, esplendidez *f*, grandeza *f*, pompa *f*.

장력(張力) (fuerza *f* de) tensión *f*, tirantez *f*.
◆표면(表面) ~ tensión *f* superficial.
▪ ~계 tensiómetro *m*. ~ 시험 ensayo *m* de tensión.

장렬(葬列) cortejo *m* fúnebre, comitiva *f* fúnebre, procesión *f* fúnebre.

장렬하다(壯烈-) (ser) heroico, épico, valeroso, valiente, magnánimo. 장렬하게 heroicamente, épicamente, valerosamente, valientemente. 장렬하게 죽다 moir heroicamente. 장렬한 최후를 마치다 morir de una manera espectacular.

장례(葬禮) funerales *mpl*, funeral *m*, ceremonias *fpl* fúnebres, servicio *m* funeral, entierro *m*. ~의 funeral, fúnebre.
▪ ~ 미사 misa *f* funeral. ~비 gastos *mpl* funerales. ~식 funerales *mpl*, exequias *fpl*, ceremonias *fpl* fúnebres. ¶~에 가다 participar a los funerales, ir a las ceremonias fúnebres. ~을 거행하다 celebrar el funeral (de), hacer los funerales, hacer los entierros. ~은 기독교 의식으로 거행되었다 Los funerales fueron celebrados según el rito cristiano. 그를 위해 아름다운 ~이 거행되었다 Le hicieron hermosos funerales. ~위원 miembro *mf* de la comisión funeral. ~ 위원장 jefe, -fa *mf* de la comisión funeral. ~차 carroza *f* funeral.

장로(長老) ① [덕이 높고 나이 많은 사람] superior *mf*, decano, -na *mf*. ② ((종교)) eclesiático *m*, patriarca *m*. ③ ((기독교)) [직분] [사람] anciano, -na *mf*. ④ ((불교)) sacerdote *m* budista superior.
▪ ~교(敎) la Iglesia Presbiteriana. ¶~의 presbiteriano. ~교 신도 presbiteriano, -na *mf*. ~교회 =장로교. ~파(派) resbiterianismo *m*.

장롱(欌籠) guardarropa *f*, cómoda *f*, tocador *m*; [양복용의] armario *m*. ~의 서랍 cajón *m* (*pl* cajones).

장루(檣樓) cofa *f*.

장르(불 *genre*) ① 【문학】 género *m*. ~별(別)로 por género. 문학상의 각 ~ cada género literario. ② 【미술】 =풍속도.

장리(長利) interés *m* anual de un cincuenta por ciento.

장리(掌理) dirección *f*, administración *f*, gestión *f*, control *m*. ~하다 dirigir, administrar, *AmL* gerenciar, controlar.

장림(長霖) lluvia *f* continuada, período *m* de tiempo lluvioso; [장마철] estación *f* [temporada *f*] de lluvias.

장마 larga lluvia *f*, lluvia *f* continua, lluvia *f* continuada.
◆가을~ larga lluvia *f* en el otoño.

◆장마(가) 들다 comenzar [empezar] la lluvia continuada [continua · larga]. 장마(가) 지다 seguir [continuar] lloviendo varios días, llover continuamente muchos días.
■~ 전선(前線) frente *m* de (temporada de) lluvias. ~철 estación *f* de las lluvias, período *m* de lluvias, temporada *f* de lluvias, período *m* de tiempo lluvioso.

장마당(場-) =장터, 장판.

장마루(長-) suelo *m* hecho de las largas tablas.

장막(帳幕) tienda *f*, cortina *f*.
◆죽(竹)의 ~ la cortina de bambú. 철(鐵)의 ~ el telón de acero, *AmL* la cortina de hierro.

장만 preparación *f*. ~하다 preparar, hacer, estar listo; [사다] comprar. 점심을 ~하다 preparar el almuerzo. 집을 ~하다 comprar una casa.

장만(腸滿) 【의학】 hidropesía *f* de peritoneo, ascitis *f*. ~의 ascítico.

장맞이 emboscada *f*, celada *f*. ~하다 acechar, emboscar.

장면(場面) ① [어떠한 장소의 겉으로 드러난 면. 또, 그 광경] escena *f*, espectáculo *m*, cuadro *m*, aspecto *m*; [장소] lugar *m*, sitio *m*. 학교 생활의 한 ~ una escena de la vida escolar. ~이 바뀐다 Cambia la escena. ② 【연극 · 영화】 plano *m*, situación *f*.

장명(長命) larga vida *f*, vida *f* larga, longevidad *f*. ~하다 (ser) longevo, de larga vida.

장명등(長明燈) farola *f* [farol *m*] de piedra, lamparilla *f* [luz *f*] de toda la noche.

장모(丈母) suegra *f*, madre *f* política, madre *f* de *su* esposa.

장모음(長母音) vocal *f* larga.

장목(長木) =장나무.

장목비 ① [꿩의 꽁지 깃으로 만든 비] escoba *f* de plumas de faisán. ② [장목수수로 만든 비] escoba *f* de mijo.

장문(-門) puerta *f* abierta de par en par, puerta *f* que deja abierta totalmente.

장문(長文) ① =줄글. ② [긴 글] mucho texto, oración *f* larga. ~의 편지 larga carta *f*. ~의 보고(報告) largo informe *m*, informe *m* amplio. ~의 전보(電報) largo telegrama *m*, telegrama *m* de mucho texto.

장문(將門) linaje *m* del general.

장문(掌紋) figura *f* de líneas de la palma.

장물(贓物) objetos *mpl* robados, artículos *mpl* robados, géneros *mpl* robados. ~을 은닉하다 ocultar objetos robados. ~을 환금하다 realizar objetos robados.
■~아비 persona *f* que comercia con objetos robados; perista *mf*, *AmS* reducidor, -dora *mf*. ~죄 delito *m* de objetos robados. ~취득 compra *f* [adquisición *f*] de objetos robados. ~ 취득죄 delito *m* de adquisición de objetos robados.

장미(薔薇) 【식물】 rosal *m*.
■~과 식물(科植物) rosáceas *fpl*. ~꽃 rosa *f*. ~꽃 봉오리 capullo *m* [pimpollo *m*] de rosa. ~꽃 장식 [복식용의] escarapela *f*. ~ 덤불 rosal *m*. ~색 =장밋빛. ~수 el agua *f* de rosas. ~원(園) rosaleda *f*, rosedal *m*, rosalera *f*. ~유(油) aceite *m* de rosa. ~창 rosetón *m* (*pl* rosetones). ~ 향유 =장미유. ~화(花) =장미꽃. ~ㅅ빛 rosa *m*, color *m* (de) rosa. ¶~의 rosáceo, rosado, de color (de) rosa. ~ 인생(人生) vida *f* de color (de) rosa. 엷은 ~ 포도주 (vino *m*) rosado *m*.

장미계(薔薇鷄) 【조류】 =긴꼬리닭.

장바구니(場-) ((준말)) =시장바구니.

장바닥(場-) ① [장이 서 있는 곳의 그 바닥] suelo *m* del mercado. ② [장이 서 있는 곳의 그 안] interior *m* del mercado, mercado *m*, feria *f*, plaza *f*.

장바이러스(腸 virus) enterovirus *m*.

장발(長髮) melena *f*, cabello *m* largo, pelo *m* largo. ~의 melenudo. ~을 휘날리며 con la melena al viento. ~의 사내 [히피족 등] melenas *m*. ~의 소년 melenudo *m*. ~의 소녀 melenuda *f*. ~의 남자 hombre *m* de pelo largo.
■~족(族) melenudos *mpl*; hippy *ing.mf*. ¶그 바는 ~들로 가득 차 있다 Ese bar está lleno de melenudos.

장벽(長壁) muralla *f* larga.

장벽(腸壁) pared *f* intestinal.

장벽(腸癖) 【한방】 enfermedad *f* mezclada con sangre en el excremento.

장벽(障壁) barrera *f*, obstáculo *m*, fortaleza *f*, espaldón *m*, muralla *f*, cerca *f*. ~을 설치하다 poner un obstáculo [obstáculos] (a), obstaculizar. ~을 제거하다 quitar el obstáculo. ~을 쌓다 levantar barrera [fortaleza · espaldón].
◆관세(關稅) ~ barrera *f* aduanera.

장벽(牆壁) el muro y la pared.

장병(長兵) el arma *f* de largo alcance.

장병(長病) enfermedad *f* crónica, enfermedad *f* larga [prolongada · de mucho tiempo]. ~을 앓다 sufrir de la enfermedad crónica. 그는 ~ 끝에 죽었다 El se murió después de la enfermedad prolongada.

장병(將兵) oficiales *mpl* y soldados, soldados *mpl*.

장보기(場-) compra *f*. ~하다 hacer la compra [*CoS* las compras], *Col*, *Ven* hacer el mercado.

장 보다(場-) ① [시장에서 저자를 열다] abrir la tienda. ② [물건을 팔거나 사기 위해 장으로 가다] hacer la compra, *CoS* hacer las compras, *Col*, *Ven* hacer el mercado; [시장에 가다] ir al mercado; [사러] ir de compras; [팔러] ir de ventas.

장복(長服) uso *m* constante de una medicina. ~하다 usar una medicina constantemente.

장본(張本) origen *m*, raíz *f*, causa *f* mortal.

장본(藏本) =장서(藏書).

장본인(張本人) cabecilla *mf*, promotor, -tora *mf*, autor, -tora *mf*, creador, -dora *mf*, instigador, -dora *mf*. 그가 이 소요(騷擾)의 ~이다 El es el cabecilla [el promotor · el autor] del disturbio.

장부[1] 【건축】 [문장부] espaldón *m* (*pl* espaldones), cola *f* de milano.

■ ~촉 mortaja *f* y espiga. ¶~ 이음 ensambladura *f* de mortaja y espiga, ensambladura a cola de milano. ~ㅅ구멍 mortaja *f*, entalladura *f*, muesca *f*, espaldón *m*.

장부[2] ((준말)) =장부꾼.

■ ~꾼 persona *f* que toma el asa de la pala.

장부(丈夫) ① [장성한 남자] hombre *m* adulto, hombre *m* totalmente desarrollado, hombre *m* varonil, hombre *m* masculino. ② ((준말)) =대장부.

◆장부 일언(一言)이 중천금(重千金) Palabra dada, palabra sagrada.

장부(帳簿) libro *m* de cuentas; [기록] registro *m*. ~에 기입하다 poner algo en el registro, asentar en el libro de cuentas, hacer una partida. ~를 기입하다 llevar los libros (de comercio), llevar la contabilidad. ~를 마감하다 cerrar los libros. ~를 맞추다 presentar cuentas justas [bien balanceadas]. ~를 조사하다 comprobar los libros, examinar los libros.

◆매입 ~ libro *m* de compras, libro *m* de facturas. 회계 ~ libro *m* de cuentas.

■~ 가격 valor *m* según [en] libros. ~ 감사 auditoría *f*, censura *f* de cuentas. ~끝 saldo *m* de cuenta, estado *m* de cuenta. ~ 담당자 contable *mf*, *AmL* contador, -dora *mf*, tenedor, -dora *mf* de libros. ~ 대조 saldo *m* de cuentas. ~ 정리 ajuste *m* de cuentas.

장비(裝備) equipo *m*; [무장] armamento *m*. ~하다 equiparse (de), armarse (de). A에 B를 ~하다 equipar [armar] A de [con] B. 이 배는 원자력 엔진을 ~하고 있다 Este barco va equipado con un motor de energía atómica.

◆경(輕)~ equipo *m* ligero. 경(輕)~병(兵) soldado *m* ligeramente armado. 등산(登山) ~ equipo *m* para el alpinismo. 중(重)~ equipo *m* pesado. 중(重)~병(兵) soldado *m* fuertemente armado.

장비(葬費) gastos *mpl* funerales.

장사 negocio *m*, comercio *m*, tráfico *m*, trato *m*. ~하다 negociar, hacer negocios, vender, comerciar, traficar, dedicarse al comercio. ~를 시작하다 comenzar [empezar] un negocio. ~를 그만두다 dejar el negocio. ~ 수단이 좋다, ~를 잘하다 ser hábil para negociar, tener habilidad en los negocios, ser un buen negociante [una buena negociante *f*]. ~가 서툴다 no ser hábil para negociar [para los negocios]. ~가 번창하고 있다 El negocio prospera / El negocio está en plena prosperidad. ~가 안되고 있다 El negocio va mal. ~가 더욱 안되고 있다 El negocio va de mal en peor. 이것은 ~가 된다 [안된다] Esto es [no es] provechoso / Esto es [no es] negocio. ~가 잘 안된다 El negocio no anda / El negocio anda mal. 오늘은 ~가 잘됐다 Tuvimos un buen negocio hoy / Hoy marcharon bien los negocios. 그는 쌀~를 하고 있다 El se dedica al comercio del arroz.

■ ~꾼 comerciante *mf*, vendedor, -dora *mf*, negociante *mf*. ~ 물건(物件) mercancía *f*, mercadería *f*. ~치 =장사꾼. ~판 comercio *m*.

장사(壯士) ① [기개와 체질이 썩 굳센 사람] hombre *m* musculoso. ② =역사(力士). ¶ 힘이 ~다 ser tan fuerte como un hércules. ③ [프로 씨름에서, 각 체급별 우승자에게 주는 칭호] *changsa*, hércules *m*. 백두 ~ hércules *m Baekdu*. 한라 ~ hércules *m Hala*.

장사(長蛇) ① [긴 뱀] serpiente *f* [culebra *f*] larga. ② [열차나 긴 행렬의 비유] [열차] tren *m*; [긴 행렬] desfile *m* largo, parada *f* larga.

■ ~진 larga cola *f*. ¶~을 치다 formar una larga cola.

장사(將士) =장졸(將卒).

장사(葬事) (servicio *m*) funeral *m*, entierro *m*, exequias *fpl*.

◆장사(를) 지내다 celebrar funerales, enterrar.

장삼(長衫) ((불교)) toga *f* del sacerdote budista.

장삼이사(張三李四) cualquier hijo *m* de vecino, todo el mundo, multitud *f* común.

장삼화음(長三和音) 【음악】 acorde *m* perfecto mayor.

장상(長上) persona *f* mayor, superior *m*.

장상(將相) el general y el ministro.

장상(掌上) sobre la palma (de la mano).

장상(掌狀) forma *f* de la palma de la mano.

장색(匠色) =장인(匠人).

장생(長生) vida *f* larga, longevidad *f*. ~하다 vivir mucho, gozar de una vida larga. …보다 ~하다 sobrevivir a *algo*. 나는 ~의 혈통이다 Yo pertenezco a la familia de longevidad / La longevidad se nota en mi familia.

■~불사(不死) inmoralidad *f*, vida *f* eterna, longevidad *f* eterna. ¶~하다 gozar de la vida eterna. ~의 영약(靈藥) elíxir *m* de larga vida, medicamento *m* maravilloso de larga vida. ~약 elíxir *m* de larga vida, medicamento *m* de larga vida. ~초(草) planta *f* de vida eterna.

장서(長書) carta *f* larga.

장서(長逝) fallecimiento *m*, muerte *f*. ~하다 fallecer, morir, dejar el mundo, dejar de existir.

장서(藏書) ① [책을 간직해 둠] colección *f* de libros, biblioteca *f*. ~하다 coleccionar libros, edificar una biblioteca. 굉장한 ~를 가지고 있다 tener una gran colección de libros. ② [간직해 둔 책] libros *mpl* coleccionados.

■ ~가 bibliófilo, -la *mf*, aficionado, -da *mf* de colección de libros. ~광(狂) ㉮ [벽] bibliomanía *f*. ㉯ [사람] bibliómano, -na *mf*, bibliomántico, -ca *mf*; [장서를 남에게 내놓지 않는] bibliótafo, -fa *mf*. ~ 목록 catálogo *m* de una biblioteca, catálogo *m* de libros coleccionados. ~벽 bibliomanía *f*. ~인(印) sello *m* de colección de libros. ~판(版) edición *f* para la biblioteca. ~표(票) ex libris *m*, letrero *m* de colección de libros.

장 서다(場-) haber mercado, haber feria, tener lugar la feria.

장석(長石) 【광물】 feldespato *m*, albita *f*.

장석(腸石) 【의학】 =분석(糞石).

장선(腸腺) glándula *f* intestinal.

장선(腸線) cuerda *f* (de tripa).

장설(壯雪) =대설(大雪).

장설(長舌) =다변(多辯).

장성(長成) crecimiento *m*. ~하다 crecer.

장성(長城) ① [길게 둘러쌓인 성] muro *m* largo, muralla *f* larga. ② =만리장성.

장성(將星) [장군(將軍)의 이칭] general *mf*.

장성(腸性) ¶~의 enterógeno.

장세(場稅) impuesto *m* del mercado.

장소(場所) lugar *m*, sitio *m*; [자리] asiento *m*; [위치] localidad *f*, posición *f*; [부지(敷地)] terreno *m*, solar *m*; [공간] espacio *m*. 가장 좋은 ~ el mejor lugar. 회합(會合) ~ lugar *m* para la reunión. 시간과 ~ tiempo *m* y lugar. ~를 선정(選定)하다 escoger el lugar. 넓은 ~를 차지하다 ocupar mucho espacio. 새 공장을 세우는 데 적합한 ~를 마련하고 싶다 Nosotros queremos una localidad adecuada [apropiada] para una nueva fábrica.

장속(裝束) traje *m*. ~을 입다 ponerse un traje.

장손(長孫) el nieto mayor.

■ ~녀(女) la nieta mayor.

장송(長松) ① [훤칠하게 자란 큰 소나무] pino *m* alto. ② [넓이 25 cm, 두께 4 cm, 길이 250 cm 가량의 널] tabla *f* de pino alto.

장송(葬送) compañía *f* del funeral. ~하다 acompañar el funeral.

■ ~곡(曲)[행진곡] marcha *f* fúnebre.

장수 vendedor, -dora *mf*, comerciante *mf*, negociante *mf*. 생선 ~ pescadero, -ra *mf*.

장수(長壽) vida *f* larga, longevidad *f*. ~하다 vivir muchos años, gozar de una larga vida, gozar (de) longevidad, tener vida larga. ~의 비결(秘訣) secreto *m* de longevidad. ~하는 사람 persona *f* longeva. …보다 ~하다 sobrevivir a *uno*. ~의 혈통이다 venir de una linaje longevo. 백 살까지 ~하다 vivir hasta los cien años. 귀하의 ~와 번영을 빕니다 Deseo que usted tenga la longevidad [la vida larga] y prosperidad.

■ ~법 secreto *m* de la longevidad, arte *m* de longevidad, macrobiótica *f*. ~촌 aldea *f* de vida larga.

장수(將帥) jefe *m*, comandante *m*, general *m*.

장수(張數) número *m* de hojas.

장수로(長水路) piscina *f* (de largo) de cincuenta metros.

장수벌(將帥-) 【곤충】 abeja *f* reina.

장승 *changseung*, mijero *m*, piedra *f* millera. ~같이 서 있다 quedarse de pie con la cerviz erguida [con la cabeza levantada].

장시(長時) =장시간(長時間).

■ ~간 largo tiempo *m*, mucho tiempo, muchas horas. ~에 걸친 [뮤지컬·소극(笑劇)] que lleva tiempo en cartelera; [텔레비전 프로그램] que lleva tiempo en pantalla; [영지(領地)·논전(論戰)] que viene de largo. ~ 동안, ~에 걸쳐 durante mucho [largo] tiempo, durante muchas horas.

장시(長詩) 【문학】 poesía *f* larga, poema *m* largo.

장시세(場時勢) precio *m* del mercado.

장시일(長時日) largo tiempo *m*, largo período *m* de tiempo, años *mpl*. ~에 걸쳐서 por mucho tiempo. ~을 지나서 después de mucho tiempo.

장시조(長時調) *sicho* largo, largo verso *m* coreano.

장식(裝飾) decoración *f*, ornamentación *f*; [장식품] ornamento *m*, adorno *m*; [집·실내(室內)·가구 등의] decorado *m*. ~하다 decorar, adornar, ornar, engalanar. ~의 de adorno, ornamental, decorativo. ~이 없는 liso, llano, sin adorno, sencillo. 새해의 ~ decoraciones *fpl* del Año Nuevo. 크리스마스트리의 ~ decoración *f* del árbol de Navidad. 꽃으로 방(房)을 ~하다 adornar la habitación con flores. 식탁을 꽃으로 ~하다 adornar la mesa con flores. 크리스마스트리로 ~하다 adornar un árbol de Navidad. 모자에 레이스를 ~하다 adornar el sombrero con encajes. 머리에 리본을 ~하다 [자신의] adornarse el pelo con una cinta. 벽에 그림이 ~되어 있다 Un cuadro adorna la pared. 테이블은 꽃으로 ~되어 있다 La mesa está adornada con flores.

◆ 무대(舞臺) ~ decoración *f* de escena. 실내(室內) ~ decoración *f* interior. 실내 ~ 업자(業者) tapicero, -ra *mf*.

■ ~가(家) interiorista *mf*, decorador, -dora *mf*, ornamentador, -dora *mf*. ¶실내(室內) ~ decorador, -dora *mf* interior. ~깃 plumas *fpl* para decoración. ~단추 botón *m* decorativo. ~ 도안 diseño *m* decorativo. ~물 =장식품. ~ 미술 arte *f* decorativa. ~법 decoración *f*, ornamentación *f*. ~비(費) expensas *fpl* de decoración. ~사 decorador, -dora *mf*. ~술 arte *f* decorativa. ~용 전구 bombilla *f* para decoración. ~ 유리 cristal *m* ornamental. ~음(音) adorno *m*, floritura *f*. ~자 interiorista *mf*, decorador, -dora *mf* interior; ornamentador, -dora *mf*. ~ 조명(照明) iluminación *f* decorativa. ~주의 ornamentalismo *m*. ~지(紙) papel *m* para decoración. ~품(品)

adornos *mpl*, ornamento *m*, figura *f* decorativa, artículo *m* de adorno, artículo *m* de fantasía. ～화(畫) pintura *f* decorativa.

장식(粧飾) arreglo *m*, cuidado *m*, adorno *m*. ～하다 engalanar, adornar.

장식(葬式) ＝장례식(葬禮式).

장신(長身) gran estatura *f*, estatura *f* alta, figura *f* alta. ～의 alto, de gran estatura. ～의 사나이 hombre *m* de gran estatura. 그는 ～이다 El es alto / El es de gran estatura.

장신구(裝身具) adorno *m*, accesorios *mpl*, atavío *m* personal, ornamento *m* personal; [보석] joya *f*, alhaja *f*.

장아찌 *changachi*, rodajas *fpl* de rábano [de pepino] secado y sazonado con salsa de soja.

장악(掌握) dominio *m*, comando *m*, asimiento *m*. ～하다 apoderarse (de), poseer, asir, tener a *su* comando, hacerse con el poder. 컴퓨터가 모든 것을 ～하는 세상(世上) un mundo en el que los ordenadores han llegado a dominarlo [controlarlo] todo. 권력(權力)을 ～하다 tomar [asumir] el mando [el poder], hacerse con el poder. 부하(部下)를 ～하다 tener en *su* mano a *sus* hombres. 정부(政府)는 사태를 ～할 수 없다 El gobierno se encuentra incapacitado para dominar la situación.

장안(長安) capital *f*, Seúl. 서울 ～ Seúl, ciudad *f* capital.

장암(腸癌) cáncer *m* intestinal.

장애(障碍/障礙) obstáculo *m*, impedimiento *m*, dificultades *fpl*, embarazo *m*; [질환] mal *m*, desventaja *f* física. ～를 극복하다 vencer [superar] las dificultades. ～를 만나다 encontrar un obstáculo. …에서 ～를 제거하다 quitar el impedimiento a *algo*. …의 ～가 되다 impedir *algo*, estorbar *algo*. 신체에 ～가 있는 con desventajas físicas. 그것은 통행에 ～가 되고 있다 Eso estorba el tráfico. 스포츠는 공부에 전혀 ～가 되지 않는다 La práctica de los deportes no constituye ningún estorbo para el estudio. 그것은 그의 출세에 ～가 되고 있다 Eso es un estorbo para su carrera. 중세(重稅)가 경제 성장의 ～가 되고 있다 Las excesivas contribuciones constituyen un obstáculo para el desarrollo económico.

■ ～물 obstáculo *m*. ～물 경주 ＝장애물달리기. ～물달리기 [육상 경기의] carrera *f* de vallas, hurdle *ing.m*; [경마의] carrera *f* de obstáculos. ¶100미터 ～ carrera *f* de 100 metros vallas, 100 metros vallas. 3000미터 ～ tres mil metros obstáculos. ～인 minusválido, -da *mf*, disminuido, -da *mf*, discapacitado, -da *mf*. ¶～용 자동차 coche *m* para minusválidos. ～인・노약자 (지정)석 [지하철의] (asiento *m*) reservado *m*. ～인 복지법 ley *f* de bienestar para personas impedidas. ～인 시설 instalaciones *fpl* para minusválidos. ～인 올림픽 대회 los Juegos Paralímpicos. ～인의 날 día *m* de los minúsvalidos. ～자 ＝장애인(障碍人). ¶ 신체 ～ minusválido, -da *mf*, discapacitado, -da *mf*. 심신(心身) ～ minusválido *m* [disminuido *m*・discapacitado *m*] físico. 정신(精神) ～ minusválido *m* [disminuido *m*・discapacirtado *m*] psíquico.

장액(腸液) jugo *m* intestinal.

장액(漿液) suero *m*.

장야(長夜) noche *f* larga (del otoño o del invierno).

장어(長魚) 【어류】 ((준말)) ＝뱀장어.

■ ～구이 *changeokui*, anguila *f* abierta y asada con salsa de soja. ～덮밥 *changeodeopbab*, tazón *m* de anguila y arroz. ～밥 *changeobab*, arroz *m* de anguila. ～집 *changeochib*, restaurante *m* de anguilas.

장어(章魚) 【동물】 ＝낙지.

장엄(莊嚴) solemnidad *f*, grandeza *f*, majestuosidad *f*, majestad *f*. ～하다 (ser) solemne, majestuoso, sublime, magnífico, grandioso, espléndido, suntuoso. ～하게 solemnemente, majestuosamente.

■ ～ 미사 misa *f* solemne.

장염(腸炎) 【의학】 endoenteritis *f*, enterisis *f*, intestinitis *f*.

장염전증(腸捻轉症) 【의학】 vólvulo *m*, torsión *f* intestinal.

장외(場外) fuera de cámara, fuera de un sitio, fuera de la sala; [경기장의] fuera del estadio; [아웃] fuera de fuego; [주식의] fuera de bolsa de valores. 관객이 ～로 넘친다 Los espectadores rebosan de la sala.

■ ～ 거래 transacción *f* fuera de bolsa de valores, operación *f* con valores no cotizados, comercio *m* legal de acciones sin cotización oficial. ～ 시장 mercado *m* sin cotización oficial, mercado *m* de valores extrabursátil. ～주(株) acción *f* sin cotización oficial. ～ 중개인 intermediario, -ria *mf* de valores sin cotización. ～ 증권(證券) valores *mpl* no inscritos en la bolsa, valores *mpl* no cotizables en bolsa. ～ 증권 시장 el Mercado de Valores no Cotizados. ～ 회사 compañía *f* no bursátil; 【주식】 sociedad *f* que no cotiza en bolsa.

장원(壯元) persona *f* que ganaba el primer puesto en el examen estatal. ～하다 ganar el primer puesto en el examen estatal.

■ ～ 급제(及第) aprobación *f* del primer puesto en el examen estatal. ～랑(郞) ＝장원(壯元).

장원(莊園) 【역사】 villa *f*, quinta *f*, cortijo *m*; [저택] casa *f* solariega. 로마 시대의 ～ villa *f* romana.

장유(長幼) los viejos y los jóvenes.

■ ～유서(有序) Los jóvenes deben ceder el paso a los mayores.

장유(醬油) salsa *f* de soja, *AmL* salsa *f* de soya.

장의리 【식물】 una variedad de mijo.

장음(長音) sonido *m* largo, vocal *f* larga.

■ ～계 escala *f* mayor. ～부 acento *m*

largo, signo *m* de sonido largo [de vocal larga], macrotono *m*. ~정 intervalo *m* mayor.
장의(葬儀) funeral *m*, funerales *mpl*, exequias *fpl*, ritos *mpl* fúnebres, entierro *m*. ☞장례(葬禮)
■ ~사(社) funeraria *f*. ~ 위원 miembro *mf* de la comisión *f* funeral. ~ 위원장 presidente, -ta *mf* de la comisión funeral. ~장(場) sala *f* de pompas fúnebres. ~차 carroza *f* funeral, coche *m* fúnebre, carro *m* fúnebre. ~ 행렬 procesión *f* funeral.
장의자(長椅子) sofá *m* (*pl* sofás), silla *f* poltrona, silla *f* de descanso, canapé *m* (*pl* canapés), banco *m*.
-장이(匠-) -dor, -dora *mf*, el que haces; experto, -ta *mf*.
장인(丈人) suegro *m*, padre *m* político, padre *m* de *su* esposa.
장인(匠人) artesano, -na *mf*.
■ ~ 정신 espíritu *m* del artesano.
장일(葬日) día *m* del funeral.
장자(壯者) persona *f* que llega a la edad madura.
장자(長子) hijo *m* mayor, primogénito *m*, hijo *m* primogénito. ~의 primogénito.
■ ~ 상속권 primogenitura *f*.
장자(長者) ① [윗사람] superior *mf*. ~를 존경하다 respetar a los superiores. ② [덕망이 있고 노성한 사람] persona *f* virtuosa. ③ [큰 부자] millonario, -ria *mf*.
장작(長斫) leña *f*. ~을 패다 cachar leñas.
■ ~개비 pedazo *m* de madera. ~더미 montón *m* (*pl* montones) de leñas. ~불 fuego *m* de leña.
장장(長長) ① [기나긴. 매우 긴] muy largo, larguísimo. ~ 세월(歲月) tiempo *m* larguísimo. ② [길고 긴] muy largo, larguísimo. ~ 열두 시간에 걸친 회의 conferencia *f* larguísima que lleva doce horas.
■ ~추야(秋夜) noche *f* larguísima del otoño. ~추일(秋日) día *m* larguísimo de la primavera. ~하일(夏日) día *m* larguísimo del verano.
장전(裝塡) carga *f*. ~하다 cargar. 총에 탄환을 ~하다 cargar el fusil con balas.
장점(長點) mérito *m*; [강점(强點)] (punto *m*) fuerte *m*, cualidad *f*; [이점(利點)] ventaja *f*; [가치(價値)] valor *m*. ~이 없는 sin valor, inútil. ~을 인정하다 reconocer el mérito (de). 자신의 ~을 개발하다 explotar *sus* cualidades. 그는 건강이 유일한 ~이다 Lo único que vale en él es su salud. 이 물건은 싼 것이 ~이다 Lo bueno de este género es su bajo precio. 그는 아무런 ~도 없는 남자다 El es un hombre inútil / El es un hombre que no vale nada. 누구나 ~과 단점은 있다 Cada uno tiene sus méritos y defectos. 그의 ~은 끈기에 있다 Su mérito está en ser perseverante.
장정(壯丁) hombre *m* sano, hombre *m* no discapacitado, joven *m* robusto, adulto *m*, joven *m* que entra en quintas; [징병 적령자] joven *m* de la edad del servicio militar obligatorio, *AmL* joven *m* de la edad de conscripción; [집합적] juventud *f*.
장정(長征) marcha *f* larga.
장정(長程) camino *m* muy lejano.
장정(裝幀) arte *m* decorativo de un libro; [제본] encuadernación *f*; [책 전체의 의장] presentación *f*. ~하다 decorar un libro, encuadernar, empastar. ~이 호화스러운 책(冊) libro *m* lujosamente encuadernado.
■ ~소 taller *m* de encuadernación. ~자 encuadernador, -dora *mf*.
장제(葬制) institución *f* funeral.
장조(長調) tono *m* mayor. 다~의 교향곡(交響曲) sinfonía *f* en do mayor.
장조림(醬-) *changchorim*, carne *f* de vaca cocida en la salsa de soja.
장조모(丈祖母) abuela *f* de *su* esposa.
장조부(丈祖父) abuelo *m* de *su* esposo.
장조카(長-) hijo *m* mayor de *su* hermano mayor.
장족(長足) ① [긴 다리] piernas *fpl* largas. ② [빠르게 나아가는 걸음] paso *m* rápido. ~의 진보(進步) grandes progresos *mpl*, progresos *mpl* rápidos, grandes adelantos *mpl*. ~의 진보를 하다 hacer grandes progresos [progresos rápidos · grandes adelantos].
장졸(將卒) el general y el soldado, militares *mpl* de todos rangos.
장죽(杖竹) bambú *m* para el bastón.
장죽(長竹) pipa *f* larga de tabaco.
장중(掌中) =수중(手中). ¶~에 en *sus* manos, en palma de la mano, en poder. ~에 있다 estar en *su* poder. ~에 들어가다 caer en *su* poder.
■ ~보옥(寶玉) lo más precioso, la cosa más preciosa.. ¶~처럼 기르다 amar como niña de *sus* ojos. ~처럼 돌보다 cuidar*le* a *uno* como a las niñas de *sus* ojos.
장중적증(腸重積症) 【의학】 intususcepción *f*.
장중하다(莊重-) (ser) sublime, solemne, grave, grandioso, imponente. 장중함 solemnidad *f*, pompa *f*, gravedad *f*, seriedad *f*. 장중한 어조로 en tono solemne. 장중한 음악 música *f* solemne.
장지(障-) ① puerta *f* corrediza enrejada con papel. ② =장지문.
■ ~문(門) 【건축】 puerta *f* corrediza, enrejada y tapada con papel. ~틀 【건축】 bastidor *m* de la puerta corrediza enrejada con papel.
장지(壯志) gran ambición *f*. ~를 품다 guardar gran ambición.
장지(長指) =가운뎃손가락.
장지(將指) ① =가운뎃손가락. ② =엄지발가락.
장지(葬地) cementerio *m*.
장질(長姪) sobrino *m* mayor.
장질부사(腸窒扶斯) =장티푸스.
장차(將次) en el futuro, en lo futuro, algún día. 그는 ~ 사장이 될 인물이다 El es un futuro presidente. 이 마을도 ~ 되살아날

것이다 Algún día este pueblo también renacerá.
장차다(長一) ① [꼿꼿하고도 길다] (estar) derecho y (ser) largo. ② [길고도 멀다] (ser) largo y (estar) lejos. ③ [시간적으로 오래고 길다] (ser) largo tiempo.
장착(裝着) equipo *m*, ~하다 equipar. 체인을 ~한 차(車) coche *m* equipado de [con] la cadena.
장찰(長札) carta *f* que tiene el contenido largo, carta *f* larga, carta *f* escrita largamente.
장창(長槍) ① [긴 창] lanza *f* larga. ② 【역사】 [십팔기의 한 가지] artes *fpl* marciales de la lanza larga.
장채(長一) palo *m* largo.
장책(長策) ① [원대한 계책] gran estratagema *f*, buen proyecto *m*, buen plan *m*. ② =승산(勝算).
장처(長處) punto *m* fuerte.
장척(丈尺) regla *f* de diez pies.
장천(長天) cielo *m* lejano y espacioso.
장총(長銃) rifle *m*, fusil *m*.
장축(長軸) 【수학】 =긴지름.
장출혈(腸出血) 【의학】 enterohemorragia *f*.
장취(長醉) borrachera *f* [embriaguez *f*] incesante. ~하다 estar borracho siempre.
장취(將就) lo progresivo.
■ ~성 posibilidad *f* de crecimiento futuro.
장치(場一) préstamo *m* que el interés se debe pagar cada día del mercado.
장치(裝置) aparato *m*, equipo *m*, preparativa *f*, colocación *f*, disposición *f*, dispositivo *m*, mecanismo *m*; [기계의] instalación *f*; 【연극】 decorado *m*; 【영화】 equipo *m*. ~하다 poner, instalar, colocar, acomodar, amueblar, armar, pertrechar. A에 B를 ~하다 equipar a A con [de] B. …을 ~한 provisto de *algo*, equipado de [con] *algo*. 덫을 ~하다 tender [poner] un lazo [una trampa] (a *uno* en *un sitio*). 집에 폭탄을 ~하다 poner [instalar] una bomba en una casa. 밖에서 열 수 없도록 문에 ~하다 maniobrar en la puerta de tal manera que no se abra por fuera. 이 장난감의 ~는 아주 간단하다 El mecanismo de este juguete es muy sencillo.
◆ 난방(煖房) ~ calefacción *f*. 냉방(冷房) ~ refrigerador *m*, refrigeración *f*. 무대 ~ decorado *m*, escenografía *f*. 무전(無電) ~ instalación *f* inalámbrica [sin hilos].
■ ~가(家) [무대의] decorador, -dora *mf*.
장침(長枕) almohada *f* larga.
장침(長針) ① [긴 바늘] aguja *f* larga. ② [분침(分針)] minutero *m*.
장카타르(腸 catarrh) 【의학】 catarro *m* intestinal, enterocolitis *f*, enteritis *f*.
장쾌하다(壯快一) (ser) apasionante, ágil, activo. 장쾌함 agilidad *f*, actividad *f*. 장쾌한 스포츠 deporte *m* apasionante.
장쾌히 apasionantemente.
장타(長打) ((야구)) golpe *m* [jit *m*] largo. ~를 때리다 batear largo bombo.
■ ~율(率) tipo *m* del golpe largo. ~자(者) bateador, -dora *mf* del golpe largo.
장타령(場打令) *changtaryong*, canción *f* que los mendigos cantan paseando por las plazas del mercado.
■ ~꾼 *changtaryongkun*, mendigo *m* cantante ambulante por las plazas del mercado.
장탄(裝彈) carga *f*. ~하다 cargar.
장탄식(長歎息) suspiro *m* pesado [profundo · largo]. ~하다 dar un suspiro pesado.
장터(場一) mercado *m*, plaza *f* del mercado.
장티푸스(腸 typhus) 【의학】 tifoidea *f*, fiebre *f* tifoidea, tifus *m* abdominal.
■ ~균 bacilo *m* tifoideo. ~ 백신 vacuna *f* antitífica. ~ 예방 주사(豫防注射) inoculación *f* antitifoidea. ~ 환자 tifoideo, -a *mf*, caso *m* de la fiebre tifoidea.
장파(長波) 【물리】 onda *f* larga.
■ ~ 라디오 radio *f* de onda larga. ~ 라디오 세트 radiorreceptor *m* de onda larga. ~ 라디오 수신기 equipo *m* de radio de onda larga. ~ 방송(放送) emisión *f* de onda larga. ~ 방송국(放送局) emisión *f* de radiodifusión por ondas largas. ~장 gran longitud *f* de onda.
장판(場一) ① [장이 선 곳] mercado *m*, plaza *f* del mercado. ② [많은 사람이 모여서 복작거리는 곳] lugar *m* atestado de gente.
장판(壯版) ① [새벽질을 하고 그 위에 기름 먹인 종이를 바른 방바닥] suelo *m* cubierto de papel laminado. ② ((준말)) =장판지.
■ ~방(房) habitación *f* con suelo cubierto de papel. ~지(紙) papel *m* laqueado con aceite de soja.
장편(長篇) obra *f* voluminosa, historia *f* larga.
■ ~ 만화 영화(漫畵映畵) dibujos *mpl* animados de largometraje. ~ 소설 novela *f* larga. ~시(詩) poema *m* largo. ~ 영화 película *f* de largometraje, (película *f* de) largo metraje *m*, película *f* larga, película *f* de gran metraje.
장편(掌篇) ① [극히 짧은 소설] novela *f* muy corta. ② ((준말)) =장편 소설(掌篇小說).
■ ~ 소설 =콩트.
장폐색(腸閉塞) enterocleisis *f*, enterostasis *f*.
■ ~증 íleo *m*, esplancnenfraxis *f*.
장포 =창포(菖蒲).
장포(場圃) huerto *m* que está cerca de *su* casa.
장품(贓品) =장물(贓物).
장피(獐皮) piel *f* de ciervo, piel *f* de venado.
장하(長夏) ① [해가 긴 여름] verano *m* que el día es largo. ② [음력 6월] junio *m* del calendario lunar.
장하(帳下) ① [장막(帳幕) 아래] debajo de la tienda. ② =막하(幕下).
장하(裝荷) 【전기】 carga *f*. ~하다 cargar.
■ ~선(線) línea *f* cargada con inductancia, línea *f* pupinizada. ~ 케이블 cable *m* cargado. ~ 코일 bobina *f* cargada. ~ 필터 filtro *m* cargado. ~ 회로 circuito *m*

cargado.
장하다(壯－) ① [하는 일이 매우 훌륭하다] (ser) espléndido, glorioso, excelente, grande, valiente. 장하게 싸우다 luchar valientemente. ② [갸륵하다] (ser) admirable, ejemplar, loable, plausible, laudable. 장한 학생 estudiante *mf* ejemplar. 장한 어린이 niño, -ña *mf* ejemplar. 장한 행실 conducta *f* ejemplar.
장히 espléndidamente, gloriosamente, excelentemente; admirablemente, ejemplarmente, loablemente, plausiblemente, laudablemente.
장하다(長－) (ser) excelente, bueno, hábil.
장학(奬學) fomento *m* [promoción *f*] de estudio.
■ ～관 ＝장학사. ～금 beca *f*. ¶체육 ～ beca *f* deportiva. ～을 타다 ganar la beca. 그녀는 하버드 ～을 받았다 Ella ha obtenido una beca para estudiar en Harvard. ～기금 fondo *m* de beca. ～사 inspector, -tora *mf* (de escuela). ～생 becario, -ria *mf*. ～자금 fondo *m* de beca.
장한(壯漢) hombre *m* fuerte.
장한(長恨) rencor *m* inolvidable por mucho tiempo.
장한몽(長恨夢) lo inolvidable por mucho tiempo.
장해(障害) obstáculo *m*. ☞장애(障碍)
■ ～물(物) ＝장애물(障碍物).
장혈(獐血) 【한방】 sangre *f* del ciervo.
장협착(腸狹窄) 【의학】 enterostenosis *f*.
장형(杖刑) 【역사】 azote *m* como castigo. ～하다 azotar como castigo.
장형(長兄) hermano *m* mayor.
장화(長靴) botas *fpl*; botas *fpl* altas; [반장화] botines *mpl*. ～를 신다 ponerse las botas. ～를 벗다 quitarse las botas.
장황하다(張皇－) (ser) tedioso, fastidioso, pesado, demasiado largo, prolijo, redundante, difuso. 장황한 설명 explicación *f* redundante. 장황한 연설(演說) discurso *m* tedioso [prolijo · inacabable]. 장황한 이야기 conversación *f* larga, charla *f* inacabable. 장황하게 말하다 decir [relatar] difusamente. 장황한 이야기를 하다 conversar [charlar · hablar] largamente, tener una conversación inacabable. 장황한 연설을 하다 dar [pronunciar] un discurso prolijo, hacer un discurso largo y aburrido. 장황하지만 … Temo ponerme pesado, pero … / Podría recordarle a usted una vez más que + *ind*. 장황하구나! ¡Basta! / ¡Qué pesado eres! / ¡No me des la lata! / ¡Ya está bien!
장황히 tediosamente, fastiosamente, pesadamente, redundantemente, difusamente, con redundancia.
잦다[1] ① [액체가 졸아들어 밑바닥에 깔리다] reducirse. ② [설레던 것이 잠잠해지거나 가라앉다] calmarse, aquietarse, tranquilizarse. ③ [속으로 깊이 스미거나 배어들다] empaparse.
잦다[2] ① [뒤로 기울어지다] inclinarse hacia atrás. ② [뒤로 기울다] inclinar hacia atrás.
잦다[3] ① [여러 차례로 자주 거듭되는 기간이 짧다] (la plaza repetida) ser corto. ② [자주 있다. 빈번하다] (ser) frecuente, ocupado. …하는 일이 ～ Pasa [Ocurre] muy a menudo que + *ind*. 그녀는 외출하는 일이 ～ Pasa [Ocurre] muy a menudo que ella sale de casa. 이 계절에는 감기 걸리는 경향이 ～ En esta temporada es fácil resfriarse / En esta temporada nos resfriamos fácilmente. 그것은 젊은이들이 잦게 범하는 실수다 Eso es un error que ocurre frecuentemente entre jóvenes / Eso es un error que cometen con facilidad los jóvenes. 이 학생은 최근 결강이 ～ Este estudiante falta a las clases con frecuencia estos días. 구름 끼는 날씨가 ～ Continúa el tiempo nubloso.
잦뜨리다 doblar [curvar] hacia atrás.
잦바듬하다 echarse hacia atrás, reclinarse.
잦아들다 reducirse.
잦아지다[1] [점점 잦아들어 없어지게 되다] hundirse, adelgazar.
잦아지다[2] [자주 있게 되다] (ser) frecuente.
잦은가락 tono *m* rápido.
잦은걸음 paso *m* rápido.
잦은방귀 pedos *mpl* frecuentemente repetidos.
잦추다 presionar, insistir. 그는 내가 동의할 때까지 계속 잦추었다 El siguió presionando [insistiendo] hasta que accedí.
잦혀 놓다 ① [뒤집어 놓다] [매트리스 · 오믈렛을] dar*le* la vuelta a *uno*, *AmL* voltear (*CoS* 제외), *CoS* dar vuelta; [흙을] remover, *AmL* voltear (*CoS* 제외), *CoS* dar vuelta. ② [무엇을 고르다가 뒤로 밀어 놓다] dejar a un lado, guardar, reservar.
잦혀지다 volcarse, darse la vuelta, *CoS* darse vuelta. 자동차가 잦혀졌다 El coche volcó [dio una vuelta] de campana.
잦히다[1] [밥이 끓은 뒤에 불을 잠깐 물렸다가 다시 불을 조금 때어 물이 잦아지게 하다] estofar, guisar, cocer.
잦히다[2] ① [뒤로 잦게 하다] echarse atrás. ② [안면이 겉으로 드러나게 열다] abrir (de golpe). 문(門)을 ～ abrir la puerta de golpe.
재[1] [물건이 완전히 타고 난 뒤에 남는 가루] ceniza *f*. 담뱃～를 털다 sacudir cenizas de cigarrillo. 죽음의 ～ lluvia *f* radiactiva, precipitación *f* radiactiva.
◆재가 되다 reducirse a ceniza. 도시는 재가 되었다 La ciudad había quedado reducida a cenizas. 건물은 화재로 재가 되었다 El edificio quedó reducido a cenizas en el incendio.
재[2] [넘어 다니도록 길이 나 있는 높은 산의 고개] cadena *f*, cerro *m*, paso *m*.
■재는 넘을수록 험하고 내는 건널수록 깊다 ((속담)) Saltar de la sartén y dar en las brasas.

재(災) ((준말)) ① =재상(災傷). ② =재액.

재(財) ① =보배. 재산(財産). ② =가재(家財). ③【경제】mercancías *fpl.*

재(齋) ① ((불교)) servicio *m* budista practicado al difunto. 저녁에 ~를 올리다 ofrecer el servicio budista practicado al difunto por la noche. ② ((준말)) =재계(齋戒).

재-(再) re-, nuevo, otra vez, de nuevo, nuevamente. ~입국(入國) reingreso *m,* reentrada *f.* ~판(版) segunda edición *f.*

재-(在) en. ~일본 en el Japón. ~미 교포(美僑胞) residentes *mpl* coreanos en los Estados Unidos de América.

재가(在家) estancia *f* en casa. ~하다 quedarse [estar] en casa.
■ ~승(僧) ((불교)) sacerdote *m* budista casado.

재가(再嫁) nuevo casamiento *m,* nuevo matrimonio *m,* segundas nupcias *fpl,* segundo matrimonio *m.* ~하다 volver a casarse, casarse en segundas nupcias. 그녀는 자기의 첫 남편과 ~했다 Ella volvió a casarse con su primer marido.

재가(裁可) sanción *f,* aprobación *f.* ~하다 sancionar, dar la sanción (a), aprobar. ~를 신청하다 pedir la sanción, pedir la aprobación. ~를 받다 recibir la sanción.

재간(才幹) talento *m,* habilidad *f,* capacidad *f,* aptitud *f,* idoneidad *f.* ~이 있는 talentoso, capaz, apto. ~ 있는 사람 persona *f* talentosa. 학식과 ~이 남보다 뛰어나다 ser superior en la sabiduría y el talento.
◆다리 ~ llaves *fpl* de piernas, jugadas *fpl* de piernas.
■ ~꾼 persona *f* muy talentosa, persona *f* de gran talento.

재간(再刊) nueva publicación *f,* republicación *f,* reimpresión *f,* reedición *f.* ~하다 volver a publicar, republicar, reimprimir, reeditar.

재갈 freno *m,* bocado *m,* mordaza *f.*
◆재갈(을) 물리다[먹이다] amordazar (a *uno*), poner una mordaza (a *uno*). 말에 ~ poner el bocado [el freno] al caballo, embridar el caballo.

재감(再感) ((준말)) =재감염(再感染).

재감(在監)【법률】[행위] encarcelamiento *m;* [상태] prisión *f.* ~하다 encarcelar, meter en la cárcel. 그들은 그의 ~에 항의했다 Ellos protestaron en contra de su encarcelamiento.
■ ~ 기간 período *m* de prisión. ~자(者) recluso, -sa *mf,* presidiario, -ria *mf,* prisionero, -ra *mf.*

재감염(再感染)【의학】reinfección *f.*

재강 poso *m* de licor fermentado.
■ ~장 salsa *f* dejada en remojo en posos de licor. ~죽 gachas *fpl* hechas de posos de licor y arroz pegajoso.

재강아지 ① [재투성이가 된 강아지] cacharro *m* cubierto de cenizas. ② [잿빛 털을 한 강아지] cacharro *m* gris.

재개(再改) segunda revisión *f.* ~하다 revisar de nuevo.

재개(再開) reapertura *f,* reanudación *f.* ~하다 reabrir, reanudar, abrir de nuevo, empezar de nuevo, volvera a abrir. 외교 관계의 ~ reanudación *f* de las relaciones diplomáticas. 교섭을 ~하다 reabrir [reanudar] la negociación. 열차의 운전을 ~하다 reanudar el servicio de trenes. 회의는 내일부터 ~된다 Se abre de nuevo la sesión a partir de mañana.

재개발(再開發) reexplotación *f.* ~하다 reexplotar, volver a explotar.
◆도시 ~ reestructuración *f* urbana.
■ ~ 지역(地域) el área *f* [*pl* las áreas] de reexplotación. ~ 사업(事業) obra *f* de reexplotación.

재개의(再改議) segunda enmienda *f.* ~하다 hacer la segunda enmienda.

재거(再擧) nueva oportunidad *f,* segundo intento *m,* nuevo levantamiento *m.* ~하다 trazar el segundo levantamiento. ~를 기도하다 trazar el segundo levantamiento, hacer un segundo intento, tratar de encontrar una nueva oportunidad, intentar la vuelta.

재건(再建) [건물 등의] reconstrucción *f,* reedificación *f,* [국가·경제 등의] restablecimiento *m.* ~하다 reconstruir, reedificar, restablecer. 교회를 ~하다 reconstruir una iglesia. 회사를 ~하다 restablecer la compañía. ~ 계획을 세우다 trazar un plan de reconstrucción. 지진으로 붕괴된 마을이 ~되었다 Ha sido recontruido el pueblo destruido por el terremoto.
◆경제 ~ restablecimiento *m* económico. 산업 ~ restablecimiento *m* industrial.
■ ~비 gastos *mpl* de reedificación, gastos *mpl* de reconstrucción.

재건축(-建築) reconstrucción *f.* ~하다 reconstruir, volver a construir.

재검사(再檢査) reexaminación *f,* nueva inspección *f.* ~하다 volver a examinar, examinar otra vez, reexaminar, inspeccionar de nuevo.

재검토(再檢討) revisión *f,* reexamen *m,* reexaminación *f,* reconsideración *f,* repaso *m.* ~하다 revisar, reexaminar, reconsiderar, repasar. ~ 후(後) después de un nuevo examen, tras nuevas consideraciones. 이 계획(計劃)은 ~의 여지가 있다 Este proyecto deja lugar a revisiones.

재결(裁決) veredicto *m,* fallo *m,* juicio *m;* [결정] decisión *f.* ~하다 presentar un veredicto, dar juicio, decidir, pronunciar un veredicto (sobre). ~을 청하다 pedir la decisión (de).
■ ~권 voto *m* de calidad. ~서 veredicto *m* [juicio *m*] escrito. ~ 신청 solicitud *f* de veredicto. ~ 처분(處分) disposición *f* de veredicto.

재결합(再結合) reunión *f,* recombinación *f.* ~하다 reunir, recombinar.

재경(在京) estancia *f* en Seúl, permanencia *f* en Seúl, resideencia *f* en la capital. ~하다

residir en la capital, estar en la capital. ~중에 mientras que reside en la capital, durante la estancia en la capital [en Seúl].
■~ 동창회 la Asociación de Ex-alumnos en Seúl. ~ 외국인(外國人) extranjero, -ra *mf* residente en Seúl.

재경(再耕) =두번갈이.

재경(財經) finanzas *fpl* y economía.
■~ 위원회 la Comisión de Finanzas y Economía.

재계(財界) mundo *m* financiero, mundo *m* económico, círculos *mpl* [centros *mpl*·sectores *mpl*] financieros. ~의 경기(景氣) situación *f* financiera. ~의 불황 depresión *f* económica. ~의 사정(事情) asuntos *mpl* financieros. ~의 안정(安定) estabilidad *f* financiera.
■~인 ㉮ [금융가] financista *mf*. ㉯ [실업가] comerciante *mf*; hombre *m* de negocios, mujer *f* de negocios. ㉰ [자본가] capitalista *mf*.

재계(齋戒) purificación *f*, santificación *f*. ~하다 purificarse.

재고(再考) reconsideración *f*. ~하다 reconsiderar, reflexionar, repensar. ~의 여지가 없다 No cabe reconsideración / No hay lugar a reconsideración.

재고(在庫) ① [창고 따위에 있음] almacenamiento *m*. ~를 조정하다 ajustar el almacenamiento. ~가 바닥이 났다 Los almacenamientos se encuentran agotados. ② ((준말)) =재고품(在庫品).
■~ 분석 análisis *m* de inventarios. ~ 자산 inventario *m*. ~ 장부 libro *m* de almacén, libro *m* de inventario. ~ 정리(整理) liquidación *f*, saldo *m*, ajuste *m* de existencias. ~ 조사 inventario *m*. ~증 certificado *m* de inventarios. ~ 투자(投資) inversión *f* en existencias. ~품 existencias *fpl* en almacén, mercaderías *fpl* (existentes) en almacén. ¶~ 과잉 exceso *m* de existencias.

재곤두치다 revolcarse, retozar.

재교(再校) revisión *f*, segunda prueba *f*. ~하다 corregir la segunda prueba.

재교부(再交付) reexpedición *f*. ~하다 volver a expedir, reexpedir, expedir de nuevo. 신분증명서를 ~하다 reexpedir en carnet de identidad. 여권의 ~를 요청하다 pedir la reexpedición de pasaporte.

재교섭(再交涉) renegociación *f*. ~하다 renegociar.

재교육(再教育) reeducación *f*. ~하다 volver a educar, reeducar, educar de nuevo.

재구성(再構成) reconstrucción *f*, reorganización *f*. ~하다 reorganizar, reconstruir.

재군비(再軍備) rearmamento *m*, rearme *m*. ~하다 rearmar.

재귀(再歸) reflexión *f*.
■~ 대명사 pronombre *m* reflexivo. ~ 동사 verbo *m* reflexivo. ~ 반응 reacción *f* recurrente. ~열 fiebre *f* recurrente, fiebre *f* periódica. ~ 용법 uso *m* reflexivo.

재규어(영 *jaguar*) 【동물】 jaguar *m*.

재근(在勤) estancia *f* en la oficina. ~하다 trabajar, servir, estar en servicio, estar en una posición [un puesto] en una oficina. 그는 마드리드 지사에 ~하고 있다 El trabaja en la sucursal de Madrid.

재기(才氣) talento *m*, ingeniosidad *f*, inventiva *f*. ~ 있는 ingenioso, brillante, de ingenio vivo. ~가 발랄하다 ser ingenioso, ser brillante, tener mucha chispa.

재기(才器) talento *m*, habilidad *f*; [사람] hombre *m* de gran talento.

재기(再起) recobro *m*, recuperación *f*, restauración *f*. ~하다 restaurarse; [병에서] recobrar la salud; [불행 등에서] levantarse de nuevo.
■~ 불능 mejora *f* imposible. ¶~이다 ser irrecuperable, quedar inutilizado, quedar fuera de combate.

재기소(再起訴) reacusación *f*. ~하다 reacusar, volver a acusar.

재까닥 =제깍[2].

재깍[1] ① [단단한 물건이 부러지거나 맞부딪칠 때의 소리나 모양] con un ruidito seco. ② [시계 같은 것의 톱니바퀴가 한 번 돌아갈 때 나는 소리나 모양] (haciendo) tictac.
재깍거리다 [시계 따위가] hacer tictac. 시계가 재깍거린다 El reloj hace tictac. 밤에는 시계가 재깍거리는 소리가 잘 들린다 En la noche se oye bien el tictac del reloj.
재깍재깍 haciendo tictac repetidas veces.

재깍[2] [무슨 일을 시원스럽게 그 자리에서 해치우는 모양] rápidamente, rápido.
재깍재깍 muy rápidamente.

재깔거리다 farfullar, parlotear, charlatar.

재깔이다 farfullar.

재깔재깔 con verborrea, con verborragia.

재난(災難) [재액(災厄)] calamidad *f*, desastre *m*, catastrofe *m*; [불의의 사고] accidente *m*, contratiempo *m*, emergencia *f*, muerte *f* violenta; [불행] desgracia *f*, infortunio *m*, adversidad *f*, revés *m*. ~의 연속 series *fpl* de desgracias. ~을 당하다 tropezar con un contratiempo [una calamidad·un accidente]. ~을 면하다 escapar(se) de un desastre [de un accidente], salir felizmente de una calamidad. 앞뒤로 ~을 당하다 encontrarse entre el diablo y el mar profundo, encontrarse entre Escila y Caribdis. …에서 ~을 피하다 refugiarse en *un sitio*, encontrar albergue en *un sitio*. 그에게 생각지 않은 ~이 덮쳤다 A él le sobrevino una desgracia inesperada. 그는 ~의 연속이었다 Se le amontonan las calamidades.

재넘이 viento *m* desde la montaña, ráfaga *f* de montaña.

재녀(才女) mujer *f* de talento, mujer *f* inteligente. 그녀는 ~라는 평판(評判)이 자자하다 Ella tiene fama de ser una mujer inteligente.

재년(災年) ① [재앙이 많은 해] año *m* de mucha calamidad, año *m* del hambre. ② =흉년(凶年).

재녹음(再錄音) doblaje *m.* ～하다 doblar. 그 영화는 한글로 ～되었다 La película estaba doblada al coreano.

재능(才能) talento *m*; [능력(能力)] capacidad *f*, habilidad *f*; [본래의] don *m.* ～이 있는 de talento, talentoso, capaz (*pl* capaces), hábil. 어학적(語學的) ～ talento *m* lingüístico. 예술적 ～ talento *m* artístico. 음악적 ～ talento *m* musical. ～이 있는 사람 persona *f* con talento; [남자] hombre *m* con talento; [여자] mujer *f* con talento. ～이 많은 작가 escritor, -tora *mf* de gran talento. ～이 많은 화가 pintor, -tora *mf* de gran talento. ～을 발휘하다 mostrar [probar] *su* talento, desplegar *su* habilidad. 음악에 ～이 있다 tener talento musical [para la música]. 그녀는 ～이 많다 Ella es capaz. 그는 뛰어난 ～을 가진 사람이다 El es hombre de gran talento / El es una persona bien dotada. 그는 수학적인 ～을 타고났다 El está dotado de talento para las matemáticas. 그녀는 언어에 ～이 많다 Ella tiene mucha facilidad para los idiomas. 그는 ～이 많은 젊은이다 El es un joven de mucho talento. 그는 대학에 갈 만한 ～이 없다 El no tiene talento para hacer una carrera universitaria.

재다[1] ① [길이·높이·깊이·크기·너비·속도·온도·무게·분량 따위를 자나 저울 또는 계기로 헤아리다] medir, tomar, pesar (무게를). 키를 ～ medir *su* altura. 각도를 ～ medir el ángulo. 깊이를 ～ sondar. 체온(體溫)을 ～ tomar [medir] la temperatura (del cuerpo). ② [시간적 길이를 계기로 헤아리다] medir. 시간을 ～ medir el tiempo. ③ [뒤를 밟아서 몰래 실정을 알아보다] espiar. ④ [총(銃)에 탄환이나 화약을 넣다] cargar. 총에 탄환을 ～ cargar el fúsil. ⑤ [앞뒤를 따지어 헤아리다] calcular. ⑥ ((속어)) [젠체하고 뽐내다] jactarse, alabarse presuntuosamente.

재다[2] ((준말)) ＝재우다[1].

재다[3] ((준말)) ＝쟁이다.

재다[4] ① [동작이 날쌔고 재빠르다] (ser) ágil, rápido. 걸음이 ～ tener el paso rápido. ② [물건이 쉽사리 더워지다] calentarse. 솥이 ～ calentarse la olla. ③ [입을 가볍게 놀리다] (ser) ligero, suelto de lengua, hablador, irse a uno la lengua con facilidad. 입이 잰 여자 mujer *f* habladora [ligera · suelta de lengua].

재단(財團) ① fundación *f*, consocio *m* financiero. 통일 ～ la Fundación de la Unificación. ② ((준말)) ＝재단 법인.

◆국제(國際) ～ consorcio *m* internacional. 금융(金融) ～ agrupación *f*. 록펠러 ～ la Fundación Rockefeller. 카네기 국제 평화 ～ la Fundación de Carnegie para la Paz Internacional.

■～ 법인(法人) fundación *f* de utilidad pública con personalidad jurídica, persona *f* jurídica [judicial] de fundación.

재단(裁斷) ① [재결] sentencia *f* de juicio, juicio *m*, decisión *f*, resolución *f*, fallo *m*, juicio *m* final, adjudición *f*. ～하다 juzgar, decidir, tomar la decisión, resolver, fallar, adjudicar, dar la causa por conclusa. ～에 맡기다 someter al juicio, someter a la decisión (de). ② [마름질] corte *m*. ～하다 cortar, recortar. ～과 제조 corte *m* y confección. 종이를 ～하다 guillotinar papeles. 스커트를 ～하다 cortar una falda. ～이 좋다 [나쁘다] El corte es bueno [malo].

■～ 가위 tijeras *fpl* de sastre. ～기(機) cizallas *fpl*, cortante *m*, cortador *m*, cortadora *f*; [종이의] guillotina *f*; [철사용] tenazas *fpl*; [유리용] diamante *m*, cortavidrios *mpl*. ～법(法) corte *m*. ～ 비평(批評) criticismo *m* judicial. ～사 sastre, -tra *mf*; [자르는 사람] cortador, -dora *mf*.

재담(才談) chiste *m*, dicho *m* agudo, agudeza *f*. ～하다 decir ingeniosamente [con gracia · con chispa].

■～꾼 chistoso, -sa *mf*.

재당숙(再堂叔) segundo primo *m* de *su* padre.

재당질(再堂姪) hijo *m* de segundo primo.

재덕(才德) el talento y la virtud.

■～겸비 ¶～하다 (ser) virtuoso y talentoso. ～한 부인(婦人) mujer *f* virtuosa y talentosa.

재독(再讀) relectura *f*. ～하다 volver a leer, releer.

재돌입(再突入) reentrada *f*, reingreso *m*. ～하다 reentrar, reingresar. 대기권으로 ～하다 reentrar en la atmósfera.

재동(才童) chico *m* inteligente.

재두루미【조류】grulla *f* con nuca blanca.

재떨이 cenicero *m*.

재래(在來) ¶～의 tradicional, convencional, ordinario, común, existente, corriente, usual, criollo. ～의 습관(習慣) costumbres *fpl* tradicionales.

■～면(綿) algodón *m* criollo. ～선 línea *f* antigua de ferrocarril. ～식 tipo *m* convencional, método *m* usado hasta hoy día. ～식 무기 armas *fpl* convencionales. ～종 especies *fpl* naturales, criollo *m*.

재래(再來) segunda venida *f*, reencarnación *f*. ～하다 volver a venir. 예수의 ～ segundo adviento *m* de Cristo. 예수 ～설 adventismo *m*. 그는 …의 ～다 Podría decirse que él es la reencarnación de *uno*.

재래(齎來) ＝초래(招來).

재략(才略) táctica *f*, tacto *m*, maña *f*, recursos *mpl*. ～ 있는 mañoso, ingenioso.

재량(才量) la habilidad y la magnanimidad.

재량(裁量) discreción *f*. …의 ～으로 a discreción de *uno*. …의 ～에 일임하다 dejar *algo* a la discreción de *uno*.

■～권 poder *m* discrecional. ～ 변호 alegato *m* discrecional. ～ 처분 disposición *f* discrecional.

재력(才力) habilidad *f*, talento *m*.

재력(財力) recursos *mpl*, poder *m* financiero, estado *m* financiero, medios *mpl*. ～이 있

다 tener recursos, tener gran poder financiero. ~에 기대어 apoyándose en [con la ayuda de] *sus* recursos.

재롱(才弄) acción *f* graciosa.

◆재롱(을) 부리다[떨다] juguetear, retozar. 개가 내 발에서 재롱을 부린다 El perro juguetea [juega] a mis pies.

■~둥이 bebé *m* gracioso.

재료(材料) material *m*, materia *f*, [자료] dato *m*; [제재(題材)] asunto *m*, materia *f* de que se trata; [요리의] ingrediente *m*. ~를 수집하다 coleccionar materiales necesarios. 좋은 ~를 사용하다 [요리에서] utilizar buenos ingredientes [avíos].

◆가연(可燃) ~ material *m* combustible. 연구(硏究) ~ datos *mpl* [material *m*] del estudio. 포장용 ~ material *m* de embalaje. 환자용 ~ material *m* de recuperación.

■~비 gastos *mpl* de [para los] materiales. ~ 시험 prueba *f* de materiales. ~ 역학 dinámica *f* de materiales.

재류(在留) ① [한동안 머물러 있음] estancia *f*, permanencia *f*. ~하다 residir [morar · habitar] provisionalmente. ~의 que reside en, residente. ~ 기간(期間) tiempo *m* de la estancia. 서반아 ~ 한국인 coreanos *mpl* residentes en España. 서울 ~의 외국인 residente *m* extranjero en Seúl. ② [외국에 머무름] estancia *f* en el (país) extranjero.

■~민(民) pueblo *m* residente en el extranjero. ~ 방인(邦人) residente *m* coreano, residente *f* coreana. ~ 외국인 residente *m* extranjero, residente *f* extranjera; [집합적] extranjería *f*.

재리[1] [얼음 위에서 넘어지지 않도록 나막신 굽에 박는 큰 징] clavo *m*.

재리[2] ① [나이 어린 땅꾼] recogedor *m* joven de la serpiente. ② ((비어)) avaro, -ra *mf*, tacaño, -ña *mf*.

재리(財利) la propiedad y la ganancias.

재림(再臨) ① [다시 옴] segunda venida *f*, segunda llegada *f*. ~하다 volver a venir [llegar], llegar de nuevo, venir de nuevo. ② ((기독교)) adviento *m*.

■~설(說) adventismo *m*. ~파 adventistas *mpl*.

재명(才名) ① =재망(才望). ② [재주로 얻은 명망] reputación *f* obtenida por *su* talento.

재목(材木) ① [건축·기구 제작의 재료가 되는 나무] madera *f*, madera *f* de construcción, maderaje *m*. ② [어떤 직위에 합당한 인물] personaje *m* adecuado (para un puesto).

■~ 벌채인 hacero *m*, leñador *m*. ~상(商) maderero, -ra *mf*; comerciante *mf* de madería. ~ 하치장[적재장] maderería *f*, depósito *m* de maderas, almacén *m* de maderas.

재무(財務) asuntos *mpl* financieros, finanzas *fpl*, financiamiento *m*, financiación *f*.

■~ 고문 consejero *m* financiero, consejera *f* financiera. ~관 financiero, -ra *mf*; agente *m* financiero, agente *f* financiera; secretario *m* financiero, secretaria *f* financiera. ~국(局) el Departamento de Financiación, Tesorería *f*. ~부 el Ministerio de Hacienda; el Ministerio de Economía y Hacienda. ~부 장관 ministerio, -ria *mf* de Hacienda. ~ 분석 análisis *m* financiero. ~비 gastos *mpl* de financiación, costos *mpl* de financiación, *AmL* costes *mpl* de financiación. ~성 [미국의] el Ministerio de Hacienda. ~ 위원회 comisión *f* de financiación, comité *m* de financiación. ~제표 balance *m*, estado *m* contable, estado *m* financiero; 【은행】estado *m* de la situación financiera. ~제표 분석 análisis *m* de balance, análisis *m* de estados contables, análisis *m* de estados financieros, análisis *m* del estado de cuentas. ~ 테크놀로지 tecnología *f* financiera. ~ 행정(行政) administració *f* financiera, gestión *f* financiera. ~ 행정 제도 sistema *m* de administración financiera.

재무장(再武裝) rearme *m*. ~하다 rearmar.

재무진동(一銅) mineral *m* de hierro lívido.

재물(財物) propiedad *f*, bienes *mpl*, tesoros *mpl*, fortuna *f*, riqueza *f*.

재미 interés *m*, distracción *f*, entretenimiento *m*, entretención *f*, diversión *f*, recreo *m*, pasatiempo *m*; [만족] satisfacción *f*; [취미] afición *f*, gusto *m*, delicia *f*, encanto *m*; [즐거움] goce *m*, placer *m*, disfrute *m*; [우스운 일] gracia *f*. …의 ~를 알다 saber apreciar *algo*. 영화(映畵)의 ~를 알다 entender lo interesante que es una película. 그는 투기에 ~를 붙였다 Le ha tomado el gusto a la especulación por su éxito en la misma. 이 문장은 읽으면 읽을수록 ~가 난다 Esta frase, cuánto más se lee, resulta más atractiva. 그것도 한 ~가 될 수 있다 Sería divertido hacer eso también.

◆재미(를) 보다 pescar a río revuelto, sacar el jugo (a *uno*), sacar raja (en *algo*). 재미(를) 붙이다 aficionarse (a), tomar el gusto (a).

재미없다 ㉮ [아기자기한 즐거움이나 이문(利文)이 없다] no ser interesante [divertido], (ser) seco, soso, insípido, prosaico, sin encanto, falto de interés, poco interesante, sin gracia. 나는 이제 그만 놀겠다. 재미없을 것 같다 Ya no juego más; me resulta aburrido / Ya no me hace gracia. 요즈음 일이 ~ En estos días me fastidia [no me agrada · encuentro aburrido] el trabajo. ㉯ [(장차) 신상에 좋지 않은 일이 있다] no estar mal en la situación en el futuro.

재미있다 (ser) encantador, interesante; [즐겁다] divertido, recreativo, entretenido; [우습다] gracioso. 재미있는 사람 hombre *m* interesante. 재미있는 책 libro *m* interesante. 재미있게 interesantemente, con interés, regocijadamente. 네 사고방식이 ~ Tu modo de pensar es interesante. 정말 재미있었다 ¡Cuánto me divertí! / ¡Qué bien lo pasé! 이 책은 읽어 감에 따라 더 ~ A medida que voy leyendo este libro, me interesa más. 매번 나는 공부가 ~ Cada vez se me hace más interesante el interés. 그는 아주 ~ El tiene mucha gracia.

재미(在美) estancia *f* [residencia *f*・permanencia *f*] en los Estados Unidos de América. ~의 en los Estados Unidos de América. ~ 중이다 estar en los Estados Unidos de América.
■~ 동포(同胞) residentes *mpl* coreanos en los Estados Unidos de América.

재민(災民) ((준말)) =이재민(罹災民).

재발(再發) ① [다시 생겨남. 다시 발생함] reaparición *f*, repetición *f*; [병의] recaída *f* (회복 도중에), recidiva *f* (회복 후). ~하다 volver a aparecer, aparecer otra vez [de nuevo], recaer. 병이 ~하다 recaer la enfermedad. 사고의 ~을 방지하다 precaverse contra la repetición del accidente. 그의 암이 ~되었다 Se le ha reproducido el cáncer. 그는 병이 ~되어 1개월간 누워 있다 El ha recaído [ha tenido una recaída] y lleva un mes en cama. ② [두 번째 발송함] segundo envío *m*, segundo despacho *m*. ~하다 enviar [mandar・despachar] por segunda vez.

재발견(再發見) redescubrimiento *m*. ~하다 redescubrir.

재발행(再發行) nueva emisión *f*. ~하다 emitir de nuevo, volver a emitir.

재방송(再放送) reemisión *f*, retransmisión *f*. ~하다 retransmitir, volver a transmitir, volver a radiodifundir.

재배(再拜) ① [두 번 절함] el saludar dos veces; [두 번 하는 절] saludos *mpl* de dos veces. ② [편지 끝에 쓰는 말] Atentamente / Los saluda atentamente / Los saludamos atentamente / Saludos cordiales / Saludo a usted cordialmente / Aprovecho esta oportunidad para saludarlo muy cordialmente / Saludamos a Ud. con atenta consideración / Agradecemos de antemano su atención y los saludamos atentamente / A la espera de sus prontas noticias los saludo atentamente / Los saludamos atentamente, a la espera de su confirmación / Reciba mi más atento saludo / Un fuerte abrazo / Afectuosamente / Un fuerte abrazo para usted y su familia.

재배(栽培) cultivo *m*. ~하다 cultivar. ~할 수 있는 cultivable. ~되다 cultivarse. ~된 cultivado. ~ 중이다 estar en cultivo. 이 사과는 어디서 ~되고 있습니까? ¿Dónde se cultivan estas manzanas?
■~법 método *m* de cultivo. ~ 식물(植物) planta *f* cultivada. ~ 어업 pesca *f* cultivada, industria *f* pesquera cultivada. ~자 cultivador, -dora *mf*.

재배당(再配當) redistribución *f*. ~하다 volver a distribuir [repartir] (los dividendos).

재배치(再配置) recolocación *f*, reasignación *f*. ~하다 recolocar, reasignar.

재백(財帛) ① [재화와 포백(布帛)] riquezas *fpl* y paños. ② [관상에서, 코끝을 이름] punta *f* de la nariz.

재벌(財閥) ① [재계(財界)에서 세력 있는 자본가・기업가의 무리] *chaebeol*, *jaebeol*, plutocracia *f*, plutocracia *f* financiera, consorcio *m* financiero, consorcio *m* de empresas; [개인] plutócrat *mf*. 카네기 ~ el Consorcio Carnegie. ② 【경제】 =콘체른.
■~ 개혁 reforma *f* de *jaebol*. ~ 개혁안 proyecto *m* de reforma del *jaebol*. ~ 해체 disolución *f* de los grandes consorcios financieros.

재범(再犯) segundo delito *m*, segunda infracción *f*, recaída *f*, reincidencia *f*. ~하다 cometer la segunda infracción. ~의 relapso.
■~ 가중 agravación *f* por la reincidencia [la recaída] en un crimen. ~자 reincidente *mf*; relapso, -sa *mf*.

재변(才辯) elocuencia *f*, talento *m* oratorio. ~이 있다 hablar con fluidez.

재변(災變) calamidad *f*, desastre *m*.

재보(財寶) tesoro *m*, riqueza *f*, bienes *mpl* y tesoros, cosas *fpl* preciosas. ~를 쌓다 amontonar riqueza.

재보궐 선거(再補闕選擧) reelección *f* para cubrir en escaño vacante en el parlamento.

재보험(再保險) reaseguro *m*. ~하다 reasegurar. ~의 reasegurador.
◆대외(對外) ~ reaseguro *m* extranjero. 의무(義務) ~ reaseguro *m* obligatorio. 임의(任意) ~ reaseguro *m* facultativo. 자동(自動) ~ reaseguro *m* automático.
■~ 약정 contrato *m* de reaseguro. ~자 reasegurador, -dora *mf*. ~ 회사 compañía *f* reaseguradora.

재복무(再服務) realistamiento *m*, rereclutamiento *m*. ~하다 realistarse, volver a alistarse, volver a reclutar.

재봉(裁縫) costura *f*, hechura *f*, (corte *m* y) confección *f*. ~하다 coser. ~이 잘된 de buena confección. ~이 안된 de mala confección. ~을 배우다 aprender la costura, aprender a coser. ~에 능하다 ser buen costurero; [여자] ser buena costurera. 옷의 ~ 대금을 지불하다 pagar la hechura (de un vestido). ~한 옷을 입다 vestirse una ropa flamante [recién hec].
■~기(機) =재봉틀. ~대 costurero *m*. ~ 도구 avíos *mpl* de coser. ~물 vestido *m* que hacerse. ~ 바늘 aguja *f* de coser. ~사(師) sastre, -tra *mf*; confeccionador, -dora *mf*; costurero, -ra *mf*; [부인복의] modista *mf*, modisto *m*. ~사(絲) =재봉실. ~ 상자 caja *f* de costura, costurero *m*. ~수(繡) bordado *m* a máquina de coser. ~실 hilo *m* de coser, hilo *m* (de algodón) para la máquina de coser, algodón *m* de coser. ~일 costura *f*, hechura *f*, (corte *m* y) confección *f*.

재봉틀 máquina *f* de coser. ~에 박다 coser a máquina.
◆고주파(高周波) ~ máquina *f* de coser a alta frecuencia. 전기(電氣) ~ máquina *f* de coser eléctrica.
■~ 기름 aceite *m* de máquina de coser. ~바늘 aguja *f* de máquina de coser. ~박음질 punto *m* encadenado. ~실 hilo *m* de máquina de coser.
재분류(再分類) reclasificación *f.* ~하다 reclasificar.
재분배(再分配) redistribución *f.* ~하다 redistribuir. 소득(所得) ~ redistribución *f* de la renta.
재분할(再分割) redivisión *f.* ~하다 redividir.).
재빠르다 (ser) ágil, rápido.
재빨리 ágilmente, con agilidad, rápido, rápidamente, pronto, prontamente, con presteza, en seguida, enseguida. ~ 도망치다 huir a todo correr, huir a toda prisa, escaparse con agilidad. ~ 말하다 decir con mucha prisa [muy de prisa · precipitadamente]. 일을 ~ 하다 despachar pronto *sus* trabajos. 그 신문은 사건을 ~ 보도했다 Ese periódico informó des suceso prontamente [enseguida · sin la menor dilación]. 그는 ~ 회복을 했다 El se repuso rápidamente.
재사(才士) hombre *m* de talento, hombre *m* de dotes, persona *f* apta [dotada · talentosa]. ~는 자신의 재능으로 무너진다 El hombre de dotes se deja engañar pos sus mismas dotes.
■~ 다병(多病) El hombre de dotes es propenso a caer enfermo.
재산(財産) propiedad *f,* fortuna *f,* bienes *mpl,* bienes *mpl* de fortuna, hacienda *f,* caudal *m;* [부(富)] riqueza *f;* [부동산] finca *f.* 전 ~ toda *su* fortuna. 정부의 ~ propiedad *f* del gobierno. ~을 노리는 구혼자(求婚者) cazafortunas *mf.sing.pl.* ~을 노리고 결혼하려는 남자 cazador *m* de dotes. ~을 날리다 derrochar [disipar] *sus* bienes [una fortuna], perder toda *su* fortuna. ~을 모으다 juntar caudales, hacer(se) (una) fortuna, hacer dinero, acumular riquezas. 전 ~을 잃다 perder toda *su* fortuna. 10억 원의 ~이 있다 tener una fortuna de mil millones de wones. 그에게는 상당한 ~이 있다 El cuenta con una hacienda considerable. 이 책들은 내 유일한 ~이다 Lo único que constituye mi fortuna son estos libros. 그는 많은 ~을 자식들에게 남기고 죽었다 El murió dejando muchas riquezas [una gran fortuna] a sus hijos. 이 모든 울창한 국토는 국민의 ~이다 Toda esta tierra frondosa es patrimonio del pueblo. 그것은 있으나 마나 한 ~이나 마찬가지다 Es como una fortuna desaprovechada / Es como guardar el oro sin saber aprovecharlo. 그는 투기로 ~을 잃었다 El perdió la fortuna tuna en especulaciones.
■~가 hombre *m* de fortuna [propiedad · caudales], millonario, -ria *mf,* multimillonario, -ria *mf,* propietario *m* acaudalado [adinerado], propietaria *f* acaudalada [adinerada]. ~ 계정 cuenta *f* activa y pasiva. ~ 관리 administración *f* de propiedad. ~ 관리인 administrador, -dora *mf* de propiedad. ~권 derecho *m* del propietario. ~ 목록 inventario *m* ~ 배당 dividendo *m* de propiedad. ~법 ley *f* de propiedad. ~ 보전 preservación *f* de propiedad. ~ 보험(保險) seguro *m* de propiedad. ~ 분리 separación *f* de propiedad. ~ 분여 distribución *f* de propiedad. ~ 상속 sucesión *f* de la propiedad. ~ 상태 condiciones *fpl* financieras. ~세 impuesto *m* de [sobre] la propiedad inmobiliaria [privada]. ~ 소득 ingresos *mpl* de la propiedad. ~ 압류 embargo *m* de la propiedad, secuestro *m,* embargo *m.* ~ 양도 cesión *f* [traspaso *m*] de bienes. ~ 인도 entrega *f* de propiedad. ~ 전환 conversión *f* de propiedad. ~ 제도 sistema *m* de la propiedad. ~ 차압 ((구용어)) =재산 압류. ~ 처분 disposición *f* de propiedad. ~ 청산(淸算) liquidación *f* de propiedad. ~ 출자 inversión *f* [contribución *f* · financiación *f*] de la propiedad. ~평가 valoración *f* de propiedad, tasación *f* de propiedad. ~형(刑) pena *f* pecuniaria. ~ 형성 저축 ahorro *m* para la formación de propiedad. ~ 회계(會計) cuenta *f* de propiedad.
재삼(再三) repetidas veces, una y otra vez, más que una vez, repetidamente, muchas veces, frecuentemente. ~ 경고하였음에도 불구하고 pese a las repetidas advertencias. ~ 주의하다 advertir una y otra vez.
■~재사(再四) repetidamente, reiteradamente, repetidas veces, muchas veces.
재상(宰相) primer ministro *m,* primera ministra *f.*
재색(才色) ingenio *m* y belleza [hermosura]. ~을 겸비한 bella [hermosa] y discreta. ~을 겸비한 여인 mujer *f* bella e inteligente, mujer *f* tan bella como inteligente, mujer *f* tan discreta como hermosa.
재생(再生) ① [죽게 되었다가 다시 살아남] resucitación *f,* renacer *m.* ~하다 resucitar. ~의 기쁨 placer *m* de resucitación. ② [신앙을 가져 새로운 생활을 시작함] comienzo *m* de nueva vida. ③ [버리게 된 물건을 다시 살려서 쓰게 만듦] regeneración *f,* el reproducir lo que estaba destruido. ~하다 rehacer, regenerar. ④【심리】reminiscencia *f.* ⑤【생물】reproducción *f.* ⑥ [녹음 · 녹화한 음성 · 영상 등을 다시 들려주거나 보여 주는 일] reproducción *f.* ~하다 reproducir.
■~고무 caucho *m* regenerado. ~기 regenerador *m.* ~로(爐) horno *m* regenerador, horno *m* recuperador. ~법 proceso *m* de reproducción. ~ 불량성 빈혈 anemia *f* aplástica. ~ 산업 industria *f* reproductiva. ~ 섬유 fibra *f* regenerada. ~ 섬유소

celulosa *f* regenerada. ~ 셀룰로오스 celulosa *f* regenerada. ~식 검파 detección *f* de reacción. ~식 검파기 detector *m* de reacción. ~ 양모 lana *f* regenerada. ~ 에너지 energía *f* regenerada. ~ 장치 [보일러의] aparato *m* regenerativo; [녹음·녹화의] equipo *m* de reproducción. ~ 전지 pila *f* regenerable. ~지(紙) papel *m* regenerado. ~ 타이어 rueda *f* regeneradora. ~ 터빈 turbina *f* regeneradora. ~품 reproducción *f*, regeneración *f*. ~ 피드백 realimentación *f* regenerativa. ~ 필름 filme *m* regenerado.

재생명(哉生明) el (día) tres del calendario lunar.

재생백(哉生魄) el (día) dieciseis del calendario lunar.

재생산(再生産) reproducción *f*. ~하다 reproducir.
■ ~론(論) teoría *f* de reproducción. ~자(者) reproductor, -tora *mf*.

재선(再選) ① ((준말)) =재선거. ② [재차의 당선] acción *f* de ser reelegido. ~하다 ser reelegido. 그는 대통령에 ~했다 El fue reelegido presidente.

재선거(再選擧) reelección *f*. ~하다 reelegir.

재설(再說) reestablecimiento *m*, reconstrucción *f*. ~하다 reestablecer, reconstruir.

재세(在世) *su* vida. ~의 viviente. ~ 중에 durante *su* vida.

재소자(在所者) =재감자(在監者).

재송(再送) reenvío *m*. ~하다 enviar de nuevo, volver a enviar [mandar].
■ ~ 전보 telegrama *m* enviado de nuevo.

재수(再修) preparación *f* para repetir el examen de ingreso universitario. ~하다 empollar [preparar] para repetir un examen de ingreso universitario.
■ ~생(生) estudiante *mf* que salió mal en el examen de ingreso universitario y ha empollado para el examen.

재수(財數) ① [재물에 대한 운수] fortuna *f* de la propiedad. ② [좋은 일을 만나게 되는 운수] suerte *f*, fortuna *f*. ~가 있다 tener suerte. ~가 없다 tener mala suerte, tener mala pata. ~가 좋다 tener buena suerte. ~가 나쁘다 tener mala suerte. 나는 ~가 무척 좋다 ¡Qué buena suerte tengo! ~ 없게 경찰관의 집에 도둑질하러 들어갔다가 그 도둑은 체포되었다 Ese ladrón tuvo la mala suerte de entrar a robar en casa de un policía y fue arrestado.
◆재수가 불 일 듯하다 ir bien teniendo la buena suerte. 재수가 옴 붙듯 하다 dar un paso siniestro, levantarse con el pie izquierdo [con mal pie], encontrarse con un mal augurio, tener mala suerte.

재수술(再手術) reoperación *f*. ~하다 volver a operar, volver a practicar una operación.

재수습(再收拾) recontrol *m*. ~하다 recontrolar, volver a controlar.

재수입(再輸入) reimportación *f*. ~하다 reimportar, volver a importar, importar de nuevo.
■ ~ 면허장 permiso *m* de importación. ~ 신고서 declaración *f* de reimportación. ~품 artículos *mpl* reimportados.

재수출(再輸出) reexportación *f*. ~하다 reexportar.
■ ~업자 reexportador, -dora *mf*. ~품(品) artículos *mpl* reexportados.

재스민(영 *jasmine*) 【식물】 jazmín *m*.

재승덕박(才勝德薄) Mucho talento, poca virtud.

재승덕하다(才勝德－) El talento es mejor que la virtud.

재승박덕(才勝薄德) =재승덕박.

재시공(再施工) reconstrucción *f*. ~하다 reconstruir.

재시합(再試合) vuelta *f* de juego.

재시험(再試驗) reexamen *m*, segundo examen *m*, examen *m* suplementario, nuevo ensayo *m*. ~하다 reexaminar, volver a examinar.

재식(才識) el talento y la sabiduría.

재식(栽植) plantación *f* de los árboles y las plantas. ~하다 plantar los árboles y las plantas.

재신문(再訊問) [증인의] segundo interrogatorio *m*. ~하다 volver a interrogar, someter a un segundo interrogatorio.

재실(再室) ① [재취한 아내] segunda esposa *f*. ② [낡은 집을 헐어 낸, 헌 재목으로 지은 집] casa *f* construida con maderas usadas.

재심(再審) revisión *f*, reexamen *m*. ~하다 revisar, reexaminar, volver a examinar, examinar de nuevo. ~을 명하다 mandar [ordenar] la revisión. ~을 청구(請求)하다 pedir [demandar] la revisión.
■ ~ 법원 tribunal *m* de revisión. ~ 청구 interposición *f* del recurso de revisión. ~ 청구권자 persona *f* con derecho de interponer el recurso de revisión.

재심사(再審査) reexamen *m*. ~하다 reexaminar.

재앙(災殃) [재난] calamidad *f*, desastre *m*; [불행] desgracia *f*, infortunio *m*, desventura *f*, desdicha *f*. ~을 물리치다 exorciar, librar de demonio; [자신의] evitar la calamidad. ~을 초래하다 atraer la desgracia. 그에게 ~이 내린다 El desastre le sobreviene / La desgracia se avalanza [se abate] sobre él. 그에게 ~이 닥치기를! ¡Maldito sea él.

재액(災厄) calamidad *f*, percance *m*, contratiempo *m*, desgracia *f*.

재야(在野) ① [벼슬길에 오르지 않고 민간에 있음] lo que no ocupa ningún puesto oficial. ~의 que no ocupa ningún puesto oficial. ② [정당이 정권을 잡지 못하고 야당(野黨)의 입장에 있는 일] situación *f* opuesta al poder. ~의 opuesto al poder, que no toma en el gobierno.
■ ~ 내각 gabinete *m* fantasma, gabinete *m* en la sombra. ~ 단체 organización *f* que no toma en el gobierno. ~ 명사(名士)

persona *f* eminente fuera de puesto oficial. ~인사 persona *f* que no ocupa ningún puesto oficial.
재야당(在野黨) =야당(野黨).
재약하다(一藥一) cargar.
재양(載陽) [명주·모시붙이를 빤 뒤에 풀을 먹여서 반반하게 펴 말리거나 다리는 일] el secado o el planchado.
재양치다 planchar y tender las telas de la ropa en una tabla para secarlas.
■ ~틀 aparato *m* secante. ~판(板) tabla *f* secante.
재연(再演) repetición *f* de una representación, segunda función *f.* ~하다 poner en escena otra vez, volver a representar. ~을 청하다 pedir la repetición.
재연(再燃) resurgencia *f,* reviviscencia *f,* renacimiento *m,* resurrección *f.*
재영(在英) estancia *f* en la Inglaterra. ~하다 quedarse [estar] en la Inglaterra.
재영(在營) estancia *f* en el cuartel. ~하다 estar en el servicio militar, estar en el ejército, estar en la marina.
재예(才藝) los talentos y los conocimientos.
재외(在外) estancia *f* en el (país) extranjero. ~의 de ultramar, ultramarino. ~에 en el extranjero.
■~ 공관(公館) embajadas *fpl* y legaciones en el extranjero. ~ 연구원 enviados *mpl* al extranjero para estudiar. ~ 자산 capitales *mpl* en el extranjero, propiedad *f* en el extranjero. ~ 정화(正貨) efectivo *m* en el extranjero, oro *m* que se retiene en ultramar.
재욕(財慾) codicia *f* [avaricia *f*] de riqueza.
재우 rápido, rápidamente.
재우다[1] ① [잠을 자게 하다] hacer dormir, alojar, hospedar, aposentar, acostar. 나그네를 하룻밤 ~ alojar a un viajero una noche. ② [부푼 솜 따위를 착 붙어서 자리가 잡히게 하다] reposar. 고기를 ~ reposar la carne. 그것들을 한 시간 동안 재워 두면서 한두 번 뒤집어 주세요 Déjelos reposar una hora, dándolos la vuelta una o dos veces. 그것을 잘 섞으시고 나서 약 십오 분 동안 재워 두세요 Mézclelo todo bien y déjelo reposar durante unos quince minutos.
재우다[2] [거름을 잘 썩도록 손질하다] tratar con cuidado.
재우치다 terminar rápidamente.
재운(財運) suerte *f* de ganar dinero.
재원(才媛) genio *m* femenino, ingenio *m* femenino, muchacha *f* discreta.
재원(財源) recursos *mpl* financieros; [자금] fondos *mpl*, medios *mpl* ~이 풍부하다 disponer de recursos [de fondos] abundantes. ~이 없다 no disponer sino de escasos fondos. …에 ~을 구하다 buscar una fuente de rentas [de ingresos] en *algo.*
재위(在位) reinado *m.* ~하다 reinar, estar en su trono. …의 ~ 중에 en [bajo] el reinado de *uno.* ~ 20년에 después de un reinado de veinte años.
재음미(再吟味) reexamen *m.* ~하다 reexaminar.
재의(再議) reconsideración *f.* ~하다 reconsiderar.
재인(才人) ① [재주나 시문(詩文)에 뛰어난 사람] hombre *m* de talento. ② 【역사】 = 광대.
재인식(再認識) reconocimiento *m.* ~하다 reconocer una vez más.
재일(在日) estancia *f* [permanencia *f*] en el Japón; [부사적] en el Japón.
■~ 동포 residentes *mpl* coreanos en el Japón. ~ 한국 거류민단 Asociación *f* de los Coreanos Residentes en el Japón.
재일차(再一次) una vez más.
재임(在任) estancia *f* en la oficina. ~하다 tener oficio, estar en la oficina.
■~ 기간(期間) período *m* de estancia en la oficina.
재임(再任) renombramiento *m,* nuevo nombramiento *m.* ~하다 volver a nombrar, nombrar de nuevo. ~되다 ser nombrado de nuevo. 그는 시장(市長)에 ~되었다 El fue nombrado alcalde de nuevo.
재임명(再任命) nuevo nombramiento *m.* ~하다 volver a nombrar, nombrar de nuevo, renombrar.
재입국(再入國) reingreso *m.* ~하다 reingresar, volver a entrar (en).
■~ 비자 =재입국 사증. ~ 사증 visado *m* [*AmL* visa *f*] de reingreso. ~ 허가(증) permiso *m* de reingreso.
재입찰(再入札) relicitación *f.* ~하다 volver a licitar, relicitar.
재입학(再入學) reingreso *m,* readmisión *f* a la universidad. ~하다 reingresar, volver a ingresar, readmitir, volver a admitir, admitir de nuevo.
재자(才子) hombre *m* de talento, persona *f* talentosa, hombre *m* talentoso.
■~가인(佳人) ingenio *m* y belleza, ingenio *m* y hermosura. ~다병(多病) El hombre de talento cae enfermo con frecuencia.
재자거리다 cantar frecuentemente, cantar quiebros y trinos, trinar, gorjear, piar.
재자재자 cantando con frecuencia [frecuentemente], gorjeando, piando.
재작(裁酌) =재량(裁量).
재작년(再昨年) año *m* antepasado, hace dos años, dos años ha. ~ 여름(에) hace dos años, en verano, en el verano de hace dos años.
재작일(再昨日) anteayer, antier.
재잘거리다 charlar, parlotear.
재잘재잘 ① [여러 사람이 낮은 음성으로 지껄이는 소리] charlando, cotorreando. ~ 지껄이다 cotorrear, charlar, parlotear, chicolear. ② [참새 따위가 지저귀는 소리. 또는 그 모양] cantado, gorjeando, trinando, chirriando.
재재(在在) muchos lugares, muchos sitios.

재재거리다 charlar, parlotear.
재재소소(在在所所) aquí y allí.
재재재재 gorjeando, trinando, chirriando.
재재하다 (ser) charlatán, parlanchín.
재적(在籍) inscripción *f*, matrícula *f*. ~하다 estar inscrito, estar matriculado. 그는 아직 대학교에 ~ 중이다 El está matriculado todavía en esta universidad.
재적(材積) volumen *m* de la madera.
재적(載積) carga *f*, cargamento *m*. ~하다 cargar. ~량 capacidad *f* de cargamento.
재정(再訂) revisión *f*. ~하다 revisar.
■ ~판(版) edición *f* revisado.
재정(財政) finanzas *fpl*, administración *f* financiera, hacienda *f* (pública), economía *f*. ~상의 financiero, fiscal, monetario. ~상으로 desde el punto de vista financiero, monetariamente. ~상의 원조를 하다 prestar ayuda financiera. 이 회사는 ~이 곤란하다 Esta compañía está en una situación financiera difícil / Esta compañía atraviesa dificultades financieras.
◆건전(健全) ~ finanzas *fpl* sólidas. 국가(國家) ~ finanzas *fpl* nacionales, finanzas *fpl* del Estado, hacienda *f* pública. 적자 ~ finanzas *fpl* deficitarias, finanzas *fpl* desequilibradas. 지방(地方) ~ finanzas *fpl* locales. 흑자 ~ finanzas *fpl* equilibras.
■ ~가 financiero, -ra *mf*. ~ 감독 control *m* financiero. ~ 경제부 el Ministerio de Finanzas y Economía. ~ 경제부 장관 ministro, -tra *mf* de Finanzas y Economía. ~ 경제원 la Secretaría de Finanzas y Economía. ~ 경제 위원회 la Comisión [el Comité] de Finanzas y Economía. ~ 계획 proyecto *m* financiero. ~ 고문 consejero *m* financiero, consejera *f* financiera. ~ 긴축 reducción *f* de gastos en finanzas. ~난 dificultad *f* financiera. ~력(力) poder *m* financiero. ~면 aspectos *mpl* financieros. ~ 문제 problema *m* financiero. ~법 Ley *f* de Finanzas. ~ 법안 proyecto *m* de ley financiero. ~ 보고 informe *m* fiscal. ~ 보증 garantía *f* financiera. ~ 보증인 fiador *m* financiero, fiadora *f* financiera. ~ 분석 análisis *m* financiero.~ 상태 situación *f* financiera, condiciones *fpl* financieras. ~ 안정 estabilidad *f* financiera. ~ 연도 año *m* fiscal. ~ 연설 discurso *m* financiero. ~ 위기(危機) crisis *f* financiera. ~ 융자 préstamo *m* financiero. ~ 인플레이션 inflación *f* causada por el déficit presupuestario. ~ 자금 fondos *mpl* financieros. ~ 재산(財産) propiedad *f* financiera. ~적 financiero, fiscal, monetario. ¶~으로 financieramente, fiscalmente, monetariamente. 그는 ~으로 곤궁에 처해 있다 El se encuentra en apuros financieros. ~ 정리(整理) reforma *f* financiera. ~ 정책(政策) política *f* financiera. ~ 증권 valores *mpl* financieros. ~통(通) experto *m* financiero, experta *f* financiera. ~ 투융자 inversión *f* financiera y préstamos del Estado. ~ 투자 inversión *f* financiera. ~ 파멸 perdición *f* económica, ruina *f* económica. ~ 핍박 aprieto *m* financiero. ~학(學) ciencia *f* rentística. ~학자 financiero, -ra *mf*.
재정(裁定) arbitrio *m*, arbitraje *m*, arbitramento *m*; [결정] decisión *f*. ~하다 arbitrar, fallar, decidir, decidir como árbitro. ~의 árbitro.
■ ~ 기간 período *m* de arbitraje. ~ 신청 pedido *m* al tribunal de procesamiento del funcionario no procesado por el fiscal por delito de abuso de autoridad. ~ 절차 procedimiento *m* del tribunal de procesamiento del funcionario no procesado por el fiscal por delito de abuso de autoridad. ~ 합의 tribunal *m* colegiado facultativo.
재정비(再整備) recobro *m*, reconstrucción *f*. ~하다 recobrar, reconstruir. 균형을 ~하다 recobrar el equilibrio. 파업 체재(罷業體裁)를 ~하다 reconstruir el sistema de huelga.
재제(再製) nueva manufactura *f*, reproducción *f*. ~하다 rehacer, volver a fabricar, fabricar de nuevo, laborar de nuevo, elaborar de nuevo.
■ ~품 artículos *mpl* rehechos.
재조(在朝) estancia *f* en la oficina. ~의 en el poder, en la oficina.
제조명(再照明) reiluminación *f*. ~하다 reiluminar.
재조사(再調査) reexamen *m*, nuevo examen *m*. ~하다 reexaminar, volver a examinar.
재조직(再組織) reorganización *f*. ~하다 reorganizar.
재종(再從) =육촌(六寸)(primo segundo).
■ ~간 entre primo segundo y primo segundo. ~고모(姑母) prima *f* segunda de *su* padre. ~고모부(姑母夫) esposo *m* de prima segunda de *su* padre. ~동서(同壻) ㉮ [육촌 자매의 남편] esposo *m* de prima segunda de *su* padre. ㉯ [육촌 형제의 아내] esposa *f* de primo segundo de *su* padre. ~매(妹) prima *f* segunda. ~손(孫) nieto *m* de *su* primo segundo. ~수(嫂) esposa *f* de *su* primo segundo. ~숙(叔) primo *m* segundo de *su* padre. ~숙모 esposa *f* de primo segundo de *su* padre. ~씨(氏) ㉮ [남에게 제 재종형을 일컫는 말] mi primo segundo. ㉯ [남의 제종형제의 경칭] su primo segundo. ~제(弟) primo *m* segundo menor. ~조(祖) primo *m* segundo de *su* abuelo. ~질(姪) hijo *m* de *su* primo segundo. ~질녀 hija *f* de *su* primo segundo. ~질부(姪婦) esposa *f* de hijo de *su* primo segundo. ~질서(姪壻) esposo *m* de hija de *su* primo segundo. ~형(兄) primo *m* segundo mayor. ~형제 primo *m* segundo.
재주(才一) ① [총기가 있고, 무엇을 잘하는 타고난 소질] habilidad *f*, talento *m*, don *m*, dote *f*. 그녀의 예술적인 ~ su talento artístico, sus dotes artísticas. ~를 보이다 sacar *sus* habilidades. 너 ~ 좋군! ¡Tienes

buena habilidad! 그는 ～라고는 눈꼽만큼도 없다 El no tiene in pizca de talento. ② [슬기롭게 잘하는 기술이나 솜씨] desteza *f*, arte *m*, artes *mpl* de entretenimiento, juego *m* de manos, artería *f*; [연기(演技)] juego *m*, representación *f*; [곡예] acrobacia *f*, acrobatismo *m*. ～가 비상한 demasiado listo. 익숙한 빠른 ～ presteza *f* por destreza. ～를 닦다 pulirse [perfeccionarse] en un arte, perfeccionar un arte. 한 가지 ～에 뛰어나다 sobresalir [destacarse · distinguirse] en un arte. 그는 ～가 섬세하다 El actúa de una forma muy delicada. 그것은 ～가 아니다 Eso es demasiado banal [trivial]. 한 가지 ～라도 배워 두면 사람의 밑천이 된다 Las artes de entretenimiento pueden, en caso de necesidad, asegurar la existencia.

◆재주(를) 부리다 hacer juegos. 이 개는 재주를 부릴 줄 안다 Este perro sabe hacer juegos.

■재주는 곰이 부리고 돈은 되놈이 챙긴다 ((속담)) El pequeño can levanta la liebre y el grande la prende.

재주껏 lo mejor que poder. 그는 ～ 그것을 했다 El lo hizo lo mejor que pudo.

재주꾼 persona *f* de gran talento.

재주넘기 [땅에서] voltereta *f*, *CoS* vuelta *f* (de) carnero; [공중에서] (salto *m*) mortal *m*; [자동차의] vuelta *f* de campana. ～하다 hacer volteretas, *CoS* dar vueltas (de) carnero; [역을] realizar [ejecutar] un mortal.

재주넘다 [땅에서] hacer volteretas, *CoS* dar vueltas (de) carnero; [공중에서] dar un (salto) mortal. 그녀는 재주넘어 방을 가로질렀다 Ella cruzó la habitación haciendo volteretas. 자동차는 낭떠러지에서 재주넘었다 El coche se despeñó por el acantilado dando vueltas en el aire.

재주(在住) residencia *f*. ～하다 residir, vivir, morar, habitar. ～의 residente. 멕시코 ～의 한국인 coreanos *mpl* residentes en Méjico.

■～자 residente *mf*.

재주(齋主) ((불교)) persona *f* que pide al sacerdote budista que haga el servicio para el alma del difunto.

재중(在中) incluso. 10만 원 ～의 가방 cartera *f* que contiene cien mil wones. 견본 ～ Muestras. 사진 ～ Fotografías.

재즈(영 *jazz*) 【음악】 jazz *m*. ～의 de jazz, jazzítico. ～풍[식]으로 연주하다 tocar con ritmo sincopado.

■～ 가수 cantante *mf* de jazz. ～곡 pieza *f* para jazz. ～ 댄스 jazz *m*. ～ 리듬 ritmo *m* de jazz. ～맨 ＝재즈 연주자. ～ 문학(文學) literatura *f* jazzítica [de jazz]. ～ 밴드 banda *f* [grupo *m* · conjunto *m*] de jazz, jazz-band *ing.m*, orquesta *f* de jazz. ～ 싱어 cantante *mf* de jazz. ～ 악단 ＝재즈 밴드. ～ 연주자 ejecutante *mf* de jazz. ～ 음악 música *f* de jazz. ～ 팬 aficionado, -da *mf* al jazz, entusiasta *mf* del jazz.

재지(才智) ingenio *m*, talento *m*, inteligencia *f*. ～ 있는 ingenioso, talentoso, de gran talento, inteligente.

재지니(再一) halcón *m* de dos años.

재직(在職) permanencia *f* en el puesto [en el empleo · en la oficina]. ～하다 ocupar un puesto, estar en un puesto, estar en una posición. ～ 중(中) durante la permanencia en el puesto, durante el período de *su* servicio. ～ 중이다 estar en una posición. ～ 30년 기념 축하회 celebración en honor del trigésimo aniversario de *su* nombramiento a un puesto. ～ 10년 이상의 사람 [지금까지] el que ha trabajado por más de diez años; [지금부터] el que haya trabajado por más de diez años.

■～ 기간 años *mpl* de servicio, período *m* de servicio. ～ 연한(年限) ＝재직 기간. ～자 titular *mf* del cargo.

재질(才質) dotes *fpl*, dones *mpl*, don *m* natural, talentos *mpl*.

재질(材質) cualidad *f* de madera.

재차(再次) otra vez, de nuevo, nuevamente, una vez más; [두 번째로] por segunda vez; [되풀이해서] repetidas veces, repetidamente. ～ 하다 hacer otra vez, hacer de nuevo, volver a hacer. ～의 segundo, nuevo, otro, repetido, renovado. ～의 방문(訪問) segunda visita *f*. ～ 시도하다 tratar otra vez. ～ 도전을 시도하다 emprender un nuevo desafío. ～ 말씀드리지만 그녀는 결백합니다 Repito [Insisto en] que él es inocente. ～ 부탁드립니다 Yo suplico de nuevo.

재창(再唱) acción *f* de volver a cantar. ～하다 volver a cantar, cantar otra vez.

재채기 estornudo *m*. ～하다 estornudar.

재천(在天) ① [하늘 위에 있음] existencia *f* [estancia *f*] en el cielo. ② [하늘에 달렸음] dependencia *f* del cielo. 인명(人命)은 ～이라 La vida humana depende del cielo / La vida y la muerte son providenciales.

재첩 【조개】 concha *f* corbícula.

재청(再請) ① [거듭 청함] pedido *m* repetido, [앙코르] bis *m*. ～하다 pedir repetidas veces, pedir la repetición (de). ～이요! ¡Otra! / ¡Otra vez! / ¡Que se repita! ② [회의 때, 남의 동의에 찬성하여 거듭 청함] apoyo *m*. ～하다 segundar, apoyar. 몇몇 대표들은 동의에 ～했다 Unos delegados apoyaron la moción.

재촉 apremio *m*, acuciamiento *m*, urgencia *f*. ～하다 apremiar, acuciar, urgir, acelerar, aligerar, dar prisa, meter prisa, apurar, apuresurar. 대답을 ～하다 urgir*le* a *uno* la respuesta. 일을 ～하다 dar [meter] prisa en el trabajo. 지불을 ～하다 urgir*le* a *uno* el pago. 채무자에게 지불을 ～하다 exigir un pago de la deuda, apremiar el pago a un deudor. 그렇게 ～하지 마세요 [usted에게] No me apure tanto / [tú에게] No me apures tanto.

재촬영(再撮影) nueva toma *f*. ～하다 repetir

una toma.

재출발(再出發) repartida *f*, vuelta *f* a empezar, reanudación *f*. ~하다 repartir, partir de nuevo, empezar de nuevo, volver a empezar, reanudar, reiniciar. 소설가로 ~하다 rehacer *su* vida como novelista.

재취(再娶) nuevo casamiento *m*, nuevo matrimonio *m*, segundo matrimonio *m*, segundas nupcias *fpl*. ~하다 volver a casarse (con), casarse por segunda vez, casarse en segundas nupcias.

재치(才致) ingenio *m*, destreza *f*, agudeza *f*, inteligencia *f*, habilidad *f*, conocimiento *m*, gracia *f*, sagacidad *f*, sal *f*. ~가 있다 (ser) inteligente, diestro, mañoso, listo, capaz, sagaz, agudo, perspicaz. ~가 풍부한 chistoso, ingenioso, agudo. ~ 있는 사람 persona *f* ingeniosa, hombre *m* de ingenio vivo, hombre *m* de recursos. 라 만차 마을의 ~ 있는 시골 양반 동끼호떼 El ingenioso hidalgo Don Quijote de la Mancha. ~를 발휘하다 demostrar *su* ingeniosidad, demostrar *su* gracia, usar el cerebro, usar la cabeza, dar prueba de ocurrencia. ~ 있게 말하다 decir ingeniosidades. 그는 ~가 있다 El es ingenioso / El tiene chispa.

■ ~꾼 persona *f* ingeniosa, persona *f* ocurrente, ingenio *m*.

재침(再侵) ((준말)) =재침략(再侵略).

재침략(再侵略) reinvasión *f*. ~하다 reinvadir.

재킷(영 *jacket*) ① [위에 입는 짧은 상의(上衣)의 총칭] chaqueta *f*. 스포츠 ~ americana *f*, *AmL* saco *m* (sport). ② [우리 나라에서는, 털실로 짠 소매가 긴 웃옷] chaqueta *f* de hilaza con manga larga. ③ [레코드판의 커버] funda *f*, carátula *f*. ④ [책 표지에 씌우는 커버] sobrecubierta *f*, camisa *f*. ⑤ [(서류 등을 넣는) 봉함하지 않은 봉투] carpeta *f*.

재탄(滓炭) carbón *m* (*pl* carbones) de polvo.

재탕(再湯) ① [한약 따위의 달여낸 찌끼를 두 번째 달임] segunda decocción *f*. ~하다 recocer, volver a cocer, cocer de nuevo. ~한 약 medicina *f* cocida de nuevo. ② [한 번 써먹은 일. 말을 다시 되풀이함] refrito *m*, refundición *f*. 이 작품은 그의 초기 것의 ~에 불과하다 Esta obra no es sino una refundición de una obra de su primera época.

재택(在宅) estancia *f* [permanencia *f*] en casa. ~하다 estar en casa.

■ ~ 간호 asistencia *f* médica de hogar. ~ 근무(勤務) trabajo *m* de hogar para *su* compañía; [데이터 통신을 이용한] trabajo *m* a distancia (utilizando fax, teléfono etc.). ¶~하다 trabajar a distancia, trabajar en casa para *su* compañía, trabajar en ubicación (frecuentemente en casa y comunicar con una oficina central en una localización diferente a través de un ordenador personal equipada con un módem y software de comunicaciones. ~근무자 empleado, -da *mf* de hogar; trabajador, -dora *mf* a distancia.

재테크(財―) ((준말)) =재무 테크놀로지.

재통일(再統一) reunificación *f*. ~하다 reunificar.

재투자(再投資) reinversión *f*. ~하다 reinvertir. 이익을 생산에 ~ reinversión *f* de ganancias en la producción. 이익을 생산에 ~하다 reinvertir las ganancias en la producción.

■ ~ 손실 pérdida *f* de reinversión. ~율(率) tasa *f* de reinversión, tipo *m* de reinversión. ~ 특전(特典) privilegio *m* de reinversión.

재티 ceniza *f*, rescoldo *m*.

재판(再版) ① [이미 간행된 출판물을 다시 출판함. 또, 그 출판물] segunda edición *f*, reimpresión *f*; [출판물] segunda publicación *f*. ~하다 reimprimir, volver a imprimir, volver a publicar. ② [과거의 어떤 일이 다시 되풀이되는 일] repetición *f*. ~을 연출하다 repetir *su* locura.

재판(裁判) justicia *f*, proceso *m*, juicio *m*; [소송(訴訟)] pleito *m*; [판결] resolución *f* (judicial). ~하다 hacer justicia, juzgar, enjuiciar, someter a la justicia. ~에 이기다 ganar en el pleito, ganar en el juicio. ~에 지다 perder en el pleito, perder en el juicio. ~에 회부하다 poner al proceso, poner a pleito, llevar a la justicia. ~을 걸다 someter al tribunal, contender en los tribunales, llevar a los tribunales. ~하여 처벌하다 aprehender y condenar por justicia. ~을 받다 someterse a la justicia. ~을 청하다 recurrir a la justicia, acudir a los tribunales, llevar a los tribunales, llevar a juicio, pedir justicia. 공평한 ~을 하다 juzgar imparcialmente. …을 …의 죄로 ~에 걸다 enjuiciar [someter a juicio] a *uno* por *algo*. ~은 내일 열린다 El juicio tiene lugar mañana. 그 건(件)은 ~ 중이다 El asunto está ante los tribunales. 그 싸움은 ~을 유발했다 La disputa dio lugar al proceso.

◆인민 ~ tribunal *m* irregular y arbitrario, juicio *m* del pueblo. 정식(正式) ~ juicio *m* formal 확정 ~ decisión *f* final, juicio *m* final.

■ ~관 juez *mf* (*pl* jueces); [집합적] magistrado *m*. ~관할 juridicción *f* judicial. ~권 derecho *m* judicial, jurisdicción *f*. ~기록 memorial *m*. ~ 비용(費用) gastos *mpl* judiciales, costes *mpl* judiciales. ~서 documentos *mpl* de la sentencia. ~ 수속 procedimiento *m* judicial. ~장 presidente, -ta *mf* de(l) tribunal. ~정 =법정(法廷). ~지 territorio *m* jurisdiccional, jurisdicción *f*. ~ 청구권(請求權) derecho *m* a acceso a justicia. ~ 확정 decisión *f* del tribunal, finalidad *f* de la resolución.

재판매(再販賣) reventa *f*. ~ 금지(禁止) ((게시)) Prohibida la venta / Muestra gratis.

■~ 가격 precio *m* de reventa. ~ 가격 유지 mantenimiento *m* de los precios al por menor, mantenimiento *m* del precio de reventa. ~ 가격 유지 정책 política *f* de mantenimiento del precio de reventa.

재판소(裁判所) tribunal *m*, juzgado *m*, audiencia *f*, *AmS* corte *f*.

◆민사 ~ juzgado *m* de lo civil. 상설 국제 ~ la Corte Permanente de Justicia Internacional. 중재 ~ tribunal *m* arbitral, tribunal *m* de árbitros. 지방(地方) ~ juzgado *m* provisional, juzgado *m* regional. 최고 ~ la Suprema Corte del Tribunal. 형사 ~ juzgado *m* de lo criminal.

■~ 서기 escribiente *mf* del tribunal.

재편(再編) ((준말)) ＝재편성(再編成).

재편성(再編成) reorganización *f*, reestructuración *f*, recomposición *f*. ~하다 reorganizar, reestructurar, recomponer. 부대를 ~하다 reorganizar el ejército. 예산을 ~하다 rehacer el presupuesto.

◆산업(産業) ~ reorganización *f* de la industria.

재평가(再評價) revalorización *f*, *AmL* revaluación *f*. ~하다 revalorizar, *AmL* revaluar. 자산(資産)의 ~ revalorización *f* de activos, *AmL* revaluación *f* de activos. 환율(換率)의 ~ revalorización *f* [*AmL* revaluación *f*] de la tasa de cambio. 토지를 ~하다 revalorizar el terreno. 그 작가는 오늘날 ~를 받고 있다 Ese escritor está revalorizado hoy día.

◆자산 ~ revalorización *f* de activos. 자산 ~법 la Ley de Revalorización de Acticos.

■~액 cantidad *f* de revalorización. ~ 적립금 reserva *f* de revalorización.

재포장(再包裝) nuevo paquete *m*. ~하다 reempaquetear, volver a paquetear, paquetear otra vez.

재포장(再鋪裝) repavimento *m*, nuevo pavimento *m*. ~하다 repavimentar.

재필(才筆) estilo *m* diestro, pluma *f* talentosa, talento *m* literario.

재하자(在下者) persona *f* que sirve al superior.

재학(才學) genio *m* y ciencia, talento *m* y erudición. ~ 있는 discreto y letrado. ~ 겸비하여 así en discreción como en erudición.

재학(在學) matrícula *f* (en una escuela). ~하다 estar matriculado (en una escuela), ser estudiante (de una escuela). 그는 ~ 중에 군에 입대했다 El entró en el servicio militar cuando era estudiante.

■~ 기간 período *m* en que estudia [ha estudiado] en una escuela. ~생 estudiante *m* matriculado, estudiante *f* matriculada. ~ 증명서 certificado *m* de matrícula.

재할인(再割引) redescuento *m*, nuevo descuento *m*, nueva rebaja *f*. ~하다 redescontar, volver a descontar, volver a rebajar. ~할 수 있는 redescontable.

■~료 precio *m* de redescuento. ~율 tipo *m* de redescuento. ~ 이율(利律) tasa *f* de interés de redescuento.

재항고(再抗告) 【법률】 recurso *m* de queja de nuevo.

재해(災害) calamidad *f*, desastre *m*, siniestro *m*; [사고(事故)] accidente *m*. ~를 당하다 sufrir [padecer · expermentar] un desastre, ser víctima de un accidente. ~에 의한 손실 pérdida *f* por siniestro.

■~ 구조 auxilio *m* a las víctimas, auxilio *m* de desastres. ¶지진 ~ 본부 centro *m* de auxilio a las víctimas del terremoto. ~ 대책 medidas *fpl* contra desastres. ~ 대책 본부 centro *m* coordinador de las medidas contra desastres, centro *m* de ayuda a los damnificados de una catástrofe. ~ 방지 prevención *f* de desastres. ~ 보상(補償) indemnización *f* (por los accidentes), compensación *f* por los accidentes. ~ 보험(保險) seguro *m* contra accidente. ~ 복구비 fondo *m* de ayuda a los damnificados de una catástrofe. ~ 수당 indemnización *f* de desastres. ~자 víctima *f* de un desastre; damnificado, -da *mf*. ~지 región *f* atacada por el desastre, lugar *m* del siniestro.

재행(再行) la primera visita del novio a la casa de *su* novia después de las bodas. ~하다 hacer la primera visita a la casa de *su* novia después de las bodas.

재향(在鄕) campiña *f*, campo *m*, distritos *mpl* rurales.

■~ 군인 reservista *mf*, excombatiente *mf*, exsoldado, -da *mf*. ~ 군인병 enfermedad *f* de legionado. ~ 군인회 asociación *f* de excombatientes.

재현(再現) ① [두 번째로 나타남] resurgimiento *m*, reparición *f*. ~하다 resurgir, reaparecer, aparecer de nuevo, aparecer otra vez, volver a aparecer. ~되다 resurgirse, reaparecer. 황금 시대를 ~하다 resurgir el siglo de oro. ② 【심리】 ＝재생(再生)(reproducción). ¶사건의 경과를 ~하다 reproducir el proceso del acontecimiento.

■~ 예술(藝術) ＝모방 예술(模倣藝術).

재형저축(財形貯蓄) ((준말)) ＝재산 형성 저축(財産形成貯蓄).

재혼(再婚) segundo matrimonio *m*, segundo casamiento *m*, segundas nupcias *fpl*. ~하다 volver a casarse, casarse en segundas nupcias, casarse por segunda vez, casarse de nuevo, contraer matrimonio nuevamente. 그녀는 첫 남편과 ~했다 Ella volvió a casarse con su primer esposo.

■~ 금지 기간 término *m* prohibido de segundo matrimonio. ~자(者) persona *f* casada por segunda vez.

재화(才華) talento *m* excelente, talento *m* sobresaliente.

재화(災禍) [재난] calamidad *f*, desastre *m*; [불행] desgracia *f*, infortunio *m*, desventura *f*, desdicha *f*, [사고] accidente *m*.

재화(財貨) ① ＝재물(財物). ② 【경제】 [사람의 마음을 만족시키는 물질] mercancías *fpl*, mercaderías *fpl*, artículos *mpl*.

재화(載貨) cargamento *m*, carga *f*, envío *m*,

remesa *f*, consignación *f*.
■ ~ 용적 capacidad *f* de medición.

재확인(再確認) reafirmación *f*. ~하다 reafirmar.

재활(再活) ① [다시 살림] resucitación *f*. ~하다 resucitar. ② [다시 활용함] reutilización *f*. ~하다 reutilizar. ③ [다시 활동함] nueva acción *f*. ~하다 volver a actuar.
■ ~ 지도(指導) orientación *f* física, médica, psicológica y económica a los minusválidos.

재활용(再活用) reciclaje *m*. ~하다 reciclar.

재회(再會) nuevo encuentro *m*, reunión *f*. ~하다 ver de nuevo, volver a ver, volver a encontrarse. ~를 약속(約束)하다 dar palabra de encontrarse otra vez, prometer ver otra vez, prometer nuevo encuentro. 우리의 ~를 축하하여 건배합시다 Vamos a brindar por nuestro encuentro.

재흥(再興) resurgimiento *m*, restauración *f*, resurrección *f*, renacimiento *m*, renovación *f*, restablecimiento *m*, recuperación *f*. ~하다 restaurar, restablecer, renovar, recuperar. 폐가(廢家)를 ~하다 renovar una casa extinta.
■ ~자 restaurador, -dora *mf*; renovador, -dora *mf*; vivificador, -dora *mf*.

잭(영 *jack*) ① [기중기의 한 가지] gato *m*, cric *m*; [나사식의] cric *m* [gato *m*] de tornillo. ② [트럼프의 카드의 하나] [서반아의] sota *f*; [불란서의] jota *f*, valet *m*. ③【전기】[플러그를 꽂아 전기를 접속시키는 장치] enchufe *m* hembra.

잭나이프(영 *jackknife*) ① [해군·선원들이 쓰는 접칼] navaja *f*, navaja *f* sevillana, navaja *f* fuerte de bolsillo. ② [수영에서 다이빙의 한 형] salto *m* de carpa.

잰지【조개】concha *f* de vieira, venera *f*, *CoS* concha *f* de ostión.

잼(영 *jam*) mermelada *f*, confitura *f*, compota *f*, jalea *f*, *RPl* dulce *m*. ~ 바른 빵 pan *m* con mermelada. 빵에 ~을 발라 먹다 comer pan con mermelada.
◆ 나무딸기 ~ mermelada *f* de frambuesas. 딸기 ~ mermelada *f* de fresa. 복숭아 ~ mermelada *f* de durazno. 오렌지 ~ mermelada *f* de naranja. 파인애플 ~ mermelada *f* de piña. 포도 ~ mermelada *f* de uva.

잼버리(영 *jamboree*) congreso *m* (de exploradores), reunión *f* nacional o internacional de muchachos exploradores.

잼처 otra vez, nuevamente, de nuevo, repetidas veces, volver a + *inf*. ~ 물어보다 preguntar otra vez [de nuevo], volver a preguntar.

잽(영 *jab*) ((권투)) jab *ing.m*, corto *m*.

잽싸다 (ser) ágil, veloz, rápido, pronto. 잽싸게 ágilmente, ligeramente, con agilidad, rápidamente, de prisa, pronto, velozmente. 버스에 잽싸게 오르다 subir de un salto ágil al autobús. ~ 몸을 피하다 esquivarse legeramente.

잿길 camino *m* empinado.

잿더미 montón *m* (*pl* montones) de ceniza.

잿물 ① [재를 물로 받아서 우려낸 물] el agua *f* de ceniza. ② [도자기를 만들어 구울 때, 그 표면에 광택이 나고 기체나 액체의 침투를 막도록 덧씌우는 약] vidriado *m*, esmalte *m*, barniz *m*. …에 ~을 바르다 vidriar *algo*, esmaltar *algo*, barnizar *algo*. ~ 위에 그린 그림 [도자기의] figura *f* dibujada sobre el esmalte. ③ ((준말)) =양잿물.

잿밥(齋-) arroz *m* ofrecido a Buda. 부처에게 ~을 올리다 ofrecer arroz a Buda.

잿빛 gris *m*, color *m* gris. ~이 도는 pardusco. ~ 하늘 cielo *m* gris.

쟁(箏)【악기】una especie del instrumento musical con trece cuerdas.

쟁(錚) =꽹과리.

쟁강거리다 rechinar, chirriar, tintinear. 쟁강거리게 하다 hacer tintinear. 우리는 잔을 쟁강거리게 했다 Entrechocamos los vasos.
쟁강쟁강 tintineando. rechinando, chirriando, siguiendo tintineando.

쟁개비 cacerola *f*.

쟁그랍다 (ser) repulsivo, asqueroso.

쟁그랑 estrepitosamente. 병이 ~ 깨졌다 Se rompió la botella estrepitosamente.
쟁그랑거리다 cacharrear, guachapear, tabletear.
쟁그랑쟁그랑 cacharreando.

쟁기 arado *m*, pala *f*.
■ ~날 hoja *f* de un arado. ~질 aradura *f*, arado *m*, labranza *f*. ¶~하다 arar, labrar la tierra. ~하는 사람 arador, -dora *mf*. ~ㅅ술 guarnición *f* de hoja de un arado.

쟁론(爭論) reyerta *f*, disputa *f*, riña *f*, contienda *f*, querella *f*, camorra *f*, bronca *f*, alteración *f*, debate *m*, controversia *f*. ~하다 reñir, disputar, altercar, contender, disputar.

쟁반(錚盤) bandeja *f*, *AmL* azafate *m*, *AmL* charola *f*, *AmL* charol *m*. ~에 넣어 옮기다 llevar en una bandeja. ~에 내놓다 servir en una bandeja.

쟁의(爭議) disputa *f*, conflicto *m*, litigio *m*, contienda *f*, camorra *f*, complicación *f*, perturbación *f*; [파업] huelga *f*, *AmL* paro *m*. ~를 해결하다 resolver el conflicto.
◆ 노동(勞動) ~ litigio *m* de trabajo. 노사(勞使) ~ conflicto *m* obrero-patronal. 소작(小作) ~ disputa *f* entre hacendado y labrador de su arrendatario.
■ ~권(權) derecho *m* de huelga. ~단(團) huelguistas *mpl*. ~ 위원 miembro *mf* del comité de litigios. ~ 위원회 comité *m* [comisión *f*] de litigios. ~ 참가자 participante *mf* en el litigio. ~ 행위 [노동자 측의] huelga *f*, huelga *f* [cualquier otra medida *f*] de presión ejercida en un conflicto laboral.

-쟁이 persona *f*. 멋~ dandi *m*. 심술~ persona *f* de mal carácter, persona *f* desagradable.

쟁이다 ① [물건을 여러 개 차곡차곡 포개어 쌓다] amontonar, apilar. 쌀가마가 쟁여져 있다 Los sacos de arroz son amontonados. ② [불고기용의 고기나 갈비 따위를 양념하여 그릇 속에 차곡차곡 쌓아서 묵히다. 또, 김 따위를 기름을 바르고 소금을 뿌려서 쌓다] apilar con condimento, apilar con aceite y sal.

쟁쟁하다 ① [구슬의 울리는 소리가 매우 아름답다] (ser) claro, sonoro, resonante, retumbante. 쟁쟁한 목소리 voz *f* clara. ② [지나간 소리가 잊히지 않고 귀에 울리는 듯하다] persistir, sonar.
쟁쟁히 claramente, sonoramente, resonantemente, retumbantemente.

쟁쟁하다(錚錚－) (ser) prominente, eminente, sobresaliente, distinguido, de importancia. 쟁쟁한 인물 hombre *m* eminente, mujer *f* eminente. 쟁쟁한 학자(學者)들이 모여 있다 Están reunidos los intelectuales distinguidos.

쟁점(爭點) punto *m* litigante, meollo *m* del conflicto; [논쟁점] manzana *f* de la discordia, punto *m* [tema *m*] de discusión.

쟁첩 plato *m* pequeño.

쟁취(爭取) contienda *f* para poseer, arrebatiña *f*. ~하다 ganar, obtener, adquirir. 승리를 ~하다 llevarse la palma, llevarse la victoria.

쟁탈(爭奪) contienda *f*, lucha *f*, disputa *f*, competencia *f*, competición *f*, concurso *m*, contienda *f* para poseer, esfuerzo *m*. ~하다 luchar (por), contender, arrebatar, saquear, disputar(se), andar a la rebatiña (por). 우승기의 ~ contienda *f* por ganar la bandera de campeón. 직공(職工)의 ~ arrebatiña *f* de obreros. 자리를 ~하다 disputarse el asiento.
■ ~전 esfuerzo *m*. ¶진지(陣地)의 ~ esfuerzo *m* por asegurarse una posición. 선수권(選手權) ~ campeonato *m*. 사랑의 ~ rivalidad *f* amorosa. 정권의 ~을 펼치다 disputarse el poder político.

쟁투(爭鬪) disputa *f*. ~하다 disputar, luchar (por).

쟁퉁이 ① [잘난 체하고 거만을 부리는 같잖은 사람] persona *f* altiva, persona *f* altanera. ② [가난에 쪼들리어 마음이 좁고 비꼬인 사람] persona *f* malhumorada.

쟁패(爭霸) lucha *f* (por conseguir) la supremacía. ~하다 luchar por (conseguir) la supremacía.
■ ~전(戰) lucha *f* por la supremacía, contienda *f* por el campeonato.

저[1] 【악기】 *cheo*, flauta *f*.

저[2] ① ㉮ [「나」의 겸사말] yo, mi, me. ~를 데리고 가시오 Lléveme. ㉯ [조사「가」앞에서는「제」가 됨] 제가 가지요 Yo me iré. ② ㉮ [「자기」의 낮춤말] sí, se. 누가 ~ 보고 욕을 했나 ¿Quién habló mal de mí? ③ ((준말)) =저이. ④ ((준말)) =저것. ¶이도 ~도 아니다 No es esto ni aquello. 나는 이것보다 ~가 마음에 든다 Prefiero aquello a esto / Me gusta más aquello que esto. 아, ~입니까? ¡Ah! ¿Aquello? ⑤ [자기로부터 보일 만한 곳에 있는 사람이나 사물을 가리키는 말] aquel, aquella, aquellos, aquellas. ~ 남자 aquel hombre. ~ 여자 aquella mujer. ~ 물건 aquel artículo. ~ 남자들 aquellos hombres. ~ 여자들 aquellas mujeres.

저[3] [미처 생각이 잘 나지 않거나, 말을 꺼내기가 거북하거나 어색할 때 머뭇거리면서 내는 소리] Bueno / (Vamos) A ver / Pues (entonces) / (Mira,) verás / Digo. ~, 누구더라 A ver, ¿quién será? ~, 지금 뭐라고 말씀하셨죠 Pues, ¿qué dice ahora?

저(著) ((준말)) =저술(著述)(obra). ¶A 씨 ~ 한서 사전(韓西辭典) el Diccionario Coreano-Español por el señor A. 가르시아 로뻬스 ~ 서반아 문학사 la Historia de la Literatura Española de García López.

저(箸) ((준말)) =젓가락.

저-(低) bajo. ~기압 baja presión *f*. ~자세 actitud *f* conciliadora.

저가(低價) precio *m* barato, precio *m* bajo.

저간(這間) =요즈음.

저감(低減) baja *f*, depreciación *f*, reducción *f*; [감소] disminución *f*. ~하다 rebajar, disminuir(se), depreciar, reducir.

저개발(低開發) subdesarrollo *m*. ~의 subdesarrollado.
■ ~국(國) país *m* (*pl* países) subdesarrollado; [발전 도상국] país *m* en vías de desarrollo. ~ 지역 el área *f* (*pl* las áreas) subdesarrollada.

저것 ① [물건] aquél, aquélla, aquéllos, aquéllas; [중성(中性)] aquello. ~은 무엇입니까? ¿Qué es aquello? ~과 이것 중에서 어떤 것을 더 좋아하십니까? ¿Cuál le gusta más, aquél o éste? ② [저 사람] aquél, -lla *mf*, él, ella *mf*; aquella persona *f*, aquel hombre *m*; aquel tipo *m*. ~도 인간인가? ¿Es un hombre aquel tipo?

저격(狙擊) apunte *m* y disparo, tiro *m* certero, tiros *mpl*, disparos *mpl*. ~하다 apuntar y disparar, tirar de tiro certero, tirar desde una posición embocada, tirar, disparar.
■ ~병(兵) tirador *m* emboscado, tiradora *f* emboscada; tirador, -dora *mf* de primera.

저고리 *cheogori*, blusa *f* tradicional coreana.

저곡(貯穀) almacenamiento *m* de los cereales. ~하다 almacenar los cereales.

저공(低空) cielo *m* bajo.
■ ~비행 vuelo *m* bajo; [지상(地上)을 스칠 정도의] vuelo *m* rasante. ¶~을 하다 volar bajo, volar a ras de suelo [de tierra], volar rasando el suelo. ~ 폭격(爆擊) bombardeo *m* de rebote.

저광수리 【조류】 azor *m*.

저금(貯金) [행위] ahorro *m*, economía *f*; [돈] ahorros *mpl*, economías *fpl*. ~하다 ahorrar, economizar. ~을 인출(引出)하다 sacar [retirar] dinero de los ahorros. ~으로 생활하다 vivir de *sus* ahorros. 월급에

서 50만 원을 ~하다 ahorrar quinientos mil wones del sueldo. 그들은 지금까지 1억 원을 ~했다 Hasta ahora ellos han ahorrado cien millones de wones. 그는 평생의 ~을 잃었다 El perdió los ahorros de toda una vida. 요즈음 ~하는 것은 어렵다 Hoy en día es difícil ahorrar.

◆우편(郵便) ~ ahorro *m* postal, ahorro *m* en Caja Postal. 은행(銀行) ~ depósito *m* bancario.

■~ 계좌 cuenta *f* de ahorro. ~ 계획 plan *m* de ahorro. ~률 porción *f* del ahorro. ~통 hucha *f*, *AmL* alcancía *f*. ~통장(通帳) libreta *f* de ahorros.

저금리(低金利) interés *m* bajo, tarifa *f* de interés bajo, moneda *f* barata. ☞저리(低利)

■~ 정책 política *f* de crédito a tipo bajo de interés, política *f* moneda barata.

저급(低級) grado *m* inferior, clase *f* inferior, inferioridad *f*. ~하다 (ser) inferior, bajo, de grado inferior; [저속하다] vulgar, vil. ~한 남자 hombre *m* vulgar. ~한 여자(女子) mujer *f* vulgar, mujer *f* vil. ~한 취미 gusto *m* vulgar. ~한 언행(言行) vulgaridad *f*. ~한 잡지(雜誌) revista *f* vulgar. (선정적인) ~한 신문(新聞) prensa *f* sensacionalista, prensa *f* amarilla, prensa *f* amarillista.

■~ 개념(槪念) concepto *m* bajo. ~ 언어 lengua *f* vulgar. ~ 음식점 restaurante *m* de clase baja. ~ 인간 hombre *m* vulgar. ~품 artículo *m* inferior.

저기 allí, allá, en aquella parte, en aquel lugar. ~에 allí. ~에서 desde allí, de allí. ~까지 hasta allí. ~에 가다 ir allá. ~에서 오다 venir de allí. ~를 지나가다 pasar por allí. 화장실은 ~입니다 El servicio está allá. ~(에 있는 자리에) 앉읍시다 Sentémonos allí / Vamos a sentarnos (en los asientos de) allí.

저기압(低氣壓) baja presión *f* (atmosférica), depresión *f* (atmosférica), ciclón *m*. ~의 중심 centro *m* de la depresión atmosférica.

◆열대(熱帶) ~ ciclón *m* tropical.

■~ 지대 el área *f* de la depresión. ~ 지방 =저기압 지대. ~ 지역 =저기압 지대.

저까짓 esa clase de, tal, tan trivial, tan pequeño, tan despreciable.

저나 plato *m* sofrito.

◆쇠고기 ~ carne *f* de vaca sofrita. 오징어 ~ calamar *m* sofrito.

저냥 (en) esa manera,

저널리스트(영 *journalist*) periodista *mf*.

저널리즘(영 *journalism*) periodismo *m*.

저네 aquellas personas *fpl*, aquellos hombres *mpl*, aquéllos.

저녁 ① [해가 지고 밤이 되어 오는 때] noche *f*, [어두워지기 전] tarde *f*. ~에 [어두워지기 전에] por la tarde, *AmL* en la tarde; [어두워진 후에] por la noche, *AmL* en la noche. ~ 열 시에 a las diez de la noche. ~ 여섯 시에 a las seis de la tarde. 오늘 ~(에) [어두워지기 전에] esta tarde; [어두워진 후에] esta noche. 내일 ~(에) [어두워지기 전에] mañana por la tarde, *AmL* mañana en la tarde; [어두워진 후에] mañana por la noche, *AmL* mañana en la noche. 어제 ~(에) [어두워지기 전에] ayer por la tarde, *AmL* ayer en la tarde; [어두워진 후에] anoche. 매주 일요일 ~(에) todos los domingos por la noche, todos los domingos por la tarde. ② ((준말)) = 저녁밥(cena). ¶~을 먹다 cenar, tomar la cena, *AmL* comer. ~에 초대하다 invitar a la cena, invitar a cenar.

■~ 경치 vista *f* crepuscular, paisaje *m* de la tarde. ~곁두리 merienda *f*. ~내 toda la noche. ¶~ 책을 읽다 leer el libro toda la noche. ~놀 arrebol *m* crepuscular, arrebol *m* de la arde. ¶ ~진 하늘 cielo *m* de arrebol. ~로 서쪽 하늘이 불타오른다 El sol poniente abrasa los cielos del oeste. ~때 tarde *f*, anochecer *m*, puesta *f* de(l) sol, crepúsculo *m*, ocaso *m* del sol. ¶~의 de la tarde, crepuscular. ~에 por la tarde, al atardecer, a la caída de la tarde, al ponerse el sol, al oscurecer el día, al caer el día. ~까지는 para la tarde. ~바람 viento *m* crepuscular, viento *m* de la tarde. ~밥 cena *f*, *AmL* comida *f*. ¶~을 먹다 cenar, tomar la cena, *AmL* comer. ~을 짓다 preparar la cena. ~을 먹으려고 앉다 sentarse a cenar. ~상 mesa *f* que sirvió la cena. ~쌀 arroz *m* para (la preparación de) la cena. ~ 안개 niebla *f* crepuscular, niebla *f* de la tarde.

저능(低能) idiotez *f*, imbecilidad *f*. ~하다 (ser) idiota, imbécil, falto de inteligencia, tonto, ñoño, anormal, necio, bobo.

■~아(兒) niño, -ña *mf* imbécil; niño, -ña *mf* anormal; idiota *mf*.

저다지 tanto, muy, como eso, en ese modo. ~ 서두를 것이 무어람 ¡Qué prisa!

저당(抵當) ① [맞서서 겨룸] competición *f*, competencia *f*. ~하다 competir(se). ②【법률】 fianza *f*, prenda *f*, seguridad *f*, pignoración *f*, [부동산의] hipoteca *f*. ~하다 dar en prenda. ~을 넣다 hipotecar, empeñar, pignorar, dar como una seguridad, dar en prenda, dar en fianza. ~을 잡다 hipotecar, tomar en prenda, tomar [aceptar] como seguridad [fianza · garantía · prenda]. ~을 취소하다 cancelar [levantar] una hipoteca. ~ 잡혀 있다 estar empeñado, estar hipotecado, estar gravado con una hipoteca, tener una hipoteca. ~을 잡고 돈을 빌려주다 prestar dinero sobre hipoteca [seguridad · prenda · pignoración]. ~을 잡히고 돈을 빌리다 pedir prestado dinero sobre hipoteca.

■~권 derecho *m* de hipoteca, título *m* de propiedad depositada en calidad de hipoteca [de pignoración]. ~권자 acreedor *m* hipotecario, acreedora *f* hipotecaria. ~권 설정 empeño *m*, hipoteca *f*. ~권 설정자 deudor *m* hipotecario, deudora *f* hipotecaria. ~ 대부 préstamo *m* hipotecario. ~ 대부금 préstamo *m* hipotecario. ~ 대부 은행 banco *m* de crédito hipotecario, banco *m* hipotecario. ~ 대부 회사 empresa *f* de préstamos hipotecarios. ~물(物) objeto *m* hipotecado, objeto *m* empeñado. ~ 보험 seguro *m* de hipotecas. ~ 보험 증권 póliza *f* de seguros por hipoteca. ~ 브로커 corredor, -dora *mf* de hipotecas. ~ 생명보험 seguro *m* de vida con hipoteca. ~ 시장 mercado *m* hipotecario. ~률 tasa *f* hipotecaria. ~ 은행 banco *m* de crédito hipotecario, banco *m* hipotecario. ~ 증권 certificado *m* de hipoteca. ~ 증권법 ley *f* de certificado de hipoteca ~ 채권 bono *m* con garantía, bono *m* hipotecario. ~ 회사 sociedad *f* hipotecaria.

저대로 como eso.

저도(低度) grado *m* bajo, grado *m* inferior.

저도 모르게 no intencionadamente, hecho sin intención, inconscientemente.

저돌(豬突) temeridad *f*, imprudencia *f*. 그는 ~형이다 El avanza contra todo riesgo / El no se amedrenta por nada / El no retrocede por nada / El es un temerario. ■ ~적(的) temerario, imprudente. ¶~으로 temerariamente, con temeridad, imprudentemente. ~으로 나아가다 seguir adelante pese a todo.

저들 ((준말)) ① =저이들. ② =저네들.

저따위 (de) esa clase. ~ 사람 tal persona. 나는 ~는 처음 본다 Nunca he visto tal persona en mi vida.

저락(低落) caída *f*, depreción *f*, descenso *m*, disminución *f*. ~하다 caer, disminuir, decrecer.

저러하다 ser así, ser como eso. 결혼이란 ~ El matrimonio es así.

저런[1] [뜻밖의 놀라운 일이 있을 때에 부르짖는 소리] ¡Hombre! / ¡Caramba! / ¡Hola! / ¡Madre mía! / ¡Jesús! / ¡Dios mío! / ¡De veras! / ¡Qué susto! / ¡Qué sorpresa! ~, 내가 너한테 말하지 않더냐? ¡Dios mío! ¿No te dije yo?

저런[2] ((준말)) =저러한(tal, ese, semejante, aquel). ¶~ 미녀 una mujer tan hermosa como ella. ~ 사람 una persona así, tal persona. ~ 집 tal casa, semejante casa, una casa como aquélla. ~ 경우에는 en tal caso, en ese caso, en aquel caso. 그 사람이 ~ 말을 함에도 불구하고 a pesar de lo que dice él. ~ 남자와는 사귀지 마라 No trates con tal hombre. 그가 ~ 사람인 줄은 미처 몰랐다 Yo no sabía que él era así.

저렇게 así, tan, tanto, de esa manera, de ese modo, de esa suerte, de tal suerte. ~ 우유부단한 생각 끝에 después de una deliberación detenida, hechas todas las consideraciones. ~ 하면 그는 성공하지 못한다 De esa manera, él no tendrá éxito. 그는 ~ 보이지만 영리하다 El es inteligente, aunque no lo perezca [ahí donde le ves]. 그는 ~ 말하면 이렇게 말한다 No deja palabra mía sin replicar. 그 사람처럼 ~ 책을 많이 읽은 사람을 본 적이 없다 No he visto un hombre que haya leído tantos libros como él.

저렇다 ((준말)) =저러하다.

저력(底力) energía *f* propia, *su* propia fuerza, *su* verdadera fuerza. ~이 있다 tener reservas de energía [de fuerza]. ~을 발휘하다 desplegar [demostrar] *su* propia [verdadera] fuerza; [실력을 발휘하다] mostrar *su* latente capacidad. ~을 기르다 [개발하다] cultivar *su* habilidad básica.

저렴하다(低廉－) (ser) barato, de precio bajo. 저렴한 가격(價格) precio *m* bajo. 저렴한 텔레비전 televisión *f* barata.

저류(底流) corriente *f* del fondo; [바다의] corriente *f* submarina; [비유적] corriente *f* latente.

저리 ① [저러하게. 저와 같이] así, como eso, de esa manera. ② [저곳으로. 저쪽으로] allá, a ese lugar. ~ 가시오 Vete allá.

저리(低利) interés *m* bajo, tipo *m* bajo. ~로 a un interés bajo. ~로 돈을 빌려 주다 prestar dinero a un tipo bajo. ■ ~ 금융(金融) crédito *m* de interés bajo, crédito *m* barato. ~ 대부 préstamo *m* de interés bajo. ~ 자금 fondo *m* de interés bajo. ~ 자금 정책 política *f* de dinero barato. ~ 차환(借換) conversión *f* de interés bajo. ~채(債) préstamo *m* de interés bajo.

저리다 sentirse dolorido, sentir(se) pena, sentir(se) dolor, entumeterse; [마비되다] paralizarse. 팔다리가 ~ entumecersele la pierna y el brazo, tener la pierna y el brazo paralizados. 나는 발이 저렸다 Se me ha entumecido la pierna / Tengo la pierna paralizada / Se me ha dormido la pierna. 추위로 손이 저렸다 Se me ha entumecido la mano por el frío.

저마(苧麻) 【식물】 =모시풀.

저마다 cada uno, todo el mundo, cada gente, todos los hombres.

저만저만하다 (ser) tolerable, ordinario, común (*pl* comunes), corriente.

저만큼 tan, tanto.

저만하다 (ser) tal, tan, tanto. 저만한 미녀(美女) mujer *f* tan hermosa.

저맘때 alededor de ese tiempo, en esa época del día [mes · año]. 나도 ~는 무척 장난꾼이었다 Yo también era muy travieso cuando yo era su edad.

저면(底面) 【수학】 base *f*.

저명인사(著名人士) personalidad *f*. 사회 ~들이 참석하다 asistir las personalidades de la sociedad.

저명 작가(著名作家) célebre escritor, -tora *mf*.

저명하다(著名－) (ser) célebre, renombrado, famoso, eminente, prominente.

저물가(低物價) precio *m* bajo. ■ ~ 정책(政策) política *f* de precio bajo.

저물다 ① [해가 져서 어두워지다] ponerse. 해가 ~ ponerse el sol. 날이 저물기 전에 antes de oscurrecer, antes de que oscurrezca, antes de que sea demasiado tarde, antes de atardecer, antes de la caída del día. 날이 저문다 Atardece / Anochece. 해가 저문다 Se pone el sol. 날이 완전히 저물었다 Ha anochecido completamente / Ha cerrado la noche. 우리들은 저물기 전에 귀가했다 Volvimos a casa antes de que se pusiera el sol. 가을 해는 빨리 저문다 En otoño el sol se pone pronto. ② [한 해가 다 지나서 끝이 되다] terminar. 한 해가 ~ terminar el año.

저물도록 hasta que se ponga el sol; [늦게까지] hasta (muy) tarde. ~ 일하다 trabajar hasta tarde.

저미(低迷) colgamiento *m* bajo. ~하다 colgar bajo, andar metido. 그 팀은 늘 하위(下位)에 ~하고 있다 Ese equipo siempre anda metido entre los últimos de la clasificación.

저미다 cortar en tajadas, tajar, picar, hacer picadillo, partir, dividir. 저민 조각 tajadura *f*, picadura *f*; [고기 따위의] tajada *f*, picadillo *m*. 갈아 저민 고기 [쇠고기와 돼지고기의] carne *f* picada [molida] (de puerco y vaca), picadillo *m* de carne. 고기를 ~ picar [hacer picadillo] la carne.

저버리다 ① [약속을 어기다] violar, quebrantar, abandonar, faltar (a), desertar, separarse (de), defraudar. 약속을 ~ violar *su* promesa, romper *su* promesa, faltar a *su* palabra, quebrantar *su* promesa. 야망을 ~ defraudar la ambición. 그는 우리의 기대를 저버렸다 El defraudó nuestras esperanzas. 결과는 우리의 기대를 저버리고 말았다 El resultado defraudó nuestras esperanzas. ② [은혜를 모른 체하다] traicionar, faltar (a). 신의(信義)를 ~ traicionar [faltar a] la confianza (de).

저벅 con paso pesado, andando pesadamente, pisando con fuerza.
저벅거리다 andar pesadamente, pisar con fuerza, pisar pesadamente, marchar a pie.
저벅저벅 con paso pesado, pisando con fuerza, andando pesadamente. ~하다 mascar, tascar, cascar.

저번(這番) entonces (del otro día). ~의 pasado, reciente, anterior, último. ~ 일요일 el domingo pasado. ~ 주 이때에 la semana pasada a estas horas. ~에 만났던 사람 persona *f* que vi entonces (del otro día). 내 ~ 편지에 en mi última carta. ~에는 폐를 많이 끼쳤습니다 Le molesté mucho entonces (del otro día).

저변(底邊) ① 【수학】 ((구용어)) =밑변. ② [사물의 밑바닥을 이루는 부분] la capa más baja. 사회의 ~ la capa más baja de la sociedad.

저분저분 ① [가루 같은 것이 부드럽게 씹히는 모양] siendo masticado suavemente. ~하다 (ser) suave y correoso. ② [성질이 부드럽고 찬찬한 모양] flexiblemente, con flexibilidad. ~하다 (ser) flexible. ③ [채소로 만든 음식이 먹음직스러운 모양] apetitosamente. ~하다 (ser) apetitoso.

저상(沮喪) desánimo *m*, desaliento *m*, desmoralización *f*, melancolía *f*. ~하다 desalentarse, desanimarse. 의기(意氣)를 ~시키다 desanimar, desalentar. 의기 ~하지 마라 ¡Animo, no te dejes abatir! / ¡No te desanimes!

저서(著書) obra *f*, libro *m*. 그는 ~가 많다 El ha escrito muchos libros. 그것은 누구의 ~인지 모른다 El libro es anónimo.

저선(底線) =밑줄.

저성(低聲) voz *f* baja, tono *m* bajo. ~으로 en voz baja.

저소득(低所得) bajos ingresos *mpl*, ingresos *mpl* bajos, ingresos *mpl* reducidos.
■ ~ 가구 familia *f* con ingresos reducidos. ~ 계층 grupo *m* de bajos ingresos, acoplamiento *m* de ingresos de tipo inferior. ~ 납세자 contribuyente *mf* de bajos ingresos. ~자 persona *f* de ingresos bajos.

저속(低俗) vulgaridad *f*, vileza *f*, bajeza *f*, ordinariez *f*, grosería *f*, mal gusto *m*, chabacanería *f*. ~하다 (ser) vulgar, vil, bajo, grosero, de mal gusto, ordinario, chabacano. ~하게 vulgarmente, vilmente, groseramente, con ordinariez, con mal gusto, de manera chabascana. ~한 소설 novela *f* vulgar. ~한 취미(趣味) gusto *m* vulgar, afición *f* vulgar. ~한 프로그램 programa *m* vulgar. ~하게 하다 vulgarizar. ~하게 알려진 꽃 flor *f* vulgarmente conocida. 그녀의 복장은 ~하다 Ella se vista con mal gusto. 그는 말씨가 ~하다 El es vulgar en su palabra. 음식이 가득 찬 입으로 말하는 것은 ~하다 Es grosero [de mala educación] hablar con la boca llena. 그녀는 ~한 제스처를 했다 Ella hizo un gesto grosero.

저속(低速) =저속도(低速度).

저속도(低速度) velocidad *f* baja, velocidad *f* lenta, pequeña velocidad *f*.
■ ~ 전위계(電位計) electrometro *m* de pequeña velocidad.

저수(貯水) el agua *f* acumulada, almacenaje *m* de agua. ~하다 acumular el agua, retener el agua.
■ ~ 능력(能力) capacidad *f* de retención. ~량 volumen *m* del agua retenida [acumulada], almacenaje *m* de agua. ~조(槽) depósito *m* de agua. ~지(池) estanque *m*, depósito *m* [arca *f*] de agua; [댐 등의] embalse *m*, pantano *m*. ~탑 torre *f* de agua.

저술(著述) escritura *f*, autoría *f*, redacción *f*; [저작물] obra *f*, libro *m*. ~하다 escribir, componer, redactar.
■ ~가 autor, -tora *mf*; escritor, -tora *mf*. ~업 profesión *f* literaria, profesión *f* de las letras.

저습지(低濕地) zona *f* de bajas presiones, lu-

gar *m* pantanoso, lugar *m* cenagoso.
저습하다(低濕－) (ser) bajo y húmedo.
저승 otro mundo *m*, el más allá; ultratumba *f*; [내세(來世)] la otra vida, la vida futura. ～에서 más allá de este mundo. ～에 가다 morir, fallecer, ir al paraíso, cerrar los ojos, dejar este mundo, llamarlo Dios, pasar a mejor vida, salir de este mundo. 우리 ～에서 다시 만납시다 Volveremos a encontrarnos en la otra vida / Veámonos otra vez.
저숩다 saludar al dios, saludar a Buda.
저압(低壓) ① [낮은 압력] baja presión *f*, presión *f* baja. ② [낮은 전압] bajo voltaje *m*, voltaje *m* bajo, baja tensión *f*. ③ 【기상】 ＝저기압(低氣壓).
■～계 ＝진공계. ～ 뇌관(雷管) detonador *m* eléctrico de bajo voltaje. ～ 밸브 기어 mecanismo *m* del distribuidor de baja presión. ～부 localidad *f* de presión baja. ～선 línea *f* de bajo voltaje, línea *f* de baja tensión. ～실 cámara *f* de depresión. ～ 압축기 compresor *m* de baja presión. ～ 오일 시스템 sistema *m* de lubricación a baja presión. ～ 전류 corriente *f* de baja tensión, corriente *f* de bajo voltaje. ～ 증기 기관 máquina *f* de vapor de agua de baja presión. ～ 차단기 admisión *f* de baja presión. ～ 케이블 cable *m* de baja presión. ～ 코일 bobina *f* de baja presión. ～ 터빈 turbina *f* de baja presión. ～ 퓨즈 fusible *m* de bajo voltaje. ～ 회로 circuito *m* de baja presión, circuito *m* de bajo voltaje.
저액(低額) poca cantidad *f*. ～의 mínimo, bajo, pequeño, barato.
■～ 소득자 persona *f* de una renta baja, persona *f* de ingresos bajos. ～ 소득층 clases *fpl* de ingresos bajos, clases *fpl* de una renta baja.
저어새 【조류】 espátula *f* con cara negra.
저어하다 ＝두려워하다.
저열(低熱) temperatura *f* baja, fiebre *f* baja.
저열하다(低劣－) (ser) vulgar, vil, ruin, bajo.
저열한 사람 persona *f* vil.
저열히 vulgarmente, vilmente, con ruindad.
저온(低溫) ((준말)) ＝저온도(低溫度).
■～ 건류(乾溜) carbonización *f* de baja temperatura. ～계 ＝저온 한란계. ～ 공업 industria *f* manufacturera de baja temperatura. ～ 공학(工學) criogénica *f*. ～냉동 refrigeración *f* de baja temperatura. ～ 다습 baja temperatura *f* y mucha humedad. ～도 baja temperatura *f*, temperatura *f* baja. ～ 마취(痲醉) anestesia *f* de baja temperatura. ～ 살균 paste(u)rización *f* a baja temperatura [a la temperatura baja]. ～ 생물학 criobiología *f*. ～ 소독 ＝저온 살균. ～ 연료 combustibles *mpl* criogénicos. ～ 요법 crioterapia *f*. ～ 측량 criometría *f*. ～ 타르 alquitrán *m* de baja temperatura. ～학 ＝저온 공학. ～ 한란계 criómetro *m*.
저울 balanza *f*. ～에 달다 pesar. 자신의 몸무게를 ～에 달다 pesarse. 빵을 ～에 달다 pesar el pan.
◆대～ balanza *f* romana. 접시～ balanza *f* de Roverba.
■～눈 escala *f* de la balanza. ～대 astil *m*, (balanza *f*) romana *f*. ～자리 【천문】 Balanza *f*, Lira *f*. ～질 el pesar. ～추 pesa *f*. ～판(板) escala *f*.
저위(低位) ① [낮은 위치] posición *f* baja, baja posición *f*. ② [낮은 지위] posición *f* baja, rango *m* bajo, grado *m* bajo.
저위도(低緯度) latitud *f* baja.
■～ 지방 región *f* de latitud baja. ～ 해역 el área *f* (*pl* las áreas) marítima de latitud baja.
저율(低率) ① [어떤 표준보다 낮은 비율] tipo *m* bajo, tasa *f* baja. ② [헐한 이율] tipo *m* barato, tasa *f* barata. ～의 이자(利子)로 a interés de tipo barato.
저음(低音) ① [낮은 소리. 낮은음] sonido *m* de tono bajo, voz *f* baja. ～으로 노래하다 cantar en voz baja. ② 【음악】 [베이스] bajo *m*. ～으로 노래하다 tener voz de bajo.
■～ 가수 bajo *m*. ～부 bajo *m*. ～부 기호 clave *f* de fa. ～ 악기(樂器) contrabajo *m*, bajo *m*.
저의(底意) intención *f* oculta [encubierta · secreta], segunda intención *f*. ～가 있는 de intención encubierta, de [con] segunda intención.
저이 aquella persona *f*; [남자] aquel hombre *m*; [여자] aquella mujer *f*; aquél, -lla *mf*; él, ella *mf*.
저이들 aquellas personas *fpl*; [남자] aquellos hombres *mpl*; [여자] aquellas mujeres *fpl*; ellos, ellas *mf*; aquéllos, -llas *mf*.
저인망(底引網) red *f* barredera, red *f* de (pesca de) arrastre, jábega *f*, jorro *m*, red *f* de jorro. ～을 치다 hacer pesca de arrastre, pescar con red de arrastre. 어부들은 ～으로 청어를 잡고 있었다 Los pescadores estaban pescando arenque con red de arrastre. ☞트롤(trawl)
■～ 어선 barca *f* pesquera (utilizada para hacer pesca de arrastre), bou *m*. ～ 어업 pesca *f* con red barredera, pesca *f* de arrastre.
저임(低賃) ((준말)) ＝저임금(低賃金).
저임금(低賃金) sueldo *m* bajo, salario *m* bajo, poco sueldo *m*, salario *m* escaso. ～으로 일하다 trabajar a poco sueldo [salario]. ～을 받는 사람 persona *f* que recibe un salario bajo [pequeño], persona *f* mal pagada.
■～ 정책 política *f* de sueldo bajo.
저자 ① [가게] tienda *f*. ② [장] plaza *f*, mercado *m*. ③ ((속어)) mercado *m*.
◆저자(를) 보다 comprar las cosas en el mercado.
■～ㅅ거리 las calles (de la ciudad), centro *m* comercial.
저자(著者) ((준말)) ＝저작자(著作者). ¶～ 불

명(不明)의 anónimo. ~ 불명의 책 libro *m* anónimo. ~의 서명 autógrafo *m* del autor.
■ ~ 미상(未詳) anónimo *m*, autor *m* desconocido.

저자세(低姿勢) actitud *f* conciliadora, actitud *f* moderada. ~를 취하다 tomar una actitud conciliadora [moderada].

저작(詛嚼) masticación *f*, mascadura *f*. ~하다 masticar, mascar. 음식을 ~하다 masticar *su* comida bien.
■ ~구(口) mandíbula *f*. ~근 músculo *m* masticatorio, músculo *m* masetérico. ~력 poder *m* digestivo. ~ 운동 movimiento *m* masticatorio. ~ 장애 dismasesis *f*.

저작(著作) escrito *m*, escritura *f*, obra *f* literaria, producción *f* literaria, redacción *f* de las obras. ~하다 escribir (libros). ~을 업으로 하다 vivir de *su* pluma, vivir de *sus* escritos.
■ ~자 autor, -tora *mf*, escritor, -tora *mf*.

저작가(著作家) escritor, -tora *mf*, autor, -tora *mf*, hombre *m* de letras.
■ ~ 협회 la Asociación de Autores.

저작권(著作權) derechos *mpl* de autor, derecho *m* de propiedad del autor, derechos *mpl* de reproducción, propiedad *f* literaria, *copyright ing.m*. ~으로 보호하다 registrar los derechos (de), obtener el copyright (de). ~을 소유하다 tener los derechos (de), tener el copyright (de). 이 작품(作品)에는 ~이 있다 Esta obra tiene derechos de autor. 이 영화는 ~으로 보호받는다 Todos los derechos de esta película están reservados / Esta película está protegida por copyright.
◆ 국제(國際) ~ *copyright m* internacional. 만국(萬國) ~ 조약(條約) convención *f* universal sobre los derechos de autor.
■ ~ 대리업 agencia *f* literaria. ~ 대리인 agente *m* literario, agente *f* literaria. ~ 등록 registro *m* de derechos de autor. ~법 ley *f* de propiedad intelectual, ley *f* sobre derechos de autor. ~ 보호 기간 duración *f* de validez de derechos de autor. ~ 사용료 derechos *mpl* de autor, royalties *ing.mpl*. ~ 소유 Todos los derechos reservados. ¶ 전체건 부분이건 복제와 번역의 ~ (는 본사에 있음) *Cuba* Reservados todos los derechos de reproducción y traducción, total o parcial ((Guía de la Habana Vieja)). ~ 소유자[소지자] titular *mf* de derechos de autor, titular *mf* del Copyright. ¶~들의 사전 서면 허락 [동의] 없이는 이 책의 전체나 일부의 복제를 불허함 No está permitida la reproducción total o parcial de este libro sin el permiso previo [sin el consentimiento previo] y por escrito de los titulares del Copyright. ~의 서면 동의 없이는 어떠한 방법으로도 복제를 불허함 Prohibida la reproducción por cualquier medio sin permiso escrito del titular de derechos de autor. ~자 =저작권 소유자. ~ 침해 violación *f* de derechos de autor, piratería *f* (literaria). ~ 침해 복사 copia *f* pirata. ~ 침해자 pirata *mf*.

저작물(著作物) obras *fpl*, escritos *mpl*.
■ ~ 보호 조약 convención *f* para la protección de las obras literarias y artísticas.

저장(貯藏) almacenamiento *m*, provisión *f*, reserva *f*, [보존] conservación *f*, [과실의] conserva *f*. ~하다 almacenar, conservar; [과실·야채를] hacer conserva (de), poner en conserva. 겨울에 대비해 식량을 ~하다 hacer provisión de comida para el invierno.
◆ 냉동(冷凍) ~ refrigeración *f*.
■ ~고 almacén *m* (*pl* almacenes), depósito *m*, *Méj* bodega *f*. ~량 cantidad *f* de almacenamiento. ~물 =저장품. ~미 arroz *m* almacenado. ~법 método *m* de reserva. ~소 depósito *m*, almacén *m*, *Chi*, *Col*, *Méj* bodega *f*. ~실 almacén *m*, depósito *m*, *Méj* bodega *f*, [음식용의] despensa *f*. ~ 야채 verduras *fpl* en conserva. ~품 productos *mpl* almacenados, reservas *fpl*, provisiones *fpl*.

저적거리다 ① [힘없는 걸음으로 천천히 걷다] andar arrastrando los pies. ② [겨우 걸음발을 타서 위태롭게 걷다] dar *sus* primeros pasos, tambalearse.
저적저적 tambaleándose.

저적에 =지난번에.

저절로 por sí solo, por sí mismo, solo, de por sí, sin ayuda, espontáneamente, con espontaneidad, automáticamente, naturalmente. 촛불이 ~ 꺼졌다 La vela se apagó por sí sola. 불이 ~ 꺼진다 El fuego se apaga por sí solo. 그것은 ~ 움직인다 Eso se mueve por sí mismo. 창문이 ~ 열렸다 La ventana se abrió por sí sola.

저조(低調) ① [낮은 가락] tono *m* menor, tono *m* bajo, voz *f* baja. ~하다 (ser) bajo. ② [침체함] flojedad *f*, inactividad *f*, inactición *f*. ~하다 (ser) flojo, inactivo. ~한 경기(景氣) situación *f* económica floja. 매상이 ~하다 Las ventas son flojas. ③ [능률이 오르지 않음] baja eficacia *f*. ~한 성적(成績) bajo resultado *m*.

저조(低潮) corriente *f* baja, flujo *m* bajo, el agua *f* baja.

저주(詛呪) maldición *f*, imprecación *f*. ~하다 maldecir, echar maldición, imprecar, hechizar, execrar. ~하는 maldeciente. ~할 execrable. ~ 받은 maldito. ~하여 maldecientemente. ~ 받은 인생(人生) vida *f* maldita. ~의 말을 퍼붓다 soltar una maldición. 모든 것을 ~하다 maldecir de todo. 자신의 불운을 ~하다 maldecir su mala suerte. 전쟁을 ~하다 maldecir la guerra. ~ 받을! ¡Maldito sea! / [여자에게] ¡Maldita sea!

저주파(低周波) 【물리】 baja frecuencia *f*. ~의 de baja frecuencia.
■ ~ 전류 corriente *f* de baja frecuencia.

저지(低地) tierras *fpl* bajas, parte *f* baja. 시내의 ~ parte *f* baja de la ciudad.

저지(沮止) impediment*o m*, estorbo *m*, obstáculo *m*, obstrucción *f*. ~하다 impedir, dificultar, obstaculizar, dificultar, obstruir, estorbar, detener. 적의 침략을 ~하다 impedir la invasión del enemigo. 데모대를 ~하다 detener el avance de los manifestantes.

■~선(線) línea *f* de impedimiento.

저지(영 *judge*) ① [경기의 진행·판정을 맡은 심판원] juez *mf* (*pl* jueces). ② =판단(判斷). 심판(審判).

■~ 페이퍼 ((권투)) papel *m* de jueces.

저지레 estropeo *m*, ruina *f*. ~하다 estropear, arruinar.

저지르다 cometer. 잘못을 ~ cometer un error. 그가 무슨 짓을 저지를지 아무도 모른다 Nadie sabe el disparate que puede cometer.

저질(低質) mala cualidad *f*, *AmL* mala calidad *f*. ~탄 carbón *m* de mala cualidad.

저쪽 aquel lado *m*, aquella dirección *f*, [건너쪽] (allá) otro lado, más lejos, más allá. ~에 en aquella dirección, allá; [멀리] lejos, a lo lejos, en la lejana; [건너편에] más allá de …. ~으로 al otro lado. ~에서 del otro lado. 바다 건너 ~에 allende los mares. 산 너머 ~에 más allá de la montaña. ~으로 가다 ir allá. ~에서 오다 venir de allí. ~을 지나가다 pasar por allí. 조금 더 ~에 un poco más allá. 화장실은 ~입니다 El servicio está allá / Los servicios están allá.

저처럼 ① [저만한 정도로] como aquello, tal. ~ 큰 나무 tal árbol grande. ② [저와 같이] como aquello.

저촉(抵觸) ① [서로 부딪침] frotación *f*, colisión *f*. ~하다 chocar (contra). ② [(법률이나 규칙에) 위배되거나 거슬림] contravención *f*, violación *f*. ~하다 ser contrario (a), ser opuesto (a), chocar (contra), ir contra, infringir (a), contravenir (a). 규칙(規則)에 ~되다 infringir la regla, chocar contra los regulamentos. 법에 ~되다 ser contrario [opuesto] a la ley.

저축(貯蓄) ① [절약하여 한데 모아 둠] ahorro *m*, economías *fpl*, depósito *m*. ~하다 ahorrar(se), economizar. ~을 장려하다 fomentar [estimular] el ahorro. 일전 한 푼의 ~도 없다 no tener ni un centavo de ahorro. 노후(老後)의 ~이 있다 tener economías para *su* vejez. ② [현재의 잉여를 장래를 위해 모아 둠] provisión *f*, reserva *f*. ~하다 reservar, atesorar; [모으다] acumular, amontonar. 힘을 ~하다 reservar *sus* energías.

■~ 보험 seguro *m* de ahorros. ~ 성향(性向) propensión *f* a ahorrar. ~심(心) espíritu *m* de ahorros. ~ 예금 depósito *m* de ahorro. ~ 예금 계좌 cuenta *f* de ahorros, cuenta *f* de depósito, cuenta *f* a plazo. ~ 운동 campaña *f* de ahorros. ~은행 caja *f* de ahorros, banco *m* de ahorros.

저축거리다 cojear, moverse con dificultad. 저축저축 cojeando, moviéndose con dificultad.

저춤거리다 cojear, renquear, *AmL* renguear, moverse y avanzar con dificultad. 저춤저춤 cojeando, renqueando, renqueando.

저춤대다 =저춤거리다.

저층(底層) =밑층.

저퀴 【민속】 espíritu *m* malvado causado por enfermedad.

◆저퀴(가) 들다 estar aquejado de espíritu causado por una enfermedad.

저탄(貯炭) reservas *fpl* de carbón.

■~량 cantidad *f* de carbón. ~장 depósito *m* de carbón.

저택(邸宅) ① [왕후(王侯)의 집] casa *f* regia. ② [규모가 큰 집] palacio *m*, mansión *f*, casa *f* grande, castillo *m*, residencia *f*. 으리으리한 ~ mansión *f* de lujo. ~을 짓다 edificar un palacio.

저토록 tanto. 그는 ~ 일해 싫증을 느낀다 El see siente hastiado de tanto trabajo. ~까지 그를 책망하지 않는 게 좋을 텐데 Hubiera sido mejor no reprocharle tanto.

저통(箸筒) cucharero *m*.

저편(一便) ① =저쪽. ② [저쪽 편의 사람들] otro partido *m*, personas *fpl* del otro lado.

저포(紵布) =모시.

저하(低下) ① [낮아짐] caída *f*, baja *f*, bajada *f*, declinación *f*, caimiento *m*, decadencia *f*, menoscabo *m*, deterioración *f*. ~하다 caer, bajar, declinar, inclinarse hacia abajo, descender, deteriorar. 생산의 ~ aminoración *f* productiva. ~ 기미가 있다 tener tendencia a la baja. 학생들의 학력(學力)이 ~되었다 El nivel de conocimiento de los alumnos ha bajado. 호수의 수위(水位)가 ~되었다 El nivel de agua del lago ha bajado. ② =비하(卑下).

저학년(低學年) grados *mpl* inferiores, cursos *mpl* inferiores, cursos *mpl* elementales, clases *fpl* bajas.

저항(抵抗) ① =대항(對抗)(resistencia, oposición). ¶~하다 resistir(se) (a), oponerse (a), oponer resistencia (a), hacer frente (a). ~할 수 있는 resistible. ~할 수 없는 irresistible. ~ 없이 sin resistencia. 소극적 ~ resistencia *f* pasiva. 강하게 ~하다 resistir obstinadamente. 그들이 ~하면 쏘시오 Si (se) resisten, disparen contra ellos. 그가 나쁜 사람이라고 생각하면 ~을 느낀다 Me resisto a creer que él es malo. 그의 생각하는 방법에는 ~을 느낀다 Me resisto a aceptar su punto de vista. ② 【물리】 resistencia *f*. ③ 【물리】 =전기저항(電氣抵抗). ④ [권력이나 권위·구도덕에 반항(反抗)] resistencia *f*, oposición *f*, desobediencia *f*. ~하다 resistir.

■~가요(歌謠) canción *f* resistente. ~계 ohmímetro *m*. ~권(權) derecho *m* de resistencia. ~기 【전기】 resistencia *f* (eléctrica), resistor *m*. ~력(力) (fuerza *f* de) resistencia *f.* ~률(率) momento *m* de resistencia. ~ 문학 literatura *f* resistente. ~ 상자 【전기】 caja *f* de resistencias. ~선 línea *f* de resistencia. ~성 lo resistente. ~손(損) 【전기】 pérdida *f* óhmica. ~심(心) espíritu *m* de resistencia. ~ 용접(鎔接) soldadura *f* por resistencia. ~ 운동(運動) resistencia *f*, movimiento *m* resistente. ~ 운동자 miembro *mf* de resistencia. ~자(者) resistente *mf.* ~ 정신(精神) espíritu *m* de resistencia. ~ 코일 bobina *f* de resistencia.

저해(沮害) impedimento *m*, traba *f*, estorbo *m*. ~하다 impedir, poner trabas (a), poner obstáculos (a), estorbar, vedar.

저혈압(低血壓) hipotensión *f.* ~의 사람 persona *f* de baja tensión arterial.
■ ~증(症) hipotensión *f.*

저희 ① ((겸사말)) nosotros, -tras. ~들이 그 일을 하겠습니다 Nosotros lo haremos. ② [저 사람들] aquellas personas *fpl.*

적[1] ① [나무나 돌이 금이 가서 떨어진 조각] [나무의] astilla *f* parcial; [유리·뼈·금속의] esquirla *f* (parcial), astilla *f* (parcial). ② [굴의 껍데기를 따 낸 뒤에 아직 굴에 붙어 있는 껍데기 조각] pedazo *m* de cáscara.

적[2] [사물이 어찌 되었을 당시] tiempo *m*, cuando. 밥먹을 ~ cuando se come, tiempo *m* de comer. 어릴 ~에 놀던 곳 lugar *m* de recreo cuando era niño. 그녀는 도시에 갈 ~마다 물건을 산다 Cada vez [Siempre] que ella viene a la ciudad, hace compras.

적(赤) ((준말)) =적색(赤色).

적(炙) pincho *m* de carne de vaca, pincho *m* de pollo.

적(的) ① =과녁(blanco). ② [대상. 목표. 표적] blanco *m*, foco *m*, objeto *m*, centro *m*. 선망의 ~ objeto *m* de la envidia.

적(笛) =저[1].

적(賊) =도둑. 도적.

적(敵) ① [자기와 원수인 사람] enemigo, -ga *mf.* 민중(民衆)의 ~ enemigo *m* del pueblo. 인류(人類)의 ~ enemigo *m* de la humanidad. 불구대천의 ~ enemigo *m* mortal, mortal enemigo *m*. ~을 격파하다 vencer al enemigo. ~을 괴롭히다 baquetear al enemigo, llevar de cabeza al enemigo. ~에게서 도망치다 huir del enemigo. 많은 ~을 만들다 hacerse muchos enemigos. ~을 깔보는 자는 그 손에 죽는다 ((서반아 속담)) Quien su enemigo popa, a sus manos muere. ② [싸움의 상대] adversario, -ria *mf*, opositor, -tora *mf*, antagonista *mf*, rival *mf*, competidor, -dora *mf.* 여론을 ~으로 만들다 oponerse a la opinión pública.
◆가상(假想)~ enemigo *m* imaginario, enemigo *m* hipotético.

적(積) 【수학】 ((구용어))=곱[2]❸.

적(篴) 【악기】 *cheok*, una de las flautas.

적(籍) registro *m* civil; [본적] domicilio *m* legal. ~을 넣다 inscribir en un registro. ~을 빼다 borrar el nombre de uno del registro civil. 대학에 ~을 두다 estar matriculado en una universidad. 그는 서울에 ~이 있다 Su domicilio legal está en Seúl.

-적(的) -ico, -al, -ivo, -rio. 경제~ económico. 기본~ básico, principal. 능동~ activo. 단편~ fraccionario. 동양(東洋)~ oriental. 세계(世界)~ mundial, universal. 문학(文學)~ literario.

적가(嫡家) familia *f* principal.

적갈색(赤褐色) color *m* moreno rojizo, color *m* de las hojas caídas.

적개(敵愾) indignación *f* justificada al enemigo.
■ ~심(心) [적의(敵意)] hostilidad *f*, enemistad *f*, [경쟁심] emulación *f*, rivalidad *f*. ~에 불타다 sentir emulación (hacia), rivalizar (con). ~을 일으키다 excitar [inspirar] hostilidad. A에게 ~을 품다 sentir hostilidad contra A.

적객(謫客) persona *f* en el exilio; exiliado, -da *mf*, exilado, -da *mf.*

적거(謫居) exilio *m*, destierro *m*. ~하다 vivir en el exilio.

적격(適格) competencia *f.* ~의 apto. ~이다 [자격이] ser competente [calificado] (para); [적성이] ser apto (a·para).
■ ~자 competente *mf*, calificado, -da *mf.*

적곡(積穀) reserva *f* de cereales. ~하다 acumular cereales.

적공(積功) acumulación *f* de méritos. ~하다 acumular los méritos.

적괴(賊魁) =적수(賊首).

적괴(敵魁) jefe *m* del enemigo.

적교(吊橋) =현수교(puente colgante).

적구(赤狗) comunista *mf.*

적국(敵國) país *m* enemigo, país *m* hostil.

적군(赤軍) ejército *m* rojo.

적군(賊軍) ejército *m* sublevado, tropas *fpl* rebeldes.

적군(敵軍) tropa *f* enemiga, ejército *m* enemigo, fuerza *f* enemiga.

적굴(賊窟) guarida *f* de ladrones.

적굴(敵窟) guarida *f* de enemigos.

적권운(積卷雲) ((구용어)) =고적운(高積雲).

적극(積極) ① [바싹 다잡아서 활동함] lo positivo. ② [적극적으로] positivamente, activamente.
■ ~성(性) positividad *f.* ¶~이 없다 ser poco emprendedor. ~적 positivo, activo; emprendedor, dinámico. ¶~으로 positivamente, activamente. ~ 의견(意見) opinión *f* positiva. ~(인) 행동 actitud *f* positiva. ~인 자세로 다루다 tratar positivamente, tratar de una manera constructiva. ~ 정책 política *f* positiva. ~주의 ㉮ 【철학】 = 실증론(實證論). ㉯ 【윤리】 positivismo *m*. ¶~의 positivista. ~주의자 positivista *mf.* ~책 medida *f* positiva.

적금(赤金) ① [붉은빛을 띤 금의 합금] aleación *f* de oro rojizo. ② 【화학】 =구리.

적금(積金) ① [돈을 모아 둠] colección *f* de dinero; [모아 둔 돈] dinero *m* coleccionado.

② [일정한 기간마다 일정한 금액을 적립하는 저금] ahorro *m* de plazo, depósito *m* de plazo. 매월 ~을 붓다 depositar [meter] dinero mensualmente.

적기(赤記) escritura *f* roja; [기록] apunte *m* en escritura roja.

적기(赤旗) ① [붉은 기] bandera *f* roja. ② [위험 신호의 기] bandera *f* de señal (peligrosa). ~로 위험을 알리다 avisar el peligro con la bandera de señal. ③ [공산주의를 상징하는 기] la Bandera Roja.

적기(摘記) resumen *m*, sumario *m*, compendio *m*. ~하다 resumir, hacer un resumen (de), compendiar, epitomar.

적기(適期) tiempo *m* oportuno. ~의 oportuno, en tiempo. 지금이 제일 ~이다 Ahora es mejor oportuno.

적기(敵機) avión *m* (*pl* aviones) enemigo, aeroplano *m* enemigo.

적꼬치(炙一) pincho *m*.

적나라하다(赤裸裸一) (ser) desnudo, descubierto; [솔직하다] franco, sincero, abierto. 적나라하게 francamente, sin reserva, sinceramente, abiertamente. 적나라함 desnudez *f*; [솔직함] franqueza *f*. 적나라하게 고백하다 confesar francamente [honestamente].

적남(嫡男) hijo *m* legítimo.

적녀(嫡女) hija *f* legítima.

적년(積年) muchos años. ~의 de muchos años. ~의 공(功) esfuerzos *mpl* de muchos años.

적다[1] [글로 쓰다] escribir, apuntar, anotar, poner escrito, redactar; [서술하다] describir. 연필로 ~ escribir con lápiz. 서반아어로 ~ escribir en español. 선생님의 말씀을 ~ escribir lo que dijo el profesor. 서류(書類)에 이름을 ~ firmar un documento. 전화번호를 적겠습니다 Voy a apuntar el número del teléfono. 전화번호를 적을 테니 잠깐만 기다려 주십시오 ¿Me hace el favor de esperar un momento? Voy a apuntar el número del teléfono.

적다[2] [많지 않다] [양(量)이] (ser) poco, de poco volumen; [수(數)가] pocos, -cas; poco numeroso; [부족하다] faltar, no ser suficiente. 적지 않은 no pocos, no poco, un buen número de, mucho, considerable, suficiente, bastante. 적지 않게 mucho, considerablemente, suficientemente, bastante. 적지 않은 손해(損害) pérdida *f* considerable. 적게 하다 reducir, disminuir, aminorar; [고통을] aliviar. 금액(金額)이 ~ ser poca cantidad. 경험이 ~ tener poca experiencia, no tener mucha experiencia, faltarle experiencia. 그것보다 ~ ser menos que eso. 비용을 적게 하다 reducir [disminuir] los gastos. 그는 경험이 ~ Le falta experiencia / El no tiene mucha experiencia / El tiene poca experiencia. 그 사람은 친구가 ~ El tiene pocos amigos. 나는 친척이 ~ Tengo pocos parientes. 그녀는 친지가 ~ Ella tiene pocos conocidos. 금년에는 우기(雨期)에 비가 ~ Está lloviendo poco en la estación [en la temporada] de lluvias de este año / La estación [La temporada] de lluvias de este año está trayendo poca lluvia. 그 일을 할 수 있는 사람은 ~ Pocos son capaces de hacerlo / Hay pocos que lo puedan hacer.
적어지다 disminuir, decrecer, reducirse. 최근에는 새가 적어졌다 Ultimamente ha disminuido el número de aves / [적게 보이다] Se ven menos aves últimamente.

적다마(赤多馬) ＝절따말.

적당(賊黨) grupo *m* de ladrones.

적당하다(適當一) convenir (a), adaptarse, sentar [venir · ir · quedar] bien (a), ser adecuado [conveniente · apto · apropiado · adaptado] (para), adecuarse, ser congenial (a), probar*le* bien a *uno*. 적당한 conveniente, adecuado, moderado, apropiado, pertinente; [시의(時宜)를 얻은] oportuno, tempestivo; [이상적(理想的)인] ideal. 적당함 conveniencia *f*. 적당한 가격 precio *m* razonable, precio *m* moderado. 적당한 음주(飮酒) bebida *f* moderada. 이 일에 적당한 사람 persona *f* apta [idónea] para este trabajo. 살기에 적당한 땅 tierra *f* adecuada para vivir. 크기가 적당한 지팡이 bastón *m* (*pl* bastones) de tamaño apropiado. 중류층 사람들에게 적당한 값 precio *m* moderado al alcance de la gente de clase media. 인종 문제를 알기에 적당한 책 libro *m* adecuado para conocer el problema racial. 적당한 시기를 보아 en *su* debido tiempo. 손에 쥐기에 크기가 적당한 manejable, de tamaño apropiado [conveniente · adecuado]. 적당한 조치를 취하다 tomar una medida adecuada. 적당한 시기를 택하다 elegir el momento oportuno [favorable]. 방을 적당한 온도로 유지하다 mantener la habitación a una temperatura adecuada. …하는 것은 ~ Es conveniente + *inf* [que + *subj*]. 그 말은 적당하지 않다 Esa palabra no es apropiada / Esa no es la palabra adecuada. 그녀는 이 일에 ~ Ella es apta para este trabajo. 그 운동은 여성에게 ~ Ese deporte es adecuado para las mujeres.
적당히 adecuadamente, moderadamente, con moderación. ~ 해 주십시오 Haga lo que mejor le perezca. 그에게는 ~ 말을 해다오 Dile a él lo que mejor te parezca.

적대(敵對) desafío *m*, hostilidades *fpl*, operaciones *fpl* hostiles. ~하다 desafiar, enmistarse (con), oponerse (a), ser hostil, ser antaónico; [저항하다] resistir.
■ ~국(國) país *m* hostil. ~성 hostilidad *f*. ~시(時) consideración *f* con hostilidad. ¶ ~하다 ser hostil, considerar un enemigo. ~하는 태도 actitud *f* hostil ~심(心) sentimiento *m* hostil, espíritu *m* hostil. ~의사 intención *f* hostil, idea f hostil. ~적(的) hostil *adj*. ~ 행위(行爲) actitud *f* hostil, hostilidades *fpl*, operaciones *fpl* hostiles, antagonismo *m*. ¶공공연한 ~ hostilidades *fpl* abiertas.

적대하(赤帶下)【한방】leucorrea *f* de sangre.

적도(赤道)【천문】ecuador *m*. ～의 ecuatorial, ecuatoriano, equinoccial. ～를 넘다 cruzar el ecuador, cruzar la línea del ecuador, pasar la línea ecuatoriana.

◆ 열(熱)～ ecuador *m* térmico. 자기(磁氣)～ ecuador *m* magnético. 지구(地球)～ ecuador *m* terrestre. 천구(天球)～ ecuador *m* celeste.

■～ 기념비 monumento *m* a la mitad del mundo. ～ 무풍대(無風帶) zona *f* de las calmas ecuatoriales;【기상】las calmas ecuatoriales. ～ 반지름 radio *m* ecuatorial. ～비(碑) ＝적도 기념비. ～선(線) línea *f* del ecuador, línea *f* equinoccial. ～의(儀) telescopio *m* ecuatorial, ecuatorial *m*. ～ 전선 frente *f* ecuatorial. ～제 festival *m* del ecuador, paso *m* del ecuador, fiesta *f* de cruce de la línea equinoccial, ceremonia *f* de cruzar el ecuador. ～ 좌표 coordenadas *fpl* ecuatoriales. ～ 해류(海流) corriente *f* ecuatorial.

적도(賊徒) ＝적당(賊黨).

적도(賊盜) ＝도둑. 도적.

적도(適度) moderación *f*, templanza *f*, temperancia *f*, medida *f*, grado *m* conveniente. ～하다 (ser) moderado, templado, parco, mesurado, de cantidad conveniente [adecuada · idónea · propia]. ～하게 moderadamente, mesuradamente, templadamente, propiamente, en [con] moderación, como sea conveniente, sin exceso. ～한 음주(飮酒) bebida *f* moderada. ～한 운동을 하다 hacer un ejercicio moderado. ～하게 마시다 beber moderadamente.

적도 기니(赤道－)【지명】la Guinea Ecuatorial. ～의 guineano. ～ 사람 guineano, -na *mf*.

적도 아프리카(赤道 Africa)【지명】la Africa Ecuatorial.

적동(赤銅) aleación *f* de cobre y oro.

■～광(鑛) cuprita *f*, mineral *m* de óxido cuproso.

적란운(積亂雲) cúmulo *m* (nimbo).

적량(適量) cantidad *f* adecuada, cantidad *f* conveniente; [약(藥)의] dosis *f* (propia). ～을 초과하다 exceder la dosis, comer [beber] excesivamente.

적량(積量) capacidad *f* de cargamento.

적령(適齡) edad *f* apropiada; [결혼의] edad *f* casadera, edad *f* núbil; [징병의] edad *f* propia para [de] reclutamiento.

■～기(期) época *f* de edad propia. ¶결혼～ edad *f* casadera. 결혼 ～의 아가씨 muchacha *f* casadera. ～아(兒) niño, -ña *mf* apropiada para el ingreso escolar. ～자 persona *f* de edad propia.

적례(適例) buen ejemplo *m*, buen precedente *m*. ejemplo *m* apropiado; [전형적인] ejemplo *m* vivo.

적록(摘錄) sumario *m*, resumen *m*, epítome *m*. ～하다 resumir, epitomar, recapitular.

적리(赤痢) ＝이질(痢疾)(disentería). ¶～의 disentérico. ～에 걸리다 contraer disentería, contagiarse de disentería, padecer de disentería.

■～균(菌) bacilo *m* disentérico. ～아메바 ameba *f* diséntrica. ～ 환자 disentérico, -ca *mf*.

적린(赤燐)【화학】fósforo *m* rojo, fósforo *m* amorfo.

적립(積立) acumulación *f*, ahorro *m*, reserva *f*. ～하다 acumular, amontonar, ahorrar, reservar. 돈을 ～하다 reservar dinero.

■～금 reserva *f*. ～ 기금 fondo *m* de reserva. ～ 저금 ＝적금(積金)❷.

적마(赤魔) demonio *m* rojo.

적막(寂寞) soledad *f*, desolación *f*, desolamiento *m*, devastación *f*, asolación *f*, vida *f* solitaria. ～하다 (ser) solitario, desolado, desierto, despoblado, yermo, inhabitado. ～한 광경 vista *f* desolada.

■～감(感) sentido *m* solitario.

적면(赤面) rubor *m*, bochorno *m*, sonrojo *m*. ～하다 ㉮ [얼굴을 붉히다] ponerse colorado, ruborizarse, sonrojarse. ㉯ [부끄럽게 생각하다] avergonzarse, tener vergüenza.

적멸(寂滅) ① ((불교)) ＝열반(涅槃)(nirvana). ¶～하다 entrar en la nirvana, fallecer, morir. ② [죽음] muerte *f*, fallecimiento *m*.

적모(嫡母) esposa *f* legal de *su* padre.

적목(赤木)【식물】＝이깔나무.

적몰(籍沒) confiscación *f*, decomiso *m*. ～하다 confiscar, decomisar.

적바르다 (ser) casi bastante.

적바림 apunte *m*. ～하다 apuntar, anotar.

적반하장(賊反荷杖) El ladrón ataca al amo con un garrote / El ladrón se rebela contra el amo con el palo.

■～자(者) denunciante *mf*; denunciador, -dora *mf*.

적발(摘發) revelación *f*, denuncia *f*, delación *f*. ～하다 revelar, delatar, denunciar; [폭로하다] descubrir. 오직(汚職)을 ～하다 descubrir un caso de corrupción. 위반자(違反者)를 ～하다 denunciar al infractor. 죄악을 ～하다 delatar un crimen.

■～자(者) denunciador, -dora *mf*, acusador, -dora *mf*.

적법(適法) legalidad *f*. ～의 legal, legítimo, justo, conforme a la ley legítima; [법에 저촉 없이] lícito.

■～ 상속인 heredero *m* legítimo, heredera *f* legítima. ～성(性) legitimidad *f*. ～ 조치 medida *f* legal. ～ 행위 acto *m* [actitud *f*] legal.

적병(敵兵) soldado *m* enemigo, tropas *fpl* enemigas.

적부(適否) propiedad *f*, lo apropiado, lo adecuado, aptitud *f*, capacidad *f*, propiedad o impropiedad, conveniencias e inconveniencias. 인물의 ～ aptitud *f* de una persona. 장소의 ～ aptitud *f* de un lugar. 직업의 ～ aptitud *f* de empleo. ～를 논하다 discutir las conveniencias e inconveniencias (de).

적부루마(赤－馬) caballo *m* que se mezclan

el color rojo y el color blanco.

적부적(適不適) propiedad o impropiedad.

적분(積分) 【수학】 integración *f*, cálculo *m* integral. ~하다 integrar. ~의 integral.
■~ 곡선(曲線) curva *f* integral. ~ 방정식 ecuación *f* integral. ~법 integración *f*. ~학 cálculo *m* integral. ~ 함수 función *f* integral.

적분(積忿) rencor *m* reprimido, rencor *m* contenido, indignación *f* reprimida, indignación *f* contenida.

적비(赤匪) =공비(共匪)

적비(賊匪) banditos *mpl*, bandoleros *mpl*.

적빈(赤貧) mucha pobreza, pobreza *f* extrema, indigencia *f*, miseria *f*, penuria *f*. ~하다 (ser) muy pobre, estar sin una blanca, no tener dónde caerse muerto, estar pelado. ~한 pelado, pobretón (*pl* pobretones). 그는 ~하기 짝이 없다 El vive en pobreza extrema / El vive tan pelado como un ratón de sacristía.

적산(敵産) propiedad *f* enemiga.
■~ 관리인 administrador, -dora *mf* de propiedad enemiga.

적산(積算) adición *f*, integración *f*. ~하다 adicionar, integrar.
■~법 integración *f*.

적삼 *cheoksam*, chaqueta *f* sin forro para el verano.
◆적삼 벗고 은가락지 낀다 portarse [comportarse] indebidamente.

적새 [암키와] teja *f* hembra.

적색(赤色) ① [붉은 빛깔] color *m* rojo. ~의 rojo, del color rojo. ~ 잉크 tinta *f* roja. ② [공산주의를 상징하는 빛깔] Rojo *m*, comunista *mf*.
■~ 노동조합 sindicato *m* rojo. ~ 리트머스 tornasol *m* rojo. ~ 리트머스 시험지 papel *m* (de) tornasol rojo. ~맹(盲) eritropsia *f*, aneritropsia *f*. ~분자 rojo, -ja *mf*, comunista *mf*, elemento *m* rojo, republicano *m* rojo. ~ 인터내셔널 la Internacional Roja. ~종(腫) eritroforoma *m*. ~ 충혈(充血) rubrostasis *f*. ~ 테러 terrorismo *m* rojo. ~ 폭력(暴力) =적색 테러. ~ 혁명 revolución *f* roja.

적서(嫡庶) [적자(嫡子)와 서자(庶子)] el hijo legítimo y el (hijo) natural.

적선(賊船) =해적선(海賊船).

적선(敵船) barco *m* [buque *m*] enemigo.

적선(積善) acumulación *f* del hecho virtuoso, acumulación *f* de buenas obras. ~하다 acumular los hechos virtuosos.

적설(積雪) nevada *f*, nieve *f* amontonada, nieves *fpl*. ~이 3미터에 달했다 La nevada alcanzó tres metros / La nieve se amontó hasta tres metros de profundidad.
■~량 nevada *f*. ~ 조사 inspección *f* de nevada. ~ 한랭지 el área *f* nevosa y fría.

적성(赤誠) sinceridad *f*.

적성(適性) aptitud *f*, idoneidad *f*. ~의 adoptado. ~이 있다 (ser) apto (a · para), idóneo (a · para).
■~ 검사 examen *m* de aptitud, examen *m* de cualidad, examen *m* de adaptabilidad.

적성(敵性) carácter *m* de enemigo; [적의(敵意)] hostilidad *f*. ~을 나타내다 mostrar hostilidad.
■~ 국가 país *m* hostil, país *m* enemigo.

적소(適所) lugar *m* conveniente [propio · idóneo], posición *f* conveniente [propia].

적소(謫所) lugar *m* de exilio.

적손(嫡孫) posteridad *f* legal, nieto *m* legítimo [heredero · mayor].

적송(赤松) pino *m* rojo.

적송(積送) embarque *m*, envío *m*, remesa *f*, cargo *m*, cargamento *m*. ~하다 enviar, despachar, consignar. 상품을 ~하다 despachar [enviar] mercancías.
■~인 consignador, -dora *mf*. ~품 envío *m*, remesa *f*, consignación *f*, mercancías *fpl* consignadas.

적쇳가락(炙一) palillos *mpl* grandes y gordos de alambre.

적수(赤手) =맨손(mano vacía). ¶~로 manivacío, sin armas.
■~공권(空拳) manos *fpl* vacías y puños desnudos. ¶~으로 [자금 없이] sin recursos; [무기 없이] sin armas.

적수(敵手) rival *mf*, competidor, -dora *mf*, antagonista *mf*, adversario, -ria *mf*, oponente *mf*. 나는 그의 ~가 되지 못한다 De ninguna manera compito con él / El vale mucho más que yo.
◆호(好)~ buen rival *m*, buena rival *f*, buen competidor *m*, buena competidora *f*.

적수(敵讐) =원수.

적습(賊習) =도벽(盜癖).

적습(敵襲) ataque *m* [asalto *m*] del enemigo.

적승자(赤繩者) =월하빙인(月下氷人).

적시(適時) tiempo *m* oportuno, tiempo *m* conveniente. ~의 oportuno, conveniente.
■~적지(適地) la hora y el lugar oportunos. ~타(打) golpe *m* oportuno.

적시(敵視) ((준말)) =적대시(敵對視)(mirada hostil). ¶~하다 mirar con hostilidad, considerar como enemigo.

적시다 ① [액체를 묻혀서 젖게 하다] mojar, humedecer (con líquido), empapar, remojar, sumergir. 목을 ~ [자신의] humedecerse la garganta. 입술을 ~ [자신의] humedecerse los labios. 해면(海綿)에 물을 ~ empapar [embeber] una esponja en el agua. 입에 탈지면을 ~ meter en la boca el algodón absorbente. 옷에 물을 ~ mojar la ropa. 손수건을 물에 ~ empapar un pañuelo en el agua. 발을 물에 ~ mojarse los pies en el agua. 펜을 잉크에 ~ mojar la pluma en tinta. 손가락에 물을 ~ meter un dedo en agua. ② [정조(貞操)를 빼앗아 더럽히다] violar.

적신(賊臣) rebelde *mf*, traidor, -dora *mf*.

적신호(赤信號) ① [교통 기관의 정지 신호] luz *f* (*pl* luces) roja, semáforo *m* en rojo. ② [위험 신호] señal *f* roja, señal *f* peli-

grosa. 건강에 대한 ~ señal *f* roja de la salud.
적실(嫡室) =정실(正室). 본처(本妻).
적실하다(的實-) (ser) exacto, puntual.
적실히 exactamente, puntualmente.
적심 flotación *f* de maderas hacia río abajo.
적심(赤心) corazón *m* sincero. ~을 토로하다 revelar *su* sinceridad.
적심(賊心) ① [도둑질할 마음] propensión *f* a robo. ② [왕가에 반대하는 마음] intención *f* traidora, espíritu *m* rebelde, espíritu *m* insurrecto.
적십자(赤十字) ① [흰 바탕에 붉게 십자형을 그린 휘장] cruz *f* roja. ② ((준말)) =적십자사.
◆국제 ~ 위원회 el Comité Internacional de la Cruz Roja. 남북 ~ 회담 las Conversaciones entre Sociedades de la Cruz Roja de Corea del Norte y del Sur.
▪~ 구호반 ambulancia *f* [cuerpo *m* de socorro] de la Sociedad de la Cruz Roja. ~기 bandera *f* de la Cruz Roja. ~ 병원 el Hospital de la Cruz Roja. ~사 la Sociedad de la Cruz Roja. ¶대한 ~ la Sociedad de la Cruz Roja de Corea. 만국 ~ la Cruz Roja Internacional. ~ 사업(事業) obra *f* de la Cruz Roja. ~의 날 el Día de la Cruz Roja. ~장 (章) medalla *f* de la Cruz Roja. ~정신 espíritu *m* de la Cruz Roja. ~ 조약(條約) convención *f* de la Cruz Roja.
적악(積惡) maldad *f* acumulada, perversidad *f* acumulada, curso *m* largo de vida perversa.
적약(適藥) medicina *f* específica.
적어도 a lo menos, por lo menos, al menos, cuando menos; [최소로도] como mínimo. ~ 한 번 al [a lo·por lo] menos una vez. ~ 90점은 받고 싶다 Quiero sacar por lo menos noventa puntos. ~ 백만 원은 들겠지오 Le costará a usted por lo menos un millón de wones.
적업(適業) vocación *f* adecuada.
적역(適役) puesto *m* adecuado, puesto *m* propio, papel *m* adecuado. 이 일에는 그가 ~이다 El es la persona adecuada [apropiada] para este trabajo / Este trabajo le irá a él como el anillo al dedo.
적역(適譯) buena traducción *f*, traducción *f* buena [exacta] ~하다 dar traducción [translación] buena. …에 ~을 붙이다 traducire *algo* con precisión [con exactitud]. 이것은 ~이다 Esta traducción es exacta [buena].
적연하다(寂然-) (ser) silencioso, quieto, solitario, desierto, inhabitado.
적연히 silenciosamente.
적열(赤熱) rojo *m* vivo. ~의 al rojo vivo.
적외선(赤外線) rayos *mpl* infrarrojos, radiación *f* infrarroja. ~의 infrarrojo. ~으로 피부를 태우다 cocer con rayos infrarrojos.
▪~등[램프] lámpara *f* de infrarrojos, lámpara *f* infrarroja. ~ 분광기 espectroscopio *m* de infrarrojo. ~ 사진(寫眞) fotografía *f* infrarroja. ~ 요법 terapia *f* infrarroja. ~ 카메라 cámara *f* de infrarrojo. ~ 필름 película *f* infrarroja, película *f* de infrarrojos. ~ 현미경 microscopio *m* infrarrojo, microscopio *m* de rayos infrarrojos.
적요(摘要) sumario *m*, resumen *m*, extracto *m*, compendio *m*, sinopsis *f*, [책의] epítome *m*.
▪~란(欄) columna *f* de apostillas.
적요하다(寂寥-) (ser) solitario, aislado, desierto, desolado.
적용(適用) aplicación *f*. ~하다 aplicar. ~할 수 있는 aplicable. ~할 수 없는 inaplicable. A를 B에 ~하다 aplicar A a B. 규칙에 ~하면 según la regla. 이론을 현실에 ~하다 aplicar la teoría a la realidad. 이 법률은 외국인에게는 ~되지 않는다 Esta ley no se aplica a los extranjeros. 갑(甲)에 ~되는 것은 을(乙)에도 ~된다 Si está bien que uno lo haga, está bien que lo haga cualquiera. 그 규칙은 모든 경우에 ~될 수 있다 Esa regla es aplicable a todos los casos. 네 의견은 이 경우에는 ~되지 않는다 Tu opinión no encaja [está fuera de lugar] en este caso. 이 이론은 남아메리카에서는 ~되지 않는다 Esta teoría no es aplicable a la América del Sur. 이 설명은 모든 경우에 ~되는 것은 아니다 Esta explicación no sería aplicada a todos casos.
적우(適雨) lluvia *f* oportuna [conveniente].
적우(積憂) angustia *f* de raíces profundas.
적운(積雲) cúmulo *m*.
적울(積鬱) melancolía *f* profunda, melancolía *f* de raíces profundas, melancolía *f* profundamente arraigado. ~하다 consumir, arder. 그의 감정은 수년간 ~했다 Su pasión siguió consumiéndolo durante años. 그의 눈은 격정으로 ~했다 Sus ojos ardían de pasión.
적원(積怨) rencor *m* de raíces profundas, rencilla *f* amarga, resentimiento *m* amargo.
적위(赤緯)【천문】declinación *f*.
적응(適應) adaptación *f*, aptitud *f*. ~하다 adaptarse (a), acostumbrarse (a); [기후(氣候)·풍토(風土)에] aclimatarse (a). ~시키다 adaptar. A를 B에 ~시키다 adaptar A a B. 새로운 환경에 ~하다 adaptarse al nuevo ambiente. 나는 어떤 것에도 잘 ~한다 Yo soy muy adaptable / Yo me adapto [me amoldo] a cualquier cosa. 그녀는 혼자 사는 것에 ~할 수 없다 Ella no puede adap-tarse a vivir sola.
▪~력 poder *m* de adaptación. ~설 teoría *f* de adaptación. ~성(性) adaptabilidad *f*, capacidad *f* de adaptación, flexibilidad *f*. ~증 indicaciones *fpl*. ~ 형질(形質) carácter *m* adaptativo.
적의(敵意) hostilidad *f*, enemistad *f*, adversidad *f*. ~가 있는 hostil. ~를 보이다 mostrar hostilidad. ~를 품다 sentir hostilidad (por·contra), guardar hostilidad, guardar

enemistad; [상태] ser hostil con *uno*. ～를 상실하다 dejarse abatir por la adversidad. ～ 있는 태도를 취하다 tomar una actitud hostil.

적의하다(適宜－) (ser) adecuado, apropiado, conveniente, apto. 적의함 conveniencia *f*. 적의하게 según las circunstancias, según la conveniencia, como sea conveniente; [가늠] a *su* discreción; [임의] como quiera. 적의한 조치(措置) arreglo *m* conveniente, arreglo *m* discrecional. 적의하게 조치하다 despachar con discreción, hacer como convenga. 적의한 조치를 취하다 tomar las medidas adecuadas. 적의하게 생각되는 것을 하십시오 Haga lo que mejor le parezca.

적의하다(適意－) ser apto para intención.

적이 un poco, ligeramente, levemente. 그 소식에 ～ 당황했소 Estoy levemente confundido con la noticia.

적이나 ① [약간이라도. 다소라도] un poco por lo menos. 그가 ～ 후회하니 다행이다 Me alegro que él arrepintió un poco por lo menos. ② ＝적이.

적임(適任)) ① [임무에 적당함] aptitud *f*, capacidad *f*, adecuación *f*, competencia *f*, propiedad *f*, idoneidad *f*. ～의 apto (para), adecuado (para), apropiado (para), competente, habilitado, idóneo. ～이 아닌 inepto, incapaz, inhábil, impropio, indigno, incompetente. ～이다 ser apto [adecuado・apropiado] (para). 그는 이 일에 ～이다 El es adecuado para este trabajo. ② ＝적임자.

■～자 persona *f* adecuada, persona *f* apta, persona *f* idónea, hombre *m* competente.

적자(赤子) ① [갓난아이] bebé *m*; nene, -na *mf*; infante, -ta *mf*; criatura *f*. ② [백성(百姓)] pueblo *m*.

적자(赤字) ① [교정(校正)에서, 오식(誤植) 등을 바로잡기 위해 적은 붉은빛의 글자] letras *fpl* rojas. ② [장부에서, 수입을 초과한 지출로 잔고(殘高)가 부족일 때 적은 붉은 글씨의 숫자] número *m* de letras rojas. ③ [수지 결산 등에서 지출이 수입보다 많은 일] cifra *f* roja, déficit *m*. ～의 deficitario. ～를 내다 llevar cifra roja, arrojar [tener] déficit. ～를 메우다 cubrir el déficit. ～ 상태(에 있)다 estar en déficit. 지난 달 우리 가족은 ～였다 El mes pasado no llegamos a cubrir los gastos en la familia. 그 회사는 ～에서 벗어났다 La compañía salió del déficit. 매년 1천만 원의 ～가 있다는 것을 나는 알고 있다 Sé que todos los años hay un déficit de diez millones de wones.

■～ 결산 liquidación *f* no balanceada. ～ 경영 operación *f* deficitaria. ～ 공채 bono *m* para cubrir el déficit. ～선 línea *f* de ferrocarril operado en el déficit. ～ 예산 presupuesto *m* deficitario [en déficit・desequilibrado・no equilibrado・no nivelado]. ～ 운영 operación *f* deficitaria. ～ 융자 préstamo *m* para cubrir el déficit. ～ 재정 finanzas *fpl* deficitarias, déficit *m* financiero, financiación *f* con déficit. ～ 증가 crecimiento *m* desequilibrado. ～ 지출 gastos *mpl* deficitarios. ～ 지출 정책 política *f* de gastos deficitarios.

적자(賊子) hijo *m* réprobo, hijo *m* ingrato.

적자(嫡子) hijo *m* legítimo.

적자(適者) persona *f* más adecuada.

■～생존(生存) supervivencia *f* [sobrevivencia *f*] de los más aptos [de los mejores adaptados・de los más idóneos]. ¶～의 법칙 ley *f* de la supervivencia de los más aptos.

적잖다 ((준말)) ＝적지 아니하다. ¶나는 그에게 적잖은 신세를 졌다 Yo le debo mucho a él / Estoy en mucha deuda con él por todo lo que ha hecho / Le estoy [Le quedo] muy agradecido por todo lo que ha hecho.

적잖이 muy, mucho.

적장(賊將) jefe *m* de los ladrones.

적장(嫡長) hijo *m* mayor legítimo y nieto mayor legítimo.

■～자 primogénito *m* [hijo *m* mayor] de la esposa legítima.

적장(敵將) general *m* enemigo, jefe *m* de los enemigos.

적재(摘載) apunte *m* de punto esencial. ～하다 apuntar el punto esencial.

적재(適材) persona *f* a propósito, talento *m*. ～를 적소에 배치하다 poner a una persona en el lugar que corresponde, poner a cada talento un lugar más a propósito.

■～적소 Cada cosa en su lugar / Un sitio para cada cosa y cada cosa en su sitio.

적재(積財) amontonamiento *m* de la riqueza [de la fortuna]. ～하다 amontonar la riqueza [la fortuna].

적재(積載) cargamento *m*. ～하다 cargar. …로 ～된 cargado de *uno*. 30톤 ～ 트럭 camión *m* de treinta toneladas.

■～량 carga *f*, [적재할 수 있는 용량] capacidad *f* de carga. ～용 트럭 carretilla *f* elevadora. ～ 톤수 tonelaje *m* de capacidad.

적적하다(寂寂－) (ser) solitario, desolado, desierto, desconsolado. 적적한 곳 lugar *m* solitario. 적적해지다 quedarse triste, ponerse triste, entristecerse. 적적하게 지내다 vivir un vida solitaria, vivir solitario, vivir en la soledad. 적적한 만년(晩年)을 보내다 pasar la última etapa de la vida en la soledad. 적적한 듯한 얼굴을 하다 tener la cara larga. 당신이 없으니 ～ Te echo (mucho) de menos / *AmS* Te extraño (mucho). 혼자 있으면 ～ La soledad me entriste. 담배가 없으면 입 안이 ～ Sin tabaco parece que me falta algo en la boca. 적적히 solitariamente, en la soledad, tristemente, con tristeza.

적전(敵前) enfrente del enemigo. ～의 enfrente del enemigo, cara a cara con el enemigo, en presencia del enemigo. ～에 상륙(上陸)하다 desembarcar frente al enemigo. ~에서 도망가다 huir bajo el fuego enemigo.

■~ 도하(渡河) pasaje *m* del río delante del enemigo. ~ 상륙(上陸) desembarco *m* en presencia del enemigo.

적절하다(適切-) (ser) conveniente, adecuado, propio, propiado, pertinente, preciso, idóneo, atinado, pintiparado. 적절함 conveniencia *f*, pertinencia *f*. 적절한 말 palabra *f* precisa, palabra *f* oportuna, palabra *f* idónea. 적절한 비유 metáfora *f* a propósito, metáfora *f* adecuada. 적절한 평가를 하다 hacer una valoración justa. 제목(題目)은 내용에 적절하지 못하다 El título no corresponde al contenido.

적절히 adecuadamente, apropiadamente, acertadamente, atinadamente, con acierto. 그가 ~ 표현한 것처럼 como él expresó con acierto.

적정(滴定)【화학】titración *f*, titulación *f*, valoración *f*. ~하다 titrar, titular.

적정(適正) convenciones *fpl*, normas *fpl*. ~하다 (ser) apropiado, propio, justo, razonable.

■~ 가격 precio *m* razonable, precio *m* apropiado. ~ 규모 escala *f* adecuada.

적정(敵情) situación *f* [posición *f*・condición *f*・movimiento *m*] del enemigo.

적조(赤潮) marea *f* roja.

적중(的中) acertamiento *m*, blanco *m*, diana *f*. ~하다 acertar en el blanco, dar en el blanco. ~시키다 acertar, atinar; [급소에] herir en lo vivo. 그의 예언은 ~했다 Su predicción se ha hecho realidad. 그는 크게 ~시켰다 [복권에서] El ha ganado un gran premio / A él le ha tocado el gordo. 그는 복권이 ~되었다 [우연히] A él le ha tocado la lotería. 그는 마권(馬券)이 ~했다 [추리에 의해] Le acertaron los billetes de apuestas. 일기 예보(日氣豫報)가 ~했다 Ha acertado el pronóstico del tiempo. 그의 예상은 잘 ~한다 El suele acertar en sus predicciones.

■~률 tasa *f* de acertamiento.

적중하다(適中-) (ser) muy adecuado, apropiado.

적지(敵地) territorio *m* enemigo.

적지 아니하다 =적지않다.

적지않다 (ser) un buen número (de). 그 소식은 적지않은 사람을 놀라게 했다 La noticia sorprendió a un buen número de personas. 그들 중의 적지않은 사람들이 불평했다 Un buen número de ellos se quejó.

적지않이 mucho, a un buen número (de).

적진(敵陣) campo *m* enemigo, posición *f* enemiga, línea *f* enemiga. ~을 돌파하다 romper [forzar] la línea enemiga.

적처(嫡妻) esposa *f* legítima.

적철광(赤鐵鑛)【광물】hemetites *f*.

적출(摘出) extracción *f*, escogimiento *m*, revelación *f*,【외과】extirpación *f*. ~하다 extraer, sacar (por operación), arrancar, extirpar.

■~술(術) exéresis *f*.

적출(嫡出) legitimidad *f*. ~의 legítimo.

■~자(子) hijo *m* legítimo.

적출(積出) =출하(出荷).

■~항(港) puerto *m* de embarque.

적취(積聚) ① =적체(積滯). ②【한방】indigestión *f* crónica.

적측(敵側) parte *f* enemiga, parte *f* del enemigo.

적치(敵治) reinado *m* enemigo.

적치(積置) apilamiento *m*. ~하다 apilar, amontonar, hacer un montón [una pila] (con).

적침(敵侵) invasión *f* enemiga. ~을 분쇄하다 aniquilar [destrozar] la invasión enemiga.

적탄(敵彈) bala *f* [bomba *f*・granada *f*] enemiga, proyectiles *mpl* enemigos. ~에 쓰러지다 caer bajo la bala enemiga.

적토(赤土) ① =석간주(石間硃). ② [붉은 흙] almagre *m*, almazarrón *m*, ocre *m* (rojo), arcilla *f* roja, tierra *f* roja. ③ [불모의 땅] tierra *f* estéril.

적통(嫡統) línea *f* de los descendientes de la esposa legítima, línea *f* principal de la descendencia.

적파(嫡派) descendientes *mpl* del hijo legítimo, línea *f* principal de la familia.

적평(適評) crítica *f* apropiada, crítica *f* justa. ~이다 ser crítica justa, dar en el blanco. ~을 내리다 criticar justamente.

적폐(積弊) depravaciones *fpl* acumuladas. ~를 일소하다 aniquilar depravaciones grangrenosas.

적포도주(赤葡萄酒) tinto *m*, vino *m* tinto.

■~색(色) rojo *m* granate. ¶~의 rojo granate.

적하(積荷) carga *f*, flete *m*, cargamento *m*, cargazón *m*. ~하다 cargar (las mercancías). ~를 내리다 descargar; [선박에서] desembarcar las mercancías.

■~ 명세서 lista *f* de embarque. ~ 목록 manifiesto *m*, factura *f* de embarque, factura *f* de transporte. ~ 보험 seguro *m* sobre (la) carga. ~ 수령증 recibo *m* de embarque. ~ 안내(案內) información *f* de embarque. ~항 puerto *m* de embarque.

적하(謫下) goteo *m*. ~하다 gotear.

적함(敵艦) barco *m* (de guerra) del enemigo.

적합하다(適合-) ser apto [adecuado・apropiado] (para), conformarse (con), adaptarse (a), convenir (en), ir bien, venir bien, sentar bien, adecuarse, ser congenial (a), probar bien, estar conforme (con), satisfacer, responder (a). 적합함 conformidad *f*, conveniencia *f*, compatibilidad *f*, adaptación *f*. 적합하지 못함 inconveniencia *f*, inconveniente *m*. 목적에 적합한 수단 medio *m* conforme al objetivo, medio *m* que sirve para el fin. 어린이에게 적합한 책 libro *m* apropiado para los niños. 적합하게 하다 adaptar, acomodar, ajustar. 적합하지 않다 no ser apropiado [adecuado・conveniente・oportuno]. A를 B에 적합하게 하다 adaptar [acomodar・ajustar] A a B. 건강에 ~ ser bueno para la salud. 주어진 환경에 ~ adaptarse al ambiente dado. 시대에 적합하게 하다 adaptar [ajustar] *algo* a la época. 기후가 나에게 적합하지 않다 No me prueba bien el clima.

적혈(赤血) sangre *f* roja.

■ ~병(病) eritremia *f.* ~병성 골수증 mielosis *f* eritrémica. ~증 eritrosis *f.*

적혈구(赤血球) glóbulo *m* rojo, hematíe *m*, eritrocito *m.*

■ ~ 감소(減少) eritropenia *f.* ~ 감소증(減少症) eritrocitopenia *f.* ~ 과다증(過多症) hipereritrocitemia *f.* ~ 붕괴 eritroclasis *f*, eritrorrexis *f*, eritrocitorrexis *f.* ~ 증가증 hipercitemia *f.*

적형(嫡兄) hermano *m* mayor (nacido de la esposa legítima).

적화(赤化) conversión *f* al comunismo, bolshevización *f*, sovietización *f.* ~하다 bolshevizar, sovietizar.

■ ~사상(思想) ideología *f* roja. ~ 선전(宣傳) propaganda *f* roja. ~ 운동(運動) movimiento *m* bolchvik, movimiento *m* rojo. ~ 위협 amenaza *f* roja.

적화(赤禍) desastre *m* por el comunismo.

적화(積貨) carga *f*, cargamento *m.*

■ ~ 보험 seguro *m* de cargamento. ~ 증권 valores *mpl* de cargamento.

적확(的確) exactitud *f*, precisión *f*, certeza *f.* ~하다 (ser) preciso, exacto, positivo. ~한 번역(飜譯) traducción *f* exacta. ~한 증거(證據) prueba *f* positiva.

적확히 precisamente, exactamente, de positivo, con precisión. ~ 표현하다 expresar *algo* con precisión.

적환(賊患) angustia *f* del enemigo.

적황(赤黃) ((준말)) =적황색(赤黃色).

■ ~색(色) color *m* amarillo rojizo.

적흑색(赤黑色) color *m* negro rojizo.

적히다 escribirse, ser escrito, ser apuntado, ser documentado. 역사에 적혀 있다 ser escrito en la historia.

전[1] [물건의 위쪽 가장자리가 나부죽하게 된 부분] borde *m* extendido.

전[2] [갈퀴 · 낫 등과 손으로 한 번에 껴안을 정도의 나무 · 꼴 등의 분량] un manojo, un atado.

전[3] ((준말)) =저는. ¶~ 못하겠습니다 Yo no lo hago.

전[4] [1962년 6월 10일의 통화 개혁 때의 보조 화폐 단위] *cheon*, céntimo *m*, *AmL* centavo *m.*

전(田) campo *m.*

전(全) [전체] todo, total, entero, completo. ~ 국민 todo el pueblo. ~ 인류(人類) toda la humanidad. ~ 5권 completo en cinco tomos. ~ 30권의 백과사전 enciclopedia *f* de treinta tomos.

전[1](前) ① [그 전. 이전] antes (de), hace. …하기 ~에 antes de + *inf*, antes (de) que + *subj.* 늙기 ~에 antes de que se haga viejo. 10년 ~에 hace diez años, diez años atrás. 5시 5분 ~에 a las cinco menos cinco. 48시간 ~에 cuarenta y ocho horas antes. 그것보다 4년 ~에 cuatro años antes de eso. 출발 일주일 ~에 ocho días antes de la partida. 날이 새기 ~에 출발하다 partir [salir] antes de amanecer. 스무살 ~이다 no tener veinte años todavía. 그녀가 오기 ~에 출발합시다 Vamos a salir antes de que venga ella. ② [막연히 과거를 이르는 말] pasado. ~에 anteriormente, con anterioridad; [옛날에] antes, antiguamente, antaño, una vez, en otro tiempo; hace mucho (tiempo). ~부터 ㉮ [이전] anteriormente, antes, previamente. ~부터 세워 놓은 계획에 따라 según lo proyectado anteriormente, de acuerdo con el plan previo. ㉯ [미리] (de) antemano, con tiempo. ~부터 연락드린 바와 같이 como le comuniqué de antemano. ㉰ [이미] ya. 나는 그녀를 ~에 만난 일이 있다 Yo la había visto antes. ③ [연대 앞에서 기원전의 뜻] antes de Jesucristo. ~ 500년 quinientos años antes de Jesucristo. ④ [편지나 사연을 상대 앞으로 보냄을 높여 이르는 말] a, para. 아버님 ~ 상서(上書) la carta a mi padre.

전[2](前) [자격 · 직함 따위를 나타내는 명사 앞에 놓이어 과거의 경력을 나타내는 말] ex, ex-, anterior; [챔피언] antiguo. ~ 대통령 ex presidente. ~ 국무 총리 ex primer ministro, ex-premier, el primer ministro anterior. ~ 시대(時代)에 antes, en otros tiempos, antiguamente. 내 ~ 처(妻) mi ex-esposa. 그 여자의 ~ 남편 su ex-esposo. 팀의 ~ 멤버 antiguo miembro *m* [ex-miembro *m*] del equipo.

전(煎) *cheon*, tortilla *f* coreana.

전(甎) adobe *m.*

전(錢) ① [돈의 단위] *cheon*, céntimo *m*, *AmL* centavo *m.* ② [옛날 엽전 열 푼] diez *pun*, diez céntimos, moneda *f.*

전(廛) tienda *f.*

전(轉) ((준말)) =전구(轉句).

전-(全) ① [아주 심한 정도] completo, total, absoluto, perfecto. ~무식(無識) ignorancia *f* total, analfabetismo *m* completo. ② [순전한] puro, sin diluir. ~내기 licor *m* puro.

-전(展) exhibición *f*, exposición *f.* 사진(寫眞)~ exhibición *f* de fotografías, exposición *f* de fotografías. 미술(美術)~ exposición *f* de cuadros. 개인~ Exposición *f* Personal. 2인~ Exposición *f* Bipersonal. 피카소~ Exposición *f* de (las) Obras de Picasso.

-전(傳) biografía *f*, vida *f.* 심청~ biografía *f* de *Simcheong*. 위인(偉人)~ biografía *f* de gran hombre.

-전(殿) palacio *m*, templo *m* budista.

-전(戰) guerra *f*, batalla *f*, combate *m*, lucha *f*, partida *f*, competencia *f*, competición *m.* 사상(思想)~ guerra *f* ideológica. 근대(近代)~ guerra *f* moderna.

전가(田家) casa *f* del agricultor.

전가(全家) toda la casa, toda la familia.

전가(傳家) ¶~의 hereditario.

■ ~지보(之寶) reliquia *f.* ~지보도(之寶刀) espada *f* de reliquia, espada *f* atesorada en la familia, baza *f.*

전가(轉嫁) imputación *f.* ~하다 imputar, echar la culpa a otro. 죄를 ~하다 echar [atribuir · achacar · imputar] la culpa. 책임을 ~하다 atribuir [achacar · imputar · echar] la responsabilidad. 책임을 다른 사람에게 ~하다 imputar a otra la responsabilidad.

전각(前脚) pata *f* delantera, miembro *m* delantero del cuerpo.

전각(殿閣) palacio *m* real.

전각(篆刻) grabado *m* de sellos. ~하다 grabar los sellos.

■ ~가(家) grabador, -dora *mf* de sellos

전간(癲癎) 【의학】 epilepsia *f,* alferecía *f.*

전갈(全蠍) 【동물】 escorpión *m* (*pl* escorpiones), alacrán *m* (*pl* alacranes).

전갈(傳喝) mensaje *m* (verbal), recado *m,* mandato *m, AmS* algo dicho. ~하다 mandar [enviar] un mensaje, enviar [mandar] un recado, enviar palabra, escribir diciendo que …, dar nota a …. ~을 부탁하다 encargar, confiar. ~하신 대로 conforme a la proposición que me ha hecho usted. ~을 전하다 dar [llevar] un mensaje.

전갈자리(全蠍-) 【천문】 Escorpión *m.*

전개(展開) despliegue *m,* desarrollo *m,* desenvolvimiento *m;* [진전(進展)] evolución *f,* 【수학】 desarrollo *m.* ~하다 desplegarse, desarrollarse, desenvolverse. ~시키다 desarrollar, desplegar, desenvolver. 논지(論旨)를 ~하다 desarrollar *su* argumento. 부대를 ~시키다 desplegar una tropa. 사태가 급속히 ~되었다 La situación ha evolucionado [se ha desarrollado] rápidamente. 이야기는 서반아를 무대로 ~된다 El relato se desarrolla en España.

■ ~도 plano *m* desarrollado. ~부 sección *f* de desarrollo. ~식(式) expansión *f.*

전갱이 【어류】 caballa *f.*

전거(典據) autoridad *f,* [출전] referencia *f,* [원전(原典)] fuente *f,* documento *m* original. ~가 있는 auténtico, legítimo. ~를 들다 citar la autoridad, indicar *sus* referencias.

전거(奠居) decisión *f* del lugar de residencia.

전거(轉居) mudanza *f,* traslado *m,* cambio *m* de residencia. ~하다 mudarse, trasladarse, cambiar de residencia. ~를 통지하다 avisar el cambio de domicilio. 금번 상기 주소로 ~했습니다 Me he mudado recientemente a la dirección arriba mencionada [antedicha].

전거리 haz *m* de leña.

전건(前件) asunto *m* anterior.

전건(電鍵) llave *f* eléctrica.

전격(電擊) rayo *m,* sacudida *f* eléctrica.

■ ~ 공습(空襲) bombardeo *m* aéreo. ~ 요법 electrochoque *m.* ~ 작전 operación *f* de relámpago, ataque *m* fulgurante, ataque *m* rápido. ~적 (de) relámpago, fulgurante, rápido. ~전(戰) guerra *f* relámpago.

전경(全景) vista *f* completa, vista *f* general, panorama *m,* todo el paisaje, toda la escena. ~을 촬영하다 sacar una visita panorámica (de). 언덕 위에서 마을의 ~을 보다 dominar una vista panorámica del pueblo desde lo alto de una colina.

전경(前景) primer plano *m,* frente *m.* 그 사진의 ~에 옛 다리가 있다 Vemos un puente viejo en el primer plano de la fotografía.

전경(戰警) ((준말)) =전투 경찰대.

전고(典故) costumbres *fpl* antiguas, tradición *f* rancia.

전고(銓考) selección *f* deliberada. ~하다 seleccionar deliberadamente.

전고(傳告) aviso *m.* ~하다 avisar.

전고(傳稿) *su* biografía para el futuro.

전고(戰鼓) tambor *m* durante la guerra.

전곡 límite *m* del solar de la casa.

전곡(田穀) cereales *mpl* del campo.

전곡(全曲) toda la canción.

전곡(錢穀) el dinero y los cereales.

전골 *cheongol,* plato *m* coreano de carne cocida con variedad de legumbres.

■ ~틀 cazuela *f,* fuente *f* de horno (con tapa).

전공(前功) mérito *m* anterior.

전공(專攻) especialidad *f,* estudio *m* especial. ~하다 especializarse (en), estudiar especialmente, estudiar una especialidad. 국문학(國文學)을 ~하다 especializarse en la literatura coreana. ~이 무엇입니까? ¿En qué se especializa usted? / ¿Cuál es su especialidad? 그녀는 지리학을 ~하고 있다 Ella estudia geografía (como asignatura principal).

■ ~과목 asignatura *f* principal, tema *m* del estudio especial. ~의(醫) médico, -ca *mf* especial.

전공(電工) ((준말)) ① =전기 공업(電氣工業). ② =전기공(電氣工).

전공(戰功) mérito *m* militar, hazaña *f* militar, servicios *mpl* meritorios [distinguidos] en la guerra. ~에 의해 por *sus* servicios meritorios en la guerra. ~을 세우다 destacarse en la guerra.

■ ~비 monumento *m* al mérito militar. ~탑 pagoda *f* al mérito militar. ~ 표창장 mención *f.* ¶~을 수여하다 otorgar una mención.

전과(全科) curso *m* completo, todo curso de estudios (en un colegio).

■ ~ 의사(醫師) médico, -ca *mf* de medicina general; médico, -ca *mf* de cabecera. ~ 참고서 libro *m* de referencia del curso completo.

전과(前科) crimen *m* [ofensa *f*] anterior [precedente]. ~가 있다 tener antecedentes criminales. ~ 삼범(三犯) con tres crímenes precedentes. ~ 5범(五犯)의 남자 hombre *m* de cinco antecedentes policiales.

■ ~자(者) ex-recluso, -sa *mf,* ex-presidario, -ria *mf*, recluso, -sa *mf* [presidiario, -ria *mf*] de antecedentes criminales; ex-reo *mf*.

전과(前過) culpa *f* anterior.

전과(專科) curso *m* especial.

전과(戰果) frutos *mpl* de una batalla, logros *mpl* militares, resultado *m* de la guerra, victoria *f*, ganancia *f*. ~를 올리다 ganar por la guerra. ~를 확대하다 ensanchar la ganancia de la guerra. 혁혁한 ~를 올리다 lograr una brillante victoria.

전과(轉科) cambio *m* de *su* estudio principal.

전관(全館) ① [모든 관(館)] todos los pabellones. ② [그 관(館)의 전체] todo el pabellón.

전관(前官) predecesor, -sora *mf*, antecesor, -sora *mf*. ~예우(禮遇) privilegio *m* de *su* ex-antecesor.

전관(專管) jurisdicción *f* exclusiva.

■~ 수역(水域) zona *f* pesquera exclusiva.

전광(電光) ① =번개. 번갯불(relámpago). ② [전기 등의 불빛] luz *f* eléctrica, chispa *f* eléctrica, rayo *m* eléctrico.

■~게시판 tabla *f* de anuncio con letras eléctricas. ~ 뉴스 noticias *fpl* de letras eléctricas, cinta *f* eléctrica de noticias. ~ 석화(石火) ㉮ [극히 짧은 시간] tiempo *m* muy corto. ㉯ [아주 신속한 동작] movimiento *m* muy ágil. ¶~처럼 como un rayo, como un relámpago, como un centello. ~ 요법 electrofototerapia *f*. ~판 ((준말)) =전광게시판.

전광(癲狂) locura *f*, demencia *f*, insensatez *f*.

전교(全校) toda la escuela, la escuela entera. ~에서 가장 근면한 학생 el estudiante más asiduo de la escuela.

■~생(生) todos los alumnos [estudiantes] de la escuela.

전교[1](傳敎) [왕의 명령] mandato *m* real.

전교[2](傳敎) [종교를 널리 전도함] misión *f*, evangelismo *m*. ~하다 misionar, propagar.

■~자(者) misionero, -ra *mf*, evangelista *mf*, propagandista *mf*, misionario *m*.

전구(前驅) antecedente *m*. ~의 podromal.

■~ 증상(症狀) pródromo *m*, síntoma *m* precursor, síntoma *m* precedente.

전구(電球) bombilla *f*, *Méj* foco *m*, *Col*, *Ven* bombillo *m*, *RPl* bombita *f*, lamparita *f*, *Chi* ampolleta *f*, *AmC* bujía *f*. 100와트의 ~ bombilla *f* de cien vatios. 갓 없는 ~ bombilla *f* desnuda, bombilla *f* sin pantalla, bombilla *f* al descubierto. ~가 끊겼다 Se ha fundido la bombilla [la luz].

◆백열(白熱)~ bombilla *f* incandescente. 섬광(閃光) ~ bombilla *f* de flash.

■~선(線) filamento *m*.

전국(全一) sopa *f* espesa.

전국(全局) situación *f* general, estado *m* general de asuntos. ~을 살피다 vigilar toda la extensión del asunto [de la cuestión].

전국(全國) todo el país, el país entero, toda la nación, todo el territorio nacional. ~의 nacional. ~을 풍미하다 dominar todo el país. 방송(放送)은 ~에서 청취되었다 La emisión fue escuchada en todo el territorio nacional.

■~구(區) distrito *m* [circunscripción *f*] electoral a la escala nacional. ~구 선거구민 electores *mpl* potenciales de una circunscripción electoral a la escala nacional. ~구제(區制) sistema *m* del districto electoral nacional. ~ 대회(大會) [경기의] competición *f* nacional, competición *f* de atletismo nacional; [콩쿠르] concurso *m* nacional; [회합] conferencia *f* nacional; [정당의] la convención [el congreso]. ¶민주당 ~ la Convención [el Congreso] del Partido Demócrata. ~ 동맹 federación *f* nacional. ~민(民) todo el pueblo. ~ 방송 radioemisión *f* por todo el país. ~적 nacioanl. ¶~인 (규모의) [캠페인] a escala nacional; [어필] a toda la nación. ~으로 a escala nacional, por [en] todo el país, por todas las partes del país. ~인 강우 precipitaciones *fpl* nacionales. ~인 공황 pánico *m* nacional. ~인 단체 organización *f* a escala nacional. ~인 운동 campana *f* a escala nacional. ~ 조합 unión *f* nacional. ~ 중계 cadena *f* nacional, circuito *m* de nación amplia. ~ 중계방송 cadena *f* nacional. ~지 periódico *m* nacional. ~ 체육대회 la Competición de Atletismo Nacional.

전국(戰局) fase *f* [aspecto *m*·marcha *f*] de la guerra, situación *f* de la guerra. ~은 나날이 악화된다 La guerra se vuelve cada día más desfavorable.

전국(戰國) país *m* (*pl* países) en estado de guerra.

■~ 시대(時代) período *m* de guerras civiles [intestinas], período *m* turbulento.

전군(全軍) todo el ejército.

전군(全郡) todo *Gun*, todo el pueblo.

전군(前軍) guardia *f* avanzada.

전군(殿軍) retaguardia *f*.

전권(全卷) ① [모든 권(卷)] todos los volúmenes, todos los tomos. ~을 통하여 por todas páginas. ② [그 권(卷) 전부] todo el volumen, todo el tomo. ~을 통하여 por todo el volumen, por todo el tomo, desde forro hasta forro; [영화의] en película completa. ~을 상영하다 proyectar toda la película.

전권(全權) ① [위임된 어떤 일을 처리하는 일체의 권리] poderes *mpl* plenos, facultades *fpl* amplias, plenipotencia *f*. ~을 위임하다 conferir [investir con] plenos poderes, dar facultades amplias. ~을 장악하다 tener [apoderarse de] los poderes plenos. ② ((준말)) =전권 위원(全權委員).

■~ 공사(公使) ministro *m* plenipotenciario. ¶특명(特命) ~ enviado *m* extraordinario y ministro plenipotenciario. ~ 대사(大使) embajador *m* plenipotenciario. ¶특명(特命) ~ embajador *m* extraordinario y plenipotenciario. ~ 위원 plenipotenciario, -ria *mf.* ~ 위임장(委任狀) certificado *m* de comisión de facultades amplias.

전권(前券) primer tomo *m*, tomo I (primero).

전권(專權) derecho *m* exclusivo, despotismo *m*, arbitrariedad *f.*

전극(電極) 【물리】 electropodo *m.*

전근(轉勤) traslado *m*, cambio *m* de empleo [cargo]. ~하다 ser traslado (a), cambiar empleo, cambiar cargo, ser transferido a otro empleo [oficio]. ~시키다 trasladar. ~을 명하다 mandar a *uno* el traslado a *un sitio*, trasladar [mudar · desplazar] a *uno* a *un sitio*. 본점에서 A 지점으로 ~하다 trasladarse de la casa matriz a la sucursal (de) A.

전근(轉筋) calambre *m*, rampa *f.*

전근대적(前近代的) premoderno *adj.*

전기(全期) todo el período.

전기(前記) lo mencionado antes. ~의 mencionado [indicado · dicho] antes [más arriba], sobredicho, antedicho, susodicho, precedente. ~의 금액 importe *m* mencionado más arriba, suma *f* arriba mencionada. ~와 같이 como se ha dicho [mencionado · citado · escrito] antes.

전기(前期) [초기] primer período *m* [término *m* · curso *m*]; [전반] primera mitad *f*; [상반기] primer semestre *m.*

■~ 이월금(移越金) saldo *m* de la cuenta anterior, saldo *m* del ejercicio anterior, suma *f* anterior del último término.

전기(傳奇) romance *m*, novela *f*, ficción *f.*

■~ 문학(文學) literatura *f* legendaria y fantástica. ~ 소설(小說) novela *f*, romance *m*, novela *f* legendaria y fantástica. ~적(的) romántico, novelesco, romancesco, sentimental.

전기(傳記) biografía *f*, historia *f* biográfica. ~의 biográfico. ~의 대상이 된 인물(人物) biografiado, -da *mf.* ~를 쓰다 biografiar.

■~담(談) cuento *m* biográfico. ~문(文) biografía *f.* ~ 문학 literatura *f* biográfica. ~물(物) escritos *mpl* biográficos. ~ 소설 biografía *f* ficticia, novela *f* biográfica. ~ 소설가 biógrafo *m* ficticio, biógrafa *f* ficticia. ~ 작가(作家) biógrafo, -fa *mf.* ~적(的) biográfico *adj.* ~적 비평 criticismo *m* biográfico.

전기(電氣) ① electricidad *f*, [전류(電流)] corriente *f* eléctrica. ~의 eléctrico. ~로 por electricidad, eléctricamente. ~를 끌어들이다 instalar la electricidad. ~를 일으키다 generar la electricidad, electrizar, producir [engendrar] la electricidad [una corriente eléctrica]. ~를 일으킨 electrizado. 이 철사에는 ~가 통하고 있다 Este alambre está cargado de electricidad / La corriente eléctrica corre por este alambre. 이 자동차(自動車)는 ~로 간다 Este coche corre con electricidad. ② ((준말)) =전기등(電氣燈) (luz eléctrica). ¶~를 켜다 encender la luz eléctrica. ~가 켜지다 encenderse la luz (eléctrica). ~를 끄다 apagar la luz eléctrica. ~가 꺼지다 apagarse la luz (eléctrica). ~가 왔다 Se ha encendido la luz (eléctrica). ~가 갔다 Se ha apagado la luz (eléctrica).

◆공중(空中) ~ electricidad *f* atmosférica. 동(動)~ electricidad *f* dinámica. 마찰(摩擦) ~ electricidad *f* de fricción. 수력(水力)~ electricidad *f* hidráulica. 양(陽)~ electricidad *f* positiva. 열(熱)~ electricidad *f* termal. 음(陰)~ electricidad *f* negativa. 화력(火力) ~ electricidad *f* de fuerza calorífica.

■~ 감수성 electrosensibilidad *f.* ~ 감응 electroinducción *f*, inducción *f* eléctrica. ~ 건조(乾燥) electrodesecación *f.* ~ 검사원 inspector, -tora *mf* de la electricidad. ~ 경련 electroconvulsión *f.* ~ 경련 요법 terapia *f* electroconvulsiva. ~ 경보기 alarma *f* eléctrica. ~계 =전위계(電位計). ~ 계기 contador *m* de electricidad, contador *m* eléctrico, metro *m* eléctrico. ~ 계산기(計算器) calculadora *f* eléctrica. ~공(工) electricista *mf.* ~ 공사 obra *f* eléctrica. ~ 공업 industria *f* eléctrica. ~ 공예학 electrotecnología *f*, electrotecnia *f.* ~ 공학 electrotecnia *f*, electro-tecnología *f*; [대학교의] ingeniería *f* eléctrica. ~ 광학(光學) electroóptica *f.* ~ 광학 레이더 radar *m* electroóptico. ~ 광학 복굴절 birrefringencia *f* electroóptica. ~ 광학 셔터 obturador *m* electroóptico. ~ 기계 máquina *f* eléctrica, maquinaria *f* eléctrica. ~ 기관차 locomotora *f* eléctrica. ~ 기구 aparatos *mpl* eléctricos. ¶가정용 ~ aparato *m* electrodoméstico, aparato *m* eléctrico casero. ~ 기록도 electrograma *m.* ~ 기사 electricista *mf*; electrotécnico, -ca *mf*; [대학 학위를 가진] ingeniero *m* electronico, ingeniera *f* electrotécnica. ~기술 electrotecnia *f*, técnica *f* de la electricidad. ~ 기술자 electricista *mf.* ~ 기타 guitarra *f* eléctrica. ~ 긴장 electrostricción *f.* ~ 긴장성 electrotono *m.* ~난로 estufa *f* eléctrica. ~ 난방 calefacción *f* eléctrica. ~난방법 =전기 난방. ~냄비 cazuela *f* eléctrica. ~냉장고 refrigeradora *f* eléctrica, nevera *f* eléctrica. ~다리미 plancha *f* eléctrica. ~담요 manta *f* eléctrica, *AmL* cobija *f* eléctrica (*CoS* 제외), *CoS* frazada *f* eléctrica. ~ 당량(當量) 【화학】 ((준말)) =전기 화학 당량. ~대 cinturón *m* galvánico. ~ 도금(鍍金) galvanostegia *f*, galvanoplastia *f*, galvanoplástica *f*, electroplastia *f*, electrodeposición *f*, galvanización *f* eléctrica; [금도금] dorado *m* por la galvanplastia; [은도금] plateado *m.* ¶~하다 electrochapar, galvanoplastiar, electrodepositar. ~한 galvanoplástico, galvanoplastiado, electrochapado, electrodepositado. 철에 ~을 하다 galvanizar el hierro. ~한 강철 acero *m* con baño galvanoplástico. ~도금기 baño *m* electrolítico, galvanoplasta *f.* ~ 도금물 artículo *m* galvanoplastiado [electrochapado・electrodepositado]. ~ 도금 복제 reproducción *f* galvanoplástica. ~ 도금 압판 impresión *f* galvanoplástica. ~ 도체 conductor *m* eléctrico. ~동(銅) =전해 구리. ~ 동력계 dinamómetro *m* eléctrico. ~ 드릴 taladro *m* eléctrico. ~량 cantidad *f* de electricidad. ~력 fuerza *f* eléctrica. ~력계 electrodinamómetro *m.* ~로(爐) horno *m* eléctrico. ~료 tarifa *f* de la electricidad, tarifas *fpl* eléctricas. ~ 마사지 electromasaje *m.* ~ 마취 electronarcosis *f.* ~ 마취법 electronarcosis *f,* electroanestesia *f.* ~ 맥박계 esfigmotaquímetro *m.* ~ 메스 bisturí *m* eléctrico, escalpelo *m* eléctrico. ~면도기 maquinilla *f* [máquina *f*] de afeitar, afeitadora *f* (eléctrica), *Méj* máquina *f* de rasurar, *Méj* rasuradora *f* (eléctrica). ~ 면역 확산 electroinmunodifusión *f.* ~ 모관 현상 electrocapilaridad *f.* ~ 모터 electromotor *m,* motor *m* eléctrico. ~ 미각 검사법 (味覺檢查法) electrogustometría *f.* ~미터 electrómetro *m,* metro *m* eléctrico. ~ 발광(發光) electrofotoluminescencia *f.* ~ 발동기(發動機) electromotor *m,* motor *m* eléctrico. ~ 발열 요법 electropirexia *f,* inductopirexia *f.* ~밥솥 olla *f* eléctrica. ~ 방사 radiación *f* eléctrica. ~ 방사기 radiador *m* eléctrico. ~방석 cojín *m* eléctrico. ~ 방전(放電) electrochoque *m.* ~법 galvanoplastia *f.* ~ 변위 desplazamiento *m* eléctrico. ~ 보청기 acúfono *m.* ~ 부란기(孵卵器) incubadora *f* eléctrica. ~ 부화 incubación *f* eléctrica. ~ 분(盆) =전기쟁반. ~ 분광도 electrospectograma *m.* ~ 분석 electroanálisis *f.* ~ 분해 electrólisis *f,* electrolización *f.* ~ 분해 자기기(分解自記器) polarografía *f.* ~ 분해학 electrología *f.* ~ 불꽃 chispa *f* eléctrica. ~ 사업 empresa *f* [industria *f*] eléctrica. ~ 사업법 ley *f* de empresas eléctricas. ~ 사업 회사 compañía *f* de empresas eléctricas. ~ 사자기(寫字機) =텔레라이터. ~ 사진술(寫眞術) electrofotografía *f.* ~ 사형 electrocución *f.* ~ 삼투 electroendosmosis *f.* ~삽 pala *f* eléctrica. ~ 생리학(生理學) electrofisiología *f.* ~ 생물학 electrobiología *f.* ~선(線) =전선(電線). ~ 설비 =전기 설치. ~ 설치 instalación *f* eléctrica. ~세탁기 *lavadora f* eléctrica. ~ 소작(燒灼) galvanocaustia *f.* ~ 소작기(燒灼器) galvanocauterio *m,* electrocauterio *m.* ~ 소작법(燒灼法) galvanocaustia *f,* galvanocauterio *m,* electrocauterización *f.* ~ 소작 절제(燒灼切除) electroscisión *f.* ~소제기(掃除機) aspirador *m* de polvo, aspiradora *f* eléctrica, aspiradora *f* de polvo. ~솥 olla *f* eléctrica. ~ 쇼크 요법 tratamiento *m* por choques eléctricos. ~ 수술도 =전기 메스. ~ 수욕 요법(水浴療法) hidroelectroterapia *f.* ~ 수축성(收縮性) electrocontractilidad *f,* galvanocontractilidad *f.* ~스탠드 lámpara *f* de sobremesa. ~스토브 estufa *f* eléctrica. ~ 시계 reloj *m* eléctrico. ~ 신호기 electrosemáforo *m.* ~ 심동도(心動圖) electrosinograma *m.* ~ 심실도(心室圖) electroventriculograma *m.* ~ 심음 곡선 electrocardiofonograma *m.* ~ 심음 묘화기 electrocardiofonógrafo *m.* ~ 심장 기능 검사법 electrocardiometría *f.* ~ 쌍극자 dipolo *m* eléctrico. ~ 안구도(眼球圖) electrooculograma *m.* ~ 안마 electromasaje *m,* masaje *m* eléctrico. ~ 야금(법) electrometalurgia *f,* metalurgia *f* eléctrica. ~ 야금학 =전기 야금. ~어(魚) pez eléctrico. ~에너지 energía *f* eléctrica. ~ 역학(力學) electrodinámica *f.* ~ 역학적 작용 acción *f* electrodinámica. ~ 온도계 teletermómetro *m,* electrotermómetro *m.* ~ 완구 juguete *m* eléctrico. ~ 외과학 electrocirugía *f.* ~요 colchón *m* (*pl* colchones) eléctrico. ~ 요금 precio *m* eléctrico. ~ 요리기 cocina *f* eléctrica. ~ 요리 도구 cocina *f* eléctrica. ~ 요법 electroterapia *f.* ~ 요법의(療法醫) electroterapista *mf.* ~욕(浴) baño *m* eléctrico. ~ 욕탕 baño *m* eléctrico. ~ 용량 cantidad *f* eléctrica. ~ 용접 soldadura *f* eléctrica. ~ 용접공 soldador *m* eléctrico, soldadora *f* eléctrica. ~ 용접기 soldadura *f* eléctrica. ~ 용접봉 electrodo *m.* ~ 운동학 electroquinética *f.* ~ 음성도(陰性圖) electronegatividad *f.* ~ 음향학 electroacústica *f.* ~ 응고법 electrocoagulación *f.* ~의자 silla *f* eléctrica. ~이발기 maquinilla *f* eléctrica (para cortar el pelo). ~ 이중극 =전기 쌍극자. ~ 인쇄 electrotipo *m.* ~ 자격(刺激) electroestimulación *f.* ~ 자궁 운동 묘화도 electronetrograma *m.* ~ 자극 호흡 respiración *f* electrofrénica. ~ 자동차 automóvil *m* eléctrico, coche *m* de carrera a pila(s), coche *m* que funciona con pilas. ~ 자석(磁石) electroimán *m.* ~ 장치(裝置) aparato *m* eléctrico. ~장판 esterilla *f* eléctrica, suelo *m* cubierto con papel eléctrico. ~ 재배(栽培) electrocultivo *m.* ~ 재배법 electrocultura *f.* ~ 재봉틀 máquina *f* de coser eléctrica. ~ 저항 resistencia *f* eléctrica. ~ 저항계(抵抗計) ohmiómetro *m,* ohmímetro *m.* ~ 적정 valoración *f* electrométrica. ~ 전도(傳導) conducción *f* eléctrica. ~ 전도도 =전기 전도율. ~ 전도율 conductividad *f* eléctrica. ~ 절개(切開) electroincisión *f.* ~ 절개술 electrotomía *f.* ~ 절개용 칼 electrótomo *m.* ~ 절연체 aislador *m* eléctrico. ~ 절제 electroresección *f,* electrosección *f.* ~ 정련(精鍊) refinamiento *m* por electrólisis. ~ 제어(制御) control *m* eléctrico. ~ 제어기 controlador *m* eléctrico. ~ 제철학(製鐵學) electrosiderurgia *f.* ~ 제판 electrotipia *f,* electrotipo *m,* galvanotipia *f,* galvanotipo *m.* ~ 제판공 electrotípico, -ca *mf.* ~ 제품 producto *m* eléctrico. ~ 제품 회사 compañía *f* de productos eléctricos. ~ 조리기(調理器) cocina *f* eléctrica. ~ 조명(照明) electroluminiscenica *f,* iluminación *f* eléctrica. ~종 =전령(電鈴). ~ 주전자 pava *f* [tetera *f*] eléctrica. ~ 주조 acuñación *f* eléctrica. ~ 증폭 청진기 telestetoscopio *m.* ~ 지혈법 electrohemostasis *f.* ~진공 수진기(眞空收塵器) =전기 진공청소기. ~ 진공청소기 aspiradora *f* eléctrica. ~ 진단법 electrodiagnosis *f,* galvanoscopia *f.* ~ 진동(振動) oscilación *f* eléctrica. ~ 진동기 oscilador *m* eléctrico. ~ 진자 péndula *f* eléctrica. ~ 진통 요법 electroanalgesia *f.* ~ 착암기 taladradora *f* (eléctrica). ~ 천자법 electropuntura *f,* galvanopuntura *f.* ~ 철도 ferrocarril *m* eléctrico. ~ 철도 회사 compañía *f* de ferrocarril eléctrico. ~ 청소기 =진공청소기. ~ 청진기(聽診器) electrostetógrafo *m.* ~ 촉매 electrocatálisis *f.* ~ 촬영술 electrografía *f.* ~ 최면(催眠) electrohipnosis *f,* electrohipnotismo *m.* ~ 축음기 gramófono *m* eléctrico. ~ 충격 sacudida *f* eléctrica, electrochoque *m,* electroshock *m.* ~ 충전 요법(充電療法) lectrochoque *m.* ~ 치료 electroterapia *f,* tratamiento *m* eléctrico, cura *f* [curación *f*] eléctrica. ~침 acusector *m.* ~침 요법 electropuntura *f.* ~침 절개 acusección *f.* ~ 탐광 exploración *f* [prospección *f*] eléctrica. ~ 탐광자 prospector *m* eléctrico. ~ 토스터 tostadora *f* (eléctrica). ~톱 electrosierra *f.* ~ 통각 측정기 baroelectroestesiómetro *m.* ~ 통신 telecomunicación *f.* ~ 통신학과 departamento *m* de telecomunicaciones. ~ 투석 electrodiálisis *f.* ~ 투석 장치 electrodializador *m.* ~파 =전파(電波). ~판(版) electrotipo *m.* ~판공(版工) electrotípico, -ca *mf.* ~판술(版術) galvanotipia *f,* electrotipia *f.* ~ 펌프 electrobomba *f.* ~폐 electropulmón *m.* ~풍로 hornillo *m* eléctrico, cocina *f* eléctrica. ~학(學) ciencia *f* eléctrica, electricidad *f,* electrología *f.* ~학자 electricista *mf.* ~ 합성 electrosintesis *f.* ~ 해리(解離) =전리(電離). ~ 해머 martillo *m* eléctrico. ~ 현상(現象) fenómeno *m* eléctrico. ~ 혈압계 electromanómetro *m.* ~ 호흡 운동 묘사기 electroneumógrafo *m.* ~ 호흡 유량계 electroneumotacógrafo *m.* ~ 호흡 음도 respirofonograma *m.* ~ 화학 electroquímica *f.* ~ 화학 공업 industria *f* electroquímica. ~ 화학 당량 equivalente *m* electroquímico. ~ 화학 현상 fenómenos *mpl* electroquímicos. ~ 회로(回路) circuito *m* eléctrico. ~ 회사 compañía *f* eléctrica. ~ 효율 rendimiento *m* eléctrico. ~ 후각도 electro-olfactograma *m.* ~ 흔들이 =전기 진자. ~ 히터 calefactor *m* eléctrico. ~ㅅ불 luz *f* eléctrica. ~ㅅ줄 =전선(電線).

전기(電機) aparatos *mpl* eléctricos.
■ ~ 공업(工業) electroindustria *f,* industria *f* de aparatos eléctricos.

전기(戰記) crónica *f* [memorias *fpl*] de la guerra. ~물(物) relato *m* [narración *f*·historieta *f*] de la guerra.

전기(戰機) tiempo *m* oportuno para la batalla, ocasión *f* para el movimiento [el ataque]. ~가 무르익었다 Ya es hora de entrar en la batalla.

전기(轉記) trascripción *f,* copia *f.* ~하다 transcribir, copiar; 【부기】 pasar las cuentas. 원장에 ~ 하다 pasar los asientos (de un libro) al libro mayor.

전기(轉機) punto *m* decisivo, punto *m* crítico, momento *m* crítico, momento *m* decisivo; [위기] crisis *f;* [계기] ocasión *f,* motivo *m.* 그 사건을 ~로 그는 생각을 바꾸었다 Con motivo de ese asunto cambió (completamente) de opinión / Ese asunto le hizo cambiar (completamente) su opinión.

전기가오리(電氣−) 【어류】 torpedo *m.*

전기메기(電氣−) 【어류】 ((학명)) Malapterurus electricus.

전기뱀장어(電氣−長魚) 【어류】 gimnoto *m.*

전기장어(−長魚) 【어류】 anguila *f* eléctrica.

전나무 【식물】 abeto *m* (blanco).

전날(前−) ① [(어떤 날의) 바로 앞의 날] día *m* anterior, día *m* precedente, víspera *f.* 출발 ~에 la víspera de la salida. 축제 ~에 el día antes de la fiesta. ② [지난날] el pasado, día *m* pasado.

전남편(前男便) marido *m* anterior, esposo *m* anterior, ex-esposo *m;* [첫 남편] primer esposo *m,* primer marido *m.* ~의 아들[딸] hijo *m* [hija *f*] de *su* marido anterior.

전납(全納) pago *m* entero, pago *m* integral. ~하다 pagar *algo* del todo, paga *algo* enteramente.

전납(前納) pago *m* adelantado. ~하다 pagar en adelanto. ☞예납(豫納)

전내(殿內) ① [전각·궁전의 안] el interior del palacio. ② 【민속】 tablilla *f* del espíritu para la adivinación.

전내기(全−) licor *m* puro.

전내기(廛−) artículos *mpl* toscos.

전년(前年) ① [작년] año *m* pasado. ② [지나간 해] año *m* anterior, año *m* precedente. ~에 비해 en comparación con el año anterior. ~도(度)의 잔고 saldo *m* del año anterior.

전념(專念) dedicación *f,* concentración *f* de la mente. ~하다 aplicarse (a), dedicarse (a), entregarse (a), sumergirse (en), ocuparse (de). 요양에 ~하다 no preocuparse de nada sino de *su* curación. 학문에 ~하다 dedicarse al estudio, ocuparse del estudio.

전뇌(前腦) 【해부】 prosencéfalo *m.*
■ ~실(室) prosocele *m.*

전능(全能) omnipotencia *f.* ~하다 (ser) omnipotente, todopoderoso. ~한 신(神) Todopoderoso *m.*

전다(煎茶) infusión *f* de té. ~하다 hervir té.

전단(全段) todo el párrafo.

전단(栴檀) 【식물】 acederaque *m,* cinamomo *m.*

전단(剪斷) esquila *f,* esquileo *m.* ~하다 esquilar, cortar, cortar con tijeras.
■ ~기(機) esquiladora *f,* máquina *f* para

esquilar.

전단(專斷) arbitrariedad *f*, arbitrio *m*, capricho *m*. ~하다 arbitrar, decidir sin consultar con nadie, decidir a *su* propia discreción. ~의 arbitrario, caprichoso. ~으로 arbitrariamente, a *su* propia discreción.

전단(傳單) folleto *m*, panfleto *m*, volante *m*, hojilla *f*, hojuela *f*, papel *m* [hoja *f*] volante, cartel *m*, letrero *m*, anuncio *m*, pasquín *m* (*pl* pasquines). ~을 뿌리다 esparcir papeles volantes, dar pasquines a los transeúntes, distribuir carteles, repartir folletos, repartir panfletos. 그들은 전 시내에 ~을 뿌렸다 Ellos repartieron folletos [panfletos] por toda la ciudad.

전단(戰端) hostilidad *f*. ~을 열다 abrir [comenzar] la hostilidad.

전달(前-) ① [지난달] mes *m* pasado. ~ 봉급(俸給) sueldo *m* [salario *m*] del mes pasado. ~ 11일에 el once del mes pasado. ② [어떤 달의 바로 앞의 달] mes *m* anterior.

전달(傳達) transmisión *f*, entrega *f*, traspaso *m*, comunicación *f*. ~하다 transmitir, entregar, comunicar, anunciar, pasar, dar, recitar, enviar, transferir. 전화를 ~하다 pasar la llamada telefónica. 부장님께 이 쪽지를 ~해 주십시오 Haga el favor [Tenga la bondad] de pasar este recado al director.

전담(全擔) toda responsabilidad *f*, carga *f* completa. ~하다 encargarse (de). 네가 필요한 여행 비용을 ~하겠다 Me encargaré de todos los gastos de viaje que necesites.

전담(專擔) responsabilidad *f* exclusiva.

전답(田畓) el arrozal y el campo.

전당(全黨) todo el partido.

■~ 대회(大會) convención *f* nacional, convención *f* del partido, congreso *m* del partido. ¶공화당 ~ convención *f* [congreso *m*] del Partido Republicano.

전당(典當) prenda *f*, empeño *m*.

◆전당(을) 잡다 empeñar.

◆전당(을) 잡히다 empeñar, dar [dejar] *algo* en prenda, prendar, entregar en prenda, entregar en garantía. 전당(을) 잡힌 empeñado. 시계를 만 원에 ~ empeñar el reloj en diez mil wones. 전당 잡힌 것을 찾다 desempeñar *algo*. 전당 잡힌 물건이 몰수[압수]되었다 La prenda ha sido confiscada. 그들은 고리대금업자에게 가구를 전당 잡혔다 Ellos entregaron los muebles como garantía a un prestamista.

■~국(局) =전당포(典當鋪). ~질 prendamiento *m*. ~포 montepío *m*, casa *f* de empeño(s), *Méj* monte *m* de piedad. ~표 papeleta *f* de empeños. ~품 artículo *m* empeñado.

전당(殿堂) ① [신불을 모신 집] santuario *m*, templo *m*. ② [크고 화려한 집] palacio *m*, mansión *f*. 학문의 ~ salón *m* (*pl* salones) de la ciencia.

전대(前代) época *f* pasada, época *f* anterior, última generación *f*.

■~미문(未聞) lo que no ha oído hasta el día. ¶~의 sin igual, inaudito, insólito, sin precedente(s), jamás oído, desconocido hasta el día. ~의 결과(結果) resultado *m* insólito, resultado *m* sin precedentes. ~의 대사건(大事件) asunto *m* inaudito, asunto *m* precedentes. ~의 홍수(洪水) inundación *f* que no se ha oído, inundación f inaudita. 그것은 ~의 사건이다 Es un asunto inaudito / Es un asunto sin precedentes. 장교가 그렇게 행동(行動)하는 것은 ~이다 Es inaudito [insólito] que un oficial se comporte así.

전대(轉貸) subarrendamiento *m*, subalquiler *m*, subarriendo *m*. ~하다 subarrendar, subalquilar.

■~인(人) subarrendatario, -ria *mf*.

전대(纏帶) satélite *m*, acólito *m*; [허리에 감는] faja *f* de (que va pegada al) vientre. ~에 돈을 간수하다 guardar *su* dinero en la faja de vientre.

전대차(轉貸借) subarriendo *m*, subarrendamiento *m*. ~를 금하다 prohibir subarrendamiento.

전도(全島) toda la isla, isla *f* entera.

전도(全都) ① [서울 전체] toda Seúl, toda la capital, capital *f* entera. ② [도시 전체] toda la ciudad.

전도(全道) toda la provincia, provincia *f* entera.

전도(全圖) [그림] todo el cuadro, toda la pintura; [지도(地圖)] todo el mapa, mapa *m* entero, mapa *m* completo, plano *m* completo. 서울 ~ plano *m* completo de Seúl, mapa *m* entero de Seúl.

전도(前途) ① [앞으로 나아갈 길] camino *m* que recorrer. ~가 양양하다 estar lleno de esperanzas. 너는 ~가 다난(多難)하다 Tú tienes un largo y escabroso camino que recorrer. ② =장래(將來)(futuro, porvenir). ¶~를 축복하다 desear un buen éxito, bendecir *su* futuro.

■~요원(遼遠) ¶~하다 El término de viaje está muy lejos / haber tela cortada para largo. 이 계획은 ~하다 Este proyecto tiene mucho que andar antes de realizarse. ~유망 esperanza *f* de *su* porvenir [de *su* futuro]. ¶~하다 (ser) prometedor, prometiente, tener esperanza de *su* porvenir. ~한 청년 joven *m* prometedor. 이 회사는 ~하다 Esta compañía tiene (mucho) futuro.

전도(前渡) anticipo *m*, entrega *f* anticipada. ~하다 anticipar.

■~금(金) anticipo *m*, adelanto *m*, dinero *m* anticipado, *Arg* anticipo *m* a proveedores. ¶~을 지불하다 pagar [entregar] un adelanto. 지불은 ~으로 원합니다 Se ruega pagar por adelantado.

전도(剪刀) =가위[1].

전도(傳道) ① ((기독교)) misión *f*, evangelización *f*, predicación *f*, propaganda *f*. ~하

다 predicar la fe, envangelizar, propagar la religión, difundir el evangelio. ③ ((성경)) predicación *f.* ~하다 predicar, anunciar el mensaje.

▪~ 부인(婦人) ((기독교)) evangelista *f.* ~사(師) ((기독교)) evangelista *mf;* predicador, -dora *mf;* evangelizador, -dora *mf;* [해외에서의] misionero, -ra *mf.* ~ 사업(事業) obra *f* misionera. ~ 여행 viaje *m* evangélico. ~인(人) ((성경)) evangelista *mf.* ~자(者) ((성경)) evangelista *mf.* ~ 학교 escuela *f* misionera.

전도(傳導) 【물리】 transmisión *f,* conducción *f.* ~하다 transmitir, conducir.

▪~도 ㉮ ((준말)) =전기 전도도. ㉯ ((준말)) =열전도도. ~력 poder *m* conductivo, conductividad *f.* ~ 방전(放電) alida *f* conductiva. ~성(性) conductibilidad *f.* ¶~의 conductivo. ~율 =전도도. ~ 전류(電流) corriente *f* galvánica. ~ 전자 =자유 전자. 광전자. ~체 conductor *m.*

전도(顚倒) vuelco *m,* revuelco *m,* tropiezo *m,* caída *f;* [순서 따위의] inversión *f,* trastorno *m.* ~하다 quedar espantado, quedar revuelto, volcarse, revolcarse, tropezar, caer. ~시키다 volcar, revolcar, trastornar. 전후(前後)를 ~하다 invertir el orden, trastornar el orden.

전도서(傳道書) ((성경)) El Eclesiastés, El Predicador.

전동(全洞) toda la aldea.

전동(電動) electromoción *f.*

▪~기(機) motor *m* (eléctrico), electromotor *m.* ~력 【물리】 fuerza *f* electromotriz. ~ 발전기(發電機) generador *m* de motor, motogenerador *m.* ~자(子) 【물리】 armadura *f* de motor.

전동(轉動) revolución *f,* rotación *f.* ~하다 revolver, rotar.

전두(前頭) frente *f,* 【해부】 sincipucio *m,* coronilla *f,* vértice *m* de la cabeza. ~의 frontal.

▪~골(骨) hueso *m* [hueso *m*] frontero. ~근 músculo *m* frontal. ~낭 bolsa *f* frontal. ~ 신경 nervo *m* frontal. ~엽 정맥 vena *f* frontal.

전두리 circunferencia *f* de un borde.

전등(前燈) =헤드라이트.

전등(電燈) luz *f* eléctrica, lámpara *f* eléctrica. ~을 켜다 escender la luz. ~을 끄다 apagar la luz. ~을 설치하다 instalar la lámpara eléctrica. ~이 꺼지다 apagarse la luz. ~이 켜지다 encenderse la luz.

▪~갓 pantalla *f* (de lámpara). ~불 =전깃불. ~선(線) cable *m* interior para la lámpara eléctrica; [실내의] cable *m* de lámpara. ~ 스위치 interruptor *m* de alumbrado. ~알 bombilla *f, Méj* foco *m, Col, Ven* bombillo *m, RPl* bombita *f,* lamparita *f, Chi* ampolleta *f, AmC* bujía *f.* ~ 코드 cordón *m,* cable *m.*

전라(全裸) desnudez *f* (completa). ~의 completamente desnudo, totalmente desnudo, en cueros (vivos), en pelotas, *Méj* encuerado, *Per* calato. ~로 desnudo. ~의 남자 hombre *m* desnudo. ~의 여인 mujer *f* desnuda. ~의 미인(美人) belleza *f* completamente desnuda. ~로 수영하다 bañarse desnudo. ~로 포즈를 취하다 posar desnudo. ~ 수영은 허락되지 않습니다 No está permitido bañarse desnudo.

▪~ 사진 un desnudo. ~ 신 una escena de desnudo. ¶완전 ~ desnudos *mpl* explícitos, desnudos *mpl* integrales.

전락(轉落) ① [굴러 떨어짐] caída *f,* precipitación *f.* ~하다 caer, precipitarse, caerse rodando. 계단에서 ~하다 rodar la escalera abajo, caerse rodando por la escalera. 지붕에서 ~하다 caerse rodando del tejado. 그는 20미터 ~했다 El se precipitó veinte metros abajo. ② [나쁜 상태나 처지에 빠짐] degración *f,* 【주식】 baja *f* repentina en los valores. ~하다 reducirse (a), caer. 거지로 ~하다 reducirse a mendigar, caer en la mendicidad. 최하위로 ~하다 caer al último puesto.

전란(戰亂) desorden *m* por la guerra, disturbio *m* por la guerra, confusión *f* por la guerra, guerra *f.* ~의 아라비아 Arabia en guerra. ~의 위협 amenaza *f* de guerra. ~이 일어나다 estallar la guerra.

전람(展覽) exhibición *f,* exposición *f,* muestra *f,* show *ing.m.* ~하다 exponer.

▪~회 exhibición *f,* exposición *f.* ¶~를 열다 celebrar [abrir] una exposición. ~에 가다 visitar una exposición. ~에 출품(出品)하다 presentar [mandar] *algo* a una exposición. 그림 ~ exhibición *f* de cuadros. ~회장(會場) sala *f* [salón *m*] de exposiciones; [화랑] galería *f.*

전래(傳來) transmisión *f;* [외래의] introducción *f.* ~하다 transmitirse, introducirse. ~의 hereditario. 천주교의 ~ introducción *f* del catolicismo. 불교(佛敎)의 ~ introducción *f* del budismo. 선조 ~의 가보(家寶) reliquia *f,* objetos *mpl* patrimonial. 조상(祖上) ~의 칼 espada *f* hereditaria de generación a generación en una familia. 불교는 중국에서 ~되었다 El budismo fue introducido [vino] de China.

▪~지물(之物) objetos *mpl* tradicionales. ~지풍(之風) costumbres *fpl* tradicionales.

전략(前略) prefacio *m* omitido, prólogo *m* omitido, Me apresuro a informarle a usted que….

전략(戰略) estrategia *f,* estratagema *f,* táctica *f,* maniobra *f.* ~상의 estratégico. ~으로 이기다 exceder en táctica militar [en maniobra].

▪~가 estratégico, -ca *mf;* estratega *mf.* ~ 공군 fuerza *f* aérea estratégica. ~ 단위 unidad *f* estratégica. ~ 목표 objetivo *m* estratégico, blanco *m* estratégico. ~ 무기 armas *fpl* estratégicas. ~ 물자 materias *fpl* estratégicas. ~ 방위 구상 la Iniciativa de Defensa Estratégica. ~ 산업 industria *f* estratégica. ~ 요지(要地) lugar *m* estratégico. ~적(的) estratégico. ¶~으로 estratégicamente. ¶~으로 중요한 위치(位置) posición *f* estratégicamente importante. ~적 지점 punto *m* estratégico. ~적 퇴각 retirada *f* estratégica. ~ 지도(地圖) mapa *m* estratégico. ~ 지점 punto *m* estratégico. ~촌(村) villa *f* estratégica. ~ 폭격(爆擊) bombardeo *m* estratégico. ~ 폭격기 bombardero *m* estratégico. ~ 핵무기(核武器) armas *fpl* nucleares estratégicas.

전량(全量) toda la cantidad.

전량(錢糧) =전곡(錢穀).

전량계(電量計) culombímetro *m*.

전력(全力) todas *sus* fuerzas, todas las energías, esfuerzo *m* total, todo lo posible. ~으로 a todo poder. ~을 다하여 con todo el esfuerzo, con todas *sus* fuerzas, con todas *sus* energías, con toda energía, con toda fuerza. ~을 다하다 hacer cuanto pueda, hacer todo lo posible, hacer lo más posible, hacer todo lo que esté en *su* mano (para · por + *inf*), hacer lo imposible, sacar toda la fuerza, esforzarse (en · para · por), hacer un esfuerzo (para), afanarse (en · por), hacer todos los esfuerzos posibles (por), poner toda *su* energía (en), entregarse en cuerpo y alma (a). ~으로 질주하다 correr con todas *sus* fuerzas, correr a más no poder. ~을 다하여 밀다 empujar con todas *sus* fuerzas. ~을 다하여 싸우다 luchar con todas *sus* fuerzas. ~을 다하여 일하다 trabajar con ahínco, trabajar con todas *sus* fuerzas. …에 ~을 기울이다 poner toda la energía en *algo*, concentrar toda *su* energía en *algo*. 그는 공사의 완성에 ~을 기울이고 있다 El consagra toda su energía a la terminación de la obra / El está dedicado en cuerpo y alma a la terminación de la obra. 그는 연구를 완성시키기 위해 ~을 다하고 있다 El está entregado en cuerpo y alma a la terminación de sus estudios / El hace esfuerzos para [El se esfuerza en [para · por]] completar sus estudios. ~을 더 쏟아라 ¡Esfuérzate más!

▪~ 질주(疾走) esprint *m*, sprint *ing.m.* ¶~하다 pegarse [correr · echarse] una carrera, correr a toda velocidad, correr con todas *sus* fuerzas, correr a más no poder. 버스를 잡기 위해 ~하다 pegarse [echarse] una carrera para alcanzar el autobús.

전력(前歷) *su* historia anterior, *su* récord pasado, *su* historia pasada, *su* récord anterior, *sus* antecedentes, *su* pasado, carrera *f* antigua. 나는 그의 ~을 전혀 알지 못한다 No sé nada de su pasado. 그는 결핵(結核)의 ~이 있다 El ha sufrido la tuberculosis en el pasado.

전력(專力) concentración *f* de *su* energía [de *su* poder]. ~하다 concentrar *su* energía [*su* poder], dedicarse (a).

전력(電力) electricidad *f*, fuerza *f* eléctrica, energía *f* eléctrica. ~을 공급하다 suministrar la electricidad. ~을 소비하다 consumir la electricidad.

◆공업용 ~ energía *f* eléctrica industrial. 수력 발전(水力發電) ~ 생산량 producto *m* hidroeléctrico

▪~계 vatímetro *m*, electrodinamómetro *m*. ~공급 fuente *f* de energía, suministro *m* de energía. ~ 공급 능력 capacidad *f* suministradora de la energía eléctrica. ~공사 obras *fpl* del suministro de energía. ~ 관리 control *m* de energía eléctrica. ~기근 carestía *f* [escasez *f*] de energía eléctrica. ~ 낭비(浪費) desperdicios *mpl* de energía eléctrica. ~ 변환로 convertidor *m* de energía eléctrica. ~ 부족 escasez *f* de energía eléctrica. ~ 분포 distribución *f* de fuerza. ~ 분포도(分布圖) cuadro *m* de distribución de fuerza. ~ 사업 industria *f* de energía eléctrica. ~ 사정 condición *f* de energía eléctrica. ~ 생산 producción *f* de energía eléctrica. ~선(線) línea *f* de energía, línea *f* de alto voltaje, electroducto *m*. ~ 수송 transmisión *f* de energía. ~요금 tarifa *f* de la electricidad, tarifas *fpl* eléctricas. ~ 절약 economía *f* de energía eléctrica. ~ 제한 restricción *f* de energía eléctrica. ~ 통제 control *m* de energía eléctrica. ~학 electrodinámica *f*. ~ 할당제 sistema *m* de distribución de energía eléctrica. ~화(化) electrificación *f*. ¶~하다 electrificar. ~ 회사(會社) compañía *f* eléctrica, compañía *f* de electricidad.

전력(戰力) potencia *f* militar, fuerza *f* militar, poder *m* militar. ~을 증강하다 reforzar la fuerza militar.

◆미사일 ~ capacidad *f* de mísil.

▪~ 상실 pérdida *f* de potencia militar. ~유지 mantenimiento *m* de potencia militar. ~증강 aumento *m* de potencia militar.

전력(戰歷) carrera *f* de guerra, experiencia *f* de guerra.

전령(典令) ① [법령이나 법률] leyes *fpl*, ordenanzas *fpl*. ② =선례(先例).

전령(傳令) [사람] mensajero *m*; [명령] ordenanza *f*, mensaje *m* oficial. ~하다 llevar mensaje oficial.

▪~병(兵) soldado *m* mensajero.

전령(電鈴) timbre *m* (eléctrico). ~을 누르다 tocar el timbre.

전례(典禮) ceremonia *f*, ritual *m*.

전례(前例) precedente *m*, ejemplo *m* anterior. ~ 없이 inaudito, sin precedente, sin ejemplo. ~에 의해서 conforme al precedente. ~가 없다 ser sin precedente, carecer de ejemplo anterior. ~를 근거로 하다 apoyarse en un precedente. ~를 깨뜨리다 no seguir precedentes. ~를 만들다 dar un precedente. ~에 따르다 seguir precedentes. 그런 ~는 아직 없다 Todavía no hay tal precedente. 그것은 ~를 만들 것이다 Eso sentará un precedente.

전류(電流) 【물리】 corriente *f* eléctrica, fluido *m* eléctrico. ~가 통하다 tener la corriente. ~가 통하지 않다 no tener la corriente. ~를 끊다 cortar la corriente, interceptar la corriente, interrumpir la corriente. ~를 통하다 electrizar, hacer pasar la corriente (a).
■~ 강도(强度) intensidad *f* de corriente. ~계 amperímetro *m*, galvanómetro *m*. ~ 단속기 interruptor *m*, ruptor *m*. ~ 단위 unidad *f* de corriente. ~량 fuerza *f* de corriente en amperios. ~ 밀도 densidad *f* de corriente. ~ 발생 rendimiento *m* de corriente. ~ 분류 afluencia *f* [aflujo *m*] de corriente. ~ 역류 conmutación *f*, inversión *f* de corriente. ~ 전환기 conmutador *m*, colector *m*. ~ 제한기 limitador *m* de corriente. ~ 차단기 interruptor *m* de contacto, ruptor *m*, aparato *m* de ruptura, disyuntor *m*. ~ 측정 galvanometría *f*. ~학 galvanización *f*. ~ 회로 circuito *m* de corriente.

전륜(前輪) rueda *f* delantera.
■~ 구동(驅動) tracción *f* delantera.

전리(電離) disociación *f* electrolítica, ionización *f*. ~하다 ionizar.
■~ 상자 cámara *f* de ionización. ~층(層) ionosfera *f*.

전리(戰利) ganancia *f* por la guerra.
■~품(品) trofeo *m*, botín *m*, despojo *m*.

전립선(前立腺) 【해부】 próstata *f*, glándula *f* prostática. ~의 prostático.
■~근 conducto *m* prostático. ~ 비대(肥大) prostatomegalia *f*, hipertrofia *f* de próstata. ~ 수술 operación *f* prostática [de próstata]. ~암 cáncer *m* de próstata. ~염 prostatitis *f*, inflamación *f* de la próstata. ~ 절제술(切除術) prostatectomía *f*. ~증 prostatismo *m*.

전마선(傳馬船) chalana *f*, lancha *f*.

전말(顚末) [상세함] detalle *m*, particulares *mpl*; [경위] curso *m* del evento; [사정] circunstancia *f*. ~을 이야기하다 contarle a uno los particulares completos, contar detalladamente. 사건의 ~을 이야기하다 contar los detalles del suceso. 그는 계획을 중지한 ~을 설명했다 El explicó las circunstancias por las cuales había suspendido el plan.
■~서(書) excusa *f* escrita, explicación *f* escirita..

전망(展望) perspectiva *f*, vista *f*, panorama *m*, observación *f*. ~하다 ver, mirar, observar. 유망한 ~ perspectiva *f* prometedora. 장래(將來)의 ~ perspectiva *f* futura, perspectiva *f* del porvenir. 호수의 파노라마 같은 ~ vista *f* panorámica del lago. 바다를 ~으로 가진 아파트 piso *m* [apartamento *m*] con vista al mar. 산정(山頂)에서 ~하다 extender (la vista de) la cumbre de una montaña. 현대시(現代詩)를 ~하다 dar una visión de la poesía contemporánea, hacer un estudio somero sobre la poesía contemporánea. 우리들은 즐겁게 경치를 ~했다 Mirábamos la escena divertidos.
◆경제(經濟) ~ perspectiva *f* económica [de la economía · para la economía], panorama *m* de la situación económica. 무역(貿易) ~ perspectiva *f* para el intercambio. 미술계(美術界) ~ vista *f* del mundo del arte. 성장(成長) ~ perspectiva *f* de crecimiento. 수확(收穫) ~ perspectiva *f* de la cosecha. 정계(政界) ~ vista *f* del mundo político. 투자(投資) ~ perspectiva *f* de inversión.
■~대(臺) mirador *m*, atalaya *f*, belvedere *m*, plataforma *m* de observación. ~성 perspectiva *f* (futura). ~차(車) coche *m* panorámico. ~초(哨) puesto *m* de observación. ~탑 torre *f* de observación.

전맞춤(廛一) pedida *f* especial.

전매(專賣) monopolio *m*, monopolización *f*. ~하다 monopolizar.
◆정부(政府) ~ monopolio *m* del gobierno.
■~ 공사 corporación *f* de monopolio. ¶한국 ~ la Corporación de Monopolio de Corea. ~권 monopolio *m*. ¶…의 ~을 소유하다 oseer el monopolio de *algo*. 담배의 ~ monopolio *m* del tabaco. ~ 수익금 beneficio *m* del monopolio. ~ 수입(收入) ingreso *m* de monopolio. ~인 monopolista *mf*. ~ 제도 sistema *m* monopolístico. ~ 특허 patente *f*, privilegio *m* exclusivo. ~ 특허권 patente *f*. ~ 특허권 소유자 titular *mf* (de una patente). ~ 특허권 출원 중 patente *f* solitada, patente *f* en trámite. ~ 특허 등록부 rol *m* [lista *f* · archivo *m*] de patentes. ~ 특허장 diploma *f* de patente. ~ 특허품 artículo *m* monopolizado. ~품 artículo *m* monopolizado.

전매(轉賣) reventa *f*. ~하다 revender.

전면(全面) toda la superficie; [신문의] toda página, toda plana. ~의 a toda página, a toda plana. 바닥 ~에 양탄자를 깔다 recubrir [cubrir completamente] el suelo con una alfombra.
■~ 강화 paz *f* general. ~ 광고 anuncio *m* a toda página, anuncio *m* toda plana, anuncio *m* utilizando toda una página de periódico. ~적 general, total, entero, completo. ¶~으로 generalmente, totalmente, enteramente, completamente, incondicionalmente. ~전(戰) ((준말)) =전면 전쟁. ~ 전쟁 guerra *f* total.

전면(前面) delantera *f*, frente *m*; [건물의] fachada *f*; [전경(前景)] primer plano *m*. …의 ~에 al frente de *algo*, delante de *algo*. ~으로 밀어내다 poner en el primer plano. 통화 문제가 국제 경제의 ~에 부상했다 El problema monetario pasó a primer plano en [de] la economía internacional.
■~ 공격 ataque *m* frontal.

전멸(全滅) aniquilamiento *m*, anonadación *f*. ~하다 aniquilarse, ser aniquilado. ~시키다 aniquilar. 폭격으로 마을이 ~되었다

Toda la ciudad fue aniquilada [destruida] por el bombardeo.

전모(全貌) todos los aspectos. 사건의 ~가 명확히 밝혀졌다 Han salido a la luz todos los aspectos del asunto.

전몰(戰歿) muerte *f* en (la) batalla. ~하다 morir [caerse] en (la) batalla.

■~ 용사 caídos *mpl* en batalla, héroes *mpl* en batalla. ~자 caídos *mpl*, muertos *mpl* [difuntos *mpl*·fallecidos *mpl*] en batalla [en el campo de honor]. ~자 묘 tumba *f* de los soldados caídos. ~자 위령탑 monumento *m* a los soldados caídos. ~ 장병 (oficiales *mpl* y) soldados *mpl* caídos (en (la) batalla).

전무(專務) ① [전문적으로 맡아보는 사무] negocio *m* profesional. ② ((준말)) =전무이사(專務理事).

■~ 이사(理事) director, -tora *mf* gerente [general]; director *m* ejecutivo, directora *f* ejecutiva; director *m* administrativo, directora *f* administrativa.

전무식(全無識) ignorancia *f* total.

전무하다(全無-) no tener nada. 전무함 carencia *f* total, ausencia *f* total. 나는 법률 지식이라고는 ~ No sé nada del conocimiento de la ley / No tengo ningún conocimiento del derecho / No sé nada del derecho. 성공의 가능성은 ~ No hay ninguna posibilidad de tener éxito.

전무후무하다(前無後無-) (ser) inaudito, insólito, sin precedentes, único. 전무후무한 que jamás se ha visto no se verá en el futuro. 어떤 사람이 계속해서 5년을 이긴다는 것은 ~ Es insólito [Es inaudito·Es algo sin precedentes] que alguien gane cinco años seguidos.

전문(全文) oración *f* completa, texto *m* completo.

전문(前文) ① [앞에 쓴 글] oración *f* mencionada arriba. ② [법령의 목적이나 제정 취지 등을 밝히는 머리 부분의 글] preámbulo *m*. ~을 인용하다 citar el preámbulo.

◆조약(條約) ~ preámbulo *m* de un tratado. 헌법(憲法) ~ preámbulo *m* de la constitución.

전문(前門) =앞문(門)(puerta delantera).

전문(前聞) lo que había oído antes.

전문(專門) especialidad *f*. ~의 especial; [직업적인] profesional. ~으로 especialmente, profesionalmente. ~으로 하다 especializarse (en). 그는 경제학이 ~이다 El se especializa en economía / La economía es su especialidad. 그것은 내 ~이 아니다 Eso no es mi especialidad. 나는 ~ 이외에는 관심이 없다 No me interesa nada qué esté fuera de mi especialidad. 이 회사는 기계 수입을 ~으로 취급하고 있다 Esta firma comercial se especializa en la importancia de máquinaria [de máquinas].

■~가 especialista *mf*, experto, -ta *mf*, perito, -ta *mf*. ¶그는 태권도의 ~이다 El es especialista [experto] en el taekwondo. ~가 기질 profesionalismo *m*. ~ 경영인 director, -tora *mf* profesional. ~ 과목(科目) asignatura *f* especial. ~ 교육(教育) educación *f* especial [técnica]. ~ 대학 facultad *f* profesional. ~ 분야 campo *m* especializado. ~성 profesionalidad *f*. ~ 술어 término *m* profesional. ~어 palabra *f* técnica, término *m* técnico; [집합적] terminología *f*, tecnicismo *m*. ~ 용어 término *m* técnico. ~ 위원 consejero *m* técnico, consejera *f* técnica; experto, -ta *mf*. ~ 위원회 comité *m* [comisión *f*] de expertos. ~의(醫) médico, -ca *mf* especialista. ~적 especial; [직업적] profesional. ¶~으로 especialmente, profesionalmente. 이 회사는 기계 수입을 ~으로 하고 있다 Esta firma comercial se especializa en la importación de máquinas. ~점 tienda *f* especializada. ¶낚시 도구 ~ tienda *f* especializada en los avíos de pesca. ~ 지식 conocimiento *m* especial. ~직 공무원 funcionario, -ria *mf* profesional. ~학교 escuela *f* técnica, escuela *f* especial. ~화(化) profesionalización *f*, especialización *f*. ¶~하다 profesionalizarse, especializarse. ~시키다 especializar.

전문(電文) ((준말)) =전보문(電報文).

전문(傳聞) habladurías *fpl*, rumores *mpl*. ~하다 aprender de otros, aprender por rumores.

■~ 증거 testimonio *m* de oídas. ~ 증인(證人) testigo *mf* de oídas.

전문(錢文) dinero *m*.

전문(轉聞) rumor *m*, voz *f* común. ~하다 oír [aprender] de otros.

전물(奠物) ofrendas *fpl* (a Dios·a Buda).

■~상(床) mesa *f* de ofrendas a Dios.

전미(全美) toda la América, los Estados Unidos de América Enteros.

전미련하다(全-) (ser) muy tonto, completamente estúpido.

전미하다(全美-) (ser) perfectamente hermoso, hermoso sin ninguna tacha.

전박(前膊) 【해부】 =하박(下膊)(antebrazo).

전반(全般) totalidad *f*, generalidad *f*. ~의 total, general, global. 경제(經濟) ~에 관해 보고하다 informar sobre la economía en general.

■~적(的) general, global. ¶~으로 generalmente, en general, por lo general. ~인 고찰 estudio m global. ~으로 보아 desde un punto de vista general. ~으로 말해서 generalmente hablando. 문제를 ~으로 취급하다 tratar un asunto globalmente. 생활 수준이 ~으로 향상되었다 El nivel de vida ha mejorado en general. 사태가 ~으로 악화되고 있다 La situación, mirada en general, está empeorando.

전반(前半) primera mitad *f*, [축구 등의] primer tiempo *m*. 나는 책의 ~을 방금 읽었다 Acabo de leer la primera mitad del libro.

■~기(期) año *m* de primera mitad. ~부

(部) parte *f* de primera mitad. ～신(身) mitad *f* del cuerpo delantero. ～전(戰) primer tiempo *m*.

전반(前盤) ＝서반(序盤).

전반사(全反射) 【물리】 reflección f total.

전방(前方) ① [앞쪽] frente. ～의 que está delante, delantero, de más allá. ～에서 de frente. ～으로 adelante. ～의 숲 bosque m de enfrente. 100미터 ～에 a cien metros al frente. …의 100미터 ～에 a cien metros delante de *algo*. ～에 산이 보인다 Se ve una montaña delante. ～ 주의 ((게시)) ¡Atención por delante! ② [제일선(第一線)] primera línea *f*.

■～ 기지(基地) base *f* de avance. ～ 지휘소 puesto *m* de mando.

전방(廛房) tienda *f*.

전방석(氈方席) cojín *m* de fieltro.

전배(前杯) ＝전작(前酌).

전배(前輩) ＝선배(先輩).

전배(餞杯) bebida *f* de despedida, copa *f* de despedida.

전번(前番) el otro día, la vez anterior. ～의 anterior, último. ～의 강의에 계속해서 continuando la clase última. 이 문제에 관해 ～에 토의했다 Deliberamos sobre este problema la vez anterior [en la última reunión].

전범(典範) ＝법(法). 규범(規範). 본보기.

전범(戰犯) ① ((준말)) ＝전쟁 범죄(crimen de guerra). ② ((준말)) ＝전쟁 범죄자.

■～자(者) ((준말)) ＝전쟁 범죄자.

전법(戰法) táctica *f*, estrategia *f*. ～을 바꾸다 cambiar de táctica. 기습 ～으로 공격하다 atacar al enemigo por sorpresa.

전벽(全壁) pared *f* ciega, pared *f* sin ventanas.

전변(轉變) viscitudes *fpl*, cambio *m*, mutación *f*. ～할 수 있는 variable, que cambia siempre, que cambia sin cesar.

전별(餞別) despedida *f*. ～하다 despedirse. ～의 말을 하다 despedirse (de), decir*le* adiós a *uno*, pronunciar unas palabras de despedida (a). 나는 그녀에게서 ～ 선물로 가스라이터를 받았다 Ella me dio un mechero [un encendedor] de gas como regalo de despedida [al despedirse de mí · al despedirnos].

■～금 dinero *m* [regalo *m*] de despedida. ～연(宴) fiesta *f* [banquete *m*] de despedida. ～주(酒) vino *m* [licor *m*] de despedida. ～회 reunión *f* [mitin *m*] de despedida.

전병(煎餠) crep(e) *m*, *AmL* panqueque *m*, *Méj* crepa *f*, *AmC*, *Col* panqué *m*, panqueque *m*, *Ven* panqueca *f*.

■～코 nariz *f* (*pl* narices) chata.

전보(電報) telegrama *m*, cable *m*, despacho *m* telegráfico; [해외에] cablegrama *m*. ～로 por telegrama, telegráficamente. ～하다 telegrafiar, poner [mandar · enviar] un telegrama. ～를 받다 recibir un telegrama, recibir un cable. ～로 알리다 avisar por telegrama. 내일 도착한다고 그에게서 ～가 왔다 El me telegrafió que llegaría [llegará] mañana.

■～국 oficina *f* telegráfica, oficina *f* de telégrafos. ～료 precio *m* de telegrama. ～문(文) texto *m* de telegrama. ～ 배달인 distribuidor, -dora *mf* de telegramas. ～암호장 código *m* de telegrama. ～ 약호 dirección *f* telegráfica, código *m* de telegrama. ～ 요금 ＝전보료. 전신료. ～용지 formulario *m* de telegrama. ～ 취급국 oficina *f* telegráfica. ～ 탁송 remesa *f* de telegrama. ～환 ＝전신환(電信換).

전보(塡補) suplemento *m*.

전보(戰報) noticia *f* de la guerra.

전복(全鰒) 【조개】 abulón *m* (*pl* abulones), oreja *f* marina, oreja *f* de mar, *Chi* loco *m*.

■～죽 gachas *fpl* de orejas marinas con arroz y aceite de ajonjolí. ～탕 sopa *f* de orejas marinas con huevos.

전복(戰服) (una especie del) uniforme *m* militar.

전복(顚覆) derribo *m*, vuelco *m*, trastorno *m*; [선박의] zozobra *f*, [정부 등의] derrocamiento *m*, caída *f*. ～하다 derribar, volcar(se), trastornarse, zozobrarse. 정부의 ～을 기도하다 conjurarse para derribar [para derrocar] al gobierno. 열차가 ～했다 El tren volvó. 우익 분자들은 정부를 ～했다 Los derechistas derribaron el gobierno. 이것은 정부를 ～시키기 위한 공작이었다 Esto ha sido una maniobra para derribar al gobierno.

전봇대(電報－) poste *m* eléctrico.

전봉(前鋒) ＝선봉(先鋒).

전부(田婦) mujeres *fpl* del campo.

전부(全部) todo, lo todo; [합계] suma *f*, total *m*; [부사적] totalmente, enteramente, en total, en suma, completamente. ～의 todo, total, entero. 집에 있는 책 ～ todos los libros que hay en la casa. 여기 있는 사람 ～ todas las personas que están aquí. ～털어놓다 confesarlo todo. 책 한 권을 ～ 읽다 leer un libro de cabo a cabo [desde el principio hasta el fin]. 포도주 한 병을 ～ 마시다 beber una botella entera de vino. 빚을 ～ 갚다 devolver toda la deuda. 너에게 ～ 준다 Te lo doy todo. 이것으로 ～다 Esto es todo / Nada más. 그것으로 ～다 Eso es todo. 말을 ～ 들었다 Ya lo he oído todo. 사과는 ～(해서) 열 개다 Hay diez manzanas en total. ～ 얼마입니까? －～ 5만 원입니다 ¿Cuánto cuesta en total? / ¿Cuánto es todo? － Suma cincuenta mil wones / Vale [Cuesta] cincuenta mil wones en total.

전부(佃夫) agricultor *m*.

전부(前夫) ex-esposo *m*, ex-marido *m*, primer esposo *m*, esposo *m* anterior, marido *m* anterior.

전부(前部) parte *f* delantera. 자동차의 ～ parte *f* delantera de un coche.

전부(前婦) ex-esposa *f*, primera esposa *f*, esposa *f* anterior, mujer *f* anterior.

전부(戰斧) el hacha *f* (*pl* las hachas) de guerra.
전부(顚仆) =전도(顚倒).
전부지공(田夫之功) =어부지리(漁父之利).
전분(澱粉) 【화학】 =녹말(almidón, fécula). ¶ 감자에는 ~이 많다 La patata contiene mucha fécula.
■~ 공장 feculería *f*, fábrica *f* de fécula. ~당 = 녹말당. ~당화소 =녹말 효소. ~작물 =녹말 작물. ~종자 =녹말종자. ~질 feculencia *f*. ~ 효소 =녹말 효소.
전불(前佛) ① ((불교)) Buda *m* anterior del presente. ② ((불교)) =석가(釋迦).
전불(前拂) pago *m* anticipado.
전비(全備) preparación *f* completa. ~하다 preparar(se) todo, preparar(se) completamente.
전비(前妣) =선비(先妣).
전비(前非) error *m* pasado, pecado *m* pasado. ~를 후회하다 arrepentirse de *sus* errores pasados.
전비(戰費) gastos *mpl* de guerra; [예산(豫算)] presupuesto *m* de guerra.
전비(戰備) preparación *f* para la guerra, preparativos *mpl* de guerra. ~를 갖추다 completar los preparativos de guerra, prepararse para la guerra.
전사(前史) ① [한 시대의 역사의 성인(成因)을 설명하기 위하여 씌어지는, 그 이전의 역사] historia *f* (de la época) anterior. ② [역사 이전] prehistoria *f*.
전사(前事) cosa *f* que ya ha pasado, cosa *f* anterior, pasado *m*.
전사(傳寫) copia *f*. ~하다 copiar.
전사(戰士) ① [싸움을 잘하는 병사(兵士)] guerrero, -ra *mf*, combatiente *mf*, soldado, -da *mf*. ② [작업 현장에서 땀 흘려 일하는 사람] obrero, -ra *mf*, trabajador, -dora *mf*. 산업(産業) ~ trabajador, -dora *mf* industrial. ③ 【북한】 =사병(士兵).
전사(戰史) historia *f* militar, historia *f* de la guerra. 제이차 세계 대전 ~ historia *f* de la Segunda Guerra Mundial.
전사(戰死) muerte *f* en la batalla [en el combate]. ~하다 morir en la batalla [en el combate · en la guerra], quedar en el campo.
■~상자 baja *f*. ~상 증명서 baja *f*. ~자 muertos *mpl* [difuntos *mpl* · caídos *mpl*] en la guerra.
전사(戰事) cosa *f* sobre la guerra.
전사(轉寫) copia *f*, tra(n)scripción *f*. ~하다 copiar, transcribir; [사진 · 석판술로] tomar copia (de).
■~기 copiador *m*. ~본 libro *m* copiado. ~지 papel *m* de transferir, papel *m* para calcomanía.
전삭(前朔) mes *m* pasado.
전산(電算) ((준말)) =전자계산기.
■~기 ((준말)) =전자계산기(電子計算機). ~ 사식(寫植) fotocomposición *f* en ordenador. ~인 especialista *mf* en informática [en ordenador · en computación]. ~화(化) computarización *f*, computerización *f*, informatización *f*.
전상(戰傷) herida *f* por guerra. ~을 입은 herido [devastado] por (la) guerra.
■~병 soldado *m* herido por (la) guerra. ~자 herido, -da *mf* por (la) guerra.
전색맹(全色盲) 【의학】 daltonismo *m* total, acromatopsia *f*.
전생(全生) toda la vida. ~을 교육에 바치다 dedicarse a la educación toda la vida.
전생(前生) ((불교)) vida *f* anterior, existencia *f* pasada, preexistencia *f*. ~의 약속 predestinación *f*, destino *m*, karma *m*. ~의 인연(因緣) relación *f* de karma, relación *f* contraída en la vida anterior. ~의 죄(罪) pecado *m* cometido en *su* vida anterior. ~에서부터의 숙명(宿命) predestinación *f*. 사소한 일도 모두 ~의 인연에서 비롯된 것이다 Está predestinado aun el encuentro más casual. 그것은 ~의 인연이다 Eso se debe a un efecto de la ley de karma.
■~연분(緣分) relación *f* de karma.
전 생애(全生涯) toda la vida. ~를 통하여 durante toda *su* vida.
전서(全書) libro *m* completo.
◆백과(百科)~ enciclopedia *f*.
전서(前書) =전신(前信).
◆고린도 ~ ((성경)) la Primera Epístola del Apóstol San Pablo a los Corintios, la Primera Carta de San Pablo a los Corintios.
전서(傳書) transferencia *f* de la comunicación [de la carta].
■~구(鳩) paloma *f* mensajera [correo].
전서(篆書) ① [전자체(篆字體)로 쓴 글씨] escritura *f* en carácter de sello. ② =전자(篆字).
전서(轉書) =배서(背書).
전서방(前書房) =전남편(前男便).
전석(磚石) =벽돌.
전선(全線) ① [모든 선로] todas las líneas de ferrocarril. 철도가 ~ 불통이다 El ferrocarril ha inaugurado su servicio por todas las líneas. ② [모든 전선(電線)] todos los cables eléctricos. ~이 불통(不通)이다 El servicio está parado [interrumpido · paralizado] en todas las líneas.
전선(全鮮) toda *Choson*, toda Corea.
전선(前線) ① [적전 부대(敵前部隊)가 형성하는 가로의 선] primera línea *f*, frente *m*. ~에 나가다 ir al frente. 병사(兵士)를 ~에 보내다 enviar [mandar] a los soldados al frente de batalla. ② [맨 선두에 서서 활동하는 일. 또, 그 지위] frente *m*. 산업 ~ frente *m* industrial. ③ 【기상】 frente *m*.
전선(電線) línea *f* eléctrica, cable *m* eléctrico, alambre *m* eléctrico, cordón *m* (*pl* cordones), cordel *m* eléctrico; [전신의] línea *f* telegráfica. 이 새는 방파제의 한 전등에 급전(給電)하고 있는 ~에서 휴식을 취하고 있다 Esta avecilla toma un descanso en un cordel eléctrico que alimenta una de las lámparas del malecón.

■ ～주(柱) =전주(電柱). ～줄 =전선(電線).
전선(戰船) buque *m* de guerra.
전선(戰線) frente *m* de batalla.
전설(前說) vista *f* previa, opinión *f* previa, doctrina *f* previa.
전설(傳說) ① [예로부터 전해 내려오는 말. 또는, 이야기] leyenda *f*, tradición *f*. ～상의 legendario, tradicional. ～상의 인물(人物) personaje *m* legendario. ～에 의하면 …이다 La tradición dice que + *ind*. / La leyenda cuenta que + *ind*. 이것은 옛날부터 내려온 ～이다 Esto es una tradición antigua. ～에 의하면 이곳에 악마가 살고 있다 Según la leyenda, aquí vive el diablo. ② =전언(傳言).
■ ～ 시대(時代) edad *f* legendaria, época *f* legendaria. ～적 tradicional, legendario. ¶ 그는 ～ 인물(人物)이다 El es una persona legendaria.
전성(全盛) (cenit *m* · auge *m* · colmo *m* de) prosperidad *f*, plena prosperidad *f*, pleno florecimiento *m*. ～의 en plena prosperidad, en el colmo [en el cenit · en el auge] de la prosperidad.
■ ～기(期) período *m* de plena prosperidad. ¶～의 서반아(西班牙) España en la época de *su* pleno esplendor. ～에 있다 estar en el auge [en el colom · el la cumbre · en el cenit] de la prosperidad [del florecimiento]. ～ 시대 época *f* de plena prosperidad, época *f* de pleno florecimiento, cenit *m*, todo *su* esplendor.
전성(展性) maleabilidad *f*. ～의 maleable.
전성관(傳聲管) tubo *m* magáfono, tubo *m* acústico, tubo *m* de bocina.
전세(前世) ① =전대(前代). ② ((불교)) =전생(前生).
전세(專貰) reserva *f*, reservaciones *fpl*, contrato *m*, empleo *m*, chárter *m*; ((게시)) Reservado.
■ ～기(機) =전세 비행기. ～ 내다 reservar, hacer una reserva. ～ 버스 autobús *m* chárter. ～ 비행 vuelo *m* chárter. ～ 비행기 avión *m* chárter.
전세(傳貰) alquiler *m*, contrato *m* de alquiler, contrato *m* de arrendamiento.
■ ～권 derecho *m* de alquiler. ～금 =전셋돈. ～ 내다 arrendar, tomar en arriendo, fletar, alquilar. ¶버스를 ～ fletar [alquilar] un avión. ～방 habitación *f* aquilada. ～ 보증금 depósito *m*, caución *f*, fianza *f*. ～ㅅ돈 dinero *m* de alquiler. ～ㅅ집 casa *f* aquilada.
전세(戰勢) situación *f* de guerra.
전 세계(全世界) todo el mundo, mundo *m* entero. ～로 por todo el mundo. ～의 사람들 [나라들] todos los hombres [todos los países] del mundo. ～에서 모이다 venir de todas las partes del mundo. ～를 돌아다니다 recorrer mares y océanos.
전세기(前世紀) siglo *m* pasado.
전세월(前歲月) tiempo *m* pasado.
전소(全燒) destrucción *f* total por incendio. ～하다 quedar destruido completamente en un incendio. ～되다 quedar reducido a cenizas. 그 집은 ～했다 La casa quedó destruida completamente en un incendio. 그 건물은 화재(火災)로 ～되었다 El edificio quedó reducido a cenizas en el incendio.
전속(專屬) exclusividad *f*. ～하다 pertenecer exclusivamente. ～의 exclusivo.
■ ～ 가수(歌手) cantante *mf* perteneciente; cantante *m* ligado, cantante *f* ligada. ～ 관할(管轄) jurisdicción *f* exclusiva. ～ 관할구 jurisdicción *f* exlusiva. ～ 극작가(劇作家) dramaturgo, -ga *mf* pertenecinete (a). ～ 부관 ayuda *m* de campo, adecán *m*. ～선(船) embarcación *f* pequeña, gabarra *f*. ～ 탤런트 talento, -ta *mf* perteneciente (a).
전속(轉屬) mudanza *f* (de un militar). ～하다 cambiar de cuerpo militar.
전속력(全速力) toda velocidad *f*, mayor velocidad *f*. ～으로 a toda velocidad, con la mayor velocidad, a toda prisa, a todo correr. ～으로 달리다 [사람이] correr con todas *sus* fuerzas [a más no poder · a tumba abierta]; [자동차가] correr [rodar] a toda velocidad [rapidez]; [말이] correr a galope (tendido) [a todo escape]. ～으로 도망치다 huir a todo correr. 차는 ～으로 코너를 돌았다 El coche se alejó doblando la esquina a toda velocidad. 그는 새 스포츠카로 우리 앞을 ～으로 지나갔다 El nos pasó a toda velocidad con su nuevo coche deportivo. 보트들이 ～으로 물 위를 미끄러져 갔다 Los botes se deslizaban sobre el agua a toda velocidad.
전손(全損) pérdida *f* total, avería *f* total, completa pérdida *f*.
■ ～ 담보 prenda *f* para pérdida total.
전송(電送) transmisión *f* telegráfica. ～하다 transmitir por telegrama, telefotografiar. 사진을 ～ 하다 transmitir una fotografía por telegrafía, telefotografiar una fotografía. A 씨에게 ～해 주기 바람 Se ruega reexpedir al Sr. A / Remítase al Sr. A. 새 주소를 ～ 바람 Transfiérase [Remítase] a su nuevo domicilio.
■ ～ 사진 telefotografía *f*, fototelegrafía *f*. ～ 사진기 telefotógrafo *m*.
전송(傳送) transmisión *f*. ～하다 transmitir.
전송(餞送) acompañamiento *m*. (…를) ～하다 acompañar (a *uno*), escoltar (a *uno*).
전송(轉送) transmisión *f*, remisión *f*, reenvío *m*. ～하다 transmitir, traspasar, remitir, reexpedir, reenviar.
전수(全數) ① [전체의 수] número *m* total, total *m*. ② [온통. 모두] todo, totalmente; [만장일치로] unánimemente, por unanimidad.
전수(專修) especialización *f*, estudio *m* exclusivo. ～하다 especializar(se).
■ ～과(科) curso *m* especial. ～ 과목(科目) asignatura *f* especial.
전수(傳受) herencia *f*. ～하다 heredar, recibir.

전수(傳授) iniciación *f*, transmisión *f*, instrucción *f*. ～하다 iniciar, transmitir, instruir. …의 ～를 받다 recibir la iniciación en *algo*. …한테서 직접 ～한 directamente transmitido [comunicado] de *uno*. 비의(秘義)를 ～하다 iniciar a uno en los secretos profesionales.
■ ～자(者) iniciador, -dora *mf*.
전수금(前受金) anticipos *mpl* de clientes.
전 수익(全收益) ganancia *f* total.
전술(全一) ＝전내기.
전술(前述) lo mencionado antes. ～한 mencionado [dicho] antes [más arriba]. ～한 바와 같이 como antes mencionado, como se ha dicho [mencionado] antes.
전술(戰術) táctica *f*, [전략] estrategia *f*. ～상의 táctico, estratégico. ～을 단련하다 elaborar una táctica. ～을 바꾸다 cambiar de táctica. 무기마다 특별한 ～을 가지고 있다 Cada arma tiene su táctica particular.
■ ～가 táctico, -ca *mf*, estratégico, -ca *mf*. ～ 계획 plan *m* táctico. ～ 공군 fuerzas *fpl* aéreas tácticas. ～ 단위(單位) unidad *f* táctica. ～ 상황 situación *f* táctica. ～용 항공기 avión *m* táctico. ～ 작전 operaciones *fpl* tácticas. ～ 작전 본부 centro *m* de operaciones tácticas. ～적 táctico, estratégico. ¶～으로 tácticamente, estratégicamente. ～적 핵병기 ＝전술 핵병기. ～ 지휘소 puesto *m* de comando táctico. ～ 철조망 alambrada *f* táctica. ～ 폭격 bombardeo *m* táctico. ～학 táctica *f*. ～ 핵병기 armas *fpl* nucleares tácticas.
전습(傳襲) herencia *f*. ～하다 hereder.
전승(全勝) victoria *f* completa. ～하다 ganar victoria completa, ganar todos los partidos, salir invicto.
전승(傳承) transmisión *f*, tradición *f*. ～하다 transmitir de generación a generación.
◆ 민간(民間) ～ folclore *m*, folklore *m*.
■ ～ 문학 literatura *f* oral. ～ 문학 연구자 experto *m* folclórico, experta *f* folclórica.
전승(戰勝) victoria *f*, triunfo *m*. ～하다 ganar una victoria.
■ ～국(國) país *m* victorioso, nación *f* triunfante, potencia *f* victoriosa. ～ 기념일 día *f* (conmemorativo) de la victoria. ～자 vencedor, -dora *mf*. ～ 축하회 celebración *f* de la victoria.
전시(全市) toda la ciudad, ciudad *f* entera. ～전 주민의 환영 recibimiento *m* [acogimiento *m*] de todos los habitantes de la ciudad.
전시(展示) exposición *f*, exhibición *f*. ～하다 exponer, exhibir. 그녀의 작품은 이 화랑에서 ～ 중이다 Sus obras están expuestas en esta galería.
■ ～실 sala *f* [salón *m*] de exposiciones. ～장 exposición *f*. ～ 판매회 exposición *f* y venta de objetos expuestos. ～품 objetos *mpl* expuestos, objetos *mpl* en exposición; [작품] obras *fpl* expuestas. ¶～에 손대지 마시오 ((게시)) Se ruega no tocar los objetos expuestos / No toque(n) los objetos expuestos, por favor. ～회 exposición *f*, exhibición *f*. ¶개인 ～ la Exposición Personal. 이인(二人) ～ la Exposición Bipersonal. 자동차 ～ exposición *f* de automóviles. 회화(繪畵) ～ exposición *f* de cuadros.
전시(展翅) despliegue *m* [desplegadura *f*] de las alas de un insecto. ～하다 desplegar las alas de un insecto.
■ ～판(板) tabla *f* entomológica.
전시(戰時) tiempo *m* [período *m*] de guerra, guerra *f*. ～ 중에 durante la guerra, en tiempo de guerra.
■ ～ 경기(景氣) boom *m* de guerra. ～ 경제 economía *f* de (la) guerra. ～ 공법 ＝전시 국제 공법. ～ 공채 emprésito *m* de guerra. ～ 국제 공법 ley *f* internacional de guerra. ～ 국제법 ＝전시 국제 공법. ～ 국채 bono *m* [obligación *f*] de guerra. ～ 근무 해제 desactivación *f*. ～ 금제품 contrabando *m* de guerra. ～ 내각 gabinete *m* (ministerial) de guerra. ～ 보상(補償) indemnización *f* por la guerra. ～ 보상 특별 조치 medidas *fpl* especiales para la indemnización por la guerra. ～ 보험(保險) seguro *m* de riesgo de guerra. ～ 복구 restauración *f* de guerra. ～ 봉쇄 bloqueo *m* de guerra. ～ 산업 industria *f* de guerra. ～ 상태 estado *m* de guerra. ～세(稅) impuesto *m* de guerra. ～ 수당 prima *f* de guerra, bonificación *f* de guerra. ～ 장비 equipo *m* de guerra. ～ 재정 finanza *f* de guerra. ～ 징발 leva *f* de guerra, reclutamiento *m* de guerra. ～ 체제(體制) régimen *m* de guerra. ～ 특례 excepción *f* de guerra. ～ 특별 수당 asignación *f* especial de guerra. ～ 편제 organización *f* de guerra. ～하(下) bajo la guerra.
전 시대(前時代) época *f* anterior.
전식(電飾) iluminación *f*.
전신(全身) todo el cuerpo, cuerpo *m* entero. ～의 del cuerpo entero; 【의학】 general, universal. 나는 ～이 떨렸다 Me tembló todo el cuerpo. 그는 ～에 땀으로 목욕을 했다 Todo el cuerpo le quedó bañado de [por] sudor.
■ ～ 동맥(動脈) arterias *fpl* sistémicas. ～력 toda *su* fuerza. ～ 마사지 masaje *m* tailandés. ¶～하다 masajear. ～ 마취(痲醉) panaestesia *f*, holonarcosis *f*, anestesia *f* general. ～ 무력증 astenia *f* universal. ～발한 panhidrosis *f*. ～병 enfermedad *f* constitucional. ～ 부종(浮腫) anasarca *f*. ～ 불수 paralisis *f* total [general]. ～ 붕대 cinta *f* del cuerpo. ～ 사진 fotografía *f* de cuerpo entero, retrato *m* de cuerpo entero, retrato *m* de todo el cuerpo. ～상 figura *f* de cuerpo entero. ～ 쇠약 postración *f* [abatimiento *m*] general. ～ 순환(循環) circulación *f* sistémica. ～욕 baño *m* entero. ～ 운동 ejercicio *m* de cuerpo entero. ～ 위축(萎縮) pantatrofia *f*. ～적(的)

sistémico, universal, general. ~적 유치증(的幼稚症) infantilismo *m* universal. ~ 충혈 panhiperemia *f*. ~ 침례 inmersión *f* total. ~ 홍색증 eritrosis *f*. ~ 화상(畵像) retrato *m* de cuerpo entero.

전신(前身) vida *f* pasada, carrera *f* anterior. 그녀의 ~은 발레리나였다 Ella era bailarina antes. 이 대학교의 ~은 신학교였다 El origen de esta universidad fue un seminario.

전신(前信) carta *f* anterior.

전신(電信) telégrafo *m*, telegrafía *f*, [해저 전신] cable *m*. ~의 telegráfico, cablegráfico. ~으로 telegráficamente, por telégrafo, por cable. ~을 보내다 telegrafiar, cablegrafiar.
■ ~국(局) oficina *f* telegráfica, oficina *f* cablegráfica. ~기 telégrafo *m*, equipo *m* telegráfico. ~료 precio *m* de telegrama. ~망 red *f* telegráfica. ~법 telegraña *f*. ~부호 cifra *f* telegráfica. ~사 telegrafista *mf*. ~ 사무 servicio *m* telegráfico. ~선 línea *f* telegráfica. ~ 암호 código *m* telegráfico. ~ 암호장 código *m* de cifrado y descifrado telegráfico. ~ 약호 dirección *f* cablegráfica. ~ 약호 문자 palabra *f* de código telegráfico, palabra *f* clave telegráfica. ~ 전화 공사 la Corporación Pública del Telégrafo y el Teléfono, la Corporación Pública de Telecomunicaciones. ~주(柱) poste *m* eléctrico. ~줄 =전선(電線). ~환 giro *m* telegráfico, transferencia *f* telegráfica, remesa *f* telegráfica. ~ 회사 compañía *f* telegráfica. ~ 회선(回線) circuito *m* telegráfico.

전실(前室) ((높임말)) =전취(前娶).
■ ~딸 hija *f* de *su* esposa anterior. ~아들 hijo *m* de *su* esposa anterior. ~자식 hijos *mpl* de *su* esposa anterior.

전심(全心) todo *su* corazón. ~을 다하여 con todo *su* corazón.
■ ~전력(全力) todo *su* cuerpo y alma. ¶ ~을 기울이다 entregar a *algo* todo *su* cuerpo y alma. ~을 다해 a toda fuerza, con todas *sus* fuerzas.

전심(專心) todo el corazón. ~하다 entregarse [dedicarse · aplicarse] (a). 학문(學問)에 ~하다 dedicarse al estudio, sumergirse en el estudio.

전아하다(典雅一) (ser) elegante, refinado, fino, gracioso, donairoso, garboso, castizo. 전아함 elegancia *f*, gracia *f*, donaire *m*, garbo *m*.

전압(電壓) 【물리】 voltaje *m*, presión *f* eléctrica, tensión *f* eléctrica. ~을 올리다 elevar el voltaje. ~을 내리다 reducir el voltaje. ~ 100볼트의 de cien voltios.
■ ~ 강하(降下) disminución *f* del voltaje. ~계 voltímetro *m*. ~ 계전기 relé *m* de voltaje. ~선 conductor *m* de derivación. ~ 전류계 voltámetro *m*, coulombímetro *m*. ~ 조정기 regulador *m* de presión, regulador *m* de voltaje.

전압력(全壓力) 【물리】 presión *f* total

전액(全額) cantidad *f* total, importe *m* total, monto *m* total, suma *f* total. ~ 불입필(拂入畢)의 completamente pagado. ~ 지불하다 pagar toda la cantidad, hacer el pago total. 채무(債務)를 ~ 갚다 pagar toda la deuda. 요금을 ~ 되돌려 주었다 Devolvieron el importe total.
■ ~ 지불(支拂) pago *m* íntegro [total].

전야(田野) el arroz y el campo, campos *mpl* cultivados y de yermo.

전야(前夜) víspera *f*, la noche precedente, anoche. 전투 ~에 la víspera de la batalla. 혁명 ~에 en víspera de la revolución. 불란서 혁명 ~에 en vísperas de la revolución Francesa.
◆ 크리스마스 ~ víspera *f* de Navidad.
■ ~제(祭) fiesta *f* de víspera.

전약(前約) =선약(先約).

전약(煎藥) decocción *f* (medical), decocción *f* de las hierbas medicinales.

전어(箭魚) 【어류】 =준치.

전어(錢魚) 【어류】 molleja *f*.

전언(前言) palabra *f* anticipada, palabra *f* de antemano. ~을 취소하다 retractarse [desdecirse] de lo dicho, retractar *su* palabra, retirar *sus* palabras, cantar la palinodia.
■ ~ 취소 retractación *f*.

전언(傳言) mensaje *m* (verbal), recado *m*. ~하다 enviar palabra, escribir. ~을 남기다 dejar un recado. ~을 맡다 encargarse de dar recuerdos (de *uno* a *uno*). …에게 ~하다 enviar un mensaje verbar a *uno*, enviar una palabra a *uno*. A에게 B에게 보내는 ~을 맡기다 encargar a A un mensaje para B.
■ ~자 mensajero, -ra *mf*. ~판 tabla *f* de mensajes.

전업(專業) especialidad *f*, ocupación *f* especial, monopolio *m*. 외국 무역을 ~으로 하다 tener por especialidad el comercio extranjero. 이것이 내 ~이다 Este es mi especialidad.
■ ~ 농가(農家) agricultor *m* dedicado [agricultora *f* dedicada] completamente a la agricultura. ~자(者) especialista *mf*, monopolista *mf*.

전업(電業) industria *f* eléctrica.

전업(轉業) cambio *m* de empleo, cambio *m* de ocupación, cambio *m* de negocios. ~하다 cambiar de empleo, cambiar de negocios, cambiar de ocupación. 그는 인쇄소에서 서점으로 ~했다 El abandonó la imprenta para dedicarse a la librería.

전역(全域) toda la región, toda la comarca, toda la área, toda la provincia. 호남 지방 ~에 por toda la región de Honam. 서울시(市)의 ~으로 por toda el área de la ciudad de Seúl.

전역(全譯) traducción *f* [versión *f*] completa [integral]. ~하다 traducir *algo* completamente.
■ ~ 성서(聖書) traducción *f* completa de la Santa Biblia.

전역(戰役) ＝전쟁(戰爭)(guerra).

전역(戰域) zona *f* de la guerra.

전역(轉役) traslado *m*; [제대] baja *f*. ～하다 trasladar; [제대하다] dar de baja del ejército. 그는 (군에서) ～했다 El fue dado de baja del ejército.

■～식(式) ceremonia *f* de dar de baja del ejército.

전연(全然) enteramente, de todo, en absolutamente, íntegramente, cabalmente, totalmente. ～ 알지 못하다 no saber nada. ～ …이 아니다 no … nada [en absoluto · de ninguna manera · de ningún modo · nunca]. 그를 아십니까? — ～ 모릅니다 ¿Le conoce usted? — No, en absoluto. 그것은 ～ 생각나지 않는다 No me acuerdo absolutamente nada de eso. ☞전혀

전열(前列) primera fila *f*, fila *f* delantera. ～ 우측에서 두 번째 좌석(座席) el segundo asiento de la derecha en la primera fila.

전열(電熱) calor *m* eléctrico.

■～기(器) calentador *m* eléctrico. ～량계 caloriamperímetro *m*.

전열(戰列) frente *m*, línea *f* de batalla. ～에 참가하다 ir al frente, juntarse en el frente, unirse en el frente. ～을 이탈(離脫)하다 quitarse del frente, dejar el frente.

전염(傳染) contagio *m*, infección *f*, diseminación *f*. ～하다 pasar, comunicar, contagiar, ser infeccioso. ～되다 contagiarse, transmitirse, pegarse. ～시키다 contagiar. ～된 contagiado, infectado. ～되어 por contagio. 병을 ～시키다 pasar [comunicar] una enfermedad, contagiar con [de] una enfermedad. 페스트의 ～은 매우 빠르다 El contagio de la peste es muy rápido. 이 병(病)은 ～된다 [되기 쉽다] Esta enfermedad es infecciosa / Esta enfermedad se contagia. 그는 나에게 병을 ～시켰다 El me contagió de su enfermedad. 나는 그에게 감기를 ～시켰다 Se me pegó su resfriado. 당신의 감기가 나에게 ～되었다 Me has contagiado tu catarro.

◆간접(間接) ～ infección *f* indirecta. 결핵(結核) ～ infección *f* tuberculosa. 공기(空氣) ～ infección *f* aérea. 접촉(接觸) ～ infección *f* de contacto. 직접(直接) ～ infección *f* directa.

■～병 epidemia *f*, contagio *m*, enfermedad *f* contagiosa, enfermedad *f* infecciosa. ～병균(病菌) germen *m* infeccioso. ～병 병원 lazareto *m*. ～병 연구소 instituto *m* para el estudio de enfermedad contagiosa [infecciosa], instituto *m* de enfermedad infecciosa. ～병 유행 지역 distrito *m* de pestilencia furiosa, distrito *m* infeccionado. ～병학(病學) epidemiología *f*. ～병 환자 contagioso, -sa *mf*, infeccioso, -sa *mf*, paciente *mf* de una enfermedad. ～성(性) contagiosidad *f*. ～성 간염 hepatitis *f* infecciosa.

전옥(典獄) ① ((구용어)) ＝교도소장. ② ((구제도)) cárcel *f*.

전와(轉訛) corrupción *f*, descomposición *f* de las palabras. ～하다 corromperse.

■～어 corrupción *f*, palabra *f* corrompida.

전완(前腕) 【해부】 ＝하박(下膊).

전용(專用) uso *m* exclusivo, uso *m* privado. ～의 exclusivo, reservado, privado, de uso privado, particular.

◆보행자 ～ 도로 pasaje *m* reservado para peatones. 직원 ～ 입구 entrada *f* prohibida al público.

■～권 derecho *m* exclusivo. ～기 avión *m* privado. ～로 [자동차의] autopista *f*. ～선(船) barco *m* privado. ～선(線) [철도의] línea *f* de ferrocarril para el uso exclusivo de su propietario; [전화의] línea *f* exclusiva; [관청의] línea *f* oficial. ～실 camarote *m* privado, cabina *f* privada. ～ 어장 zonas *fpl* pesqueras exclusivas. ～전(栓) llave *f* de agua para el uso exclusivo. ～ 주차장 aparcamiento *m* exclusivo. ～차 coche *m* privado, coche *m* particular. ～ 차로(車路) carril *m* exclusiva. ～ 철도 ferrocarril *m* para el uso exclusivo de su propietario.

전용(轉用) apropiación *f*, asignación *f*, malversación *f*. ～하다 aplicar, destinar, asignar, malversar, cometer malversaciones. A를 B에 ～하다 usar a por [como] B. 농지(農地)를 주차장으로 ～하다 usar el terreno agrícola como aparcamiento [parque de estacionamiento].

전우(戰友) compañero *m* de armas, camarada *m* de armas, hermano *m* en armas.

■～애(愛) compañerismo *m*.

전운(戰雲) nube *f* de guerra.

전원(田園) campo *m*. ～의 rural, campesino, campestre, pastoril, pastoral.

■～곡 pastoral *f*. ～ 교외 suburbios *mpl* rurales. ～ 교향곡 sinfonía *f* pastoral. ～ 도시 ciudad *f* rural, ciudad *f* bucólica. ～ 문학 literatura *f* (de la vida) rural. ～생활 vida *f* rural, vida *f* en el campo. ～시(詩) pastorela *f*, poema *m* pastoril, poema *m* bucólico, égloga *f*. ～시인(詩人) poeta *mf* pastoral. ～ 음악 música *f* pastoril, música *f* pastoral. ～풍(風) estilo *m* pastroril.

전원(全員) todos, todos los miembros, toda la persona, todo el mundo; [승무원] tripulación *f*. ～의 찬성 [승낙] consentimiento *m* [aprobación *f*] unánime. 우리들 ～ todos nosotros, todas nosotras; nosotros todos, nosotras todas. ～이 일치한다 Todos llegan a un acuerdo / [상태] Hay unanimidad de pareceres. 승객은 ～ 무사하다 Todos los pasajeros están sanos y salvos. ～ 기립! ¡Levántense todos! ～ 갑판으로! ¡Todo el mundo arriba!

◆가족(家族) ～ toda la familia.

■～ 일치(一致) unanimidad *f*. ¶～의 unánime. ～로 unánimemente, por unanimidad.

전원(全院) toda Cámara de Representantes, ambas Cámaras.

■～ 위원회(委員會) comité *m* [comisión *f*] de toda Cámara de Representantes, comité *m* [comisión *f*] de ambas Cámaras.

전원(電源) fuente *f* de energía eléctrica, fuente *f* de alimentación, fuerza *f*, procedencia *f* de electricidad; [콘센트] toma *f* (de corriente), enchufe *m* de pared. ～을 끊다 cortar el interruptor [la corriente]. ～을 넣다 conectar el interruptor [la corriente]. ～을 개발하다 [수력의] explotar los recursos hidroeléctricos.

■～ 개발(開發) desarrollo *m* del origen de la fuerza eléctrica.

전월(前月) mes *m* pasado.

전위(前衛) ① [전방의 호위] vanguardia *f*. ～의 de vanguardia, vanguardista. ～ 부대(部隊) tropa *f* vanguardista, tropa *f* de vanguardia. ② ((준말)) ＝전위대(前衛隊). ③ [테니스·배구 등에서, 자기 진의 전방에 위치하여 주로 공격을 하는 선수] jugador *m* delantero, jugadora *f* delantera. ④ [사회 운동이나 예술 운동에서 가장 선구적인 사람이나 집단] vanguardia *f*; [사람] vanguardista *mf*. ～의 de vanguardia, vanguardista.

■～극(劇) teatro *m* de vanguadia. ～대 vanguardia *f*, avanzada *f*. ～ 미술 arte *m* de avant-garde. ～ 영화(映畵) película *f* vanguardista. ～ 예술(藝術) pintura *f* de vanguardia, arte *m* de vanguardia. ～ 예술가 artista *mf* de vanguardia. ～ 음악(音樂) música *f* de vanguardia. ～적(的) de vanguardia, vanguardista. ～파(派) vanguardista *mf*; [집합적] vanguardia *f*.

전위(傳位) abdicación *f* [dimisión *f*] de la corona. ～하다 abdicar la corona.

전위(電位) potencial *m* eléctrico.

■～ 강화(强化) caída *f* de potencial, caída *f* de voltaje. ～계 electrómetro *m*. ～차(差) diferencia *f* de potencial, diferencia *f* eléctrica. ～차계(差計) potenciómetro *m*.

전위(轉位) trasposición *f*, transposición *f*. ～하다 trasponer, transponer.

전유(全乳) leche *f* pura.

전유(專有) posesión *f* exclusiva. ～하다 poseer exclusivamente.

■～권 derecho *m* exclusivo. ～물 objeto *m* exclusivo. ～자 propietario *m* privado, propietaria *f* privada; único propietario *m*, única propietaria *f*.

전유(煎油) fritada *f*, cosas *fpl* fritas. ～하다 freír.

■～어(魚) ＝저냐.

전율(戰慄) estremecimiento *m* [temblor *m*] de horror [de miedo]. ～하다 estremecerse, temblar de miedo, temblar de horror, temblequear, tiritar. ～할 terrible, horrible. ～하는 듯한 espantoso, horroroso, pavoroso. ～할 광경 vista *f* horrible. ～할 범죄(犯罪) crimen *m* horrible [terribe·horroroso]. ～시키다 estremecer, horrorizar, temblar.

전음(全音) 【음악】 tono *m* entero. ☞온음

■～계 escala *f* diatónica, toda la escala. ～부 ＝온음표. ～ 음계 ＝온음 음계. ～정 ＝온음정.

전음(顫音) 【음악】 trino *m*.

전읍(全邑) todo el pueblo.

전의(專意) concentración *f* de corazón. ～하다 dedicarse (a).

전의(詮議) [조사] indagación *f*, averiguación *f*, investigación *f*; [심의(審議)] consideración *f*, deliberación *f*. ～하다 indagar, averiguar, investigar, considerar, deliberar.

전의(戰意) intención *f* hostil, deseo *m* de la guerra, espíritu *m* bélico, ánimo *m* de lucha, moral *f*. ～를 상실하다 desmoralizar, desanimar. ～를 잃은 desmoralizador. ～가 없는 desmoralizado, desanimado. 그는 이제 ～가 없다 El ya no tiene intención de luchar.

전의(轉義) [비유적인] sentido *m* figurativo [figurado·metafórico]; [파생적인] sentido *m* derivado. ～의 figurativo; [암유적인] metafórico.

전이(轉移) ① [옮김] cambio *m*, transición *f*. ～하다 cambiar. ② 【의학】 metástasis *f*. ～하다 [암이] metastacizar. 암의 ～ metástasis *f* cancerosa.

전이재민(戰罹災民) víctimas *fpl* de la guerra y damnificados.

전인(全人) todo el hombre, persona *f* polifacética.

■～ 교육(教育) educación *f* para todo el hombre.

전인(前人) predecesor, -sor *mf*.

■～미답(未踏) lo inexplorado, lo que nadie ha alcanzado hasta ahora. ¶～의 sin precedentes, inexplorado, original, único. ～의 기록 récord *m* sin precedentes. ～의 삼림 selva *f* inexplorada, bosque *m* inexplorado.

전인격(全人格) toda personalidad.

전인구(全人口) toda población.

전일(全一) lo perfecto.

전일(全日) ① [하루 종일] todo el día. ② [모든 날] todos los días.

■～제(制) sistema *m* diurno. ¶～ 고등학교 bachillerato *m* superior diurno.

전일(前日) ＝전날.

전임(前任) predecesor, -sora *mf*. ～의 precedente. ～자(者) antecesor, -sora *mf*.

전임(專任) exclusividad *f*. ～의 [학생·군인의] de tiempo completo, de servicio completo; [고용·지위] de jornada completa, de tiempo completa. ～으로 일하다 trabajar a tiempo completo, trabajar una jornada completa.

■～ 강사 lector *m* numerario, lectora *f* numeraria; instructor, -tora *mf* de tiempo completo. ～ 교사 maestro, -tra *mf* de tiempo completo. ～ 교수 catetrático, -ca *mf* titular; profesor *m* numerario, profesora *f* numeraria. ～ 이사 director, -tora *mf* de jornada completa [de tiempo completo].

전임(轉任) traslado *m*, cambio *m* de puesto. ～하다 ser mudado (a otro puesto), ser trasladado (a otro puesto). ～시키다 trasladar a puesto nuevo. 부산에서 서울로 ～되다 ser transferido de Busan a Seúl.

■ ~자 persona *f* trasladada. ~지 nuevo puesto *m*.

전입(轉入) ① [전교하여 입학함] transferencia *f*. ~하다 transferir. ② [다른 거주지에서 옮기어 들어옴] traslado *m*. ~하다 mudarse (a), cambiar de domicilio (a).

■ ~생 estudiante *m* preferido [estudiante *f* preferida] de la otra escuela. ~ 신고(申告) declaración *f* de traslado (de domicilio).

전자(前者) el primero; el anterior; aquél, aquélla *mf*, aquéllos *mpl*, aquéllas *fpl*. 나는 이 두 의견 중에서 ~를 택한다 De estas dos opiniones prefiero la primera.

전자(專恣) arbitrariedad *f*, despotismo *m*. ~하다 tiranizar.

전자(電子) electrón *m*. ~의 electrónico.

◆ 양(陽)~ positrón *m*, electrón *m* positivo. 음(陰)~ negatrón *m*, electrón *m* negativo.

■ ~가(價) electrovalencia *f*. ~ 가스 gas *m* electrónico. ~계산기(計算器) calculadora *f* electrónica, ordenador *m*, computadora *f*, computador *m*. ~계산기 사용 procesamiento *m* electrónico de datos. ~ 계산기화 computarización *f*. ~ 공업(工業) industria *f* electrónica. ~ 공학 electrónica *f*, ingeniería *f* electrónica, electrotécnica *f*. ¶항공(航空) ~ electrónica *f* aeronáutica, aviónica *f*, electrónica *f* espacial. ~ 공학과 departamento *m* de ingeniería electrónica. ~관 tubo *m* electrónico. ~ 광학 óptica *f* electrónica. ~ 교환국 central *f* electrónica. ~ 교환기 permutador *m* electrónico. ~ 기기(機器) aparato *m* electrónico. ~ 기체 gas *m* electrónico. ~ 냉동 refrigeración *f* electrónica. ~ 냉방(冷房) enfriamiento *m* electrónico, refrigeración *f* electrónica. ~뇌 =전자두뇌. ~ 단위 unidad *f* electrónica. ~두뇌 calculadora *f* electrónica. ~레인지 horno *m* electrónico. ~ 렌즈 lente *f* electrónica. ~론 teoría *f* electrónica. ~ 망원경 telescopio *m* electrónico. ~ 메시지 (message) mensaje *m* electrónico. ~ 메일 =전자 우편(電子郵便). ~ 미디어 medios *mpl* electrónicos, soportes *mpl* electrónicos. ~ 방출(放出) emisión *f* electrónica. ~ 번역기 traductor *m* electrónico. ~ 복사(複寫) copia *f* electrónica de sonido. ~ 볼트 electrón-volt *m*. ~ 빔 haz *f* de electrones, chorro *m* electrónico. ~ 빔 관 tubo *m* de haz electrónico. ~ 빔 발생기 generador *m* de haz electrónico. ~ 사서함(私書函) buzón *m* electrónico. ~ 사진 fotografía *f* electrónica. ~ 산업 industria *f* electrónica. ~ 산업 노동자 trabajador *m*, electrónico, trabajadora *f* electrónica. ~ 서류 정리 archivo *m* electrónico. ~선 =전자 빔. ~설(說) =전자론. ~ 셔터 obturador *m* electrónico. ~수첩 agenda *f* electrónica. ~ 스위치 conmutador *m* electrónico, interruptor *m* electrónico. ~ 스캐너 explorador *m* electrónico. ~시계(時計) reloj *m* electrónico. ~식 녹화(式綠化) registro *m* videoelectrónico, grabación *f* electrónica de la imagen, grabación *f* electrónica de vídeo. ~식 사무실 oficina *f* electrónica. ~ 악기(樂器) instrumento *m* electrónico. ~ 예술 arte *m* electrónico. ~ 오락 juegos *mpl* recreativos electrónicos. ~오락실 sala *f* de juegos recreativos electrónicos. ~ 오르간 órgano *m* electrónico. ~ 우편(郵便) correo *m* electrónico, correo *m* por ordenador. ~음 sonido *m* electrónico. ~ 음악 música *f* electrónica. ~ 장치 aparato *m* electrónico. ~ 정보 교환 intercambio *m* electrónico de datos. ~ 정보 처리(情報處理) procesamiento *m* electrónico de datos. ~ 정부(政府) gobierno *m* del [en el] internet. ¶~(의) 홈페이지 página *f* principal del gobierno en el internet. ~ 조명 electroluminiscencia *f*. ~ 조명 디스플레이 representación *f* visual electroluminiscente. ~ 조종 장치 controles *mpl* electrónicos. ~ 주사(走査) exploración *f* electrónica. ~총(銃) disparador *m* de electrones. ~ 출판(出版) publicación *f* electrónica. ~ 카드(card) tarjeta *f* electrónica. ~ 컴퓨터 센터 centro *m* de cálculo electrónico. ~ 타이머 cronómetro *m* electrónico, cronógrafo *m* electrónico, cronoscopio *m* electrónico. ~파(波) ondas *fpl* electrónicas. ~학 electromagnetismo *m*. ~ 핵공학(核工學) nucleónica *f*. ~ 현미경(顯微鏡) microscopio *m* electrónico. ~ 화폐 tarjeta *f* monedero.

전자(電磁) 【물리】 =전자기(電磁氣). ¶~의 electromagnético.

■ ~ 감응 =전자기 유도. ~계 =전자기장. ~ 단위 =전자기 단위. ~력 =전자기력. ~ 브레이크 freno *m* magnético. ~석(石) electroimán *m*. ~ 유도 = 전자기 유도. ~ 유체 역학 magnetohidrodinámica *f*. ~장 campo *m* electromagnético. ~ 조작 밸브 válvula *f* accionada por solenoide. ~ 차단 intercepción *f* electromagnética. ~파 ondas *fpl* electromagnéticas.

전자(篆字) [한자의 한 서체(書體)] un estilo de caracteres chinos.

전자기(電磁氣) 【물리】 electromagnetismo *m*.

■ ~ 단위 unidad *f* electromagnética. ~력 fuerza *f* electromagnética. ~ 브레이크 freno *m* electromagnético. ~ 유도(誘導) inducción *f* electromagnética. ~장 campo *m* electromagnético. ~파(波) ondas *fpl* electromagnéticas. ~학 electromagnetismo *m*.

전자리상어 【어류】 angelote *m*.

전작(田作) =밭농사.

전작(全作) todas las obras.

전작(前作) obra *f* anterior.

전작(前酌) licor *m* antes bebido. 나는 ~이 있다 Yo ya he bebido unos vasos.

전장(全長) longitud *f* total [completa]; [부사적] de largo, de longitue; [배의] de proa a proa. ~ 1킬로미터의 다리 puente *m* de un kilómetro de longitud.

전장(全張) toda la hoja.

전장(前章) capítulo *m* anterior.
전장(前場) bolsa *f* de mañana.
전장(電場) =전기장(電氣場)(campo eléctrico).
전장(戰場) campo *m* de batalla.
전재(全載) publicación *f* entera en una página, inserción *f* entera en una página. ~하다 publicar, insertar, poner. 일면에 ~하다 publicar [insertar · poner] en toda la página.
전재(戰災) devastación *f* [destrozo *m*] de la guerra, daño *m* de guerra. ~를 입다 sufrir daño de guerra, sufrir la devastación f dela guerra. ~를 면하다 salvarse de la devastación de la guerra.
■ ~고아 huérfano, -na *mf* de guerra. ~민(民) víctimas *fpl* de la guerra.
전재(轉載) reproducción *f*, copia *f*, transcripción *f*. ~하다 reproducir, copiar, transcribir. ~를 금함 ((게시)) Prohibida la reproducción / Se prohibe la reproducción. 판권 소유자의 사전 승인 없이 이 책의 전부나 일부의 ~를 불허함 ((게시)) No está permitida la reproducción total o parcial de este libro sin permiso previa del titular del copyright.
■ ~권 derecho *m* de reproducción privada.
전쟁(戰爭) guerra *f*. ~의 guerrero. ~으로 guerreramente. ~을 하다 hacer (la) guerra, guerrear. ~ 중에 durante la guerra. ~ 중이다 estar en guerra. ~에 나가다 ir [partir] a la guerra, ir al frente, tomar parte en la guerra. ~에 이기다 ganar la guerra, vencer en la guerra. ~에 지다 perder la guerra, ser vencido en la guerra. ~에서 죽다 perecer [morir] en la guerra. ~을 시작하다 declarar la guerra, comenzar [empezar] la guerra, entrar en guerra, hacer fuego, rompere el fuego. ~을 포기하다 renunciar a la guerra. ~이 일어나다 estallar la guerra, desencadenarse la guerra. 자식을 ~에서 잃다 perder (a) *su* hijo en la guerra. ~이 일어날 듯하다 Amenaza la guerra. ~이 시작되었다 Estalló [Se declaró] la guerra. 우리는 ~을 바라지 않지만 결코 ~을 두려워하지 않는다【북한】 No queremos la guerra pero jamás la tememos.
◆가격(價格) ~ la guerra de precios. 경제(經濟) ~ la guerra económica. 관세(關稅) ~ la guerra a aduanera, la guerra de tarifas. 세계(世界) ~ guerra *f* mundial. 소규모(小規模) ~ guerra *f* a escala pequeña. 장기 ~ guerra *f* interminable, guerra *f* larguísima. 전면(全面) ~ guerra *f* total. 침략 ~ guerra *f* agresiva. 특수(特殊) ~ la guerra especial. 현대(現代) ~ la guerra moderna.
■ ~고아 huérfano, -na *mf* de guerra. ~놀이 =병정놀이. ¶~를 하다 jugar a los soldados, jugar a la guerra. ~ 문학(文學) literatura *f* de guerra. ~ 미망인 viuda *f* de guerra. ~ 범죄 crimen *m* de guerra. ~ 범죄자 criminal *mf* de guerra. ~ 보험 seguro *m* de guerra. ~ 상태 estado *m* de guerra. ¶~에 있다 estar en guerra. ~ 신경증 fatiga *f* de combate. ~ 영화 película *f* de guerra. ~ 재판 juicio *m* de guerra. ~터 =전장(戰場). ~ 포기 renunciación *f* [renuncia *f*] a la guerra. ~ 행위 acto *m* de guerra. ~화(畵) pintura *f* de guerra. ~ 확대 expansión *f* de guerra. ~ 희생자 víctima *f* de guerra.
전적(全的) total, todo, entero. ~으로 totalmente, enteramente.
전적(典籍) =서적(書籍)(libros).
전적(戰跡) campo *m* de batalla viejo, vestigios *mpl* de la guerra, ruinas *fpl* de la guerra.
■ ~비 monumento *m* a los vestigios de la guerra. ~지(地) tierra *f* de los vestigios de la guerra.
전적(戰績) servicio *m* militar, éxito *m* de la guerra; ((운동)) resultado *m*, récord *m*. 혁혁한 ~ efecto *m* espléndido.
전적(轉籍) traslado *m* del domicilio. ~하다 trasladar el domicilio (legal). 서울로 ~하다 trasladar *su* domicilio (legal) a Seúl.
■~지(地) lugar *m* de traslado del domicilio.
전전(展轉) =전전(輾轉).
전전(戰前) período *m* anterior a la guerra. ~에 antes de la guerra, anterior a la guerra. ~의 일본(日本) el Japón de antes de [anterior a] la guerra.
■ ~ 세대(世代) generación *f* de la preguerra. ~파(派) =아방게르.
전전(輾轉) revuelco *m*. ~하다 dar vueltas.
전전(轉戰) cambio *m* de la campaña. ~하다 participar en varias batallas, combatir en un lugar y después en el otro.
전전(轉轉) de un lugar a otro, rodando, de mano a mano. ~하다 errar [vagar] de un lugar a otro, rodar, ir rodando, vagabundear; [소유자가 바뀌다] pasar por muchas manos, ir de mano a mano. 직장(職場)을 ~하다 cambiar de empleo frecuentemente. 학교를 ~하다 cambiar de una escuela a otra.
■ ~걸식(乞食) mendiguez *f* de una casa a otra, mendiguez *f* de una puerta a otra.
전전(前前) tiempos *mpl* anteriores; [오래전] hace mucho tiempo.
■ ~날 la antevíspera. ¶출발 ~에 la antevíspera de la salida, dos días antes de salida. ~년 =그러께(hace dos años). ~달 =지지난달(hace dos meses). ~번 =지지난번. ~월(月) =지지난달.
전전긍긍(戰戰兢兢) cuidado *m* con temor, temor *m*, miedo *m*, inquietud *f*, timidez *f*, nerviosismo *m*. ~하다 estar todo atemorizado, estar sobrecogido de terror, temblar con espantos incesantes. ~하여 todo atemorizado, con espantos incesantes. 큰 지진이 일어나지나 않을까 하여 모든 사람들이 ~하고 있다 Todo el mundo está sobrecogido de terror ante la posibilidad de

un gran terremoto.

전정(前庭) ① =앞뜰(jardín al frente). ② 【해부】 vestíbulo *m*. ~의 vestibular.

전정(前情) amor *m* anterior, amistad *f* vieja.

전정(前程) =앞길.

◆전정이 구만 리 같다 Como es pequeño [joven], tiene el porvenir con esperanza.

전정(剪定) poda *f*, monda *f*, remonda *f*; [식목] escamonda *f*. ~하다 podar. ~하는 사람 podador, -dora *mf*. 나무를 ~하다 podar un árbol.

■~가위 podaderas *fpl*, tijeras *fpl* de podar. ~용 칼 =전정가위.

전제(前提) 【논리】 premisa *f*. ~로 하다 suponer, presuponer. 모두의 찬성을 ~로 하여 계획을 세우다 trazar un proyecto suponiendo la aprobación de todos. ~에서 결론이 나온다 De las premisas se saca la conclusión.

◆대(大)~ premisa *f* mayor. 소(小)~ promisa *f* menor.

■~적(的) premiso *adj*. ~ 조건 condición *f* previa. ¶허가를 ~으로 하여 premisa la autorización.

전제(專制) autocracia *f*, despotismo *m*. ~의 autocrático, despótico, absoluto, arbitrario, arbitral, despótico.

■~국(國) monarquía *f* absoluta, estado *m* autocrático. ~ 군주 monarca *m* absoluto, autócrata *m*, déspota *m*. ~ 군주 정체 monarquía *f* absoluta. ~적 autocrático, despótico, absoluto, arbitrario, arbitral. ~ 정체(政體) monarquía *f* absoluta. ~ 정치 absolutismo *m*, gobierno *m* espótico, régimen *m* autocrático, autocracia *f*. ~주의 absolutismo *m*, despotismo *m*. ~주의자(主義者) absolutista *mf*, partidario *m* del absolutismo.

전조(前兆) presagio *m*; [선악의] agüero *m*; [징후] síntoma *m*. …의 ~이다 presagiar, prefigurar, augurar. ~가 좋다 tener feliz agüero, tener buen presagio, tener feliz iniciación. ~가 나쁘다 tener mal presagio, empezar con mal presagio, empezar con mal augurio. 이 바람은 태풍의 ~이다 Este viento es un presagio del tifón.

■~기(期) período *m* prodómico.

전조(前條) artículo *m* [párrafo *m*] precedente [anterior]. ~의 arriba mencionado, susodicho, sobredicho, antedicho.

전조(前朝) dinastía *f* anterior.

전조(轉調) 【음악】 modulación *f*. ~하다 modular.

전조등(前照燈) farol *m*, faro *m*.

전족(纏足) vendaje *m* de los pies, vendaje *m* de las mujeres chinas. ~하다 vendar los pies.

전죄(前罪) crimen *m* anterior.

전주(前主) ① [전의 군주] ex monarca *mf*. ② [전의 주인] ex amo *m*, ex ama *f*.

전주(前奏) preludio *m*.

■~곡 preludio *m*; [오페라의] obertura *f*.

전주(前週) semana *f* pasada. ~ 토요일 el sábado de la semana pasada, el sábado pasado. ~의 오늘 hace exactamente una semana, hace ocho días, este día de la semana pasada. 그는 ~의 오늘 결혼했다 Hoy hace justo una semana que se casó / El se casó este día de la semana pasada.

전주(電柱) poste *m* eléctrico; [전신의] poste *m* de telégrafo; [전화선의] poste *m* de teléfono.

전주(電鑄) 【화학】 ((준말)) =전기 주조(電氣鑄造).

전주(錢主) acreedor, -dora *mf*.

전주(轉住) traslación *f*, mudanza *f*, cambio *m* de domicilio, emigración *f*. ~하다 trasladarse, mudarse, cambiar de domicilio. ☞전거(轉居)

전주르다 tomarse un descanso, tomarse un respiro. 전주르고 나서 después de una pausa. 너는 왜 전주르지 않느냐? ¿Por qué te tomas un respiro [un descanso]?

전중(戰中) durante la guerra. ~ 전후(戰後)를 통해 a través de [a lo largo · durante] y después de la guerra.

전중이((속어)) =징역꾼.

전중파(戰中派) generación *f* de la guerra.

전중하다(典重—) (ser) cortés, civil, educado, de buenos modales. 전중함 cortesía *f*, cortesanía *f*, urbanidad *f*, atención *f*, buena crianza *f*.

전지(田地) =전답(田畓).

전지(全知) omnisciencia *f*. ~의 omnisciente, omniscio.

■~전능(全能) omnipotencia *f*. ¶~한 todopoderoso, omnipotente, todo poderoso. ~하게 omnipotentemente. ~한 신(神) el Dios omnisciente y omnipotente. ~하신 하나님 el Todopoderoso, Dios Todopoderoso. ~하신 하나님이시여! ¡Santo cielo! / ¡Virgen Santísima!

전지(全紙) hoja *f* completa.

전지(全智) inteligencia *f* entera.

전지(前志) ambición *f* anterior.

전지(前肢) miembro *m* delantero del cuerpo.

전지(剪枝) rama *f* podada. ~하다 podar, cortar las ramas.

■~가위 =전정가위.

전지(電池) [라디오 · 카메라 · 시계 등의] pila *f*; [자동차 · 오토바이의] batería *f* (eléctrica); [건전지] pila *f* seca; [축전지(蓄電池)] acumulador *m* (eléctrico). ~로 작동하는 경주차 coche *m* de carrera a pila(s), coche *m* de carrera que funciona con pilas. ~를 재충전하다 cargar las baterías, recuperar la energía. ~가 다 됐다 La pila se ha agotado / La batería está descargada.

◆이차(二次) ~ batería *f* secundaria, acumulador *m*. 일차(一次) ~ batería *f* de pilas.

■~ 개폐기 interruptor *m* de la batería, reductor *m* para carga de acumuladores. ~약 ((속어)) =건전지(乾電池). ~ 용량 capacidad *f* de baterías. ~ 점화 장치 encendido *m* por batería. ~ 충전 carga *f* de acumuladores. ~ 충전기 cargador *m* de pila; [자동차의] cargador *m* de baterías. ~ 회로 circuito *m* de baterías.

전지(戰地) [전장(戰場)] campo *m* de batalla, teatro *m* de la guerra; [전선(前線)] frente *m*. ~의 del frente. ~의 소식 noticias *fpl* de los frentes. ~로 출발하다 partir al teatro de la guerra, partir al frente. ~에서 돌아오다 volver del teatro de la guerra [del frente].

■~ 군법 회의(軍法會議) consejo *m* de guerra (celebrado en el campo de batalla).

전지(轉地) cambio *m* de aire. ~하다 cambiar del aire, mudar del aire.

■~ 요법 tratamiento *m* por cambio de aire, climatoterapia *f*. ~ 요양 tratamiento *m* para el cambio de aire. ¶~하다 (ir al campo para) cambiar de aire, cambiar *su* domicilio. ~ 요양소 sanatorio *m* (para convalescientes).

전직(前職) ocupación *f* anterior, ex-.

■~ 장관 exministro, -tra *mf*.

전직(轉職) cambio *m* de profesión [de ocupación · empleo · puesto · trabajo]. ~하다 cambiar de profesión, mudar de empleo [ocupación · puesto · trabajo].

전진(前進) marcha *f* hacia delante [al frente], avance *m*, adelanto *m*. ~하다 marchar (hacia delante), avanzar, adelantar. ~하기 시작하다 ponerse en marcha. 일 보 ~하다 dar un paso (hacia) adelante, adelantar un paso. 하루 40킬로미터 ~하다 hacer cuarenta kilómetros al día, avanzar cuarenta kilómetros por día. ~! ¡Adelante! / ¡Marchen! / ¡De frente!

■~ 기지(基地) base *f* de avance, base *f* de frente.

전진(前震) terremoto *m* pequeño antes del grande.

전진(戰陣) campo *m* militar; [전법] táctica *f*.

전진(戰塵) ① [싸움터의 먼지] polvo *m* de batalla. ② [싸움터의 소란] alboroto *m* de batalla.

전진(轉進) cambio *m* de posiciones; [퇴각] retirada *f*. ~하다 cambiar de posiciones; [퇴각하다] retirarse.

전질(全帙) colección *f* completa (de libros).

전질(癲疾) =간질(癎疾), 지랄병.

전집(全集) obras *fpl* completas, colección *f* completa. 세르반떼스 ~ obras *fpl* completas de Cervantes.

◆시(詩)~ obras *fpl* poéticas. 한국 문학(韓國文學) ~ colección *f* completa de la literatura coreana.

전짬(全一) *cosa f pura* y espesa.

전차(前借) adelanto *m*. ~하다 pedir un adelanto, recibir dinero por adelantado. 급료의 일부를 ~하다 pedir el pago adelantado de una parte del sueldo.

■~금(金) adelanto *m*, dinero *m* recibido por adelantado.

전차(電車) tren *m* eléctrico; [시내 전차] tranvía *m*, *Chi* carro *m*. ~로 en tranvía. ~를 타다 tomar el tranvía. ~에 오르다 subir al tranvía. ~로 학교에 가다 ir a la escuela en tranvía.

◆노면(路面) ~ tranvía *m* a nivel. 시내(市內) ~ tranvía *m* urbano.

■~ 궤도 =전차선. ~선 vía *f* [carril *m*] de tranvía. ~ 요금 pasaje *m* de tranvía, tarifa *f* de tranvía. ~ 정류소 parada *f* de tranvía. ~ 종업원 obrero, -ra *mf* de tranvía. ~ 차장(車掌) conductor, -tora *mf* de tranvía. ~표 billete *m* de tranvía, *AmL* boleto *m* de tranvía.

전차(戰車) ① =병거(兵車). ② [탱크] tanque *m*. 경(輕)~ tanque *m* ligero. 중(重)~ tanque *m* pesado.

■~대 unidad *f* de tanques, cuerpo *m* de tanques. ~포 cañón *m* de tanque. ¶대(對)~ cañón *m* contratanque, cañón *m* antitanques.

전차(轉借) préstamo *m* a segunda mano, subarriendo *m*. ~하다 pedir prestado a segunda mano, pedir prestado una cosa de su comodatario.

■~인 subarrendatario, -ria *mf*.

전채(前菜) =오르되브르(hors d'oeuvre).

전채(前債) deuda *f* que debía antes, deuda *f* anterior.

전채(戰債) débito *m* de guerra.

전처(前妻) esposa *f* anterior, esposa *f* divorciada; [첫 아내] primera esposa *f*, primera mujer *f*.

■~소생 hijos *mpl* de *su* esposa anterior.

전천후(全天候) todo tiempo. ~의 para todo tiempo.

■~기(機) avión *m* para todo tiempo. ~ 농업 agricultura *f* para todo tiempo. ~ 도로 carretera *f* para todo tiempo. ~ 비행 vuelo *m* para todo tiempo. ~ 요격기 caza *f* [avión *m* de combate] para todo tiempo. ~ 전투기 cazador *m* para todo tiempo. ~ 카메라 cámara *f* para todo tiempo.

전철(前轍) experiencia *f* del mismo error [fracaso] (que *uno*).

◆전철을 밟다 seguir en la velación de otro, repetir la misma derrota, cometer el mismo fracaso. …의 ~ caer en [repetir] el mismo error [fracaso] que *uno*, repetir los errores de *uno*.

전철(電鐵) ((준말)) =전기 철도(電氣鐵道).

전철기(轉轍機) aguja *f* de cambio, cambiavía *f*, agujas *fpl*, cambio *m* de vía.

전철수(轉轍手) guardagujas *m.sing.pl*, *AmS* cambiovía *m*, cambiador *m*.

전첨후고(前瞻後顧) circunspección *f*, cautela *f*, vacilación *f*. ~하다 pensar dos veces, ser vacilante, ser inseguro.

전첩(戰捷) =전승(戰勝).

전체(全體) ① [온몸] todo el cuerpo. ② [전부. 총체] todo, totalidad *f*. ~의 todo, total, entero; [전반적인] general. ~로 en total, totalmente, en conjunto; [전반적으로] en general, generalmente, en términos generales, íntegramente. 반(班) ~의 의견(意見)

opiniones *fpl* generales de la clase. 유럽 ~에 por toda Europa. 그 소문은 마을 ~에 퍼졌다 El rumor circuló por el pueblo entero [todo]. 아시아 ~에서 보면 그 문제는 그다지 중요하지 않다 Considerado en la totalidad de Asia ese problema no tiene mucha importancia.

■~ 국가 =전체주의 국가. ~ 압력 =전압력. ~적 integral, todo, total, entero; [전반적] general. ¶~으로 en total, totalmente, en conjunto, en general, generalmente, en términos generales, íntegramente, en resumen, en suma, después de todo. ~으로 보아 viendo las cosas en su totalidad [en su conjunto]. 금년의 영화계는 ~으로 실패했다 Las películas de este año, en general, fueron un fracaso [fiasco]. ~으로는 그 일은 잘되었다 En total [En resumen], el asunto marchó bien. ~주의(主義) totalitarismo *m*, totalismo *m*. ~주의 국가 país *m* totalitario. ~주의자 totalista *mf*. ~ 회의(會議) asamblea *f* plenaria, asamblea *f* general.

전초(前哨) avanzada *f*, puesto *m* de avanzada, puesto *m* avanzado.

■~ 근무 servicio *m* de avanzada. ~ 기지 base *f* de avanzada. ~병 soldado *m* de avanzada. ~ 부대 tropas *fpl* de avanzada. ~선 línea *f* de avanzada. ~전 escaramuza *f*, refriega *f*, combate *m* telonero. ¶총선거의 ~ escaramuza *f* de la elección general.

전축(電蓄) ((준말)) =전기 축음기(gramófono eléctrico). ¶라디오 겸용 ~ gramófono *m* eléctrico combinado con radio. 스테레오 ~ fonógrafo *m* estereofónico.

전출(轉出) mudanza *f* afuera, efusión *f*, emanación *f*. ~하다 mudarse afuera. …에 ~하다 mudarse a *un sitio*, cambiar de domicilio a *un sitio*. …에서 ~하다 mudarse de *un sitio*, cambiar de domicilio de *un sitio*.

■~계 notificación *f* de mudanza. ~ 신고(申告) =전출계. ~ 증명 certificado *m* de mudanza. ~ 증명서 certificado *m* de mudanza. ~지(地) lugar *m* de mudanza. ~처(處) nueva dirección *f*.

전충(塡充) calafateo *m*, calafatería *f*, calafateadura *f*. ~하다 calafatear.

전취(前娶) =전처(前妻).

■~소생 =전처소생(前妻所生).

전취(戰取) victoria *f*, triunfo *m*, logro *m*, hazaña *f*. ~하다 ganar, lograr, obtener, consegur, alcanzar. 자유를 ~하다 ganar la libertad.

전치(全治) recuperación *f* [cura *f*] completa [perfecta]. ~하다 recuperarse completamente, curar(se) [sanar] completamente. ~ 일주간(一週間) recuperación *f* completa en una semana. ~ 일 개월의 부상을 당하다 recibir una herida que necesita un mes para curarse [para la curación completa]. 상처가 ~되었다 La herida se ha cicatrizado perfectamente.

전치(前置) anteposición *f*, acción *f* de anteponer. ~하다 anteponer, preponer.

■~사(詞) reposición *f*. ~사구 modo *m* [locución *f*] preposicional. ~사적 preposicional *adj*. ~사적 인칭 대명사 pronombre *m* personal preposicional.

전치(前齒) =앞니(incisivo).

전칙(典則) =법칙(法則).

전칭(全稱) 【논리】 lo genérico, lo universal.

■~ 긍정 명제 proposición *f* afirmativa universal. ~ 긍정 판단 juicio *m* afirmativo universal. ~ 명제(命題) proposición *f* universal. ~ 부정 명제 proposición *f* negativo universal. ~ 부정 판단 =전칭 부정 명제. ~ 판단 juicio *m* universal.

전쾌(全快) =완쾌(完快) (recuperación completa). ¶그녀는 ~되었다 Ella se ha curado completamente de la enfermedad. 하루 빨리 ~되시길 축원합니다 Ruego a Dios que recobre la salud cunato antes.

■~ 축하(祝賀) celebración *f* de *su* restablecimiento.

전탑(塼塔) pagoda *f* de adobes.

전택(田宅) el arroz , el campo y la casa.

전토(田土) =전답(田畓).

전토(全土) todo el país, todas las partes, todo el territorio nacional, toda la tierra. 서반아 ~를 여행하다 viajar por toda España, viajar por todas las partes de España.

전통(全通) apertura *f* completa de la línea. ~하다

전통(傳統) tradición *f*, [관습(慣習)] convención *f*, [계승(繼承)] sucesión *f*. ~에 따르다 seguir [conformarse con] la tradición. ~을 지키다 mantener la tradición. ~을 파괴하다 faltar a [romper con] la tradición. 이 축제는 500년의 ~이 있다 Esta fiesta tiene quinientos años de tradición.

■~미(美) belleza *f* tradicional. ~적(的) tradicional, convencional. ¶~으로 tradicionalmente, convencionalmente. ~주의 tradicionalismo *m*, convencionalismo *m*. ~주의자 tradicionalista *mf*, convencionalista *mf*.

전투(戰鬪) combate *m*, batalla *f*, lucha *f*, pelea *f*, acción *f* (de guerra). ~하다 combatir, batallar, luchar, pelear. ~에서 죽은 muerto en comtate. ~에서 부상당한 herido en combate. ~를 개시하다 romper las hostilidades, comenzar [empeñar] el combate, abrir fuego, hacer [romper] fuego, desencadenar un ataque [una ofensiva]. ~를 중지(中止)하다 levantar [suspender] el combate. ~에 들어가다 entrar en acción, entrar en combate. ~에 참가하다 tomar parte en la batalla [en la acción]. 일단 ~가 벌어진 순간이 되자 그는 도망쳤다 Llegado el momento del combate, él se escapó.

■~ 개시(開始) ((구령)) ¡Acción! ~ 경찰대 cuerpo *m* de policía de combate, unidad *f* de policía de combate. ~ 교련(敎鍊) instrucción *f* de batalla. ~ 구역 zona *f* del combate. ~기(旗) bandera *f* de batalla. ~기(機) (avión *m* de) caza *f*, avión *m* de combate. ¶~ 조종사 piloto *m* de caza. ~대형 formación *f* de batalla. ¶~을 짓다 formarse en orden de batalla. ~력(力) capacidad *f* ofensiva, fuerza *f* bélica, potencia *f* bélica, fuerza *f* [potencia *f*·valor *m*] de combate. ¶~을 상실하다 echar fuera de la acción. ~ 명령 orden *f* de batalla. ~모 gorra *f* de batalla. ~ 병과 cuerpo *m* de batalla. ~복 traje *m* de campaña, uniforme *m* de campaña, guerrera *f*. ~ 부대 unidad *f* de batalla. ~ 서열 orden *m* de batalla. ~용 항공기 avión *m* para combate. ~용 휴대 식량 ración *f* para combate. ~원 combatiente *mf*; beligerante *mf*. ¶비(非)~ no combatiente *mf*. ~ 준비 preparación *f* de una acción [batalla]; [군함의] disposición *f* marinera para combatir, asiento *m* combatiente. ¶~를 하다 estar dispuesto para combatir. ~! ((구령)) ¡A las armas! / A formar con armas! ~ 중지(中止) suspensión *f* de la hostilidad. ~ 지구 zona *f* de batalla. ~ 지휘관 comandante *mf* de batalla. ~ 태세 disposición *f* para combate. ~ 폭격기 caza-bombardero *m*. ~함(艦) acorazado *m*. ~ 행위 acción *f* de guerra, (acto *m* de) hostilidad *f*. ~화 botas *fpl* de combate. ~ 휴대량 equipos *mpl* y suministros *mpl* para combate.

전파(全破) destrucción *f* completa. ~하다 destruir completamente. ~되다 destruirse completamente.
■~ 가옥 casa *f* completamente destruida.

전파(電波) 【물리】 onda *f* eléctrica; [라디오의] onda *f* radioeléctrica, onda *f* hertziana. ~를 통해, ~에 의해 por radio. ~를 보내다 emitir por radio, radiar.
■~계(計) ondámetro *m*. ~ 고도계(高度計) radioaltímetro *m*, altímetro *m* radárico. ~ 망원경 radiotelescopio *m*. ~ 무기 el arma *f* (*pl* las armas) por radio. ~ 방해 radiointerferencia *f*, interferencia *f* de radio, interferencia *f* intencionada, interferencia *f* por aparatos de alta frecuencia. ~별 radioestrella *f*. ~ 병기 equipo *m* por radio. ~ 수상경(受像鏡) radarscopio *m*. ~원(源) fuente *f* radioeléctrica. ~ 유도탄 cohete *m* radiodirigido. ~ 조종 control *m* radioguiado. ~ 천문학(天文學) radioastronomía *f*, astronomía *f* radial. ~ 천문학자(天文學者) radioastrónomo, -ma *mf*. ~ 탐위 (貪位) punto *m* posicional determinado por radio, situación *f* radiogoniométrica, localización *f* por radio. ~ 탐지 radar *ing.m*. ~ 탐지기 radar *ing.m*. ~ 탐지기 방해기 resnatrón *m*. ~ 탐지기 영상경 =전파 수상경. ~ 탐지기 조작원 radarista *mf*. ~탐지기 항해술 navegación *f* por televisión y radar, teleradar *m*, telerán *m*. ~ 탐지 방해 interferencia *f* radar. ~ 탐지법 radiolocación *f*. ~ 탐지 장치 radar *ing.m*. ~ 파장 longitud *f* de onda. ~ 파장 단위 unidad *f* de longitud de onda. ~ 파장 축척 escala *f* de longitudes de onda. ~ 항법 radionavigación *f*

전파(傳播) propagación *f*, difusión *f*, divulgación *f*, espansión *f*, diseminación *f*, transmisión *f*. ~하다 difundirse, divulgarse, propagarse, diseminarse, circular. 그리스도교의 ~ propagación *f* del cristianismo.

전파 수신기(全波受信機) receptor *m* omnionda.

전판(全—) todo. 그는 가진 것을 ~ 잃었다 El perdió todo lo que tenía / El perdió cuanto tenía.

전판(全判) ① =전지(全紙)(hoja completa). ② [전지를 인쇄할 수 있는 크기의 인쇄 기계] máquina *f* de imprimir (para imprimir la hoja completa).

전패(全敗) derrota *f* completa. ~하다 sufrir derrota completa, perder todos los partidos, derrotarse totalmente.

전패(戰敗) =패전(敗戰).

전편(全篇) volumen *m* completo, libro *m* completo, todo el libro, toda la obra.

전편(前篇) primera parte *f*, primer tomo *m*, serie *f* anterior.

전폐(全廢) abolición *f* total. ~하다 abolir totalmente [completamente].

전폐(錢幣) dinero *m*, billete *m*, moneda *f*.

전폐(錢弊) abuso *m* causado por el sistema monetario.

전포(田圃) =남새밭.

전포(傳布) =전파(傳播).

전포(廛鋪) =전방(廛房).

전폭(全幅) anchura *f* entera, ancho *m* entero, toda anchura, todo ancho.
■~적(的) todo, pleno, total, incondicional. ¶~으로 todo, plenamente, en plenitud, incondicionalmente. ~ 신뢰로 con toda confianza. ~인 지지(支持) total apoyo *m*, apoyo *m* total, total respaldo *m*. ~인 신뢰를 하다 poner [tener] plena confianza (en). ~인 지지를 약속하다 prometer un apoyo incondicional.

전폭기(戰爆機) ((준말)) =전투 폭격기.

전표(傳票) nota *f* (de cuenta), volante *m*. ~를 떼다 hacer una nota (a), pasar una nota.

전표(錢票) vale *m*, recibo *m*, resguardo *m*, nota *f*.

전하(殿下) ① [왕·왕비 등 왕족에 대한 존칭] Su Alteza, Vuestra Alteza. 왕자(王子) ~ Su Alteza el príncipe. 왕자비 ~ Su Alteza la Princesa. ② ((천주교)) =추기경(樞機卿).

전하(電荷) 【물리】 carga *f* eléctrica.

전하다(傳—) ① [이곳에서 저곳으로 옮기어 주다] mover. 물건을 ~ mover el objeto. ② [소식을 알리다] informar, notificar, comunicar; [말하다] decir. 전하는 바에 의하면 según la tradición. 신문(新聞)이 전하는 바에 따르면 según el periódico. 기쁜 소식을 ~ informar la noticia alegre. …라 전해

듣고 있다 tener entendido que + *ind*, oir decir que + *ind*. 마드리드로부터 전보가 전하는 바에 따르면 según un telegrama de Madrid. 뉴스를 ~ comunicar una noticia. 부인께 안부 전해 주십시오 Saludos [Recuerdos] a su señora / Dé mis recuerdos a su señora. ③ [전수하다] instruir, introducir, seseñar, iniciar, dar, conceder, hacer saber, hacer conocer. 제자에게 지식(知識)을 ~ dar el conocimiento a sus discípulos. 학문의 진수(眞髓)를 제자(弟子)에게 ~ iniciar a *su* discípulo en los arcanos de la ciencia. ④ [남겨 주다] transmitir, dejar, pasar (sucesivamente de unos a otros). 후세에 ~ transmitir a la posteridad, dar a *sus* herederos. 이름[작품]을 ~ transmitir [dejar] su nombre [su obra] a la posterioridad. 아버지한테서 아들에게 전해진 기술(技術) arte *m* transmitido de padre a hijo. 옛 전통을 현재까지 전하는 축제 festival *m* que conserva su antigua tradición hasta hoy. 내 모든 의류는 내 누에게 전했다 Toda mi ropa pasaba a mi hermana. ⑤ [외국에서] introducir. 불교[기독교]를 한국으로 ~ introducir el budismo [el cristianismo] en Corea. ⑥ [전도(傳導)하다] conducir, transmitir. 이 금속은 전기를 잘 전한다 Este metal conduce bien la electricidad.

전해지다 ㉮ [계승하다] ser transmitido, ser legado. 이것은 우리 가문에 전해지는 보물이다 Este es un tesoro transmitido [heredado] en nuestra familia. ㉯ [소문 따위가] difundirse, propagarse, divulgarse. 이것은 이 지방에 옛날부터 전해지는 민화(民話)이다 Este es un cuento popular difundido de antiguo en esta región. ㉰ [외국에서] ser introducido. 일본의 문자는 백제에서 전해졌다 Los caracteres japoneses fueron introducidos de *Baekche*. ㉱ [전도(傳導)되다] transmitirse. 음(音)[전류(電流)]이 전해진다 Se transmite el sonido [la corriente eléctrica].

전학(轉學) cambio *m* de escuela. ~하다 mudarse a otra escuela, cambiar de escuela. A 학교에서 B 학교로 ~하다 pasar de la escuela A a la escuela B. 서울의 중학교에 ~하다 mudarse a una escuela superior de Seúl.

■ ~생(生) estudiante *m* transferido de otra escuela.

전함(戰艦) ① [전쟁에 직접 사용하는 함선의 총칭] buque *m* [barco *m*] de batalla, buque *m* batallador. ② ((준말)) =전투함.

전항(前項) ① [앞에 적혀 있는 사항] artículo *m* [párrafo *m* · cláusula *f*] precedente [anterior]. ~에서 en la cláusula precedente [anterior]. ~의 규정(規程) reglamento *m* del artículo precedente. ② 【수학】 antecedente *m*.

전해(前一) ① [지난해] año *m* pasado. ② [어떤 해의 바로 전의 해] año *m* anterior.

전해(電解) 【물리】 ((준말)) =전기 분해.

■ ~ 공업 industria *f* electrolítica. ~구리 cobre *m* electrolítico. ~동 =전해구리. ~물 =전해질(電解質). ~액 electrolito *m*. ~연마 pulimento *m* electrolítico. ~ 정련 refinación *f* electrolítica. ~ 정류기 rectificador *m* electrolítico. ~조(槽) electrolizador *m*. ~질 electrolito *m*. ~ 채취 extracción *f* electrolítica. ~ 콘덴서 condensador *m* electrolítico.

전향(轉向) ① [방향(方向)을 바꿈] cambio *m* de dirección. ~하다 cambiar la dirección. ② [방향 전환] conversión *f*, transformación *f*. ~하다 convertirse, enmendarse, transformarse. ~시키다 convertir. 사회주의로 ~하다 convertirse en socialista. 공산주의 사상에서 ~하다 convertirse de la ideología comunista. 그는 공산주의에서 파시즘으로 ~했다 El se convirtió [ha pasado] del comunismo al fascismo. 그는 가수로 ~했다 El abandonó su profesión para hacerse cantante.

■ ~자 converso, -sa *mf*. ~ 장치 deflector *m*, electrodo *m* de desviación. ~점 punto *m* de inflexión, punto *m* de cambio, punto *m* de viraje, punto *m* de mutación.

전혀(全一) totalmente, absolutamente, de todo, en absoluto. ~ …이 아니다 (no) … nada, no … en absoluto [de ninguna manera · de ningún modo · nunca]. 그런 줄은 ~ 모르고 sin saber nada de eso. 나는 ~ 관계(關係)가 없다 No tengo absolutamente nada que ver con eso. 그것은 ~ 의미가 없다 Eso no tiene sentido alguno. 그는 학문에는 ~ 소질이 없다 El no tiene ninguna aptitud para el estudio. 병이 ~ 차도가 없다 La enfermedad no mejora nada [en absoluto]. 나는 ~ 상관없다 No me importa nada. 그는 욕을 해도 ~ 상관하지 않는다 No le importa nada [lo más mínimo] que hablen mal de él / No le preocupa ni pizca lo que puedan decir contra él. 그건 나한테는 ~ 상관이 없다 Eso no me importa absolutamente / Eso no me importa un comino. 나는 ~ 생각이 나지 않는다 No tengo ninguna [ni la menor] idea. 나는 ~ 이해하지 못하겠다 No entiendo absolutamente nada. 그는 ~ 진보가 없다 El no adelanta nada. 그럴 의도는 ~ 없다 No tengo en absoluto tal intención. 이것은 ~ 우습지 않다 Esto no es nada gracioso / No tiene ninguna gracia. 나는 오르려 했지만 ~ 오를 수 없었다 Traté de subir, pero fue un fracaso completo / Traté de subir, pero no pude lograrlo de ninguna manera. 나는 ~ 아무것도 몰랐다 No me di cuenta de nada en absoluto. 그를 아느냐? — ~ 모릅니다 ¿Le conoces a él? — No, en absoluto. 그것에 대한 생각이 ~ 나지 않는다 No me acuerdo absolutamente nada de eso. 나는 그것을 ~ 모른다 No sé absolutamente nada de eso / No lo sé en absoluto. 그녀에게서 ~ 소식이 없다 Ella no me escribe ni una línea / No tengo ninguna noticia suya. ~ 쓸모없을 만큼 그렇게 나쁜 책은 없다 ((서반아 속담)) No hay libro tan malo que no tenga algo bueno.

전형(典型) ① [모범이 될 만한 본보기] modelo *m*, ejemplar *m*. 고전(古典)의 ~ modelo *m* de clásico. 한국인의 ~ modelo *m* del coreano, coreano *m* típico. ② [조상이나 스승을 본받은 틀] tipo *m*, prototipo *m*; [이상적인 상] ideal *m*.
■ ~적(的) típico, ideal. ¶~ 미인(美人) belleza *f* ideal, modelo *m* de belleza. ~(인) 영국 신사(英國紳士) caballero *m* típico inglés. ~인 한국인 coreano *m* típico. 그는 ~인 마드리드 사람이다 El es un típico madrileño. 그녀는 ~인 미녀다 Ella es una belleza ideal [un modelo de belleza]. 그는 ~인 염세주의자이다 El es el prototipo del peminista.

전형(銓衡) selección *f*, elección *f*, escogimiento *m*, deliberación *f*, consideración *f*. ~하다 seleccionar, elegir, escoger, entresacar, deliberar, considerar, designar. ~ 중이다 estar bajo consideración.
◆ 제일차(第一次) ~ primera selección *f*.
■ ~ 고사 examen *m* de selección. ~ 기준 criterio *m* para selección. ~ 위원 miembro *mf* de la comité de selección [deliberación · nominación]. ~ 위원회 comisión *f* [comité *m*] de selección, comisión *f* [comité *m*] de deliberación, comisión *f* [comité *m*] de nominación. ~ 테스트 prueba *f* para selección.

전호(前號) número *m* precedente, número *m* anterior. ~에서 계속 Sigue al número cedente [anterior].

전화(電化) electrificación *f*, electrización *f*. ~하다 electrificar, electrizar. 철도를 ~하다 electrificar la línea ferroviaria.
■ ~ 계획 proyecto *m* de electrificación. ~ 구간 sección *f* electrificada. ~ 사업 obra *f* de electrificación. ~ 생활(生活) vida *f* electrificada. ~ 주택(住宅) vivienda *f* electrificada.

전화(電話) teléfono *m*. ~의 telefónico. ~로 por teléfono. ~를 걸다 llamar (por teléfono), telefonear. ~를 신청(申請)하다 pedir una conferencia telefónica. ~를 받다 [수화기를 들다] coger el teléfono. ~로 알리다 avisar por teléfono, telefonear. ~로 말하다 hablar al [por] teléfono. ~에 나오다 ponerse [atender] al teléfono. ~를 끊다 interrumpir [dejar] la comunicación, colgar el teléfono. ~를 설치하다 instalar un teléfono. ~ 연락(連絡)을 받다 recibir una comunicación telefónica. 장거리(長距離) ~를 신청하다 pedir una conferencia telefónica de larga distancia. 장거리 ~를 걸다 poner una conferencia (de larga distancia). ~ 연락을 받다 recibir una comunicación telefónica. ~가 울린다 Suena el teléfono. ~ 왔습니다 Llaman por teléfono / Hay una llamada. 너한테 ~ 왔다 Alguien te llama por teléfono / Una llamada para ti. 너 ~ 있니? ¿Tienes teléfono? 김양, ~요 ¡Señorita Kim, teléfono! / Señorita Kim, una llamada (para ti). 김 선생님, ~ 왔습니다 Señor Kim, le llaman por teléfono / Señor Kim, hay una llamada para usted. ~가 나왔습니다 [말씀하십시오] Tiene usted la comunicación / Ya puede usted hablar. 내일 다시 ~ 걸겠습니다 Le volveré a telefonear [llamar por teléfono] mañana. 나중에 나한테 ~ 걸어 주라 Llámame por teléfono más tarde / Telefonéame más tarde. 나는 그의 집에 ~를 걸었다 Le he llamado [he telefoneado] a su casa. ~로 주문하셔도 됩니다 Usted puede hacer su pedido por teléfono. 나는 ~로 택시를 부르겠다 Telefonearé [Llamaré] para pedir un taxi / Llamaré a un taxi. 그는 ~로 앰뷸런스를 부른다 El telefonea [llama] para que venga una ambulancia / El llama a una ambulancia. 나는 그에게 즉시 오라고 ~했다 Le djie por teléfono que viniera pronto. 나는 그에게 곧 가라고 ~했다 Le avisé por teléfono que iría en seguida. 마드리드에 ~했으면 합니다 Quisiera hacer una llamada a Madrid. ~가 끊겼습니다 Se ha cortado el teléfono [la comunicación]. 나는 그의 집에 ~를 했다 Le he llamado [He telefoneado] a su casa. 국제 ~를 걸고 싶은데요 Deseo hacer una llamada internacional. 당신의 ~는 몇 번입니까? ¿Cuál es su número? / ¿Qué número es (su teléfono? 서울에 장거리 ~를 걸었으면 합니다 Quisiera poner una conferencia de larga distancia con Seúl. 김 선생을 ~에 나오게 불러 주세요 Diga al señor Kim que se ponga al teléfono. 곧 ~에 나올 테니 잠깐만 기다려 주십시오 Un momento, que en seguida se pone. ~ 좀 빌려 주십시오 Permítame usar su teléfono, por favor. ~ 좀 빌릴 수 있을까요? ¿Se puede usar · Me permite usar · Podría servirme · Puedo usar) su teléfono? 나중에 너한테 ~ 걸어도 될까? ¿Te puedo llamar más tarde? ~가 멉니다. 좀 더 큰 소리로 말씀해 주십시오 No le oigo bien. Haga el favor de hablar un poco más fuerte. 그는 나에게 밤 열 시에 ~를 걸었다 El me llamó [me devolvió la llamada] a las diez de la noche. 그녀는 우리에게 그 결과를 알려 주기 위해 ~를 걸어 주었다 Ella telefoneó para darnos los resultados. 내가 정보를 입수하자마자 너에게 그것을 ~로 알려 주겠다 Te llamaré con la información en cuanto la tenga. 택시를 부르기 위해 ~를 걸었니? ¿Has llamado para pedir un taxi? 그는 나에게 나중에 ~를 걸어 달라고 부탁했다 El me pidió que llamara [telefoneara] más tarde. 나는 직접 본사에 ~를 걸었다 Yo llamé directamente a la casa central. 내가 귀 프로그램에 ~한 것은 처음입니다 Es la primera vez que llamo a su programa. ~로 그것을 이야기하고 싶지

않다 No quiero hablarlo por teléfono. ~ 벨이 계속 울렸다 El teléfono no ha dejado de sonar ni un momento / El teléfono ha estado sonando sin parar / El teléfono continuaba sonando. 누군가가 ~를 걸어 우리의 마지막 프로그램에 대해 불평을 늘어놓았다 Alguien llamó para quejarse del último programa. 누군가가 선생님께 ~하고 싶어하십니다 Quieren hablar con usted por teléfono. 그분이 돌아오시면 선생님께 ~ 걸도록 말씀 드릴까요? — 예, 미안하지만, A호텔로 ~ 걸어 달라고 말씀해 주십시오 ¿Quiere usted que le llame él cuando vuelva? — Sí, dígale que me llame al Hotel A, si me hace el favor. 그녀에게 오후 다섯 시에 ~ 걸어 달라고 전해 주세요 Dígale a ella que me llame a las cinco de la tarde. 항상 ~를 받아야 하는 사람은 나다 Siempre tengo que contestar yo el teléfono. 나는 어제 그녀와 ~로 이야기했다 Ayer hablé por teléfono con ella. 그는 고객(顧客)과 ~로 이야기하고 있다 El está hablando por teléfono con un cliente. 그 사무실에서는 절대로 ~를 받지 않는다 En esa oficina nunca atienden el teléfono. 김에게 ~에 나와 달라고 전해 주세요 — 누구십니까? Dígale a Kim que se ponga al teléfono. — ¿De parte de quién?

◆ 공중(公衆)~ teléfono *m* público, *AmL* teléfono *m* monedero. 공중~ 박스 cabina *f* telefónica, cabina *f* de teléfonos. 구내(構內) ~ interfono *m*, teléfono *m* interno. 국제(國際) ~ (servicio *m* de) teléfono *m* internacional. 급설(急設) ~ teléfono *m* de instalación urgente. 무선(無線) ~ teléfono *m* inalámbrico. 시내(市內) ~ llamada *f* local. 시외(市外) ~ llamada *f* de larga distancia, teléfono *m* suburbano. 실내(室內) ~ interfono *m*. 이동(移動) ~ teléfono *m* portátil, teléfono *m* móvil. 자동식(自動式) ~ teléfono *m* automático. 장거리(長距離) ~ teléfono *m* de larga distancia. 직통(直通) ~ conferencia *f*, llamada *f* de larga distancia, llamada *f* interurbana, línea *f* directa; [미국과 러시아 간의] teléfono *m* rojo. 탁상(卓上) ~ teléfono *m* de escritorio, teléfono *m* de mesa.

■ ~ 가설 instalación *f* de teléfono. ~ 가설료 derechos *mpl* de instalación de teléfono. ~ 가입자 abonado *m*, su(b)scriptor *m* telefónico. ~ 교환 cambio *m* de teléfono. ~ 교환국 (oficina *f*) central *f* telefónica, (oficina *f*) central *f* de teléfonos; [사설(私設)의] centralita *f*, *AmL* conmutador *m*. ~ 교환기(交換機) conmutador *m* telefónico. ~ 교환대 =전화 교환국. ~ 교환원 telefonista *mf*; operador, -dora *mf*. ~국(局) oficina *f* de telecomunicaciones, oficina *f* de teléfono; [교환국] central *f* telefónica, central *f* de teléfonos. ~기 teléfono *m*; [수화기] receptor *m*; [송수화기] auricular *m* (con micrófono). ¶~를 놓다 colgar el auricular. ~를 들다 descolgar el auricular. ~ 기기(器機) aparato *m* telefónico. ~ 대화 conversación *f* teléfonica. ~ 도수제 sistema *m* por llamada. ~ 도청(盜聽) espionaje *m* telefónico, escucha *f* telefónica. ~ 메시지 mensaje *m* teléfonico. ~ 박스 cabina *f* telefónica, locutorio *m*. ~번호(番號) número *m* del) teléfono *m*, número *m* telefónico, *Chi* fono *m*. ¶~를 메모해 주십시오 Apunte el número del teléfono. 네 ~ 좀 주겠니? ¿Me das tu número de teléfono? ~번호부 guía *f* (telefónica · de teléfonos); *Col*, *Méj* directorio *m*. (telefónico); *AmL* directorio *m* telefónico (*CoS* 제외). ~ 사용료 =전화 요금. ~선 hilo *m* telefónico, línea *f* telefónica. ~세 ㉮ [세금] impuestos *mpl* de teléfonos. ㉯ =전화 요금. ~ 수화기 auricular *m*, *RPI* tubo *m*, *Chi* fono *m*. ~실 sala *f* de teléfono. ~ 요금 gastos *mpl* telefónicos; [통화료] coste *m* de la llamada. ~ 전보(電報) telegrama *mpl* por telégrafo. ~ 중계기 repetidor *m* de teléfono. ~ 카드 tarjeta *f* telefónica. ~통 =전화기. ~ 통화(通話) llamada *f* (telefónica); *AmL* llamado *m* (telefónico). ~ 호출 llamada *f* (telefónica). ~ 호출료(呼出料) coste *m* por llamada al teléfono. ~ 회사 compañía *f* telefónica, compañía *f* de teléfonos. ~ 회선 circuito *m* telefónico.

전화(錢貨) dinero *m*.
■ ~학(學) numismática *f*.

전화(戰火) ① [전쟁으로 인한 화재] fuego *m* por la guerra *f*, fuego *m* y espada. ② [전쟁] guerra *f*. ~의 확대 extensión *f* de la guerra. ~가 동양(東洋)에 파급되었다 La guerra extendió al Oriente.

전화(戰禍) estrago *m* de la guerra, calamidad *f* de la guerra, desastres *mpl* de la guerra. ~를 입다 sufrir los desastres de la guerra.

전화(轉化) cambio *m*, transformación *f*. ~하다 cambiar, invertir, transformar.

전화위복(轉禍爲福) La mala fortuna trae la buena fortuna a veces / La desgracia se convierte en la bendición.

전환(轉換) conversión *f*, cambio *m*, vuelta *f*, transformación *f*, trueque *m*, torno *m*. ~하다 convertir(se), cambiar (de), transformar(se), modificar, volverse, dar un torno, trocar. ~할 수 있는 convertible. 장면의 ~ mutación *f*. 180도의 ~ cambio *m* completo. 국면(局面)의 ~을 도모하다 tratar de modificar la situación. 노래를 불러 기분을 ~하다 divertirse cantando. 방향을 ~하다 cambiar de dirección. 정책을 ~하다 cambiar de política. 자본으로 ~하다 convertir en capital. 현금으로 ~하다 convertir en dinero.
◆ 성(性)~ transformación *f* del sexo.
■ ~ 가치 factor *m* de conversión. ~기(期) punto *m* de cambio. ¶역사의 ~ fase *f* de gran transformación de la historia. 인생의 ~ fase *f* de gran transforamación de

la vida. ~기(器) conmutador *m*. ~로(爐) reactor *m* convertidor, reactor *m* nuclear que emplea una clase de combustible y produce otra. ~ 사채 bono *m* convertible (en acciones), obligación *f* convertible. ~ 스위치 punto *m* de cambio de frecuencia. ~점(點) punto *m* de cambio, fase *f* de transformación, momento *m* crítico. ~ 주식 accion *f* convertible.

전황(戰況) situación *f* militar, situación *f* de la guerra, desarrollo *m* [progreso *m*] de la batalla. ~을 보고하다 informar la situación militar.

전회(前回) vez *f* anterior; [연속물의] última instalación *f*. ~의 anterior, último, precedente. ~의 강의(講義) última lectura *f*. ~의 강의에 계속해서 continuando la última clase. ~에 이어 …의 이야기를 하겠습니다 Vamos a volver a la historia donde la dejamos.

전회(轉回) ① =회전(回轉)(revolución, rotación). ¶~하다 revolverse, girar, dar vueltas, rodar. 국면을 ~시키다 cambiar la situación. ② 【음악】=자리바꿈.

전횡(專橫) despostismo *m*, autoritarismo *m*, arbitrariedad *f*. ~하다 tiranizar, señorear, conducir un asunto con arbitrariedad. ~의 despótico, autoritario, arbitrario.

전후(前後) ① [어떤 물체·장소 따위의, 앞과 뒤] delante y detrás. ~의 생각도 없이 sin saberlo nada. 행렬의 ~에 delante y detrás de una procesión. 자동차를 ~로 움직이다 mover un coche hacia delante y hacia atrás. 우리들은 ~를 적에게 포위되었다 El enemigo nos cercó por delante y por detrás. 두 사람은 ~해서 도착했다 Los dos llegaron sucesivamente uno después. ② [어떤 때를 중심으로 한 일련의 상황. 처음과 마지막] el principio y el fin. ~ 생각 없이 sin pensar en las consecuencias, irreflexivamente. 의식(意識)을 잃어 ~ 사정을 전혀 모르다 perder completamente la consecuencia [el dominio de sí mismo]. 말은 ~가 바뀌었습니다만 volviendo a lo que decíamos antes. 말의 ~가 바뀌어 있다 Hay confusiones en el relato. ③ [시간·나이·연대(年代)를 나타내는 말에 붙어서, 「경 (頃)」「쯤」의 뜻을 나타내는 말. 앞뒤] antes y después. 20세 ~ veinte años más o menos. 9시 ~ antes o después de las nueve. 식사 ~에 antes y después de la comida, antes y después de comer. 12시 ~에 hacia [sobre·a eso de·como a] las doce, a las doce más o menos. 2000년 ~에 alrededor del año 2000 (dos mil). 30인 ~의 그룹 grupo *m* de unas veinte personas, grupo *m* de veinte personas más o menos. 10만 원 ~의 선물 regalo *m* de cien mil wones o por ahí [o algo así]. 그는 서른 살 ~다 El tiene treinta años más o menos (de edad).

■~ 관계 [문장의] contexto *m*. ~좌우 todos los lados, todos los sentidos, todas las direcciones, todas las partes. ¶~로 de todos los lados, en todos los sentidos. ~를 살피다 ver delante y detrás.

전후(戰後) posguerra *f*, postguerra *f*, época *f* post-bélica. ~에 después de la guerra. ~의 de la posguerra. ~의 한국 Corea de la posguerra. ~ 수년간 por varios años después de la guerra.

■~ 상태(狀態) condición *f* posbélica. ~파 generación *f* de la posguerra; [사람] pos(t)guerra *mf*.

전훈(電訓) instrucciones *fpl* telegráficas.

전훈(戰勳) =전공(戰功).

전휴(全休) descanso *m* constante de todo el día. ~하다 descansar todo el día constantemente. ~부(符) pausa *f* semibreve, pausa *f* redonda.

전흔(戰痕) huella *f* de guerra.

전희(前戱) estimulación *f* erótica previa al acto sexual.

절[1] [범찰(梵刹)] templo *m* (budista), monaterio *m* (budista). ~에서 일하는 남자 sacristán *m* (*pl* sacristanes). ~에 불공을 드리러 가다 visitar un templo budista para rezar, ir a rezar a un templo budista.

절[2] [인사] saludo *m*, salutación *f*. ~하다 saludar, hacer una reverencia, inclinarse para saludar.

■절하고 뺨 맞는 일 없다 ((속담)) Lo cortés no quita lo valiente / Cortesía de boca, gana mucho y poco costa / Cortesía de boca, gana mucho a poca costa / Cortesía de boca, mucho vale y poco costa.

절[1](節) ① 【언어】 cláusula *f*, párrafo *m*. ② [문장의] sección *f*, [시(詩)의] estrofa *f*, [성서(聖書)의] versículo *m*. 로르까의 시의 한 ~을 인용하다 citar un pasaje de un poema de Lorca. 이 장(章)은 4~로 구성되었다 Este capítulo está compuesto de cuatro secciones.

절[2](節) ① =절개. ② [예산 편성의] artículo *m*.

-절(節) estación *f*, fiesta *f*, día *m* festivo. 개천~ el el Día de Fundación de Corea. 성탄~ día *m* de Navidad, *Chi* día *m* de Pascua.

절가(折價) ① =결가(決價). ② [물건을 교환할 때 그 값을 겨누어 수량을 정함] fijación *f* del precio. ~하다 fijar el precio. ③ [물건의 값을 깍음] regateo *m*. ~하다 regatear.

절가(絶家) familia *f* extinguida sin herederos.

절가하다(絶佳-) (ser) extremamente pintoresco, extramamente bueno, hermosísimo, muy hermoso, muy bello, bellísimo.

절간(-間) ((속어)) templo *m* budista.

절감(切感) sentimiento *m* profundo. ~하다 sentir profundamente [sinceramente]. 그녀는 모욕을 ~했다 El insulto la hirió en lo más vivo.

절감(節減) economía *f*, ahorro *m*, reducción *f*. ~하다 economizar, ahorrar, reducir. 전력

소비(電力消費)를 ~하다 economizar el consumo de la electricidad.

절개(切開) incisión *f*, operación *f*, desbridamiento *m*. ~하다 incidir, practicar [hacer] una incisión (en), operar, cortar desbridar. ◆십자(十字) ~ incisión *f* crucial. 위(胃)~술(術) gastrotomía *f*.
■~ 수술 operación *f* (quirúrgica). ¶제왕 ~ operación *f* cesárea. ~침(針) aguja *f*.

절개(節概) fidelidad *f*, honor *m*, integridad *f*, castidad *f*. ~ 있는 casto, puro, honesto, íntegro, fiel, leal. ~를 지키다 preservar castidad [integridad].

절검(節儉) economía *f*, ahorro *m*, frugalidad *f*. ~하다 economizar, ahorrar.

절경(絶景) paisaje *m* hermosísimo, paisaje *m* muy hermoso, vista *f* maravillosa, vista *f* admirable, vista *f* encantadora. 정말 ~이군! ¡Qué paisaje más hermoso! / ¡Qué vista tan maravillosa!

절계(節季) ① [계절의 끝] fin *m* de la estación. ② [음력 12월] diciembre *m* del calendario lunar.

절골(折骨) fractura *f* del hueso. ~하다 romper el hueso. ~되다 romperse el hueso. ☞골절(骨折).
■~지통(之痛) dolor *m* muy insufrible, dolor *m* muy intolerable.

절교(絶交) rompimiento *m* [ruptura *f*] de la amistad. ~하다 romper (las relaciones) (con). 친구와 ~하다 romper con un amigo. 두 사람은 ~ 상태에 있다 Está rota la amistad entre los dos. 이제 너와는 ~다 Ya no te trato más / Hemos terminado.
■~장(狀) carta *f* de rompimiento.

절구 mortero *m*, molino *m*. ~에 빻다 majar en el mortero. ~로 빻다 moler. ~ 모양의 cónico.
■~돌 muela *f*, piedra *f* [rueda *f*] de molino. ~질 moledura *f*, molimiento *m*. ~하다 moler. ~통 ㉮ =절굿공이. ㉯ [뚱뚱한 사람 (특히 여자의 별명)] (mujer *f*) gorda *f*. ~ㅅ공이 ㉮ majador *m*, pilón *m* (*pl* pilones), majadero *m*, machacadera *f*, machaca *f*. ¶~를 빻다 moler con majadero, machacar, aprisonar. ㉯ 【화학】 [실험용의] mano *f*.

절구(絶句) cuarteto *m* chino.

절규(絶叫) exclamación *f*, grito *m*, jaculatoria *f*, chillido *m*; [비명] alarido *m*; [무언가 요구하는 소리] clamor *m*. ~하다 exclamar, gritar, dar un grito, lanzar un grito, gritar a voz en cuello, vocear, chillar; [어린아이가] llorar a gritos, berrear. 민중(民衆)의 ~ clamor *m* popular. 혁신(革新)을 ~하다 declarar por la reforma. 그는 살려 달라고 ~했다 El gritó: ¡Socorro! / El gritó en busca de auxilio.

절그렁 haciendo ruido.
절그렁거리다 hacer ruido, vibrar. 나는 열쇠가 자물통에서 절그렁거리는 소리를 들었다 Oí el ruido de una llave en la cerradura. 쇠사슬이 바람에 절그렁거렸다 El viento hacía sonar la cadena. 이 차에서 무언가가 절그렁거린다 Hay algo en el coche que está haciendo ruido [vibrando]. 네 문이 절그렁거린다 Tu puerta vibra.
절그렁절그렁 haciendo ruido, vibrando.

절급하다(切急—) tener mucha prisa, darse mucha prisa.

절기(絶忌) aversión *f*, aborrecimiento *m*. ~하다 (ser) destestable, aborrecible, abominable.

절기(絶技) habilidad *f* maravillosa.

절기(節氣) ① [한 해를 스물넷으로 등분한 하나] una subdivisión de las veinticuatro estaciones del año, los 24 períodos de 15 días del año. ② [이십사절기 가운데 매월 양력 상순에 드는 절기의 특칭인「입춘」「경칩」「청명」따위] subdivisiones *fpl* de las estaciones de principios de cada mes, divisiones *fpl* estacionales de principios de cada mes.
◆이십사(二十四)~ veinticuatro términos solares, veinticuatro divisiones estacionales.

절기하다(絶奇—) (ser) exquisito, excelente.
절기함 exquisitez *f*, excelencia *f*.

절긴하다(切緊—) =긴절하다(緊切—).

절꺼덕 con un chasquido.
절꺼덕거리다 hacer un chasquido.
절꺼덕절꺼덕 haciendo un chasquido.

절꺼덩=절꺼덕.

절꺽 =절꺼덕.

절다[1] [물체에 염분이 속속들이 배어들다] ser salado, ser puesto sal (a), ser echado sal (a). 절인 salado, echado con sal, puesto con sal, condimentado, sazonado. 절게 하다 salar, poner*le* sal (a), echarle sal (a), salpimentar, condimentar con sal, sazonar con sal. 김칫거리가 알맞게 ~ ser salado adecuadamente los encurtidos.

절다[2] [걸음을 절뚝거리며 걷다] cojear, renquear, *AmL* renguear. 다리를 절며 걷다 cojear, andar cojeando. 그는 절며 걷는다 Ella cojea [renquea · *AmL* renguea].

절단(切斷) corte *m*, cortadura *f*, 【외과】 absción *f*, [수족(手足)의] amputación *f*. ~하다 cortar, recortar, dividir, partir, amputar. ~ 수술을 하다 [의사가] operar*le* a *uno* para amputar *algo*, hacer una operación para amputar *algo* a *uno*. 두 개로 ~하다 cortar en dos, partir en dos, dividir en dos. 다리를 ~하다 amputar la pierna. 오른팔을 ~하다 [의사가] amputar*le* a *uno* el brazo derecho. 그는 기계에 끼여 왼팔이 ~되었다 El se ha cortado el brazo izquierdo al ser cogido por la máquina.
■~기 máquina *f* cortante; [철사용의] tenazas *fpl*; [유리용의] diamante *m*, cortavidrios *m*; [대패의] cuchilla *f*. ~면(面) sección *f*. ~ 수술 amputación *f*. ¶~을 하다 practicar una amputación. ~ 환자(患者) persona *f* a la que se le ha amputado un miembro.

절단(絶斷) =단절(斷絶).

절대(絶代) ① [아주 먼 세대(世代)] generación *f* muy remota. ② =절세(絶世).
■ ~가인(佳人) =절세가인(絶世佳人).

절대(絶對) ① lo absoluto. ~의 absoluto, incondicional, categórico. ~ 무한(無限)의 ilimitado, incondicional. ~ 불변(不變)의 inmutable, inalterable, permanente. 그의 명령은 ~다 Su orden es absoluta. ② ((준말)) =절대로. ¶그것은 ~ 불가능하다 Es absolutamente imposible. 명령에 ~ 복종하다 obedecer absolutamente la orden. 나는 ~ 반대다 Me pongo categóricamente [rotundamente].
절대로 absolutamente, en absoluto, decididamente, positivamente, de modo absoluto.
■ ~ 가격 precio *m* absoluto. ~값 valor *m* absoluto. ~ 개념 concepto *m* absoluto. ~ 고도 altitud *f* absoluta. ~ 공간 espacio *m* absoluto. ~ 과반수 =절대다수. ~ 군주제 monarquía *f* absoluta. ~권 derecho *m* absoluto, poder *m* absoluto, autoridad *f* absoluta. ~ 권력자 autócrata *mf*, déspota *mf*. ~ 금주 abstinencia *f* total. ~ 금주가 abstemio, -mia *mf*. ~ 금주주의 abstinencia *f*. ~ 농지 tierras *fpl* de labranza absolutas. ~다수 mayoría *f* absoluta. ~ 단위 unidad *f* absoluta. ~ 등급 magnitud *f* absoluta. ~량(量) volumen *m* absoluto, cantidad *f* absoluta. ~론 absolutismo *m*. ~론자 absolutista *mf*. ~ 명령 imperativo *m* categórico. ~ 밀도 densidad *f* absoluta. ~ 반대 oposición *f* positiva. ~복종 obediencia *f* absoluta. ~ 불변 inmutabilidad *f*, permanencia *f*. ~선(善) bien *m* absoluto. ~성 absolutividad *f*, absolutidad *f*. ~ 속도 velocidad *f* absoluta. ~ 습도 humedad *f* absoluta. ~아(我) ego *m* absoluto. ~ 안정 reposo *m* absoluto, reposo *m* completo, completo reposo *m*. ¶~하다 guardar un completo reposo. ~ 압력(壓力) presión *f* absoluta. ~ 영도(零度) cero *m* absoluto (-273.16℃). ~ 오차 error *m* absoluto. ~ 온도 temperatura *f* absoluta. ~ 운동(運動) moción *f* absoluta. ~ 원리 principio *m* absoluto. ~ 음감 oído *m* absoluto. ~ 음고 =절대 음감. ~ 음악 música *f* absoluta. ~ 의무 deber *m* absoluto. ~자(者) ser *m* absoluto. ~적 absoluto, incondicional, categórico. ~적 가치 valor *m* absoluto. ~적 빈곤 pobreza *f* absoluta. ~적 신뢰 absoluta confianza *f*. ~적 존재 ser *m* absoluto. ~적 진리 verdad *f* absoluta. ~주의 absolutismo *m*. ~ 측정 medición *f* absoluta. ~치 【수학】 ((구용어)) =절대값. ~ 평가(評價) valoración *f* absoluta. ~ 휴식 reposo m absoluto.

절대하다(絶大-) (ser) máximo, sumo, gigantesco, inmenso, enorme, colosal, muy grande. 절대적 지지를 얻다 ganar el apoyo más firme. 절대적 노력을 하다 hacer los máximos [mayores] esfuerzos. 절대적 신용을 얻다 disfrutar (de) una gran confianza.

절도(絶島) isla *f* solitaria, isla *f* desierta.

절도(絶倒) reventazón *m* de risa. 포복~하다 morirse de risa.

절도(節度) moderación *f*, mesura *f*. ~ 있는 moderado, mesurado. ~를 가지고 con moderación, con mesura. ~를 지키다 mantenerse moderado, guardar moderación.

절도(竊盜) robo *m*, hurto *m*, latrocinio *m*, ratería *f*. ~하다 robar, cometer un robo, hurtar, cometer un hurto, ser reo de ratería. ~ 용의로 체포되다 ser detenido por sospecha de robo.
■ ~광(狂) cleptomanía *f*, manía *f* del robo; [사람] cleptómano, -na *mf*; cleptomaniaco, -ca *mf*; cleptomaníaco, -ca *mf*. ~범 autor, -tora *mf* de un robo. ~ 성벽(性癖) cleptomanía *f*, manía *f* del robo. ~죄 robo *m*, hurto *m*. ~ 행위 acto *m* de robo.

절따 =절따말.

절따말 caballo *m* castaño, caballo *m* bayo.

절뚝거리다 cojear, renquear, *AmL* renguear. 절뚝거림 cojera *f*, renquera *f*, *AmL* renguera *f*. 그녀는 절뚝거리며 걸었다 Ella cojeó [renqueó · *AmL* rengueó].
절뚝절뚝 cojeando, renqueando.

절뚝발이 cojo, -ja *mf*; paticojo, -ja *mf*.

절량(絶糧) escasez *f* de alimento.
■ ~농가(農家) vivienda *f* del granjero para la escasez de alimento; agricultor, -tora *mf* para la escasez de alimento..

절렁거리다 tintinear. 절렁거리게 하다 hacer tintinear.
절렁절렁 tintineando.

절레절레 sacudiendo *su* cabeza.

절로 ① ((준말)) =저절로. ② ((준말)) =저리로. ¶~ 가거라 Vete allá.

절룩거리다 =절다[2].
절룩절룩 cojeando.

절륜하다(絶倫-) (ser) prodigioso, sin par, incomparable.

절름거리다 =절뚝거리다.
절름절름 =절뚝절뚝.

절름발이 cojo, -ja *mf*. ~ 아버지에, ~ 아들 ((서반아 속담)) De padre cojo, hijo renco (부전자전).

절망(切望) anhelo *m*, deseo *m* vehemente, ansia *f*. ~하다 anhelar, desear [esperar] ardientemente [fervorsoamente · vehementemente], ansiar, apetecer, desear con vehemencia. 모든 사람들은 그의 입후보를 ~하고 있다 Todo el mundo anhela que él se presente como candidato.

절망(絶望) desesperación *f*, desesperanza *f*. ~하다 desesperarse, perder las esperanzas, perder toda esperanza. ~시키다 desesperar, hacer perder la esperanza, impeler a la desesperación. ~에 빠지다 hundirse en la desesperación, sumirse en la desesperación. ~으로 빠뜨리다 arrojar en la desesperación. ~하지 마라 No (te) desesperes / ¡Animo! 그 소식은 그를 ~으로 빠뜨렸다 Esa noticia le hundió en la desesperación.

■ ~감 sentimiento *m* desesperado. ~적 desesperante, desesperado. ¶~으로 desesperadamente. 환자(患者)의 상태는 ~이다 El enfermo está en un estado desesperado [desesperante].

절맥(絶脈) pulso *m* que ha dejado de latir [palpitar]. ~하다 el pulso deja de latir.

절멸(絶滅) exterminio *m*, exterminación *f*, aniquilación *f*, destrucción *f*. ~하다 exterminarse, aniquilarse, extirparse, desarraigarse. ~시키다 exterminar, aniquilar, destruir, acabar (con). 이 새는 ~하기 직전이다 Esta (especie de) ave está a punto de exterminarse / Esta ave está al borde del exterminio.

절명(絶命) fin *m* de la vida, muerte *f*, fallecimiento *m*. ~하다 fallecer, morir, expirar.

절목(節目) subdivisión *f*, sección *f*, párrafo *m*.

절묘하다(絶妙-) (ser) exquisito, soberbio, sumamente fino. 절묘함 exquisitez *f*. 절묘한 곡조(曲調) música *f* exquisita, melodía *f* dulce, melodía *f* deliciosa. 절묘한 연기(演技) actuación *f* soberbia.

절무하다(絶無-) no existir, no haber en ninguna parte. 절무함 nada, nulo *m*. 절무한 상태 nulidad *f*. 그런 예는 ~ Este caso no tiene precedentes / Es inaudito tal caso.

절물(節物) objetos *mpl* propios de la época del año, objetos *mpl* de la estación.

절미(節米) economía *f* de arroz. ~하다 economizar arroz.

■ ~ 계획(計劃) programa *m* de economizar arroz. ~ 운동(運動) movimiento *m* para economizar arroz.

절미하다(絶美-) (ser) exquisito. 절미함 exquisitez *f*.

절박감(切迫感) sentimiento *m* urgente.

절박하다(切迫-) (ser) urgente, apremiante, acuciante, (estar) inminente, apremiado. 절박함 urgencia *f*, emergencia *f*, inminencia *f*. 절박한 사태 emergencia *f*, caso *m* urgente, momento *m* crítico, situación *f* difícil. 절박한 고비를 넘기다 vencer la crisis del momento, superar una situación difícil, superar un momento crítico, salir de un trance. 절박한 고비를 넘기기 위해서 para salir del trance. 절박한 사태를 구하다 salvar de un peligro inminente, salvar de una emergencia. 위험이 절박해서 놀라다 asustarse por la inminencia de un peligro. 사태가 ~ La situación es apremiante. 시험 기일이 ~ Se está aproximando la fecha del examen.

절반(折半) [하나를 절반으로 가름. 또, 그 반] mitad *f*, medio *m*. ~하다 [반으로 나누다] partir [dividir] por (la) mitad, partir en mitades, demediar; [경비·시간·길이를] reducir a la mitad, reducir en un 50% (cincuenta por ciento); [수(數)를] dividir por dos. 이익을 ~하다 dividir a medias la ganancia, partir de por medio la utilidad. 나는 그와 이익을 ~했다 Entre él y yo dividimos las ganancias por la mitad.

절버덕 con una salpicadura, salpicando. 절버덕거리다 salpicar. 절버덕절버덕 salpicando.

절버덩 =절버덕.

절벅 =절버덕.

절벙 =절벅.

절벽(絶壁) ① [썩 험한 낭떠러지] precipicio *m*, acantilado *m*, barranco *m*, despeñadero *m*, escarpa *f*, risco *m*, derrumbadero *m*. ~밑에 bajo el risco, al pie del acantilado. ~의 끝 filo *m* del acantilado, borde *m* del precipicio. ② [아주 귀가 먹었거나 또는 사리에 어두운 사람의 비칭] [귀머거리] sordo, -da *mf*, persona *f* sorda; [사리에 어두운 사람] persona *f* estúpida.

■ ~강산(江山) =절벽(絶壁)❷.

절부(節婦) mujer *f* casta, mujer *f* virtuosa, esposa *f* fiel.

절사(折死) =요사(夭死).

절사(節士) hombre *m* fiel, hombre *m* de fidelidad.

절사(節死) muerte *f* por *su* integridad. ~하다 morir(se) por *su* integridad.

절삭(切削) corte *m*, recorte *m*. ~하다 cortar, recortar.

■ ~ 공구(工具) herramienta *f* cortante.

절상(切上) [화폐의] revaluación *f*, revalorización *f*. ~하다 revaluar, revalorizar. 원화를 ~하다 efectuar la revaluación del won.

절상(折傷) fractura *f*, hueso *m* roto.

절색(絶色) hermosura *f* sin par, modelo *m* de hermosura.

절세(絶世) ① [세상과 교제를 끊음] retiro *m* del mundo. ~하다 retirarse del mundo. ② =절대(絶代)❷.

■ ~가인(佳人) belleza *f* [hermasura *f*] sin par [incomparable], mujer *f* de hermosura sin par [incomparable].

절세(節稅) economía *f* de impuestos. ~하다 economizar impuestos.

절손(絶孫) exterminio *m* de *su* linaje familiar. ~하다 exterminar *su* linaje familiar, no tener posteridad.

절손하다(絶孫-) =무후(無後)하다.

절수(節水) economía *f* de agua. ~하다 economizar el agua, reducir el consumo del agua, hacer frugal de agua.

절승(絶勝) paisaje *m* de hermosura sin par.

절식(絶食) =단식(斷食). ¶~하다 ayunar, abstenerse de comida. ~ 중이다 estar en ayuno.

■ ~ 요법(療法) tratamiento *m* por ayuno, curación *f* por ayuno.

절식(絶息) cesamiento *m* de la respiración; [사망] expiración *f*. ~하다 cesar la respiración, exhalar *su* último suspiro, expirar.

절식¹(節食) [절기에 맞추어 특별히 만들어 먹는 음식의 총칭] comida *f* de las estaciones.

절식²(節食) ① [음식을 절약해 먹음] comida *f* que come economizando. ~하다 comer economizando la comida. ② [건강·미용 등을 위하여 음식의 양을 적당히 줄임] moderación *f* en la comida. ~하다 moderar en la comida, comer moderadamente, ser moderado en *su* comida, tratar de no comer mucho.

■ ~복약(服藥) toma *f* de medicamento reduciendo la cantidad de comida.

절신(絶信) cesamiento *m* de correspondencia, carta *f* sin noticias. ~하다 dejar de corresponder.

절실하다(切實−) ① [다시없이 적절하다] (ser) conveniente, adecuado, preciso. ② [아주 긴요하다] (ser) muy importante, muy necesario.

절실히 convenientemente, adecuadamente, precisamente, importantemente, necesariamente.

절약(節約) ahorro *m*, economía *f*, economización *f*. ~하다 ahorrar, economizar, hacer economías; [절감하다] reducir; [인색하다] escatimar, cicatear. ~을 위해 para economizar, por economía. 에너지의 ~ ahorro *m* de economía. ~해 살다 vivir economizando gastos. 가솔린을 ~해 운전하다 conducir el coche economizando gasolina. 비용을 ~하다 economizar los gastos, reducir los gastos. 시간을 ~하다 economizar el tiempo, ahorrar el tiempo, tener ahorro de tiempo. 식비를 ~하다 economizar los gastos de la alimentació. 음식을 ~하다 economizar la comida. 종이를 ~해 사용하다 usar el papel de manera económica. 여비를 남도록 ~하다 ahorrar [escatimar] los gastos de viaje. 식비를 ~해 5만 원을 남기다 ahorrar [guardar·reservar] cincuenta mil wones economizando en las comidas. 1년에 백만 원을 ~할 수 있다 Puede realizarse un ahorro de un millón de wones por año. 나는 자동차로 가서 시간 ~을 하고 있다 Ahorro tiempo en ir en automóvil. 이번 겨울 세일에서 가구를 사시면 많은 돈을 ~할 수 있을 것이다 Usted podrá ahorrar muchísimo dinero al comprar sus muebles en esta liquidación de invierno.

■ ~가(家) (hombre *m*) económico *m*, (mujer *f*) económica *f*, ahorrador, -dora *mf*, [인색한 사람] cicatero, -ra *mf*, tacaño, -ña *mf*, ahorrativo, -va *mf*.

절연(絶緣) ① [인연을 끊음] ruptura *f*, separación *f* (de relación). ~하다 romper las relaciones (con), separarse relación, poner aparte, romper (con). 자식과 ~하다 romper las relaciones con *su* hijo. 우리는 숙부(叔父)의 가족과 ~ 상태에 있다 Están rotas nuestras relaciones con la familia de nuestros tíos. ② 【물리】 aislamiento *m*. ~하다 aislar. ~되다 aislarse.

■ ~기(器) aislador *m*. ~기(機) máquina *f* de aislamiento. ~ 도료(塗料) pintura *f* de aislamiento. ~물(物) =절연 재료. ~선 hilo *m* electroaislado, hilo *m* aislado. ~성 aislamiento *m*. ~ 스위치 seccionador *m* de línea. ~ 시험 prueba *f* de aisladores. ~ 시험기 aparato *m* para medir el aislamiento, medidor *m* del aislamiento. ~ 시험용 실험실 laboratorio *m* para pruebas de aisladores. ~유(油) aceite *m* aislante. ~장(狀) carta *f* de separación. ~ 재료(材料) material *m* aislante, aislador *m*. ~지 papel *m* aislante. ~체 aislador *m*. ~ 테이프 cinta *f* aisladora, cinta *f* aislante.

절연(節煙) moderación *f* de fumar. ~하다 moderarse de fumar.

■ ~ 운동(運動) movimiento *m* para moderación de fumar.

절요하다(切要−) (ser) importante, urgente.

절요함 importancia *f*, urgencia *f*.

절욕(節慾) ① [색욕(色慾)을 억제함] continencia *f* (del deseo sexual). ~하다 contener el deseo sexual. ② [욕심을 억제함] continencia *f* del deseo. ~하다 contener el deseo.

절원(切願) solicitación *f*, súplica *f*, ruego *m*. ~하다 solicitar, suplicar, rogar, implorar.

절원하다(絶遠−) (estar) lejos, remoto.

절음(絶飮) abstinencia *f* total.

절음(節飮) templanza *f*, temperancia *f*.

절의(節義) integridad *f*, fidelidad *f*.

-절이 lo encurtido.

◆소금~ encurtidos *mpl* con sal. 초(醋)~ encurtidos *mpl* con vinagre.

절이다 encurtir. 소금에 ~ encurtir, conservar en sal, salar, sazonar con sal, adobar, conservar en adobo. 배추를 ~ adobar col, conservar col en adobo. 식초에 ~ encurtir, conservar en vinagre. 절인 배추 col *m* salado, col *m* con sal.

절일(節日) fiesta *f*, día *m* festivo, *AmL* (día) feriado *m*.

절임 encurtidos *mpl*, escabeche *m*, adobo *m*; [야채의] verduras *fpl* [legumbres *fpl*] en adobo; [과실] frutas *fpl* en adobo. 오이 ~ encurtidos *mpl* de pepino, pepinillos *mpl* encurtidos. 소금 ~ 살코기 *Méj*, *Ven* adobo *m*.

절재(絶才) talento *m* extraordinario.

절적(絶迹) No hay un alma en el lugar.

절전(節電) economía *f* de la electricidad. ~하다 economizar la electricidad.

■ ~ 운동(運動) movimiento *m* para la economía de la electricidad.

절절[1] ((준말)) =절레절레.

절절[2] [열이 높아 매우 더운 모양] hirviendo.

절절[3] [무엇을 손에 쥐고 크게 천천히 흔드는 모양] sacudiendo la mano.

절절[4] [이리저리 처신없이 바삐 쏘대는 모양] deambulando [vagando] de un sitio a otro.

절절[5] [물이 많이 흐르는 모양이나 소리] murmurando.

절절이(節節−) cada palabra, todas las palabras.

절절하다(切切−) (ser) ardiente, serio. 절절한 사랑의 편지 carta *f* de amor ardiente.

절절히 ardientemente, seriamente.

절정(絶頂) ① [산의 맨 꼭대기] cumbre *f*, cima *f*, pico *m*. 그들은 산의 ~까지 올라갔다 Ellos subieron hasta la cumbre [la cima]. ② [사물의 치오른 극도] apogeo *m*, auge *m*, zenit *m*, cenit *m*, cima *f*. 득의의 ~ zenit *m* del orgullo. 불황의 ~ fondo *m* de la depresión. 인기 ~에 있다 estar en la cima de la popularidad. 인생의 ~을 구가하다 estar en el apogeo de la gloria, estar en el colmo del esplendor, estar en plena prosperidad. 행복의 ~에 있다 encontrarse en el apogeo de la felicidad. ③ [극이나 소설 등에서, 사건의 발전이 가장 긴장된 단계. 클라이맥스] clímax *m*, punto *m* culminante.

절제(切除) extirpación *f*, ablación *f*, resección *f*, escisión *f*; [접미어] -ectomía. ~하다 extirpar, resecar, recortar. 신경(神經)의 ~ resección *f* de un nervio.

■ ~경(鏡) resectoscopio *m*. ~술 resección *f*. ¶신경 ~ neurotomía *f*. 위(胃) ~ gastrotomía *f*. 폐(肺) ~ neumonectomía *f*.

절제(節制) moderación *f*, templanza *f*, abstinencia *f*, continencia *f*. ~하다 moderarse, templarse, refrenarse, contener *su* pasión. 색욕(色慾)을 ~하다 contener *su* deseo sexual.

절조(節操) [주의·주장에 충실한 것] constancia *f*, fidelidad *f*, integridad *f*; [주의] principio *m*; [여자의] castidad *f*. ~가 있는 constante, fiel, íntegro, virtuoso, honesto, casto. ~가 없는 inconstante, sin principios. ~가 있는 여인 mujer *f* casta, mujer *f* virtuosa, mujer *f* honesta. ~를 지키다 mantenerse fiel a [firme en] *sus* principios, defender la castidad, ser fiel a *su* marido, guardar *su* castidad.

절족동물(絶足動物) artrópodo *m*.

절종(絶種) =멸종(滅種).

절주(節奏) 【음악】 ritmo *m*.

절주(節酒) moderación *f* [templanza *f*·sobriedad *f*] en la bebida. ~하다 templarse en la bebida, ser sorbio en la bebida, beber moderadamente.

절지(絶地) región *f* muy romota.

절지동물(節肢動物) 【동물】 =절족동물.

절차(切磋) ① [옥·뼈 등을 깎고 닦음] el corte y el pulimento. ~하다 cortar y pulir. ② [부지런히 학문이나 도덕을 닦음] aplicación *f* del estudio o de la moral. ~하다 aplicarse a estudiar.

■ ~탁마(琢磨) estimulación *f* mutua para llegar a más, aplicación *f* del estudio. ¶~하다 estimularse mutuamente para llegar a más, aplicarse a estudiar.

절차(節次) procedimiento *m*, formalidad *f*, trámite *m*, diligencia *f*. 법률상의 ~ formalidades *fpl* legales. ~를 밟다 proceder (a), cumplir los trámites (para), cumplir las formalidades (para). 법적(法的) ~를 밟다 rellenar [seguir] las formalidades [los trámites] legales. 정식 ~를 밟다 cumplir las formalidades debidas. 파산 ~를 밟다 proceder a la quiebra. 필요한 ~를 하다 hacer las diligencias necesarias (para), cumplir las formalidades necesarias (para). 그것은 ~상의 문제에 불과하다 No es más que una cuestión de formalidad.

◆ 입학 ~ formalidades *fpl* de ingreso.

■ ~법(法) ley *f* adjetiva.

절찬(絶讚) ensalzamiento *m*, gran admiración *f*, elogio *m* entusiasta, alabanza *f* entusiasta. ~하다 ensalzar, hacer los máximos elogios (de), hacer grandes alabanzas (de). ~을 받다 gozar de gran admiración [estima], ganar [obtener] gran admiración del público, andar en palmas. 그는 이 작품을 ~한다 El se hace lenguas de esta obra.

절창(絶唱) canción *f* excelente, pieza *f* hermosísima de poesía.

절처봉생(絶處逢生) el salvarse de milagro [por un pelo·por los pelos] de las garras de la muerte.

절체절명(絶體絶命) ¶~이다 estar entre la espada y la pared. ~의 상태 situación *f* desesperada. ~의 궁지에 몰아넣다 arrinconar [poner] entre la espada y la pared.

절충(折衷) acuerdo *m* mutuo, arreglo *m*, compromiso *m*, eclecticismo *m*, término *m* medio. ~하다 tomar un término medio, zanjar, transigir, *AmL* transar. ~적인 transigido, ecléctico. A와 B를 ~하다 tomar un término medio entre A y B. 이 집은 한식과 양식이 ~된 집이다 Esta casa es de estilo de mitad coreana y mitad europea.

■ ~법(法) método *m* ecléctico. ~설(說) eclecticismo *m*. ~안(案) término *m* medio (entre dos opiniones distintas), medida *f* conciliativa. ~주의 eclecticismo *m*. ~주의자 ecléctico, -ca *mf*. ~주의 학파 escuela *f* ecléctica.

절충(折衝) negociación *f*. ~하다 negociar (con *uno* acerca de *algo*). ~을 통해서 mediante negociaciones. …에 관해서 ~ 중이다 estar en trato [estar negociando] con *uno* acerca de *algo*. 양측(兩側)은 ~에 들어갔다 Ambas partes han empezado a negociar / Ambas partes han entrado en negociaciones. 조합과 경영자 측의 ~은 실패로 끝났다 Han fracasado las negociaciones entre la patronal y el sindicato.

절취(切取/絶取/截取) recorte *m*, cortadura *f*, corte *m*. ~하다 recortar, cortar. 신문의 기사를 ~하다 recortar las notas de un periódico.

■ ~선(線) línea *f* perforada. ¶~의 곳을 찢어내다 separar (la hoja de papel) a la línea perforada.

절취(竊取) hurto *m*, robo *m*. ~하다 hurtar, robar. 남의 물건을 ~하다 hurtar el objeto del otro.

절치(切齒) crujidos *mpl* de los dientes.

■ ~부심(腐心) crujidos *mpl* de los dientes y preocupación por rencor. ~액완(扼腕) crujidos *mpl* de los dientes y prensión

nerviosa de los brazos.
절친하다(切親－) (ser) íntimo. 절친함 intimidad *f*, amistad *f* íntima. 그와 나는 절친한 사이이다 El y yo somos amigos íntimos / El y yo somos muy amigos.
절친히 íntimamente, con intimidad, amistosamente, com amistad.
절터 ruinas *fpl* del templo budista.
절토(切土) corte *m* de la tierra.
절통하다(切痛－) (ser) lamentable.
절통히 lamentablemente.
절판(絶版) edición *f* agotada. ～된 agotado. ～되다 agotarse la edición, dejar agotada la edición (de un libro). 이 책은 ～되었다 Se ha agotado la edición del libro.
▪ ～본(本) libro *m* de la edición agotada.
절편 *cheolpyeon, teok* (pan *m* típico coreano) blanco apretado por la tabla con flores redonda y cuadrada.
▪ ～판(板) tabla *f* de madera que hace *cheolpeyon*.
절품(切品) agotamiento *m* de existencias. ～하다 agotar. ～되다 agotarse. ～이다 Ya no tenemos existencias / Está agotado. 우유는 ～되었다 Se ha agotado la leche.
절품(絶品) objeto *m* muy excelente.
절필(絶筆) última escritura *f*, última composición *f*. ～하다 abandonar la escritura, dejar *su* pluma.
절핍(絶乏) agotamiento *m*. ～하다 estar agotado, estar exhausto.
절핍하다(切逼－) ① [몹시 다급하다] (ser) muy inminente, muy urgente. ② [극도로 가난하다] ser tan pobre como un ratón de sacristía.
절하(切下) reducción *f*, [평가의] devaluación *f*, devalorización *f*. ～하다 reducir, devaluar, devalorizar. 달러를 평가 ～하다 devaluar el dólar. 원화의 평가 ～ devaluación *f* del won.
절한(絶汗) *su* último sudor (en la frente).
절해(絶海) pleno mar *m*, mar *m* remoto.
▪ ～고도(孤島) isla *f* perdida en pleno mar, isla *f* solitaria en el mar remoto.
절호(絶好) gran oportunidad *f*. ～의 espléndido, magnífico, excelente, óptico, finísimo, el mejor, sin par, grande. ～의 기회 ocasión *f* inmejorable, ocasión *f* única, oportunidad *f* inmejorable, oportunidad *f* única, oportunidad *f* excelente. ～의 순간 momento *m* ideal [oportuno]. ～의 기회를 놓치다 perder una oportunidad excelente. …하기 위한 ～의 기회다 Es la mejor ocasión para + *inf*. ～의 날씨다 Hace un tiempo maravilloso [ideal]. 봄은 여행의 ～의 계절이다 La primavera es la mejor estación para viajar. 이 ～의 기회를 이용하십시오 Aproveche usted este gran oportunidad.
절후(節候) subdivisión *f* de las estaciones.
젊다 (ser) joven, juvenil; [손아래] más joven, menor. 젊은 사원(社員) empleado, -da *mf* joven. 젊었을 때부터 desde joven. 젊었을 때의 그의 작품집 obras *fpl* de *su* juventud. 젊었을 동안에 mientras que está joven. 내가 젊었을 때 cuando yo era joven, en mi juventud. 젊게 만들다 rejuvenecer, volver joven, hacer joven. 젊게 차리다 arreglarse [(화장으로) pintarse · (복장으로) vestirse] joven. 젊어 보이다 parecer joven. 젊은 시절은 향락의 시절 ((서반아 속담)) Año de mozo, año de gozo.
젊디젊다 (ser) muy joven.
젊어지다 remozarse, ponerse joven, rejuvenecerse, volverse joven. 나는 완전히 젊어진 기분이다 Me siento completamente rejuvenecido.
젊은이 joven *mf* (*pl* jóvenes); adolescente *mf*, jovencito, -ta *mf*, mocito, -ta *mf*, zagal, -la *mf*, muchacho, -cha *mf*; [집합적] juventud *f*, mocedad *f*, adolescencia *f*. ～역을 하는 배우 actor, -triz *mf* que hace papeles de joven. 아직 경험이 부족한 ～joven *mf* de pocas experiencias; mocoso, -sa *mf* barbilampiño, -ña *mf*. 루뻬 론은 그때까지는 알려지지 않은 ～였다 Luperón era para entonces un joven desconocidos. ～는 늙어질 수 있으나 노인은 죽음에 가까울 뿐이다 ((서반아 속담)) De joven se puede llegar a viejo; pero de viejo, sólo soltar el pellejo. 결혼한 ～(는) 후회하는 ～(다) ((서반아 속담)) Casado y arrepentido / Hombre casado, hombre enjaulado.
젊음 juventud *f*, 【고어】 mancebez *f*. ～을 유지하다 conservar la juventud. 그는 항상 ～이 넘친다 El sigue manteniendo su aspecto juvenil. ～은 인생(人生)의 꽃이다 La juventud es la flor de vida. ～은 한 번 뿐이기에 자신의 잘못을 범하고 장래를 생각하지 않고 즐겨야 한다 La juventud debe cometer sus propios errores y disfrutar sin pensar en el porvenir, porque sólo es joven una vez. ～은 단 한 번뿐이다 ((서반아 속담)) La mancebez sólo se vive una vez.
점(占) adivinación *f*, advinanza *f*, [손금의] quiromancia *f*, [카드의] cartomancia *f*, [접미어] -mancia, -mancía. ～을 치다 adivinar, predecir, echar [decir] buenaventura; [카드로] echar las cartas. ～을 치러 가다 consultar a un adivino. 카드로 자신의 ～을 치다 echar las cartas para *sí* mismo. 금년 운세(運勢)의 점을 쳐 드리겠습니다 Le adivinaré lo que le va a pasar a usted este año.
◆ 꿈～ adivinación *f* por el sueño. 서적(書籍)～ bibliomancía *f*. 성명(姓名)～ onomancia *f*, onomancía *f*. 성서(聖書)～ bibliomancía *f*. 수상(手相)～ quiromancia *f*, quiromancía *f*. 숫자(數字)～ aritmancia *f*.
점(點) ① [작고 둥글게 찍는 표] punto *m*. ～을 찍다 puntuar, poner un punto, puntear. ② [산재(散在)하는 작은 얼룩] lunar *m*, mota *f*, *Col, Ven* pepa *f*, [동물의 살갗에] mancha *f*, [얼룩] mancha *f*. 잉크의 ～ manchas *fpl* de tinta. 흰 ～이 있는 푸른

넥타이 una corbata azul a [con] lunares blancos [con motas blancas]. ③ [글자를 쓸 때에 한 번 찍는 획] punto *m*, jota *f*. 한 ~ 한 획 un punto y una letra, una jota y una tilde. ④ [글의 구절을 구별하려고 찍는 표] punto *m*. ⑤ [어느 지적된 사항을 나타내는 부분] punto *m*, aspecto *m*. 이것이 중요한 ~이다 Este es el punto importante / Lo importante es esto. 그것이 그의 좋은 ~이다 Es lo bueno de él. 오지 않는 ~으로 보아 아마도 그는 아플 것이다 Dado (el hecho de) que no viene, tal vez él esté enfermo. 그의 말에는 의심스러운 ~이 있다 Hay algo sospechoso [dudoso] en lo que cuenta. 그들은 태만하지만 이 남자는 그 ~에 있어서는 완전무결하다 Ellos son perezosos, pero este hombre es impecable en este aspecto. 그들은 이 ~에서는 의견이 일치하고 있다 Ellos están de acuerdo en este punto. ⑥ 【화학】 punto *m*. 비등(沸騰)~ punto *m* de ebullición. 융해(融解)~ punto *m* de fusión. ⑦ [여럿 가운데서 선택하여 결정할 때 쓰는 말] punto *m*, marca *f*. ~을 찍어 놓다 señalar. ⑧ 【수학】 coma *f*, punto *m* decimal. 4~ 16 [소수점] 4,16, cuatro coma dieciséis. ⑨ [살갗에 거뭇하거나 불그레하게 박힌 표난 부분] mancha *f* [marca *f*] de nacimiento, antojo *m*, lunar *m*. 그녀는 입가에 ~이 있다 Ella tiene un lunar junto a la boca. ⑩ [성적을 표시하는 끗수] ㉮ [성적의] nota *f*, marca *f*. 100~ 만점에서 90~을 받다 obtener noventa puntos de los posibles cien. ㉯ [경기의] punto *m*, tanteo *m*, tanto *m*. 2~을 넣다 marcar dos puntos. 1~ 차로 이기다 ganar por un solo punto de diferencia. ⑪ 【음악】 coma *f*. ⑫ [시(時)] hora *f*. 열 ~을 알리다 dar las diez. 탑의 시계가 열두 ~을 알렸다 El reloj de la torre daban las doce. ⑬ [물품의 가짓수를 셀 때 쓰는 말] pieza *f*. 의류(衣類) 다섯 ~ cinco piezas de ropa. ⑭ [살코기 따위의 작은 조각] pedazo *m*, pieza *f*. 쇠고기 한 ~ un filete [un pedazo] de carne de vaca [*AmL* carne de res]. ⑮ ((바둑)) [돌] figura *f*, [판의 눈목] cruz *f*.

-점(店) tienda *f*, [접미어] -ería. 철물~ ferretería *f*. 백화(百貨)~ (gran) almacén *m* (*pl* grandes almacenes).

점가(漸加) aumento *m* [incremento *m*] progresivo [gradual]. ~하다 aumentar [incrementar] gradualmente.

점감(漸減) disminución *f* progresiva, disminución *f* gradual, decrecimiento *m* [descenso *m*] progresivo [gradual]. ~하다 disminuir [decrecer · descender] gradualmente.

점강(漸降) descenso *m* [disminución *f*] gradual. ~하다 descender [disminuir] gradualmente.

점거(占據) ocupación *f*, toma *f*, posesión *f* exclusiva. ~하다 ocupar, tomar.
■ ~자(者) ocupa *mf*, okupa *mf*, ocupante *mf*, ocupador, -dora *mf*.

점검(點檢) inspección *f*, examen *m*, llamada *f* de la lista, revista *f*, [확인] verificación *f*. ~하다 inspeccionar, examinar, revisar, pasar lista. 서류를 ~하다 pasar revista a los papeles. 자동차를 ~ revisar el coche.
◆불시(不時) ~ control *m* al azar, inspección *f* realizada al azar.
■ ~자(者) inspector, -tora *mf*.

점고(漸高) aumento *m* [elevación *f*] gradual. ~하다 ascender [elevar · aumentar] gradualmente.

점괘(占卦) signo *m* de adivinación.

점근(漸近) aproximación *f* gradual. ~하다 acercarse [aproximarse] gradualmente.

점대(占-) varita *f* de zahorí.

점도(粘度) viscosidad *f*.
■ ~계(計) viscosímetro *m*.

점두(店頭) tienda *f* (con mercancías), entrada *f* de una tienda; [쇼윈도] escaparate *m*, aparador *m*, vidriera *f*. ~에 내놓다 poner *algo* en venta. ~에 장식하다 exhibir *algo* en la vidriera [tienda]. ~에 진열하다 exponer *algo* a la entrada de la tienda.
■ ~ 거래 =장외 거래(場外去來). ~ 매매 transacciones *fpl* de valores no registradas en bolsa en un mercado secundario. ~ 시장 =장외 시장(場外市場). ~ 장식 adorno *m* de vidriera. ~ 진열 exhibición *f* de vidriera. ~ 판매 =점두 매매.

점둥이(點-) ① =점박이. ② [점이 박힌 개] perro *m* manchado, perro *m* pinto.

점등(漸騰) ascenso *m* [elevación *f* · ascensión *f*] gradual. ~하다 elevar [aumentar] gradualmente.

점등(點燈) alumbrado *m*, farol *m*, iluminación *f*. ~하다 encender (una lámpara · las luces), alumbrar, iluminar. 조명등(照明燈)이 ~되었다 Se encendió el iluminador.
■ ~ 시간 hora *f* de alumbrado. ~ 장치 instalación *f* de alumbrado.

점락(漸落) bajada *f* gradual. ~하다 bajar gradualmente.

점력(粘力) viscosidad *f*, tenacidad *f*, glutinosidad *f*.

점령(占領) ocupación *f*, posesión *f*, toma *f* de posesión. ~하다 ocupar, tomar posesión (de), apoderarse (de). 독일은 연합군에 의해 ~되었다 Alemania fue ocupado por las tropas aliadas.
■ ~국 país *m* (*pl* países) de ocupación. ¶ 피~ estado *m* ocupado, estado *m* sometido a la ocupación. ~군 fuerzas *fpl* de ocupación, ejército *m* de ocupación, ejército *m* ocupante, tropas *fpl* ocupantes. ¶~ 당국 autoridades *fpl* de ocupación. ~자(者) ocupador, -dora *mf*, ocupante *mf*. ~지 territorio *m* ocupado. ~ 지구[지역] zona *f* ocupada, territorio *m* ocupado, país *m* (*pl* países) ocupado.

점막(店幕) taberna *f*, posada *f*, fonda *f*, mesón *m*.

점막(粘膜) membranza *f* mucosa, mucosa *f*.
■ ~ 분비물(分泌物) reuma *f*, reúma *f*. ~샘

glándula *f* túnica mucosa. ～암(癌) mucocáncer *m.* ～염 mucitis *f*, mucositis *f.*

점멸(點滅) parpadeo *m,* titileo *m.* ～하다 [빛이] pestañear, parpadear. ～하는 빛 luz *f* intermitente, luz *f* parpadeante. 텔레비전 스크린의 ～ el parpadeo de la imagen.
■ ～기(器) interruptor *m,* llave *f* (de encendido · de la luz), conmutador *m.* ～등(燈) interminente *m, Col, Méj* direccional *f, Chi* señalizador *m.*

점묘(點描) esbozo *m,* bosquejo *m,* punteado *m,* diseño *m;* 【미술】 puntillismo *m.* ～하다 dibujar, esbozar, hacer un esbozo (de), puntear.
◆인물(人物) ～ perfil *m.* 정계(政界)～ esbozo *m* [bosquejo *m*] del mundo político.
■ ～법 puntillismo *m.* ～주의 =신인상주의. ～파 =신인상파.

점박이 ① [얼굴이나 몸에 점이 있는 사람이나 짐승] [사람] persona *f* con mancha de nacimiento; [짐승] animal *m* manchado, animal *m* pinto. ② [남에게 손가락질을 받아 점이 박히다시피 된 사람] hazmerreír *m.* 그는 시중의 ～가 될 것이다 El será el hazmerreír de la ciudad.

점방(店房) tienda *f.* ～을 차리다 abrir una tienda.

점벙 chapoteando.
점벙거리다 chapotear.
점벙점벙 con mucho ruido, haciendo mucho ruido, chapoteando. ～ 물에서 걷다 andar chapoteando en el agua.

점보(영 *jumbo*) ① [대형의 갱도(坑道) 착암기] máquina *f* perforadora. ② [용광로의] refrigerador *m* del canal de escoria. ③ [터널 · 광산의] andamio *m* corredizo, carro *m* de perforadoras múltiples. ④ [산림 개발의] rastra *f.* ⑤ [거대함. 대규모] jumbo *m.* ⑥ 【사진】 copia *f* del tamaño gigante.
■ ～제트기 jumbo *m,* jumbo-jet *m.*

점복(占卜) ① [점을 치는 일] adivinación *f.* ② [점술과 복술] la pronosticación y la adivinación.

점서(占書) libro *m* sobre la adivinación.

점석(苫席) estera *f* de paja del doliente.

점선(點線) línea *f* de puntos, línea *f* punteada, puntos *mpl* sucesivos. ～을 긋다 tirar línea punteada. ～을 따라 잘라 주십시오 Separen sobre la línea perforada.

점성(占星) horóscopo *m,* adivinación *f* por las estrellas.
■ ～가 astrólogo, -ga *mf.* ～술 astrología *f.* ～술가 astrólogo, -ga *mf.* ～학 astrología *f,* observación *f* de los astros.

점성(粘性) 【물리】 viscosidad *f,* cohesión *f.*
■ ～ 글로불린 mucoglobulina *f.* ～도 viscosidad *f.* ～도계 viscosímetro *m.* ～ 단백질 mucoproteína *f.* ～력 viscosidad *f.* ～률 viscosidad *f.* ～ 유체(流體) fluido *m* viscoso.

점수(點數) ① [점의 수효] número *m* de lunares. ② [성적을 나타내는 숫자] número *m* de marcas, marca *f,* nota *f,* ((운동)) tantos *mpl,* tanteo *m.* … 에 ～를 기입하다 marcar *algo,* calificar *algo.* 서반아어에서 좋은[나쁜] ～를 받다 sacar [ganar] buenas [malas] notas en (el examen de) español. 그 교수는 ～가 후하다[짜다] El profesor es generoso [severo] en la puntuación [en la clasificación]. 그는 ～를 따려고 알랑거린다 El usa la adulación para ganar puntos [para que le apecien]. 좋은 ～를 따기에만 급급하지 마라 No estudies más que para sacar buenas notas. ③ =끗수. ④ [물건의 가짓수] especie *f* de los objetos.
■ ～표(表) lista *f* de puntos.

점술(占術) pronosticación *f,* adivinación *f.*

점신세(漸新世) 【지질】 oligoceno *m,* época *f* oligocena. ～의 oligoceno.

점심(點心) ① [낮에 끼니로 먹는 음식] almuerzo *m.* ～하다 ㉮ [점심을 먹다] almorzar, tomar el almuerzo. ㉯ [점심먹이를 짓다] preparar el almuerzo. ② ((불교)) comida *f* que se toma cuando se tiene hambre. ③ [무당이 음식을 차려 놓고 갓난아이의 젖 · 명복을 비는 일] ofrenda *f* del almuerzo (al dios) para rezar la vida larga de un bebé.
◆점심(을) 바치다 ofrecer el almuerzo (al dios) para rezar la vida larga de un bebé.
■ ～ 그릇 fiambrera *f, AmL* lonchera *f.* ～나절 mediodía *m.* ～때 hora *f* de almorzar, hora *f* del almuerzo, hora *f* de comer, hora *f* de la comida. ～먹이 comida *f* para el almuerzo. ～밥 comida *f* que se tona para el almuerzo. ～시간 hora *f* de comer, hora *f* de la comida, hora *f* de almorzar, hora *f* del almuerzo. ～참(站) tiempo *m* de la comida.

점안(點眼) colirio *m* en el ojo. ～하다 instilar colirio en el ojo.
■ ～기(器) cuentagotas *m.sing.pl.* ～수(水) colirio *m,* solución *f* oftálmica, loción *f* para los ojos.

점액(粘液) ① [끈끈한 액체] moco *m,* mucosidad *f;* [식물의] mucilago *m.* ② 【해부】 flema *f.*
■ ～낭(囊) bolsa *f* mucosa. ～낭염 bursitis *f.* ～뇨(尿) blenuria *f.* ～ 대변 deposición *f* líquida. ～막 =점막(粘膜). ～변 evacuación *f* mucosa. ～ 분비 mixopoiesis *f,* blenorragia *f.* ～ 분비선 glándula *f* de baba. ～ 분비증 blenosis *f.* ～산 ácido *m* múcico. ～샘 glándula *f* mucosa. ～선염 mixadenitis *f,* blenadenitis *f.* ～ 세포 célula *f* mucosa, mixocito *m.* ～ 수종 mixedema *m,* mixoedoma *m.* ～ 아메바 mixoameba *f.* ～암(癌) carcinoma *m* mucoso. ～질 ㉮ mucosidad *f,* flema *f.* ㉯ 【심리】 temperamento *m* flemático.

점원(店員) dependiente *mf;* empleado, -da *mf* de tienda; [세일즈맨] vendedor, -dora *mf.* ～ 노릇을 하다 atender a clientes.

점유(占有) posesión *f,* ocupación *f.* ～하다 ocupar, posesionarse (de).

■ ~권(權) derecho *m* de posesión. ~물(物) posesión *f*, propiedad *f*. ~자 ocupador, -dora *mf*, ocupante *mf*, poseedor, -dora *mf*. ~ 재산 propiedad *f* privada.

점입가경(漸入佳境) aproximación *f* al climax. ~하다 acercarse [aproximarse] al climax.

점자(點字) braille *m*, Braille *m*, letras *fpl* Braille, letras *fpl* de puntos (para los ciegos). ~로 번역하다 transcribir *algo* en letras Braille [en letras de puntos].

■ ~법 braille *m*, Braille *m*. ~서(書) escritura *f* en relieve de los ciegos, libro *m* con letras puntuales para ciegos. ~책 libros *mpl* en braille.

점잔 aire *m* dignificado.

◆ 점잔(을) 부리다 darse aires. 점잔(을) 빼다[피우다] tomar un aire tranquilo, mostrarse impasible [impertérrito], estar ceremonioso. 왜 그렇게 점잔을 빼고 있지? ¿Por qué estás tan ceremonioso? 그는 점잔을 빼면서 계속 말했다 El continuó hablando impertérrito [sin inmutarse].

점잖다 (ser) dignificado, ceremonioso, distinguido, fino, decente, respectable, elegante. 한국 사람들은 매우 ~ Los coreanos son muy ceremoniosos. 그 안경을 끼니 넌 아주 점잖은 것 같다 Pareces muy sabiondo con esos anteojos.

점잖이 ceremoniosamente.

점재(點在) esparcimiento *m* por todas partes. ~하다 estar esparcido, estar desparramado. 만(灣) 안에는 작은 섬들이 ~하고 있다 En la bahía están esparcidas islas pequeñas / Se encuentra la bahía con islas pequeñas. 광야(曠野)에 집들이 ~해 있다 Se ven esparcidas algunas casas por el campo.

점쟁이 adivino, -na *mf*, sortílego, -ga *mf*, agorero, -ra *mf*, quiromántico, -ca *mf*, [카드의] cartomántico, -ca *mf*, [점성가(占星家)] astrólogo, -ga *mf*. ~한테 점을 치다 consultar a un adivino.

점적(點滴) ① [낱낱의 물방울] gotas *fpl* de agua. ② [물방울을 떨어뜨림] la acción de caer gotas de agua.

■ ~기(器) cuentagotas *m.sing.pl*, gotero *m*. ~약 gotas *fpl* médicas.

점점(點點) ① [낱낱의 점] cada punto. ② [여기저기 점 찍은 듯이 흩어져 있음] esparcimiento *m* por aquí y por allí.

점점이 aquí y allí, acá y allá, por aquí y por allí, desparradamente. 해안에서 불빛이 ~ 보인다 La línea costera aparece punteada de luces. 작은 섬들이 ~이 있다 Pequeñas islas puntean el paisaje.

점점(漸漸) poco a poco, paso a paso, gradualmente, progresivamente, más y más, de modo creciente. ~ 멀어지다 alejarse poco a poco. ~ 일에 익숙해지다 acostumbrarse poco a poco al trabajo. ~ 더워지기 시작한다 Poco a poco empieza a hacer calor. 날씨가 ~ 추워진다 Hace cada día más frío. 환자는 ~ 좋아진다[나빠진다] El enfermo va cada vez mejor [peor]. 이야기는 ~ 재미있어진다 El cuento va a ser más y más interesante.

점주(店主) dueño, -ña *mf* [propietario, -ria *mf*] de la tienda; tendero, -ra *mf*, dueño, -ña *mf* de una firma.

점증(漸增) crecimiento *m* [aumento *m*] progresivo [gradual]. ~하다 crecer [aumentar] progresivamente [gradualmente].

점지 bendición *f* con un hijo. ~하다 bendecir con un hijo, dar un niño. 우리에게 자식을 ~해 주셨다 Nos ha dado el cielo un niño.

점직하다 (estar) avergonzado, *AmL* apenado (*CoS* 제외), dar vergüenza, *AmL* dar pena (*CoS* 제외), compadecer, sentir.

점진(漸進) progreso *m* gradual. ~하다 progresar gradualmente, hacer un progreso gradual, mover paso a paso.

■ ~적 gradual, progresivo, paulativo. ¶~으로 gradualmente, progresivamente. ~주의 principios *mpl* moderados.

점질(粘質) pegajosidad *f*, glutinosidad *f*.

점찍다 señalar. 범인으로 ~ sospechar que es el crimen. 나는 그를 도둑으로 점찍는다 Sospecho que él es el ladrón.

점차(漸次) gradualmente, poco a poco, paso a paso, paulatinamente. ~ 나아지다 recuperarse gradualmente.

점착(粘着) adhesión *f*, adherencia *f*. ~하다 adherir.

■ ~력(力) fuerza *f* coherente, fuerza *f* adherente. ~성(性) adhesión *f*. ~제(劑) adherente *m*, adhesivo *m*, pegamiento *m*. ~테이프 cinta *f* adhesiva; 【전기】 cinta *f* aislante.

점철(點綴) esparcimiento *m*. ~하다 esparcir, tildar, estar esparcio, puntuar, intercalar.

점층법(漸層法) climax *m*, graduación *f*.

점치다(占-) adivinar. ☞점(占)

점토(粘土) arcilla *f*.

◆ 내화(耐火) ~ arcilla *f* refractaria.

■ ~기 vajilla *f* de arcilla. ~ 세공 obra *f* de arcilla. ~암 piedra *f* arcillosa. ~질 ¶ ~의 arcilloso. ~ 토양 tierra *f* arcillosa. ~층 capa *f* de arcilla.

점퇴(漸退) retirada *f* gradual. ~하다 retirarse gradualmente.

점판암(粘板岩) 【광물】 pizarra *f* arcillosa.

점퍼(영 *jumper*) [남자의 운동용 웃옷 또는 직공의 작업복. 잠바] cazadora *f*, campera *f*, pichi *m*, jumper *m* (*AmL f*).

점포(店鋪) tienda *f*. ~를 내다 abrir una tienda. ~를 닫다 cerrar una tienda; [폐업하다] finalizar el negocio.

■ ~ 장식 adorno *m* de tienda.

점프(영 *jump*) ① [체육에서의 뜀질] salto *m*. ~하다 saltar. 그는 3층에서 ~했다 El saltó del [desde el] segundo piso. 그는 ~해서 도랑을 건넜다 El cruzó la zanja de un salto. ② ((스키)) [도약 경기] salto *m*.

◆ 하이 ~ salto *m* de altura.

■ ~대(臺) =도약대.

점핑(영 *jumping*) pruebas *fpl* de slatos.

점하다(占—) tomar, ocupar. 중요한 지위(地位)를 ~ ocupar [tomar] una posición importante. 두 사람의 좌석을 ~ ocupar el asiento de dos. 건물의 1층과 2층을 ~ ocupar el piso bajo y el primer piso del edificio. 전체의 60%를 ~ sumar el sesenta por ciento del total.

점호(點呼) llamada *f*, revista *f*. ~하다 pasar lista, revistar. ~는 오전 일곱 시다 Pasan lista a las siete de la mañana.

점화(點火) ignición *f*, encendido *m*; [폭약의] inflamación *f*. ~하다 encender, pegar fuego (a), inflamar. ~되다 encenderse. 가스에 ~하다 encender el gas.

▪ ~관(管) tubo *m* de encendido. ~기(器) encendedor *m*, dispositivo *m* de encendido, ignitor *m*. ¶가스 ~ encendedor *m* para el gas. ~ 배터리 batería *f* de encendido. ~ 순서 orden *m* de explosiones. ~ 스파크 [모터의] chispa *f* de encendido. ~식 [용광로의] ceremonia *f* de encendido de un alto horno. ~약 pólvora *f* de cebo. ~ 장치 dispositivo *m* de encendido. ~전(栓) bujía *f* (de encendido), bujía *f* de ignición, *AmC* chispero *m*. ~점(點) punto *m* de combustición, temperatura *f* de ignición. ~질 [석유의] calidad *f* de ignición. ~ 케이블 cable *m* del encendido. ~ 코일 bobina *f* de encendido. ~ 플러그 =점화전(點火栓). ~ 회로(回路) circuito *m* de encendido, circuito *m* de infamación.

접 ciento; [명사 앞에서] cien. 오이 한 ~ cien pepinos. 감 두 ~ doscientos caquis.

접(接) 【식물】 injerto *m*. ~을 붙이다 injertar.

▪ ~가지 =접수(椄穗).

접각(接角) ángulo *m* contiguo.

접객(接客) recepción *f* de los huéspedes. ~하다 recibir a los huéspedes.

▪ ~부(婦) =접대부. ~업 industria *f* de servicios, negocio *m* de servicios. ~업자 dueño, -ña *mf* del negocio de servicios, dueño, -ña *mf* del restaurante [del hotel]..

접견(接見) recepción *f*, audiencia *f*, entrevista *f*. ~하다 recibir una visita, dar [conceder] audiencia, recibir en audiencia.

▪ ~실 sala *f* de audiencias. ~일 día *m* de recepción, día *m* de visitas.

접경(接境) frontera *f*, límite *m*, confín *m* (*pl* confines).

접계(接界) =접경(接境).

접골(接骨) composición *f* de los huesos fracturados. ~하다 componer un hueso roto, ensalmar.

▪ ~사(師) osteópata *mf*; ensalmador, -dora *mf*, componedor, -dora *mf*. ~ 요법(療法) osteopatía *f*. ~의(醫) ensalmador, -dora *mf*.

접근(接近) acercamiento *m*, acceso *m*, aproximación *f*, proximidad *f*. ~하다 acercarse, aproximarse; [상태] estar cada vez más cerca [próximo]. ~시키다 acercar, aproximar. 미국과 북한의 ~ acercamiento *m* los Estados Unidos de América y Corea del Norte. ~하기가 쉽다 ser muy accesible. ~하기가 어렵다 no ser muy accesible. 탁자를 창에 ~시키다 acercar la mesa a la ventana. 시간이 빠르게 ~한다 Se acerca rápidamente el momento. 배가 해안에 ~했다 El barco se acercó [se aproximó · se arrimó] a la playa. 태풍이 제주도에 접근하고 있다 El tifón se está acercando a *Chechudo*. 두 사람의 관계가 급속히 ~했다 Se estrecharon rápidamente las relaciones entre los dos. 두 사람의 실력은 ~해 있다 Los dos tienen casi el mismo nivel. 그의 사고방식(思考方式)은 나와 ~하고 있다 Su manera de pensar se acerca a la mía.

접낫 hoz *f* (*pl* hoces) (pequeña). ~으로 베다 segar con hoz.

접다 ① [천 · 종이 등을 꺾어서 겹치다] doblar; [의자 · 책상 · 날개 등을] plegar. 접어지다 [종이 · 신문이] doblarse; [의자 · 책상이] plegarse; [지도 · 포스터가] doblarse, plegarse. 접는 plegador, que pliega. 접는, 접을 수 있는, 접게 된 plegable, doblegable, abatible, de tijera, *Méj* plegadizo. 접는 일 plegadura *f*, plegado *m*. 접는 의자 silla *f* plegable. 접는 상(床) mesa *f* plegable. 접는 [접게 된] 문 puertas *fpl* plegables, *Méj* puertas *fpl* plegadizas. 접은 옷깃 solapa *f*, cuello *m*, doblado *m*. 접는 침대 cama *f* plegable. 접는 자 regla *f* de carpintero. 되접어 꺾은 곳 [소매 · 옷자락의] vuelta *f*; [목의] solapa *f*. 안으로 접어 넣다 plegar, replegar, doblar, alforzar. 접어 두다 [옷을] doblar y guardar; [의자를] plegar y guardar. 부채를 ~ doblar un abanico. 식탁보를 ~ doblar un mantel. 종이를 ~ doblar papel. 반으로 ~ doblar por la mitad. 넷으로 ~ plegar en cuatro. 책상 다리를 ~ doblar las patas de la mesa. 홑이불을 ~ doblar las sábanas. 종이가 접어지다 doblarse el papel. 바지의 옷자락을 다시 ~ remangarse los pantalones. 양철을 접어 구부리다 doblar una hoja de lata. 접은 금에 따라 종이를 자르다 cortar un papel por el pliegue. 종이를 넷으로 (꺾어) ~ doblar [pegar] un papel en cuatro. 종이를 접어 학을 만들다 hacer una grulla doblando un papel. 나비가 날개를 접었다 La mariposa plegó las alas. 사용하지 않을 때는 의자들은 정연히 접어 두면 된다 Las sillas se pueden plegar y guardar cómodamente cuando no se necesitan. 접지 마시오 ((게시)) No doblar. ② [폈던 것을 본디의 모양이 되게 하다] cerrar. 우산을 ~ cerrar el paraguas. ③ [의견 · 주장 따위를 미루어 두다] dejar, aplazar, posponer, *AmL* postergar. ④ ((준말)) =접어주다.

접대(接待) servicio *m* (de comida y bebida), agasajo *m*, recepción *f*, obsequio *m*, ágape *m*, hospedaje *m*, acogida *f*, hospitalidad *f*, asistencia *f*, servicio *m*. ~하다 servir, encargarse del servicio de comida y bebida, agasajar, obsequiar, recibir, hospedar, festejar, tratar. 고객을 ~하다 agasajar a los clientes. 차(茶)를 ~하다 servir té. 손님 ~가 능하다 tener arte en el tratamiento de los clientes, conocer la manera de tratar [de acoger] a los clientes. 손님을 친절하게 ~하다 tratar al cliente con atención. 많이 팔아 주는 단골손님을 ~하다 agasajar a *sus* mejores clientes.

■ ~부(婦) mujer *f* que se encarga del servicio de comida y bebida para fiestas, cafeterías etc. ~비(費) gastos *mpl* de recepción. ~실 ㉮ [호텔에서] salón *m* (*pl* salones). ㉯ [집에서] salón *m* (*pl* salones), comedor *m*, cualquier habitación *f* donde se puede recibir. ~원 recepcionista *mf*; encargado, -da *mf* de recepción. ~ 위원 (miembro *mf* de) comité *m* de recepción. ~일 día *m* de recepción.

접대(接對) encuentro *m*. ~하다 encontrarse (con).

접대(椄臺) =접본(接本).

접도(椄刀) cuchillo *m* para el injerto.

접도(摺刀) =접칼.

접동새 【조류】 =소쩍새.

접두사(接頭辭) 【언어】 =접두어(接頭語).

접두어(接頭語) 【언어】 prefijo *m*.

접등(摺燈) lámpara *f* plegable.

접때 el otro día, hace unos días. ~부터 desde hace unos días, por unos días pasados. ~ 편지에 en la última carta ~ 내가 그녀를 만났을 때 la última vez que la vi.

접목(椄木/接木) ① [접붙이기] injerto *m*, injertación *f*. ~하다 injertar. ② [접목한 나무] árbol *m* injertado.

접문(接吻) beso *m*; [가벼운] besito *m*. ~하다 besar, dar un beso; [가볍게] dar una besito.

접미사(接尾辭) 【언어】 =접미어(接尾語).

접미어(接尾語) 【언어】 sufijo *m*.

접변(接變) asimilación *f* progresiva. ~하다 hacer una asimilación progresiva.

접본(椄本) patrón *m*, portainjerto *m*.

접붙이(椄-) =접붙이기.

접붙이기(椄-) injerto *m*, injertación *f*. ~를 하다 injertar.

접붙이다(椄-) injertar.

접빈(接賓) =접객(接客).

■~실(室) =응접실(應接室).

접사(接辭) 【언어】 afijo *m*.

접선(接線) ① 【수학】 (línea *f*) tangente *f*. ~의 tangencial. ② [줄을 댐. 접촉함] contacto *m*. ~하다 ponerse en contacto (con), contactar (con), hacer contacto.

접속(接續) conexión *f*, enlace *m*, unión *f*, juntura *f*, montaje *m*, engranaje *m*, articulación *f*, acoplamiento *m*, contacto *m*; [교통의] empalme *m*. ~하다 conectar, unir, juntar, enlazar, empalmar, entroncar, ligar, trabar. 열차와 버스의 ~ empalme *m* de un tren con un autobús.두 개의 회로를 ~하다 conectar dos circuitos. 라디오와 전축을 ~하다 conectar la radio con el tocadiscos. 이 열차는 대전에서 특급과 ~한다 Este tren entronca en *Daecheon* con un superexpreso.

■ ~곡(曲) popurrí *m*. ~기(器) cierracircuito *m*. ~ 기어 embrague *m*, enganaje *m* de transmisión. ~도(圖) diagrama *m* [esquema *m*] de conexiones, esquema *m* de montaje. ~망 red *f* de conmutación. ~법 modo *m* subjuntivo. ~ 볼트 perno *m* de unión. ~봉 varilla *f* de acoplamiento, varilla *f* de unión, biela *f*. ~사 conjunción *f*. ~ 상자 caja *f* de distribución, caja *f* de empalmescables. ~선(線) línea *f* conexiva, ramal *m*; [철도의] riel *m* de empalme. ~어 ㉮ =교착어(膠着語). ㉯ =접속사(接續詞). ~역 estación *f* empalme. ~ 연관(鉛管) manguito *m*. ~ 열차 tren *m* de empalme. ~ 파이프 tubo *m* de conexión. ~ 플러그 clavija *f* de conexión, clavija *f* de unión. ~ 회로 circuito *m* de conexión.

접수(接收) ① [받아서 거둠] cobranza *f*, recibimiento *m*. ~하다 cobrar, recibir. ② [권력 기관이 필요상 국민의 소유물을 수용함] confiscación *f*, expropiación *f*. ~하다 confiscar, expropiar.

접수(接受) [문서류를 처리하기 위해 받아들임] recepción *f*, recibo *m*, aceptación *f*. ~하다 recibir, aceptar, poseer. 신청서(申請書)를 ~하다 recibir el formulario de solicitud. 원서(願書)를 ~하다 aceptar la solicitud. …에 ~ 사인을 하다 poner el recibí en *algo*. 편지를 등기로 ~하다 registrar una carta cn acuse de recibo. ~를 시작함 ((게시)) Empezamos la recepción. 저쪽에서 ~함 ((게시)) Dirigirse a recepción. 12월 11일 자 귀 서한(貴書翰)은 잘 ~했습니다 Poseemos [Poseo] su grata del (día) once de diciembre que le agradecimos [agradezco].

◆ 원서 ~ 기간 plazo *m* de solicitud.

■ ~구(口) =접수 창구. ~ 담당자 recepcionista *mf*. ~ 번호 número *m* de recibo. ~부(簿) libro *m* de recibo. ~ 시간 horas *fpl* de recepción, horas *fpl* de portería. ¶ ~은 끝났습니다 Ha terminado la hora de recepción. ~은 오전 9시부터 오후 5시까지임 ((게시)) Se atiende de las diez de la mañana a las cinco de la tarde. ~증 recibo *m*. ~창구 ventanilla *f* de recibo, información *f*. ~처(處) oficina *f* de información, recepción *f*, ventanilla *f* de recepción, mesa *f* de recepción.

접시 plato *m*; [음식용 큰 접시] fuente *f*, [작은] platillo *m*, plato *m* pequeño. 수프용 ~ plato *m* sopero. 납작한 ~ plato *m* trinchero. 큰 ~ platón *m*. 포도 한~ un plato de uvas. 딸기 한 ~ un plato de fresas. ~ 닦는 기계 lavaplatos *m.sing.pl*, lavavajillas *m.sing.pl*. ~ 닦는 사람 lavaplatos *mf.sing.pl*. ~ 닦는 행주 paño *m* de cocina, *RPI* repasador, *Col* limpión *m*. ~ 씻는 그릇 palangana *f* (para lavar los platos). ~를 씻다 lavar los platos, *AmC*, *Méj* lavar los trastes. ~를 치우다 retirar

los platos, limpiar la mesa. ~에 담아 내놓다 servir *algo* en un plato. 부인은 과실이 가득한 ~를 가지고 들어온다 La señora entra con una fuente llena de frutas.
◆ 받침 ~ [찻잔 등의] platillo *m*.
접시꽃 【식물】 malvarrosa *f*, malva *f* real, malva *f* loca, malva *f* rósea, malva *f* arbórea.
접시받침 【건축】 platillo *m*.
접시천칭(-天秤) balanza *f* de Roberval.
접시형 안테나(-形 antenna) antena *f* parabólica.
접신(接神) lo poseído por el demonio. ~하다 estar endemoniado, estar poseído (por el demonio), endemoniarse. ~시키다 endemoniar. ~된 듯이 como (un) endemoniado, como un poseso.
■ ~론(論) teosofía *f*. ~론자(論者) teósofo, -fa *mf*.
접아(接芽) =접눈.
접안경(接眼鏡) =접안렌즈.
접안렌즈(接眼 lens) ocular *m*.
접어(接語) ① [말을 서로 주고받음] comunicaciones *fpl*. ~하다 comunicarse, escribirse. ② 【언어】 =접사(接辭).
접어들다 ① [어느 시기나 나이에 가까워지다] entrar (en), acercarse (a), aproximarse (a). 그 지방은 우기(雨期)에 접어들었다 La temporada de lluvias se acercaba a esa región / Esa región iba a entrar en la estación de lluvias. ② [어느 지점을 넘거나 들어서다] acercarse (a), aproximarse (a). 열차는 터널에 접어들었다 El tren se aproximaba al túnel.
접어주다 ① [자기보다 못한 사람에게 얼마쯤 너그럽게 대해 주다] disculpar, dejar pasar, soportar, aguantar, tolerar. ② ((바둑·장기)) dar la ventaja (de). 자네에게 다섯 점을 접어주겠네 Yo te doy la ventaja de cinco puntos.
접영(蝶泳) ((수영)) estilo *m* mariposa. ~을 하다 nadar (estilo) mariposa, nadar a mariposa, *Méj* nadar de mariposa.
접요(摺-) colchón *m* plegable.
접의자(摺椅子) silla *f* plegable, silla *f* de tijera, *Méj* silla *f* plegadiza.
접자(摺-) regla *f* de carpintero, metro *m* plegable, metro *m* plegadizo.
접전(接戰) lucha *f* cuerpo a cuerpo, combate *m* no decidido; [경기의] juego *m* reñido, partido *m* reñido. ~하다 combatir cuerpo a cuerpo, combatir con igual constancia. ~ 끝에 이기다 ganar un partido muy reñido. 매우 ~할 것이다 Va a estar muy reñido. 그는 ~으로 끝냈다 El llegó en segundo lugar / El llegó muy cerca del ganador.
접점(接點) 【기하】 punto *m* de contacto [de tangencia].
접종(接種) inoculación *f*, vacunación *f*. ~하다 inocular (a *uno*·contra *algo*), vacunar (a *uno*·contra *uno*), vacunarse, ponerse una vacuna, inocular*le algo* a *uno*. 너는 장티푸스 ~을 해야 한다 Tienes que vacunarse contra el tifus / Tienes que ponerse la vacuna antitifoidea [contra el tifus].
접종(接踵) ocurrencia *f* seguida, ocurrencia *f* consecutiva. ~하다 ocurrir uno tras otro, surgir en sucesión.
접지(接地) conección *f* a tierra. ~하다 conectar a tierra. 기구는 ~되어야 한다 El aparato debe estar conectado a tierra / *AmL* El aparato debe hacer tierra.
■ ~선(線) cable *m* [toma *f*·cable *m* de toma] de tierra.
접지(摺紙) plegadura *f* [plegado m] de papel; [접는 종이] papel *m* plegable. ~하다 plegar [doblar] el papel.
■ ~공 plegador, -dora *mf*. ¶신문 ~ plegador, -dora *mf* de periódicos. ~기(機) máquina *f* de plegar, plegadora *f* mecánica, plegador *m*.
접질리다 dislocarse, torcerse, hacerse un esguince (en), distenderse. 발목이 ~ dislocarse [torcerse] el [un] tobillo. 손목이 ~ dislocarse la muñena.
접질림 esguince *m*, distensión *f*.
접착(接着) adhesión *f*, adherencia *f*, pegamiento *m*, pegadura *f*. ~하다 adherir, pegar; [아교풀로] encolar. A와 B를 ~하다 adherir A a B, pegar A a [con] B. 풀로 ~하다 pegar *algo* con engrudo.
■ ~력 fuerza *f* adhesiva. ~물 adhesivo *m*. ~성 adhevisidad *f*, pegajosidad *f*. ~제(劑) adhesivo *m*, pegamento *m*. ~ 종이 papel *m* adhesivo. ~ 테이프 cinta *f* adhesiva.
접책(摺冊) libro *m* plegable.
접촉(接觸) ① [맞붙어 닿음] contacto *m*, toque *m*. ~하다 tocar, hacer un contacto (con); [가볍게] rozar. ~시키다 tocar. A와 B를 ~시키다 tocar A con B. 손을 ~하다 tocar *algo* con la mano. 플러그의 ~이 나쁘다 El enchufe no está bien conectado. 피부의 ~을 피하십시오 Evite el contacto con la piel. 이 스포츠에서는 신체의 ~을 허용하지 않는다 No se permite el contacto físico en este deporte. ② [교섭함] contacto *m*. ~하다 tener contacto (con), tener trato (con), ponerse en contacto (con), estar en contacto (con); [상태] tener [estar en] contacto (con). 개인적 ~ contacto *m* personal. ~시키다 poner en contacto. A와 B를 ~시키다 poner a A en contacto con B. ~을 유지하다 mantener el contacto (con). ~을 끊다 romper el contacto (con). ~에 실패하다 no lograr establecer contacto. 그는 외국인과 ~할 기회가 많다 El tiene muchas oportunidades de tratar con extranjeros. 그는 나와의 ~을 피하고 있다 El evita todo contacto conmigo. 우리는 ~이 별로 없었다 No teníamos mucho contacto [trato] / No nos tratábamos mucho. 내가 그와 ~한 것은 순전히 직업적이었다 Mi trato con él era exclusivamente profesional. 폐사의 사무실과 ~을 꼭 하십시오 No deje de ponerse en contacto con

nuestra oficina. ③【의학】contacto *m.* ~하다 ponerse en contacto (con). 모든 보균자의 ~은 규명되어야 한다 Deben localizarse todas las personas que hayan estado en contacto con el portador. ④【전기】contacto *m.* ~하다 hacer contacto. ~을 차단하다 interrumpir el contacto.
■~각 ángulos *mpl* adyacentes. ~ 감염 contagio *m.* ~ 공포 haptofobia *f.* ~ 공포증 haphefobia *f.* ~기(器) contactor *m,* dispositivo *m* para abrir y cerrar un circuito eléctrico, conjuntor *m,* interruptor *m* automático. ~기 스위치 interruptor *m* de contactor. ~대 zona *f* de contacto. ~렌즈 =콘택트렌즈. ~면 superficie *f* de contacto. ~물 contacto *m,* contactante *m.* ~ 반응 catálisis *f.* ~ 반응력 poder *m* catalítico. ~법 proceso *m* de contacto. ~변성암 roca *f* metamórfica de contacto. ~변성 작용 catálisis *f* por contacto. ~ 분석 análisis *m* catalítico. ~ 비행 vuelo *m* de contacto. ~ 사고 choque *m.* ~선 línea *f* de contacto. ~성 accesibilidad *f.* ~성 과민증 hipersensitividad *f* de contacto. ~성 알레르기 alergia *f* de contacto. ~성 질환 enfermedad *f* contagiosa. ~자 persona *f* que esté en contacto (con). ¶보균자(保菌者)와 ~ persona *f* que esté en contacto con el portador. ~ 작용 acción *f* catalítica, catálisis *f,* catálisis *f* por contacto. ~전기 electricidad *f* de contacto. ~ 전압계 voltímetro *m* de contacto. ~ 전염(傳染) contagio *m* (por contacto). ~ 전염성 contagiosidad *f.* ~점 punto *m* de contacto. ~체 haphalgesia *f,* aphalgesia *f.* ~ 피부염 dermatitis *f* por contacto.

접치다¹ ((힘줌말)) =접다.

접치다² ((준말)) =접치이다.

접치이다 ser doblado, ser plegado, doblarse, plegarse.

접침(摺枕) almohada *f* de madera plegable.

접침상(摺寢床) cama *f* plegable.

접침접침 plegando.

접칼(摺-) navaja *f.*

접톱(摺-) sierra *f* plegable.

접피술(接皮術)【의학】injerto *m* de piel.

접하다(接-) ① [인접하다] lindar (con), limitar (con), estar junto (a). 멕시코는 북으로 미국과 국경을 접하고 있다 Méjico limita al norte con los Estados Unidos de América. ② [응접·교제하다] tratar (a), tener contacto (con), atender, recibir. 손님을 ~ atender a los clientes. 그는 직업 때문에 여러 다른 사람과 접한다 Su trabajo le obliga a [con] diversas personas. 나는 그와 접해서 많은 것은 배웠다 Mi contacto con él me ha enseñado muchas cosas / He aprendido muchas cosas tratándole. ③ [수취하다] recibir. 급보(急報)에 ~ recibir una noticia urgente. ④ [접촉하다] tocar. 원(圓)에 접하는 직선 línea *f* recta tangente del [que toca el] círculo.

접합(接合) ① [한데 대어 붙임] unión *f,*【목공】ensambladura *f.* ~하다 unir, juntar, acoplar, ensamblar, anastomosarse. ②【동물·해부】conjugación *f.* ~하다 conjugar.
■~ 봉합(縫合) sutura *f* de coaptación. ~부(部) ㉮【언어】=붙임표. ㉯ [붙인 부분] juntura *f,* unión *f.* ㉰【목공】ensambladura *f* en cola de milano. ~ 부목(副木) tablilla *f* de coaptación. ~ 상태 cigosidad *f.* ~ 생식(生殖) cigosis *f.* ~자(子) cigoto *m,* zigoto *m.* ~제 cemento *m,* mástique *m.* ~체 cigoto *m.* ~ 포자(胞子) zigospora *f.* ~항원 antígeno *m* conjugado.

접히다 ① [접음을 당하다] [의자·책상이] plegarse; [지도·포스터가] doblarse, plegarse. ② [남에게 접어 줌을 당하다] ser dado una ventaja.

젓 *cheot,* pescado *m* salado, pescado *m* [camarones *mpl* conservados] conservado en escabeche; [알의] huevas *fpl* saladas.

젓가락(箸-) palillos *mpl.* ~으로 먹다 comer *algo* con palillos. ~질을 잘하다 manejar bien los palillos.
◆상아(象牙) ~ palillos *mpl* de marfil.
■~ 통 estuche *f* para los palillos.

젓갈¹ =젓.
■젓갈 가게에 중 ((속담)) Aparece una persona sin ningunas relaciones.

젓갈² ((준말)) =젓가락.

젓다 ① [액체를 고르게 하려고 휘둘러 섞다] remover, menear, mover. 가끔 ~ remover de cuando en cuando. 계속 ~ remover constantemente, no dejar de remover. 계속해서 저으면서 sin dejar de remover. 잘 섞이도록 나무 주걱으로 저으세요 Remueva con una cuchara de madera para que se mezcle bien. ② [배를 움직이려고 노를 두르다] remar, bogar, dar el remo. 노를 ~ remar, bogar al remo. 노를 젓는 사람 bogador, -dora *mf.* 보트를 ~ remar en bote. 카누를 ~ remar con zagual, remar con pagaya, remar en canoa. 노를 저으러 가다 ir a bogar. 해안에 노를 저어 도착하다 llegar remando a la orilla. 노를 저어 큰 바다로 나가다 salir remando a alta mar. 노를 저을 줄 아십니까? ¿Sabe usted remar? ③ [어떤 의사를 말 대신 손이나 머리를 흔들어 나타내다] señalar, hacer señas, sacudir, zarandear. 머리를 ~ [긍정이나 부정하기 위해] sacudir la cabeza. 그는 동의의 표시로 머리를 저었다 El sacudió la cabeza en señal de afirmación.

젓대【악기】=대금(大笒).

정¹ [돌에 구멍을 뚫고 쪼아 다듬는 연장] cincel *m;* [목재용의] formón *m* (*pl* formones), escoplo *m;* [둥근] gubia *f.* ~으로 파다 [돌을] cincelar; [나무·금속을] labrar, tallar; [홈 등을] grabar, cincelar.

정² =정말로. 참으로(verdaderamente, de veras, a la verdad, realmente).

정(丁) [천간(天干)의 넷째] el cuarto de los diez signos celestes.

정(井) ① [우물] pozo *m.* ② =취락(聚落). ③【천문】((준말)) =정성(井星). ④ ((준

말)) =정괘(井卦).

정(正) ① [옳은 길. 올바른 길] justicia *f*, rectitud *f*. ② 【철학】 =정립(定立).

정(疔) divieso *m*, ántrax *m*.

정(定) ((불교)) absorción *f* perfecto del pensamiento en un objeto de meditación.

정(情) [애정(愛情)] cariño *m*, amor *m*, afecto *m*, ternura *f*; [열정(熱情)] pasión *f*; [감정] sentimiento *m*; [감동(感動)] emoción *f*; [동정] compasión *f*, simpatía *f*; [성심] cordialidad *f*; [자비(慈悲)] caridad *f*, misericordia *f*; [인정(人情)] naturaleza *f* humana. ~이 가득한 lleno de cariño, lleno de ternura. ~이 있는 afectuoso, tierno, cariñoso. ~이 없는 insensible, duro. ~이 깊은 amoroso, afectuoso, tierno, caritativo, misericordioso, compasivo, humano. ~을 알지 못하는 despiadado, cruel, duro, inhumano. ~이 아기자기한 cordial. ~에 무른 de corazón sensible, de corazón impresionable. 그리운 ~ añoranza *f*, nostalgia *f*. 부모 자식 간의 ~ amor *m* filial. 부부(夫婦)의 ~ afecto *m* conyugal. 어머니의 ~ afecto *m* maternal. ~이 들다 cobrar poco a poco afecto (a). ~을 붙이다[느끼다] compadecer (a), compadecerse, tener [sentir] compasión [lástima].

■ 오는 정이 있어야 가는 정이 있다 ((속담)) Se da uno como se recibe uno.

정(精) ① ((준말)) =정수(精髓). ② ((준말)) =정수(精水). ③ ((준말)) =정기(精氣). ④ ((준말)) =정액(精液). ⑤ ((준말)) =정령(精靈).

정(靜) tranquilidad *f*, paz *f*, inactividad *f*. ~중동(中動) la moción entre [en medio de] la tranquilidad.

정(町) ① [거리의 단위] sesenta *gan*, manzana *f*. ② [지적의 단위] diez *dan*, tres mil *pyeong*, 9. 990 m^2.

정(挺) *cheong*. 권총 2~ dos pistolas. 삽 1 ~ una pala. 총 3~ tres fusiles.

정-(正) ① [「올바른」 「바로」의 뜻] recto, justo, correcto, verdadero, formal, legal, normal. ② [「부(副)」에 대해, 주장됨의 뜻] regular. ~교사 maestro, -tra *mf* regular. ~회원 miembro *mf* regular.

-정(亭) casita *f*, pabellón *m* (*pl* pabellones).

-정(整) cantidad *f* de dinero, suma *f*, total *m*. 십만 원~ el total de cien mil wones.

-정(錠) pastilla *f*, tableta *f*. 아스피린~ pastilla *f* de aspirina, tableta *f* de aspirina. 1회 3~ 복용할 것 Tomar tres pastillas cada vez.

정가[1] [지나간 허물을 초들어 흉봄] insistencia *f sobre lo pasado*. ~하다 insistir sobre lo pasado.

정가[2] 【식물】 =형개(荊芥)❶.

정가(正價) precio *m* normal, precio *m* justo, precio *m* verdadero, último precio *m*.

정가(定價) precio *m* fijo; [표시 가격] precio *m* de lista, precio *m* de nómina; precio *m*. ~를 매기다 fijar el precio (de). ~를 올리다 alzar [aumentar] el precio. ~를 내리다 reducir [rebajar] el precio. ~로 팔다 vender a precio fijo. ~의 1할 할인으로 팔다 vender con el descanso de un diez por ciento del precio de lista.

■ ~표(表) lista *f* de precios, catálogo *m* de precios. ~표(票) etiqueta *f* de precio.

정가극(正歌劇) gran ópera *f*, ópera *f* seria.

정각(正刻) tiempo *m* exacto; [부사적] en punto. ~ 12시에 a las doce en punto. ~ 10시다 Son las diez en punto. ~ 오후 한 시에 출발합니다 Salimos a la una de la tarde en punto. ~ 세 시에 제 사무실에 오세요 Ven a mi oficina a las tres en punto.

정각(正覺) ((불교)) sabiduría *f* de un Buda, omnisciencia *f* de un Buda.

정각(定刻) tiempo *m* fijo, hora *f* señalada. ~에 al tiempo fijo, a la hora fijada [establecida · señalada]. ~ 10분 전에 diez minutos antes de la hora señalada. 열차는 ~보다 5분 늦게 발차했다 El tren salió con cinco minutos de retraso a la hora fijada.

정각(亭閣) =정자(亭子)(pabellón).

정각(頂角) 【수학】 ((구용어)) =꼭지각.

정각(淨覺) ((불교)) ilustración *f* pura.

정간(停刊) suspensión *f* de la publicación. ~하다 suspender la publicación. ~되다 suspenderse la publicación.

정갈스럽다 =정갈하다.

정갈스레 elegantemente, limpiamente, con elegancia, con limpiedad.

정갈하다 (ser) elegante, limpio, petimetre, ordenado y limpio.

정갈히 elegantemente, limpiamente, ordenadamente, ordenada y limpiamente. 방을 ~ 치우다 mantener ordenada y limpia la habitación.

정감(情感) emoción *f*, sentimiento *m*, gracia *f*, encanto *m*, fluidez *f*. ~ 있는 문장(文章) estilo *m* fluido. ~을 나타내다 mostrar *su* sentimiento. ~을 감추다 disimular [ocultar] *su* sentimiento. ~에 호소하다 apelar a *su* sentimiento. 그녀의 목소리는 ~이 있다 Ella tiene una voz suave [dulce · encantadora].

정강(政綱) programa *m* político, política *f*, declaración *f* formal de principio.

정강이 espinilla *f*, canilla *f*. 털이 많은 ~ piernas *fpl* velludas.

■ ~받이 espinillera *f*. ~뼈 【해부】 tibia *f*. ~살 [소의] jarrete *m*.

정객(正客) huésped *mf* importante [de honor]; huésped *m* distinguido, huésped *f* distinguida.

정객(政客) político, -ca *mf*; estadista *mf*.

정거(停車) =정차(停車)(parada).

정거장(停車場) estación *f* (de ferrocarril); [버스의 정류소] parada *f* de autobuses; [자동차 등의] puesto *m*.

■ ~ 구내(區內) el área *f* [cercado *m*] de la estación. ~ 대합실 sala *f* de espera de la estación.

정격(正格) regularidad *f.* ～의 regular, correcto. ～ 활용 conjugación *f* regular.

정격(定格) régimen *m* (nominal), valor *m* nominal.
■～ 속도 velocidad *f* de régimen. ～ 압력 presión *f* de régimen. ～ 전류 corriente *f* de régimen. ～ 전압 voltaje *m* de régimen.

정견(定見) principio *m* propio, convicción *f.* ～이 있다 tener propia opinión. ～이 없다 no tener propia opinión. ～이 없는 남자 hombre m sin convicciones fijas. 그에게는 ～이 없다 El no tiene opiniones propias.

정견(政見) opinión *f* política, plataforma *f,* programa *m* (político), criterio *m* político, vista *f* política. ～을 달리하다 diferenciar [discordar en las vistas políticas. ～을 발표하다 anunciar [exponer] *su* programa político, publicar las vistas políticas.
■～ 발표회 reunión *f* de campaña. ～ 방송 [라디오의] radiodifusión *f* de opiniones políticas; [텔레비전의] televisión *f* de opiniones políticas.

정결스럽다(精潔－) (ser) puro y limpio.
정결스레 pura y limpiamente.

정결하다(貞潔－) (ser) casto, virtuoso, constante, fiel. 정결함 castidad *f,* virtud *f,* fidelidad *f.* 정결한 부인(婦人) mujer *f* casta, mujer *f* virtuosa. 정결한 아내 esposa *f* casta, esposa *f* virtuosa.
정결히 castamente, virtuosamente, fielmente, con castidad, con fidelidad.

정결하다(淨潔－) (ser) ordenado, limpio, sanitario. 정결함 limpiedad *f.*
정결히 ordenadamente, limpiamente, sanitariamente.

정결하다(精潔－) (ser) puro y limpio.
정결히 pura y limpiamente.

정겹다(情－) (ser) muy íntimo, amistoso, amigable, familiar, cercano.

정경(正經) ① [행하여야 할 바른 길] camino *m* recto. ② ((기독교)) el Nuevo Testamento y el Viejo Testamento.

정경(政經) la política y la economía.
■～론(論) divisibilidad *f* de política y economía. ～ 분리(分離) separación *f* de economía y política. ～ 분리 원칙 principio *m* de separación de asuntos políticos de los asuntos económicos. ～ 분리 정책 política *f* de la separación de economía de la política.

정경(情景) ① [감흥과 경치] inspiración *f* y paisaje, escena *f.* 그는 ～ 묘사에 탁월하다 El sobresale en la descripción [(회화에서) en la pintura] de escenas. ② [가엾은 처지에 있는 딱한 경상(景狀)] escena *f* [vista *f*] patética.

정계(正系) linaje *m* directo, línea *f* legítima.

정계(定界) frontera *f,* demarcación *f.*
■～비(碑) 【역사】＝백두산 정계비.

정계(政界) ((준말)) ＝정치계(政治界). ¶～에 들어가다 ir por la política, meterse en el mundo político. ～를 은퇴하다 retirarse de la vida política, retirarse del mundo político.

정계(淨界) ① [정하고 깨끗한 곳] lugar *m* puro y limpio. ② ((불교)) ＝정토(淨土).

정계(晶系) 【광물】 ((준말)) ＝결정계(結晶系).
◆등축(等軸) ～ sistema *m* isométrico. 육방(六方) ～ sistema *m* hexagonal.

정곡(正鵠) ① [과녁의 한복판이 되는 점] blanco *m.* ～에서 빗나가다 errar el blanco. ～에 맞다 dar en el blanco. ～을 맞추다 hacer blanco. ② [목표나 핵심이 되는 것] punto *m* principal. ～을 찌르다 atinar (con), dar (con), acertar. ～을 찔러 말하다 decir francamente, decir con claridad. 문제의 ～을 찌르다 dar en el clavo [en el quid] de un problema. 바로 ～을 찔렀다 ¡Eso es!

정골(整骨) 【의학】 ＝접골(接骨)
■～의(醫) componedor, -dora *mf.*

정공(正攻) ataque *m* frontal, ataque *m* de frente. ～하다 lanzar un ataque frontal.
■～법(法) táctica *f* franca [abierta] de ataque. ¶～을 사용하다 emplear una táctica franca [abierta] de ataque.

정과(正果) frutas *fpl* puestas en conserva en miel.

정과(正課) curso *m* regular; [한 과목] asignatura *f* del curso regular.

정관(定款) estatuto *m,* artículos *mpl* de incorporación, memorandum *m* de asociación. ～을 개정하다 modificar el estatuto. ～을 만들다 establecer el estatuto.

정관(淨觀) ((불교)) contemplación *f* pura.

정관(精管) 【해부】 conducto *m* deferente.
■～ 수술 vasectomía *f.* ～염 deferentitis *f,* vasitis *f.* ～ 절개술 vasotomía *f.*

정관(靜觀) contemplación *f.* ～하다 contemplar, esperar alerta. 사태(事態)를 ～하다 observar de lejos el desarrollo [el curso] de los acontecimientos.

정관사(定冠詞) 【언어】 artículo *m* definido, artículo *m* determinado.

정광(精鑛) concentrado *m.*

정교(正教) ① [사교(邪教)가 아닌 바른 종교] religión *f* correcta. ② ((기독교)) ＝그리스 정교회.

정교(政教) ① [정치와 종교] la política y la religión, la iglesia y el estado. ② [정치와 교육] la política y la educación.
■～분리 separación *f* de la religión y la política. ～일치 unión *f* de la iglesia y el estado.

정교(情交) ① [친밀한 교제] intimidad *f,* relaciones *fpl* íntimas. ② [남녀 간에 색정을 주고받는 교제] relaciones *fpl* amorosas, relaciones *fpl* sexuales. ～를 맺다 tener relaciones amorosas.

정교롭다(精巧－) (ser) primoroso, fino.
정교로이 primorosamente, finamente.

정교사(正教師) profesor *m* numerario, profesor *m* regular.

정교하다(精巧－) (ser) fino, exquisito, primoroso, excelente, delicado, ingenioso. 정교함 finura *f,* primor *m,* fineza *f,* delicadeza *f,* excelencia *f.* 정교한 기계 máquina *f* de gran perfección. 정교한 시계 reloj *m* de precisión.

정교히 con toda delecadeza, finamente, con precisión, con finura. 이 컴퓨터는 ~만들어져 있다 Este ordenador está hecho [fabricado] con toda delicadeza / Esta computadora está hecha [fabricada] con toda delicadeza.

정교회(正教會) =그리스 정교회.

정구(庭球) tenis *m,* tennis *ing.m.* ~를 치다 jugar al tenis, *AmL* jugar tenis (*RPI* 제외). ~로 인해서 일어나는 팔의 통증 [염증] sinovitis *f* del codo, codo *m* de tenista.
■ ~공 pelota *f* de tenis. ~ 라켓 raqueta *f* de tenis. ~ 선수 tenista *mf.* ~ 시합(試合) partido *m* de tenis. ~장 cancha *f* de tenis. ~ 코트 pista *f* de tenis, cancha *f* de tenis. ~ 토너먼트 torneo *m* de tenis. ~화(靴) zapatillas *fpl* (de tenis), tenis *mpl, Urg* championes *mpl.*

정국(政局) situación *f* política. ~의 안정(安定) estabilidad *f* de la situación política. ~의 불안정(不安定) inestibilidad *f* de la situación política. ~의 위기(危機) crisis *f* política. ~을 담당하다 encargarse del gobierno.
◆국제(國際) ~ situación *f* política internacional.

정권(政權) poder *m* político, poder *m,* riendas *fpl* del gobierno. ~을 유지하다 estar en el poder. ~을 장악하다 apoderarse del poder político, apoderarse del poder, tomara las riendas del gobierno, tener el poder administrativo. 돌아가면서 ~을 잡다 ceder el poder a *uno* de los colegas de *su* propio partido.
◆공산주의 ~ gobierno *m* comunista. 군사(軍事) ~ gobierno *m* militar. 사회주의 ~ gobierno *m* socialista.
■ ~ 교체 cambio *m* de régimen. ~욕(慾) ambición *f* para el poder político.

정규(正規) regularidad *f,* formalidad *f,* legalidad *f.* ~의 regular, formal; [합법의] legal; [합당한] reglamentario, debido. ~ 루트로 por vía legal. ~ 루트를 통하지 않고 clandestinamente. ~ 수속을 밟다 cumplir todas las formalidades requeridas. 나는 ~ 과정을 수료했다 Seguí todos los cursos regulares.
■ ~군(軍) tropas *fpl* regulares. ~병(兵) soldado, -da *mf* de línea, soldado, -da *mf* regular. ~ 증명서 certificado *m* reglamentario.

정규(定規) regla *f,* norma *f.*
◆삼각 ~ escuadra *f.* 운형(雲形) ~ regla *f* de curvas, plantilla *f.* 정자(丁字) ~ regla *f* de T.

정극(正劇) drama *m* tradicional, drama *m* legítimo.

정근(精勤) diligencia *f,* aplicación *f,* asistencia *f* regular, cumplimiento *m* de *su* deber. ~하다 trabajar asiduamente, trabajar diligentemente, diligenciar, asistir regularmente.
■ ~상 premio *m* de aplicación, premio *m* de asiduidad de asistencia. ~자 persona *f* regular en asistencia. ~ 증명서 certificado *m* de asistencia regular.

정글(영 *jungle*) selva *f* (tropical); [특히 동남아시아의] jungla *f.* ~을 전부 태워 버리다 incendiar una selva.

정금(正金) ① [순금] oro *m* puro. ② [금·은 따위로 만든 정화(正貨)] moneda *f* (de oro y plata).
■ ~ 수송점 puntos *mpl* numéricos.

정기(正氣) conciencia *f,* conocimiento *m,* sobriedad *f,* [광기(狂氣)에 대해] razón *f,* cordura *f,* juicio *m.* ~의 cuerdo, sobrio, sano. ~를 잃다 perder los sentidos. ~를 회복하다 recobrar

정기(定期) período *m* fijo, tiempo *m* fijo, término *m* fijo. ~의 periódico, regular, fijo. ~로 periódicamente.
■ ~ 간행 publicación *f* periódica. ~ 간행물 periódico *m,* publicaciones *fpl* periódicas. ~ 거래 comercio *m* periódico. ~검사 inspección *f* periódica. ~ 공연 concierto *m* de abonados. ~ 공연 시즌 temporada *f* de abonados. ~ 국회 la Asamblea Nacional de la sesión regular. ~권 abono *m* (de temporada). ~권 사용자 persona *f* en posesión de un abono; [극장의] abonado, -da *mf,* persona *f* en posesión de un abono. ~금(金) complemento *m* regular, sobresueldo *m* regular. ~ 대부 préstamo *m* periódico. ~ 대회 asamblea *f* general regular. ~ 매매 =정기 거래. ~물 ((준말)) =정기 간행물. ~ 보험(保險) seguro *m* temporal. ~ 보험 증권 póliza *f* de seguros a término. ~불(拂) pago *m* periódico. ~ 생명 보험 seguro *m* temporal de vida. ~선(船) barco *m* de línea, paquebote *m.* ~성 periodicidad *f.* ~ 승급 aumento *m* regular de sueldo. ~ 승차권 pase *m,* (billete *m* de) abono *m,* billete *m* [*AmL* boleto *m*] de temporada. ~ 시험 examen *m* regular, examen *m* de períodos regulares. ~ 연금 anualidad *f* rescindible. ~ 예금 depósito *m* a plazo fijo, depósito *m* a término fijo. ~ 예금자 depositante *mf* a plazo fijo. ~ 운행 [버스의] línea *f.* ~적 periódico, regular, fijo. ¶~으로 periódicamente, regularmente, a un tiempo fijo. ~적금 ahorro *m* de plazo, depósito *m* de plazo. ~ 집회 reunión *f* regular. ~ 총회 asamblea *f* general ordinaria. ~편 servicio *m* regular (de aeroplano). ~풍(風) vientos *mpl* periódicos. ~ 항공기 avión *m* (de pasajeros). ~ 항공로 aerovía *f,* ruta *f* aérea. ~ 항로 línea *f* periódica, línea *f* de servicio regular. ~ 항해(航海) servicio *m* regular de buques. ~회(會) ㉮ reunión *f* periódica. ㉯ =정기 국회. ~ 휴업(休業) vacaciones *fpl* regulares. ~ 휴일 día *m* de descanso regular.

정기(旌旗) estandarte *m*, pendón *m* (*pl* pendones), bandera *f*.

정기(精氣) esencia *f*, espíritu y energía, substancia *f*.

정나미(情－) cariño *m* (por), apego *m* (a), afecto *m*, sentimiento *m* afectuoso.

◆정나미(가) 떨어지다 estar harto, estar indignado, estar furioso; [강하게] estar asqueado. 이제 그에게 정나미 떨어진다 Ya estoy harto con él / Ya no puedo más con él. 나는 그의 태도에 정나미가 떨어졌다 Me indignó su actitud. 그녀는 그에게 정나미가 떨어져 있다 Ella está indignada [furiosa] con él. 나는 정나미가 떨어져 그곳에서 나왔다 Yo salí de allí asqueado.

정남(丁男) ＝장정(壯丁).

정남(正南) ((준말)) ＝정남방(正南方).

정남(貞男) ① [동정을 지닌 남자] hombre *m* virgen. ② ((원불교)) creyente *m* virgen durante toda *su* vida.

정남방(正南方) sur *m* recto.

정납(呈納) oferta *f*, presentación *f*. ～하다 ofertar, presentar.

정낭(精囊) espermatocisto *m*.

정녀(貞女) ① [동정을 깨뜨리지 않은 여자] virgen *f*. ② ＝정부(貞婦). ③ ((원불교)) creyente *f* virgen.

정년(丁年) edad *f* adulta, mayoría *f*, veinte años de edad (del hombre). ～에 달하다 (llegar a) ser mayor de edad, llegar a la mayoría de edad.

▪～ 명부(名簿) alistamiento *m*. ～ 미만자 menor *mf* de edad. ～자 adulto, -ta *mf*; mayor *mf* de edad.

정년(停年) edad *f* para jubilarse, edad *f* de límite, límite *m* de edad, edad *f* límite, edad *f* de jubilación, edad *f* reglamentaria, ancianidad *f*; [군인의] edad *f* de retiro. ～으로 por haber cumplido la edad reglamentaria. ～이 되다 llegar a límite de edad, llegar a la edad de límite.

▪～제 sistema *m* sobre la edad de límite. ～ 진급 promoción *f* por ancianidad. ～퇴직 retiro *m* por edad.

정념(情念) pasión *f*, emoción *f*.

정다각형(正多角形)【수학】polígono *m* equilátero, polígono *m* regular.

정다면체(正多面體)【수학】poliedro *m* regular.

정다시다(精－) tener experiencias amargas.

정다이(情－) ＝정답게. ¶～ 대하다 tratar amistosamente.

정담(政談) discusión *f* política, discurso *m* político, charla *f* política.

정담(情談) ① [다정한 이야기] conversaciones *fpl* amistosas [amigables · agradables · simpáticas · cordiales]. ② [남녀가 애정을 주고받는 이야기] conversaciones *fpl* íntimas. (부부의) 잠자리의 ～ conversaciones *fpl* íntimas en la cama.

정담(鼎談) conversaciones *fpl* tripartitas.

정답(正答) contestación *f* correcta.

정답다(情－) (ser) íntimo, amigable, amistoso, afable, cariñoso, afectuoso, simpático, atractivo, caluroso. 정다운 관계 relaciones *fpl* íntimas. 정다운 누이 hermana *f* cariñosa. 정다운 미소(微笑) sonrisa *f* atractiva, sonrisa *f* simpática, sonrisa *f* cariñosa. 정다운 인사(人事) saludo *m* cariñoso, saludo *m* caluroso. 정다운 편지 carta *f* cariñosa.

정답게 íntimamente, amigablemente, amistosamente, afablemente, cariñosamente, afectuosamente, simpáticamente, atractivamente, calurosamente. 손님을 ～ 맞다 recibir a la visita cariñosamente.

정당(政黨) partido *m* político. ～에 관계없는 no partidario. ～의 합병(合併) fusión *f* de partidos. ～에 가입하다 afiliarse al partido político, entrar en un partido político, adherirse a un partido político. ～을 결성하다 formar un partido político. ～을 탈퇴하다 retirarse [separarse] de un partido político.

◆국민 ～ partido *m* popular. 급진(急進) ～ partido *m* radical. 기성(既成) ～ partido *m* político actual [existente]. 보수 ～ partido *m* conservativo. 양대(兩大) ～제(制) régimen *m* de los dos mayores partidos políticos. 양대(兩大) ～주의 sistema *m* bipartidista. 진보 ～ partido *m* progresivo. 혁신 ～ partido *m* reformista.

▪～ 간부 miembros *mpl* ejecutivos del partido políticos; [집합적] plana *f* mayor. ～ 강령 plataforma *f* [programa *m*] del partido político. ～ 관계 filiación *f* del partido político. ～ 기구 camilla *f*. ～ 내각 gabinete *m* por un partido político. ～ 노선 línea *f* del partido político. ～ 대회 convención *f* [congreso *m*] del partido político. ～법 ley *f* de partidos políticos. ～원 miembro *mf* de un partido político. ～정치 política *f* de partido. ～ 조직(組織) organización *f* del partido político. ～ 지도자 líder *mf* del partido político.

정당방위(正當防衛) defensa *f* legal, defensa *f* propia;【법률】legítima defensa *f*, defensa *f* propia.

정당성(正當性) lo justo, legalidad *f*; [인간 관계에 있어서] legitimidad *f*.

정당하다(正當－) (ser) justo, justificado, derecho; [합법적] legal, legítimo. 정당한 보수(報酬) remuneración *f* merecida. 정당한 요구 demanda *f* justa, demanda *f* legítima. 정당한 이유 razón *f* justa, razón *f* legítima, razón *f* debida. 정당한 처벌(處罰) castigo *m* merecido. 정당한 권리로 con derecho legal. 정당한 이유 없이 sin razón debida. 정당한 수속을 밟다 cumplir [rellenar] las formalidades necesarias. ～고 인정(認定)하다 reconocer lo bien fundado [la legitimidad] (de).

정당히 legalmente, legítimamente, propiamente, justamente. ～ 평가하다 apreciar por *su* justo valor.

정당 행위(正當行爲) acto *m* legal, actitud *f* legal, acción *f* legal.

정당화(－化) justificación *f*. ～하다 justificar.
정대하다(正大－) (ser) justo (y grande), imparcial.
정도(正道) justicia *f*, camino *m* recto, camino *m* justo, camino *m* de la virtud. ～를 밟다 pisar el camino de la virtud.
정도(征途) ① [정벌하러 가는 길] expedición *f* militar, camino *m* de la conquista. ② [여행하는 길] viaje *m*, camino *m* del viaje.
정도(定都) decisión *f* de la capital del Estado. ～하다 decidir la capital del Estado.
정도(政道) camino *m* de la política, gobierno *m*, administración *f*.
정도(程度) ① [알맞은 한도] grado *m*; [수준] nivel *m*; [한도] límite *m*; [양] medida *f*; [표준] norma *f*; [범위] extensión *f*. ～가 높은 de alto nivel, de alta norma. ～가 낮은 de bajo nivel, de baja norma. 적당한 ～의 [쾌적한] agradable; [중용(中庸)의] moderado; [이상적인] ideal. 어느 ～까지는 hasta cierto punto. 어느 ～로 en cierto grado. 마흔 살 ～의 de unos cuarenta años (de edad). 중학교 ～의 학교 escuela *f* de segunda enseñanza. 만 원 ～의 물건 artículo *m* que cuesta unos [alrededor de] diez mil wones. ～를 넘다 exceder el límite. ～를 높이다 alzar nivel. ～를 낮추다 bajar nivel. ～ 문제다 ser cuestión de grados. 목욕물의 ～를 보다 ver cómo está el baño. 수프의 맛의 ～를 보다 probar la sopa. 먹기에 알맞은 ～로 삶아졌다 estar cocido en *su* punto. 어느 ～의 차이가 있다 Existe alguna diferencia. 웃을 ～는 아니다 No hay por qué reírse, ni mucho menos. 목욕물이 목욕하기에 알맞은 ～로 덥혀졌다 El baño está a buena temperatura. 네 어리석은 ～에 놀랍다 Me sorprende tu estupidez. 이 ～면 내일은 퇴원할 수 있겠다 Si todo sigue normal, puede salir del hospital mañana.
② [사물의 높낮이·강약·장단 따위를 어림으로 잴 때 쓰는 말] ㉮ [대충·대략·쯤] aproximadamente, cerca de, alrededor de, unos +「수사(數詞)」, (poco) más o menos, como. 그 ～ en alguna parte, por ahí. 만 원 ～ (como) cosa de diez mil wones. 백 명 ～의 사람들 unas cien personas. 백미터나 그 ～ alrededor de cien metros, cien metros más o menos. 그녀는 서른 살 ～ 먹었다 Ella tiene unos [más o menos] treinta años / Ella tiene treinta años más o menos. 나는 세 시간 ～ 걸었다 Auduve cerca de tres horas. 당신은 하루에 몇 시간 ～ 주무십니까? ¿Cuántas horas más duerme usted al día? 그는 몇 시간 ～ 잤습니까? ¿*Cuántas horas* más o menos ha dormido él? 일주일 ～ 여행을 가겠다 Iré de viaje (por) una semana más o menos. 그는 쉰 살이나 그 ～다 El anda por los cincuenta [por la cincuentena]. 그는 세 시나 그 ～에 올 것이다 El vendrá a las tres o por ahí. 그것은 만 원이나 그 ～다 Es cosa de diez mil wones. 일 년이나 그 ～로는 그것을 해낼 수 없을 것이다 No podrá conseguirlo en un año o por ahí [en eso de un año]. 그 ～로 충분하다 Basta con esa cantidad [con eso]. 오늘은 그 ～로 충분하다 Basta con eso por hoy. 그 ～밖에 없다 No hay más (que eso) / Sólo hay eso. 용건은 그 ～입니까? ¿Es todo lo que desea usted? / ¿No quiere usted otra cosa más? / ¿Nada más? 책이라면 나도 그 ～는 가지고 있다 Tratándose de libros, yo también tengo esa cantidad. 나는 그 ～까지 감동했다 Tanta fue mi emoción / Hasta tal grado me emocioné. ㉯ [만큼] tan + *adj*·*adv* + como. 이 ～ así, tanto, tanto como esto. 이 ～의 así, tanto, de este tamaño. 성냥갑 ～의 크기 tamaño *m* de una cajita de cerillas. 이 ～의 집 casa *f* de este tamaño. 그는 나 ～ 키가 크다 El es tan alto como yo. 이 ～로 됐습니다 Basta con esto / Ya basta / Ya es suficiente. 오늘은 이 ～로 됐습니다 Hoy, hasta aquí / Nada más por hoy / Ya basta por hoy. 그는 나 ～로 빨리 달린다 El corre tan rápido como yo. 그 여자 ～로 친절한 사람은 없다 No hay nadie tan amable como ella. 그는 옆집까지 들릴 ～로 큰 소리를 질렀다 El gritó con voz que se le oyó hasta en la vecindad. 나는 너무 놀라 아무 말도 못할 ～였다 Me sorprendí tanto que no pude decir casi nada. 그것은 너무 무거워 들어 올릴 수 없을 ～였다 Pesaba tanto que apenas podía levantarlo. 그 비행기는 너무 빨라 볼 수 없을 ～다 Ese avión vuela tan rápido que apenas se ve. 그것은 나한테는 과분한 ～인 것 같다 Me parece que es demasiado bueno para mí. 이 ～로 말을 잘하는 사람은 별로 없다 Hay pocos que puedan hablar tan bien como él. 이 ～의 길이로 충분합니까? ¿Basta [Está bien] con este largo? ㉰ [적어도·최소한] por lo menos. 손 ～는 씻어라 Lávate las manos por lo menos. 이 ～가 고작이다 Sólo esto / Nada más / (Esto) Es todo / No hay más. 하루 한 시간 ～는 공부해라 Estudia por lo menos una hora al día. 그 일을 하려면 천만 원 ～는 든다 Eso cuesta por lo menos es seguro. 그는 이 ～밖에 남기지 않았다 Esto es todo lo que él dejó. 내가 가진 것이라곤 이 ～다 Esto es todo lo que tengo. 당신에게 전해야 할 용건은 이 ～다 Esto es todo lo que tengo que comunicarle. 이 ～는 절대로 비밀로 해야 한다 De esto te pido que guardes el secreto.
정독(精讀) lectura *f* atenta, lectura *f* cuidadosa. ～하다 leer atentamente [cuidadosamente·con atención]. 책을 ～하다 leer un libro atentamente [con atención·cuidadosamente].
정돈(停頓) parada *f*, detención *f*, estancación *f*. ～되다 pararse, estancarse, paralizar, quedar paralizado. ～ 상태에 있다 estar en un punto muerto, estar en un impasse,

quedar paralizado. 온 도시가 ~했다 La ciudad quedó totalmente paralizada. 협상은 ~ 상태에 있다 Las negociaciones están en un punto muerto [en un impasse]. 교통(交通)은 ~되어 있었다 El tráfico estaba paralizado.

정돈(整頓) arreglo *m*, orden *m*, ajuste *m*, ajustamiento *m*. ~하다 arreglar, ordenar, poner en orden, colocar, coordinar, acondicionar, acomodar. ~된 ordenado, bien arreglado, bien organizado. 구두를 ~하다 poner en orden los zapatos. 서류를 ~하다 colocar [clasificar] los documentos, poner los documentos en orden. 책을 ~하다 ordenar [poner bien · colocar bien] los libros. 책상 위를 ~하다 poner en orden las cosas de la mesa. 잘 ~되어 있다 estar en buen orden, estar bien acondicionado. 그의 방은 잘 ~되어 있다 Su habitación está en orden [bien arreglada]

정동(征東) ① [동쪽을 향하여 감] ida *f* hacia el este. ~하다 ir hacia el este. ② [동방을 정벌함] conquita *f* de la región oriental. ~하다 conquistar la región oriental.

정동(精銅) 【광물】 cobre *m* refinado.

정동방(正東方) este *m* recto.

정들다(情-) ponerse íntimo, llegar a amar; [새로운 곳에] aclimatarse (en · a). 정든 님 *su* querido, *su* querida. 정든 학생들 queridos alumnos *mpl*. 내가 오래 살아 정든 고향 tierra *f* natal donde he vivido mucho tiempo. 내가 오래 살아 정든 집 casa *f* en que he vivido mucho tiempo. 정들면 고향(故鄕) A cada pajarillo, parécele bien su nido.

◆정들자 이별 Se despide en cuanto se pone íntimo.

정떨어지다(情-) estar disgustado. 정떨어진 seco, brusco, categórico. 정떨어진 대답을 하다 responder secamente, responder bruscamente. 정떨어지게 거절(拒絶)하다 rehusar rotundamente, rehusar categóricamente.

정란(靖亂) supresión *f*, represión *f*, inhibición *f*. ~하다 sofocar [reprimir] una rebelión.

정랑(情郞) querido *m*, novio *m*, enamorado *m*.

정략(政略) política *f*, táctica *f* política, política *f* del Estado, arte *m* de gobernar.

■~결혼 matrimonio *m* de conveniencia. ~적 político. ¶~으로 políticamente.

정량(定量) cantidad *f* fija, norma *f* de capacidad. ~의 normal, regular. ~의 우유를 주다 dar una cantidad fija de leche.

■~ 분석 análisis *m* cuantitativo.

정려(精勵) diligencia *f*, industria *f*. ~하다 (ser) diligente, aplicado, asiduo, trabajar diligentemente.

정력(精力) energía *f*, vigor *m*, fuerza *f* vital, vitalidad *f*, resistencia *f*. ~이 왕성한 lleno de energía, enérgico. ~절륜(絶倫)의 사람 persona *f* llena de energía, persona *f* enérgica. ~을 내는 음식물 comida *f* tonificante, comida *f* que tonifica. ~을 내다 cobrar energía, fortalecerse. ~을 주다 energizar. ~을 북돋우다 energizarse. …에 ~을 기울이다 dedicarse a *algo*, aplicarse en *algo*, esforzarse en + *inf*. ~을 다해 일하다 trabajar con empeño [con diligencia]. ~이 절륜(絶倫)하다 estar lleno de vitalidad [energía]. …에 ~을 집중하다 concentrar toda la energía en [sobre] *algo*. 공부에 ~을 쏟다 aplicarse en el estudio, estudiar diligentemente. 그는 ~이 왕성하다 El es muy enérgico de espíritu. 그는 ~이 다했다 Se le ha agotado toda la energía / El se ha consumido.

■~가(家) persona *f* enérgica, persona *f* vigorosa, hombre *m* de energía. ~ 감퇴 falta *f* de energía, pérdida *f* de vigor, pérdida *f* de energía. ~적(的) enérgico, vigoroso, lleno de energía, lleno de vitalidad. ¶~으로 enérgicamente, vigorosamente, con (mucha) energía. ~으로 일하다 trabajar enérgicamente [con mucha energía]. ~으로 활동하다 actuar enérgicamente. 그녀는 ~으로 일한다 Ella trabaja con mucha energía. ~제(劑) tónico *m*, medicina *f* tonificante. ~주의 energismo *m*.

정련(精練) buen entrenamiento *m*. ~하다 entrenar bien.

정련(精鍊) refinamiento *m*, refinación *f*, refinado *m*, refino *m*. ~하다 refinar.

■~공 refinador, -dora *mf*. ~로 horno *m* de fusión. ~소 refinería *f*. ~업 industria *f* de refinación. ~업자 refinador, -dora *mf*.

정렬(貞烈) castidad *f*, virtud *f*. ~하다 (ser) casto, virtuoso.

■~부인(夫人) dama *f* de virtud, señora *f* bien virtuosa.

정렬(整列) ① [가지런히 벌여 섬] alineamiento *m*, alineación *f*, orden *m* regular, formación *f*. ~하다 alenearse, poner en fila, poner en hileras, formarse en línea. ~시키다 alinear, poner en fila a *uno*. ~하여 기다리다 esperar en línea. 3열 종대[횡대]로 ~하다 ponerse en tres columnas [filas]. ~! ((구령)) ¡Alenéense! ② 【컴퓨터】 alineación *f*.

정령(政令) decreto *m*, ley *f*, decreto *m* del gobierno.

정령(精靈) fantasma *m*, espíritu *m*, el alma *f*, el ánima *f* (*pl* las ánimas). 물의 ~ náyade *f*. 산림(山林)의 ~ dríade *f*.

■~설(說) animismo *m*, espiritualismo *m*. ~ 숭배 espiritismo *m*.

정례(定例) usanza *f*, costumbre *f*. ~의 regular, ordinario. ~에 따라 según [siguiendo] la costumbre ordinaria, como de costumbre.

■~ 각의(閣議) consejo *m* regular [ordinario] de ministros. ~ 국무 회의 reunión *f* regular del gabinete. ~ 행사 rituales *mpl* regulares.

정로(正路) =정도(正道).

정로(征路) =정도(征途).
정론(正論) argumento *m* justo, argumento *m* recto, razonamiento *m* justo. 그것은 ~이다 Admito la rectitud de tu argumento.
정론(定論) teoría *f* establecida.
정론(政論) discusión *f* política, argumento *m* político, polémica *f* política.
▪ ~가(家) polemista *mf*.
정류(停留) parada *f*. ~하다 parar, pararse, detenerse, hacer alto.
▪ ~부 =구두점. ~소[장] parada *f*. ¶ 버스 ~ parada *f* de autobús [*Arg* de omnibús]. 전차 ~ parada *f* de tranvía.
정류(精溜) 【화학】 rectificación *f*, refinamiento *m*, purificación *f*. ~하다 rectificar, refinar, purificar.
▪ ~관(管) columna *f* rectificadora. ~ 주정(酒精) alcohol *m* rectificado, espíritus *mpl* refinados.
정류(整流) 【전기】 rectificación *f* (de electrcidad). ~하다 rectificar.
▪ ~ 검파기 detector *m* de rectificación. ~관(管) tubo *m* rectificador, válvula *f* rectificadora. ~기(器) rectificador *m*, válvula *f* rectificadora, convertidor *m* estático. ~자(子) ㉮ 【물리】 conmutador *m*. ㉯ 【전기】 colector *m*. ~자 스위치 conmutador *m* de dirección. ~자 전동기(子電動機) ㉮ 【물리】 motor *m* de conmutador. ㉯ 【전기】 motor *m* de colector. ~ 작용 acción *f* rectificadora. ~ 전류(電流) corriente *f* rectificada.
정률(定律) ley *f* fija.
정률(定率) tipo *m* fijo.
▪ ~세(稅) impuestos *mpl* proporcionales.
정리(正理) verdad *f*, razón *f*, lógica *f*.
정리(廷吏) actuario, -ria *mf*.
정리(定理) 【수학】 teorema *m*.
정리(情理) humanidad *f*, razón *f* y sentimiento. ~를 다하다 persuadir encarecidamente. ~를 다해 설득하다 persuadir apelando a *su* razón y a *su* sentimiento.
정리(整理) arreglo *m*, ajuste *m*; [정리 통합] consolidación *f*; [파산 정리] liquidación *f*. ~하다 arreglar, poner en orden, acomodar, consolidar, regularizar; [파산 정리하다] liquidar. ~되다 arreglarse, ponerse en orden. 방을 깨끗하게 ~하다 arreglar la habitación [el cuarto], poner en orden la habitación [el cuarto]. 빈 상자를 ~하다 quitar las cajas vacías. 서류를 ~하다 poner los papeles en orden. 선반의 책을 ~하다 arreglar los libros en el estante. 자회사(子會社)를 ~하다 liquidar filial [casa filial · compañía filial · empresa dependiente]. 장난감을 ~하다 poner los juguetes en su lugar. 재고품(在庫品)을 ~하다 liquidar existencias. 손님을 맞이하기 위해 방을 ~하다 arreglar la sala para recibir a los invitados. 방이 잘 ~되어 있다 Todo está bien arreglado en la habitación.
▪ ~ 공채(公債) empréstito *m* (público) consolidado. ~ 기금(基金) fondos *mpl* consolidados. ~ 번호(番號) número *m* de referencia. ~부(部) [신문의] redacción *f*. ~ 부원(部員) editor, -tora *mf*; corrector, -tora *mf*. ~ 부장(部長) jefe, -fa *mf* de editores; jefe, -fa *mf* de correctores. ~안(案) reajuste *m*. ~장 cómoda *f*. ~철 fichero *m*, casillero *m*, clasificador *m*. ~품 artículos *mpl* embargados. ~함 cómoda *f*. ~ 해고(解雇) despido *m* libre.
정립(定立) elaboración *f*, creación *f*. ~하다 elaborar, crear. 이론(理論)을 ~하다 crear [elaborar] una teoría.
정립(鼎立) confrontación *f* triangular. ~하다 estar tres presonas [cosas] en una posición triangular. 그 시장(市場)에서는 세 회사가 ~하고 있다 Tres compañías luchan por el dominio de ese mercado.
정말(正一) ① [참말] verdad *f*, realidad *f*. ~ 같은 verosímil, probable. ~ 같지 않은 inverosímil, poco probable. ~입니까? ¿Es verdad? / ¿Verdad que sí? 나는 그것을 하지 않았다. ~이다 Yo no he hecho eso; de verdad. ~이지 나도 어제의 더위는 참을 수 없었다 Yo, que me creía fuerte, no pude soportar el calor de ayer. 사장님의 부탁이기 때문에 ~이지 거절할 수 없었다 Como el encargo era del mismo presidente, no pude negarme. 그것이 ~이라면 내 목숨을 내놓겠다 Si eso es verdad, yo soy Napoleón [el Papa de Roma]. ② ((준말)) =정말로.
정말로 verdaderamente, de verdad, realmente, en realidad, en serio, seriamente, sinceramente. ~ 듣다 tomar en serio. ~ 성나 있다 estar enfadado [enojado] seriamente. ~로 …하다 Es verdad que + *ind* / Verdad es que + *ind*. ~ 그렇게 말씀하셨습니까? ¿Lo dijo usted de verdad? ~ 참을 수 없다 Verdad es que no puedo soportar. ~ 고맙습니다 Se lo agradezco sinceramente. 그녀는 ~ 미녀다 Ella es realmente hermosa. ~ 춥다[덥다] ¡Qué frío [calor]!
정맥(精麥) cebada *f* de limpiar. ~하다 limpiar la cebada.
정맥(靜脈) 【해부】 vena *f*. ~의 venoso.
▪ ~류(瘤) várice *f*, varice *f*, variz *f*, flebangioma *m*. ~암 flebocarcinoma *m*. ~압(壓) presión *f* venosa. ~염 flebitis *f*. ¶~의 flebítico. ~ 울혈 estasis *f* venosa. ~ 주사 inyección *f* intravenosa, inyección *f* de la vena, fleboclisis *f*, venoclisis *f*. ~판막 válvula *f* venosa. ~학 flebología *f*. ~혈 sangre *f* negra, sangre *f* venosa, sangre *f* de la vena.
정맥(整脈) 【의학】 pulso *m* sentado.
정면(正面) (plena) frente *f*, delantera *f*, cara *f* principal; [건물의] fachada *f* principal, frontispicio *m*; [교회의] portada *f*. ~의 frontal, de enfrente. ~에 en frente, enfrente, delante, al frente. ~에서 de enfrente, de frente. ~의 집 casa *f* de enfrente. ~에서 사람을 보다 mirar a *uno* de

frente. ～에서 적을 공격하다 atacar al enemigo de frente. ～에서 바람을 받다 tener el viento de frente. 학교의 ～에 살다 vivir al frente de la escuela. 호텔의 ～에 은행이 있다 Hay un banco en frente del hotel. 내 집은 학교의 바로 ～에 있다 Mi casa está frente por frente [exactamente enfrente] de la escuela.

■～ 계단(階段) escalera *f* principal. ～ 공격 ataque *m* frontal, ataque *m* de frente. ～도(圖) vista *f* frontal, vista *f* de frente. ～상(像) retrato *m* frontal, retrato *m* de frente. ～석(席) [의회 따위의] banco *m* frontal; [극장의] platea *f* alta, primer piso *m*, patio *m* de butaca, *Col*, *Méj* luneta *f*. ～충돌 colisión *f* frontal, colisión *f* cara a cara. ～ 행진 avance *m* frontal.

정명(定命)) ① [날 때부터 정해진 수명] lapso *m* natural de la vida, hado *m*, destino *m*. ② ((불교)) duración *f* destinada de la vida.

정모(正帽) sombrero *m* [gorra *f*·kepis *m*] de etiqueta.

정묘(丁卯) *cheongmyo*, el cuarto año del ciclo sexagenario, el Año de la Liebre.

정묘하다(精妙－) (ser) exquisito, primoroso, delicado.

정무(政務) negocios *mpl* gubernativos, asuntos *mpl* políticos, asuntos *mpl* del Estado, administración *f*.

■～관 oficial *m* ejecutivo, oficial *f* ejecutiva. ～ 장관 ministro *m* parlamentario, ministra *f* parlamentaria.

정묵하다(靜默－) callar, no hablar, dejar de hablar, guardar silencio.

정묵히 silenciosamente, con silencio.

정문(正文) texto *m*.

정문(正門) puerta *f* principal, portón *m* (*pl* portones); [입구] portal *m*, entrada *f* principal, puerta *f* del frente. ～으로 들어가다 entrar en la puerta principal.

정문(頂門) ① ＝숫구멍. ② ＝정수리.

■～일침(一鍼) dura lección *f*, consejo *m* incisivo. ¶～이다 servir de una dura lección (a).

정물(靜物) objeto *m* inanimado, naturaleza *f* muerta, bodegón *m*.

■～ 묘사(描寫) dibujo *m* [copia *f*] de las cosas inertas. ～화(畵) (pintura *f* de) naturaleza *f* muerta, pintura *f* de vida inmóvil. ～화가(畵家) pintor, -tora *mf* de naturaleza muerta.

정미(丁未) *cheongmi*, cuadragesimocuarto término *m* binario del ciclo sexagenario.

정미(正味) ① [물건의 외피를 제외한 내용] contenido *m* neto. ② [포장 따위의 무게를 뺀 알맹이의 무게] (peso *m*) neto *m*. ～로 en neto, en limpio, *AmL* líquido. ～ 매상 금액의 5% un cinco por ciento sobre el importe neto de venta. ～ 5킬로그램이다 pesar [tener] cinco kilogramos netos [en limpio].

■～ 중량(重量) peso *m* neto.

정미(情味) encanto *m*, atractivo *m*. ～가 풍부한 lleno de encanto, atractivo.

정미(精米) ① ((준말)) ＝정백미(精白米). ② [기계 장치로 벼를 찧어 입쌀을 만듦] descascarillado *m* del arroz.

■～기(機) descascadora *f* de arroz. ～소 molino *m* descascarador de arroz.

정미하다(精美－) (ser) muy hermoso.

정미하다(精微－) (ser) fino, delicado, minucioso.

정민하다(精敏－) (ser) preciso y ágil.

정밀과학(精密科學) ciencia *f* exacta. 일기 예보는 ～이 아니다 El pronóstico del tiempo no es una ciencia exacta.

정밀 기계(精密機械) máquina *f* de precisión.

정밀도(精密度) precisión *f*. 이 기계는 ～가 높다 Esta máquina es de alta [mucha] precisión.

정밀하다(精密－) (ser) preciso, minucioso, exacto 정밀함 precisión *f*, minuciosidad *f*, exactitud *f*. 정밀하게 precisamente, con precisión, minuciosamente, detalladamente, a fondo, en detalle, con la mayor exactitud. 정밀한 기구 instrumento *m* de precisión, instrumento *m* preciso. 이 카메라는 매우 ～ Esta cámara fotográfica es muy precisa.

정밀하다(靜謐－) (ser) tranquilo y pacífico.

정박(碇泊/渟泊) anclaje *m*, ancoraje *m*. ～하다 anclar, ancorar, echar el ancla, echar las anclas, fondear. ～해 있다 estar anclado (en). ～ 중인 배 barco *m* anclado.

■～료 anclaje *m*, ancoraje *m*. ～선 barco *m* al ancla. ～세 anclaje *m*. ～일 día *m* de estadía. ～지(地) fondeadero *m*, ancladero *m*, amarradero *m*. ～항(港) puerto *m* de anclaje.

정박아(精薄兒) 【심리】 ((준말)) ＝정신 박약아(精神薄弱兒).

정반대(正反對) todo lo contrario, oposición *f* directa, oposición *f* inversa, antítesis *f*. ～의 inverso, directamente opuesto. ～로 a la inversa, por la inversa, en oposición directa, en oposición inversa. 그가 생각하고 있는 [생각하고 있었던] 것과는 ～로 al contrario de lo que él piensa [pensaba]. ～의 것을 말하다 decir cosas contradictorias. …과 ～의 입장을 취하다 tomar una posición completamente opuesta a la de *uno*. 바다는 ～ 쪽에 있다 El mar se encuentra en la dirección opuesta. 그의 행동은 말과는 ～다 Hace todo lo contrario de lo que dice / Sus actos contradicen sus palabras / Sus actos se contradicen con sus palabras.

정반합(正反合) 【철학】 tesis-antitesis-sintesis

정받이(精－) 【생물】 ＝수정(受精).

정방(丁方) sursudoeste *m*.

정방(正方) ① [바른 사각(四角)] cuadrado *m*. ② [똑바로의 정면(正面)] frente *m*.

■～형(形) 【수학】 ＝정사각형(正四角形).

정방(精紡) hilado *m*.

정배(定配) exilio *m*, destierro *m*. ～하다 exiliar, desterrar, exilar. ~ 가다 exiliarse, exilarse. ~ 보내다 ser desterrado [enviado] al exilio.

■ ~지(地) exilio *m*, destierro *m*.

정백(精白) blanco *m* puro. ~하다 [설탕 따위를] refinar; [쌀 따위를] blanquear.

■ ~당(糖) refinación *f* del azúcar, refinadura *f* del azúcar; [정제당] azúcar *m* refinado. ~미(米) arroz *m* descascarillado. ~소 refinería *f*.

정벌(征伐) subyugación *f*, conquista *f*, sujeción *f*, supresión *f*, castigo *m*, punición *f*; [원정(遠征)] expedición *f*; [구제] exterminación *f*. ~하다 subyugar, conquistar, someter, sojuzgar, suprimir, castigar.

정범(正犯) culpable *mf* principal, criminal *mf* principal.

정법(正法) ① [바른 법칙] regla *f* correcta, ley *f* correcta. ② 【법률】 =정형(正刑). ③ ((불교)) =불법(佛法). ④ ((불교)) ((준말)) =정법시(正法時).

■ ~시(時) ((불교)) quinientos años o mil años después de la muerte del Buda.

정법(定法) orden *m*, regla *f* fija, regla *f* establecida.

정변(政變) cambio *m* político, cambio *m* de gobierno, crisis *f* política; [쿠데타] golpe *m* de Estado. 그 나라에서는 ~이 있었던 것 같다 Parece que hubo cambio de gobierno en ese país.

정병(精兵) tropa *f* escogida.

정보(情報) información *f*, informe *m*, noticia *f*, aviso *m*. 불리(不利)한 ~ información *f* desfavorable. 유리(有利)한 ~ información *f* favorable. 더 많은 ~를 (얻기) 위해 para más información. 귀하의 ~를 위하여 para su información. 현지에서의 ~에 의하면 según la información obtenida en el lugar en cuestión. ~를 누설하다 divulgar información. ~를 제공하다 dar [suministrar] un informe (a). ~를 흘리다 difundir na noticia. …의 ~를 얻다 obtener una información sobre *algo*. … 에 관한 아무런 ~도 접하지 못했다 No ha llegado ningún informe sobre *algo*.

■ ~ 검색 recuperación *f* de la información. ~ 검색 시스템 sistema *m* de recuperación de información. ~ 공개(公開) apertura *f* al público de información. ~ 공학 ingeniería *f* de información. ~ 공학 전문가 ingeniero, -ra *mf* de información. ~ 공해 polución *f* (ambiental) de información. ~ 과학(科學) informática *f*. ~ 기관 servicio *m* secreto (de inteligencia). ~ 기술 informática *f*. ~ 기술 수출 기구 organización *f* de exportación de tecnología de la información. ~ 기술 회사 empresa *f* de tecnología de la información. ~ 담당관 responsable *mf* de información. ~ 도시 ciudad *f* de información. ~ 루트 fuente *f* [ruta *f*] de informes confidenciales. ~망 red *f* de información, red *f* informativa. ~ 보급 circulación *f* de la información. ~부(部) la Agencia de Inteligencia; [외교 통상부 등의] .Departamento *m* [División *f*] de Información Pública. ¶중앙 ~ la Agencia Central de Inteligencia. 중앙 ~장 director *m* de Agencia Central de Inteligencia. ~부원 personal *m* de información. ~부 장관 ministro, -tra *mf* de Agencia de Inteligencia; director, -tora *mf* de Agencia de Inteligencia. ~ 부대 unidad *f* [cuerpo *m*] de información. ~ 사회 sociedad *f* de información. ~ 산업(産業) industria *f* informativa, industria *f* de información. ~ 서비스(업) servicio *m* de información. ~ 선전 propagación *f* informativa. ~ 수집 recogimiento *m* de información. ~ 시스템 sistema *m* de información. ~원(源) fuente *f* de información. ~ 위원회 comité *m* de información. ~은행 banco *m* de datos. ~ 이론 teoría *f* de la información, teoría *f* de las comunicaciones. ~ 이전(移轉) transferencia *f* de informaciones. ~ 저장 compilación *f* de datos. ~ 전달 transmisión *f*. ~ 전쟁 guerra *f* de información. ~지(誌) revista *f* de información. ~ 채널 canal *m* de información. ~ 처리 sistematización *f* de datos. ~ 처리 산업 industria *f* de sistematización de datos. ~ 취급 manejo *m* de la información. ~ 통신망 red *f* de información, red *f* informativa. ~ 통신부 el Ministerio de Información y Comunicaciones. ~ 통신부 장관 ministro, -tra *mf* de Información y Comunicaciones. ~ 통신 산업 industria *f* de información y comunicaciones. ~ 통신 위원회 el Comité [la Comisión] de Información y Comunicaciones. ~ 하이웨이 autopista *f* de la información, infopista *f*, infovía *f*. ~ 혁명(革命) revolución *f* de información. ~화 사회 sociedad *f* orientada por la información. ~화 시대 época *f* orientada por la información.

정보(町步) =정(町).

정복(正服) uniforme *m* (de gala), traje *m* de etiqueta. ~을 입은 en uniforme completo.

정복(征服) ① [정복하여 복종시킴] conquista *f*; [지배(支配)] dominio *m*; [굴복(屈服)] subyugación *f*, sujeción *f*. ~하다 conquistar, hacer una conquista, dominar, subyugar, sujetar, someter. 자연(自然)을 ~하다 dominar [señorear] las fuerzas de la naturaleza. 에베레스트 정상을 ~하다 conquistar la cima del Monte Everest. ② [어려운 일을 겪어 이겨냄] vencimiento *m*, superamiento *m*. ~하다 vencer, superar.

■ ~군(軍) ejército *m* victorioso. ~자 ㉮ conquistador, -dora *mf*. ㉯ [차지할 사람] conquista *f*.

정복(淨福) felicidad *f* pura y pequeña.

정복(整復) corrección *f* de la fractura de hueso. ~하다 corregir la fractura de hueso.

정본(正本) texto *m* original, ejemplicación *f*, 【법률】 copia *f* certificada, documento *m*

original, documento *m* legal, documento *m* auténtico. ~과 사본(寫本) original y copia.
정본(定本) edición *f* decisiva, texto *m* auténtico, libro *m* auténtico.
정부(正否) el derecho y la injusticia.
정부(正負) ① 【수학】 [음수와 양수] el número positivo y el número negativo; [양수와 음수의 부호] el más y el menos. ② [양(陽)과 음(陰)] el positivo y el negativo.
정부(正副) principal y subordinado; [서류] original y copia. ~ 두 통으로 por duplicado. ~ 두 통의 서류 el original y la copia. ~ 두 통의 원서를 요함 Solicitud será presentado en duplicado.
■~ 위원장(委員長) el presidente y el vicepresidente. ~ 의장 el presidente y el vicepresidente. ~통령 el Presidente y el Vicepresidente.
정부(政府) ① [국가의 통치권을 행사하는 기관. 곧, 입법·사법·행정의 세 기관을 포함한, 한 나라의 통치 기구의 총칭] gobierno *m*; [국가(國家)] Estado *m*. ~의 gubernamental, del gobierno, estatal, de(l) Estado. ~ 부처 간(部處間)의 intergubernamental. ~를 쓰러뜨리다 derrocar el gobierno, hacer caer el gobierno. ~를 인수하다 asumir el gobierno. ~를 지지하다 apoyar el gobierno. ② [근대 국가의 행정부] administración *f*, centro *m* administrativo. ~의 administrativo, gubernativo. ~ 소식통의 정보 información *f* (de fuente) oficial. ③ [재산권의 주체로서의 나라. 국고(國庫)] tesoro *m* nacional, finanzas *fpl* públicas ~에서의 보조금 subvención *f* del Estado, subsidio *m* del Estado.~ 부담금 subsidio *m* de la tesorería del Estado. ④ =내각(內閣). 중앙 관청.
■~군 fuerzas *fpl* gubernamentales, tropas *fpl* gubernamentales. ~당 =여당(與黨). ~당국 autoridades *fpl* gubernamentales. ~미(米) arroz *m* del gobierno. ~ 보유미 =정부미(政府米). ~ 보유불 dólares *mpl* que tiene el gobierno. ~ 보증채 bono *m* garantizado por gobierno. ~불 =정부 보유불. ~안 proyecto *m* del gobierno. ~ 예금 ahorro *m* del gobierno. ~ 위원 delegado *m* gubernativo, delegada *f* gubernativa. ~자금 fondos *mpl* del gobierno. ~ 투자 기관 institución *f* de inversión del gobierno. ~ 화폐(貨幣) dinero *m* emitido [moneda *f* emitida] por el gobierno.
정부(貞婦) mujer *f* virtuosa, mujer *f* casta, mujer *f* fiel.
정부(情夫) amante *m*, amado *m*, querido *m*.
정부(情婦) amante *f*, amada *f*, querida *f*.
정북(正北) ((준말)) =정북방(正北方).
■~방(方) norte *m* recto. ~향(向) dirección *f* hacia el norte recto.
정분(情分) amistad *f* cordial, afecto *m*, intimidad.
정비(正比) 【수학】 proporción *f* directa.
정비(正妃) reina *f* legítima, emperatriz *f* legítima.
정비(整備) arreglo *m*, mantenimiento *m*, equipo *m* completo, conservación *f*, manutención *f*, orden *m*. ~하다 arreglar, ordenar, poner en orden, equipar completamente, conservar, preparar. ~ 불량에 의한 사고 accidente *m* provocado por el mal arreglo, accidente *m* provocado por la mala conservación. 잘 ~된 테니스 코트 pista *f* de tenis bien conservada. 사업을 ~하다 arreglar negocios. 전선(戰線)을 ~하다 ordenar la línea de combate.
■~공(工) mecánico, -ca *mf*. ~사(士) mecánico, -ca *mf*. ~원 arreglador, -dora *mf*; aparejador, -dora *mf*.
정비례(正比例) 【수학】 proporción *f* directa, razón *f* directa. A는 B에 ~한다 A estar en proporción directa con [a] B.
정비례(定比例) proporción *f* constante.
정빈(正賓) =정객(正客).
정사(丁巳) 【민속】 *cheongsa*, quincuagesimocuarto año *m* del ciclo sexagenario, el Año de la Serpiente.
정사(正史) historia *f* auténtica.
정사(正邪) justicia e injusticia, lo justo y lo injusto, bueno y malo. ~를 구별하다 distinguir entre justicia e injusticia, discernir lo justo de lo injusto.
정사(正使) delegado *m* [enviado *m*] en jefe, mensajero *m* mayor.
정사(正射) ① [정면에서 쏨] tirada *f* del frente. ② [수직으로 투사함] proyección *f* verticalmente.
■~영(影) proyección *f* ortogonal. ~영법(影法) rtografía *f*.
정사(政事) asuntos *mpl* gubernamentales, asuntos *mpl* del gobierno.
정사(情史) historia *f* de amor, romance *m*.
정사(情死) suicidio *m* doble, suicidio *m* por amor, suicidio *m* de dos amantes. ~하다 morir juntos por amor, cometer doble suicidio, cometer suicidio por amor, suicidarse dos amantes.
정사(情事) ① [남녀 간의 사랑에 관한 일] amores *mpl*, amoría *f*, intriga *f* amorosa. ~에 눈뜨다 entender amor. ② [정부(情夫)와 정부(情婦)와의 관계] aventura *f*, romance *m*, amoríos *mpl*. 혼외(婚外)~ coito *m* extramatrimonial, acto *m* sexual extramatrimonial, relaciones *fpl* sexuales extramantrimoniales, amoríos *mpl* extramatrimonial, amoríos *mpl* extraconyugal. 혼외(婚外)~의 경험 experiencia *f* extramatrimonial, experiencia *f* extraconyugal.
정사(情私) afecto *m* privado entre los parientes.
정사(情思) meditación *f*, contemplación *f*. ~하다 meditar, contemplar.
정사(淨寫) =정서(淨書)❷.
정사(精舍) ① [학문을 가르치려고 베푼 집] instituto *m* para enseñar. ② [정신을 수양하는 곳] instituto *m* para el control de pensamientos. ③ [중이 불도(佛道)를 닦는 곳] convento *m*, monasterio *m*, claustro *m*,

templo *m* budista.
정사(精査) investigación *f* menuda, examen *m* cuidadoso. ~하다 inquirir cuidadosamente, examinar cuidadosamente, escudriñar.
정사(靜思) pensamiento *m* tranquilo. ~하다 pensar tranquilamente.
정사각형(正四角形)【수학】cuadrado *m* (regular).
정사면체(正四面體)【수학】tetraedro *m* regular.
정사원(正社員) miembro *mf* regular; empleado, -da *mf* regular; empleado, -da *mf* permanente. 그는 ~이 되었다 El ha pasado a ser empleado regular.
정삭(正朔) ① [정월 초하루] el primero de enero. ② =책력(冊曆).
정삭(精索)【해부】cuerdas *fpl* sexuales.
정산(正産) parto *m* regular.
정산(精算) cuenta *f* detallada, cuenta *f* minuciosa, ajustamiento *m*;【상업】balance *m*. ~하다 hacer una cuenta exacta [detallada], balancear una cuenta, hacer un balance. 운임을 ~하다 pagar la diferencia de precio de un billete.
■~소(所) [역의] oficina *f* de reajuste de billetes. ~인(人) ajustador, -dora *mf* de avería. ~ 잔고 saldo *m*. ~표 liquidación *f* [saldo *m*·finiquito *m*] de cuenta.
정삼각형(正三角形)【수학】triágulo *m* equilátero, triángulo *m* regular.
정상(正常) normalidad *f*. ~으로 돌아가다 volver a la normalidad. 밤에 열차는 ~ 운행했다 Al anochecer los trenes han vuelto al horario normal.
■~ 가격 precio *m* normal. ~ 교합(咬合) oclusión *f* normal, bio-oclusión *f*. ~ 기능 función *f* normal. ~ 기능 조절 상태 ortergasia *f*. ~뇨(尿) homaluria *f*. ~뇨 배설 normostenuria *f*. ~ 능률(能率) eficiencia *f* normal. ~ 대사(代謝) eubolismo *m*. ~도(度) normalidad *f*. ~ 방어력 증강 epifilaxis *f*. ~ 백혈구 상태 dinormocitosis *f*. ~ 백혈구 증가증 normoortocitosis *f*. ~ 분만 eutocia *f*. ~ 분만 불능증 aciasis *f*. ~ 산소증 normoxia *f*. ~ 상태 estado *m* normal. ~ 색각(色覺) eucromatopsia *f*. ~ 색시(色視) eucromatopsia *f*. ~ 생모(生毛) eutricosis *f*. ~ 섭취(攝取) eufagia *f*. ~ 속도 velocidad *f* normal. ~ 식욕 eustitia *f*. ~ 신진대사(新陳代謝) homergia *f*. ~ 심리 상태 mentalidad *f* normal. ~아(兒) niño, -ña *mf* normal. ~ 운전(運轉) operación *f* normal. ~위(位) posición *f* normal. ~적 normal. ¶~으로 normalmente, con normalidad. ~이 아닌 anormal, irregular. ~인 교육 educación *f* normal. ~인 사람 hombre *m* normal. ~인 여자 mujer *f* normal. ~인 아이 niño, -ña *mf* normal. ~으로 운동하다 hacer deporte con normalidad. 그는 다른 사람들처럼 ~인 사람 같다 Parece un hombre normal como los demás. ~ 체위(體位) [성교(性交)의] postura *f* del misionero. ~ 호흡 eupnea *f*. ~화 normalización *f*. ¶~하다 normalizar. 외교 관계를 ~하다 normalizar las relaciones diplomáticas. 국교(國交) ~ normalización *f* de relaciones diplomáticas.
정상(呈上) oferta *f*, presentación *f*. ~하다 ofrecer, presentar.
정상(定常) regularidad *f*, constancia *f*. ~적인 regular, constante; [정태적(情態的)] estacionario.
■~ 상태 estado *m* estacionario. ~ 전류 corriente *f* eléctrica estacionaria. ~파(波) onda *f* estacionaria.
정상(頂上) ① [산꼭대기] cumbre *f*, cima *f*. 그의 야망(野望)의 ~ el súmmum de su ambición, su máxima ambición. 산의 ~에서 en la cumbre de la montaña. 그의 권력의 ~에서 en la cumbre [la cima] de su poderío. ~을 정복하다 alcanzar la cumbre. 그들은 ~까지 올랐다 Ellos subieron hasta la cumbre [la cima]. ② [최상·절정(絶頂)] cenit *m*, zenit *m*, ápice *m*, auge *m*, acmé *m*. ③ [최상급의 지도자] cumbre *f*, líder *mf*. 한미(韓美) 두 ~의 만남 encuentro *m* de dos líderes coreano-estadounidenses.
■~일침(一鍼) =정문일침. ~ 회담(會談) (conferencia *f*) cumbre *f*, conferencia *f* en [a] (la) cumbre.
정상(情狀) circunstancias *fpl*, condición *f*.
■~ 참작 circunstancias *fpl* atenuantes. ¶~하다 tener una cuenta [atender a] las circunstancias atenuantes. ~하여 atendidas [por cuenta de·por motivo de] las circunstancias atenuates. 그에게는 ~의 여지가 없다 Ciertas circunstancias le defienden.
정상배(政商輩) agiotista *mf*.
정색[1](正色) ① [안색을 바르게 함] corrección *f* del semblante. ~하다 corregir el semblante. ② [얼굴에 나타난 엄정(嚴正)한 빛] cara *f* seria, gesto *m* serio, aire *m* solemne. ~하다 mantener la cara seria. ~하고 con cara seria, con un gesto serio. ~하고 나서다 tomar una actitud provocativa [de desafío].
정색[2](正色) [순정(純正)한 색] color *m* puro.
정색(呈色) representación *f* de color.
■~ 반응(反應) reacción *f* de color.
정색건판(整色乾板)【사진】plancha *f* ortocromática.
정서(正西) ((준말)) =정서방(正西方).
정서(正書) ① =해서(楷書). ② [글씨를 또박또박 박아서 씀] copia *f* clara. ~하다 copiar claramente. ③ [초잡았던 글을 정식으로 베껴 씀] copia *f* formal. ~하다 copiar formalmente.
■~법(法) ortografía *f*.
정서(淨書) ① [글씨를 깨끗이 씀] copia *f* en limpio, copia *f* limpia, escrito *m* en limpio. ~하다 copiar [hacer copia] en limpio, escribir en limpio, pasar a limpio, poner en limpio. ② [초잡은 글을 다시 바르게 베낌] copia *f* correcta. ~하다 copiar co-

rrectamente.

정서(情緖) emoción *f*, sentimiento *m*, encanto *m*. ~가 풍부한 emocional. ~가 풍부한 마을 pueblo *m* que tiene un encanto particular. ~ 불안정이다 ser emocionalmente inestable. 고도(古都)의 ~는 점점 잃어 가고 있다 La antigua capital va perdiendo poco a poco el encanto que tenía.
■ ~ 교육 educación *f* de los sentimientos (estéticos). ~성 촉진 aceleración *f* emocional. ~ 이상(異常) distimia *f*. ~ 장애 obstáculo *m* emocional. ~적 emocional, lleno de encanto, sentimental, gracioso. ¶ ~인 생활을 하다 llevar una vida llena de encanto. ~이지 못한 생활을 하다 llevar una vida prosaica. ~적 질환 enfermedad *f* emocional.

정서방(正西方) oeste *m* recto.

정서향(正西向) dirección *f* hacia el este recto.

정석(定石) ① ((바둑)) *cheongseok*, fórmula *f* en juego de *baduc*. ② [사물의 처리에 정하여진 방식] regla *f* general, gambito *m*. ~대로 행동하다 proceder según la regla. 이것이 ~이다 Esta es la fórmula aceptada.

정선(汀線) costa *f*, ribera *f*.

정선(停船) barco *m* parado, barco *m* detenido. ~하다 pararse, detenerse. ~시키다 parar un barco, detener un barco.

정선(精選) selección *f* estricta. ~하다 elegir estrictamente, escoger con cuidado, escoger cuidadosamente. ~된 escogido, selecto. ~한 물건 objeto *m* escogido.

정설(定說) teoría *f* establecida, teoría *f* definitiva, opinión *f* admitada, opinión *f* definida. ~을 뒤집어엎다 derribar una teoría establecida. 학계(學界)의 ~을 뒤집다 derribar una teoría establecida. … 가 ~로 되어 있다 Es una opinión comúnmente admitida que + *ind*.

정성(精誠) aplicación *f*, cuidado *m*, esmero *m*, sinceridad *f*, ansia *f*, anhelo *m*, vehemencia *f*. ~을 들인 esmerado, cuidadoso, elaborado, minucioso. ~을 들인 일 trabajo *m* cuidadoso [esmerado · elaborado]. ~을 들인 준비(準備) preparación *f* esmerada, preparación *f* minuciosa. ~을 많이 들인 요리 plato *m* preparado con mucho esmero. 무척 ~을 들여 꾸민 사기(詐欺) soborno *m* muy elaborado. ~을 다해 con mucho cuidado, con mucho esmero. ~을 다해 자녀를 교육시키다 educar a un niño con cuidado. 이 정원은 아버님이 ~을 다 쏟으셨다 Mi padre cuidó con esmero este jardín. ~을 다해 모시겠습니다 Servimos con todo corazón. 정성껏 con todo corazón, esmeradamente, con (mucho) esmero, cuidadosamente, con (mucho) cuidado. 바닥을 ~ 닦다 sacar brillo al suelo cuidadosamente. ~ 아이를 기르다 crecer a un niño con cuidado.

정성 분석(定性分析) análisis *m* cualitativo.

정세(正稅) impuesto *m* legal.

정세(政勢) situación *f* política.

정세(情勢) situación *f*, condiciones *fpl*, circunstancias *fpl*. ~의 변화 cambio *m* de la situación. 국제 ~ situación *f* internacional. 세계의 ~ situación *f* del mundo. 유럽의 ~ situación *f* europea, situación *f* de Europa. 현재의 ~ situación *f* presente, apariencia *f* presente, vista *f*.

정세포(精細胞) 【생물】 espermatoblasto *m*.

정세하다(精細—) (ser) minucioso.
정세히 minuciosamente.

정소(定所) lugar *m* fijo, sitio *m* fijo.

정소(精巢) 【생물】 testículo *m*.

정수(井水) el agua *f* del pozo.

정수(正數) 【수학】 ((구용어)) =양수(陽數).

정수(定數) ① [정해진 운수(運數)] destino *m*, hado *m*. ② [일정한 수효나 수량] número *m* fijo, cantidad *f* fija. 의회(議會)의 ~ quórum *m*, número *m* de individuos del congreso. ~를 넘다 exceder el número fijo. ~에 달하다 estar completo [completado] el número de individuos de una corporación. ③ 【수학 · 물리】 constante *f*.
■ ~ 비례 【화학】 ((구용어)) =상수 비례.

정수(庭樹) árbol *m* que planta en el jardín.

정수(淨水) ① [깨끗한 물] el agua *f* clara, el agua *f* limpia. ② [물을 깨끗이 함] purificación *f* del agua, filtración *f* del agua; [깨끗이 정화한 물] el agua *f* purificada. ~하다 purificar el agua, filtrar el agua. ~되다 ser purificada el agua. ~된 물 el agua *f* purificada.
■ ~기(器) filtrador *m* del agua. ~법(法) método *m* de purificación del agua. ~장(場) estación *f* de filtración, planta *f* de purificación del agua. ~지(池) estanque *m* para almacenar provisionalmente el agua purificada, lago *m* [cauce *m*] de agua potable.

정수(精水) =정액(精液)❶.

정수(精粹) ① [순수하고 깨끗함] pureza *f*, integridad *f*. ~하다 (ser) puro, íntegro. ② [청백하고 사욕(私慾)이 없음] inocencia *f* sin deseo privado, puridad *f* sin deseo privado.

정수(精髓) ① [뼈의 속에 있는 골] médula *f*, tuétano *m*. ② [사물의 중심을 이루는 가장 뛰어나고 중요한 것] esencia *f*, quintaesencia *f*, [정화(精華)] flor *f*. 백제 문화의 ~ esencia *f* de la cultura de *Baekche*. 서반아 문학의 ~ flor *f* de la literatura española. 서양 문명의 ~ esencia *f* de civilización occidental.

정수(靜水) el agua *f* estancada, el agua *f* parada.

정수(整數) 【수학】 (número *m*) entero *m*., número *m* integral, integral *f*. ~의 integral.

정수리(頂—) vértice *m*.

정수식물(挺水植物) 【식물】 planta *f* acuática.

정수하다(精秀—) (ser) excelente.

정숙(貞淑) castidad *f*, virtud *f* femenina. ~하

다 (ser) casto, virtuoso, modesto.
정숙히 castamente, virtuosamente, modestamente.

정숙(靜肅) silencio *m*, tranquilidad *f*, quietud *f*, solemnidad *f*, sosiego *m*, soledad *f*. ~하다 (ser) silencioso, tranquilo, quieto, solemne. ~을 깨뜨리다 romper el silencio. ~하십시오 ¡Se ruega silencio! / ¡Silencio, por favor!
정숙히 sosegadamente, tranquilamente, silenciosamente, solemnemente.

정숙하다(情熟—) (ser) íntimo.
정숙히 íntimamente, con intimidad.

정숙하다(精熟—) conocer bien y ser hábil.
정숙히 hábilmente, con habilidad.

정숙하다(整肅—) (ser) ordenado y solemne.
정숙히 ordenada y solemnemente.

정숙하다(靜淑—) (ser) tranquilo y claro.
정숙히 tranquila y claramente.

정숙하다(靜肅—) (ser) tranquilo y solemne.
정숙히 tranquila y solemnemente.

정순하다(貞順—) (ser) casta y dócil.

정승(政丞) primer ministro *m*.

정시(丁時) 【민속】 *cheongsi*, el decimocuarto de los períodos de veinticuatro horas, de las doce y media a las trece y media..

정시(正視) ① [똑바로 봄] mirada *f* directa; 【의학】 estigmatismo *m*, ortopsia *f*. ~하다 mirar directamente. ~의 ortoscópico. 현실(現實)을 ~하다 hacer frente a la realidad, mirar la realidad de frente. ② ((준말)) = 정시안(正視眼).
■ ~안(眼) emetropía *f*, visión *f* normal. ~자(者) emétrope *mf*.

정시(呈示) presentación *f*, exhibición *f*. ~하다 presentar, exhibir, mostrar, enseñar; [제안하다] proponer. 신분증명서를 ~하다 mostrar *su* carnet de identidad. 인수를 ~하다 presentar a la aceptación. 조건을 ~하다 presentar una condición.

정시(定時) ① [정해진 시간] tiempo *m* fijo, hora *f* establecida, hora *f* fijada. ~에 al tiempo fijo. ~에 퇴사(退社)하다 salir de la oficina a la hora establecida [fijada]. ② [일정한 시기] tiempo *m* periódico.
■ ~ 간행 publicación *f* periódica. ~ 수입 ingresos *mpl* regulares. ~ 외 근무 trabajo *m* de horas extra(s), *Chi*, *Per* trabajo *m* de sobretiempo. ~제 sistema *m* a tiempo parcial.

정식(正式) formalidad *f*, método *m* regular, debida forma *f*. ~의 formal, regular; [공식의] oficial; [법정의] legal. ~으로 formalmente, regularmente, oficialmente, legal*mente, debidamente, en debida* forma. ~복장을 하다 vestirse con traje de etiqueta. ~으로 결정되다 ser decidido definitivamente. ~으로 결혼하다 contraere matrimonio legalmente. ~으로 결혼을 제의하다 proponer matrimonio en debida forma. ~으로 계약하다 contratar en forma debida. ~으로 통고하다 informar oficialmente.
■ ~ 결혼 matrimonio *m* legal. ~ 교섭 negociación *f* formal. ~ 교육 educación *f* formal. ~ 무도회 baile *m* de etiqueta. ~ 방문 visita *f* formal, visita *f* oficial. ~ 소송 절차 procedimiento *m* regular. ~ 수락 aceptación *f* formal. ~ 여권 pasaporte *m* legal. ~ 재판 juicio *m* formal. ~ 통지 aviso *m* formal. ~ 한국 요리 auténtica cocina *f* coreana.

정식(定式) fórmula *f*, formalidades *fpl*. ~의 formular, regular, formal.

정식(定食) comida *f* regular, dieta *f*, cubierto *m*, *Méj* comida *f* corrida, plato *m* combinado. 오늘의 ~ menú *m* del día. ~을 주문하다 pedir el cubierto.

정식(整式) 【수학】 ((구용어)) =다항식.

정신(挺身) lo voluntario. ~하다 ofrecerse.
■ ~대(隊) grupo *m* de voluntarios.

정신(艇身) largueza *f* del bote. 1 ~ 차이로 이기다 ganar por un cuerpo. 3 ~ 차이로 이기다 llevar a *sus* rivales tres larguezas del bote.

정신(精神) ① [마음이나 생각] espíritu *m*, el alma *f*, mente *f*. ~의 espiritual, mental; [심리적인] psíquico; [육체에 대해] moral. ~이 고결한 noble, de pensamientos elevados. ~이 썩은 corrupto, depravado. ~이 없이 마음이 들떠 distraídamente, loca de alegría, loca de contento. ~이 썩어빠진 남자 hombre *m* de corazón corrompido. ~과 물질(物質) el espíritu y la materia. ~과 육체(肉體) el espíritu y la carne. 건전한 몸에 건전한 ~ el cuerpo sano y el espíritu sano. ~에 이상을 일으키다 perder la razón, caer [entrar] en la demencia. ~을 단련하다 cultivar la moralidad, practicar instrucción mental. ~을 바로잡아 주다 apretar los tornillos (a). ~을 쇄신시키다 renovar el espíritu. ~을 집중하다 entregarse enteramente (a), concentrarse (en), concentrar toda *su* alma. ~을 차리고 문제에 임하다 enfrentarse con decisión a un problema. ~을 바싹 차리다 fortalecer *su* ánimo, fortificar *su* ánimo, levantar el espíritu. ~을 통일하다 concentrar *su* espíritu. ~ 차려라! ¡Animo! / ¡Ten cuidado! ② [의식(意識)] conciencia *f*, consciencia *f*.
◆정신(이) 나가다 estar loco, estar fuera de juicio, hacerse el [la] inocente, hacerse el tonto [la tonta], disimularse, fingir ignorancia. 그는 그녀에게 정신이 나갔다 El está loco [cautivado] por ella. 그는 정신 나간 얼굴을 하고 있다 El tiene cara de bobo.
◆정신(이) 나다 cobrar ánimo, alentarse, animarse.
■정신일도 하사불성(精神一到何事不成) ((속담)) Querer es poder / Donde hay querer todo se hace bien / Donde hay una voluntad, hay un camino.
■ ~ 감응(感應) telepatía *f* (mental). ~ 감정 (鑑定) prueba *f* psiquiática, teste *m* psiquiático. ~ 검사 examen *m* mental. ~계 mundo *m* mental. ~ 고통 tortura *f*

mental. ~ 공학(工學) psicoingeniería *f.* ~과 departamento *m* de psiquiatría [de psicosis]. ~ 과로 exceso *m* mental. ~과 의사 médico, -ca *mf* psiquíatra. ~ 과학 psicociencia *f,* ciencia *f* mental. ~ 교육 educación *f* moral. ~ 교육학 psicagogia *f.* ~ 교정학 ortopsiquiatría *f.* ~ 교화 cultura *f* mental, cultura *f* espiritual. ~ 구조(構造) estructura *f* mental. ~ 기구 mecanismo *m* mental. ~ 기능 función *f* mental. ~기술 psicotécnica *f.* ~노동 trabajo *m* mental, trabajo *m* intelectual. ~노동자 trabajador, -dora *mf* mental. ~력 mentalidad *f,* fuerza *f* mental [espiritual]. ~력 박약 hipofrenia *f.* ~론 espiritualismo *m,* idealismo *m.* ~ 묘사도 psicógrafo *m.* ~ 무장 armamento *m* mental [espiritual]. ~ 문명 civilización *f* mental [espiritual]. ~ 문화(文化) cultura *f* mental [espiritual]. ~ 물리학 psicofísica *f.* ~ 물리학자 psicofísico, -ca *mf.* ~ 박약 oligofrenia *f,* amencia *f,* debilidad *f* mental, atraso *m* [retraso *m*] mental. ~ 박약아 anormal *mf;* niño *m* retrasado [atrasado] mental, niña *f* trasada [atrasada] mental. ¶~ 시설 casa *f* para los niños retrasados mentales. ~ 학교 escuela *f* de anormales. ~ 박약자 persona *f* retrasada mental, retrasado, -da *mf* mental. ~ 발생학(發生學) psicogénesis *f.* ~ 변조 aberración *f* mental. ~병(病) enfermedad *f* mental, (p)sicosis *f,* psiquinosis *f,* frenopatía *f,* psicopatía *f.* ~병 공포증 maniafobia *f.* ~ 병동 sala *f* psiquiátrica. ~ 병리학 (p)sicopatología *f.,* patosicología *f.* ~ 병리학자 psicopatólogo, -ga *mf.* ~ 병원 sanatorio *m* psiquiátrico, manicomio *m,* hospital *m* mental. ~병 유전 mancha *f* de insanidad. ~병 의사 psiquiatra *mf;* psiquíatra *mf.* ~ 병자 (p)sicópata *mf.* ~병적 psicótico. ~병 전문 의사 psiquíatra *mf;* psiquiatra *mf;* alienista *mf.* ~병질 psicopatía *f.* ~병질자 psicópata *mf.* ~병학(病學) psiquiatría *f,* patergasiología *f.* ~병학자 psiquíatra *mf.* ~병 환자 lunático, -ca *mf;* paciente *mf* mental; psicópata *mf.* ~ 보건 =정신 위생. ~ 분석 (p)sicoanálisis *m,* psicanálisis *m.* ~ 분석가 analista *mf.* ~ 분석법(分析法) (p)sicoanálisis *m.* ~ 분석 전문 의사 psicoanalista *mf.* ~ 분석학 (p)sicoanálisis *m.* ~ 분석학자 psicoanalista *mf.* ~ 분석학적 비평 criticismo *m* psicoanalítico. ~ 분열병 esquizofrenia *f.* ~ 분열증 esquizofrenosis *f,* paleofrenia *f,* esquizofrenia *f.* ~ 분열증 환자 esquinofrénico, -ca *mf;* esquizo, -za *mf;* esquizofreníaco, -ca *mf.* ~사(史) historia *f* del espíritu. ~ 사회적 발달 desarrollo *m* psicosocial. ~ 상실 afelxia *f.* ~ 상태 estado *m* mental, estado *m* del espíritu, mentalidad *f.* ~ 색감 psicocroma *f.* ~ 생리학 psicofisiología *f.* ~ 생리학자 psicofisiólogo, -ga *mf.* ~ 생물학(生物學) psicobiología *f,* ergasiología *f.* ~ 생물학자 psicobiólogo, -ga *mf.* ~ 생활 vida *f* mental, vida *f* espiritual. ~성 건망증 amnesia *f* psicogénica. ~성 고통 psicalgía *f.* ~성 귀머거리 acatamatesia *f* acústica. ~성맹(性盲) acatamatesia *f* óptica. ~성 발음 곤란 psicofonastenia *f.* ~ 성욕 deseo *m* sexual mental. ~ 성적 발달 desarrollo *m* psicosexual. ~성 태아 발육 이상 psicoembriopatía *f.* ~ 소통법 psicocatarsis *f.* ~ 쇠약 atopia *f.* ~ 쇠약증 psicastenia *f.* ~ 수양 cultura *f* mental [espiritual], formación *f* moral, formación *f* espiritual. ~ 수학 psicomatemática *f.* ~ 신경성 눌어증 disfemmia *f.* ~ 신경증 psiconeurosis *f.* ~ 신경증 환자 psiconeurótico, -ca *mf.* ~ 신체 의학 medicina *f* psicosomática. ~ 신체적 psicofísico. ~ 신체증 =정신 심신증. ~ 신체증 환자 psicosomático, -ca *mf.* ~ 심신증 enfermedad *f* psicosomática, desorden *m* psicosomático. ~ 안정제 sedante *m,* tranquilizante *m,* tranquilizador *m.* ~ 암시 neuroinducción *f.* ~ 약리학(藥理學) psicofarmacología *f.* ~ 약물학(藥物學) psicofarmacología *f.* ~ 역학 psicodinámica *f.* ~ 연극 psicodrama *m.* ~ 연령(年齡) edad *f* mental. ~ 영기학(靈氣學) psiconeumatología *f.* ~ 예민증 hipernoia *f.* ~ 완서(緩徐) bradifrenia *f.* ~ 외과 psicocirugía *f.* ~ 외과의 psicocirujano, -na *mf.* ~ 외상(外傷) trauma *m* psíquico. ~ 외적 갈등 conflicto *m* extrapsíquico. ~ 요법 (p)sicoterapia *f,* curación *f* de la mente. ~ 요법가(療法家) psicoterapeuta *mf.* ~ 요법의(療法醫) (p)sicoterapeuta *mf.* ~ 운동(運動) movimiento *m* psicomotor. ~ 운동 간질 epilepsia *f* psicomotora. ~ 운동 시험 prueba *f* psicomotora. ~ 위생 higiene *m* mental. ~ 위생학 higiene *m* mental. ~ 음악 psicomúsica *f.* ~ 의학 =정신병학. ~ 이상 (p)sicosis *f,* trastorno *m* mental, aberración *f* mental, locura *f,* perturbación *f* mental. ~ 이상자 trastornado, -da *mf* mental; lunático, -ca *mf.* ~ 자극제(刺戟劑) psicoestimulante *m.* ~ 작용 operación *f* mental, proceso *m* mental. ~ 장애 desorden *m* mental, ademonia *f.* ~ 장애 아동 niño, -ña *mf* deficiente mental. ~ 장애인 inválido, -da *mf* mental; deficiente *mf* mental. ~적 espiritual, mental, psíquico, moral. ¶~으로 espiritualmente, mentalmente, moralmente. ~적 공백 vacío *m* espiritual. ~적 사랑 amor *m* platónico. ~적 성교 relaciones *fpl* psicosexuales. ~적 압박 presión *f* moral. ~적 유산 patrimonio *m* espiritual [mental]. ~적 지둔(的遲鈍) bradipsiquia *f.* ~적 지지 soporte *m* moral. ~적 타격 choque *m* mental, golpe *m* mental [espiritual]. ~적 피로 fatiga *f* mental, ansiedad *f,* zozobra *f.* ~적 학대 crueldad *f* mental. ~적 환자 enfermo, -ma *mf* mental. ~ 적 힘 fuerza *f* moral, fuerza *f* espiritual. ~ 전류계 psicogalvanómetro *m.* ~ 정상(正常) ortofrenia *f.* ~주의 espiritualismo *m,* idealismo *m.* ~주의자

espiritualista *mf*, idealista *mf*. ~ 중추(中樞) fronema *m*. ~증 psiconosis *f*. ~ 지둔 psicocoma *m*. ~ 지체아 niño, -ña *mf* deficiente mental. ~ 진단 = 정신 진단학. ~ 진단학 psicognosis *f*, psicodiagnóstica *f*. ~ 진정제 psicosedante *m*. ~ 질환(疾患) psiconosema *m*. ~ 착란 vesania *f*, frenesis *f*, insania *f*, insanidad *f*, locura *f*, desarreglo *m* [desorden *m*·descompostura *f*·desbarajuste *m*] mental. ~ 철학(哲學) psicofilosofía *f*. ~ 측정 psicometría *f*. ~ 측정학 psicométrica *f*. ~ 통일 concentración *f* mental [del espíritu·de la mente]. ~ 판정법 psicognosis *f*. ~ 피로 fatiga *f* mental. ~ 합성 psicosintesis *f*. ~ 향성 psicotaxis *m*. ~ 현상 fenómeno *m* mental. ~ 혼란증(混亂症) psicataxia *f*. ~화(化) espiritualización *f*. ¶~하다 espiritualizar. ~ 활동계 psicodómetro *m*. ~ 활성 물질 남용 abuso *m* de substancia psicoactiva. ~ 흥분약 psicoanaléptico *m*.

정실(正室) ① =본처(本妻). ② =몸채.

정실(情實) favoritismo *m*, parcialidad *f*, consideraciones *fpl* privadas, consideración *f* personal, circunstancias *fpl* privadas, circunstancias *fpl* particulares. ~에 좌우되다 ser influido por el favoritismo. ~에 흐르다 ser influenciado [influido] por las consideraciones privadas. ~을 배제하다 rechazar [prescindir de] toda consideración personal.

▪ ~ 인사(人事) favoritismo *m*.

정실하다(正實－) (ser) verdadero y correcto. 정실히 verdadera y correctamente.

정실하다(貞實－) (ser) fiel, casta, leal, devota, virtuosa. 정실함 fidelidad *f*, castidad *f*, honradez *f*, lealtad *f*.

정심(正心) ① [올바른 마음] corazón *m* correcto. ② [마음을 바르게 함] corrección *f* del corazón.

정아하다(靜雅－) (ser) claro y elegante, tranquilo y noble.

정악(正樂) 【음악】 música *f* clásica, música *f* de la corte.

정안(正案) plan *m* definitivo.

정압(定壓) presión *f* fijo, presión *f* constante.

정애(情愛) afecto *m*, cariño *m*, amor *m*. ~ 깊은 afectuoso, cariñoso, tierno, amoroso. ~ 없는 insensible, impasible, insuscuptible, indiferente, apático.

정액(定額) valor *m* fijo, suma *f* fija, cantidad *f* fija. ~에 달하다 alcanzar la cantidad [la suma] fijada.

▪~ 대부(貸付) préstamo *m* fijo. ~등(燈) lámpara *f* de interés fijo. ~ 보험 seguro *m* fijo. ~세(稅) impuesto *m* fijo. ~ 소득 renta *f* fija. ~ 소득 자금 fondo *m* de inversión de renta fija. ~ 소득 투자 inversión *f* en renta fija. ~ 이자 대부 préstamo *m* a interés fijo. ~ 이자채 bono *m* de interés fijo, obligación *f* de renta fija. ~ 임금 salario *m* fijo. ~ 저금 depósito *m* de suma fija. ~제 요금 tarifa *f* fija.

정액(精液) 【생물】 semen *m*, esperma *f*, líquido *m* seminal. ~의 seminal, espermático.

▪ ~관(管) conducto *m* seminal. ~ 분비(分泌) secreción *f* seminal. ~ 사출 emisión *f* seminal, emisión *f* espermática. ~은행(銀行) banco *m* de semen. ~학(學) espermatología *f*. ~학자 espermatólogo, -ga *mf*.

정야(靜夜) noche *f* tranquila, noche *f* silenciosa..

정약(定約) acuerdo *m*, contrato *m*, promesa *f*. ~하다 estar de acuerdo, prometer.

정양(正陽) ① =한낮. ② [음력 정월] enero *m* del calendario lunar.

정양(靜養) reposo *m*, descanso *m*, recuperación *f*, recobro *m*. ~하다 reposarse, descansar, tomar un descanso, recuperarse, tomar un descanso necesario. ~차 para el reposo. 병후(病後)의 ~ reposo *m* de convalecencia. 시골에 ~하러 가다 ir a tomar un descanso al campo.

정어(正語) ((불교)) palabra *f* correcta.

정어(淨語) ((불교)) palabras *fpl* puras.

정어리 【어류】 sardina *f*. ~의 sardinero. ~ 잡이용의 sardinero. ~잡이 어부 sardinero, -ra *mf*.

▪ ~잡이 배[선박] barco *m* sardinero. ~ 장수 sardinero, -ra *mf*. ~ 통조림 sardina *f* en conserva.

정언(定言) 【철학】 categoría *f*.

▪ ~적(的) categórico *adj*. ~적 명령 imperativo *m* categórico. ~적 판단 juicio *m* categórico.

정업(正業) ① [정당한 직업이나 생업] profesión *f* honrada, ocupación *f* legal, empleo *m* honesto, empleo *m* respetable. ~을 얻다 adquirir un empleo honesto. ~을 가지고 있다 ganarse la vida honestamente, ocuparse en un empleo honesto. ~을 얻어주다 colocar [hacer colocarse] en un empleo honesto. ② ((불교)) acción *f* correcta, puridad *f* del cuerpo.

정업(定業) ① [일정한 직업이나 업무] ocupación *f* regular, ocupación *f* fija, ocupación *f* ordinaria, trabajo *m* fijo, empleo *m* fijo. ~을 얻다 adquirir un empleo fijo. ② ((불교)) karma *m* fijo, renacimiento *m* determinado por las buenas acciones o las malas acciones del pasado.

정역학(靜力學) estática *f*. ~적 estático. ~적으로 estáticamente.

정연하다(整然－) (estar) bien ordenado, bien arreglado, regular, sistemático. 정연한 복장을 하고 있다 llevar [tener] el vestido bien arreglado, vestirse decentemente; [청결] llevar el vestido limpio, estar aseadamente puesto. 방이 ~ La habitación está ordenada [arreglada·en orden].

정연히 en (buen) orden, ordenadamente, con orden, en una manera regular, en perfecto orden, sistemáticamente. ~ 하다 poner en orden, ordenar, arreglar. ~ 행진하다 marchar en buen orden. 방을 ~ 하

다 poner en orden la habitación [el cuarto], ordenar [arreglar] la habitación [el cuarto].

정열(情熱) pasión *f*, ardor *m*, fervor *m*, afección *f*, amor *m* ardiente, entusiasmo *m*. ~을 가지고 con pasión, con ardor, con fervor. ~에 불타다 quemarse de pasión. ~을 기울이다 aplicarse con ardor (a). ~을 불태우다 quemar pasión.
■ ~적(的) apasionado, afectuoso, ardoroso, ardiente, fervoroso, ferviente. ¶~으로 apasionadamente, ardientemente, afectuosamente, ardorosamente, fervorosamente, fervientemente.

정염(正鹽) 【화학】 sal *f* normal.

정염(情炎) pasión *f*, fuego *m* de pasión, llama *f* de pasión. ~에 불타다 encenderse con pasión. ~을 불태우다 encender pasión.

정예(精銳) ① [썩 날래고 용맹스러움] la agilidad y la bravosidad. ② [가려 뽑은 잘 훈련된 군사] soldados *mpl* escogidos, soldados *mpl* selectos; [군(軍)] tropa *f* escogida, lo selecto, lo mejor. ~의 escogido, selecto, de primera.
■ ~ 부대(部隊) tropas *fpl* de primera. ~ 분자(分子) elemento *m* de primera.

정오(正午) mediodía *m*. ~의 de(l) mediodía. ~에 a(l) mediodía. ~까지 hasta (el) mediodía. ~ 전에 antes del mediodía. ~후에 después del mediodía. ~ 쯤 hacia el mediodía. ~의 태양 el sol del mediodía. ~다 Es (el) mediodía. 오늘 ~에 그녀를 만나겠다 Voy a verla este mediodía.

정오(正誤) corrección *f*, rectificación *f*.
■ ~표(表) fe *f* de erratas.

정온(定溫) temperatura *f* constante, temperatura *f* fija. ~으로 보존(保存)하다 mantener a una temperatura constante.
■ ~기(器) termostato *m*. ~ 동물 animal *m* homolotérmico. ~층(層) estrato *m* invariable.

정온하다(靜穩―) (ser) tranquilo, quieto, sereno, sosegado. 정온함 tranquilidad *f*, serenidad *f*, cal-ma *f*, sosiego *m*.

정욕(情欲) ① [마음에 이는 여러 욕구] deseos *mpl*. ② ((불교)) deseo *m* codicioso.

정욕(情慾) ① [색정(色情). 성욕(性慾)] pasiones *fpl*, deseo *m* [apetito *m*] sexual [carnal · sensual], concupiscencia *f*, lujuria *f*. ~적 concupiscente, lujurioso. ~적으로 lujuriosamente. ~의 노예 esclavo *m* de pasión. ~의 억제 control *m* de pasión. ~을 만족시키다, ~을 채우다 satisfacer el deseo sexual. ~을 억제하다 controlar el deseo sexual. ② ((성경)) deseo *m*, pasión *f*.

정용하다(整容―) arreglarse.

정우(丁憂) luta *f* a los padres.

정우(政友) compañero *m* político, compañera *f* política.

정원(正圓) círculo *m* muy redondo.

정원(定員) personal *m* fijo, personal *m* regular, número *m* fijo de personas; [정족수] quórum *m*; [수용력] capacidad *f* (completa), número *m* de plazas; [막료의] fuerza *f* completa de un cuerpo. 버스의 ~ capacidad *f* del autobús. ~ 200명의 배 barco *m* en que caben doscientas personas, barco *m* con [de] doscientos asientos [doscientas plazas]. ~을 채우다 llenar el personal regular. ~을 초과하다 exceder el número fijo. ~이 차다 estar completo, llegar al número fijo. ~ 이상의 손님을 태우다 sobrecargar [recargar] de viajeros.

정원(庭園) jardín *m* (*pl* jardines); [넓은] parque *m*; [마당] patio *m*; [뒤뜰] corral *m*. ~ 딸린 아파트 [낮은 층의] apartamento *m* con jardín privado [terraza privada]. 취미로 ~을 가꾸는 사람 amante *mf* de la jardinería. ~에서 일하다 trabajar en el jardín. ~을 거닐다 pasear(se) por el jardín, dar un paseo por el jardín.
■ ~사(師) jardinero, -ra *mf*. ~석 piedra *f* de adorno del jardín. ~수(樹) árbol *m* del [para el] jardín, arbusto *m* de jardín (ornamental).

정월(正月) enero *m*. ~ 초하루 día *m* del Año Nuevo, el primero de enero.

정유(丁酉) 【민속】 *cheongyu*, trigesimocuarto período binario del ciclo sexagenario.

정유(精油) ① [어떤 식물의 꽃 · 잎 · 열매 · 가지 · 줄기 · 뿌리 따위에서 채취하여 정제한 방향유나 휘발유] aceite *m* arómico refinado. ~하다 refinar aceite. 동백(冬柏)의 ~ aceite *m* (arómico) de camelia. ② ㉮ [석유를 정제함] refinado *m* [refinación *f*] del petróleo. ㉯ [정제한 석유] petróleo *m* refinado. ~하다 refinar petróleo.
■ ~ 공장 refinería *f* de petróleo. ~관(管) oleoducto *m*. ~ 산업 industria *f* petrolera. ~소 refinería *f* de petróleo. ~ 탱커 [배] petrolero *m*; [트럭] camión *m* cisterna *f* (para petrolero).

정육(正肉) carne *f* de la carne de vaca.

정육(精肉) carne *f* sin grasa y huesos, carne *f* fresca (de vaca).
■ ~점 carnicería *f*. ¶~ 주인 carnicero, -ra *mf*.

정육(淨肉) ((불교)) carne *f* pura.

정육면체(正六面體) hexaedro *m* regular.

정윤(正閏) [평년과 윤년] el año normal y el año bisiesto.

정은(丁銀) plata *f* de la peor calidad.

정은(正銀) plata *f* pura.

정음(正音) ① [한자의 본래의 올바른 음(音)] pronunciación *f* correcta. ② ((준말)) =훈민정음.

정의(正義) justicia *f*, derecho *m*, rectitud *f*, equidad *f*. ~의 justo, recto. ~ 때문에 por la causa de la justicia. ~의 싸움 guerra *f* por la justicia, guerra *f* por la santa causa. ~의 소리 voz *f* de la justicia. ~를 위해 싸우다 luchar por la justicia.
■ ~감 sentido *m* de la justicia, sensibilidad *f* a la justicia. ¶~이 강한 sensible a la justicia. ~이 투철한 impulsado por el

sentido de la justicia. ～파 hombre *m* justiciero. ～한(漢) hombre *m* sensible a la justicia.

정의(定義) definición *f*. ～하다 definir, dar una definición (a).

정의(情意) sentimiento *m*, emoción y voluntad.

■ ～상통(相通) entendimiento *m* mutuo. ～투합 (投合) ㉮ acuerdo *m* mutuo. ㉯ [남녀간의] conexión *f* amorosa.

정의(情誼) amistad *f*, afecto *m*. 깊은 ～ amistad *f* profunda. ～가 두텁다 (ser) muy amistoso, muy íntimo.

정의(精義) significado *m* exacto.

정이사지(靜而俟之) espera *f* quieta.

정이월(正二月) enero y febrero.

정인(情人) querido, -da *mf*; enamorado, -da *mf*; novio, -via *mf*.

정일(定日) día *m* señalado, día *m* fijo. ～에 al día señalado, al día fijo.

■ ～ 시장(市場) mercado *m* regular.

정일하다(靜逸－) (ser) tranquilo y pacífico. 정일히 tranquila y pacíficamente.

정임(定賃)) salario *m* fijo.

정자(丁字) ((준말)) =정자형(丁字形).

■ ～자 regla T. ～형 forma *f* de T.

정자(正字) ① [똑똑하고 체가 바른 글자] letra *f* correcta. ② [한자의 원글자] letra *f* original de caracteres chinos.

■ ～법(法) ortografía *f*.

정자(亭子) pabellón *m* (*pl* pabellones), quiosco *m*, kiosco *m*, cenador *m*, glorieta *f*.

■ ～나무 árbol *m* plantado alrededor del pabellón, árbol *m* grande servido como el lugar de descanso en una aldea.

정자(精子) 【생물】 esperma *f*, espermatozoide *m*, zoospermo *m*, espermatozoo *m*, espermatozoario *m*. ～의 espermático.

■ ～낭(囊) espermatoteca *f*. ～론(論) espermismo *m*. ～론자 espermista *mf*. ～ 발생(發生) espermatogénesis *f*. ～선(腺) glándula *f* de esperma, glándula *f* esperrmática. ～ 세포 espermátide *m*, célula *f* espermática. ～은행 banco *m* de esperma. ～핵(核) núcleo *m* de esperma. ～ 형성 espermatismo *m*, espermatogénesis *f*.

정자기학(靜磁氣學) magnetostática *f*.

정작 verdad *f*, realidad *f*, actualidad *f*; [부사적] verdaderamente, realmente, en realidad, actualmente, prácticamente. ～ 있던 일 incidencia *f* actual. ～ 화가 나다 estar muy enfadado

정장(正裝) uniforme *m* de gala, traje *m* de etiqueta. ～하다 vestirse de etiqueta, vestirse de gala, vestirse de ceremonia, estar en uniforme; [군인이] ponerse uniforme de gala. ～을 하고 en vestido de ceremonia. ～을 할 것 Vestirse de gala / Etiqueta.

정장석(正長石) 【광물】 ortosa *f*, ortoclasa *f*.

정장제(整腸劑) medicina *f* para la afección [el problema] intestinal.

정재(呈才) la canción y el baile en la fiesta del palacio real (en la época de *Choson*).

정재(淨財) donativos *mpl*, tributo *m* de dinero, donación *f*, ofrenda *f*, exvoto *m*, ofertorio *m*. ～를 모으다 juntar donativos. ～를 희사하다 hacer ofrecimiento votivo de dinero.

정쟁(政爭) conflictos *mpl* políticos, disputa *f* política, controversia *f* política; [당파간의] lucha *f* de partidos (políticos).

정적(政敵) adversario *m* [rival *m* · opositor *m* · competidor *m* · antagonista *m*] político, adversaria *f* [rival *f* · opositora *f* · competidora *f* · antagonista *f*] política.

정적(靜的) estático. ～으로 estáticamente.

정적(靜寂) silencio *m*, tranquilidad *f*, sosiego *m*, calma *f*, quietud *f*. ～하다 (ser) silencioso, tranquilo, quieto.

정전(正殿) sala *f* de audiencias del rey, palacio *m* para la audiencia real de la mañana.

정전(征戰) guerra *f* en el campo de batalla.

정전(政戰) =정쟁(政爭).

정전(停電) interrupción *f* eléctrica, corte *m* de electricidad, apagón *m*. ～하다 interrumpir la electricidad. ～되다 ser cortado la corriente eléctrica. 30분 동안 ～되었다 La corriente eléctrica fue cortada por treinta minutos. ～ 때문에 지하철이 정차했다 Por la interrupción eléctrica han parado los metros.

정전(停戰) armisticio *m*, alto el fuego, suspensión *f* de las hostilidades, tregua *f*, *AmL* cese *m* del fuego. ～하다 suspender la guerra, suspender las hostilidades. ～을 명령하다 mandar que suspendan las hostilidades. ～을 깨뜨리다 romper una tregua.

■ ～ 교섭 nogociación *f* del armisticio. ～ 위원회 comité *m* de armisticio. ～ 협정(協定) tratado *m* de tregua. ～ 회담(會談) conferencia *f* de la tregua.

정전(靜電) electrostático *m*.

■ ～ 감응 =정전 유도(靜電誘導). ～기(器) electricidad *f* estática. ～ 렌즈 lente *f* de campo eléctrico. ～ 용량(容量) capacidad *f* electrostática. ～ 유도 inducción *f* estática. ～ 전압계 voltímetro *m* electrostático. ～ 전위 potencial *m* electrostático. ～하(荷) carga *f* estática. ～학 electrostática *f*.

정전기(正電氣) 【물리】 =양전기(陽電氣).

정절(貞節) castidad *f*, fidelidad *f*. 여자의 ～ castidad *f* de la mujer.

정점(定點) 【기하】 punto *m* definido, punto *m* fijo.

정점(頂點) ① [맨 꼭대기의 점] cumbre *f*, cima *f*, punto *m* culminante. 위기(危機)의 ～ punto *m* más crítico. ② 【수학】 ((구용어)) =꼭짓점. ③ [사물의 절정] climax *m.sing.pl*, clímax *m.sing.pl*.

정정(訂正) corrección *f*, rectificación *f*, revisión *f*, enmienda *f*. ～하다 corregir, rectificar, revisar, enmendar. 약간의 ～을 가하다 poner unas enmiendas (a).

■ ～본(本) libro *m* corregido. ～ 부호 nota *f* de corrección. ～자 revisor, -sora *mf*. ～

재판(再版) segunda edición *f* revisada. ~ 증보(增補) revisión y aumento. ~ 증보판(增補版) edición *f* revisada [corregida] y aumentada. ~판(版) edición *f* revisada.

정정(政情) =정세(政勢)(situación política). ¶ 이 나라는 ~이 불안정하다 Es inestable la situación política de este país.

정정당당하다(正正堂堂-) (ser) abierto y franco. 정정당당함 dignidad *f* e imparcialidad. 그의 태도는 정정당당했다 Su actitud era abierta y franca.
정정당당히 con dignidad e imparcialidad, imparcial y justamente, dignamente, con dignidad, cara a cara. ~ 싸우다 hacer la guerra de frente, luchar dignamente, luchar abiertamente, reñir de bueno a bueno; ((운동)) jugar limpio.

정정법(政淨法) la Ley de Purificación Política.

정정하다(井井-) ① [질서·조리가 정연하다] (ser) bien ordenado, bien arreglado, regular, sistemático. ② [왕래가 빈번하다] (estar) ocupado, frecuente, incesante. 정정한 거리 calle *f* ocupada.
정정히 bien arregladamente, bien ordenadamente, regularmente, sistemáticamente.

정정하다(亭亭-) ① [나무 따위가 우뚝이 높이 솟아 있다] levantarse [alzarse · erguirse] alto. ② [노인이 강건하다] (ser) vigoroso, activo; [건장하다] estar bien de salud, estar sano y fuerte, ser saludable, ser fuerte como un roble, estar con una salud de hierro. 내 조부모님께서는 아직도 정정하시다 Mis abuelos todavía están sanos y fuertes / Mis abuelos todavía son fuertes como un roble..

정제(精製) ① [정성을 들여 잘 만듦] hecho *m* bien elaborado. ~하다 hacer bien elaboradamente. ② [원료나 조제품(粗製品)을 가공하여 한층 더 순수한 것으로 만듦] refinamiento *m*. ~하다 refinar. 석유(石油)를 ~하다 refinar el petróleo.
■~ 공장(工場) refinería *f*. ~당(糖) azúcar *m* refinado. ~면 =탈지면(脫脂綿). ~법 procedimiento *m* de refinar. ~소 refinería *f*. ~업 industria *f* de refinación. ~염(鹽) sal *f* refinada. ~업자 refinador *m*. ~유(油) aceite *m* refinado. ~품 artículos *mpl* refinados.

정제(錠劑) pastilla *f*, píldora *f*, tableta *f*.

정조(正條) ① [법에 규정된 조례(條例)] reglamento *m* estipulado por la ley. ② [바른 줄] cuerda *f* recta.

정조(正朝) =원단(元旦).
■~ 문안(問安) saludo *m* al rey o al mayor en el día del Año Nuevo.

정조(正調) [바른 곡조] tono *m* correcto, melodía *f* correcta.

정조(貞操) ① [여자의 깨끗한 절조] castidad *f*, virtud *f*, fidelidad *f*. ~가 굳은 casta, virtuoso, fiel, perseverante. ~가 굳은 여자 mujer *f* casta, mujer *f* virtuosa, mujer *f* fiel. ~를 깨다 romper la castidad. ~를 더럽히다 deshonrar (a). ~를 유린하다 violar la castidad. ~를 중요시하다 defender la castidad [la fidelidad]. ~를 지키다 guardar la castidad [la fidelidad]; [아내로] ser fiel a *su* esposo. ② [성적(性的) 순결을 보존하는 일] conservación *f* de la virginidad.
■~대(帶) cinturón *m* de castidad. ~ 유린(蹂躪) violación *f* de la castidad. ~ 의무 obligación *f* de la castidad.

정조(情調) =기분. 취미.
◆이국(異國) ~ exotismo *m*, humor *m* extranjero, atmosfera *f* extranjera.

정조(情操) 【심리】 sentimiento *m* noble.
■~ 교육 cultura *f* de sentimiento (noble).

정족(鼎足) =솥발.

정족수(定足數) quórum *m*, número *m* necesario, núnero *m* de individuos de una corporación [de una sesión]. ~에 달했다 Ha alcanzado el quórum. 회의(會議)는 ~에 달하고 있다 La asamblea constituye el quórum.

정종[1](正宗) ((불교)) secta *f* ortodoxa.

정종[2](正宗) *cheongchong*, vino *m* coreano hecho de arroz.

정좌(正坐) sentada *f* derecha. ~하다 sentarse derecho [rectamente], incorporarse (en la cama).

정좌(鼎坐) sentada *f* en triángulo. ~하다 sentarse junto en triángulo.

정좌(靜坐) sentada *f* quieta, meditación *f*. ~하다 sentarse quietamente, sentarse en meditación.
■~법(法) cura *f* de meditación. ~ 운동 ejercicio *m* abdominal.

정주(定住) permanencia *f*, residencia *f* fija. ~하다 establecerse, instalarse, radicarse, domiciliarse, vivir permanentemente, fijar el domicilio.
■~자(者) residente *mf* permanente. ~지(地) domicilio *m* fijo.

정중(正中) [한가운데. 복판] centro *m*.
■~선 línea *f* mediana. ~ 신경 nervio *m* mediano.

정중동(靜中動) movimiento *m* en la quietud.

정중하다(鄭重-) (ser) cortés, cordial, afable, atento, hospitalario, caritativo. 정중함 cortesía *f*, buena educación *f*. 귀하의 정중한 편지 su atenta carta. 정중한 간호를 받다 ser asistido con el mayor cuidado.
정중히 cortésmente, con cortesía, atentamente, cordialmente, urbanamente, afablemente, respetuosamentre, con reverencia. ~ 대접하다 recibir con mucha hospitalidad [cordialmente], conceder cordial recepción.

정지(停止) parada *f*, detención *f*, [중단(中斷)] interrupción *f*, [중지(中止)] suspensión *f*, 【법률】 entredicho *m*, prohibición *f*. ~하다 parar(se), detenerse, suspenderse. ~시키다 parar, detener, suspender, interrumpir, prohibir. 교통을 ~시키다 interrumpir [cortar] el tráfico. 발행(發行)을 ~하다 suspender la publicación. 자동차를 ~시키

다 parar el coche. 지불을 ~시키다 suspender el pago.

■~ 가격(價格) precio *m* bloqueado. ~ 기간(期間) período *m* de suspensión. ~ 신호 señal *f* de parada. ~ 조건(條件) condición *f* precedente. ~파 onda *f* estacionaria. ~파 안테나 antena *f* de onda estacionaria.

정지(淨地) lugar *m* [sitio *m*] claro y limpio, localidad *f* pura, lugar *m* que el monje casto [puro]. vive.

정지(靜止) inmovilidad *f*, inactividad *f*, quiescencia *f*, quietud *f*, calma *f*. ~하다 inmovilizarse, pararse. ~하고 있다 estar(se) parado [inmóvil·estático].

■~ 궤도 órbita *f* geostacionaria. ~ 궤도 위성 =정지 위성(靜止衛星). ~ 상태(狀態) inmovilidad *f*. ~ 위성 satélite *m* inmóvil.

정지(整地) [경지(耕地)의] arreglo *m* [preparación *f*] (de un terreno); [택지(宅地)의] allananamiento *m* [nivelación *f*] (de un terreno). ~하다 arreglar [preparar] (un terreno), allanar [nivelar] (un terreno).

정직(正職) =실직(實職).

정직(定職) empleo *m* [trabajo *m*] regular [fijo], profesión *f* [ocupación *f*] fija. ~을 얻다 adquirir un empleo fijo. 그는 ~이 없다 El no tiene profesión fija.

정직(停職) suspensión *f* de empleo [de oficio]. ~을 명하다 ordenar la suspensión de oficio. ~ 처분을 하다 suspender de *su* empleo.

정직하다(正直-) (ser) honrado, honesto; [솔직하다] franco, recto. 정직함 honradez *f*, honestidad *f*, rectitud *f*; [솔직함] franqueza *f*, sinceridad *f*. 정직하게 honradamene, honestamente, francamente. 정직한 마음 corazón *m* honrado, mente *f* honrada. 정직한 사람 persona *f* honrada, hombre *m* franco. 정직한 소년 muchacho *m* honrado. 정직한 소녀 muchacha *f* honrada. 정직하게 말하면 francamente dicho, hablando con franquequeza, hablando honradamente. 정직하게 살아가다 ganarse la vida honradamente. 정직한 얼굴을 하다 tener (una) cara de ser honrado. 그는 정직한 사람이다 El es un hombre honrado. 그는 정직하게 행동했다 El actuó de manara honrada. 정직함은 최선의 정책이다 La mayor política es honradez / El mejor camino, el recto / Lo mejor es ser franco.

정직히 honradamente, honestamente, de manera honrada; [솔직히] francamente, sinceramente. ~ 말하다 hablar honradamente.

정진(精進) ① [전심] asiduidad *f*, concentración *f* de corazón. ② [종교상의] devoción *f*, purificación *f* religiosa. ③ [몸을 깨끗이 하고 마음을 가다듬음] purificación *f*. ~하다 aplicarse, purificarse.

정질(晶質) 【화학】 cristaloide *m*.

정집(精-) =정소(精巢).

정차(停車) parada *f*. ~하다 parar(se). 2분(二分) ~ parada *f* de dos minutos.

■~ 금지 ((게시)) Prohibido parar / Se prohíbe parar / No pare / No parar. ~장(場) parada *f*, estación *f*.

정차다(情-) [매우 정답다] (ser) muy amigable, íntimo, amistoso.

정착(定着) ① [한곳에 자리 잡아 떠나지 않음] fijación *f*. ~하다 fijarse, establecerse firmemente, echar raíces, instalarse, asentarse, fijar *su* residencia, arraigarse. 한곳에 ~하지 못한 사람 culo *m* de mal asiento. 시골에 ~하다 instalarse [establecerse] en el campo. 민주주의 제도를 ~시키다 arraigar el sistema democrático. 민주주의는 아직 많은 국가에서 ~되어 있지 않다 La democracia aún no ha echado raíces profundas en muchos países. ② [고착하여 쉬 떨어지지 않음] fijación *f*. ~하다 fijarse. ③ 【사진】 fijación *f*, fijado *m*. ~하다 fijar, virar. ④ 【미술】 fijación *f*. ~하다 fijar.

■~물 elemento *m* de la instalación. ~생활 vida *f* fijada. ~액(液) 【사진】 fijador *m*, virador *m*, solución *f* fijante. ~ 재료 【사진】 fijador *m*. ~지 tierra *f* fijada.

정찬(正餐) comida *f* formal.

정찰(正札) etiqueta *f* [marbete *m*] de precio, marca *f* del precio fijo, marbete *m* de un solo precio; [가격] precio *m* fijo. ~을 붙이다 poner la etiqueta del precio (a). ~을 떼다 quitar la etiqueta del precio (a). ~로 팔다 vender a precio fijo. ~이 붙은 상품(商品) mercadería *f* de precio fijo.

■~ 가격 precio *m* fijo. ~제 sistema *m* de precio fijo. ~ 판매(販賣) venta *f* a precio fijo.

정찰(偵察) reconocimiento *m*, exploración *f*. ~하다 reconocer, hacer un reconocimiento, explorar. ~하러 가다 ir de reconocimiento. 적정(敵情)을 ~하다 sondear el enemigo. 지상(地上)을 ~하다 reconocer el terreno, hacer un reconocimiento del terreno. ◆공중(空中) ~ reconocimiento *m* aéreo. 지상(地上) ~ reconocimiento *m* del terreno.

■~기(機) avión *m* de reconocimiento, aeroplano *m* de exploración. ~대 cuerpo *m* de exploración, destacamento *m* explorador. ~병 explorador, -dora *mf*; escucha *mf*. ~ 부대 patrulla *f* de reconocimiento, avanzada *f*. ~ 비행(飛行) vuelo *m* de exploración, vuelo *m* de reconocimiento. ~ 순양함 crucero *m* de reconocimiento. ~ 위성 satélite *m* de reconocimiento. ~ 임무 misión *f* de reconocimiento, deberes *mpl* exploradores. ~자 explorador, -dora *mf*. ~ 장치 equipo *m* de reconocimiento. ~전 escaramuza *f* de reconocimiento. ~ 차량 vehículo *m* de reconocimiento. ~ 함대(艦隊) barco *m* explorador.

정찰(淨刹) ((불교)) tierra *f* de Buda.

정찰(精察) inspección *f* detallada, examen *m* detallado.

정책(政策) política *f*. ~을 수립하다 estructurar [formular] un programa político [una línea política]. 교육에 관한 우리의 ~ nuestra política en materia de [en cuanto a] educación. 미국의 대한(對韓) ~ política *f* de los Estados Unidos de América para con Corea. 그들은 중립(中立) ~을 채택했다 Ellos adoptaron una política de neutralidad. 그 나라는 외교 ~을 바꾸었다 Ese país ha cambiado su política exterior. 인플레를 축소시키는 것이 정부의 ~이다 La reducción de la inflación es una de las directrices de la política gubernamental. 이 정부는 임금 ~이 없다 Este gobierno no tiene una política salarial [de salarios].

◆경제(經濟) ~ política *f* económica. 공업(工業) ~ política *f* industrial. 과학(科學) ~ política *f* científica. 관세(關稅) ~ política *f* aduanera, política *f* arancelaria. 교육(敎育) ~ política *f* educativa. 긴축(緊縮) ~ política *f* de austeridad. 농업(農業) ~ política *f* agrícola. 단기(短期) ~ política *f* a corto plazo. 대내(對內) ~ política *f* interior, política *f* doméstica. 대내외(對內外) ~ política *f* interior y exterior. 대외(對外) ~ política *f* extranjera, política *f* exterior. 대외 원조(對外援助) ~ política *f* de ayuda [asistencia] exterior. 무역(貿易) ~ política *f* de comercio exterior, política *f* comercial. 문호 개방(門戶開放) ~ política *f* de puerta(s) abierta(s). 문화(文化) ~ política *f* cultural. 반식민지 ~ política *f* anticolonial. 사회(社會) ~ política *f* social. 산업(産業) ~ política *f* industrial. 상업(商業) ~ política *f* comercial. 선린(善隣) ~ política *f* de buena vecindad. 식민지(植民地) ~ política *f* colonial. 신용(信用) ~ política *f* crediticia. 예산(豫算) ~ política *f* presupuestaria. 외교(外交) ~ política *f* diplomática. 외자(外資) ~ política *f* de tratamiento a los capitales extranjeros. 인플레 억제 ~ política *f* para suprimir de inflación. 장기(長期) ~ política *f* a largo plazo. 주택(住宅) ~ política *f* de viviendas. 통일(統一) ~ política *f* de la unificación. 환경(環境) ~ política *f* ambiental, política *f* del medio ambiente.

■~ 강령 plataforma *f*. ~ 결정 decisión *f* política. ~ 결정 회의 conferencia *f* política. ~ 금융 finanzas *fpl* políticas. ~논쟁 discusión *f* política, riña *f* política. ~ 위원회 comisión *f* (de) política, comité *m* político, consejo *m* político, junta *f* política. ~ 입안 formulación *f* de la política (a seguir por un partido, comité etc.). ~ 입안자 encargado, -da *mf* [responsable *mf*] de formular la política (de un partido, comité etc.). ~적 político. ¶~으로 políticamente. ~ 전환 cambio *m* de política. ~ 집단(集團) grupo *m* político. ~ 협정 acuerdo *m* político, acuerdo *m* sobre las políticas. ~ 획정 formulación *f* de la política.

정처(正妻) esposa *f* legítima.

정처(定處) lugar *m* fijo, sitio *m* fijo, rumbo *m* fijo. ~ 없이 a la ventura, sin rumbo fijo, a la deriva. ~ 없이 헤매다 deambular, vagar, andar sin rumbo fijo.

정철(正鐵) hierro *m* forjado.

정철(精鐵) hierro *m* refinado.

정청(政廳) oficina *f* gubernamental, oficina *f* del gobierno, ayuntamiento *m* municipal.

정체(正體) ser *m*, figura *f* verdadera; [본성(本性)] carácter *m* verdadero, verdadero carácter *m*. ~를 알 수 없는 misterioso, enigmático, ininteligible; [기묘한] extraño; [신분을 알 수 없는] de linaje dudoso. ~를 나타내다 revelar *su* verdadero carácter, enseñar la oreja. ~를 잡다 penetrar el verdadero carácter [ser], ir a llegar a fondo de un asunto. ~를 폭로(暴露)하다 descubrir el verdadero carácter (de), quitar*le* a *uno* la máscara, desenmascarar (a), exponerse. 그는 ~를 드러냈다 El ha revelado su verdadera figura [su verdadero carácter] / El se ha mostrado en su verdadero ser / El ha revelado lo que es en realidad.

■~불명(不明) lo anómalo, lo no descrito, lo extraño. ¶~의 anómalo, no descrito, extraño, enigmático. ~의 사내 hombre *m* no descrito, ~의 여인 mujer *f* extraña. ~의 인물 hombre *m* de dos caras, animal *m* indefinible.

정체(政體) régimen *m*, sistema *m* de gobierno. ~를 변경하다 cambiar el sistema de gobierno.

◆공화(共和) ~ régimen *m* republicano. 군주(君主) ~ monarquía *f*. 민주(民主) ~ democracia *f*. 입헌(立憲) ~ régimen *m* constitucional. 입헌 군주(立憲君主) ~ monarquía *f* constitucional. 전제(專制) ~ forma *f* de gobierno dictatorial. 절대 군주(絶對君主) ~ monarquía *f* absoluta.

정체(停滯) estancamiento *m*, estancación *f*, detención *f*, parada *f*, retardación *f*, paralización *f* de los negocios; [교통의] congestión *f*, [사람의] abarrotamiento *m*; [산적] acumulación *f*, [소화 불량] indigestión *f*, [지불의] declive *m* a atrasos. ~하다 estancarse, detenerse, amontonarse, retardarse. 거래가 ~되고 있다 Los negocios están estancados / Los negocios permanecen inactivos. 화물이 ~되고 있다 Las mercaderías quedan.

◆교통(交通) ~ congestión *f* (del tráfico).

■~ 전선(前線) frente *m* ocluido.

정초(正初) principio(s) *m(pl)* de enero. ~에 al prinicipio de enero, a principios de enero.

정초(定礎) piedra *f* de la esquina.

■~식 colocación *f* de piedras de la esquina.

정추(精麤) la precisión y la tosquedad.

정축(丁丑)【민속】*cheongchuk*, decimocuarto período binario del ciclo sexagenario.

정출(晶出) cristalización *f*.

정충(精蟲)【생물】=정자(精子)(zoospermo).

정충하다(貞忠-) (ser) fiel, leal.

정취(情趣) humor *m*, encanto *m*, gracia *f*, fluidez *f*; [기분] modo *m*, atmósfera *f*; [느낌] sentimiento *m*; [아치] efecto *m* artístico. 서울의 ~ atmósfera *f* de Seúl. 미(美)의 ~를 알다 tener sensibilidad estética, tener sentido profundo de la belleza.
◆이국(異國)~ exorcismo *m*, humor *m* exótico.

정치(定置) fijación *f*.
■~망 red *f* fija. ~ 어업 pesca *f* de red fija.

정치(政治) política *f*, gobierno *m*. ~의 político. ~의 빈곤 política *f* pobre, pobreza *f* de la política. ~를 논하다 hablar [discutir] de política. ~에 관계하다 ocuparse en política. ~에 입문(入門)하다 dedicarse a la política, meterse en política. ~에 빠지다 politiquear. ~ 형태를 바로잡다 restablecer la moralidad política. 나는 ~에 별로 관심이 없다 No me interesa mucho a la política.
◆과두(寡頭) ~ oligarquía *f*. 관료(官僚) ~ burocracia *f*. 국내(國內) ~ política *f* nacional. 국제(國際) ~ política *f* internacional. 금권(金權) ~ plutocracia *f*. 독재(獨裁) ~ gobierno *m* despótico. 보스 ~ caciquismo *m*. 서민(庶民) ~ oclocracia *f*. 우민(愚民) ~ oclocracia *f*. 정당(政黨) ~ política *f* de partido. 혁신(革新) ~ política *f* reformista.
■~가(家) político, -ca *mf*, estadista *mf*, hombre *m* de estado; [사이비 정치가] politicastro, -ca *mf*. ¶보스 ~ cacique *m*, caudillo *m*. 선동(煽動) ~ demagogo, -ga *mf*. 직업 ~ politicastro *m* profesional, paniaguado *m* en la cacique político. ~ 결사 sociedad *f* política, asociación *f* política, organización *f* política. ~ 경제학 economía *f* política. ~ 경찰 policía *f* política. ~계(界) mundo *m* político, círculos *mpl* políticos. ~ 공작 maniobra *f* política. ~과 departamento *m* [curso *m*] de la ciencia política. ~광(狂) maniaco *m* [maníaco *m*] político, maniaca *f* [maníaca *f*] política. ~ 교육 educación *f* política. ~국(局) [소련 공산당의] politburó *m*. ~권(圈) ámbito *m* [campo *m*] político, esfera *f* política. ~ 권력 autoridad *f* política, poder *m* político. ~ 기관 órgano *m* del gobierno. ~ 기구(機構) estructura *f* política, cuerpo *m* político. ~ 기자(記者) periodista *mf* especializado en política; redactor *m* político, redactora *f* política. ~ 깡패 matón *m* (*pl* matones) político, bravucón *m* (*pl* bravucones) político, gorila *m* política. ~ 단체(團體) organización *f* política, cuerpo *m* político, sociedad *f* política, asociación *f* política, agrupación *f* política. ~ 도덕 moralidad *f* política. ~란(欄) columnas *fpl* políticas. ~력 influencia *f* política. ~면(面) página *f* política, columna *f* política. ~ 문제(問題) problema *m* político. ~범(犯) criminal *m* político, criminal *f* política. ~부(部) departamento *m* político. ~ 불신 desconfianza *f* de la política. ~사(史) historia *f* de la política. ~ 사상(思想) ideas *fpl* políticas. ~ 사찰 vigilancia *f* política. ~ 사회 ㉮ sociedad *f* política. ㉯ =정치계. ~색 color *m* político. ¶~이 있는 apolítico. ~이 없다 carecer de color político. 이 신문은 ~이 없다 Este periódico carece de color político. ~ 생명 vida *f* política. ~ 생활 carrera *f* [vida *f*] política. ~ 소설 novela *f* política. ~ 수완 arte *m* de gobernar. ~ 스트라이크 huelga *f* política. ~ 연감(年鑑) anuario *m* de la política. ~열 fiebra *f* política. ~ 운동 campaña *f* política, movimiento *m* político. ~ 의식 consciencia *f* política. ~ 이론가 politólogo, -ga *mf*, politicólogo, -ga *mf*. ~인 =정치가. ~ 자금 fondos *mpl* políticos, fondos *mpl* para actividades políticas. ~ 자금 규제법 ley *f* de regulación de fondos para actividades políticas, ley *f* de control de fondos políticos. ~적 político.¶~으로 políticamente. ~으로 해결하다 resolver políticamente. 그는 ~ 수완이 뛰어나다 El es un buen político. 파업(罷業)은 분명히 ~이다 Es obvio que esta huelga obedece a motivos políticos. ~적 권리 derechos *mpl* políticos. ~적 무관심 indiferencia *f* política. ~적 보호 [망명자에 대한] asilo *m* político. ~적 조직체 [국가 조직] sistema *m* de gobierno. ~적 책임 responsabilidad *f* política. ~ 정화(淨化) purificación *f* política. ~ 조직 [한 나라의] sistema *m* político; [개인의] organización *f* política. ~ 지리학 geografía *f* política. ~ 차관 préstamo *m* político. ~ 철학 filosofía *f* política. ~ 체제(體制) sistema *m* político, organización *f* [estructura *f*] política. ~ 캐리어 carrera *f* política. ~ 테러 terrorismo *m* político. ~ 투쟁 lucha *f* política. ~ 평론가 publicista *mf*, comentarista *mf* de política. ~학(學) ciencias *fpl* políticas, política *f*, politología *f*. ~학자 politólogo, -ga *mf*, cientista *m* político, cientista *f* política. ~ 행위(行爲) acción *f* política. ~ 헌금 contribución *f* de fondos políticos; [정당의] contribución *f* a un partido político. ~ 혁명(革命) revolución *f* política. ~ 협상(協商) negociaciones *fpl* políticas. ~화(化) politización *f*. ¶~하다 politizar. ~되다 politizarse. ~ 활동(活動) actividades *fpl* políticas, politiqueo *m*, politiquería *f*.

정치(情致) =정취(情趣).

정치(情癡) amor *m* loco, pasión *f* ciega, celos *mpl*. ~에 빠지다 entregarse a los placeres sensuales.

정치망(定置網) perchel *m*.
■~ 어장(漁場) perchero *m*. ~ 후릿그물 perchel *m*.

정치하다(精緻－) (ser) exquisito, primoroso, excelente, fino. 정치함 primor *m*, delicadez *f*, excelencia *f*. 정치한 기계 máquina *f* delicada.

정칙(正則) sistema *m* regular, regularidad *f*, normalidad *f*. ～의 regular, formal, correcto; [조직적] propiamente sistemático.
정칙(定則) regla *f* establecida, ley *f* fija.
정크(영 *junk*) [배의 일종] junco *m*.
정탐(偵探) espionaje *m*. ～하다 espiar. 그는 그들을 자주 ～했다 El solía espiarlos.
■～꾼 espía *mf*; detective *m* secreto, detective *f* secreta.
정태(靜態) estancamiento *m*. ～의, ～적 estacionario, estacional, estático, estacionado.
■～ 경제(經濟) economía *f* estática. ～ 통계 estadística *f* estática.
정토(征討) subyugación *f*, sometimiento *m*. ～하다 subyugar, conquistar, someter.
정토(淨土) Tierra *f* Pura, Paraíso *m* del Oeste presidido por *Amitābha*, paraíso *m*, morada *f* celeste, tierra *f* santa, tierra *f* prometida, tierra *f* de promisión.
■～교(敎) religión *f* de paraíso. ～종(宗) secta *f* de la Tierra Pura, secta *f* de paraíso.
정통(正統) legitimidad *f*. ～의 legítimo, castizo, de pura cepa. 그는 ～ 서울 사람이다 El es un seulense de pura cepa / El es un seulense castizo.
■～극 drama *m* legítimo. ～적 ortodoxo; [합법적] legítimo. ¶～ 의견 opinión *f* ortodoxa. ～주의 legitimismo *m*. ～주의자 legitimista *mf*. ～파 escuela *f* ortodoxa, ortodoxia *f*; [사람] ortodoxo, -xa *mf*. ～ 학파 escuela *f* ortodoxa.
정통(精通) conocimiento *m* hondo [profundo · completo]. ～하다 (ser) verso, docto, versarse (en), tener perfecto conocimiento (de), estar muy al corriente, estar al tanto (de), ser un entendido (en · de), entender, saber al dedillo, ser conocedor (de). ～하게 doctamente. ～한 사람 docto, -ta *mf*. 경제에 ～한 사람 docto, -ta *mf* en economía. 서반아어에 ～한 한국인 coreano *m* muy versado [coreana *f* muy versada] en el español. 그림에 ～하다 ser versado en pintura. 문학에 ～하다 ser docto [(muy) verso] en la literatura, versarse en la literatura. 수학에 ～하다 ser versado en matemáticas. 정치에 ～하다 versarse en la política. 국제 정치에 ～하다 conocer bien la política internacional, estar muy al corriente de la política internacional.
정퇴(停退) aplazamiento *m*, *AmL* postergación *f*. ～하다 aplazar, posponer, *AmL* postergar.
정파(政派) grupo *m*, camarilla *f*.
정판(精版) =오프셋 인쇄.
정판(整版) 【인쇄】 recomposición *f*. ～하다 recomponer.
정평(正評) crítica *f* pertinente.
정평(定評) reputación *f* (fija · establecida), fama *f*, opinión *f* establecida. ～ 있는 de fama, reputado, famoso, reconocido, admitido, concedido. ～ 있는 작품(作品) obra *f* de teatro de fama. 그는 ～이 있는 비평가이다 El es un crítico de reputación establecida. 그의 작품은 세상에 ～이 있다 El mundo reconoce ya el valor de su obra.
정풍(整風) rectificación *f*.
■～ 운동 movimiento *m* de rectificación.
정하다(呈－) presentar.
정하다(定－) [결정하다] decidir, determinar, fijar; [결심하다] decidir + *inf*, determinar + *inf*, decidirse a + *inf*, determinarse a + *inf*; [협정하다] acordar, arreglar; [선정하다] elegir; [지정하다] nombrar, asignar. 규칙(規則)을 ～ fijar [establecer] reglas. 날짜를 ～ fijar la fecha. 승부를 ～ decidir el partido, decidir la batalla. 안건(案件)을 ～ decidir el asunto, decidir el negocio. 의장(議長)을 ～ elegir presidente. …할 것을 마음에 ～ propnerse + *inf*, decidir + *inf*; [상태] estar determinado a + *inf*. 그들은 가지 않기로 정했다 Ellos decidieron no ir.
정해지다 fijarse, determinarse, decidirse. 정해진 determinado, decidido, fijado. 정해진 목적 objeto *m* determinado. 정해진 수입 ingresos *mpl* fijos. 정해진 시간에 a la hora fijada. 회의에서 정해진 사항 lo (que se ha) decidido en la reunión. 취직(就職)이 ～ obtener un empleo, obtener una colocación.
정하다(淨－) (ser) claro y limpio.
정하다(精－) no ser basto [áspero · grueso]
정학(停學) expulsión *f* temporal de la escuela, suspensión *f* de asistir a la escuela. ～을 명령하다 mandar a un estudiante que no asista a la escuela. ～ 처분에 처하다 expulsar temporalmente de la escuela. 그는 2주일의 ～ 처분을 받았다 El se vio expulsado de la escuela durante dos semanas.
정한(定限) limitación *f*, restricción *f*, tiempo *m* limitado, período *m* de tiempo definido, límite *m* fijo, límite *m*..
정한하다(精悍－) (ser) intrépido, impávido, viril.
정해(丁亥) 【민속】 *cheonghae*, vigesimocuarto período binario del ciclo sexagenario.
정해(正解) contestación *f* correcta, solución *f* correcta, respuesta *f* exacta, entendimiento *m*. ～하다 contestar [descifrar] correctamente, dar una contestación correcta. ～를 발견하다 encontrar la solución correcta.
■～자(者) el [la] que da la respuesta exacta; descifrador *m* correcto, descifradora *f* correcta.
정해(精解) solución *f* [interpretación *f*] precisa [exacta]. ～하다 solver [interpretar] precisamente [exactamente].
정향(丁香) capullo *m* secado del giroflé.
■～나무 【식물】 giroflé *m*, clavero *m*. ～유(油) aceite *m* de giroflé.
정향 진화(定向進化) 【생물】 ortogénesis *f*.
정현(正弦) 【수학】 seno *m* (recto).
■～ 곡선(曲線) curva *f* sinoidal. ～ 법칙(法則) ley *f* de seno. ～파 onda *f* senoidal.
정혈(精血) sangre *f* fresca.

정형(正刑) pena *f* capital, pena *f* de muerte.

정형(定形) forma *f* fija, figura *f* regular, tipo *m* fijo, tipo *m* regular. ~ 없이 sin forma fija, amorfo, informe, anómalo, disforme.

정형(定型) forma *f* fija, metro *m* fijo, figura *f* regular, principios *mpl*.
■ ~시(詩) poema *m* de forma fija, verso *m* de metro fijo.

정형(整形) 【의학】 ortopedia *f*, operación *f* plástica.
■ ~ 미용 cirugía *f* plástica cosmética. ~ 병원(病院) hospital *m* ortopédico. ~ 수술 operación *f* plástica, tratamiento *m* ortopédico. ¶~을 하다 hacer una operación ortopédica, apelar a la ortopedia. ~술(術) ortopedia *f*, ortomorfia *f*. ~외과 ortopedia *f*, cirugía *f* ortopédica. ¶미용 ~ cirugía *f* estética. ~외과 의사(外科醫師) ortopedista *mf*, cirujano *m* ortopédico, cirujana *f* ortopédica. ~외과학 ortopédica *f*.

정혼(定婚) esponsales *mpl*, compromiso *m* (matrimonial). ~하다 prometer en matrimonio. 그들은 ~을 파기했다 Ellos han roto su compromiso.

정혼(精魂) el alma *f*, espíritu *m*.

정화(正貨) metálico *m*, moneda *f* corriente, dinero *m* en circulación. ~로 en metálico. ~로 지불하다 pagar en metálico.
■ ~ 수송점(輸送點) punto *m* oro, puntos *mpl* numéricos. ~ 유입 afluencia *f* de efectivos. ~ 유출 efusión *f* de efectivos. ~ 준비 reservas *fpl* de oro (efectivas), encaje *m* de oro. ~ 준비고 reservas *fpl* de oro.

정화(淨火) fuego *m* sagrado.

정화(淨化) purificación *f*, depuración *f*, limpieza *f*. ~하다 purificar, depurar, limpiar.
◆국어(國語) ~ purismo *m*.
■ ~법(法) método *m* catártico. ~성(性) lo depurativo. ~ 장치 depurador *m*, aparato *m* para depurar, instalación *f* para la purificación. ¶음료수 ~ instalación *f* para la purificación de agua potable. ~제 depurante *m*. ~조 purificador *m*.

정화(情火) =정염(情炎)(pasión).

정화(情話) cuento *m* amoroso, el habla *f* de queridos.

정화(精華) esencia *f*, flor *f* y nata, gloria *f*. 기사도(騎士道)의 ~ flor *f* de la caballería.

정화수(井華水) *cheonghwasu*, el agua *f* sacada del pozo al amanecer.

정확(正確) exactitud *f*, precisión *f*, puntualidad *f*, certeza *f*. ~하다 (ser) correcto, exacto, justo, puntual, preciso, cierto. ~하지 않은 incorrecto, inexacto. ~한 답(答) respuesta *f* exacta. ~한 문장(文章) oración *f* correcta. ~한 발음 pronunciación *f* correcta. ~한 서반아어 español *m* correcto, buen español *m*. ~한 시간 hora *f* exacta, hora *f* puntual. ~한 저울 balanza *f* de precisión. ~한 지도(地圖) mapa *m* exacto. ~한 생활을 하다 llevar una vida ordenada. 시간에 ~하다 ser puntual. 보도에 ~을 기하다 tratar de ser exacto en las informaciones. 이 시계는 ~하다 Este reloj indica la hora exacta / Este reloj es exacto.
정확히 correctamente, exactamente, con exactitud, con precisión, en punto, a punto fijo, regularmente, puntualmente. 더 ~ 말하면 para ser exacto, dicho con más precisión. ~ 규칙(規則)을 지키다 observar [obedecer] las reglas exactamente [a la letra]. ~ 발음하다 pronunciar correctamente. ~ 서다 ponerse bien (de pie), ponerse de pie firmemente. ~ 시간을 지키다 guardar la hora puntualmente [con exactitud]. ~ 일을 하다 trabajar concienzudamente. ~ 지불하다 pagar puntualmente. ~는 모르다 no saber a punto fijo. 삼촌이 돌아가신 지 오늘이 ~ 열하루째입니다 Hace hoy once días justos que murió el tío. 나는 그 소문을 ~ 알고 있다 Conozco perfectamente ese rumor.
■ ~성(性) exactitud *f*, puntualidad *f*, certeza *f*.

정확(鼎鑊) olla *f* grande que mató a los criminales hirviéndolos.

정확(精確) precisión *f*, exactitud *f*. ~하다 (ser) preciso, exacto. ~한 지도(地圖) mapa *m* exacto.

정황(政況) situación *f* política.

정황(情況) situación *f*, circunstancia *f*, condición *f*, estado *m* de negocios, estado *m* de (las) cosas. 현재의 ~ situación *f* presente, apariencia *f* presente, vista *f*. 현재의 ~으로는 en las circunstancias actuales, en la situación presente.
■ ~ 증거(證據) evidencia *f* circunstancial, prueba *f* indicadora, indicios *mpl* vehementes.

정회(停會) ① [회의를 정지함] suspensión *f* de una reunión. ~하다 suspender una reunión. ② [국회의 개회 중, 그 활동을 정지함] suspensión *f* de sesiones del parlamento. ~하다 suspender algunas sesiones del parlamento.

정회(情懷) recuerdo *m* cariñoso, recuerdo *m* afectuoso, hermoso recuerdo *m*. 나는 어린 시절에 대한 ~를 가지고 있다 Tengo hermosos recuerdos de mi infancia.

정회원(正會員) miembro *mf* regular.

정훈(政訓) 【군사】 información *f* y educación de tropas.
■ ~ 요원(要員) personal *m* de información y educación de tropas.

정휴일(定休日) [근무자 등의] día *m* de descanso regular; [상점 등의] día *m* feriado de comercio, día *m* de cierre regular. ~이 바뀌었다 Los días del cierre regular han cambiado. 당점(當店)은 월요일이 ~입니다 Nuestra tienda cierra los lunes.

정히(正一) exactamente, verdaderamente, realmente, justamente, debidamente, precisamente, puntualmente. ~ 영수함 He recibido debidamente.

젖 ① [분만 후에 유선(乳腺)에서 분비되는 뿌연 액체] leche *f*; [모유(母乳)] leche *f* de madre. 소의 ~ leche *f* (de vaca). 양(羊)의 ~ leche *f* de oveja. 염소의 ~ leche *f* de cabra. ~ 짜는 도구 sacaleches *m.sing.pl.* ~ 짜는 남자 lechero *m*. ~ 짜는 여자(女子) lechera *f*, ordeñadora *f*. ~을 떼다 destetar. ~을 빨다 mamar, ordeñar. ~을 짜다 ordeñar. ~을 먹이다 dar el pecho, amamantar, dar de mamar. 어린이에게 ~을 먹이다 dar de mamar a un niño, dar (la) teta a un niño, dar el pecho a un niño, amamantar a un niño. ~이 나오지 않는다 Se retira la leche. ② =유방(乳房). ③ [식물의 줄기나 잎에서 나오는 희고 끈끈한 진] leche *f*.

젖가슴 pecho *m*, busto *m*.

젖감질(-疳疾) enfermedad *f* del lactante causada por la falta de leche.

젖꼭지 ① 【해부】 papila *f*, mamila *f*, teta *f*, pezón *m* (*pl* pezones); [남자의] tetilla *f*. ~의 mamilar, papilar. ~ 모양의 papilar. 아이에게 ~를 물리다 dar la teta [la mama] al nene. ② [젖병의 고무 젖꼭지] tetina *f*, *Méj* chupón *m* (*pl* chupones), *CoS* chupete *m*, *Col* chupo *m*.

젖꽃판 【해부】 aréola *f*. ~의 areolar.

젖내 olor *m* a leche. ~가 나다 oler a leche. ~가 나는 que huele a leche.

◆젖내(가) 나다 [하는 짓이나 말이 유치하다] todavía ser lactante, estar en pañales, ser infantil, ser pueril, mocoso. 젖내 나는 소녀 chica *f* que está en pañales [en mantillas]. 그녀는 아직 젖내가 난다 Ella acaba de salir del cascarón.

젖니 diente *m* de leche.

젖다[1] [뒤로 기울어지다] inclinarse atrás.

젖다[2] ① [물이 묻어 축축하게 되다] mojarse, humedecerse, calarse, empaparse (en). 젖은 mojado, húmedo. 젖기 쉬운 fácil de humedecerse. 젖은 땅 tierra *f* húmeda. 젖은 옷 traje *m* mojado. 눈물에 젖은 눈 ojos *mpl* humedecidos de lágrimas. 흠뻑 ~ empaparse, quedarse empapado. 흠뻑 젖어 있다 estar calado hasta los huesos. 옷이 젖었다 El traje está mojado. 책이 비에 젖었다 Se me ha mojado el libro con la lluvia. 비에 옷이 젖는다 La lluvia cala [(se) empapa en] los vestidos. 그녀는 슬픔으로 목소리가 젖어 있었다 Ella tenía la voz ahogada por el dolor. ② [무슨 일이 버릇이 되다] contraer. 악습(惡習)에 ~ contraer [adquirir] malos hábitos. ③ [귀에 익다] oír, resonar en *sus* oídos. 그들의 외침은 귀에 젖어 있었다 Todavía oíamos sus gritos / Sus gritos aún resonaban en nuestros oídos.

젖당(-糖) láctina *f*, lactosa *f*.

젖동생(-同生) hermano *m* adoptivo, hermana *f* adoptiva.

젖떨어지다 ser destetado. 젖떨어진 어린애 niño *m* destetado, niña *f* destetada. 젖떨어진 동물 animal *m* destetado.

젖떼기 ① [젖뗄 때가 된 아이나 짐승] niño, -ña *mf* [animal *m*] del período de destete. ② [이유(離乳)] destete *m*.

젖 떼다 destetar. 젖뗀 어린애 niño *m* destetado, niña *f* destetada.

젖뜨리다 ¶몸을 ~ sacar [abultar] el pecho. 몸을 젖뜨리고 걷다 contonearse, pavonearse, andar contoneándose, andar con paso jactancioso.

젖먹이 bebé *m*; niño, -ña *mf* de pecho; niño *m* recién nacido, niña *f* recién nacida; infante *m*, infanta *f*, nene, -na *mf*, *AmS* guagua *f*.

젖멍울 ① =젖샘. ② [젖에 서는 멍울] mastitis *f*. ~이 서다 sufrir de mastitis.

젖몸살 mastitis *f*. ~을 앓다 sufrir de mastitis.

젖배 vientre *m* que mama el nene.

◆젖배(를) 곯다 el nene no mama hasta darse un hartazgo [hasta hartarse]

젖병(-甁) biberón *m* (*pl* biberones).

젖부들기 carne *f* de la ubre (de un animal).

젖비린내 ① [젖에서 풍기는 비린내] olor *m* a leche. ~가 나다 oler a leche. ② [유치한 느낌] puerilidad *f*.

◆젖비린내(가) 나다 (ser) pueril, infantil.

젖빛 color *m* lechoso, color *m* blanco como la leche. ~의 lechoso, blanco como la leche. ~ 유리 vidrio *m* lechoso.

젖산(-酸) 【화학】 ácido *m* láctico.

■~균(菌) 【식물】 bacilo *m* láctico, bacteria *f* láctica. ~ 발효 fermento *m* láctico. ~ 음료 bebida *f* [fresco *m*] a base de fermento láctico.

젖샘 【해부】 glándula *f* mamaria.

젖소 vaca *f* lechera.

젖양(-羊) oveja *f* lechera.

젖어머니 nodriza *f*, el ama *f* (*pl* las amas) de cría, el ama *f* de leche..

젖털 pelo *m* alrededor de la aréola.

젖퉁 =젖퉁이. ¶~이 큰 여인 mujer *f* con pinta de ordinaria. ~이 큰 소녀 chica *f* con mucho busto, chica *f* muy pechugoga.

젖퉁이 pecho *m*. ☞유방(乳房)

젖혀 놓다 ① [뒤집어 놓다] poner al revés. ② [제외시키거나 뒤로 밀어 놓다] [방치하다] dejar a un lado; [무시하다] desatender (a), no hacer caso (de). 그는 나를 젖혀 놓고 계획을 진행했다 El llevó adelante el proyecto sin contar conmigo.

젖히다 inclinar, echar, encorvar, torcer, doblar. 뒤로 ~ arquear, encorvar, doblar. 몸을 ~ enderezarse. 머리를 ~ inclinar [echar] la cabeza. 가슴을 뒤로 ~ arquear el pecho; [가슴을 부풀리다] inflar el pecho. 몸을 뒤로 ~ arquearse, echar el busto hacia atrás, arquear el busto [el tronco]. 모자를 뒤로 젖혀 쓰다 ponerse la gorra [el sombrero] para atrás (de la cabeza). 머리를 뒤로 젖히십시오 Incline [Eche] la cabeza hacia atrás.

제[1] ① [「나」의 낮춤말인「저」의 특별히 변한 말] yo. ~가 하겠습니다 Yo lo haré. ~

가 찾아뵙겠습니다 Yo le visitaré a usted / Yo voy a su casa [a su oficina]. ~가 다녀오지요 Yo me voy. ② [「자기」의 낮춤말인「저」의 특별히 변한 말] él, ella. ③ [「나의」의 낮춤말인「저의」의 준말] mi, mío. ~ 생각은 이렇습니다 Mi parecer es así. 이 사람이 ~ 아냅니다 Esta es mi esposa. ~ 집 꿀이 제일 달다 ((서반아 속담)) La miel de mi casa, es la más dulce. ~ 눈으로 본 (증인) 한 사람이 남에게 들어 백 명보다 낫다 ((서반아 속담)) Más vale un testigo de vista que ciento de oídas. ④ [「자기」의 낮춤말인「저의」의 준말] su, de él, de ella.

제² ((준말)) =저기(allí). ¶그놈이 ~ 있구먼 Ese tipo está allí.

제³ [적에] cuando, al + *inf.* 해돋을 ~ 왔다 Yo vine cuando salía el sol / Yo vine al salir el sol. 날이 밝을 ~ 오너라 Ven al amanecer.

제(祭) =제사(祭祀).

제(諸) [모든] todo. ~ 단체(團體) todas las asociaciones. ~ 문제(問題) todos los problemas.

제(題) ① ((준말)) =제목(題目). ② ((준말)) =제사(題詞).

제(劑) 【한방】 veinte bolsas de la medicina para la cocción.

제-(第) número *m*, Nº. ~일과 la lección una, la lección primera. ~5조 ~2항 el artículo quinto, la cláusula segunda. ~9교향곡 la novena sinfonía.

-제(制) [제도] sistema *m*. 양원(兩院)~ sistema *m* bicameral, bicameralismo *m*. 대통령(大統領)~ républica *f* presidencial.

-제(祭) [제사] servicio *m* religioso; [축제] fiesta *f*. 예술~ fiesta *f* de artes. 위령~ honras *fpl* fúnebres, oficios *mpl* para el descanso del alma de un difunto.

-제(製) manufactura *f*, fabricación *f*, hecho *adj*. 외국~ fabricación *f* extranjera. 미(美) ~ fabricación *f* estadounidense, hecho en los Estados Unidos de América, *ing* Made in U.S.A. 일(日)~ fabricación *f* japonesa, hecho en el Japón. 한(韓)~ fabricación *f* coreana, hecho en Corea.

-제(劑) medicina *f*, droga *f*, estupefaciente *m*. 소화(消化)~ digestivo *m*. 살충(殺蟲)~ insecticida *f*.

제가(齊家) administración *f* de una familia. ~하다 administrar una familia.

제가(諸家) ① [문내 여러 집안] toda la familia. ② [여러 대가] varios maestros *mpl*. ③ ((준말)) =제자백가(諸子百家).

제가끔 =제각기.

제각(除却) =제거(除去).

제각각(一各各) =제각기.

제각기(一各其) cada uno, respectivamente, separadamente, individualmente, distintamente, a coro. 모두가 ~ 그를 칭찬했다 Todos le aplaudieron a coro.

제감(除減) deducción *f*, resta *f*. ~하다 deducir, restar.

제강(製鋼) manufactura *f* [fabricación *f*] de acero. ~소(所) acería *f*, fábrica *f* de acero.

제거(除去) eliminación *f*, exclusión *f*, remoción *f*, extirpación *f*. ~하다 sacar, quitar, eliminar, suprimir, excluir, remover, extirpar, alejar, omitir. 난소(卵巢)를 ~하다 extirpar los avarios. 독(毒)을 ~하다 quitar el efecto de veneno, neutralizar el veneno. 명부(名簿)에서 이름을 ~하다 omitir [borrar] el nombre de la lista. 방사능(放射能)을 ~하다 eliminar la radiactividad (de). 성가신 사람을 ~하다 suprimir [eliminar] al que molesta. 악폐(惡弊)를 ~하다 suprimir mala costumbre. 장애물(障碍物)을 ~하다 quitar obstáculos.

제겨디디다 ponerse de puntillas, *CoS* ponerse en puntas de pie. 나는 제겨디뎌야 했다 Tuve que ponerme de puntillas [*CoS* en puntas de pie].

제겨차다 dar patadas fuerte.

제격(一格) lo adecuado para *su* posición social. 그녀에게는 한복(韓服)이 ~이다 A ella le sienta perfectamente el vestido tradicional coreano.

제고(提高) levantamiento *m*. ~하다 levantar.

제고장 *su* tierra natal, *su* suelo natal, *su* patria natal. ~의 말[사투리] el habla regional. ~을 자랑하다 alabar [hacer el elogio de] *su* tierra natal. ~ 사투리로 말하다 hablar con el acento propio de *su* provincia.

제골염(蹄骨炎) peditis *f*.

제곱 【수학】 cuadrado *m*, duplicación *f* del mismo número, segunda potencia *f*, potencia *f* de segundo grado. ~하다 cuadrar, duplicarse, multiplicar un número por sí mismo, elevar al cuadrado.

■ ~근(根) raíz *f* cuadrada (√). ~근풀이 extracción *f* de una raíz cuadrada. ~ 단위 unidad *f* cuadrada. ~멱 cuadrado *m*, segunda potencia *f*. ~ 미터 metro *m* cuadrado. ~비 proporción *f* duplicada. ~ 센티미터 centímetro *m* cuadrado (cm^2). ~수 números *mpl* cuadrados. ~ 킬로미터 kilómetro *m* cuadrado (km^2).

제공(提供) ofrecimiento *m*, oferta *f*, proposición *f*, propuesta *f*. ~하다 ofrecer, suministrar, abastecer, proveer, presentar, proponer, poner a disposición. 서비스를 ~하다 ofrecer *sus* servicios. 백만 원을 그에게 ~하다 ofrecerle a él un millón de wones. 정보를 ~하다 suministrar informaciones.

■ ~자(者) donante *mf*. ¶신장 ~ donante *mf* de riñón. 혈액(血液) ~ donante *mf* de sangre. ~자 카드 [혈액·장기 기증자가 휴대하는] tarjeta *f* de donante.

제공권(制空權) supremacía *f* aérea, poder *m* aéreo, dominio *m* aéreo. ~을 장악하다 tener el dominio del aire [el poder aéreo].

제과(製菓) productos *mpl* de confitería., fabricación *f* de confites y pasteles.

■ ~업 industria *f* de confitería. ~업자(業

者) confitero, -ra *mf*; pastelero, -ra *mf*. ~점 confitería *f*, pastelería *f*, repostería *f*, dulcería *f*. ¶빵집 겸 ~ Panadería y Pastelería, *AmL* Panadería y Confitería. ~회사 compañía *f* de confitería.

제관(祭官) ① [제사를 맡은 관원] sacerdote *m*. ② [제사에 참여하는 사람] los que participan en los sacrificios.

제관(祭冠) corona *f* del sacerdote en el servicio religioso.

제관(製罐) fabricación *f* de latas, fabricación *f* de envases de hojalata.
■ ~업(業) industria *f* hojalatera.

제구(制球) control *m* de la pelota, control *m* de la bola.
■ ~력(力) control *m*. ¶~이 없다 faltar el control de la pelota. ~이 있다 tener buen control de la pelota.

제구(祭具) utensilios *mpl* usados en los servicios religiosos.

제구(製具) herramientas *fpl*.

제구(諸具) varios utensilios *mpl*, varios artículos *mpl*.

제구실 *su* función; [의무] *sus* deberes, *su* obligación. ~을 하는 남자 hombre *m* hecho y derecho. 겨우 ~을 하다 desenvolverse en la vida, volar con *sus* propias alas. 그는 입으로만 ~을 한다 El es un hombre solo de palabra.

제구 예술(第九藝術) película *f* sonora, cine *m* sonoro.

제국 sin mentiras, naturalmente, por naturaleza, de un modo natural.

제국(帝國) imperio *m*. ~의 imperial.
■ ~주의 imperialismo *m*. ~주의자 imperialista *mf*.

제국(諸國) diversos países *mpl*, (todos) los países. ~을 유랑(流浪)하다 vagar [vagabundear] por los países.
◆ 발칸 ~ estados *mpl* de la península de los Balcanes. 중남미(中南美) ~ países *mpl* de Centro y Sudamérica.

제군(諸君) caballeros *mpl*, ustedes; [연설의 경우] Damas y caballeros, Señoras y Señores, Señores.

제권(帝權) poder *m* del emperador.

제규(制規) reglas *fpl*, regulamentos *mpl*.

제균(除菌) eliminación *f* del microbio dañoso. ~하다 eliminar el microbio dañoso.

제금 【악기】 *chegum*, címbalo *m* pequeño.

제금(提琴) 【악기】 violín *m* (*pl* violines). ~을 켜다 tocar [tañer] el violín.
■ ~가(家) violinista *mf*.

제기[1] [보통, 엽전을 종이로 싸서 두 끝을 구멍으로 내보내어 갈래갈래 찢어서 이를 많이 차기를 내기하는 장난감. 또, 그 장난] *cheki*, una especie del volante [de la plumilla].

제기[2] ((준말)) =제기랄.

제기(祭器) platos *mpl* usados en los servicios religiosos.

제기(提起) planteamiento *m*. ~하다 proponer. 문제를 ~하다 plantear un problema. 소송을 ~하다 plantear un pleito, entablar un proceso. 의문을 ~하다 plantear una cuestión, presentar una cuestion. 이의(異議)를 ~하다 protestar (contra). 손해 배상 소송(損害賠償訴訟)을 ~하다 plantear un pleito [litigio] contra *uno* los daños recibidos.

제기(製器) manufactura *f* de las vasijas. ~하다 manufacturar las vasijas.

제기다[1] ① ((준말)) =알제기다. ② [있던 자리에서 빠져 달아나다] huir, escapar.

제기다[2] ① [팔꿈치나 발꿈치로 지르다] codear (ligeramente), dar*le* un codazo (a), tocar con la punta del pie. 그들은 서로 제겼다 Se daban codazos. 그녀가 방에 들어올 때 나는 그를 (팔꿈치로) 제겼다 Le codeé (ligeramente) cuando ella entró en la habitación. ② [자귀 따위로 한 번씩 힘을 가볍게 주어 톡톡 깎다] cortar ligeramente repitiendo golpes. ③ [물이나 국물 따위를 조금씩 부어 떨어뜨리다] verter poco a poco.

제기랄 ¡Caray! / ¡Carajo! / *ReD* ¡Coño! / ¡Mierda!

제깐에 =제딴은.

제꺽 =재깍.

제꽃가루받이 【식물】 =자가 수분(自家受粉).

제꽃정받이(一精一) 【식물】 =자가 수정.

제날짜 día *m* vencido, día *m* determinado.

제너레이션(영 *generation*) generación *f*.

제다(製茶) manufactura *f* [fabricación *f*· preparación *f*] de té.
■ ~ 공장 fábrica *f* de té.

제단(祭壇) altar *m*. 주(主) ~ altar *m* mayor.

제당(製糖) producción *f* azucarera, manufactura *f* [fabricación *f*] de azúcar.
■ ~ 공장 azucarera *f*. ~ 기계 maquinaria *f* azucarera. ~소 refinería *f* de azúcar, azucarera *f*, ingenio *m* azucarero; *Chi* central *f* azucarera. ~업(業) industria *f* azucarera. ~업자(業者) fabricante *mf* de azúcar. ~ 회사(會社) compañía *f* azucarera, compañía *f* de fabricación de azúcar.

제대(除隊) [만기의] licencia *f* del servicio militar; [병·사고에 의한] exención *f* por inútil. ~하다 dar de baja del ejército, quedar libre [exento] del servicio militar; [만기로] obtener la licencia, licenciarse.
■ ~병(兵) soldado *m* librado, soldada *f* librada; [만기의] soldado *m* licenciado, soldada *f* licenciada.

제대(梯隊) 【군사】 escalón *m*.

제대(祭臺) ((천주교)) =제단(祭壇).

제대(臍帶) =탯줄(cordón umbilical).

제대로 tal y como está, así como está. 우리는 그것을 ~ 발행할 수 없다 No podemos publicarlo tal y como está / No podemos publicarlo así como está.

제대로근(一筋) 【해부】 músculo *m* involuntario.

제도(制度) sistema *m*, instituciones *fpl*, régimen *m* (*pl* regímenes); [조직] organización *f*. ~를 만들다 establecer un régimen.
■ ~사(史) historia *f* institucional. ~적

institucional. ¶~으로 institucionalmente. ~적 문화 cultura *f* institucional. ~주의 institucionalismo *m*. ~화(化) institución *f*.

제도(製陶) alfarería *f*, cerámica *f*.
■~공 ceramista *mf*. ~소 alfarería *f*. ~업 industria *f* alfarera. ~업자(業者) alfarero, -ra *mf*; ceramista *mf*.

제도(製圖) diseño *m*, dibujo *m* (lineal), diseñaduría *f*; [지도(地圖)의] cartografía *f*. ~하다 diseñar, dibujar, hacer un plano.
■~공(工) diseñador, -dora *mf*. ~기(器) instrumento *m* de dibujo. ~ 기구(器具) instrumentos *mpl* para dibujar. ~실 sala *f* de dibujo. ~용지 papel *m* de dibujo. ~용 탁자 mesa *f* para [de] dibujo. ~자(者) dibujante *mf*; diseñador, -dora *mf*; delineante *mf*; cartógrafo, -fa *mf*. ~판(板) tabla *f* de dibujo.

제도(諸島) (muchas) islas *fpl*, todas las islas, archipiélago *m*. 카나리아 ~ las Islas Canarias.

제도(諸道) ① [행정 구역의 모든 도] todas las provincias. ② [모든 길] todos los caminos.

제도(濟度) ((불교)) salvación *f*, redención *f*. ~하다 salvar el alma (de). 중생(衆生)을 ~하다 salvar el alma de la humanidad.
■~ 중생(衆生) ((불교)) =중생 제도.

제독(制毒) protección *f* contra el veneno.
◆제독(을) 주다 humillar, poner nervioso, hacer sentir incómodo, turbar.

제독(除毒) =해독(解毒).

제독(提督) almirante *m*, comandante *m* de escuadra.

제동(制動) frenado *m*; 【전기】 amortiguación *f*.
■~기(機) freno *m*, retrana *f*. ¶~를 걸다 poner el freno, poner la retrana. 공기 ~ freno *m* atmosférico, freno *m* de aire. 동력 ~ freno *m* mecánico. 비상 ~ freno *m* de emergencia. 자동(自動) ~ freno *m* automático. 자력(磁力) ~ freno *m* magnético. 전기(電氣) ~ freno *m* eléctrico. 진공(眞空) ~ freno *m* de vacío, vacuofreno *m*. ~ 레버 palanca *f* de freno, palanca *f* de trinca. ~력 fuerza *f* frenante, potencia *f* de frenado. ~수(手) [철도의] guardafrenos *mf.sing.pl*, retranquero *m*. ~자 amortigador *m*. ~ 장치 mecanismo *m* detenedor, mecanismo *m* de paro. ~차 furgón *m*.

제등(提燈) farol *m* de papel, linterna *f* de papel, linterna *f* veneciana, parolillo *m*. ~을 켜다 encender una linterna. ~을 끄다 apagar una linterna.
■~ 행렬(行列) procesión *f* de farol, procesión *f* de linternas, fila *f* de linternas.

제등수(一數) 【수학】 número *m* compuesto.

제딴은 en *su* propia opinión. ~ 큰 학자로 믿고 있다 El es un autollamado sabio.

제때 tiempo *m* regular. ~에 a tiempo. ~에 오다 venir a tiempo.

제라늄 【식물】 geranio *m*.

제랑(弟郞) =제부(弟夫).

제련(製鍊) refinación *f*, refinadura *f*. ~하다 refinar, purificar.
■~소(所) refinería *f*. ~업 industria *f* de refinación. ~업자 refinador, -dora *mf*.

제례(祭禮) ceremonias *fpl* religiosas, ritos *mpl* expiatorios, ritos *mpl* propiciatorios. ~하다 observar ceremonias religiosas.

제례(諸禮) todas las etiquetas.

제로 [영 *zero*] [영(零)] cero *m*, nada.
■~ 게임 ㉮ ((테니스)) juego *m* en blanco, juego *m* a cero. ☞러브 게임. ㉯ ((야구)) partido *m* ganado sin que marque el contrario. 4 대 0 ~ un partido ganado cuatro a cero. ☞셧아웃. ~ 미터 지대 zona *f* bajo el nivel del mar. ~ 세트 set *m* en blanco, set *m* a cero.

제마(製麻) batidor *m* de cáñamo.
■~ 회사 compañía *f* batidora de cáñamo.

제막(除幕) acción *f* de descubrir el velo. ~하다 quitar el velo (de la estatua), descubrir una estatua, inaugurar una estatua.
■~식(式) (ceremonia *f* de) inauguración *f*. ¶… 의 ~을 행하다 inaugurar.

제매(弟妹) el hermano menor y la hermana menor.

제멋 *su* aire. 누구나 ~에 산다 Cada uno vive a su aire [como le da la gana · como le place] / Contra gustos no hay nada escrito / Sobre gusto no hay disputa / Cada uno tiene su gusto / Sarna con gusto no pica.
제멋대로 sin preocupaciones, a *su* aire, a *su* capricho, a *su* guisa, a *su* modo; [독단적으로] arbitrariamente, a *su* arbitrio; [자발적으로] por *su* propia voluntad, por *sí* mismo; [자유로이] libremente, con toda libertad. ~다 ser egoísta [caprichoso · arbitrario]. ~ …하다 tomarse la libertad de + *inf*. ~ 상상하다 dar curso libre a *su* imaginación [a *su* fantasía], dejar correr la imaginación a *su* capricho. ~ 지껄여 대다 parlotear [charlar] sin preocupaciones. ~ 권력을 휘두르다 abusar de su autoridad, usar arbitrariamente de *su* poder.

제면(製綿) limpiadura *f* de algodón. ~하다 limpiar algodón.
■~기(機) limpiadora *f* de algodón.

제면(製麵) manufactura *f* de fideo.
■~기(機) máquina *f* para hacer fideos.

제명(一命) vida *f* natural.

제명(除名) expulsión *f*, exclusión *f*. ~하다 expulsar, excluir, borrar [tachar · rayar · testar] el nombre de una lista, expeler. 당(黨)에서 ~하다 expulsar*le* a *uno* del partido político, borrar el nombre de *uno* de la nómina del partido político.

제명(題名) título *m*. …라는 ~을 붙이다 titular, intitular. A라는 ~으로 bajo el título de A.「서울의 밤」이라는 ~의 영화 una película titulada *La Noche en Seúl*, una película que lleva por título *La Noche en Seúl*, una película intitulada *La Noche en Seúl*.

제모(制帽) gorra *f* oficial, gorra *f* uniforme; [학교의] gorra *f* escolar, gorra *f* de escuela.
제목(題目) ① [겉장에 쓴 책의 이름] título *m*. ~을 붙이다 titular, intitular. ~이 무엇이냐? ¿Cuál es el título? ② =글제.
제문(祭文) oración *f* escrita de sintoísmo.
제물 ① [음식을 익힐 때 처음부터 둔 물, 또, 제 몸 에서 우러난 국물] *chemul*, el agua *f* para cocinar la comida, sopa *f* dejada después de que la comida se cocine. ② [딴 것이 섞이지 않은 순수하게 제대로 된 물건] lo genuino, lo puro.
제물(祭物) ① [제사에 쓰는 음식] comida *f* para el servicio religioso. ② [희생물] sacrificio *m*, ofrenda *f*, [희생자] víctima *f*. ~을 바치다 hacer una ofrenda. ~로 하다 sacrificar, ofrecer en sacrificio, inmolar. ~이 되다 ser víctima (de), sacrificarse. 신(神)에게 ~을 바치다 ofrecer un sacrificio [una víctima] a una divinidad.
제물낚시 anzuelo *m* artificial de la forma de mosquito.
제물로 =저절로.
제물에 de por sí, por sí mismo. 상처가 ~ 나았다 La herida se cerró [cicatrizó] por sí mismo.
제바람 *su* propia influencia, *su* propia culpa.
제반(諸般) todo tipo (de), toda clase (de), (de) todo tipo, (de) toda clase, todo género (de), toda suerte (de), todas cosas. ~의 muchos, diversos, todos. ~ 모험(冒險) todo tipo de aventuras, toda clase de aventuras, aventuras *fpl* de todo tipo, aventuras *fpl* de toda clase, todo género de aventuras, toda suerte de aventuras. ~ 준비(準備) todos los preparativos. ~ 사정에 의해 con unas y otras cosas, debido a diversas circunstancias.
■ ~사(事) todas cosas, muchas cosas.
제발 por favor. ~ …해 주십시오 Haga el favor de + *inf* / Tenga la bondad de + *inf* / Sírvase + *inf* /「명령문」+ por favor. ~ 용서하세요 Perdóneme, por favor / Le ruego que me perdone usted. ~ 부탁합니다 Se lo ruego, por Dios. ~ 살려 주세오 ¡Que Dios me ampare! / ¡Dios me libre!
◆제발 덕분에 ¡Por Dios! / ¡Por favor! / ¡Por el amor de Dios! ~ 논쟁을 멈추시오 ¡Por Dios! [¡Por favor!] ¡No discutan! ~ 서둘러라 ¡Por el amor de Dios, date prisa!
제방(堤防) malecón *m* (*pl* malecones), dique *m*, represa *f*. ~을 축조하다 [구축하다] construir el malecón, construir el dique, represar, terraplenar. ~이 무너졌다 El dique se ha roto [se ha hundido · se ha quebrado].
제방(諸邦) =제국(諸國).
제백사(除百事) acción f de dejar todo a un lado. ~하다 dejar todo a un lado. ~하다 ante todo, por encima de todo.
제법 considerablemente, bastante, muy, notablemente. ~ 유명한 bastante famoso. ~ 오랫동안 (por) bastante tiempo, (por) un tiempo considerable. ~ 되는 재산(財産) fortuna *f* razonable. ~ 많은 수입 ingresos *mpl* considerables. ~ 좋은 성적 resultado *m* bastante bueno. 오늘은 ~ 춥다 [덥다] Hace bastante frío [calor] hoy / Hoy hace un frío [un calor] notable. 그녀는 서반아어를 ~ 잘한다 Ella habla bastante bien el español.
제법(除法) 【수학】 ((구용어)) =나눗셈.
제법(製法) ((준말)) =제조법(製造法).
제보(提報) suministro *m* de informaciones. ~하다 suministrar informaciones.
제복(制服) uniforme *m*; [하인(下人)·급사의] librea *f*. ~을 입다 vestirse de uniforme, uniformar. ~을 입히다 uniformar*le* a *uno*. ~을 입고 있다 llevar [ir de] uniforme. ~을 입은 que lleva puesto uniforme, en uniforme. ~의 경관 agente *mf* de policía en uniforme. ~(제모)을 입은 학생 estudiante *mf* en uniforme, estudiante *m* vestido [estudiante *f* vestida] de uniforme de escuela. 학교의 ~ uniforme *m* de escuela. 종업원은 ~을 입고 있다 Los dependientes están uniformados.
제복(除服) ¶~하다 quitarse luto y aparecer a *su* oficina.
제본(製本) ① [만든 물건의 본보기] muestra *f*. ② [인쇄물 등을 실로 매거나 풀로 붙이고 표지를 씌워 책으로 만듦] encuadernación *f* (de libros). ~하다 encuadernar. 논문을 ~하다 encuadernar una tesis. 풀로 ~하다 encuadernar en pasta. 이 책은 ~이 잘 되어 있다 Este libro está bien encuadernado.
■ ~ 기계 encuadernador *m*. ~사(絲) hilo *m* para la encuadernación. ~소 (taller *m* de) encuadernación *f*. ¶~ 직공(職工) encuadernador, -dora *mf*. ~술 encuadernación *f*. ~업 encuadernación *f*. ~업자(業者) encuadernador, -dora *mf*. ~자(者) encuadernador, -dora *mf*.
제부(弟夫) cuñado *m*, esposo *m* de *su* hermana menor de una mujer.
제분(製粉) molienda *f*, molinería *f*, fabricación *f* de la harina. ~하다 moler. 소맥(小麥)을 ~하다 moler trigo.
■ ~ 공장 molino *m* harinero. ~기 molino *m*. ~ 능력 capacidad *f* de molienda. ~업 molinería *f*, industria *f* harinera. ~업자 molinero, -ra *mf*. ~ 회사(會社) compañía *f* harinera.
제붙이 ((준말)) =제살붙이.
제비[1] [가부를 결정하는 한 방법으로 쓰는 물건] lotería *f*, rifa *f*, sorteo *m*, tómbola *f*, [특히 축구 추첨] quinelas *fpl*. ~가 뽑히다 sacar premio. ~를 뽑아 정하다 echar a suertes, decidir echando [tirando] a suertes, decidir por suerte. ~가 뽑히지 않다 sacarse [tocar*le* a *uno*] un blanco. ~가 …에게 당첨되다 La suerte *le* toca [cae] a *uno*. ~로 그에게 자동차가 당첨되었다 Le ha tocado un coche en el sorteo.

◆제비(를) 뽑다 rifar, sortear, echar (a) suertes, echar (a) balotas.
제비² 【조류】 golondrina *f.*
▪제비 한 마리가 왔다고 여름이 되는 것은 아니다 ((속담)) Una golondrina no hace verano.
제비갈매기 【조류】 golondrina *f* de mar.
제비꽃 【식물】 violeta *f.*
제비꿀 【식물】 sándalo *m.*
제비붓꽃 【식물】 lirio *m.*
제비추리 *chebichuri*, carne *f* de vaca de las costillas interiores.
제비턱 barbilla *f* regordete, papada *f.*
제빈(濟貧) ayuda *f* a los necesitados. ～하다 ayudar a los necesitados [a los pobres].
제빙(製氷) fabricación *f* de hielo, hilandería *f.* ～하다 fabricar el hielo.
▪～ 공장 fábrica *f* de hielo. ～기 máquina *f* de fabricar hielo. ～소 fábrica *f* de hielo. ～실 [전기냉장고의] heladora *f.* ～업(業) industria *f* hilandera. ～업자 fabricante *mf* de hielo. ～ 쟁반 [전기냉장고의] cubitera *f, AmL* hielera *f, RPI* cubeta *f.*
제사(祭司) ① ((유대교)) sacerdote *m.* ② = 사제(司祭). ③ [미개 사회에서, 주문(呪文) 따위로 영험을 얻게 하는 사람] oficiante *mf,* celebrante *mf.*
▪～장(長) ((성경)) sacerdote *m.*
제사(祭祀) servicio *m* funeral, servicio *m* religioso, ritos *mpl* religiosos.
제사 지내다 =제지내다.
▪～ㅅ날 día *m* expiatorio, día *m* propiciatorio. ～ㅅ밥 comida *f* expiatoria, comida *f* propiciatoria.
제사(製絲) hilado *m,* hilandería *f,* fabricación *f* de hilados.
▪～공 hilador, -dora *mf,* hilandero, -ra *mf.* ～ 공장 fábrica *f* de hilados, taller *m* de hilados, hiladero *m.* ～ 기계 hiladora *f,* máquina *f* para sacar el hilo. ～업 industria *f* hilandera [de hilados], hilatura *f.* ～업자 fabricante *mf* de hilados.
제사(題詞) prólogo *m,* mote *m,* letras *fpl* preliminarias, palabras *fpl* preliminarias.
제사(題辭) prefacio *m,* epígrafe *m.*
제사(第四) cuarto *m.* ～의 cuarto.
▪～계(系) el diluvial y la capa aluvial. ～계급 =노동자 계급. 프롤레타리아. ～기(紀) período *m* diluvial y aluvial. ～병 epidemia *f* aguda. ～ 세계 los países más pobres.
제산(除算) ((구용어)) =나눗셈.
제산제(制酸劑) antiácido *m.* ～의 antiácido.
제살붙이 =제붙이.
제살이 autofinancia *f,* apoyo *m* económicamente independiente. ～하다 apoyarse, ayudarse.
◆제살이(를) 가다 (una mujer) casarse a la casa sin padres políticos.
제삼(第三) tercero *m.* ～의 tercero; [남성 단수 명사 앞에서] tercer.
▪～ 계급 burquesía *f.* ～국 tercer país *m,* tercer estado *m,* tercera nación *f,* tercer poder *m.* ～ 세계 tercer mundo *m.* ¶～의 tercermundista. ～주의(主義) tercermundismo *m.* ～주의자 tercermundista *mf.* ～ 세력(勢力) tercera potencia *f.* ～인칭 tercera persona *f.* ～자 tercera parte *f,* tercero *m,* tercera persona *f.* ～종 우편물 correos *mpl* como materia de tercera clase.
제삿날로 según *sus* propios deseos.
제상(祭床) mesa *f* usada en el servicio religioso.
제서(題書) =제자(題字).
제석(帝釋) ① ((불교)) ((준말)) =제석천(帝釋天). ② 【민속】 ((준말)) =제석신(帝釋神).
▪～신(神) dios *m* de Cosecha. ～천 *sáns* Sakra devánám Indra. ～풀이 ritos *mpl* de chamanismo para celebrar el dios de Cosecha.
제석(除夕) la Nochebuena, noche *f* del último día del año, noche *f* del treinta y uno de diciembre.
제석(祭席) estera *f* usada en el servicio religioso, estera *f* expiatoria.
제설(除雪) barredura *f* de nieve. ～하다 quitar [limpiar] la nieve, desembarazar de nieve, barrer la nieve. 길의 ～을 하다 desembarazar el camino de nieve, aclarar de nieve el camino.
▪～기 barredora *f* de nieve, quitanieves *m.sing.pl.* ～ 넉가래 quitanieves *m.sing.pl.* ～ 인부 peón *m* [barredor *m*] de la nieve. ～ 작업 trabajo *m* de barredura de nieve. ～차 barredora *f* de nieve, quitanieves *m.sing.pl.*
제설(諸說) opiniones *fpl* diversas, versiones *fpl* diversas, interpretaciones *fpl* diversas; [이론] teorías *fpl* variadas. ～이 분분하다 haber versiones diversas, haber intrepretaciones diversas. 이 사건에 관해서는 ～이 분분하다 Hay versiones diversas acerca de este suceso / Hay una gran divergencia de opiniones sobre este asunto.
제세(濟世) salvación *f* del mundo. ～하다 salvar el mundo.
▪～ 사업(事業) obra *f* de salvación (del mundo). ～안민(安民) salvación *f* del mundo y el alivio del pueblo.
제소(提訴) apelación *f.* ～하다 apelar. 사건을 법정에 ～하다 llevar el caso a los tribunales, entablar un pleito. 유엔에 ～하다 apelar ante [a] la ONU [la Organización de las Naciones Unidas).
제수(弟嫂) cuñada *f,* hermana *f* política, esposa *f* de *su* hermano menor.
제수(除數) 【수학】 divisor *m.*
◆피～ dividendo *m.*
제수(祭需) ① [제사에 소용되는 여러 가지 음식이나 재료] cosas *fpl* para el servicio religioso. ② =제물(祭物).
▪～답(畓) =제위답(祭位畓).
제술(製述) composición *f* literaria. ～하다 componer literariamente.
제스처(영 *gesture*) gesto *m,* ademán *m,* gesticulación *f,* [표현의] mímica *f.* 거친 ～

un gesto grosero. ~를 하다 hacer gestos, gesticular. ~를 하면서 이야기하다 hablar gesticulando. 그것은 단순한 ~에 불과하다 Eso no es más que una postura / Es un simple gesto.

제습(除濕) acción *f* de deshumedecer. ~하다 deshumedecer, desecar, quitar la humedad.
▪ ~기(器) deshumedecedor *m*.

제승(制勝) victoria *f*, triunfo *m*. ~하다 ganar la victoria.

제시(提示) presentación *f*, exhibición *f*; [제안] proposición *f*. ~하다 presentar, enseñar, mostrar; [제안하다] proponer. ~하는 대로 a la presentación, en presentando. 신분증 명서를 ~하다 mostrar *su* carné de identidad. 조건을 ~하다 presentar una condición.
▪ ~불 pago *m* a la vista. ~불 어음 billete *m* nuevo, efecto *m* a la vista, letra *f* a la vista. ~자 expositor, -tora *mf*. ~증권 valores *mpl* a la vista.

제시간(一時間) tiempo *m* apropiado. ~에 a tiempo. ~에 돌아오너라 Vuelve a tiempo. 그는 나를 환송하러 ~에 도착했다 El ha llegado a tiempo para despedirme. 아마 우리들은 회합에 ~에 도착하지 못할 것이다 Probablemente llegaremos tarde a la reunión.

제실(帝室) =황실(皇室).

제씨(弟氏) =계씨(季氏).

제씨(諸氏) caballeros *mpl*, señores *mpl*.

제안(提案) propuesta *f*, proposición *f*. ~하다 proponer, hacer una propuesta. ~에 따라 a propuesta (de), de acuerdo con la proposición (de). ~ 이유를 설명하다 explicar los motivos de *su* propuesta. 휴전(休戰)을 ~하다 proponer un armisticio. 그의 ~은 거절되었다 Su propuesta fue rechazada / No accedieron a su propuesta.
▪ ~자 proponedor, -dora *mf*, proponente *mf*.

제암(制癌) oncostasis *f*.
▪ ~ 물질 anticarcinógeno *m*. ~제 =항암제(抗癌劑).

제압(制壓) opresión *f*. ~하다 oprimir; [지배하다] dominar; [굴복시키다] someter, sujetar. 시장(市場)을 ~하다 dominar [conquistar] el mercado. 전 유럽을 ~하다 dominar toda Europa.

제야(除夜) la Nochevieja, la Noche Vieja, víspera *f* del día del Año Nuevo, la noche de Fin de Año, el treinta y uno de diciembre.
▪ ~의 종 campana *f* de la Nochebuena. ¶ ~을 울리다 sonar [resoar] el Año Viejo. ~의 종소리 campanadas *fpl* de Noche Vieja, campanadas *fpl* de la víspera del año nuevo.

제약(制約) ① [사물의 성립에 필요한 조건이나 규정] condición *f*, control *m*. ~하다 controlar. ② [조건을 붙임. 제한] limitación *f*, restricción *f*. ~하다 limitar, restringir. 문법상의 ~ restricción *f* gramatical. ~을 받다 ser restringido. …의 행동을 ~하다 restringir el movimiento de *uno*.
▪ ~ 명제 proposición *f* condicional. ~적 판단 juicio *m* condicional.

제약(製藥) ① [약을 제조함] fabricación *f* de medicinas. ~의 farmacéutico. ② [제조한 약] medicina *f* fabricada.
▪ ~ 공장 fábrica *f* farmacéutica. ~법 farmacia *f*. ~술 farmacia *f*. ~업 industria *f* farmacéutica. ~업자 farmacéutico, -ca *mf*; *Col*, *Ven* farmaceuta *mf*. ~학 farmacología *f*. ~학자 farmacólogo, -ga *mf*. ~화학 química *f* farmacéutica. ~ 회사(會社) compañía *f* farmacéutica.

제어(制御) control *m*, mando *m* (비행기의), reglaje *m*, dominio *m*, gobierno *m*, freno *m*. ~하다 controlar, dominar, dirigir, gobernar. ~할 수 있는 controlable. ~하기 쉽다 ser fácil controlar, ser controlable. ~하기 어렵다 ser difícil de controlar.
▪ ~기 controlador *m*. ~ 레이더 radar *m* de control. ~력 (potencia *f* de) control *m*. ~반 cuadro *m* de control. ~ 밸브 válvula *f* de control, válvula *f* de maniobra. ~봉 barra *f* de control; [원자로의] barra *f* de regulación. ~ 부분 장치 dispositivo *m* de control; [전자계산기의] unidad *f* de control. ~ 스위치 interruptor *m* de mando, conmutador *m* de mando. ~ 장치(裝置) ㉮ equipo *m* de control, sistema *m* de regulación, sistema *m* de control. ㉯【기계】regulador *m*, control *m*. ~ 키 tecla *f* de control. ~탑 torre *f* de control.

제언(提言) =제의(提議).

제언(堤堰) presa *f*, represa *f*.

제언(題言) =제사(題辭).

제역(除役) exención *f* del servicio militar. ~하다 exentar de servicio militar.

제염(製鹽) fabricación *f* de sal. ~하다 fabricar sal.
▪ ~소 salinas *fpl*. ~업 industria *f* salina. ~업자 fabricante *m* [productor *m*] salinero, fabricante *f* [productora *f*] salinera.

제염(臍炎)【의학】omfalitis *f*.

제오(第五) quinto *m*. ~의 quinto.
▪ ~ 공화국 la Quinta República. ~ 성병(性病) la quinta enfermedad venérea. ~열 quinta columna *f*. ¶~ 분자 quintacolumnista *mf*.

제왕(帝王) [황제와 국왕] el emperador y el rey.
▪ ~ 신권설 teoría *f* de la monarquía de derecho divino. ~ 절개 cesárea *f*, sección *f* cesárea, gastrometrotomía *f*. ~ 절개 수술 operación *f* cesárea. ~ 절개술 sección *f* cesárea, histerectomía *f* cesárea, gastrohisterotomía *f*. ~ 주권설 teoría *f* de la soberanía de derecho divino.

제외(除外) excepción *f*, exclusión *f*. ~하다 exceptuar, excluir. …을 ~하고 excepto, salvo *algo*, menos *algo*, a [con la] excepción de *algo*, fuera de *algo*, con exclusión de *algo*. 예외는 ~하고 salvo las excepciones. 그것은 ~하고 eso (puesto) aparte. 그 문제는 ~하고 dejando el problema aparte. 소수(少數)를 ~하고 con unas excepciones. 이자를 ~하고 십만 원 cien mil wones exluyendo. 일요일을 ~하고 매일 가다 ir todos los días excepto [menos] los domingos.

■ ~례(例) excepción *f.*

제요(提要) compendio *m*, sumario *m*, resumen *m* (*pl* resúmenes), epítome *m*, sinopsis *f.* ~하다 resumir, hacer un resumen (de).

제욕(制慾) control *m* de pasión. ~하다 controlar *sus* pasiones, controlarse.

■ ~주의 =금욕주의(禁慾主義).

제우교(濟愚敎) ((종교)) =천도교(天道敎).

제우스(영 *Zeus*) 【그리스 신화】 Zeus *m* (올림포스 산의 최고의 신; 로마 신화의 Júpiter에 해당).

제움직씨 【언어】 =자동사(自動詞).

제웅 efigie *f* de pajas para el exsorcismo.

제월(除月) diciembre *m* del calendario lunar.

제위(帝位) trono *m*, corona *f.* ~를 물려주다 abdicar el trono. ~에 오르다 ascender [subir] al trono. 왕자(王子)에게 ~를 물려주다 abdicar el trono en el príncipe.

제위(祭位) deidad *f* consagrada.

제위(諸位) caballeros *mpl.*

제유(製油) manufactura *f* del petróleo, fabricación *f* del aceite.

■ ~소(所) fábrica *f* de aceite, refinería *f* de petróleo.

제유법(提喩法) 【논리】 sinécdoque *f.*

제육(猪肉) carne *f* de cerdo [puerco].

■ ~구이 *cheyukguy*, asado *m* de carne de cerdo, carne *f* de cerdo asada.

제육(第六) sexto *m.* ~의 sexto.

■ ~감 sexto sentido *m*; [직관] intuición *f.* ¶나는 ~으로 안다 Yo lo sé por intuición.

제의(提議) propuesta *f*, proposición *f.* ~하다 proponer, hacer una proposición. …의 ~에 의해 a proposición de *uno.*

■ ~자 proponente *mf.*

제이(第二) segundo, secundario. ~의 segundo, secundario. ~의 사건(事件) asunto *m* de menor importancia. ~ 안으로 트럭을 사용하는 문제를 생각할 수 있다 La otra posibilidad es emplear camiones.

■ ~ 계급(階級) segunda clase *f.* ~기(期) segundo período *m*; [단계] segunda etapa *f.* ~ 성징(性徵) carácter *m* sexual secundario. ~심 segunda instancia *f.* ~ 외국어 segundo idioma *m.* ~위(胃) segundo estómago *m.* ~인칭 segunda persona *f.* ~인칭 대명사 pronombre *m* de la segunda persona. ~ 인터내셔널 la Segunda Internacional. ~종 우편물 correos *mpl* como materia de segunda clase. ~차 산업 segunda industria *f.* ~차 산업 혁명 la Segunda Revolución Industrial. ~차 세계대전 la Segunda Guerra Mundial, la Guerra Mundial II (Segunda).

제인(諸人) [모든 사람] todos los hombres, todo el mundo, todo el pueblo, todo el público; [여러 사람] muchas personas *fpl.*

제일(除日) el último día de diciembre.

제일(祭日) =제삿날.

제일(第一) ① [첫째] primero *m.* ~의 primero; [최초의] primario; [본원의] primordial; [주요한] principal; [가장 우수한] de primera cclase. ~로 primeramente, primero, en primer lugar; [우선] ante todo, antes que nada. ~과(課) la lección primera, la primera lección, la lección una. ~ 장(章) capítulo I (primero). ~ 먼저 온 사람은 그녀였다 Quien llegó el primero era ella. 네가 ~ 먼저 [나중에] 가거라 Ve(te) el primero [el último].

② [가장] el más, el menos. 반에서 ~ 열심히 공부하는 학생 el más estudioso de la clase. 한국에서 ~ 높은 산 la montaña más alta de Corea. ~ 좋다 Es el mejor. 그 수가 ~이다 Es el mejor medio. 술은 위스키가 ~이다 Para [Como] bebida, nada mejor que el wisky. 그는 ~ 일찍 일어난다 El se levanta más temprano. 아버가가 가족 중에서 ~ 일찍 일어나신다 Mi padre es el que se levanta más temprano de la familia. 무엇보다 신용(信用)이 ~이다 En cualquier asunto, la confianza es lo más importante. 피로할 때는 자는 것이 ~이다 No hay nada mejor que acostarse cuando se está cansado. 이런 경우에는 침묵이 ~이다 Nada es mejor que callar en un caso como éste. 세 사전 중에서는 이것이 ~ 좋다 De [Entre] los tres diccionarios éste es el mejor. 여러분 중에서 ~ 연상[연하]은 누구입니까? ¿Quién es el mayor [el menor] de ustedes? 우리들 중에서는 그녀가 ~ 노래를 잘[못] 부른다 Ella es la que canta mejor [menos] de nosotros. 학급에서 그가 ~ 공부를 잘한다[못한다] El es el que estudia más [menos] de la clase. 그가 ~ 열심히 일한다 El trabaja más que nadie / Nadie trabaja más que [tanto como] él. 나는 음악을 ~ 좋아한다 Me gusta la música más que nada. 낚시가 ~ 재미있다 No hay nada más divertido que la pesca / No hay nada tan divertido como la pesca. 이것이 질(質)이 ~ 좋은 버터다 No hay ninguna mantequilla que supre a ésta en calidad. 그는 20세기 ~의 작가다 El es el mejor [primer] escritor del siglo XX.

제일가다 ser el primero.

■ ~ 강산 lugar *m* del paisaje bastante bueno. ~ 계급 primera clase *f.* ~기(期) primer período *m*, primer término *m*, primera época *f*, 【의학】 primera fase *f.* ¶~생 graduados *mpl* de la primera promoción. ~ 지불 primer pago *m.* ~ 의회 primera junta *f* de las cortes. ~ 단계 primera fase *f*, primera etapa *f.* ~당 partido *m* más fuerte, partido *m* más influyente, primer partido *m*, partido *m* del número mayor. ~ 독회 primera lectura *f.*

~면 [신문의] primera página *f*, primera plana *f*. ~보 [첫걸음] primer paso *m*, principio *m*. ¶~를 내딛다 dar el primer paso. 이것은 민주화의 ~다 Este es el primer paso hacia la democracia. ~ 보충역 depósito *m*. ~ 부인(夫人) =적처(嫡妻). ~ 서기(書記) el Primer Secretario (del Partido Comunista). ~선 primera línea *f*; [전선(前線)] frente *m*, líneas *fpl* de combate. ¶국방(國防)의 ~ la primera línea de defensa. ~에 서다 salir al frente, estar en posición de primera línea. ~에서 활약하다 desplegar *sus* actividades en primera línea. 나는 당분간 영업의 ~에서 물러나 있다 Por algún tiempo estuve retirado del frente de la venta. ~선 부대 tropa *f* de primera línea, tropa *f* de vanguardia. ~성(聲) primer discurso *m*. ~ 성질 primer carácter *m*. ~심 (tribunal *m* de) primera instancia *f*. ~ 야당 primer partido *m* de la oposición. ~ 야전군 primer ejército *m*. ~ 원리 primer principio *m*. ~위(位) primer rango *m*. ~의(義) primer principio *m*, primer punto *m* esencial. ~ 의무 primer deber *m*, primera obligación *f*. ~의적 생활(義的生活) vida *f* primaria. ~ 인상 =첫인상(primera impresión). ~인자 primer personaje *m*, el número uno. ¶그는 한국 문학의 ~이다 El es la primera autoridad en la literatura coreana. 그는 이 분야의 ~로 알려져 있다 El es reconocido como el número uno en esta especialidad. ~인칭 primera persona *f*. ~ 인터내셔널 la Primera Internacional. ~ 제정(帝政) primer régimen *m* imperial. ~종 우편물 correos *mpl* como materia de primera clase. ~종 전염병 primera epidemia *f*. ~ 주의 primer principio *m*. ~ 주제 primer tema *m*. ~차 산업 la primera industria. ~차 성징(次性徵) caracteres *mpl* sexuales juveniles [primeros]. ~차 세계 대전 la Guerra Mundial I [Primera], la Primera Guerra Mundial. ~착 el primero que ha llegado, el primero que ha penetrado en la meta, el primero en llegar.

제자(弟子) discípulo, -la *mf*, alumno, -na *mf*; [도제(徒弟)] aprendiz, -za *mf*. 가장 아끼는 ~ el mejor discípulo. ~가 되다 hacerse discípulo (de). ~로 들어가다 entrar como un aprendiz, ponerse en aprendizaje. A를 ~로 하다 llevar a A como un aprendiz. …의 허락으로 ~로 들이다 hacer*le* matricular a *uno* como un aprendiz.

제자(諸子) ① [아들 또는 아들과 같은 항렬(行列)이 되는 사람] *su* hijo. ② =제군(諸君). ③【역사】maestros *mpl*, sabios *mpl*.

■ ~백가(百家) todos los filósofos y los estudiosos literarios.

제자(題字) epígrafe *m*, inscripción *f* preliminar.

제자리 lugar *m* original. ~로 돌아가다 volver atrás, regresar, ir de espaldas, retirarse, retroceder, volverse. ~로 돌아감 vuelta *f* atrás, regreso *m*, regresión *f*, retroceso *m*. 용수철이 ~로 돌아갔다 Se ha aflojado la cuerda.

■ ~걸음 ㉮ [나아가지 않고 그대로의 위치에서 발을 교대로 밟는 일] la acción de marcar el paso. ¶~하다 marcar el paso; [정돈하다] estancarse. ~으로 추위를 참다 aguantar el frío golpeando el suelo con los pies. ㉯ [정체되어 진보하지 않음] paralización *f*. ~하다 paralizarse, quedar paralizado, estar en un punto muerto, estar en un impasse. 온 시내가 ~을 했다 La ciudad quedó totalmente paralizada. 협상이 ~을 하고 있다 Las negociaciones están en un punto muerto [en un impasse]. 교통 체증은 ~이었다 El tráfico estaba paralizado. ~높이뛰기 salto *m* de altura sin impulso. ~멀리뛰기 salto *m* de longitud sin impulso. ~표【음악】becuadro *m*.

제작(製作) fabricación *f*, manufactura *f*, producción *f*, elaboración *f*. ~하다 fabricar, manufacturar, producir, laborar, elaborar, obrar. ~ 중인 물건 productos *mpl* en proceso de fabricación [en (curso de) elaboración]. 기계를 ~하다 fabricar máquinas. 영화를 ~하다 producir una película.

■ ~가 productor, -tora *mf*. ¶한국 영화 ~ 협회 la Asociación de Productores de Película de Corea. ~권 derecho *m* de producción. ~ 번호 número *m* de fábrica. ~비 coste *m* [*AmL* costo *m*] de producción. ~소 fábrica *f*, taller *m*; [스튜디오] estudio *m*. ¶국립 영화(國立映畵) ~ el Centro Nacional de Producción de la Película. ~ 스태프 plantilla *f* de producción. ~자 fabricante *mf*, constructor, -tora *mf*, manufacturero, -ra *mf*, elaborador, -dora *mf*; [영화의] productor, -tora *mf*. ¶공동(共同) ~ coproductor, -tora *mf*. 영화 ~ productor, -tora *mf* de una película. ~품 producto *m*, artículo *m* manufacturado [elaborado · labrado]; [미술의] obra *f* de arte.

제잡담(除雜談) palabras *fpl* inútiles, palabras *fpl* sin ningún valor. ~하다 dejar de decir palabras inuútiles. ~하고 sin hablarse sobre el asunto, sin palabras inútiles.

제재(制裁) sanción *f*, [벌] castigo *m*, punición *f*, [형벌(刑罰)] pena *f*. ~하다 sancionar, castigar. 사회적 ~ sanción *f* social, restricción *f* social, restricción *f* de opinión pública. 법률의 ~ sanción *f* legal. 철권(鐵拳) ~ castigo *m* de puñetazo. A에게 ~를 가하다 sancionar a A, castigar a A. ~를 받다 sufrir castigo. 그는 경기에서 짐으로 충분한 ~를 받았다 El ya ha sido bastante castigo tener que perderse el partido.

제재(製材) aserradura *f* (de madera). ~하다 aserrar.

■ ~공(工) aserrador, -dora *mf*, leñador, -dora *mf*. ~ 공장 aserradero *m*. ~기 aserrador *m*, máquina *f* aserradora. ~목

madera *f* aserrada, madera *f* aserradiza, madera *f* de sierra. ~소 aserradero *m*, *Col* aserrío *m*. ~업 industria *f* maderera.

제재(題材) materia *f*, [주제(主題)] sujeto *m*, tema *m*.

제적(除籍) eliminación *f* de un nombre del registro, anulación *f* del registro. ~하다 borrar [remover] el nombre (de uno) del registro. 학교에서 ~당하다 ser borrado [removido] de la escuela.

제전(祭典) ① [제사의 의식] ritos *mpl* religiosos, servicio *m* religioso. ② [성대히 열리는 예술 발표회나 체육 대회 등을 뜻하는 말] festival *m*, fiesta *f*, festividad *f*. 음악의 ~ festival *m* de la música. ~을 베풀다 celebrar el festival.

제절(諸節) ① [남의 집안 모든 사람의 기거 동작] toda la familia, todos. 댁내 ~이 편안하옵니까 ¿Está bien su familia? ② [모든 절차] todas las formalidades.

제정(制定) promulgación *f* (de una ley), estatuto *m*. ~하다 promulgar (una ley), poner en ejecución, establecer, estatuir. 법률을 ~하다 establecer una ley, legislar.
 ▪ ~법 derecho *m* escrito. ~자 legislador, -dora *mf*.

제정(帝政) régimen *m* imperial, gobierno *m* imperial.
 ▪ ~ 러시아 la Rusia Imperial.

제정(祭政) religión *f* y estado, iglesia *f* y estado.
 ▪ ~일치(一致) teocracia *f*, unidad *f* de iglesia y estado.

제정(提呈) presentación *f*. ~하다 presentar, ofrecer. 신임장을 ~하다 presentar las credenciales [la carta credencial].

제정신(一精神) [실신에 대해] conciencia *f*, [광기(狂氣)에 대해] razón *f*, cordura *f*, juicio *m*. ~으로 돌아오다 volver en *sí*, recobrarse, recobrar el sentido, recobrar el conocimiento. ~으로 돌아오게 하다 hacer volver en *sí*. ~을 잃다 olvidarse de *sí* mismo, perder la razón. ~이 아니다 no estar en *su* juicio, no estar en *sus* cabales, estar loco, estar hecho una uva, transportarse; [상태] estar transportado, estar fuera de *sí*. 너 ~이니? ¿No estás loco? / ¿Tú estás en tus cabales? 그런 짓을 하다니 ~이 아니다 Es una locura hacer tal cosa. 그의 행동은 ~에서 한 것이 아니다 Lo que hace es una insensatez.

제제다사(濟濟多士) grupo *m* [galaxia *f*] de la persona talentosa [de talento]. 그 정당은 ~하다 El partido está lleno del talento *político*.

제조(製造) fabricación *f*, manufactura *f*; [생산] producción *f*; [조립] montaje *m*; [조제(調製)] preparación *f*; [옷의] confección *f*; [식료품의] elaboración *f*, producción *f*. ~하다 fabricar, manufacturar, producir, confeccionar, montar, preparar, elaborar. ~의 manufacturero. ~된 fabricado, manufacturado, producido, confeccionado, preparado, elaborado. 한국에서 ~된 de fabricación coreana, hecho en Corea. 귀사(貴社)에서 ~한 컴퓨터 ordenador *m* [*AmL* computadora *f* · *AmL* computador *m*] de *su* fabricación. 허가를 받고 ~하다 fabricar bajo licencia. 이 공장에서는 자동차를 ~하고 있다 Fabrican automóviles en esta fábrica.
 ▪ ~ 경비(經費) costes *mpl* indirectos de manufactura, costes *mpl* indirectos de producción, gastos *mpl* de fabricación, *AmL* costos *mpl* indirectos de manufactura, *AmL* costos *mpl* indirectos de producción. ~ 계정(計定) cuenta *f* de producción. ~ 공장(工場) fábrica *f* (de fabricación). ~ 공정(工程) proceso *m* de fabricación. ~권 derechos *mpl* de fabricación; [허가] licencia *f* de fabricación. ~ 규제 control *m* de producción. ~ 노동력 mano *f* de obra de fábrica, personal *m* de fábrica. ~량 capacidad *f* de fabricación, capacidad *f* de producción. ~ 목록(目錄) inventario *m* de producción. ~ 법 fórmula *f* [receta *f* · manera *f*] de fabricar [hacer], (procedimiento *m* de) fabricación *f*, (método *m* de) fabricación *f*, cómo hacer. ~ 부문 sector *m* manufacturero. ~ 브랜드 marca *f* de fábrica. ~비 gastos *mpl* [coste *m* · *AmL* costo *m*] de fabricación. ~ 생산 보험 seguro *m* de la producción para los fabricantes. ~소 fábrica *f*, taller *m*, fundería *f*. ~ 시스템 sistema *m* de fabricación. ~업 industria *f* manufacturera. ~업자 fabricante *mf*, productor, -tora *mf*, elaborador, -dora *mf*. ~ 오더 pedido *m* de fabricación. ~원(元) fabricante *m*, productor *m*. ~ 원가 precio *m* de fábrica, precio *m* del fabricante, coste *m* de fabricación, *AmL* costo *m* de fabricación. ~ 인원 personal *m* de fábrica. ~지 lugar *m* de producción. ~ 판매세 impuesto *m* sobre las ventas de los fabricantes. ~품 productos *mpl*, artículos *mpl* fabricados, productos *mpl* manufactureros, manufacturas *fpl*.

제종(諸種) varias especies *fpl*.

제주(祭主) ① [제사를 주장하는 사람] señor *m* de ritos religiosos. ② [주장이 되는 상제(喪祭)] jefe *m* de los dolientes.

제주(祭酒) licor *m* ofrecido ante el altar, vino *m* sagrado.
 ▪ ~잔(盞) vaso *m* para el vino sagrado.

제주도(濟州道) 【지명】 *Chechudo*, *Jejudo*, la Isla *Chechu*, la Provincia (de) *Chechu*.

제중(濟衆) salvación *f* del pueblo.

제증(諸症) síntoma *f* de varias enfermedades.

제지(制止) detención *f*, prohibición *f*; [억압(抑壓)] represión *f*. ~하다 detener, refrenar, reprimir, impedir, frenar, contener, atajar, estorbar. 경찰관의 ~도 아랑곳하지 않고 sin hacer caso de intervención de un policía. 싸움을 ~하다 impedir una riña. …의 계획을 ~하다 impedir el plan de *uno*.

제지(製紙) fabricación *f* de papel. ~용 펄프

pulpa *f* de papel.

■ ~ 공장 fábrica *f* de papel, papelería *f*. ~ 기계 máquina *f* para la fabricación de papel. ~업 industria *f* papelera. ~업자 fabricante *mf* de papel. ~ 원료 pulpa *f*. ~ 회사 compañía *f* (manufacturera) de papel.

제지내다(祭—) practicar el rito religioso, practicar el servicio funeral [religioso].

제진(梯陣) 【군사】 escalón *m*.

제집 *su* casa (propia). (마음 편한 점에서) 마치 ~ 같은 곳 una segunda casa. ~ 만큼 편한 곳은 없다 ((서반아 속담)) En su casa cada uno es rey / Mientras en casa estoy, rey me soy.

제창(提唱) abogación *f*, propuesta *f*, introducción *f*, disertación *f*, discurso *m*. ~하다 abogar, proponer. 민주화(民主化)를 ~하다 abogar por la democratización.

제창(齊唱) coro *m*; 【음악】 unisón *m*, unísono *m*, homofonía *f*. ~하다 cantar en coro, cantar al unísono.

제책(製冊) =제본(製本).

제척(除斥) exclusión *f*. ~하다 excluir.

제철 estación *f* (conveniente), sazón *m*. ~이다 estar a punto; [과실 따위가] estar maduro. ~이 지난 tardío, atrasado, fuera de sazón. ~이 아닌 fuera de estación, fuera de tiempo, intempetivo, a destiempo. ~이 아닌 때에 꽃이 핌 florecimiento *m* fuera de estación [fuera de tiempo · a destiempo]. ~이 아닌 때에 꽃이 피다 florecer fuera de la estación. 포도는 지금이 ~이다 Estamos en la estación [en el tiempo] de (las) uvas / Es la temporada de las uvas / Las uvas ahora están en sazón.

제철(製鐵) fabricación *f* de hierro, fundición *f* de hierro, siderurgia *f*.

■ ~소(所) fábrica *f* siderúrgica. ~업(業) siderurgia *f*, industria *f* siderúrgica. ~업자 siderúrgico, -ca *mf*. ~주(株) acciones *fpl* siderúrgicas. ~ 회사(會社) compañía *f* siderúrgica.

제철(蹄鐵) =편자(herradura).

■ ~공(工) herrador, -dora *mf*.

제청(祭廳) lugar *m* delante de la tuma que el rito sacrificatorio es celebrado como una parte de los funerales.

제쳐놓다 ① [거치적거리지 않게 치워 놓다] poner removiendo. ② [어떤 표준 아래 따로 골라 놓다] escoger, seleccionar, elegir. ③ [어떤 일을 뒤에 하려고 미루어 놓다] dejar sin hacer. 일을 ~ dejar *su* trabajo sin hacer.

제초(除草) escardadura *f*, escarda *f*, desyerba *f*. ~하다 escardar, desyerbar. ~하는 사람 escardador, -dora *mf*.

■ ~기(器) escardillo *m*. ~기(機) desyerbador *m*, escarda *f*, escardador *m*, extirpador *m* de hierbas. ~약 herbicida *f*. ~제(劑) =제초약(除草藥).

제출(提出) presentación *f*; [제안(提案)] proposición *f*. ~하다 presentar, proponer, ofrecer, dar a conocer, introducir, dar una queja, dar una objección. 국회에 법안(法案)을 ~하다 presentar un proyecto de ley al parlamento, introducir un proyecto al parlamento. 답안(答案)을 ~하다 presentar el papel del examen. 리포트를 ~하다 presentar *su* trabajo. 사표를 ~하다 presentar la dimisión. 의견을 ~하다 proponer *su* opinión. 증거를 ~하다 presentar las pruebas. 시청에 서류를 ~하다 presentar los papeles en el ayuntamiento.

■ ~자 proponente *mf*, proponedor, -dora *mf*.

제충(除蟲) eliminación *f* de insectos, insecticidio *m*. ~하다 eliminar los insectos.

■ ~분(粉) vermífugo *m*, vermicida *m*. ~제(劑) insecticida *m*.

제충국(除蟲菊) 【식물】 crisantemo *m* de vermífugo, píretro *m*, pelitre *m*.

■ ~분(粉) polvo *m* de crisantemo de vermífugo.

제취(除臭) desodorización *f*. ~하다 desodorizar. ~ 의 desodorante.

■ ~제(劑) desodorante *m*.

제치다 recoger, quitar.

제칠(第七) séptimo *m*. ~의 séptimo.

제칠천국(第七天國) utopia *f* de recreo.

제키다 escoriar, excoriar.

제택(第宅) mansión *f*, palacio *m*.

제트(영 *jet*) ① =제트 엔진. ② =제트기. ③ [분사. 분출. 사출] chorro *m*.

■ ~기(機) avión *m* (*pl* aviones) (con motor a reacción), avión *m* a [de] chorro, avión *m* jet, avión *m* de propulsión a chorro, reactor *m*. ¶~ 파일럿 piloto *m* de avión a chorro. ~ 기류 chorros *mpl* de viento (que soplan de oeste a este a la altura de diez kilómetros), corrientes *fpl* estratosféricas, manga *f* de aire. ~ 엔진 motor *m* a [de] reacción, reactor *m*, propulsor *m* (a [de] reacción) a chorro, aeropropulsor *m* por reacción. ~ 연료(燃料) combustible *m* para motores de chorro. ~ 전투기 caza *f* (con motor a reacción), reactor *m* de caza, caza *f* de reacción por chorro. ~ 추진(推進) propulsión *f* a [por] chorro.

제트자형(Z字形) =지그재그(zigzag), 갈지자형.

제판 *su* elemento.

제판(製版) composición *f*, estampado *m* de prueba. ~하다 componer.

◆사진(寫眞) ~ fotograbado *m*.

■ ~기(機) aparato *m* para reproducción de clisés, confeccionadora *f* de placas offset, clisador *m*.

제팔(第八) octavo *m*. ~의 octavo.

■ ~ 예술 =영화(映畵)(película).

제패(制覇) dominio *m*, hegemonía *f*, supremacía *f*. ~하다 dominar, conquistar, reinar. 세계를 ~하다 conquistar la hegemonía del mundo. 세계 ~를 갈망하다 aspirar a la hegemonía del mundo. 시장(市場)을

~하다 dominar el mercado.
◆공중(空中) ~ supremaciía *f* aérea, dominio *m* del aire. 해상(海上) ~ supremacía *f* naval, dominio *m* del mar.
제폭제(制爆劑) agente *m* antidetonante.
제표(除標) =나눗셈표(÷)(señal de división).
제풀로 =제물에.
제풀에 =제물에.
제품(製品) producto *m*; [상품(商品)] artículo *m*. 금년의 신(新)~ nuevos productos *mpl* de este año.
◆한국 ~ producto *m* de Corea, producto *m* hecho en Corea, artículo *m* fabricado en Corea, (artículo *m* de) fabricación *f* coreana, hecho en Corea.
▪~ 검사 examen *m* de productos. ~ 규격 표준화 normalización *f* de fabricaciones. ~ 목록 catálogo *m* de productos. ~원가 coste *m* (de productos).
제하(題下) debajo del título.
제하(臍下) debajo del ombligo.
▪~강(腔) espacio *m* subumbilical. ~단전 abdomen *m*, vientre *m*, centro *m* de la región abdominal.
제하다(除一) ① [덜어 버리다] substraer, deducir, restar. 봉급에서 세금을 ~ deducir del sueldo el impuesto. 수수료를 제하고 오십만 원의 이익을 냈다 Deduciendo la comisión, salgo ganando quinientos mil wones. ② 【수학】[나누다] dividir. ③ [없애다] eliminar; [제외하다] excluir, exceptuar. 제하고 excepto, a excepción de *algo*.
제하다(製一) cortar, moler y pulverizar las mateteriales secas.
제하다(際一) =즈음하다.
제한(制限) restricción *f*, límite *m*, limitación *f*, coartación *f*. ~하다 restringir, limitar, coartar. ~의 restrictivo, restricto, limitado. ~ 없이 sin restricción, sin límite, limitadamente. 경비(經費)를 ~하다 restringir expenasa. 수(數)에 ~이 있다 El número es limitado / Hay límite de número. 시간에 ~이 있어서 충분히 준비할 수 없었다 La limitación del tiempo no permite una adecuada preparación.
◆군비(軍備) ~ limitación *f* de armamento. 수입 ~ control *m* de importación.
▪~ 방식 método *m* de limitación. ~선거 sufragio *m* limitado. ~ 속도 velocidad *f* limitada. ~ 송전 límite *m* de potencia. ~ 시간 hora *f* limitada. ~ 외 발행 emisión *f* excesiva de billete de banco [papel moneda]. ~ 외 수하물 equipaje *m* excesivo. ~ 전쟁 guerra *f* limitada.
제한(際限) límite *m*, término *m*, fin *m*. ~이 없는 sin límites, ilimitado, infinito. ~ 없이 infinitamente, ilimitadamente. 인간의 욕심에는 ~이 없다 La codicia humana no tiene [conoce los] límites.
제해권(制海權) dominio *m* [control *m*] del mar, poderío *m* [poder *m*] marítimo, supremacia *f* naval, potencia *f* del mar. ~을 장악하다 dominar el mar, tener el poderío [poder] marítimo.
제행(諸行) ① ((불교)) [우주 간의 만물] todas las cosas en el universo, todo, todos fenómenos. ② ((불교)) [모든 수행] prácticas *fpl* ascéticas.
▪~무상(無常) Todas las cosas en el universo son transitorias [fugaces] / Todo es vanidad / Nada en el universo es constante.
제향(祭享) ① [나라에서 지내는 제사] servicio *m* [rito *m*] religioso del Estado. ② ((높임말)) =제사(祭祀)(ritos religosos).
제헌(制憲) establecimiento *m* de una constitución. ~하다 establecer una constitución.
▪~ 국회 las Cortes Constituyentes. ~절 el Día de la Constitución.
제혁(製革) curtido *m*, curtimiento *m*, fabricación *f* de cuero. ~하다 curtir, fabricar cuero.
▪~공(工) curtidor, -dora *mf*. ~ 공장(工場) curtiduría *f*. ~소 curtiduría *f*, tenería *f*, *Col*, *CoS* curtiembre *f*. ~업 industria *f* de curtidos. ~업자 curtidor, -dora *mf*. ~품 artículo *m* de cuero, artículo *m* de piel.
제현(諸賢) (Damas y) caballeros.
제형(弟兄) el hermano menor y el hermano mayor.
제형(梯形) trapecio *m*; 【군사】 escalón *m*.
▪~ 편성 formación *f* de escalón.
제형(諸兄) [편지 서두에서] Mis queridos amigos.
제형(蹄形) forma *f* de herradura.
▪~ 자석 =말굽자석.
제호(題號) título *m* (de un libro).
제화(製靴) fabricación *f* de zapatos.
▪~공 fabricante *mf* de zapatos. ~ 공업 industria *f* del calzado [del zapatos]. ~공장 fábrica *f* de zapatos.
제후(諸侯) señor *m* [príncipe *m*] feudal.
◆봉건(封建) ~ señores *mpl* feudales.
▪~국(國) país *m* (*pl* países) feudal.
제휴(提携) alianza *f*, coalición *f*, cooperación *f*, ayudas *fpl* mutuas, confederación *f*. ~하다 cooperar (con), colaborar (con), asociarse (con·a). 서로 ~하다 aliarse, asociarse, ayudarse, confederarse, coalizarse. A와 ~해서 en cooperación con A. 두 회사는 ~해서 신제품(新製品)을 개발했다 Las dos compañías en cooperación han desarrollado un nuevo producto.
◆기술(技術) ~ cooperación *f* técnica, conexión *f* técnica.
▪~ 회사 compañía *f* cooperativa.
제힘 *su* propio poder, *su* propia fuerza. ~으로 (de) motu propio, por *su* cuenta, por iniciativa propio, propio marte, sin ayuda ajena.
젠장 ① ((준말)) =젠장맞을. ② ((준말)) =젠장칠.
젠장맞을 ¡Caramba! / ¡Cáscaras! / ¡Mierda! / ¡Carajo! / *ReD* ¡Coño! ~, 비가 또 오네 ¡Caramba! Llueve otra vez.
젠장칠 ¡Caramba! / ¡Cáscaras! / ¡Mierda! /

ReD ¡Coño!

젠체하다 presumirse, engreírse, afectarse, darse aires, *CoS* mandarse la(s) parte(s). 젠체하는 afectado, amanerado, poco natural, presumido, cursi. 젠체하지 않는 sin afectación, natural, simple, franco. 젠체하는 사람 presumido, -da *mf*, gomoso, -sa *mf*, petimetre *m*. 그는 언제나 젠체한다 El siempre se da aires / El siempre lleva un aire afectado. 너무 젠체하지 마라 No te des tantos aires.

젠틀맨(영 *gentleman*) [신사] caballero *m*.

젤라틴(영 *gelatine*) 【화학】 gelatina *f*.

젤리(영 *jelly*) ① [어육류나 과실의 교질분을 채취한 맑은 즙. 또, 이것을 젤라틴으로 응고시킨 것] jalea *f*. ~ 상태로 굳히다 cuajar [coagular] *algo* en estado de jalea. ② [과일의 즙에 설탕을 넣고 끓인 뒤 식혀 만든 과자] jelatina *f*. 오렌지 ~ gelatina *f* de naranja.

젯날(祭-) ((준말)) =제삿날.

젯메(祭-) *chetme*, arroz *m* expiatorio, comida *f* para el servicio religioso [los ritos religiosos].

젯밥(祭-) *chetbab*, arroz *m* cocido que ha sido ofrecido en el sacrificio, comida *f* quitada después de los ritos religiosos.

젱그렁거리다 hacer ruido, sonar.
젱그렁젱그렁 haciendo ruido.

조[1] 【식물】 mijo *m*.

조[2] aquel, aquella, aquellos, aquellas. ~ 사람 aquel hombre, aquella persona. ~ 건물 aquel edificio.

조(組) ① clase *f*, [단] compañía *f*, colección *f*, [팀] equipo *m*, tripulación *f*, [집단] grupo *m*; [도당] cuadrilla *f*, banda *f*, firma *f*, [부대] banda *f*, [놀이의] pandilla *f*. ~를 만들다 formar un equipo [un grupo]. ~로 나누다 dividir en grupos. …와 ~가 되다 formar pareja con *uno*. 두 사람씩 한 ~가 되어 춤추다 bailar en parejas. 삼인(三人) ~ 강도 el trío de ladrones, la cuadrilla [la banda] de tres ladrones. ② [벌] juego *m*, serie *f*, surtido *m*. 트럼프 한 ~ una baraja de naipes. 커피 세트 한 ~ un juego de café. ~로 판매하다 vender a pares. ③ 【인쇄】 composición *f*.

조[1](調) ((준말)) =곡조(曲調). ¶다~ tono *m* en do.

조[2](調) [그런 말투나 행동] tono *m*, actitud *f*, manera *f*. 비난~로 críticamente. 시비~로 con actitud desafiante, insolentemente. 장난~로 en broma. 그는 그것을 장난~로 말했다 El lo dijo en broma.

조(操) =절조(節操).

조(條) artículo *m*. 헌법 제1~ el Artículo Primero de la Constitución.

조(朝) dinastía *f*, reinado *m*, reino *m*, reina *f*. 조선~ dinastía *f* (de) *Choson*. 펠리뻬 2세 ~ reinado *m* de Felipe II. 빅또리아~ 시대 época *f* de la reina Victoria.

조(兆) billón *m* (*pl* billones). 1~ un billón, un millón de millones. 10~ diez billones, diez millones de millones.

조가(弔歌) canto *m* fúnebre, elegía *f*.

조가비 cáscara *f* de la concha.
■~ 세공 obra *f* de cáscara de la concha.

조각 pedazo *m*, pieza *f*, trozo *m*, cacho *m*; [1인분] porción *f*, [육류·생선의] filete *m*; [과일의] tajada *f*, [천의] tela *f*, tejido *m*; [부스러기] retal *m*, desperdicio *m*. 빵 한 ~ un pedazo de pan. 얇게 썬 ~ [빵의] rebanada *f*, [케이크의] trozo *m*, pedazo *m*; [치즈의] trozo *m*, pedazo *m*, tajada *f*, [레몬·오이의] rodaja *f*, [고기의] tajada *f*, [햄의] tajada *f*, loncha *f*, lonja *f*, *RPI* feta *f*, [참외의] raja *f*. 고기 한 ~ un filete de carne, un pedazo de carne, un trozo de carne. 파이 한 ~ una porción de torta. 유리 ~ pedazos *mpl* de cristal. 천 ~ pieza *f* [trozo *m*] de tela.
◆조각(이) 나다 romperse, rajarse. 자동차가 조각났다 Se rompió el coche.
■~달 creciente *m*. ~배 barca *f*. ~보(褓) tela *f* de envolver de retales. ~보 세공 retales *mpl*, labor *f* de retazos. ~보 이불 colcha *f* de retales.
조각조각 en pedazos. ~ 찢다 romper en pedazos, resgar, desgarrar en tiras, despedazar, hacer pedazos. ~ 찢어지다 hacerse pedazos, destrozarse. 종이를 ~ 찢다 hacer pedacitos el papel. ~ 끊어진 구름 nubes *fpl* desmadejadas, nubes *fpl* desgarradas.

조각(組閣) formación *f* del gabinete. ~하다 formar [organizar] un gabinete [ministerio].

조각(彫刻) escultura *f*, grabado *m*, talla *f*. ~하다 esculpir, grabar; inscribir; [끌로] cincelar; ((속어)) esculturar. ~의 escultural, escultórico. 대리석에 인물을 ~하다 esculpir una figura en mármol. 돌에 상(像)을 ~하다 esculpir una imagen en piedra. 그는 대리석에 사자 한 마리를 ~했다 El esculpió un león en mármol.
◆그리스 ~ escultura *f* griega.
■~가(家) escultor, -tora *mf*, esculpidor, -dora *mf*, grabador, -dora *mf*, cincelador, -dora *mf*. ~도(刀) escoplo *m*., tallador *m*, cuchillo *m* (de contornear), gubia *f*, punzón *m*; [동판용의] buril *m*. ~물 escultura *f*. ~사 escultor, -tora *mf* profesional. ~술 escultura *f*, arte *m* escultural, arte *m* escultórico; [목제의] xilografía *f*, [밀랍의] cerografía *f*. ~실 sala *f* para la escultura. ~판 plancha *f*. ~품 artículo *m* grabado.

조간(朝刊) ((준말)) =조간신문(朝刊新聞).
■~신문 diario *m* de la mañana, periódico *m* matutino, periódico *m* de la mañana, matutino *m*. ~지 =조간신문(朝刊新聞).

조간(遭艱) pérdida *f* de *sus* padres. ~하다 perder a *sus* padres.

조갈(燥渴) sed *f*. ~이 나다 tener sed.
■~증 enfermedad *f* atendida por mucha sed.

조감도(鳥瞰圖) vista *f* aérea, vista *f* a vuelo de pájaro, perspectiva *f* [mapa *m*·plano

m] a [de] vista de pájaro.
조감독(助監督) ayudante *mf* de director.
조갑(爪甲) uñas *fpl*.
조강(粗鋼) acero *m* crudo.
조강(糟糠) ① [지게미와 쌀겨] las ahechaduras y el salvado de arroz. ② [(가난한 사람이 먹는) 보잘것없는 음식] comida *f* frugal, comida *f* trivial.
■ ~지처(之妻) esposa *f* que ha compartido la adversidad de *su* marido, esposa *f* que ha compartido días de estrechez con *su* marido. ~지처 불하당(之妻不下堂) Hay que respetar y atender bien a la esposa que ha compartido días de estrechez con su marido.
조개 【동물】 marisco *m*; [모시조개 · 대합 따위 식용의] almeja *f*; [패각] concha *f*. ~를 먹다 comer mariscos. ~를 잡다, ~를 줍다 recoger mariscos.
■ ~구름 ((속어)) =권적운. ~껍데기 concha *f*. ~더미 montón *m* de conchas. ~무지 【역사】 =조개더미. ~잡이 recogimiento *m* de mariscos. ~젓 mariscos *mpl* escabechados, mariscos *mpl* salados. ~탄 briqueta *f* oval. ~탕 sopa *f* de mariscos. ~ㅅ살 carne *f* de almeja.
조개모변(朝改暮變) =조변석개(朝變夕改).
조객(弔客) doliente *mf*, visitante *mf* para la condolencia; [집합적] cortejo *m* fúnebre. 그의 어머님은 ~들을 선도했다 Su madre encabezaba el cortejo fúnebre.
■ ~록(錄) libro *m* de dolientes, lista *m* de visitantes para la condolencia.
조갯속게 ① 【동물】 =속살이. ② [몸이 연약하여 일을 감당 못하게 생긴 사람] persona *f* flaca.
조건(條件) condición *f*; [수학 등의] datos *mpl* (de un problema); [상황(狀況)] circunstancia *f*. ~이 좋은 bien condicionado. 동등(同等)한 ~으로 en igualdad de condiciones, en pie de igualdad. 이 ~으로 en estas condiciones, en estos términos. …라는 ~으로 a [con la] condición de que + *subj*, con tal que + *subj*. ~을 붙이다 imponer [poner] condiciones (a *algo*). ~을 수락하다 aceptar las condiciones. ~을 거부하다 rehusar las condiciones. 필요한 ~을 만족시키다 satisfacer las condiciones requeridas, llenar las condiciones exigidas. 그것은 ~에 달려 있다 Eso depende (de las condiciones). 우리의 ~이 받아들여진다면 직장에 돌아갈 것이다 Volveremos al trabajo sólo si aceptan nuestras condiciones.
◆ 계약(契約) ~ condiciones *fpl* del contrato, términos *mpl* del contrato. 노동(勞動) ~ condiciones *fpl* laborales, condiciones *fpl* de trabajo. 생계(生計) ~ condiciones *fpl* de vida. 인간(人間) ~ condición *f* humana. 인계(引繼) ~ condiciones *fpl* de entrega. 지불(支拂) ~ condiciones *fpl* de pago. 판매(販賣) ~ condiciones *fpl* de venta. 필요(必要) ~ condición *f* necesaria. 협정(協定) ~ condiciones *fpl* del acuerdo, términos *mpl* del acuerdo.
■ ~ 반사(反射) reflejo *m* condicionado. ~법 modo *m* condicional. ~부 condicionado *m*. ¶~의 condicional, condicionado. ~로 bajo a condición, sujeto a condición, condicionalmente. ~부 원조 ayuda *f* supeditada a condiciones. ~부 인수 aceptación *f* condicionada, ceptación *f* en firme.
조것 aquél, aquélla.
조격(阻隔) aislamiento *m*, separación *f*, alejamiento *m*, distanciamiento *m*. ~하다 estar separado.
조경(造景) paisajismo *m*.
■ ~가 jardinero, -ra *mf* paisajista. ~술 arquitectura *f* paisajista.
조경(潮境) línea *f* de confluencia entre dos corrientes oceánas.
조계(早計) precipitación *f*, irreflexión *f*. ~의 imprudente, precipitado.
조계(租界) concesión *f*, poblado *m*, asentimiento *m*.
◆ 공동(共同) ~ el Poblado Internacional. 영국 ~ concesión *f* de Inglaterra. 외국(外國) ~ concesión *f* extranjera.
조고(祖考) abuelo *m* muerto, difunto abuelo *m*.
조곡(弔哭) lamento *m* [gemido *m*] en luto. ~하다 gemir [llorar] en luto.
조곡(組曲) 【음악】 popurrí *m*, suite *m*. 피아노 ~ suite *m* para piano.
조공(租貢) pago *m* de impuestos. ~하다 pagar impuestos.
조공(彫工) escultor, -tora *mf*, grabador, -dora *mf*.
조공(朝貢) tributo *m*. ~하다 pagar tributo.
■ ~국 país *m* (*pl* países) tributario.
조관(條款) estipulación *f*, artículo *m*, cláusula *f*.
조관(朝官) cortesano, -na *mf*.
조광(粗鑛) mena *f*, mineral *m* metalífero.
조광(躁狂) frenesí *m*; 【의학】 mania *f*..
조교(弔橋) =현수교(懸垂橋)(puente colgante).
조교(助敎) lector, -tora *mf*, ayudante *mf*, asistente *mf*.
■ ~수 profesor *m* adjunto, profesora *f* adjunta.
조교(照校) cotejo *m*, comparación *f*. ~하다 cotejar, confrontar.
조국(祖國) patria *f*, tierra *f* natal. ~의 patrio, de (la) patria. ~을 위해 por la patria. ~을 위해 싸우다 luchar [combatir] por *su* patria. ~을 위해 죽다 morir(se) por *su* patria.
■ ~애(愛) patriotismo *m*.
조국(肇國) =건국(建國).
조규(條規) estipulación *f*, artículos *mpl*, regulaciones *fpl* (de la ley).
조그마하다 (ser) un poco pequeño, algo poco, no ser bastante [tan] grande, no ser muy mucho. 조그마한 탑 pagoda *f* algo pequeña.
조금 un poco, un poquito, una pizca, un

poquitín, algo, un tanto. 아주 ~ un poquito, un poquitito. ~ 떨어져 a poca distancia. ~ 전에 hace poco (tiempo), hace un rato. ~ 전까지 hasta hace poco. ~이라도 빨리 cuanto antes, lo más pronto posible. 아주 ~ 동안 un momentito, un ratito. ~ 보다 echar [dar] un vistazo [una ojeada] (a), echar una mirada (a). ~도 (…이 아니다) ni una pizca. ~ 전에 비가 그쳤다 Hace un rato que ha dejado de llover. 그것을 ~ 전에 알았다 Ya lo sé hace (mucho) tiempo. ~ 전에 너에게 전화 왔었다 Te llamaron hace un rato. 소금을 ~ 주세요 Dame un poco de sal. ~ 생각하면 이해가 된다 Con [A] poco que se reflexione se entiende. 그는 머리가 ~ 돌았다 El es un poco loco [raro] / El tiene vena de loco. 그는 ~ 놀라 있는 것 같다 Parece que él estaba un poco sorprendido. 당신에게 ~이라도 양심이 있다면 … si tuviera usted un poco [una pizca] de conciencia …. ~ 보아서는 그의 사람됨을 알 수 없다 A simple vista no se puede entender su manera de ser. 그는 나를 ~ 닮았다 El se parece un poquito a mí. 나는 돈 때문에 ~ 곤란하다 Estoy un poco apurado de dinero. 할 말이 ~ 있습니다 Tengo algo que hablar con usted / Tengo algo que decirle a usted. 커피를 ~ 드시겠습니까? ¿Le apetece un poco de café? / ¿Quiere [desea] usted tomar un poco de café? 그는 쉰 살이 ~ 넘었다 El tiene un poco más de cincuenta años. 그는 ~ 건방지다 El es algo impertinente. 나한테 돈이 ~ 남아 있다 Me queda algo de dinero. 나는 돈이 ~밖에 없다 Tengo poco dinero. 학생이 ~밖에 없다 No hay más que unos pocos alumnos. 나는 서반아어를 ~ 안다 Sé hablar español un poco / Hablo un poco el español. 이 책은 나한테 ~ 어렵다 Este libro me es bastante difícil. 너하고 ~ 이야기했으면 싶다 Me gustaría hablar contigo un rato. ~만 기다려 주십시오 [usted에게] Espere un momento / Un momento, por favor // [tú에게] Espera un momento / [ustedes에게] Esperen un momento / [vosotros에게] Esperad un momento. 서반아어 공부를 ~은 계속하느냐? ¿Sigues estudiando algo de español? 네 장래의 생각을 ~은 해라 ¡A ver si se te ocurre pensar en tu porvenir un poco!

조금도 [부정문으로 쓰여 no · nunca · ninguno · nada · ni 따위의 부정어와 함께 사용함] no … nada , no … nunca, no … ninguno. 그는 ~ 악의(惡意)가 없다 El no es nada malicioso. ~ 의심할 여지가 없다 No deja ningún lugar a duda / No (nos) cabe ninguna duda. 그의 말에는 ~ 의심할 점이 없다 No hay ni una sombra de duda en lo que dice él. 나는 ~ 상관없다 No me importa nada. 그는 ~ 부끄러워하지 않는다 El no tiene ni (una) pizca de vergüenza. 나는 그것에 대해 ~도 알지 못한다 No sé absolutamente nada de ello. 당신이 말씀하신 것을 ~ 이해하지 못하겠습니다 No entiendo absolutamente nada de lo que dice usted / No le entiendo absolutamente nada.

조금씩 poco a poco, paso a paso, gradualmente, lentamente, por pequeña cantidad, por poca porción. ~ 마시다 beber a sorbos. ~ 사용하다 gastar poco a poco, gastar repartiéndolo. ~ 움직이다 moverse lentamente [poco a poco]. ~ 전진하다 avanzar lentamente [poco a poco]. 값을 ~ 올리다 alzar el precio poco a poco.

조금(潮一) marea *f* muerta.

조금(造金) oro *m* artificial.

조금(彫金) cincelado *m*. ~하다 cincelar.
■ ~사(師) cincelador, -dora *mf*.

조급(躁急) impaciencia *f*, desasosiego *m*. ~하다 (ser) impaciente.
조급히 impacientemente, con impaciencia. ~ 일하다 trabajar precipitadamente.

조급하다(早急一) (ser) urgente, apremiante.
조급함 urgencia *f*, prontitud *f*. 조급한 걸음걸이로 a pasos precipitados. 조급한 마음을 억제하다 reprimir [contener] la impaciencia.
조급히 urgentemente, con urgencia, sin demora, sin tardar más, pronto.

조기[1] 【어류】 ombrina *f*, corvina *f* amarilla.
■ ~젓 corvina *f* amarilla encabechada [salada].

조기[2] ① [조 곳] ahí, aquel lugar. ~가 종점이다. Ahí es la terminal. ② [조 곳에] ahí, en aquel lugar. ~ 있습니다 Ahí está.

조기(弔旗) bandera *f* de duelo, bandera *f* de condolencia a media asta; [선박의] pabellón *m* (*pl* pabellones) a media asta. ~를 게양하다 izar la bandera de duelo, izar la bandera a media asta. ~를 게양하고 있다 llevar la bandera de duelo.

조기(早起) levantamiento *m* temprano. ~하다 levantarse temprano (por la mañana), levantarse muy de mañana, madrugar. ~의 madrugador.
■ ~인(人) madrugador, -dora *mf*.

조기(早期) primeros estadios *mpl*, estado *m* primitivo. ~의 temprano, primero, primitivo, prematuro, precoz. 암은 ~에 발견되면 치료할 수 있다 El cáncer se puede curar si se descubre en sus primeros estadios.
■ ~ 경보망(警報網) sistema *m* de alarma temprana. ~ 교육 educación *f* temprana. ~ 발화 preencendido *m*. ~ 분만아 infante *m* prematuro. ~ 사정(射精) prospermia *f*, eyaculación *f* prematura. ~ 수축 latido *m* precoz. ~ 재배 cultivo *m* temprano. ~ 진단 temprano diagnóstico *m*. ~ 치료 tratamiento *m* temprano. ~ 타결 acercamiento *m* temprano. ~ 퇴직 prejubilación *f*. ~ 흥분 preexcitación *f*.

조깅(영 *jogging*) jogging *ing.m*, footing *ing.m*. ~하다 correr, trotar, hacer jogging, hacer footing. ~은 좋은 운동이다 Correr

[El jogging · El footing] es un buen ejercicio. 나는 ~을 시작했다 He empezado a correr [a trotar · a hacer footing · a hacer jogging].

■ ~ 슈즈 zapatillas *fpl* de deporte, zapatillas *fpl* para correr.

조끼[1] chaleco *m*. ~의 호주머니 bolsillo *m* del chaleco.

■ ~적삼 chaleco *m* con mangas.

조끼[2] [맥주 따위의] jarra *f*, jarro *m*, botija *f*, botijuela *f*, jarro *m* de cerveza, jarra *f* de cerveza. 맥주 한 ~ 주세요 (Tráigame) Una jarra (de cerveza), por favor.

조난(遭難) desastre *m*, accidente *m*, siniestro *m*, calamidad *f*, desgracia *f*; [배의] naufragio *m*. ~하다 [배가] naufragar, hacer naufragio, zozobrar la embarcación, sufrir un accidente. ~된 náufrago. ~한 naufragante. ~된 선원(船員)들 marineros *mpl* náufragos. ~의 생존자들 los sobrevivientes del náufragio. 겨울에 산에서 ~하다 sufrir un accidente de montaña en el invierno. 그들은 무인도(無人島)에서 ~되었다 Ellos acabaron en una isla desierta tras naufragar.

■ ~ 구조선 barco *m* de salvamento. ~선 barco *m* naufragado, barco *m* en zozobra. ~ 신호 SOS *m*, S.O.S. *m*, señal *f* de socorro. ~자 náufrago, -ga *mf*, víctima *f*, siniestrado, -da *mf*, [생존자] superviviente *mf*, sobreviviente *mf*. ¶~의 구출(救出) el rescate de los náufragos. 열 명의 ~가 구조되었다 Diez náufragos fueron salvados. ~지 lugar *m* de accidente. ~ 통신 comunicaciones *fpl* del naufragio. ~현장 escena *f* [lugar *m*] del accidente [배의 del náufragio].

조달(早達) éxito *m* en la edad joven, ascenso *m* rápido, promoción *f* rápida. ~하다 tener éxito en la edad joven.

조달(調達) provisión *f*, abastecimiento *m*, almacenamiento *m*, suministro *m*; [식량의] aprovisionamiento *m*. ~하다 proveer, abastecer, proveerse (de), abastecerse (de), aprovisionar. 돈을 ~하다 juntar [coger] dinero. 자금(資金)을 ~하다 reunir fondos.

■ ~청 la Dirección de Suministro, la Oficina de Suministro.

조당(粗糖) azúcar *m* no refinado, azúcar *m* (en) bruto.

조대 pipa *f* de cerámica, pipa *f* de barro.

조대하다(粗大–) (ser) basto, ordinario, burdo.

조도(照度) 【물리】 intensidad *f* de la luz.

■ ~계(計) fotómetro *m*.

조도(調度) expensas *fpl*, gastos *mpl*. ~하다 gastar dinero.

조독(爪毒) 【한방】 inflamación *f* causada por el rasguño.

조동모서(朝東暮西) vagabundeo *m*, vagabundaje *m*, vagabundería *f*, vagabundez *f*.

조동사(助動詞) 【언어】 verbo *m* auxiliar.

조동율서(棗東栗西) el dátil en el este y el castaño en el oeste en el servicio religioso.

조라 【민속】 ((준말)) =조라술.

■ ~술 【민속】 *chorasul*, licor *m* para el servicio religioso al dios de montaña.

조라기 tiras *fpl* de cáñamo.

조라떨다 arruinarse, hacer mal.

조락(凋落) caída *f*, decadencia *f*, ruina *f*. ~하다 caer, reducirse, decaer, quedar arruinado. ~하는 가을 otoño *m* en que se arruina todo.

조락노 cuerda *f* (de tiras) de cáñamo.

조란(鳥卵) huevo *m* del ave.

조랑말 potro, -tra *mf*.

조랑조랑 en racimo.

조략하다(粗略–) (ser) basto, crudo.

조량(照諒) criterio *m*, discernimiento *m*, discriminación *f*. ~하다 discernir, discriminar, hacer discriminaciones, distinguir, percibir, saber a fondo, saber perfectamente.

조력(助力) ayuda *f*, auxilio *m*, socorro *m*, apoyo *m*, protección *f*, asistencia *f*, [협력(協力)] cooperación *f*. ~하다 ayudar, auxiliar, asistir, socorrer, dar una mano, amparar, favorecer; [서로 돕다] conllevar, ayudarse uno a otro. 당신의 ~에 의해 con su ayuda amable. ~을 구하다 buscar ayuda (en), buscar apoyo (en). ~을 부탁하다 pedir ayuda (a), solicitar socorro (de), solicitar auxilio (de), suplicar la asistencia, suplicar el socorro. 친구의 ~을 바라다 pedir la ayuda de *su* amigo.

■ ~자(者) ayudante *mf*, asistente *mf*, socorredor, -dora *mf*, partidario, -ria *mf*.

조력(潮力) energía *f* mare(o)motriz, energía *f* mareal, fuerza *f* de la marea.

■ ~ 발전(發電) producción *f* de electricidad por medio de las mareas. ~ 발전소(發電所) central *f* mare(o)motriz.

조련(調練) ① [병사를 조종하는 연습] ejercicio *m* militar, disciplina *f*, instrucción *f*, práctica *f*, entrenamiento *m*, adiestramiento *m*. ~하다 entrenar, adiestrar. ② [훈련을 거듭하여 쌓음] domadura *f*, doma *f*. ~하다 domar.

■ ~사(師) domador, -dora *mf*. ¶사자 ~ domador, -dora *mf* de leones.

조련(操練) ① =교련(教鍊). ② [남을 몹시 강박함] coacción *f*. ~하다 obligar, forzar, compeler.

■ ~사(師) entrenador, -dora *mf*, adiestrador, -dora *mf*. ~장(場) campo *m* de entrenamiento.

조령(朝令) orden *f* de la corte imperial.

■ ~모개(暮改) falta *f* de principio, variabilidad *f*, lo cambiante, lo imprevisible, informalidad *f*. ¶~하다 cambiar el orden frecuentemente. ~의 정책 política *f* variable, política *f* inconstante.

조례(弔禮) etiqueta *f* de condolencia.

조례(條例) reglamento *m*, ordenanza *f*, regla *f*, ley *f*, ~를 반포하다 dar los reglamentos. ~를 취소(取消)하다 revocar los reglamentos.

◆ 도(道) ~ ordenanza *f* de la provincia. 시(市) ~ ordenanza *f* del municipio. 철도(鐵道) ~ reglamentos *mpl* del ferrocarril.

■ ~ 위반 violación *f* de reglamentos.

조례(朝禮) reunión *f* matutina antes de empezar las clases [el trabajo].

조례(照例) referencia *f* a los precedentes.

조로(早老) presenilidad *f*, vejez *f* precoz. ~하다 avejentarse.

■ ~증 progeria *f*, micromegalía *f*. ~ 현상 geromorfismo *m*.

조로(朝露) ① [아침 이슬] rocío *m* matinal, rocío *m* de la mañana. ② [덧없는 인생] vida *f* efímera.

■ ~인생(人生) =초로인생.

조로(포 *jorro*) =물뿌리개.

조로아스터(영 Zoroaster) ((종교)) Zoroastro *m*.

■ ~교 zoroastrismo *m*, mazdeísmo *m*. ~교도 zoroástrico, -ca *mf*.

조롱(鳥籠) jaula *f*.

조롱(嘲弄) burla *f*, mofa *f*. ~하다 reírse (de), burlarse (de), ridiculizar, mofarse (de), hacer burla [mofa] (a · de), tomar el pelo (a), dar [decir · gastar] una broma (a), chancearse (a). ~하는 투로 en broma, de broma, con sorna. 모두가 그의 옷을 보고 촌스럽다고 ~했다 Todos hicieron burla [se chancearon] de la rusticidad de su traje.

조롱박 ①【식물】=호리병박. ② [호리병박으로 만든 바가지] cazo *m* de agua hecho de calabaza.

조롱벌【곤충】=애호리병벌.

조롱복(-福) fortuna *f* pequeña. ~을 타고나다 nacer con fortuna pequeña.

조롱이【조류】gavilán *m*.

조루(早漏) eyaculación *f* precoz, prospermia *f*.

■ ~증(症) enfermedad *f* de eyaculación precoz.

조류(鳥類)【동물】aves *fpl*, pájaros *mpl*.

■ ~학(學) ornitología *f*. ~학자 ornitólogo, -ga *mf*.

조류(潮流) corriente *f* mareal, corriente *f* marina; [사상 등의] corriente *f*, tendencia *f*.

조류(藻類)【식물】algas *fpl*;【학명】Algae.

■ ~학 algología *f*. ~학자 algólogo, -ga *mf*.

조륙 운동(造陸運動) movimientos *mpl* epeirogénicos.

조르다 ① [끈 따위로 단단히 죄다] estirar, atiesar, arremangar, atar, unir. ② [끈덕지게 무엇을 요구하다] pedir con insistencia, pedir importunamente, importunar pidiéndo. 어머니에게 돈을 달라고 ~ pedir importunamente dinero a su madre. ③ [재촉하다] apresurar, dar prisa, acosar, acuciar, hostigar, perseguir. 나는 빚쟁이들에게 졸리고 있다 Me acosan los acreedores. 아들 녀석이 영화관에 데리고 가라고 나를 조른다 Mi niño me pide insistentemente [me molesta pidiendo] que le lleve al cine.

조르르 ① [잽싼 걸음으로 앞만 바라보고 나가는 모양] con un paso rápido. ② [물줄기가 구멍이나 면을 끊이지 않고 흐르는 소리] fluyendo, corriendo. ~ 흐르다 fluir en un hilillo, fluir en un chorillo. 땀방울이 그의 이마에서 ~ 흘렀다 Le corrían gotas de sudor por la frente. 물이 파이프에서 ~ 흘렀다 Salía un hilito de agua de la cañería. ③ [경사진 곳에서 작은 물건이 미끄러지듯이 흘러내리는 모양] deslizándose. 모래가 그의 손가락 사이로 ~ 흘러내렸다 La arena se deslizó por entre sus dedos. ④ [어린 아이나 작은 짐승이 잇따라 빨리 따르는 모양] rápido, rápidamente. 어머니의 뒤를 ~ 따라가다 seguir rápidamente a *su* madre. ⑤ [비나 물에 함빡 젖은 모양] mojándose.

조르륵 =조르르.

조름 bolsa *f* de branquia.

조리 ① [조러하게] así. ② [저 곳으로 · 저쪽으로] allá. ~ 가게 Vete allá.

조리(笊籬) colador *m* (pequeño) de bambú.

■ ~자지 pene *m* que suele a orinar.

조리(條理) razón *f*, lógica *f*. ~ 있는 razonable, lógico, justo, convincente, racionable, conforme a la razón. ~에 맞는 coherente, consecuente. ~에 닿지 않는 irrazonable, ilógico, injustificable, absurdo, irracionable. ~에 맞지 않는 incoherente, contradictorio. ~에 닿지 않는 말 asunto *m* poco razonable. ~를 세우다 obrar conforme a la razón. 그와 상담하는 것이 ~에 맞다 Es razonable consultarle a él. 당신이 방금 말한 것은 ~가 서지 않는다 No es lógico que usted acaba de decir.

조리(調理) ① [음식 · 거처 · 동작을 적당히 하여 쇠약해진 몸을 회복하게 함] cuidado *m* de la salud, recuperación *f*. 병후에는 ~를 잘해야 한다 Hay que cuidar bien después de la enfermedad. ② [음식을 잘 맞추어 요리함] cocina *f*. ~하다 cocinar, cocer, guisar.

■ ~기 cocina *f*. ~대 (mesa *f* de) cocina *f*. ~사 cocinero, -ra *mf*. ~술 el arte *f* culinaria, el arte *f* de cocina, cocina *f*. ~실 cocina *f*. ~장(場) cocina *f*.

조리개 [렌즈의] abertura *f*, apertura *f*; [장치] diafragma *m*. ~를 열다 abrir el diafragma. ~를 맞추다 disminuir el diafragma. ~를 조이다 cerrar el diafragma, diafragmar.

조리다 cocer, hervir, condensar cociendo. 삶아서 ~ cocer con azúcar y salsa de soja [soya]. 생선을 간장에 ~ cocer el pescado en la salsa de soja [soya].

조리차하다 limitar [restringir · reducir] los gastos. 가계를 ~ limitar [restringir · reducir] los gastos domésticos.

조리치다 echarse un sueñecito, echarse una siesta muy corta.

조림 comida *f* cocida con [en] salsa de soya, alimento *m* conservado cocido en la salsa de soya. 생선 ~ pescado *m* cocido con salsa de soya. 고기와 야채 ~ carne y legumbres cocidas en salsa de soya.

조림(造林) forestación *f*, repoblación *f* forestal, reforestación *f*, silvicultura *f*, plantación *f* de bosques. ~하다 forestar, reforestar, reprobar con árboles, plantar bosques. ~의 forestal.
■ ~ 장려 fomento *m* de plantación. ~학 silvicultura *f*.

조립(組立) [구조] construcción *f*, estructura *f*; [조직] organización *f*, sistema *m*, constitución *f*; [작업] composición *f*, montaje *m*, ensamblaje *m*, armazón *m*; [기계] conjunto *m* de piezas. ~하다 componer, montar, combinar (las piezas), construir, instalar. 기계를 ~하다 montar una máquina. 부품을 ~하다 combinar las piezas. ~ 중인 자동차의 열 fila *f* de coches en ensamblaje.
■ ~ 건축(建築) preconstrucción *f*. ~공(工) montador, -dora *mf*. ~ 공장(工場) fábrica *f* [taller *m* · planta *f*] de montaje, factoría *f* de ensamblaje. ~도(圖) dibujo *m* de montaje. ~ 산업 industria *f* prefabricada. ~식 lo prefabricado. ¶~ 가옥 casa *f* prefabricada, casa *f* desarmable. ~ 의자 silla *f* plegable. ~ 주택(住宅) casa *f* prefabricada. ~ 주택의 prefabricado. ~ 책장 estante *m* plegable. ~ 침대 cama *f* plegable. ~품 artículo *m* de montaje.

조마(調馬) domadura *f* de caballos. ~하다 domar un caballo.
■ ~사(師) domador, -dora *mf* de caballos. ~장(場) potrero *m*, prado *m*, cercado *m*.

조마조마하다 estar ansioso, ponerse impaciente, inquietarse, impacientarse, palpitar, temblar de miedo. 조마조마한 시합(試合) partido *m* muy emocionante. 조마조마해 하다 temblar por miedo, sentir nerviosidad, estar en susto, estar en espanto, estar en terror, estar en ascuas. 조마조마 해하면서 tímidamente, nerviosamente, inquietamente, incómodamente, palpitando, inquietándose, con el alma en un hilo. (걱정으로) 마음이 ~ ponerse (estar) nervioso. 보고만 있어도 나는 ~ Me hace temblar sólo verlo. 비밀이 폭로될까 두려워 나는 조마조마했다 Me palpitaba el corazón con el temor de que el secreto fuera divulgado. 나는 그가 발을 헛디딜까 조마조마했다 Yo temía [tenía un miedo enorme] que él diera un paso en falso.

조막 tamaño *m* más que el puño. 크기가 ~만 하다 ser de tamaño más que el puño.

조막손 mano *f* atrofiada.

조막손이 persona *f* con una mano atrofiada.

조만(早晩) lo temprano y lo tardío.
■ ~간(間) ㉮ [어느 때든지. 이르든지 늦든지 간에] tarde o temprano, más tarde o más temprano, más pronto o más tarde, con el tiempo. 인간은 ~ 죽게 되어 있다 El hombre ha de morir tarde o temprano. 그 비밀은 우리가 아무리 숨겨도 ~ 밝혀질 것이다 Ese secreto, por mucho que lo ocultemos, será descubierto tarde o temprano. ㉯ [곧] ya, pronto, dentro de poco; [가까운 장래] en un futuro cercano [próximo], en fecha próxima; [언젠가] algún día. 그는 ~ 돌아올 것이다 El ya volverá / El volverá pronto / El volverá dentro de poco. ~ 화성(火星)에 여행할 날이 올 것이다 Ya llegará el día (en) que podremos viajar a Marte. ~ 나는 실험에 성공할 것이다 Algún día tendré buen éxito en el experimento. ~ 너는 내 보복을 받을 것이다 ¡Ya me las pagarás! ~ 알게 될 것이다 Ya verás / Espera y verás. ㉰ [근간. 일간] un día de éstos, uno de estos días. ~ 만납시다 A ver si nos vemos pronto / Nos veremos un día de éstos / Hasta pronto. ~ 방문하겠습니다 Cualquier día de éstos le haré una visita / Le visitaré uno de estos días / Le visito dentro de unos días.

조망(眺望) vista *f*, panorama *m*, paisaje *m*. ~하다 ver, mirar. 남산은 ~이 좋다 Hay una buena vista del monte *Nam*. 나무들이 ~을 가로막는다 Los árboles obstruyen la vista.

조망(鳥網) red *f* de pájaros.

조매(嘲罵) burla *f*. ~하다 burlarse, mofarse.

조면(繰綿) algodón *m* (*pl* algodones) desmotado, algodón *m* devanado.
■ ~기(機) devanadora *f* de algodón, desmotadera *f* de algodón, almarrá *m*. ~ 회사 compañía *f* desmotadera, compañía *f* devanadora.

조면암(粗面岩) 【광물】 traquita *f*.
◆ 석영 ~ riolita *f*, traquita *f* cuarzoso.

조명(助命) indulto *m* de vida. ~하다 perdonar la vida; [사형에서] indultar de la pena de muerte, conceder [dar] la gracia del indulto de vida. ~을 탄원하다 implorar [pedir] el indulto de *su* vida [타인의] de la vida en favor de *uno*].

조명(詔命) =조서(詔書).

조명(朝命) orden *f* real, orden *f* del gobierno.

조명(照明) iluminación *f*, alumbrado *m*. ~하다 iluminar, alumbrar. 홀에 ~하다 alumbrar el salón. 층계에 ~을 하다 alumbrar por la escalera. 이 방은 ~이 좋다[나쁘다] Esta sala está bien [mal] alumbrada.
◆ 간접(間接) ~ luz *f* indirecta. 전기(電氣) ~ iluminación *f* eléctrica.
■ ~계 =조도계(照度計). ~ 공학(工學) ingeniería *f* de iluminación. ~ 기구(器具) iluminador *m*, aparato *m* de alumbrado. ~ 기사 técnico, -ca *mf* en iluminación; luminotécnico, -ca *mf*. ~ 기술 luminotécnica *f*. ~ 담당자 encargado, -da *mf* de la iluminación. ~도 =조도(照度). ~등 [거리의] alumbrado *m*. ~법 luminotecnia *f*. ~ 설비 instalación *f* de alumbrado. ~ 장치

aparato *m* de alumbrado (para escena). ~탄 bomba *f* luminosa, bomba *f* de destello, bomba *f* de iluminación. ~ 효과 efectos *mpl* luminosos, juegos *mpl* de luces.

조모(祖母) abuela *f*, madre *f* del padre.

조모(朝暮) la mañana y la noche.

조목(條目) artículo *m*, cláusula *f*. ~별로 쓰기 escrito *m* dividido en artículos. ~별로 기입하다 hacer una lista (de), enumerar. ~별로 분류해 쓰다 clasificar numéricamente.
■ ~조목 artículo por artículo.

조몰락거리다 tocar.
조몰락조몰락 tocando y tocando.

조묘(祖廟) tumba *f* de los antepasados.

조무(朝霧) niebla *f* de la mañana.

조무래기 ① [자질구레한 물건] artículos *mpl* pequeños, artículos *mpl* diversos. ② [어린 아이들] niños *mpl*, chicos *mpl*.

조문(弔文) discurso *m* fúnebre, palabras *fpl* de condolencia, escrito *m* de tratamiento funeral.

조문(弔問) ① vistita *f* por condolencia. ~하다 hacer una visita de condolencia [de pésame] (a *uno*), visitar por condolencia. ~ 가다 ir a dar el pésame, rezar por la paz del alma de un difunto [de una difunta]. ② ((성경)) condolerse, acompañar en el dolor.
■ ~객 doliente *mf*; visitante *mf* por condolencia.

조문(條文) [본문(本文)] texto *m*; [조항(條項)] artículo *m*, cláusula *f*. ~을 해석하다 interpretar el artículo. ~에 명기되어 있다 estar estipulado [establecido] en un artículo.

조물(造物) ① objetos *mpl* hechos por el Creador. ② ((성경)) criatura *f*, creación *f*.
■ ~주(主) el Creador, el Dios, el Dios que creó; [플라톤 학파의] demiurgo *m*.

조미(造米) peladura *f* de arroz. ~하다 pelar arroz.

조미(調味) condimento *m*, sazón *m*, condimentación *f*. ~하다 sazonar, condimentar, dar sabor. 소금과 후추로 ~하다 salpimentar.
■ ~료(料) condimento *m*, sazonamiento *m*. 기본 ~는 소금, 후추, 겨자, 후춧가루, 고추, 마늘 및 양파다 ((Cocina Latinoamericana)) Los principales condimentos son la sal, la pimienta, la mostaza, el pimiento, ají o chile, el ajo y la cebolla.

조밀하다(稠密—) (ser) denso, populoso, lleno de gente, atestado, abarrotado. 조밀함 densidad *f*. 인구가 조밀한 지방 región *f* de densa población, zona *f* de gran densidad (de población).

조바심[1] [조마조마하여 마음에 불안을 느낌] ansiedad *f*, preocupación *f*.

조바심[2] [조의 이삭을 떨어서 좁쌀을 만듦] trilla *f* de mijo. ~하다 trillar las espigas de mijo.

조바위 *chobawi*, sombrero *m* invernal de la mujer.

조박(糟粕) ① [재강] posos *mpl*. ② [학문・서화・음악 등에서 옛 사람이 다 밝혀낸 찌끼] escoria *f*.

조반(早飯) un poco de comida que se toma antes de desayunar.
■ ~기(器) tazón *m* de latón con tapa.

조반(朝飯) desayuno *m*. ~을 들다 desayunar, tomar un desayuno.
■ ~상(床) mesa *f* para el desayuno. ~석죽(夕粥) vida *f* miserable que se toma el arroz cocido por la mañana y las gachas por la noche.

조발(早發) ① [어떤 꽃이 딴 꽃보다 일찍이 핌] florecimiento *m* precoz. ~하다 florecer precozmente. ② [아침 일찍 떠남] salida *f* temprana por la mañana. ~하다 salir temprano por la mañana. ③ [기차・기선 등이 정한 시간보다 일찍 떠남] salida *f* más temprana que la hora fija. ~하다 salir más temprano que la hora fija.
■ ~성 precocidad *f*. ~성 치매 =정신 분열증(精神分裂症).

조발(調髮) ① [머리를 땋음] trenza *f* de pelo. ~하다 trenzar el pelo. ② [머리를 깎음] corte *m* de pelo, peluquería *f*. ~하다 cortarse el pelo.

조밥 mijo *m* cocido.

조방(助幇) proxenetismo *m*, lenocinio *m*, alcahuetería *f*. ~을 보다 ser el proxeneta (de).
■ ~꾸니 proxeneta *mf*, chulo *m* (de putas), alcahuete, -ta *mf*, *Méj* padrote *m*; *CoS* cafiche *m*.

조방 농업(粗放農業) agricultura *f* extensiva.

조백(早白) canicie *f* precoz.

조뱅이 【식물】 una especie de cardo.

조법(助法) 【법률】 leyes *fpl* subsidiarias.

조변(早變) cambio *m* temprano. ~하다 cambiar temprano.
■ ~석개(夕改) mutabilidad *f*, volubilidad *f*, inconstancia *f*, voluntariedad *f*, capricho *m*. ¶~하다 cambiar constantemente. ~의 voluntario, caprichoso.

조병(造兵) fabricación *f* de armas. ~하다 fabricar armas.
■ ~창(廠) arsenal *m*. ~학(學) ciencia *f* [tecnología *f*] de fabricación de armas.

조복(朝服) ropa *f* oficial.

조부(弔賻) la condolencia y los regalos para los gastos fúnebres.

조부(祖父) abuelo *m*, padre *m* del padre.
■ ~모 el abuelo y la abuela, abuelos *mpl*.

조분(鳥糞) guano *m*, estiércol *m* del ave, excremento *m* del ave.
■ ~석(石) guano *m*.

조불식석불식(朝不食夕不食) No se toma ni una comida por la pobreza.

조붓하다 (ser) algo estrecho. 조붓하고 두꺼운 종이 tira *f* de papel fuerte donde se escribe algo.
조붓이 algo estrechamente. ~ 자르다 cortar en láminas, cortar en rajas.

조비(祖妣) difunta abuela *f*, abuela *f* muerta.

조사(弔詞/弔辭) palabra *f* de condolencia,

alocución *f* fúnebre, discurso *m* funeral, mensaje *m* de condolencia, condolencia(s) *f(pl)*, pésame *m*. ～를 하다 pronunciar palabras de condolencia, pronunciar una alocución fúnebre. 나는 미망인에게 ～를 보냈다 Yo envié [di] mis condolencias [el pésame] a la viuda.

조사(早死) muerte *f* precoz [prematura]. ～하다 morir joven.

조사(助詞) 【언어】 partícula *f*, palabra *f* auxiliar.

조사(祖師) fundador *m* de una secta religiosa..

조사(釣師) =낚시꾼.

조사(釣絲) =낚싯줄.

조사(措辭) fraseología *f*, dicción *f*.

조사(照査) verificación *f*, comprobación *f*, confirmación *f* por argumento, confirmación *f* por evidencia. ～하다 verificar, justificar, comprobar, probar.

조사(照射) irradiación *f*, radiación *f*. ～하다 irradiar, radiar. 몸에 코발트를 ～하다 exponer el cuerpo a la irradiación de cobalto.

조사(調査) investigación *f*, averiguación *f*, indagación *f*, examen *m*, encuesta *f*; [인구 등의] censo *m*; [심문(審問)] interrogación *f*. ～하다 investigar, averiguar, examinar, hacer una investigación (de · sobre); hacer una encuesta (de · sobre); [인구 조사 등을] hacer el censo; [불평 · 요구 · 주장 등을] estudiar, examinar; [성격 · 배후 · 의심 등을] hacer indagaciones [averiguaciones] (sobre); [심문하다] interrogar; [참고로 보다] consultar, informarse (de); [찾다] buscar. ～를 진행하다 llevar adelante las investigaciones. ～할 것이 있다 tener una cosa que examinar. 다시 ～ 하다 volver a examinar, examinar otra vez. 사건을 ～하다 hacer una indagación del caso. 신원(身元)을 ～하다 averiguar la identidad (de). 전화번호를 ～하다 buscar el número de teléfono. 진상을 ～하다 esclarecer la verdad. 용의자를 ～하다 someter al sospechoso a un interrogatorio. 출석 인원을 ～하다 averiguar el número de los asistentes.

■ ～관 examinador, -dora *mf*, investigador, -dora *mf*. ～국(局) departamento *m* de investigación. ～단 equipo *m* investigador, equipo *m* de investigación. ～부 sección *f* de investigaciones. ～서 investigación *f* escrita. ～용지(用紙) cuestionario *m*. ～원 investigador, -dora *mf*. ～ 위원 examinador, -dora *mf*, investigador, -dora *mf*; [국회의] secretario, -ria *mf* de investigación. ～ 위원회 comisión *f* investigadora, comité *m* de investigación. ～ 자료 datos *mpl* para la investigación.

조산(早産) parto *m* prematuro, aborto *m*, abortamiento *m*; 【고어】 abortura *f*. ～하다 dar a luz prematuramente, abortar. ～의 prematuro, abortivo. ～으로 prematuramente, antes de tiempo. ～시키다 abortar, parir antes del tiempo en que el feto puede vivir. 동물의 ～된 새끼 abortón *m* (*pl* abortones), animal *m* nacido antes de tiempo. ～된 양의 가죽 piel *f* del cordero nacido antes de tiempo. 아이는 ～되었다 El niño fue prematuro.

조산아(兒) niño *m* prematuro, niña *f* prematura; niño *m* [nene *m*] nacido prematuramente, aborto *m*.

조산(助産) partería *f*, obstetricida *f*. ～하다 ayudar el parto.

■ ～사(師) partera *f*, comadrona *f*, matrona *f*; [남자] partero *m*. ～소 maternidad *f*. ～원 ((구용어)) =조산사(助産師).

조산(造山) montículo *m* [montecillo *m*] artificial (en el patio o en el parque).

■ ～ 운동(運動) movimiento *m* orogénico.

조산호(造珊瑚) coral *m* artificial.

조상(弔喪) condolencia *f*, pésame *m*. ～하다 condolerse, dar la condolencia, dar el pésame, expresar*le* sus condolencias *a uno* (por). ～ 가다 ir a dar el pésame [la condolencia].

■ ～객 =조객(弔客). ～부모 =조실부모(早失父母).

조상(爪傷) uñarada *f*, uñetazo *m*, uñada *f*, arañazo *m*, rasguño *m*.

조상(早霜) escarcha *f* temprana.

조상(祖上) antepasado, -da *mf*; antepasados *mpl*; antecesores *mpl*; ascendientes *mpl*; [집합적] ascendencia *f*; [직계의] progenitor, -tora *mf*. ～의 de un antepasado. ～ 전래의 ancestral. ～ 전래(傳來)의 땅 tierra *f* ancestral. 내 ～의 땅 la tierra de mis antepasados. ～을 숭배하다 adorar a *sus* antepasados. ～의 이름을 더럽히다 deshonrar el nombre de *sus* antepasados. ～의 신주(神主)를 모시다 prestar el culto a los antepasados.

■ ～굿 rito *m* de chamanismo a los antepasados. ～대감 【민속】 =조상신. ～상(床) 【민속】 mesa *f* a los antepasados en el rito religioso. ～ 숭배 culto *m* de los antepasados. ～신(神) dioses *mpl* de los antepasados. ～치레 orgullo *m* de los antepasados.

조상(彫像) estatua *f*. 대리석(大理石) ～ estatua *f* de mármol.

■ ～사(師) escultor, -tora *mf*. ～술(術) escultura *f*.

조색(調色) entonación *f*, 【사진】 viraje *m*.

조생모몰(朝生暮沒) vida *f* muy corta.

조생모사(朝生暮死) =조생모몰.

조생아(早生兒) =조산아(早産兒).

조생종(早生種) 【농업】 especies *fpl* prececes.

조서(弔書) carta *f* de condolencia.

조서(早逝) =요절(夭折).

조서(詔書) edicto *m* real, rescripto *m* real.

조서(調書) protocolo *m*, registro *m* escrito, atestado *m*. ～를 작성하다 instruir el atestado (de).

조석(朝夕) ① [아침과 저녁] la mañana y la

noche. 요즈음은 ~으로 춥다 Estos días hace frío por la mañana y por la noche. ② ((준말)) =조석반.

■ ~간 el diario de la mañana y el de la tarde. ~반(飯) el desayuno y la cena. ~변개(變改) =조변석개(朝變夕改).

조석(潮汐) ① ((준말)) =조석수(潮汐水)㉯. ② [달·태양 등의 기조력(起潮力)에 의해 해면(海面)이 주기적으로 오르내리는 현상] marea *f.*

■ ~수(水) ㉮ [밀물과 썰물] flujo *m* y reflujo. ㉯ =조수(潮水). ~수표(水表) tabla *f* de marea.

조선(祖先) =조상(祖上).

조선(造船) construcción *f* naval, construcción *f* de barcos. ~하다 construir un barco.

■ ~가(家) contructor, -tora *mf* de barcos. ~공(工) carpintero *m* de barcos. ~국(國) país *m* constructor de barcos. ~ 기사 ingeniero, -ra *mf* naval, constructor, -tora *mf* naval. ~ 능력 capacidad *f* de construcción de barcos. ~대(臺) anguilas *fpl.* ~소(所) astillero *m,* arsenal *m.* ~술(術) ingeniería *f* naval, arquitectura *f* naval. ~업 industria *f* naval. ~학 arquitectura *f* naval. ~ 회사(會社) compañía *f* [empresa *f*] constructora naval [de construcción naval].

조선(鳥仙)【조류】=학(鶴).

조선(釣船) =낚싯배.

조선(朝鮮)【지명】Corea. ~의 coreano.

◆ 남(南)~ Corea del Sur, Sudcorea. 북(北)~ Corea del Norte, Norcorea.

■ ~ 기와 teja *f* coreana. ~낫 hoz *f* (*pl* hoces) coreana. ~무 nabo *m* coreano. ~어학회 사건 el Acontecimiento de la Sociedad de la Lengua Coreana. ~옷 ropa *f* tradicional coreana. ~종이 papel *m* coreano, papel *m* de Corea. ~집 casa *f* tradicional coreana. ~ 총독부 el Virreinato Coreano. ~통보 *Choson Tongbo,* moneda *f* de Choson.

조선 총독부(朝鮮總督府) el Virreinato de Corea.

조설(早雪) nieve *f* temprana.

조섭(調攝) =조리(調理)❶.

조성(早成) ① [일찍 성취함] cumplimiento *m* temprano. ~하다 cumplir temprano. ② =조숙(早熟) ❷.

조성(助成) ayuda *f,* fomento *m,* subsidio *m,* subvención *f.* ~하다 ayudar, fomentar, subvencionar. 농업을 ~하다 fomentar la agricultura.

■ ~금(金) subsidio *m,* subvención *f.*

조성(造成) manufactura *f,* producción *f,* construcción *f.* ~하다 hacer, manufacturar, fabricar, producir, construir, fermentar. 위기(危機)를 ~하다 fermentar una crisis.

조성(組成) formación *f,* constitución *f,* composición *f.* ~하다 formar, constituir, componer.

조세(租稅) impuestos *mpl,* cargas *fpl* fiscales, tributo *m.* ~의 경감(輕減) reducción *f* de impuestos. ~의 대원칙 canon *m* de tributación. ~의 면제(免除) desgravación *f* fiscal, deducción *f* impositiva. ~의 전가 trastrueques *mpl* de tributo. ~를 경감(輕減)하다 reducir los impuestos. ~를 과하다 imponer tributo. ~를 늘리다 aumentar los impuestos. ~를 면제하다 exentar a *uno* de un tributo. ~를 징수하다 recaudar (impuestos). ~에서 면제(免除)되다 estar exento del pago de impuesto.

■ ~법(法) código *m* impositivo, código *m* fiscal. ~ 부담자(負擔者) dador, -dora *mf* de impuesto; [납세자] contribuyente *mf.* ~ 제도 sistema *m* [régimen *m*] tributario [fiscal]. ~ 징수(徵收) recaudación *f* de impuestos. ~ 징수관 recaudador, -dora *mf* (fiscal) de impuestos.

조소(彫塑) la escultura y el modelado; [회화에 대해] escultura *f.*

■ ~가(家) artista *m* plástico, artista *f* plástica; escultor, -tora *mf.*

조소(嘲笑) risa *f* burlana, burla *f,* mofa *f,* irrisión *f;* [강한] escarnio *m.* ~하다 burlarse (de), reírse (de), mofarse (de), poner en ridículo. ~적인 burlón (*pl* burlones), mofador, escarmecedor. ~당하다 ser burlado [mofado·ridiculizado], ser puesto en ridículo (por), ser objeto de las risas [de las mofas] (de). 그는 ~의 대상이 되었다 El se ha expuesto a la burla general. 오늘 아침 우리는 그녀들에게 ~당했다 Esta mañana nos han burlado [mofado·ridiculizado]. 네가 그 짓을 하면 ~당한다 Si lo hicieras, te ridiculizarían.

조속기(調速機) regulador *m* de velocidad.

조속하다(早速—) (ser) pronto, listo, no perder tiempo. 조속한 조치(措置) despacho *m* pronto.

조속히 pronto, al instante, inmediatamente, presto, sin demora, en el acto, en seguida, enseguida, sin perder tiempo. ~ …하다 hacer *una cosa* sin perder tiempo, apresurarse a + *inf.* ~ 오십시오 Venga usted inmediatamente. ~ 가겠습니다 Voy en seguida [inmediatamente·al instante]. ~ 귀하에게 서신을 드리겠습니다 Me apresuro a escribirle a usted.

조손(祖孫) el abuelo y el nieto.

조수(助手) ayudante, -ta *mf;* asistente, -ta *mf.*

■ ~석(席) asiento *m* delantero junto al conductor.

조수(鳥獸) el ave *f* (*pl* las aves) y el animal.

조수(潮水) marea *f,* el agua *f* del mar. ~의 간만(干滿) flujo y reflujo. 소용돌이치는 ~ vorágine *m.* ~처럼 몰려가다 acudir en tropel, acudir en oleadas. ~가 준다 La marea mengua / La marea baja. ~가 불어난다 Sube [Crece] la marea. 고래가 ~를 듬뿍 뿜어내다 La ballena arroja agua a chorros.

조숙(早熟) crecimiento *m* temprano. ~하다

crecer temprano.

조숙하다(早熟－) [나이에 비해 심신의 발달이 빠르다] (ser) precoz, prematuro. 조숙한 아이 niño, -ña *mf* precoz.

조술(祖述) exposición *f*, comentario *m*. ～하다 exponer, explicar, comentar.

조습(燥濕) la sequedad y la humedad.

조시(弔詩) elegía *f*.

조시(朝市) ① [조정과 시정(市井)] la corte y la calle. ② [아침에 서는 장] mercado *m* matutinal.

조식(早食) desayuno *m* que se come más temprano que nunca. ～하다 desayunar(se) más temprano que nunca.

조식(粗食) dieta *f* [comida *f*] frugal, comidas *fpl* sencillas, frugalidad *f*, mala comida *f*. ～하다 vivir frugalmente, alimentarse mal. ～으로 만족하다 contentarse con comidas sencillas. 그는 ～을 한다 El es frugal en las comidas.

조식(朝食) desayuno *m*.

조신(朝臣) cortesano *m*, oficial *m* de la casa real.

조신(操身) cuidado *m* [prudencia *f*] de conducta. ～하다 cuidarse.

조신하다(操身－) (ser) modesto y dulce 조신한 처녀 señorita *f* modesta y dulce.

조실부모(早失父母) pérdida *f* de *sus* padres en *su* niñez. ～하다 perder a *sus* padres en *su* niñez.

조심(操心) [주의] cuidado *m*; [경계] caución *f*, precaución *f*, [신중(愼重)] prudencia *f*, discreción *f*, [삼가함] moderación *f*, [수치를 아는 마음] pudor *m*, vergüenza *f*, [겸손] modestia *f*, decencia *f*. ～하다 tener cuidado (con), cuidar, ser prudente, ser discreto. ～하여 con cuidado, cuidadosamente. ～해서 다루다 tratar con suma discreción [cautela], tratar con cuidado, cuidar. ～해서 보존하다 guardar con cuidado. 물을 ～하다 no desperdiciar el agua, no malgastar el agua. 부모를 ～하다 cuidar mucho de *sus* padres. 행동에 ～하다 respetarse a *sí* mismo, tener prudencia en *su* conducta. 자신의 생명보다 더 ～해서 다루다 amar más que a *su* propia vida. ～하십시오 [usted에게] Tenga cuidado / Cuídese // [tú에게] Ten cuidado / Cuídate // [ustedes에게] Tengan cuidado / Cuídense // [vosotros에게] Tened cuidado / Cuidaos. 도둑 ～하십시오 Tenga cuidado con ladrones. 소매치기 ～해라 Ten cuidado con los carteristas [los rateros]. 계단을 내려갈 때 ～해라 Ten cuidado al *bajar las escaleras*. 넘어지지 않게 ～해라 ¡Cuidado, no vayas a caerte! 그녀가 너를 속이지 않도록 ～해라 Ten cuidado de que no te vaya a engañar.

■ ～성(性) discreción *f*, prudencia *f*, [수치심을 아는 마음] pudor *m*, vergüencia *f*, [겸손(謙遜)] modestia *f*, decencia *f*. ¶～있는 discreto, prudente. ～ 없는 indiscreto, imprudente, desvergonzado. ～이 많은 modesto, reservado. ～이 있다 ser discreto, ser prudente. 그는 ～이라고는 전혀 없다 El no tiene ni una pizca de vergüenza en su conducta.

조심스럽다 (ser) modesto, decente, humilde, reservado.

조심스레 modestamente, decentemente, humildemente.

■ ～조심(操心) con mucho cuidado, con máxima cautela, con mucha precaución, muy cautelosamente, muy cuidadosamente.

조쌀하다 (ser) limpio y claro.

조아(爪牙) ① [손톱과 어금니] las uñas y las muelas. ② [자기에게 썩 중요한 사람] persona *f* bastante importante.

조아리다 postrarse, prosternarse, arrodillarse. 조아려 땅에 엎드리다 postrarse en el suelo. 머리를 조아리고 사과하다 pedir perdón arrodillándose.

조아팔다 vender en cantidad pequeña.

조악품(粗惡品) artículo *m* tosco, mercancía *f* de mala calidad.

조악하다(粗惡－) (ser) tosco, basto, de calidad inferior, poco fino. 조악함 tosquedad *f*. 품질이 ～ Es de calidad inferior.

조암 광물(造巖鑛物) minerales *mpl* que forman rocas.

조앙(早秧) planta *f* de semillero de arroz temprano.

조야(朝野) gobierno *m* y pueblo, nación *f* eterna. ～의 명사(名士) personas *fpl* distinguidas en los medios oficiales y no oficiales, personas *fpl* distinguidas en servicio de gobierno y en vida privada.

조야하다(粗野－) ① [됨됨이가 촌스럽고 천하다] (ser) rudo, rústico, inculto. 조야함 rudeza *f*, rusticidad *f*. 조야한 말씨 palabra *f* inculta, lenguaje *m* inculto. 조야한 사람 hombre *m* rústico, persona *f* rústica. ② [물건의 질이 거칠다] (ser) tosco, rudo.

조약(條約) tratado *m*, convención *f*, pacto *m*, acuerdo *m*, convenio *m*. ～에 조인하다 firmar un tratado. ～을 개정하다 reformar un tratado. ～을 비준(批准)하다 ratificar un tratado. ～을 이행하다 cumplir un tratado. ～을 체결하다 firmar un tratado. ～을 파기하다 frustrar [quebrar] un tratado. ～을 폐기하다 denunciar un tratado. ～이 발효(醱酵)한다 El tratado entra en vigor.

◆만국 우편 ～ la Convención Postal Universal. 보호 ～ tratado *m* de protectorado. 부전(不戰) ～ tratado *m* antibélico. 불가침(不可侵) ～ tratado *m* [pacto *m*] de no agresión. 통상 ～ tratado *m* comercial. 평화 ～ tratado *m* de paz. 호혜(互惠) ～ tratado *m* recíproco.

■～ 가맹국 país *m* firmante [signatorio]. ～ 개정 revisión *f* de pacto. ～국(局) departamento *m* de tratado. ～국(國) estados *mpl* [países *mpl*] firmantes [signatorios], potencia *f* de tratado. ～ 규정 estipulaciones *fpl* del tratado. ～ 비준(批准) ratificación *f* del tratado. ～안(案) ＝조

약 원안. ~ 원안(原案) protocolo *m*.

조약돌 guija *f*, guijarro *m*, piedrecita *f*, grava *f*, gravilla *f*, china *f*.

조약밭 pedregal *m*.

조어(釣魚) pesca *f*. ~하다 pescar.
■ ~장(場) piscina *f* para la pesca con caña.

조어(造語) ① [새로 말을 만듦. 또, 그 말] neologismo *m*, palabra *f* de nuevo cuño. ② [이미 있는 말을 짜맞추어 복합어를 만듦] palabra *f* inventada.

조어(鳥語) ① [새가 지저귀는 소리] canto *m*. ② [야만 족속들의 알아듣지 못할 말소리] lengua *f* salvaje.

조언(助言) consejo *m*, asesoramiento *m*; [경고(警告)] advertencia *f*. ~하다 aconsejar, dar consejo, asesorar; [경고하다] advertir. ~에 따르다 seguir el consejo (de). ~에 따라서 siguiendo el [por el · conforme al] consejo (de). ~을 부탁하다 pedir el consejo. ~을 주다 dar consejo (a), asesorar.
■ ~자(者) consejero, -ra *mf*, aconsejador, -dora *mf*, consultor, -tora *mf*, monitor, -tora *mf*.

조업(操業) ① operación *f*, funcionamiento *m*. ~하다 operar, hacer funcionar. ~을 개시하다 empezar a trabajar, comenzar el trabajo, comenzar la actividad. ~을 단축하다 reducir las horas de operación. ~을 중지하다 cesar la operación. 완전 ~하다 operar a toda capacidad. ② 【어업】 faena *f*. ~하다 faenar.
■ ~ 개시 comienzo *m* de operación. ~ 단축 reducción *f* de las horas de operación. ~비 gastos *mpl* de explotación, gastos *mpl* de funcionamiento, gastos *mpl* de operaciones, expensas *fpl* de operaciones. ~ 일수(日數) (número *m* de) días *mpl* de operación. ~ 정지 paro *m*, cierre *m* de operación. ~ 제한(制限) restricción *f* de producción. ~ 중지 cierre *m* de operación.

조역(助役) ① [도와서 거들어 줌] asistencia *f*, socorro *m*, ayuda *f*, favor *m*. ~하다 ayudar, asistir. ② ((준말)) =조역꾼. ③ [지방 철도청 현업 기관에서 역장을 보좌하는 부역장의 구칭] subjefe *m* de (la) estación.
■ ~꾼 ayudante *mf*, asistente *mf*.

조연(助演) papel *m* secundario. ~하다 hacer un papel secundario.
■ ~자(者) actor *m* secundario, actriz *f* secundaria; 【연극】 [오페라 · 발레의] figurante, -ta *mf*, comparsa *mf*; 【영화】 extra *mf*.

조영(造營) construcción *f*. ~하다 construir, edificar, erigir.
■ ~물(物) construcción *f*, estructura *f*. ~지(地) solar *m* (para la construcción).

조예(造詣) erudición *f*. ~가 깊다 ser erudito (en), ser versado (en), tener profundos conocimientos, tener un conocimiento profundo. 역사에 ~가 깊은 사람 persona *f* muy versada en la historia, hombre *m* muy versado en la historia. 수학에 ~가 깊다 ser muy versado en las matemáticas. 음악에 ~가 깊다 tener oídos, tener buenos oídos. 그는 한국 문학에 ~가 깊다 El es un profundo conocedor de la literatura coreana. 그이가 그 문제에 ~가 깊으니 그에게 물어 보십시오 Pregúntele a él que es versado en la materia.

조용조용하다 ser muy callado.
조용조용히 muy calladamente.

조용하다 (ser) callado, silencioso, tranquilo, callarse, guardar silencio. 조용한 tranquilo, sosegado, silencioso, reposado, pacífico. 조용한 남자 hombre *m* sereno, hombre *m* reposado. 조용한 여자 mujer *f* serena, mujer *f* reposada. 조용한 생활을 하다 pasar [llevar] una vida tranquila. 공원(公園)이 ~ El parque está silencioso. 바다가 조용했다 El mar estaba en calma. 부근은 조용했다 En la vecindad reina un profundo silencio / Todo está en silencio ahí. 그녀는 온종일 말 한마디 없이 ~ Ella no ha dicho ni pío en todo el día. 이곳은 정말 조용하구나! ¡Qué silencio hay aquí!
조용히 calladamente, silenciosamente, tranquilamente, en calma, con silencio, en silencio, sin decir nada, sin decir palabra; [허락 없이] sin pedir permiso; [살짝] en sigilo, con suavidad. 아주 ~ sin decir ni pío. ~ 있다 no decir nada, quedarse [permanecer] silencioso [callado]; [사람에게 말하지 않다] ocultar, permanecer con la boca cerrada; [대답하지 않다] no responder nada, no contestar nada; [눈을 감아 버리다] taparse los ojos. ~ 듣다 escuchar en silencio. ~ 하게 하다 hacer callar, imponer silencio. 모두가 ~ 있었다 Todos se quedaron en silencio. 그는 그곳에 ~ 앉아 있었다 El estaba alli sentado sin decir ni pío. 그는 ~ 집을 나가 버렸다 El se fue de su casa sin decir palabra. ~ 해라! [한 사람에게] !Cállate! / ¡Silencio! / ¡A callar! / ¡Chito! / ¡Chitón! // [두 사람 이상에게] ¡Callaros! / ¡Callaos! / ¡Silencio! ~ 하십시오 [한 사람에게] ¡Cállese! / [두 사람 이상에게] ¡Cállense! ~ 합시다 ¡Callémonos! / Vamos a callarnos.

조우(遭遇) ① [우연히 만남] encuentro *m*. ~하다 encontrarse (con). 불행(不幸)에 ~하다 topar [encontrarse] con la desgracia. 적(敵)과 ~하다 encontrarse con el enemigo. 폭풍우와 ~하다 ser sorprendido por una tempestad, sobrevenir la tempestad. ② [뜻맞는 임금에게 신임을 받음] confidencia *f* real. ~하다 ganar la confidencia real.
■ ~전(戰) encuentro *m*, choque *m*.

조운(漕運) transporte *m* marítimo, transporte *m* por mar. ~하다 transportar por mar.
■ ~배[선] carguero *m*, barco *m* de carga, buque *m* de carga. ~업 negocios *mpl* marítimos. ~업자 consignatario, -ria *mf* de buques.

조울병(躁鬱病) 【의학】 ciclotimia *f*, psicosis *f*

maniacodepresiva. ～의 ciclotímico.
■～ 환자 ciclotímico, -ca *mf*.

조원(造園) construcción *f* de un jardín. ～하다 construir un jardín.
■～가 jardinero, -ra *mf* paisajista; jardinero, -ra *mf* adornista; diseñador, -dora *mf* de jardines; jardinista *mf*. ～술(術) paisajismo *m*, jardinería *f*.

조위(弔慰) condolencia *f*, pésame *m*. ～하다 condolerse, dar el pésame, expresar*le sus* condolencias [condolencia] a *uno* (por). ～의 말 condolencias *fpl*, pésame *m*. ～ 전보(電報)를 치다 telegrafiar [cablegrafiar] *sus* condolencias. 삼가 심심한 ～를 표하는 바입니다 Le doy el pésame desde el fondo de mi corazón / Le doy mi más sentido pésame. 진심으로 ～를 표하는 바입니다 Ruego acepte mi más sinceras condolencias [mi más sentido pésame]. 그는 미망인에게 ～의 말을 보낸다 El da [envía] el pésame [sus condolencias] a la viuda.
■～금 dinero *m* de condolencia, seña *f* pecuniaria de compasión, dinero *m* que se da por la muerte (de). ～ 메시지 mensaje *m* de condolencia. ～장(狀) carta *f* de condolencia.

조육(鳥肉) carne *f* de ave.

조율(調律) afinación *f*, templadura *f*. ～하다 afinar.
■～사 afinador, -dora *mf*, templador, -dora *mf*.

조은(造銀) plata *f* artificial.

조은(朝恩) favor *m* de la corte.

조음(潮音) ① [바다 물결 소리] sonido *m* de la ola de mar. ② ＝해조음(海潮音).

조음(調音) 【음성학】 articulación *f*, entonación *f*, entonamiento *m*, modulación *f* de la voz; [악기의 줄의] afinación *f*. ～하다 articular, ejecutar; [악기를] afinar.

조응(照應) correspondencia *f*. ～하다 corresponder.

조의(弔意) condolencia *f*, pésame *m*. ～를 표하다 expresar condolencias (a), dar el pésame (a).

조의(朝議) consejo *m* de la corte.

조이다 ＝죄다.

조인(鳥人) ＝비행사(飛行士).

조인(釣人) ＝낚시꾼.

조인(調印) firma *f*, rúbrica *f*, sello *m*. ～하다 firmar, sellar. 평화 조약이 ～되었다 La paz se ha firmado [sellado].
■～국 poder *m* signatario, poder *m* firmante, país *m* (*pl* países) firmante. ～식 ceremonia *f* de firma. ～자 firmante *mf*, signatorio, -ria *mf*. ～ 장소 lugar *m* de firma.

조자리[1] ＝주저리.

조자리[2] [대문의 윗장부] cola *f* de milano superior (de la puerta).

조작(造作) invención *f*, fábula *f*, creación *f*. ～하다 inventar, fabricar, crear. 가공인물(架空人物)을 ～해 내다 crear [inventar · fabricar] una persona ficticia. 거짓말을 ～하다 inventar mentiras. 보고서를 ～하다 enjaretar un informe. 이야기를 ～하다 inventar cuentos.
■～설(說) cuento *m* inventado. ～자(者) inventador, -dora *mf*.

조작(操作) ① [기계나 장치 따위를 다루어 움직이게 함] manejo *m*, operación *f*, maniobra *f*, manipulación *f*. ～하다 manejar, operar, manipular, accionar, maniobrar, hacer funcionar. ～하기 쉬운[어려운] 장치 aparato *m* fácil [difícil] de manejar. 주식 시장의 ～ maniobras *fpl* de bolsa. 기계를 ～하다 manejar [maniobrar] una máquina. 여론(與論)을 ～하다 maniobrar la opinión pública. 인형을 ～하다 manipular una marioneta. 핸들을 ～하다 manejar [accionar] el volante. 기계의 ～이 익숙하다 estar adiestrado en el manejo de la máquina. 천문학 기계는 ～이 무척 어렵다 Es muy difícil manipular los instrumentos astronómicos. ② [사물을 자기에게 유리하도록 공작하여 조종함] maniobra *f*, manipulación *f*. ～하다 maniobrar, manipular.

조잡하다(粗雜－) (ser) rudo, tosco, rústico, grosero; [일이] chapucero, poco esmerado. 조잡함 rudeza *f*, grosería *f*. 조잡하게 rudamente, con rudeza, toscamente, rústicamente, chapuceramente, con esmero. 조잡한 일 trabajo *m* chapucero, trabajo *m* poco esmerado. 조잡한 계획 proyecto *m* poco elaborado. 그가 일하는 방법은 ～ Su manera de trabajar es ruda. 이 정원은 ～ Este jardín está mal cuidado. 그는 일이 ～ El es negligente en su trabajo.

조장(助長) promoción *f*. ～하다 promover, fomentar, favorecer, estimular, contribuir (a). 진보[발전]를 ～하다 fomentar el desarrollo, ayudar al desarrollo.

조장(組長) jefe, -fa *mf*.

조재(造材) tala *f* (de árboles).

조전(弔電) telegrama *m* de condolencia, telegrama *m* de pésame. ～을 치다 telegrafiar [cablegrafiar] manifestando la condolencia, enviar un telegrama de condolencia [de pésame].

조절(調節) regulación *f*, regularización *f*, control *m*, ajuste *m*, modulación *f*. ～하다 regular, regularizar, controlar, ajustar. 라디오의 음(音)을 ～하다 regular el sonido de una radio. 온도(溫度)를 ～하다 regularizar la temperatura.
◆남북 회담(南北會談) ～ 위원회 el Comité [la Comisión] de Coordinación de la Conferencia Norte-Sur. 미가(米價) ～ regularización *f* del precio de arroz. 음성(音聲) ～ modulación *f* de la voz.
■～기 regulador *m*. ～ 밸브[판(瓣)] válvula *f* del regulador. ～전(栓) grifo *m* de distribución, grifo *m* regulador.

조정(朝廷) corte *f* (real).

조정(漕艇) ① [보트를 저음] remadura *f*, remamiento *m*. ② ((운동)) regata *f*.
■～ 경기 ＝조정(漕艇)❷.

조정(調停) mediación *f*, [중재] arbitraje *m*; [화해] conciliación *f*. ~하다 mediar, arbitrar, conciliar. …의 ~으로 por [gracias a la] mediación de *uno*. ~에 나서다 ofrecerse como mediador, desempeñar el papel de mediador. ~에 따르다 aceptar la mediación. 의견을 ~하다 conciliar las opiniones.
■ ~ 계약 contrato *m* de mediación. ~법 ley *f* de mediación. ~안(案) plan *m* de mediación. ~ 위원 miembro *mf* del comité de mediación. ~자 mediador, -dora *mf*; árbitro *mf*.

조정(調整) regulación *f*, arreglo *m*, ajuste *m*, ajustamiento *m*, modulación *f*. ~하다 regular, arreglar, ajustar, poner en orden, revisar, modular. 기계를 ~하다 revisar una máquina.
■ ~지(池) embalse *m*.

조제(弔祭) misa *f* de réquiem. ~하다 celebrar la misa de réquiem.

조제(粗製) fabricación *f* tosca. ~하다 fabricar toscamente.
■ ~남조(濫造) producción *f* de masas del artículo inferior, fabricación *f* en grandes cantidades de artículos de baja calidad. ~하다 fabricar en grandes cantidades artículos de baja calidad. ~품 artículo *m* tosco, objeto *m* tosco, artículo *m* de la calidad inferior.

조제(調製) preparación *f*, fabricación *f*, manufactura *f*. ~하다 preparar, hacer, componer. 주문품(注文品)을 ~하다 realizar un encargo.
■ ~법 receta *f*. ~품 preparación *f*.

조제(調劑) fabricación *f*, confección *f*, [약품 등의] preparación *f* (de medicinas). ~하다 fabricar, confeccionar, preparar un medicamento; [처방에 의해] preparar una receta.
■ ~법 química *f* farmacéutica, farmacia *f*. ~사(師) farmacéutico, -ca *mf*; *Col*, *Ven* farmaceuta *mf*. ~실(室) farmacia *f*. ~약(藥) medicina *f* preparada, medicina *f* confeccionada.

조조(早朝) primeras horas *fpl* de la mañana, mañana *f* temprana. ~에 en las primeras horas de la mañana, temprano por la mañana. ~부터 desde las primeras horas de la mañana.
■ ~할인 descuento *m* de las primeras horas de la mañana.

조조하다(躁躁－) (ser) impetuoso, impulsivo, impaciente, apresurado.
조조히 impetuosamente, impacientemente, a toda prisa, apresuradamente.

조족지혈(鳥足之血) muy poca cantidad *f*.

조졸(早卒) =조사(早死).

조종(弔鐘) toque *m* de difuntos, doble *m*, toque *m* a muerto, campana *f* fúnebre, campana *f* funeral. ~을 치다 doblar. ~이 울린다 Doblan por el difundo. 텔레비전의 출현은 지방에 있는 극장들의 ~이었다 El advenimiento de la televisión presagió la deaparición de los cines de barrio.

조종(祖宗) antepasados *mpl* reales [del rey], progenitor *m*.

조종(操縱) control *m*, conducción *f*, dirección *f*, manipulación *f*, [배・비행기의] pilotaje *m*; [배의] maniobra *f*, guía *f*. ~하다 controlar, conducir, dirigir, pilotar, manejar, manipular; [배・비행기를] pilotear; [배를] maniobrar, guiar; [군을] maniobrar. ~할 수 있는 controlable. 뒤에서 ~하다 manejar entre bastidores. 배를 ~하다 dirigir [guiar] un barco. 사람을 ~하다 manejar una persona. 마음대로 ~하다 meter en un puño (a), manejar a *su* antojo. 인형을 ~하다 manejar las marionetas. 자유롭게 ~하다 gobernar a *su* antojo. 그는 부하를 ~할 줄 안다 El sabe manejar muy bien a sus hombres. 이 사건에서는 그가 음양(陰陽)으로 ~하고 있었다 El manejaba [dirigía] este asunto por debajo de cuerda / El movía los hilos en este asunto.
■ ~간 palanca *f* de mando, mango *m* de escoba. ~법(法) pilotaje *m*, maniobra *f*, manipulación *f*, operación *f*, control *m*. ~사 piloto *mf*, aviador, -dora *mf*. ¶부(副)~ copiloto *mf*. ~석 asiento *m* [puesto *m*] del piloto. ~실 cámara *f* (del piloto). ~ 장치 grupo *m* de control, mandos *mpl*; [배의] aparato *m* de gobierno; [자동차의] (mecanismo *m* de) dirección *f*.

조주(助走) carrera *f* preliminar, carrera *f* de arranque.
■ ~로(路) pista *f* de arranque.

조주(助奏) 【음악】 obligado *m*.

조준(照準) puntería *f*. ~하다 apuntar, tomar puntería, asestar. …에 ~을 맞추다 apuntar *algo*, visar *algo*, dirigir la puntería [las visuales] a *algo*.
■ ~각(角) ángulo *m* de elevación. ~기(器) mira *f*. ~기(機) mecanismo *m* de puntería en dirección, mecanismo *m* de orientación, visual *m* de apuntar. ~ 망원경 anteojo *m* de alza. ~선 línea *f* de puntería. ~수(手) apuntador, -dora *mf*. ~점 punto *m* de puntería.

조지다 ① [짜임새가 느슨하지 않게 단단히 맞추다] atar fuerte, agarrar fuerte, asegurar bien. ② [일이나 말을 호되게 단속하다] ejercer el control estricto. ③ [호되게 때리다] dar un golpe fuerte.

조직(組織) ① 【생물】 tejido *m*. 결체(結締) ~ tejido *m* conectivo. 근육(筋肉) ~ tejido *m* muscular. 신경(神經) ~ tejido *m* nervioso. 유착(癒着) ~ tejido *m* de cicatrización. 해면(海綿) ~ tejido *m* esponjoso. ② [단체의] [기구] organización *f*, [구성(構成)] formación *f*, constitución *f*, [구조] estructura *f*, [체계] sistema *m*. ~하다 organizar, formar, constituir, sistematizar. ~되다 componerse, organizarse, formarse, constituirse. ~이 붕괴하다 desorganizarse. 군대(軍隊)를 ~하다 organizar un ejército. …로 ~되다 componerse de *algo*. …로 ~되어 있다 estar compuesto de *algo*. …의 ~을

파괴하다 desorganizar *algo*. 노동자를 조합으로 ~하다 organizar a los obreros en el sindicato. 이 연맹은 다섯 개의 단체로 ~되어 있다 Esta federación está constituida por cinco corporación.

■ ~계(系) sistema *m* organizador. ~구 histiocito *m*, histocito *m*. ~ 구조(構造) histplogía *f*. ~ 구조론 tectología *f*. ~ 근로자[노동자] obreros *mpl* organizados. ~도(刀) histotome *m*. ~도(圖) gráfica *f* de organización. ~력(力) facultad *f* de organización. ~망 red *f* de organización. ~ 변경 transformación *f*. ~ 위원회 comité *m* organizador. ~ 이식(移植) injerto *m*. ~자 organizador, -dora *mf*. ~ 재생 plerosis *f*, anagénesis *f*. ~적 orgánico, sistemático. ¶~으로 orgánicamente, sistemáticamente. ~인 반란 rebelión *f* organizada. ~으로 행동하다 obrar sistemáticamente, obrar de manera sistemática. ~책 encargado *m* organizador, encargada *f* organizadora. ~체 organismo *m*, cuerpo *m* orgánico. ~ 폭력(暴力) violencia *f* organizada. ~ 폭력배 gamberros *mpl* organizadores. ~표 voto *m* organizado. ~화(化) sistematización *f*, organización *f*.

조짐(兆朕) presagio *m*, augurio *m*, agüero *m*, síntoma *m*, signo *m*, señal *f*. …의 ~이다 ser el presagio de *algo*, presagiar *algo*, anunciar *algo*. 좋은 ~이다 ser un buen augurio [agüero]. 나쁜 ~이다 ser un mal augurio [agüereo].

조차 también, además, hasta, aun, aun cuando; [부정의 경우] ni siquiera, ni aun. 너~ 그럴 줄은 몰랐다 No sabía que tú también lo haría. 그는 단 1전~도 가지고 있지 않다 El no tiene ni siquiera un céntimo. 이 산에는 여름에~도 눈이 있다 En esta montaña hay nieve aun en (el) verano. 그것은 아이들~도 할 수 있다 Aun [Hasta] los niños pueden hacerlo. 아버지~도 그 사실을 모르셨다 No lo sabía ni el mismo padre. 그는 나한테~도 숨기는 것이 있다 Incluso para mí él tiene secretos. 그는 이제 걸을 수~ 없었다 El ya no podía ni andar siquiera.

조차(租借) arriendo *m*, arrendamiento *m*. ~하다 arrendar, tomar en arriendo, dar en arriendo. 이 토지는 미군이 ~하고 있다 El ejército de los Estados Unidos tiene este terreno en arriendo.

■ ~권(權) derecho *m* arrendaticio [de arrendamiento · de arriendo]. ~지 terreno *m* arrendado, territorio *m* arrendado.

조차(潮差) distancia *f* mareal.

조차(操車) operación *f*. ~하다 operar.

■ ~장(場) estación *f* de clasificación, patio *m* de maniobras.

조착(早着) llegada *f* temprana. ~하다 llegar más temprano que la hora fija.

조찬(粗餐) comida *f* sencilla.

조찬(朝餐) desayuno *m*. ~을 들다 desayunar, tomar el desayuno.

조처(措處) =조치(措置).

조척(照尺) el alza *f*, mira *f* de cañón de escopeta; [수준] pértiga *f* de nivelación.

조천(早天) ① =조조(早朝). ② [밝을 무렵의 하늘] cielo *m* de la madrugada.

조청(造淸) melaza *f*.

조촉(弔燭) candela *f* funeral.

조촐하다 ① [썩 아담하고 깨끗하다] (ser) (cómodo y) acogedor, bien dispuesto, pequeño y cómodo, pequeño y agradable, pequeño y limpio. ② [행동이 난잡하지 않고 단정하다] (ser) atildado, pulcro, recto, elegante. ③ [외모(外貌)가 해사하다] (ser) elegante, guapo, apuesto, bien parecido.
조촐히 cómoda y acogedoramente, pequeña y cómodamente, elegantemente, rectamente.

조촘거리다 vacilar, titubear.
조촘조촘 vacilantemente, con titubeos.

조총(弔銃) tres descargas de fusilería en el servicio religioso.

조총(鳥銃) ① =새총. ② ((구용어)) =화승총.

조추(早秋) otoño *m* temprano.

조춘(早春) primavera *f* temprana.

조충(條蟲) 【동물】 =촌충(寸蟲).

조치 ① [국물이 바특하게 만든 찌개나 찜 따위] caldo *m* espeso. ② ((준말)) =조칫보.

■ ~ㅅ보 plato *m* para el caldo espeso

조치(措置) disposición *f*, remedio *m*, manejo *m*, colocación *f*, arreglo *m*. ~하다 disponer, tomar medidas.

조치(調治) =조리(調理).

조치개 accesorios *mpl* necesarios.

조칙(詔勅) mandato *m* real, orden *f* real.

조카 sobrino, -na *mf*.

■ ~딸 sobrina *f*. ~며느리 esposa *f* de *su* sobrino. ~뻘 relación *f* de *su* sobrino. ~사위 esposo *m* de *su* sobrino. ~자식(子息) sobrino, -na *mf*.

조커(영 *joker*) ① [익살꾼] tipo, -pa *mf*. ② [트럼프의 으뜸 패] comodín *m*.

조타(操舵) manejo *m* del timón, dirección *f*, gobierno *m*, acción *f* de timonear. ~하다 manejar el timón, dirigir, gobernar.

■ ~기[장치] [배의] aparato *m* de gobierno; [자동차의] (mecanismo *m* de) dirección *f*. ~수 timonel *m*, timonero *m*. ~술 dirección *f*, gobierno *m*. ~실 cámara *f* del timón.

조탁(彫琢) tallado *m*. ~하다 tallar, esculpir.

■ ~물 talla *f*, escultura *f*.

조탄(粗炭) carbón *m* (*pl* carbones) de la calidad inferior.

조탕(潮湯) baño *m* del agua de mar caliente.

조퇴(早退) salida *f* temprana de la escuela [de la oficina]. ~하다 salir de la escuela [de la oficina] más temprano que como de costumbre. 학교[회사]를 ~하다 salir temprano de la escuela [de la oficina].

조판(組版) composición *f*. ~하다 componer, poner en tipo.

조판(彫版) grabado *m*. ~하다 grabar.

조팝나무 【식물】 espirea *f*.

조폐(造幣) acuñación *f.* ~하다 acuñar. 돈을 ~하다 acuñar dinero.
■~ 각인(刻印) acuñación *f.* ~ 공사(公社) la Fábrica Nacional de Moneda y Timbre. ¶한국 ~ la Cooperación de Acuñación de Corea, la Fábrica Coreana de Moneda y Timbre. ~국 la Casa de (la) Moneda, la Casa de la Acuñación. ~국장 director, -tora *mf* de la Casa de la Moneda.
조포(弔砲) cañonazo *m* de condolencia, cañonazos *mpl* disparados de minuto en minuto.
조포(粗布) tela *f* basta.
조포하다(粗暴-) (ser) rudo, grosero, violento, brutal, cruel. 조포함 rudeza *f*, violencia *f*.
조품(粗品) ① [변변치 못한 물품] artículos *mpl* bastos, artículos *mpl* ordinarios, productos *mpl* bastos. ② [남에게 보내는 선물의 겸칭] regalo *m* pequeño, regalo *m* modesto, regalillo *m*..
조하(早夏) verano *m* temprano.
조하(朝霞) rocío *m* matutino.
조하다(燥-) estar seco.
조하다(躁-) (ser) impaciente, de genio vivo, de mucho genio, irascible.
조합(組合) ① asociación *f*, corporación *f*, sociedad *f*, unión *f*; ((속어)) asocio *m*; [노동조합] sindicato *m*, *CoS*, *Per* gremio *m*. ~의 sindical, *CoS* gremial. ~에 가입하다 hacerse socio (de una asociación). ~을 만들다 formar un sindicato, fundar un sindicato, formar una asociación, formar una sociedad, sindicarse. ② 【수학】combinación *f*. ③ [여럿을 모아 한 조가 되게 함] combinación *f*; [시합] encuentro *m*; [편성] conjunto *m*, surtido *m*. ~하다 combinar; [시합하다] hacer competir, oponer, enfrentar. 공책과 연필의 ~ 세트 conjunto *m* de cuadernos y lápices. A 팀과 B 팀의 ~ encuentro *m* del equipo A con el B. 기호를 ~하다 combinar signos. 각종 목수 도구를 ~해서 팔다 vender herramientas de carpintero en juegos. A 팀과 B 팀을 ~하다 hacer que el equipo A compita con el equipo B, oponer el equipo A al equipo B.
■~ 가입(加入) afiliación *f* a un sindicato, afiliación *f* sindical. ~ 간부 empleado, -da *mf* sindical. ~ 계약(契約) contrato *m* de asociación, convenio *m* sindical. ~ 관리 administración *f* sindical. ~ 규약 estatuto *m* del sindicato, norma *f* sindical. ~ 규약집 libro *m* de normas de un sindicato. ~ 기구(機構) estructura *f* sindical. ~ 대표 representante *mf* sindical; delegado, -da *mf* sindical. ~ 등록 inscripción *f* de un sindicato. ~비 ㉮ [조합을 운영하는 데 드는 비용] gastos *mpl* de un sindicato. ㉯ [조합원이 내는 회비] cuotas *fpl* sindicales, cuota *f* de miembro de un sindicato. ~ 운동 movimiento *m* sindical, movimiento *m* sindicalista, sindicalismo *m*. ~원 miembro *mf* de sindicato, miembro *mf* de asociación, asociado, -da *mf* a un sindicato. ¶비(非)~ no asociado *m* a un sindicato. ~ 은행 banco *m* confederado. ~ 임금 salarios *mpl* sindicales. ~ 임금 정책 política *f* salarial sindical. ~ 임금 효과 efecto *m* de salarios sindicales. ~ 임원 director, -tora *mf* de sindicato [de asociación]; dirigente *mf* sindical. ~장 presidente, -ta *mf* de sindicato. ~ 조직 organización *f* de sindicato. ~주의 sindicalismo *m*. ~주의자 sindicalista *mf*. ~ 지도자(指導者) líder *mf* de sindicato. ~ 협약 acuerdo *m* sindical, contrato *m* sindical. ~ 활동(活動) actividades *fpl* sindicales.
조합(照合) verificación *f*, cotejo *m*, confrontación *f*, comparación *f*. ~하다 verificar, comparar, cotejar, confrontar.
조합(調合) preparación *f* de medicina, mezcla *f*, composición *f*, confección *f*. ~하다 mezclar, preparar, componer, confeccionar.
조합 교회(組合教會) ((기독교)) la Iglesia Congregacionalista.
조항(條項) artículo *m*, cláusula *f*; [집합적] clausulado *m*. 헌법의 전쟁 포기 ~ las cláusulas de la Constitución que estipulan la renuncia a la guerra.
◆계약(契約) ~ cláusula *f* de un contrato. 무효(無效) ~ cláusula *f* irritante. 헌법(憲法) ~ clausulado *m* de la Constitución.
조해(潮解)【화학】delicuescencia *f*. ~하다 liquidarse, derretirse, licuarse.
■~성 delicuescencia *f*.
조행(操行) =품행(品行).
조혈(造血) hematogénesis *f*, hemopoyesis *f*, hematosis *f*, hematopoyesis *f*. ~하다 aumentar la sangre. ~의 hematopoyético.
■~ 결여(缺如) anhematopoyesis *f*. ~계(系) sistema *m* hematopoyético. ~선 glándula *f* hematopoyética. ~ 장기 증식증 hemoblastosis *f*. ~제 hemafaciente *m*. ~ 조직 sistema *m* hematopoyético.
조형(造形) plástica *f*. ~의 plástico, formativo.
■~ 미술[예술] artes *fpl* plásticas, artes *fpl* formativas. ~성 plasticidad *f*.
조형(造型) molde *m*;【건축】moldura *f*. ~하다 moldear, formar.
조혼(早婚) matrimonio *m* temprano [precoz]. ~하다 casarse muy joven. ~을 장려하다 fomentar el matrimonio temprano.
조혼(助婚) ayuda *f* de los gastos matrimoniales para la novia pobre.
■~전(錢) gastos *mpl* matrimoniales pagados por el novio para la novia pobre.
조홍(早紅) *chohong*, una especie del caqui.
조홍(朝虹) arco *m* iris del oeste por la mañana.
조홍(潮紅) sonrojo *m* (de vergüenza).
조화(弔花) tributos *mpl* florales, ofrendas *fpl* florales. ~ 사절 ((게시)) [부고(訃告)의 문구] Se ruega no enviar ofrendas florales.
조화(造化) creación *f*, naturaleza *f*. ~의 묘

(妙) maravillas *fpl* de la naturaleza. ~의 장난 aborto *m* de la naturaleza.
■ ~신(神) =조물주(造物主)(Creador, Dios de creación). ~옹(翁) =조물주(造物主).

조화(造花) flor *f* artificial. 장미(薔薇)의 ~ rosa *f* artificial.

조화(調和) ① [일치] armonía *f*, armonización *f*, concordia *f*, concordancia *f*. ~하다 armonizar, hacer juego. ~된 armonioso. ~되지 않은 [색깔·주변의 환경 등이] falto [carente] de armonía; [소리가] disonante, inarmónico. ~되어 armoniosamente. ~된 색(色) colores *mpl* que armonizan, colores *mpl* que van bien. 마음과 신체의 ~ armonía *f* entre cuerpo y alma. …과 ~되어 en armonía con *algo*. ~시키다 armonizar. ~가 부족하다 carecer de armonía. ~를 깨뜨리다 turbar la armonía, romper la armonía. 이 두 가지 물건은 완전한 ~를 이루고 있다 Estas dos cosas están en perfecta armonía. ② [화합] reconciliación *f*, ajuste *m*, conciliación *f*, entendimiento *m*. 커튼의 빛깔이 방과 ~되어 있다 El color de la cortina estaba ajustado con la habitación. 카펫의 색과 커튼의 색이 ~를 잘 이루고 있다 El color de la alfombra armoniza [va] con el de la cortina. ③ [음색의] sinfonía *f*. ④ [균형] simetría *f*.
■ ~급수(級數) series *fpl* armónicas. ~미(美) belleza *f* de armonía. ~ 비례(比例) proporción *f* armónica. ~성 lo armonioso. ~수열(數列) progresión *f* armónica. ~ 중항(中項) media *f* armónica. ~ 함수(函數) unción *f* armónica. ~ 해석(解析) análisis *m* armónico.

조환(弔環) anillas *fpl*.
■ ~ 운동 [체조의 링 운동] anillas *fpl*.

조회(朝會) reunión *f* matutina (antes de empezar las clases [el trabajo]).

조회(照會) información *f*, solicitud *f* de informes, solicitud *f* de información; [신원 따위의] referencia *f*. ~하다 informarse (de · sobre), pedir información (de · sobre), pedir referencias (de · sobre), solicitar informes (de). ~의 편지를 보내다 mandar una carta de solicitud de información. 신원을 ~하다 pedir referencias (de). ~ 중(中) En vía de información. A씨에게 ~해 주십시오 Sírvase dirigirse directamente al señor A.
■ ~장 (carta *f* de) solicitud *f* de informes.

조후(潮候) período *m* mareal.
■ ~차(差) distancia *f* de período mareal.

조흔(爪痕) uñada *f*, uñarada *f*, arañazo *m*, rasguño *m*.

족(足) ① [소·돼지 따위의 다리 아랫부분을 식용으로 이르는 말] manita *f*. ② [켤레] par *m*. 양말 한 ~ un par de calcetines.
■ ~발 manita *m* de cerdo. ~탕 *choktang*, sopa *f* de manitas de vaca.

-족(族) ① [겨레] raza *f*. ② [같은 동아리나 사람의 부류] grupo *m*, familiares *mpl*, parientes *mpl*, raza *f*, tribu *f*; 【생물】 familia *f*. 몽골~ raza *f* mongol. 부~ tribu *f*. 씨~ clan *m*, rama *f*, casta *f*. 종~ raza *f*. 친~ familia *f*, parientes *mpl*. 히피~ hippy *mf*.

족가(足枷) 【역사】 =차꼬(grillos). ¶~를 채우다 poner los grillos [grilletes] (a).

족내혼(族内婚) endogamia *f*. ~의 endogámico.

족대(足臺) escabel *m*, banqueta *f* para los pies.

족대기다 ① [남을 견디기 어렵도록 볶아치다] obligar [forzar] (a *uno* a + *inf*). ② [함부로 우겨 대다] insitir (en que + *subj*).

족두리 *chokduri*, yelmo *m* como la corona negra puesto por la mujer.
■ ~하님 sirvienta *f* que sigue a la novia en la boda.

족벌(族閥) clan *m*, camarilla *f*.
■ ~ 정치(政治) gobierno *m* de clan. ~주의 nepotismo *m*. ~주의자 nepotista *mf*.

족보(族譜) árbol *m* genealógico, genealogía *f*. ~의 genealógico.
■ ~학자 genealogista *mf*.

족생(簇生) crecimiento *m* gregario, agrupación *f*. ~하다 crecer juntos, agruparse. ~의 agrupado, gregario, gregal.
■ ~ 식물(植物) plantas *fpl* gregarias.

족속(族屬) [가족] familia *f*; [일가] pariente *m*.

족쇄(足鎖) grillos *mpl*, manijas *fpl*, cadena *f*. ~를 채우다 engrillar, meter en grillos, encadenar.

족인(族人) parientes *mpl*.

족자(簇子) *chokcha*, *jokja*, rollo *m* colgante, colgadura *f*, cuadro *m* colgante, cuadro *m* de arte que se cuelga.

족자리 asas *fpl* de los ambos lados de la jarra.

족장(族丈) mayor *m* del clan.

족장(族長) ① patriarca *m*, jefe *m* de la tribu. ② ((성경)) jefe *m*.

족적(足跡/足迹) huella *f*, pisada *f*, rastro *m*, pasos *mpl*, pista *f*, señal *f*. ~을 남기다 dejar las huellas. …의 ~이 있다 hay rastro de *algo*, tener el rastro de *algo*. …의 ~을 좇다 seguir la pista de *uno*. 눈 위에 ~이 남아 있다 Quedan marcados los pasos sobre la nieve. 그의 작품은 미술사에 위대한 ~을 남겼다 Sus obras han dejado grandes huellas en la historia del arte.

족제(族弟) hermanos *mpl* menores parientes.

족제(族制) sistema *m* de parental.

족제비 【동물】 comadreja *f*, armiño *m*.

족족 [하나하나마다] cada vez, cuandoquiera. 오는 ~ cuandoquiera vengan.

족족하다(足足—) (ser) muy bastante, suficiente.
족족히 muy bastante.

족지(足指) =발가락.

족집게 ① [잔털이나 가시 등을 뽑는 작은 기구] pinzas *fpl*, tenacillas *fpl*, arrancapelos *mpl*. 눈썹용 ~ pinzas *fpl* de cejas. ② [잘

알아맞히는 점쟁이] mago *m*.
◆족집게 같다 ser un mago. 당신은 ~ Es usted un mago.
■ ~장님 ciego *m* mago, ciega *f* maga.

족척(族戚) parientes *mpl.*

족치다 ① [규모를 줄여 작게 만들다] cortar, picar, cortar a tajos. ② [차차 줄이다] malgastar, derrochar. ③ [깨뜨리다] destruir, destrozar. ④ [몹시 족대기다] obligar [insitir] mucho (a *uno* + *inf*).

족친(族親) parientes *mpl.*

족탕(足湯) sopa *f* de manitas de vaca.

족하다(足－) (ser) bastante, suficiente, bastar (para). 그것으로 ~ Eso está bien / Eso basta / Está bien así / ¡Vale! 이 상자로 ~ Me basta en esta caja / Es suficiente con esta caja. 마실 것으로는 물로 ~ De bebida, me basta con el agua. 역(驛)에 한 시간이면 ~ Con una hora se llega a la estación fácilmente. 나는 십만 원이면 ~ Me basta con cien mil wones. 서반아 여행에 여비는 75만 원으로 족했다 Pude viajar a España con setecientos cincuenta mil wones nada más. 그에게 그 일을 하도록 팁을 주는 걸로 ~ Basta (con) darle una propina para que lo haga. 그를 설득시키는 데 일주일이면 ~ Para convencerle a él bastan [basta con] ocho días. 목적을 위해 두 사람으로 ~ Con dos me basta / Con dos tengo suficiente. sivo, elástico, pertinaz.
족히 bastante, suficientemente.

존경(尊敬) respeto *m*, estima *f*, estimación *f*, aprecio *m*; [숭배] veneración *f*, reverencia *f*, adoración *f*. ~하다 respetar, estimar, apreciar, venerar, reverenciar, adorar. ~할 만한 respetable, estimable, venerable. 내 ~하는 선생님 mi respetado [estimado] profesor. 그는 모든 사람들한테서 ~을 받는다 El es respetado por [de] todos.

존귀(尊貴) nobleza *f*. ~하다 ser noble.

존당(尊堂) su estimada madre.

존대(尊待) tratamiento *m* con respeto. ~하다 tratar con respeto.
■~어 término *m* de respeto.

존대인(尊大人) su estimado padre.

존득거리다 (ser) pegajoso, viscoso.
존득존득 pegajosamente, viscosamente.

존립(存立) existencia *f*, susbsistencia *f*. ~하다 existir, mantenerse, subsistir. ~을 위태롭게 하다 comprometer la existencia (de).

존망(存亡) la existencia y la destrucción, vida o muerte, destino *m*, existencia *f*, suerte *f*. 위급 ~의 때 crisis *f*, momento *m* crítico. ~에 관한 문제다 decidir el destino, ser una cuestión de vida o muerte, decidir la suerte de la nación.
■ ~지추(之秋) tiempo *m* de crisis. ¶국가 ~에 en este momento de crisis nacional.

존부(存否) existencia e inexistencia. 생존자의 ~를 확인하다 cerciorarse de la existencia de los sobrevivientes.

존비(尊卑) el alto y el bajo, aristócrata y plebeyo.
■ ~귀천(貴賤) noble y plebeyo. ¶~할 것 없이 sin distinción de rango.

존속(存續) continuación *f*, duración *f*, permanencia *f*, subsistencia *f*. ~하다 continuar, durar, perdurar, perseverar, subsistir. 회사를 ~시키다 hacer continuar a la empresa. 옛 제도가 ~되고 있다 Subsiste aún el antiguo régimen.

존속(尊屬) antepasado, -da *mf*; ascendiente *m* (lineal).
■ ~ 살해 homicidio *m* de ascendiente; [부친] parricidio *m*; [모친] matricidio *m*. ~ 살해자 [부친] parricida *mf*; [모친] matricida *mf*. ~ 상해 lesión *f* de ascendiente. ~ 상해 치사 lesión *f* de ascendiente con resultado de muerte. ~ 유기 abandono *m* de ascendiente. ~ 유기 치사 abandono *m* de ascendiente con resultado de muerte. ~친(親) consanguinidad *f* lineal. ~ 폭행 violencia *f* a ascendiente. ~ 학대 maltrato *m* de ascendiente.

존숭(尊崇) reverencia *f*, veneración *f*, respeto *m*, culto *m*, adoración *f*. ~하다 venerar, venerenciar, respetar.

존안(尊顔) su cara, su rostro. ~을 배알하다 tener el honor de ver a Su Excelencia [a Su Majestad], ver su cara, ver su rostro.

존엄하다(尊嚴－) (ser) digno, santo, majestuoso, grande, solemne. 존엄함 dignidad *f*, santidad *f*, majestuosidad *f*, grandeza *f*. 인간의 존엄함을 지키다 mantener la dignidad humana.

존영(尊影) su estimado retrato.

존의(尊意) su (estimada) opinión.

존자(尊者) ((불교)) sacerdote *m* (budista) de la virtud eminente.

존장(尊長) el mayor venerable.

존재(存在) ① [실재(實在)로 있음. 또 있는 그것] existencia *f*, ser *m*, subsistencia *f*. ~하다 existir, ser, estar, quedar. ~하고 있는 existente. 신(神)의 ~ existencia *f* de Dios. ~를 무시하다 no hacer ningún caso (de), no prestar ninguna atención (a), no tener en cuenta la presencia (de). ~를 인정받다 ser reconocido. ~를 주장(主張)하다 insistir en la realidad d *su* existencia. 나는 생각한다. 고로 ~한다 Yo pienso, luego existo [soy]. ② [어떤 인간] hombre *m*, persona *f*. 위대한 ~ gran hombre *m*. 그는 이 마을에 필요한 ~다 El es un hombre indispensable para este pueblo. ③【철학】existencia *f*. ~와 허무(虛無) existencia y nihilidad.
■ ~론(論) ontología *f*. ~ 이유 razón *f* de ser [existir · estar].

존저(尊邸) su casa.

존절하다 (ser) frugal, economizar, ahorrar.
존절히 frugalmente.

존중(尊重) respeto *m*, estima *f*, estimación *f*, consideración *f*, aprecio *m*. ~하다 respetar, estimar, considerar, apreciar, tener mucha estimación, considerar bien. ~할

만한 respetable, estimable, digno de respeto, digno de estimar. …을 ~해서 por respeto a *algo*, en estima de *algo*. 다른 사람의 뜻을 ~해서 con diferencia a la voluntad ajena. 부모를 ~하다 respetar a *sus* padres. 전통을 ~하다 respetar la tradición. 다른 사람의 의견을 ~하다 tomar [guardar] alta consideración a la opinión ajena. 목숨보다 명예를 ~하다 preferir la honra a la vida. 그는 우리들의 의견을 ~하지 않는다 El no estima nuestra opinión / El no hace caso de nuestra opinión.

존체(尊體) su (estimado) cuerpo, su estimada salud.

존치(存置) retención *f*, conservación *f*. ~하다 retener, conservar.

존칭(尊稱) título *m* de honor, título *m* honorífico, denominación *f* honorífica. ~을 주다 titular.
■ ~어(語) 【언어】 =경어(敬語).

존택(尊宅) su casa, su residencia.

존폐(存廢) conservación *f* y [o] abolición, existencia e inexistencia. 신(神)의 ~를 논하다 discutir la existencia de Dios.

존필(尊筆) su estimada escritura.

존한(尊翰) su carta.

존함(尊函) su carta.

존함(尊啣/尊銜) su nombre. ~은 익히 듣고 있습니다 Ya le conozco por su reputación [su nombre].

존형(尊兄) tú, usted.

존호(尊號) título *m* honorífico. ~를 주다 dar un título honorífico.

존후(尊候) (estado *m* de) su salud.

졸¹(卒) ① ((장기)) *chol*, *jol*, soldado *m*. ~이 다 죽었다 Todos los soldados se murieron. ② ((준말)) =졸업(卒業). ¶대~ graduación *f* de la universidad.

졸²(卒) [죽음] muerte *f*, fallecimiento *m*. 1999년 10월 5일 ~ Se murió el cinco de octubre de 1999 (mil novecientos noventa y nueve).

졸(독 *Sol*) 【화학】 sol *m*, solución *f* coloidal.

졸가(拙家) mi casa, mi residencia.

졸경(卒更) ronda *f* nocturna.

졸계(拙計) =졸책(拙策).

졸고(拙稿) mi manuscrito.

졸공(拙工) pobre obrero *m*, pobre obrera *f*.

졸깃졸깃 pegajosamente, adhesivamente. ~하다 (ser) pegajoso, adhesivo, engomado; [고기가] correoso, duro; [과자가] masticable.

졸년(卒年) año *m* de *su* muerte.

졸년월일(卒年月日) fecha *f* de *su* muerte.

졸다¹ [꾸벅꾸벅] dormitar; [잠깐] dormirse, adormilarse, descabezar un sueño, echarse un sueño; [낮잠을 자다] dormir la siesta, tomar la siesta. 졸면서 durmiéndose, entre sueños, en sueños, en estado de somnolencia. 졸면서 하는 운전 conducción *f* [*AmL* manejo *m*] de un coche en estado de somnolencia. 졸면서 걷다 andar [caminar] dormido. 졸면서 운전하다 conducir durmiéndose, dormirse conduciendo. 꾸벅꾸벅 ~ dormitar, descabezar un sueño, echar(se) un sueño, echar una cabezada, dar una cabezada. 라디오를 들으면서 ~ dormitar [dar una cabezada] oyendo la radio. 강연 중에 나는 졸았다 Me dormí en la conferencia.

졸다² [분량이나 부피가 적어지다] reducirse.

졸도(卒徒) ① [부하 군졸] *sus* soldados. ② [부하로 있는 변변치 못한 사람] gente *f* de poca monta, los indios. ~들을 귀찮게 하지 말고 대장에게 바로 가거라 No pierdas tiempo con los indios, vete derecho al jefe. 그들은 우리와 같은 ~에게는 관심이 없다 No les interesa la gente de pcoa monta como nosotros.

졸도(卒倒) desmayo *m*, desfallecimiento *m*, deliquio *m*; 【의학】 síncope *m*. ~하다 desmayarse, perder el sentido, desfallecer(se), dar un síncope, sincopizarse. 나는 하마터면 ~할 뻔했다 Por poco me desmayo / Casi me da un síncope. 그 여자는 ~하여 넘어졌다 Ella cayó desvanecida / Ella se desmayó.

졸때기 ① [보잘것없을 정도로 규모가 작은 일] cosa *f* de la escala pequeña. ② [지위가 변변치 못한 사람] telonero, -ra *mf*. ~출연을 하다 actuar como telonero. ③ =졸(卒)¹❶.

졸라 대다 pedir [demandar] con insistencia. importunar. 나는 어머니에게 구두를 사 달라고 졸라 댔다 He importunado a mi mamá para que me comprara [comprase] unos zapatos.

졸라매다 atar, *AmL* amarrar (*RPI* 제외); [보트를] amarrar. 끝을 느슨하게 ~ atar cabos sueltos.

졸래졸래 con ligereza, displicentemente, hacia adelante, con coquetería, pícaramente. ~돌아다니다 callejear, dar vueltas por ahí.

졸렬하다(拙劣-) (ser) torpe, pobre, desmañado, inhábil, estúpido. 졸렬한 문장 escrito *m* pobre, escrito *m* malhecho. 그의 연기(演技)는 ~ Su actuación es pobre.

졸론(拙論) mi opinión humilde.

졸리다¹ [졸음이 오다] tener sueño, sentir soñoliento, tener ojos pesados, tener ojos con sueño, dar*le* [entrar*le*] a *uno* el sueño. 졸리는 [눈이] de dormido; [표정이] adormilado, somnoliento, soñoliento. 졸리는 듯이 con somnolencia, con los ojos pesados, soñolientamente. 졸린 눈 ojos *mpl* soñolientos. 졸린 얼굴 cara *f* soñolienta, cara *f* de sueño. 무척 ~ tener mucho sueño. 졸린 얼굴을 하다 tener cara de sueño. 졸린 눈을 비비다 restregarse los ojos soñolientos. 무척 졸리는군요 Tengo mucho sueño / Me da [entra] el sueño. 졸리십니까? - 응, 좀 졸린다 ¿Tiene usted sueño? - Sí, tengo un poco de sueño. 나는 오후에는 늘 졸린다 Siempre me entra sueño por la tarde / Siempre me da sueño por la tarde.

졸리다² [남에게 조름을 당하다] (ser) importunado, molestado, irritado, fastiado.

졸막졸막 en diversos tamaños pequeños, en diversas cantidades pequeñas. ～하다 (ser) variopinto, heterogéneo, diversos en tamaño.
졸망졸망 en [a] pequeño tamaño. ～하다 (ser) de tamaño pequeño.
졸모(拙謀) truco *m.* 트럼프에서 ～를 쓰다 hacer trucos con las cartas.
졸문(拙文) ① [졸렬하게 지은 글] escrito *m* chapucero. ② [자기가 지은 글의 겸칭] mi escrito.
졸병(卒兵) ＝병졸(兵卒).
졸보(拙甫) inútil *mf*, calamidad *f*.
졸보기 ＝근시(近視).
■ ～눈 ＝근시안(近視眼).
졸부(猝富) nuevo rico *m*, rico *m* repentino, millonario *m* que permanece en la noche.
졸사(猝死) muerte *f* repentina. ～하다 morir repentinamente [de repente].
졸서(卒逝) fallecimiento *m.* ～하다 fallecer.
졸속(拙速) ¶～의 improvisado.
■ ～주의 método *m* improvisado.
졸수(卒壽) noventa años de edad.
졸아들다 [옷·천이] encoger(se); [고기가] achicarse; [목재·쇠가] contraerse.
졸아지다 reducirse, encoger(se).
졸업(卒業) graduación *f*, conclusión *f* del curso. ～하다 graduarse, terminar el curso; [대학교를] obtener el título, termimar la carrera, *AmL* recibirse; [학사 학위를 얻다] licenciarse; [중·고등학교를] terminar el bachillerato, *AmL* recibirse de bachiller. 대학을 갓 ～한 recién graduado de la universidad. 학교를 ～하다 graduarse en [salir de] una escuela. 대학교를 ～하다 graduarse de [licenciarse por [de]] de una universidad. 대학을 갓 ～하고 회사에 들어가다 entrar [colocarse] en una compañía apenas graduado. 그는 2002년에 한국외국어 대학교를 ～했다 El se licenció por [en] [se graduó de] la Universidad Hankuk de Estudios Extranjeros en 2002 (dos mil dos).
◆ 대학교 ～ graduación *f* de universidad.
■ ～ 논문 tesis *f* (para graduarse); [석사 과정의] tesis *f* de licenciatura; [박사 과정의] tesis *f* doctoral. ～반(班) clase *f* de graduación. ～생 graduado, -da *mf*, [예정자] graduando, -da *mf*, [학사 학위를 가진 사람] licenciado, -da *mf*, [대학의] posgraduado, -da *mf*, [고등학교의] bachiller *mf*. ～생 대표 [고별사를 하는] alumno, -na *mf* que da el discurso de despedida al final de curso. ～생 대표 고별사 discurso *m* de despedida pronunciado en ceremonias de graduación. ～ 시험(試驗) exámenes *mpl* de graduación. ～식(式) graduación *f*, ceremonia *f* de graduación [de terminación · de entrega de títulos]; [고등학교의] graduación *f*. ～ 앨범 álbum *m* de graduación. ～장 diploma *m*. ～ 증서 diploma *m*, certificado *m* de la terminación del curso.
졸역(拙譯) ① [졸렬한 번역] pobre traducción *f*. ② [자기의 번역을 겸손하게 일컫는 말] mi (pobre) traducción.
졸연하다(猝然－) (ser) repentino, abrupto, súbito, brusco.
졸연히 repentinamente, súbitamente, de repente, de súbito, abruptamente, bruscamente, con brusquedad.
졸음 adormecimiento *m*, sueño *m* (ligero), soñolencia *f*, somnolencia *f*, sopor *m*, duermevela *f*, soñera *f*, modorra *f*. ～이 오다 tener sueño, ser presa de la soñera, tener ojos pesados. ～을 오게 하는 soñoliento, adormecedor, amodorrado. ～을 쫓다 sacudir el sueño, despabilarse el sueño. ～을 쫓으려고 para quedarse despierto, para mantenerse de despierto, para descabezarse del sueño. ～을 쫓기 위해 커피를 마시다 beber café para quitar el sueño [para quedarse despierto].
졸이다 ① [고기 등을] reducir por medio de la cocción. ② [마음을] sentirse nervioso, apresurarse, darse prisa, impacientarse, afanarse, temer, tener un miedo enorme.
졸자(拙者) ① [용렬한 사람] persona *f* tonta [torpe · boda · estúpida]. ② [자기의 겸칭] yo, estúpido.
졸작(拙作) ① [졸렬한 제작] pobre fabricación *f*, [졸렬한 작품] pobre obra *f*, obra *f* mal hecha. ② [자기의 작품의 겸칭] mi pobre obra.
졸장부(拙丈夫) gallina *f*, cagueta *f*, cobarde *m*, miedoso *m*, hombre *m* de miras estrechas.
졸저(拙著) mi obra (indigna), mi pobre obra.
졸전(拙戰) ① [전쟁] guerra *f* poco hábil. ② [시합] partido *m* poco hábil.
졸졸 ① [가는 물줄기 등이 연달아 순하게 흐르는 소리] murmurando, murmullando, con murmullo, gota a gota, a gotas. ～ 흐르다 correr con murmullo, correr murmullando, correr a gotas, correr gota a gota, caer gota a gota, gotear, escurrir, fluir en un hilillo, fluir en un chorillo. ～ 흐르는 물 el agua que gotea [escurre]. ～ 흐르는 물소리 murmullo *m* [arrullo *m*] del agua. ② [어린이나 강아지 등이 떨어지지 아니하고 뒤를 따라다니는 모양] con insistencia, al asechado, en todas partes. ～ 따라다니다 perseguir*le* a *uno* en todas partes, estar siempre al asechado (de), seguir*le* a *uno* con insistencia.
졸졸거리다 murmurar, murmullar, murmujear, susurrar, producir un murmullo. 시내 물의 졸졸거리는 소리 el manso murmullo de un arroyo. 물이 졸졸거렸다 El agua murmuraba. 개울물이 졸졸거린다 El arroyo murmura en su correr.
졸졸졸 murmurando y murmurando, siguiendo murmurando.
졸중(卒中) ＝졸중풍(卒中風).
■ ～풍(風) 【한방】 apoplejía *f*. ～의 발작을 일으키다 tener una apoplejía, tener un ataque apoplético. ～으로 죽다 morir de

apoplejía.

졸지(猝地) situación *f* repentina. ~에 repentinamente, de repente, súbitamente, de súbito, de pronto. ~에 파산하다 hacer bancarrota repentinamente.

▪ ~풍파(風波) disturbios *mpl* repentinos.

졸참나무 【식물】 roble *m*, encina *f*.

졸책(拙策) pobre plan *m*, pobre proyecto *m*, plan *m* mal hecho, medida *f* imprudente, medida *f* indiscreta.

졸처(拙妻) yo, pobre mujer.

졸품(拙品) pobre producto *m*; [물건] pobre objeto *m*.

졸필(拙筆) ① [졸렬한 글씨] mala letra *f*. ② [글씨를 잘 쓰지 못하는 사람] persona *f* con la mala letra. ③ [자기 필적의 겸칭] mi mala letra.

졸하다(卒－) fallecer, morir, fallecer, perecer, cerrar los ojos, .dejar este mundo, llamarlo Dios, estirar las piernas.

졸하다(拙－) ① [재주가 없고 용렬하다] (ser) torpe, patoso. ② [씩씩하지 못하고 생각이 좁다] (ser) de mentalidad cerrada, intolerante, intransigente, retrógrado. 졸한 사람 persona *f* de mentalidad cerrada.

졸한(猝寒) frío *m* repentino.

좀[1] 【곤충】 [반대좀] polilla *f*, lepisma *f*.

좀[2] ① ((준말)) =조금(un poco). ¶김 선생님을 ~ 만났으면 싶습니다만 Desearía ver al señor Kim un momento. ② [남에게 청할 때] por favor. ~ 기다려 주십시오 Espere un momento, por favor.

좀[3] [그 얼마나] ¡Qué …! / ¡Cuánto …! ~ 예쁜가 ¡Qué bonito!

좀- ① [좀스러움] pequeño *adj*. ~도둑 ladroncillo, -lla *mf*. ② [소형(小形)] pequeño *adj*.

좀것 [사람] persona *f* de miras estrechas; [물건] cosas *fpl* pequeñas, nimiedad *f*.

좀꾀 tretas *fpl* pequeñas, artimañas *fpl* pequeñas, truco *m* pequeño.

좀노릇 trabajo *m* trivial.

좀놈 persona *f* insignificante, hombre *m* de calibre pequeña.

좀 더 un poco más, un momento más, un rato más. ~ 기다려 보자 Vamos a esperar [Esperemos] un momento más. ~ 생각해 보자 Vamos a pensar [Pensemos] un poco más.

좀도둑 ladroncillo, -lla *mf*, ladronzuelo, -la *mf*, [소매치기] carterista *mf*, ratero, -ra *mf*, 【은어】 hormiguero *m*.

▪ ~질 ratería *f*. ~하다 ratear, hurtar.

좀되다 (ser) tacaño, mezquino, sórdido, vergonzoso, infame, despreciable, agarrado. 좀된 사람 persona *f* tacaña, hombre *m* de carácter bajo.

좀말 palabra *f* de miras estrechas.

좀먹다 apolillar. 좀먹은 apolillado. 이 오버는 좀먹었다 Este abrigo se ha apolillado.

좀생원(－生員) persona *f* de mentalidad cerrada, persona *f* intolerante.

좀생이 [잔 물건] cosas *fpl* pequeñas.

좀스럽다 ① [사물의 규모가 작다] (ser) pequeño, a [en] pequeña escala. ② [도량이 좁고 성질이 잘다] (ser) de miras estrechas, estrecho; [곰상스럽다] puntilloso. 좀스러운 생각 visión *f* de miras estrechas, idea *f* de miras estrechas.

좀약(－藥) naftalina *f*, bola *f* de naftalina.

좀처럼 [여간해서] raramente, rara vez, apenas, por maravilla; [쉽사리] fácilmente, con facilidad, ligeramente. 그는 ~ 웃지 않는다 Apenas [Rara vez] ríe. 이 문제는 ~ 해결되지 않는다 Este problema tarda mucho en resolverse. 감기가 ~ 떨어지지 않는다 No logro quitarme el catarro. 나는 너무 바빠 ~ 책을 읽을 수 없다 Estoy tan ocupado que apenas puedo leer. 버스가 ~ 오지 않는다 Ya hace bastante tiempo que no viene el autobús / El autobús tarda en venir / El autobús no acaba de venir.

좀쳇것 cosa *f* ordinaria, cosa *f* mediocre.

좀팽이 persona *f* de miras estrechas.

좁다 ① [길이보다 넓이가 작다] (ser) estrecho, *AmL* angosto; [옷의 통이] (estar). 좁은 길 sendero *m*, senda *f*, caminito *m*, camino *m* estrecho, calle *f* estrecha, calleja *f* angosta. (통이) 좁은 바지 pantalones *mpl* estrechos [ceñidos · ajustados · apretados]. 좁은 방(房) habitación *f* estrecha [pequeña], cuarto *m* estrecho [pequeño]. 좁아지다 estrecharse, *AmL* angostarse. 길이 ~ El camino es estrecho [angosto]. 정원이 아주 ~ El jardín es un pañuelito [es diminuto]. 방이 ~ La habitación es estrecha. 방이 좁아서 곤란하다 La habitación esta apretado. ② [도량이나 소견이 작다] (ser) de mentalidad cerrada, intolerante. 마음이 좁은 사람 persona *f* de mentalidad cerrada. 그는 마음이 ~ El es de mentalidad cerrada.

좁다랗다 (ser) algo [bastante] estrecho [angosto]. 좁다란 방 habitación *f* algo estrecha, cuarto *m* algo estrecho. 좁다란 골목 callejuela *f* estrecha [angosta].

좁쌀 ① [조의 열매인 쌀] mijo *m* pelado. ~떡 pan *m* coreano de mijo pelado. ② [몹시 작은 사물이나 사람] cosa *f* muy pequeña; [사람] persona *f* muy pequeña; pigmeo, -a *mf*. ③ [매우 잘고 쩨쩨한 사람] tacaño, -ña *mf*, mezquino, -na *mf*.

▪ ~ 가루 mijo *m* pelado en polvo. ~눈 ojos *mpl* muy pequeños; [사람] el que tiene los ojos muy pequeños. ~미음 gachas *fpl* claras de mijo pelado. ~뱅이 persona *f* muy pequeña. ~여우 persona *f* pequeña y astuta. ~영감 anciano *m* pequeñito. ~책 libro *m* muy pequeño, librito *m*. ~친구 amigo *m* pequeño, amiga *f* pequeña.

좁혀지다 estrecharse, angostarse, reducirse. 이 거리는 좁혀져 간다 Esta calle se va estrechando. 수사 범위가 좁혀진다 Se reduce el radio de las pesquisas.

좁히다 ① [좁게 만들다] estrechar, angostar,

hacer *algo* (más) estrecho [angosto]; [간격을] reducir; [자리를] correrse, estrecharse. 간격을 ~ reducir la distancia. 줄을 ~ estrechar las filas. 서로 ~ acercarse unos a otros [unas a otras]. (글을) 좁혀 쓰다 estrechar [apretar] la escritura. 길의 폭을 1미터 ~ estrechar el camino (en) un metro. 활동 범위를 ~ reducir el campo de acción. 자리를 좀 좁혀 주십시오 [usted에게] Córrase [Estréchese] un poco, por favor / [tú에게] Córrete [Estréchate] un poco / [ustedes에게] Córranse [Estréchense] un poco / [vosotros에게] Correos [Estrechaos] un poco. 자리를 좁힙시다 Corrémonos un poco / Estrechémonos un poco.
◆좁혀 지내다 estar agobiado por opresión, vivir bajo agobio.

종¹ [마늘·파 등의 꽃대] tallo *m.*

종² ((준말)) =종작.

종³ [남의 집에 몸이 팔려 그 집에서 대대로 종사하던 사람] sirviente, -ta *mf*, esclavo, -va *mf.*

종(終) fin *m*, final *m.*

종(種) ① =종자(種子)(semilla). ② [종류. 같은 부류(部類)] especie *f*, género *m*, clase *f*, categoría *f*; [동물의] raza *f*; [식물의] variedad *f.* 멸종해 가는 ~ una especie en vías de extinción. ③【생물】especie *f.* ~의 기원(起源) origen *m* de las especies; [다윈의] Del origen de las especies por medio de la selección natural (자연도태에 의한 종의 기원에 대해). ④ ((준말)) =종개념(種槪念).

종(縱) =세로(longitud). ¶~의 vertical. ~으로 a lo largo. ~과 횡(橫) longitud y anchura.

종(鐘) campana *f*; [작은] campanita *f*; [한 벌의] carillón *m* (*pl* carillones), sonería *f.* ~을 치다 tocar [tañer·hacer sonar] la campana, dar campanadas; [조종(弔鐘)을] doblar; [회전시켜서] voltear la campana. ~을 치는 사람 campanero, -ra *mf.* ~이 울리고 있다 La campana está sonando / [난타] Las campanas están repiqueteando / [작은 종이] La campanilla está tintineando.

종-(宗) [으뜸. 맏이] principal, mayor. ~가(家) familia *f* principal. ~손(孫) nieto *m* mayor de la familia principal. ~조(祖) fundador *m* de una secta.

종-(從) secundario, subordinado. ~형(兄) primo *m.*

-종(宗) secta *f.* 조계~ secta *f* (de) *Chogye-chong.*

종가(宗家) familia *f* principal, casa *f* original, familia *f* encabezada.

종가(終價) último valor *m* en bolsa.
■~세(稅) derechos *mpl* por avalúo, impuesto *m* ad valórem. ~세율(稅率) tarifa *f* [arancel *m*] por avalúo.

종가래 pala *f* pequeña.

종각(鐘閣) campanario *m.*

종간(終刊) =폐간(廢刊).
■~호(號) último número *m.*

종강(終講) terminación *f* de la lección [del curso]; [마지막 강의] última lección *f.* ~하다 terminar la lección [el curso], dar la última lección.

종개념(種槪念)【논리】concepto *m* específico.

종견(種犬) perro *m* reproductor.

종결(終結) conclusión *f*, fin *m*, acabamiento *m*, terminación *f.* ~하다 concluirse, finalizar, llegar al fin, llegar al final, llegar al conclusión. ~시키다 poner fin (a), poner punto final (a), ultimar, terminar, finalizar, acabar, concluir. 전쟁의 ~ el fin de la guerra. 토론의 ~ la conclusión de la discusión.
■~구(句)【음악】coda *f.*
종결짓다 concluir. 모두가 피고를 무죄로 종결지었다 Todos concluyeron al acusado de inocente.

종경(終境) zona *f* fronteriza, frontera *f*, región *f* remota.

종계(種鷄) =씨닭.

종고(鐘鼓) la campana y el tambor.

종고모(從姑母) prima *f* de *su* padre.
■~부(夫) esposo *m* de la prima de *su* padre.

종고조모(從高祖母) esposa *f* del hermano de *su* tatarabuelo.

종고조부(從高祖父) hermano *m* de *su* tatarabuelo.

종곡(從曲)【음악】final *m.*

종곡(種穀) =씨곡(grano de siembra).

종곡(種麯) =누룩.

종과득과(種瓜得瓜) =인과응보(因果應報).

종관(縱貫) penetración *f* transversal. ~하다 atravesar, correr transversalmente [a través·de parte a parte]. ~의 transversal. ~으로 transversalmente.
■~ 자동차 도로 autopista *f* transversal.

종교(宗敎) religión *f.* ~의 religioso. ~를 믿다 creer en una religión. ~를 금하다 prohibir la religión. ~를 전파하다 propagar la religión. ~가 퍼지고 있다 Se propaga la religión. 네 ~와 다른 ~의 취지라도 신앙심이 있는 사람을 믿어라 Fíate del hombre religioso aunque profese una religión distinta de la tuya.
■~가 religioso, -sa *mf.* ~ 개혁 reforma *f* religiosa;【역사】Reforma *f.* ~계(界) mundo *m* religioso, círculos *mpl* religiosos. ~광 [사람] maníaco *m* religioso, maníaca *f* religiosa; [병] manía *f* religiosa. ~ 교육 educación *f* religiosa. ~극 drama *m* religioso. ~ 단체 organización *f* religiosa, cuerpo *m* religioso, institución *f* religiosa, corporación *f* religiosa. ~ 문제 problema *m* religioso. ~ 문학 literatura *f* religiosa. ~ 민족학 etnología *f* religiosa. ~ 박해(迫害) persecución *f* religiosa. ~ 법인(法人) sociedad *f* religiosa con personalidad jurídica. ~불(弗) dólar *m* religioso. ~사(史) historia *f* de religiones. ~ 사회학 sociologíia *f* religiosa. ~ 서적(書籍) libro *m* religioso. ~성 carácter *m* religioso. ~

심 religiosidad *f*, espíritu *m* religioso. ~ 심리학(心理學) sicología *f* religiosa. ~열 entusiasmo *m* religioso. ~ 예술 arte *m* religioso. ~ 운동 movimiento *m* religioso. ~ 음악 música *f* religiosa. ~ 의식 =종교심(宗教心). ~ 의식(儀式) rito *m* religioso. ~인 religioso, -sa *mf*; persona *f* religiosa; creyente *mf*, fiel *mf*. ~ 재판(裁判) la Inquisición. ~ 재판소 el Santo Oficio, el tribunal eclesiástico, la Inquisición. ~적 religioso *adj*. ~ 전쟁 guerra *f* religiosa. ~ 정치(政治) teocracia *f*. ~ 지도자 líder *m* [dirigente *m*] religioso, líder *f* [dirigente *f*] religiosa. ~ 철학 filosofía *f* religiosa. ~학 ciencia *f* de religiones, estudios *mpl* religiosos; [신학(神學) teología *f*. ~ 학교 scuela *f* religiosa. ~화(畵) pintura *f* religiosa. ~ 회의(會議) concilio *m*.

종구라기 calabaza *f* seca pequeña (empleada como vasija).

종국(終局) fin *m*, conclusión *f*, cláusula *f*, final *m*, término *m*, última fase *m*, fase *f* final. ~의 último, final. ~을 알리다 finalizar, llegar al término, terminar, concluir, acabar. ~이 되다 acabarse, terminarse, concluirse, finalizarse. 전쟁은 ~에 들어갔다 La guerra ha entrado en su fase final.
■ ~ 재판 juicio *m* final. ~적 último, final. ~ 판결 juicio *m* final, decisión *f* final.

종군(從軍) ida *f* al frente. ~하다 ir al frente, ir a la guerra, ir acompañando a la tropa. ~ 중이다 estar al servicio activo de la campaña.
■ ~ 간호사 enfermera *f* militar. ~기(記) diario *m* de guerra. ~ 기자(記者) corresponsal *mf* de guerra. ~ 기장 medalla *f* de guerra. ~ 사제(司祭) capellán *m* militar. ~ 작가 escritor, -tora *mf* de guerra.

종굴박 calabaza *f* pequeña.

종규(宗規) reglamento *m* religioso.

종극(終極) finalidad *f*, extremidad *f*. ~의 final, último, extremo.

종기(終期) fin *m*, terminación *f*, final *m*.

종기(腫氣) bulto *m*; [발진(發疹)] erupción *f*, grano *m*; [궤양] úlcera *f*, [농양] absceso *m*. 등에 ~가 나 있다 tener un bulto en la espalda.

종날 【민속】 *chongnal*, el primero de febrero del calendario lunar.

종내(終乃) al fin, en fin, por fin, finalmente, en conclusión. 그는 ~ 가 버렸다 El se fue finalmente.

종내기(種一) [동물의] raza *f*, [식물의] variedad *f*, especie *f*.

종년 ((비어)) =계집종.

종놈 ((비어)) =사내종.

종다래끼 nasa *f* (pequeña), cesto *m* [cesta *f*] de pescador.

종다리 【조류】 alondra *f*, calandria *f*.

종다수(從多數) acción *f* de seguir las vistas de la mayoría. ~하다 seguir las vistas de la mayoría. ~ 취결(取決)하다 pasar la resolución por el voto de la mayoría.

종단(宗團) orden *f* religiosa.

종단(終端) fin *m*, final *m*.

종단(縱斷) sección *f* vertical. ~하다 atravesar en [por] toda *su* longitud, cortrar [dividir] verticalmente.
■ ~면(面) sección *f* vertical.

종달거리다 quejarse, reclamar, refunduñar, rezongar.
종달종달 quejándose.

종달새 【조류】 =종다리.

종답(宗畓) arrozales *mpl* poseídos por un clan.

종대(縱帶) =세로띠.

종대(縱隊) columna *f*, fila *f* vertical, fila *f* en fondo. 2열 ~로 걷는 긴 행렬 fila *f* de dos en dos. 2열 ~로 걷다 caminar en fila de dos en dos. 2열 ~로 정렬하다 alinearse formando dos columnas, formar en dos filas en fondo. 2열 ~로 행진하다 marchar [desfilar] en dos filas.

종댕기 cinta *f* de coleta.

종독(腫毒) tumor *m* maligno.

종돈(種豚) verraco *m*, verrón *m*, cerdo *m* padre.

종두(種痘) vacuna *f*, vacunación *f*, inoculación *f*. ~하다 vacunar, inocular la vacuna. ~를 받다 ser vacunado, vacunarse, ponerse una vacuna. ~ 맞은 자리 señal *f* de vacunación. 당신은 장티푸스 ~를 받아야 한다 Usted tiene que vacunarse contra el tifus / Usted tiene que ponerse la vacuna antitifoidea [contra el tifus].
◆ 천연두 ~ vacuna *f* contra la viruela.
■ ~기(器) vacunador *m*. ~료(料) precio *m* de vacunación. ~의(醫) vacunador, -dora *mf*. ~ 증명서 certificado *m* de vacunación.

종두지미(從頭至尾) de cabeza a pie, de principio a fin.

종란(種卵) huevo *m* criadero.

종람(縱覽) inspección *f*, visita *f* libre. ~하다 inspectar, visitar, examinar. ~하게 하다 dejar al libre examen del público.
■ ~권(券) (billete *m* de) entrada *f*. ~ 사절 No se permiten visitantes / Cerrado al público / [서류의] Se prohíbe consultar [hojear] los documentos. ~소 sala *f* de exposición. ~실 sala *f* de exposición. ~자 visitador, -dora *mf*; [도서의] lector, -tora *mf*.

종래(從來) hasta el presente, hasta ahora, hasta el día. ~의 existente, usual, habitual, convencional, antiguo, tradicional. ~처럼 como usual, como de costumbre, como hasta ahora, como siempre. ~의 방법으로는 성과가 오르지 않을 것이다 No se obtendrá un buen resultado con el método.

종량세(從量稅) derecho *m* específico.

종량제(從量制) sistema *m* según medición.

종려(棕櫚) 【식물】 =종려나무.
■ ~나무 palma *f*, palmera *f*. ~나뭇잎 palma *f*, hoja *f* de palma. ~선[부채] aba-

nico *m* de palma. ～유(油) aceite *m* de palma. ～피(皮) corteza *f* de palma.

종렬(縱列) columna *f*, fila *f* vertical, fila *f* en fondo. ～을 이루다 formar una fila.

■～ 행렬(行列) desfiladero *m*. ～ 행진(行進) desfile *m*.

종론(宗論) polémica *f*. ～을 시작하다 entablar polémicas.

종료(終了) terminación *f*, fin *m*, conclusión *f*. ～하다 acabar, terminar, finalizar, concluir.

■～식 ceremonia *f* de terminación.

종루(鐘樓) campanario *m*.

종류(種類) clase *f*, género *m*, categoría *f*, suerte *f*, 【생물】especie *f*, variedad *f*. 같은 ～의 de la misma clase. 다른 ～의 de otra clase. 모든 ～의 de todas clases, toda clase de. 어떤 ～의 cierto tipo de, una clase de. 여러 ～의 de diversas especies. 이런 ～의 구두 zapatos *mpl* de este género. 이런 ～의 책 esta clase de libros. 다섯 ～로 나누다 dividir en cinco clases. 나는 그런 ～의 책은 읽지 않는다 No leo esa [tal] clase de libros.

■～별(別) clases *fpl*, especies *fpl*. ¶～로 por clases, por especies. ～로 나누다 clasificar. ～로 분류하다 ordenar por clases.

종마(種馬) caballo *m* padre, caballo *m* semental, semental *m*, *AmS* caballo *m* garañón.

■～ 목장(牧場) apacentadero *m* de caballos padres.

종막(終幕) [종연(終演)] caída *f* de telón; [최후의 막] último acto *m*; [종국] fin *m*, desenlace *m*. ～이 가까워지다 acercarse al fin. ～이 되다 llegar al fin, llegar al desenlace.

종말(終末) fin *m*, conclusión *f*, fin *m* del mundo. 사람들은 ～이 왔다고 생각했다 Creyeron que había llegado el fin del mundo.

■～론[관] escatología *f*.

종매(從妹) prima *f* menor.

■～부(夫) esposo *m* de *su* prima menor.

종목(種目) artículo *m*, ítem *m*, especie *f*, renglón *m* (*pl* renglones); ((운동)) prueba *f*. 반가격(半價格)의 많은 ～ muchos artículos a mitad de precio. 나는 주문 ～ 20번과 30번이 좋겠습니다 Yo desearía pedir [encargar] los artículos 20 y 30.

◆영업 ～ ramos *mpl* de negocios. 주요 ～ [경기의] prueba *f* principal.

■～별(別) clasificación *f*.

종묘(宗廟) santuario *m* ancestral de la familia real.

종묘(種苗) ① [씨앗과 모종] las semillas y las plantas de semillero ② [식물의 싹을 심어서 기름] plantación *f* del brote. ～하다 plantar el brote. ③ [묘목이 될 씨를 심음] siembra *f* para las plantas de semillero. ～하다 sembrar las plantas de semillero.

■～상(商) [장사] comercio *m* de las semillas y las plantas de semillero; [장수] comerciante *mf* de las semillas y las plantas de semillero. ～장(場) semillero *m*. ～ 회사 compañía *f* de las semillas y las plantas de semillero.

종무(宗務) asuntos *mpl* religiosos.

■～소(所) oficina *f* del templo budista.

종무(終務) fin *m* del negocio del año, cierre *m* de los negocios oficiales al final del año.

종무소식(終無消息) No hay ninguna noticia.

종문(宗門) ① [종가의 문중] familia *f* de la casa original. ② ((불교)) ＝종파(宗派).

종반(宗班) clan *m* real.

종반(終班) fin *m*, última etapa *f*. ～에 접어들다 aproximarse [acercarse] al fin, entrar en la última etapa.

■～전(戰) última etapa *f*.

종발(鐘鉢) tazón *m* (*pl* tazones) pequeño.

종배(終－) [새의] última ninada *f*, [포유동물의] última camada *f*.

종배(終杯) último vaso *m*, última copa *f*.

종범(從犯) [행위] complicidad *f*, [사람] cómplice *mf*. 살인죄의 ～ cómplice *mf* en el asesinato.

종법(宗法) código *m* de una secta, reglamento *m* religioso.

종별(種別) clasificación *f*, separación *f* por especies, distinción *f* por especies. ～하다 clasificar, ordenar por especies.

종복(從僕) sirviente *m*, criado *m*, lacayo *m*.

종부(宗婦) nuera *f* mayor de la casa principal.

종부돋움 ① [물건을 차곡차곡 쌓아 올리는 일] amontonamiento *m*. ～하다 amontonar. ② ＝발돋움.

종사(宗師) ((불교)) sacerdote *m* alto.

종사(從事) dedicación *f*, consagración *f*. ～하다 ocuparse (en・con・de), dedicarse (a); [전념하다] consagrarse (a), entregarse (a), aplicarse (a), practicar, ejercer un oficio, ejercere una profesión. 법률 사무에 ～하다 practicar la ley. 사회사업에 ～하다 dedicarse a un trabajo de bienestar social. 상업에 ～하다 dedicarse al comercio. 의료에 ～하다 practicar la medicina. 그는 상업에 ～하기를 원하고 있다 El desea dedicarse al comercio.

종산(宗山) ① ((준말)) ＝종중산(宗中山). ② ((준말)) ＝종주산(宗主山).

종상(終喪) ＝해상(解喪).

종서(縱書) escritura *f* vertical. ～하다 escribir verticalmente.

종선(縱線) línea *f* vertical.

종성(宗姓) ① ＝종반(宗班). ② [왕실의 성] apellido *m* de la familia real.

종성(終聲) 【언어】consonante *m* final.

종성(鐘聲) ＝종소리.

종소리(鐘－) campanada *f*, toque *m* de la campana, sonido *m* de las campanas; [난타] repique *m*, repiquete *m*; [작은 종의] tintineo *m*. 여기서는 ～가 들리지 않는다 Desde aquí no se puede oír el sonido de las campanas.

종소원(從所願) conformidad *f* con *sus* deseos. ～하다 acceder a una solicitud.

종속(從屬) [의존(依存)] dependencia *f*; [복종(服從)] subordinación *f*, sumisión *f*. ～하다 depender (de); [상태] estar bajo la dependencia (de), subordinarse (a), someterse (a), estar subordinado, subordinar. 경제적(經濟的) ～ subordinación *f* económica. ～시키다 subordinar.

■ ～ 관계 relación *f* subordinada, relación *f* vertical. ～구(句) frase *f* subordinada. ～국 país *m* (*pl* países) satélite. ～문 oración *f* subordinada, subordinado *m*. ～적 dependiente. ¶～으로 dependientemente. ～절 cláusula *f* subordinada. ～ 접속사 conjunción *f* subordinante.

종속히(從速－) lo más pronto posible, cuanto antes.

종손(宗孫) nieto *m* mayor de la familia principal.

종손(從孫) sobrino *m* nieto, nieto *m* de *su* hermano.

■～녀(女) sobrina *f* nieta, nieta *f* de *su* hermano. ～부(婦) esposa *f* de *su* sobrino nieto. ～서(壻) marido *m* de *su* sobrina nieta.

종수(從嫂) esposa *f* de *su* primo.

종숙(從叔) primo *m* de *su* padre.

■ ～모 esposa *f* del primo de *su* padre, tía *f*.

종시(終始) desde el principio hasta el fin, de cabo a cabo, de cabeza a fin; [항상. 늘] siempre, en todo tiempo. 그들은 ～ 그 안에 반대했다 Desde el principio hasta el fin se opusieron a ese proyecto.

종시(終是) ＝끝내.

종시세(從時勢) seguimiento *m* al precio de mercado.

종시속(從時俗) seguimiento *m* a tiempos. ～하다 seguir a tiempos.

종시여일(終始如一) ＝시종여일(始終如一).

종시일관(終始一貫) ＝시종일관(始終一貫). ¶～하여 consistentemente, firmemente, con toda consistencia, desde siempre.

종식(終熄) cese *m*, cesación *f*. ～하다 cesar, acabar, reducir. 교전(交戰)의 ～ cese *m* de hostilidades. 인플레를 ～하다 reducir la inflación.

종신(宗臣) ① [나라의 원훈(元勳)] ministro *m* distinguido del Estado. ② [왕족으로 벼슬 자리에 있는 사람] ministro *m* de la familia rea

종신(終身) ① [한평생을 마침] *su* muerte, *su* fallecimiento, fin *m* de vida. ② ＝임종(臨終). ③ [명을 다하기까지의 동안] toda la vida. ～의 vitalicio, perpetuo.

■ ～계(計) plan *m* para toda la vida. ～ 고용(雇用) empleo *m* vitalicio. ～ 고용 제도 sistema *m* de empleo vitalicio. ～ 보험(保險) seguro *m* de vida, seguro *m* de término completo. ～ 연금 pensión *f* [renta *f*·anualidad *f*] vitalicia, vitalicio *m*. ～자식 hijo, -ja *mf* que está con *sus* padres cuando ellos se mueren. ～지계(之計) ＝종신계(終身計). ～지질(之疾) enfermedad *f* incurable toda la vida. ～직(職) cargo *m* vitalicio. ～ 징역 condena *f* a perpetuidad, condena *f* a cadena perpetua, trabajos *mpl* forzados por toda la vida. ☞무기 징역(無期懲役). ～형(刑) cadena *f* perpetua, pena *f* vitalicia. ¶～에 처하다 condenar a *uno* a cadena perpetua, condenar a *uno* a encarcelamiento perpetuo. 그는 ～을 선고받았다 El fue condenado a cadena perpetua. ☞무기형(無期刑). ～회원(會員) miembro *m* perpetuo, miembro *f* perpetua; miembro *m* vitalicio, miembro *f* vitalicia. ～ 회장(會長) presidente *m* vitalicio, presidenta *f* vitalicia.

종신(從臣) vasallo *m* que siempre acompaña.

종실(宗室) ＝종친(宗親).

종심(從心) setenta años de edad.

종심(終審) juicio *m* final.

종씨(宗氏) clan *m* del mismo apellido.

종씨(從氏) ① [남에게 자기의 사촌 형제를 높여 부르는 말] mi primo. ② [남에게 남의 사촌 형제를 높여 부르는 말] su (estimado) primo.

종아리 【해부】 pantorilla *f*.

◆종아리(를) 맞다 ser golpeado en las pantorillas. 종아리(를) 치다 dar un golpe en las pantorillas.

■ ～뼈 【해부】 peroné *m*. ～채 palmeta *f*, vara *f* de golpear en las pantorillas.

종알거리다 murmurar, musitar, murmurar [hablar] entre dientes, hablar en voz baja e indistinta, refunfuñar, rezongar.

종알종알 hablando entre dientes, murmurando, refunfuñando, rezongando.

종애(鍾愛) ＝종정(鍾情).

종야(終夜) una noche, toda la noche. 버스의 ～ 운전 servicio *m* de autobuses durante toda la noche. ～ 잠을 이루지 못하다 no dormirse toda la noche. ～ 영업(營業)함 ((게시)) Abierto hasta el alba / Abierto durante toda la noche.

종양(腫瘍) 【의학】 tumor *m*, neoplasia *f*. ～의 neoplásico. 그는 뇌에 ～을 가지고 있다 El tiene un tumor en el cerebro.

◆악성(惡性) ～ neoplasia *f* maligna. 양성(陽性) ～ neoplasia *f* benigna.

■ ～학 oncología *f*. ～학 전문의 oncólogo, -ga *mf*. ～ 형성(形成) oncogénesis *f*.

종어(種魚) pez *m* semental .

종언(終焉) fin *m* (de la vida); [사망] muerte *f*, fallecimiento *m*. ～하다 morir, fallecer, llegar a un fin.

종업(從業) trabajo *m* en servicio. ～하다 dedicarse a *su* trabajo.

■ ～ 금지 prohibición *f* de trabajo. ～ 시간 hora *f* de trabajo, hora *f* laborable, hora *f* laboral. ～원(員) trabajador, -dora *mf*, empleado, -da *mf*, obrero, -ra *mf*, operario, -ria *mf*, dependiente *mf*, [집합적] personal *m*, plantilla *f*. ～원 조합 sindicato *m* de empleados.

종업(終業) ① [업무를 끝마침] conclusión *f* de obra, fin *m* de la jornada; [상점의] cierre *m*. ~하다 terminar el trabajo. ② [한 학기·한 학년을 다 끝냄] clausura *f* del curso. ~하다 clausurar el curso.
■ ~시간(時間) hora *f* del cierre. ~식(式) ceremonia *f* de clausura del curso (académico).

종연(終演) terminación *f* [fin *m*] de la función, caída *f* de telón. ~하다 terminar la función, bajar el telón.

종영(終映) terminación *f* de la presentación (de la película).

종요롭다 (ser) importante, necesario, indispensable.
종요로이 importantemente, necesariamente, indispensablemente.

종용(慫慂) persuasión *f*, consejo *m*, sugerencia *f*. ~하다 convencer, persuadir, aconsejar, sugerir, proponer.

종용하다(從容―) (ser) tranquilo, sereno.
종용히 tranquilamente, serenamente.

종우(種牛) toro *m* semental, toro *m* padre, toro *m* reproductor.

종유굴(種乳窟) gruta *f* de estalactitas (y estalagmitas).

종유동(鐘乳洞) 【지질】=종유굴.

종유석(鐘乳石) 【광물】 estalactita *f*.

종의(腫醫) 【한방】 médico, -ca *mf* de las hierbas especializado en tumores.

종이 papel *m*. ~ 한 장 un papel, una hoja de papel. ~ 한 연(連) una resma de papel. ~를 뜨다 hacer [fabricar] papel. ~를 바르다 empapelar. ~를 붙이다 pegar papel. ~에 싸다 empapelar, envolver con [en] papel. ~에 쓰다 escribir en un papel. 종이 한 장(張)의 차이 muy poca diferencia *f*. A와 B는 ~다 Hay muy poca diferencia entre A y B / La diferencia de A y B es casi imperceptible. 천재와 바보는 ~다 El genio raya en [roza con] la locura.
■ ~돈 =지폐(papel moneda). ~ 바구니 papelera *f*, cesto *m* de los papeles. ~배 barca *f* de papel. ~비행기 avión *m* de papel. ~ 상자 caja *f* de cartón. ~옷 ropa *f* de papel. ~우산 paraguas *m.sing.pl* de papel. ~ 인형 muñeca *f* de papel. ~쪽 pedazo *m* pequeño de papel. ~창 ventana *f* de papel. ~컵 vaso *m* desechable. ~ 표지 cubierta *f* [forro *m*·tapa *f*] de papel. ~풍선(風船) globo *m* [balón *m*] de papel. ~호랑이 tigre *m* de papel. ~ㅅ장 hoja *f* de papel. ¶~ 같다 ser delgadísimo [muy delgado]; [창백하다] ponerse pálido. 그는 얼굴이 ~ 같았다 El era una cara pálida / El se ponía pálido. ~ㅅ조각 pedazo *m* [trozo *m*·fragmento *m*] de papel; [못쓰는] papel *m* usado, pedazo *m* y recortes de papel.

종인(宗人) pariente *m* lejano, parienta *f* lejana.

종인(從因) causa *f* secundaria.

종일(終日) todo el día, el día entero; [24시간] durante veinticuatro horas. ~ 기다리다 esperar todo el día. 버스는 ~ 운행된다 Los autobuses circularn (durante) todo el día / Hay servicio de autobuses durante veinticuatro horas. ~ 영업(營業)함 ((게시)) Abierto (durante) 24 horas.
종일토록 todo el día, de la mañana a la noche.
■ ~ 종야(終夜) día y noche.

종자(宗子) el hijo mayor de la familia principal.

종자(從者) escudero, -ra *mf*; acompañante *mf*; asistente *mf*; [집합적] séquito *m*, comitiva *f*, acompañamiento *m*. 동끼호떼는 그의 이웃을 ~로 삼았다 [결정했다] ((El Quijote)) Don Quijote asentó por escudero de su vecino.

종자(種子) ① [식물의] semilla *f*, simiente *f*, variedad *f*. ② [동물의] raza *f*.
■ ~식물 fanerógamas *fpl*, planta *f* madre.

종자매(從姉妹) primas *fpl*.

종작 lo esencial, lo fundamental.
종작없다 (ser) vano, inútil, inconsciente, sin sentido, absurdo. 종작없는 말 tonterías *fpl*, estupideces *fpl*, disparates *mpl*. 종작없는 말을 하다 decir tonterías [estupideces·disparates].

종잘거리다 balbucear, refunfuñar, rezongar.
종잘종잘 balbuceando, refunfuñando.

종잡다 captar [comprender] lo esencial [lo fundamental] (de), captar [comprender] el quid de una cuestión. 종잡을 수 없는 incoherente, confuso. 종잡을 수 없이 변명하다 excusarse confusamente, balbucir excusas. 그의 대답은 종잡을 수 없었다 El titubeaba al contestar. 나는 도무지 종잡을 수 없다 Esto es (como si fuera) chino para mí.

종장(宗匠) maestro *m*, instructor *m*.

종장(終章) la última parte de la canción, el último de los tres versos de un *sicho* [un poema].

종장(終場) el último mercado del día.

종적(蹤迹) [발자취] pisada *f*, huella *f*, señal *f*, indicio *m*, rastro *m*; [행방(行方)] paradero *m*. ~을 감추다 desaparecer, cubrir *su* rastro, no dejar huella, esconderse, huir sin dejar rastro. ~을 좇다 seguir (tras·detrás de), rastrear, seguir la pista (de), seguir las huellas (de). 아무도 그의 ~을 모른다 Se desconoce su paradero.

종적(縱的) secundario, subordinado, segundario.

종전(宗田) campos *mpl* poseídos por un clan.

종전(從前) ① [이전] antes; [이제까지] hasta ahora. ~처럼 como antes, como hasta entonces. ② [지금보다 이전] más antes que ahora. ~의 anterior, antecedente.

종전(終戰) terminación *f* [fin *m*] de la guerra, terminación *f* de hostilidad. ~하다 la guerra terminar. ~ 후(後) después de la terminación de la guerra, en la pos(t)guerra.

종점(終點) terminal *f*; [역] estación *f* terminal; [정류소] parada *f* final, final *m* de trayecto. 버스 ~ terminal *f* de autobuses. 버스는 ~에 도착했다 El autobús ha llegado a la parada final [a la terminal].

종정(宗正) ① [종파의 가장 높은 어른] el mayor de una secta. ② ((불교)) jefe *m* de la secta de *Chogyechong*.

종제(從弟) primo *m* menor.

종조(宗祖) fundador, -dora *mf* de una secta; fundador, -dora *mf* de una escuela.

종조(從祖) ((준말)) =종조부(從祖父).
■ ~모 esposa *f* del hermano de *su* abuelo. ~부 hermano *m* de *su* abuelo.

종족(宗族) clan *m*, familia *f*.

종족(種族) raza *f*, tribu *f*; [동물・식물의] familia *f*, especies *fpl*, género *m*.
■ ~ 보존 preservación *f* de las especies. ¶~의 본능 instinto *m* de la preservación de las especies. ~ 본능 instinto *m* racial. ~적 racial, étnico. ¶~ 사회 sociedad *f* racial. ~ 집단 grupo *m* étnico.

종졸(從卒) serviente *m* de oficial.

종종(種種) ① [물건의 가지가지] varias especies *fpl*, varias clases *fpl*, especies *fpl* diferentes. ② [가끔] de vez en cuando, de cuando en cuando, algunas veces, unas veces, a veces. ~ 찾아오는 친구 amigo, -ga *mf* que me visita de vez en cuando. 나는 ~ 기차로 여행했다 He viajado a veces en tren.

종종거리다 andar con pasos apresurados [rápidos].

종종걸음 pasos *mpl* cortos (y ligeros), pasos *mpl* apresurados, pasos *mpl* rápidos. ~으로 a pedacitos, a pasos cortos. ~으로 걷다 andar a pasos cortos [a pasitos・con pasos menudos]. 그는 ~으로 포도(鋪道)를 걸어왔다 El ha venido sobre pavimento con paso a pedacitos.
◆종종걸음(을) 치다 andar a pasitos cortos, andar a trotecillos, andar a pasos cortos, trotar, ir a trote, corretear.

종종머리 peinado *m* con las trenzas

종종색색(種種色色) =가지각색.

종좌표(縱座標)【수학】coordenadas *fpl* y.

종주(宗主) ① =적장자(嫡長子). ② [조상의 위패] tablilla *f* ancestral. ③【역사】señor *m* feudal.
■ ~국(國) estado *m* protector. ~권(權) soberanía *f*.

종주(縱走) recorrida *f* longitudinal (de una cadena de montañas). 알프스 ~ (a)travesía *f* por los picos de los Alpes. 알프스를 ~하다 recorrer los Alpes siguiendo la cordillera.
■ ~로(路) ruta *f* de la cordillera, camino *m* de la cordillera.

종주먹 puño *m* de dar muchos empujones sin cesar.
종주먹 대다 dar muchos empujones sin cesar, dar golpes repetidos.

종중(宗中) familias *fpl* del mismo clan.
■ ~논 =종답(宗畓). ~답(畓) =종답(宗畓). ~밭 =종전(宗田). ~산(山) montaña *fpl* poseída por un clan. ~전(田) =종전(宗田). ~전답(田畓) =종전(宗田).

종지 taza *f* pequeña, cuenco *m* pequeño. 간장 ~ la taza pequeña para la salsa de soja.

종지(宗旨) ① [종문(宗門)의 교의의 취지] sentido *m* doctrinal de una familia de la casa principal. ② [주장된 요지] sentido *m* principal.

종지(終止) ① [끝] fin *m*, término *m*; [끝을 냄] terminación *f*, acabamiento *m*. ~하다 terminar, acabar. ②【음악】cadencia *f*.
◆완전(完全) ~ cadencia *f* perfecta. 불완전(不完全) ~ cadencia *f* imperfecta.
■ ~ 기호 =마침표. ~부 punto *m* final. ¶~를 찍다 poner fin (a). 내전(內戰)에 ~를 찍다 poner fin a la guerra civil.

종지뼈【해부】=슬개골(膝蓋骨)(rótula).

종진(縱陣) columna *f*. ~을 치다 formar la columna.

종질 esclavitud *f*, cautiverio *m*. ~하다 servir como un esclavo, ser un esclavo.

종질(從姪) hijo *m* de *su* primo.
■ ~녀 hija *f* de *su* primo. ~부 esposa *f* del hijo de *su* primo. ~서(壻) esposo *m* de la hija de *su* primo.

종짓굽 ① [쟁기의 한마루 아래 끝에 턱이 져서 내민 부분] parte *f* sobresaliente del extremo del caballoón inferior del arado. ②【해부】borde *m* de la rótula.
◆종짓굽아 날 살려라 Vamos a salir de aquí. 종짓굽이 떨어지다 (el lactante) andar con paso inseguro.

종차(種差)【논리】diferencia *f* específica.

종착(終着) última llegada *f*. ~하다 llegar últimamente [por último].
■ ~역 estación *f* terminal; [인생의] donde muere la línea, paradero *m*.

종창(腫脹)【의학】hinchazón *f* (*pl* hinchazones), abotagamiento *m*.

종창(腫瘡) carbunclo *m*, furúnculo *m*.

종처(腫處) furúnculo *m*, forúnculo *m*, absceso *m*.

종척(宗戚) parientes *mpl* paternales y maternales del rey.

종축(種畜) reproductor, -tora *mf*.
■ ~ 목장 granja *f* de reproductores. ~장 lugar *m* de reproductores.

종축(縱軸)【수학】((구용어)) =세로축.

종친(宗親) ① [임금의 친족] familia *f* real, parientes *mpl* reales.. ② =친속. 친족.
■ ~회(會) reunión *f* de parientes.

종콩 *chongkong*, una especie de la alubia blanca pequeña.

종파(種-) puerro *m* de semillero.

종파(宗派) ① [지파에 대해 종가의 계통] rama *f* principal de una familia. ② ((불교)) secta *f*. ③ =교파(敎派).
■ ~ 근성(根性) espíritu *m* sectario. ~심 sectarismo *m*. ~적 sectario *adj*.

종패(種貝) concha *f* reproductora.

종피(種皮) 【식물】 testa *f.*

종합(綜合) ① síntesis *f.sing.pl*, generalización *f.* ~하다 sintetizar, integrar, formar un todo. ~할 수 있는 sintetizable. ~하면 después de todo, al decir de todos, por lo que dicen todos. 정보를 ~하다 sintetizar los informes. ② 【철학】 coligación *f.*

◆개인(個人) ~ ((체조)) título *m* individual combinado.

▪~ 개발 desarrollo *m* general. ~ 경제 economía *f* general. ~ 과세 tasación *f* general. ~ 기하학 geometría *f* sintética. ~ 대학 universidad *f.* ~ 병원 hospital *m* general. ~ 비평 criticismo *m* general. ~ 상사 casa *f* de comercio integral. ~ 소득세 impuesto *m* general sobre [a] la renta, impuesto *m* al ingreso global de las personas físicas. ~ 예술 arte *m* sintético. ~ 잡지 revista *f* general. ~적 sintético, general, integral, completo, amplio, compuesto. ¶~으로 sintéticamente, generalmente. ~ 철학 filosofía *f* sintética. ~ 청사(廳舍) edificios *mpl* gubernamentales generales. ~ 카드 tarjeta *f* general. ~ 토지세 contribución *f* territorial general. ~ 판단(判斷) juicio *m* sintético. ~ 판매세 impuesto *m* general sobre las ventas. ~ 학습 estudio *m* general.

종형(從兄) primo *m* (mayor).

▪~제(弟) primos *mpl.*

종회(宗會) reunión *f* de familia, reunión *f* familiar.

종횡(縱橫) longitud y anchura, longitud y latitud, lo largo y lo ancho, todas las direcciones; [직물의] urdimbre y trama. ~으로 a lo largo y lo ancho, longitudinal y atravesadamente, vertical y horizontalmente; [사방으로] en [por] todas las direcciones; [자유자재로] con facilidad, con gran soltura. ~ 10미터의 de diez metros de largo y ancho. 서반아어를 ~으로 구사하다 manejar el español con gran soltura. 시내 구석구석을 ~으로 배회하다 callejear por todos los rincones de la ciudad. 그 지방에서는 철도가 ~으로 통하고 있다 Esa región está cruzada por una red compacta de ferrocarriles.

▪~무진 ¶~으로 libremente, con libertad, con franqueza, a voluntad..

좆 pene *m* (del adulto).

좆같다 ((비어)) No es bueno / Es malo.

▪~심 fuerza *f* [poder *m*] del pene [de las relaciones sexuales del hombre], virilidad *f*, proeza *f* sexual.

좇다 ① [뒤를 따르다] seguir. 순서(順序)를 좇아 en orden. 그는 그녀의 뒤를 좇아 나갔다 El salió corriendo detrás de ella [tras ella]. 그녀는 여러 달 동안 그를 좇아 다닌다 Hace meses que ella anda detrás de él / Hace meses que ella le persigue. ② [복종하다] obedecer. 명령(命令)을 ~ obedecer la orden. ③ [대세를 따르다] dejarse llevar por la corriente, seguir la corriente. 여론(與論)을 ~ seguir la corriente de la opinión pública.

좇아가다 ① [뒤를 따라가다] seguir. 그를 좇아가세요 Sígale. ② [남이 하는 대로 따르다] seguir. 그가 하는 대로 좇아가세요 Siga como haga él.

좇아오다 ① [뒤를 따라오다] seguir. 나를 좇아오세요 [tú에게] Sígueme / [usted에게] Sígame / [vosotros에게] Seguidme / [ustedes에게]. Síguenme. ② [남이 하는 대로 따라오다] seguir.

좋다[1] ① [즐겁다. 유쾌하다] alegrarse (de + *inf*·de que + *subj*), divertirse. 좋게 생각하지 않다 estar disgustado [descontento] (de·con). 기분이 ~ Me siento bien / Me alegro mucho. 그는 아내가 일하러 나가는 것을 좋게 생각하지 않는다 El no está contento de que trabaje su esposa fuera de caa. ② [아름답다] (ser) hermoso, bello, lindo, bonito. 경치가 ~ El paisaje es hermoso. ③ [훌륭하다] (ser) bueno, magnífico, excelente, espléndido, precioso. 좋은 집안 buena familia *f.* 좋은 선물 regalo *m* precioso, regalo *m* espléndido. 집안이 ~ La familia es buena. 좋은 생각이다 Es una buena idea. ④ [슬기롭다] (ser) inteligente, listo. 머리가 ~ ser inteligente. 그녀는 머리가 ~ Ella es inteligente [lista]. ⑤ [효험이 있다] (ser) eficaz, eficiente. 만병에 ~ ser muy eficaz contra todas las enfermedades. ⑥ [낫다. 유익하다] (ser) bueno, útil. 좋은 결과 buen resulto *m*, buena consecuencia *f*, buen éxito *m*. 좋은 소식 buenas noticias *fpl.* 좋은 집 buena casa *f.* 좋은 충고(忠告) buen consejo *m*. 좋은 책들 buenos libros *mpl.* 이 책이 더 ~ Este libro es mejor. 가는 게 더 ~ Es mejor ir. 좋은 옷과 돈이면 누구라도 양반 ((서반아 속담)) Costumbres y dineros, hacen hijos caballeros. ⑦ [바르다. 착하다] (ser) bueno. 좋은 행동 buena conducta *f.* 좋은 사람 buena persona *f.* 좋은 남자 buen hombre *m*. 좋은 여자 buena mujer *f.* 좋은 아내는 빈 집을 가득 채운다 ((서반아 속담)) La mujer buena, de la casa vacía hace llena. ⑧ [마음에 들다. 마땅하다] gustar, preferir. 나는 블랙커피가 ~ Prefiero el café solo [*AmL* café negro] / Me gusta el café solo. ⑨ [상관없다] no importar*le* a *uno*. 좋습니다 No importa. 나는 ~ No me importa. 아무래도 ~ Lo mismo (me) da / (Me) Es igual. 극장에 가도 ~ No me importa ir al cine. ⑩ [적당하다. 알맞다] (ser) conveniente, adecuado, oportuno, razonable, moderado, templado, bueno. 좋은 가격(價格) precio *m* razonable. 좋은 시기(時期) momento *m* oportuno, momento *m* favorable. 좋은 조치 medida *f* adecauda. 좋은 예(例) buen ejemplo *m*, ejemplo *m* conveniente. 좋은 적수 buen rival *m*. 이 일에 좋은 사람 persona *f* apta para este trabajo. 자기 좋을 대로 a *su* antojo, a *su* capricho. 자기 좋을 대로 말하다 imponer *su* capricho, portarse como un déspota. 방을 좋은 온도로 유지하다 mantener la habitación a una tempertura adecuada. 나는 열 시가 ~ Me va bien a las diez. ⑪ [경사스럽다. 기쁘다] (ser) alegre, feliz. 좋은 날 día *m* feliz. ⑫ [화목하다. 친하다] (ser) amable (con), íntimo. 그들은 사이가 ~ Ellos son muy íntimos. ⑬ [(날씨 따위가) 맑다] [하늘이] (ser) despejado, claro; [날이] despejado; [하늘·기후가] despejarse, aclararse, serenarse; [물이] aclararse. 날씨가 ~ hacer buen tiempo. 날씨가 아주 ~ Hace muy buen tiempo / Es un tiempo espléndido / [활짝 개었다] Se ha despejado el tiempo. 제발 내일도 날씨가 좋았으면! ¡Ojalá que mañana haga también buen tiempo! ⑭ [(명사형 어미 「-기」 아래에 쓰이어) 쉽다·어렵지 않다] ser fácil, no ser difícil. 먹기 ~ ser fácil de comer. 입기 ~ ser fácil de vestirse.

좋다² ((감탄사)) ¡Vale! / ¡Bien! / ¡Bueno! / ¡Muy bien! / ¡Está bien!.

좋아 =좋다².

좋아지다 mejorarse, medrar; [향상되다] progresar. 조금도 좋아지지 않다 no mejorarse, no ponerse mejor ni pizca, estar siempre tan malo.

좋아하다 gustar, encantar, ser aficionado (a), tener gusto (de), ser amigo (de); [사랑하다] amar, tener cariño, querer; [더 좋아하다] preferir, gustar más. 좋아하는 preferible, favorito, predilecto, querido. 좋아하는 남자(男子) hombre *m* querido, hombre *m* amado. 좋아하는 사람 amante *mf*. 좋아하는 여자 mujer *f* amada, mujer *f* adorada. 음악(音樂)을 좋아하는 사람 aficionado, -da *mf* a la música, amante *mf* de la música. 좋아하게 되다 coger cariño [gusto] (a), aficionarse (a); [남녀 간에] enamorarse (de). A보다 B를 ~ preferir B a A. 그가 좋아하건 말건 quiera que no, quiera o no quiera, le guste o no le guste. …를 무척 ~ [주어가 사물] gustar*le* mucho a *uno*. 커피보다 차를 ~ preferir el té al café. 그녀는 나를 무척 좋아한다 Ella me tiene mucho cariño a mí / Ella me quiere [ama] mucho. 나[너·그·우리·너희들·그들]는 초콜릿을 좋아했다 Me [Te·Le·Nos·Os·Les] gustaba el chocolate. 나는 커피를 더 좋아한다 Me gusta más el café / Prefiero café. 나는 좋아서 그 일을 하지는 않았다 No le hice porque me gustara [porque quisiera hacerlo]. 나는 바다를 그리길 좋아한다 Me gusta pintar el mar / Pinto el mar preferentemente [con preferencia]. 이 아이는 바나나를 무척 좋아한다 A este niño le gustan mucho los plátanos.

좋이 ① [좋게] bien. ② [꽤] bien considerablemente; [넉넉히] abundantemente, en abundancia, copiosamente; [충분히] suficientemente. ~ 먹다 comer en abundancia. 시간은 아직 ~ 있다 Todavía queda mucho tiempo / Todavía tenemos bastante tiempo. 우리들은 식사할 시간은 ~ 있다 Tenemos mucho [bastante] tiempo para comer. 나는 ~ 한 시간은 기다렸다 He esperado una larga [buena] hora. 우리들은 ~ 세 시간(時間)은 기다렸다 Ya hemos esperado tres horas largas. 그곳까지는 ~ 10킬로미터는 된다 Hay diez kilómetros buenos hasta allí. 군중(群衆)은 ~ 50만 명은 넘는다 La multitud supera fácilmente los quinientos mil.

좌¹(左) izquierda *f*. ~의 izquierdo, siniestro. ~로 a la izquierda.

좌²(左) ((성경)) izquierda *f*, mano *f* izquierda, siniestra *f*, norte *m*. 네가 ~하면 나는 우하고 네가 우하면 나는 ~하리라 ((창세기 13:9)) Si fueres a la mano izquierda, yo iré a la derecha; y si tú a la derecha, yo iré a la izquierda / Si tú te vas al norte, yo me voy al sur, y si tú te vas al sur, yo me voy al norte.

좌(座) ① [앉을 자리] asiento *m* (de sentarse). ② ((불교)) [불상(佛像)을 세는 말] imagen *f* (*pl* imágenes). 불상 두 ~ dos imágenes de Buda.

-좌(座) ((구용어)) =별자리.

좌객(座客) invitado *m* sentado, invitada *f* sentada.

좌경(左傾) radicalización *f*. ~하다 inclinar a la izquierda. ~의 radical, izquierdista. ~화하다 tender a la izquierda, inclinarse a la izquierda.

■~ 분자 radical *mf*, izquierdista *mf*. ~ 문학(文學) literatura *f* izquierdista. ~ 사상 pensamiento *m* izquierdista. ~ 운동(運動) movimiento *m* izquierdista. ~파(派) radicalismo *m*, elemento *m* radical, elemen-to *m* izquierdista. ~ 학생 estudiante *mf* que estudia hacia la izquierda.

좌고우면(左顧右眄) =좌우고면(左右顧眄). ¶ ~ 갈피를 잡지 못하다 titubear, vacilar, ser irresoluto, ser indeciso.

좌골(坐骨) 【해부】 cía *f*, isquión *m*. ~의 ciático, isquiático.

■~ 신경 nervio *m* isquiático. ~ 신경염 isquiatitis *f*. ~ 신경통 ciática *f*, isquialgia *f*, isquioneuralgia *f*, neuralgia *f* ciática. ~통 isquiadinia *f*.

좌기(左記) apunte *m* abajo mencionado. ~의 abajo mencionado, siguiente. ~와 같이 como sigue, como abajo mencionado, como infrascripto. ~의 사람 persona *f* siguiente.

좌단(左袒) soporte *m*, ayuda *f*, apoyo *m*. ~하다 sostener, mantener, ayudar, apoyar.

좌담(座談) charla *f*, conversación *f* familiar, conversación *f* de sobremesa, diálogo *m*. ~하다 charlar. ~식으로 말하다 hablar informalmente. ~에 능하다 ser un buen conversador, ser una buena conversadora.

■~회(會) mesa *f* redonda, tertulia *f*, coloquio *m*, conversación *f*, reunión *f* de plática, junta *f* de plática, simposio *m* (sobre). ¶정치(政治) ~ simposio *m* sobre política.

좌뜨다 superar (a), aventajar (a).
좌르르 corriend. 물이 ~ 흐른다 El agua sale corriendo.
좌방(左方) izquierda *f*.
좌변(左邊) lado *m* izquierdo.
좌불안석(坐不安席) acción *f* de no poder sentarse mucho tiempo en un asiento por la inquietud. ~이다 no estarse quieto, moverse inquieto, ponerse inquieto, sentirse fuera de lugar. 그녀는 의자에서 ~이었다 Ella no se estaba quieta en la silla / Ella se movía inquieta en la silla. ~하지 마라 ¡Estáte quieto! 그렇게 ~하지 마라 No seas tan inquieto.
좌사우고(左思右考) pensamiento *m* considerado.
좌사우량(左思右量) =좌사우고(左思右考).
좌상(坐商) comercio *m* sentado.
좌상(坐像) estatua *f* [figura *f*] sentada.
좌상(座上) ① =좌중(座中). ② [한 좌석에서 가장 어른이 되는 사람] el mayor en una fiesta.
좌상(挫傷) ① [기운이 꺾이고 마음이 상함] desánimo *m*. ② =타박상(打撲傷).
좌서(左書) ① [오른쪽과 왼쪽이 바뀌어 된 글자] letra *f* que la izquierda se cambia con la derecha. ② [왼손으로 쓰는 글자] letra *f* escrita con la mano izquierda. ~하다 escribir la letra con la mano izquierda.
좌석(坐席/座席) ① [앉는 자리] asiento *m*; [극장의] asiento *m*, butaca *f*, localidad *f*, lugar *m*; [비행기·기차 따위의] plaza *f*; [자전거의] asiento *m*, sillín *m* (*pl* sillines); [교회의] banco *m*. 접는 ~ [자동차 따위의] estrapontín *m*, traspuntín *m*. ~을 예약하다 reservar un asiento. ~을 잡다 coger un asiento. 비행기의 ~을 예약하다 reservar una plaza de avión. ~에 앉아 주십시오 Tome asiento, por favor / Siéntese, por favor. ~이 없음 ((게시)) [극장에서] No quedan localidades / No quedan asientos // [버스에서] No quedan asientos. 2천 명의 ~이 있다 Hay asientos para dos mil personas. ② [깔고 앉는 자리] estera *f*.
◆앞 ~ asiento *m* delantero. 뒷~ asiento *m* trasero. 중간(中間) ~ asiento *m* de en medio.
■~권 billete *m* de reservación. ~미난(未煖) Se encuentra muy ocupado / Siempre está de acá para allá. ~수 capacidad *f*. ~정원 capacidad *f*. ~ 지정권 billete *m* de asiento reservado. ~ 지정권 발매소 taquilla *f* de reserva. ~ 지정차(指定車) vagón *m* reservado.
좌선(左旋) vuelta *f* a la izquierda. ~하다 volver a la izquierda, doblar [torcer] a la izquierda.
좌선(坐禪) ((불교)) meditación *f* religiosa (como se practica en la secta zen), meditación *f* [contemplación *f*] sedente de los budistas. ~하다 sentarse con las piernas cruzadas, sentarse para meditar, abstraerse, practicar la meditación (religiosa). ~하기 위해 앉다 sentarse en una postura fija para hacer meditación.
좌수(左手) mano *f* izquierda.
좌수우봉(左授右捧) intercambio *m* improvisado. ~하다 cambiar de improviso.
좌시(坐視) mirada *f* con indiferencia. ~하다 mirar con indiferencia, mirar con ojos indiferentes, quedar a pie enjuto. ~할 수 없다 no poder quedarse indiferentemente.
좌식(坐食) =와식(臥食).
좌심방(左心房) 【해부】 atrio *m* siniestro.
좌심실(左心室) 【해부】 ventrículo *m* izquierdo del corazón.
좌안(左岸) costa *f* [orilla *f*] izquierda.
좌약(坐藥) supositorio *m*, cala *f*.
좌업(坐業) ocupación *f* sedentaria, labor *f* sedentaria.
좌완(左腕) =왼팔(brazo izquierdo).
■~ 투수(投手) zurdo, -da *mf*.
좌욕(坐褥) =방석.
좌우(左右) ① [왼쪽과 오른쪽] la izquierda y la derecha. ~에 a los costados, a izquierda y a derecha. ~를 보다 volverse a la derecha y a la izquierda. 이 건물은 ~ 대칭으로 되어 있다 Este edificio forma una simetría bilateral. ② ((경칭)) =존장(尊丈). ③ ((준말)) =좌지우지(左之右之). ¶~하다 controlar, dominar; [결정하다] decidir; [영향을 끼치다] influir (sobre), dar influencia. ~되다 dejarse influir (por), llevar (por); [의존하다] depender (de). 시장(市場)을 ~하다 controlar el mercado. …의 운명을 ~하다 decidir la suerte [el destino] de *algo*·*uno*, ejercer una influencia decisiva en *algo*·*uno*. 그는 감정에 ~되기 쉽다 El es un hombre susceptible. 그는 다른 사람의 의견에 ~되기 쉽다 El se deja influir fácilmente por lo que dicen los demás. 수확량은 날씨에 ~된다 La cosecha depende mucho del tiempo que haga. ④ [옆] *su* lado, dos lados; [두 방향] dos direcciones. ~에 en ambos lados. ~를 바라보다 mirar alrededor. ⑤ [측근. 측근자] *su* séquito *m*. ⑥ [좌익과 우익] la izquierda y la derecha; [좌파(左派)와 우파(右派)] el izquierdista y el derechista.
■~간(間) de todos modos, de todas formas, de cualquier modo, de cualquier manera, de todas maneras, en cualquier caso, en todo caso, sea como se fuere, igual. ¶~ 고맙습니다만 … Gracias de todos modos, pero …. ~ 나는 갈 수 없다. 늦게까지 일해야 한다 Igual [De todos modos·De todas formas] no puedo ir; tengo que trabajar hasta tarde. ~고면(顧眄) irresolución *f*, vacilación *f*. ~균제 simetría *f*. ~ 상칭 = 대칭. ~ 연타 ((권투)) uno dos. ~익 la izquierda y la derecha. ~지간 =좌우간(左右間). ~충돌 =좌충우돌(左衝右突). ~편 la izquierda y la derecha.
좌우(座右) ¶~에 siempre a *su* alcance (de). ~에 놓다 tener siempre de *su* alcance.

■ ~명(銘) máxima *f*, consigna *f*, aforismo *m*, lema *m*, divisa *f*.

좌익(左翼) ① [왼쪽 날개] el ala *f* (*pl* las alas) izquierda. ② ((준말)) =좌익군(左翼軍). ③ [급진적·과격적인 당파] izquierda *f*, partido *m* radical, facción *f* radical. ④ ((축구)) =레프트 윙(ala izquierda). ⑤ ((야구)) =레프트 필드(jardín izquierdo). ⑥ ((준말)) =좌익수(左翼手).

■ ~군(軍) columna *f* izquierda. ~ 단체(團體) asociación *f* de izquierdas, grupo *m* de las facciones radicales. ~분자 elemento *m* izquierdista ~ 사상(思想) radicalismo *m*, ideología *f* izquierdista. ~수 jardinero *m* izquierdo. ~ 운동(運動) movimiento *m* izquierdista. ~주의 izquierdismo *m*. ~주의자 izquierdista *mf*.

좌장(座長) presidente, -ta *mf*; jefe, -fa *mf*.

좌전(左前) ((야구)) delante del jardinero izquierdo.

좌전(座前) =좌하(座下).

좌절(挫折) ① [마음과 기운이 꺾임] desánimo *m*. ~하다 desanimarse. ② [어떤 계획이 수포로 돌아감] fracaso *m*, frustración *f*. ~하다 fracasar, frustrarse. 계획을 ~시키다 fracasar el plan. 중도(中途)에서 ~하다 fracasar [frustrarse] en medio camino. 그의 계획은 ~되었다 Su plan sufrió un revés. 자금난으로 계획은 ~되었다 Debido a dificultades financieras, se frustró el proyecto.

■ ~감(感) sentimiento *m* frustrado.

좌정(坐定) ((공대말)) =앉음(sentada, sentamiento, asentada). ¶~하다 sentarse, tomar asiento.

좌중(座中) toda la asistencia, toda la concurrencia, todas las personas presentes, todos los presentes. ~을 바라보다 mirar a todos los que están presentes.

좌지우지(左之右之) ¶~하다 llevar la batuta, tener la sartén por el mango. 회사를 ~하다 llevar la batuta en la compañía, tener la sartén por el mango en la compañía. ☞ 좌우(左右)❸.

좌처(坐處) *su* asiento.

좌천(左遷) degradación *f*, relegación *f*, destierro *m*. ~하다 degradar, relegar, desterrar. 그는 지사(支社)로 ~되었다 El ha sido relegado a una sucursal.

좌초(坐礁) escallo *m*, encalladura *f*, varadura *f*, siniestro *m*. ~하다 encallar, varar. 배를 ~시키다 hacer varar un barco. ~하기 쉬운 곳 encalladero *m*.

좌충우돌(左衝右突) acción *f* de dar una puñalada, dar un golpe y ser golpeado aquí y allá.

좌측(左側) izquierda *f*, mano *f* izquierda, lado *m* izquierdo. ~의 izquierdo, siniestro. ~에, ~으로 a la izquierda, a mano izquierda. ~ 강변에(서) en la margen izquierda del río. 길의 ~에 a la izquierda de la calle. ~으로 꺾어지십시오 Tuerza [Tome] a la izquierda.

■ ~ 문 la puerta de la izquierda. ~ 운전 conducción *f* [*AmL* manejo *m*] a la izquierda. ~통행(通行) ((게시)) Mentenga [Manténganse] la [su] izquierda. ¶차[보행자]는 ~ Vehículos [Peatones] por la izquierda.

좌파(左派) facción *f* izquierda (de un partido), izquierda *f*, el ala *f* (*pl* las alas) izquierda; [사람] izquierdista *mf*. 사회당의 ~ el ala izquierda del Partido Socialista.

좌판(坐板) puesto *m*, *Méj* mesa *f*.

좌편(左便) izquierda *f*, lado *m* izquierdo. ~의 izquierdo.

좌표(座標) 【수학】 coordenadas *fpl*.

◆종(縱)~ ordenada *f*, coordenada y. 횡(橫)~ abscisa *f*, coordenada x.

■ ~ 기하학 =해석 기하학. ~축 ejes *mpl* de las coordenadas.

좌하(座下) [편지의] señor, Sr; señora, Sra.

좌향좌(左向左) ((구령)) ¡Media vuelta a la izquierda! / ¡A la izquierda!

좌현(左舷) babor *m*. ~의 de babor. ~에 a babor. ~으로 기울다 inclinarse a babor. ~으로 향하(게 하)다 virar. 보트를 ~으로 잡다 virar el bote a babor. ~으로! ((구령)) ¡Virar a babor!

좌회전(左廻轉) vuelta *f* izquierda, giro *m* izquierdo. ~하다 girar [doblar·torcer] a la izquierda. ~ 금지(禁止) ((게시)) Prohibido [Se prohíbe] girar [doblar·torcer] a la izquierda.

좌흥(座興) diversión *f*, entretenimiento *m*. ~에 para divertir a los presentes, para (el) entretenimiento de los presentes.

좍 en un momento, en un abrir y cerrar de ojos, de repente. 웬일인지 비밀이 ~ 퍼졌다 De algún modo el secreto se divulgó. 기분 나쁜 소문(所聞)이 ~ 퍼졌다 Corrieron rumores desagradables.

좍좍 ① [굵은 빗방울이나 물줄기가 세게 쏟아지는 모양·소리] a torrentes, a cántaros, a mares. 비가 ~ 오다 llover a cántaros, chaparrear. 비가 ~ 내렸다 Llovía a cántaros [a mares]. ② [글을 거침없이 내리 읽는 모양] con fluidez, con soltura, fluentemente. ~ 읽다 leer con fluidez. 천자문을 ~ 읽어 내리다 leer *cheonchamun* con fluidez.

좔좔 a torrentes. 물이 ~ 흘렀다 El agua salía a torrentes.

좔좔거리다 salir a borbotones, salir a chorros. 좔좔거림 borbotón *m*, chorro *m*.

좨기 bizcocho *m* de verduras cocidas con harina.

좽이 esparavel m.

죄(罪) delito *m* (경범죄), crimen *m* (*pl* crímenes), culpa *f*; [종교·도덕상의] pecado *m*; [과실] falta *f*; [벌] castigo *m*, pena *f*. ~ 있는 culpable. ~ 없는 inocente. ~를 고백하다 confesar, confesarse culpable. ~를 면하다 [피하다] huir del castigo; [사면되다] ser absuelto de una culpa, ser absuelto de una acusación. ~를 묻다

acusar de [por] un crimen. ~를 범하다 cometer un delito, cometer un crimen; [종교·도덕상의] pecar, ofender a Dios. …에게 ~를 뒤집어씌우다 achacar [imputar·echar] la culpa a *uno*. …의 ~를 뒤집어쓰다 atribuirse [echarse·cargar con·tomar sobre sí] la culpa de *uno*. …의 ~로 고발하다 demandar ante el juez por *algo*. 우리가 우리에게 ~ 지은 자를 용서하기 때문에 así como nosotros perdonamos a nuestros deudores. ~가 밉지 사람이 밉지 않다 Odia el delito y compadece al criminal. 우리의 ~를 사하여 주옵소소 ((성경)) Perdónanos nuestras deudas.

■죄는 지은 데로 가고 덕은 닦은 데로 간다 ((속담)) En el pecado va la penitencia / Muchas veces el pecado trae consigo la penitencia.

죄과(罪科) infracción *f*, delito *m*, crimen *m* (*pl* crímenes), culpa *f*, [처형] castigo *m*.

죄과(罪過) delito *m*, crimen *m* (*pl* crímenes), error *m*, culpa *f*. ~가 없는 사람 persona *f* inocente.

죄다[1] ① [느즈러진 것을 켕기어 되게 하다] [매듭을] apretar, sujetarse (con); [밧줄을] tensar. 꼭 죈 (demasiado) apretado, estrecho, cerrado. 고삐를 ~ tensar la rienda. 벨트를 ~ sujetarse con el cinturón. 바이올린의 줄을 ~ estirar las cuerdas de un violín, apretar las clavijas de un violín. 이 구두는 꼭 죈다 Me aprietan estos zapatos / Estos zapatos me están estrechos [pequeños]. 이 옷은 꼭 죄어 입을 수 없다 Me quepo en este traje. ② [벌어진 사이를 좁히다] [볼트] apretar; [조타(操舵)·바퀴를] ajustar. 볼트로 ~ atornillar, sujetar con un tornillo [un perno]. 볼트를 ~ apretar el tornillo [el perno]. 테이블은 바닥에 볼트로 죄어졌다 Las mesas están sujetas con pernos al suelo / Las mesas están atornilladas al suelo. ③ [마음을 졸여 간절히 바라고 기다리다] sentir nervioso [inquieto·preocupado]. 마음을 ~ preocuparse, inquietarse, sentir nervioso. 나는 내 아내의 건강에 약간 마음을 죄고 있다 La salud de mi esposa me tiene algo preocupada / Estoy algo preocupado por la salud de mi esposa. ④ [쪼아 깎아 내다] recortar cincelando.

죄다[2] todo, totalmente, enteramente, cabalmente. ~ 먹어 버리다 comerse todo. ~ 자백하다 confesar todo. ~입니까? ¿Es todo? 나는 ~ 먹을 수 없다 No puedo comérselo todo.

죄명(罪名) nombre *m* del delito, título *m* de acusación. 사기 ~으로 por fraude; [용의] bajo la acusación de fraude.

죄목(罪目) nombre *m* del delito. 사기 ~으로 por fraude.

죄밑(罪−) conciencia *f* culpable.

죄받다(罪−) ser castigado.

죄벌(罪罰) castigo *m* (por el crimen).

죄상(罪狀) delito *m*, crimen *m* (*pl* crímenes), culpabilidad *f*, culpa *f*, naturaleza *f* de un crimen. ~의 인정 reconocimiento *m* de la culpa. ~의 부인(否認) negación *f* de la culpa. ~을 부인하다 negar *su* culpabilidad. ~을 인정하다 reconocer *su* culpa. ~을 자백하다 confesar *su* crimen, confesar *su* delito. 그의 ~은 명백하다 Su culpabilidad es evidente.

죄송(罪悚) sentimiento *m*, pesar *m*, arrepentimiento *m*, excusas *fpl*. ~하다 sentir, tener pena. ~합니다만 … Perdóneme, pero … / Me tomo la libertad [Me permito] decirle que + *ind*. 갑자기 ~합니다만 … Perdone la indiscreción, pero … / Perdone mi atrevimiento, pero … / Perdone que le moleste, pero …. ~합니다 [본의 아닌 실수나 실례 등을 사과할 때] Siento mucho / Perdón / Perdone (usted) / Perdóneme / Excúseme / Dispénseme / *AmL* Disculpe / [부탁이 있습니다] ¿Me hace el favor? ~합니다만 무엇이라고 말씀하셨지오 [상대편의 말을 되물을 때] ¿Qué? / ¿Cómo? / ¿Cómo dice? / *Méj* ¿Mande? 오래 기다리게 해서 ~합니다 Siento mucho haberle hecho esperar. ~합니다만 이제 가 봐야겠습니다 Lo siento mucho, pero tengo que marcharme [irme] ya. 너무 폐를 끼쳐 ~합니다 Siento haberle molestado tanto.

죄송스럽다 sentir mucho. 죄송스럽습니다 Lo siento mucho.

죄수(罪囚) prisionero, -ra *mf*, cautivo, -va *mf*, reo, -a *mf*, preso, -sa *mf*, encarcelado, -da *mf*, recluso, -sa *mf*.

■~복 vestido *m* de prisionero. ~ 호송차 coche *m* celular, automóvil *m* de reos.

죄악(罪惡) [종교상의] pecado *m*; [법률상의] crimen *m* (*pl* crímenes), delito *m*; [도덕상의] vicio *m*. ~을 범하다 cometer un delito [un crimen·un pecado].

■~감(感) sentido *m* de culpabilidad. ¶~을 느끼다 sentirse culpable. 그에게는 ~이 없다 El no posee el sentido de culpabilidad.

죄암죄암 ¡Agarra, agarra!

죄어들다 apretar fuerte. 고무가 내 팔에 죄어든다 La goma me aprieta fuerte(mente) el brazo.

죄어치다 apresurar, acelarar, apremiar, aligerar. 일을 ~ dar [meter] prisa en el trabajo.

죄업(罪業) ((불교)) pecado *m*. ~이 많은 pecaminoso, empecatado.

죄이다 (ser) apretado, sujetado, estirado.

죄인(罪人) criminal *mf*, reo *mf*, delincuente *mf*, [종교상의] pecador, -dora *mf*.

죄임성(−性) suspense *m*, suspenso *m*.

죄장(罪障) ((불교)) pecados *mpl*.

죄적(罪迹) evidencia *f* del delito.

■~ 인멸(湮滅) borradura *f* del rastro de *su* crimen, destrucción *f* de todas las evidencias de *su* delito. ¶~하다 destruir todas las evidencias de *su* delito, borrar el rastro de *su* crimen.

죄주다(罪－) castigar, sancionar, penalizar.
죄증(罪證) evidencia *f* [prueba *f*] de crimen, testimonio *m*. ～을 인멸하다 destruir todas las pruebas de *su* crimen.
죄질(罪質) carácter *m* de un delito.
죄짓다(罪－) cometer un delito [un crimen].
죄책(罪責) ① responsabilidad *f* de un crimen. ② ((성경)) castigo *m*, falta *f*, consecuencia *f*.
죄형 법정주의(罪刑法定主義) principio *m* de legalidad.
죔쇠 hebilla *f*, [가방 따위의] cierre *m*.
죔틀 torno *m* [tornillo *m*] de banco.
주(主) ① [주장. 근본] parte *f* principal. ～가 되는 principal, capital. ～된 요인(要因) factor *m* principal, causa *f* principal. ② ((기독교 · 천주교)) ((준말)) ＝천주(天主). 구세주(Señor).
■ ～의 만찬 ㉮ ＝최후의 만찬. ㉯ ((성경)) la cena del Señor, la Cena del Señor.
주(朱) ① ＝주홍(朱紅). ② [안료(顔料)] cinabrio *m*, bermellón *m*.
주(州) ① 【역사】 provincia *f*. ② [연방 국가의 행정 구역] provincia *f*, *Per*, *Parag* departamento *m*, *Méj* estado *m*.
주(呪) ((준말)) ＝주문(呪文).
주(柱) [기둥] poste *m*, columna *f*.
주(胄) yelmo *m* de seda.
주(洲) ① [흙 · 모래가 수중에 퇴적하여 수면에 나타난 땅] banco *m* de arena. ② [지구상의 대륙을 나눈 명칭] continente *m*. 5대 ～ los Cinco Continentes.
주(株) ① ((준말)) ＝주식(acción). ¶100만 ～의 발행 (發行) emisión *f* de un millón de títulos [de acciones]. ～를 매점(買占)하다 hacerse con el mercado. 회사에서 ～를 소유하다 tener acciones en una compañía. ② ((준말)) ＝주권(株券)(título).
주(註/注) nota *f*, anotación *f*, comentario *m*, glosa *f*, [각주(脚註)] nota *f* a pie de página.
◆ 주(를) 내다 anotar, comentar, glosar. 주(를) 달다 anotar, comentar, glosar. 주를 단 anotado, comentado, con notas.
주(週) semana *f*. ～의 semanal. ～ 1회의 semanal. ～ 1회(로) semanalmente, una vez a la semana, cada semana. 한 ～에 por semana, a la semana. 2～ 뒤에 después [al cabo] de dos semanas, dos semanas más tarde, a las dos semanas. 1～ 이내에 en [antes de que pase] una semana. 오늘부터 1～ 내에 de hoy en ocho días. 오늘부터 10～ 뒤에 dentro de diez semanas, de hoy en diez semanas. ～ 48시간제 sistema *m* de cuarenta y ocho horas de trabajo semanales.
◆ 금(今)～ esta semana. 내(來)～ semana *f* que viene, semana *f* próxima, próxima semana *f*. 지난～ semana *f* pasada.
주-(主) principal, capital.
주-(駐) estancia; [부사적] en. ～한 서반아 대사관 la Embajada de España en Corea. ～ 멕시코 대한민국 대사관 la Embajada de la República de Corea en los Estados Mexicanos.
-주(主) dueño, -ña *mf*, amo, -ma *mf*, propietario, -ria *mf*, jefe, -fa *mf*.
-주(洲) ① [큰 대륙(大陸)] continente *m*. 미(美)～ el Continente Americano. ② [흘러내린 모래가 쌓여 물 위로 나타난 땅] banco *m* de arena. 삼각～ delta *f*.
주가(株價) cotización *f* de las acciones, precio *m* de la acción, valor *m* de acciones, cambio *m* de una acción.
주간(主幹) superintendente *mf*, [잡지의] editor, -tora *mf* en jefe. ～하다 manejar, dirigri, editar. 편집(編輯) ～ redator, -tora *mf* jefe.
주간(晝間) día *m*; [부사적] de día, durante el día. ～의 diurno. ～에 de día, por el día, durante el día. ～에 근무하다 trabajar durante el día.
■ ～ 근무(勤務) trabajo *m* diurno. ～ 근무자 trabajador *m* diurno, trabajadora *f* diurna. ～ 노동 labor *f* diurna [en el día]. ～ 비행 vuelo *m* diurno. ～ 인구 población *f* diurna.
주간(週刊) publicación *f* semanal.
■ ～ 신문 periódico *m* semanal. ～ 잡지(雜誌) semanario *m*, revista *f* semanal. ～지(紙) ＝주간 신문. ～지(誌) ((준말)) ＝주간 잡지(週刊雜誌).
주간(週間) semana *f*. ～의 semanal. 1～ una semana, ocho días. 2～ dos semanas, quince días.
주강(鑄鋼) acero *m* fundido, acero *m* colado, moldaje *m* de acero.
■ ～괴(塊) lingote *m* de acero.
주개념(主槪念) 【논리】 ＝주사(主辭).
주객(主客) ① [주인과 손] el anfitrión y el huésped. ～이 전도되었다 Se invierten los papeles. ② [주되는 사물과 거기 딸린 사물] el principal y el auxiliar.
■ ～전도(顚倒) acción *f* de poner el carro delante del caballo. ¶～하다 poner el carro delante del caballo. ～하여 viceversa. ～다 La mesa está volteada. ～지의(之誼) amistad *f* entre el anfitrión y el huésped.
주객(酒客) bebedor, -dora *mf*, borracho, -cha *mf*.
주거(住居) domicilio *m*, vivienda *f*, residencia *f*, morada *f*, habitación *f*, [독채] casa *f*, [아파트] piso *m*, apartamento *m*, *AmL* departamento *m*. ～하다 habitar, residir, morar, vivir. ～의 불가침 seguridad *f* de casa contra agresión. ～의 제한 restricción *f* a la residencia. ～를 정하다 fijar la residencia. ～를 제한하다 restringir la residencia.
■ ～비(費) gastos *mpl* de vivienda. ～인 residente *mf*, morador, -dora *mf*, habitante *mf*, vecino, -na *mf*. ～(의) 자유 libertad *f* de residencia. ～지(址) ＝집터. ～ 지역 el área *f* [región *f*] residencial. ～ 침입(侵入) allanamiento *m* de morada, instrusión *f* de domicilio, instrusión *f* en habitación ajena, instrusión *f* en la casa ajena, violación *f*

de domicilio, entrada *f* ilegal, entrada *f* sin autorización en propiedad ajena. ～침입자 intruso, -sa *mf*; ladrón, -drona *mf* (que desvalija viviendas). ～침입죄 crimen *m* de instrusión en la casa ajena.

주거니 받거니 cambiando. ～ 하며 마시다 beberse cambiando unos de otros.

주걱 ① ((준말)) =밥주걱. ② ((준말)) =구둣주걱.

■ ～뼈 【해부】 escápula *f*. ～턱 barbilla *f* saliente, barbilla *f* prominente.

주검 cadáver *m*, cuerpo *m* muerto.

주격(主格) 【언어】 caso *m* nominativo.

주견(主見) *su* propia opinión, opinión *f* principal.

주경야독(晝耕夜讀) trabajo *m* de día y estudio de noche, trabajo *m* diurno y estudio *m* nocturno. ～하다 trabajar de día y estudiar de noche.

주고도(走高跳) =높이뛰기.

주고받기 cambio *m*.

주고받다 dar y recibir, cambiar(se), canjear. 계약서를 ～ firmar un contrato. 공문서를 ～ canjear los documentos oficiales. 시선(視線)을 ～ cambiar miradas, mirarse uno a otro [el uno al otro].

주곡(主穀) cereales *mpl* para la comida principal.

주공(奏功) éxito *m*, eficacia *f*. ～하다 tener éxito, salir bien, ser efectivo.

주공(鑄工) fundidor *m*, moldeador *m*.

주관(主管) superintendencia *f*, supervisión *f*, dirección *f*, gerencia *f*. ～하다 supervisar, dirigir, administrar, presicir, inspeccionar, revistar. 정부 ～의 supervisado por el gobierno. 국무(國務)를 ～하다 administrar los asuntos del estado. 의식(儀式)을 ～하다 presidir una ceremonia.

■ ～자(者) superintendente *mf*, supervisor, -sora *mf*.

주관(主觀) subjetividad *f*. 일체의 ～을 버리다 desechar [eliminar] toda subjetividad. 그것은 당신의 ～에 불과하다 Esa no es más que una opinión personal suya. 판단에 ～이 들어가서는 안 된다 El juicio debe formarse fuera de toda subjetividad / No se permite subjetividad al formar un juicio.

■ ～론 subjetivismo *m*. ～론자 subjetivista *mf*. ～성 subjetividad *f*. ～적 subjetivo. ¶ ～으로 subjetivamente, de manera subjetiva. ～ 가치 valor *m* subjetivo. ～ 관념론 idealismo *m* subjetivo. ～ 도덕 moral *f* subjetiva. ～ 비평 crítica *f* subjetiva. ～주의 subjetivismo *m*.

주관절(肘關節) 【해부】 articulación *f* del codo.

주광(酒狂) metomanía *f*, dipsomanía *f*; [사람] dipsómano, -na *mf*.

주광색(晝光色) luz *f* del día.

주광성(走光性) fototaxis *f*, fototactismo *m*.

주광전구(晝光電球) lámpara *f* de luz del día.

주교(主敎) ((천주교)) obispo *m*; [집합적] episcopado *m*. ～의 episcopal.

◆ 대(大)～ arzobispo *m*.

■ ～관(館) palacio *m* obispal, palacio *m* episcopal. ～ 관구(管區) diócesis *f*, diócesi *f*. ～ 교구(敎區) =주교 관구. ～구(區) obispado *m*. ～님 Su Ilustrísimo Obispo. ～단(團) episcopado *m*. ～ 대리(代理) vicario *m* del obispo. ～ 명부(名簿) episcopologio *m*. ～ 제일주의 episcopalismo *m*. ～ 제일주의자 episcopalista *mf*. ～직(職) episcopado *m*.

주교(舟橋) =배다리(puente, pontón).

주구(走狗) ① [사냥할 때 부리는 개] perro *m* de caza, sabueso *m*. ② [남의 앞잡이] instrumento *m*, títere *m*, persona *f* que sirve de instrumento a un poder. …의 ～가 되다 hacerse el instrumento de *uno*.

주구(誅求) exacción *f*, extorsión *f*. ～하다 exigir, extorsionar.

주군(主君) =임금(rey).

주군(舟軍) =수군(水軍).

주군(駐軍)=주병(駐兵).

주권(主權) soberanía *f*, supremo poder *m*, supremacía *f*, autoridad *f* suprema. ～의 행사 ejercicio *m* de la soberanía. ～을 잡다 reinar la supremacía. ～을 침해하다 violar la soberanía.

◆ 국가(國家) ～ soberanía *f* nacional. 국민(國民) ～ soberanía *f* del pueblo.

■ ～국 Estado *m* soberano. ～자 ㉮ [군주국의 군주] soberano *m*, jefe *m* de Estado. ㉯ [공화국의 국민] pueblo *m*. ～재민(在民) La soberanía pertenece al pueblo / La soberanía va con el pueblo. ～재민론(在民論) doctrina *f* de soberanía democrática. ～침해 violación *f* de soberanía.

주권(株券) 【경제】 acción *f*, título *m* (de acción) *f*, certificado *m* de acción.

■ ～ 배당 =주식 배당.

주근깨 peca *f*. ～투성이의 pecoso. ～가 있는 얼굴 caras *fpl* pecosas. ～가 끼다 tener pecas, ponerse pecoso. 그는 ～투성이다 El tiene pecas / El es pecoso.

주금(株金) capital *m* social, cantidad *f* de acciones. ～을 불입하다 pagar acción.

■ ～ 불입(拂入) pago *m* de acción.

주금(鑄金) moldaje *m*.

주금류(走禽類) aves *fpl* corredoras.

주급(週給) salario *m* semanal, paga *f* semanal. 나는 ～이 500달러이다 Cobro quinientos dólares semanales.

■ ～제(制) sistema *m* de paga semanal.

주기(註記) ① [사물을 기록하는 일] anotación *f*, apunte *m*. ② [주(註)를 닮. 또, 그 주] acción *f* de poner notas; [주(註)] nota *f*.

주기(酒氣) embriaguez *f*, borrachera *f*, olor *m* a alcohol, olor *m* vinoso. ～가 오르다 embriagarse, emborracharse. ～를 띠고 있다 oler a alcohol, estar embriagado.

주기(周忌/週忌) aniversario *m* de la muerte. 부친의 1～ el primer aniversario de la muerte de mi padre.

주기(週期) ① [한 바퀴를 도는 시기] tiempo *m* periódico, ciclo *m*, período *m*. 20년 ～ veinte años cíclicos. 유성(流星)의 ～ pe-

ríodo *m* de un planeta. ② 【물리】 revolución *f*. ③ 【화학】 período *m*.
■ ~ 결산(決算) liquidación *f* periódica. ~ 곡선 curva *f* periódica. ~ 반응 reacción *f* periódica. ~성(性) periodicidad *f*. ~성(星) estrella *f* periódica. ~운동(運動) moción *f* periódica. ~율 ley *f* periódica, ley *f* de la periodicidad. ~율표 tabla *f* periódica, tabla *f* de Mendeleev. ~적 periódico, cíclico. ¶~으로 periódicamente, cíclicamente. ~으로 오는 위기 crisis *f* cíclicas. ~적 운동 =주기 운동. ~ 전류 corriente *f* periódica. ~ 함수 función *f* periódica. ~ 혜성 cometa *m* periódico.

주기도문(主祈禱文) ((기독교)) el Padrenuestro.

주기억 장치(主記憶裝置) 【컴퓨터】 unidad *f* de memoria principal.

주낙 carrete y sedal con múltiples anzuelos. ~으로 고기를 잡다 pescar con un carrete y sedal con múltiples anzuelos.
■ ~배 barco *m* de carrete y sedal con múltiples anzuelos.

주년(周年/週年) aniversario *m*. 우리의 결혼 10~ el décimo aniversario de nuestro casamiento. 학교 창립 50~ cincuentenario *m* [quincuagésimo aniversario *m*] de la fundación de la escuela.

주눅 pusilanimidad *f*.
◆주눅(이) 들다 sentirse tímido, sentirse cohibido, cohibirse, perder *su* nervio, estar muerto [cargado] de miedo (por), perder el ánimo, vacilar, cobardear, ser pusilánime, estar miedoso, estar abatido, tener recelo, acobardarse. 주눅 들지 않고 sin tener recelo, sin ninguna vacilación, sin intimidarse, sin alterarse, sin vacilar, tranquilamente, serenamente, con calma; [차분하게] con mucha cachaza; [능글맞게] descocadamente. 주눅(이) 좋다 (ser) descarado, insolente, desvergonzado, sinvergüenza.

주니 tedio *m*, aburrimiento *m*; [단조로움] monotonía *f*.
◆주니(가) 나다 aburrirse, fastidiarse, hastiarse. 주니(가) 난 aburrido, tedioso, monótono. 주니(를) 내다 tediar, tener tedio (de).

주니어(영 *junior*) [연소자] menor *mf*.
■ ~급(級) categoría *f* juvenil, categoría *f* júnior. ~ 라이트급 peso *m* superligero. ~ 코너 [백화점의] sección *f* juvenil. ~ 팀 equipo *m* júnior.

주다[1] ① [내 것을 남에게 건네어 그의 것이 되게 하다] dar; [기부(寄附)하다] donar; [건네주다] entregar; [제공하다] ofrecer; [선물하다] regalar, obsequiar. 주어진 시간에 dentro del tiempo dado. 먹을 것을 ~ dar a comer. 상금(賞金)을 ~ ofrecer dinero como premio. 선물(膳物)을 ~ dar un regalo. 용기를 ~ animar, dar ánimo. 직(職)을 ~ dar trabajo, dar un empleo. 팁을 ~ dar la propina. 나는 그에게 책 한 권을 준다 Le doy un libro (a él). 이것을 너에게 주겠다 Esto es para ti / Te daré esto. 삼촌께서 나에게 이 시계를 주었다 Mi tío me dio este reloj. 그것을 나에게 주십시오 Déneslo usted. 나에게 물 한 잔 주라 Dame un vaso de agua. 나는 그들에게 물을 한 잔 주었다 Les di un vaso de agua. 나에게 먹을 것을 주라 Dame algo de comer. 마리아에게 티켓을 주어라 Dale a María las entradas. 탁자 위에 있는 책을 나한테 주라 Dame el libro que está en la mesa. 그는 나에게 담배를 하나 준다 El me da [ofrece] un cigarrillo. 그는 나에게 만년필을 주었다 El me dio una pluma estilográfica. 어머님이 나에게 양복을 사 주셨다 Mi madre me compró un traje. 그 여자에게 무언가 할 일을 주어라 Dale a ella algo que [para] hacer. 나는 이미 그에게 그것들을 주었다 Ya se los he dado a él. 내 방 열쇠를 주세요 [호텔 프런트에서] Entrégueme la llave de mi habitación. 그는 새 음악실을 위해 천만 원을 주었다 El ha dado [contribuido con] diez millones de wones para una nueva sala de música. 후안에게 열쇠를 주어라 Dale la llave a Juan. 쇠고기 1킬로그램 주세요 Déme un kilo de carne de vaca. 나한테 그것을 빌려 줄래? ─ 너한테 그것을 주겠다. 난 필요 없어 ¿Te lo prestas? ─ Te lo doy, yo no lo necesito. 아무도 나에게 아무것도 주지 않았다 A mí nunca nadie me dio nada. 선생님의 가족에게 안부 전해 주세요 Recuerdos [Saludos] a su familia. 주여, 저에게 힘을 주소서 ¡Señor, dame fuerzas [paciencia]!
② [받게 하다. 입게 하다] causar producir, ejercer. 손해를 ~ causar producir daños (a · en). 영향(影響)을 ~ ejercer influencia (sobre). 이익을 ~ dar la ganancia.
③ [못 따위를 박다] clavar. 못을 ~ clavar. 판자에 못을 주고 싶다 Quiero clavar una tabla.
④ [관개하다] regar, rociar. 화초에 물을 ~ regar las flores, rociar las flores (con agua).
⑤ [주사나 침 따위를 놓다] poner. 주사를 ~ poner una inyección. 간호사가 나에게 주사를 주었다 La enfermera me puso la inyección.
⑥ [(정중한 표현으로) …해 주다] hacer el favor de + *inf*, tener la bondad de + *inf*, servirse + *inf*. …해 주시겠습니까? ¿Me hace usted el favor de + *inf*? / ¿Tiene usted la bondad de + *inf*? … (좀) 해 주십시오 Tenga usted la bondad de + *inf* / Haga usted el favor de + *inf* / Sírvase usted + *inf*. …해 주시면 고맙겠습니다(만) Le agradecería que + *subj* / Le estraría muy agradecido si + *subj*. 창문 좀 열어 주시겠습니까? ¿(Me) Hace usted el favor de abrir la ventana? 당신과 왈츠를 출 수 있게 해 주시겠습니까? ¿Podría tener el gusto [el honor] de bailar el vals con usted? 내일 와 주시면 고맙겠습니다 Le agradecería que viniera [venga] mañana.

지금 지불할까요? – 그렇게 해 주시면 고맙겠습니다 ¿Pago ahora? – Si me hace el favor [Si lo tiene a bien].

주다² [동사의 연결 어미「-아」나「-어」에 붙어 남을 위해 동작하는 뜻을 보이는 동사] ¶와 ~ venir (a visitar). 들어 ~ escuchar. 그는 내 말을 들어 주었다 El me escuchó / El tuvo la amabilidad de escucharme. 내 집에도 와 주라 Ven (a visitarme) a mi casa también.

주단(紬緞) las sedas y los satenes.

주단(綢緞) seda *f* de bastante buena calidad.

주단야장(晝短夜長) El día es corto y la noche larga.

주달(奏達) información *f* al rey. ~하다 informar al rey.

주당【민속】*chudang*, dios *m* del retrete.

주당(酒黨) (gran) bebedor, -dora *mf*; (gran) borracho, -cha *mf*.

주대 caña *f* de pescar y la línea.

주덕(主德) =원덕(元德).

주도(主導) iniciativa *f*. …의 ~로 por iniciativa de *uno*.

■ ~권(權) iniciativa *f*, [지배권] hegemonía *f*. ¶~을 잡다 tomar la iniciativa. ~ 싸움 disputa *f* por la hegemonía. 그는 ~을 잡았고 우리들은 그를 따랐다 El tomó la iniciativa y nosotros le seguimos. ~력(力) poder *m* iniciativo. ~ 산업(産業) industria *f* iniciativa. ~자 líder *mf*; dirigente *mf*.

주도면밀하다(周到綿密-) (ser) minuciosísimo, muy minucioso. 주도면밀한 계획 plan *m* muy minucioso.

주도하다(周到-) (ser) cuidadoso, esmerado, cabal, prudente, cautaloso, completo, cumplido, perfecto. 용의주도한 계획 plan *m* minuciosamente elaborado. 용의주도한 준비(準備) preparativos *mpl* minuciosos [meticulosos].

주독(駐獨) residencia *f* en Alemania. ~ 대한민국 대사관 la Embajada de la República de Corea en Alemania.

주독(酒毒)【한방】alcoholismo *m*, envenenamiento *m* alcohólico.

■ ~코 nariz *f* (*pl* narices) roja (de la bebida).

주동(主動) ① liderazgo *m*, dirección *f*, jefatura *f*, conducción *f*. ~하다 tomar la iniciativa. ② ((준말)) =주동자(主動者).

■ ~자(者) promotor, -tora *mf*; promovedor, -dora *mf*; cabecilla *mf*; abanderizador, -dora *mf*. ~적(的) principal *adj*. ¶~ 역할을 하다 desempeñar un papel principal.

주되다(主-) (ser) principal, capital. 주된 principal, capital; [대부분의] la mayor parte de, la mayoría de, mayoritario. 주된 목적(目的) objetivo *m* principal. 주된 산물(産物) producto *m* principal. 주된 회원(會員) miembros *mpl* mayoritarios.

주두(柱枓/柱頭)【건축】capitel *m*.

주두(柱頭)【식물】=암술머리(estigma).

주둔(駐屯) estacionamiento *m*, guarnición *f*; [점령] ocupación *f*. ~하다 estacionarse, estar en guarnición, tener una guarnición, ocupar.

■ ~군(軍) ejército *m* ocupante; [수비대] guarnición *f*, [점령군] tropas *fpl* de ocupación. ~지(地) puesto *m*.

주둥아리 ① ((속어)) =입(boca). ② ((속어)) =부리. ¶새의 ~ pico *m* de los pájaros.

주둥이 ((속어)) ((준말)) =주둥아리.

◆주둥이(가) 싸다 ((속어)) =입 싸다.

주라기(-紀)【지질】jurásico *m*, período *m* jurásico. ~의 jurásico.

주라통(朱螺筒) garganta *f*, esófago *m*.

주란(酒亂) frenesí *m* borracho, dipsomanía *f*. ~이 있는 사람 dipsomano, -na *mf*. 그는 ~이 있다 El tiene mal vino.

주랑(柱廊) pórtico *m*, columnata *f*.

주량(酒量) capacidad *f* de bebida. ~이 크다 ser (un) gran bebedor, beber mucho. ~을 줄이다 reducir la capacidad de bebida, beber menos. 그는 ~이 전보다 훨씬 커졌다 El bebe mucho más que antes.

주럽 [피로하여 고단한 증세(症勢)] fatiga *f*, cansancio *m*, hastío *m*.

◆주럽(을) 떨다 descansar de la fatiga.

주렁주렁 en abundancia, en racimos. ~ 열다 formar racimos. ~ 열려 있다 [과실이] colgar en racimos.

주력(主力) fuerza *f* principal, esfuerzo *m* principal; [군의] grueso *m*. ~의 principal, fundamental. ~을 기울이다 concentrar las fuerzas (en).

■ ~ 부대 grueso *m*. ¶군의 ~ grueso *m* del ejército. ~ 선수 competidor, -dora *mf* principal. ~ 전투기 avión *m* principal de caza. ~주(株) valor *m* estrella. ~함(艦) buque *m* capital. ~ 함대(艦隊) armada *f* principal.

주력(走力) poder *m* de correr.

주력(注力) concentración *f*. ~하다 concentrarse, hacer un (gran) esfuerzo.

주력(呪力) poder *m* mágico; [병을 고치는] poder *m* medicinal.

주력(酒力) ① [술의 힘을 빌려 나는 기운] ánimo *m* por la bebida. ② [술이 사람을 취하게 하는 힘] poder *m* que emborracha.

주력(酒歷) carrera *f* de bebida.

주렴(珠簾) pantalla *f* bordada con cuentas.

주례(主禮) ① [예식을 맡아 주장함] presidencia *f* de una ceremonia. A 목사님이 ~를 보실 겁니다 El Reverendo pastor A oficia en [celebra] la boda. ② [사람] encargado, -da *mf* de una ceremonia.

■ ~사(辭) palabras *fpl* de felicitación del encargado de una ceremonia.

주로(主-) principalmente, fundamentalmente, sobre todo, de buena parte; [대개] generalmente, en general; [대부분] mayormente, en *su* mayor parte, en gran parte. ~ 여성을 대상으로 한 잡지 revista *f* destinada principalmente para mujeres. 노동자를 ~ 한 단체(團體) agrupación *f* compuesta principalmente por los obreros. ~ 치즈를 생산하다 producir quesos principalmente.

그것은 ~ 내 책임이다 Principalmente [En gran parte] yo tengo la responsabilidad de eso. 이 가게의 고객은 ~ 근처에 사는 주부(主婦)들이다 Los clientes de esta tienda son mayormente [en su mayor parte] las señoras que viven cerca.

주로(走路) pista *f.*

주론(主論) discusión *f* [artículo *m*] principal.

주루(走壘) ((야구)) carrera *f* de base.

주룩주룩 ruidosamente, torrencialmente. 비가 ~ 내리다 llover a cántaros, chaparrear. 그는 비가 ~ 내리는데 외출했다 El salió en medio de una lluvia torrencial. 간밤에는 비가 ~ 내렸다 Anoche cayó una lluvia torrencial.

주류(主流) ① [강(江)의 주(主)되는 큰 흐름] corriente *f* principal. ② [사상 등의 주된 경향] corriente *f* dominante, corriente *f* principal, línea *f* central, tendencia *f* dominante. ~의 [문화가] establecido; [이데올로기가] dominante. 사회 불안(社會不安)의 ~ corriente *f* principal de la inquietud social. 그의 작품은 현대 문학 비평의 ~에서 벗어나 있다 Su obra no está dentro de la corriente dominante de la crítica literaria actual.

▪ ~파(派) facción *f* dominante, miembros *mpl* directivos (de partido). ¶반(反)~ grupo *m* anticorriente principal.

주류(酒類) ① [술의 종류] licores *mpl*, clases *fpl* de licor. ② [알코올분을 함유한 음료] bebidas *fpl* alcohólicas, licor *m* alcohólico, bebidas *fpl*.

▪ ~업 industria *f* alcohólica. ~ 판매 venta *f* de bebidas alcohólicas. ~품 productos *mpl* alcohólicos.

주류(駐留) =주둔(駐屯).

주륙(誅戮) castigo *m* capital, ejecución *f*. ~하다 ejecutar, castigar con muerte.

주르르 ① [물줄기 따위가 구멍이나 면을 잇달아 흐르는 소리. 또는 그 모양] corriendo, saliendo un hilito, cayendo un hilito. 땀방울이 내 이마로 ~ 흘렀다 Me corrían gotas de sudor por la frente. 물이 파이프로 ~ 흘렀다 Salía un hilito de agua de la cañería. ② [어떤 물건이 비탈진 곳을 거침없이 미끄러져 내리는 모양] resbalando, deslizándose. ~ 미끄러지다 resbalar(se), deslizarse, escurrirse.

주르륵 resbalándose, deslizándose. ~ 미끄러지다 resbalarse, deslizarse.

주름 ① [피부의 살기가 빠져 생긴 잔금] arruga *f*, [눈 가장자리의] patas *fpl* de gallo. ~투성이의 arrugado. ~이 가득 찬 이마 frente *f* llena de arrugas. ~을 만들다 arrugar, hacer arrugas. ~을 모으다 arrugar. ~이 생기다 arrugarse. …의 ~을 펴다 desarrugar *algo*, quitar las arrugas de *algo*. 눈 밑에 ~이 생기다 tener arrugas debajo de los ojos. 미간에 ~을 모으다 [만들다] hacer arrugas en el entrecejo, arrugar el entrecejo. 얼굴에 ~이 생기다 tener arrugas en la cara. 이마에 ~을 짓다 fruncir [arrugar] la frente. 이마에 ~을 짓고 con la frente arrugada. ② [옷의 폭 따위를 줄여서 접은 금] pliegue *m*, plegadura *f*; [바지의] raya *f*; [넓은 폭의] tabla *f*; [가는] plisado *m*. ~이 있는 plegado, con pliegue. ~을 펴다 descoger pliegue. …에 ~을 만들다 plegar *algo*, plisar *algo*, hacer pliegues en *algo*. ③ [헝겊·종이 따위에 생긴 구김살] arruga *f*.

◆주름(을) 잡다 ㉮ [옷 폭 등에 주름이 지게 하다] plegar, hacer dobleces, hacer pliegues. 바지에 ~ hacer la raya a los pantalones. ㉯ [모든 일을 널리 총괄하여 잡다] dirigir, administrar, controlar, gerenciar.

▪ ~상자(箱子) [사진기의] fuelle *m*. ~ 창자 colon *m*. ~치마 falda *f* plisada.

주름살 arruga *f*, pliegue *m*, doblez *f*. 그녀의 얼굴에는 깊은 ~이 졌다 Profundas arrugas surcaban su frente.

◆주름살(을) 잡다 =주름을 잡다. ☞주름[1]

◆주름살(이) 잡히다 tener arrugas.

주름살 지다 arrugarse.

주릅 agente *mf*; [주식의] corredor, -dora *mf* de bolsa; agente *mf* de bolsa. ~(을) 들다 hacer de agente, ser agente.

주리 tortura *f*.

◆주리(를) 틀다 aplicar la tortura de torcer las piernas.

▪ ~ㅅ대 ㉮ [주리를 트는 데에 쓰는 두 개의 붉은 막대] dos palos rojos para la tortura de torcer las piernas. ㉯ [몹시 불량한 사람] persona *f* malvada, mal hombre *m*. ¶~를 안기다 aplicar el castigo cruel. ~ㅅ방망이 ((속어)) =주릿대. ¶~ 맛을 보다 ser reñido severamente.

주리다 ① [먹을 것을 양껏 먹지 못해 배곯다] tener hambre, pasar hambre. 주린 hambriento, famélico, acosado de hambre.. 주린 배를 움켜잡고 con el estómago vacío. 나는 주려 죽겠다 Me muero de hambre / Tengo un hambre canina. 그들은 모두 주려 죽었다 Todos ellos se murieron de hambre [de inanición]. ② [욕망이 채워지지 못해 마음에 허기가 있다] privar (de). 애정에 주린 아이 un niño privado de cariño. 소식에 주려 있다 estar sediento de noticias. 그는 애정에 주려 있다 El tiene sed de cariño.

주립(州立) institución *f* provincial. ~의 provincial.

▪ ~ 대학교 universidad *f* provincial. ~ 학교 escuela *f* provincial.

주마(走馬) ① [말을 달림] galopada *f* del caballo. ~하다 galopar. ② [닫는 말] caballo *m* galopante [corredor].

▪ ~간산(看山) mirada *f* rápida. ~등(燈) linterna *f* giratoria. ¶~ 같다 (ser) calidoscópico, variable, inconstante. ~같이[처럼] inconstantemente, variablemente. ~창(瘡) [한방에서] frúnculo *m* que se extiende a todo el cuerpo.

주막(酒幕) posada *f*, mesón *m* (*pl* mesones),

fonda *f*, taberna *f*.
■ ~거리 camino *m* con posadas. ~쟁이 posadero, -ra *mf*; ventero, -ra *mf*. ~집 = 주막(酒幕).

주말(週末) fin *m* de semana. ~에 a fines de la semana. 긴 ~ fin *m* de semana largo, puente *m*. 지난 ~ fin *m* de semana pasada. 이번 ~에 a fin de esta semana, en este fin de semana. ~을 해변에서 보내다 pasar el fin de semana en la playa. ~에 무엇을 할 거냐? ¿Qué vas a hacer el fin de semana? ~에는 나는 주로 낚시 간다 Los fines de semana suelo ir de pesca. ~을 잘 보내십시오 Buen fin de semana.
■ ~여행(旅行) viaje *m* al fin de semana. ~여행자 gente *f* que viaja el fin de semana; viajero, -ra *mf* que pasa el fin de semana.

주맥(主脈) ① [산맥·광맥 등의 주가 되는 줄기] cordillera *f* principal. ②【식물】nervio *m* central.

주맹(晝盲) nictalopía *f*, [사람] nictálope *mf*. ~의 nictálope.
■ ~증 nictalopía *f*. ~증 환자 nictálope *mf*.

주머니 ① [돈 따위를 넣으려고 허리에 차게 된 물건] bolsa *f*. 부적 ~ bolsita *f* para amuleto. ~ 사정이 좋다 tener bien llena la bolsa. ~ 사정이 나쁘다 tener vacía la bolsa. ② [호주머니] bolsillo *m*.
◆ 주머니를 털다 vaciar *su* bolsa hasta el último céntimo.
■ ~칼 navaja *f*, navajita *f* de bolsillo; [단도] daga *f*, puñal *m*. ~ㅅ돈 dinero *m* para gastos personales (en caso de emergencia).

주먹 puño *m*. ~ 크기의 de tamaño de un puño. ~만 한 크기의 como un puño. ~만 한 (크기의) 달걀 huevo *m* como un puño. ~으로 때리다 golpear con el puño, dar de puñetazos. ~으로 탁자를 두들기다 golpear la mesa con el puño. ~을 쥐다 apretar los puños, cerrar el puño [los puños], cerrar la mano, hacer puño. ~을 쥐고 a puño cerrado. ~을 쥐고 치다 golpear con puño cerrado. 얼굴에 ~을 먹이다 dar*le* un puñetazo en la cara a *uno*. …를 ~으로 위협하다 amenazar a *uno* con el puño.
■ ~구구 regla *f* general. ~다짐 pelea *f* (a puñetazos), puñetazos *mpl*, tortazos *mpl*. ~밥 bola *f* de arroz cocido. ~심 fuerza. ~싸움 =주먹다짐. ~질 riña *f* [pendencia *f*·pelea *f*] a puñetazos, puñetazo *m*, *Col* puño *m*; [난투] riña *f* tumultuaria. ~코 nariz *f* (*pl* narices) corta y grande.

주멸(誅滅) exterminación *f*. ~하다 exterminar.

주명(主命) ① =군명(軍命). ② [주인의 명령] orden *f* [mandato *m*] del amo. ③ ((천주교)) =섭리.

주명곡(奏鳴曲)【음악】sonata *f*.

주모(主母) ① [집안 살림을 주장해 거느리는 여자] señora *f* de la casa, señora *f* de la familia, el ama *f* (las amas), dueña *f*. ② ((천주교)) Nuestro Señor y María, Dios y María, Jesús y María.

주모(主謀) papel *m* principal de conspiración. ~하다 encabezar la conspiración, incitar, organizar.
■ ~자(者) cabecilla *mf*, líder *mf*, instigador, -dora *mf*; incitador, -dora *mf*.

주모(酒母) ① [술밑] levadura *f*. ② [술청에 앉아 술을 파는 여자] camarera *f*, mesera *f*, *Col*, *CoS* moza *f*.

주목(朱木)【식물】tejo *m*.
■ ~ 목재(木材) tejo *m*.

주목(注目) atención *f*. ~하다 prestar atención (a·en), atender (a). ~할 만한 notable. ~을 끌다 llamar la atención (de); [관심을] atraer el interés (de). ~할 가치가 있다 merecer la atención, ser digno de (prestar) atención. ~을 한 몸에 받다 ser objeto de la atención, atraer toda la atención. 그는 모든 사람의 ~을 받고 있다 El es el centro de atención de todos.

주목적(主目的) objeto *m* principal.

주무(主務) ① [사무(事務)를 주장해 맡음] cargo *m* principal. ② ((준말)) =주무자.
■ ~관(官) oficial *mf* responsable. ~ 관청 autoridad *f* competente. ~부 Ministerio *m* competente. ~자(者) persona *f* responsble; responsable *mf*. ~ 장관 ministro, -tra *mf* responsable, ministro, -tra *mf* sobre quien recae principalmente despachar el negocio.

주무르다 ① [손으로 물건이나 몸의 한 부분을 연해 쥐었다 폈다 하다] tocar, palpar, manosear; [안마하다] dar masajes, sobar el cuerpo. ② [남을 마음대로 농락하다] seducir.

주무시다 ((공대말)) =자다(dormir).

주묵(朱墨) tinta *f* china roja, vara *f* [barra *f*] de cinabrio.

주문(主文) ① [문장의 주된 부분] cláusula *f* principal. ②【법률】((준말)) =판결(判決) 주문(texto).

주문(注文) pedido *m*, orden *f* (*pl* órdenes), encargo *m*, petición *f*, [요구] demanda *f*. ~하다 pedir, encargar, hacer un pedido, hacer una demanda. 대량의 ~ pedidos *mpl* de importancia. ~에 응하여 de acuerdo con el pedido, de conformidad con el pedido. ~을 받아서 al recibo de *su* petición. ~을 받다 recibir un pedido [un encargo]. ~을 보류(保留)하다 tomar nota de un pedido. ~을 취소하다 anular [revocar] el pedido [la orden·el encargo]. ~을 확인하다 confirmar el pedido. ~을 지체 없이 이행하다 cumplir con exactitud el pedido. 약간의 ~을 하겠습니다 He colocado algunos pedidos. ~을 받은 대로 발송이 가능합니다 Podría despechar su orden al momento de recibirlo. 이 옷은 ~해서 맞추었습니다 Encargué este traje a la medida. 그것은 무리한 ~이다 Eso es pedir demasiado / Es una demanda excesiva.
■ ~량 cantidad *f* de pedido. ~ 매입(買入) compra *f* por pedido. ~배수(拜受) ((높임

말)) =주문을 받음(Recibimos el pedido). ~복 traje *m* a la medida, traje *m* de encargo. ~ 생산 producción *f* por pedido. ~서 nota *f* de pedidos, orden *f*, nota *f* de orden, carta *f* de pedidos. ~ 쇄도(殺到) avalancha *f* de pedidos. ~ 수락 aceptación *f* del pedido. ~용지(用紙) formulario *m* de pedido. ~자 ordenador, -dora *mf*. ~장 libro *m* de pedidos. ~ 카드 tarjeta *f* de pedidos. ~ 코드 código *m* de orden. ~품 encargo *m*; [대량의] pedido *m*, artículo *m* pedido.

주문(呪文) palabras *fpl* mágicas [imprecatorias·de conjuro], encanto *m*, hechizo *m*, encantamiento *m*. ~을 외우다 musitar palabras mágicas, musitar para encantar. 그녀는 마귀의 ~에 묶여 있었다 Ella estaba bajo el hechizo de la bruja.

주문(奏聞) =주달(奏達).

주물(呪物) fetiche *m*.

■ ~ 숭배(崇拜) fetichismo *m*. ~ 숭배자 fetichista *mf*.

주물(鑄物) artículo *m* de hierro moldido [colado], obra *f* de hierro; [주철(鑄鐵)] hierro *m* colado. ~의 fundido, de hierro colado, de hierro moldido.

■ ~공(工) funididor, -dora *mf*. ~ 공장(工場) fundería *f*, fundición *f*. ~ 기계(機械) fundidora *f*. ~품(品) artículo *m* de hierro moldido.

주물럭거리다 toquetear, tocar, palpar, manosear.

주물럭주물럭 toqueteando.

주미(駐美) residencia *f* en los Estados Unidos de América. ~의 residente en los EE.UU.

■ ~ 대사(大使) embajador, -dora *mf* en los Estados Unidos de América. ~ 대사관 embajada *f* en los Estados Unidos de América. ~ 대한민국 대사 embajador, -dora *mf* de la República de Corea en los Estados Unidos de América. ~ 대한민국 대사관 la Embajada de la República de Corea en los Estados Unidos de América.

주민(住民) habitante *mf*, residente *mf*, vecino, -na *mf*, indígena *mf*, morador, -dora *mf*, [집합적] populación *f*.

■ ~ 등록(登錄) registro *m* de domicilio, inscripción *f* en el registro civil. ~ 등록법 ley *f* de inscripción de residente. ~ 등록증 carné *m* [carnet *m*] de identidad, cédula *f* de identidad. ~ 등록표 cédula *f* del registro civil. ~세(稅) impuesto *m* municipal, impuesto *m* de habitantes. ~ 투표 voto *m* de habitantes.

주밀하다(周密―) (ser) escrupuloso, prudente, cuidadoso, cauto, cauteloso, cabal, completo, cumplido, perfecto. 주밀함 prudencia *f*. 주밀히 escrupulosamente, prudentemente, cuidadosamente, cautelosamente.

주반(酒飯) ① =주식(酒食). ② =술밥.

주발(周鉢) *chubal*, tazón *m* (*pl* tazones) de latón para el arroz cocido.

■ ~대접 =식기(食器).

주방(廚房) cocina *f*.

■ ~장(長) jefe, -fa *mf* de cocina; cocinero, -ra *mf* principal.

주배(酒杯) copa *f* (de vino), vaso *m*, caña *f*.

주버기 bulto *m*, masa *f*.

주번(週番) [임무] servicio *m* [guardia *f*] semanal [de semana]; [사람] encargado, -da *mf* de semana. 그가 ~을 맡고 있다 El está de semana / Le toca la guardia de semana.

■ ~병(兵) soldado, -da *mf* de servicio semanal. ~ 사관(士官) oficial *m* de servicio semanal. ~생(生) estudiante *mf* de servicio semanal.

주벌(誅罰) castigo *m*. ~하다 castigar.

주범(主犯) 【법률】 delincuente *mf* [criminal *mf*] principal.

주범(主帆) vela *f* mayor.

주법(主法) ((법률)) =실체법(實體法).

주법(走法) (forma *f* de) carrera *f*, [단거리] cosetada *f*.

주법(呪法) ensalmo *m*, conjuro *m*, encanto *m*, hechizo *m*, encantamiento *m*.

주법(奏法) ejecución *f*, técnica *f*, desempeño *m*.

주벽(酒癖) hábito *m* de beber, embriaquez *f* viciosa. ~이 나쁘다 ser un mal bebedor, ser una mala bebedora; ser un bebedor peleador, ser una bebedora peleadora; ser un bebedor vicioso, ser una bebedora viciosa.

주변 adaptabilidad *f*, capacidad *f* de adaptación, flexibilidad *f*, versatilidad *f*. ~이 있다 ser versátil, ser de recurso. 그는 돈도 없고 ~도 없다 El no es ni rico ni versátil.

주변(周邊) ① [주위의 가장자리] aledededores *mpl*, cercanías *fpl*, contornos *mpl*, proximidades *fpl*, afueras *fpl*, inmediaciones *fpl*. 도시 ~ cercanías *fpl* [alrededores *mpl*] de la ciudad. ② =전두리. ③ =언저리.

■ ~ 세포 =공변 세포. ~ 장치(裝置) 【컴퓨터】 periférico *m*. ¶출력(出力) ~ 【컴퓨터】 periférico *m* de salida. ~ 지역(地域) contornos *mpl*, alrededores *mpl*, afueras *fpl*, inmediaciones *fpl*..

주병(酒餠) *sul* y *teok*, vino *m* y pan, vino *m* y pastel coreano, vino *m* y tarta.

주병(駐兵) tropas *fpl* de ocupación. ~하다 estacionar tropas.

주보(酒甫) gran bebedor *m* (*pl* grandes bebedores), gran bebedora *f* (*pl* grandes bebedoras).

주보(酒保) cantina *f*, economato *m* [cooperativa *f*] militar.

주보(週報) semanario *m*, boletín *m* semanal.

주복(主僕) el dueño y el esclavo.

주복(珠服) ropa *f* adornada con joyas.

주본(奏本) documento *m* al rey.

주봉(主峰) ① =최고봉(最高峰). ② =주인봉.

주부(主部) ① [주요한 부분] parte *f* importante. ② 【언어】 sujeto *m*.

주부(主婦) el ama *f* (*pl* las amas) de casa,

señora *f*, madre *f* de familia.
주부코 nariz *f* (*pl* narices) protuberante roja.
주불(駐佛) residencia *f* en Francia, estancia *f* en Francia.
주붕(酒朋) compañero, -ra *mf* de copas.
주비 【식물】 variedad *f* de mijo.
주비(籌備) preparación *f*. ～하다 preparar.
■～ 위원회 comité *m* preparatorio.
주빈(主賓) huésped *mf* de honor, convidado *m* principal. …를 ～으로 파티를 열다 celebrar una fiesta en honor de *uno*.
주뼛주뼛 tímidamente, medrosamente, nerviosamente. ～하다 intimidarse, temblar de miedo, inquietarse, mostrarse tímido, mostrarse nervioso.
주사(主事) gerente *mf*, superintendente *mf*, secretario, -ria *mf* principal; administrador, -dora *mf*, intendente *mf*.
주사(主辭)【논리】sujeto *m*.
주사(朱砂)【광물】cinabrio *m*.
주사(走査)【물리】[TV의] exploración *f*. ～하다 explorar.
■～ 광선 luz *f* explorador. ～면 el área *f* (*pl* las áreas) de exploración. ～ 밀도(密度) densidad *f* de exploración. ～ 방식(方式) método *m* de exploración. ～선 línea *f* de exploración, línea *f* exploradora. ～ 원판(原版) disco *m* explorador. ～ 장치(裝置) perforaciones *fpl* de exploración. ～점 punto *m* explorador. ～ 진폭 frecuencia *f* de exploración.
주사(注射) inyección *f*, [왁친의] vacunación *f*. ～하다 inyectar (en), poner*le* [dar*le*] inyección a *uno*. ～할 수 있는 inyectable. 모르핀 ～를 놓다 inyectar la morfina (a la pierna). 장티푸스의 예방(豫防) ～를 맞다 inocularse con una vacuna antitifoidea. 의사가 나에게 ～를 놓았다 El médico me puso una inyección. 그녀는 인슐린 ～를 맞았다 A ella le pusieron [le dieron] una inyección de insulina / A ella se le inyectó insulina.
◆근육 ～ inyección *f* intramuscular. 정맥 ～ inyección *f* intravenosa. 피하(皮下) ～ inyección *f* hipodérmica.
■～기(器) jeringa *f*, inyector *m*, *AmS* inyectadora *f*. ～량 cantidad *f* de inyección. ～액 ＝주사약. ～약 inyección *f*, inyectable *m*. ～용 증류수 el agua *f* para inyección. ～제 ampolla *f*. ～침 ＝주삿바늘. ～ㅅ바늘 aguja *f* de inyección.
주사(紬絲) ＝명주실.
주사니것(紬－) ropa *f* de seda.
주사야몽(晝思夜夢) pensamiento *m* diurno y nocturno.
주사야탁(晝思夜度) ＝주사야몽.
주사위 dados *mpl*. ～를 던지다 echar [tirar] los dados. ～ 놀이를 하다 jugar con [a] los dados. ～ 놀이하는 사람 jugador, -dora *mf* de dedos. ～에 속임수 세공(細工)을 하다 cargar los dados.
■～ 눈 puntos *mpl* (de un dedo). ～ 도박 juego *m* de dedos. ～뼈 hueso *m* pequeño. ～통 cubilete *m* de dados.
주산(主山) montaña *f* principal (que tiene mucha suerte).
주산(珠算) cálculo *m* por [con el] ábaco, manejo *m* del ábaco. ～을 놓다 hacer cálculos con el ábaco.
■～가(家) calculista *mf* por ábaco.
주산물(主産物) productos *mpl* principales.
주산지(主産地) principal región *f* productora, lugar *m* de producto principal.
주살 flecha *f* con cuerda sujetada
■～질 tiros *mpl* de una flecha con cuerda sujetada.
주살(誅殺) pena *f* de muerte. ～하다 matar, asesinar, dar muerte (a).
주상(主上) ＝임금(rey, soberano).
주상(主喪) doliente *mf* principal. ～이다 presidir el duelo.
주상(柱狀) forma *f* de la columna.
주상(奏上) información *f* al rey. ～하다 informar al rey.
주상(酒商) ＝술장사. 술장수.
주상변압기(柱上變壓器) transformador *m* para postes [de poste].
주색(主色) color *m* rojo, amarillo, verde y azul.
주색(朱色) color *m* de cinabrio.
주색(酒色) el vino y la mujer, placer *m* sensual. ～에 눈뜨다 aprendere juegos viciosos. ～에 빠지다 llevar una vida viciosa, entregarse al libertinaje, entregarse a los placeres lascivos. ～에 빠진 아들 hijo *m* libertino, hijo *m* calavera.
■～잡기 vino, mujeres y juego.
주서(朱書) escritura *f* con tinta roja. ～하다 escribir con tinta roja.
주석(主席) decano *m*, primado *m*, soberano *m*, jefe *m*, presidente *m*.
◆국가 ～ jefe *m* del Estado. 중국 공산당 ～ jefe *m* del Partido Comunista Chino.
주석(朱錫)【화학】estaño *m*. ～ 제품의 de estaño. ～ 도금(鍍金)을 하다 estañar, recubrir con estaño.
■～땜 soldadura *f* de estaño. ～산염 estannato *m*. ～쇠 hierro *m* de estaño.
주석(柱石) columna *f*, pilar *m*, piedra *f* de fundación, fundamento *m*. 일가(一家)의 ～ pilar *m* de la familia. 국가의 ～ pilar *m* [baluarte *m*・espíritu *m*] del Estado, columna *f* estatal.
주석(酒石)【화학】tártaro *m*. ～의 tartárico.
■～산 ácido *m* tartárico. ～산염 tartrato *m*. ～산칼륨 tartrato *m* potásico. ～영 ＝주석산칼륨.
주석(酒席) banquete *m*, festín *m*; ((속어)) comilona. ～에 배석하다 atender [servir] a los comensales banquetes.
주석(註釋/注釋) comentario *m*, anotación *f*, notas *fpl*. ～하다 anotar, comentar.
주선(周旋) ① [일이 잘 되도록 이리저리 힘을 써서 변통해 주는 일] mediación *f*, agencia *f*, intercesión *f*, intervención *f*, buenos oficios *mpl*. ～하다 mediar, intervenir, in-

terceder. …의 ~으로 por mediación de *uno*, por conducto de *uno*, por [gracias a] los buenos oficios de *uno*. A를 위해 B와 ~하다 interceder con [cerca de] B en favor de A. ~ 좀 해 주십시오 Haga el favor de interceder / Le ruego, por favor, que intervenga. 저를 위해 교수와 ~을 해 주시지 않겠습니까? ¿No quiere usted interceder con el catedrático en mi favor?

■ ~료(料) corretaje *m*, comisión *f*. ~업 corretaje *m*. ~인(人) mediador, -dora *mf*, agente *mf*, [주식의] corredor, -dora *mf* de bolsa, agente *mf* de bolsa.

주선(酒仙) =주호(酒豪).

주성분(主成分) ingredientes *mpl* principales, componentes *mpl* principales, elemento *m* esencial.

주세(酒稅) impuesto *m* sobre bebidas alcohólicas, impuesto *m* sobre vinos.

■ ~법 ley *f* de impuesto a alcohol.

주소(住所) ① ((준말)) =거주소(居住所)(domicilio). ¶~ 부정(不定)의 sin casa ni hogar, vagabundo, vagamundo. ~가 부정하다 no tener domicilio fijo. ~를 변경하다 cambiar de casa, cambiar de domicilio. ② [집이나 사무소 따위의] dirección *f*, señas *fpl*. 봉투에 ~를 쓰다 escribir la dirección en el sobre, poner las señas en el sobre. 당신의 집 ~는 어떻게 됩니까? ¿Cuál es su dirección (particular)? / ¿Dónde está su domicilio? / ¿Dónde vive usted? ~ 좀 가르쳐 주시겠습니까? ¿Quiere usted enseñarme su dirección? 이 엽서는 ~가 틀렸다 Esta tarjeta lleva una dirección errónea. ③ 【컴퓨터】 dirección *f*.

◆수신용 ~ [약호(略號)] dirección *f* abreviada cablegráfica [telegráfica].

■ ~록 libreta *f* de direcciones, libro *m* de direcciones, directorio *m*, guía *f* de direcciones, lista *f* de direcciones. ~ 변경(變更) cambio *m* de dirección, cambio *m* de domicilio. ~ 부정(不定) no hay dirección fija. ~ 불명 dirección *f* desconocida. ¶~의 편지 carta *f* con señas ilegibles. ~ 불명자 vago, -ga *mf*, vagamundo, -da *mf*. ~ 성명 dirección, nombre y apellido.

주술(呪術) magia *f*, hechicería *f*, brujería *f*, hechizo *m*, encanto *m*, maleficio *m*, sortilegio *m*. ~을 부리다 hechizar.

■ ~사(師) hechicero, -ra *mf*.

주스(영 *juice*) zumo *m*, *AmL* jugo *m*. ~를 만드는 기구 exprimidor *m*.

◆딸기 ~ zumo *m* [jugo *m*] de tomate. 레몬 ~ zumo *m* [jugo *m*] de limón.

주승(主僧) jefe *m* principal de los sacerdotes de un templo budista.

주시(注視) mirada *f* fija, observación *f* atenta. ~하다 mirar fijamente, observar atentamente, fijar la vista (en), fijarse (en), clavar los ojos (en). 그는 만장(滿場)의 ~를 끌었다 El ha atraído [llamado] la atención de todos los asistentes.

■ ~점 =시점(視點).

주식(主食) comida *f* principal, comida *f* base, comida *f* diaria, alimento *m* principal, principal sustento *m*. 한국 사람은 쌀을 ~으로 하고 있다 El arroz constituye el alimento principal para los coreanos.

■ ~물 alimento *m* principal. ~비 gastos *mpl* para la comida diaria.

주식(株式) 【경제】 valor *m*, acción *f*. ~의 인상 subida *f* de las acciones. ~의 하락 baja *f* de las acciones. 액면 5000원짜리 ~ acción *f* con valor nominal de cinco mil wones. ~으로 돈을 벌다 [손해를 보다] ganar [perder] dinero en la especulación de acciones. ~을 모집(募集)하다 ofrecer acciones por cantidad suscrita [para suscripción]. ~을 발행하다 emitir acciones. ~을 사다 comprar acciones. ~을 팔다 vender acciones. ~에 투자하다, ~에 손을 대다 especular en [jugar a · meterse en] la bolsa de acciones. ~에 응모하다 suscribir unas acciones. ~이 오른다 Las acciones van de subida / Las cotizaciones van de subida. ~이 내린다 Las acciones van de baja / Las cotizaciones van de baja.

◆무기명 ~ acción *f* al portador. 보통 ~ acción *f* común, acciones *fpl* ordinarias. 상장(上場) ~ acción *f* cotizada. 액면 ~ acción *f* con valor nominal. 우량 ~ acción *f* de primera. 우선(優先) ~ acciones *fpl* preferentes, acciones *fpl* priviligiadas. 전액불입(全額拂入) ~ acción *f* leberada. 제철(製鐵) ~ acciones *fpl* siderúrgicas. 철도 ~ acciones *fpl* ferroviarias. 해운 ~ acciones *fpl* navieras.

■ ~ 거래 operaciones *fpl* de acciones. ~ 거래소 bolsa *f* (de valores), Bolsa *f*, bolsa *f* de comercio. ¶~ 가격 지수 índice *m* de precios de la Bolsa de Valores, índice *m* de precios bursátiles. ~ 매입 선택권 incentivo *m* fiscal sobre opciones, ISO *m*. ~ 모집 su(b)scripción *f*. ~ 발행 emisión *f* de acciones. ~ 발행 특별 배당금 prima *f* de emisión de acciones. ~ 배당 dividendo *m* en acciones. ~ 분할 dividendo *m* en acciones, emisión *f* de acciones liberadas. ~ 브로커 intermediario *m* financiero, intermediraria *f* financiera; corredor, -dora *mf* de bolsa. ~ 상장(上場) cambio *m* de las acciones, (precio *m* de) cotizaciones *fpl*. ~ 시가(時價) cotizaciones *fpl*, precios *fpl* bursátiles, valor *m* del mercado de acción. ~ 시세(時勢) cotización *f* de acciones. ~ 시장(市場) bolsa *f* (comercial), mercado *m* de valores, mercado *m* de acciones. ¶~의 붕괴 colapso *m* del mercado de valores. ~의 자본화 capitalización *f* del mercado de valores. ~의 조작 operación *f* de bolsa. ~의 주기 ciclo *m* del mercado de valores. ~의 지수 índice *m* del mercado de valores. ~의 가격 지수 índice *m* de precios del mercado de valores. 제삼(第三) ~ tercera bolsa *f*, tercer mercado *m* de valores. ~ 시황(市

況) bolsa *f* comercial. ~ 액면(額面) valor *m* facial de acciones, valor *m* nominal de acciones. ~ 양도(讓渡) transferencia *f* de acciones. ~ 옵션 opción *f* de compra de acciones. ~ 응모(應募) suscripción *f* de acciones. ~ 자본(資本) capital *m* social en acciones, existencias *fpl* de capital. ~ 중개소 agencia *f* de corredores [agentes] de bolsa. ~ 중개 수수료 correduría *f.* ~ 중개업 corretaje *m* de bolsa. ~ 중개인(仲介人) corredor, -dora *mf* de bolsa, agente *mf* de bolsa; intermediario *m* financiero, intermediaria *f* financiera. ~ 중매 corretaje *m* de acciones. ~ 중매인 agente *mf* [corredor, -dora *mf*] de acciones [de bolsa], bolsista *mf.* ~ 청산 liquidación *f* de acciones. ~ 청약서 suscripción *f* de acciones. ~ 총수 [회사가 발행한] capital *m* social. ~ 취급소(取扱所) bolsa *f.* ~ 투자 inversión *f* en acciones. ¶~를 하다 jugar a la bolsa. ~ 할당 reparto *m* de acciones. ~ 할인(割引) descuento *m* sobre acciones. ~ 합자 회사 compañía *f* [sociedad *f*] limitada en comandita, compañía *f* comanditaria. ~회사 sociedad *f* anónima, S.A., sociedad *f* anónima de capital variable (S,A. de C.V.), sociedad *f* [compañía *f*] comandita por acciones, *AmL* sociedad *f* limitada S.L.

주식(酒食) comida *f* y bebida. ~을 제공하다 ofrecer la comida y la bebida

■ ~점 taberna *f*, restaurante *m*.

주식(晝食) almuerzo *m.* ~을 들다 almorzar, comer. ~에 초대하다 invitar a almorzar [a comer].

주신(主神) dios *m* principal en el altar.

주신(酒神) ① [술의 신] dios *m* del vino. ② 【로마 신화】 Baco *m.* ③ 【그리스 신화】 Dioniso *m.*

주심(主審) ① [심사원의 우두머리] juez *mf* principal. ② ((준말)) =주심판(主審判).

주심(柱心) centro *m* de la columna.

주심(珠心) 【식물】 nucléolo *m.*

주심판(主審判) árbitro *mf* principal.

주아(主我) ego *m*, sí, sí mismo.

■ ~주의 egoísmo *m.*

주악(奏樂) representación *f* [ejecución *f*] musical, música *f.* ~하다 tocar la música, interpretar la música. 국가(國歌)의 ~리에 en medio del himno nacional.

■ ~자 intérprete *mf*, músico *mf*, músico, -ca *mf*, instrumentista *mf.*

주안(主眼) objeto *m* principal, punto *m* importante. 이 정책은 산업 육성을 ~으로 하고 있다 Esta política tiene como objeto principal promover las industrias.

■ ~점 punto *m* principal, punto *m* importante, clave *f*, tónica *f*, lo esencial.

주안(酒案) ((준말)) =주안상.

■ ~상(床) =술상.

주야(晝夜) día y noche; [부사적으로] de día y de noche. ~ 없이 sin descanso. 한 ~의 여행 viaje *m* de veinticuatro horas, viaje *m* de día y noche. ~로 일하다 trabajar (de) día y (de) noche. ~로 쉬지 않고 계속 일하다 trabajar día y noche sin descansar.

■ ~은행 banco *m* de día y noche. ~장천(長川) incesantemente, sin cesar, día y noche sin descansar. ~ 평분(平分) equinoccio *m.* ~ 평분선 línea *f* equinoccial.

주어(主語) ① 【언어】 sujeto *m.* ② 【논리】 =주사(主辭).

주어지다 darse. 주어진 직업(職業) ocupación *f* [profesión *f*] dada.

주업(主業) =본업(本業).

주역(主役) ① [주장되는 역할(役割)] papel *m* principal, rol *m* de protagonista. ~을 맡다 hacer el papel principal, hacer el primer papel (en). 그가 이 회의의 ~이다 El es la figura principal de esta reunión / El desempeña un papel principal en esta reunión. ② [영화·연극에서 주연하는 배우] estrella *f*, protagonista *mf.* ~을 맡다 actuar [hacer] de protagonista. 그는 영화의 ~이 되었다 El se convirtió en una estrella de cine.

주역(周易) el Libro de Cambios.

주역(註譯) traducción *f* con notas.

주연(主演) representación *f* principal. ~하다 desempeñar el héroe, protagonizar, trabajar como protagonista. A ~의 영화 película *f* con A como protagonista.

■ ~ 배우 primer actor *m*, primera actriz *f*, actor, -triz *mf* principal; protagonista *mf.* ~자(者) =주연 배우.

주연(周延) 【논리】 distribución *f.* ~하다 distribuir.

주연(周緣) fleco *m*, borde *m.*

주연(酒宴) fiesta *f*, banquete *m*, festín *m*, juerga *f*, jarana *f.* ~을 베풀다 ofrecer [celebrar·dar] un banquete. ~을 베풀고 있다 estar de juerga, estar de jarana.

주연(酒筵) =술자리.

주영(駐英) residencia *f* en Inglaterra, estancia *f* en Inglaterra.

주옥(珠玉) ① [구슬과 옥] la bola y el jade. ② [아름답고 귀한 것] piedra *f* preciosa, joya *f.* ~ 같은 글 composición *f* hermosa. ~으로 아로새기다 incrustar de piedras preciosas. ~으로 아로새겨진 incrustado de joyas, incrustado en piedras preciosas.

■ ~편(篇) obra *f* maestra, obra *f* preciosa, joya *f*, joya *f* de una obra literaria.

주요(主要) lo principal y lo importante. ~하다 (ser) principal, esencial, importante, fundamental, central, prominete; [유력한] dominante; [저명한] notable. 세계의 ~ 국가 principales naciones *fpl* del mundo. 도시의 ~인물들 figuras *fpl* importantes de la ciudad.

■ ~ 경기 종목 pruebas *fpl* principales. ~ 도시 ciudades *fpl* principales. ~ 목적(目的) objeto *m* principal. ~부(部) parte *f* principal. ~부(簿) ((준말)) =주요 장부. ~ 산물 productos *mpl* principales. ~ 산업(産物) industria *f* principal. ~색(色) color *m* importante, color *m* principal. ~성 importancia *f.* ~ 성분(成分) ingredientes *mpl* principales. ~ 수입품(輸入品) artículos *mpl* importados principales. ~ 수출품(輸出品) artículos *mpl* exportados principales. ~역 estaciones *fpl* principales. ~ 원인(原因) causa *f* principal. ~ 인물 personaje *m* principal. ~ 장부(帳簿) libro *m* de cuentas principal. ~점 punto *m* principal.

주워 내다 sacar, recoger, seleccionar, escoger, elegir. 나쁜 것들을 ~ sacar las malas cosas.

주워 넣다 sacar y poner.

주워 담다 recoger y poner.

주워대다 enumerar con mucha labia, enumerar con palabrería.

주워듣다 oír. 나는 그녀가 내 말을 하는 것을 주워들었다 La oí hablar de mí.

주워 먹다 recoger y comer.

주워 모으다 recoger. 그는 마루에서 장난감을 주워 모았다 El recogió los juguetes del suelo.

주워섬기다 parlotear acerca de todo tipo de cosas.

주원료(主原料) materia *f* prima principal, primera materia *f* principal; [요리의] base *f*, ingrediente *m* principal. 쌀을 ~로 한 요리 platos *mpl* a base de arroz.

주원인(主原因) causa *f* principal.

주위(主位) posición *f* principal, primera posición *f*.

주위(周圍) ① [어떤 곳의 둘레] alrededor *m*, contorno *m*, perímetro *m*; [부근] cercanías *fpl*; [환경] circunstancia *f*, ámbito *m*, ambiente *m*. ~의 circunstante. ~에 en contorno, al [en] rededor [derredor]. ~의 사정 circunstancias *fpl*. ~의 사람들 gente *f* de alrededor. ~의 촌락 pueblos *mpl* de alrededor. ~를 돌다 dar una vuelta alrededor (de). ~의 영향을 받다 recibir la influencia del ambiente. ~의 풍경을 바라보다 contemplar el paisaje circundante [de alrededor]. 연못의 ~를 걷다 andar alrededor del estanque. 호수는 ~가 5킬로미터이다 El lago tiene cinco kilómetros en redondo / El lago mide cinco kilómetros en contorno. 탁자 ~에 앉읍시다 Sentémonos [Vamos a sentarnos] alrededeor de la mesa. ② 【수학】 periferia *f*, circunferencia *f*. ~의 periférico.

■ ~ 환경 ambiente *m* circundante.

주유(舟遊) [뱃놀이] excursión *f* [paseo *m*] en bote, remadura *f*. ~하다 hacer un recreo en bote, dar un paseo por el mar [el río · el lago]. ~하러 가다 ir a paseo en la lancha [en bote], ir de remadura.

주유(注油) engrase *m*, lubricación *f*. ~하다 engrasar, lubricar.

■ ~기 lubricador *m*, engrasador *m*, aceitera *f*. ~소 gasolinera *f*, estación *f* de servicio; *RPI* estación *f* de nafta; *Andes*, *Ven* bomba *f*, *Chi* bencinera *f*, *Per* grifo *m*. ~원(員) empleado, -da *mf* de la gasolinera.

주유(周遊) excursión *f*, viaje *m* de recreo; [단체의] gira *f*. ~하다 hacer un viaje circular (por), hacer una excursión, hacer un viaje de recreo.

■ ~가(家) turista *mf*. ~권(券) cupón *m* (*pl* cupones) de viaje, billete *m* de viaje circular. ~천하(天下) viaje *m* alrededor del mundo.

주육(朱肉) =인주(印朱).

주육(酒肉) el vino y la carne.

주은(主恩) ① ((기독교 · 천주교)) [주의 은혜] favor *m* de Dios. ② =군은(君恩). ③ [주인의 은혜] favor *m* del amo.

주음(主音) tónica *f*, superdominante *m*.

주의(主意) ① [주되는 요지] punto *m*, lo esencial, lo fundamental, tenor *m*. ② [의지를 주로 하는 일] voluntad *f*.

■ ~론(論) =주의주의. ~설(說) =주의주의. ~적(的) volitivo, voluntario, espontáneo. ~주의(主義) voluntarismo *m*.

주의(主義) ① [굳게 지키는 일정한 방침] principio *m*. ~가 없는 sin conciencia, poco escrupuloso. ~에 따라 según *sus* principios. ~에 반(反)해서 contra el principio. ~가 있는 사람 hombre *m* de principio. ~를 관철하다 realizar el principio. ~를 굽히다 apartarse del principio, ceder en *sus* principios. ~를 지키다 mantener *sus* principios. ~에 반(反)하다 ir en contra de *sus* principios. … 하는 것을 ~하다 tener por principio + *inf.* …하는 것은 나의 ~가 아니다 No es según [Va en contra de] mis principios + *inf.* ② [설(說). 이론. 이즘] doctrina *f*, -ismo. 공산~ comunismo *m*. 사회(社會)~ socialismo *m*. 현대(現代)~ modernismo *m*.

■ ~자 -ista *mf*, ideólogo, -ga *mf*. 공산~ comunista *mf*. 사회~ socialista *mf*.

주의(注意) ① ㉮ [마음에 새겨 두어 조심함] cuidado *m*, precaución *f*, prudencia *f*. ~ 깊은 cuidadoso, cauteloso, prudente. ~ 깊게, ~해서 cuidadosamente, con (mucho) cuidado, cautelosamente, prudentemente, con precaución. ~하다 tener cuidado (con · de). …하려고 ~하다 procurar + *inf.* …하지 않으려고 ~하다 tener cuidado para no + *inf*, tener cuidado de que no + *subj.* ~해서 운전하다 conducir con precaución. 건강에 ~하십시오 Tenga cuidado con [de] su salud / Cuídese usted de su salud. 자동차 ~해라 Ten cuidado con el coche. 머리 ~해라 Ten cuidado en la cabeza. 내릴 때 ~하십시오 Tenga cuidado al bajar. 페인트 ~ ((게시)) Cuidado con la pintura. 그 사람이 도망가지 못하게 ~해라 Ten cuidado de que no se escape él. 나는 감기에 걸리지 않도록 ~하고 있다 Tengo cuidado de [para] no resfriarme. ㉯ [주목] atención *f*. ~하다 prestar atención (a). ~해서, ~ 깊게 atentamente, con atención. ~를 게을리하다 relajar la atención, descuidar. ~를 끌다 llamar [atraer · captar] la atención (a ·

de). ~를 집중하다 concentrar (sobre). ~ 깊게 듣다 escuchar con atención. ~ 깊게 바라보다 fijarse (en), clavar los ojos (en), mirar con fijeza. …에 ~를 보내다 prestar [poner · dirigir la] atención a *algo* · *uno*. …에게 ~를 환기시키다 llamar [despertar · atraer] la atención de *uno* sobre *algo*. …의 ~를 돌리다 desviar la atención de *uno*. ~ (하십시오) ¡Atención! / ¡Ojo! / ¡Cuidado! / [책에서] N.B., nota bene. 그는 텔레비전에 ~를 빼앗겼다 La televisión robaba toda su atención.

② [곁에서 귀띔하거나 충고하는 일] observación *f*, advertencia *f*, consejo *m*. ~하다 observar, advertir, aconsejar. ~를 주다 dar una indicación, hacer una observación, aconsejar. 나는 그에게 오버를 입고 가도록 ~했다 Le advertí que se llevara el abrigo. 선생은 학생들에게 조용히 하도록 ~했다 El profesor pidió silencio a los alumnos.

■ ~력(力) facultad *f* de atención, miramiento *m*, cuidado *m*. ~보(報) parte *f* meteorológica. ~ 사항(事項) indicaciones *fpl*, instrucciones *fpl*, notas *fpl*, observaciones *fpl*, asunto *m* que exige la atención especial. ~ 산만(散漫) distracción *f*. ~서(書) [약의] dirección *f*. ~ 신호 señal *f* de precaución. ~ 인물(人物) vigilado, -da *mf*, persona *f* bajo la observación; individuo *m* sospechoso.

주익(主翼) alas *fpl* del avión.

주인(主人) ① [한 집안의 주장이 되는 사람] jefe *m* de la familia, señor *m*, amo *m*; [하인의] amo *m*, patrón *m*. 이 집의 ~ [거주자] morador *m* de esta casa. ~을 섬기다 servir al amo. 이 댁의 ~을 뵙고 싶습니다만 Quisiera ver al señor de esta casa. ② [물건의 임자] dueño, -ña *mf*, propietario, -ria *mf*. 이 개의 ~은 누구입니까? ¿Quién es el propietario [el dueño] de este perro? ③ [손님을 대하는 주장되는 사람] anfitrión, -triona *mf*. ④ [고용 관계에서의 고용주] empleador, -dora *mf*, patrón, -trona *mf*. ⑤ [아내가 남편을 가리켜 일컫는 말] mi marido, mi esposo.

■ ~공(公) ㉮ ((높임말)) =주인(主人). ㉯ [소설 · 희곡 · 영화 등의 중심인물] protagonista *mf*, héroe, heroína *mf*, [집합적] *personaje m principal*. ~댁 ㉮ ((경칭)) = 주인집. ㉯ =안주인. ~봉(峰) el pico más alto. ~역(役) anfitrión, -triona *mf*. ~옹(翁) amo *m* viejo, ama *f* vieja. ~집 casa *f* que vive el amo.

주인(主因) causa *f* principal, factor *m* principal, primer agente *m*. 이것이 물가 하락 경향의 ~이다 Esto es la causa principal de la tendencia bajista.

주일(主日) ((기독교)) día *m* de Dios, domingo *m*.

■ ~날 =주일(主日). ~ 예배 [천주교의] culto *m* dominical; [기독교의] servicio *m* dominical. ~ 학교 escuela *f* dominical. ~ 헌금 ofrenda *f* [colecta *f*] dominical.

주일(週日) semana *f*. 1~ 만에, 1~ 있으면, 1~ 걸려 en una semana, en ocho días. 오늘부터 1~ 내에 de hoy en ocho días.

주일(駐日) residencia *f* [estancia *f*] en el Japón.

■ ~ 대한민국 대사 embajador, -dora *mf* de la República de Corea en el Japón. ~ 대한민국 대사관 la Embajada de la República de Corea en el Japón.

주임(主任) jefe, -fa *mf*, encargado, -da *mf* principal; superintendente *mf*, oficial, -la *mf* responsable.

◆영업부 ~ jefe, -fa *mf* del departamento de negocios.

■ ~ 교사 maestro *m* encargado, maestra *f* encargada. ~ 교수(教授) catedrático *m* jefe [catedrática *f* jefa] de un departamento. ~ 기사 ingeniero *m* jefe, ingeniera *f* jefa. ~ 신부 padre *m* jefe.

주입(注入) inyección *f*, instilación *f*. ~하다 inyectar, vertir, escanciar, instilar, inspirar, inculcar. 사상(思想)을 ~하다 inspirar una idea (a). 지식(知識)을 ~하다 hacer tragar conocimientos (a), abarrotar la cabeza de conocimientos (a). 프로 근성을 ~시키다 inculcar el espíritu profesional (a). 자녀들에게 도덕심을 ~시키다 inculcar el sentido moral a [en] los niños.

■ ~(식) 교육 educación *f* [enseñanza *f*] de embotellamiento. ~식(式) sistema *m* de repaso de educación, sistema *m* educativo de embotellamiento.

주자(走者) ① [달리는 사람] corredor, -dora *mf*. 3번을 단 ~ corredor, -dora *mf* que lleva el número tres. 그는 빠른 ~가 아니다 El no corre rápido. ② ((야구)) corredor, -dora *mf*.

주자(奏者) ((준말)) =연주자(演奏者)(músico, instrumentista). ¶기타 ~ guitarrista *mf*. 오르간 ~ organista *mf*. 피아노 ~ pianista *mf*, organista *mf* del piano. 그녀는 매우 훌륭한 기타 ~이다 Ella es muy buena guitarrista.

주자(鑄字) encasillamiento *m*. ~하다 encasillar. ~소(所) taller *m* de encasillamiento.

주자학(朱子學) chuhiísmo *m*.

주장(主張) ① [자기 의견을 굳이 내세움] alegación *f*, [의견] opinión *f*, [권리 등의] reclamación *f*, [종교 · 철학의] doctrina *f*, tesis *f*, ideas *fpl*; [역설] insistencia *f*. ~하다 alegar, reclamar, opinar (que + *ind*), insistir (en), acentuar, hacer resaltar. ~을 관철하다 salir con la suya, persistir en *su* opinión. ~을 굽히다 ceder en el argumento, transigir. ~을 철회하다 retirar *su* opinión, renunciar a *su* pretensión. 무죄를 ~하다 insistir en *su* inocencia. 소유권을 ~하다 alegar derechos de propiedad. 유산 상속(遺産相續)의 권리를 ~하다 reclamar *su* derecho a la herencia. ② =주재(主宰).

주장(主將) ① [운동 경기의 팀을 통솔하는 선수] capitán (*pl* capitanes), -tana *mf*. ② [한 군대의 으뜸 장수] general *mf*, comandante *mf* en jefe.

주장(主掌) cargo *m*, dirección *f*, administración *f*, gestión *f*; [사람] persona *f* responsable. ~하다 encargarse (de), hacerse cargo (de). 형세를 ~하다 hacrse cargo de la situación. 초청자들을 ~하다 encargarse de los invitados.

주재(主宰) presidencia *f*, superintendencia *f*, dirección *f*, administración *f*, gestión *f*. ~하다 presidir, superentender, dirigir, administrar. …의 ~로 bajo la presidencia de *uno*. ~자(者) presidente, -ta *mf*; director, -tora *mf*.

주재(駐在) residencia *f*, permanencia *f*, estancia *f*. ~하다 residir, permanecer, estacionarse. ~의 residente.

◆한국 ~ 서반아 대사관 la Embajada de España en Corea.

■~관 oficial *mf* residente (en). ~국 país *m* (*pl* países) de residencia. ~소 lugar *m* residente. ~원 representante *mf* residente; [신문사의] corresponsal *mf* residente.

주재료(主材料) material *m* principal.

주저(主著) obra *f* principal.

주저(躊躇) vacilación *f*, indecisión *f*. ~하다 vacilar, titubear. ~하면서 vacilando, con vacilación, con duda. ~하지 않고 sin vacilación, sin vacilar, sin dudar. …하는 것을 ~하다 vacilar en + *inf*. 결정하는 데 ~하다 vacilar en la resolución. 선택하는 데 ~하다 vacilar en la selección. 떠날까 머무를까 ~하다 vacilar entre marchar o quedarse.

주저롭다 estar mal de dinero, estar pelado, estar sin un duro, *CoS* estar pato, *Col* estar en la olla.

주저리 lío *m* [fardo *m* · atado *m*] desordenado.

주저앉다 ① [섰던 자리에서 그대로 내려앉다] dejarse caer, desplomarse. 그녀는 의자에 털썩 주저앉았다 Ella se dejó caer en un sillón. 그는 지칠 대로 지쳐 침대에 털석 주저앉았다 El se desplomó en la cama muerto de cansancio. ② [물건의 밑이 절로 움푹하게 빠져 들어가다] derrumbarse, desmoronarse, desplomarse, hundirse, venirse abajo. 지붕이 주저앉았다 El tejado se hundió. ③ [하던 일을 포기하고 물러나다] abandonar el trabajo y retirarse.

주저앉히다 [의자에] obligar [forzar] a sentarse; [못 떠나게] hacer quedarse.

주저주저하다(躊躇躊躇—) vacilar mucho, titubear mucho.

주적거리다 ① [너무 아는 체하며 마구 떠들다] hacer alarde [ostentación] de *su* ignorancia, alardear de *su* ignorancia. ② [어린아이가 걸음발 탈 때 제멋대로 걷다] dar *sus* primeros pasos. 그는 주적거리기 시작했다 El estaba empezando a andar / El estaba andando sus primeros pasos. 그는 주적거리면서 방으로 들어왔다 El entró en la habitación con paso inseguro.

주전(主戰) pro-guerra *f*. ~하다 recomendar [abogar] la guerra.

■~론(論) belicismo *m*, argumento *m* bélico, abogacía *f* de guerra, jingoísmo *m*. ~론자 belicista *mf*; abogado, -da *mf* de la guerra; jingoísta *mf*. ~ 투수(投手) lanzador, -dora *mf* de primera; as *m* del lanzador.

주전(鑄錢) [돈을 주조함] acuñación *f*; [주조한 돈] moneda *f* acuñada. ~하다 acuñar.

주전거리다 comer algo ligero [tomarse un tentempié] entre comidas.

주전부리 tentempié *m* entre comidas. ~하다 tomar(se) un tentempié entre comidas.

주전자(酒煎子) [물을 끓이는] pava *f*, tetera *f*, *Andes*, *Méj* [물을 데우는] tetera *f* (para calentar agua); [차(茶)를 끓이는] tetera *f*, *Urg* caldera *f*.

◆쇠 ~ tetera *f* de hierro.

■~ 뚜껑 tapa *f* de la tetera. ~ 주둥이 pitorro *m* [pico *m*] de la tetera.

주절(主節) 【언어】 oración *f* principal.

주점(主點) punto *m* esencial [importante].

주점(酒店) taberna *f*, bar *m*.

주접 atrofia *f*.

◆주접(을) 떨다 atrofiarse, marchitar(se).

◆주접(이) 들다 (ser) raquítico.

주접스럽다 (ser) codicioso, avariento, voraz.

주접스레 codiciosamente, avarientamente, vorazmente.

주정(主情) acción *f* de apreciar la emoción más que la inteligencia.

■~주의[설] emocionalismo *m*. ~주의자 emocionalista *mf*.

주정(舟艇) bote *m*.

주정(酒酊) alboroto *m* borracho, alteración *f* del orden público por la influencia de licor. ~하다 ser un portarse con alboroto borracho. ~을 부리다 hablar sin ton ni son por la borrachera.

■~꾼 borracho, -cha *mf*; ebrio, -bria *mf*; borrachín, -china *mf*; tumbacuartillos *m*; beodo, -da *mf*; odre *m*; zaque *m*. ~쟁이[뱅이] (gran) bebedor, -dora *mf*; borracho, -cha *mf*.

주정(酒精) alcohol *m*, espíritu *m*. ~의 alcohólico, espirituoso.

■~계(計) alcoholímetro *m*. ~ 발효(醱酵) fermentación *f* alcohólica. ~분 componente *m* alcohólico. ~음료 bebida *f* alcohólica, alcohol *m*. ~ 중독(中毒) alcoholismo *m*, emponzoñamiento *m* alcohólico.

주제 ((준말)) =주제꼴.

■~꼴 atavío *m* miserable, aparición *f* humilde [desastrada]. ¶~ 사납다 tener una aparición humilde, ser impertinente.

주제(主題) sujeto *m*, tema *m*, leitmotiv *m*; [음악 · 회화의] motivo *m*; [연설 등의] asunto *m*. ~의 temático, subjetivo. ~의 전개 desarrollo *m* temático. ~와 변주(變奏) tema y variaciones. 말이 ~에서 벗어났다 Nos hemos desviado del tema.

■~가(歌) canción *f* de tema. ~곡(曲) tema *m* (musical). ¶영화 ~ tema *m* (musical) de la película. ~ 음악 música *f* de tema.

주제넘다 (ser) entrometido, entremetido, insolente, descortés, descarado, presuntuoso, impertinente, impudente; [건방진] descarado, desvergonzado; [웃기다] risible, ridículo. 주제넘게 soberbiamente, con presunción. 주제넘은 녀석 tipo *m* presuntuoso. 주제넘게 …하다 atreverse a + *inf*, tener la audacia [la impudencia · el atrevimiento · el descaro · la insolencia] de + *inf*. 주제넘은 말을 하다 hablar cosas impertinentes, hablar con presunción, hablar con descaro, hablar con insolencia, hablar sentenciosamente. 주제넘게 행동하다 darse aire, entrometerse (en), entremeterse (en). 주제넘은 말 같습니다만 … Perdone mi intromisión pero … / Temo que le importune con mi impertinencia pero …. 그가 감히 나에게 도전하다니 주제넘은 일이다 Es un descarado atreviéndose a desafiarme a mí / El tiene el descaro de desafiarme. 주제넘게 굴면 봉변을 당하는 법이다 Al hombre osado la fortuna da la mano.

주조(主調) nota *f* tónica, tónica *f* general, tono *m* dominante; 【음악】 tónica *f*.
■ ~음(音) 【음악】 =주조(主調).

주조(主潮) corriente *f* principal, movimiento *m* principal.

주조(酒造) elaboración *f* de vinos. ~하다 hacer licores mezclando varios ingredientes.
■ ~가(家) fabricante *mf* de vino. ~장(場) cervecería *f*, fábrica *f* de vinos.

주조(鑄造) moldaje *m*, fundición *f*; [화폐의] acuñación *f*. ~하다 fundir, acuñar, amonedar. 500원 주화를 ~하다 acuñar moneda de quinientos wones.
■ ~공 fundidor, -dora *mf*. ~기 máquina *f* para [de] fundición. ~비 gastos *mpl* de acuñación. ~소 fundería *f*. ~업 fundería *f*. ~ 화폐 moneda *f* metálica.

주조정실(主調整室) sala *f* de control principal.

주종(主從) ① [주군과 종자] empleador *m* y empleado, dueño *m* y serviente, amo *m* y criado. ~ 관계 relaciones *fpl* entre amo y criado. ② [주체와 종속] lo principal y lo subordinado.

주주(株主) accionista *mf*. ~의 분산(分散) dispersión *f* del accionista.
◆ 개인(個人) ~ accionista *mf* individual. 대(大)~ accionista *m* mayoritario. 등록 ~ accionista *m* registrado. 법인(法人) ~ accionista *mf* institucional. 소(小)~ acciocionista *m* minoritario. 안정(安定) ~ accionista *mf* fuerte. 우선(優先) ~ accionista *m* preferido.
■ ~권(權) derecho *m* de voto de accionistas. ~ 명부 lista *f* de accionistas. ~ 배당금 dividendo *m* a accionista. ~ 의결권 derecho *m* de voto de accionistas. ~ 자본주의 capitalismo *m* de accionista. ~ 총회 junta *f* general de accionistas, asamblea *f* general de accionistas. ~회의 junta *f* de accionistas, asamblea *f* de accionistas.

주중(週中) ① [한 주일의 중간] en la semana. ② [그 주 안] entre semana. ~에 가야 한다 Hay que ir entre semana.

주중(駐中) residencia *f* [estancia *f*] en China.

주증(主症) síntoma *m* principal de una enfermedad.

주지(主旨) propósito *m* principal.

주지(主枝) rama *f* principal.

주지(主知) lo intelecual.
■ ~주의[설] intelectualismo *m*. ~주의자 intelectualista *mf*.

주지(住持) ((불교)) superior *m* [sacerdote *m* principal] de un templo budista.

주지(周知) ¶~하다 ser muy [bien] conocido. ~의 bien conocido, muy conocido. ~의 사실 hecho m bien conocido [sabido]. ~한 바와 같이 como todo el mundo sabe. …은 ~의 사실이다 Es bien sabido que + *ind* / Todo el mundo sabe que + *ind* / Nadie ignora que + *ind*.

주지육림(酒池肉林) orgía *f*, bacanal *m*.

주차(駐車) aparcamiento *m*, *AmL* estacionamiento *m*. ~하다 aparcar, *AmL* estacionar, *AmL* parquear, *Chi*, *Méj* estacionarse. ~시키다 aparcar, *AmL* estacionar, *AmL* parquear. 차(車)를 ~시키다 aparcar [estacionar · parar · dejar] el coche (en). ~중인 차 coche *m* aparcado. ~할 장소가 있습니까? ¿Hay espacio para aparcar [estacionarse]? 이곳에 ~합시다 Vamos a aparcar aquí. 나는 코너 주변에 ~해 두었다 Tengo el coche aparcado [estacionado] a la vuelta de la esquina. 일요일(日曜日)은 ~에 문제가 없다 Los domingos no hay problemas para aparcar [estacionar].
■ ~ 건물(建物) aparcamiento *m*, *AmL* estacionamiento *m*. ~ 공간 lugar *m* para aparcar [estacionar]. ~ 금지(禁止) ((게시)) Prohibido aparcar [*AmL* estacionar · *AmL* parquear · *Chi*, *Méj* estacionarse] / No aparcar / No estacionar / No aparque / No (se) estacione / Se prohibe estacionarse. ~ 금지 구역 zona *f* prohibida de aparcamiento [*AmL* estacionamiento]. ~기(器) parquímetro *m*. ~등(燈) luces *fpl* de aparcamiento [de estacionamiento]. ~ 브레이크 freno *m* de mano. ~ 빌딩 aparcamiento *m*, *AmL* estacionamiento *m*. ~ 안내원 guardacoches *mf*. ~ 위반 infracción *f* de aparcamiento. ~ 위반 벌금(違反罰金) multa *f* (por aparcamiento indebido). ~장(場) aparcamiento *m*, *AmL* (parque *m* de) estacionamiento *m*, aparcadero *m*, parque *m*, *Col* parqueadero *m*, *CoS*, *Per* playa *f* de estacionamiento.

주차(駐箚) residencia *f*. ~하다 residir (en). ~의 residente, residido.
◆ 서반아 ~ 대한민국 대사 embajador, -dora *mf* de la República de Corea en España.

■ ~ 대사 embajador, -dora *mf* (en).

주찬(酒饌) =주효(酒肴).

주찬(晝餐) =오찬(午餐).

주창(主唱) promoción *f*, vindicación *f*. ~하다 abogar, promover, proponer. 새로운 이론을 ~하다 proponer una nueva teoría.

■ ~자 promotor, -tora *mf*, promovedor, -dora *mf*.

주책 ① [일정한 주견 또는 주의] opinión *f* fija, vista *f* definitiva, principios *mpl* fijos. ② [일정한 줏대가 없이 이랬다저랬다 하는 짓] conducta *f* de no tener fibra.

■ ~바가지[망나니] persona *f* indecisa [irresoluta · indiscreta · imprudente].

주책없다 (ser) indecente, impúdico, inmodesto, impropio de un caballero, imprudente, indeciso, irresoluto, indiscreto, no tener *su* propia opinión.

주책없이 vergonzosamente, ~ 말하다 hablar en vano, hablar inútilmente, decir sin ton ni son. ~ 행동하다 comportarse [portarse] vergonzosamente.

주철(鑄鐵) hierro *m* fundido, hierro *m* colado, arrabio *m*, moldaje *m* de hierro. ~(제)의 de hierro fundido, de hierro colado.

■ ~관(管) tubo *m* de hierro fundido. ~소(所) fundería *f* de hierro, herrería *f*, ferrería *f*.

주청(奏請) 【역사】 petición *f* al rey. ~하다 presentar una petición ante el rey.

주체 carga *f*, modestia *f*. ~하다 hacer frente a *su* carga. 돈을 ~하지 못하다 tener dinero a montones, estar podrido [forrado] de dinero, nadar en dinero.

◆ 주체(를) 못하다 no poder atender (a), no poder cuidar (de), ser difícil de tratar, tener demasiado mucho, ser superabundante, ser sobreabundante.

주체궂다 =주체스럽다.

주체스럽다 ser difícil de tratar, ser difícil de controlar, ser rebelde.

주체스레 difícilmente de tratar [de controlar].

주쳇덩어리 oveja *f* negra, cosa *f* de ser difícil de controlar [de tratar].

주체(主體) ① [성질 · 상태 · 작용의 주(主)] sujeto *m*; [중심] centro *m*, núcleo *m*. 권리의 ~ sujeto *m* de derecho. …을 ~로 하고 있다 constar [estar compuesto] principalmente en *algo*. 이 운동(運動)은 학생이 ~이다 El núcleo de este movimiento lo forman los estudiantes / El movimiento está organizado principalmente por los estudiantes. ② 【심리】 sujeto *m*. ③ 【철학】 subjetivo *m*. ④ [단체나 기계 등의 주요한 부분] parte *f* principal.

■ ~성 subjetividad *f*; [자발성] iniciativa *f*. ~ 세력 grupo *m* principal.

주체(酒滯) indigestión *f* por el alcohol.

주초(週初) principios *mpl* de semana. 다음 ~에 a principios de semana que viene.

주최(主催) auspicio *m*, patrocinio *m*. ~하다 organizar, patrocinar, promover. 회사의 ~로 bajo los auspicios de la compañía, auspiciado por la compañía.

■ ~자 patrocinador, -dora *mf*, organizador, -dora *mf*, promotor, -tora *mf*, promovedor, -dora *mf*.

주추(主-) piedra *f* fundamental, piedra *f* angular, pilar *m*.

주축(主軸) ① 【수학】 eje *m* principal ② [원동기의 전동축] eje *m* motor, árbol *m* de manivelas. ③ [주장이 되어 움직이는 사람이나 세력] persona *f* principal, influencia *f* principal.

주춤 vacilación *f*.

■ ~병(病) lo dilatorio.

주춤거리다 vacilar, titubear. 주춤거리면서 vacilantemente.

주춤주춤 tambaleando, vacilantemente, con vacilación, con ciertas vacilaciones. 그녀는 ~ 문 쪽으로 움직였다 Vacilante, ella se fue acercando a la puerta. 그는 그 질문에 ~했다 El se quedó perplejo ante esa pregunta.

주춧돌(柱-) piedra *f* angular, primera piedra *f*. ~을 놓다 colocar [poner] la primera piedra.

주치(主治) lo encargado del tratamiento del paciente.

■ ~의(醫) médico, -ca *mf* de cabecera [de familiar · [담당 의사] responsable]. ~ 효능 virtud *f* principal (de una medicina).

주택(住宅) vivienda(s) *f(pl)*, residencia *f*, domicilio *m*; [독립의] casa *f* (individual). 부적당한 ~ 조건(條件) (condición *f* de las) viviendas *fpl* inadecuadas.

■ ~가(街) barrio *m* residencial, zona *f* residencial. ~ 건축 조합 asociación *f* que construye o renueva viviendas para alquilarlas o precios módicos. ~ 공단 el Organismo Inmobiliario Semi-Gubernamental. ~ 금융 공단 la Caja Nacional de Préstamo Financiero para Viviendas. ~난 escasez *f* de viviendas, crisis *f* [dificultad *f*] de vivienda. ~ 단지(團地) urbanización *f*, conjunto *m* residencial, complejo *m* habitacional, *Méj* colonia *f*; [서민용의] complejo *m* de viviendas subvencionadas, urbanización *f* de viviendas de alquiler subvencionadas por el ayuntamiento. ~ 대부(貸付) préstamo *m* residencial. ~ 문제(問題) problema *m* de viviendas. ~비 expensas *fpl* [gastos *mpl*] de viviendas [de alojamiento]. ~ 수당(手當) subsidio *m* de [para] la vivienda, abono *m* de alojamiento. ~ 융자(融資) préstamo *m* de vivienda, préstamo *m* [crédito *m*] hipotecario [habitacional], crédito *m* vivienda. ~ 은행 el Banco de Viviendas. ~ 저당 hipoteca *f* de la residencia, hipoteca *f* de la vivienda. ~ 정책 política *f* en cuanto al problema de la vivienda. ~지 zona *f* residencial; [택지] parcela *f* de terreno, solar *m*, el área *f* (*pl* las áreas) de terreno para residencia. ~ 프로젝트 complejo *m* de viviendas subvencionadas.

주토(朱土) ① [붉은 흙] tierra *f* roja. ② 【광물】 =석간주(石間硃).

주톳빛 color *m* de tierra roja.

주특기(主特技) especialidad *f* principal, talento *m* especial.

주파(走破) recorrido *m*. ~하다 recorrer. 전 코스를 ~하다 recorrer todo el proyecto. 5 킬로미터를 16분대로 ~하다 correr cinco kilómetros en dieciséis minutos.

주파(周波) 【물리】 ciclo *m*.

■ ~계(計) ((구용어)) =파장계. ~ 계수기 contador *m* de frecuencia. ~대(帶) banda *f* de frecuencias.

주파수(周波數) 【물리】 frecuencia *f*. …의 ~로 방송하다 emitir sobre la frecuencia de *algo*. A 국은 ~ 1500킬로사이클로 방송하고 있다 La estación A transmite en la frecuencia de 1500 kilociclos.

■ ~ 변조 modulación *f* de frecuencia. ~ 변환기 transformador *m* de frecuencias, convertidor *m* de frecuencias, convertidor *m* de corriente alterna en alterna de otra frecuencia. ~ 증폭기 amplificador *m* de frecuencias. ~ 채널 canal *m* de frecuencias. ~ 컨트롤 estabilizador *m* de frecuencia. ~ 편차(偏差) desviación *f* de frecuencia.

주판(籌板) =수판(數板)(ábaco). ¶~을 놓다 mover bolitas de ábaco, calcular; [이해를 따지다] hacer el cálculo, antender a *sus* intereses.

■ ~알 =수판알. ~질 =수판질.

주평(週評) crítica *f* semanal.

주포(主砲) cañón *m* (*pl* cañones) principal.

주폭도(走幅跳) =멀리뛰기.

주피터(영 *Jupiter*) 【로마 신화】 Júpiter *m*.

주필(主筆) editor, -tora *mf* (en) jefe; editor, -tora *mf* (principal).

◆ 부(副)~ subeditor, -tora *mf*.

주필(朱筆) cepillo *m* bermellón, cepillo *m* usado para escribir en tinta roja. ~을 가하다 corregir, revisar.

주한(駐韓) residencia *f* en Corea, estancia *f* en Corea; [부사적] en Corea.

■ ~ 미군(美軍) las Fuerzas Armadas Estadounidenses en Corea. ~ 서반아 대사 embajador, -dora *mf* de España en Corea. ~ 서반아 대사관 la Embajada de España en Corea. ~ 외교 사절단 cuerpo *m* diplomático en Corea. ~ 유럽 연합 상공 회의소 la Cámara de Comercio e Industria de la Unión Europea en Corea.

주항(周航) circunnavegación *f*. ~하다 circunnavegar. 세계를 ~하다 circunnavegar el mundo.

주항라(紬亢羅) seda *f* pura.

주해(註解/注解) anotación *f*, comentario *m*, nota *f* explicativa, comento *m*, glosa *f*. ~하다 anotar, notar, comentar, glosar. ~가 붙은 anotado, con notas.

■ ~자 anotador, -dora *mf*, comentador, -dora *mf*, postillador, -dora *mf*.

주행(舟行) ida *f* por bote, viaje *m* por barco, navegación *f*. ~하다 ir por bote, viajar por barco, navegar.

주행(走行) corrida *f*.

■ ~ 거리(距離) recorrido *m*, distancia *f* recorrida. ~ 거리계 cuentalilómetros *mpl*. ~ 요금 tarifa *f* por kilómetros.

주행(周行) =주유(周遊).

주행(晝行) actividad *f* diurna.

■ ~ 동물 animal *m* diurno.

주향(酒香) perfume *m* [aroma *f*] del vino.

주형(主刑) pena *f* principal.

주형(鑄型) molde *m*, cuño *m*; [활자의] matriz *f*. ~에 넣은 de modelo usual, convencional, estereotipado. ~에 붓다 fundir al molde. ~을 뜨다 fundir.

주호(酒戶) =주량(酒量).

주호(酒壺) =술병(botella de vino).

주호(酒豪) buen [gran] bebedor *m*, buena [gran] bebedora *f*, bebedor *m* fuerte, bebedora *f* fuerte; borracho, -cha *mf*. 그는 ~다 El es un borracho.

주혼(主婚) ① [혼사를 맡아 주관함] celebración *f* del matrimonio. ② ((준말)) =주혼자(主婚者).

■ ~자 oficiante *mf* [celebrante *mf*] del matrimonio.

주홍(朱紅) ① ((준말)) =주홍빛. ② [황과 수은으로 된 붉은빛의 안료] cinabrio *m*, bermellón *m*.

■ ~빛 rojo *m* escarlata, encarnado *m*, color *m* bermejo, color *m* carmesí, grana *f*. ¶~의 bermejo, carmesí (*pl* carmesíes). ~으로 칠한 barnizado con [de] laca bermeja. ~ 하늘 cielo *m* escarlata.

주화(主和) defensa *f* de la paz.

■ ~론(論) pacifismo *m*. ~론자 pacifista *mf*.

주화(鑄貨) ① [화폐를 주조함] acuñación *f*. ~하다 acuñar moneda. ② [주조한 화폐] moneda *f* (acuñada).

■ ~ 능력 capacidad *f* de acuñación.

주화기(主火器) el arma *f* (*pl* las armas) de fuego principal.

주황(朱黃) ((준말)) =주황빛.

■ ~빛 (color *m* de) naranja *m*.

주효(奏效) [성공] éxito *m*; [유효] eficacia *f*. ~하다 tener éxito, salir bien, ser eficaz, ser efectivo.

주효(酒肴) vino *m* y comida, banquete *m*. ~를 제공하다 convidar a comer y beber.

■ ~료(料) dinero *m* de agasajo, propina *f*.

주휴(週休) asueto *m* semanal, descanso *m* semanal. ~ 2일제(二日制) sistema *m* de dos días de descanso semanal.

주흥(酒興) jovialidad *f* [regocijo *m*] que procede del vino. ~을 돕다 exaltar el regocijo, aumentar la jovialidad (en un festín).

죽[1] [옷·그릇 등의 열 벌] diez piezas, diez juegos, diez equipos. 버선 한 ~ diez juegos de calcetines coreanos. 접시 두 ~ dos juegos de platos.

죽[2] ① [한 줄로 늘어선 모양] en fila. 카메라맨이 ~ 늘어서 들이댄다 Los camarógrafos se colocan [se ponen] en fila. ② [반듯이] en línea recta. 그는 ~ 뻗고 드러누워 있었다 El estaba tumbado todo lo largo que era. ③ [동작이 단번에 거침없이 나아가는 모양] con un buen trago, de un golpe, de un tirón. ~ 들이켜다 echar(se) un buen trago (a · de), beber [tragarse] de un golpe [de un tirón]. ④ [글이나 말 따위를 거침없이 내리읽거나 말하는 모양] sin interrupción. 세 시간을 ~ 연설하다 dar un discurso de tres horas seguidas. ⑤ [종이나 피륙을 단번에 내리 찢는 소리] de un rasgón. 손수건을 ~ 찢다 rasgarse el pañuelo. 그는 포스터를 ~ 찢었다 El arrancó los carteles. ⑥ [여럿을 한 번에 훑어보는 모양] rápido, rápidamente, aproximadamente, brevemente, sucintamente, por poco tiempo. ~ 훑어보다 echarle un vistazo (a), echarle una ojeada (a), hojear, leer por encima. 나는 페이지를 ~ 훑어보았다 Le eché una ojeada [un vistazo] a la página.

죽(竹) ① [대] bambú *m* (*pl* bambúes). ② [피리] flauta *f*. ③ [대의 조각] pedazo *m* del bambú.

■ ~간(竿) palo *m* de bambú. ~간(簡) libro *m* de bambúes.

죽(粥) gachas *fpl*, gachas *fpl* de avena, puches *mpl*, *Méj* [옥수수 가루와 우유가 섞인] atole *m*; [귀리의] avena *f* (cocida). 환자의 ~ puches *mpl* de enfermo. ~을 끓이다 cocinar gachas. ~을 먹다 comer gachas. ~ 끓일 것도 없다 ser tan pobre como un ratón de sacristía. ~도 못 먹을 지경이다 tener apenas el mínimo necesario para vivir. 그것은 식은 ~ 먹기다 No es nada / Es pan comido / Es tirado / Es una papa / *RPl* Es un bollo / *Chi* Es botado.

◆ 밀~ gachas *fpl* de trigo. 보리~ gachas *fpl* de cebada. 쌀~ gachas *fpl* de arroz. 전복~ gachas *fpl* de oreja marina.

■ ~물 gachas *fpl* claras [poco espesas].

죽겠다 morirse (de). 미워 ~ morirse de odio. 배고파 ~ morirse de hambre. 우스워 ~ morirse de risa. 나는 배고파 죽겠습니다 Me muero de hambre. ☞죽다[1]

죽근(竹根) raíz *f* (*pl* raíces) del bambú.

죽기(竹器) plato *m* de bambú, vasija *f* de bambú, vaso *m* de bambú.

죽는소리 ① [불평. 비평] queja *f* (formal). ~하다 quejar(se), reclamar, refunfuñar, rezongar. ② [비명] grito *m*, chillido *m*, alarido *m*. ~를 지르다 gritar, chillar, dar un grito [un chillido], pegar un grito [un chillido]. 아파서 ~를 지르다 gritar de dolor.

죽는시늉 mímica *f* de morir.

죽다[1] ① [목숨이 끊어지다. 생명(生命)을 잃다] morir(se), fallecer, perecer, fenecer, finar, sucumbir, expirar, finir, quedarse, dar fin, estirar las piernas, estirar la pata, cerrar los ojos, dejar este mundo, llamarlo Dios, dejar de vivir, dejar de existir, perder la vida, extinguirse, acabarse; [자살하다] matarse, suicidarse; [숨지다] expirar, dar el último suspiro. 죽은 muerto, difunto, fallecido, finado. 죽은 사람 difunto, -ta *mf*, muerto, -ta *mf*. 죽은 아버지 el difunto padre. 죽은 왕비(王妃) fallecida [difunta] reina *f*. 죽은 친구 muerto amigo *m*, muerta amiga *f*. 죽은 사람의 얼굴 cara *f* de muerto. 죽느냐 사느냐의 문제 una cuestión de vida o muerte. 죽느냐 사느냐에 관한 결정 una decisión de vida o muerte. 지금은 죽고 없는 사장 el señor presidente de feliz [grata] memoria. 죽을 각오로 dispuesto a morir. 죽을 때까지 hasta la muerte, hasta que se muera. 죽을지라도 aunque muera. 죽을 경우에 en caso de *su* muerte, en caso de que muera. 다 죽어 가는 소리로 con una voz endeble, con una voz casi desnanecida. 프랑코가 죽은 후 después de la muerte de Franco, después de que murió Franco. …로 ~ morir(se) de *algo*. 굶어 ~ morir(se) de hambre. 목말라~ morir(se) de sed. 목매달아 ~ ahorcarse, quitarse la vida ahorcándose. 부상으로 ~ morir(se) por [de] una herida recibida. 얼어 ~ morir(se) de frío. 자연사(自然死)로 ~ morir(se) de muerte natural. 젊어서 ~ morir(se) joven. 스무 살에 ~ morir a los veinte años. 죽을 정도로 지루하다 morirse de aburrimiento. 추워 죽겠다 Me muero de frío / Hace frío que me muero / El frío es insoportable / Tengo un frío terrible. 무서워 죽겠다 Me muero de miedo. 배고파 죽겠다 Me muero de hambre / Estoy muerto de hambre / Me mata el hambre. 분해 죽겠다 Reviento de cólera. 우스워 죽겠다 Reviento de risa. 좋아 죽겠다 Reviento de alegría. 졸려 죽겠다 Me caigo [Me muero] de sueño. …하기보다는 차라리 죽는 편이 낫다 Más vale morir que + *ind* / Antes prefiero morir que + *ind*. 그는 편안히 죽었다 El tuvo una buena muerte / El tuvo una muerte tranquila. 그는 위암으로 죽었다 El (se) murió de cáncer del estómago. 그는 전쟁에서 죽었다 El murió en la guerra. 그는 사고로 죽었다 El murió [se mató] en un accidente / El perdió su vida [pereció] en el accidente. 소말리아의 많은 아이들이 굶어 죽었다 Muchos niños somalíes se murieron de hambre. P 장군은 살해되어 죽었다 El general P murió asesinado. 어머니가 돌아가신 지 1년이 되었다 Hace un año que murió mi madre. 그녀가 병원에 도착했을 때는 이미 죽었다 Cuando ella llegá al hospital ya había muerto / Ella ingresó cadáver. 내가 죽으면 이 모든 것은 네 것이 될 것이다 Todo esto será tuyo cuando yo me muera. 온 집안이 쥐 죽은 듯 조용하다 Un silencio sepulcral [de muerte] reina en toda la casa. 가족 일이 너무 걱정되어 죽으려도 죽을 수가 없다 Me preocupa tanto lo de mi familia que no podría morir tranquilo. 그는 죽을 수밖에 없다고 다시 생각하기 시작했다 El empezó de nuevo pensando que ya no tenía (nada) más que perder. 그녀는 죽은 사람처럼 창백하다 Ella está pálida como una muerta. 그 소동으로 죽은 사람이 한 사람 있었다 En el tumulto hubo un muerto. 사람은 누구나 한 번은 죽는 법이니 죽음을 두려워해서는 안 된다 No hay que temer a la muerte porque sólo se muere una vez. 칼로 죽이는 자는 칼로 죽는다 Quien [El que] a hierro mata, a hierro muere. 나쁜 것은 결코 죽지 않는다 ((서반아 속담)) Mala hierba nunca muere. 나쁘게 살면 나쁘게 죽는다 ((서반아 속담)) A mal vivir, mal morir. (전쟁터에서) 잘못 죽느니보다는 (나중을 위해) 도망치는 것이 낫다 ((서반아 속담)) Más vale un buen huir que un mal morir / Antes huir que morir. 죽지 않는 한 희망은 있는 것이다 ((서반아 속담)) Mientras no te mueras, espera / Mientras hay vida, hay esperanza. 모든 사람은 울면서 태어나지만 어느 누구도 웃으면서 죽지 않는다 ((서반아 속담)) Todos llorando nacieron, y nadie muere riendo. 사람은 사는 대로 죽는다 ((서반아 속담)) Cual la vida, tal la muerte. 진정한 사랑은 죽을 때까지 지속된다 ((서반아 속담)) Amor fuerte dura hasta la muerte. 죽은 자는 친구가 없다 ((서반아 속담)) Con los muertos no se cuenta. 죽은 자는 쉬 잊혀진다 ((서반아 속담)) Quien pasa a la otra vida, se le olvida. 죽은 자와 부재자(不在者)는 친구가 없다 [쉬 잊혀진다] ((서반아 속담)) Idos y muertos, olvidados presto / El muerto y el ausente no son gente / Muertos y ausentados, casi nunca recordados. ② [움직이던 물건이 그 동작을 중지하다] cesar, suspender, interrumpir, pararse. 네 시계는 죽었느냐? ¿Se te ha parado el reloj? ③ [불이 꺼지다] apagarse 난롯불이 죽었다 Se apagó la estufa. ④ [팔팔한 성질이나 빳빳한 기운이 줄어지다] (estar) abatido, desalentado, con el ánimo por los suelos, alicaído. 기가 ~ desanimarse. ⑤ [야구·술래잡기 따위의 선수나 바둑·장기 등의 말이 적에게 잡히다] ser capturado. ⑥ [놋쇠·은·수은·식초 등이 화학적 변화로 빛이나 맛을 잃다] [빛깔이] matar; [맛이] perderse el sabor. 이 색 때문에 다른 색이 죽는다 Este color mata el efecto de los otros. ⑧ [칼날 등이 무디어지다] desafilarse, embotarse el filo de un arma o herramienta.

◆죽고 못 살다 amarse mucho.

■죽기가 섧은 것이 아니라 늙는 것이 섧다 ((속담)) El miedo de muerte es peor que la muerte en sí. 죽어 보아야 저승을 알지 ((속담)) Quien no se aventura no pasa la mar / Quien no se arrisca, no aprisca / Quien no se aventuró, ni perdió ni ganó / Quien no se aventura, no ha ventura. 죽은 자는 말이 없다((속담)) Los muertos no hablan (죽은 자는 해를 끼칠 수 없다). 죽은 정승이 산 개만 못하다 ((속담)) Más vale perro vivo que león muerto / Es mejor tener poco que desear mucho que no se tiene [no se puede].

죽고 싶은 생각【심리】pulsión *f* de muerte.

죽다² [두드러져야 할 자리가 꺼져서 비다] estar hundido. 죽은 콧날 el caballete hundido. 콧날이 ~ el caballete estar hundido.

죽담 muro *m* de piedras.

죽데기 rajadura *f* [grieta *f*] de al lado del tronco entero.

죽도(竹刀) ① [대칼] espada *f* de bambú. ② [검도 연습용의] florete *m* de bambú.

죽두목설(竹頭木屑) objeto *m* de muy poco uso.

죽 떼다 ((준말)) =죽지 떼다.

죽렴(竹簾) =대발.

죽림(竹林) boscaje *m* [bosque *m*] de bambúes.

죽마(竹馬) zanco *m*, caballo *m* de bambú. ~를 타다 andar en [a] zancos.

■~고우(故友) amigo, -ga *mf* de la niñez [de la infancia]. ~구우(舊友) =죽마고우. ~구의(舊誼) amistad *f* entre amigos de la infancia.

죽물(粥―) ganchas *fpl* claras, gachas *fpl* poco espesas.

죽물(竹物) objetos *mpl* de bambú.

죽바디 carne *f* de la parte interior de la pierna de la vaca.

죽부인(竹夫人) almohadón *m* (*pl* almohadones) largo y redondo de bambú.

죽비(竹扉) puerta *f* de bambú.

죽비(竹篦) [대빗] peine *m* de bambú.

죽살이 la muerte y la vida.

죽살이치다 hacer un esfuerzo desesperado.

죽세공(竹細工) labores *fpl* de bambú, obra *f* de bambú; [세공] objeto *m* de bambú. ~을 하다 trabajar en bambú.

죽순(竹筍) vástago *m* [retoño *m*·brote *m*] de bambú.

죽술¹(粥―) [몇 숟가락의 죽] unas cucharadas de gachas. ~이나 먹고 살다 vivir una vida escasa.

죽술²(粥―) [죽을 쑤어 누룩과 섞어 만든 술] vino *m* de gachas con levadura.

죽어라 하고 ① [필사적으로] desesperadamente, frenéticamente. ② [목숨을 걸고] por vida. ③ [전력을 다해] con todas *sus* fuerzas. ~ 밀다 empujar con todas *sus* fuerzas. 나는 ~ 잡아당겼다 Yo tiré con todas mis fuerzas.

죽어지내다 vivir bajo opresión.

죽엽(竹葉) hoja *f* de bambú.

죽은 목숨 ① [살 길이 막힌 목숨] cadáver *m* vivo. ② [자유를 잃어 살아도 사는 보람이 없는 사람] persona *f* esclavizada.

죽을 둥 살 둥 a todo correr, a toda prisa, como un galgo, a más no poder, a brazo partido. ~ 달리다 correr a todo correr [a toda prisa · como un galgo · a más no poder]. ~ 싸우다 luchar a brazo partido.

죽을병(—病) enfermedad *f* mortal. ~에 걸리다 sufrir de una enfermedad mortal.

죽을 뻔 살 뻔 por un pelo, por los pelos. ~ 도망치다 escaparse por muy poco. 나는 ~ 비행기를 탔다 No perdí el avión por un pelo [por los pelos].

죽을상(—相) cara *f* de angustia, cara *f* desesperada, facies *f* hipocrática, cara *f* presagiada la muerte. 그의 얼굴에는 ~이 나타나 있다 Su cara ya presagia la muerte.

죽을죄(—罪) crimen *m* digno de muerte.

죽음 muerte *f*, fallecimiento *m*, difunción *f*. ~을 초래하는 mortífero. ~의 공포(恐怖) terror *m* de la muerte, miedo *m* a la muerte. ~에 이르다 estar al punto de morir, estar moribundo, estar para morir, estar muriéndose. ~에 이르게 하다 causar la muerte (a · de), dar muerte (a). ~에 직면(直面)하다 arrostrar la muerte, afrontar muerte con tranquilidad. ~을 각오하다 aceptar la muerte con firmeza; [상태] estar dispuesto a morir. ~을 면하다 escapar de la muerte. ~을 장식하다 hacer el muerto. ~을 재촉하다 precipitar la muerte (de), acelerar la muerte (a). ~의 원인이 되다 causar muerte. 훌륭한 ~으로 사후(死後)까지 명예를 날리다 morir con gloria, morir con honra. 나는 ~의 공포를 가졌다 Me llevé un susto de muerte. 나는 적에게 포위되어 ~을 각오했다 Rodeado de enemigos, creí que iba a morir. 그는 의사한테서 ~을 선고받았다 El fue desahuciado por el médico. 그는 ~의 신이 들렸다 El tenía sobre sí la mano de la Muerte / El estaba poseído por el dios de la muerte. 그들은 ~으로 뭉쳤다 La muerte los unió. ~은 쉽고 삶은 어렵다 Es difícil vivir más que morir. 반역자에게 ~을! ¡Muerte al traidor! 자유(自由)가 아니면 ~을 달라! ¡Libertad o muerte! ~은 만사(萬事)의 치료제이다 ((서반아 속담)) La muerte es gran remediadora. ~은 모든 빚을 갚는다 ((서반아 속담)) La muerte todo lo ataja. ~은 확실하지만 아무도 그 때를 모른다 ((서반아 속담)) Muerte cierta, hora incierta. ~은 곧 태어나는 것이다 ((서반아 속담)) Morir es nacer / Morir es volver a vivir. ~을 두려워하는 자는 삶을 즐기지 못한다 ((서반아 속담)) Quien teme la muerte no goza la vida. 사람은 누구나 태어나자마자 ~이 시작된다 ((서반아 속담)) Cuando empezaste a vivir, empezaste a morir. 잘못 사는 사람은 ~도 좋지 않다 ((서반아 속담)) A mal vivir, mal morir. 기다리지 않아도 ~은 시시각각 다가온다 ((서반아 속담)) Cuando menos se espera, la muerte llega. 좋은 삶은 좋은 ~을 만든다 ((서반아 속담)) No es mala la muerte si el hombre va como debe.

죽음의 고통(苦痛) agonía *f*. 고래가 ~에 임해 있었다 La ballena agonizaba [daba los últimos estertores].

죽음의 수용소(收容所) campo *m* de exterminación.

죽음의 자리 lecho *m* de muerte.

죽음의 재 polvo *m* radiactivo.

죽음의 전조(前兆) toque *m* de difuntos, doble *m*. 텔레비전은 지방 극장의 ~였다 El advenimiento de la televisión presagió el desaparición de los cines de barrio.

죽음의 함정(陷穽) [인명 피해의 우려가 있는 건물(建物) · 차량 · 상태 · 장소] edificio *m* [vehículo *m*] muy poco seguro.

죽의 장막(竹—帳幕) cortina *f* de bambú.

죽이다 ① [살해하다] matar, dar la muerte (a), quitar la vida; [모살하다] asesinar; [사형에 처하다] ejecutar, ajusticiar; [도살하다] hacer una carnicería, matar reses; [학살하다] dar una muerte cruel. 사람을 ~ cometer homicidio, matar una persona. 소를 ~ matar un toro. 숨을 ~ contener el aliento. 사람을 죽이려고 하다 hacer una tentativa sobre la vida (de). 고문하다가 ~ matar atormentándo*le* [a fuego lento]. 칼로 죽이는 자는 칼로 망한다 Quien a hierro mata, a hierro muere. ② [움직이던 물건의 기능을 정지시키다] parar. 엔진을 ~ parar el motor. ③ [불을 끄다] apagar. 불을 ~ apagar el fuego. ④ [기세를 꺾거나 기운을 줄게 하다] contener, dominar, refrenar, restar, bajar. 감정을 ~ contenerse de emoción. 소리를 ~ bajar la voz. 흥미를 ~ restar interés. ⑤ [잃다] perder. 전쟁에 아이를 ~ perder a un hijo en la guerra. 나무를 ~ marchitar una planta. 나는 병으로 소를 죽였다 Yo perdí una vaca por la enfermedad. ⑥ [옷이나 종이의 풀기를 없애다] quitar el almidón. ⑦ [불거진 모서리를 깎아 내다] recortar, cepillar. ⑧ [제 치수나 수량에서 조금 모자라게 하다] hacer faltar.

죽인(竹印) sello *m* de raíz de bambú.

죽일 놈 ¡Sinvergüenza! / ¡Pillo! 이 ~아! ¡Caray! / ¡Carajo! 그놈 ~이군! El es un pillo, verdaderamente.

죽자꾸나 하고 desesperadamente, frenéticamente, como si *su* vida dependiera de eso, urgentemente, con urgencia. ~ 헤엄치다 nadar como alma que lleva el diablo. ~ 달려라 ¡Sálvese quien pueda! 그들은 ~ 달려야 했다 Ellos tuvieron que correr como alma que lleva el diablo.

죽장(竹杖) bastón *m* de bambú.

죽장구(竹—) *chukchanggu*, tambor *m* con el cuerpo de bambú.

죽장기(—將棋) mala mano *f* en el ajedrez. ~를 두다 jugar mal al ajedrez.

죽장망혜(竹杖芒鞋) bastón *m* (*pl* bastones) de bambú y zapatos de paja.

죽젓개 =죽젓광이.

죽젓개질 obstrucción *f*. ~하다 obstruir.

죽젓광이 palo *m* de madera al preparar las gachas.

죽죽 ① [여러 줄로 늘어선 모양] en hilera, en fila, hilera tras hilera, fila tras fila. 나무가 ~ 심어져 있었다 Los árboles estaban plantados en hilera. ② [동작이 여러 번 거침없이 나아가는 모양] rápido, rápidamente. ~ 자라다 crecer rápidamente. ~ 발전하다 adelantar rápidamente, hacer un progreso rápido, hacer rápidos progresos. ③ [종이나 피륙을 계속해서 찢는 소리] en pedacitos. ~ 찢다 hacer trizas, trizar. 종이를 ~ 찢다 hacer trizas un papel. 그녀는 편지를 ~ 찢었다 Ella rompió la carta en pedacitos / Ella hizo trizas la carta. ④ [비가 자꾸 내리는 모양] a cántaros. 비가 ~ 내렸다 Estaba cayendo una cortina de agua / Llovía a cántaros. ⑤ [계속해서 줄을 치거나 선을 긋는 모양] línea tras línea. 줄을 ~ 긋다 trazar línea tras línea. ⑥ [입으로 계속해서 빠는 소리] con avidez, con voracidad, rápidamente, a boca de jarro, a pico de jarro. ~ 들이켜다 beber con avidez, beber a boca [a pico] de jarro, echar(se) tragos (de algo) con voracidad. 손가락을 ~ 빨다 chuparse el dedo.

죽지 ① [팔과 어깨가 서로 이어져 있는 관절 부분] omoplato *m*, omóplato *m*, escápula *f*. ② [새의 날개가 몸에 붙은 부분] articulación *f* de una ala.
죽지 떼다 ㉮ [활을 쏠 때 쏘고 나서 어깨를 내리다] bajar los brazos después de lanzar la flecha. ㉯ [하인들이 배후를 믿고 기세를 부리다] darse aires, portarse autoritario [dominante], ser imperioso, ser estirado, *CoS* mandarse la(s) parte(s).

죽창(竹窓) ventana *f* de bambú.

죽창(竹槍) ① [대로 만든 창] lanza *f* de bambú. ② ((준말)) =죽장창(竹杖槍).

죽책(竹冊) libro *m* de bambúes.

죽책(竹柵) cerca *f* de bambúes.

죽총(竹叢) bosque *m* de bambúes pequeño.

죽치 productos *mpl* fabricados en serie, productos *mpl* bastos al por mayor, objetos *mpl* vendidos por docenas.

죽치기 comercio *m* al por mayor. ~로 사다 comprar al por mayor. ~로 팔다 vender al por mayor.

죽치다 encerrarse (en), frecuentar. 절에서~ encerrarse en un templo budista. 술집에 죽치고 있다 frecuentar la taberna. 집에 죽치고 있다 quedare en casa sin hacer nada, estarse encerrado en casa. 애인의 집에 죽치고 있다 permanecer largo tiempo en casa de *su* amante.

죽침(竹枕) almohada *f* de bambú.

죽침(竹針) aguja *f* de bambú.

죽침(竹鍼) 【한방】 (aguja *f* de) acupuntura *f* de bambú.

죽통(竹筒) barril *m* de bambú.

죽피(竹皮) cáscara *f* del vástago de bambú.
■ ~방석(方席) cojín *m* [almohadón *m*] de cáscara del vástago de bambú.

준(準) 【인쇄】 =교정(校正).
◆ 준(을) 보다 corregir las pruebas.

준(罇) ① [제향 때 술을 담는 긴 항아리 모양의 구리 그릇] recipiente *m* de cobre para la bebida en el servicio funeral. ② [질그릇으로 된 옛날 술잔] vaso *m* de barro.

준-(準) sub-, semi-, no regular, asociado. ~우승(자) subcampeón, -peona *mf*. ~회원 miembro *mf* no regular; miembro *m* asociado, miembro *f* asociada. ~결승 semifinal(es) *f(pl)*.

준거(峻拒) rechazo *m* rotundo. ~하다 rechazar [negar · rehusar] rotundamente.

준거(準據) conformidad *f*. ~하다 acomodarse (a · con), conformarse (a · con), basarse (en), apoyarse (en), ser basado. …에 ~하여 conforme a *algo*, en conformidad con *algo*, con arreglo a *algo*. 규칙(規則)에 ~하다 conformarse en el reglamento.

준걸(俊傑) gran hombre *m*, héroe *m*, hombre *m* de gran habilidad, genio *m*.
준걸스럽다 (ser) sobresaliente.
준걸스레 sobresalientemente.

준결승(準決勝) semifinales *fpl*. ~의 semifinal. ~에 진출한 (사람) semifinalista *mf*. ~에 진출하다 avanzar a la semifinal.
■ ~전(戰) semifinales *fpl*. ~ 진출자(進出者) semifinalista *mf*.

준골(俊骨) ① [준수하게 생긴 용모] físico *m* eminente, hombre *m* de físico eminente. ② =준걸(俊傑).

준공(竣工) terminación *f* (de la obra), acabamiento *m*, consumación *f*. ~하다 terminar(se), acabarse, completarse, consumarse. 공사(工事)의 ~이 가깝다 La obra está para terminarse.
■ ~기(期) tiempo *m* de terminación. ~식(式) ceremonia *f* de terminación de las obras.

준교사(準教師) maestro, -tra *mf* asistente, maestro, -tra *mf* auxiliar.

준금치산(準禁治産) ((구용어)) =한정 치산.

준급(準急) ((준말)) =준급행(準急行).

준급하다(峻急-) (ser) muy empinado, escarpado, cortado a pico.

준급행(準急行) ((준말)) =준급행열차.
■ ~열차 expreso *m* local, semi-expreso *m*, semi-exprés *m*.

준동(蠢動) ① [벌레 따위가 꿈적거림] meneo *m*, movimiento *m*. ~하다 retorcerse, menearse, moverse. ② [무지한 것, 하잘것없는 무리가 소동함] conducta *f* vil [despreciable · infame], actividades *fpl*. ~하다 (ser) activo. 불평분자의 ~ actividades *fpl* de los elementos descontentos.

준두(準頭) extremo *m* [punta *f*] de la nariz.

준득거리다 (ser) engomado, adhesivo, pegajoso, pringoso.
준득준득 pegajosamente, pringosamente, adhesivamente.

준령(峻嶺) pico *m* alto y empinado.

준례(準例) precedente *m*.

준로(峻路) camino *m* escarpado.

준론(峻論) discusión *f* rigurosa [seria], crítica *f* estricta [rigurosa].

준마(駿馬) caballo *m* excelente, caballo *m* ligero; 【시어】 corcel *m*.
준말 ① =약어(略語). 약언(略言). ② =약칭.
준물(俊物) hombre *m* de habilidad eminente.
준법(峻法) ley *f* severa.
준법(遵法) obediencia *f* a las leyes.
■ ~정신(精神) respeto *m* a la ley, respeto *m* de la legalidad, espíritu *m* de obedidiencia a las leyes, legalidad *f*, lealtad *f* a la ley. ~ 투쟁(鬪爭) lucha *f* respectuosa a la ley.
준별(峻別) distinción *f* estricta, separación *f* estricta. ~하다 distinguir [separar] estrictamente. 공사(公私)를 ~하다 separar estrictamente lo público de lo privado.
준보다(準―) 【인쇄】 corregir las pruebas.
준봉(峻峰) pico *m* empinado [escarpado].
준봉(遵奉) observancia *f*. ~하다 observar, obedecer.
준비(準備) preparación *f*, preparativo *m*. ~하다 preparar, hacer los preparativos (de). 아무런 ~도 없이 sin ningún preparativo, sin ninguna preparación. 식사를 ~하다 preparar [disponer] la comida, hacer los preparativos de la comida. 여행을 ~하다 preparar el viaje, hacer los preparativos para el [del] viaje; [가방을 꾸리다] hacer la maleta. 자동차를 ~하다 preparar [disponer] un coche. 자리를 ~하다 dar un asiento. 출발 ~를 하다 arreglarse para la salida. 산에 갈 ~를 하다 prepararse para subir a la montaña. …의 ~를 시작하다 ponerse a preparar *algo*. 식사가 벌써 ~되어 있다 Ya está puesta la mesa / Está preparada la comida. 자동차는 이미 ~되었다 Ya está listo el coche. 나는 벌써 ~되었다 Ya estoy listo / [몸단장이] Ya estoy arreglado / [짐이] Ya tengo el equipaje listo. 저녁 식사가 ~되어 있다 Está preparada la cena. 나는 출발할 ~가 되어 있다 Estoy listo para salir. 이제 출발 ~를 할 시간이다 Ya es hora (de) que nos dispongamos para la partida. 우리 모두 ~가 끝났다 [남자들·남녀가] Todos estamos listos / [여자들이] Todas estamos listas. 모두 ~가 끝났다 [나를 제외하고] Todos están listos / [나를 제외한 여자들이] Todas están listas. 오늘 당장 일을 끝마칠 수 있도록 ~해 주세요 Arregle las cosas de modo que pueda terminar el trabajo hoy mismo. 그는 언제나 미리 ~하고 있다 El está siempre preparado [listo] de antemano. 그녀는 외출 ~에 시간이 많이 걸렸다 Ella ha tardado mucho en arreglarse para salir. ~가 잘 되었군요 ¡Qué bien preparado está!
◆ 예금 지불 ~ 제도 requisitos *mpl* de reservas legales contra depósitos.
■ ~ 공사(工事) obra *f* preparatoria, obra *f* preliminar. ~ 교육(教育) educación *f* preparatoria, educación *f* preliminar. ~금(金) reserva *f*, fondo *m* reservado, fondo *m* de contingencia civil. ~ 기간(期間) período *m* preparatorio [preliminar]. ~ 단계 etapa *f* preparatoria, etapa *f* preliminar. ~부족(不足) falta *f* de preparación, imprevisión *f*. ~ 서면 documentos *mpl* preparatorios. ~액 cantidad *f* preparatoria. ~ 운동(運動) ejercicios *mpl* preparatorios. ~ 위원(委員) miembro *mf* del comité preparativo. ~ 위원회 comité *m* preparativo, comité *m* encargado [comisión *f* encargada] de los preparativos, comisión *f* de la reserva. ~ 은행 banco *m* de reserva. ~ 체조(體操) ejercicios *mpl* preparatorios.
준사(俊士) =준걸(俊傑).
준사관(準士官) 【군사】 =준위(准尉).
준설(浚渫) dragado *m*, dragaje *m*. ~하다 dragar.
■ ~ 공사(工事) obra *f* de dragado. ~기(機) draga *f*. ~선(船) dragaminas *m*, draga *f*, dragador *m*. ~ 작업 operación *f* de dragaje, obra *f* de dragaje.
준수(遵守) observación *f*. ~하다 observar, guardar, obedecer, cumplir, adherirse (a). 법률(法律)의 ~ observación *f* de la ley. 법률을 잘 ~하는 국민 pueblo *m* respectuoso de la ley. 규칙을 ~하다 observar las reglas. 법률을 ~하다 observar la ley. 엄격히 ~하게 하다 poner en observación.
준수하다(俊秀―) sobresalir [distinguirse · descollar] en talento y elegancia. 준수한 prominente, destacado, distinguido, extraordinario. 준수함 talento *m* superior y elegancia.
준순(浚巡) vacilación *f*. ~하다 vacilar.
준승(準繩) ① [수준기와 먹줄] el level y la línea de marca. ② [일정한 법식] regla *f* fija, forma *f* fija, norma *f*, regla *f*.
준언어(準言語) 【언어】 paralenguaje *m*.
■ ~학(學) paralingüística *f*.
준엄하다(峻嚴―) (ser) muy severo, riguroso, estricto, duro. 준엄함 severidad *f*. 준엄한 검열(檢閱) censura *f* estricta. 준엄한 태도 actitud *f* severa.
준열하다(峻烈―) (ser) severo, duro, estricto. 준열함 severidad *f*. 준열한 비판 crítica *f* severa, crítica *f* dura.
준우승(準優勝) accésit *m.sing.pl*, segundo rango *m*, segundo puesto *m*. ~하다 proclamarse subcampeón [여자 subcampeona]. ~을 차지하다 obtener el segundo puesto [rango].
준위(准尉) 【군사】 subteniente *mf*, suboficial *mf*, oficial *m* subalterno [subordinado], oficiala *f* subalterna [subordinada].
준장(准將) 【군사】 [육군] general *mf* de brigada, *Chi* brigadier general *mf*, *Urg* general *mf*; [해군] contraalmirante *mf*; [해병] general *mf* de brigada; [공군] general *mf* de brigada, *Chi* general *mf* de brigada aérea, *Urg* brigadier general *mf*, *Per* mayor general *mf*, *Arg* brigadier *mf*.
준재(俊才) ① [뛰어난 재주] talento *m* eminente. ② [뛰어난 재주를 가진 사람] hombre *m* de talento.

준절하다(峻截/峻切—) ① [산이 깎아지른 듯이 높고 험하다] (ser) empinado, escarpado, cortado a pico. ② [매우 위엄 있고 정중하다] (ser) severo, estricto, rígido, digno, circunspecto.

준족(駿足) ① =준마(駿馬). ② [걸음이 빠르고 잘 달림] rapidez *f*, velocidad *f*; [걸음이 빠르고 잘 달리는 사람] buen corredor *m*, buena corredora *f*. ~의 rápido, veloz. 그는 ~이다 El es ligero en su carrera.

준준결승(準準決勝) cuarto(s) *m(pl)* de final, juego *m* antesemifinal.
■ ~자(者) cuartofinalista *mf*.

준지(準紙) =교정지(校正紙).

준치 【어류】 una especie de sábalo.

준칙(準則) regla *f*, regulaciones *fpl*. 법률은 행위의 ~이다 La ley es la regla de conducta.

준평원(準平原) penillanura *f*.

준하다(準—) ① [어떤 본보기에 비추어 그대로 좇다] concordar, estar proporcionado (a), corresponder (a), ir de acuerdo (con). …에 준해서 de acuerdo con *algo*, con arreglo a *algo*, según *algo*. 쌀이나 그것에 준한 다른 식료품(食料品) arroz *m* o sus equivalentes. 연금 생활자나 그것에 준한 사람 pensionista *mf* o persona por el estilo. 물가의 상승에 준해서 월급을 올리다 aumentar el sueldo de acuerdo con el alza de los precios. 이하(以下) 이것에 준한다 Esto se aplica igualmente a los casos siguientes. ② 【인쇄】 [교정하다] corregir las pruebas.

준행(遵行) observancia *f*, cumplimiento *m*. ~하다 observar. 법(法)을 ~하다 observar las leyes.

준험하다(峻險—) (estar) precipitoso, escarpado. 준험함 precipitación *f*.

준현행범(準現行犯) 【법률】 delito *m* cuasi-flagrante.

준회원(準會員) miembro *mf* no regular; miembro *m* asociado, miembro *f* asociada.

줄[1] ① [노·새끼 같은 것들의 총칭] cuerda *f*, soga *f*, cordón *m* (*pl* cordones); [선박용] cabo *m*; [등산용] cordada *f*, [교수형용] horca *f*. 팽팽한 ~ cuerda *f* floja. 갈고랑이를 단 ~ cuerda *f* con gancho. ~로 묶다 atar [ligar] (con cuerda), *AmL* amarrar (*RPI* 제외). ~을 묶다 anudar la cuerda. …의 ~을 팔다 desatar *algo*. 말뚝 사이에 ~을 치다 tender una cuerda entre las estacas. 등산가들은 ~로 서로 이어 매고 있었다 Los escaladores formaron una cordada. ② [가로나 세로로 그은 선] línea *f*, [줄무늬] raya *f*, lista *f*. ~의 lineal. ~이 있는 a rayas, de rayas, rayado, listado. 몇 ~(에) unas líneas más bajo. 푸른 ~이 있는 흰 와이셔츠 una camisa blanca con rayas [listas] azules. 붉은 ~이 있는 푸른 드레스 un vestido azul con rayas [listas] rojas. 5페이지의 열째 ~ la línea diez de la página cinco. 밑에서 여섯째 ~ la línea seis de la página diez desde abajo. 20페이지 밑에서 둘째 ~ la penúltima línea de la página veinte. ~을 긋다 linear, trazar una línea [las líneas]. ~을 바꾸다 cambiar de renglón. ~을 비우다 espaciar los renglones. ③ [벌여 선 행렬] cola *f*, desfile *m*. ~을 서다 desfilar; [창구 따위의] hacer cola. ~지어 서다 ponerse en fila, formar fila, hacer cola. ~을 흐트리다 estorbar el desfile; [순번을 지키지 아니하다] no respetar la cola. ~을 흐트리지 않다 guardar cola. ~의 뒤에 서다 ponerse en [a la] cola, seguir al último de la fila. 그들은 선생님 뒤에 ~지어 섰다 Ellos se pusieron en [formaron] fila detrás del maestro. 열차를 타기 위해서는 ~을 서야 합니까? ¿Hay que hacer cola para tomar el tren? 이것이 열 시 열차를 타기 위한 ~입니까? ¿Es ésta la cola para el tren de las diez? 표를 사기 위해 사람들은 ~을 선다 La gente hace cola para sacar [comprar] billetes. 가게 앞에 사람들이 ~을 서 있다 Está formada una cola delante de la tienda. ④ ((준말)) =쉿줄. ⑤ =연줄.

줄[2] [쇠붙이를 쓸거나 깎는 연장] lima *f*, [납작한] lima *f* plana; [모가 난] lima *f* de cuadradillo; [삼각의] lima *f* de triángulo; [둥글고 두꺼운] limatón *m*; [기계줄] limadora *f*. ~로 갈다 limar. 열쇠를 ~로 갈다 limar una llave.

줄[3] 【식물】 una especie de junco (para hacer esteras).

줄[4] [용언 뒤에 붙어 어떤 방법·셈속·사실 등을 표현하는 말((어미「ㄴ」이나「ㄹ」뒤에서만 쓰임] cómo, qué. …할 ~ 알다 saber + *inf*, cómo + *inf*, saber el arte de + *inf*. 어찌 할 ~ 모르다 no saber qué hacer, estar perplejo. 헤엄칠 ~ 알다 saber cómo nadar.

줄[5] [사람이나 물건의 늘어선 열을 세는 말] fila *f*. 한 ~로 서시오 Formen una fila / Pónganse en una fila.

줄(영 *joule*) 【물리】 [에너지와 일의 엠케이에스(MKS) 단위] julio *m* (J).
■ ~의 법칙 ley *f* de Joule. ~ 효과 efecto *m* Joule.

줄거리 ① [잎이 다 떨어진 가지] [식물·꽃의] tallo *m*; [과실의] pedúnculo *m*; [잎의] peciolo *m*, pecíolo *m*. ② [사물의 기본 골자] contorno *m*, pérfil *m*, plan *m* general; [극·소설의] argumento *m*, acción *f*, intriga *f*, [말·의논(議論)의] hilo *m*. 소설(小說)의 ~ argumento *m* [exposición *f* sumaria] de la novela. 이 연극(演劇)은 ~가 복잡하다 El asunto de esta obra teatral es complejo.

줄 걷다 [광대가 줄타기에서 줄 위를 걷다] caminar por la cuerda floja. 줄 걷는 광대 funámbulo, -la *mf*, equilibrista *mf*.

줄 걸리다 hacer caminar por la cuerda floja.

줄곧 continuamente, constantemente, día y noche, siempre, sin cesar, del principio al fin. 그 후 ~ desde entonces (hasta aquí). 오전 내내 ~ toda la mañana. 3년간 ~

por [durante] tres años enteros. 살아 있는 동안 ~ durante toda *su* vida. 여행 중 ~ durante todo el viaje, en todo el trayecto. 어제부터 ~ 비가 내리고 있다 Desde ayer está lloviendo sin cesar [sigue lloviendo]. 나는 그 사람과 ~ 함께 일하고 있다 Trabajo con él desde hace mucho tiempo.

줄글 prosa *f*.

줄 긋다 linear, trazar una línea.

줄기 ① [고등 식물의 기본 기관의 하나] tallo *m*. 나무 ~ tallo *m* del árbol. ~는 잎, 꽃 및 열매를 받쳐 준다 El tallo sostiene las hojas, las flores y las frutas. ② [물이 줄대어 흐르는 선] corriente *f*. 물~ corriente *f* del agua. ③ [산이 갈라져 나간 갈래] cadena *f*. 산~ cordillera *f*, cadena *f* de montañas. ④ [혈관(血管)의] vena *f*. ⑤ [소나기의 한 차례] aguacero *m*, chaparrón *m*, chubasco *m*.

줄기줄기 ① [시냇물이] en [por las] corrientes. ② [산이] en cadenas.

줄기차다 (ser) fuerte, vigoroso; [계속하다] incesante, ininterrumpido, constante. 줄기차게 fuerte, fuertemente, vigorosamente, incesantemente, sin cesar. 줄기찬 노력 esfuerzo *m* ininterrumpido, esfuerzo *m* constante.

줄깃줄깃 correosamente, masticablemente. ~하다 [고기가] (ser) correoso, duro, *Chi* latigudo; [과자가] masticable; [라벨이] engomado, adhesivo; [표면(表面)·직물(織物)이] pegajoso.

줄깃하다 [고기가] (ser) correoso, duro; [과자가] masticable.

줄넘기 salto *m* a la comba, salto *m* de cuerda. ~하다 saltar la cuerda, saltar a la comba, botar lanzando la comba.

줄다 disminuir, decrecer, menguar, mermar; [축소하다] reducirse; [소모되다] desgastarse; [수위(水位)가 내려가다] bajar. 최근 새가 줄었다 Ultimamente ha disminuido el número de aves / [눈에 적게 보이다] Se ven menos aves últimamente. 범죄가 줄었다 Han disminuido los crímenes. 경비(經費)가 줄었다 Han bajado los gastos. 강물이 줄었다 Han bajado el agua del río. 여름에는 강물이 준다 En verano decrecen [disminuyen] las aguas de los ríos. 나는 체중이 5킬로그램 줄었다 He perdido cinco kilogramos.

줄다리기 juego *m* de tira y afloja con una cuerda, juego *m* [lucha *f*] de la cuerda, lucha *f* por la supremacía.

줄달다 seguir uno tras otro. 줄달아 continuamente, sin interrupción, sucesivamente.

줄달음 ((준말)) =줄달음질.

◆줄달음(을) 치다 correr a toda prisa.

줄달음질 prisa *f*, *AmL* apuro *m*. ~하다 correr a toda prisa. 그들은 창문으로 ~했다 Ellos corrieron a la ventana. 나는 계단을 ~ 쳐 올라갔다[내려갔다] Subí [Bajé] las escaleras corriendo [a todo correr · a toda prisa]. 나는 그 소식을 듣자마자 집으로 ~ 쳐서 귀가했다 En cuanto oí la noticia, olví a casa corriendo [a todo correr · a toda prisa].

줄담배 cigarrillos *mpl* que siguen fumando. ~를 피우는 사람 persona *f* que fuma un cigarrillo tras otro. ~를 피우다 fumar un cigarrillo tras otro. 그는 ~를 피운다 El fuma como una chimenea / El fuma un cigarrillo tras otro / El fuma como un carretero / *Méj* El fuma como (un) chacuaco.

줄 대다 seguir. 줄 대서 continuamente, ininterrumpidamente, sin interrupción, constantemente, incesantemente, en fila. 줄 대어 서다 estar de pie en fila, hacer filas, formarse en fila.

줄도망(−逃亡) huida *f* seguida en fila.

줄드리다 ① [줄을 늘어뜨리다] colgar una cuerda. ② [가닥을 합하여 줄을 꼬다] enroscar la cuerda.

줄띠 ((준말)) =목줄띠.

줄먹줄먹 en varios tamaños pequeños.

줄멍줄멍 en grupo de cosas pequeñas.

줄목 punto *m* principal, lo más destacado.

줄무늬 raya *f*, lista *f*, rayado *m*. ~의 rayado. ~가 있는 a rayas, de rayas, con rayas, con rayado, rayado, listado. 푸른 ~가 있는 흰 드레스 un vestido blanco con rayas [listas] azules. 붉은 ~가 있는 푸른 와이셔츠 una camisa azul con rayas [listas] rojas. 흰 ~가 든 양말 calcetines *mpl* de rayas blancas.

줄무더기 mezcla *f*, combinación *f*.

■ ~형제(兄弟) hermanos *mpl* de las madres diferentes.

줄바둑 (juego *m* de) pobre *baduc*. ~을 두다 jugar al pobre *baduc*.

줄밥[1] [갓 잡은 매를 길들일 때 줄 한 끝에 매어 주는 밥] alimento *m* para el halcón.

줄밥[2] [줄질할 때 쓸리어 떨어지는 부스러기] limaduras *fpl*, limalla *f*.

줄방귀 pedos *mpl* seguidos.

줄방석(−方席) cojín *m* de cuerda.

줄사닥다리 escala *f* [escalera *f*] de cuerda [de soga], escala *f* de viento.

줄씹 coitos *mpl* seguidos, relaciones *fpl* sexuales seguidas..

줄어 가다 =줄어들다.

줄어들다 reducirse, aliviarse; [옷·천이] encogerse, acortarse; [고기가] achicarse; [나무·금속이] contraerse; [면적(面積)이] reducirse, verse reducido; [수량(數量)이] reducirse, disminuir, verse reducido; [사람이] achicarse; [약해지다] mitigarse, debilitarse, atenuarse, aligerarse; [작아지다] achicarse, disminuir; [좁아지다] estrecharse. 그의 고통이 줄어든다 Se le alivia [aligera] la pena. 치마가 빨 때 줄어들었다 La blusa (se) encogió al lavarla. 이 옷감은 줄어들지 않는다 Esta tela no se encoge al lavarla.

줄어지다 flaquear, debilitarse, perderla fuerza. 기억력이 줄어진다 Flaquea la memoria.

그의 외국에 대한 관심이 줄어졌다 Su interés por el extranjero se ha debilitado

줄이다 [수·액수를] reducir, disminuir, menguar, mermar, aminorar, decrecer; [긴장·압력을] disminuir, reducir; [가격·세금·집세·사용료를] reducir, rebajar; [열정·노력을] decaer, disminuir; [요구·수요(需要)를] disminuir, bajar; [고통을] aliviar; [크기를] reducir; [단축·삭감하다] acortar, recortar; [절약하다] economizar; [생략·요약하다] reducir, abreviar, compendiar, resumir; [작게 하다] empequeñecer, achicar; [좁히다] estrechar; [값을 인하하다] rebajar. 교통사고를 ~ reducir los accidentes de tráfico. 문장(文章)을 ~ abreviar [reducir · acortar] un texto. 비용을 ~ disminuir [reducir] los gastos. 생활비를 ~ disminuir los gastos de la vida diaria, economizar la vida, reducir la vida a lo necesario. 스커트의 길이를 ~ acortar la longitud de la falda. 식비(食費)를 ~ economizar el gasto de los alimentos. 옷의 기장을 ~ acortar el bajo (del vestido). 체류 기간을 ~ reducir la estancia. 속도를 줄이십시오 ((게시)) Disminuya la velocidad.

줄자 cinta *f* métrica (de acero), cinta *f* de medir, metro *m* de cinta.

줄잡다 calcular como mínimo, calcular menos. 손해는 줄잡아 백만 달러는 된다 Se calcula que las pérdidas son de un millón de dólares como mínimo.

줄줄 ① [굵은 물줄기가 계속해서 흐르는 소리] a mares, a borbotones; [피가] profusamente. ~나오다 brotar a mares, correr a borbotones. 땀이 ~ 나오다 [주어가 사람] sudar la gota gorda, sudar a mares. ② [굵은 줄 따위가 계속해서 끌리는 모양] arrastrando. ~ 끌리는 긴 드레스 un vestido largo, con cola. 치마가 ~ 끌리다 ser arrastrado la falda. ③ [떨어지지 않고 줄곧 따라다니는 모양] sucesivamente, en sucesión, uno tras otro, una tras otra. 학생들이 ~ 따라다닌다 Los alumnos siguen uno tras otro. ④ [막힘이 없이 무엇을 읽거나 외는 모양] con soltura, fluidamente, suavemente, corrientemente; [용이하게] fácilmente, con facilidad, sin dificultad. 서반아어를 ~ 읽다 [말하다·쓰다] leer [hablar · escribir] español con soltura.

줄줄이 en fila tras fila, todas las filas.

줄질 limadura *f*. ~하다 limar, desbastar con la lima. ~하는 사람 limador, -dora *mf*.

줄짓다 alinear, colocar en fila. 줄지어 en fila, formando una caravana. 줄지어 앉아 있는 사람들 los que están alineados en la plataforma. 줄지어 앉다 ponerse en fila. 줄지어 서다 alinearse. 자동차가 줄지어 가다 ir formando una caravana de coches. 병사(兵士)들이 세 열로 줄지어 있었다 Los soldados estaban alineados de tres en fondo. 도로에 연해 상점이 줄지어 서 있다 Hay muchas tiendas a lo largo de la calle.

줄참외 cantalupo *m* rayado.

줄 치다 ① [줄을 긋다] linear, trazar una línea. ② [줄을 건너 매다] estirar, tender cadenetas.

줄타기 arte *m* de funámbulo, paseo *m* en la cuerda de equilibrista [volatinero]. ~하다 caminar por la cuerda floja, pasear en la cuerda de equilibrista, marchar [andar] sobre la cuerda.

■ ~곡예사[광대] funámbulo, -la *mf*; equilibrista *mf*, volatinero, -ra *mf*.

줄 타다 caminar por la cuerda floja, marchar [andar] sobre la cuerda.

줄팔매 honda *f*.

■ ~질 acción *f* de tirar la honda.

줄표(-標) **【언어】** guión *m* (—).

줄행랑(-行廊) ① [대문 좌우 쪽으로 죽 벌여 있는 행랑] edificación *f* anexa. ② ((속어)) [도망] huida *f*.

◆줄행랑(을) 놓다 ☞줄행랑(을) 치다.

◆줄행랑(을) 치다 huir, escapar; [범인이] huir lejos (de la justicia).

줌 ① ((준말)) =주먹(puño). ¶~만 한 como un puño. ~으로 a puños. ~을 쥐고 a puño cerrado. ~을 쥐다 apretar los puños. ② ((준말)) =줌통(mango de arco). ③ [주먹으로 쥘 만한 분량] puñado *m*. 소금 한 ~ un puñado de sal. 한 ~의 쌀 un puñado de arroz. 한 ~을 움켜쥐다 coger a puñados.

줌(영 *zoom*) =줌 렌즈.

줌 렌즈(영 *zoom lens*) teleobjetivo *m*, (objetivo *m*) zoom *m*.

줌통 mango *m* [asa *f*] de arco.

줍다 recoger, coger; [발견하다] encontrar, hallar. 쓰레기를 ~ recoger basura. 길에서 지갑을 ~ encontrar un portamonedas en la calle. 주워 올리다 recoger. 주워 모으다 recoger, reunir; [자료 따위를 수집하다] espigar. 나는 책을 땅바닥에서 주웠다 Recogí un libro del seulo.

줏대 [자동차의] llanta *f* [rin *m*] metal de una rueda; [자전거의] aro *m* metal de una rueda.

줏대(主-) ① [사물(事物)의 가장 중요한 부분] principios *mpl* fijos, opinión *f* definida. ② [먹은 마음의 중심] fuerza *f* de carácter *m*. ~가 강한 de carácter firme [fuerte]. ~가 약함 debilidad *f* de carácter. ~ 없는 de poca (fuerza de) voluntad. ~ 없는 사람 persona *f* de poca (fuerza de) voluntad. 그는 ~가 없다 El es un tipo de poca voluntad / Ese tío es débil de carácter.

중 ((불교)) monje, -ja *mf*, bonzo, -za *mf*, sacerdote *m* budista. ~이 되다 hacerse bonzo [monje].

중(中) ① [중앙] centro *m*, mitad *f*, promedio *m*. ~ 이상의 por encima del promedio. ~ 이하의 por debajo del promedio. ~ 이상[이하]의 성적 nota *f* superior [inferior] a la media. ~의 상[하] mitad *f* para arriba [para abajo]; [계층] clase *f* media alta [baja]. ② [동안. 진행 중] durante, en, en el curso de, dentro de, mientras (que). 내

가 부재~ durante [en] mi ausencia. 내가 서반아에 체류~ durante mi estancia en España, mientras yo estaba en España. 수송 ~에 durante [en el curso del] el transporte. 실험 ~에 durante [en el curso del] el experimento. 이삼 일 ~에 dentro de dos o tres días, dentro de pocos días. 바쁜 ~에 aunque está ocupado. 건설 ~인 건물 edificio *m* en construcción. 여행 ~이다 estar de viaje. ③ [중에서] de, en, entre. 우리 ~에서 몇 명 algunos de nosotros. … ~에서 고르다 escoger de [entre · de entre] *algo · uno*. 다섯 명 ~ 한 명을 선출하다 elegir uno de los cinco. 열 명~ 아홉 명까지 hasta nueves de diez. 그는 세 사람 ~ 제일 키가 크다 El es el más alto de los tres. ④ [내내] todo el …, toda la …. 오전 ~ toda la mañana. 오후 ~ toda la tarde. 한 달 ~ todo el mes. 일년 ~ todo el año.

중-[1](重) [무엇이 겹쳤거나 둘이 합쳤음의 뜻] doble. ~모음 diptongo *m*.

중-[2](重) ① [크고 중대함] lo grande y lo importate. ② [무거움] pesado. ~기관총 ametralladora *f* pesada.

중가(重價) =중값(precio caro).

중가산금(重加算金) dinero *m* adicional pesado.

중간(中間) media *f*, promedio *m*, mitad *f*; [한가운데] centro *m*. ~의 intermedio, medio, intermediario, de nivel medio, en medio de; [한가운데의] central; [중위(中位)의] mediano. (길의) ~에서 a medio camino. …의 ~에 en medio entre *algo*. 연설(演說) ~에 en mitad del discurso. 서울과 부산의 ~에 (a medio camino) entre Seúl y Busan. A와 B의 ~을 취하다 tomar una postura intermedia entre A y B. 내 집은 대학과 정거장의 ~에 있다 Mi casa está a medio camino entre la universidad y la estación de ferrocarril.

■ ~ 가격(價格) precio *m* medio, precio *m* mediano. ~ 경기 boom *m* temporal. ~ 계급 clase *f* media. ~고사 examen *m* en el mitad; [2학기제의] examen *m* del semestre; [3학기제의] examen *m* del trimestre. ~ 공학(工學) tecnología *f* media. ~ 관리 mandos *mpl* [cuadros *mpl*] (inter)medios, gerencia *f* media. ~ 관리자(管理者) mando *mf* (inter)medio. ~권 mesosfera *f*. ~노선 neutralidad *f*. ~ 무역(貿易) comercio *m* intermedio. ~보고 informe *m* provisional. ~ 사이즈 [물건의] tamaño *m* mediano; [사람의] talla *f* [estatura *f*] media [mediana]. ~ 상인 intermediario, -ria *mf*. ~색 color *m* intermedio [neutral]. ~ 선거 elección *f* del año durante el cual no se celebran elecciones importantes. ~ 세포(細胞) =간세포(間細胞). ~ 소설 novela *f* de nivel intelectual medio. ~ 숙주 huésped *m* intermediario. ~ 시세 =중간 경기(中間景氣). ~역(驛) estación *f* intermedia. ~음 tono *m* intermediario. ~이득 ganancia *f* intermediaria. ~ 이름 [서양의] segundo nombre *m*. ~자 mesotrón *m*, mesón *m*. ~ 지점 mitad *f*. ~ 착취 explotación *f* hecha por el intermediario. ~층 ㉮ [지구의 시마(Sima) 층과 중심층 사이에 있는 층] estrato *m* intercalar [medio]. ㉯ =중간 계급. ~치 tamaño *m* mediano, artículo *m* [objeto *m*] mediano. ~파 neutrales *mpl*, dependientes *mpl*.

중간(重刊) reimpresión *f*, nueva edición *f*. ~하다 reimprimir, imprimir de nuevo.

중갑판(中甲板) cubierta *f* del medio.

중값(重－) precio *m* caro.

중개(仲介) mediación *f*, [중재(仲裁)] inercesión *f*, corretaje *m*; [개입(介入)] intervención *f*. ~하다 mediar (en), actuar de mediador, intervenir (en), servir de intermediario (para · en), hacer corretaje (de), terciar, interceder, conciliar. …로 ~로 por mediación [por conducto · por medio · a través] de *uno*, por intervención de *uno*. ~를 자청하다 ofrecerse de intermediario, prestarse a ser intermediario, ofrecer *su* mediación. 분쟁을 ~하다 mediar [actuar de] mediador en un conflicto, servir de medianero en una disputa. …를 ~로 내세우다 poner*le* a *uno* de intermediario.

■ ~국 poder *m* medianero. ~ 기관 medio *m*, agencia *f*. ~물 medio *m*, canal *m*. ~ 상인 comerciante *mf* de tránsito. ~ 수수료 corretaje *m*, comisión *f* (de corretaje). ~업 corretaje *m*; [주선업] agencia *f*. ~업자(業者) agente *mf*; intermediario, -ria *mf*; comisionista *mf*. ~인 intermediario, -dora *mf*; mediador, -dora *mf*; conciliador, -dora *mf*; [브로커] agente *mf*, corredor, -dora *mf*. ¶주식(株式) ~ corredor, -dora *mf* de bolsa; agente *mf* de bolsa. 환(換) ~ corredor, -dora *mf* de cambios. ~점(店) agencia *f*.

중거리(中－) sierra *f* mediana.

중거리(中距離) distancia *f* mediana, terreno *m* propicio para un avenimiento; ((운동)) medio fondo *m*; 【군사】 alcance *m* medio, alcance *m* mediano. ② ((준말)) =중거리 경주(中距離競走).

■ ~ 경주 carrera *f* de semi-fondo [de medio fondo]. ~달리기 carrera *f* de semi-fondo [de medio fondo]. ~ 미사일 misil *m* de alcance medio. ~ 선수 mediofondista *mf*, corredor, -dora *mf* de semi-fondo [de medio fondo]. ~ 유도탄(誘導彈) proyectil *m* balístico de alcance medio. ~ 탄도 미사일 misil *m* balístico de alcance medio. ~ 탄도 병기 proyectil *m* balístico de mediano alcance. ~ 탄도탄(彈道彈) misil *m* balístico de alcance medio [intermedio]. ~ 폭격기 avión *m* de bombardeo de alcance medio, bombardero *m* de medio alcance.

중건(重建) reconstrucción *f*, reedificación *f*. ~하다 reconstruir, reedificar.

중견(中堅) ① [어떤 단체나 사회에서 중심이

되는 사람] núcleo *m*, pilar *m*, puntal *m*. 단체의 ~ pilar *m* [puntal *m*] de la organización. 그는 이 회사의 ~이다 El forma parte del núcleo más activo de esta compañía. ② 【군사】 cuerpo *m* principal. ③ ((야구)) [2루의 뒤쪽] jardín *m* central, centro *m* campo.

■~ 간부(幹部) dirigente *m* [directivo *m*] intermedio, dirigente *f* [directiva *f*] intermedia. ~수 jardinero *mf* centro, centro *mf* campo. ~ 작가(作家) escritor, -tora *mf* importante.

중경상(重輕傷) herida *f* grave y ligera.

■~자(者) persona *f* grave y ligeramente herida.

중계(中繼) ① relé *m*, retransmisión *f*, [전달(傳達)] transmisión *f*, [라디오의] repetidor *m*; [전화] relevador *m*. ~하다 transmitir por repetidor; [라디오로] retransmitir; [라디오·텔레비전으로] reemitir; [동시 중계] transmitir [retransmitir] directamente [en directo]; [녹화 중계(錄畵中繼)] retransmitir diferidamente [en diferido]. ~로 por medio de un repetidor. ② =중계방송.

■~국 estación *f* retransmisora, estación *f* repetidora, relevador *m*. ~ 네트워크 =중계망. ~망 red *f* de retransmisión. ~ 무역 comercio *m* de tránsito, comercio *m* intermediario [transitorio]. ~방송 transmisión *f*, radiodifusión *f* a relevo. ~선 línea *f* de junta. ~소 estación *f* retransmisora, punto *m* de relevo. ~ 시스템 sistema *m* de retransmisión. ~ 위성 satélite *m* repetidor. ~차 coche *m* retransmisor. ~탑 [라디오의] torre *f* de retransmisión. ~항 puerto *m* de tránsito. ~ 회로(回路) circuito *m* de enlace.

중고(中古) ① 【역사】 la Edad Media. ② ((준말)) =중고품(segunda mano). ¶~의 [자동차나 옷 따위의] de segunda mano, usado; [책방의] viejo; [가게의] de artículos de segunda mano. ~로 a segunda mano. ~로 사다 comprar de segunda mano.

■~ 가전제품 electrodomésticos *mpl* usados. ~사(史) historia *f* de la Edad Media. ~ 자동차 automóvil *m* de segunda mano, coche *m* usado, coche *m* de segunda mano, coche *m* de ocasión. ¶~ 세일즈맨 vendedor *m* de coches usados [de segunda mano·de ocasión]. ~ 타이어 neumático *m* usado, *ReD* goma *f* usada. ~품(品) (artículo *m* de) segunda mano *f*.

중공(中共) la China Comunista, la China roja.

중공업(重工業) industria *f* pesada.

중과(重科) pena *f* pesada en comparación del crimen.

중과(重過) ((준말)) =중과실. ② [중대한 과실] error *m* grave.

중과(重課) agravamiento *m*. ~하다 agravar.

중과(衆寡) disparidad *f* en número.

■~부적(不適) disparidad *f* en número. ¶~으로 패하다 ser derrotado por (la) inferioridad en número. ~이다 No se puede luchar con [contra] la fuerza muy numerosa. 우리들은 ~이었다 Ellos cuentan con más hombres que nosotros.

중과세(重課稅) agravamiento *m* al pueblo. ~하다 agravar al pueblo.

중과실(重過失) culpa *f* pesada, error *m* pesado.

중과피(中果皮) 【식물】 mesocarpo *m*, mesocarpio *m*.

중괴탄(中塊炭) carbón *m* (*pl* carbones) en bultos de tamaño mediano.

중구(中歐) 【지명】 la Europa central.

중구(衆口) bocas *fpl* de mucha gente; rumor *m* público, crítica *f* popular.

■~난방(難防) ¶~이다 Es difícil parar la voz del pueblo.

중국[1](中國) 【지명】 China *f*. ~의 chino.

■~ 공산당(共産黨) el Partido Comunista de China, Comunistas *mpl* Chinos. ~문학 literatura *f* china. ~ 사람 chino, china *mf*. ~ 식당 restaurante *m* chino. ~어 chino *m*, caracteres *mpl* chinos. ~ 요리 plato *m* chino, comida *f* china, cocina *f* china. ~ 음식 comida *f* china. ~ 음식점 restaurante *m* chino, *Per* chifa *f*. ~인 chino, -na *mf*. ~ 철학 filosofía *f* china. ~학 sinología *f*. ~학자 sinólogo, -ga *mf*.

중국[2](中國) ((불교)) reino *m* central, la India Central del Norte.

중궁(中宮) ((준말)) =중궁전(中宮殿).

■~마마(媽媽) reina *f*. ~전(殿) ((높임말)) =왕후(王后), 왕비(王妃).

중권(中卷) tomo II [segundo], tomo *m* mediano.

중근동(中近東) Cercano y Medio Oriente *m*.

중금속(重金屬) metal *m* pesado.

중급(中級) curso *m* medio.

■~ 서반아어 curso *m* medio de lengua española.

중기(中期) medio plazo *m*, mediano plazo *m*; período *m* medio; [세포 분열의] metafase *f*. ~에 a medio [mediano] plazo. 고려 시대 ~ período *m* medio de la época de *Koryo*.

■~ 신용(信用) crédito *m* a medio plazo.

중기(重機) ① 【군사】 ((준말)) =중기관총. ② [중공업용의 기계] máquina *f* para la industria pesada. ③ [건설 공사에 사용되는 일정 중량 이상의 기계] maquinaria *f* pesada en la obra de construcción.

중기관총(重機關銃) ametralladora *f* pesada.

중길(中−) artículo *m* de calidad mediana.

중난하다(重難−) (ser) serio, muy difícil.

중남미(中南美) 【지명】 la América Central y del Sur; [라틴 아메리카] la América Latina, la Latinoamérica.

■~ 제국 países *mpl* latinoamericanos.

중년(中年) mediana edad *f*, edad *f* madura, edad *f* civil, virilidad *f*, madurez *f*. ~의 de mediana edad, de edad madura, maduro. ~의 남자(男子) hombre *m* de mediana edad. 그의 ~에 en su madurez. ~이 되어 허리가 굵어지는 일 curva *f* de la felicidad. (선물 등을 주어) 젊은 여자를 유혹하는 ~ 남자 viejo *m* rico amante de una mujer joven. ~이다 ser de mediana edad, ser maduro. ~을 넘다 pasar de la madurez. ~이 되어 살이 찌다 [남자] echar barriga; [여자] entrar en carnes.

■ ~기(期) mediana edad *f* de *su* vida. ~ 부인 señora *f* de mediana edad.

중노동(重勞動) labor *f* pesada, trabajo *m* duro, trabajo *m* pesado. 10년의 ~을 선고하다 sentenciar diez años de trabajos pesados.

중노인(中老人) =중늙은이.

중농(中農) agricultor *m* medio, agricultora *f* media.

■ ~주의(主義) fisiocracia *f*. ~주의자(主義者) fisiócrata *mf*.

중뇌(中腦) cerebro *m* medio.

중늙은이(中—) segundo mayor *m* de un grupo del mayor.

중다리 【식물】 arroz *m* maduro temprano.

중다버지 mechón *m* largo; niño, -ña *mf* con mechón largo.

중다하다(衆多—) (ser) numeroso.

중단(中段) parte *f* intermedia, parte *f* del medio; [침대차의] litera *f* intermedia, litera *f* del medio. 칼을 ~ 자세로 겨누다 tener la espada en guardia [en medio].

중단(中斷) interrupción *f*, [일시 중지] suspensión *f*. ~하다 interrumpir, suspender, cesar, dejar, romper. 도중(途中)에서 ~되다 interrumpirse, cesar por un rato. 교섭을 ~하다 suspender [romper] las negociaciones. 시합을 30분 ~하다 interrumpir el partido treinta minutos. 교섭은 ~되어 있다 Las negociaciones están suspendidas. 회의는 일시 ~되었다 La sesión quedó suspendida temporalmente. 말이 도중에서 ~되었다 Hubo una pausa momentánea en la conversación / [화제가 끊겨] Se ha agotado la conversación.

중대(中隊) 【군사】 [보병·공병의] compañía *f*, [기병의] escuadrón *m* (*pl* escuadrones); [포병의] batería *f*.

■ ~장(長) capitán *m* (*pl* capitanes), -tana *mf*, comandante *mf* de la compañía.

중대가리 ((속어)) ① [중의 빡빡 깎은 머리] tonsura *f*, cabeza *f* rasurada [rapada], cabeza *f* pelada. ~를 하고 있다 tener la cabeza rapada. ② [머리를 빡빡 깎은 사람] tonsurado, -da *mf*.

중대문(中大門) ((속어)) =중문(中門).

중대사(重大事) ((준말)) =중대 사건.

중대 사건(重大事件) suceso *m* [asunto *m*] grave [serio], asunto *m* [suceso *m*] muy importante, cosa *f* grave, consecuencias *fpl* graves. ~을 초래하다 tener [traer] consecuencias graves. 그것은 ~이다 Eso es grave. 내가 실패하면 ~이 될 것이다 Si fracaso, será algo grave.

중대성(重大性) importancia *f*, gravedad *f*, seriedad *f*, transcendencia *f*.

중대시(重大視) gran importancia *f*, vista *f* seria. ~하다 tener muy importante, dar [atribuir] una gran importancia (a).

중대하다(重大—) ① [매우 중요하다] (ser) muy importante, importantísimo. 중대한 용건 negocio *m* importante. 중요한 영향을 미치다 ejercer una influencia muy importante (sobre). ② [매우 중난(重難)하여 가볍게 여길 수 없다] (ser) serio, grave, crítico, transcendental. 중대한 과오 error *m* grave. 중대한 국면 aspecto *m* grave, situación *f* grave. 중대한 손해 pérdida *f* seria. 우리들은 중대한 사태에 직면해 있다 Estamos frente a una situación crítica.

중대히 importantemente; seriamente, gravemente, críticamente.

◆중대 결의(決意)를 하다 cruzar [atravesar] el Rubicón.

중대화(重大化) agravación *f*, agravamiento *m*. ~하다 agravar, empeorar, deteriorar. 사태가 ~되고 있다 La situación se va agravando / La cosa se agrava por instantes.

중덜거리다 refunfuñar, murmurar, rezongar.

중덜중덜 refunfuñando, murmurando.

중도(中途) ① [하던 일의 도중] mitad *f*, mitad *f* de camino. ~에서 en medio del camino, en fárfara, de medio gancheto. ~에서 퇴학하다 abandonar el curso. ~에서 그만두다 parar a mitad de camino. 우리는 쉬기 위해 ~에서 그만두었다 Paramos a mitad de camino para descansar. 그는 ~에서 코스를 포기했다 El dejó el curso en [a] la mitad. ② =중로(中路).

중도(中道) ① [두 극단을 떠나 한편에 치우치지 않은 공명한 길] moderación *f*, paso *m* moderado. ~의 moderado. ~를 걷다 tomar [estar en] un término medio justo. ② =중로(中路) ③ ((불교)) media *f*, promedio *m*.

■ ~ 정치[정책] política *f* moderada. ~ 좌파(左派) partido *m* de centro izquierdo. ~파 centrista *mf*, [당파] partido *m* central [centrista · de centro]

중도금(中渡金) pago *m* parcial (entre el ingreso y el resto).

중도위 =브로커.

중독(中毒) intoxicación *f*, envenenamiento *m*, emponzoñamiento *m*, atosigamiento *m*, efecto *m* tóxico, adicción *f*. ~되다 envenenarse, intoxicarse, emponzoñarse, sufrir del efecto tóxico. ~의 tóxico. ~된 envenenado, intoxicado, emponzoñado, sufrido del efecto tóxico, adicto. 마약에 ~되어 가는 위험 el peligro de llegar a depender del fármaco. 굴에 ~되다 envenenarse con ostras. 버섯에 ~되다 envenenarse con hongos. 그는 헤로인에 ~되어 있다 El es adicto a la heroina. 나는 초콜릿에 ~되었다 Me he enviciado con el chocolate.

◆마약 ~ drogadicción *f*, toxicomanía *f*, drogadependencia *f*. 비소(砒素) ~ envenenamiento *m* por arsénico. 식(食)~ intoxicación *f* por alimentos. 일산화탄소 ~ intoxicación *f* por el monóxido de carbono. 헤로인 ~ adicción *f* a la heroína.

■ ~량(量) dosis *f* tóxica. ~사(死) muerte *f* intoxicada, muerte *f* envenenada. ~성(性) toxicopatía *f*. ~자(者) adicto, -ta *mf*; intoxicado, -da *mf*. ~증(症) toxicosis *f*, toxemia *f*, toxinosis *f*, toxipatía *f*, toxis *f*. ~ 증상(症狀) síntoma *m* tóxico. ~학(學) toxicología *f*, adictología *f*. ~ 환자(患者) intoxicado, -da *mf*.

중동(中－) parte *f* central (de una cosa).

■~끈 faja *f*, fajín *m*. ~무이 las medias tintas, abandono *m* a mitad de camino. ¶ ~하다 hacer a medias, dejar a medias tintas, abandonar a mitad de camino.

중동(中東)【지명】el Oriente Medio, el Medio Oriente.

중동(仲冬) *chungdong*, pleno invierno *m*, noviembre *m* del calendario lunar.

중두리(中－) tarro *m* pequeño de barro (cocido).

중등(中等) [급] segundo grado *m*, grado *m* segundo, segunda clase *f*, clase *f* segunda, clase *f* media; [질] calidad *f* mediana. ~의 de segunda clase, de clase media, de calidad mediana, mediano.

■~ 교원 maestro, -tra *mf* de la escuela secundaria. ~ 교육(教育) enseñanza *f* secundaria, enseñanza *f* media, educación *f* secundaria. ~열 fiebre *f* entre 38.6℃ y 39.5℃. ~품(品) mercancía *f* de cualidad media. ~학교 escuela *f* secundaria.

중략(中略) elipsis *f*, emisión *f*, varias líneas *fpl* omitidas. ~하다 saltarse, *RPI* saltearse.

중량(重量) ① [무게] peso *m*. ~감이 있는 sólido, macizo. ~을 달다 medir el peso, pesar. ~이 부족하다 faltar en peso. ~이 … 킬로그램이다 pesar … kilógramos. ② [무거운 무게] peso *m* pesado.

◆정미(正味)~ peso *m* neto. 총~ peso *m* bruto.

■~급(級) peso *m* pesado. ~ 몰 농도 molalidad *f*. ~ 부족 peso *m* falto. ~ 분석 análisis *m* gravimétrico. ~ 용적 증명서 certificado *m* de peso y medida. ~ 제한 peso *m* máximo autorizado. ~ 초과 peso *m* corrido, exceso *m* de peso. ~톤 tonelada *f* de peso. ~품(品) artículo *m* de cualidad media. ~ 화물 carga *f* de peso.

중량급(中量級) peso *m* medio.

중력(重力)【물리】gravedad *f*; [인력] gravitación *f*.

■~ 가속도 aceleración *f* de gravedad. ~계(計) gravímetro *m*. ~ 단위(單位) unidad *f* gravimétrica. ~ 댐 dique *m* de gravedad. ~론 barología *f*. ~수 el agua *f* por gravedad. ~수 시스템 sistema *m* hidráulico de gravedad, circuito *m* de agua por gravedad. ~ 전지 pila *f* de densidad. ~ 제어 control *m* de gravedad. ~ 중심(中心) centro *m* de gravedad. ~ 측정(測定) gravimetría *f*, medida *f* de densidad. ~ 탱크 tanque *m* de gravedad. ~파(波) ola *f* de gravedad. ~학 barología *f*.

중령(中領) [육군·해병대] teniente *mf* coronel; [해군] capitán *m* de fragata; [공군] teniente *mf* coronel, *Chi* comandante *mf* de grupo, *Per* comandante *mf*, *Arg* vice comodoro *m*.

중로(中老) edad *f* mediana; [사람] persona *f* de edad mediana.

중론(衆論) opinión *f* pública, voz *f* del pueblo. ~에 의해 결정하다 referir a la opinión pública.

중류(中流) ① [강이나 내의 중간] medio *m* del río. 한강 ~ curso *m* medio del río Han. 아마존 강 ~ curso *m* medio del Amazonas; [지역] el Amazonas medio. ② [기류(氣流)의 중간쪽] medio *m* de la corriente atmosférica. ③ [중등의 정도나 계급] clase *f* mediana. ~의 mediano. ~ 가정 familia *f* media.

■~ 계급(階級) clase *f* media. ~ 사회(社會) sociedad *f* media.

중리(重利) ① [큰 이익] gran ganancia *f*. ② [복리(複利)] interés *m* compuesto.

■~법(法) =복리법(複利法).

중립(中立) neutralidad *f*, imparcialidad *f*. ~의 neutral, independiente, imparcial. ~을 지키다 guardar [mantener] neutralidad, permanecer neutral, permanecer imparcial.

◆무장(武裝) ~ neutralidad *f* armada. 엄정(嚴正) ~ neutralidad *f* estricta.

■~국 país *m* neutral, país *m* neutro, potencia *f* neutral. ~ 보장 seguridad *f* de neutralidad. ~ 선언(宣言) declaración *f* de neutralidad. ~성(性) neutralidad *f*, imparcialidad *f*. ~ 위반(違反) violación *f* de neutralidad. ~ 정책 política *f* neutral. ~ 조약 tratado *m* de neutralidad. ~주의 neutralismo *m*. ~ 지대(地帶) zona *f* neutral, territorio *m* neutral. ~파 facción *f* neutral, partido *m* neutral, neutalistas *mpl*. ~화 neutralización *f*. ¶~하다 neutralizar.

중망(衆望) confianza *f* del público, popularidad *f*. ~을 얻다 ganar la popularidad. ~을 한 몸에 모으다 ganarse la confianza del público. ~을 업고 respaldado por la confianza del público.

중매(中媒) mediación *f* del matrimonio; [사람] casamentero, -ra *mf*; agente *mf* matrimonial; celestina *f*. ~하다 hacer de casamentero [medianero]. …의 ~로 por mediación de *algo*.

◆중매(를) 서다[들다] hacer de casamentero, arreglar un casamiento. 중매 서기를 좋아하는 사람 casamentero, -ra *mf*.

■~결혼(結婚) boda *f* concertada por las familias de los contrayentes [por los casamenteros]. ~인[쟁이] agente *mf* matrimonial; casamentero, -ra *mf*; celestina *f*, intermediario, -ria *mf* [mediador, -dora *mf*·medianero, -ra *mf*] del matrimonio.

중매(仲買) corretaje *m*, corredura *f*. ～하다 dedicarse el corretaje.

■ ～상 agente *mf*. ～ 수수료 comisión *f* de corretaje. ～인 corredor, -dora *mf*, agente *mf*, intermediario, -ria *mf*, mediador, -dora *mf*. ～점(店) 【주식】 empresa *f* de intermediación, firma *f* de corretaje en bolsa, firma *f* de inversión, agencia *f* de corredores [agentes] de bolsa.

중모음(重母音) 【언어】 =이중 모음.

중목(衆目) atención *f* pública, opinión *f* pública, cada ojo m, todos los ojos, todo el mundo. ～이 보기로는 …이다 Todo el mundo admite que + *ind* / Es universalmente reconocido [admitido] que + *ind*. …은 ～이 일치하고 있다 La opinión general está conforme en que + *ind* / Están todos conformes en que + *ind* / Es de concenso general que + *ind*.

중무기(重武器) el arma *f* pesada.

중무장(重武裝) armamento *m* pesado.

중문(中門) puerta *f* interior.

중문(重文) 【언어】 oración *f* compuesta.

중문(重門) =중문(中門).

중미(中米) arroz *m* de la calidad mediana.

중미(中美) [중앙아메리카] la América Central, la Centroamérica. ～의 centroamericano, de (la) América Central.

■ ～ 공동 시장(共同市場) el Mercado Común de America Central. ～ 기구(機構) la Organización de Estados Centroamericanos, ODECA *f*.

중바닥(中－) ((낮춤말)) =중촌(中村).

중바랑 =바랑(mochila de monje).

중박격포(重迫擊砲) mortero *m* pesado.

중반(中盤) etapa *f* intermediana.

■ ～전 [선거 따위의] etapa *f* intermedia; [바둑 따위의] juego *m* intermedio.

중방(中枋) ((준말)) =중인방(中引枋).

중배(中－) parte *f* panzuda [barrigona] en el centro de las cosas.

◆ 중배(가) 부르다 (ser) panzudo, barrigón.

중배엽(中胚葉) 【식물】 mesoblasto *m*.

중벌(重罰) castigo *m* severo.

중범(重犯) ① [거듭 저지른 범죄] repetición *f* de crímenes; [범죄를 거듭 저지른 사람] culpable *m* [delincuente *m*] repetido, culpable *f* [delincuente *f*] repetida. ② [중한 범죄] crimen *m* capital, delito *m* capital, felonía *f*. ～을 저지른 사람 reo *mf* del delito capital, criminal *mf*, felón, -lona *mf*.

중병(中病) otros problemas *mpl* inesperados en medio del trabajo.

◆ 중병(이) 나다 tener problemas (con).

중병(重病) enfermedad *f* grave, enfermedad *f* seria.. ～에 걸리다 caer enfermo seriamente, padecer enfermedad grave.

■ ～ 환자 enfermo, -ma *mf* grave; caso *m* serio.

중병아리(中－) pollito *m* mediano.

중보(重寶) tesoro *m* precioso, joya *f* preciosa, tesoro *m* de gran valor. 가전(家傳)의 ～ reliquias *fpl* de familia.

중복(中伏) *chungbok*, período *m* mediano de la canícula.

중복(中腹) ① =중배❶. ② [산의 중턱] ladera *f*, parte *f* lateral de un monte. ～에 en las laderas. 산의 ～에 en la mitad de la ladera de la montaña.

중복(重複) repetición *f* (innecesaria), duplicación *f*, reposición *f*. ～하다 repetir (en forma innecesaria), doblarse. 어구(語句)의 ～ pleonasmo *m*. 쓸데없는 ～을 피하다 evitar las repeticiones inútiles.

■ ～ 보험 seguro *m* doble.

중봉(中峰) ① [가운데 봉우리] pico *m* central. ② [봉우리의 중턱] medio *m* del pico.

중부(中部) parte *f* central, zona *f* central, centro *m*, corazón *m*.

■ ～ 지방 región *f* central, comarca *f* central, zona *f* central.

중부(仲父) tío *m*, primer hermano *m* de *su* padre.

중분(中分) ① [반으로 나눔] división *f* en mitad, bisección *f*. ～하다 dividir en mitad, bisecar. ② [중년의 운수] *su* suerte en la edad madura.

중뿔나다(中－) ① [아무런 관계가 없는 사람이 당찮은 일에 참견하여 주제넘는다는 뜻을 나타냄] (ser) entrometido, entremetido, impertinente. 중뿔난 사람 intruso, -sa *mf*, entrometido, -da *mf*, metomentodo *mf*. 중뿔난 짓을 하다 entrometerse (en), entremeterse (en), meter las narices (en). 다른 사람의 일에 ～ entrometerse [meter las narices] en los asuntos ajenos. 중뿔난 짓을 하지 마라 No seas entrometido. 그는 어떤 일에나 중뿔나게 나선다 El se entromete en cualquier cosa. ② [엉뚱하고 부당하다] (ser) extravagante e injusto.

중사(中士) 【군사】 sargento, -ta *mf*.

중산 계급(中産階級) clase *f* media, burguesía *f*. ～에게 세금을 경감하다 aligerar los impuestos para la clase media.

중산모(中山帽) sombrero *m* hongo.

중산모자(中山帽子) =중산모(中山帽).

중산층(中產層) burgueses *mpl*.

중상(中傷) calumnia *f*, difamación *f*, maledicencia *f*. ～하다 calumniar, difamar, hablar mal (de).

■ ～자 calumniador, -dora *mf*, difamador, -dora *mf*. ～적 calumnioso, difamatorio.

중상(中殤) muerte *f* entre de doce años de edad a catorce años de edad; [사람] muerto, -ta *mf* entre de doce años de edad a catorce años de edad.

중상(重喪) doble duelo *m*, doble luto *m*.

중상(重傷) herida *f* grave, herida *f* seria. ～을 입다 herirse gravemente, herirse seriamente, resultar gravemente herido, recibir herida grave [seria]. ～을 입히다 herir gravemente, causar [infligir] una herida grave.

■ ～자 herido, -da *mf* grave.

중상주의(重商主義) 【경제】 mercantilismo *m*. ～의 mercantilista.

■ ~자 mercantilista *mf.*
중생(重生) ((기독교)) renacimiento *m*, segundo nacimiento *m*. ~하다 renacer.
중생(衆生) ser *m* humano, seres *mpl* vivientes, humanidad *f*, mundo *m*. ~의 제도를 위하여 para salvar el ser humano.
■ ~계 mundo *m* humano.
중생계(中生界)【지질】=중생대층(中生代層).
중생대(中生代)【지질】era *f* mesozoica, edad *f* mesozoica, época *f* mesozoica, edad *f* secundaria.
■ ~층(層)【지질】capa *f* de era mesozoica.
중석(重石)【광물】tungsteno *m*.
중석기 시대(中石器時代) edad *f* mesolítica, mesolítico *m*.
중선거구(中選擧區) distrito *m* electoral mediano.
중성(中性) ① [이것도 저것도 아닌 중간의 성질(性質)] neutralidad *f*, lo asexual. ~의 neutro, neutral, asexual, asexuado, sin sexo. ②【화학】neutralidad *f*. ③【언어】género *m* neutro. ~의 neutro, neutral. ④ ((속어)) mujerona *f*. ¶~적인 남자 hombre *m* afeminado. ⑤ =간성(間性).
■~ 관사 artículo *m* neutro. ~ 대명사(代名詞) pronombre *m* neutro. ~ 명사(名詞) nombre *m* neutro. ~ 모음 vocal *m* neutro. ~ 미자(微子) neutrino *m*. ~ 반응 reacción *f* neutra. ~ 세제(洗劑) detergente *m* neutro. ~염 sal *f* neutral. ~ 토양 tierra *f* neutral. ~화 neutralización *f*. ~화(花) flor *f* neutra.
중성(中聲)【언어】sonido *m* central.
중성자(中性子)【물리】neutrón *m*. ~의 neutrónico. ~탄(彈) bomba *f* de neutrones.
중세(中世) la Edad Media, medievo *m*. ~의 medieval.
■~ 국어 lengua *f* medieval. ~기 =중세(中世). ~사(史) historia *f* medieval, historia *f* de la Edad Media. ~ 서반아어 español *m* medieval. ~ 영어 lengua *f* inglesa entre 1100 y 1450. ~ 철학 filosofía *f* medieval.
중세(重稅) impuesto *m* pesado [oneroso · ponderoso · gravoso]. ~를 부과(賦課)하다 cargar con un impuesto pesado, agobiar con impuestos. ~에 시달리다 estar agobiado por impuestos onerosos, sufrir el peso de altas contribuciones, lanzar quejidos de impuestos onerosos.
중소(中-) vaca *f* mediana.
중소(中小) lo pequeño y lo mediano. ~의 pequeño y mediano.
■~기업 empresa *f* pequeña y mediana, empresas *fpl* de menor escala. ~기업가 empresario, -ria *mf* pequeño y mediano. ~기업 경영자 empresario, -ria *mf* menor. ~기업 은행 el Banco de Industria Pequeña y Mediana. ~기업 자금 fondo *m* de empresas pequeñas y medianas. ~기업청 la Dirección General de Empresas Pequeñas y Medianas. ~ 상공업자 comerciantes *mpl* y fabricantes pequeños y medianos.
중소(中蘇) la China y la Unión Soviética. ~의 sino-soviético.
■~ 관계 relaciones *fpl* sino-soviéticas. ~ 분쟁 conflicto *m* sino-soviético. ~ 이념 분쟁 disputa *f* ideológica sino-soviética.
중속환이(-俗還-) persona *f* que ha vuelto a la vida seglar.
중송아지(中-) ternera *f* mediana.
중솥(中-) olla *f* mediana.
중쇄(重刷)【인쇄】=증쇄(增刷).
중수(中數) ①【수학】=평균수. ②【수학】=비례 중항.
중수(重水) el agua *f* pesada, deuterio *m*.
■ ~소(素) hidrógeno *m* pesado.
중수(重修) reparación *f*. ~하다 reparar.
중순(中旬) mediados *mpl*. 사월 ~에 a mediados de abril.
중시(重視) ((준말)) ① =중대시. ② =중요시.
중시조(中時調)【문학】=엇시조.
중식(中食) almuerzo *m*. ~ 지참(할 것) Se llevará el almuerzo.
중신(中-) =중매(中媒).
◆중신(을) 서다 =중매(를) 서다. ☞중매
중신(重臣) vasallo *m* principal, vasallo *m* importante.
중신(衆臣) muchos vasallos.
중신세(中新世)【지질】mioceno *m*. ~의 mioceno.
중심(中心) ① [한가운데가 되는 곳] centro *m*, corazón *m*, medio *m*. ~의 central. …의 ~에 en el centro de *algo*, en medio de *algo*. 태풍의 ~ centro *m* de tifón. 적십자가 ~이 되어 bajo la iniciativa de la Cruz Roja. 서울은 문화의 ~이다 Seúl es un centro cultural. 그가 계획의 ~이 되었다 El es el alma del plan / El es el que da vida al plan. ② [매우 중요한 지위] posición *f* muy importante. ~의 muy importante, principal. ③ =줏대. ¶~이 있는 사람 hombre *m* de carácter firme. ④【수학】centro *m*. 원(圓)의 ~ centro *m* de círculo.
■ ~가(街) calle *f* mayor. ~각 ángulo *m* central. ~ 거리 distancia *f* entre centros. ~ 기압 presión *f* central. ~력 fuerza *f* centrífeta ~부 centro *m*, zona *f* céntrica, punto *m* céntrico. ~ 사상(思想) idea *f* central. ~선 línea *f* central. ~ 세력 fuerza *f* central. ~식(蝕)【천문】eclipse *m* central. ~어(語) palabra *f* clave. ~ 운동(運動) movimiento *m* central. ~인물 figura *f* central, persona *f* central; dirigente *mf*; eje *m*; cabeza *mf*; cabecilla *mf*. ¶문단(文壇)의 ~ estrella *f* literaria. 혁명의 ~ figura *f* central de una revolución. ~점 punto *m* central. ~지 centro *m*. ¶산업(産業)의 ~ centro *m* industrial. 상업의 ~ centro *m* comercial. ~축 eje *m* central.
중심(重心)【물리】centro *m* de gravedad.
중씨(仲氏) ① [남의 둘째 형의 높임말] su segundo hermano *m*. ② =중형(仲兄).
중압(重壓) presión *f* (pesada). ~을 가(加)하

다 presionar.

■ ~감(感) sentimiento *m* [sentido *m*] de opresión. ¶~을 주다 acusar un sentimiento de opesión. …하도록 ~을 가하다 hacer presión sobre *uno* para que + *subj* / presionar a *uno* para que + *subj*.

중앙(中央) ① [사방의 중심이 되는 곳] centro *m*, medio *m*, corazón *m*, ombligo *m*. ~의 central, medio. 지구(地球)의 ~ centro *m* de la tierra, ombligo *m* de la tierra. ~에 모이다 centralizar, concentrar. 도시의 ~에 광장이 있다 Hay una plaza en el centro de la ciudad. ② [가장 요긴한 위치] la posición más importante. ③ [지방에 대(對)하여 수도를 이름] capital *f*.

■ ~값 【수학】 mediana *f*. ~ 공무원 훈련원 el Instituto Central de Entrenamiento para los Funcionarios Públicos. ~ 관상대 el Observatorio Meteorológico Central. ~ 관서(官署) oficina *f* central del gobierno. ~ 관제 organización *f* gubernamental central. ~ 관청 oficina *f* central del gobierno. ~ 기관 órgano *m* central. ~난방 calefacción *f* central. ~ 노동 위원회 el Comité Central de Relaciones Laborales. ~ 도매 시장 mercado *m* central al por mayor. ~ 문단(文壇) círculos *mpl* literarios en la metrópoli(s). ~ 방송국(放送局) radioemisora *f* central. ~부 parte *f* central. ~ 분리대 faja *f* intermedia. ~비(費) gastos *mpl* [expensas *fpl*] del gobierno central. ~선 la Línea Central. ~ 시장 mercado *m* central. ~아메리카 América *f* Central; Mesoamérica *f*, México y América Central. ~아시아 el Asia Central. ~ 안내소(案內所) oficina *f* central de información. ~ 우체국 la Central de Correos, la Oficina Central de Correos. ~ 위원회 comisión *f* central, comité *m* central. ~은행 banco *m* central. ¶한국 ~ el Banco Central de Corea. ~ 인사 위원회 la Comisión Central del Personal. ~ 전화국 la Oficina Central de Teléfonos. ~정보부(情報部) la Agencia Central de Inteligencia, CIA *f*. ~ 정부 gobierno *m* central. ~ 중재 위원회(仲裁委員會) l Comité Central de Arbitraje. ~지(紙) periódico *m* metropolitano. ~ 집권 centralización *f* de poderes, poder *m* administrativo de la centralización. ~ 집권제 centralismo *m*. ~ 집권주의 centralismo *m*. ~ 집권화 centralización *f*. ~ 집행 위원회 comité *m* ejecutivo central. ~ 처리 장치 unidad *f* central de procesamiento. ~청 el Capitolio. ~ 표준시(標準時) hora *f* central establecida, hora *f* central de Greenwich. ~ 행정 administración *f* estatal.

중야(中夜) ((불교)) medianoche *f*.

중양성자(重陽性子) 【물리】 deuterión *m*.

중양자(重陽子) 【물리】 =중양성자(重陽性子).

중어(中語) caracteres *mpl* chinos, chino *m*, lengua *f* china, idioma *m* chino. ☞중국어

중언(重言) =중설(重說).

■ ~부언(復言) repetición *f*, reiteración *f*. ¶~하다 repetir, reiterar; [불만을] quejarse, refunfuñar, gruñir. ~하지 마라 ¡Cállate! / ¡No repliques! / No discutas!

중얼거리다 hablar entre dientes, mascullar, farfullar, murmurar, susurrar, refunfuñar. 그 여자는 항상 말을 중얼거린다 Ella habla mascullando [entre dientes]. 그는 변명(辨明)을 중얼거렸다 El farfulló [masculló] una disculpa. 중얼거리지 마라. 한마디도 알아들을 수 없다 ¡Habla claro [No hables entre dientes], que no te oigo!

중얼중얼 entre dientes, farfullando, mascullando, murmurando, susurrando. 그는 ~ 말했다 El hablaba entre dientes [farfullando].

중역(重役) ① [은행·회사 등의 중요한 임원(任員)] director, -tora *mf*, administrador, -dora *mf*; [유한 회사·합명 회사의] gerente *mf*. ② [책임이 무거운 역할] papel *m* responsable.

■ ~진(陣) directores *mpl*. ~회(會) mesa *f* directiva, consejo *m* de administración, consejo *m* de control, consejo *m* administrativo, consejo *m* directivo. ~ 회의 junta *f* de la mesa directiva, junta *f* directiva, junta *f* de directores, junta *f* de consejo de administración, junta *f* de consejo directivo, *AmL* junta *f* de consejo, reunión *f* de los directivos, reunión *f* del directorio, *AmL* junta *f* de consejo. ~회장(會長) presidente, -ta *mf* de la junta de la mesa directiva.

중역(重譯) ((준말)) =이중 번역(二重飜譯).¶ ~한 책 libro *m* retraducido. 영어에서 ~하다 retraducir *algo* de la versión inglesa.

■ ~본(本) libro *m* retraducido.

중엽(中葉) mediados *mpl*. 20세기 ~에 a mediados del siglo veinte.

중외(中外) ① [안과 밖] el interior y el exterior. ② [국내(國內)와 국외(國外)] el interior del país y el extranjero. ~의 interior y exterior. ~에 en el país y el extranjero, en el interior y el extranjero, en todas partes del mundo. ~에 선언하다 declarar al mundo. 이름을 ~에 떨치다 ganar la reputación mundial. ③ [조정과 민간] la corte y el civil. ④ [서울과 시골] la capital y la provincia.

중요(中夭) ① [중년(中年)에 죽음] muerte *f* en la edad madura. ② [뜻밖의 재난] calamidad *f* inesperada.

중요 무형 문화재(重要無形文化財) importantes propiedades *fpl* culturales intangibles.

■ ~ 보유자(保有者) poseedor, -dora *mf* de las importantes propiedades culturales intangibles.

중요 문화재(重要文化財) [미술품] obra *f* de arte histórica importante; [건조물(建造物)] monumento *m* histórico importante.

중요성(重要性) importancia *f*, trascendencia *f*.

중요시(重要視) gran importancia *f*, consideración *f* importante [grave · seria], mucha estimación *f*, valoración *f*. ~하다 dar (gran) importancia (a), hacer mucho caso (de), apreciar, poner énfasis (en), considerar importante [grave · serio], estimar en mucho, valorar. ~되다 tener peso, tener gran autoridad [prestigio], gozar de gran autoridad [prestigio], tener mucha influencia. 사태를 ~하다 considerar seria la situación. 그는 생명보다 명예를 ~한다 El da mayor importancia al honor que a la vida.

중요하다(重要—) (ser) importante, de importancia, principal. 더 중요한 más importante. 가장 중요한 el más importante, de máxima importancia. 극히 중요한 de primordial importancia, extremadamente importante. 중요한 사람 persona *f* importante. 중요한 사항 artículos *mpl* principales, asuntos *mpl* principales, cuestión *f* importante. 중요한 산업 industria *f* principal. 중요한 상품 mercaderías *fpl* principales. 중요한 서류(書類) documento *m* importante. 중요한 인물(人物) personaje *m* importante. 중요한 지위(地位) posición *f* importante. 중요한 때에 en el momento crítico. 가장 중요한 것을 빠뜨리다 hacer las ollas y olvidar las tapas. …하는 것은 ~ Es importante + *inf* [que + *subj*] / Importa + *inf* [que + *subj*]. 가장 중요한 것은 …이다 Lo más importante es + *inf* [que + *subj*]. 그것은 별로 중요하지 않다 Eso no importa mucho / Eso no es de [no tiene] mucha importancia. 중요한 것은 지금 곧 행동하는 것이다 Lo que importa [Lo importante] es que nos pongamos en acción ahora mismo. 가장 중요한 용건을 잊었다 Se me olvidaba el asunto más importante. 그의 말에는 가장 중요한 점이 빠져 있다 En su relato falta el punto principal. 외국어를 배우기 위해서는 반복 연습이 ~ Es importante hacer ejercicios de repetición para aprender un idioma extranjero.

중용(中庸) mediocridad *f*, moderación *f*, medianía *f*. ~의 moderado, templado, mesurado, juicioso, razonable. ~을 지키다 observar moderación, guardar moderación, guardar el justo medio, guardar la compostura.
■ ~사상(思想) idea *f* moderada. ~지도(之道) camino *m* medio.

중용(重用) promoción *f* a una posición responsable [un alto puesto · un puesto importante]. ~하다 designar a un alto puesto, confiar*le* a *uno* puesto importante, dar*le* a *uno* una posición responsable. 그는 직장에서 ~되어 있다 El tiene confiado un alto puesto en la oficina / El ocupa un puesto importante en la oficina.

중우(衆愚) gentío *m* vulgar, vulgo *m*, plebe *m*, populacho *m*, gentuza *f*.
■ ~ 정치(政治) demagogia *f*.

중원(中元) *chungwon*, el quince de julio del calendario lunar.

중원(中原) ① [넓은 들판의 중앙] centro *m* del campo extenso. ② [중국 문화의 발원지인 황허(黃河) 강 유역의 남북 지역] región *f* norte y sur del Río Amarillo. ③ [정권을 다투는 무대] escena *f* de la disputa del poder político.

중위(中位) ① [중등의 지위] medianía *f*, posición *f* mediana. ~의 mediano, medio, regular, moderado, mediocre, promedio, entreordinario; [보통의] corriente, ordinario, común. ~의 성적 nota *f* mediana. 그는 학급에서 ~의 성적이다 El está entre la medianía de la clase / En su clase él es de los medianos. ② [가운데 위치] posición *f* central. ~의 물건 artículo *m* de mediana calidad. 신장(身長)이 ~다 tener [ser de] estatura mediana [media].
■ ~수(數) 【수학】 mediana *f*.

중위(中尉) [육군] teniente *mf*, *Arg*, *Urg* teniente *m* primero, teniente *f* primera; [해군] alférez *mf* de navío, teniente *mf* de navío, *Chi* teniente *mf* primero, *Per* teniente *m* segundo, *Arg*, *Ven* teniente *m* de fragata; [공군] teniente *mf*, *Arg* primer teniente, *Urg* teniente *m* primero; [해병대] teniente *m*.

중위(中衛) ① ((축구)) half back *ing.mf*. ② ((럭비)) medio *m*.

중유(重油) aceite *m* crudo, aceite *m* pesado, petróleo *m* crudo.

중은(重恩) gran favor *m*.

중음(中音) ① [여자나 어린아이의 목소리] voz *f* de la mujer o del niño. ② 【언어】 = 가운뎃소리. ③ 【음악】 mezzosoplano *f*, [여성] contralto *f*, [남성] barítono *m*. ④ =간음(間音). 사잇소리.

중음(重音) 【언어】 sonido *m* doble.

중의(衆意) opinión *f* de mucha gente.

중의(衆議) =중론(衆論).

중이(中耳) 【해부】 oído *m* medio.
■ ~관(管) tubo *m* auditorio [auditivo]. ~염 otitis *f* media, timpanitis *f*. ¶~ 환자 timpanítico, -ca *mf*.

중이층(中二層) entresuelo *m*, entrepiso *m*.

중인(重因) causa *f* importante, causa *f* principal.

중인(衆人) público *m*, todo el mundo, mucha gente *f*, multitud *f*, gentío *m*, pueblo *m*, masa *f*, muchas personas *fpl*. ~ 앞에서 en público, públicamente. ~환시 중에 모욕하다 insultar en público [públicamente · a la vista del público · de todo el mundo].

중인방(中引枋) moldura *f* central de una pared.

중일(中日) la China y el Japón. ~의 sino-japonés, de la China y el Japón.
■ ~ 관계 relaciones *fpl* sino-japonesas, relaciones *fpl* entre China y Japón.

중일 전쟁(中日戰爭) la Guerra Sino-Japonesa.

중임¹(重任) [먼저 근무하던 자리에 거듭 임용함] nombramiento *m* de nuevo, renombramiento *m*. ~하다 ser nombrado de nuevo.

중임²(重任) [중대한 임무(任務)] misión *f*

importante, responsabilidad *f* pesada, deber *m* importante, cometido *m* importante, tarea *f* de responsabilidad, cargo *m* pesado, puesto *m* responsable. ~을 띠고 con [para desempeñar] una misión importante. ~을 다하다 desempeñar un cometido importante, asumir un cargo de responsabilidad. ~을 맡다 encargarse de una responsabilidad ponderosa [una misión importante], ocupar una posición responsable.

중자음(重子音) 【언어】 =복자음(復子音).

중장(中章) el medio de los tres versos del poema *sicho.*, la parte media de una canción.

중장(中將) [육군] teniente *mf* general, *Ven* general *mf* en jefe; [해군] almirante *mf*; [공군] teniente *mf* general; *Chi* general *mf* del aire, *Ven* general *mf* en jefe.

중장비(重裝備) equipo *m* pesado.

중재(仲裁) arbitraje *m*, arbitración *f*, tercería *f*, [조정] mediación *f*, [개입] intervención *f*. ~하다 arbitrar, juzgar como árbitro, terciar, mediar, intervenir. ~의 arbitral, arbitrador. ~하는 arbitrante. ~할 수 있는 arbitrable. …의 ~로 por conducto *uno*, por mediación de *uno*. ~에 부치다 someter a arbitraje, confiar a un mediador [a un juez árbitro]. ~를 의뢰하다 solicitar la mediación [la intervención] (de). ~로 분쟁(紛爭)을 해결하다 solucionar el conflicto por mediación de un intermediario. 싸움의 ~를 하다 intervenir en la pelea. …의 ~에 따르다 seguir [aceptar] la mediación [la intervención] (de).

◆강제 ~ arbitraje *m* obligatorio. 상사(商社) ~ arbitraje *m* comercial. 임의(任意) ~ arbitraje *m* voluntario.

■~ 결정(決定) decisión *f* arbitral. ~ 계약 contrato *m* de arbitraje. ~국 país *m* de arbitraje. ~ 위원회 comité *m* de arbitraje. ~인 árbitro, -tra *mf*, arbitrador, -dora *mf*, mediador, -dora *mf*, intermediario, -ria *mf*, conciliador, -dora *mf*. ~ 재정 arbitración *f*. ~ 재판 juicio *m* arbitral. ~ 재판관 juez *mf* arbitral, juez *m* arbitrador, juez *f* arbitradora. ~ 재판소 tribunal *m* arbitral. ~ 조약 tratado *m* de arbitraje.

중전(中殿) 【역사】 ((준말)) =중궁전(中宮殿).

■~마마(媽媽) reina *f*.

중전기(重電機) máquina *f* eléctrica pesada.

중전차(重電車) tanque *m* del tamaño mediano, tanque *m* pesado.

중절(中絶) ① [중단(中斷)] interrupción *f*, suspensión *f*. ~하다 suspenderse, interrumpirse, paralizarse. ② =임신 중절.

■~ 성교(性交) coito *m* interrupto.

중절모(中折帽) =중절모자(中折帽子).

중절모자(中折帽子) sombrero *m* de fieltro, sombrero *m* flexible, fieltro *m* flexible.

중점(中點) foco *m*, centro *m*.

중점(重點) importancia *f*, parte *f* esencial, punto *m* esencial; [우위] prioridad *f*, [강세] énfasis *m*. ~의 preferente, preferencial. ~을 두다 poner énfasis (en), dar importancia (a), dar prioridad (a).

■~ 산업 industria *f* preferencial. ~ 생산 producción *f* preferencial. ~적 importante.

¶~으로 según importancia. 서반아어를 ~으로 배우다 [공부하다] concentrar *sus* energías en (el estudio del) español. ~주의 política *f* preferencial, sistema *m* preferencial.

중정(中庭) ① [마당의 한가운데] centro *m* del patio. ② [집 안의 안채와 바깥채 사이에 있는 뜰] patio *m*.

중정(重訂) recorrección *f*. ~하다 corregir.

중정석(重晶石) 【광물】 baritina *f*, espato *m* pesado.

중정하다(中正—) (ser) imparcial, equitativo. 중정함 imparcialidad *f*. 중정하게 imparcialmente, equitativamente.

중조(重曹) 【화학】 bicarbonato *m* de soda.

중죄(重罪) felonía *f*, crimen *m* grave, crimen *m* capital.

■~인(人) reo *mf* del delito capital; felón, -lona *mf*, delincuente *mf* de mayor cuantía.

중주(重奏) 【음악】 dúo *m*, düeto *m*.

중중거리다 refunfuñar, gruñir, quejarse, lastimarse.

중증(重症) estado *m* grave, enfermedad *f* peligrosa [seria]. ~이다 estar grave [gravemente enfermo · de estado grave].

■~ 심신 장애자(心神障礙者) subnormal *mf* de gravedad. ~ 환자 paciente *mf* grave; enfermo, -ma *mf* grave; caso *m* grave.

중지(中止) cese *m*, interrupción *f*, [일시적인] suspensión *f*. ~하다 cesar, interrumpir, suspender, parar. 교섭을 ~하다 romper [suspender] las negociaciones. 수사를 ~하다 poner fin a la investigación. 강연회는 ~되었다 La conferencia quedó suspendida. 자금난으로 공사가 일시 ~되고 있다 La obra está paralizada [en suspenso] temporalmente por la falta de fondos. 나는 뻬루 행을 ~했다 Suspendí la idea de ir al Perú. 회합은 경찰에 의해 ~되었다 La junta ha sida suprimida por la policía. 지불 ~는 파산의 첫 행위이다 La cesación es el primer acto de la quiebra.

중지(中指) =가운뎃손가락(dedo del corazón).

중지(衆智) todos los consejos útiles. ~를 모으다 reunir todos los consejos útiles, movilizar a todos los entendidos y especialistas.

중지상(中之上) el mejor de la calidad mediana.

중지중(中之中) el medio de la calidad mediana.

중지하(中之下) el peor de la calidad mediana.

중직(重職) puesto *m* importante, puesto *m* responsable, cargo *m* de mucha responsabilidad. ~에 있다 ocupar un puesto importante, desempeñar un cargo de mucha

responsabilidad.
중진(中震) seísmo *m* mediano.
중진(重鎭) figura *f* prominente, figura *f* destacada, magnate *m*. 문단(文壇)의 ~ gran maestro *m* del mundo literario, persona *f* de mayor importancia del mundo literario. 그는 실업계의 ~이다 El es una figura prominente del mundo económico.
중진국(中進國) país *m* semi-desarrollado.
중질(中帙) =중길.
중질(中質) calidad *f* mediana.
■ ~유(油) aceite *m* de la calidad mediana.
중참(中站) merienda *f*.
중창(中-) capa *f* central de la suela de los zapatos.
중창(重唱) dúo *m*. 2 [3・4・5・6・7・8] ~ dúo[trío・cuarteto・quinteto・sexteto・septeto・octeto] (vocal).
중책(重責) ① [무거운 책임] alta [grave・gran] responsabilidad *f*. ~을 맡다 asumir una alta responsabilidad. ~을 수행하다 desempeñar un cargo que implica gran responsabilidad, cumplir un deber de mucha responsabilidad. ② [엄중하게 책망함] reproche *m* severo. ~하다 reprochar severamente.
중천[1](中天) centro *m* del cielo, medio *m* del cielo, medio *m* del medio, cenit *m*. 달이 ~에 걸려 있다 La luna cuelga en el aire / La luna brilla en el cenit / La luna está en medio del cielo.
중천[2](中天) ((불교)) reino *m* central, India *f* Central del Norte.
중천금(重千金) mil pedazos de oro, gran valor *m*. 장부 일언(丈夫一言)이 ~ Más vale una palabra del hombre que mil pedazos de oro.
중첩(重疊) [중복] repetición *f*, reiteración *f*; [겹쳐 쌓임] una cosa puesta sobre otra. ~하다 ser amontonado uno tras otro. ~해 있다 Las montañas se elevan una tras otra.
중추(中秋) *chungchu*, el quince de agosto del calendario lunar, el segundo mes de otoño (octavo mes del año lunar), pleno otoño *m*. ~에 en pleno otoño.
중추(中樞) ① [사물의 중심이 되는 중요한 부분이나 자리] eje *m*, pivote *m*, esencia *f*, arteria *f*, centro *m*. ~의 capital, fundamental. 산업(産業)의 ~ centro *m* de la industria. 상업의 ~ arteria *f* de comercio, arteria *f* de tráfico. ② [한가운데] centro *m*. ~의 central. 우주의 ~ centro *m* del universo. ③ ((준말))=중추 신경(中樞神經).
¶~의 central.
■ ~ 기관 órgano *m* central. ~ 산업(産業) industria *f* pivotal. ~ 신경(神經) nervio *m* central. ~ 신경계(神經系) sistema *m* nervioso central. ~ 요법 centroterapia *f*.
중추(仲秋) *chungchu*, pleno otoño *m*, agosto *m* del calendario lunar.
■ ~월(月) luna *f* clara y brillante del pleno otoño. ~의 만월(滿月) luna *f* llena, luna *f* de otoño. ~절(節) *chungchucheol*, *chuseok*, fiesta *f* de *chuseok*.
중축(中軸) eje *m*, centro *m* de rotación.
중춘(仲春) plena primavera *f*, febrero *m* del calendario lunar.
중층(中層) ① [여러 층 속의 가운데 층] piso *m* medio. ② [중류] clase *f* media.
중치(中-) [크기의] tamaño *m* mediano; [품질의] clase *f* mediana.
중침(中針) aguja *f* mediana.
중침(中鍼) 【한방】 acupuntura *f* mediana.
중칭(中秤) balanza *f* mediana.
중크롬산(重 chrome 酸) bicromato *m*.
■ ~염(鹽) bicromato *m*.
중키(中-) talla *f* [estatura *f*] media [mediana]. ~의 de mediana estatura, de altura media, de talla media. ~에 살이 알맞게 찐 de talla y corpulencia medianas. ~의 사람 persona *f* de estatura [talla] media [mediana]. ~의 남자 hombre *m* de estatura [talla] media [mediana]. ~의 여자(女子) mujer *f* de estatura [talla] media [mediana].
중탄산소다(重炭酸 soda) 【화학】 bicarbonato *m* de soda.
중탄산염(重炭酸鹽) bicarbonato *m*, carbonato *m*.
중탄산염수(一重炭酸鹽水) el agua *f* bicarbonatada.
중탕(重湯) cocina *f* en la cacerola para baño María. ~하다 cocinar en la cacerola para baño María, calentar al baño María.
중태(重態) estado *m* crítico [grave・serio・peligroso], condición *f* seria. ~의 crítico, grave, serio, peligroso. ~다 estar gravemente [seriamente・peligrosamente] enfermo, encontrarse en un estado grave, estar en condición seria, ser muy grave. ~에 빠지다 ponerse grave, agravarse, caer en un estado grave, complicarse. 내 친구의 상태는 ~다 El estado de mi amigo es muy grave.
중턱(中-) ladera *f*, parte *f* lateral. 산의 ~에 en la mitad de la ladera de la montaña.
중토(重土) ① 【화학】 barita *f*, óxido *m* de bario. ② [너무 차져서 농사 짓기에 마땅치 않은 땅] tierra *f* inconveniente para el cultivo por la demasiada pegajosidad.
중톱(中-) sierra *f* mediana.
중퇴(中退) abandono *m* a mitad de carrera, abandono *m* de la carrera sin terminar. 대학을 ~하다 abandonar [dejar] la carrera universitaria sin terminar, dejar la universidad a mitad de carrera.
중파(中波) 【물리】 onda *f* media. ~로 en onda media.
중파(中破) media destrucción *f*. ~하다 destruir medio.
중판(中判) 【사진】 tamaño *m* mediano.
중판(重版) reimpresión *f*, reedición *f*, segunda edición *f*, vuelta *f* de imprenta. ~하다 reimprimir.
■ ~본(本) libro *m* reimpreso.

중판(重瓣)【식물】pétalo *m* doblado.
중편(中篇) ① [상·중·하의 세 편으로 나눈 책의 가운데 편] tomo II (segundo). ② ((준말)) =중편 소설(中篇小說).
■ ~ 소설(小說) novela *f* corta, novela *f* de extensión media.
중평(衆評) opinión *f* general, crítica *f* pública.
중포(重砲) cañón *m* (*pl* cañones) pesado, cañón *m* de grueso calibre, los cañones y obuses pesados; [집합적] artillería *f* pesada.
■ ~병(兵) artillería *f* pesada. ~ 연대(聯隊) regimiento *m* de artillería pesada. ~화(火) ㉮ [중포의 화력] fuerza *f* de fuego de cañón pesado. ㉯ [아주 심한 포격] bombardeo *m* muy severo.
중폭(中幅) anchura *f* mediana.
중폭격기(中爆擊機) bombardero *m* mediano.
중폭격기(重爆擊機) bombardero *m* pesado.
중품[1](中品) [중등(中等)의 품위·품질] calidad *f* mediana.
중품[2](中品) ((불교)) rango *m* medio, clase *f* media.
중풍(中風)【한방】parálisis *f*. ~의 paralítico, paralizado. ~에 걸리다 quedarse paralítico.
■ ~증(症)【한방】㉮ =중풍(中風). ㉯ [중풍으로 인해 일어나는 여러 가지 증세] síntoma *f* causado por la parálisis. ~ 환자 paralítico, -ca *mf*.
중하(中蝦) langostino *m*.
중하(中夏) pleno verano *m*, mayo *m* del calendario lunar.
중하(重荷) cargo *m* pesado.
중하다(重—) ① [병이 위중(危重)하다] (ser) grave, crítico, serio, peligroso, agravarse, empeorarse. 중한 병(病) enfermedad *f* grave, enfermedad *f* seria. 부친의 병세(病勢)가 ~ Es muy grave la enfermedad de mi padre. ② [소중하다] (ser) importante, precioso. 중한 물건 artículo *m* precioso, artículo *m* importante. 중한 자리 posición *f* importante. ③ [책임·임무 따위가 무겁다] (ser) grande, pesado, hacerse pesado, agravarse. 내 책임이 중했다 Mi responsabilidad se ha agravado / Mi responsabilidad se ha hecho más pesada.
중히 gravemente, críticamente, seriamente, peligrosamente; importantemente; pesadamente, con importancia. ~ 쓰다 dar una posición importante. 사태를 ~ 보다 considerar seria la situación.
중하순(中下旬) mediados y fines, alrededor de la mitad de fines.
중학(中學) ((준말)) =중학교(中學校).
■ ~교 escuela *f* de educación general básica [segunda etapa], escuela *f* secundaria, escuela *f* de segunda enseñanza. ~교 과정 curso *m* de la escuela secundaria. ~교 학생 =중학생. ~년 el cuarto año y el quinto año de la escuela primaria. ~생 estudiante *mf* de educación general básica [segunda etapa]; alumno, -na *mf* de la escuela secundaria.
중합(重合) ① [포개어 합침] el amontonamiento y la unión. ~하다 amontonar y unir. ②【화학】polimerización *f*. ~시키다 polimerizar.
■ ~체(體)【화학】polímero *m*.
중항(中項)【수학】=내항(內項).
중핵(中核) núcleo *m*, pepita *f*. 가정은 사회의 ~을 이룬다 La familia es el núcleo de la comunidad.
중형(中型) [책·집·물건 따위의] tamaño *m* mediano [medio·normal], mediano volumen *m*; [사람의] talla *f* [estatura *f*] media [mediana]. ~의 de tamaño mediano, de mediano volumen, de talla [estatura] media [mediana].
■ ~ 자동차 coche *m* de tamaño mediano.
중형(仲兄) *su* segundo hermano.
중형(重刑) pena *f* grave, pena *f* severa, penalidad *f* pesada. ~에 처하다 condenar a una pena grave.
중혼(重婚) bigamia *f*. ~하다 cometer bigamia. ~자(者) bígamo, -ma *mf*. ~죄(罪) (delito *m* de) bigamia *f*.
중화(中和) neutralización *f*. ~하다 neutralizarse. ~시키다 neutralizar.
■ ~점 punto *m* neutro. ~제(劑) neutralizador *m*, neutralizante *m*.
중화(中華) la China.
■ ~사상(思想) convencimiento *m* de la superioridad de su propia civilización. ~요리(料理) plato *m* chino, comida *f* china, cocina *f* china.
중화기(重火器) armas *fpl* pesadas.
중화민국(中華民國)【지명】la República de China, la China Nacionalista.
중화상(重火傷) escaldadura *f* pesada.
중화 인민 공화국(中華人民共和國)【지명】la República Popular de China, *chino* Zhonghua Renmin Gonghegua.
중화학 공업(重化學工業) industria *f* química pesada.
중환(重患) ① =중병(重病). ② ((준말)) =중환자(重患者).
■ ~자(者) caso *m* grave, caso *m* serio; enfermo, -ma *mf* [paciente *mf*] grave.
중후하다(重厚—) (ser) cortés y generoso, imponente, majestuoso, solemne, grave. 중후한 건물 edificio *m* imponente. 중후한 그림 pintura *f* majestuosa. 중후한 사람 hombre *m* solemne, hombre *m* grave. 중후한 신사 caballero m cortés y generoso. 그는 중후한 사람이다 Su personalidad es cortés y generoso.
중흥(中興) restauración *f*, rehabilitación *f*, restablecimiento *m*, renovación *f*, renacimiento *m*. ~하다 restituir, restablecer, reproducir, reedificar, restaurar, renovar, rehabilitar, renacer. 민족의 ~ restauración *f* del pueblo.
■ ~지주(之主) restaurador *m* (de un reino·de una dinastía).
중히 여기다(重—) ① [소중히 생각하다] valorar, apreciar. ② [공경하다] respetar, hono-

rar.

줘 [「주다」의 명령형] da. 그것은 날 ~ Dámelo.

쥐[1] 【한방】 calambre *m*, rampa *f*. ~가 나다 acalambrarse, padecer calambre, dar calambre, causar calambre. 다리에 ~가 나다 dar*le* a *uno* un calambre en las piernas, acalambrarse*le* a *uno* la pierna. 나는 다리에 ~가 났다 Se me ha acalambrado la pierna / Me ha dado un calambre [(una) rampa] en la pierna. 나는 계단을 오르는 동안 ~가 났다 Me dio un calambre mientras subí por la escalera. 내 아내는 자는 동안 가끔 오른쪽 다리에 ~가 난다 A mi esposa le da un calambre en la pierna derecha de vez en cuando mientras se duerme.

쥐[2] 【동물】 rata *f*, [생쥐] ratón *m* (*pl* ratones), *Arg*, *Chi* laucha *f*. ~ 같은 ratonil, ratonero. ~를 잡는 동물 [고양이 등] cazador, -dora *mf* de ratones [de lauchas]. ~를 잡다 cazar ratas [ratones]. ~를 잡으러 가다 (ir a) cazar ratones [lauchas].
◆ 쥐도 새도 모르게 secretamente, en secreto. ~ 사라지다 desaparecer en secreto.

쥐구멍 ratonera *f*.
◆ 쥐구멍(을) 찾다 buscar el escondrijo.
■ 쥐구멍에도 볕 들 날이 있다 ((속담)) A cada pajarillo le llega su veranillo / A cada santo le llega su día de fiesta / A todos les llega su momento de gloria / No hay mal que dure cien años / Todos tenemos nuestra oportunidad en la vida, más tarde o más temprano.

쥐꼬리 cola *f* de ratas.

쥐꼬리만 하다 (ser) muy pequeño, pequeñísimo. 쥐꼬리만 한 una pizca de, un pellizco de. 쥐꼬리만 한 월급 sueldo *m* [salario *m*] pequeñísimo.

쥐 나다 ① [쥐가 일어나다] dar calambre, causar calambre. ☞쥐[1]. ② [몹시 부끄러울 때에 얼굴이 달아 경련이 일어날 지경에 이르다] ruborizarse, ponerse colorado, ponerse rojo, sonrojarse.

쥐눈이콩 【식물】 una especie de alubia.

쥐다 ① [손가락을 구부려 주먹을 짓거나 주먹 안에 움켜잡다] empuñar, agarrar, asir, tener. 주먹을 ~ apretar los puños, empuñar, asir por el puño. 주먹을 쥐고 a puño cerrado. 코를 ~ pellizcar la nariz, hurgarse la nariz. ② [권리 따위를 손아귀에 넣다] tener. 권력을 ~ tener poder. 당권(黨權)을 ~ tener la hegemonía del partido. ③ [남을 휘어잡아 자기 마음대로 하다] dominar. …의 운명을 쥐고 있다 tener entre [en] *sus* manos la suerte de *uno*.

쥐대기 artesano *m* torpe.

쥐덫 ratonera *f*, trampa *f* de ratones.

쥐똥나무 【식물】 alheña *f*, ligustro *m*.

쥐라계(Jura 系) 【지질】 estrato *m* geológio del período jurástico. ~의 jurásico.

쥐라기(Jura 紀) 【지질】 (período *m*) jurásico *m*. ~의 jurásico.

쥐락펴락 controlando perfectamente, dominando. ~하다 tener la sartén por el mango, llevar la batuta, dominar, controlar perfectamente. 남편을 ~하다 dominar a *su* esposo. 그는 단체의 모든 일을 혼자 ~한다 El solo lleva la batuta [tiene la sartén por el mango] en todos los asuntos del grupo.

쥐머리 una especie de la costilla corta.

쥐며느리 【동물】 porqueta *f*, cochinilla *f* (de humedad).

쥐방울만하다 ((속어)) (ser) pequeñísimo.

쥐뿔 pequeñez *f*, ningún valor *m*.
쥐뿔도 모르다 no saber nada, ser ignorante.
쥐뿔도 없다 no tener nada.
쥐뿔만도 못하다 no valer nada.
쥐뿔(이) 나다 (ser) extraordinario, extravagante.
쥐뿔같다 ser de ningún valor, ser el aire, ser un poco de aire.
쥐뿔같이 con ningún valor.

쥐살 carne *f* de la pata delantera de vaca.

쥐새끼 ① [쥐의 새끼] ratoncito *m*. ② [몹시 교활하고 잔일에 약게 구는 사람] persona *f* astuta; [남자] hombre *m* astuto; [여자] mujer *f* astuta. ~ 같은 놈 tipo *m* mezquino, tipo *m* mísero.

쥐색(一色) (color *m*) gris *m*.

쥐 숨듯이 sin dejar rastro. ~ 사라지다 desaparecer sin dejar rastro.

쥐알봉수 persona *f* astuta.

쥐약(一藥) raticida *m*, matarratas *m.sing.pl*, arsénico *m*, veneno *m* para matar ratones.

쥐어뜯다 ① [단단히 쥐고 뜯어내다] arrancar [separar] con violencia; desgarrar, arañar, rascar, desplumar, pelar; [머리카락·수염을] mesarse. 머리카락을 ~ [자신의] tirarse de los pelos, mesarse los cabellos, desgarrarse el cabello. 손톱으로 얼굴을 ~ [다른 사람의] arañar*le* la cara a *uno*. ② [속이 답답하여 가슴 등을 뜯다시피 갈기다] desgarrar, destrozar, romperse, partirse. 그 일은 내 가슴을 쥐어뜯었다 Eso me desgarra [destroza] el corazón / Se me parte [rompe] el corazón.

쥐어박다 dar puñetazos.

쥐어 주다 hacer tomar, hacer agarrar, poner en la mano (de); [뇌물을] sobornar. 돈을 ~ [뇌물] sobornar, untar la mano, untar el carro. 주저(躊躇)를 ~ hacer tomar la cuchara, hacer agarrar la cuchara, poner la cuchara en la mano. 팁을 ~ dar una propina.

쥐어지르다 dar puñetazos.

쥐어짜다 ① [단단히 쥐고 액체 등을 짜내다] extraer, escurrir, retorcer, estrujar. ② [오기 있게 떼를 쓰며 조르다] importunar, asediar, pedir.

쥐어틀다 retorcerse. 자기의 손을 ~ retorcerse las manos. 그 여자는 신경질적으로 손을 쥐어틀었다 Ella se retorcía las manos con nerviosismo.

쥐어흔들다 dominar, ejercer dominio (sobre). 남편을 ~ dominar a *su* esposo. 정계(政界)를 ~ ejercer dominio sobre el mundo político.
쥐엄나무 【식물】 valeriana *f.*
쥐엄발이 pie *m* apergaminado; [사람] persona *f* con pie apergaminado.
쥐엄쥐엄 abriendo y cerrando *sus* manos.
쥐엄질 la manera que el niño abre y cierra *sus* manos.
쥐여살다 =쥐여지내다.
쥐여지내다 estar dominado (por), estar peggado a las faldas (de). 그는 아내에게 쥐여지낸다 El está dominado por su esposa / El es un marido dominado por su mujer / El es un calzonazos / El está pegado a las faldas de su mujer.
쥐오줌풀 【식물】 garroba *f*, algarroba *f.*
쥐이다[1] [「쥐다」의 피동] [쥠을 당하다] ser agarrado, ser asido, ser empuñado.
쥐이다[2] [「쥐다」의 사동] [쥐게 하다] hacer agarrar.
쥐 잡듯이 uno a uno, uno por uno, individualmente, enteramente, cabalmente, a fondo. ~ 하다 aniquilar, destruir por completo, exterminar.
쥐정신(-精神) amnesia *f*, espíritu *m* olvidadizo, memoria *f* corta.
쥐젖 verruga *f* como una teta.
쥐좆만하다 (ser) pequeñísimo, muy pequeño.
쥐 죽은 듯하다 (ser) muy tranquilo [muy silencioso] de repente [repentinamente · de súbito · súbitamente].
쥐 죽은 듯이 silenciosamente, tranquilamente, con silencio, con tranquilidad. ~ 조용하다 Reina un silencio sepulcral. 집 안이 ~ 고요하다 Dentro de la casa reina un profundo silencio.
쥐참외 【식물】 ((학명)) Trichosanthes cucumeoides.
쥐치 【어류】 ((학명)) Monacanthus cirrhifer.
쥐코밥상(-床) mesa *f* muy sencilla, mesa f de la comida frugal.
쥐코조리 persona *f* de mentalidad cerrada, persona *f* cerrada, persona *f* de miras estrechas.
쥐통 【의학】 ((속어)) =콜레라.
쥐포육장수(-脯肉-) persona *f* mezquina, persona *f* tacaña.
쥐해 【민속】 el Año de la Rata.
쥘대 varita *f* redonda y corta usada en el guateado.
쥘부채 abanico *m* plegable.
쥘손 el asa *f* (*pl* las asas).
쥘쌈지 petaca *f.*
즈런즈런 en la abundancia. ~하다 (ser) abundante, próspero, opulente.
즈믄 ((고어)) [천(千)] mil. ~ 해 milenio *m*, mil años. 새 ~ 해 nuevo milenio *m*.
■ ~둥이 bebé *m* milenario; niño *m* milenario, niña *f* milenaria; *Per, RPI* bebe *m* milenario, beba *f* milenaria; *Andes* guagua *f* milenaria.
즈봉(불 *jupon*) pantalones *mpl.*
즈음 tiempo *m*, ocasión *f*, momento *m*. 요~에는 ahora, estos días, hoy día, hoy, recientemente. 출발 ~에 en el momento de la salida, a la salida. 내가 귀국할 ~에 cuando yo me vaya para mi país. 다음 번 그를 만날 ~에 인계하겠다 Se lo entregaré la próxima vez que le vea. 나는 3년 전에 서반아에 갔는데 그 ~에 그라나다랑 세비야 랑 꼬르도바를 구경했다 Hace tres años fui a España y en esa ocasión visité Granada, Sevilla y Córdoba.
즈음하여 cuando, al + *inf*, con motivo (de), para, en el momento, en el tiempo. 신년에 ~ en este día del Año Nuevo. 출발에 ~ al salir, en el momento de *su* salida. 개회(開會)에 ~ 인사 말씀을 드리게 되어 기쁩니다 Con motivo de la apertura de la sesión, tengo el gusto de saludarles a ustedes. 계획의 실행에 ~ 세심한 주의가 필요하다 Para poner en práctica el proyecto, hace falta un cuidado minucioso.
즈크(네 *doek*) [직물] lona *f*, cañamazo *m*, arpillera *f*, sayal *m.*
■ ~화(靴) zapatos *mpl* de lona.
즉(卽) es decir, o sea, así pues, a saber, o, dicho de otro modo. 서반아의 수도, ~ 마드리드 la capital de España, o Madrid. 내 직업은 그림 그리는 것, ~ 화가다 Mi oficio es pintar, o sea soy pintor.
즉각(卽刻) inmediatamente, instantemente, al instante, en seguida, enseguida, sin más tardar, en el acto, al punto, en un abrir (y cerrar) de ojos; [지금 당장] ahora mismo. ~ …하다 apresurarse a + *inf*, estar pronto para + *inf*. ~ 출발하겠다 Parto ahora mismo. 그는 ~ 적(敵)의 방심을 이용했다 El aprovechó al instante (la oportunidad que la brindó) el descuido del enemigo / El se apresuró a aprovechar el descuido del enemigo.
즉결(卽決) decisión *f* inmediata. ~하다 decidir en el acto [inmediatamente].
■ ~ 심판(審判) juicio *m* sumario. ~ 재판 decisión *f* sumaria. ~ 처분 convicción *f* sumaria.
즉낙(卽諾) consentimiento *m* inmediato. ~하다 consentir inmediatamente.
즉납(卽納) entrega *f* inmediata, pago *m* inmediato. ~하다 entregar inmediatamente, pagar inmediatamente.
즉단(卽斷) [결정] decisión *f* inmediata; [판단] juicio *m* inmediato.
즉답(卽答) contestación *f* inmediata, respuesta *f* inmediata. ~하다 contestar [responder] inmediatamente, responder en el acto, dar una contestación inmediata. ~을 피하다 evitar dar una respuesta inmediata.
즉매(卽賣) venta *f* en el acto. ~하다 vender en el acto [en el mismo sitio]. 그림을 ~하다 [전시장에서] vender los cuadros expuestos sobre el terreno.
■ ~장 barraca *f*, puesto *m*, tabladillo *m*,

mesilla *f* de feria, mesilla *f* de mercado.

즉사(卽死) muerte *f* instantánea, muerte *f* repentina. ~하다 morir en el acto, morir instantáneamente, sufrir una muerte instantánea. 그 사고로 전원이 ~했다 Todos perecieron en el acto en el accidente.
■ ~자 persona *f* muerta en el acto.

즉살(卽殺) matanza *f* inmediata. ~하다 matar inmediatamente.

즉석(卽席) improvisión *f.* ~의 improvisado, inmediato, instantáneo, repentino. ~에서 en el acto, al instante, en seguida, enseguida, inmediatamente, de improviso, de repente, por impovisación, sobre la marcha, sin preparación. ~에서 시(詩)를 짓다 improvisar. componer un poema en el acto.
■ ~식품(食品) =인스턴트식품. ~연설(演說) discurso *m* improvisado, oración *f* repentina. ¶~을 하다 dar un discurso improvisado. ~요리(料理) cocina *f* repentina, cocina *f* de improvisto.

즉시(卽時) inmediatamente, al momento, al instante, sin perder un momento, al punto, al momento, en el acto. ~ 이용할 수 있다 tener en la punta de los dedos.
■ ~급(給) pago *m* inmediato. ~불 pago *m* a la vista, pronto pago *m*, pago *m* inmediato, pago *m* a la entrega. ~ 인도 entrega *f* inmediata. ~ 정전 alto el fuego inmediato. ~ 통고(通告) aviso *m* inmediato. ~ 통화 comunicación *f* directa. ~ 항고 recurso *m* de queja inmediato a plazo.

즉심(卽審) =즉결 심판(卽決審判).

즉위(卽位) ascensión *f* al trono, entronización *f.* ~하다 ascender al trono, ocupar el trono, subir al trono. ~시키다 entronizar, elevar al trono.
■ ~식 (ceremonia *f* de) proclamación *f* del rey, coronación *f.*

즉응(卽應) correspondencia *f*, conveniencia *f*, adaptación *f.* ~하다 corresponder (a), convenir (a), ser adecuado (a), adaptar, acomodarse, hacer frente (a). …에 ~하여 conforme a *algo*. 사태(事態)에 ~하여 적절한 조치를 취하다 tomar las medidas adecuadas a las circunstancias.

즉일(卽日) el mismo día. ~로 en el mismo día. ~ 개표(開票)했다 Se ha procedido al escrutinio el mismo día de las elecciones.

즉전(卽錢) =맞돈.

즉조(卽祚) =즉위(卽位).

즉좌(卽座) =즉석(卽席).

즉행(卽行) ① [곧 감] ida *f* inmediata. ~하다 ir inmediatamente. ② [곧 행함] operación *f* inmediata.

즉효(卽效) efecto *m* inmediato. ~가 있다 tener [producir] el efecto inmediato. ~를 나타내다 producir el efecto inmediato. 이 약은 ~가 난다 Esta medicina hace un efecto inmediato.
■ ~약 remedio *m* de efecto inmediato.

즉흥(卽興) improvisación *f.* ~의 improvisado. ~으로 하다 improvisar.
■ ~곡 improvisación *f.* ~극(劇) drama *m* improvisado, improvisación *f.* ~ 문학(文學) iteratura *f* improvisada. ~시 versos *mpl* improvisados, improvisación *f.* ~ 시인 improvisador, -dora *mf.* ~ 연설(演說) improvisación *f.* ~ 연주(演奏) ejecución *f* improvisada. ~ 연주가(演奏家) improvisador, -dora *mf.* ~적 improvisado *adj.* ¶~으로 improvisamente, improvisadamente, in promptu. ~으로 짓다 [연주하다] improvisar.

즐거움 gozo *m*, alegría *f*, júbilo *m*, placer *m*, delicia *f*, regocijo *m*, goce *m*, encanto *m*, deleite *m*, disfrute *m*, entrenamiento *m*, solaz *f*, [심심풀이] distracción *f*, pasatiempo *m*; [오락(娛樂)] diversión *f*, recreo *m*, recreación *f.* 독서의 ~ el placer de leer. 인생의 ~ el placer de vida. 자연을 관조(觀照)하는 ~ el gozo de contemplar la naturaleza. 자식들이 자라는 것을 보는 ~ el gozo de ver crecer a los hijos. ~으로 기다리다 esperar con placer anticipado.

즐겁다 alegrarse, (ser) feliz, agradable, gozoso, delicioso, encantador, bueno. 즐거운 설 el feliz año nuevo. 즐거운 소식 la noticia gozosa. 즐거운 음악 la música agradable. 즐거운 추억 la memoria feliz, el recuerdo agradable. 즐거운 파티 la fiesta encantadora, la fiesta deliciosa. 즐거운 하루 el día agradable. 즐거운 때나 괴로운 때나 con buen o mal tiempo. 즐겁게 하다 agradar, alegrar, placer, complacer, divertir, recrear. 눈을 즐겁게 하다 agradar [divertir·recrear] los ojos. 즐거운 하룻밤을 보내다 pasar una velada agradable. …하는 것은 ~ Es agradable + *inf.* 오늘 산책은 즐거웠다 El paseo de hoy ha sido muy agradable. 마드리드에서는 즐거웠다 En Madrid lo pasé muy bien [bomba·bárbaro].
즐거이 alegremente, gozosamente, con (mucho) gusto, con (mucho) gozo, con alegría, con placer, divertidamente, jovialmente, deliciosamente, de buena manera grata, dichosamente, felizmente, con felicidad; [취미로] por gusto, por afición. ~ 보내다 pasarlo bien. ~ 살다 vivir feliz, vivir felizmente. 하루를 ~ 보내다 pasar todo el día alegremente. 그는 ~ 꽃을 재배한다 El cultiva flores por gusto [por afición]. ~ 지냅시다 Vamos a divertirnos / Vamos a pasarlo bien. 당신의 편지를 늘 ~ 읽습니다 Siempre leo sus cartas con placer.

즐기다 gozar(se), complacerse, divertirse, disfrutar, echar una cana al aire, vivir contento y alegre, ser aficonado (a), entretenerse, distraerse, entretenerse, recrearse, alegrarse (de). 게임을 하면서 ~ divertirse con el juego. 그림을 그리며 ~ divertirse en pintar. 기타를 ~ saber tocar la guitarra. 마음껏 ~ divertirse a colmo. 술을 ~ beber un poco de vino. 아이가 자

라는 것을 보면서 ~ alegrarse [gozar] viendo [de ver] crecer a *su* hijo. 웃고 ~ reír alegremente, reír regocijamente. 음악을 ~ ser aficionado a la música, gozar de la música. 인생을 ~ gozar de la vida. 장난질을 치며 ~ gozarse en hacer daño. 친구와 ~ divertirse con *su* amigo. 카드를 하면서 ~ divertirse jugando a las cartas. 텔레비전을 보면서 ~ divertirse viendo la televisión. 휴가(休暇)를 ~ disfrutar las vacaciones. 즐기십시오 ¡Disfrútelo! 즐기기를 바란다 ¡Que te diviertas! ¡Que lo pases bien!

즐비하다(櫛比-) formar una línea. 즐비한 집들 la hilera de casas. 오래된 집들이 즐비하게 계속되고 있다 Siguen unas tras otras las casas antiguas.

즙(汁) [과실의] zumo *m*, *AmL* jugo *m*; [초목의] savia *f*, [고무나무의] látex *m*. ~이 많은 zumoso, jugoso. ~을 짜다 exprimir.
◆과일~ zumo *m* [*AmL* jugo *m*] de frutas. 당근~ zumo *m* [*AmL* jugo *m*] de zanahoria. 토마토~ zumo *m* [*AmL* jugo *m*] de tomate.
즙 나다 ㉮ [즙이 나오다] salir el zumo. ㉯ [일이 아주 익숙해지다] acostumbrarse (a); [상태] estar acostumbrado (a).
즙 내다 exprimir. 즙 내는 기구 exprimidor *m*, *CoS* juguera *f*.
■ ~물 el agua *f* de zumo. ~액 zumo *m*.

증(症) ((준말)) ① =증세(症勢). ② =화증. ③ =싫증.

증(證) ((준말)) ① =증거(證據). ② =증명서(證明書). ¶학생 ~ carné *m* de estudiante.

-증(症) síntoma *m*. 우울~ melancolía *f*, hipocondría *f*. 현기(眩氣)~ vértigo *m*, vertiginosidad *f*.

증가(增加) aumento *m*, crecimiento *m*, incremento *m*, añadidura *f*. ~하다 aumentar(se), acrecentarse, agregar, añadir. ~시키다 aumentar, acrecentar. 인구의 ~ crecimiento *m* de la población. 체중의 ~ aumento *m* de peso. 30%의 ~ aumento *m* del treinta por ciento. 작년의 것을 세 배 상회한 큰 ~ un gran crecimiento tres veces mayor que el del año anterior. 수가 ~하다 aumentar de [en] número. 양이 ~하다 aumentar de [en] volumen. 인구가 ~되고 있다 La población va en aumento / La población está aumentando. 생산은 매년 계속해서 ~하고 있다 La producción sigue creciendo cada año más.
◆인구(人口) ~ aumento *m* en población. 자연(自然) ~ aumento *m* natural.
■ ~량 cantidad *f* aumentada, crecimiento *m*. ~액 suma *f* aumentada, cantidad *f* aumentada. ~율 tasa *f* de aumento, razón *f* de aumento. ~ 자본 capital *m* adicional.

증간(增刊) publicación *f* aumentada; [간행물] edición *f* extra, número *m* extra, número *m* extraordinario.
■ ~호(號) número *m* especial [extra · adicional · extraordinario].

증감(增減) aumento y disminución, adición y reducción. ~하다 aumentar y disminuir, agregar y deducir, fluctuar, alzar y bajar. 매상은 달에 따라 ~이 있다 El volumen de ventas cambia de un mes a otro.

증강(增强) refuerzo *m*. ~하다 reforzar, aumentar. 수송력을 ~하다 aumentar la capacidad de transporte. 전력(戰力)을 ~하다 reforzar la capacidad bélica. 해군(海軍)을 ~하다 vigorizar la fuerza naval.

증거(證據) prueba *f*, testimonio *m*, evidencia *f*; ((종교)) experiencia *f*. ~의 사용 uso *m* de prueba. ~의 우세(優勢) preponderancia *f* de prueba. ~의 증명력(證明力) fuerza *f* probatoria. 유리한 ~ evidencia *f* favorable. 불리한 ~ evidencia *f* desfavorable. 확실한 ~ prueba *f* positiva. ~로 할 수 있는 서류 documento *m* competente como prueba. ~ 불충분으로 por falta de pruebas suficientes, por insuficiencia de pruebas. ~가 되다 servir de prueba. ~로 사용하다 usar [recibir] como prueba. ~로 삼다 citar por ejemplo, citar por testigo, referir. ~를 모으다 juntar las pruebas. ~를 세우다 probar, testificar. ~를 수집하다 juntar las pruebas. ~를 제출하다 presentar [dar] las pruebas. ~를 조사(調査)하다 examinar las pruebas. ~를 가지고 비난하다 acusar con pruebas. 그 ~로 …이다 La prueba es que + *ind* / La prueba la tienes en que + *ind*. 너는 자신이 잘못이라는 것을 알고 있다. 그 ~로 얼굴이 붉어졌다 Tú sabes que eres culpable. La prueba es que te has puesto colorado. 이것이 네가 유죄라는 ~다 Esta es la prueba de tu culpabilidad [de que eres culpable].
◆간접 ~ prueba *f* indirecta. 내적(內的) ~ prueba *f* interna. 정황(情況) ~ prueba *f* circunstancial.
■ ~ 개시 descubrimiento *m* de prueba. ~ 결정 resolución *f* del examen de prueba, admisión *f* específica de la prueba. ~금 (dinero *m* en) depósito *m*, fianza *f*. ~ 능력(能力) admisibilidad *f*. ~력(力) poder *m* probatorio. ~ 목록 lista *f* de prueba. ~물 testimonio *m*, comprobante *m*, prueba *f*, objeto *m* que se exhibe en un juicio como prueba, objeto *m* que sirve de prueba. ~ 방법 carta *f* con una lista de prueba. ~법 regla *f* de prueba. ~ 보전 conservación *f* de prueba. ~ 서류(書類) documento *m*, evidencia *f* documental; [증거물로 재판에 제출한 서류] prueba *f* documental, documento *m* que se exhibe en un juicio como prueba. ~ 설명(說明) descripción *f* de los medios de prueba. ~ 원인(原因) causa *f* de pueba. ~인(人) =증인(證人). ~ 인멸 supresión *f* de las pruebas. ~ 인멸죄 delito *m* de supresión de las pruebas. ~ 자료 medios *mpl* probatorios. ~ 재판(裁判) juicio *m* por prueba ~ 재판주의 principio *m* de juicio a base en prueba. ~ 조사 práctica *f* de la prueba, examen *m* de

la prueba. ~ 탄핵 tachas *fpl* de prueba. ~품(品) =증거물.

증결(增結) conexión *f* adicional al tren. ~하다 unir más vagones al tren, hacer la conexión adicional al tren. 객차(客車)를 세 량 ~하다 adicionar tres vagones al tren. 차량(車輛)을 열차에 ~하다 juntar vagones [coches] suplementario a un tren.

증군(增軍) aumento *m* de soldados. ~하다 aumentar los soldados.

증권(證券) títulos *mpl*, valores *mpl*, efectos *mpl*; [채권] bono *m*, obligaciones *fpl*; [공채] emprésito *m*; [주권] (título *m* de) acción *f*. ~에 투자하다 jugar a las bolsas. ~화하다 convertir en valores; [부채를] consolidar (una deuda).
■~ 거래(去來) transacción *f* de títulos, transacciones *fpl* en valores. ~ 거래법 ley *f* de bolsa de valores. ~ 거래소 bolsa *f* de valores, Bolsa *f*, comercio *m* de valores. ~계 mundo *m* de valores, círculos *mpl* de valores. ~공채 bono *m* de valores. ~ 금융 finanzas *fpl* de valores. ~법 ley *f* de valores. ¶~ 수정 enmiendas *fpl* sobre las leyes de valores. ~부 departamento *m* de valores. ~ 분석 análisis *m* de valores. ~ 분석가 analisista *mf* de valores. ~세 impuesto *m* sobre valores. ~ 시장(市場) mercado *m* de valores. ~업 operaciones *fpl* con valores. ~ 투자 inversón *f* de acciones, bonos y valores. ~ 협회(協會) la Asociación de Cartera, la Asociación de Valores. ~ 회사 compañía *f* de valores.

증급(增給) aumento *m* del sueldo [del salario]. ~하다 aumentar el sueldo, aumentar el salario.

증기(蒸氣) ① [액체나 고체가 증발 또는 승화하여 생긴 기체] vapor *m*. ② ((준말)) =수증기(水蒸氣).
■~관(管) tubería *f* de vapor. ~관(罐) = 기관(汽罐). ~ 기관 máquina *f* de vapor de agua. ~ 기관차 locomotora *f* de vapor. ~ 난로 calentador *m* de vapor. ~ 난방 calefacción *f* [calefactor *m*] de vapor. ~력 발전소 planta *f* de vapor, central *f* termoeléctrica. ~ 목욕 baño *m* de vapor. ~ 발전소 planta *f* eléctrica de vapor. ~ 배출기 eyector *m* de vapor. ~ 배출 장치 =증기 배출기. ~ 밸브 válvula *f* de admisión del vapor, distribuidor *m* del vapor. ~ 보일러 caldera *f* de vapor. ~ 브레이크 freno *m* de vapor, vapofreno *m*. ~선 =기선(汽船)(barco de vapor). ~ 소독 esterilización *f* por vapor. ~실 cámara *f* de vapor. ~압 presión *f* de vapor. ~ 압력 presión *f* de vapor. ~ 압력계 manómetro *m* de vapor. ~욕 baño *m* de vapor. ~ 추진 propulsión *f* de vapor. ~ 추진력(推進力) propulsión *f* de vapor. ~탕 baño *m* de vapor. ~ 터빈 turbina *f* de vapor. ~ 펌프 bomba *f* de incendios.

증 나다(症―) enfadarse, enojarse, irritarse.

증 내다(症―) enfadarse, enojarse, irritarse.

증답(贈答) regalos *mpl* [obsequios *mpl*] que se hacen entre amigos. 선물(膳物)의 ~ intercambio *m* de regalos.
■~품 (objetos *mpl* de) regalo *m* [obsequio *m*], presente *m*.

증대(增大) aumento *m*, incremento *m*, crecimiento *m*, engrandecimiento *m*, acrecencia *f*, acrecentamiento *m*, ensanche *m*. ~하다 aumentar(se), incrementarse, acrecentarse, crecer, agrandarse, engrandecerse. ~시키다 aumentar, incrementar, agrandar, acrecentar. 생산량이 ~했다 La producción ha aumentado. 전쟁의 가능성이 ~하고 있다 Aumenta la posibilidad de una guerra.
■~ 모세포 auxocito *m*. ~사 sufijo *m* aumentativo, aumentativo *m*. ~어(語) aumentativo *m*. ~판 edición *f* aumentada, edición *f* ampliada. ~ 포자(胞子) auxoespora *f*. ~호 número *m* aumentado, número *m* ampilado, número *m* suplementario.

증량(增量) aumento *m* en cantidad.

증뢰(贈賂) soborno *m*, cohecho *m*. ~하다 sobornar, cohechar. ☞증회(贈賄)

증류(蒸溜) destilación *f*. ~하다 destilar, alambicar. ~용(用)의 destilatorio, destilador. ~할 수 있는 destilable. 포도주가 ~하면 소주가 얻어진다 Destilando el vino se obtiene el aguardiente.
◆상압(常壓) ~ destilación *f* atmosférica. 진공(眞空) ~ destilación *f* al vacío.
■~ 공장 destilería *f*. ~기 destilador *m*, destiladera *f*, [특히 술의] alambique *m*. ~소 destilería *f*, destilatorio *m*. ~수 el agua *f* destilada. ~자 destilador, -dora *mf*. ~ 장치 destilador *m*, destiladora *f*. ~주(酒) bebida *f* alcohólica hecha por destilación.

증면(增面) aumento *m* de páginas. ~하다 aumentar las páginas.

증명(證明) [증거(證據)] testimonio *m*, autenticación *f*, certificación *f*; [논증] demonstración *f*, verificación *f*, pueba *f*; [입증(立證)] comprobación *f*; [증언(證言)] atestiguamiento *m*, certificado *m*. ~하다 probar, certificar, comprobar, autenticar, confirmar, demostrar, atestiguar, verificar, dar fe. …의 무실(無失)을 ~하다 probar la inocencia de *uno*. 가설(假說)의 사실을 ~하다 comprobar [demostrar] la verdad de la hipótesis. 자신의 결백을 ~하다 probar [vindicar] *su* inocencia, justificarse. …임을 이에 ~함 Por la presente certifico que + *ind*/ Por la presente doy fe de que + *ind*. 이 사람은 본 대학의 학생임을 ~함 Por la presente certifico que éste es un estudiante de nuestra universidad. 우자(右者)는 본교 학생임을 ~함 Certifico que el interesado es alumno de nuestro escuela.
■~서 certificado *m*, comprobante *m*; [품행의] testimonio *m* de conducta. ¶국적 ~ certificado *m* de nacionalidad. 신분 ~ carné *m* de identidad, documento *m* de identidad. 원산지 ~ certificado *m* de origen. 통관 ~ certificado *m* de despacho

de aduanas. 학업 ~ certificado *m* de estudios. ~서류(書類) documento *m* certificatorio.

증모(增募) reclutamiento *m* aumentado. ~하다 alistar reclutas aumentadas, reclutar en gran alistamiento.

증발(蒸發) ① [액체나 고체가 그 표면에서 기체로 변함. 또, 그 현상] evaporación *f*, [기화(氣化)] vaporización *f*, [휘발(揮發)] volatilización *f*. ~하다 evaporarse, vaporarse, volatilizar(se). ~시키다 evaporar, convertir en vapor. ~된 evaporado. ~용(用)의 evaporatorio. ~하는 evaporador. ~하기 쉬운 evaporable, volátil. 물을 ~시키다 evaporar el agua. ② ((속어)) [사람이나 물건이 갑자기 없어져 소재 불명이 되는 일] desaparición *f* repentina. ~하다 desaparecer repentinamente.

■ ~계 evaporómetro *m*. ~ 계수 factor *m* de evaporación. ~기 evaporador *m*. ~량 cantidad *f* de evaporación. ~열 calor *m* de evaporación. ~ 응축기 condensador *m* de goteo. ~접시 cuenco *m* [cubeta *f*・cápsula *f*] de evaporación. ~ 캡슐 cápsula *f* de evaporación.

증발(增發) ① [열차의] amunto *m* de servicio ferroviario, operación *f* de un tren extra. ~하다 aumentar trenes, operar un tren adicional. 열차를 ~하다 poner en servicio un mayor número de trenes, aumentar los trenes. ② [통화(通貨)의] aumento *m* de emisión de valores. ~하다 poner en circulación.

증배(增配) aumento *m* de dividendo. ~하다 aumentar el dividendo.

증병(增兵) refuerzo *m*, nuevo socorro *m*, tropas *fpl* adicionales. ~하다 reforzar, añadir nuevas fuerzas (a), fortalecer, proveer de tropas adicionales.

증보(增補) aumento *m*, suplemento *m*, ampliación *f*, [부록(附錄)] apéndice *m*. ~하다 aumentar, ampliar, hacer suplemento, suplementar.

◆ 개정(改訂) ~ revisado y aumentado. 개정 ~판 edición *f* revisada y aumentada.

증봉(增俸) sueldo *m* [salario *m*] aumentado. ~하다 aumentar el sueldo [el salario].

증빙(證憑) evidencia *f*, prueba *f*, [근거(根據)] autoridad *f*.

■ ~ 서류 evidencia *f* documentaria.

증산(增産) aumento *m* de producción, aumento *m* de rendición. ~하다 aumentar la producción. 석탄 ~ 계획 plan *m* para aumentar la producción total de carbón.

증상(症狀) síntoma *m*, condición *f* de enfermedad, señal *f*. ~을 보이다 presentar un síntoma.

증상스럽다(憎狀—) (ser) odioso, aborrecible, abominable, detestable.

증상스레 odiosamente, aborreciblemente, abominablemente, destestablemente.

증서(證書) documento *m*, escritura *f*, [증명서] certificado *m*, testimonio *m*; [채무 증서] título *m* de la deuda; [증거] documento *m*, instrumento *m*, comprobante *m*, recibo *m*; [졸업 증서] diploma *m*; [계약서] contrato *m*; [권리증] reconocimiento *m* de deuda, obligación *f*. ~를 쓰다 extender por escrito, expedir un documento. ~를 작성하다 hacer una escritura, hacer un documento, escriturar. ~로써 받다 hacer certificar. ~가 제삼자에게 보관되어 있다 estar en depósito [bajo la custodia] de un tercero.

■ ~ 대부(貸付) préstamo *m* sobre un reconocimiento.

증설(增設) aumento *m* de instalación. ~하다 aumentar la instalación. 대학을 ~하다 fundar una nueva universidad. 병원을 ~하다 construir un hospital más. 전화를 한 대 ~하다 instalar un nuevo teléfono. 한 반을 ~하다 aumentar una clase.

증세(症勢) síntoma *m*. 폐렴의 ~가 있다 tener síntomas de pulmonía.

증세(增稅) aumento *m* de impuestos; [지방세의] contibución *f* de impuestos. ~하다 aumentar impuestos. 1할의 ~ un diez por ciento de aumento del impuesto. 5% ~하다 aumentar la contribución cinco por ciento.

증손(曾孫) bisnieto *m*, hijo *m* de *su* nieto.

■ ~녀 bisnieta *f*, hija de *su* nieto. ~부(婦) esposa *f* de *su* bisnieto. ~서(壻) esposo *m* de *su* bisnieta. ~자 bisnieto *m*, hijo *m* de *su* nieto.

증쇄(增刷) reimpresión *f*, imprenta *f* adicional. ~하다 reimprimir. 만(萬) 부를 ~하다 reimprimir diez mil ejemplares.

증수(增水) aumento *m* de agua, avenida *f*, crecida *f* (de un río). ~하다 aumentar el agua, crecer. 큰비로 냇물이 ~한다 El río va crecido a causa de la fuerte lluvia.

■ ~기(期) época *f* [temporada *f*] de la crecida. ~표(標) nivel *m* de la marca alta.

증수(增收) aumento *m* de ingresos, aumento *m* de entradas, aumento *m* de renta; [수확의] aumento *m* de cosecha. ~하다 aumentar la cosecha. 작년에 비해 10% ~다 Los ingresos arrojan un aumento de un diez por ciento en relación con el año anterior.

■ ~고(高) incremento *m* de ingresos, incremento *m* de entradas, importe *m* del aumento de renta.

증수(增修) ① =증축(增築). ② [서적을 증보(增補)하여 편집함] aumento y copilación. ~하다 aumentar y copilar.

증수회(贈收賄) soborno *m*, corrupción *f*.

■ ~ 사건 caso *m* de soborno.

증시(證市) ((준말)) =증권 시장(證券市場).

증식(增殖) reproducción *f*, multiplicación *f*, aumento *m*; [조직 세포(組織細胞)의] proliferación *f*. ~하다 reproducirse, multiplicarse, proliferar, aumentar.

■ ~로(爐) ((준말)) =증식 원자로. ~ 원자로(原子爐) reactor *m* reproductor.

증액(增額) aumento *m* de suma, aumento *m* de cantidad, subida *f*, el alza *f*. ～하다 aumentar, subir, aumentar la cantidad. 국방비의 ～을 요구하다 requerir aumento de las expensas de la defensa nacional. 임금의 10% ～을 요구하다 exigir un aumento de sueldo del diez por ciento.

증언(證言) testimonio *m*, atestiguamiento *m*, atestación *f*. ～하다 testificar, atestiguar, atestar, testimoniar, servir de testigo, dar testimonio. …의 ～에 따르면 según el testimonio de *uno*. …라 ～하다 atestiguar que + *ind*, testimoniar que + *ind*. ～을 부탁하다 pedir el testimonio. …에게 유리[불리]한 ～을 하다 testimoniar en favor de [contra] *uno*.

■～대 tribuna *f* de testimonio, estrado *m* de los testigos. ¶～에 서다 subir al estrado de los testigos.

증여(贈與) donativo *m*, ofrenda *f*, regalo *m*, obsequio *m*, presente *m*; 【법률】donación *f*. ～하다 donar, dar, regalar, obsequiar, presentar. 재산(財産)을 ～하다 donar los bienes.

■～물(物) regalo *m*, obsequio *m*. ～세(稅) impuesto *m* sobre donaciones. ～자 donante *mf*; donador, -dora *mf*; dador, -dora *mf*. ～ 재산 propiedad *f* donada, bienes *mpl* donados.

증오(憎惡) odio *m*, aversión *f*, [혐오(嫌惡)] aborrecimiento *m*, abominación *f*, repugnancia *f*. ～하다 odiar, detestar, aborrecer. ～를 사다 despertar odio (de), atraerse el odio (de), inspirar odio (en), inspirar aversión (en). ～를 품다 tener odio. ～의 눈으로 보다 lanzar miradas de odio [de aversión] (contra). ～의 적(的)이 되다 ser objeto del odio (de).

■～심(心) (sentimiento *m* del) odio *m*, aversión *f*. ¶～을 기르다 alimentar odio. ～을 일으키다 despertar odio (de), atraerse el odio (de), inspirar odio (en), inspirar aversión (en). ～을 품다 sentir odio (contra), sentir aversión (contra), tener odio (a), tomar odio (a).

증원(增員) aumento *m* del personal, aumento *m* del número de empleados. ～하다 aumentar el número del personal. 직원(職員)을 100명 ～하다 *aumentar* en ciento el personal. 20명에서 30명으로 ～하다 aumentar el número de empleados de veinte a treinta.

증원(增援) refuerzo *m*. ～하다 reforzar

■～군 refuerzos *mpl*. ～대 refuerzos *mpl*.

증유(贈遺) ＝증여(贈與).

증음기(增音器) [풍금의] rodillera *f*.

증익(增益) beneficio *m* aumentado.

증인(證人) testigo *mf*. 원고 측의 ～ testigo *mf* de cargo. 피고 측의 ～ testigo *mf* de descargo. ～에 서다 servir de testigo, ser testigo. ～으로 하다 tomar por testigo. ～이 되다 atestiguar.

■～대 tribuna *f* de los testigos, barra *f* de los testigos. ～에 서다 subir a la barra.. ～석 ＝ 증인대. ¶～에 앉다 subir a la barra. ～ 신문(訊問) interrogatorio *m* de los testigos.

증인(證印) sello *m*, estampilla *f*. ～을 찍다 sellar, estampillar.

증자(增資) aumento *m* [ampliación *f*] de capital. ～하다 aumentar el capital, ampliar el capital.

증적(證迹) rastro *m*, huella *f*, pisada *f*, vestigio *m*, señal *f*, indicio *m*.

증정(贈呈) donación *f*, obsequio *m*, presentación *f*. ～하다 donar, obsequiar, relagar, presentar.

■～본(本) ejemplar *m* de obsequio, ejemplar *m* de un libro que se regala con dedicatoria. ～사(辭) discurso *m* de donación. ～식(式) ceremonia *f* de entrega de donativos. ～자(者) donador, -dora *mf*. ～주(株) acción *f* gratuita. ～품 donación *f*, donativo *m*, obsequio *m*, regalo *m*.

증정(增訂) revisión y ampliación, suplemento y corrección. ～하다 suplementar y corregir, revisar y ampliar.

증조(曾祖) ((준말)) ＝증조부(曾祖父).

증조고(曾祖考) difunto bisabuelo *m*.

증조모(曾祖母) bisabuela *f*, abuela *f* de *su* padre.

증조부(曾祖父) bisabuelo *m*, abuelo *m* de *su* padre.

증조비(曾祖妣) difunta bisabuela *f*.

증좌(證左) ＝증거(證據).

증주(增株) acciones *fpl* aumentadas.

증주(增註) notas *fpl* adicionales. ～하다 hacer notas adicionales.

증지(證紙) timbre *f*.

증진(增進) promoción *f*, aumento *m*, progreso *m*, adelanto *m*, mejoramiento *m*, fortalecimiento *m*. ～하다 promover, mejorar, fomentar, aumentar, fortalecer. 사회 복지(社會福祉)의 ～ promoción *f* de bienestar social. ～시키다 progresar, adelantar, aumentar. 건강을 ～하다 promover la salud. 능률을 ～하다 aumentar el rendimiento. 식욕을 ～시키다 estimular el apetito. 실력을 ～하다 mejorar la habilidad. 체력을 ～시키다 fortalecer el cuerpo.

증징(增徵) imposición *f* [colección *f*] de impuestos adicionales. ～하다 imponer impuestos adicionales, imponer tributo adicional.

증차(增車) aumento *m* de los coches. ～하다 aumentar los coches.

증축(增築) ampliación *f* [extensión *f*·ensanche *m*] de un edifición. ～하다 ampliar [extender·ensanchar·agrandar] un edificio. 집을 한 층 ～하다 aumentar un piso a la casa. 방 하나를 ～하다 añadir [construir] una habitación.

■～ 공사 obras *fpl* de ampliación, obras *fpl* de extensión. ～비(費) coste *m* de extender un edificio.

증파(增派) refuerzo *m*, nuevo socorro *m*,

tropas *fpl* adicionales. ~하다 reforzar, añadir nuevas fuerzas, proveer de tropas adicionales.

증편(蒸-) pastel *m* de arroz cocido a vapor con levadura.

증편(增便) aumento m de los veces del número. ~하다 aumentar las veces del número.

증폭(增幅) amplificación *f*. ~하다 amplificar.
■~기 amplificador *m* (de la radio). ~ 작용 acción *f* de amplificación. ~ 장치 =증폭기(增幅器).

증표(證票) documento *m* justificado, timbre *f*.

증험(證驗) prueba *f*, intento *m*. ~하다 tratar (de), intentar + *inf*.

증회(贈賄) soborno *m*, cohecho *m*, corrupción *f*, *AmS* mordida *f*. ~하다 sobornar, cohechar, corromper. ~를 받다 recibir soborno, venderse.
■~ 사건(事件) caso *m* de soborno. ~자 sobornador, -dora *mf*; cohechador, -dora *mf*. ~죄 (delito *m* de) soborno *m*. ¶~를 범하다 cometer soborno.

증후(症候) síntoma *m*. ~의 sindrómico.

증후군(症候群) 【의학】 síndrome *m*. 태아 알코올 ~ síndrome *m* de alcohol fetal. 후천성 면역 부전 ~ [에이즈] Síndrome *m* de Inmunodeficiencia Adquirida, el SIDA, el Sida, el sida. 후천성 면역 부전 ~환자 [에이즈 환자] sidoso, -sa *mf*.
■~ 발현(發顯) sindromización *f*. ~학(學) sindromología *f*.

지[1] que, desde, después (de) que. 그들이 서울에 온 ~ 10년 되었다 Hace diez años que ellos llevan en Seúl. 우리는 결혼한 ~ 30년 되었다 Hace treinta años que nos casamos / Nos casamos hace treinta años..

지[2] ((궁중말)) =요강(orinal).

지(智) inteligencia *f*.

지-(至) a, hasta. 자(自)1일 ~10일 del primero al diez. 자(自)오전 9시 ~오후 5시 de las nueve de la mañana a las cinco de la tarde.

-지[1] ① [부정문에서] no ser. 나는 가고 싶~ 않다 No quiero ir. 그들은 아직 도착하~ 않았다 Ellos todavía no han llegado. 그녀는 영리하~ 않다 Ella no es inteligente. 꽃이 아름답~ 않다 La flor no es hermosa. 염려하~ 마세요 [usted에게] No se preocupe / [tú에게] No te preocupes. ② [의문문에서] ¿verdad?, ¿es verdad?, ¿no es así?, ¿no es verdad? 그들은 자매~ Ellos son hermanas, ¿es verdad? 너 지금 아홉 살이~ Tú tienes nueve años de edad, ¿verdad?

-지[2] [김치] *kimchi*. 오이~ *kimchi* de pepino. 짠~ *kimchi* salado.

-지(池) estanque *m*. 백두산 천~ estanque *m* en el monte *Baekdu*

-지(地) ① [땅] tierra *f*, terreno *m*, solar *m*. ② [옷감] tela *f*, paño *m*, textura *f*, tejido *m*. 오버~ tela *f* para abrigo.

-지(紙) ① [종이] papel *m*. 포장(包裝)~ papel *m* para empaquetear. ② [신문(新聞)] periódico *m*, diario *m*. 조간(朝刊)~ diario *m* de la mañana, (diario *m*) matutino *m*.

-지(誌) [정기 간행물] periódico *m*; [잡지] revista *f*. 월간(月刊)~ revista *f* mensual.

지가(地價) valor *m* de la tierra, precio *m* de un terreno, valor *m* del terreno, impuesto *m* del terreno. ~의 상승(上昇) subida *f* del precio de los terrenos.

지가(紙價) precio *m* del papel. 그 책은 낙양의 ~를 올렸다 El libro se vendió enormemente bien.

지각(地殼) corteza *f* terrestre, litosfera *f*, capa *f* del globo.
◆대륙 ~ corteza *f* terrestre continental. 해양(海洋) ~ corteza *f* terrestre oceánica.
■~ 구조학 geología *f* tectónica. ~ 변동 diastrofismo *m*, movimiento *m* de la corteza terrestre. ~ 운동 actividad *f* de la corteza terrestre. ~ 이동설 diastrofismo *m*. ~ 화성론(火成論) teoría *f* plutónica, plutonismo *m*, vulcanismo *m*. ~ 화학(化學) geoquímica *f*.

지각(知覺) conocimiento *m*, percepción *f*, perceptividad *f*; [감각] sensación *f*, sentidos *mpl*, sensibilidad *f*. ~하다 percibir. ~있는 perceptivo. ~할 수 있는 sensible, perceptible. ~할 수 없는 insensible. ~을 잃다 perder los sentidos, perder la sensibilidad, perder conocimiento.
지각없다 (ser) insensible, imprudente.
지각없이 insensiblemente, imprudentemente, con imprudencia.
◆지각(이) 나다 llegar a la edad de razón.
◆지각(이) 들다 =철(이) 들다.
■~ 감퇴 hipestesia *f*. ~계(計) =감각계(感覺計). ~ 과민(過敏) hiperestesia *f*. ~ 과정 proceso *m* perceptivo. ~ 기관(器官) órganos *mpl* de percepción. ~ 동사(動詞) verbos *mpl* de percepción. ~력(力) perceptibilidad *f*, perceptividad *f*. ~ 마비(痲痺) parálisis *f* de sensación. ~ 마비성 경련 anestetospasmo *m*. ~ 문제 problema *m* perceptivo, problema *m* de percepción. ~ 부전 impercepción *f*. ~ 상실 estupefacción *f*. ~ 신경 nervio *m* sensorio, nervio *m* sensitivo. ~ 신경 마비 sensoparálisis *f*. ~ 신경증(神經症) aestesioneurosis *f*. ~ 이상 parestesia *f*. ~ 작용 facultad *f* perceptiva, conocimiento *m*. ~ 정신(精神) espíritu *m* mental. ~ 착란 locura *f*, perturbación *f* mental.

지각(遲刻) retraso *m*, tardanza *f*. ~하다 llegar tarde, retrasarse, llegar con retraso. 수업에 5분 ~하다 llegar a (la) clase con un retraso de cinco minutos, llegar cinco minutos tarde a (la) clase. 나는 ~할 것이다 Voy a llegar tarde / Llegaré tarde. 나는 ~했다 Llegué tarde.
■~생 estudiante *mf* que llega tarde. ~자 el [la] que llega tarde; retrazado, -da *mf*; rezagado, -da *mf*.

지갑(紙匣) cartera *f*, billetera *f*, *AmS* billetería *f*; [돈지갑] portamonedas *m.sing.pl*.

지검(地檢) ((준말)) =지방 검찰청.

지게[1] [짐을 얹어 사람이 등에 지는 기구] *chigue*, escalerilla *f* para cargar equipajes, portaequipajes *m.sing.pl* típico coreano de la forma A. ~(를) 지다 llevar *chigue* en la espalda.

■ ~꼬리 cuerda *f* para atar equipajes en *chigue*. ~꾼 culí *mf* de portaequipajes. ~차 carretilla *f* elevadora (de horquilla).

지게[2] ((준말)) =지게문.

지게문(-門) *chiguemun*, puerta *f* de entrar en la habitación del suelo.

지게미 ① [재강에서 모주를 짜낸 술찌꺼기] posos *mpl* de vino. ② [술을 많이 마시거나 열기로 눈가에 끼는 눈곱] legañas *fpl*, pitaña *f*, moco *m* de los ojos.

지견(知見) =식견(識見).

지견(智見) inteligencia y conocimiento.

지겹다 (estar) tedioso, fastidioso, molesto, desagradable, pesado, repugnante, repulsivo, abomidable, destestable, odioso. 지겨운 날씨다 Hace un tiempo desagradable. 일이 너무 많아 ~ Estoy hasta las narices de tanto trabajo. 아이 지겨워! ¡Qué fastidio! / ¡Qué lata! / ¡Qué desagradable! 숙제가 이렇게도 많으니 지겨워 죽겠다 ¡Cómo me fastidia tener tantos deberes que hacer.

지경(地莖) 【식물】 ((준말)) =지하경(地下莖).

지경(地境) ① [땅의 경계] límite *m*, linde *m*, lindero *m*, frontera *f*. ② [어떤 처지나 형편 또는 경우] situación *f*, circunstancia *f*, condición *f*, estado *m*.

지경(枝莖) la rama y el tallo de la planta.

지계(地界) ① =지경(地境)❶. ② ((불교)) mundo *m* territorial.

지계(地階) ① [고층 건물에서의 지하에 있는 층(層)] sótano *m*, piso *m* inferior. ② [고층 건물에서의 첫째 층] piso *m* bajo, planta *f* baja; *AmL*, *Cuba*, *ReD* primer piso *m*.

지계(持戒) ((불교)) observación *f* de mandamiento del budismo.

지고(至高) sublimidad *f*, supremacía *f*. ~하다 (ser) supremo, sublime, sumo, superior altísimo. ~하신 존재 el Ser supremo.

■ ~선(善) 【윤리】 =최고선(最高善).

지골(肢骨) 【해부】 huesos *mpl* de los cuatro miembros.

지골(指骨) 【해부】 =손가락뼈(falange).

지골(趾骨) 【해부】 =발가락뼈.

지공(至公) ((준말)) =지공무사(至公無私).

■ ~무사(無私) imparcialidad *f* suprema. ¶ ~하다 (ser) absolutamente imparcial, estrictamente imparcial. ~지평(至平) imparcialidad *f* suprema, justicia *f* absoluta. ¶~하다 (ser) absolutamente imparcial.

지공하다(至恭-) (ser) muy cortés.

지관(支管) tubo *m* ramal.

지관(地官) geomántico *m*. ☞풍수(風水)

지괴(地塊) [땅의 덩어리] terrón *m* (*pl* terrones) de la tierra.

■ ~ 운동 【지질】 =지각 운동(地殼運動).

지교(至交) amistad *f* profunda, amistad *f* eternal, amistad *f* íntima.

지교하다(至巧-) (ser) muy minucioso, detallado.

지교하다(智巧-) (ser) inteligente e ingenioso.

지구(地球) tierra *f*, globo *m* terrestre, globo *m* terráqueo. ~의 terrestre, terráqueo. ~상에 en la tierra, en la superficie terrestre. ~의 공전(公轉) revolución *f* de la tierra alrededor del sol. ~의 오염(汚染) contaminación *f* terrestre. ~의 인력(引力) gravitación *f* terrestre. ~의 자전(自轉) rotación *f* de la tierra en su eje. ~ 밖의 생물(生物) ser *m* extraterrestre. 둘도 없는 ~ el único e insustituible planeta. ~는 둥글다 La Tierra es redonda. ~는 서에서 동으로 자전한다 La Tierra gira del oeste al este.

■ ~ 과학 ciencias *fpl* de la tierra. ~ 과학자 científico, -ca *mf* de la tierra. ~관측년 año *m* geofísico. ¶국제 ~ el Año Geofísico Internacional. ~ 관측 위성(觀測衛星) satélite *m* para la observación terrestre. ~ 구조학 geognosia *f*. ~ 구조학자 geognosta *mf*. ~ 궤도(軌道) órbita *f* terrestre. ~ 물리학 geofísica *f*. ~ 물리학자 geofísico, -ca *mf*. ~ 발생학 geogenia *f*, geogonía *f*. ~본 globo *m* terráqueo. ~ 생성론 geogenia *f*. ~ 역학 geodinámica *f*. ~ 위성 satélite *m* de la Tierra. ~의(儀) =지구본. ~의 날 día *m* de la Tierra. ~인(人) terrícola *mf*. ~ 자기(磁氣) magnetismo *m* terrestre. ~ 중심설 teoría *f* geocéntrica. ~촌 aldea *f* mundial, villa *f* mundial. ~ 화학 geoquímica *f*.

지구(地區) distrito *m*, región *f*, zona *f*, el área *f* (*pl* las áreas), barrio *m*, sección *f*; [부지(敷地)] solar *m*, lote *m*; [거리의] manzana *f*, *AmL* cuadra *f*.

◆경인(京仁) ~ distrito *m* [el área *f*] de *Seúl-Incheon*. 상업 ~ zona *f* comercial. 오락 ~ zona *f* de entretenimiento. 주택 ~ zona *f* residencial.

■ ~당(黨) sección *f* local del partido, sección *f* del partido local.

지구(地溝) foso *m*, fisura *f*, grieta *f*.

■ ~대(帶) 【지질】 valle *m* de fisura.

지구(知舊) amigo *m* íntimo (desde hace mucho tiempo), amiga *f* íntima.

지구(持久) perseverancia *f*, resistencia *f*, paciencia *f*. ~하다 mantenerse firme, perseverar, tener paciencia, resistir, aguantar.

■ ~력(力) aguante *m*, perseverancia *f*, constancia *f*, poder *m* de estabilidad, poder *m* de resistencia; [운동·말의] resistencia *f*. ~이 있다 tener mucha perseverancia, tener mucho aguante, aguantar mucho, ser resistente, ser infatigable. ~전(戰) guerra *f* de agotamiento, técnica *f* dilatoria; [운동의] juego *m* de resistencia.

지국(支局) sucursal *f*, [신문사의] delegación *f*, [라디오·텔레비전의] estación *f* emisora local. A 신문사 인천 ~ delegación *f* del periódico A en *Incheon*.

■ ~장(長) jefe, -fa *mf* del delegación.

지궐련(紙—) cigarrillo *m*.

지귀하다(至貴—) (ser) muy noble.

지그럭거리다 refunfuñar, quejarse.

지그럭지그럭 refunfuñando, quejándose.

지그르르 hirviendo a fuego lento.

지그시 ① [슬그머니 누르거나 당기거나 닫는 모양] dulcemente, con dulzura, suavemente, con suavidad, con calma, tranquilamente, con tranquilidad, a hurtadillas, furtivamente. 여자의 손을 ~ 당기다 tirar la mano de una mujer a hurtadillas, furtivamente. ② [눈을 슬그머니 감는 모양] ligeramente, suavemente. 눈을 ~ 감다 cerrar los ojos ligeramente. ③ [어려움을 참고 견디는 모양] con paciencia, pacientemente. 아픔을 ~ 참다 tolerar el dolor estoicamente [con estoicismo].

지그재그(영 *zigzag*) zigzag *m*, zigzagueo *m*, zigzags *mpl*. ~하다 formar en zigzag, ir en zigzags, hacer zigzags. ~의 en zigzag, zigzagueante. ~로 en zigzag, haciendo zigzag. ~로 걷다 caminar en zigzag, caminar haciendo zigzag. ~로 나아가다 avanzar en zigzag, avanzar zigzagueando. ~로 움직이다 zigzaguear.

지극하다(至極—) (ser) extremo, sumo.

지극히 sumamente, muy, extremadamente, excesivamente. ~ 중요한 de suma importancia, sumamente importante, importantísimo. ~ 신속히 con la mayor celeridad. ~ 조심해서 con el mayor cuidado, con sumo cuidado. ~ 주의해서 con la mayor cautela. ~ 중요한 문제 problema *m* de suma importancia, problema m sumamente importante. 당신의 말은 ~ 옳다 Usted tiene mucha razón / Es perfectamente justo lo que dice usted. 그는 ~ 만족해 있다 El está contentísimo / El está de muy buen humor.

지근(支根) 【식물】 raíz secundaria.

지근거리(至近距離) el punto más cercano, la distancia muy cercana. ~에서 발사하다 disparar desde muy cerca, disparar desde el punto más cercano.

지근거리다 ① [몹시 끈덕지게 지근거리다] hacerse unas gachas, perseguir, buscar el bulto, agarrarse, seguir como *su* sombra; [성가시게] atormentar, molestar, irritar, fastidiar, pinchar. 그녀에게 ~ pender detrás de ella, pinchar a ella. 나를 지근거리지 마라! ¡No me molestes más! / ¡Deja ya de dar la lata! 이분이 당신을 지근거리오? ¿La está molestando este señor? ② [가볍게 여러 번 씹다] mascar suavemente. ③ [머리가 쑤시고 아프다] tener [sentir] mucho dolor de cabeza. ④ [어떤 물건을 약한 힘으로 연해 눌러 깨뜨리다] romper siguiendo apretando una cosa.

지근덕거리다 =지근거리다.

지글거리다 ① [적은 물 등이 타는 듯이 계속해 소리를 내면서 끓다] chisporrotear, crepitar, hervir a fuego lento, romper el hervor, bullir. ② [무슨 일에 걱정이 되어 마음을 몹시 졸이다] estar furioso, hervir la sangre, arder. 나는 화가 나서 지글거렸다 Yo hervía de cólera.

지글지글 chisporroteando, hirviendo a fuego lento, bullendo; hirviendo la sangre. ~하다 chirriar. 빵이 기름에 ~ 끓고 있다 El pan chirría en aceite hiviendo.

지금(只今) ① [이제. 시방(時方). 현재] ahora, actualmente, en este momento, en la actualidad. ~의 actual, presente, de ahora. ~까지 hasta ahora, hasta aquí, hasta el presente. ~ 바로 ahora mismo. ~부터 desde ahora, de ahora en adelante, de aquí (en) adelante. ~쯤 por el momento, por ahora, por de [lo] pronto, a estas horas, en estos momentos. ~까지 없는 sin precedente, inaudito. ~(까지)도 aun ahora, todavía. 그것은 그가 ~까지 쓴 것 중에서 가장 우수한 책이다 Es el mejor libro que él ha escrito hasta ahora. 여행은 ~이 제일 좋은 계절이다 Esta es la mejor estación del año para viajar. 그는 ~도 아침마다 산책하고 있다 Todavía él conserva la costumbre de pasear toda mañana. ~까지의 일은 잊읍시다 Olvidemos lo pasado. ~까지 했던 대로 해 주십시오 Hágalo como (lo ha hecho) hasta ahora. ~까지 본 적이 없는 아름다운 보석이다 No he visto nunca una joya tan preciosa. ~까지 그런 것은 들어 본 적이 없다 (Nunca) En mi vida he oído tal cosa. ~은 컴퓨터 시대다 Esta es la era de los ordenadores [las computadoras].

② [오늘날] hoy día, estos días, hoy, ahora. ~의 학생들은 공부를 많이 하지 않는다고들 말한다 Dicen [Se dice] que no estudian mucho los estudiantes de hoy día.

③ ㉮ [바로 이제. 이제 곧] ahora mismo, en seguida, enseguida, inmediatamente. ~ 갑니다 Ya voy / Ya vengo / Voy ahora mismo / Voy enseguida / Ahora me voy / Ahora me vengo. ~ 떠납시다 Vamos a salir ahora mismo. ㉯ [이제 막] hace un momento, hace poco, hace rato, *AmS* recién. 그는 ~ 나갔다 El ha salido hace un momento / El acaba de salir / *AmS* El recién sale. ~ 여기 있었던 사람이 누구지오? ¿Quién es el que había aquí ahora [hace poco]?

지금껏 hasta ahora, hasta hoy, hasta el presente. ~ 한 번도 본 적이 없다 Nunca he visto ni una vez hasta ahora. 그는 내가 ~ 만난 사람 중에서 제일 키가 작다 El es la persona más baja que he visto hasta ahora. ~ 있었던 일은 잊읍시다 Lo pasado, pasado / Olvidemos lo pasado. 그는 ~그것을 모르고 있다 El no se ha dado cuenta de eso hasta este mismo momento.

지금(地金) ① [제품으로 만들거나 세공하지

않은 황금] oro *m* en barras, oro *m* en lingotes. ② [화폐·그릇 등의 재료가 되는 금속] metal *m* (en que se trabaja). ③ [도금한 바탕의 금속] metal *m* enchapado.

지금거리다 (ser) arenoso, (estar) lleno de arena. 밥이 지금거린다 El arroz es arenoso / El arroz está lleno de arena.
 지금지금 lleno de arena, arenosamente.

지급(支給) [월급 등의] pago *m*, saldo *m*; [수당 등의] asignación *f*, retribución *f*, [분배] distribución *f*, [공급] suministro *m*. ~하다 pagar, conceder, asignar, distribuir, suministrar, proveer. 타인(他人) 명의의 ~ pago *m* en nombre de otros. 식량을 ~하다 distribuir alimento, proveer de alimento, suministrar alimento. 야식비를 ~하다 pagar el importe de la comida. 월급 100만 원을 ~하다 pagar un millón de wones de salario mensual.
 ■~ 거절 rechazo *m* de pago. ~ 거절 증서 protesto *m* (por falta de pago). ~ 결재 pagado *m*. ~ 기일 fecha *f* de pago, día *m* de pago. ~ 기한 término *m* de pago. ~ 능력 solvencia *f*, cantidad *f* de pago. ~ 명령 orden *f* de pago, libranza *f*. ~ 방법 método *m* [manera *f*·medio *m*·modo *m*] de pago. ~ 보증(保證) fianza *f* de pago, garantía *f* de pago. ~ 보증 수표 cheque *m* atestiguado. ~ 불능(不能) incapacidad *f* de pago [de pagar]. ~액(額) cantidad *f* proporcionada, asignación *f*. ~ 약속(約束) compromisos *mpl* de pago. ~ 어음 efecto *m* a pagar, giro *m* de pago. ¶일람후 ~ letra *f* pagadera a la vista. ~ 연기(延期) tardanza *f* [dilación *f*·demora *f*] de pago. ~ 외화(外貨) divisa *f* de pago. ~ 요청 demanda *f* de pago, requerimiento *m* de pago. ~위임 autorización *f* de pago. ~유예 moratoria *f*, gracia *f* de pago. ¶~ 기간 (días *mpl* de) gracia *f*. ~ 의무(義務) obligación *f* de pago. ~인 pagador, -dora *mf*. ~ 장소 lugar *m* de pago. ~ 전보(電報) telegrama *m* urgente. ~ 전표 nota *f* de pago. ~ 정지 suspensión *f* de pagos. ~ 제도 sistema *m* de pago. ~ 조건(條件) condiciones *fpl* de pago. ~ 준비금 reserva *f* de pago, fondo *m* reservado (para pago). ~ 증권 (證券) valores *mpl* de pago. ~지(地) lugar *m* de pago. ~ 청구(請求) requerimiento *m* al pago. ~품(品) artículos *mpl* proporcionados, artículos *mpl* suministrados. ~필(畢) Pagado. ~ 항목(項目) partida *f* deudora.

지급(至急) ① [매우 급함] urgencia *f*, presteza *f*, prontitud *f*. ~의 urgente, inminente, de urgencia, apremiante, inmediato. ~으로 cuanto antes, urgentemente, inminentemente, lo más pronto posible, en seguida, enseguida, a toda prisa, a todo correr, con toda urgencia, con la mayor prontitud. ~으로 통보합니다 Me apresuro a avisarle a usted. 10상자를 수령 ~ 통보합니다 Nos apresuramos a acusarles a ustedes recibo de diez cajas. ~으로 구급차를 불러 주십시오 Llame usted urgentemente una ambulancia. ~으로 회신 주십시오 Esperamos su contestación con toda urgencia [con la mayor prontitud]. ② ((준말)) =지급 전보.
 ■~ 우편(郵便) correo *m* urgente. ~ 전보 telegrama *m* urgente. ~ 전화 llamada *f* urgente, teléfono *m* urgente. ~ 친전(親展) urgente y personal. ~ 통화(通話) llamada *f* urgente. ~편(便) ((게시)) Urgente. ¶~으로 por vía urgente; [철도편의] en gran velocidad, G.V. ~으로 보내다 enviar [mandar] por vía urgente, enviar [mandar] por expreso.

지긋지긋[1] [오래 참고 견디는 모양] pacientemente, con paciencia.

지긋지긋[2] [자꾸 지그시 밀거나 당기거나 누르거나 닫는 모양] suavemente, ligeramente.

지긋지긋하다 ① [보기에 몹시 잔인하거나 야속하여 몸서리가 쳐질 만하다] (ser) repugnante, odioso, destestable, horrible, horroroso, repulsivo, asqueroso. 지긋지긋한 광경 vista *f* horrible. ② [몹시 싫거나 귀찮아 넌더리가 날 만하다] quedar muy escarmentado, aburrirse (de·con), cansarse (de·con), hartarse (de·con). 지긋지긋한 fastidioso, cansado, pesado, aburrido. 지긋지긋한 얼굴로 con una cara de hastío. 지긋지긋하게 하다 aburrir, hastiar, cansar. 매일 똑같은 요리가 ~ Estoy harto de comer el mismo plato todos los días.

지긋하다 ser entrado en años, ser de (una) edad avanzada, tener (una) edad avanzada. 나이가 지긋한 신사 un caballero de edad avanzada.

지기(至氣) ((천도교)) fuerza *f* de Dios.

지기(地祇) ① [땅의 신령] dios *m* de la tierra. ②【역사】=사직(社稷).

지기(地氣) ① [토양(土壤) 중의 공기] aire *m* en el terreno. ② [땅의 눅눅한 기운] ánimo *m* húmedo de la tierra. ③ [대지의 정기(精氣)] esencia *f* de la tierra.

지기(志氣) [의지와 기개] la voluntad y el espíritu, sentimiento *m*. 애국(愛國)의 ~ espíritu *m* de patriotismo, sentimiento *m* patriótico..
 ◆지기(를) 펴다 =기 펴다.
 ■~상합(相合) entendimiento *m* mutuo, carácter *m* simpático, carácter *m* agradable. ~투합 =지기상합.

지기(知己) conocido, -da *mf*, amigo *m* íntimo, amiga *f* íntima. ~가 되다 [서로] conocerse; [··· 와] conocer a *uno*. ~를 얻다 ganar un amigo íntimo.
 ■~지우(之友) =지기(知己).

지기(紙器) vaso *m* [vajilla *f*] de papel.

-지기[1] [곡식의 씨를 뿌리는 분량에 따라 땅의 넓이를 나타내는 말] el área *f* (*pl* las áreas) del terreno, *ReD* tarea *f*. 서 마~ tres tareas.

-지기[2] [그 사물을「지키는 사람」의 뜻] guarda *mf*, -ero, -era *mf*. 문~ portero, -ra *mf*. 창고~ almacenero, -ra *mf*.

지꺼분하다 ① [눈이 깨끗하지 못하고 흐릿하다] (ser) sucio, legañoso. 지꺼분한 눈 ojos mpl legañosos. ② [물건이 어수선하고 지저분하다] (estar) desordenado, gastado, muy usado. 지꺼분한 것들 cosas *fpl* gastadas, cosas *fpl* muy usadas.

지껄거리다 =지껄이다.

지껄지껄 chismeando, charlando y charlando, siguiendo [continuando] charlando.

지껄이다 chismear, charlar, parlotear, cotorrear, chacharear, picotear, embolismar, hablar al aire, hablar descaradamente, hablar atropelladamente, hablar confusamente, farfullar. 잘 ~ hablar por los codos. 잘 지껄이는 사람 hablador, -dora *mf*, charlador, -dora *mf*. 계속 ~ hablar a chorros, hablar por los codos. 시시한 말을 시부렁시부렁 ~ cotorrear disparates. 그는 그의 작전에 대해 여러 시간 지껄였다 El estuvo horas hablando de su operación. 그는 서반어어로 지껄였다 El parlotearon en español. 어떻게 그런 말을 지껄일 수가 있느냐? ¿Cómo puedes tener el descaro de decir eso? 그녀는 잘 지껄인다 Ella es una charlatana [una habladora]. 근무 중에는 지껄이지 마라 No hagáis comentarios [No charléis] durante las horas de trabajo. 그녀는 너무 빨리 지껄여서 우리는 한마디도 이해할 수 없었다 Ella hablaba tan deprisa que no entendimos una palabra. 그는 화가 나서 지껄였다 El tartamudeaba de la rabia. 그만 좀 지껄여라 ¡Cállate!

지끈 con un chasquido.

지끈거리다 ① [여러 개가 모두 지끈 소리를 내며 깨지거나 부러지다] romperse con un chasquido. ② [머리·몸 따위가 쑤시고 아프다] tener mucho dolor.

지끈지끈 ㉮ [부러지는 소리] con un chasquido. ㉯ [아픈 모양] espantosamente, muchísimo. 머리가 ~하다 La cabeza me va a estallar. 나는 골치가 ~ 아팠다 Tengo un dolor de cabeza espantoso / Me duele muchísimo la cabeza.

지끔거리다 masticarse la arenita.

지끔지끔 masticándose la arenita.

지나(支那) 【지명】 la China.

지나가다 ① [한 곳에서 다른 곳으로 옮겨 가다] pasar. 숲을 ~ pasar por el bosque. ② [어떤 길을 통과하다] pasar, atravesar, cruzar. 종로를 지나가서 광화문에 이르다 llegar a *Gwanghwamun* pasando por *Chongro*. 국도(國道)가 집 앞을 지나간다 La carretera nacional pasa por delante de la casa. 나는 지나가는 부인에게 길을 물었다 Yo pregunté el camino a una señora que pasaba. 자동차가 도로를 지나간다 Los coches pasan [transitan] por la carretera. 나는 지나가는 택시를 불렀다 Llamé a un taxi que pasaba. ③ [들르지 않고 내처 가다] pasar (por). 문 앞을 ~ pasar por la puerta. 서울을 ~ pasar por Seúl. 우연히 ~ pasar por casualidad. 버스가 멈추지 않고 지나갔다 El autobús pasó de largo. 150번이 우리 집 앞을 지나간다 El 105 (ciento cinco) pasa por la puerta de casa. 이 열차는 이리를 지나간다 Este tren pasa por *Iri*. ④ [세월이 가다] pasar (el tiempo), correr (el tiempo), transcurrir. 지나간 일 cosa *f* pasada. 지나간 세월 días *mpl* pasados. 지나간 것은 지나간 것이다 Lo pasado, pasado. ⑤ [어떤 수량·정도의 수준을 넘어가다] expirar, exceder. 기한이 ~ expirar el plazo.

지나다 ① [다른 어떤 곳으로 옮겨 가다] pasar. 나는 지나는 길에 그의 사무실에 들렀다 Yo pasé por su oficina.

② [어떤 곳을 통과하다] pasar (por), correr. …를 지나서 [경유] por *un sitio*; [거쳐서·횡단해서] a través de *un sitio*. 도시를 지나 흐르는 강 el río que corre a través de la ciudad. 학교 앞을 ~ pasar por delante de la escuela. 대전을 지나 대구에 가다 ir a *Daegu* por *Daecheon*. 열차가 이미 대전을 지났다 El tren ya ha pasado *Daecheon*. 지나는 길에 들렀습니다 Como pasaba he entrado un momento.

③ [시간이 흐르다] correr el tiempo, pasar, transcurrir, deslizarse. 지난날 días *mpl* pasados, el otro día. 지난달 el mes pasado. 지난밤 anoche. 지난 세월 días *mpl* pasados, tiempos *mpl* pasados. 지난 일 lo pasado. 지난 10일 el pasado día diez; [전달의] el diez del mes pasado. 지난 10월 13일 el trece del pasado octubre. 일흔 살이 지난 노인 anciano *m* que tiene setenta y tantos años. 1주일이 지나면 en [dentro] de ocho días. 1주일 지나서 pasada una semana. 이틀 지나서 dentro de [a los·al cabo de] dos días. 2년 지나서 a los [dentro de] dos años. 좀 더 지나서 un poco más tarde. 조금 지나서 al cabo de poco tiempo, poco tiempo después. 정오가 지날 때까지 hasta pasado el mediodía. 일주일 지나지 않아 오다 venir en menos de una semana, no tardar una semana en venir. 10년이 지나서 correr [pasar] diez años. …한 지 일 년이 지났다 Ha pasado un año desde que + *ind* / Hace un año que + *ind*. 세월이 지나는 것을 잊다 olvidarse del vuelo del tiempo. 몇 년이 지났다 Se han transcurrido varios años. 세월은 화살처럼 지난다 El tiempo corre como una flecha. 세월은 정말 빨리 지난다! ¡Qué rápido vuela el tiempo! 그는 30분 정도가 지나서 돌아왔다 El volvió unos treinta minutos más tarde. 세 시가 지났다 Son las tres y pico / Son más de las tres. 9시 15분이 지났다 Son las nueve y cuarto. 그는 서른 살이 지났다 El tiene más de treinta años. 그로부터 20년이 지났다 Han pasado veinte años desde entonces. 즐거운 날들이 꿈처럼 지났다 Algunos días alegres transcurrieron como si fuera un sueño. 약속 기한이 지난 지 오래되었다 Hace tiempo que expiró el plazo concertado. 그는 예순 살을 지나서 공부를 시작했다 Pasada la edad de sesenta años, él empezó a estudiar. 11월 10일이 조금 지나서 다시 오겠습니다 Vendré de nuevo poco después del diez de noviembre. 그는 1년이 지나서 응모 자격이 없다 El no tiene derecho a la convocatoria porque tiene un años de más. 그가 한국에 온 지 십 년이 지났다 Hace diez años que lleva en [está en · llegó a] Corea / Han pasado diez años desde que llegó a Corea. 종전(終戰)한 지 50년이 지났다 Han pasado cincuenta años desde que terminó la guerra / Llevamos cincuenta años de posguerra. 일 개월이 지났지만 아직 그의 상처는 치료되지 않았다 Aunque ha pasado [Después de] un mes, todavía no se ha curado su herida. 지난 일은 잊읍시다 Lo pasado, pasado / Olvidemos lo pasado.

④ [과거가 되다] pasar. 지난 pasado. 지난 봄 primavera *f* pasada. 지난 일요일 el domingo pasado. 지난주 이때 la semana pasada a estas horas. 지난 열 시간 동안 durante las últimas horas. 지난 십 년 동안 durante los últimos diez años. 내 지난 편지에(서) en mi última carta. 내 어머님은 일 년 전 지난 목요일에 돌아가셨다 El jueves pasado hizo un año que murió mi madre.

⑤ [한창때를 넘어서 쇠해지다] pasar. 위험한 대목이 ~ pasar el momento crítico.

⑥ [어떤 사물의 수량 · 한도를 넘다] expirar, concluir, acabar. 기한이 ~ expirar el plazo.

지나다니다 venir y ir pasando.

지나새나 siempre, día y noche, constantemente, todo el tiempo, en todos los tiempos, en todas las edades.

지나오다 ① [어떤 곳을 들르지 않고 바로 오다] pasar. 거리를 지나온 사람들 la gente que pasaba por la calle. 우리는 막 지나왔다 Pasábamos por aquí. ② [무슨 일을 겪어 오다] pasar. 지나온 일을 생각하다 recordar [acordarse de] lo pasado. 많은 시련을 ~ pasar muchos apuros [muchas dificultades · privaciones].

지나치다 ① [표준이 될 만한 정도를 넘다] (ser) excesivo, demasiado, vehemente, inmoderado, exorbitante, desmedido, desmesurado. 지나치게 excesivamente, extremadamente, demasiado, por extremo, terriblemente, horrorosamente, extremamente, sumamente, ridículamente, desmesuradamente, desmedidamente, con exceso, en exceso. 지나치게 큰 de tamaño extraordinario, enormemente grande, gigantesco. 지나친 돈의 액수 una cantidad exorbitante de dinero. 지나친 추위 el excesivo frío. 그의 지나친 돈에 대한 애착심 su desmedido [desmesurado] amor por el dinero. 공업화의 지나침 el exceso de industrialización. 말이 ~ decir demasiado, exagerar, pasarse, sobrepasarse. 공부를 지나치게 하다 estudiar excesivamente. 지나친 비판을 하다 hacer una crítica dura [excesiva · demasiado severa]. 지나치게 술을 마시다 beber demasiado. 지나치게 먹다 comer demasiado. 지나치게 일찍 도착하다 llegar demasiado temprano. 지나치게 덤비다 ir más lejos de lo que es propio. …라 말해도 지나치지 아니하다 No es exagerado decir que + *ind* / No es una exageración decir que + *ind* / No es demasiado decir + *ind* / No es mucho decir que + *ind*. 그건 너무 ~ Es el colmo / Es demasiado / Eso ya pasa de castaño obscuro. 그는 지나치게 일한다 El trabaja demasiado [con exceso]. 그의 말은 지나치게 빠르다 El habla tan de prisa que no le entiendo / El habla demasiado rápidamente para que le entienda. 친구를 배반하는 것은 너무 ~ El traicionar a los amigos es ya demasiado. 너는 너무 지나쳤다 ¡Te has pasado (de la raya)! 제가 좀 지나치지 않았습니까? ¿No me habré pasado un poco! 그들은 지나친 요구를 하고 있다 Lo que ellos piden es excesivo. 그는 지나친 야망을 가지고 있다 El tiene una excesiva ambición. 나는 이 그림을 지나치게 싸게 샀다 He comprado este cuadro por un pedazo de uno. 그녀는 나에게 지나친 관심을 가지고 있다 Ella tiene excesivo [demasiado] interés por mí. 지나친 욕심은 자루를 찢는다 ((서반아 속담)) La avaricia rompe el saco.

② [말 · 행동 등이 거칠고 과격하다] (ser) extremo, radical, excesivo, violento. 언동이 ~ el lenguaje es violento.

③ [지나가거나 지나오다] pasar (delante de); [더 가다] ir demasiado lejos, ir más lejos, ir más allá. 지나치는 사람 persona *f* que pasa, transe- únte *mf*. 우연히 지나치는 사람 persona *f* que acierta a pasar. 극장 앞을 ~ pasar por delente del cine. 그냥 ~ pasar de largo (delante de). 너는 지나쳤다 Tú vas demasiado lejos.

지난(持難) dificultad *f* extrema. ~하다 (ser) muy difícil, el más difícil, extremadamente difícil. 그것은 ~한 기술(技術)이다 Eso es un arte extremadamente difícil.

지난날 ① [이미 지나 버린 오늘 이전의 날] días *mpl* pasados, tiempos *mpl* pasados. ~의 회상(回想) recuerdo *m* de los días pasados. ② [그리 멀지 않은 과거의 어느 무렵] un día. ③ [과거] pasado *m*. ~의 추억 recuerdo *m* del pasado.

지난달 mes *m* pasado.

지난때 tiempo *m* pasado.

지난밤 anoche, (en) la noche entre ayer y hoy.

지난번(一番) última vez *f*, el otro día. ~의 pasado, anterior, reciente. 내가 비행했던 ~ 멀미했다 La última vez que volé, me mareé.

지난하다(至難一) (ser) muy difícil. 지난한 과제 tarea *f* muy difícil.

지난해 año *m* pasado.

지날결 en camino, cuando se pasa, al pasar.

~에 당신을 만나러 잠깐 들렀습니다 Yo he pasado a verte un momento en camino.

지남(指南) ① [남쪽을 가리킴] señalamiento *m* hacia el sur. ~하다 señalar el sur. ② [이끌어 가르치거나 가리킴] enseñanza *f*, instrucción *f*, señalamiento *m*. ~하다 enseñar, instruir; señalar.

■ ~석(石) =지남철. ~철(鐵) ㉮ =자석(磁石)❷. ㉯ =자침(磁針). ~침(針) =자침(磁針).

지낭(智囊) persona *f* que tiene mucha inteligencia.

지내다 ① [살아가다] vivir, ganarse la vida,, llevar. 음악으로 지내기는 어렵다 Es difícil vivir de música / Es difícil ganarse la vida como músico. 무엇을 하고 지내느냐? ¿En qué trabajas? / ¿A qué te dedicas? 요즈음 어떻게 지내십니까? ¿Cómo está usted estos días? 나는 잘 지내고 있습니다 Estoy bien. 우리 터놓고 지냅시다 Vamos a tutear. ② [서로 사귀어 가다] pasarlo bien, vincularse, tener trato (con), confraternizar, fraternizar, establecer confraternidad. 친하게 ~ tener intimidad. ③ [어떤 지위에 있어 그 일을 겪다] experimentar, tener experiencia, servir. 그는 교사를 지내다가 지금은 출판사의 대표를 하고 있다 El ha sido un maestro y ahora es el presidente de una editorial. ④ [혼인·제사 등 관혼상제를 치르다] celebrar, practicar, observar. 시체를 장사 ~ celebrar funerales del cadáver. 제사를 ~ practicar los ritos ancestrales.

지내듣다 escuchar distraídamente [sin prestar atención·sin poner atención]. 지내들어서는 안 될 말 el comentario que no puede escuchar distraídamente.

지내보다 ① [서로 사귀어 겪어 보다] conocer (a). ② [어떤 일을 겪어 보다] experimentar. ③ [어떤 사물을 주의하지 않고 건성으로 보다] ignorar [despreciar·no prestar atención] indulgentemente.

지네 【동물】 cientopiés *m*, ciempiés *m*.

지네철(-鐵) grapa *f* metálica.

지노(紙-) cordoncillo *m* de papel, cuerda *f* pequeña de papel. ~를 꼬다 torcer el papel para hacer un cordoncillo.

지느러미 【동물】 aleta *f*. ~로 휘젓다 aletear.

◆ 가슴~ aleta *f* pectoral. 꼬리~ aleta *f* caudal. 뒷~ aleta *f* anal. 등~ aleta *f* dorsal. 배~ aleta *f* ventral.

■ ~발 aleta *f*.

지능(知能) ① [두뇌의 작용] inteligencia *f*, mentalidad *f*, talento *m*. ~의 inteligente, mental. ~이 좋은 아이 niño *m* avanzado, niña *f* avanzada. ~이 미진(未盡)한 아이 niño *m* retrasado, niña *f* retrasada. ~을 개발하다 desarrollar la mentalidad. ② [지혜와 재능] la inteligencia y el talento.

■ ~ 검사 examen *m* mental. ~ 계수 =지능 지수. ~권 =지적 소유권(知的所有權). ~범 ㉮ [범죄] ofensa *f* intelectual, ofensa *f* mental. ㉯ [범인] ofensor, -sora *mf* intelectual [mental]. ~ 연령 =정신 연령. ~적 inteligente. ¶~으로 inteligentemente. ~ 정도 nivel *m* intelectual, nivel *m* de inteligencia. ~ 지수(指數) coeficiente *m* [cociente *m*] intelectual [de inteligencia].

지니다 ① [몸에 간직해 가지다] tener, llevar, poseer, llevar con*sigo*. 돈을 ~ tener dinero. 큰돈을 ~ llevar una gran cantidad de dinero con*sigo*. 나는 돈을 지니고 있지 않다 No tengo dinero. ② [몸에 갖추어 가지다] tener. 덕(德)을 ~ tener virtud. 매력을 ~ tener atractivo. ③ [변조하지 않고 원모양을 간직하다] mantener. 원형을 ~ mantener *su* forma original. ④ [무슨 일을 잊어버리지 않고 새겨 두다] conservar, mantener. 비밀을 ~ conservar el secreto.

■ 지닐성(性) cualidad *f* de tener memoria. 지닐재주 buena memoria *f*.

지다¹ [젖이 불어 저절로 나오다] (la leche) salir por ssí mismo.

지다² ① [그늘이 생기다] asombrar, cubrir con la sombra. 그늘이 진 정원 jardín *m* donde hay sombra. 그늘이 ~ haber sombra. 그늘을 지게 하다 dar sombra. 이 곳은 그늘이 더 많이 진다 Aquí hay más sombra. ② [큰비로 물이 많게 되다] comenzar, empezar. 마침내 장마가 졌다 Al fin la estación de las lluvias ha comenzado. ③ [서로 원수가 되다] hacerse enemigo. 원수 ~ hacerse enemigo. ④ [없던 것이 새로 생기다] aparecer. 얼룩이 지지 않는 sin mancha, sin tacha. 잉크로 얼룩이 진 manchado de tinta. 얼룩이 많이 진 식탁보 un mantel muy manchado. 얼룩이 ~ estar manchado (de). 얼룩을 지게 하다 manchar.

지다³ ① [해나 달이 서쪽으로 넘어가다] ponerse. 지는 해 sol *m* poniente. 해가 서쪽으로 질 무렵 cuando se ponga el sol por el oeste. 태양이 지평선으로 졌다 El sol se puso por el horizonte. 해는 동쪽으로 떠서 서쪽으로 진다 El sol sale por el este y se pone por el oeste. ② [꽃·잎 등이 시들어 떨어지다] caer, marchitarse y caer. 꽃이 지기 시작한다 La flor empieza a caer. ③ [거죽에 묻어 있거나 붙어 있던 것이 없어지다] desaparecer, salir. 얼룩이 ~ manchar(se). 얼룩져 있다 estar manchado (de). 잉크로 얼룩진 manchado de tinta. 땀으로 얼룩진 manchado de sudor.

지다⁴ ① [싸움·겨루기·소송 등에서 상대를 이기지 못하다. 패(敗)하다] ser vencido [derrotado], sufrir una derrota, rendirse, perder. 경쟁에 ~ ser vencido en la competencia. 시합에 ~ perder un partido. 싸움에 ~ perder un combate. 전투에서 ~ perder la batalla. (내가) 졌다 Me rindo / Me doy por vencido // 【유도】 Maitta / Estoy derrotado. 너 졌지? Te das por vencido, ¿eh? A는 B에게 3대1로 졌다 A perdió ante B por tres a uno. 그는 수학에서는 누구한테도 지지 않는다 Nadie le gana en matemáticas. 나는 지지 않을 것이

다 Venceré sin falta / Nunca perderé. 이기는 것이 때로는 지는 경우가 있다 Ganar a veces es perder. ② [불가피해 양보하다] perder de propósito, ceder.

지다⁵ ① ((준말)) =등지다. ② [지게나 물건을 등에 얹다] llevar, cargar. 등에 ~ llevar *algo* a la espalda. ③ [남에게 빚을 얻거나 하여 갚을 의무를 가지다] deber. 빚을 ~ deber, estar endeudado, tener deudas. 나는 당신에게 십만 원 빚을 졌다 Le debo cien mil wones. 내가 너에게 얼마나 빚을 졌지? ¿Cuánto te debo? ④ [어떤 책임을 맡다] tener, cargar (por). 책임을 ~ tener [cargar por] la responsabilidad.

지다⁶ [어미「-아」나「-어」뒤에 붙어 사물이 어떻게 되어 감을 나타내는 말] *inf* + se, ser +「과거 분사」. 가늘어~ adelgazar-(se). 나누어~ dividirse, ser dividido. 넓어~ extenderse, ser extendido.

-지다¹ ser, hacerse, volverse. 나빠~ empeorar(se). 부러~ romperse. 얼굴이 붉어~ [화가 나서] ponerse colorado, ponerse rojo; [당황해서] sonrojarse, ruborizarse, ponerse colorado, ponerse rojo. 좋아~ mejorar(se). 창백해~ palidecer. 날씨가 추워진다 Está empezando a hacer frío. 날씨가 더 더워진다 Ya empieza a hacer más calor. 그는 급속히 좋아졌다 El se mejoraba rápidamente. 환자는 나빠졌다 El enfermo empeoró.

-지다² ((접미사)) ¶기름~ estar cubierto [lleno] de grasa; [음식이] graso. 값~ (ser) costoso, caro.

지다위 ① [남에게 등을 대고 의지하거나 떼를 씀. 또, 그 짓] dependencia. ~하다 confiar (en). ② [허물을 남에게 덮어씌움. 또, 그 짓] imputación *f*, atribución *f*. ~하다 imputar, atribuir.

지당하다(至當―) (ser) muy justo, razonable, correcto, derecho y propio, equitativo, natural, tener razón. 지당한 요구 demanda *f* razonable. 지당한 조처 medida *f* correcta. 그것은 지당한 말이다 Eso está muy bien dicho. 지당하신 말씀입니다 [usted에게] Tiene usted razón / [tú에게] Tienes razón / [ustedes에게] Tienen ustedes razón.
지당히 justamente, razonablemente, naturalmente.

지대 ((불교)) bolsa *f* para el viaje del sacerdote budista.

지대(支隊) destacamento *m*.

지대(地代) alquiler *m* de un terreno; [농지(農地)의] arrendamiento *m*, arriendo *m* de la tierra, renta *f* (de terreno), canón *m* (*pl* canones) anual. 이곳은 ~가 매우 비싸다 [싸다] El arriendo de este terreno es muy caro [barato].

지대(地帶) zona *f*, región *f*, faja *f*.

지대(址臺) parte *f* amontonada por las piedras en el solar de la casa o del muro.
■ ~석(石) =지댓돌. ~ㅅ돌 piedras *fpl* amontonadas en la parte del solar de la casa o del muro.

지대공(地對空) tierra-aire, superficie-aire.
■ ~ 미사일 misil *m* tierra-aire, misil *m* superficie-aire.

지대지(地對地) tierra-tierra, superficie-superficie.
■ ~ 미사일 misil *m* tierra-tierra, misil *m* superficie-superficie.

지대하다(至大―) (ser) grande, enorme, inmenso.

지더리다 (ser) vil, vulgar, tacaño, mezquino.

지덕(至德) gran virtud *f*.

지덕(地德) efecto *m* prometedor de un sitio. 지덕 사납다 (ser) accidentado. 지덕 사나운 땅 terreno *m* accidentado.

지덕(知德) la sabiduría y la virtud. ~을 겸비한 사람 hombre *m* de sabiduría y virtud.

지덕체(智德體) la educación *f* mental, la educación moral y la educación física

지도(地圖) mapa *m*, carta *f*, [시가(市街) 지도] plano *m*; [지도책] atlas *m*. 5만분의 1 ~ el mapa a la escala de cincuenta mil. 서반아의 ~ el mapa de España. 서울의 ~ el plano de Seúl. ~를 그리다 cartografiar, trazar un mapa. ~에서 …을 찾다 buscar *un sitio* en el mapa. ~를 보면서 여행하다 viajar con mapa. 간단한 ~를 그려 줄 수 있느냐? ¿Puedes dibujar un plano sencillo? 이 마을은 ~에 나와 있다 Este pueblo aparece en el mapa.
◆ 백(白)~ mapa *m* mudo. 통계(統計) ~ cartograma *m*.
■ ~ 제작(製作) cartografía *f*. ~ 제작법 cartografía *f*. ~ 제작자 cartógrafo, -fa *mf*. ~ 제작학 ciencia *f* cartográfica. ~책 atlas *m*. ~학 cartología *f*.

지도(指導) ① [통솔 인도하는 일] instrucción *f*, dirección *f*, guía *f*, orientación *f*, entrenamiento *m*, conducta *f*. ~하다 instruir, dirigir, guiar, orientar, amaestrar, entrenar. …의 ~ 아래 bajo la dirección de *uno*. ~를 떠맡다 asumir la dirección (de). ~적 역할을 하다 desempeñar un papel orientador [dirigente] (en). 잘못 ~하다 descaminar, enseñar mal. 클럽 활동을 ~하다 dirigir las actividades del club. 학생의 개인 ~를 하다 dirigir [orientar] personalmente a los alumnos. 앞으로도 계속 친절한 ~를 바랍니다 Le ruego que siga favoreciéndome con su amable dirección. 그 아이는 부모의 ~가 부족하다 El niño carece de orientación por parte de los padres. 그는 ~가 필요하다 El necesita que le orienten [le aconsejen]. ② =가이던스(guidance). ¶직업 ~ orientación *f* profesional. ③ ((준말)) =학습 지도.
◆ 집단 ~ orientación *f* colectiva, liderazgo *m* colectivo.
■ ~ 교사 maestro, -tra *mf* de orientación. ~ 교수 profesor, -sora *mf* de orientación. ~권(權) liderazgo *m*, hegemonía *f*, heguemonía *f*. ~급 nivel *m* de enseñar. ¶~ 인사(人士) personaje *m* del nivel de enseñar. ~력(力) liderazgo *m*. ~반 grupo *m* de

orinentación. ~ 방침(方針) principio *m* rector. ~법 método *m* de orientación. ~부 división *f* de orientación. ~서 manual *m*, guía *f*. ~안 plan *m* de orientación; [학과의] plan *m* de enseñanza. ~ 요강 manual *m* para orientación de estudiantes. ~원 monitor, -tora *mf*, consejero, -ra *mf*, instructor, -tora *mf*. ~ 원리 =지도 방침. ~위원 comité *mf* de dirección. ~자 [정신적인] guía *mf*, líder *mf*, dirigente *mf*, [운동의] dirigente *mf*, líder *mf*, [운동의 코치] entrenador, -dora *mf*, *AmL* director *m* técnico, directora *f* técnica; [보스. 수령] jefe, -fa *mf*, caudillo *m*; prohombre *m*. ~정신 espíritu *m* de enseñanza.

지도리 bisagra *f*, gozne *m*, bisagra *f* de corchetes (macho y hembra).

지독스럽다(至毒一) (ser) terrible, horrible, tremendo.
지독스레 terriblemente, horriblemente, tremendamente.

지독지애(舐犢之愛) =지독지정(舐犢之情).

지독지정(舐犢之情) el sumo amor paternal a *su* hijo.

지독하다(至毒一) (ser) fiero, malicioso, malo, sanguinario, atroz, feroz, salvaje; [심하다] terrible, tremendo, horrible, severo, intenso. 지독한 구두쇠 tacaño, -ña *mf* terrible. 지독한 더위 calor *m* severo, calor *m* infernal. 지독한 말 mala palabra *f*. 지독한 여자 mujer *f* maliciosa. 지독한 짓 actitud *f* atroz. 지독한 추위 frío *m* severo.
지독히 fieramente, mal, sanguinariamente, atrozmente, ferozmente; [심하게] terriblemente, tremendamente, horriblemente, extremadamente, espantosamente, severamente, intensamente, endemoniadamente. ~ 어려운 dificilísimo, terriblemente [endemoniadamente · extremadamente] difícil. 이 책은 ~ 어렵다 Este libro es extremadamente [terriblemente · endemoniadamente] difícil.

지돌이 esquina *f* estrecha (en el camino precipicio).

지동(地動) ① =지진(地震)(terremoto). ¶~하다 tener un terremoto. ② [지구의 공전과 자전] la revolución y la rotación de la tierra.
■ ~설(說) teoría *f* heliocéntrica, teoría *f* copernicana, heliocentrismo *m*.

지두(指頭) punta *f* del dedo.

지둔하다(至鈍一) (ser) extremadamente estúpido.

지둔하다(遲鈍一) (ser) lento, estúpido, torpe, bobo. 지둔한 남자 hombre *m* estúpido.

지드럭거리다 molestar, irritar, fastidiar.
지드럭지드럭 molestando.

지득(知得) adquisición *f* de conocimiento. ~하다 conocer, aprender.

지등(紙燈) lámpara *f* de papel.
■ ~롱(籠) farol *m* de papel con aceite.

지디피(영 *GDP, Gross Domestic Product*) [국내 총생산] producto *m* interior bruto, producto *m* interno bruto, el PIB.

지딱거리다 hacer apresuradamente.

지딱이다 romper y estropear.

지라 【해부】 =비장(脾臟)(bazo).

지락(至樂) suma alegría *f*.

지란지교(芝蘭之交) amistad *f* noble entre amigos.

지랄 ① [변덕스럽고 함부로 행동함에 대한 욕] ¡Mierda! / ¡Coño! ② [잡스러운 언행] dichos y hechos lascivos. ③ 【한방】 ((준말)) =지랄병.
■ ~버릇 hábito *m* caprichoso de repente. ~병(病) 【한방】 =간질(癎疾)(epilepsia). ¶ ~을 일으키다 tener [sufrir] un ataque epiléptico. ~병 환자 epiléptico, -ca *mf*. ~쟁이 ㉮ [지랄병에 걸린 사람] epiléptico, -ca *mf*. ㉯ [지랄버릇이 있는 사람] persona *f* caprichosa. ㉰ [하는 짓이나 말이 온전하지 못한 사람] persona *f* estúpida.

지략(智略) =지모(智謀).

지러지다 marchitarse, ponerse mustio.

지런지런 ① [액체가 그릇에 가득 차올라 남실남실한 모양] repletamente. ~하다 (estar) repleto, muy lleno, rebosante, desbordante. ② [물건의 한 끝의 다른 것에 닿을락 말락 스치는 모양] casi tocante. ~하다 casi tocar.

지렁이 【동물】 lombriz *f* de tierra; [낚시 미끼용] lombriz *f* para cebo de pescar..
■ 지렁이도 밟으면 꿈틀한다 ((속담)) Cada gorrión tiene su corazón / Cada renacuajo tiene su cuajo / La paciencia tiene un límite / Cada bicho por pequeño que sea tiene su voluntad.

지레[1] =지렛대(palanca). ¶~로 올리다 levantar con la palanca.
■ ~ㅅ대 palanca *f*, alzaprima *f*, barra *f*, espeque *m*. ~로 들어 올리다 levantar con espeque, alzar con palanca. ~로 비틀어 올리다 alzaprimar.

지레[2] [어떤 시기가 되기 전에 미리] de antemano, con anticipación, con antelación, a prevención, anticipadamente, antes.
지레 채다 saber de antemano, prever.
■ ~짐작 conjetura *f*, juicio *m* apresurado, conclusión *f* precipitada. ¶~하다 conjeturar, juzgar apresuradamente, concluir precipitadamente, sacar una conclusión precipitadamente. 그것은 ~에 불과하다 No es más que una conjetura. 이것들은 모두가 순전한 ~이다 Estas no son más que conjeturas [suposiciones]. 그는 무엇이건 ~하기 일쑤다 El tiende a juzgarlo todo apresuradamente. 나는 ~으로 그 사람이 찬성했다고 생각했다 Juzgando precipitadamente, creí que él estaba de acuerdo.

지려(智慮) prudencia *f*, sabiduría *f*.

지력(地力) fertilidad *f* de tierra.
■ ~ 체감(遞減) fertilidad *f* decreciente.

지력(地歷) geografía e historia.

지력(知力) capacidad *f* intelectual, inteligencia *f*. ~이 발달한 desarrollado intelectualmente.

지력(智力) ① poder *m* de sabiduría. ② ((불교)) sabiduría y poder sobrenatural, poder *m* de sabiduría, uso *m* eficiente de sabiduría mística.
지력선(指力線) 【물리】 = 역선(力線).
지령(地靈) espíritu *m* de la tierra.
지령(指令) instrucción *f*, orden *f* (*pl* órdenes), consigna *f*. ~하다 instruir, dar instrucciones, dar órdenes. ~을 준수하다 observar la consigna. ~대로 행동하다 actuar según [de acuerdo con] las instrucciones. 파업을 ~하다 dar la orden de huelga. ~이 내렸다 Se comunicó una orden.
■ ~서(書) instrucciones *fpl* escritas, órdenes *fpl* escritas.
지령(紙齡) edad *f* del periódico, número *m* de tirada del periódico.
지령(誌齡) edad *f* de la revista, número *m* de tirada de la revista.
지로(支路) carretera *f* secundaria, carretera *f* vecinal.
지로(指路) guía *f* (del camino).
■ ~꾼 = 길잡이. ~승(僧) monje, -ja *mf* budista que guía en la montaña.
지로(영 *giro*) transferencia *f*, giro *m*, giro *m* postal. ~로 지불하다 hacer una transferencia crediticia.
◆ 은행 ~ transferencia *f* bancaria.
■ ~뱅크 banco *m* especializado en giros bancarios. ~제 transferencia *f*, giro *m*. ~창구 ventanilla *f* de transferencia.
지론(至論) opinión *f* muy razonable.
지론(持論) opinión *f* de largo tiempo, *su* opinión apreciada, *su* apreciada opinión, *su* principio (favorito), dogma *m*; [신념] credo *m*. ~을 고수하다, ~을 굽히지 않다 persistir *su* teoría [*su* opinión · *su* credo particular]. 그것이 내 ~이다 Esa es mi opinión de siempre.
지뢰(地雷) mina *f* terrestre, mina *f* de guerra. ~를 묻다 [부설하다] sembrar de minas, minar. ~를 제거(除去)하다 quitar [barrer] minas (de), limpiar de minas. 한 지역에 ~를 부설하다 minar una zona, sembrar de minas una zona.
■ ~밭 campo *m* de minas. ~ 탐지기(探知機) detector *m* de minas.
지루하다 (estar) tedioso, aburrido, cansado; [단조롭다] monótono, aburrirse, fastidiarse, hastiarse, cansarse. 지루함 tedio *m*, aburrimiento *m*; [단조로움] monotonía *f*. 지루한 여행(旅行) viaje *m* monótono. 지루한 이야기 cuento *m* tedioso. 지루한 모습으로 con un aspecto aburrido, con cara de aburrido. 지루한 나머지 por ociosidad, ociosamente. 지루하게 하다 aburrir, fastidiar, hastidiar, cansar, molestar, incomodar, jorobar. 지루함을 달래다 matar el aburrimiento [el tiempo], distraerse. 지루함을 달래기 위해 para matar el tiempo. 무척 ~ estar muy aburrido, aburrirse mucho. 지루해 죽을 지경이다 morirse de aburrimiento, ser aburrísimo, aburrir hasta basta. 지루한 이야기다 Es una historia soporífera. 나는 너무나 ~ Estoy más aburrido que una ostra. 무척 지루한 영화다 Es una película extremadamente aburrida. 나는 기다리기 지루하여 돌아갔다 Cansado de esperar, me marché.
지류(支流) ① [강의] afluente *m*. 네그로 강은 아마존 강의 ~이다 El río Negro es un afluente del Amazonas. ② = 분파(分派).
지르다[1] ① [막대기 · 주먹 등을 내뻗치어 대상물을 치거나, 그 속에 박아 넣다] empujar, patear, dar una patada, dar patadas, pegar una patada, dar patados, dar puntapiés, patalear; [말이] cocear, dar coces; [공을] patear, darle una patada, darle un puntapié. 팔꿈치로 ~ empujar con el codo. 그는 문을 발로 질렀다 El le dio [pegó] una patada a la puerta. 그녀는 그의 정강이를 질렀다 Ella le pegó una patada en la espinilla. 그는 문을 발로 질러 열었다 [닫았다] El abrió [cerró] la puerta de una patada. 말이 그를 발로 질렀다 Le dio una coz un caballo.
② [한쪽과 다른 한쪽 사이에 막대나 줄을 건너 막거나 내리꽂다] insertar, ingerir entre otros, colocar en medio (de); [문 · 창문에 빗장을] echar*le* el pestillo [el pasador · el cerrojo] (a). 문에 빗장을 ~ echar el cerrojo a la puerta, atrancar la puerta, trancar la puerta. 비녀를 ~ poner el pasador. 문이 잠기고 빗장이 질러져 있었다 Las puertas estaban cerradas con llave y tenían echado el cerrojo. 그녀는 들어오지 못하게 문이 질려 있는 것을 알았다 Ella se encontró con que le habían atrancado [trancado] la puerta.
③ [지름길로 가깝게 가다] cortar (por), tomar un atajo (a través de). 길을 질러가다 tomar un atajo, (a)cortar camino.
④ [분(憤)이나 불이 일어나게 하다] pegar, incendiar, pegar fuego, prenderle fuego (a). 집에 불을 ~ prender fuego a la casa.
⑤ [냄새가 갑자기 후각(嗅覺)을 자극하다] apestar (a).
⑥ [곁순 등을 자르거나 기예(氣銳)를 꺾다] cortar (con tijera); [기예를] quebrantar. 순을 ~ cortar brotes. 그것의 끝을 질러라 Córtale la punta. 예기를 ~ quebrantar*le* el espíritu (a *uno*).
⑦ [도박 등에서 돈 · 물건 등을 걸다] apostar. 그는 민주당이 이긴다는 데 만 원을 질렀다 El apostó diez mil wones que ganaba el Partido Demócrata.
지르다[2] [목청을 높여 소리를 크게 내다] chillar, gritar, dar voces, dar gritos agudos [penetrantes], pegar un grito; [어린아이가] llorar a gritos, berrear. 소리를 질러 a gritos, en alta voz, a voz en cuello. 소리를 ~ gritar, chillar, dar gritos, alzar la voz, dar voces. 비명(悲鳴)을 ~ gritar lastimeramente, dar [lanzar · emitir] un grito lastimero, dar un alarido. 도와 달라고 소리를 ~ pedir ayuda a gritos, gritar pidiendo

auxilio. 내가 필요할 때는 소리를 질러라 Si me necesitas, pega un grito.

지르되다 crecer lentamente.

지르박(영 *jitterbug*) [춤의 하나] jitterbug *m*, baile *m* muy movido. ~을 추다 bailar el jitterbug.

지르신다 usar como chancleta.

지르잡다 lavar la parte manchada [sucia · de la mancha] (de).

지르코늄(영 *zirconium*) 【화학】 circonio *m*, zirconio *m*.

지르콘(영 *zircon*) 【광물】 círcon *m*, zírcon *m*.
■ ~산(酸) ácido *m* zircónico.

지르퉁하다 ponerse de mal humor, ponerse malhumorado, ponerse ofendido, poner mala cara, ser desagradable. 지르퉁한 대답 respuesta *f* adusta. 지르퉁한 얼굴을 하다 poner (la) cara de desagrado. 지르퉁해 있다 estar de mal humor, estar malhumorado, tener cara de amigos.
지르퉁히 desagradablemente.

지름 【수학】 diámetro *m*.

지름길 atajo *m*, senda *f* por donde se abrevia el camino, camino *m* (más) corto, trocha *f*. ~로 가다 atajar, ir por el atajo, tomar un camino (más) corto. ~을 취하다 tomar el atajo, (a)cortar camino.

지리(地利) ventaja *f* estratégica, ventaja *f* de posición. ~가 나쁘다 carecer de ventaja de posición.

지리(地理) ① [토지의 상태] topografía *f*, facciones *fpl*, fisonomía *f* geográfica. 서울의 ~에 밝다 conocer todos los rincones de Seúl, conocer Seúl muy bien. 이 지방의 ~에 밝다 estar versado en la topografía de esta región. 나는 이 지대의 ~에 어둡다 No conozco muy bien esta zona. ② ((준말)) =지리학(地理學). ③ ((준말)) =풍수지리(風水地理).
■ ~과 departamento *m* de geografía. ~서(書) tratado *m* de geografía. ~적(的) geográfico. ¶~으로 geográficamente. ~ 분포 distribución *f* geográfica. ~ 위치 posición *f* geográfica. ~ 조건 condición *f* geográfica. ~ 환경 medio *m* ambiente geográfico. ~학(學) geografía *f*. ¶경제 ~ geografía *f* económica. 동물 ~ zoogeografía *f*. 상업 ~ geografía *f* comercial. 식물 ~ fitogeografía *f*. 언어(言語) ~ geografía *f* lingüística. 역사 ~ geografía *f* histórica. 인문(人文)~ geografía *f* humana. 자연 ~ geografía *f* física. 정치 ~ geografía *f* política. ~학과 departamento *m* de geografía. ~학자 geógrafo, -fa *mf*.

지리다[1] [똥 · 오줌을 못 참고 조금 싸다] mojarse orina [pipí].

지리다[2] [오줌 냄새와 같다, 또는 그런 맛이 있다] oler a orina.

지리멸렬(支離滅裂) incoherencia *f*, falta *f* de coherencia, falta *f* de ilación, contradicción *f*, separación *f*, ruptura *f*, escisión *f*; [조직의] falta *f* de coherencia interna. ~하다 (ser) incoherente, falto de coherencia, falto de ilación, contradictorio, inconsecuente, inconsistente, incongruo, incongruente, separarse, escindirse. ~하게 incoherentemente, inconsecuentemente, con incoherencia, sin coherencia, sin ilación, de manera incoherente, contradictoriamente. 그의 말은 ~하다 El habla incoherentemente / Lo que él dice no tiene ninguna coherencia.

지린내 olor *m* a orina [a orín · a pis · a pipí].

-지마는 aunque, pero, no obstante, sin embargo, mas, con todo, con todo esto, con todo eso, empero. 그렇다고는 하~ sin embargo, a pesar de (que). …다, 그렇~ a pesar de + *inf*, a pesar de que + *ind*, aunque + *ind*, bien que + *ind*. 나이가 어리~ aunque es joven, El es joven, pero …. 그는 키는 크~ 힘이 없다 El es alto pero no tiene fuerza. 나는 피로하~ 가야 한다 Estoy cansado, pero tengo que irme. 네 의견은 정당하~ 별로 현실적이 못 된다 Tu opinión es justa, sin embargo no es muy realista. 그는 사람은 좋~ 그뿐이다 El es un buen hombre, pero nada más. 그렇~ 당신에게 찬성할 수는 없다 Sin embargo, no puedo estar acuerdo con usted. 그는 젊~ 대단한 실업가다 El, aunque es joven, es un gran hombre de negocios. 그는 젊~이 분야의 제일인자이다 Aunque él es joven, es la primera autoridad en este campo. 이런 훈련은 고되~ 필요하다 Aunque es dura [Es dura y no obstante] esta clase de disciplina es necesaria.

-지만 ((준말)) =-지마는. ¶그녀는 여자~, 용기가 있다 Aunque ella es una mujer tiene valor.

지만의득(志滿意得) mucha suficiencia *f*.

지망(志望) aspiración *f*, deseo *m*, anhelo *m*, ansia *f*. ~하다 desear, aspirar (a), ansiar. 외교관을 ~하다 aspirar a la carrera diplomática. A사에 입사를 ~하다 aspirar a un puesto en la compañía A. 이과계(理科系)를 ~하다 desear especializarse en las ciencias naturales.
◆제1 [제2 · 제3] ~ primera [segunda · tercera] preferencia *f*.
■ ~ 대학교 universidad *f* deseada, universidad *f* de *su* elección. ~자 aspirante *mf*, pretendiente *mf*, candidato, -ta *mf*. ~ 학과 curso *m* deseado. ~ 학교(學科) escuela *f* deseada.

지망지망 ① [조심성 없고 경박하게 나부대는 모양] descuidadamente, con descuidado. ~하다 (ser) descuidado, poco cuidadoso. ② [투미하여 무슨 일에나 소홀한 모양] negligentemente. ~하다 (ser) negligente.

지맥(支脈) espolón *m*, ramal *m*. 철도의 ~ ramal *m*.

지맥(地脈) estrato *m*, vena *f*.

지면(地面) ① superficie *f* (de la tierra), suelo *m*, tierra *f*. ~에 떨어지다 caer al suelo. ~에 놓다 poner en el suelo. ~에 눕다 acostarse en el suelo. ~에 흩어지다

esparcirse por el suelo. ② ((성경)) faz *f* de la tierra, aspecto *m* de la tierra.

지면(知面) conocimiento *m*. ~이 있는 얼굴 cara *f* conocida. ~이 있는 사람 conocido, -da *mf*.

지면(紙面) cara *f* del papel, página *f* [espacio *m*] del periódico, prensa *f*. ~ 관계로 por motivo de espacio del periódico, debido a la limitación de espacio, por falta de espacio. ~이 제한되어 있기 때문에 por [dada] la limitación de espacio. ~을 개량하다 mejorar [perfeccionar] la redacción del periódico. …에 많은 ~을 할애(割愛)하다 dedicar muchas columnas a *algo*. ~이 허락하면 Si cabe en la página, si hay espacio. 그 사건은 ~을 가득 채웠다 Ese suceso llenó las páginas de los periódicos.

지면(誌面) página *f* de la revista; [부사적으로] por la revista. ~에 en la revista.

지멸있다 (ser) fiel, seguro, constante, laborioso, (diligente y) perseverante, paciente. 지멸있게 fielmente, seguramente, constantemente, laboriosamente, diligentemente, con perseverancia, perseverantemente, con paciencia. 불운 속에서도 ~ perseverar en el mal. 지멸있게 공부하다 estudiar laboriosamente, aplicarse al estudio, quemarse las cejas. 지멸있게 돈을 모으다 ahorrar céntimo a céntimo. 지멸있으면 모든 것을 달성한다 La perseverancia lo consigue todo.

지명(地名) nombre *m* de lugar, topónimo *m*.
■~ 사전(辭典) diccionario *m* de nombres geográficos. ~학 toponimia *f*.

지명(知命) ① [천명(天命)을 앎] (voluntad *f* de) la Providencia. ~을 알다 saber la voluntad de la Providencia. ② [쉰 살] cincuenta años de edad.

지명(指名) nombramiento *m*, nominación *f*, designación *f*. ~하다 nombrar, designar, señalar, especificar. ~해서 por *su* nombre. ~ 순으로 en orden de ser llamado. ~해서 비난하다 censurar mencionando *su* nombre. 위원(委員)에 ~하다 designar*le* a *uno* miembro de una comisión. 그는 회장에 ~되었다 El fue nombrado presidente / Le han nombrado presidente.
■~권 derecho *m* de nombramiento. ~ 대타자 =지명 타자. ~ 수배 disposiciones *fpl* para la búsqueda de un criminal identificado. ~ 수배자 criminal *m* buscado por la policía; perseguido, -da *mf* por la justicia; fugitivo, -va *mf* de la justicia. ~ 타자 bateador *m* designado. ~ 통화 [장거리 전화의] llamada *f* de persona a persona. ~투표 voto *m* de pasar lista.

지명(指命) orden *f* designada. ~하다 ordenar por *su* nombre.

지명인사(知名人士) hombre *m* distinguido, persona *f* célebre, persona *f* distinguida.

지명하다(知名-) (estar) bien conocido, afamado, (ser) célebre, eminente, famoso. 지명한 작가(作家) autor, -tora *mf* [escritor, -tora *mf*] eminente [célebre].

지모(智謀) recursos *mpl*, inventiva *f*, sabiduría y arbitrio. ~가 풍부하다 ser ingenioso, ser hábil, ser fértil en arbitrio, estar lleno de recursos. ~가 풍부한 남자 hombre *m* de recursos, *Col* hombre *m* recursivo.

지목(地目) clasificación *f* de tierra.
■~ 변경 alteración *f* de la categoría de terreno.

지목(指目) indicación *f*. ~하다 indicar.

지묘하다(至妙-) (ser) muy exquisito.

지묵(紙墨) el papel y la tinta china.

지문(地文) ① [대지(大地)의 온갖 모양] todas las figuras de la tierra. ② ((준말)) =지문학(地文學). ③ **【희곡】** parte *f* descriptiva.
■~학(學) fisiografía *f*, geografía *f* física.

지문(指紋) huella *f* digital, huella *f* dactilar, impresión *f* digital, dactilograma *m*. ~을 남기다 dejar las huellas digitales (en). …의 ~을 채취하다 tomar*le* las huellas digitales [las huellas dactilares · las impresiones digitales] a *uno*, sacar huellas digitales (de). 살인범은 ~ 때문에 체포되었다 Se detuvo el asesino por sus huellas dactilares.
◆지문(을) 찍다 imprimir las huellas digitales (en). 서류에 ~ imprimir las huellas digitales en el documento. 지문(이) 찍히다 dejar las huellas digitales.
■~과(課) sección *f* de dactiligrama. ~법 dactiloscopia *f*. ~ 원부 dactilograma *m*. ~ 전문가(專門家) experto, -ta *mf* de huellas digitales.

지물(紙物) papeles *mpl*.
■~상 [가게] papelería *f*; [상인] papelero, -ra *mf*. ~포(鋪) papelería *f*, tienda *f* de papeles.

지미(地味) cualidad *f* de la tierra. 비옥한 ~ tierra *f* fértil.

지미하다(至美-) (ser) incomparablemente hermoso.

지미하다(至微-) (ser) muy minucioso.

지반(池畔) borde *m* del estanque.

지반(地盤) ① [땅의 표면] superficie *f* de la tierra. ② [공작물 등을 설치하는 기초가 되는 땅] ㉮ [토대] fundamentos *mpl*, cimientos *mpl*. ~을 단단히 하다 [굳히다] consolidar los cimientos. 이 주변은 ~이 무르다 El terreno de por aquí es poco sólido. ㉯ [기초] base *f*, fundación *f*. ~을 파다 debilitar la base, minar el terreno. ~을 굳히다 solidar la fundación. ㉰ [땅바닥] suelo *m*, terreno *m*. ~의 융기 movimiento *m* ascencional del suelo. ~의 침강(沈降) depresión *f* del suelo [del terreno]. ~의 침하 hundimiento *m* del suelo ~을 얻다 ganar el terreno. ~을 잃다 perder el terreno. ③ [일을 이루는 근거지] [선거구] distrito *m* electoral; [선거민] elector, -tora *mf* votante; [세력 범위] esfera *f* de influencia (선거의), ámbito *m* de fuera; [영역] territorio *m*; [지위] posición *f*. ~을 넓히다 extender el ámbito de influencia. ~

을 확보(確保)하다 asegurar el ámbito de influencia. ④ [성공한 지위 또는 장소] posición *f*, puesto *m*. ~을 차지하다 conseguir una posición [un puesto].
■ ~ 공사 obra *f* de fundamentos. ~ 운동 =지각 변동(地殼變動).

지발(遲發) ① [늦은 출발] salida *f* tardía. ~하다 salir [partir] tarde. ② [탄알, 폭약 따위가 늦게 터짐] explosión *f* tardía. ~하다 explotar tarde.

지방(地方) ① [어느 한 방면의 땅] región *f*, comarca *f*; [도(道). 주(州)] provincia *f*. ~의 regional, comarcal, local, provincial. 이 ~에서는 en esta región. 태평양에 면해 있는 ~ región *f* que da al Océano Pacífico. ② [서울 밖의 지역. 시골] campo *m*, aldea *f*, pueblo *m*, campiña *f*, provincia *f*. ~의 local, provincial. ~을 돌아다니다 recorrer las provincias, hacer un recorrido por provincias.
■ ~ 검사 fiscal *mf* de distrito. ~ 검찰청 la Fiscalía de Distrito. ¶서울 ~ la Fiscalía de Distrito de Seúl. ~ 경찰(警察) policía *f* local, policía *f* provincial. ~ 공공단체 cuerpo *m* autonómico local. ~ 공무원 funcionario, -ria *mf* municipal [de la administración local]. ~ 관청 oficina *f* del gobierno provincial. ~ 관헌 autoridad *f* local. ~ 교부세 subsidio *m* estatal para un municipio. ~ 기관(機關) órgano *m* administrativo local. ~ 기사 noticias *fpl* locales. ~ 기자 periodista *mf* de interés local. ~ 단체 cuerpo *m* local. ~도(道) carretera *f* comarcal, carretera *f* regional. ~민 provinciano, -na *mf*; pueblo *m* local. ~ 방송국 estación *f* emisora local; [라디오] (estación *f*) radiodifusora *f* local. ~ 법원 tribunal *m* de distrito. ¶서울 ~ el Tribunal de Distrito de Seúl. ~병(病) enfermedad *f* endémica, endemia *f* ~ 분권(分權) descentralización *f* (de jurisdicción), administrativa *f*, administración *f* descentralizada. ~ 분권주의 regionalismo *m*. ~비 gastos *mpl* locales. ~ 사투리 dialecto *m* local, acento *m* local, localismo *m*, provincialismo *m*. ~색(色) color *m* local, provincialismo *m*. ~ 선거구(選擧區) circunscripción *f* electoral. ~세 impuesto *m* local. ~ 순회 gira *f* provincial. ~시(時) hora *f* local, tiempo *m* local. ~ 신문(新聞) periódico *m* local, prensa *f* local. ~ 은행 banco *m* regional, banco *m* local. ~ 의회 consejo *m* local, consejo *m* regional. ~ 의회 의원 consejal, -la *mf* local. ~ 자치 autonomía *f* local [provincial · regional]. ~ 자치 단체 =지방 공공 단체. ~ 자치 단체법 ley *f* del gobierno local. ~ 자치 제도 municipalidad *f*, municipio *m*, colectividad *f* autónoma regional. ~ 장관 gobernador, -dora *mf*. ~ 장관 회의 conferencia *f* gubernativa. ~ 재정 finanzas *fpl* locales. ~ 재판소 tribunal *m* de distrito. ~ 정책 policía *f* local. ~ 조직(組織) organización *f* regional. ~주의(主義) localismo *m*, provincialismo *m*. ~채(債) empréstito *m* local. ~ 팀 equipo *m* local. ~판(版) edición *f* regional. ~풍 provincialismo *m*. ~ 행정 administración *f* regional [municipal]. ~화(化) localización *f*. ¶~하다 localizar.

지방(地枋) 【건축】 =하인방(下引枋).

지방(脂肪) grasa *f*, sebo *m*, manteca *f*. ~의 sebáceo, untuoso, manteca. ~이 많은 grasiento, adiposo, seboso.
◆ 동물(動物) ~ grasa *f* animal. 식물(植物) ~ grasa *f* vegetal.
■ ~간(肝) hígado *m* adiposo. ~ 결핍(缺乏) apionia *f*. ~ 결핍증 lipopenia *f*. ~ 경화증(硬化症) cirrosis *f* adiposa. ~계(計) adipómetro *m*. ~ 과다(過多) obesidad *f*, adiposidad *f*. ~ 과다증 adipositas *f*. ~ 과잉 hiperadiposis *f*. ~ 단백질 lipoproteína *f*. ~분(分) substancia *f* grasa. ~ 분비(分泌) lipocrina *f*. ~ 분비선 glándula *f* grasa. ~ 분비 이상 alosteatodes *f*. ~분해 lipólisis *f*. ~ 분해 효소 gliceridasa *f*. ~산 ácido *m* graso. ~ 세포(細胞) lipocito *m*, célula *f* grasa. ~증(症) esteatosis *f*, adiposis *f*, lipisosis *f*. ~질 materia *f* grasa [untuosa · sebácea]. ¶~이 많은 graso, grasiento. 소에게 ~을 먹이다 cebar [engordar] una vaca. 이 치즈는 ~이 30% 포함되어 있다 Este queso contiene un 30% de materia grasa. ~층(層) panículo *m* adiposo. ~ 흡수 lipofagia *f*.

지방(紙榜) *chibang*, tablilla *f* de un antepasado de papel.

지배(支配) ① [관리] administración *f*, superintentencia *f*, dominación *f*, dominio *m*, imperio *m*. ~하다 administrar, dominar, controlar. 자연(自然)을 ~하다 dominar [controlar] las fuerzas de la naturaleza. ~아래 두다 poner bajo *su* dominio, poner bajo *su* autoridad, sujetar, subyugar, avasallar. 감정에 ~되다 ser movido por los afectos personales. 감정에 ~되기 쉽다 dejarse dominar fácilmente por *sus* emociones. 여론을 ~하다 dominar la opinión pública. 외국의 ~ 아래 있다 estar bajo el dominio de un país extranjero. 상황에 ~되어 행동하다 actuar a merced de las circunstancias. …의 마음을 ~하다 dominar [ocupar] el corazón de *uno*. ② [처리] manejo *m*. ~하다 manejar. ③ [지휘] mando *m*, dirección *f*. 이 일족(一族)은 전에 이 지방을 ~했었다 Este clan mandaba antes en esta región. ④ [통치] gobierno *m*, régimen *m*, reina *f*. ~하다 gobernar, regir, reinar. 천체 운동을 ~하는 법칙 las leyes que rigen los movimientos de los astros.
■ ~ 계급(階級) clase *f* dirigente. ~권(權) hegemonía *f*, heguemonía *f*, supremacía *f*, control *m*. ~ 능력 inteligencia *f* física. ~력 *su* control. ~ 민족 raza *f* superior. ~욕 deseo *m* de dominación. ~인 gerente *mf*, administrador, -dora *mf*, director,

-tora *mf.* ¶부(副)~ subgerente *mf,* vicegerente *mf.* 총(總)~ gerente *mf* general. ~인 대리 gerente *m* interino, gerente *f* interina; director *m* interino, directora *f* interina; administrador *m* interino, administradora *f* interina. ~자(者) dominador, -dora *mf,* gobernante *mf,* soberano, -na *mf.* ¶피(被)~ dominados *mpl,* gobernados *mpl.* ~적(的) dominante, reinante, predominante. ¶~인 의견(意見) opinión *f* predominante.

지배(紙背) dorso *m* del papel.

지배(遲配) distribución *f* retrasada, distribución *f* poco puntual, despacho *m* retrasado, retraso *m, AmL* demora *f;* [급료의] pago *m* de sueldo retrasado. ~하다 distribuir con retraso, retrasar, *AmL* demorar; [급료를] pagar el sueldo retrasado. 우편물의 ~ retraso *m* [demora *f*] en entrega de correo.

지벅거리다 ir a tropezones, ir a trompicones, andar con dificultad.

지벅지벅 a tropezones, a trompicones, con dificultad. ~ 걷다 andar con dificultad.

지번(地番) número *m* de terreno.

지번하다(支煩一) (ser) pesado y tedioso.

지벌(一罰) influjo *m* maléfico, maldición *f.* ~을 받다 incurrir en la cólera divina, tener un influjo maléfico. 악령(惡靈)에 ~을 받다 ser perseguido [atormentado] por los espíritus malignos.

◆지벌(을) 입다 provocar una desgracia, causar un influjo maléfico.

지벌(地閥) linaje *m* noble.

지범거리다 comer recogiendo uno por uno.

지범지범 recogiendo uno por uno.

지벽(紙壁) pared *f* (hecha) de papel.

지변(地變) ① [땅의 변동] fenómeno *m* geográfico extraordinario. ② [지각의 운동] actividad *f* de la corteza terrestre. ③ =지이(地異).

지병(持病) indisposición *f* crónica, enfermedad *f* crónica, achaque *m,* enfermedad *f* pertinaz. ~의 achacoso. 그는 ~이 재발(再發)했다 El se ha recrudecido.

지보(地步) *su* posición.

지보(至寶) tesoro *m* más valioso. 국가(國家)의 ~ el gran tesoro nacional. 음악계의 ~ la figura suprema del mundo musical, el personaje de máximo valor en el mundo de la música. 한국 항공계의 ~ el orgullo del círculo de avión coreano.

지부(支部) subdivisión *f,* rama *f,* sucursal *f,* [정당의] sede *f* local. 에이 당 비 ~ sede *f* local del partido A en B.

■~장(長) jefe, -fa *mf* de la sede local (del partido).

지부럭거리다 molestar, irritar, fastidiar.

지부럭지부럭 molestando, irritando, fastidiando.

지분(支分) ramificación *f.* ~하다 ramificar.

지분(持分) parte *f,* porción *f,* cuota *f.*

지분(脂粉) afeite *m,* polvos *mpl* y colores del tocado, cosméticos *mpl.* ~의 향기 aroma *f* [perfume *m*] de cosméticos. ~을 바르다 pintarse y empolvarse la cara.

◆지분을 다스리다 pintarse, maquillarse.

■~내 aroma *f* [perfume *m*] de cosméticos.

지분거리다 ① [가루붙이 음식 따위가 부드럽게 연해 씹히다] ser desagradable masticar. ② [말이나 행동으로 남을 자꾸 건드려 귀찮게 하다] molestar, irritar, fastidiar.

지분지분 masticando desagradablemente; molestando.

지불(支拂) ① [값을 내어 줌] pago *m,* paga *f,* [청산] liquidación *f.* ~하다 pagar, abonar; [현금화] hacer efectivo. ~의 por pagar, pagadero. ~해야 할 금액(金額) la suma que se debe, la cantidad de dinero a [que · por] pagar. 2회 ~의 pagable a dos términos. 5개월 ~로 en cinco cuotas mensuales. ~ 상태가 좋다 pagar puntualmente, pagar con puntualidad. ~ 상태가 나쁘다 pagar mal, ser mal pagador. ~을 거절하다 rehusar pago; [어음을] deshonrar una letra. ~을 연기하다 [미루다] diferir [aplazar · alargar] el pago. ~을 정지하다 suspender el pago. ~을 청구하다 demandar el pago, reclamar el pago. ~이 늦어지다 estar en retardo, estar detenido el pago. 급료를 ~하다 pagar el sueldo. 현금으로 ~하다 pagar al contado. ~ 기한이 끝났다 Ha expirado [vencido] el plazo de pago. 각자가 식대를 ~했다 Cada uno pagó su comida. ② 【법률】 ((구용어)) =지급(支給).

■~ 거절 증서 protesto *m* (por falta de pago). ~ 결재 pagado. ~ 계정 cuenta *f* a pagar. ~금 dinero *m* pagado, dinero *m* debido. ~ 기일 fecha *f* del pago. ~ 기한 término *m* de pago. ~ 능력 solvencia *f,* capacidad *f* de pago. ~도 documentos *mpl* contra pago. ~ 명령 libranza *f.* ~ 방법 método *m* [modo *m* · manera *f* · medio *m*] de pago. ~ 보증 수표 cheque *m* atestiguado. ~ 불능 incapacidad *f* de pagar. ~ 어음 giro *m* de pago, vale *m* a pagar. ~ 연기 tardanza *f* [delición *f*] de pago. ~ 유예 moratoria *f.* ~인 pagador, -dora *mf.* ~일 fecha *f* de pago. ~ 장소 lugar *m* de pago. ~ 전표 nota *f* [volante *m*] de pago, bono *m* de pago. ~ 정지 suspensión *f* de pago. ~ 조건 condiciones *fpl* de pago. ~ 준비금 fondo *m* reservado (para pago). ~ 준비율 coeficiente *m* de liquidez, porcentaje *m* de encaje. ~지(地) lugar *m* de pago. ~필(畢) Pagado. ~ 항목(項目) partida *f* deudora.

지붕 ① [비 · 이슬 · 햇빛 등을 막기 위해 가옥 꼭대기 부분에 씌우는 덮개] tejado *m, AmL* techo *m.* ~을 이다 techar, tejar. 같은 ~ 아래 살다 vivir bajo el mismo techo. ~을 이는 사람 empajador, -dora *mf* (de tejados); *RPI* quinchador, -dora *mf.* ② [물건의 위를 덮는 물건] cubierta *f.*

◆기와～ tejado *m* de tejas. 둥근 ～ cúpula *f*. 초가～ tejado *m* de paja.

■～널 teja *f* plana y delgada, gen *m* de madera. ～이기 empajado *m* de tejados y techos.

지브롤터【지명】Gibraltar.

■～ 사람 gibraltareño, -ña *mf*. ～ 해협 el Estrecho de Gibraltar.

지빈하다(至貧－) ser tan pobre como el ratón de sacristía, ser muy pobre.

지사(支社) sucursal *f*.

■～장(長) director, -tora *mf* [gerente *mf*] de una sucursal.

지사(志士) patriota *mf*; mártir *mf*.

지사(知事) ((준말)) ＝도지사(道知事). ¶～의 연설(演說) discurso *m* del gobernador.

■～ 관사 mansión *f* [residencia *f*] para gobernador. ～ 선거(選擧) elección *f* a gobernador. ～ 후보(候補) candidatura *f* a gobernador. ～ 후보자 candidato, -ta *mf* a gobernador.

지상(地上) ① [땅의 위. 지면(地面)] sobre la tierra, superficie *f* de la tierra, superficie *f* terreste, tierra *f*, suelo *m*. ～에 놓다 poner en el suelo. ～에 내려서다 [탈것 따위에서] echar pie a tierra. ～에 높게 솟다 elevarse. ～에 떨어지다 caer por tierra, caer al suelo. ～ 50미터의 높이다 tener una altura de cincuenta metros. ～ 20층 지하 3층 건물 el edificio de veinte plantas (sobre tierra) y tres más debajo [más de sótano]. ② [이 세상] este mundo, mundo *m* actual.

■～ 감시 레이더 radar *m* de vigilancia terrestre. ～경(莖) tallo *m* aéreo. ～ 공격 ataque *m* de tierra. ～ 관측 observación *f* de tierra. ～군(軍) fuerzas *fpl* terrestres, ejército *m* de tierra. ～ 군사력 poder *m* terrestres. ～권 derecho *m* superficial. ～권 소유자 superficiario, -ria *mf*. ～ 근무(勤務) servicio *m* de tierra. ～ 기지 base *f* terrestre. ～낙원(樂園) ＝지상 천국. ～ 대기 alerta *f* en tierra. ～ 병력 fuerza *f* de tierra. ～ 부대 tropas *fpl* terrestres. ～선(仙) ((준말)) ＝지상신선. ～수 el agua *f* del subsuelo, el agua *f* superficial. ～ 식물 planta *f* terrestre. ～신선(神仙) taoísta *m* inmortal en la tierra. ～실험 experimento *m* en [sobre el] suelo. ～ 유도 control *m* de tierra. ～ 유도 요격 interceptación *f* radiodirigida desde tierra, interceptación *f* controlada desde tierra. ～ 유도 착륙 arribada *f* con control desde tierra, aproximación *f* dirigida desde tierra. ～ 유도 착륙 레이더 radar *m* de aproximación dirigida desde tierra. ～ 유도 착륙 방식 método *m* de aproximación de control de tierra. ～작전 operaciones *fpl* terrestres. ～ 작전 안전 고도 altura *f* de seguridad de las operaciones terrestres. ～전(戰) guerra *f* terrestre. ～ 정비원 personal *m* de tierra. ～ 천국 paraíso *m* terrestre [terrenal · de este mundo]. ～ 통신국 ㉮【통신】estación *f* terrestre. ㉯ [항공 연락용 무선국] estación *f* aeronáutica. ～파(波) onda *f* terrestre, onda *f* telúrica. ～ 포화 fuego *m* de tierra. ～ 폭발(爆發) explosión *f* de superficie. ～ 표적 blanco *m* de superficie. ～표지(標識) señal *f* terrestre.

지상(至上) supremacía *f*. ～의 supremo, soberano, sumo. ～의 미(美) soberana belleza *f*, belleza *f* suprema.

■～권 poder *m* supremo, soberanía *f*. ～명령 orden *f* suprema. ～신(神) dios *m* supremo.

지상(地相) aspecto *m* de tierra.

■～학(學) fisiografía *f*.

지상(地象) fenómeno *m* terrestre.

지상(紙上) ① [종이의 위. 지면(紙面)] en el periódico. 신문 ～에서 읽다 leer en el periódico. 이 사건은 ～을 떠들썩하게 했다 Ese suceso estuvo de actualidad. ② [신문 · 잡지의 기사면] página *f* del artículo.

지상(誌上) [부사적] por la revista. ～에 en la revista. ～에 발표하다 presentar en la revista.

지새다 despuntar (la aurora), amanecer, alborear, alborecer, apuntar, rayar, romper (el día).

지새우다 velar toda la noche, pasar la noche sin dormir [en vela]. 춤추며 밤을 ～ pasar la noche bailando.

지서(支署) delegación *f*, sucursal *f* de una oficina.

지석(支石) ＝굄돌.

■～묘(墓) dolmen *m*.

지석(誌石) piedra *f* lapidaria.

지선(支線) línea *f* secundaria, (línea *f*) ramal *f*; [철도의] empalme *m*.

지선(至善) ① [지극히 착함] el bien supremo. ～하다 ser bueno. ② ((준말)) ＝지어지선.

지설(持說) ＝지론(持論).

지성(至聖) santidad *f* suprema, lo más santo.

지성(至誠) ① [지극한 정성] sinceridad *f* perfecta, sinceridad *f* absoluta, devoción *f*. ～을 보이다 manifestar [expresar] la sinceridad. ② [지극히 성실함] mucha fidelidad, mucha honestidad, mucha honradez, mucha rectitud.

■지성이면 감천이라 ((속담)) La sinceridad mueve el cielo / La fe moverá la montaña.

지성껏 sinceramente, con sinceridad perfecta [absoluta], con devoción. 그녀는 시부모를 ～ 모신다 Ella sirve a sus suegros con devoción.

지성스럽다 (ser) muy sincero.

지성스레 muy sinceramente.

지성(知性) inteligencia *f*;【철학】intelecto *m*. 인간의～ inteligencia *f* humana. 한국의～(인들) los intelectuales de Corea. ～에 호소하다 apelar a *su* inteligencia.

■～인 ㉮ [지성을 갖춘 사람] inteligente *mf*. ㉯ ＝호모 사피엔스(Homo sapiens). ～적 inteligente. ¶～(인) 여자(女子) mujer *f* inteligente.

지세(地貰) alquiler *m* de la tierra.

지세(地勢) posición *f* geográfica, facciones *fpl* naturales, topografía f.
지세하다(至細―) ① [아주 가늘다] (ser) muy delgado, delgadísimo. ② [아주 작다] (ser) muy pequeño, pequeñísimo.
지소(支所) sucursal *f*, subestación *f*, despacho *m*, dependencia *f*.
지소(池沼) el estanque y la laguna.
지소(指笑) risa *f* señalando con el dedo. ~하다 reír(se) señalando con el dedo.
지소(紙所) taller *m* de papel.
지소사(指小辭) 【언어】 diminutivo *m*.
지소하다(至小―) (ser) infinitesimal, mínimo.
지속(持續) continuación *f*, duración *f*, mantenimiento *m*, mantención *f*, perduración *f*. ~하다 continuar, durar, mantenerse, perdurar, durar mucho tiempo. ~할 수 있는 perdurable, durable. …의 애정을 ~하다 mantener [guardar] el amor de *uno*. 관심이 ~되고 있다 Perdura el interés.
■~ 가능 개발 desarrollo sostenible. ~ 기간 duración *f*, período *m* de vida. ~력(力) tenacidad *f*, perseverancia *f*. ~성(性) durabilidad *f*, continuidad *f*. ~파 레이더 radar *m* de onda continua.
지속(遲速) la lentitud y la celeridad, velocidad *f*. 일의 ~ la velocidad de *su* trabajo.
지수(止水) el agua *f* estancada.
지수(地水) =지하수(地下水).
지수(指數) ① [물가·노임 등의] índice *m*. ② 【수학】 exponente *m*.
◆물가(物價) ~ índice *m* de precios. 불쾌 ~ índice *m* de desagrado. 생산(生産) ~ índice *m* de producción. 생활비 ~ índice *m* del coste de la vida. 소비자 물가 ~ índice *m* de precios al consumo.
■~ 급수 serie *f* exponencial. ~ 방정식 ecuación *f* exponencial. ~ 법칙(法則) ley *f* exponencial. ~ 함수 función *f* exponencial.
지순(至純) pureza *f* absoluta. ~하다 (ser) absolutamente puro.
지순하다(至順―) (ser) dócil, sumiso, manso.
지술(地術) 【민속】 geomancia *f*, geomancía *f*.
지스러기 residuos *mpl*, restos *mpl*. 야채(野菜)의 ~ residuos *mpl* de hortalizas.
지시(指示) indicación *f*, instrucciones *fpl*, orden *f* (*pl* órdenes), señal *f*. ~하다 indicar, instruir, mostrar, dar instrucciones, dar órdenes, hacer una indicación (a). ~에 따라 conforme a las instrucciones, según las instrucciones. ~에 따르다 seguir las instrucciones. 상사의 ~에 따라 일을 하다 hacer el trabajo de acuerdo con las instrucciones del superior. 선생의 ~에 의해 걷다 andar según las indicaciones del maestro. 네 ~는 받아들이지 않겠다 No acepto ninguna orden tuya. 정부(政府)는 그에게 귀국하라고 ~했다 El gobierno le indicó que volviera al país. 제 ~에 따라 행동해 주십시오 Actúe usted según mis instrucciones.
■~ 계기 instrumento *m* indicador. ~ 대명사 pronombre *m* demostrativo. ~등(燈) piloto *m*. ~문(文) oración *f* demostrativa. ~ 부사 adverbio *m* demostrativo. ~사(詞) emostrativo *m*. ~서 indicaciones *fpl*. ~약 indicador *m*. ~어 demostrativo *m*. ~ 전력계 vatímetro *m*, watímetro *m*. ~판 poste *m* indicador, tablilla *f*, círculo *m* graduado. ~표지 signo *m* indicador. ~ 형용사 adjetivo *m* demostrativo.
지식(知識) conocimiento *m*, ciencia *f*, saber *m*, sabiduría *f*, erudición *f*, [견문(見聞)] información *f*. ~이 풍부한 사람 hombre *m* de gran sabiduría, hombre *m* de gran ciencia, hombre *m* de muchos conocimientos. 법률의 ~ conocimiento *m* legal. 변변찮은 ~ poco conocimiento *m*. 불완전(不完全)한 ~ conocimiento *m* imperfecto. 빈약한 ~ conocimiento *m* pobre. 수박 겉 핥기 ~ conocimiento *m* superficial. 심오한 ~ conocimiento *m* profundo. 어학(語學)의 ~ conocimiento *m* lingüístico. 일반적인 ~ conocimiento *m* general, información *f* general. 최신(最新) ~ conocimiento *m* [información *f*] al día. 해박한 ~ conocimiento *m* vasto [amplio·extenso]. 피상적인 ~ conocimiento *m* superficial. ~을 넓히다 ampliar [extender·aumentar] *sus* conocimientos. ~을 얻다 adquirir el conocimiento (de *algo*). ~이 많다 tener un conocimiento profundo. 여러 나라의 국어에 ~이 있다 dominar [conocer] varios idiomas [varias lenguas]. …에 아무 ~도 없다 no tener ningún conocimiento de *algo*, no saber nada de *algo*. 서반아어 ~이 약간 있다 tener algún conocimiento del español. 있는 ~을 전부 동원하다 mostrar [dar muestras de] *sus* vastos conocimientos [*su* profunda erudición]. 사회에 대한 ~을 깊게 하다 profundizar (en) el conocimiento de la sociedad. 경험은 ~의 어머니다 La experiencia es la madre de la sabiduría. ~은 자리를 차지하지 않는다 ((서반아 속담)) El saber no ocupa lugar. 나쁜 지식이라면 없는 편이 낫다 ((서반아 속담)) Mejor es no saber que mal saber.
◆기초(基礎) ~ conocimiento *m* básico. 신(新)~ nuevo conocimiento *m*. 예비(豫備) ~ conocimiento *m* preliminar.
■~ 계급(階級) intelectuales *mpl*, clase *f* intelectual. ~ 공학 ingeniería *f* intelectual. ~ 산업 industria *f* intelectual. ~ 수준(水準) nivel *m* intelectual ~욕 codicia *f* de saber, sed *f* de conocimiento. ~인(人) intelectual *mf*. ¶신(新)~ nuevo intelectual *m*, nueva intelectual *f*. ~층 =인텔리겐치아.
지식(智識) ① =지력(知力). ② ((불교)) =선지식(善知識).
지신(地神) dios *m* de la tierra.
지신하다(至信―) (ser) muy sincero.
지신하다(至神―) (ser) muy maravilloso, muy milagroso, muy extraordinario.
지실 catástrofe *m*, calamidad *f*, desastre *m*; [불행] desgracia *f*.

지실(知悉) conocimiento *m* completo, información *f* completa. ~하다 conocer a fondo, tener el conocimiento completo.

지심(至心) corazón *m* muy sincero.

지심(地心) 【지질】 centro *m* de la tierra.

지싯거리다 fastidiar, dar*le* la lata (a), insistir (en), empeñarse (en), importunar, asediar. 지싯지싯 persistentemente, insistentemente.

지아비 ① [웃어른 앞에서의 자기 남편의 낮춤말] mi marido. ② [계집 하인의 남편] marido *m* [esposo *m*] de *su* sirvienta. ③ [남편의 예스러운 말] marido *m*, esposo *m*.

지아이[1](영 *GI, government issue*) [군 규격의·관급(官給)의] reglamentario *adj*.
■~ 부츠 [군에서 지급한 구두] botas *fpl* reglamentarias. ~ 헤어커트 [군대식 이발] corte *m* de pelo reglamentario.

지아이[2](영 *GI*) [미군 병사] soldado *m* estadounidense, soldado *m* norteamericano.

지악스럽다(至惡-) (ser) endemoniado, diabólico, espantoso, atroz.
지악스레 endemoniadamente, diabólicamente, atrozmente, espantosamente; mucho, duro. ~ 일하다 trabajar mucho, hacer gran esfuerzo.

지악하다(至惡-) ① [지극히 모질고 악착스럽다] (ser) atroz, espantoso, diabólico, endemoniado. 지악한 놈 diablo *m*, demonio *m*. 지악한 수단 truco *m* atroz. ② [일에 덤벼드는 것이 악착스럽다] (ser) terco, testarudo, tozudo.

지 않으면 안 된다 deber + *inf*, tener que + *inf*. 나는 돌아가~ Tengo que regresar. 당신은 곧 가~ Usted debe ir en seguida.

지압(指壓) ① [손끝으로 누르거나 또는 두드림] presión *f* de la punta de dedos. ~하다 presionar con la punta de dedos. ② =지압 요법(指壓療法).
■~법(法) ㉮【의학】[혈관을 손가락으로 세게 눌러서 하는 구급 지혈법] método *m* hemostático por la presión de dedos. ㉯ = 지압 요법. ~사 digitopuntor, -tora *mf*. ~ 요법 quiropráctica *f*, terapéutica *f* por la presión de dedos, terapéutica *f* manual. ¶ ~을 행하다 tratar con la terapéutica de la presión de dedos, practicar la terapéutica por la presión de dedos. ~ 요법사 quiropráctico, -ca *mf*. ~흔(痕) impresión *f* digital.

지애(至愛) amor *m* muy profundo.

지약(持藥) medicina *f* usual, medicina *f* acostumbrada.

지양(止揚) síntesis *f* hegeliana. ~하다 sostener tácitamente.

지어내다 tramar, maquinar en secreto, inventar, forjar, producir, crear. 거짓말을 ~ forjar una mentira. 말을 ~ inventar palabras. 지어낸 말 palabras *fpl* inventadas.

지어먹다 aplicar, juntar, recoger.

지어미 mujer *f*, esposa *f*.

지어붓다 verter, echar.

지어지선(止於至善) el bien supremo.

지언(至言) buen dicho *m*, sentencia *f*, máxima *f*. 그것은 ~이다 Eso está muy bien dicho.

지엄하다(至嚴-) (ser) muy estricto.
지엄히 muy estrictamente.

지업(紙業) negocios *mpl* de papel.
■~상(商) tienda *f* de papel; [사람] comerciante *mf* de papel.

지에 ((준말)) =지에밥.
■~밥 arroz *m* cocido para fabricar el vino.

지엔피(영 *GNP, Gross National Product*) [국민 총생산] el Producto Nacional Bruto, PNB *m*, *RPI* PBI *m*.

지역(地域) el área *f* (*pl* las áreas), región *f*, comarca *f*, zona *f*, territorio *m*. ~의 regional, local, territorial. ~별로 por regiones.
■~ 개발(開發) explotación *f* regional. ~구 distrito *m* electoral, circunscripción *f* electoral. ~ 냉난방 climatización *f* local. ~ 단체 ㉮ [지방 자치 단체] entidad *f* autónoma local. ㉯ [지연(地緣) 단체] grupo *m* local. ~ 대표(代表) delegación *f* regional. ~ 대표제(代表制) sistema *m* de la delegación regional. ~ 방어 ((농구·축구)) defensa *f* zonal, defensa *f* de zona. ~ 번호(番號) prefijo *m*. ~ 분포 distribución *f* geográfica. ~ 사회(社會) comunidad *f* local. ~ 사회 학교(社會學校) escuela *f* de la comunidad local. ~ 수당 asignación *f* local. ~ 연구 estudios *mpl* [disciplinas *fpl*] generales de regiones, estudios *mpl* por regiones. ~적(的) local, regional. ~차(差) diferencia *f* regional. ~ 투쟁(鬪爭) lucha *f* regional.

지역권(地役權)【법률】servidumbre *f*.
■~자 poseedor, -dora *mf* de servidumbre.

지연(地緣) relación *f* de conexión regional.
■~ 단체 sociedad *f* territorial, grupo *m* de conexión regional. ~ 사회 sociedad *f* territorial.

지연(紙鳶) =연(鳶).

지연(遲延) retraso *m*, atraso *m*, tardanza *f*, demora *f*, retardación *f*, dilación *f*, 【법률】 negligencia *f* (culpable). ~하다 dilatar, retrasar, retardar, demorar; [기간을] prolongar, prorrogar, aplazar. 발송(發送)의 ~ dilación *f* de envío. ~되다 retrasarse, atrasarse, demorarse. ~되고 있다 tener atraso. 심의(審議)를 ~시키다 [국회 등에서] practicar el obstruccionismo. 열차는 눈 때문에 두 시간 ~되었다 El tren se retrasó dos horas por la nieve.
■~작전(作戰) abstruccionismo *m*.

지열(止熱) disminución *f* de fiebre.

지열(地熱) geotermia *f*, calor *m* de la tierra, calor *m* subterráneo, temperatura *f* subterránea. ~의 geotérmico.
■~ 발전(發電) producción *f* geotérmica de electricidad.

지엽(枝葉) ① [가지와 잎] la rama y la hoja. 나무의 ~을 전정하다 podar los árboles. ② [중요하지 않은 부분] particularidades *fpl*, poca importancia *f*, cosas *fpl* accesorias.

~적인 poco importante, secundario. ~적인 문제 cuestión *f* secundaria, problema *m* poco importante. ~에 흐르다 irse por las ramas, divagar a particularidades innecesarias, divagar a detalles poco importantes. 그것은 ~적인 문제(問題)다 Eso es una cuestión secundaria.
■~ 말절(末節) cuestión *f* secundaria.

지옥(地獄) infierno *m*, Hades *m*, calderas *fpl* de Pedro Botero. ~의 infernal, del infierno. ~ 같은 infernal, de mil demonios, horroroso. ~ 같은 더위 calor *m* infernal. ~과 극락 el cielo y el infierno, el Hades y el Paraíso. ~에 떨어지다 caer en el infierno, irse al infierno. 이 광경은 진짜 ~이다 Esta escena es un verdadero infierno.
◆교통(交通) ~ embotellamiento *m*, atasco *m*. 생(生)~ infierno *m*, infierno *m* vivo.
■~계(界) ((불교)) mundo *m* infernal. ~도(道) ((불교)) mundo *m* infernal.

지온(地溫) temperatura *f* de la tierra; [땅 표면의 온도] temperatura *f* de la superficie terrestre.

지요(地−) colchón *m* (*pl* colchones) para el interior del ataúd.

-지요 ((높임말)) =-지. ¶들어오시~ Pase, por favor. 함께 가시~ Vamos a ir juntos.

지요하다(至要−) (ser) muy importante.

지용(智勇) inteligencia y coraje, sabiduría y valor. ~을 겸비한 명장(名將) gran general *m* que reúne [tiene] inteligencia y coraje, gran general *m* poseedor de sabiduría y valor.

지용성(脂溶性)【화학】liposolubilidad *f*. ~의 liposoluble.

지우(知友) amigo *m* íntimo, amiga *f* íntima; conocido, -da *mf*.

지우(智遇) amistad *f* cariñosa, favor *m*, amistad *f*, conocimiento *m*. ~하다 tratar con amistad cariñosa. ~를 입다 lograr el favor de la amistad, recibir el favor (de), gozar del favor (de).

지우(智愚) la sabiduría y la estupidez.

지우개 ① [쓴 글씨나 그림을 지우는 물건] borrador *m*, raspador *m*. 칠판~ borrador *m*. ② ((준말)) =고무지우개.

지우다[1] ① [없던 것을 생기도록 만들다] formar, hacer. 그늘을 ~ dar sombra, asombrar, sombrar. ② [특징을 뚜렷이 갖추게 하다] formar. 원을 ~ formar un círculo. 세모를 ~ formar un triángulo.

지우다[2] ① [끊어지거나 떨어져서 제자리로부터 떠나게 하다] [숨을] expirar; [아이를] malparir. 숨을 ~ expirar. 아이를 ~ malparir, abortar. ② [근소한 양의 액체를 떨어지게 하다] derramar. 눈물을 ~ derramar lágrimas. ③ [많은 분량 중에서 일부를 덜다] restar. 그릇의 물을 ~ restar el agua de la vasija.

지우다[3] [묻거나 붙거나 나타났던 것의 형적을 없애다] cancelar, borrar, rayar, raspar; [생각·느낌·표정 따위를] borrar, librarse (de). 지워지다 borrarse, esfumarse. 글씨를 ~ borrar [raspar] una letra. 칠판의 글자를 ~ borrar las letras de la pizarra. 명부에서 이름을 ~ borrar [omitir] *su* nombre de la lista. 글자가 지워져 있다 Las letras están borrosas. 화면(畫面)이 지워진다 La escena se esfuma. 나는 그 추억을 뇌리에서 지울 수 없다 No puedo borrar [librarse de] ese recuerdo.

지우다[4] [활의 시위를 벗기다] quitar la cuerda del arco.

지우다[5] [지게 하다. 남을 이기다] hacer perder, derrotar, ganar al otro, vencer.

지우다[6] ① [짐 등을 지게 하다] cargar (de·con); [죄(罪)·의무 따위를] cargar. 노새에게 짚을 ~ cargar el mulo de paja. ② [빚을 지게 하다] hacer deber. ③ [책임을 맡도록 만들다] cargar. 책임을 ~ cargar la responsabilidad.

지우산(紙雨傘) paraguas *m.sing.pl* de papel.

지운(地運)【민속】suerte *f* de la tierra.

지원(支院) sucursal *f*.

지원(支援) apoyo *m* (económico), ayuda *f* (económica), auxilio *m*. ~하다 apoyar, prestar apoyo (en), sostener, auxiliar, mantener, amparar. 스포츠에 정부의 ~이 불충분하다 La ayuda [El apoyo] gubernamental al deporte es insuficiente. 그녀는 전(前)남편으로부터 ~을 받고 있다 Su ex-marido contribuye económicamente a su manutención. 우리들은 그를 마음으로 ~했다 Le apoyamos sin reservas.
■~자(者) mantenedor, -dora *mf*.

지원(志願) deseo *m*, anhelo *m*, ansia *f*, ambición *f*, [지망(志望)] aspiración *f*, [신청] solicitud *f*, instancia *f*, súplica *f*, [원서] memorial *m*; [자원] voluntario *m*. ~하다 aspirar, presentarse, presentar la solicitud (para), desear, anhelar, dirigir una petición. 군대(軍隊)에 ~하다 alistarse con voluntario, sentar plaza, entrar a servir como soldado voluntariamente. 위험한 임무에 ~하다 ofrecerse a ejecutar una misión peligrosa. 그는 스스로 ~해서 그 일을 맡았다 El se ofreció a encargarse del trabajo / El se encargó del trabajo voluntariamente.
■~병 voluntario, -ria *mf*. ~서 solicitud *f* (por escrito). ~서 용지 (impreso *m* de) solicitud *f*. ~자 aspirante *mf*, candidato, -ta *mf*, [임무 등의] voluntario, -ria *mf*, *CoS* postulante *mf*. ~ 제도 sistema *m* voluntario.

지위(地位) ① =위치. 처지(處地)(posición). ② [신분에 따르는 어떠한 자리나 계급] ㉮ [자리] puesto *m*, cargo *m*. 도지사(道知事)의 ~ cargo *m* de gobernador. 교장(校長)의 ~에 있다 ocupar el puesto de director. 좋은 ~를 얻다 lograr un buen puesto. 책임 있는 ~에 있다 tener un puesto [un cargo] de responsabilidad. ㉯ [계층] clase *f*, categoría *f*, [높은 자리] rango *m*, dignidad *f*. ~가 높은 de alto rango, de alta dignidad, de alta categoría. ~에 있는

사람 hombre *m* de rango. 사회적 ~가 높은 사람 hombre *m* de alto estado social. ~가 오르다 ascender (de categoría), elevarse, subir, mejorar de posición social, ser promovido. 높은 ~에 오르다 llegar a una alta categoría [a una posición distinguida]. 교사의 ~를 구하다 buscar un profesorado. 높은 ~를 차지하다 ocupar alta posición social. 여자의 사회적 ~를 향상하다 elevar el estado social de mujeres. 그는 나보다 ~가 높다 [낮다] El pertenece a un rango superior [inferior]. ③ =지세(地勢).

지위 지다 ① [신병으로 몸이 쇠약해지다] adelgazar, ponerse delgado. 지위 진 얼굴 cara *f* delgada [demacrada]. ② [낭비로 살림이 기울어지다] hundirse. 가세(家勢)가 가난으로 지위 졌다 La familia se había hundido en la miseria.

지육(智育) instrucción *f* [educación *f*] intelectual, cultura *f* intelectual, cultura *f* mental.

지은(至恩) favor *m* extremo, benevolencia *f* extrema.

지은(地銀) plata *f* de 90% puro.

지은이 =저작자(著作者)(escritor, autor).

지의[1](地衣) [돗자리] estera *f* grande.

지의[2](地衣) 【식물】 liquen *m* (*pl* líquenes).

지이(地異) convulsión *f* de naturaleza, desastre *m* natural.

지인(知人) ① [잘 아는 사람] conocido, -da *mf*; [집합적] conocimiento *m*; [친구] amigo, -ga *mf*. 나의 ~인 서반아인 un español de mi conocido. 서반아에 ~이 많다 tener muchos conocidos en España. 우리는 오랜 ~이다 Nos conocemos desde mucho tiempo. ② [사람의 됨됨이를 알아봄] buen juicio *m* de la naturaleza humana.

지인용(智仁勇) sabiduría, benevolencia y valentía.

지일(至日) solsticios *mpl*; [동지(冬至)] solsticio *m* de invierno; [하지(夏至)] solsticio *m* de verano.

지자(知者) hombre *m* de inteligencia.

지자(智者) sabio, -bia *mf*, persona *f* sabia, persona *f* inteligente. ~ 불혹(不惑)이다 Un sabio sabe su propio corazón. ~도 천려일실(千慮一失)이 있다 Nadie es perfecto.

지자기(地磁氣) =지구 자기(地球磁氣).

지장(支障) obstáculo *m*, impedimento *m*, estorbo *m*, inconveniente *m*, pega *f*. ~이 있다 estorbar, impedir. …해도 ~이 없다 poder + *inf*, no tener inconveniente en + *inf* [en que + *subj*]. 걷는 데는 ~이 없다 no tener dificultad en andar. 안경 없이도 ~이 없다 poder pasar sin gafas. ~이 없다면 제 사무실에 들러 주십시오 Si no tiene usted inconveniente, pase por mi oficina. 그 사건으로 교섭에 ~을 초래했다 Ese acontecimiento ha constituido un estorbo para las negociaciones. 누군가에게 ~이 있을지 몰라 아무 말도 하지 않겠다 No voy a decir nada, porque temo incomodar a alguien. 그것은 우리의 계획에 ~이 있다 Eso estorba nuestro proyecto. 너무 늦게 자면 다음 날 일에 ~이 있다 Acostarse demasiado tarde afecta al trabajo del día siguiente. ~이 있어 오늘은 갈 수 없다 No puedo ir hoy, porque tengo un asunto que me lo impide. 그가 와도 ~이 없다 El puede venir / No hay [No tengo] inconveniente en que venga él. 창문을 열어도 ~이 없을까요? ¿Se puede abrir la ventana? 그것은 나한테는 아무런 ~이 없다 No tengo ningún inconveniente en ello.

지장(指章) señal *f* hecha con el dedo pulgar, señal con el dedo pulgar por el sello.

지장(紙帳) mosquitero *m* de papel.

지장(智將) general *m* de recursos.

지저거리다 cantar.

지저지저 cantando y cantando.

지저귀다 ① [새가 계속해서 소리 내어 우짖다] cantar, gorjear, trinar, piar. 새가 지저귄다 Los pájaros cantan. ② [신통찮은 말을 지절거리다] charlar, chacharear, parlotear, cotorrear.

지저깨비 astillas *fpl*, trozo *m*, brizna *f*, pizca *f*, pedazo *m*.

지저분하다 (ser) sucio, cochino, puerco, mugriento, desaliñado, desaseado, desordenado; [하는 짓이] obsceno, impúdico, deshonesto, licencioso, libidinoso, lascivo, liviano, lúbrico, indecente, indecoroso, pornográfico. 지저분한 글씨 mala letra *f*. 지저분한 말 palabra *f* sucia [cochina · obscena], mala palabra *f*. 지저분한 옷 ropa *f* sucia. 지저분하게 하다 revolver. 서랍 안을 지저분하게 하다 revolver el cajón. 그는 글씨가 ~ El tiene mala letra. 그는 지저분하게 먹는다 El no sabe comer / El come sin modales.

지적(地積) el área *f* (*pl* las áreas), extensión *f* por acres, extensión *f* de tierra.

지적(地籍) catastro *m*, registro *m* de la propiedad inmobiliaria, registro *m* de terreno.
■ ~ 대장(臺帳) =토지 대장(土地臺帳). ~도(圖) catastro *m*, mapa *m* de registro de terreno.

지적(指摘) ① [손가락질해 가리킴] indicación *f*. ~하다 indicar, señalar. ② [허물을 들추어 폭로함] revelar, develar, desvelar. 잘못을 ~하다 revelar errores.

지적(知的) intelectual, mental, inteligente, listo. ~ 생활 vida *f* intelectual. ~ 작용(作用) acción *f* intelectual. ~ 활동(活動) actividad *f* intelectual. ~인 일 obra *f* intelectual.
■ ~ 소유권 propiedad *f* intelectual. ~ 소유권법 ley *f* de propiedad intelectual. ~ 재산권 derecho *m* de propiedad intelectual. ¶~의 침해(侵害) violación *f* de derecho de propiedad intelectual. ~ 직관 intuición *f* intelectual. ~ 판단 juicio *m* intelectual.

지전(紙錢) ① =지폐(紙幣)(papel moneda). ② =조전(造錢).

지전(紙廛) tienda *f* de papel.

지전류(地電流)【전기】corriente *f* de tierra.

지절(志節) el principio y la constancia, integridad *f*.

지절(枝節) [가지와 마디] la rama y el nudo.

지절(肢節) hueso *m* de articulación del miembro.

지절거리다 charlar, chacharear, parlotear, cotorrear, farfullar, hablar atropelladamente, hablar confusamente, hablar sin parar, parlotear sin parar.
 지절지절 charlando, parloteando.

지점(支店) sucursal *f*, filial *f*. ~을 개설하다 [설치하다] abrir [establecer] una sucursal. 은행의 ~을 설치하다 abrir una sucursal del banco. A 은행 종로 ~ la Sucursal del Banco A en *Chongro*. 해외 ~망 red *f* de sucursales en ultramar.
 ▪ ~장 gerente *mf* [director, -tora *mf*] de sucursal. ~ 차장(次長) subgerente *mf* [subdirector, -tora *mf*] de sucursal.

지점(支點) punto *m* de apoyo, fulcro *m*.

지점(至點)【천문】solsticio *m*.

지점(地點) punto *m* (geográfico); [장소] lugar *m*, sitio *m*, localidad *f*. 여기서 10킬로미터 북쪽 ~ un lugar a diez kilómetros al norte de aquí. 섬은 여기서 50킬로미터 ~에 있다 La isla está a cincuenta kilómetros de aquí.

지정(至情) ① [아주 가까운 정분] amistad *f* cordial. ② [더할 수 없이 지극한 충정] sentimiento *m* profundo. ③ [아주 가까운 친척] pariente *m* muy cercano.

지정(知情) entendimiento *m* de *su* situación. ~하다 entender *su* situación.

지정(指定) [일시·장소의] señalamiento *m*, indicación *f*; [문화재 등의] designación *f*, nombramiento *m*. ~하다 señalar, indicar, designar, nombrar, destinar, fijar. ~된 사람 persona *f* designada, persona *f* nombrada. ~된 날에 el día indicado. 시간과 장소를 ~하다 señalar [indicar] la hora y el lugar. 상속인으로 ~하다 designar por [como] heredero. 이 책은 교과서로 ~되어 있다 Este está designado como libro de texto. 그 지역은 국립 공원으로 ~되었다 La zona fue declarada parque nacional.
 ◆교육부(教育部) ~ designado por el Ministerio de Educación (Pública).
 ▪ ~가(價) precio *m* de oferta. ¶~ 주문 pedido *m* de precio de oferta. ~ 교육 기관 institución *f* educativa designada. ~권 billete *m* reservado. ~ 대리인 agente *m* autorizado, agente *f* autorizada; agente *mf* oficial. ~ 문화재 patrimonio *m* cultural designado, propiedad *f* cultural designada. ~사 cópula *f*. ~상인 comerciante *m* autorizado, comerciante *f* autorizada. ~석 asiento *m* reservado. ~ 시간(時間) hora *f* designada. ~ 여관 hotel *m* designado. ~인(人) persona *f* designada, persona *f* nombrada. ~일 día *m* designado. ~ 장소 lugar *m* señalado. ~ 통화(通貨) moneda *f* circulante. ~ 항구 puerto *m* designado. ~회사 compañía *f* designada. ~ 후견인 tutor *m* designado, tutora *f* designada.

지정거리다 detenerse largo rato (en), extenderse largamente (sobre).
 지정지정 deteniéndose largo rato.

지정상(智淨相)【불교】pureza, sabiduría y aspecto; sabiduría *f* pura; sabiduría y pureza.

지정의(知情意) inteligencia, sensibilidad y voluntad.

지정하다(至正—) (ser) muy recto.

지정하다(至精—) (ser) muy limpio.

지정학(地政學) geopolítica *f*.

지제(地祭) rito *m* [servicio *m*] religioso al dios de la tierra.

지제(紙製) fabricación *f* de papel. ~의 hecho de papel, de papel, papelero. ~ 상자(箱子) caja *f* de papel.

지조(地租) tributo *m* territorial, impuesto *m* territorial.

지조(志操) integridad *f*, probidad *f*, constancia *f*, principios *mpl*, intención *f*, propósito *m*. ~가 굳은 íntegro, probo, firme, constante, entero. ~가 없다 faltar a *sus* principios. ~를 지키다 ser fiel a *sus* principios.

지족(知足) contento *m*, contentamiento *m*, satisfacción *f*, alegría *f*, placer *m*. ~하다 estar contento (con).

지존(至尊) ① [더없이 존귀함] mucha nobleza *f*. ~하다 ser muy noble. ② [임금을 공경하여 일컫는 말] Su Majestad.

지주(支柱) ① [무엇을 버티는 기둥] sostén *m* (*pl* sostenes), soporte *m*, apoyo *m*; [천막 등의] palo *m* de sostén; [식목의] tutor *m*; [콩·토마토 등의] rodrigón *m* (*pl* rodrigones). 대들보는 지붕의 ~이다 Las vigas son el sostén del techo. ② [의지할 수 있는 근거나 힘의 비유] sostén *m*. 정신적인 ~ sostén *m* moral. 일가(一家)의 ~ sostén *m* de la familia, el [la] que mantiene la casa. 그는 부모의 ~이다 El es el sostén de sus padres. 논리적인 일이 모든 아름다운 것의 ~인 듯하다 Lo lógico es como el sostén de todo lo bello.

지주(地主) propietario, -ria *mf* de terreno [de tierras]; terrateniente *mf*, hacendado, -da *mf*.
 ◆대(大)~ latifundista *mf*; gran propietario *m* de tierras. 소(小)~ minifundista *mf*, pequeño propietario *m* de tierras.
 ▪ ~ 계급(階級) las clases propietarias, los terratenientes, la aristocracia rural.

지주 회사(持株會社) sociedad *f* de control, sociedad *f* de cartera.
 ◆은행 ~ sociedad *f* de control [de cartera] del banco.

지중(地中) ① [땅속] interior *m* de la tierra. ~의 subterráneo, de la tierra. ~에 en la tierra, bajo la tierra. ~의 보물 tesoro *m* subterráneo. ~에 묻다 enterrar. ~에서 파내다 desenterrar, excavar de la tierra. 시체를 ~에서 파내다 exhumar el cadáver.

② =광중(壙中).
■ ~선(線) =지하선. ~ 식물(植物) planta *f* subterránea. ~ 온도계(溫度計) termómetro *m* subterráneo.
지중하다(至重−) (ser) muy importante, importantísimo.
지중히 muy importantmente.
지중해(地中海) 【지명】 el (mar) Mediterráneo.
■ ~성 기후 clima *m* mediterráneo.
지지 [어린아이에게 더러운 것이라고 일러 주는 말] ¡Sucio! / ¡Qué sucio!
지지(支持) apoyo *m*, sostenimiento *m*, sostén *m* (*pl* sostenes), mantenimiento *m*. ~하다 apoyar, sostener, ayudar, secundar, mantener, aprobar, ponerse de parte, echar una mano. 국민의 ~ 아래 con el apoyo general del pueblo. ~를 구하다 buscar el apoyo, pedir el apoyo. …의 ~를 얻다 tener el apoyo de *uno*. 정부의 정책을 ~하다 secundar la política del gobierno.
■ ~자 defensor, -sora *mf*, partidario, -ria *mf*, mantenedor, -dora *mf*, sostenedor, -dora *mf*, el [la] que secunda una proposición.
지지(地支) =십이지(十二支).
지지(地誌) ① [어떤 지역의 자연·사회·문화 등의 지리적 현상을 분류·연구·기록한 것] libro *m* sobre la geografía local, topografía *f* de un distrito, topografía *f* local. ② ((준말)) =지지학.
■ ~학(學) topografía *f*. ~학자(學者) topógrafo, -fa *mf*.
지지(紙誌) los periódicos y las revistas.
지지고 볶다 ① [지지기고 하고 볶기도 하여 요리를 많이 장만하다] preparar abundantemente estofando y friendo con aceite. ② ((속어)) [사람을 들볶아서 몹시 부대끼게 하다] molestar, irritar, fastidiar. ③ ((속어)) [여자들이 머리털을 파마하다] hacerse la permanente.
지지난달 mes *m* antepasado.
지지난밤 anteanoche.
지지난번(−番) vez *f* antepasada.
지지난해 año *m* antepasado.
지지다 ① [국물을 조금 붓고 끓여 익히다] [끓이다] estofar, guisar; [기름으로] freír. 생선을 ~ estofar el pescado. 고기를 ~ freír la carne. ② [지짐질로 익히다] freír en la sartén, saltear, sofreír. 저냐를 ~ sofreír el pescado en la sartén. ③ [눋거나 타게 하다] hacer quemar. ④ 【의학】 cauterizar. 상처를 불로 ~ cauterizar una herida.
지지랑물 gotas *fpl* oxidadas del tejado de paja.
지지러뜨리다 ① [몹시 놀라 몸을 움츠러지게 하다] hacer encoger, hacere achicar. ② [몹시 자지러지게 하다] hacer debilitar.
지지러지다 ① [놀라 몸이 주춤하면서 움츠러지다] encogerse, achicarse. ② [생물이 중간에 병이 생겨 잘 자라지 못하다] debilitarse.
지지르다 ① [기운을 꺾어 누르다] intimidar, dominar, refrenar. ② [내리누르다] presionar.
지지리 -ísimo, terriblemente, tremendamente, sumamente, extremadamente. ~ 맛이 없다 ser de pésimo gusto. ~ 못생기다 ser terriblemente feo. ~ 고생하다 pasar muchos apuros, pasar muchas dificultades, pasar muchas privaciones.
지지부진(遲遲不進) avance *m* muy lento. ~하다 avanzar muy despacio, no avanzar más que lentamente.
지지하다 ① [무슨 일이 오래 끌기만 하고 보잘것이 없다] (ser) trivial, banal. 지지한 일 nimiedad *f*. 지지한 일로 시간을 보내지 마라 No pierdas el tiempo en nimiedades. 네 문제는 내 것과 비교하면 지지한 일이다 Tu problema no es nada [es una nimiedad] comparado con el mío. ② [시시하고 지루하다] (ser) aburrido, soso, no tener sin ningún valor, no valer nada. 지극히 지지한 밤 la noche terriblemente aburrida. 지지한 책 el libro sin ningún valor, el libro aburrido.
지지하다(遲遲−) (ser) muy lento.
지진(地震) terremoto *m*, seísmo *m*, sismo *m*. ~의 sísmico. ~의 중심(中心) epicentro *m*, centro *m* sísmico. 약한 ~ temblor *m* de la tierra. ~이 거의 없는 나라 país *m* con escasos fenómenos sísmicos. 어제 작은 ~이 있었다 Hubo un pequeño terremoto ayer.
◆ 해저(海底) ~ terremoto *m* submarino. 화산(火山) ~ terremoto *m* volcánico.
■ ~계 sismógrafo *m*, sismómetro *m*; [간이의] sismoscopio *m*. ~ 관측 sismografía *f*, observación *f* sísmica. ~ 관측학(觀測學) sismografía *f*. ~ 단층 falla *f* sísmica. ~대 zona *f* de terremoto. ~도 sismograma *m*. ~ 보험 seguro *m* de terremoto. ~ 운동 movimiento *m* sísmico. ~ 충격(衝擊) movimiento *m* sísmico. ~ 측량 estudio *m* sísmico, topografía *f* sísmica. ~ 탐사 exploración *f* del terremoto. ~파 ola *f* sísmica. ~학 seismología *f*, sismología *f*. ~학자(學者) ismólogo, -ga *mf*. ~ 현상(現象) fenómeno *m* sísmico. ~ 활동도(活動圖) sismicidad *f*.
지진아(遲進兒) niño *m* retrasado (mental), niña *f* retrasada (mental).
지진제(地鎭祭) ceremonia *f* de purificación del terreno al comienzo de la construcción.
지질(地質) naturaleza *f* del terreno, geología *f*. ~의 geológico. ~을 조사하다 nvestigar [sondear] el terreno.
■ ~ 공학 geotecnología *f*. ~도(圖) plano *m* geológico. ~ 분석 análisis *m* geológico. ~ 시대(時代) edad *f* geográfica, era *f* geográfica. ~ 연구소(研究所) la Oficina de Investigación Geológica. ~ 조사(調査) investigación *f* geológica. ~학 geología *f*. ¶ 고대(古代) ~ paleogeología *f*. 구조(構造) ~ geología *f* estructural. 해저(海底) ~ geología *f* submarina. ~학자(學者) geólo-

go, -ga *mf*.
지질(紙質) calidad *f* [cualidad *f*] del papel. ~이 좋다 La calidad del papel es buena.
지질리다 ser presionado, ser dominado.
지질지질 acuosamente. ~하다 (ser) acuoso.
지질컹이 ① [무엇에 지질리어 기를 못 펴는 못난 사람] persona *f* mentecata. ② [무엇에 눌려 잘 되지 못한 물건] cosa *f* achaparrada.
지질펀펀하다 ① [높낮이가 없이 펀펀하다] (estar) nivelado, plano, llano. 지질펀펀한 땅 terreno *m* llano. ② [땅이 약간 진 듯하고 펀펀하다] (estar) mojado y abierto. 지질펀펀한 길 camino *m* liso.
지질하다[1] [보잘것이 없고 용렬하다. 변변치 못하다] (ser) torpe, lerdo, trivial; [신통치 않다] inútil, que no sirve para nada, sin ningún valor. 지질한 놈 tipo *m* sin ningún valor, tipo *m* que no sirve para nada. 지질한 일 tarea *f* trivial. 지질한 일생 vida *f* lerda.
지질하다[2] [싫증이 날 만큼 지루하다] (ser) aburrido, tedioso, fastidioso, pesado. 지질한 소리 하다 decir tonterías [estupideces · disparates].
지짐거리다 (ser) húmedo, lluvioso. 이번 달은 지짐거리는 날이 많았다 Este mes hemos tenido muchos días lluviosos.
지짐지짐 húmedamente, lluviosamente.
지짐이 ① [국물이 적고 간이 좀 짜게 끓인 음식의 총칭] estofado *m*, guiso *m*. ② [지짐질한 음식의 총칭] crep(e) *m*, tortilla *f*, *AmC*, *Col* panqué *m*, *AmL* panqueque *m*, *Méj* crepa *f*, *Ven* panqueca *f*.
지짐질 preparación *f* de crepe. ~하다 preparar crepe.
지참(持參) el traer, el llevar. ~하다 [가지고 오다] traer; [가지고 가다] llevar. 각자 식사를 ~할 것 Tráigase cada uno su comida. 이력서를 ~할 것 Tráigase el curriculum vitae.
■ ~금 dote *m*. ~인 portador, -dora *mf*, tenedor, -dora *mf*. ¶수표 ~ portador *m* de cheque. 어음 ~ portador *m* de una letra. ~에게 지불하십시오 Páguese al portador. ~인불(人拂) pago *m* al portador. ~인불 수표 cheque *m* al portador. ~인불 어음 efecto *m* (pagadero) al portador.
지참(遲參) participación *f* tardía. ~하다 participar tarde (a), tomar parte tarde (en)..
지척(咫尺) distancia *f* muy corta. ~을 분간할 수 없을 만큼 어두운 밤 noche *f* (oscura) como boca de lobo, noche *f* muy oscura. ~지간이다 estar muy cerca.
■ ~지지(之地) sitio *m* [lugar *m*] muy cercano.
지척거리다 caminar lenta y pesadamente, caminar con dificultad. 녹초가 되어 그는 지척거리며 계단을 올라갔다 Rendido de cansancio, él subió pesadamente la escalera. 우리들은 눈 위를 수 킬로미터를 지척거리며 거닐었다 Recorrimos kilómetros caminando con dificultad en la nieve.
지척지척 caminando lenta y penosamente, caminando con dificultad. ~ 걷다 caminar lenta y penosamente, caminar con dificultad.
지천 =꾸지람.
지천(至賤) ① [매우 천함] humildad *f*. ~하다 (ser) muy humilde, muy vulgar. 그는 ~한 집안에서 태어난 사람이다 El es un hombre de nacimiento muy humilde. ② [하도 많아서 별로 귀할 것이 없음] abundancia *f*. ~하다 (ser) abundante.
지청(支廳) oficina *f* sucursal.
지체 linaje *m*, nacimiento *m*. ~가 높은 de buen linaje, de nacimiento noble. ~가 낮은 de nacimiento humilde.
지체(肢體) [몸] cuerpo *m*; [사지(四肢)] cuatro miembros.
■ ~부자유아(不自由兒) niño *m* inválido, niña *f* inválida. ~부자유아 시설 establecimiento *m* para niños inválidos. ~ 장애인(障碍人) minusválido, -da *mf*, discapacitado, -da *mf*.
지체(遲滯) tardanza *f*, dilación *f*, retraso *m*, detención *f*, retardo *m*, atrasados *mpl*, retardación *f*, *AmL* demora *f*. ~하다 retrasarse, tardar, retardarse, atrasarse, dilatarse, *AmL* demorarse. ~ 없이 sin tardanza, sin dilación, *AmL* sin demora. 한 시간의 ~ un retraso [*AmL* una demora] de una hora, una hora de retraso [*AmL* de demora]. ~시키다 retrasar, retardar, demorar. ~ 없이 sin retraso, sin tardanza, sin retardo, puntualmente, sin demora, al instante, en un abrir (y cerrar) de ojos; [순조롭게] sin novedad, sin accidente, a pedir de boca. 그의 도착은 스물네 시간 ~되었다 Su llegada se retrasó veinticuatro horas. 식(式)은 ~ 없이 끝났다 La ceremonia ha salido muy bien / La ceremonia ha terminado a pedir de boca.
지초(芝草) ① 【식물】 =지치. ② 【식물】 =영지(靈芝).
지초(紙草) el papel y el tabaco.
지촉(紙燭) el papel y la vela.
지축(地軸) eje *m* terrestre, eje *m* de la tierra. ~을 흔들다 conmover hasta el eje de la tierra.
지출(支出) desembolso *m*, gastos *mpl*, salida *f*, [지불] pago *m*. ~하다 desembolsar, gastar, pagar. 예산외(豫算外) ~ gastos *mpl* no presupuestos.
■ ~액(額) suma *f* desembolsada, suma *f* expendida, gastos *mpl*, desembolso *m*, expendio *m*. ~ 예산(豫算) presupuesto *m* de gastos.
지출(持出) ¶~하다 sacar. 도서의 ~을 금하다 prohibir sacar los libros.
지층(地層) capa *f*, estrato *m*.
■ ~수(水) el agua *f* de la capa. ~학(學) estratigrafía *f*.
지치(智齒) 【해부】 =사랑니(muela cordial).
지치다[1] [시달림을 받아 기운이 쇠해지다] cansarse, fatigarse; [힘이 빠지다] debili-

tarse, enflaquecerse. 지친 cansado. 극도로 지친 fatigado, extenuado, agotado. 지칠 줄 모르는 incansable, infatigable. 지칠 줄 모르고 infatigablemente. 지친 얼굴 cara *f* cansada. 완전히 지친 얼굴 cara *f* de completa fatiga. 지쳐 있다 estar cansado. 몹시 지쳐 있다 estar muy cansado, rendirse de cansancio. 극도로 (피곤하여) ~ extenuarse, caer de fatiga, rendirse de fatiga, fatigarse. 극도로 지쳐 있다 estar muerto de cansancio. 지친 모습을 하고 있다 tener aspecto fatigado. 생활에 ~ cansarse [hartarse·fatigarse] de la vida. 일에 ~ cansarse [fatigarse] con el [del] trabajo. 나는 일에 지쳤다 Me cansé [Me fatigué] del [con el] trabajo. 그녀는 지금 지쳐 있다 Ahora ella está cansada.

지치다² [소나 말 등이 묽은 똥을 싸다] tener la deposición acuosa, deponer los excrementos acuosos..

지치다³ [얼음 위를 미끄러져 달리다] correr deslizándose por el hielo.

지치다⁴ [문을 잠그지 않고 닫아만 두다] cerrar sin llave, cerrar una puerta suavemente.

지친(至親) ① [더할 수 없이 친함] mucha amistad. ~하다 (ser) muy íntimo, muy amigo. ② [부자간·형제간의 일컬음] entre padre e hijo, entre hermanos.

지친것 jubilado *m* antiguo, jubilada *f* antigua; persona *f* rechazada. 선생 ~ un viejo retirado [una vieja carca retirada] de una posición de maestro.

지침(指針) ① [지시 장치에 붙어 있는 바늘] aguja *f*; [기계의] indicador *m*. ② [생활이나 행동의 방향 준칙 따위] guía *f*. 생활의 ~ principio *m* rector de *su* vida.

■ ~면(面) [나침판 따위의] esfera *f*. ~서(書) guía *f*. ¶수험 ~ guía *f* del examen.

지칫거리다 ① [응당 떠나야 할 데서 훌쩍 못 떠나고 멈칫거리다] vacilar, titubear. ② [발을 작게 자주 떼면서 내처 걷다] andar a buen paso

지칫지칫 vacilando, con vacilación.

지칭(指稱) designación *f*. ~하다 designar.

지켜보다 observar, mirar. 텔레비전을 ~ ver [mirar] televisión. 자, 주의 깊게 지켜보십시오 Ahora, miren [observen] con atención. 이제 전문가가 어떻게 그것을 하는지 지켜봐 주십시오 Ahora mire cómo lo hace un experto. 나는 눈물이 가득한 그의 눈을 지켜보았다 Vi como se le llenaban los ojos de lágrimas. 우리들은 아이들이 선물을 풀어 보는 것을 지켜보았다 Miramos como los niños abrían sus regalos. 우리들은 석양[해가 지는 것]을 지켜보았다 Miramos la puesta de sol.

지키다 ① [잃지 않도록 살피다] vigilar para que no pierda. ② [보호·방어하다] proteger, defender, preservar, amparar, guardar, salvaguardar. 나라를 ~ defender la nación. 자신을 ~ defenderse. 조국을 ~ defender la patria. 자신의 이익을 ~ proteger [salvaguardar] *sus* intereses. …에서 자신의 몸을 ~ defenderse [proteger] de [contra] *algo*. 아이들을 교통사고(交通事故)에서 ~ proteger [guardar] a los niños de los accidentes de tráfico. 도시를 적의 공격으로부터 ~ defender la ciudad contra el ataque del enemigo. ③ [눈여겨 감시하다] velar [observar·cuidar] atentemente. ④ [지조 등을 굳게 지니다] mantener, preservar, observar, guardar. 절개(節概)를 ~ mantener la castidad. 중립을 ~ observar la neutralidad. 평화와 질서를 ~ mantener la paz y el orden. ⑤ [약속·법령 등을 어기지 않고 준수하다] cumplir, observar, obedecer. 규정(規定)을 ~ ceñirse al estatuto. 법률(法律)을 ~ obedecer [observar·guardar] la(s) ley(es). 본분(本分)을 ~ cumplir con *su* obligación. 비밀(秘密)을 ~ observar el secreto. 약속을 ~ cumplir *su* palabra, tener palabra. 침묵을 ~ guardar silencio. 그는 너에게 약속을 지키지 않을 것이다 El no va a cumplir lo que te prometió.

지탄(枝炭) carbón *m* (*pl* carbones) de ramas de los árboles.

지탄(指彈) ① [손끝으로 튀김] golpecito *m*. ~하다 chasquear los dedos. ② [비난함] censura *f*, reproche *m*, vituperación *f*, crítica *f*. ~하다 censurar, reprochar, vituperar, rechazar, rehuir, hacerle el vacío (a), aislar, condenar al ostracismo. 사회의 ~을 받다 ser rechazado de la sociedad.

지탱(支撐) sostenimiento *m*, mantenimiento *m*, apoyo *m*, protección *f*. ~하다 sostener, mantener, soportar, apoyar, guardar, observar. 자신의 몸을 ~하다 sostenerse, soportarse. 그는 너무 취해서 몸을 ~할 수 없었다 El estaba tan borracho que no podía sostenerse.

지통(止痛) aplacamieno *m* del dolor. ~하다 aplacar el dolor.

■ ~제(劑)[약(藥)] calmante *m*.

지통(至痛) =극통(極痛).

지파(支派) rama *f* (lateral), secta *f*, rama *f* de una familia.

지판(地板) pedazo *m* del fondo del ataúd.

지팡막대 palo *m* como un bastón.

지팡이 bastón *m* (*pl* bastones). ~를 짚다 andar con bastón. ~를 짚고 걷다 ir con el bastón en la mano. ~에 의지하다 apoyarse en un bastón.

◆ 대~ bastón *m* de bambú. 등산용(登山用) ~ bastón *m* de montañero, alpenstock *m*. 맹인용(盲人用) ~ bastón *m* blanco, bastón *m* de ciego.

지퍼(영 *zipper*) cremallera *f*, cierre *m* de cremallera, *AmL* cierre *m*, *RPl* cierre *m* de relámpago, *Chi* cierre *m* eclair, *AmC*, *Méj*, *Ven* zíper *ing.m*. ~를 내리다 bajar*le a uno* la cremallera. ~를 열다 abrir la cremallera [el cierre]. ~를 올리다 subir la cremallera. ~를 잠그다 cerrar la cremallera [el cierre]. 제 ~ 좀 올려 주시겠어요?

¿Me subes la cremallera [*AmL* el cierre · *AmC, Méj, Ven* el zíper]?

지편(紙片) trozo *m* [pedazo *m* · fragmento *m*] de papel, hoja *f*, papelucho *m*.

지평(地平) ① [대지(大地)의 평면(平面)] nivel *m* del suelo. ② ((준말)) =지평선(地平線)(horizonte). ¶~의 horizontal.

■ ~각(角) ángulo *m* horizontal. ~ 거리(距離) distancia *f* horizontal. ~면(面) plano *m* horizontal. ~ 부각(俯角) buzamiento *m* del horizonte. ~선(線) horizonte *m*; [접한] línea *f* horizontal. ¶~ 상에 [떨어진] en [sobre] el horizonte; [접한] al horizonte, en la línea del horizonte. 새로운 ~이 열렸다 Se ha abierto una nueva perspectiva. ~ 시차 paralaje *m* horizontal. ~축 eje *m* horizontal.

지평(地坪) el área *f* (*pl* las áreas), extensión *f* de áreas.

지폐(紙幣) papel *m* moneda, billete *m* (de banco). 만 원짜리 ~ billete *m* de diez mil wones. 새 ~를 발행하다 emitir nuevos billetes de banco.

◆무준비 은행 ~ papel *m* fiduciario. 불환 ~ billete *m* no convertible. 위조~ billete *m* falso, moneda *f* falsa, falsificación *f*. 태환 ~ billete *m* convertible.

■ ~ 남발 emisión *f* excesiva de papel moneda. ~ 발행(發行) emisión *f* de papel moneda. ~ 발행고 emisión *f* fiduciaria. ~ 발행권 derecho *m* emisor. ~ 발행 은행 banco *m* emisor, banco *m* de emisión de valores, banco *m* de billete librado. ~본위(本位) estándar *m* del papel. ~ 본위 제도 sistema *m* del estándar del papel. ~ 유통(고) circulación *f* fiduciaria.

지폭(紙幅) anchura *f* del papel.

지표(地表) superficie *f* terrestre, superficie *f* de la tierra. ~수(水) el agua *f* de la superficie terrestre.

지표(指標) ① [방향을 가리키는 표지. 사물의 가늠이 되는 안표] índice *m*; [경제의] indicador *m* económico, barómetro *m* económico. ② 【수학】 característica *f*.

지푸라기 pajas *fpl*.

■ ~ 인형(人形) muñeca *f* de pajas, figura *f* de pajas.

■ 물에 빠지면 지푸라기라도 움켜쥔다 ((속담)) Agarrarse a un clavo ardiendo / A un clavo ardiendo se agarra el que se está hundiendo / No se debe poner la espada en mano del desesperado.

지프(영 *jeep*) todoterreno *m*.

지피다[1] [사람에게 신의 영(靈)이 내려 모든 것을 알게 되다] obtener inspiración del poder divino, ser inspirado.

지피다[2] [아궁이 · 화덕 등에 땔나무를 넣어 불타도록 하다] encender fuego, hacer fuego, echar a fuego, quemar. 석탄을 ~ echar carbón de piedra al fuego. 장작을 ~ echar [añadir] leña al fuego. 난로에 석탄을 ~ echar carbón a la estufa.

지피지기(知彼知己) conocimiento *m* del enemigo y conocimiento de sí mismo.

지필(紙筆) el papel y el cepillo de escribir.

■ ~묵(墨) el papel, el cepillo de escribir y la tinta china. ~연묵(硯墨) el papel, el cepillo de escribir, la piedra de tinta y tinta china.

지하(地下) ① [땅의 속] subterráneo *m*, lugar *m* que está situado debajo de tierra, *Arg* metroplitano *m*. ~의 subterráneo, (que está) debajo de tierra, hipogénico; [매장된] enterrado. ~에 bajo la tierra, debajo de (la) tierra, bajo de césped, en la sepultura. ~에 숨다 ocultarse bajo la tierra. ~에 잠들다 descansar en paz. ~ 20미터 지점에 a veinte metros bajo tierra. ~에서 금화(金貨)가 많이 나왔다 De debajo de la tierra salían en abundancia monedas de oro. ~일 층(一層) primer (piso *m* del) sótano *m*, primero *m* del sótano. ~ 이 층(二層) segundo (piso *m* del) sótano *m*, segundo *m* del sótano. ② =저승(otro mundo). ③ [사회 운동 · 정치 운동에서의 비합법적인 면] clandestinidad *f*, secreto *m*. ~의 clandestino, secreto. ~에서 생활하다 llevar una vida clandesdestina. 그는 경찰에 쫓겨 ~에 들어갔다 Perseguido por la policía, él entró en la clandestinidad.

■ ~가(街) =지하상가. ~ 감옥 cárcel *f* subterránea, prisión *f* subterránea, mazmorra *f*. ~경(莖) tallo *m* subterráneo. ~경제 economía *f* clandestina. ~공작(工作) operación *f* clandestina. ~근(根) raíz *f* (*pl* raíces) subterránea. ~도(道) paso *m* subterráneo, pasaje *m* subterráneo, camino *m* subterráneo; [넓은] calzada *f* subterránea. ~ 목표 objetivo *m* subterráneo. ~ 문학 literatura *f* subterránea. ~ 본관(本管) [전기의] canalización *f* subterránea. ~ 본관망(本管網) red *f* de canalizaciones subterránea. ~상가(商街) centro *m* comercial subterráneo. ~선 ㉮ [지하에 매설한 피복(被覆) 전선] cable *m* subterráneo, línea *f* subterránea, alambre *m* subterráneo. ㉯ [지하철의 선로] carril *m* [rail *m*] del metro. ~ 세포 célula *f* subterránea. ~수 aguas *fpl* subterráneas, aguas *fpl* freáticas. ~ 수력 발전소 central *f* hidroeléctrica subterránea. ~ 수로 [배수로] alcantarilla *f*; [전기의] conducto *m* subterráneo. ~ 수위 nivel *m* del agua subterránea; [지하 수면] nivel *m* freático. ~ 식물(植物) planta *f* subterránea. ~신문(新聞) periódico *m* clandestino. ~실 ㉮ [지면보다 낮은 곳에 만든 방] habitación *f* subterránea. ㉯ [땅광] sótano *m*; [석탄 저장용의] carbonera *f*, [포도주 저장용의] bodega *f*, cueva *f*; [시체 안치의] hipogeo *m*. ~ 운동(運動) movimiento *m* clandestino, actividad *f* clandestina; [레지스탕스] Resistencia *f*, [비합법의] movimiento *m* ilegal. ~자원 recursos *mpl* subterráneos, recursos *mpl* del subsuelo. ~ 정부 gobierno *m* clandestino. ~ 조직 organización *f* clandestina. ~ 주차

장 aparcamiento *m* subterráneo. ~철 ((준말)) =지하 철도. ¶~로 가다 ir [viajar] en metro [*RPI* subte(rráneo)]. ~을 타다 coger [tomar] el metro, *RPI* tomar el subte. ~을 내리다 bajarse del metro [*RPI* del subte]. ~ 철도 metro *m*, ferrocarril *m* subterráneo, *RPI* subte *m*, subterráneo *m*. ~ 철도역 =지하철역. ~철역 estación *f* de metro, *RPI* estación *f* de subterráneo. ~층(層) planta *f* subterránea, piso *m* subterráneo, (piso *m* del) sótano *m*. ~ 케이블 =지하선(地下線)❶. ~ 폭발 explosión *f* subterránea. ~ 핵실험 prueba *f* nuclear subterránea. ~ 핵폭발 explosión *f* nuclear subterránea, detonación *f* nuclear subterránea. ~ 활동 =지하 운동. ~ 회선 [전기의] circuito *m* subterráneo.

지학(地學) ((준말)) =지구 과학(地球科學).

지학(志學) ① [학문에 뜻을 둠] acción *f* de tener la voluntad en la ciencia. ② [열다섯 살 된 나이] quince años de edad.

지한(知韓) pro-Corea.

■ ~파(派) pro-coreano, -na *mf*. ¶~ 미국인(美國人) estadounidense *m* pro-coreano.

지함(紙函) caja *f* de cartón.

지핵(地核) 【지질】 núcleo *m* de la tierra.

지행(知行) la sabiduría y la conducta.

지향(志向) intención *f*, inclinación *f*. ~하다 pensar, querer que + *subj*.

지향(指向) aspiración *f*, [경향(傾向)] propensión *f*, inclinación *f*, [방향] dirección *f*, orientación *f*. ~하다 aspirar (a), orientarse (hacia). 공업화를 ~하다 aspirar a la industrialización. 전통 ~형 사회 sociedad *f* orientada a la tradición.

■ ~성(性) dirección *f*. ~성 안테나 antena *m* direccional.

지향 없다 (ser) sin rumbo, no conducir a nada.

지향 없이 sin rumbo (fijo), sin objeto, sin norte, sin ton ni son.

지현(至賢) sagacidad *f* suprema. ~하다 (ser) extremamente sagaz.

지혈(止血) hemostasis *f*, hemostasia *f*. ~하다 contener [cortar] la hemorragia. ~의 hemostático.

■ ~면(綿) algodón *m* estíptico. ~법(法) método *m* hemostático, tratamiento *m* estíptico. ~ 작용(作用) anastalsis *f*. ~제 hemostático *m*, antihemorrágico *m*. ~증 lipidemia *f*.

지협(地峽) istmo *m*. ~의 ístmico.

◆파나마 ~ istmo *m* de Panamá.

지형(地形) disposición *f* del terreno, configuración *f* terrestre, relieve m terrestre. ~을 조사하다 investigar [estudiar] la configuración terrestre.

■ ~ 답사 inspección *f*, reconocimiento *m*. ~도 carta *f* topográfica, topografía *f*. ~ 조건 condiciones *fpl* topográficas. ~ 측량 inspección *f* topográfica. ~학 topografía *f*. ~학자 topógrafo, -fa *mf*.

지형(紙型) molde *m* [matriz *f*] de papel. 조판의 ~을 뜨다 hacer una matriz de tipos compuestos.

지혜(知慧) =슬기. 지혜(智慧)❶.

지혜(智慧) ① [슬기] inteligencia *f*, sabiduría *f*, entendimiento *m*, ingenio *m*, sagacidad *f*, capacidad. ~가 있는 inteligente, sagaz, perspicaz, ingenioso, sabio. ~가 없는 ignorante, idiota, tonto, necio, memo, mentecato, inbécil, lerdo, estúpido, torpe, bobo. ~가 생기다 desarrollarse en inteligencia. ~를 넣어 주다 instigar, dar insinuación, sugerir. ~를 빌리다 consultar, pedir consejo. ~ 를 빌려 주다 dar consejo. ~를 짜내다 calentarse los sesos, devanarse los sesos, exprimirse el cerebro, preocuparse mucho por resolver una cuestión; [···에] apañarse [apañárselas · ingeniarse · ingeniárselas · darse maña] para + *inf*. ② ((불교)) sabiduría *f*.

지혜롭다 (ser) inteligente, sabio.

지혜로이 inteligentemente.

■ ~검(劍) ((불교)) espada *f* de sabiduría. ~경(鏡) ((불교)) espejo *m* de sabiduría. ~광(光) ((불교)) luz *f* de sabiduría. ~광불(光佛) ((불교)) Buda *m* de luz de sabiduría. ~력(力) ((불교)) sabiduría *f*, perspicacia *f*. ~문(門) ((불교)) puerta *f* de sabiduría de Buda. ~ 문학(文學) literatura *f* de inteligencia. ~수(水) ((불교)) el agua *f* de sabiduría. ~안(眼) ((불교)) ojo *m* de sabiduría. ~ 염불 ((불교)) oración *f* budista de sabiduría. ~의 나무 ((성경)) árbol *m* de la ciencia, árbol *m* del bien y del mal. ~해(海) ((불교)) sabiduría *f* profunda y ancha de Buda como el océano. ~화(火) ((불교)) fuego *m* de sabiduría.

지호(指呼) indicación *f*, llamamiento *m*, apuntamiento *m* con el dedo.

■ ~지간(之間) distancia *f* muy cercana que está en un tiro de piedar. ¶~이다 estar al habla, estar muy cerca, estar en un tiro de piedra.

지혼식(紙婚式) bodas *fpl* de papel.

지화법(指話法) lenguaje *m* gestual, lenguaje *m* de gestos. ~으로 말하다 hablar por señas.

지환(指環) anillo *m*.

지황(地黃) ① 【식물】 dedalera *f*, digital *f*. ② 【한방】 raíz *f* (*pl* raíces) de la dedalera.

지효(至孝) suprema piedad *f* filial.

지휘(指揮) ① [지시해 일을 하도록 시킴] mando *m*, mandato *m*, comando *m*. ~하다 mandar. ···의 ~ 아래 bajo mandato de *uno*. 나는 만사에 그분의 ~를 받았다 He obedecido a su dirección en todo. ② 【음악】 dirección *f*. ~하다 dirigir. A의 ~ 아래 bajo batuta de A.

■ ~ 감독 supervisión *f* de comando. ~ 계통 línea *f* de mando, canal *m* de mando. ~관 comandante *mf*. ~ 관계 relaciones *fpl* de comando. ~관 판단 apreciación *f* del comandante. ~권 mando *m*, poder *m* (para mandar), autoridades *fpl* de mando.

~권 행사【군사】ejercicio *m* de mando. ~대(臺) estrado *m.* ~도(刀) espada *f* de desfile, espada *f* de parada. ~명령【군사】orden *f* de mando. ~봉 ㉮【음악】batuta *f.* ㉯ [지휘관들이 손에 가지는 가는 막대] varilla *f,* vara *f,* bastón *m* de mando. ~부(部)【군사】puesto *m* de mando. ~소(所)【군사】puesto *m* de mando, puesto *m* de comando. ~자(者) ㉮ [지휘하는 사람] persona *f* que manda; jefe, -fa *mf,* caudillo *m;* capitán *m;* director, -tora *mf,* guiador, -dora *mf,* conductor, -tora *mf;* [단체의] prohombre *m.* ㉯【음악】director, -tora *mf.* ~책임(責任)【군사】responsabilidad *f* de comando. ~탑 torre *f* de mando. ~ 통일(統一)【군사】unidad *f* de comando. ~ 통제 통신 체계【군사】sistema *m* de control, comando y comunicaciones.

직(職) ((준말)) =관직. 직업. 직책. ¶대통령 ~ cargo *m* de presidente, 시장~ cargo *m* de alcalde. ~을 떠나다 dejar el cargo. ~을 맡다 tomar posesión del cargo. ~을주다 dar una posición, dar de trabajar. ~을 구하다 buscar un empleo. ~을 얻다 obtener empleo. ~을 잃다 perder empleo, perder puesto, perder trabajo. ~을 해임시키다 ser depuesto, ser destituido. 그는 계속 그 ~에 있을 수 있었다 El pudo mantener [conservar] su puesto. 그녀는 이 ~을 두 번 차지했다 Ella había ocupado dos veces este cargo. 그는 10년 동안 그 ~에 있었다 El ocupó el cargo durante diez años.

직각(直角)【수학】ángulo *m* recto. ~의 rectángular, perpendicular. ~으로 perpendicularmente. …과 ~을 이루다 formar ángulo recto con *algo.* …과 ~으로 교차되다 cruzarse con *algo* en ángulo recto [perpendicularmente].

■~ 삼각형(三角形) triángulo *m* rectangular, triángulo *m* rectángulo. ~ 프리즘 = 전반사 프리즘.

직각(直覺) ① [보거나 듣는 즉시로 바로 깨달음] intuición *f.* ~하다 intuir, conocer [saber] intuitamente. ②【철학】=직관.

■~력 facultad *f* intuitiva. ~설 =직관주의. ~적 intuitivo. ¶~으로 intuitivamente. ~주의 intuicionismo *m.* ~ 판단 juicio *m* intuitivo.

직간(直諫) amonestación *f* directa, admonición *f* directa. ~하다 amonestar directamente.

직감(直感) intuición *f,* percepción *f* inmediata. ~하다 percibir inmediatamente.

■~적 intuitivo. ¶~으로 intuitivamente. ~으로 알다 percibir intuitivamente.

직거래(直去來) transacción *f* directa, negociación *f* directa, operación *f* directa. ~하다 negociar (con), hacer negocios (con). 외국인과 ~하다 negociar con los extranjeros.

직격(直擊) golpe *m* directo, tiro *m* directo. ~하다 dar un golpe directo. …에 ~을 가하다 dar un golpe directo a *algo.*

■~탄(彈) balazo *m,* bomba *f* [bala *f*] directamente recibida.

직결(直結) conexión *f* directa. ~하다 estar unido directamente (con · a), tener relación directa (con), conectar directamente. 생산자와 소비자를 ~하다 poner en relación directa a los fabricantes y consumidores. 물가 상승은 일상생활에 ~된 문제다 La subida de los precios es un problema directamente unido a la vida cotidiana.

직경(直徑) ((구용어)) =지름(diámetro).

직계(直系) ① [직통으로 계통을 이어받음. 또 그 사람] línea *f* directa. ~의 directo. ② [사람과 사람의 혈통이 직상·직하의 형식으로 연락되는 계통] línea *f* directa.

■~ 가족 familia *f* en línea directa. ~ 비속(卑屬) descendiente *m* (de *uno*) en línea directa, descendiente *m* lineal. ~ 인척 parentesco *m* (de *uno*) en línea directa. ~ 자손 descendiente *m* directo. ~ 제자(弟子) discípulo *m* directo, discípula *f* directa. ~ 존속 ascendiente *m* (de *uno*) en línea directa, ascendiente *m* lineal. ~친(親) relación *f* con el pariente en línea directa. ~ 친족 pariente *m* en línea directa. ~ 혈족 consanguineo *m* (de *uno*) en línea directa, relación *f* en línea directa.

직계(職階) =직급(職級).

■~제 sistema *m* de clasificaciones de puestos, sistema *m* de clasificación de trabajo, jerarquía *f* (administrativa).

직공(職工) obrero, -ra *mf,* operario, -ria *mf,* artesano, -na *mf;* mecánico, -ca *mf.* 그는 훌륭한 ~이다 El trabaja bien / El es un buen obrero.

■~장(長) mayoral *m,* capataz *m,* encargado, -da *mf* de los obreros..

직공(織工) tejedor, -dora *mf.*

직관(直觀) intuición *f.* ~하다 intuir. 도덕의 양심은 선(善)에 대한 ~이다 La conciencia moral es la intuición del bien.

◆순수(純粹) ~ intuición *f* pura.

■~ 교수(教授) =실물 교수(實物教授). ~력 (facultad *f* de) intuición *f,* poder *m* de intuición, poder *m* intuitivo. ~상(像) imagen *f* eidética. ~설 intuicionismo *m.* ~성 inmediatez *f.* ~적 intuitivo. ¶~으로 intuitivamente, por intuición. ~주의 intuicionismo *m.*

직구(直球) ((야구)) bola *f* recta, pelota *f* recta, recta *f.* ~를 던지다 mandar, lanzar.

직권(職權) autoridad *f* (concedida), facultades *fpl,* atribuciones *fpl,* poder *m* oficial. ~으로 de oficio. ~에 의해 en virtud de *su* oficio. ~을 남용(濫用)하다 abusar de *su* [la] autoridad. ~을 위임하다 autorizar, otorgar la autoridad. ~을 행사하다 ejercer la autoridad, hacer uso de la autoridad. 그의 ~을 남용해서 con su autoridad, en virtud de su poder oficial, en virtud de sus facultades, en virtud del poder que le confiere su cargo.

■～ 남용 abuso *m* de (la) autoridad. ¶～을 하다 abusar de *su* autoridad. ～ 등기(登記) registro *m* de autoridad. ～ 명령 orden *f* de autoridad. ～ 보석 libertad *f* bajo fianza de oficio. ～ 조사 investigación *f* de oficio. ～ 조정 arbitraje *m* obligatorio llevado por virtud de *su* autoridad. ～ 증거 조사 investigación *f* de prueba de oficio. ～ 처분 disposición *f* de autoridad.

직급(職級) clasificaciones *fpl* de puestos, escalón *m* (*pl* escalones) (de la jerarquía administrativa).

■～제 sistema *m* de clasificaciones de puestos.

직급(職給) salario *m* según *su* oficio.

직기(織機) telar *m*, máquina *f* de tejer.

직날【한방】día *m* que se tiene un ataque de malaria, día *m* palúdico.

직녀(織女) ① ＝직부(織婦). ② ((준말)) ＝직녀성(織女星).

■～성(星)【천문】estrella *f* Vega.

직능(職能) función *f*. 의회(議會)의 ～ función *f* del Parlamento, función *f* de las Cortes.

■～ 검사(檢査) prueba *f* de función. ～급 sueldos *mpl* pagados por [según] función desempeñada. ～급제(級制) sistema *m* de sueldos pagados por función desempeñada. ～ 대표 representación *f* por profesión. ～ 대표제 sistema *m* de representación por profesión.

직달(直達) entrega *f* directa.. ～하다 entregar directamente, entregar personalmente.

직답(直答) contestación *f* inmediata, respuesta *f* inmediata. ～하다 contestar [responder] inmediatamente.

직력(職歷) carrera *f* profesional, antecedentes *mpl* profesionales.

직렬(直列) serie *f*. ～로 en serie. ～로 감은 excitado en serie, devanado en serie. 전지(電池)를 ～로 연결하다[잇다] montar pilas en serie.

■～ 교류 저항 impedancia *f* en serie. ～ 모터 motor *m* excitado en serie. ～ 발전기 dinamo *m* excitado en serie. ～ 변압기 transformador *m* en serie. ～ 연결(連結) conexión *f* en serie, montaje *m* en serie. ～ 정류기 회로 circuito *m* de rectificadores conectados en serie. ～ 코일 bobina *f* en serie. ～ 콘덴서 condensador *m* en serie, capacitor *m* en serie. ～ 회로(回路) circuito *m* en serie.

직로(直路) camino *m* recto, camino *m* sin curvas.

직류(直流) ① [곧게 흐르는 흐름] corriente *f* recta. ② ((준말)) ＝직류 전류(直流電流).

■～ 교류 요법 galvanofaradización *f*. ～ 발전기 generador *m* [dínamo *m*] de corriente directa. ～ 전기 요법(電氣療法) alvanoterapéutica *f*. ～ 전동기 motor *m* de corriente directa. ～ 전류 ㉮【물리】corriente *f* directa. ㉯【전기】corriente *f* continua. ～ 전류계 amperímetro *m* de corriente continua. ～ 전류 계량기 contador *m* de corriente continua. ～ 전류 계전기 relé *m* de corriente continua. ～ 전압계 voltímetro *m* de corriente directa. ～ 통전 요법(通電療法) galvanización *f*.

직립(直立) ① [똑바로 섬] el ponerse en pie. ～하다 ponerse en pie, erguir, levantarse. ～의 erguido, derecho, levantado. ～ 부동(不動)의 자세를 취하다 cuadrarse (ante), ponerse firme (ante). ② [높이 솟아오름. 또, 그 높이] elevación *f* alta. ～하다 elevar(se) alto. ③ ＝수직(垂直)(verticalidad). ¶～의 vertical, perpendicular.

■～경(莖) tallo *m* recto. ～면 plano *m* perpendicular. ～ 보행(步行) andar *m* en posición vertical. ～선(線) línea *f* perpendicular. ～ 원인(猿人) hombre *m* mono, pitecántropo *m* en posición vertical;【학명】*Pithecanthropus erectus*. ☞자바 원인(猿人). ～체 estilo *m* vertical. ～체 서법(體書法) caligrafía *f* vertical, pluma *f* vertical.

직말사(直末寺) ((불교)) templo *m* budista sucursal.

직매(直賣) venta *f* directa sin intermediarios, venta *f* en el mismo sitio. ～하다 vender directamente. 그림을 ～하다 [전시회에서] vender los cuadros expuestos sobre el terreno.

◆생산자(生産者) ～ venta *f* directa por el productor.

■～소 depósito *m* [almacén *m*] de venta directa. ～점 tienda *f* de venta directa.

직면(直面) afrontamiento *m*. ～하다 encontrarse (ante・delante de・en frente de), hacer frente (a), encarar, afrontar, confrontar, acarear. 위험에 ～하다 afrontar peligros, hacer frente al peligro. 죽음에 ～하다 confrontarse con la muerte, enfrentarse a *su* muerte. 위기에 ～하고 있다 estar ante una crisis.

직명(職名) ① [직업의 이름] nombre *m* de una ocupación. ② [직함(職銜)] título *m* oficial.

직무(職務) deber *m* (profesional), oficio *m*, cargo *m*, obligación *f* profesional; [일] función *f*, ocupación *f*, trabajo *m*; [지위] puesto *m*, posición *f*. ～상 por el oficio, por la exigencia de *su* cargo, por *su* oficio, por *su* función, profesionalmente. ～상의 profesional, del oficio, de la función, oficial, de *su* cargo. ～에 관하여 relativo al ejercicio del cargo. ～에 관한 죄(罪) delito *m* relativo al oficio. ～의 범위 esfera *f* de los deberes. ～의 비밀 secreto *m* profesional, sigilo *m* profesional. ～를 게을리하다 faltar a *su(s)* deber(es) (profesionales), descuidar *sus* deberes. ～를 다하다 desempeñar *su* deber, cumplir (con) *su*(s) deber(es) profesionales. ～를 수행하다 desempeñar *su* función [*su* oficio]. ～에 충실하다 ser un fiel complidor de *su* deber profesional, ser fiel a *su* función. ～에 취임하다 ocupara [tomar posesión de] un cargo.

■ ~ 규정 reglamento *m* de los empleados. ~ 권한 atribuciones *fpl* (profesionales). ~ 급 salario *m* asignado a *su* puesto. ~ 대리 interino, -na *mf.* ¶과장(課長) ~ jefe *m* interino [jefa *f* interina] de la sección. ~ 대행자 apoderado, -da *mf*; ejecutor, -tora *mf* como sustituto de otro. ~ 명세서 descripción *f* del puesto de trabajo. ~ 분류(分類) clasificación *f* de puestos, clasificación *f* de trabajo. ~ 분석 análisis *m* de puestos. ~상 가중 agravación *f* por el oficio. ~ 수당 asignación *f* del servicio. ~ 유기 negligencia *f* en el cumplimiento del deber. ~ 유기죄 delito *m* de negligencia en el cumplimiento del deber. ~ 정지(停止) suspensión *f* del cargo. ~ 질문(質問) comprobación *f* de identidad, pregunta *f* relativa al oficio. ~ 집행 ejercicio *m* del [de *su*] cargo, ejercicio *m* del [de *su*] oficio, cumplimiento *m* de *su* deber. ~ 집행 정지(執行停止) suspensión *f* del ejercicio del cargo. ~ 태만 negligencia *f* del deber, negligencia *f* en cumplimiento del deber. ~ 평가(評價) valoración *f* del deber, evaluación *f* [valoración *f*]. de puestos.

직물(織物) tejido *m*, tela *f*, géneros *mpl*, paño *m*. ~의 textil.

■ ~ 공업(工業) industria *f* textil. ~ 공장 fábrica *f* textil. ~류 ropajes *mpl*, paños *mpl*, objetos *mpl* tejidos. ~상 pañero, -ra *mf.* ~ 소비세 impuesto *m* de consumición textil. ~ 시장 mercado *m* de paños. ~업 fabricación *f* textil. ~업 조합 la Asociación de Fabricantes Textiles. ~ 원료(原料) materiales *mpl* textiles. ~직공(織工) obrero, -ra *mf* de paños.

직방체(直方體) =직육면체(直六面體).

직배(直配) [배달] entrega *f* directa, entrega *f* sin trasbordos; [배급] distribución *f* directa. ~하다 entregar directamente, distribuir directamente.

직봉(職俸) ① [직무와 봉급] el deber y el salario. ② [직에 따르는 봉록] salario *m* según *su* cargo.

직부(織婦) tejedora *f*.

직분(職分) deber *m*, obligación *f*; [본분] esfera *f*. 교사(教師)의 ~ deber *m* de un maestro. 여자의 ~ *esfera f de mujer.* ~을 다하다 cumplir con *su* obligación, desempeñar *sus* deberes.

직사(直射) ① [(빛살이) 곧게 바로 비침] rayo *m* directo. ~하다 alumbrar directamente. ② [바로 대고 내쏨] fuego *m* frontal. ~하다 disparar frontalmente.

■ ~광선 rayo *m* del sol, rayos *mpl* directos de la luz del sol. ¶~을 받다 recibir directamente los rayos del sol. ~을 피하다 no exponerse directamente al sol, evitar el rayo del sol directo. ~을 피하십시오 ((게시)) No exponerse directamente al sol. ~포(砲) cañón *m* que se dispara directamente.

직사각(直四角) cuadrado *m* regular.

■ ~형 rectángulo *m*. ¶~의 rectangular.

직삼(直蔘) *chiksam*, ginseng *m* secado en *su* forma original.

직삼각형(直三角形) ((준말)) =직각 삼각형.

직상(直上) ① [바로 그 위] justo arriba. ② [곧게 올라감] ascensión *f* perpendicular. ~하다 subir [ascender] perpendicularmente.

직선(直線) (línea *f*) recta *f*. ~의 rectilíneo. 일~으로 en línea recta. ~을 긋다 trazar una línea recta.

■ ~ 거리 distancia *f* en línea recta. ~ 구간(區間) tangente *m*. ~미(美) hermosura *f* lineal. ~ 운동 movimiento *m* rectilíneo. ~적 lineal, rectilíneo. ~ 코스 pista *f* derecha, pista *f* en línea recta. ~형 figura *f* rectilínea.

직선(直選) ((준말)) =직접 선거(直接選擧).

■ ~제(制) sistema *m* de sufragio directo.

직설(直說) el habla *f* directa, franqueza *f*. ~하다 hablar directamente, hablar francamente, hablar sin reserva.

■ ~법 modo *m* indicativo. ~의 indicativo.

직성(直星) estrella *f* de la suerte según *su* edad.

◆직성(이) 풀리다 estar satisfecho (de), estar contento (con).

직세(直稅) ((준말))=직접세(直接稅).

■~과(課) sección *f* de impuestos directos.

직소(直所) puesto *m* de guardia, cuarto *m* de guardia.

직소(直訴) apelación *f* directa, petición *f* directa. ~하다 apelar directamente, dirigir una petición [una apelación · una súplica] directa.

직소(職所) *su* taller, lugar *m* de *su* trabajo, *su* oficina, *su* puesto.

직속(直屬) pertenencia *f* directa. ~하다 depender directamente (de), estar debajo (de), pertenecer directamente (a), estar bajo el control directo. ~의 bajo el control directo. 장관(長官) ~ 기관 organización *f* bajo el control directo de un ministro.

■ ~ 부대 unidad *f* bajo el control directo. ~상관 jefe *m* inmediato superior, jefa *f* inmediata superior; superior *mf* que pertenece directamente (a); [군의] oficial *mf* de alto rango que pertenece directamente (a).

직손(直孫) descendientes *mpl* directos, descendientes *mpl* en línea directa.

직송(直送) envío *m* directo. ~하다 enviar directamente.

직수굿하다 (ser) dócil, sumiso, obediente, manso. 직수굿한 어린이 niño, -ña *mf* dócil [obediente]. 직수굿하게 명령(命令)에 따르다 obedecer dócilmente [mansamente].

직수입(直輸入) importación *f* directa. ~하다 importar directamente.

■ ~ 가격 precio *m* de importación directa. ~ 무역(貿易) comercio *m* de importación directa. ~상(商) importador *m* directo, importadora *f* directa. ~ 통제 control *m* a la importación directa. ~품 artículos *mpl* importados directamente del extranjero.

직수출(直輸出) exportación *f* directa. ~하다 exportar directamente.

■ ~상(商) exportador *m* directo, exportadora *f* directa. ~품(品) artículos *mpl* exportados directamente.

직시(直視) mirada *f* a la cara, visión *f* directa, mirada *f* sin obstáculo. ~하다 mirar sin obstáculo, mirar a la cara. 현실을 ~하다 enfrentarse a la realidad, hacer frente a la realidad, enfrentarse a los hechos tal como son. 사실을 ~하십시오 ¡A lo hecho, pecho!

직시류(直翅類) 【곤충】 ortópteros *mpl*.

직신(直臣) vasallo *m* de integridad.

직신(稷神) dios *m* de la agricultura.

직신거리다 hacer rabiar, fastidiar.

직실하다(直實−) (ser) sencillo y honrado. 직실한 사람 persona *f* sencilla y honrada.

직심(直心) ① [정직한 마음] corazón *m* honrado, franqueza *f*. ② [한결같이 지키는 마음] corazón *m* constante. ③ ((불교)) corazón *m* que piensa la verdad absoluta. 직심스럽다 (ser) honrado, honesto, franco, sin dobleces

직언(直言) palabras *fpl* sin adornos, palabras *fpl* directas, palabras *fpl* francas. ~하다 hablar con franqueza, hablar sin rodeos, hablar sin reserva, decir cara a cara.

직업(職業) ocupación *f*, [전문의] profesión *f*, carrera *f*, [천부적인] vocación *f*, [일] trabajo *m*; [직무] oficio *m*; [지위. 직책] colocación *f*, empleo *m*. ~의 profesional, ocupacional. ~별(別)의 de profesiones, ordenado por profesiones. ~을 자주 바꾸는 사람 culo *m* de mal asiento. ~상 (습성으로) por [en virtud de] la profesión; [제약으로] por la exigencia de *su* profesión. ~상의 비밀 secreto *m* [sigilo *m*] profesional. ~을 바꾸다 cambiar de profesión. ~에 열심이다 trabajar con ahínco [con afán]. ~에 종사하다 ejercer una profesión, dedicarse a una profesión. ~의 선택을 잘못하다 equivocarse en la elección de *su* profesión, errar la vocación. 떳떳한 ~을 가지다 adquirir un empleo honesto. ~이 의사이다 ser médico de profesión. ~은 … 이다 ser … de profesión. …을 ~으로 하다 tener la profesión de *algo*. …하는 일을 ~으로 하다 tener por oficio de + *inf*. ~이 무엇입니까? ¿Qué profesión tiene usted? / ¿Cuál es su trabajo? / ¿A qué se dedica usted? 그의 ~은 빵 장수이다 El es panadero (de profesión). 그녀는 ~을 자주 바꾼다 Ella es un culo de mal asiento. 책은 학자의 ~ 도구이다 Los libros son los instrumentos profesionales de los estudios. ~에는 귀천이 없다 No hay oficio malo.

■~ 경력 carrera *f* profesional. ~ 교육 educación *f* vocacional, enseñanza *f* profesional, formación *f* profesional. ~ 군인 militar *mf* [soldado, -da *mf*] profesional, militar *mf* de carrera. ~ 단체 organización *f* profesional. ~별 전화번호부 guía *f* telefónica por palabras, guía *f* de teléfonos por palabras, *AmL* directorio *m* telefónico clasificado. ~병(病) enfermedad *f* profesional, enfermedad *f* ocupacional. ~ 보도 orientación *f* profesional, formación *f* profesional para las personas sin trabajo, *CoS* orientación *f* vocacional. ~ 보도소 instituto *m* de formación profesional. ~ 분야(分野) campo *m* de trabajo. ~ 상담 orientación *f* profesional. ~ 선수 profesional *mf*, jugador, -dora *mf* profesional; deportista *mf* profesional. ~성 신경증 neurosis *f* profesional. ~성 피부증 dermatergosis *f*. ~소개소 agencia *f* de empleo [de colocaciones · de trabajo], oficina *f* de colocaciones. ~ 신경증 coposdiscinesia *f*. ~ 심리학 psicología *f* profesional. ~ 안내 orientación *f* profesional. ~ 안내란 columna *f* de empleos, columna *f* de "se necesita". ~ 안정 seguridad *f* de trabajo. ~ 안정소 oficina *f* de seguridad de trabajo. ~ 야구 béisbol *m* profesional. ~야구 선수 beisbolista *mf* profesional. ~여성 mujer *f* de carrera, mujer *f* que trabaja. ~ 외교관 diplomático, -ca *mf* de carrera. ~의식 conciencia *f* profesional. ~인 profesional *mf*, hombre *m* de profesión. ~적 profesional, ocupacional. ~적 분업 división *f* del trabajo profesional. ~ 적성 aptitud *f* vocacional. ~ 적성 검사 prueba *f* de aptitud vocacional. ~ 전선 lucha *f* por trabajos. ~ 정치가 político, -ca *mf* profesional. ~ 조합(組合) sindicato *m*. ~ 지도 orientación *f* [guía *f*] profesional [vocacional], *CoS* orientación f vocacional. ~ 진로 trayectoria *f* profesional. ~ 축구 선수 fubolista *mf* profesional. ~학교 escuela *f* vocacional. ~화 profesionalización *f*. ¶~하다 profesionalizar.

직역(直譯) traducción *f* literal [textual · palabra por palabra]; [축어역(逐語譯)] metáfrasis *f*. ~하다 traducir literalmente [textualmente · palabra por palabra].

■ ~체(體) estilo *m* metafrástico.

직역(職域) *su* ocupación, *su* puesto, *su* esfera del cargo, *su* empleo propio.

직영(直營) gerencia *f* directa. ~하다 administrar [dirigir] directamente.

■ ~점(店) tienda *f* administrada directamente por la casa madre. ~ 호텔 hotel *m* dirigido directamente. ~ 회사 compañía *f* bajo la gerencia directa.

직오(織烏) =태양(太陽)❶.

직왕(直往) ida *f* hacia adelante sin vacilación. ~하다 ir hacia adelante sin vacilación.

■ ~매진 avance *m* hacia adelante sin vacilación.

직원(職員) oficial *mf*, funcionario, -ria *mf*, empleado, -da *mf*, [사무원] oficinista *mf*, [집합적] personal *m*. 그는 이 학교의 ~이

다 El es un empleado de esta escuela / El trabaja de oficinista en esta escuela.
◆공장(工場) ~ personal *m* de fábrica. 기술~ personal *m* técnico. 보조 ~ personal *m* auxiliar. 사무~ personal *m* administrativo, personal *m* de oficina. 상근(常勤) ~ personal *m* fijo, personal *m* de plantilla. 판매 ~ personal *m* de ventas.
▪~록 lista *f* del personal, lista *f* de funcionarios. ~ 명부 =직원록. ~실 [학교의] sala *f* de (los) profesores. ~ 일동 todos los miembros del personal, todo el personal. ~ 조합(組合) asociación *f* de empleados; [학교 사무직원의] sindicato *m* de los empleados de una institución de enseñanza. ~회(會) =직원회의. ~회의 reunión *f* [conferencia *f*] de empleados; [학교의] reunión *f* de profesores. ~ 훈련 formación *f* [capacitación *f*] de personal.

직원기둥(直圓－) **【수학】** cilindro *m* circular recto.

직원뿔(直圓－) **【수학】** cono *m* circular recto.

직위(職位) posición *f*, puesto *m*.

직유(直喩) ((준말)) =직유법(直喩法).
▪~법 **【수사】** símil *m*.

직육면체(直六面體) **【수학】** paralelepípedo *m* retángulo.

직인(職人) artesano, -na *mf*, obrero, -ra *mf*, mecánico, -ca *mf*, operario, -ria *mf*, trabajador, -dora *mf* (manual).
▪~ 계급 artesanía *f*, artesanado *m*.. ~ 기질 espíritu *m* de artesano, espíritu *m* de (la) artesanía, artesanía *f*, alma *f* obrera. ~이 있는 사람 hombre *m* con espíritu de artesano.

직인(職印) sello *m* oficial; [정부의] sello *m* gubernamental.

직임(職任) deberes *mpl* de un puesto.

직장(直腸) ① **【해부】** recto *m*, intestino *m* recto. ~의 recto, rectal. ② [사실대로 바르게 말하는 사람] persona *f* de decir la verdad.
▪~경(鏡) proctoscopio *m*. ~선(腺) glándula *f* rectal. ~암 arquitis *f*, cáncer *m* de (intestino) rectal. ~염 procititis *f*. ~ 출혈 proctorragía *f*. ~탈(脫) exania *f*. ~ 협착 proctencleisis *f*.

직장(織匠) tejedor *m* cualificado, tejedora *f* *cualificada*.

직장(職長) capataz *m* (*pl* capataces).

직장(職掌) división *f* de deberes oficial, cargo *m*, oficina *f*, función *f*, oficio *m*, empleo *m*, colocación *f*.

직장(職場) lugar *m* de trabajo, puesto *m* de trabajo, puesto *m*, trabajo *m*, empleo *m*; [사무소] oficina *f*; [공사장(工事場)] taller *m*. ~을 지키다 perseverar en el puesto. ~을 포기하다 abandonar *su* puesto de trabajo. ~을 발견하다 encontrar un empleo. ~을 찾고 있다 buscar un empleo. ~ 전화번호를 알려 주다 dar el número del teléfono de *su* oficina. ~이 없다 No hay trabajo. 그는 ~이 없다 El no encuentra un empleo.
▪~ 결혼 matrimonio *m* entre un hombre y una mujer que trabajan en el mismo sitio. ~ 대표 [노동 쟁의의] enlace *mf* sindical, representante *mf* sindical. ~ 대회 asamblea *f* general de obreros [taller]. ~ 집회 reunión *f* de los trabajadores de un mismo taller. ~ 투쟁 lucha *f* por taller. ~ 폐쇄 clausura *f* [cierre *m*] de taller. ~ 포기 deserción *f* del puesto.

직재(直裁) ① [지체 없이 곧 재결(裁決)함] decisión *f* inmediata. ~하다 decidir inmediatamente. ② [직접 결재함] decisión *f* personal [directa]. ~하다 decidir personalmente [directamente].

직전(直前) inmediatamente [justo · justamente] antes (de), directamente al frente, un momento antes. 골 ~에서 a dos pasos de la meta. 시험 ~에 justo antes del examen. 출발 ~에 도착하다 llegar justamente a tiempo para tomar el tren. 파멸 ~에 있다 estar en vísperas de su ruina, estar para arruinarse. 정부는 붕괴 ~에 놓여 있다 El gobierno está a punto de caer.
▪~과거 pretérito *m* anterior.

직절(直節) castidad *f* honesta.

직접(直接) ① [중간에 매개나 거리 · 간격이 없이 바로 접함] lo inmediato. ② [중간에 매개나 간격이 없이 바로] directamente, sin intermediario; [즉시] inmediatamente, de inmediato; [일대일로] frente a frente, cara a cara; [스스로] personalmente, en persona. ~들은 이야기 un cuento que he oído de primera mano. ~ 소비자에게 우송하는 광고 인쇄물 [회사 · 백화점에서] publicidad *f* por correo. ~듣다 oír directamete (de). ~ 면회하다 entrevistar personalmente, ver directamente, ver personalmente. ~ 불에 넣다 poner directamente en el fuego. ~ 편지를 쓰다 escribir directamente, dirigirse directamente. ~ 행동에 호소하다 recurrir a la acción directa. 나는 ~ 왔다 Yo vine directamente. 그것은 당신과 ~ 관계가 없다 Eso no tiene que ver directamente con usted.
▪~ 거래 transacciones *fpl* directas. ~ 경험 experiencia *f* directa. ~ 교섭 negociaciones *fpl* directas. ~ 교수법 [외국어의] método *m* directo. ~ 국세 impuesto *m* nacional directo. ~ 군주제 monarquía *f* directa. ~ 금융 financiación *f* directa. ~ 기관 organización *f* directa. ~ 담판 negociación *f* directa. ~ 목적어 complemento *m* directo. ~ 민주주의 democracia *f* directa. ~ 발생 generación *f* directa. ~ 발행 publicación *f* directa. ~법 ley *f* directa. ~ 보상 indemnización *f* directa. ~ 보어 complemento *m* directo. ~ 분열 división *f* directa. ~비 gastos *mpl* directos. ~ 비료 fertilizante *m* directo. ~ 사격 descarga *f* directa. ~ 사인 causa *f* de la muerte directa. ~ 선거 sufragio *m* directo, elección *f* directa. ~세 impuestos *mpl*

directos, contribuciones *fpl* directas. ～ 원인 causa *f* inmediata. ～ 입법 legislación *f* directa. ～적 directo, inmediato, personal. ～ 조명 iluminación *f* directa. ～ 행동 acción *f* directa. ～ 화법 narración *f* directa, estilo *m* directo.

직제(職制) organización *f* del empleo, repartición *f* del empleo, reglamento *m* para los deberes.

직제자(直弟子) discípulo *m* directo, discípulo *m* que aprende directamente de un maestro, discípulo *m* particular, pupilo *m* inmediato.

직조(織造) tejido *m*.

■ ～기 telar *m*. ～소 taller *m* textil.

직종(職種) tipo *m* de ocupación.

■ ～분류 clasificación *f* ocupacional.

직주(直走) corrida *f* recta.

■ ～로(路) pista *f* recta, camino *m* recto.

직직[1] ① [걸을 때 신을 끄는 소리] rastrando los zapatos. ② [마구 글씨의 획을 긋거나 종이 등을 찢는 소리] con rompimiento repetido de papel.

직직[2] [묽은 똥을 마구 내깔기는 모양] con sonido repetido de excremento acuoso.

직직거리다 ① [신을 자꾸 직직 끌다] rastrar los zapatos. ② [글씨의 획을 마구 긋거나, 종이 등을 마구 찢다] romper un papel.

직진(直進) ida *f* en dirección recta. ～하다 ir derecho, ir en dirección recta [directa].

직차(職次) orden *m* de los rangos oficiales.

직책(職責) responsabilidades *fpl* de la oficina, deberes *mpl*, deberes *mpl* del cargo, obligaciones *fpl* del cargo, deber *m* y responsabilidad. ～을 다하다 cumplir las obligaciones de *su* cargo.

직토(直吐) confesión *f*. ～하다 confesar.

직통(直通) ① [두 지점 간에 장애가 없이 바로 통함] comunicación *f* directa. ～하다 comunicar directamente. ～으로 directamente. ～으로 들리다 oírse todo como si fuera hablado [discutido] en presencia (de). 부산은 ～입니까? [전화가] ¿Hay comunicación directa con Busan? 이 전화는 편집부와 ～이다 Este teléfono enlaza directamente con la redacción. ② [열차·버스 등이 중도에서 갈아탈 필요 없이 통함] servicio *m* directo. ～하다 el servicio directo está abierto (entre). ～으로 가다 ir directamente [directo] (a). 이 열차는 목포까지 ～입니까? ¿Este tren va directo a *Mokpo*?

■ ～ 여객 열차 tren *m* de pasajero terminal. ～ 열차 tren *m* directo, tren *m* terminal. ～ 전차 tranvía *m* directo. ～ 전화 conferencia *f*, llamada *f* de larga distancia, llamada *f* interurbana, línea *f* directa; [미국과 러시아 간의] teléfono *m* rojo; [즉시 전화] comunicación *f* directa.

직판(直販) venta *f* directa. ～하다 vender directamente.

직품(職品) grados *mpl* de rangos oficiales.

직필(直筆) ① [무엇에 구애됨이 없이 사실 그대로 적은 사필(史筆)] escritura *f* llana. ～하다 escribir llanamente. ② [붓을 꼿꼿이 잡고 글씨를 쓰는 필법] arte *m* de caligrafía de tomar la pluma verticalmente. ～하다 escribir tomando la pluma vertical.

직하(直下) ① [바로 아래] directamente bajo, justo bajo. 적도(赤道) ～ directamente bajo el ecuador. ② [곧바로 내려감] bajada *f* directa. ～하다 bajar en seguida, caer perpendicularmente. ～에 perpendicularnente, justo debajo (de). ③ 【한방】 [이질(痢疾)의 중증] síntoma *m* grave de disentería.

직하다(直一) ① [도리가 바르다] (ser) recto, justo. ② [성격이나 행동이 고지식하다] (ser) ingenuo, simple, franco, sin dobleces.

직하다 (ser) probable, posible, parecer, valer. 있음 직한 이야기 cuento m posible. 비가 내림 ～ Es posible [probable] que llueva. 그들이 올 직합니까? ¿Qué posibilidades hay de que vengan ellos? 나는 그가 있음 직한 곳은 다 찾아보았다 Yo le busqué todos los lugares que era probable que estuviera.

직할(直轄) mando *m* directo, control *m* directo, jurisdicción *f* directa, dominio *m* inmediato, régimen *m* inmediato, supervisión *f* inmediata. ～의 bajo del control directo, bajo el dominio inmediato. 시(市)의 ～이 되다 llegar a ser bajo el dominio inmediato de la municipalidad.

■ ～ 부대 unidad *f* bajo el control del cuartel general. ～시 ciudad *f* bajo el control [la supervisión] del gobierno. ～ 식민지 colonia *f* bajo el control del país colonialista. ～ 파출소 puesto *m* de policía bajo el control de la comisaría de policía. ～ 학교 escuela *f* bajo el control de las autoridades competentes.

직함(職銜) título *m*. …의 ～을 가지고 있다 tener [poseer] el título de *algo*, titularse de *algo*. ～을 많이 가지고 있다 tener [estimar] en mucho título. 그의 공식 ～은 편집장 대리이다 Su título oficial es redactor adjunto.

직항(直航) navegación *f* directa. ～하다 [배가] ir directamente sin hacer escala, navegar directamente; [비행기가] ir en vuelo directo.

■ ～로(路) línea *f* directa. ～선(船) buque *m* de vapor en directo, barco *m* directo. ～편(便) vuelo *m* directo.

직행(直行) ① [도중에서 지체하지 않고 목적지로 바로 감] ida *f* directa, viaje *m* sin parada. ～하다 ir directamente (a), viajar sin parada. ② [마음대로 꾸밈없이 해냄] palabras *fpl* sencillas. ③ [올바른 짓] acción *f* recta, conducta *f* recta.

■ ～ 열차 tren *m* directo, tren *m* terminal.

직활강(直滑降) descenso *m* directo.

직후(直後) inmediatamente después, directamente después. 전쟁 ～ inmediatamente después de la guerra. 조반(朝飯) ～ inmediatamente después de desayunar. 휴가 ~에 al terminar las vacaciones. 휴회 ~의 국회 parlamento *m* después del receso, parlamento m después de la suspensión.

진(辰) ① [지지(地支)의 다섯째] *chin*, signo *m* del Dragón. ② ((준말)) =진방(辰方). ③ ((준말)) =진시(辰時).

진(津) ① [풀이나 나무의 껍질 등에서 분비되는 점액] resina *f*. 소나무의 ~ resina *f* de pino. ② [담배에서 나와 담뱃대에 끼는 점액] nicotina *f*. 담배의 ~ alquitrán *m*, nicotina *f*. ③ [수증기·연기 또는 눅눅한 기운이 서려서 생기는 끈끈한 물] el agua *f* aglutinante.

진(疹) 【의학】 ampolla *f*.

진(陣) ① [병사의 대열] filas *fpl*; [진형(陣形)] formación *f*. ② [군대가 머물러 둔치는 곳] posición *f*, campamento *m*. ~을 치다 acampar, tomar (una) posición. ③ [무리. 집단. 사람들] grupo *m*. 일류 교수~ profesorado *m* de primer orden.

진(眞) ① [참] verdad *f*. ② [진리(眞理)] verdad *f*. ③ [일시적이 아님. 변하지 않음] constancia *f*. ④ [섞임이 없음. 순수함] pureza *f*, autenticidad *f*. ⑤ [자연. 천연] naturaleza *f*.

진(鎭) ① [한 지역을 진안(鎭安)하는 군대나 또는 그 우두머리] (comandante *m* de) tropas *fpl* de reprimir una región. ②【역사】((준말)) =진영(鎭營).

진(塵) *chin*, 10^{-9}.

진(영 *gin*) ginebra *f*, gin *m*. 이탈리아산 베르무트와 ~의 칵테일 ginebra *f* con vermut.

진(영 *jean*) tejanos *mpl*, vaqueros *mpl*, jeans *ing*. *mpl*. ~ 한 벌 unos tejanos, unos (pantalones) vaqueros, unos jeans.

진- [물기 있는·마르지 않은] húmedo. ~걸레 bayeta *f* húmeda.

진-(津) denso *adj*.

진-(眞) [참된·거짓이 아닌] verdadero. ~범인 criminal *m* verdadero, criminal *f* verdadera.

진가(眞假) la verdad y/o la falsedad, lo verdadero y/o lo falso. ☞진위(眞僞)

진가(眞價) valor *m* real, verdadero valor *m*, valor *m* intrínseco. 교육의 ~ valor *m* verdadero de la educación. ~를 발휘하다 demostrar *su* verdadero valor. ~를 의심하다 dudar el valor verdadero. ~를 인정(認定)하다 reconocer [apreciar] el valor intrínseco. ~를 판단하다 apreciar el valor verdadero.

진간장(-醬) salsa *f* de soja añeja.

진갈이 arado *m* del campo húmedo después de llover. ~하다 arar el campo húmedo después de llover.

진감(震撼) sacudida *f*. ~하다 sacudir.

진갑(進甲) cumpleaños *m* sesenta y dos, aniversario *m* sesenta y dos de *su* nacimiento.

■~ 잔치 fiesta *f* del cumpleaños sesenta y dos.

진강(進講) 【역사】 lectura *f* ante Su Majestad. ~하다 dar una lectura en presencia del rey.

진개(塵芥) el polvo y la basura, polvo *m*, basura *f*, desperdicios *mpl*.

진객(珍客) huésped *m* extraordinario, huésped *f* extraordinaria; visitante *m* bienvenido, visitante *f* bienvenida. ~이 오셨군요 Buen viento le trae a usted por acá.

진걸레 bayeta *f* húmeda, mopa *f* húmeda.

진격(進擊) avance *m*, marcha *f* atacante, ataque *m*, asalto *m*. ~하다 avanzar (contra), atacar, asaltar.

■~대(隊) partida *f* asaltante.

진경(珍景) paisaje *m* [espectáculo *m*] raro.

진경(眞景) ① [실제의 경치] paisaje *m* real. ② [실제의 경치 그대로 그린 그림] cuadro *m* que pinta como el paisaje real.

진경(眞境) ① [실제의 경지] estado *m* actual de las cosas. ② [실지 그대로의 경계(境界)] frontera *f* real.

진계(塵界) este mundo *m*, vida *f* mundana.

진고(晉鼓) 【악기】 *chingo*, uno de los instrumentos de la música ceremonial.

진곡(陳穀) cereales *mpl* añejos.

진공(眞空) ①【물리】vacío *m*, vacuo *m*. ~의 vacío. ② ((불교)) fenómeno *m* vacío.

■~ 건조 secamiento *m* al vacío. ~ 건조기 vacuosecador *m*. ~계 manómetro *m*, vacuómetro *m*. ~관 tubo *m* de vacío, tubo *m* al vacío, tubo *m* electrónico, válvula *f* electrónica, válvula *f* de vacío, lámpara *f* electrónica, lámpara *f* termiónica, válvula *f* termiónica. ~대 bache *m*, cámara *f* de aire, depresión *f*. ~ 방전(放電) descarga *f* de vacío. ~병(甁) termo *m*, botella *f* aislante. ~ 상태 estado *m* vacío. ~식 제동기 freno *m* al vacío. ~ 전구 lámpara *f* de vacío. ~ 제동기 freno *m* de vacío. ~청소기 aspiradora *f*, aspirador *m* al vacío. ~ 펌프 bomba *f* al vacío, bomba *f* de vacío, bomba *f* neumática.

진공(陳供) confesión *f* de sus pecados. ~하다 confesar *sus* pecados.

진공(進攻) marcha *f* atacante, asalto *m*. ~하다 avanzar (contra), atacar, asaltar. ☞진격

진공(進供) presentación *f* de los productos locales al rey. ~하다 presentar los productos locales al rey.

진공(進貢) tributo *m*. ~하다 pagar tributo.

진과(珍果) fruta *f* rara.

진과(珍菓) dulce *m* raro.

진과(眞瓜) =참외(melón).

진과(眞果) 【식물】 =참열매.

진과자(-菓子) pastel *m*.

진괴하다(珍怪-) (ser) raro y extraño.

진구렁 agujero *m* de barro, cenagal *m*, lodazal *m*, *AmL* barrial *m*.

진구리 lado *m*, costado *m*.

진구하다(陳久-) (ser) añejo.

진국(眞-) ① [참되어 거짓이 없고 고지식함. 또 그러한 사람] seriedad y conciencia; [사람] persona *f* muy seria y concienzuda, persona *f* honrada, persona *f* genuina, hombre *m* honrado. ② [전(全)국] licor *m* sin diluir, salsa *f* de soja [soya], licor *m* genuino, licor *m* puro, salsa *f* pura.

진군(進軍) marcha *f*, avance *m*. ~하다 marchar, avanzar, invadir. 군대(軍隊)의 ~ el avance [la marcha] de las tropas. 평화의 ~ una marcha por la paz. 사담이 쿠웨이트로 ~했을 때 cuando Sadam marchó sobre [invadió] Kuwait. 수도는 이곳에서 3일의 ~ 거리에 있다 La capital está a tres días de marcha de aquí.

■ ~가(歌) marcha *f*. ~나팔 trompeta *f* de avance, trompeta *f* de combate.

진권(進勸) (presentación *f* y) recomendación *f*. ~하다 (presentar y) recomendar.

진귀하다(珍貴—) (ser) raro y precioso, valioso,.

진균(眞菌) fungo *m*, hongo *m*.

진급(進級) promoción *f*, ascenso *m*. ~하다 ascender, pasar, ser promovido al grado superior. ~시키다 hacer pasar al grado superior, promover. 2학기에 ~하다 pasar al segundo año [al segundo grado]. 대령으로 ~하다 ascender al coronel.

■ ~ 시험 examen *m* de promoción.

진기(珍技) técnica *f* rara y preciosa.

진기(珍器) vasijas *fpl* raras.

진기(振起) simulacro *m*, simulación *f*, animación *f*, vivacidad *f*. ~하다 simular, animar.

진기하다(珍奇—) (ser) raro, curioso, extraño, fantástico. 진기함 rareza *f*, curiosidad *f*, extrañeza *f*. 진기한 물건 artículo *m* raro. 진기한 책 libro *m* raro. 진기한 현상(現象) fenómeno *m* extaño, ocurrencia *f* rara.

진나다(津—) ser molestado.

진날 día *m* lluvioso, día *m* húmedo.

진노(震怒) ira *f*, cólera *f*, enfado *m*, enojo *m*, iracundia *f*. ~하다 enfadar, enojar. 상감의 ~ la cólera del rey. 하나님의 ~ la cólera de Dios, la ira divina.

진노(瞋怒/嗔怒) cólera *f*, ira *f*, enfado *m*, *AmL* enojo *m*. ~하다 enfadar, enojar. 그녀는 쉬 ~한다 Ella se enfada [enoja] con facilidad.

진눈[1] [눈병이 나거나 하여 눈가가 짓무른 눈] ojos *mpl* empañados, ojos *mpl* nublados, ojos *mpl* legañosos.

진눈[2] [물기가 섞인 눈] aguanieve *f*, nieve *f* mezclada con nieve; [젖은 눈] nieve *f* húmeda.

진눈깨비 chubascos *mpl* de nieve, aguanieve *f*, *AmC* escarchilla *f*. ~가 내린다 Cae aguanieve.

진단(診斷) diagnóstico *m*; [진단법] diagnosis *f*. ~하다 diagnosticar, dar [hacer] una diagnosis. ~의 diagnóstico. 의사(醫師)의 ~을 받다 consultar al médico. 잘못 ~하다 hacer diagnosis defectuosa. 의사는 그를 감기로 ~했다 El médico ha diagnosticado su caso de resfriado.

◆건강 ~ examinación *f* del médico. 임상적(臨床的) ~ diagnóstico *m* clínico, diagnosis *f* clínica. 조기(早期) ~ diagnosis *f* temprana.

■ ~ 기술 técnica *f* diagnóstica. ~서(書) certificado *m* médico. ~학 diagnóstica *f*, patognomia *f*.

진단(震檀/震壇) Corea.

진달(進達) transmisión *f*. ~하다 transmitir.

진달래 【식물】 azalea *f*.

■ ~꽃 flor *f* de la azalea.

진담(珍談) anécdota *f* divertida [curiosa], historia *f* [noticia *f*] interesante, aventura *f*, nuevas *fpl*, suceso *m* pintoresco.

진담(眞談) el habla *f* seria, el habla *f* solemne.

진답(珍答) contestación *f* rara y preciosa, respuesta *f* valiosa.

진답(陳畓) arrozal *m* en barbecho.

진대 molestia *f*.

◆진대 붙이다 molestar.

진도(進度) grado *m* de progreso. ~가 빠르다 avanzar con rapidez. ~가 늦다 avanzar con lentitud. 학습 ~에 일치해 de acuerdo con el adelanto [con el progreso] de los estudios. 1일 10페이지의 ~로 나아가다 adelantar [seguir] a un promedio de diez páginas. 일의 ~를 보고하다 informar de cómo progresa [marcha] el trabajo.

진도(震度) grado *m* sísmico, intensidad *f* sísmica, magnitud *f*. ~ 5의 지진 terremoto *m* de cinco grados de intensidad.

■ ~계(計) sismógrafo *m*.

진돗개(珍島—) 【동물】 perro *m* de *Chindo*, perro *m* criollo de Corea.

진동 sisa *f*.

진동(振動) vibración *f*; [진자 운동] oscilación *f*. ~하다 vibrar, oscilar. ~을 전하다 transmitir las vibraciones.

■ ~ 감지기 sensor *m* de vibración. ~ 검파기 detector *m* de vibraciones. ~계 vibrómetro *m*, medidor *m* de vibración, vibroscopio *m*, vibrógrafo *m*. ~기(機) vibrador *m*. ~기(器) vibrador *m*, oscilador *m*. ~막 timbal *m*. ~수 número *m* de vibración, frecuencia *f*. ~ 시간 tiempo *m* de oscilación. ~ 실험(實驗) prueba *f* de vibración, ensayo *m* de vibraciones. ~ 완충 장치 amortiguador *m* de vibraciones. ~위상 fase *f* de vibración. ~음 vibrato *m*. ~자(子) vibrador *m*, oscilador *m*. ~ 장치 sensor *m* de vibración. ~ 전류(電流) corriente *f* de oscilación. ~ 주기 período *m* de vibración. ~판 diafragma *m*. ~ 회로 circuito *m* de vibración.

진동(震動) temblor *m*, tremor *m*; [탈것의] tumbo *m*, traqueteo *m*. ~하다 temblar, retemblar, tembalearse; [연속해서] tembletear, trepidar, columpiarse. ~시키다 hacer temblar; [흔들다] sacudir, agitar.

진동항아리(—缸—) ① [무당이 자기 집에 모셔 놓는 신위(神位)] tablilla *f* ancestral en la casa de la exorcista. ② [한 집안의 평안을 위해, 정한 곳에 모셔 두고, 돈·쌀을 담는 항아리] jarra *f* que pone el dinero y el arroz para la paz y la prosperidad de una familia.

진두(陣頭) cabeza *f* de un ejército, frente *m* al enemigo, lugar *m* expuesto a los flechazos enemigos. ~에 서다 ponerse al frente (de), estar en la cabeza (de un ejército), hacer frente (a), exponerse (a), hacer frente al enemigo; [공격의] dirigir un ataque; [운동의] dirigir una campaña..
■ ~지휘(指揮) mando *m* ejercitado por la cabeza de un ejército. ¶~하다 encabezar el ejército, actuar como un líder de un ejército.

진둥한둥 aprisa, deprisa, a prisa, de prisa, aceleradamente, a toda prisa, a todo correr, atropelladamente, a la desbandada, como una abeja ocupada. ~하다 estar atareadísimo, estar muy ocupado, estar ocupadísimo. 하루를 ~ 보내다 pasar el día ocupado.

진드근하다 calmarse, apaciguarse, tranquilizarse, sosegarse. 그는 ~ El es tranquilo. 그는 대단히 진드근한 사람이다 El tiene una gran presencia.
진드근히 con calma, con tranquilidad, calmadamente, tranquilamente.

진드기 【동물】garrapata *f*, rezno *m*, ácaro *m*. ~ 같은 사람 gorrón, -rrona *mf*; percebe *m*; pegote *m*. 그녀는 ~처럼 달라붙어 안 떨어졌다 Ella se pegó como una lapa.

진득거리다 ① [자꾸 차지게 들러붙다] (ser) pegajoso, engomado, adhesivo, pringoso. ② [검질겨 연달아 끊으려 해도 끊어지지 않다] (ser) terco, testarudo, tozudo.
진득진득 viscosamente, pegajosamente. ~하다 (ser) viscoso, mucilaginoso, limoso, pegajoso.

진득하다 tener paciencia. 진득하게 seriamente, modestamente.
진득이 seriamente, modestamente, tranquilamente, formalmente, pacientemente, serenamente, con paciencia, con serenidad. ~ 앉아 있지 못한 사람 culo, -la *mf* de mal asiento. ~ 기다리다 esperar con paciencia.

진디 ① 【곤충】=진딧물. ② ((준말)) =진드기.

진디등에 【곤충】jején *m*, mosquito *m*.

진딧물 【곤충】pulgón *m* (*pl* pulgones).

진땀(津一) sudor *m* grasiento.
◆진땀(을) 빼다 preocuparse. 나는 그 시험에 진땀을 뺐다 El examen hizo preocuparme. 진땀(이) 나다 sufrir [padecer] grandes privaciones.

진땅 tierra *f* húmeda.

진똥 excremento *m* húmedo.

진력(盡力) esfuerzo *m*, intento *m*. ~하다 esforzar (por + *inf*), hacer un esfuerzo (por + *inf*), intentar por todos los medios (+ *inf*), empeñarse (en), poner todo el empeño (en), desplegar *sus* fuerzas (para), dedicarse (a), rendir servicio (a). …의 ~으로 por mediación del favor de *uno*, gracias a los esfuerzos de *uno*. 조국을 위해 ~하다 servir a *su* patria.
◆진력나다 (ser) tedioso, aburrido, fastidioso. 진력나는 강의(講義) clase *f* aburrida. 진력내다 aburrirse (de · con · en · por), hastiarse, fastidiarse (con).

진로(進路) camino *m*, rumbo *m*, ruta *f*, paso *m*, carrera *f*. ~가 잘못되다 desviarse del rumbo. ~를 막다 impedir el paso (a · de). ~를 바꾸다 virar, cambiar de rumbo, cambiar de dirección. ~를 잃다 perder *su* camino. ~를 정하다 tomar el rumbo. ~를 틀리다 tomar el rumbo erróneo. 졸업 후의 ~를 결정하다 determinar la carrera que seguir después de graduarse. 후진(後進)에게 ~를 열어 주다 abrir camino por los jóvenes.
■ ~ 지도(指導) orientación *f* [consejo *m*] sobre *su* carrera futura.

진료(診療) tratamiento *m* médico. ~하다 diagnosticar y tratar, dar el tratamiento médico.
■ ~부(簿) registro *m* médico. ~소 [사립의] clínica *f*; [학교 · 공장 등의] enfermería *f*, farmacia *f*; [무료의] dispensario *m*. 시립 ~ clínica *f* municipal. ~ 소집 llamado *m* para presentarse a dar parte de enfermo a enfermería. ~ 시간 hora *f* de consulta. ~실 sala *f* de consulta, oficina *f* médica.

진루(陣壘) 【군사】campamento *m* militar, posición *f*.

진루(進壘) avance *m*. ~하다 avanzar. 1루에 ~하다 avanzar a la primera base.

진리(眞理) ① [참. 진실] verdad *f*. ~의 추구(追求) búsqueda *f* [perseguimiento *m*] de la verdad. 보편적 ~ verdad *f* universal. ~를 깨닫다 alcanzar la verdad. ~를 탐구하다 buscar la verdad. ② [참된 이치. 참된 도리] razón *f* verdadera.
■ ~ 탐구 búsqueda *f* de la verdad.

진맥(診脈) 【한방】pulso *m*. ~하다 tomar el pulso.

진면목(眞面目) *su* verdadero carácter. ~을 발휘하다 revelar [develar · desvelar] *su* verdadero carácter.

진멸(殄滅) aniquilación *f*, exterminación *f*. ~하다 aniquilar, exterminar.

진목(珍木) árbol *m* raro.

진몰(陣沒) muerte *f* en el campo de batalla, muerte *f* en batalla, muerte *f* en campaña. ~하다 morir en el campo de batalla, morir en batalla, morir en campaña.

진묘하다(珍妙一) (ser) raro, extraño, curioso, cómico, ridículo, chistoso, excéntrico, gracioso, risible, burlesco, jocoso. 참 진묘하군! ¡Qué raro [extraño · curioso]!

진무(鎭撫) pacificación *f*, aplacamiento *m*. ~하다 pacificar, apaciguar, sosegar, aquietar. 폭도를 ~하다 aquietar el tumulto.

진묵(眞墨) =참먹.

진문(珍問) pregunta *f* extraña, pregunta *f* extraordinaria.
■ ~진답 la pregunta incomprensible y la respuesta incomprensible.

진문(珍聞) rumor *m* precioso, noticia *f* curiosa, suceso *m* interesante y raro, noveleta *f* curiosa, novedad *f*.

진문(陣門) puerta *f* al campamento militar, puerta *f* del campamento.

진물 secreciones *fpl* de llaga [úlcera]. ～이 나다 salir (secreciones de) llaga.

진물(眞物) ＝진짜.

진미(珍味) sabor *m* exquisito, sabor *m* extraordinario, sabor *m* delicado y maravilloso, bocado *m* exquisito, golosina *f*, delicadeza *f*, dieta *f* rica, exquisiteces *fpl*. 계절의 ～ todas las exquisiteces de la estación. 바구니에는 온갖 ～가 들어 있다 Hay exquisiteces de toda clase [de todo tipo] en la cesta.

진미(眞味) ① [참된 맛] sabor *m* verdadero. ② [진정한 취미] gusto *m* auténtico.

진미(陳米) arroz *m* añejo.

진발 pies *mpl* mojados, zapatos *mpl* mojados, pies *mpl* [zapatos *mpl*] lleno de lodo.

진발(進發) salida *f* para una expedición [una guerra].

진밥 comida *f* suave, arroz *m* suave.

진방(辰方)【민속】*chinbang*, dirección *f* del dragón.

진배없다 (ser) igual, equivalente, similar, tan bueno como. 새것이나 ～ ser tan bueno como nuevo.

진버짐【한방】eczema *f*, eccema *f*. ～이 난 얼굴 cara *f* eczematosa.

진범(眞犯) ((준말)) ＝진범인(眞犯人).

■ ～인(人) culpable *m* verdadero, culpable *f* verdadera.

진법(陣法) disposición *f* de tropas, formación *f* de batalla, táctica *f*.

◆ 공격 ～ disposición *f* ofensiva. 방어 ～ disposición *f* defensiva.

진병(進兵) marcha *f*, avance *m*. ～하다 marchar, avanzar. ☞진군(進軍)

진보(珍寶) joya *f* preciosa, tesoro *m*, tesoro *m* raro, artículo *m* precioso; [가보(家寶)] bienes *mpl* muebles heredados..

진보(進步) progreso *m*, progresión *f*, desarrollo *m*, adelanto *m*, avance *m*, adelantamiento *m*. ～하다 progresar, adelantar, hacer adelantos, hacer progresos, desarrollarse, avanzar, mejorarse. ～된 adelantado, progresado, avanzado. ～를 위한 동맹 la Alianza para el Progreso. 과학의 ～ desarrollo *m* de las ciencias, adelantamiento *m* [progreso *m*] de la ciencia. 굉장한 ～를 하다 hacer gran progreso. 급속한 ～를 하다 hacer un progreso rápido. 무서운 ～를 이루다 conseguir [registrar] un desarrollo importante [fomidable]. ～도 퇴보도 없다 no adelantar ni retrasar. 현저한 ～를 보이다 hacer progresos notables. 서반아는 최근 수년에 무척 ～했다 España ha progresado mucho en los últimos años. 인류는 끊임없이 ～하고 있다 La humanidad progresa sin cesar.

■ ～당(黨) el Partido Progresista. ～적(的) progresivo, progresista, progresado, adelantado. ¶～으로 progresivamente. ～도시 ciudad *f* progresada, ciudad *f* moderna. ～사상 idea *f* progresista. ～의견 opinión *f* adelantada. ～주의 progresismo *m*. ～주의자 progresista *mf*. ～진영 campamento *m* progresista; [보수당 내의] grupo *m* progresista.

진보라(津－) violeta *f*, violado *m*.

진본(珍本) libro *m* raro.

진본(眞本) (copia *f*) original *f*, original *m*, primer escrito *m*, primera composición *f*.

진부(眞否) verdad o falsedad, autenticidad *f*, verdad *f*. ～를 확인하다 cerciorarse de si es verdad o no.

진부하다(陳腐－) (ser) muy usado, gastado, pasado, añejo, viejo, rancio, anticuado, trivial; [통속적인] vulgar; [오래된] desfasado, antiguo, pasado de moda, caduco. 진부한 농담 broma *f* gastada, broma *f* pasada de moda. 진부한 표현 expresión *f* gastada, expresión *f* desfasada, expresión *f* trivial.

진분수(眞分數)【수학】fracción *f* propia.

진불(眞佛) ((불교)) el Buda real.

진사 ＝애꾸눈이.

진사(辰砂)【광물】cinabrio *m*.

진사(珍事) ((준말)) ＝진사건(眞事件)

진사(眞絲) ＝명주실.

진사(陳謝) excusas *fpl*, perdón *m*. ～하다 presentar excusas, disculparse, pedir perdón.

진사건(眞事件) suceso *m* raro, asunto *m* extraño.

진상(眞相) verdad *f*, estado *m* real, estado *m* verdadero de un asunto, condición *f* verdadera de un asunto, realidad *f*. ～을 공표하다 divulgar la verdad. ～을 밝히다 revelar la verdad, descubrir la verdad. ～을 은폐(隱蔽)하다 ocultar el estado real de cosas, poner color falso sobre la verdad, ocultar la verdad. ～을 조사하다 averiguar el fondo de un acontecimiento, indagar el estado verdadero. ～을 파헤치다 descifrar la verdad.

■ ～ 조사(調査) investigación *f*. ～ 조사단 misión *f* investigador, misión *f* de investigación. ～ 조사 위원회 comité *m* de investigación, comité *m* investigador.

진상(進上) donación *f*, entrega *f* ceremoniosa de un obsequio, regalo *m*, presentación *f*. ～하다 donar, regalar, obsequiar, ofrecer, presentar.

진생(辰生) nacimiento *m* del año del Dragón.

진서(珍書) libro *m* raro, escritura *f* rara. ～를 구하다 obtener un libro raro.

진선(津船) ＝나룻배.

진선미(眞善美) verdad, bondad y belleza; lo verdadero, lo bueno y lo bello.

진선진미(盡善盡美) lo perfecto, lo excelente, lo virtuoso y lo bello. ～하다 (ser) perfecto, excelente, virtuoso y bello.

진설(珍說) historia *f* rara, opinión *f* extraña, idea *f* ridícula, idea *f* extravagante, idea *f* absurda, cuento *m* extraño, romance *m*.

진설(陳設) ① [제사·잔치 때에 상 위에 음식을 벌여 차림] preparación *f* de los platos en la mesa en los ritos religiosos o en la fiesta. ② =배설(排設).

진성(眞性) ① [천부적인 성질] carácter *m* natural. ② [순진한 성질] carácter *m* inocente. ③ ((불교)) naturaleza *f* verdadera, naturaleza *f* fundamental de cada individuo, naturaleza *f* de Buda. ④ 【의학】 caso *m* real. ~의 genuino, verdadero.

▪~ 뇌염 encefalitis *f* genuina. ~ 콜레라 cólera *m* asiático, cólera *m* genuino, caso *m* verdadero de cólera.

진세(陣勢) ① [군진(軍陣)의 세력] fuerzas *fpl*, tropas *fpl*. ② [진영(陣營)의 형세] formación *f* de la batalla.

진세(塵世) =속세(俗世).

진소위(眞所謂) verdaderamente, realmente.

진속(塵俗) mundo *m*, este mundo.

진솔 ① [한 번도 빨지 않은 새 옷] nueva ropa *f* sin lavar ni una vez. ② ((준말)) = 진솔옷.

▪~옷 ropa *f* de cáñamo para la primavera y el otoño.

진솔성(眞率性) carácter *m* verdadero y franco.

진솔하다(眞率-) (ser) verdadero y franco.

진수(珍羞) comida *f* rara, la comida más sabrosa [rica · deliciosa].

▪~성찬(盛饌) manjar *m* exquisito, manjar *m* rico [sabroso] y costoso, buena comida *f*, gran comida *f*, comida *f* (muy) lujosa, estupenda comida *f*, comida *f* fatuosa, comida *f* pricipesca. ~이군요! ¡Qué manjares exquisitos! / ¡Es una gran comida! / ¡Es una comida muy lujosa! / ¡Qué estupenda comida!

진수(眞數) antilogaritmo *m*.

진수(眞髓) esencia *f*, quintaesencia *f*, alma *f*, meollo *m*, lo mejor. 화랑도(花郞道)의 ~ quintaesencia *f* de la caballería de *Hwarangdo*. 이것은 보르헤스의 ~다 Esto es lo mejor de Borges.

진수(進水) lanzamiento *m*, botada *f*, botadura *f*. ~하다 ser lanzado. ~시키다 lanzar (un barco), botar [echar] (un barco) al agua.

▪~대 botador *m*. ~식 botadura *f* (de un barco), ceremonia *f* de lanzamiento.

진술(陳述) declaración *f*. ~하다 declarar, dar cuenta (de), manifestar, expresar; 【법률】 prestar declaración. ~할 기회 ocasión *f* de alegar. 허위(虛僞) ~을 하다 prestar una declaración falsa.

▪~서 declaración *f* escrita, declaración *f* jurada, escrito *m* de declaración redactado por una persona salvo el procesado. ~자 declarante *mf*. ~ 조서(調書) escrito *m* de declaración de una persona salvo el procesado.

진시(辰時) 【민속】 *chinsi*, de las siete a las nueve de la mañana.

진시(眞是) verdaderamente, de verdad, realmente, en realidad.

진실(眞實) verdad *f*, realidad *f*, sinceridad *f*, hecho *m*. ~하다 (ser) verdadero, verídico, de veras, sincero, ingenuo, genuino. ~한 친구 verdadero amigo *m*, verdadera amiga *f*. ~을 말하다 decir la verdad. ~에 반(反)하다 ser contrario a la verdad. ~을 곡해하다 disfrazar [torcer] la verdad. ~을 밝히다 poner la cosa sobre el tapete, poner clara la verdad, aclarar la verdad. ~을 말해라 Di la verdad. 나에게 ~을 말해라 Dime la verdad. ~을 말씀하십시오 Diga la verdad. 그는 ~을 말하지 않았다 El no dijo la verdad. ~은 술[포도주] 속에 있다 ((서반아 속담)) En el vino, la verdad / La verdad está en el vino. ~은 밝혀지기 마련이다 ((서반아 속담)) La verdad padece, mas no perece / La verdad adelgaza, pero no quiebra. ~과 기름은 항상 맨 위에 뜬다 ((서반아 속담)) La verdad y el aceite nadan siempre encima (~은 숨길 수 없다). ~을 말하는 자는 우정을 잃는다 ((서반아 속담)) Quien dice las verdades pierde las amistades. 술이 들어가는 곳에서는 ~이 나온다 ((서반아 속담)) Donde entra el vino, la verdad sale (취중진담). 취기(醉氣)는 ~의 친구다 La ebriedad es amiga de la verdad (취중진담). 아이들과 광인(狂人)은 ~을 말한다 ((서반아 속담)) Los niños y los locos dicen la verdad. 악마도 때로는 ~을 말한다 ((서반아 속담)) Algunas veces dice el diablo la verdad (거짓말쟁이도 ~을 말할 때가 있다).

진실로 verdaderamente, realmente, de veras, en verdad, sinceramente, en realidad, a la verdad, profundamente. ~ 인생의 기쁨을 느끼다 sentir profundamente la alegría de la vida.

▪~성 fidelidad *f*, devoción *f*, verdad *f*; [보고서 따위의] autoridad *f*, credibilidad *f*, veracidad *f*.

진심(眞心) sinceridad *f*, verdadero corazón *m*, buena fe *f*, fidelidad *f*, todo corazón *m*, corazón *m* verdadero sin falsedad. ~으로 de todo corazón, con todo corazón, con verdadero corazón, fielmente, cordialmente, sinceramente, enca-recidamente con toda el alma. ~입니까? ¿De veras? / ¿En serio? / ¿Lo dice usted en serio? ~으로 말하고 있습니다 Lo digo en serio / Esto va de veras [en serio]. 이번은 ~입니다 Ahora va de veras [en serio]. ~으로 축하드립니다 Le felicito sinceramente / Le felicito de (todo) corazón.

진안주(-按酒) *chinanchu*, acompañamiento *m* húmedo o con agua excepto el seco.

진알(進謁) audiencia *f*. ~하다 tener audiencia.

진압(鎭壓) supresión *f*, represión *f*, sofocacción *f*, sujeción *f*. ~하다 suprimir, oprimir, reprimir, sofocar, sojuzgar, sujetar, dominar, deprimir, abatir. 폭도를 ~하다 sojuzgar el tumulto. 폭동을 ~하다 sofocar

el motín.
◆ 데모 ~ represión *f* de manifestación. 폭동 ~ 경찰대 brigada *f* antidisturbios.
■ ~책 medida *f* represiva.

진앙(震央) epicentro *m*, centro *m* sísmico, centro *m* superficial del área de perturbación de un fenómeno sísmico, que cae sobre el hipocentro.

진애(塵埃) polvo *m*.
■ ~계 coniómetro *m*. ~증 coniosis *f*.

진액(津液) ① [생물체 내에서 생겨나는 액체] resina *f*, savia *f*, jugo *m*. ~이 나는 resinoso, jugoso. ② [식물·고기 등 약재가 될 만한 유효 성분을 용출해 낸 즙을 증발 농축한 것] extracto *m*.

진언(眞言) ① [참된 말. 거짓이 아닌 말] palabra *f* verdadera. ② ((불교)) palabra *f* de Buda, palabra *f* verdadera, palabra *f* sincera. ③ =주문(呪文). ④ ((준말)) =진언종(眞言宗).
■ ~종(宗) ((불교)) =밀교(密敎).

진언(陳言) ① [낡아 빠진 말. 케케묵은 말] palabra *f* anticuada. ② [말을 함] dicho *m*. ~하다 decir.

진언(進言) consejo *m*, proposición *f*. ~하다 aconsejar, dar consejo. ~을 듣다 escuchar los consejos (de), tomar en cuenta (de). 그것을 중지하라고 나는 그에게 ~했다 Le aconsejé que dejara de hacer eso.

진언(嗔言/瞋言) palabra *f* colérica y reprensora

진여(眞如) ((불교)) naturaleza *f* verdadera, naturaleza *f* de Buda.

진역[1](震域) [우리 나라의 이칭] *Chinyeok*, nuestro país *m*, Corea *f*.

진역[2](震域) [지진 때에 일정한 진도(震度)를 갖는 지역] región *f* del grado sísmico (en el terremoto).

진열(陳列) exhibición *f*, exposición *f*, muestra *f*. ~하다 exponer, exhibir, mostrar.
■ ~관 pabellón *m* de exposiciones. ~대 expositor *m*, mostrador *m*. ~ 미술품 pinturas *fpl* expuestas. ~실(室) sala *f* de exposiciones, salón *m* de exposiciones, sala *f* de exhibición, galería *f*. ~장 vitrina *f*. ~창 escaparate *m*, *AmL* vitrina *f*, *AmL* vitriera *f*. ~ 캐비닛 vitrina *f*. ~품 objeto *m* en exposición, objeto *m* expuesto, artículo *m* exhibido, artículo *m* expuesto.

진영[1](眞影) [주로 얼굴을 그린 화상 또는 사진] retrato *m*, fotografía *f* de la cara.

진영[2](眞影) ((불교)) reflexión *f* verdadera, retrato *m*, fotografía *f*, imagen *f*.

진영(陣營) campamento *m*, campo *m*.
◆ 공산주의 ~ campo *m* comunista. 민주주의 ~ campo *m* demócrat. 반공(反共) ~ campo *m* anti-comunista. 보수 ~ campo *m* conservativo. 사회주의 ~ campo *m* socialista. 진보 ~ campo *m* progresivista. 혁신 ~ campo *m* progresivo.

진옥(眞玉) jade *m* genuino [verdadero].

진옴 comezón *m* acuoso.

진외가(陳外家) casa *f* materna de la madre de *su* padre, casa *f* materna de *su* abuela.

진외조모(陳外祖母) abuela *f* materna de *su* padre.

진외조부(陳外祖父) abuelo *m* materno de *su* padre.

진용(陣容) formación *f*, disposición *f*, [구성원] personal *m*. ~을 정비하다 [회사 등의] fortalecer el personal.

진원(震源) hipocentro *m*, centro *m* sísmico, origen *m* de un movimiento.
■ ~지(地) =진원(震源).

진월(辰月) marzo *m* del calendario lunar.

진위(眞僞) verdad o falsedad, verdad *f*, autenticidad *f*, falsificación *f*. ~를 조사하다 indagar la autenticidad. ~를 확인하다 cerciorarse de la veracidad (de). 그 ~가 사실인지 아닌지는 확실히 알려지지 않고 있다 No se sabe a ciencia cierta si es verdad o no.

진의(眞意) ① [참뜻] voluntad *f* verdadera, verdadera intención *f*, motivo *m* real. 그가 반대하는 ~를 이해하지 못한다 No comprendo [Busco en vano] la verdadera intención de su objeción. 나는 그의 ~를 잘못 알았다 He comprendido mal su verdadera intención. ② [진실한 의의] significación *f* verdadera, sentido *m* verdadero, sentido *m* real.

진의(眞義) sentido *m* verdadero.

진인[1](眞人) [참된 도를 체득한 사람] hombre *m* verdadero [perfecto].

진인[2](眞人) ((불교)) Buda *m*.

진인(眞因) ((불교)) causa *f* verdadera.

진일 ① [물을 써서 하는 일] trabajo *m* de hacer usando el agua: preparación *f* de la comida y el lavamiento etc. ② =궂은일. ③ [마음이 내키지 않아 꺼리는 일] trabajo *m* que no se quiere hacer.

진일(盡日) ((준말)) =진종일.

진일보(進一步) más avance *m*. ~하다 avanzar un paso más.

진입(進入) entrada *f*, penetración *f*. ~하다 entrar, penetrar, introducirse. ~ 금지 ((게시)) No entrar / Prohibido entrar / No entre(n).
■ ~등(燈) luz *f* (*pl* luces) de acceso, luz *f* de aproximación, luz *f* de recalada, luz *f* de aterrizaje. ~로(路) [비행장의] ruta *f* [vía *f*] de acceso [de aproximación], trayectoria *f* de aterrizaje.

진잎 hojas *fpl* de verdura.
■ ~밥 arroz *m* cocido con hojas de verdura. ~죽(粥) gachas *fpl* con hojas de verdura.

진자(振子) 【물리】 péndulo *m*, péndola *f*.
■ ~ 시계(時計) (reloj *m* de) péndola *f*.

진자리 ① [아이를 금세 난 그 자리] el mismo lugar que un niño acaba de nacer. ② [아이들이 오줌·똥을 싸서 축축하게 된 자리] el lugar húmedo que un niño orina o excrementa. ③ [사람이 갓 죽은 바로 그 자리] el mismo lugar que un hombe acaba de morir. ④ [바로 그 자리. 당장] el lugar,

el sitio; [즉석에서] de manera improvisada.
진작 más temprano. 성함은 ~부터 들어서 알고 있습니다 Hace tiempo que lo conozco de nombre a usted.
진작(振作) estímulo *m*; [경제의] estimulación *f*. ~하다 despertar, estimular. 사기를 ~시키다 provocar la moral (de las tropas).
진장(陳醬) ① [질메주로 담가 빛이 까맣게 된 된장] soja *f* [soya *f*] negruzca conservada por mucho tiempo. ② ((준말)) =진간장.
진재(震災) desastre *m* del terremoto, desastre *m* [catástrofe *m*] causado por el terremoto.
◆대(大)~ gran terremoto *m*.
■~ 보험 seguro *m* contra terremoto. ~ 예방 precauciones *fpl* contra terremoto. ~ 지대 distrito *m* dañado por el terremoto.
진저리 estremecimiento *m*, escalofrío *m*.
◆진저리(가) 나다 fastidiarse, estar hasta la coronilla, estar hasta la punta de los pelos. 진저리 나게 fastidiosamente, con fastidio. 진저리 나게 하다 fastidiar, hastiar. 진저리 나게 말을 늘어놓다 insistir con fastidio, hablar fastidiosamente. 그의 이야기에 진저리 났다 Me he fastidiado con su charla.
◆진저리(를) 치다[내다] estremecerse. 무서워서 진저리를 치며 estremeciéndose de terror.
진적(珍籍) =진서(珍書).
진적(眞寂) ((불교)) nirvana *f* verdadera de Buda.
진전(進展) progreso *m*, desarrollo *m*, evolución *f*; [확장(擴張)] expansión *f*. ~하다 progresar, desarrollarse, evolucionar. 업무(業務)의 ~ expansión *f* de operaciones. 사건의 ~과 더불어 con el desarrollo del asunto. 활동의 ~에 따라 a medida que se desarrolla la acción. 사건은 이외의 방향으로 ~했다 El asunto ha experimentado una evolución inesperada.
진절머리 aburrimiento *m*, hastío *m*, cansancio *m*, fastidio *m*.
◆진절머리(가) 나다 aburrirse (con·de), cansarse (de·con), fastidiar (de·con), hartarse (de·con). 진절머리 난 fastidioso, cansado, pesado, aburrido. 진절머리 나게 하다 aburrir, hastiar, cansar. 진절머리 나는 얼굴로 con una cara de hastío. 나는 너한테 진절머리가 난다 Estoy harto de ti. 매일 같은 요리에 진절머리가 난다 Estoy harto de comer el mismo plato todos los días. 그의 장황한 말에 진절머리가 난다 Me aburre su interminable charla.
진정(眞正) autenticidad *f*, sinceridad *f*. ~하다 (ser) auténtico, sincero, genuino, verdadero, real, puro. ~하게 auténticamente, sinceramente, genuinamente, verdaderamente, realmente. ~한 기쁨 verdadero placer *m*. ~한 이유 verdadera razón *f*. ~한 종교 religión *f* verdadera. ~한 의미에서 en el sentido verdadero. 그는 ~으로 미안해하고 있다 El está realmente arrepentido / El está arrepentido de veras [de verdad]. 그 사람이야말로 ~한 애국자(愛國者)이다 Si hay un patriota verdadero, es él mismo.
진정(眞情) sentimiento *m* verdadero [genuino], sinceridad *f*, corazón *m* verdadero. ~이 담긴 lleno de sinceridad, de una sinceridad profunda. ~을 토로하다 desahogar *su* corazón, desahogarse, poner al desnudo el sentimiento, hablar con el corazón en la mano.
진정(陳情) petición *f*, súplica *f*, requerimiento *m*. ~하다 pedir, suplicar, requerir. 보조금의 증액을 장관에게 ~하다 pedir al ministro que aumente los subsidios.
■~서(書) petición *f* (escrita), instancia *f*, declaratoria *f*, memorial *m*. ~자(者) peticionario, -ria *mf*; pretendiente *mf*.
진정(進呈) donación *f*, presentación *f*. ~하다 donar, presentar, ofrecer, regalar, obsequiar. 카탈로그 ~ ((게시)) Se enviará catálogo a petición. 고객에게 선물을 ~함 ((게시)) Se ofrecen los regalos a los clientes.
진정(鎭定) pacificación *f*, apaciguamiento *m*, calma *f*, paz *f*, supresión *f*. ~하다 pacificarse, apaciguarse, calmarse. ~시키다 apaciguar, aquietar, calmar, tranquilizar, suprimir.
진정(鎭靜) calma *f*, tranquilidad *f*, serenidad *f*, sosiego *m*, pacificación *f*. ~하다 ponerse en calma, pacificarse, aquietarse, apaciguarse, sosegarse, tranquilizarse, reducirse a sumisión. ~시키다 pacificar, apaciguar, sosegar, aquietar, aliviar, serenar, calmar; [통증을] mitigar; [진압하다] reprimir, contener. 마음을 ~시키다 tranquilizarse, calmarse. 민심(民心)을 ~시키다 serenar el ánimo de la gente. 통증을 ~시키다 aliviar el dolor, mitigar el dolor.
진정되다 ㉮ [바람이나 폭풍(우) 따위가] ser reprimido, calmarse, cesar, pasar; [평화롭게 되다] ponerse en paz. 바람[폭풍우]이 진정됐다 Se calmó el viento [la tempestad] / Cesó [Pasó] el viento [la tempestad]. 바다가 진정된다 Se calma el mar. 결국 반란이 진정되고 나라는 평화를 되찾았다 Por fin la revuelta fue reprimida y el país recobró la paz. ㉯ [노하거나 통증 따위가] calmarse. 나는 통증이 진정되었다 Se me ha calmado el dolor.
■~ 작용 【의학】 sedación *f*. ~제 medicina *f* calmante, calmante *m*, sedativo *m*, sedante *m*; [신경 안정제] tranquilizante *m*.
진종일(盡終日) ① [온종일] todo el día. ② [부사적] durante todo el día, de sol a sol; [아침부터 저녁까지] desde que amanece hasta que se pone el sol, de la mañana a la noche.
진주(眞珠/珍珠) ① perla *f*. ~로 장식한 perlado, nacarado. ~ 캐는 사람 pescador, -dora *mf* de perlas. ~ 같은 광택 lustre *m* perlino, tornasol *m*. ~로 장식한 이 dientes *mpl* de perla. 알이 큰 ~ perla *f* de gran

tamaño. ② ((성경)) piedra *f* preciosa.
◆모조 ~ perla *f* de imitación. 분홍색 ~ perla *f* rosa. 양식 ~ perla *f* cultivada. 인공 ~ perla *f* artificial. 흑~ perla *f* negra.
▪~ 귀고리 pendiente *m* [zarcillo *m*] de perlas. ~ 목걸이 collar *m* de perlas. ~색 color *m* de perla, gris *m* perla. ~선(扇) [부채] abanico *m* redondo de perla. ~ 세공(細工) obra *f* de perlas. ~ 양식 cría *f* de madreperlas. ~ 양식장 criadero *m* de madreperlas. ~조개 madreperla *f*, ostra *f* perlífera, nácar *m*. ~조개 양식 perlicultura *f*. ~ 채취(採取) pesca *f* de perlas. ~ 채취자 pescador, -dora *mf* de perlas. ~패(貝) madreperla *f*. ~혼식(婚式) bodas *fpl* de perla, el trigésimo aniversario de casamiento.

진주(進駐) ocupación *f* (militar). ~하다 ocupar militarmente.
▪~군(軍) tropas *fpl* de ocupación.

진중(珍重) preciosidad *f*. ~하다 (ser) valioso, precioso, preciado. ~히 여기다 guardar con aprecio, guardar con estimación, estimar mucho, apreciar en alto valor.

진중(陣中) en el campamento.
▪~ 근무 servicio *m* de maniobras. ~ 생활(生活) vida *f* en el campamento. ~ 위문 confortación *f* [consolación *f*] a las tropas; [비유적] visita *f* de estímulo. ~ 일기 diario *m* de campamento.

진중하다(鎭重-) (ser) dulce, delicado, tierno. 진중히 dulcemente, con dulzura, con delicadeza.

진지 comida *f*. 아버지, ~ 잡수세요 Padre, Come. ~ 잡수셨습니까? ¿Has comido?

진지(陣地) campamento *m*, posición *f*. ~를 공격하다 atacar una posición. ~를 방어하다 defender una posición. ~를 펴다 tomar una posición, acampar. 적의 ~를 점령하다 tomar una posición enemiga.
▪~전(戰) operación *f* en posición.

진지러뜨리다 estremecer, encoger.

진지러지다 estremecerse, encogerse, temblar, dar pavor, aterrorizar.

진지하다(眞摯-) (ser) sincero, serio, grave, formal. 진지함 sinceridad *f*, seriedad *f*, formalidad *f*, buena fe *f*. 진지하게 serio, seriamente, sinceramente, con mucha gravedad, con toda seriedad, con verdadera seriedad, con la mayor formalidad. 진지한 얼굴로 con una cara seria. 진지해지다 [태도 따위가] ponerse reservado. 진지하게 듣다 tomar en serio, escuchar seriamente. 진지하게 말하다 hablar con sentimiento. 진지하게 덤벼들다 ponerse in serio. 진지한 맛이 없다 carecer de seriedad. 진지한 얼굴을 하다 ponerse serio.

진진하다(津津-) (estar) repleto (de), rebosante (de), desbordante (de), lleno (de). 맛이 ~ ser de buen gusto.

진집 grieta *f* fina.

진집(珍什) muebles *mpl* curiosos.

진짜 ① [거짓·위조가 아닌 참된 물건] artículo *m* genuino, artículo *m* real, original *m*. ~의 auténtico, genuino, real, verdadero; [인공(人工)에 대한] natural. ~ 같은 muy parecido, muy similar. ~ 고려자기 cerámica *f* de *Koryo* genuina. ~ 진주 perla *f* natural, perla *f* auténtica. 그의 ~ 자식 su hijo verdadero. 그의 ~ 이름 su nombre verdadero. ~와 가짜를 구별하다 distinguir lo auténtico y lo falso. 두 사람은 ~ 부자간이다 Los dos son padre e hijo de sangre. ~입니까? ¿Es verdad? / ¿De veras? ~는 집에 있다 El original está en casa. 그의 노래는 ~다 Su canto no es de mero aficionado. 그의 기술은 아직 ~가 아니다 Su técnica aún deja mucho que desear. ② ((속어)) [거짓이 아닌 사실] verdad *f*. ③ [거짓 없이] sin mentira; [정말로] verdaderamente.
진짜로 verdaderamente.

진찰(診察) reconocimiento *m* médico, consulta *f* (médica), examen *m* de médico; [진단] diagnosis *f*. ~하다 examinar, ver un paciente; [진단하다] diagnosticar. 의사의 ~을 받다 consultar al médico. 무료(無料) ~ ((게시)) Consulta libre.
▪~권(券) tarjeta *f* de consulta. ~비[료] honorarios *mpl* de consulta. ~ 시간(時間) horas *fpl* de consulta, horario *m* de consulta. ~실(室) consultorio *m*, consulta *f*, sala *f* de consulta. ~일(日) día *m* de consulta.

진창 barro *m*, fango *m*, lodo *m*, cieno *m*, limo *m*, légamo *m*, barro *m*, lodazal *m*, cenegal *m*, fangal *m*, tarquín *m*, cieno y fango. ~의 lleno [cubierto] de barro [de lodo], enlodado, *AmS* embarrado. ~에 던지다 tirar en el barro. ~에 넘어지다 caer(se) en el barro. 자동차가 ~에 빠져 있었다 El coche estaba atascado en el barro.
▪~길 camino *m* lleno [cubierto] de barro, camino *m* fangoso, camino *m* lodoso, *Cuba, Méj, ReD* fanguero *m*.

진채(珍菜) verduras *fpl* raras y ricas.

진채(眞彩) pigmento *m* de color intenso.

진척(進陟) ① [일이 진행되어 감] adelanto *m*, avance *m*, marcha *f*, progreso *m*. ~된 adelantado, avanzado. ~된 아이디어 idea *f* avanzada. ~시키다 hacer progresar, llevar adelante. 계획을 ~시키다 acelerar un proyecto. 교섭을 ~시키다 llevar adelante las negociaciones. 연구(硏究)를 ~시키다 progresar *sus* estudios. 만사가 잘 ~되었다 Todo ha sido un gran éxito / Todo ha salido muy bien / Todo ha salido a pedir de boca. 그의 연구가 ~되고 있다 Progresa su investigación. 공사가 ~되고 있다 Las obras han avanzado. ② [벼슬이 올라감] promoción *f*. ~하다 ascender, elevarse, promover.

진천동지(震天動地) sacudida *f* del cielo y de la tierra. ~하다 sacudir el cielo y la tierra [todo el mundo]. ~의 maravilloso, increíble, pasmoso. ~의 대사건(大事件) acontecimiento *m* raro, acontecimiento *m* extraordinario. ~의 위업을 이루다 lograr [onseguir] gran logro sensacional [extraordinario].

진출(進出) avance *m*, salida *f*, expansión *f*, extensión *f*. ~하다 avanzar, salir, surgir, invadir. 해외에 ~하다 [기업 등이] extender *sus* actividades al extranjero. 한국 상품이 남미 시장에 ~했다 Las mercancías coreanas han invadido el mercado sudamericano. 여성이 사회에 ~하기 시작하고 있다 Las mujeres comienzan a participar en los asuntos públicos. 좌익(左翼)이 의회에 ~했다 Los izquierdistas echaron los cimientos en el Parlamento.

진충(盡忠) lealtad *f*, fidelidad *f*.
■~보국(報國) lealtad y patriotismo. ¶~하다 (ser) leal y patriótico.

진췌(盡悴) dedicación *f*, esfuerzo *m*. ~하다 dedicarse (a), esforzarse (por).

진취(進取) progreso *m*, desarrollo *m*, evolución *f*. ~하다 (ser) progresivo.
■~적(的) progresivo, activo, espiritoso, enérgico. ¶ ~ 기상(氣相) espíritu *m* progresivo. ~ 기상이 풍부한 activo y emprendedor, de espíritu progresivo. ~ 기상이 왕성하다 ser dotado del espíritu progresivo.

진취(進就) progreso *m* gradual. ~하다 progresar [avanzar] gradualmente.
■~성 espíritu *m* progresivo.

진 치다(陣—) tomar *su* posición (en), ponerse (en), instalarse (en).

진탕(—宕) concusión *f*, conmoción *f*, sacudida *f*. ~이 되다 recibir una sacudida, conmoverse.

진토(塵土) el polvo y la tierra.

진통(陣痛)【의학】contracción *f* uterina, dolores *mpl* [contracciones *fpl*] del parto.

진통(鎭痛) ataralgesia *f*, odinolisis *f*.
■~계(計) tocodinamómetro *m*. ~ 과다(過多) hiperdinamia *f* uterina. ~약제(藥劑) analgesia *f*, analgésico *m*, anodino *m*. ~제 analgésico *m*., anodino *m*. ~ 촉진제(促進劑) odinogoga *f*. ~ 측정계 parturiómetro *m*. ~ 측정법 tocoergometría *f*.

진퇴(進退) ① [나아감과 물러섬] avance *m* y *retirada*, progreso y retroceso. ~를 결정하지 못하다 no saber cuál camino tomar, estar entre dos aguas. ~의 자유(自由)를 잃다 perder la libertada de movimiento. ② [행동거지] conducta *f*, movimiento *m*, proceder *m*, comportamiento *m*. ③ [직무상의 거취] dimisión y permanencia en la oficina. ~를 같이하다 acompañar *su* suerte.
■~양난(兩難) dilema *m*. ¶~이다 hallarse en un dilema, verse [encontrarse] entre la espada y la pared, estar en trence apurado, no tener escapatoria. ~에 있다 estar en un dilema. ~이 되다 estar en un apuro [un aprieto], meterse en un aprieto [un apuro].

진티 causa *f*, comienzo *m*, principio *m*.

진펄 campo *m* extenso de cieno.

진폐(塵肺) coniotoxicosis *f*.
■~증 neumoconiosis *f*, neumonoconiosis *f*.

진폭(振幅)【물리】amplitud *f* (de vibración).
■~ 변조 modulación *f* de amplitud. ~ 평형(平衡) equilibrio *m* de amplitud.

진폭(震幅)【지질】amplitud *f* del terremoto.

진풀 almidón *m* (*pl* almidones) húmedo.

진품(珍品) objeto *m* raro, objeto *m* curioso, rareza *f*, curiosidad *f*.

진품(眞品) artículo *m* auténtico.

진풍경(珍風景) escena *f* curiosa, espectáculo *m* raro.

진피 terquedad *f*, obstinación *f*, tozudez *f*.
■~아들 hijo *m* muy feo.

진피(眞皮) dermis *f*. ~의 dérmico.
■~ 이식편(移植片) injerto *m* dérmico.

진피(陳皮) cáscara *f* de naranja añeja.

진필(眞筆) =친필(親筆).

진하다(盡—) ① [다하여 없어지다] estar agotado [exhausto], agotarse. 그는 너무 걸어서 기력(氣力)이 진했다 El se ha agotado con tanto andar. ② [극한에 이르다] llegar al (último) límite. 그녀의 인내는 진했다 Su paciencia llegó al límite.

진하다(津—) ① [액체의 농도가 높다] (ser) fuerte, cargado, espeso, puro, denso; [기름기가 많은] graso. 진하게 espesamente; [술이] fuertemente; [커피 등이] cargadamente, fuertemente. 진한 맛 sabor *m* pesado. 진한 수프 sopa *f* espesa. 진한 음식물 alimentos *mpl* pesados [grasos]. 진한 커피 café *m* cargado, café *m* fuerte. 진하게 되다 espesarse, hacerse más fuerte, cargarse. 진하게 하다 espesar, hacer más fuerte, cargar. 이 소스는 맛이 ~ Esta salsa está demasiado cargada [condimentada]. ② [빛·화장이 짙다] (ser) intenso, subido, oscuro. 진하게 intensamente, subidamente, oscuramente. 더 진한 붉은색 rojo *m* más intenso [subido]. 빛깔을 진하게 하다 hacer más oscuro el color, oscurrecer el color.

진학(進學) ① [학문의 길에 나아가 닦음] entrada *f* en estudios. ~하다 entrar en estudios. ② [상급 학교로 나아감] entrada *f* en una escuela de grado superior. ~하다 entrar en la escuela superior. 대학에 ~하다 ir [pasar] a la universidad, entrar [ingresar] en la universidad.
■~ 교실 academia *f* para los aspirantes a la escuela superior. ~률 porcentaje *m* de los alumnos que pasan a [entran en] la escueal superior. ¶대학 ~ porcentaje *m* de los estudiantes que pasan a la universidad. ~ 적성 검사 examen *m* por la aptitud escolar. ~ 희망자 aspirante *mf* para ingreso en la escuela de grado superior.

진합태산(塵合泰山) =티끌 모아 태산 (된다).

진항(進航) navegación *f*. ~하다 navegar.

진해(震駭/振駭) terror *m*, horror *m*, alarma *f*. ~하다 estremecerse, horrorizarse. ~시키

다 estremecer, horrorizar. 이 사건은 우리 나라 전역을 ~시켰다 Este acontecimiento estremeció [horrorizó] (a) todo el Corea.

진해(鎭咳) el hacer detener el resfriado.
■ ~제(劑) antitusivo *m*.

진행(進行) progreso *m*, avance *m*, marcha *f*. ~하다 avanzar, marchar, progresar, adelantar. 병(病)의 ~ progreso *m* de una enfermedad. ~ 중(中) en marcha, en progreso. ~ 중인 공사 obras *fpl* en marcha, obras *fpl* en curso. ~ 중인 열차 tren *m* en marcha. 열차의 ~ 방향을 향해 오른쪽에 a la derecha en dirección (de la marcha) del tren. 의사(議事) ~을 방해하다 retrasar [retardar] el curso de los debates. A와 B 간에 회담이 ~ 중이다 La conferencia está en marcha entre A y B. 일의 ~ 상황은 어떻습니까? ¿Cómo va [marcha・anda] el trabajo? / ¿Qué tal progresa su trabajo?
■ ~계 moderador, -dora *mf*, director, -tora *mf* de programa. ~ 마비 parálisis *f* progresiva. ~성(性) progresividad *f*. ~파(波) onda *f* progresiva. ~형(形) forma *f* progresiva.

진행주 paño *m* de cocina húmedo.

진헌(進獻) obsequio *m* al rey. ~하다 obsequiar al rey.

진현(進見/進現) presencia *f* del rey. ~하다 presentarse a la corte.

진형(陣形) formación *f* de campaña. ~을 정돈하다 formarse en orden de batalla. ~을 재건하다 restablecer la formación de las tropas.

진혼(鎭魂) reposo *m* del alma.
■ ~곡(曲) réquiem *m*. ~ 미사 misa *f* de réquiem. ~ 미사곡 réquiem *m*. ~제 fiesta *f* (de las almas) de los difuntos.

진홍(眞紅) ((준말)) =진홍색.
■ ~색 carmesí *m*. ¶~의 carmesí. ~으로 물들이다 teñir de carmesí.

진화(進化) evolución *f*. ~하다 evolucionar. 원숭이가 ~되어 인간이 되었다 El mono, evolucionando, llegó a ser hombre / El hombre desciende del mono.
■ ~론 evolucionismo *m*, darvinismo *m*, darwinismo *m*, teoría *f* de la evolución. ~론자 evolucionista *mf*, darvinista *mf*, darwinista *mf*. ~설(說) darvinismo *m*, evolucionismo *m*.

진화(鎭火) extinción *f*. ~하다 apagar el fuego, apagar el incendio, extinguir. ~되다 apagarse, extinguirse.

진휼(賑恤) obra *f* de caridad, socorro *m*. ~하다 dar limosna, socorrer, aliviar.
■ ~금(金) fondo *m* de socorro, limosna *f*, caridad *f*, pitanza *f*.

진흙 ① [빛깔이 붉고 차진 흙] arcilla *f*. ~덩어리 trozo *m* de arcilla. ② [질척질척하게 짓이겨진 흙] barro *m*, fango *m*, lodo *m*, cieno *m*. ~으로 만든 de barro, de adobe. ~투성이의 lleno [cubierto] de barro [de lodo], lodoso, fangoso, barroso, enlodado, *AmS* embarrado. ~투성이의 길 camino *m* lleno de barro, camino *m* lodoso, camino *m* cenagoso. ~으로 만든 집 casa *f* de barro [de adobe]. 말린 ~ (벽돌) adobe *m*. ~으로 더럽히다 llenar [ensuciar] de barro [de lodo], *AmS* embarrar. ~투성이가 되다 enlodarse, cubrirse de lodo, mancharse de lodo. ~을 쳐내다 limpiar el barro (de), quitar el fango (de). 구두의 ~을 털다 [자신의] quitarse el barro de los zapatos, limpiarse los zapatos.
■ ~땅 ciénaga *f*. ~ 요법 fangoterapia *f*. ~탕 barro *m*, fango *m*, lodo *m*; [늪 따위의] cieno *m*; [진창] barrizal *m*, cenagal *m*. zapatoso, limpiarse los zapatos. ¶자동차는 ~에 빠져 있었다 El coche se atascó en un barrizal. 밭은 ~으로 변했다 El campo se convirtió en un barrizal [en un cenagal]. ~탕 목욕 baño *m* de lodo, baño *m* de fango.

진흥(振興) fomento *m*, estímulo *m*, promoción *f*, desarrollo *m*. ~하다 fomentar, estimular, promover.
■ ~책(策) medida *f* para fomentar. ~회 sociedad *f* promotora, organización *f* promotora, asociación *f* promotora.

진희하다(珍稀―) (ser) curioso y raro.

질 barro *m* (cocido). ~ 술잔 copita *f* de barro cocido.

질(帙) ① [여러 권으로 된 책의 한 벌] colección *f*. 함석헌 전집 한 ~ una colección de obras completas de Ham Seok Heon. ② [책의 권수의 차례] orden *m* del número de volúmenes. ③ [책갑] caja *f* de doblar para los libros, faja *f* de libros.

질(秩) grado *m* del puesto oficial.

질(質) ① [물건이 성립하는 근본 바탕] cualidad *f*, calidad *f*. ~이 좋은 de buna cualidad [calidad]. ~이 나쁜 de mala calidad [cualidad], de cualidad [calidad] inferior. ~이 우수한 de primera calidad [cualidad]. 양보다 ~ calidad *f* [cualidad *f*] antes de la cantidad. ~의 통제 control *m* de calidad [cualidad]. ~이 나쁜 거짓말 mentira *f* con mala uva. ~이 나쁜 농담 broma *f* pesada. ~이 좋은 제품 productos *mpl* de buena calidad [cualidad]. ~이 나쁜 제품 productos *mpl* de calidad inferior. 생활의 ~ calidad *f* de vida. ~을 높이다 mejorar la calidad [la cualidad], elevar la calidad [la cualidad]. ~을 낮추다 empeorar la calidad [la cualidad], bajar la calidad [la cualidad]. ② [타고난 성질] naturaleza *f*, carácter *m*. ~이 좋은 de buen carácter. ~이 나쁜 de mal carácter; [악성의] maligno. ~이 나쁜 감기 resfriado *m* maligno.

질(膣) 【해부】 vagina *f*. ~의 vaginal.
■ ~ 검사(檢査) vaginoscopia *f*. ~경(鏡) vaginoscopio *m*, colposcopio *m*. ~관(管) canal *m* vaginal. ~구(口) abertura *f* vaginal, portillo *m* vaginal. ~ 막(膜) túnica *f* vaginal. ~벽(壁) pared *f* vaginal. ~부

(部) región *f* vaginal. ～성형 colpopoiesis *f*. ～염 vaginitis *f*, colpitis *f*, inflamación *f* de la vagina. ～외음 vulva *f* vaginal. ～음순 labios *mpl* de la vulva vaginales. ～ 출혈(出血) colporragia *f*. ～통 colovesicalalgia *f*, vaginodinia *f*, colpodinia *f*. ～파열(破裂) coleorrexis *m*.

질감(質感) sentimiento *m* característico.

질강풍(疾强風) viento *m* fuerte.

질겁하다 (quedarse) estupefacto, atónito, pasmado, asustarse. 그들은 그의 사임을 알고 질겁했다 Ellos se quedaron estupefactos [atónitos] al enterarse de su dimisión.

질것 artículo *m* de lodo.

질겅거리다 seguir masticando [mascando · mordiendo].

질겅질겅 ruidosamente. ～ 씹다 masticar ruidosamente, mascar, masticar, morder. 음식을 ～ 씹다 mascar [masticar] la comida. 손톱을 ～ 씹다 morder las uñas. 껌을 ～ 씹다 mascar el chicle.

질경이 【식물】 quinquenervia *f*, lancéola *f*.

질곡(桎梏) ① [차꼬와 수갑] los grillos y las esposas. ② [몹시 속박하여 자유를 가질 수 없게 하는 일] yugo *m*, grillos *mpl*. ～에 빠져 있다 estar sometido al yugo. ～에서 벗어나다 librarse de los grillos de convencionalismo. 그것이 그에게 ～이 되고 있다 Eso constituye un yugo para él.

질권(質權) derecho *m* de prenda.

■～설정자(設定者) depositrario, -ria *mf*, prendador, -dora *mf*.

질그릇 vasilla *f* de barro cocido.

질근질근 ① [새끼·노 등을 느릿느릿 꼬는 모양] lentamente, ociosamente. ② ＝질경질경.

질금거리다 correr, salir un hilito, irse escurriendo. 땀방울이 내 이마로 질금거렸다 Me corrían gotas de sudor por la frente. 물이 조금씩 질금거렸다 El agua se iba escurriendo poco a poco. 물이 파이프로 질금거렸다 Salía un hilito de agua de la cañería.

질금질금 empapadamente de agua, húmedamente, purulentamente, supurantemente; [느리게] lentamente. ～하다 (estar) empapado de agua, húmedo y blando; [습윤(濕潤)하다] pantanoso; [고름이] purulento, supurante. ～ 나오다 rezumarse; [고름이] supurar.

질급(窒急) horror *m*. ～하다 horrorizarse. ～하게 하다 horrorizar, causar horror. 그는 시체를 보고 ～했다 El se horrorizó al ver un cadáver. 나는 그들의 태도에 ～했다 Me horrorizó su actitud.

질긋질긋 ① [끈덕지게 참고 견디는 모양] pacientemente, con paciencia. ② [계속 누르거나 당기는 모양] apretando continuamente.

질기다 ① [섬유질이 많거나 탄력성이 있어 쉽게 닳거나 끊어지거나 부서지지 않다] (ser · estar) duro, sólido. 이 고기는 무척 ～ Esta carne está muy dura. ② [물건이나 성질이 단단하여 오래 견디는 힘이 있다] (ser) durable, resistente, fuerte; [성질이] tenaz, fuerte. 질긴 옷감 tela *f* durable, tela *f* resistente.

질기둥이 ① [바탕이 연하지 않고 질깃질깃한 물건] material *m* dura. ② [성질이 몹시 검질긴 사람] persona *f* tenaz.

질기와 teja *f* de barro cocido.

질깃질깃 ① [약하거나 연하지 않고 질긴 모양] duramente, sólidamente. ② [성질이 여낙낙하지 않고 검질긴 모양] tenazmente. ③ [씹으면 끊어지지 않을 정도로 질기고 튀기는 힘이 있는 모양] resistentemente, fuertemente.

질깃하다 parecer ser un poco duro.

질끈 fuerte, bien. 그것을 ～ 동여매야 한다 Hay que atarlo fuerte / Hay que asegurarlo bien.

질나발 trompeta *f* de barro cocido.

질녀(姪女) sobrina *f*.

질다 ① [반죽한 것이 되지 않고 물기가 많다] (ser) suave, acuoso. 밥이 ～ El arroz es muy suave. ② [땅이 질척질척하다] (ser) cenagoso, barroso, lodoso, fangoso, estar lleno [cubierto] de lodo [barro]. 진 길 camino *m* cenagoso. 진 땅 tierra *f* cenagosa.

질돌 【광물】 feldespato *m*, albita *f*.

질동이 jarra *f* de barro.

질둔하다(質鈍－) ① [투미하고 둔탁하다] (ser) torpe, patoso, impasible, imperturbable. ② [몸이 뚱뚱하여 행동이 굼뜨다] (ser) lento. 질둔한 사람 rezagado, -da *mf*.

질뚝배기 tazón *m* (*pl* tazones) de barro.

질뚝하다 (ser) hueco.

질뚝질뚝 huecamente.

질량(質量) 【물리】 masa *f*. 물체의 ～ masa *f* del objeto.

■～단위 unidad *f* de masas. ～ 보존 법칙 ＝질량 불변의 법칙. ～ 불변의 법칙 ley *f* de conservación [la constancia] de las masas. ～수(數) número *m* de masa. ～스펙트럼 espectro *m* de masas, espectro *m* másico. ～ 작용 acción *f* de masas.

질러가다 ir por atajo, ir por el camino más cercano [corto].

질러먹다 comer la comida antes de que cueza bien.

질러오다 venir por atajo, venir por el camino más cercano [corto].

질레(불 *gilet*) camiseta *f*.

질료(質料) 【철학】 substancia *f*, material *m*.

질룩하다 (ser) hueco.

질룩질룩 huecamente.

질름거리다[1] [가득 찬 액체가 흔들려 질금질금 넘치다] desbordarse, rebosar.

질름질름 desbordándose, rebosando.

질름거리다[2] [동안이 느리게 여러 차례에 나눠서 조금씩 계속해 주다] dar poco a poco.

질름질름 dando poco a poco.

질리다 ① [진력나서 귀찮은 느낌이 들다] cansarse (de), hartarse (de), aburrirse (de). 듣는 데 ～ cansarse [hartarse · aburrirse] de oír. 술 먹는 것도 이제는 질렸다

Ya me aburro de beber / La bebida me aburra infinito / Estoy harto de beber. 그의 말은 이제 질렸다 Su charla me aburre infinito. ② [어이없거나 엄청난 일을 당하여 기가 막히다. 또, 그래서 핏기가 가시거나 핏발이 서다] acobardarse, arredarse, palidecer; [기가] encogerse (de). 새파랗게 ~ ponerse blanco, ponerse pálido, estar pálido [lívido], palidecer. 노해서 [무서워] 새파랗게 ~ estar pálido [lívido] de rabia [de miedo]. 나는 무서워 [놀라서] 새파랗게 질렸다 Me puse blanco [pálido] de miedo [de susto]. 내가 그녀에게 그 일을 말했을 때 새파랗게 질렸다 Ella palideció cuando se lo dije. 그들은 황제 앞에서는 기가 질렸다 Ellos agacharon la cabeza ante el zar. ③ [짙은 빛깔이 한데 몰려 고루 퍼지지 못하다] teñir de modo irregular. ④ [값이 얼마 먹히다] costar. 이 책은 7천 원이 질렸다 Este libro me cuesta siete mil wones. ⑤ [(「지르다[1]」의 피동) 내어지르거나 걷어참을 당하다] ser pegado, pegarse un puntapié, pegarse una paliza.

질문(質問) pregunta *f*, [경찰관·시험관의] interrogación *f*; [의회 등의] interpelación *f*. ~하다 preguntar, hacer una pregunta; [경찰관·시관이] interrogar; [의회 따위에서] interpelar. ~의 연발 descarga *f* cerrada de cuestiones. ~하기 좋아하는 사람 preguntón (*pl* preguntones), -tona *mf*. 급소를 찌르는 ~ cuestión *f* aguzada. ~에 답하다 contestar a la pregunta. ~을 회피하다 eludir la pregunta. ~의 화살을 던지다 lanzar una pregunta. 의문점(疑問點)을 ~하다 confirmar los puntos ambiguos, hacer preguntas para aclarar puntos dudosos. 나는 그에게 ~을 했다 Le hice una pregunta. 나는 ~을 받는다 Acepto preguntas. 나는 여러 가지 ~을 받았다 Me hicieron varias preguntas. 그의 부모는 밤새 어디 있었냐고 그에게 ~했다 Sus padres le preguntaron dónde había estado toda la noche. ~ 있으면 하십시오 Hagan, por favor, las preguntas que desean / Pregunten lo que desean.

■~ 공세 aluvión *m* de preguntas. ~서 preguntas *fpl* escritas, interrogación *f* escrita, cuestionario *m*. ~자 interrogador, -dora *mf*, interrogante *mf*, interpelante *mf*. ~표 [조사를 위한] cuestionario *m*. ~ 회답란 [잡지 따위의] columna *f* de preguntas y respuestas.

질물(質物) prenda *f*.

질박(質朴/質樸-) simplicidad *f*, sencillez *f*, candidez *f*, ingenuidad *f*. ~하다 (ser) simple, sencillo, cándido, ingenuo. ~한 미풍 hábito *m* loable de simplicidad. ~한 시골 사람 aldeano *m* sencillo, aldeana *f* sencilla. ~한 풍습 costumbres *fpl* sencillas.

질벅거리다 (ser) húmedo y suave, estar lleno [cubierto] de barro [de lodo].

질벅질벅 lodosamente, fangosamente.

질벅하다 (ser) suave y húmedo.

질번질번하다 (ser) abundante, rico, acomodado, adinerado, acaudalado. 질번질번하게 en abundancia, abundantemente. 질번질번하게 살다 vivir a lo grande, darse la gran vida.

질병(-甁) botella *f* de barro.

질병(疾病) enfermedad *f*, afección *f*, problema *m*, dolencia *f*. 소화기 계통(消化器系統)의 ~ un problema [una afección] del aparato digestivo. 신장(腎臟) ~ un problema [una afección] renal. 정신(精神) ~ trastornos *mpl* mentales.

■~ 보험 seguro *m* de enfermedad. ~ 수당 [병가 중의] salario *m* que se percibe mientras se está con permiso por enfermedad. ~학(學) nosografía *f*. ~학자(學者) nosografo, -fa *mf*.

질부(姪婦) esposa *f* de *su* sobrino.

질비하다(秩卑-) tener el rango inferior.

질빵 mochila *f*. ~을 지다 tener una mochila.

질사(窒死) muerte *f* por asfixia. ~하다 morir asfixiado.

질산(窒酸) 【화학】 ácido *m* nítrico.

질색(窒塞) ① =질기(窒氣). ② [몹시 싫거나 놀라서 기막힐 지경에 이름] aborrecimiento *m*, detestación *f*. ~이다 ser débil [flaco] (en). 나는 고기가 딱 ~이다 Yo detesto [aborrezco] la carne. 나는 거짓말은 딱 ~이다 Detesto de la mentira. 나는 비방은 ~이다 Estoy harto de tus consejos / No necesito tus consejos / ¡Dios me libre de tus consejos! / ¡Líbreme Dios de tus consejos! 그런 말은 딱 ~이다 Eso ni hablar. 나는 작문이 ~이다 La composición es mi debilidad [mi (punto) flaco] / No tengo aptitud para la composición / Soy débil en la composición. 나는 저 선생이 딱 ~이다 Aquel profesor no va bien con mi carácter / Aquel profesor no va conmigo / Aquel profesor no me va en absoluto.

질서(姪壻) esposo *m* de *su* sobrina.

질서(秩序) orden *m*. ~ 있는 ordenado, metodico, regular, sistemático. ~ 없는 desordenado, desarreglado. ~ 정연하게 con orden, ordenadamente, de buen orden. ~ 없이 en desorden, sin pies ni cabeza. ~가 문란하다 estar en desorden, estar desordenado, estar fuera de orden. ~가 정연하다 estar en orden. ~를 무너뜨리다 perturbar el orden. ~를 유지하다 mantener el orden. ~를 확립하다 establecer un nuevo orden. ~를 회복하다 restablecer [restaurar·recobrar] el orden.

질소(窒素) 【화학】 nitrógeno *m*, ázoe *m*. ~의, ~를 함유한 nítrico, nitrogenado, azoado. ~를 함유하다 nitrogenar, azoar. ~와 화합시키다 nitrogenar.

◆석회(石灰)~ nitrógeno *m* de cal(cio), nitrocal *m*.

■~ 가스 gas *m* de nitrógeno. ~계(計) azotímetro *m*. ~ 공업(工業) industria *f* de nitrógeno. ~ 비료 abono *m* nitrogenado, fertilizante *m* nitrogenado. ~ 순환 ciclo *m* del nitrógeno. ~ 포화(飽和) nitrificación *f.* ~ 폭탄 bomba *f* de nitrógeno. ~ 화합물 compuesto *m* nitrogenado.

질소하다(質素-) (ser) sencillo, simple, modesto, llano, frugal, económico. 질소함 sencilleza *f,* simplicidad *f,* llaneza *f,* modestia *f,* frugalidad *f.* 질소(質素)하게 simplemente, sencillamente, llanamente. 질소한 생활 vida *f* sencilla [simple · llana]. 질소하게 살다 vivir una vida llana.

질솥 olla *f* de barro.

질시(嫉視) mirada *f* de envidia. ~하다 envidiar, mirar con envidia.

■~ 반목(反目) recelo y sospecha. ¶~하다 mirarse con recelo y sospecha.

질식(窒息) sofocación *f,* asfixia *f,* sofoco *m.* ~하다 asfixiarse, sofocarse. ~시키다 asfixiar, sofocar, producir asfixia. ~해서 죽다 morir asfixiado. 석탄 산화물로 ~하다 asfixiarse con óxido de carbono.

■ ~사(死) muerte *f* por asfixia. ¶~하다 morir por asfixia. 독가스로 ~하다 morir asfixiado por gas tóxico.

질실하다(質實-) (ser) simple y sincero.

질아(姪兒) =조카(sobrino).

질역(疾疫) epidemia *f,* plaga *f,* peste *f.*

질염산(窒鹽酸) ácido *m* nitrohidroclórico.

질외음(膣外陰) vaginovulvitis *f.* ~의 vaginovulvar.

질우(疾雨) mucha lluvia.

질의(質疑) pregunta *f,* [국회 등의] interpelación *f.* ~를 끝마치다 poner fin a las interpelaciones.

◆ 대정부(對政府) ~ interpelación *f.*

■~응답(應答) preguntas y respuestas.

질적(質的) cualitativo *adj.* ~으로 cualitativamente. ~으로는 A가 B보다 못하다 A es de peor calidad que B.

■ ~ 규제(規制) control *m* cualitativo. ~ 향상(向上) mejoramiento *m* en [de la] calidad [cualidad].

질주(疾走) carrera *f* tendida. ~하다 correr con rapidez, correr a toda velocidad, correr a toda marcha; [말이] galopar. ~하는 말 caballo *m* galopante.

질질 ① [땅에 축 늘어져 끌리는 모양] arrastrando. ~ 끌다 arrastrar(se). 발을 ~끌다 arrastrar los pies. 다리를 ~ 끌며 걷다 andar arrastrando una pierna. 발을 ~ 끌며 걷다 caminar [andar] arrastrando los pies. ~ 끌고 나가다 sacar fuera, tirar fuera, hacer salir por fuerza. ~ 끌고 들어가다 arrastrar dentro (de), hacer entrar a la fuerza, implicar (en), arrastrar (en). ~ 끌어내리다 bajar a la fuerza, hacer descender a la fuerza. ~ 끌리는 긴 치마 *chima* [falda *f* coreana] larga, con cola. 그녀의 치마는 땅에 ~ 끌렸다 La falda le arrastraba por el suelo / Ella iba arrastrando la falda por el suelo. 그녀는 치마의 옷자락을 ~끌었다 Le arrastraron los bajos de la falda. ② [기름기 · 윤기가 겉에 흐르는 모양] saliendo. 피가 그의 상처에서 ~ 흘렀다 Le salía sangre de la herida. ③ [주책없이 무엇을 잘 빠뜨리거나 흘리는 모양] cayendo, chorreando, babeando. 그는 침을 ~ 흘린다 El babea / A él se le cae la baba. 그녀는 밀크를 ~ 흘리고 있었다 A ella le chorreaba la leche por la boca. ④ [정한 기한을 자꾸 끌어가는 모양] prolongando, alargando. ~ 끄는 병(病) enfermedad *f* larga, enfermedad *f* prolongada. ~끌다 prolongar, alargar, extender. 회의를 ~끌다 prolongar la reunión. 회의를 ~ 끌었다 La junta se alargó lánguidamente [sin interés · sin vida]. 회의는 ~ 끌어 열 시간 계속했다 La reunión continuó, sin interrupción, durante diez horas. 그 계획은 ~ 끌다 중단되었다 El proyecto se fue restrasando [Al proyecto se le fue dando largos] hasta que quedó en suspenso. 그의 연설은 ~ 끌어 계속될 것 같다 Parece que su discurso va a continuar interminablemente. 그 사건은 아직도 ~ 끌고 있다 Aquel suceso aún sigue teniendo cola. ⑤ [조금의 저항도 없이 순종하거나 굴복하는 모양] obedeciendo.

질질거리다 ① [치신없이 쏘대다] vagar (por), deambular (por), vaguear, holgazanear. 거리를 ~ vagar [deambular] por las calles. ② [질질 울다] lloriquear.

질책(叱責) reprensión *f,* reprimenda *f.* ~하다 reprender, vituperar, regañar. 엄한 ~을 받다 recibir duras reprimendas. 나는 경찰관의 ~을 받아야 했다 Tuve que soportar una dura reprimenda de un policía.

질척거리다 (estar) lleno [cubierto] de barro [de lodo].

질척질척 llenando de barro. ~하다 (ser) lodoso, fangoso, pantanoso. ~한 길 camino *m* fangoso.

질척하다 (ser) húmedo y suave, estar lleno de lodo [de barro]. 반죽이 ~ la masa es demasiado húmeda y suave. 길이 무척 질척했다 El camino estaba muy lleno de lodo.

질커덕거리다 =질척거리다.

질커덕하다 =질척거리다.

질컥거리다 =질척거리다.

질컥질컥 empapadamente de agua, húmeda y blandamente. ~하다 humedearse.

질컥하다 estar lleno [cubierto] de lodo [de barro].

질크러지다 ser aplastado.

질타(叱咤) reprimenda *f,* regañina *f,* *Méj* regañiza *f,* *RPI* reto *m.* ~하다 reprender, regañar, *Méj* reñir, *CoS* retar, *Urg* rezongar. ~ 격려(激勵)하다 aninar, avivar, estimular. 삼군(三軍)을 ~하다 comandar todo el ejército.

질탕관(-湯罐) olla *f* de barro (cocido); ((성경)) hornillo *m,* doble hornilla *f.*

질통(疾痛) dolor *m* causado por la enfermedad.

질투(嫉妬/嫉妒) celos *mpl,* envidia *f.* ~하다 estar celoso, tener celos (de), sentir celos (de), envidiar, ponerse celoso. ~가 심한 celoso, envidioso. 그 사실을 알자 아내는 ~를 했다 Al saber eso mi mujer se puso celosa. 당신이 잘 먹는 걸 보면 ~가 난다 Me da envidia ver lo bien que comes. 두 사람만 보면 ~가 난다 Los dos me dan celos. 여자는 ~가 많다 La mujer es celosa. ~를 하는 자는 자신의 열등함을 인정하는 것이다 ((서반아 속담)) Si envidias a un hombre, por inferior a él te reconoces. ~를 잘하는 자는 결코 행복하지 못했다 / ~는 어느 누구도 행복하게 하지 않았다 ((서반아 속담)) El envidioso nunca fue dichoso. ~와 열병은 그것들을 앓는 자를 죽인다 ((서반아 속담)) La envidia y las fiebres, matan al que las padece. ~가 열병이라면 아마 전 인류가 열병 환자가 될 것이다 ((서반아 속담)) Si la envidia fuera tiña, muchos tiñosos habría (~가 백선(白癬)이라면 백선 환자가 많을 것이다). 동정을 받느니 ~를 받는 것이 낫다 ((서반아 속담)) Más vale que nos tengan envidia que lástima.

▪ ~심 celos *mpl*. ¶~을 일으키다 dar [excitar] celos. ~을 품다 estar celoso (de), tener envidia (de).

질퍼덕거리다 (ser) fangoso, húmedo y mullido.

질퍼덕하다 (estar) lleno [cubierto] de lodo.

질퍽거리다 =질퍼덕거리다

질퍽질퍽 empapadamente de agua, húmeda y blandamente, pantanosamente. ~하다 (ser) húmedo, mojado, pantanoso; [비가 많은] lluvioso.

질퍽하다 (ser) muy suave y húmedo.

질펀하다 ① [땅이 넓고 평평하게 펴져 있다] (ser) extenso y llano. ② [퍼더버리고 주저앉아 게으름을 부리고 있다] (ser) holgazán, haragán, flojo, ocioso; [일꾼이] no tener trabajo, estar sin hacer nada.

질펀히 extensa y llanamente; holgazanamente, ociosamente.

질풍(疾風) ① [대단히 빠르게 부는 바람] ráfaga *f*, borrasca *f*, viento *m* violento, viento *m* que sopla muy rápido; [돌풍] racha *f*, ventarrón *m*, huracán *m*. ~처럼 como el viento, como una ráfaga de viento. ② 【기상】 =흔들바람.

▪ ~경초(勁草) persona *f* que nunca cede a su integridad hasta en la gran adversidad. ~노도(怒濤) tormenta y mar alto. ~신뢰(迅雷) rayo *m*, relámpago *m*.

질풍류(一風流) 【악기】 instrumento *m* de barro.

질항아리 tarro *m* de barro, vasija *f* de barro, olla *f* de barro.

질호(疾呼) grito *m*. ~하다 gritar, dar un grito, dar voces.

질화로(一火爐) brasero *m* de barro.

질화물(窒化物) 【화학】 =질소화물(窒素化物).

질환(疾患) enfermedad *f*, problemas *mpl*, trastornos *mpl*. 호흡기 ~을 앓다 tener problemas respiratorios.

질흙 ① [진흙] barro *m*, fango *m*, lodo *m*. 집은 마른 ~으로 지어졌다 La casa era de adobe. ② [질그릇을 만드는 차진 흙] arcilla *f*.

▪ ~ 항아리 tarro *m* de barro.

짊다 poner (en).

짊어지다 ① [짐 따위를 등에 메다] cargar al hombro, cargar sobre los hombros, cargar (con), llevar a la espalda, echarse sobre las espaldas, llevar a cuestas. 등에 ~ cargar(se) [poner] sobre [en · a] las espaldas. 배낭을 ~ cargar la mochila al hombro. 총을 ~ cargar el fusil al hombro. 등에 짐을 짊어지고 밖으로 나가다 llevar afuera sobre las espaldas. ② [빚을 쓰다] deber. 빚을 ~ deber, contraer deudas. 빚을 많이 ~ deber mucho. 많은 빚을 짊어지고 있다 estar en muchas deudas. ③ [책임을 지다] asumir, encargarse, cargar. 나라의 장래를 ~ encargarse del futuro del país, cargar sobre las espaldas el futuro del país. 무거운 짐을 ~ llevar a *sus* espaldas un trajo pesado.

짐 ① [들거나 지거나 운송하도록 만든 물품] carga *f*; [뱃짐] cargo *m*; [수하물(手荷物)] equipaje *m*. ~을 싣다 cargar. ~을 내리다 descargar, desembarcar. 배에서 ~을 부리다 descargar el barco, desembarcar mercancías. 트럭은 이제 더 이상 ~을 실을 수 없다 El camión ya no puede llevar más. ~ 부리는 인부(人夫) descargador, -dora *mf*; estibador, -dora *mf*; dócker *mf*. ② [포장한 물품] paquete *m*, fardo *m*, lío *m*, bulto *m*, paca *f*. ~을 꾸리다 empaquetear, empacar, atar, amarrar, embalar, hacer paquetes, hacer *su* paquete. ~을 풀다 desempaquetar, desempapelar, desenvolver, desembalar, desenfadar. ③ [부담. 담당. 책임. 임무] carga *f*.

짐(朕) Yo, Me.

짐꾼 cargador *m*, carguero *m*; [역 · 공항의] maletero *m*, mozo *m* (de estación [de equipajes · de cuerda]); [항만의] cargador *m* de muelle; *RPl* changador *m*.

짐마차(一馬車) carro *m*, carromato *m*. ~를 끌다 tirar un carro.

짐바리 carga *f* sobre la albarda.

짐바브웨 【지명】 Zimbabwe, Zimbabue. ~의 zimbabuense. ~ 사람 zimbabuense *mf*.

짐받이 [자전거의] cesta *f*, canasta *f*.

짐배 carguero *m*, barco *m* de carga.

짐삯 =운임(運賃).

짐수레 carro *m*, carreta *f*; [손수레] carretilla *f* (de mano); [큰 것] carretón *m* (*pl* carretones) (de mano); [공항의] carrito *m*.

짐스럽다 (ser) oneroso, pesado y torpe, problemático.

짐스레 onerosamente, pesada y torpemente.

짐승 ① [네발짐승] bestia *f*, fiera *f*, bruto *m*; [동물] animal *m*. ~의 animal, bestial. 짐 나르는 ~ bestia *f* [animal *m*] de carga. ② [잔인하거나 야만적인 사람] persona *f* cruel, persona *f* brutal, persona *f* bárbara.

~ 같은 brutal, bestial, bruto, animal, cruel, bárbaro.

짐작 juicio *m*, conjetura *f* (infundada), indicio *m*, idea *f*, pista *f*, rastro *m*, huella *f*, noticia *f*. ~하다 conjeturar (a la ventura), adivinar, pronosticar. ~으로 con [por] conjeturas. 내 ~으로 según mis cálculos, a mi juicio. ~이 가다 saber (de), adivinarse, suponerse. ~이 가는지 묻다 preguntar (por), buscar aquí y allá [acá y acullá]. ~이 전혀 가지 않다 no tener indicio, no tener la menor idea (de), no saber nada (de). ~ 가는 데가 있다 saber (de), conocer (de), tener una idea (de); [사물이 주어] sonar*le* a *uno*. 전혀 ~이 가지 않는다 No tengo la más remota [la menor] idea (de ello). 네가 무엇을 생각하고 있는지 대강 ~이 간다 Adivino más o menos lo que piensas. 나는 그녀가 서른 살 정도라고 ~하고 있다 Le echo treinta años. 그가 생각하고 있는 것을 대충 ~해 낼 수 있다 Se puede adivinar más o menos lo que piensa.

짐짐하다 ① [음식이 찝찔하기만 하고 아무 맛이 없다] (ser) salado y insípido [desabrido]. ② [마음이 조금 꺼림하다] (ser) desagradable, molesto.

짐짓 a [de] propósito, adrede, ex profeso, aposta, intencionalmente, deliberadamente, con intención, expresamente. ~ 아는 체 con aire [con cara] de enterado. ~ 아는 체하다 darse por entendido.

짐짝 fardo *m*, lío *m*, paquete *m*, bulto *m*; [면(綿)·모(毛)의] paca *f*.

짐차(-車) camión *m* (*pl* camiones); [작은] camioneta *f*; [기차] vagón *m* de carga, furgón *m* de carga.

짐칸 compartimiento *m* de carga.

집 ① [풍우·한서를 막고 사람이 그 속에 들어 살기 위해 지은 집] casa *f*, [주거] vivienda *f*, residencia *f*, domicilio *m*, morada *f*, [아파트] piso *m*, *AmL* apartamento *m*. 넓은 ~ casa *f* grande. 좁은 ~ casa *f* pequeña. 돌~ casa *f* de piedra. 한 ~ 건너 cada dos casas. 한 ~ 건너 ~ la casa siguiente a la próxima, la segunda casa desde aquí. ~에(서) en casa. ~ 안에(서) en casa, dentro (de casa); [옥내(屋內)] bajo techado. ~ 밖에(서) fuera (de casa); [옥외(屋外)] al aire libre. ~에 있다 estar en casa, quedarse en casa. ~에 없다 ㉮ [부재(不在)하다] estar fuera de casa, ausentarse de *su* casa. ㉯ [외출하다] salir de casa. ㉰ [돌아오지 아니하다] no volver a *su* casa. ㉱ [집을 버리다] desocupar [abandonar · quitar] la casa. ~에 돌아가다 [돌아오다] volver a casa, regresar a casa. ~에 들어가다 [들어오다] entrar en la casa. ~에서 나가다 [나오다] salir de casa. ~에서 놀다 jugar en la casa, jugar dentro de la casa. ~에서 일하다 trabajar en casa. ~을 떠나다 irse de casa. ~을 세내다 alquilar una casa. ~을 짓다 construir una casa. ~을 찾다 [구하다] buscar una casa. 자신의 ~을 소유하다 tener casa propia. 한 [같은] ~에 살다 vivir en la misma casa, vivir bajo el mismo techo. 살 ~이 없는 가족 familias *fpl* sin techo, familias *fpl* sin hogar. …의 ~에 가다 ir a casa de *uno*. 어디 가느냐? ― ~에 갑니다 ¿Adónde vas? ― Voy a casa. 그는 친구의 ~에 있다 El está en casa de su amigo. 그는 자주 ~에 없다 El se ausenta a menudo / El sale de casa a menudo. 그녀는 자신이 살 ~이 없음을 알았다 Ella se quedó sin techo. 그녀는 아름다운 ~을 가지고 있다 Ella tiene una casa preciosa. 만일 ~이 스스로 분쟁하면 그 집이 설 수 없고 ((마가복음 3:25)) Y si una casa está dividida contra sí misma, tal casa no puede permanecer / Y si una casa está dividida contra sí misma, no puede permanecer levantada / Y una familia dividida, no puede mantenerse (불화는 가정을 파괴한다). ~ 짓고 파산 ((서반아 속담)) Casa hecha, bolsa desecha. ~에서 멀어질수록 위험은 가까워진다 / ~만큼 안전한 곳은 없다 / 가장 좋은 여행은 ~ 밖으로 나가지 않는 것이다 ((서반아 속담)) El mejor caminar es no salir de casa. 자기 ~만 한 곳은 없다 / 누구나 자기 ~에서는 왕이다 ((서반아 속담)) En su casa cada uno es rey / Mientras en casa estoy, rey me soy. 내 ~의 빵 한 조각이 남의 ~의 꿩 한 마리보다 낫다 ((서반아 속담)) Más quiero en mi casa pan que en la ajeja faisán. 모든 사람은 자기 ~에서, 하나님은 모든 사람의 ~에서 ((서반아 속담)) Cada uno en su casa y Dios en la de todos (모든 사람은 자신을 위하나 하나님은 모두를 위해 계신다 / 사람은 자신의 일에 마음을 쓰지만 하나님은 모두를 위해 준비하시고 축복하신다). ② [모든 동물이 보금자리 치는 곳] nido *m*, cubil *m*. 개~ perrera *f*. 거미~ telaraña *f*. 벌~ colmena *f*. 새~ nido *m*. ③ [칼집·벼룻집과 같이 작은 물건을 끼우거나 담아 두는 곳] caja *f*, funda *f*, estuche *m*. 아기~ útero *m*, matriz *f*. 칼~ vaina *f*. ④ ((바둑)) cruz *f*. ⑤ [가족] familia *f*, [가정] hogar *m*. ~ 없는 아이 huérfano, -na *mf*. ~을 가지다 tener un hogar, tener una familia. ~을 일으키다 fundar una familia; [재흥(再興)하다] levantar [restablecer] una familia. ~을 잇다 suceder a *su* padre. 그는 ~이 가난하다 Su familia es pobre. ⑥ ((준말)) =집사람.

◆집도 절도 없다 no tener ni casa ni hogar. 집도 절도 없이 sin casa ni hogar, sin hogar.

■집과 계집은 가꾸기 탓 ((속담)) Un buen marido hace una buena mujer.

집(輯) series *fpl*. 제1~ primeras series.

-집(集) colecciones *fpl*. 수필~ colección *f* de ensayos.

집가시다 【민속】 purificar una casa de las espíritus malvados.

집가심 purificación *f* de una casa de las espíritus malvados.
집가축 animal *m* doméstico.
집게 tenazas *fpl*; [작은] tenacillas *fpl*; [철사를 끊는] alicates *mpl*; [빨래의] pinzas *fpl*. 플라스틱 ~ pinzas *fpl* de plástico.
집게발 pinzas *fpl* (del cangrejo).
집게벌레 【곤충】 tijereta *f*, cortapicos *m*.
집게뼘 longitud *f* entre el pulgar y el dedo índice extendidos.
집게손가락 dedo *m* índice, dedo *m* saludador.
집결(集結) concentración *f*, colección *f*. ~하다 concentrarse, conglomerarse, juntarse, reunirse. ~시키다 concentrar, centralizar. 병력(兵力)의 ~ concentración *f* de tropas.
■ ~소 centro *m* de concentración. ~ 지점(地點) punto *m* de concentración.
집계(集計) total *m*, suma *f* total, totalidad *f*. ~하다 sumar, totalizar. 투표(投票)를 ~하다 sumar los votos, contar el número de votos.
집광(集光) el reunir la luz. ~하다 reunir la luz.
■ ~기(器) condensador *m* de luz. ~ 렌즈 lente *m* condensador.
집괭이 gato *m* casero, gato *m* doméstico.
집괴(集塊) masa *f*, grupo *m*.
집구석 ① ((속어)) [집] casa *f*. ② ((속어)) [집 속] interior *m* de la casa, dentro de la casa.
집권(執權) toma *f* del poder. ~하다 tomar el poder, hacerse con el poder, llegar al poder, subir al poder.
■ ~당 partido *m* del poder, partido *m* en el poder, partido *m* del gobierno, partido *m* gubernamental. ~자 gobernante *mf*.
집권(集權) centralización *f* de poder [de autoridad]. ~하다 centralizar el poder.
집금(集金) cobro *m*, cobranza *f*, recaudación *f*. ~하다 cobrar, coleccionar, colectar, recaudar. ~하러 돌다 hacer un recorrido para cobrar.
■ ~원(員) cobrador, -dora *mf*.
집기(什器) utensilios *mpl*, enseres *mpl*, artículo *m* de moblaje. 사무용 ~ utensilio *m* [moblaje *m*] para oficina.
집 나다 ① [팔 집이 나다] una casa es puesta en venta. ② ((바둑)) hacerse cruces.
집 내다 ① [살던 집을 비우다] vaciar la casa, poner una casa en venta [a la venta]. ② ((바둑)) hacer cruces.
집념(執念) obsesión *f*, idea *f* fija, obstiración *f*, porfía *f*, empeño *m*. ~이 강한 obstinado, porfiado, tenaz; [앙심을 품고] rencoroso, vengativo. ~으로 con obstinación, con obsesión, obstinadamente, tenazmente; [복수심으로] con un espíritu vengativo. 그는 ~에 사로잡혀 있다 El está poseído [dominado] de una obsesión.
집다 ① [손으로 물건을 잡다] tomar, prender. 손으로 ~ tomar en su mano, recoger, coger. 수저를 ~ coger una cuchara. 금고에서 돈다발을 ~ sacar un puñado de billetes de la caja fuerte. ② [떨어진 것을 줍다] recoger [coger · alzar] (lo que estaba caído). 공을 ~ recoger la pelota. ③ [사이에 물건을 끼워서 들다] prender, tomar. 손가락으로 ~ prender [tomar] con los dedos. 젓가락으로 ~ prender [tomar] con los palillos. 젓가락으로 김치를 집어 먹다 tomar [prender] *kimchi* con los palillos.
집단(集團) grupo *m*, agrupación *f*, masa *f*, colectividad *f*, comunidad *f*. ~을 이루다 formar [reunirse en] un grupo, agruparse.
■ ~ 가옥 casas *fpl* en grupo. ~ 강도 [행위] bandolerismo *m*, bandidaje *m*, robo *m* en grupo; [사람] banda *f* de ladrones, bandoleros *mpl* organizados. ~ 검거 detención *f* [arresto *m*] en masa. ~ 검진(檢診) reconocimiento *m* en grupo. ~ 결근 ausentismo *m* en masa. ~ 결혼 casamiento *m* en grupo. ~ 경기(競技) [체조] manifestación *f* gimnástica en masa. ~ 경영 administración *f* comunitaria. ~ 노동 trabajo *m* en grupo. ~ 농장 granja *f* colectiva, hacienda *f* colectiva; [소련의] koljoz *m*. ~ 방위 defensa *f* colectiva. ~ 보장 seguridad *f* colectiva. ~ 보험 seguro *m* en grupo. ~ 본능 instinto *m* en masa. ~ 살인 matanza *f*. ~ 심리(학) psicología *f* de la masa. ~생활 vida *f* colectiva, vida *f* de comunidad. ~ 안전 보장 seguridad *f* colectiva. ~ 안전 보장 제도 sistema *m* colectivo. ~ 요법 terapia *f* en grupo. ~ 의식 conciencia *f* en grupo. ~ 이민 migración *f* en grupo [en masa]; [출국의] emigración *f* en grupo [en masa]; [입국의] inmigración *f* en grupo [en masa]. ~ 이질 disentería *f* en masa. ~ 자살 [일가의] suicidio *m* de una familia entera. ~ 자위 defensa *f* propia colectiva. ~ 작업 trabajo *m* colectivo, obra *f* colectiva. ~ 쟁의(爭議) conflicto *m* colectivo. ~적 colectivo, agrupado. ¶~으로 en grupo, en masa, en bloque; [공동으로] colectivamente. ~ 주택 casa *f* adosada en una hilera de casas idénticas. ~ 중독(中毒) envenenamiento *m* en masa. ~ 지도(指導) orientación *f* colectiva, dirección *f* colectiva. ~ 지도제 liderazgo *m* colectivo. ~ 취직 colocación *f* en masa. ~ 토론 discusión *f* en grupo. ~ 폭행 violencia *f* en grupo. ~ 학습 estudio *m* en grupo. ~협약(協約) convenio *m* colectivo. ~화(化) colectivización *f*.
집달관(執達官) ((구용어)) =집행관(執行官).
집달리(執達吏) ((구용어)) =집달관(執達官).
집대성(集大成) logro *m* de una síntesis. ~하다 lograr una síntesis (de), abrazar, integrar, comprender.
집도(執刀) operación *f* quirúrgica, práctica *f* de una operación quirúrgica. ~하다 operar quirúrgicamente, practicar una operación quirúrgica. 수술은 김 박사의 ~로 행해졌다 La operación fue practicada por el doctor Kim.
집돼지 puerco *m* casero, cerdo *m* casero.

집들이 fiesta *f* de inauguración de una casa. ~하다 dar una fiesta de inauguración de una casa.

집록(輯錄/集錄) compilación *f.* ~하다 compilar, readactar.

집류(執留) confiscación *f.* ~하다 confiscar.

집메주 soja *f* [*AmL* soya *f*] fermentada casera.

집모기【곤충】mosquito *m* (casero).

집무(執務) desempeño *m* del cargo [oficio · trabajo]. ~하다 atender al negocio, atender a *sus* deberes oficiales, trabajar. ~중이다 estar de servicio. ~중 금연 ((게시)) Se prohibe fumar durante el trabajo.
■~ 시간 horas *fpl* de oficina [trabajo · oficio · servicio]. ¶~에 [동안] en horas de oficina. ~ 외에 fuera de las horas de oficina. ~ 요령(要領) guía *f* a la rutina de oficina.

집문서(-文書) escritura *f* de la casa.

집물(什物) [가구] muebles *mpl*; [집기(什器)] utensilios *mpl*, enseres *mpl*.

집배(集配) recogida *f* y reparto, posta *f.* ~하다 recoger y distribuir. 하루 다섯 차례 ~가 있다 Se recoge y reparte cinco veces al día. 이곳은 하루에 두 번 우편의 ~가 있다 Aquí se recogen y distribuyen las cartas dos veces al día.
■~원(員) cartero *mf*.

집비둘기 paloma *f.*

집뼘 ((준말)) =집게뼘.

집사[1](執事) ① [주인 옆에 있으면서 그 집 일을 맡아보는 사람] mayordomo, -ma *mf*; administrador, -dora *mf*; intendente, -ta *mf.* ② =시하인(侍下人). ③ ((기독교)) [사람] diácono *m*, diaconisa *f*, [직(職)] diaconato *m.* ~의 일을 보다 diaconar.

집사[2](執事) =귀인(貴人).

집사람 mi mujer, mi esposa.

집산(集散) reunión y dispersión, distribución *f.* ~하다 reunirse y dispersarse, distribuirse.
■~주의(主義) colectivismo *m.* ~주의자(主義者) colectivista *mf.* ~지(地) centro *m* distribuidor, centro *m* distribuyente.

집성(集成) colección *f.* ~하다 coleccionar, congregar, juntar.

집세(-貰) alquiler *m* (de la casa), arrendamiento *m*, arriendo *m*, *AmL* renta *f.* ~가 밀림 atrasos *mpl* de alquiler (de la casa). ~를 밀리지 않고 잘 내다 pagar el alquiler regularmente. 당신의 ~는 얼마입니까? ¿Cuánto paga él de alquiler?

집시 (영 *Gipsy*) [코카서스 인종의 유랑 민족] gitanos *mpl*.

집시(영 *gipsy*) ① [방랑 생활(放浪生活)을 하는 일] vagabundeo *m*, vagabundaje *m*, vagabundería *f*, vagabundez *f.* ② [정처(定處) 없이 방랑 생활을 하는 사람] vagabundo, -da *mf*; bohemio, -mia *mf*; gitano, -na *mf.* ~ 생활 vida *f* de bohemio.

집심(執心) devoción *f*, anhelo *m*, afición *f.* ~하다 anhelar, aficionarse (a), morir (por).

집안 ① [가까운 살붙이] [가족] familia *f*, [가정] hogar *m*; [친척] pariente, -ta *mf.* ~의 familiar, particular. ~끼리 particularmente, sin ceremonia, en la intimidad. ~ 행사 fiesta *f* familiar. 온 ~ toda la familia. ② [집 속] interior *m* de la casa; [부사적] dentro de la casa. ~에 en casa. ~으로 들어가다 entrar en casa. 개가 ~에서 자고 있다 El perro duerme dentro.
■~간 particularmente, sin ceremonia, en la intimidad. ~사람 familia *f*, pariente *m* cercano, parienta *f* cercana. ~심부름 quehaceres *mpl* domésticos, tareas *fpl* del hogar. ~싸움 ㉮ [가족끼리의 싸움] tormenta *f* en un vaso de agua, discordias *fpl* familiares, intrigas *fpl* familiares, discordias *fpl* intestinas, pelea *f* familiar. ㉯ [한 조직이나 구성원끼리의 싸움] discordias *fpl* [pelea *f*] entre los miembros. ~일 ㉮ [집안에서 하는 일] tareas *fpl* domésticas, trabajo *m* de (la) casa, trabajo *m* casero, quehaceres *mpl* domésticos, faenas *fpl* domésticas, labores *fpl* caseras, cuidado *m* de la casa. ㉯ [집안의 사사로운 일] asunto *m* particular, cosa *f* familiar. ¶~을 돕다 ayudar el asunto particular.

집알이 visita *f* de cortesía a la familia recién mudada de casa. ~하다 visitar la nueva casa por primera vez.

집약(集約) intensidad *f*, compendio *m.* ~하다 resumir, integrar, ser intensivo. 조사 결과를 ~하다 resumir los datos de la investigación. 그의 사상(思想)은 이 한마디로 ~되어 있다 Todo su pensamiento está resumido [condensado · abreviado] en esta frase.
■~ 경영(經營) administración *f* intensiva. ~농업 agricultura *f* intensiva, cultivo *m* intensivo. ~ 어업 pesca *f* intensiva. ~적 intensivo. ¶~으로 intensivamente.

집어넣다 insertar, meter, introducir. 호주머니에 손을 ~ meter la mano en el bolsillo.

집어등(集魚燈) lámpara *f* de pesca, lámpara *f* para pescar.

집어먹다 ① [손·젓가락 등으로 집어서 먹다] comer, servirse. 몰래 ~ comer a hurtadillas. 손가락으로 ~ comer con los dedos. 젓가락으로 ~ comer con los palillos. 집어먹어라 Sírvete. ② [남의 물건을 후무려 가지다] comiscar, comisquear.

집어삼키다 ① [입에 집어 넣고 삼키다] recoger y tragar. ② [남의 것을 삼키다시피 후무려 가지다] usurpar.

집어세다 ① [체면 없이 마구 먹다] comer con gula [con glotonería]. ② [말·행동으로 마구 닦달하다] reprochar, criticar por criticar, quejarse sin motivo. ③ [남의 물건을 마음대로 가지다] desfalcar, malversar, llevarse, escaparse, largarse. 친구의 돈을 ~ llevarse [escaparse con · largarse con] el dinero de su amigo.

집어 주다 ① [물건을] pasar. 소금을 집어 주세요 [tú에게] Pásame la sal / [usted에게]

Páseme la sal. ② [뇌물을] sobornar, cohechar, comprar, *Méj* morder, *CoS, Per* coimear.

집어치우다 [중지하다] parar, dejar de + *inf*; [포기하다] abandonar; [사직하다] dimitir, renunciar, presentar *su* dimisión [*su* renuncia]. 공부를 ~ dejar de estudiar, abandonar *su* estudio. 회사를 ~ dimitir la oficina, renunciar a *su* oficina. 나는 위원회를 집어치웠다 Dimití [Renuncié a] mi cargo en la comisión.

집어타다 tomar. 택시를 ~ tomar un taxi.

집오리【조류】ánade *m* [pato *m*] doméstico. ~가 울다 graznar un pato.

집요하다(執拗-) (ser) insistente, pesado, pertinaz (*pl* pertinaces), persistente, obstinado, terco, porfiado, tenaz (*pl* tenaces), temoso. 집요함 obstinación *f*, pertinacia *f*, porfía *f*, terquedad *f*. 집요하게 obstinadamente, con persistencia, tenazmente, tercamente, con tenacidad, insistentemente, pesadamente. 집요하게 항의하다 protestar tenazmente. 감기가 정말 집요하군! ¡Qué resfriado tan pertinaz!

집음기(集音機) reflector *m* parabólico.

집임자 dueño, -ña *mf* [propietario, -ria *mf*] de la casa.

집장(-醬) salsa *f* de soja casera.

집적(集積) acumulación *f*, aglomeración *f*, amontonamiento *m*, pila *f*, montón *m* (*pl* montones). ~하다 acumular, aglomerar, amontonar, apilar. 자료를 ~하다 acumular [aglomerar · amontonar] datos.

■ ~ 시스템【컴퓨터】sistema *m* integrado. ~소 almacén *m*, depósito *m*. ~ 회로 ㉮ circuito *m* acumulador. ㉯【컴퓨터】circuito *m* integrado. ~ 회로망(回路網) red *f* de circuitos integrados. ~ 회로 메모리【컴퓨터】memoria *f* de circuitos integrados.

집적거리다 ① [경솔하게 이 일 저 일에 손을 대다] meterse (en), entrometerse (en), inmiscuirse (en). ② [말 · 행동으로 공연히 남을 건드리다] fastidiar, (hacer) rabiar, molestar, jorobar, atormentar, importunar. 여자(女子)를 ~ fastidiar a una mujer. 그녀를 가만히 두고 집적거리지 마라 Déjala en paz y no la fastidies.

집적집적 metiéndose; fastidiando.

집정(執政) gobierno *m*, administración *f*; [사람] administrador, -dora *mf*. ~하다 gobernar, administrar.

■ ~관(官) gobernador, -dora *mf*.

집주릅 administrador, -dora *mf*; gerente *mf*.

집주인(-主人) ① [그 집안의 주장이 되는 사람] jefe *m* de familia. ② [집임자] dueño, -ña *mf* [propietario, -ria *mf*] de la casa.

집중(集中) concentración *f* reconcentramiento *m*; [권력 등의] centralización *f*. ~하다 concentrar, centrar, centralizar. 권력을 ~하다 centralizar [concentrar] el poder. 전력(全力)을 ~하다 concentrar todas *sus* fuerzas [energías] (en). 정신(精神)을 ~하다 concentrar *su* espíritu (sobre), concentrarse (en). 주의(注意)를 ~하다 concentrar [fijar] la atención (en). 질문을 ~하다 concentrar las preguntas (en). 그는 그녀에게 시선을 ~시키고 있었다 El clavaba los ojos en ella / El tenía los ojos puestos en ella. 이 측면에 눈을 ~시킬 필요가 있다 Nos hace falta prestar atención a este lado. 토론(討論)은 이 점에 ~되었다 La discusión se dirigió exclusivamente hacia [se centró en] este punto / Han centrado la discusión exclusivamente en este punto. 인구가 도시에 ~되고 있다 La población está concentrada en las ciudades.

■ ~ 강의 curso *m* intensivo. ~ 공격(攻擊) ataque *m* concentrado. ~난방 =중앙난방. ~ 데이터 세트 convertidor *m* de señal integrado. ~ 데이터 처리 ㉮ proceso *m* integrado de datos. ㉯【컴퓨터】sistemización *f* integrada de datos. ~력(力) concentración *f*. ~ 배제 descentralización *f*. ~ 비행 시스템【항공】sistema *m* de vuelo integrado. ~ 사격(射擊) fuego *m* convergente [concetrado]. ~ 생산(生産) producción *f* incentiva. ~ 신경계 sistema *m* nervioso convergente. ~적 convergente *adj*. ~ 치료 병동 la Unidad de Vigilancia Intensiva, UVI *f*, la Unidad de Cuidados Intensivos, UCI *f*, el Centro de Tratamiento Intensivo, CTI *m*; *Chi* la Unidad de Tratamiento Intensivo, UTI *f*. ~포화 fuego *m* convergente (de artellería). ~폭격 bombardeo *m* por [de] saturación. ~호우(豪雨) tromba *f* (concentrada) de agua torrencial.

집쥐 rata *f* casera común.

집진(集塵) colección *f* de polvos. ~하다 coleccionar polvos.

■ ~기(機)[장치] colector *m* de polvos, captador *m* de polvos.

집짐승 =가축(家畜)(animal doméstico).

집집 cada casa, todas las casas. ~을 방문하다 hacer una visita de casa en casa.

집집이 cada casa, todas las casas.

집착(執捉) captura *f* de los criminales. ~하다 capturar a los criminales.

집착(執着) adhesión *f*, apego *m*. ~하다 adherirse excesivamente, apegarse obsesionadamente [exageradamente] (a), aferrarse (a). ~을 단념하다 renunciar al apego (a · hacia). 금전(金錢)에 ~하다 apegarse mucho al dinero. 생명에 ~하다 apegarse mucho a la vida. 신앙(信仰)에 ~하다 ser fanático [intolerante] de una religión. 선입관념에 ~하다 estar lleno de prejuicios. 그는 ~이 강한 사람이다 El es una persona que se concentra excesivamente [hasta el fastidio] en cualquier cosa. 나는 현재의 지위에 아무런 ~도 없다 No tengo ningún apego al puesto actual.

■ ~력 tenacidad *f*, pertinacia *f*, adhesión *f*, obstinación *f*, terquedad *f*, testarudez *f*. ~심 tenacidad *f*.

집찰(集札) ((구용어)) =집표(集票).

집채 (toda la) casa *f*.
집채 같다 ser tan grande como una casa. 집채 같은 파도 ola *f* (grande). 집채같이 enormemente.

집치레 =집치장.

집치장(一治粧) decoración *f* interior de una casa. ~하다 decorar [adornar] una casa.

집터 terreno *m*, solar *m*, local *m*. ~를 닦다 nivelar el local [el solar · el terreno] para una casa. ~를 사다 comprar un solar para un edificio.

집터서리 espacio *m* de más alrededor de una casa.

집토끼 【동물】 conejo *m*.

집파리 【곤충】 mosca *f* común, mosca *f* doméstica; 【학명】 Musca domestica.

집표(集票) colección *f* [recogida *f* · concentración *f*] de billetes. ~하다 coleccionar [recoger · concentrar] billetes.
■ ~원(員) recogedor, -dora *mf* de billetes.

집필(執筆) escritura *f*. ~하다 escribir redactar. ~하기 시작하다 empezar [comenzar] a escribir, ponerse a escribir, coger la pluma. ~ 중인 소설 novela *f* en redacción.
■ ~자 escritor, -tora *mf*, autor, -tora *mf*.

집하(集荷) concentración *f* de mercancías. ~하다 concentrar mercancías.

집합(集合) ① [한군데로 모임] reunión *f*, concurrencia *f*, agrupación *f*, colección *f*. ~하다 reunirse, agruparse, congregarse, acumular, coleccionar. ~시키다 reunir, juntar. 군대를 ~시키다 reunir el ejército. ② 【수학】 conjunto *m*.
■ ~ 개념 concepto *m* colectivo. ~과(果) fruta *f* múltiple. ~론 teoría *f* de conjunto. ~ 명사(名詞) nombre *m* colectivo. ~ 명사(名辭) término *m* colectivo. ~물 cosa *f* colectiva, objeto *m* colectivo. ~범 delito *m* colectivo, delito *m* de hábito. ~ 시간 horas *fpl* de reunión. ~ 장소 lugar *m* de reunión, lugar *m* de cita, lugar *m* predilecto. ~체(體) agregado *m*. ~ 표상(表象) epresentación *f* colectiva.

집해(集解) colección *f* de comentarios.

집행(執行) ① [일을 잡아 행함. 실제로 시행함] ejecución *f*, realización *f*. ~하다 llevar a cabo, realizar. ② 【법률】 [법률 · 명령 · 재판 · 처분 등의 내용을 현실로 구체화하는 일] ejecución *f*. ~하다 ejecutar. 형(刑)을 ~하다 ejecutar la pena, ejecutar la sentencia. ③ ((준말)) =강제 집행.
◆ 강제(强制) ~ ejecución *f* forzada.
■ ~관 alguacil *mf*, ujier *mf*. ~권 poder *m* ejecutivo, derecho *m* de ejecución. ~ 기관 órgano *m* de ejecutivo. ~ 기간 período *m* de ejecución. ~ 기일 fecha *f* de ejecución. ~력 poder *m* ejecutivo. ~ 명령 orden *f* de ejecución. ~문 oración *f* de ejecución. ~ 방법 manera *f* de ejecución. ~벌(罰) castigo *m* de ejecución. ~ 법원 tribunal *m* de ejecución. ~부(部) consejo *m* directivo, ejecutivo *m*. ~ 비용 costes *mpl* de ejecución. ~ 영장(令狀) orden *f* de ejecución, mandamiento *m* de ejecución. ~ 위원 ejecutivo, -va *mf*, comisionado, -da *mf*. ~ 위원회 comité *m* ejecutivo. ~ 유예(猶豫) libertad *f* condicional, sentencia *f* en suspenso, suspensión *f* de ejecución de la sentencia, remisión *f* condicional. ~의 면제 remisión *f* de ejecución. ~의 보조 ayuda *f* [auxilio *m*] a ejecución. ~의 정지 suspensión *f* de ejecución. ~의 착수 comienzo *m* de ejecución. ~자 albacea *m*, testamentario *m*. ~ 정지 suspensión *f* de ejecución [ejecutante]. ~ 정지 명령 orden *f* de suspensión de ejecución. ~ 조서(調書) escrito *m* de ejecución. ~ 지휘(指揮) dirección *f* de cumplimiento. ~ 처분(處分) medida *f* de ejecución. ~ 판결 sentencia *f* de ejecución. ~ 행위(行爲) acción *f* de ejecución.

집형(執刑) ejecución *f* de sentencia. ~하다 ejecutar la sentencia.

집회(集會) ① [모임] reunión *f*; [회합] asamblea *f*, junta *f*; [요구 · 항의 등의] concentración *f*; [정치 연설의] mitin *m* (*pl* mítines). ~를 열다 celebrar una reunión, reunirse, celebrar una concentración, concentrarse. ~에 나가다 asistir a una reunión. ~가 개최된다 Tiene lugar una reunión [una concentración]. ② ((구세군)) =예배(禮拜).
◆ 불법 ~ reunión *f* ilegal. 야외 [옥외] ~ reunión *f* al aire libre.
■ ~란(欄) columna *f* de reuniones. ~소 lugar *m* de reunión. ~ 신고 anuncio *m* [*AmL* aviso *m*] de reunión. ~의 자유 libertad *f* de reunión. ~장(場) sala *f* de reuniones. ~ 참가자 participante *mf* de reunión.

집히다 ① [집음을 당하다] ser recogido. ② [생각이 나다] recordar, acordarse (de). 네가 말한 그것에 대해 약간 집힌다 Ahora que tú lo dices, recuerdo algo de eso. 전혀 집히는 데가 없다 No recuerdo nada / No me acuerdo de nada.

짓 [몸을 놀려 움직이는 일] acto *m*, obra *f*, hecho *m*, conducta *f*, movimiento *m*, manera *f* de proceder, ademán *m* (*pl* ademanes), pose *m*; [몸짓] gesticulación *f*, gesto *m*. ~을 모방하다 imitar los gestos y ademanes (de). 그것은 그가 잘하는 ~이다 Es su ademán de siempre. 그것은 그 녀석의 ~이다 El es el autor / Lo ha hecho ese tipo. 그것은 아이의 ~으로 믿기가 어렵다 Es difícil creer que sea obra de un niño / Es difícil creer que lo haya hecho un niño.

짓거리 acto *m*, acción *f*, hecho *m*, conducta *f*, actitud *f*.

짓궂다 (ser) travieso, juguetón, malicioso, picaresco, malhumorado; [공교롭다] sin suerte, desafortunado. 짓궂은 사람 persona *f* traviesa [picaresca · maliciosa · malhumorada · maldispuesta]. 짓궂은 남자(男子) hombre *m* malhumorado. 짓궂은 여자

mujer *f* malhumorada. 짓궂은 미소를 띠고 con una sonrisa maliciosa. 짓궂게 굴다 hacer travesuras, jugar una mala pasada (a); [부인에게] atentar contra el pudor (de). 짓궂은 짓을 하다 vejar, agraviar, ofender, malestar. 더위가 나를 짓궂게 만들었다 El calor me ponía de muy mal humor.

짓궂은 장난 travesura *f*, diablura *f*, [농담] broma *f*. ~을 하다 hacerle [gastarle] una broma a *uno*. 나는 ~을 했다 Me hizo [gastó] una broma.

짓궂은 장난꾼 bromista *mf*. 그는 ~이다 Le gusta hacer [gastar] bromas / El es un bromista.

짓궂이 con mal humor, de mal humor, malhumoradamente.

짓 나다 divertirse, retozar, juguetear.

짓누르다 apretar, comprimir; [억누르다] reprimir.

짓눌리다 apretarse, comprimirse, reprimirse.

짓다[1] ① [재료를 들여 만들다] hacer, confeccionar, manufacturar; [밥을] cocinar, guisar, hacer, preparar; [약을] preparar. 밥을 ~ hacer [preparar] el arroz. 약(藥)을 ~ preparar la medicina. 옷을 ~ hacer un traje, confeccionar un traje. 저녁을 ~ preparar la cena. 약국에서 약을 지어 오다 밥을 지을 줄 아니? ¿Sabes cocinar? / ¿Sabes guisar? ② [모양이 나타나도록 만들다] formar, expresar, parecer. 지은 미소 sonrisita *f*. 미소를 ~ sonreírse. 슬픈 표정을 ~ parecer (que está) triste. 그녀는 슬픈 표정을 지었다 Pareció (que estaba) triste. 그렇게 놀란 표정을 짓지 마라 No pongas esa cara de asombro. ③ [글을 만들다] escribir, componer, hacer. 시(詩)를 ~ componer un poema. 작문을 ~ escribir una composición. 책을 ~ escribir un libro. ④ [딱 정해서 확정된 상태로 만들다] poner fin (a), concluir, terminar, solucionar. 결말을 ~ concluir, solucionar, terminar, llegar a la conclusión. 나는 (…라) 이미 결말을 지었다 Yo ya había llegado a la conclusión (de que) / Yo ya había concluido (que). ⑤ [건물 등을 세우는 일을 하다] construir, edificar, hacer. 벽돌로 지은 집 una casa de ladrillo. 집을 ~ construir una casa. 이층 집을 ~ construir la casa de dos pisos. ⑥ [논밭을 다뤄 농사를 하다] cultivar, ladrar, trabajar. 벼농사를 ~ cultivar el arroz, cultivar el arrozal. 밭을 ~ ladrar el campo. 보리농사를 ~ cultivar la cebada. ⑦ [꾸며 내어 그렇게 만들다] inventar. 이야기를 ~ inventar cuentos. 지어낸 이야기 invención *f*, cuentos *mpl* inventados. 모두 네가 지어낸 것이다 (Te) Lo has inventado todo / Son todos inventos tuyos. ⑧ [벌받을 짓을 하다] cometer. 죄를 ~ cometer un delito, cometer un crimen. 그는 용서 받을 수 없는 죄를 지었다 El cometió el crimen imperdonable.

짓다[2] =지우다.

짓두들기다 dar muchos golpes, golpear mucho.

짓둥이 gesticulación *f*, conducta *f*, comportamiento *m*.

짓마다 romper, destrozar, hacer añicos, prensar, pisar.

짓먹다 hartarse, darse un hartazo (de), comer mucho, comer hasta hartura.

짓무르다 inflamarse. 짓무른 눈 ojos *mpl* legañosos. 구두에 닳아 짓무름 rozaduras *fpl* por el zapato. 짓무르게 하다 hacer rozaduras [daño]. 상처 구멍이 짓물러져 있다 La abertura de la herida está inflamada. 이 구두에 (닳아) 살이 짓물러졌다 Estos zapatos me han hecho rozaduras [daño].

짓무찌르다 aplastar, sofocar.

짓뭉개다 pisotear, pisar.

짓밟다 ① [짓이기다시피 마구 밟다] pisar, poner bajo los pies, hollar, pisotear, arrollar, atropellar. 그들은 수선(水仙)을 땅에 짓밟았다 Ellos pisotearon los narcisos. 경찰의 말들이 시위자들을 짓밟았다 Los caballos de la policía arrollaron [atropellaron] a los manifestantes. ② [함부로 마구 억누르거나 유린하다] humillar, pisotear. 명예를 ~ pisotear el honor (de). 그는 나를 짓밟았다 El me humilló. 너는 우리의 우정을 짓밟았다 Hiciste traición a nuestra amistad.

짓밟히다 ser pisoteado, pisarse, ponerse bajo los pies. 신문은 통행인들에 의해 짓밟혀졌다 El periódico había sido pisoteado por los transeúntes.

짓씹다 mascar [masticar] perfectamente

짓이기다 machacar, machucar, amasar, agullar, aplastar, derrotar; [감자·바나나를] chafar, hacer puré (de), *Chi*, *Méj* moler, *RPl* pisar, *Col* espichar. 짓이긴 감자 puré m de patatas, *AmL* puré *m* de papas. 감자를 ~ chapar las patatas [*AmL* papas]. 복숭아를 ~ machacar un melocotón. 사람을 ~ golpear, dar un golpe. 적(敵)을 ~ derrotar [aplastar] a los enemigos. 진흙을 ~ trabajar arcilla. 파리를 ~ aplastar una mosca.

짓적다 estar avegonzado (de).

짓찧다 [곡식·양념을] machacar; [고추·마늘을] majar, machacar, pulverizar; [가루 반죽을] trabajar; [사람의 이마 따위를] golpear, pegar, dar un golpe. 그는 내 이마를 짓찌었다 El me dio un golpe [me golpeó] en la frente. 가는 가루가 될 때까지 수수를 짓찧으세요 Macháquese el mijo hasta reducirlo a un polvo fino.

징[1] [신창·말굽·쇠굽 등의] tachuela *f*, clavo *m* de herradura.

징[2] 【악기】 gongo *m*, gong *m*, batitín *m*. ~을 울리다 hacer sonar el gongo.

■ ~잡이 músico, -ca *mf* de gongo. ~장구 el gongo y el tambor.

징거 두다 ① [옷이 해지지 않게 듬성듬성 꿰매어 두다] hilvanar. ② [앞으로의 일을 미리 마련하여 두다] preparar de antemano.
징거매다 hilvanar.
징거미 **【동물】** langostín *m* (*pl* langostines).
징건하다 (ser) pesado, feculento.
징검다리 pasadera *f*, estriberón *m*, cada una de las piedras que se colocan para cruzar un arroyo, un pantano etc. ~를 타고 andando sobre estriberones.
■~ 연휴(連休) puente *m*, días *mpl* festivos escalonados.
징검돌 pasadera *f*, piedras *fpl* escalonadas.
징검징검 ① [띄엄띄엄 징거매는 모양] hilvando. ② [발을 멀찍멀찍 떼어 놓으며 걷는 모양] con una zancada. ~ 걷다 andar con una zancada.
징경이 **【조류】** quebrantahuesos *m*. ☞물수리
징계(懲戒) sanción *f*, castigo *m*, reprensión *f*. ~하다 sancionar, castigar, escarmentar. ~의 disciplinario. ~를 받다 ser castigado, ser sancionado. 그것은 그에게 좋은 ~가 될 것이다 Será un buen castigo para él.
■~ 면직[파면] distitución *f* disciplinaria. ~벌 castigo *m* disciplinario. ~ 위원회 comité *m* disciplinario. ~ 처분[조치] medida *f* disciplinaria. ~ 회부 sometimiento *m* a la disciplina.
징그다 hilvanar.
징그럽다 (ser) espeluznante, horripilante, pavoroso, horroroso, horrible, repulsivo, repelente, odioso, espantoso. 징그러운 광경 vista *f* repulsiva. 징그러운 벌레 insectos *mpl* horripilantes.
징글맞다 (ser) muy espeluznante, muy horripilante, muy repulsivo, muy repelente.
징글징글하다 (ser) espeluznante. ☞징그럽다
징기스칸 **【인명】** Genghis Khan (1162-1227) ((원나라의 태조; 몽골 제국의 시조)).
징두리 fundación *f* de una casa.
징모(徵募) alistamiento *m*, reclutamiento *m*, recluta *f*. ~하다 reclutar (tropas), alistarse.
징발(徵發) incautación *f*, requisa *f*, requisición *f*. ~하다 incautarse (de), requisar.
■~권 derecho *m* de requisición. ~령(令) orden *f* de requisición. ~법(法) ley *f* de requisición. ~선(船) barco *m* requisado.
징벌(懲罰) castigo *m*, punición *f*, pena *f*, disciplina *f*. ~하다 castigar, punir, penar, disciplinar.
■~ 규정 provisión *f* disciplinaria. ~ 위원회 comité *m* disciplinario.
징병(徵兵) enlistamiento *m*, reclutamiento *m* (para el servicio militar obligatorio en casos de guerra), conscripción *f*, leva *f*. ~하다 enlistarse, reclutar, levar, llamar a filas, llamar al servicio militar. ~에 응하다 alistarse en el ejército, sentar plazo en el ejército. 그녀의 아들은 ~되었다 Su hijo fue llamado a filas.
■ ~ 검사(檢査) reconocimiento *m* para la conscripción. ~관(官) oficial *m* de reclutamiento. ~ 기피 evasión *f* del servicio militar. ~ 기피자 prófugo, -ga *mf*. ~ 기피죄 delito *m* de evasión del servicio militar. ~ 면제 exención *f* del servicio militar. ~ 연기 prórroga *f* [aplazo *m*] de reclutamiento. ~ 인원 할당수 cupo *m* (de soldados). ~ 적령 edad *f* de conscripción. ~제[제도] sistema *m* de reclutamiento.
징세(徵稅) recaudación *f* [recobro *m*] de impuestos. ~하다 recaudar [cobrar] impuestos.
■~관 recaudador, -dora *mf* de impuestos. ~비(費) gastos *mpl* de recaudación de impuestos.
징수(徵收) percepción *f*, exacción *f*; [거둠] cobro *m*, cobranza *f*; [세금의] recaudación *f*. ~하다 percibir, recaudar. ~할 수 있는 cobrable, perceptible. ~할 수 없는 irrecobrable. 세금(稅金)을 ~하다 recaudar impuestos. 세금 ~가 엄하다 Los impuestos se cobran sin indulgencia.
징악(懲惡) castigo *m* del vicio. ~하다 castigar el vicio, castigar al malvado.
징얼거리다 (estar) irritado, displicente, malhumorado; [울다] lloriquear. 아이가 징얼거린다 El nene está irritado [displicente · malhumorado] / [울다] El nene lloriquea. 징얼징얼 lloriqueando.
징역(懲役) (encarcelamiento *m* con) trabajos *mpl* forzados. ~ 5년에 처하다 condenar a cinco años de trabajos forzados.
■~ 기간 período *m* de prisión. ~살이 vida *f* de prisión, vida *f* de cárcel, encarcelamiento *m*. ¶~를 하다 cumplir una pena de trabajos forzados, estar preso, estar en la cárcel.
징용(徵用) conscripción *f*, reclutamiento *m* para el servicio militar obligatorio en casos de guerra. ~하다 reclutar (por fuerza), llamar a filas.
징조(徵兆) síntoma *m*, indicio *m*, presagio *m*, augurio *m*, agüero *m*. ~가 좋은 de buen augurio. ~가 나쁜 de mal augurio, siniestro. ~가 좋다 tener (un) feliz agüero [una feliz iniciación], tener (un) buen presagio. ~가 나쁘다 tener mal agüero [presagio], empezar con mal augurio. 장례식을 만나는 것은 ~가 나쁘다 Mi encuentro con el fueneral presagia malos augurios.
징집(徵集) ① [물건을 거둬 모음] colección *f*, concurrencia *f*, reunión *f*. ~하다 coleccionar, reunir, juntar. ② [병역법에 따라 장정을 간발(簡拔)하여 보충함] conscripción *f*, reclutamiento *m*, enlistamiento *m*, leva *f*. ~하다 reclutar, enlistar, levar. 그는 군에 ~되었다 Le llamaron a filas [a cumplir] el servicio militar.
◆강제(强制) ~ militar *m* obligatorio, *AmL* conscripción *f*.
■~ 기피 evasión *f* de conscripción. ~ 기피자 prófugo, -ga *mf*. ~ 면제 exención *f* [exoneración *f*] del enlistamiento. ~병(兵) recluta *mf*, *AmL* conscripto, -ta *mf*. ~ 연기 prórroga *f* de reclutamiento. ~ 연도(年度) año *m* de reclutamiento. ~영장(令狀)

orden *f* de reclutamiento.

징징거리다 refunfuñar, gruñir, regañar, rezongar, murmurar, quejarse.

징치(懲治) corrección *f*, disciplina *f*. ~하다 corregir, disciplinar.

징크스(영 *jinx*) [불운(不運). 불길] gafe *m*, cenizo *m*, mala suerte *f*, mal presagio *m*. ~를 깨다 romper mala suerte, deshacer el mal presagio.

징크판(zinc 版) =아연판(版).

징후(徵候) síntoma *m*, presagio *m*, augurio *m*, señal *f*, indicación *f*. ~가 있는 sintomático. 결핵의 ~를 보이다 mostrar síntoma de tuberculosis. 회복의 ~를 보이다 mostrar síntoma de recuperación. …의 ~를 나타내다 presentar síntomas de *algo*. 눈은 풍년의 ~다 La nieve es un síntoma de buena cosecha / La nieve anuncia buena cosecha. 그것은 좋은 ~다 Es un buen presagio / Eso es una buena señal. 그의 병상(病狀)은 결핵의 ~를 나타내고 있다 Su dolencia presenta síntomas de tuberculosis.

■ ~학(學) sintomatología *f*.

짖다 ① [개가 큰 소리로 울다] ladrar, gañir, soltar un ladrido. 개 짖는 소리 ladrido *m*, gañido *m*. 달을 보고 ~ ladrar a la luna. 개가 거지를 보고 짖었다 El perro ladró al mendigo. 짖는 개는 물지 않는다 ((서반아 속담)) Perro que ladra, no muerde / Perro ladrador, poco mordedor / Perro ladrador, nunca buen mordedor (위협을 하는 자는 거의 위험이 없다 / 말이 많은 사람은 믿을 것이 거의 없다). 늙은 개는 쓸데없이 짖지 않는다 ((서반아 속담)) El perro viejo no ladra en vano. 늙은 개가 짖을 때는 충고하는 것이다 ((서반아 속담)) El perro viejo cuando ladra da consejo. 죽은 개는 물지도 짖지도 않는다 ((서반아 속담)) Perro muerto ni muerde ni ladra. ② [까막까치가 시끄럽게 지저귀다] graznar. ③ =지껄이다.

짙다[1] [재물 따위가 넉넉하게 남는다] quedar abundantemente.

짙다[2] ① [빛깔·화장 따위가 진하다] (ser) obscuro, oscuro, subido (강렬한). 화장이 짙은 demasiado [muy] maquillado [pintado]. 짙은 다색(茶色) 천 tela *f* de color café oscuro. 짙게 되다 hacerse más oscuro. 빛깔을 짙게 하다 hacer más oscuro el color, sombrear, oscurecer (el color). 화장을 짙게 하다 maquillarse [pintarse] mucho; [더덕더덕 칠하다] pintarrajear, pintorrear. ② [안개·연기·냄새 등이 깊거나 농후하다] (ser) espeso, denso, concentrado. 짙은 안개 niebla *f* densa, niebla *f* espesa. ③ [풀·나무·눈썹 등이 빽빽하다] (ser) espeso, tupido, abundante, cerrado; poblado. 짙은 눈썹 cejas *fpl* pobladas. 짙은 머리카락 pelo *m* espeso [tupido · abundante]. 짙은 수염 barba *f* poblada. 짙은 숲 bosque *m* espeso, selva *f* (espesa). 수염이 ~ llevar una barba espesa [tupida · cerrada], ser barbudo. 그녀는 머리카락이 ~ Ella tiene mucho pelo / Ella tiene el pelo grueso y abundante. ④ [액체의 농도가 높다] (ser) espeso, cargado; [술이] fuerte. 짙은 수프 sopa *f* espesa. 짙은 차(茶) té *m* cargado. 짙게 하다 espesar, densificar, trabar, dar consistencia [cuerpo] (a). 짙게 되다 espesarse, densificarse, tomar consistencia. 맛을 짙게 하다 hacer fuerte el sabor. 수프를 짙게 하다 espesar la sopa. 이 소스는 맛이 ~ Esta salsa está demasiado cargada [condimentada].

짙은천량 [전해 내려오는 많은 재물] mucha riqueza *f* heredada, muchos tesoros *mpl* heredados.

짙푸르다 (ser) azul intenso, azul subido. 짙푸른 눈 ojos *mpl* azul zafiro. 짙푸른 호수 lago *m* azul zafiro. 하늘은 짙푸르게 개어 있었다 El cielo fue claro y azul intenso.

짚 ① [벼·밀·조·메밀 등의 이삭을 떨어낸 줄기] paja *f*, [지붕을 이는] bálago *m*; [가축의] cama *f* de paja. ~을 넣은 요 colchón *m* (*pl* colchones) de paja. ~을 썬 여물 mezcla *f* de paja y heno. ~으로 만든 인형(人形) testaferro *m*, hombre *m* de paja. ~을 묶다 atar paja en un manojo. ② [산욕(産褥)에 깔던 벼의 짚] paja *f* de arroz. ③ ((준말)) =볏짚(paja de arroz).

■ ~가리 almiar *m*. ~공 pelota *f* de paja. ~단 =짚뭇. ~대 tallo *m* de paja. ~더미 montonera *f*, montón *m* (*pl* montones) de paja. ~둥우리 cesta *f* de paja. ~뭇 atado *m* de paja, paja *f* agavillada. ~북데기 montón *m* (*pl* montones) de paja. ~불 fuego *m* de paja. ~수세미 cepillo *m* de fregar de paja. ~신 sandalias *fpl* de paja, babucha *f* de papa, calzado *m* [zapato *m*]. de paja. ~신할아범 ((속어)) =견우성(牽牛星). ~여물 mezcla *f* de paja y heno. ~자리 estera *f* de paja. ~재 cenizas *fpl* de la paja quemada.

짚다 ① [지팡이 등을 받쳐 땅에 대다] usar, llevar. 지팡이를 ~ usar el bastón. 지팡이를 짚고 걷다 andar con un bastón. ② [맥(脈) 위에 손가락을 대다] tomar, sentir, examinar. 맥을 ~ tomar el pulso, pulsar. 의사가 환자의 맥을 짚어 보았다 El médico pulsó al enfermo. ③ [바닥에 손을 받치다] poner, apoyar. 성경에 손을 짚고 con la mano sobre la Biblia. 돗자리에 손을 ~ poner sus manos en la estera. 책상 위에 팔꿈치를 ~ apoyar el codo sobre la mesa. 그녀는 손으로 내 어깨를 짚었다 Ella tenía la mano recostada en [apoyada sobre] mi hombro. ④ [요량하여 짐작하다] suponer, contar con los dedos. 달수를 ~ contar los meses con los dedos.

짚신벌레 【동물】 paramecio *m*.

짚신할아비 ((속어)) =견우성(牽牛星).

짚이다 saber (de), tener en corazón.

짜개 una parte de soja partida en dos.

■ ~김치 *kimchi* de pepino ~황밤 castaños *mpl* partidos.

짜개다 partir. ☞쪼개다
짜개지다 partirse.
짜깁기 zurcidura *f* invisible. ～하다 zurcir invisiblemente.
짜깁다 zurcir invisiblemente.
짜다[1] ① [사개를 맞추어 그릇을 만들다] hacer. 가구를 ～ hacer los muebles. 책상을 ～ hacer una mesa. ② [부분을 맞추어 통일된 전체를 꾸며 만들다] montar, ensamblar, armar. 기계를 짜 맞추다 montar una máquina. 부품(部品)을 ～ montar las piezas. ③ [조직을 만들다 · 편성(編成)하다] formar, organizar, integrar, componer, constituir, preparar. 전체를 짜고 있는 부분 las partes que forman [constituyen] el todo. 계획(計劃)을 ～ formar un plan [un proyecto]. 편을 ～ formar un partido, formar una facción. 서반아어반을 ～ formar una clase del español. 그것은 네 부분으로 짜여 있다 Está compuesto de cuatro partes. ④ [비틀거나 눌러 물기나 기름을 내다] [레몬 따위를] exprimir; [액체(液體) · 주스를 추출하다] extraer, sacar; [옷 따위의 물기를] escurrir, retorcer, estrujar. 짜는 기계 [세탁물의] escurridor *m*, exprimidor *m*; [과일의] exprimidor *m*. 레몬을 ～ exprimir un limón. 빨래를 ～ escurrir la ropa. 치약을 꺼내기 위해 튜브를 ～ estrujar el tubo para sacar pasta dentífrica. ⑤ [떠오르지 않는 생각 · 궁리 · 생각 · 시간 등을 억지로 내다] planear, inventar, fraguar, maquinar, tramar, urdir, ingeniarse [ingeniárselas · arreglárselas · apañarse · apañárselas · manejarse] para conseguir. 대책을 ～ tomar las medidas [disposiciones] necesarias (para + *inf* [contra *algo*]). 머리를 짜내어 생각하다 calentarse [devanarse] los sesos, calentarse la cabeza. 그는 머리를 짜내어 생각하고 있다 El se está calentado la cabeza. 그것을 짜낸 것은 바로 그 사람이다 Es él quien lo tramó / El intrigante es él. 그는 카드의 새로운 게임을 짜냈다 El inventó un nuevo juego de cartas. ⑥ [참혹하게 착취하거나 징수하다] explotar, arrebatar, sacar. 그는 그들로부터 더 많은 돈을 짜내려고 했다 El trató de sacarles más dinero. ⑦ [머리털을 풀어 상투를 만들다] atar. 상투를 ～ atar el moño. ⑧ [실이나 가는 끈을 세로 가로 결어 피륙 · 털내의 등을 만들다] tejer, teñir, tricotar; [셋으로] trenzar; [섞어 짜다] entretejer. 손으로 짠 tejido a mano. 베를 짜는 여인 tejedora *f*, tejedera *f*. 장갑을 ～ hacer guantes de punto. 섞어 넣어 ～ entretejer. 금사(金絲)를 섞어 짠 entretejido con hilo de oro. 금사(金絲)를 섞어 짠 그물코 malla *f* de hilo de oro. ⑨ ((속어)) ＝울다(llorar). ¶눈물을 ～ derramar lágrimas. ⑩ [내통(內通)하다] coludir (con), actuar en colusión (con), estar en connivencia (con).
짜다[2] ① [소금의 맛이 있다] (ser) salado, salobre. 짠 salado, sazonado de sal, condimentado de sal. 짠맛 sabor *m* salado. 짠 반찬 comidas *fpl* saladas, platos *mpl* salados. 짠 음식 comida *f* salada. ② [마음에 달게 여겨지지 않다] (ser) desagradable, antipático. 마음이 ～ sentir desagradable. ③ ((속어)) ＝인색하다(tacaño). ¶사람이 좀 ～ Es un poco tacaño.
짜드락나다 ser detectado, ser descubierto.
짜들다 ser empedernido.
짜디짜다 (ser) muy salado, saladísimo. 짜디짠 김치 *kimchi* muy salado.
짜뜰름거리다 dar poco a poco.
짜뜰름짜뜰름 poco a poco.
짜른대 ＝곰방대.
짜름하다 (ser) algo corto.
-짜리 ① [무슨 옷을 입은 것으로써 그 사람을 낮추어 이르는 말] persona *f* que se pone. 양복～ el hombre *m* que se pone el traje. ② [얼마의 값이 되는 물건 또는 화폐] moneda *f*, pieza *f*. 오백 원～ 동전 una moneda de quinientos wones. 만 원～ 지폐 un papel moneda de diez mil wones. ③ [얼마만 한 수나 양으로 된 물건] cantidad *f*. 이십 킬로그램～ 쌀 saco *m* de arroz de veinte kilógramos ④ [나이 뒤에 붙어 그 나이의 사람임을 낮추어 이르는 말] (de) años *mpl* de edad. 세 살～ 꼬마 chiquito *m* de tres años de edad.
짜릿하다 doler. 나는 전신이 ～ Me duele todo el cuerpo.
짜릿짜릿 dolientemente.
짜부라뜨리다 aplastar.
짜부라지다 ＝찌부러지다.
짜이다 ① [규모가 어울리다] estar en harmonía (con). ② [조직 · 이론 등이] ser formado [organizado · formulado · elaborado]. 조직이 잘 ～ ser bien organizado. 이론이 잘 ～ una teoría ser bien formulada.
짜임 ＝조직(組織). 구성(構成).
짜임새 estructura *f*.
짜증 mal humor *m*, mal genio *m*, irritabilidad *f*, irascibilidad *f*, impaciencia *f*, queja *f*. 신경질적인 ～ irritabilidad *f* nerviosa. 불만족에 대한 ～이 있었다 Hubo algunas muestras de descontento.
◆짜증(을) 내다 enfadarse, enojarse, irritarse, inquitarse, preocuparse, ofenderse. 짜증내지 마라 No te enfades / No te enojes / ¡Tranquilízate! 그는 쉬 짜증을 낸다 El es muy susceptiblre. 그녀는 자기를 초대하지 않았기 때문에 무척 짜증을 냈다 Ells se ofendió muchísimo porque no la invitaron. 많은 사람들이 이런 말에 짜증을 냈다 Mucha gente se sintió muy ofendida por este comentario.
◆짜증(이) 나다 enfadarse, enojarse, irritarse. 짜증 나게 하다 ofender, irritar, enfadar, enojar. 너를 짜증 나게 한 것을 용서해라 Perdona si te he ofendido.
짜하다 extenderse al exterior, divulgarse, correr rumores. 그 소문이 짜하게 퍼졌다 El rumor se extendió [se divulgó] como un reguero de pólvora.

짝[1] ① [한 벌이나 한 쌍을 이루는 것. 또, 그 가운데 하나] uno de un par. 스타킹 한 ~ una media suelta. 잃어버린 양말 ~을 찾아보다 buscar un calcetín perdido. 나는 장갑 한 ~을 잃어 버렸다 He perdido un guante / He perdido la pareja de este guante. ② [한 패가 되어 무엇을 함께 하는 동아리의 한 사람] socio, -cia *mf*, compañero, -ra *mf*, camarada *mf*, [파트너] pareja *f*, [나쁜 일의 파트너] cómplice *mf*, compinches *mpl*; [성교(性交)의] pareja *f*, compañero, -ra *mf*. ③ ((속어)) =배필(pareja).
◆짝을 이루다 emparejarse, hacer pareja (con), formar pareja (con), asociarse, agruparse, aparearse, hermanarse, igualarse. 두 사람은 짝을 이루어 춤추다 bailar en pareja, bailar de dos en dos. 다음 시합에서는 나는 그와 짝을 이룬다 En el próximo partido hago pareja con él.

짝[2] [관형사 「아무」·「무슨」의 뒤에 쓰여서 「곳」·「꼴」의 뜻] lugar *m*, forma *f*, apariencia *f*. 아무 ~에도 쓸모가 없다 no servir para nada, ser como la espada de Bernado, ser una cosa que ni corta ni pincha.

짝[3] ① [바리나 짐짝을 세는 말] caja *f*. 사과 두 ~ dos cajas de manzana. ② [소나 돼지 따위의 갈비의 한쪽 전부] un lado de costillas. 소갈비 한 ~ un lado de costillas de (carne de) vaca.

짝[4] [틈이 활짝 벌어진 모양] mucho. 입을 ~ 벌리다 quedarse boquiabierto, quedarse con la boca abierta. 그녀는 입을 ~ 벌렸다 El se quedó boquiabierta / Ella se quedó con la boca abierta.

짝[5] ((센말)) =작.

짝- =짝짝이. ¶~귀 orejas *fpl* que no son del mismo tamaño.

-짝 [얕잡아 이르는 뜻을 나타냄] ¶낯~ cara *f*, rostro *m*.

짝귀 orejas *fpl* que son del mismo tamaño; [사람] persona *f* que tiene una oreja más grande que la otra.

짝꿍 ((속어)) =단짝.

짝눈 *sus* ojos desiguales.

짝눈이 persona *f* cuyos ojos son diferentes en el tamaño.

짝 맞다 hacer juego (con). 내 구두와 짝 맞는다 Hace juego con mis zapatos / Queda bien con mis zapatos.

짝 맞추다 hacer juego.

짝버선 un *beoson* [un calcetín coreano] desparejado.

짝사랑 amor *m* desgraciado, amor *m* no correspondido. ~하다 no le corresponde al amor, el amor de uno se encuentra respuesta, querer sin ser correspondido, tener un amor desgraciado, amar en vano. 그의 사랑은 ~이었다 Su amor nunca fue correspondido.

짝수(-數) número *m* par. ~나 홀수 par o impar.
■ ~ 번호 número *m* par. ~ㅅ날 día *m* par.

짝신 un zapato desparejado.

짝 없다 ① [비할 데 없이 대단하다] ser el colmo. 영광스럽기 ~ disfrutar en la cumbre [en el apogeo] de *su* gloria. 이곳은 불건전하기 ~ Este es un lugar sumamente vicioso. 그는 무례하기 ~ El es el colmo de la mala educación / No hay hombre más descortés que él. 이것은 위험하기 짝 없는 일이다 Este es un trabajo peligrosísimo [sumamente peligro]. 그는 잔인하기 ~ El es la encarnación de la crueldad. 나는 기쁘기 ~ Para mí constituye la mayor [el colmo de la] alegría / Es un sumo placer. ② [종잡을 수가 없다] no enteder. 나는 그녀의 말을 ~ No entiendo lo que ella dice.

짝자꿍 →짝짜꿍.

짝진각(-角) 【수학】 =대응각(對應角).

짝진변(-邊) 【수학】 =대응변(對應邊).

짝진점(-點) 【수학】 =대응점(對應點).

짝짓기 ① [짝을 짓는 일] emparejadura *f*, emparejamiento *m*. ~하다 emparejar, formar pares. ② [동물이 교미하는 일] coito *m*, copla *f*. ~하다 coitar(se), copular(se).

짝짓다 emparejar, formar pares, hacer juego, combinar, aparear; [교미하다] aparearse, acoplarse, copular. 짝지어 주다 casar.

짝짜꿍 aplauso *m*. ~하다 batir palmas, dar una palmada (de alegría [de satisfacción]). 짝짜꿍짝짜꿍 ¡Aplauso! ¡Aplauso!

짝짜꿍이 ① [남몰래 세우는 계획이나 일] plan *m* secreto. ~하다 conspirar secretamente. ② [서로 다투는 일] conflicto *m*, choque *m*, disparidad *f*, pelea *f*, riña *f*. ~하다 pelearse, reñirse.
◆짝짜꿍이(가) 벌어지다 hacer mucho ruido. 짝짜꿍이(를) 놓다 planear secretamente [en secreto].

짝짝[1] [입맛을 몹시 다시는 소리] relamándose. 입맛을 ~ 다시다 relamarse.

짝짝[2] [끈끈하여 몹시 달라붙는 모양] pegándose (a), adheriéndse (a), ciñiéndse (a). 몸에 ~ 달라붙는 천 telas *fpl* que se pegan [se ciñen] al cuerpo.

짝짝[3] ① [걸을 때 신을 끄는 소리] arrastrando. 신을 ~ 끌다 arrastrar *sus* zapatos. ② [종이를 함부로 찢는 소리] rompiendo, haciendo pedazos. 종이를 ~ 찢다 hacer pedazos el papel.

짝짝[4] [손뼉을 자꾸 치는 소리] dando una palma, batiendo palmas. ~ 손뼉을 치다 dar una palma, batir palmas.

짝짝거리다 seguir relamiéndose. 짝짝거리며 먹다 relamerse comiendo, comer con mucho gusto.

짝짝대다 =짝짝거리다.

짝짝이 un par desparejado. ~ 구두 zapatos mpl desparejados. ~로 만들다 desparejar. ~가 되다 desparejarse. 양말이 ~다 Los calcetines están desprejados. 이 장갑은 ~다 Estos guantes están desparejados / Este guante no forma pareja con este otro.

짝 채우다 hacer juego, aparejarse.
짝패(－牌) pareja *f*, compañero, -ra *mf*.
짝하다 asociarse, poner como pareja, ser socio. 짝해서 en pareja con, conjuntamente con, asociado. 그녀는 나와 짝했다 Ella jugó [bailó] en pareja conmigo. 선생님들은 부모들과 짝해서 일한다 Los profesores trabajan conjuntamente con los padres. 그들은 20년을 짝해 왔다 Ellos llevan veinte años asociados.
짝홀수(－數) par e impar.
짝힘【물리】par *m* (de fuerzas).
짠 것 cosa *f* salada, comida *f* salada, platos *mpl* salados.
짠득거리다 ((센말)) ＝잔득거리다.
짠맛 sabor *m* salado. ～을 내다 salar. ～이 나는 salado.
짠물 ① ＝바닷물(agua del mar). ② [짠맛이 있는 물건에서 우러나오는 물] el agua *f* salada.
■～고기 ＝바닷물고기.
짠지 *chanchi*, rábano *m* conservado con la sal.
짠하다 (ser) tremendamente deprimido, muy abatido, enternecedor, conmovedor, lastimero, lastimoso.
짤까닥 [사진기가] con un clic, haciendo clic. 짤까닥거리다 hacer un ruidito seco, hacer clic.
짤까당 con un clic. ～하다 hacer clic. 짤까당거리다 hacer clic.
짤깍 ＝짤까닥.
짤끔짤끔 saliendo un hilito. 물이 파이프에서 ～ 나왔다 Salía un hilito de agua de la cañería. 그의 이마에서 땀방울이 ～ 흘렀다 Le corrían gotas de sudor por la frente.
짤따랗다 (ser) más corto de lo que se piensa.
짤라뱅이 artículo *m* encogido.
짤름거리다 ((센말)) ＝잘름거리다.
짤막하다 (ser) breve, sucinto. 그의 보고는 짤막했다 Su informe era breve.
짤막이 brevemente, en suma, en síntesis, en resumen. ～ 해라 Sé breve / No te extiendas.
짤막짤막 muy brevemente. 그는 ～하게 글을 썼다 El escribió las oraciones muy breves.
짤짤거리다 recorrer apresuradamente.
짤짤이 vagabundo, -da *mf*.
짧다 ① [길이가 작다. 사이가 가깝다] (ser) corto. 짧은 다리 piernas *fpl* cortas. 짧은 교량(橋梁) puente *m* corto. 그 드레스는 그녀에게는 너무 ～ Ese vestido le queda demasiado corto a ella. 서울까지 가장 짧은 길은 어떤 것입니까? ¿Cuál es el camino más corto a Seúl? ② [높이가 작다. 얇다] (ser) bajo, delgado. 그는 그녀보다 더 ～ El es más bajo que ella. ③ [시간의 경과가 길지 않다. 오래지 않다] (ser) corto. 짧은 생애(生涯) vida *f* corta. 짧게 하다 acortar, abreviar. 날이 점점 짧아져 간다 Los días van acortándose. 그들은 노동 시간이 짧아지기를 원하기 때문에 파업 중이다 Ellos están de huelga porque quieren una reducción de la jornada laboral. 인생은 짧고 예술은 길다 La vida es corta y el arte largo. ④ [범위·정도에 미치지 못하여 모자라다] faltar, escasear. 우리는 식사가 짧지 않았다 Nunca nos faltó la comida. ⑤ [자본·밑천 등이 많지 못하다] (ser) poco. ⑥ [식성이 까다로워 가리는 음식이 많다] (ser) muy exigente.
짧아지다 acortarse, abreviarse. 시간이 짧아진다 Queda poco tiempo / Se está acabando el tiempo.
짧은소리【언어】sonido *m* corto.
짧은작 flecha *f* corta, saeta *f* corta.
짧은 치마 falda *f* corta.
짬[1] ((준말)) ＝짬질.
짬[2] ① [물건끼리 서로 맞붙은 틈] grieta *f*, rajadura *f*, intersticio *m*, abertura *f*, brecha *f*. 그 책은 들어갈 ～이 없다 El libro no cabe en el estuche. ② [한 일을 마치고 다른 일에 손대려는 겨를] tiempo *m* libre, rato *m* ocioso, horas *fpl* ociosas; [시간] tiempo *m*. 통 ～이 없다 no tener ningún tiempo libre. …할 ～이 있다 tener tiempo de [para] + *inf*, disponer de tiempo para + *inf*. 그럴 ～이 없다 No tengo tiempo para eso / No tengo tiempo para [de] hacer tal cosa. 나는 ～이 전혀 없다 No tengo ningún tiempo libre. 사람들은 현재 더 많은 ～이 있다 Actualmente la gente tiene [dispone de] más tiempo libre.
◆짬(을) 내다 ㉮ [틈을 만들다] hacer la grieta. ㉯ [겨를이 있게 하다] encontrar tiempo, aprovechar un claro. 짬을 내어 …하다 destinar [consagrar·dedicar] mucho tiempo para + *inf*.
◆짬(이) 나다 ㉮ [물건 사이에 틈이 생기다] tener la grieta, ser agrietado, ser rajado. ㉯ [바쁜 중에 겨를이 생기다] estar libre, estar desocupado, tener tiempo libre. 짬이 나면 cuando tenga usted tiempo libre, cuando esté usted libre.
짬질 escurrimiento *m*.
짬짜미 tongo *m*. 이 시합은 ～다 Hay tongo en este partido.
짬짬이 en los ratos libres. 일하는 도중에 ～ 기타를 치다 tocar la guitarra en los ratos libres de trabajo. ☞틈틈이
짭조름하다 tener el sabor algo salado.
짭조름히 algo saladamente.
짭짤찮다 (ser) vulgar, indecente, indecoroso, poco refinado, poco pulido.
짭짤하다 ① [조금 짠 듯하다] tener el sabor bien salado, estar bien salado, estar como los perros la comida. ② [일이나 행동이 규모 있고 야무지다] (ser) salado, picante, mordaz. ③ [물건이 실속 있고 값지다] precioso, valioso.
짭짭 relamiéndose.
짭짭거리다 relamerse.
짭짭하다 querer comer por el hambre.
짯짯하다 ① [성질이 깔깔하고 딱딱하다] (ser)

fuerte. ② [나뭇결·피륙의 바탕이 깔깔하고 연하다] (ser) crespo. ③ [빛깔이 맑고 깨끗하다] (ser) fuerte, vivo, brillante, claro.

짱구 ((준말)) =짱구머리. 짱구대가리.
■ ~대가리 ((속어)) =짱구머리. ~머리 cabeza *f* que la frente y el occipucio son muy salientes.

짱뚱어 【어류】 ((학명)) Boleophthalmus pectinirostris.

짱아 ((소아어)) =잠자리.

짱알거리다 =쩡얼거리다.

짱짱하다 (ser) robusto, macizo.

-째 ① [수관형사(數冠形詞)나 기본수(基本數) 또는 단위를 가리키는 명사 뒤에 붙어, 서수사(序數詞)를 이루거나 차례·등급을 나타내는 말] rango *m*, grado *m*. 첫~ primero. 둘~ segundo. 셋~ tercero. 넷~ cuarto. 다섯~ quinto. 여섯~ sexto. 일곱~ séptimo. 여덟~ octavo. 아홉~ noveno. 열~ décimo. 둘~ 형 *su* segundo hermano mayor. 나는 반에서 세 번~로 키가 크다 En la clase sólo hay dos más altos que yo / Por lo que respecta a la talla soy el tercero de la clase. ② [시간을 나타내는 말 뒤에 붙어 「계속되는 동안」의 뜻을 나타내는 말] durante. 나흘~ durante cuatro días. 나는 이틀~ 굶는다 No he comido durante dos días. ③ [(일부 명사 밑에 붙어)「그대로 전부」의 뜻] juntos, todo, con. 생선을 가시~ 삼키다 devorar un pescado, huesos y todo. 집을 가구~ 팔다 vender la casa amueblada [con muebles]. 나는 서류를 가방~ 도둑맞았다 Me robaron el maletín con los documentos.

째다[1] [옷·신 등이 몸이나 발에 너무 작다] apretar. 짼 [옷·스커트가] ajustado, ceñido, apretado. 짧고 짼 스커트 una falda corta y ajustada [ceñida]. 신이 ~ apretar los zapatos. 옷이 내게 짼다 La ropa me aprieta. 신발이 내게 너무 짼다 Me aprietan mucho los zapatos. 이 신발은 약간 짼다 Estos zapatos me aprietan un poco / Estos zapatos me quedan un poco apretados. 이 스커트는 허리가 너무 짼다 Esta falda me queda muy apretada de cintura.

째다[2] [일손·물질이 모자라 일에 몰리다] (ser) insuficiente, estar corto (de), estar escaso (de). 손이 ~ estar escaso de ayuda [mano de obra]. 우리는 시간이 많이 짼다 Estamos muy cortos de tiempo / Estamos escasos de tiempo / Tenemos muy poco tiempo.

째다[3] ((준말)) =짜이다.

째다[4] [종이·가죽·피륙 따위를 칼이나 손으로 갈라지게 찢다] [종이·옷을] romper, rasgar; hender, partir, abrir *algo* cortándolo; [종기 따위를] rajar, abrir con lanceta, practicar una incisión (en). 종기를 ~ rajar el furúnculo. 칼로 호주머니를 ~ abrir el bolsillo cortándolo con un cuchillo. 나는 담을 올라가다 셔츠를 쨌다 Me hice un desgarrón en subiendo la valla / Me rompí la camisa subiendo la valla. 그는 내 책을 쨌다 El me ha roto el libro. 나는 천을 반으로 쨌다 Rasgué la tela por la mitad. 나는 봉투를 쨌다 Abrí la carta / Abrí [Rasgué] el sobre.

째리다 ((속어)) fijarse en sus ojos.

째마리 [물건] basura *f*, capa *f* de suciedad; [사람] escoria *f*. 사회의 ~ escoria *f* de la sociedad. 이 ~야! ¡Cerdo! / ¡Canalla! 그는 ~다 El es una basura.

째보 ① [언청이] labio *m* leporino. ② [썩 잔망스러운 사람] persona *f* frívola.

째어지다 romperse, rasgarse; [가죽·궤맨 자리가] abrirse, romperse; [나무·바위가] partirse, rajarse. 입이 째어지게 웃다 sonreír de oreja a oreja. 나는 째어진 티셔츠를 입고 있었다 Yo llevaba una camiseta toda rota. 그의 가방이 째어졌다 Se le rompió [rajó] la bolsa.

째지다 =째어지다. ¶머리가 째질려고 한다 La cabeza me va a estallar. 나는 머리가 째질려고 한다 Tengo un dolor de cabeza espantoso / Me duele muchísimo la cabeza.

째푸리다 =찌푸리다.

짹소리 gorjeo *m*. ~하다 gorjear. ☞찍소리.

짹짹 gorjeando, piando.
짹짹거리다 gorjear, piar, chirriar. 짹짹거리는 소리 gorjeo *m*, pío *m* (pío).

쨍[1] [금속이 맞부딪쳐서 새되게 울리는 소리] haciendo un ruido metálico. ~하다 hacer ruido. 칼과 칼이 ~ 부딪쳤다 Las espadas hicieron ruido.

쨍[2] [충격으로 귀가 먹먹할 때 귓속에서 울리듯이 나는 소리] estando sordo de un oído. ~하다 estar sordo de un oído.

쨍그랑 con un tintineo, con un ruido metálico.
쨍그랑거리다 tintinear, hacer un ruido (metálico).

쨍그리다 =찡그리다.

쨍쨍 haciendo un calor abrazador, intensamente, vivamente. ~하다 (ser) abrazador, intenso, vivo. 태양이 ~ 내리쬔다 El sol calcica [abrasa · derrete los sesos] / Brilla implacable el sol.

쨍쨍거리다 refunfuñar, rezongar.

쩌렁쩌렁 resonantemente, retumbantemente, sonoramente. ~하다 (ser) resonante, retumbante, sonoro, grandilocuente.

쩌르렁 con un tintineo, con un ruido metálico.
쩌르렁거리다 sonar, repicar.
쩌르렁쩌르렁 sonando y sonando.

-쩍다 sentir, tener un sentido (de). 겸연~ avergonzarse (de), sentir vergüenza (de), ser tímido, ser vergonzoso. 미심~ (ser) dudoso, incierto, sospechoso, no ser seguro. 그의 행동은 무척 미심쩍었다 Su comportamiento era sumamente sospechoso.

쩍말없다 no tener nada de quejarse, (ser) perfecto.
쩍말없이 perfectamente.

쩍쩍거리다 relamerse.

쩔그렁 =절그렁.
쩔뚝거리다 =절뚝거리다.
쩔뚝이 =절뚝발이.
쩔렁대다 =쩔렁거리다.
쩔쩔매다 acobardarse, titubear, arredrarse, vacilar. 연단에서 ~ quedarse sin palabra en la tribuna. 나는 그 소식(消息)에 쩔쩔맸다 No supe cómo reaccionar ante la noticia. 나는 다음에 무엇을 해야 할지 쩔쩔맨다 No sé qué hacer ahora. 나는 무엇을 말할지 쩔쩔맸다 No supe qué decir.
쩝쩝 relamiéndose. 입맛을 ~ 다시다 relamerse.
쩝쩝거리다 relamarse (los labios).
쩡쩡 ① [권세가] ¶그는 정계에서 ~ 울리고 있다 El está ganando influencia en el mundo político. ② [소리가] con un chasquido de los dedos; con una grieta. 얼음이 ~ 갈라진다 El hielo rompe con una grieta.
쩡쩡거리다 (ser) influeyente, poderoso, tener gran influencia.
쩨쩨하다 ① [시시하고 신통찮다] no tener ningún valor, no valer nada. ② [잘고 인색하다] (ser) tacaño, roñoso, mísero, mezquino. 쩨쩨하지 않는 franco, generoso, de buen corazón. 쩨쩨한 사람 avaro, -ra *mf*; tacaño, -ña *mf*; persona *f* mezquina.
쪼가리 pedazo *m* pequeño, pieza *f* pequeña, pedacito *m*.
쪼개다 partir, dividir, hender, rajar. 둘로 ~ partir en dos, partir por la mitad. 사과를 둘로 ~ partir [dividir] una manzana en dos. 어머니는 참외를 쪼갰다 La madre rajó un melón. 우리는 비용을 셋으로 쪼갠다 Dividimos el gasto en tres.
쪼개지다 ① [둘 이상으로 나누이다] partirse, dividirse, rajarse, henderse. ② [부서지거나 갈리다] romperse, rajarse.
쪼개짐 =벽개(劈開)❷.
쪼그라들다 [의류가] encoger(se); [고기가] achicarse; [나무·금속이] contraerse.
쪼그라뜨리다 aplastar.
쪼그라지다 ① [눌리거나 옆으로부터 옥이어 지거나 하여 부피가 몹시 작아지다] aplastarse, arrugarse. ② [살기가 빠져서 쪼글쪼글해지다] arrugarse.
쪼그랑박 calabaza *f* raquítica.
쪼그랑할멈 vieja *f* muy fruncida.
쪼그리다 aplastar, arrugar. ☞쭈그리다
쪼그리고 앉다 agacharse, ponerse en cuclillas. 수풀 뒤에 쪼그리고 앉은 세 아이 tres niños agachados [en cuclillas] detrás de los arbustos.
쪼글쪼글 =쭈글쭈글.
쪼끔 muy poco, un poquito (de). ~만 다오 Dame sólo un poquito. ~ 뒤에 다시 만나자 Hasta ahorita.
쪼끔쪼끔 poquito a poquito.
쪼다[1] ((속어)) [제구실을 못하는 덜떨어진 사람] persona *f* estúpida.
쪼다[2] [뾰족한 끝으로 찍다] [부리 따위로] picotear, picar, dar un picotazo; [정 따위로] cincelar. 돌을 ~ cincelar una piedra. 새가 내 손을 쪼았다 El pájaro me picoteó [me picó · me dio un picotazo] en la mano.
쪼들리다 ① [무슨 일에 부대껴 몹시 어렵게 지내다] pasar por apuros, pasar estrecheces, pasar apuros económicos. 우리 집의 가계(家計)는 몹시 쪼들린다 Nuestra economía casera pasa por grandes apuros [está casi en bancarrota]. 그는 늘 돈에 쪼들린다 El siempre anda falto de dinero. ② [남에게 몰리어 시달림을 받다] estar abrumado [agobiado] por el trabajo. 빚에 ~ estar agobiado por la deuda.
쪼아 먹다 picotear.
쪽[1] [부인네의 아래 뒤통수에 땋아서 틀어 올려 비녀를 꽂는 머리털] moño *m*, *Méj* chongo *m*, *RPl* rodete *m*.
쪽[2] ① [책의 면. 페이지] página *f*. ② [책의 면을 세는 단위] página *f*. 100~ cien páginas. 3천 쪽의 한서 사전 un diccionario coreano-español de tres mil páginas.
쪽[3] ① [어떤 물건의 쪼개진 한 부분] [빵의] rabanada *f*, [케이크의] trozo *m*, pedazo *m*; [치즈의] trozo *m*, pedazo *m*, tajada *f*, [오이·레몬의] rodaja *f*, [참외의] raja *f*, [고기의] tajada *f*, [햄 소시지의] tajada *f*, loncha *f*, lonja *f*, *RPl* feta *f*. ② [물건의 쪼개진 부분을 세는 단위] pedazo *m*, raja *f*, tajada *f*. 나는 사과 두 ~을 먹었다 Comí dos rajas de manzana.
쪽[4] ① 【식물】 añil *m*, jiquilete *m*, jiguilete *m*. ② [염료] índigo *m*, *AmS* azul *m*.
쪽[5] ① [방향을 가리키는 말. 녘. 편] dirección *f*, lado *m*, rumbo *m*. …~으로 a *un sitio*, hacia *un sitio*, con rumbo a *un sitio*, en dirección a *un sitio*. 동(東)~ el este. 오른 ~ la derecha. 그 ~에 a [en] esa dirección. 이~으로 acá. 저~으로 allá. 오른~으로 a [hacia] la derecha. 동~으로 hacia el este, con rumbo este, en dirección (al) este. 바다 ~으로 걷다 andar hacia el [en dirección al] mar. 인천 ~에 살다 vivir hacia *Incheon*, vivir en la zona de *Incheon*. 남아메리카 ~으로 여행하다 viajar hacia la América del Sur. 왼~으로 가자 Vámonos a la izquierda. 오른~으로 꺾어지십시오 Tuerza a la derecha. 배는 남~으로 나아갔다 El barco avanzó con rumbo [en dirección] sur. ② [사물을 몇 개로 나누었을 때, 그 사람이나 사물에 속하는 편. 부문. 방면] lado *m*, parte *f*, otro *m*, partido *m*, el [la] que está ahí. 그~으로 하겠다 Me quedaré con el otro. 내가 그~을 찾아보겠다 Yo le visitaré.
쪽[6] =얼굴, 기(氣), 맥.
◆쪽(을) 못 쓰다 flirtear (con), coquetear (con). 쪽을 못 쓰는 남자 hombre *m* blando. 여자에게 ~ flirtear [coquetear] con una mujer.
쪽[7] en una línea, en una fila, en una hilera. 나무가 ~ 심어져 있다 Los árboles estaban plantados en hilera. 그들은 줄을 ~ 섰

다 Ellos hicieron filas / Ellos se formaron en fila.
쪽- [작은] pequeño. ~문 puerta f accesoria.
쪽마루 veranda *f* de una o dos tablas del suelo.
쪽매 parqué *m*, parquet *m*. ~ 마루 suelo *m* de parqué.
쪽문(-門) portillo *m*, portezuela *f*, postigo *m*, puerta *f* accesoria, puerta *f* pequeña al lado de la principal.
쪽박 calabaza *f* (seca pequeña) (empleada como un vasija), *AmS* mate *m* pequeño, *AmC*, *Col*, *Méj* jícara *f* pequeña, *Méj* guaje *m* pequeño.
◆쪽박(을) 차다 pedir limosna, hacerse mendigo, [mendiga *f*].
쪽반달(-半-) *chokbandal*, cometa *f* con adorno de la luna creciente de dos colores en la parte superior.
쪽발이 ① [한 발만 달린 물건] cosa *f* de una sola pata, pie *m* hendido. ② [일본인을 욕으로 이르는 말] japonés, -nesa *mf*, nipón, -pona *mf*.
쪽밤 =쌍동밤.
쪽배 canoa *f*.
쪽빛 añil *m*, color *m* índigo. ~의 (de color) añil, azul oscuro. ~으로 물들이다 añilar, teñir de [en] añil.
쪽소매 ((준말)) =쪽소매책상.
■ ~책상 mesa *f* con cajones en un lado.
쪽잘거리다 mordisquear poco a poco, comer sin ganas, comer con poco entusiasmo.
쪽잘쪽잘 comiendo sin ganas.
쪽잘대다 =쪽잘거리다.
쪽잠 =단잠.
쪽종이 =쪽지❶.
쪽지(-紙) ① [작은 종잇조각] pedacito *m* de papel. ② ((준말)) =글쪽지.
쪽창(-窓) ventanilla *f*, ventanita *f*.
쫀득거리다 (ser) muy pegajoso [viscoso · gomoso], pegagosísimo, viscosísimo, gomosísimo.
쫀득쫀득 muy pegagosamente.
쫄깃쫄깃 muy pegajosamente.
쫄깃하다 (ser) muy correoso; [고기가] muy masticable duro.
쫄딱 completamente, totalmente. ~ 망하다 hacer bancarrota total.
쫄딱쫄딱 ㉮ [규모가 작고 옹졸한 모양] a [en] pequeña escala. ㉯ [한꺼번에 해치우지 못하고 조금씩 여러 차례로 하는 모양] poco a poco, poco a poquito.
쫄래둥이 pilluelo *m* [golgillo *m*] frívolo, niño *m* frívolo.
쫄면(-麵) *cholmyeon*, tallarines *mpl* de trigo y almidón de patata.
쫑그리다 [귀를] levantar, alzar, erguir, aguzar. 귀를 ~ erguir las orejas; [말 따위가] aguzar las orejas; [개 따위가] enderezar las orejas.
쫑긋 ① [짐승이 귀를 쫑그리는 모양] aguzando las orejas. 귀를 ~ 세우고 con las orejas levantadas [tiesas · *AmL* paradas]. ② [말을 하려고 입을 달싹하는 모양] moviendo los labios.
쫑긋거리다 ㉮ [말을 하려고 입술을 달싹거리다] mover los labios ㉯ [짐승이 연해 쫑그리다] seguir aguzando. 귀를 ~ aguzar el oído, *AmL* parar la oreja.
쫑긋쫑긋 moviendo los labios, aguzando las orejas.
쫑알거리다 =종알거리다.
쫓겨나다 ser despedido, ser echado, ser excluido, ser destituido, ser alejado, ser separado. 나는 (직장에서) 쫓겨났다 Me echaron / Me despidieron. 그는 직장에서 쫓겨났다 Le despidieron del trabajo. 그는 상점에서 쫓겨났다 Le echaron de la tienda. 그녀는 사무실에서 쫓겨났다 La destituyeron [alejaron · separaron] del cargo.
쫓기다 ① [남에게 쫓음을 당하다] ser perseguido. ② [일에 몹시 몰려 지내다] bregar. 나는 일에 쫓기고 있다 Me apremian los trabajos / Estoy agobiado de trabajo. 나는 오늘 온종일 가사(家事)에 쫓겼다 Hoy he bregado todo el día en las faenas caseras. 나는 일에 쫓겨 그것을 완전히 잊고 있었다 Ocupado [Absorbido] en el trabajo me había olvidado de eso completamente.
쫓다 ① [있는 자리에서 떠나도록 몰다] ahuyentar, espantar, alejar, hacer huir, hacer marcharse. 쫓아 보내다 enviar; [침입자(侵入者)를] expulsar; [적(敵) 따위를] rechazar, hacer retrodecer. 쫓아 분산시키다 dispersar. 개를 쫓(아 버리)다 ahuyentar [alejar] a un perro. 모기를 쫓(아 버리)다 espantar los mosquitos. 파리를 ~ espartar pantar las moscas. 빚쟁이를 쫓(아 버리)다 hacer que se marchen los cobradores de la deuda. 군중을 쫓(아 분산시키)다 dispersar al público. 먼 곳으로 쫓아 보내다 enviar a un lugar remoto. 나는 새를 쫓았다 Espanté [ahuyenté] a los pájaros. 그녀는 고양이를 소파에서 쫓았다 Ella echó a los gatos del sofá. 나는 아이들을 집 안으로 쫓았다 Hice entrar a los niños en la casa. 연기는 그들을 쫓을 것이다 El humo los va a hacer salir. ② [급한 걸음으로 뒤를 따르다] seguir, perseguir, buscar para cogerlo, ir (por · tras · en busca de *algo*), buscar. 쫓고 쫓기는 경쟁 competición *f* muy reñida. …의 모습을 눈으로 ~ seguir a *uno* con la vista. 경찰이 범인을 쫓고 있다 La policía está persiguiendo al criminal / La policía está en seguimiento del criminal. ③ [따르다] seguir. 네 양심을 쫓아라 Haz lo que te diga la conciencia. 그녀의 전례를 쫓아라 Sigue su ejemplo / Haz como ella. ④ [따르다 · 쫓아가다] seguir, perseguir, ir a la caza (de), seguir la pista (de), correr. 앞차를 ~ seguir al coche que va adelante. 저 택시를 쫓아 가십시오 ¡Siga ese taxi! 그는 연인의 뒤를 쫓아가 멕시코까지 갔다 El fue hasta Méjico siguiendo a [corriendo tras] su

novia.

쫓아내다 expelar, arrojar, expulsar, echar, despedir, rechazar, enviar [mandar] a paseo, echar fuera, dar*le* calabazas a *uno*. 개를 ~ echar fuera un perro. 가정부를 ~ despedir una criada. 걷어차 ~ echar a puntapiés a la calle. 종업원을 ~ depedir [destituir] un empleado.

쫓아다니다 perseguir por todas partes, asediar, traer al retortero. 여자를 귀찮게 ~ correr tras una mujer. 용의자를 ~ perseguir al sospechoso.

쫙 =좍.

쬐다¹ ① [볕이 들어 비치다] brillar, dar. 이 방은 햇빛이 잘 쬔다 En esta habitación da bien el sol. ② [볕·불에 쬐거나 말리다. 쪼이다] calentarse, exponer. 난롯불을 ~ calentarse a la estufa. 손을 불에 ~ calentarse las manos al [sobre el·con el] fuego. 햇볕에 ~ exponer al sol, disfrutar (del calor) del sol. 볕에 쬐어 색이 바래다 descolorarse por el sol.

쬐다² ((준말)) =쪼이다².

쭈그러들다 ir reduciendo.

쭈그러뜨리다 [상자·자동차를] aplastar; [금속을] abollar; [옷·종이를] arrugar.

쭈그러지다 ① [누르거나 욱여서 부피를 작게 하다] ser aplastado, abollarse, arrugarse. ② [물건이나 사람 또는 동물의 살기가 빠져서 쪼글쪼글하여지다] [잎·식물이] marchitarse, secarse; [과일·야채가] resecarse y arrugarse, perder frescura; [피부가] ajarse, arrugarse, apergaminarse. 쭈그러진 노인 un viejo arrugado y consumido. 쭈그러지게 하다 [잎·식물을] secar, resecar, marchitar; [피부를] ajar, arrugar, apergaminar.

쭈그렁이 ① [쭈그러진 물건] cosa *f* aplastada. ② [살이 빠져서 쭈글쭈글한 늙은이] un viejo arrugado y consumido, una vieja arrugada y consumida.. ③ [제대로 여물지 않은 낟알] grano *m* que no está maduro.

쭈그리다 ① [누르거나 욱여서 부피를 작게 하다] [상자·자동차를] aplastar; [포도를] prensar, pisar; [의류를] arrugar. ② [팔다리를 우그려 앉거나 눕다] agacharse, ponerse en cuclillas, acuclillarse, acurrucarse, doblarse, inclinarse (el cuerpo), encorvarse, arquearse. 아이가 귀퉁이에 쭈그리고 앉아 있었다 El niño estaba agachado [en cuclillas] en un rincón.

쭈글쭈글하다 (estar) arrugado, abollado, secado, resecado, marchitado, ajado, apergaminado. 쭈글쭈글한 바지 los pantalones arrugados. 노인의 쭈글쭈글한 수족(手足) miembros *mpl* achicados de un viejo. 쭈글쭈글한 노인 viejo *m* arrugado, vieja *f* arrugada. 쭈글쭈글한 노파 anciana *f* toda [llena de] arrugas. 쭈글쭈글하게 하다 abollar, arrugar, replegar completamente, llenar de arrugas.

쭈룩 =주룩.

쭈룩쭈룩 =주룩주룩.

쭈르르 =주르르. ¶~ 나무에 오르다 trepar a un árbol con agilidad.

쭈르륵 =주르륵.

쭈뼛쭈뼛 titubeantemente, vacilantemente, inseguramente, con vacilación, nerviosamente. ~하다 (ser) tímido y hesitante.

쭈뼛하다 ① [높이 솟아 있다] ponerse alto. ② [놀라거나 무서워서 머리끝이 서는 듯하다] erizarse, ponerse de punta. 쭈뼛하게 하다 poner el cabello de punta.

쭉 ((센말)) =죽².

쭉정이 cabezas *fpl* vacías de grano, espigas *fpl* malogradas.

쫑그리다 levantar orejas. 그녀는 서반아에 관한 말을 들을 때 귀를 쫑그렸다 Ella aguzó el oído [*AmL* paró la oreja] al oír hablar de España.

쭝얼거리다 =중얼거리다.

쭝쭝거리다 expresar descontento, refunfuñar, quejarse, reclamar, rezongar.

-쯤 unos, unas, más o menos; [···경] a eso de, hacia, alrededor de, cerca de. 월말~ a fines del mes. 오후 두 시~ a eso de las dos de la tarde. 30%~ un [cerca del] treinta por ciento. 쉰 살~ 먹은 여인 una mujer que tiene alrededor de [que raya en los] cincuenta años. 나는 다음 토요일~ 돌아오겠다 Vuelvo hacia el [alrededor del] sábado próximo. 이번 일요일~은 어떻습니까? ¿Qué le parece a usted, por ejemplo, este domingo? 그것은 만 원~ 한다 Cuesta unos diez mil wones [diez mil wones más o menos].

쯧쯧 ¡Vaya! / ¡Vamos!

찌¹ ① [특히 기억할 것을 표하기 위해 그대로 써서 붙이는 좁은 종이쪽] etiqueta *f*. ② ((준말)) =낚시찌(flotador).

찌² ((소아어)) caca *f*, estiércol *m*.

찌개 *chigue*, sopa *f* coreana, caldo *m* coreano, guiso *m* en la olla. ~를 끓이다 hacer sopa.

◆생선 ~ *chigue* de pescados.

■~ 그릇 tazón *m* (*pl* tazones) de [para] *chigue*. ~주걱 cucharón *m* (*pl* cucharones) de [para] *chigue*.

찌그러뜨리다 hundir, abollar.

찌그러지다 hundirse, abollarse. 냄비가 찌그러져 있다 Está abollada la cacerola. 차체(車體)가 충돌로 찌그러졌다 Se abolló la carrocería por el choque.

찌그럭거리다 =지그럭거리다.

찌그렁이 insistencia *f* terca [testaruda·tozuda].

◆찌그렁이(를) 부리다 insistir tercamente [testarudamente] a su manera.

찌근거리다 =지근덕거리다.

찌근덕거리다 =지근덕거리다.

찌글거리다 =지글거리다.

찌꺼기 posos *mpl*, restos *mpl*. ~만 남아 있다 Sólo quedan los restos.

찌다¹ [살이] engordar. 살찐 [사람·동물·위가] engordo; [돼지·양이] que tiene grasa.

찌다² [날씨가] (ser) sofocante, bochornoso.

날씨가 푹푹 쪘다 Hacía un calor sofocante. 푹푹 찌는 날이었다 Era un día de calor sofocante.

찌다[3] [김으로] cocinar [cocer] al vapor. 감자를 ~ cocinar [cocer] patatas al vapor.

찌다[4] [베다] cortar. 나뭇가지를 ~ cortar las ramas.

찌다[5] [흙탕물이] desbordar el campo.

찌들다 ① [물건이 오래되어 때가 끼고 더럽게 되다] ensuciarse. ② [세상의 여러 고초로 부대껴 여위다] estar agobiado por las preocupaciones.

찌르다 ① [끝이 뾰족하거나 날카로운 것으로 세게 들이밀다] clavar; [바늘 따위로] punzar, pinchar; [벌 따이가] picar; [칼로] dar una puñalada. 쿡쿡 찌르는 듯한 통증 dolor *m* punzante [penetrante · muy agudo]. 찔러 죽이다 matar de un golpe de espada, matar de una estocada; [단도로] matar a puñaladas, matar de una puñalada. 배가 쿡쿡 찌르는 듯이 아프다 tener un dolor penetrante en el estómago, sentir punzadas en el estómago. 단도로 …의 심장을 ~ dar una puñalada en el corazón a [de] *uno*. 단도로 목을 ~ [자신의] atravesarse la garganta con un puñal. 모두가 그 소년을 자로 쿡쿡 찔렀다 Todos pinchaban al chico con las reglas. ② [어떤 틈이나 사이를 헤집고 무엇을 집어넣다] meter, introducir, lanzar. 호주머니에 손을 ~ meter la mano en el bolsillo. ③ [비밀을] informar, denunciar, traicionar, avisar, dar*le* un chivatazo a *uno*, *CoS* pasar*le* el dato a *uno*. 경찰에 ~ avisar a la policía. ④ [냄새가] apestar (a). 코를 찌르는 asqueroso, repugnante. 알코올 냄새가 코를 ~ apestar a alcohol. 냄새가 코를 찌른다 Huele horrible / Tiene un olor asqueroso [repugnante]. ⑤ [감정을] ofender, herir. 만일 내가 당신의 감정을 찔렀다면 미안합니다 Siento haberte ofendido. 나는 누구의 감정도 찌르고 싶지 않았다 Yo no quería herir susceptibilidades / Yo no quería ofender a nadie. ⑥ [돈을] invertir. 장사에 밑천을 ~ invertir su dinero en el negocio.

찌르레기 【조류】 estornino *m*.

찌르륵 con un sorbetón.

찌르륵거리다 hacer ruido al beber. 우유를 그렇게 찌르륵거리지 마라 ¡Bébete la leche sin hacer ruido!

찌르릉 tintín; ring, ring. ~ 울리다 hacer ring ring; [동전 따위가] tintinear, tintinar; [초인종이] sonar la campanilla [el timbre]. 초인종을 ~ 울리다 tocar el timbre, llamar al timbre.
찌르릉찌르릉 *tintín, tintín*.

찌무룩하다 (ser) pesado, deprimente; [불쾌한] desagradable, molesto, insoportable, aburrido, sombrío y triste, opresivo, tétrico, lúgubre; [사람이] hosco, huraño. 찌무룩한 날 día *m* triste. 찌무룩한 날씨다 Hace un tiempo pesado [triste].
찌무룩히 pesadamente, deprimentemente, desagradablemente, tristemente, aburridamente.

찌부러뜨리다 desinflar, aplastar, majar, moler, triturar, abollar. 모자를 ~ aplastar el sombrero.

찌부러지다 ser desinflado, ser aplastado. 찌부러진 자동차 coche *m* aplastado.

찌우다 engordar.

찌증(一症) ＝짜증.

찌지(一紙) etiqueta *f*.

찌푸리다 ① [날씨가 몹시 음산하게 흐리다] (estar) nublado, oscuro, gris, sombrío. 잔뜩 찌푸린 날씨 tiempo *m* amenazador. 잔뜩 찌푸린 날씨다 Hace un tiempo muy nublado. ② [얼굴이나 눈살을 몹시 찡그리다] fruncir, arrugar. 눈살을 ~ fruncir las cejas. 미간을 ~ arrugar el entrecejo. 이마를 ~ fruncir la frente. 찌푸린 얼굴을 하다 poner cara de vinagre, poner mala cara, tener un aire disgustado, mostrar *su* disgusto. 찌푸렸던 얼굴을 펴다 librarse de la inquietud, dar un respiro de alivio, sentirse aliviado.

찍[1] [미끄러지는 모양] deslizantemente, resbalantemente. ~ 미끄러지다 deslizarse, resbalar(se). 그녀는 로프 때문에 ~ 미끄러졌다 Ella se deslizó por la cuerda.

찍[2] [선 따위를 긋는 모양] con un plumazo, con un trazo fuerte. 선을 ~ 긋다 trazar una línea con un plumazo.

찍다[1] ① [날이 있는 연장으로 쳐서 베다] cortar (con un hacha), tallar, labrar; [조각조각] cortar a tajos, *Andes* tajear. ② [표 따위에 구멍을 뚫다] picar, perforar, horadar, agujerear, *Méj* ponchar. 표를 ~ perforar el billete.

찍다[2] ① [물건의 끝에 액체 등을 묻히다] mojar *algo* en *algo*. 펜에 잉크를 ~ mojar la pluma en tinta. ② [뾰족한 것으로 무엇을 찔러서 꿰다] agujerear, perforar, atravesar; [고기를] arpenear; [갈고리로] enganchar. 나는 고기를 포크로 찍었다 Pinché la carne con el tenedor. ③ [인(印)을 눌러 인발이 나타나게 하다. 또는 인쇄하다] sellar; [인쇄하다] imprimir, tirar. 도장을 ~ sellar. 지장을 ~ sellar con el pulgar. 신문을 ~ imprimir el periódico. 안내장을 ~ imprimir las invitaciones. 그는 송장(送狀)에 날짜를 찍었다 El selló la factura con la fecha. 그들은 계약서에 정식으로 도장을 찍었다 Ellos sellaron formalmente el contrato. ④ [무엇에 점을 찍다] marcar, puntuar. 소수점을 ~ poner un punto decimal. 종지부를 ~ dar punto, hacer punto. 점을 ~ poner un punto. ⑤ [지목하여 표하거나 눈여겨 두다] marcar, señalar, no quitar*le* los ojos (a), echar*le* el ojo (a), vigilar, cuidar, fijarse (en). ⑤ [사진을 박다] fotografiar, sacar*le* [tomar*le* · hacer*le*] una foto [una fotografía] (a). 비디오를 ~ grabar un vídeo [un video], videograbar. 경치를 ~ fotografiar un paisaje. 영화를 ~ rodar, filmar, 그 장면의 사진을 ~ tomar [hacer] una fotografía de la escena. 어떤 장면을 ~ fotografiar una escena. 내 사진을 찍어 주십시오 Hágame la fotografía. 반신 사진을 찍어 주십시오 Sáqueme la fotografía de medio cuerpo sólo. 그는 정원에서 전 가족의 사진을 찍었다 El le sacó una foto a toda la familia en el jardín. ⑥ [일정한 틀 따위로 규격이 같은 물건을 만들어 내다] realzar, estampar en relieve, grabar la relieve. 이 판에는 꽃무늬가 찍어져 있다 Este tablero tiene un dibujo de flores en relieve.

찍소리 gorjeo *m*, pío *m*; [한마디] una palabra, una sílaba, una sola palabra. ~ 없이 sin una palabra, sin queja, en silencio. ~ 없이 복종하다 obedecer sin un quejido [sin chistar]. ~도 못하다 quedar completamente vencido, no tener ni una palabra de réplica. ~도 못하게 하다 silenciar, hacer callar, acallar.

찍어 내다 ① [꼬챙이 따위로 꿰어서 내다] pinchar y sacar. ② [인쇄하여서 내다] imprimir y publicar.

찍어누르다 clavar y prensar.

찍어당기다 enganchar y tirar.

찍어매다 coser.

찍찍 [참새·쥐 등이 우는 소리] gorjeando, piando, chirriando, gimiendo, llorando.

찍찍거리다 gorjear, piar, chirriar, gemir, llorar.

찍히다 ① [인쇄되다] ser impreso. ② [도장 따위가] ser sellado; [소인이] ser matasellado; [차표가] ser perforado. 마드리드 소인이 찍힌 봉투 el sobre matasellado en Madrid. 봉투에는 부에노스아이레스 소인이 찍혀 있었다 El sobre llevaba matasellos de Buenos Aires / El sobre estaba matasellado en Buenos Aires. ③ [사진이] ser fotografiado, ser sacada una foto, ser hecha una foto. 너는 사진이 잘 찍혔다 Tú has salido bien. 이 카메라는 잘 찍힌다 Esta cámara saca muy bien las fotos. 이 사진은 잘 [잘못] 찍혔다 Esta foto está [no está] bien sacada. 무등산이 사진에 아주 잘 찍혔다 El monte *Mudeung* ha sido muy bonito en la foto. 이 사진에 찍힌 사람이 누구냐? ¿Quién es el que sale [aparece] en esta foto? ④ [점(點)찍음을 당하다] ser marcado, ser señado; [의심받다] ser sospechado. 범인으로 ~ ser sospechado como un criminal.

찐덥다 no tener nada de avergonzarse.

찐득거리다 =진득거리다.

찐득대다 =찐득거리다.

찐만두(—饅頭) *chinmandu*, ravioles *mpl* coreanos (de forma cilíndrica).

찐보리 cebada *f* cocida al vapor.

찐빵 *chinpang*, pan *m* cocido al vapor.

찐쌀 arroz *m* cocido al vapor.

찐조 mijo *m* cocido al vapor.

찐하다 sentir triste.

찔꺽눈 ojos *mpl* gangrenosos.

찔꺽눈이 persona *f* con ojos gangrenosos.

찔끔 corriendo gota a gota, saliendo un hilito.

찔끔거리다 ☞질금거리다

찔끔찔끔 ☞질금질금

찔끔찔끔 poco a poco. 빚을 ~ 갚다 pagar la deuda poco a poco.

찔끔하다 asustarse. 너를 다치게 하지 않을 테니 찔끔하지 마라 No te asustes, no te voy a hacer daño.

찔레 ① ((준말)) =찔레나무. ② [찔레나무의 순] retoño *m* de zarza.

■ ~꽃 flor *f* de la zarza.

찔레나무 【식물】 zarza *f*.

찔름거리다[1] [가득 찬 물이 흔들려 찔끔찔끔 넘치다] saltar poco a poco.

찔름찔름 rebosantemente, desbordantemente.

찔름거리다[2] [여러 차례에 나누어 조금씩 잇대어 주다] seguir dando poco a poco.

찔름찔름 poco a poco, poquito a poco. 돈을 ~ 주다 dar dinero poco a poco. 돈을 ~ 쓰다 gastar dinero poquito a poco.

찔리다 ① [찌름을 당하다] clavarse, meterse. 찔린 상처 punzada *f*, pinchazo *m*, estocada *f*. 못에 발바닥이 ~ clavarse un clavo en la planta. 나는 바늘에 손가락을 찔렸다 Me he clavado una aguja en un dedo. ② [양심의 가책을 받다] no tener nada de avergonzarse. 나는 아직까지 양심에 찔리는 바가 없다 No he tenido nada de avergonzarme todavía.

찔찔 =질질.

찜 ① [새·물고기·짐승·채소 따위를 양념해 바특하게 흠씬 삶아 만든 음식] *chim*, plato *m* cocido [cocinado] al vapor. ~하다 cocer [cocinar] al vapor. ② ((준말)) =찜질.

◆닭~ pollo *m* cocido al vapor. 삼치~ bonito *m* cocido al vapor.

찜나다 tener un poco de rendija.

찜부럭 mal genio *m*, mal humor *m*, malhumor *m*, irritación *f*, inquietud *f*.

◆찜부럭(을) 내다 (estar) inquieto, preocupado, irritable, quisquilloso.

찜질 cataplasma *f*. ~하다 aplicar cataplasma. 얼음으로 ~하다 aplicar cataplasma con la bolsa de hielo.

찜찜하다 encontrarse incómodo, no estar a gusto. 나는 그 사람과는 ~ Me encuentro incómodo con él / No estoy a gusto con él.

찜통(—桶) vaporera *f*.

■ ~더위 calor *m* sofocante, calor *m* bochornoso.

찝찔하다 ① [감칠맛이 없이 좀 짠 듯하다] (ser) salado. 찝찔하게 saladamente. ② [무슨 일이 되어 가는 꼴이 마음에 들지 않다] (ser) insatisfactorio, poco satisfactorio, desagradable. 찝찔하게 insatisfactoriamente, desagradablemente.

찡그리다 fruncir el ceño, fruncir el entrecejo, hacer una mueca, poner mala cara, ponerle cara de pocos amigos (a), mirar con el ceño, ponerse ceñudo, torcer el gesto (por), enfurruñarse, arrugar. 찡그린 얼굴 ceño *m* fruncido, mueca *f*, gesto *m* fruncido, mohín *m*. 미간을 ~ arrugar el entrecejo. 얼굴을 ~ fruncir el ceño, poner mala cara, hacer una mueca. 고통으로 얼굴을 ~ hacer una mueca de dolor. 아파서 얼굴을 ~ fruncir la cara de dolor. 속이 메스꺼워 얼굴을 ~ hacer una mueca de asco. 그는 얼굴을 찡그리고 말했다 El dijo, frunciendo el ceño [el entrecejo]. 그는 얼굴을 찡그리고 있었다 El tenía el ceño fruncido. 그는 나를 보자 얼굴을 찡그렸다 El me miró con el ceño fruncido. 그녀는 저녁 식사 내내 찡그린 얼굴을 하고 앉아 있었다 Toda la cena estuvo con ceño fruncido.

찡긋거리다 guiñar el ojo, hacer un guiño, hacer una guiñada.

찡기다 arrugarse, abollarse.

찡등거리다 fruncir mucho el ceño.

찡얼거리다 gimotear, lloriquear. 찡얼거리는 목소리로 con voz quejumbrosa [plañidera]. 찡얼찡얼 gimoteando, con voz quejumrosa.

찡얼대다 =찡얼거리다.

찡찡거리다 refunfuñar, gruñir, regañar, rezongar, murmurar, quejarse. 그들은 항상 찡찡거린다 Ellos siempre están quejándose [reclamando · protestando]. 그녀는 머리가 아프다고 찡징거렸다 Ella se quejó de dolor de cabeza / Ella se quejó de que le dolía la cabeza. 그들은 작업 조건에 대해 찡찡거렸다 Ellos protestaron por las condiciones de trabajo.

찡찡대다 =찡찡거리다.

찡찡이 ((준말)) =코찡찡이.

찡찡하다 ① [겸연한 일이 있어 마음에 매우 미안하다] (ser) torpe, incómodo, desagradable, molesto. ② [코가 막혀 숨이 잘 통하지 않아 답답하다] (estar) tapado, atascado.

찡하다 hacerse un nudo en la garganta. 그의 투병기를 읽고 가슴이 찡하였다 Se me hizo un nudo en la garganta leyendo su diario de lucha contra la enfermedad.

찢기다 desgarrarse, rasgarse, rajarse, romperse, despedazarse. 갈기갈기 ~ hacerse pedazos, hacerse trizas. 둘로 ~ rajarse en dos. 잘게 ~ despedazar, hacer pedazos, romper en pedazos. 종이를 둘로 ~ romper en dos pedazos una hoja de papel. 종이를 잘게 ~ hacer pedacitos el papel. 셔츠를 찢어 붕대를 만들다 rasgar la camisa y hacer de ésta una venda.

찢다 romper, rasgar(se), desgarrar. 갈기갈기 ~ hacer pedazos, hacer trizas, descuartizar, despedazar. 나는 울타리를 올라가다가 셔츠를 찢었다 Me hice un desgarrón en la camisa subiendo la valla / Me rompí la camisa subiendo la valla. 나는 책을 찢었다 Me ha roto el libro. 나는 천을 반으로 찢었다 Rasgué la tela por la mitad. 그는 바지를 찢었다 El se rasgó los pantalones.

찢어진 곳 rasgón *m* (*pl* rasgones). 그 아이는 옷에 ~이 있었다 El niño llevaba un rasgón en su traje.

찢뜨리다 hacer rajar.

찢어발기다 descuartizar, despedazar, hacer pedazos.

찢어지다 romperse, rasgarse, desgarrarse, rajarse, partirse. 가슴이 찢어지는 듯한 estremecedor, desgarrador. 갈기갈기 ~ hacerse pedazos, descuartizarse, despedazarse. 바지가 ~ rasgarse los pantalones. 조각조각 ~ hacerse pedazos, destrozarse. 찢어지게 가난하다 ser tan pobre como el ratón de sacristía. 나는 찢어진 티셔츠를 입고 있었다 Yo llevaba una camiseta toda rota. 한풍(寒風)으로 귀가 찢어지는 듯하다 Con este aire helado parece que se me fueran a desgarrar las orejas. 가족과 헤어질 때는 가슴이 찢어졌다 Se me partía el alma [el corazón] al despedirme de mi familia.

찧다 ① [곡식 등을 쓿거나 빻기 위해 절구에 담고 공이로 내리치다] [곡물이나 양념류를] machacar; [마늘이나 고추를] majar, machacar. ② [땅 같은 것을 다지기 위하여 무거운 물건을 들었다가 내리치다] batir, martillar, dar martillazos, endurecer ③ [아주 세게 부딪다] estrellar (contra), chocar (contra), embestir (contra), darse (contra), dar una cabezada. 머리를 ~ darse (un golpe) en la cabeza. 엉덩방아를 ~ caerse a plomo, hacer paf. 그는 그의 자동차를 나무에 찧었다 El estrelló el coche contra un árbol.

◆찧고 까불다 reíse (de).

차(車) [일반적으로] vehículo *m*; [자동차] automóvil *m*, coche *m*, *AmS*, *Cuba*, *ReD* carro *m*; [트럭] camión *m*; [소형 트럭] camioneta *m*; [기차] tren *m*; [전차] tranvía *f*. ~로 en coche. ~로 가다 ir en coche. ~를 타다 tomar un coche; [택시를] tomar un taxi. ~를 부르다 [택시를] llamar un taxi. 앞~ 뒤를 바짝 따라가다 ir pisando los talones (a), *Col* chupar rueda (a). 앞~에 바싹 대어 ~를 몰다 conducir [*AmL* manejar] pegado al vehículo de delante, *Col* chupar ruedad.

■~ 번호판 matrícula *f*, *AmL* placa *f*, *CoS* patente *m*, *RPl* chapa *f*. ~ 사고 accidente *m* del vehículo. ~ㅅ간 compartimiento *m*, compartimento *m*. ~ㅅ길 ㉮ [전동차·기차 등이 다니는 궤도] raíl *m*, riel *m*, vía *f* (férrea). ㉯ [차도(車道)] camino *m* carretero, camino *m* carretil. ~ ㅅ삯 pasaje *m*; [택시의] tarifa *f* de taxi.

차(茶) ① 【식물】 ((준말)) =차나무. ② [차나무의 어린 잎을 따서 만든 음료의 재료. 또는 그것을 달인 물] té *m*. ~의 찌꺼기 residuos *mpl* del té. ~ 한 잔 una taza de té. ~를 넣어 두는 통 caja *f* [bote *m*] de té. ~를 끓이다 preparar [hacer] té. ~를 내놓다, ~를 대접하다 servir [ofrecer] el té. ~를 마시다 tomar [beber] el té, merendar, *Col*, *Chi* tomar onces. ~ 두 잔 부탁합니다 Dos tés, por favor.

■~ 거르는 조리 colador *m* (de té). ~밭 plantación *f* de té. ~ 보관 상자 caja *f* (para guardar el té). ~ 봉지 bolsita *f* de té. ~ 장수 comerciante *mf* de té; vendedor, -dora *mf* de té. ~ㅅ감 material *m* para [de] té. ~ㅅ그릇 taza *f* para té. ~ㅅ물 el agua *f* de té. ~ㅅ방 habitación *f* para los alimentos. ~ㅅ숟가락 cucharilla *f*, cucharita *f*. ~ㅅ잎 hoja *f* de té. ~ㅅ자루 bolsita *f* de té. ~ ㅅ잔 taza *f* (de té), taza *f* para té. ~ㅅ잔 세트 juego *m* de té. ~ㅅ장 armario *m* (para las tazas de té y las frutas), estante *m* pequeño para las tazas de té, aparador *m* (para el servicio del té). ~ㅅ종(鍾) taza *f* de té. ~ㅅ주전자 tetera *f* (de té). ~ㅅ집 cafetería *f*, salón *m* (*pl* salones) de té, sala *f* de té, *RPl* confitería *f*. ¶오후 세 시에 종로 에서 만납시다 Nos veremos a las tres de la tarde en la cafetería en Jongno.

차(差) ① [차이(差異)] diferencia *f*; [부동(不同)] disparidad *f*; [판매 가격의] margen *m*; [변화(變化)] variación *f*. 두 통계(統計)의 근본적인 ~ diferencia *f* fundamental entre las dos estadísticas. ~를 두다 diferenciar, discriminar; [등급(等級)] graduar. ~가 있다 hay diferencia. ~가 없다 no hay diferencia. 2점 ~로 이기다 ganar por dos puntos [tantos]. 3점 ~로 지다 perder por tres puntos. 200표 ~로 당선되다 ser elegido por una mayoría de doscientos votos. A와 B 사이에 급료에 ~를 두다 graduar el salario de A y B. 그는 극히 경미한 ~로 일 위(一位)를 했다 El llegó el primero por una mínima diferencia. 그이와 나 사이에는 신장의 ~가 크다 [별로 ~가 없다] Hay gran [poca] diferencia de estatura entre él y yo. ② 【수학】 diferencia *f*, [나머지] resto *m*.

차(次) cuando, al + *inf*. 가려던 ~에 그녀가 왔다 Ella vino cuando yo estaba a punto de salir.

차(此) [이] este, esta, estos, estas; [이것] éste, ésta, éstos, éstas, esto.

차- apelmazado, glutinoso, pegajoso. ~조 mijo *m* apelmazado, mijo *m* glutinoso.

-차(次) ① [-하려고] para. 연구~ para el estudio. ② [숫자 뒤에 붙어서 횟수를 나타내는 말] orden *m*. 일~ 전류 corriente *f* primaria. 일~ 전지 bateria *f* de pilas. 제이~ 세계 대전 la Segunda Guerra Mundial, la Guerra Mundial II (Segunda). ③【수학】 grado *m*. 일[이·삼]~ 방정식 ecuacción *f* de primer [segundo·tercer] grado.

차가(借家) casa *f* de alquiler. ~하다 alquilar una casa, vivir en una casa de alquiler.

■~인(人) inquilino, -na *mf*; arrendatario, -ria *mf*.

차가다 arrebatar, quitar; [유괴하다] secuestrar, raptar; [훔치다] robar (arrebatando). 그는 나한테서 편지를 차갔다 El me arrebató la carta / El me quitó la carta de un manotazo. 도둑이 내 가방을 차갔다 Me robaron la maleta de un tirón [*AmL* de un jalón (*CoS* 제외)].

차간 거리(車間距離) distancia *f* entre dos trenes (que van a la misma dirección).

차감(差減) acción *f* de hacer el balance. ~하다 hacer el balance (de).

■~ 계정 balance *m*. ~ 잔액 balance *m*.

차갑다 [날씨가] hacer frío; [신체나 물 따위가] estar frío (como el hielo), enfriarse. 차가운 날씨 tiempo frío. 차가운 물 el agua *f* fría. 차가운 몸 cuerpo *m* frío. 아주 차가운 맥주 cerveza *f* bien fría. 엔진이 ~ Se enfría el motor. 날씨가 차가워진다 El tiempo se enfría. 오늘 밤은 살을 에이듯이 ~ Hace un frío penetrante [intenso] esta noche. 오늘 아침은 지독히 ~ Es intenso el frío de esta mañana / Hace un frío intenso esta mañana. 비로 몸이 온통 ~ La lluvia me ha helado hasta los huesos.

차견(借見) acción *f* de pedir prestado y ver el cuadro. ～하다 pedir prestado y ver el cuadro.

차고(車庫) garaje *m*, *AmL* garage *m*, cochera *f*; [열차 등의] cocherón *m* (*pl* cocherones); [버스의] terminal *f* [estación *f* · *Chi* terminal *m*] de autobuses; [현관 앞의 차를 댈 수 있게 만든 곳] porche *m*. 차를 ～에 넣다 meter [dejar] un coche en el garaje. 전동차(電動車)가 ～에 들어간다 El automotor eléctrico entra en el cocherón.

차고음(次高音)【음악】＝메조소프라노.

차곡차곡 cuidadosamente uno tras otro, apilando uno por uno, amontonando uno por uno. ～ 쌓다 apilar [amontonar] uno a uno [uno por uno]. ～ 쌓아 올리다 apilar, amontonar. (기왓장을) ～ 포개어 덮다 traslapar. 종이가 ～ 쌓여 있었다 Los papeles estaban cuidadosamente apilados.

차관(次官) viceministro, -tra *mf*; *Méj* subsecretario, -ria *mf*. 문화 관광부 ～ viceministro, -tra *mf* de Cultura y Turismo.
■ ～보(補) viceministro *m* adjunto, viceministra *f* adjunta; subsecretario *m* adjunto, subsecretaria *f* adjunta.

차관(借款) préstamo *m*, crédito *m*, empréstito *m*; prestación *f*. ～하다 prestar. ～ 형태의 투자 inversión *f* en forma de préstamo. ～을 요청하다 pedir un préstamo. ～을 제공하다 otorgar crédito, extender crédito. ～을 체결(締結)하다 contraer el préstamo. 은행은 미화 천만 달러의 ～을 할 준비를 하고 있다 El banco está dispuesto a prestar diez millones de dólares estadounidenses.
■ ～ 계약(契約) contrato *m* de préstamo. ～단 consorcio *m*, grupo *m* de empresas. ～ 융자 financiación *f* de crédito. ～ 협정 convenio *m* de préstamo.

차관(茶罐) escalfador *m*, caja *f* (para guardar el té), bote *m*, lata *f*.

차광(遮光) protección *f* del sol, protección *f* de la luz. ～하다 proteger del sol, proteger de la luz.
■ ～기(器) supresor *m* de fogonazo. ～막(幕) [창문 내부의] postigo *m*, contraventana *f*; [창문 외부의] postigo *m*, persiana *f*; [등불 주위의] pantalla *f*. ～ 장치 [사진기의] obturador *m*. ～판(板) [카메라의] obturador *m*.

차근차근 lenta y [pero] constantemente, atentamente, con atención, con cuidado, cuidadosamente, detenidamente, escrupulosamente, detalladamente, minuciosamente. ～하다 (ser) minucioso, compacto, atento. ～ 설명하다 explicar detalladamente [minuciosamente], detallar. 적을 ～ 공격하다 atacar al enemigo poco a poco pero con firmeza. 물이 ～ 올라왔다 Subió el agua lenta pero constantemente.

차근하다 (ser) metódico, ordenado, concienzudo; [세심하다] escrupuloso, minucioso, meticuloso.
차근히 metódicamente, concienzudamente, escrupulosamente. ～ 일하다 trabajar escrupulosamente.

차금(差金) ＝차액(差額).
■ ～ 거래 transacciones *fpl* en diferencia.

차금(借金) deuda *f*, dinero *m* prestado. ～하다 contraer deudas, entramparse, empeñarse. ～을 돌려주다 devolver el dinero prestado [pagar dinero].

차기(次期) período *m* próximo. ～의 próximo, siguiente.
■ ～ 국회 próxima sesión *f* parlamentaria. ～ 대통령 presidente, -ta *mf* siguiente [que viene]; próximo presidente *m*, próxima presidenta *f*. ～ 예산안 proyecto *m* de presupuesto del ejercicio siguiente. ～ 이월 llevado a cuenta nueva, suma y sigue, trasladado a cuenta nueva. ～ 정권(政權) administración *f* próxima. ～ 총선거(總選擧) próximas elecciones *fpl* generales.

차깔하다 cerrar bien la puerta

차꼬 grillos *mpl*, grilletes *mpl*, cepo *m*. ～를 채우다 poner los grillos [los grilletes].

차끈차끈하다 sentir frío.

차끈하다 (ser) muy frío,

차나무(茶－)【식물】té *m*.
■ ～밭 plantación *f* de té.

차남(次男) segundo hijo *m*.

차내(車內) interior *m* del coche; [기차의] interior *m* del tren. ～에서 en el coche; [기차의] en el tren.
■ ～ 금연 ((게시)) No fume en el coche. ～ 통화 장치(通話裝置) interfono *m*, intercomunicador *m*. ～ 회견(會見) entrevista *f* en el tren.

차녀(次女) segunda hija *f*.

차다[1] ① [더 들어갈 수 없이 가득하게 되다] estar lleno (de), llenarse (de), abundar. 배가 찼다 El estómago está lleno. 눈은 눈물로 가득 찼다 Se le llenaron los ojos de lágrimas. ② [이지러진 데가 없이 아주 온전하여지다] (estar) lleno; [조수가] crecer la marea. 조수가 차 있다 La marea está alta. 조수가 차고 있다 La marea está subiendo. ③ [감정 · 기운 등이 가득하게 되다] estar lleno (de). 희망에 찬 나날 los días llenos de esperanza. 마음에 ～ estar contento (con), estar satisfecho (de). 전도가 희망에 ～ Su futuro está lleno de esperanza. 나는 당신의 일이 마음에 찬다 Estoy satisfecho de tu trabajo. 그는 자신의 운명에 마음이 찬다 El está contento con [de] su suerte. ④ [어떤 정도에 이르다] llegar. 무릎까지 차는 냇물 el río que llega hasta las rodillas. 망토가 그의 발까지 찼다 La capa le llegó hasta los pies. ⑤ [정한 수효가 되다] llegar. 정원(定員)에 ～ llegar al número fijo, estar completo. ⑥ [정한 기한에 이르다] expirar, completarse. 기한이 ～ expirar el plazo. 계약은 오늘 기한이 찬다 El contrato expira hoy.

차다[2] ① [발로 내어 지르다] patear, dar patadas, pegar patadas, dar puntapies, pegar puntapiés, golpear con el pie, acocear; [말이] cocear, dar coces. 차고 들어가다 cocear adentro. 차서 부수다 romper a puntapiés. 문을 ~ dar [pegar] un puntapié a la puerta. 문을 차서 열다 abrir la puerta con una patada [a puntapiés]. 돌을 차고 놀다 jugar al tejo, jugar al infernáculo. 자리를 차고 일어나서 가다 marcharse indignado, irse de estampía. ② [혀끝을 입천장에 붙였다가 떼어 소리를 내다] chasquear. 혀를 ~ chasquear la lengua. ③ [거절하여 관계를 끊다] dar calabazas. 애인을 ~ dar calabazas a *su* novio. ④ [날렵하게 채뜨리다] coger [agarrar] rápidamente.

차다³ ① [끈을 달아 몸의 한 부분에 걸고 늘어뜨리다] ponerse, llevar, colgar. 시계를 ~ ponerse el reloj. 넥타이를 차거라 Ponte la corbata. 경관은 경찰봉을 허리에 찬다 El policía lleva la porra a [colgada de] la cintura. 그녀는 비싼 보석을 차고 다닌다 Ella lleva joyas preciosas. ② [수갑을 팔목에 끼우거나 차꼬 구멍에 발목을 끼우고 잠그다] ponerse. 수갑을 ~ ponerse las esposas. 차꼬를 ~ ponerse los grilletes. ③ [몸에 지니다] llevar, prender; [몸 가까이 거느리어 데리고 다니다] llevar. 옷에 찬 꽃 flor *f* prendida en el vestido. 핀으로 ~ prender con alfileres.

차다⁴ ① [물체의 온도가 낮다] (ser · estar) frío; [몸이] tener frío. 차게 하다 [공기 · 방을] refrigerar; [엔진 · 음식을] enfriar. 차가워지다 [공기 · 방이] refrigerarse; [엔진 · 음식 · 열정이] enfriarse. 찬물 el agua *f* fría. 찬바람 viento *m* frío. 찬 음료수 bebida *f* fría, refresco *m*. 어름장처럼 ~ ser helado, ser tan frío como hielo. 커피가 ~ El café está fría. 물이 ~ El agua está fría. 물이 차졌다 El agua se ha enfriado. 얼음은 (원래) ~ El hielo es frío. 커피가 ~ El café está frío. 나는 몸이 ~ Tengo frío. 강의 느리고 탁한 물은 죽음의 손처럼 찼다 El agua lenta y turbia del río era fría como mano de muerte. ② [기온이 낮다] (ser) frío; [날씨가] hacer frío. 날씨가 무척 ~ Hace mucho frío. 해진 후에는 기온이 ~ La temperatura es fría después de la puesta de(l) sol. ③ [인정이 없다. 매정하다] (ser) frío, insensible. 나는 아주 찬 환영을 받았다 Me recibieron con mucha frialdad [muy fríamente] / La recepción que me dieron fue muy fría / Yo recibí la recepción muy fría. 그녀는 매우 찬 사람이다 Ella es de temperamento muy frío.

차게 ㉮ [음식 등을] fríamente, frío. 아주 ~ (해서) 드십시오 Sírvase muy frío [마시는 것이 la cerveza 처럼 여성 명사일 경우에는 fría]. ㉯ [냉정하게] fríamente, con frialdad, de plano. ~ 거절하다 rechazar de plano. …를 ~ 대하다 tratar a *uno* con frialdad, ser [estar] frío con *uno*. 사람들이 나를 ~ 맞았다 Me recibieron con mucha frialdad [muy fríamente] / La recepción que me dieron fue muy fría. 그녀는 나에게 ~ 거절했다 Ella me dijo que no de plano / Ella me contestó con un no rotundo.

차닥거리다 ① [빨랫방망이로 빨래를 가볍게 두드려서 소리를 내다] zurrar, dar*le* palmetazos (a). ② [종이 같은 것을 자꾸 함부로 바르거나 덧붙이다] aplicar pegamento [cola] al azar (a), pegar caprichosamente.

차단(遮斷) interceptación *f*, interrupción *f*, aislamiento *m*; [격리] cuarentena *f*. ~하다 interrumpir, interceptar, detener, separar, cortar, aislar, atajar, obstruir. 바람을 ~하다 detener la corriente del aire. 빛을 ~하다 interceptar la luz. 시계(視界)를 ~하다 obstruir la vista. 적(敵)의 퇴로를 ~하다 interceptar el retiro del enemigo. 접촉을 ~하다 interrumpir el contacto. …의 길을 ~하다 estorbar [impedir] el paso a *uno*, ponerse en el camino de *uno*. …의 말을 ~하다 interrumpir a *uno*. 커튼으로 ~되어 실내(室內)가 보이지 않는다 La cortina me impide ver el interior de la habitación.

■ ~기(器) barrera *f*; [철도 건널목의 자동차단기] barrera *f* (automática) de golpe. ¶ ~를 내린다 Bajan la barrera. ~기(機) interruptor *m*, aparato *m* de intercepción, disyuntor *m*; [안전기(安全器)] cortacircuitos *m.sing.pl*, cortacorriente *f*.

차대(次代) ① [다음 대(代)] próxima generación *f*. ② [다음 시대] próxima época *f*.

차대(車臺) chasis *m*, bastidor *m*.

차도(車道) camino *m* carretero, camino *m* carretil, camino *m* de carruajes, carretera *f*, calzada *f*. ~ 통행금지 Se cierra el paso de la calzada.

차도(差度) mejora *f*, mejoría *f*, mejoramiento *m*, convalescencia *f*, recuperación *f*. ~가 있다 mejorar(se), recuperarse, convalecer, ir mejorando, ir mejorándose. 병(病)에 ~가 있다 venir [ir] mejorando poco a poco [muy gradualmente]. 나는 ~가 있다 Estoy mejor que antes. 그는 ~가 있다 El está en camino de convalecencia [de restablecimiento].

차돌 ① [석영(石英)] silicato *m*. ② [야무진 사람] hombre *m* de firme carácter.

■ ~모래 arena *f* silícea.

차동(差動) ¶~의 diferencial.

■ ~ 계전기 relé *m* diferencial. ~ 기어 박스 cárter *m* del diferencial. ~ (기어) 장치 engraje *m* diferencial. ~ 전동기 motor *m* diferencial. ~ 전류계(電流計) galvanómetro *m* diferencial. ~ 전위계 electrómetro *m* diferencial. ~ 코일 bobina *f* diferencial. ~ 톱니바퀴 engranaje *m* diferencial.

차드 【지명】 el Chad. ~의 chadiano.

■ ~ 사람 chadiano, -na *mf*.

차등(次等) segundo grado *m*.

차등(差等) grado *m*, graduación *f*, diferencia *f*, discriminación *f*. ~이 있다 ser diferente en grados. ~을 매기다 clasificar, graduar.

■ ~ 세율 tipo *m* de arancel graduado

ㅊ

차등(此等) éstos, éstas.
차디차다 (ser · estar) muy frío; [사람이] muy frío, insensible. 차디찬 물 el agua *f* muy fría. 차디찬 사람 persona *f* muy fría, persona *f* insensible. 차디찬 남자 hombre *m* muy frío, hombre *m* insensible. 차디찬 여자 mujer *f* muy fría, mujer *f* insensible. 차디찬 시체 cadáver *m* muy frío. 물이 ~ El agua está muy fría.
차라리 de mejor gana, más bien, antes (que), ante (de) que, primero. A보다 ~ B가 좋다 preferir B a A, desear B más que A. ~ …하는 편이 낫다 *Le* gustaría más / Preferiría. ~ 내가 하는 편이 낫겠다 Me gustaría más / Yo preferiría. 나는 있느니 ~ 가는 편이 낫겠다 Más quisiera irme que quedarte. 그런 사장 밑에서 일하느니 ~ 그만두겠다 Antes que trabajar con un jefe así, me voy.
차란차란하다 estar repleto (de), estar rebosante (de), estar desbordante (de). 금이 차란차란했다 Estaba repleto de oro.
차랑 titineando.
차랑거리다 mover suavemente, titinear. 차랑거리게 하다 hacer titinear.
차량(車輛) vehículo *m*, carruaje *m*, material *m* rodante; [철도의] vagón *m* (*pl* vagones), carruaje *m* ferroviario; [화차. 객차] coche *m*; [광산의] vagoneta *f*; [트럭] camión *m* (*pl* camiones). ~ 통행금지 ((게시)) Prohibido el paso a todo vehículo.
■~ 갑판 cubierta *f* de vagón. ~ 검사 inspección *f* de vehículo. ~ 고장 avería *f*, *Méj* descompostura *f*, *Col* varada *f*, *Chi* pana *f*. ~ 등록(증) matrícula *f* de un vehículo, registro *m* de un vehículo. ~ 번호 número *m* de un vehículo. ~ 번호판 matrícula *f*, *AmL* placa *f*, *CoS* patente *m*, *RPl* chapa *f*. ~ 연결기 [광산의] enganchador *m* de vagones; [열차의] enganche *m* de vagones. ~ 정비 mantenimiento *m* del coche. ~ 제작(製作) fabricación *f* del vehículo. ~ 통행세 *Guat* impuesto *m* sobre circulación de vehículos. ~ 회사(會社) compañía *f* de material rodante [móvil].
차려 ((구령)) ¡Atención! / ¡Ojo! /【군사】¡Firme(s)! ~ 자세를 취하다 cuadrarse, tenerse firme.
차렵 guata *f* delgada, relleno *m* delgado.
■~것 ropa *f* delgadamene guateada [acolchada].
차례(次例) ① [번] orden *m* (*pl* órdenes), turno *m*. ~로 en orden, uno a uno, uno por uno. 자기 ~가 되어 a *su* turno. 자기 ~에 por *su* turno. …의 ~가 오다 tocar*le* el turno a *uno*. 나갈 ~를 기다리다 [연극에서] esperar *su* entada [el momento de entrar] en escena. 드디어 우리 ~다 Por fin nos toca el turno / Ahora es nuestro turno. 귀하의 ~를 기다리십시오 Espere (usted) su turno. ② [횟수] vez *f* (*pl* veces). 한 ~ una vez. 두 ~ dos veces. 열 ~ diez veces. 백 ~ cien veces. 여러 ~ muchas veces. 책을 세 ~ 읽다 leer un libro tres veces. 나는 동끼호떼를 열 ~ 읽었다 Yo leí el Quijote [el Ingenioso Hidalgo don Quijote de la Mancha] diez veces. ③ [책의 목차] índice *m* de materiales, sumario *m*; [잡지의] sumario *m*.
■~표(表) programa *m*.
차례(茶禮) servicios *mpl* en memoria de los antepasados, servicios *mpl* en memoria de *su* familia.
차례차례 uno a uno, uno por uno, uno tras otro; [순서로] en turno. ~ 이름을 말해라 Decid vuestro nombre uno tras otro.
차로(叉路) cruce *m*, encrucijada *f*.
차로(車路) =찻길. ¶(버스) 전용(專用) ~ carril *m* exclusivo.
차로(遮路) obstrucción *f* del camino. ~하다 bloquear el camino.
차륜(車輪) rueda *f*.
차르랑 con un tintineo.
차르랑거리다 tintinear, traquetear, golpetear, dar golpes poco fuertes pero seguidos.
차리다 ① [장만하여 갖추다] preparar. 밥상을 ~ preparar la mesa. 저녁을 ~ preparar la cena. ② [기운 · 정신 따위를 가다듬다] recobrar la calma, serenarse, animarse, excitarse, alentarse, volver en sí, recobrarse. 정신 차려라 Anímate / Aléntate / Recóbrate. 정신 차리십시오 ¡Anímese! / ¡Aléntese! / ¡Recóbrese! ③ [격식이나 태도 등을 겉으로 드러내다] mantener, observar. 인사를 ~ observar decoro. ④ [가르침을 받지 않고 스스로 납득하다] entenderse sin aprender. ⑤ [해야 할 일에 준비를 갖추다] estar listo (para). 나는 출발할 채비를 차리고 있다 Yo estoy listo para despedirme. ⑥ [옷 따위를 격식에 맞게 갖추어 입다] vestirse, ponerse. ⑦ [필요한 것을 벌이다] establecer. ⑧ [어떤 일에서 제 욕심 따위를 채우려 한다] buscar. 제 욕심(慾心)을 ~ buscar ganancias personales.
차림 manera *f* de vestirse, ropa *f*. 여자 ~을 하고 disfrazando de mujer. 가난한 ~을 하고 있다 estar vestido pobremente.
■~새 conjunto *m*, equipo *m*, preparación *f*, disposición *f*; [옷차림] manera *f* de vestirse; [분장] maquillaje *m*; [풍채] aire *m*, aparición *f*. ¶~가 멋있는 부인 mujer *f* bien vestida. ~표 menú *m*, lista *f* de platos, carta *f*. ¶~를 부탁합니다 El menú, por favor.
차마 demasiado, exactamente. ~ 견딜 수 없는 모욕 insulto *m* intolerante. ~ 볼 수 없는 비참한 광경(光景) una vista muy lastimosa. ~ …할 수 없다 no poder soportar. ~ 그를 볼 수 없다 No le puedo ni ver.
차마(車馬) caballos *mpl* y vehículos. ~의 통행 tráfico *m* vehicular.
■~ 통행금지 ((게시)) No pasen caballos y vehículos.
차멀미(車—) mareo *m* (por viajar en coche), mareo *m* [mareamiento *m*] del coche. ~하다 marear(se). 나는 ~를 한다 Me mareo

ㅊ

(cuando viajo) en coche.

차명(借名) uso *m* del nombre personal. ~하다 usar [pedir prestado] el nombre personal. ~ 계좌 cuenta *f* del nombre personal.

차바퀴(車—) rueda *f*.

차반 ① [맛있게 잘 차린 음식] comida *f* que se prepara sobrosamente. ② [예물로 가져가는 맛있는 음식] comida *f* sabrosa como el regalo.

차반(茶盤) bandeja *f* para el té.

차변(借邊) 【상업】 débito *m*, cargo *m*, aduedo *m*. ~에 기입하다 adeudar, cargar en cuenta, cargar en debe, asentar al lado debe de una cuenta, debitar, cargar. 귀 ~에 기입하다 sentar [pasar] al debe de su cuenta la suma, dejar [cargar] a usted en cuenta la suma. ~ 계좌에 기입하다 cargar una suma a una cuenta, debitar una cantidad de una cuenta. 폐점(閉店) ~에 기입하다 pasar al debe de nuestra cuenta. 금액을 …의 ~에 기입하다 llevar el importe al debe de *uno*.
■~ 계정 cuenta *f* deudora, cuenta *f* (de) debe, debe *m*. ~ 기입 débito *m*, asiento *m* de cargo. ~란 debe *m*. ¶~에 en el debe, entre los aspectos negativos. ~잔고(殘高) saldo *m* deudor. ~전표 nota *f* de débito. ~표 nota *f* de cargo.

차별(差別) distinción *f*, discriminación *f*, segregación *f*, diferencia *f*. ~하다 discriminar, distinguir, diferenciar. A와 B를 ~하다 discriminar [disinguir · diferenciar] (a) A de B. ~ 없이 sin distinciones, sin discriminación, sin hacer distinción, indistintamente; [공평하게] igualmente, imparcialmente. 귀천(貴賤)의 ~ 없이 sin distinción de rango [de clase]. A와 ~하여 a distinción de A. ~적 언사(言辭) palabras *fpl* discriminantes. 남성(男性)과 여성(女性)을 ~하다 hacer discriminación entre hombres y mujeres.
■~ 관세(關稅) derechos *mpl* diferenciales, derechos *mpl* aduaneros distintivos. ~ 대우 trato *m* desigual. ¶~하다 tratar*le a uno* con discriminación, tratar con distinción injusta. 미국 상품(商品)에 대한 ~ discriminación *f* contra las mercancías estadounidenses [*AmL* norteamericanos]. ~ 임금 salario *m* diferencial. ~ 임금 제도 sistema *m* del salario diferencial. ~ 철폐 [인종(人種)의] abolición *f* de dicernimiento (racial).

차부(車夫) carretero *m*.

차분하다 (ser) tranquilo, quieto, sereno, sosegado, silencioso, reposado, apasible. 차분한 태도 actitud *f* tranquila. 이 색깔은 ~ Este color es sobrio.
차분히 detenidamente, cuidadosamente, minuciosamente, con calma, sin prisas. ~ 생각한 후에 después de detenida reflexión. ~ …하다 dedicarse a *algo* con calma.

차비(車費) precio *m* del billete [*AmL* del boleto], pasaje *m*; [택시의] tarifa *f* de taxi. ~를 부탁합니다 — ~ 여기 있습니다 El pasaje, por favor — Aquí lo tiene.

차비(差備) preparación *f*, previsión *f*, [의도(意圖)] intención *f*. ~하다 preparar, estar listo. 아무 ~도 없이 sin preparaciones ningunas.

차사(差使) 【고제도】 oficial *m* enviado para detener un criminal, mensajero *m* enviado por el gobierno.

차색(茶色) (color *m*) moreno *m* claro, castaño *m* claro. ~의 castaño claro, moreno claro.

차서(次序) =차례(次例)(orden).

차석(次席) ① [수석(首席)의 다음 자리] segundo puesto *m*, segunda posición *f*, segunda silla *f*. ~을 점하다 ocupar el segundo puesto. ② [수석의 다음 사람] segundo, -da *mf* en rango; ayudante *mf*.
■~ 검사(檢事) fiscal *m* adjunto, fiscal *f* adjunta. ~ 판사(判事) juez *m* adjunto, juez *f* adjunta.

차선(次善) segundo mejor. ~의 que no es el mejor, sino el segundo; aceptable.
■~책 segunda alternativa *f*.

차선(車線) carril *m*, *Chi* pista *f*, *RPl* senda *f*. 팔 ~ 고속 도로 autopista *f* de ocho carriles. ~을 바꾸다 cambiar de carril [*Chi* de pista]. ~을 지키십시오 Obedezca el carril / Respete el carril.
■~ 분리 segregación *f* de tráfico. ~ 분리대 franja *f* divisional. ~ 분리선 raya *f*. ~ 폐쇄 carril *m* cerrado, *Chi* pista *f* cerrada. ~폭 anchura *f* de carril. ~ 하중(荷重) carga *f* de carril.

차송(差送) despacho *m*, envío *m*, expedición *f*. ~하다 despachar, enviar.

차수(次數) 【수학】 grado *m*.

차수(差數) disparidad *f*, balance *m*, diferencia *f*.

차아(次兒) segundo hijo *m*.

차아-(次亞) ((구칭)) =하이포아-(hipo-).

차압(差押) ((구용어)) =압류(押留).

차액(差額) diferencia *f*, balance *m*. ~을 지불하다 [요금의] pagar el suplemento [la diferencia], saldar, pagar el balance. 등급에 따라 ~을 지불하다 pagar la diferencia del aumento del sueldo. 매상에서 지출의 ~이 순이익이다 La venta menos los gastos constituye la ganancia neta.

차양(遮陽) ① [(볕을 가리거나 비를 막기 위하여) 처마 끝에 덧대는 조붓한 지붕] toldo *m*, alero *m*, sobradillo *m*; [창문의] persiana *f*, transparente *m*. ~을 하다 tender toldo, encubrir el sol. ② [모자의] el ala *f* (*pl* las alas), visera *f*. ~이 넓은 모자 sombrero *m* de ala ancha, chambergo *m*.

차완(茶碗) tazón *m* pequeño para el té.

차용(借用) préstamo *m*, deuda *f*, emprésito *m*. ~하다 pedir [tomar] *algo* prestado. 일금(一金) 천만 원을 정히 ~함 김수남 Reconozco que debo la suma de diez millones de wones. Kim Su Nam. 상기 금액(金額)을 ~했음을 정히 확인함 Yo he confirmed el préstamo de la suma arriba indicada.

■ ~금(金) dinero *m* prestado. ~ 증서(證書) certificado *m* de una deuda, título *m* de la deuda, comprobante *m* de la deuda. ¶~를 써 주다 dar un recibo, dar un comprobante de la deuda.

차원(次元) ① 【수학·물리】 dimensión *f*. 삼(三)~ tercera dimensión *f*. 사(四)~ cuarta dimensión *f*. 삼~의 세계(世界) espacio *m* de la tercera dimensión. ② [어떤 사물을 생각하거나 행할 때의 입장. 또, 그 정도, 사고방식이나 행위 등의 수준] dimensión *f*, orden *m*. 같은 ~의 del mismo orden. ~이 다른 문제(問題) cuestión *f* de otro orden, cuestión *f* de orden distinto.

차월(借越) deuda *f* pendiente, saldo *m*. 나는 은행에 백만 원의 ~이 되어 있다 En el banco tengo un saldo de un millón de wones en mi cuenta [en descubierto].

차위(次位) segundo rango *m*, segunda posición *f*. ~상을 받다 ganar el segundo premio.

차이(差異) diferencia *f*, distancia *f*; [부동(不同)] disparidad *f*; [불일치] divergencia *f*, discrepancia *f*; [구별(區別)] distinción *f*; [틀림] equivocación *f*. A와 B와의 ~ diferencia *f* de [entre] A y B. ~가 없다 no hay diferencia. 큰 ~가 없다 No hay gran diferencia. 몇 분 ~로 나는 열차를 놓쳤다 He perdido el tren por unos cuantos minutos. 양자 간에는 ~가 많다 Hay mucha diferencia entre los dos. 두 사람의 의견에는 대단한 ~가 있다 Hay gran diferencia de opinión entre los dos / Las opiniones de los dos difieren mucho. 품질면에서는 ~가 없다 No hay diferencia en cuanto a la calidad.

■ ~법 método *m* de diferencia. ~점 punto *m* de diferencia.

ㅊ

차이나 【지명】 China. ~의 chino.

■ ~타운 barrio *m* chino.

차익(差益) ganancia *f* marginal.

차인(差人) empleado, -da *mf*.

■ ~꾼 =차인(差人).

차일(遮日) toldo *m*.

차일피일(此日彼日) aplazamiento *m* de día en día. ~하다 aplazar [posponer] de día en día [día a día].

차임(借賃) alquiler *m*; [부동산의] renta *f*.

차임(영 *chime*) [시각을 알리거나 호출용으로 쓰이는 벨(bell)의 일종. 또, 그 소리] [종의 소리] repique *m*; [시계의 소리] campanada *f*; [벨의 소리] campanilla *f*.

■ ~벨 =차임(chime).

차입(借入) préstamo *m*. ~하다 pedir prestado, tomar a préstamo. 나는 돈을 조금 ~해야 했다 Tuve que pedir dinero prestado.

■ ~금 préstamo *m* por pagar.

차입(差入) acción *f* de llevar un regalo. ~하다 llevar un regalo. 수인(囚人)에게 ~하다 llevar un regalo a un preso.

차자(次子) segundo hijo *m*.

차장(次長) subdirector, -tora *mf*; subjefe, -fa *mf*.

■ ~ 검사(檢事) fiscal *m* adjunto, fiscal *f* adjunta.

차장(車掌) [버스의] cobrador, -dora *mf*, *AmS* conductor, -tora *mf*; *Nic* ayudande *mf* de bus; [철도의] revisor, -sora *mf*.

차점(次點) punto *m* próximo, número *m* próximo. ~이 되다 [낙선자의 제1위] ser el primero en la lista de los no elegidos.

■ ~자(者) subcampeón, -ona *mf*; persona *f* en segundo lugar; ganador, -dora *mf* de punto próximo.

차제(此際) este momento, esta oportunidad, esta ocasión, estas circunstancias. ~에 en este momento, en esta oportunidad, por el momento, en esta ocasión, en estas circunstanias. ~에 그분과 상담하는 것이 좋겠다 En estas circunstancias, te vendría mejor consultar con él. ~에 그의 집도 방문하겠다 De paso voy a visitar su casa.

차조 【식물】 mijo *m* apelmazado.

차좁쌀 mijo *m* apelmazado pelado.

차종(車種) clases *fpl* del coche.

차주(車主) dueño, -ña *mf* del coche.

차주(借主) [돈의] prestario, -ria *mf*; [차용자] comodatario, -ria *mf*; [부채자] deudor, -dora *mf*; [임차인] alquilador, -dora *mf*; arrendador, -dora *mf*; [집·방의] inquilino, -na *mf*; [차지인(借地人)] arrendatario, ria *mf*

차중(車中) ① [차의 속] dentro del coche. ~에서 en el coche; [기차의] en el tren. ② [차를 타고 있을 동안] mientras se toma el coche.

차중음(次中音) 【음악】 tenor *m*.

차지 ① =몫(parte, porción). ② [소유함] ocupación *f*. ~하다 ocupar. 건물의 일 층과 이 층을 ~하다 ocupar la planta baja y el primer piso del edificio. 전체의 60%를 ~하다 sumar el sesenta por ciento del total. 세계 제일위를 ~하다 ocupar el primer puesto en el mundo. 유리한 위치를 ~하다 ocupar una posición favorable [aventajada], ocupar un lugar estratégico. 일 등(一等)을 ~하다 ocupar el primer puesto.

차지(借地) tierra *f* arrendada.

■ ~권 derecho *m* de arriendo, inquilinato *m*. ~료(料) alquiler *m* de arriendo. ~인(人) arendatario, -ria *mf*, inquilino, -na *mf*.

차지다 ① [끈기가 많다] (ser) pegajoso, glutinoso, apelmazado. 차진 쌀 arroz *m* apelmazado [glutinoso]. ② [안차고 빈틈없이 알뜰하다] (ser) tenaz, firme.

차질(蹉跌/差跌) ① [발을 헛디디어 넘어짐] caída *f*. ② [일이 실패로 돌아감] contrariedad *f*, fracaso *m*, falla *f*, desorden *m*, desajuste *m*. ~을 일으키다 frustrarse, salir mal, fracasar. 의외의 ~에 봉착하다 encontrarse con una contraridad inesperada, hallarse con una dificultad. 계획 수행에 ~이 생겼다 Se produjo un trastorno

al ejecutar el plan.
차질다 =차지다.
차차(次次) gradualmente, paso a paso, poco a poco, progresivamente. ~ 멀어지다 alejarse poco a poco. ~ 일에 익숙해지다 acostumbrarse a un trabajo poco a poco. 날씨가 ~ 추워진다 [더워진다] Hace cada día má frío [calor]. 환자는 ~ 좋아진다 [나빠진다] El enfermo va cada vez mejor [peor].
차차차 【음악】 chachacha *m*..
차창(車窓) ventanilla *f*, ventana *f* de coche [tren]. ~에 비친 풍경 paisaje *m* visto por la ventanilla del tren.
차체(車體) ① [자동차의] carrocería *f*. ② [열차의] caja *f*, cuerpo *m* de carro.
차축(車軸) eje *m* de una rueda.
차출(差出) remitente *m*. ~하다 presentar, ofrecer; [보내다] remitir, expedir, mandar.
■ ~인(人) remitente *mf*.
차츰 =차차(次次).
차츰차츰 gradualmente, paso a paso, poco a poco; [시간이 흐름에 따라] con el tiempo, a la larga. ~ 가까워진다 acercarse poco a poco. 설비(設備)도 ~ 완성될 것이다 Los equipos e instalaciones estarán completos con el tiempo.
차탁(茶托) mesita *f* (para las tazas para café.
차탁(茶卓) mesa *f* para el té.
차탄(嗟歎) suspiro *m*. ~하다 suspirar, dar un suspiro, dar gemidos, exhalar un suspiro, deplorar.
차터(영 *charter*) [용선(傭船)] fletamento *m*, fletamiento *m*; [비행기의] chárter *ing.m.* ~하다 [비행기·배를] fletar; [버스 따위를] alquilar.
■ ~ 계약 contrato *m* de fletamento. ~기 [전세 비행기] avión *m* chárter.
차트(영 *chart*) gráfica *f*, gráfico *m*, grafo *m*.
차폐(遮蔽) tapadura *f*, tapamiento *m*. ~하다 tapar, cubrir.
■ ~물 refugio *m*, protección *f*. ¶숲이 바람의 ~이 되고 있다 El bosque corta el paso del viento.
차폭(車幅) anchura *f* del coche.
차표(車票) billete *m*, *AmL* boleto *m*. ~를 사다 sacar el billete [*AmL* el boleto]. ~를 검사하다 revisar el billete. 부산까지 1등 ~ 한 장 주세요 Quiero un billete de primera (clase) a Busan.
차하(次下) tercer puesto *m*.
차하지다(差下−) ser inferior (a), ser peor (que), no llegar a la altura (de). 나는 서반아어가 그이보다 차하진다 El me supera en español / No llego a su altura en español. 그녀는 아름다움에서 동생한테 차하진다 En cuanto a la hermosura ella es inferior a su hermana / Su hermana la aventaja en hermosura. 오늘은 어제와 차하지게 춥지 않다 Hoy hace tanto frío como ayer / Hoy hace no menos frío que ayer.
차한(此限) este límite, esta regla. 단, 그 경우에는 ~에 부재함 Esta regla, sin embargo, no aplica al caso.
차형(次兄) segundo hermano *m* mayor.
차호(次號) ① [다음의 번호] número *m* siguiente. ② [정기 간행물의 다음 호] número *m* siguiente, número *m* próximo. ~에 계속 Sigue en el número próximo. ~에 완결함 Termina en el número próximo / El final aparecerá en el número próximo.
차회(次回) próxima vez *f*, vez *f* siguiente. ~에 en próxima vez. ~의 próximo, siguiente. ~로 미루다 aplazar [diferir] *algo* para la vez siguiente.
차후(此後) despúes. ~에 despúes.
착[1] ① [물건이 잘 달라붙는 모양] bien, muy, perfectamente. ~ 달라붙은 바지 los pantalones que se pegan bien. ~ 달라붙다 pegarse, aglutinarse, adherirse. 뒤에 ~ 달라붙어 가다 seguir (a), ir detrás (de). 옷장을 벽에 ~ 붙이다 poner la cómoda perfectamente pegada a la pared. 껌이 손에 ~ 달라붙었다 Se me ha pegado el chicle a la mano. 철은 자석에 ~ 달라붙는다 El hierro se adhiere al imón / El hierro es atraído por el imán. 이 풀은 ~ 달라붙는다 Este engrudo pega fácilmente. 이 옷은 몸에 ~ 달라붙는다 Este vestido se pega al cuerpo. ② [몹시 휘어지거나 굽거나 또는 늘어진 모양] muy encorvado.
착[2] ① [몸가짐이 점잖고 태연한 모양] con calma. ② [마음이나 목소리 따위가 가라앉은 모양] bajo, profundamente. ~ 가라앉은 음성 voz *f* apagada.
착(着) [의복의 벌] traje *m*. 양복 한 ~ un traje.
-착(着) ① [명사 뒤에 붙어 「도착」의 뜻] llegada *f*. 인천 국제 공항~ llegada *f* al Aeropuerto Internacional de Incheon. 6월 23일 KAL 편으로 로스엔젤레스~ llegada *f* a Los Angeles por KAL el veintitrés de junio. 서울발 부산~ 완행열차 tren *m* local de Seúl para Busan. 오전 다섯 시~ 열차 tren *m* de [que llega a] las cinco de la mañana. ② [수사 뒤에 붙어 도착순을 나타내는 말] lugar *m*. 제일~ primer lugar *m*. 제이~ segundo lugar *m*. 제삼~을 하다 llegar [quedar] en tercer lugar.
착각(錯角) 【수학】 ((구용어)) =엇각.
착각(錯覺) ilusión *f*, equivocación *f*, error *m*, juicio *m* erróneo. ~하다 forjar [concebir] una ilusión, confundir, equivocarse, engañarse. ~을 일으키다 ilusionarse, producir una ilusión. ~하고 있다 estar equivocado. A를 B로 ~하다 equivocar [confundir] A con B, tomar A por B. 나는 늘 그를 그의 동생과 ~한다 Yo siempre le confundo con su hermano. 그는 나를 도둑으로 ~했다 El me tomó por ladrón. 이 인형은 살아 있는 것으로 ~을 일으킨다 Esta meñeca produce la sensación de que está viva. 나는 내 방에 있는 것으로 ~을 일으켰다 Tuve la

sensación de que me encontraba en mi habitación. 그것은 눈의 ~이다 Es una ilusión óptica.

착검(着劍) [호령] ¡A la bayoneta! ~하고 a la bayoneta.

착공(着工) comienzo *m* de la construcción, comienzo *m* de la obra, puesta *f* de la primera piedra puesta en obra. ~하다 comenzar la obra, poner la primera piedra.
■ ~식 ceremonia *f* pionera, ceremonia *f* innovadora. ~일 fecha *f* del comienzo de la construcción.

착근(着根) arraigamiento *m*. ~하다 arraigar, *AmL* raicear.

착념(着念) acción *f* de prestar atención. ~하다 prestar*le* atención (a).

착란(錯亂) aberración *f*, confusión *f*, desorden *m*. ~하다 estar confuso.
■ ~ 상태 estado *m* de demencia. ¶~에 있다 estar en un delirio.

착륙(着陸) aterrizaje *m*.; [물에] amarizaje *m*, amerizaje *m*; [달에] alunizaje *m*. ~하다 aterrizar (en), tomar tierra (en), hacer un aterrizaje. ~을 잘하다 hacer un buen aterrizaje. ~을 잘못하다 hacer un mal aterrizaje. 공항에 ~하다 aterrizar [tomar tierra] en el aeropuerto. 김포 공항에는 몇 시에 ~합니까? ¿A qué hora aterriza en el Aeropuerto de Kimpo?
◆강제 ~ aterrizaje *m* forzoso. 무~ 비행 vuelo *m* sin aterrizaje, vuelo *m* sin escala, vuelo *m* sin etapa. 불시(不時) ~ aterrizaje *m* forzoso. 비상(非常) ~ aterrizaje *m* de emergencia. 야간(夜間) ~ aterrizaje *m* nocturno. 연(軟)~ aterrizaje *m* suave. 지상 유도(地上誘導) ~ arribada *f* con control desde tierra, aproximación *f* dirigida desde tierra.
■ ~ 거리 longitud *f* de aterrizaje. ~ 궤도 trayectoria *f* de aterrizaje. ~ 기어 [착륙 장치] aterrizador *m*, tren *m* de aterrizaje. ~대(帶) zona *f* de aterrizaje. ~등(燈) luz *f* de aterrizaje. ~ 레이더 radar *m* de aterrizaje. ~료 precio *m* de aterrizaje. ~무선 표지 radiofaro *m* de aterrizaje. ~ 방향 표지등 [공항의] luz *f* de sentido de aterrizaje, baliza *f* de pista, faro *m* de aterrizaje. ~장 sector *m* de aterrizaje, lugar *m* de aterrizaje (de aeroplanos), pista *f* de aterrizaje, campo *m* de aterrizaje; [선박의] desembarcadero *m*. ~ 장치 instalación *f* de aterrizaje, aterrizador *m*, tren *m* de aterrizaje. ~지 lugar *m* de aterrizaje; [스키의] declive *m*. ~ 지시기 indicador *m* de aterrizaje. ~ 지점 [육지의] aterrizaje *m*; [해상의] aterrizaje *m*, amaraje *m*; [달의] alunizaje *m*.

착모(着帽) acción *f* de ponerse el sombrero. ~하다 ponerse el sombrero.

착발(着發) la llegada y la partida. ~하다 llegar y partir.
■ ~ 시간표 horario *m*. ~ 신관 espoleta *f* de percusión. ~탄(彈) cartucho *m* de percusión.

착복(着服) ① [옷을 입음] acción *f* de vestirse. ② [남의 금품을 부당하게 자기 것으로 함] desfalco *m*, malversación *f*, substracción *f*. ~하다 malversar, substraer, apropiarse (de), desfalcar, escamotear, embolsillar ocultamente.

착빙(着氷) formación *f* de hielo. ~하다 helarse, escarcharse.

착살맞다 (ser) tacaño, mezquino, roñoso, asqueroso, agarrado, *AmS* amarrete.

착상(着床)【생물】implantación *f*.

착상(着想) idea *f*, inspiración *f*, pensamiento *m*, concepto *m*, concepción *f*. 비범한 ~ ingenio *m* extraordinario. …에서 ~을 얻다 inspirarse en *algo*. 그것은 좋은 ~이다 Es una buena idea / Es una idea ingeniosa.

착색(着色) coloración *f*, [채색(彩色)] colorido *m*, pintura *f*. ~하다 colorar, colorear, pintar. 붉게 ~하다 colorar en rojo. 산들이 붉고 노랗게 ~되어 있다 Las montañas están cubiertas [jaspeadas · esmaltadas] de rojo y amarillo.
■ ~기 máquina *f* de teñir, aparato *m* cromatográfico. ~ 목판 grabado *m* coloreado, plancha *f* de madera coloreada. ~법 coloración *f*. ~ 사진 fotografía *f* coloreada, fotografía *f* de color, cromofotografía *f*. ~석판화 cromo *m*, cromolitografía *f*. ~유리 vidrio *m* coloreado, vidrio *m* de color. ~인쇄 cromotipia *f*, impresión *f* en colores. ~제 colorante *m*, materia *f* colorante. ~화 pintura *f* coloreada, pintura *f* de color; [색쇄(色刷)] lámina *f* de color.

착생(着生)【생물】inserción *f*.

착석(着席) acción *f* de sentarse. ~하다 sentarse, tomar asiento. ~ 순으로 por orden de asiento. ~해 있다 estar sentado. ~해 주십시오 [usted에게] Siéntese, por favor / [tú에게] Siéntate, por favor / [ustedes에게] Siéntense, por favor / [vosotros에게] Sentaos, por favor. ~하지 마십시오 [usted에게] No se siente / [tú에게] No te sientes / [ustedes에게] No se sienten / [vosotros 에게] No os sentéis. 우리 ~합시다 Vamos a sentarnos / Sentémonos. ~하지 맙시다 No nos sentemos.

착선(着船) llegada *f* de un barco. ~하다 llegar (el barco).

착수(着水) amaraje *m*, amerizaje *m*, amarizaje *m*. ~하다 amarar, amerizar.

착수(着手) comienzo *m*, principio *m*. ~하다 comenzar, empezar, poner en marcha. 일에 ~하다 poner manos a la obra, emprender una tarea, ponerse a trabajar, echar mano al trabajo. 저작(著作)에 ~하다 empezar a escribir un libro. 5개년 계획에 ~하다 emprender un plan quinquenal. 사업이 ~되었다 La obra se ha puesto en marcha. 그는 영화 제작을 ~했다 El se ocupó en la producción de una película.
■ ~금(金) arras *fpl*, garantías *fpl*, señal *f*, caparra *f*.

착신(着信) llegada *f* de correos. ~하다 (los correos) llegar.

착실하다(着實-) (ser) seguro; [부단하다] constante; [규칙적이다] regular; [정직하다] honesto, honrado; [성실하다] concienzudo; [끈기 있다] perseverante. 착실함 seguridad *f*, constancia *f*, regularidad *f*. 착실한 경영(經營) administración *f* segura. 착실한 사람 persona *f* honesta [respetable · como es debida]. 착실한 사고방식을 하다 tener una manera de pensar segura. 착실한 사람이 되다 hacer vida nueva, cambiar de modo de vivir, corregir *su* forma de vivir, reformarse. 그는 착실한 인물이다 El es un hombre de carácter firme.
착실히 seguramente, constantemente, regularmente, con seguridad, con constancia, honradamente, honestamente, con honradez, a pie firme, firmemente. ~ 일하다 trabajar con honradez, trabajar con constancia. ~ 진보하다 desarrollarse con regularidad.

착안(着眼) mira *f*, puntería *f*. ~하다 observar, percibir.
■ ~점 punto *m* de vista, criterio *m*, punto *m* de observación, punto *m* a considerar, punto *m* al que se dirige la mirada. ¶그의 ~은 옳다 [틀린다] Su punto de observación es correcto / Su punto de observación está equivocado.

착암기(鑿巖機) perforadora *f* (para roca), perforador *m* de rocas.

착역(着驛) ① [역에 도착함] llegada *f* a la estación. ② [도착한 역] estación *f* de llegada.

착오(錯誤) equivocación *f*, error *m*, yerro *m*, aberración *f*, desacierto *m*; [방향의] desviación *f*. ~로 por equivocación. ~에 빠지다 caer en error, equivocarse, errar. 그건 우리 측의 ~입니다 Es un error de nuestra parte / Es culpa nuestra.
◆시각(視覺) ~ ilusión *f* óptica. 시대(時代) ~ anacronismo *m*.

착용(着用) acción *f* de vestirse. ~하다 vestirse, ponerse. 제복을 ~하고 con el uniforme puesto. 예복을 ~할 것 El traje es de vigor.

착유(搾油) expresión *f* de aceite. ~하다 exprimir el aceite.
■ ~기(機) prensa *f* de aceite.

착유(搾乳) ordeño *m*. ~하다 ordeñar. ~하는 남자 ordeñador *m*. ~하는 여인 ordeñadora *f*, lechera *f*, mujer *f* que ordeña.
■ ~기(機) ordeñadora *f*, ordeñadero *m*, máquina *f* de ordeñar. ~장(場) lechería *f*; *AmS* ordeñadero *m*.

착의(着衣) ① [옷을 입음] acción *f* de vestirse. ~하다 vestirse. ② [입고 있는 옷] vestido *m*, ropa *f*, traje *m*; [집합적] vestuario *m*.

착임(着任) entrada *f* en función, puesta *f* en función. ~하다 entrar en función, ponerse en función.

착잡(錯雜) confusión *f*, complicación *f*, intrincación *f*. ~하다 complicarse, intrincarse, enredarse, estar confundido. ~한 confundido, complicado, intrincado. ~한 사건(事件) asunto *m* complicado. 이곳에서는 이해관계가 ~하다 Aquí se enredan los intereses.

착전(着電) llegada *f* de telegrama.

착정(鑿井) excavación *f* de un pozo. ~하다 cavar [excavar] el pozo.

착종(錯綜) =착잡(錯雜).

착좌(着座) entronización *f*, entronizamiento *m*, exaltación *f* al trono; ((천주교)) exaltación *f*, ungimiento *m*. ~하다 entronizar, exaltar al trono; ((천주교)) ungir.
■ ~식(式) ceremonia *f* de exaltación.

착즙(搾汁) expresión *f* del zumo. ~하다 exprimir el zumo [el jugo].
■ ~기 exprimidera *f*, exprimidero *m*, exprimidor *m*.

착지(着地) ① ((체조)) aterrizaje *m*. ② 【항공】[육지에] aterrizaje *m*; [바다에 착수(着水)] amerizaje *m*, amarizaje *m*, amaraje *m*; [달에] alunizaje *m*.

착착 paso a paso, progresivamente, regularmente, a un ritmo constante, sin cesar, sin parar, continuamente, ininterrumpidamente. 공사(工事)는 ~ 진행되고 있다 Las obras avanzan paso a paso.

착취(搾取) ① [누르거나 비틀어서 즙을 짜냄] expresión *f* del zumo. ~하다 exprimir el zumo [*AmL* el jugo]. ② [자본가나 지주가 근로자나 농민에 대해 그 가치만큼의 보수를 지급하지 않고 잉여 가치를 독점하는 일] explotación *f*, extorsión *f*. ~하다 explotar, sacar utilidad [partido] (de), despojar (de), arrebatar, usurpar, extorsionar. 노동자의 ~ explotación *f* de los trabajadores. 노동자를 ~하다 explotar a los trabajadores. 돈을 ~하다 despojar del dinero, arrebatar el dinero.
◆중간(中間) ~ explotación *f* intermediaria.
■ ~ 계급(階級) clase *f* social explotadora. ¶피~ clase *f* social explotada. ~자(者) explotador, -dora *mf*.

착탄 거리(着彈距離) alcance *m* (de una bala), distancia *f* que recarre una bala. 대포의 ~에 a tiro de cañón. ~ 안에 있다 estar al alcance. ~ 밖에 있다 estar fuera del alcance.

착탄 지점(着彈地點) el área *f* (*pl* las áreas) de impacto.

착하(着荷) arribada *f* [llegada *f*] de mercancías; [도착 하물] mercadería *f* llegada. ~불(拂)의 para [a] pagar a llegada segura. 새로운 ~ mercadería *f* recién llegada.
■ ~ 인도 entrega *f* sobre llegada [arribo]. ~지(地) destino *m*. ~ 지불 pago *m* sobre llegada.

착하다 (ser) gentil, bueno, amable, virtuoso, bondadoso; [온순하다] manso, dócil, sumiso, obediente, apacible. 착하게 gentilmente, amablemente, virtuosamente, bondadosa-

ㅊ

mente, mansamente, obedientemente, con obediencia, con benevolencia. 착한 사람 buen hombre *m*, hombre *m* de sinceridad. 착한 아이 buen niño *m* [chico *m*·muchacho *m*], buena niña *f* [chica *f*·muchacha *f*]. 착한 일 buenas acciones *fpl*, buenas obras *fpl*, acciones *fpl* virtuosas, virtud *f*. 마음이 ~ ser de buen corazón, ser bondadoso. 그는 아주 ~ El tiene muy buen corazón. 울지 마라. 넌 아주 착한 아이야 No llores, que tú eres muy buen niño. 착한 사람을 가까이하면 그대도 착한 사람이 될 것이다 ((서반아 속담)) Llégate a los buenos, y serás uno de ellos.

착함(着艦) aterrizaje *m*. ~하다 aterrizar.

착항(着港) llegada *f* [arribo *m*] al puerto. ~하다 llegar al puerto. 언급한 선박은 다음 달 10일 부산에 ~해야 한다 El mencionado barco debe llegar al puerto Busan el diez del mes próximo [que viene].
■ ~ 가격 condiciones *fpl* de descarga.

찬(贊/讚) compilación *f*, redacción *f*, composición *f*, panegírico *m*. ~하다 componer, compilar, redactar. 김 박사 ~ compuesto por el Dr. Kim. 그림에 ~을 쓰다 escribir el panegírico en el cuadro.

찬(饌) ((준말)) =반찬(飯饌). ¶~이 많다 tener muchas guarniciones.
■ ~가 =반찬값. ~가게 tienda *f* de comestibles [guarniciones]. ~가위 tijeras *fpl* para guarniciones. ~간(間) cocina *f*, despensa *f* que se preparan acompañamientos. ~거리 ((준말)) =반찬거리. ~고(庫) depósito *m* para guarniciones. ~광 aparador *m* para guarniciones, despensa *f*. ~그릇 vasijas *fpl* para guarnicioes. ~마루 suuelo *m* de preparar guarniciones. ~모(母) empleada *f* doméstica de guarniciones. ~칼 cuchillo *m* para la cocina.

찬가(讚歌) himno *m*. 조국(祖國) ~ himno *m* de la patria.

찬간자【동물】caballo *m* azulado con cara blanca y frente blanca.

찬국 sopa *f* hecha de agua, sopa *f* de salsa de soja y vinagre.

찬기 aire *m* frío, atmósfera *f* fría. ~가 가시다 calentarse ligeramente. ~를 쏘이다 exponer al aire frío.

찬김 vapor *m* frío.

찬동(贊同) aprobación *f*, apoyo *m*, conformidad *f*. ~하다 aprobar, apoyar. 그 안(案)은 전원의 ~을 얻었다 La propuesta consiguió la aprobación general / Todos dieron su conformidad a la propuesta.

찬란하다(燦爛—) (ser) brillante, relumbrante, glorioso, espléndido, radiante, esplendoroso, luminoso, lustroso. 찬란함 brillantez *f*, brillo *m*, esplendor *m*, lustre *m*. 찬란한 문화(文化) civilización *f* gloriosa. 찬란한 별 estrellas *fpl* brillantes. 찬란한 보석(寶石) joya *f* brillante. 찬란한 승리(勝利) victoria *f* brillante. 찬란한 업적(業績) logro *m* espléndido. 찬란한 장식(裝飾) decoración *f* brillante. 찬란하게 빛나다 brillar brillantemente.

찬립(簒立) usurpación *f* del trono. ~하다 usurpar el trono.

찬무대 =한류(寒流).

찬물 el agua fría, la fresca agua. 나는 매일 아침 운동을 하고 나서 ~로 샤워를 한다 Yo me doy una ducha fría [me ducho con el agua fría] después de hacer ejercicio toda la mañana.
◆찬물에 돌 integridad *f* firme.
◆찬물을 끼얹다 ㉮ verter [echar] el agua fría, ducharse con el agua fría, darse una ducha fría. ㉯ [모처럼 잘되어 가는 일에 공연히 트집을 잡아 헤살을 놓다] ser aguafiestas. 찬물을 끼얹지 마라 No seas aguafiestas.

찬물(饌物) =찬수(饌需).

찬미(讚美) ① elogios *mpl*, alabanzas *fpl*, exaltación *f*, glorificación *f*, enaltecimiento *f*, loa *f*, admiración *f*, adoración *f*. ~하다 elogiar, hacer elogio (de), exaltar, glorificar, enaltecer, ensalzar, admirar, adorar. 신(神)을 ~하다 elogiar al Dios. ② ((성경)) himno *m*. ~하다 cantar. 영(靈)으로 ~하다 cantar con el espíritu.
■ ~가(歌) himno *m*, salmo *m*. ~가집(歌集) himnario *m*, colección *f* de himnos, libro *m* de himnos. ~자(者) admirador, -dora *mf*.

찬바람 ① [추운 바람] viento *m* frío; [초겨울의] viento *m* de invierno; [북풍] cierzo *m*; ((시어)) aquilón *m*. ~이 부는 추운 날이었다 Era un día en que soplaba el cierzo frío del invierno. ② [가을의 싸늘한 바람] viento *m* frío del otoño.
■ ~머리 tiempo *m* que sopla el viento frío en el otoño, el invierno temprano.

찬반(贊反) el pro o el contra, sí o no. ~을 묻다 poner a un voto, someter a la votación. ~ 표결을 하다 aprobar o desaprobar, votar (sobre).
■ ~양론(兩論) los pros y los contras.

찬밥 arroz *m* cocido enfriado, arroz *m* frío.
◆찬밥(을) 먹이다 ser tratado fríamente, recibir un trato frío.

찬방(饌房) depensa *f*.

찬부(贊否) el pro o el contra, sí o no. ~를 묻다 [투표로] poner a un voto, someter a la votación. ~ 표결(票決)을 하다 aprobar o desaprobar, votar (sobre).
■ ~ 양론(兩論) los pros y los contras, favor y contra. ¶~을 듣다 escuchar los pros y los contras. 그것은 ~이 있다 Hay opiniones en favor y en contra de ello. ~이 맞서고 있다 Están igualmente divididas las opiniones en favor y en contra.

찬불(讚佛) elogio *m* del Buda. ~하다 elogiar al Buda.
■ ~가 himno *m* al Buda. ~가집 himnario *m* al Buda.

찬비 lluvia *f* fría.

찬사(讚辭) elogio *m*, alabanza *f*; [과대한]

ditirambo *m.* ~를 드리다 elogiar, hacer el elogio (de), alabar. ~를 아끼지 않다 deshacerse en elogios [en alabanzas]. 그는 그녀의 ~에 열을 올렸다 El se deshizo en elogios [en alabanzas] para con ella.

찬상(讚賞) admiración *f,* aplauso *m,* elogio *m,* alabanza *f.* ~하다 admirar, aplaudir, elogiar, alabar.

찬성(贊成) aprobación *f,* conformidad *f,* adhesión *f,* consentimiento *m.* ~하다 aprobar, adherirse (a), dar *su* consentimiento (a); [상태] estar de acuerdo (con). ~을 부탁하다 pedir el consentimieno [la apobación] (de). ~을 얻다 conseguir el consentimiento [la aprobación] (de). ~의 뜻을 표명하다 mostrar conformidad (con), declararse partidario (de). ~ 연설을 하다 pronunciar un discurso en favor (de). 나는 완전 ~이다 Estoy completamente de acuerdo con usted. 아버님께서는 우리의 결혼을 ~하신다 Mi padre está de acuerdo con nuestro casamiento. 나는 그의 의견에 ~이다 Yo estoy conforme [estoy de acuerdo] con él / Yo comparto su opinión / Yo soy del mismo parecer que él. 당신의 의견에는 ~하지 못하겠다 Temo no compartir su opinión / Lo siento pero [Tengo que decir que] no estoy de acuerdo con usted. 3분의 2의 ~이 필요하다 Es precioso un quorum de más de dos tercios de la votación. ~ 100표 반대 15표였다 Hubo cien votos a favor y quince en contra. 회원 모두가 그 제안에 ~하고 있다 Todos los miembros se muestran conformes con [son favorables a] la proposición. 나는 우리가 되도록 빨리 출발하는 쪽에 ~이다 Soy partidario de que salgamos cuantos antes. ~(이요)! ¡Conforme! / ¡De acuerdo! / ¡Sí, señor!
▪ **~자** partidario, -ria *mf,* adepto, -ta *mf.* **~투표** votación *f* a favor. **~표** voto *m* a favor. ¶~가 20, 반대표가 4다 Hay veinte votos a favor y cuatro en contra.

찬송(讚頌) ① [미덕(美德)을 칭찬함] alabanza *f,* elogio *m,* encomio *m,* glorificación *f,* admiración *f.* ~하다 alabar, elogiar, glorificar, ensalzar, encomiar, admirar. 사람의 덕을 ~하다 ensalzar *su* virtud. 하나님을 ~하다 dar la gloria al Dios. ② ((성경)) cántico *m,* cantar *m.* ~하다 hablar de la alabanza, alabar, cantar, ser alabado. 나의 혀가 주의 의를 말하며 종일토록 주를 ~하리이다 ((시편 35:28)) Mi lengua hablará de tu justicia y de tu alabanza todo el día / Con mi lengua hablaré de tu justicia; ¡todo el día te alabaré!
▪ **~가**(歌) himno *m,* salmo *m.* ¶~를 부르다 cantar himnos. **~가집**(歌集) himnario *m,* colección *f* de himnos. **~시**(詩) ((성경)) salmo *m.*

찬술 licor *m* frío, vino *m* frío, bebida *f* alcohólica.

찬술(撰述) composición *f,* escritura *f.* ~하다 componer, escribir.

찬술(纂述) edición *f,* compilación *f.* ~하다 redactar, compilar.

찬스 ① [우연] casualidad *f,* azar *m.* ② [운(運)] destino *m,* fortuna *f.* ~가 나에게 반했다 La suerte me fue contraria. ③ [기회] oportunidad *f,* ocasión *f.* 좋은 ~ buena oportunidad *f,* buena ocasión *f.* 대통령을 볼 절호의 ~였다 Fue una oportunidad de ver al presidente de la República. ④ [가능성] probabilidad *f,* posibilidad *f, AmL* chance *ing.m.* 그는 도망할 ~가 없다 El no tiene ninguna posibilidad de escapar.

찬약(—藥) ① [식은 약] medicina *f* fría. ② =냉재(冷材).

찬양(讚揚) elogio *m,* alabanza *f,* admiración *f.* ~하다 elogiar, hacer elogio (de), alabar, admirar. ~자(者) sostenedor, -dora *mf.*

찬역(簒逆) usurpación *f,* toma *f.* ~하다 usurpar, tomar.

찬연하다(燦然—) (ser) brillante, lustroso. 찬연함 brillantez *f,* reluciente *m,* resplendor *m.* 찬연한 빛 luz *f* brillante. 찬연한 광휘를 내다 despedir luces relucientes.
찬연스럽다 (ser) brillante.
찬연스레 brillantemente.
찬연히 brillantemente, con brillantez. ~ 빛나다 resplandecer, estar deslumbrante.

찬위(簒位) usurpación *f* del trono. ~하다 usurpar el trono.

찬의(贊意) aprobación *f,* apoyo *m,* conformidad *f,* consentimiento *m.* ~를 표하다 aprobar, apoyar, mostrar la conformidad (a), dar el consentimiento (a).

찬 이슬 rocío *m* frío.
◆찬 이슬 맞은 놈 ladrón *m* (*pl* ladrones).

찬장(饌欌) armario *m* [(벽에 부착하는) alacena *f*] (con anaqueles para guardar loza [comestibles]), aparador *m.*

찬조(贊助) patrocinio *m,* apoyo *m,* respaldo *m,* contribución *f,* donación *f,* sustentación *f.* ~하다 patrocinar, apoyar, aprobar y dar ayuda, dar *su* beneplácito, sostener, ayudar. A씨의 ~ 아래 sostenido por el Sr. A. ~를 구하다 solicitar el patrocinio. ~를 얻다 obtener el patrocinio, recibir la aprobación.
▪ **~금** contribución *f,* donación *f.* **~ 연설** discurso *m* secundario. **~원**(員) sostenedor, -dora *mf.* **~자** contribuidor, -dora *mf,* donador, -dora *mf,* patrocinador, -dora *mf,* partidario, -ria *mf,* ayudante *mf.* **~ 회원** miembro *m* cooperador, miembro *f* cooperadora; miembro *mf* del patrocinio.

찬찬하다[1] [성질이 거칠거나 경솔하지 않고 편안하며 침착하다] (ser) tranquilo, calmado, *AmL* calmo.
찬찬히 tranquilamente, con tranquilidad; [뚫어지게] fijamente, de hito en hito. ~ 쳐다보다 mirar de hito en hito, fijar la mirada (en), mirar de hito.

찬찬하다[2] [일이나 행동이 급하지 않고 편안하며 느리다] (ser) cómodo y lento.
찬찬히 (cómoda y) lentamente, despacio,

ㅊ

sin prisas.

찬찬하다(燦燦－) (ser) reluciente y hermoso.

찬칼(饌－) cuchillo *m* para la cocina.

찬탄(讚嘆/贊嘆) admiración *f*, aplauso *m*. ～하다 admirar, aplaudir.

찬탈(簒奪) usurpación *f*, toma *f*. ～하다 usurpar, tomar, hacese con, arrebatar. 왕위(王位)의 ～ usurpación *f* del trono. 그 악당이 왕위를 ～했다 Ese canalla usurpó el trono.

■～자(者) usurpador, -dora *mf*.

찬평(讚評/贊評) crítica *f* que alaba. ～하다 criticar alabando.

찬피 sangre *f* fría.

■～ 동물(動物) ＝냉혈 동물(冷血動物).

찬하다(撰－) ① [책을 저술하다] escribir, componer. ② [편집하다] copilar, compilar. ③ [고르다] escoger, seleccionar, elegir.

찬하다(讚－) alabar, elogiar, loar, aplaudir. ☞칭찬하다

찬합(饌盒) juego *m* de cajas para comida.

찬합집(饌盒－) casa *f* que no es grande y ancha pero muy útil.

찰- ① [차진] apelmazado, glutinoso. ～벼 arroz *m* apelmazado. ② [매우 심한. 더할 수 없는] extremo, intensivo, sumo, extremado, severo, muy. ～깍쟁이 tacaño *m* muy extremo, tacaña *f* muy extrema.

찰가난 pobreza *f* muy extrema, pobreza *f* muy severa.

■～뱅이 persona *f* muy pobre.

찰가닥 haciendo chic, haciendo clic.
찰가닥거리다 hacer chic, hacer clic.

찰가당 violentamente, haciendo chic. 수화기(受話器)를 ～ 놓다 poner el auricular violentamente.
찰가당거리다 hacer chic, hacer clic.

찰각 haciendo chic, haciendo clic, violentamente.
찰각거리다 ＝찰가당거리다.

찰거머리 ①【동물】[잘 들러붙어 떨어지지 않는 거머리] ladilla *f*, sanguijuela *f*. ② [남에게 끈질기게 들러붙어 귀찮게 구는 사람] gorrón, -rrona *mf*. ～처럼 달라붙어서 떨어지지 않다 pegárse*le* a *uno* como una lapa, pegarse como ladilla.

찰것 comida *f* apelmazada [glutinosa], lo comible apelmazado.

찰곡식(－穀－) cereales *mpl* apelmazados.

찰과상(擦過傷) ＝찰상(擦傷)(raspadura).

찰교인(－敎人) creyente *mf* firme; [광신자(狂信者)] creyente *m* fanático, creyente *f* fanática; fanático, -ca *mf*.

찰기(－氣) viscosidad *f*, glutinosidad *f*, adherencia *f*, adhesividad *f*. ～가 있는 adhesivo, cohesivo, viscoso, pegajoso, glutinoso; [곡식의] apelmazado.

찰기장 mijo *m* apelmazado [glutinoso].

찰깍 ① [단단히 붙어서 떨어지지 않는 모양] pegajosamente, glutinosamente, viscosamente. ② [눅진눅진한 물건을 세게 때리는 모양. 또, 그 소리] con una bofetada. 사람을 ～ 때리다 dar*le* una bofetada a *uno*.
찰깍거리다 seguir dando una bofetada.
찰깍찰깍 dando una bofetada continua.

찰깍쟁이 tacaño *m* muy severo, tacaña *f* muy severa.

찰나(刹那) ① ((불교)) tiempo *m* muy corto, momentito *m*. ② [순간] momento *m*, instante *m*. ～의 momentáneo. ～적 쾌락(快樂) placer *m* [gusto *m*] momentáneo, alegría *f* momentánea. 유리창을 연 ～ el momento que yo abrí la ventana. 그 ～에 en ese mismo momento. …할 ～에 있다 estar a [en] punto de + *inf*. 내가 방에 들어가는 ～ 전화가 울렸다 En el momento en que yo entré en la habitación, sonó el teléfono. ③ [소수(小數)의 단위의 하나] 10^{-18}.

■～주의 oportunismo *m*, principio *m* de vivir sólo para el placer del momento.

찰담쟁이 sifilítico, -ca *mf* incurable [irremediable].

찰딱거리다 pegarse, adherirse.

찰떡 *chalteok*, tarta *f* [pastel *m*] de arroz apelmazado, tarta *f* [pastel *m*] de arroz envuelto en judías sazonadas.

◆찰떡같다 Es una buena pareja.
찰떡같이 como una buena pareja. ～ 달라붙어 아양을 떨다 coquetear, flirtear.

■～근원(根源) la buena armonía conyugal.

찰락거리다 salir un hilito.
찰락찰락 saliendo un hilito.

찰랑거리다 ① [쇠붙이가] tintinear. ② [물이] derramarse, volcarse.
찰랑찰랑 hasta el borde. 잔에 포도주를 ～ 따르다 llenar la copa de vino hasta el borde, arrasar el vino (en la copa).

찰바닥거리다 salpicar.
찰바닥찰바닥 salpicando y salpicando.

찰밥 arroz *m* apelmazado cocido.

찰방 salpicando.
찰방거리다 salpicar.
찰방찰방 salpicando y salpicando.

찰벼 arroz *m* apelmazado [glutinoso].

찰복숭아 melocotón *m* apelmazado.

찰부꾸미 pastel *m* de arroz apelmazado frito.

찰상(擦傷) desolladura *f*, excoriación *f*, raspadura *f*, arañazo *m*, rascadura *f*, refregón *m*, rasguño *m*. ～을 당하다 sufrir [recibir] una excoriación. 나는 팔에 ～이 있다 Tengo una raspadura en el brazo.

찰수수 mijo *m* apelmazado [glutinoso].

찰싹 dando una bofetada. ～ 때리다 dar una bofetada, pegar, dar unas palmadas. 그는 나를 ～ 때렸다 El me pegó / El me dio una paliza [una zurra].
찰싹거리다 chapotear, salpicar, chapalear, guachapear.

찰쌈지 petaca *f* llevada en la cintura.

찰짜 persona *f* particular [meticulosa].

찰찰 desbordándose, derramándose.

찰찰하다(察察－) (ser) exacto, puntilloso, meticuloso.
찰찰히 exactamente, de manera puntillosa, de manera meticulosa.

ㅊ

찰카닥 [쇠붙이 따위가] haciendo clic, haciendo chic, violentamente. 수화기를 ~ 놓다 poner el auricular violentamente.
찰카닥거리다 hacer chic, hacer clic.

찰흙 arcilla *f.*

참[1] ① =진(眞). ② =진리(眞理). ③【수학·컴퓨터】verdad *f.*

참[2] ① [정말. 과연. 참말로] verdaderamente, realmente, muy, mucho. ~ 좋소 Verdaderamente es bueno. 오늘은 ~으로 춥다 Hace mucho frío hoy. 그 여자는 ~ 미인(美人)이다 Ella es muy hermosa [bella · linda]. 도와주셔서 ~ 고맙습니다 Estoy muy agradecido por su ayuda / Muchísimas gracias por su ayuda. ② [감탄을 품은「참말로」] ¡Ay! / ¡Anda! / ¡Vaya! ~, 잊었네 ¡Anda, se me olvidó!

참(站) ①【역사】lugar *m* de descanso de los mensajeros. ② [일을 하다가 쉬는 정해진 시간에 먹는 식사] merienda *f.* ~을 먹다 merendar, tomar una merienda. ③ [길을 가다가 쉬는 곳] lugar *m* de descanso. 층계~ descansillo *m,* rellano *m, Col, CoS* descanso *m.* ④ [일을 하다가 쉬는 시간] hora *f* de descanso. ⑤ [어떠한「경우」나 무엇을 할「예정」을 나타내는 말] caso *m,* plan *m.* …할 ~이다 estar a [en] punto de + *inf.* 월급을 타면 이사를 할 ~이다 Yo estoy a punto de moverme cuando pago el salario mensual.

참- ① [거짓이 아닌 정(正)] verdadero, real, genuino. ~말 verdad *f.* ② [허름하지 않고 썩 좋음] bastante bueno. ~숯 buen carbón *m.* ③ [동식물 앞에 붙어 기본적인 품종임을 나타내는 말] genuino. ~깨 sésamo *m* genuino, ajonjolí *m* genuino.

참가(參加) participación *f,* asistencia *f,* intervención *f.* ~하다 participar (en), asistir (en), tomar parte (en), intervenir (en), juntarse (a), asociarse (a · con). 경기에 ~하다 participar en el juego. 경영에 ~하다 participar en la dirección. 대화에 ~하다 tomar parte en la conversación. 여행단에 ~하다 juntarse al grupo de viajeros. 운동에 ~하다 participar en la camapaña. 회의에 ~하다 participar [tomar parte] en la reunión.
▪~국 país *m* participante. ~료 cuota *f* de inscripción. ~자(者) participante *mf,* partícipe *mf,* asistente *mf,* [집합적] asistencia *f,* [시험의 응시자] candidato, -ta *mf.*
¶~ 명단[수] número *m* de participantes.

참견(參見) ① [참여하여 관계함] intromisión *f,* injerencia *f.* ~하다 meterse, entrometerse, entremeterse, inmiscuirse, interferir, interponerse. ~ 잘하는 사람 persona *f* entrometida. ~ 잘하는 남자(男子) hombre *m* entrometido. ~ 잘하는 여자(女子) mujer *f* entrometida. 자기와 관계없는 일에 ~하다 echar [meter] *su* cucharada. 공연한 ~을 하다 meter la pata, intervenir inopotunadamente. 남의 일에 ~하다 meterse [entrometerse · inmiscuirse] en los asuntos de los otros. 달갑지 않은 ~을 하다 meter *su* cuchara. 대통령은 ~하지 않았다 El presidente no se inmiscuyó [no interfirió]. 그녀는 평상시처럼 ~하기 시작했다 Ella empezó a entrometerse, como de costumbre. 그의 일에 ~하지 마라 ¡No te metas [entrometas · inmiscuyas] en sus asuntos! ② =참관(參觀).

참경(慘景) espectáculo *m* cruel, vista *f* terrible, escena *f* horrorosa, escena *f* horrenda.

참고(參考) referencia *f.* ~하다 referir. …의 의견을 ~하여 teniendo en cuenta la opinión de *uno.* ~가 되다 ser sugerente (para). ~로 하다 consultar, aconsejarse (con · de). 이 예는 나한테는 ~가 되지 않는다 Para mí no sirve este ejemplo. 나는 언제나 이 사전을 ~한다 Siempre consulto este diccionario. 이 책은 내 연구에 많은 ~가 되고 있다 Este libro contiene muchas sugerencias útiles para mi estudio.
▪~ 문헌 bibliografía *f.* ~물 muestra *f.* ~서 obra *f* de consulta, obra *f* de referencia, libro *m* de consulta, libro *m* de referencia. ~ 서류 documentos *mpl* de referencia. ~인(人) testigo *mf,* [전문인 등] asesor, -sora *mf.* ~ 자료 datos *mpl* de referencia, documento *m* de consulta, materia *f* de consulta.

참관(參觀) visita *f,* inspección *f.* ~하다 visitar, inspeccionar. 수업 ~ visita *f* a la clase. 수업에 ~하다 visitar a la clase.
▪~인 visitante *mf,* [집합적] visita *f.* ~일(日) día *m* de visita.

참괴(慙愧) vergüenza *f,* humillación *f, AmL* pena *f.* ~하다 avergonzarse (de), estar corrido de vergüenza, sentir en el alma.

참극(慘劇) tragedia *f,* evento *m* trágico, catástrofe *f,* cataclismo *m.* ~의 현장(現場) escena *f* de la tragedia. ~을 빚어내다 representar una tragedia.

참기름 aceite *m* de sésamo, aceite *m* de ajonjolí. ~을 치다 condimentar [sazonar] el aceite de ajonjolí.

참깨【식물】sésamo *m,* ajonjolí *m,* alegría *f.* ~를 찧다 moler ajonjolí, moler sésamo.
▪~ 기름 aceite *m* de ajonjolí, aceite *m* de sésamo, aceite *m* de alegría. ~씨 semilla *f* de ajonjolí, semilla *f* de sésamo.

참꽃【식물】=진달래(azalea).

참나리【식물】lirio *m* tigrado.

참나무【식물】roble *m.*

참다 aguantar, tolerar, soportar, tener paciencia, sufrir, resistir, contenerse, dominarse, conformarse; [얼굴에 나타나지 않도록] sofocar; ((성경)) no hacer caso (de), padecer, soportar, pasar por alto. 참을 수 있는 tolerable, sufrible, aguantable. 참을 수 없는 insufrible, intolerable, insoportable, irresistible, inaguantable. 참기 어려운 inaguantable, insoportable, insufrible, intolerable. 참기 어려운 더위 calor *m* insoportable [intolerable]. 참기 어려운 추위 frío *m* insoportable [intolerable]. 참기 어려운 모욕

insulto *m* [afrenta *f*] intolerable. 참을 수 없다 no poder aguantar, estar impaciente. 거듭 ~ aguantar con mucha paciencia. 꾹 ~ aguantar mucho, tener mucha cuerda. 놀고 싶은 것을 ~ aguantarse las ganas de jugar. 담배를 참을 수 없다 arreglárselas [aguantarse] sin tabaco. 더 이상 참을 수 없게 하다 acabar [consumir · gastar] la paciencia. 불편을 ~ resignarse con la comodidad, sufrir las incomodidades. 치통(齒痛)을 ~ aguantar dolor de muelas. 통증(痛症)을 ~ aguantarse [resistir · sufrir] el dolor. 하품을 ~ sofocar el bostezo. 범사(凡事)에 ~ ((성경)) soportarlo todo. 참으세요 [usted에게] Tenga paciencia / No pierda paciencia // [tú에게] Ten paciencia / No pierdas paciencia / ¡Paciencia! 조금만 더 참으세요 ¡Un poco más de paciencia! 추위는 참을 만했다 Se ha hecho soportable el frío. 금년 여름은 참아 내기가 쉽다 Este año tenemos un verano fácil de llevar [de soportar]. 그녀는 울음을 참았다 Ella se aguantó las ganas de llorar / Ella se contuvo las lágrimas [(las ganas) de llorar]. 나는 더 이상 참을 수 없다 No puedo más / No tengo más paciencia / Ya no puedo (aguantar · soportar) más / Se me acaba la paciencia / Se me ha acabado [agotado] la paciencia [de quicio]. 나는 그에게 참을 수 없다 No puedo aguantarle [tolerarle]. 이제는 참아야 할 때다 Ahora es cuando debemos aguantarnos / Aquí es exactamente donde debemos tener paciencia. 그건 참기 어려운 일이다 Es una cosa que no se puede aguantar. 이곳 생활은 참기 어렵다 La vida aquí es excesivamente dura. 이런 생활은 이제 참을 수 없다 Ya no puedo aguantar [soportar] este género de vida. 그는 끈기 있게 모욕을 참아 냈다 El soportaba pacientemente la injuria. 참으면 만사가 이루어진다 Todo se alcanza con paciencia. 그녀의 뻔뻔스러움을 참을 수 없다 Su frescura me saca de quicio / No puedo aguantar su cara dura / Me molesta mucho su desvergüenza. 나는 추위를 끈기로 참아 냈다 Aguanté [Resistí] con paciencia el frío que hacía. 공부할 때 귀찮게 하면 참을 수 없다 No puedo soportar que me molesten cuando estudio / Me molesta mucho que distraigan mi estudio. 나는 술[담배] 냄새를 참을 수 없다 No puedo soportar el olor a alcohol [tabaco]. 참는 데도 한계가 있다 La paciencia tiene la límite. 피할 수 없는 불운은 참아 내야 한다 Hay que conformarse con las desgracias que no podemos evitar. 그런 모욕을 네가 어떻게 참을 수 있는지 모르겠다 ¡No sé cómo tienes la paciencia de aguantar tales insultos. 그는 커피가 없기 때문에 홍차로 참는다 [만족한다] El se conforma [se contenta] con tomar té verde porque no hay café. 이런 참상을 보고 나는 참을 수 없다 No puedo soportar este horrible espectáculo. 내 입으로 그에게 그 소식을 전하는 것은 참을 수 없다 Me parte el corazón darle la noticia. 나는 소음(騷音)을 더 이상 참을 수 없어 이사했다 Cambié de casa porque no podía soportar más el ruido.

■ 참을 인(忍)자 셋이면 살인도 피한다 ((속담)) A su tiempo maduran las uvas / Con paciencia se gana el cielo.

참다못해 imposible [incapaz de] aguantar [soportar] más, impaciente.

참담하다(慘憺－) (ser) desastroso, catasrófico, lastimoso, digno de compasión, trágico, calamitoso, espantoso, horrible, miserable. 참담함 miseria *f*, tragedia *f*, desastre *m*. 그 계획은 참담한 결과로 끝났다 El plan ha dado un resultado desastroso / El plan ha sido una catástrofe.

참답다 ＝참되다. ¶참다운 사람이 되다 hacer vida nueva, cambiar de modo de vivir, corregir *su* forma de vivir, reformarse.

참돔 【어류】 pargo *m* rojo.

참되다 (ser) verdadero, honrado, honesto, sincero, verídico, real, genuino. 참된 기쁨 real placer *m*, gozo *m* verdadero. 참된 사람 persona *f* honrada [honesta · genuina]. 참된 용기 coraje *m* genuino. 참된 우정 amistad *f* verdadera. 참된 이유 motivo *m* verdadero, razón *f* verdadera. 참된 친구 verdadro amigo *m*, verdadera amiga *f*. 참된 친절 amabilidad *f* verdadera.

참되이 verdaderamente, realmente, sinceramente, genuinamente. ~ 살아라 Vive verdaderamente.

참따랗게 verdaderamente, exactamente, sinceramente, fielmente, abiertamente, francamente, realmente, en realidad, de veras, genuinamente.

참땋게 ＝참따랗게.

참뜻 sentido *m* verdadero, intención *f* sincera, verdadera intención *f*. 네 ~은 무엇이냐? ¿Qué es tu verdadera intención?

참람하다(僭濫－) (ser) arrogante. 참람하게 arrogantemente, con arrogancia.

참렬(參列) asistencia *f*, presencia *f*, concurrencia *f*. ~하다 asistir (a), concurrir (a), estar presente. 장례식에 ~하다 asistir a los funerales.

■ ~자 asistente *mf*, [집합적] asistencia *f*, concurrencia *f*.

참례(參禮) asistencia *f* a la ceremonia. ~하다 asistir (a la ceremonia), tomar parte (en), participar (en).

참마 【식물】 ñame *m*, aje *m*.

참마음 corazón *m* verdadero.

참말 verdad *f*, hecho *m*. ~로 verdaderamente, en verdad, realmente, en realidad, ciertamente, en serio. ~로 듣다 tomar en serio. 그것은 ~이다 Es verdad. ~입니까? ¿Es verdad?

참모(參謀) (oficial *m* de) Estado *m* Mayor.

■ ~부 el Estado Mayor (General) en una división, oficina *f* de Estado Mayor. ~장

ㅊ

jefe *m* (de los Oficiales) de Estado Mayor. ~ 장교 jefe, -fa *mf* del estado mayor. ~ 차장 subjefe *m* de Estado Mayor. ~ 총장 jefe *m* de Estado Mayor (General). ~ 회의 conferencia *f* de estado mayor.

참모습 fisonomía *f* real. 한국의 ~ fisonomía *f* real de Corea.

참밀 【식물】 trigo *m*.

참바 cuerda *f* pesada.

참밥(站—) tentempié *m*, refrigerio *m*.

참배(參拜) culto *m*, adoración *f*, visita *f* a un templo. ~하다 hacer una visita (al templo budista), ir a rendir culto [ir a rezar] a un templo budista, adorar.
■ ~자(者) adorador, -dora *mf*, peregrino, -na *mf*.

참벌 【곤충】 abeja *f* de miel.

참변(慘變) accidente *m* desastroso, accidente *m* catastrófico, incidente *m* trágico, desastre *m*. ~을 당하다 sufrir el accidente catastrófico.

참빗 peine *m* (de bambú de dientes finos); [양의] carda *f*. ~으로 빗다 peinar el cabello, cardar.

참사(參事) secretario, -ria *mf*, consejero, -ra *mf*, consultor, -tora *mf*.
■ ~관(官) secretario, -ria *mf*, consejero, -ra *mf*, canciller, -ra *mf*. ¶대사관 ~ consejero, -ra *mf* de embajada. 명예 ~ consejero *m* honorario, consejera *f* honoraria.

참사(慘死) muerte *f* trágica, muerte *f* miserable. ~하다 tener una mala muerte.

참사(慘事) catástrofe *f*, desastre *m*. 대~를 일으키다 ocasionar una gran catástrofe.

참사(慙死) muerte *f* de vergüenza. ~하다 morir de vergüenza.

참사람 hombre *m* honrado [honesto], verdadero hombre *m*, verdadera persona *f*.

참사랑 amor *m* platónico, verdadero amor *m*.

참살(斬殺) degüello *m*, decapitación *f*. ~하다 degollar, decapitar.

참살(慘殺) carnicería *f*, matanza *f* sangrienta, matanza *f* violenta; [다수(多數)의] mortandad *f*. ~하다 hacer una carnicería, dar una muerte cruel.
■ ~ 시체 cadáver *m* destrozado. ~자(者) sesino, -na *mf*, criminal *mf*, homicida *mf*.

참상(慘狀) condición *f* horrorosa, escena *f* calamitosa, escena *f* desastrosa, espectáculo *m* terrible, estado *m* lastimoso, estado *m* digno de pasión. ~을 목격하다 presenciar la escena horrible. ~을 보이다 ofrecer una escena desastrosa. ~을 빚어내다 presentar espectáculo horrible. 전쟁의 ~을 묘사하다 describir cómo se luchó la guerra.

참새 【조류】 gorrión *m* (*pl* gorriones). ~가 운다 Un gorrión pía.
■ ~구이 gorrión *m* asado. ~ 떼 bandada *f* de gorriones.

참서(讖書) libro *m* de predicción.

참석(參席) asistencia *f*, atendencia *f*, presencia *f*, participación *f*. ~하다 asistir, participar, atender, tomar parte (en), estar presente. 결혼식에 ~하다 asistir a la boda. 계획에 ~하다 tomar parte en el plan. 장례식에 ~하다 asistir a los funerales. 파티에 ~하다 asistir a la fiesta. 회의에 많은 사람이 ~했다 Asistió mucha gente a la reunión. ■ ~자 asistente *mf*.

참선(參禪) 【불교】 meditación *f* de zen budista, estudio *m* de la culto de zen, estudio *m* y práctico de doctrina de secta zen. ~하다 estudiar y practicar el culto [la meditación] de zen, meditar.

참소(讒訴/譖訴) calumnia *f*, infamación *f*. ~하다 calumniar, denigrar, infamar, detractar, levantar falsos testimonios (contra).

참수(斬首) degollación *f*, decapitación *f*, descabezamiento *m*; [다수의] degüello *m*. ~하다 degollar, decapitar, descabezar, guillotinar. ~당하다 ser decapitado, ser degollado. ■ ~대(臺) guillotina *f*.

참숯 carbón *m* de madera dura.

참신하다(斬新—) (ser) nuevo, innovador; [창조적이다] original; [현대적이다] moderno. 참신한 아이디어 idea *f* original.

참억새 【식물】 coirón *m*, carrizo *m*, cañavera *f*, (una especie de) gramíneas *fpl*.

참언(讒言) calumnia *f*, imputación *f* calumniosa. ~하다 calumniar, difamar, levantar una calumnia. ■ ~자 calumniador, -dora *mf*, difamador, -dora *mf*.

참언(讖言) predicción *f*, profecía *f*, vaticinio *m*.

참여(參與) participación *f*. ~하다 participar, tomar parte (en). 국정(國政)에 ~하다 tomar parte en el gobierno nacional.
■ ~자 participante *mf*.

참연하다(嶄然—) (ser) prominente, evidente, manifiesto, notorio, preeminente.

참예(參預) =참여(參與).

참예(參詣) ① =모임(reunión). ② [참배] visita *f* a un templo budista. ~하다 ir y rendir culto, visitar un templo budista.
■ ~자(者) visitante *mf* a un templo budista.

참외 【식물】 melón *m* (*pl* melones).
■ ~ 넝쿨 parra *f* de melón. ~밭 plantación *f* [campo *m*] de melón.

참위(僭位) usurpación *f* del trono. ~하다 usurpar el trono.

참으로 verdaderamente, realmente, de veras, en efecto, en verdad, efectivamente, qué, muy, extremadamente, sumamente. ~ 아름답다 ¡Qué hermoso! 네 누이는 ~ 예쁘군! ¡Qué hermosa es tu hermana! 그는 ~ 친절하다 El es muy amable. ~ 아름다운 경치(景致)다 Es un paisaje extremadamente hermoso. 이 그림은 ~ 생생하다 Este cuadro es impresionantemente vivo. 그의 연기는 ~ 생생하다 Su actuación nos transporta al mundo que representa. 그는 ~ 위대한 정치가였다 El era verdaderamente un gran político.

참을성(一性) paciencia *f*, aguante *m*. ~이 있는 paciente, resistente, sufrido. ~이 없는 impaciente, poco paciente, poco sufrido. ~을 가지고 pacientemente, con paciencia. ~이 있다 tener paciencia, tener buenas espaldas. ~이 많은 사람이다 ser hombre de mucho aguante. 당나귀는 ~이 많은 동물이다 El burro es un animal muy paciente. 그는 ~이 많다 El tiene mucho aguante.

참의(參議) consejero *m* de Estado.

참의원(參議員) la Cámara Alta (de senadores), Senado *m*.
■~의원 senador, -dora *mf*; miembro *mf* de Cámara Alta. ~ 의장 presidente, -ta *mf* de Cámara Alta.

참작(參酌) consideración *f*, deliberación *f*, referencia *f*, calificación *f*. ~하다 considerar, consultar, deliberar, referir (a), tomar en consideración. …을 ~하여 en consideración a *algo*, teniendo en cuenta *algo*. …을 ~하지 않고 sin prestar consideración a *algo*. 아무런 ~도 하지 않고 sin ninguna consideración, implacablemente. 사정을 ~하다 considerar [tomar en consideración · tener en cuenta] las circunstancias especiales. …의 뜻을 ~하다 comprender [tener · tomar en cuenta] la intención [el deseo] (de).

참전(參戰) participación *f* en guerra. ~하다 tomar parte en la guerra, participar [intervenir] en la guerra.
■~국 país *m* participante en guerra.

참정(參政) participación *f* en los negocios del gobierno.
■~권 sufragio *m*, derechos *mpl* políticos; [투표권] derecho *m* de voto. ¶~을 부여하다 conceder el sufragio. ~권론자 sufragista *mf*. ~권 운동(權運動) movimiento *m* sufragista.

참조(參照) referencia *f*, comparación *f*, cotejo *m*. ~하다 referir, comparar, consultar, ver(se), cotejar. ~하십시오 Refiérense. 150쪽을 ~하십시오 Véase la página ciento cincuenta.

참조기 【어류】 corvina *f* amarilla.

참죄(斬罪) decapitación *f*, degollación *f*. ~하다 decapitar, degollar.

참주(僭主) usurpador, -dora *mf* (del trono); tirano, -na *mf*.

참죽나무 【식물】 una especie de roble amarillo.

참집(參集) reunión *f*, congregación *f*. ~하다 juntarse, reunirse, acudir, congregarse.

참참(站站) descanso *m*, suspensión *f* de actividades.
참참이 en los ratos libres. 일하면서 ~ 기타를 치다 tocar la guitarra en los ratos libres de trabajo.

참척(慘慽) dolor *m* [pesar *m* · pérdida *f*] triste de *su* hijo [de *su* nieto].
◆참척(을) 보다 ser desconsolado [afligido] (por la muerte de un ser querido)

참척하다 estar absorto (en), dedicarse (a), tener devoción (por), tener*le* mucho cariño (a).

참칭(僭稱) usurpación *f* del nombre. ~하다 usurpar el nombre.

참패(慘敗) derrota *f* completa, derrota *f* seria [grave · amarga].. ~하다 derrotarse por completo, sufrir una derrota, ser derrotado, sufrir [padecer] un derrota seria. ~당하다 ser derrotado, llegar *su* San Martín. 그곳이 그가 ~당한 곳이었다 Ahí fue donde le llegó su San Martín.

참하다 ① [나무랄 데 없이 말쑥하다] (ser) esbelto, elegante, estilizado. ② [성질이 찬찬하고 얌전하다] (ser) apable, dulce, apacible, bueno, de buen genio. 참한 아이 buen chico *m* [niño *m*], buena chica *f* [niña *f*]. 아이들은 참했다 Los niños han sido buenos. 울지 마라. 너는 참한 아이야 No llores, que tú eres un niño bueno.

참하다(斬一) degollar, decapitar.

참학하다(慘虐一) (ser) cruel, brutal, atroz (*pl* atroces), inhumano, feroz (*pl* feroces). 참학함 crueldad *f*, brutalidad *f*, atrocidad *f*, inhumanidad *f*, ferocidad *f*. 참학한 행위(行爲) acto *m* cruel, acto *m* brutal.

참해(慘害) desastre *m*, calamidad *f*, estrago *m*, devastación *f*, desolación *f*. 전쟁의 ~ calamidad *f* de la guerra, horror *m* de la guerra destructiva.

참형(斬刑) degollación *f*, decapitación *f*. ~하다 degollar, decapitar.

참형(慘刑) castigo *m* cruel [terrible].

참호(塹壕) trinchera *f*. ~를 파다 excavar [abrir] una trinchera.
■~전(戰) guerra *f* de trinchera.

참혹하다(慘酷一) (ser) cruel, brutal, atroz (*pl* atroces), feroz (*pl* feroces), inhumano, bestial, desalmado, despiadado, trágico, miserable, triste, patético. 참혹함 crueldad *f*, brutalidad *f*, atrocidad *f*, ferocidad *f*. 참혹하게 cruelmente, en sangre fría. 참혹한 사람 persona *f* cruel [atroz]. 참혹한 생활 vida *f* desgraciada. 참혹한 행위 acto *m* cruel. 참혹한 짓을 하다 cometer crueldad. 참혹하게 다루다 tratar cruelmente. 참혹한 최후를 마치다 morir trágicamente.
참혹히 cruelmente, en sangre fría, brutalmente, ferozmente, atrozmente.

참화(慘禍) desastre *m*, catástrofe *f*, calamidad *f*, estragos *mpl*; [비극(悲劇)] tragedia *f*. 전쟁의 ~ los estragos de la guerra. 질병의 ~ los estragos de la enfermedad. 전쟁의 ~를 입다 sufrir los estragos de la guerra.

참회(參會) asistencia *f*, presencia *f*. ~하다 asistir a una junta, estar presente en una reunión.
■~자(者) asistentes *mpl*; concurrentes *mpl*; [집합적] asistencia *f*. ¶다수의 ~가 있었다 Hubo muchos asistentes.

참회(慙悔) arrepentimiento *m* a causa de la vergüenza. ~하다 arrepentir a causa de la vergüenza.

참회(懺悔) confesión *f*, penitencia *f*. ~하다 confesarse, hacer una confesión. ~를 듣다 confesar (a), oír en confesión (a). 하느님에게 ~하다 confesarse a Dios.
■~록 confesión *f*. ~소 confesionario *m*. ~자 penitente *mf*, confesante *mf*. ~ 청문실 confesional *f*.

참획(參劃) participación *f* en un proyecto. ~하다 participar [tomar parte] en un proyecto.

찹쌀 arroz *m* apelmazado [glutinoso].

찹찹하다 ① [많이 쌓인 물건이 잠이 자서 에푸수수하지 않다] ser amontonado bien, ser apilado en orden. ② [마음이 가라앉아 조용하다] calmarse, apaciguarse, tranquilizarse, sosegarse. 찹찹해진 calmado, quieto, tranquilo, sosegado. 찹찹하게 con calma, con tranquilidad, calmadamente, tranquilamente. 그녀는 ~ [성질이] Ella es tranquila / [상태] Ella está tranquila / Ella no se inmuta por nada.

찻삯(車–) pasaje *m*. ☞차(車)

찻집(茶–) *chatchib*, café *m*, cafetería *f*, sala *f* de té, salón *m* (*pl* salones) de té.

창[1] [구두·고무신 등의 밑바닥 부분] suela *f*.

창[2] [피륙·종이 등 얇은 조각의 물건이 해져서 뚫어진 구멍] agujero *m*, roto *m*, rotura *f*, desgarrón *m*, rasgón *m*. ~을 내다 hacer un agujero, hacer(se) un desgarrón, romper(se). 울타리를 오르면서 나는 셔츠에 ~을 냈다 Me hice un desgarrón en [Me rompí] la camisa subiendo la valla. 그는 ~이 난 티셔츠를 입고 있었다 El llevaba una camiseta toda rota. 그는 내 책에 ~을 냈다 Me ha roto el libro.

창(倉) ① =곳집. ② [서울 남대문 시장] el Mercado de *Namdaemun* en Seúl

창(窓) ((준말)) =창문(窓門).
■~가 junto a la ventana. ~구멍 agujero *m* de la ventana. ~유리 cristal *m* [vidrio *m*] (de una ventana). ~턱 alféizar *m* [repisa *f*] de la ventana. ~틀 marco *m* de la ventana.

창(唱) canción *f*, canto *m*.

창(槍) lanza *f*, azagaya *f*, venablo *m*, jabalina *f*. ~으로 찌르다 alancear, atravesar con lanza, prendar con una lanza, dar una lanzada. ~을 겨누다 bajar una lanza para atacar, coger una lanza.
■~꾼 lancero, –ra *mf*. ~끝 punta *f* de una lanza.

창(瘡) 【한방】 ((준말)) =창병(瘡病).

-창 lugar *m* lleno de barro. 시궁~ pozo *m* negro [séptico · ciego].

-창(瘡) 【한방】 divieso *m*, absceso *m*. 등~ absceso *m* en la espalda.

창가(娼家) burdel *m*.

창가(唱歌) canción *f*, canto *m*. ~를 부르다 cantar una canción.
■~대(隊) coro *m*. ~대원(隊員) corista *mf*. ~집(集) cancionero *m*, colección *f* de canciones.

창간(創刊) primera edición *f*, primera publicación *f*, publicación *f* de una revista nueva. ~하다 fundar, empezar a publicar, publicar una revista nueva. 2002년 ~ fundado en dos mil dos.
■~호(號) número *m* inicial (de una revista), número uno, primer número *m*.

창 갈다 poner*le* suela (a), *Col* remontar.

창 갈리다 hacer poner suela. 나는 구두를 창 갈렸다 Les hice poner suelas a los zapatos.

창갈이 reparación *f* de suelas. ~하다 poner*le* suela (a). 나는 장화의 ~를 하게 했다 Les hice poner suelas a las botas.

창건(創建/刱建) fundación *f*, establecimiento *m*, inauguración *f*. ~하다 fundar, establecer, inaugurar. 그 단체는 한국 전쟁 직후에 ~되었다 La organización fue fundada inmediatamente después de la Guerra de Corea. ■~주(主) fundador, –dora *mf*.

창검(槍劍) la lanza y la espada.

창견(創見) opinión *f* original, originalidad *f*. ~이 풍부하다 ser original, ser fértil.

창고(倉庫) almacén *m* (*pl* almacenes), depósito *m*; [지하의] sótano *m*; [곡물(穀物)의] granero *m*; [주류(酒類)의] bodega *f*; [화약(火藥)의] polvorín *m* (*pl* polvorines); [양륙화물의] dock *m*; [배의] cala *f*, bodega *f*; [저장고] pañol *m*, panol *m*; *Chi*, *Col*, *Méj* bodega *f*. ~에 넣다[보관하다] almacenar, guardar en depósito [en almacén · *Chi*, *Col*, *Méj* en bodega]. 화물을 배의 ~에 넣다 estibar [arrumar] la bodega.
■~ 가격 precio *m* de mayorista. ~ 관리인 encargado, –da *mf* de un depósito [un almacén · *Chi*, *Col*, *Méj* una bodega]; almacenero, –ra *mf*. ~도(渡) entrega *f* ex almacén. ~료 almacenaje *m*, bodegaje *m*, gastos *mpl* de almacén, gastos *mpl* de almacenaje, derechos *mpl* de almacenaje. ~업(業) almacenaje *m*, depósito *m*, almacenamiento *m*. ~업자 almacenista *mf*; almacenero, –ra *mf*; depositario, –ria *mf*. ~주 almacenista *mf*. ~ 증권 certificado *m* [garantía *f*] de almacén, certificado *m* [comprobante *m* · recibo *m*] de depósito, bono *m* de almacén. ~지기 guardaalmacén *m.f*; almacenero, –ra *mf*; guarda *mf* de almacén. ~ 회사 compañía *f* de depósitos.

창공(蒼空) cielo *m* azul. ~을 날다 volar en el cielo.

창구(窓口) ① [창을 뚫어 놓은 곳] ventanita *f*. ② [창을 통해 사람과 응대하고 돈의 출납 등 사무를 보는 곳] ventanilla *f*. 옆~ ventanilla *f* de al lado. 3번 ~ ventanilla tres. 5번 ~로 가십시오 Vaya a la ventanilla cinco.

창구(創口) labios *mpl* de una herida, tajo *m*, corte *m* profundo.

창구(瘡口) agujero *m* de divieso.

창구(艙口) escotilla *f*, trampilla *f*.

창군(創軍) =건군(建軍).

창군(槍軍) =창병(槍兵).

ㅊ

창궐(猖獗) violencia *f*, vehemencia *f*, impetuosidad *f*, virulencia *f*. ~하다 (ser) violento, impetuoso, virulento, furibunod. 이 지방에서는 페스트가 ~하고 있다 La peste reina [hace estragos] en esta región.
창극(唱劇) *changguk*, ópera *f* clásica coreana.
창기(娼妓) prostituta *f*, ramera *f*, puta *f*, mujer *f* de la calle.
창기(瘡氣) 【한방】 síntoma *m* sifilítico.
창기병(槍騎兵) lancero *m*, (h)ulano *m*.
창녀(娼女) puta *f*, ramera *f*, prostituta *f*.
창단(創團) fundación *f* (de una asociación). ~하다 fundar una asociación.
창달(暢達) fluidez *f*, afluencia *f*, actividad *f*, promoción *f*, progreso *m*. 언론(言論)의 ~ promoción *f* de la libertad de expresión.
창당(創黨) fundación *f* [formación *f*・organización *f*] de un partido político. ~하다 fundar [formar・organizar] un partido político.
■ ~ 당원(黨員) socio, -cia *mf* miembro del partido político. ~ 이념(理念) ideología *f* fundadora del partido político. ~ 정신(精神) espíritu *m* de fundación del partido político.
창대(槍-) mango *m* [punta *f*] de lanza.
창던지기(槍-) lanzamiento *m* de la jabalina.
■ ~ 선수(選手) jugador, -dora *mf* del lanzamiento de la jabalina.
창도(唱導) [부르짖어 사람을 인도함] abogacía *f*. ~하다 abogar (por), propagar, defender, sostener, promover. ~자(者) promotor, -tora *mf*; iniciador, -dora *mf*.
창독(瘡毒) sífilis *f*, gálico *m*.
창립(創立) fundación *f*, instauración *f*, establecimiento *m*, creación *f*, institución *f*, organización *f*, constitución *f*. ~하다 fundar, instaurar, establecer, crear, instituir, organizar, constituir. 회사를 ~하다 fundar una compañía. ~ 100주년을 기념하다 celebrar el centenario de la fundación.
■ ~ 기념일 aniversario *m* de la fundación. ~ 기념제 conmemoración *f* de la fundación. ~ 사무소 oficina *f* de la junta organizadora. ~ 위원(委員) miembro *mf* de la comisión de la junta organizadora. ~ 위원회 comité *m* [comisión *f*] de la junta organizadora. ~자(者) fundador, -dora *mf*; creador, -dora *mf*. ~ 총회(總會) asamblea *f* general de la fundación.
창만(脹滿) 【의학】 hidropesía *f* abdominal.
창망하다(滄茫/蒼茫-) (ser) vasto, extenso, infinito.
창문(窓門) ventana *f*; [작은] ventanita *f*; [자동차의] ventanilla *f*, luna *f*; [배의] ojo *m* de buey, portilla *f*; [비행기의] ventanilla *f*. ~을 열다 abrir la ventana; [위로 올리다] subir la ventana. ~을 닫다 cerrar la ventana; [아래로 내리다] bajar la ventana. ~으로 들여다보다 [내다보다] asomarse por la ventana. ~을 열어 주겠습니까? ¿Quiere usted abrir la ventana? ~을 열어 주십시오 [usted에게] Abra la ventana, por favor / [tú에게] Abre la ventana. 시원한 바람이 들어오도록 ~을 엽시다 Abramos [Vamos a abrir] la ventana para que entre el aire fresco. ~을 닫읍시다 Cerremos [Vamos a cerrar] la ventana. ~을 열어도 될까요? ¿(Se) Podría abrir la ventana? / ¿Puedo abrir la ventana? ~을 좀 열어 주실 수 있을까요? ¿Puede usted abrir la ventana?
창받다 ponerle suela (a).
창백하다(蒼白-) ponerse pálido. 창백한 pálido, lívido, descolorido, blanco como el papel. 창백함 palidez *f*, lividez *f*. 창백한 얼굴 cara *f* pálida, rostro *m* pálido. 노해서 얼굴이 창백한 pálido [lívido] de rabia. 창백해지다 palidecer, perder el color, alterar el semblante. 얼굴이 ~ ponerse pálido. 창백한 얼굴을 하고 있다 tener la cara pálida. 당신은 약간 창백하게 보인다 Tú estás un poco pálido. 내가 그녀에게 그 말을 했을 때 그녀는 얼굴이 창백해졌다 Ella palideció cuando se lo dije.
창백히 pálidamente, lívidamente, con palidez.
창법(唱法) arte *m* de cantar.
창법(槍法) arte *m* de manejar la lanza.
창병(瘡病) 【한방】 sífilis *f*, enfermedad *f* específica, enfermedad *f* venérea, enfermedad *f* infecciosa.
창부(倡夫) [남자 광대] actor *m*.
창부(娼婦) puta *f*, ramera *f*, prostituta *f*.
창살(窓-) celosía *f*, rastel *m*; [감옥의] barrote *m*, barra *f*. ~ 없는 감옥 prisión *f* sin barrotes.
창상(創傷) cuchillada *f*, herida *f*, incisión *f*.
창생(蒼生) pueblo *m*, nación *f*, toda gente, todo el mundo.
창설(創設) establecimiento *m*, fundación *f*, creación *f*. ~하다 establecer, fundar, crear. 기금(基金)의 ~ creación *f* de un fondo. 학교를 ~하다 fundar una escuela.
■ ~자 fundador, -dora *mf*.
창성(昌盛) prosperidad *f*. ~하다 (ser) próspero.
창세(創世) creación *f* del mundo.
창세기(創世記) ((성경)) el Génesis.
창송(蒼松) pino *m* verde.
창술(槍術) arte *m* de manejar la lanza.
창시(創始) fundación *f*, iniciación *f*, creación *f*. ~하다 fundar, iniciar, establecer, crear.
■ ~자(者) fundador, -dora *mf*; creador, -dora *mf*; patriarca *m*.
창안(創案) idea *f* original, plan *m* original, invención *f*; [뉴모드 따위의] creación *f*. …의 ~에 의해 inventado por *uno*, creado por *uno*.
창알거리다 gimotear, lloriquear.
창알창알 gimoteando, lloriqueando.
창애 trampa *f*.
창업(創業) ① [나라를 처음 세움] fundación *f* de un país. ~하다 fundar un país. ② [사업을 시작함] inauguración *f*, fundación *f*, establecimiento *m*. ~하다 inaugurar, fundar, establecer. 1919년 ~(함) fundado en

ㅊ

1919 [mil novecientos diecinueve]. ~ 50주년을 기념하다 celebrar el quincuagésimo aniversario de la fundación.

■ ~비(費) gastos *mpl* de constitución (de una compañía), expensas *fpl* de fundación, expensas *fpl* iniciales. ~자(者) fundador, -dora *mf*.

창연(蒼鉛) 【화학】 bismuto *m*.

창연하다(悵然-) sentir.

창연히 sentidamente.

창연하다(愴然-) (ser) muy triste.

창연히 muy tristemente, con mucha tristeza.

창연하다(蒼然-) ① [빛깔이 새파랗다] (ser) azul. ② [날이 저물어 어둑어둑하다] (ser) oscuro, poco iluminado. ③ [오래되어 예스러운 빛이 그윽하다] (estar) anticuado. 고색~ (ser) antiguo, de época. 고색창연함 antigüedad *f*.

창연히 oscuramente, con oscuridad; antiguamente, con antigüedad.

창의(創意) idea *f* original, iniciativa *f*, originalidad *f*, nuevo invento *m*, idea *f* novel.

■ ~력(力) espíritu *m* iniciativa, originalidad *f*. ¶~이 풍부한 creador, inventor, original. ~이 풍부한 사람 hombre *m* de gran originalidad. 그는 ~이 풍부하다 El tiene ideas originales.

창이(創痍) herida *f* por el arma, magulladura *f*, contusión *f*.

창일(漲溢) desbordamiento *m*. ~하다 desbordar(se). 이 강(江)은 매년 ~한다 Este río desborda todos los años.

창자 【해부】 intestinos *mpl*, entrañas *fpl*, vísceras *fpl*; [동물의] tripas *fpl*. ~의 intestinal, de los intestinos. …의 ~를 꺼내다 destripar *algo*, desentrañar *algo*, sacar las tripas a *algo*.

◆ 창자가 끊어지다 partir [desgarrar] el corazón, desgarrar las entrañas. 나는 슬퍼서 창자가 끊어질 듯했다 La tristeza me desgarraba las entrañas / El dolor me partía [desgarraba] el corazón.

창작(創作) ① creación *f*, invención *f*; [허구] ficción *f*. ~하다 crear, iniciar, inventar, engendrar. 그 말은 완전 ~이다 Eso es pura ficción. ② =단편 소설(短篇小說).

■ ~가 autor *m* creativo, autora *f* creativa. ~단(團) =소설계. ~력 poder *m* creativo, originalidad *f*. ~물 obra *f* original, obra *f* creativa. ~ 의욕 interés *m* creador. ¶~을 자극하다 despertar el interés creador (a · en). ~적 creativo, creador, original. ~집(集) obras *fpl* creativas. ~품(品) obra *f* original.

창제(創製) invención *f*, descubrimiento *m*. ~하다 inventar, descubrir.

창조(創造) ① [처음으로 만듦] creación *f*. ~하다 crear. ~되다 ser creado. 세계(世界)를 ~하다 crear el mundo, hacer la creación del mundo. 하나님이 세상을 ~하셨다 Dios creó el mundo. ② [신이 우주 만물을 만듦] la Creación de Dios.

■ ~력 poder *m* creador, fuerza *f* creadora, creatividad *f*; [독창력] facultad *f* creadora. ~물 criatura *f*, creación *f*, lo creado. ~설 creacionismo *m*. ~성(性) creatividad *f*. ~신(神) el Dios Creador. ~자(者) ㉮ creador, -dora *mf*. ㉯ ((종교)) el Creador. ~적(的) creador, creativo.

창졸(倉卒) lo imprevisto, lo inesperado, lo repentino. ~간(間) momento *m* repentino.

창증(脹症) hidropesía *f* abdominal.

창창하다(倀倀-) (ser) prometedor.

창창히 prometedoramente.

창창하다(蒼蒼-) ① [빛이 새파랗다] (ser) azul. 창창한 가을 하늘 cielo *m* azul de otoño. 울울창창한 숲 bosque *m* frondoso. ② [앞길이 멀어서 아득하다] (ser) prometedor. 앞길이 창창한 젊은이 joven *m* prometedor, joven *f* prometedora. 이 일은 아직도 앞이 ~ Este es un trabajo que dura todavía mucho tiempo.

창창히 prometedoramente.

창천(蒼天) ① [창공(蒼空)] bóveda *f* celeste, esfera *f* celeste, cielo *m* azul. ② [봄의 하늘] cielo *m* primaveral, cielo *m* de primavera. ③ [동북쪽 하늘] cielo *m* nordeste.

창칼 navaja *f* de filo en bisel.

창턱(窓-) alféizar *m* de la ventana, repisa *f* de la ventana.

창틀(窓-) marco *m* de la ventana.

창파(滄波) oleada *f*, ola *f* grande.

창포(菖蒲) ① 【식물】 ácoro *m*, cálamo *m*, lirio *m*. ② 【한방】 [창포의 뿌리] cálamo *m* aromático.

■ ~꽃 flor *f* de lirio. ~원(園) jardín *m* de lirios.

창피(猖披) vergüenza *f*, ignominia *f*, deshonra *f*, infamia *f*, ultraje *m*. ~하다 tener vergüenza, avergonzarse (de). ~한 vergonzoso, deshonroso, ignominioso. ~하게 하다 causar aprobio, ser deshonrado, producir infamia. ~를 당하다 estar avergonzado, cubrirse de ignominia, afrentarse. ~를 주다 cubrir de ignominia, afrentar, deshonrar. ~를 톡톡히 주다 desenmascarar, exponer la falsedad (de). ~를 무릅쓰다 deshonrarse, difamarse. ~하게 생각하다 sentirse avergonzado. 나는 저런 친구를 둔 것을 ~하게 생각한다 Me siento avergonzado de tener un amigo como aquél.

창피스럽다 sentirse avergonzado.

창피스레 avergonzadamente, con vergüenza.

창하 증권(倉荷證券) 【경제】 =창고 증권.

창해(滄海) océano *m*, mar *m*(*f*).

■ ~일속(一粟) un mijo en el océano, hombre *m* en el universo, pequeñez *f*, persona *f* inútil.

창호(窓戶) ventanas *fpl* y puertas *fpl*.

■ ~지(紙) papel *m* para la puerta corrediza [(de) corredera].

창화(唱和) coro *m*. ~하다 corear, hacer coro.

창황망조(蒼黃罔措) ráfaga *f*, chaparrón *m*. ~

하다 estar aterrorizado, ser presa del pánico.

창황하다(蒼黃/蒼皇—) (ser) acelerado, apresurado.

창황히 a toda prisa, a todo correr, con la prisa, deprisa, a la(s) carrera(s), aceleradamente, apresuradamente, precipitadamente, confusamente.

찾다 ① [감춘 것이나 잃은 것이 나타나도록 뒤져 살피다] buscar. …을 찾아서 en busca de *algo*. 셋집을 ~ buscar una casa de alquiler. 일자리를 ~ buscar un empleo. 잃었던 지갑을 ~ buscar la cartera olvidada. 부모를 ~ buscar a *sus* padres. 집을 ~ buscar una casa. 누구를 찾고 계십니까? ¿A quién busca usted? 무엇을 찾습니까? ¿Qué busca usted? 사람을 찾습니다 ((게시 · 광고)) Se busca. 그의 집은 찾기 어려운 곳에 있다 Su casa está situada en un lugar difícil de encontrar [de localidad]. ② [맡긴 것이나 빌려 준 것을 돌려 오다] sacar, retirar. 은행(銀行)에서 돈을 ~ sacar [retirar] dinero del banco. ③ [남을 일부러 만나러 가다] visitar, ir a ver, hacer una visita. 어떤 친구를 ~ visitar a un amigo. ④ [탐승(探勝)하다] ir a visitar. 명승지를 ~ ir a visitrar los lugares de interés. ⑤ [요구하다] pedir. 매일 술만 ~ pedir vino todos los días. ⑥ [모르는 것을 밝혀내다] encontrar, establecer, sacar, llegar. 결론을 ~ llegar [sacar] la conclusión. 사고 원인을 ~ encontrar la causa del accidente. ⑦ [사전을] consultar. 한서 사전을 ~ consultar el diccionario coreano-español. 어떤 단어를 사전에서 ~ consultar [buscar] una palabra en el diccionario.

찾아가다 ① [맡긴 것이나 빌려 온 것을 도로 가져가다] sacar, retirar. 은행에서 십만 원을 ~ sacar [retirar] cien mil wones del banco. ② [남을 만나러 가다] visitar, hacer una visita. 매일 ~ visitar diariamente [todos los días].

ㅊ

찾아내다 hallar, encontrar, descubrir, detectar, buscar. 찾던 물건은 찾아냈느냐? ¿Has encontrado lo que buscabas? 경찰이 범인의 은닉처를 찾아냈다 La policía descubrió el escondrijo del criminal. 나는 간신히 그의 집을 찾아냈다 Al fin di con su casa. 나는 돈 있는 곳을 찾아냈다 Descubrí donde estaba el dinero que yo buscaba / Descubrí el lugar donde estaba ocultado el dinero que yo buscaba. 그들은 내 신청서를 찾아낼 수 없다 Ellos no encuentran mi solicitud.

찾아보다 ① [남을 찾아가서 만나 보다] visitar. 옛 친구를 ~ visitar a un amigo antiguo. ② [무엇을 찾아서 보다] consultar. 사전을 ~ consultar el diccionario.

찾아오다 ① [남이 나를 만나러 오다] visitar, venir a ver. 어제 오후에 친구가 나를 찾아왔으나 나는 집에 없었다 Un amigo mío me visitó ayer por la tarde, yo estaba fuera de casa. ② [맡긴 것이나 빌려 준 것을 도로 가져오다] redimir. 전당포에서 반지를 ~ redimir *su* anillo de la casa de empeño.

찾을모 mérito *m*, valor *m*. 그 산의 절경은 ~가 있다 El paisaje hermoso del montaña vale [merece] la pena (de) visitar.

채[1] ① [수레의 앞쪽으로 양옆에 댄 긴 나무] vara *f*. ② [가마의 앞뒤에 양옆으로 댄 긴 나무] pértiga *f*, timón *m* (*pl* timones).

채[2] ① ((준말)) ＝채찍(látigo). ② [벌로 사람을 때리는 나뭇가지] azote *m*. ③ [북 · 장구 · 징 등의] baqueta *f*, palillo *m* (de tambor), bolillo *m*. ④ [테니스 · 배드민턴 · 탁구 · 골프 따위에서, 공을 치는 기구] raqueta *f*.

채[3] [가늘고 긴 물건의 길이] longitud *f* de los objetos largos y finos. 머리~ mechón *m*.

채[4] [고루 염색되지 않고 줄이 죽죽 지게 된 빛깔] color *m* poco uniforme

채[5] [야채를 가늘고 잘게 써는 일, 또, 그 썬 것] corte *m* en tiras, verduras *fpl* cortadas en tiras. ~ 썰다 cortar verduras en tiras. 오이를 ~ 치다 cortar pepino en tiras. 무~ tiras *fpl* de rábano. 오이~ tiras *fpl* de pepino.

채[6] ① [집의 덩이를 세는 단위] casa *f*. 집 한 ~ una casa. 들에 외로이 있는 집 한 ~ una casa solitaria en el campo. 세 ~ 앞에 tres casas más adelante. 세 ~ 앞의 집 la tercera casa a partir de ésta. ② [이불 따위를 세는 단위] colchón *m* (*pl* colchones) 이불 다섯 ~ cinco colchones.

채[1] [「-ㄴ」이나「-은」뒤에 붙어,「어떤 상태가 계속된 대로 그냥」의 뜻을 나타내는 말] aun estando, así no más. 모자를 쓴 ~로 con el sombrero puesto. 신을 신은 ~로 con los zapatos puestos. 텔레비전 덕택에 우리는 집에 있는 ~로 축구 경기를 볼 수 있다 Gracias a la televisión, podemos ver los partidos de fútbol aun estando en casa.

채[8] [일정한 정도에 아직 이르지 못한 상태를 나타내는 말] incompleto, imperfecto, todavía (no); [겨우] sólo, solamente. 한 시간이 ~ 안 되어 en menos una hora. 만 원이 ~ 안 되는 돈 diez mil wones como mucho, diez mil wones a lo más.

채(菜) entremés *m* (*pl* entremeses), ensalada *f* vegetal.

-채 edificio *m*. 딴~ edificio *m* separado. 사랑~ edificio *m* no adosado usado para la habitación donde se puede recibir. 큰~ edificio *m* principal.

채결(採決) votación *f*, decisión *f*. ~하다 poner a (la) votación, poner al voto, tomar un voto, decidir por votación, votar. ~에 들어가다 proceder a la votación. ~의 결과 그 법률은 가결되었다 Por una mayoría de votos se ha aprobado el proyecto de ley.

채고추 chile *m* [ají *m*] cortado en rodajas [en tiras].

채광(採光) alumbramiento *m*. ~이 좋은 bien alumbrado. ~이 잘된 방 sala *f* [habitación *f*] bien alumbrada, cuarto *m* bien alumbrado. ■ ~창 claraboya *f*, tragaluz *m*.

채광(採鑛) explotación *f* de las minas, minería *f*. ~하다 explotar las minas.
■ ~ 공학(工學) ingeniería *f* de minas. ~권 derecho *m* minero. ~ 야금학 minería *f* y metalurgia. ~학(學) ingeniería *f* de minas, ciencia *f* de la explotación de las minas ~ 학자 experto, -ta *mf* de minas.

채굴(採掘) explotación *f* minera [de una mina]. ~하다 explotar una mina. 금광(金鑛)을 ~하다 explotar una mina de oro. 석유를 ~하다 explotar el petróleo.
■ ~권(權) concesión *f* minera. ~기(機) excavadora *f*, socavadora *f*.

채권(債券) bono *m*, título *m* (de la deuda); [집합적] obligaciones *fpl*. ~을 발행(發行)하다 emitir obligaciones.
■ ~ 가격 precio *m* de los bonos. ~ 발행 emisión *f* de bonos. ~ 발행가 precio *m* de emisión de bonos. ~ 브로커 corredor, -dora *mf* de cambios; corredor, -dora *mf* de comercio. ~ 상환 기금 fondo *m* para amortización de obligaciones. ~ 소지자 obligacionista *mf*, poseedor, -dora *mf* [tenedor, -dora *mf*] de bonos. ~ 시장(市場) mercado *m* de bonos, mercado *m* de obligaciones de renta fija. ~ 액면가 valor *m* nominal [facial] de bonos. ~ 옵션 opción *f* de bonos. ~ 옵션 시장 mercado *m* de opciones sobre bonos. ~ 이율 tipo *m* de interés del bono. ~ 이자 interés *m* del bono. ~ 입찰제 sistema *m* de licitación de bonos. ~ 펀드 fondo *m* de bonos. ~ 프리미엄 prima *f* para bonos. ~ 할인(割引) descuento *m* sobre bonos.

채권(債權) derecho *m* de crédito, acreencia *f*, título *m*, crédito *m*, derecho *m*.
■ ~국(國) país *m* (*pl* países) acreedor, nación *f* acreedora. ~ 담보 seguridad *f* para obligaciones. ~ 압류(押留) embargo *m*, interdicto *m*, sentencia *f* de embargo. ~ 양도 cesión *f* de una obligación. ~자 acreedor, -dora *mf*, tenedor, -dora *mf* de una obligación. ¶~ 회의(會議) junta *f* de acreedores.

채귀(債鬼) acreedor, -dora *mf* apremiante; recaudador *m* importuno, recaudadora *f* importuna.

채근(採根) ① [식물의 뿌리를 캠] arrancamiento *m* del raíz. ~하다 arrancar, sacar de raíz. ② [일의 근원을 캠] descubrimiento *m* del origen. ~하다 descubrir el origen. ③ [어떤 일을 따지어 독촉함] apremio *m*. ~하다 apremiar.

채금(採金) minería *f* de oro. ~하다 extraer oro.
■ ~선(船) barco *m* de extraer oro. ~자(者) excavador, -dora *mf* de oro. ~지(地) yacimiento *m* de oro.

채꾼 vaquero *m* joven.

채끝 carne *f* de vaca de junto a la costilla.

채널(영 *channel*) canal *m*. 텔레비전의 ~ canal *m* de televisión. ~을 고르다 seleccionar el canal. ~을 돌리다 encender [*AmL* prender] el canal. ~을 바꾸다 cambiar el canal.

채다[1] [값이 좀 오르다] subir, aumentar. 값이 ~ subir el precio.

채다[2] [갑자기 힘 있게 잡아당기다] tirar de sobresalto, arrebatar, quitar de un tirón. 그는 내 손에서 지갑을 잡아챘다 El me arrebató el monedero de la mano / El me quitó el monedero de la mano de un tirón.

채다[3] [재빨리 짐작하다] notar, sospechar (de), descubrir, encontrar, detectar. 눈치를 ~ notar. 아무도 눈치 채지 않게 sin que nadie lo note. 나는 아무도 눈치 채지 않게 나갔다 Yo salí sin que nadie lo notara [notase].

채다[4] ((준말)) =채우다(sujetar, satisfacer).

채다[5] ① [발로 참을 당하다] ser pegado una patada. 정강이를 ~ ser pegado una patada en la espinilla. ② [중간에서 가로챔을 당하다] agarrar, coger, arrancar. 그는 가방을 채고 달려 나갔다 El cogió [agarró] rápidamente la maleta y salió corriendo. 내 아내는 내 손에서 편지를 잡아챘다 Mi esposa me arrancó la carta de las manos. ③ [애인한테 딱지를 맞다] darse calabazas. 나는 애인한테 채었다 Mi novia me dio calabazas.

채단(綵緞) sedas *fpl*.

채독(菜毒) envenenamiento *m* de comida de verduras. ~에 걸리다 sufrir del envenenamiento de comida de verduras.

채둥우리 cesto *m* grande de mimbre.

채뜨리다 ① [갑자기 앞으로 잡아당기다] tirar hacia adelante de repente. ② [재빠르게 채어 빼앗다] arrebatar. 편지를 ~ arrebatar la carta, quitar la carta de un manotazo, arrancar la carta.

채련 piel *f* de burro.

채록(採錄) transcripción *f*, extracto *m*. ~하다 transcribir; [일부를] extractar.
■ ~자(者) extractor, -tora *mf*, transcriptor, -tora *mf*.

채롱(-籠) cesto *m* de forma de mimbre.

채료(彩料) colores *mpl*, pigmento *m* de color.
■ ~ 그릇 paleta *f*. ~붓 pincel *m*. ~ 상자(箱子) caja *f* de acuarelas. ~ 접시 paleta *f* de pintura.

채마(菜麻) =남새.
■ ~밭 huerto *m*.

채면기(採綿機) cosechadora *f* de algodón.

채무(債務) deuda *f*, débito *m*, obligación *f*, pasivo *m*. ~를 이행하다 cumplir con las obligaciones, pagar la dueda. 나는 그에게 천만 원의 ~가 있다 Yo le tengo la deuda de diez millones de wones / Yo le debo diez millones de wones.
■ ~국 país *m* deudor, nación *f* deudora. ~ 면제 exoneración *f* de las obligaciones. ~ 명의(名義) título *m* de la deuda. ~ 불이행(不履行) incumplimiento *m* de las

obligaciones, falta *f* de pago. ~ 상환(償還) liquidación *f* [pago *m*·cancelación *f*·amortización *f*] de la deuda. ~ 소멸(消滅) vencimiento *m* de las obligaciones. ~ 이행 cumplimiento *m* de las obligaciones. ~자 deudor, -dora *mf*, obligado, -da *mf*. ~증서 certificado *m* de las obligaciones. ~초과 exceso *m* [superioridad *f*] del pasivo sobre el activo.

채문(彩文/彩紋) diseño *m*, figuras *fpl* (de colores).

채반(一盤) ① [껍질을 벗긴 싸릿개비로 울이 없이 결어 만든 채그릇] bandera *f* de mimbre. ② [진미(珍味)의 음식] manjar *m*, exquisitez *f*.

채반상(一盤相) cara *f* redonda y ancha.

채발 pie *m* largo y estrecho.

채벌(採伐) =벌채(伐採).

채변 indecisión *f* cortés. 너무 ~ 말고 많이 잡수세요 Sírvase, por favor.

채부(採否) adopción o rechazamiento. ~를 통지하다 notificar [participar] resolución. 법안(法案)의 ~를 결정하다 votar un proyecto de ley. ~를 통지해 드리겠습니다 Le avisaré si ha sido admitido o no.

채비(一備) preparación *f*. ~하다 preparar.

채산(採算) cálculo *m* provechoso. ~을 맞추다 ser provechoso. ~이 맞는 provechoso, ventajoso, ganancioso, fructuoso, remunerador, lucrativo. ~이 맞지 않는 desventajoso, poco lucrativo, improductivo. 이 사업은 ~이 맞지 않는다 Esta empresa es poco remuneradora / No sacaremos provecho de este negocio / No salimos ganando en este negocio.

◆독립 ~제 sistema *m* autofinanciado.

■~ 가격(價格) precio *m* remunerativo. ~성(性) rentabilidad *f*. ~점 umbral *m* de rentabilidad, punto *m* de equilibrio.

채색(采色) [풍채와 안색] la apariencia y el semblante.

채색(彩色) ① [그림에 색을 칠함] coloración *f*. ~하다 colorear, colorar, pintar, teñir, dar color (a). ~한 colorido, pintado, cromático. ② [여러 가지 고운 빛깔] colores *mpl* abigarrados. ③ ((준말)) =채색감.

■~감 material *m* de tinte para la coloración. ~ 도판(圖版) lámina *f* de color. ~ 인쇄 imprenta *f* de color. ~판 imprenta *f* cromática, imprenta *f* de color. ~화(畵) pintura *f* en colores.

채색(菜色) ① [푸성귀의 빛깔] color *m* vegetal, color *m* verde. ② [굶주린 사람의 혈색 없는 누르스름한 얼굴빛] tez *f* muerta de hambre.

채석(採石) corte *m* de piedra, labra *f* de las piedras, cantera *f*. ~하다 cortar piedra, labrar las piedras, explotar (canteras), extraer (de una cantera).

■~공 picapedrero, -ra *mf*, cantero, -ra *mf* ~권 derecho *m* de cortar piedra. ~기 máquina *f* de cortar piedra. ~장 cantera *f*, pedrera *f*. ¶~ 인부 cantero, -ra *mf*, picapedrero, -ra *mf*. ~장이 =채석공.

채소(菜蔬) verdura *f*, legumbres *fpl*. 신선한 ~ verdura *f* fresca. 언 ~ verdura *f* congelada. 통조림 ~ verdura *f* enlatada. ~를 심다 cultivar verduras. ~를 더 드십시오 Sírvete más verduras. 건강을 위해 신선한 ~를 많이 먹읍시다 Vamos a tomar muchas vegetales frescas para nuestra salud. 우리는 우리가 먹을 ~를 심는다 Tenemos nuestro propio huerto / Cultivamos nuestras verduras [hortalizas].

■~ 가게 verdulería *f*. ~밭 huerto *m*, huerta *f*. ~ 요리(料理) platos *mpl* de verduras. ~ 장수 verdulero, -ra *mf*.

채송화(菜松花)【식물】verdolaga *f*.

채식(菜食) dieta *f* vegetal, régimen *m* vegetariano, dieta *f* fitógrafa, mantenencia *f* por vegetales, vegetarianismo *m*, vegetalismo *m*. ~하다 vivir de vegetales, abstenerse de comer carne. ~의, ~하는 vegetariano, vegetalista.

■~가(家) =채식주의자. ~광(狂) manía *f* vegetariana. ~ 동물 animal *m* herbívoro. ~ 요리 platos *mpl* vegetarianos. ~일 día *m* de abstinencia, vigilia *f*. ~주의(主義) vegetarianismo *m*, vegetalismo *m*. ¶~의 vegetalista, vegetariano. ~주의자(主義者) vegetariano, -na *mf*, vegetalista *mf*.

채약(採藥) recogida *f* de las plantas medicinales. ~하다 recoger las plantas medicinales.

채용(採用) ① [채택하여 씀] adoptación *f*, uso *m*. ~하다 adoptar, usar. 공업화 정책을 ~하다 adoptar la política de industrialización. 새로운 교수법을 ~하다 adoptar un método nuevo de enseñanza. 한국에서는 미터법이 ~되고 있다 En Corea se usa el sistema métrico. ② [고용] empleo *m*, admisión *f*; [임용] nombramiento *m*. ~하다 emplear, admitir, nombrar. 대학 졸업자를 ~하다 emplear a los graduados de la universidad. 컴퓨터 프로그래머를 ~하다 emplear a un programador de ordenadores. 그는 한국 은행에 ~되었다 El fue admitido [se colocó] en el Banco de Corea.

■~ 규준 condiciones *fpl* de admisión. ~ 시험 examen *m* de admisión, examen *m* de colocación; [공무원 등의] oposiciones *fpl*. ~ 신청 aplicación *f* para el empleo. ~ 인원 número *m* de personas que se admiten. ~ 조건 requisito *m* de admisión. ~ 통지 (carta *f* de) aviso *m* de admisión.

채우다[1] ① [몸에 물건을 달아 차게 하다] hacer llevar. ② [자물쇠·단추 따위를 잠그다] [문·방·자동차를] cerrar (con llave); [단추·호크·지퍼·허리띠 등을] abrochar; [단추를] abotonar. 채워지다 cerrarse, abrocharse. 조끼의 단추를 ~ abotonar el chaleco. 자신의 단추를 ~ abotonarse, abrocharse los botones, abrocharse. 지퍼를 ~ cerrar la cremallera. ③ [발목·팔목에 형구를 차게 하다] poner, sujetar. 수갑을

~ esposar, sujetar con esposas.
채우다² ① [더운 물건을 찬물 속에 담가서 식히다] poner en el agua fría, enfriar. ② [상하기 쉬운 물건을 얼음에 대어 두어서 썩지 않게 하다] refrigerar. 냉장고에 ~ mantener en el refrigerador [en la nevera · *RPI* en la heladera].
채우다³ ① [모자라는 수량을 보태다] añadir, adicionar; [보충하다] suplir. 물을 ~ añadir agua (a). 그가 부족분을 채워 100만 원이 되었다 El añadió [puso] lo que faltaba para un millón de wones. ② [일정한 곳까지 가득하게 하다] llenar. 목욕탕에 물을 ~ llenar el agua en el baño. 방을 꽃으로 ~ llenar una habitación de [con] flores. 배를 채워 두다 [미리 먹다] comer previamente. 배를 가득 ~ hartarse [llenarse · atracarse · atiborrarse] de comida. ③ [욕망을 충족시키다] satisfacer, llenar, complacer, contener, dar gusto. 수요를 ~ satisfacer la necesidad. 욕망을 ~ satisfacer *sus* deseos. ④ [일정한 기한까지 미치게 하다] cumplir, completar. 이 어음은 11월 5일로 만기를 채운다 Esta letra cumplirá el 5 de noviembre.
채운(彩雲) nubes *fpl* iridiscentes.
채원(菜園) huerta *f*, huerto *m*.
채유(採油) perforación *f* para el aceite, extracto *m* del aceite. ~하다 extraer el aceite. ~권(權) concesión *f* de aceite.
채유(菜油) ① [채소씨로 짠 기름] aceite *m* de semilla de verduras. ② [배추씨로 짠 기름] aceite *m* de semilla de repollo.
채자(採字) composición *f* de tipo. ~하다 componer (el tipo).
채 잡다 hacerse cargo (de).
채전(菜田) huerta *f*, huerto *m*.
채전에 hace mucho tiempo.
채점(採點) calificación *f*, marcación *f*. ~하다 calificar, marcar. ~이 후하다 ser generoso en marcación, ser indulgente en la calificación, ser indulgente en la puntuación. ~에 박하다 ser severo en marcación, ser severo en la calificación, ser severo en la puntuación. 시험(試驗)의 ~을 하다 poner las notas de los exámenes, calificar el examen.
■ ~ 카드 tarjeta *f*. ~판 pizarra *f* de marcar los tantos en un juego, marcador *m* de tantos. ~표 tarjeta *f* de marcar, marcador *m* de tantos.
채종(採種) recogida *f* de semillas.
■ ~답(畓) arrozal *m* para la recogida de semillas. ~밭 campo *m* para la recogida de semillas.
채종(菜種) colza *f*.
채주(債主) acreedor, -dora *mf*.
채 지다 ser teñido de modo poco uniforme.
채질 paliza *f*, azotaina *f*. ~하다 azotar, dar*le* una paliza [un azote] (a).
채집(採集) colección *f*. ~하다 recoger, coleccionar, hacer una colección (de). 곤충을 ~하다 coleccionar los insectos. 포도를 ~하다 recoger [recolectar] uvas, vendimiar.
■ ~가(家) coleccionista *mf*, coleccionador, -dora *mf*, colector, -ra *mf*, recogedor, -dora *mf*. ~ 지점(地點) puesto *m*.
채찍 [승마에서] fusta *f*, *AmL* fuste *m*; [조련사의] látigo *m*, azote *m*, zurriago *m*, tralla *f*; [소의 음경으로 만든] nervio *m* de buey. ~으로 때리다 azotear. ~으로 말을 때리다 pegar al caballo con la fusta).
■ ~질 latigazo *m*, acción *f* de fustigar [azotar], flagelación *f*. ~하다 [말을] pegar*le* (a) (con la fusta), fustigar; [사람을] azotar, dar un latigazo, dar azotes, dar con vergas, flagelar; [어린이에게] dar*le* una paliza [un azote] (a).
채취(採取) extracción *f*, cogedura *f*, recogida *f*, recogimiento *m*. ~하다 extraer, recoger, sacar, tomar, coger. 지문(指紋)을 ~하다 tomar las huellas dactilares. 혈액(血液)을 ~하다 extraer la sangre.
■ ~권(權) derecho *m* de recogida. ~기(期) temporada *f* de recogida. ~자(者) recogedor, -dora *mf*.
채치다¹ ((힘줌말)) =채다¹.
채치다² ((힘줌말)) =채다².
채치다³ ① [채찍 따위로 후려 때리다] pegarle (a) (con la fusta), fustigar, azotear, dar un latigazo, dar azotes. ② [일을 몹시 재촉하다] apremiar.
채 치다 [채소나 과실 등속을 잘게 썰어 채를 만들다] [캐비지 · 배추 · 상추를] cortar en tiras; [당근 따위를] cortar en juliana; [강판에 갈다] rallar. 당근을 ~ cortar zanahorias en juliana. 무를 ~ rallar rábano, cortar rábano en juliana. 캐비지를 ~ cortar repollo en tiras.
채칼 cuchillo *m* de la cocina, cuchillo *m* para el corte en juliana.
채탄(採炭) extracción *f* de carbón, extracción *f* de piedra, explotación *f* del carbón. ~하다 extraer el carbón, explotar el carbón.
■ ~기(機) máquina *f* para el carbón. ~량 producción *f* de carbón. ~부(夫) minero *m* de carbón. ~소 mina *f* de carbón.
채택(採擇) adoptación *f*, preferencia *f*, admisión *f*, optación *f*, uso *m*. ~하다 adoptar, preferir, admitir, usar. ~되다 adoptarse, ser adoptado, usarse. 한국에서는 미터법이 ~되고 있다 En Corea se usa el sistema métrico.
채편(-便) lado *m* golpeante (del tambor).
채플(영 *chapel*) ① [기독교의 예배당] capilla *f*. ② [기독교계 학교 따위의 예배] servicio *m*. ~ 시간 hora *f* de servicio.
채필(彩筆) pincel *m*.
채혈(採血) extracción *f* de sangre. ~하다 sacar [extraer] sangre (a).
채화(彩畵) =채색화(彩色畵).
책(冊) libro *m*; [부(部) · 권(卷)] tomo *m*, ejemplar *m*, volumen *m* (*pl* volúmenes); [작품] obra *f*, [학술적인 전문 서적] tratado *m*. ~의 값 precio *m* de un libro. ~에서 얻은 지식(知識) [경멸적으로] conocimiento

m libresco. 한국 역사에 관한 ~ un libro sobre la Historia de Corea. ~을 쓰다 escribir un libro, escribir una obra. ~을 읽다 leer un libro. ~을 출판하다 [저자·출판사가] publicar un libro; [출판사가] editar un libro.. ~을 인쇄하다 imprimir un libro. ~을 넘기다 hojear las páginas de un libro. 한 권의 ~을 여러 부로 나누다 descomponer un tomo en volúmenes. 그는 ~ 읽기를 좋아한다 Le gusta leer [la lectura].

■ ~싸개 faja *f*; [책 커버] sobrecubierta *f*, camisa *f*. ~ 커버 sobrecubierta *f*, camisa *f*. ~ 표지 cubierta *f*; [타이틀의] portada *f*. ¶ 소설 ~에 국가 원수의 초상이 그려져 있다 La portada de una novela reproduce un retrato del jefe del Estado.

책(柵) cerca *f*, valla *f*, barrera *f*, barandilla *f*, palizada *f*, empalizada *f*, palanquera *f*, compuerta *f*.

책(責) ① ((준말)) =책임(責任). ② ((준말)) =책망(責望). ③ ((준말)) =책무(責務).

-책(責) [책임자(責任者)] responsable *mf*. 조직(組織)~ responsable *m* organizador, responsable *f* organizadora.

-책(策) [방책(方策)] plan *m*, proyecto *m*, designio *m*. 해결(解決)~ solución *f*, manera *f* de arreglar.

책가(冊價) precio *m* del libro.

책가방(冊-) mochila *f* para los libros.

책가위 [보호용의] forro *m*; [그림이 든] sobrecubierta *f*, camisa *f*.

책갈피(冊-) hoja *f* de un libro.

책갑(冊匣) librería *f*, estantería *f*, biblioteca *f*, *Méj* librero *m*.

책거리(冊-) =책씻이.

책권(冊卷) ① [서책의 권질(卷帙)] tomo *m*. ② [얼마간의 책] unos libros. 그는 ~이나 가졌다 El tiene muchos libros.

책궤(冊櫃) balda *f* (para libros), estante *m*, estantería *f*.

책글씨(冊-) caligrafía *f* usada para los libros escritos a mano.

책꽂이(冊-) armario *m* [estante *m*] para libros; [선반류의] estantería *f*; [책이 넘어지지 않게 책의 양쪽 가에 대는] sujetalibros *m.sing.pl*, soportalibros *m.sing.pl*.

책동(策動) maniobra *f*, intriga *f*, manejo *m* artificioso. ~하다 maniobrar. ~자(者) intrigante *mf*, maquinador, -dora *mf*.

책뚜껑(冊-) cubierta *f*, portada *f*.

책략(策略) artificio *m*, ardid *m*, estratagema *f*, maniobra *f*, maña *f*, treta *f*, estrategia *f*, táctica *f*, designio *m* (oculto), propósito *m* (oculto), intención *f* secreta, segunda intención *f*, reserva *f* mental. ~의 estratégico. ~으로 estratégicamente, por estratagema. ~이 있다 tener segunda intención, tener reservar mental. ~을 간파하다 penetrar la segunda intención (de), adivinar la intención secreta (de). ~을 생각해 내다 idear un artificio, fraguar una estratagema. ~을 쓰다 manipular, recurrir a artificios, usar una treta, valerse de un artificio. ~이 풍부하다 ser mañoso, ser rico en recursos.

■ ~가(家) estratega *mf*, táctico, -ca *mf*, intrigante *mf*, proyectista *mf*, maquiavelista *mf*.

책력(冊曆) almanaque *m*, calendario *m*.

책망(責望) reproche *m*, censura *f*, reprobación *f*, vituperación *f*, reprensión *f*, reprimenda *f*. ~하다 reprochar, vituperar, censurar, reprobar, reprender, recriminar. …의 과실을 ~하다 reprochar el error de *uno*. 성적이 나빠서 나는 그녀를 ~했다 La reproché por las malas notas / Le reproché las malas notas.

책모(策謀) =책략(策略).

책무(責務) [의무] deber *m*, obligación *f*; [책임] responsabilidad *f*. ~를 이행하다 cumplir (con) *su(s)* deber(es), cumplir *su* obligación.

책받침(冊-) bloc *m* insertado debajo del cuaderno.

책방(冊房) librería *f*.

책벌(責罰) castigo *m*, pena *f*. ~하다 castigar. ~받다 ser castigado, recibir el castigo [la condena]. 범죄자가 받았던 ~ el castigo [la condena] que recibió el delicuente.

책벌레(冊-) ratón *m* de biblioteca.

책보(冊褓) envoltura *f* de tela (para los libros).

책사(策士) hombre *m* de recursos; táctico, -ca *mf*, persona *f* fértil en recursos; [책모가(策謀家)] intrigante *mf*, maquiavelista *mf*. ~를 쓰다 usar una treta, valerse de un artificio.

책상(冊床) mesa *f*, [공부용의] pupitre *m*, mesa *f* de estudio; [사무용의] escritorio *m*, bufete *m*, buró *m*, mesa *f* de escribir.

■ ~다리 las piernas cruzadas. ¶~를 하고 앉다 sentarse a la mora, sentarse con las piernas cruzadas. ~물림 persona *f* ignorante del mundo, persona *f* inexperta. ~보 mantel *m*, tapete *m*, carpeta *f*.

책송곳(冊-) punzón *m* (*pl* punzones) de encuadernar el libro.

책실(冊-) hilo *m* de encuadernar el libro.

책싸개(冊-) sobrecubierta *f*, camisa *f*.

책씻이(冊-) trato *m* a *su* maestro y *sus* compañeros de estudio en conmemoración de terminar un curso. ~하다 tratar a *su* maestro y *sus* compañeros en conmemoración de un curso.

책원(策源) =책원지(策源地).

■ ~지(地) base *f* estratégica, centro *m* [base *f*] de operaciones, cuartel *m* general.

책임(責任) responsabilidad *f*; [의무(義務)] deber *m*, obligación *f*. ~ 있는 responsable, obligado, culpable. ~ 있는 사람 persona *f* responsable. ~ 있는 지위(地位) posición *f* de responsabilidad. ~ 있는 태도 actitud *f* responsable. ~이 막중한 자리 puesto *m* de mucha responsabilidad. 공동 경영자의

~ responsabilidad *f* de los socios. 회사의 부채에 대한 ~ responsabilidad *f* por las deudas de la empresa. 지위에 따른 ~ responsabilidad *f* que conlleva el puesto. 아무런 ~ 없이 sin ninguna responsabilidad. 자신의 ~으로 por *su* cuenta, por [bajo] *su* propia responsabilidad. 내 ~으로 a mi cargo. ~이 있다 ser responsable (de), responsabilizarse (de). ~을 가지다 tener la responsabilidad (de); [보증하다] responder (de · por), garantizar. ~을 다하다 cumplir con *su* deber. ~을 떠맡다, ~을 지다 cargar con [tomar · asumir · encargarse de] la responsabilidad (de). ~을 떠맡기다, ~을 지우다 hacer responsable (de), hacer responder (de), cargar de [con] la responsabilidad. ~을 완수(完遂)하다 cumplir los deberes, realizar el cargo. ~을 지고 의무를 다하다 cumplir responsablemente con *su* misión. ~을 회피하다 evitar [rehusar · librarse de] la responsabilidad. ~을 전가시키다 responsabilizar. ~을 서로 전가시키다 echarse la responsabilidad mutuamente. ~을 다른 사람에게 전가시키다 echar *su* responsabilidad a otro. ~ 소재를 분명히 하다 poner en claro en quien cae la responsabilidad. 모든 ~을 떠맡다 asumir toda la responsabilidad. …할 ~이 있다 tener la responsabilidad de + *inf*, ser responsable de + *inf*. ~은 저에게 있습니다 La culpa es mía / La responsabilidad es mía. 이 일은 그의 ~이다 El es responsable de este trabajo. 그것은 그 여자의 ~이다 Eso es responsabilidad suya. 아이들은 내 ~이다 Los niños están bajo mi responsabilidad. 그 실패(失敗)는 내 ~이 아니다 No me incumbe responsabilidad en ese fracaso / No soy responsable de ese fracaso. 부모는 자식들을 부양할 ~이 있다 Los padres tienen la responsabilidad [son responsables] de criar a sus hijos. 자신의 ~ 아래 행동하십시오 Obrase bajo su propia responsabilidad. 모든 ~은 나한테 돌아왔다 Recayó sobre mí toda la responsabilidad. 나는 사건의 ~을 느끼고 있다 Soy consciente de la responsabilidad de lo ocurrido. 그 ~은 내가 지겠다 Yo cargaré con la responsabilidad / Echeme a mí la culpa. 문방구에 주문하는 일은 그의 ~이다 *El* es el encargado de hacer los pedidos de papelería. 우리는 우리의 독자에게 ~이 있다 Tenemos la responsabilidad [Somos responsables] ante nuestros lectores. 그는 그 사건에서 모든 ~을 부인했다 El negó toda responsabilidad en el asunto. 나는 가족 부양의 ~이 있다 Yo tengo la responsabilidad de mantener a la familia. 그는 내가 사건에 휘말리지 않게 하기 위해 모든 ~을 떠맡았다 El cargó con toda la responsabilidad para no involucrarme a mí. 사람들은 아들의 실패의 ~을 교수에게 전가시켰다 Responsabilizaron al profesor del fracaso de su hijo.

◆책임(을) 지다 tener a *su* cargo, estar a *su* cargo, responsabilizarse (de), encargarse (de), hacerse cargo (de), asumir la responsabilidad. 그 지불은 내가 책임을 진다 Respondo del pago. 나는 공장 전체의 책임을 지고 있다 Tengo la responsabilidad de toda la fábrica. 나는 결과에는 책임을 지지 않는다 No me hago responsable de los resultados. 그는 책임을 지고 사직했다 Asumiendo [Tomando] la responsabilidad, dimitió su cargo. 나는 스무 명의 아이들을 책임 지고 있었다 Veinte niños estaban a mi cargo / Yo tenía veinte niños a mi cargo. 간호사는 각자가 환자 다섯 명을 책임 지고 있다 Cada enfermera tiene cinco pacientes a su cargo. 그는 자기의 행동에 책임을 지지 않았다 El no es responsable de sus actos. 그들은 큰 책임을 지고 있다 Ellos están asumiendo una gran responsabilidad. 그들은 그 재난에 모든 책임을 졌다 Ellos aceptaron ser responsables del desastre. 그는 부양의 책임을 질 것이다 El se hará cargo del mantenimiento. 나는 모든 교정쇄(校正刷)의 교정을 책임 질 준비가 되어 있다 Estoy dispuesto a responsabilizarme de la corrección de todas las pruebas. 신문은 이 편지들에 표현된 의견에 책임을 지지 않습니다 El periódico no se responsabiliza de las opiniones vertidas en estas cartas. 일어날 일에 내가 너에게 책임을 지겠다 Te hago responsable de lo que pueda pasar. 그는 자기 행동에 책임을 지지 않는다 El no es responsable de sus actos.

◆책임(을) 지우다 hacer a *uno* responsable (de *algo*), hacer responder (a *uno* de *algo*), cargar a *uno* de [con] la responsabilidad (de *algo*).

■ ~감(感) sentido *m* [espíritu *m*] de (la) responsabilidad, responsabilidad *f*, formalidad *f*. ~ 관념(觀念) sentido *m* de responsabilidad. ~ 내각(內閣) gabinete *m* responsable. ~ 보험(保險) seguro *m* de responsabilidad. ~ 연령 edad *f* responsable. ~자(者) responsable *mf*, persona *f* responsable. ~ 전가(轉嫁)imputación *f*. ~ 조건 condición *f* responsable. ~ 한계 grado *m* de responsabilidad. ~ 해제 libertad *f* de responsabilidad.

책자(冊子) libros *mpl*, folleto *m*.

책잡다(責一) culpar, echar*le* la culpa (a). 나를 책잡지 마라 No me eches la culpa a mí.

책잡히다(責一) ser culpado.

책장(冊張) hoja *f* del libro. ~을 넘기다 hojear, pasar las hojas de un libro.

책장(冊欌) estantería *f*, estante *m* para libros, librería *f*, biblioteca *f*, *Méj* librero *m*. 책을 ~에 넣다 poner [colocar] libros en una librería.

책정(策定) asignación *f*, partida *f*. ~하다 destinar, asignar.

■ ~량[액(額)] cuota *f*, cupo *m*.

책 제목(冊題目) título *m* del libro.
책치레(冊ㅡ) decoración *f* del libro.
책하다(責ㅡ) acusar, echar en cara, reprochar, recriminar, vituperar. ☞책망하다
챌린저(영 *challenger*) contendiente *mf*; rival *mf*.
챔피언(영 *champion*) campeón (*pl* campeones), -peona *mf*; [선수권 보유자] poseedor, -dora *mf* del título. 수영 세계 ~ campeón, -peona *mf* mundial de natación.
■ ~십 campeonato *m*.
챗국 *chetguk*, sopa *f* fría con rábano rallado.
챗열 latigazo *m*, trallazo *m*, tralla *f*.
챙 ((준말)) =차양(遮陽)
챙기다 ① [모으다] recoger, coleccionar. 서랍에 보석을 챙겨 두다 tener guardadas las joyas en el cajón. 장난감을 챙겨라 Pon los juguetes en su lugar. ② [짐을 꾸리다] enfardelar, empaquetear, arreglar el paquete. 가방을 ~ hacer la maleta, hacer el baúl.
처(妻) esposa *f*, mujer *f*. 내 ~는 몸이 아프다 Mi esposa [mujer] está enferma.
처(處) sitio *m*, lugar *m*; [기구(機構)의] oficina *f*, Secretaría *f*, Ministerio *m*. 과학 기술(科學技術)~ el Ministerio de Ciencia y Tecnología.
처- [마구] al azar, a diestro y siniestro, a diestra y siniestra, sin la debida atención, de manera despreocupada; [많이] mucho. ~먹다 comer al azar, comer mucho.
처가(妻家) casa *f* de los padres de *su* esposa. ■ ~살이 el vivir en la casa de los padres de *su* esposa.
처결(處決) decisión *f*, disposición *f*, resolución *f*. ~하다 decidir, disponer, resolver.
처깔하다 cerrar fuerte la puerta.
처남(妻男) cuñado *m*, hermano *m* político, hermano *m* de *su* esposa.
처넣다 meter [echar] rudamente, abarrotar, atiborrar, henchir; [감옥에] encarcelar. A를 B에 ~ echar [lanzar · tirar] A a [en] B. 가방에 책을 가득 ~ abarrotar [atiborrar · henchir] la cartera de libros. 트렁크에 의류를 ~ meter la ropa en el baúl.
처네 ① [작은 이불] edredón *m* (*pl* edredones). ② ((준말)) =머리처네.
처녀(處女) ① [성숙한 미혼(未婚)의 여성(女性)] doncella *f*, señorita *f*. ~로 늙다 enterrar con palma. ~ 티가 나다 llegar a la pubertad. ② [남자와의 성적 경험이 없는 여자] virgen *f* (*pl* vírgenes). ~의 virgen, virginal, virgíneo. ~다운 virginal, casto y pudoroso. ③ [「최초의 · 처음으로 하는 · 미답의」 등의 뜻] virgen, de prueba, primero.
■ ~림(林) selva *f* virgen. ~봉(峰) pico *m* virgen. ~비행(飛行) vuelo *m* de prueba, bautismo *m* de aire. ~ 생식(生殖) partenogénesis *f*. ~설(說) nieve *f* virgen. ~성 virginidad *f*, *Ecu* cocol *m*. ~ 연설(演說) discurso *m* virgen. ~작(作) obra *f* virgen, primera obra *f*. ~장가 casamiento *m* a la virgen. ~지(地) tierra *f* virgen. ~ 출연 representación *f* virgen. ~ 출전(出戰) participación *f* virgen en el juego. ~ 출판 publicación *f* virgen, primera publicación *f*. ~항해 navegación *f* virgen, navegación *f* de prueba, viaje *m* inaugural, primera travesía *f*.
처녀궁(處女宮) 【천문】 Virgen *f*, Virgo *m*.
처녀막(處女膜) 【해부】 himen *m*.
처녀자리 【천문】 Virgen *f*.
처녑 retículo *m* de un rumiante, callos *mpl* de un estómago de vaca.
처녑집 casa *f* útil en la estructura.
처단(處斷) decisión *f*, disposición *f*. ~하다 decidir; [벌하다] castigar.
처대다[1] [불에 넣어서 살라 버리다] quemarse.
처대다[2] [계속하여 마구 대 주다] seguir proveyendo [suministrando].
처덕(妻德) ① [아내의 덕행(德行)] virtud *f* de *su* esposa. ② [아내의 은덕(恩德)] favor *m* de *su* esposa, ayuda *f* de *su* esposa. ~으로 살아가다 vivir con la ayuda de *su* esposa.
처덕거리다 ① [빨랫방망이로 빨래를 세게 두드려서 소리를 내다] zurrar, dar*le* palmetazos (a). ② [아무렇게나 바르거나 덧붙이다] pegar indistintamente.
처덕처덕 pegando indistintamente. 분을 ~ 바르다 pintarrajarse, pintarrajearse. 벽에 포스터를 ~ 바르다 pegar carteles por toda la pared. 종이에 풀을 ~ 바르다 poner goma por todo el papel.
처든지르다 ((속어)) =처먹다.
처때다 quemar al azar.
처뜨리다 ponerse mustio.
처란 ① [엽총 등에 재어서 쓰는 잔 탄알] perdigones *mpl*. ② [잔 탄알같이 쇠붙이로 만든 물건] cosa *f* en forma del perdigón.
■ ~알 perdigón *m*.
처량하다(凄涼ㅡ) ① [보기에 거칠고 황폐하여 쓸쓸한 데가 있다] (ser) desierto, desolado. 처량한 벌판 campo *m* desierto. ② [초라하고 구슬프다] (ser) melancólico, triste, solitario, lastimero, que mueve a lástima. 처량함 melancolía *f*, tristeza *f*. 처량한 광경 escena *f* patética, vista *f* desolada. 처량한 노래 canción *f* triste. 처량한 모습 apariencia *f* solitaria.
처량히 con desoledad; solitariamente, lastimeramente, tristemente.
처럼 como, de, como si + *subj*, tan … como, tanto … como. 평상시~ como de costumbre. 눈~ 희다 ser tan blanco como la nieve. 마치 여자~ como si fuera una mujer. 일진광풍이 불을 꺼 버리기나 한 것~ como si un soplo hubiera extinguido las luces. 물이 수정(水晶)~ 맑다 Es agua es tan clara como el cristal. 그는 억만장자나 된 것~ 말한다 El dice como si fuera billonario. 죽은 것~ 되었다 Se quedó como muerto. 내가 너에게 말한 것~ 해라 Hazlo como te digo. 나는 상관없는 것~ 행동했다 Yo actué como si no me importara. 그녀는 마치 내 할머니~ 말한다 Ella

habla como si fuera mi abuela.

처렁거리다 sonar, repicar, tintinear. 처렁처렁 con gran estruendo, tintineando. ~ 닫히다 cerrarse con gran estruendo.

처리(處理) ① [사건 또는 사무를 다루어 결말을 냄] disposición *f*, despacho *m*, manejo *m*, arreglo *m*, transacción *f*; [관리] administración *f*. ~하다 disponer, despachar, manejar, arreglar, tramitar, administrar, tomar medidas (para), acabar (con), poner en orden; [직권으로] entender (de・en); [담당하다] encargarse (de), hacerse cargo (de). ~ 곤란하다 ser imposible, ser intratable. ~ 곤란하게 되다 ponerse imposible. 사건을 ~하다 disponer del caso, hacerse cargo del caso. 사무를 ~하다 dirigir los asuntos de la oficina. 서류(書類)를 ~하다 despachar los papeles. 쓰레기를 ~하다 deshacerse de la basura. 결근을 휴가로 ~하다 considerar la ausencia como vacación. 스스로의 일은 스스로 ~하다 ser consecuente con*sigo* mismo, responder de *sus* propios actos. 양국 간에 분쟁을 ~하다 arreglar el conflicto entre los dos países. 적당히 ~하겠습니다 Arreglaré las cosas como mejor crea. 그 문제는 너 스스로 ~해라 Despacha tú mismo el problema / Arregla el problema tú mismo. ②【화학】tratamiento *m*. ~하다 tratar. 광석(鑛石)의 화학적 ~ tratamiento *m* químico del mineral.

처마【건축】socarrén *m* (*pl* socarrenes), alero *m* (de tejado). 그들은 ~ 밑에서 비를 피했다 Ellos se refugiaron [se guarecieron] de la lluvia debajo del alero.
■ ~ 끝 borde *m* de alero. ~널 tabla *f* del alero. ~ㅅ기슭 borde *m* del tejado.

처매다 vendar.

처먹다 devorar, tragar, engullir, comer con avidez, comer con voracidad.

처먹이다 hacer devorar, hacer comer mucho.

처모(妻母) suegra *f*, madre *f* política, madre *f* de *su* esposa.

처바르다 espolvorear. A에 B를 ~ espolvorear A con B. 설탕을 ~ espolvorear con azúcar. …에 밀가루를 ~ enharinar *algo*. 고기에 밀가루를 ~ enharinar la carne. 얼굴에 더덕더덕 ~ pintarrajearse, empolvarse la cara excesivamente.

처박다 encerrar, meter en sitio cerrado. 서류 상자에 ~ encerrar unos papeles en un cajón.

처박히다 encerrarse. 집에 ~ encerrarse en casa.

처방(處方) receta *f*, fórmula *f*, prescripción *f* médica. ~하다 recetar. ~을 쓰다 escribir una receta (para), recetar, prescribir, formular. ~에 의해 조합된 약(藥) medicamento *m* compuesto según la fórmula. 약을 ~하다 recetar [prescribir] un medicamento. 약국에 이 ~을 가지고 가십시오 Lleve esta receta a la farmacia.
■ ~서(書) formulario *m* terapéutico, recetario *m*. ~전(箋) receta *f*, fórmula *f* (médica), recetario *m*. ¶~을 쓰다 prescribir, recetar. ~에 의해서만 판매함 En venta solamente bajo receta. 이 약은 의사의 ~이 없으면 팔지 않는다 Esta medicina no me la dan si no es con una receta del médico. ~학 catagrafología *f*.

처벌(處罰) castigo *m*, pena *f*, punición *f*, sanción *f*. ~하다 castigar, escarmentar, imponer una pena, imponer un castigo, infligir una pena, ejecutar un castigo (en), inflingir un castigo, penar. 죄인이 받는 ~ el castigo [la condena] que recibió el delincuente. ~ 받다 sufrir el castigo, ser castigado. ~을 면하다 escapar el castigo. 엄중히 ~하다 castigar severamente. 교통 위반으로 ~받다 ser castigado por la infracción de tráfico [de tránsito].

처복(妻福) suerte *f* que se tiene bien a *su* esposa.

처부모(妻父母) padres *mpl* de *su* esposa, suegros *mpl*, padres *mpl* políticos.

처분(處分) ① [어떤 기준에 따라 처리함] disposición *f*, dirección *f*, despacho *m*. ~하다 disponer, hacer disposición (de), despachar, deshacerse (de), prescindir (de). ~의 계속 continuación *f* de la disposición. ~의 변경(變更) cambio *m* de la disposición. ~의 취소(取消) cancelación *f* de la disposición. …의 ~이 곤란하다 no saber qué hacer con *algo*. …의 ~에 맡기다 dejar *algo* a la disposición de *uno*. 그는 차를 ~해야 했다 El ha tenido que prescindir del coche. ② [이미 있는 권리나 권리의 객체에 대해 직접 변동을 일으키는 일] enajenación *f*, liquidación *f*. ~하다 enajenar, liquidar, vender. 재고품을 ~하다 liquidar [vender] todas las liquidaciones. 재산을 자유로이 ~할 수 있다 tener la libre disposición de los bienes, tener a su disposición los bienes.
■ ~ 명령 orden *f* de disposición. ~ 행위(行爲) acto *m* de disposición.

처사(處士) caballero *m* retirado, sabio *m* en jubilación.

처사(處事) tratamiento *m*, conducta *f*. 잔인한 ~를 하다 tratar cruelmente [inhumanamente], maltratar, jugar [hacer] una mala pasada.

처삼촌(妻三寸) tío *m* de *su* esposa.

처상(妻喪) muerte *f* de su esposa, duelo *m* [luto *m*] por *su* esposa.

처서(處暑) *cheoseo*, fin *m* de la canícula, una de las veinticuatro divisiones de estación alrededor del fin de agosto.

처세(處世) manera *f* [modo *m*] de vivir, modo *m* de la vida, vida *f* de mundo, andanza *f* por el mundo. ~하다 comportarse, conducirse, actuar. ~가 능숙한 buen vividor, sagaz. ~가 서투른 mal vividor, insociable, estúpido, torpe, lerdo. 그녀는 ~를 잘한다 Ella tiene buen porte.
■ ~술 sabiduría *f* mundanal. ~훈 reglas

fpl de buena conducta, buenas máximas *fpl* (que sirven de guía en la vida).

처소(處所) [장소] sitio *m*, lugar *m*; [거처(居處)] residencia *f*, domicilio *m*; [행방(行方)] paradero *m*; [주소] dirección *f*, señas *fpl*. ~를 알리다 [자신의] enseñar [hacer saber] *su* propio domicilio; [다른 사람의] avisar la dirección (de). 아무도 그의 ~를 모른다 Se desconoce su paradero / Nadie conoce su paradero.
◆ 임시(臨時) ~ residencia *f* temporaria.

처시하(妻侍下) marido *m* dominado por su mujer, calzonazos *m*. 그는 ~에 산다 El está pegado a las faldas de su mujer. ☞ 엄처시하. 쥐여지내다

처신(處身) *su* conducta, *su* proceder. ~하다 proceder, comportarse, portarse, obrar, conducirse, obedecer. ~이 단정하다 portarse bien, comportarse bien, ser de buena conducta, ser de buenas maneras. ~이 나쁘다 portarse mal, ser de mala conducta. ~에 대해 생각하다 pensar sobre el camino a seguir. 능란하게 ~하다 comportarse [portarse] hábilmente, comportarse [portarse] con habilidad. 불한당처럼 ~하다 comportarse [portarse] como un bribón. 빈틈없이 ~하다 conducirse sagazmente.
처신사납게 vergonzosamente.
처신사납다 (ser) de dudosa reputación, de mala fama, vergonzoso. 처신사나운 남자 dejado *m*, desaliñado *m*, libertino *m*. 처신사나운 여자 guarra *f*, puerca *f*, putilla *f*, fulana *f*. 그의 처신사나운 모습 su mal aspecto, s mala pinta.
처신없다 (ser) indecoroso, poco digno, poco decoroso. 처신없는 사람 persona *f* indecorosa. 처신없는 짓 conducta *f* poco decorosa, conducta *f* indecorosa.

처연하다(凄然-) (ser) patético, conmovedor, lastimoso, digno de lástima, lamentable, triste, afligido, apesadumbrado. 처연하게 patéticamente, lastimeramente, tristemente, con tristeza, lamentablemente.

처외가(妻外家) familia *f* materna de *su* esposa.

처외편(妻外便) parientes *mpl* maternos de *su* esposa.

처우(處遇) trato *m*, tratamiento *m*. ~하다 tratar.

처음 ① [일의 시초] primero *m*, comienzo *m*, principio *m*, iniciación *f*, inauguración *f*; [데뷔] estreno *m*; [기원(起源)] origen *m*; [초기] grado *m* primitivo. ~의 primero, del principio, inicial, original, primario, primitivo. ~에 al principio. ~으로 primero, en primer lugar, al principio, en el principio, por primera vez. ~부터 desde el principio, desde el comienzo. ~부터 끝까지 desde el principio hasta el fin; [책의] de forro a forro. ② ((성경)) primero *m*, principio *m*. 두려워 말라 나는 ~이요 마지막이니 ((요한 계시록 1:17)) No temas; yo soy el primero y el último / No tengas miedo; yo soy el primero y el último. ③ [첫 번으로] por primera vez. ~ 뵙겠습니다 Mucho gusto / Mucho gusto en conocerle / Tengo mucho gusto en conocerle / Encantado.

처자(妻子) *su* esposa y *sus* hijos; [가족] familia *f*, familiar *m*. ~가 있는 남자 hombre *m* casado y con hijos. ~를 부양하다 sostener a la familia.

처자(處子) doncella *f*, virgen *m* (*pl* vírgenes), señorita *f*.

처장(妻葬) ① [아내의 장사] servicio *m* funeral de *su* esposa. ② =처산(妻山).

처재(妻財) propiedad *f* de *su* esposa.

처쟁이다 amontonar.

처절하다(凄切-) (ser) muy solitario, muy triste.

처절하다(悽絶-) (ser) horroroso, horrible, horrendo, espantoso, truculento, horripilante. 처절한 광경(光景) escena *f* horrible.
처절히 horrorosamente, horriblemente, espantosamente.

처제(妻弟) cuñada *f*, hermana *f* política, hermana *f* menor de *su* esposa.

처조카(妻-) sobrino *m* de *su* esposa.

처족(妻族) familia *f* [pariente *m*] de *su* esposa.

처지(處地) ① [자기가 처해 있는 경우 또는 환경] [상황] situación *f*, circunstancia *f*, [환경] medio *m*, medio *m* ambiente; [신상(身上)] condición *f*, estado *m*. ~를 같이하다 estar en la misma situación. 가엾은 ~에 놓여 있다 estar [encontrarse] en la situación miserable. 딱한 ~에 놓이다 verse [caer] en un apuro. 서로의 ~가 바뀌었다 La suerte ha cambiado / La ofensiva ha cambiado de campo. ② [서로 사귀어 지내는 관계] relación *f*. ③ [지위 또는 신분] posición *f*, situación *f*, rango *m*, puesto *m*.

처지다 ① [바닥으로 잠겨 가라앉다] hundirse, sumergirse. ② [팽팽하던 것이 아래로 늘어지다] colgar, estar suspendido. 줄이 천정에서 처져 있다 Un cordón cuelga del techo. 가지가 땅에 처져 있다 Las ramas cuelgan sobre tierra. ③ [한 동아리에서 뒤떨어져 남다] quedar. ④ [다른 것보다 못하다] (ser) inferior, peor (que). 그쪽보다 이쪽이 ~ Ese es peor que éste.

처지르다 ① [아궁이 따위에 마구 나무를 몰아 넣어 불을 때다] prender*le* fuego (a). ② =처대다[1]. ③ ((준말)) =처든지르다.

처참(處斬) decapitación *f*. ~을 당하다 ser decapitado.

처참하다(悽慘-) (ser) horrible, horrendo, horroroso, espantoso, calamitoso, lastimoso, lastimero, terrífico, dolorido, macabro. 처참한 투쟁 lucha *f* horrible. 처참하게 보이다 tener aspecto lastimero.
처참히 horriblemente, horrorosamente, espantosamente, calamitosamente, lastimosamente.

처처(處處) diversos lugares *mpl*. ~에 en diversos lugares, en muchos lugares, de trecho en trecho, aquí y allí.

처치(處置) disposición *f*, remedio *m*, medida *f*, medio *m*; [병원의] tratamiento *m*. ~하다 disponer, tomar medidas (contra). ~ 곤란한 intratable, imposible. ~ 곤란하게 되다 ponerse imposible. ~를 잘못하다 tomar equivocadas medidas, equivocarse en las medidas que [a] tomar. …에 ~ 곤란이다 no saber qué hacer con *algo*·*uno*. ~가 없다 Ya no hay remedio / No nos queda ninguna medida que tomar.

처하다(處-) ① [어떠한 처지를 당하다] caer (en). …에 ~ estar a punto de + *inf*, estar próximo + *inf*. 곤경(困境)에 ~ verse en un apuro. 위험한 처지에 ~ caer en una situación peligrosa. 위기에 처해 있다 estar próximo a pasar por una crisis. ② [어떠한 형벌에 부치다] condenar, sentenciar. 벌금에 ~ ser impuesto con una multa. 사형(死刑)에 ~ condenar a muerte.

처형(妻兄) cuñada *f*, hermana *f* política, hermana *f* mayor de *su* esposa.

처형(處刑) ① [형벌에 처함] pena *f*, castigo *m*, penalidad *f*. ~하다 penar, castigar. ~을 받다 ser castigado, ser penado, sufrir la pena, sufrir el castigo. ② [사형에 처함] ejecutación *f* de la pena de muerte. ~하다 ejecutar [aplicar] la pena de muerte, ajusticiar.

척[1] pretensión *f*. ☞체[2]

척[2] ① [빈틈없이 잘 들러붙는 모양] pegajosamente. 몸에 ~ 달라붙다 pegarse [ceñirse] al cuerpo. ② [몹시 늘어지거나 휘어진 모양] lánguidamente, dejando caer. 머리를 ~ 늘어뜨리다 dejar caer *su* cabeza. 그는 어깨를 ~ 늘어뜨렸다 El se encorvó.

척[3] [서슴지 않고 선뜻 행동하는 모양] sin vacilación, sin titubear. 돈을 ~ 내주다 dar dinero sin vacilación.

척[1](尺) regla *f*.

척[2](尺) *cheok*, pie *m* coreano (unidad de longitud, 3.03 decimetros); [촌법] medida *f*, [길이] longitud *f*, largo *m*. 6~ 대어(大魚) pez *m* grande de seis *cheoks*.

척(隻) barco *m*. 배 5~ cinco barcos.

척결(剔抉) arrancamiento *m*, arrancadura *f*. ~하다 sacar, arrancar, poner al descubierto, sacar a la luz. 부정 사건을 ~하다 poner al descubierto escándalo.

척골(尺骨) 【해부】 ulna *f*, cúbito *m*.

척골(脊骨) 【해부】 =척추골(脊椎骨).

척골(蹠骨) 【해부】 metatarso *m*.

척도(尺度) medida *f*, regla *f* de medir, barómetro *m*, índice *m*. 공통의 ~ medida *f* común. 문명(文明)의 ~ barómetro *m* de civilización. 자신의 ~로 남을 판단하다 juzgar a otro por *su* propia medida.

척량(脊梁) =등골뼈. 등성마루.

척박하다(瘠薄-) (ser) estéril, árido, yermo. 척박함 aridez *f*, esterilidad *f*. 척박한 땅 terreno *m* estéril, terreno *m* infecundo.

척분(戚分) parentesco *m*.

척살(刺殺) ① [칼 따위로 찔러 죽임] asesinato *m* a puñaladas. ~하다 asesinar [matar] a puñaladas. ② =터치아웃.

척수(隻手) ① [한쪽 손] una mano. ② [썩 외로운 처지] situación *f* bien solitaria.

척수(脊髓) 【해부】 médula *f* espinal.
■~ 마비(痲痺) amielineuria *f*, mieloparálisis *f*, mieloplegia *f*. ~막염 meningitis *f* espinal, perimielitis *f*. ~병 mielopatía *f*. ~신경 nervio *m* espinal. ~염 notomielitis *f*, neuromielitis *f*. ~ 요법 mieloterapia *f*. ~절개술 mielotomía *f*. ~ 주사 inyección *f* espinal. ~ 카리에스 tuberculosis *f* vertebral. ~통 mielalgia *f*.

척식(拓植) colonización *f*, explotación *f*. ~하다 colonizar, establecer una colonia.
■~ 은행 banco *m* colonial. ~자 colono *m*. ~ 회사 sociedad *f* colonial.

척신(隻身) =홀몸. ¶~으로 solo.

척신(戚臣) vasallo *m* parental del rey.

척안(隻眼) ① [외눈] un ojo, un solo ojo. ~의 사람 tuerto, -ta *mf*. ② [남다른 식견] sabiduría *f* excéntrica, conocimiento *m* excéntrico, vista *f* peculiar.

척주(脊柱) ① 【해부】 columna *f* vertebral, espina *f* dorsal. ② 【해부】 [인간 이외의] espinazo *m*, espina *f* dorsal, raquis *m*.
■~ 동물 vertebrado *m*.

척지(尺地) ① [퍽 좁은 땅] tierra *f* muy estrecha. ② [아주 가까운 땅] tierra *f* muy cercana.

척지다(隻-) llegar a odiar uno a otro, tener*le* [guardar*le*] rencor (a). 나는 그와 척진 일이 없다 Yo no tengo rencor a él. 걱정하지 마라. 나는 척지는 사람이 아니다 No te preocupes; no soy de los que guardan rencor.

척척[1] [물체가 자연스럽게 잘 달라붙는 모양] pegajosamente. 몸에 ~ 달라붙다 pegarse al cuerpo.

척척[2] ① [일을 차례대로 능숙하게 하는 모양] fácilmente, con facilidad, hábilmente, con habilidad, a las mil maravillas; [신속하게] rápidamente, en sucesión presta, muy de prisa, expeditivamente. ~ 일하다 trabajar ahincadamente. ~ 해결하다 resolver con facilidad. ~ 해내다 [꾸리다] manejar, administrar, llevar. 난제(難題)를 ~ 풀다 resolver un problema difícil con facilidad. ② [일을 주저 없이 선뜻 하는 모양] sin vacilación, vacilantemente. ③ [가지런히 여러 번 접거나 개키는 꼴] cuidadosamente, ordenadamente, en orden. 종이가 ~ 쌓여 있었다 Los papeles estaban cuidadosamente apilados. ④ [헤프게] liberalmente, profusamente, con despilfarro. 돈을 ~ 쓰다 gastar dinero liberalmente [profusamente · con despilfarro].

척척박사(-博士) persona *f* que responde bien a las preguntas.

척척하다 (ser) húmedo. 척척한 구두 zapatos *mpl* húmedos. 척척한 옷 ropa *f* húmeda. 척척하게 젖다 mojarse. 척척하게 젖은 mojado. 네 옷은 척척하게 젖어 있다 Tie-

nes la ropa empapada. 너는 척척하게 젖어 있다 Estás calado hasta los huesos.
척추(脊椎) ①【해부】 [척주(脊柱)] columna *f* vertebral, vértebra *f*, espina *f* dorsal. ~의 vertebral. 그는 ~에 상해(傷害)를 입었다 El sufrió una lesión en la columna vertebral. ②【해부】((준말)) =척추골(脊椎骨). ¶~로 된 vertebral.
■ ~골 vértebra *f*. ~ 늑골(肋骨) costilla *f* vertebral. ~동물 (animales *mpl*) vertebrados *mpl*. ¶무(無)~ (animales *mpl*) invertebrados *mpl*. ~ 마취(痲醉) anestesia *f* epidural [pidural]. ~ 만곡(彎曲) curvo *m* espinal. ~뼈 vértebra *f*. ~ 신경 nervio *m* raquídeo [espinal]. ~염 inflamación *f* vertebral. ~ 전만(前彎) lordosis *f*. ¶~의 lordótico. ~ 정맥 vena *f* vertebral. ~ 주위염 perispondilitis *f*. ~ 카리에스 caries *f* vertebral, tuberculosis *f* vertebral, caries *f* espinal. ~ 후만(後彎) cifosis *f*. ~ 후만증(後彎症) gibosidad *f*.
척축(斥逐) expulsión *f*. ~하다 expulsar.
척출(斥黜) despedido *m* de la oficina. ~하다 despedir de la oficina.
척출(剔出) extracción *f*. ~하다 extraer.
◆ 난소(卵巢) ~ extracción *f* de un ovario.
■ ~기(器) extractor *m*.
척탄(擲彈)【군사】granada *f* a mano, bomba *f* a mano.
■ ~병(兵) granadero, -ra *mf*. ~통(筒) lanzagranadas *m.sing.pl*.
척토(尺土) el arrozal y el campo muy estrechos.
척토(拓土) =척지(拓地).
척토(瘠土) tierra *f* muy seca.
척하다 =체하다. ¶교수인 ~ darse aires de profesor.
척화(斥和) rechazo *m* de reconciliación. ~하다 rechazar la reconciliación.
척후(斥候) ① [적정・지형 등을 정찰・탐색하는 일] patrulla *f*, ronda *f*, [사람] patrulla *mf*. ~하다 patrullar, estar de patrulla. ~하러 가다 patrullar. ② ((준말)) =척후병.
■ ~대 patrulla *f*. ~병 patrulla *mf*, soldado *m* de patrullas. ~장(長) jefe *m* de patrullas. ~전 choque *m* de patrullas.
천 tela *f*, paño *m*. 좋은 ~으로 부탁합니다 Buena tela, por favor / Buen paño, por favor.
천(千) [백의 열 갑절] mil. 수~의 miles de, millares de. ~일 mil uno. ~십 mil diez. ~백(百) mil ciento. ~구백구십구 mil novecientos noventa y nueve. ~ 배(倍) mil veces. ~ 번째 milésimo *m*. ~분의 일 (un) milésimo. ~분의 오 cinco milésimo. 5~ 명의 학생들 cinco mil alumnos [estudiantes]. 수~의 사람들 millares de hombres. 수~으로 en millares. ~씩 세다 contar por millares.
천(天) ① [하늘] cielo *m*. ② ((불교)) cielo *m*.
천(薦) recomendación *f*. ☞추천(推薦)
-천(川) río *m*, arroyo *m*, arroyuelo *m*. 청계~ arroyo *m* [arroyuelo *m*] de *Cheonggyecheon*.
천갈궁(天蠍宮)【천문】Escorpión *m*.
천개(天蓋) tapa *f* del ataúd.
천객(千客) muchos clientes, muchos visitantes, muchos visitadores.
■ ~만래(萬來) ¡Bienvenidos, todos visitadores! ¶이 가게에는 ~하고 있다 Esta tienda atrae una infinidad de clientes / A esta tienda acuden sin cesar los clientes.
천거(薦擧) recomendación *f*. ~하다 recomendar. 직원을 한 사람 ~해 주실 수 있습니까? ¿Puede usted recomendarnos un empleado? 당신이 유능한 비서 한 명을 ~해 주시기를 바랍니다 Espero que usted me recomiende una secretaria competente.
천겁(千劫) ((불교)) eternidad *f*, muy largo tiempo *m*. ☞영겁(永劫)
천격(賤格) ① [낮고 천한 품격] dignidad *f* baja y vil. ② =천골(賤骨).
천격스럽다 (ser) bajo y vil.
천격스레 baja y vilmente.
천견(淺見) ① [얕은 견문(見聞)] conocimiento *m* superficial, poco conocimiento *m*. ② [얕은 생각] pensamiento *m* superficial. ③ [자기의 소견(所見)] mi opinión, mi parecer, mi vista. ■ ~박식(薄識) conocimiento *m* superficial.
천계(天界)【불교】((준말)) =천상계(天上界).
천계(天啓) revelación *f* divina.
천고(千古) ① [썩 먼 옛적] tiempo *m* bastante antiguo, antigüedad *f*. ~의 영웅 héroe *m* de la antigüedad. ② [영구한 세월] tiempo *m* eterno, eternidad *f*.
■ ~ 불멸 eternidad *f*, inmortalidad *f*. ~ 불역(不易) inmutabilidad *f* eterna. ~불후(不朽) inmortalidad *f* eterna. ¶~의 명작 obra *f* maestra inmortal. ~절(節) fidelidad *f* eterna.
천고마비(天高馬肥) El otoño es muy buen tiempo. ~의 계절 otoño *m*.
천골(賤骨) semblante *m* humilde.
천골(薦骨)【해부】hueso *m* sacral.
■ ~ 신경(神經) nervio *m* sacral. ~통(痛) hieralgia *f*.
천공(天工) ① [하늘의 조화로 이루어진 재주] dote *m*. ② [하늘이 백성을 다스리는 조화] armonía *f* que el cielo reina al pueblo.
천공(天公) =하느님. 천제(天帝).
천공(天功) armonía *f* de la naturaleza.
천공(天空) =천구(天球).
천공(穿孔) ① [바윗돌 따위에 구멍을 뚫는 일] perforación *f*, [우표 등의] perforado *m*. ~하다 perforar, taladrar, barrenar, agujerear, rear, hacer. ②【의학】perforación *f*.
■ ~기(機) perforadora *f*, perforador *m*, taladradora *f*, taladro *m*, barreno *m*, sacabocado *m*; [키펀치] perforadora *f* manual, perforadora *f* de teclado. ~술(術) fenestración *f*. ~ 카드 ficha *f* perforada.
천구(天球)【천문】firmamento *m*, bóveda *f* celestre, esfera *f* celestial.
■ ~의(儀)【천문】globo *m* celestre.
천국(天國) ① [하느님이 지배하는 나라] pa-

raíso *m*, cielo *m*. ~의 paradisíaco, celestial. 지상(地上)의 ~ paraíso *m* terrenal. 이 도시는 젊은이들의 ~이다 Esta ciudad es un paraíso para los jóvenes. ② ((기독교·천주교)) [하늘나라] cielo *m*, paraíso *m*. ~에 가다 ir al cielo, ir al paraíso, perder la vida, morir, fallecer, dejar de existir. ③ ((성경)) reino *m* de los cielos, reino *m* de Dios. 심령이 가난한 자는 복(福)이 있나니 ~이 저희 것임이요 ((마태복음 5:3)) Bienaventurados los pobres en espíritu, porque de ellos es el reino de los cielos / Dichosos los que reconocen su necesidad espiritual, pues el reino de Dios les pertenece. 내가 진실로 너희에게 이르노니 부자는 ~에 들어가기가 어려우니라 ((마태복음 19:23)) De cierto os digo, que difícilmente entrará un rico en el reino de los cielos / Les aseguro que difícilmente entrará un rico en el reino de Dios.

천군만마(千軍萬馬) experiencia *f* de mil batallas, bastante muchos soldados y caballos. ~의 용장(勇將) veterano *m* curtido en muchas batallas.

천극(天極) ① [지축의 연장선과 천구(天球)와의 교차점] polo *m* celestial. ② =북극성(北極星).

천근(千斤) ① [백 근의 열 갑절] mil *keunes*, seiscientos kilógramos. ② [썩 무거운 무게] peso *m* muy pesado.

◆천근같다 pesar como (un) plomo. 다리가 ~ Los pies me pesaban como (un) plomo.

천근하다(淺近-) ser superficial.

천금(千金) mucho dinero, fortuna *f*. ~을 주고도 사지 못할 물건 artículo *m* inestimable [inapreciable · *AmL* invalorable]..

천기(天氣) ① [하늘의 기상(氣象)] tiempo *m*, estado *m* atmosférico. ~가 좋다 Hace buen tiempo. ~가 나쁘다 Hace mal tiempo. ② [하늘에 나타난 조짐] síntoma *m* celestial.

■~도(圖) mapa *m* meteorológico, carta *f* meteorológica. ~ 예보(豫報) pronóstico *m* del tiempo.

천기(天機) ① [모든 조화를 꾸미는 하늘의 기밀] misterio *m* de naturaleza. ② [중대한 기밀] secreto *m* importante. ~를 누설해서는 안 된다 El secreto (importante) no debe revelarse. ③ [타고난 성질 또는 기지] naturaleza *f* innata, carácter *m* natural.

■~누설(漏泄) revelación *f* del secreto importante.

천기(賤技) talento *m* humilde.

천기(賤妓) *kisaeng f* humilde.

천 길(千-) mucha profundidad *f*. ~이나 되는 깊은 골짜기 valle *m* insondable.

천녀(天女) ① =직녀성(織女星). ② ((불교)) =비천 (飛天). ③ =여신(女神)(diosa). ④ [아름답고 상냥한 여인] mujer *f* hermosa y afable.

천녀(賤女) mujer *f* de cuna humilde, mujer *f* humilde.

천년(千年) ① [백 년의 열 갑절] mil años *mpl*, milenio *m*; [기간] milenario *m*. ~의 milenario. ② [썩 오랜 세월] bastante largo tiempo *m*.

◆새 ~ nuevo milenio *m*.

■~만년 mucho tiempo, largo tiempo *m*.

천당(天堂) ① [하늘 위에 있다는 신의 전당] paraíso *m*, cielo *m*. ~의 paradisíaco, celestial. ~에 가다 ir al paraíso, ir al cielo, morir, fallecer, dejar de vivir. ② ((기독교·천주교)) cielo *m*, paraíso *m*. ③ ((불교)) paraíso *m*.

천대(賤待) maltratamiento *m*, maltrato *m*. ~하다 maltratar, tratar mal.

천더기(賤-) persona *f* despreciada; despreciado *m*.

천덕스럽다(賤-) (ser) humilde y vulgar 천덕스레 humilde y vulgarmente.

천덩거리다 el líquido pegajoso caer gota a gota

천도(天桃) melocotón *m* (*pl* melocotones) en el cielo.

천도(天道) ① [천지 자연의 도리] la Providencia, leyes *fpl* divinas. ② [천체가 운행하는 길] camino *m* del astro.

천도(遷都) traslado *m* [traspaso *m*] de la capital. ~하다 trasladar [traspasar] la capital.

천도교(天道敎) ((종교)) *Cheondogyo*, religión *f* de *Cheondo*, religión *f* procedente de Corea. ~도(徒) cheondoísta *mf*, fiel *mf* de *Cheondogyo*.

천동설(天動說) teoría *f* (p)tolemaica, sistema *m* geocéntrico (de Ptolomeo · de Tolomeo).

천둥 trueno *m*. ~이 울리다 tronar, retumbar el trueno. ~이 울린다 Truena.

■~벌거숭이 corajudo *m* impetuoso, carajuda *f* impetuosa. ~소리 trueno *m*. ~지기 =천수답.

천랑성(天狼星)【천문】Sirio *m*, Canícula *f*.

천래(天來) venida *f* del cielo, obtención *f* del cielo, talento *m* natural. ~의 venido del cielo, celestre, celestial, divino, inspirado. ~의 목소리 voz *f* divina. ~의 시운(詩韻) rimas *fpl* inspiradas. ~의 음악 música *f* divina. ~의 재능(才能) don *m* divino, dote *m* divino, talento *m* divino.

천량 dinero *m* y comida, posesiones *fpl*.

천려(千慮) muchas consideraciones, muchos pensamientos.

■~일실(一失) error *m* cometido por un hombre muy cuidadoso, yerro *m* cometido después de pensar mucho; [생각지 않은 실책] error *m* inesperado.

천렵(川獵) pesca *f* en el río. ~하다 pescar en el río.

천로(天路) ((천주교)) camino *m* del cielo.

천로역정[1](天路歷程) ((천주교)) peregrinación *f* al cielo.

천로역정[2](天路歷程)【책】el Viaje del peregrino (de John Bunyan).

천루하다(賤陋-) (ser) vil, despreciable, infame.

천륜(天倫) leyes *fpl* morales. ~에 어그러지

다 infringir [violar] las leyes morales.

천리(千里) ① [십 리의 백 배] mil *ri*, cuatrocientos kilómetros. ② [먼 거리] larga distancia *f*, distancia *f* bastante lejana.

■천리 길도 한 걸음부터 ((속담)) Piano piano, se va lontano / Poco a poco van a lejos; y corriendo, a mal lugar.

■~마(馬) caballo *m* excelente. ~안(眼) telestesia *f*, clarividencia *f*, vidente *m*, doble vista *f*. ¶~을 가진 (사람) clarividente *mf*. 그는 ~이다 El está dotado de una segunda vista / El posee poderes clarividentes.

천리(天理) principio *m* natural, ley *f* de naturaleza. ~에 어긋나다 ser contrario a la ley natural.

천마(天馬) pagaso *m*, caballo *m* de carrera veloz.

천막(天幕) tienda *f*, toldo *m*, pabellón *m* (*pl* pabellones), tendal *m*, cenefa *f*, *AmS* carpa *f*. ~을 치다 poner una tienda [un toldo · un pabellón], poner [armar] tiendas de campañas, poner toldo, tirar tendal; [야영하다] acampar. ~을 걷다 [치우다] quitar [desarmar] la tienda [el pabellón · el toldo]. ■~ 생활 vida *f* de campamento.

천만(千萬) ① [만의 천 배] diez millones. 1~년 diez millones de años. 1~ 번째(의) diez millonésimo. ② [비길 데 없음. 이를 데 없음] lo incomparable. ③ [수 · 양이 썩 많은] muchísimo. ~ 가지 생각 muchísimos pensamientos *mpl*. ④ [만의 천 배인] diez millones de. ~ 명 diez millones de personas. ⑤ [매우 · 아주] muy, muchísimo.

◆천만의 말 =천만의 말씀.

◆천만의 말씀 ㉮ [아주 생각 밖의 말] palabra *f* fuera de pensamiento. ㉯ [고맙습니다 Muchas gracias에 대한 대답으로] De nada / No hay de qué / *CoR* Con mucho gusto // [미안합니다 Lo siento 에 대한 대답으로] No importa / De ningún modo / De niguna manera.

■~고(古) tiempos *mpl* muy antiguos. ~금(金) muchísimo dinero. ~년(年) ㉮ [만년의 천 배] diez millones de años. ㉯ [영구한 세월] eternidad *f*, tiempo *m* eterno. ~다행 muy buena suerte *f*. ~대(代) =천만세(千萬世). ~뜻밖 gran sorpresa *f*. ¶~이다! ¡Qué sorpresa! ~번 muchísimas veces. ~부당(不當) ((준말)) =천부당만부당. ~사(事) muchísimas cosas, todas las cosas. ~세(世) generación *f* muy larga. ~세(歲) =천만년(千萬年). ~에 ㉮ [고맙습니다 Gracias에 대한 대답으로] De nada / No hay de qué / *CoR* Con mucho gusto. ㉯ [미안합니다 Lo siento에 대한 대답으로] No importa / De ningún modo / De ninguna manera / Al contrario. ~의외(意外) =천만뜻밖. ~인(人) mucha gente innumerable. ~층(層) ((준말)) =천층만층.

천명(天命) ① [타고난 수명] providencia *f*, destino *m*. ~을 알다 resignarse al destino. ② [하늘의 명령] orden *f* del cielo, mandato *m* del cielo.

천명(闡明) proclamación *f*, clarificación *f*. ~하다 proclamar, clarificar, poner claro, aclarar.

천묘(遷墓) =이장(移葬).

천문(天文) ① [천체에서 일어나는 온갖 현상] todos los fenómenos que ocurren en el astro, astrología *f*. ~으로 미래를 예언하다 presagiar lo futuor por astrología. ② ((준말)) =천문학.

■~년(年) año *m* astronómico. ~ 단위(單位) cronología *f* astronológica. ~대(臺) observatorio *m* astronómico. ~도 carta *f* astronómica, mapa *m* astronómico. ~ 망원경 telescopio *m* astronómico. ~시 tiempo *m* astronómico. ~일 día *m* astronómico. ~학(學) astronomía *f*. ~학자 astrónomo, -ma *mf*. ~학적 숫자 cifras *fpl* [cantidades *fpl*] astronómicas. ~ 항법(航法) navegación *f* astronómica, astronavegación *f*.

천문(天門) ① [대궐문] puerta *f* del palacio real. ② [천국으로 들어간다는 문] puerta *f* que entra en el paraíso. ③ =콧구멍. ④ =양미간(兩眉間).

천문(淺聞) =천견(淺見).

천문만호(千門萬戶) ① [대궐의 문호(門戶)가 많음] muchas puertas del palacio real. ② [수많은 백성들의 집] muchas casas del pueblo.

천민(賤民) pueblo *m* humilde [bajo · vil]; paria *mf*.

천박하다(淺薄—) (ser) superficial, frívolo, somero, sin carácter, delgado, irreflexivo, imprudente, ligero. 천박함 superficialidad *f*, frivolidad *f*, delgadez *f*, ficialidad *f*, irreflexión *f*, imprudencia *f*. 천박하게 superficialmente, frívolamente, irreflexivamente, imprudentemente. 천박한 비평가(批評家) crítico *m* somero, crítica *f* somera. 천박한 사람 hombre *m* superficial [frívolo · imprudente]. 천박한 식견(識見) conocimiento *m* [sabiduría *f*] superficial; [생각] pensamiento *m* superficial. 천박한 짓을 하다 hacer cosas imprudentes. …라 생각하는 것은 ~ Es superficial [poco prudente] pensar que + *ind*.

천방지축(千方地軸) ① imprudencia *f*, temeridad *f*, insensatez *f*. ② [부사적] imprudentemente, de modo temerario, atropelladamente, a la desbandada. ~ 도망치다 poner pies en polvorosa, tomar las de Villadiego.

천백번(千百番) =천만번(千萬番).

천벌(天罰) (justo) castigo *m* de Dios, castigo *m* del cielo, juicio *m* del cielo, castigo *m* divino, retribución *f* divina, Némesis *f*. ~을 가하다 castigar en nombre del cielo. ~을 받다 recibir *su* (justo) castigo (de Dios), encontrar *su* Némesis, ser castigado por Dios.

천변(千變) varios cambios *mpl*.

■~만화(萬化) variación *f* innumerable, variedad *f* inmensa, variedad *f* calidoscópica.

천변(川邊) orilla *f* de un río, ribera *f.* ~을 따라 a lo largo de un río.

■ ~집 casa *f* en la orilla de un río.

천변(天變) calamidad *f* natural.

■ ~지이(地異) cataclismo *m*, fenómeno *m* natural extraordinario; [천재(天災)] calamidades *fpl* naturales.

천병(千兵) muchos soldados.

■ ~만마(萬馬) =천군만마(千軍萬馬).

천보(賤-) hábito *m* vil, disposición *f* vulgar, naturaleza *f* humilde.

천복(天福) bendición *f* divina, bienaventuranza *f* del cielo. ~을 받다 ser bienaventurado del cielo.

천부(天父) ① ((기독교)) Dios *m*, Señor *m*. ② ((성경)) Padre *m* celestial, Padre *m* que está en el cielo.

천부(天賦) naturaleza *f* innata [ingénita · ínsita]. ~의 innato, inherente, natural, de nacimiento. ~의 권리(權利) derecho *m* divino. ~의 재능(才能) talento *m* natural, don *m* natural, genio *m*, dotes *mpl*.

■ ~론 indigenismo *m*, nativismo *m*. ~ 인권 derechos *mpl* humanos naturales. ~ 인권설 teoría *f* de derechos humanos naturales.

천부(賤夫) hombre *m* de nacimiento humilde.

천부(賤婦) mujer *f* de nacimiento humilde.

천부당만부당(千不當萬不當) lo poco razonable, lo irrazonable. ~하다 ser muy poco razonable, ser muy irrazonable. ~하게 de manera poco razonable, de manera irrazonable. ~한 말 palabra *f* muy irrazonable. 네 행동은 ~하다 Tu actitud es muy poco razonable.

천부인(天符印) sello *m* de tesoro del cielo.

천분(天分) naturaleza *f*, dote *m*, dote *m* [talento *m* · don *m* · habilidad *f*] natural, genio *m*; [소질(素質)] disposiciones *fpl* naturales; [적성(適性)] aptitud *f*. ~이 있는 ingenioso, talentoso. ~이 풍부한 altamente dotado, talentoso, bien dotado. ~을 밝히다 mostrar *sus* talentos. 음악에 ~이 있다 tener dotes para la música.

천비(賤婢) sirvienta *f* de nacimiento humilde.

천사(天使) ① ((기독교)) ángel *m*; [수천사(首天使)] serafín *m* (*pl* serafines). ~ 같은 *angelical, angélico, seráfico.* ② [천자의 사신] enviado *m* del emperador. ③ [마음이 곱고 어진 사람] buena persona *f*, buen hombre *m*.

◆ 대(大)~ serafín *m*. 소(小)~ querubín *m*. 수호~ ángel *m* de la guarda, heraldo *m* de Dios.

■ ~장(長) arcángel *m*, heraldo *m* de Dios.

천사만고(千思萬考) meditación *f* profunda, deliberación *f* cuidadosa, consideración *f* madura. ~하다 deliberar cuidadosamente, meditar profundamente.

천산(天産) ① [천연적으로 남] producción *f* natural. ② ((준말)) =천산물(天産物).

■ ~물 productos *mpl* naturales.

천산갑(穿山甲) ①【동물】pangolín *m* (*pl* pangolines). ②【한방】[천산갑의 껍질] caparazón *m* (*pl* caparazones) del pangolín.

천산지산 con todo tipo [toda clase] de excusas [pretextos], con excusas [pretextos] de todo tipo [toda clase], con todo género [toda suerte] de excusas [pretextos], excusándose mucho, poniendo muchas excusas, buscando muchos pretextos.

천상(天上) ① [하늘의 위] parte *f* superior del cielo, sobre el cielo. ~의 celeste, celestial. ~의 음악 música *f* celestial. ② ((불교)) ((준말)) =천상계.

■ ~계 ((불교)) mundo *m* celestial, cielo *m*, paraíso *m*. ~천하 todo el mundo, todo el universo, todo el espacio, el cielo y la tierra, debajo del sol. ~천하 유아독존(天下唯我獨尊) Solamente mi persona es sagrada en todo el universo / Santo soy yo sólo en el cielo y en la tierra.

천상(天象) fenómeno *m* astronómico, fenómeno *m* sideral.

천상만태(千狀萬態) =천태만상(千態萬象).

천생(天生) ① [타고난 바] por naturaleza. ② [날 때부터 · 당초부터] de nacimiento, natural.

■ ~배필 la buena pareja de nacimiento. ~연분 la mejor pareja, la buena pareja.

천석꾼(千石-) propietario *m* riquísimo, billonario *m*, multimillonario *m*.

천성(天性) naturaleza *f*, disposición *f* natural, índole *m*, temperamento *m* (natural). ~의 innato, natural, connatural, de nacimiento. ~이 명랑하다 ser (de carácter · de naturaleza) alegre. 그것은 그의 ~이다 Eso es innato en él. 그것은 내 ~이라 어찌할 수 없다 Es mi forma de ser y no puedo remediarlo. ~이 악인(惡人)은 없다 No hay hombres malos de nacimiento [por naturaleza]. 습관은 제이의 ~이다 La costumbre es otra naturaleza / El hábito es una segunda naturaleza.

천세(千世) mil generaciones.

천세(千歲) ① [천 년이나 되는 세월] mil años. ② ((준말)) =천추만세. ¶이름을 ~에 남기다 ganar la fama inmortal.

■ ~력(曆) almanaque *m* perpetuo. ~ 불멸(不滅) inmortalidad *f*.

천세나다 (ser) muy popular, escasear, estar por encima de la par.

천속(賤俗) ① [비천한 풍속] costumbre *f* humilde. ② [천하고 속됨] vulgaridad *f*.

천수(天授) gracias *fpl* de la Providencia. ~의 agraciado, que se ha enviado por la Providencia.

천수(天壽) vida *f* larga concedida por el cielo, término natural de la vida. ~를 다하다 morir a una edad avanzada de muerte natural.

천수(天數) ① =천명(天命). ② =천운(天運).

천시(天時) ① [하늘의 도움이 있는 시기] buena oportunidad *f*, buena ocasión *f*. ② [자연 현상] fenómeno *m* natural.

천시(賤視) desprecio *m*, menosprecio *m*. ~하다 despreciar, menospreciar.

천식(淺識) conocimiento *m* [sabiduría *f*] superficial.

천식(喘息) 【의학】 el asma *f*. ~의 asmático. ~의 발작 ataque *m* [acceso *m* · crisis *f*] de asma. ▪~ 환자 asmático, -ca *mf*.

천신(天神) ① [하늘의 신령] dioses *mpl* del cielo. ② ((천주교)) ((구용어)) =천사(天使). ▪~지기 dioses *mpl* del cielo y de la tierra.

천신(薦新) ofrecimiento *m* del nuevo producto a los dioses. ~하다 ofrecer los nuevos frutos a los dioses.

천신만고(千辛萬苦) dificultades y obstáculos. ~하다 sufrir un sinfin de obstáculos.

천심(天心) ① [하늘의 한가운데] centro *m* del cielo. ② =천의(天意)(voluntad del cielo). ¶민심(民心)은 곧 ~ La voz del pueblo es la del cielo.

천안(天顔) semblante *m* del Emperador, cara *f* del rey. ~에 접하다 tener el honor de que le conceda una audiencia el Emperador.

천앙(天殃) castigo *m* del cielo, retribución *f* divina, cólera *f* de Dios, ira *f* divina. ~을 받다 ser castigado por el cielo.

천애(天涯) ① [하늘 끝] horizonte *m*. ② [아득히 떨어진 타향] tierra *f* extaña, tierra *f* extranjera que está muy lejos. ~의 고객(孤客) vago *m* solitario en la tierra extraña. ~의 고아 신세다 estar sin nadie en el mundo. ③ ((준말)) =천애지각.
▪~지각(地角) lugar *m* muy lejano, tierra *f* muy lejana.

천양(天壤) el cielo y la tierra.
▪~무궁하다 ser eterno como el cielo y la tierra. ~지간(之間) todo el universo, el espacio entre el cielo y la tierra. ~지차(之差) oposición *f* extrema, diferencia *f* extrema entre todas las cosas, diferencia *f* tan grande como del día a la noche, mucha diferencia *f*.

천언만어(千言萬語) palabras *fpl* innumerables.

천업(賤業) ocupación *f* baja, profesión *f* indecente, profesión *f* deshonrada.

천여(天與) bendición *f* (del cielo), don *m* divino, divina merced *f*, fortuna *f*. ~의 providencial, divino, innato.

천역(賤役) tarea *f* humilde, papel *m* humilde.

천연(天然) naturaleza *f*, estado *m* natural. ~의 natural; [야생의] salvaje, silvestre. ~의 미(美) belleza *f* natural, belleza *f* de naturaleza.
▪~가스 gas *m* natural. ~고무 =생고무. ~기념물(記念物) monumento *m* natural, especies *fpl* raras protegidas por la ley. ~림(林) bosque *m* natural. ~ 물(物) substancia *f* natural. ~미 belleza *f* natural. ~색 color *m* natural, tecnicolor *m*. ~색 사진 fotografía *f* en tecnicolor, fotografía *f* de colores, cromofotografía *f*. ~색 사진술 fotocromatografía *f*. ~색 영화 película *f* en tecnicolor, película *f* de colores naturales, tecnicolor *m*. ~색 텔레비전 televisión f en colores. ~석(石) roca *f* nativa. ~수(水) el agua *f* natural. ~자원(資源) recursos *mpl* naturales.

천연(遷延) dilación *f*, tardanza *f*, retraso *m*, postergación *f*, demora *f*. ~하다 dilatar, demorar, retrasar, retardar. ~을 허락하지 않는다 No admite retraso.

천연덕스럽다(天然－) no inquietarse, estar tranquilo. 그는 꾸지람을 들어도 ~ El sigue tan tranquilo [sigue como si nada] a pesar de haber sido reprendido.
천연덕스레 tranquilamente, sin inquietarse, sin preocuparse, con frescura.

천연두(天然痘) viruela *f*. ~의 유행병은 제너가 우두를 발견할 때부터 사라졌다 Las grandes epidemias de viruela han desaparecido desde el invento de la vacuna por Jénner.
▪~ 예방 백신 vacuna *f* antivirolenta. ~ 자국 (marca *f* de) viruela *f*. ~ 환자 caso *m* de viruela.

천연스럽다(天然－) (ser) natural, sencillo, silencioso, tranquilo, sereno. 천연스러운 자세 actitud *f* natural, aire *m* despreocupado, aire *m* desenfadado. 천연스러운 안색(顔色) expresión *f* facial natural.
천연스레 tranqilamente, con tranquilidad, con calma, con serenidad, con indiferencia, con toda tranquilidad, con aire despreocupado, con aire desenfadado.

천엽(千葉) ① 【식물】 pétalo *m* doble. ② 【생물】 =처녑.

천왕성(天王星) 【천문】 Urano *m*.

천외(天外) ① [하늘의 바깥] parte *f* exterior del cielo. ② [썩 높거나 먼 곳] lugar *m* bastante alto o lejano.

천우(天佑) gracia *f* a Dios, gracia *f* divina.

천우신조(天佑神助) gracia *f* a Dios, gracia *f* divina, providencia *f*. ~의 providencial, divino. ~로 por la gracia a Dios, providencialmente. ~로 어려움을 피하다 escapar providencialmente. 우리의 만남은 ~다 Nuestro encuentro es una cosa providencial / Dios ha manejado los hilos de nuestro encuentro.

천운(天運) destino *m*, suerte *f*, fortuna *f*. ~에 맡기다 dejar *algo* librado al azar.

천원(天元) ① [만물이 자라는 근원] origen *m*, causa *f* primera. ② =임금. ③ =배꼽점.

천원(泉源) origen *m* del agua de pozo.

천은(天恩) ① [하느님의 은혜] favor *m* de Dios, gracia *f* de Dios. ② [임금의 은덕] favor *m* del rey, benevolencia *f* del rey.

천의(天意) ① [하늘의 뜻] Providencia *f*, voluntad *f* divina, voluntad *f* del cielo. ② [임금의 뜻] voluntad *f* real, voluntad *f* del rey.

천인(天人) ① [하늘과 사람] el cielo y el hombre, Dios y hombre. ② [도(道)가 있는

사람] hombre *m* de doctrina. ③ [재질이나 용모가 몹시 뛰어난 사람] hombre *m* de talento, hombre *m* muy guapo. ④ [썩 아름다운 여자] mujer *f* bastante hermosa, belleza *f.* ⑤ [천상(天象)과 인사(人事)] el fenómeno celestial y el asunto humano.

■ ~공노(共怒) odio *m* que todo el mundo puede se enfada. ~할 죄다 Es un crimen contra el Dios y el hombre.

천인(賤人) hombre *m* de nacimiento humilde.

천일(天日) ① [하늘과 해] el cielo y el sol. ② [하늘에 떠 있는 해] sol *m* en el cielo. ③ ((천도교)) aniversario *m* de fundación.

천일기도(千日祈禱) oración *f* de mil días.

천일 야화(千一夜話) 【책】 Las mil y una noches.

천일염(天日鹽) sal *f* fabricada por evaporación espontánea.

천일초(千日草) 【식물】 amarantina *f.*

천일홍(天日紅) 【식물】 =천일초(千日草).

천자(天子) ① [황제] emperador *m*; [하늘의 아들] Hijo *m* del Cielo; [임금] soberano *m*, rey *m.* ② ((불교)) hijo *m* del cielo.

천자(天資) =천품(天稟).

천자만태(千姿萬態) variación *f* interminable de formas, todas las formas, todas las imágenes, todas las figuras.

천자만홍(千紫萬紅) variedad *f* deslumbrada de colores, varios colores de las flores.

천자문(千字文) El Manual de Caracteres Chinos, (el Texto de) Mil Caracteres Chinos.

천잠(天蠶) 【곤충】 ataco *m.*

■ ~사(絲) seda *f* de ataco.

천장(天障) techo *m*, cielo *m* raso. 둥근 ~ domo *m*, cúpula *f.* ~이 높은 방 habitación *f* de techo alto. ~이 낮은 방 habitación *f* de techo bajo. ~이 높은 줄 모르고 오르는 값 el alza *f* de los precios que no conoce el límite [que no tiene límite]. 집에 ~을 치다 techar una casa. ~에 매달린 전등이 흔들흔들하기 시작한다 La lámpara colgada del techo empieza a bailar.

■ ~널 tabla *f* del techo. ~화(畵) fresco *m.*

천장(遷葬) =이장(移葬).

천재(千載) mil años, largo tiempo *m*, mucho tiempo *m.* 이름을 ~에 남기다 ganar la fama inmortal.

■ ~일우(一遇) suerte *f* providencial, oportunidad *f* rara [rarísima]. ¶~의 기회 oportunidad *f* rara. ~의 호기(好機) suerte *f* providencial, oportunidad *f* rarísima.

천재(天才) genio *m*, talento *m* extraordinario, talento *m* natural, dote *m* natural; [사람] genio *m*, hombre *m* genial, hombre *m* de genio, prodigio *m.* …에 ~다 tener un genio para *algo*, ser un hombre genial en *algo*, ser un genio [un prodigio] en [para] *algo.* 그는 ~적인 사람이다 El es un hombre de genio. 그는 어학(語學)의 ~이다 El es un prodigio en [para] las lenguas.

■ ~ 교육(教育) educación *f* para desarrollar las aptitudes de los niños particularmente dotados. ~ 소녀 niña *f* prodigio. ~ 소년 niño *m* prodigio. ~아(兒) niño *m* superdotado, niña *f* superdotada. ~적(的) genial, de genio. ¶그는 ~인 자질이 있다 El tiene algo de genio. 서반아 갈리시아 지방의 로사리오 까스뜨로는 ~인 시인(詩人)이었다 Rosario Castro de Galicia en España era una poetisa genial.

천재(天災) calamidad *f* natural, desastre *m* natural, estragos *mpl* naturales.

■ ~지변(地變) calamidad *f* natural, desastre *m* natural. ¶~을 당하다 sufrir [padecer] una calamidad natural, ser atacado por un desastre natural. ~으로 생각하고 단념하세요 Resígnese considerándolo como calamidad natural / Acéptelo como consecuencia de un desastre natural.

천재(淺才) talento *m* superficial.

천적(天敵) enemigo *m* natural.

천정(天定) decisión *f* del cielo.

■ ~배필 buena pareja *f.* ☞천생배필

천정(天庭) frente *f.*

천정(天頂) [하늘] cielo *m*, cenit *m*, zenit *m.*

■ ~거리 distancia *f* de cenit. ~점(點) cenit *m*, zenit *m.*

천정부지(天井不知) el dispararse. ~의 exorbitante, que no cesa de subir. ~로 오르다 dispararse. ~로 오르는 물가 el alza *f* de los precios que no conoce el límite [no tiene límite]. 물가가 ~로 올랐다 Los precios han subido al máximo.

천제(天帝) ① Dios *m*, Señor *m*, Providencia *f.* ② ((불교)) rey *m* del cielo, emperador *m* del cielo.

천조(天助) ayuda *f* providencial [del cielo].

천조(踐祚/踐阼) ascensión *f* al trono. ~하다 subir [ascender] al trono.

천주(天主) ① ((불교)) =대자재천(大自在天). ② ((불교)) [제천(諸天)의 왕] *Sáns* devapati. ③ ((기독교)) Dios *m*, Señor *m*, Creador *m.* ④ ((천주교)) Nuestro Señor.

■ ~경 ((천주교)) ((구용어)) =주의 기도. 주기도문. ~교 catolicismo *m*, religión *f* católica romana. ~교도 católico, -ca *mf.* ~교회(教會) la Iglesia Católica. ~교 신부 padre *m* católico. ~국(國) país *m* (*pl* países) católico. ~당(堂) =성당(聖堂). ~삼위(三位) ((천주교)) Padre Santo, Hijo Santo y Espíritu Santo. ~ 성삼(聖三) ((천주교)) =천주 삼위. ~학 ((속어)) =천주교(天主教). ~학문(學文) ((천주교)) obra *f* sobre el catolicismo.

천지(天地) ① [하늘과 땅] el cielo y la tierra. ② [우주] cosmos *m*, espacio *m*, universo *m*; [세상] mundo *m.* ③ [대단히 많음] muchísimo. 서울엔 장사 ~다 Hay muchísimos vendedores en Seúl. ④ ((성경)) los cielos y la tierra, el cielo y la tierra. 태초에 하나님이 ~를 창조하시니라 ((창세기 1:1)) En el principio creó Dios los cielos y la tierra / En el comienzo de todo, Dios creó el cielo y la tierra.

◆천지가 개벽할 판 la situación que se cambia completamente al contrario.
■ ~간(間) =천양지간(天壤之間). ~개벽(開闢) ㉮ [하늘과 땅이 처음으로 열림] comienzo *m* del mundo, principio *m* del mundo. ㉯ [자연계나 사회의 큰 변동] gran cambio *m* del mundo natural o de la sociedad. ~ 만물 todas las criaturas, la creación, el universo. ~신명(神明) Cielo *m*, dioses *mpl* del cielo y de la tierra. ~ 창조 la Creación.

천지(天池) *cheonchi*, lago *m* de cráter en el monte *Baekdu*.

천직(天職) [직업의] vocación *f*, profesión *f*; [사명(使命)] misión *f*. ~을 다하다 cumplir *su* misión. ~을 자각하다 tener conciencia de *su* misión.

천진난만(天眞爛漫) candidez *f*, ingenuidad *f*, inocencia *f*, candor *m*. ~하다 (ser) ingenuo, cándido, inocente, simple, sencillo, natural, sin arte, infantil, candoroso. ~하게 inocentemente, infantilmente, candorosamente. ~한 거짓말 mentira *f* piadosa, mentira *f* oficiosa, mentirilla *f*. ~한 아이들 niños *mpl* simples e inocentes. ~한 얼굴 cara *f* inocente, cara *f* infantil. ~한 장난 travesura *f* inofensiva. 그녀는 ~한 얼굴을 하고 있다 Ella tiene cara de inocente.

천진무구(天眞無垢) inocencia *f* sin tacha alguna [ninguna].

천진스럽다(天眞－) (ser) inocente, cándido. 천진스레 inocentemente, cándidamente.

천질(天疾) enfermedad *f* de nacimiento.

천질(天質) =천성(天性).

천차만별(千差萬別) variedad *f* infinita, infinidad *f* de variedades. ~의 사람 todo tipo de personas, toda clase de personas. ~의 의견 una infinidad de opiniones. ~이다 Son diversos y distintos / Hay una infinidad de variedades.

천착(穿鑿) ① [구멍을 뚫음] perforación *f*, excacavación *f*. ~하다 perforar, excavar. ② [학문을 깊이 연구함] investigación *f* profunda. ~하다 investigar.

천착하다(舛錯－) (ser) de mal carácter, desagradable.

천창(天窓) claraboya *f*, tragaluz *f* (*pl* tragaluces), lucera *f*.

천천하다 (ser) lento, tardío, gradual. 천천히 despacio, lentamente, con lentitud, pausadamente, con retraso, tardíamente, a(l) paso de tortuga; [점차적으로] gradualmente; [저속(低速)으로] a pequeña velocidad; [서두르지 아니하고] sin darse prisa; *[태평스레] con toda* tranquilidad. ~하다 tomarse tiempo, no apresurarse. ~ 걷다 andar lentamente, andar despacio, andar sin prisa, correr despacio [sin prisa]. ~ 말하다 hablar lentamente, hablar despacio. ~ 하십시오 [서두르지 마십시오] [usted에게] No se dé prisa / No tenga prisa // [tú에게] No te des prisa / No tengas prisa. ~ 드십시오 [usted에게] Coma usted despacio / [tú에게] Come despacio. 좀 더 ~ 말씀해 주십시오 Hable más despacio / ¿Quiere usted hablar más despacio?

천첩(賤妾) ① [종이나 기생으로서 남의 첩이 된 여자] concubina *f* de humilde nacimiento. ② [부인이 자기를 낮추어 일컫는 말] yo, humilde mujer.

천체(天體) astro *m*, cuerpo *m* celestial, cuerpo *m* celestre.
■ ~ 관측 observación *f* astronómica. ~ 기상학(氣象學) astrometeorología *f*. ~ 기상학자 astrometeorólogo, -ga *mf*, astrometeorologista *mf*. ~도 mapa *m* celestial [celestre]. ~력(曆) calendario *m* astronómico. ~ 망원경 telescopio *m* astronómico. ~ 물리학(物理學) astrofísica *f*. ~ 물리학자 astrofísico, -ca *mf*. ~ 사진(寫眞) astrofotografía *f*, fotografía *f* astronómica. ~ 사진술 astrofotografía *f*. ~ 숭배 astrolatría *f*. ¶~의 astrólatra. ~ 숭배자 astrólatra *mf*. ~ 역학 astronomía *f* gravitacional. ~ 운동 movimiento *m* astronómico. ~ 측량 uranometría *f*. ~ 측정 기구 astrómetro *m*. ~ 측정 단위 unidad *f* astronométrica. ~학 astrografía *f*, astrofía *f*, uranografía *f*, cosmografía *f*. ~학자 uranógrafo, -fa *mf*.

천추(千秋) [썩 오랜 세월] bastante mucho tiempo, muchos años; [먼 미래] futuro *m* lejano. 하루를 ~같이 기다리다 esperar impacientemente. 이름을 ~에 남기다 inmortalizar *su* nombre, dejar *su* nombre a la posteridad.
■ ~만세(萬歲) ㉮ [천만년] diez millones de años, mucho [largo] tiempo. ㉯ [오래 살기를 축수함] Que viva mucho tiempo. ~만세후(萬歲後) después de la muerte viviendo mucho tiempo ~유한(遺恨) rencor *m* inolvidable.

천축(天竺) 【지명】 la India.

천출(賤出) =서출(庶出).

천층만층(千層萬層) clases *fpl* incontables, todos los niveles *mpl*.

천치(天痴/天癡) idiota *mf*, torpe *mf*, tonto, -ta *mf*, bobo, -ba *mf*, estúpido, -da *mf*. ~ 같은 estúpido, tonto, bobo, necio. ~ 같은 말을 하다 decir bobadas [boberías · tonterías · estupideces]. ~ 같은 놈아! ¡Qué tonto (eres)! / ¡Imbécil! / ¡Idiota! ~ 같은 짓을 하지 마라! ¡No hagas tonterías!

천칭(天秤) ((준말)) =천평칭(天平秤).

천칭(賤稱) derogación *f*.

천태만상(千態萬象) todo tipo de formas y figuras, gran diversidad *f*.

천태종(天台宗) ((불교)) *Cheontaechong*, secta *f* de Tendai, una secta del budismo.

천트다(薦－) ① [남의 추천을 받다] ser recomendado (por). ② [아무 경험 없는 일에 처음으로 손을 대다] intentar por primera vez.

천파만파(千波萬波) muchas ondas *fpl* infinitas.

천편일률(千篇一律) monotonía *f*. ~의 monótono. ~적인 말로 비평(批評)하다 repetir las críticas de siempre.

천평칭(天平秤) balanza *f*, romana *f*, balanza *f* de cruz. ~으로 달다 pesar con una romana. A와 B를 ~에 달아 보다 comparar A y B en una balanza.

천품(天稟) disposición *f* natural, calidad *f* natural, naturaleza *f* innata, naturaleza *f* ingénita, talento *m* natural, talento *m* innato. ~의 natural, innato, ingénito, ínsito, inherente. ~을 발휘하다 efectuar todos *sus* talentos.

천하(天下) ① [하늘 아래의 온 세상] (todo el) mundo *m*, universo *m*. ~의 mundial, del mundo, universal. ~에 이름이 알려진 universalmente conocido. ~에 적(敵)이 없다 no tener rival en el mundo. 오늘날 돈이 ~를 좌지우지하고 있다 Hoy día el dinero tiene el dueño mundo. ② [한 나라 전체] todo país *m*, país *m* entero. ~를 통일하다 unificar un país, unificar todo el país. ③ [온 세상 또는 한 나라가 그 정권 밑에 속하는 일] gobierno *m*, reinado *m*, poder *m* (político), reino *m* entero. ~를 결정짓는 싸움 batalla *f* decisiva. 삼일(三日)~ gobierno *m* de tres días. ~를 얻다 reinar en un país., someter todo el país bajo su poder, apoderarse del poder [del gobierno]. ~의 권력(權力)을 쥐다 apoderarse del gobierno.

■ ~명창 buen cantor *m* sin par (en el mundo), buena cantora *f* sin par (en el mundo); cantor *m* mundialmente famoso, cantora *f* mundialmente famosa. ~무적 invencibilidad *f* en el mundo. ¶~이다 no tener rival en el mundo, ser incomparable [sin par · sin igual] en el mundo, no tener par (en). ~일색(一色) belleza *f* sin par (en el mundo). ~일품 único artículo *m*, artículo *m* sin par, artículo *m* único en el mundo. ¶~의 sin par, único en el mundo, sin igual, incomparable. ~장사(壯士) hércules *m*, guerrero *m* sin par [sin igual · incomparable]. ~제일(第一) lo incomparable en el mundo. ~태평 ㉮ [온 세상이 태평함] paz *f* de todo el mundo. ㉯ [걱정 · 근심 없이 크게 평안함] paz *f* sin preocupación.

천하다(薦-) recomendar.

천하다(賤-) ① [생긴 모양이나 언행이 품위가 낮다] (ser) vulgar, soez. 천한 남자(男子) hombre *m* ordinario, hombre *m* de modales vulgares. 천한 농담(弄談) broma *f* soez. 천한 말투[표현] expresión *f* vulgar. 천한 말을 하다 decir cosas de mal gusto, usar palabras soeces. ② [신분(身分)이 낮다] (ser) humilde, bajo, vulgar, basto, de mal gusto, tosco, soez. 천하게 humildemente, vulgarmente, bastamente. 천한 사람 hombre *m* de humilde condición. 천한 태생이다 haber nacido en las malvas, tener humilde nacimiento, ser de humilde extracción, ser de baja condición. 천한 직업에 종사하다 ocuparse en un oficio humilde. ③ [물건이 귀중하지 않고 너무 흔하다] (ser) común (*pl* comunes), ordinario, popular, corriente. ④ [사물이 고상한 맛이 없이 다랍다] (ser) vulgar, poco refinado. 천한 취미 gusto *m* vulgar, gusto *m* poco refinado.

천학(天學) conocimiento *m* sobre el catolicismo.

천학(淺學) ciencia *f* superficial, conocimiento *m* superficial, sabiduría *f* superficial.

■ ~비재(菲才) poco conocimiento y poca habilidad, falta *f* de conocimiento y de habilidad.

천행(天幸) muy buena suerte *f*, muy buena fortuna *f*, bendición *f* de Dios. ~으로 por fortuna, por dicha, por (buena) suerte, dichosamente, afortunadamente. ~으로 좌석이 몇 개 있었다 Por suerte [Afortunadamente] quedaban algunos asientos.

천험지지(天險之地) tierra *f* de la fortaleza natural.

천험하다(天險-) ser naturalmente precipitoso.

천형(天刑) =천벌(天罰).

■ ~병 =한센병. ~병자 leproso, -sa *mf*.

천혜(天惠) favor *m* divino, favor *m* de Dios, favor *m* del cielo.

천황(天皇) emperador, -triz *mf*.

천후(天候) =기후(氣候). ¶~의 급변 cambio *m* repentino [abrupto] del tiempo. 전(全)~의 para todo tiempo.

철[1] [계절] estación *f*; [활동 · 수확 등의] temporada *f*. ~이 지나 fuera de temporada, en temporada baja. ~ 이른[늦은] 사과 manzanas *fpl* tempranas [tardías]. ~ 지난 과실 frutas *fpl* fuera de temporada. ~ 지난 관광(觀光) turismo *m* fuera de temporada, turismo *m* en temporada baja. ~ 지난 가격 precios *mpl* de temporada baja.

◆관광(觀光) ~ temporada *f* turística. 축구 ~ temporada *f* de fútbol. 크리스마스 ~ las Navidades, la época navideña.

철[2] [사리를 분별할 줄 아는 힘] discreción *f*, prudencia *f*, juicio *m*, comprensión *f*, pasiones *fpl* humanas. ~이 들 나이 edad *f* discreta [prudente]. ~이 나다 volver en sí, llegar a la edad de discreción. ~이 없다 (ser) indiscreto, inocente, candoroso, ingenuo.

철[1](鐵) ① [금속 원소의 하나] hierro *m*, *AmL* fierro *m*; [강철] acero *m*.; [무쇠] hierro *m* colado, hierro *m* fundido. ~의 de hierro, ferroso, férreo, de acero. ~의 폐(肺) pulmón *m* de hierro. ~을 함유하다 contener el hierro. ② ((준말)) =철사(鐵絲).

■ ~의 여인 la Dama de Hierro. ~의 장막 el telón de acero, *AmL* la cortina de hierro.

철[2](鐵) ((준말)) =번철(燔鐵).

-철(綴) [접는 것] carpeta *f*, archivo *m*; [박스 파일] clasificador *m*, archivador *m*; [카드

색인용] fichero *m*. 서류~ fichero *m*, carpeta *f*. 신문~ archivo *m* de periódicos.

-철(鐵) =철도(鐵道). ¶지하(地下)~ metro *m*, *Arg* subte *m*.

철각(鐵脚) piernas *fpl* de hierro. ~을 자랑하는 선수 corredor, -dora *mf* de piernas de hierro.

철갑(鐵甲) cubierta *f* de hierro; [덮개] capa *f*, revestimiento *m*, corteza *f*, costra *f*. ~하다 cubrir. ~한 acorazado.
■ ~선(船) buque *m* acorazado. ~탄 bala *f* acorazada.

철갑상어(鐵甲-) 【어류】 esturión *m* (*pl* esturiones). ~의 알 caviar *m*, cavial *m*.

철강(鐵鋼) acero *m*, hierro *m* y acero.
■ ~업 industria *f* siderúrgica, siderurgia *f*. ~ 제품 productos *mpl* siderúrgicos.

철갱(鐵坑) mina *f* de hierro.

철거(撤去) evacuación *f*, abolición *f*. ~하다 evacuar, quitar, retirar, apartar, remover; [해제하다] desmontar, desmantelar; [파괴하다] destruir, derribar, demoler. A에서 B를 ~하다 despojar [desembarazar · despejar] A de B. 군사 기지를 ~하다 desmantelar una base militar. 장애물을 ~하다 quitar [remover] un obstáculo.

철겹다 ser fuera de estación. 철겹게 오는 비 lluvia *f* fuera de estación.

철골(鐵骨) armazón *m* de hierro [de acero].
■ ~ 건물(建物) edificio *m* de armazón de hierro. ~ 공사(工事) obra *f* de armazón de hierro. ~ 구조 estructura *f* de armazón de hierro, construcción *f* de armazón de hierro, armazón *m* rígido de hierro. ~조 건축 construcción *f* con armazón de hierro. ~ 철근 콘크리트 건축 edificio *m* de hormigón armado con armazón de hierro.

철공(鐵工) herrero *m*, obrero *m* de hierro.
■ ~소 herrería *f*, fundición *f* de hierro. ~장 fundería *f*, ferrería *f*, ferretería *f*.

철관(鐵管) tubo *m* [cañería *f* · conducto *m*] de hierro. ~을 묻다 colocar cañería de hierro.

철광(鐵鑛) ① 【광물】 ((준말)) =철광석(鐵鑛石). ② [철광석이 나는 광산] mina *f* de minerales de hierro.
■ ~석(石) 【광물】 minerales *mpl* de hierro.

철교(鐵橋) ① [철을 주재료(主材料)로 하여 놓은 다리] puente *m* de hierro. ② ((준말)) =철도교.

철군(撤軍) retirada *f* de tropas, evacuación *f*, retiro *m* (de las tropas). ~하다 retirar las tropas, retirarse (de), evacuar. ~을 강요하다 compeler a que retiren las tropas, obligar a evacuar el territorio. ~을 거부하다 no querer retirar las tropas. .

철권(鐵拳) puño *m* cerrado, puño *m* fuerte, mano *f* de hierro. ~을 가하다 dar un puñetazo.
■ ~ 제재(制裁) sanción *f* con puñetas, castigo *m* a puñetazos.

철궤(鐵軌) rail *m* de ferrocarril.

철궤(鐵櫃) caja *f* de chapa de hierro.

철그렁 con un tintineo, tintineando.
철그렁거리다 seguir tintineando.
철그렁철그렁 tintineando y tintineando.

철근(鐵筋) armadura *f* de acero, cinchuela *f* de hierro.
■ ~ 골조(骨組) armazón *m* rígido, armazón *f* rígida. ~ 콘크리트 hormigón *m* armado, cemento *m* armado, *AmL* concreto *m* armado. ¶~ 벽(壁) muro *m* [muralla *f*] de hormigón armado.

철금(鐵琴) 【악기】 campanas *fpl*.

철기(鐵器) utensilios *mpl* de hierro, artículos *mpl* de ferretería, quincalla *f*.
■ ~ 시대(時代) la Edad de Hierro.

철길(鐵-) =철도(鐵道).

철꺽 con una bofetada, abofetando. ~ 때리다 pegarle [darle] una bofetada, abofetar.

철나다 volver en sí, llegar a la edad de discreción.

철도(鐵道) ferrocarril *m*, vía *f* férrea. ~의 de ferrocarril, ferroviario, ferrovial. *AmS* ferrocarrilero. ~를 부설하다 construir un ferrocarril. A시와 B시 간에는 ~가 통하고 있다 Las ciudades de A y B están comunicadas por el ferrocarril.
■ 한국 ~ los Ferrocarriles Nacionales (de Corea).
■ ~ 객차 vagón *m* de ferrocarril, vagón *m* de tren. ~ 경찰 policía *f* del ferrocarril. ~ 공사 obras *fpl* de ferrocarril. ~ 공안원 agente *m* [oficial *m*] de seguridad ferroviaria. ~교(橋) puente *m* de vía férrea. ~ 국유화 nacionalización *f* de ferrocarriles. ~ 노선 vía *f* férrea, línea *f* [riel *m*] de ferrocarriles. ~도(渡) franco *m* sobre vagón. ~망(網) red *f* ferroviaria, red *f* de ferrocarriles, sistema *m* ferroviario. ~ 사고 accidente *m* ferroviario, accidente *m* de ferrocarril. ~ 사업 empresa *f* ferroviaria. ~ 서비스 servicio *m* de ferrocarril. ~ 수비대 guarnición *f* de ferrocarriles. ~ 수송 transporte *m* ferroviario. ~ 시각표 guía *f* (de horario) de ferrocarriles, horarios *mpl* de trenes. ~ 안내소(案內所) oficina *f* de información de ferrocarriles, *Esp* oficina *f* de la RENFE. ~ 여객 pasajeros *mpl* de ferrocarriles. ~역 estación *f* de ferrocarril. ~ 운임 [여객의] precio *m* del billete; [화물의] precio *m* de transporte. ~ 운임표 tarifa *f* ferroviaria, tarifa *f* de(l) transporte. ~원 oficial *mf* [empleado, -da *mf*] de ferrocarriles; ferroviario, -ria *mf*, ferrocarrilero, -ra *mf*. ~의 날 el Día de Ferrocarriles. ~ 인부(人夫) guardavía *m*. ~ 조차장 estación *f* de clasificación. ~ 종업원 ferrocarrilero *m*, ferroviario *m*. ~ 증권 valores *mpl* ferroviarios. ~ 차량 vagón *m* (*pl* vagones) de ferrocarriles. ~청(廳) la Dirección de Ferrocarriles, la Secretaría de Ferrocarriles. ~청장 jefe, -fa *mf* de la Dirección de Ferrocarriles. ~편 ferrocarril *m*. ¶~으로 por ferrocarril, por tren. ~으로 가다 tomar el tren, ir por ferrocarril, ir

en tren. ~으로 보내다 mandar *algo* por ferrocarril [por tren]. ~으로 서울에 가다 ir a Seúl por ferrocarril [por tren]. ~ 화물 carga *f* ferroviaria. ~ 화물 인환증 conocimiento *m* de embarque por ferrocarril. ~ 화차(貨車) vagón *m* (*pl* vagones) de mercancías. ~ 회사(會社) compañía *f* de ferrocarril.

철두철미(徹頭徹尾) ① [처음부터 끝까지 철저함] meticulosidad *f* del principio al fin. ② [처음부터 끝까지 철저하게] perfectamente, completamente, cabalmente, enteramente, en todo; [시종(始終)] del principio al fin, desde el principio hasta el fin, de un extremo a otro, de parte a parte.

철들다 volver en sí, llegar a la edad de discreción, tener el colmillo retorcido.

철떡거리다 salpicar, arrastrar..

철럭거리다 correr, salir un hilito.

철렁거리다 tintinear.

철로(鐵路) =철도(鐵道).

철록어미 gran fumador *m* (*pl* grandes fumadores), gran fumadora *f* (*pl* gandes fumadoras) fumador *m* empedernido, fumadora *f* empedernida. 그는 ~이다 El fuma mucho / El es un gran fumador..

철리(哲理) filosofía *f*, principios *mpl* filosóficos.

철마(鐵馬) =기차(汽車).

철망(鐵網) ① [철사로 그물처럼 엮은 물건] calibrador *m* de alambre, red *f* [enrejado *m*] de alambre, alambrera *f*, tela *f* metálica, tela *f* de alambre; [창문(窓門)·문(門)의] tejido *m* metálico, malla *f* metálica. ~을 치다 alambrar, poner una alambrera (a). ② ((준말)) =철조망.

▪~ 철문(鐵門) puerta *f* con tejido de alambre.

철매 hollín *m*, tizne *m*. ~투성이의 hollinientо, tiznado.

철면(凸面) convexidad *f*, superficie *f* convexa. ▪~경(鏡) =볼록거울. ~ 렌즈 lente *m* convexo.

철면(鐵面) ① [쇠로 만든 탈] máscara *f* de metal. ② [검붉은 얼굴] cara *f* roja oscura.

철면피(鐵面皮) sinvergüenza *f*, descaro *m*, desvergüenza *f*, desfachatez *f*, cara *f* descarada. ~하다 (ser) sinvergüenza, descarado, desvergonzado, desfachado. ~하게도 desvergonzadamente, descaradamente. ~하게도 …하다 tener el descaro de + *inf*.

▪~한(漢) sinvergüenza *mf*.; sinvergonzón, -na *mf*, hombre *m* desvergonzado, hombre *m* descarado, mujer *f* desvergonzada [descarada]. ¶진짜 ~ un tío sinvergüenza. 너는 정말로 ~이군! ¡Qué sinvergüenza eres!

철모(鐵帽) casco *m*, yelmo *m*.

철모르다 no tener discreción, ser una falta de consideración, ser desconsiderado, ser inocente, ser simple. 철모르는 아이 niño, -ña *mf* inocente.

철문(鐵門) puerta *f* de hierro.

철물(鐵物) herraje *m*, artículos *mpl* de ferretería, utensilio *m* de metal; [도구] herramienta *f*, [작은 도구] quincalla *f*, [집합적] ferretería *f*.

▪~전[점] ferretería *f*, quincallería *f*. ¶~주인 ferretero, -ra *mf*; quincallero, -ra *mf*.

철바람 =계절풍(季節風).

철버덕 chapoteando. 진창을 ~ 걷다 andar chapoteando en el barro.

철버덕거리다 seguir chapoteando, seguir chapaleando.

철버덕철버덕 chapoteando y chapoteando, con salpicaduras del agua. ~ 내를 건너다 vadear un río. ~ 물을 끼얹다 echar mucha agua (sobre). ~ 씻다 lavarse con [haciendo] mucho ruido.

철버덩 con un plaf. ~ 떨어지다 dejarse caer. ~ 떨어뜨리다 dejar caer. 떨어질 때 ~하다 hacer plaf al caer (en · sobre). 그는 안락의자에 ~ 떨어졌다 El se dejó caer en el sillón. 나는 그것을 물에 ~ 떨어뜨렸다 Yo lo dejé caer en el agua.

철벅 chapoteando. 파도가 ~ 소리를 낸다 Las olas chapaletean contra la playa.

철벅거리다 chapotear, chapaletear. 아이들은 물에서 철벅거리고 있었다 Los niños chapoteaban en el agua.

철벅철벅 chapoteando y chapoteando, con mucho ruido, haciendo mucho ruido. 물속을 ~ 걷다 andar chapoteando en el agua.

철벽(鐵壁) ① [쇠로 된 것같이 견고한 벽] pared *f* fuerte. ② [매우 튼튼한 방비] defensa *f* fortificada. ~의 inexpugnable. ~ 같은 진(陣) posición *f* inexpugnable.

▪~ 수비 posición *f* inatacable, defensa *f* perfecta, defensa *f* inexpugnable.

철병(撤兵) =철군(撤軍).

철봉(鐵棒) ① [쇠로 길게 막대기 모양으로 만든 물건] barra *f* de hierro. ② ((체조)) barra *f* fija, barra *f* horizontal. ~을 하다 hacer ejercicios en una barra fija.

철부지(一不知) niño *m* inocente, niña *f* inocente; persona *f* estúpida. 그는 ~다 El no es más que un niño. 그는 ~로 자랐다 El fue criado entre rosas [entre algodones].

철분(鐵分) contenido *m* de hierro. ~을 함유한 ferruginoso.

철분(鐵粉) limaduras *fpl* de hierro.

철빈하다(鐵貧一) (ser) muy pobre, pobrecito, tan pobre como un ratón de sacristía.

철사(鐵絲) alambre *m*.

◆가시~ alambre *m* de púas, alambre *m* de espino. 가시~ 울타리 alambrada *f* de púas, *CoS* alambrado *m* de púas.

▪~ 그물 red *f* de alambre. ~망 tela *f* metálica, tela *f* de alambre, malla *f* metálica, *RPl* tejido *m* metálico, *Col* anjeo *m*. ~ 세공 enrejado *m*, alambrado *m*. ~ 솔 cepillo *m* de alambre. ~ 울타리 alambrada *f*, *AmL* alambrado *m*. ~ 줄 cable *m* metálico.

철삭(鐵索) cable *m* de alambre.

철상(鐵像) estatua *f* de hierro.

철새 pájaro *m* migratorio, el ave *f* (*pl* las aves) pasajera.
철색(鐵色) azul *m* acero. ~의 azul acero. ~의 천 tela *f* azul acero.
철석(鐵石) ① [쇠와 돌] el hierro y la piedra. ② [굳고 단단함] dureza *f*, firmeza *f*.
■ ~간장(肝腸) corazón *m* firme.
철석같다 (ser) firme, inflexible. 철석같은 마음 corazón *m* firme.
철석같이 con firmeza, firmemente.
철석영(鐵石英)【광물】cuarzo *m* ferruginoso.
철선(鐵船) barco *m* de hierro.
철선(鐵線) alambre *m* (de hierro).
철설(鐵屑) ① =쇠똥. ② [쇠붙이의 부스러진 가루] polvo *m* de hierro.
철쇄(鐵鎖) ① =쇠사슬. ② [쇠로 만든 자물쇠] cerradura *f* de hierro.
철수(撤收) retirada *f*, evacuación *f*. ~하다 retirar(se), evacuar. 미군의 ~ retirada *f* del ejército estadounidense. 즉각적이고 조건 없는 ~ retirada *f* inmediata e incondicional. ~를 개시하다 emprender la retirada. 군대를 ~시키다 retirar las tropas.
◆ 전면(全面) ~ retirada *f* total.
■ ~ 나팔 retirada *f*, retreta *f*. ~자(者) evacuado, -da *mf*.
철시(撤市) cerradura *f* de la tienda, suspensión *f* de negocio. ~하다 cerrar la tienda, suspender el negocio. ~하여 파업하다 declararse en huelga [ir a la huelga] cerrando todas las tiendas.
철심(鐵心) ① [쇠처럼 단단한 마음] corazón *m* firme. ② [쇠로 속을 박은 물건의 심] núcleo *m* de hierro.
철썩 ① [액체의 면이 넓적한 물체와 세게 부딪칠 때 차지게 나는 소리] bañando. ~하다 bañar. 파도가 해안을 ~한다 Las olas bañan [lavan] la orilla. ② [차진 물건을 물체에 던지거나 손바닥 따위로 세게 때릴 때 나는 소리. 또는 그 모양] con una ofetada. 빰을 ~ 때리다 dar una bofetada.
철썩거리다 lamer, besar.
철썩철썩 dando una bofetada; [파도가] bañando, lamiendo, besando. ~ 때리다 golpetear, golpear rápidamente, dar una bofetada, pegar una bofetada.
철안(鐵案) conclusión *f* inmutable.
철압인(鐵壓印) estigma *m*. ~을 찍다 marcar [sellar] con hierro candente, estigmatizar.
철야(徹夜) vela *f*, trasnoche *f*, velación (a un muerto), noche *f* pasada sin dormir. ~하다 trasnochar, velar toda la noche, pasar la noche en vela, pasar la noche velando (a un muerto), no dormir toda la noche. ~의 [파티·쇼가] que dura toda la noche; [다방·가게가] que está abierto toda la noche. ~로 en vela. ~의 일 trabajo *m* de toda la noche. ~로 …하다 pasar toda la noche +「현재 분사」(-ando·-iendo), pasar la noche sin dormir +「현재 분사」(-ando·-iendo). ~로 공부하다 estudiar toda la noche. ~로 회의하다 conferenciar toda la noche sin dormir. 일 때문에 ~하다 pasar varias noches en vela trabajando. 우리는 그 밤을 ~했다 Nosotros pasamos la noche en vela / Nosotros pasamos la noche velando. 나는 공부하면서 ~했다 Yo había pasado la noche en vela estudiando. 그는 아버지 곁에서 [아버지를 돌보면서] ~했다 El pasó la noche velando a su padre.
■ ~ 가게 tienda *f* que está abierta toda la noche. ~ 공연 función *f* que dura toda la noche. ~ 운행 servicio *m* que dura toda la noche. ~ 작업 trabajo *m* que dura toda la noche. ~ 파티 fiesta *f* que dura toda la noche.
철없다 (ser) inocente, candoroso, ingenuo, indiscreto. 그는 철없는 아이이다 El no es más que un niño.
철없이 inocentemente, candorosamente, ingenuamente, indiscretamente.
철옹산성(鐵瓮山城) fortificación *f* fuerte [inexpugnable·impenetrable].
◆ 철옹산성 같다 ser muy fuerte.
철옹성(鐵瓮城/鐵甕城) ((준말)) =철옹산성(鐵瓮山城). ¶~이다 ser muy fuerte.
철완(鐵腕) brazo *m* fuerte, brazo *m* de hierro.
■ ~ 투수 lanzador *m* con brazo fuerte.
철요(凸凹) desigualdad *f*, escabrosidad *f*. ~의 desigual, escabroso. ~의 길 camino *m* escabroso. ☞요철(凹凸)
철인(哲人) ① [학식이 높고 사리에 밝은 사람] sabio, -bia *mf*. ② [철학가] filósofo, -fa *mf*.
철인(鐵人) hombre *m* robusto [fuerte] como hierro.
철인(鐵印) ((준말)) =철압인(鐵壓印).
철자(鐵-) regla *f* de hierro.
철자(綴字) ortografía *f*. ~하다 ortografiar; [쓰다] escribir. ~를 틀리다 hacer [cometer] una falta de ortografía. …의 ~를 쓰다 deletrear *algo*. 이름의 ~를 틀리다 escribir mal el nombre. 자신의 이름의 ~를 말하다 decir cómo se escribe *su* nombre, deletrear *su* nombre.
■ ~법(法) reglas *fpl* de ortografía. ¶한글 ~ reglas *fpl* de la ortografía coreana.
철재(鐵材) materiales *mpl* de hierro.
철저하다(徹底-) penetrar hasta el fondo. ~한 integro, de todo en todo, exhaustivo; [완벽한] perfecto, completo, cabal; [면밀한] minucioso. 철저함 integridad *f*, perfeccionamiento *m*, consumación *f*. 철저한 악당 perfecto malvado *m*. 철저한 연구 estudio *m* perfecto [exhaustivo·cabal]. 철저한 파괴 destrucción *f* total [completa]. 학문에 ~ consagrarse al estudio. 자신의 주의(主義)에 ~ ser fiel a *sus* principios. 그는 철저한 이기주의자이다 El es un perfecto egoísta. 이 나라에서는 남녀동등 사상이 ~ En este país se reconoce la igualdad de derechos entre el hombre y la mujer hasta las últimas consistencias.
철저히 integramente, a fondo, perfectamente, completamente, enteramente, esen-

cialmente, cabalmente. ~ 연구하다 hacer un estudio cabal, estudiar a fondo. ~ 파괴하다 derrotar completamente. 전원(全員)에게 명령을 ~ 하다 hacer conocer bien la orden a todos. 공부하려면 ~ 해라 Si quieres estudiar, sé perito de tu tema.

철제(鐵製) artículo *m* férreo, producto *m* de hierro, producto *m* siderúrgico. ~의 férreo, de hierro; [강철제의] de acero.
■~ 의자 silla *f* de hierro. ~ 책상 escritorio *m* de hierro.

철제(鐵蹄) ① =편자. ② =준마(駿馬).

철제(鐵劑) medicina *f* férrea.
■~ 요법(療法) ferroterapia *f*.

철조(鐵條) alambre *m* grueso.
■~망(網) alambre *m*, alambrada *f*, *AmL* alambrado *m*. ¶가시 ~ alambre *m* de púas, alambre *m* de espino, alamre *m* espinoso, alambrada *f* con [de] púas. ~을 치다 tender el alambre [la alambrada], alambrar, cercar con alambrada (de púas). ~으로 둘러친 cercado con una alambrada.

철주(鐵柱) columna *f* de hierro.

철주자(鐵鑄字) tipo *m* de hierro.

철쭉 【식물】 azalea *f*. ~꽃 flor *f* de azalea.

철쭉나무 【식물】 =철쭉.

철창(鐵窓) ① [쇠로 창살을 만든 창문] ventana *f* con rejas de hierro. ② =감옥.
■~생활 =감옥살이(vida en la prisión). ¶~ 5년 cinco años en la prisión.

철찾다 ser propio de la estación, ser propio de la época del año.

철책(鐵柵) barrera *f* [valla *f*·cerca *f*] de hierro.

철천지수(徹天之讎) =철천지원수(徹天之怨讎).

철천지원(徹天之冤) =철천지한(徹天之恨).

철천지원수(徹天之怨讎) enemigo *m* jurado.

철천지한(徹天之恨) rencor *m* inveterado, enemistad *f* profundamente arraigada. ~을 풀다 dar rienda suelta a *su* rencor inveterado. ~을 품다 tener el rencor inveterado [la enemistad profundamente arraigada].

철철 gota a gota, goteando, lleno hasta el borde, desbordantemente. 땀을 ~ 흘리면서 goteando el sudor. ~ 넘치다 desbordarse. 피가 ~ 흐르다 correr la sangre gota a gota.

철철이 cada estación, todas las estaciones. ~ 피는 꽃들 *flores fpl* de cada estación.

철추(鐵椎) =철퇴(撤退).

철칙(鐵則) norma *f* inflexible, norma *f* invariable, norma *f* inmutable, norma *f* severa, norma *f* de hierro, regla *f* de hierro. 손님에게 친절한 것은 사업의 ~이다 Tratar bien a los clientes es una norma de hierro en los negocios.

철커덕 de un golpe, con un chasquido, con un ruido seco. 문을 ~ 잠그다 cerrar la puerta de un golpe.

철컥 ((준말)) =철커덕.

철탑(鐵塔) torre *f* de hierro; [고압선용의] torre *f* de alta tensión; [다리의 양쪽에 세운] pilón *m* (*pl* pilones).

철통(鐵桶) cubo *m* de hierro.
철통같다 ser bien protegido, ser perfectamente precavido (contra). 철통같은 경계 vigilancia *f* estricta. 철통같은 방위진 cordón *m* de defensa impenetrable.
철통같이 estrictamente, impenetrablemente.

철퇴(撤退) evacuación *f*, retirada *f*. ~하다 evacuar, retirarse (de). 도시(都市)를 ~하다 retirarse de [evacuar] la ciudad. 부대를 ~시키다 retirar una tropa.

철퇴(鐵槌) martillo *m* (de hierro). ~를 내리다 dar un golpe terrible [machacador]; [벌하다] castigar severamente.

철판(凸版) lámina *f* en relieve, lámina *f* covexa. 아연(亞鉛) ~ lámina *f* de zinc.
■~ 인쇄(印刷) imprenta *f* [tipografía *f*] en relieve.

철판(鐵板) plancha *f* de hierro, chapa *f* de hierro. 얇은 ~ lámina *f* de hierro. 쇠고기 ~구이 carne *f* de vaca [*AmL* de res] asada a la plancha.
◆철판을 깔다 no tomar [tener] en cuenta *su* honor.

철편(鐵片) trozo *m* de hierro, pedazo *m* de hierro.

철편(鐵鞭) varilla *f* de hierro.

철폐(撤廢) abolición *f*, derogación *f*, eliminación *f*, supresión *f*, retractación *f*. ~하다 abolir, suprimir, derogar, eliminar, retractar. 법률을 ~하다 abolir una ley. 제한을 ~하다 quitar [suprimir] la restricción. 차별 대우(差別待遇)를 ~하다 abolir la distinción de trato.

철폐(鐵肺) [철제 호흡 보조 장치] pulmón *m* (*pl* pulmones) de acero.

철포(鐵砲) [소총] fusil *m*; [대포] cañón *m*.
■~상(傷) herida *f* de tiro de fusil.

철필(鐵筆) pluma *f* (de hierro), estilo *m*; [조각용의] burril *m*, cincel *m*. ~로 쓰다 escribir con pluma.
■~대 portalápices *m.sing.pl*. ~촉 =펜촉. ~판 = 줄판. ~화 boceto *m* a plumilla.

철하다(綴–) archivar, componer, encuadernar, empastar, deletrear. 계류 중인 이것을 철하세요 Archiva esto en pendiente. 이 편지들을 철하세요 Archiva estas cartas.

철학(哲學) filosofía *f*. ~하다 filosofar. ~을 공부하다 estudiar filosofía. 그에게는 독특한 인생 ~이 있다 El tiene su propia filosofía de la vida / El tiene sus propias ideas sobre la vida.
◆경험(經驗) ~ filosofía *f* empírica. 귀납(歸納) ~ filosofía *f* inductiva. 도덕(道德) ~ filosofía *f* moral. 동양(東洋) ~ filosofía *f* oriental. 분석(分析) ~ filosofía *f* analítica. 비판(批判) ~ filosofía *f* crítica. 사변(思辨) ~ filosofía *f* especulativa. 사이비 ~ filosofismo *m*. 사회(社會) ~ filosofía *f* social. 서양(西洋) ~ filosofía *f* occidental. 실존(實存) ~ filosofía *f* existencial, existencialismo *m*. 실증(實證) ~ filosofía *f* positiva, positivismo *m*. 실험(實驗) ~ filosofía *f* experimental. 역사(歷史) ~ filo-

sofía *f* de historia. 언어(言語) ~ filosofía *f* de lengua. 연역(演繹) ~ filosofía *f* deductiva. 예술(藝術) ~ filosofía *f* de arte. 인생(人生) ~ filosofía *f* de vida. 자연(自然) ~ filosofía *f* natural. 직관(直觀) ~ filosofía *f* intuitiva. 처세(處世) ~ filosofía *f* de vida.

■ ~가(家) filósofo, -fa *mf.* ~ 개론(概論) introducción *f* a la filosofía. ~과(科) departamento *m* de filosofía. ~ 박사(博士) doctor *m* en filosofía. ~사(史) historia *f* de la filosofía. ~자(者) filósofo, -fa *mf.* ¶ 사이비 ~ filosofastro, -tra *mf.* ~적(的) filosófico. ¶~으로 filosóficamente, con filosofía. ~인 작품(作品)) obra *f* filosófica [de filosofía]. ~으로 생각하다 filosofar, pensar filosóficamente. ~ 체계 sistema *m* de filosofía.

철혈(鐵血) sangre *f* e hierro, armas *fpl* y soldados.

■ ~ 재상(宰相) el Canciller de hierro, primer ministro *m* de voluntad firme; Bismarck. ~ 정책 policía *f* de sangre e hierro.

철형(凸形) convexidad *f.*

철환(鐵丸) anillo *m* de acero.

철회(撤回) retirada *f*, retracción *f*, 【법률】 revocación *f*, derogación *f.* ~하다 retractar, retirar. 법안(法案)을 ~하다 retirar un proyecto de ley. 처분을 ~하다 revocar una disposición 그는 말한 것을 ~했다 El retiró lo que había dicho / El se retractó de lo dicho.

첨가(添加) adición *f*, añadidura *f*, anexión *f*, agregación *f*, conjunción *f.* ~하다 añadir, agregar, adicionar, anexar, anexionar. 끓는 물이나 뜨거운 우유를 ~하십시오 Agregue agua hervida o leche caliente. 입맛에 따라 설탕을 ~하십시오 Añada azúcar al gusto.

■ ~물 anexidades *fpl*, apéndice *m*, aditivo *m.* ~어 =교착어(膠着語). ~제(劑) aditivo *m.*

첨계(檐階) piedras *fpl* de grada.

■ ~석(石) =첨곗돌. ~ㅅ돌 piedras *fpl* de grada.

첨단(尖端) ① [뾰족한 끝] punta *f*, ápice *m*, (punto *m*) extremo *m*, extremidad *f.* ~의 apical. ② [시대 사조·유행 따위의 맨 앞장] vanguardia *f*, extremo *m.* ~의 extremo, ultramoderno. 유행의 ~ extremo *m* de la moda. ~을 걷다 tomar jugador. ~적 복장을 하다 vestirse a la última moda. 시대의 ~을 걷다 estar [ir] a la vanguardia del tiempo. 그녀는 유행의 ~을 걷는 복장을 하고 있다 *Ella va vestida a la* última moda.

■ ~ 기술 tecnología *f* punta, alta tecnología. ~ 기술 산업(技術産業) industria *f* de alta tecnología. ~인 radical *mf*; persona *f* ultramodernista.

첨두(尖頭) acrobraquicefalia *f.* ~의 acrocefálico.

첨벙 chapoteando, a chapoteos. 물속으로 ~ 뛰어들다 saltar en el agua a chapoteos.

첨벙거리다 agitar a chapoteos, hacer chapotear, enredar, chapotear. 물을 ~ agitar el agua a chapoteos, hacer chapotear el agua, enredar con el agua. 물속에서 ~ chapotear en el agua.

첨벙첨벙 a chapoteos, chapoteando y chapoteando.

첨병(尖兵) punta *f* de lanza (militar). 혁명의 ~ la punta de lanza de la revolución.

첨부(添附) añadidura *f*, adición *f*, adjunción *f.* ~하다 adjuntar, acompañar, añadir, juntar, agregar. A를 B에 ~하다 adjuntar [acompañar] B a A. 선물에 편지를 ~하다 acompañar un mensaje al regalo. 고기 요리에 야채를 ~하다 acompañar la carne con verduras. 신청서에 사진을 ~해 제출하다 presentar la solicitud con [acompañada de] una foto.

■ ~물 [책의 부록] apéndice *m*; [신문의 부록] suplemento *m*; [신문의 끼워 넣는 부록] separata *f.* ~ 서류(書類) documentos *mpl* adjuntos.

첨삭(添削) corrección *f*, revisión *f.* ~하다 corregir, revisar. 작문을 ~하다 corregir la composición.

■ ~료(料) honorarios *mpl* de recorrección.

첨서(添書) apostilla *f*, nota *f* suplementaria; [추신] postada *f.* ~하다 apostillar, poner la postada, añadir como una nota, agregar (a), insertar.

첨예(尖銳) agudeza *f.* ~하다 (ser) agudo, extremo, extremista, radical. ~한 한일(韓日) 관계 relaciones *fpl* agudas entre Corea y Japón.

■ ~분자 radicales *mpl*, extremistas *mpl*, elemento *m* más radical, elemento *m* más extremo. ~화 agudización *f*, radicalización *f*, radidicalismo *m.* ¶~하다 agudizarse; [급진] hacerse extremista, convertirse en extremista. ~시키다 agudizar. ~하는 분쟁 conflicto *m* agudizante. 인플레 경향의 ~ agudización *f* de la tendencia inflacionista.

첨지(籤紙) etiqueta *f* (atada o pegada), tarjeta *f.*

첨차(檐遮) 【건축】 almenas *fpl.*

첨첨 montón a montón, pila a pila. 책을 ~ 쌓다 amontonar [apilar·hacer un montón con·hacer una pila con] los libros.

첨탑(尖塔) pináculo *m*, cúspide *m*, ápice *m*; [회교 사원의] minarete *m*, alminar *m.*

첨하(檐下) debajo del socarrén.

첩(妾) concubina *f.* ~ 소생(所生)의 bastardo, espurio, ilegítimo. ~을 두다 mantener a una concubina. ~을 얻다 concubinar.

■ ~살림 acción *f* de vivir con una concubina. ~살이 vida *f* como una concubina.

첩(貼) paquete *m.* 약 세 ~ tres paquetes de remedios a base de hierbas.

-첩(帖) álbum *m*, cuaderno *m*, libro *m.* 견본 ~ muestrario *m.* 발췌~ álbum *m* de recortes. 사진~ álbum *m* de fotografías.

첩경(捷徑) atajo *m*, el camino más corto. 성

공에의 ~ fórmulas *fpl* mágicas para el éxito. 성공에는 ~이 없다 No hay fórmulas mágicas para el éxito / No hay atajo sin trabajo.

첩로(捷路) =지름길.

첩며느리(妾－) concubina *f* de *su* hijo.

첩모(睫毛) [속눈썹] pestaña *f*.
■ ~난생 pestañas *fpl* introvertidas. ~난생증 falangosis *f*, triquiasis *f*. ~선 glándula *f* ciliar.

첩 박다 cerrar con tablas. 문을 ~ cerrar la puerta con tablas.

첩보(捷報) noticia *f* de una victoria.

첩보(牒報) escritura *f* de la noticia de una victoria.

첩보(諜報) espionaje *m*, comunicación *f* secreta, información *f* privada, información *f* reservada.
■ ~ 기관 organización *f* de espionaje, servicio *m* de inteligencia. ~망 red *f* de espionaje. ~부(部) departamento *m* de inteligencia. ~원 agente *m* secreto, agente *f* secreta. ~ 활동 espionaje *m*.

첩부(貼付) pegadura *f*, pegamento *m*. ~하다 pegar.

첩서(捷書) informe *m* de victoria.

첩실(妾室) concubina *f*.

첩약(貼藥) paquete *m* de medicina preparada de hierbas, paquete *m* de medicina de remedios a base de hierbas.

첩자(諜者) espía *mf*; agente *m* secreto, agente *f* secreta.

첩장가(妾－) adopción *f* de una buena concubina. ~ 들다 adoptar una concubina, buscarse una concubina.

첩지 horquilla *f* ornamental.
■ ~머리 ㉮ [첩지를 쓴 머리] cabeza *f* puesta por la horquilla ornamental. ㉯ [계집아이의 귀밑머리를 땋은 아랫가닥으로 귀를 덮어 빗은 머리] peinado *m* de la muchacha con la trenza de al lado para que las puntas cubran sus orejas.

첩첩(喋喋) con locuacidad, locuazmente, con soltura, con mucha labia, con mucha palabrería.

첩첩(疊疊) ((준말)) =중중첩첩(重重疊疊).
■ ~산중 profundidad *f* de las montañas. ~수심(愁心) mucha preocupación, mucha ansiedad. ~이 a montones.

첩출(妾出) hijo *m* de la concubina, hijo *m* bastardo.

첫 primero. ~ 공연(公演) estreno *m*. ~ 시험 primer examen *m*. ~ 열차 primer tren *m*. ~ 출발 primera partida *f*, 우측 ~ 집 primera casa *f* a mano derecha. ~ 닭이 운다 Canta el primer gallo.

첫- primero, nuevo. ~걸음 primer paso *m*. ~사랑 primer amor *m*.

첫가을 otoño *m* temprano, comienzo *m* del otoño.

첫걸음 ① [맨 처음 내디디는 걸음] primer paso *m*. ② [어떤 일에의 첫출발] comienzo *m*, principio *m*; [초보. 기본] primeros principios *mpl*, ideas *fpl* fundamentales, rudimentos *mpl*. 서반아어 ~ español *m* básico, español *m* fundamental.

첫겨울 invierno *m* temprano, comienzo *m* del invierno.

첫 경험(－經驗) primera experiencia *f*.

첫고등 primera oportunidad *f* [ocasión *f*].

첫국밥 la primera comida después del parto, la primera sopa de agar-agar y el primer arroz blanco después del parto.

첫기제(－忌祭) primer aniversario *m* de la muerte de *sus* padres después del período de la luto de tres años.

첫길 ① [처음으로 가 보는 길] primer viaje *m*, camino *m* que se va por primera vez. ② [시집·장가들러 가는 길] camino *m* que va a casarse.

첫 꿈 primer sueño *m* del año.

첫나들이 ① [갓난아이가 처음으로 하는 나들이] primera salida *f* del bebé después del nacimiento. ② [시집온 신부가 처음으로 하는 나들이] primera visita *f* de la novia a *su* familia natal después del casamiento.

첫날 primer día *m*.
■ ~밤 noche *f* nupcial. ~저녁 noche *f* nupcial.

첫낯 primer encuentro *m*, cara *f* desconocida.

첫눈[1] [일견(一見)] primera vista *f*. ~에 a primera vista, de un vistazo, a simple vista, de una sola mirada. …에게 ~에 반하다 enamorarse de *uno* a la primera vista. 나는 그녀에게 ~에 반했다 Yo estuve enamorados de ella a primera vista.
◆첫눈에 들다 gustar*le* a *uno* con sólo ver, gustar*le* a *uno* en el mismo momento de ver. 나는 이것이 첫눈에 들었다 Me gustó esto con sólo verlo / Me gustó esto en el mismo momento de ver.

첫눈[2] [처음 내리는 눈] primera nieve *f* de la estación, primera nevada *f* del año.

첫 단추 ① [줄줄이 끼우는 단추의 처음 단추] primer botón *m*. ② [어떤 일의 첫머리] comienzo *m*, principio *m*.

첫닭 primer gallo *m*. ~이 울기 전에 antes (de) que cante el primer gallo.

첫대 por primera vez.

첫더위 primer calor *m*, calor *m* temprano.

첫돌 primer aniversario *m* de nacimiento, primer cumpleaños *m*.

첫딸 primera hija *f*.

첫마디 primera palabra *f*.

첫말 primera palabra *f*, primer dicho *m*.

첫머리 comienzo *m*, principio *m*.

첫 무대(－舞臺) estreno *m*.

첫물 período *m* hasta que se ponga la nueva ropa por primera vez y se la lave

첫밗 primer aspecto *m*, primera situación *f*, comienzo *m*.

첫발 primer paso *m*.
◆첫발(을) 내딛다 comenzar de nuevo, tomar el primer paso.

첫밥 primera comida *f* de gusano de seda.

~을 주다 dar de comer por primera vez.

첫배 primera cría *f*, primera empollación *f*. ~ 돼지 primera cría *f* de cerdos. ~ 병아리 primera empollación *f* de pollitos.

첫 번(一番) primera vez *f*. ~에는 primero, al principio. ~부터 desde el principio. ~째로 por primera vez. ~ 불입(拂入) desembolso *m* inicial.

첫봄 primavera *f* temprana, comienzo *m* de la primavera.

첫사랑 primer amor *m*; [첫 남자] *su* primer querido; [첫 여자] *su* primera querida.. ~에 빠지다 estar enamorado por primera vez. ~에 실패하다 perder *su* primer amor.

첫새벽 madrugada *f* temprana.

첫서리 primera escarcha *f*.

첫소리 【언어】 sonido *m* inicial.

첫술 primera cucharada *f* de comida. ~을 뜨다 servirse [tomar] su primera cucharada de comida. ~에 배부를 수 없다 No esperes demasiado al primer intento.

첫아기 primer niño *m*, primera niña *f*.

첫아들 primer hijo *m*.

첫얼음 primer hielo *m*.

첫여름 verano *m* temprano, comienzo *m* del verano.

첫이레 día *m* séptimo después del nacimiento de un infante.

첫인사(一人事) primer saludo *m*.

첫인상(一印象) primera impresión *f*. ~이 좋다 dar primera impresión buena. ~을 말하다 dar su primera impresión. 그의 ~은 어떻습니까? ¿Cómo es su primer impresión?

첫잠 ① [누워서 처음으로 곤하게 든 잠] primer sueño *m*. ② [누에의 첫 번째 잠] primera dormida *f*, primer estado *m* de descansar un momento sin comer la mora.

첫정(一情) primer amor *m*.

첫째 ① [으뜸. 제일] primero *m*, el número uno. ~의 primero. ~로 진급하다 ser el primero de la promoción. ~로 도착하다 llegar el primero, llegar antes que nadie. 성에 ~로 오르다 llegar a la fortaleza antes que nadie. ② [맏] primer hijo *m*, hijo *m* mayor, primogénito *m*. ③ [가장·무엇보다 먼저] primero, en primer lugar, sobre todo, principalmente. ~, 시간을 지켜라 Sobre todo, debe ser puntual / Sobre todo, sea puntual. ④ [맨 처음의 차례] primero. ~, 둘째, 셋째, 넷째, 그리고 끝 primero, segundo, tercero, cuarto y último.

첫차(一車) [버스] primer autobús *m*; [기차] primer tren *m*. ~를 놓치다 perder el primer tren.

첫추위 primer frío *m* de(l) invierno.

첫출발(一出發) primera partida *f* [salida *f*].

첫출사(一出仕) comienzo *m* de *su* carrera oficial.

첫판 comienzo *m*; [토너먼트의] primera vuelta *f*, [권투·레슬링의] primer asalto *m*, primer round *m*; [골프의] primera vuelta *f*, primer recorrido *m*; [카드 게임의] primera partida *f*.

첫판(一版) primera edición *f*. 책의 ~을 발간하다 publicar primera edición de un libro.

첫해 primer año *m*. 서반아 생활의 ~ primer año *m* de *su* vida en España.

첫 해산(一解産) primer parto *m*, primeros dolores *mpl* de parto.

첫행보(一行步) *su* primera visita, *su* primer viaje de vender.

첫혼인(一婚姻) primer matrimonio *m*, primer casamiento *m*. ~을 하다 casarse por primera vez, contraer primer matrimonio.

청 ① [무슨 물건에 있어서 얇은 막으로 된 부분] membrana *f*. ② =목청(voz). ¶~이 좋다 tener la buena voz.

청(青) ((준말)) =청색(青色).

청(晴) ((준말)) =청천(晴天).

청(請) ① ((준말)) =청탁(請託). ¶~하다 rogar, pedir, suplicar, solicitar. …의 ~에 따라 a petición de *uno*, a solicitud de *uno*. ~을 거절하다 rechazar la petición (de). ~을 들어주다 aceptar la petición (de). 대답을 ~하다 pedir una contestación, pedir una respuesta. 친구에게 도움을 ~하다 pedir ayuda a *su* amigo. ~이 하나 있습니다 Quiero pedirle un favor / Tengo algo que pedirle. ② ((준말)) =청촉(請囑).
◆청을 넣다 pedir especialmente.

청(廳) ((준말)) =대청(大廳).

-청(廳) edificio *m*, palacio *m*, dirección *f* (general), oficina *f*. 관세~ la Dirección de Aduanas. 구(區)~ la Oficina de *Gu*. 국세~ la Direccón de Impuestos Nacionales, la Dirección General de Tributos. 중앙(中央)~ capitolio

청가(請暇) súplica *f* de licencia. ~를 얻어 귀가하다 volver a a casa con licencia.

청각(聽覺) oído *m*, sensación *f* auditiva, sentido *m* auditorio, sentido *m* del oído. ~의 auditivo, auditorio. ~이 예민하다 tener el oído fino.
■~ 교육(教育) educación *f* auditiva. ~기 [기관] órganos *mpl* de audición. ~ 신경 nervio *m* auditivo, nervio *m* acústico. ~ 심상(心相) imagen *m* auditorio. ~형 tipo *m* auditorio.

청강(聽講) asistencia *f* a un curso. ~하다 asistir a una cátedra, asistir a un curso, asistir a una conferencia, seguir los cursos.
■~권(券) tarjeta *f* de auditorio. ~료(料) matrícula *f* por oír una conferencia. ~ 무료 admisión *f* libre. ~생(生) estudiante *mf* fuera de la carrera; oyente *mf*. ~자(者) oyente *mf*. ~증 tarjeta *f* de admisión.

청개구리(青一) ① 【동물】 rana *f* de San Antonio, rubeta *f*. ② [매사에 엇나가고 엇먹는 짓을 하는 사람] persona *f* extravagante.

청객(請客) invitación *f* a los huéspedes. ~하다 invitar a los huéspedes.

청결(清潔) limpieza *f*, aseo *m*, pureza *f*, pulidez *f*, nitidez *f*. ~하다 (ser) limpio, aseado, inmaculado, puro, nítido; [정돈이 잘 된] ordenado. ~한 셔츠 camisa *f* limpia.

몸과 마음이 ~하다 ser puro en el cuerpo y el corazón.
청결히 limpiamente, con limpieza, aseadamente, puramente. ~ 하다 limpiar, tener limpio, mantener limpio, asear. 손을 ~ 하다 limpiar(se) las manos.
청경우독(晴耕雨讀) el trabajo diligente y el estudio aplicado. ~하다 cultivar en el buen tiempo y leer en casa en el tiempo húmedo.
청계【민속】*cheonggye*, demonio *m* de peste.
청계(淸溪) arroyo *m* claro.
청고하다(淸高－) (ser) íntegro y noble.
청공(靑空) ＝청천(靑天).
청공(晴空) ＝청천(晴天).
청과(靑果) ① [신선한 과일·채소] fruta *f* fresca, verduras *fpl* frescas, legumbres y frutas. ② ＝감람(橄欖).
■~물 las legumbres [las verduras] y las frutas. ~ 시장(市場) mercado *m* de verduras [legumbres] y frutas. ~상(商) [장사] negocio *m* [comercio *m*] de verduras; [장수] verdulero, -ra *mf*. ~ 장수 verdulero, -ra *mf*. ~점 verdulería *f*.
청관(聽官)【해부】canal *m* auditorio.
청교도(淸敎徒) ((기독교)) puritano, -na *mf*. ~의 puritano.
■~주의 puritanismo *m*. ~ 혁명(革命) la Revolución Puritana.
청구(靑丘) *Cheonggu*, Corea.
청구(靑邱) *Cheonggu*, Corea.
청구(請求) petición *f*, demanda *f*, reclamación *f*, solicitud *f*, requerimiento *m*. ~하다 pedir, demandar, reclamar, exigir, requerir, solicitar. ~에 따라 a solicitud. 지불을 ~하다 reclamar el pago. A 회사에 카탈로그를 ~하다 solicitar el catálogo a la compañía A.
◆보험(保險) ~ reclamación *f* al seguro. 지불(支拂) ~ demanda *f* de pago.
■~권 derecho *m* de reclamación. ¶한국의 대일 재산 ~ derecho *m* de reclamación sobre la propiedad de Corea contra el Japón. ~권 자금 fondo *m* del derecho de reclamación. ~ 번호(番號) número *m* de catálogo. ~불 어음 giro *m* a la vista. ~서 nota *f* de demanda, demanda *f* escrita, billete *m* de banco, factura *f*. ~액(額) cantidad *f* demandada. ~자(者) demandante *mf*.
청구멍(請－) conexiones *fpl*. 좋은 ~ buenas conexiones.
청국장(淸麴醬) *cheonggukchang*, soja *f* [soya *f*] fermentada.
■~국 *cheonggukchangguk*, sopa *f* de soja fermentada.
청기(靑旗) bandera *f* azul.
청기와(靑－) teja *f* verde.
■청기와 장수 persona *f* que guarda un secreto, especialista *mf*.
청꼭지(靑－) *cheonkokchi*, cometa *f* con el papel redondo del color verde en la cabeza.
청녀(靑女) ①【민속】*cheongnyeo*, diosa *f* de la escarcha. ② [서리] escarcha *f*.
청녀(淸女) china *f*, mujer *f* china.
청년(靑年) joven *m* (*pl* jóvenes); [집합적] juventud *f*, mocedad *f*, adolescencia *f*. ~의 juvenil. 그는 전도유망(前途有望)한 ~이다 El es un joven prometedor.
■~기 adolescencia *f*, juventud *f*. ~ 남녀 los jóvenes. ~단 grupo *m* de jóvenes, asociación *f* de jóvenes. ~ 시대 juventud *f*, adolescencia *f*, mocedad *f*. ~ 운동(運動) movimiento *m* de jóvenes. ~자제 jóvenes *mpl* prometedores. ~ 장교(將校) oficial *m* joven. ~회 asociación *f* de jóvenes. ~회의소 Cámara *f* de Jóvenes.
청담(淸談) ① [청아한 이야기] cuento *m* elegante. ② [남의 이야기] cuento *m* del otro.
청담(晴曇) lo despejado y lo nublado del cielo.
청담하다(淸淡－) ① [맛·빛깔 등이 맑고 엷다] (ser) claro. ② [마음이 깨끗하고 담박하다] (ser) honesto, recto, íntegro, imparcial, desinteresado. 청담하게 honestamente, rectamente, íntegramente, con integridad, imparcialmente, desinteresadamente. 청담한 사람 hombre *m* de integridad.
청대【식물】una especie de bambú.
청대(靑－) bambú *m* que todavía es verde después de cortar.
청동(靑銅)【화학】bronce *m*. ~의 de bronce, broncíneo. ~ 제품의 de bronce.
■~기 loza *f* de bronce; [물건] objetos *mpl* de bronce, artículos *mpl* de bronce. ~기 시대 la Edad de Bronce. ~ 메달 medalla *f* de bronce. ~ 불상 estatua *f* de Buda de bronce. ~상 estatua *f* de bronce. ~ 세공 obra *f* de bronce. ~화(貨) moneda *f* de bronce. ~ 화로 bracero *m* de bronce.
청둥호박 calabaza *f* completamente madura.
청등(靑燈) lámpara *f* verde.
■~롱 ＝청사등롱. ~홍가 distrito *m* de burdel.
청람(靑嵐) poder *m* de la montaña azul.
청람(靑藍) índigo *m*, indigotina *f*.
■~색(色) índigo *m*.
청람(晴嵐) neblina *f* de calor.
청랑하다(晴朗－) (ser) despejado, sereno.
청량음료(淸涼飮料) bebidas *fpl* refrescantes, refrescos *mpl*. ■~수(水) refresco *m*.
청량제(淸涼劑) refrescante *m*.
청량하다(淸涼－) (ser) claro y fresco, puro y fresco, refresco.
청력(聽力) audición *f*, potencia *f* auditiva, poder *m* de oído, oído *m*. ~의 auditivo.
■~ 검사(檢査) examen *m* de oído. ~계 audiómetro *m*. ~도 audiograma *m*. ~ 장애 hipacusia *f*, hipacusis *f*, disminución *f* de la agudeza auditiva. ~ 저하 hipoacusis *f*. ~ 측정 audiometría *f*.
청렴(淸廉) integridad *f*, honradez *f*, probidad *f*, rectitud *f* (moral). ~하다 (ser) íntegro, honrado, honesto. ~결백한 honesto y de-

sinteresado, íntegro. ~결백한 사람 hombre *m* de integridad, persona *f* de corazón puro. ~한 공무원 funcionario *m* público íntegro, funcionaria *f* pública íntegra.

청령(聽令) escucha *f* de la orden. ~하다 escuchar la orden.

청룡(青龍) ① [동쪽 방위의 목(木) 기운을 맡은 태세신(太歲神)을 상징한 짐승] dragón *m* azul. ② [주산(主山)에서 갈려 나간 왼쪽의 산맥] cordillera *f* izquierda de la montaña principal.
■ ~도 cimitarra *f* con la figura del dragón azul.

청류(淸流) ① [맑게 흐르는 물] río *m* claro y limpio, corriente *f* clara y limpia. ② [절의를 지키는 깨끗한 사람들] gente *f* de integridad.

청마루(廳-) =대청마루.

청맹(青盲) ((준말)) =청맹과니.
■ ~과니 ㉮ [보기에는 눈이 멀쩡하나 못 보는 눈] amaurosis *f.* ㉯ [보기에는 눈이 멀쩡하나 못 보는 사람] persona *f* iliterata; analfabeto, -ta *mf.*

청명(淸明) ① [날씨가 맑고 밝음] claridad *f*, serenidad *f*, lo despejado. ~하다 (ser) claro, despeado, sereno. ~한 날 día *m* despejado. ~한 날씨 tiempo *m* despejado. ~한 하늘 cielo *m* claro, cielo *m* despejado. ② [24절기의 하나] *cheongmyong*, Luz *f* Pura, mente *f* lúcida, una de las veinticuatro estaciones, alrededor del cinco o seis de abril del calendario solar.

청문(聽聞) audiencia *f*, audición *f.* ~하다 escuchar, oír. ■ ~회(會) audiencia *f.*

청밀(淸蜜) =꿀(miel).

청바지(青-) pantalones *mpl* azules; [블루진] (blue) jeans *ing.mpl*, (pantalones *mpl*) vaqueros *mpl*, tejanos *mpl*, *Méj* pantalones *mpl* de mezclilla.

청백리(淸白吏) funcionario *m* público honrado [íntegro], oficial *m* honrado.

청병(請兵) demanda *f* de la expedición de tropas. ~하다 demandar la expedición de tropas.

청부(請負) ((구용어)) =도급(都給).
■ ~ 계약 =도급 계약. ~금 =도급금. ~ 살인 asesinato *m* contratado. ~ 살인자 asesino *m* contratado, asesina *f* contratada. ~업 =도급업. ~인 =도급인.

청빈(淸貧) pobreza *f* honrada, don *m* sin el din. ~에 만족하다 estar contento con la pobreza honrada.

청사(青史) =역사(歷史). 기록(記錄). ¶~에 이름을 남기다 dejar *su* nombre en la historia.

청사(青絲) =청실(hilo azul).

청사(廳舍) edificio *m* gubernamental.

청사등롱(青紗燈籠) farol *m* (hecho) de seda azul.

청사진(青寫眞) ① ((준말)) =청색 사진. ② [미래의 계획·구상] diseño *m*, heliografía *f*, (papel *m* de) ferroprusiato, plano *m*; [비유] plan *m*, proyecto *m.* 21세기의 ~ diseño *m* del siglo XXI (veintiuno).
■ ~ 도면 plano *m.* ~법 cianotipo *m.* ~술 cianotipia *f.* ~ 지도 mapa *m* de proyecto. ~판 cianotipia *f.*

청사초롱(青紗-籠) =청사등롱.

청산(青山) montaña *f* verde con los árboles frondosos.
■ ~녹수 la montaña azul y el agua verde. ~유수(流水) fluidez *f*, afluencia *f*, facundia *f*, elocuencia *f.*

청산(淸算) liquidación *f*, conclusión *f.* ~하다 liquidar, hacer liquidación, concluir. ~해야 할 liquidable. 과거를 ~하다 enterrar el pasado. 빚을 ~하다 liquidar una deuda. 특별 비용을 ~하다 pasar la cuenta de gastos extraordinarios.
◆강제 ~ liquidación *f* forzada. 수수료 ~ liquidación *f* de comisiones. 임의(任意) ~ liquidación *f* voluntaria. 회사 ~ liquidación *f* de la compañía.
■ ~ 거래 transacción *f* sobre futuros. ~ 계정 cuenta *f* comercial. ~ 사무소 oficina *f* de liquidación. ~서 declaración *f* de liquidación. ~인 liquidador, -dora *mf.* ¶법정(法定) ~ liquidador *m* judicial. 해상 손해 ~ liquidador *m* de avería. ~ 협정(協定) convenio *m* de liquidación; [국제적인] convenio *m* de compensación.

청산가리(青酸加里) 【화학】 ácido *m* prúsico de potasa, cianuro *m* de potasio, cianuro *m* potásico.

청상(青裳) ① [푸른 치마] falda *f* azul. ② [푸른 치마를 입은 여자] mujer *f* vestida de falda azul; [기생] *kisaeng* vestida de falda azul.

청상(青孀) ((준말)) =청상과부(青孀寡婦).
■ ~과부 viudita *f*, viuda *f* joven.

청상하다(淸爽-) (ser) claro y fresco.

청색(青色) (color *m*) azul *m*, (color *m*) verde *m.* ■ ~ 사진 cianotipo *m.*

청서(青書) el Libro Azul.

청서(淸書) =정서(淨書).

청설모(青-毛) ① [날다람쥐의 털] pelo *m* de esquirol. ② 【동물】 =참다람쥐.

청소(淸掃) limpiadura *f*, limpiamento *m*, limpieza *f*, limpia *f*, aseo *m*, barrido *m.* ~하다 limpiar, asear, barrer; [먼지를 털다] desempolvar, quitar el polvo (de). 방을 ~하다 barrer [limpiar] la habitación. 오물을 ~하다 recoger la mugre. 하수구를 ~하다 mondar la alcantarilla. ~가 잘되어 있다 ㉮ [방 따위가] estar bien limpiado. ㉯ [정원 따위가] estar bien cuidado. 그는 방을 깨끗이 ~했다 El barrió bien la habitación.
■ ~기 máquina *f* para limpiar, escoba *f.* ¶전기 ~ aspirador *m* de polvo. ~ 도구 utensilios *mpl* de limpieza. ~부(夫) barrendero *m*, limpiador *m*, trabajador *m* de la limpieza, *Per* barredor *m*; [도로·쓰레기의] basurero *m*; [하수구의] alcantarillero *m*, pocero *m.* ~부(婦) barrendera *f*, limpiadora *f*, trabajadora *f* de la limpieza, *Per* barredora *f.*; [도로·쓰레기의] basure-

ra *f*; [하수구의] alcantarillera *f*, pocera *f*. ~차 camión *m* [carruaje *m*] de la basura, *Chi* lutocar.

청소년(青少年) adolescentes *mpl*. ~을 위한 책(冊) libros *mpl* para la adolescencia.
■ ~기 período *m* adolescente, adolescencia *f*. ~단(團) grupo *m* de adolescentes, asociación *f* de adolescentes. ~범(犯) delincuente *mf* juvenil. ~ 범죄(犯罪) crimen *m* [delito *m*] cometido por los jóvenes, delincuencia *f* juvenil. ~ 보호(保護) protección *f* a los adolescentes, protección *f* a la adolescencia. ~ 보호 운동 campaña *f* de protección a los adolescentes. ~ 보호 위원 miembro *mf* de la Comisión de Protección a los Adolescentes. ~ 보호 위원회 la Comisión [el Comité] de Protección a los Adolescentes.

청솔가지(青-) rama *f* del pino verde.

청송(青松) pino *m* verde.

청수(清水) el agua *f* purificada, el agua *f* clara [limpia].

청수하다(清秀-) (ser) guapo.

청순하다(清純-) (ser) puro, inocente, inmaculado. 청순한 사랑 amor *m* puro.

청승 signo *m* del destino desgraciado.
◆청승(을) 떨다 portarse como huérfano de la fortuna.
청승맞다 ser insinuante de mala fortuna, (ser) miserable, desgraciado, desdichado.

청승꾸러기 persona *f* miserable.

청시(聽視) =청취(聽取).

청신경(聽神經) nervio *m* acústico, nervio *m* auditivo.
■ ~ 쇠약(衰弱) otoneurastenia *f*. ~종(腫) neuroma *m* acústico. ~통 otoneuralgia *f*.

청신남(清信男) ((불교)) budista *m*.

청신녀(清信女) ((불교)) budista *f*.

청신사(清信士) ((불교)) =거사(居士).

청신하다(清新-) (ser) fresco, nuevo.

청신호(青信號) luz *f* verde.

청실(青-) hilo *m* azul.

청아(青蛾) ① [눈썹먹으로 푸르게 그린 눈썹] cejas *fpl* azules y hermosas. ② [미인(美人)] belleza *f*, mujer *f* bella.

청아성(清雅聲) voz *f* limpia.

청아하다(清雅-) (ser) puro, limpio, claro, inocente, casto. 청아함 pureza *f*, limpieza *f*, claridad *f*, inocencia *f*, castidad *f*. 청아한 눈 ojos *mpl* limpios. 청아한 마음 corazón *m* puro. 청아한 물 el agua *f* limpia, el agua pura. 청아한 생활을 하다 llevar una vida limpia [sin tacha].

청야(清夜) noche *f* clara.

청약(請約) solicitud *f*. ~하다 suscribir.
■ ~ 기한 plazo *m* tope [fecha *f* tope] de solicitud. ~서(書) solicitud *f*, solicitud *f* escrita; [용지] (impeso *m* de) solicitud *f*. ~자 ofrecedor, -dora *mf*, aspirante *mf*, candidato, -ta *mf*, *CoS* postulante *mf*. ~ 증거금(證據金) dinero *m* en depósito para solicitud. ~처 lugar *m* para solicitud.

청어(青魚) 【어류】 arenque *m*. 말린 arranque *m* seco. 절인 ~ arenque *m* en vinagre. 튀긴 ~ arenque *m* frito. 훈제(燻製)(한) ~ arenque *m* ahumado.
■ ~ 그물 arenquera *f*. ~알 huevas *fpl* de arenque. ~회(膾) arenque *m* crudo.

청옥(青玉) 【광물】 zafiro *m*, zafir *m*. ~의 zafíreo.
■ ~색(色) azul *m* zafiro. ¶~의 azul zafiro. ~ 바다 mar *m* azul zafiro.

청와(青瓦) =청기와.

청와(青蛙) 【동물】 ① =참개구리. ② =청개구리.

청와대(青瓦臺) *Cheong Wa Dae*, la Casa Azul.

청요리(清料理) comida *f* china, plato *m* chino, cocina *f* china.
■ ~집 restaurante *m* chino.

청우(晴雨) que llueva o no, con buen o mal tiempo. ~를 가리지 않고, ~에도 불구하고 llueva o haga sol, con buen o mal tiempo, haga el tiempo que haga, (que) llueva o no (llueva).
■ ~계(計) barómetro *m*.

청운(青雲) ① [푸른 빛깔의 구름] nubes *fpl* azules. ② [높은 직위나 벼슬] alto rango *m*, alto oficio *m*.
◆청운의 꿈 alta ambición *f*. 청운의 뜻 alta ambición *f*. ~을 품다 tener una alta ambición, tener [abrigar] una gran ambición.
■ ~객(客) ㉮ [높은 벼슬에 오른 사람] persona *f* del alto rango. ㉯ [청운의 뜻을 품은 사람] hombre *m* ambicioso. ~지사(之士) ㉮ [학덕을 겸한 높은 사람] hombre *m* de alto rango con conocimientos y virtud. ㉯ [고위 고관으로 출세한 사람] (persona *f* de) éxito *m* como el funcionario alto.

청원(請援) petición *f* de la ayuda. ~하다 pedir la ayuda.

청원(請願) petición *f*, súplica *f*, ruego *m*. ~하다 suplicar, pedir, rogar, orar, dirigir una petición, hacer solicitud formal, presentar una petición. ~을 받아들이다 aceptar una petición. 쌀값 인상(引上)을 국회에 ~하다 presentar al Parlamento una petición de incremento del precio del arroz.
■ ~ 경찰(警察) policía *f* especial, policía *f* privada. ~ 경찰관 policía *mf* especial; policía *m* privado, policía *f* privada. ~권 derecho *m* de petición. ~법(法) ley *f* de petición. ~서 petición *f*, petición *f* escrita, solicitud *f* por escrito. ~자 peticionario, -ria *mf*, suplicante *mf*, memorialista *mf*. ~ 작업 trabajo *m* de petición. ~ 휴가(休暇) licencia *f* especial, permiso *m* especial.

청유(清遊) excursión *f* [paseo *m*·viaje *m* corto] de recreo. ~하다 hacer un viaje de recreo.

청음(清音) ① [맑고 깨끗한 음성] voz *f* clara y limpia. ② [안울림소리] consonante *f* muda, consonante *f* sorda.

청음기(聽音機) detector *m*.

청의(青衣) ① [푸른 옷] ropa *f* azul. ② [천한 사람] hombre *m* de nacimiento bajo.

청이불문(聽而不問) ＝청약불문(聽若不問).
청일 전쟁(淸日戰爭) la Guerra Sino-Japonesa.
청일하다(淸逸－) (ser) puro, noble.
청자(靑瓷/靑磁) cerámica *f* [porcelana *f*] de celadón, cerámica *f* [porcelana *f*] de verdeceladón.
■ ～색(色) celadón *m*, verdeceladón *m*, verdeceledón *m*, (color *m*) verde *m* claro, porcelana *f*. ～ 향로(香爐) incensario *m* de cerámica de celadón.
청장(請狀) ① ((준말)) ＝청첩장(請牒狀). ② ((불교)) invitación *f* al creyente.
청장(廳長) director, -tora *mf* [administrador, -dora *mf*] de la dirección; jefe, -fa *mf* de la Oficina. 산림～ director, -tora *mf* de la Dirección de Silvicultura. 구(區)～ jefe, -fa mf *de* la Oficina de *Gu*.
청장년(靑壯年) los jóvenes y los adultos [los hombres].
청재(淸齋) purificación *f*.
청전(靑田) arrozal *m* con el arroz verde.
청절하다(淸絶－) (ser) muy limpio.
청정(淸淨) ① [맑고 깨끗함] pureza *f*, limpieza *f*. ～하다 (ser) puro, limpio, claro, impoluto. ～하게 하다 limpiar. ～ 결백한 puro e impoluto. ～한 공기 aire *m* puro. ② ((불교)) [죄가 없이 깨끗함] inocencia *f*. ～하다 (ser) inocente.
청정히 puramente, con pureza, limpiamente, con limpieza, inocentemente, con inocencia.
■ ～기 depurador *m*. ～무구 limpieza *f* sin mugre ninguna. ～수 el agua *f* pura. ～ 수역 zona *f* verde, aguas *fpl* limpias. ～심(心) ((불교)) corazón *m* inocente. ～ 야채 vegetales *mpl* limpios. ～에너지 energía *f* clara. ～ 장치 instalación *f* de depuración. ～ 재배(栽培) cultivo *m* sanitario; [수경법] hidroponía *f*, cultivo *m* hidropónico. ～제(劑) [물의] depurador *m*, purificador *m*; [공기의] purificador *m*. ～ 해역(海域) ＝청정 수역.
청정미(靑精米) arroz *m* claro.
청제(靑帝) dios *m* oriental para la primavera.
청조(靑鳥) ① ＝쇠밀화부리. ② ＝파랑새. ③ [반가운 사자(使者)] mensajero *m* alegre. ④ [반가운 편지] carta *f* alegre.
청조(淸朝) dinastía *f* (de) Ching.
청종(聽從) ① obediencia *f*. ～하다 obedecer. ② ((성경)) oír, obedecer, escuchar. 내 선생(先生)의 목소리를 ～치 아니하며 ((잠언 5:13)) No oí la voz de los que me instruían / ¡No quise escuchar a mis maestros.
청주(淸酒) ① [맑은술] vino *m* refinado, licor *m* refinado. ② ＝정종(正宗).
청죽(靑竹) ① ＝취죽(翠竹). ② [마르지 않은 대] bambú *m* no seco.
청중(聽衆) auditorio *m*; asistencia *f*, oyente *mf*, público, -ca *mf*; concurrencia *f*. 그의 연주는 ～을 감동시켰다 Su actuación entusiasmó el auditorio.
■ ～석(席) auditorio *m*.
청지기(廳－) ① 【역사】 administrador *m* de la casa del oficial alto. ② ((성경)) mayordomo *m*.
청직하다(淸直－) (ser) honrado, honesto, íntegro, recto. 청직한 사람 persona *f* de integridad, hombre *m* recto, hombre *m* honrado.
청진(聽診) auscultación *f*, estetoscopia *f*. ～하다 auscultar, reconocer con el estetoscopio.
■ ～기 estetoscopio *m*, fonendoscopio *m*.
청질(請－) pedido *m* de un favor. ～하다 pedir un favor.
청참외(靑－) melón *m* verde.
청처짐하다 (ser) lento.
청천(靑天) cielo *m* azul, cielo *m* despejado.
◆청천에 구름 모이듯 concurrencia *f* de todas las partes. 청천 하늘에 날벼락 desastre *m* repentino e inesperado.
■ ～ 백일(白日) ㉮ [맑게 갠 날] día *m* despejado; [푸른 하늘] cielo *m* azul; [좋은 날씨] buen tiempo *m*. ㉯ [원죄가 판명돼 무죄가 되는 일] inocencia *f*. 비로소 ～을 보았다 Su inocencia ha sido probada / Se le ha retirado la acusación. ～벽력(霹靂) gran acontecimiento *m* repentino, calamidad *f* repentina. ～이다 caer como una bomba. ¶그 사건은 ～처럼 일어났다 Ocurrió el incidente como caído de las nubes.
청천(淸泉) pozo *m* claro.
청천(晴天) cielo *m* despejado, cielo *m* sereno, cielo *m* sin nubes.
청첩(請牒) ((준말)) ＝청첩장(請牒狀).
■ ～인 persona *f* de enviar una invitación de bodas. ～장 tarjeta *f* de bodas, (carta *f* de) invitación *f* (de bodas). ¶～을 보내다 mandar [enviar] una invitación de bodas. ～을 받다 recibir una invitación de bodas, ser invitado a (las) bodas.
청청백백하다(靑靑白白－) (ser) bastante íntegro e inocente.
청청하다(靑靑－) (ser) fresco y verde.
청청하다(淸淸－) (la voz) ser claro y limpio.
청초(靑草) ① [푸른 풀] hierba *f* verde. ② [풋담배] tabaco *m* verde.
청초하다(淸楚－) (ser) pulido, hermoso, lindo, sencillo y de buen gusto, nítido. 청초함 pulidez *f*, elegancia *f*, nitidez *f*, hermosura *f*. 청초하게 nítidamente, pulidamente. 청초하고 아름다운 여인 mujer *f* pura y bella. 청초하게 차려입다 vestirse sencillamente y de buen gusto. 그녀는 청초하게 차려입고 있다 Ella se viste nítidamente.
청촉(請囑) ＝청탁(請託).
청추(淸秋) ① [맑게 갠 가을] otoño *m* despejado. ② [음력 팔월] agosto *m* del calendario lunar.
청춘(靑春) ① [새싹이 돋는 봄철] primavera *f* de brotar. ② [젊은 나이] juventud *f*, primavera *f* de la vida, flor *f* de la vida. ～의 피를 끓게 하다 hacer hervir la sangre juvenil.
■ ～기 juventud *f*. ～ 남녀(男女) los jóve-

nes. ~소년 adolescente *m*, joven *m* de veinte años de edad más o menos. ~시대[시절] adolescencia *f*, días *mpl* juveniles, mocedades *fpl*, juventud *f*.

청출어람(靑出於藍) El discípulo aventaja [supera] a su maestro.

청취(聽取) audición *f*; [라디오의] escucha *f*. ~하다 escuchar; [사정 등을] oír, atender. 라디오를 ~하다 escuchar la radio. 증언(證言)을 ~하다 oír evidencia. 증인들한테서 사정을 ~하다 oír las declaraciones de los testigos.

■ ~력(力) comprensión *f* auditiva, comprensión *f* oral. ~력 시험 examen *m* de dictado. ~력 연습 ejercicio *m* de comprensión oral. ~료 precio *m* de oyente. ~시험[테스트] audición *f*, prueba *f* de escucha. ~율 porcentaje *m* de oyentes. ~자 oyente *mf*; escuchante *mf*. ¶라디오 ~ oyente *mf*; radioyente *mf*, radioescucha *mf*. ~장치 aparato *m* para recibir; [수화기] receptor *m*.

청치(靑-) ① [현미(玄米)에 섞인 덜 익어 푸른 쌀알] grano *m* de arroz que todavía no ha madurado. ② [푸른 털이 얼룩진 소] vaca *f* manchada de gris azulado.

청칠(靑漆) laca *f* verde.

청컨대(請-) ① por favor, Yo quiero que + *subj*, Yo deseo que + *subj*. ~ 창문을 좀 닫아 주십시오 Por favor, cierre la ventana. ② ((성경)) rogar que + *subj*, Por favor. ~ 당신도 종들과 함께 하소서 ((열왕기하 6:3)) Te rogamos que vengas con tus siervos / Por favor, acompáñanos.

청탁(淸濁) pureza e impureza, bueno y malo. 물의 ~ pureza *f* del agua.

청탁(請託) petición *f*, ruego *m*, súplica *f*, solicitud *f*. ~하다 pedir, rogar, suplicar, solicitar, hacer una petición, hacer un favor. 긴한 ~ petición *f* urgente. 기고를 ~하다 solicitar una contribución. ~ 하나 해도 될까요? ¿Puedo pedirte un favor?

청태(靑苔) ① 【식물】 [푸른빛의 이끼] musgo *m* verde. ② 【식물】 =갈파래. ③ =김(alga marina).

청파(靑-) puerro *m* verde.

청편지(請片紙) carta *f* de solicitud, carta *f* de pedir un favor.

청포(靑布) tela *f* verde.

청포(靑袍) atuendo *m* de gala azul.

청포(淸泡) =녹말묵.

청포도(靑葡萄) ① [설익은 푸른 포도] uva *f* verde. ② [포도의 한 품종] una especie de la uva.

청풍(淸風) brisa *f* fresca, aire *m* puro, céfiro *m*.

■ ~명월(明月) ㉮ [맑은 바람과 밝은 달] el viento fresco y la luna clara. ㉯ [결백하고 온건한 충청도 사람의 성격] carácter *m* puro y moderado de los habitantes de la provincia de *Chungcheong*.

청하다(請-) ① [원하다. 바라다] desear, querer, esperar. ② [요구하다] pedir; [간청하다] rogar, suplicar, solicitar; [애원하다] implorar. 원조(援助)를 ~ pedir ayuda, pedir auxilio. 정부의 원조를 ~ solicitar ayuda del gobierno. 음식을 더 청해 먹다 repetir, tomar más; [스스로] servirse más. 수프를 더 청해 먹다 repetir la sopa. ③ [남을 초대하다] invitar. 손님을 ~ invitar a los invitados. ④ [잠이 들도록 노력하다] esforzarse por dormir. 잠을 ~ pedir el sueño. ⑤ [요리를 주문하다] pedir el plato. 냉면을 ~ pedir el *naengmyon*. ⑥ ((불교)) [불보살·영혼을 부르다] llamar el alma.

청한하다(淸閑-) (ser) tranquilo, sereno.

청향(淸香) perfume *m* claro y limpio.

청허(聽許) permisión *f*, permiso *m*, licencia *f*, sanción *f*, concesión *f*, asenso *m*. ~하다 conceder, otorgar, permitir, sancionar, autorizar, validar, confirmar.

청혼(請婚) propuesta *f* de matrimonio, pretensión *f*. ~하다 proponer el matrimonio, pretender, pedir la mano. ~을 승낙하다 aceptar la propuesta de matrimonio. 그는 한 소녀에게 ~을 했다 El pretendió a una chica.

■ ~자(者) pretendiente *mf*.

청혼(請魂) ((불교)) invocación *f* del espíritu (del muerto). ~하다 invocar el espíritu.

청홍(靑紅) ((준말)) =청홍색(靑紅色).

청훈(請訓) súplica *f* de instrucción. 본국 정부에 ~하다 telegrafiar [cablegrafiar] al gobierno de la patria pidiendo instrucciones ulteriores.

청흥(淸興) alegría *f* clara.

체[1] [가루를 치거나 액체를 밭아 내는 데 쓰는 기구] criba *f*, cribo *m*, tamiz *f* (*pl* tamices), cedazo *m*. ~로 고르다, ~로 치다 cribar, pasar por la criba, tamizar. ~로 씨앗을 치다 cribar las semillas.

체질 cribado *m*. ~하다 cribar, pasar por la criba.

체[2] [그럴듯하게 꾸미는 거짓 태도] pretensión *f*, pretexto *m*. ~하다 pretender. 나는 그의 말을 들은 ~ 만 ~했다 Le oí como quien oye llover / Le dejé decir [hablar] sin prestar atención / Sus palabras me entraban por un oído y me salían por otro.

체[3] [못마땅해 아니꼬운 때나 원통하여 탄식할 때 내는 소리] ¡Bah! / ¡Fuera! / ¡Qué lástima! / ¡Qué pena! / ¡Qué rabia! / ¡Qué asco! / ¡Qué fastidio!

체(滯) ① ((준말)) =체증. ② [먹은 것이 잘 삭지 않고 위 속에 답답하게 처져 있음] indigestión *f*. ~하다 tener una indigestión.

체(體) ① ((준말)) =서체(書體). ② [몸] cuerpo *m*. ③ [양식(樣式)] estilo *m*, forma *f*. 그것은 전혀 논문~를 이루고 있지 않다 Eso no tiene forma alguna de tesis.

-체(體) ① [입체의 뜻] sólido *m*, cuerpo *m* sólido. 육면~ hexaedro *m*. ② [몸·형체 등의 뜻] cuerpo *m*, forma *f*. 건강~ cuerpo *m* sano.

체가(遞加) aumento *m* gradual. ~하다 aumentarse gradualmente.

체감(遞減) decrecimiento *m* [descenso *m*] gradual [progresivo], disminución *f* progresiva [sucesiva · gradual]. ~하다 disminuir [descrecer · descender] gradualmente [sucesivamente].

◆ 원거리 ~법 tarifa *f* decreciente.

체감(體感) sentido *m* que se siente en el cuerpo.

체격(體格) constitución *f*, complexión *f* física. ~이 좋은 de buena constitución, bien complexionado. ~이 좋다 ser de robusta [fuerte] complexión. ~이 나쁘다 ser de complexión débil.

■ ~ 검사 examen *m* físico, examen *m* del cuerpo. ¶~를 받다 someterse a un examen físico.

체결(締結) conclusión *f*, concertación *f*. ~하다 concertar, concluir. 계약(契約)을 ~하다 concluir un contrato. 조약을 ~하다 concertar [concluir] un tratado.

체경(滯京) estancia *f* [permanencia *f*] en Seúl. ~하다 estar [quedarse] en Seúl.

체경(體鏡) espejo *m* de cuerpo entero, luna *f*.

체계(遞計) ((준말)) =장체계(場遞計)(usura).

■ ~ㅅ돈 dinero *m* para la usura. ~ㅅ집 oficina *f* de prestamista.

체계(體系) sistema *m*. ~를 세우다 sistematizar. 새로운 신학(神學) ~를 세우다 crear un nuevo sistema de teología.

■ ~적(的) sistemático *adj*. ¶~으로 sistemáticamente. ~으로 일을 하다 trabajar [hacer un trabajo] sistemáticamente.

체공(滯空) estancia *f* en el aire. ~하다 quedarse en el aire.

■ ~ 기록(記錄) récord *m* de autonomía de vuelo, registro *m* del vuelo a resistencia. ~ 비행 autonomía *f* de vuelo, vuelo *m* a resistencia. ~ 시간 duración *f* de vuelo.

체관(諦觀) ① [(정신 들여서) 샅샅이 살펴봄] rebusca *f*. ~하다 rebuscar. ② [단념함] resignación *f*. ~하다 resignar. 그는 선인(仙人)처럼 세상을 ~하고 있다 El ve el mundo con la resignación de un ermitaño.

체구(體軀) constitución *f*, complexión *f* física. ~가 좋다 ser robusta [fuerte] complexión. ~가 나쁘다 ser de complexión débil. ~가 당당한 사람 hombre *m* de constitución robusta, hombre *m* corpulento.

체구(滯歐) estancia *f* en Europa. ~하다 quedarse [permanecer] en Europa.

체급(體級) categoría *f*. 복싱의 ~ categoría *f* del boxeo.

체기(滯氣) 【한방】 tendencia *f* a la indigestión, síntoma *m* de indigestión, dispepsia *f*. ~가 있다 tener tendencia a la indigestión, sufrir de la indigestión.

체납(滯納) retraso *m* en el pago, negligencia *f* en el pago de los impuestos. ~하다 no pagar en el plazo determinado, retrasar el pago (de), ser negligente en pagar las contribuciones, estar negligente en *su* pago. ~되다 atrasarse [retrasarse] en los pagos (de). ~되어 있다 estar atrasado [retrasado] en el pago. 집세가 ~되어 있다 estar atrasado en el pago del alquiler. 나는 집세를 500달러 ~하고 있다 Debo quinientos dólares de alquiler. 당신은 지금 3개월 ~하고 있다 Usted lleva dos meses de atraso [de retraso] en los pagos. 봉급은 매월 ~되어 지불된다 Los sueldos se pagan mensualmente, una vez cumplido cada mes de trabajo.

■ ~금 atrasos *mpl*, caídos *mpl*, pagos *mpl* atrasados [pendientes]. ~자 persona *f* que descuida el pagar las contribuciones. ~ 처분 disposición *f* para la cobranza de impuestos atrasados.

체내(體內) (parte *f*) interior *m* del cuerpo. ~의 혈액(血液) sangre *f* (de circulación) interior.

■ ~ 골격(骨格) endosqueleto *m*. ~ 기생충 endoparásito *m*. ~ 당분(糖分) azúcar *m* del cuerpo. ~ 수정 fertilización *f* interna.

체념(諦念) ① [도리를 깨닫는 마음] ilustración *f* espiritual. ② [단념] resignación *f*, renuncia *f*, renunciación *f*, conformidad *f*. ~하다 resignarse, renunciarse, abandonar, dejar, conformarse. 운명이라고 ~하다 resignarse con *su* hado. 그녀는 ~할 줄 안다 Ella sabe resignarse. 그는 간신히 ~ 한다 El se resigna difícilmente.

체능(體能) aptitud *f* física.

■ ~ 검사 examen *m* de aptitud física.

체대(替代) =교체(交替). 교대(交代).

체대(體大) ((준말)) =체육 대학(體育大學).

체대하다(體大—) (ser) grande, tener un cuerpo gigantesco.

체득(體得) experiencia *f* de sí mismo; [이해] comprensión *f*, entendimiento *m*. ~하다 dominar, conocer por la experiencia. …하는 법을 ~하다 dominar la manera de + *inf*. 그녀는 연기(演技)의 요령을 ~했다 Ella domina [ha llegado a dominar] el secreto del arte dramático.

체력(體力) fuerza *f* física, fuerza *f* corporal, vigor *m*. ~을 기르다, ~을 단련하다 desarrollar *su* fuerza física. ~을 발달시키다 hacer desarrollar la fuerza corporal. ~이 강해지다 vigorizarse, ponerse fuerte. ~이 쇠하다 perder *su* vigor. ~을 강하게 하다 vigorizar. ~을 회복하다 recobrar *su* vigor.

■ ~ 개선 mejoría *f* de la fuerza corporal. ~ 검사 examen *m* de la fuerza física. ~ 시험 prueba *f* de la fuerza (física). ~장 medalla *f* para músculos, medalla *f* de la fuerza física.

체루(涕淚) lagrimeo *m*; [눈물] lágrimas *fpl* llorosas. ~하다 verter lágrimas, lagrimear.

체류(滯留) estancia *f*, permanencia *f*, estada *f*, quedada *f*, *AmL* estadía *f*. ~하다 estar, permanecer, quedarse, residir por algún tiempo. 마드리드에 ~하는 동안 durante la estancia en Madrid. 장기(長期) ~하다 permanecer por mucho [largo] tiempo. 호

텔에 ~하다 hospedarse [alojarse] en un hotel. 서반아 ~ 중에 즐겁게 보내십시오 Feliz [Buena] estancia en España.

■ ~객 huésped *mf* de temporada. ~비 gastos *mpl* de estancia. ~ 일수 duración *f* de *su* visita. ~자 huésped *mf*, visitante *mf*. ~지 lugar *m* de estancia, lugar *m* de permanencia.

체맹(締盟) conclusión *f* de un tratado [un pacto]. ~하다 concertar un tratado [un pacto].

■ ~국 país *m* de tratado, país *m* con el cual se ha hecho un tratado; [조인국] potencia *f* firmante.

체머리 cabeza *f* temblorosa.

◆ 체머리(를) 흔들다 tener la cabeza temblorosa.

체메 hombre *m* desvergonzado [descarado · sinvergüenza], sinvergüenza *mf*.

체 메다 tamizar, cernir, cerner.

체 메우다 ＝체 메다.

체면(體面) [위신] dignidad *f*, [명예] honor *m*, decoro *m*, honra *f*, decencia *f*, pundonor *m*, punto *m* de honor, punto *m* de honra; [평판(評判)] reputación *f*, fama *f*. ~상 por razón de decencia, por consideración. ~ 때문에 preocupándose por *su* reputación, temiendo perder *su* reputación. ~을 더럽히다 perjudicar la dignidad. ~을 세우다 cubrir [guardar] las apariencias, guardar el decoro, respetar el pundonor. ~을 소중히 여기다 respetar *su* honor. ~을 손상하다 perjudicar la dignidad, perjudicar [comprometer] la reputación (de), herir la dignidad (de). ~을 유지하다 guardar el decoro. ~을 잃다 perder la honra, avergonzarse. ~을 중시하다 tener sentido de honor, cuidar *su* reputación, tener en cuenta *su* reputación. ~에 관한 일이다 ser un pundonor. 남자로서의 ~이 서지 않는다 Perdería el honor de hombre. 그것은 내 ~에 관계된다 Eso me desacredita / Eso compromete mi honor. 나는 ~이 서지 않는다 Me sentí avergonzado [ridículo]. 그것은 폐사(弊社)의 ~에 관한 문제다 Es una cuestión de honor de nuestra compañía / Está en juego la reputación de nuestra compañía. ~상 나는 그런 일을 할 수 없다 No puedo hacer tal cosa por consideración a las apariencias.

체모(體毛) pelo *m*; [짧고 부드러운] vello *m*.

체모(體貌) ＝체면(體面).

체미(滯美) estancia *f* en los Estados Unidos de América. ~하다 estar [quedarse] en los Estados Unidos de América.

체발(剃髮) tonsura *f*. ~하다 tonsurar.

체벌(體罰) castigos *mpl* corporales. ~을 가하다 dar [aplicar · imponer · inflingir] castigos corporales.

체법(體法) estilo *m* caligráfico, arte *m* caligráfico.

체불(滯拂) atrasos *mpl* en pagos, pagos *mpl* atrasados. ~하다 retrasar en pagos.

■ ~ 임금(賃金) salario *m* vencido, sueldo *m* vencido, salario *m* no pagado, sueldo *m* no pagado.

체비지(替費地) tierra *f* poseída por la ciudad para la subasta, tierra *f* desarrollada nuevamente para el área residencial.

체색(體色) color *m* del cuerpo.

체세포(體細胞) célula *f* somática.

체소하다(體小－) el cuerpo es pequeño.

체송(替送) conducción *f*, transporte *m*. ~하다 expedir, transmitir, transportar, conducir, enviar correo.

체스(영 *chess*) [장기] ajedrez *m* (*pl* ajedreces). ~의 눈 casilla *f*. ~의 말 pieza *f*.

■ ~짝 pieza *f* de ajedrez. ~판 tablero *m* de ajedrez.

체신(遞信) comunicaciones *fpl*.

■ ~부 el Ministerio de Comunicaciones. ¶~ 장관 ministro, -tra *mf* de Comunicaciones. ~청(廳) la Dirección General de Correos y Telégrafos, la Oficina de Comunicaciones.

체신경(體神經) nervio *m* somático.

체액(體液) humores *mpl*.

■ ~ 결핍 leptoquimia *f*. ~론 higrología *f*. ~학 higrología *f*.

체약(締約) convención *f*, tratado *m*, concertación *f* de un tratado; [체맹] conclusión *f* de una convención. ~하다 concertar, concluir (un tratado).

■ ~국(國) potencias *fpl* de tratado, país *m* (*pl* países) con el que se ha hecho un tratado.

체언(體言) 【언어】 partes *fpl* de la oración que no tienen declinación, partes *fpl* nominales.

체염색체(體染色體) cromosoma *f* somática.

체온(體溫) temperatura *f* (corporal [del cuerpo]), fiebre *f*. ~을 재다 tomar*le* la temperatura a *uno*, tomar [medir] la temperatura del cuerpo. ~이 내린다 Baja la temperatura del cuerpo. ~이 오른다 Sube la temperatura del cuerpo. ~이 39.3도이다 La temperatura es treinta y nueve grados y tres décimos. 환자(患者)의 ~은 38.5도이다 La temperatura del enfermo está a treinta y ocho y medio.

■ ~계 termómetro *m* (clínico). ~ 곡선(曲線) curva *f* de temperatura. ~ 소산(消散) termólisis *f*. ~ 조절 termorregulación *f*. ~ 조절 작용 termorregulación *f*, regulación *f* de la temperatura. ~표 gráfico *m* [gráfica *f*] de temperaturas.

체외(體外) fuera del cuerpo.

■ ~ 기생충 epiparásito *m*. ~ 수정 fertilización *f* externa, fecundación *f* in vitro. ~ 순환 circulación *f* extracorporal.

체위(體位) condición *f* física, norma *f* física; [자세] postura *f*, posición *f*, [체격] estado *m* físico. ~의 postural. 아동(兒童)의 ~를 향상시키다 mejorar las condiciones físicas de los niños.

◆ 평균(平均) ~ promedio *m* físico.

■ ~ 저하 deterioración *f* física. ~ 적성(適性) (buena) forma *f* física, (buen) estado *m* físico. ~ 향상(向上) progreso *m* físico de cuerpo.

체육(體育) educación *f* física, enseñanza *f* física, atletismo *m*, ejercicios *mpl* atléticos; [스포츠] deporte *m*; [교과(敎科)] formación *f* física. ~의 atlético. ~을 장려하다 fomentar la enseñanza física. ~을 중시(重視)하다 dar importancia a la educación física.

■ ~가 gimnasta *mf*. ~공원 parque *m* atlético. ~관(館) gimnasio *m*. ~ 단체(團體) organización *f* atlética. ~ 대학(大學) facultad *f* de deportes. ~ 대회 fiesta *f* de atletismo. ¶국민 ~ la Fiesta Nacional de Atletismo. ~복 traje *m* de deportes. ~부[1] [학교의] departamento *m* de deportes. ¶~장(長) director, -tora *mf* del departamento de deportes. ~부[2] [정부 기구의] el Ministerio de Deportes. ¶~ 장관 ministro, -tra *mf* de Deportes. ~상(賞) premio *m* de deportes. ~ 시설(施設) instalaciones *fpl* deportivas. ~의 날 el Día de los Deportes. ~인 deportista *mf*. ~ 지도자 director *m* físico, directora *f* física; líder *mf* de deportes. ~ 포장(褒章) medalla *f* de deportes. ~회 asociación *f* atlética. ¶대한 ~ la Asociación Atlética Coreana [de Corea]. ~ 훈장 orden *f* de deportes, condecoración *f* de deportes.

체읍(涕泣) llanto *m*, gemidos *mpl*. ~하다 llorar, gemir.

체인(영 *chain*) ① [쇠사슬] cadena *f*. ② [측량에 쓰이는 족쇄] cadena *f*. ③ [자전거의 양냥이줄] cadena *f* de la bicicleta. ④ [경영·자본 등이 동일한 상점·식당·영화관 따위의 계열] cadena *f*. 호텔 ~ cadena *f* hotelera, cadena *f* de hoteles. ⑤ [적설기에 미끄러지지 않게 자동차 타이어에 감는 금속 사슬] cadena *f*.

■ ~ 스모커 persona *f* que fuma un cigarrillo tras otro. ~ 스토어[점] tienda *f* encadenada con otras; [집합적] tienda *f* de cadenas, tiendas *fpl* en cadena, cadena *f* de tiendas.

체인지(영 *change*) [교환] cambio *m*.

■ ~ 기어 cambio *m* de velocidades, engranaje *m* de cambio. ~ 코트 cambio *m* de campo. ~포인트 punto *m* de estación.

체임(滯賃) salario *m* vencido, salario *m* no pagado.

체재(滯在) estancia *f*, permanencia *f*, quedada *f*, estada *f*, *AmL* estadía *f*. ~하다 estar, permanecer, quedarse, residir [morar·vivir] por algún tiempo. ☞체류(滯留).

■ ~비(費) =체류비(滯留費).

체재(體裁) apariencia *f*, estilo *m*. ~가 나쁘다 ser de mala apariencia, ser mal aparecido. ~가 좋다 ser de buena apariencia, ser bien aparecido. ~를 지키다 cubrir [guardar] las apariencias.

체적(體積) volumen *m* (*pl* volúmenes); [용적(容積)] capacidad *f*. ~을 재다 medir el volumen (de). ~이 10세제곱미터이다 El volumen es de diez metros cúbicos.

■ ~계 volumenómetro *m*, estereómetro *m*. ~ 측정 volumenometría *f*, estereometría *f*. ~ 팽창 dilatación *f* cúbica, expansión *f* cúbica. ~ 팽창 계수 coeficiente *m* de expansión [dilatación] cúbica. ~학(學) estereometría *f*.

체전(遞傳) =체송(遞送).

■ ~부(夫)[원(員)] =우편집배원.

체절[1](體節) =체후(體候).

체절[2](體節) 【동물】 metámero *m*, segmento *m*, somita *f*, somite *m*, somito *m*. ~의 segmental.

■ ~ 구성 segmentación *f*. ~ 기관 órgano *m* segmental. ~화 segmentación *f*.

체제(體制) ① régimen *m* (*pl* regímenes), sistema *m*, constitución *f*, organización *f*. 새로운 ~를 확립하다 establecer un nuevo régimen. ② =체재(體裁).

체조(體操) gimnasia *f*, gimnástica *f*, ejercicios *mpl* físicos, ejercicios *mpl* gimnásticos, ejercicio *m* atlético. ~의 gimnástico. ~용 곤봉 maza f de gimnasia. ~를 하다 hacer gimnacia.

◆라디오 ~ lección *f* gimnástica por radio.

■ ~ 경기 competiciones *fpl* gimnásticas. ~ 교사 maestro, -tra *mf* de gimnasia. ~ 기구 aparatos *mpl* de gimnasia. ~ 선수 gimnasta *mf*. ~장(場) gimnasia *f*. ~ 팀 equipo *m* gimnástico.

체중(體重) peso *m* (del cuerpo). ~을 달다 pesar*le a uno*; [자신의] pesarse. ~을 줄이다 bajar de peso. ~이 불어나다 aumentar de peso, aumentarse en peso. ~이 줄다 disminuir de peso, disminuirse en peso. ~이 70킬로그램이다 pesar sesenta kilogramos, tener peso de setenta kilogramos. ~이 얼마입니까? ¿Cuánto pesa usted? 내 ~은 65킬로그램이다 Tengo peso de sesenta y cinco kilogramos.

체증(滯症) indigestación *f*, dispepsia *f*. ~에 걸리다 sufrir de indigestión.

체증(遞增) aumento *m* gradual. ~하다 aumentar gradualmente.

체진(滯陣) campamento *m*. ~하다 acampar.

체질 cribado *m*. ~하다 cribar, tamizar. 밀가루를 ~하다 tamizar la harina. 씨앗을 ~하다 cribar las semillas.

체질(體質) constitución *f* (física), predisposición *f*. ~의 constitucional. ~상의 결함(缺陷) defecto *m* de constitución física, defecto *m* constitucional. 유전적(遺傳的) ~ predisposiciones *fpl* ancestrales. 강한 ~이다 ser fuerte de constitución. 약한 ~이다 ser débil de constiución. 그의 ~은 약하다 Su constitución física es flaca. 그는 선생 ~이 아니다 El no es apto para ser profesor.

■ ~ 개선 mejora *f* de la constitución. ~성 질환(性疾患) enfermedad *f* constitucional.

체체파리(tsetse－) mosca *f* tsetsé.

체첸【지명】Chechenia *f.* ~의 checheno.
■~ 사람 checheno, -na *mf.*
체취(體臭) olor *m* corporal, olor *m* del cuerpo. ~가 고약하다 oler mal al cuerpo. ~가 좋다 oler bien al cuerpo.
체코 공화국(-共和國)【지명】la República Checa, la República de Bohemia.
■~ 사람[인] checo, -ca *mf.* ~ 말[어] checo *m.*
체코슬로바키아【지명】Checoslovaquia *f,* Checoeslovaquia *f.* ~의 checoslovaco, checoeslovaco. ~ 사람[인] checoslovaco, -ca *mf;* checoeslovaco, -ca *mf.*
체코 어(Czech 語) checo *m.*
체코 인(Czech 人) checo, -ca *mf.*
체크(영 *check*) ① =수표(talón, cheque). ② =하물 인환권. ③ [바둑판 모양의 옷감 무늬. 또는 그 옷감] [무늬] cuadro *m;* [옷감] tela *f* de [a] cuadros. ~ 셔츠 camisa *f* a [de] cuadros. ④ [검사하거나 대조함] [여권(旅券)·서류(書類)의] control *m,* revisión *f;* [일의] examen *m,* revisión *f;* [물건의] chequeo *m;* [기계·생산물의] inspección *f;* [사실·정보의] verificación *f;* [식당의 계산] cuenta *f.* ~하다 [여권·표를] revisar, controlar, *Méj* checar; [기계·생산물을] inspeccionar; [품질을] controlar; [온도·기압·수량을] comprobar, chequear, *Méj* checar; [사실·정보의] comprobar, verificar, chequear, *Méj* checar. 폭발물이 있는지 ~하다 chequear si hay explosivos.
■~아웃 [셀프서비스 가게에서] caja *f.* ~하다 pagar la cuenta y marcharse (de un hotel). ¶방은 12시에 ~함 ((게시)) [호텔에서] El cuarto vence a las doce horas. ~아웃 타임 [호텔의] hora *f* en que se debe dejar libre la habitación. ~인 [호텔에서] registro *m;* [공항에서] facturación *f* de equipajes. ¶~하다 registrarse. ~인 데스크 [카운터] [공항의] mostrador *m* de facturación; [호텔의] recepción *f.* ~인 타임 [공항의] hora *f* de facturación.
체통(體統) dignidad *f,* honor *m.* 그런 복장으로는 ~이 안 선다 No hace al caso ir con ese traje. ☞ 체면(體面)
◆체통(을) 잃다 perder *su* dignidad.
체팽창(體膨脹)【물리】=체적 팽창.
체포(逮捕) detención *f,* arresto *m,* captura *f.* ~하다 detener, arrestar, capturar, prender, hacer una detención, hacer un arresto. ~의 사유 fundamentos *mpl* para arresto. ~의 요건 requisitos *mpl* para arresto. ~의 필요성 necesidad *f* de arresto. ~되다 ser arrestado [detenido·capturado]. 그는 도둑 혐의(嫌疑)로 ~되었다 El ha sido arrestado [detenido] acusado de robo / El fue arrestado [detenido] bajo acusación de robo. 범인은 아직 ~되지 않고 있다 El criminal todavía no está arrestado [detenido]. 그의 ~를 위해 영장이 발급되었다 Se expidió una orden de arresto [de detención] en su contra / Se ordenó su arresto [su detención]. 당신을 ~합니다 Queda detenido / Queda arrestado.
■~ 영장(令狀) orden *f* de prisión [de arresto·de detención·de busca y captura·de búsqueda y captura].
체하다 pretender, fingir, simular, presumir, alardear, afectarse, darse aires [un aire] (de), ponerse aire, asumir el aire (de), comportarse como, aparentar. 모르면서 아는 체하는 사람 sabelotodo *mf,* pedante *mf,* sabidillo, -lla *mf,* sabihondo, -da *mf.* 놀란 ~ fingir sorpresa. 모른 ~ fingir ignorancia (de), afectar ignorancia, fingir no saber, disimular. 믿는 ~ aparentar creer. 실신한 ~ fingir un desmayo. 아픈 ~ fingir una enfermedad.
체하다(滯-) estar mal del estómago, sufrir de indigestión, ser pesado, ser indigesto, *AmL* estar descompuesto del estómago. 나는 체했다 Ando mal del estómago. 아침 먹은 것이 체했다 Lo que tomé el desayuno es muy pesado [indigesto].
체한(滯韓) estancia *f* [permanencia *f*] en Corea. ~하다 estar [quedarse·permanecer] en Corea.
체험(體驗) experiencia *f* (personal). ~하다 experimentar (personalmente), tener experiencia (de). ~으로 por experiencia. ~을 이용하다 aprovechar la experiencia. ~으로 알다 conocer [aprender] por experiencia. 진기한 ~을 하다 tener una experiencia rara. 그는 전쟁을 ~했다 El ha vivido la guerra.
■~담(談) relato *m* [cuento *m*] de una experiencia personal. ~주의 empirismo *m.*
체현(體現) personificación *f,* encarnación *f.* ~하다 personificar, encarnar, dar una forma concreta.
체형(體刑) [체벌] castigo *m* corporal, pena *f* corporal; [징역] trabajos *mpl* forzosos, trabajos *mpl* forzados. ~을 가하다 imponer una pena corporal.
체형(體形) forma *f,* figura *f.*
체형(體型) tipo *m,* figura *f,* forma *f* corporal, forma *f* del cuerpo.
체화(滯貨) existencias *fpl* de difícil salida, acumulación *f* de géneros. ~를 일소하다 liquidar existencias de difícil salida.
체후(體候) salud *f.* 기~ 만강하시나이까? ¿Cómo está usted estos días?
첼로(영 *cello*)【음악】violoncelo *m.*
■~ 연주가 violoncelista *mf.*
첼리스트(영 *cellist*) violoncelista *mf.*
쳇바퀴 aro *m* de un tamiz
쳇불 mallas *fpl* de un tamiz.
쳐가다 barrer. 쓰레기를 ~ barrer la basura.
쳐내다 limpiar, quitar. 쓰레기를 ~ limpiar [quitar] la basura.
쳐다보다 ((준말)) =치어다보다.
쳐들다 ① [들어 올리다] erguir, levantar, blandir. 머리를 ~ erguir la cabeza. 칼을 번쩍 ~ blandir la espada. 머리를 바로 쳐드세요 Yérgase usted la cabeza. 뱀이 머리를 쳐든다 La culebra levanta la cabeza. ②

=초들다.
쳐들어가다 asaltar, atracar, penetrar (en), invadir, irrumpir (en).
쳐들어오다 asaltar, atracar, penetrar (en), invadir, irrumpir (en).
쳐 버리다 limpiar, barrer. 쓰레기를 ~ barrer la basura.
쳐부수다 atacar, conquistar, tomar.
쳐주다 ① [셈을 맞추어 주다] calcular. ② [인정하여 주다] admitir, reconocer.
쳐 죽이다 matar, matar a golpes. 사람들은 그를 쳐 죽였다 Le mataron a golpes.
초 candela *f*, vela *f*. ~의 심지 chenilla *f*, pabilo *m* (de la vela). ~의 심지를 자르는 가위 apagavelas *m.sing.pl.*
■ ~ㅅ농 gotas *fpl* de cera de vela. ¶~은 모기에 물린 데 좋다 Las gotas de cera de vela son buenas para la picadura de los mosquitos. ~ㅅ대 candelero *m*, candela *f*; [가지 장식이 달린] candelabro *m*, candelero *m* de varios brazos; [접시 모양의] palmatoria *f*; [생일 케이크용의] portavela *f*. ~ㅅ동강 pabilo *m*. ~ㅅ불 luz *f* de una vela [de las velas].
초(抄) ((준말)) =초록(抄錄).
초(炒) ① [불에 볶는 일] tostadura *f*, tostado *m*. ~하다 tostar. 커피의 ~ tostado *m* del café. ② = 볶음.
초[1](草) ① ((준말)) =기초(起草). ② ((준말)) =초서(草書).
◆초를 잡다 bosquejar, hacer un borrador, componer la primera forma.
초[2](草) =풀. 초본(草本).
초[3](草) ((준말)) ① =건초(乾草). ② =갈초.
초(綃) seda *f* fina.
초(醋) vinagre *f*. ~를 치다 echar vinagre (sobre). 마늘을 ~에 절이다 echar los ajos en vinagre, salar los ajos en vinagre.
초(初) principio *m*, comienzo *m*, primero *m*, origen *m*. ~의 primero, nuevo, inicial. 내년 ~ principio *m* del año próximo [que viene]. 개국(開國) ~ principio *m* de la fundación del país. 학년 ~ comienzo *m* del año escolar. 고려(高麗) ~ principio *m* de la dinastía de *Koryo*. 다음 달 ~에 a principios del mes que viene.
초(秒) segundo *m*. 1분 5~ un minuto y cinco segundo.
초-(初) primero, temprano. ~가을 otoño *m* temprano. ~겨울 invierno *m* temprano. ~봄 primavera *f* temprana. ~여름 verano *m* temprano. ~하루 el primero (del mes).
초-(超) super-, ultra-, sur-. ~현대적 ultramoderno. ~현실주의 surrealismo *m*. ~음파 ultrasonido *m*. ~당파 외교 diplomacia *f* suprapartidista. ~특급 superexprés *m*.
-초(草) hierba *f*, planta *f*. 일년(一年)~ planta *f* anual.
초가(草家) casa *f* con el tejado de paja [de hierba], techumbre *f* de paja, *AmS* quinchado *m*.
■ ~삼간(三間) casa *f* muy pequeña con el tejado de paja. ~지붕 tejado *m* de paja. ~집 casa *f* con el tejado de paja, *AmS* quinchado *m*.
초가(樵歌) canción *f* de leñadores.
초가을(初-) otoño *m* temprano.
초간장(醋-醬) *choganchang*, salsa *f* china con vinagre.
초감각적(超感覺的) extrasensorial, trascendental. ~ 개념(概念) concepto *m* trascendental.
초강대국(超强大國) superpotencia *f*.
초강초강하다 (ser) delgado, fino, enjuto. 초강초강한 얼굴 cara *f* delgada.
초개(草芥) cosa *f* sin ningún valor. ~ 같다 [물건이] (ser) sin ningún valor; [사람이] despreciable. ~ 같은 사람 persona *f* despreciable. ~ 같은 인생 vida *f* sin ningún valor.
초겨울(初-) invierno *m* temprano.
초견(初見) primer encuentro *m*, primera vista *f*. ~하다 encontrar(se) [ver] por primera vez.
초경(初更) primera vigilancia *f*, noche *f* temprana.
초경(初經) primera menstruación *f*.
초경(草徑) calle *f* estrecha con muchas hierbas.
초경험론(超經驗論) metempiricismo *m*.
초경험주의(超經驗主義) trascendentalismo *m*.
■ ~자 trascendentalista *mf*.
초계(哨戒) patrulla *f*, vigilancia *f*, ronda *f*. ~하다 patrullar, rondar, hacer la ronda.
■ ~기(機) avión *m* (*pl* aviones) patrullero. ~정(艇) (lancha *f*) patrullera *f*.
초고(草稿/草藁) manuscrito *m*, borrador *m*, minuta *f*, apuntación *f*, esbozo *m*, bosquejo *m*, diseño *m*, traza *f*, borrón *m*. ~를 짓다 hacer un borrador. 연설의 ~를 작성하다 hacer el borrador de un discurso.
초고속도(超高速度) gran velocidad *f*. ~로 a gran velocidad. ~로 운전하다 manejar a gran velocidad.
■ ~ 카메라 cámara *f* estroboscópica. ~ 촬영 tomavistas *m* estroboscópico.
초고속 도로(超高速道路) autopista *f*.
초고주파(超高周波) hiperfrecuencia *f*
초고추장(醋-醬) *chogochuchang*, pasta *f* de chile avinagrada.
초과(超過) exceso *m*, excedente *m*. ~하다 exceder, sobrar, rebasar, sobrepasar. ~로 excesivamente. 10일을 ~하지 않고 en menos de diez días. ~되다 excederse, sobrepasarse. ~된 excedente, sobrante. 예산(豫算)을 ~하다 sobrepasar el presupuesto. 한도를 ~하다 rebasar el límite. 허용량을 ~하다 sobrepasar las cantidades permitidas. ~ 요금 3천 원을 지불하다 pagar un recargo [un exceso] de tres mil wones. 여비가 10만 원을 ~했다 El importe del viaje excede de (los) cien mil wones.
■ ~ 고용 sobreempleo *m*. ~ 공급 exceso *m* de oferta, exceso *m* de suministro. ~ 과세 imposición *f* excesiva. ~ 구매력

exceso *m* de poder adquisitivo. ~ 근무(勤務) horas *fpl* extra(s), servicio *m* extraordinario, trabajo *m* de horas extraordinarias, *Chi, Per* (trabajo *m*) sobretiempo *m*. ~ 근무 수당 horas *fpl* extra(s), gratificación *f* por las horas extras de trabajo, pago *m* para sobretiempo, *Chi, Per* sobretiempo *m*. ~ 근무 시간 horas *fpl* extraordinarias, horas *fpl* extra(s). ~량 cantidad *f* de exceso. ~ 발행 [수표 따위의] sobregiro *m*. ~ 보험 seguro *m* complementario de excedente. ~ 부담(負擔) responsabilidad *f* excedente. ~ 분담액 contribución *f* de excesiva. ~ 손해 exceso *m* de pérdidas. ~ 손해 재보험 reaseguro *m* de exceso de pérdida. ~ 손해 재보험 약정 tratado *m* de reaseguro de exceso de pérdida. ~ 수요(需要) demanda *f* excedente, exceso *m* de demanda. ~ 수출(輸出) exceso *m* de exportación. ~ 수하물(手荷物) exceso *m* de equipaje. ~ 수하물 요금 cargo *m* por exceso de equipaje, recargo *m* por exceso de equipaje, pago *m* por exceso de equipaje. ~액 cantidad *f* de exceso. ~ 요금 suplemento *m*, recargo *m*, exceso *m*. ~ 용량 capacidad *f* excedente, excedente *m* de capacidad. ~ 운임 suplemento *m*. ~ 이윤(利潤) ganancia *f* extra, exceco *m* de ganancia. ~ 이익세 impuesto *m* sobre beneficios extraordinarios. ~ 주식 excedente *m* de acciones. ~ 준비금 reserva *f* en exceso, reserva *f* extraordinaria. ~ 중량 excedente *m* de peso, peso *m* excesivo [de más]. ~ 지불 pago *m* excesivo, pago *m* con exceso. ~ 현금(現金) exceso *m* de efectivo, exceso *m* de liquidez.

초교(初校) primera prueba *f*, primera corrección *f*, primera plana *f*.

초교(草稿) primer manuscrito *m*.

초국가주의(超國家主義) ultranacionalismo *m*.
■ ~자 ultranacionalista *mf*.

초군(樵軍) leñador *m*.

초극(超克) conquista *f*. ~하다 conquistar.

초근(草根) raíz *f* (*pl* raíces) de la hierba, raíz *f* de la planta.
■ ~목피(木皮) ㉮ [풀뿌리와 나무의 껍질] la raíz de (la) hierba y la corteza [la cáscara] de(l) árbol. ㉯ [한약의 재료가 되는 물건] la cáscara del árbol para los materiales medicinales. ㉰ [영양가가 낮은 악식(惡食)] comida *f* basta y miserable. ¶~로 연명하다 apenas [casi no] vivir con la comida basta y miserable [con las raíces de hierba y las cortezas de árbol], apenas [casi no] vivir comiendo basta y miserablemente.

초급(初級) grado *m* elemental, clase *f* elemental, clase *f* fundamental, clase *f* para principantes. ~의 elemental, fundamental, primero, comenzante, principiante.
■ ~ 대학 establecimiento *m* universitario (donde se estudian los dos primeros años de la carrera), escuela *f* de estudios universitarios de primero y segundo años. ~ 문법(文法) gramática *f* elemental. ~반(班) clase *f* (del grado) elemental.

초급(初給) ((준말)) =초임금(初賃金).

초기(初期) primer período *m*, primera época *f*, primeros días *mpl*; [모두(冒頭)] principio *m*, comienzo *m*. ~의 del primer período, de primeros días, inicial. 그의 ~의 작품 obras *fpl* de su primer período, sus primeras obras. 병을 ~에 치료하다 curar en el período primario de la enfermedad.
■ ~ 침윤(浸潤) infiltración *f* primaria.

초김치(醋-) verduras *fpl* encurtidas en vinagre.
◆초김치가 되다 desanimarse, desalentarse, abatirse, descorazonarse, anonadarse.

초꽂이 aplique *m*, apliqué *m*.

초나흗날 el 4 (cuatro). 음력 5월 ~ el cuatro de mayo del calendario lunar.

초나흘 ((준말)) =초나흗날.

초년(初年) ① [첫 해] primer año *m*. ② [일생의 초기] primeros años *mpl*. 조선(朝鮮) ~에 en los primeros años (de la era) de *Choson*. ③ [생애의 첫 시절] *su* juventud.
■ ~고생(苦生) muchos apuros [muchas dificultades] de la juventud. ~도 primer año *m*. ¶~ 5개년 경제 계획 primer año *m* del plan quinquenal de desarrollo económico. ~ 병(兵) recluta *m*, soldado *m* bisoño, soldado *m* novel, soldado *m* de primer año. ~생(生) mero principiante *m*, simple principiante *m*; mera principiante *f*, simple principiante *f*.

초념(初念) intención *f* original. ☞초지(初志)

초능력(超能力) superpotencia *f*, telepatía *f*, doble vista *f*. ~을 가진 (사람) telepático, -ca *mf*.

초다짐(初-) acción *f* de tomar sencillamente para evitar hambre antes de tomar.

초단(初段) primer *dan*, primer grado *m*.

초단파(超短波) onda *f* ultracorta.
■ ~ 가열론[가열학] radiotérmica *f*, técnica *f* del calentamiento por corrientes de hiperfrecuencia. ~ 방송 radiodifusión *f* de modulación de frecuencia. ~ 송신기(送信機) trasmisor *m* de ondas ultracortas. ~ 수신기 receptor *m* ondas ultracortas.

초닷새 ((준말)) =초닷새날.

초닷샛날 el 5 (cinco). 음력 시월 ~ el cinco de octubre del calendario lunar.

초당(草堂) casita *f* con el tejado de paja separada del edificio principal.

초당(超黨) ((준말)) =초당파(超黨派).
■ ~ 안보 기구 organización *f* suprapartista para la seguridad nacional. ~적 bipartista *adj*. ~파(派) facción *f* suprapartidista. ¶~ 내각 gabinete *m* de coalición, gabinete *m* suprapartidista. ~ 외교(外交) diplomacia *f* suprapartidista. ~ 정부 gobierno *m* de todos los partidos, gobierno *m* de coalición.

초대(初-) novato, -ta *mf*; novel *mf*; pardillo, -lla *mf*. 그는 골프에 있어서는 아직 ~다

El todavía es un novato en el golf.

초대(初代) primera generación *f*; [설립자] fundador, -dora *mf*. ~의 primero.
■~ 교회(敎會) iglesia *f* de los primeros cristianos. ~ 대통령 primer presidente *m* (de la República), primera presidente *f*, primera presidenta *f*. ~ 총장(總長) primer rector *m*, primera rectora *f*, primer presidente *m*, primera presidenta *f*.

초대(初對) ① =초대면(初對面). ② [일을 처음 당해 서투름] lo no cualificado, lo no especializado.

초대(招待) invitación *f*. ~하다 invitar, convidar. ~되다 ser invitado, ser convidad. ~를 거절하다 rehusar [rechazar] la invitación. ~를 받다 recibir una invitación, ser invitado (por). ~에 응하다 aceptar la invitación. ~받아 가다 asistir a un convite, asistir a una invitación. ~받아 오다 venir invitado. …를 저녁에 ~하다 invitar*le* a *uno* a cenar. 나는 그의 집에 저녁을 ~받았다 El me invitó a cenar en su casa. ~해 주셔서 감사합니다 Muchas gracias por su amable invitación.
■~객 invitado, -da *mf*. ~권 billete *m* de invitación, (carta *f* de) invitación *f*. ~석(席) asiento *m* reservado para el invitado. ~ 손님 invitado, -da *mf*. ~연(宴) fiesta *f*, banquete *m*; [디너 파티] cena *f*, *AmL* comida *f*. ~일 día *m* de preestreno. ~ 작가 artista *m* invitado, artista *f* invitada. ~ 장(狀) tarjeta *f* de invitación, carta *f* de invitación, invitación *f*. ~전(展) preestreno *m*, exhibición f que se hace con carácter restringido de un espectáculo antes de su estreno para el público en general.

초대면(初對面) primer encuentro *m*, primera entrevista *f*. ~하다 encontrarse por primera vez, conocerse uno a(l) [de(l)] otro. ~의 인사(人事) primer saludo *m*. ~의 primera impresión *f* dada. ~의 인사를 교환하다 presentarse el uno al otro [여자 la una a la otra]. 그 사람과는 ~이다 Es la primera vez que le veo.

초대형(超大型) jumbo *m*.
■~ 여객기 jumbo *m*, jumbo-jet *m*.

초도(初度) ① ((준말)) =초도일(初度日). ② [첫 번] primera vez *f*.
■~순시(巡視) primer viaje *m* de inspección. ~일(日) =환갑날.

초동(初冬) comienzos *mpl* de(l) invierno, principios *mpl* de(l) invierno, invierno *m* temprano.

초동(樵童) leñador *m* joven.

초두(初頭) ① [첫머리] comienzos *mpl*, principios *mpl*. 21세기의 ~에 a comienzos [principios] del siglo XX (veinte), al comenzar el siglo XX. ② =애초.

초들다 mencionar, referir. 이렇다 하게 초들 만한 것도 없다 No hay nada especial que mencionar.

초등(初等) lo elemental. ~의 elemental, primario, primerizo.
■~과(科) primer grado *m*, curso *m* elemental, clase *f* para principiantes, clase *f* para iniciales. ~ 교육 primera enseñanza *f*, educación *f* elemental, enseñanza *f* elemental, enseñanza *f* primaria. ~ 대수(代數) álgebra *f* elemental. ~반 clase *f* elemental, clase *f* para principiantes. ~ 수학 matemáticas *fpl* elementales. ~학교 escuela *f* primaria, primera enseñanza *f*. ¶~ 교원(敎員) maestro, -tra *mf* (de la escuela primaria). ~ 교육(敎育) enseñanza *f* primaria. ~ 학생 alumno, -na *mf* [muchacho, -cha *mf*・colegial, -la *mf*] de la escuela primaria.

초라니 【민속】 *chorani*, exorcista *m* que aparece poniéndose el vestido en el rito de la corte.

초라떼다 ser desairado, ser avergonzado.

초라하다 (ser) miserable, sucio, mal vestido, desaseado, de apariencia miserable, rasgado, lastimero, pobre. 초라한 결과 resultado *m* miserable, triste consecuencia *f*. 초라한 모습 figura *f* lastimosa, aspecto *m* lamentable. 초라해지다 caer en la miseria, empobrecerse. 초라한 모습을 하고 있다 estar mal [pobremente] vestido, andar con las pobrezas.

초래(招來) ¶~하다 causar, provocar, traer, ocasionar, motivar. 손해를 ~하다 causar daño. 그의 부주의(不注意)로 큰 사고를 ~할 수도 있었다 Se descuido pudo causar [acarrear] un grave desastre [accidente]. 그 행위는 중대한 사태를 ~할 것이다 Esa acción causará una situación muy grave. 스스로 ~한 나쁜 결과(結果) Quien mal siembra, mal recoge / Quien siembra vientos, recoge tempetades (인과응보(因果應報), 자업자득(自業自得)).

초략(抄掠/抄略) saqueo *m*, rapiña *f*. ~하다 saquear, rapiñar, desvalijar.

초략(抄略) =발췌(拔萃).
■~본(本) =발췌본(拔萃本).

초려(草廬) ① =초가(草家). ② [자기 집을 낮추어 하는 말] mi humilde casa.

초려(焦慮) ansiedad *f*, impaciencia *f*, irritación *f*. ~하다 inquietarse, impacientarse, atormentarse, irritarse, estar impaciente, perturbarse, estar ansioso,

초련 cosecha *f* temprana para usar hasta el período de la cosecha regular.

초련(初戀) primer amor *m*.

초례(醮禮) ceremonia *f* de matrimonio, bodas *fpl*. ■~청(廳) salón *m* de matrimonio.

초로(初老) =초로기(初老期).
■~기(期) edad *f* madura, edad *f* de cuarenta años. ¶~의 남자(男子) hombre *m* que ya está en [anda por] los umbrales de la vejez. 그는 ~에 가깝다 Ya se acerca a la edad madura / Ya se acerca a los umbrales de la vejez.

초로(草路) senda *f* del prado.

초로(草露) rocío *m* en la punta de la hierba.
◆초로(와) 같다 =덧없다. 허무하다.

■ ~인생(人生) vida *f* efímera, nuestra vida *f* tan efímera como el rocío.
초록(抄錄) resumen *m* (*pl* resúmenes), extractos *mpl*, selecciones *fpl*, epítome *m*, compendio *m*. ~하다 compendiar, extractar, resumir, hacer compendio (de), epitomar.
초록(草綠) ((준말)) =초록빛. ¶~의 verde, 짙은~ verde *m* obscuro, verde *m* fuerte.
■ ~빛 (color *m*) verde *m*, verdor *m*. ~치마 falda *f* verde.
초롱 recipiente *m* de hojalata, lata *f*, hojalata *f*. 석유 ~ aceitera *f*.
초롱(-籠) farolino *m* [farolito *m*] de papel, linterna *f* portátil de papel.
■ ~불 luz *f* de linterna portátil de papel.
초롱꽃(-籠-)【식물】campanilla *f*.
초롱초롱하다 (ser) brillante. 초롱초롱한 눈 ojos *mpl* brillantes.
초름하다 ① [넉넉하지 못하다] no ser abundante. ② [어떤 표준보다 좀 모자라다] ser menos que la cantidad debida.
초립(草笠) sombrero *m* de paja.
■~동(童)[둥이] casado *m* muy joven, adulto *m* joven.
초막(草幕) ① [조그마하게 지은 초가의 별장] choza *f* de paja, casita *f* de paja. ② ((불교)) [절 근방에 있는 중의 집] casa *f* del sacerdote budista alrededor del templo.
초만원(超滿員) situación *f* muy llena. ~이다 estar de bote en bote, estar como sardinas en lata, estar completamente lleno, estar lleno de superabundancia. 극장(劇場)이 ~이다 El cine está abarrotado de gente. 열차가 ~이었다 El tren estaba atestado [abarrotado] de pasajeros / El tren iba de bote en bote. 여름에 해변은 항상 ~이다 En verano la playa siempre está de bote en bote [está completamente llena].
초매(草昧) ① [천지개벽의 처음] lo primitivo, estado *m* primitivo. ② [거칠고 어두워서 사물이 잘 정돈되지 않은 상태] caos *m*, confusión *f*, desorden *m*.
초면(初面) primer encuentro *m*, primera vista *f* [entrevista *f*·reunión *f*]. ~의 사람 extranjero, -ra *mf*. ~의 인사(人事) primer saludo *m*. ~의 인상(印象) primera impresión *f*. ~이다 ver*le a uno* por primera vez. ~이군요 [첫 인사를 나눌 때] Mucho gusto (en conocerle a usted) // [말하는 사람이 남자일 경우] Encantado / [말하는 사람이 여자일 경우] Encantada.
초모(招募) reclutamiento *m*. ~하다 reclutar.
초모(草茅)【식물】=잔디.
초모(醋母)【식물】=아세트산균.
초목(草木) la hierba y el árbol, planta *f*, vegetal *m*, arbusto *m*, vegetación *f*. 산천(山川)~ la montaña, el río, la hierba y el árbol. 식물학(植物學)은 ~을 연구한다 La botánica estudia los vegetales.
초문(初聞) última noticia *f*. 금시~이다 Nunca lo he oído antes. 그 이야기는 금시~이다 Es la primera vez que lo oigo / Eso es nuevo [una revelación] para mí.
초미(焦眉) emergencia *f*, urgencia *f*, inminencia *f*, necesidad *f* apremiante. ~의 emergente, urgente, inminente, apremiante. ~의 문제(問題) cuestión *f* urgente.
■ ~지급(之急) =초미(焦眉).
초민(焦悶) angustia *f*, aflicción *f*, impaciencia *f*, preocupación *f*. ~하다 afligirse, preocuparse.
초반(初盤) parte *f* inicial.
초밥(醋-) *chobab m*, bola *f* de arroz adobada con vinagre que se toma con un trozo de pescado crudo.
초배(初配) =원배(元配).
초배(初褙) primera capa *f* del papel pintado. ~하다 pegar la primera capa del papel pintado. 벽을 ~하다 pegar la primera capa del papel pintado en la pared.
초벌(初-) primero *m*.
■ ~구이 =설구이. ~김 primera deshierba *f*. ~용 도료 tapaporos *m*.
초범(初犯) primera ofensa *f*, primer crimen *m*, primer delito *m*; [사람] delincuente *m* nuevo, delincuente *f* nueva; delincuente *mf* sin antecedentes penales. ~자(者) delincuente *m* nuevo, delincuente *f* nueva.
초범하다(超凡-) (ser) extraordinario, raro, poco común, poco corriente, poco frecuente, singular.
초벽(初壁)【건축】primer revoque *m*, primer enlucido *m*.
■ ~질 primer revoque *m*. ¶~하다 revocar [enlucir] por primera vez
초병(哨兵) centinela *f*, piquete *m*.
■ ~ 근무(勤務) servicio *m* de centinela. ~선(線) línea *f* de centinela, línea *f* de piquete.
초병(醋瓶) vinagrera *f*.
■ ~마개 persona *f* muy agria, persona *f* muy avinagrada.
초보(初步) ① [보행의 첫걸음] primeros pasos *mpl*. ② [학문·기술 등의 첫걸음] abecé *m*, elementos *mpl*, rudimentos *mpl*, principios *mpl*. ~의 elemental, rudimental, rudimentario. 물리학의 ~ elementos *mpl* [rudimentos *mpl*] de la física. 춤의 ~ primeras lecciones *fpl* de baile. ~를 가르치다 iniciar (en), dar lecciones elementales, dar lecciones rudimentarias, enseñar las nociones, enseñar los rudimentos. ~부터 배우다 estudiar desde el principio. 서반아어(西班牙語) ~를 배우다 aprender el español elemental. 나는 그에게 수학의 ~를 가르쳤다 Le inicié en las matemáticas. 나는 김 교수님한테서 서반아어 ~를 배웠다 Aprendí los fundamentos del español con el profesor Kim.
■ ~ 단계(段階) paso *m* elemental. ~ 서반아어(西班牙語) español *m* elemental. ~자(者) principiante *mf*. ~적(的) elemental, rudimental, rudimentario. ¶~인 지식(知識) conocimiento *m* elemental.
초복(初伏) *chobok*, primer día *m* de las

caniculas, comienzo *m* del período más caliente, primer período *m* de la zona de las calmas ecuatoriales del verano.

초본(抄本) extracto *m*, compendio *m*, resumen *m*. ~하다 extraer.

초본(初本/草本) =초건(初件).

초본(草本)【식물】hierbas *fpl*.
◆일년생[이년생·삼년생] ~ hierba *f* anual [bienal·perennal].
■~경(莖) sistema *m* herbáceo. ~ 식물(植物) planta *f* herbácea. ~ 지대(地帶) zona *f* floral.

초봄(初-) primavera *f* temprana, principios *mpl* [comienzos *mpl*] de la primavera. ~에 a principios [comienzos] de la primavera. ~부터 여름까지 desde principios de la primavera hasta el verano.

초봉(初俸) primer salario *m*, primer sueldo *m*, primera paga *f*.

초부(樵夫) leñador *m*.

초부(樵婦) leñadora *f*.

초분(初分) primeros años *mpl* de la vida, fortuna *f* de los primeros años de la vida.

초빙(招聘) invitación *f*, oferta *f*, llamamiento *m*. ~하다 invitar, convidar, llamar, ofrecer un puesto a otro. …의 ~을 받고 a la invitación de *uno*. ~에 응하다 aceptar la invitación, aceptar la oferta de una posición. 외국에서 전문가를 ~하다 llamar a un especialista del (país) extranjero. ~해 주신 데 대해 감사드립니다 Le agradezco su amable invitación.
◆정부 ~ 유학생 becario, -ria *mf* del gobierno.

초사(焦思) ansiedad *f*. ☞초려(焦慮)

초사흗날(初-) el 3 [tres] (del mes).

초사흘(初-) ((준말)) =초사흗날.

초산(初産) primer parto *m*, primeros dolores *mpl* de parto.
■~부(婦) primípara *f*, mujer *f* primeriza.

초산(硝酸)【화학】=질산(窒酸).

초산(醋酸)【화학】☞아세트산.
■~나트륨 acetato *m* sódico. ~ 메틸 acetato *m* de metilo.

초상(初喪) duelo *m*, luto *m*; [장례(葬禮)] servicio *m* fúnebre. ~을 당하다 ponerse de luto.
◆초상나다 tener luto.
■~ 중(中) durante el luto. ~집 casa *f* [familia *f*] en duelo [en luto].

초상(肖像) retrato *m*; [위인·성인의] efigie *f*. 정면(正面)(을 향한) ~ retrato *m* de frente. ~을 그리다 retratar, hacer un retrato.
■~권(權) derecho *m* de rehusar ser fotografía. ~화(畵) retrato *m*. ~화가(畵家) retratista *mf*, pintor, -tora *mf* de retratos.

초생(初生) lo primogénito, comienzo *m* del mes.
■~달 creciente *m*, primer cuarto *m* de la luna, luna *f* nueva, luna *f* creciente. ~아 niño *m* recién nacido, niña *f* recién nacida. ~추(雛) pollito *m* [polluelo *m*] empollado.

초서(草書) cursiva *f*, letra *f* inglesa.
■~체(體) letra *f* cursiva, estilo *m* cursivo, caligrafía *f*. ~체 활자 tipo *m* cursivo, tipo *m* de caligrafía.

초석(硝石) nitrato *m*, salitre *m*. ~의 salitral.
■~ 가루 pólvora *f* al nitrato, pólvora *f* nitrada.

초석(礁石) veta *f*.

초석(礎石) ① [주춧돌] piedra *f* angular, primera piedra *f*. 나라의 ~ piedra *f* angular de *su* país. ~을 놓다 colocar la primera piedra, poner la primera piedra, colocar la piedra angular. 민주 정치(民主政治)의 ~을 놓다 colocar la piedra angular de la democracia. ② [사물의 기초] cimiento *m*, fundamento *m*, base *f*, fundación *f*. ~을 놓다 poner los fundamentos (de). 민주주의의 ~을 구축하다 poner [echar] los cimientos de la democracia. 세계 평화의 ~이 되다 sacrificarse por la paz del mundo. 그는 나라의 ~이 되었다 El constituyó el sostén [el pilar] del país.

초선(初選) primera elección *f*.

초설(初雪) primera nieve *f* (de la estación), primera nevada *f*.

초성(初聲)【언어】sonido *m* inicial.

초소(哨所) puesto *m* de guardia, garita *f*, [검문하는] control *m*.

초속(初速) ((준말)) =초속도(初速度).

초속(秒速) velocidad *f* por segundo.

초속(超俗) =초세(超世)❷.

초속도(初速度). velocidad *f* inicial.

초속도(超速度) supervelocidad *f*.
■~ 윤전기 rotativa *f* de supervelocidad.

초순(初旬) primera década *f*, principios *mpl*. 유월 ~에 a principios [a comienzos·a primeros·en la primera década] de junio.

초승(初-) principios *mpl* (del mes), primeros días *mpl* (del mes).
■~달 luna *f* creciente, luna *f* nueva.

초시계(秒時計) cromómetro *m*.

초시류(鞘翅類) coleópteros *mpl*. ~의 coleóptero.

초식(草食) alimento *m* de hierbas. ~하다 comer hierbas, alimentarse de hierbas. ~의 herbívoro.
■~가 fitógafo, -fa *mf*. ~ 동물[류] animal *m* herbívoro, herbívoro *m*. ~성(性) lo herbívoro. ~어(魚) pez *m* herbívoro. ~장(場) puesto *m* de las verduras en el mercado.

초실(初室) ① [새 재목으로 세운 집] casa *f* recién construida. ② =초취(初娶).

초심(初心) ① [처음에 먹은 마음] *su* intención original. ② [처음으로 배우는 사람] principiante *mf*, novato, -ta *mf*, novicio *m*; persona *f* inexperta. ~의 inexperto, novel.
■~자 ㉮ [처음 배우는 사람] principiante *mf*, novato, -ta *mf*, novel *mf*.

초심(初審)【법률】=제일심(第一審).

초심(焦心) ansiedad *f*, preocupación *f*.
■~고려(苦慮) preocupación *f* dolida.

초싹거리다 =촐싹거리다.

초아흐레(初－) ((준말)) ＝초아흐렛날.
초아흐렛날(初－) el 9 [nueve] (del mes).
초안(草案) borrador *m*, minuta *f*, redacción *f* provisional, apuntación *f*, anteproyecto *m*; [원고(原稿)] manuscrito *m*. ～하다 [계약서·서류 등을] redactar el borrador (de), bosquejar; [연설을] preparar. ～을 정서하다 poner en limpio un borrador. 규약(規約)의 ～을 작성하다 trazar el anteproyecto de un reglamento.
초안(硝安) 【화학】 ＝질산암모늄.
초야(初夜) ① ＝초저녁. ② ＝초경(初更). ③ ＝첫날밤. ¶신혼(新婚) ～ noche *f* nupcial, noche *f* de bodas.
초야(草野) lugar *m* apartado, lugar *m* poco conocido, campo *m*, la Cochinchina, lugar *m* remoto. ～에 묻혀 살다 vivir aislado, vivir recluido.
초여드레(初－) ((준말)) ＝초여드렛날.
초여드렛날(初－) el 8 [ocho] (del mes).
초여름(初－) verano *m* temprano.
초역(抄譯) traducción *f* resumida [de extractos·de resumen]. ～하다 traducir resumidamente [en extractos·por trozos].
초역(初譯) primera traducción *f*. 이 책은 한글로 ～이다 Este libro ha sido traducido al coreano por primera vez.
초연(初演) primera representación *f*, primera función *f*, estreno *m*, debut *m*, primera audición *f*. ～하다 representar por primera vez, estrenar, debutar, dar la primera audición. 작품의 ～ el estreno de la obra. 이 극작품은 우리 나라에서는 ～이다 Esta obra teatral se representa por primera vez en nuestro país.
초연(招宴) invitación *f* a un banquete [una fiesta]. ～하다 invitar a un banquete [una fiesta].
초연(硝煙) humo *m* de pólvora, humo *m* sulfúreo; [포연(砲煙)] humareda *f* de cañones. ～ 속에 bajo el fuego.
■～탄우(彈雨) el humo de pólvora y lluvia de balas.
초연내각(超然內閣) gobierno *m* trascendental, gobierno *m* sobrepartido.
초연주의(超然主義) principio *m* de no intervención, indiferentismo *m*.
초연하다(悄然－) (ser) triste, melancólico, desalentado, desanimado.
초연히 tristemente, desalentadamente, desanimadamente, melancólicamente, con melancolía, abatidamente.
초연하다(超然－) estar por encima (de), estar despegado (de), quedarse indiferente (ante). 초연함 indiferencia *f*. 세상일에 ～ estar por encima de las cosas mundanas, estar despegado de lo mundano.
초연히 con un aire de despego, con una actitud indiferente. 그는 ～ 돌아왔다 El ha vuelto desdorazonado.
초열흘(初－) ((준말)) ＝초열흘날.
■～날 el diez (del mes).
초엽(初葉) principios *mpl*, comienzos *mpl*. 21세기 ～에 a principios del siglo XXI (veintiuno).
초엽(草葉) hoja *f* de la hierba.
초엿새(初－) ((준말)) ＝초엿샛날.
■～ㅅ날 el 6 [seis] (del mes).
초오(草烏) 【식물】 ＝바곳.
초옥(草屋) choza *f* de paja, casa *f* con tejado de hierba.
초원(草原) pradera *f*, prado *m*, pradería *f*, vega *f*, herbazal *m*, llanura *f*, llano *m*; *AmS* pampa *f*.
초월(超越) trascendencia *f*. ～하다 trascender, ser superior (a), sobresalir, superar, ir más allá (de); [상태] estar por encima (de). ～한 trascendente. 이해를 ～하다 estar por encima de *su* propio interés, olvidarse de *su* interés. 인간의 힘을 ～하다 trascender el poder humano.
■～론(論) trascendentalismo *m*. ～ 철학(哲學) filosofía *f* trascendental. ～ 함수(函數) función *f* trascendental.
초유(初有) lo primero, lo original. ～의 primero, inicial, original. ～의 결과 resultado *m* insólito, resultado *m* sin precedentes.
초음속(超音速) velocidad *f* supersónica.
■～기(機)[제트기] avión *m* (*pl* aviones) supersónico, supersónico *m*. ～도계(度計) indicador *m* de velocidad supersónica, aparato *m* para medir el número de Mach, machmetro *m*. ～ 비행(飛行) vuelo *m* supersónico. ～학 supersónica *f*.
초음파(超音波) ondas *fpl* ultrasónicas, ondas *fpl* supersónicas, ultrasonido *m*. ～의 ultrasónico, supersónico, ultraacústico, ultrasonoro.
■～ 검사 inspección *f* ultrasónica. ～계 ultrasonoscopio *m*. ～ 단층법(斷層法) ultrasonotomografía *f*. ～ 탐지기 detector *m* ultrasónico.
초이레(初－) ((준말)) ＝초이렛날.
초이렛날 (初－) el 7 [siete] (del mes).
초이튿날(初－) el 2 [dos] (del mes).
초이틀(初－) ((준말)) ＝초이튿날.
초인(超人) superhombre *m*.
■～간(間) ＝초인(超人). ～간적 ＝초인적(超人的). ～격(格) superhumanidad *f*. ～격적 superhumano *adj*. ～ 문학 literatura *f* superhumana. ～적(的) superhumano, sobrehumano. ¶～ 노력(努力) esfuerzo *m* sobrehumano. ～주의 superhumanismo m.
초인종(招人鐘) timbre *m*; [손으로 흔드는] campanilla *f*. ～을 누르다 tocar el timbre. ～을 누르십시오 Toque el timbre.
초일(初日) ① [첫 날] el primer día, día *m* de apertura; [우표 발행의] día *m* de emisión; [연주(演奏)의] primera representación *f*, primera función *f*. ② [처음 떠오르는 해] sol *m* que sale primero.
◆발행 ～ primer día *m* de circulación, *Méj, Per, ReD, Cuba* primer día *m* de emisión, *Cuba* primer día *m* de sello, *Ven* Día *m* de Circulación.
■～ 봉투(封套) sobre *m* del primer día,

sobre *m* del día de emisión de un sello, *Hon* sobre *m* primer día.

초읽기(秒－) cuenta *f* atrás, cuenta *f* regresiva. ～하다 contar. ～를 시작하다 empezar [comenzar] la cuenta atrás [regresiva].

초임(初任) primer nombramiento *m*.

■ ～급(給) salario *m* inicial, sueldo *m* inicial, paga *f* inicial, primer salario *m*, primer sueldo *m*. ～을 받다 cobrar [recibir] el primer sueldo. ～을 지급하다 pagar el primer sueldo.

초입(初入) ① [골목 등으로 들어가는 어귀] entrada *f*. ～에 en la entrada. 골목 ～에 있는 집 casa *f* en la entrada de la callejuela. ② [처음으로 들어감] primera entrada *f*.

■ ～경 primera venida *f* del campesino a Seúl.

초자(硝子) ＝유리(琉璃).

초자연(超自然) lo sobrenatural, sobrenaturaleza *f*, supernaturaleza *f*.

■ ～적(的) sobrenatural, preternatural. ¶～으로 sobrenaturalmente, preternaturalmente.

초 잡다(草－) redactar el borrador (de); [연설문을] preparar. 연설(演說)을 ～ preparar el discurso.

초장(初章) ① [음악·가곡의 첫째 장] primer movimiento *m*. ② [초중종(初中終) 3장으로 되어 있는 시조의 첫째 시구(詩句)] el primero de los versos del poema *sicho* coreano.

초장(初場) ① [장사를 시작한 처음의 동안] primera duración *f* del negocio. ② [일의 첫 머리판] primer comienzo *m* del trabajo.

초장(炒醬) ＝볶은장.

초장(草場) tierra *f* vacía para cortar las hierbas.

초장(醋醬) *chochang*, salsa *f* de soja sazonada con el vinagre.

초재(草材) hierbas *fpl* medicinales nativas, materiales *mpl* para la medicina coreana.

초저녁 noche *f* temprana, primeras horas *fpl* de la noche, sonochada *f*. ～에 temprano por la noche.

초적(草笛) flauta *f* de hoja de la hierba.

초전기(焦電氣) 【물리】 piroelectricidad *f*.

초전도(超傳導) 【전기】 superconducción *f*.

■ ～성(性) superconductividad *f*. ～체(體) superconductor *m*.

초절(超絶) trascendencia *f*, excelencia *f*, superioridad *f*, supremacía *f*. ～하다 trascender, superar, sobrepujar, sobresalir, exceder, propasar, descollar.

초점(焦點) ① [관심·흥미가 집중되는 가장 종요로운 곳] punto *m* capital, punto *m* esencial, punto *m* fundamental. 문제(問題)의 ～ el punto capital [esencial·fundamental] de la cuestión. 토론(討論)의 ～이다 ser punto esencial de la discusión. ② 【물리】 foco *m*. ～의 focal. ～을 맞추다 enfocar, afocar, traer al foco. ～이 맞아서 en foco. ～이 틀려서 fuera de foco. ～이 맞아 있다 estar enfocado. ～에 들어오다 [사진에서] entrar en foco. ～이 틀려 있다 estar desenfocado, *AmL* estar fuera de foco. 카메라의 ～을 …에 맞추다 enfocar la cámara a *algo*. 나는 쌍안경의 ～을 요트에 맞추었다 Yo enfoqué el yate con los prismáticos. ③ 【수학】 foco *m*.

■ ～ 거리 distancia *f* focal. ～ 거리 측정 focometría *f*. ～ 거리 측정기 focómetro *m*. ～면(面) plano *m* focal. ～면 개폐 장치 obturador *m* de plano focal. ～ 심도(深度) profundidad *f* focal.

초조(初潮) primera menstruación *f*.

초조(焦燥) impaciencia *f*, desasosiego *m*, inquietud *f*, irritación *f*, nerviosidad *f*. ～하다 (ser) impaciente, impacientarse, inquietarse, angustiarse, ponerse nervioso, irritarse. ～한 impaciente, inquieto, irritante, intranquilo, nervioso. ～하게 impacientemente, con impaciencia, nierviosamente, intranquilamente, irritantemente. ～해 하지 않고 sin perder la paciencia, sin prisa, sin precipitación. ～하게 하다 impacientar, agitar, inquietar, poner nervioso, poner los nervios de punta. ～하게 기다리다 esperar impaciente(mente), esperar con impacienccia. ～하게 승리를 서두르다 afanarse demasiado por la victoria. …에 ～를 느끼다 sentirse impaciente por *algo*. ～해 죽겠다 ¡Qué irritante! / ¡Cuánto me impacienta! / ¡Me saca de quicio! 그가 느려 나는 ～하다 Me irrita su lentitud. 그에게서 연락이 없어 ～하다 La falta de noticias suyas me tiene inquieto. 나는 너무 ～하게 굴어 공부에 진척이 없다 Demasiado preocupado por el estudio resulta que no avanzo en él. 그는 ～한 기색이 보인다 Se le nota el asomo de impaciencia.

～감(感) nervios *mpl*.

초종(初終) ((준말)) ＝초종장사(初終葬事).

■ ～장사(葬事) todo el período de luto.

초주검되다(初－) (estar) medio muerto, estar más muerto que vivo.

초지(初志) *su* intención original, *su* propósito original. ～를 관철하다 llevar a cabo *su* intención original, salir con la primera intención, llevar a cabo [realizar·cumplir] *su* primer propósito [*su* primera intención], mantenerse consistente en su primer propósito hasta el final. ～를 잊어서는 안 된다 No hay que olvidar el primer entusiasmo.

■ ～일관(一貫) logro *m* de *su* intención original. ¶～하다 llevar a cabo *su* intención original.

초지(草地) pradera *f*, pastos *mpl*, pastizales *mpl*.

초지(草紙) papeles *mpl* sencillamente encuadernados, libro *m* de cuentos, libro *m* de historietas.

초지니(初－) halcón *m* de dos años.

초진(初診) primera consulta *f* (del médico).

■ ～료(料) honorarios *mpl* de la primera

consulta. ~ 환자 nuevo paciente *m*, nueva paciente *f*.

초집(抄集/抄輯) (colección *f* de) pasajes *mpl*. ~하다 seleccionar pasajes (de).

초집(招集) convocación *f*, citación *f*. ~하다 convocar, citar, emplazar.

초집(草集) borrador *m* literario; [책] libro *m* de borrador literario.
◆시문(詩文) ~ (colección *f* de) manuscritos *mpl* de *sus* obras literarias.

초창(草創) comienzo *m*, principio *m*, origen *m*. ■~기(期) primera infancia *f*, primeros días *mpl*.

초청(招請) invitación *f*. ~하다 invitar. 저녁에 ~하다 invitar a la cena, invitar a cenar. ~해 주셔서 감사합니다 Le agradezco su amable invitación / Gracias por su invitación. 나는 ~을 받아 왔을 뿐이다 Sólo vengo como invitado.
■~장 (carta *f* de) invitación *f*. ¶~을 받다 recibir una (carta de) invitación. ~을 보내다 enviar [mandar] una (carta de) invitación.

초체(草體) estilo *m* cursivo, letra *f* cursiva, carácter *m* (*pl* caracteres) cursivo. ~로 쓰다 escribir en letra cursiva.

초추(初秋) otoño *m* temprano, comienzos *mpl* [principios *mpl*] de(l) otoño.

초춘(初春) primavera *f* temprana, comienzos *mpl* [principios *mpl*] de (la) primavera, primeros días *mpl* del Año Nuevo.

초출(初出) primero *m* (de la estación).
■~참외 primer melón *m* de la estación.

초출(抄出) extracción *f*. ~하다 extraer.

초출하다(超出—) (ser) muy excelente.

초췌하다(憔悴—) extenuarse, enflaquecerse, debilitarse, ponerse demacrado. 초췌한 extenuado, enflaquecido, debilitado, demacrado. 초췌한 얼굴 semblante *m* extenuado. 그는 병으로 무척 초췌해져 있다 El está muy extenuado [demacrado] por la enfermedad.

초취(初娶) *su* primrera esposa.

초치(招致) invitación *f*. ~하다 invitar, llamar. 학회(學會)를 한국에 ~하다 invitar a Corea al congreso de una sociedad de estudios científicos.

초친놈(醋—) calavera *f* despreciable, vividor *m* despreciable.

초침(秒針) segundero *m*, manecilla *f* que señala los segundos en el reloj.

초콜릿(영 *chocolate*) chocolate *m*, chocolatín *m* (*pl* chocolatines); [음료용] chocolate *m* [cacao *m*] en polvo. ~이 든 de chocolate. ~ 한 개 una pastilla [una tableta] de chocolate. 따뜻한 ~ 차 한 잔 una taza de chocolate.
■~색(色) color *m* chocolate, marrón *m* oscuro, *Chi*, *Méj* café *m* oscuro, *Col* carmelito *m* oscuro.

초크(영 *chalk*) ① =백악(白堊). ② =분필(粉筆)(tiza). ¶~로 쓰다 escribir con tiza. ③ [양재용 분필] tiza *f*. 재단사용 ~ tiza *f* para sastre. ④ ((당구)) tiza *f*.

초탈(超脫) transcendencia *f*, sobreexcelencia *f*, preeminencia *f*, superioridad *f*, excelencia *f*. ~하다 trascender. ~한 태도 actitud *f* desinteresada. 그는 ~한 생활을 하고 있다 El lleva una vida fuera de lo común.

초토(焦土) tierra *f* quemada, terreno *m* quemado, ceniza *f*.
■~ 작전 operación *f* de reducirlo todo a cenizas. ~전술 estrategia *f* de reducirlo todo a cenizas. ~ 정책(政策) política *f* de reducirlo todo a cenizas. ~화 reducción *f* a cenizas.

초특급(超特急) ① ((준말)) =초특급 열차. ② [특급보다도 더 빠름. 그 속도] superrapidez *f*, velocidad *f* superrápida. ~의 superrápido. ■~ 열차(列車) tren *m* superexprés, tren *m* superexpreso.

초특작품(超特作品) superproducción *f*, superfilme *m*, superfilm *m*..

초파일(初八日)【불교】*chopail*, el 8 [ocho] de abril del calendario lunar.

초판(初—) primer aspecto *m*, primera situación *f*.

초판(初版) primera edición *f*, edición *f* príncipe. ~5천 부(部) primera imprenta *f* de cinco mil ejemplares.
■~본(本) copia *f* de la primera edición.

초피(貂皮) marta *f*.

초필(抄筆) cepilla *f* fina de escribir.

초하(初夏) verano *m* temprano, principios *mpl* de(l) verano, comienzo *m* de(l) verano.

초하다(抄—) ① [글씨를 베껴 기록하다] copiar. ② [초록(抄錄)하다] compendiar, hacer un compendio, resumir.

초하다(炒—) tostar a fuego.

초하다(草—) bosquejar, redactar borrador.

초하루(初—) ((준말)) =초하룻날.

초하룻날(初—) el primero (del mes).

초학(初學) ① [학문을 처음으로 배움] primer aprendizaje *m*, prinicipio *m* de estudio. ② [익숙하지 못한 학문] ciencia *f* inexperta, conociminentos *mpl* inexpertos.
■~자(者) principiante *mf*, novicio, -cia *mf*, aprendiz, -za *mf*, discípulo, -la *mf*.

초학(初瘧/草瘧) ① [처음 걸린 학질] primer ataque *m* de malaria. ② =하루거리.

초한(初寒) primer frío *m*.

초행(初行) primera visita *f*, primera ida *f*, primer camino *m* de visita.
■~길 primer camino *m*, camino *m* que se va por primera vez, primer camino *m* de visita.

초현대적(超現代的) ultramoderno *adj*, supermoderno *adj*. ~ 작품 obra *f* ultramoderna. ~ 표현 expresión *f* ultramoderna.

초현실적(超現實的) surrealista.

초현실주의(超現實主義) surrealismo *m*. ~의 surrealista. ~ 작가 escritor *m* surrealista, escritora *f* surrealista. ~ 회화(繪畵) pintura *f* surrealista.
■~자(者) surrealista *mf*, superrealista *mf*.

초현실파(超現實派) surrealistas *mpl*
초혜(草鞋) =짚신.
초호(初號) ① [최초의 호] primer número *m*. 잡지의 ~ el primer número de una revista. ② ((준말)) =초호 활자.
■~ 활자 el tipo más grande.
초혼(初昏) crepúsculo *m*. ~에 al ponerse el sol, al crepúsculo.
초혼(初婚) ① [첫 혼인] primer matrimonio *m*, primer casamiento *m*, primeras nupcias *fpl*. ~의 del primer matrimonio, del primer casamiento, de primeras nupcias. 그녀는 마흔의 ~이었다 Ella se casó por primera vez a la edad de cuarenta años [a los cuarenta años]. ② =개혼(開婚).
초혼(招魂) invocación *f* del espíritu de un muerto. ~하다 invocar [conjurar] el espíritu de un muerto.
■~제(祭) servicio *m* conmemorativo para el caído en la guerra.
초화(草花) planta *f* que florece, planta *f* que da flores.
초환(招還) convocación *f*, retirada *f*, llamada *f*. ~하다 llamar, convocar.
초회(初回) primera vez *f*.
촉(鏃) punta *f*, parte *f* acabada en punta.
촉(燭) ((준말)) =촉광(燭光).
촉각(觸角) antena *f*, tentáculo *m*, palpo *m*.
촉각(觸覺) (sentido *m* del) tacto *m*, sentido *m* de toque. ~의 tactil.
촉감(觸感) ① [무엇에 닿았을 때의 느낌] tacto *m*, sentido *m* del tacto, sensación *f* tactil. ~이 부드럽다 ser suave al tacto. ② 【생물】 =촉각(觸覺). ③ 【한방】 =촉상(觸傷).
촉관(觸官) órgano *m* tactil.
촉광(燭光) ① [촛불의 빛] luz *f* (*pl* luces) de la candela, bujías *fpl*, intensidad *f* luminosa en bujías. 100~의 전구(電球) bombilla *f* de cien bujías. ② [광도의 단위] candel *m* (cd), bujía *f* nueva (B).
촉구(促求) solicitación *f*, importunidad *f*. ~하다 solicitar, importunar, atraer, demandar, reclamar.
촉규(蜀葵) 【식물】 =접시꽃.
촉규화(蜀葵花) 【식물】 =접시꽃.
촉급하다(促急—) (ser) urgente. 촉급한 용무 negocio *m* urgente.
촉노(觸怒) provocación *f*. ~하다 provocar, contrariar.
촉대(燭臺) candelero *m*; [장식이 달린] candelabro *m*; [접시 모양의] palmatoria *f*; [샹들리에] araña *f* (de luces).
촉더데(鏃—) nudo *m* de la punta de flecha.
촉돌이(鏃—) tornillo *m* de banco de la punta de flecha.
촉루(燭淚) =촛농.
촉망(矚望) esperanza *f*, expectación *f*, expectiva *f*, confianza *f*. ~하다 esperanzar (en), confiar (en). ~할 만한 [학생·작가 등이] prometedor; [장래가] halagüeño, que promete. ~되다 ser prometedor, considerado como un prometiente, ser amado, prometer. ~되는 장래(將來) futuro *m* halagüeño, futuro *m* que promete. 전도(前途)가 ~되는 청년 joven *m* prometedor, joven *m* de porvenir. 이 아이는 장래가 ~된다 Este niño promete / Este niño es una promesa [una esperanza].
촉매(觸媒) catalizador *m*.
■~ 반응 catálisis *f*, reacción *f* catalítica. ~ 작용 acción *f* catalítica. ~제 catalizador *m*. ~ 현상 catálisis *f*.
촉모(觸毛) pelo *m* táctil, palpo *m*, tentáculo *m*.
촉박하다(促迫—) (ser) inminente, urgente. 촉박함 inminencia *f*, urgencia *f*.
촉발(觸發) ① [일을 당하여 충동·감정 따위를 유발함] excitación *f*, entusiasmo *m*. ~되다 ser excitado, ser entusiasmado. ② [접촉하여 폭발함] explosión *f* [denotación *f*] de contacto.
■~ 수뢰(水雷) mina *f* de contacto.
촉새 【조류】 ((학명)) Emberiza spodocephala.
◆촉새같이 나서다 meterse [entrometerse·inmiscuirse] en los asuntos de los otros.
■~부리 cosa *f* con la forma de pico.
촉성(促成) promoción *f* de crecimiento. ~하다 promover el crecimiento.
■~ 재배(栽培) cultivo *m* intensivo, cultivo *m* de forzamiento.
촉수(觸手) ① 【동물】 tentáculo *m*. ② =오른손(mano derecha). ③ [손을 댐] toque *m*. ~ 엄금(嚴禁) ((게시)) ¡No toque!
◆촉수를 뻗치다 extender *sus* tentáculos. 외국 기업이 우리나라에 촉수를 뻗치고 있다 Las empresas extranjeras extienden sus tentáculos sobre nuestro país.
촉수(觸鬚) palpo *m*, antena *f*, tentáculo *m*.
촉진(促進) fomento *m*, promoción *f*, aceleración *f*, activación *f*. ~하다 acelerar, activar, promover, apresurar, fomentar, hacer adelantar, estimular, animar, espolear. 경제 성장을 ~하다 acelerar el crecimiento económico. 계획의 실현을 ~하다 fomentar la realización del proyecto. 교섭(交涉)을 ~하다 hacer adelantar las negociaciones. 발육(發育)을 ~하다 fomentar el crecimiento. 성장(成長)을 ~하다 activar el desarrollo. 식욕(食慾)을 ~하다 abrir el apetito.
촉진(觸診) 【한방】 palpación *f*. ~하다 palpar.
촉처(觸處) todos los intentos.
■~봉패(逢敗) fracaso *m* en todos los intentos. ~하다 fracasar [salir mal] en todos los intentos.
촉촉하다 (ser) húmedo, mojado. ☞축축하다 촉촉이 húmedamente, mojadamente.
촉탁(囑託) comisión *f*, [사람] miembro *m* extraordinario, miembro *f* extraoridanaria; empleado *m* no numerario, empleada *f* no numeraria. ~하다 poner a cargo (de), poner al cuidado (de), entregar con confianza, confiar, dar en fideicomiso, confiar, encargar de un cargo especial.
■~ 관리(官吏) empleado, -da *mf* de la oficina gubernamental a tiempo parcial. ~

교사(敎師) profesor *m* supernumerario, profesora *f* supernumeraria; maestro, -tra *mf* a tiempo parcial.

촌(寸) ① [길이의 단위] *chon,* pulgada *f* coreana. ② [촌수(寸數)] grado *m* de consanguinidad [de parentesco · de familia]. 삼(三)~ tío *m.* 사(四)~ primo *m.*

촌(村) campo *m,* aldea *f,* aldehuela *f,* aldeorrio *m,* lugar *m,* lugarejo *m,* caserío *m,* burgo *m,* cafería *f,* pueblecito *m,* villorrio *m.* ~에서 살다 vivir en el campo [en la aldea].

촌가(寸暇) =촌극(寸隙).

촌가(村家) ① =시골집. ② =고향집.

촌각(寸刻) =촌음(寸陰).

촌간(村間) casas *fpl* en el campo, sociedad *f* rural.

촌거(村居) vida *f* rural, vida *f* en el campo. ~하다 vivir en el campo.

촌공(寸功) un poco de mérito, mérito *m* pequeño, servicio *m* pequeño.

촌극(寸隙) un poco de tiempo libre.

촌극(寸劇) obra *f* corta, pequeña función *f* dramática.

촌길(村-) camino *m* de [en] la aldea, camino *m* vecinal, camino *m* en el campo.

촌내(寸內) parientes *mpl* menos de décimo grado de consanguinidad.

촌놈(村-) ((낮춤말)) =촌사람.

촌뜨기(村-) paisano, -na *mf,* aldeano, -na *mf,* campesino, -na *mf,* labrador, -dora *mf,* rústico, -ca *mf,* pueblerino, -na *mf.* 시골에서 갓 올라온 ~ novato, -ta *mf,* reccién llegado *m* de su provincia; provinciano, -na *mf.*

촌락(村落) aldea *f,* campo *m,* pueblo *m.*
■~ 공동체(共同體) comumidad *f* de las aldeas.

촌로(村老) =촌옹(村翁).

촌목(寸-) herramienta *f* marcada del carpintero.

촌민(村民) pueblo *m* campesino, aldeanos *mpl,* lugareños *mpl,* habitantes *mpl* de la aldea..

촌백성(村百姓) pueblo *m* campesino.

촌백충(寸白蟲) =촌충(寸蟲).

촌보(寸步) unos pasos. 나는 피로로 ~도 옮길 수 없다 Yo estoy tan cansado que no puedo mover ni un paso.

촌부(村夫) campesino *m,* aldeano *m,* lugareño *m.*

촌부(村婦) campesina *f,* aldeana *f,* lugareña *f.*

촌부자(村夫子) =촌학구(村學究).

촌사람(村-) ① [시골에 사는 사람] campesino, -na *mf,* aldeano, -na *mf,* lugareño, -ña *mf,* pueblerino, -na *mf,* vecino, -na *mf;* habitante *mf* del pueblo. ② [견문이 좁고 어수룩한 사람] persona *f* de poco conocimiento.

촌샌님(村-) =촌생원.

촌수(寸數) grado *m* de consanguinidad [de parentesco].

촌스럽다(村-) (ser) rústico, rural, poco refinado. 촌스러운 남자 hombre *m* rústico. 촌스러운 여자 mujer *f* rústica.
촌스레 rústicamente.

촌시(寸時) =촌음(寸陰).

촌외(寸外) pariente *m* lejano.

촌음(寸陰) tiempo *m* corto, momento *m,* instante *m.* ~을 아끼다 aprovechar todos los ratos libres.

촌장(村長) alcalde *m* de la aldea, alcaldesa *f* de la aldea.

촌장(村莊) villa *f* en el campo.

촌전(寸田) un poco de campo.
■~척토(尺土) un poco de arrozal y campo.

촌지(寸地) =척토(尺土).

촌지(寸志) ① =촌심(寸心). ② [자그마한 뜻을 나타낸 적은 선물] regalo *m* [obsequio *m*] pequeño.

촌지(寸紙) =촌저(寸楮).

촌진척퇴(寸進尺退) Se gana poco y se pierde mucho.

촌철(寸鐵) arma *f* pequeña y afilada.
■~살인(殺人) epigrama *m* expresivo.

촌촌걸식(村村乞食) mendiguez *f* de aldea en aldea. ~하다 mendigar de aldea en aldea.

촌촌이(寸寸-) ① [마디마디마다] cada nudo. ② [조각조각] cada pedazo. ③ [조금씩] poco a poco, poquito a poco.

촌촌이(村村-) cada aldea, todas las aldeas.

촌충(寸蟲) 【동물】 tenia *f,* solitaria *f.*

촌탁(忖度) penetración *f* en los sentimientos. ~하다 penetrar en los sentimientos (de).

촌토(寸土) =척토(尺土).

촌티(村-) aire *m* rústico, apariencia *f* rústica. ~ 나는 사람 persona *f* rústica, persona *f* de aire rústico.

촌평(寸評) crítica *f* (muy) corta. ~하다 criticar cortamente.

촌학구(村學究) ① [시골 글방의 스승] maestro *m* de la escuela privada en el campo. ② [학식이 좁고 고루한 사람] persona *f* conservadora de poco conocimiento.

촐랑거리다 ① [길고 좁은 곳에 담긴 물이 연해 흔들리어 물결이 일다] agitarse haciendo ruido. ② [방정맞게 까불다] comportarse [actuar] frívolo.

촐랑이 frívolo, -la *mf,* ligero, -ra *mf,* imprudente *mf,* atolondrado, -da *mf.*

촐싹거리다 =촐랑거리다❷.

촐촐 con un estómago vacío, sin comer nada. ~하다 tener un poco de hambre. ~굶다 privar de comida (a), hacer pasar hambre (a). 나는 배 속이 ~하다 Tengo un poco de hambre. 나는 ~ 굶었다 Me muero de hambre / Tengo un hambre canina.

촘촘하다 (ser) denso, tupido. 촘촘한 옷감 tejido *m* tupido. 이 천은 디자인이 ~ Esta tela tiene dibujos finos.
촘촘히 densamente, con densidad.

춧국 plato *m* agrio como vinagre.

춧농(-膿) gotas *fpl* de cera de vela.

춧대(-臺) candelero *m.* ☞초

춧병(醋甁) botella *f* de vinagre, vinagrera *f.*

☞초(醋)

촛불 luz *f* de una vela, luz *f* de una candela, luz *f* de una bujía. ~을 켜다 encender la luz de una candela. ~을 끄다 apagar la luz de una candela.

총 [말의 갈기와 꼬리의 털] pelo *m* de crines.

총(銃) rifle *m*, fusil *m*; [엽총] escopeta *f*; [권총] pistola *f*; [연발총] revólver *m*; [기총] carabina *f*; [화승총] mosquete *m*. 총신을 짧게 자른 ~ escopeta *f* recortada, escopeta *f* de cañón recortado [de cañones recortados]. ~을 겨누다 cargar armas al hombro. ~을 메다 cargarse el fusil al hombro, cargarse el fusil al hombro. ~을 쏘다 disparar la escopeta, disparar un tiro, descargar [tirar] el fusil. ~으로 쏘다 disparar un tiro (a), herir con arma de fuego (a). ~을 쏘아 죽이다 matar a tiros. ~을 겨누다 apuntar con el fusil [con una pistola].

총(寵) ((준말)) =총애(寵愛).

총(總) totalidad *f*, todo, total. ~인구(人口) población *f* total. ~지배인 director, -tora *mf* general, gerente *mf*.

총-(總) todo, total, entero, general. ~수(數) número *m* total. ~수입(收入) ingreso *m* total. ~파업 huelga *f* general.

총가(銃架) soporte *m*, astillero *m*.

총각(總角) soltero *m*. 노(老)~ solterón *m* (*pl* solterones).

총감독(總監督) director *m* general, directora *f* general; superintendente *mf*.

총검(銃劍) ① [총과 검] la escopeta y la espada, poder militar. ② [대검(帶劍)] bayoneta *f*. ~으로 죽이다 matar con bayoneta. ~으로 찌르다 herir con bayoneta. ~을 부착시키다 armar la bayoneta. ~의 자세를 취하다 calar la bayoneta.

■ ~술(術) arte *m* de la bayoneta, ejercicio *m* con bayoneta.

총격(銃擊) tiroteo *m*, descarga *f* de fusilería. 적에게 ~을 가하다 tirotear contra el enemigo, disparar [descargar] tiros contra el enemigo.

■ ~전(戰) tiroteo *m*; *AmL* balacera *f*.

총결산(總決算) liquidación *f* total.

총경(總警) superintendente *mf* general (de policía).

총계(總計) suma *f*, total *m*, suma *f* total, cantidad *f* global; [부사적] en todo, totalmente, en total. ~하다 sumar, totalizar. ~로 en total. 비용은 ~ …이다 Los gastos suman (en total) …. 이 지역의 인구는 ~ 천만 명에 달한다 La población de esta región asciende a diez millones en total. ~로 얼마입니까? ¿Cuánto es en total?

총공격(總攻擊) ataque *m* general. ~하다 hacer un ataque general, lanzarse al ataque general. ~을 개시(開始)하다 comenzar [empezar] un ataque general.

총괄(總括) ① [여러 가지를 한데로 모아서 뭉침] resumen *m*, suma *f*, recapitulación *f*, abarcadura *f* de partes completas; [총합] síntesis *f*; [결론] conclusión *f*. ~하다 resumir, recapitualr, sintetizar, concluir, sumar, abarcar todas *sus* partes. ~해서 completamente, tratando de una cosa bajo todas *sus* fases. 토론을 ~하다 resumir un debate. 1년간의 활동을 ~하다 sintetizar las actividades de todo un año. ② =총람(總攬).

■ ~적(的) general, global, sumario, que abarca todos los ramos. ~ 질문(質問) interpelación *f* general. ~ 책임자(責任者) responsable *mf* de todo.

총구(銃口) =총부리.

총국(總局) sucursal *f* general.

총군(銃軍) artillero *m*, soldado *m* de artillería, cazador *m*, fusilero *m*.

총급하다(悤急－) apresurarse, tener mucha prisa.

총급히 apresuradamente.

총기(銃器) armas *fpl* (pequeñas).

■ ~ 공장 fábrica *f* de armas. ~ 밀수입(密輸入) tráfico *f* de armas. ~ 보관소(保管所) armería *f*. ~실 arsenal *m*.

총기(聰氣) inteligencia *f*, buena memoria *f*. ~가 있다 ser inteligente. ~가 없다 ser estúpido, ser torpe, tener una mala memoria. ~가 좋다 tener una buena memoria.

총냥이 persona *f* astuta.

총대(銃－) culata *f* (de fusil).

총대(銃隊) ejército *m* de artilleros.

총대(總代) representante *mf*, delegado, -da *mf*, diputado, -da *mf*, apoderado, -da *mf*. ~가 되다 representar.

총대리인(總代理人) agente *mf* general.

총대리점(總代理店) agencia *f* general.

총대우 sombrero *m* de crines.

총대장(總大將) comandante *mf* en jefe.

총독(總督) gobernador *m* general, virrey *m*.

■ ~부(府) virreinato *m*.

총동원(總動員) movilización *f* general. ~하다 hacer una movilización general. 직원(職員)을 ~하다 movilizar todo el personal. 전원이 ~되어 일하다 trabajar todos juntos, trabajar uniendo fuerzas. 전원이 ~되어 돌을 옮기다 mover una piedra entre todos.

◆국가(國家) ~ movilización *f* general. 국가 ~법 ley *f* de la movilización general.

■ ~령(令) movilización *f* general.

총람(總覽) bibliografía *f* global.

총람(總攬) =총할(總轄).

총량(總量) cantidad *f* total.

총력(總力) poder *m* total, toda *su* energía, todas *sus* fuerzas. ~을 다하여 con todas *sus* fuerzas, con todo *su* energía. 국민의 ~으로 con los esfuerzos de todo el pueblo. ~을 다하다 hacer todo lo posible, hacer lo más posible, hacer lo imposible.

■ ~안보 seguridad *f* (nacional) por todos los medios. ~외교 diplomacia *f* por todos los medios. ~전(戰) guerra *f* total, guerra *f* de totalidad, guerra *f* por todos los medios.

총렵(銃獵) caza *f* con escopeta; [맹수 따위

의] montería *f.*
■ ~가(家) cazador, -dora *mf.* ~ 금지기(禁止期) veda *f.* ~기(期) temporada *f* de caza. ~ 면허 licencia *f* de la caza. ~장(場) tierras *fpl* de cazas, cazadero *m.*
총론(總論) introducción *f*, advertencia *f* general, generalidades *fpl.*
총론(叢論) colección *f* de ensayos.
◆문학(文學) ~ colección *f* de ensayos en literatura.
총리(總理) ① [전체를 모두 관리함] superintendencia *f.* ~하다 controlar, presidir, supervisar. ② ((준말)) =국무총리. ③ ((준말)) =내각 총리대신.
■ ~대신(大臣) primer ministro *m.*
총림(叢林) bosque *m* espeso, selva *f*, arbusto *m.*
총망라(總網羅) inclusión *f* general. ~하다 incluir totalmente.
총망하다(悤忙-) tener prisa, estar apresurado, estar precipitado. 총망함 apresuramiento *m*, precipitación *f.* 총망한 여행 viaje *m* apresurado, viaje *m* rápido. 총망한 나날을 보내다 pasar los días sin tener tiempo ni para respirar.
총망히 apresuradamente, rápidamente, a las carreras
총명(聰明) inteligencia *f*, sagacidad *f*, entendimiento *m*, perspicacia *f*, luces *fpl.* ~하다 (ser) inteligente, sagaz (*pl* sagaces), listo, perspicaz (*pl* perspicaces), avispado, despabilado, agudo..
총목록(總目錄) catálogo *m* general, lista *f* general, índice *m* [tabla *f*] general de contenidos.
총무(總務) ① ㉮ [사물을 총리함] asuntos *mpl* generales, administración *f* general, negocios *mpl* generales. ㉯ [사물을 총리하는 사람] director, -tora *mf*, gerente *mf.* ② ((준말)) =원내 총무.
■ ~과(課) sección *f* de asuntos generales, sección *f* de administración general, secretaría *f* general. ~과장(課長) jefe, -fa *mf* [director, -tor *mf*] de asuntos generales [de administración general]. ~부(部) departamento *m* de asuntos generales. ~처 el Ministerio de Asuntos Generales, el Ministerio de Administración Gubernamental. ~처 장관 ministro, -tra *mf* de Asuntos Generales; ministro, -tra *mf* de Administración Gubernamental.
총민하다(聰敏-) (ser) inteligente y ágil.
총반격(總反擊) contraataque *m* total. ~하다 contratacar totalmente.
총받이(銃-) línea *f* de combate, línea *f* de fuego.
총보(總報) 【음악】 partitura *f.*
총복습(總復習) repaso *m* general, revisión *f* general. ~을 하다 hacer una revisión general.
총본부(總本部) sede *m* general, cuartel *m* general.
총본산(總本山) ((불교)) templo *m* central, mnasterio *m* central, sede *m* de los templos budistas.
총부리(銃-) punta *f* de pistola, boca *f* de arma de fuego [de un fusil]. ~를 겨누다 apuntar con un fusil. ~로 위협하다 amenazar con un fusil. 총부리를 들이대고 a punta de pistola.
총비서(總秘書) secretario *m* general.
총비용(總費用) coste *m* total.
총사냥(銃-) caza *f* con escopeta; [맹수 따위의] montería *f.* ~하다 cazar con escopeta. ~ (하러) 가다 ir a cazar con escopeta, ir a montería, ir a cacería. ~을 금(禁)하다 prohibir cazar.
총사령관(總司令官) comandante *mf* en jefe, generalísimo *m*; general *mf* en jefe; comandante *m* supremo; mayor general *mf.* ■ ~실(室) mayoría *f.*
총사령부(總司令部) cuartel *m* general.
총사직(總辭職) resignación *f* general, dimisión *f* en pleno [en bloque · de cuerpo]. ~하다 dimitir en pleno, dimitir en bloque, resignar en pleno.
총살(銃殺) fusilazo *m*, fusilamiento *m*, paso *m* por las armas. ~하다 fusilar, pasar*le a uno* por armas. ~되다 ser fusilado.
¶전범(戰犯) ~ fusilamiento *m* de prisioneros de guerra.
■ ~형 ejecución *f* por el fusilazo.
총상(銃傷) herida *f* por la bala, herida *f* de bala, herida *f* de proyectiles.
총상(總狀) 【식물】 =총상 화서.
■ ~꽃차례 =총상 화서. ~화(花) racimo *m.* ~ 화서(花序) 【식물】 inflorescencia *f* racimosa.
총생(叢生) fascículo *m.* ~하다 crecer con exuberancia.
총생산(總生産) producto *m* bruto.
◆국민(國民) ~ producto *m* nacional bruto, el PNB.
총서(叢書) colección *f*, biblioteca *f*, librería *f*, serie *f.*
총선(總選) ((준말)) =총선거(總選擧).
총선거(總選擧) elecciones *fpl* generales, comicios *mpl* generales, *Méj* elección *f* general. 다음 ~ próximos elecciones generales. ~를 실시하다 proceder a las elecciones generales.
총설(總說) introducción *f.*
총설(叢說) generalidades *fpl.*
총성(銃聲) ruido *m* de las escopetas, disparo *m* de fusil, estampido *m.* ~을 무서워하다 asustarse con el ruido de las escopetas.
총소득(總所得) ingreso *m* bruto.
총소리(銃-) ruido *m* de las escopetas, disparo *m* de fusil, estampido *m.*
총수(銃手) escopetero, -ra *mf.*
총수(總帥) ① [전군(全軍)을 지휘하는 사람] comandante *m* en jefe. 삼군(三軍)의 ~ comandante *m* en jefe de tres ejércitos. ② [대기업 등 큰 조직체나, 집단을 거느리는 사람] líder *m* supremo. 재벌 ~ líder *m* supremo del chaebol.

총수(總數) (número *m*) total *m*, totalidad *f*. ~ 10만에 달하다 ascender [alcanzar] a un total de cien mil, sumar cien mil.

총수입(總收入) renta *f* bruta, ingreso *m* bruto, ingresos *mpl* totales, entrada *f* total, total *m* de los ingresos.
◆국민(國民) ~ renta *f* nacional bruta, la RNB, ingreso *m* nacional bruto, el INB.

총신(銃身) cañón *m* (*pl* cañones) (del fusil [de la escopeta]). ~을 바라보다 mirar por el cañón de la escopeta. 눈을 가늘게 뜨고 ~을 바라보다 mirar por el cañón de la escopeta entrecerrando los ojos.

총신(寵臣) súbito *m* [vasallo *m*] favorito.

총아(寵兒) favorito, -ta *mf*, afortunado, -da *mf*, niño *m* mimado, niña *f* mimada. 문단(文壇)의 ~ autor *m* favorito, autora *f* favorita. 시대(時代)의 ~ hombre *m* de moda. 그 아이는 선생님의 ~이다 El es el niño mimado de la maestra.

총안(銃眼) aspillera *f*, saestera *f*, tronera *f*.

총알(銃—) bala *f* (de metal), proyectil *m*; [포탄] obús *m* (*pl* obuses); [새를 잡는 작은] mostaza *f*, mostacilla *f*; [산탄(散彈)] perdigones *mpl*; [탄약] munición *f*. ~이 닿을 거리에 a alcance de un fusil, a tiro de fusil, a tiro de escopeta. ~이 닿지 않을 거리에 fuera del alcance de un fusil. ~처럼 달려 덮치다 lanzarse a correr como una flecha. 총에 ~을 장전(裝塡)하다 cargar un fusil. 그는 발에 ~을 맞았다 Una bala le alcanzó en el pie.
■~ 구멍 agujero *m* de bala. ~ 상처(傷處) herida *f* de bala. ~ 자국 marca *f* de bala.

총애(寵愛) ① [남달리 귀엽게 여겨 사랑함] favor *m*, benevolencia *f*, gracia *f*, cariño *m*, amor *m*. ~하다 favorecer, mimar, amar, tratar con mucho cariño. ~하는 favorito, predilecto, queridísimo, preferido. ~를 받다 ser favorito (de), ser favorecido recido (por), gozar del favor (de), ganar el favor, ser mimado, ser amado. ~를 잃다 caer en desgracia, perder el favor (de). 그녀는 선생이 ~하는 학생이다 Ella es la alumna favorita [mimada · predilecta] del profesor. ② ((천주교)) [천주(天主)의 사랑] amor *m* [cariño *m*] de Dios.

총액(總額) suma *f* total, suma *f* global; [부사적] en todo, totalmente, en total. ~ …에 달하다 sumar *algo*, importar *algo*. 예금은 ~ 1억 원에 달했다 Los depósitos totales han sumado [importado] cien millones de wones. 손해는 ~ 천만 원에 달했다 Los perjuicios sumaron diez millones de wones.

총연습(總演習) 【연극】 ensayo *m* general. ~을 하다 hacer un ensayo general.

총열(銃—) =총신(銃身).
■~ 소제기(掃除器) punta *f*.

총영사(總領事) cónsul, -la *mf* general. ~의 직(職) consulado *m* general. ~의 임기(任期) consulado *m* general.
■~관(館) consulado *m* general. ¶시카고 주재 대한민국 ~ el Consulado General de la República de Corea en Chicago.

총예산(總豫算) presupuestos *mpl* generales. 국가(國家) ~ presupuestos *mpl* generales del Estado.

총우(寵遇) favor *m* especial. ~하다 mostrar un favor especial. ~를 받다 gozar de un favor especial.

총원(總員) todos los miembros, personal *m* íntegro, número *m* completo; [종업원 등의] (todo el) personal *m*; [선박의] toda la tripulación. ~ 만 명 diez mil personas en total [en conjunto]. ~ 60만(명)의 군대(軍隊) ejército *m* de seiscientos mil hombres en total. 군(軍)의 ~ todo el ejército. 그들은 ~ 500명이다 Ellos son quinientas personas en total. ~ 갑판으로! ¡Toda la tripulación a cubierta!

총의(總意) voluntad *f* general, opinión *f* general, parecer *m* general. 국민(國民)의 ~로 como voluntad nacional, como voluntad de toda la nación.

총잡이(銃—) buen pistolero *m* (*pl* buenos pistoleros).

총장(總長) ① [전체의 사무를 관리하는 으뜸 벼슬] secretario, -ria *mf* general. 검찰 ~ fiscal *mf* general del Estado. ② [종합 대학의 장] rector, -ra mf; presidente, -ta *mf*. ~(의) 직(職) presidencia *f*, rectoría *f*.

총재(總裁) presidente, -ta *mf*, gobernador, -dora *mf*. 부(副)~ vicepresidente, -ta *mf*. 한국 은행(韓國銀行) ~ presidente, -ta *mf* [gobernador, -dora *mf*] del Banco de Corea. ~(의) 직(職) presidencia *f*.

총점(總點) total *m* de *sus* notas; [경기의] resultado *m* total.

총좌(銃座) ametralladora *f*.

총죽(叢竹) arbolada *f* de bambú.

총죽지교(蔥竹之交) amistad *f* de la infancia.

총준하다(聰俊—) (ser) inteligente y elegante.

총중(叢中) entre la multitud.

총지배인(總支配人) gerente *mf* general.

총지출(總支出) gasto *m* bruto.
◆국민(國民) ~ el Gasto Nacional Bruto.

총지휘(總指揮) alto mando *m*, suprema comandancia *f*, dirección *f* general. ~를 하다 llevar [tomar] la dirección general.
■~관(官) general *mf* en jefe.

총질(銃—) tiros *mpl*, disparos *mpl*. ~하다 tirar, disparar.

총집(銃—) pistolera *f*, entuche *m* de pistola.

총집(叢集) muchedumbre *f*, multitud *f*, gentío *m*. ~하다 aglomerarse.

총참모장(總參謀長) jefe *m* de Estado Mayor.

총창(銃創) =총상(銃傷).

총채 trapo *m* del polvo de crines.

총책(總責) ((준말)) =총책임자(總責任者).

총책임(總責任) responsabilidad *f* general.
■~자 responsable *mf* general.

총천연색(總天然色) =천연색(天然色).
■~ 영화 película *f* en color [*AmL* en colores · *Andes* a color].

총첩(寵妾) concubina *f* favorita.
총체(總體) totalidad *f*, conjunto *m*, todo.
■ ~적(的) general, global, total, todo. ¶~으로 en general, generalmente, globalmente, totalmente, enteramente, íntegramente, en conjunto. ~으로 보아 desde el punto de vista global, en conjunto.
총총(怱怱) ① [급하고 바쁜 모양] apresuradamente, precipitadamente, a prisa, de prisa, aceleradamente. 그녀는 늘 ~ 걷는다 Ella siempre anda de prisa. 금년도 ~ 지나갔다 Este año también ha llegado precipitadamente a su final. ② [편지의 끝맺는 말로 「난필(亂筆)이 되어 죄송하다」는 뜻] Atentamente / Muy atentamente / Su Seguro Servidor / [우리식으로] He escrito apresuradamente.
총총걸음 paso *m* ligero, paso *m* rápido.
총총들이(葱葱－) en pila, a montones.
총총하다(葱葱－) (ser) denso.
총총히 densamente.
총총하다(叢叢－) (ser) denso, numeroso, (estar) lleno.
총총히 densamente, numerosamente.
총출동(總出動) movilización *f* general. ~하다 ser movilizado generalmente. 군대의 ~ movilización *f* general de las tropas. 일가(一家)가 ~하여 나를 맞이했다 Salió a recibirme toda la familia. 전 주민이 ~하여 춤추며 날을 지샜다 Todo el pueblo siguió bailando hasta la madrugada.
총칙(總則) reglas *fpl* generales.
총칭(總稱) nombre *m* genérico, nombre *m* general, término *m* genérico. ~하다 nombrar genéricamente, dar un nombre general, designar por un término genérico. A와 B를 ~해서 C라 한다 C es el término genérico para A y B.
총탄(銃彈) bala *f* (de fusil), proyectil *m*.
총톤수(總 ton 數) tonelada *f* bruta.
총통(總統) generalísimo *m*, caudillo *m*, presidente *m*. 장개석(蔣介石) ~ *Chang Kai-chek*, el presidente; *Chang Kai-chek*, el generalísimo.
총퇴각(總退却) retirada *f* general. ~하다 hacer una retirada general.
총퇴장(總退場) salida *f* general. ~하다 salir todos.
총투자(總投資) 【주식】 inversión *f* bruta.
총파업(總罷業) huelga *f* general, *AmL* paro *m* general.
총판(總販) ((준말)) =총판매(總販賣).
총판매(總販賣) representación *f* exclusiva.
■ ~인(人) representante *m* exclusivo [único], representante *f* exclusiva [única].
총평(總評) crítica *f* general. ~을 하다 criticar generalmente, hacer una crítica general.
총포(銃砲) ① =총(銃)(escopeta). ② [총과 대포] la escopeta y el cañón.
■ ~공(工) armero, -ra *mf*. ~ 도검 화약류 등 단속법(刀劍火藥類等團束法) ley *f* de control de armas de fuego, espadas y explosivos. ~점(店) armería *f*.
총할(總轄) control *m* general, dirección *f* general, gobierno *m* general, superintendencia *f* general, dominio *m* general. ~하다 superintender, inspeccionar, revistar, tener dominio general, gobernar, controlar, dirigir.
총합(總合) síntesis *f*. ~하다 sintetizar. ~의 sintético.
총화(銃火) fuego *m* (de rifle・de fusil・de carabina). 적의 ~를 무릅쓰고 en medio del fuego enemigo. ~를 교환하다 cambiar fuego. ~를 받다 recibir fuego. ~를 퍼붓다 hacer [abrir] fuego (contra). 적에게 ~를 퍼붓다 hacer [abrir] fuego contra el enemigo.
총화(總和) ① [총계] suma *f* total, total *m*. ② [전체의 화합] integración *f* general, consenso *m* nacional.
■ ~ 정치 política *f* de integración.
총회(總會) asamblea *f* general, junta *f* general, sesión *f* plenaria, reunión *f* plenaria; ((종교)) sínodo *m*. ~를 개최하다 celebrar la asamblea general. ~에 상정하다 someter a (la) discusión de la junta general.
■ ~꾼 persona *f* que saca dinero a una compañía amenazando conturbar el orden en una junta general de accionistas.
총희(寵姬) mujer *f* favorita.
촬영(撮影) [사진의] el hacer fotografía; [영화의] rodaje *m*, filmación *f*, cinematografía *f*, rotación *f*. ~하다 sacar [tomar・hacer] fotos; [영화를] rodar, filmar. …을 ~하다 fotografiar *algo*, rodar *algo*. 경치를 ~하다 fotografiar un paisaje. 영화(映畵)로 ~하다 cinematografiar, fotografiar con el cine, tomar una película, filmar. 장면(場面)을 ~하다 fotografiar una escena. ~은 내일 시작한다 La filmación [El rodaje] empieza mañana.
■ ~ 감독 director, -tora *mf* de cine. ~ 금지 ((게시)) Prohibido sacar fotos / No sacar fotos / Se prohíbe sacar fotos / No saque fotos. ~기(機) [영화의] cámara *f* cinemafotográfica, tomavistas *m.sing.pl*. ~기사 operador, -dora *mf* (de cámara cinematográfica); [영화의] camarógrafo, -fa *mf*, cámara *mf*, cinematografista *mf*, cameraman *ing.m.f* (특히 *AmL*). ~ 기술(技術) cinematografía *f*, fotografía *f*. ~ 대본(臺本) continuidad *f*. ~ 대회 concurso *m* fotográfico. ~소 estudio *m*. ~실 estudio *m*. ~ 카메라 tomavistas *m.sing.pl*, cámara *f* cinematográfica.
최-(最) el [la・los・las] más + *adj*. ~남단(南端) el más meridional. ~연장자(年長者) el mayor, la mayor. ~연소자(年少者) el menor, la menor.
최강(最强) lo más fuerte. ~의 el [la] … más fuerte. ~자(者) el más fuerte, la más fuerte; [남자] el hombre más fuerte; [여자] la mujer más fuerte.
최고(最古) lo más antiguo. ~의 el [la] …

más antiguo [antigua]. 세계 ~의 그림 el cuadro más antiguo del mundo.

최고(最高) lo superior, lo máximo, lo superlativo. ~의 el más alto, supremo, máximo, culminante, altísimo, superlativo. 생애(生涯) ~의 날 el día más brillante de *su* vida, el mejor día de *su* vida. 회사에서 ~의 지위를 차지하다 ocupar el puesto más alto de la compañía. 오늘은 금년 ~의 더위다 Hoy ha hecho el máximo calor de este año. 그 영화는 ~로 재미있다 La película es interesantísima [sumamente interesante]. 매상(賣上)은 ~에 달했다 Las ventas han superado todos los niveles.

■ ~가(價) el precio más alto. ~ 가치 el valor más alto. ~ 간부 jefes *mpl*. ~ 고문 consejero supremo, consejera *f* suprema. ~ 교육 educación *f* suprema, enseñanza *f* suprema. ~권 poder *m* supremo, poder *m* absoluto. ~ 권위 autoridad *f* suprema. ~급 la mejor clase, la clase más alta, el grado más alto, alto nivel *m*. ~ 기관 organismo *m* supremo, organización *f* más alta. ~ 기록 record *m* más alto. ~ 기온 temperatura *f* máxima. ~도 grado *m* más alto, grado *m* supremo. ~ 득점 mayor número *m* de votos. ~ 법규(法規) ley *f* suprema. ~ 법원(法院) tribunal *m* supremo, *AmS* corte *f* suprema. ~봉(峰) ㉮ [산(山)의 가장 높은 봉우리] la cima más alta. ㉯ [어떤 분야에서 가장 뛰어난 것] la figura cimera, la figura máxima. ¶한국 문단의 ~ la figrura cimera [máxima] de las letras coreanas. ~ 사령관(司令官) comandante *mf* en jefe. ~상(賞) primer premio *m*. ~선(善) bien *m* supremo. ~ 속도 la velocidad máxima. ~ 수뇌 회의(首腦會議) conferencia *f*) cumbre *f*. ~ 수준 la filigrana más alta; [강둑에서] la marca del nivel de agua más alta. ~ 수훈 선수 el jugador más valioso. ~신(神) dios *m* supremo. ~액(額) la cantidad máxima. ~ 온도(溫度) el calor máximo. ~ 온도계 termómetro *m* máximo [de máxima]. ~위(位) el rango más alto. ¶~급 회담(級會談) conversaciones *fpl* de alto nivel. ~ 위원 miembro *mf* del consejo supremo. ¶대표 ~ presidente, -ta *mf* del consejo supremo. ~ 위원회 consejo *m* supremo de un partido. ~음(音) voz *f* de tiple, soprano *m*. ~ 임금(賃金) límite *m* superior de salario. ~ 임금제(賃金制) sistema *m* de límite superior de salario. ~ 재판소 tribunal *m* supremo, corte *f* suprema. ~점 punto *m* más alto, marcas *fpl* máximas, mayor nota *f*. ~조(調) [정점] clímax *m*, punto *m* culminante, auge *m*, cenit *m*, zenit *m*; [오르가슴] orgasmo *m*. ~ 지도자 dirigente *m* supremo, dirigente *f* suprema; líder *m* supremo, líder *f* suprema. ~ 지휘관(指揮官) comandante *m* supremo. ~ 책임자(責任者) responsable *m* supremo, responsable *f* suprema; [행정부의] presidente, -ta *mf*, jefe *m* del Estado. ~치(値) máximun *m*, máximo *m*. ~품 =극상품(極上品). ~ 품질 la mejor calidad. ~ 학부 [대학] universidad *f*, [대학원] escuela *f* de posgrado, curso *m* de posgrado. ~ 한도(限度) límite *m* (máximo), máximun *m*, tope *m*. ~형(刑) pena *f* más severa; [사형] pena *f* de muerte. ~ 회의(會議) consejo *m* supremo.

최고(催告) notificación *f*, [채무 이행의] reclamo *m*, advertencia *f*. ~하다 notificar*le a uno* a que + *subj*; [채무의 이행을] intimar*le* la orden de pago *a uno*, reclamar*le* una deuda *a uno*.

최구하다(最久-) (ser) más largo.

최귀하다(最貴-) (ser) más valioso, más precioso.

최근(最近) ① [장소나 위치가 가장 가까움] lo más cercano. ② [얼마 되지 않은 지나간 날] lo último, lo más actual; [부사적] recientemente, últimamente, estos días, hoy día; [과거 분사 앞에서] recién. ~의 reciente, último, novísimo. ~에 도착한 recién llegado. ~의 상황 situación *f* de estos últimos días. ~의 정보 información *f* reciente. ~에 매입한 책 libro *m* recién comprado. ~에 출판된 책 libro m recién publicado [editado]. ~ 10년간에 en los últimos diez años, durante estos diez años. ~의 조사에 따르면 según las últimas investigaciones. 그는 ~ 한국에 왔다 El ha venido a Corea hace poco / *AmS* Recién él ha venido a Corea. ~ 나는 그녀를 만나지 못했다 Yo no la veo estos días. ~까지 그는 이곳에서 근무했었다 El trabajaba aquí hasta hace poco.

■ ~세(世) tiempos *mpl* recientes, período *m* moderno. ¶한국(韓國) ~사(史) historia *f* moderna de Corea, historia *f* contemporánea de Corea.

최급(最急) lo más urgente, lo más rápido.

■ ~무(務) el negocio más urgente.

최긴(最緊) lo más importante. ~하다 (ser) más importante. ~한 문제(問題) el problema más importante.

최남단(最南端) el más meridional, el extremo más meridional [austral], extremo sur. ~의 más meridional, más austral. 한국의 ~ 섬인 마라도 Marado, la isla más meridional de Corea. 나라의 ~ 끝 el extremo sur del país. 세계 ~ 도시 la ciudad más austral del mundo. 이곳은 한국의 ~이다 Este es el extremo sur de Corea.

최다(最多) el número mayor, el más. ~의 군중 la muchedumbre más grande. ~의 액(額) la mayor cantidad.

최단(最短) lo más corto. ~의 el [la] … más corto [corta]. ~ 코스를 취하다 tomar la ruta más corta.

■ ~ 거리 la distancia más corta. ~ 시일 el tiempo más corto.

최대(最大) máximo *m*, máximum *m*. ~의 el más grande, el mayor, máximo. ~로 a lo sumo, como máximo. ~의 몫 la parte del león. ～로 하루에 세 번 tres veces al día como máximo. 세계 ～의 도시 la ciudad más grande del mundo, la mayor ciudad del mundo. ～로 10만 달러까지 hasta cien mil dólares como máximo, hasta un máximo de cien mil dólares. ～로 개발하다 explotar al máximo. 그것이 나의 ～의 고민이다 Mi mayor sufrimiento está en eso.

■ ～가(價) precio *m* máximo. ～값 **【수학】** valor *m* máximo. ～ 공약수 **【수학】** máximo común divisor *m*, máximo común factor *m*, el MCD, el MCF. ～ 다수의 최대 행복 la mayor felicidad del mayor número. ～량(量) cantidad *f* máxima. ～ 속도[속력] velocidad *f* máxima. ～ 압력 ㉮ [가장 큰 압력] presión *f* máxima. ㉯ **【물리】** ＝포화 증기압(飽和蒸氣壓). ～ 장력(張力) tensión *f* máxima. ～한 máximo *m*, máximum *m*. ～한도 (límite *m*) máximo *m*, máximum *m*.

최량(最良) lo óptimo. ～의 el mejor, superior, óptimo, finísimo; [순종] de pura raza.

최루 가스(催淚－) gas *m* lacrimógeno.

최루탄(催淚彈) bomba *f* lacrimógena.

최루피스톨(催淚 pistol) pistola *f* lacrimógena.

최면(催眠) hipnosis *f*, hipnotización *f*.

■ ～ 상태(狀態) hipnosis *f*, estado *f* de hipnotismo, sueño *m* hipnótico. ¶～에 있다 encontrarse en la hipnosis, estar en el estado hipnótico. ～에 빠지다 caer en el estado de hipnotismo. ～술 hipnotismo *m*., mesmerismo *m*; [동물 자기에 의한] magnetismo *m* (animal). ～술사 hipnotista *mf*, hipnólogo, -ga *mf*; hipnotizador, -dora *mf*; hipnotizador, -dora *mf*. ～ 요법 terapia *f* hipnótica, curación *f* hipnótica, tratamiento *m* por hipnotismo. ～제(劑) hipnótico *m*., narcótico *m*, opiato *m*, medicina *f* soporífera, bebida *f* calmante. ～학 hipnología *f*, neurohipnología *f*.

최북단(最北端) extremo *m* más septentrional, el extremo norte, lo más septentrional. ～의 más septentrional. ～ 섬 la isla más septentrional. 섬의 ～ 끝 el extremo más septentrional [norte] de la isla. 한국의 ～ 도시(都市) la ciudad más septentrional de Corea. 북한의 ～ 마을 la aldea en el extremo norte de Corea del Norte.

최빈국(最貧國) el país mâs pobre.

최상(最上) lo mejor. ～의 el mejor, la mejor, óptimo, supremo, de primera calidad, de primera categoría. ～의 품질 la mejor calidad, la calidad de primera categoría.

■ ～권 poder *m* supremo, supremacía *f*. ～급 ㉮ [가장 위의 계급] grado *m* superior. ㉯ [가장 위의 등급(等級)] clase *f* superior. ㉰ **【언어】** (grado *m*) superlativo *m*. ～선(善) bien *m* supremo. ～지(地) ((불교)) rango *m* supremo, puesto *m* supremo, posición *f* suprema. ～층 ㉮ [(여러 층으로 된 건물에서) 맨 위층] piso *m* superior, piso *m* más alto, piso *m* de más arriba, planta *f* más alta, planta *f* de más arriba. ㉯ [맨 위에 속하는 사회적 계층] clase *f* superior. ～품(品) artículo *m* de primera (calidad), artículo *m* de óptima calidad, el mejor artículo. ～ 행복 felicidad *f* suprema.

최서(最西) extremo *m* occidental, extremo *m* oeste. ～의 más al oeste. 나라의 ～ 지점 el extremo occidental [oeste] del país.

최선(最先) ((준말)) ＝최선등(最先等).

최선(最善) ① [가장 좋음] lo mejor ～의 mejor, óptimo, superior, sumo. ～의 노력 el esfuerzo extremo, el mayor esfuerzo. ～의 방법(方法) el mejor medio, el mejor modo. ～을 다하다 hacer lo mejor posible, hacer todo lo posible, hacer lo más posible, hacer lo mejor, poner en juego todos *sus* esfuerzos.. 네가 ～이라고 생각하는 것은 무엇이든지 해라 Haz lo que mejor te parezca. 무엇이 너에게 ～인가를 잘 알고 있다 Ella sabe bien qué es lo que más te conviene. ～을 추구하고, 최악을 각오하며 결과를 감수하라 ((서반아 속담)) Procura lo mejor, espera lo peor y toma lo que viene (진인사대천명(盡人事待天命)). ② [전력(全力)] toda la fuerza, toda la energía. ～을 다하다 hacer lo mejor posible, hacer todo lo posible, hacer lo mejor, hacer lo más posible.

■ ～책(策) lo mejor. ¶～은 기다리는 것이다 Lo mejor es esperar.

최선두(最先頭) el primero.

최선등(最先等) el primero, la delantera, la cabeza. ～에 가다 encabezar, ir a la cabeza (de). ～으로 도착하다 llegar primero. 우리 팀이 ～이었다 Nuestro equipo llevaba la delantera.

최선봉(最先鋒) la cabeza. ～에 서다 acaudillar, ser el cabecilla (de); [팀의] capitanear; [원정대의] dirigir, estar al frente (de).

최성기(最盛期) época *f* dorada, edad *f* de oro, cenit *m*, zenit *m*, flor *f* de la vida, la mejor edad, apogeo *m*, época *f* más próspera, estación *f* más próspera. ～에 en *su* sazón, en la flor de la vida, en la mejor edad. ～에 있다 estar en la flor de la vida, estar en la mejor edad. 낭만주의(浪漫主義)가 ～에 도달했을 때 cuando el romanticismo estaba en su apogeo. 그는 ～를 지났다 El ya no es ningún jovencito. 그들은 ～에 죽었다 Ellos murieron en la flor de la vida.

최소(最小) mínimo *m*, mínimum *m*, lo más pequeño. ～의 el más pequeño, el menor, mínimo. ～로 al mínimo, a lo mínimo, por lo menos, al menos. 손해를 ～로 제한하다 detener [limitar] el daño al [a lo] mínimo. ～로 열 사람은 필요하다 Se necesitan diez personas por lo menos [como mínimo].

최소(最少) ① [가장 적음] lo menos. ② [가장 젊음] el [la] más joven.

■ ～값 **【수학】** valor *m* mínimo. ～ 공배수 mínimo *m* común multiplo. ～ 공분모 (公

分母) MCDn *m*, mínimo *m* común denominador. ~량 cantidad *f* mínima. ~ 비용 los menores gastos. ~액 suma *f* mínima, suma *f* más pequeña. ~한(限) =최소한도. ¶~의 자유 el minimun de la libertad. 손해를 ~으로 제한하다 detener [limitar] el daño al [a lo] mínimo. ~ 열 사람은 필요하다 Se necesitan tres personas por lo menos [como mínimo]. ~한도 mínimo *m*, grado *m* mínimo, lo mínimo. ¶~로 a lo mínimo. ~로 하다 reducir al mínimo.

최신(最新) lo último, lo reciente, lo novísimo, el más nuevo, el más moderno. ~의 novísimo, reciente, último, más nuevo, de modelo más reciente, a la última.
 ▪~ 기술 la técnica más moderna. ~ 뉴스 noticias *fpl* de última hora. ~식 estilo *m* más moderno, estilo *m* novísimo, sistema *m* novísimo. ~ 유행 la última moda, la última novedad. ~형 último modo *m*, modelo *m* más reciente, última moda *f*, última forma *f*. ~호 último número *m*.

최신세(最新世) 【지질】 pleistoceno *m*.

최심(最甚) lo más demasiado [duro · fuerte]. ~하다 ser más demasiado [duro · fuerte].

최악(最惡) lo peor. ~의 el peor, pésimo, malísimo. ~의 경우에는 en el peor de los casos. ~의 경우에도 aun en el peor de casos. ~의 경우에 대비하다 preparar [disponerse] para lo peor. 기후가 ~의 상태이다 Hace un tiempo pésimo [perro].

최우대 대출 금리(最優待貸出金利) tipo *m* de interés preferencial [preferente].

최우수(最優秀) lo mejor. ~의 el mejor, primero, superior. 한국 ~ 테니스 선수 la primera raqueta coreana.
 ▪~ 선수 el mejor jugador, la mejor jugadora. ~품 artículo *m* escogido, el mejor artículo.

최음제(催淫劑) afrodisiaco *m*, medicamento *m* afrodisiaco.

최장(最長) lo más largo.
 ▪~ 거리 la distancia más larga.

최저(最低) lo más bajo, mínimum *m*, mínimo *m*. ~의 el más bajo, ínfino, mínimo. ~로 줄이다 reducir al mínimo. 이 요리는 ~이다 Este plato es pésimo / Esta cocina es pésima. ~ 100만 원은 필요하다 Se necesitan un millón de wones como mínimo. 그것은 ~로 10만 원은 든다 Cuesta cien mil wones por lo menos.
 ▪~가(價) el precio más bajo, el último precio, el precio mínimo. ~ 경매 가격(競賣價格) precio *m* mínimo (fijado para un lote de una subasta), precio *m* mínimo garantizado [de intervención]. ~ 급료(給料) salario *m* mínimo, sueldo *m* mínimo, salaro *m* más bajo, sueldo *m* más bajo. ~ 기온(氣溫) temperatura *f* mínima. ~ 비용 mínimo *m* de coste, *AmL* mínimo *m* de costo. ~ 생계비[생활비] costo *m* de vida mínimo, gastos *mpl* de vida mínimos. ~ 온도 la temperatura más baja. ~ 온도계 termómetro *m* mínimo [de mínima]. ~ 음부 【음악】 bajo *m*. ~ 임금(賃金) sueldo *m* mínimo, salario *m* mínimo. ~ 임금법 ley *f* de remuneración legal mínima. ~ 임금제 sistema *m* de remuneración legal mínima, sistema *m* de jornal mínimo. ~한도(限度) grado *m* mínimo.

최적(最適) lo óptimo, lo más propio, lo más adecuado. ~의 óptimo, ideal, el más propio, el más adecuado, el más procipio. …에 ~이다 ser el más adecuado para + *inf*. 그 일은 나에게는 ~이다 Ese es el trabajo más adecuado para mí. 이곳은 별장지로 ~이다 Este lugar es ideal para la casa de campo. 컨디션은 ~이다 Las condiciones son óptimas [sumamente favorables]. 그는 이 일에 ~이다 El está más capacitado para este trabajo.
 ▪~격자 la persona más adecuada. ~ 규준 tamaño *m* óptimo. ~ 기업 empresa *f* óptima. ~ 기준 norma *f* óptima. ~ 도시 ciudad *f* óptima. ~량 capacidad *f* óptima. ~ 밀도(密度) densidad *f* óptima. ~ 속도 velocidad *f* óptima. ~ 온도 temperatura *f* óptima. ~ 인구(人口) población *f* óptima. ~ 조건 condición *f* óptima.

최전(最前) ① [훨씬 이전] hace mucho tiempo. ② [맨 앞] lo más adelantado.
 ▪~방(方) =최전선. ~방 초소 avanzada *f*, puesto *m* de avanzada. ~선(線) (primer) frente *m*, primera línea *f*, línea *f* de batalla. ~열(列) primera fila *f*.

최종(最終) final *m*. ~의 final, último; [결국의] definitivo.
 ▪~ 결정(決定) decisión *f* definitiva. ~ 공연 última función *f*, última representación *f*, última actuación *f*. ~ 단계 última etapa *f*; [영화 · 콘서트의] el final, los últimos minutos, la última parte. ¶~에 들어가다 [공정(工程)의] entrar en la última etapa antes de la terminación, entrar en la fase final. ~ 라운드 ((권투)) último asalto *m*. ~ 목적 objetivo *m* final. ~ 무기[병기] última arma *f*. ~ 버스 último autobús *m*. ~ 변론 alegato *m* final. ~ 보고(報告) informe *m* definitivo. ~ 분석(分析) análisis *m(f)* final. ~ 시험 examen *m* final. ~심(審) último juicio *m*. ~안(案) programa *m* final, plan *m* final. ~ 열차 último tren *m*. ~일 último día *m*. ~적(的) final, último, definitivo. ¶~으로 finalmente, últimamente, definitivamente, en definitiva. ~인 결론(結論) conclusión *f* definitiva. ~판 [신문의] última edición *f*. ~회 [영화의] última sesión *f*; ((야구)) vuelta *f* última.

최첨단(最尖端) ① [가늘고 긴 물건이나 돌출한 곳의 가장 끝 부분] punta *f*. 창의 ~ punta *f* de lanza. ② [시대나 유행 등의 가장 선두] lo más moderno; [유행의] lo de moda. ~의 드레스 el traje de moda. ~의 집 la casa más moderna.

최초(最初) principio *m*, comienzo *m*, inauguración *f*; [데뷔] estreno *m*. ~의 primero, inicial; [본래(本來)의] original. ~에(는) al principio, al comienzo. ~로 primero, primeramente, en primer lugar; [처음으로] por primera vez. ~의 경험(經驗) primera experiencia *f.* ~의 목적 primer objeto *m.* ~의 계획으로는 según el plan original. ~의 1년 동안 durante el primer año. 이 책의 ~의 10쪽 las primeras diez páginas de este libro. 그의 ~의 작품 su primera obra. 그녀가 ~로 도착했다 Ella llegó primero. 이것을 ~에 옮기십시오 Lleve usted esto primero, por favor. 나는 그녀를 작년에 ~로 보았다 La vi por primera vez el año pasado. 그를 ~에 만난 것은 5년 전이었다 Hace cinco años que yo le vi a él por primera vez. 그 사람이 우는 것을 본 것은 그것이 ~요 마지막이었다 Ni antes ni después le he visto llorar / Fue la primera y última vez que yo le veía llorar. 나는 ~부터 그것을 알고 있었다 Yo lo sabía desde el principio.

최하(最下) lo ínfimo, lo más bajo, lo inferior. ~의 el más bajo, bajísimo.

■~ 가격(價格) el precio más bajo. ~급 la clase más baja, el grado más bajo, la clase ínfima, el peor. ~등 el grado más bajo. ~등품 artículo *m* de la calidad más baja. ~위 lo más bajo, último lugar *m.* ~층 la clase más baja, el estrato más bajo, estrato *m* bajísimo. ~층 계급(層階級) la clase más baja. ~품(品) el artículo más bajo, el artículo ínfimo, el artículo de la peor calidad.

최혜국(最惠國) la nación más favorecida.

■~ 대우(待遇) trato *m* de (la) nación más favorecida. ~ 약관(約款) cláusula *f* de la nación más favorecida. ~ 조약(條約) tratado *m* de la nación más favorecida.

최호(最好) lo más gustoso, lo que *le* gusta más. ~하다 gustar*le* más a *uno.*

최호하다(最好-) ser (lo) mejor.

최활 palillo *m* flexible usado como la bastidor de tela en el telar.

최후(最後) fin *m,* final *m,* lo último; [종결] conclusión *f,* [임종] fin *m,* último momento *m;* [죽음] muerte *f,* fallecimiento *m.* ~의 último, final, supremo; 【언어】 postrero; [남성 단수 명사의 앞에서] postrer. ~에 por último, al fin, finalmente, en último lugar. ~까지 hasta el fin. ~의 순간(瞬間) el último momento, el momento supremo. ~의 승리 la última victoria, la victoria final. 로마 제국의 ~ el fin del Imperio Romano. ~의 한 방울까지 hasta la última gota. ~의 순간에 en el último momento. 비참한 ~를 마치다 morir una muerte trágica. 그의 ~는 비참했다 La última etapa de su vida ha sido muy miserable / El ha acabado su vida en la miseria.

■~미(尾) cola *f,* zaga *f.* ¶열차의 ~ 차량 vagón *m* que está a la cola del tren, último vagón *m* del tren. 행진의 ~를 걷다 ir a la cola [a la zaga] de la marcha. ~ 발악 últimos insultos *mpl.* ~ 수단(手段) última medida *f,* último medio *m* [recurso *m*・expediente *m*]. ~일각(一刻) momento *m* final. ~ 진술(陳述) última declaración *f.* ~통첩 ultimátum *m.*

추(錘) ① ((준말)) =저울추. ② [시계의] péndula *f.*

추(醜) suciedad *f,* fealdad *f,* deformidad *f.* ~하다 (ser) sucio, feo, deforme.

추가(追加) adición *f,* suplemento *m,* apéndice *m.* ~하다 adicionar, añadir, agregar, poner de más; [포함시키다] incluir. ~의 adicional, extra, suplementario. A를 B에 ~하다 añadir A a B. 주문(注文)을 ~하다 hacer un pedido suplementario. 서너 줄을 ~하다 añadir [poner] tres o cuatro líneas más. 예산(豫算)에 ~하다 incluir en el presupuesto.

■~ 경정 예산(更正豫算) presupuesto *m* suplementario revisado. ~ 공사 obras *fpl* adicionales. ~ 관세 derecho *m* aduanero adicional. ~량 cantidad *f* adicional. ~ 마진 margen *m* adicional. ~ 배당 dividendo *m* suplementario. ~ 불입 자본 capital *m* adicional desembolsado, *AmL* capital *m* adicional integrado. ~ 비용(費用) coste *m* adicional, carga *f* adicional, gasto *m* adicional, suplemento *m,* gastos *mpl* adicionales, coste *m* suplementario, *AmL* costo *m* adicional, costo *m* suplementario. ~ 비용 보험(費用保險) seguro *m* contra gastos adicionales. ~세(稅) impuesto *m* suplementario. ~ 세액(稅額) impuesto *m* adicional. ~ 시험 examen *m* suplementario (para los estudiantes que no pudieran examinarse). ~ 예산(豫算) presupuesto *m* suplementario. ~ 예산안 proyecto *m* del presupuesto suplementario. ~ 요금(料金) recargo *m.* ~ 이자 interés *m* adicional. ~ 일손 mano *f* de obra adicional, mano *f* de obra suplementaria, trabajo *m* adicional. ~ 입찰 licitación *f* suplementaria. ~ 조건 condiciones *fpl* complementarias. ~ 조약 tratado *m* suplementario. ~ 조항 cláusula *f* adicional, artículos *mpl* añadidos. ~ 주문 orden *f* adicional, pedido *m* adicional. ~ 지불 paga *f* adicional. ~ 지출 desembolso *m* suplementario. ~ 프리미엄 prima *f* complementaria.

추간(追刊) publicación *f* adicional. ~하다 publicar adicionalmente.

추거(推擧) recomendación *f.* ~하다 recomendar. …의 ~에 의해 por la recomendación de *uno.*

추격(追擊) ① [뒤쫓아 가며 침] persecución *f,* caza *f.* ~하다 perseguir, acosar, cazar, dar caza. 적을 ~하다 atacar al enemigo en fuga. ② =습진(習陣).

◆추격(을) 붙이다 ㉮ [습진(習陣)을 하도록 시키다] hacer maniobreas. ㉯ [이간질하여 서로 싸우게 하다] hacer pelearse.

■~기(機) avión *m* de caza. ~전 combate *m* de acosamiento. ~포 cañón *m* de caza.

추경(秋景) paisaje *m* otoñal, escena *f* otoñal.
추경(秋耕) arado *m* otoñal.
◆추경(을) 치다 arar el arrozal en el otoño.
추경 예산(追更豫算) ((준말)) =추가 경정 예산(追加更正豫算).
추계(秋季) otoño *m*.
▪~ 운동회(運動會) fiesta *f* atlética del otoño, fiesta *f* deportiva otoñal [de(l) otoño].
추계(追啓) =추신(追伸).
추계(推計) estimación *f*. ~하다 estimar.
▪~ 인구 población *f* estimada. ~학 teoría *f* de inferencia estadística. ~ 학자(學者) estadístico *m* inductivo, estadística *f* inductiva.
추고(推考) deducción *f*, conclusión *f*, inferencia *f*, deliberación *f*. ~하다 inferir, deducir, colegir, hacer una deducción, deliberar, investigar.
추곡(秋穀) cereales *mpl* cosechados en el otoño.
▪~ 수매(收買) compra *f* de cereales cosechados en el otoño por el gobierno. ~ 수매 가격 precio *m* de la compra de cereales cosechados en el otoño por el gobierno.
추골(椎骨) [척추골(脊椎骨)] vértebra *f*. ~의 vertebral.
추골(鎚骨) 【해부】 =망치뼈.
추공(秋空) cielo *m* alto y claro del otoño.
추괴하다(醜怪—) (ser) feo, grotesco.
추교(醜交) relación *f* escandalosa, conexión *f* ilícita, relación *f* sexual entre mujer y hombre. ~의 소문 rumor *m* de la relación escandalosa. …와 ~를 맺다 tener relaciones escandalosas con *uno*.
추구(追求) persecución *f*, búsqueda *f*, perseguimiento *m*, acosamiento *m*, caza *f*. ~하다 perseguir, buscar, acosar, ir detrás de *algo*, ir (por · tras · en busca de) *algo*. 진리(眞理)의 ~ búsqueda *f* de la verdad. 행복의 ~ persecución *f* [búsqueda *f*] de la felicidad. …을 ~하여 a la búsqueda de *algo*, en busca de *algo*. 명예(名譽)를 ~하다 ambicionar [aspirar a] la fama. 원인을 ~하다 buscar las causas (de). 이상(理想)을 ~하다 perseguir el ideal. 쾌락을 ~하다 correr tras los placeres, buscar los placeres. ~하는 자는 얻는다 ((서반아 속담)) Quien busca, halla.
추구(追究) estudio *m* profundo, investigación *f* meticulosa [minuciosa · rigurosa], indagación *f*, pesquisa *f*, escudriñamiento *m*. ~하다 investigar, indagar, interrogar, hacer averiguaciones [indagaciones] detenidamente (sobre), repreguntar. 문제를 ~하다 estudiar el problema meticulosamente. 진리를 ~하다 buscar la verdad.
추구(推究) deducción *f*, conclusión *f*, inferencia *f*. ~하다 inferir, deducir, colegir.
추국(秋菊) crisantemo *m* otoñal.
추궁(追窮) exigencia *f*, persecución *f*. ~하다 exigir, perseguir, presionar (para obtener una respuesta), interrogar severamente. ~을 늦추지 않다 no dejar de perseguir. 책임을 ~하다 exigir la responsabilidad (de). 그를 너무 ~하지 마세요 No le exija demasiado a él. 나는 왜 지각했는가라고 그를 ~했다 Le presioné para que me dijera por qué había llegado tarde.
추근추근 importunamente. ~하다 importunar. 추근거리다 seguir importunando.
추근히 importunamente, con importunidad.
추근추근하다 estar muy mojado, estar muy húmedo.
추근추근히 húmedamente, mojadamente.
추급(追及) alcance *m*. ~하다 alcanzar.
추급(追給) paga *f* adicional, paga *f* suplementaria. ~하다 pagar adicionalmente.
추기(秋氣) aire *m* otoñal, atmósfera *f* otoñal, señal *f* [indicio *m*] otoñal [de otoño].
추기(秋期) otoño *m*.
추기(追記) epílogo *m*, apéndice *m*, nota *f* adicional.
추기(樞機) los asuntos más importantes, parte *f* vital.
추기경(樞機卿) ((천주교)) cardenal *m*.
▪~ 회의(會議) consistorio *m*.
추기다 instigar, incitar, provocar, seducir, tentar. …하도록 ~ incitar a + *inf*, azuzar para que + *subj*. 나를 추기지 마라 No me tientes.
추깃물 el agua del cadáver roto, fluido *m* cadavérico.
추남(醜男) hombre *m* feo.
추납(追納) paga *f* suplementaria, pago *m* de lo que falta. ~하다 pagar suplementariamente, pagar lo que faltaba.
추녀 socarrén *m* (*pl* socarrenes), alero *m* de tejado, el ala *f* (*pl* las alas) de tejado .
추녀(醜女) mujer *f* fea.
추념(追念) conmemoración *m*. ~하다 conmemorar.
▪~사(辭) palabras *fpl* conmemorativas. ~식(式) ceremonia *f* conmemorativa.
추다[1] [남을 일부러 칭찬해 주다] elogiar, hacer elogio, alabar. 우리들은 그의 노력을 추어 주었다 Le elogiamos por sus esfuerzos.
추다[2] [춤을 벌이다] danzar, bailar. 춤을 ~ danzar, bailar. 왈츠를 ~ bailar el vals, valsar. 메렝게[살사]를 출 줄 알다 saber bailar el merengue [la salsa]. 플라멩코를 출 줄 아십니까? ¿Sabe usted bailar el flamenco?
추다[3] ① [숨은 물건을 찾아내려고 뒤지다] descubrir, averiguar, sonsacar. 비밀을 추어내다 sonsacar el secreto. 나는 그의 비밀을 추어냈다 Le he sonsacado el secreto. ② =추켜들다.
추단(推斷) inferencia *f*, deducción *f*, conjetura *f*. ~하다 conjeturar, suponer, inferir.
추담(推談) apología *f*, escusa *f*, pretexto *m*.
추담(醜談) charla *f* verde, charla *f* picante, *Méj* charla *f* colorada, cuento *m* sucio, historia *f* indecente [inmunda · obscena]

추대(推戴) recomendación *f.* ~하다 elevar, recomendar, proponer, recibir [tener] (a uno) como presidente [director]. …를 위원장으로 ~하다 propener [recomendar] a uno para presidente. 우리들은 그를 회장(會長)으로 ~했다 Hemos acordado elevarle a la presidencia.

추도(追悼) duelo *m* [dolor *m*·aflicción *f*·lamentación *f*] por la muerte. ~하다 lamentar, decir el pésame, lamentar [llorar] la muerte (de), honrar la memoria.
■ ~가(歌) réquiem *m.* ~문(文) escritura *f* conmemorativa. ~ 미사(Missa) misa *f* de réquiem, misa *f* de memoria. ~사 discurso *m* de lamentación, oración *f* fúnebre. ~식 servicio *m* conmemorativo, ceremonia conmemorativa. ~ 연설(演說) discurso *m* fúnebre. ~회 servicio *m* conmemorativa, misa *f* de memoria.

추돌(追突) choque *m.* ~하다 chocar (con), chocar por detrás, topetar a la parte posterior de una cosa. 그는 앞차(車)에 ~했다 El chocó con el automóvil que iba delante.
■ ~ 사고(事故) accidente *m* de choque.

추락(墜落) ① [높은 곳에서 떨어짐] caída *f*, precipitación *f*, despeño *m.* ~하다 caerse, precipitarse, sufrir una caída. 비행기 ~ caída *f* de avión. 거꾸로 ~하다 precipitarse, caerse de la cabeza. 바다에 ~하다 caer en el mar. 지상(地上)에 ~하다 caer a tierra. ② [위신이나 신망 따위가 떨어짐] humillación *f.* 위신이 ~되다 ser humillado, perder *su* prestigio, perder *su* autoridad.
■ ~사(死) caída *f* mortal, muerte *f* por una caída.

추량(秋涼) aire *m* algo frío del otoño.

추량(推量) conjetura *f*, suposición *f*, presunción *f*, sospecha *f*, consideración *f.* ~하다 conjeturar, suponer, presumir, sospechar, considerar. ☞추측

추레하다 estar desaseado, estar desaliñado. 옷차림이 ~ estar en la ropa muy gastada. 그녀는 늘 추레한 모습을 하고 있다 Ella siempre tiene un aspecto desaliñado.

추력(推力) impulso *m*, empuje *m*, empujón *m* (*pl* empujones), fuerza *f* impelente.

추렴 colección *f* de dinero, contribución *f*, subscripción *f*, (invitación *f* a) escote *m*, *AmL* invitación *f* a la americana, *Chi* invitación *f* a la inglesa. ~하다 contribuir (unidamente), subscribir, escotar, cargar las expensas (entre), pagar una cuota, ir [pagar] a escote [a media].
■ ~새 contribución *f*, parte *f.*

추록(追錄) apéndice *m*, suplemento *m*, adición *f.* ~하다 adicionar, añadir.

추론(推論) deducción *f*, inducción *f*, razonamiento *m*, raciocinación *f*, raciocinio *m*, inferencia *f.* ~하다 inducir, razonar, inferir. ■ ~식(式) silogismo *m.*

추루하다(醜陋—) (ser) mugriento y feo.

추리 ijada *f* de carne de vaca.

추리(推理) deducción *f*, conjetura *f*, razonamiento *m*, inferencia *f*, raciocinación *f*, raciocinio *m*; [귀납] inducción *f.* ~하다 deducir, conjeturar, inferir, razonar, raciocinar, inducir.
◆간접 ~ inferencia *f* indirecta. 귀납(歸納) ~ inferencia *f* inductiva. 연역(演繹) ~ inferencia *f* deductiva. 직접 ~ inferencia *f* directa.
■ ~력 facultad *f* de razonamiento. ~ 소설 novela *f* policíaca. ~식 =삼단 논법.

추리다 ① [섞이어 있는 많은 것 속에서 여럿을 골라 뽑다] escoger, elegir, seleccionar. 짚을 ~ escoger la paja. ② [내용 가운데서 필요한 것만 따다] resumir, compendiar, sumar. 요점을 추려 말하면 en resumen, resumiendo, en pocas palabras. (요점을) 추려 말하다 resumir, decir en resumen, decir sumariamente, explicar en términos generales.
추려 내다 elegir, escoger.

추림(秋霖) mucha lluvia en otoño.

추맥(秋麥) cebada *f* otoñal.

추명(醜名) infamia *f*, deshonra *f*, oprobio *m*, mala fama *f*, mala reputación *f*, notoriedad *f*, escándalo *m.* ~을 사다 llevarse mala reputación.

추모(追慕) reverencia *f* de las virtudes de un muerto. ~하다 evocar, reverenciar la memoria de un muerto, admirar las virtudes de un muerto.

추문(醜聞) escándalo *m*, difamación *f*, maledicencia *f*, ignomicia *f.* ~을 일으키다 causar una difamación.
■ ~거리 asuntos *mpl* escandalosos.

추물(醜物) [물건] objeto *m* sucio; [사람] persona *f* fea; [남자] hombre *m* feo; [여자] mujer *f* fea.

추미(追尾) persecución *f.* ~하다 perseguir.

추밀(樞密) ① [군정(軍政)에 관한 중요한 사항] asuntos *mpl* importantes sobre la administración militar. ② [추요(樞要)한 비밀] secreto *m* vital [muy mportante].
■ ~원(院) 【역사】 el Consejo Privado (del Rey). ~원 의장 presidente *m* del Consejo Privado (del Rey).

추방(追放) expulsión *f*, exclusión *f*, [국외(國外)로] exilio *m*, destierro *m*, deportación *f*, [공직에서] despedida *f.* ~하다 expulsar; desterrar, exiliar, expeler, arrojar, despedir, deportar, excluiir. ~되다 desterrarse, exiliarse, ser desterrado, ser exiliado. ~되어 있다 estar enel exilio, estar exiliado. 그는 국외로 ~되었다 El fue expulsado de su país. 그는 장관 자리에서 ~되었다 El fue despedido del cargo de ministro.
■ ~령(令) orden *f* de deportación. ~자(者) exiliado, -da *mf*, desterrado, -da *mf.*

추백(追白) =추신(追伸). 추서(追書).

추병(追兵) soldados *mpl* de perseguir las tropas enemigas.

추부(醜夫) hombre *m* feo.

추부(醜婦) mujer *f* fea.

추분(秋分) equinoccio *m* otoñal [de otoño]. ■ ~날 día *m* equinoccial de otoño. ~점(點) punto *m* equinoccial de otoño.

추비(追肥) [덧거름. 웃거름] fertilizante *m* adicional.

추사(秋思) sentimiento *m* otoñal.

추사(追思) =추념(追念). ■ ~이망(已亡) ((구용어)) =위령의 날. ☞ 추사이망 첨례. ~이망 첨례(已亡瞻禮) ((천주교)) [위령(慰靈)의 날] día *m* de (los fieles) Difuntos.

추산(推算) calculación *f*, computación *f*, estimación *f*. ~하다 estimar, calcular, computar.

추삼삭(秋三朔) julio, agosto y septiembre del calandario lunar.

추상(抽象) abstracción *f*. ~하다 abstraer. ~의 abstracto, abstractivo. ■ ~ 개념 concepto *m* abstracto. ~ 관념(觀念) idea *f* abstracta, abstracción *f*. ~론 discusión *f* abstracta. ~ 명사 nombre *m* abstracto. ~미(美) belleza *f* abstracta. ~성 lo abstracto. ~ 예술 arte *m* abstracto. ~적 abstracto, abstractivo, abstractor. ¶ ~으로 abstractamente, abstractivamente, de una manera abstracta, de un modo abstracto, en abstracto. ~으로 생각하다 pensar de una manera abstracta. ~적 개념(的槪念) concepto *m* abstracto, abstracción *f*. ~주의자 abstractor, -tora *mf*. ~파(派) abstraccionismo *m*. ~파 화가(派畵家) pintor *m* abstracto, pintora *f* abstracta; abstraccionista *mf*. ~화(化) lo abstracto. ~화(畫) pintura *f* abstracta.

추상(秋霜) ① [가을의 서리] escarcha *f* otoñal. ② [준엄함] severidad *f*.
추상같다 (ser) severo, riguroso.
추상같이 severamente, con severidad, rigurosamente.

추상(追想) recuerdo *m*, memoria *f*, recordación *f*, reminiscencia *f*, facultad *f* de recordar cosas pasadas. ~하다 recordar, acordarse (de). 과거를 ~하다 recordar lo pasado.
■ ~록 memorias *fpl*.

추상(推想) conjetura *f*, adivinación *f*, suposición *f*. ~하다 conjeturar, adivinar, suponer.

추상(醜相) aspecto *m* feo.

추색(秋色) aire *m* otoñal [de otoño], matices *fpl* autumnales, tintes *mpl* otoñales. ~이 짙다 Se acentúan los tintes otoñales.

추서(追書) posdata *f*, postdata *f*.

추서(追敍) honor *m* póstumo. ~하다 dar honor póstumo.

추서다 recuperarse, recobrarse.

추석(秋夕) *chuseok*, fiesta *f* de cosecha, fiesta *f* del quince de agosto del calendario lunar.

추선(追善) misa *f* de réquiem (por), misa *f* por el reposo del alma (de). ~하다 celebrar una misa de réquiem (por), celebrar una misa por el reposo del alma (de).

추세(趨勢) tendencia *f*, marcha *f*, curso *m*, rumbo *m*, propensión *f*, corriente *f*. 일반적인 ~ tendencia *f* general. 시대의 ~에 따라 por la tendencia del tiempo, por la corriente de la época, por la tendencia de la época. 세계[시대]의 ~에 따르다 acomodarse a la marcha del mundo [del tiempo]. 과학(科學)은 비상한 ~로 발달했다 La ciencia ha avanzado [adelantado] a grandes pasos / La ciencia ha hecho progresos muy rápidos.

추소(秋宵) noche *f* otoñal.

추소(追訴) procesamiento *m* suplementario. ~하다 hacer un procesamiento suplementario (contra).

추속(醜俗) costumbre *f* sucia.

추수(秋收) [곡물의] cosecha *f*, siega *f*; [과실·야채의] cosecha *f*, recolección *f*; [포도의] vendimia *f*, [사탕수수의] cosecha *f*, *AmL* zafra *f*. ~하다 cosechar, hacer la cosecha, recoger, recolectar; [포도를] vendimiar. ~하는 cosechador. (곡식을) ~하는 기계 cosechadora *f*. ~하는 사람 segador, -dora *mf*; cosechador, -dora *mf*; cosechero, -ra *mf*; [포도의] vendimiador, -dora *mf*; [다른 과실의] recolector, -tora *mf*. 벼의 ~ cosecha *f* de arroz. 벼를 ~ cosechar arroz.
■ ~ 감사절(感謝節) ((기독교)) día *m* de Acción de Gracias, día *m* de acción de gracias en reconocimiento de la protección y merced divinas. ~ 감사제(感謝祭) ((기독교)) fiesta *f* de la cosecha. ~기 cosecha *f*, estación *f* de cosecha. ~물(物) cosecha *f*. ~ 완료 fin *m* de la cosecha.

추수(追隨) asociación *f*, compañía *f*, trato *m* social, hermandad *f*, compañerismo *m*, amistad *f*. ~하다 asociar, relacionar.

추스르다 ① [추어올려 잘 다스리다] recoger y recortar. 짚을 ~ recoger paja y recortarla. ② [잘 수습하여 다스리다] controlar completamente.

추습(醜習) costumbre *f* sucia.

추시(追諡) título *m* póstumo, nombre *m* póstumo. ~하다 conceder el título póstumo.

추신(追伸/追申) posdata *f*, postdata *f*, P.S., P.D. ~하다 escribir de posdata.

추신하다(抽身—) liberarse (de).

추심(推尋) cobranza *f*, cobro *m*, colección *f*. ~하다 retirar, sacar. 은행(銀行)에서 돈을 ~하다 retirar [sacar] dinero del banco.
■ ~금 dinero *m* cobrado. ~료 cargo *m* por cobranza, gastos *mpl* de cobro. ~ 어음 letra *f* de cambio de cobro. ~ 위임 배서 endoso *m* para cobro. ~ 은행 banco *m* de cobro de cobro. ~ 협정 acuerdo *m* de cobro.

추썩거리다 ① [어깨·입은 옷 등을 자꾸 추켜올렸다 내렸다 하다] [어깨를] encogerse de hombros; [옷 등을] levantar, subir. 어깨를 추썩거리며 encogiéndose de hombros. 바지를 ~ subirse de pantalones. ② [남을 일부러 부추기다] instigar (a), incitar (a). 폭동

을 일으키도록 ~ incitar [instigar] a la rebelión. 사람들은 그에게 말을 듣지 말라고 추썩거렸다 Le instigaron a desobedecer.

추악(醜惡) fealdad *f*, feidad *f*, monstruosidad *f*. ~하다 (ser) feo, deformado, malhecho, monstruoso, grotesco, desfigurado, monstruoso; [행위 따위가] innoble; [불쾌감을 주다] repugnante, asqueroso. 추악한 놈 tipo *m* abominable. 추악한 짓 truco *m* sucio. 추악한 행위 actitud *f* innoble.

추앙(推仰) veneración *f*, reverencia *f*, adoración *f*, respecto *m*. ~하다 venerar, reverenciar, adorar, respetar. 나는 김구 선생을 ~한다 Yo soy un gran admirador del Sr. Kim Gu.

추야(秋夜) noche *f* otoñal, noche *f* de(l) otoño.

추양(秋陽) sol *m* otoñal.

추어(鰌魚/鰍魚)【어류】=미꾸라지.

■ ~탕 *chueotang*, sopa *f* de locha.

추어내다 ((준말)) =들추어내다.

추어올리다 ① [박혀 있던 물건을 끌어 내어 위로 올리다] levantar, alzar. ② =추어주다.

추어주다 elogiar, hacer elogio (de), alabar, ensalzar, exaltar.

추억(追憶) recuerdo *m*, memoria *f*, recordación *f*, remembranza *f*. ~하다 recordar(se), acordarse (de). ~에 젖다 sumirse en los recuerdos, entregarse al recuerdo (de). 옛날의 ~을 말하다 hablar de buenos días pasados. …에게 좋은 ~을 남기다 dejar un buen recuerdo (a · en). 여행의 ~을 사진에 담다 sacar fotos como recuerdo del viaje. 이 집에는 ~이 많다 Esta es una casa llena de recuerdos para mí / Esta casa despierta en mí muchos recuerdos. 그 ~은 나를 울린다 Ese recuerdo me hace llorar. 나는 유년 시절의 즐거운 ~을 간직하고 있다 Yo guardo muy amenos recuerdos de mi infancia.

◆ ~의 노래 canción *f* de memoria.

■ ~담(談) recordación *f*, reminiscencia *f*, recuerdos *mpl* del viaje. ~을 말하다 hablar los recuerdos del viaje.

추업(醜業) prostitución *f*, ocupación *f* vergonzosa, inmoralidad *f*. ~에 종사하다 ganar la vida por la prostitución, ganarse dinero en la calle, prostituirse.

■ ~부(婦) prostituta *f*, ramera *f*, puta *f*.

추완(追完) logro *m* posterior. ~하다 lograr posteriormente [ulteriormente].

추요하다(樞要-) ser el más importante. 추요한 지위(地位) posición *f* más importante.

추우(秋雨) lluvia *f* otoñal.

추운(秋雲) nube *f* del cielo otoñal.

추워하다 sentirse frío.

추월(秋月) luna *f* otoñal, luna *f* de(l) otoño.

추월(追越) adelanto *m*. ~하다 adelantar, pasar; [능가하다] aventajar, exceder, superar, sobrepujar. 저 차를 ~하세요 Adelanta [Pasa] a ese coche. 한국은 이 분야(分野)에서 미국을 ~했다 Corea ha superado [adelantado] a los Estados Unidos de América en esta rama. 자동차 공업은 수출 신장률(輸出伸張率)에서 철강업을 ~했다 La industria del automóvil dejó a la siderurgia en el porcentaje de crecimiento de la exportación.

■ ~ 금지 ((게시)) Prohibido adelantar.

추위 frío *m*. 뼛속까지 스며드는 ~ frío *m* que cala hasta [que penetra en] los huesos. 살을 에이는 듯한 ~ frío *m* cortante, frío *m* penetrante. 혹독한 ~ frío *m* rígido, frío *m* intenso. ~를 막다 protegerse del [contra el] frío. ~에 대비하다 prepararse para el frío. ~에 떨다 tiritar de frío, temblar de frío. ~가 심하다 Hace mucho frío / El frío es intenso [severo]. 지독한 ~다 Hace un frío de espanto. 이 지방은 ~가 심하다 Hace un frío terrible en esta región. 나는 ~에 강하다 [약하다] Yo aguanto bien [mal] el frío. 이삼일 전부터 ~가 심해졌다 Hace un frío intenso desde hace unos días. ~가 뼛속까지 스며든다 El frío me penetra [cala] los huesos.

◆ 추위(를) 타다 ser friolero, ser friolento, sentir el frío. 추위를 타는 사람 friolero, -ra *mf*. 그녀는 추위를 잘 탄다 Ella es muy friolera [friolenta].

추이(推移) transición *f*, evolución *f*, curso *m*, desarrollo *m*, transcurso *m*, marcha *f*, vicisitud *f*; [변화(變化)] cambio *m*.. ~하다 pasar, cambiar, mudar, evolucionar, transcurrir, marchar. 계절의 ~ cambio *m* de estaciones. 시대의 ~ marcha *f* [transcurso *m*] del tiempo.

추인(追認) ratificación *f*, confirmación *f*. ~하다 ratificar, confirmar, sancionar.

추일(秋日) día *m* otoñal, día *m* de(l) otoño.

추잉 껌(영 *chewing gum*) goma *f* de mascar, chicle *m*. ☞껌

추자(楸子) =호두.

추잠(秋蠶) gusano *m* de seda en el otoño.

추잡스럽다(醜雜-) (ser) incedente, lascivo, obsceno, provocativo, impropio, pornográfico, feo, sucio. 추잡스러운 짓을 하다 propasarse (con), tomarse libertades (con). 추잡스러운 말을 하다 decir cosas feas [impropias] (a). 추잡스러운 시선을 하다 echar una mirada lujuriosa [provocativa] (a).

추잡스레 incedentemente, lascivamente, obscenamente, impúdicamente, provocativamente, impropiamente, pornográficamente, feamente, suciamente, con suciedad.

추잡스럽다(麤雜-) (ser) crudo, tosco. 추잡스레 crudamente, toscamente.

추잡하다(醜雜-) (ser) incedente, impúdico, lascivo, obsceno, provocativo, impropio, lujurioso, pornográfico, colorado, verde, feo, sucio. 추잡하게 incedentemente, impúdicamente, lascivamente, lujuriosamente, feamente, suciamente, con suciedad. 추잡한 이야기 palabras *fpl* indecentes, palabras *fpl* impúdicas. 추잡한 행실(行實) comportamiento *m* lujurioso [provocativo · impropio · feo]. 추잡한 이야기를 하다 hablar (de) cosas indecentes.

추장(抽獎) recomendación *f*, preconización *f*. ~하다 recomendar, encomendar, ensalzar, preconizar. ~할 수 있는 recomendable.

추장(酋長) cacique *m*, caudillo *m*, jefe *m* de tribu.

추저분하다(醜—) (ser · estar) sucio, puerco, desaseado, desaliñado, zarrapastroso, harapiento, andrajoso. 추저분한 말 palabra *f* sucia [cochina · obscena], mala palabra *f*.
추저분히 suciamente, con suciedad, puercamente, andrajosamente.

추적(追跡) persecución *f*, perseguimiento *m*, acosamiento *m*. ~하다 perseguir, seguir la pista (de), seguir las huellas (de), acosar, rastrear, dar caza. 적기(敵機)를 맹렬히 ~하다 dar al aeroplano enemigo un perseguimiento asiduo. 한 경찰관이 도둑을 ~한다 Un policía persigue al ladrón.
■ ~국(局)[기지(基地)] [인공위성(人工衛星) 등의] estación *f* de seguimiento (de naves espaciales y satélites artificiales). ~ 안테나 antena *f* de persecución. ~자(子) isótopo *m* indicador, tracer *ing.m*. ~자(者) perseguidor, -dora *mf*.

추전성(趨電性) 【생물】 =주전성(走電性).

추절(秋節) estación *f* otoñal, otoño m.

추접스럽다 (ser · estar) sucio, desaseado, zarrapastroso; [누더기를 입은] andrajoso, harapiento. 추접스러운 놈 tipo *m* sucio, hombre *m* sucio. 추접스러운 년 mujer *f* sucia. 추접스러운 사람 persona *f* sucia. 추접스러운 옷을 입고 있다 llevar un vestido sucio.
추접스레 suciamente, con suciedad.

추접지근하다 (ser) algo sucio.

추접하다(醜—) =추저분하다.

추젓(秋—) camarrones *mpl* salados [con sal] en el otoño.

추정(秋情) pensamiento *m* solitario del otoño.

추정(推定) presunción *f*, sospecha *f*, conjetura *f*, deducción *f*, inferencia *f*, suposición *f*, cálculo *m*. ~하다 presumir, suponer, sospechar, deducir, inferir, inducir, calcular. ~의 aproximado, calculado, presunto. 데모 대원의 수를 10만 명으로 ~하다 calcular el número de manifestantes de cien mil personas. 그의 나이는 서른 살쯤으로 ~된다 Le echan [Se supone que tiene] unos treinta años. 나는 그렇게 ~한다 Supongo [Me imagino] que sí. 내가 왜 묻는지 너는 알고 있다고 나는 ~한다 Supongo [Me imagino] que sabes por qué lo pregunto.
■ ~ 가격 precio *m* aproximado. ~량(量) cantidad *f* aproximada. ~ 범죄 crimen *m* constructivo. ~ 상속인 presunto heredero *m*, presunta heredera *f*. ~ 연령 edad *f* aproximada. ~ 인구 población *f* calculada. ~적 presuntivo, supuesto, presupuesto. ~ 점유(占有) posesión *f* constructiva. ~ 증거 pruebas *fpl* basadas en presunciones.

추종(追從) ① [남의 뒤를 좇음] seguimiento *m*. ~하다 seguir, acompañar. ~을 불허하다 no tener otro igual, no tener rival. ~을 불허하는 sin rival. 미국에 ~하다 seguir a (los) Estados Unidos de América, ir detrás de (los) Estados Unidos de América. ② [남에게 빌붙어 따름] adulación y seguimiento. ~하다 ir detrás (de), ir a la zaga (de), desempeñar un papel segundo respeto (a), halagar y seguir, adular y seguir.

추증(追贈) concesión *f* póstuma de honores.

추지(推知) conjetura *f*, suposición *f*. ~하다 inferir, conjeturar, suponer.

추지다 (ser) húmedo, mojado.

추진(推進) promoción *f*, propulsión *f*, impulso *m*. ~하다 promover, impulsar, propulsar, impeler, empujar, (hacer) adelantar. 계획을 ~하다 llevar adelantar un proyecto. 개발 계획(開發計劃)을 ~ 하다 impulsar el plan de explotación. 민족 통일(民族統一)을 ~하다 promover la unificación de la raza. 남북 통일을 ~하다 promover la unificación entre el norte y el sur.
■ ~기(機) máquina *f* de propulsora, aparato *m* propulsor, hélice *f*. ~력(力) empuje *m*, fuerza *f* propulsora, fuerza *f* impelente. ~용 연료(用燃料) propergol *m*. ~제 ㉮ [로켓 연료] propergol *m*. ㉯ [에어로졸의] propelente *m*. ~축(軸) eje *m* de transmisión, árbol *m* de transmisión, eje *m* propulsor; [선박의] eje *m* portahélice.

추징(追徵) recargo *m*, recolección *f* adicional. ~하다 recargar, cobrar lo que se impone por añadidura, cobrar lo que falta de un pago. 세금(稅金) ~ recargo *m* de (los) impuestos.
■ ~금(金) multa *f* adicional, dinero *m* recargado en adición. ~세 impuesto *m* de recargo.

추찰(推察) conjetura *f*, suposición *f*, imaginación *f*. ~하다 conjeturar, inferir, suponer, presumir, barruntar, imaginar, simpatizar. 당신이 ~하신 대로입니다 Es como usted supone. 그것에 관해 마음대로 ~하십시오 Usted es libre de hacer conjeturas sobre ello / Supóngalo usted como quiera / Se lo dejo a su imaginación.

추천(推薦) recomendación *f*; [지명(指名)] nombramiento *m*. ~하다 recomendar, proponer; [지명하다] nombrar. ~되다 ser recomendado, ser nombrado. 김 선생의 ~으로 por la recomendación del señor Kim, recomendado por el señor Kim. 적극적으로 ~하다 recomendar activamente. 그는 교장으로 ~되었다 Le recomedaron para el puesto de director. 우리는 A씨를 의장으로 ~했다 Hemos propuesto para presidente al Sr. A. 그는 모두의 ~으로 대표가 되었다 El ha sido nombrado representante por todos.
◆문화 관광부(文化觀光部) ~ 영화(映畵)

película *f* recomendada por el Ministerio de Cultura y Turismo.

■ ～ 도서 lista *f* de lecturas recomendadas. ～생 estudiante *m* recomendado, estudiante *f* recomendada. ～서(書) (carta *f* de) recomendación *f.* ～자(者) recomendante *mf.* ～작가(作家) autor *m* recomendado, autora *f* recomendada. ～장(狀) ＝추천서(推薦書).

추첨(抽籤) sorteo *m,* rifa *f.* ～하다 sortear, hacer un sorteo, rifar, echar (a) suertes. ～으로 por sorteo. ～에 당첨되다 salir en el sorteo, salir premiado, tocar en el sorteo. ～으로 결정하다 decidir por sorteo, echar a suertes, decidir echando [tirando] a suertes. ～ 운이 있다[없다] ser afortunado [desafortunado] en la rifa, tener buena [mala] suerte en la lotería. ～에서 그에게 재봉틀이 당첨되었다 Le ha tocado la máquina de coser en el sorteo. 그는 복권 ～에 당첨되었다[떨어졌다] Le [No le] ha tocado la lotería. 관중들 앞에서 ～할 것이다 Se sorteará a la vista del público. 그는 ～에서 떨어졌다 El no ha salido en el sorteo / No le ha tocado en el sorteo / El ha sacado un mal número.

■ ～권(券) billete *m* de lotería, participación *f* de lotería. ～ 번호(番號) número *m* de lotería.

추체(錐體) 【수학】 ((구용어)) ＝뿔체.

추초(秋草) hierba *f* otoñal, hierba *f* del otoño.

추축(追逐) ① ＝추수(追隨). ② ＝각축(角逐).

추축(樞軸) pivote *m,* eje *m.* ～이 부서졌다 El eje está roto.

■ ～국(國) 【역사】 países *mpl* del Eje.

추출(抽出) ① [빼냄. 뽑아냄] abstracción *f,* muestreo *m,* preparación *f* de un muestrario. ～하다 abstraer, elegir, escoger, muestrear, disponer un muestreo. 견본(見本)을 ～하다 elegir una muestra. ② 【화학】 extracción *f.* ～하다 extraer. 채종(菜種)에서 기름을 ～하다 extraer aceite de colza.

■ ～ 견본 muestreo *m.* ～률 tipo *m* de extracción. ～물 extracto *m.* ～법 proceso *m* de extracción. ～ 산업 industria *f* de extracto. ～ 조사 encuesta *f* por muestreo.

추측(推測) conjetura *f,* presunción *f,* adivinación *f,* suposición *f,* sospecha *f,* barrunto *m,* inferencia *f,* cálculo *m,* deducción *f,* inducción *f.* ～하다 conjeturar, presumir, adivinar, sospechar, suponer, pronosticar, barruntar, calcular, deducir, inducir. ～대로 como se ha conjeturado. ～으로 말하다 hablar a base de conjeturas. 내가 ～했던 대로 como suponía [calculaba] yo. ～이 맞았다 Los cálculos resultan acetados. ～이 빗나갔다 Los cálculos resultan fallidos. 그것은 ～일뿐이다 No es más que una suposición / No pasa de ser una suposición. ～하건대 그녀는 미녀일 것이다 Ella será hermosa sin duda / Ella debe de ser hermosa. ～하건대 넌 지쳐 있다 Seguramente tú estarás cansado / Tú debes de estar cansado.

■ ～ 기사(記事) artículo *m* especulativo. ～통계학(統計學) ＝추계학(推計學). ～ 항법(航法) estimación *f.*

추켜들다 levantar, alzar, subir. 돌을 ～ levantar una roca. 잘 볼 수 있게 나를 추켜들어라 Alzame [Levántame] para que yo pueda ver bien.

추켜세우다 henchir la cabeza de viento, bailar el agua, dar bombo, dar coba. 신문에서 그를 추켜세웠다 Le dieron un bombo en el periódico.

추켜잡다 levantar y coger.

추키다 levantar, alzar.

추탕(鰍湯) ((준말)) ＝추어탕(鰍魚湯).

추태(醜態) conducta *f* escandalosa, acto *m* vergonzoso, fealdad *f,* escándalo *m,* proceder *m* afrentoso, conducta *f* afrentosa, forma *f* vergonzosa. ～를 부리다 procederse vergonzosamente, dar una escena escandalosa, dar un escándalo, ponerse en ridículo, causar un escándalo. ～를 드러내다 exponerse a la burla [a la mofa] de todos por *su* conducta escandalosa, descubrir *su* fealdad, descubrir *sus* malas maneras.

추토(追討) persecución *f,* perseguimiento *m.* ～하다 perseguir.

■ ～군(軍) fuerza *f* punitiva. ～사(使) 【역사】 general *m* nombrado para liquidar la rebelión.

추파(秋波) ① [가을철의 잔잔하고 맑은 물결] ola *f* suave. ② [사모의 정을 나타내는 은근한 눈짓] miradas *fpl* seductoras [ojos *mpl* seductores] de mujer, guiño *m,* mirada *f* significativa, mirada *f* coquetona, mirada *f* amorosa, mirada *f* lujuriosa, mirada *f* de soslayo. ～를 던지다 hacer*le a uno* guiños, lanzar*le a uno* una mirada significativa [una mirada coquetona], dirigir una mirada amorosa.

추풍(秋風) brisa *f* otoñal, viento *m* otoñal, viento *m* de otoño.

■ ～낙엽(落葉) hojas *fpl* caídas por el viento otoñal [la brisa otoñal]. ～삭막(索莫) figura *f* miserable sin la influencia antigua.

추풍(醜風) ＝추속(醜俗).

추하다(醜－) ① [불결하다] (ser · estar) sucio. 추한 옷 ropa *f* sucia. ② [비루하다] (ser) bajo, vil, ruin.

추한(醜漢) ① [용모가 보기 싫게 생긴 사내] hombre *m* feo, tipo *m* feo. ② [부끄러운 행위를 서슴없이 하는 사내] hombre *m* sucio, hombre *m* que se comporta avergonzosamente sin vacilación.

추해당(秋海棠) 【식물】 begonia *f.*

추행(醜行) conducta *f* escandalosa, conducta *f* ignominiosa, actitud *f* incedente, infamia *f,* violación *f,* abusos *mpl* deshonestos. ～하다 violar, abusar (de). 미성년자를 ～하다 violar una menor de edad. 많은 여성들이 ～을 당했다 Muchas mujeres habían sufrido abusos deshonestos.

추향(趨向) tendencia *f.* ☞경향(傾向)
■ ~성(性) 【생물】 = 주항성(走向性).

추호(秋毫) pedazo *m*, un poco. ~도 a lo menos, ni en lo más mínimo, de ninguna manera, de ningún modo. ~도 의심하지 않다 no dudar ni en lo más mínimo.

추화(秋花) flores *fpl* otoñales, flores *fpl* del otoño.

추화성(趨化性) 【생물】 = 주화성(走化性).

추확(秋穫) cosecha *f.* ☞수확(收穫).

추회(追悔) arrepentimiento *m* de lo pasado. ~하다 arrepentirse de lo pasado.

추회(追懷) recuerdos *mpl*, memorias *fpl*.
■ ~담(談) memorias *fpl*.

추후(追後) más tarde, después; [곧] luego, pronto. 결과는 ~에 알려 드리겠습니다 Del resultado le informaremos pronto.

추흥(秋興) placer *m* otoñal [del otoño].

축[1] [여러 사람으로 이루어진 한 동아리 · 같은 무리나 또래] nivel *m*, categoría *f*, grupo *m*. ~에 끼다 estar entre, ser uno de la categoría [del nivel] (de). 그것은 제일 좋은 것 ~에 낀다 Está entre los mejores. 나는 그를 브람스 ~에 낀다고 생각한다 Para mí él es un compositor de la categoría [del nivel] de Brahms. 그는 그 식당이 그 도시에서 가장 우수한 식당 ~에 낀다고 생각하고 있다 El considera que está entre los mejores restaurantes de la ciudad.

축[2] [말린 오징어 스무 마리의 단위] veintena *f.* 오징어 한 ~ una veintena de calamares.

축[3] [물건이 아래로 늘어지거나 처진 모양] inclinándose, cayéndose, sin apretar, colgantemente de arriba, flojamente, pendiente. ~ 늘어진 [어깨 · 귀가] caído; [나뭇가지가] llorón; [힘이 없는] lánguido. ~ 늘어진 귀 orejas *fpl* caídas. ~ 늘어진 소나무 pino *m* llorón. ~ 늘어진 어깨 hombros *mpl* caídos. ~ 숙인 머리 cabeza *f* inclinada.~ 처진 눈 ojos *mpl* bajados. ~ 처지다 colgar flojamente, pender, columpiarse. 어깨가 ~ 늘어지다 tener los hombros caídos. 팔을 ~ 늘어뜨리다 dejar caer los brazos. 그는 어깨를 ~ 늘어뜨리고 있다 El tiene los hombros caídos.

축(丑) ① 【민속】 el Signo del Toro. ② ((준말)) =축방(丑方). ③ ((준말)) =축시(丑時).

축(柷) 【악기】 *chuk*, uno del instrumento musical de madera.

축(祝) ((준말)) =축문(祝文).

축(軸) ① [굴대] eje *m.*, árbol *m*. ~의 axil. 자동차의 ~ eje *m* de vehículo. ② 【수학】 *eje m.* ③ 【물리】 *eje m.* 지구의 ~ eje *m* de la tierra, eje *m* del globo terrestre. ④ 【기계】 eje *m*, pivote *m*. ⑤ [회전체의 둥근 막대기] rodillo *m*. ⑥ [두루마리의] rodillo *m*. ⑦ [두루마리 하나] un rollo.
◆가로~ eje *m* horizontal. 대칭~ eje *m* de simetría. 뒷~ eje *m* trasero. 수직(垂直) ~ eje *m* vertical 앞~ eje *m* delantero, eje *m* frontal. 엑스(X)~ eje *m* x. 와이(Y)~ eje *m* y. 회전(回轉)~ árbol *m*, árbol *m* motor.

축(縮) ((준말)) =흠축(欠縮).

축가(祝歌) canción *f* alegre y piadosa, canción *f* festiva; [크리스마스의] villancico *m* de Nochebuena, villancico *m* de Navidad.

축가다(縮—) =축나다.

축감(縮減) =감축(減縮).

축객(祝客) =하객(賀客).

축객(逐客) ① [손을 쫓음] negación *f* de la visita. ~하다 echar a la visita. 문전(門前) ~하다 negarse a recibir, dar con la puerta en las narices. ② =축신(逐臣).

축견(畜犬) perro *m* doméstico.

축구(蹴球) fútbol *m*, balompie *m*, *Méj* futbol *m*. ~하다 jugar al fútbol. ~의 futbolístico, balompédico.
◆럭비 ~ rugby *m*. 미식(美式) ~ fútbol *m* americano, *Méj* futbol *m* americano. 아식 ~ fútbol *m*, *Méj* futbol *m*.
■ ~ 경기 juego *m* de fútbol. ~계 mundo *m* de fútbol, mundo *m* futbolístico, círculos *mpl* futbolísticos. ~공 balón *m* (*pl* balones), *AmL* pelota *f* de fútbol, *Méj* pelota *f* de futbol. ~ 선수 futbolista *mf*.; jugador, -dora *mf* de fútbol, *Méj* jugador, -dora *mf* de fútbol americano. ~ 시합 partido *m* de fútbol [*Méj* de futbol]. ~장 campo *m* de fútbol, *AmL* cancha *f* de fútbol. ~ 팀 equipo *m* de fútbol. ~화(靴) botines *mpl* de fútbol.

축국(蹴鞠) ① [옛날 장정들이 발로 차던, 꿩 깃이 꽂힌 공] balón *m*. ② [옛날 공을 발로 차던 유희] fútbol *m*.

축나다(縮—) ① [일정한 수효에서 부족이 생기다] disminuir, decrecer, faltar, perder. ② =축지다❷.

축년(丑年) 【민속】 el Año del Toro.

축년(逐年) todos los años, cada año.

축농증(蓄膿症) ocena *f*, [흉막강 등의] empiema *m*. ~ 환자 caso *m* de ocena.

축다 =축축하여지다.

축대(築臺) [길 · 철도의 제방] terraplén *m* (*pl* terraplenes); [차단벽] muro *m* de contención.

축도(祝禱) ((기독교)) ((준말)) =축복 기도.

축도(縮圖) dibujo *m* reducido, mapa *m* reducido, reducción *f*, miniatura *f*, epítome *m*. 인생(人生)의 ~ epítome *m* de la vida (humana).
■ ~기(器) pantógrafo *m*, eidógrafo *m*.

축록(逐鹿) =각축(角逐).

축류(畜類) animales *mpl*, animales *mpl* domésticos.

축문(祝文) oración *f* escrita (al difunto). ~을 읽다 recitar la oración escrita.
■ ~판(板) tabla *f* de oración escrita.

축받이(軸—) =베어링.

축방(丑方) 【민속】 la Dirección del Toro.

축배(祝杯) brindis *m*. ~를 들다 brindar (por). …을 축하하여 ~하다 beber para celebrar *algo*. 누구의 건강을 축하하여 ~

하다 beber a la salud de *uno*. 우리의 건강을 위하여 ～합시다 Brindemos [Vamos a brindar] por nuestra salud. 참석하지 못한 우리의 친구들을 위해 ～를 듭시다 Brindemos por nuestros amigos ausentes. 우리들은 그의 생일에 그를 위해 ～를 들었다 Brindamos por él el día de su cumpleaños. 우리들은 행복한 부부를 위해 샴페인으로 ～를 들었다 Brindamos por la buena pareja con champán.

축복(祝福) [하나님의] bendición *f*, [축하] felicitación *f*, felicidad *f*. ～하다 bendecir, felicitar. ～ 받은 bendito. …의 전도(前途)를 ～하다 desearle a *uno* un futuro próspero [un futuro feliz]. 나에게 [너에게·그에게·우리에게·너희들에게·여러분들에게 하나님의 ～이 있기를 (기원합니다) ¡Que me [te·le·nos·os·les] bendiga Dios!

■～ 기도(祈禱) ((기독교)) bendición *f*, oración *f*, oración *f* de bendición, rezo *m*, plegaria *f*, invocación *f*, encantación *f*. ¶～를 올리다 pronunciar la bendición, orar, rezar. 식전(食前)이나 식후(食後)에 ～하다 dar gracias la mesa, bendecir la mesa. ～기도자(祈禱者) suplicante *m* peticionario, suplicante *f* peticionaria; rogador, -dora *mf*.

축사(畜舍) establo *m*, pesebre *m*.

축사(祝辭) palabras *fpl* de felicitación, enhorabuena *f*, parabién *m* (*pl* parabienes). ～하다 pronunciar unas palabras de felicitación, decir enhorabuena.

◆결혼(結婚) ～ felicitación *f* de boda. 신년(新年) ～ felicitación *f* del Año Nuevo.

축사(縮寫) copia *f* reducida; [모형] minuatura *f*, [사진의] reducción *f*. ～하다 copiar en menor escala, hacer una copia reducida, copiar en tamaño reducido; [사진을] reducir.

■～기(器) aparato *m* de reducción. ～도 dibujo *m* en escala reducida. ～ 사진(寫眞) fotografía *f* reducida. ～ 지도 mapa *m* a la escala.

축산(畜産) ganadería *f*, cría *f* de ganado. ～을 하다 dedicarse a la ganadería.

■～과(課) sección *f* de ganadería. ～과(科) departamento *m* de ganadería. ～국(局) departamento *m* de ganadería. ～국(國) país *m* ganadero. ～물(物) productos *mpl* ganaderos. ～ 박람회 feria *f* de ganadería. ～법 ley *f* de ganadería. ～ 시험장 centro *m* experimental de ganadería. ～ 식품(食品) productos *mpl* alimenticios de ganadería. ～업(業) ganadería *f*, industria *f* ganadera. ～업자 ganadero, -ra *mf*. ～ 자금 fondo *m* para industria ganadera. ～장(場) finca *f* ganadera. ～ 장려 fomento *m* de ganadería. ～ 조합(組合) asociación *f* de ganadería. ～학(學) zootecnia *f*, ciencia *f* ganadera. ～학자 zootécnico, -ca *mf*.

축생(畜生) bestia *f*, animal *m*, bruto *m*.

■～계 mundo *m* animal. ～도 incesto *m*.

축석(築石) montones *mpl* de piedras.

■～ 공사 obra *f* de montones de piedras.

축성(築城) construcción *f* de un castillo, fortificación *f*. ～하다 construir [edificar·levantar] un castillo.

■～가 fortificador, -dora *mf*. ～술 (arte *m* de) fortificación *f*. ～학(學) ciencia *f* de fortificación.

축소(縮小) reducción *f*, disminución *f*, aminoración *f*, abreviación *f*, contracción *f*, cercenadura *f*. ～하다 reducir, disminuir, aminorar, abreviar, contraer, cercenar. 생산(生産)의 ～ reducción *f* de la producción. 경비를 ～하다 reducir [cercenar] expensas. 사업(事業)을 ～하다 reducir negocios. 사진을 ～하다 reducir una fotografía. 계획 규모를 ～하다 reducir la escala del proyecto.

■～도(圖) dibujo *m* reducido, mapa *m* reducido. ～비[비율] tipo *m* de reducción. ～ 사진 필름 microfilme *m*, microfilm *m*. ～율 ＝축소 비율. ～판 tabloide *m*. ～ 해석 interpretación *f* restrictiva.

축쇄(縮刷) imprenta *f* en tamaño pequeño. ～하다 imprimir en tamaño pequeño.

■～판(版) edición *f* de tamaño reducido, edición *f* de bolsillo, edición *f* de formato reducido..

축수(祝手) invocación *f* por oración, imploración *f*, rezo *m*, suplicación *f*, súplica *f*. ～하다 implorar, suplicar, rezar.

축수(祝壽) juramento *m*. ～하다 jurar, hacer voto.

축승(祝勝) celebración *f* de una victoria. ～하다 celebrar una victoria.

축시(丑時) 【민속】 la Vigilancia del Toro.

축약(縮約) 【언어】 contracción *f*. ～하다 contraer.

축어역(逐語譯) traducción *f* palabra por palabra, versión *f* literal. ～을 하다 traducir palabra por palabra, traducir textualmente.

축연(祝宴) ((준말)) ＝축하연. ¶～을 열다 dar una fiesta, dar un banquete, celebrar una banquete (por), dar un banquete para celebrar.

축우(畜牛) vaca *f* doméstica, ganado *m*.

축원(祝願) ① [신불(神佛)에 자기 뜻을 아뢰고, 그것을 성취시켜 주기를 비는 일] plegaria *f*, súplica *f*, petición *f*. ～하다 rezar, orar, suplicar. 건강 회복을 ～하다 rezar para el recobro de la salud, hacer voto de restauración. ② ((준말)) ＝축원문.

■～문(文) oraciones *fpl* escritas.

축음기(蓄音機) gramófono *m*, fonógrafo *m*; [전축] electrófon *m*; [레코드플레이어] tocadiscos *m.sing.pl*. ～의 바늘 aguja *f* (de todaciscos). ～를 틀다 poner [tocar] un disco. ～에 취입(吹入)하다 cantar [hablar] en gramófono, grabar.

■～판(板) ＝음반(音盤)(plato giratorio).

축의(祝意) felicitación *f*, celebración *f*, congratulación *f*, fiesta *f*. ～를 표하여 en honor de *uno*, en felicitación de *algo*, en conmemoración de *algo*. ～를 표하다 expresar [dar la] congratulación, expresar la celebración, congratular [felicitar · expresar] *su* felicitación (con ocasión de *algo*), congratular. 모든 기관은 당일 ~를 표하고 휴업한다 Todas firmas serán cerradas en honor de la ocasión.

축의(祝儀) fiesta *f*, banquete *m*, celebración *f*. ■ ~금(金) dinero *m* de celebración.

축이다 mojar, humedecer. 목을 ~ saciar [apagar] la sed; [자신의] humedecerse la garganta. 입술을 ~ [자신의] humedecerse los labios. 옷에 물을 ~ mojar la ropa.

축일(丑日) 【민속】 el Día del Toro.

축일(祝日) día *m* de fiesta, día *m* festivo, fiesta *f* (nacional), festividad *f*, día *m* benigno, día *m* propicio. 국가(國家)의 ~ día *m* de fiesta nacional.

축일(逐一) uno a uno, uno por uno.

축일(逐日) todos los días, cada día.

축재(蓄財) acumulación *f* de riqueza, riquezas *fpl* acumuladas. ~하다 acumular dinero, almacenar dinero, hacer dinero, atesorar, ahorrar dinero, acumular riquezas.
■ ~자(者) persona *f* frugal, persona *f* económica; ahorrador, -dora *mf*.

축적(蓄積) acumulación *f*, montón *m* (*pl* montones). ~하다 acumular, amontonar. 노력(努力)의 ~ acumulación *f* de esfuerzos. 자본(資本)의 ~ acumulaciión *f* de fondos, acumulación *f* de capital.
■ ~물(物) acumulación *f*.

축전(祝典) festejo *m*, fiesta *f* conmemorativa, festividad *f*, celebración *f*; [기념] conmemoración *f*. ~을 거행하다 celebrar, conmemorar. 생일(生日) ~을 열다 hacer una fiesta para celebrar el cumpleaños (de). 창립 100주년 기념 ~을 개최하다 celebrar una fiesta conmemorativa del centenario aniversario de la fundación, dar una conmemoración del centenario aniversario de la fundación.

축전(祝電) telegrama *m* de enhorabuena, telegrama *m* de felicitación, telegrama *m* congratulatorio. ~을 보내다 felicitar por cable, telegrafiar la congratulación, mandar [enviar] un telegrama de felicitación, cablegrafiar la felicitación.

축전(蓄電) carga *f* eléctrica, acumulación *f* de electricidad. ~하다 cargar la energía eléctrica.
■ ~기(器) condensador *m* (eléctrico). ~지(池) acumulador *m* (eléctrico), batería *f* de acumuladores.

축정(丑正) 【민속】 las dos de la mañana.

축정(築庭) construcción *f* del jardín. ~하다 construir el jardín.

축제(祝祭) ① [축하의 제전] fiesta *f*, festival *m*, festividad *f*. 모두 ~를 구경하러 떠났다 Todos marcharon juntos a ver la fiesta. ② [축하와 제사] la felicitación y el servicio funeral.
■ ~문 ㉮ [축문과 제문] la oración escrita al difunto y la escritura de condolencia al difunto. ㉯ =축문(祝文). ~일 fiesta *f*, día *m* festivo.

축제(築堤) levantamiento *m* de un terraplén. ~하다 terraplenar, acumular tierra para levantar un terraplén.

축조(逐條) artículo por artículo.
■ ~심의 discusión *f* [examen *m*] artículo por artículo. ~하다 discutir [examinar] artículo por artículo. 법안(法案)을 ~하다 discutir [examinar] un proyecto de ley artículo por artículo.

축조(築造) construcción *f*, edificación *f*, edificio *m*. ~하다 construir, edificar, erigir, levantar.

축지(縮地) acción *f* de contraer el camino lejano por el método mágico. ~하다 contraer el camino lejano por el método mágico.
■ ~법(法) método *m* mágico del paso contraído.

축지다(縮—) ① [사람의 가치가 떨어지다] desacreditarse, desprestigiarse. ② [병으로 몸이 약해지다] debilitarse. 그의 몸은 눈에 띄게 축졌다 Su cuerpo se ha debilitado visiblemente.

축짓다(軸—) rodar el papel en el rollo.

축척(縮尺) escala *f* (reducida). ~하다 reducir a escala. 천분의 일 ~ escala *f* de un milésimo. 천분의 일 ~으로 a la escala de un milésimo. ~ 오만분의 일 지도(地圖) mapa *m* a la escala de un cincuentamilésimo.

축첩(祝捷) celebración *f* de victoria.
■ ~ 행렬 marcha *f* de los celebrantes de una victoria.

축첩(蓄妾) concubinato *m*. ~하다 tener una concubina.
■ ~자(者) concubinario *m*. ~ 제도(制度) concubinato *m*.

축축 cayéndose, colgando.

축축하다 (estar · ser) húmedo, mojado, humedecerse, mojarse. 축축한 옷 ropa *f* mojada. 축축한 공기 aire *m* húmedo. 축축하게 하다 humedecer, mojar (ligeramente). 옷이 ~ El traje está mojado.
축축이 húmedamente, con humedad, mojadamente.

축출(逐出) expulsión *f*, deportación *f*. ~하다 expulsar, deportar, ahuyentar, desaposentar, echar fuera, despedir. ~되다 ser expulsado, ser despedido, ser deportado.

축토(築土) amontonamiento *m* de la tierra. ~하다 amontonar la tierra.

축판(縮版) ((준말)) =축쇄판(縮刷版).

축포(祝砲) salva *f*, [육군의] honras *fpl* militares; [해군의] salvas *fpl* navales. 스물한 발의 ~ salva *f* real, salva *f* de veintiún cañonazos. ~를 쏘다 salvar, disparar una salva. 10발의 ~를 쏘다 disparar una salva de diez cañonazos.

축하(祝賀) enhorabuena *f*, felicitación *f*, celebración *f*, congratulación *f*. ~하다 dar una enhorabuena, felicitar, celebrar, congratu-

lar; [기념하다] conmemorar; [행사(行事) 따위를 해서] festejar; [엄숙하게] solemnizar. ~의 선물 regalo *m* [obsequio *m*] de felicitación. ~의 편지 carta *f* de felicitación. ~의 말을 하다 felicitar, dar la enhorabuena, dar *sus* parabienes. ~의 선물을 하다 obsequiar con un regalo para felicitar*le*, obsequiar con un regalo de felicitación. 미리 ~하다 adelantar la felicitación (de). 성공을 ~하다 congratular *su* buen éxito. 생일을 ~하다 celebrar el cumpleaños (de). 생일을 ~하기 위해 파티를 열다 hacer [dar] una fiesta para celebrar el cumpleaños (de). 승리를 ~하다 celebrar el triunfo, celebrar la victoria. 신년(新年)을 ~하다 congratular por el Nuevo Año. …에 대해 누구에게~를 보내다 dar*le* a *uno* la enhorabuena por *algo*, congratular con *uno* por [de] *algo*. ~합니다 ¡Felicidades! / ¡Congratulaciones! / ¡Buenahora! / ¡Enhorabuena! / ¡Muchas felicidades! / Le felicito / Le deseo muchas felicidades / Le doy mis parabienes. ~를 보냅니다 Le envío a usted mil enhorabuenas. 결혼을 진심으로 ~합니다 Le felicito cordialmente por su casamiento. 생일을 ~합니다 ¡Feliz cumpleaños! / ¡Felicidades por tu [su] cumpleaños! 승진을 ~합니다 ¡Enhorabuena por el ascenso! 신년을 ~합니다 Le felicito a usted por el nuevo año. 대학 입학을 ~합니다 Le doy la enhorabuena por su ingreso a la universidad. 졸업을 ~합니다 Me congratulo con usted por su graduación. 진심으로 ~드립니다 Le felicito cordialmente. 크리스마스를 ~합니다 ¡Feliz Navidad! 크리스마스와 신년을 ~합니다 ¡Feliz Navida y Próspero Año Nuevo!
■~객(客) celebrante *mf*, visita *f* congratulatoria. ~ 선물 regalo *m* de felicitación. ¶나는 졸업 ~로 컴퓨터를 받았다 Me han regalado un ordenador [*AmL* un computador · *AmL* una computadora] ~연(宴)[파티] fiesta *f* (para celebrar *algo*), banquete *m*. ¶~을 베풀다 dar una fiesta, dar un banquete. 생일 ~을 열다 hacer una fiesta para celebrar el cumpleaños (de *uno*). ~장(狀) carta *f* [tarjeta *f*] de felicitación. ~전보(電報) telegrama *m* de enhorabuena [felicitación]. ~주(酒) vino *m* de felicitación, vino *m* por congratulación, vino *m* de celebración, vino *m* con motivo de una celebración. ~회 reunión *f* de felicitación, (reunión *f* de) celebración *f*.

축하다(縮-) ① [생기가 없다] ponerse mustio, languidecer, ser lánguido. ② [약간 상하여 싱싱하지 않다] ponerse mustio, marchitarse.

축합(縮合) 【화학】 condensación *f*. ~하다 condensar.
■~물(物) condensado *m*. ~ 반응 reacción *f* de condensación. ~ 수지(樹脂) resina *f* de condensación. ~제(劑) agente *m* condensador, agente *m* de enlace.

축항(築港) construcción *f* de un puerto. ~하다 construir un puerto.
■~ 공사(工事) obra *f* de construcción de un puerto.

축협(畜協) ((준말)) =축산업 협동조합.

춘경(春耕) arado *m* primaveral. ~하다 arar en primavera.

춘경(春景) paisaje *m* primaveral, escena *f* primaveral.

춘계(春季) =춘기(春期). ¶~ 대청소 la gran limpieza primaveral [de (la) primavera].

춘곤(春困) fatiga *f* primaveral, cansancio *m* primaveral.

춘광(春光) escena *f* primaveral, hermosura *f* vernal de la naturaleza, luz *f* y aire de la primavera.

춘국(春菊) crisantemo *m* coronado.

춘궁(春窮) =보릿고개(pobreza primaveral).
■~기(期) período *m* [estación *f*] de pobreza primaveral.

춘기(春期) estación *f* primaveral, primavera *f*.
■~ 방학 vacaciones *fpl* de primavera. ~ 운동회 reunión *f* atlética de primavera.

춘기(春機) ① [남녀간의 정욕] pasiones *fpl*, deseo *m* sensual, deseo *m* carnal, impulso *m* sexual. ② =춘의(春意).
■~ 발동기(發動機) (edad *f* de) pubertad *f*, pubescencia *f*, adolescencia *f*.

춘난(春暖) calor *m* primaveral.
■~지절(之節) tiempo *m* templado de primavera.

춘란(春蘭) ① 【식물】 =보춘화(報春化). ② [동양란에서 한란(寒蘭)에 비해 꽃대가 짧고 꽃이 하나씩 피는 난] orquídea *f* oriental.

춘맥(春麥) cebada *f* primaveral, cebada *f* de la primavera.

춘면(春眠) somnolencia *f* [sopor *m* · modorra *f*] primavral, sueño *m* dulce de primavera.

춘몽(春夢) sueños *mpl* primaverales, sueños *mpl* de primavera, ideas *fpl* quiméricas, sueño *m* vacío, utopía *f*.

춘복(春服) ropa *f* primaveral.

춘부장(春府丈) su padre.

춘분(春分) equinoccio *m* de primavera.
■~날 día *m* del equinoccio de primavera. ~점 punto *m* vernal, equinoccio *m* vernal.

춘사(春思) sentimiento *m* primaveral, fiebre *f* primaveral, pensamiento *m* sexual.

춘사(椿事) incidente *m* imprevisto, accidentes *mpl*; [대춘사] calamidad *f*, desastre *m*; [비극] tragedia *f*. ~가 돌발했다 Sobrevino un incidente imprevisto.

춘산(春山) montaña *f* [monte *m*] primaveral [de la primavera].

춘삼월(春三月) marzo *m* del calendario lunar.

춘색(春色) paisaje *m* primaveral, belleza *f* vernal de la naturaleza. ~을 탐색(探索)하다 inspeccionar el paisaje primaveral. ~이 한창이다 Estamos en plena primavera / La primavera está en su plenitud.

춘설(春雪) nieve *f* primaveral.

춘소(春宵) =춘야(春夜).
◆춘소 일각(一刻)은 치천금(値千金) Un

momento de la noche primaveral vale mil piezas de oro / Una hora de la noche primaveral vale mil monedas de oro / El paisaje de la noche primaveral es hermosísimo. 춘소 화월(花月)은 치천금(値千金) La noche, la flor y la luna de la primavera valen muchísimas.

춘수(春水) el agua primaveral.

춘수(春愁) tristeza *f* primaveral, melancolía *f* primaveral.

춘신(春信) noticias *fpl* de la primavera.

춘심(春心) =춘정(春情).

춘야(春夜) noche *f* primaveral, noche *f* de la primavera.

춘약(春藥) medicina *f* para excitar el deseo sexual.

춘양(春陽) sol *m* primaveral, solana *f* de primavera, rayos *mpl* vernales del sol.

춘우(春雨) lluvia *f* primaveral, lluvia *f* de primavera, llovizna *f* vernal.

춘일(春日) día *m* primaveral.

춘잠(春蠶) gusano *m* de seda primaveral.

춘절(春節) estación *f* primaveral.

춘정(春情) ① [남녀간의 정욕] pasiones *fpl*, deseo *m* carnal [sensual · sexual], apetito *m* sensual [carnal · sexual]. ~을 돋우다 excitar el apetito sexual. ② [봄의 정취] sentimiento *m* primaveral.

▪ ~ 발동기 pubertad *f*, pubescencia *f*.

춘초(春初) primavera *f* temprana, comienzo *m* de primavera, principio *m* de primavera.

춘추(春秋) ① [봄과 가을] la primavera y el otoño. ② [어른의 나이에 대한 존칭] su edad. ~가 어떻게 되십니까? ¿Cuántos años tiene usted? / ¿Qué edad tiene usted?

▪ ~복 vestido *m* [traje *m*] de entretiempo, ropa *f* [traje *m*] para la primavera y el otoño.

춘파(春播) siembra *f* primaveral. ~하다 sembrar en la primavera.

춘풍(春風) brisa *f* primaveral, brisa *f* de la primavera, viento *m* primaveral, viento *m* de (la) primavera.

▪ ~추우(秋雨) la brisa primaveral y lluvia otoñal, tiempo *m* pasado. ~화기(和氣) tiempo *m* de sol en primavera.

춘하추동(春夏秋冬) cuatro estaciones del año; primavera, verano, otoño e invierno.

춘한(春旱) sequedad *f* primaveral, sequedad *f* de la primavera.

춘한(春恨) pasión *f* atraída por el paisaje primaveral

춘한(春寒) frío *m* primaveral, frío *m* de la primavera. ▪ ~노건(老健) el frío primaveral y la salud de los ancianos.

춘화(春花) flor *f* primaveral.

춘화(春畫) pornografía *f*, dibujo *m* pornográfico, cuadro *m* pornográfico, pintura *f* pornográfica [indecente · obscena · verde · colorada]. ~의 거래(去來) el tráfico de material pornográfico.

▪ ~도(圖) =춘화(春畫).

춘화 현상(春化現象) 【식물】 vernalización *f*.

춘흥(春興) encanto *m* [atractivo *m*] primaveral, placer *m* primaveral.

출가(出家) ① [집을 떠나감] salida *f* de casa. ~하다 salir de casa. ② ((불교)) entrada *f* en el sacerdocio budista. ~하다 hacerse sacerdote budista, ser ordenado sacerdote budista, hacerse bonzo; [비구니가 되다] hacerse monja budista, hacerse religiosa budista.

출가(出嫁) casamiento *m* matrimonio *m*, boda *f*, nupcias *fpl*. ~하다 casarse (la mujer), contraer matrimonio. ~시키다 casar (a *su* hija). 김씨의 가문에 ~하다 casarse con un hijo de los señores Kim.

▪ ~외인(外人) La hija casada no es mejor que el extraño / La hija casada es peor que el extraño.

출간(出刊) publicación *f*. ~하다 publicar.

출감(出監) puesta *f* en libertad, liberación *f*, salida *f* de la cárcel. ~하다 ser puesto en libertad, ser excarcelado, salir de la cárcel. ~시키다 excarcelar, poner en libertad, soltar, liberar. 그는 ~했다 El fue puesto en libertad / El fue excarcelado / El salió de la cárcel.

출강(出講) clase *f*. ~하다 dar clases, dar lecciones, *AmL* dictar clase, *Chi* hacer clase.

출격(出擊) misión *f*, ataque *m*. ~하다 hacer una incursión, atacar. 적의 영토에 ~하다 hacer una incursión en territorio enemigo.

출결(出缺) ① ((준말)) =출결석. ② ((준말)) =출결근.

▪ ~근(勤) asistencia y ausencia en la oficina. ~석(席) asistencia y ausencia en la escuela.

출경(出京) ① [서울에서 시골에 내려감] ida *f* de Seúl al campo. ~하다 ir de Seúl al campo. ② =상경(上京).

출계(出系) acción *f* de ser adoptado. ~하다 ser adoptado, hacerse un heredero de la otra familia.

출고(出庫) entrega *f*. ~하다 entregar, sacar artículo del almacén.

▪ ~ 가격 precios *mpl* de fábrica, precios *mpl* franco fábrica. ~ 기간 plazo *m* de entrega. ~ 날짜 fecha *f* de entrega. ~달 mes *m* de entrega. ~량(量) cantidad *f* de entrega. ~ 비용(費用) gastos *mpl* de entrega. ~세(稅) impuesto *m* de entrega. ~ 영수증 recibo *m* de entrega. ~일 día *m* de entrega. ~ 조건(條件) condiciones *fpl* de entrega. ~ 지시서 orden *f* de entrega.

출관(出棺) salida *f* de cortejo fúnebre de la casa del difunto. ~하다 salir el cortejo fúnebre. 오전 10시 자택(自宅) ~ El cortejo fúnebre dejará casa a las diez de la mañana.

출교(黜敎) expulsión *f* de la escuela [del colegio]. ~하다 expulsar de la escuela [del colegio]. ~ 처분을 당하다 ser expulsado de la escuela [del colegio].

출구(出口) salida *f*, [문] puerta *f*. 지하철의 ~ salida *f* del metro [*Arg* del subte]. ~가 어디에 있습니까? ¿Dónde está la salida?

출구(出柩) =출관(出棺).

출국(出國) salida *f* (de un país). ~하다 salir de un país. ~은 언제하십니까? ¿Cuándo sale de Corea? / ¿Cuándo es el día de su salida?

■~ 금지 prohibición *f* de emigración. ~ 신고 declaración *f* de salida. ~ 신고서(申告書) declaración *f* de salida, tarjeta *f* de embarque. ~장(場) sala *f* de embarque. ~ 허가 permiso *m* de salida.

출근(出勤) asistencia *f*. ~하다 ir a trabajar (a la oficina), ir al trabajo, asistir a la oficina, presentarse en la oficina, presentarse al trabajo. ~해 있다 estar en *su* oficina, estar en *su* puesto de trabajo.

■~날 día *m* de oficina. ~부 libro *m* de asistencia. ~ 시간 hora *f* de salir para la oficina, hora *f* de asistencia a la oficina ~일 =출근날. ~ 일수 número *m* de días de asistencia. ~자 asistente *mf*. ~ 카드 tarjeta *f* de asistencia.

출금(出金) desembolso *m*, gasto *m*; [기부의] contribución *f*. ~하다 desembolsar, gastar, contribuir.

■~액(額) suma *f* de contribución. ~자 contribuyente *mf*, capitalista *mf*, invertidor, -dora *mf*, financiero, -ra *mf*, bolsista *mf*, banquero, -ra *mf*. ~ 전표 nota *f* de gasto, nota *f* de los gastos.

출납(出納) recepción y desembolso de dinero, entrada y salida de dinero; [예금의] retirada y depósito. ~을 담당하다 tener cargo de cuentas.

■~ 검사 revisión *f* de caja. ~계 ㉮ [출납의 사무를 담당하는 계] caja *f*. ㉯ [출납 사무를 담당하는 사람] cajero, -ra *mf*, tesorero, -ra *mf*, contador, -dora *mf*. ~ 공무원 funcionario *m* público de caja, funcionaria *f* pública de caja. ~과 (sección *f* de) caja *f*. ~관 cajero, -ra *mf*, tesorero, -ra *mf*. ~부(簿) libro *m* de caja, libro *m* manual.

출당(黜黨) expulsión *f* del partido. ~하다 expulsar del partido. ~되다 ser expulsado.

출동(出動) movilización *f*, actuación *f*. ~하다 ponerse en acción, movilizarse. ~시키다 movilizar. 공군의 ~을 요청하다 pedir la movilización de las fuerzas aéreas [del ejército del aire]. 구호반(救護班)이 ~했다 Se han puesto en acción los cuerpos de socorro. ■~ 명령(命令) orden *f* para la movilización.

출두(出頭) ① [어떤 곳에 몸소 나감] presencia *f*, comparición *f*, 【법률】 comparecencia *f*. ~하다 presentarse, comparecer. 법원(法院)에 ~하다 comparecer ante el tribunal. 본인이 직접 ~할 것 Preséntese en persona. 그는 경찰에 ~했다 Le citaron para que compareciese ante la policía. 그는 다음 주에 법원에 ~해야 한다 El debe comparecer ante los tribunales la semana próxima. 그는 출입국 (관리과) 사무실에 ~했다 El se presentó a la oficina de inmigración. ② 【역사】 ((준말)) =어사출두.

■~ 거부 rechazo *m* de comparecencia. ~ 명령 citación *f*, comparendo *m*.

출람(出藍) ((준말)) =청출어람(青出於藍).

■~지재(之材) talento *m* que puede ser un discípulo más sobresaliente que su maestro.

출렁거리다 [파도가] lamer; [굽이치다] serpentear. 출렁거리는 serpenteante, ondulante. 출렁거리면서 en forma serpenteante. 강물이 출렁거리면서 흐른다 El río corre formando meandros. 파도가 해안을 가볍게 출렁거린다 Laa olas lamen la costa.

출렁다리 puente *m* colgante.

출렁이다 =출렁거리다.

출력(出力) potencia *f* (de salida), energía *f* (de salida), capacidad *f*, potencia *f* útil, corriente *f* de salida; 【컴퓨터】 [입력(入力)에 대해] salida *f*, [전력(電力) 등의] salida *f*, potencia *f* generada. ~ 10킬로와트 diez kilovatios de potencia.

■~계 medidor *m* de salida, indicador *m* del nivel de potencia. ~ 기록(記錄) 【컴퓨터】 registro *m* de salida. ~ 데이터 datos *mpl* de salida. ~ 모니터 [텔레비전의] monitor *m* de salida. ~ 미터기 indicador *m* del nivel de salida. ~ 블록 【컴퓨터】 bloque *m* de salida. ~ 소켓 toma *f* de salida. ~ 시험 prueba *f* de potencia, prueba *f* de rendimiento. ~ 에어리어 【컴퓨터】 el área *f* de salida. ~ 영상 신호 [텔레비전의] señal *f* de imagen de salida. ~ 장치 ㉮ instalación *f* de potencia. ㉯ 【컴퓨터】 dispositivo *m* [unidad *f*] de salida. ~ 전류(電流) corriente *f* de salida. ~ 전압 voltaje *m* de salida. ~ 정보 【컴퓨터】 [프린트된] listado *m*. ~ 주변 장치 【컴퓨터】 periférico *m* de salida. ~ 채널 canal *m* de salida. ~ 필터 filtro *m* de salida. ~ 회로(回路) circuito *m* de salida.

출렵(出獵) ida *f* de caza. ~하다 ir de caza.

출루(出壘) ((야구)) acción *f* de estar en (la) base. ~하다 estar en (la) base.

출마(出馬) presencia *f* a la candidatura. ~하다 presentar *su* candidatura, presentarse como candidato.

출몰(出沒) aparición y desaparición. ~하다 aparecer y desaparecer, aparecer frecuentemente.

출무성하다 ① [위와 아래가 굵거나 가늘지 않고 비스름하다] tener casi el mismo grosor. ② [물건의 대가리가 일매지게 가지런하다] (ser) igual, equitativo.

출발(出發) partida *f*, salida *f*, marcha *f*, [자동차의] arranque *m*; [시작] comienzo *m*, principio *m*. ~하다 partir, salir, marchar, arrancar, comenzar, empezar, ponerse en marcha. (경마 등에서) 인생(人生)의 ~ umbral *m* de la vida. ~ 직전에 거는 돈의

비율 cotización *f* inicial. ~이 좋다 empezar bien, comenzar bien, tener una buena salida, entrar con buen pie. ~이 나쁘다 empezar mal, comenzar mal, tener una mala salida, entrar con mal pie. 사무실에서 ~하다 salir de la oficina. 서울로 ~하다 salir [partir] para Seúl. ~하려는 순간이다 estar para salir, estar a punto de salir. 인천 국제 공항을 ~하여 마드리드의 바라하스 공항으로 향하다 salir del Aeropuerto Internacional de Incheon para Barajas, Madrid. 인생의 새 ~을 하다 comenzar una vida nueva. …의 (인생의) ~을 축하하다 festejar la partida de *uno*. ~은 좋았는데 … Al principio todo iba bien, pero …. ~! ¡En marcha! / ¡Adelante! 자, ~합시다 ¡Vámonos! 열차가 ~한다 El tren sale / [움직인다] El tren arranca / El tren se pone en marcha. 그는 부에노스 아이레스로 ~했다 El partió para Buenos Aires. 산책하러 ~할 참이었다 Ibamos a tomar un paseo. 승객이 내리기도 전에 버스가 ~했다 El autobús arrancó antes de que los pasajeros hubieran terminado de bajar.

■ ~대 ((운동)) bloque *m* de salida; ((수영)) pontón *m* de salida. ~문 [경마 등의] cajones *mpl* de salida, *Méj* arrancadero *m* automático, *Col* partidor *m* automático. ~선 línea *f* de partida, línea *f* de salida. ~시간 hora *f* de partida, hora *f* de salida. ~신호 señal *f* de salida, señal *f* de marcha. ~일 fecha *f* de partida, fecha *f* de salida. ~점 punto *m* [lugar *m*] de partida (de・para). ¶교섭이 ~으로 돌아갔다 Las negociaciones han vuelto a su punto de partida.

출범(出帆) zarpa *f*, salida *f* del barco. ~하다 zarpar, dar la vela, hacer a la vela, largar las velas, salir de un puerto, levar anclas, hacerse a la mar, hacerse a la vela. 부산을 ~해 제주도를 향하다 zarpar de Busan para la isla de Chechu.

■ ~일(日) fecha *f* de zarpa.

출병(出兵) envío *m* de tropas, expedición *f* de tropas. ~하다 enviar tropas, expedir tropas; [동원하다] movilizar.

출분(出奔) fuga *f*, huida *f*, evasión *f*. ~하다 huir, escapar fugarse, evadirse.

■ ~자(者) fugitivo, -va *mf*, desertor, -tora *mf*, tránsfuga *mf*.

출비(出費) desembolso *m*, gastos *mpl*, expensas *fpl*. ~가 많아지다 aumentarse gastos, tener muchas expensas. ~를 줄이다 ahorrar [economizar・disminuir] expensas. 다액(多額)의 ~가 있다 gastar una cantidad. 물가 상승으로 ~가 상승한다 Por la subida de precios aumentan los gastos.

출사(出仕) asistencia *f* a la oficina gubernamental. ~하다 asistir a la oficina gubernamental.

출사(出師) =출병(出兵).

출산(出山) salida *f* del monte. ~하다 salir del monte.

출산(出産) parto *m*, alumbramiento *m*. ~하다 parir, alumbrar, dar a luz, partear. ~을 축하하다 celebrar el nacimiento. 내 아내는 아이를 ~했다 Mi esposa dio a luz (a) un niño. 그녀는 사내아이를 ~했다 Ella parió un hijo varón / Ella dio a luz un varón.

■ ~ 수당 maternidad *f*, subsidio *m* de alumbramiento, subsidio *m* de maternidad. ~실 sala *f* de partos. ~ 예정일 fecha *f* prevista del alumbramiento. ~율 natalidad *f*. ~ 제한 restricción *f* de nacimiento. ~지 lugar *m* de nacimiento. ~ 축하(祝賀) celebración *f* [congratulación *f*] de nacimiento. ~ 휴가 baja *f* por maternidad, permiso *m* por maternidad, licencia *f* por [de] maternidad, vacaciones *fpl* retribuidas con motivo del parto.

출상(出喪) acción *f* de llevar el ataúd fuera de la casa. ~하다 llevar el ataúd fuera de la casa. 오전 10시 자택 ~ El cortejo fúnebre saldrá de casa a las diez de la mañana.

출생(出生) nacimiento *m*. ~하다 nacer. 그녀의 둘째 아들 ~후 después del nacimiento de su segundo hijo. 내 어머님은 음력 1921년 6월 30일에 ~하셨다 Mi madre nació el 30 de junio de 1921 del calendario lunar.

■ ~률 (índice *m* [tasa *f*] de) natalidad. ~신고 declaración *f* de nacimiento, anuncio *m* de nacimiento, *AmL* aviso *m* de nacimiento. ~ 신고서(申告書) declaración *f* de nacimiento. ~ 연월일(年月日) fecha *f* de nacimiento. ~ 증명서(證明書) partida *f* [certificado *m*] de nacimiento, *Méj* el acta *f* de nacimiento. ~지(地) lugar *m* de nacimiento, tierra *f* [suelo *m*・pueblo *m*] natal, país *m* natal. ~지주의 =속지주의.

출석(出席) asistencia *f*, presencia *f*,【법률】 comparecencia *f*. ~하다 asistir (a); [참가하다] participar (en), tomar parte (en);【법률】comparecer. ~을 부르다 pasar lista. 수업에 ~하다 asistir a clase. 회의에 ~하다 asistir a la reunión. ~을 부르겠습니다 Voy a pasar lista.

■ ~ 거부 rechazo *m* de comparecencia. ~명령 orden *f* de comparecencia. ~부 lista *f* de asistencia, libro *m* de asistencia. ~ 요구(要求) orden *f* de comparecencia. ~ 의무 obligación *f* de comparecencia. ~ 의원 miembros *mpl* asistentes a una asamblea. ~자 asistente *mf*, persona *f* presente; [집합적] asistencia *f*. ~자 수 número *m* de asistentes. ~표 tabla *f* de asistencia.

출선(出船) ① [배가 항구를 떠남] salida *f* del barco. ~하다 (el barco) salir del puerto. ② [항구를 떠나는 배] barco *m* que sale del puerto.

출세(出世) éxito *m* social, éxito *m* en el mundo; [승진(昇進)] promoción *f*, ascenso *m*, avance *m*. ~하다 tener éxio en el mundo, abrirse camino; [승진하다] subir, ascender, avanzar, obtener alto rango, prosperar. ~가 빠르다 ascender rápidamente en el mundo, tener una carrera brillante. 그는 ~의 길에 올랐다 El ha entrado en el camino que le llevará al ascenso. 그는 지점장에 ~했다 El ha ascendido [ha subido] a director de sucursal. 그는 신문 기자로 ~했다 El se forjó una carrera en el periodismo [como periodista] / El se abrió camino como periodista. 그는 남의 밑에 깔려 ~를 못하는 사원이다 El ha ocupado siempre un puesto inferior en la compañía.

■ ~간 =법계(法界). ¶~의 espiritual, no terrenal. ~ 비결 secretos *mpl* del éxito social. ~욕 ambiciones *fpl* para el éxito. ~작 obra *f* que *le* ha hecho famoso. ¶나의 ~ obra *f* que me ha hecho famoso. ~주의 arribismo *m*. ~주의자 arribista *mf*.

출소(出所) =출감(出監). 출옥(出獄).

출소(出訴) planteamiento *m* de un pleito. ~하다 plantear un pleito, demandar, entablar un pleito, acusar, denunciar.

■ ~ 기한 límite *m* para entablar un pleito. ~자 demandante *mf*.

출수(出穗) lo que se espiga. ~하다 espigar-(se), echar espigas.

■ ~기(期) temporada *f* de espigarse.

출신(出身) origen *m*; [학교의] graduado *m*; [신분이나 직업 관계] ex. 공무원 ~ ex funcionario, -ria *mf*. …의 ~이다 ser natural de *un sitio*, ser de *un sitio*; [학교의] ser graduado en [de] *una escuela*. 서울 ~이다 ser (natural) de Seúl, ser seulense *mf*. 농민(農民) ~이다 ser de origen agricultor. 양가(良家) ~이다 proceder de buena familia. 이 대학 ~이다 ser graduado de [en] esta universidad. 그는 바르셀로나 ~이다 El es natural [oriundo] de Barcelona. 선생님께서는 어디 ~이십니까? ¿De dónde es usted? / ¿De qué parte es usted? / [출신교가 어디입니까] ¿En qué universidad se graduó usted? 아르헨띠나 어디 ~이십니까? — 바릴로체입니다 ¿De qué parte de la Argentina es usted? — Soy de Bariloche.

■ ~교 =출신 학교. ~지(地) lugar *m* de nacimiento, tierra *f* natal, suelo *m* natal, pueblo *m* natal, país *m* natal. ~ 학교 escuela *f* de que es graduado; [대학교] universidad *f* de que es graduado.

출아(出芽) germinación *f*. ~하다 germinar.

■ ~법 método *m* de germinación.

출애굽기(出-記) ((성경)) el Exodo.

출어(出御) salida *f* del rey, presencia *f* real. ~하다 (el rey) salir del palacio exterior al interior.

출어(出漁) salida *f* a pesca. ~하다 salir a pesca, ir a la pesquería.

■ ~ 구역 zonas *fpl* pesqueras, zonas *fpl* de pesca, *CoS*, *Per* pesquerías *fpl*. ~금지 구역 zona *f* de pesca prohibida. ~권 derecho *m* de pesca. ~기 temporada *f* de pesca.

출연(出捐) ayuda *f* financiera. ~하다 hacer una ayuda financiera.

출연(出演) actuación *f*, conferencia *f*; 【연극】 representación *f*; [텔레비전 등의] presentación *f*. ~하다 actuar, realizar una actuación, entrar en la escena; [텔레비전 등에] presentar, salir; [영화에] trabajar, hacer un papel, presentar un papel; [연주하다] ejecutar. 영화에 ~하다 salir en una película. 프로그램에 ~하다 salir en un programa. 텔레비전에 ~하다 salir en la televisión.

■ ~자 actor, -triz *mf*; intérprete *mf*; [연설자] orador, -dora *mf*; [음악가] músico, -ca *mf*; [악단원] sinfonista *mf*; [강연자] conferenciante *mf*; intérprete *mf*; [집합적] reparto *m*. 텔레비전 ~ presentador, -dora *mf* de televisión.

출영(出迎) encuentro *m*, recibimiento *m*; [영접] recepción *f*. ~하다 encontrar, recibir. ~하러 가다 ir a ver, salir [ir] al encuentro, ir a recibir, ir a buscar. …를 ~하러 공항에 나가다 ir al aeropuerto a *su* encuentro. 그는 많은 사람의 ~을 받았다 Muchos vinieron a su encuentro / El fue recibido por una muchedumbre de gente.

출옥(出獄) excarcelación *f*, salida *f* de la cárcel, puesta *f* en libertad, liberación *f*. ~하다 ser puesto en libertad, ser excarcelado, salir de la cárcel. ~시키다 excarcelar, poner en libertad (al preso). 그녀는 ~했다 Ella fue puesta en libertad / Ella fue excarcelada / Ella salió de la cárcel.

■ ~자 convicto *m* soltado, convicta *f* soltada; reo *m* soltado, reo *f* soltada; preso *m* libertado, presa *f* libertada; persona *f* excarcelada.

출원(出願) petición *f*, solicitación *f*, aplicación *f*, [시험 등의] candidatura *f*, inscripción *f*. ~하다 pedir, solicitar, presentar una demanda, formular un demanda; [시험 등에] presentar una solicitud. 특허를 ~하다 solicitar la patente. 전매 특허 ~ 중 Se ha solicitado el patente.

■ ~ 기한 término *m* de petición, período *m* por petición. ~ 번호 número *m* de solicitud. ~자 [지원자] aspirante *mf*; [청원자] solicitante *mf*; suplicante *mf*. 특허 ~ solicitante *mf* de patentes.

출유(出遊) viaje *m*, excursión *f*. ~하다 ir de excursión, hacer un viaje, viajar.

출입(出入) entrada y salida. ~하다 entrar y salir; [자주 가다] frecuentar. ~의 허가 permiso *m* de entrada. 이 회사에 ~하고 있는 업자 comerciante *mf* que tiene que ver con esta compañía. ~을 금지하다 prohibir la entrada. ~을 허가받다 tener permiso de entrada. 이 집은 사람의 ~이 많다 Esta casa es muy frecuentada / Esta casa tiene un gran número de visitantes. 외부 인사의 ~을 금함 ((게시)) Prohibido el paso a toda persona ajena. 공사(工事) 관계자 이외 ~ 금지 ((게시)) Se prohíbe

la entrada a toda persona ajena a la obra.
■ ~구(口) entrada *f*, puerta *f*, umbral *m*. ~국(國) entrada *f* y salida, emigración *f* e inmigración. ~국 관리 control *m* de salida y entrada al país, control *m* de emigración e inmigración. ~국 관리법 ley *f* de control de salida y entrada al país. ~국 사무소 oficina *f* de inmigración. ~ 금지(禁止) ㉮ prohibición *f* de entrada. ㉯ ((게시)) Prohibido entrar / Se prohíbe entrar / No entrar / No entre(n). ~증 tarjeta *f* de admisión.

출자(出資) contribución *f*, aportación *f*, [투자] inversión *f*. ~하다 contribuir, aportar; [투자하다] invertir. 사업에 1억 원을 ~하다 aportar cien millones de wones en a un negocio.
■ ~금(金) inversión *f*, dinero *m* invertido, contribución *f*. ~액(額) cantidad *f* de inversión, cantidad *f* de contribución. ~자(者) socio, -cia *mf*, inversionista *mf*, contribuyente *mf*. ~ 증권 certificado *m* de inversión.

출장(出張) viaje *m* de [por] negocios (oficiales); [공용(公用)의] viaje *m* oficial. ~하다 viajar por negocios (oficiales), hacer un viaje oficial. ~ 지도하러 가다 ir a dar clases a la casa de *su* alumno. 그는 ~ 중입니다 El está de [en] viaje de negocios. 그는 멕시코 시에 ~을 명령받았다 Le han ordenado ir a la ciudad de México por negocios. 그가 ~을 가 있는 곳에 전화를 걸어 주십시오 Telefonee [Telefonéele a él] al lugar donde está en viaje de negocios.
■ ~비 expensas *fpl* [gastos *mpl*] de viaje. ~소 agencia *f*, sucursal *f*. ~원 agente *mf*, persona *f* enviada sobre negocios.

출장(出場) ① [어떤 곳에 나감] participación *f*. ~하다 participar (en), tomar parte (en), concurrir (a). ~을 취소하다 cancelar la participación. ② [운동 경기에 나감] participación *f* en una carrera. ~하다 participar en una carrera. ~을 취소하다 cancelar la participación en la carrera.
■ ~ 교수 visita *f* de maestro. ~마(馬) caballo *m* que corre. ~ 선수 participante *mf*, atleta *mf* participante. ~소 agencia *f*, sucursal *f*. ~자 [참가자] partícipe *mf*, concurrente *mf*, [경기자] competidor, -dora *mf*. ~ 자격 clasificación *f*. ~ 팀 equipo *m* participante.

출전(出典) fuente *f*, original *m*, autoridad *f*. ~을 표시하다 indicar la fuente.

출전(出戰) salida *f* al frente, partida *f* al frente; [경기에] participación *f* en un juego. ~하다 salir al frente; [경기에] participar en el juego, tomar parte en el juego.

출정(出廷) comparición *f*, *AmS* comparecencia *f*. ~하다 comparecer, presentarse ante el juez. ~하지 않으면 en caso (de) que no comparezca. 증인으로 ~하다 comparecer como testigo.

출정(出征) salida *f* al frente, incorporación *f* a filas, partida *f* para el frente, marcha *f* para el frente. ~하다 salir al frente, salir a (la) campaña, partir para el frente, marchar para el frente.
■ ~군(軍) tropas *fpl* expedidas [enviadas] al frente. ~ 군인(軍人) soldado, -da *mf* combatiente; soldado *m* enviado al frente, soldada *f* enviada al frente.

출제(出題) presentación *f* de las preguntas (del examen). ~하다 presentar las preguntas (del examen).
■ ~자 examinador, -dora *mf*.

출중나다(出衆－) ser sobresaliente y peculiar.

출중하다(出衆－) destacarse, sobresalir, contrastar, estar sobresaliente, estar conspicuo. 출중한 sobresaliente, distinguido, destacado, conspicuo, distinto, notable, particular. 출중하게 sobresalientemente, notablemente, en constante, distintamente, en particular. 출중한 작품(作品) obra *f* sobresaliente. 출중하게 보이다 ponerse de relieve. 그는 학급에서 ~ El es el as de la clase.

출진(出陣) salida *f* al frene, salida *f* para la guerra, salida *f* para el campo de batalla. ~하다 salir al frente (de batalla), ir a la guerra. 첫 ~에 나가다 salir al primer combate.

출찰(出札) despacho *m* de billetes [*AmL* boletos]. ~하다 despachar los billetes [*AmL* boletos].
■ ~ 계원 taquillero, -ra *mf*, billetero, -ra *mf*, vendedor, -dora *mf* de billetes; *AmL* boletero, -ra *mf*. ~구(口) ventanilla *f*. ~소(所) taquilla *f*, *AmS* boletería *f*.

출창(出窓) ventana *f* más salediza [saliente · arqueada] (que la pared), mirador *m*, balcón *m* (*pl* balcones).

출처(出處) ① [사물이 나온 근거] origen *m* (*pl* orígenes), procedencia *f*, [출전(出典)] fuente *f*. ~가 확실한 auténtico, confiable, fidedigno, de buena fuente. ~ 불명(不明)의 de fuente incierta. ~를 밝히다 indicar [dar] el origen [la fuente]. 첫 소문의 ~를 밝혀 내다 remontonarse hasta los orígenes del rumor falso. 이 정보의 ~는 발표할 수 없다 El origen de esta información está retenido. 나는 그의 돈의 ~를 모른다 No sé de dónde le viene ese dinero. ② [세상에 나서는 일과 집 안에 들어앉는 일] salida *f* al mundo y entierro *m* en casa.

출초(出超) ((준말)) =수출 초과(輸出超過) (exceso de exportación). ¶지난달의 ~는 1억 원이었다 El exceso de exportación sobre importación en el último mes pasado fue cien millones de wones.

출출하다 estar con el estómago vacío, sentir un poco de hambre. 출출한 김에 맛있게 먹었다 Yo comí bien en mi hambre.

출타(出他) salida *f* de casa, salida *f* de oficina. ~하다 salir de casa, salir de oficina. ~ 중에 durante *su* ausencia. 담당 직

원은 ~ 중이다 El encargado está fuera de la oficina.

출탄(出炭) producción *f* de carbón. ~하다 producir carbón.

출토(出土) excavación *f.* ~하다 ser excavado, ser desenterrado, ser exhumado.

■ ~품 objeto *m* excavado, objeto *m* desenterrado.

출퇴근(出退勤) asistencia *f* y salida de la oficina. ~하다 asistir y salir de la oficina.

출판(出版) publicación *f,* edición *f.* ~하다 publicar, dar a luz, editar. ~할 수 있는 publicable. ~되다 publicarse, ser publicado. 이 사전은 방금 ~되었다 Este diccionario acaba de publicarse. 이 책은 마드리드에서 ~되었다 Este libro se publicó en Madrid. 이 사전은 2002년에 서울에서 ~되었다 Este diccionario se publicó en 2002 (dos mil dos) en Seúl.

◆ 예약(豫約) ~ publicación *f* por subscripción. 자비(自費) ~ publicación *f* costeada por el autor. 한정(限定) ~ publicación *f* limitada.

■ ~계 =출판업계. ~권 derechos *mpl* de publicación, derechos *mpl* de reproducción, copyright *ing.m.* ~ 기념회 recepción *f* dada para celebrar la publicación (de un libro). ~ 목록(目錄) catálogo *m* de publicaciones. ~물(物) publicado *m*; [집합적] publicación *f.* ~법 ley *f* de publicación. ~부(部) departamento *m* editorial. ~ 부수(部數) tirada *f,* tiraje *m.* ~사 editorial *f,* casa *f* editorial. ~ 신고 declaración *f* de publicación. ~업 publicación *f,* negocio *m* editorial. ~업계(業界) mundo *m* editorial, campo *m* editorial. ~업자 editor, -tora *mf.* ~의 자유 libertad *f* de publicación, libertad *f* de imprenta. ~일 fecha *f* de publicación. ~자 editor, -tora *mf,* [출판사] editorial *f,* casa *f* editorial. ~ 조건(條件) condiciones *fpl* de la publicación. ~ 허가 permiso *m* de publicación; ((천주교)) imprimátur *m.* ~ 협회 la Asociación de Editores.

출품(出品) exposición *f.* ~하다 exponer, mostrar, enviar artículos a la exposición. 전람회에 ~하다 presentar [mandar] algo a una exposición.

■ ~ 목록(目錄) catálogo *m* de los objetos expuestos. ~물(物) artículo *m* expuesto, objeto *m* expuesto. ~자(者) expositor, -tora *mf.* ~ 품목(品目) lista *f* de objetos en exposición.

출하(出荷) envío *m,* remesa *f,* consignación *f,* envío *m* [partida *f*] de mercancías, envío *m* [partida *f*] de mercaderías *fpl,* expedición *f,* [배에서] embarque *m.* ~하다 enviar mercancías, despachar, remitir. 선편(船便)으로 ~하다 enviar [mandar] por barco. 상품을 선편[철도편]으로 ~하다 expedir las mercancías por barco [por ferrocarril].

◆ 해외(海外) ~ envíos *mpl* al extranjero.

■ ~ 가격(價格) precio *m* del envío de mercancías. ~ 비용 gastos *mpl* de envío, gastos *mpl* de expedición. ~ 수취인(受取人) destinario, -ria *mf.* ~ 안내 aviso *m* de embarque. ~자(者) remitente *mf,* consignador, -dora *mf.* ~ 정지 detención *f* del envío de mercancías. ~지 lugar *m* de envío. ~ 지시서(指示書) instrucción *f* de embarque. ~처 destino *m.* ~ 통지 aviso *m* de embarque. ~항(港) puerto *m* de embarque.

출학(黜學) expulsión *f* de la escuela. ~하다 expulsar de la escuela. ~을 당하다 ser expulsado de la escuela.

출항(出航) zarpa *f,* partida *f* de buque. ~하다 zarpar, hacerse a la vela, hacerse a la mar, levar anclas.

출항(出港) salida *f* del puerto, partida *f* del puerto. ~하다 salir del puerto, partir del puerto, dejar el puerto. ~을 허가하다 permitir [autorizar] (a un barco) salir del puerto. ~을 정지(停止)하다 embargar (un barco), detener la partida del puerto. ~ 정지를 해제하다 desembargar (un barco). 부산을 ~하다 salir del puerto de Busan, dejar (el puerto de) Busan.

■ ~서 certificado *m* de autorización de salida de buque, cédula *f* de despacho de aduana. ~세 impuesto *m* de despacho de aduana. ~ 수수료(手數料) derechos *mpl* de despacho de aduana. ~ 정지 detención *f* de buque. ~ 통지서(通知書) aviso *m* de despacho de aduana. ~ 허가서 permiso *m* [pasaporte *m*] para salir del puerto.

출향(出鄕) salida *f* de la tierra natal. ~하다 salir de la tierra natal.

출현(出現) aparición *f,* aparecimiento *m,* descubrimiento *m*; [도래(到來)] llegada *f,* advenimiento *m*; ((종교)) Adviento *m.* ~하다 aparecer, surgir, descubrirse, presentarse. 새로운 내구 자재(耐久資材)가 ~했다 Han aparecido nuevos materiales durables.

출혈(出血) derrame *m* de sangre, hemorragia *f,* apoplejía *f,* sangría *f.* ~하다 sangrar, echar sangre, chorrear la sangre. ~을 막다 cortar la hemorragia, contener [detener・cortar・restañar] la sangre. ~이 멈추다 dejar de sangrar. 코에서 ~하다 sangrar [echar sangre] por la nariz.

■ ~ 경쟁 competencia *f* feroz [salvaje・intensa], competencia *f* por pérdidas, dumping *ing.m.* ~ 과다 excesivo derrame *m* de sangre, pérdida *f* de mucha sangre, sangría *f* excesiva. ~ 수출 exportación *f* por pérdidas. ~열 fiebre *f* hemorrágica. ~체 cuerpo *m* hemorrágico. ~ 판매 venta *f* a un precio sacrificado, venta *f* con pérdida.

출화(出火) incendio *m.* ~하다 encenderse. ~의 원인을 조사하다 investigar el origen de un incendio.

출회(出廻) circulación *f* de mercancías, suministro *m.* ～하다 abundar [salir · surtirse bien] en el mercado.

춤¹ [율동적으로 뛰노는 동작] danza *f*, baile *m.* ～을 추다 bailar, danzar. ～을 추는 사람 bailador, -dora *mf*; bailarín, -rina *mf*. 너는 ～을 참 잘 추는구나 ¡Qué bien bailas! 당신은 어디서 ～을 배우셨습니까? ¿Dónde aprendió usted a bailar? / ¿Dónde aprendió usted el baile? 그녀는 ～을 잘 춘다 Ella baila muy bien / [무희(舞姬)로서] Ella es una buena bailarina.
■ ～곡 =무도곡(舞蹈曲). ～ 교습소 escuela *f* de baile, instituto *m* de baile. ～꾼 danzante *mf*, bailarín (*pl* bailarines), -rina *mf*. ～바람 ㉮ [춤이 추어지는 흥] diversión *f* del baile. ㉯ [춤에 마음을 빼앗겨 몹시 들뜬 상태] situación *f* de distraer por el baile. ～사위 movimiento *m* del baile. ～판 lugar *m* de bailar.
춤추다 ㉮ [춤을 추다] danzar, bailar. 저와 함께 춤추실까요? ¿Podría usted bailar conmigo? ㉯ [기뻐 날뛰다] saltar de gozo. 춤추는 가슴으로 con el corazón lleno de gozo. 나는 기뻐 가슴이 춤추었다 Mi corazón saltó de gozo. 그는 누군가의 흑막에 춤추고 있다 Alguien le maneja entre bastidores.

춤² [물건의 운두나 높이] altura *f* del borde. 항아리의 ～이 너무 낮다 La (altura del borde de la) jarra es demasiado baja.

춤³ ((준말)) =허리춤.

춤⁴ [여러 오리로 길게 생긴 물건의 한 손으로 쥘 만한 분량] puñado *m.* 짚 한 ～ un puñado de paja.

춤추다 bailar. ☞춤

춥다 ① [날씨가 차다] hacer frío. 추운 날씨 tiempo *m* frío. 추운 아침 mañana *f* fría. 추운 지방 región *f* fría, comarca *f* fría. 오늘은 ～ Hoy hace frío. 오늘은 별로 춥지 않다 Hoy no hace mucho frío. 몹시 추운 날씨다 Hace un tiempo que hiela. 무시무시하게 ～ Hace un frío tremendo / Hace un frío de tres mil demonios / Hace un frío que me muero. 날씨가 매우 ～ Hace mucho frío. 이곳은 ～ Aquí hace frío. 이 방은 무척 ～ Hace mucho frío en esta habitación / Hace un frío que pela en esta habitación. 한국은 겨울에 무척 ～ En Corea hace mucho frío en (el) invierno. 날씨가 추워지기 시작한다 Está empezando a hacer frío. 최근 아침저녁으로는 무척 추워지기 시작했다 Ultimamente ha empezado a hacer mucho frío fuera del día. 날씨가 추우니 들어오세요 Entra, que hace frío. ② [신체가 차다] tener frío. 발이 ～ sentir frío en los pies, tener los pies fríos, tener frío en los pies. 나는 ～ Tengo frío. 나는 매우 ～ Yo tengo mucho frío. 나는 발이 ～ Tengo los pies fríos / Tengo frío en los pies. 나는 추워서 죽겠다 Yo me muero de frío.

춥디춥다 [날씨가] hacer mucho frío; [사람의 몸이] tener mucho frío. 춥디추운 겨울 invierno *m* que hace mucho frío. 얼어붙은 춥디추운 방 habitación *f* helada. 춥디추운 겨울 하늘 cielo *m* deprimente de invierno.

충(衝) 【천문】 oposición *f*.

충(蟲) ① =벌레. ② ((준말)) =회충(蛔蟲).
◆ 충(이) 나다 estar infestado [plagado].

충간(忠諫) consejo *m* fiel [leal]. ～하다 aconsejar fielmente [lealmente].

충격(衝擊) impulso *m*, choque *m*, sacudida *f*, golpe *m*, impulsión *f*, colisión *f*, impacto *m*, percusión *f*. ～을 받다 sufrir choque. ～을 주다 dar choque (a), dar un golpe (a). ～을 완화시키다 suavizar el golpe, suavizar el choque. 그 소식에 나는 ～을 받았다 La noticia fue un verdadero golpe para mí.
■ ～력 poder *m* de choque. ～ 시험 prueba *f* balística, ensayo *m* a [de] choque. ～시험기 aparato *m* para ensayos de choque. ～ 요법 [전기(電氣)의] electrochoque *m*, choque *m* eléctrico. ～음(音) sonido *m* de choque. ～ 응력 esfuerzo *m* de choque. ～적(的) impulsivo. ～ 전류 corriente *f* de impulsión. ～파 ondas *fpl* de choque, onda *f* impulsiva.

충견(忠犬) perro *m* fiel a su amo..

충고(忠告) consejo *m*; [경고] advertencia *f*, amonestación *f*. ～하다 aconsejar, dar consejo; advertir. 누구의 ～에 따라(서) según el consejo de *uno*. ～를 받아들이다 aceptar [seguir] el consejo. ～를 부탁하다 pedir consejo. ～를 어기다 hacer contra el consejo. ～에 따르다 aceptar el consejo, seguir el consejo. 나는 그에게 공부를 열심히 하라고 ～한다 Yo le aconsejo [advierto] a él que estudie mucho. 나는 그에게 공부를 열심히 하라고 ～했다 Yo le aconsejé [advertí] a él que estudiara [estudiase] mucho.
■ ～자 consejero, -ra *mf*, asesor, -ra *mf*, orientador, -dora *mf*.

충군(忠君) lealtad *f*.
■ ～애국(愛國) lealtad y patriotismo.

충근하다(忠勤－) servir fidelísimamente. 충근함 servicio *m* fiel [leal · constante], entrega *f*, dedicación *f*, desempeño *m* fiel a *su* deber.

충나다(蟲－) ☞충(蟲)

충노(忠奴) =충복(忠僕).

충당(充當) asignatura *f*. ～하다 destinar, asignar. A를 B에 ～하다 destinar [asignar] A a [para] B. 수익(收益)을 사무소의 정비에 ～하다 destinar las ganancias al arreglo de la oficina.

충돌(衝突) ① [서로 맞부딪침] colisión *f*, choque *m*, encuentro *m*. ～하다 chocar (contra · con), encontrarse (con), darse un encontronazo, colisionar; [어떤 배와] abordar a un barco, abordarse con un barco; [서로] abordarse.. 선박(船舶)의 ～ colisión *f* de barcos. ～을 피하다 evitar una colisión. 연쇄 ～하다 [자동차가] chocar e cadena, *Méj* hacer carambola. 자동차가

주에 ~했다 Un coche chocó con un poste. 버스가 트럭과 ~했다 Un autobús chocó contra un camión. 데모대가 경찰관(警察官)들과 ~했다 Los manifestantes chocaron con los policías. ② [쌍방의 의견이 맞지 아니하여 서로 맞섬] colisión *f*, conflicto *m*, encuentro *m*. ~하다 disputar (con), contender (con), encontrarse, entrar en conflicto, chocarse. 감정의 ~ colisión *f* de sentimientos. 두 사람의 의견이 ~되었다 Se chocaron las opiniones de los dos / Surgió un conflicto de pareceres entre los dos. 이해의 ~이 일어났다 Ocurrió un encuentro de intereses.

충동(衝動) ① [들쑤셔 움직이게 함] instigación *f*, incitación *f*. ~하다 instigar, incitar. …에게 …하라고 ~하다 instigar [incitar] a *uno* a *inf* [a *algo*]. 그들은 폭력을 행사하라고 군중(群衆)을 ~했다 Ellos instigaron [incitaron] a ls multitudes a la violencia. ② 【심리】 impulso *m*, impulsión *f*, ímpetu *m*, empuje *m*. ~에 이끌려 llevado por un impulso. ~에 따르다 obedecer al impulso. ◆성적(性的) ~ impulso *m* sexual. 추상(抽象) ~ impulso *m* abstractivo.
■~구매품(購買品) artículos *mpl* de compra impulsiva. ~적 impulsivo. ¶~으로 impulsivamente. ~(적) 구매 compra(s) *f(pl)* impulsiva(s), compra *f* de impulso. ~(적) 구매자 comprador, -dora *mf* por impulso. ~질 instigación *f*, incitación *f*. ¶~하다 instigar, incitar. ~ 판매 venta *f* impulsiva.

충동이다(衝動－) ① [흥분할 만큼 자극을 주다] dar estímulo a *uno* [para que + *subj*]. ② [다른 사람을 부추기다] instigar, incitar. 도둑질을 하라고 그를 충동였다 Le instigaron [incitaron] a robar.

충량하다(忠良－) (ser) bueno y leal, fiel.

충렬(忠烈) fidelidad *f*. ~하다 (ser) fiel y verdadero.
■~사(祠) santuario *m* para el servicio funeral a los héroes caídos.

충령(忠靈) héroes *mpl* caídos, héroes *mpl* fallecidos.
■~탑(塔) monumento *m* a los héroes caídos, monumento *m* a los caídos en la guerra.

충류(蟲類) gusanos *mpl*, insectos *mpl*.

충만(充滿) plenitud *f*, calidad *f* [totalidad *f*·integridad *f*] de pleno. ~하다 llenarse, impregnarse. ~한 pleno, lleno, completo. …로 ~하다 estar lleno de *algo*. 방에 악취(惡臭)가 ~해 있다 La habitación está llena de mal olor. 그녀는 젊음으로 ~하다 Ella está rebosante de juventud.

충매화(蟲媒花) flor *f* [planta *f*] entomófila.

충복(忠僕) servidor *m* fiel, servidora *f* fiel; serviente *mf* fiel, criado *m* leal, criada *f* leal; secuaz *m*; esbirro *m*.

충분조건(充分條件) condición *f* suficiente.

충분하다(充分－) (ser) suficiente, bastante, satisfactorio; [사물이 주어] bastar*le a uno*, alcanzar*le a uno*. 충분함 suficiencia *f*. 충분한 식량 provisiones *fpl* suficientes. 충분한 것 [양·일] (lo) suficiente, (los) suficientes, (lo) bastante, (los) bastantes. 충분하지 못한 설명 explicación *f* somera e insuficiente. 충분하지 않다 [사물이 주어일 때] faltar (a *uno*), no ser suficiente (para *uno*). 충분한 성과를 얻다 obtener el mejor resultado, obtener un resultado más que satisfactorio. …에 ~ bastar para *algo*, ser bastante para *algo*. …하기에 ~ bastar para + *inf*, ser bastante [suficiente] para + *inf* [para que + *subj*]. …할 시간은 ~ tener suficiente tiempo para + *inf*. …하는 것으로 ~ (Me) Basta con + *inf* [con que + *subj*]. 그것으로 ~ Con eso es bastante / Basta con eso. 십만 원이면 ~ Me basta con cien mil wones. 그것으로 충분하겠지오 Sería suficiente con eso. 그것으로 충분했다 Era bastante [suficiente] con eso. 오늘은 충분합니다 Hoy no necesito. 시간은 ~ Hay [Tenemos] suficiente tiempo. 내 수입은 생활하기에 ~ Mis ingresos me alcanzan para vivir. 나는 둘이면 ~ Con dos me basta / Con dos tengo suficiente. 역까지 1킬로미터는 ~ Hay al menos un kilómetro hasta la estación / Hay un buen kilómetro hasta la estación. 역까지 한 시간이면 ~ Con una hora se puede llegar a la estación fácilmente. 자동차 생산이 충분하지 못하다 La producción de automóviles no alcanza la demanda. 나는 이 상자로 ~ Me basta con esta caja / Me es suficiente con esta caja. 포르투갈에서는 서반아어로 충분하십니다 En Portugal usted puede defenderse en español. 우리는 잔이 충분합니까? ¿Tenemos bastantes [suficientes] vasos? / ¿Tenemos vasos suficientes? 우리는 충분한 포도주를 가지고 있다 Tenemos bastante vino. 나는 충분한 이유(理由)가 있었다 Yo tenía motivos suficientes. 너 의자가 더 필요하니? – 아니요, 충분합니다 ¿Necesitas más sillas? – No, tengo suficientes [bastantes]. 너 종이 더 필요하니? – 아니, 충분해 ¿Necesitas más papel? – No, tengo suficiente [bastante]. 그것으로 나한테는 충분하지 않다 Eso no es suficiente para mí / No me basta con eso. 여비(旅費)가 충분하지 못하다 Me falta dinero para el viaje / No tengo dinero suficiente para el viaje.
충분히 (lo) suficientemente, con suficiencia, bastante, bastantemente, enteramente, cabalmente, a fondo, llenamente, plenamente, completamente, copiosamente. ~ 생각한 후에 después de pensarlo bien [suficientemente]. ~ 검토하다 examinar suficientemente, estudiar a fondo. ~ 주의하다 prestar una suficiente atención (a·en). ~ 힘을 발휘하다 sacar el mayor partido de su capacidad (en), dar mucho de *sí* (en). 볼 가치가 ~ 있다 merecer lo bastante para ver. …할 힘이 ~ 있다 tener sufi-

ciente [bastante] capacidad para + *inf.* 그것을 ~ 이해하지만 … Comprendo muy bien eso, pero … / Soy muy consciente de eso, pero …. 나는 시간이 ~ 있다 Tengo tengo suficiente [amplio]. 그 점은 ~ 이해했습니다 Estoy bien enterado [informado] de eso. 이제 ~ 먹었습니다 Ya estoy satisfecho / Ya he comido bastante.

충비(充備) preparación *f* completa. ~하다 preparar completamente.

충사(忠死) muerte *f* leal. ~하다 morir lealmente.

충색(充塞) congestión *f*, abarrotamiento *m*. ~하다 congestionarse, (estar) congestionado, abarrotado, repleto de gente.

충성(忠誠) lealtad *f*, fidelidad *f*. ~을 맹세하다 jurar [prometer] lealtad.

■ ~ 선서(宣誓) juramento *m* de lealtad.

충성스럽다 (ser) leal, fiel. 충성스러운 듯이 행동하다 fingir [simular] la fidelidad.

충성스레 lealmente, con lealtad, fielmente, con fidelidad.

충수(蟲垂)【해부】apéndice *m*, apéndice *m* vermicular [vermiforme]. ~의 apendicular.

■ ~염(炎) apendicitis *f*. ~염 수술 apendectomía *m*.

충순하다(忠純—) (ser) leal y verdadero.

충순히 leal y verdaderamente.

충순하다(忠順—) (ser) leal, fiel, obediente. 충순함 lealtad *f*, fidelidad *f*, obediencia *f*.

충순히 lealmente, fielmente, con lealtad, con fidelidad, obedientemente, con obedeciencia.

충신(忠臣) vasallo *m* [servidor *m* · hombre *m*] leal [fiel], súbito *m* fiel. ~은 효자 가문(家門)에서 나온다 El hijo filial hace un servidor leal.

■ ~ 불사이군(不事二君) El vasallo leal no sirve a dos reyes [dos señores].

충신(忠信) fidelidad *f*, lealtad *f*, devoción *f*.

충실(充實) ① [몸이 굳세어서 튼튼함] fuerza *f*, fortaleza *f* física. ~하다 (ser) fuerte. ② [내용 · 설비 등이 알참] plenitud *f*, perfección *f*, llenura *f*, abundancia *f*. ~하다 llenar, repletar, enriquecer, colmarse, perfeccionarse. 내용(內容)의 ~ riqueza *f* del contenido. 내용이 ~한 rico del contenido. 국력(國力)의 ~을 기하다 ejecutar el plan para el engrandecimiento de fuerza nacional.

충실하다(忠實—) (ser) fiel, leal. 충실함 fidelidad *f*, lealtad *f*. 충실한 번역 traducción *f* fiel. 국방(國防)에 ~ complemento *m* [perfección *f*] de defensa nacional. 그는 자기 자신에게 충실한 남자다 El es un hombre *fiel [sincero] consigo mismo.* 개는 주인에게 ~ El perro es fiel a su amo.

충실히 fielmente, lealmente, con fidelidad, con lealtad. ~ 복무하다 servir fielmente. 직무에 ~ ser fiel a *su* deber [obligación]. 그는 약속을 ~ 지킨다 El es cumplidor de su palabra / El es fiel a sus palabras.

충심(忠心) lealtad *f*, fildelidad *f*, integridad *f*. ~이 지극하다 (ser) leal, fiel.

충심(衷心) *su* corazón verdadero, *su* todo corazón, sentimiento *m* profundo [sincero]. ~으로 con [de] todo corazón, con toda el alma (de), sinceramente, con sinceridad, lealmente, profundamente, en conciencia. ~에서 나온 동정 simpatía *f* en conciencia. ~으로 환영하다 dar la bienavenida con todo corazón. ~으로 감사드립니다 Estoy agradecido sinceramente.

충애(忠愛) lealtad *f* (a *su* señor) y amor (a *su* patria).

충양돌기(蟲樣突起)【생물】=충수(蟲垂).

■ ~염 =충수염. ~ 절제 수술 =충수염 수술.

충언(忠言) consejo *m* honesto, buen consejo *m*, consejo *m* fiel, disuasión *f*, admonición *f*. ~하다 aconsejar honestamente, hacer un buen consejo.

■ ~역이(逆耳) El buen consejo es discordante.

충영(蟲癭)【식물】agalla *f*.

충욕(充慾) satisfacción *f* de *su* deseo. ~하다 satisfacer *su* deseo.

충용(充用) apropiación *f*, asignación *f*. ~하다 destinar, asignar.

충용(忠勇) lealtad y valor. ~하다 (ser) leal y valiente.

충원(充員) complemento *m* del personal;【군사】reserva *f* militar, suministro *m*; [보충병] recluta *mf* (disponible). ~하다 complementar el personal; [병사를] reclutar.

■ ~ 계획 plan *m* de reclutas. ~ 소집(召集) llamamiento *m* de reclutas, reclutamiento *m* militar. ~ 지시 indicaciones *fpl* de reclutas.

충의(忠義) lealtad *f*, fidelidad *f*, devoción *f*. ~ 있는 leal, fiel. ~를 다하다 servir fielmente a *su* amo, ser fiel (a).

■ ~지사(之士) hombre *m* de lealtad y rectitud.

충이다 sacudir de arriba abajo. 쌀자루를 ~ sacudir el saco de arroz de arriba abajo, sacudir arroz en el saco.

충일(充溢) desbordamiento *m*. ~하다 desbordarse. ~하는 desbordante. ~하는 즐거움 alegría *f* desbordante. 강(江)의 ~ desbordamiento *m* de un río. 이 강은 해마다 ~한다 Este río desborda todos los años.

충재(蟲災) daño *m* [perjuicio *m*] causado por el insecto nocivo.

충적(充積) amontonamiento *m* lleno. ~하다 amontonar lleno.

충적(沖積/冲積)【지질】amontonamiento *m* por el agua corriente. ~의 aluvial.

■ ~곡(谷) valle *m* aluvial. ~ 광상(鑛床) yacimiento *m* aluvial. ~기 época *f* aluvial, período *m* aluvial. ~물 aluvión *m*. ~ 물질 material *m* aluvial. ~세 holoceno *m*. ~층 capa *f* aluvial. ~토(土) terreno *m* aluvial, tierra *f* aluvial, aluvión *m*. ~ 평야 llanura *f* aluvial.

충전(充電) carga *f*, cargadura *f* con electricidad. ~하다 cargar. 배터리에 ~하다 cargar la batería, cargar con electricidad.

■~기 cargador *m*. ~ 기간 período *m* de carga. ~ 밸브 válvula *f* de carga. ~소 estación *f* de carga. ~ 장치 equipo *m* de carga. ~ 전류 corriente *f* de carga. ~ 전류 세기 intensidad *f* de la corriente de carga. ~ 전압 voltaje *m* de carga. ~ 전지 batería *f* de carga. ~ 초크 choque *m* de carga. ~판 cuadro *m* de distribución de carga. ~ 회로 circuito *m* de carga.

충전(充塡) obturación *f*, colmo *m*, llenura *f* henchidura *f*. ~하다 obturar, colmar, llenar un blanco, llenar el espacio. 충치(蟲齒)를 ~하다 obturar una caries [벌레 먹은 어금니 una muela cariada].

■~기 [치과의] orificador *m* (para amalgama), instrumento *m* para obturaciones (plásticas). ~물 relleno *m*, borra *f*.

충절(忠節) lealtad *f*, fidelidad *f*. ~을 다하다 ser fiel hasta la muerte, servir fielmente.

충정(忠情) afección *f* leal y verdadera.

충정(衷情) corazón *m* verdadero, sentimiento *m* íntimo. ~에서 우러나오는 동정 la simpatía más sincera. 내 ~에서 우러나오는 애도(哀悼) mi más sentido pésame. ~을 털어놓다 abrir *su* corazón.

충정(衝程) =행정(行程).

충족(充足) suficiencia *f*; [만족(滿足)] satisfacción *f*. ~하다 (ser) suficiente, bastante, satisfactorio. ~시키다 satisfacer. ~한 생활 vida *f* suficiente. ~한 조건 condición *f* suficiente.

충직하다(忠直—) (ser) honrado, honesto, recto. 충직함 honradez *f*, rectitud *f*.
충직히 honradamente, honestamente, con honradez, con honestidad, rectamente, con rectitud.

충천(衝天) vuelo *m* alto. ~하다 volar alto, levantarse, remontarse, remontar el vuelo; [희망이] aumentar, renacer; [인기 등이] aumentar. 그들의 사기가 ~했다 Se les levantó el ánimo.

충충거리다 andar con un paso rápido.

충충하다 ① [물이] (estar) lleno y profundo. 우물에 물이 ~ El pozo está lleno de agua. ② [빛깔이] (ser) oscuro, obscuro, sombrío. 충충한 빛 color *m* oscuro. 충충한 방 habitación *f* sombría.
충충히 llena y profundamente; oscuramente, con oscuridad.

충충하다(忡忡—) preocuparse mucho.

충치(蟲齒)【의학】caries *f.sing.pl*; [이] diente *m* cariado, diente *m* picado; [벌레 먹은 어금니] muela *f* cariada. ~의 최대 보호 máxima protección *f* anticaries. ~의 효과적인 보호 protección *f* eficaz contra la caries. ~가 쑤시고 아린다 Me duele sordamente el diente picado / Siento [Tengo] dolor sordo de diente picado. 여기 왼쪽 어금니에 ~가 있군요 Usted tiene una caries en la muela aquí a la izquierda.

충해(蟲害) plaga *f* de insectos, daño *m* causado por los insectos, purgón *m*. ~를 입다 ser dañado por los insectos.

충혈(充血)【의학】congestión *f*, hiperemia *f*; [상피 혈관의] enquimosis *f*. ~하다 congestionarse. ~되다 congestionarse. ~시키다 congestionar. ~된 congestionado. ~된 눈 los ojos sobreexcitados, los ojos congestionados. 눈이 ~되어 있다 tener los ojos inyectados [congestionados].

■~ 증상(症狀) síntoma *m* congestivo.

충혼(忠魂) ① [충의을 위해 죽은 사람의 넋] el alma *f* leal (del difunto). ~을 위로하다 consolar el alma de los difuntos que murieron por *su* patria. ② ((준말)) =충혼의백(忠魂義魄).

■~비 monumento *m* a los difuntos leales. ~의백(義魄) espíritu *m* leal. ~탑(塔) monumento *m* a los héroes caídos, monumento *m* al difunto en la guerra.

충효(忠孝) la lealtad y el amor filial.

■~겸전 combinación *f* de la lealtad y la piedad filial. ~쌍전(雙全) =충효겸전. ~양전(兩全) =충효겸전.

췌관(膵管)【해부】conducto *m* pancreático.

췌론(贅論) argumentos *mpl* redundantes.

췌액(膵液) jugo *m* pancreático.

췌언(贅言) pleonasmo *m*, palabras *fpl* superfluas, redundancia *f*.

췌장(膵臟)【해부】páncreas *m*. ~의 pancrático, pancreático.

■~ 결석(結石) litiatis *f* pancreática. ~관 conducto *m* pancreático. ~암 cáncer *m* pancreático. ~액 jugo *m* pancreático. ~염 pancreatitis *f*. ~ 절개술 pancreatomía *f*, pancreatotomía *f*. ~통 pancrealgia *f*.

취【식물】áster *m*.

취(嘴)【악기】instrumento *m* de lengüeta.

취객(醉客) borrachón, -chona *mf*, borrachín, -china *mf*, borracho, -cha *mf*, beodo, -da *mf*.

취결(取結) libranza *f*. ~하다 librar.

취관(吹管)【화학】cerbatana *f*, soplete *m*.

■~ 분석(分析) análisis *m* de cerbatana.

취광(醉狂) frenesí *m* borracho, extravía *f* embriagada; [사람] borracho, -cha *mf*.

취급(取扱) trato *m*, tratamiento *m*; [조작] manejo *m*; [약품 따위의] manipulación *f*. ~하다 tratar (de), dar el trato, recibir conducir, despachar, desempeñar, comerciar, poner mango (a); [조작하다] manejar; [약물 따위를] manipular; [사용하다] usar, emplear. ~하기 쉬운 tratable. ~하기 어려운 intratable. 대금(大金)을 ~하다 manejar gran cantidad de dinero. 전보(電報)를 ~하다 atender al servicio de telegramas, aceptar telegramas. 그는 술을 ~하고 있다 El trata en vinos. 이 기계는 ~이 간단하다 El manejo de esta máquina es simple. 이 약의 ~에는 주의해야 한다 Hay que tener cuidado al manipular (con) esta medicina.

■~ 방법 modo *m* [manera *f*] de manejar. ~ 주의 ((게시)) Condúzcase con el cuidado / ¡Manéjese con cuidado.

취기(臭氣) fetor *m*, hedor *m*, mal olor *m*, olor *m* ofensivo, hediondez *f*, fetidez *f*. ~ 있는 fétido, hediondo, apestoso. ~를 막다 desinfectar, sahumar.

취기(醉氣) embriaguez *f*, ebriedad *f*, borrachera *f*. ~가 돌다 sentirse embriagado, quedar ebrio. ~가 깨다 desembriagarse, desemborracharse.

취담(醉談) palabras *fpl* borrachas, palabra *f* bajo la influencia de alcohol.
■ 취담 중에 진담 있다 ((속담)) En el vino, la verdad / De la abundancia del corazón habla la boca.

취대(取貸) préstamo *m*. ~하다 pedir prestado y prestar.

취득(取得) adquisición *f*, obtención *f*, consecuencia *f*; [수령(受領)] recibimiento *m*. ~하다 adquirir, obtener, conseguir; recibir.
◆권리(權利) ~ adquisición *f* de derechos. 자산(資産) ~ adquisición *f* de activos. 주식(株式) ~ adquisición *f* de acciones.
■~ 가격 precio *m* de adquisición. ~권 derecho *m* de propiedad. ~물 adquisición *f*. ~ 본능 instinto *m* adquisitivo, instinto *m* de adquisición. ~세 impuesto *m* de adquisición. ¶부동산 ~ impuesto *m* de adquisición de bienes raíces. ~ 시효(時效) prescripción *f* adquisitiva. ~자 adquirente *mf*, adquiridor, -dora *mf*.

취락(聚落) colonia *f*, comunidad *f*.

취렴(聚斂) explotación *f*. ~하다 explotar.

취로(就勞) comienzo *m* del trabajo, trabajo *m*. ~하다 ponerse a trabajar, trabajar.
■~비(費) gastos *mpl* de trabajo. ~ 시간 horas *fpl* laborables, horas *fpl* de trabajo. ~ 일수(日數) número *m* de días laborables [de trabajo]. ~표 papelito *m* de trabajo.

취리(取利) =돈놀이.

취면(就眠) acostamiento *m*. ~하다 dormirse, acostarse.

취면(醉眠) sueño *m* borracho. ~하다 dormir con borrachera.

취목(取木) =휘묻이.

취미(趣味) gusto *m*, afición *f*, pasatiempo *m*, hobby *ing.m*. ~가 고상한 de buen gusto, que tiene buen gusto. ~가 고상하지 못한 de mal gusto, que tiene mal gusto. ~ 없는 insípido. ~에 맞다 ser de *su* gusto. ~를 가진 사람 persona *f* que tiene una afición. 사진 ~를 가진 사람 un aficionado a la fotografía. ~로 그림을 그리다 pintar por gusto, pintar por afición. …에 ~가 있다 ser aficionado a *algo*, tener afición a algo, tener interés en [por] *algo*. 그는 ~가 많다 El tiene muchas aficiones. 나는 음악이 ~다 Soy aficionado a la música. 내 ~는 동전과 우표와 지폐 수집이다 Mi afición es coleccionar las monedas, los sellos, y las monedas.

취사(炊事) (trabajo *m* de) cocina *f*. ~하다 cocinar, cocer, hacer la cocina, guisar.
■~ 담당(擔當) cocinero, -ra *mf*. ~ 도구 utensilios *mpl* de cocina. ~병 soldado *m* encargado [soldada *f* encargada] de cocina. ~장 cocina *f*; [캠프나 전쟁터의] cocina *f* (de campaña).

취사(取捨) adopción y rechazo, selección *f*, escogimiento *m*. ~하다 elegir a *su* discreción.
■~선택(選擇) selección *f*, elección *f*, escogimiento *m*, opción *f* ~하다 seleccionar, elegir, escoger.

취산꽃차례(聚繖-) 【식물】 inflorescencia *f* centrífuga.

취산 화서(聚繖花序) 【식물】 =취산꽃차례.

취색(翠色) verde *m* jade.

취생몽사(醉生夢死) vida *f* despreocupada.

취소(取消) cancelación *f*, abolición *f*, anulación *f*, rescisión *f*; [주장 따위의] revocación *f*, retractación *f*. ~하다 cancelar, abolir, anular, disolver, rescindir; [주장 따위를] retractarse (de), retractar. ~할 수 있는 revocable, retractable. ~할 수 없는 irrevocable. 결혼을 ~하다 disolver el matrimonio. 계약을 ~하다 anular el contrato. 말을 ~하다 retractar [retractarse de] *su* palabra. 명령을 ~하다 revocar [anular] una orden. 약속을 ~하다 retrirar la promesa. 약혼을 ~하다 anular [romper] el compromiso matrimonial [de matrimonio]. 주문을 ~하다 cancelar un pedido. 처벌의 ~를 요구하다 pedir la anulación del castigo. 판결을 ~하다 anular la sentencia. 한 말을 ~하다 tragar lo que dijo. 호텔 예약을 ~하다 cancelar la reserva del hotel. 그는 계약을 ~했다 El rescindió el contrato. 그녀가 한 말을 ~하게 하겠다 Ella se va a tener que tragar lo que dijo.
◆계약(契約) ~ rescisión *f* del contrato. 보험 계약 ~ rescisión *f* del contrato de seguro. 면허(증) ~ revocación *f* de licencia. 예약 ~ cancelación *f* de reservación. 오퍼 ~ revocación *f* de oferta. 주문(注文) ~ revocación *f* de pedido.
■~ 가능 신용장 carta *f* de crédito revocable. ~ 불능 신용장 carta *f* de crédito irrevocable.

취소(臭素) 【화학】 bromo *m*. ~의 brómico.
■~수(水) =브롬수. ~ 중독(中毒) bromismo *m*. ~지(紙) =브롬지.

취안(醉眼) ojos *mpl* turbios de emborrachamiento, ojos *mpl* de borracho.

취안(醉顔) cara *f* borracha, rostro *m* borracho.

취약(脆弱) fragilidad *f*, debilidad *f*, delicadez *f*, endeblez *f*. ~하다 [무르다] (ser) quebradizo, frágil; [약하다] débil, endeble, delicado. ~한 아이 niño *m* delicado (de salud). 그녀는 ~하다 Ella está delicada de salud. 이 나라의 공업은 아직 ~하다 La industria de este país es todavía débil.
■~점(點) punto *m* vulnerable. ~ 지점 el área *f* (*pl* las áreas) vulnerable.

취언(醉言) =취담(醉談).

취업(就業) comienzo *m* del trabajo, empleo *m*, trabajo *m*. ~하다 ponerse a trabajo. ~중이다 estar al trabajo, estar trabajando. ~ 중 금연(禁煙) ((게시)) Prohibido fumar durante el trabajo.

◆ 불완전(不完全) ~ subempleo *m*. 야간(夜間) ~ trabajo *m* nocturno. 완전(完全) ~ pleno empleo *m*. 해외(海外) ~ empleo *m* extranjero.

■ ~ 규칙(規則) reglas *fpl* de trabajo. ~률 porcentaje *m* de trabajo. ~ 상태 estado *m* de trabajo. ~ 시간 horas *fpl* de trabajo. ~ 연령 edad *f* de trabajar. ~ 인구(人口) población *f* de trabajo. ~일 día *m* de trabajo, día *m* laborable. ~ 제한 restricción *f* de trabajo. ~지(地) lugar *m* de trabajo.

취역(就役) servicio *m* activo. ~하다 ponerse en servicio (activo). ~시키다 [군함을] poner en servicio.

취연(炊煙) humo *m* de cocinar.

취옥(翠玉) ① [에메랄드] esmeralda *f*. ② ((준말)) =비취옥(翡翠玉).

취용(取用) préstamo *m*. ~하다 pedir préstamos.

취우(驟雨) chubasco *m*, chaparrón *m*, aguacero *m*.

취의(趣意) =취지(趣旨).

■ ~서(書) prospecto *m*.

취임(就任) toma *f* de posesión (de un cargo). ~하다 tomar posesión de un cargo (de), asumir, tomar [asumir] el cargo [el oficio] (de). ~을 발표하다 notificar [anunciar] la toma de posición. 사장에 ~하다 asumir la dirección [la presidencia] de una compañía, tomar posesión de *su* cargo de presidente de la compañía. 문화 관광 장관에 ~하다 tomar posesión de un cargo de ministro de Cultura y Turismo. 그는 학장에 ~했다 El ha tomado el cargo de rector.

■ ~사(辭) discurso *m* inaugural, saludo *m* inaugural, discurso *m* con motivo de la toma de posesión. ~식(式) toma *f* de posesión, *ReD* ceremonia *f* de instalación. ~ 연설 =취임사(就任辭).

취입(吹入) ① [공기를 불어 넣음] respiración *f*. ~하다 respirar. ② [음반이나 녹음테이프 따위에 소리나 목소리를 녹음함] doblaje *m*, grabación *f*. ~하다 doblar, grabar. 디스크에 노래를 ~하다 grabar una canción en un disco.

취재(取才) selección *f* de personas de talento. ~하다 seleccionar personas de talento.

취재(取材) selección *f* de datos, recogida *f* [reunión *f*·acumulación *f*] de noticias; [소설 등의] reunión *f* de materiales. ~하다 recoger materiales, reunir datos (de), informarse (de).

■ ~ 기자(記者) cazanoticias *mf*. ~ 범위 cobertura *f*. ~원(源) fuente *f* de noticias.

취조(取調) inquisición *f*, investigación *f*, información *f*, examen *m*, indagación *f*, pesquisa *f*, [심문] interrogatorio *m*, interrogación *f*. ~하다 inquirir, investigar, informar, procesar, examinar, indagar; [심문하다] interrogar. ~를 시작하다 abrir la información. 경찰의 ~를 받다 ser interrogado por la policía, sufrir de interrogatorio de la policía. 도둑은 ~를 받았다 Le procesaron por ladrón.

취종(取種) selección *f* de las buenas semillas. ~하다 seleccionar [elegir] las buenas semillas.

취주(吹奏) toque *m* de instrumentos de viento. ~하다 tocar instrumento de viento. 트럼펫을 ~하다 sonar [tocar] la trompeta. 팡파르를 ~하다 tocar una fanfarria.

■ ~악 música *f* de instrumento de viento. ~ 악기 instrumento *m* de viento. ~ 악대 charanga *f*.

취중(醉中) al estar borracho, al emborracharse. ~에 en estado de embriaquez

■~ 사고(事故) accidente *m* en estado de embriaguez. ~ 운전 conducción *f* [manejo *m*] en estado de embriaguez, delito *m* de conducir bajo la influencia del alcohol. ~ 운전자 conductor, -tora *mf* en estado de embriaquez. ~ 진담(眞談) En el vino, la verdad / Después de beber, cada uno dice su parecer / De la abundancia del corazón habla la boca / Al beber, decimos la verdad.

취중(就中) [무엇보다도] sobre todo; [특별히] en particular, particularmente, especialmente.

취지(趣旨) ① [의도(意圖)] intención *f*, propósito *m*. 당신의 ~에 따라 según *su* propósito; [당신의 요망에 따라] respectivamente *sus* deseos. 귀하의 ~는 잘 알겠습니다 Entiendo bien lo que usted quiere decir. ② [목적(目的)] objeto *m*, fin *m*, finalidad *m*. 회사 설립의 ~ finalidad *f* de la fundación de compañía. 본회(本會)의 ~ objeto *m* de la asociación. ③ [내용(內容)] contenido *m*. 귀하의 서한 ~를 잘 알았습니다 Tomamos buena nota del contenido de su atenta. ④ [주제(主題)] tema *m*. 강연(講演)의 ~ tema *f* central de la conferencia. ⑤ [요지(要旨)] resumen *m*, punto *m*, clave *f*, meollo *m*. 문제의 ~ punto *m* clave [meollo] de la cuestión, significado *m* de la cuestión.

■ ~서(書) llamamiento *m*, manifiesto *m*.

취직(就職) obtención *f* de empleo, entrada *f* en cargo, entrada *f* en empleo, instalación *f*, colocación *f*. ~하다 tomar un empleo, colocarse, tomar una posición oficial, entrar en servicio [cargo·empleo]. 그는 상사(商社)에 ~했다 El se ha colocado en una compañía comercial.

■ ~난 penuria *f* de empleos, dificultad *f* de obtener empleos. ~률 porcentaje *m* de colocaciones. proporción *f* en los que han obtenido colocación por los aspirantes. ~ 상담소 oficina *f* de colocaciones. ~ 시험 examen *m* de colocación; [주로 공무원의]

oposiciones *fpl.* ~ 신청 (aplicación *f* de) solicitud *f* para una colocación. ~ 신청서 aplicación *f* de solicitud para una colocación. ~ 운동 gestión *f* para obtener empleo, gestiones *fpl* para conseguir un empleo. ~원 solicitud *f* de trabajo. ~ 자리 puesto *m* de trabajo, empleo *m.* ~ 지망 =취직 신청. ~ 지원자 =취직 희망자. ~처 puesto *m* de trabajo, colocación *f.* ¶ 적당한 ~ colocación *f* apropiada. ~ 희망자 candidato, -ta *mf* a un puesto [a un empleo]; aspirante *mf* para una plaza.

취진(驟進) promoción *f* repentina [rápida]. ~하다 ser repentinamente [rápidamente] promovido.

취집(聚集) recogida *f.* ~하다 recoger.

취처(娶妻) casamiento *m,* matrimonio *m.* ~하다 casarse (con una mujer).

취침(就寢) acostada *f,* acostamiento *m.* ~하다 acostarse, meterse en la cama, irse a la cama.

■~나팔 toque *m* de queda. ~ 시각 hora *f* de acostarse, hora *f* de irse a la cama. ~ 예비 나팔 toque *m* de retreta, retreta *f.*

취타(吹打)【역사】toque *m* de los instrumentos en el campamento.

■~수 tocador *m* de los instrumentos en el campamento.

취태(醉態) borrachera *f,* borrachez *f,* (estado *m* de) embriaguez *f,* conducta *f* borracha, comportamento *m* borracho.

취택(取擇) elección *f,* selección *f.* ~하다 elegir, escoger, seleccionar.

취하(取下) retiro *m,* retirada *f.* ~하다 retirar, abandonar, apartar. 소송(訴訟)을 ~하다 retirar [abandonar] el pleito.

취하다(取-) ① [가지다. 제 것을 만들다] tener, tomar, apoderarse (de). 남의 재산을 ~ apoderarse de bienes ajenos. ② [먹다. 섭취하다] tomar, asimilar. 영양물을 ~ tomar alimentos nutritivos. 서구 문명을 ~ asimilar la civilización europea. ③ [자세를 보이다] tomar, asumir. 애매한 태도를 ~ tomar una actitud evasiva. ④ [방법 등을 쓰거나 강구하다] tomar. 외교적 수단을 ~ tomar una medida diplomática. ⑤ [해석하다] interpretar, tomar. 나쁜 쪽으로 ~ interpretar mal, tomar mal. 좋은 쪽으로 ~ interpretar bien, tomar bien. ⑥ [택하다] preferir, elegir. 돈보다 명예를 ~ preferir la honra al dinero. ⑦ [쉬다. 잠을 자다] descansar, dormir. 휴식을 ~ reposar, descansar, tomar un descanso. ⑧ [남에게 금품, 주로 돈을 꾸다] pedir prestado, tomar prestado. 돈을 ~ pedir prestado el dinero.

취하다(醉-) ① [먹은 술기운이 온몸에 퍼지다] emborracharse, embriagarse. 취해서 arrastrando las palabras. 취한 상태 estado *m* de embriaguez. 취해 있다 estar borracho. 취하게 하다 emborrachar. 취해서 말하다 hablar arrastarando las palabras. 거나하게 ~ emborracharse mucho. 맥주 [포도주]에 ~ emborracharse con cerveza [vino]. 취한 상태에서 운전하다 conducir en estado de embriaguez. 그는 엉망으로 취했다 El se embriagó y se puso insoportable. 나는 오늘 밤에 취하고 싶다 Esta noche quiero emborracharme. 우리는 그를 취하게 했다 Nosotros le [*AmL* lo] emborrachamos. ② [먹은 약 등의 기운이 몸에 퍼지다] intoxicarse, envenenarse, ser intoxicado, ser envenenado. ③ [음식물의 중독으로 상기가 되고 온몸이 홧홧 달다] estar afiebrado tener fiebre, tener calentura. ④ [많은 물건·사람에 시달려 정신이 흐려지다] ser vago, ser oscuro. ⑤ [무엇에 열중하여 황홀해지다. 도취하다] ser encantado, ser cautivado, ser embelesado. 여자에 ~ ser cautivado por una mujer.

취하다(娶-) casarse con una mujer.

취학(就學) entrada *f* [ingreso *m*] a la escuela, entrada *f* [ingreso *m*] al colegio. ~하다 ingresar [entrar] en la escuela. ~시키다 mandar*le* [enviar*le*] *a uno* a la escuela. ~전의 de edad preescolar, preescolar.

■~률 porcentaje *m* de la población escolar. ~ 아동(兒童) escolar *mf,* niño *m* matriculado [niña *f* matriculada] en la escuela. ~ 연령 edad *f* escolar. ~ 전 교육 educación *f* preescolar. ~ 전 아동 niño, -ña *mf* de edad preescolar.

취한(取汗) ((한방)) =발한(發汗).

■~제(劑) diaforético *m,* sudorífico *m.*

취한(醉漢) borracho, -cha *mf,* borrachín *m* (*pl* borrachines), -china *mf,* hombre *m* ebrio, hombre *m* embriagado, beodo *m.*

취항(就航) servicio *m* naviero, puesta *f* en servicio. ~하다 empezar a prestar servicio de línea, ponerse [entrar] en servicio, ponerse en la línea [ruta].

■~선(船) barco *m* en servicio.

취향(趣向) inclinación *f,* tendencia *f,* ingenio *m,* invención *f,* plan *m,* programa *m,* designio *m,* idea *f;* [소설(小說) 따위의] trama *f.* ~을 돋우다 ingeniar, idear un plan ingenioso, esmerarse.

취흥(醉興) lo cordial, lo ameno, placer *m* borracho, deleite *m* borracho. ~을 돋우다 aumentar lo ameno.

측(側) parte *f,* [옆] lado *m.* 양~ ambas partes *fpl;* [양옆] ambos lados *mpl.* 가르치는 ~에서는 이 점이 어렵다 Por parte de los que enseñamos hay dificultades en este respecto. 우리 ~이 되십시오 Declárese a nuestro favor / Póngase de nuestro lado [de nuestra parte].

-측(側) parte *f,* lado *m,* favor *m.* 우(右)~에 a la derecha, al lado derecho, a mano derecha. 좌(左)~에 a la izquierda, al lado derecho, izquierdo, a mano izquierda. 노동자~ la parte obrera.

측각기(測角器) goniómetro *m.*

측간(廁間) =변소(便所).

측거기(測距器) =측거의(測距儀).

측거의(測距儀) telémetro *m.*

측근(側近) ① [곁의 가까운 곳] alrededores *mpl*, aledaños *mpl*, alrededor *m*. ~에서 모시다 atender. ~에는 아무도 없다 no haber nadie alrededor. ② ((준말)) =측근자.
■ ~자(者) personas *fpl* cercanas (a); séquito *m*; asociado, -da *mf*; colega *mf*; allegado, -da *mf*; paniaguado, -da *mf*. 대통령의 ~ personas *fpl* cercanas al Presidente, asociados *mpl* del Presidente, séquito *m* del Presidente.

측량(測量) medición *f*, sonda *f*; [깊이] sondeo *m*. ~하다 medir (las tierras), sondar, sondear; [수심을] echar la plomada.
■ ~기(器) =측량 기계. ~ 기계 instrumento *m* de agrimensura. ~ 기사(技師) ingeniero *m* geógrafo, ingeniera *f* geógrafa. ~ 기술 mensuración *f*, técnica *f* de agrimensura. ~ 기술자 agrimensor, -sora *mf*, agrimensor, -sora *mf*. ~대 mira *f*, niveleta *f*. ~도 mapa *m* [plano *m*] de deslindamiento [de agrimensura]. ~부(部) departamento *m* de agrimensura, departamento *m* de medida de terreno. ~사 =측량 기술자. ~선(船) barco *m* de sondeo. ~수(手) agrimensor, -sora *mf*. ~술(術) agrimensura *f*.

측면(側面) lado *m*, costado *m*, perfil *m*; [주로 진지(陣地) 따위의] flanco *m*. ~의 lateral, de perfil, de lado, flanqueado. 도로의 ~에 en [a] un lado del camino. ~을 공격하다 atacar el flanco. ~을 옹호하다 cubrir el flanco. ~에서 원조(援助)하다 proporcionar una ayuda indirecta. 적을 ~에서 공격하다 flanquear a los enemigos, atacar al enemigo de flanco. 군의 ~을 원호(援護)하다 flanquear al ejército, proteger los flancos de la tropa. 모든 ~에서 검토하다 examinar por todos sus lados, examinar bajo todos *sus* aspectos.
■ ~ 공격 ataque *m* de flanco. ~관 vista *f* lateral, observación *f* por un lado. ~도 perfil *m*, vista *f* lateral. ~ 묘사(描寫) descripción *f* lateral. ~ 방어 defensa *f* de flanco. ~사 camino *m* de la historia. ~ 운동 movimiento *m* lateral.

측문(仄聞) lo que se ha oído por casualidad. ~하다 oír por casualidad. ~에 따르면 según lo que hemos oído por casualidad.

측문(側門) =옆문.

측백(側柏) 【식물】 =측백나무.

측백나무(側柏—) 【식물】 ciprés *m*.

측보기(測步器) podómetro *m*, cuentapasos *m*.

측사(側射) disparo *m* de flanco. ~하다 flanquear con disparo.

측사기(測斜器) 【물리】 clinómetro *m*.

측산(測算) calculación *f*, estimación *f*. ~하다 calcular, estimar.

측선(側線) ① 【철도】 apartadero *m*, desviadero *m*. ② [옆줄] línea *f* lateral. ③ =터치라인.

측수(測水) sondeo *m* de la profundidad. ~하다 sondar la profundidad.

측심(測深) sonda *f*, sondeo *m* (de la profundidad). ~하다 sondar, sondear, hacer un sondeo, llevar a cabo un sondeo. ~하면서 항행(航行)하다 navegar sondeando.

측아(側芽) 【식물】 =곁눈.

측연(測鉛) escandallo *m*, sonda *f*, plomada *f*. ~을 던져 넣다 tirar escandallo.

측연하다(惻然—) (ser) compasivo.
측연히 compasivamente, con compasión.

측우기(測雨器) pluvímetro *m*, pluviómetro *m*.

측원기(測遠機) =측거의(測距儀).

측은지심(惻隱之心) (sentido *m* de) piedad *f*, compasión *f*, misericordia *f*, clemencia *f*, simpatía *f* natural.

측은하다(惻隱—) (ser) compasivo, lastimoso, lamentable, patético.
측은히 con compasión, lastimosamente, lamentablemente. ~ 여기다 compadecer, tener compasión. 나는 그녀를 ~ 여기고 있다 La compadezco. 그들은 희생자들을 ~ 여겼다 Ellos tuvieron compasión con las víctimas.

측점(測點) punto *m* de sondeo.

측정(測定) medición *f*, medida *f*; [토지의] sondeo *m*; [수심의] plomada *f*. ~하다 medir, sondar, sondear; 【건축】 [수직임을 보기 위해 추를 늘어뜨리다] aplomar; [구경 따위의] calibrar. 거리를 ~하다 medir la distancia. 수심(水深)을 ~하다 sondear el mar.

측정기(測程器) barquilla *f*.

측지(測地) medición *f* de la tierra; [땅] tierra *f* de agrimensura. ~하다 medir un terreno.
■ ~선 línea *f* geodésica. ~ 위성 satélite *m* geodésico. ~학(學) geodesia *f*. ~학자 geodesta *mf*.

측판(測板) tabla *f* de agrimensura.

측화산(側火山) =기생 화산(寄生火山).

측후(測候) observación *f* meteorológica. ~의 meteorológico.
■ ~소 ((구용어)) =기상 관측소.

츱츱하다 (ser) mesquino y sinvergüenza, grosero, soez (pl soeces), vulgar. 돈에 너무 ~ ser muy avaro [tacaño · avaricioso]. 음식에 ~ ser comilón [glotón · tragón · zampón]. 츱츱한 눈초리를 하다 dirigir una mirada soez.

층[1](層) ① ((준말)) =계층(階層). ② ((준말)) =층등(層等). ③ [거듭 포개진 물건의 켜 또는 격지] ㉮ [지층(地層)] capa *f*, estrato *m*, lecho *m*, tonga *f*, capa *f* delgada. ~을 이루다 formar estrato [capa · lecho · tonga], formarse capas delgadas, estratificarse. 경제적 ~의 형성 estratificación *f* económica. ~을 이루다 estratificar. ~이 되다 estratificarse. ㉯ [광맥] yacimiento *m*. 석탄~ filón *m* canífero. ④ [여러 겹으로 포개어 짓고 그 사이를 층계로 잇는, 건물에 있어서의 그 한 켜] piso *m*, planta *f*. 1~ planta *f* baja, piso *m* bajo, *AmL, ReD* primer piso *m*. 2~ primer piso *m*, *AmL, ReD* segundo piso *m*. 3~ segundo piso *m*, *AmL, ReD* tercer piso *m*. 2~집 casa *f* de dos pisos. 63~ 건물 edificio *m* de sesenta y tres pisos. 3~ 건물의 집 la casa de dos pisos [*AmL*, *ReD* de tres pisos]. 10~에 살다 vivir en el noveno [*AmL*, *ReD* décimo] piso. 이 건물은 몇~입니까? ¿Cuántos pisos tiene este edificio? 층나다 tener capas, (ser) diferencial, desigual. 연령이 ~ hay disparidad en la edad.

층²(層) [여러 겹으로 포개져 있는 것의 켜를 세는 말] piso *m*. 건물 둘째 ~에 회사가 있다 Hay compañía en el segundo piso.

층계(層階) escalera *f*, escalón *m* (*pl* escalones), peldaño *m*; [돌계단] escalinata *f*. 교회[박물관]의 ~ escaleras *fpl* [escalinata *f*] de la iglesia [del museo]. ~를 오르다 subir a la escalera. ~를 내려가다 bajar de la escalera. ~를 조심하시오 ((게시)) Cuidado con el escalón.

▪ ~참(站) descanso *m* de una escalera, meseta *f* (de escalera), rellano *m*, descansillo *m*, mesa *f*, *Col*, *CoS* descanso *m*; [주택 입구의] umbral *m*.

층구름(層-) =층운(層雲).

층널(層-) tabla *f* de capa.

층대(層臺) ((준말)) =층층대.

층돌(層-) ((준말)) =층샛돌.

층등(層等) gradación *f*, grado *m*, diferencia *f*.

층루(層樓) edificio *m* de muchos pisos.

층류(層流) 【물리】 =층흐름.

층면(層面) superficie *f* de estrato.

층상(層狀) forma *f* de estrato. ~의 estratiforme.

▪ ~암(巖) roca *f* estratificada. ~운(雲) nube *f* estratiforme. ~ 화산(火山) =성층화산(成層火山).

층새(層-) cualidad *f* del oro, contenido *m* de oro.

층샛돌(層-) piedra *f* de toque.

층생첩출(層生疊出) crecimiento *m* rápido. ~하다 crecer rápidamente, aparecer [brotar] como hongos [*Chi* como callampas], multiplicarse.

층석(層石) =층샛돌.

층수(層數) número *m* de pisos.

층쌘구름(層-) 【기상】 =층적운(層積雲).

층암(層巖) rocas *fpl* estratificadas.

▪ ~ 절벽(絶壁) precipicio *m* rocoso; [바닷가의] acantilado *m* rocoso.

층애(層崖) precipicio *m* estratificado.

층옥(層屋) =층집.

층운(層雲) 【기상】 estratos *mpl*.

층적운(層積雲) 【기상】 estratocúmulos *mpl*, cúmulo *m* enrollado.

층층(層層) todos los pisos.

▪ ~다리 *escalera*(s) *f*(*pl*). ~대 peldaño *m*, escalón *m*, escalera(s) *f*(*pl*). ~시하(侍下) situación *f* que está al servicio de los padres y los abuelos de *su* marido.

층층이 todos los pisos. 돌을 ~ 쌓다 amontonar piedras.

층하(層下) falta *f* de respeto, poco respeto *m*, discriminación *f*, parcialidad *f*. ~를 두고 사람을 대하다 discriminar (a *uno*), tratar (a *uno*) con menos respeto que los otros.

치¹ ① ((궁중말)) =상투. ② ((궁중말)) =신발.

◆ 치를 틀다 =상투를 틀다. ☞상투

치² ① ((낮춤말)) =이(persona). ¶그 ~ ese hombre. 저 ~ aquel hombre. ② [지정된 여럿 중의 하나] una de muchas cosas. 오늘 ~ 식량 comida *f* para hoy.

치³ [길이의 단위] *chi*, pulgada *f* coreana, más o menos tres centímetros.

치(値) 【수학】 =값.

치(齒) =이¹❶.

◆ 치(가) 떨리다 hacer rechinar los dientes con indignación. 치(를) 떨다 ㉮ [매우 인색하여 내놓기를 꺼리다] ser muy tacaño. ㉯ [몹시 분을 내어 이를 떨다] rechinar los dientes con indignación.

치가(治家) administración *f* familiar. ~하다 administrar [dirigir] la familia.

치간(齒間) entre los dientes.

치감(齒疳) 【한방】 piorrea *f* alveolar.

치감다 levantar y dar cuerda.

치강(齒腔) cavidad *f* dental.

치건(侈件) artículos *mpl* de lujo.

치경(齒莖) =잇몸.

▪ ~음(音) consonante *m* alveolar.

치고 ① [명사 아래 두루 쓰이어「예외 없이 모두」] todos. 한국인~ 그것을 모르는 이는 없을 것이오 Todos los coreanos lo sabremos. ② [예외적으로] para. (그건) 그렇다 ~ sin embargo, no obstante, con todo (esto · eso · aquello), a pesar de eso, a despacho de eso. 외국인~ 우리말을 잘 한다 El habla bien el coreano para el extranjero. 그건 그렇다 ~ 그는 너무 늦게 왔다 Con todo eso, él tarda demasiado en llegar. 그건 그렇다 ~ 값이 너무 비싸다 Con todo eso [A pesar de todo], es demasiado caro. ③ =치고는❷.

치고는 ① ((강조)) =치고❶. ② ((강조)) =치고❷. ¶ 봄~ 너무 춥다 Hace demasiado frío para (la) primavera. 어린이~ 잘 쓴다 El escribe bien para ser un niño. 네 살~ 키가 크다 Es alto para tener cuatro años. 농구 선수~ 키가 작다 Es bajo para (ser) un boleibolista.

치고서 ((강조)) =치고❶. ¶요새 사람~ 그 유행가를 모르는 사람은 없을 것이다 Todos los contempoáneos sabrán la canción popular.

치골(恥骨) 【해부】 pubis *m*., pubes *m*.

치골(齒骨) 【해부】 dentina *f*. ~의 odóntico.

치골(癡骨) idiota *mf*, tonto, -ta *mf*, bobo, -ba *mf*.

치과(齒科) cirugía *f* dental, odontología *f*. ~의 odontológico. ~에 가다 ir al dentista.

▪ ~ 교정사 ortodontista *mf*. ~ 교정학(矯正學) ortodoncia *f*. ~ 기공 técnico, -ca *mf* dental. ~ 기공학 prostodontia *f*. ~ 기구 instrumentos *mpl* dentales. ~ 대학 colegio *m* dental, escuela *f* superior dental, facultad *f* de odontología, *Chi* facultad *f* de dentística. ~ 명명법(命名法) odonotonomía *f.* ~ 방사선학 radiodoncia *f.* ~ 병원 clínica *f* dental, hospital *m* dental. ~보존학 odontología *f* operativa. ~ 보철학(補綴學) prostodóntica *f.* ~ 수술(手術) operación *f* odontoquirúrgica. ~용 겸자 tenazas *fpl.* ~용 합금 amalgama *f* dental. ~ 위생(衛生) higiene *m* dental. ~ 위생사 higienista *mf* dental. ~의(醫) cirujano, -na *mf* dentista; odontólogo, -ga *mf*; dentista *mf.* ~ 의원 clínica *f* dental, consultorio *m* de dentista, hospital *m* dental. ~ 인상(印象) impresión *f* dental. ~ 조수 ayudante *mf* [asistente *mf*] dental. ~ 질환 enfermedad *f* dental. ~ 치료 odontoterapia *f,* tratamiento *m* dental. ~ 치료학 odontiatria *f.* ~학(學) odontología *f, Chi* dentística, dentistería *f,* dentología *f.* ~ 학생 estudiante *mf* dental.

치관(齒冠) 【해부】 corona *f* (dental). ~의 원추(圓錐) cono *m.*
◆생리(生理) ~ corona *f* fisiológica.

치국(治國) dominio *m* del país, arte *m* de gobernar un país. ~하다 dominar el país.
■~안민(安民) el dominar el país y el pacificar el pueblo. ~평천하(平天下) Se domina bien el país y se pacifica todo el mundo.

치근(齒根) raíz *f* (*pl* raíces) de un diente.
■~관(管) canal *m* de pulpa.

치근거리다 molestar, incomodar, pedir importunamente, importunar pidiéndo*le* a *uno.* 어머니에게 돈을 달라고 ~ pedir importunamente dinero a *su* madre. 나에게 치근거리지 마세요 No me moleste usted.

치근막(齒根膜) membrana *f* alveolodental, membrana *f* peridental.

치근치근하다 =치근거리다.

치긋다 dar una pincelada hacia arriba.

치기(稚氣) puerilidad *f,* niñería *f,* infantilismo *m.* ~ 어린 pueril, infantil, que tiene encanto de niño.

-치기 juego *m.* 돈~ una especie del juego de tirar moneda.

치기배(-輩) ratero, -ra *mf*; descuidero, -ra *mf.*

치다[1] ① [바람·눈보라·물결·번개 등이 세차게 움직이다] mover fuerte. 눈보라가 ~ ventiscar, nevar con mucho viento. 벼락이 ~ *tronar.* ② [된서리가 몹시 많이 내리다] escarchar severamente.

치다[2] ((준말)) =치이다[1].

치다[3] ① [손·물건을 가지고 목적물을 때리다] golpear, dar un golpe, pegar, batir; [가볍게] tocar, golpear ligeramente, dar una palmadita; [못을 박다] clavar. 꽝꽝 ~ dar golpes. 등을~ dar*le* a *uno* un golpe en la espalda. 뺨을 ~ herir en una mejilla. 손뼉을 ~ dar una palmada; [박수를 치다] palmear, dar palmadas; [갈채하다] aplaudir. 주먹으로 탁자를 ~ golpear la mesa con el puño. 벽에 못을 ~ clavar la pared. 여기에 판자를 치고 싶다 Quiero clavar la tabla aquí. 나는 손바닥으로 그의 이마를 쳤다 Yo me golpeé la frente con la palma de la mano. ② [소리 나게 두드리거나 악기를 연주하다] tocar; [시계가 시간을 알리다] dar. 북을 ~ tocar el tambor. 종을 ~ tocar la campana. 피아노를 ~ tocar el piano. 시계가 두 시를 ~ dar las dos. 열두 시를 친다 Dan las doce / El reloj da las doce. 방금 열 시를 쳤다 Acaban de dar las diez. ③ [쇠붙이를 달구어 칼·낫 등을 만들다] hacer. 칼을 ~ hacer un cuchillo. ④ [인절미·흰떡 등을 안반에 놓고 떡메로 두드리며 짓이기다] hacer puré, moler. 떡을 ~ hacer puré del pan coreano. ⑤ [카드·화투를] [카드를 섞다] barajar. 화투를 ~ [섞다] barajar la tarjeta; [놀다] jugar la carta. ⑥ [적을 공격하다] atacar, conquistar. 신문에서 ~ ser atacado en la prensa. 적(敵)을 ~ atacar el enemigo. 적(敵)의 배후(背後)를 ~ atacar el enemigo por detrás. ⑦ [남의 단처(短處)를 들어 타박을 주다] atacar, reprender, censurar, amonestar, criticar. 단처를 ~ atacar *su* defecto. ⑧ [손·발·날개·꼬리 등을 공중이나 물에서 세차게 흔들다] sacudir; [꼬리를] menear, mover. 헤엄을 ~ nadar. 물장구를 ~ chapotear en el agua. 용두질을 ~ masturbarse, procurarse solitariamente goce sensual. 물장구를 치러 가다 ir a jugar [a chapotear] en la orilla. ⑨ [식물의 잎이나 가지를 베어 내다] cortar, recortar; [톱으로] serrar. 가지를 ~ cortar las ramas. ⑩ [베게 들어선 물건 속에서 얼마쯤을 골라서 깎거나 베어 내다] podar; [벌채하다] talar, derribar. 나무를~ podar un árbol. ⑪ [무슨 물건을 제대로 두지 않고 손을 대어 매만지다] tocar. ⑫ [가늘고 길게 썰어서 채를 만들다] [양배추·상추를] cortar en tiras; [당근을] cortar en juliana; [강판에 갈다] rallar. 오이채를 ~ cortar el pepino en juliana. ⑬ [칼을 날려 목을 베다] degollar, decapitar. 목을~ degollar*le* a *uno,* decapitar*le* a *uno.* 새끼 산양의 목을 ~ degollar un cabrito. 칼로 치려고 달려들다 arrojarse (sobre *uno*) con la espada en la mano. 헤롯은 세례 요한의 목을 치게 했다 Herodes hizo decapitar a San Juan Bautista. ⑭ [목표를 이루다. 성공을 거두다] salir bien, tener éxito. 히트를~ ser un gran éxito, ser un exitazo.

치다[4] ① [붓·연필 등으로 어떤 곳에 점·줄을 나타내어 표시하거나 또는 그림이 되게 하다] linear, rayar. 줄을 ~ linear, rayar. 이 종이에 줄을 치십시오 Raye usted este papel. ② [무슨 물건을 표시할 목적으로 인(印)을 찍어 나타내다] sellar, imprimir, estampar el sello. ③ [전신기(電信機)를 놀려 전보를 송신하다] enviar, mandar. 전보(電報)를 ~ telegrafiar, mandar [enviar] un telegrama, poner un telegrama. 전보를 치고 싶습니다 Quiero poner un telegrama. 나는 그에게 조전(弔電)을 치고 싶다 Quiero mandar un telegrama de pésame. 내가 도착하면 바로 너에게 전보를 치겠다 Te telegrafiaré en cuanto llegue. ④ [모르는 일을 알아내기 위해 점쾌를 찾아보다] adivinar. ⑤ [시험을 치르다] examinarse, hacer [presentar · rendir · *CoS* dar] un examen. 시험 칠 준비를 하다 preparar para un examen. ⑥ [우선 셈을 잡아 놓다. 또, 어떤 양으로 여겨 두다] contar, figurar, valer, estimar, calcular; [여기다] considerar, suponer. 셈을 ~ contar, valer, estimar.

치다[5] ① [적은 분량의 액체를 따르거나 가루 등을 뿌려 넣다] echar, verter; [채우다] llenar; [양념을 넣다] condimentar, sazonar. 초를 ~ echar la vinagre. 소금을 ~ salar, echar*le* [poner*le*] la sal (a). 고기에 소금을 ~ salar la carne, echar [poner] la sal a la carne. 기계에 기름을 ~ llenar aceite en una máquina. 나는 음식에 양념을 많이 치는 것을 싫어한다 No me gusta la comida demasiado condimentada / [매운 것] No me gusta la comida picante. ② [체질을 하여 고운 가루를 뽑아내다] tamizar, cernir, cerner. 체에 ~ tamizar, pasar *algo* por el tamiz. 밀가루를 체로 ~ tamizar la harina, pasar la harina por el tamiz.

치다[6] ① [군막(軍幕) · 휘장 · 그물 · 발 · 줄 등을 펴서 벌여 놓다] armar; [커튼을] poner, armar, montar, colgar; [캠프를] montar, hacer; [안테나를] poner; [거적을] cubrir; [철조망을] construir. 모기장을 ~ armar la mosquitera. 덫을 ~ armar la trampa. 장막을 ~ armar la tienda. 커튼을 ~ poner la cortina. ② [병풍 등을 둘러서 세우다] armar. 병풍을 ~ armar el biombo. ③ [벽을 만들거나 담을 쌓아 가리다] construir. 담을 ~ construir el muro. ④ [신갱기를 감거나, 대님을 두르거나, 휘갑 등을 마무르다] ponerse, tejer. ⑤ [소리를 기세 있게 내다] gritar, dar un grito. 소리쳐 부르다 llamar a gritos. 소리쳐 부탁하다 pedir a gritos. 기뻐 소리~ gritar de alegría. 도와달라고 소리~ pedir auxilio a gritos. 넌 소리칠 필요가 없다 No hace falta que grites. 나에게 소리치지 마라 ¡No me grites! 그는 그녀에게 돌아오라고 소리쳤다 El le gritó que volviese. 「꺼져」라고 그는 소리쳤다 ¡Vete! — gritó él. ⑥ [장난을 기세부려 하다] hacer, ejecutar, jugar. 장난을 ~ jugar. ⑦ [일부러 기세를 부리다] levantar *su* entusiasmo. 허풍을 ~ jactarse, vanagloriarse, alabarse, prorrumpir en alabanzas propias. 공갈을 ~ amenazar con chantaje, intimidar. ⑧ [좋지 않은 짓을 저지르거나 결과가 되게 하다] causar, ocasionar. 사고를 ~ causar un accidente. 뺑소니를 ~ fugarse, escaparse, darse a la fuga. ⑨ [몸을 흔들어 진저리를 몹시 내다] estremecerse. 진저리 ~ estremecerse. 그는 그것을 생각하면 진저리 쳐졌다 El se estremeció al pensarlo.

치다[7] ① [돗자리 · 가마니 · 멱서리 · 덕석 등을 틀거나 엮어 만들다] tejer. 돗자리를 ~ tejer la estera. ② [끈목을 엮어서 꼬다] trenzar.

치다[8] ① [가축 · 가금을 기르다] criar. 닭을 ~ criar el pollo. 돼지를 ~ criar el cerdo. 누에를 ~ criar el gusano de seda. ② [식물이 가지를 내돋게 하다] brotar. ③ [벌이 꿀을 빚다] hacer. 꿀을 ~ hacer la miel. ④ [동물이 새끼를 낳아 퍼뜨리다] parir. 새끼를 ~ parir la cría. ⑤ [자선이나 영업으로 나그네를 두다] tener, hospedar, alojar. 하숙생을 ~ aquilar habitación.

치다[9] ① [쌓이거나 메인 불결한 물건을 파내거나 그러내어 그 자리를 말끔하게 하다] limpiar, dragar; [청소하다] limpiar. 강바닥을 ~ dragar el río. 눈을 ~ limpiar la nieve. 도랑을 ~ limpiar el desaguadero. 우물을 ~ limpiar el pozo. ② [땅을 파내거나 골라서 논밭이 되게 하다] cultivar, excavar la tierra.

치다[10] [수레바퀴 등이 사람 따위를 깔아 누르고 지나가다] atropellar. 치고 도망치다 darse a la fuga tras atropellar (a *uno*). 치고 도망친 사고 el accidente en que el conductor se da a la fuga. 자동차가 그를 치었다 Le atropelló un automóvil.

치다[11] ((준말)) =치우다.

치다[12] ((준말)) =치이다[2].

-치다 hacer fuerte. 넘~ derramarse, desbordarse. 밀~ empujar fuerte.

치다꺼리 ① [일을 치러 내는 짓] dirección *f*, administración *f*, conducta *f*. ~하다 dirigir, administrar, disponer. ② [남을 도와서 바라지해 주는 일] ayuda *f*, asistencia *f*. ~하다 ayudar, asistir. 그는 그들이 회의를 준비하도록 치다꺼리했다 El los ayudó a organizar la conferencia.

치닫다 ascender, subir, elevarse, remontarse, remontar el vuelo.

치대다[1] [빨래 · 반죽 등을 무엇에 대고 자꾸 문지르다] frotar, restregar, refregar, amasar, trabajar, sobar. 빨래를 ~ frotar la ropa sucia [la ropa para lavar].

치대다[2] [위쪽으로 대다] poner en la parte superior. 판자를 ~ fijar un pedazo de tabla en la parte superior.

치도곤(治盜棍) ① 【역사】 porra *f* para azotar el criminal. ② [몹시 혼남. 또, 그 곤욕] reprimenda *f*, regañina *f*, regañiza *f*.
◆치도곤을 안기다 ㉮ [심한 벌을 주다] castigar severamente. ㉯ [화를 입게 하다] hacer sufrir desastre.

치독(治毒) remedio *m* antitóxico, tratamiento *m* para el veneno. ~하다 contrarrestar el veneno.

치독(置毒) administración *f* de veneno, envenenamiento *m*. ~하다 administrar veneno, poner veneno (en la comida).

치둔하다(癡鈍—) (ser) lerdo, estúpido, tonto, mentecato, tardo, pesado. 치둔함 lerdez *f*, estupidez *f*, tontería *f*, torpeza *f*, embotamiento *m*.

치 떨다(齒—) ((준말)) =치(를) 떨다. ☞치(齒)

치 떨리다(齒—) ((준말)) =치(가) 떨리다. ☞치(齒)

치뚫다 perforar [taladrar] hacia arriba de abajo.

치뜨다 levantar *sus* ojos, volver los ojos hacia arriba.
 치떠 보다 mirar volviendo los ojos hacia arriba.

치뜨리다 tirar, lanzar, *Méj* aventar.

치뜰다 (ser) sucio, feo, tacaño, mezquino. 치뜰 놈 tipo *m* tacaño.

치란(治亂) ① [잘 다스려진 세상과 어지러운 세상] el mundo pacífico y el mundo turbulento, la paz y la guerra. ② [혼란에 빠진 세상을 다스림] represión *f* del mundo turbulento. ~하다 reprimir el mundo turbulento, reprimir [sofocar]. la rebelión.

치렁거리다 ① [길게 드리워진 것이 가볍게 움직이다] arrastrar. 치렁거리는 머리채 coleta *f* larga. 치맛자락이 ~ la falda arrastrar(se). 치맛자락이 치렁거린다 Las faldas (se) arrastran. 개는 부러진 다리를 치렁거렸다 El perro iba arrastrando la pata rota. ② [일에 대해 날짜가 자꾸 느즈러지다] ser alargado, ser prolongado, ser extendido.

치렁치렁 arrastrando (y arrastrando).

치렁하다 estar arrastrando.

치레 ornato *m*, ornamento *m*, adorno *m*, decoración *f*, maquillaje *m*, embellecimiento *m*. ~하다 ornar, adornar, decorar, embellecer. 얼굴을 ~하다 [화장품으로] maquillarse, pintarse. 옷을 ~하다 ponerse elegante. 집을 ~하다 embellecer una casa. 그녀는 나에게 얼굴 ~하는 법을 가르쳐 주었다 Ella enseñó a maquillarme [a pintarme].

치련(治鍊) temple *m*, fundición *f*, forja *f*. ~하다 templar, fundir, forjar.

치료(治療) tratamiento *m* (médico), remedio *m*, cuidados *mpl* médicos, cura *f*, curación *f*; **【의학】** terapia *f*. ~하다 curar, sanar, tratar, dar tratamiento médico, asistir; [투약하다] medicinar; [처방하다] recetar. ~의 terapéutico. ~용의 curativo. ~ 중(中) bajo tratamiento médico, bajo curación. ~ 중의 en tratamiento. ~할 수 있는 curable. ~할 수 없는 incurable. ~할 수 있는 종양(腫瘍) llaga *f* curable. ~할 수 없는 병(病) enfermedad *f* incurable. ~가 빠른 환자 paciente *mf* que (se) cura pronto. ~가 더딘 감기 resfriado *m* maligno, resfriado *m* difícil de curar, resfriado *m* que se resiste. 거친 ~ tratamiento *m* drástico, tratamiento *m* violento. ~되다 ㉮ [환자가] recuperarse, restablecerse, curarse, recobrar [recuperar] la salud, ponerse en cura, recibir tratamiento médico. ㉯ [병이] curarse, sanar. ㉰ [상처가] curarse, cicatrizarse. ~를 받다 ser tratado (en un hospital), recibir un tratamiento, seguir un tratamiento, ponerse en cura. 병의 ~를 하다 tratar una enfermedad, curar la enfermedad (a). 부상자를 ~하다 curar a un herido. 상처를 ~하다 curar una herida, remediar una herida. 환자의 ~를 하다 tratar a un enfermo. 눈의 ~를 받다 recibir tratamiento de los ojos. ~보다 예방이 더 값지다 ((서반아 속담)) Más vale prevenir que curar.
 ◆물리 ~ terapia *f* física. 민간 ~ remedio *m* popular. 심리 ~ cura *f* física. 자가(自家) ~ autotratamiento *m*. 전기(電氣) ~ electroterapia *f*.
 ■~ 계수 índice *m* terapéutico. ~대 mesa *f* de tratamiento. ~량 dosis *f* curativa. ~법 curativa *f*, terapéutica *f*, método *m* curativo, remedios *mpl* curativos, cura *f*, método *m* de tratamiento. ~비 gastos *mpl* médicos, gastos *mpl* de tratamiento. ~사 terapeuta *mf*. ~소 consultorio *m*, clínica *f*. ~약 remedio *m*. ~자 curador, -dora *mf*. ~ 재료 materiales *mpl* para tratamiento médico. ~적 유산(的流産) aborto *m* terapéutico. ~적 적응 indicación *f* curativa. ~전극(電極) electrodo *m* terapéutico. ~ 전문가 terapeuta *mf*. ~ 지수 índice *m* terapéutico. ~학 terapéutica *f*, acología *f*. ~학자 acólogo, -ga *mf*. ~ 효과 valor *m* curativo [médico].

치루(痔漏) **【의학】** una especie de hemorroide.

치루(痔瘻) **【의학】** fistula *f* anal.

치롱 cesto *m* de mimbre profundo.
 ■~장수 vendedor, -dora *mf* de mercancías en el cesto de mimbre profundo.

치룽구니 inútil *mf*; calamidad *f*.

치르다 ① [줘야 할 돈을 내주다] pagar. 값을 ~ pagar el precio. ② [무슨 일을 겪어 내다] pasar, experimentar. 시험을 ~ examinarse, hacer [dar · presentar] un examen. 나는 이미 홍역을 치렀다 Ya he pasado el sarampión. 그는 시험을 잘 치렀다 El salió bien en el examen. ③ [아침 · 점심 등을 먹다] [아침을 먹다] desayunar, tomar el desayuno; [점심을 먹다] almorzar, tomar el almuerzo.

치마 *chima*, falda *f* tradicional coreana. ~를 두르다[입다] ponerse *chima*. ~를 벗다 quitarse *chima*. ~를 입히다 poner *chima*. ~를 벗기다 quitar *chima*.
 ■~끈 faja *f* de una falda. ~머리 pelo *m* falso usado para hacer un moño en lo alto de la cabeza). ~상투 moño *m* atado con el pelo falso. ~ 주름 pliegue *m* en una falda. ~폭 anchura *f* de las partes unidas en una falda.

치마분(齒磨粉) =가루 치약.

치맛바람 ① [입은 치맛자락이 움직이는 서슬] frufrú *m* de una falda. ② [설치는 여성의 서슬] influencia *f* femenina, poder *m* femenino. ③ [성복(盛服)을 갖추지 아니하고 나선 여자의 차림새] vestido *m* informal. ④ =새색시.

치맛자락 dobladillo *m* [*Chi* basta *f*] de una falda, falda *f*. ~을 질질 끌면서 걷다 andar arrastrando la falda.

치매(癡呆) ① =바보. ② [말과 동작이 느리고 정신 작용이 불완전함] imbecilidad *f*, demencia *f*, alzheimer *m*. ~의 demencial. 노인성(老人性) ~ demencia *f* senil.

■ ~증(症) esquizofrenia *f*, enfermedad *f* de Alzheimer, demencia *f* (senil). ¶~을 앓는 사람 esquizofrénico, -ca *mf*. 마비성 ~ demencia *f* paralítica. 조발성(早發性) ~ demencia *f* precoz.

치매기다 numerar en el orden ascendiente. 번지를 ~ numerara las casas en el orden ascendiente.

치먹다 ① [무슨 번호 등을 아래로부터 위로 향해 매기다] ser numerado en el orden ascendiente. ② [시골 물건이 서울로 와서 팔리다] venderse en la capital.

치먹이다 vender en la capital. 시골 물건을 서울로 ~ vender los artículos campesinos en la capital.

치먹히다 ① [번호 등이] ser numerado en el orden ascendiente. ② [팔리다] venderse en la capital.

치면하다 estar casi lleno hasta el borde.

치명(致命) mortalidad *f*.

■ ~상(傷) herida *f* mortal. ¶~을 입다 recibir una herida mortal, estar mortalmente herido. 그것이 그의 ~이 되었다 Esa herida le resultó mortal. 외교 정책의 실패가 정부의 ~이 되었다 El fracaso de la política exterior constituyó una herida mortal para el gobierno. ~적 mortal, fatal, mortífero. ¶~인 타격 golpe mortal. ~인 타격을 주다 dar un golpe mortal [mortífero]. 적(敵)에게 ~인 타격을 주다 asestar un golpe aplastante [destructor] al enemigo. ~타(打) golpe *m* mortal [mortífero · aplastante · destructor]. ¶~를 입히다 asestar [dar] un golpe mortal (a), asestar un golpe aplastante [destructor].

치모(恥毛) pubis *m*, pubes *m*.

치목(治木) recorte *m* de madera. ~하다 recortar la madera.

치목(穉木/稚木) árbol *m* joven (*pl* árboles jóvenes).

치민(治民) dominio *m* al pueblo. ~하다 dominar el pueblo.

치밀다 ① [(불길이나 연기가) 세차게 솟구치다] levantar fuerte, alzar fuerte. ② [(어떤 감정이) 세게 일어나다] tener un arranque (de), sentir una oleada (de), agolparse (a). 치미는 분노 enfado *m* llameante. 치밀어 오르는 슬픔 tristeza *f* manante. 노기(怒氣)가 ~ tener un arranque de cólera. 분노가 ~ tener un ataque de furia. 울화가 ~ hervir la sangre de rabia. 그의 마음에 슬픔이 치밀었다 El sintió una oleada de tristeza en el corazón. ③ [아래로부터 위로 밀어 올리다] empujar arriba.

치밀성(緻密性) minucia *f*, menudencia *f*.

치밀하다(緻密－) (ser) minucioso, detallado, menudo, exacto, correcto, preciso, puntual; [정교하다] elaborado, delicado; [주도하다] cauto, precavido, cauteloso, circunspecto. 치밀함 minucia *f*, menudencia *f*, exactitud *f*, precisión *f*. 치밀하게 minuciosamente, elaboradamente, cuidadosamente. 치밀한 계획(計劃) plan *m* detallado, plan *m* precioso. 치밀하게 조사하다 investigar minuciosamente. 그의 머리는 그다지 치밀하지 못하다 A él le falta [El no tiene mucha] precisión (de pensamiento).

치밀히 minuciosamente, detalladamente, preciosamente, con precisión.

치받다 empujar arriba (contra).

치받이 ① [비탈진 곳의 올라가게 된 방향] cuesta *f* hacia arriba. ② [집의 천장 · 산자 안쪽에 바르는 흙] barro *m* revocado en el techo.

치받치다 ① [불길 · 연기 등이 세게 쏟아져 오르다] volar alto, llamear. 불길이 ~ (la llama) llamear. ② [밑을 버티어 위로 치밀다] apoyar, sostener. 지붕이 여섯 개의 기둥으로 치받쳐진다 El tejado descansa sobre [se apoya] en seis columnas.

치병(治兵) disciplina *f* de los soldados. ~하다 disciplinar a los soldados.

치부(致富) adquisición *f* de riqueza, enriquecimiento *m*. ~하다 hacer fortuna, enriquecerse. 그는 갑자기 ~했다 El se ha enriquecido muy de repente.

■ ~꾼 el que puede ser rico por la diligencia y la frugalidad. ~자(者) el que hace fortuna.

치부(恥部) ① [(남에게 알리고 싶지 않은) 부끄러운 부분] partes *fpl* privadas. ② ＝음부(陰部).

치부(置簿) contabilidad *f*, teneduría *f* de libros.

■ ~장[책(冊)] libro *m* de contabilidad.

치분(齒粉) ((준말)) ＝치마분.

치사(致死) lo que causa muerte.

■ ~량(量) dosis *f* fatal, dosis *f* mortal.

치사(恥事) lo vergonzoso. ~하다 (ser) vergonzoso, bochornoso, deshonroso, ignominioso, tacaño, mezquino, sucio.

치사스럽다 (ser) vergonzoso, bochornoso.
치사스레 vergonzosamente, bochornosamente.

치사(致謝) apreciación *f*, gratitud *f*. ~하다 agradecer, dar las gracias, apreciar.

치사랑 amor *m* al superior.

치산(治山) ① [산소를 매만져서 다듬음] orden *m* de tumbas ancestales. ~하다 ordenar las tumbas ancestales. ② [식림(植林) 따위를 행하여 산을 잘 가꾸고 보호함] protección *f* forestal, forestación *f*, reproducción *f* forestal. ~하다 poblar de árboles, proteger el bosque.

■ ~치수(治水) forestación *f* anti-inundación, forestación *f* de control inundado.

치산(治産) ① [생활의 수단을 세움] lo que toma medidas para la vida. ~하다 tomar medidas para la vida. ② 【법률】 [재산을 관리 · 처분함] dirección *f* de propiedad, administración *f* de propiedad. ~하다 dirigir [administrar] la propiedad.

치살리다 instigar [incitar] demasiado, adular mucho. 치살려 …하게 하다 instigar [incitar] (a *uno*) a + *inf*, adular (a *uno*) para que + *subj*.

치상(治喪) práctica *f* de ritos funerales. ~하다 practicar ritos funerales, practicar el servicio funeral.

치상(齒狀) forma *f* denticular. ~의 denticular.

치석(治石) cantería *f*, arte *m* de labrar las piedras (para la construcción), corte *m* de piedras. ~하다 labrar las piedras, cortar piedras.

치석(齒石) sarro *m*, tártaro *m*, toba *f*. ~을 제거하다 quitar el sarro de los dientes.
■~ 축적(蓄積) acumulación *f* de sarro.

치성(致誠) devoción *f*, servicio *m* leal, servicio *m* expiatorio. ~을 드리다 rendir el servicio leal, dedicarse (a).

치세(治世) reinado *m*, tiempo *m* de paz. …의 ~ 아래(서) bajo el reinado de *uno*. ~에 오히려 난(亂)을 잊어서는 안 된다 No hay que olvidarse de la guerra ni siquiera en la paz.

치소(嗤笑) risa *f* desdeñosa. ~하다 ridiculizar, burlarse (de), reírse (de), mofarse (de).

치소(癡笑) risas *fpl* idiotas.

치솟다 [고층 빌딩·산이] alzarse, elevarse, erguirse; [물가가] dispararse; [희망이] aumentar, renacer; [인기가] aumentar. 치솟는 [인플레이션이] galopante, de ritmo vertiginoso; [인기가] en alza. 치솟는 달러 un dólar en alza. 치솟는 인플레이션 inflación *f* galopante, inflación *f* de ritmo vertiginosa. 치솟는 인기 popularidad *f* en alza. 구름 위에 치솟아 있는 산들 montañas *fpl* que se yerguen sobre las nubes. 도시에는 고층 빌딩이 치솟아 있다 Grandes rascacielos dominan la ciudad. 빌딩이 서울 한복판에 치솟는다 El edificio se alza [se eleva·se yergue] sobre el centro de Seúl.

치수(一數) medida *f*, tamaño *m*; [상자 따위의] dimensión *f*; [구두 따위의] número *m*. ~대로, ~에 맞추어 según la medida (de), (conforme) a la medida (de). ~를 재다 medir, tomar la medida (de). ~를 틀리다 tomar mal las medidas, equivocarse de medida. ~를 재어 만들다 hacer *algo* a la medida. 양복 ~를 재다 medir el traje. ~큰[작은] 것을 보여 주세요 Déjeme ver un tamaño más grande [pequeño] / Déjeme ver un tamaño mayor [menor] // [의류] Déjeme ver una talla mayor [menor] // [신발] Enséñeme un número mayor [menor].
◆치수(를) 내다 medir. 치수(를) 대다 medir la longitud.
■~금(金) medida *f* de regla.

치수(治水) control *m* fluvial, gobernación *f* fluvial, mejoramiento *m* del río. ~하다 controlar inundadaciones.
■~ 공사(工事) obras *fpl* para la regularización del curso fluvial, construcción *f* de diques de encauzamiento, obra *f* de terraplén. ~ 공학(工學) ingeniería *f* hidráulica.

치수(齒髓) pulpa *f* (dentaria).
■~강(腔) cavidad *f* de pulpa. ~염(炎) pulpitis *f*, endodontitis *f*.

치수(穉樹) =치목(穉木).

치술(治術) habilidad *f* administrativa.

치승하다(差勝—) ser un poco mejor en comparación con lo demás.

치신 ((낮춤말)) =처신(處身).
치신머리사납다 ((낮춤말)) =치신없다. 치신사납다.
치신머리없다 ((낮춤말)) =치신없다. 치신사납다.
치신사납다 (ser) desaliñado, desaseado, indecente, vergonzoso, escandaloso.
치신없다 (ser) licencioso, dejado. 치신없는 여자 una mujer licenciosa, una mujer dejada.
치신없이 licenciosamente, con desenfreno.

치신경(齒神經) nervio *m* dental.

치심(侈心) anhelo *m* [ansia *f*] de lujo.

치심(穉心) ① [어릴 적의 마음] corazón *m* de niñez. ② [어린이 같은 마음] corazón *m* pueril, niñería *f*, puerilidad *f*.
■~상존(尙存) lo que ya ha quedado el corazón de niñez.

치쏘다 tirar hacia arriba de abajo.

치쓸다 barrer hacia arriba de abajo.

치아(齒牙) diente *m*. ~의 dental. ~ 모양의 denticular.
■~ 교정술 odontortosis *f*. ~ 발육 부전 aplastia *f* dental. ~ 발육 부전증 hipodontia *f*. ~ 방사선학 radiodontia *f*. ~성형술 odontoplastia *f*. ~ 신경통 odontoneuralgia *f*. ~ 엑스선 사진 odontoradiografía *f*. ~열 fiebre *f* dental. ~학 odontología *f*. ~학자 odontólogo, -ga *mf*.

치아(穉兒) niño, -ña *mf* de pechos, nene, -na *mf*, bebé *m*.

치안(治安) seguridad *f* pública, orden *m* público, tranquilidad *f*, sosiego *m*. ~을 유지하다 mantener la paz pública [el orden público]. ~을 어지럽히다 perturbar el orden público [la seguridad pública]. 이 지방은 ~이 나쁘다 En esta región no anda bien la seguridad pública [el orden público] / Este distrito carece de seguridad pública [el orden público].
■~감(監) superintendente *mf* general. ~경찰 policía *f* de seguridad. ~ 대책(對策) medidas *fpl* para asegurar el orden público. ~ 방해 disturbio *m* de la paz pública. ~ 본부 Jefatura *f* de Policía Nacional. ~ 유지 mantenimiento *m* del orden público. ~ 유지법 ley *f* para el mantenimiento del orden público. ~ 재판 juicio *m* sumario.

치약(齒藥) dentífrico *m*, pasta *f* de dientes, pasta *f* dentífrica, *Méj* crema *f* dental. 박하(를 넣은) ~ *Méj* crema *f* dental con menta.
◆가루 ~ polvo *m* dentífrico.

치어(稚魚) pececillo *m*, pececito *m*.

치어걸(영 *cheer girl*) (muchacha *f*) animadora *f.*

치어다보다 levantar los ojos, mirar para arriba.

치어리더(영 *cheerleader*) animador, -dora *mf* (en encuentros deportivos, mitines políticos); persona *f* que inicia los vivas en un partido; *Col, Méj* porrista *mf.*

치열(治熱) control *m* de la fiebre. ~하다 controlar la fiebre.

치열(齒列) dentadura *f.* ~에 틈이 생긴 de dientes separados. ~이 좋다 tener buena dentadura. ~이 나쁘다 tener mala dentadura. ~이 고르다 tener una dentadura regular. ~이 고르지 않다 tener una dentadura irregular, tener los dientes desiguales.

■ ~ 교정(矯正) corrección *f* de los dientes irregulares. ~ 교정궁 arco *m* dental. ~ 교정술 ortodoncia *f.* ~ 교정의 ortodontista *mf.* ~ 부정(不正) anquilodontia *f.* ~ 부정(不整) odontoloxia *f,* odontopalaxis *f.* ~ 절제술 afisurectomía *f.*

치열하다(熾烈-) (ser) intenso, severo, violento, agudo, acre., encarnizado, feroz, salvaje. 치열한 경쟁(競爭) competencia *f* feroz, competencia *f* salvaje. 치열한 전투(戰鬪) batalla *f* encarnizada. 경쟁은 치열했다 La competencia fue feroz.

치열히 intensamente, severamente, violentamente, con severidad, agudamente, ferozmente.

치열하다(熾熱-) (ser) muy caliente.

치올리다 levantar, alzar, empujar hacia arriba.

치와와(영 *chihuahua*) 【동물】 chihuahua *f.*

치외 법권(治外法權) (derecho *m* de) extraterritorialidad, exterritorialidad *f,* jurisdicción *f* extraterritorial. ~의 extraterritorial. ~을 행사하다 ejercer extraterritorialidad. ~을 철폐하다 abolir extraterritorialidad.

치욕(恥辱) vergüenza *f,* deshonor *m,* deshonra *f,* oprobio *m,* afrenta *f,* ignominia *f,* infamia *f.* ~을 주다 deshonrar, avergonzar, insultar. ~을 참다 tragarse una injuria.

치우다[1] ① [정리하다] ordenar, poner en orden. ② [없애다] remover, quitar, eliminar. 쓰레기를 ~ remover las basuras. 지붕의 눈을 ~ quitar la nieve del tejado. 책상 위에서 불필요한 책을 ~ quitar los libros inútiles en encima de la mesa. 가방을 좀 치워 주시겠습니까? ¿Quiere usted quitar la maleta? ③ [분리하다] apartar. 불량품을 ~ apartar los artículos defectuosos. ④ [시집보내다] casar. 딸을 ~ casar a *su* hija.

치우다[2] se (재귀 대명사). 먹어 ~ comerse. 요리를 모조리 먹어~ comerse todo el plato, comer sin dejar resto, dejar el plato limpio.

치우치다 [기울다] inclinar, parcializarse, estar en mala fe; [편파적이다] (ser) parcial, partidista, tendencioso. 치우친 생각 perjuicio *m.* 한쪽으로 치우친 무역 comercio *m* parcial. 한쪽으로 치우친 설(說) noción *f* parcial. 생각이 치우쳐 있다 tener una idea parcial [tendenciosa].

치유(治癒) recobro *m,* curación *f,* restablecimiento *m* (de salud), recuperación *f.* ~하다 recobrar (la salud), sanar, curar, restablecer. ~되다 curarse.

치은(齒齦) encía *f.* ~의 gingival.

■ ~암 ulocarcinoma *m.* ~염(炎) gingivitis *f,* ulitis *f.* ~증(症) gingivosis *f.* ~통(痛) gingivalgia *f.*

치음(齒音) 【언어】 (sonido *m*) dental *m,* sonido *m* sibilante.

치이다[1] ① [덫이나 무거운 물건에 걸려 눌리다] atropellar, aplastar. 치여 죽다 matar en un [el] atropello. 덫에 ~ caer en la trampa [en el garito]. 그는 자동차에 치였다 A él le atropelló un automóvil. 그 아이는 트럭에 치여 죽었다 El niño murió aplastado por un camión. ② [피륙의 올이 제대로 있지 않고 이리저리 쏠리다] raerse, gastarse, agujerearse.

치이다[2] [값이 얼마씩 먹히다] costar. 바싸게 ~ salir caro, resultar caro. 싸게 ~ salir barato, resultar barato. 그것은 한 개에 천 원 씩 치인다 Cuesta mil wones la pieza. 비싸게 치일 것이라고 나는 그에게 알린다 Le advierto que resultará caro. 싼 것이 비싸게 치인다 Lo barato sale caro.

치이다[3] [치우게 하다] hacer quitar; hacer casar.

치이다[4] [대장장이에게 칼·낫 따위를 만들게 하다] dejar hacer.

치이다[5] [불결한 물건을 쳐내게 시키다] hacer remover. 쓰레기를 ~ hacer remover las basuras.

치인(癡人) idiota *mf,* tonto, -ta *mf,* bobo, -ba *mf,* torpe *mf,* imbécil *mf,* estúpido, -da *mf,* necio, -cia *mf,* simplón (*pl* simplones), -lona *mf.*

■ ~설몽(說夢) tonterías *fpl,* estupideces *fpl,* disparates *mpl.*

치자(治者) gobernante *mf,* soberano, -na *mf.*

치자(梔子) 【한방】 fruto *m* de la gardenia.

■ ~색(色) gutagamba *f.*

치자(稚子) ① [여남은 살 안팎의 어린아이] niño, -ña *mf* de diez años más o menos. ② [어린 아들] hijo *m* joven.

치자(癡者) =치인(癡人).

■ ~다소(多笑) El idiota suele reír a la ventura.

치자나무(梔子-) 【식물】 gardenia *f,* jazmín *m* (del Cabo), jazmín *m* de la India.

치잡다 agarrar, coger.

치장(治粧) decoración *f,* adorno *m,* ornato *m.* ~하다 decorar, adornar, hermosear, embellecer; [얼굴을] componerse con afeites, pintarse. 야하게 ~하고 todo emperifollado. 몸을 ~하다 engalanarse (con). 집을 ~하다 decorar la casa.

치장(治裝) praparación *f* para el viaje. ~하다 preparar para el viaje.

치적(治積) resultados *mpl* [méritos *mpl*] de administración, récord *m* administrativo. ~의 기념비 monumento *m* en conmemoración de méritos de administración. 그의 ~은 훌륭했다 Su administración fue un gran éxito.

치전(致奠) ejecución *f* de sacrificio al muerto. ~하다 ejercer un servicio al muerto.

치정(癡情) pasión *f* loca, pasión *f* ciega, amor *m* loco, celos *m*, celotipia *f*, infatuación *f*. ~에 빠지다 enamorarse (de *uno*) ciegamente.

▪~ 관계(關係) conexión *f* con un asunto amoroso. ~ 문학 literatura *f* de pasión. ~ 범죄(犯罪) cimen *m* de pasión. ~ 살인 asesinato *m* sexual. ~ 살인 사건 caso *m* de homicidio escandaloso. ~ 싸움 despecho *m* amoroso.

치조(齒槽) 【해부】 alvéolo *m*, alveolo *m*. ~의 alveolar, alveolado.

▪~ 골막 periostio *m* alveolar. ~ 골막염 periostitis *f* alveolar. ~ 농루(膿漏) peridontoclasia *f*, alveolisis *f*. ~ 농루증(膿漏症) piorrea *f* alveolar. ~ 돌기 proceso *m* alveolar, alvéolo *m*. ~염(炎) alveolitis *f*, dentoalveolitis *f*.

치졸하다(稚拙/穉拙—) (ser) infantil. 치졸한 문장(文章) estilo *m* [expresión *f* · construcción *f*] infantil.

치죄(治罪) castigo *m*, retribución *f*, procedimiento *m* criminal. ~하다 castigar, retribuir.

치주막 농양(齒周膜膿瘍) absceso *m* peridental.

치주염(齒周炎) 【의학】 piorrea *f* alveolar, paradentitis *f*, parodontitis *f*.

치주 조직(齒周組織) tejido *m* periodontal.

치주 질환(齒周疾患) enfermedad *f* periodontal.

치중(置重) énfasis *m*, hincapié *m*. ~하다 poner énfasis (en), hacer hincapié (en), enfatizar, recalcar.

치중(輜重) ① [말에 실은 짐] carga *f* cargada en el caballo. ② =군수품(軍需品).

치즈(영 *cheese*) queso *m*.

▪~ 가게 quesería *f*. ~ 공장 quesería *f*. ~ 장수 quesero, -ra *mf*. ~ 제조자(製造者) quesero, -ra *mf*.

치즈 케이크(영 *cheesecake*) tarta *f* de queso.

치지도외(置之度外) ¶~하다 no hace caso, hacer la vista gorda, ignorar, distinguir, hacer distinto, hacer diferente.

치질(痔疾) 【의학】 hemorroide *f*, hemorroida *f*, almorrana *f*. ~의 hemorroidal. ~이 있다 sufrir de hemorroide. ~을 앓다 tener [sufrir] almorranas.

▪~ 수술(手術) hemorroidectomía *f*. ~약 antihemorroidal *m*. ~ 환자(患者) caso *m* de hemorroide.

치차(齒車) =톱니바퀴.

치치다 pincelar hacia arriba.

치켜들다 levantar, alzar. 머리를 ~ levantar *su* cabeza. 가슴을 치켜드세요 Arriba los corazones. 잘 볼 수 있게 나를 치켜드세요 Alzame [Levántame] para que pueda ver bien.

치켜세우다 poner (*algo* · a *uno*) por las nubes, poner sobre el cuerno de la luna, alabar, elogiar, aplaudir, admirar, exaltar, ensalzar. 나를 치켜세우지 마세요 No me ponga sobre el cuerno de la luna.

치키다 levantar. 손 [주먹 · 몽둥이]을 치켜 올리다 levantar la mano [el puño · un palo]. 머리를 치켜 깎다 cortarse el pelo a cepillo. 머리를 치켜 깎아 con el pelo a cepillo.

치킨(영 *chicken*) ① [병아리] pollo *m*. ② [닭고기] pollo *m*. ③ ((준말)) =프라이드치킨.

▪~라이스 arroz *m* con pollo.

치타(영 *cheetah*) 【동물】 guepardo *m*, chita *f*.

치태(齒苔) sarro *m*, placa *f* (dental).

치태(癡態) forma *f* impúdica. ~를 부리다 faltar al pudor, comportarse [portarse] de forma impúdica.

치통(齒痛) dolor *m* de muelas, dolor *m* de diente, odontalgia *f*, dentalgia *f*. ~이 나다 tener dolor de muelas [de diente], doler*le* a *uno* la muela, sufrir de dolor de muelas, padecer dolor de muelas. 나는 ~이 난다 Tengo dolor de muela / Me duele la muela / Sufro de dolor de muela.

치평하다(治平—) ser dominado bien el mundo y ser pacífico.

치하(治下) ① [지배 · 통치의 아래] (bajo del) reinado, bajo el cetro. 공산 ~ (bajo del) reinado comunista. 군부(軍部)의 ~에 bajo el cetro de militaristas. ② [그 고을의 관할 구역 안] bajo de la jurisdicción de un pueblo.

치하(致賀) felicitaciones *fpl*, felicidades *fpl*, congratulaciones *fpl*. ~하다 felicitar, congratular. 공로(功勞)를 ~하다 felicitar *su* mérito.

치한(癡漢) ① =치인(癡人). ② [여자를 희롱하는 남자] sátiro *m*, erotómano *m*, maniático *m* sexual.

치핵(痔核) 【한방】 hemorroide *m*.

치행(治行) preparación *f* para el viaje. ~하다 preparar para el viaje.

치행(癡行) locura *f*, insensateces *fpl*, actitud *f* muy loca.

치환(置換) ① [바꾸어 놓음] reemplazo *m*. ~하다 reemplazar, poner en otro lugar, volver a poner en orden. ② 【수학】 su(b)stitución *f*. ~하다 su(b)stituir. ③ 【화학】 su(b)stitución *f*. ~하다 su(b)stituir.

칙령(勅令) orden *f* real, mandato *m* real, edicto *m* del rey, decreto *m* real. 긴급 ~을 발하다 publicar un decreto real en emergencia.

칙명(勅命) =칙령(勅令).

칙사(勅使) enviado, -da *mf* real, mensajero, -ra *mf* real. ▪~ 대접 tratamiento *m* cordial.

칙살맞다 (ser) mezquino, tacaño. 칙살맞은 짓을 하지 마라 Nada de mezquindades.

척살스럽다 (ser) mezquino, tacaño, de mentalidad cerrada, intolerante. 척살스러운 생각 idea *f* intolerante.
척살스레 mezquinamente, tacañamente, intolerantemente.
척살하다 (ser) bajo, vil; [인색하다] mezquino, tacaño, avaro.
척서(勅書) autógrafo *m* real, carta *f* real.
척선(勅選) nominación *f* por el rey.
척어(勅語) =칙유(勅諭).
척유(勅諭) decreto *m* real, rescripto *m* real, mensaje *m* real.
척임(勅任) nombramiento *m* real.
■ ~관 oficial *m* asignado por el rey. ~대우 tratamiento *m* como un funcionario nombrado por el rey por cortesía.
척재(勅裁) decisión *f* real, sanción *f* real.
척지(勅旨) =칙명(勅命).
척척폭폭 chucu-chu(cu).
척척하다 ① [빛깔이 곱지 못하고 짙기만 하다] (ser・estar) vistoso, llamativo, chillón (*pl* chillones), ostentoso, demasiado recargado, oscuro, obscuro, *AmL* charro. 칙칙한 빛깔 color *m* chillón. 칙칙한 복장을 하고 있다 vestirse visiblemente [llamativamente]. 이 장식(裝飾)은 ~ Estos adornos están demasiado recargados / Estos adornos son churriguerescos. 그녀의 드레스는 칙칙한 장밋빛이다 Su vestido es de un rosa chillón. ② [머리털이나 숲 따위가 배어서 짙어 보이다] (ser) denso, espeso, grueso, abundante, mucho; [숲이] espeso, frondoso. 칙칙하게 frondosamente, con follaje lozano. 칙칙한 숲 bosque *m* frondoso, bosque *m* espeso. 그녀의 머리털은 ~ Ella tiene mucho pelo / Ella tiene el pelo grueso y abundante.
척필(勅筆) autografía *f* real.
척허(勅許) permiso *m* real, permiso *m* del rey, sanción *f* real.
친-(親) ① [겨레붙이] parentesco, su sangre, real, verdadero, auténtico. ~부모 *sus* verdaderos padres. ② [친근함] pro-. ~미(美)의 proestadounidense, pronorteamericano. ~일(日)의 projaponés. ~미 정책(美政策) política *f* proestadounidense.
친가(親家) ① =친정(親庭). ② ((불교)) =속가(俗家).
친고(親告) acusación *f* personal. ~하다 acusar personalmente [en persona].
■ ~죄(罪) delito *m* perseguido sólo a instancia de parte.
친고(親故) parientes *mpl* y amigos.
친교(親交) amistad *f*, intimidad *f*, relación *f* íntima, cordialidad *f*, familiaridad *f*. ~가 있는 사람 amigo *m* íntimo, amiga *f* íntima. ~를 맺다 formar amistad (íntima), entablar amistad (con). ~가 있다 tener relaciones amistosas [íntimas] (con).
친구(親舊) ① [오래 두고 가깝게 사귀는 사람. 벗] amigo, -ga *mf*, [동료(同僚)]. compañero, -ra *mf*, colega *mf*, camarada *mf*. 나의 ~ un amigo mío, una amiga mía; uno [una] de mis amigos. 나의 ~ 마리아 mi amiga, María. 아버지의 ~ amigo *m* de mi padre. 오랜 ~ viejo amigo *m*, vieja amiga *f*. 절친한 ~ amigo *m* íntimo, amiga *f* íntima. 진짜 ~ verdadero amigo *m*, verdadera amiga *f*. 골프 ~ compañero, -ra *mf* de golf. 낚시 ~ compañero *m* de pesca. 술~ compañero, -ra *mf* de mesa. 여행(旅行) ~ compañero, -ra *mf* de viaje. 학교 ~ compañero, -ra *mf* de clase. 자기가 유리할 때만의 ~ amigo, -ga *mf* sólo cuando las cosas marchan bien, amigo, -ga *mf* sólo en las buenas. 외무부에 근무하는 그의 서반아 ~ su colega español en el Ministerio de Relaciones Exteriores. ~가 되다 ser amigo, asociar (con), hacerse amigo (de), hacer amistad (con), trabar amistad (con). ~를 만들다 hacer amigos. 그 사람과는 우리는 절친한 ~다 Somos carne y uña / Somos amigos íntimos. 먼 형제보다 가까운 ~가 낫다 ((잠언 27:10)) Más vale un amigo cercano que un hermano lejano (가까운 이웃이 먼 형제보다 낫다). ~가 부탁하면 내일로 미루지 마라 ((서반아 속담)) Cuando el amigo pide, no hay mañana. ~ 없는 삶, 증인 없는 죽음 ((서반아 속담)) Vida sin amigos, muerte sin testigos. ~와 술은 오래된 것이 좋다 ((서반아 속담)) Amigo y vino, el más antiguo / Amigo, viejo; tocino y vino, añejo. 모든 사람의 ~는 아무의 ~도 아니다 ((서반아 속담)) Quien de todos es amigo, de ninguno es amigo. 사기성이 있는 ~가 악독한 적보다 나쁘다 ((서반아 속담)) Al amigo que no es cierto, con un ojo cerrado y otro abierto. 술~는 거의 좋은 ~는 못된다 ((서반아 속담)) Amigo de mesa, poca firmeza. 아는 사람이 많을수록 ~는 적은 법 ((서반아 속담)) Conocidos, muchos; amigos, casi ninguno. 어려울 때 ~야말로 진정한 ~다 ((서반아 속담)) Amigo en la adversidad es amigo de verdad. 좋은 시절에는 ~가 많지만 어려워지면 바람처럼 사라진다 ((서반아 속담)) Amigo del buen tiempo, múdase con el viento. ② [나이 비슷한 사람이나 별로 달갑지 않은 상대방을 가볍게 또는 비하(卑下)하여 이르는 말] hombre *m*, tipo *m*. 저 사람 참 재미있는 ~로군 Aquel hombre es muy chistoso / ¡Qué tipo divertido es él! 자넨 나쁜 ~야 Tú es un mal tipo. 저 ~ 누군가 ¿Quién es aquel tipo?
■ 친구는 옛 친구가 좋고, 옷은 새 옷이 좋다 ((속담)) Amigo, el más antiguo y traje, el más nuevo.
친권(親權) derechos *mpl* paternales, autoridad *f* paternal, patria *f* potestad, potestad *f* paternal, prerrogativa *f* paternal. ~의 상실 pérdida *f* de la patria potestad. ~의 효력 efecto *m* de la patria potestad.
■ ~자(者) persona *f* en autoridad paternal, persona *f* en ejercicio de la patria potestad.

친근감(親近感) cariño *m*, afecto *m*. simpatía *f*. ~을 주다 sentir [tener] simpatía (por).

친근하다(親近-) (ser) íntimo, amigable, amistoso, familiar, tener intimidad (con). 친근함 intimidad *f*, amistad *f*, familiaridad *f*. 친근한 대화(對話) conversación *f* de carácter ínitimo, conversación *f* privada. 친근한 분위기 atmósfera *f* íntima. 친근한 사이 relaciones *fpl* íntimas. 친근한 얼굴 cara *f* familiar.
친근히 íntimamente, con intimidad, con amistad, familiarmente, amigablemente, amistosamente. ~ 지내다 intimar, familiarizarse.

친기(親忌) servicio *m* religioso en el aniversario de la muerte de *sus* padres.

친남매(親男妹) *sus* verdaderos hermanos, hermanos *mpl* de mismos padres.

친누이(親-) *su* verdadera hermana, hermana *f* de mismos padres, hermana *f* de *sus* propios padres.

친독(親獨) pro-Alemania. ~의 pro-alemán.

친동기(親同氣) *su* verdadero hermano, *su* verdadera hermana.

친딸(親-) *su* verdadera hija, *su* propia hija.

친로(親露) pro-Rusia. ~의 pro-ruso.

친명(親命) orden *f* de los padres.

친모(親母) *su* verdadera madre, *su* propia madre.

친목(親睦) amistad *f*, intimidad *f*, confraternidad *f*, familiaridad *f*. ~을 도모하다 tratar de estrechar la amistad. 상호 간의 ~을 도모하다 fomentar la amistad entre ambas partes.
■ ~계(契) sociedad *f* de ayuda mutua para la amistad. ~회 reunión *f* de amistad, reunión *f* amigable, reunión *f* para estrechar la amistad recíproca, reunión *f* social.

친미(親美) pro-América. ~의 pro-estadounidense, norteamericanófilo, pro-norteamericano.
■~ 정책 (政策) política *f* pro-estadounidense, política *f* norteamericanófila. ~주의 pro-norteamericanismo *m*. ~주의자(主義者) pro-norteamericanista *mf*. ~파 simpatizante *mf* de los Estados Unidos de América.

친밀감(親密感) simpatía *f*, amistad *f*, familiaridad *f*. ~을 주는 얼굴 rostro *m* simpático. ~이 넘치는 시선으로 con una mirada llena de afecto. …에게 ~을 느끼다 sentir [coger] simpatía a [por] *uno*. 그녀에게는 웬지 모르게 ~을 느낀다 Siento no sé qué simpatía por ella. 나는 서반아 민요에 굉장히 ~이 든다 El folclore español me atrae sobremanera. 모두가 나에게는 ~이 없는 작가들이다 Son todos escritores desconocidos para mí / Son todos escritores cuyos nombres no me son familiares.

친밀하다(親密-) (ser) íntimo, familiar, amistoso, amigable. 친밀해지다 hacerse amigos, intimarse, estrechar amistad; [서로] hacerse íntimos, intimar (con). 친밀한 벗 amigo *m* íntimo, amiga *f* íntima. 그들은 친밀한 친구다 Ellos son muy amigos / Ellos son amigos íntimos. 두 사람은 친밀한 사이다 Hay entre los dos mucha intimidad.
친밀히 íntimamente, amistosamente, amigablemente, familiarmente, con amistad. ~ 지내다 ser muy amigos, estar a término de intimidad.

친부(親父) =친아버지.

친부모(親父母) *sus* verdaderos padres, *sus* propios padres.

친분(親分) amistad *f*, intimidad *f*, conocimiento *m*, familiaridad *f*, relación *f* amistosa. 옛날의 ~으로 por motivo de intimidad. 나는 그녀와 ~이 없다 No la trato.

친불(親佛) pro-Francia. ~의 profrancés.

친불친(親不親) amigos o no amigos.

친사(親査) ((준말)) =친사돈(親査頓).
■ ~간(間) entre los padres de su hijo político.

친사돈(親査頓) padres *mpl* de *su* hijo político, padres *mpl* de *su* hija política.

친산(親山) tumba *f* de *sus* padres.

친상(親喪) duelo *m* de *sus* padres. ~을 당하다 perder a *sus* padres, sufrir la pérdida de *sus* padres. 그는 ~을 당했다 El ha sufrido la pérdida de sus padres / El había perdido a sus padres / Sus padres habían fallecido.

친생자(親生子)【법률】verdadero niño *m*, verdadera hija *f*, propio niño *m*, propia niña *f*, hijo *m* légitimo, hija *f* légitima.

친서(親西) pro-España. ~의 pro-español, hispanófilo.

친서(親書) carta *f* autógrafa. 대통령의 ~를 보내다 remitir una carta autógrafa (personal) del presidente.

친서(親署) firma *f* del presidente, firma *f* del rey. ~하다 escribir su firma en persona, firmar [autografiar] en persona.

친선(親善) buena voluntad *f*, amistad *f*, relaciones *fpl* íntimas, relaciones *fpl* amigables, bienquerencia *f*, buenas referencias *fpl*, buenas relaciones *fpl*. 한미(韓美) ~ amistad *f* entre Corea y los Estados Unidos de América, amistad *f* coreano-estadounidense. 한서(韓西) ~을 촉진하다 promover la amistad [las buenas relaciones] entre Corea y España.
■ ~ 경기 partido *m* de amistad, partido m amistoso, amistoso *m*. ~ 관계 relaciones *fpl* amigables. ~ 방문(訪問) visita *f* amistosa, visita *f* de buena voluntad. ~ 비행 vuelo *m* de amistad, vuelo *m* de buena voluntad. ~ 사절(使節) misión *f* de amistad, misión *f* de buena voluntad. ~ 시합 partido *m* amistoso, partido *m* de buena amistad, juego *m* de amistad. ~ 여행 viaje *m* de amistad. ~ 조약 tratado *m* de amistad.

친소(親疎) intimidad y frialdad, grado *m*

(relativo) de intimidad. ~를 가리지 않고 sin consideración del grado de intimidad.
■ ~간에 si es íntimo o no.
천소(親蘇) pro-sovietismo. ~의 pro-soviético, sovietoófilo.
천속(親屬) =친족(親族).
천손녀(親孫女) *su* verdadera nieta, *su* propia nieta, hija *f* de *su* propio hijo.
천손자(親孫子) *su* verdadero nieto, *su* propio nieto, hijo *m* de *su* propio hijo.
천솔(親率) miembros *mpl* de una familia.
천수(親受) lo que recibe en persona. ~하다 recibir en persona.
천수(親授) lo que da en persona. ~하다 dar en persona.
천수성(親水性)【물리】propiedad *f* hidrófila.
천숙하다(親熟-) (ser) familiar, acostumbrado, habitual, conocido, conocer (a). 친숙함 familiaridad *f*, conocimiento *m*. 친숙하지 않은 desconocido. 친숙해지기 쉬운 simpático. 친숙해지기 어려운 antipático. 친숙한 사람 conocido, -da *mf*. 친숙해지기 어려운 성격 carácter *m* antipático, carácter *m* poco amistoso. 자연과 친숙하게 지내다 vivir en amistad con la naturaleza. …와 ~ cononcer con *uno*; [친구] ser amigo de *uno*. …에 친해지다 intimar con *uno*, hacerse amigo de *uno*, hacer amistad con *uno*, trabar con *uno*, acostumbrarse a *algo*, familiarizarse con *algo*, habituarse a *algo*; [새로운 토지에] aclimatarse en [a] *un sitio*. 나는 그와 친숙한 사이다 Yo le conozco a él.
친숙히 familiarmente, con familiaridad.
천심(親審) investigación *f* en persona. ~하다 investigar en persona.
천아들(親-) hijo *m* carnal, *su* verdadero hijo, *su* propio hijo, *su* hijo verdadero. ~로 인정하다 reconocer por hijo verdadero.
천아버지(親-) padre *m* carnal, *su* verdadero padre, *su* propio padre.
천아우(親-) hermano *m* (menor) carnal, hermano *m* menor de *su* propio padre.
천애(親愛) cariño *m*, amor *m*, afección *f*. ~하다 querer mucho, amar cordialmente. ~하는 querido, cariñoso. ~하는 신사 숙녀 여러분 Señoras y caballeros, Damas y caballeros, Señoras y señores, Señores. ~하는 벗에게 [편지의 첫머리에서] Mi querido amigo. ~하는 선생님께 (Estimado) Señor mío. ~의 정(情)을 나타내다 expresar *su* afecto (para con), manifestar *su* simpatía (para con).
천어머니(親-) madre *f* carnal, *su* verdadera madre, *su* propia madre.
천언니(親-) hermano, -na *mf* mayor carnal, hermano, -na *mf* mayor de *sus* propios padres.
천영(親英) pro-anglismo. ~의 anglófilo.
천왕(親王) príncipe *m*, infante *m*.
천우(親友) amigo *m* íntimo, amiga *f* íntima; gran amigo *m*, gran amiga *f*, el mejor amigo (de), la mejor amiga (de). 그는 내 유일무이한 ~다 El es mi mejor amigo.
천위(親衛) escolta *f* real.
■ ~대(隊) cuerpo *m* de guardia, guardia *f* de corps (real), escolta *f*. ~대원 guardaespaldas *mf.sing.pl* (real). ~병(兵) guardaespaldas *mf.sing.pl*
천의(親誼) intimidad *f*. ☞친분(親分)
천일(親日) pro-Japón, pro-niponismo *m*, simpatía *f* [entusiasmo *m*] por el Japón. ~의 japonófilo, pro-japonés. ~적 경향 tendencia *f* amigable por el Japón.
■ ~ 분자 =친일파. ~ 정책(政策) política *f* projaponesa. ~파 japonófilo, -la *mf*, simpatizador, -dora *mf* [simpatizante *mf*] del Japón; amigo, -ga *mf* del Japón.
천임관(親任官)【역사】funcionario *m* nombrado directamente por Su Majestad.
천자(親子) ① =친아들. ② =친자식. ③【법률】hijo *m* legal.
■ ~식 hijos *mpl* carnales, *sus* verdaderos hijos, *sus* propios hijos.
천자(親炙) estudio *m* directo con *su* maestro. ~하다 estudiar directamente con *su* maestro, tener el contacto personal con su maestro, estar bajo la influencia de su maestro.
천재(親裁) decisión *f* real. ~하다 (el rey) decidir en persona.
천전(親展) Privado / Particular / Personal / Confidencial. ~의 privado, confidencial, personal.
■ ~ 편지 carta *f* confidencial, carta *f* privada, carta *f* personal.
천절(親切) amabilidad *f*, bondad *f*, benevolencia *f*, buena voluntad *f*, cordialidad *f*, amistad *f*, gentileza *f*, cariño *m*, afabilidad *f*, [자애(慈愛)] ternura *f*, atenciones *fpl*, consideraciones *fpl*. ~하다 (ser) amable (con), benévolo, bondadoso, benigno, afable, cariñoso, cordial, servical, atento, bondochón, tener buen corazón, tener bondad (a). ~하게 amablemente, bondadosamente, benignamente, cariñosamente, atentamente. ~을 가장하고 con bondad fingida, so pretexto de benevolencia. ~ 하게 가르치다 enseñar muy atentamente. ~이 넘치다 colmar de atenciones. ~을 악용하다 abusar de la benevolencia (de). 노인에게 ~하다 ser bondadoso con los viejos, tener bondad hacia los ancianos. 손님에게 ~하다 ser amable con *su* cliente, tener bondad a *su* cliente. 그녀는 나에게 무척 ~하다 Ella es muy bondadosa [amable] conmigo / Ella manifiesta una gran bondad hacia mí. 그녀는 ~이 부족하다 Le falta la bondad (a ella) / [냉정하다] Ella es fría. 그는 ~하게도 나에게 돈을 빌려 주었다 El ha tenido la bondad [ha sido tan amable] de prestarme el dinero. ~하게 해주셔서 감사합니다 Gracias por su bondad [su amabilidad] / Estoy muy agradecido por su bondad / Es usted muy amable. 일전에 베풀어 주신 ~에 감사드립니다 Le

agradezco la gentileza del otro día.

천정(親征) expedición *f* guiada por el rey en persona.

천정(親政) gobierno *m* personal del rey.

천정(親庭) casa *f* paterna de la mujer casada. ~에 돌려보내다 [이혼해서] devolver a *su* esposa a casa de sus padres. 출산 때문에 ~에 가다 ir a casa de *sus* padres [a *su* hogar paterno] para el alumbramiento. ~ 생각이 나다 echar de menos a *sus* padres, añorar *su* hogar.

친족(親族) parientes *mpl*, consanguíneos *mpl*, allegados *mpl*, deudo *m*, parentela *f*, parentesco *m*, consanguinidad *f*. ~이 없다 no tener padre ni madre ni perro que ladra.

◆방계(傍系) ~ parientes *mpl* colaterales. 직계(直系) ~ parientes *mpl* en línea directa.

■~ 결혼 matrimonio *m* entre parientes. ~관계 relación *f* familiar, parentesco *m*; [외가 측] cognación *f*, afinidad *f*. ~권 derecho *m* parental. ~법 derecho *m* de familia. ~회(會) consejo *m* de familia, asociación *f* de parientes. ~ 회의 ㉮ [친족들이 모여 하는 회의] reunión *f* de parientes. ㉯ ((속어)) =친족회(親族會).

친지(親知) conocido, -da *mf*, amigo *m* íntimo, amiga *f* íntima; [집합적] conocimiento *m*. ~간에 entre amigos, entre conocidos. ~간에 싸우다 pelearse entre amigos.

친척(親戚) pariente *mf*, pariente, -ta *mf*, familirar *m*; [집합적] parentesco *m*. ~의 parental. ~의 촌수(寸數) grado *m* de parentesco. 친구와 ~ los parientes [los familiares] y los amigos. 가까운 ~ un pariente [un familiar] cercano. 먼 ~ un pariente [un familiar] lejano. ~이 되다 contraer parentesco. 그녀는 내 ~이다 Ella es una pariente mía. 그와 나는 ~이다 El y yo somos parientes / El es un pariente mío. 그는 내 ~이 아니다 El no es pariente mío / No estamos emparentados.

■~ 관계(關係) parentesco *m*, relación *f* parental.

친친 enrollando. 덩굴손이 ~ 감긴 나무 árbol *m* enrollado de la hiedra. ~ 감다 [동이다] enrollar, enroscar, arrollar. …에 ~ 감다 [동이다] arrollarse [enrollarse] en [a] *algo*. 철사를 ~ 감다 enroscar el alambre. 뱀이 나뭇가지에 ~ 감는다 La culebra se enrosca a la rama de un árbol.

친친하다 (ser) húmedo; [날씨가] bochornoso, pegajoso. 그의 손은 땀으로 친친했다 El tenía la mano sudorosa.

친칠라(아이마라 *chinchilla*) 【동물】 chinchilla *f*. ■~ 모피 chinchilla *f*, piel *f* de chinchilla.

친탁(親-) (mucho) parecido *m* con *su* padre. ~하다 tener mucho parecido con *su* padre, ser muy parecido a *su* padre.

친필(親筆) autógrafo *m*. ~의 autógrafo, ológrafo. ~로 쓰다 autografiar. 당신의 ~ 사인을 저에게 주실 수 있습니까? ¿Me podría dar su autógrafo?

■~ 원고 manuscrito *m* autógrafo. ~ 유서[유언] testamento *m* ológrafo. ~ 편지 carta *f* autógrafa, carta *f* ológrafa.

친하다(親-) (ser) íntimo, familiar. 친한 친구(親舊) amigo *m* íntimo, amiga *f* íntima. 친한 사이 relación *f* ítima, relación *f* amistosa. 가장 친한 사람들 사이에 entre los más íntimaos. 친한 사이다 estar en buenas amistades, tener amistad (íntimo) (con), ser amigo (de), ser íntimo (de), estar en muy buenas relaciones (con), tener relaciones familiares (con); [주어가 복수] ser (muy) buenos amigos. 친하게 지내다 familiarizarse (con); [예술 따위에] ser amante (de), ser amigo (de); [친숙해지다] acostumbrarse (a). …와 친하게 되다 intimar(se) con *uno*, cobrar amistad a [con] *uno*, hacerse amigo de *uno*, hacer amistad con *uno*, trabar amistad con *uno*, ganar la amistad de *uno*. 우리들은 오래전부터 ~ Somos amigos íntimos desde hace mucho tiempo. 우리들은 여행에서 친해졌다 Trabamos amistad en un viaje. 친한 친구 사이에도 예의가 있어야 한다 Debe haber cortesía aun entre amigos íntimos / La amistad no excluye la cortesía.

친히 ㉮ [친하게] íntimamente, familiarmente. ㉯ [몸소·손수] en persona, personalmente. 국왕 폐하가 ~ 대사(大使)를 접견했다 Su Majestad dio audiencia al embajador en persona.

친할머니(親-) abuela *f* carnal, *su* propia abuela, *su* verdadera abuela.

친할아버지(親-) abuelo *m* carnal, *su* propio abuelo, *su* verdadero abuelo.

친형(親兄) =친언니.

친형제(親兄弟) hermano *m* carnal, hermano *m* de sangre, hermano *m* de *sus* propios padres.

친화(親和) ① [서로 친하게 화합함] intimidad *f*, amistad *f*, armonía *f*. ~하다 (ser) íntimo, familiar. ② 【화학】 afinidad *f*.

■~력 【화학】 afinidad *f* (química).

친환(親患) enfermedad *f* de los padres.

칠(七) siete. ~ 명(名) siete personas. ~ 일(日) [일곱째 날] el siete; [일곱 날] siete días. 제~(의) séptimo.

칠(漆) ① ((준말)) =옻칠. ② [도료(塗料)로 쓰는 물질, 또 그것을 바르는 일] laca *f*; [바르는 일] pintura *f*. ~하다 barnizar, dar una capa de laca, untar; [바니시를] maquear. [페인트 따위를] pintar. ~이 잘된 bien maqueado, bien laqueado, bien barnizado. 그릇의 ~이 벗겨진다 La laca del tazón se exfolia [se despega]. ~ 주의! ((게시)) Ojo, pinta / Pintura fresca.

칠각(七角) siete ángulos.

■~형 heptágono *m*.

칠감(漆-) =도료(塗料).

칠갑(漆甲) =철갑(鐵甲).

칠거지악(七去之惡) siete causas para divorciar de *su* esposa: la desobediencia a *sus* padres, la esterilidad, la libertinaje, la envidia, la enfermedad, la habladuría y el robo.

칠공(漆工) =칠장이.

칠그릇(漆-) =칠기(漆器).

칠기(漆器) ① ((준말)) =칠목기(漆木器). ② [옻칠같이 검은 잿물로 된 도자기] porcelana *f* de laca.

칠대양(七大洋) siete océanos: Pacífico del Norte, Pacífico del Sur, Atlántico del Norte, Atlántico del Sur, Océano Indico, Océano Artico y Océano Glacial Antártico. ~을 제압하다 dominar los siete océanos.

칠독(漆毒) veneno *m* de laca.

칠떡거리다 arrastrar. 발을 칠떡거리며 걷다 andar arrastrando los pies.

칠떡칠떡 arrastrando.

칠뜨기(七-) ((속어)) =칠삭둥이.

칠락팔락(七落八落) =칠령팔락(七零八落).

칠럼거리다 desbordar. 강물이 둑을 칠럼거렸다 El río desbordó su cauce / El río se salió de madre.

칠렁칠렁 hasta el borde, al máximo. ~하다 estar lleno hasta el borde, estar repleto (de).

칠레 【지명】 Chile. ~의 chileno, chileño. ~의 말투 chilenismo *m*. ~ 사람 chileno, -na *mf*, chileño, -ña *mf*.

칠레초석(Chile 硝石) 【광물】 salitre *m*, nitrato *m* de potasio, nitrato *m* de Chile

칠령팔락(七零八落) ① [사물이 가지런하지도 못하고 고르지도 못함] lo desnivelado, *AmL* lo disparejo; irregularidad *f*. ~하다 (ser) desnivelado, disparejo, irregular. ② [영락함] incoherencia *f*. ~하다 (ser) incoherente.

칠면조(七面鳥) ① 【조류】 pavo *m*, *Méj* guajolote *m*, *AmC* chompipe *m*; [암컷] pava *f*; [새끼] pavipollo *m*. ② [언행에 줏대가 없이 이랬다저랬다 하는 사람] pavo *m*, papanatas *mf*; pato *m* mareado; hombre *m* soso, hombre *m* incauto.

칠면체(七面體) heptaedro *m*.

칠목(漆木) 【식물】 =옻나무.

칠목기(漆木器) (vajilla *f* de) laca *f*, objetos *mpl* de laca, esmalte *m*.

칠물(漆物) objetos *mpl* de laca.

칠박(漆-) plato *m* de madera achicado barnizado.

칠백(七百) setecientos, -tas. ~ 권의 책 setecientos libros. ~ 채의 집 setecientas casas.

칠보(七寶) ① ((불교)) [일곱 가지의 보배] siete joyas, siete tesoros: oro, plata, esmeralda, cristal, esquila, coral y ágata. ② [은이나 구리 따위의 바탕에 갖가지 빛의 에나멜을 녹여 붙여서 꽃·새·인물 따위 무늬를 나타낸 세공] esmalte *m*, cloisoné *m*. ~를 박아 넣다 esmaltar, aplicar esmalte. 단지에 ~를 박아 넣다 esmaltar un jarro.

칠보재(七步才) talento *m* muy excelente.

칠분도(七分搗) el machacar el arroz en noventa y dos por ciento.
■ ~미(米) arroz *m* machacado en noventa y dos por ciento.

칠붓(漆-) cepillo *m* para la pintura.

칠삭둥이(七朔-) ① [밴 지 일곱 달 만에 태어난 아이] niño *m* nacido [niña *f* nacida] en siete meses. ② [어리석어 바보 같은 사람] person *f* muy estúpida; idiota *mf*, bobo, -ba *mf*; tonto, -ta *mf*.

칠색(七色) ① [적·청·황·녹·자·남·주황의 일곱 가지 빛깔] siete colores: el rojo, el azul, el amarillo, el verde, el violeta, el índigo y el anaranjado. ② 【물리】 siete colores: el rojo, el anaranjado, el amarillo, el verde, el azul, el índigo y el violeta.
◆칠색 팔색을 하다 sorprenderse y no creer para que se mude de color.

칠색(漆色) lustre *m* de laca.

칠생(七生) ((불교)) siete nacimientos, siete vidas. ~까지 eternamente, hasta la eternidad.

칠석(七夕) *chilseok*, el siete de julio del calendario lunar, séptima noche *f* del mes séptimo del calendario lunar.
■ ~날 =칠석(七夕). ~제(祭) fiesta *f* de la Vega.

칠성(七星) ((준말)) =북두칠성(北斗七星).

칠성각(七星閣) ((불교)) santuario *m* taoísta a la Osa Mayor.

칠성단(七星壇) ((불교)) altar *m* a la Osa Mayor.

칠성당(七星堂) ((불교)) capilla *f* budista a la Osa Mayor.

칠성사(七聖事) ((천주교)) siete sacramentos: bautismo 영세(領洗), confirmación 견진(堅振), eucaristía 성체(聖體), penitencia 고해(告解), extremaunción 종부(終傅), orden 신품(神品) y matrimonio 결혼(結婚).

칠성전(七星殿) ((불교)) =칠성각(七星閣).

칠성판(七星板) tabla *f* para el fondo del ataúd.

칠소반(漆小盤) mesita *f* barnizada.

칠순(七旬) ① [일흔 날] setenta días. ② [나이 일흔 살] setenta años (de edad).
■ ~ 노인 septuagenario, -ria *mf*.

칠실(漆室) habitación *f* muy oscura, cuarto *m* muy oscuro.

칠십(七十) setenta. 제 ~(의) septuagésimo. ~ 대의 사람 septuagenario, -ria *mf*.

칠야(漆夜) noche *f* muy oscura.

칠언(七言) siete sílabas de la poesía china.
■ ~ 고시(古詩) poema *m* antiguo de siete sílabas. ~ 절구 cuarteta *f* de siete sílabas de la poesía china.

칠엽수(七葉樹) 【식물】 castaño *m* de Indias. ~의 열매 castaña *f* de Indias.

칠오조(七五調) versos *mpl* alternos de siete y cinco sílabas. ~의 시(詩) poema *m* de versos alternos de siete y cinco sílabas.

칠요일(七曜日) siete días de la semana: domingo 일요일, lunes 월요일, martes 화요일, miércoles 수요일, jueves 목요일,

viernes 금요일 y sábado 토요일.

칠원성군(七元星君) ((불교)) ＝북두칠성.

칠월(七月) julio *m*. ～ 칠일(七日) el siete de julio.

■ ～ 칠석 séptimo día *m* del mes séptimo del calendario lunar.

칠일(七日) ① [이레] siete días. ② [이렛날] el siete. 구월 ～ el siete de septiembre.

칠일(漆一) barnizadura *f*, lo laqueado, la pintura. ～하다 barnizar, laquear, lacar, pintar.

칠장(漆欌) cómoda *f* barnizada, cómoda *f* laqueada.

칠장이(漆匠－) barnizador, -dora *mf*; lacador, -dora *mf*; chorolista *mf*; pintor, -tora *mf*.

칠전팔기(七顚八起) altibajos *mpl* vaivenes. ～하다 retorcerse [revolverse] de dolor. ～의 고통 dolores *mpl* atroces. 인생은 ～다 La vida está llena de vicistudes.

칠전팔도(七顚八倒) agonía *f*, tortura *f*, dolor *m*. ～하다 retorcerse [revolverse] con dolor, tortuarse, contorcerse en agonía.

칠정(七情) ① [사람의 일곱 가지 감정(感情)] siete sentimientos del hombre: ㉮ alegría 희(喜), enfado 노(怒), tristeza 애(哀), felicidad 낙(樂), amor 애(愛), odio 오(惡), y deseo 욕(慾). ㉯ alegría 희(喜), enfado 노(怒), preocupación 우(憂), pensamiento 사(思), tristeza 비(悲), sorpresa 경(驚) y miedo 공(恐). ㉰ alegría 희(喜), enfadado 노(怒), tristeza 애(哀), miedo 구(懼), amor 애(愛), odio 오(惡) y deseo 욕(欲). ② ((불교)) alegría 희(喜), enfado 노(怒), preocupación 우(憂), miedo 구(懼), amor 애(愛), odio 증(憎) y deseo 욕(欲).

칠조각(漆彫刻) escultura *f* sobre la cosa barnizada.

칠중주(七重奏)【음악】septeto *m*.

■ ～곡(曲)【음악】septeto *m*.

칠중창(七重唱)【음악】septeto *m*.

■ ～곡(曲)【음악】septeto *m*.

칠즙(漆汁) laca *f* líquida, barniz *f* líquida.

칠지(漆紙) papel *m* barnizado.

칠창(漆瘡)【한방】desmatitis *f* aguda causada por el veneno de laca.

칠첩반상(七一飯床) *chilcheob bansang*, mesa *f* con siete platos.

■ ～기(器) un juego de recipientes para la comida básica con siete platos.

칠촌(七寸) ① [일곱 치] siete *chi*, unos 21.21 centímetros. ② [아버지의 육촌] sexto grado *m* de consanguinidad de *su* padre; [자기 육촌의 자녀] hijos *mpl* de *su* sexto grado de consanguinidad.

칠칠(七七) ① [일곱이레. 칠칠일] siete semanas, cuarenta y nueve días. ② ＝칠월 칠석(七月七夕).

칠칠일(七七日) ((불교)) cuarenta y nueve días.

칠칠하다 ① [푸성귀 따위가 길차다] (ser) demasiado largo. ② [주접이 들지 않고 깨끗하다] (estar) limpio, aseado. 칠칠찮은 negligente, descuidado, desarreglado, sin orden, desaseado, desaliñado, flojo, blando, relajado, dejado, laxo. 칠칠찮게 negligentemente, con negligencia, descuidadamente. 칠칠찮은 사람 hombre *m* dejado, persona *f* dejada. 칠칠찮은 여자 mujer *f* dejada. 복장이 칠칠찮은 descuidado en *su* forma de vestir. 칠칠찮은 태도를 취하다 tomar [adoptar] posturas descuidadas. 칠칠찮게 드러눕다 tumbarse descuidadamente. 그는 칠칠찮은 사람이다 El es un hombre que no vale para nada. 그의 태도는 칠칠찮다 Su comportamiento es de mal educado. 그는 술을 마실 때 칠칠찮다 Cuando él bebe, no es dueño de sí mismo. 그녀는 언제나 칠칠찮은 모습을 하고 있다 Ella tiene siempre un aspecto desaliñado. ③ [막힘이 없이 민첩하다] (ser) fluido. 칠칠히 limpiamente, con limpieza, aseadamente, fluidamente, con fluidez.

칠판(漆板) pizarra *f*. ～을 지우다 borrar la pizarra.

■ ～지우개 borrador *m*.

칠팔(七八) siete u ocho.

칠팔월(七八) [칠월과 팔월] julio y agosto; [칠월이나 팔월] julio o agosto.

◆칠팔월 수숫잎 persona *f* sin carácter y cambiadiza. 칠팔월 은어 곯듯 Se está en apuro de vida [Se pasa apuros·Se lleva una vida apurada] a causa de la disminución de ingreso repentina.

칠포(漆布) ① [칠을 한 헝겊] tela *f* barnizada. ② [관(棺) 위에 붙이는 헝겊] tela *f* barnizada pegada sobre el ataúd.

칠피(漆皮) cuero *m* barnizado de esmalte.

칠하다(漆－) [옻을] laquear, lacar, dar una capa de laca; [바니시를] barnizar; [기름을] untar, echar; [에나멜을] esmaltar; [페인트를] pintar; [입술연지를] ponerse colorete (en); [분을] enpolvar; [얼룩지게] [페인트·기름을] embadurnar (*algo* de *algo*); [버터를] untar (*algo* con *algo*). 갓 칠한 recién pintado. 갓 칠한 문 una puerta recién pintada. 기름을 ～ untar con [de] aceite. 손톱을 ～ pintarse las uñas. 페인트를 ～ pintar. 기계에 기름을 ～ echar aceite en una máquina. 얼굴에 분을 ～ empolvarse la cara. 얼굴에 더덕더덕 ～ pintarrajearse, empolvarse la cara excesivamente. 캔버스에 마구 ～ embadurnar el lienzo. 벽을 하얗게 ～ pintar la pared de blanco, blanquear la pared, enlucir la pared. 손톱을 ～ pintarse las uñas. 벽을 검게 전부 ～ recubrir la pared de negro. 아이가 거울을 온통 페인트로 칠했다 El niño embadurnó todo el espejo de pintura. 그는 빵에 버터를 엷게 칠했다 El untó el pan con una capa fina de mantequilla.

칠함(漆函) caja *f* barnizada, caja *f* laqueada.

칠현(七賢) ((준말)) ＝죽림칠현(竹林七賢).

칠현금(七絃琴) el arpa *f* [las arpas] con siete cuerdas.

칠흑(漆黑) oscuridad *f* absoluta, oscuridad *f* perfecta; [색깔] color *m* negro brillante, color *m* de azabache. ~ 같은 como boca de lobo, muy oscuro, de azabache, negro brillante, negro como el azabache. ~ 같은 밤 noche *f* muy oscura, noche f oscura como boca de lobo. 그곳 밖은 ~ 같다 Allí fuera está (oscuro) como boca de lobo.

칡 【식물】 arrurruz *m*, maranta *f*.
 ■ ~가루 almidón *m* de arrurruz. ~덤불 arbusto *m* de arrurruz. ~덩굴 vid *f* de arrurruz. ~떡 pastel *m* de arrurruz. ~즙 zumo *m* [*AmL* jugo *m*] de arrurruz. ~탕 gachas *fpl* de arrurruz.

칡범 【동물】 =범.

칡소 toro *m* [vaca *f*] a rayas.

침 saliva *f*, baba *f*. ~의 salival. ~을 뱉다 salivar, escupir, arrojar saliva, tirar saliva. ~이 나오다 salivar. ~이 나오게 하다 salivar.
 ◆침(을) 삼키다 tragar la saliva; [먹고 싶어서] abrir el apetito.
 ◆침(을) 튀기다 despedir saliva. 침을 튀기면서 말하다 hablar despidiendo saliva.
 ◆침(을) 흘리다 ㉮ salivar. ㉯ =침(을) 삼키다.

침(針) ① [바늘] aguja *f*. ② [시곗바늘] manecilla *f*, mano *f* del reloj; [시침(時針)] horario *m*; [분침(分針)] minutero *m*; [초침(秒針)] segundero *m*. ③ 【식물】 =가시.

침(鍼) 【한방】 aguja *f* de acupuntura; [침술(鍼術)] acupuntura *f*. ~을 놓다 acupunturar, hacer la acupuntura, hacer la acupunción. ~을 맞다 ser tratado con acupuntura, ser acupunturado.
 ■ ~마취(痲醉) anestesia *f* por acupuntura. ¶~를 시키다 anestesiar por acupuntura.

침감(沈－) caqui *m* [kaki *m*] endulzado en el agua salada.

침강(沈降) precipitación *f*, sedimentación *f*. ~하다 pecipitarse, hundirse. ~시키다 precipitar, hundir.
 ■ ~물 precipitado *m*. ~소(素) precipitina *f*. ~ 속도 velocidad *f* de sedimentación. ~ 시험 prueba *f* de sedimentación. ~ 운동 movimiento *m* de sedimentación. ~체(體) precipitoforo *m*. ~ 해안(海岸) costa *f* precipitada.

침공(侵攻) asalto *m*, marcha *f* asaltante, ataque *m*, invasión *f*. ~하다 asaltar, atacar, avanzar (contra), conquistar.

침공(針工) ① [바느질의 기술] técnica *f* de coser. ② [바느질삯] precio *m* de coser.

침공(針孔) ① =바늘귀. ② =바늘구멍.

침공(鍼孔) agujero *m* de la acupuntura.

침구(侵寇) invasión *f*. ~하다 invadir.

침구(寢具) ropa *f* de cama, colchones *mpl*, colchas *fpl*, cama y ropa, coberturas *fpl* de la cama.

침구(鍼灸) 【한방】 acupuntura y moxiterapia.
 ■ ~술(術) 【한방】 (arte *m* [práctica *f*] de) acupuntura y moxiterapia. ~술사(術師) practicante *mf* de acupuntura y moxiterapia; acupunturista *mf*, acupuntero, -ra *mf*.

침낭(寢囊) saco *m* de dormir, bolsa *f* de dormir.

침노하다(侵擄－) invadir, conquistar, atacar.

침놓다(鍼－) acupunturar, hacer la acupuntura, hacer la acupunción.

침닉(沈溺) ① =침몰(沈沒). ② [술・계집・노름 등에 빠짐] disipación *f*. ~하다 entregarse.

침담그다(沈－) curar el caqui en el agua salada, endulzar el caqui astringente en el agua salada.

침대(寢臺) cama *f*, lecho *m*; [기차・선실의] litera *f*. 접는 ~ catre *m*, cama *f* plegable. ~에 들어가다 meterse en la cama; [자러 가다] irse a la cama; [잠자리에 들다] acostarse. ~에서 일어나다 levantarse de la cama. 그는 ~에서 잔다 El duerme en la cama.
 ◆간이~ catre *m*; [어린이용의] cuna *f*, cama *f*. 상단(上段) ~ litera *f* superior. 소파 겸용 ~ sofá-cama *m*. 하단(下段) ~ litera *f* inferior. 휴식 ~ sofá *m*.
 ■ ~권(券) billete *m* de litera, billete *m* de camarote. ~료 precio *m* de litera. ~차 cochecama *m*, coche-litera *m*, *CoS* coche *m* dormitorio, vagón *m* (*pl* vagones) cama; [기차] tren *m* de coches camas. ~칸 compartimiento *m* de coche-cama. ~ 커버 cubrecama *m*, colcha *f*, sobrecama *f*.

침독(鍼毒) veneno *m* causado por la acupuntura.

침략(侵掠) saqueo *m*, rapiña *f*, pillaje *m*. ~하다 saquear, pillar, hurtar, robar.

침략(侵略) invasión *f*, agresión *f*. ~하다 invadir, hacer una redada (en).
 ◆간접(間接) ~ agresión *f* indirecta. 경제적(經濟的) ~ invasión *f* económica. 무력(武力) ~ agresión *f* armada. 직접(直接) ~ agresión *f* directa.
 ■ ~ 계획 plan *m* de invasión. ~국 país *m* invasor, país *m* agresor. ~군 ejército *m* invasor, tropas *fpl* agresores. ~자 invasor, -sora *mf*, agresor, -sora *mf*. ~ 작전 estrategia *f* de invasión. ~적(的) agresivo. ~전 guerra *f* de agresión. ~ 전쟁 =침략전. ~주의 política *f* agresiva.

침례(浸禮) ((기독교)) bautismo *m* (por inmersión), inmersión *f*. ~를 받다 recibir baptismo por inmersión.
 ◆전신(全身) ~ inmersión *f* total.
 ■ ~교(敎) iglesia *f* bautista, iglesia *f* anabaptista. ~교인 bautista *mf*. ~교파 bautista *mf*. ~교회 la Iglesia Baptista, la Iglesia Bautista.

침로(針路) dirección *f*, rumbo *m*, ruta *f* de buque, vía *f* de buque. ~를 변경하다 cambiar la ruta, cambiar de dirección. ~를 틀리다 equivocarse de dirección, desviar(se) la ruta. ~를 잃다 perder vía. ~를 북(北)으로 돌리다 tomar [hacer] rumbo al norte.

침륜(沈淪) ruina *f*, caída *f*, derrumbe *m*, desmoronamiento *m*. ~하다 hundirse (en oscuridad), venirse abajo, derrumbarse,

desmoronarse, desplomarse.
침 맞다 ser acupunturado.
침모(針母) costurera *f.*
침목(枕木) durmiente *m*, traviesa *f*, carrera *f*, travesaño *m*, vigueta *f*.
◆철로 ~ traviesa *f*, durmiente *m*.
침몰(沈沒) hundimiento *m*, zozobra *f*, sumersión *f*, acción *f* de irse de pique; [난파(難破)] naufragio *m*. ~하다 hundirse, sumergirse, irse a pique, zozobrar, echar a fondo; [난파하다] naugragar, hacer naufragio, zozobrar la embarcación. ~시키다 hundir, sumergir. 배를 ~시키다 echar un barco a pique, hundir un barco, echar un barco hundido [naufragado].
■ ~선(船) barco *m* hundido, barco *m* naufragado.
침묵(沈默) silencio *m*, taciturnidad *f*, reticencia *f*, reserva *f*. ~하다 callarse, estar en silencio, ser reservado, cerrar el pico. 기분 나쁜 ~ silencio *m* amenazador. ~시키다 imponer silencio, hacer callar. ~을 지키다 callar, guardar silencio, no decir ni una palabra, no pronunciar, mantenerse callado, no decir esta boca es mía, no hablar, no decir ni pío, dejar de hablar, estar mudo. ~을 깨다 romper el silencio. ~ 작전을 쓰다 emplear la táctica del silencio. ~은 금이다 El silencio es oro. ~은 동의하는 것이다 Quien calla otorga. ~은 여인의 가장 훌륭한 의상이다 La mujer lista y callada, de todos es alabada. 말은 은이요 ~은 금이다 / 어설피 말하는 것보다 ~하는 편이 더 낫다 Más vale callar que mal hablar.
침방(針房) habitación *f* para coser, cuarto *m* de coser en el palacio real.
침방(寢房) =침실(寢室)(dormitorio, alcoba).
침범(侵犯) invasión *f*, intrusión *f*, intromisión *f*, violación *f*, infracción *f*, agravio *m*, lesión *f*. ~하다 invadir, violar, agraviar, penetrar (en). 영공(領空)을 ~ penetrar en el espacio territorial. 영해(領海)를 ~하다 penetrar en las aguas territoriales, penetrar en el mar territorial. 중립(中立)을 ~하다 violar la neutralidad.
◆국경(國境) ~ infraccion *f* fronteriza, violación *f* de fronteras.
침불안석(寢不安席) situación *f* que no puede dormir bien a causa de la ansiedad. ~하다 no poder dormir bien a causa de la ansiedad.
침불안식불안(寢不安食不安) El dormir también es ansioso y el comer también lo es.
침사(沈思) reflexión *f* (profunda), meditación *f*, contemplación *f*, meditación *f*, pensamiento *m* profundo. ~하다 reflexionar, contemplar, meditar, pensar profundamente.
침 삼키다 tragar la saliva; [먹고 싶어서] abrir el apetito.
침상(枕上) ① [베개의 위] sobre la almohada. ② [잠을 자거나 누워 있을 때] cuando se duerme o se acuesta.
침상(針狀) forma *f* de aguja. ~의 puntiagudo. ■ ~엽【식물】=침엽(針葉).
침상(寢牀) cama *f*, lecho *m*. ~에 들다 ir a la cama, ir al lecho; [취침하다] acostarse.
침샘 glándula *f* salival.
침소(寢所) lugar *m* de dormir, dormitorio *m*, alcoba *f*, cuarto *m* de dormir.
침소봉대(針小棒大) exageración *f*, grandilocuencia *f*, magnificación *f*, hipérbole *m*, ponderación *f*. ~하다 exagerar, magnificar, hacer un monte de topinera, hacer una montaña de un grano de arena. ~의 exagerado. ~하여 말하다 hablar con exageración.
침수(浸水) sumersión *f*, hundimiento *m*, anegación *f*, inundación *f*, avenida *f*. ~하다 sumergirse, hundirse, inundarse, quedar [estar · ser] inundado, anegar(se); [배가] hacer agua. ~된 inundado, anegado, cubierto por el agua. ~시키다 sumergir, hundir, inundar. (배가) ~해서 침몰(沈沒)하다 estar anegado en agua. 물은 거리를 ~시켰다 El agua inundó las calles. 배가 ~하기 시작했다 El barco empezó a hacer agua / El agua comenzó a invadir el barco. 물이 아래층까지 ~했다 El agua llegó a [inundó] la planta baja. 북부 지방에서만 100채 이상이 ~되었다 Sólo en la región norte, más de cien casas quedaron inundadas a una altura mayor del suelo.
■ ~ 가옥 casas *fpl* sumergibles, casas *fpl* inundadas. ~지 región *f* inundada.
침수(沈水) sumersión *f*. ~하다 sumergirse.
■ ~ 해안 =침강 해안(沈降海岸).
침술(鍼術)【한방】acupuntura *f*, acupunción *f*. ~은 중국인들에 의해 발명되었다 La acupuntura fue inventada por los chinos.
■ ~사【한방】acupuntor, -ra *mf*; acupunturero, -ra *mf*, acupunturista *mf*.
침식(浸蝕)【지질】erosión *f*; [화학적인] corrosión *f*. ~하다 erosionar, corroer. ~의 erosivo. 토양(土壤) ~ erosión *f* del suelo.
■ ~곡(谷) valle *m* erosionado. ~ 분지 cuenca *f* erosionada. ~산 montaña *f* erosionada. ~ 작용(作用) erosión *f*, acción *f* caterética, acción *f* erosiva. ~ 평야(平野) planicie *f* erosionada.
침식(寢食) el comer y el dormir. ~을 같이 하다 vivir debajo del mismo techo. ~을 잊고 olvidándose de comer y dormir. 나는 ~을 잊고 일했다 Yo estaba tan dedicado a su trabajo que olvidaba incluso lo más necesario para la vida / Yo trabajé olvidándose de comer y dormir.
침실(寢室) dormitorio *m*, habitación *f*, cuarto *m*, alcoba *f*, cuarto *m* de dormir, *AmL* pieza *f*, *Méj* recámara *f*.
침염(浸染) adicción *f* gradual. ~하다 ser adicto (a), tiñer gradualmente.
침엽(針葉)【식물】aguja *f*.
■ ~수 coníferas *fpl*, árbol *m* conífero, árbol *m* acicular.
침울하다(沈鬱－) ① [걱정 · 근심 따위로 밝지 못하고 우울하다] (ser) melancólico, triste, hipocondríaco. 침울함 melancolía *f*, tristeza *f*, hipocondría *f*. 침울한 표정으로 con un aspecto melancólico. 침울한 표정을 하고 있다 tener un aspecto deprimido. ② [날씨·분위기 등이 어둡고 음산하다] (ser) sombrío, lúgubre. 침울한 날씨 tiempo *m* sombrío.
침울히 melancólicamente, con melancolía, tristemente, con tristeza, sombríamente.

침윤(浸潤) penetración *f*, saturación *f*, infiltración *f*. ～하다 colar(se), impregnarse, pasar a través, infiltrar.
◆ 폐(肺)～ infiltración *f* pulmoníaca.

침음(沈吟) ① [입속으로 중얼거리며 깊이 생각함] meditación *f* murmurando. ～하다 meditar murmurando [hablar entre dientes]. ② [근심에 잠겨 신음함] gemido *m* en la preocupación. ～하다 gemir en la preocupación.

침의(寢衣) ＝잠옷.

침의(鍼醫) acupunturero, -ra *mf*; acupunturista *mf*.

침입(侵入) ① [영토에] invasión *f*, intrusión *f*, irrupción *f*. ～하다 invadir, irrumpir. ② [인가에] intrusión *f*, traspasamiento *m*. ～하다 penetrar, violar, introducirse, entrar en rondón. 도둑이 창문으로 ～했다 El ladrón penetró por la ventana.
■ ～군 ejército *m* invasor. ～자 invasor, -sora *mf*; intruso, -sa *mf*.

침자(針子) ＝바늘.

참잠(沈潛) ① [물속에 가라앉음] sumersión *f* en el agua. ～하다 sumergirse en el agua. ② [성정이 깊고 차분해서 겉으로 드러나지 아니함] tranquilidad *f*, serenidad *f*. ～하다 (ser) tranquilo, sereno.

침재(沈滓) ＝침전(沈澱).

침재(針才) talento *m* de coser.

침쟁이(鍼－) ① ((속어)) ＝침의(鍼醫). ② ((속어)) ＝아편 중독자(opiomano).

침적(沈積) sedimentación *f*. ～하다 depositar.
■ ～암(岩) ＝퇴적암(堆積巖).

침전(沈澱) precipitación *f*, sedimentación *f*. ～하다 precipitarse, depositarse, sedimentarse, asentarse. ～시키다 precipitar, depositar, sedimentar, asentar.
■ ～기 precipitador *m*, sustancia *f* precipitadora, precipitante *m*. ～ 광물 mineral *m* de precipitación. ～ 농도 (濃度) densidad *f* de precipitación. ～물(物) sedimento *m*, precipitado *m*, pozo *m*; [술의] hez *f*. ～ 반응 reacción *f* de precipitación. ～ 분석 análisis *m* de precipitación. ～암(岩) ＝수성암(水成岩). ～제(劑) precipitante *m*, precipitador *m*. ～조(槽) tanque *m* de precipitación. ～지(池) estanque *m* para asentar.

침전(寢殿) ① [임금의 침방이 있는 집] casa *f* que hay alcoba del rey. ② ＝정자각.

침주다(鍼－) ＝침놓다.

침중하다(沈重－) (ser) grave, calmoso, serio.

침질(鍼－) acupuntura *f*. ～하다 acupunturar, hacer la acupuntura.

침착성(沈着性) presencia *f* de ánimo, calma *f*, serenidad *f*, tranquilidad *f*, dominio *m* de sí mismo. ～이 있는 calmado, sosegado, inmutable. ～이 없는 inquieto, intranquilo, impaciente. ～이 없는 사람 persona *f* inquieta [nerviosa·desasosegado]; ((속어)) culillo *m* de mal asiento. ～을 잃다 perder la calma [la serenidad·la presencia de ánimo]. ～을 되찾다 recobrar [recuperar] la calma. 그는 대단한 ～을 가지고 있다 El tiene una gran presencia de ánimo.

침착하다(沈着－) (ser) calmoso, flemático, quieto, tranquilo, sosegado, calmarse, apaciguarse, tranquilizarse, sosegarse. 침착함 calma *f*, aplomo *m*, flema *f*, sangre *f* fría, entereza *f*, presencia *f* de ánimo. 침착하게 con calma, con aplomo, con tranquilidad, calmadamente, tranquilamente. 그는 ～ [성질이] El es tranquilo / [상태가] El está tranquilo / El no se inmuta por nada. 그는 침착했다 El conservó el aplomo / El no perdió la sangre fría / El no perdió la calma. 침착해라 Cálmate / No te excites / Estate tranquilo. 침착하게 말해라 Habla con calma.

침체(沈滯) estancamiento *m*, marasmo *m*, paralización *f*, depresión *f*, embotamiento *m*, *AmS* estagnación *f*; [무기력] inercia *f*, apatía *f*, flojedad *f*. ～하다 estar en depresión, paralizarse, estancarse. 철강재(鐵鋼材) 시장의 ～ estancamiento *m* [*AmS* estagnación *f*] del mercado de acero. 사기가 ～되어 있다 El ánimo está deprimido. 이 팀은 ～되어 있다 Este equipo se encuentra hundido en una total apatía / Este equipo está totalmente apagado. 상황(商況)은 ～해 있다 Los negocios están en depresión [se paralizan].

침침하다(沈沈－) ① [어둡거나 흐리다] estar nebuloso, estar oscuro, sombrío. 침침해지다 oscurecerse, obscurecerse, ponerse oscuro, ensombrarse. 침침한 장소에서 en un lugar oscuro, en la penumbra. 침침한 불빛 아래서 a la luz débil, a media luz. 날씨가 ～ El tiempo está nebuloso. 하늘이 ～ El cielo está nebuloso. ② [눈이 어두워 보이는 것이 흐릿하다] (estar) nublado, empañado, ofuscarse, enturbiarse, nublarse, anublarse. 눈물로 침침한 눈 los ojos nublados [empañados] por las lágrimas. 나는 눈이 침침해졌다 Mi vista se ha nublado. 내 시력은 점점 침침해지고 있다 Cada vez veo peor / Me está fallando la vista. 눈물로 내 눈이 침침해졌다 Las lágrimas me nublaron [me empañaron] los ojos / Las lágrimas enturbiaron mis ojos.

침탈(侵奪) pillaje *m*, saqueo *m*. ～하다 pillar, saquear, desvalijar, plagiar.

침통(鍼筒) cajita *f* para [de] las agujas de acupuntura.

침통하다(沈痛－) (estar) doloroso, dolorido, afligido, angustiado, apenado, acongojado,

triste, pesaroso, melancólico, serio. 침통함 aflicción *f*, afligimiento *m*, tristeza *f*, melancolía *f*. 침통하게 하다 afligir. 침통한 모습으로 con un aspecto dolorido [afligido]. 침통한 어조(語調)로 con un tono dolorido [afligido], seriamente, gravemente. 어머니의 사망으로 세 형제는 침통했다 A los tres hermanos les afligió mucho la muerte de su madre.
침통히 dolorosamente, afligidamente, tristemente, con tristeza, melancólicamente, con melancolía.

침투(浸透) infiltración *f*, penetración *f*, 【생리】 osmosis *f*, ósmosis *f*. ~하다 infiltrarse (en), penetrarse (en). ~시키다 infiltrar, penetrar. 사회주의 사상이 그에게 ~되었다 La ideología socialista se le penetró.
◆ 경제(經濟) ~ penetración *f* económica. 공산주의 ~ infiltración *f* comunista.
■ ~ 계수 coeficiente *m* osmótico. ~ 공작 infiltración *f*. ~ 분석 análisis *m* osmótico. ~성 permeabilidad *f*, osmosis *f*, ósmosis *f*. ~압(壓) =삼투압(滲透壓). ~압계 =삼투압계(滲透壓計). ~ 요법 terapia *f* osmótica. ~ 작용 =삼투 작용. ~ 작전 operación *f* de infiltración.

침팬지(영 *chimpanzee*) 【동물】 chimpancé *m*.

침하(沈下) sumersión *f*, hundimiento *m*. ~하다 sumergirse, hundirse. ~시키다 sumergir, hundir, derrumbar, desplomar. 지진(地震)으로 지반(地盤)이 ~되었다 El terreno se ha hundido por el terremoto / El terreno ha quedado hundido por el terremoto.

침해(侵害) [법(法)의] contravención *f*, violación *f*, infracción *f*, transgresión *f*, usurpación *f*, quebrantamiento *m*, ofensa *f*, [권리의] violación *f*. ~하다 infringir, transgredir, violar, desobedecer, usurpar, quebrantar, ofender. 인권(人權)의 ~ violación *f* [violaciones *fpl*] de los derechos humanos. 우리 영해(領海)[영공(領空)]의 ~ la violación de nuestras aguas territoriales [nuestro espacio aéreo]. 프라이버시의 ~ violación *f* de la privacidad. 권리(權利)를 ~하다 violar *su* derecho. 영공[영해]을 ~하다 violar el espacio aéreo [las aguas territoriales]. 인권(人權)을 ~하다 violar [infringir] derechos humanos.
■ ~자 invasor, -sora *mf*, violador, -dora *mf*, ofensor, -sora *mf*, usurpador, -dora *mf*.

침향(枕香) 【식물】 ((학명)) Aquilaria agallocha.

침형(針形) 【식물】 =침상(針狀).

침흘리개 persona *f* que suele babear.

침 흘리다 ☞침

칩(영 *chip*) ① [노름판에서 판돈 대신에 쓰이는, 상아·플라스틱제의 산가지] ficha *f*. ② [목재를 작은 조각으로 만든 것. 펄프의 원료] astilla *f*. ③ [잘게 썰어서 기름에 튀긴 요리] rajada *f*. 고구마 ~ patatas *fpl* fritas, patatas fpl a la inglesa, *AmL* papas *fpl* fritas, *Col* papa *f* a la francesa, *Urg* papas *fpl* chip. 바나나 ~ rajadas *fpl* de plátano frito, patacones *mpl*. ④ 【컴퓨터】 [집적 회로를 부착한 반도체의 작은 조각] chip *m*.
◆ 실리콘(silicon) ~ pastilla *f* de silicio.
■ ~ 카드 【컴퓨터】 tarjeta *f* de memoria.

칩거(蟄居) encierro *m* (en casa), encierro *m* domiciliario, reclusión *f*, invernada *f*. ~하다 encerrarse, hibernar. 집 안에 ~하다 encerrarse en casa. ~를 명령하다 ser condenado a no salir de casa. 집에 ~하고 있다 encerrarse en casa, estar encerrado en casa.
■ ~ 생활 vida *f* en reclusión. ¶~을 하다 vivir recluido, vivir aislado.

칩떠보다 levantar los ojos.

칩룡(蟄龍) [숨어 있는 용] dragón *m* escondido; [숨어 있는 영웅] héroe *m* escondido, heroína *f* escondida.

칩복(蟄伏) encierro *m* en casa. ~하다 encerrarse en casa.

칩수(蟄獸) animal *m* hibernal.

칩충(蟄蟲) insecto *m* hibernal.

칫솔(齒-) cepillo *m* de [para] dientes, cepillo *m* dental.
■ ~질 cepillado *m*, acepilladura *f* [cepilladura *f*] de dientes. ¶~하다 cepillar los dientes, cepillarse. ~을 살살 해라 Cepíllate sin brusquedad.

칭(秤) cien *gun*.

칭(稱) ① [일컫다] llamar. ② [칭찬하다] alabar, aplaudir, admirar. ③ [무게를 달다] pesar.

칭당하다(稱當-) (ser) conveniente, adecuado.

칭량(稱量) ① [저울로 닮] el pesar. ~하다 pesar. ② [사정·형편을 헤아림] estimación *f*. ~하다 estimar.
■ ~병(甁) botella *f* de pesar. ~ 화폐(貨幣) moneda *f* por peso.

칭병(稱病) fingimiento *m* de una enfermedad. ~하다 hacerse el enfermo, fingir estar enfermo, fingirse enfermo, fingir una enfermedad.
■ ~자(者) persona *f* que se finge enferma.

칭사(稱辭) elogía *f*, admiración *f*, aplauso *m*.

칭송(稱頌) elogía *f*, alabanza *f*, loa *f*, admiración *f*, aplauso *m*. ~하다 elogiar, alabar, admirar, apladir. 그의 업적을 ~하여 en homenaje [en loor · en alabanza] de su obra, cubriendo su obra de alabanzas. 영웅을 ~하는 시(詩) poema *m* en homenaje [en loor] de un héroe.

칭수(稱首) persona *f* sobresaliente.

칭술(稱述) admiración *f*, alabanza *f*. ~하다 admirar, alabar.

칭양(稱揚) =칭찬(稱讚).

칭얼거리다 sollozar, llorar sin gritar, gemir, quejar(se), gimotear, lloriquear. 일이 잘못되면 나에게 칭얼거리러 오지 마라 No te me vengas a quejar si las cosas salen mal / No me vengas a llorar si las cosas

salen mal.
칭얼칭얼 lloriqueando (y lloriqueando).

청원(稱冤) confesión *f* de *su* rencor, reproche *m*, queja *f*. ～하다 reprochar, quejarse.

칭질(稱疾) ＝칭병(稱病).

칭찬(稱讚) admiración *f*, alabanza *f*, elogio *m*, aplauso *m*, loa *f*, palmoteo *m*. ～하다 admirar, alabar, elogiar, loar, aplaudir. ～할 만한 admirable, digno de alabanza, digno de alabar, digno de ser alabado, loable, laudable. (모두의) ～의 대상(對象) objeto *m* de admiración (de todos). ～을 받다 ganar (la) admiración, ser aprobado, ser elogiado, atraerse la alabanza. …의 일을 ～하다 hablar bien de *algo*·*uno*. ～할 만하다 ser digno de elogio [de alabar·de ser alabado], merecer alabanzas. ～이 자자하다 ensalzar, llenar de alabanzas, colmar de elogios, colmar de alabanzas, alabar, prodigar elogios. 저만 ～을 받으려 한다 ganar crédito a costa de otros. 그는 ～받을 만한 점이 없다 El no merece elogios / El no es digno de elogios / El no tiene ningún mérito particular / El no es recomendable.

칭탁(稱託) pretexto *m*, excusa *f*. ～하다 disculpar, excusar. …의 ～으로 a pretexto de *algo*. 병을 ～하다 fingir estar enfermo, fingir una enfermedad. 병이라 ～하고 so pretexto de enfermedad. 그는 병을 ～하고 오지 않았다 El no vino bajo pretexto de estar enfermo.

칭탄(稱歎) admiración *f*, aplauso *m*, elogio *m*. ～하다 admirar, aplaudir, elogiar.

칭퉁이 abeja *f* grande.

칭하다(稱－) llamar, titular(se), intitular, denominar; [이름을] llamarse; [자칭하다] pretenderse; [이름을 대다] dar *su* nombre, decir *su* nombre.. 김이라고 칭하는 사람 hombre *m* llamado Kim. 스스로 대학자라 ～ entitularse gran erudito. 그녀는 미녀라고 칭해지고 있다 Ella tiene fama [reputación] de hermosa. 그는 천재라 칭해도 좋다 Se le puede llamar un genio / Se puede decir de él que es un genio. 그는 악인(惡人)이라 칭할 수는 없으나 상당히 교활하다 No digo que él sea un malhechor, pero es bastante astuto. 그는 부자라 칭할 수는 없으나 그렇게 말하고 있다 El no es tan rico, que digamos.

칭호(稱號) título *m*, nombre *m*, designación *f*, denominación *f*, grado *m*. 박사의 ～ título *m* de doctor, doctorado *m*. ～를 주다 titular, dar un título, otorgar un título. 기사(騎士)의 ～를 얻다 obtener el título de caballero. 박사 ～를 수여하다 doctorar, conferir el grado de doctor. …의 ～를 가지고 있다 tener [poseer] el título de *algo*, titularse de *algo*.

ㅋ

카 [몹시 맵거나 독특한 냄새가 코를 찌를 때에 내는 소리] ¡Ay! / ¡Uf! / ¡Ah! / ¡Pa!

카(영 *car*) ① [차(車). 수레] carro *m*, coche *m*. ② [자동차(自動車)] auto *m*, automóvil *m*, coche *m*, *AmL* carro *m* (*CoS* 제외).
■ ~페리(ferry) [자동차를 건네는 연락선] transbordador *m* para coches.

카나리아(영 *canaria*) 【조류】 canario *m*.
■ ~ 새장 canariera *f*.

카나마이신(영 *kanamycin*) [항생 물질] kanamicina *f*.

카나페(불 *canapé*) [얇은 빵에 캐비아·치즈 등을 바른 전채] canapé *m*.

카네이션(영 *carnation*) clavel *m*.
■ ~색 (color *m*) rosa *m* vivo.

카노타이트(영 *carnotite*) 【화학】 carnotita *f*.

카논(영 *canon*) 【음악】 canon *m*.

카농포(불 canon 砲) =캐논포.

카누(영 *canoe*) canoa *f*, piragua *f*. ~로 가다 ir en canoa [piragua].
◆1인용 ~ canoa *f* unipersonal. 2인용 ~ canoa *f* de dos remeros de frente (sin timón).
■ ~ 경기(競技) piragüismo *m*, canotaje *m*, canoísmo *m*. ~ 뱃사공 piraguero, -ra *mf*. ~ 선수 piragüista *mf*, canoero, -ra *mf*, remero, -ra *mf* de canoas. ~ 항해(航海) canoísmo *m*, canotaje *m*.

카뉠레(독 *Kanüle*) [환부에 꽂아 넣어 액을 빼내거나 약을 넣는 데 씀] cánula *f*.

카니발(영 *carnival*) carnaval *m*.

카덴차(이 *cadenza*) cadencia *f*.

카드(영 *card*) ① ㉮ [명함] tarjeta *f*; [영업용 명함] tarjeta *f* (de visita); [신용 카드] tarjeta *f* (de crédito). …에게 옐로(yellow) ~를 보이다 ((축구)) mostrar*le* la tarjeta amarilla a *uno*. ㉯ [인사장] tarjeta *f* (de felicitaciones); [생일 카드] tarjeta *f* de cumpleaños; [조문(弔問) 카드] tarjeta *f* de pésame; [크리스마스카드] tarjeta *f* de Navidad, crismas *m*. ㉰ [색인 카드] ficha *f*. ㉱ [우편엽서] tarjeta *f* postal, postal *f*. ② [카드놀이의] carta *f*, naipe *m*, *Méj*, *RPl* baraja *f*. ~ 한 벌 una baraja, *CoS* un mazo de cartas.
◆멤버십 ~ carnet *m* de socio, carnet *m* de miembro, *Méj* credencial *m* de socio.
■ ~놀이 las cartas, partida *f* de cartas. ¶ ~를 하다 jugar a las cartas, *Col* jugar cartas. ~에서 이기다 ganar a las cartas. ~에서 지다 perder a las cartas. ~놀이 탁자 =카드 테이블. ~ 상자 fichero *m*; [명함의] tarjetero *m*. ~ 색인 índice *m* por tarjetas, fichero *m*. ~ 시스템 sistema *m* de tarjetas. ~식 공중전화 teléfono *m* público que funciona mediante tarjetas prepagadas y/o de crédito. ~식 목록 fichero *m*, catálogo *m* de fichas. ~ 카탈로그 =카드식 목록. ~ 테이블 [카드놀이 탁자] mesa *f* de juego. ~ 판독기 lectora *f* de tarjetas perforadas.

카드리유(불 *quadrille*) [불란서의 사교 댄스로서 대무(對舞)의 일종] contradanza *f*.

카드뮴(영 *cadmium*) 【화학】 cadmio *m*.
■ ~ 중독 veneno *m* por el cadmio.

카디건(영 *cardigan*) [앞자락을 단추로 채우게 된 털로 짠 스웨터] rebeca *f*, chaqueta *f* de punto, jersey *m* abierto por delante, cárdigan *ing.m*, *Chi* chaleca *f*, *RPl* saco *m* (tejido).

카라반(불 *caravane*) caravana *f*.

카랑카랑하다 ① [날씨가 맑고 차다] (ser) claro y hacer frío, despejado y frío. 카랑카랑한 겨울 아침 una fría y despejada mañana de invierno. ② [목소리가 쇳소리처럼 맑고 똑똑하다] (ser) claro.

카레(영 *curry*) ① [조미료의 일종] curry *m*, cari *m*. ② ((준말)) =카레라이스.
◆야채 ~ curry *m* de verduras, verduras *fpl* al curry.
■ ~ 가루 cari *m* en polvo, polvo *m* de cari. ~ 소스 salsa *f* de curry. ~ 요리(料理) curry *m*.

카레라이스(영 *curry+rice*) [인도 요리의 하나] arroz *m* de [con] cari.

카로틴(영 *carotin*) 【화학】 carotina *f*.

카르보닐(영 *carbonyl*) 【화학】 carbonilo *m*.

카르복시(영 *carboxyl*) 【화학】 carboxilo *m*.

카르스트 지형(독 Karst 地形) 【지질】 karst *m*. ~의 cársico.

카르타고 【지명】 Cartago. ~의 cartaginense. ~ 사람 cartaginense *mf*.

카르테(독 *Karte*) hoja *f* clínica, tarjeta *f* diagnóstica del médico.

카르텔(독 *Kartell*) 【경제】 cártel *m*, cartel *m*.
■ ~화 agrupación *f* en cartel, cartelización *f*. ¶~하다 cartelizar.

카리브 해(-海) 【지명】 el (mar) Caribe.

카리스마(영 *charisma*) carisma *m*.

카리에스(영 *caries*) [충치(蟲齒)] caries *m*.
◆척추 ~ tuberculosis *f* del espinazo, caries *f* vertebral, espondilitis *f*.

카메라(영 *camera*) ① ㉮ [사진을 찍는 기계] cámara *f* (fotográfica), máquina *f* fotográfica, máquina *f* de fotos. ~ 앞에서 delante de la cámara, en cámara. ~ 앞에 서다 estar enfocado. ~로 사진을 찍다 fotografiar, retratar por fotografía; [순간 사진을] tomar instantánea. ㉯ [영화용의] cámara *f* (de cinematográfica). ㉰ [텔레비전용의] cámara *f* (de televisión). ㉱ [영화·텔레비전용의] tomavistas *m.sing.pl*. ② ((준말))

=텔레비전 카메라.

■ ~광(狂) entusiasta *mf* de fotografías. ~렌즈 objetivo *m.* ~맨 cámara *mf,* camarógrafo, -fa *mf,* cameraman *ing.mf.*; [영화·텔레비전의] operador, -dora *mf.* ~ 스탠드 trípode *m.* ~ 앵글 ángulo *m* de toma de vista, ángulo *m* de la cámara, ángulo *m* de cámara 35 mm; [주름상자] cámara *f* de 35 mm [de fuelle · plegadiza].

카메룬 【지명】 Camerún *m.* ~의 camerunense, camerunés, de Camerún.

■ ~ 사람[인] camerunense *mf,* camerunés, -sa *mf.*

카멜레온(라 *chameleon*) 【동물】 camaleón *m.*

카무플라주(불 *camouflage*) enmascaramiento *m,* camuflaje *m,* simulación *f,* engaño *m,* disfraz *f.* ¶~하다 recurrir al camuflaje, fingir, simular, disfrazar, disimular, enmascarar, camuflar, *AmL* camuflajear.

카바레(불 *cabaret*) cabaret *m,* club *m* nocturno.

카바이드(영 *carbide*) ① [탄화물] carburo *m,* combinación *f* de carbón y un elemento positivo. ② [탄화칼슘] carburo *m* de calcio.

카보이(영 *carboy*) carrafón *m.*

카본(영 *carbon*) ① 【화학】 [탄소] carbono *m,* carbón *m.* ② =탄소봉(炭素棒). 탄소선(炭素線). ③ ((준말)) =탄산지(炭酸紙).

■ ~ 복사(複寫) copia *f* (hecha con papel carbón). ~ 원자로 reactor *m* de carbón. ~ 인화법 proceso *m* de carbón. ~지 carbón *m,* papel *m* de calco, papel *m* (de) carbón, *RPl* papel *m* carbónico.

카불 【지명】 Cabul, Kabul (아프가니스탄의 수도).

카뷰레터(영 *carburetor*) carburador *m.*

카빈총(carbine 銃) carabina *f,* fusil *m* pequeño.

카사노바(이 *Casanova*) ① 【인명】 Casanova. ② [색골. 엽색꾼] casanova *m,* Don Juan.

카세인(영 *casein*) 【화학】 caseína *f.*

카세트(불 *cassette*) ① casete *m(f),* casette *m(f),* cassette *m(f).* 나는 그것을 ~에 담아두었다 Lo tengo grabado [en casete]. ② ((준말)) =카세트테이프. ③ ((준말)) =카세트테이프리코더. ④ [카메라용 필름 케이스] cartucho *m.*

◆비디오~ vídeo *m,* videocinta *f,* videocasete *m,* (cinta *f* de) video *m.*

■ ~ 녹음기 casete *m(f).* ☞카세트테이프리코더. ~ 리코더 casete *m(f),* casette *m(f),* cassette *m(f),* grabadora *f* [grabador *m*] (de casetes). ~테이프 cinta *f* casete. ~테이프리코더 (magnetófono *m* de) casete. ~ 플레이어 casete *m(f),* cassette *m(f),* pasacintas *m.sing.pl, Arg* pasacassettes *m.sing.pl, Chi* tocacassettes *m.* ~ 필름 filme *m* casete, filme *m* cassette.

카스테레오(영 *car stereo*) estéreo *m* del coche.

카스텔라(포 *castella*) bizcocho *m.*

카스트(영 *caste*) casta *f,* sistema *m* de castas, clase *f* hereditaria del Indostán, clase *f* social.

카스피 해(Caspi 海) 【지명】 el mar Caspio.

카시오페이아자리 【천문】 Casiopea *f.*

카 시트(영 *car seat*) [자동차의 좌석] asiento *m* de coche; [어린이용] asiento *m* de bebé (para el coche).

카약(영 *kayak*) kayak *m,* canoa *f* de los esquimales.

카오스(그 *khaos*; 영 *chaos*) caos *m.*

카올린(독 *Kaolin*) =고령토(高嶺土).

카우보이(영 *cowboy*) vaquero *m,* cowboy *ing.m, Arg* gaucho *m.*

■ ~ 모자 sombrero *m* de vaquero. ~ 부츠 botas *fpl* camperas, botas *fpl* tejanas. ~ 영화 película *f* occidental.

카운슬러(영 *counselor*) consejero, -ra *mf,* orientador, -dora *mf,* [법률의] abogado, -da *mf.*

카운슬링(영 *counseling*) orientación *f* psicopedogógica, cosejo *m.* ~하다 orientar, asesorar. 결혼 가이드 ~ terapia *f* matrimonial. 대학 진로 ~ orientación *f* universitaria. 그는 음주 문제로 ~에 있다 El está en terapia por su alcoholismo.

카운터(영 *counter*) ① [가게의] mostrador *m,* caja *f,* [카페의] barra *f,* [은행이나 우체국의] caja *f,* ventanilla *f.* 향수 가게의 ~ mostrador *m* de perfumería. ② [계산하는 사람] contador, -dora *mf*

■ ~블로 ((권투)) contragolpe *m.* ~펀치 ((권투)) contragolpe *m.*

카운트(영 *count*) ① [수를 셈] cuenta *f,* cálculo *m.* ~하다 contar, calcular. ② ((운동)) cuenta *f* de puntos. ~를 하다 [테니스 등에서] contar los puntos. ③ ((권투)) contragolpe *m.*

■ ~다운 cuenta *f* atrás, cuenta *f* regresiva, *Andes* conteo *m* regresivo. ~을 시작하다 empezar [comenzar] la cuenta atrás [regresiva].

카이로 【지명】 el Cairo (이집트의 수도).

카이로 선언(Cairo 宣言) 【역사】 la Declaración de El Cairo.

카이로프랙틱(영 *chiropractic*) quiropráctica *f.*

카이저수염(Kaiser 鬚髥) perilla *f.*

카인(영 *Cain*) 【인명】 ((성경)) Caín. ☞가인

■ ~의 후예(後裔) grupo *m* maldito, prisionero *m.*

카자흐스탄 【지명】 Kazajstán, Kazakstán. ~의 kazako.

■ ~ 사람[인] kazako, -ka *mf.* ~어[말] kasajo *m.*

카지노(이 *casino*) casino *m.*

카카오(서 *cacao*) ① ((준말)) =카카오나무. ② [카카오나무의 열매] semilla *f* de cacao.

■ ~ 가루 cacao *m* en polvo. ~ 버터 mantequilla *f* de cacao. ~씨 grano *m* de cacao.

카카오나무(cacao—) 【식물】 cacao *m.*

카키색(khaki 色) color *m* caqui, color *m* kaki, moreno *m* rojizo. ~의 caqui, kaki

카타르(독 *Katarrh*; 영 *catarrh*) 【의학】 cata-

rro *m.* 위(胃)~ catarro *m* de estómago.
■~성염 inflamación *f* catarral. ~성 폐렴 neumonía *f* catarral, pulmonía *f* catarral.

카타르【지명】Qatar, Katar, el Estado de Qatar. ~의 qatarí.
■~ 사람 qatarí *mf* (*pl* qataríes).

카타르시스(그 *kátharss*; 영 *catharsis*) catarsis *f.*

카타스트로프(그 *katastrophê*; 불 *catastrophe*) [큰 재난] catástrofe *f.*

카탈로그(영 *catalogue*) catálogo *m.* ~에 싣다 catalogar, poner en un catálogo.
■도해(圖解)~ catálogo *m* ilustrado. 해설(解說) ~ catálogo *m* descriptivo.

카테고리(영 *category*; 불 *catégorie*; 독 *Kategorie*; 라 *catêgoria*) categoría *f.* ~로 나누다 [물건을] clasificar; [사람을] catalogar, calificar;【철학】categorizar.

카테드랄(불 *cathédral*) [대성당] catedral *f.*

카톨릭(영 *Catholic*) ① =카톨릭교. ② =카톨릭교교회. ③ =카톨릭교 신자.
■~교 catolicismo *m,* religión *f* católica, Católica *f* Romana. ¶~ 교회 catedral *f,* iglesia *f* católica. ~신자 católico, -ca *mf.*

카투사(영 *KATUSA, Korean Augmentation Troops to the United States Army*) [주한미육군에 배속된 한국 군인] las Tropas Coreanas en el Ejército de los Estados Unidios de América en Corea, KATUSA *fpl.*

카툰(영 *cartoon*) ① [시사 풍자 만화] chiste *m* (gráfico), *Chi* mono *m*; [만화(漫畵)] caricatura *f.* ② [만화 영화] dibujos *mpl* animados. ③ [신문·잡지의 연재 만화 (1회 4컷)] historieta *f,* tira *f* cómica, *Chi, Méj* monitos *mpl.* ④ [벽화나 태피스트리(tapestry) 등의 작품의 모델이 되는 실물 크기의 밑그림] cartón *m* (*pl* cartones).

카페(불 *café*) café *m,* cafetería *f.*

카페리(영 *car ferry*) transbordador *m* para coches.

카페인(영 *caffeine*)【화학】cafeína *f.*

카페테리아(영 *cafeteria*) cafetería *f,* café *m.*

카펫(영 *carpet*) alfombra *f,* tapiz *f.*

카폰(영 *carphone*) teléfono *m* de automóvil.

카프(영 *KAPF, Korea Artist Proleta Federatio*) [조선 프로 예술가 동맹] la Federación de Artistas Proletarias de Corea, la KAPF.

카피(영 *copy*) [복사(複寫)] copia *f,* fotocopia *f.* ~하다 copiar, hacer una copia (de), sacar una copia (de).
■~라이터 [광고 문안 작성자] redactor *m* publicitario, redactora *f* publicitaria; redactor, -tora *mf* de anuncios. ~라이트 [저작권, 판권] derecho *m* de autor, copyright *ing.m,* derechos *mpl* de reproducción, derecho *m* de propiedad artística literaria de un autor o del editor de éste. ~라이트마크 marca *f* de este derecho (C) que se pone al dorso de la página del título de un libro y mención del nombre del propietario del mismo y del año de la primera edición. ~지(紙) papel *m* de calco.

칵칵 con tos repetida.
칵칵거리다 seguir [continuar] tosiendo.

칵테일(영 *cocktail*) ① [여러 가지 양주에 감미료·향료·고미제(苦味劑)와 얼음 조각을 넣어서 조합한 술] cóctel *m,* coctel *m,* cocktail *ing.m,* combinado *m,* bebida *f* alcohólica compuesta. ~을 만들다 preparar cócteles. ② [굴·대합 등에 소스를 친 전채(前菜)] cóctel *m,* coctel *m.* 과일 ~ macedonia *f* de frutas. 새우 ~ cóctel *m* [coctel *m*] de gambas [de camarones·*CoS* de langostas], *RPl* langostinos *mpl* con salsa golf. ③ [꼬리를 자른 말] caballo *m* de raza cruzada y de cola recortada.
■~글라스 copa *f* de cóctel. ~ 드레스 [여성의 약식 야회복] vestido *m* de cóctel, vestido *m* de fiesta. ~ 라운지(lounge) [(호텔·공항 등의) 바. 휴게실] salón *m* de fiestas. ~ 바 [호텔의] bar *m* (de cócteles), coctelería *f.* ~ 소시지 salchichita *f* de aperitivo. ~ 쉐이커 [칵테일 조제기] coctelera *f.* ~ 스틱 [칵테일의 버찌·올리브 등을 찍는 꼬챙이] palillo *m* (de cóctel), mondadientes *m,* escarbadientes *m.* ~ 조제기 coctelera *f.* ~ 파티 cóctel *m,* coctel *m.*

칸 ① [사방을 둘러막은 그 선의 안] interior *m* de la línea que rodea los cuatro lados. ② [집의 칸살을 세는 말] habitación *f.* 아흔아홉 ~ noventa y nueve habitaciones. 방 한 ~ una habitación. 네 ~ 집 casa *f* de cuatro habitaciones. ③ [길이의 단위] *kan,* 1.82 m más o menos. 한 ~ un *kan.*

칸(영 *khan*) ① [중세기의 몽골·투르크·타타르 종족의 원수(元首)의 칭호] can *m,* kan *m.* ② [페르시아·아프가니스탄 등의 고관의 칭호] can *m,* kan *m.*

칸나(영 *canna*)【식물】cañacoro *m* (de la India), canna *f* índica, caña *f* de cuentas, caña *f* de la India, *AmS* achira *f..*

칸델라(영 *candela*)【물리】candela *f* (cd).

칸막이 partición *f,* división *f,* [방과 방 사이의] tabique *m*; [병풍] biombo *m*; [기차 따위의] compartimiento *m.* ~하다 dividir, separar, dividir con un tabique [con una mampara]. 상자에 ~를 하다 poner un tabique en una caja. 책꽂이를 판자로 삼단(三段)으로 ~하다 dividir la estantería en tres partes con tablas.
■~ 벽 pared *f* de partición. ~ 좌석 [기차의] compartimiento *m,* departamento *m.* ~커튼 cortina *f* divisoria.

칸수 número *m* de *kan,* espacio *m* del suelo de una casa.

칸잡이그림 plano *m* (de la arquitectura).

칸초네(이 *canzone*)【음악】canción *f,* canto *m,* canción *f* popular, aria *f,* canzone *m.*

칸초네타(이 *canzonetta*)【음악】cancioneta *f,* cancioncilla *f,* canzonetta *f.*

칸칸이 todas las habitaciones, cada habitación.

칸타빌레(이 *cantàbile*)【음악】cantable, *ital*

ㅋ

cantabile.
칸타타(이 *cantata*) 【음악】 cantada *f*, *ital* cantata *f*.
칸토(이 *canto*) 【음악】 canto *m*, aria *f*.
칸트 【인명】 Emmanuel Kant (1724-1804).
■ ~ 철학 kantismo *m*. ~ 철학자 kantiano, -na *mf*. ~학파 kantistas *mpl*.
칼[1] cuchillo *m*; [검(劍)] espada *f*, sable *m*; [펜싱용] sable *m*; [포켓 나이프] navaja *f*, cortaplumas *m(f)*; [면도칼] navaja *f*; [단도] puñal *m*. 가늘고 긴 ~ espada *f* larga y fina. (단추를 누르면) 칼날이 튕겨져 나오는 ~ navaja *f* automática, *Méj* navaja *f* de resorte. ~을 뽑다 desenvainar *su* espada, desenvainar *su* sable. ~을 칼집에 넣다 envainar *su* espada, envainar *su* sable. ~을 차고 있다 llevar una espada al cinto. ~을 휘두르다 blandir la espada [el sable]. 펜은 ~보다 강하다 La espada vence, la palabra convence (문(文)은 무(武)보다 강하다).
◆ 칼을 맞다 ser apuñalado, ser acuchillado. 칼을 맞아 죽다 morir apuñalado, morir acuchillado.
칼[2] 【고제도】 [중죄인에게 씌운 형구] picota *f*.
칼감 matón *m* (*pl* matones); alborotador, -dora *mf*, camorrista *mf*, pendenciero, -ra *mf*.
칼국수 *calguksu*, fideos *mpl* cortados por cuchillo.
칼깃 [날개의] pluma *f* remera; [꼬리의] pluma *f* timonera.
칼끝 punta *f* del cuchillo [de la espada].
칼나물 pescado *m*.
칼날 filo *m*, corte *m*, hoja *f* (de espada). ~의 길이가 20센티미터인 de filo de veinte centímetros. ~을 세우다 afilar, sacar filo, amolar.
칼데라(서 *caldera*) 【지질】 caldera *f*.
■ ~ 호(湖) lago *m* de caldera.
칼등 canto *m* de espada.
칼라(영 *collar*) cuello *m*. 와이셔츠의 ~가 더럽다 El cuello de la camisa está sucio.
칼럼(영 *column*) ① [고대 그리스·로마 건물의 둥근 돌기둥. 또, 일반적으로 양식 건물의 원주(圓柱)] columna *f*. ② [신문·잡지 등에서, 시사 문제·사회 풍속 등을 촌평하는 난(欄)] [논설의] artículo *m*; [단평·삽입 기사] suelto *m*, entrefilete *m*; [공동 집필 기사] recuadro *m*. ③ 【군대】 [종대] columna *f*. ④ 【인쇄】 [종행(縱行). 단(段)] columna *f*.
칼럼니스트(영 *columnist*) columnista *mf*, articulista *mf* (encargado [encargada] de *una* sección especial de un periódico).
칼로리(영 *calorie*) caloría *f*; [큰] caloría *f* grande. ~의 calorífico, calórico. ~ 억제 다이어트 una dieta [un régimen] bajo en calorías. 하루에 필요한 ~ calorías fpl que necesita el cuerpo en un día. ~가 많다 tener muchas calorías. ~가 적다 tener pocas calorías.
■ ~가(價) [석탄의] valor *m* calorífico; [음식의] contenido *m* calórico.. ~미터 calorímetro *m*. ~ 섭취량 consumo *m* calório. ~식(食) comida *f* calórica. ~ 함유량(含有量) contenido *m* calórico. ¶저(低)~의 음식 alimentos *mpl* de bajo contenido calórico.
칼륨(라 *kalium*; 독 *Kalium*) 【화학】 potasio *m* (K). ~의 potásico.
칼리(라 *kali*; 독 *Kali*) 【화학】 ① =칼륨. ② =가리(加里).
■ ~ 비누 jabón *m* potásico. ~ 비료(肥料) abono *m* potásico, fertilizante *m* potásico.
칼리포르늄(영 *californium*) 【화학】 californio *m*.
칼리프(영 *calif*, *caliph*) califa *f*.
칼립소(영 *calypso*) 【음악】 [Trinidad 섬 원주민이 노래하는 민요풍의 춤] calipso *m*.
칼립소(영 *Calypso*) ((그리스 신화)) Calipso *f*.
칼 맞다 ser apuñalado, ser acuchillado. 칼 맞아 죽다 morir apuñalado. 그는 칼 맞아 죽었다 El había muerto apuñalado [acuchillado] / Le habían matado a puñaladas [a cuchilladas · a navajazos].
칼미아 【식물】 kalmia *f*.
칼뱅 【인명】 Juan Calvino (1509-1564) (불란서의 종교 개혁자).
칼뱅교(Calvin 敎) ((기독교)) calvinismo *m*.
■ ~도(徒) calvinista *mf*.
칼뱅주의(Calvin 主義) calvinismo *m*, doctrina *f* de Calvino. ~의 calvinista.
■ ~자(者) calvinista *mf*.
칼부림 derramamiento *m* de sangre, lucha *f* [combate *m*] con espadas. ~하다 luchar [combatir] con espadas.
칼새 【조류】 vencejo *m*. ~는 곤충을 먹는다 El vencejo se alimenta de insectos.
칼슘(영 *calcium*) 【화학】 calcio *m*.
■ ~ 비누 jabón *m* de calcio. ~ 주사(注射) inyección *f* de calcio.
칼싸움 pelea *f* con navajas [cuchillos], combate *m* [lucha *f*] con espadas. ~하다 pelear con navajas [cuchillos], combatir [luchar] con espadas. ~ 영화 película *f* de espadachines.
칼자국 cuchillada *f*, cortadura *f*, corte *m*, incisión *f*; [얼굴의] chirlo *m*. ~을 내다 dentar, endentar.
칼자루 mango *m*, puño *m*, empuñadura *f*.
칼잡이 carnicero *m*.
칼제비 =칼국수.
칼질 cuchillada *f*. ~하다 cortar, usar los cubiertos, manejar los cubiertos.. 그녀는 나에게 ~하는 법을 가르쳐 주었다 Ella me enseñó a usar [manejar] los cubiertos.
칼집[1] [칼날을 보호하기 위하여 칼의 몸을 꽂아 넣어 두는 물건] vaina *f* (de la espada). 칼을 ~에 넣다 envainar la espada, meter la espada en la vaina.
칼집[2] [요리를 만들 재료에 칼로 에어서 낸 진 집] marca *f* de cuchillo.
칼춤 danza *f* de las espadas.
칼침(-針) cuchillada *f*, estocada *f* de espada.
칼칼하다 ① [목이 말라서 무엇을 마시고 싶

ㅋ

은 생각이 간절하다] querer beber agua. 나는 목이 ~ Me muero de sed / Tengo una sed que me muero. ② [맵고 자극하는 맛이 있다] sentir picante.

칼크(라 *calc*; 독 *Kalk*) calco *m*.

칼판(-板) tabla *f* del cuchillo.

캄보디아【지명】Camboya. ~의 camboyano.
■ ~ 사람[인] camboyano, -na *mf*.

캄브리아계(Cambria 系)【지질】capa *f* cambriana. ~의 cambriano, cámbrico.

캄브리아기(Cambria 紀)【지질】período *m* cambriano. ~의 cambriano, cámbrico.

캄캄나라 lugar *m* muy oscuro.

캄캄절벽(-絶壁) lo que no se sabe nada.

캄캄하다 ① [몹시 캄캄하다] (ser・estar) oscuro, obscuro. ② [희망의 빛이 없어 앞길이 까마득하다] (estar) lejos. ③ [정보・소식 등을 전혀 알지 못하다] no saber nada.

캄파(러 *campanya*) =투쟁(鬪爭). ¶자금(資金) ~ campaña *f* para ganar fondos.

캄파니아(라 *campania*) =캠페인(campaign).

캅셀(독 *Kapsel*) =교갑(膠匣).

캉캉 ladrando, dando ladridos.
캉캉거리다 soler ladrar, soler dar ladridos.

캉캉(불 *cancan*) [춤의 한 가지] cancán *m*.

캉프르(불 camphre) =캠퍼(camphor).

캐나다【지명】el Canadá. ~의 canadiense.
■ ~ 사람[인] canadiense *mf*.

캐내다 ① [파내다] cavar, excavar. ② [캐어 물어서 속 내용을 알아내다] sonsacar. 나는 그의 비밀을 캐냈다 Le he sonsacado el secreto.

캐넌(영 *cannon*) ((당구)) carambola *f*. ~을 치다 hacer (una) carambola.

캐넌포(cannon 砲) cañón *m* (*pl* cañones).

캐다 ① [땅에 묻힌 물건을 파내다] cavar, excavar, ahondar, extraer, sacar de la tierra. ② [비밀을 자꾸 찾아서 밝혀내다] sonsacar, escudriñar, escrutar, inquirir, probar, registrar, indagar, investigar, examinar. 캐기 좋아하는 escudriñador, escrutador, indagador, inquisidor, demasiado curioso. 캐는 눈초리로 con la mirada escudriñadora [escrutadora], con ojos inquisidores. 신원(身元)을 ~ investigar lo pasado. 비밀(秘密)을 ~ sonsacar el secreto, sacar el secreto (de). 나는 그의 비밀을 캤다 Le he sonsacado el secreto / He logrado arrancar de él el secreto. 남의 일을 캐지 마라 No te metas en los asuntos de otro.

캐디(영 *caddie*, *caddy*) ((골프)) caddie *mf*, portador, -dora *mf* de palos, persona *f* que lleva los palos a un jugador de golf. ~로 일하다 hacer de caddie. …의 ~이다 ser el caddie de *uno*.
■ ~용 이륜차 carrito *m* para los palos de golf.

캐러멜(영 *caramel*) caramelo *m*.

캐러밴(영 *caravan*) ① [대상(隊商)] caravana *f*. ② [(서커스단・가구 등의) 유개 대운반차. 포장마차] rulot *m*, caravana *f*, *CoS* casa *f* rodante, *Andes* tráiler *m*. ~을 여행하다 ir de vacaciones en una caravana, ir de caravaning.
◆ 집시 ~ carromato *m* de gitanos.
■ ~ 숙소(宿所) caravanera *f*. ~ 안내인(案內人) caravanero *m*.

캐럴(영 *carol*) [축가. 송가] villancico *m*. ~을 부르다 cantar villancicos. ~을 부르며 돌아다니다 salir a cantar villancicos (de casa en casa).
■ ~ 가수 persona *f* que canta villancicos.

캐럿(영 *carat*) ① [보석의 무게 단위] quilate *m*. ② [순금(純金)의 함유도를 나타내는 단위] quilate *m*. 18~의 금(金) oro *m* de diez y ocho quilates.

캐리커처(영 *caricature*) caricatura *f*.

캐릭터(영 *character*) carácter *m*.

캐묻다 ((준말)) =캐어묻다.

캐미솔(영 *camisole*) ① [여자용의 속옷의 하나] camisola *f*. ② [여자용의 짧은 재킷] camisola *f*, negligé *m*.

캐비닛(영 *cabinet*) ① [수집품・사무용품 등을 넣어 두는 장] armario *m* ② [미술품 등을 진열하는 유리문을 끼운 선반] vitrina *f*. ③ [내각(內閣)] gabinete *m* (ministral), consejo *m* de ministros. ④ [라디오・텔레비전의 외형(外形)을 이루는 상자] mueble *m*, caja *f*. 라디오 ~ caja *f*. 텔레비전의 ~ mueble *m* de la televisión. 하이파이 ~ mueble *m* del equipo de alta fidelidad.

캐비아(영 *caviar*) [철갑상어의 알젓] caviar *m*, cavial *m*.

캐비지(영 *cabbage*) [양배추] repollo *m*, col *f*.

캐빈(영 *cabin*) ① [일등・이등 선실] camarote *m*; [작은 보트의] cabina *f*, camarote *m*. ② [함장(艦長)실・선장실] cabina *f*. ③ [오두막집] cabaña *f*.

캐스터(영 *caster*) ① [텔레비전 뉴스 따위의 보도원・해설자] proyectante *mf*. ② [소금・후추・소스 따위를 넣어 두는 테이블용의 양념통] espolvoreador *m*; [소금통] salero *m*; [후추통] pimentero *m*; [설탕통] azucarero *m*.

캐스터네츠(영 *castanets*)【악기】castañuelas *fpl*, castañetas *fpl*, *Andal* palillos *mpl*.
■ ~ 연주자 castañetero, -ra *mf*.

캐스트(영 *cast*) ①【연극・영화】[배역(配役)] reparto *m*, personal *m*, *AmL* elenco *m*, distribución *f* de los papeles para la representación de alguna pieza en el teatro. ② [주형(鑄型)] molde *m*.

캐스팅(영 *casting*) ①【인쇄】[주조(鑄造)] fundición *f*. ②【연극・영화】selección *f* (de actores), reparto *m* de papeles.
■ ~ 보트 voto *m* de calidad, voto *m* decisivo, voto *m* preponderante. ~를 잡고 있다 ser maestro de la situación, estar en posesión de los votos decisivos.

캐시(영 *cash*) [현금(現金)] dinero *m* (en) efectivo, efectivo *m*, dinero *m* contante.
■ ~ 카드 [현금 자동 인출 카드] tarjeta *f* del cajero automático.

캐시미어(영 *cashmere*) [캐시미어 천] cachemir *m*, cachemira *f*, casimir *m*, casimira *f*.

～ (제품)의 de cachemir, de cachemira, de casimir, de casimira.

캐어묻다 escudriñar, escrutar, indagar, inquirir, presionar (para obtener una respuesta), interrogar severamente. 캐어묻기를 좋아하는 escudriñador, escrutador, indagador, inquisidor, demasiado curioso. 캐어묻는 듯한 시선으로 con la mirada escrdriñadora [escrutadora], con ojos inquisidores. 남의 일을 캐어묻지 마라 No te metas en los asuntos de otro.

캐주얼(영 *casual*) [임시 노동자] [농장의] jornalero, -ra *mf*, [공장의] obrero, -ra *mf* eventual.
■ ～슈즈 zapatos *mpl* de sport. ～웨어 ropa *f* de sport.

캐주얼즈(영 *casuals*) [평상복. 캐주얼웨어] ropa *f* de sport, ropa *f* informal; [캐주얼 슈즈] zapatos *mpl* de sport.

캐처(영 *catcher*) ((야구)) [포수] receptor, -tora *mf*, cogedor, -dora *mf*, catcher *ing.mf*.
■～ 박스 el área *f* de cogedor.

캐치(영 *catch*) ① ((운동)) atrapada *f*, parada *f*, *CoS* atajada *f*. ② ((준말)) =캐처.
■～볼 juego *m* de pelota [de bola].

캐치프레이즈(영 *catchphrase*) [표어] lema *m*, eslogan *m*, slogan *ing.m* (*pl* slogans) publicitario.

캐터펄트(영 *catapult*) ① [투석기. 쇠뇌] catapulta *f*. ② [비행기 사출기] catapulta *f* (de lanzamiento). ③ [고무줄 새총] tirachinas *m*, *CoS*, *Per* honda *f*, *Méj* resortera *f*, *Col* cauchera *f*, *Ven* china *f*.

캐피털(영 *capital*) ① [자본(금)] capital *m*. ② [대문자] (letra *f*) mayúscula *f*. ③ [수도(首都)] capital *f*.

캐피털리스트(영 *capitalist*) [자본가(資本家)] capitalista *mf*.

캐피털리즘(영 *capitalism*) [자본주의(資本主義)] capitalismo *m*.

캑 tosiendo.

캑캑 con tos repetida, tosiendo y tosiendo. 캑캑거리다 soler toser, toser repetidas veces, seguir [continuar] tosiendo.

ㅋ

캔(영 *can*) [통조림 깡통. 양철통] bote *m*, lata *f*, *Chi* tarro *m*; [부엌의 쓰레기통] cubo *m*, *CoS*, *Per* tacho *m*, *Col* caneca *f*, *Méj* bote *m*, *Ven* tobo *m*..

캔디(영 *candy*) ① [사탕 과자] golosinas *fpl*, caramelos *mpl*, dulces *mpl*. ② ((준말)) = 아이스 캔디.

캔버스(영 *canvas*) lienzo *m*, tela *f*.
■ ～ 틀 bastidor *m*.

캔슬(영 *cancel*) [취소. 해제] cancelación *f*, canceladura *f*. ～하다 cancelar, anular. 호텔 예약(豫約)을 ～하다 anular [cancelar] la reserva de una habitación en el hotel.
■ ～ 대기 승객 pasajero, -ra *mf* stand-by. ～ 대기자 명단 [항공기의] lista *f* de espera. ～ 대기표 billete *m* stand-by, *AmL* pasaje *m* stand-by.

캘리포니아 【지명】 California. ～의 californiano, califórnico, californio. ～ 사람 californiaco, -ca *mf*, califórnico, -ca *mf*, californio, -nia *mf*.

캘린더(영 *calendar*) calendario *m*, almanaque *m*.
◆교회(敎會) ～ calendario *m* eclesiástico. 벽걸이 ～ calendario *m* para la pared. 스포츠 ～ calendario *m* deportivo. 탁상 ～ calendario *m* para la mesa.

캠퍼(영 *camphor*) alcanfor *m*.
■～정기 =캠퍼팅크. ～ 주사 inyección *f* de alcanfor. ～팅크 tintura *f* de alcanfor.

캠퍼스(영 *campus*) ① [대학교의 교정. 또는 구내] campus *m* (universitario), recinto *m* (universitario), patio *m* rodeado por los edificios del colegio [de la universidad], terreno *m* perteneciente a un colegio. ～에서 생활하다 vivir en el campus, vivir dentro del recinto universitario. ② =대학(大學)(universidad).

캠페인(영 *campaign*) ① =야전(野戰). ② [사회적·정치적 목적을 위해 조직적으로 행해지는 운동] campaña *f*. ～을 벌이다 desplegar una campaña. ③ [선거전(選擧戰). 유세] campaña *f* electoral.
◆금주 운동 ～ campaña *f* antialcohólica.

캠프(영 *camp*) ① [산이나 들에 지은 임시 막사] campamento *m*. ～를 치다 acampar. ② [군대가 야영하는 곳. 주둔지] campamento *m* (militar).
■～장 (terreno *m* de) campamento *m*, camping *ing.m*. ～ 지정지 camping *ing.m*. ～촌 campamento *m*, camping *ing.m*. ～파이어 fogata *f*, hoguera *f* (en un campamento), fuego *m* de campamento, *AmL* fogón *m*.

캠핑(영 *camping*) campamento *m*, camping *ing.m*. ～하다 acampar, hacer camping. ～하는 사람 campista *mf*, acampante *mf*. ～금지(禁止) ((게시)) Prohibido acampar / No acampar / No acampen / Se prohíbe acampar. ■ ～용 자동차 cámper *f*.

캡(영 *cap*) ① [전과 운두가 없는 납작한 모자] [학생·기수·군인의] gorra *f*, [간호사의] cofia *f*, [판사의] birrete *m*; [추기경의] birreta *f*, solideo *m*. ② [연필·만년필 등의 뚜껑] capuchón *m*, tapa *f*. ③ [병의] tapa *f*, tapón *m*. ④ ((준말)) =캡틴. ⑤ =전등갓. ⑥ [버섯의 갓] sombrete *m*.
◆골프 ～ gorra *f* de golf. 베이스볼 ～ gorra *f* de béisbol. 스위밍 ～ [수영용 모자] gorro *m* [*AmL* gorra *f*] de baño.

캡슐(영 *capsule*) ① [교갑(膠匣)] cápsula *f*. ② [피막(皮膜)] cápsula *f*. ③ [씌우는 물건] cápsula *f*. ④ [우주 비행체의 기밀 용기(機密容器)] cápsula *f* espacial.

캡틴(영 *captain*) ① [수령(首領). 장(長)] capitán *m* (*pl* capintanes). ② [선장. 함장] capitán, -tana *mf*. ③ [해군 대령] comandante *mf*. ④ [스포츠 팀의 주장] jefe, -fa *mf*. ⑤ [육군 대위] capitán *m* (*pl* capitanes). ⑥ [급사장(給仕長)] jefe *m* de comedor, meitre *m*, *Méj* capitán *m* de meseros.

캥거루(영 *kangaroo*) 【동물】 canguro *m.*
캉캉 con aullido y aullido, dando una aullido. 캉캉거리다 seguir dando una aullido.
캉캉하다 ponerse flaca (la cara), (ser) flaco, consumido, descarnado. 캉캉한 얼굴 cara *f* descarnada, cara *f* consumida.
커녕 lejos de, en lugar de, no sólo … sino (también), al contrario, de ningún modo, de ninguna manera. 그렇기는~ lejos de eso; [역으로] al contrario. 한국은~ 세계에 no sólo en Corea, sino en el mundo. 슬퍼하기는~ 기뻐하고 있다 alegrarse en lugar dee entristecerse. 그렇기는~큰 병이다 Lejos de eso, está muy grave. 밥~ 죽도 못 먹소 Yo no como comida ni siquiera gachas. 나는 만 원은~ 단돈 십 원도 없다 No tengo diez mil wones, ni tampoco [ni siquiera] diez wones. 그는 날 도와주기는~ 날 괴롭힌다 El no me ayuda; al contrario [antes], me estorba. 나는 분쟁에 끼어들기는~ 바빠 죽을 지경이다 Estoy demasiado ocupado para meterme en ese lío.
커닝(영 *cunning*) astucia *f,* treta *f* en el examen. ~하다 usar una chuleta, engañar en el examen, copiar en el examen, hacer trampas en el examen. 그는 ~을 했다 El ha hecho trampas en el examen. ~을 하는 것은 부정 행위다 Es injusto copiar en el examen.
■~ 페이퍼 chuleta *f, Méj* acordeón *m, Col, Per* comprimido *m, RPI* machete *m, Chi* torpedo *m.*
커다랗다 (ser) muy grande, gigantesco, enorme, colosal, titánico. 커다랗게 gigantescamente, enormemente, colosamente, titánicamente. 커다란 손실 una gran pérdida. 집을 커다랗게 짓다 construir una casa enorme. 크냐고? 그는 무척 ~ ¿Alto? ¡Es un gigante! 그것은 커다란 성공이었다 Fue un exitazo.
커다래지다 crecer, hacerse más grande [mayor]; [키가] hacerse más alto. 커다래진 눈동자 pupilas *fpl* dilatadas.
커리어(영 *career*) [경력. 이력] carrera *f.* ~가 많다 tener una carrera [una experiencia] larga (en).
커리큘럼(영 *curriculum*) [교육 과정] plan *m* de etudios, programa *m* (de estudio), curso *m* de estudios, currículo *m, AmL* curriculum *m.*
커뮤니케이션(영 *communication*) comunicación *f.*
커뮤니티(영 *community*) [공동체(共同體)] comunidad *f.*
커미셔너(영 *commissioner*) comisionado, -da *mf,* miembro *mf* de la comisión.
커미션(영 *commission*) ① [수수료] comisión *f,* corretaje *m,* correduría *f,* derecho *m.* 5%의 ~을 받다 cobrar una comisión del cinco por ciento (sobre). ② [뇌물] comisión *f* extra.
커밍아웃(영 *comingout*) ① [사교계의 데뷔] presentación *f* en sociedad, puesta *f* de largo. ② [데뷔 축하 파티] =커밍아웃 파티. ③ [동성애자임을 밝히는 행위] destape *m.*
■~ 파티(party) fiesta *f* de presentación en sociedad, fiesta *f* de puesta de largo.
커버(영 *cover*) ① [뚜껑. 덮개] tapa *f,* cubierta *f,* [테니스 코트·자동차의] lona *f,* [방석·소파·타자기의] funda *f,* [책·공책의] forro *m;* [침대 커버] cubrecama *f,* colcha *f,* cubierta *f.* 의자 ~ funda *f* del sillón. 침대 ~ cubierta *f* de cama. ② [표지] [책의] tapa *f,* cubierta *f,* [잡지의] portada *f, Andes* carátula *f,* [그림이 든] camisa *f,* sobrecubierta *f,* [보호용의] forro *m.* 앞 ~ portada *f.* 뒷 ~ contraportada *f.* 하드(hard) ~ tapas *fpl* duras. 소프트(soft) ~ tapas *fpl* blandas. ③ [손실·보전(補塡)하는 일] [보험의] cobertura *f,* [은행에서] garantía *f.* ~하다 cubrir. 적자(赤字)를 ~하다 cubrir el déficit.
■~ 걸 modelo *f* de portada, modelo *f* publicitaria, modelo *f* fotográfica. ~스토리 [잡지의] tema *m* de portada; [신문의] noticia *f* de primera plana.
커브(영 *curve*) ① [곡선. 굴곡] curva *f,* corva *f,* comba *f,* combadura *f,* [길의] recodo *m,* vuelta *f* ~를 만들다 hacer una curva, torcer. ~를 틀다 tomar una curva. 길에 완만하게 오른쪽으로 ~를 만들고 있다 El camino tuerce ligeramente a la derecha. ② ((야구)) =커브 볼.
■~ 볼 curva *f.*
커서(영 *cursor*) 【컴퓨터】 [깜빡이. 반디] cursor *m.*
◆블록(block) ~ cursor *m* de bloque. 어드레서블(addressable) ~ cursor *m* direccionable.
커스터드(영 *custard*) crema *f,* natillas *fpl.*
커지다 ① [크게 되다] agrandarse, engrandecerse, hacerse más grande. ② [확장·확대하다] ampliarse, extenderse, ensancharse. 화재가 더욱 커졌다 El incendio se extendió aún más. ③ [성장하다] crecer.
커터(영 *cutter*) ① [자르는 사람] cortador, -dora *mf.* ② [재단기(裁斷機)] [철사용] tenazas *fpl,* cizalla *f,* [유리(琉璃)용] diamante *m,* cortavidrios *m.sing.pl;* [돌의] cantero *m,* tallista *m(f).* ③ [영화 필름의 편집자] desglosador, -dora *mf.* ④ [군함이나 기선 등에 부속된, 노를 갖춘 단정(短艇)] patrullero *m,* guardacostas *m.* ⑤ [마스트가 하나뿐인 일종의 쾌속 범정(帆艇)] cúter *m.*
커트(영 *cut*) ① [절단] corte *m.* ~하다 cortar. ② [벤 상처] tajo *m,* corte *m.* ③ [(머리를) 깎는 일] corte *m* de pelo. ④ ((테니스·탁구·골프)) corte *m.* ~하다 cortar. 공을 ~하다 cortar la pelota.
커튼(영 *curtain*) ① [문·창 등에 치는 휘장] cortina *f,* [창문용의] visillo *m.* ~ 한 쌍 unas cortinas. ~을 거는 막대 barra *f.* ~의 천 tela *f* de cortinas. ~을 열다 abrir

ㅋ

las cortinas. ~을 닫다 cerrar [(des)correr] las cortinas. ~을 잡아당기다 correr la cortina. ~을 치다[장식하다] poner cortinas (en). ② [극장의 막] telón *m* (*pl* telones). ~이 오른다[막이 오른다] Sube [Se levanta] el telón. ~이 내린다[막이 내린다] Baja [Cae] el telón.

■~ 고리 anillo *m* (de corttina). ~ 레일 riel *m*. ~콜 [공연이 끝난 후에 박수갈채로 관중이 배우를 막 앞으로 불러내는 일] salida *f* a escena [al escenario] (para saludar), *Méj* telón *m*. ¶그녀는 세 차례 ~을 받았다 Ella salió tres veces (al escenario) a saludar / Méj Ella tuvo tres telones.

커프스(영 *cuffs*) puño *m*. ~를 채우다 poner puños. ■~단추 gemelos *mpl*.

커플(영 *couple*) ① [한 쌍] un par. ② [남녀 한 쌍. 부부] pareja *f*. 결혼한 ~ un matrimonio. ~로 en pareja. 행복한 ~ los recién casados, los novios. 어울리지 않는 ~ una pareja desigual.

커피(영 *coffee*) café *m*. ~ 한 잔 una taza de café. ~ 두 잔 dos cafés, dos tazas de café. 설탕에 녹는 혼합 ~ *Méj* café *m* mezclado solubre con azúcar. 맛있는 ~를 끓이다 hacer café, preparar café. ~를 대접하다 servir café. ~를 마시다 tomar café. ~를 준비하다 preparar café. ~ 한 잔을 즉석에서 준비하다 *Méj*. preparar al instante una deliciosa taza de café. ~를 어떻게 드십니까? ¿Cómo te gusta el café? ~ 한 잔 더 부탁드립니다 Otra taza de café, por favor.

◆밀크 ~ café *m* con leche. 블랙~ café *m* solo, *AmL* café *m* negro, *Chi* café *m* puro, *Col* café *m* tinto. 크림 ~ café a la crema.

■~ 가루 café *m* molido. ~ 끓이개 [여과식의] cafetera *f* de filtro. ~ 농장 cafetal *m*. ~ 농장 소유자 cafetalero, -ra *mf*. ~ 메이커 [커피 끓이는 기구] cafetera *f*, máquina *f* para preparar café. ~ 밭 cafetal *m*. ~ 빻는 기구 molinillo *m* de café. ~ 사탕 dulce *m* de café. ~색 [짙은 갈색] color *m* (de) café, (color *m*) café *m* con leche. ~세트 juego *m* de café, servicio *m* de café. ~소(素) cafeína *f*. ~숍 cafetería *f*, café *m*. ~ 스푼 cucharita *f* de café, cucharilla *f* de cafe. ~ 씨 semilla *f* del cafeto, café *m*. ~ 여과기(濾過器) colador *m* de café. ~ 원두(原豆) =커피콩. ~잔 taza *f* de café, taza *f* para café. ~ 재배 caficultura *f*. ~ 재배자 caficultor, -tora *mf*. ~ 재배 농장 =커피 농장. ~ 재배업 caficultura *f*. ~ 제분기(製粉機) molinillo *m* de café. ~ 중독 cafeísmo *m*. ~차 café *m*. ~콩 grano *m* de café. ~포트 [커피 끓이는 그릇] cafetera *f*, [커피 거르는 그릇] cafetera *f* filtradora. ~ 하우스 cafetería *f*.

커피나무(coffee－) 【식물】 café *m*, cafeto *m*.

-컨대 ((준말)) =-하건대. ¶원~ por favor.

컨덕터(영 *conductor*) ① [악장(樂長)] director, -tora *mf* (de orquesta). ② [버스의 차장] cobrador, -dora *mf*, *RPl* guarda *mf*.

컨디션(영 *condition*) condición *f*. 좋은 ~ buen estado *m*, buenas condiciones *fpl*. 나쁜 ~ mal estado *m*, malas condiciones *fpl*. ~이 좋다 estar en buen estado. ~이 나쁘다 estar en mal estado. 몸의 ~을 유지하다 mantener la salud en buenas condiciones.

컨버터(영 *converter*) 【컴퓨터 · 전기】 convertidor *m*.

컨베이어(영 *conveyor*) cinta *f* [correa *f*] transportadora, *Méj* banda *f* transportadora, *AmL* máquina *f* transportadora, (aparato *m*) transportador *m* (mecánico).

■~ 벨트 =컨베이어. ~ 시스템 sistema *m* transportador, sistema *m* de transportadores, trabajo *m* en serie.

컨설턴트(영 *consultant*) asesor, -sora *mf*; consultor, -tora *mf*; consejero, -ra *mf*. 경영(經營) ~ asesor, -sora *mf* de administración.

컨소시엄(영 *consortium*) consorcio *m*.

◆건설 ~ consorcio *m* de construcción. 금융(金融) ~ consorcio *m* bancario.

컨테이너(영 *container*) contenedor *m*, contáiner *ing.m*. ~를 채움 [채우는 물건] llenado *m* del contenedor. ~를 비움 vaciado *m* del contenedor. ~에 싣다, ~로 수송하다 contenedorizar. ~를 채우다 llenar el contenedor. ~를 비우다 vaciar el contenedor.

■~ 부두(埠頭) muelle *m* de contenedores, déposito *m* de contenedores. ~선(船)[배] (buque *m*) portacontenedores *m.sing.pl.*, barco *m* transportador de contenedores, barco *m* de contenedores, barco *m* de containers.. ~ 터미널 terminal *f* de portacontenedores, terminal *f* para contenedores.

컨트롤(영 *control*) control *m*, regulación *f*, reglaje *m*; [비행기의] mando *m*. ~하다 controlar, ejercer control (sobre), dominar, regularizar, comandar, verificar, gobernar, administrar. 자신을 ~하다 controlarse, dominarse.

■~ 워드 【컴퓨터】 palabra *f* de control. ~ 컴퓨터 서브시스템 【컴퓨터】 subsistema *m* de control por ordenador. ~ 키 【컴퓨터】 tecla *f* de control. ~ 타워 torre *f* de control. ~ 홀 【컴퓨터】 perforación *f* de control.

컨트리클럽(영 *country club*) club *m* campestre.

컬러(영 *color*) ① [색] color *m*. 화려한 ~ color *m* espléndido. 완전 ~로 a todo color; [사진] en color, en colores; [텔레비전] en color, *AmL* en colores, *Andes* a color. ② [개성 · 작품의 맛 · 기분] color *m*, colorido *m*.

◆로컬(local) ~ [지방색] color *m* local. 팀(team) ~ colores *mpl* del equipo.

■~ 사진 fotografía *f* en color(es). ~ 프린팅 [원색 인쇄] cromolitografía *f*. ~텔레비

전 televisión *f* en color [*AmL* en colores · *Andes* a color]. ¶~ 세트 televisor *m* en color(es). ~판 부록 suplemento *m* a todo color, suplemento *m* en color. ~ 필름 película *f* en color(es), carrete *m* en colores.

컬럭거리다 toser.

컬렉션(영 *collection*) colección *f*. ~하다 coleccionar, hacer colección (de), *AmL* juntar. 그는 알려지지 않은 젊은 예술가(藝術家)의 작품을 ~한다 El colecciona obras de artistas jóvenes desconocidos.
◆가면(假面) ~ colección *f* de máscaras. 나비 ~ colección *f* de mariposas. 동전(銅錢) ~ colección *f* de monedas. 디자이너 겨울 ~ colección *f* invierno del modisto. 복권(福券) ~ colección *f* de loterías. 성경(聖經) ~ colección *f* de Biblias. 시계(時計) ~ colección *f* de relojes. 우표(郵票) ~ colección *f* de sellos.

컬컬하다 ① [목이 몹시 말라 물·술 등을 마시고 싶은 생각이 간절하다] tener sed. ② [맵고 얼근한 맛이 있다] (ser) picante.

컴백(영 *comeback*) reaparición *f*, vuelto *m*, rehabilitación *f*; [연극계에의] vuelta *f* a la escena. ~하다 reaparecer, volver, rehabilitarse. 영화계에 ~하다 reaparecer en el mundo del cine

컴컴하다 ① [침침하게 아주 어둡다] (ser · estar) oscuro, obscuro. 아주 컴컴함 oscuridad *f* absoluta, oscuridad *f* perfecta. 아주 ~ estar oscuro como boca, estar muy oscuro. ② [속이 시커멓고 음흉하여 욕심이 많다] (ser) insidioso, reservado, hermético. 속이 컴컴한 사람 persona *f* insidiosa.

컴파일러(영 *compiler*) ①【컴퓨터】[번역기] compilador *m*. ② [편집자. 편찬자] compilador, -dora *mf*.

컴퍼스(영 *compass*) ① [원을 그리는 데 쓰이는 제도 기구] compás *m* (*pl* compases). ② =나침반. ③ =보폭(步幅).

컴퓨터(영 *computer*) ordenador *m*, *AmL* computador *m*, computadora *f*. ~(에) 입력(入力) informatización *f*, computarización *f*, computerización *f*, computadorización *f*. 은행의 ~ 센터 centro *m* de computación de un banco. ~에 입력시키다 informatizar, computarizar, computerizar, computadorizar. ~에 입력되다 informatizarse, computarizarse, computerizarse, computadorizarse.
◆가정용 ~ ordenador *m* doméstico, computadora *f* doméstica. 디지털 ~ ordenador *m* [computadora *f*] digital. 아날로그 ~ ordenador *m* analógico, computadora *f* analógica.
■~ 게임 juego *m* de computadora [de ordenador], juego computarizado. ~ 그래픽스 gráficos *mpl* (realizados) por computadora [por ordenador], infografía *f*, computación *f* gráfica, informática *f* gráfica. ~ 디자인 diseño *m* realizado por computador [por ordenador]. ~ 바이러스 virus *m* por ordenador [por computadora]. ~ 시대 edad *f* de ordenador, edad *f* de computadora. ~ 프로그래머 programador, -dora *mf* de ordenadores; programador -dora *mf* de computadores; programador, -dora *mf* de computadoras; computisa *mf*. ~ 프로그램 programa *m* informático, programa *m* de ordenador, programa *m* de computador, programa *m* de computadora.

컵(영 *cup*) ① [사기나 유리로 만든 잔] [손잡이 있는 잔] taza *f*; [발이 없는 잔] vaso *m*; [받침 달린 잔] copa *f*; [맥주잔] caña *f*, bock *m*. 물 한 ~ un vaso de agua. ~으로 마시다 beber en vaso. ② [찻잔] taza *f* para café. ③ [우승배] copa *f*. ④ [한 잔의 분량] taza *f*. 물 한 ~을 첨가하십시오 Añada una taza de agua.
◆종이~ vaso *m* de papel.

컷(영 *cut*) ① [자르는 일] corte *m*, corta *f*. ~하다 cortar. ② [인쇄물의 사이사이에 넣는 작은 그림·삽화] grabado *m*, dibujo *m*. ~을 넣다 adornar de [con] grabados, llenar con dibujos. ③【영화】[필요에 따라 필름을 잘라내는 일. 또는 그 필름] corte *m*. ~하다 cortar, suprimir, quitar. 이 영화는 여러 곳이 ~되어 있다 Hay algunos cortes en esta película.

-컷 [(생물의 암수를 나타내는 말에 붙어) 「것」의 뜻을 나타냄] ¶암~ hembra *f*. 수~ varón *m*.

컹컹거리다 (el perro) seguir ladrando.

-케 =-하게. ¶성공~ 하다 hacer salir bien, hacer tener éxito.

케냐【지명】la Kenia. ~의 keniano, keniata, kenio.
■~ 사람[인] keniano, -na *mf*; keniata *mf*.

케스팅 보트(영 *casting vote*) voto *m* decisivo, voto *m* de calidad.

케이디아이(영 *KDI*, *Korea Development Institute*) [한국 개발 연구원] el Instituto del Desarrollo de Corea.

케이블(영 *cable*) ① [해외 전보] cable *m*, telegrama *m*. ~을 받다 recibir un cable, recibir un telegrama. ~을 보내다 enviar un cable, enviar un telegrama. ② [굵은 밧줄] cuerda *f*, calabrote *m*. ③ [해저 전선] cablegrama *m*. ④ [닻줄] cadena *f* de ancla. ⑤ [쇠사슬] cable *m* de alambres. ⑥ ((준말)) =케이블카.
■~ 채널 canal *m* por cable. ~카 ㉮ [공중에 매달린] teleférico *m*, funicular *m* (aéreo). ㉯ [강삭(鋼索) 철도] funicular *m*. ㉰ [전차] tranvía *m*. ~ 텔레비전 [유선 텔레비전] televisión *f* por cable, *AmL* cablevisión *f*.

케이스(영 *case*) ① [경우(境遇)] caso *m*. 내 ~에는 en mi caso. ~ 바이(by) ~로 según el caso, cómo sea el caso, en cada caso, caso por caso. ② [상자(箱子)] [단단한 작은 물건용] estuche *m*; [큰 물건용] caja *f*, [작은 상자] cajita *f*, [부드러운 담는 것] funda *f*. ③【인쇄】caja *f*.

케이슨병(caisson 病)【의학】[잠수병] enfer-

ㅋ

medad *f* submarina.

케이에스(영 *KS, Korean Industrial Standards*) [한국 공업 규격] las Normas Industriales Coreanas, KS.
■ ~ 마크 marca *f* de KS.

케이오(영 *KO, knock out*) K.O. *m* (서반아에서는 cao(까오)라 읽고, 중남미에서는 nocaut(노까웉)이라 읽음), nocaut *m*, knock-out *ing.m.* ~시키다 noquear, dejar fuera de combate, dejar K.O, derribar.

케이오시(영 *KOC, Korea Olympic Committee*) [한국 올림픽 위원회] el Comité Olímpico Coreano.

케이지비(영 *KGB*) KGB *f.*

케이크(영 *cake*) [나누기 전의 큰 것] tarta *f*, pastel *m*, *CoS* torta *f*, [작은 것] pastel *m*, *RPI* masa *f.*
◆딸기 ~ pastel *m* de fresas. 생일 ~ tarta *f* de cumpleaños. 스펀지(sponge)~ bizcocho *m*, *AmL* queque *m* (*CoS* 제외), *CoS* bizcochuelo *m*, *Col*, *Ven* ponqué *m*, *Méj* panque *m.*

케이폭(영 *kapok*) capoc *m*, kapok *ing.m.*

케이폭나무(kapok－) 【식물】 miraguano *m*, palmera *f.*

케첩(영 *ketchup*) salsa *f* de tomate, salsa *f* (hecha) de setas, catsup *m*, ketchup *m.*
◆토마토 ~ salsa *f* de tomate.

케케묵다 (ser) anticuado; [유행에 뒤지다] estar pasado de moda. 케케묵은 생각 idea *f* anticuada. 케케묵은 습관 costumbre *f* anticuada.

케플러 망원경(Kepler 望遠鏡) telescopio *m* astronómico.

케플러 법칙(－法則) leyes *fpl* de Kepler.

켈빈(영 *kelvin*) [절대 온도의 단위] Kelvin *m.*

켕기다 ① [팽팽하게 되다] ser estirado. 줄이 켕긴다 La cuerda es estirada tensamente. ② [탈이 날까 보아 불안해지다] estar en tensión. ③ [잡아당겨 팽팽하게 만들다] estirar. 천을 ~ estirar la tela. ④ [마주 버티다] estar de pie contra uno de otro.

켜 capa *f*, estrato *m.*

켜다 ① [성냥·라이터 등으로 불을 일으키다. 또는 촛불·등불 따위에 불을 붙이다] encender, *AmL* prender. 켜지다 encenderse, prender. 등불을 ~ encender la luz. 성냥을 ~ encender la cerilla [el fósforo]. 촛불을 ~ encender la vela. 방에 불이 켜져 있다 En la habitación está encendida la luz. 불이 켜졌다 Se encendió la luz. ② [물·술 등을 한꺼번에 많이 마시다] beber, tomar. 물을 ~ beber [tomar] el agua. 냉수를 한 사발 ~ beber [tomar] un tazón de agua fría. ③ [톱으로 나무를 세로로 썰어서 쪼개다] serrar, aserrar. ④ [누에고치에서 실을 뽑다] tejer. ⑤ [깡깡이 같은 악기를 쓸어서 소리를 내다] tocar; [손톱으로] rasguear. 바이올린을 ~ tocar el violín. 기타를 ~ rasguear la guitarra. ⑥ [기지개를 하다] estirarse, desperezarse. 기지개를 ~ estirarse, desperezarse. ⑦ [수컷이 암컷 부르는 소리를 내다. 또 사람이 그런 짐승을 부를 목적으로 그와 같은 소리를 내다] reclamar. 우레를 ~ imitar el reclamo .

켤레 [신·버선·방망이 등의 한 벌을 세는 말] par *m.* 한 ~ un par. 여러 ~ muchos pares. 양말 한 ~ un par de calcetines. 구두 두 ~ dos pares de zapatos.

켯속 situación *f*, secreto *m.* 일의 ~을 모르다 ser ignorante sobre las cosas.

코[1] ① [오관기(五官器)의 하나] nariz *f* (*pl* narices); [개·말 따위의] hocico *m*; [코끼리의] trampa *f*, [돼지 따위의] jeta *f*, [취각(臭覺)] olfato *m.* ~를 찌르는 냄새 olor *m* que apesta. ~가 낮다 [납작하다] ser chato, tener una nariz chata [aplastada]. ~가 막히다 tener la nariz atascada. ~가 위로 치켜 오르다 tener la nariz respingona. ~가 좋다 tener buena nariz, tener buen olfato. ~로 숨쉬다 respirar por la nariz. ~를 후비다 hurgarse la nariz. ② [코에서 나오는 진득진득한 점액] moco *m.* ~를 풀다 sonarse (las narices). ~를 흘리다 moquear. ~를 들이마시다 sorber el moco.
◆코가 납작해지다 [몹시 무안을 당하거나 기가 죽다] desanimarse.
◆코가 높다 ㉮ tener la nariz saliente [prominente]. 영국인은 ~ Los ingleses tienen la nariz saliente [prominente]. ㉯ [젠체하다] sentir orgullo (por), estar orgulloso (de). 코가 높아져 con orgullo, orgullosamente. 그는 시험에 합격하여 코가 높아졌다 El siente orgullo por [está orgulloso de] su éxito en el examen.
◆코가 비뚤어지게 borrachamente, con borrachera, con embriaguez.
◆코가 빠지다 [근심이 쌓여 맥이 빠지다] desanimarse. 그는 별 어려움이 없는데도 코가 빠져 있다 El se desanima con la menor dificultad. 나는 역경을 당하여 코가 빠졌다 Yo me he desanimado ante la adversidades.
◆코가 세다 (ser) audaz, desafiador, agresivo.
◆코가 솟다 [남에게 자랑할 일이 있어 우쭐해지다] (ser) orgulloso (de).
◆코가 우뚝하다 ㉮ =의기양양하다. ㉯ [난체하고 거만한 태도가 있다] (ser) arrogante.
◆코를 꺾다 humillar.
◆코를 찌르다 oler mal. 코를 찌르는 냄새 olor *m* penetrante.
◆코 먹은 소리 voz *f* ronca. ~를 하다 hablar con [por] la nariz [las narices].
◆코 묻은 돈 dinero *m* del niño (para que coma entre las comidas).

코[2] ① [물건의 가장 앞쪽의 오똑하게 내민 부분] parte *f* sobresaliente. ② [그물이나 뜨개옷 같은 것의 몸을 이룬 낱낱의 고] punto *m*, puntada *f.*

코감기(－感氣) catarro *m* nasal. ~에 걸리다 coger un catarro nasal.

코걸이 nariguera *f.*

코 골다 roncar, sonarse las narices. 코 고는

소리 ronquido *m.* 코 고는 사람 roncador, -dora *mf.*
코끝 punta *f* de la nariz.
코끼리 ①【동물】elefante *m*; [암컷] elefanta *f.* ~의 elefantino. ~ 같은 elefantino. ~의 상아(象牙) colmillo *m* de elefante. ~의 새끼 cría *f* de elefante, elefantillo *m*, elefantino *m.* ~의 울음소리 bramido *m*, barrito *m.* ~의 코 trompa *f* ~를 사냥하다 cazar elefantes. ② [미국 공화당의 상징] elefante *m*, símbolo *m* del partido republicano de los Estados Unidos de América.
◆수~ elefante *m* macho. 아프리카~ elefante *m* de Africa. 암~ elefante *m* hembra, elefanta *f.* 인도~ elefante *m* de Asia.
◆코끼리 비스킷 comida *f* pequeñísima.
■~ 조련사(調練師) domador, -dora *mf* de elefante.
코납작이 ① [코가 유달리 납작한 사람] persona *f* con una nariz chata. ② [핀잔을 맞아 기가 꺾인 사람] persona *f* frustrada por vergüenza.
코냑(불 *cognac*) coñac *m*, coñá *m*, cognac *ing.m.*
코너(영 *corner*) ① [안 각(角)의] [방·찬장 등의] rincón *m* (*pl* rincones); [밭의] esquina *f*; [입의] comisura *f.* 페이지의 오른쪽 윗~에 en el ángulo superior derecho de la página. ② [바깥 각의] [거리·페이지의] esquina *f*; [테이블의] esquina *f*, punta *f*; [거리의 굽이] curva *f.* ~를 돌다 dar la vuelta a la esquina, doblar la esquina; [자동차·운전자가] tomar una curva. ③ [상품 판매장] sección *f*, departamento *m.*
■~ 기(旗) banderola *f* de la esquina. ~ 지역 el área *f* de esquina. ~킥 tiro *m* [saque *m*] de esquina, córner *ing.m.*
코넷(영 *cornet*) ①【악기】corneta *f.* ② [아이스크림을 담는 원뿔꼴의 살짝 구운 얇은 과자] cucurucho *m.*
코 높다 (estar) orgulloso. ☞코
코닥(영 *Kodak*) kodak *m.*
코담배 rapé *m*, tabaco *m* rapé. ~를 냄새 맡다 tomar rapé.
코대답(一對答) respuesta *f* indiferente. ~하다 responder indiferentemete.
코데인(영 *codeine*) codeína *f.*
코드[1](영 *chord*)【음악】acorde *m.*
코드[2](영 *code*) ① [전신 부호] clave *f*, código *m.* ②【컴퓨터】código *m*, norma *f.*
◆오산 검출(誤算檢出) ~【컴퓨터】código *m* detector de errores. 자동 검사 ~【컴퓨터】código *m* de autocomprobación.
■~ 네임【컴퓨터】nombre *m* codificado. ~ 라인【컴퓨터】línea *f* de código. ~ 박스 casilla *f* del código. ~ 세트 conjunto *m* de código. ~ 어드레스【컴퓨터】dirección *f* codificada.
코드[3](영 *cord*) ① [노끈. 밧줄] cuerda *f.* ② [파자마·커튼의] cordón *m.* ③【전기】cable *m*; [가정용 전기 기구의] cordón *m.*
코딱지 moco *m* (endurecido), mucosidad *f* endurecida. ~를 후비다 hurgarse la nariz.
코 떼다 ser vuelto la cara.
코뚜레 ((준말)) =쇠코뚜레.
코란(영 *Koran, Coran*) [이슬람교의 경전] el Corán, el Alcorán.
코러스(영 *chorus*) [합창. 합창단[곡]] coro *m.*
◆남성(男聲) ~ coro *m* varonil. 여성(女聲) ~ coro *m* femenino. 혼성(混聲) ~ coro *m* mixto, coro *m* de voces mixtas.
코로나(영 *corona*) ①【천문】[태양 대기(大氣)의 가장 바깥층에 있는 엷은 가스층] corona *f* (solar). ②【전기】corona *f*, descarga *f* luminosa.
코르셋(영 *corset*) corsé *m*; [특히 소아용의] faja *f.* ~을 하다 ponerse el corsé, encorsetarse.
코르크(영 *cork*) corcho *m.*
■~ 따개 sacacorchos *m.sing.pl*, tirabuzón *m.* ~ 마개 (tapón *m* de) corcho *m.*
코르크참나무(cork－)【식물】alcornoque *m.*
코리안 시리즈(영 *Korean Series*) la Serie Coreana.
코린트식(Corinth 式)【건축】orden *m* corinto. ■~ 기둥 columna *f* corintia. ~ 사원(寺院) templo *m* corintio.
코맹맹이 gangoso, -sa *mf.*
■~ 소리 voz *f* gangosa.
코머거리 persona *f* con una nariz congestionada.
코메콘(영 *COMECON, the Council for Mutual Economic Aid*) [동유럽 경제 상호 원조 회의] el Consejo de Asistencia Mutua Económica.
코멘드(영 *command*)【컴퓨터】orden *f*, comando *m.*
코멘트(영 *comment*) comentario *m*, observación *f.* ~하다 hacer un comentario (sobre), hacer una observación (sobre).
코뮈니케(불 *communiqué*) comuniacado *m.* ~를 발표하다 publicar [hacer entrega de] un comunicado.
◆공동(共同) ~ declaración *f* común.
코뮤니스트(영 *communist*) [공산주의자(共産主義者)] comunista *mf.*
코뮤니즘(영 *communism*) [공산주의(共産主義)] comunismo *m.*
코미디(영 *comedy*) comedia *f*, humorismo *m.* 셰익스피어의 ~ las comedias de Shakespeare.
코미디언(영 *comedian*) comediante *mf*, cómico, -ca *mf.*
코믹(영 *comic*) ① [희극적] cómico, humorístico, ridículo, gracioso, chistoso, jocoso. ~한 장면(場面) comicidad *f*, lo cómico. ② ((준말)) =코믹 오페라. ③ [코미디언] cómico, -ca *mf*, humorista *mf.* ④ [만화책] comic *m*, libro *m* de historietas. ⑤ [만화잡지] tebeo *m*, revista *f* de historietas, *RPI* revista *f* de chistes; [성인용의] comic *m.* ■~ 오페라 ópera *f* bufa, ópera *f* cómica, zarzuela *f.*
코민테른(영 *Comintern, Communist International*) [국제 공산당] Comintern *m*, Ko-

mintern *m*, partido *m* comunista Internacional

코민포름(영 *Cominform, Communist Information Bureau*) [공산당 정보국] Cominform *m*, Kominform *m*, inforamación *f* internacional comunista.

코밑수염(—鬚髥) =콧수염.

코바늘 gancho *m*.

코발트(영 *cobalt*) cobalto *m*.
■ ~색(色) azul *m* cobalto. ~ 폭탄(爆彈) bomba *f* de cobalto. ~화(華) 【화학】 flor *f* de cobalto.

코방귀 ① [남을 멸시하거나, 남이 타이르는 말을 우습게 여김] desdén *m*, desprecio *m*, menosprecio *m*. ② [코로 나오는 숨을 막았다가 갑자기 터뜨리면서 불어 내는 소리] bufido *m*, resoplido *m*; [흥] ¡Puf! / ¡Bah!
◆ 코방귀를 뀌다 reírse (de), desdeñar, bufar, resoplar, tratar con desprecio, no hacer caso (de), menospreciar, hacer menosprecio.

코방아 acción *f* de caerse chato en *su* cara.
◆ 코방아(를) 찧다 caerse chato en *su* cara.

코배기 persona *f* con una nariz grande; narigudo, -da *mf*, narigón, -gona *mf*, *AmC*, *Méj* narizudo, -da *mf*, *Hond* narizota *mf*, ((속어)) narizón, -zona *mf*.

코볼[1](영 *COBOL*) 【컴퓨터】 COBOL *m*.

코볼[2](영 *COBOL, the Common Business Oriented Language*) 【컴퓨터】 [사무용 응용 프로그램을 위해 개발한 프로그램 언어] lenguaje *m* COBOL, lenguaje *m* común orientado a la gestión y los negocios.

코브라(영 *cobra*) cobra *f*.

코빼기 ((준말)) =코쭝배기.
◆ 코빼기도 나타나지 않다 no se aparece nada. 코빼기도 못 보다 no se ve la cara ni siquiera.

코뼈 【해부】 hueso *m* nasal.

코뿔소 【동물】 rinoceronte *m*.

코사인(영 *cosine*) 【수학】 coseno *m*.

코사크 족(Cossack 族) los cosacos.

코 세다 (ser) empecinado, testarudo, obstinado, terco, tozudo. 코 센 사람 persona *f* terca. 코 센 남자 hombre *m* terco. 코 센 여자 mujer *f* terca.

코세크(영 *cosec*) 【수학】 =코시컨트.

코소보 【지명】 Kosovo *m* (유고슬라비아 연방의 자치주). ~(의) 사람 kosovar *mf*.

코스(영 *course*) ① [진행. 진로. 행정(行程)] dirección *f*, rumbo *m*. 남방 ~ rumbo *m* del sur. ~를 바꾸다 cambiar de dirección. 예정 ~로 나가다 adelantar en la dirección fijada. 로켓이 ~를 벗어났다 El cohete se desvió de su trayectoria. ② [육상 · 수영 · 경마 등에서, 달리거나 나아가는 일] [육상 · 수영의] calle *f*, [마라톤의] recorrido *m*; [경마의] hipódromo *m*, pista *f* (de carreras); [골프의] campo *m*. ③ [서양 요리의 정찬에서 차례차례 나오는 한 접시 한 접시의 요리] plato *m*. 메인 ~ plato *m* principal, plato *m* fuerte, *Ven* plato *m* central. 첫 ~로 de primer plato, de entrada. 풀 ~ dos platos y postre. 세 ~ 식사 una comida de dos platos y postre. ④ [과정. 강좌] curso *m*. ~에서 벗어나다 desviarse del curso. ⑤ [(교통 기관의) 노선] ruta *f*.
◆ 단기(短期) ~ cursillo *m*. 정규 ~ curso *m* regular. 초급 ~ curso *m* elemental, primer curso *m*.

코스모스[1](영 *cosmos*) 【식물】 cosmos *m*.

코스모스[2](영 *cosmos*) ((그리스 신화)) Cosmos *m*.

코스타리카 【지명】 Costa Rica. ~의 costarricense. ~ 사람 costarricense *mf*.

코스트(영 *cost*) ① [값. 비용. 경비] coste *m*, *AmL* costo *m*, gastos *mpl*. ② [생산비. 원가(原價)] precio *m* de coste, *AmL* precio *m* de costo, precio *m* de fábrica. 생산 ~를 높이다 alzar el precio de fábrica. 생산 ~를 낮추다 bajar [reducir] el precio de fábrica.

코 싸쥐다 cubrir *su* cara por vergüenza.

코안경(—眼鏡) quevedos *mpl*.

코알라(영 *koala*) 【동물】 koala *f*.

코앞 a las barbas (de), en *su* presencia, delante de las narices (de). 그것은 당신의 ~에 있다 Lo tiene usted delante de las narices.

코약(—藥) medicina *f* para la nariz.

코웃음 fisga *f*, risa *f* falsa [sardónica · sarcástica · burlona], mofa *f*, escarnio *m*.
◆ 코웃음(을) 치다 fisgarse [burlarse] sonriéndose, echar una risa sardónica, reir sardónicamente.

코인(영 *coin*) [동전(銅錢)] moneda *f*.
■ ~ 수하물 예치소 consigna *f* automática.

코일(영 *coil*) arrollamiento *m*, carrete *m*; 【전기】 bobina *f*.

코주부(—主簿) narigudo, -da *mf*, narigón, -na *mf*, persona *f* nariguda [narigona *f* · *Méj*, *AmC* narizuda].

코즈메틱스(영 *cosmetics*) [화장품] cosméticos *mpl*, productos *mpl* de belleza.

코지(—紙) papel *m* para el moco.

코청 tapique *m* de dividir dos ventanas de nariz.

코치(영 *coach*) ① [마차] coche *m* (de caballos), carruaje *m*. ② [버스] autocar *m*, autobús *m* (*pl* autobuses), *CoS* pullman *m*, *RPl* ómnibus *m*, *Arg* micro *m*. ③ ((운동)) [지도자] entrenador, -dora *mf*, *AmL* director *m* técnico, directora *f* técnica.

코침 cosquillas *fpl* en *su* nariz.
◆ 코침(을) 주다 hacer*le* cosquillas en la nariz.

코칭스태프(영 *coaching staff*) personal *m* de entrenamiento.

코카(영 *coca*) 【식물】 coca *f*.

코카인(영 *cocaine*) 【화학】 cocaína *f*.
■ ~ 남용(濫用) cocainismo *m*. ~ 중독(中毒) cocainomanía *f*, envenenamiento *m* por cocaína, *AmS* cocaísmo *m*. ~ 중독자(中毒者) cocainómano, -na *mf*.

코카콜라(영 *Coca-Cola*®) Coca-Cola®, Coca-

ㅋ

cola *f*, coca *f*.

코카타르(―catarrh) catarro *m* nasal, coriza *f*. ~에 걸리다 arromadizar.

코코넛(영 *coconut*) coco *m*.

코코아(영 *cocoa*) ① [카카오 열매의 가루] cacao *m*, *AmL* cocoa *f*. ② [코코아 음료] chocolate *m*, *AmL* cocoa *f*. ~ 한 잔 una taza de chocolate.

코코아나무(cocoa―) 【식물】 =카카오나무.

코코야자(coco 椰子) 【식물】 cocotero *m*, *Col* palma *f* de coco.

코콤[1](영 *Cocom, Coordinating Committee for Multilateral Export Controls*) [다국간 수출 통제 조정 위원회] el Comité de Coordinación del Control Multilateral de las Exportaciones.

코콤[2](영 *COCOM, Coordinating Committee for Export Control to Communist Area*) [대(對)공산권 수출 통제 조정 위원회] el Comité de Coordinación del Control de las Exportaciones al Area Comunista.

코크스(영 *coke*; 불 *coke*; 독 *Koks*) (carbón *m* de) coque *m*, cok *m*. ~가 되다 convertir en coque.

코큰소리 engreimiento *m*, presunción *f*.

코탄젠트(영 *cotangent*) 【수학】 cotangente *m*, cotg *m*.

코털 vello *m* de las fosas nasales, pelo *m* de ventana de nariz.

코트[1](영 *coat*) ① [양복의 겉옷] chaqueta *f*, *AmL* saco *m*; [긴 웃옷] chaquetón *m* (*pl* chaquetones). ② [외투] [남자용] abrigo *m*, *RPI* sobretodo *m*; [여자용] abrigo *m*, *RPI* tapado *m*. 그녀는 밍크 ~를 옷걸이에 걸었다 Ella colgó su abrigo de visón en el perchero.

코트[2](영 *court*) [테니스 등의] pista *f*, *AmL* cancha *f*.

코트디부아르 【지명】 Côte d'Ivoire.

코트라(영 *KOTRA, Korean Trade Promotion Corporation*) [대한 무역 진흥 공사, 대한 무역 투자 진흥 공사] la Corporación de Promoción de Comercio de Corea.

코튼(영 *cotton*) algodón *m*.
■ ~사(絲) hilo *m* de algodón. ~ 울 algodón *m* (hidrófilo · en rama). ~지(紙) papel *m* de algodón.

코팅(영 *coating*) capa *f*, baño *m*.

코펙(러 *kopek*) [러시아의 화폐 단위] kopek *m* (*pl* kopeks).

코펜하겐 【지명】 Copenhague *m* (덴마크의 수도).

코 풀다 sonarse las narices.

코프라(영 *copra*) copra *f*.

코피 epistaxis *f*, hemorragia *f* nasal, sangre *f* que sale por las narices. ~가 나다, ~가 흐르다 salirse la sangre las narices, sangrar*le* la nariz, sufrir hemorragia nasal, echar sangre por las narices. 그는 자주 ~가 난다 Le sangra con frecuencia la nariz / El sufre frecuentes hemorragias nasales. 나는 ~가 흐른다 Me sale sangre por la nariz.

코허리 parte *f* estrecha de la nariz.

코흘리개 mocoso, -sa *mf*; mocosuelo, -la *mf*.

콕 pinchando fuerte. ~ 찌르다 dar un pinchazo, dar un golpecillo, empujar ligeramente. ☞쿡

콕급(cock 級) ((권투)) peso *m* gallo.

콕콕 pinchando y pinchando fuerte.
콕콕거리다 seguir pinchando fuerte.

콘(영 *corn*) [옥수수] maíz *m* (*pl* maíces).

콘덴서(영 *condenser*) [축전기. 냉각기] condensador *m*, refrigerante *m*; [자동차의] acumulador *m*.

콘도(영 *condo*) ((준말)) =콘도미니엄.

콘도르(서 *cóndor*) 【조류】 cóndor *m*, buitre *m*, gallinaza *f*.

콘도미니엄(영 *condominium*) condominio *m*; [아파트] piso *m*, apartamento *m*.

콘돔(영 *condom*) condón *m*, preservativo *m*.

콘사이스(영 *concise*) ① [간명한] conciso, breve. ② [휴대용 사전] diccionario *m* portátil. ■ ~형 사전 diccionario *m* abreviado.

콘서트(영 *concert*) concierto *m*. ~를 열다 celebrar un concierto.
■ ~마스터 concertino *m*. ~홀 sala *f* [salón *m*] de conciertos.

콘센트 base *f*, [플러그도 포함] enchufe *m*.

콘체르토(이 *concerto*) 【음악】 concierto *m*.

콘체르트(독 *Konzert*) ① 【음악】 =콘체르토. ② 【음악】 =콘서트.

콘체른(독 *Konzern*) 【경제】 grupo *m* (de compañías).

콘크리트(영 *concrete*) hormigón *m* (*pl* hormigones), *AmL* concreto *m*; [별로 좋지 않은 표현으로] cemento *m*. ~의 de hormigón, *AmL* de concreto. ~로 덮다 cubrir con hormigón. ~로 만들다 construir de hormigón. ~를 바르다 pavimentar con hormigón [*AmL* con concreto].
■ ~ 건물 edificio *m* de hormigón. ~ 건축 hormigonado *m*, construcción *f* de hormigón. ~ 믹서 mezcladora *f*, hormiguera *f*. ~ 블록 bloque *m* (hueco) de hormigón. ~ 정글 mundo *m* [universo *m*] de hormigón. ~ 철근 hormigón *m* armado. ~ 포장 pavimentación *f* de hormigón [*AmL* de concreto].

콘택트렌즈(영 *contact lens*) lentilla *f*, lente *f* de contacto, *AmL* lente *m* de contacto. 소프트(soft) ~ lentes *fpl* de contacto blandos. 하드(hard) ~ lentes *fpl* de contacto duras [rígidas]. ~를 끼다 ponerse lentes de contacto.

콘테스트(영 *contest*) concurso *m*, certamen *m* (*pl* certámenes); [스포츠의] competición *f*, competencia *f*; [권투의] combate *m*.
◆뷰티(beauty) ~ [미인 대회(美人大會)] concurso *m* [certamen *m*] de belleza.

콘트라바소(이 *contrabasso*) =콘트라베이스.

콘트라베이스(영 *contrabass*) 【악기】 contrabajo *m*, contrabajón *m*.
■ ~ 연주자 contrabajo *mf*; contrabajista *mf*; contrabajonista *mf*.

콘트랄토(이 *contralto*) 【음악】 contralto *m*;

ㅋ

[가수] contralto *mf.*

콜(영 *call*) ① [전화에서 상대방을 불러내는 일] llamada *f.* ② ((준말)) =콜머니(call money). ③ ((준말)) =콜론(call loan).

■ ~걸 call-girl *ing.f.*, prostituta *f* (que da citas por teléfono), chica *f* de cita. ~ 금리(金利) tasa *f* de dinero a la vista. ~론 préstamo *m* a la vista. ~머니 préstamo *m* al cliente. ~ 사인 indicativo *m* (de llamada). ~ 옵션 opción *f* de compra. ~ 택시 taxi *m* de llamada.

콜드크림(영 *cold cream*) crema *f* limpiadora [de limpieza], cold cream *ing.f.*

콜라(서 *cola*) 【식물】 cola *f.*

콜라겐(영 *collagen*) 【화학】 colágeno *m.*

콜라주(불 *collage*) collage *m.*

콜럼버스 【인명】 Cristóbal Colón (¿1451?-1506). ~의 colombino. ~ 이전(以前)의 precolombiano.

콜레라(라 *cholera*) 【의학】 cólera *m.* ~의 colérico. ~성(性)의 coleriforme.

◆ 의사 ~ cólera *m* esporádico. 진성 ~ cólera *m* asiático.

■ ~균 vibrio *m* colérico, vibrión *m* del cólera. ~ 방역 본부 la Oficina Central Anticólera. ~ 예방 주사 suero *m* anticólera. ~ 환자 paciente *mf* de cólera.

콜레스테롤(영 *cholesterol*) 【의학】 colesterol *m*, colesterina *f.*

콜렉트 콜(영 *collect call*) [요금 수신인 지불 통화] llamada *f* a cobro revertido, comunicación *f* de cobro revertido, conferencia *f* a cobro revertido, *AmL* llamada *f* pagadera en destino.

콜로라투라(이 *coloratura*) 【음악】 ((준말)) = 콜로라투라 소프라노.

■ ~ 소프라노 soprano *f* ligera de coloratura.

콜로세움(영 *Colosseum*) 【건축】 Coliseo *m*, anfiteatro *m* de Vespasiano en Roma.

콜로이드(영 *colloid*) 【화학】 coloide *m.*

콜로타이프(영 *collotype*) colotipia *f.*

■ ~판(版) colotipia *f.*

콜록 tosiendo.

콜록거리다 soler toser, soler tener un ataque de tos, seguir [continuar] tosiendo.

콜록콜록 tosiendo y tosiendo. ~ 기침을 하다 seguir tosiendo.

■ ~쟁이 paciente *m* asmático, paciente *f* asmática; persona *f* con tos áspera.

콜론[1](영 *colon*) 【해부】 [결장(結腸)] colón *m.*

콜론[2](영 *colon*) [구두점의] dos puntos.

◆ 세미~ punto y coma.

콜론[3](서 *colón*) [코스타리카의 화폐 단위] colón *m* (*pl* colones).

콜롬보(서 *colombo*) 【식물】 colombo *m.*

콜롬보 【지명】 Colombo (스리랑카의 수도).

콜롬비아 【지명】 Colombia *f.* ~의 colombiano. ~ 사람 colombiano, -na *mf.*

콜콜[1] [좁은 구멍으로 물이 쏟아져 나오는 소리] borbotando, gorgoteando.

콜콜거리다 gorgotear, bortotar.

콜콜[2] [어린아이가 곤하게 잠잘 때 코를 고는 소리] gorjeando.

콜콜거리다 gorjear.

콜타르(영 *coal tar*) 【화학】 alquitrán *m* (de hulla mineral), alquitrán *m* de hulla (de carbón), coaltar *m.* ~를 바르다 alquitranar, dar de alquitrán.

콜택시 ☞콜(call)

콜트(영 *Colt*) [회전식 권총의 상표] Colt®, colt®.

콜호스(러 *kolkhoz*) koljos *m.*

콤마(영 *comma*) ① [문장의 부호의 하나] coma *f.* ~를 찍다 poner una coma. ② 【수학】 =소수점(punto decimal, coma).

■ ~ 이하 ㉮ [크기나 수량 등이 계산에 넣지 않아도 될 만큼 매우 적은 경우를 이름] bajo la fracción décima. ㉯ [사람의 값어치가 아주 하찮거나 수준 이하임] poco valioso. ¶~의 인간 hombre *m* poco valioso, nadie.

콤바인(영 *combine*) 【농업】 [복식 수확기] cosechadora *f*, segadora *f*, trilladora *f.*

콤보(영 *combo*) conjunto *m* (de jazz).

콤비(영 *combination*) ① [단짝] pareja *f.* …와 ~를 이루다 emparejarse con *uno*, formar [hacer] pareja con *uno*. 두 사람은 명(名) ~다 Los dos hacen [forman] una buena pareja. ② ((준말)) = 콤비네이션.

콤비나트(러 *kombinat*) combinado *m*, complejo *m* (industrial).

◆ 석유 화학 ~ combinado *m* petroquímico.

콤비네이션(영 *combination*) ① =결합(結合) (combinación). ② =배합(配合)(combinación). ③ [부인이나 어린이용의 아래위가 달린 속옷] prenda *f* de ropa interior de una pieza. ④ [위아래가 달린 양복 한 벌] combinación *f.* ⑤ 【수학】 combinación *f.*

콤팩트디스크(영 *compact disk*) [광학식 디지털 오디오 디스크; *CD*] disco *m* compacto, disco *m* digital de sonido, compact-disc *ing.m.*

콤팩트디스크 플레이어(영 *compact disk player*) [하이파이 음향 장치] (reproductor *m* de) compact-disc *ing.m.*

콤퍼지션(영 *composition*) [구성. 합성. 조직. 작문. 작곡] composición *f.*

콤프레서(영 *compressor*) compresor *m.*

콤플렉스(영 *complex*) [열등감] complejo *m* de inferioridad. 그는 외국인에 ~를 가지고 있다 El tiene complejo de inferioridad ante los extranjeros.

콧구멍 narices *fpl*, ventana *f* de nariz, orificio *m.*

◆ 콧구멍만 하다 (el espacio) ser muy estrecho [muy angosto].

콧김 respiración *f* nasal.

콧날 caballete *m* (de una nariz) ~이 선 미인(美人) belleza *f* con una nariz hermosa. ~이 섰다 tener el caballete de la nariz bien formado.

콧노래 tarareo *m*, canturreo *m.* ~를 부르다 tararear, tatarear, canturrear entre dientes.

콧대 caballete *m* de la nariz.

◆ 콧대(가) 높다 ((강조)) =코 높다. 코(가)

ㅋ

높다. ☞코

◆콧대가 세다 ((강조)) =코 세다. 코(가) 세다. ☞코

◆콧대를 꺾다 abatir el orgullo (de), bajar los humos (a), humillar, dar en la cresta; [자신의] romperse la nariz. 초장에 ~ desalentar [desanimar] al comienzo, abatir al comienzo los deseos (de). 그는 너무 거만하니 그의 콧대를 꺾읍시다 Vamos a humillarlo porque es demasiado insolente.

콧등 puente *m* de una nariz, caballete *m* de una nariz.

콧마루 puente *m* [caballete *m*] de una nariz.

콧물 moquita *f*, moco *m* (líquido que destila de la nariz), moco *m* nasal. ~을 들이마시다 sorber el moco. ~을 흘리다 moquear, echar mocos. 그 아이는 늘 ~을 흘리고 있다 Ese niño lleva siempre los mocos caídos.

콧방(一放) acción *f* de dar pulgarada de la nariz del otro.

콧방울 lados *mpl* redondos de la nariz.

콧벽쟁이 persona *f* con las narices pequeñas.

콧병(一病) problemas *mpl* [trastornos *mpl*] de nariz.

콧살 arruga *f* alrededor de la nariz.

콧소리 voz *f* gangosa, sonido *m* nasal. ~로 말하다, ~를 내다 hablar por las narices, hablar gangosamente, ganguear; [우는 소리를 하다] lloriquear, jeremiquear. 그는 ~를 내고 있다 El tiene la voz gangosa. 감기는 ~를 내게 한다 El resfriado hace ganguear.

콧속 cavidad *f* de la nariz.

콧수염(一鬚髥) bigote *m*, mostacho *m*. ~이 짙은 bigotudo. ~을 조금 기른 bigotito. ~을 기르다 dejarse crecer el bigote. ~을 기르고 있다 tener bigote, llevar bigote. ~을 기른 남자 hombre *m* con bigote.

콧숨 respiración *f* nasal, respiración *f* por la nariz, resoplo *m*.

콧잔등 ((준말)) =콧잔등이.

콧잔등이 ((낮춤말)) =코허리.

콩[1] 【식물】 [대두] soja *f*, soya *f*, *AmC*, *Cuba*, *ReD* guandú *m*, *ReD* guandul *m*, guandule *m*; [이집트콩] garbanzo *m*; [편두] lenteja *f*; [잠두] haba *f*; [강낭콩] judía *f*, habichuela *f*, fréjol *m*, frijol *m*, alubia *f*, *CoS* poroto *m*; [완두] guisante *m*, *AmC*, *Méj* chícaro *m*.

◆콩(을) 심다 cojear.

▪콩 심은 데 콩 나고 팥 심은 데 팥 난다 ((속담)) Quien mal siembra, mal recoge / Quien siembra vientos, recoge tempestades / Lo que el hombre siembre, eso mismo cosechará / Siembran vientos y recogerán tempestades.

▪~가루 soja *f* en polvo. ~가루 집안 familia *f* dispersada en todas las partes por las peleas. ~고물 soja *f* en polvo. ~과 식물 leguminosos *mpl*. ~국수 tallarín *m* con sopa de sojas. ~기름 aceite *m* de soja [*AmL* soya]. ~깻묵 torta *f* de soja. ~꼬투리 vaina *f*. ~밭 plantío *m* de soja. ~소 relleno *m* de sojas. ~장 salsa *f* de sojas.

콩[2] [널빤지 같은 단단한 바닥 위에 무거운 물건이 떨어져 울리는 소리] con un estallido.

콩가(서 *conga*) ① [꾸바의 민속 음악에서 사용되는 타악기] conga *f*. ② [꾸바의 민속 무곡의 한 형식] conga *f*.

콩고[1] 【지명】 [콩고 공화국] la República del Congo. ~ 사람 congoleño, -ña *mf*.

콩고[2] [콩고 민주 공화국] la República Democrática de Congo. ~의 zaireño, zairense. ~ 사람 zaireño, -ña *mf*, zairense *mf*.

콩나물 *congnamul*, brotes *mpl* de soja, malta *f*, malta *f* de cebada, sojas *fpl* germinadas.

◆콩나물 시루 같다 estar de bote en bote, estar como sardinas en lata. 콩나물 시루 같이 como sardinas en la lata.

▪~ 교실 sala *f* de clase atestada (de gente), clase *f* abarrotada de gente. ~국 *congnamulguk*, sopa *f* de brotes de soja. ~밥 *congnamulbab*, comida *f* de brotes de soja, arroz *m* cocido con brotes de soja. ~ 버스 autobús *m* sobrecargado. ~순(筍) brote *m* de soja. ~ 시루 tarro *m* de crecer los brotes de sojas. ~죽 *congnamulchuk*, gachas *fpl* de brotes de soja.

콩소메(불 *consommé*) consomé *m*, caldo *m* de carne.

콩케팔케 gran desorden *m*, revoltijo *m*, confusión *f*, mezcolanza *f*, embrollo *m*. 모든 것이 ~가 된다 Todo está hecho en lío / Todo está muy embrollado.

콩코드(영 *Concord*) [초음속 비행기 이름] Concord.

콩쿠르(불 *concours*) concurso *m*, certamen *m* (*pl* certámenes), competencia *f*. ~에 참가하다 participar en un concurso, participar en un certamen.

▪~ 우승자 ganador, -dora *mf* (de un premio); premiado, -da *mf*. ~ 우승 작품 filme *m* premiado, filme *m* galardonado. ~참가 작품 [영화의] filme *m* competitivo, filme *m* para concurso.

콩 튀듯 팥 튀듯 하다 saltar con enfado.

콩트(불 *conte*) cuento *m*.

콩팔칠팔 farfullando, hablando atropelladamente, hablando en jerigonza. ~하다 farfullar, hablar atropelladamente, hablar en jerigonza, hablar en jerga.

콩팥 ① [콩과 팥] la soja y la haba roja. ② 【해부】 =신장(腎臟). ¶~의 renal.

콩풀 ampolla *f* en el papel aplicado pegamento.

콰르텟(영 *quartet*) 【음악】 cuarteto *m*.

콱 con fuerza, con empuje.

콸콸 a borbotones, a chorros. ~ 흘러나오다 salir a borbotones, salir a chorros.

쾅 ① [무겁고 단단한 물건이] dando un portazo, de un golpe, con un golpe violento y sonoro. ~ 닫히다 cerrarse de un golpe, dar un portazo. ~부딪치다 chocar estruendosamente (contra). ~ 하고 떨어지

ㅋ

다 caer pesadamente, caer ruidosamente. ~ 하고 문을 닫다 cerrar una puerta violentamente, cerrar la puerta de golpe. 책상을 ~ 때리다 golpear fuertemente la mesa. 그는 문을 ~ 닫았다 El cerró la puerta dando un portazo / El dio un portazo. 그 여자는 서랍을 ~ 닫았다 Ella cerró el cajón de un golpe. 뚜껑이 ~ 닫혔다 La tapa se cerró de un golpe. 상자가 ~ 떨어진다 La caja cae con estrépito. 문이 바람에 ~ 닫혔다 La puerta daba golpes [*AmL* se golpeaba] con el viento. ② [폭약 따위가] con un estallido. ~! ¡Pum! / ¡Bang! 기구가 ~ 하고 터졌다 El globo se reventó con un estallido.

쾅쾅 dando golpes. ~ 때리다 dar golpes.

쾅쾅거리다 [터질 때] seguir produciendo un estruendo; [떨어질 때] seguir chocando de golpe.

쾌 ① [북어 스무 마리를 한 단위로 세는 말] cuerda *f* de veinte abadejos secados). ② 【역사】 diez cuerdas de la moneda de latón

쾌감(快感) sensación *f* agradable, placer *m*, sensualidad *f*, voluptuosidad *f*. ~을 느끼다 sentir placer, sentir voluptuosidad, deleitarse, sentirese agradable, experimentar una sensación agradable.

쾌거(快擧) empresa *f* animosa, evento *m* animoso, hazaña *f*, proeza *f*. 근래의 ~이다 ser el evento más animoso de estos días.

쾌과(快果) pera *f*.

쾌남아(快男兒) hombre *m* varonil [valioso · valiente · de bríos], buen mozo *m*, buen chico *m*.

쾌담(快談) = 쾌론(快論).

쾌도(快刀) espada *f* cortante.

■ ~난마 cortadura *f* del nudo gordiano. ¶ ~하다 cortar nudo intrincado con espada afilada, cortar nudo gordiano.

쾌락(快樂) alegría *f*, complacencia *f*, gozo *m*, placer *m*, dulce sabor *m*. 승리의 ~ el dulce sabor de la victoria. 육체적 ~ placer *m* carnal. 인생(人生)의 ~ placer *m* de vida. 젊은이들의 ~ placeres *mpl* de la juventud. ~에 빠지다 entregarse al placer. ~을 주다 dar gozo, placer. ~을 추구하다 buscar el placer, correr tras el placer.

■ ~설[주의] hedonismo *m*, epicureísmo *m*. ~주의자 hedonista *mf*; epicúreo, -a *mf*.

쾌락(快諾) consentimiento *m* de buena gana, complacencia *f*. ~하다 consentir con gana, dar de buena gana *su* consentimiento, dar una respuesta fácil.

쾌론(快論) conversación *f* agradable, charla f alegre. ~하다 hablar animadamente, tener charla amena.

쾌마(快馬) caballo *m* veloz.

쾌면(快眠) sueño *m* deleitoso.

쾌미(快味) delicia *f*, sensación *f* agradable.

쾌변(快辯) elocuencia *f*. ~을 토하다 hacer un discurso elocuente.

쾌보(快報) noticia *f* jubilosa, nuevas *fpl* felices, gratas noticias *fpl*.

쾌복(快服) recobro *m*, recuperación *f*, convalecencia *f*. ~하다 recobrar, mejorarse, recobrar la salud.

쾌사(快事) evento *m* sumamente complacido, amenidad *f* de la vida.

쾌설(快雪) vindicación *f* de *su* honor. ~하다 vindicar *su* honor.

쾌속(快速) celeridad *f*, carrera *f* tendida, gran velocidad *f*, alta velocidad *f*. ~의 rápido, veloz, de gran velocidad, de alta velocidad. ~을 이용하다 aprovecharse de la gran velocidad. 20마일의 ~으로 a la gran velocidad de veinte millas.

■ ~도(度) velocidad *f* muy veloz. ~선(船) barco *m* rápido, barco *m* de alta velocidad. ~ 열차(列車) tren *m* rápido. ~정(艇) (lancha *f*) motora *f*.

쾌승(快勝) victoria *f* brillante, victoria *f* decisiva, triunfo *m* evidente, triunfo *m* señalado. ~하다 obtener un triunfo señalado.

쾌유(快癒) recobro *m* completo. ~하다 recobrar completamente, mejorarse completamente.

쾌재(快哉) sentimiento *m* satisfactorio.

◆ 쾌재(를) 부르다 dar un grito de alegría, gritar de [con] júbilo, exclamar 'bravo', sentir satisfecho.

쾌적 기온(快適氣溫) temperatura *f* agradable.

쾌적하다(快適 -) (ser) cómodo, agradable, grato, apacible, confortable. 쾌적한 방 habitación *f* cómoda. 쾌적한 여행 viaje *m* agradable.

쾌조(快調) tono *m* grato, condición *f* excelente, buena condición *f*, buen estado *m*. ~의 컨디션 condición *f* perfecta, buena condición *f*. ~다 estar en buenas [excelentes] condiciones. 엔진은 ~다 El motor está en excelentes condiciones / El motor funciona estupendamente. 내 몸은 ~이다 Gozo de perfecta salud. 그는 ~로 시합을 계속 이기고 있었다 El seguía ganando los partidos sin dificultad.

쾌주(快走) corrida *f* rápida, corrida *f* veloz, carrera *f* ligera. ~하다 correr rápidamente, correr de prisa, ir a gran velocidad.

쾌차(快差) recobro *m*, recuperación *f*, convalecencia *f*. ~하다 recobrar, mejorarse, recobrar la salud.

쾌척(快擲) sacrificación *f*, contribución *f* generosa. ~하다 contribuir generosamente. 재산을 ~하다 sacrificar *su* fortuna.

쾌청하다(快晴 -) (ser) claro, hacer buen tiempo; [날씨가 활짝 개다] despejarse, aclararse, serenarse. 쾌청한 tiempo *m* estupendo, tiempo *m* magnífico, buen tiempo *m*, cielo *m* claro. 날씨가 ~ Hace buen tiempo. 날씨가 쾌청해졌다 Se ha despejado el tiempo. 하늘이 쾌청해졌다 Se ha despejado el cielo. 오늘은 ~ Hace un tiempo estupendo hoy / Hoy está despejado.

쾌쾌하다(快快 -) (ser) gallardo y osado.

ㅋ

쾌하다(快－) ① [마음이 유쾌하다] (ser) encantador, agradable, alegre, feliz. ② [병(病)이 아주 낫다] recuperarse, restablecerse, reponerse.
쾌히 deliciosamente, encantadoramente, agradablemente, alegremente, de una manera grata, felizmente; [기꺼이] con (mucho) gusto, gustosamente, de buena gana, de buen grado, de buena voluntad; [진심으로] cordialmente, sinceramente. ～ 맞이하다 recibir cordialmente. ～ 승낙하다 consentir con grado. ～ 인수(引受)하다 encargarse con mucho gusto, aceptar de buena voluntad. ～ 허가(許可)하다 dar permiso de buena gana.

쾌한(快漢) ＝쾌남아(快男兒).

쾌활하다(快活－) (ser) jovial, alegre, de buen humor, gozoso; [생기발랄한] activo, vivo.
쾌활함 jovialidad *f.*
쾌활히 jovialmente, alegremente, gozosamente, con jovialidad, con alegría, con goce, activamente, vivamente, con viveza.

쾌활하다(快闊－) (ser) extenso.

쾨쾨하다 (ser) hetiondo, fétido, apestoso. 이 달걀은 ～ Este huevo huele mal / Este huevo tiens el olor hetiondo.

쿠거(영 *cougar*) 【동물】 [아메리카라이온. 퓨마] puma *m*, *AmC*, *Méj* león *m*; [암컷] leona *f.*

쿠냥(중 姑娘) muchacha *f*, chica *f.*

쿠데타(불 *coup d'Etat*) golpe *m* de Estado. ～를 일으키다 armar [dar·recurrir] un golpe de Estado. 칠레에서 1972년 ～가 일어났다 En Chile estalló [ocurrió] un golpe de Estado en 1972.

쿠렁쿠렁 ¶～하다 no estar lleno completamente.

쿠리다 ＝구리다.

쿠린내 ＝구린내.

쿠바 【지명】 Cuba. ～의 cubano. ☞꾸바

쿠션(영 *cushion*) ① [의자의] cojín *m* (*pl* cojines), almohadón *m* (*pl* almohadones). 이 의자는 ～이 좋다 Los resortes de esta silla son buenos. ②((당구)) baranda *f*, banda *f.*

쿠알라룸푸르 【지명】 Kuala Lumpur (말레이시아의 수도).

쿠웨이트 【지명】 Kuwait, Estado de Kuwait. ～의 kuwaití, kuwaiteño.
■～ 사람 kuwaití *mf*, kuwaiteño, -ña *mf.*

쿠키(영 *cookie*, *cooky*) ① [비스킷 비슷한 양과자] galleta *f*, *Arg* galletita *f.* ② [케이크 비슷한 양과자] pasta *f.*

쿠킹(영 *cooking*) [요리. 요리법] cocina *f*, gastronomía *f*, arte *m* de cocinar.

쿠페(불 *coupé*) cupé *m.*

쿠폰(영 *coupon*) cupón *m* (*pl* cupones), billete *m* talonario; [디스카운트용의] vale *m.* 여행 ～ billete *m* talontario para el viaje.

쿡 pinchando fuerte. ～ 찌르다 pinchar, dar un pinchazo, dar un golpecillo, empujar ligeramente. 바늘로 ～ 찌르다 pinchar con una aguja. 자기의 손가락을 ～ 찌르다 pincharse un dedo. 그녀는 웃으면서 나를 핀으로 ～ 찔렀다 Ella, riendo, me dio un pinchazo de alfiler.

쿡(영 *cook*) [요리사] cocinero, -ra *mf.* 그는 명～이다 El cocina muy bien / El es muy buen cocinero.

쿡쿡 pinchando y pinchando. ～ 찌르다 seguir picando, seguir pinchando.

쿨롬(영 *coulomb*) 【물리】 [전기량(電氣量)의 단위] culombio *m.* ～의 coulombiano.
■～미터 【물리】 [전기량계] coulombímetro *m.*

쿨롱(불 *coulomb*) 【물리】 ＝쿨롬.

쿨룩 tosiendo.
쿨룩거리다 toser.
쿨룩쿨룩 tosiendo y tosiendo.

쿨리(영 *coolie*) culí *mf.*

쿨쿨[1] [큰 구멍으로 물이 쏟아져 흐르는 소리] chorreando. 피가 ～ 나온다 La sangre chorrea.
쿨쿨거리다 seguir chorreando.

쿨쿨[2] [곤히 잠들었을 때 숨 쉬는 소리. 또, 그 모양] roncando.
쿨쿨거리다 roncar, seguir roncando.

쿵 ① [단단한 바닥에 크고 무거운 물건이 떨어지거나 부딪쳐 울리는 소리. 또, 그 모양] pesadamente, dando ruido sordo. ～(하고) 넘어지다 caer con un golpe [ruido sordo]. ～ 부딪치다 chocar con un golpe [ruido sordo]. 그는 마루에 ～ 하고 넘어졌다 El cayó al suelo con un ruido sordo. 우리들은 산허리에서 ～ 하고 수류탄이 터지는 소리를 들었다 Oíamos estallar granadas en la ladera del monte.

쿵광 dando un portazo, con un estallido, con un estrépido. ～ 하는 소리가 들리더니 차가 멈추었다 Se oyó una explosión y el coche se paró.
쿵광거리다 dar un portazo, dar un estallido, dar una explosión.
쿵광쿵광 dando un portazo.

쿵쿵 pataleando. 발을 ～ 구르다 patalear.
쿵쿵거리다 seguir [continuar] pataleando.

쿵후(중 功夫) kung fu *m.*

쿼테이션마크(영 *quotation mark*) comillas *fpl.*

퀀셋(영 *Quonset*) cobertizo *m* prefabricado.

퀄퀄 borbotando, gorgoteando.
퀄퀄거리다 borbotar, gorgotear.

퀘스천 마크(영 *question mark*) (signo *m* de) interrogación *f.*

퀘이커(영 *Quaker*) [퀘이커교도] cuáquero, -ra *mf*, cuákero, -ra *mf.*
■～교(敎) cuaqerismo *m*, kuakerismo *m.* ～교도(敎徒) cuáquero, -ra *mf.* ～파(派) cuáqueros *mpl.*

퀭하다 (ser) grande y hundido. 퀭한 눈 ojos *mpl* grandes y hundidos.

퀴닌(영 *quinine*) quinina *f.*

퀴륨(영 *curium*) 【화학】 curio *m.*

퀴리(영 *curie*) 【물리】 curio *m.*

퀴즈(영 *quiz*) concurso *m.*

■ ~ 쇼 programa *m* concurso. ~ 프로그램 programa *m* de preguntas (y respuestas), concurso *m*.

퀴퀴하다 (ser) hediondo, pestilente, fétido. 생선이 썩어서 냄새가 ~ El pescado es podrido y hediondo.

퀸(영 *queen*) ① [여왕] reina *f*. ② [서양 장기나 여왕이 그려진 카드의 패] reina *f*; [카드의] dama *f*. ③ [미인 대회의] reina *f*.

퀸텟(영 *quintet*) 【음악】 quinteto *m*.

큐(영 *cue*) ((당구)) taco *m*.

■ ~받침 soporte *m*. ~볼 bola *f* blanca.

큐라소(네 *curaçao*) [오렌지 껍질로 빚은 술] curasao *m*, curazao *m*, curaçao *m*.

큐비스트(영 *cubist*) 【미술】 [입체파 예술가] cubista *mf*.

큐비즘(영 *cubism*) 【미술】 [입체파] cubismo *m*.

큐엔드에이(영 *Q & A, question and answer*) la pregunta y la respuesta.

큐클럭스클랜(영 *Ku Klux Klan*) el Ku Klux Klan.

큐티쿨라층(cuticula 層) cutícula *f*.

큐피드(영 *Cupid*) ((로마 신화)) Cúpido *m*, el dios del amor de los antiguos romanos.

크기 tamaño *m*, tamañito *m*; [용적] volumen *m* (*pl* volúmenes); [가로·세로·높이에서] dimensiones *fpl*; [정도] magnitud *f*; [신장. 사이즈] talla *f*; [추상적] grandeza *f*. …의 ~의 del tamaño de *algo*. …과 똑같은 ~의 del mis tamaño que *algo*. … 정도의 ~의 de igual tamaño a *algo*. 아주 큰 ~의 de tamaño bastante grande. 가지고 다니기에 적당한 ~의 de tamaño conveniente para llevar, de tamaño portátil. 여러 가지 ~의 책 libros *mpl* de diversos formatos. 여러 가지 ~의 셔츠 camisas *fpl* de diversas tallas.

크나크다 (ser) bastante [muy] grande, gigantesco, enorme. 크나큰 문제 asunto *m* muy importante. 크나큰 사건 suceso *m* muy grande. 크나큰 재산(財産) fortuna *f* enorme. 크나큰 집 casa *f* muy grande.

크낙새 【조류】 pájaro *m* carpintero coreano.

크넓다 (ser) grande y ancho.

크다 ① [부피나 길이가 많은 공간을 차지하다] [부피가] (ser) grande; [키가] (ser) alto; [거대하다] gigantesco, inmenso, colosal; [덩치가] corpulento, abultado, voluminoso. 큰 건물 edificio *m* grande. 큰 나라 país *m* (*pl* países) grande. 큰 모양 grandes dibujos *mpl*. 큰 지진 gran terremoto *m*. 큰 체격 gran estatura *f*. 큰 하물(荷物) equipaje *m* abultado. 큰 희생(犧牲) gran sacrificio *m*. 키가 ~ ser alto. 키가 더 ~ ser más alto. ② [수나 양이 많다] (ser) mucho, grande. 큰 수 muchos números. 큰 기부 donación *f* importante, donación *f* grande. 큰 주문(注文) pedido *m* importante, pedido *m* grande. ③ [범위가 넓다] (ser) vasto, extenso, espacioso, amplio. ④ [심하다. 중대하다] (ser) grave, terrible, grande; [위대하다] grande; [남성 단수 명사 앞에서 de 탈락] gran. 큰 사건(事件) accidente *m* terrible, tragedia *f*. 큰 인물 gran hombre *m*, gran personaje *m*. 손해가 ~ La pérdida es grande. ⑤ [옷·신발 따위가 알맞은 치수 이상으로 되어 있다] (ser) grande. 구두가 너무 ~ (Los tamaños de) Los zapatos son demasiado grandes. ⑥ [자라다] [커지다] crecer, hacerse alto. 내 조카는 작년보다 5센티미터 컸다 Mi sobrino ha crecido cinco centímetros desde el año pasado.

■ 큰 방죽도 개미구멍으로 무너진다 ((속담)) Por un clavo se pierde una herradura / Por una herradura, un caballo / Por un caballo, un caballero / Por un caballero, un campo / Por un campo, un reino.

크게 mucho, demasiado; [대규모로] en gran escala. ~ 하다 agrandar, hacer más grande; [확장·확대하다] ampliar, extender, ensanchar. 입을 ~ 벌리고 con la boca muy abierta. 글자를 ~ 쓰다 escribir letras grandes. 눈을 ~ 뜨다 abrir mucho los ojos.

크디크다 (ser) muy grande.

크라운(영 *crown*) [왕관] corona *f*.

크라프트 보드(영 *kraft board*) cartón *m* kraft.

크라프트지(kraft 紙) papel *m* kraft.

크라프트 펄프(영 *kraft pulp*) pasta *f* kraft.

크래커(영 *cracker*) galletina *f*, galleta *f*.

크랭크(영 *crank*) 【기계】 cigüeñal *m*.

■ ~축(軸) cigüeñal *m*, cigoñal *m*.

크러치(영 *crutch*) muleta *f*.

크레디트(영 *credit*) ① =신용(信用). ② =차관(借款). ③ [신용 판매. 신용 거래] crédito *m*. ~를 설정하다 abrir un crédito.

◆ 단기(短期) ~ crédito *m* a corto plazo. 오픈(open) ~ crédito *m* abierto. 장기(長期) ~ crédito *m* a largo plazo.

■ ~ 카드 tarjeta *f* de crédito.

크레바스(불 *crevasse*) grieta *f* (de glaciares), raja *f*.

크레용(불 *crayon*) creyón *m*, pastel *m*, lápiz *m* (*pl* lápices) de tiza; [색연필] lápiz *m* de color. ~으로 그리다 dibujar [colorear] con lápices de colores [crayolas], dibujar al pastel. ~으로 그림을 그리다 pintar con pastel.

크레인(영 *crane*) ① [기중기(起重機)] grúa *f*, máquina *f* para elevar toda clase de pesos. ② [영화 따위의 이동 촬영에 쓰이는 기구] grúa *f*. ■ ~차(車) coche *m* de grúa.

크레졸(영 *cresol*) 【화학】 cresol *m*.

크레파스(영 *craypas*) lápiz *m* (*pl* lápices) de pastel. ■ ~화(畵) dibujo *m* hecho con lápices de colores.

크렘린(영 *Kremlin*) ① [모스크바에 있는 궁전] el Kremlin ② [전에 소련 정부와 공산당의 별칭] el Kremlin.

크로마뇽인(Cro-Magnon 人) hombre *m* de Cro-Magnon, Cromañón *m*, Cro-Magnon *m*.

크로스(영 *cross*) ① [십자형. 십자가] cruz *f*

(*pl* cruces). ② ＝교차(交叉). 교차점(交叉點). ③ ((준말)) ＝크로스레이트.
■ ～레이트 tarifa *f* cruzada. ～바 ㉮ [골의] larguero *m*, travesaño *m*, *Andes* horizontal *m*. ㉯ [자전거의] barra *f*. ～워드 ＝크로스워드 퍼즐. ～워드 퍼즐 [글자 맞추기 놀이] crucigrama *m*, *CoS* palabras *fpl* cruzadas, *Chi* puzzle *ing.m*. ～컨트리 ㉮ campo *m* a través, cross *ing.m*, cross-country *ing.m*. ¶～의 ㄱ) [산야를 횡단하는] campo a través, a campo traviesa, a campo través; ((스키)) de fondo. ㄴ) [국토를 횡단하는] de extremo a extremo del país. ㉯ ＝크로스컨트리 레이스. ～컨트리 레이스 carrera *f* a (través del) campo, cross *m*.

크로아티아 【지명】 Croacia. ～의 croata.
■ ～ 사람[인] croata *mf*. ～어[말] croata *m*.

크로이츠펠트야콥병(Creutzfeldt-Jakob 病) enfermedad *f* de Creutzfeldt-Jakob.

크로켓(불 *croquette*) croqueta *f*.

크롤(영 *crawl*) brazada *f* de pecho, crol *m*., crawl *ing.m*. ～ 수영을 하다 nadar a crol, nadar crol, *Méj* nadar de crol.

크롬(영 *chrome*) 【화학】 cromo *m*.
■ ～강(鋼) acerocromo *m*, cromita *f*. ～ 도금(鍍金) cromado *m*. ～산(酸) ácido *m* crómico. ～산염 cromato *m*. ～산칼륨 cromato *m* potásico. ～ 염료(染料) colorante *m* de cromo. ～ 철광 cromita *f*, mineral *m* de hierro de cromo.

크루저(영 *cruiser*) ① [순양함] crucero *m*. ② [유람용 요트] lancha *f*, barco *m*. ③ [경찰 순찰차] (coche *m*) patrulla *f*, *RPl* patrullero *m*, *Chi* autopatrulla *f*.

크루즈 미사일(영 *Cruise missile*) misil *m* de crucero.

크루프(영 *croup*) 【의학】 crups *m*, garrotillo *m*.

크리미아 【지명】 la Crimea. ☞크림(Crimea).

크리스마스(영 *Christmas*) Navidad *f*, *Chi*, *Per* Pascua *f*. ～를 축하하다 celebrar la Navidad. 메리 ～! / ～를 축하합니다 ¡(Deseo a usted una) Feliz Navidad! / ¡Feliz Pascua!
■ ～ 선물 regalo *m* de Navidad, obsequio *m* de Navidad, *Chi*, *Per* regalo *m* de Pascua; [고아원이나 환경미화원 등에게 주는 선물] aguinaldo *m*. ～실 sello *m* de Navidad. ～이브 Nochebuena *f*, víspera *f* de Navidad. ～카드 tarjeta *f* de Navidad, tarjeta *f* navideña, crismas *m.sing.pl*, Christmas *m.sing.pl*, postal *f* navideña, *Chi*, *Per* tarjeta *f* de Pascua. ～캐럴 villancico *m*, cántico *m* de Navidad. ～ 케이크 torta *f* de Navidad, pastel *m* de Navidad. ～ 트리 árbol *m* de Navidad; *Chi*, *Per* árbol *m* de Pascua. ～ 휴가(休暇) vacación *f* de Navidad. ～ 휴전 tregua *f* de la Navidad [de las Navidades].

크리스천(영 *Christian*) cristiano, -na *mf*.
■ ～ 네임 nombre *m* de pila.

크리스털(영 *crystal*) ① ＝수정(水晶). ② ((준말)) ＝크리스털 유리. ③ [결정(結晶). 결정체] cristal *m*. ④ [시계의 유리 덮개] cristal *m*, vidrio *m*, *AmL* mica *f*.
■ ～ 유리 cristal *m*. ～ 정류기 rectificador *m* piezoeléctrico. ～ 제품 cristal *m*.

크리켓(영 *cricket*) críquet *m*, vilorta *f*.
■ ～선수 jugador, -dora *mf* de críquet.

크리티시즘(영 *criticism*) [비평] criticismo *m*, crítica *f*.

크림(영 *cream*) ① [우유에서 만들어낸 지방분] nata *f*, crema *f* (de leche). ～을 바르다 untar con nata [con crema]. ～ 바른 딸기 fresas *fpl* de nata [con crema]. ② [화장품] crema *f* (de belleza · de afeitar). 얼굴용 ～ crema *f* para la cara. 야간용 ～ crema *f* para la noche. ③ [구두약] crema *f*. 구두용 ～ betún *m*, *Méj* grasa, *Chi* pasta *f* de zapatos. ④ [담황색(淡黃色). 크림색] color *m* crema. ⑤ [엘리트] la flor y nata, la crema. ⑥ ((준말)) ＝아이스크림(helado).
■ ～ 그릇 jarrita *f* para crema. ～분리기 desnatadora *f*. ～ 케이크 torta *f* de [con] nata [con crema], tarta *f* con crema, pastel *m* [bollo *m*] de nata [de crema], masa *f* de crema.

크림 【지명】 la Crimea. ☞크리미아
■ ～ 전쟁(戰爭) guerra *f* de Crimea.

크메르 【지명】 Khmer.
■ ～ 말[어] jemer *m*, khmer *m*. ～ 사람[인] jemer *mf*; khmer *mf*.

큰계집 *su* esposa, *su* mujer.

큰고래 【동물】 rorcual *m* (blanco).

큰골 【해부】 cerebro *m*.

큰곰 ① 【동물】 oso *m* pardo. ② 【천문】 ((준말)) ＝큰곰자리.

큰곰자리 【천문】 la Osa Mayor.

큰기침 gran ejem, carraspera *f* fuerte. ～하다 carraspear fuerte, tener carraspera fuerte.

큰길 carretera *f*, camino *m* real, camino *m* principal.

큰놈 ① [다 자란 놈] tipo *m* completamente crecido. ② ((속어)) ＝큰아들.

큰누나 ＝큰누이.

큰누이 *su* hermana mayor.

큰눈 mucha nieve *f*. 금년에 ～이 내렸다 Este año ha habido [hubo] mucha nieve / Este año ha nevado mucho.

큰달 mes *m* que tiene treinta y un días del calendario solar, mes *m* que tiene treinta días del calendario lunar.

큰댁(－宅) ＝큰집.

큰도끼 el hacha *f* grande (*pl* las hachas grandes).

큰돈 mucho dinero. ～이 들다 costar mucho (dinero). ～을 벌다 ganar mucho dinero.

큰동서(－同壻) cuñado *m* mayor, hermano *m* político mayor.

큰따님 ＝큰딸.

큰딸 hija *f* mayor.

큰마누라 esposa *f* legítima.

큰마음 [포부] gran ambición *f*, gran esperanza *f*; [관대함] generosidad *f*.

◆큰마음 먹다 ㉮ [후(厚)하게 요량하다] (ser) generoso, tener gran ambición. ㉯ [모처럼 어려운 결심을 하다] hacer una decisión difícil, decidir difícilmente, darse el lujo (de + *inf*), permitirse el lujo (de + *inf*). 큰마음 먹고 택시를 타다 darse el lujo de tomar el taxi. 큰마음 먹고 대금(大金)을 내어 자동차를 사다 permitirse el lujo de comprar un coche muy caro, hacer ostentación de lujo y comprar un coche muy caro. 그들은 큰마음 먹고 유럽 여행을 하기로 했다 Ellos se permitieron [se dieron] el lujo de ir de viaje a Europa.

큰만두(－饅頭) bola *f* de masa grande, bollo *m* grande.

큰말 【언어】 isótopo *m* pesado de una palabra.

큰맘 ((준말)) ＝큰마음.

큰매부(－妹夫) cuñado *m* mayor, hermano *m* político mayor, esposo *m* de *su* hermana mayor.

큰며느리 primera nuera *f*, nuera *f* mayor, esposa de *su* primogénito.

큰못 clavo *m* grande.

큰문(－門) puerta *f* principal.

큰물 ＝홍수(洪水)(inundación, diluvio, riada).
◆큰물(이) 지다 inundarse.

큰바늘 [시계의] minutero *m*.

큰바람 【기상】 gran viento *m*.

큰방(－房) ① [넓고 큰 방] habitación *f* principal, habitación *f* grande. ② [집안의 가장 어른 되는 부인이 거처하는 방] habitación *f* para la mayor de la familia. ③ [절에서 중이 항상 거처하는 방] habitación *f* para los monjes budistas en el templo.

큰부자(－富者) riachón, -chona *mf*; millonario, -ria *mf*; plutócrata *mf*; billonario, -ria *mf*.

큰부처 gran estatua *f* de Buda.

큰북 【악기】 tambor *m* grande.

큰불 ① [큰 화재] gran fuego *m*. ② [큰 짐승을 잡으려고 쏘는 총알] bala *f* para cazar el animal grande.

큰비 aguacero *m*, lluvia *f* torrencial (fuerte); [단시간의] chaparrón *m*, chubasco *m*. ～가 내린다 Llueve mucho [torrencialmente · fuertemente · a cántaros · a mares] / Hay mucha agua.

큰비녀 pasador *m* grande.

큰사람 ① [키가 썩 큰 사람] persona *f* bastante alta; [남자] hombrón *m* (*pl* hombrones), hombre *m* bastante alto; [여자] mujer *f* bastante alta. ② [위대하고 이름난 사람] gran hombre *m* (*pl* grandes hombres). 그런 일로는 ～이 될 수 없다 Así, no podrás llegar a ser un gran hombre.

큰사랑(－舍廊) ① [썩 크게 지은 사랑] habitación *f* grande para los visitantes. ② [웃어른이 거처하는 사랑] habitación *f* grande para el mayor.

큰사위 [맏사위] yerno *m* mayor, hijo *m* político mayor, esposo *m* de *su* hija mayor.

큰살림 vida *f* lujosa.

큰상(－床) mesa *f* grande.

큰선비 sabio *m* eminente.

큰소리 ① [목청을 크게 하여 내는 소리] voz *f* alta, voz *f* grande. ～로 en voz alta, a voces, a grito limpio, a voz en grito, a voz en cuello. ～로 부르다 llamar en voz alta, llamar a voz en cuello [a grandes voces · a grito limpio], dar una voz. ～로 외치다 gritar en voz alta. ～를 내다 dar [lanzar · soltar] un grito, gritar, dar una voz. ② [야단치는 소리] reprimenda *f*, regañina *f*, regañiza *f*, *RPl* reto *m*. ③ [일의 성패는 가리지 않고 덮어놓고 뱃심 좋게 장담을 하는 말] jactancia *f*, baladronada *f*, fanfarronada *f*, bravata *f*.
◆큰소리(를) 치다 fanfarronear, jactarse, decir fanfarronadas.

큰소매 manga *f* grande.

큰손[1] [증권 시장에서, 개인 또는 기관 투자가] inversionista *m* privado, inversionista *f* privada; inversionista *mf* de agencia; bolsista *mf* de gran escala.

큰손[2] ＝큰손님.

큰손녀(－孫女) nieta *f* mayor.

큰손님 ＝빈객(賓客). 상객(上客).

큰손자(－孫子) nieto *m* mayor.

큰솥 caldero *m*, horno *m*, olla *f* grande.

큰스님 ((불교)) sacerdote *m* (budista) con gran virtud.

큰아가씨 ① ＝큰아씨. ② [올케가 큰시누이를 부르는 경칭] cuñada *f* mayor.

큰아기 ① [다 큰 계집아이] chica *f* crecida. ② [맏딸이나 맏며느리를 다정하게 일컫는 말] [맏딸] hijita *f* mayor; [맏며느리] nuera *f* mayor.

큰아들 hijo *m* mayor.

큰아버지 tío *m* (mayor), hermano *m* mayor de *su* padre.

큰아씨 señorita *f*.

큰아이 hijo *m* mayor, hija *f* mayor.

큰애 ((준말)) ＝큰아이.

큰어머니 tía *f* (mayor), esposa *f* del hermano mayor de *su* padre.

큰어미 ((낮춤말)) ＝큰어머니.

큰언니 hermano *m* mayor, hermana *f* mayor.

큰오빠 hermano *m* mayor.

큰옷 toga *f* de ceremonias.

큰이 ① [남의 형제 중에 맏이 되는 사람] *su* hermano mayor. ② [남의 본부인을 그의 작은이에 상대하여 이르는 말] *su* esposa legítima.

큰일 ① [다루는 데 힘이 많이 들고 범위가 넓은 일] cosa *f* grave, asunto *m* importante, situación *f* difícil, desastre *m*; [위기] crisis *f*. 그것은 ～이다 Eso es grave / ¡Caramba! / ¡Dios mío! / ¡Válgame Dios! / ¡Estamos perdidos! / ¡Jesús! ～이 터졌다 Tuvo lugar un suceso grave. ～이 났다. 옆집에 불이다 ¡Dios mío! ¡Está ardiendo la casa de al lado! 출산(出産)은 ～이다 El parto es algo muy serio. ② [큰 예식이나 잔치를 치르는 일] gran fiesta *f*, gran banquete *m*.

ㅋ

◆큰일(을) 내다 cometer una cosa grave, cometer una tontería. 너 큰일을 냈군! ¡Qué insensatez [tontería] has cometido! / ¡Si supieras lo que has hecho!
◆큰일(을) 치르다 dar una gran fiesta, dar un gran banquete, celebrar una boda, celebrar el funeral.
◆큰일(이) 나다 ocurrir una cosa grave. 큰일 났군! ¡Ay de mí! / ¡Dios mío! / ¡Dios Santo! / ¡Maldito sea! / ¡La hice! / ¡Qué lío! / ¡No esperaba tal cosa! 그런 일을 했으니 큰일 났군! ¡Qué he hecho! / ¡Qué imbécil he sido! 너 큰일 났군! ¡En qué lío te has metido! / ¡Menudo problema tienes ahora!
큰자귀 azuela *f* grande.
큰절[1] saludo *m* muy profundo, reverencia *f* muy cortés. ~하다 hacer un saludo profundo, saludar muy cortésmente, hacer una reverencia profunda, hacer una inclinación muy cortés.
큰절[2] ((불교)) templo *m* (budista) principal, monasterio *m* principal.
큰제사(-祭祀) servicio *m* religioso de *su* tatarabuelo [de *su* tatarabuela].
큰조카 hijo *m* mayor de *su* hermano mayor.
큰집 casa *f* de *su* hermano mayor.
큰처남(-妻男) cuñado *m* mayor, hermano *m* político mayor, esposo *m* de *su* hermana mayor.
큰체하다 estar orgulloso (de).
큰춤 baile *m* formal, danza *f* de gala.
큰치마 falda *f* larga.
큰칼【역사】picota *f* larga.
큰코다치다 tener una experiencia amarga, tener un contratiempo.
큰톱 sierra *f* grande.
큰판 juego *m* alto.
큰할머니 abuela *f* mayor, esposa *f* de *su* abuelo mayor.
큰할아버지 abuelo *m* mayor, hermano *m* mayor de *su* abuelo.
큰형(-兄) hermano *m* mayor.
큰형수(-兄嫂) cuñada *f* mayor, hermana *f* política mayor, esposa *f* de *su* hermano mayor.
큰활 flecha *f* grande y fuerte.
클라리넷(영 *clarinet*)【악기】clarrinete *m*.
◆베이스 ~ clarinete *m* bajo.
■~ 연주자 clarinete *m*, clarinetista *mf*.
클라리오넷(영 *clarionet*)【악기】=클라리넷.
클라리온(영 *clarion*)【악기】clarín *m*.
클라비코드(영 *clavichord*)【악기】clavicordio *m*.
클라이맥스(영 *climax*) ① [흥분·긴장 등이 최고조에 이른 상태. 또, 그 장면] punto *m* culminante. ~에 달하다 culminar (en), ser el punto .culminante (de). ② [극(劇)·사건 따위의 절정. 최고조] clímax *m*. 축제는 ~에 달했다 El festival ha alcanzado su clímax. ③ [오르가슴] organismo *m*. ~에 달하다 tener un organismo.
■~ 신 escena *f* culminante.
클라이밍(영 *climbing*) ① [등반(登攀)] escalada *f*, alpinismo *m*, montañismo *m*. ② ((준말)) =록 클라이밍(escalada).
클래스(영 *class*) ① [학급] clase *f*. ~를 맡다 encargarse de una clase. ② [등급] clase *f*. 일~ primera clase *f*. 월급 백만 원 ~의 사람 persona *f* con sueldo mensual de unos un millón de wones.
클래시시즘(영 *classicism*) [고전주의(古典主義)] clasicismo *m*.
클래식(영 *classic*) ① [고전적] clásico *adj*. ② [고전 작품] obra *f* clásica, clásico *m*. ③ [클래식 음악] música *f* clásica.
■~ 음악 música *f* clásica.
클랙슨(영 *Klaxon*) claxon *m*, claxon *m*, bocina *f* eléctrica, sirena *f*. ~을 울리다 hacer sonar el claxon, tocar la bocina.
클러치(영 *clutch*)【기계】embrague *m*, *AmC*, *Col*, *Méj* clutch *ing.m*, manguito *m* de embrague. ~를 넣다 embragar, poner el embrague. ~를 분리하다 desembragar.
클럽(영 *club*) ① [공통된 목적으로 구성한 단체 또, 그 모이는 장소. 구락부(俱樂部)] club *m* (*pl* clubs). ~에 가입하다 hacerse socio de un club, ingresar en un club. 테니스 ~에 가입하다 ingresar en un club de tenis. ② ((골프)) [공을 치는 막대기] palos *mpl*. ③ [카드놀이에서, 클로버 잎 모양이 그려져 있는 카드] basto *m*, trébol *m*.
◆골프 ~ club *m* del golf. 스포츠 ~ club *m* deportivo. 테니스 ~ club *m* de tenis.
■~ 활동 actividades *fpl* del club.
클레이 사격(clay 射擊) tiro *m* al plato.
클레임(영 *claim*)【상업】queja *f*, reclamo *m*, reclamación *f*. ~을 제기하다 reclamar (contra), quejarse (por). 계약 위반(契約違反)으로 그에게 ~이 붙었다 El reclamó que no se había observado el contrato.
클렌징크림(영 *cleansing cream*) crema *f* limpiadora, crema *f* de limpieza, crema *f* desmaquilladora.
클로랄(영 *chloral*)【화학】cloral *m*.
클로로마이세틴(영 *Chloromycetin*) cloromicetina *f*.
클로로포름(영 *chloroform*)【화학】cloroformo *m*.
클로로프렌(영 *chloroprene*)【화학】cloropreno *m*.
■~ 고무 caucho *m* de cloropreno.
클로로필(영 *chlorophyll*)【식물】=엽록소.
클로버(영 *clover*)【식물】trébol *m*. 사람들은 네 잎 ~는 행운을 가져다 준다고 생각하고 있다 El trébol de cuatro hojas se considera portador de buena suerte.
◆네 잎 ~ trébol *m* cuadrifolio, trébol *m* de cuatro hojas.
클로즈 게임(영 *close game*) partido *m* muy reñido.
클로즈업(영 *closeup*) ①【영화·사진】fotografía *f* de cerca, algo visto muy de cerca, vista *f* de cerca, primer plano *m*. ~되다 aparecer reproducido de cerca en la pantalla, aparecer en la pantalla en primer

plano. ~으로 촬영하다 sacar [tomar] un primer plano (de). 얼굴을 ~하다 fotografiar de cerca la car, tomar de cerca una fotografía de la cara, tomar un primer plano de la cara. ② [(어떤 사실을) 일반의 주의를 끌도록 문제로 삼아서 크게 다루는 일] llamada *f* fuerte de la atención de todos. 그 문제가 ~되었다 El asunto llamó fuertemente la atención de todos / El asunto estuvo en el primer plano de la actualidad.

클로크룸(영 *cloakroom*) [휴대품 보관소] ropero *m*, guardarropa *f*.

클론 인간(clone 人間) clon *m*.

클리넥스(영 *Kleenex®*) kleenex® *m*, pañuelo *m* de papel.

클리닝(영 *cleaning*) ① [빨래] limpieza *f*, lavado *m*, aseo *m*, limpia *f*. ~하다 hacer la limpieza. 웃옷을 ~하러 보내다 mandar el saco al limpiador. ② =드라이클리닝.
◆드라이~ lavado *m* en seco.

클린치(영 *clinch*) ((권투)) clinch *ing.m*, clincha *f*, cuerpo a cuerpo. ~를 하다 abrazarse, enredarse en un clinch.

클립(영 *clip*) ① [(서류 등을 끼우는 금속제 등의) 집게] gancho *m*, clip *ing.m*, sujetapapeles *m.sing.pl*. ~으로 매다 unir con un clip. ② [만년필의 뚜껑 따위에 달린 주머니에 끼우는 쇠] horquilla *f*. ③ [머리털을 곱슬곱슬하게 만들기 위해 머리털에 감는 기구] bigudí *m*, bigutí *m*.

큼직큼직 con grandes titulares. 신문에 ~하게 나다 publicarse con grandes titulares en los periódicos.

큼직하다 ser bastante grande.
큼직이 muy, mucho, grandemente, en gran escala, en grande.

킁킁 sorbiéndose la nariz. ~ 냄새를 맡다 husmear, olfatear.
킁킁거리다 sorberse. 코를 ~ sorberse la nariz, sorberse los mocos. 코를 킁킁거리지 마라 ¡No hagas ese ruido con la nariz! / ¡No te sorbas la nariz!

킁킁이 persona *f* que habla sorbiéndose la nariz.

키[1] ① [생물의 선 몸의 길이] estatura *f*, altura *f*, talla *f*. ~가 작은 bajo (de estatura). ~가 큰 alto (de estatura). 중(中)~의 de estatura mediana. ~가 크다 [자라다] crecer (en altura), engrandecerse. ~가 2센티미터 자라다 crecer dos centímetros. …과 ~를 대보다 comparar la estatura con *uno*. 그는 나보다 3센티미터 가량 ~가 크다 El es tres centímetros más alto que yo. ~가 몇입니까? ¿Qué talla tiene usted? ② [선 물건의 높이] altura *f*.
킷값 하다 hacerlo bien. 킷값 해라 Hazlo bien.

키[2] [곡식 따위를 까불러 고르는 기구] aventador *m*.

키[3] [배의 방향을 조절하는 기구] timón *m* (*pl* timones).
◆키를 잡다 manejar el timón, gobernar [guiar · dirigir] el rumbo [la embarcación].
■~ 손잡이 caña *f* [barra *f*] del timón. ~잡이 [조타수] piloto *m*, timonel *m*, timonero *m*.

키(영 *key*) ① [열쇠] llave *f*. 나는 집의 [자동차의] ~를 잃어버렸다 He perdido las llaves de casa [del coche]. ~를 두 번 돌려라 Dale dos vueltas a la llave. ~를 어디에 떨어뜨렸느냐? ¿Por dónde se te cayó la llave? ② [열쇠 꼴의 물건] [깡통의] llave *f*, abridor *m*. ③ [어떤 문제나 사건을 해결할 수 있는 열쇠. 관건(關鍵)] clave *f*. ④ [피아노나 풍금 따위의 건(鍵)] tecla *f*.; [관악기의] llave *f*. ⑤ [타자기 따위의 손으로 치는 글자판] tecla *f*. ⑥ 【기계】 cuña *f* de ajuste, clavija *f*, llave *f*, chaveta *f*.
■~단어 【컴퓨터】 palabra *f* clave. ~보드 ㉮ 【악기】 [건반(鍵盤)] teclado *m*. ㉯ [호텔 등에서, 열쇠를 걸어서 놓아 두는 판(板)] llavero *m*. ㉰ 【컴퓨터】 [자판(字板)] teclado *m*. ~를 쳐서 자료를 입력하다 teclear, entrar. ~보드 컴퓨터 ordenador *m* de teclado. ~ 스테이션 estación *f* central [base] de emisión. ~ 워드 ㉮ [어떤 문제를 해결할 수 있는 열쇠가 되는 말] palabra *f* clave. ㉯ 【컴퓨터】 palabra *f* clave. ~클릭 chasquido *m* de manipulador, impulsos *mpl* de ruidos. ~펀처 teclista *mf*, operador, -dora *mf* de la perforadora manual. ~펀치 perforadora *f* manual [de teclado]. ~포인트 [주안점(主眼點)] clave *f*, punto *m* importante.

키꺽다리 =키다리.

키꼴 ((속어)) constitución *f* alta, complexión *f* alta.

키네마(영 *kinema*) =시네마(cinema).

키네틱 아트(영 *kinetic art*) [시각 예술. 움직이는 예술] arte *m* cinético.

키네틱 아티스트(영 *kinetic artist*) [시각 예술가] artista *m* cinético, artista *f* cinética.

키네틱 에너지(영 *kinetic energy*) 【물리】 [운동 에너지] energía *f* cinética.

키니네(네 *kinine*) quinina *f*. ~는 해열제로 사용된다 La quinina se emplea como febrífugo.

키다[1] ((준말)) =켜이다.

키다[2] ((준말)) =키우다.

키다리 persona *f* muy alta; [남자] hombre *m* muy alto; [여자] mujer *f* muy alta.

키드(영 *kid*) ① [새끼 염소] cabrito, -ta *mf*, choto, -ta *mf*. ② [어린 염소의 가죽] cabritilla *f*. ③ [아이] chaval, -vala *mf*, niño, -ña *mf*, *AmC* chavalo, -la *mf*, escuincle, -cla *mf*, *RPl* pibe, -ba *mf*, *Chi* cabro, -bra *mf*, *Urg* botija *mf*.
■~ 구두 zapatos *mpl* de cabritilla. ~ 장갑 guantes *mpl* de cabritilla.

키르기스스탄 【지명】 Kirguizistán, Kirguistán. ~의 kirguís. ~사람[인] kirguís *mf*.

키리바시 【지명】 Kiribati. ~의 kiribatiano.
■~사람[인] kiribatiano, -na *mf*.

키마이라(그 *khimaira*) ((그리스 신화)) quimera *f*.

키부츠(헤 *Kibbutz*) kibbutz *m*, kibutz *m*.
키순(-順) orden *m* de estatura. ~으로 según estatura, por orden de estatura. ~으로 서다 formar filas por orden de estatura.
키스(영 *kiss*) beso *m*; [가벼운] besito *m*. ~하다 besar, dar un beso, dar un besito. 작별의 ~를 하다 dar*le* un beso de despedida a *uno*; [밤에] dar*le* un beso de buenas noches a *uno*. 그녀는 내 볼에 ~를 했다 Ella me dio un beso [me besó] en la mejilla. 그녀는 내 입술에 ~했다 Ella me dio un beso [me besó] en los labios [en la boca]. 그들은 (서로) ~했다 Ellos se besaron / Ellos se dieron un beso. 그는 관중에게 ~를 던졌다 El tiró besos al público.
키스트(영 *KIST*, *Korean Institute of Science and Technology*) [한국 과학 기술 연구원] el Instituto de Ciencia y Tecnología de Corea.
키우다 ① [아이를] criar, dar de mamar, nutrir, mimar; [동물·식물을] criar; [양성하다] cultivar, educar, enseñar; [만들다] hacer. 동물을 ~ criar animales. 아이를 ~ criar criaturas. 자녀를 ~ criar a un niño. 일류 상인으로 ~ hacer de *uno* un comerciante de primera clase. ② ㉮ [크게 하다] agrandar, hacer más grande. ㉯ [확대·확장하다] ampliar, extender, ensanchar. 사업을 ~ ampliar [extender] el negocio. 점포를 ~ ensanchar la tienda, hacer más grande la tienda.
키위(영 *kiwi*) ① 【조류】 kiwi *m*. ② 【식물】 kiwi *m*.
키질 aventamiento *m*. ~하다 aventar, hacer aire (a), echar aire (a), aechar, separar la paja del grano.
키친(영 *kitchen*) [부엌·주방] cocina *f*.
키커(영 *kicker*) ((축구)) coceador, -dora *mf*, chutador *m*; *AmL* pateador, -dora *mf*.
키퍼(영 *keeper*) ((준말)) =골키퍼.
키프로스【지명】 Chipre. ~의 chipriota.
▪~ 사람[인] chipriota *mf*. ¶그리스계 ~ grecochipriota *mf*. 터키계 ~ turcochipriota *mf*.
킥 con una risilla sofocada. ~ (하고) 웃다 reírse con una risilla sofocada [disimulada].
킥(영 *kick*) ((축구)) patada *f*, puntapié *m*, saque *m*, golpe *m*. ~하다 dar una patada (a), pegar una patada (a), dar patadas, patalear.
◆골~ saque *m* de meta. 코너~ saque *m* de esquina. 페널티~ penalty *ing.m*, golpe *m* de castigo. 프리~ saque *m* libre, golpe *m* franco.
▪~오프 saque *m* del centro, saque *m* [puntapié *m*] inicial, patada *f* de inicio, golpe *m* de salida, saque *m* de salida. ~하다 dar el golpe de salida.
킥킥 riéndose tontamente.
킥킥거리다 reírse tontamente, reírse sin motivo, reírse por nada, reírse tratando de suprimir [ocultar] la risa, reír entre dientes, reír con disímulo.
킬(영 *keel*) 【선박】 [용골(龍骨)] quilla *f*.
킬러(영 *killer*) [살인자] asesino, -na *mf*, matador, -dora *mf*.
킬로(그 *kilo*) =킬로그램. 킬로와트. 킬로미터. ¶1~ 반 un kilo y medio. 2~ dos kilogramos. 100~ cien kilogramos.
▪~수(數) kilometraje *m*.
킬로-(kilo-) kilo-, quilo-. ~그램 kilógramo *m*. ~미터 quilómetro *m*, kilómetro *m*. ~와트 kilovatio *m*.
킬로그램(영 *kilogram*) kilogramo *m*.
▪~미터 kilográmetro *m*.
킬로리터(영 *kiloliter*) kilolitro *m*.
킬로메가(영 *kilomega*) kilomega *f*.
킬로메가사이클(영 *kilomegacycle*) kilomegaciclo *m*.
킬로미터(영 *kilometer*) kilómetro *m*, quilómetro *m* (km). 시속 100~로 a una velocidad de cien kilómetros por hora.
킬로바(영 *kilovar*) kilovario *m*, vilovoltamperio *m* reactivo.
킬로바이트(영 *kilobyte*) kilobyte *m*, kiloocteto *m*.
킬로볼트(영 *kilovolt*) kilovoltio *m*, kilovolt *m*.
킬로사이클(영 *kilocycle*) kilociclo *m*.
킬로암페어(영 *kiloampere*) kiloamperio *m*.
킬로옴(영 *kilohm*) kiloohmio *m*.
킬로와트(영 *kilowatt*) kilovatio *m*, kilowatt *m* (kv).
킬로줄(영 *kilojoule*) kilojulio *m*, kilojoule *m*.
킬로칼로리(영 *kilocalorie*) kilocaloría *f*.
킬로퀴리(영 *kilocurie*) kilocurio *m*.
킬로톤(영 *kiloton*) kiloton *m* (10^{12} calorías), kilotonelada *f*, mil toneladas de TNT.
킬로헤르츠(영 *kilohertz*) kilohercio *m*, kiloherzio *m*, kilohertz *m*, kilociclo *m* por segundo.
킬킬 riendo entre dientes.
킬킬거리다 reír entre dientes, reír con disímulo, reírse sin motivo, reírse por nada, reír a somormujo.
킬트(영 *kilt*) falda *f* [*CoS* pollera *f*] escocesa.
킹(영 *king*) ① [왕(王)] rey *m*. ② [왕이 그려진 트럼프의 패] rey *m*. ③ ((장기)) rey *m*, dama *f*.
▪~사이즈 tamaño *m* grande, tamaño *m* gigante, tamaño *m* familiar. ¶~의 grande, enorme, gigante; [담배] extralargo, extra largo, largo; [침대] de matrimonio (extragrande).
킹킹 gimiendo.
킹킹거리다 gemir, suspirar, lamentar.

ㅌ

타(他) otro, otra; otra persona *f*, el demás, la demás, los demás, las demás, lo demás; [남자] otro hombre *m*; [여자] otra mujer *f*. ~의 추종을 불허하다 (ser) incomparable, sin igual, sin par, no tener par. 그는 산초 빤사의 역에서는 ~의 추종을 불허한다 No hay quien le iguale en el papel de Sancho Panza / En el papel de Sancho Panza no tiene par.

타(打) docena *f*. ~의 docena de. 한 ~ una docena. 반(半) ~ media docena. 연필 한 ~ una docena de lápices. 연필 다섯 ~ cinco docenas de lápices. ~에 삼천 원 tres mil wones la docena. 한 ~에 천 원에 팔다 vender a mil wones la docena. (한) ~에 얼마입니까? ¿A cómo es la docena? ~에 천오백 원입니다 Son mil quinientos wones la docena.

타-(他) otro. ~고장 otra región *f*, otra comarca *f*, otra provincia *f*.

타가(他家) [다른 집] otra casa *f*, otra familia *f*; [남의 집] casa *f* de los otros.

타개(打開) desarrollo *m*, resolución *f*, evolución *f*. ~하다 resolver, superar, vencer. 정국(政局)의 ~ desarrollo *m* de la situación política. 난국(亂局)을 ~하다 superar [vencer] la situación difícil, resolver el problema difícil.

■ ~책 medida *f* resolutoria. ¶~을 강구하다 esforzarse por hallar la solución (de).

타격(打擊) ① [때리어 침] golpe *m*. ~을 가하다 dar un golpe, golpear, pegar un golpe. ② [쇼크] golpe *m*, choque *m*, impacto *m*, shock *ing.m*. 입시의 실패는 그에게 큰 ~을 주었다 El fracaso del examen de ingreso le dio gran choque. 딸의 죽음으로 어머니는 심한 ~을 받았다 La muerte de la hija fue un golpe muy duro para la madre. 그의 사망은 우리에게 커다란 ~이었다 Su muerte fue un golpe duro para nosotros. 내 마음의 ~은 치유될 것 같지 않다 No parece curarse la herida de mi corazón. ③ [손해(損害). 손실] pérdida *f*, [해(害)] daño *m*, perjuicio *m*; [상처] herida *f*. ~을 주다 hacer daño, causar daño. ~을 받다 sufrir daño. 우리는 불경기로 큰 ~을 받았다 La depresión nos sufrió gran daño. 원화의 재평가로 한국 경제는 커다란 ~을 받았다 La economía coreana ha sufrido grandes daños debido a la revaluación del won. 그 화재는 회사에 큰 ~을 주었다 El incendio causó grandes perjuicios a la compañía. ④ ((야구)) bateo *m*. ~을 개시하다 empezar a batear.

■ ~력 poder *m* de bateo. ~률 promedio *m* de bateo. ~ 부진 falta *f* de bateo. ~상(賞) premio *m* de bateo. ~수 número *m* de bateo. ~순 orden *m* de bateo. ~왕 campeón *m* de bateo. ~전 partido *m* de bateo.

타견(他見) ① [다른 사람이 보는 바] mostrando a los otros, exposición *f*. ② [남의 의견] opinión *f* de los otros. ~을 물어보다 preguntar la opinión de los otros.

타결(妥結) acuerdo *m*, convenio *m*, concesión *f* mutua. ~하다 transigirse. ~에 이르르다 llegar a un acuerdo, ponerse de acuerdo, convenirse. 교섭은 ~됐다 En las negociaciones llegaron a un acuerdo. 이쪽에서 ~을 봅시다 Vamos a cerrar aquí a las negociaciones.

■ ~점 punto *m* de acuerdo. ~ 조건(條件) condiciones *fpl* [términos *mpl*] del acuerdo.

타계(他系) otro linaje *m*, otro sistema *m*.

타계(他界) ① [다른 세계] otro mundo *m*; [타인의 세계] mundo *m* del otro. ② [귀인의 죽음] fallecimiento *m* (del noble). ~하다 fallecer, morir, irse de este mundo, dejar de existir. ③ ((불교)) otro mundo *m*, infierno *m*.

타고나다 (ser) nato, innato, dotado, destinado, ínsito, connatural, de nacimiento, natural, nativo, constitucional. 타고난 권리(權利) derecho *m* de nacimiento; [장자(長子)의 권리] primogenitura *f*. 타고난 성격 carácter *m* innato. 타고날 때부터 naturalmente, por naturaleza, de [por] nacimiento, por esencia. 좋은 두뇌를 ~ tener una inteligencia natural. 음악에 타고난 재능을 가지다 tener un talento musical innato. 그녀는 타고난 미인(美人)이다 Ella es una mujer esencialmente buena. 그는 타고난 군인이다 El es un militar innato / El cuenta con (unas) cualidades naturales para ser un militar. 그는 타고난 시인(詩人)이다 El es poeta de nacimiento / El es un poeta innato / El ha nacido para (ser) poeta.

타고을(他—) otra aldea *f*, otro pueblo *m*, pueblo *m* extranjero.

타고장(他—) otra región *f*, otra comarca *f*, otra provincia *f*, otra comunidad *f*, otra parte *f*.

타곳(他—) otro lugar *m*, otro sitio *m*; [타향] tierra *f* extranjera, región *f* extranjera, comarca *f* extranjera, país *m* extranjero.

타관(他官) =타향(他鄕). ¶~ 사람 extranjero, -ra *mf*.

타교(他校) otra escuela *f*, otro colegio *m*.

타구(打毬) juego *m* de polo, golpe m.

타구(打球) ((야구)) bateo *m*; [친 공] pelota *f* bateada.

타구(唾具) escupidera *f*, saliva *f*.
타구(楕球) pelota *f* oval.
타국(他國) otro país *m* (*pl* otros países), otra nación *f* (*pl* otras naciones), otro estado *m*, tierra *f* extranjera, extranjero *m*, país *m* extranjero, país *m* extraño, tierra *f* foránea. ~의 del extranjero. ~에서 온갖 고생을 많이 하다 pasar todas las penalidades en tierra foránea.
▪ ~어(語) lengua *f* extranjera. ~인(人) extranjero, -ra *mf*; extraño, -ña *mf*.
타군(他郡) ① [다른 고을] otra región *f*, otra comarca *f*, otra parte *f*, otra provincia *f*. ② [행정상의, 다른 군] otro *Gun*.
타기(唾棄) odio *m*, odiosidad *f*. ~하다 odiar, abominar, aborrecer. ~할 만한 detestable, odioso, abominable.
타기(舵機) ① =키. ② =조타기(操舵機)(timón). ¶~를 조종하다 gobernar [guiar · dirigir] la embarcación.
▪ ~실(室) cámara *f* de la dirección.
타기(惰氣) indolencia *f*, inactividad *f*, aciosidad *f*, somnolencia *f*, pereja *f*, aburrimiento *m*, tedio *m*, corazón *m* perezoso.
타깃(영 *target*) ① [사격 · 궁도 등의 과녁] blanco *m*. ② [어떤 일의 목표] meta *f*, objetivo *m*. ③【물리】objetivo *m*. ④【컴퓨터】objetivo *m*.
타끈하다 (ser) tacaño, avaro, avariento, roñoso, agarrado.
타끈히 tacañamente, con tacañería, avaramente.
타내다 obtener, ganar, recibir. 돈을 ~ obtener dinero.
타년(他年) otro año *m*.
타념(他念) otro pensamiento *m*, otra intención *f*. ~ 없이 공부하다 estudiar con todo *su* corazón.
타농(惰農) agricultor *m* perezoso, agricultora *f* perezosa.
타닌(영 *tannin*)【화학】tanino *m*. ~을 함유한 tánico.
▪ ~산 ácido *m* tánnico. ~산염 tannato *m*.
타다[1] ① [불이 붙어 불길이 오르다. 연소하다] [불이] arder; [나무 · 석탄 등이] arder, quemarse; [건물 · 도시가] arder; [가스 등이] estar encendido [*AmL* prendido]. 건물이 ~ arder el edificio. 타고 있다 estar quemando. 타서 죽다 morir quemado, perecer abrasado. 엔진이 탔다 El motor se quemó. 젖은 장작은 잘 타지 않는다 La leña mojada no arde bien. 뭔가 타고 있다 Se está quemando algo. 화재로 다섯 사람이 타 죽었다 Cinco hombres murieron abrasados en el incendio. 집은 작년에 화재로 타 버렸다 La casa se quemó por el incendio del año pasado. 그 집은 타서 재가 되었다 La casa fue reducida a cenizas.
② [뜨거운 열로 해서 눋거나 검어지다] quemarse, abrasarse; [고기 등이] asarse. 밥이 ~ quemarse el arroz. 볕에 ~ quemarse [tostarse] al [por el] sol, curtirse con el sol, atezarse, ponerse moreno con el sol. 볕에 탄 얼굴 cara *f* bronceada [tostada (por el sol) · atezada · quemada al sol [por el sol]]. 얼굴이 햇볕에 탔다 El sol me ha quemado la cara. 나는 해변에서 볕에 많이 탔다 En la playa me he quemado mucho al sol.
③ [애가 씌워서 가슴속에 불이 붙는 듯한 느낌이 되다. 마음이 몹시 달다] arder (de · en), arderse (de). 분노에 ~ arder en [de] cólera, arderse de cólera.
④ [바싹 말라붙다] arderse, secarse, estar reseco, estar agostado. 논바닥이 ~ secarse el arrozal. 목이 ~ estar reseco, tener la garganta reseca.
⑤ [빛이 극히 강렬함을 형용하는 말] (ser) ardiente. 타는 듯한 주홍빛 rojo *m* escarlata ardiente.
타다[2] ① [탈것이나 짐승의 등에 몸을 얹다] subir, tomar, montar. 기차를 ~ tomar el tren. 버스를 ~ tomar el autocar [autobús]. 비행기를 ~ tomar el avión. 말을 ~ montar a caballo. 기차 [배 · 비행기 · 버스]를 타고 가다 ir en tren [en barco · en avión · en autocar].
② [산이나 나무나 줄을 올라가다] subir, pasar, trepar, escalar. …을 타고 a lo largo de *algo*, por medio de *algo*. 벽을 타고 a lo largo de la pared. 지붕을 타고 도망치다 huir de tejado. 줄을 타고 오르다 subir [trepar] por medio de la cuerda. 그는 남벽(南壁)을 탈 때 미끄러졌다 El se resbaló al escalar la pared sur.
③ [기회를 포착하다. 때를 이용하다] aprovechar. 기회(機會)를 ~ aprovechar la oportunidad [la ocasión]. 이 기회를 타서 귀하에게 감사를 드리고 싶습니다 Quisiera aprovechar esta ocasión para darle las gracias.
④ [얼음 위를 걷거나 미끄러져 닫다] deslizarse; [스케이트를] patinar; [스키를] esquiar. 썰매를 ~ ir en trineo. 스케이트 타러 가다 ir a patinar. 스키 타러 가다 ir a esquiar. 우리는 스키를 타고 산을 내려갔다 Bajamos la montaña esquiando. 아이들은 썰매를 타고 비탈을 내려가고 있었다 Los niños se deslizaban en trineo por la ladera.
⑤ [물결 · 기세 따위에 몸을 맡기다] aprovechar. 시국(時局)의 물결을 ~ aprovechar la situación.
타다[3] [많은 액체에 적은 액체 · 가루 등을 섞다] añadir, echar, mezclar. 술에 설탕을 ~ echar azúcar al vino. 포도주에 물을 ~ añadir [echar] agua al vino.
타다[4] [재산 · 월급 · 상(賞) 등을 받다] ganar, recibir. 상을 ~ ganar el premio. 월급을 ~ recibir el salario mensual. 노파는 복권에서 특상을 탔다 La vieja ganó un premio gordo en la lotería.
타다[5] ① [머리를 갈라 붙여 가르마를 내다] rayar. 가르마를 ~ hacer la raya [*Sal* el camino], rayar el pelo. 옆으로 가르마 타

ㅌ

있다 llevar la raya a un lado. 가르마 타 있다 ir peinado a raya. 가르마를 오른쪽[왼쪽·가운데]으로 타 주세요 Hágame la raya a la derecha [a la izquierda·en medio]. ② [박 따위를 두 쪽으로 가르다] partir, dividir. ③ [콩·팥 등을 맷돌에 갈아 알알이 쪼개다] moler, machacar, triturar, pulverizar. 탄 보리 cebada *f* molida.

타다⁶ ① [거문고·가야금 등을 퉁겨 소리를 내다] tocar, tañer, tocar un instrumento músico. 거문고를 ~ tocar el *gomungo*. ② [풍금·피아노 등을 두들겨 소리를 내다] tocar. 피아노를 ~ tocar el piano.

타다⁷ ① [독한 기운을 몸에 유난히 잘 받다] ser alérgico (a). 옻을 ~ ser alérgico a la hierba venenosa. ② [부끄럼·노염을 쉬 느끼다] (ser) sensible (a), propenso (a + *inf*), tener tendencia (a + *inf*), tender (a + *inf*). 노염을 ~ (ser) irritable, cascarrabias, de mal genio, irascible, susceptible. 간지럼을 ~ tener cosquillas, ser cosquilloso, *Méj* ser cosquilludo. 부끄럼을 ~ (ser) vergonzoso, tímido, *AmL* penoso (*CoS* 제외). 노염을 잘 타는 노인(老人) viejo *m* cascarrabias. 부끄럼을 잘 타는 소녀 chica *f* muy vergonzosa. 부끄럼을 타지 마라 No seas tímido / Que no te dé vergüenza. 나는 사람들 앞에서 부끄럼을 잘 탄다 Me siento cohibido delante de gente. 그는 여자에게 부끄럼을 잘 탄다 El es muy tímido con las mujeres. ③ [시절이나 기후의 영향을 쉬 받아서 몸이 마르고 해쓱해지다] (ser) propenso (a), sensible (a), alérgico (a), sufrir (de), afectar (a). 여름을 ~ ser afectado al calor veraniego. 추위를 ~ ser sensible al frío. 나는 추위를 잘 탄다 Soy muy friolero [friolento].

타다⁸ [목화를 씨아로 틀어서 씨를 빼낸 뒤에 활줄로 튀기어 퍼지게 하다] tratar con un diablo. 솜을 ~ tratar el algodón con un diablo.

타닥거리다 ① [먼지가 날 정도로 살살 여러 번 두드리다] dar unas palmaditas, dar unos golpecitos. ② [몹시 지치거나 나른하여 힘없이 발을 떼어 놓으며 걷다] caminar lenta y pesadamente, caminar con dificultad, recorrer con cansancio. ③ [가난하여 어렵게 겨우겨우 살아가다] apenas ganarse la vida.

타닥타닥 lenta y pesadamente. 그는 녹초가 되어 계단을 ~ 올라갔다 Rendido de cansancio, subió pesadamente la escalera. 우리는 눈 위를 수 킬로 ~ 걸었다 Recorrimos unos kilómetros caminando con dificultad en la nieve. 나는 무거운 배낭을 짊어지고 ~ 걸었다 Yo marchaba penosamente con mi pesada mochila.

타달거리다 ① [지친 몸을 이끌고 무거운 발걸음으로 힘없이 걷다] caminar lenta y pesadamente, caminar con dificultad. ② [깨어진 질그릇 같은 것을 두드려 잇따라 흐린 소리가 나다. 또, 잇따라 그런 소리를 내며 지나가다] hacer ruido. ③ [빈 수레가 험한 길 위를 소리를 내며 지나가다] chacolotear, hacer ruido

타달타달 lenta y pesadamente, traqueteando. 다리를 ~ 지나가다 pasar traqueteando por el puente.

타당(妥當) ① [형편이나 이치에 마땅함] aptitud *f*, propiedad *f*. ~하다 (ser) conveniente, apropiado, adecuado, pertinente, oportuno; [정당하다] justo, razonable. ~한 가격 precio *m* razonable. ~한 보수(報酬) justa recompensa *f*, merecida recompensa *f*. ~한 표현 expresión *f* adecuada. …하는 것은 ~하다 Conviene + *inf*, Conviene que + *subj*. ② 【철학】=타당성❷.

■~성(性) ㉮ [적절하게 들어맞는 성질] propiedad *f*, pertinencia *f*, justeza *f*. ㉯【철학】[어떤 판단의 인식상의 가치] validez *f*. ¶보편 ~ validez *f* universal.

타당(他黨) otro partido *m*.

타도(打倒) derribo *m*, derrocamiento *m*, vuelco *m*. ~하다 derribar, derrotar, tumbar, volcar, abatir, acabar (con), demoler, echar abajo, vencer, postrar, romper las narices. 정부를 ~하다 derrocar [derribar·derrotar] el gobierno. ~! ¡Abajo! 공산주의 ~! ¡Abajo el cominismo! / ¡Muera el comunismo!

타도(他道) otra provincia *f*.

타동(他洞) otra aldea *f*, [다른 동] otro *Dong*.

타동(他動) 【언어】((준말)) =타동사(他動詞).

■~사 verbo *m* transitivo, verbo *m* activo. ¶~의 transitivo.

타락(駝酪) leche *f* de vaca.

타락(墮落) degeneración *f*, perversión *f*, corrupción *f*. ~하다 corromperse, perderse, echar(se) a perder. ~한 corrompido, perdido, pervertido. ~시키다 corromper, pervertir, viciar. ~한 여자 mujer *f* abandonada. 청년(青年)들을 ~시키다 corromper [pervertir·estropear] a los jóvenes. 그는 완전히 ~했다 El ha caído muy bajo. 그 소년은 나쁜 친구들 때문에 ~했다 El muchacho se echó a perder con las malas compañías.

■~자 hombre *m* degenerado; persona *f* depravada; [신앙의] apóstata *mf*.

타락줄 cuerda *f* hecha de pelo humano.

타래 manojo *m*, *CoS* atado *m*, *Méj* bonche *m*, madeja *f*, bola *f*. 마늘 한 ~ un manojo de ajos. 실 한 ~ una bola de hilo.

타래과(-菓) una especie de torta de miel.

타래박 cucharrón *m*, cazo *m*.

타래버선 *taraebeoseon*, calcetines *mpl* guateados con decoraciones para los niños.

타래송곳 ① [둥근 구멍을 뚫는 송곳] barrena *f*. ② [병마개를 빼는 송곳] sacacorchos *m.sing.pl*, tirabuzón *m* (*pl* tirabuzones).

타래쇠 espiral *m*.

타래타래 en espiral, en voluta(s). 새끼를 ~ 감다 enrollar la cuerda de paja. 연기가 공중으로 ~ 올라갔다 El humo se alzaba en espiral [en volutas].

타려(他慮) otra preocupación *f*.

타력(打力) ((준말)) =타격력(打擊力).
타력(他力) ① [다른 힘] otro poder *m*; [남의 힘] poder *m* de otros, socorro *m* de otro, ayuda *f* de otro. ~에 의존하다 depender de otros, apoyarse en otro. ~을 빌어 apoyándose en otro. ~에 의존하지 마세요 No se fíe usted de otros / No cuente usted con otros. ② ((불교)) [부처나 보살의 힘] poder *m* de Buda, salvación *f* por la fe en la misericordia divina, salvación *f* de Amida.
타력(惰力) (fuerza *f* de) inercia *f*.
타령(打令)【음악】*taryeong*, una especie de tono; [민요] balada *f*.
타령(他領) territorio *m* de otros.
타루(墮淚) =낙루(落淚).
타류(他流) ① [다른 식] otro estilo *m*. ② [딴 유파] otra escuela *f*, otra secta *f*.
타륜(舵輪) timón *m* (*pl* timones), rueda *f* de timón.
타르(영 *tar*)【화학】alquitrán *m*, pez *f*, brea *f*. ~를 바르다 alquitranar.
◆광물(鑛物) ~ alquitrán *m* mineral.
타르타로스(영 *Tartaros*) ① [지옥] infierno *m*. ② [암흑] obscuridad *f*; [심연(深淵)] abismo *m*.
타르타르산(一酸)【화학】ácido *m* tartárico.
타매(唾罵) calumnia *f*, difamación *f*. ~하다 calumniar, difamar.
타맥(打麥) desgranamiento *m* de la cebada, cosecha *f* de la cebada. ~하다 cosechar la cebada, desgranar la cebada.
타면(他面) ① [다른 방면] otra dirección *f*, otro aspecto *m*, otro lado *m*. ② [다른 면] otro *Myeon*.
타면(打綿) =탄면(彈綿).
▪~기(機) =솜틀.
타면(惰眠) ① [게으름을 피움] indolencia *f*. ~하다 perder el tiempo sin hacer nada, vivir en la indolencia. ② [게으르게 자는 잠] sueño *m* en la pereza. ~하다 dormir en la pereza.
타목 voz *f* espeso.
타문(他門) otra familia *f*.
타문(他聞) rumor *m* exterior, publicidad *f*. ~을 꺼리는 일 asunto *m* confidencial. ~을 꺼리다 temer publicidad.
타물(他物) otra cosa *f*, otro objeto *m*, otro artículo *m*.
타민족(他民族) otra raza *f*.
타바코(포 *tabacco*) [담배] tabaco *m*.
타박 menosprecio *m*, queja *f*, descontento *m*, refunfuñadora *f*, murmuración *f*. ~하다 menospreciar, quejarse, gruñir, regañar, rezongar, refunfuñar, murmurar. 음식을 ~하다 quejarse de la comida. 나는 ~할 수 없었다 No podía quejarme.
▪~쟁이 rezongón (*pl* rezongones), -gona *mf*, gruñón (*pl* gruñones), -ñona *mf*.
타박(打撲) golpe *m*, contusión *f*. ~하다 golpear, dar un golpe.
▪~상(傷) morado *m*, moretón *m*, cardenal *m*, moradura *f*, magulladura *f*, magullamiento *m*, contusión *f*, chichón *m*. ~을 입다 tener una magulladura, hacerse una contusión. ~을 입히다, ~을 주다 contusionar. 팔에 ~을 입다 tener una magulladura en el brazo, hacerse una contusión en el brazo. 내 오른쪽이 심하게 ~을 입었다 El lado derecho me quedó lleno de moretones [de cardenales].
타박거리다 caminar lenta y pesadamente, caminar con dificultad.
타박대다 =타박거리다.
타박타박 lenta y pesadamente. ~ 걷다 caminar lenta y pesadamente.
타박타박하다 (estar) seco, no estar húmedo, ser difícil de mascar.
타방(他方) ((준말)) ① =타방면. ② =타지방.
타방(他邦) otro país *m*, otra nación *f*.
타방면(他方面) otra dirección *f*.
타배(駝背) ① [낙타의 등] espalda *f* del camello. ② =곱사등이. ③ =곱사등.
타보(打報) =타전(打電).
타봉(打棒) ((야구)) bateo *m*.
타부(他部) otro departamento *m*, *Méj* otro Secretaría *f*.
타분하다 ① [생선·고기 등이 약간 상하여 신선한 맛이 없다] no estar fresco, estar pasado. 타분한 생선 pescado *m* pasado. ② ((준말)) =고리타분하다.
타블로이드(영 *tabloid*) ① =알약. ② ((준말)) =타블로이드판.
타블로이드판(tabloid 判) tabloide *m*.
타빈(惰貧) pobreza *f* por la pereza. ~하다 ser pobre por la pereza.
타사(他社) otra compañía *f*, otra empresa *f*.
타사(他事) otra cosa *f*, otro trabajo *m*.
타산(他山) otra montaña *f*, otro monte *m*; [다른 사람의 산] montaña *f* del otro.
▪~지석(之石) buena lección *f*, lección *f* excelente. ¶~이 되다 utilizar [sacar fruto de] experiencia (de). 이것을 ~으로 삼아라 Esto te ofrecerá una lección excelente.
타산(打算) cálculo *m*, interés *m* (personal), egoísmo *m*. ~하다 calcular, considerar interés.
▪~적 calculador, interesado, metalizado. ¶~으로 interesadamente. ~인 생각 idea *f* interesada, espíritu *m* mercenario. ~으로 움직이다 guiarse por *su* interés. 그는 ~인 사람이다 El es un hombre calculador / El todo lo hace por interés.
타살(他殺) asesinato *m*, homicidio *m*. ~하다 asesinar, matar a otros.
타살(打殺) matanza *f* a golpes. ~하다 matar a golpes. ~되다 ser matado a golpes. 그는 ~되었다 Lo mataron a golpes.
타상(打傷) ((준말)) =타박상(打撲傷).
타상(妥商) =타의(妥議).
타색(他色) otro color *m*.
타서(他書) otro libro *m*.
타석(他席) otro asiento *m*, asiento *m* de los otros.
타석(打席) ① [배터 박스] área *f* [cuadro *m*] del bateador. ~에 들어가다 ser bateador.

② ((준말)) =타석수(打席數).
■ ~수(數) número *m* del cuadro del bateador.
타석기(打石器) ((준말)) =타제 석기.
타선(打線) ((야구)) alineación *f* de bateo.
타선(唾線) ((준말)) =타액선(唾液腺).
타성(他姓) otro apellido *m*.
타성(惰性) inercia *f*, fuerza *f* de hábito; [습관] hábito *m*. ~으로 나아가다 [자동차 등이] avanzar por la fuerza de la inercia. 지금까지의 ~으로 por (el) influjo del hábito, por medio del influjo de hábito. ~으로 담배를 피우다 fumar el cigarrillo por (la fuerza de) hábito.
■ ~적(的) inercial *adj*.
타소(他所) otro sitio *m*, otro lugar *m*.
타쇄(打碎) rompimiento *m* a golpes. ~하다 romper a golpes.
타수(打手) =타자(打者)(bateador).
타수(打數) ((준말)) =타격수(打擊數).
타수(舵手) timonero *m*, timonel *m*.
타순(打順) ((준말)) =타격순(打擊順).
타스(TASS) [타스 통신사] TASS *f*.
타시(他市) otra ciudad *f*.
타시(他時) otro tiempo *m*.
타실(他室) otra habitación *f*, otro cuarto *m*.
타심(他心) doblez *f*.
타악기(打樂器) 【악기】 instrumento *m* de percusión.
타애(他愛) 【윤리】 =이타(利他).
타액(唾液) saliva *f*; [가래] esputo *m*. ~의 salival, salivar. ~을 분비하다 salivar, segregar saliva, secretar saliva, excitar la secreción excesiva.
■ ~ 분비(分泌) babeo *m*, salivación *f*. ~선(腺) glándulas *fpl* salivales. ~ 소화(消化) digestión *f* salival.
타오르다 ① [불이 붙어 타기 시작하다] (empezar a) arder, estallar en llamas. ② [마음이 달다] arder. 타오르는 정열 pasión *f* ardiente. 사랑[증오·분노]에 ~ arder en [de] amor [odio·ira].
타울거리다 luchar [esforzarse] por alcanzar.
타워(영 *tower*) [탑. 누대(樓臺)] torre *f*.
◆ 남산(南山) ~ la Torre Namsan.
타원(楕圓) 【수학】 elipse *f*.
■ ~ 궤도(軌道) órbito *m* elipsoidal. ~면 elipsoide *f(m)*. ~ 운동 moción *f* elipsoidal. ~율 elipticidad *f*. ~ 은하(銀河) galaxia *f* elipsoidal. ~체 figura *f* oval; 【수학】 elipsoide *f(m)*. ~체면 =타원면. ~형 óvalo *m*, oblongo *m*, cilindro *m*, elipse *f*, elipticidad *f*. ¶~의 elipsoidal, elíptico, oval, ovado, ovalado, de figura de óvalo, cilíndrico. ~ 얼굴 cara *f* oval, rostro *m* oval. 지구 궤도의 ~ elipcitidad *f* de la órbita terrestre. ~으로 하다 ovalar, dar (a *algo*) figura de óvalo. ~을 그리다 trazar una elítica.
타월(영 *towel*) toalla *f*, *AmL* enjugamanos *m.*. ~로 닦다 secar con una toalla.
◆ 목욕용 ~ toalla *f* de baño. 위생(衛生) ~ toallas *fpl* sanitarias.
◆ 타월을 던지다 ((권투)) tirar [arrojar] la esponja, tirar la toalla.
■ ~걸이 percha *f* para toallas, toallero *m*. ~지(地) tejido *m* esponjoso, tela *f* para toallas, género *m* para toallas.
타율(他律) 【윤리】 heteronomia *f*. ~적인 heterónomo.
타율(打率) ((준말)) =타격률(打擊率).
타율(楕率) 【수학】 ((준말)) =타원율(楕圓率).
타읍(他邑) [다른 고장의 읍] pueblo *m* de otra región; [타고을] otra aldea *f*.
타의(他意) ① [다른 생각] otra intención *f*. 네 행복을 생각해서 그랬을 뿐이지 별다른 ~는 없다 Lo he hecho pensado en tu bien, y sin ninguna otra intención. ② [다른 사람의 뜻] intención *f* del otro.
타의(妥議) consulta *f* conciliadora.
타이(영 *tie*) ① [끈. 줄] lazo *m*. ② ((준말)) =넥타이(corbata). ③ 【음악】 =붙임줄. ④ ((준말)) =타이 스코어(empate).
■ ~ 게임 empate *m*. ~ 기록 el mismo récord que el oficial. ~ 스코어 empate *m*.
타이 【지명】 Tailandia. ~의 tailandés. ☞태국
타이거(영 *tiger*) 【동물】 tigre *m*; ((속어)) [암호랑이] tigresa *f*.
타이르다 [훈계하다] amonestar, reprender; [충고하다] aconsejar; [훈시하다] dar instrucciones; [설득하다] persuadir, convencer; [단념하도록] disuadir (a *uno* de *algo* [de + *inf*]) 공부하라고 ~ aconsejar*le* a *uno* estudiar. 나는 그에게 공부하라고 타일렀다 Le aconsejé que estudiara. 기다리는 것이 가장 좋은 방법이라고 나는 그에게 타일렀다 Le he persuadido de que lo mejor es esperar. 술을 끊자고 나는 내 자신에게 타일렀다 Me he convencido (a mí mismo) de dejar de beber. 너에게 타이를 말이 있다 Tengo una cosa que decirte.
타이머(영 *timer*) ① [경기 등에서, 시간을 재는 사람] cronometrador *m*. ② =타임스위치. ③ [오븐이나 비디오 등의 셀프타이머] reloj *m* (automático). ④ [폭탄의 시간 측정 장치] temporizador *m*.
타이밍(영 *timing*) ① [시간의 선택] elección *f* de tiempo. ~에 알맞게 a tiempo, oportunamente, en el momento propicio. 그것은 ~이 좋았다 Fue oportuno / Se hizo oportunamente / Se hizo en el momento propicio. ~이 나빴다 Fue inoportuno / Fue intempestivo / Se hizo inoportunamente / Se hizo intempestivamente. ② [시간 관리] sincronización *f*. ③ [시간의 측정] cronometraje *m*.
타이어(영 *tyre*) neumático *m*, *AmL* llanta *f*, *RPl* goma *f*, [튜브를 포함하지 않은] cubierta *f*, [차바퀴] rueda *f*. ~가 펑크 나다 reventar el neumático. ~를 교체하다 sustituir [recambiar] una rueda. ~에 공기를 넣다 inflar el neumático.
◆ 고무 ~ neumático *m* de goma, *AmL* llanta *f* de goma. 스페어 ~ neumático *m* de repuesto, *AmL* llanta *f* de repuesto. 앞 ~ rueda *f* delantera. 뒷~ rueda *f* trasera.
타이완 【지명】 Taiwán. ~의 taiwanés.

■~ 사람[인] taiwanés, -nesa mf, chino, -na mf.

타이츠(영 *tights*) malla(s) *f(pl)*, leotardo(s) *m(pl)*.

타이탄(영 *Titan*) ((그리스 신화)) Titán.

타이트스커트(영 *tight skirt*) falda *f* ajustada, falda *f* ceñida.

타이틀(영 *title*) ① [선수권] título *m*, campeonato *m*. ~을 방어하다 defender *su* título (de campeonato). ~을 보유(保有)하다 ser campeón [campeona *f*], tener un título. 그는 작년에 주니어 ~을 획득했다 El ganó el campeonato juvenil el año pasado / El fue campeón juvenil el año pasado. 그녀는 미스 월드 ~을 얻었다 Ella se ganó el título de Miss Mundo. ② [책·영화의 표제] título *m*. ~을 붙이다 titular, intitular. 그는 공식적으로 발행인 대리 ~을 가지고 있다 Su título oficial es redactor adjunto. 그 책에 어떤 ~을 붙일 예정이오? ¿Qué título vas a dar al libro? / ¿Cómo vas a titular el libro? ③ [자막(字幕)] subtítulo *m*. ④ [헤드라인. (신문 기사 등의) 큰 표제] titular *m*, cabecera *f*.

◆논~ no título *m*.

■~ 롤 papel *m* protagónico (de la obra del mismo nombre), papel *m* principal. ~ 매치 combate *m* por el título. ~ 보유자 campeón (*pl* campeones), -ona *mf*, titular *mf*. ~ 파이트 combate *m* por el título. ~ 페이지 portada *f*, carátula *f*.

타이페이【지명】Taipei (타이완의 수도).

타이포그래퍼(영 *typographer*) [글꼴 디자이너. 활판 (인쇄) 기술자] tipógrafo, -fa *mf*.

타이포그래피(영 *typography*) [글꼴 디자인] tipografía *f*.

타이푼(영 *typhoon*) tifón *m*.

타이프(영 *type*) ① [활자(活字)] tipo *m*. ② ((준말)) =타이프라이터. ¶~를 치다 escribir a máquina. ③ ☞타입.

타이프라이터(영 *typewriter*) máquina *f* de escribir. ~의 mecanográfico. ~로 친 escrito a máquina. ~를 치다 escribir a [con] máquina, escribir con máquina de escribir, mecanografiar 편지를 ~로 치다 escribir una carta a máquina.

◆한글 ~ máquina *f* de escribir con caracteres coreanos.

타이피스트(영 *typist*) mecanógrafo, -fa *mf*, dactilógrafo, -fa *mf*.

◆한글 ~ mecanógrafo, -fa *mf* del coreano.

타이핀(영 *tiepin*) ((준말)) =넥타이핀.

타인(他人) otro, -tra *mf*, ajeno, -na *mf*, [모르는 사람] extraño, -ña *mf*, [낯선 사람] forastero, -ra *mf*, extranjero, -ra *mf*, desconocido, -da *mf*, [집합적] los demás, las demás. ~처럼 취급하다 tratar como a un extraño. (남이 아닌데) 마치 ~처럼 취급하다 tratar como si fuera un extraño.

타일(他日) el otro día; [부사적] en el futuro.

타일(영 *tile*) [바닥용] baldosa *f*, losa *f*, [벽용] azulejo *m*. ~을 깔다 [바닥에] embaldosar. ~을 붙이다 [벽에] alicatar, revestir de azulejos, azulejar. ~을 붙인 baldosado, embaldosado, azulejado, tejado. ~을 붙인 벽 una pared alicatada [revestida de azulejos]. 바닥에 ~이 깔려 있다 El suelo está embaldosado.

■~ 붙이기 embaldosado *m*, azulejería *f*. ~ 제조자 azulejero, -ra *mf*.

타일랜드【지명】Tailandia. ☞태국

타임(영 *time*) ① [때] tiempo *m*; [시간] hora *f*, [시대] época *f*. ② [운동 경기의, 소요 시간] tiempo *m*. ~을 재다 cromometrar, calcular tiempo, medir tiempo. 그의 ~은 1분 40초였다 El registró el tiempo de un minuto cuarenta segundos. ③ [운동 경기에서, 정규의 휴지(休止) 시간 이외의 경기의 일시 중지. 또, 심판에 의한 그 명령] tiempo *m*, descansos *mpl*. ~을 요청하다 pedir tiempo. ④ [라디오·텔레비전의 방송 시간] espacio *m*. ~을 사다 comprar espacio. ~을 팔다 vender espacio.

■~ 레코드 registro *m* del tiempo. ~리코더 reloj *m* registrador, registrador *m* (horario), reloj *m* de control de asistencia. ~머신 máquina *f* (de transporte a través) del tiempo. ~스위치 interruptor *m* eléctrico automático, interruptor *m* de reloj, interruptor *m* horario. ~아웃 tiempo *m* (muerto). ¶~을 요청하다 pedir [solicitar] tiempo (muerto). ~! ¡Un momento! ~카드 tarjeta *f* registradora, tarjeta *f* de registro horario. ~캡슐 cápsula *f* del tiempo. ~키퍼 cronometrador *m*; [사람] cronometrista *mf*, 【음악】marcador *m* del tiempo. ~테이블 ㉮ [기차·버스의 시간표] horario *m*. ¶기차 ~ horario *m* de trenes. 버스 ~ horario *m* de autobuses. ㉯ [학교의 시간표] horario *m*. ㉰ [(보통 종이 표지의) 작은 책자] guía *f*, horario *m*.

타입(영 *type*) ① [형(型). 양식. 유형] tipo *m*, estilo *m*. A와 B는 같은 ~이다 A y B son del mismo tipo. 그는 학자 ~이다 El es un hombre de tipo intelectual. ② =전형(典型).

타자(打字) mecanografía *f*, dactilografía *f*. ~하다 mecanografiar. ~를 치다 escribir a máquina, mecanografiar.

■~기 máquina *f* de escribir. ¶~의 리본 cinta *f*. 편지를 ~로 치다 escribir una carta a máquina. 한글 ~ máquina *f* de escribir con caracteres coreanos. ~수 mecanógrafo, -fa *mf*, dactilógrafo, -fa *mf*. 서문(西文) ~ mecanógrafo, -fa *mf* del español. ~용지 papel *m* para escribir a máquina.

타자(打者) bateador, -dora *mf*, paleador, -dora *mf*. 선두(先頭) ~를 맡다 empezar a batear.

타자(他者) =타인(他人).

타작(打作) ① [마당질] desgranamiento *m*, desgrane *m*, trilla *f*, trilladura *f*, [추수] cosecha *f*, agosto *m*. ~하다 desgranar, trillar [apalear] grano, cosechar, recoger las mieses, hacer agosto. ② =배메기. ③ [지주와 소작인이 거둔 곡물을 어떤 비율로 갈라 가지는 제도] sistema *m* de distribución de cereales entre el terrateniente y el inquilino.

■ ~기 máquina *f* para trillar, trillador *m*, trilladora *f*. ~꾼 desgranador, -dora *mf*. ~마당 patio *m* desgranador.

타전(打電) acción *f* de telegrafiar. ~하다 enviar [mandar] un telegrama, telegrafiar; [무전으로] dar un mensaje por radio; [해저 전선으로] cablegrafiar. 소식을 ~하다 telegrafiar una noticia. 도착하면 바로 너에게 ~하겠다 Te telegrafiaré en cuanto llegue yo. 나는 교섭이 성공했다고 회사에 ~했다 He telegrafiado [He mandado un telegrama] a la compañía notificando el éxito de las negociaciones.

타점[1](打點) ① [붓으로 점을 찍음] el puntuar. ② [마음속으로 지정함] señalamiento *m* en su corazón.

타점[2](打點) ((야구)) número *m* de bateos eficaces.

타제(他製) ((준말)) =타제품(他製品).

■ ~품(品) otro producto *m*.

타제(打製) producción *f* golpeadora. ~하다 hacer *algo* golpeando.

■ ~ 석기(石器) instrumento *m* de piedra rota.

타조(駝鳥)【조류】avestruz *m*.

타졸(惰卒) soldado *m* perezoso.

타종(他宗) [다른 종파(宗派)] otra secta *f*, otra religión *f*.

타종(他種) otra clase *f*, otra especie *f*, diferente especie *f*, diferente clase *f*.

타종(打鐘) [종을 침] campanada *f*, toque *m* de campana. ~하다 tocar la campana [el gong].

타죄(他罪) otro pecado *m*, otro crimen *m*.

타지(他地) ① [타향] tierra *f* extranjera. ② [다른 지방] otra región *f*, otra comarca *f*, otra provincia *f*.

타지(他紙) otro periódico *m*, otro diario *m*.

타지(他誌) otra revista *f*.

타지다 descoserse. 타진 자리 descosido *m*, descosedura *f*. 옷의 타진 자리를 꿰매다 coser la parte descosida de un traje. 꿰맨 자리가 타진다 Se descose [Se heshace] la costura

타지방(他地方) otra región *f*, otra comarca *f*, otra provincia *f*.

타지키스탄【지명】Tayiquistán, Tadzhikistán, Tadjikistán, Tayikistán. ~의 tayiquistaní, tayikistaní.

■ ~ 사람[인] tayiquistaní *mf*; tayikistaní *mf*. ~ 어[말] tayiquistaní *m*, tayikistaní *m*.

타진(打診) ①【의학】percusión *f*. ~하다 percutir el pecho, golpear el pecho, percutir, auscultar, sondar, hacer una puntura con un absceso. ② [남의 의사를 떠봄] sondeo *m*, tanteo *m*. ~하다 sondear, tantear. 관계자의 의견을 ~하다 tantear las partes interesadas. 사건에 관해서 생각을 ~하다 sondear sobre el asunto.

■ ~기(器) plexor *m*, plesor *m*. ~ 기구(氣球) =관측 기구. ~음(音) sonido *m* de percusión. ~판(板) plesímetro *m*.

타짜 ((준말)) =타짜꾼.

■ ~꾼 jugador *m* deshonesto, jugadora *f* deshonesta; tahúr *mf*; tramposo, -sa *mf*; fulero, -ra *mf*.

타책(他策) otro artificio *m*, otra treta *f*, otro plan *m*, otro proyecto *m*, otra medida *f*.

타처(他處) otro lugar *m*, otro sitio *m*. ~에(서) en otro lugar, en cualquier otra parte. ~에서 온 사람 persona *f* (que vino) del otro lugar; extranjero, -ra *mf*.

타척(打擲) porrazo *m*, trastazo *m*, topetazo *m*, golpe *m*. ~하다 pegar, azotar, vapular, golpear, tundir, dar vapuleo, dar golpes.

타천(他薦) recomendación *f* del otro. ~하다 recomendar (el otro).

타촌(他村) otra aldea f, otro pueblo *m*.

타코미터(영 *tachometer*) tacómetro *m*.

타타르【역사】Tartaria. ~의 tártaro.

■ ~ 말[어] tártaro *m*. ~ 사람[인] tártaro, -ra *mf*.

타태(惰怠) =태만(怠慢).

타토(他土) ① [다른 토지] otra tierra *f*. ② ((불교)) =정토(淨土).

타파(他派) otra facción *f*; [종교의] otra secta *f*; [학문의] otra escuela *f*.

타파(打破) rompimiento *m*, destrozo *m*, destrucción *f*. ~하다 romper, destrozar, destruir. 군국주의(軍國主義)를 ~하다 destruir el militarismo.

타합(打合) plan *m* preliminar, arreglo *m* preliminar, preparativos *mpl*. ~하다 arreglar, fijar, ordenar, organizar, hacer preparativos (de). ~한 대로 conforme al plan preliminar. 회합 날짜를 ~하다 arreglar [fijar] una fecha para la reunión. 우리는 그 건(件)에 대해 전화로 ~했다 Sobre el asunto nos pusimos de acuerdo por teléfono.

타향(他鄕) tierra *f* extranjera, otra tierra *f*, región *f* extraña, tierra *f* foránea, otra parte *f*. ~에서 병들다 caer enfermo en la tierra extranjera.

■ ~살이 vida *f* (en la tierra) extranjera. ¶30년이나 ~를 하다 vivir en la tierra extranjera treinta años, estar ausente de casa (por) treinta años. ~ 몇 해던가 ¿Cuántos años viví en la tierra extranjera?

타협(妥協) acuerdo *m* mutuo, arreglo *m*, compromiso *m*, acomodamiento *m*, transacción *f*, concesión *f* mutua, conciliación *f*. ~하다 arreglarse, acomodarse, transigir, hacer concesiones, conciliarse, reconciliarse, entenderse, convenir, ponerse de acuerdo. ~하게 하다 conciliar, poner de acuerdo. ~에 도달하다 llegar a un arreglo, llegar a un acuerdo. ~이 되다 llegar a un acuerdo, arreglarse, aunar criterios. ~을 보다 arreglar, poner de acuerdo. ~의

여지가 없다 No hay lugar para transigencias / Ningún arreglo se puede esperar. 그들은 가격에 ~을 보지 못했다 No se pusieron de acuerdo en el precio / No llegaron a un compromiso en el precio / No se arreglaron en el precio. 문제의 두 사람을 ~하게 하기는 어렵겠다 Difícil sería conciliar a los dos señores en cuestión.

■ ~안(案) idea *f* conciliadora, modus vivendi. ~자(者) conciliador, -dora *mf.* ~적 conciliador, conciliante, conciliatorio, conciliativo. ¶~인 언사(言辭) palabras *fpl* conciliante. ~인 태도를 취하다 tomar una actitud conciliadora. ~점(點) punto *m* de acuerdo, condición *f* de acuerdo. ~ 정치(政治) política *f* conciliadora.

타히티【지명】Tahití. ~의 tahitiano.

■~ 사람[인] tahitiano, -na *mf.* ~ 어[말] tahitiano *m.*

탁 ① [단단한 물건이 세게 부딪거나 터지는 소리] dando un portazo. 그는 문을 ~ 닫았다 El cerró la puerta dando un portazo. ② [별안간 손바닥으로 치는 소리] dando una palmada. 무릎을 ~ 치다 darse una palmada en la rodilla. ③ [(마음이나 분위기 따위의) 죄어진 것이 갑자기 풀리거나 끊어지는 소리. 또, 그 모양] sin fuerzas. abatidamente. 나는 시험이 끝나자 맥이 ~ 풀렸다 Terminados los exámenes, me quedé sin fuerzas. 우리들은 시합에 져 맥이 ~ 풀렸다 La pérdida del partido nos dejó abatidos. 나는 그 소식을 듣고 맥이 ~ 풀렸다 La noticia me anonadó. ④ [아무 막힘이 없거나 시원스러운 모양] ampliamente, extensamente, sin vacilación, panorámicamente. ~ 트인 시야(視野) vista *f* panorámica. ~ 털어놓고 이야기하다 hablar muy francamente.

탁강(濁江) río *m* del agua sucia.

탁견(卓見) idea *f* excelente, buena idea *f*, vista *f* excelente, opinión *f* ilustrada, opinión *f* clarividente, alto criterio *m*, previsión *f*, visión *f* de futuro, gran lucidez *f*, perspicacia *f.* ~을 술회하다 expresarse con buen criterio (sobre).

탁구(卓球) tenis *m* de mesa, ping-pong *m*, pimpón *m.* ~를 치다 jugar al tenis de mesa, jugar al ping-pong.

■~공 pelota *f* de ping-pong. ~대 mesa *f* de ping-pong. ~ 라켓 raqueta *f* [pala *f*] de ping-pong.

탁락하다(卓犖－) ＝탁월(卓越)하다.

탁랑(濁浪) olas *fpl* turbias.

탁론(卓論) argumento *m* sublime, alto criterio *m*, opinión *f* clarividente. ~을 펴다 expresarse con buen criterio (sobre).

탁류(濁流) torrente *m* cenagoso [cienoso · fangoso], corriente *f* enturbiada, río *m* turbio.

탁마(琢磨) ① [옥석(玉石)을 쪼고 갊] pulidez *f*, pulimento *m* (de piedras preciosas). ~하다 pulir, pulimentar, bruñir, lustrar. ② [학문이나 덕행을 닦음] cultivo *m*, pulimento *m* asiduo [empeñoso] de una ciencia [de un arte]. ~하다 (ser) asiduo, diligente, cultivar. 재능을 ~하다 cultivar un talento.

■ ~기 pulidor *m.* ~자 pulidor, -dora *mf.*

탁목조(啄木鳥)【조류】＝딱따구리.

탁발(托鉢) ((불교)) ① [중이 경문을 외우면서 집집이 다니며 동냥하는 일] mendicidad *f* religiosa, mendiguez *f* de puerta en puerta. ~하다 mendigar de puerta en puerta, ir de casa en casa mendigando, pedir limosna de puerta en puerta. ② [절에서 식사 때 중들이 바리때를 들고 식당에 가는 일] ida *f* a la cocina. ~하다 ir a la cocina.

■ ~승(僧) ((불교)) bonzo *m* andante, bonzo *m* mendicante.

탁본(拓本) calco *m* (obtenido pasando carboncillo sobre imágenes grabadas en metal, monedas etc). ~하다 calcar.

탁상(卓上) sobremesa *f*, sobre la mesa, sobre un bufete. ~의 de mesas, de sobremesa, de escritorio. ~에 en [sobre · encima de] la mesa. ~용의 de mesa, de sobremesa, de escritorio. ~에 놓다 [의안을] dejar un problema en la mesa.

■ ~공론(空論) teoría *f* imaginaria, teoría *f* irrealizable, teoría *f* de bufete, discusión *f* abstracta, discusión *f* puramente académica, estrategia *f* de salón. ~공론가 teórico, -ca *mf* de butaca. ~ 라이터 encendedor *m* de sobremesa. ~시계 reloj *m* de mesa, reloj *m* de sobremesa. ~연설 discurso *m* de sobremesa. ~용 컴퓨터 ordenador *m* [*AmL* computador *m* · *AmL* computadora *f*] de escritorio. ~일기(日記) agenda *f* de escritorio. ~ 전등 lámpara *f* de escritorio. ~ 전화 teléfono *m* de (sobre)mesa.

탁선(託宣) oráculo *m*, revelación *f*, mensaje *m* divino. ☞신탁(神託)

탁설(卓說) opinión *f* excelente, vista *f* distinguida, vista *f* excelente. ☞탁견(卓見)

탁성(濁聲) voz *f* ronca, voz *f* áspera.

탁송(託送) consignación *f*, envío *m*, remesa *f.* ~하다 consignar, enviar, mandar.

■ ~ 수하물(手荷物) mercancías *fpl* (para ser) enviadas. ~ 전보(電報) telegrama *m* enviado ~품(品) propiedad *f* consignada, objetos *mpl* consignados.

탁수(濁水) el agua *f* barrosa [turbia].

탁식(卓識) ＝탁견(卓見).

탁아 교육(託兒敎育) enseñanza *f* pre-escolar.

탁아소(託兒所) jardín *m* infantil, pre-escolar *m*, parvulario *m*, *AmL* kindergarden *m*, *RPl* jardín *m* de infantes.

탁엽(托葉)【식물】＝턱잎.

탁용(擢用) selección *f*, elección *f.* ~하다 seleccionar, escoger, elegir.

탁월하다(卓越－) destacarse, descollar, sobresalir, aventajar(se), sobrepujar, superar, exceder, (ser) prominente, preeminente, sobresaliente, eminente, excelente, distinguido, superior. 탁월함 excelencia *f*, eminencia *f*, prominencia *f*, superioridad *f*, preeminencia *f*, excelencia *f*. 탁월한 기능(技能) habilidad *f* superior. 이 학생은 탁월한 능력을 가지고 있다 Este alumno tiene un talento excepcional / Este alumno supera a todos los otros en talento. 그는 역사 연구에 ~ El se destaca por sus estudios históricos.

탁음(濁音)【언어】consonante *m* sonoro, consonante *f* sonora, sonido *m* impuro, sonido *m* sonoro.

탁자(卓子) mesa *f*. 둥근 ~ mesa *f* redonda. ~ 위에 en la mesa, sobre la mesa, encima de la mesa. ~ 위에 놓다 poner en la mesa. ~에 둘러앉다 sentarse alrededor de la mesa.
■ ~용(用) de mesa, de sobremesa, de escritorio. ~장 alacena *f* para comestibles con cajones.

탁잣밥(卓子-) comida *f* en la mesa delante de Buda.

탁잣손(卓子-) soporte *m* debajo de la mesa.

탁절(卓節) carácter m noble.

탁절하다(卓絶-) (ser) excelente. ☞탁월하다

탁주(濁酒) *takchu*, licor *m* no refinado.

탁지(度地) agrimensura *f* [topografía *f*] de la tierra. ~하다 medir la tierra.

탁출하다(卓出-) =탁월(卓越)하다.

탁탁[1] ① [일을 결단성 있게 잘 처결하는 모습] rápidamente, rápido, con toda prontitud, decisivamente. 일을 ~ 처리하다 disponer el asunto rápidamente. ② [여러 물건이나 사람이 연이어 거꾸러지는 모양] uno a uno, uno por uno, continuamente. ~ 쓰러지다 caer uno a uno. ③ [물건을 자꾸 두드리거나 먼지 같은 것을 떠는 모양. 또, 그 소리] golpeando repetidas veces. 머리를 ~ 때리다 golpear en la cabeza repetidas veces, golpetear en la cabeza, dar golpes en la cabeza. 먼지를 ~ 떨다 sacudir el polvo repetidas veces. ④ [침을 세게 자꾸 뱉는 모양. 또, 그 소리] escupiendo repetidas veces. 침을 ~ 뱉다 escupir repetidas veces. ⑤ [숨이 못 견디게 자꾸 막히는 모양] sofocantemente. 숨이 ~ 막히다 sofocar. 숨이 ~ 막히는 더위 calor *m* sofocante. 나는 더위로 숨이 ~ 막힌다 El calor me sofoca.

탁탁[2] [단단한 물건이 자꾸 세게 튀거나 터지는 소리] crepitando y crepitando.
탁탁거리다 seguir crepitando. 탁탁거리는 소리를 내다 crepitar, chisporrotear. 장작이 무척 탁탁거린다 La leña crepita mucho.

탁탁하다 ① [옷감 같은 것의 바탕이 올차고 치밀하다] (ser) tupido, espeso (y fuerte). 매우 탁탁한 천 tela *f* muy tupida. 탁탁한 피륙 fibra *f* con textura tupida. ② [살림 같은 것이 넉넉하고 윤택하다] (ser) abundante. 탁탁한 자금 fondos *mpl* abundantes.

탁필(卓筆) caligrafía *f* (excelente).

탁하다(濁-) ① [액체나 공기가 걸쭉하게 흐리다] (ser) cenagoso, sucio, enturbiado, turbio, impuro, contaminado, nublado, nuboso. 탁한 공기 aire *m* contaminada [impura]. 탁한 물 el agua *f* impura [contaminada · cenagosa]. 탁한 색(色) color *m* turbio. ② [얼굴이 훤히 트이지 못하다] (ser) oscuro, moreno, de tez morena. ③ [성질이 흐리터분하고 바르지 못하다] (ser) inescrutable, de poca confianza. 탁한 사람 persona *f* inescrutable, persona *f* de poca confianza.

탁효(卓效) gran eficacia *f*. ~가 있는 eficaz, admirable. 그것은 만병에 ~가 있는 약이라 한다 Dicen que es un remedio muy eficaz contra todas las enfermedades.

탄(炭) ① ((준말)) =석탄(石炭). ② ((준말)) =연탄(煉炭). 구멍탄. ③ ((준말)) =탄소(炭素). ④ =숯. 목탄. ⑤ =숯불. ⑥ =재 (ceniza).

탄(歎) ① [한숨 쉬다. 탄식하다] suspirar, dar suspiros; [한숨] suspiro *m*. ② [칭찬하다] alabar, admirar; [감탄하다] admirar.

탄(彈) ① =활(arco). ② =탄알(bala). ③ [악기 같은 것을 타다] tocar. ④ [치다. 두드리다] golpear. ⑤ =탄핵(彈劾)하다.

탄강(誕降) nacimiento *m* (del rey o del santo). ~하다 nacer.

탄갱(炭坑) mina *f* hullera, mina *f* de carbón; [갱도] galería *f*; [종갱(縱坑)] pozo *m*.
■ ~ 도시 ciudad *f* de mina de carbón. ~부 minero *m* hullero, minero *m* de carbón, obrero *m* de mina de carbón. ~주(主) propietario, -ria *mf* de una mina (de carbón).

탄고(炭庫) depósito *m* de carbón; [배의] pañol *m* del carbón.

탄광(炭鑛) mina *f* de carbón, carbonera *f*.
■ ~ 노동자(勞動者) minero, -ra *mf* del carbón. ~부(夫) carbonero *m*. ~업(業) explotación *f* hullera [de las minas de carbón]. ~ 지대 zona *f* minera. ~ 폭발 explosión *f* de mina de carbón. ~ 회사(會社) compañía *f* minera.

탄금(彈琴) toque *m* de *gayagum* [*gomungo*]. ~하다 tocar el *gayagum* [el *gomungo*].

탄내 olor *m* a quemado, olor *m* a chamuscado. 고무 ~ el olor a goma quemada. ~가 난다 Huele [Hay] olor a quemado.

탄내(炭-) ① [연탄이나 숯이 탈 때에 나는 독한 냄새] olor *m* a carbón. ② ((속어)) =일산화탄소.

탄닌(영 *tannin*)【화학】tanino *m*. ~을 함유한 tánico. ■ ~산 ácido *m* tánico.

탄대(彈帶)【군사】=탄띠❶.

탄도(彈道) trayectoria *f*, paso *m* de proyectiles.
■ ~ 계수 coeficiente *m* de trayectoria. ~ 곡선 curva *f* balística. ~ 미사일 misil *m* [proyectil *m*] balístico. ~ 병기 proyectil *m*. ~ 비행 vuelo *m* de trayectoria. ~ 유도탄 =탄도 미사일. ~탄 (彈) ((준말)) =탄도 유도탄. ¶대륙간 ~ proyectil *m* balístico intercontinental. ~학 balística *f*.

탄두(彈頭) cabeza *f*, ojiva *f*.
◆미사일 ~ cabeza *f* de misil. 핵(核)~

cabeza *f* [ovija *f*] nuclear.

탄띠(彈－) ①【군사】＝탄창. ② [기관총탄을 낀 긴 띠] cartuchera *f.*

탄력(彈力) elasticidad *f,* flexibilidad *f.* ～ 있는 elástico, flexible. ～이 없는 inflexible, sin elasticidad, falto de elasticidad.
 ■～계 elastómetro *m.* ～률 coeficiente *m* de elasticidad. ～성(性) elasticidad *f,* flexibilidad *f.* ～소 elastina *f.*

탄로(坦路) ((준말)) ＝탄탄대로(坦坦大路).

탄로(綻露) descubrimiento *m,* revelación *f.* ～하다 descubrir, revelar, publicar. 비밀(秘密)이 ～되다 revelarse el secreto.
 탄로 나다 descubrirse, revelarse. 그 사람이 나에게 거짓말한 것이 탄로 났다 Se descubrió que me había dicho la mentira.

탄막(彈幕) cortina *f* [barrera *f*] de fuego.

탄말(炭末) ＝숯가루.

탄망하다(誕妄－) (ser) falso, absurdo.

탄맥(炭脈) veta *f* [filón *m*] de carbón.

탄명스럽다 (ser) vago, impreciso, ambiguo, equívoco, oscuro, obscuro.
 탄명스레 vagamente, con ambigüedad, de modo equívoco, de modo ambiguo, sospechosamente.

탄미(歎美) admiración *f,* adoración *f,* apreciación *f.* ～하다 admirar, adorar, apreciar

탄복(歎服) gran admiración *f.* ～하다 admirar. ～할 만한 admirable, estimable.

탄분증(炭粉症) antracosis *f.*

탄산(炭山) ＝석탄광(石炭鑛).

탄산(炭酸)【화학】ácido *m* carbónico.
 ■～가스 gas *m* carbónico. ～가스 중독 veneno *m* de gas carbónico. ～ 결핍증 acapnia *f.* ～나트륨 carbonato *m* de sosa, carbonato *m* sódico. ～수(水) (el agua *f*) gaseosa *f.* ～염 carbonato *m.* ～지 papel *m* de carbón. ～ 처리 carbonación *f.* ～천 manantial *m* de carburo. ～칼륨 carbonato *m* potásico, carbonato *m* de potasio. ～칼슘 carbonato *m* cálcico, carbonato *m* de calcio.

탄산증(呑酸症)【의학】pirosis *f.*

탄상(炭床) ＝탄층(炭層).

탄상(彈傷) herida *f* de proyectiles.

탄상(歎賞) admiración *f,* alta alabanza *f,* elogio *m,* aplauso *m.* ～하다 admirar, aplaudir, alabar altamente, elogiar, hacer elogio (de), aplaudir. ～할 만한 admirable, digno de alabanza.

탄생(誕生) nacimiento *m,* natividad *f;* [어린아이의 분만] parto *m.* ～하다 nacer, venir al mundo. 어린아이의 ～ nacimiento *m* de un niño. 세 번째 아이의 ～ 후 después del nacimiento de *su* tercer hijo. ～ 때 al nacer. ～을 축하하다 celebrar el nacimiento (de).
 ■～석(石) piedra *f* preciosa que corresponde al mes de nacimiento. ～일 (día *m* de *su*) cumpleaños *m,* día *m* natal, natal *m.* ～일 파티 fiesta *f* de cumpleaños. ～지 lugar *m* de nacimiento, tierra *f* nativa, suelo *m* nativo.

탄성(彈性)【물리】elasticidad *f,* flexibilidad *f.* ～의 elástico, flexible.
 ■～계 elastómetro *m,* elasticimetría *f.* ～계수 coeficiente *m* de elasticidad. ～ 고무 goma *f* elástica. ～ 공학 ingeniería *f* de elasticidad. ～력(力) fuerza *f* elástica. ～률 módulo *m* de elasticidad. ～ 역청 elaterita *f.* ～ 진동(震動) vibración *f* elástica. ～체 elastómero *m,* cuerpo *m* elástico. ～파 onda *f* elástica. ～ 한계 límite *m* elástica, límite *m* de elasticidad.

탄성(歎聲) ① [탄식하는 소리] suspiro *m,* gemido *m,* quejido *m.* ～을 발하다 suspirar, lanzar [dar · exhalar] un suspiro, dar quejidos, lamentarse. ② [감탄하는 소리] admiración *f,* exclamación *f.*

탄소(炭素)【화학】carbono *m.* ～의 carbónico. ～와 화합시키다 carbonizar.
 ■～강(鋼) acero *m* de carbono. ～ 동화 작용 asimilación *f* clorofílica de gas carbónico; [광합성] fotosíntesis *f.* ～봉 carboncillo *m,* (barra *f* de) carbón *m.* ～선 hebra *f* de carbono. ～ 전구 bomba *f* de luz eléctrica con hebra de carbono. ～지 ＝탄산지(炭酸紙). ～화물 carburo *m.*

탄수(炭水) ① [석탄과 물] carbón y agua. ② [탄소와 수소] carbono e hidrógeno.
 ■～차 ténder *m.* ～화물 hidrato *m* de carbono, glúcido *m,* carbohidrato *m.*

탄식(歎息) suspiro *m* (profundo), lamentación *f.* ～하다 suspirar, lanzar [dar · exhalar] un suspiro, lamentarse, suspirar profundamente, dolerse, afligirse.

탄신(誕辰) nacimiento *m* (real). ～ 백(주)년을 축하하다 celebrar el primer centenario del nacimiento (de).
 ■～ 기념일 aniversario *m* del nacimiento. ～ 백년제 centenario *m* del nacimiento.

탄알(彈－) bala *f* de metal.

탄압(彈壓) opresión *f,* represión *f,* supresión *f.* ～하다 oprimir, reprimir, suprimir, derribar con una mano violenta de opresión. ～적인 opresivo, represivo.
 ◆무력(武力) ～ presión *f* militar. 언론(言論) ～ represión *f* de la prensa.
 ■～ 정책(政策) medida *f* opresiva, medida *f* represiva, política *f* de represión.

탄약(彈藥) municiones *fpl.*
 ■～고(庫) almacén *m* de pólvora, polvorín *m.* ～대(帶) cartuchera *f,* canana *f;* [기관총의] banda *f* (de ametralladora). ～ 상자 cajón *m.* ～ 제조소 fábrica *f* de munición. ～차 carro *m* para munición, carretón *m* [carro *m* · carreta *f*] para pólvora. ～창 depósito *m* de munición, parque *m* de munición. ～통 cartucho *m.* ～함 bolsa *f* de munición.

탄우(彈雨) lluvia *f* de balas.

탄원(歎願) solicitud *f,* [간원(懇願)] petición *f,* [애원(哀願)] súplica *f,* ruego *m.* ～하다 solicitar, suplicar, rogar, implorar, pedir. 감형(減刑)을 ～하다 pedir [solicitar] la disiminución de la pena.

■ ~서(書) solicitud *f*, petición *f* escrita, instancia *f*. ~자 solicitante *mf*.

탄일(誕日) ＝탄신(誕辰)(nacimiento).

탄자(彈子) ① ＝처란❶. ② ＝탄환(彈丸)❶.

탄자니아【지명】Tanzania *f*, Tanzanía *f*. ~의 tanzaniano, tanzano.

■ ~ 사람[인] tanzaniano, -na *mf*; tanzano, -na *mf*.

탄저(炭疽) ＝탄저병(炭疽病)❶.

■ ~균 bacilo *m* de antranosis. ~병(病) antranosis *f*, antracosis *f*, ántrax *m*, carbunclo *m*, carbunco *m*.

탄전(炭田) zona *f* hullera, mina *f* de carbón, yacimientos *mpl* carboníferos, yacimientos *mpl* de carbón, terreno *m* carbonífero.

탄젠트(영 *tangent*)【수학】tangente *f*.

탄주(彈奏) toque *m*, representación *f*. ~하다 tocar, tañer.

■ ~법 toque *m*. ~ 악기 ＝현악기(絃樂器). ~자 tocador, -dora *mf*; tañedor, -dora *mf*.

탄지 colilla *f*.

탄진(炭塵) polvo *m* de carbón flotante en el aire.

탄질(炭質) cualidad *f* de carbón.

탄차(炭車) camión *m* (*pl* camiones) de carbón, vagoneta *f* de carbón.

탄착 거리(彈着距離) ① [탄환의 발사 지점에서 도착 지점까지의 거리] alcance *m* de proyectiles. ② ＝최대 사정(最大射程).

탄착 관측(彈着觀測) observación *f* de la caída de proyectiles.

탄착점(彈着點) punto *m* de impacto.

탄창(彈倉) cartuchera *f*, canana *f*.

탄층(炭層) capa *f* carbonífera, yacimiento *m* hullero, yacimiento *m* de hulla, yacimiento *m* de carbón, vena *f* de carbón, veta *f* de carbón, filón *m* (*pl* filones) carbonífero.

탄탄대로(坦坦大路) camino *m* real, carretera *f* ancha y llana. 시합은 ~로 진척되었다 El partido se desarrolló sin accidentes.

탄탄하다 (ser) sólido, fuerte, robusto, macizo. 탄탄한 집 casa *f* sólida, casa *f* robusta. 탄탄한 체격이다 ser de constitución robusta [maciza].

탄탄히 sólidamente, fuertemente, robustamente.

탄탄하다(坦坦－) (ser) llano, igual, nivelado, allanado, poco accidentado.

탄탄히 llanamente, igualmente, niveladamente.

탄평하다(坦平－) (ser) plano, llano.

탄피(彈皮) cartucho *m* vacío.

탄하(呑下) trago *m*. ~하다 tragar.

탄하다 ① [남의 일에 참견하다] entrometerse (en), inmiscuirse (en), interferir (en), meterse (en). 그녀는 평상시처럼 탄하기 시작했다 Ella empezó a entrometerse, como de costumbre. ② [남의 말에 대꾸하여 시비조로 나서다] poner reparos (a), criticar, parecer mal. 그는 우리의 계획을 탄했다 El puso reparos a nuestro proyecto.

탄핵(彈劾) acusación *f*. ~하다 acusar, someter a juicio. 대통령을 ~하다 someter a juicio al presidente.

■ ~안(案) acusación *f* formulada contra un alto cargo por delitos cometidos en el desempeño de *sus* funciones. ~ 연설(演說) discurso *m* violento (contra). ~자 acusador, -dora *mf*; denunciador, -dora *mf*; delator, -tora *mf*. ~ 재판소 tribunal *m* de acusación.

탄화(炭化) carbonización *f*, carboneo *m*. ~하다 carbonizarse. ~시키다 carbonizar, convertir en carbón.

■ ~강(鋼) acero *m* carbónico. ~규소 ＝카보런덤. ~물 ＝탄소화물. ~법(法) carbonización *f*. ~수소 hidrocarburo *m*. ~칼슘[석회] carburo *m* de calcio.

탄환(彈丸) bala *f*, proyectil *m*; [포탄] obús *m*. ■ ~ 열차 tren *m* bala.

탄회(坦懷) franqueza *f*, sinceridad *f*. ~하다 (ser) franco, sincero.

탄흔(彈痕) huella *f* de una bala, señal *f* de proyectiles.

탈 ① [가면(假面)] máscara *f*, careta *f*, mascarilla *f*. ~을 쓰다 ponerse la máscara. ~을 벗다 quitarse la máscara. ② [속뜻을 감추고 겉으로 거짓을 꾸미는 의뭉스러운 얼굴] cara *f* astuta, rostro *m* astuto.

탈(頉) ① [사고(事故)] accidente *m*, tropiezo *m*, dificultad *f*, impedimiento *m*, obstáculo *m*. ② [병(病)] enfermedad *f*. 몸에 ~이 나다 estar enfermo, caer enfermo. 그는 무리하다가 ~이 나 아팠다 El cayó enfermo por haber trabajado excesivamente. ③ [트집이나 핑계] excusa *f*, pretexto *m*; [흠] defecto *m*, falta *f*, culpa *f*. 아무 ~ 없이 sin defecto físico, sin falta física.

탈각(脫却) libramiento *m* de una situación inconveniente, escape *m*. ~하다 librarse (de), deshacerse (de), zafarse, desembarazarse.

탈각(脫殼) despojos *mpl* de los animales, muda *f* de la piel. ~하다 mudar (de), despojar (de).

탈것 vehículo *m*, coche *m*, carro *m*, autocar *m*, automóvil *m*; [마차] carruaje *m*; [가마] palanquín *m* (*pl* palanquines).

탈격(奪格)【언어】(caso *m*) ablativo *m*.

탈고(脫稿) conclusión *f* de un borrador [de un libro · de una obra literaria]. ~하다 acabar de escribir (un libro), concluir una obra literaria, concluir un borrador.

탈곡(脫穀) trilla *f*, trilladura *f*, desgranamiento *m*, desgrane *m*. ~하다 trillar, desgranar, desgranzar. ~하는 사람 desgranador, -dora *mf*.

■ ~기 trilladora *f*, trilladora *f* a pie, pilador *m*, desgranadora *f*; [동력] máquina *f* de trillar a fuerza motriz.

탈구(脫臼) dislocación *f*, desarticulación *f*, descoyuntamiento *m*, luxación *f*. ~하다 dislocarse, desarticularse. 어깨를 ~하다 dislocarse los hombros. 그는 왼쪽 어깨를 ~했다 El se ha dislocado el hombro izquierdo.

탈 나다(頉－) ① [일에 고장이 생기다] estropearse, averiarse, *AmL* descomponerse; [시스템이] fallar, venirse abajo, no funcionar. 승강기가 탈 났다 El ascensor no funciona. ② [몸에 이상이 생기다] estar enfermo, caer enfermo. 그의 건강이 탈 났다 El perdió la salud / *AmL* El se enfermó.
탈 내다(頉－) estropear, hacer no funcionar, *AmL* descomponer.
탈놀음 espectáculo *m* de danza, canto y diálogo; mascarada *f*, baile *m* de disfraces; baile *m* de máscaras. ～하다 hacer una mascarada
탈놀이 ＝탈놀음.
탈당(脫黨) abandono *m* (de un partido), deserción *f* (de un partido), retiro *m* del partido, defección *f*, secesión *f*, separación *f*. ～하다 abandonar *su* partido, desertar de *su* partido, defeccionar, dejar un partido, separarse de un partido.
■～ 성명서 declaración *f* de su secesión del partido. ～ 신고서 notificación *f* de la defección, notificación *f* de retiro del partido. ～자 secesionista *mf*, separatista *mf*, desertor, -tora *mf*, apóstata *mf*.
탈락 traqueteando, dando tumbos.
탈락거리다 traquetear, dar tumbos. 마차가 길을 탈락거리며 갔다 El carro iba traqueteando [dando tumbos] por el camino.
탈락(脫落) ① [빠져 버림] exclusión *f*. ～하다 excluir. ～되다 ser excluido. 명부(名簿)에서 ～하다 excluir de la lista. ② [동행자들을 따라가지 못하게 됨] deserción *f*. ～하다 quedarse atrás, rezagarse; [떨어져 나가다] desertar. 그는 운동(運動)에서 ～했다 El ha desertado de la campaña. ③ [문장 · 말 등의] omisión *f*, laguna *f*. ～하다 omitir. 두 줄이 ～되어 있다 Faltan dos líneas.
탈루(脫漏) omisión *f*. ～하다 estar omitido.
탈륨(영 *thallium*) 【화학】 talio *m*.
탈리(脫離) separación *f*, desunión *f*. ～하다 separarse, desunirse, desembarazarse.
탈모(脫毛) caída *f* del pelo; [털의 제거] depilación *f*. ～하다 perder el pelo, quitar el pelo, quitar el vello; [몸의 털 따위를] depilar; [피혁의 제조를 위해] depilar el cuero.
■～제(劑)depilatorio *m*. ～증(症) alopecia *f*. ～ 크림 crema *f* depilatoria.
탈모(脫帽) acción *f* de quitarse el sombrero. ～하다 quitarse el sombrero, descubrirse; [인사로] descubrirse (ante), saludar quitándose el sombrero. ～! ¡Quítense el sombrero! / ¡Descúbranse!
탈무드(헤 *Talmud*) Talmud *m*. ～의 talmúdico.
탈문(脫文) laguna *f*, blanco *m*, vacío *m*.
탈바가지 ① [바가지로 만든 탈] máscara *f* (hecha) de calabaza. ② ((속어)) ＝탈. ③ ((속어)) ＝철모.
탈바꿈 【동물】 ＝변태(變態).
탈바닥 salpicando.
탈바닥거리다 seguir salpicando.
탈바닥탈바닥 salpicando y salpicando.
탈발(脫髮) caída *f* del pelo. ～하다 quitar el pelo.
탈방 haciendo plaf al caer.
탈방거리다 seguir haciendo plaf al caer.
탈법(脫法) ilegalidad *f*, ilegitimidad *f*.
■～ 행위 evativa *f* [evasión *f*] de la ley, acto *m* [obra *f*] fuera de la ley, hecho *m* [acción *f*] ilegal.
탈북(脫北) deserción f (de Corea) del Norte.
■～자(者) desertor, -tora *mf* (de Corea) del Norte.
탈산(脫酸) 【화학】 desoxidación *f*, desoxigenación *f*. ～하다 desoxigenar, desoxidar. ～할 수 있는 desoxidable.
탈상(脫喪) expiración *f* del período de luto. ～하다 quitarse el luto.
탈색(脫色) decoloración *f*, descoloración *f*, descoloramiento *m*. ～하다 decolorarse, descolorarse, descolorirse. ～시키다 decolorar.
■～제 decolorante *m*, descolorante *m*.
탈선(脫船) deserción *f* de un buque. ～하다 abandonar *su* buque.
■～자 desertor *m*, marinero *m* fugitivo.
탈선(脫線) ① [기차 · 전차 등이 선로를 벗어남] descarrilamiento *m*. ～하다 descarrilar. 열차가 ～ 했다 El tren descarriló. ② [언행(言行)이 상규(常規)나 상식을 벗어나 빗나감] [행동의] desvío *m*; [말의] digresión *f*. ～하다 desviarse. 그는 때때로 말을 ～한다 El cae [se pierde] a veces en digresiones.
■～행위 actitud *f* de desvío [digresión].
탈세(脫稅) evasión *f* fiscal, evasión *f* del contribución, evasión *f* de impuestos. ～하다 evadir [eludir] un impuesto, evadir de la contribución, hacer fraude tributario, evadir el pago de impuestos.
■～자 evadidor, -dora *mf* de impuesto.
탈속(脫俗) abandono *m* del mundo. ～하다 abandonar el mundo, despojarse de la idea del mundo. ～한 libre de cuidados mundanos, desinteresado del mundo, alejado del mundo vulgar.
탈수(脫水) [세탁물의] escurrido *m*; 【화학】 deshidratación *f*. ～하다 escurrir; deshidratar. ～되다 deshidratarse. 세탁물을 ～하다 escurrir la ropa de la colada.
■～기 escurridor *m*, máquina *f* de escurrir; deshidratador *m*. ～제(劑) agente *m* deshidratante, desicante *m*. ～증 hidropenia *f*, oligohidria *f*. ～ 증상(症狀) síntoma *m* de deshidratación. ～ 혈증 deshidremia *f*.
탈신(脫身) escape *m* de *su* trabajo. ～하다 evadirse de *su* trabajo.
■～도주(逃走) escape *m*, evasión *f*, huida *f*, fuga *f*; [병사(兵士)의] deserción *f*. ¶～하다 desertar, evadirse, fugarse, huir, escapar.
탈싹 haciendo plaf al caer.
탈싹거리다 seguir haciendo plaf al caer.
탈 쓰다 ① [얼굴에 탈을 쓰다] ponerse la máscara. ② [거짓에 찬 행동을 하다] hacer

falsamente. ③ [생김새나 하는 짓이 누구를 닮다] parecerse (a), ser parecido (a).

탈 없다(頉—) no estar [caer] enfermo.

탈염(脫鹽) desalinización *f*, desalación *f*. ~하다 desalinizar, desalar.
■ ~수(水) el agua *f* desalada.

탈영(脫營) 【군사】 deserción *f* del cuartel. ~하다 desertar (del cuartel).
■ ~병 desertor, -tora *mf*, tránsfuga *mf*.

탈옥(脫獄) escape *m* [fuga *f*·evasión *f*·huida *f*·forzamiento *m*] de la cárcel. ~하다 escapar [evadir·fugarse·huir] de la cárcel, forzar la cárcel, romper la cárcel. 그들은 터널을 파고 ~했다 Ellos escaparon de la cárcel abriendo [haciendo] un túnel.
■ ~수 fugitivo, -va *mf*; infractor, -tora *mf* de la cárcel.

탈의(脫衣) acción *f* de quitarse la ropa. ~하다 quitarse la ropa [el vestido], desnudarse, desvestirse.
■ ~실 vestuario *m*; [해수욕장 등의] caseta *f*, cabina *f* (de playa); [극장의] camarino *m*; [집의] vestidor *m*.

탈자(脫字) palabra *f* saltada, omisión *f* de palabra, palabra *f* suprimida; [문자] carácter *m* (*pl* caracteres) de imprenta saltado.

탈 잡다(頉—) echar*le* la culpa (a), culpar. 그들은 모든 것에서 그녀에게 탈 잡았다 La culparon a ella de todo / Le echaron la culpa de todo a ella.

탈 잡히다(頉—) ser culpado, ser echado la culpa.

탈장(脫腸) 【의학】 hernia *f*, quebradura *f*. ~이 되다 herniarse, sufrir de una hernia.
■ ~대 braguero *m*, vendaje *m* de hernia, apretadero *m*. ~문 orificio *m* herniario. ~수술 herniotomía *f*. ~ 정복술 taxis *m*. ~증(症) ernia *f*. ~ 환자 herniado, -da *mf*, quebrado, -da *mf*.

탈저(脫疽) ① =괴저(壞疽). ② =탈저정.

탈저정(脫疽疔) 【한방】 esfácelo *m*, enfermedad *f* podrida.

탈적(脫籍) cancelación *f* de *su* nombre en el registro. ☞제적(除籍)

탈주(脫走) ((준말)) =탈신도주(脫身逃走). ¶ ~하다 evadirse. 죄수가 감옥에서 ~했다 El preso se evadió de la cárcel. 포로들의 ~를 막았다 Impidieron la evasión de los presos. 그는 서울에서 ~했으나 체포되었다 El desertó de Seúl, pero fue arrestado.
◆ 집단(集團) ~ evasión *f* en grupo.
■ ~ 계획(計劃) plan *m* de escape. ~병(兵) desertor *m*. ~자(者) fugitivo, -va *mf*.

탈지(脫脂) extracción *f* de la grasa. ~하다 extraer [sacar] la grasa. ~한 descremado, desnatado.
■ ~면 algodón *m* hidrófilo, algodón *m* absorbente, absorbente *m* higiénico. ~분유(粉乳) leche *f* en polvo descremada [desnatada]. ~ 요법 terapia *f* desnatada. ~유(乳) leche *f* descremada, leche *f* desnatada.

탈진(脫盡) exhaución *f*. ~하다 estar exhausto (de).

탈출(脫出) fuga *f*, evasión *f*, huida *f*, escape *m*; [안주할 장소를 찾기 위해] éxodo *m*. ~하다 huir, fugarse, evadirse, escaparse. 국외로 ~하다 huir al extranjero. 농촌 인구의 공업 지대로의 ~ éxodo *m* (de la población) rural hacia las zonas industriales.

탈춤 *talchum*, mascarada *f*, baile *m* de máscaras, baile *m* de disfraces.

탈취(脫臭) desodorización *f*. ~하다 desodorizar, quitar*le* el olor (a).
■ ~제(劑) desodorante *m*.

탈취(奪取) captura *f*, arrancadura *f*, toma *f*, arrebatamiento *m*, apoderamiento *m*. ~하다 coger por la fuerza, tomar, apoderarse (de), saquear, pillar. 그는 내 손에서 지갑을 ~했다 El me arrebató la cartera de las manos.

탈타리 ((준말)) =빈탈타리.

탈탈[1] ① [먼지 등을 깨끗이 털어 버리는 모양. 또, 그 소리] sacudiendo. 먼지를 ~ 털어 내다 sacudir el polvo. ② [아무것도 남지 않게 죄다 털어 내는 모양] todo, completamente, perfectamente. 주머니를 ~ 털다 vaciar el bolsillo completamente.

탈탈[2] ① [탈탈거리는 모양이나 소리] traqueteando. ② [금이 간 질그릇 따위를 연해 두드려 내는 소리] haciendo ruido.
탈탈거리다 ㉮ [마음은 급하나 몸이 피곤하여 나른한 걸음으로 겨우 걷다] caminar apenas. ㉯ [깨어져 금이 간 질그릇 같은 것을 연해 두드리어 떠는 소리가 나다. 또, 자꾸 탈탈 소리를 나게 하다] traquetear. 기차가 다리 위를 탈탈거리면서 지나갔다 El tren pasó traqueteando por el puente.

탈탈이 coche *m* muy usado, cosa *f* muy gastada.

탈태(脫胎) cuerpo *m* de la porcelana translucida y elaborada.

탈토(脫兎) ① [달아나는 토끼] liebre *f* huyente. ② [빨리 달아남] huida *f* rápida. ~같다 ser tan rápido [veloz] como una liebre que se huye.

탈퇴(脫退) retirada *f*, retiro *m*, secesión *f*, abandono *m*, dimisión *f*. ~하다 retirarse (de), separarse (de), abandonar, dejar, dimitir, alejarse, salirse. 나는 협회(協會)를 ~하기로 결정했다 He decidido retirarme de la asociación.
■ ~자(者) desertor, -tora *mf*.

탈피(脫皮) ① 【동물】 muda *f*. ~하다 mudar. ② [낡은 사고방식에서 벗어나 새로워짐] desarrollo *m* de la manera de pensamiento anticuada. 그는 다른 사람의 모방에서 ~했다 Dejando imitaciones ajenas él ha pasado a tener su estilo propio.

탈함(脫艦) 【군사】 escape *m* del buque de guerra. ~하다 escapar del buque de guerra. ■ ~병(兵) desertor, -tora *mf* del buque de guerra.

탈항(脫肛) 【의학】 prolapso *m* de(l) ano, proctocele *m*. ~하다 sufrir del prolapso del ano.

탈혈(脫血) =실혈(失血).
탈환(奪還) recobro *m*, recuperación *f*, represa *f*. ~하다 recobrar, recuperar, volver a tomar, represar.
탈회(脫會) salida *f*, retirada *f* (de una sociedad·de una asociación), retiro *m* de una sociedad, defección *f*. ~하다 retirarse de una asociación, separarse de una asociación, salir (de), desertar (de), separarse (de), dejar, retirarse (de).
■~자(者) miembro *m* retirado [separado], miembro *f* retirada [separada]; separatista *mf*, desertor, -tora *mf*.
탐(貪) ((준말)) =탐욕(貪慾)(avaricia).
탐검(探檢) investigación *f*, prueba *f*, examen *m*, averiguación *f*, indagación *f*. ~하다 investigar, probar, examinar, hacer indagaciones, hacer averiguaciones, explorar.
■~가[자] explorador, -dora *mf*. ~ 기구 globo *m* sonda. ~ 비행(飛行) vuelo *m* de exploración. ~선(船) barco *m* de investigación. ~ 여행 expedición *f*, exploración *f*. ~ 항해 viaje *m* de exploración.
탐관(貪官) funcionario *m* codicioso, funcionario *m* corrupto.
■~오리(汚吏) funcionario *m* codicioso [corrupto] y libertino.
탐광(探鑛) prospección *f*, exploración *f*, *AmS* cateo *m*. ~하다 prospectar, explorar, buscar, *AmS* catear. 우리들은 현재 금(金)을 ~하고 있는 중이다 Estamos prospectando el terreno en busca de oro / Estamos buscando el oro.
■~자(者) prospector, -tora *mf*, *AmS* cateador, -dora *mf*.
탐구(探究) búsqueda *f*, [연구] investigación *f*, estudio *m*. ~하다 buscar, investigar, estudiar. 과학(科學)의 ~ estudio *m* de ciencia. 과학적 ~ investigación *f* científica.
◆진리(眞理) ~ búsqueda *f* [persecución *f*] de la verdad.
■~심(心) espíritu *m* investigador, espíritu *m* de investigación. ~욕(慾) deseo *m* investigador, deseo *m* de investigación. ~자 investigador, -dora *mf*, estudioso, -sa *mf*.
탐구(探求) indagación *f*, rebusca *f*, averiguación *f*. ~하다 indagar, rebuscar, averiguar, hacer rebusca (en).
탐구(貪求) búsqueda *f* codiciosa. ~하다 buscar codiciosamente.
탐나다(貪-) desear, querer, apetecer. 탐나는 여자 mujer *f* deseable.
탐내다(貪-) codiciar, desear, querer, ser insaciable, anhelar, apetecer. 탐내는 avaricioso, codicioso. 탐내어 avariciosamente, codiciosamente, con codicia. 탐내어 먹다 comer vorazmente, devorar. 탐내듯이 읽다 leer (un libro) con anhelo. 명리(名利)를 ~ codiciar fama y ganancia. 폭리(暴利)를 ~ usurear, sacar usura. 그녀는 무엇이든 남의 것은 전부 탐낸다 Ella codicia todo lo que tienen los demás. 남의 재산을 탐내서는 안 된다 No debemos codiciar los bienes ajenos. 모든 것을 탐내면 모든 것을 잃는 법 ((서반아 속담)) La codicia lo quiso todo, y púsose del todo (대탐대실(大貪大失)). 많은 것을 탐내는 자는 거의 아무것도 얻지 못한다 ((서반아 속담)) El codicioso, lo mucho tiene por poco.
탐닉(耽溺) indulgencia *f*, dedicación *f*, encenagamiento *m* en un vicio; [방탕] disipación *f*. ~하다 abandonarse (a), entregarse (a), darse (a), entregarse a un vicio, encenagarse en la corrupción, apacionarse (por), prendarse (de).
■~ 생활(生活) vida *f* licenciosa, vida *f* entregada a un vicio, vida *f* voluptuosa. ~자 sibarita *mf*; calavera *m*; libertino, -na *mf*; adicto, -ta *mf*. ¶아편 ~ adicto, -ta *mf* al opio.
탐독(耽讀) lectura *f* ferviente. ~하다 sumergirse [abismarse·hundirse] en la lectura, darse con exceso a la lectura, entregarse a la lectura. 그는 보르헤스를 ~하고 있다 El está totalmente absorbido [absorto] en la lectura de Borges.
■~자(者) lector *m* inveterado, lectora *f* inveterada.
탐리(貪吏) =탐관(貪官).
탐리(貪利) codicia *f*, avaricia *f*. ~하다 (ser) codicioso, avaricioso.
탐매(探梅) excursión *f* a los lugares conocidos por las flores de albaricoquero
탐문(探問) investigación *f* indirecta. ~하다 inquirir [averiguar·examinar] indirectamente.
탐문(探聞) obtención *f* de información (por averiguaciones). ~하다 obtener las informaciones (por averiguaciones), aprender, oír.
탐미(耽美) amor *m* de belleza.
■~적 estético. ¶~으로 estéticamente. ~인 그림 pintura *f* de la escuela estética. ~주의 estetismo *m*, esteticismo *m*. ~주의자 esteta *mf*; estetista *mf*. ~파(派) escuela *f* estética.
탐방 salpicando.
탐방거리다 seguir salpicando.
탐방탐방 salpicando y salpicando.
탐방(探訪) averiguación *f*, indagación *f*, pesquisa *f*. ~하다 hacer un reportaje (sobre), indagar, pesquisar.
■~기(記) reportaje *m*. ~ 기자(記者) reportero, -ra *mf*; gacetillero, -ra *mf*.
탐사(探査) exploración *f*, investigación *f*, indagación *f*, examinación *f*. ~하다 explorar, investigar, indagar, examinar.
탐상(探賞) acto *m* de visitar objetos [puntos] de interés, excursión *f*. ~하다 visitar objetos [puntos] de interés.
탐색(貪色/耽色) =호색(好色).
탐색(探索) búsqueda *f*, encuesta *f*, investigación *f*, averiguación *f*, rebusca *f*, pesquisa *f*. ~하다 buscar, investigar, averiguar, pesquisar; [비밀 따위를] sondear, tantear, sonsacar; [캐고 들다] escudriñar, rebuscar.

~하기 좋아하는 inquisitivo, preguntón. ~하는 듯한 눈으로 con (los) ojos escrudriñados, con una mirada inquisadora. 개인 일을 ~하다 escudriñar asuntos privados. 다른 사람의 일을 ~하다 curiosear, husmear, fisgar.
■ ~자(者) investigador, -dora *mf.*

탐스럽다 (ser) encantador, precioso, deseable, gustoso, apetitoso, atractivo, cariñoso, hermoso, bonito. 탐스러운 사과 manzana *f* apetitosa. 탐스러운 여인 mujer *f* atractiva, mujer *f* encantadora.
탐스레 de un modo encantador, preciosamente, atractivamente, cariñosamente.

탐승(探勝) excursión *f* de visitar encantos de la naturaleza. ~하다 explorar las bellezas (de). ■ ~객(客) turista *mf;* viajante *mf.*

탐식(貪食) glotonería *f,* voracidad *f.* ~하다 comer vorazmente.

탐심(貪心) avaricia *f,* codicia *f.*

탐욕(貪慾) avaricia *f,* codicia *f,* rapacidad *f,* avidez *f,* voracidad *f.* ~에는 끝이 없다 ((서반아 속담)) A la codicia no hay cosa que la hincha. ~은 모든 악의 근원이다 ((서반아 속담)) La codicia es raíz de todos los males.
■ ~가(家) codicioso, -sa *mf.* ¶~는 절대로 완전한 행복을 누릴 수는 없다 El codicioso no es nunca completamente feliz.

탐장(貪贓) chanchullos *mpl.* ~하다 codiciar los bienes.
■ ~질 chanchullos *mpl.* ¶~하는 사람 chanchullero, -ra *mf.*

탐재(貪財) amor *m* de dinero, codicia *f,* avaricia *f.* ~하다 (ser) tener ansias (de), estar ávido (de), ser codicioso, ser avaro.

탐정(探偵) servicio *m* detectivesco, averiguación *f* secreta, pesquisas *fpl,* investigaciones *fpl;* [사람] (agente *mf* de) policía *m* político; detective *mf.* ~하다 espiar, investigar secretamente, averiguar secretamente, indagar, rebuscar ~을 놓다 poner un detective.
◆ 군사 ~ espía *f* militar. 비밀 ~ detective *m* secreto. 사설(私設) ~ detective *m* privado. 사설 ~소 agencia *f* de detectives privados.
■ ~가[꾼] detective *mf.* ~물 género *m* de detective. ~ 소설 novela *f* policíaca.

ㅌ

탐조(探鳥) observación *f* de las aves (como hobby). ~하다 observar las aves.
■ ~가 observador, -dora *mf* de aves.

탐조(探照) brillantez *f* de un reflector. ~하다 brillar un reflector.
■ ~등 proyector *m,* reflector *m.*

탐지(探知) detección *f,* averiguación *f,* indagación *f,* descubrimiento *m.* ~하다 averiguar, detectar, indagar, descubrir, atisbar, ventear.
■ ~기 detector *m.* ¶전파 ~ radar *m.* 수중 전파 ~ sónar *m.* ~ 기지 estación *f* de detección. ~꾼 detector, -tora *mf;* atisbador, -dora *mf.* ~소 [핵실험의] estación *f* de control. ~ 장치 equipo *m* de detección, aparato *m* de detección.

탐측(探測) sonda *f,* sonda *f* espacial, investigación *f.* ~하다 sondar, investigar.

탐탁스럽다 estar satisfecho (con).

탐탁하다 (ser) satisfactorio, fidedigno, fiable, confiable, responsable, de confianza. 탐탁한 사람 persona *f* formal, persona *f* responsable, persona *f* de confianza, persona *f* en la que se puede confiar. 탐탁하지 않은 손님 visitante *m* frío, visitante *m* antipático. 탐탁하지 않은 인상(印象) impresión *f* desfavorable.

탐탐(耽耽) codiciosamente, con codicia.

탐탐하다(耽耽-) alegrarse (de), regodearse (con), refocilarse (con). 그녀와 일하는 것이 탐탐하지 않는다 La idea de tener que trabajar con ella no me hace ninguna gracia.
탐탐히 alegremente, con alegría. ~ 기다리다 desear, tener muchas ganas (de). 나는 내 생일을 ~ 기다리고 있다 Estoy deseando que llegue mi cumpleaños. 여행을 ~ 기다리고 있습니다 Tengo muchas ganas de hacer el viaje / El viaje me hace mucha ilusión. 그를 만나기를 ~ 고대합니다 Tengo ganas de conocerle. 귀하한테서 곧 소식을 듣기를 ~ 고대하고 있습니다 [편지에서] Esperando tener pronto noticias suyas.

탐폰(독 *Tampon*) 【의학】 tampón *m.*

탐하다(貪-) codiciar, avariciar, desear. 네 이웃의 아내를 탐하지 말지니라 ((신명기 5: 21)) No codiciarás la mujer de tu prójimo / No codicies la mujer de tu prójimo.

탐학하다(貪虐-) (ser) codicioso y atroz.

탐해등(探海燈) proyector *m* eléctrico.

탐험(探險) exploración *f,* expedición *f.* ~하다 explorar, hacer una expedición (a). ~하러 가다 ir a explorar.
◆ 아마존 ~ expedición *f* a las Amazonas
■ ~가 explorador, -dora *mf.* ~대 cuerpo *m* expedicionario, equipo *m* de exploradores, expedición *f,* exploradores *mpl.* ¶~를 조직하다 organizar [formar] un cuerpo expedicionario. ~를 지휘하다 comandar [estar al mando de · tener el mando de] un cuerpo expedicionario. ~를 파견하다 despachar un cuerpo expedicionario. ~대장 jefe, -fa *mf* [líder *mf*] de expedición. ~ 비행 vuelo *m* de expedición. ~선 barco *m* de expedición. ~ 소설(小說) novela *f* de expedición. ~ 여행(旅行) viaje *m* de exploración, expedición *f,* exploración *f.*

탐호(貪好) amor *m* fanático, devoción *f.* ~하다 ser aficionado (a), tener devoción (por), tener mucho cariño (a).

탐혹(耽惑) adicción *f,* encaprichamiento *m.* ~하다 ser adicto (a), estar encaprichado (de · con).

탑(塔) torre *f,* [불교 사원의] pagoda *f;* [회교 사원의] alminar *m,* minarete *m;* [교회의 종탑] campanario *m;* [기념탑] columna *f,*

monumento *m*; [다리 · 문 · 가로(街路) 등의 양쪽에 세운 탑] pilón *m* (*pl* pilones); [교회의 첨탑] chapitel *m*, aguja *f*. ~에 오르다 subir a una torre.
◆방첨(方尖)~ obelisco *m*. 뾰족~ torre *f*, campanario *m*, aguja *f*. 석(石)~ monumento *m* de piedra. 오층(五層)~ pagoda *f* de cinco tejados, pagoda *f* de cinco pisos.

탑본(搨本) =탁본(拓本).

탑비(塔碑) la pagoda y el monumento.

탑삭나룻 barba *f* enmarañada, barba *f* greñuda.

탑삭부리 hombre *m* con [de] barba.

탑새기주다 entrometerse (en), inmiscuirse (en), interferir (en), meterse (en), dificultar. 남의 일에 ~ entrometerse [inmiscuirse · interferir · meterse] en el asunto de los demás.

탑소록하다 (ser) poblado, enmarañado, greñudo. 그녀의 머리는 ~ Ella tiene mucho pelo / Ella tiene el pelo grueso y abundante.
탑소록이 gruesa y abundantemente.

탑승(搭乘) embarque *m*. ~하다 embarcar(se), subir a bordo, *Méj* abordar. 비행기에 ~하다 subir al [en el] avión, montar en el avión. 우리가 ~했을 때 cuando nosotros subimos a bordo. 그들은 벌써 ~했다 Ellos ya están a bordo. 모두 ~하십시오 ¡Todos a bordo!
■~객[자] pasajero, -ra *mf*. ~교 puente *m* de carga. ~구 puerta *f* de embarque. ~권 tarjeta *f* de embarque, *Chi*, *Méj* pase *m* de abordar. ~석 asiento *m*; [비행기 · 우주선의 조종석] cabina *f* de mando; [경주용 자동차의] cabina *f*. ~원 tripulante *mf*; [집합적] tripulaión *f*, personal *m* de abordo.

탑재(搭載) cargamento *m*, embarque *m*. ~하다 cargar, embarcar, instalar. 배에 기관총을 ~하다 instalar la ametralladora en un navío. 그 비행기는 미사일을 ~하고 있다 Ese avión está equipado de misiles.
■~량 capacidad *f* de cargamento.

탑파(塔婆)(범 *stupa*, *thupa*) ((본딧말)) =탑(塔).

탓 ① [잘못] culpa *f*, responsabilidad *f*. …의 ~으로 돌리다 echar la(s) culpa(s) a *algo* · *uno*, culpar a *uno*. 누구의 ~이냐? ¿Quién es el culpable? 네 ~이다 Es la culpa tuya / Tú tienes la culpa. 비서 ~이다 Mi secretaria tiene la culpa. 내 ~이 아니다 No es culpa mía / No tengo la culpa. 그는 자기의 실패를 남의 ~으로 돌렸다 El echó la culpa de su fracaso a otro / El atribuyó su fracaso a otro. ② [까닭] razón *f*, causa *f*, motivo *m*. …의 ~으로 por [a] causa de *algo*, con motivo de *algo*, debido a *algo*. 더위 ~으로 a causa del calor. 추위 ~으로 a causa del frío. 그것은 나이 ~이다 Es debido a la vejez. 커피를 마신 ~에 잠이 오지 않는다 El café que he tomado me impide dormir.

탕 [총포가 터져서 나는 것과 같은 소리] ¡Pum! / ¡Bang! ~! ~! 넌 죽었다! ¡Pum! ¡Pum! ¡Te maté!

탕[1](湯) ① ((높임말)) =국(sopa). ② [제사에 쓰는 건더기가 많고 국물이 적은 국] caldo *m* para el servicio religioso.
■~거리 ingredientes *mpl* para (preparar) la sopa. ~국물 el agua *f* de la sopa. ~메 el caldo y la comida para el servicio religioso.

탕[2](湯) [목간(沐間)이나 온천(溫泉) 등의 목욕하는 곳] baño *m* (público). 남(男)~ (baño *m*) para hombres. 여(女)~ (baño *m*) para mujeres.

-탕(湯) ① [탕약(湯藥)] decocción *f* medicinal, infusión *f*. ② [국] sopa *f*, caldo *m*. 대구~ sopa *f* de bacalao.

탕감(蕩減) remisión *f* de la deuda. ~하다 remitir la deuda, pasar a cuentas incobrables.

탕개 abrazadera *f*. ~를 먹이다 sujetar con abrazaderas.
■~목(木) pedazo *m* de madera para tensar la cuerda tensora. ~ㅅ줄 cuerda *f* tensora.

탕건(宕巾) casquete *m* de crin.
■~집 caja *f* para casquete de crin.

탕관(湯灌) lo que baña el cadáver, lavadura *f* de hombre recién muerto (con agua caliente). ~하다 lavar [purificar] al recién hombre.

탕관(湯罐) pava *f*, tetera *f*, olla *f* para la decocción medicinal.

탕기(湯器) plato *m* de la sopa.

탕면(湯麵) *tangmyeon*, fideo *m* [tallarines *mpl* · espaguetis *mpl*] con sopa.

탕반(湯飯) =장국밥.

탕부(蕩婦) mujer *f* libertina.

탕산(蕩産) ((준말)) =탕진가산(蕩盡家產).

탕상(湯傷) escaldadura *f*. ~을 입다 escaldarse. 나는 수증기로 손에 ~을 입었다 Me escaldé la mano con el vapor.

탕솥(湯一) olla *f* para la sopa.

탕수(湯水) el agua *f* hirviendo.

탕수육(糖水肉) *tangsuyuk*, carne *f* de cerdo dulce y ácida.

탕심(蕩心) corazón *f* pródigo, pensamiento *m* lascivo [lujurioso], mente *f* libertina, corazón *m* libertino.

탕아(蕩兒) disipador, -dora *mf*, libertino, -na *mf*, disoluto, -ta *mf*, (hijo) pródigo, (hija) -ga *mf*. ~는 2년 만에 그의 전 재산을 탕진했다 El hijo pródigo disipó toda su fortuna en un par de años.

탕약(湯藥) decocción *f* medicinal, infusión *f*, tisana *f*, cocimiento *m*. ~을 달이다 poner en decocción medicinal. ~을 짜다 escurrir la decocción medicinal.

탕일하다(蕩逸一) estar disipado.

탕자(蕩子) =탕아(蕩兒).

탕전(帑錢) =내탕금(內帑金).

탕진(蕩盡) dilapidación *f*, despilfarro *m*, derroche *m*. ~하다 [재산을] dilapidar; [돈을] despilfarrar, derrochar, malgastar, malbaratar, disipar, gastar mal, gastar con exceso, echar la casa por la ventana; [기회·시간을] desaprovechar, desperdiciar. 재산을 ~하다 malgastar *su* hacienda. 술을 너무 마셔 재산을 ~하다 derrochar la fortuna bebiendo. 바걸에게 돈을 ~하다 despilfarrar el dinero en una chica del bar. ~은 가정을 파탄시킨다 El despilfarro es la ruina de las familias.

■ ~가산(家産) dilapidación *f* de *su* fortuna. ¶~하다 dilapidar *su* fortuna.

탕치(湯治) tratamiento *m* termal, curación *f* termal, tratamiento *m* de una enfermedad por las aguas termales. ~하다 hacer un tratamiento termal, curar una enfermedad por agua termal, bañarse en agua termal. ~하러 가다 ir a los baños de aguas termales.

■ ~객 bañista *mf* [bañador, -dora *mf*] de aguas termales; [광수(鑛水)를 마시는] agüista *mf*. ~ 요법 tratamiento *m* termal, terapia *f* termal. ~장 balneario *m*; [온천(溫泉)] fuente *f* de aguas termales.

탕치다(蕩-) ① [재산(財産)을 다 없애다] derrochar [malgastar] toda *su* fortuna. ② [빚을 탕감하다] remitir la fortuna.

탕탕[1] [총포(銃砲)가 연해 터지거나 마룻바닥을 연방 치는 것과 같은 소리] con un estallido, dando un portazo.

탕탕거리다 seguir dando un portazo, seguir estallando.

탕탕[2] [실속 없는 장담을 함부로 하는 모양] con pura palabrería, con fanfarronada, con fanfarronería, con jactancia, con petulancia. 큰소리만 ~ 치다 fanfarronear, echar fanfarronadas.

탕탕평평(蕩蕩平平) imparcialidad *f*, justicia *f*, equidad *f*. ~하다 (ser) imparcial, justo.

탕탕하다(蕩蕩-) ① [넓고 크다] (ser) ancho y grande. ② [평이하다] (ser) fácil, no ser difícil. ③ [물의 흐름 따위가 거세다] (la corriente) ser embravecida. ④ [법도가 쇠폐하여 부당하다] (ser) injusto, indebido, injustificado, irrazonable, ilícito, ilegal.

탕파(湯婆) bolsa *f* de agua caliente, calentador *m* (de cama). ~를 넣다 meter un calentador en la cama.

탕평(蕩平) ① ((준말)) =탕탕평평(蕩蕩平平). ② 【역사】 ((준말)) =탕평책(蕩平策).

■ ~론(論) discusión *f* (política) sobre la Política de Imparcialidad. ~책(策) ㉮ 【역사】 *tangpyeongchaek*, la Política de Imparcialidad. ㉯ [불편부당의 정책(政策)] política *f* de imparcialidad.

ㅌ

태[1] [농작물에 해를 끼치는 새 쫓는 물건] azote *m*.

태[2] [질그릇·놋그릇의 깨진 금] rajadura *f*, raja *f*, grieta *f*, hendedura *f*, rendija *f*, rotura *f*, quebraja *f*.

태가다 [컵·유리가] rajarse. 태간 컵 copa *f* rajada. 찻잔이 태갔다 El vaso está rajado.

태(胎) 【해부】 útero *m*, matriz *f*.

태(泰) 【지명】 ((준말)) =태국(泰國).

태(態) =맵시.

태가(駄價) porte *m*, transporte *m*, *AmL* flete *m*.

태고(太古) antigüedad *f* remota, tiempos *mpl* prehistóricos, tiempos *mpl* antiguos, tiempos *mpl* inmemoriales. ~의 muy antiguo, primitivo, de tiempos inmemoriales, de época muy remota; [유사 이전(有史以前)의] prehistórico. ~부터 desde tiempos inmemoriales.

■ ~계 =태고대층(太古代層). ~대 época *f* precambriana. ~대층 capa *f* de la época precambriana. ~사 historia *f* antigua. ~순민(順民) buen pueblo *m* de la antigüedad remota. ~ 시대 la Era Arcaica.

태고종(太古宗) 【불교】 *Taegochong*, una secta del budismo.

태공(太公) ((준말)) =국태공(國太公).

■ ~비(妃) archiduquesa *f*.

태공망(太公望) ((속어)) pescador *m*.

태과하다(太過-) (ser) muy grave, excesivo, demasiado mucho.

태교(胎教) educación *f* prenatal, puericultura *f* antes de nacer. 그런 영화를 보는 것은 ~에 좋지 않다 No es bueno para el niño que va a nacer que la madre vea esa película durante el embarazo.

태국(泰國) 【지명】 Tailandia *f*. ~의 tailandés.

■ ~어[말] tailandés *m*. ~인[사람] tailandés, -desa *mf*.

태권(跆拳) *taekwon*, uno del arte militar tradicional de nuestro país.

태권도(跆拳道) taekwondo *m*.

■ ~ 도장 gimnasio *m* de Taekwondo. ~ 선수 taekwondoísta *mf*, taekwondoca *mf*, taekwondista *mf*.

태그(영 *tag*) ① [꼬리표] etiqueta *f*. ② =태그 매치. ③ [인용구] coletilla *f*.

■ ~ 매치 corre *m* que te pillo, *Méj* roña *f*, *Col* lleva *f*, *RPl* mancha *f*, *Chi* pinta *f*.

태극(太極) 【철학】 *taeguk*; *chino* tai chi.

■ ~권(拳) *chino* tai chi chuan.

태극기(太極旗) *taegukki*, *taegeukgi*, bandera *f* nacional (de Corea).

태극선(太極扇) *taegukseon*, abanico *m* redondo de la forma de *taeguk*.

태기(胎氣) indicio *m* de embarazo. ~가 있다 tener el indicio de embarazo.

태깔(態-) ① [태와 빛깔] la figura y el color. ② [교만한 태도] actitud *f* arrogante [presuntuosa·soberbio·vanidoso·altanero·altivo].

◆태깔(이) 나다 tener buena figura, (ser) hermoso, bien modulado.

태깔스럽다 (ser) presumido, arrogante, altivo, altanero, insolente.

태깔스레 arrogantemente, altivamente, insolentemente, altaneramente.

태껸 *taekyeon*, arte *m* típico tradicional de Corea que pega patadas y echa la zancadilla.

태나다 ((준말)) =태어나다.

태낭(胎囊) 【동물】 saco *m* embrionario.

태내(胎內) interior *m* de útero; [자궁] útero *m*, matriz *f*. ~의 아이 feto *m*. 어머니의 ~에 en el seno de la madre, en el seno materno, en el vientre de la madre, en el útero, en la matriz.
■ ~ 감염(感染) infección *f* prenatal.
태다수(太多數) un gran número.
태도(態度) actitud *f*, maneras *fpl*, ademán *m*, modo *m*, conducta *f*, comportamiento *m*. 신사적 ~ actitud *f* caballeresca. 점원의 손님에 대한 ~ actitud *f* del dependiente para con el cliente. 그의 말하는 ~ su modo [su manera] de hablar. 만족스러운 ~로 con aire de satisfacción, con ademán de satisfacción, contento, satisfecho. ~를 결정하다 determinar la actitud (que tommar). ~를 바꾸다 cambiar de actitud. 굳은 ~를 취하다 tomar una actitud ceremoniosa, darse aires de ceremonioso [cumplido · cortés]. 비정(非情)한 ~를 보이다 mostrarse indolente. 애매한 ~를 취하다 tomar una actitud evasiva. 그는 ~가 나쁘다 El es un mal educado / Su actitud es insolente. 그것은 그의 ~에 달렸다 Según su actitud / Depende de su actitud.
태독(胎毒)【의학】sífilis *f* congénita.
태동(胎動) ① [모태 안에서 태아가 움직이는 일] movimiento *m* fetal, primeras señales *fpl* de vida que da el feto. ②【한방】=동태(動胎). ③ [무슨 일이 생기려는 기운이 싹틈] primeros indicios *mpl*. 새 시대의 ~이 느껴진다 Se perciben los primeros indicios de una nueva época.
태두(太豆) riñón *m* de vaca.
태두(泰斗) ((준말)) =태산북두(泰山北斗). ¶ 물리학의 ~ (gran) autoridad *f* en física.
태란(胎卵) viviparidad y oviparidad.
태령(太嶺/泰嶺) paso *m* escarpado y alto.
태마노(苔瑪瑙) ágata *f* musgosa.
태막(胎膜) membrana *f* embrionaria.
태만(怠慢) pereza *f*, holgazanería *f*, haraganería *f*, negligencia *f*, ociosidad *f*, abandono *m*, desidia *f*, indolencia *f*, gandulería *f*; [부주의] descuido *m*, dejadez *f*, flojedad *f*, desatención *f*, distracción *f*, inadvertencia *f*. ~하다 holgazanear, descuidar(se), desatender, (ser) perezoso, ocioso, holgazán (*pl* holgazanes), haragán (*pl* haraganes), gandul, indolente, negligente, desidioso, descuidado, desatento, distraído, flojo 정부(政府)의 ~을 비난하다 criticar al gobierno por *su* negligencia administrativa.
◆ 직무(職務) ~ negligencia *f* de deberes, dejación *f* de deberes.
태만히 perezosamente, ociosamente, holgazanamente, haraganamente. ~ 하다 descuidar, desatender, dedicarse a la ociosidad, dedicarse a la negligencia. 주의(注意)를 ~하다 descuidarse, no poner atención (a), no prestar atención (a). 공부를 ~ 하다 descuidar *sus* estudios, descuidarse en los estudios. 우리들은 자신의 의무를 ~ 하는 경향이 있다 Somos propensos a desatender [a faltar a] nuestros deberes.
태맥(胎脈) pulso *m* de la mujer embarazada.
태 먹다 =태가다.
태모(胎母) mujer *f* preñada, mujer *f* embarazada, mujer *f* en cinta.
태몽(胎夢) sueño *m* de concepción.
태무(殆無) [거의 없음] casi nada. ~하다 ser casi nada.
태반(太半) más de la mitad, casi la mitad; [대부분] mayoría *f*, mayor parte *f* (de), gran parte *f* (de). 일의 ~은 끝이 났다 Terminó más de la mitad del trabajo. 손님의 ~이 학생이다 Más de la mitad [La mayoría] de los clientes son estudiantes. ~이 그의 일에 찬성했다 Más de la mitad [La mayoría] fue favorable a su opinión. ~은 정직한 사람이다 La mayoría (de la gente) es honrada [honesta].
태반(胎盤) placenta *f*. ~의 placentario.
◆ 자궁(子宮) ~ placenta *f* uterina. 전치(前置) ~ placenta *f* previa.
■ ~염(炎) placentitis *f*. ~음(音) soplo *m* placentario. ~ 형성 placentación *f*. ~ 호르몬 hormón *m* placentario, hormona *f* placentaria.
태백(太白) ((준말)) =태백성(太白星).
태백성(太白星)【천문】Venus *m*.
태벌(笞罰)【고제도】=태형(笞刑).
태변(胎便) =배내똥(meconio).
태부족하다(太不足-) estar en gran escasez [falta], tener una gran pobreza (de), tener una gran escasez (de), faltar mucho. 이 도시는 널따란 공간이 ~ Esta ciudad tiene una gran pobreza de espacios abiertos. 그 나라는 원료(原料)가 ~ El país tiene una gran escasez de materia prima.
태산(泰山) ① [높고 큰 산] (gran) montaña *f* alta. ~같이 움직이지 않다 ser firme como una roca. ② [크고 많음] cosa *f* tremenda, abundancia *f*, muchísimas cosas *fpl*. 갈수록 ~이다 saltar de la sartén y dar en las brasas. 할 일이 ~ 같다 tener muchísimas cosas que hacer. 부모의 은혜는 ~보다 높다 Es inestimable que debemos a nuestros padres.
■ 태산 명동(鳴動)에 서일필(鼠一匹) ((속담)) Mucho ruido y pocas nueces.
■ ~북두 autoridad *f*, lumbrera *f*, luminaria *f*, estrella *f*. ~준령 montañas *fpl* altas y escarpadas.
태상왕(太上王)【고제도】ex rey viviente que abdicó en su príncipe.
태상황(太上皇) ex emperador *m* viviente que abdicó en su príncipe.
태생(胎生) ① [어떠한 땅에서 태어남] nacimiento *m*, origen *m*. ~의 nacido (en), oriundo (de). ~이 미천한 de humilde cuna, de origen modesto, de origen humilde. ~이 좋은 de buena familia. 한국 ~(의) nacido en [oriundo en] Corea. 서반아 ~ 한국인 coreano *m* nacido en España. 그녀의 첫 ~ su primer hijo, su primogénito. 어디 ~이십니까? ¿De dónde es usted? /

¿De qué parte es usted? / ¿Dónde nació usted? 나는 한국 ~입니다 Soy de Corea / Yo nací en Corea. ② 【생물】 viviparidad *f.* ~의 embrionario, vivíparo.
■ ~ 과실(果實) fruta *f* vivípara. ~ 동물 vivíparos *mpl.* ~어(魚) pez *m* vivíparo. ~ 종자 semilla *f* vivípara. ~지 tierra *f* natal, pueblo *m* natal, país *m* natal. ~학(學) embriología *f.* ~학자 embriólogo, -ga *mf.*

태서(泰西) Occidente *m,* países *mpl* occidentales. ~의 occidental, del oeste, europeo. ~ 각국(各國) cada país *m* occidental.
■ ~ 문명(文明) civilización *f* occidental, civilización *f* europea. ~ 제국 países *mpl* occidentales.

태석(苔石) piedra *f* musgosa.

태선(苔蘚) 【식물】 =이끼.

태선(苔癬) 【의학】 salpullido *m* causado por el calor, líquenes *mpl.*

태성 potro *m* con la frente blanca.

태세(太歲) =목성(木星).

태세(胎勢) posición *f* fetal dentro del útero.

태세(態勢) posición *f,* postura *f.* ~가 붕괴되다 [몸의] perder el equilibrio. …하는 ~를 갖추다 prepararse para + *inf.* 방위(防衛) ~를 취하다 asumir una posición defensiva.

태수(太守) 【고제도】 =지방관(地方官).

태실(胎室) 【역사】 sótano *f* de piedra para enterrar los úteros del palacio real.

태심하다(太甚-) =극심(極甚)하다.

태아(胎兒) feto *m,* embrión *m* (3개월까지), engendro *m.* ~의 fetal, embrionario. ~의 생육(生育) embriogenia *f.*
■ ~ 교육 educación *f* antenatal. ~기 vida *f* fetal. ~ 심음(心音) ritmo *m* fetal, soplo *m* fetal, ruidos *mpl* del corazón fetal. ~ 절개술 embriotomía *f.*

태양(太陽) ① 【천문】 sol *m.* ~의 solar. ~이 빛난다 Hace sol / Brilla el sol. ~은 동쪽에서 떠서 서쪽으로 진다 El sol sale por el este y se pone por el oeste. 지구는 ~의 주위를 돈다 La Tierra gira alrededor del sol. ② [언제나 빛나고 만물을 육성하며 희망을 주는 것] sol *m.* 민족의 ~ sol *m* del pueblo.
■ ~경(鏡) ocular *m* solar. ~계 sistema *m* solar, sistema *m* planetario. ~ 관측(觀測) observación *f* solar. ~ 관측기 helioscopio *m.* ~ 관측 위성 observatorio *m* solar en órbita. ~ 광선 sol *m,* luz *f* del sol, rayo *m* de sol. ~년(年) año *m* tropical, año *m* solar. ~등(燈) lámpara *f* de rayos ultravioletas. ~력(力) potencia *f* solar. ~력(曆) calendario *m* solar. ~로 horno *m* solar. ~ 물리학 física *f* solar. ~ 복사 radiación *f* solar. ~ 순환기(循環期) ciclo *m* solar. ~ 숭배 culto *m* del sol. ~시(時) hora *f* solar. ~신(神) Deidad *f* del sol; ((그리스 신화)) Helios *m;* ((로마 신화)) Apolo *m.* ~ 에너지 energía *f* solar. ~열(熱) calor *m* del sol, calor *m* solar. ~ 열량계(熱量計) heliotermómetro *m.* ~월(月) mes *m* solar. ~의(儀) heliómetro *m.* ~일(日) día *m* solar. ~ 전지(電池) pila *f* de energía solar. ~ 전파(電波) onda *f* eléctrica solar. ~ 중심설 sistema *m* copernicano, teoría *f* copernicana, heliocentricismo *m.* ~풍(風) viento *m* solar. ~ 흑점(黑點) mancha *f* solar, mácula *f* del sol.

태어나다 nacer, ver la luz (del día), venir al mundo. 다시 ~ renacer, volver a nacer. 태어날 때 al nacer. 태어날 때부터 de [por] nacimiento, por naturaleza, naturalmente. 태어나고 처음으로 por primera vez en la vida. 갓 태어난 recién nacido. 태어난 고향 tierra *f* natal, pueblo *m* natal, país *m* natal. 내가 태어난 이래 desde que nací. 가난 속에서 태어난 nacido en la pobreza. 아르헨띠나에서 태어난 한국인 coreano *m* nacido en la Argentina. 태어날 때부터 맹인(盲人) ciego, -ga *mf* de nacimiento. 두 번째 아이가 태어난 뒤 después del nacimiento de *su* segundo hijo. 가난한 집안에서 ~ nacer en una familia pobre. 부잣집에서 ~ nacer en una familia rica. 미천한 가문(家門)에서 ~ nacer en la familia humilde, ser de origen humilde [modesto]. 좋은 가문에서 ~ ser de buena familia. 운을 가지고 ~ nacer con suerte. 태어날 때부터 머리가 좋다 tener una inteligencia natural. 태어날 때부터 몸이 허약하다 tener una complexión débil de nacimiento. 태어날 때부터 음악에 재능이 있다 tener un talento musical innato. 어디서 태어나셨습니까? — 시골에서 태어났습니다 ¿Dónde nació usted? / ¿De dónde es usted? / ¿De dónde viene usted? — Nací en el campo. 그녀는 언제 태어났습니까? — 1950년에 태어났다 ¿Cuándo nació ella? — Ella nació en 1950 (mil novecientos cincuenta). 나는 1944년 12월 11에 시골에서 태어났다 Yo nací en un campo el once de diciembre de mil novecientos cuarenta y cuatro. 모두가 울면서 태어나 울면서 죽는다 ((서반아 속담)) Todos llorando nacieron, y nadie muere riendo. 교수대에 갈 준비를 하고 태어난 자는 절대 익사하지 않는다 ((서반아 속담)) Quien es nacido para la horca, no se anega. 먼저 태어난 자가 먼저 먹는다 ((서반아 속담)) Quien antes nace, antes pace (먼저 온 사람이 먼저 대접받는다 / 선착자 우선). 누구한테서 태어났는가를 말하지 말고 누구한테서 양육되었는가를 말해라 ((서반아 속담)) Dime no con quien naces, sino con quien paces (가문보다는 훈육이 더 중요하다).

태업(怠業) sabotaje *m,* huelga *f,* paro *m* (del trabajo). ~하다 sabotear.

태없다 (ser) modesto, sencillo, sin pretensiones. 그는 태없는 사람이다 El es un hombrecillo modesto. 그는 침착하고도 ~ Su manera es tranquilla y modesta.
태없이 modestamente, sencillamente.

태연(泰然) tranquilidad *f,* quietud *f.* ~하다 (ser) tranquilo, quieto, sosegado, sereno,

ㅌ

impasible. ～한 미소(微笑) sonrisa *f* imperturbable. ～한 표정(表情) facciones *fpl* impasibles. ～한 얼굴로 como si tal cosa, como si no hubiera pasado nada. 그는 시체를 보고도 ～했다 El permaneció imperturbable al ver el cadáver / El no se conmovió ni aun al ver el cadáver.

태연스럽다 (ser) tranquilo, quieto, sosegado, impasible.

태연스레 con (toda) calma, sin pestañear, sin perturbarse, a sangre fría, sosegadamente, tranquilamente, quietamente, con presencia de espíritu, impasiblemente; [무관심하게] con descuido; [걱정 없이] sin temor, sin tener miedo, sin preocupación. ～있다 conservar *su* calma, conservar *su* tranquilidad, conservar *su* sangre fría, quedarse tranquilo, permanecer imperturbable. ～ 거짓말을 하다 mentir con toda naturalidad, no tener ningún escrúpulo en mentir. ～ 도둑질을 하다 no tener ningún escrúpulo en cometer robos. 그는 ～ 심문에 대답했다 El contestó al interrogatorio impasiblemente.

태연히 ＝태연스레.

■ ～자약(自若) imperturbabilidad *f*, serenidad *f*. ～하다 ser imperturbable, ser perfectamente tranquilo, guardar toda *su* serenidad, quedarse inmutable, mostrarse tranquilo. ～하게 con toda *su* calma, con toda *su* serenidad.

태열(胎熱) 【한방】 fiebre *f* congénita.

태엽(胎葉) resorte *m*, muelle *m*. ～을 감다 dar cuerda. ～으로 된 기계 máquina *f* que trabaja por cuerda. 시계의 ～을 감다 dar cuerda a un reloj. ～이 끊긴다 [끊겼다] Se rompe [Se rompió] un muelle. ～이 풀린다 [풀렸다] Se afloja [Se aflojó] un muelle.

태우다[1] ① [불에 타게 하다] quemar, incendiar, abrasar [consumir] con fuego. 쓰레기를 ～ quemar la basura. 집을 ～ quemar la casa. 담배를 ～ fumar un cigarrillo. 향(香)을 ～ quemar el incienso. 태워 죽이다 quemar vivo. 장작을 태웁시다 Vamos a quemar leñas. 나는 휴지를 태웠다 He quemado los papeles inútiles. 그는 눈썹을 태웠다 El se chamuscó la ceja. 나는 담뱃불로 탁자를 태웠다 Yo quemé la mesa con un cigarrillo. ② [지나치게 뜨거워 검어지게 하다] quemar. 밥을 ～ quemar el arroz (cocido). ③ [햇빛 따위에 그을게 하다] quemar, chamuscar, tostar. 햇볕에 피부를 ～ quemar el cutis al sol. 일광(日光)으로 등을 ～ exponer [tostar] *su* espalda al sol. ④ [마음이 졸이어 가슴속에 불붙는 듯하게 하다] molestar, atormentar, incomodar, preocupar, inquietar, agonizar. 속을 ～ estar preocupado, estar agonizado, molestarse, preocuparse, atormentarse, incomodarse, inquietarse. 사람의 애를 ～ hacer molestar. 너무 속을 태우지 마세요 No te preocupes demasiado / No te rompas mucho la cabeza. ⑤ [농작물 따위를 바싹 마르게 하다] secar. 볏모를 ～ secar el arroz joven.

태우다[2] ① [탈것에 몸을 얹게 하다] tomar, llevar, recoger, levantar. 손님을 ～ tomar el pasajero. 버스가 손님을 ～ el autobús recoger los pasajeros 차로 당신을 태워다 드리겠소 Te llevo en el coche. ② [몸을 붙이기 어려운 자리에 위태롭게 가게 하다] tirar adelente y atrás. 줄을 ～ tirar adelante y atrás de la cuerda. ③ [얼음·눈위를 걷거나 미끄러지게 하다] (hacer) deslizar. 얼음을 ～ (hacer) deslizar por el hielo.

태우다[3] ① [재산·월급·상 따위를 주다] dar, conceder. 월급을 ～ dar el salario mensual. 종신 연금을 ～ conceder la renta vitalicia. 우수한 학생에게 상을 ～ conceder un premio al buen alumno. ② [의무적으로나 동정적으로 갈라 주다] repartir, dividir. 재산을 ～ repartir los bienes. 그는 아들들에게 재산을 태워 주었다 El repartió la propiedad a sus hijos. 그들은 서로 땅을 태웠다 Ellos se repartieron la tierra. ③ [노름이나 내기에서 돈이나 물건을 지르다] apostar.

태우다[4] ① [갈라 붙이게 하다] partir, dividir, hacer. 가르마를 ～ hacer la raya [*Sal* el camino]. 가르마를 오른쪽으로 태워 주세요 Hágame la raya [*Sal* el camino] a la derecha. ② [콩이나 팥을 맷돌에 갈아 쪼개게 하다] hacer dividir, hacer partir. 콩을 ～ hacer partir guisantes en la rueda de molino.

태우다[5] [무엇을 켕기었다 놓였다 하게 하다] estirar atrás y adelante. 그네를 ～ hacer el columpio estirar atrás y adelante.

태위(胎位) presentación *f* (del feto).

태음(太陰) 【천문】 luna *f*. ～의 lunar.

■ ～ 관측(觀測) observación *f* lunar. ～ 거리 distancia *f* lunar. ～년 año *m* lunar. ～력 calendario *m* lunar. ～ 순환(循環) ciclo *m* lunar. ～숭배 culto *m* lunar. ～시(時) tiempo *m* lunar. ～ 시차 paralaje *f(m)* de la luna. ～월 mes *m* lunar. ～일 día *m* lunar. ～조(潮) marea *f* lunar. ～ 태양력 calendario *m* lunar y solar. ～표 tabla *f* lunar. ～학(學) selenografía *f*. ～학자(學者) selenógrafo, -fa *mf*.

태의(胎衣) ＝태반(胎盤).

태자(太子) ((준말)) ＝황태자(皇太子). ¶～로 앉히다 proclamarse de príncipe heredero (de la corona).

◆마의(麻衣) ～ el Príncipe *Maui*.

■ ～궁 ㉮ ((존칭)) ＝황태자(皇太子). ㉯ [황태자의 궁전] palacio *m* del príncipe heredero. ～비(妃) esposa *f* del príncipe heredero.

태작(駄作) pobre obra *f*, obra *f* inferior, obra *f* despreciable, obra *f* vulgar, obra *f* mediocre, obra *f* de poco valor.

태장(笞杖) vara *f*, flageración *f*. ～으로 맞다 ser azotado con varas, ser apaleado.

태점(胎占) adivinación *f* para predecir el

ㅌ

sexo del feto.

태조(太祖) primer rey *m* de una dinastía. 조선조의 ~ 이성계 Lee Seong Gye, primer rey de la dinastía Choson.

태종(太宗) rey *m* en el mérito que llegó colocado detrás del primer rey.

태주 *taechu*, espíritu *m* de la chica joven que murió de viruela.
■ ~할미 *taechuhalmi*, mujer *f* poseído de un *taechu*.

태중(胎中) ① preñez *f*, preñado *m*, estado *m* de la mujer encinta, estado *m* de la hembra preñada. 그 여자는 ~이다 Ella está encinta [preñada · embaraza]. ② ((성경)) seno *m*, vientre *m*. 두 국민이 네 ~에 있구나 ((창세기 25:23)) Dos naciones hay en tu seno / En tu vientre hay dos naciones.

태질 ① [세게 메어치거나 넘어뜨리는 짓] paliza *f*, zurra *f*. ~하다 azotar, dar*le* una paliza (a). ② [개상에 볏단을 메어쳐서 곡식을 떠는 짓] trilla *f*. ~하다 trillar.
태질치다 tirar, lanzar (hacia abajo). 태질치듯 하다 darse prisa, *AmL* apurarse.

태초(太初) ① [천지(天地)가 개벽(開闢)한 처음] comienzo *m* del mundo. ② ((성경)) principio *m*, comienzo *m* de todo. ~에 하나님이 천지(天地)를 창조하시니라 ((창세기 1:1)) En el principio creó Dios los cielos y la tierra / En el comienzo de todo, Dios creó el cielo y la tierra.

태치다 ((준말)) =태질치다.

태클(영 *tackle*) ① ((축구)) entrada *f* fuerte. ~하다 entrar*le a uno*. ② ((럭비 · 미식 축구)) placaje *m*, bloqueo *m*, *AmL* tacle ing.*m*. ~하다 placar, bloquear, *AmL* taclear.

태타(怠惰) pereza *f*, holgazanería *f*, ociosidad *f*, indolencia *f*, haraganería *f*. ~하다 (ser) perezoso, ocioso, indolente, holgazán, haragán. ☞나태

태평(太平) tranquilidad *f*, paz *f*, quietud *f*. ~하다 (ser) pacífico, tranquilo, quieto. ~을 구가(謳歌)하다 glorificar la paz universal.
■ ~가(歌) canción *f* de paz. ~성대(聖代) reinado *m* pacífico, reinado *m* de paz. ~성사(盛事) acontecimiento *m* feliz del reinado pacífico. ~세계(世界) mundo *m* pacífico. ~소 【악기】 =새납. ~연월(烟月) tiempo *m* pacífico y cómodo.

태평(泰平) lo que no hay preocupación. ~하다 no haber preocupación.

태평양(太平洋) 【지명】 el (Océano) Pacífico. ~의 pacífico. ~을 횡단하다 atravesar el Pacífico, navegar [volar] a través del Pacífico.
◆남(南)~ el Pacífico Meridional. 북(北)~ el Pacífico Septentrional.
■ ~ 고기압 alta presión *f* atmosférica del Pacífico. ~ 동맹 la Alianza Pacífica. ~ 문제 cuestión *f* del Pacífico. ~ 방위 동맹 la Alianza de Defensa del Pacífico. ~시(時) hora *f* del Pacífico. ~ 연안(沿岸) costa *f* del Pacífico. ~ 전쟁(戰爭) la Guerra del Pacífico, la Guerra Pacífica. ~ 조약 기구 la Organización del Tratado de la Area Pacífica. ~ 지역 el área del Pacífico. ~ 함대(艦隊) armada *f* del Pacífico. ~ 항로(航路) servicio *m* [línea *f*] del Pacífico. ~ 회의 el Congreso Pan-Pacífico, la Conferencia Pan-Pacífica. ~ 횡단 비행 vuelo *m* transpacífico.

태풍(颱風) tifón *m*. ~ 권내(圈內)에 있다 estar dentro del área del tifón. ~이 남부 지역을 강타했다 El tifón atacó [azotó] (la región d)el Sur.
■ ~ 경보 alarma *f* del tifón. ~의 눈 ojo *m* del tifón, ojo *m* del huracán. ~ 주의보 alerta *f* del tifón.

태형(笞刑) acción *f* de azotar, flageración *f*, latigazo *m*, castigo *m* de azotes, vapuleo *m*, tunda *f*, zurra *f*. ~을 가하다 dar un latigazo, dar una mano de azots, azotar.

태환(兌換) conversión *f*. ~하다 convertir.
■ ~권 =태환 지폐. ~ 은행 banco *m* de emisión de valores. ~ 제도(制度) sistema *m* de conversión. ~ 주식(株式) acciones *fpl* convertibles. ~ 준비(準備) reserva *f* convertible. ~ 준비금(準備金) reserva *f* convertible. ~ 지폐 billete *m* (de banco) convertible, moneda *f* de papel convertible.

태후(太后) ((준말)) =황태후(皇太后).

택배(宅配) servicio *m* a domicilio.
■ ~ 편(便) transporte *m* del servicio a domicilio.

택시(영 *taxi*) taxi *m*. 빈 ~ taxi *m* libre; ((게시)) Libre. ~로 가다 ir en taxi. ~로 나르다 llevar en taxi. ~를 부르다 llamar un taxi. ~를 세우다 parar un taxi. ~를 잡다 coger [tomar] un taxi. ~에 오르다 subir al [en el] taxi, prender el taxi. 여기서 ~를 탈 수 있습니까? ¿Se puede tomar el taxi aquí? ~가 승객을 찾아 길을 돌고 있다 Los taxis circulan por la calle en busca de clientes.
◆승합(乘合) ~ *AmL* colectivo *m*, *Méj* pesero *m*.
■ ~ 강도 salteador, -dora *mf* del taxi. ~ 기사 taxista *mf*; conductor, -tora *mf* de un taxi. ~ 승차장 parada *f* [aparcamiento *m* · punto *m* · *Chi*, *Col* paradero *m* · *Méj* sitio *m*] de taxis. ~ 요금 tarifa *f* de taxi [los taxis]. ~ 요금 표시기 taxímetro *m*. ~ 정류장 parada *f* de taxis.

택일(擇一) lo que selecciona uno entre [de] los dos [muchas cosas].

택일(擇日) selección *f* del día feliz. ~하다 seleccionar [escoger] el día feliz, fijar la fecha.

택지(宅地) terreno *m* para construcción de viviendas, terreno *m* para viviendas, terreno *m* de un edificio, solar *m* de una casa; [분양의] parcela *f* (para vivienda).
■ ~ 조성(造成) cimentación *f* de un terreno para construir viviendas. ¶~을 하다 cimentar un terreno para construir vivien-

das.

택지(擇地) selección *f* de la tierra. ~하다 seleccionar [escoger] la tierra.

택출(擇出) selección *f*, elección *f*, escogimiento *m*, opción *f*. ~하다 elegir, escoger, seleccionar, optar.

택하다(擇一) escoger, elegir, seleccionar, preferir. A보다 B를 ~ preferir B a A. 길일(吉日)을 ~ fijar el día feliz. 친구를 ~ escoger sus amigos. 실리(實利)보다 명예(名譽)를 ~ preferir el honor a la utilidad. 나는 부(富)보다 학문을 택했다 Yo preferí la enseñanza a la riqueza. 나는 일보다 가정을 택했다 Preferí la familia al trabajo. 나는 잡히느니 죽음을 택하겠다 Prefiero la muerte al [antes que el] cautiverio. 두 사람 중 한 사람을 택해라 Escoge uno de los dos.

탤런트(영 *talent*) ① [재능. 수완] talento *m*, aptitud *f* notable, aptitudes *fpl*, don *m*, capacidad *f*. 그녀는 언어에 ~를 가지고 있다 Ella tiene aptitudes para los idiomas / Ella tiene don de lenguas. ② [재인(才人). 인재] gente *f* con talento, gente *f* capaz, hombre *m* de mucho talento, persona *f* de talento, persona *f* de valor, talento *m*. ③ [라디오·텔레비전의 예능 프로에 나오는 배우 등의 예능인] talento *m*.

■~ 스카우트 [(스포츠·실업·연예계의) 신인 발굴 책임자] cazatalentos *mf.sing.pl*; descubridor *m* de personas de talento [de valor]. ~ 콘테스트 concurso *m* de talentos.

탬버린(영 *tambourine*) 【악기】 [대형의] pandereta *f*, pandero *m*; [소형의] panderete *m*.

탭댄서(영 *tap dancer*) bailarín (*pl* bailarines), -rina *mf* de zapateado [de claqué · *Méj* de tap · *CoS* de zapateo americano].

탭댄스(영 *tap dance*) claqué *m*, zapateo *m*, zapateado *m*, *Méj* tap *ing.m*, *CoS* zapateo *m* americano. ~를 추다 zapatear, bailar claqué [*Méj* tap], *CoS* hacer zapateo americano.

탯덩이(胎一) ☞태(胎)

탯줄(胎一) cordón *m* umbilical, cuerda *f* umbilical.

탱고(서 *tango*) tango *m*. ~를 추다 bailar el tango, danzar el tango, tanguear.

탱자 *mandarina f silvestre.*

탱자나무 【식물】 mandarino *m* silvestre.

탱커(영 *tanker*) ① [유조선(油槽船)] buque *m* [navío *m* · barco *m*] cisterna, (buque *m*) tanque *m*, (barco *m*) tanque *m*, petrolero *m*, barco *m* petrolero, buque *m* petrolero. ② [트럭] camión *m* (*pl* camiones) cisterna, *Méj* pipa *f*. ③ [항공기] avión *m* (*pl* aviones) cisterna.

◆매머드[슈퍼] ~ supertanque *m*. 오일(oil) ~ tanque *m* petrolero.

탱크(영 *tank*) ① [기체나 액체를 수용·저장하는 큰 통] depósito *m*, tanque *m*, aljibe *m*; [트럭·철도 화차의] cisterna *f*. ② [전차(電車)] tanque *m* (blindado), carro *m* de combate.

◆가솔린 ~ depósito *m* de gasolina. 가스 ~ tanque *m* de gas. 경(輕)~ tanque *m* ligero. 석유 ~ tanque *m* de petróleo. 중(重)~ tanque *m* pesado.

■~로리 camión *m* cisterna, vagón *m* cisterna. ~차(車) vagón *m* cisterna, *Méj* carro *m* tanque.

탱탱하다 [옷·근육이] tensarse; [피부가] ponerse tirante; [신경이] ponerse tenso. 탱탱한 [옷·철사·돛이] (ser) tenso, tirante; [살갗이] tirante; [몸·허벅다리가] de carnes prietas [apretadas].

탱화(幀畫) ((불교)) pintura *f* de Buda para colgar en la pared.

■~ 불사 lo que pinta el imagen de Buda.

터[1] ① [건축·토목 공사를 할·했던 자리] solar *m*, terreno *m*, lugar *m*, sitio *m*, obra *f*. ~를 돋우다 construir la tierra para la obra. ② [일이 이루어진 밑자리] fundación *f*.

터[2] ((준말)) =터수.

터[3] ① [어미「-러」·「-을」뒤에 쓰여 예정(豫定)·추측의 뜻] intención *f*, expectación *f*, expectativa *f*, esperanza *f*, propósito *m*. …할 ~이다 pensar (en) + *inf*, intentar a + *inf*, esperar + *inf*. 갈 ~ 이다 pensar ir. ② [어미「-ㄴ」·「-은」·「-는」 뒤에 쓰여 형편·처지의 뜻] situación *f*, circunstancia *f* familiar, posición *f* social; relaciones *fpl*, amistad *f*, condiciones *fpl*. 나는 그와는 아주 친한 ~이다 Yo tengo las relaciones muy íntimas con él.

◆집~ solar *m*, obra *f*.

터널(영 *tunnel*) [굴] túnel *m*; [광산(鑛山)의] galería *f*, socavón *m* (*pl* socavones). ~을 파다 abrir [hacer] un túnel. ~을 뚫다 perforar un túnel.

■~ 개통 inauguración *f* de un túnel. ~ 공사 obra *f* de un túnel, construcción *f* de un túnel. ~시(視) ㉮ 【의학】 visión *f* de túnel. ㉯ [시야가 좁음] estrechez *f* de miras.

터놓다 ① [막은 물건을 치워 놓다] quitar, sacar. ② [벗할 만한 자리에 서로 무간하게 지내다] relajar, aflojar, relevar, abrir. 터놓고 sin reserva, sin excepción, enteramente, francamente. (마음을) 터놓고 이야기하다 hablar con tono amigable, hablar abriendo el corazón, hablar con el corazón en la mano.

터다지다 consolidar, nivelar [aplanar · allanar] la tierra.

터 닦다 ① [건물을 세울 자리를 고르고 다지다] nivelar el solar para construri el edificio. ② [토대를 굳게 잡다] preparar el terreno.

터닦다 ((준말)) =터다지다.

터덕거리다 ① [몹시 느른하여 겨우 몸을 가누면서 맥없이 걷다] caminar [andar] lenta y pesadamente. ② [가난하여 어렵게 겨우 살아가다] ganarse la vida a duras penas. ③ [일이 힘에 겨워 애처롭게 겨우 움직이다] mover con dificultad. ④ [먼지가 날 정도로 가만히 여러 번 두드리다] golpear ligeramente.

터덕터덕 caminando lenta y pesamente; ganándose la vida a duras penas; moviendo con dificultad; golpeando ligeramente.

터덜거리다 ① [몹시 느른하여 걸음을 무겁게 힘없이 걷다] andar [caminar] cansinamente, caminar con dificultad, caminar lenta y pesadamente. ② [깨어진 질그릇 따위를 두드려 연해 흐린 소리가 나다] tintinear sordamente.

터덜터덜 ① [걸음을] caminando cansinamente. ② [소리 나는 모양] haciendo ruido.

터득(攄得) entendimiento *m*, comprensión *f*. ~하다 entender, comprender, dominar el arte (de). 진리(眞理)를 ~하다 entender la verdad.

터뜨리다 echarse a + *inf*, ponerse a + *inf*, romper a + *inf*, [풍선 따위를] reventar; [폭탄을] estallar. 눈물을 ~ deshacerse en lágrimas, prorrumpir en llanto. 울음을 ~ echarse a llorar, ponerse a llorar, romper a llorar. 웃음을 ~ prorrumpir en una risa, no poder contener la risa. 폭탄을 ~ estallar la bomba. 풍선을 ~ reventar el globo. 그는 웃음을 터뜨렸다 El se echó a reír / El saltó una carcajada. 그녀는 울음을 터뜨렸다 El se echó a llorar / El se puso a llorar / El rompió a llorar.

터럭 cabello *m*, pelo *m*. 센 ~ pelos *mpl* canosos. ~을 뽑다 desplumar. 닭[오리]의 ~을 뽑다 desplumar una gallina [un pato].

터릿 선반(turret 旋盤) torno *m* (de) revólver.

터무니 base *f*, fundación *f*, fuente *f*.

터무니없다 (ser) absurdo, extravagante, extraordinario, exagerado, excesivo, increíble; [이상하다] excéntrico, anormal; [과도하다] exorbitante, desmedido, desmesurado, enorme. 터무니없는 가격 precio *m* fabuloso, precio *m* exorbitante. 터무니없는 계획 proyecto *m* absurdo. 터무니없는 요구를 하다 presentar una petición desmesurada, pedir lo imposible. 터무니없는 말을 하다 decir barbaridades, decir disparates. 터무니없는 일을 하다 hacer una cosa extraordinaria. 터무니없는 값을 부르다 pedir un precio exorbitante. 너는 터무니없는 짓을 했다 Tú has cometido una gran pifia / Tú has hecho una barbaridad.

터무니없이 sin razón, absurdamente, extraorianariamente, excesivamente, extremamente, desmesuradamente. ~ 싸다 ser increíblemente barato. 그는 ~ 악질(惡質)이다 El es un malvado increíble. 우주(宇宙)는 ~ 크다 El universo es fabulosamente grande. 물가가 ~ 올랐다 Los precios han subido extraordinariamente. ~ 굴지 마라 No seas absurdo.

터미널(영 *terminal*) ① [철도·버스 따위의 노선의 종점] terminal *f*, *Chi* terminal *m*. 버스 ~ terminal *f* de autubuses. 기차 ~ estación *f* terminal. ② [공항(空港)에서 온갖 사무를 위한 시설이 집합된 장소] terminal *f*. ③【물리】[단자(端子)] terminal *m*, polo *m*. ④【컴퓨터】[단말기(端末機)] terminal *m*.

터벅거리다 caminar [andar] cansinamente [con dificultad · lenta y pesadamente]

터벅터벅 fatigadamente, con aire afligido, con aire de cansancio, cabizbajo. ~ 걷다 andar fatigadamente, andar con aire afligido, andar con aire de cansancio, andar cabizbajo. 버스가 이미 끊겨 그는 집까지 ~ 걸어왔다 El volvió a casa a pie porque ya no había autobuses.

터번(영 *turban*) turbante *m*. ~을 말아 쓰고 있다 tener arrollado el turbante.

터보제트 엔진(영 *turbojet engine*) turborreactor *m*.

터보프롭 엔진(영 *turboprop engine*) turbopropulsor *m*.

터부(영 *taboo*) tabú *m*. ~시하다 declarar tabú. 그 질문은 이곳에서는 ~다 Aquí esa pregunta es un tabú.

터부룩하다 (ser) barboso.

터부룩이 barbosamente, con mucha barba.

터분하다 ① [상한 젓국 맛과 같이 텁텁하다] tener un sabor desagradable. 터분한 음식 comida *f* desagradable. ② ((준말)) =고리타분하다.

터빈(영 *turbine*) turbina *f*. ~의 날개 paleta *f* de turbina.

◆가스 ~ turbina *f* de gas. 수력(水力) ~ turbina *f* hidráulica. 증기(蒸氣) ~ turbina *f* de vapor.

터 세다 (ser) aciago, malaventurado.

터수 situación *f*, relación *f*.

터알 huerto *m* contiguo a *su* casa.

터울 distancia *f* de edad.

터울거리다 esforzarse [hacer esfuerzo] por lograr *su* objeto.

터 잡다 ocupar un lugar, situar, *AmL* ubicar.

터전 terreno *m*, solar *m*. ~을 잡다 ocupar el terreno.

터주(一主)【민속】*teochu*, espíritu *m* protector del solar de la casa.

터 주다 abrir, permitir. 길을 ~ abrir el camino.

터지다 ① [싸움이나 사건 같은 것이 갑자기 벌어지다] estallar, ocurrir de repente. 전쟁이 ~ estallar la guerra. ② [한 덩이로 된 물건이 갈라지다] [풍선·타이어가] pincharse, reventarse; [파이프가] reventar, romperse; [불꽃·폭탄이] estallar, explotar; [댐이] romperse; [입술 따위가 갈라지다] agrietarse, partirse, rajarse, *RPl* paspar; [찢어지다] desgarrar. 터진 입술 labios *mpl* agrietados, labios *mpl* partidos, *RPl* labios *mpl* paspados. 폭탄이 터졌다 La bomba estalló. 시계의 유리가 터졌다 El cristal del reloj se rajó. 바퀴가 터질 때와 같은 소리를 냈다 Hizo un ruido igual que cuando se pincha una rueda. ③ [숨은 일이 갑자기 드러나다] ocurrir de repente. ④ ((속

어)) =얻어맞다. 매 맞다. ⑤ [웃음 따위가 한꺼번에 나오다] prorrumpir (en). 웃음이 ~ reventarse de risa, prorrumpir en una risa, no poder contener la risa. ⑥ [코피 따위가 갑자기 쏟아지다] salir de repente. 코피가 ~ salir la sangre por las narices. ⑦ [가죽이나 겉이 벌어져 갈라지다] tener una raja, *Arg, Chi* tener un tajo. 드레스가 허벅다리까지 터졌다 El vestido tiene una raja [*Arg, Chi* un tajo] hasta el muslo. ⑧ [쌓였던 감정 따위가 한꺼번에 쏟아져 나오다] echarse a + *inf*, ponerse a + *inf*, romper a + *inf*. 울음이 ~ echarse a llorar, ponerse a llorar, romper a llorar.
◆가슴이 터질 것 같다 ser desgarrador, muy lastimoso. 나는 슬퍼 가슴이 터질 것 같았다 La tristeza me desgarraba el corazón.

터치(영 *touch*) ① [손을 댐. 건드림. 또, 그 때의 촉각이나 촉감] toque *m*. ~하다 tocar. ② [피아노·컴퓨터 등의 키를 누르거나 두드리는 일] tecleo *m*; [타자수] pulsación *f*. ③ [남을 감동시키는 일. 동감을 불러일으키는 일] conmoción *f*. ~하다 conmover. ④ [어떤 사물에 관하여 짧게 논하거나 언급하는 일] comentario *m*, discusión *f*. ~하다 comentar, discutir. ⑤ [그림에 있어서의, 필촉(筆觸)·필치] toque *m*, pincelada *f*. 가벼운 ~로 그리다 dibujar con un toque ligero. ⑥ [사진이나 그림에 가하는 수정] toque *m*.
■~다운 ㉮ ((미식 축구)) anotación *f*, ensayo *m*, *touchdown ing.m*. ㉯ ((럭비)) ensayo *m*. ㉰ 【항공】 [착지(着地). 접지(接地)] [육지에] aterrizaje *m*; [바다에] amerizaje *m*, amarizaje *m*; [달에] alunizaje *m*. ~라인 línea *f* de banda, línea *f* de toque, línea *f* lateral. ~아웃 fuera de toque, *touch out ing.m*.

터키[1](영 *turkey*) [칠면조] pavo *m*, *Méj* guajolote *m*, *AmC* chompipe *m*.
■~ 고기 pavo *m*.

터키[2] 【지명】 Turquía *f*. ~의 turco.
■~모자 gorro *m* turco. ~석(石) turquesa *f*. ~어[말] turco *m*, otomano *m*. ~옥 turquesa *f*. ~인[사람] turco, -ca *mf*; otomano, -na *mf*; turco u otomano *m* (*pl* turcos u otomanos). ~ 황제 sultán *m*.

터프(영 *tough*) ① [억세고 완강한 모양] fuerza *f*. ~하다 ser fuerte, vigoroso, infatigable. ~하게 하다 hacer más fuerte. ~하게 되다 hacerse más fuerte. ② ((권투)) [쉽사리 지지 않는 강인한 사람. 불사신] persona *f* fuerte, fénix *m*.

턱[1] 【해부】 mandíbula *f*, quijada *f*, barba *f*, barbilla *f*, [동물의] quijada *f*, [낚싯바늘 따위의] púa *f*. ~이 나온 con manibula saliente. ~이 긴 de mandíbula alargada. ~으로 사람을 부리다 tratar*le* a *uno* desdeñosamente [altivamente]. ~을 쓰다듬다 [어루만지다] [자신의] acariciarse la barba. ~이 깨지다 tener la barbilla partida. 그는 ~이 빠졌다 Se le dislocó la mandíbula. 그의 얼굴에는 ~이 튀어나왔다 El tiene una cara de mandíbulas salientes.
◆아래~ maxilar *m* inferior, mandíbula *f* inferior, barbilla *f*, mentón *m*. 위~ maxilar *m* superior, mandíbula *f* superior. 이중 ~ papada *f*, doble barba *f*. 주걱~ barbilla *f* saliente, barbilla *f* prominente, quijadas *fpl* de farol.

턱[2] [평평한 곳에 갑자기 조금 높이 된 자리] subida *f*, sitio *m* [lugar *m*] en declive [que va subiendo], sitio *m* [lugar *m*] elevado [sobresaliente].
◆문~ umbral *m*.

턱[3] [좋은 일이 있을 때 남에게 베푸는 음식 대접] trato *m*, tratamiento *m*, fiesta *f*, buena comida *f*. 한 ~을 내다 dar una fiesta, dar un banquete. 술을 한 ~ 내다 comprar un licor. 돌려 가며 한 ~ 내다 tratar en turno.

턱[4] ① [관계된 까닭] razón *f*. 그럴 ~이 없다 No hay razón para eso / Es desrazonable. 알 ~이 없다 [tú에게] Vete a saber / [usted에게] Vaya usted a saber. 누가 그것을 가져왔는지 알 ~이 없다 Vete a saber quién lo había traído. ② [그만한 정도] norma *f*, grado *m*.

턱[5] ① [무슨 동작을 의젓한 태도로 하는 모양] a *sus* anchas. 소파에 ~ 버티고 앉다 arrellanarse en un sillón. ② [긴장이 풀리는 모양] sintiéndose tranquilo. 마음을 ~ 놓다 sentirse tranquilo. ③ [남이 손을 반갑게 잡는 모양] sin vacilación. 손을 ~ 내밀다 pedir sin vacilación.

턱거리 ① ((준말)) =언턱거리. ② 【한방】 absceso *m* debajo de la mandíbula.

턱걸이 ① [철봉 등을 손으로 잡고 몸을 달아올려 턱이 그 위까지 미치게 하는 운동] ejercicio *m* de flexiones en brazos. ~하다 hacer flexiones (de brazos) (en barra o espalderas). ② [싸움이나 씨름할 때 손으로 상대편 턱을 걸어 밀어 넘어뜨리는 재주] talento *m* de hacer caer cogiendo la barba. ~하다 hacer caer cogiendo la barba. ③ [남에게 의뢰하여 지냄] gorronería *f*, parasitismo *m*. ~하다 vivir de gorra, dar sablazos, parasitar.

턱 까불다 exhalar el último suspiro, expirar.

턱끈 [모자의] carrillera *f*, barbiquejo *m*, barboquejo *m*, barbicacho *m*.

턱밑 ① [턱의 밑] submaxilar, debajo de la mandíbula. ② [아주 가까운 곳] lugar *m* muy cercano.

턱받이 babero *m*, babera *f*, babadero *m*, babador *m*.

턱뼈 quijada *f*, quejada *f*, mandíbula *f*, hueso *m* maxilar.

턱수염(一鬚髥) barba *f*, [긴] barbas *fpl* de chivo. ~을 기르다 llevar barba. ~을 기른 남자 hombre *m* barbudo, hombre *m* con barbas.

턱시도(영 *tuxedo*) esmoquin *m*, smoking *ing.m* (*pl* smokings).

턱없다 (ser) inmoderado, excesivo, exorbi-

tante, desrazonable. 턱없는 말을 하다 decir muchas necedades [tonterías]. 그것은 턱없는 일이다 Es una necedad / Es una tontería.
턱없이 excesivamente. ~ 싼 물건 artículo *m* excesivamente barato.
턱잎 estípula *f*.
턱자가미 articulación *f* de la mandíbula inferior y la mandíbula superior.
턱주가리 ((속어)) =아래턱(mandíbula inferior).
턱지다 [언덕이 생기다] [길이] estar empinado; [지세(地勢)·시골이] accidentado. 턱진 길 camino *m* empinado.
턱짓 señal *f* con *su* mandíbula, movimiento *m* de *su* mandíbula como un gesto. ~하다 señalar con *su* mandíbula, hacer un gesto moviendo *su* mandíbula.
턱찌끼 restos *mpl* de la comida, sobrante *m*.
턱촌목 【건축】 gramil *m*.
턴(영 *turn*) ① [회전] vuelta *f*. ~하다 volver. ② [진로를 바꿈. 방향을 바꿈] vuelta *f*, giro *m*. ~하다 volver, girar, doblar, torcer. 레프트(left) ~ 금지 ((게시)) Prohibido girar [doblar·torcer] a la izquierda. ③ ((수영)) viraje *m*. ~하다 virar. 퀵(quick) ~ viraje *m* rápido.
턴테이블(영 *turntable*) ① [레코드플레이어 따위의 회전반(回轉盤)] plato *m*. ② =전차대(轉車臺).
털 ① [포유동물의 피부에 나는 가느다란 실 모양의 것] vello *m*, pelusilla *f*. 가는 ~ vello *m* fino, pelusilla *f*. ~이 난 velloso. 새의 ~을 뽑다 desplumar, pelar, quitar las plumas al ave. ② [물건의 거죽에 부풀어 일어난 가느다란 섬유] vello *m*. ~이 많은 velloso, velludo. ③ =머리카락. ¶~이 많은 peloso, peludo. ~이 없는 pelado; [머리의] pelón, calvo; [수염·털·솜털이 나지 않은] lampiño. 그에게 ~이 난다 [체모(體毛)가] Le apunta [sale] el pelo. 그의 ~이 빠진다 Se le cae el pelo. ④ =우모(羽毛). ⑤ ((준말)) =털실. ⑥ [식물의 표피 세포가 가는 실 모양을 이룬 것] pelusa *f*.
털가죽 =모피(毛皮).
털 갈다 mudar las plumas, mudar de pluma.
털갈이 mudanza *f* de pluma. 새가 ~한다 Los pájaros mudan de pluma.
털게 【동물】 cangrejo *m* velludo.
털곰팡이 【식물】 [자낭균] ascomicetos *mpl*.
털구름 =권운(卷雲).
털구멍 poro *m*.
털깎기 corte *m* del vello. ~하다 cortar el vello.
털끝 punta *f* de un pelo.
털내의(—內衣) ropa *f* interior de lana.
털다 ① [붙은 것이 흩어지거나 떨어지도록 하다] sacudir; [자기 몸이나 자기 몸에 걸친 것에서] sacudirse. 먼지를 ~ sacudir el polvo. 나는 내 오버의 먼지를 털었다 Me sacudí el polvo del abrigo. ② [있는 재물을 죄다 내다] viciar. 주머니를 ~ viciar *su* bolsillo. 호주머니를 털라고 그에게 말했다 Le ordenaron que vaciara los bolsillos. ③ [도둑이나 소매치기가 죄다 가져 가다] robar. …에게서 무엇을 ~ roba*rle algo* a *uno*. 도둑이 빈 집을 몽땅 털었다 Los ladrones lo robaron todo en la casa vacía.
■털어서 먼지 안 나는 사람 없다 ((속담)) Cada uno tiene su falta / Nadie es perfecto.
털럭거리다 seguir [continuar] moviendo, seguir [continuar] sacudiendo.
털리다[1] ① [털어지다. 턺을 당하다] ser sacudido, sacudirse. ② [노름판에서 가지고 있던 돈을 모조리 잃다] perderse todo. ③ [도둑이나 소매치기에게 가지고 있던 재물을 모조리 잃어버리다] ser robado. 그녀는 저금을 몽땅 털렸다 A ella le robaron todos los ahorros. 나는 가진 돈을 몽땅 털렸다 Me robaron todo dinero.
털리다[2] [털게 하다] hacer sacudir. 먼지를 ~ hacer sacudir el polvo.
털메기 sandalias *fpl* toscas de paja.
털모자(—帽子) sombrero *m* de lana.
털목(—木) algodón *m* tejido toscamente.
털목도리 bufanda *f* de lana, pañuelo *m* de lana, chal *m* de lana, mantón *m* de lana.
털바늘 anzuelo *m* falso.
털방석(—方席) cojín *m* (*pl* cojines) de lana.
털배자(—褙子) chaleco *m* de lana.
털버덕 salpicando.
털버덕거리다 seguir salpicando.
털버덕털버덕 salpicando y salpicando.
털버선 *teolbeoseon*, calcetines *mpl* coreanos de lana.
털벙 salpicando.
털벙거리다 seguir salpicando.
털벙털벙 salpiando y salpicando.
털벙거지 sombrero m de lana.
털보 hombre *m* cabelluco, persona *f* cabelluca.
털복숭아 melocotón *m* aterciopelado.
털복숭이 ① [털이 많은 사람] persona *f* peluda, persona *f* cabelluca. ② [털이 많은 물건] cosa *f* peluda.
털붓 pincel *m* (chino).
털붙이 ① [털이 있는 짐승의 가죽] piel *f*, pelaje *m*. ② [털로 짠 물건] artículo *m* de piel; [옷] traje *m* de piel.
털빛 color *m* del pelo, color *m* de piel.
털셔츠(—shirts) camisa *f* de lana.
털수건(—手巾) toalla *f*.
털수세 barba *f* hirsuta y espesa.
털스웨터(—sweater) jersey *m* (de lana), suéter *m* de lana.
털신 zapatos *mpl* árticos..
털실 hilo *m* de lana, hilaza *f* de lana; [발이 긴] estambre *m*. ~로 짠 스타킹 medias *fpl* de estambre [de lana]. ~로 짠 양말 calcetines *mpl* de lana. ~로 뜨다[짜다] hacer obras de punto con estambre, tejar con hilo de lana, trabajar a punto de aguja, hacer malla. ~로 스타킹을 뜨다 hacer media [calceta] con hilaza.
털쌘구름 =권적운(卷積雲).

털썩 de golpe, pesadamente. ~ 주저앉다 sentarse sobre los posaderas. 의자에 ~ 앉다 sentarse pesadamente en una silla, caerse [arrellanarse] en la silla. 팔걸이의자에 ~ 앉아 있다 estar arrellanado en un sillón, estar sentado en un sillón con comodidad.
털썩거리다 caer [chocar] con un golpe [ruido sordo].

털썩이잡다 estropear. 그의 행동으로 사업을 털썩이잡았다 Su actitud estropeó el negocio.

털어놓다 confiar(se), confesar, revelar, develar, desvelar, hacer confidencia(s), hablar (decir) francamente. 숨김없이 털어놓은 이야기 confidencia *f.* 계획을 ~ revelar un plan. 노여움을 ~ dar desahogo a la cólera; [···에게] desahogarse la indignación en *uno,* desahogar [descargar] *su* cólera en *uno.* 불만을 ~ revelar descontento, desahogar *su* descontento. 비밀을 ~ revelar un secreto. 사건(事件)에 관해 모두 ~ desembuchar [revelar] todo lo referente al suceso. 사랑을 ~ declararse, confesar *su* amor. 속을 ~ hablar con mucha desenvoltura, abrirse (con · a), franquearse (con · a). 심정(心情)을 ~ expansionarse, descubrir *su* pecho, descubrirse; [고백(告白)하다] confesar. 진실을 ~ decir la verdad en confianza. 털어놓고 이야기하다 habar francamente. 숨김없이 털어놓고 이야기하다 hacer confidencias (a), decir en confianza, revelar, confesar. 털어놓고 말하면 (hablando) francamente.

털어먹다 gastar cuanto [todo lo que] tiene. 재산(財産)을 ~ malgastar *su* fortuna.

털옷 ropa *f* de lana.

털옷감 tela *f* de lana.

털외투 abrigo *m* de lana.

털요 colchón *m* (*pl* colchones) de lana.

털장갑(—掌匣) guantes *mpl* de lana.

털주머니 =모낭(毛囊).

털찝 derrochador, -dora *mf*; pródigo, -ga *mf.*

털총이(—驄—) caballo *m* de cuadros con manchas azules y negras.

털층구름(—層—) =권층운(卷層雲).

털터리((준말)) =빈털터리.

털털 caminando lenta y pesadamente.
털털거리다 ㉮ [걸음을 연해 겨우 걷다] caminar lenta y pesadamente. ㉯ [자꾸 털털거리는 소리를 나게 하다] seguir vibrando, seguir traqueteando.

털털이 ① [차림새나 행동이 실속 없고 털털한 사람] persona *f* natural, persona *f* sencilla. ② [몹시 낡아서 털털거리는 자동차·수레 따위] carraca *f, CoS* cascarria *f, RPI* catramina *f.*

털털하다 ① [사람의 성격이 허술한 듯하고 소탈하다] (ser) natural, sencillo. ② [품질이 수수하다] (la calidad) ser sencillo.
털털히 naturalmente, sencillamente, con sencillez.

털토시 muñequera *f* forrada de piel.

텀벙 cayendo pesadamente, con ruido de agua turbada. ~ 뛰어들다 zambullirse, arrojarse en el agua con ímpetu. 욕조(浴槽)에 ~ 들어가다 caer pesadamente en la bañera, dejarse caer pesadamente en la bañera.
텀벙거리다 seguir salpicando.
텀벙텀벙 salpicando y salpicando.

텁석 con gula, con glotonería, de repente, repentinamente, de pronto, de súbito, súbitamente, agarrando [cogiendo] rápidamente. ~ 잡다 agarrar [coger] rápidamente.
텁석거리다 suguir agarrando [cogiendo] rápidamente.

텁석나룻 barba *f* enmarañada, barba *f* greñuda.

텁석부리 hombre *m* con [de] barba.

텁수룩하다 (ser) poblado enmarañado, greñudo, espeso, denso, velludo, peludo, velloso, cubierto de pelo. 내 머리는 ~ Tengo mucho pelo / Tengo el pelo grueso y abundante. 그는 머리를 텁수룩하게 하고 다닌다 El tiene el cabello muy crecido.
텁수룩이 gruesa y abundantemente, con exuberancia. 풀이 ~ 자라고 있다 Las hierbas crecen con exuberancia.

텁텁이 persona *f* desaliñada [desaseada · cochina · puerca · sucia].

텁텁하다 ① [입맛·음식 맛이 시원하고 깨끗하지 못하다] (ser) denso y desabrido [soso · insípido]. ② [눈이 깨끗하지 못하다] (los ojos) no son limpios. ③ [성미가 까다롭지 않고 소탈하다] (ser) liberal, tolerante, comprensivo.

텃고사(—告祀) ofrenda *f* [víctima *f*] al espíritu protector del solar de la casa.

텃구실 impuestos *mpl* sobre el solar de la casa.

텃논 arrozal *m* contiguo al solar de la casa, arrozal *m* situado cerca de la aldea.

텃도지(—賭地) alquiler *m* del solar de la casa, impuesto *m* sobre el solar.

텃마당 patio *m* que usan mutuamente al trillar.

텃물 suministro *m* del agua que sale de la casa.

텃밭 campo *m* contiguo al solar de la casa, campo *m* situado cerca de la casa.
◆텃밭(을) 내주다 El bebé tendrá su nuevo hermano.

텃세(—貰) alquiler *m* del solar.

텃세(—勢) tratamiento *m* al recién llegado con prepotencia. ~하다 tratar al recién llegado con prepotencia

텅 [비어서 없는 모양] huecamente. ~ 빈 vacío, hueco, libre, desierto. ~ 빈 방 habitación *f* libre, cuarto *m* libre. 열차가 ~ 비어 있다 El tren está vacíc. 호텔이 ~ 비어 있다 El hotel está desierto.

텅스텐(영 *tungsten*) 【화학】tungusteno *m,* volframio *m.*
■ ~ 램프 lámpara *f* de tungsteno. ~ 아크

arco *m* de tungsteno. ~ 전구 bombilla *f* eléctrica de tungsteno.

텅텅[1] [여럿이 다 비어서 없는 모양] completamente, del todo. ~ 비어 있는 버스 el autobús vacío completamente. 열차가 ~ 비어 있다 El tren está completamente vaco. 호텔이 ~ 비어 있다 El hotel está completamente desierto.

텅텅[2] [총포가 연해 터지거나 마룻바닥 등을 연해 치는 것과 같은 소리] ¡pum, pum!; ¡bang, bang!.

텅텅거리다 seguir haciendo ¡pum! [¡bang!]

텅텅[3] [헛된 장담만 하는 모양] con fanfarronería, con fanfarronada. 큰소리만 ~ 치다 fanfarronear, hablar con arrogancia echando fanfarronadas.

테[1] ① [그릇의 조각이 어그러지지 못하게 둘러맨 줄] [둥근 끈] aro *m*; [장난감의] aro *m*; [모자용 리본] cinta *f*; [통을 매는] aro *m*; [(병·오지그릇 따위를 운반하는) 나무 상자용] precinto *m*; [수장(袖章)] franja *f*; [좁은 줄] raya *f*; [레코드의 줄] surco *m*. 모자의 ~ cinta *f* del sombrero. ~가 느슨해지다[헐거워지다] aflojarse el aro. ~를 끼우다[두르다] poner aros (a). ~를 벗기다 quitar aros. ~가 헐거워진다 El aro se afloja. ② [죽 둘린 언저리] [컵·사발의] borde *m*; [안경의] montura *f*, armazón *m(f)*, aro *m*; [자동차 바퀴의] llanta *f*, *AmL* rin *m*; [자전거 바퀴의] aro *m*. ~가 없는 sin montura, sin armazón. ~ 없는 안경(眼鏡) gafas *fpl* [anteojos *mpl*] sin montura [armazón]. ③ ((준말)) =테두리.

◆금(金)~ montura *f* [armazón *m*] de oro. 금~ 안경(眼鏡) gafas *fpl* [anteojos *mpl*] con montura [armazón] de oro. 안경~ aro *m* de las gafas.

테[2] [서려 놓은 실의 묶음을 세는 말] carrete *m*. 실 여섯 ~ seis carretes de hilo.

테너(영 *tenor*) 【음악】 tenor *m*. ~의 목소리 voz *f* de tenor. 그는 ~를 부른다 El tiene voz de tenor.

▪~ 가수 tenor *m*. ~ 색소폰 saxofón *m* tenor. ~ 트럼본 trombón *m* de tenor.

테니스(영 *tennis*) tenis *m*, tennis *ing.m*. ~를 치다 jugar al tenis, *AmL* jugar tenis (*RPI* 제외).

▪~ 공 pelota *f* de tenis. ¶~ 줍는 소년 recogepelotas *m.sing.pl*; recogedor *m* de pelotas. ~ 라켓 raqueta *f* de tenis. ~복(服) ropa *f* de tenis. ~ 선수 tenista *mf*, jugador, -dora *mf* de tenis. ~ 시합 partido *m* de tenis. ~ 코트 pista *f* de tenis, tenis *m*, campo *m* de tenis, *AmL* cancha *f* de tenis. ¶잔디 ~ cancha *f* de césped. ~화 zapatillas *fpl* (de tenis), tenis *mpl*, zapatos *mpl* de lona, zapatos *mpl* de tenis, *Urg* championes *mpl*.

테두리 ① [죽 둘린 줄] cuadro *m*, marco *m*; [필름·전선(電線) 따위의] bobina *f*; [콘크리트 공사의] encofrado *m*; [자수(刺繡)용의] tambor *m*, rebete *m*; [천의] orillo *m*, orilla *f*. ~가 없는 접시 plato *m* desportillado. ~에 넣다 poner [meter] en un marco. ~를 두르다 encuadrar, rebetear, echar ribetes, poner ribetes. 손수건에는 노란 ~가 둘러져 있다 El pañuelo está rebeteado con un dobladillo [con un bordado] amarillo. ② [어떤 범위나 한계] marco *m*, límite *m*. …의 ~ 안에서 en el marco de *algo*, en el límite de *algo*, dentro de los límites de *algo*, con arreglo a *algo*. ~를 벗어나다 [초과하다] pasar [exceder] del límite. 예산의 ~를 정하다 fijar [poner] el límite del presupuesto.

테라마이신(영 *Terramycin*) terramicina *f*.

테라스(영 *terrace*) terraza *f*.

테라코타(이 *terra cotta*) terracota *f*.

테러(영 *terror*) ① [온갖 폭력을 써서 상대자를 위협하거나 공포에 빠뜨리게 하는 행위] terror *m*. ② ((준말)) =테러리스트. ③ ((준말)) =테러리즘. ¶~의 희생이 되다 caer víctima del terrorismo [de un acto terrorista].

◆백색(白色) ~ terrorismo *m* derechista. 적색(赤色) ~ terrorismo *m* izquierdista.

▪~ 행위 terrorismo *m*, acción *f* terrorista.

테러리스트(영 *terrorist*) terrorista *mf*.

테러리즘(영 *terrorism*) terrorismo *m*.

테레빈유(terebene 油) aceite *m* de trementina, aguarrás *m* (*pl* aguarrases).

테르밋(독 *Thermit*) 【화학】 termita *f*.

▪~ 용접 soldadura *f* con termita.

테르븀(라 *Terbium*) 【화학】 terbio *m*.

▪~산 terbina *f*.

테르펜(독 *Terpen*) 【화학】 terpeno *m*.

테리어(영 *terrier*) [개의 한 품종] terrier *mf*.

◆불~ bullo-terrier *m*. 스코치~ terrier *m* escocés. 와이어헤어~ terrier *m* de pelo duro.

테마(독 *Thema*) tema *m*. ~의 temático.

▪~ 공원(公園) parque *m* temático. ~ 뮤직 música *f* temática. ~ 소설 =주제 소설. ~ 송 tema *m* musical. ~ 파크 parque *m* temático.

테메다 ((준말)) =테메우다.

테메우다 poner el aro.

테베(독 *TB*) 【의학】 =결핵증(結核症).

테스터(영 *tester*) ① [시험자. 검사자] inspector, -tora *mf*. ② [하나의 지시침(指示針)으로 저항치(抵抗値)·직류 전류·직류 전압(直流電壓)·교류 전압 등을 전환시켜 측정할 수 있도록 한 장치] aparato *m* de verificar; [전류계(電流計)] amperímetro *m*.

테스트(영 *test*) ① [시험. 고사(考査)] examen *m* (*pl* exámenes). ② [검사] ensayo *m*, prueba *f*. ~하다 ensayar, probar. 기계를 ~하다 probar la máquina. 제품을 ~하다 probar los productos. ③ 【심리학】 test *ing.m*. 지능(知能) ~를 하다 dar un test de inteligencia.

▪~ 비행 vuelo *m* de pruebas. ~ 케이스 ejemplo *m* de ensayo, ejemplo *m* de prueba. ~ 파일럿 piloto *m* de pruebas. ~ 패턴 modelo *m* de prueba.

테아트르(불 *théâtre*) [극장] teatro *m*.

테이블(영 *table*) ① [서양식의 탁자나 식탁] mesa *f.* ~에 앉다 sentarse a la mesa. 와서 우리 ~에 앉아라 Siéntate con nosotros. 테러리스트들은 협상 ~에 앉는 것을 수락했다 Los terroristas han aceptado sentarse a la mesa de negociaciones. ② =일람표(一覽表)(tabla).

■~ 매너 [식탁 예절] etiqueta *f* de la mesa. ~ 센터 centro *m* de mesa, toalleta *f.* ~클로스 [식탁보] mantel *m*, tapete *m.* ~ 테니스 [탁구] tenis *m* de mesa, ping-pong *m.*

테이프(영 *tape*) ① [가늘고 길게 만든 종이·헝겊의 오라기] [결승점의] cinta *f* de meta, cinta *f* de llegada. ~를 끊다 [경기의] llegar el primero [la primera]; [개통식의] cortar la cinta simbólica. ② [전선에 감아서 절연(絶緣)하는 데 쓰이는 좁고 긴 종이나 헝겊] cinta *f*, tira *f.* ③ [녹음·녹화 따위에 쓰이는 자성(磁性) 물질을 바른 테이프] cinta *f* magnética, cinta *f* magnetofónica. 노래를 ~에 녹음하다 grabar una canción en la cinta.

◆고무 ~ cinta *f* de goma. 세로판 ~ cinta *f* adhesiva transparente, cinta *f* de celofán. 절연 ~ cinta *f* aislante, cinta *f* aisladora.

■~ 리코더 magnetófono *m*, magnetofón *m*, grabadora *f* (de cinta).

테일라이트(영 *taillight*) [(자동차·열차 등의) 미등(尾燈)] [자동차의] piloto *m*, luz *f* (*pl* luces) trasera, luz *f* posterior, *Méj* calavera *f*, [열차의] farol *m* de cola.

테일러(영 *tailor*) sastre, -ra *mf.*

테제(독 *These*) tesis *f.sing.pl.*

테크노크라시(영 *technocracy*) tecnocracia *f.*

테크놀로지(영 *technology*) [기술학. 공예학] tecnología *f.* 하이 ~ alta tecnología *f.*

테크니션(영 *technician*) [기술자. 전문가] técnico, -ca *mf.*

테크니컬 녹아웃(영 *technical knockout*) [티케이오(*TKO*)] K.O. *m* técnico, knock out *m* técnico. ~으로 이기다 vencer por K.O. técnico.

테크니컬 파울(영 *technical foul*) falta *f* técnica.

테크니크(영 *technique*) [기술] técnica *f.*

테크닉(영 *technic*) ① =테크니크. ② [공예(학), 술어] técnica *f.*

테타니(영 *tetany*) 【의학】 [간헐성 경련증] tetania *f.*

텍스트(영 *text*) texto *m.*

■~북 libro *m* de texto.

텐트(영 *tent*) tienda *f* (de campaña), *AmL* carpa *f*, *Col* tolda *f.* ~를 치다 tirar [poner·armar] la tienda. ~를 치우다 quitar [desarmar] la tienda. ~ 생활을 하다 vivir en tienda de campaña.

텔레비전(영 *television*) televisión *f*, [장치] televisor *m*, aparato *m* de televisión. ~의 televisivo. 20인치 ~ televisión *f* de veinte pulgadas. ~을 보다 ver [mirar] (la) televisión, televisar. ~으로 …을 보다 ver *algo* en [por] (la) televisión. ~을 틀다 [스위치를 틀다] poner [encender·*AmL* prender] el televisor [la televisión]. ~을 끄다 apagar el televisor [la televisión]. ~으로 방송하다[방영(放映)하다] televisionar, televisar, emitir por televisión. ~으로 테니스 시합을 보다 ver un partido de tenis en televisión. ~에 많이[자주] 나오는 배우 actor, -triz *mf* que sale mucho en televisión; actor, -triz *mf* que trabaja mucho en televisión. 오늘 밤 ~에 무슨 프로그램이 있습니까? ¿Qué dan esta noche en [por] televisión? 나는 ~에 한 번도 나가 본 적이 없다 No he salido nunca en [por] (la) televisión. 대통령 님이 ~으로 말했다 El Sr. Presidente de la República habló por televisión.

◆고품위(高品位) ~ televisión *f* de alta definición. 위성(衛星) ~ televisión *f* por satélite. 유료(有料) ~ televisión *f* por abonados. 컬러(color)~ televisión *f* a [en] color(es). 케이블(cable) ~ televisión *f* por cable. 폐쇄 회로 ~ televisión *f* en circuito cerrado. 흑백~ televisión *f* en blanco y negro.

■~ 감독 realizador, -dora *mf.* ~ 네트워크 red *f* de televisión. ~ 녹화 (방송) transcripción *f* cinescópica. ~ 뉴스 noticias *fpl* de televisión. ~ 드라마 drama *m* de televisión, teledrama *m.* ~망 red *f* de televisión. ~ 모니터 monitor, -tora *mf* de televisión. ~ 방송(放送) radiodifusión *f* televisiva, transmisión *f* de imágenes, transmisión *f* televisada, transmisión *f* de televisión, difusión *f* televisiva, emisión *f* de televisión, irradiación *f* televisora. ~ 방송국 emisora *f* de televisión, estación *f* de televisión, estación *f* (de) televisora. ~ 세트 televisor *m*, (aparato *m* de) televisión. ~ 송신기 transmisor *m* de televisión. ~ 수상기(受像機) televisor *m*, telerreceptor *m*, (aparato *m*) receptor *m* de televisión. ¶컬러 ~ televisor *m* a colores, aparato *m* de televisión. ~ 스크린 pantalla *f* cinescópica, imagen *f.* ~ 시청자(視聽者) televidente *mf*, telespectador, -dora *mf.* ~ 안테나 antena *f* de televisión. ~ 연속극(連續劇) telenovela *f*, teleserie *f.* ~ 영화(映畵) telecine *m*, telefilme *m*, telefilm *m.* ~ 전화 teléfono *m* por imágenes. ~ 중계(中繼) relé *m* de televisión. ~ 채널 canal *m* de televisión. ~ 카메라 cámara *f* de televisión. ~ 탑 torre *f* de televisión. ~ 프로그램 programa *m* televisado, programa *m* de (la) televisión. ~ 화면(畵面) imagen *f* de televisión. ~ 회로(回路) circuito *m* de televisión.

텔레컴퓨터 과학(telecomputer 科學) teleinformática *f.*

텔레컴퓨팅(영 *telecomputing*) 【컴퓨터】 telegestión *f*, telecomputación *f.*

텔레타이프(영 *teletype*) ① teletipo *m.* ~로 por teletipo. ~로 송신하다 teletipar. ② ((준말)) =텔레타이프라이터.

텔레타이프라이터(영 *teletypewriter*) teleimpresor *m*.
텔레파시(영 *telepathy*) telepatía *f*.
텔렉스(영 *telex*) télex *m*. ~를 보내다 enviar [mandar · poner] un télex. ~로 보내다 enviar por télex. 마드리드에 ~를 보내라 Pon un télex a Madrid. 그는 나에게 즉시 ~를 보냈다 El me puso un télex inmediatamente.
텔루륨(영 *tellurium*) [비금속 원소] telurio *m*.
템 tanto como. 쌀 한 섬 ~이나 먹다 comer un saco entero de arroz.
템페라(이 *tempera*) temple *m*, témpera *f*, pintura *f* al temple.
템포(이 *tempo*) ① 【음악】 tiempo *m*. ② [문학 작품 등의 진전 속도] tiempo *m*. ③ [진도. 속도] ritmo *m*, velocidad *f*. ~가 빠른 de ritmo rápido. ~가 늦은 de ritmo lento. 빠른 ~로 a un ritmo acelerado. ~를 빨리 하다 acelerar [apresurar] el ritmo. ~를 더 느리게 하다 hacer más lento [despacio] el ritmo.
텐쇠 persona *f* débil.
토[1] 【언어】 posposición *f*.
토[2] ① [간장을 졸일 때 윗면에 떠오르는 찌꺼기] capa *f* de suciedad de salsa de soja. ② [간장을 담은 그릇의 밑바닥에 가라앉는 된장의 부스러기] posos *mpl* de la pasta de soja.
토(土) ① [오행(五行)의 하나] *to*; [방위] centro *m*; [색(色)] (color *m*) amarillo *m*. ② ((준말)) =토요일. ③ ((준말)) =토이기. 터키(Turquía). ④ [흙] tierra *f*. ⑤ [땅] tierra *f*; [육지] tierra *f*; [영토] territorio *m*; [장소. 곳] lugar *m*, sitio *m*. ⑥ =토성(土星).
토(吐) ① [게우다] vomitar. ② [입 밖에 내다] revelar, hablar, confesar, expresar.
토(兎) ① [토끼] [집] conejo *m*; [산] liebre *f*. ② [달. 태음(太陰)] luna *f*.
토-(土) tierra *f*.
-토(土) tierra *f*.
토건(土建) ((준말)) =토목 건축(土木建築).
■ ~업 obra *f* de construcciones, ingeniería *f* civil y construcción. ~업자 constructor, -tora *mf* de la ingeniería civil y construcción.
토고 【지명】 Togo. ~의 togolés.
■ ~ 사람[인] togolés, -lesa *mf*.
토공(土工) ① [축토(築土) · 절토(切土) 및 이에 관련된 공사] obra *f* de la construcción de tierra. ② =미장이.
토관(土管) cañería *f* [caño *m*] de tierra cocida [terracota].
토구(土寇) =토비(土匪). 토적(土賊).
토구(討究) estudio *m*, investigación *f*. ~하다 estudiar, investigar.
토굴(土一) 【조개】 ostra *f* de barro.
토굴(土窟) =땅굴(caverna, cueva). ¶~에 사는 사람 cavernícola *mf*; troglodita *mf*.
■ ~집 =움집.
토기(土器) vasija *f* de barro.
■ ~장(匠)[장이] fabricante *mf* de vasijas de barro cocido. ~점 tienda *f* de vasijas de barro cocido.
토기(吐氣) náusea *f*, bascas *fpl*, asco *m*, gana *f* de vomitar.
토기(吐器) vasija *f* de salivar la comida de no poder mascar.
토끝 pedazo *m* del rollo de la tela.
토끼 【동물】 [집토끼] conejo *m*; [암컷] coneja *f*; [산토끼] liebre *f*; [야생 토끼의 일종] tapetí *m*. ~의 conejuno, conejudo. ~ 같은 conejuno. ~ 두 마리 dos conejos, dos liebres. ~를 기르다 criar conejos. ~를 몰다 levantar liebres. ~를 사냥하다 cazar conejos. ~ 두 마리를 쫓다 correr atrás de dos liebres.
■ 토끼 둘을 잡으려다가 하나도 못 잡는다 ((속담)) Quien mucho abarca poco aprieta / Galgo que muchas liebres levanta, ninguna mata.
■ ~ 고기 carne *f* de conejo, carne *f* de liebre. ~ 굴 conejera *f*. ~날 el Día del Conejo. ~띠 nacimiento *m* del Año del Conejo. ~ 사육가 conejero, -ra *mf*. ~ 사육장 conejera *f*, conejal *m*, conejar *m*. ~잠 sueño *m* ligero, cabezada *f*, siestecita *f*. ~장(場) conejal *m*, conejera *f*. ~ 장수 conejero, -ra *mf*. ~전(傳) la Biografía de Conejo, la Vida de Conejo. ~집 conejera *f*. ~털 conejuna *f*, pelo *m* de conejo, pelo *m* conejuno. ~해 el Año del Conejo.
토끼풀 【식물】 trébol *m*, trifolio *m*.
토너먼트(영 *tournament*) torneo *m*.
토네이도(영 *tornado*) tornado *m*.
토농(土農) =토농이.
■ ~이 agricultor, -tora *mf* natal.
토닉(영 *tonic*) ① [강장제(強壯劑)] tónico *m*. ② 【음악】 [주음(主音)] tónica *f*.
토닥거리다 seguir dando unas palmaditas. 등을 ~ seguir dando unas palmaditas en la espalda.
토닥토닥 dando unas palmaditas continuas.
토단(土壇) altar *m* de tierra.
토담(土一) muro *m* de barro, tapia *f*, pared *f* formada de tierra sola.
■ ~장이 constructor, -tora *mf* del muro de barro. ~집 choza *f* (hecha) de tapias.
토대(土臺) ① [흙으로 쌓아 올린 높은 대] base *f*, pie *m*. ② [지대(地臺)] fundamentos *mpl*, cimientos *mpl*. ~를 쌓다 poner [echar] los fundamentos [los cimientos]. 이 집은 ~가 튼튼하지 않다 Los cimientos de esta casa no están seguros. ③ [목조 건축물의 맨 밑에 있어, 상부(上部)를 지탱하는 횡재(橫材)] madera *f* lateral. ④ [온갖 사물이나 사업의 기본] fundación *f*, base *f*. 성공의 ~ base *f* del éxito.
토라지다 ① [사이나 감정이 마음 먹은 것과 틀려서 싹 돌아서다] hacer un mohín, tener un mohín, poner mal gesto, ponerse ceñudo, enfurruñarse, poner mala cara, poner cara larga, mostrarse descontento, mostrarse malhumorado, amohinarse, estar malcontento, estar de mal humor, desgus-

tarse, *RPI* alunarse, *Chi* amurrarse. 토라진 mohino, malhumorado, resentido, enfurruñado, descontento. 토라짐 enfurruñamiento *m.* 토라져 눕다 tumbarse malhumorado, tumbarse enojado. 그녀가 토라졌다 Ella tuvo un mohín. ② [먹은 음식이 제대로 소화되지 않고 신트림이 나면서 체하다] sufrir de indigestión.

토란(土卵) 【식물】 colocasia *f.*
■ ~국 sopa *f* de colocasia. ~ 줄기 tallo *m* de colocasia.

토로(吐露) revelación *f.* ~하다 expresar, revelar, decir, manifestar. 의견(意見)을 ~하다 expresar *su* opinión. 진정(眞情)을 ~ manifestar *su* corazón, revelar *su* corazón verdadero..

토록 como. 이~ 풍부한 어휘 vocabularios *mpl* abundantes como esto.

-토록 para. 영원~ para siempre, eternamente. 적절히 조치~ 할 것 Tomarás medidas adecuadas.

토론(討論) discusión *f,* debate *m,* contienda *f,* disputa *f,* controversia *f.* ~하다 discutir, contender, disputar, controvertir.
◆자유(自由) ~ discusión *f* libre. 집단(集團) ~ discusión *f* en grupo.
■~술(術) dialéctica *f.* ~자 polemista *mf,* disputador, -dora *mf,* contendiente *mf,* controversista *mf.* ~ 종결 clausura *f* (de debate). ~회 debate *m,* sociedad *f* para debatir.

토룡(土龍) 【동물】 =지렁이.

토륨(라 *thorium*) 【화학】 torio *m.*

토르소(이 *torso*) torso *m.*

토리[1] [실을 둥글게 감은 뭉치] carrete *m* de hilo. ■ ~실 hilo *m* ovillado.

토리[2] [화살대 끝에 씌운 쇠고리] anillo *m* de hierro en la punta del asta de la flecha.

토마루(土-) suelo *m* de tierra.

토마토(영 *tomato*) 【식물】 tomatera *f,* tomate *m, Méj* jitomate *m;* [열매] tomate *m, Méj* jitomate *m.*
■~ 농축액 extracto *m* [concentrado *m*] de tomate, *Chi* pomarola®, *Urg* pomidoro *m.* ~밭 tomatal *m.* ~소스 salsa *f* de tomate. ~ 수프 sopa *f* de tomate. ~ 장수 tomatero, -ra *mf.* ~케첩 salsa *f* de tomate, catsup *f* [ketchup *m*] de tomate.

토막 pedazo *m,* pieza *f,* trozo *m,* fragmento *m,* remiendo *m.* 나무 ~ pedazo *m* de maderas. 생선 ~ tajada *f* de pescado. 고기 한 ~ un trozo de carne. 파이 한 ~ una porción de torta.
◆토막(을) 내다 cortar en pedazos, partir en pedazos [en trozos], hacer pedazos.
◆토막(을) 치다 cortar en pedazos. 생선을 뭉텅뭉텅 ~ cortar un pescado en trozos gruesos.
◆토막(이) 나다 cortarse en pedazos, ser cortado en pedazos.
■~고기 carne *f* cortada en pedazos; [생선] pescado *m* cortado en pedazos. ~극(劇) =촌극(寸劇). ~나무 árbol *m* (*pl* árboles) cortado en pedazos; [목재] madera *f* cortada en pedazos. ~말 palabra *f* abreviada. ~반찬 plato *m* del pescado cortado en pedazos.
토막토막 en pedazos. ~ 자르다 cortar en pedazos, hacer pedazos. 생선을 ~ 자르다 cortar el pescado en pedazos, hacer pedazos el pescado. 철도는 태풍으로 여러 곳에서 ~ 잘렸다 La vía férrea ha sido cortada en muchos sitios por el tifón.

토막(土幕) =움막. 움집.
■ ~민 habitantes *mpl* que viven en la choza de barro.

토매하다(土昧-) ser ignorante.

토멸(討滅) conquista *f,* aniquilación *f,* exterminación *f.* ~하다 conquistar, aniquilar, exterminar.

토목(土木) ((준말)) =토목 공사(土木工事).
■~ 건축 arquitectura *f* de obras públicas. ~ 공사 obras *fpl* públicas. ~ 공사 인부 peón *m* (*pl* peones) [bracero *m* · jornalero *m*] (que trabaja en las obras públicas). ~공이 persona *f* tonta e ignorante. ~ 공학 ingeniería *f* civil. ~과(課) sección *f* de obras públicas. ~과(科) departamento *m* de obras públcas. ~국(局) departamento *m* de obras públicas. ~ 기사 ingeniero, -ra *mf* civil. ~ 도급인(都給人) contratista *mf* de obras públicas. ~ 사업 negocio *m* de obras públicas. ~업계 círculo *m* industrial de ingeniería civil. ~용 기계 maquinaria *f* para obras públicas. ~ 회사 compañía *f* de construcción y obras públicas.

토민(土民) =토착민(土着民).

토박이(土-) ((준말)) =본토박이.
■ ~말 dialecto *m,* provincialismo *m.*

토박하다(土薄-) (ser) estéril, árido, yermo. 토박한 땅 tierra *f* estéril, tierra *f* árida.

토방(土房) parte *f* no entarimada de la casa.

토벌(討伐) subyugación *f,* represión *f.* ~하다 subyugar, sojuzgar, someter.
■~군 fuerza *f* punitiva. ~대 expedición *f* punitiva.

토벽(土壁) pared *f* de tierra; [담] tapia *f,* muro *m* de tierra.

토병(土兵) soldado *m* nativo, tropas *fpl* nativas.

토불(土佛) Buda *m* de tierra.

토비(土匪) insurgentes *mpl* nativos.

토비(討匪) subyugación *f,* represión *f.* ~하다 subyugar, sojuzgar.

토사(土砂) la tierra y la arena.
■~ 붕괴 derrumbe *m.*

토사(吐瀉) vómito *m* y diarrea. ~하다 vomitar.
■~곽란 vómito y diarrea; gastroenteritis *f* acuda. ~물(物) substancia *f* vomitada y purgada del cuerpo. ~제(劑) emético *m,* vomipurgante *m,* vomitivo *m.*

토산(土山) monte *m* de tierra, monte *m* terreno.

토산(土産) ((준말)) =토산물(土産物).

■ ~물 productos *mpl* locales, productos *mpl* nativos, recuerdo *m*. ~종 especie *f* nativa. ~품 productos *mpl* locales.

토산불알 【한방】 un testículo hinchado por la elefantiasis.

토색(土色) color *m* de tierra.

토색(討索) extorsión *f*, chantaje *m*. ~하다 extorsionar, chantajear, hacer chantaje.

토석(土石) la tierra y la piedra.

■ ~류 alud *m* [avalancha *f*] de tierra y piedra.

토선(土船) barco *m* para llevar la tierra.

토설(吐說) confesión *f*. ~하다 confesar.

토성(土星) 【천문】 Saturno *m*.

토성(土城) ① [흙으로 쌓아 올린 성루(城壘)] torrecilla *f* de castillo de tierra. ② ((낮은 말)) =사성(莎城).

토세공(土細工) obra *f* de tierra.

토속(土俗) costumbres *fpl* locales, cultura *f* popular.

■ ~적(的) folclórico, folklórico, tradicional, local, provincial, local. ~주(酒) vino *m* folclórico, vino *m* tradicional. ~학 folclore *m*, folklore *m*, estudios *mpl* folclóricos. ~학자 folclorista *mf*.

토스(영 *toss*) lanzamiento *m*. ~하다 tirar, lanzar, *Méj* aventar.

토스터(영 *toaster*) tostadora *f* (eléctrica).

토스트(영 *toast*) tostadas *fpl*, pan *m* tostado. ~ 한 조각 una tostada, *Méj* un pan tostado. ~를 만들다 hacer tostadas, *Méj* hacer panes tostados. 빵을 ~하다 tostar pan.

토시 manopla *f*.

토시살 carne *f* de vaca pegada al bazo.

토신(土神) 【민속】 dios *m* de la tierra.

토실토실 gordamente, carilludamente, mofletudamente, rollizamente. ~하다 (ser) gordo, carilludo, mofletudo (볼이), rollizo, regordete, gordiflón, rechoncho, lleno. ~한 남자 hombre *m* rechoncho. ~한 볼 mejillas *fpl* mofletudas. ~한 소녀 chica *f* rechocha. ~한 얼굴 cara *f* llena. 볼이 ~하다 tener mofletes, las mejillas son mofletudas.

토심(吐心) desagrado *m*, disgusto *m*.

토심스럽다 (estar) disgustado, desagradable, sentirse mal.

토심스레 desagradablemente.

토씨 【언어】 =조사(助詞).

토악질(吐-) ① [먹을 것을 게워 냄] vómito *m*. ~하다 vomitar. ② [남의 재물을 부당하게 받았다가 도로 내어 놓음] vómito *m*. ~하다 vomitar.

토양(土壤) suelo *m*, tierra *f*, terreno *m*. 비옥한 ~ tierra *f* fértil, buena tierra *f*. 메마른 ~ tierra *f* estéril, mala tierra *f*.

■ ~ 미생물 microbio *m* de la tierra. ~ 조사 inspección *f* agronómica. ~학 ciencia *f* de la tierra.

토어(土語) ① [본토박이가 쓰는 말] lengua *f* nativa, lengua *f* vernácula, idioma *m* vernáculo. ② [사투리] dialecto *m*, provincialismo *m*.

토언제(土堰堤) malecón *m* de tierra.

토역(土役) trabajos *mpl* de preparación del terreno. ■ ~꾼 peón *m* (*pl* peones).

토역(吐逆) vómito *m*.

토역(討逆) subyugación *f* a los traidores. ~하다 subyugar a los traidores.

토옥(土屋) choza *f* hecha de tierra, choza *f* hecha de tapias.

토옥하다(土沃-) (la tierra) ser fértil. 토옥한 땅 tierra *f* fértil.

토요일(土曜日) sábado *m*. ~마다 (todos) los sábados. ~ 오전(에) el sábado por la mañana, *AmL* el sábado en la mañana. ~ 오후(에) el sábado por la tarde, *AmL* el sábado en la tarde. ~ 저녁(에), ~ 밤(에) el sábado por la noche, *AmL* el sábado en la noche.

토욕(土浴) revuelco *m* en el lado. ~하다 revolcarse en el lado.

토용(土俑) figurina *f* de tierra.

토우(土雨) =흙비.

토우(土偶) *tou*, figurilla *f* de tierra, muñeca *f* de tierra, estatuita f cocida.

토의(討議) discusión *f*, debate *m*, deliberación *f*. ~하다 discutir, debatir, disputar. ~ 중 bajo la discusión. ~에 부치다 poner en deliberación, poner en debate, someter a deliberación, someter a discusión, dejar a la consideración. 그 문제는 ~ 중이다 Esa cuestión está en deliberación.

토이기(土耳其) 【지명】 Turquía. ☞터키

토인(土人) ① [어떤 지방에 대대로 토착(土着)해 사는 사람] indígena *mf*, nativo, -va *mf*, aborigen *mf* (*pl* aborígenes). ② [원시적인 생활을 하는 미개인] primitivo, -va *mf*, salvaje *mf*. ③ =흑인.

토일릿(영 *toilet*) ① [화장실. 변소] servicio *m*, aseos *mpl*, *AmL* baño *m*. ~에 가다 ir al servicio, *AmL* ir al baño. ② [화장. 몸치장] aseo *m*, limpieza *f*, arreglo *m* personal.

■ ~ 페이퍼 [화장지] papel *m* higiénico (en rollo), *Chi* papel *m* comfort.

토장(土葬) entierro *m*, inhumación *f*. ~하다 enterrar, inhumar.

토장(土牆) muro *m* de tierra.

토장(土醬) =된장.

토적(土賊) =토구(土寇).

토적(討賊) subyugación *f* de un rebelión. ~하다 subyugar un rebelión.

토정(吐情) =토로(吐露).

토정(吐精) emisión *f* seminal. ~하다 emitir el semen.

토제(土製) artículo *m* de tierra, artículo *m* de barro. ~의 [마루・제방 따위] de tierra; [항아리・단지 따위] de barro. 그 그릇은 ~다 La vasija es de barro.

토제(吐劑) vomitivo *m*, emético *m*.

토종(土種) especie *f* local. ~의 nativo, criollo.

■ ~닭 pollo *m* nativo, gallo *m* nativo, gallina *f* nativa. ~벌 abeja *f* nativa.

토주자(土鑄字) tipo *m* de tierra.
토지(土地) ① [땅] tierra *f*, terreno *m*; [농장(農場)] granja *f*, finca *f*. 500제곱미터의 ~ quinientos metros cuadrados de tierra. ~ 딸린 가옥 casa *f* con el terreno. 가옥 딸린 ~ terreno *m* y [con] casa. ~를 경작하다 cultivar la tierra. ~를 사다 comprar tierras [terreno]. ~에 투자(投資)하다 invertir dinero en fincas. ② [논밭] el arrozal y el campo. ③ =토질(土質). ④ =영토(領土) (territorio).
■~ 가옥 la tierra y los edificios. ~ 개량 mejoras *fpl* de tierra. ~ 개량 조합 la Asociación para la Utilización de las Aguas. ~ 개발 explotación *f* de la tierra. ~ 개혁(改革) reforma *f* agraria. ~ 계약 contrato *m* de compraventa de un bien inmueble. ~ 공개념(公概念) concepto *m* público de la tierra. ~ 공영제 sistema *m* de la administración pública. ~ 관리 administración *f* de fincas. ~ 관할(管轄) jurisdicción *f* de la tierra. ~ 구획 정리 regulación *f* de terrenos. ~ 구획 정리 사업 negocios *mpl* de regulación de terrenos. ~ 구획 정리 사업법 ley *f* sobre negocios de regulación de terrenos. ~ 국유화 nacionalización *f* de la tierra. ~ 대장 catastro *m*. ~ 등기 catastro *m*, registro *m* de la propiedad inmobiliaria. ~ 등기부 registro *m* catastral, catastro *m*. ~ 매매 소개업자 administrador, -dora *mf* de fincas. ~법 ley *f* de terrenos. ~ 보상 compensación *f* de tierras. ~ 보상법 ley *f* [código *m*] de compensación de tierras. ~ 불법 점거자 ocupa *mf*, okupa *mf*, ocupante *mf* ilegal; *Méj* paracaidista *mf*. ~ 사용 utilización *f* de la tierra, uso *m* de la tierra. ~ 사용 계획 planificación *f* de tierras. ~ 사용권 derecho *m* de utilización de la tierra. ~ 사용세 impuesto *m* de uso de la tierra. ~세(稅) impuesto *m* sobre terrenos, contribución *f* territorial, impuesto *m* territorial. ~ 소유권 propiedad *f* de la tierra. ~ 소유자 propietario, -ria *mf* del terreno. ~ 소유 증서 certificado *m* de tierras, certificado *m* expedido por el registro de la propiedad inmobiliaria. ~ 수용 expropiación *f* (de terrenos). ~ 수용권 derecho *m* a expropiar (por causa de utilidad pública) ~ 수용법 ley *f* de expropiación. ~ 양도(讓渡) cocesión *f* de terrenos. ~ 이용률(利用率) coeficiente *m* de utilización de la tierra. ~ 임대(賃貸) arrendamiento *m* de tierras. ~ 제도(制度) sistema *m* de la tierra. ~ 조사(調査) investigación *f* de la tierra. ~ 측량(測量) agrimensura *f* de la tierra, topografía *f* de la tierra.
토질(土疾) ① =풍토병(風土病). 토질병(土疾病). ② ((속어)) =폐(肺)디스토마.
토질(土質) naturaleza *f* de la tierra, naturaleza *f* del terreno.
토찌끼 posos *mpl* de la pasta en la salsa china.
토착(土着) lo aborigen, lo indígena. ~의 aborigen, indígena, nativo, natal, primitivo, autóctono.
■~ 동물(動物) animales *mpl* endémicos. ~민 nativo, -va *mf*, aborigen *mf*, indígena *mf*, autóctono, -na *mf*. ~어(語) idioma *m* nativo, lengua *f* nativa.
토치카(러 *totschka*) tochika *m*, blocao *m*, fortín *m*, fortificación *f* de hormigón y de acero.
토코페놀(영 *tocopherol*) tocoferol *m*.
토크 쇼(영 *talk show*) programa *m* de entrevistas.
토큰(영 *token*) ficha *f*, *Arg* cospel *m*.
토키(영 *talkie*) película *f* sonora; [집합적] cine *m* sonoro, cine *m* parlante.
■~ 영사기(映寫機) cintófono *m*.
토탄(土炭) carbón *m* (*pl* carbones) de la clase inferior, turba *f*.
■~갱 turbera *f*. ~지(地) turbal *m*.
토털(영 *total*) total *m*, suma *f* total, todo.
토테미즘(영 *totemism*) totemismo *m*.
토템(영 *totem*) tótem *m*.
■~ 숭배 totemismo *m*. ~ 폴 palo *m* de tótem.
토파(吐破) =토로(吐露).
토파즈(영 *topaz*)【광물】[황옥] topacio *m*.
토플리스(영 *topless*) topless *ing.m*, toples *m*, modo *m* de vestir femenino que deja los pechos al aire. ~로 가다 andar topless.
■~ 수영복 monoquini *m*.
토픽(영 *topic*) tema *m*, asunto *m*, tópico *m*. 오늘의 ~ asuntos *mpl* de hoy.
토하다(吐-) ① [게우다] vomitar, escupir, arrojar violentamente por la boca lo contenido en el estómago. 피를 ~ escupir sangre. 그녀는 피를 토했다 Ella escupió sangre. 그는 먹은 것을 전부 토했다 El vomitó todo lo que había comido. ② [뱉다] vomitar, devolver, arrojar, emitir, echar, *Bol*, *RPl* largar el rollo. 화산(火山)이 연기를 토한다 El volcán vomita [emita·echa] humo. ③ [생각하고 있는 바를 말하다] expresar, hablar, confesar, revelar. 진심을 ~ decir la verdad.
토혈(吐血) vómito *m* de sangre, hematemesis *f*, [객혈] hemoptisis *f*. ~하다 vomitar la sangre.
토호(土豪) propietario *m* de fincas.
■~질 tiranía *f*. ~하다 practicar tiranía.
톡[1] ① [작은 물건이 바닥에 떨어질 때 나는 소리. 또는 그 모양] cayendo. 물방울이 ~ 떨어진다 Cae una gota. ② [단단하지 않은 물체를 한 번 가볍게 두드리는 소리. 또는 그 모양] con un golpecito. 어깨를 ~ 치다 dar un suave golpecito en el hombro. ③ [갑자기 걸리는 모양이나 그 소리] de improviso, sin previo aviso, de forma imprevista, cuando nadie lo esperaba. 그는 돌에 ~ 걸려 넘어졌다 El tropezó con una piedra y se cayó.
톡[2] ① [한 부분이 불거져 오른 모양] saliente.

~ 튀어나온 [볼이] prominente; [이가] salido; [손톱·발톱이] que sobresale. ~ 튀어나온 눈 ojos *mpl* saltones. ~ 튀어나온 볼 mejillas *fpl* prominentes. ~ 튀어나온 이 dientes *mpl* salidos. ~ 튀어나온 손톱 uñas *fpl* que sobresalen. ② [(말을) 다부지게 쏘아붙이는 모양] irónicamente. 한 마디 ~ 쏘아 주다 lanzar ironías, hacer un comentario hiriente [punzante].

톡배다 (ser) espesamente tejido.

톡탁 con un golpecito.

톡탁거리다 seguir dando golpecito.

톡탁톡탁 dando golpecito repetidas veces.

톡톡 con un golpecito. =톡[1].

톡톡하다 ① [국물이 바특하여 묽지 아니하다] (ser) espeso. 톡톡한 국물 sopa *f* espesa. ② [피륙이 고르고 단단한 올로 배게 짜이어 도톰하다] (ser) tupido, cerrado. ③ [실속 있고 푸짐하다] (ser) abundante.

톡톡히 ㉮ [많이] mucho. 돈을 ~ 벌다 ganar mucho dinero. ㉯ [심하게] severamente. ~ 책망하다 reprochar [censurar] severamente. ㉰ [치밀하게] tupidamente, cerradamente. 베를 ~ 짜다 tejer la tela tupidamente.

톤¹(영 *ton*) [무게의 단위] tonelada *f* (미국: 907 kg, 영국: 1,016 kg). 10~ 트럭 camión *m* (*pl* caminones) de diez toneladas. 1만 ~의 선박 barco *m* de diez mil toneladas; [배수량이] barco *m* de diez mil toneladas de desplazamiento. 용량 12만 ~의 유조선 petrolero *m* de 120.000 toneladas.

◆배수 ~ tonelada *f* de desplazamiento. 용적 ~ tonelada *f* de arqueo (2.83m^3). 중량(重量)~ tonelaje *m* del peso propio, tonelada *f* de peso, tonelada *f* métrica de peso (1.000kg).

■~세(稅) derechos *mpl* de tonelaje. ~수(數) tonelaje *m*. ¶순 ~ tonelaje *m*. 총 ~ tonelaje *m* bruto, tonelada *f* bruta. ~킬로미터 tonelada *f* por kilómetro.

톤²(영 *tone*) [음조] tono *m*; [음성] voz *f*.

톨 grano *m*, fruto *m* seco. 밤 한 ~ un fruto seco de castaña. 쌀 한 ~ un grano de arroz.

톨게이트(영 *tollgate*) [통행료 징수소] barrera *f* de peaje.

톨루엔(영 *toluene*) 【화학】 tolueno *m*.

톱 [나무·쇠붙이를 켜는 연장] [손톱] sierra *f* (de mano); [손잡이 하나인 톱] serrucho *m*, *Méj* serrote *m*; [동력으로 움직이는 톱] sierra *f* mecánica; [제재용 톱] aserrador *m*; [원형의 톱] sierra *f* circular; [활톱] sierra *f* de arco; [띠톱] sierra *f* de cinta; [홈톱] sierra *f* de ingletes; [통나무용 톱] sierra *f* bracera; [작은 톱] serreta *f*. ~으로 켜다 cortar con sierra, serrar, aserrar; [한 손으로 켜는 톱으로] cortar con serrucho, *AmL* serruchar, *Chi* aserruchar. ~으로 켜는 aserrador. ~으로 켤 수 있는 aserradizo. ~으로 켤 수 있는 목재 madera *f* aserradiza. ~으로 잘게 켜다 cortar algo en trozos con una sierra. 우리는 나무를 ~으로 베어서 넘겼다 Talamos los árboles con la sierra. 이 ~은 잘 들지 않는다 Esta sierra no corta bien.

◆가로~ sierra *f* de trozar. 둥근~ sierra *f* circular. 사면~ sierra *f* de ingletes. 자동~ sierra *f* de cadena.

■~날 filo *m* de la sierra, filo *m* del serrucho. ¶~을 세우다 dar dentera de un sierra, afilar una sierra. ~ 세우기 afilamiento *m* de sierra. ~니 dientes *mpl* de sierra. ~밥 aserrín *m* (*pl* aserrines), serraduras *fpl*, serrín *m* (*pl* serrines), aserraduras *fpl*. ~손 mango *m* (de la sierra). ~양 hoja *f* de la sierra. ~장이 ((속어)) aserrador, -dora *mf*.; serrador, -dora *mf*. ~질 aserradura *f*, aserrado *m*. ¶~하다 aserrar, serrar, *AmL* serruchar. ~하는 사람 aserrador, -dora *mf*. ~질꾼 aserrador, -dora *mf*. ~질 모탕 caballete *m*, burro *m* (para serrar). ~칼 serrucho *m*, sierra *f* de mano.

톱(영 *top*) ① [꼭대기. 우두머리. 맨 앞] [윗부분] parte *f* superior, parte *f* de arriba; [산의] cima *f*, cumbre *f*, cúspide *f*; [나무의] copa *f*. ② [수위(首位). 수석(首席)] primero, -ra *mf*; cabeza *f*, número uno *m*, cima *f*. 그 여자는 반의 ~ 이다 Ella es la primera de la clase. 그는 늘 반에서 ~이었다 El siempre iba a la cabeza de la clase. 그는 서반아어에서 반의 ~을 차지했다 El sacó la mejor nota de la clase en español. 우리 팀은 리그의 ~에 이르렀다 Nuestro equipo se colocó a la cabeza de la liga. A팀이 리그의 ~을 점하고 있다 El equipo A encabeza [va a la cabeza de] la liga. 그의 디스크는 히트곡 차트의 ~이다 Su disco es el número uno de la lista de éxitos. 나는 내 직업의 ~까지 이르렀다 Yo me abrí camino hasta la cima de mi profesión. 그는 ~을 끊고 골인했다 El llegó el primero a la meta. ③ [신문 등의 면에서 가장 눈에 띄는 맨 위 오른편에 해당하는 곳] parte *f* superior.

■~기사 artículo *m* de primera plana. ~뉴스 noticias *fpl* grandes. ~ 레벨 alto nivel *m*. ~스타 primera estrella *f*. ~ 클래스 primera clase *f*. ~타자(打者) primer bateador *m*, primera bateadora *f*.

톱니바퀴 rueda *f* dentada, engranaje *m*. ~의 이 diente *m*.

톱상어 【어류】 pez *m* sierra, priste *m*.

톱톱하다 (ser) espeso. 톱톱한 국물 sopa *f* espesa.

톱풀 【식물】 milenrama *f*.

톳 ① [김 백 장씩을 한 묶음으로 묶은 덩이] un fardo de cien hojas (de alga marina). ② [김의 묶음을 세는 말] *tot*, fardo *m*. 김 한 ~ un fardo de alga marina.

톳나무 árbol *m* grande.

통¹ ① [바짓가랑이·소매 따위의 속의 넓이] anchura *f*. ② 【광산】 [광맥의 넓이] anchura *f* del yacimiento.

통² ① [속이 차게 자란 배추·박 같은 것의

몸피] bulto *m*, masa *f*, mole *m*. ② [속이 차게 자란 배추·박 등을 세는 말] cabeza *f*. 박 한 ~ una calabaza. 배추 두 ~ dos cabezas de repollo.

통[3] ① [무슨 일로 복잡한 둘레, 또는 그 안이나 사이] consecuencia *f*, resultado *m*, influencia *f*, estragos *mpl*. 그는 난리~에 죽었다 El murió en los estragos de la guerra. ② [어떤 일에 한 속이 되어 이룬 무리] grupo *m*, pandilla *f*, banda *f*. 한 ~이 되다 estar confabulado [complotado · conchabado]

통[4] ① [전혀] enteramente, todo, de todo, en absoluto, absolutamente, completamente, totalmente. ~ …이 아니다 no … nada [en absoluto · de ninguna manera · de ningún modo · nunca] 술은 ~ 못 마시다 no beber nada. 그것에 대한 생각이 ~ 나지 않는다 No me acuerdo absolutamente nada de eso. ② ((준말)) =온통. ③ ((준말)) =통째.

통[5] [필(疋)] rollo *m*. 광목 세 ~ tres rollos de la tela de algodón. 필름 한 ~ un rollo de película [filme]. 필름 세 ~ 주십시오 Quiero tres rollos de película [filme] / Tres rollos de película, por favor.

통(桶) bote *m*, lata *f*, tubo *m*, *Chi* tarro *m*; [손잡이가 달린] cubo *m*; [작은] barril *m*; [큰] tonel *m*; [(부엌에서 나오는) 찌꺼기나 쓰레기용의] cubo *m*, *Col* caneca *f*, *CoS*, *Per* tacho *m*, *Méj* bote *m*, *Ven* tobo *m*. 물 한 ~ un cubo de agua. 성냥 한 ~ una caja de cerillas. 10갤런짜리 가솔린 한 ~ un bidón de gasolina de diez galones. ~에 넣다 entonelar, envasar (en un tonel), poner en un barril, embarrilar. ~에 넣은 en tonel, embarrilado, entonelado.
◆물~ cubeta *f*. 술~ barrica *f*, cuba *f* (de vino).

통(通) [편지·문서·증서(證書) 등을 셀 때 쓰는 말] copia *f*, cartas *fpl*, documentos *mpl*. 계약서 두 ~ dos contratos. 서류 한 ~ una copia de un documento, un documento. 편지 두 ~ dos cartas.

통(筒) tubo *m*, pipa *f*.

통(統) [시(市) 행정의 한 단위] *Tong*. 1~ 3 반(班) 3 Ban, 1 Tong.
■ ~장(長) jefe, -fa *mf* de *Tong*.

통(痛) dolor *m*.

-통(通) conocedor, -dora *mf*, experto, -ta *mf*, autoridad *f*. …~이다 entender de *algo*, ser conocedor de *algo*. 음악~이다 ser una autoridad de [en] la música, ser competente en música. 그녀는 요리~으로 자부하고 있다 El presume [se las da] de ser una autoridad de la cocina.

통가 【지명】 Tonga. ~의 tongano.
■ ~ 사람[인] tongano, -na *mf*. ~어[말] tongano *m*.

통가리(桶—) almiar *m* de granos.

통가죽 prenda *f* hecha sin la eliminación de costura.

통각(洞角) cuerno *m* hueco.

통각(統覺) percepción *f*. ~하다 percibir, apercibir.

통각(痛覺) sensación *f* de dolor.
■ ~ 감퇴 hipalgesia *f*. ~계 dolorímetro *m*, algesímetro *m*, algómetro *m*. ~ 공포증(恐怖症) algofobia *f*. ~ 과민증 hiperalgesia *f*.

통감(痛感) sentimiento *m* profundo. ~하다 sentir(se) mucho [profundamente], sentir vivamente, experimentar vivamente. 나는 자신의 무력함을 ~했다 Me di cuenta profundamente de mi incapacidad.

통감(統監) supervisión *f*. ~하다 supervisar.

통감자 patata *f* entera, *AmL* papa *f* entera.

통거리 todo, enteramente, completamente. 땅을 ~로 사다 comprar toda la tierra.

통겨주다 revelar.

통겨지다 ① [숨었던 사물이 뜻하지 않게 쑥 비어져 나오다] ser revelado. ② [짜인 물건이 어긋나서 틀어지다] ser dislocado. ③ [노리는 기회가 뜻밖에 어그러지다] perderse.

통격(痛擊) ① [적군(敵軍)을 통렬하게 침] ataque *m* [golpe *m*] fuerte, ataque *m* severo. ~하다 dar un golpe fuerte, atacar severamente. ② [남을 몹시 꾸짖어 나무람] reproche *m* severo, crítica *f* severa. ~하다 reprochar [criticar] severamente..

통견(洞見) perspicacia *f*, penetración *f*. ~하다 tener perspicacia, penetrar.

통경(通經) [처음으로 월경(月經)이 시작됨] comienzo *m* de la primera menstruación. ~하다 comenzar la menstruación por primera vez, comenzar la primera menstruación.
■ ~제(劑) emenagogo *m*.

통계(通計) =통산(通算).

통계(統計) estadística *f*. ~하다 reunir la estadística. 작년 말까지의 ~ estadística *f* de hasta el fin del año pasado. ~를 내다 tomar [hacer] las estadísticas (de).
■ ~과(課) sección *f* de estadística. ~관(官) oficial *mf* de estadística. ~국(局) departamento *m* de estadística. ~ 도표(圖表) carta *f* estadística. ~ 분석 análisis *m* estadístico. ~ 샘플링 muestreo *m* de estadística. ~ 소프트웨어 programa *m* de estadística, software *m* de estadística. ~ 숫자 número *m* estadístico. ~ 역학(力學) mecánica *f* estadística. ~ 연감 anuario *m* estadístico. ~ 자료 datos *mpl* estadísticos. ~ 조사 investigación *f* estadística. ~ 천문학(天文學) astronomía *f* estadística. ~청(廳) la Dirección de Estadísticas, la Administración de Estadísticas. ~표 tabla *f* estadística. ~학 estadística *f*, ciencia *f* de la estadística. ~학자 estadístico, -ca *mf*, estadista *mf*.

통고(通告) aviso *m*, anuncio *m*, noticia *f*, información *f*, notificación *f*, comunicación *f*, denuncia *f*. ~하다 avisar, anunciar, notificar, dar noticia, informar, denunciar. 사전(事前) ~ 없이 sin previo aviso. ~를 받다 recibir notificación (de). 조약 파기를

~하다 denunciar la anulación de un tratado.

■ ~서(書) aviso *m*. ~ 처분 disposición *f* avisado.

통고(痛苦) pena *f*.

통고추 ají *m* entero, chile *m* entero.

통곡(痛哭) [소리를 높여 크게 욺] llanto *m*, gemido *m*, lamento *m*, lamentación *f*, gimoteo *m* lastimero. ~하다 gemir, llorar, lamentar, llorar fuerte, llorar a gritos, llorar amargamente, gimotear lastimosamente.

■ ~의 벽(壁) el Muro de las Lamentaciones, el Muro de los Lamentos.

통곡(慟哭) [큰 소리로 섧게 욺] lloriqueo *m*, gimoteo *m*. ~하다 lloriquear, gimotear, *Arg, PRico, Uru* llorisquear.

통과(通過) paso *m*, tránsito *m*; [법안(法案) 등의] aprobación *f*. ~하다 pasar (por), penetrar, atravesar. ~시키다 [강제로] hacer pasar; [방임적으로] dejar pasar. 의안(議案)을 ~시키다 aprobar un proyecto de ley. 손님을 ~시키다 hacer entrar a un huésped. 관으로 물을 ~시키다 pasar el agua por un tubo. 출입국 심사소를 ~하다 pasar por el control de pasaportes. ~시켜 주십시오 Déjeme pasar, por favor. ~하라고 그에게 말씀해 주세요 Dígale que pase. 내 제안이 ~되었다 Pasó mi propuesta. 법안이 ~되었다 Fue aprobado el proyecto de ley. 법안이 국회를 ~했다 El proyecto de ley ha sido aprobado en las cortes. 유리는 빛을 ~시킨다 El cristal deja pasar la luz. 열차가 역을 ~한다 El tren pasa de largo una estación.

■ ~객 pasajero, -ra *mf* en [de] tránsito. ~객용 라운지 [공항의] sala *f* de tránsito. ~국 [이민의] territorio *m* de tránsito. ~ 무역 comercio *m* de tránsito. ~ 무역품 artículos *mpl* [mercancías *fpl*] del comercio de tránsito. ~ 비자[사증] visado *m* [visa *f*] de tránsito. ~ 서류 documento *m* de tránsito. ~세 derechos *mpl* de tránsito. ~ 시간 hora *f* de paso, tiempo *m* de tránsito. ~ 여객 pasajero, -ra *mf* en [de] tránsito. ~역 estación *f* en que no se para el tren, estación *f* sin parar. ~ 화물(貨物) carga *f* de tránsito.

통관(通款) comunicación *f* secreta con el enemigo. ~하다 comunicar secretamente con el enemigo.

통관(通關) entrada *f* de aduana, despacho *m* de aduanas. ~하다 pasar (por) la aduana.

◆무세(無稅) ~ franquicia *f*.

■ ~세(稅) derechos *mpl* aduaneros. ~ 수속(手續) formalidades *fpl* de (entrada de) aduanas. ~ 신고 declaración *f* aduanera. ~ 신고서 conocimiento *m* de declaración de entrada; [출항(出港)의] despacho *m* de aduana. ~ 절차 =통관 수속. ~ 증명서 certificado *m* de despacho de aduanas. ~필 examinado. ~항 puerto *m* de entrada.

통관(通觀) examen *m* general, observación *f* general. ~하다 examinar, analizar.

통괄(統括) generalización *f*. ~하다 generalizar.

통교(通交) relaciones *fpl* íntimas. ~하다 entrar en relaciones íntimas.

통권(通卷) número *m* consecutivo de volúmenes. ~ 5호 número *m* serial [en serie] 5 [cinco].

통규(通規) reglas *fpl* generales, principios *mpl* generales.

통근(通勤) asistencia *f* a la oficina. ~하다 asistir a la oficina, ir a *su* oficina, desplazarse diariamente al trabajo. ~하는 가정부 asistencia *f*. ~하면서 일하는 파출부 구함 ((광고)) *Chi* Se necesita empleada puertas afuera. 나는 ~하면서 일한다 Yo trabajo puertas afuera.

■ ~ 시간(時間) [소요 시간] tiempo *m* de desplazamiento (entre el domicilio y el lugar del trabajo). ~ 열차 tren *m* que se usa para ir y volver del trabajo. ~자 persona *f* que se desplaza (diariamente) al trabajo. ~차 autobús *m* [*pl* autobuses] que se usa para ir y volver del trabajo.

통금 ① [이것저것 한데 몰아친 값] precio *m* total. ② [물건을 통거리로 넘겨 파는 값] precio *m* al por mayor.

통금(通禁) ((준말)) =통행금지(通行禁止).

■ ~ 사이렌 sirena *f* de toque de queda. ~ 위반 violación *f* de toque de queda.

통기(通氣) =통풍(通風).

■ ~공(孔) [건물·터널의] (conducto *m* de) ventilación *f*, [굴뚝·벽난로의] tiro *m*. ~성(性) lo ventilador.

통기다 =퉁기다.

통김치 *tongkimchi*, *kimchi* hecho del repollo entero.

통깨 ajonjolí *m* entero, sésamo *m* entero, alegría *f* entera.

통꽃 【식물】 flor *f* compuesta.

통나무 tronco *m*, leño *m*, madero *m*, madera *f* en rollo, palo *m*, trozo *m* de madera, trozo *m* de árbol.

■ ~ 다리 puente *m* de troncos. ~배 canoa *f*, piragua *f*. ~ 적재기 grúa *f* de troncos. ~집 cabaña *f* [casilla *f*] de troncos [de madera].

통념(通念) idea *f* común, opinión *f* pública. 사회(社會) ~ sentido *m* común del mundo. 그것은 사회 ~이다 Es una idea generalmente admitida.

통뇨(通尿) extracción *f* de la orina. ~하다 sacar [extraer] la orina.

■ ~기(器) catéter *m*.

통단 gavilla *f* grande.

통달(通達) ① [막힘이 없이 환히 통함] conocimiento *m* completo, conocimiento *m* perfecto, sabiduría *f* a fondo. ~하다 saber a fondo. 그 방면에 ~한 사람 versado, -da *mf* en ese campo. …에 ~하다 ser muy versado en *algo*. 컴퓨터에 ~하다 ser muy versado en el ordenador [*AmL* la computadora · *AmL* el computador]. ② [도

(道)에 깊이 통함] ilustracuón *f* espiritual. ~하다 ser espiritualmente iluminado, lograr la ilustración. ③ [통지(通知)] aviso *m*, anuncio *m*, notificación *f*. ~하다 avisar, anunciar, notificar.
■ ~서(書) aviso *m*.

통닭 pollo *m* entero. ~ 곁들인 밥 arroz *m* con pollo. 숯불구이 ~ pollo *m* a la brasa.
■ ~구이 pollo *m* asado. ~튀김 pollo *m* frito.

통대구(—大口) abadejo *m* [balacao *m*] entero secado.

통대자(通帶子) faja *f* tejida doble.

통독(通讀) lectura *f* de cabo a rabo, lectura *f* de principio a fin, lectura *f* precipitada, pero hasta el fin. ~하다 leer de cabo a rabo, leer de principio a fin, leer hasta el fin a la ligera, leer rápidamente, leer a la ligera, leer sin detenerse, hojear.

통돌다 ser avisado [informado · anunciado · conocido] generalmente.

통람(通覽) inspección *f* general. ~하다 inspeccionar (generalmente).

통렬하다(痛烈—) (ser) severo, violento, virulento, duro, impetuoso, intenso, fuerte; [날카롭다] áspero, mordaz. 통렬함 severidad *f*, violencia *f*, intensidad *f*. 통렬한 빈정거림 ironía *f* mordaz, ironía *f* punzante, sarcasmo *m*. 통렬한 비난을 받다 sufrir vivos reproches, experimentar duras censuras.
통렬히 severamente, violentamente, duramente, virulentamente, ásperamente, mordazmente, intensamente, fuertemente. ~ 비판하다 hacer una crítica severa [dura · mordaz] (de), criticar duramente.

통례(通例) costumbre *f*, hábito *m*, usanza *f*, uso *m*. ~의 usual, ordinario, común (*pl* comunes), habitual, general, acostumbrado. ~로 de ordinario, habitualmente, usualmente, comúnmente, ordinariamente, regularmente, generalmente. …하는 것이 ~다 Es costumbre + *inf* / Hay costumbre de + *inf*. 그것은 ~다 Es una costumbre normal.
■ ~적(的) ordinario, usual, común, habitual. ¶~으로 ordinariamente, usualmente, comúnmente, habitualmente, como usual, generalmente.

통로(通路) pasillo *m*, corredor *m*, pasaje *m*, camino *m*, paso *m*, pasada *f*, tránsito *m*, vía *f*, callejón *m* (*pl* callejones). ~를 폐쇄하다[막다] cerrar el paso, obstruir el pasaje. ~를 방해하다 estorbar el pasaje, estorbar el paso. ~를 열(어두)다 despejar el paso, dejar libre el camino, abrir paso. ~로 부탁합니다 [비행기나 시외버스로 장거리 여행을 할 때] El pasillo, por favor.

통론(通論) contorno *m*, perfil *m*, introducción *f*, principios *mpl* generales.
◆ 문학(文學) ~ introducción *f* a literatura.

통론(痛論) argumento *m* vehemente, discusión *f* acalorada. ~하다 arguir vehementemente, discutir [debatir] acaloradamente.

통리(通利) catarsis *f*. ~제(劑) purgante *m*.

통마늘 cabeza *f* entera de ajo, ajo *m* entero.

통매(痛罵) condena *f*, repulsa *f*. ~하다 condenar, denunciar, criticar severamente.

통메다(桶—) ((준말)) =통메우다.

통메우다(桶—) ① [통 쪽을 맞추어 테를 끼우다] enarcar la tina. ② [좁은 자리에 많은 사람이 몰려 들어가다] estar atestado de gente, haber mucha gente.

통메장이(桶—匠—) tonelero *m*.

통명(通名) nombre *m* de pila, nombre *m* común, nombre *m* popular, alias *m*.

통모(通謀) conspiración *f*. ~하다 conspirar (para + *inf* · contra *algo*).

통무 rábano *m* entero, nabo *m* entero.

통문관(通文館) 【역사】 la Oficina de Traducción.

통밀다 hacer un promedio (de), hacer una media (de).
통밀어 como término medio. 그는 ~ 일주일에 천 불을 번다 El gana un promedio [una media] de mil dólares por semana / El saca unas mil dólares por semana como término medio.

통발(筒—) encañizada *f* (hecha) de sauce [de bambú].

통발 작용(—作用) =증산 작용(蒸散作用).

통방이 *tongbangi*, una especie de la ratonera.

통배추 repollo *m* entero, col *f* entera.

통법[1](通法) =통칙(通則).

통법[2](通法) 【수학】 principio *m* de conversión.

통변(通辯) interpretación *f*. ☞통역(通譯).

통보(通報) informe *m*, aviso *m*, información *f*, noticia *f*, parte *m*; 【기상】 pronóstico *m*. ~하다 informar, avisar, comunicar, hacer saber, dar a conocer, enterar, dar parte; [밀고하다] denunciar. 좋은 ~ buena noticia *f*. 나쁜 ~ mala noticia *f*. 경찰에 ~하다 comunicar [denunciar] a la policía. …의 ~에 접하자마자 al recibir la noticia de *algo* [de que + *ind*]. 진상(眞相)을 ~하다 hacer saber la verdad, hacer pública la verdad, revelar la verdad. 어머니가 돌아가셨다는 ~가 동생한테서 왔다 Mi hermano me dio la noticia [el aviso] de que había muerto mi madre.
◆ 기상(氣象) ~ pronóstico *m* del tiempo.

통보(通寶) *tongbo*, moneda *f*. 상평(常平)~ *Sangpyeongtongbo*, moneda *f* de *Sangpyeong*.

통보리 cebada *f* entera.

통부(通訃) =부고(訃告).

통분(通分) 【수학】 reducción *f* de fracciones a un común denominador. ~하다 reducir a común denominador.

통분하다(痛憤/痛忿—) estar muy indignante. 통분함 mucha indignación *f*. 그들은 그렇게 미미한 보상을 받자 통분했다 Ellos se indignaron mucho al recibir tan mezquina recompensa.

통사(通士) =통인(通人).

통사정(通事情) súplica *f*, suplicación *f*, ruego

m. ～하다 suplicar, rogar, solicitar, pedir.

통산(通算) suma *f*, total *m*, suma *f* total. ～하다 hacer el total, hacer la suma, totalizar. ～으로 en suma, en el total.

통상(通常) ① [특별하지 않고 예사임. 보통] lo ordinario, lo normal, lo común, lo regular. ～의 ordinario, normal, común, habitual, corriente, regular, usual, acostumbrado, de siempre, de costumbre. ② [보통으로. 보통의 경우는] ordinariamente, normalmente, generalmente, comúnmente, por lo general, usualmente, regularmente, con regularidad.

■～ 무기(武器) el arma *f* (*pl* las armas) convencional. ～복 traje *m* de diario. ～ 엽서 tarjeta *f* ordinaria. ～ 예복 traje *m* de etiqueta ordinario. ～ 우편(郵便) correo *m* ordinario. ～ 우편물 objeto *m* de correo ordinario. ～ 의회 sesión *f* ordinaria de la Asamblea Nacional. ～ 전보 telegrama *m* corriente. ～주(株) acción *f* ordinaria. ～ 주주(株主) accionista *m* ordinario, accionista *f* ordinaria. ～환 letra *f* de cambio ordinaria. ～회(會) ＝정기회. ～ 회원(會員) miembro *m* ordinario, miembro *f* ordinaria.

통상(通商) comercio *m*, tráfico *m*, relaciones *fpl* comerciales. ～의 comercial. 서반아와 ～을 시작하다 entrar en relaciones comerciales con España.

■～ 관계 relaciones *fpl* comerciales. ～ 교섭(交涉) negociación *f* comercial. ～ 교섭권 derecho *m* de la negociación comercial. ～ 교섭 위원회 comité *m* de la negociación comercial. ～국(局) el Departamento de Comercio. ～ 대표부(代表部) representación *f* comercial, misión *f* comercial. ～량 volúmenes *mpl* de comercio. ～ 사절단(使節團) misión *f* comercial, delegación *f* comercial. ～ 사절단장 jefe, -fa *mf* de la misión comercial. ～ 산업부 el Ministerio de Comercio e Industria. ～ 산업부 장관 ministro, -tra *mf* de Comercio e Industria. ～ 산업 위원회 Comisión *f* [Comité *m*] de Comercio e Industria. ～ 장벽 barrera *f* comercial. ～ 조약(條約) tratado *m* comercial, pacto *m* comercial, tratado *m* de comercio. ～ 항해 조약(航海條約) tratado *m* de comercio y navegación. ～ 협약 convenio *m* de comercio recíproco. ～ 협정 acuerdo *m* comercial.

통석하다(痛惜－) lamentar, sentir un dolor grande. 통석함 dolor *m* grande, mucha pena *f*, mucho pesar *m*, pesadumbre *f* sincera, lamentación *f*. 통석한 일이다 Es cosa de lamentar / Lamento tu desgracia. 통석해 마지않는다 No puedo menos de sentir un dolor grande.

통설(通說) idea *f* generalizada, opinión *f* común, opinión *f* generalmente admitida, vista *f* popular. ～에 따르면 según la idea [la opinión] general.

통성 기도(通聲祈禱) oración *f* de grito.

통성명(通姓名) intercambio *m* de *sus* nombres. ～하다 intercambiarse los nombres, presentarse uno de otro, cambiar los nombres.

통소(通宵) ＝철야(徹夜).

통속 ① [비밀한 단체] organización *f* secreta. ② [비밀한 약속] promesa *f* secreta.

통속(通俗) vulgaridad *f*, popularidad *f*.

■～극 teatro *m* popular, drama *m* popular. ～ 문학 literatura *f* popular. ～ 소설 novela *f* popular. ～어(語) lengua *f* popular, lenguaje *m* vulgar, expresión *f* familiar. ～ 음악 música *f* popular. ～ 작가 escritor, -tora *mf* vulgar. ～적(的) popular, vulgar, coloquial, trivial. ¶～으로 popularmente, vulgarmente, trivialmente. ～인 남자 hombre *m* mediocre. ～인 테마 tema *m* vulgar. ～체(體) estilo *m* coloquial. ～화(化) popularización *f*, vulgarización *f*.

통솔(統率) mando *m*, dirección *f*, mandamiento *m*. ～하다 dirigir, gobernar, regir, capitanear, ir a la cabeza, encabezar, dirigir a los otros; [군대 따위를] mandar, conducir, guiar.

■～권(權) jefatura *f*, liderazgo *m*, dirección *f*, conducción *f*. ～력 (poder *m* de) mando *m*, liderazgo *m*. ¶～이 있다 tener habilidad para el mando. ～자 líder *mf*; dirigente *mf*; jefe, -fa *mf*; [갱의] cabecilla *mf*; jefe, -fa *mf*.

통송곳 punzón *m* (*pl* punzones).

통수(通水) ① [물이 통하게 함] acción *f* de hacer el agua pasar. ～하다 hacer el agua pasar. ② [수도 없는 지역에 물을 댐] riego *m*. ～하다 regar.

통수(統帥) mando *m* supremo, poder *m* supremo, comandancia *f* general. ～하다 dirigir, guiar, comandar, tener comando (de).

■～권(權) poder *m* del supremo comando. ～자(者) líder *mf*; dirigente *mf*; comandante *m* supremo, comandante *f* suprema; jefe, -fa *mf*.

통신(通信) comunicación *f*, correspondencia *f*, información *f*, noticia *f*; [전기 통신] telecomunicación *f*. ～하다 comunicarse (con), corresponderse (con), concordar (con), informar. ～의 comunicativo, de comunicaciones. 마드리드의 ～에 따르면 según información recibida de Madrid. ～을 끊다 cortar las comunicaciones. ～을 복구하다 restablecer las comunicaciones. ～이 끊겼다 Está interrumpida la comunicación. 나는 다른 사람과 ～하기가 어렵다 Me es difícil comunicarse con los demás. 그 도시는 지진(地震) 발생 후 여러 날 동안 ～이 끊겼다 La ciudad quedó varios días sin comunicaciones después del terremoto.

◆연합(聯合) ～ prensa *f* asociada. 컴퓨터 ～ comunicaciones *fpl de* programación [por ordenador · por computador]. 합동(合同) ～ prensa *f* unida.

■～ 강의[강좌] cursos *mpl* por correspondencia. ～ 공학(工學) ingeniería *f* de comunicaciones, ingeniería *f* de las telecomunicaciones. ~ 과학 기술 위원회 comité *m* [comisión *f*] de comunicaciones, ciencia y técnica. ~ 관리(管理) dirección *f* de las comunicaiones, gerencia *f* de las comunicaciones. ~ 관서(官署) oficina *f* de comunicaciones. ~ 교수 enseñanza *f* [educacion *f*] de comunicaciones. ~ 교육 educación *f* [instrucción *f*] por correspondencia. ~기(器) equipo *m* de comunicaciones. ~ 기관(機關) medios *mpl* de comunicaciones, comunicaciones *fpl*, órgano *m* de comunicación. ~ 기구(機構) equipos *mpl* de comunicaciones. ~ 기술(技術) tecnología *f* de comunicaciones, técnica *f* de comunicación. ~ 기재(器材) =통신 기구. ~ 담당자 empleado, -da *mf* de comunicaciones. ~대(隊) cuerpo *m* de señales. ~ 대학 = 방송 통신 대학. ~ 라인 línea *f* de telecomunicación, línea *f* de transmisión. ~란(欄) correspondencia *f*, columna *f* de correspondencia. ~망(網) redes *fpl* de comunicaciones, red *f* de telecomunicaciones. ¶컴퓨터 ~ redes *fpl* de comunicaciones por el ordenador [por la computadora]. ~ 무기 armas *fpl* de comunicaciones. ~문 correspondencia *f*. ~ 방해 interferencia *f* de comunicaciones. ~병 encargado *m* de señales. ~부(簿) cartilla *f* de notas. ~비(費) gastos *mpl* [expensas *fpl*] de comunicaciones [de correspondencia]. ~ 비밀 보호법 ley *f* sobre protección de secretos en telecomunicaciones. ~사(士) radiotelegrafista *mf*. ~사(社) agencia *f* noticiera [de noticias · informativa]. ~ 사무 servicio *m* de correo y telégrafo. ~ 사업 servicio *m* de comunicaciones. ~ 서비스 servicio *m* de telecomunicaciones. ~선 líneas *fpl* de comunicación. ~소(所) oficina *f* de comunicaciones. ~ 속도(速度) velocidad *f* de transmisón. ~수(手) =통신사(通信士). ~ 시설 instalaciones *fpl* de comunicaciones. ~ 시스템 red *f* de telecomunicaciones, sistema *m* para telecomunicaciones. ~실 sala *f* de comunicaciones. ~업(業) industria *f* de comunicaciones. ~원(員) corresponsal *mf*, repórter *mf*. ~ 위성(衛星) satélite *m* de comunicaciones, satélite *m* de telecomunicaciones, telestrella *f*, telestar *m*. ~ 자유 libertad *f* de correspondencia, libiertad *f* de comunicación. ~ 장교 oficial *mf* de comunicaciones. ~ 장벽 barrera *f* de comunicación. ~ 중계 relé *m* de telecomunicación. ~ 중계 위성(中繼衛星) satélite *m* repetidor. ~ 채널 canal *m* de telecomunicación, vía *f* para telecomunicación. ~ 케이블 cable *m* de telecomunicación. ~ 컨트롤 단위 unidad *f* de control de telecomunicaciones. ~탑 torre *f* de telecomunicaciones. ~ 판매 venta *f* por correo, venta *f* por correspondencia, negocio *m* pedido por correo. ~ 판매점 casa *f* de ventas por correo. ~ 판매 주문 pedido *m* postal. ~ 판매 카탈로그 catálogo *m* de venta por correo. ~ 판매 회사 compañía *f* de venta por correo. ~ 회로 circuito *m* de telecomunicación. ~ 회의 conferencia *f* de comunicaciones.

통심(痛心) angustia *f*.

통심정(通心情) relación *f* de comunicación, entendimiento *m* cordial. ~하다 entablar una buena relación de comunicación, tener un entendimiento cordial.

통약(通約) 【수학】 =약분(約分).

통양(痛痒) ① [아프고 가려움] dolor y picazón. ② [자신에게 직접 관계되는 이해관계] interés *m*. ~을 느끼지 않다 no estar impresionado, no tener ningún interés, no importar ni pizca. 나는 조금도 ~을 느끼지 않는다 Me es indiferente / Me da igual / No me da ni calor ni frío / A mí no me importa nada.

통어(通語) =통역(通譯).

통어(統御) régimen *m*, gobierno *m*, dirección *f*, dominio *m*, control *m*. ~하다 dominar, gobernar, regir, dirigir, reprimir, controlar. 군중을 ~하다 controlar la muchedumbre.

통언(痛言) crítica *f* dura, amonestación *f*. ~하다 criticar duramente, amonestar.

통역(通譯) ① [행위] interpretación *f*, traducción *f*. ~하다 interpretar, traducir. ~하는 interpretador, -dora. ~할 수 있는 interpretable. A 씨의 ~으로 con la traducción del señor A. 연설을 ~하다 interpretar un discurso. 한글에서 서반아어로 ~하다 interpretar del coreano al español. ② [사람] intérprete *mf*, traductor, -tora *mf*. ~의 직(職) interpretariado *m*. 회의(會議)의 ~ intérprete *mf* de conferencia. ~으로 고용되다 ser tomado como intérprete. 장관의 ~을 맡다 servir de intérprete de un ministro.

◆동시(同時) ~ interpretación *f* simultánea, traducción *f* simultánea.

▪ ~관(官) intérprete *mf*, [관리] secretario, -ria *mf* intérprete. ~대학원 Escuela *f* (de) Posgrado de Interpretación (de Lenguas). ~번역대학원 Escuela *f* (de) Posgrado de Interpretación y Traducción. ~업(業) interpretariado *m*. ~자(者) intérprete *mf*, interpretador, -dora *mf*, traductor, -tora *mf*. ¶선서한 법정(法廷)의 ~ intérprete *m* jurado, intérprete *f* jurada. ~직(職) interpretariado *m*.

통용(通用) circulación *f*, uso *m* corriente, uso *m* común, validez *f*. ~하다 ser válido, tener valor, correr, estar en curso, pasar, circular, ser corriente. ~ 기한(期限)은 당일 한(當日限) utilizable solamente para el día de emisión. 이 표는 2개월 ~한다 Este billete es válido por dos meses. 이 비자는 6개월간 ~된다 Esta visa será válida (por) seis meses / Este visado será válido (por) seis meses. 이 화폐는 이제 서반아에서는 ~하지 않는다 Esta moneda ya no tiene valor en España. 꾸라사오에서는 서반아어가 ~될 수 있다 En Curaçao se puede entender en español. 그 거짓말은 ~되지 않는다 Esa mentira no sirve / Esa mentira no se acepta. 한국에서는 무슨 언어가 ~되고 있습니까? — 한국에서는 한글이 ~되고 있다 ¿Qué lengua se habla en Corea? — Se habla *hangul* [coreano] en Corea.

■ ~구(口) entrada *f* para el uso general. ~ 기간 tiempo *m* de validez, término *m* utilizable (de un billete). ~문 puerta *f* de servicio, puerta *f* de acceso, puerta *f* para el uso general. ~어 palabra *f* corriente [común], expresión *f* corriente [común]. ~ 화폐 moneda *f* corriente, dinero *m* en circulación.

통운¹(通運) [물건을 실어서 운반함] transporte *m*, transportación *f*. ~하다 transportar. ~으로 보내다 enviar [mandar] por expreso.

■~ 기관 facilidades *fpl* de transporte. ~ 법 la Ley de Transporte. ~ 비용 gastos *mpl* de transporte. ~ 서류 documento *m* de transporte. ~ 장비(裝備) equipo *m* de transporte. ~ 차량(車輛) vehículo *m* de transporte. ~ 회사(會社) compañía *f* de transportes.

통운²(通運) [트여 터진 운수] buena suerte *f*.

통유(通有) comunidad *f*. ~하다 ser común. ~의 común.

■ ~성(性) propiedad *f* común, cualidad *f* común.

통으로 ((준말)) =온통으로(todo, al por mayor). ¶~ 삼키다 tragarlo todo. ~ 팔다 vender al por mayor.

통음(痛飮) mucha bebida *f*, gaudeamus *m*. ~하다 beber mucho, estar de juerga, estar de jarana.

통인(通人) hombre *m* de mundo, conocedor *m* de las costumbres mundanas. ~인 체하다 darse por el hombre de mundo.

통인정(通人情) =통사정(通事情).

통일(統一) unificación *f*, unidad *f*, cohesión *f*, [집중] concentración *f*. ~하다 unificar; [규격을] uniformar; [집중하다] concentrar. ~이 잘된 bien unificado. ~이 없는 sin unidad mal organizado, falto de unidad; [논리 등이] incoherente. ~이 없다 carecer de unidad; [집단이] carecer de cohesión; [논리 등이] carecer de coherencia, ser incoherente. 나라를 ~하다 unificar un país. 사상(思想)을 ~하다 unificar la idea. 생각을 ~하다 concentrar el pensamiento, concentrar la idea. 의견을 ~하다 hacer una síntesis de las opiniones diversas. 당내(黨內)에 의견의 ~이 없다 No hay unidad de opiniones entre los partidarios.

◆남북(南北)~ unificación *f* del Norte y el Sur. 정신(精神) ~ concentración *f* mental. 평화 ~ unificación *f* pacífica.

■~교 Iglesia *f* de la Unificación. ~ 국가 país *m* (*pl* países) unificado. ~미 belleza *f* artística bien unificada. ~벼 arroz *m* de unificación. ~성 unidad *f*. ~안 ㉮ [통일을 위한 의안(議案)이나 법안] proyecto *m* de ley para la unificación ㉯ [여럿을 통일하여 하나로 만든 안] proyecto *m* unificado. ~ 외무 위원회 la Comisión [el Comité] de Asuntos Exteriores y Unificación. ~원 el Ministerio de la Unificación. ~ 원리(原理) principio *m* de unificación. ~원 장관 ministro, -tra *mf* de la Unificación. ~ 전선 frente *m* único. ~ 정부(政府) gobierno *m* unificado. ~ 주체 국민 회의 la Conferencia Nacional para la Unificación. ~천하 unificación *f* (de un país), dominación *f* de todo el mundo. ~체 organización *f* unificada, cuerpo *m* unificado. ~행동(行動) acción *f* única.

통장(通帳) libreta *f* de ahorros.

◆ 예금(預金) ~ libreta *f* de ahorros.

통장작(—長斫) leña *f* entera, leño *m* entero, tronco *m* entero.

통전(通電) ① [각지에 널리 통고하는 전보] telegrama *m* circular. ~하다 mandar [enviar] el telegrama circular. ② [전류를 통함] aplicación *f* de la corriente eléctrica. ~하다 aplicar la corriente eléctrica.

통절하다(痛切—) (ser) conmovedor, patético, doloroso, penoso, severo, grave, agudo. 물가 상승은 우리에게 통절한 문제다 La subida de los precios es un problema que nos afecta gravemente.

통절히 profundamente, intensamente, agudamente, apremiadamente, gravemente, severamente, penosamente, dolorosamente, conmevedoramente. ~ …의 필요를 느끼다 sentir una viva necesidad de *algo*.

통점(痛點) lunar *m* penoso.

통정(通情) ① ((준말)) =통심정. ② ((준말)) =통사정. ③ [세상 일반의 인정] manera *f* del mundo. ④ [남녀가 정을 통함] adulterio *m*. 유부녀와 ~하다 cometer adulterio con una mujer casada. ~으로 낳은 아들 hijo *m* adulterino.

통젖 =통꼭지.

통제(統制) control *m*, regulación *f*, represión *f*, freno *m*. ~하다 controlar, ejercer control (sobre), dominar, regular. ~가 있는 sistemático, bien organizado. ~할 수 있는 controlable. 물가(物價)의 ~ control *m* de precios. 통화(通貨)의 ~ control *m* de la moneda corriente.

◆가격(價格) ~ control *m* de precios. 무기(武器) ~ control *m* de armamentos. 인구(人口) ~ control *m* demográfico. 임금(賃金) ~ regulación *f* salarial [de salarios].

■~ 가격 precio *m* regulado. ~ 경제(經濟) economía *f* dirigida [reglamentada · controlada · intervenida]. ~ 그룹 grupo *m* de control. ~ 기관 agencia *f* de control. ~ 무역 comercio *m* controlado. ~법 ley *f* de control. ~부 [해군의] estación *f* naval, puerto *m* de marina. ~ 조합 asociación *f* controlada. ~품 objetos *mpl* controlados. ~ 화폐 divisa *f* controlada. ~ 화폐 자금 fondos *mpl* de moneda circulante administrados.

통조림(桶−) [행위] conservas *fpl* enlatadas, artículos *mpl* enladados, conserva *f*, [물건] lata *f* (en conservas). ～하다 enlatar, conservar en lata, guardar en cajas de hoja de lata; [과일을 병에] preparar conservas (de). ～한 enlatado, en [de] lata, conservado en lata, envasado en lata, en [de] conserva. ～한 과실 fruta *f* en conserva. ～한 쇠고기 carne *f* de vaca en conserva. 토마토 ～ 한 통 una lata [un bote · *Chi* un tarro] de tomates.

◆연어 ～ conserva *f* de salmón. 참치 ～ lata *f* de atún.

■～ 공업 industria *f* conservera, industria *f* de enlatados. ～ 공장(工場) fábrica *f* de conservas, fábrica *f* de enlatados. ～ 식품 productos *mpl* enlatados. ～업자(業者) fabricante *mf* de conservas (de lata). ～ 제조법 enlatado *m*. ～통 bote *m* (de conservas), lata *f* (de conservas), *Chi* tarro *m*.

통줄 ① [연의] cuerda *f* de la cometa. ② [낚싯줄] sedal *m*.

통줄(筒−) cuerda *f* redonda, soga *f* redonda.

통증(痛症) síntoma *m* dolorido, dolor *m*. 예리한 ～ dolor *m* agudo. ～을 멎게 하는 약(藥) analgésico *m*, sedante *m*. ～을 가라앉히다 disminuir [aliviar · calmar] el dolor. ～을 느끼다 sentir [tener] el dolor. ～을 멈추다 quitar el dolor. ～을 참다 soportar el dolor. 잠을 잘못 자 목에 ～이 생기다 coger una tortícolis durante el sueño. 찌르는 듯한 ～을 받다 sufrir [padecer] un dolor penetrante [punzante]. ～이 심하다 Se agudiza el dolor. ～이 가라앉는다 Disminuye [Se alivia · Se calma] el dolor. ～이 멈추었다 Se me fue el dolor. 이제 위(胃)의 ～이 멈추었다 Ya no me duele el estómago.

통지(通知) información *f*, anuncio *m*, aviso *m*, informe *m*, parte *f*, noticia *f*, [통고(通告)] notificación *f*, comunificación *f*. ～하다 informar, dar noticia, avisar, hacer saber, anunciar, notificar, dar parte, participar, comunicar, poner en conocimiento. ～를 받다 recibir una noticia, recibir un informe. …에게서 ～를 받다 ser informado por *uno*, ser avisado por *uno*. 오늘 귀하에게 급히 ～합니다 Hoy me apresuro a anunciarle a usted (que …). 그에게서 결혼 ～가 왔다 Me ha comunicado su casamiento. 그가 죽었다는 ～를 받았다 Me dieron la noticia [el aviso] de que él había muerto.

■～서(書) carta *f* de aviso, información *f* escrita, oficio *m*, participación *f*, anuncio *m*, aviso *m*, esquela *f*. ～ 예금 depósito *m* retirable a demanda, depósito *m* en aviso. ～표 ((준말)) ＝생활 통지표.

통짜 masa *f* entera, bulto *m* entero. 통짜로 ＝통째. 통째로.

통짜다[1] [여럿이 한동아리가 되기를 약속하다] formar una banda [una pandilla · un grupo].

통짜다[2] [부분을 모아 하나가 되게 맞추다] enmarcar, montar, ensamblar, armar.

통째 todo, enteramente, totalmente, completamente. ～ 삼키다 tragar *algo* (sin masticar), engullir. 음식물을 ～ engullir la comida. 사과를 ～ 먹다 [껍질을 벗기지 않고] morder una manzana (con corteza). 닭을 ～ 굽다 asar un pollo entero.
통째로 ＝통째.

통찰(洞察) discernimiento *m*, criterio *m*, penetración *f*, perspicaia *f*, acierto *m*. ～하다 discernir, percibir, penetrar, acertar, prever, ver a través (de), penetrar con la vista. 사태의 본질을 ～하다 penetrar la esencia del asunto.

■～력(力) perspicacia *f*, penetración *f*, visión *f*. ～이 있는 perspicaz, penetrante. 그녀에게는 대단한 ～이 있다 Ella es muy perspicaz.

통천하(統天下) ① [온 천하] todo el mundo. ② ((준말))＝통일천하(統一天下).

통철(通徹) ＝철통(鐵通).

통첩(通牒) nota *f*, notificación *f*, instrucción *f*, reporte *m*, comunicación *f*. ～하다 notificar, comunicar, informar. ～을 보내다 mandar [enviar] una notificación.

◆최후(最後) ～ ultimátum *m*.

통촉(洞燭) ((높임말)) ＝양찰(諒察).

통치(通治) cura *f* completa de todas las enfermedades. ～하다 curar todas las enfermedades.

통치(統治) reinado *m*, dominio *m*, gobierno *m*. ～하다 reinar, dominar, gobernar, regir. 국민을 ～하다 reinar sobre un pueblo. 나라를 ～하다 gobernar un país, reinar en un país. …의 ～ 아래 있다 estar gobernado por *algo* · *uno*, estar bajo el dominio de *algo* · *uno*.

◆신탁(信託) ～ fideicomiso *m*. 위임(委任) ～ mandato *m* internacional. 위임 ～국 estado *m* mandatario. 위임 ～령 territorio *m* bajo mandato.

■～권(權) soberanía *f*, poder *m* soberano, poder *m* supremo. ～ 기관 órgano *m* del gobierno. ～자 gobernador, -dora *mf*, [군주(君主)] soberano *m*. ～ 제도 sistema *m* reinante. ～지(地) territorio *m* reinante.

통치(痛治) ＝엄치(嚴治).

통치마 *tongchima*, falda *f* de una sola pieza (sin costuras).

통칙(通則) ＝통규(通規).

통칭(通稱) nombre *m* común [popular · familiar · corriente], alias *m*. 그는 …가 ～으로 되어 있다 Le llaman corrientemente *algo*.

통쾌감(痛快感) sentimiento *m* emocionante.

통쾌하다(痛快−) (ser) emocionante. 통쾌한 이야기 historia *f* emocionante. …하는 것은 ～ Es muy [extremadamente] emocionante ＋ *inf*. 그는 통쾌한 남자다 El tiene ánimo [energía] / El es un hombre de espíritu dinámico. 참 통쾌하구나 ¡Tú lo mereces! / ¡Lo tienes merecido! / ¡Te está muy bien

empleado! / ¡Te lo has ganado bien!
통쾌히 emocionantemente.

통타(痛打) ① [통쾌하게 때림] golpe *m* aplastante. ~하다 dar un golpe aplastante. ② =강타(强打).

통탄(痛歎) lamentación *f* profunda, aflicción *f* amarga. ~하다 lamentarse, afligirse, apenarse, lamentar profundamente, afligirse amargamente, deplorar.

통탕 dando una patada.
통탕거리다 seguir dando una patada.

통터지다 echarse a + *inf*, ponerse a + *inf*, romper a + *inf*., explotar, estallar, hacer explosión. 울음이 ~ echarse a llorar, ponerse a llorar, romper a llorar. 웃음이 ~ echarse a reír, saltar una carcajada.

통통[1] [연해 나는 통 소리] dando unas patadas, aporreando, golpeando, con fuertes latidos. 마루를 ~ 구르다 aporrear en el suelo.
통통거리다 aporrear, golpear, palpitar, latir con fuerza, retumbar. 문을 ~ aporrear [golpear] la puerta. 탁자를 ~ aporrear [golpear] la mesa. 트럭이 통통거리면서 지나간다 Los camiones pasan retumbando.
▪ ~배 lancha *f* a motor, motora *f*.

통통[2] [몸피가 붓거나 살지거나 불어서 굵은 모양] gordamente, rechonchamente, corpulentamente. ~하다 (ser) gordo, rechoncho, corpulento, lleno; [얼굴·볼·다리가] regordete; [어린이·사람이] gordinflón, regordete, rellenito, rechoncho. 볼이 ~한 mofletudo. ~한 볼 mejillas *fpl* mofletudas. ~하게 살찐 여자 mujer *f* rellenita, mujer *f* gordita, mujer *f* rechoncha, bolita *f* de grasa. ~한 젖가슴 pecho *m* lleno.

통틀어 totalmente, en total. ~ 다섯 cinco en total. ~ 얼마입니까? ¿Cuánto es en total? 책은 ~ 100권입니다 Hay cien libros en total. ~ 손님은 열 명이었다 Había diez invitados en total.

통팥 judía *f* roja entera.

통폐(通弊) vicio *m* común, maldad *f* usual.

통풍(通風) ventilación *f*, aireación *f*, corriente *f* del aire, aireamiento *m*. ~이 잘된 bien aireado [ventilado]. ~이 나쁜 mal aireado [ventilado]. ~성이 좋은 천 tejido *m* transpirable. 방의 ~을 시키다 airear [ventilar] una habitación.
▪ ~공(孔) agujero *m* de ventilación, (conducto *m* de) ventilación. ~관 conducto *m* [tubo *m*] de ventilación, cañería *f* de aireación, ventilador *m*. ~구(口) trampilla *f*, escotillón *m*, ventilador *m*. ~기 ventilador *m*, aventador *m*. ~로(爐) horno *m* ventilante. ~ 장치(裝置) ventilador *m* (de excusados), instalación *f* de ventilación. ~창(窓) ventana *f* de ventilación, ventanita *f* (para la ventilación). ~통 ventilador *m*. ~ 환기 ventilador *m*.

통풍(痛風) 【한방】 gota *f*; [관절염] artritis *f*, reumatismo *m*. ~에 걸리다 sufrir de gota, tener un ataque de gota.
▪ ~ 환자(患者) gotoso, -sa *mf*.

통하다(通-) ① [막힘이 없이 트이다] llevar (a), conducir (a), dar (a). 골목은 안뜰로 통했다 El callejón llevaba [conducía] a un pequeño patio.
② [(서로 사귀어 말이나 의사 교환이) 순조롭다] comprenderse bien, entenderse bien. 마음이 ~ simpatizar. 의지를 통하게 하다 comunicar sus intenciones (a). 두 사람은 마음이 서로 잘 통한다 Los dos se comprenden [se entienden] bien. 두 사람은 마음이 통했다 Se han encontrado dos almas / Simpatizaron los dos. 이 그림에는 화가의 마음이 통하고 있다 En esta pintura bien palpita el corazón del pintor. 두 사람은 마음이 잘 통한다 Los dos se entienden muy bien. 내 진의(眞意)가 그에게는 통하지 않는다 El todavía no entiende mi verdadero propósito. 그에게는 농담이 통하지 않는다 El no capta [coge] las bromas.
③ [(말이나 문장 따위가) 막힘이 없다] entender. 그에게는 영어가 통하지 않는다 El no entiende inglés. 서반아(西班牙)에서 내 서반아어로도 통했다 Entendieron mi español incluso en España.
④ [(어느 분야에 능하여) 환히 알다] ser conocedor (de), estar versado (en). 음악에 ~ estar versado en música, conocer muy bien la música. 그는 정계(政界)의 사정에 통한다 El está (muy) al corriente de la situación política.
⑤ [길 따위가 이르다. 다다르다. 이어지다] conducir, ir, llevar, seguir, dar, comunicar, acostumbrarse a ir [ir regularmente] (a), frecuentar. 저 마을에는 버스가 통한다 A aquella aldea van los autobuses / A aquella aldea hay servicio de autobuses. 로마로 통하는 길 camino m que lleva a Roma. 이 길은 서울로 통한다 Este camino lleva [conduce · va] a Seúl. 문은 거실로 통한다 La puerta da al [comunica con el] cuarto de estar. 이 마을에는 아직 철도가 통하지 않고 있다 A este pueblo todavía no ha llegado el ferrocarril. 마을까지 버스가 통하고 있다 Se ha puesto un servicio de autobuses hasta el pueblo. 이 길은 역으로 통하고 있다 Por este camino se va a la estación / Este camino conduce [va · lleva] a la estación. 밭은 숲으로 통하고 있다 Al bosque sigue los campos.
⑥ [비밀히 연락이나 관계를 맺다] ㉮ [내통하다] comunicar secretamente (con). 적과 ~ [내통하다] comunicarse secretamente con el enemigo. ㉯ [정을] cometer el adulterio (con), tener relaciones (sexuales) (con). 가정부와 ~ [간음하다] [남편이] tener relaciones (sexuales) con la criada.
⑦ [전체에 미치다] ¶일 년(一年)을 통하여 durante todo el año. 일생(一生)을 통하여 durante toda la vida. 전 세계를 통하여 por [en] el mundo entero.
⑧ [사이에 세워서 중개하게 하다] ¶A씨를 통하여 por mediación [por medio · por

conducto] del señor A. 라디오나 텔레비전을 통하여 por la radio o por la televisión. 공통의 정책을 통하여 a través de una política común. 친구를 통하여 a través [por conduto · por intermedio] de un amigo. 창유리를 통하여 a través del cristal de la ventana. 문학을 통하여 인간을 연구하다 estudiar el hombre a través de la literatura. 커튼을 통하여 보다 mirar a través de la cortina. 나무 사이를 통하여 보다 mirar por entre los árboles. 친구를 통하여 편지를 받다 recibir una carta a través de un amigo.

⑨ [(소변·대변 따위가) 몸 밖으로 배설되다] evacuarse, excretarse. 대변(大便)이 ~ evacuarse el excremento.

⑩ [전류가 흐르다] fluir. 전류가 통하고 있다 La corriente eléctrica está fluyendo. 전류가 강하게 통하고 있었다 La corriente eléctrica era muy fuerte.

통학(通學) ida *f* a la escuela, asistencia *f* a la escuela. ~하다 ir a la escuela, acostumbrarse a ir [ir regularmente], ir y venir de la escuela. 버스로 ~하다 (acostumbrarse a) ir a [ir y venir de] la escuela en autobús.

■~ 구역 distrito *m* escolar. ~생 [집에서 다니는 학생] alumno *m* externo, alumna *f* externa. ~ 열차 tren *m* para los alumnos externos.

통한(痛恨) pena *f* profunda, sentimiento *m* profundo, lástima *f*, contrición *f*. ~하다 dolerse mucho, contristarse. 이런 사건이 일어난 것은 ~지사(之事)다 Es muy lamentable que haya ocurrido este accidente.

■~사(事) asunto *m* de pena profunda.

통할(統轄) intendencia *f*, superintendencia *f*, gobierno *m*. ~하다 administrar, dirigir, gobernar, presidir, superentender.

■~ 구역(區域) área *f* bajo el control dircecto.

통합(統合) integración *f*, unificación *f*, unidad *f*, síntesis *f*. ~하다 integrar, unificar, sinterizar. 국민 ~의 상징(象徵) símbolo *m* de la unidad nacional [del pueblo]. 유럽을 ~하다 integrar Europa. 두 학교를 ~하다 unificar dos escuelas.

◆경제(經濟) ~ integración *f* económica. 산업(産業) ~ integración *f* industrial. 시장(市場) ~ integración *f* de mercados. 유럽 ~ integración *f* de Europa.

■~ 기금 fondo *m* de integración. ~주의자 integracionista *mf*.

통항(通航) navegación *f*. ~하다 navegar.

■~권 derecho *m* de navegación. ~료(料) precio *m* de navegación. ~세 derechos *mpl* de navegación.

통행(通行) paso *m*, tránsito *m*, circulación *f*, [왕래] ida *f* y vuelta. ~하다 pasar, transitar, circular. 자동차의 ~ tránsito *m* [paso *m*] de automóviles. ~을 금지하다 prohibir el paso (a). ~을 방해(妨害)하다 impedir [obstruir · interrumpir] la circulación (a). ~을 허가하다 dar paso (a), permitir el paso (a). 이 돌은 ~을 방해한다 Esta piedra estorba el paso [para pasar]. 이 길은 자동차로 ~할 수 있다 Por este camino se puede ir en coche.

◆우측(右側)~ ((게시)) Circule por la derecha / Manténganse a la derecha. 일방(一方)~ ((게시)) dirección única, una vía. 좌측(左側)~ ((게시)) Circule por la izquierda / Manténganse a la izquierda.

■~권(券) pase *m*. ~ 규정 reglamento *m* de tránsito. ~금지(禁止) ㉮ [출입 금지] prohibición *f* de entrada y salida, prohibición *f* de(l) paso. ¶~를 시키다 cerrar completamente el camino, cerrar el pase [el paso · el camino] (a). ~(함)! ((게시)) Prohibido el paso / Se prohíbe el paso / No se pase / Calle cortada. 차량(車輛) ~ ((게시)) Prohibido el paso de los vehículos. ㉯ [야간 외출 금지] toque *m* de queda. ~ 중이다 estar bajo toque de queda. 나는 ~ 이후에 나갔다 Salí después del toque de queda. ~료 peaje *m*, *Méj* cuota *f*. ~료 징수 도로 carretera *f* de peaje, *Méj* carretera *f* de cuota. ~료 징수소 barrera *f* de peaje. ~료 징수 터널 túnel *m* de peaje, *Méj* túnel *m* de cuota. ~세 peaje *m*, tasa *f*, portazgo *m*. ~인 transeúnte *mf*, [보행자] peatón *m* (*pl* peatones), peatona *mf*. ~증 permiso *m* de circulación, salvoconducto *m*.

통혈(通穴) (conducto *m* de) ventilación; [광산의] respiradero *m*.

통호(通好) amistad *f*, relación *f* íntima. ~하다 entrar en la relación íntima.

통혼(通婚) casamiento *m*, matrimonio *m*, matrimonio *m* [casamiento *m*] mutuo que se celebra entre dos familias. ~하다 casarse, casarse mutuamente cuatro o más personas de dos familias.

통화(通貨) 【경제】 moneda *f* corriente, moneda *f* [dinero *m*] (en circulación). ~의 monetario. ~의 제정(制定) monetización *f*. ~로 정하다[발행하다] monetizar.

■~ 가치(價値) valor *m* monetario. ~ 개혁 reforma *f* monetaria. ~고 ((준말)) =통화 발행고. ~ 공급량 masa *f* monetaria. ~ 관리 administración *f* monetaria. ~ 기금(基金) fondo *m* monetario. ¶국제 ~ Fondo *m* Monetario Internacional, F.M.I. *m*. ~ 단위(單位) unidad *f* monetaria. ~량 cantidad *f* de moneda en circulación. ~ 발행 emisión *f* de papel moneda. ~ 발행고 cantidad *f* emitada de circulación. ~ 수축 deflación *f* (monetaria), contracción *f* del papel moneda. ~ 시장(市場) mercado *m* monetario, mercado *m* de divisas. ~ 안정 estabilización *f* monetaria. ~ 안정 계획 esquema *m* de estabilización monetaria. ~ 안정 기금(安定基金) fondo *m* de estabilización monetaria. ~ 위기(危機) crisis *f* monetaria, riesgo *m* de una divisa.. ~ 위조죄(僞造罪) falsificación *f* de moneda en circulación. ~ 유입(流入) flujo *m* de moneda corriente. ~ 유출(流出) efusión *f* de moneda corriente. ~ 유통 circulación *f* monetaria. ~ 인플레이션 inflación *f* monetaria. ~ 정책 política *f* monetaria. ~ 제도(制度) sistema *m* monetaria. ~ 조절 regulación *f* monetaria. ~주의 principio *m* monetario. ~ 통제 control *m* monetario. ~ 팽창 inflación *f* (monetaria), emisión *f* excesiva del papel moneda, contracción *f* del papel moneda. ~ 평가 절상 revalorización *f* monetaria. ~ 하락 devaluación *f* monetaria.

통화(通話) llamada *f*, conferencia *f*, comunicación *f* telefónica. ~하다 llamar por teléfono. ~ 중입니다 [전화에서] La línea está ocupada.

■~료 coste *m* de llamada, coste *m* por una comunicación telefónica, tarifa *f* de mensaje telefónico. ~수 número *m* de llamadas. ~실 cabina *f* telefónica, cabina *f* de teléfonos.

통환(通患) ① [일반에 공통되는 걱정] aprensión *f* universal. ② [어느 곳이나 또는 어느 사람이나 두루 가지고 있는 폐해] mal *m* universal.

통회(痛悔) ① [몹시 뉘우침] mucho arrepentimiento. ② ((천주교)) contrición *f*.

통효(通曉) maestría *f*, dominio *m*.

통후추 pimienta *f* entera.

툽다[1] [샅샅이 더듬어 뒤지면서 찾다] buscar por todas partes.

툽다[2] [삼을 톱으로 눌러 훑다] ablandar y extender la mata de cáñamo.

퇴(退) ① =물림. ② ((준말)) =툇마루. ③ ((준말)) =툇간.

퇴(堆) 【지질】 parte *f* poco profunda de la plaltaforma continental.

퇴각(退却) ① [(전투 따위에 져서) 뒤로 물러감] retiro *m*, retirada *f*; [후퇴] reculada *f*, retroceso *m*. ~하다 retirarse, retroceder, recular, batirse en retirada. 예정된 ~ retirada *f* predispuesta. ~시키다 evacuar, retirar. ~을 엄호하다 cobijar la retirada. 부대를 ~시키다 evacuar [retirar] los ejércitos. ② [(물품 따위를 받지 않고) 물리침] rechazo *m*. ~하다 rechazar.

◆총~ retirada *f* general.

■~군(軍) ejército *m* en retirada. ~ 나팔 retreta *f*. ~로(路) ruta *f* de retirada. ~ 명령 orden *f* de retirada. ~선 línea *f* de retirada.

퇴거(退去) ① [물러감] retirada *f*, salida *f*. ~하다 retirarse (de), salir (de). ② [거주를 옮김] traslado *m*, evacuación *f*, [세든 사람 몰아내기] desahucio *m*. ~하다 trasladarse (de), evacuar, desalojar; [명도하다] evacuar. ~시키다 deshuciar. 주민(住民)을 마을에서 ~시키다 ordenar a los habitantes evacuar el pueblo.

■~료 compensación *f* por el desahucio. ~ 명령 orden *f* de evacuar el lugar. ~ 신고 registro *m* de evacuación. ~처 nuevo domicilio *m*; [일시의] domicilio *m* temporal; [피난처] lugar *m* de refugio.

퇴경(退京) salida *f* de Seúl, salida *f* de la capital. ~하다 salir de Seúl, salir de la capital.

퇴고(推敲) alambicamiento *m*. ~하다 alambicar dicciones.

퇴골(腿骨) 【해부】 =다리뼈.

퇴관(退官) dimisión *f* del oficio, jubilación *f*. ~하다 dimitir del oficio, dimitir (de) un cargo, jubilarse.

퇴교(退校) retirada *f* de la escuela, abandono *m* de los estudios; [처분] expulsión f de la escuela. ~하다 dejar [abandonar] los estudios (de la escuela), abandonar la escuela. ~시키다 expeler de la escuela. ☞ 퇴학(退學)

퇴군(退軍) retirada *f*, retiro *m*; [후퇴] reculada *f*, retroceso *m*. ~하다 retirarse, retroceder, recular.

퇴궐(退闕) salida *f* del palacio. ~하다 salir del palacio.

퇴근(退勤) salida *f* de la oficina. ~하다 salir de la oficina. ~ 시간 hora *f* de salida [de retirada] (de la oficina).

퇴기(退妓) *kisaeng* retirada.

퇴기다 ① [힘을 모았다가 갑자기 탁 놓아 내뻗치다] saltar. ② [건드려서 갑자기 튀어 달아나게 하다] tirar.

퇴내다 estar hastiado (de la comida).

퇴락(頹落) deterioro *m*, ruina *f*, decadencia *f*, descomposición *f*. ~하다 deteriorarse, descomponerse, pudrirse. 집은 ~했다 Las casas estaban en un estado ruinoso.

퇴로(退路) camino *m* de retirada [de huida · de escape]. ~를 잃다 perder todos los medios de escape. 적의 ~를 끊다 cortar la retirada al enemigo.

퇴물(退物) ① [윗사람이 쓰던 것을 물려준 물건] cosa *f* heredada. ② [퇴박맞은 물건] cosa *f* rehusada. ③ [그 직업에서 물러난 사람] ex-, ex- … degenerado [depravado].

■~ 군인(軍人) ex-soldado *m* degenerado [depravado]. ~ 복서 ex-boxeador *m*.

퇴물림 ① =큰상물림. ② =퇴물❶. ③ =퇴물❷.

퇴박맞다(退－) ser rehusado.

퇴박하다(退－) rehusar.

퇴보(退步) retroceso *m*, regresión *m*, retrogradación *f*, regreso *m* a la barbarie. ~하다 retroceder, retrogradar, volver a la barbarie. 문명(文明)의 ~ retroceso *m* de la civilización.

퇴비(堆肥) pila *f* de abono vegetal, fimo *m*, estiércol *m*, lugar *m* donde se amontonan desechos para preparar abono. ~를 주다 abonar, fertilizar. 땅[논]에 ~를 주다 abonar la tierra [el arrozal].

■~장(場) esterquero *m*, esterquilinio *m*, estercolar *m*, estercolero *m*.

퇴사(退社) retirada *f* de la compañía [de la firma · de la sociedad]; [법률상의] terminación *f* de miembro, terminación *f* de socio; [귀가] salida *f* de la compañía.. ～하다 retirarse (de la compañía); [귀가하다] salir de la compañía.

퇴산(退散) dispersión *f*, [패퇴] derrota *f*, [도주] huida *f*, fuga *f*. ～하다 despersarse, expelerse, derrotarse, huirse, retirarse.

퇴색(退色/褪色) descoloración *f*, descoloramiento *m*, pérdida *f* gradual de color. ～하다 descolorarse, descolorizarse, desteñirse, perder el color, palidecer. ～된 descolorido, pálido. ～되지 않은 que no pierde, que no palidece, que no se descolora, de color fijo. ～하기 쉬운 fugitivo, que se descolora fácilmente, que destiñe pronto. ～하기 쉬운 색 color *m* fugitivo. ～한 모자 sombrero *m* descolorado. ～시키다 descolorar, desteñir.

■ ～법(法) manipulación *f* de blanqueo.

퇴석(退席) retirada *f* (del asiento). ～하다 levantarse del asiento, salirse, retirarse.

퇴석(堆石) ① 【지질】 morena *f*. ② [돌을 높이 쌓음] pila *f* de piedras.

■ ～층(層) capa *f* de morena.

퇴세(頹勢) tendencia *f* declinante, situación *f* declinante. ～를 만회하다 restablecer una situación declinante.

퇴속(退俗) retirada *f* del sacerdocio budista. ～하다 retirarse del sacerdocio budista.

퇴속(頹俗) costumbres *fpl* corruptas, decadencia *f*.

퇴역(退役) retiro *m* (militar). ～하다 retirarse. ～한 retirado. ～시키다 retirar. 강제로 ～시키다 obligar a retirarse.

■ ～ 군인 militar *m* retirado; soldado *m* retirado, soldada *f* retirada. ～ 연금(年金) pensión *f* de jubilación, pensión *f* retirada. ～ 연령 edad *f* de retiro. ～ 장교 oficial *m* retirado, oficial *f* retirada. ～ 장군 general *m* retirado, general *f* retirada. ～함 buque *m* [barco *m*] de guerra fuera de servicio.

퇴염(退染) descoloración *f*.

퇴영(退嬰) vacilación *f*, conservatismo *m*.

■ ～적 vacilante; [보수적] conservador; [소극적] poco emprendedor. ～ 정책 política *f* conservadora. ～주의 conservatismo *m*, principio *m* conservativo, disposición *f* a ser conservador.

퇴운(頹運) ＝쇠운(衰運).

퇴원(退院) salida *f* del hospital, retirada *f* del hospital. ～하다 salir del hospital, ser dado de alta, dejar el hospital.

■ ～일(日) día *m* de salida del hospital.

퇴위(退位) abdicación *f*. ～하다 abdicar (el trono). ～시키다 deponer, derrocar. ～를 강요(强要)하다 obligar*le a uno* a abdicar.

퇴일보하다(退一步－) echarse atrás (*algo*·*uno*), retroceder (ante *algo*·*uno*).

퇴임(退任) jubilación *f*, retiro *m* de oficio. ～하다 jubilarse, retirarse de oficio, resignar *su* puesto.

퇴장(退場) salida *f* (de un local), acción *f* de irse [marcharse]; [무대에서, 1인의] mutis *m*; [2인 이상의] vanse *m*. ～하다 salir (de), retirarse, irse, marcharse. ～을 명령하다 ordenar que salga *uno* de un local, expeler. 잠자코 ～하다 hacer mutis. 그는 ～당했다 ((운동)) El fue expulsado del campo [de juego].

퇴장(退藏) tesoro *m* escondido. ～하다 guardar sin aprovechar, acaparar, esconder, acumular, juntar.

■ ～ 물자 objetos *mpl* escondidos. ～ 화폐 moneda *f* escondidas.

퇴적(堆積) acumulación *f*, montón *m* (*pl* montones), pila *f*, hacina *f*, cúmulo *m*, amontonamiento *m*; 【지학】 sedimentación *f*. ～하다 acumularse, apilarse, amontonarse, sedimentarse.

■ ～물(物) depósito *m*. ～암(巖) roca *f* sedimentaria. ～ 작용(作用) acción *f* sedimentaria. ～층 capa *f* sedimentaria. ～ 평야 llanura *f* aluvial.

퇴정(退廷) salida *f* [retirada *f*] del tribunal. ～하다 salir [retirarse] del tribunal. ～을 명하다 mandar salir del tribunal.

퇴조(退潮) ① [썰물] marea *f* menguante, reflujo *m*. ② [왕성하던 세력이 쇠퇴함] decadencia *f*. 경기(景氣)는 ～의 기미를 보이고 있다 La coyuntura económica muestra indicios de decadencia.

■ ～기(期) período *m* de reflujo.

퇴주(退酒) vino *m* sacrificial vaciado del vaso.

■ ～기(器) ＝퇴줏그릇. ～잔(盞) ㉮ [제사 때 올린 술을 물린 술잔] vaso *m* que se vaciaba el vino en el servicio funeral. ㉯ [권하거나 드리다가 퇴박맞은 술잔] vaso *m* rehusado. ～ㅅ그릇 recipiente *m* para el vino rehusado.

퇴직(退職) retiro *m*, jubilación *f*, [사직] dimisión *f*, renuncia *f*. ～하다 retirarse (del servicio), jubilarse; [사직하다] renunciar, dimitir. ～한 jubilado, retirado. ～시키다 jubilar, retirar. ～을 명하다 ordenar*le a uno* el retiro. 사업에서 ～하다 retirarse del negocio. 연금(年金)을 받고 ～하다 jubilarse con pensión. 그는 조기(早期) ～했다 El se jubiló anticipadamente. 그는 내년에 정년～한다 El se jubila el año que viene. 그들은 ～하고 외국에 살러 갔다 Cuando ellos se jubilaron se fueron a vivir al extranjero. 예순 살 이상의 모든 사람들은 부득이 ～했다 Obligaron a jubilarse a todos los mayores de sesenta años de edad. ～하신 지 얼마나 되었습니까? ¿Cuánto tiempo hace que está jubilado [que se jubiló]? 나는 ～하려면 아직 많이 남았다 Me falta mucho para jubilarse. 그는 ～이 얼마 남지 않았다 Le falta poco para jubilarse.

◆ 강제(强制) ～ jubilación *f* obligatoria. 정년(停年)～ retiro *m* por edad. 조기(早期) ～ jubilación *f* anticipada.

■ ～ 계획 plan *m* de jubilación. ～ 공무원 funcionario *m* (público) retirado, funcionaria *f* (pública) retirada. ～금 pensión *f* de retiro, pensión *f* de jubilación. ~ 기금(基金) fondo *m* de retiros. ~ 보험 증권(保險證券) póliza *f* de jubilación. ~ 소득(所得) jubilación *f*. ~ 수당(手當) asignación *f* por retiro, jubilaciones *fpl*. ~ 수입 jubilación *f*. ~ 수입 기금 fondo *m* de jubilaciones. ~ 연금 pensión *f* de retiro, pensión *f* de jubilación, *Per* jubilación *f*. ~ 연금법(年金法) derechos *mpl* de pensión de jubilación. ~ 연령(年齡) edad *f* para jubilarse. ~자 retirado, -da *mf*; jubilado, -da *mf*; persona *f* jubilada; persona *f* retirada. ~자 공동 생활체 complejo *m* habitacional para jubilados. ~자 주택 지구 =퇴직자 공동 생활체. ~ 장교(將校) oficial *m* retirado, oficial(a) *f* retirada. ~ 적립금(積立金) reserva *f* para la pensión de jubilación.

퇴진(退陣) ① [군사의 진지를 뒤로 물림] retirada *f* del campo. ~하다 decampar, alzar el real. ② [공공의 지위나 사회적 지위에서 물러남] retiro *m*. ~하다 retirarse. 국무총리에게 ~을 강요하다 compeler al primer ministro a que se retire.

퇴짜(退-) rechazo *m*, rechazamiento *m*, repulsa *f*.
◆퇴짜(를) 놓다 rechazar, rehusar, dar calabazas. 그는 그녀를 퇴짜 놓았다 Ella le dio calabazas. 퇴짜(를) 맞다 ser rechazado, recibir calabazas, recibir una repulsa.

퇴청(退廳) salida *f* de la oficina (gubernamental). ~하다 salir de la oficina (gubernamental).
▪ ~ 시간(時間) hora *f* de cerrar la oficina.

퇴촌(退村) retirada *f*, salida *f*. ~하다 retirar, salir.

퇴출(退出) salida *f*. ~하다 salir.

퇴치(退治) subyugación *f*, supresión *f*; [박멸] exterminio *m*, exterminación *f*. ~하다 subyugar, rendir, sujetar, sojuzgar, exterminar. 쥐를 ~하다 exterminar los ratones.

퇴침(退枕) almohada *f* de madera cuadrada.

퇴폐(頹廢) [타락] degeneración *f*, corrupción *f*; [쇠퇴] decadencia *f*, deterioro *m*, decaecimiento *m*, ruina *f*. ~하다 degenerar, corromperse, decaer, deteriorarse, arruinarse.
▪ ~기 período *m* de decadencia. ~ 문학 literatura *f* decadente. ~적 decadente. ~주의 decadencia *f*. ~파 escuela *f* decadente. ~ 풍조 tendencia *f* decadente.

퇴풍(頹風) costumbre *f* decadente.

퇴하다(退-) ① [주는 물품을 물리치다] rechazar. ② [다시 무르다] cancelar la compra. ③ [더한 것을 덜어내다] sacar el exceso.

퇴학(退學) retirada *f* de la escuela, abandono *m* de estudios, aviso *m* de dejar la escuela, anuncio *m* de abandonar la escuela. ~하다 abandonar [dejar] los estudios (de la escuela), abandonar la escuela. ~시키다 expeler de la escuela.
▪ ~계 aviso *m* de abandono de estudios. ~생 estudiante *m* abandonado de estudios. ~ 처분(處分) expulsión *f*, levantamiento *m* de expediente.

퇴행(退行) degradación *f*; [정신 분석] regresión *f*. ~하다 degradar. ~성의 병(病) enfermedad *f* degenerativa.
▪ ~기(期) período *m* degenerativo.

퇴혼(退婚) infracción *f* de la promesa de matrimonio. ~하다 romper el compromiso.

퇴화(退化) degeneración *f*, retroceso *m*. ~하다 degenerar, retroceder. ~한 degenerado.
▪ ~ 기관(機關) rudimentos *mpl*, órgano *m* rudimentario. ~ 동물(動物) animal *m* degenerado. ~ 작용(作用) proceso *m* de degeneración.

퇴회(退會) separación *f*, retirada *f* de una sociedad. ~하다 separarse [retirarse] (de una sociedad · de una asociación), abandonar [dejar] (una sociedad).
▪ ~계[신고] notificación *f* [aviso *m*] de separación.

툇기둥(退-) columna *f* de una veranda.

툇도리(退-) viga *f* de una veranda.

툇마루(退-) corredor *m* que da al exterior en la casa coreana, veranda *f* descubierta, veranda *f* de la casa coreana, suelo *m* de la galería coreana.

툇보(退-) viga *f* transversal de una veranda.

투(套) ① [버릇이 된 일] manera *f*, modo *m*. ② [일의 법식(法式)] forma *f*, estilo *m*. ③ [무슨 일을 하는 품이나 솜씨] habilidad *f*.

투강(投江) lo que se arroja en el río. ~하다 arrojarse en el río.

투견(鬪犬) ① [개끼리 싸움 붙임] pelea *f* de perros. ② [싸움개] perro *m* de pelea, perro *m* para lucha.

투계(鬪鷄) ① [닭끼리 싸움 붙임] pelea *f* de gallos, *AmS* riña *f* de gallos. ② [싸움닭] gallo *m* de pelea, *AmS* gallo *m* de riña.
▪ ~장(場) gallera *f*.

투고(投稿) contribución *f*. ~하다 escribir, colaborar, enviar (a). 신문에 ~하다 enviar un artículo a un periódico, escribir para un periódico, colaborar en un periódico.
▪ ~란(欄) columna *f* de lectores. ~자(者) contribuidor, -dora *mf*; colaborador, -dora *mf*.

투과(透過) transmisión *f*. ~하다 transmitir, atravesar. ~할 수 있는 permeable. 엑스선은 인체를 ~한다 Los rayos X atraviesan el cuerpo humano.
▪ ~성(性) permeabilidad *f*.

투광기(投光器) proyector *m*.

투구 casco *m*; [옛날의 면(面)이 달린 투구] celada *f*; [챙이 달린 투구] morrión *m* (*pl* morriones). ~를 쓰다 ponerse el casco. 이어 붙인 ~는 없고 아무 장식도 없는 챙이 달린 ~가 있었던 것이다 ((El Quijote)) Era que no tenían celada de encaje, sino morrión simple.

투구(投球) lanzamiento *m* (de la pelota). ~하다 lanzar la pelota, pitchear.
▪ ~법(法) lanzamiento *m*.

투구(鬪狗) =투견(鬪犬).

투구(鬪毆) pelea *f* y golpe entre sí. ～하다 pelearse y golpearse.
투구벌레 【곤충】 lucano *m*, ciervo *m* volante.
투구풍뎅이 【곤충】 ＝투구벌레.
투그리다 (los animales) gruñir para pelearse.
투기(投棄) abandono *m*. ～하다 abandonar.
투기(投機) especulación *f*, especulación *f* aislada, especulación *f* eventual. ～하다 especular. ～로 por especulación. 사는 쪽의 ～ especulación *f* alcista. 내림 시세의 ～ especulación *f* a la baja. 무모한 ～ especulación *f* fuerte. 위험한 ～ especulación *f* peligrosa. 전매(轉賣)를 위한 매점 ～ especulación *f* a muy corto plazo. ～에 손을 대다 especular, jugar a la bolsa, meterse en especulación. 곡물(穀物)에 ～하다 especular sobre [en] los granos.
◆주식 ～ especulación *f* bursátil. 토지(土地) ～ especulación *f* en terrenos.
▪～ 거래 comercio *m* especulativo. ～ 공황(恐慌) pánico *m* especulativo. ～ 구매 compra *f* especulativa. ～꾼 especulador, -dora *mf*, bolsista *mf*. ¶ 담보가 없는 ～ especulador, -dora *mf* a la baja sin provisión de fondos. 무모한 ～ especulador, -dora *mf* fuerte. 부동산(不動産) ～ especulador *m* inmobiliario, especuladora *f* inmobiliaria. 사는 쪽의 ～ especulador, -dora *mf* alcista. 소액(少額) ～ especulador, -dora *mf* minorista; especulador *m* pequeño, especuladora *f* pequeña. 전매(轉賣)를 위한 매점 ～ especulador, -dora *mf* a muy corto plazo. 직업 ～ especulador, -dora *mf* profesional. 파산 ～ especulador, -dora *mf* insolvente. ～ 매매 compraventa *f* especulativa. ～ 목적(目的) finalidad *f* especulativa, fin *m* especulativo. ～ 무역 comercio *m* especulativo. ～ 사업 empresa *f* especulativa. ～성 especulativa *f*. ～성 매입 compra *f* especulativa. ～ 시장 mercado *m* especulativo. ～심(心) espíritu *m* especulativo, tendencia *f* especultiva. ～업자 especulador, -dora *mf*. ～열 manía *f* por especulación. ～자 especulador, -dora *mf*. ～ 자금(資金) fondo *m* especulativo. ～적 especulativo. ～ 투자(投資) inversión *f* especulativa.
투기(妬忌) celos *mpl*, envidia *f*. ～하다 envidiar, tener envidia, sentir el bien ajeno. ～하는 자는 자신의 열등(劣等)을 인정하는 것이다 ((서반아 속담)) Si envidias a un hombre, por inferior a él te reconoces (네가 한 사람을 ～하면 너는 그 사람보다 못함을 인정한 것이다). ～하는 자는 결코 행복하지 못했다 ((서반아 속담)) El envidioso nunca fue dichoso (～는 어느 누구도 행복하게 하지 못했다). ～와 열병(熱病)은 앓고 있는 자를 죽인다 ((서반아 속담)) La envidia y las fiebres, matan al que las padece.
▪～심(心) (espíritu *m* de) envidia *f*, corazón *m* de celos.
투기(鬪技) ① [곡예·운동 등의 재주를 서로 다툼] concurso *m*, competición *f*, competencia *f*. ② [유도·레슬링 등의 맞붙어 싸우는 경기] combate *m*.
투깔스럽다 (ser) grosero, basto, ordinario, tosco.
투깔스레 groseramente, bastamente, toscamente, ordinariamente.
투덕거리다 dar golpecitos, tocar ligeramente con la mano, tocar de una manera suave y cariñosa.
투덕투덕하다 (ser) rellenito, llenito, regordete, gordo.
투덜거리다 rezongar, refunfuñar, gruñar, gruñir, regañar, murmurar (entre dientes), quejarse, decir entre; [화가 나서] rumiar. 그는 늘 투덜거린다 El no deja de quejarse. 너는 늘 이상한 말로 투덜거리고 있다 Tú siempre estás rumiando palabras extrañas. 투덜거리지 마라 Déjate de esas quejas / No te quejes / No rezongues.
투덜투덜 con balbucencia, a regañadientes. ～ 불평하다 hablar entre dientes, refunfuñar, balbucear, gruñir, regañar, murmurar, quejarse.
투레질 soplo m de la boca de los nenes. ～하다 soplar de la boca.
투르크멘 【지명】 Turkmenistán. ～의 turcomano.
▪～ 사람[인] turcomano, -na *mf*. ～ 어[말] turcomano *m*.
투망(投網) esparavel *m*; [작은] boliche *m*. ～을 던지다 echar un esparavel, pescar con esparavel.
투매(投賣) venta *f* a un precio sacrificado, venta *f* con pérdida, venta *f* con rebaja, liquidación *f*, dumping *ing.m*, venta *f* de un producto en el extranjero a un precio inferior al aplicado en el inferior. ～하다 vender a un precio sacrificado, vender con pérdida, vender con rebaja, liquidar, vender tirado [medio regalado · por un precio ruinoso]. 고추의 ～를 하다 vender ajíes regateando su precio en un puesto callejero.
투명(透明) transparencia *f*, diafanidad *f*. ～하다 transparentarse, traslucirse. ～한 transparente, diáfano, cristalino, límpido, terso. 무색(無色)～한 incoloro y transparente. 불～한 opaco.
▪～도 grado *m* de limpidez, grado *m* de nitidiz, transparencia *f*. ～ 비누 jabón *m* transparente. ～ 수지 resina *f* transparente. ～ 유리 vidrio *m* transparente [blanco]. ～체 cuerpo *m* transparente.
투묘(投錨) anclaje *m*. ～하다 anclar, ancorar, echar anclas, echar el ancla, dar fondo.
▪～지(地) ancladero *m*, anclaje *m*, fondeadero *m*.
투문(透紋) figura *f* transparente en el papel.
투미하다 (ser) estúpido, idiota, tonto, bobo, torpe.
투박스럽다 (ser) crudo, tosco, rústico, grosero.

투박스레 toscamente, groseramente, rústicamente.

투박하다 (ser) grosero, rústico, tosco, crudo.

투발루 【지명】 Tuvalu. ～의 tuvaluano.
■ ～ 사람[인] tuvaluano, -na *mf.* ～어[말] tuvaluano *m.*

투베르쿨린(독 *Tuberkulin*) 【의학】 tuberculina *f.* ～의 tuberculínico.
■ ～ 검사 prueba *f* tuberculínica. ～ 반응 reacción *f* tuberculínica [de Pirquet · de tuberculina]. ～ 반응 검사 =투베르쿨린 검사. ～ 요법 tratamiento *m* tuberculínico, tuberculinización *f.*

투병(鬪病) lucha *f* contra (la) enfermedad. ～하다 luchar contra la enfermedad.
■ ～ 생활 vida *f* de la lucha contra la enfermedad. ¶그는 10년간 ～을 했다 El ha luchado durante diez años contra la enfermedad.

투사(投射)① 【물리】 =입사(入射). ② 【심리】 proyección *f.* ～의 de proyección. ③ 【수학】 proyección *f.* ～하다 proyectar. A에 B를 ～하다 proyectar B a A.
■ ～각 =입사각(入射角). ～ 광선 =입사광선(入射光線). ～물(物) proyectil *m.* ～법 técnica *f* de proyección. ～선 =입사 광선(入射光線). ～영(影) =투영(投影). ～점 =입사점(入射點).

투사(透寫) calco *m*, calcado *m*, trazo *m.* ～하다 hacer un trazo, calcar, A에 B를 ～하다 calacar B en [a] A. 윤곽을 종이에 ～하다 calcar el trazado en un papel.
■ ～지(紙) papel *m* de [para] calco.

투사(鬪士) luchador, -dora *mf*, combatiente *mf*, campeón, -ona *mf*, guerrero, -ra *mf*, batallador, -dora *mf*, peleador, -dora *mf*, profiador, -dora *mf.* 자유(自由)의 ～ campeón, -ona *mf* de la libertad. 조합(組合)의 ～ militante *mf* sindical.
◆독립(獨立) ～ líder *mf* del movimiento de independencia nacional. 혁명(革命) ～ campeón, -ona *mf* de revolución.
■ ～형 tipo *m* atlético.

투상스럽다 ((준말)) =툽상스럽다.
투상스레 zañamente, burdamente, ordinariamente, toscamente.

투서(投書) ① [드러나지 않은 사실이나 잘못을 적어서 몰래 요로(要路)에 보냄] carta *f* anónima, comunicación *f* anónima. ～하다 enviar [mandar] anónimamente. ② [투고] colaboración *f.* ～하다 colaborar, enviar un artículo. 신문에 ～하다 mandar [enviar] una carta a un periódico.
■ ～란(欄) columna *f* de lectores. ～자(者) colaborador, -dora *mf.* ～함(函) caja *f* de sugestiones [de sugerencia · de reclamaciones], caja *f* de insinuación.

투석(投石) pedrada *f.* ～하다 tirar [lanzar · arrojar · echar] piedras (a · contra), apedrear, lapidar.

투석(透析) diálisis *f.*

-투성이 lleno (de), cubierto (de), salpicado (con), ensuciado (con), embadurnado (con), untado (con). 땀～(의) lleno de sudor. 먼지～ lleno de polvo. 빚～의 lleno de deudas. …～가 되다 ponerse cubierto de *algo.* 벼룩～다 hervir en pulgas. 이 책은 먼지～이다 Este libro está lleno [cubierto] de polvo. 방(房)에는 종이～다 La habitación está llena de papeles usados. 그 책은 오자(誤字)～다 Ese libro está lleno de errores / Ese libro tiene errores por todas partes.

투수(投手) ((야구)) lanzador, -dora *mf.*
■ ～판(板) montículo *m* (de lanzador).

투숙(投宿) alojamiento *m*, hospedaje *m.* ～하다 alojarse (en un hotel), hospedarse. ～시키다 alojar.
■ ～객[자] cliente *mf* de un hotel.

투시(妬視) =질시(嫉視).

투시(透視) clarividencia *f*, doble vista *f.* ～하다 ver a través de algo, percibir por una doble vista, trasparentarse.
◆형광(螢光) ～ 검사(檢査) fluoroscopia *f.*
■ ～경(鏡) fluoroscopio *m.* ～도 dibujo *m* perspectivo. ～ 도법 perspectiva *f.* ～력 [천리안의] poder *m* extrasensorial; [광학 기계의] penetración *f.* ～법 ((준말)) =투시 도법(透視圖法). ～자 vidente *mf*, clarividente *mf.* ～ 촬영(撮影) fluoroscopia *f.* ～화(畵) dibujo *m* perspectivo. ～ 화법(畫法) =투시 도법(透視圖法).

투신(投身) ① [어떤 일에 몸을 던져 관계함] dedicación *f.* ～하다 dedicarse (a), entregarse (a), aplicarse (a), consagrarse (a), ocuparse (en · de · con). 정계(政界)에 ～하다 dedicarse a la política. ② [높은 곳에서 밑으로, 또는 달려오는 차량에 몸을 던짐] acción *f* de arrojarse de lo alto. ～하다 arrojarse al agua [al tren]. ～자살하다 suicidarse arrojándose [tirándose] (a), arrojarse [tirarse] al agua, arrojarse. 기차에 ～자살을 하다 suicidarse tirándose [arrojándose] al tren.

투신(投信) ((준말)) =투자 신탁.

투실투실 regordete. ☞토실토실

투심(妬心) celos *mpl*, envidia *f.*

투아(偸兒) ladrón (*pl* ladrones), -drona *mf.*

투약(投藥) medicación *f*, medicamento *m.* ～하다 dar [prescribir] el medicamento. 환자에게 ～하다 dar [prescribir] el medicamento a un paciente.
■ ～구 ventanilla *f* (de medicación).

투어(套語) cliché *m*, tópico *m*, expresión *f* gastada.

투어(영 *tour*) [버스 · 자가용으로] viaje *m*, gira *f*, [성(城) · 박물관의] visita *f*, [도시의] visita *f* turística, recorrido *m* turístico. ～하다 recorrer, viajar (por). 안내원 달린 ～ [성 · 박물관의] visita *f* guiada, visita *f* con guía; [지역 · 나라의] excursión *f* (organizada), viaje *m* organizado, tour *ing.m.*
■ ～ 가이드 guía *mf* de turismo, *Méj* guía *mf* de turistas.

투어리스트(영 *tourist*) [관광객] turista *mf.*
■ ～ 걸 turista *f.*

투영(投影) ① [물체가 비치는 그림자] sombra *f.* ~하다 proyectar. 스크린에 영화를 ~하다 proyectar una película en la pantalla. 달이 내 그림자를 지상(地上)에 ~하고 있다 La luna proyecta mi sombra en el suelo. ②【수학】proyección *f.* ~하다 proyectar.

■ ~각 ángulo *m* de proyección. ~도(圖) (plano *m* de) proyección *f.* ~ 도법 método *m* de proyección. ~ 렌즈 lente *f* de proyección. ~면 plano *m* de proyección. ~법 ((준말)) =투영 도법(投影圖法). ~선 línea *f* de proyección. ~ 스크린 pantalla *f* de proyección. ~심(心) centro *m* de proyección. ~화 =투영도(投影圖). ~ 화법 =투영 도법(投影圖法).

투옥(投獄) encarcelación *f,* encarcelamiento *m.* ~하다 encarcelar, meter en la cárcel, reducir a prisión. ~된 encarcelado. ~하는 encarcelador. ~된 사람 encarcelado, -da *mf.*

투우(鬪牛) ① [소를 싸움 붙임] lucha *f* de toros. ② [싸움 잘하는 소] toro *m* luchador. ③ [투우사와 소와의 결사적 투기(鬪技)] corrida *f* de toros, (deporte *m* de) los toros, toreo *m,* tauromaquia *f.* ~하다 torear, lidiar los toros en las plazas. ~의 torero, taurino, taurómaco, tauromáquico. ~를 좋아하는 (사람) taurófilo, -la *mf.* ~를 싫어하는 (사람) taurófobo, -ba *mf.* ~는 인기가 대단하다 Los toros [Las corridas de toros] son muy populares.

■ ~계 el mundo de los toros, el mundo de la tauromaquia. ~ 계절 temporada *f* taurina. ~ 구경 espectáculo *m* taurino. ~ 구경꾼 espectador *m* taurino, espectadora *f* taurina. ~사(士) torero, -ra *mf;* [주(主)] matador *m;* [칼로 찌르는] picador *m;* [작은 깃발 달린 작살을 꽂는] banderillero *m.* ~술 tauromaquia *f,* torería *f,* toreo *m.* ~ 연구가 taurómaco, -ca *mf.* ~장 plaza *f* de toros. ~ 전문가(專門家) taurómaco, -ca *mf,* experto *m* taurino, experta *f* taurina. ~팬 taurófilo, -la *mf.*

투원반(投圓盤) lanzamiento *m* del disco.

■ ~ 선수 discóbolo, -la *mf.*

투융자(投融資) la inversión y la financiación.

투입(投入) ① [던져 넣음] echada *f,* tirada *f,* lanzamiento *m.* ~하다 echar, lanzar, tirar. A를 B에 ~하다 echar [lanzar · tirar] a [en] B. 쓰레기를 바다에 ~하다 echar la basura en el mar. ② [자본이나 노동력을 들여 넣음] aportación *f,* inversión *f;* [군대의] expedición *f.* ~하다 invertir; [군대를] expedir. 계속 ~하다 enviar, mandar, expedir. 구원병(救援兵)을 ~하다 enviar un refuerzo. 자금을 ~하다 invertir fondos (en). 전(全) 병력을 ~하다 concentrar todos los soldados (en). 2억 원을 ~해서 집을 짓다 gastar [emplear] cien millones de wones en la construcción de una casa. ③ [약품의 재료를 집어넣음] mezcla *f* del material médico. ~하다 poner [mezclar] el material médico.

■ ~량 aportación *f.* ~물 aportación *f.* ~ 산출표 tabla *f* de entradas y salidas. ~ 자본(資本) inversión *f.*

투자(投資) inversión *f.* ~하다 invertir. 주식에 ~하다 invertir en acciones. 해양 개발에 큰돈을 ~하다 invertir una gran cantidad de dinero de la explotación del mar. 외국 ~가 한국에 들어왔다 Las inversiones extranjeras han penetrado en Corea.

◆공공 ~ inversión *f* pública. 민간 ~ inversión *f* privada. 자본 ~ inversión *f* del capital. 해외 ~ inversión *f* exterior [en el país extranjero]. 한국 ~ 개발 공사 la Corporación de Inversión y Desarrollo de Corea.

■ ~가 inversionista *mf,* inversor, -sora *mf.* ~ 계약 contrato *m* de inversión. ~ 계좌 [은행의] cuenta *f* de inversiones. ~ 계획 plan *m* de inversión. ~ 과잉(過剩) excedente *m* de inversiones. ~ 관리(管理) administración *f* de inversiones, gestión *f* de inversiones, dirección *f* de inversiones, gerencia *f* de inversiones. ~ 기능 función *f* de inversión. ~ 기회 oportunidad *f* de inversión. ~ 등급(等級) categoría *f* de la inversión. ~ 목적(目的) objetivo *m* de inversiones. ~ 분석 estudio *m* de rentabilidad. ~ 비용 gastos *mpl* de inversión. ~ 상담 =투자 조언. ~ 상담자 asesor, -ra *mf* de inversiones; asesor *m* financiero, asesora *f* financiera;【주식】consultor, -tora *mf* de inversiones. ~ 센터 centro *m* de inversiones, centro *m* inversor. ~ 소프트웨어 aplicaciones *fpl* informáticas para inversión. ~ 손실 pérdida *f* de inversión. ~ 수입(收入) ingresos *mpl* derivados de inversiones. ~ 수입 공제액 deducción *f* de los ingresos por inversión. ~ 수입세 impuesto *m* sobre inversiones, *AmL* impuesto *m* sobre insumos. ~ 시장(市場) mercado *m* de inversión. ~ 신탁(信託) fideicomiso *m* de inversiones. ~액(額) cantidad *f* invertida. ~ 예금 계좌 cuenta *f* de ahorro para inversión. ~ 예산(豫算) presupuesto *m* de inversiones. ~ 요청 demanda *f* de inversión. ~ 위원회 comité *m* de inversiones. ~ 은행 banco *m* de inversiones. ~ 이자 비용 gastos *mpl* por intereses de una inversión. ~ 인센티브 incentivo *m* a la inversión. ~ 자본 capital *m* de inversión. ~ 자산 propiedad *f* de inversión. ~ 전략(戰略) estrategia *f* de inversión. ~ 전략 위원회 comité *m* estratégico para inversiones. ~ 전문가 experto, -ta *mf* en inversiones. ~ 정책 política *f* de inversión. ~ 제한(制限) restricción *f* de inversiones. ~ 조언(助言) notificación *f* de inversión. ~주 acciones *fpl* de inversión. ~ 증권 obligación *f* de inversión. ~ 카운슬 consejo *m* de inversiones. ~ 카운슬링 asesoramiento *m* de inversiones, asesoramiento *m* financiero. ~ 펀드 fondo *m* de inversión. ~ 프로그램 programa *m* de inversión. ~ 프로젝트 proyecto *m* de inversión. ~ 확장(擴張) expansión *f* de las inversiones. ~ 활동(活動) actividad *f* inversionista. ~ 회사(會社) compañía *f* inversionista, sociedad *f* de inversión, cooperativa *f* de inversiones. ~ 회사법 la Ley de Sociedades de Inversión.

투장(鬪將) general *m* combatidor.

투쟁(鬪爭) lucha *f*, combate *m*, conflicto *m*. ~하다 luchar. 빈곤에 대한 ~ lucha *f* contra la pobreza. 자유에 대한 ~ lucha *f* contra la libertad. 살아남기 위한 ~ lucha *f* para la supervivencia [para sobrevivir]. ■ ~ 문학 literatura *f* de lucha. ~ 방침(方針) política *f* de lucha. ~ 본능 instinto *m* belicoso. ~ 선언 declaración *f* de lucha. ~심 espíritu *m* combativo. ~욕 ganas *fpl* de luchar. ~ 위원회 comité *m* de lucha. ~ 의식 conciencia *f* de lucha. ~ 자금 [파업의] fondos *mpl* de huelga. ~ 전술(戰術) táctica *f* de lucha.

투전(投錢) =돈치기.

투정 queja *f*, murmuración *f*, descontento *m*, refunfuñadura *f*, exigencia *f* en la comida. ~하다 quejarse, refunfuñar, gruñir, regañar, rezongar, murmurar. 내 딸아이는 음식 ~이 심하다 Mi hijita es muy exigente en la comida.

투지(鬪志) espíritu *m* combativo [batallador · aguerrido], ánimo *m* bélico, combatividad *f*, pujanza *f*, denuedo *m*. ~가 있는 combativo, combatiente, pujante, pugnante. ~만만한 lleno de combatividad. ~가 없다 no tener ánimo bélico. ~를 보이다 mostrar *su* combatividad. ~를 잃다 perder *su* combatividad. 선수들은 ~만만하다 La moral de los jugadores está muy elevada.

투창(投槍) =창던지기(lanzamiento de jabalina). ¶~을 던지다 lanzar la jabalina.

투척(投擲) lanzamiento *m*. ~하다 lanzar, arrojar.
■ ~ 경기 pruebas *fpl* de lanzamiento.

투철하다(透徹-) (ser) perspicaz, penetrante; [명쾌한] claro, límpido. 투철함 perspicacia *f*, perspicuidad *f*, penetración *f*, claridad *f*. 학문에 ~ consagrarse al estudio. 자기 주의(主義)에 ~ ser fiel a *sus* principios.

투탄(投彈) caída *f* de la bomba. ~하다 caer la bomba.

투포환(投砲丸) =포환던지기.

투표(投票) votación *f*, sufragio *m*; [표] voz *f*, voto *m*. ~하다 votar, dar *su* voto. ~하는 votante, votador. ~의 과반수를 얻어 por una mayoría de votos. ~의 3분의 2를 얻어 por dos tercios de votos. 첫 ~로 en la primera votación. A 씨에게 ~하다 votar por el señor A, votar en favor del señor A. ~로 가결하다, ~로 결정하다 decidir por votación [por voto], tomar una decisión por voto [por votación]. ~로 선출하다 elegir por votos [por votación]. ~를 계산하다 escrutar. ~에 부치다 poner [someter] a votación. …에게 찬성 ~를 하다 votar por *uno*, votar a favor de *uno*. …에게 반대 ~를 하다 votar en contra de *uno*. 의안(議案)을 ~에 부치다 poner [someter] el proyecto a votación. 의안에 찬성 [반대] ~를 하다 votar en pro [en contra] del proyecto. 폭력에 찬성 ~를 하다 votar por la violencia. 회장은 모든 회원의 ~로 선출되었다 El presidente es elegido por votación de todos los miembros. 그는 ~의 대다수로 그 모임의 회장으로 선출되었다 El fue elegido presidente la reunión a la mayoría de los votos. 나는 평생토록 민주당에 ~했다 Toda la vida he votado por [a] los demócratas. ~는 오전 여섯 시에 시작해 오후 여섯 시에 끝난다 La votación comienza a las seis de la mañana y termina a las seir de la tarde. 우리는 파업에 반대 ~를 했다 Votamos en contra de la huelga. 당신은 누구에게 ~할 거요? ¿Por [A] quién piensa votar? / ¿Cómo va a votar? 나는 평생 민주당에 ~해 왔습니다 Toda la vida he votado por [a] los demócratas [los democráticos]. A 씨 에게 ~를! ¡Vote por [a] A!
◆ 거수(擧手) ~ votación *f* a mano alzada. 결선 ~ voto *m* decisivo. 결정 ~ voto *m* de calidad. 국민(國民) ~ plebiscito *m*, referéndum *m*. 기명(記名) ~ votación *f* nominal. 만장일치 ~ voto *m* unánime. 무기명 ~ voto *m* secreto, votación *f* secreta. 불신임 ~ voto *m* de desconfianza. 비밀 ~ votación *f* secreta, voto *m* secreto. 신임 ~ voto *m* de confianza. 인민 ~ plebiscito *m*. 일반 ~ voto *m* popular. 직접 ~ voto *m* directo.
■ ~ 검사 escrutinio *m*. ~ 계산기 máquina *f* que registra y cuenta los votos emitidos. ~구(區) distrito *m* (de votación). ~권 derecho *m* de voto, derecho *m* de votar, voto *m* (activo). ¶~이 있는 con voz y voto. ~이 없는 con voz pero sin voto. ~이 있다 tener voto, ser voto. 피~ voto *m* pasivo. ~소 colegio *m* electoral, centro *m* electoral. ~수 número *m* de votantes, voto *m*. ~ 연령 edad *f* de votación. ~용지(用紙) papeleta *f* (de voto · de votación), papeleta *f* para votar, balota *f*, *AmL* boleta *f* (de voto). ~용지 기입소 [투표장 안의] cabina *f* electoral. ~율(率) número *m* de votantes. ~인 =투표자. ~일 día *m* de las elecciones, fecha *f* de votación. ~ 입회인 escrutiñador, -dora *mf*, testigo *mf* de votación. ~자 votador, -dora *mf*, votante *mf*, voto *m*. ~장 =투표소. ~지 ((준말)) =투표 용지. ~ 참관인 =투표 입회인. ~ 총수 números *mpl* de votos. ~함 urna *f* (electoral), caja *f* de balotas.

투피스(영 *two-piece*) traje *m* [*Col* vestido *m*] de dos piezas, *CoS* ambo *m*.

투하(投下) caída *f*. ~하다 dejar caer, echar por tierra, soltar. 폭탄을 ~하다 soltar una bomba. 히로시마에 원자탄이 ~되었다 Una bomba atómica fue arrojada [lanzada] sobre Hiroshima.

■ ~ 자본 capital *m* invertido, inversión *f*, capital *m* de inversiones. ~탄(彈) bomba *f* caída. ~ 폭탄 bomba *f* aérea.

투하(投荷) echazón *f*. ~하다 echar (la carga) al mar.

투함(投函) acción *f* de echar al correo. ~하다 echar al correo, echar (la carta) al [en el] buzón.

투항(投降) rendición *f*, capitulación *f*. ~하다 rendirse, entregar *sus* armas, entregarse (a). 적에게 ~하다 pasarse al enemigo. 그는 경찰에 ~했다 El se entregó a la policía.

투해머(投 hammer) =해머던지기.

투혼(鬪魂) espíritu *m* combativo.

투화(透化) vitrificación *f*. ~하다 vitrificarse.

툭 ① [소리] con una palmadita, con un golpecito. ~ 치다 dar un golpecito. ② [모양] prominentemente, sobresalientemente. ~ 튀어나온 [턱이] prominente; [이가] salido; [손톱이] que sobresale. ~ 튀어나온 눈 ojos *mpl* saltones. ~ 내밀다, ~ 튀어나오다 sobresalir. 지갑이 내 호주머니에서 ~ 내밀었다 La cartera me asomaba por el bolsillo.

툭박지다 (ser) basto y simple.

툭탁 con un golpecito.

툭탁거리다 golpearse (uno de otro).

툭툭 con unas palmaditas, con unos golpecitos. ~ 치다 dar unos golpecitos.

툭툭하다 ① [국물이] (ser) espeso, denso, condenado. ② [천이] (ser) grueso, basto, tosco.

툭하면 siempre, sin aluguna razón. ~ …하다 ser propenso a + *inf*, tener tendencia a + *inf*, tender a + *inf*. 그녀는 ~ 운다 Ella tiene tendencia a llorar. 그는 ~ 감기에 걸린다 El es muy friolero [friolento].

툰드라(러 *tundra*) tundra *f*.

■ ~ 기후 tiempo *m* de tundra. ~ 지대 el área *f* [zona *f*] de tundra.

툴륨(영 *thulium*) tulio *m* (Tm).

툴툴거리다 quejarse, reclamar, refunfuñar, rezongar, gruñir, hablar entre dientes. 툴툴거림 queja *f*. 툴툴거리는 사람 rezongón, -gona *mf*, gruñón, -ñona *mf*. 그들은 항상 툴툴거린다 Ellos siempre están quejándose [reclamando · protestando]. 시끄러워 나는 이웃에게 툴툴거렸다 Me quejé a los vecinos por el ruido.

툽상스럽다 (ser) zaño, burdo, ordinario, tosco.

툽상스레 zañamente, burdamente, ordinariamente, toscamente.

툽툽하다 (ser) espeso, denso, condensado.

퉁[1] ① [품질이 낮은 놋쇠] latón *m* (*pl* latones) inferior. ② [품질이 낮은 놋쇠로 만든 엽전] moneda *f* de latón inferior.

퉁[2] ① [북을 울리는 소리] con un sonido retumbante. ② [대포를 쏘는 소리] con voz de trueno.

퉁가리 【어류】 siluro *m*, bagre *m*.

퉁겨지다 deshacerse, desmontarse, desarmarse.

퉁구리종이 【북한】 =두루마리.

퉁기다 ① [버티어 놓은 물건을 빠지게 건드리다] deslizar, meter, poner. ② [뼈의 관절을 어긋나게 하다] dislocarse. ③ [기회가 어그러지게 하다] perder la oportunidad [ocasión].

퉁노구 olla *f* pequeña de latón.

퉁때 mugre *m* de la moneda antigua.

퉁맞다 ((준말)) =퉁바리맞다.

퉁명스럽다 (ser) seco, brusco, bronco, áspero, descortés (*pl* descorteses), tosco, grosero, rudo, impolítico. 퉁명스러운 대답(對答) respuesta *f* seca [brusca]. 그는 ~ El es un hombre sin gracia / El es un desaborido.

퉁명스레 secamente, bruscamente, descortésmente, toscamente, groseramente, rudamente, impolíticamente. ~ 대답하다 contestar [responder · replicar] ásperamente [secamente · bruscamente].

퉁바리 cuenco *m* de arroz de latón.

퉁바리맞다 ser rechazado bruscamente.

퉁방울 campana *f* de latón.

■ ~눈 ojos *mpl* saltones [desorbitados]. ~이 persona *f* con los ojos desorbitados [saltones].

퉁부처 estatua *f* de Buda de latón.

퉁소(洞簫) *tungso*, una especie de la flauta de bambú, clarinete *m* de bambú.

퉁어리적다 (ser) imprudente, insensato, temerario, inconsciente, sin sentido. 퉁어리적게 imprudentemente, de modo temerario, sin ningún sentido.

퉁주발 cuenco *m* de arroz de latón.

퉁탕 dando un portazo, con un golpetazo.

퉁탕거리다 seguir golpeando, seguir dando un portazo.

퉁탕퉁탕 ㉮ [구르는 소리] golpeteando repetidas veces. ㉯ [총소리] golpeando repetidas veces.

퉁퉁[1] [연해 나는 퉁 소리] dando una patada.

퉁퉁거리다 dar una patada.

퉁퉁[2] [붓거나 살찌거나 불어서 몸피가 굵은 모양] con un hinchazón. ~하다 (ser) rechoncho, gordo. ~ 부은 얼굴 cara *f* muy hinchada. 내 다리가 ~ 부어올랐다 Se me hinchó mucho la pierna. 네 왼쪽 뺨이 ~ 부었다 Tú tienes la mejilla izquierda muy hinchada.

퉁퉁걸음 el caminar con pasos *mpl* rápidos.

퉤 escupiendo (y escupiendo).

퉤퉤 siguiendo escupiendo, escupiendo repetidas veces. ~ 침을 뱉다 escupir repetidas veces.

튀각 *tuigak*, kelp *m* frito.

튀개 =용수철.

튀기 ① =잡종(雜種). 혼혈아(混血兒). 잡종아(雜種兒). ¶한국인과 서반아인과의 ~ persona *f* de extracción coreana y española. 백인과 흑인과의 ~ mulato, -ta *mf*. 서반아

사람과 인디오와의 ~ mestizo, -za *mf.* ② [수탕나귀와 암소 사이에서 나는 짐승] híbrido *m* entre el asno y la vaca.

튀기다[1] ① [힘을 모았다가 갑자기 탁 놓아 내뻗치다] dar un capirotazo (a), dar [golpear] con un movimiento ligero y pronto, lanzar legera y rápidamente, chapotear, hacer saltar, golpear. 손가락 끝으로 ~ dar un capirotazo (a). 손가락으로 물을 ~ golpear el agua con *su* dedo. ② [건드려서 갑자기 튀어 달아나게 하다] espantar, ahuyentar. 꿩을 ~ espantar [ahuyentar] el faisán.

튀기다[2] [끓는 기름에 넣거나 불에 익혀 부풀어 오르게 하다] freír. 기름에 ~ freír *algo* (con · en aceite abundante). 감자를 기름에 ~ freír las patatas en el aceite. 생선을 ~ freír el pescado. 쌀을 ~ pinchar arroz.

튀길힘 =탄력(彈力).

튀김 [채소 · 어육 따위에 밀가루를 묻혀서 끓는 기름에 튀긴 반찬] *tuiguim*, comida *f* coreana consistente en pescados, mariscos y vegetales fritos; fritada *f*, fritura *f*, torta *f*, tortilla *f*, churro *m*. 감자 ~ patatas *fpl* fritas, *AmL* papas *fpl* fritas, *Col*, *Méj* papas *fpl* a la francesa. 야채 ~ vegetales *mpl* fritos.

튀니스 【지명】 Túnez (튀니지의 수도).

튀니지 【지명】 Túnez. ~의 tunecino.

▪ ~ 사람[인] tunecino, -na *mf.*

튀다 ① [갑자기 터지는 힘으로 세게 나가다] salpicar; [자신에게] salpicarse. 흙탕물이 튄 cubierto de salpicaduras. 흙탕물을 ~ salpicarse el barro. 흙탕물이 ~ salpicar el barro (a), salpicar de barro. 자동차가 그의 바지에 물을 튀었다 Un coche le salpicó los pantalones de [con] agua. 자동차가 내 옷에 흙탕물을 튀었다 El coche me salpicó el barro a la ropa / El coche me salpicó la ropa de [con] barro. 프라이팬의 기름이 벽에 튀었다 El aceite de la sartén salpicó la pared. 물이 내 바지에 튀었다 Me salpicó el agua (en) los pantalones. ② [갑자기 달아나다] huir, escapar, ahuyentar, darse a la fuga. 도둑이 튀었다 Un ladrón ahuyentó.

튀밥 arroz *m* hinchado.

◆ 튀밥 튀기다 exagerar, ponderar, hiperbolizar.

튀어나다 saltar.

튀어나오다 ① [튀어서 나오다] salir dando saltos; [뛰쳐나오다] dejar, escaparse (de), huir (de). 집을 ~ dejar la casa, escaparse de casa, huir de la familia. ② [불거지다] sobresalir, salir afuera. 튀어나온 saliente, saledizo, prominente, que sobresale. 배가 튀어나온 남자 hombre *m* de vientre saliente [abombado]. 발코니가 길로 튀어나와 있다 El balcón cuelga sobre la calle. 그는 광대뼈가 튀어나왔다 El tiene los pómulos salientes. A 반도는 태평양으로 튀어나와 있다 La península A penetra [avanza hacia] el Pacífico.

튀하다 escaldar. 닭을 뜨거운 물에 ~ escadar el pollo con el agua hirviendo.

튜너(영 *tuner*) [라디오 · 텔레비전의] sintonizador *m.*

튜바(영 *tuba*) 【음악】 tuba *f.*

튜브(영 *tube*) tubo *m*, tubo *m* neumático; [타이어의] cámara *f* (de aire). ~에 든 en tubo, tubo de …. ~에 든 치약 tubo *m* de pasta dentífrica, tubo *m* de pasta de dienes. ~에 든 그림물감 tubo *m* de colores.

튤립(영 *tulip*) tulipán *m* (*pl* tulipanes).

트다[1] ① [풀 · 나무의 싹이나 꽃봉오리가 벌어지다] germinar, brotar. 움[싹]이 ~ brotar el germen. ② [새벽에 동쪽이 훤해지다] amanecer, apuntar el día, clarear, alborear. 동이 틀 무렵 al rayar el alba, al romper el alba, al amanecer, al clarear el día, al despuntar el día, al alba. 동이 ~ Amanece. ③ [추위 등으로 살가죽이 조하여 벌어지다] hender, rejar, agrietarse, tener grietas. 튼 agrietado. 온통 튼 손 mano *f* llena de grietas, mano *f* agrietada. 손이 ~ agrietarse las manos, tener grietas en las manos. 피부가 튼다 Se agrieta la piel. 나는 손발이 텄다 Se me han agrietado las manos y los pies.

트다[2] ① [막혔던 것을 통하게 하다] abrir, comenzar, empezar. 길을 ~ abrir [construir] un camino. ② [서로 거래 관계를 맺다] abrir, comenzar, negociar. 거래를 ~ abrir el negocio. ③ =허교(許交)하다.

트라이(영 *try*) ① =시도(試圖). ② ((럭비)) ensayo *m.* ~하다 marcar un ensayo.

트라이아스계(-系) 【지질】 el Sistema Triásico.

트라이아스기(-紀) 【지질】 el Período Triásico. ~의 triásico.

트라이앵글(영 *triangle*) triángulo *m.*

트라코마(영 *trachoma*) 【의학】 =트라홈.

트라홈(독 *Trachom*) 【의학】 tracoma *m.* ~에 걸리다 contagiarse de tracoma.

트란퀼로(이 *tranquillo*) 【음악】 tranquilo.

트래지코미디(영 *tragicomedy*) 【연극】 [희비극] tragicomedia *f.*

트랙(영 *track*) ① [육상 경기장 · 경마장의 경주로(路)] pista *f.* ~을 다섯 바퀴 돌다 dar cinco vueltas a la pista. 400미터 ~ 한 바퀴 pista *f* de cuatrocientos metros de circunferencia. ② =트랙 경기. ③ 【컴퓨터】 pista *f.* ④ [발자국] pista *f*, huellas *fpl.* ⑤ [작은 길] sendero *m*, camino *m.* ⑥ [경주로] pista *f.* ⑦ [테이프로 녹음한 곡] tema *m*, pieza *f.* ⑧ [커튼용의] riel *m.*

▪ ~ 경기 atletismo *m* en pista.

트랙터(영 *tractor*) ① 【기계】 tractor *m.* 농업용 ~ tractor *m* agrícola. 대형 ~ tractor *m* de gran potencia. ② 【컴퓨터】 tractor *m.*

트랜스(영 *transformer*) =변압기.

트랜지스터(영 *transistor*) ① 【물리】 transistor *m.* ② ((준말)) =트랜지스터라디오. ¶7석 ~ radio *f* con siete transistores.

■ ~라디오 transistor *m*, *AmL* radio *m* transistor, radio *m* a [de] transistores. ~배터리 batería *f* para transistores.

트랩[1](영 *trap*) ① [덫] trampa *f*. ②【사격】[표적 사출기] lanzaplatos *m.sing.pl*. ③ [이륜 경마차] carruaje *m* ligero de dos ruedas. ④ ((골프)) bunker *ing.m*.

트랩[2](네 *trap*) [선박이나 비행기의 승강(昇降)에 사용되는 사닥다리] [비행기의] escalerilla *f*, [선박의] escala *f* (real · de embarque). ~을 오르다 subir la escalerilla. ~을 내리다 bajar la escalerilla.

트랭퀼라이저(영 *tranquilizer*)【약】[정신 안정제] sedante *m*, tranquilizante *m*.

트러블(영 *trouble*) [분쟁] disturbios *mpl*, conflictos *mpl*, disgusto *m*, problemas *mpl*, dificultad *f*, riña *f*. ~을 일으키는 사람 alborotador, -dora *mf*; buscarruidos *mf*. ~을 일으키다 causar problemas, armar líos. 어젯밤에는 시내에서 ~이 있었다 Hubo disturbios en la ciudad anoche.

◆인종 ~ conflictos *mpl* raciales.

트러스(영 *truss*)【건축】cuchillo *m* (de armadura).

트러스트(영 *trust*)【경제】trust *ing.m*, cartel *m*. ~를 만들다 formar un trust.

◆반(反)~법(法) ley *f* antitrust.

■~금지법 ley *f* de antitrust.

트럭(영 *truck*) ① [화물 자동차] camión *m* (*pl* camiones), autocamión *m* (*pl* autocamiones); [소형의] camioneta *f*. ~으로 운반하다 [나르다] transportar en camión. ~을 운전하다 trabajar de camionero [camionera *f*]. ② =무개 화차.

◆대형 ~ camión *m* de carga pesada.

■~ 기사(技師)[운전수] camionero, -ra *mf*; conductor, -tora *mf* de camiones.

트럼펫(영 *trumpet*)【악기】trompeta *f*. ~을 불다 tocar una trompeta.

■~ 연주자 trompeta *mf*; trompetista *mf*. ~ 제조자 trompetero, -ra *mf*.

트럼프(영 *trump*) naipe *m*, carta *f*; [한 조의] baraja *f*. ~를 치다 jugar a los naipes, jugar a la baraja, jugar a las cartas. ~를 나누다 repartir [dar · distribuir] las cartas.

■~ 놀이 juego *m* de cartas. ~ 점 cartomancia *f*. ¶~을 치다 echar las cartas.

트렁크(영 *trunk*) ① [여행용의 큰 가방] baúl *m*; [대형의] (baúl *m*) mundo *m*; [소형의] maleta *f*. ~에 옷을 넣다 meter ropas en una maleta. ② [자동차 뒤쪽의 짐 넣는 곳] portaequipaje *m*, maletero *m*; *Méj* cajuela *f*; *Per* maletera *f*, *Col*, *Chi*, *RPl* baúl *m*.

트레머리 penca *f* [moño *m*] de pelo. ~를 하다 ponerse la penca de pelo.

트레몰로(이 *trèmolo*)【음악】trémulo, tremulante.

트레바리 persona *f* perversa; cascarrabias *mf*; gruñón, -ñona *mf*.

트레방석(-方席) almohadón *m* espiral.

트레이너(영 *trainer*) [스포츠의] entrenador, -dora *mf*; [경주마의] preparador, -dora *mf*; [동물의] amaestrador, -dora *mf*; adiestrador, -dora *mf*.

트레이닝(영 *training*) [스포츠의] entrenamiento *m*; [교육] capacitación *m*, escuela *f*. ~하다 entrenarse. ~시키다 entrenar. …의 ~ 중이다 estar entrenado [entrenándose] para algo. ~에 들어가다 empezar a entrenar(se) para algo. 그는 ~이 부족하다 Le falta entranamiento. 전 직원은 ~을 받게 될 것이다 Todo el personal recibirá capacitación. 그들은 기계 사용을 ~받지 않았다 Ellos no han recibido capacitación en el uso de la maquinaria / No les han enseñado a usar la maquinaria. 그는 훌륭한 선수지만 ~이 더 필요하다 El juega bien pero le falta escuela.

◆하드(hard) ~ entrenamiento *m* duro.

■~ 센터 centro *m* de formación profesional. ~ 슈즈 zapatilla *f* de deporte, tenis *m*. ~ 스쿨 escuela *f* de formación profesional, centro *m* de capacitación. ~캠프 campo *m* de instrucción.

트레이드(영 *trade*) ① [통상 · 무역] comercio *m*. ~하다 comerciar. ② [운동 선수의 이적] traspaso *m*. ~하다 traspasar. ~ 선수 jugador *m* traspasado, jugadora *f* traspasada.

■~마크 marca *f* (de fábrica). ~ 유니온 sindicato *m*, *CoS*, *Per* gremio *m*.

트레이스(영 *trace*) ① [등산에서, 족적] rastro *m*, indicio *m*, señal *f*. ② [원그림 위에 얇은 종이를 놓고 그림을 베끼는 일] trazo *m*. ③【컴퓨터】traza *f*.

트레이싱 페이퍼(영 *tracing paper*) papel *m* de calco, papel *m* de calcar.

트레일러(영 *trailer*) ① ㉮ [선박 · 차량용] remolque *m*. ㉯ [(차로 끄는) 이동 주택] rulot *f*, caravana *f*, *CoS* casa *f* rodante, *Col*, *Chi* tráiler *m*, *Méj* cámper *m*. ㉰ [트럭의] remolque *m*, tráiler *m*, *CoS* acoplado *m*. ②【영화】[예고편] avance(s) *m*(*pl*), tráiler *m*, *Chi*, *Urg* sinopsis *f*, *Arg* colas *fpl*. ■~트럭 camión-tractor *m*.

트로이【지명】Troya *f*.

■~ 전쟁 la Guerra de Troya.

트로이카(러 *troika*) troica *f*.

트로피(영 *trophy*) trofeo *m*.

트롤(영 *trawl*) ((준말)) =트롤망.

■~ 그물 =트롤망. ¶~을 치다, ~ 어업을 하다 hacer pesca de arrastre, pescar con red de arrastre. ~ 낚싯줄 palangre *m*, espinel *m*. ~망 =저인망(底引網)(red barredera). ¶~으로 청어를 잡다 pescar arenque con red de arrastre. ~선 =저인망 어선(底引網漁船)(barco de pesca a la rastra). ~ 어업 =저인망 어업(底引網漁業)(pesca a la rastra).

트롤리(영 *trolley*) ((준말)) =트롤리버스.

■~버스 trolebús *m* (*pl* trolebuses). ~폴 trole *m*.

트롬본(영 *trombone*)【악기】trombón *m*.

■~ 연주자 trombón *mf*.

트리니다드【지명】Trinidad. ~의 trinitario.

■~ 사람[인] trinitario, -ria *mf*.

트리니다드 토바고【지명】Trinidad y Tobago. ～의 trinitense y tobago.
■～ 사람[인] trinitense y tobago (*pl* trinitenses y tobagos).
트리니트로톨루엔(영 *trinitrotoluene*)【화학】[티엔티(TNT)] trinitrotolueno *m*.
트리밍(영 *trimming*)【양재】adorno *m*, ribete *m*.
트리엔날레(이 *triennale*) trienal.
트리오(영 *trio*)【음악】① [삼중주] trío *m*. ② =삼인조(三人組).
트리코(불 *tricot*) (tejido *m* de) punto *m*.
트리코직(불 tricot 織) tricot *m*.
트리톤(영 *triton*)【화학】tritono *m*.
트리튬(영 *tritium*)【화학】tritio *m*.
트리플(영 *triple*) triple *m*, triplete *m*.
■～ 점프 [삼단뛰기] triple salto *m*.
트리플렛(영 *triplet*)【음악】[셋잇단음표] tresillo.
트릭(영 *trick*) ① [속임수] engaño *m*, fraude *m*, treta *f* fraudulenta, trampa *f*, ardid *m*, truco *m*. ～을 쓰다 usar un truco, echar mano de un truco. ～을 폭로하다 revelar el truco. ～이 아니다 Aquí no hay truco alguno / Aquí no hay ni trampa ni engaño. ② ((준말)) =트릭 워크.
■～ 워크 ㉮【영화】trucaje *m*. ㉯【사진】fotografía *f* trucada. ～ 사진 =트릭 워크㉯. ～ 촬영 =트릭 워크 ㉮.
트릴(영 *trill*)【음악】=떤꾸밈음(trino).
트림 eructo *m*, eructación *f*, regüeldo *m*. ～하다 eructar, echarse un eructo, soltar un eructo, regoldar. 그는 ～을 했다 El eructó / El se echó un eructo / El saltó un eructo.
트립신(라 *trypsin*) tripsina *f*.
트릿하다 ① [먹은 음식이 잘 삭지 않아 가슴이 거북하다] (ser) dispéptico, tener una indisgestión. ② ((속어)) [끊고 맺는 데가 없이 똑똑잖다] (ser) sospechoso. 트릿한 남자 hombre *m* de carácter sospechoso.
트위스트(영 *twist*) torcedura *f*, la acción y efecto de torcer; [춤] twist *ing.m*. ～를 추다 bailar el twist.
트이다 ① [막혔던 물건이 없어지다] abrirse, extenderse. 트인 장소 lugar *m* abierto. 이 근처는 확 트인 들이다 Estamos en pleno campo [en campo abierto]. ② [(어둠·구름·안개 따위가) 걷히어 환해지다] despejarse, aclararse, serenarse. ③ [거리끼는 일이 없어지다] hacerse mejor. 운이 트이는 것을 바라보고 살다 vivir en la esperanza de la mejor fortuna. ④ [생각이 환히 열리다] (ser) liberal, de gran corazón, campechano, llano. 트인 사람 persona *f* sensible, persona *f* de gran corazón. 그는 아주 트인 사람이다 El es un hombre de una inteligencia aguda / El es muy sensible. 당신은 트이지 못하셨군요 No sabe usted cómo razonar / Usted no es muy lógico. ⑤ [구멍이 뚫리다] ser agujereado.
트적지근하다 estar incómodo en el estómago.
트집 ① [한 덩이가 되어야 할 물건이나 일이 벌어진 틈] hededura *f*, hendidura *f*, grieta *f*. ② [공연히 조그마한 흠절을 들추어 괴롭게 함] falta *f*, culpa *f*, defecto *m*, censura *f*, tacha *f*, acusación *f* falsa.
◆트집(을) 잡다 tachar, criticar (mezquinamente), buscar camorra, buscar tachas, buscar las cosquillas, poner tachas, encontrar defectos, denignar, acusar en falso, hacer una acusación falsa (a·contra). 그들의 의견에 트집을 잡을 것이 없다 No hallo nada reprensible en su modo de pensar.
◆트집(이) 나다 tener una abertura [raja].
■～쟁이 censurador, -dora *mf*, criticón (*pl* criticones), -cona *mf*.
특가(特價) precio *m* especial; [투매 따위의] precio *m* de saldos. ～로 팔다, ～로 제공하다 ofrecer con un precio especial, hacer una oferta especial.
■～ 제공 ofrecimiento *m* con un precio especial. ～ 판매(販賣) venta *f* con precios especiales. ～품(品) saldo *m*, ganga *f*.
특강(特講) clase *f* especial, lección *f* especial, curso *m* especial.
특공(特功) mérito *m* especial, servicio *m* distinguido.
■～대(隊) comando *m*, cuerpo *m* de pilotos que iban a morir cayendo sobre un buque de guerra enemigo con su avión cargado de cierto explosivo muy fuerte.
특과(特科) curso *m* especial.
■～병(兵) soldado *m* técnico. ～생(生) estudiante *mf* de un curso especial.
특권(特權) privilegio *m*, derecho *m* exclusivo, derecho *m* estatuito, prerrogativa *f*. ～이 있는 privilegiado. ～을 주다 otorgar [dar] un privilegio. ～을 박탈하다 despojar del privilegio. ～을 향유하다 gozar del privilegio. 자유는 학생의 ～이다 La libertad es el privilegio de los estudiantes.
■～ 계급 clase *f* privilegiada. ～ 의식(意識) espíritu *m* de casta. ¶～을 가지다 creerse privilegiado. ～층 =특권 계급.
특근(特勤) servicio *m* especial, trabajo *m* extraordinario. ～하다 trabajar extraordinariamente.
■～ 수당(手當) bonificación *f* para el trabajo extraordinario.
특급(特急) ((준말)) =특별 급행(特別急行).
특급(特級) cualidad *f* [calidad *f*] superior, cualidad *f* [calidad *f*] extraordinaria.
■～주(酒) vino *m* de clase especial.
특급(特給) distribución *f* especial.
특기(特技) especialidad *f*, talento *m* especial, habilidad *f* especial, fuerte *m*. …하는 ～가 있다 tener un talento especial para + *inf*. 그의 ～는 컴퓨터이다 Su especialidad es el ordenador [*AmL* la computadora · *AmL* el computador].. 당신은 무슨 ～를 가지고 계십니까? ¿Qué especialidad tiene usted?
특기(特記) mención *f* especial. ～하다 mencionar especialmente. ～할 만하다 ser dig-

no de mencionarse expecialmente.

특념(特念) preocupación *f* especial. ~하다 preocuparse especialmente.

특달하다(特達―) tener el talento especialmente sobresaliente.

특대(特大) lo extralargo, tamaño *m* excepcional. ~의 [담배가] extralargo; [침대가] de matrimonio (extragrande).

■ ~호(號) edición *f* aumentada [ampliada] especial.

특대(特待) trato *m* especial, distinción *f*. ~하다 tratar especialmente, dar un tratamiento especial.

■ ~생(生) becario, -ria *mf*; estudiante *mf* que tiene una beca. ¶~이 되다 ganar una beca.

특등(特等) clase *f* especial, grado *m* especial. ~의 superior.

■ ~상(賞) premio *m* especial; [복권의] (premio *m*) gordo *m*, gran premio *m*. ¶그는 ~을 받았다 El ha ganado un gran premio / [특히 복권에서] Le ha tocado el gordo. ~석(席) asiento *m* especial. ~실 cuarto *m* especial. ~품 artículo *m* de cualidad especial [superior].

특례(特例) caso *m* especial, caso *m* excepcional, ejemplo *m* especial, excepción *f*. ~를 만들다 hacer una excepción. 이 규칙에는 ~를 인정하지 않는다 No se admite excepción alguna con esta regla / Esta regla no admite excepción alguna.

■ ~법(法) ley *f* especial.

특매(特賣) venta *f* especial, venta *f* de saldos, venta *f* especialmente barata, almoneda *f*. ~하다 vender en saldo, saldar.

■ ~일 día *m* de venta especial. ~장(場) sección *f* de venta especial, mostrador *m* especialmente instalado. ~품 artículos *mpl* especialmente rebajados.

특면(特免) licencia *f* especial.

특명(特命) ① =특지(特旨). ¶~을 받다 encargarse de una misión especial. ~을 띠고 en misión especial. ② [특별한 명령] orden *f* especial, mandato *m* especial, misión *f* especial. 대통령의 ~ mandato *m* especial del presidente de la República. ~하다 mandar [ordenar] especialmente. ③ [특별히 임명함] nombramiento *m* especial. ~하다 nombrar especialmente. ④ 【군사】 ((준말)) =특별 명령(特別命令).

■ ~ 전권 공사(全權公使) ministro *m* plenipotenciario, ministra *f* plenipotenciaria; enviado *m* extraordinario, enviada *f* extraordinaria. ~ 전권 대사 embajador *m* extraordinario y plenipotenciario, embajadora *f* extraordinaria y plenipotenciaria.

특무(特務) ① [특별한 임무] misión *f* especial, servicio *m* especial. ② ((구세군)) predicador, -ra *mf*; evangelista *mf*.

■ ~ 기관(機關) agencia *f* de servicio secreto. ~대(隊) cuerpo *m* de contraespionaje. ~병 soldado *m* de servicio especial. ~함(艦) buque *m* de servicio especial.

특발(特發) 【의학】 idiopatía *f*.

■ ~ 골절(骨折) fractura *f* espontánea. ~성 질환(疾患) enfermedad *f* idiopática. ~증 idiopatía *f*, adiatesia *f*.

특배(特配) ① ((준말)) =특별 배급(特別配給). ② ((준말)) =특별 배당(特別配當).

특별(特別) especialidad *f*, particularidad *f*, excepción *f*. ~하다 (ser) especial, particular, extraordinario; [예외적인] excepcional, de excepción. ~한 경우 caso *m* especial, caso *m* excepcional. ~한 선물 regalo *m* de excepción. 아주 ~한 친구 un amigo muy querido, una amiga muy querida. ~한 경우에 입을 옷 un vestido para ocasiones especiales. ~한 주의를 해서 con [prestando] una atención especial. 아무런 ~한 이유 없이 sin ninguna razón particular. ~ 취급을 하다 tratar de manera especial; [좋은 대우] hacer una excepción (en favor de *uno*). 그는 ~하다 El es una excepción. 저 분은 ~하다 Aquel hombre es un caso aparte. 오늘 오후는 ~한 일이 없다 Esta tarde no tengo nada especial que hacer. 이 직을 얻기 위해 그는 ~한 공부를 했다 Para obtener este puesto ha hecho estudios especiales. 나는 ~한 경우에만 이 옷을 입는다 Me pongo este vestido sólo en ocasiones especiales.

특별히 especialmente, particularmente, de manera especial, en especial, en particular, en particularidad, específicamente, excepcionalmente, bien. ~ 마음에 두고 있는 사람이라도 있습니까? ¿Se le ocurre alguien en especial [en particular · en concreto]? 오늘 밤에 무엇을 할 겁니까? ― ~ 할 일이 없습니다 ¿Qué haces esta noche? ― Nada en especial [en particular]. 바쁘십니까? ― 아닙니다. ~ 바쁜 것은 없습니다 ¿Está usted ocupado? ― No, especialmente no. ~ 말씀드릴 것이 없습니다 No tengo nada que decirle a usted en particular. ~ 주의할 일은 아무것도 없다 No hay nada especial que advertirle.

■ ~ 가격 precio *m* especial, precio *m* de ocasión. ~ 계약 contrato *m* especial. ~ 공채 bono *m* especial. ~ 관습 costumbre *f* especial. ~ 교서 mensaje *m* especial. ~ 교실 clase *f* especial. ~ 교육 educación *f* [enseñanza *f* · pedagogía *f*] especial [difeencial]. ~ 국회 sesión *f* extraordinaria de la Asamblea Nacional. ~ 규정 reglamento *m* especial. ~ 급행 expreso *m* especial, superexpreso *m*. ~ 급행열차 tren *m* superexpreso. ~기 avión *m* (*pl* aviones) especial. ~ 기여 contribución *f* especial. ~ 기획 proyecto *m* especial. ~ 다수(多數) mayoría *f* especial. ~ 다이어트 dieta *f* especial. ~ 담보(擔保) hipoteca *f* especial, seguro *m* especial. ~ 당좌 예금 cuenta *f* especial. ~ 대리인(代理人) representante *mf* especial. ~ 명령(命令) orden *f* especial, mandato *m* especial. ~ 방송 transmisión *f* [emisión *f*] especial. ~ 방식(方式) forma *f* especial. ~ 배급 distribución *f* especial. ~ 배달 entrega *f* especial. ~ 배당 dividendo *m* especial. ~ 배당금 dividendo *m* activo especial. ~ 배임죄(背任罪) prevaricación *f* especial, delito *m* de abuso de confianza especial. ~법(法) ley *f* especial. ~ 법원 tribunal *m* especial. ~ 변호인 abogado, -da *mf* especial; defensor, -sora *mf* especial. ~ 보조금 subsidio *m* especial. ~ 보좌관 consejero, -ra *mf* especial. ~ 보호 건축물(建築物) edificio *m* especialmente preservado. ~ 봉사 servicio *m* especial. ~비(費) expensas *fpl* especiales. ~ 사면 indulto *m*; [법령에 의한] amnistía *f*; [군주에 의한] gracia *f*. ~ 사면령 decreto *m* de amnistía. ~ 사법 경찰 agente *mf* de policía judicial especial. ~ 사정 circunstancias *fpl* especiales. ~상 premio *m* especial. ~ 상여 bonificación *f* especial. ~석 asiento *m* especial, asiento *m* reservado. ~세 impuesto *m* especial. ~ 소비세법 ley *f* de impuestos especiales a consumo. ~ 수당(手當) prima *f*, gratificación *f* (especial), asignación *f* especial. ~ 수익자(受益者) beneficiario, -ria *mf* especial. ~시(市) metrópoli *m* (especial), municipalidad *f* especial, ciudad *f* especial. ~ 열차 tren *m* especial. ~예금(預金) depósito *m* especial, ahorro *m* especial. ~ 예산(豫算) presupuesto *m* extraordinario. ~오퍼 oferta *f* especial. ~ 요리 plato *m* especial. ~ 위원 miembro *m* extraordinario de una comisión. ~ 위원회 comité *m* especial; [국회의] comisión *f* especial. ~ 위임(委任) delegación *f* especial. ~ 은행 banco *m* especial. ~ 의사 intención *f* especial. ~ 의회 sesión *f* especial de la Asamblea Nacional. ~ 이익 beneficio *m* especial. ~ 이해관계 intereses *mpl* especiales. ~ 임무(義務) misión *f* especial. ~ 임용(任用) nombramiento *m* especial. ~ 입장권 billete *m* especial. ~ 재판소 tribunal *m* extraordinario. ~전보 telegrama *m* especial. ~ 조처 medidas *fpl* especiales. ~ 주문 encargo *m* especial, pedido *m* especial. ~ 지시(指示) indicación *f* especial. ~ 지식 conocimiento *m* especial. ~ 지출(支出) desembolso *m* especial. ~직 servicio *m* especial del gobierno. ~ 참모 oficial *m* especial de estado mayor. ~ 청산(淸算) liquidación *f* especial. ~ 취급 tratamiento *m* [trato *m*] especial. ~판(版) edición *f* especial. ~ 항고(抗告) recurso *m* de queja especial. ~ 행위세 impuesto de servicio especial. ~ 형법 derecho *m* penal especial. ~호 [잡지 등의] número *m* especial, edición *f* especial; [임시의] extra *f*. ~ 활동 movimiento *m* especial. ~ 회계 cuenta *f* especial. ~ 회원 miembro *mf* especial. ~ 효과(效果) efectos *mpl* especiales. ~ 훈련 entrenamiento *m* especial, entrenamiento *m* intensivo.

특보(特報) noticia *f* especial, reportaje *m* especial; [속보(速報)] noticia *f* urgente. ~하다 dar una noticia especial; [라디오·텔레비전으로] emitir una noticia especial.

특사(特使) enviado, -da *mf* especial; mensajero, -ra *mf*. ~를 파견(派遣)하다 mandar [enviar] un mensajero especial.
◆유엔 ~ enviado, -da *mf* (especial) de las Naciones Unidas.

특사(特赦) ((준말)) =특별 사면(特別赦免).
▪~령 decreto *m* de amnistía. ¶~을 내리다 promulgar el decreto de amnistía.

특사(特賜) concesión *f* [otorgamiento *m*] del rey. ~하다 conceder [otorgar] especialmente, dar como la concesión [el otorgamiento] especial.

특산(特産) productos *mpl* especiales.
▪~물 producto *m* especial; [주로 음식물] especialidad *f* de la región.

특상(特上) primera cualidad *f* [calidad *f*]. ~의 de primera cualidad, el mejor.
▪~품 el mejor artículo.

특상(特賞) premio *m* especial; [특히 복권의] (premio *m*) gordo *m*.

특색(特色) ① [보통의 것과 다른 점] especialidad *f*, prominencia *f* especial, característica *f*, peculiaridad *f*, lo más notable, color *m*. ~ 있는 especial, peculiar, característico, distintivo. ~ 없는 monótono, sin ninguna característica especial, común (*pl* comunes). ~을 나타내다 caracterizar. ~을 발휘하다 desplegar *su* carácter distintivo, hacer valer *sus* características propias. 이 지방의 풍속에는 커다란 ~이 있다 Las costumbres de esta región tienen una peculiar característica. ② =특장(特長).

특선(特選) selección *f* especial. ~의 selecto [elegido · escogido] especialmente. ~이 되다 [작품이] obtener el premio especial. 당점(當店)의 ~ 모자 sombreros *mpl* especialmente escogidos por nuestra tienda.
▪~품 artículo *m* especialmente escogido.

특설(特設) instalación *f* especial, establecimiento *m* especial. ~하다 instalar especialmente, establecer especialmente.
▪~ 매점(賣店) mostrador *m* especialmente instalado.

특성(特性) carácter *m* específico, característica *f*, especialidad *f*, particularidad *f*, peculiaridad *f*, propiedad *f*, idiosincracia *f*. ~을 발휘하다 desplegar *su* carácter. ~을 부여하다 caracterizar.

특세(特勢) situación *f* muy distinta.

특소세(特消稅) ((준말)) =특별 소비세.

특수(特殊) especialidad *f*, peculiaridad *f*, particularidad *f*, característica *f*. ~하다 (ser) especial, particular, específico; [특이하다] singular.
▪~ 감각 【생물】 sentido *m* especial. ~강(鋼) acero *m* especial, acero *m* de aleación. ~ 교육 educación *f* especial. ~ 부족 tribu *f* especial. ~ 사정 circunstancias *fpl* particulares. ~ 사회 sociedad *f* especial. ~성(性) particularidad *f*, singularidad *f*,

especificidad *f.* ~ 은행 banco *m* privilegiado. ~ 창조설 creacionismo *m.* ~ 창조설론자 creacionista *mf.* ~ 특장차 vehículo *m* con equipos especiales. ~ 학교 escuela *f* especial. ~ 학급 clase *f* especial. ~화 especialización *f*, especificación *f.* ~ 회사 compañía *f* aseguradora. ~ 효과 efectos *mpl* especiales.

특수(特需) demanda *f* especial. 한국 전쟁에 의한 ~ 경기(景氣) prosperidad *f* [bonanza *f*] gracias a la demanda especial por la Guerra de Corea.

특수하다(特秀-) (ser) excelente. superior. 특수함 excelencia *f*, superioridad *f.*

특약(特約) contrato *m* [estipulación *f*·convenio *m*·transacción *f*] especial. ~하다 hacer un contrato especial. ~을 체결하다 formar un contrato especial.

■ ~점 agencia *f* (por contrato) especial.

특용(特用) uso *m* especial. ~하다 usar especialmente.

특우(特遇) =특대(特待).

특위(特委) ((준말)) =특별 위원회.

특유(特有) pecularidad *f*, cualidad *f* especial. ~하다 (ser) peculiar, característico, específico, propio, distintivo. ~의 미(美) hermosura *f* suya propia. ~한 습관(習慣) costumbre *f* propia. 그의 ~한 문체(文體) su estilo característico. 마늘~의 냄새 olor *m* peculiar del ajo. 콜레라의 ~한 징후(徵候) síntoma *m* específico de cólera.

■ ~성 pecularidad *f*, singularidad *f.* ~ 재산 propiedad *f* peculiar.

특은(特恩) favor *m* especial.

특이성(特異性) singularidad *f*, peculiaridad *f.* ~의 específico.

특이적(特異的) específico *adj.*

특이점(特異點) punto *m* especialmente distinto.

특이질(特異質) idiosincrasia *f.*

특이 체질(特異體質) idiosincrasia *f.* ~의 idiosincrásico.

특이하다(特異-) (ser) particular, específico, singular, peculiar, único, original; [독창적인] ingenioso. 특이한 재능(才能) talento *m* original. 특이한 것을 말하다 decir cosas ingeniosas, decir de buen tono. 그의 말하는 방법은 ~ Su manera de hablar es *peculiar* / El tiene una manera peculiar de hablar. 이 요리는 특이한 맛이다 Es exquisito este plato / Este plato tiene un sabor delicioso. 이 치즈는 특이한 맛이 있다 Este queso tiene un sabor especial [peculiar].

특임(特任) nombramiento *m* especial; [임무] misión *f* especial.

특작(特作) producción *f* especial.

◆ 초(超)~ super-producción *f.*

■ ~품 [영화의] filme *m* especial.

특장(特長) mérito *m*, fuerte *m*, superioridad *f.* 어떤 방법에나 ~이 있다 Cada método tiene su mérito. 이 사전의 ~은 예문이 풍부한 데에 있다 La superioridad de este diccionario reside en la abundancia de ejemplos.

특장차(特裝車) =특수 특장차(特殊特裝車).

특저(特著) obra *f* especial.

특전(特典) favor *m* especial, privilegio *m*, oferta *f* generosa, oferta *f* ventajosa. ~을 주다 conceder el privilegio. 회원에게는 할인의 ~이 있다 Los miembros de la sociedad tendrán derecho a un descuento.

특전(特電) telegrama *m* especial, despacho *m* especial. 마드리드의 ~에 따르면 según un telegrama especial de Madrid.

특점(特點) caraterística *f*, peculiaridad *f.*

특정(特定) especificación *f.* ~의 determinado, específico; [특별한] especial. ~한 목적 없이 sin objeto específico.

■ ~ 가격 precio *m* específico. ~ 계약(契約) contrato *m* específico. ~물 cosa *f* específica, cosa *f* fija. ~ 사항 asunto *m* específico. ~ 승계(承繼) heredamiento *m* específico. ~ 승계인(承繼人) heredero *m* específico, heredera *f* específica. ~ 요금 tarifa *f* específica. ~ 운임(運賃) flete *m* especial. ~ 유증(遺贈) legado *m* de cosa específica. ~ 이행(履行) ejecución *f* forzosa, cumplimiento *m* forzoso. ~인 persona *f* determinada, persona *f* específica. ~일 día *m* determinado. ~ 자본(資本) capital *m* específico. ~ 재산(財産) bienes *mpl* específicos, propiedad *f* específica. ~ 종목 clasificación *f* específica.

특제(特製) fabricación *f* especial, elaboración *f* especial. ~의 de fabricación especial, de hechura especial, especialmente hecho. A 회사의 ~ fabricación *f* [preparación *f*] especial de la compañía A.

■ ~본(本) edición *f* de lujo. ~품 artículo *m* fuera de serie.

특종(特種) ① [특별한 종류] especie *f* especial, clase *f* especial. ② ((준말)) =특종 기사(特種記事).

■ ~ 기사(記事) noticia *f* sensacional y exclusiva, noticia *f* que publica un periódico antes de otros.

특종(特鐘) 【악기】 *teukchong*, una especie de la campana.

특주(特酒) ① [특별한 방법으로 특별히 좋게 만든 술] bebida *f* especialmente preparada. ② =동동주.

특중하다(特重-) ser especialmente grave.

특지(特旨) consideración *f* especial. ~에 따라 por gracia especial, por consideración especial, gracias al trono.

특지(特志) ① [좋은 일을 위해 내는 특별한 뜻] intención *f* especial, interés *m* especial. ② ((준말)) =특지가(特志家).

■ ~가(家) patrón, -trona *mf*; voluntario, -ria *mf*; aficionado, -da *mf*; defensor, -sora *mf*; mantenedor, -dora *mf.*

특진(特進) promoción *f* especial. 한 계급 ~ promoción *f* especial de un grado. 두 계급 ~하다 ascender (en) dos grados [rangos] en el escalafón. 그는 성적으로 두 계급 ~했다 Sus méritos le hicieron ascender dos grados.

특진(特診) consulta *f* médica por el médico específico.

특질(特質) ① [특별한 기질] característica *f*, peculiaridad *f*. ② [특별한 품질] cualidad *f* [calidad *f*] especial.

특집(特輯) edición *f* especial.
■ ~ 프로그램 programa *m* especial. ~호 número *m* especial.

특징(特徵) característica *f*, peculiaridad *f*, particularidad *f*, carácter *m* distintivo, rasgo *m* distintivo. ~ 있는 característico, peculiar. ~이 없는 sin carácter, sin particularidad, sin rasgos distintivos. 인간의 ~ peculiaridad *f* humana. ~을 부여하다 caracterizar. …라는 ~이 있다 tener la particularidad de + *inf*. 친절이 그의 ~이다 Le caracteriza la amabilidad / El se caracteriza por la amabilidad. 이 작품은 작자의 ~을 잘 표현하고 있다 Esta obra demuestra con claridad la personalidad del autor. 그의 ~은 머리가 큰 것이다 El se distingue por la cabeza grande. 그녀는 ~이 있는 배우다 Ella es una actriz con características peculiares. 범인의 ~은 이마의 점이다 El rasgo físico característico del criminal es su lunar en la frente.

특차(特次) turno *m* especial. ~로 대학에 입학하다 ingresar en la universidad por turno especial.

특채(特採) empleo *m* especial, nombramiento *m* especial. ~하다 emplear especialmente, nombrar especialmente.

특천(特薦) recomendación *f* especial. ~하다 recomendar especialmente.

특청(特請) petición *f* especial, solicitud *f* especial. ~하다 pedir [solicitar] especialmente.

특출하다(特出—) (ser) sobresaliente, distinguido, prominente, superior. 특출함 distinción *f*, prominencia *f*.

특칭(特稱) designación *f* especial, denominación *f* especial; 【논리】 particular *m*. ~하다 dar una denominación (a), denominar, designar, particularizar.
■ ~ 명제(命題) 【논리】 proposición *f* particular.

특특하다 (ser) basto y fuerte.

특파(特派) expedición *f* (especial), envío *m*, despacho *m*. ~하다 enviar [mandar] especialmente; [군을] destacar. 기자를 ~하다 enviar especialmente a un periodista, mandar un enviado especial.
■ ~ 대사 embajador *m* extraordinario, embajadora *f* extraordinaria. ~ 사절(使節) enviado, -da *mf* especial. ~원(員) correspondiente *mf*, corresponsal *mf* especial ~ 전권 공사 ministro *m* plenipotenciario especial. ~ 전권 대사 embajador *m* plenipotenciario especial.

특품(特品) artículos *mpl* de alta cualidad, mercancías *fpl* de primera.

특필(特筆) mención *f* especial. ~하다 mencionar especialmente, hacer mención especial; [강조하다] subrayar. ~할 만한 notable, extraordinario. ~할 만한 큰 사건 suceso *m* memorial., suceso *m* memorable, acontecimiento *m* notable. ~할 만하다 [사물이 주어일 때] merecer una mención especial. ~할 만한 것이 아무것도 없다 No hay nada que requiera una mención especial.
■ ~대서(大書) =대서특필(大書特筆). ¶~할 만하다 merecer de ser escrito en grandes caracteres.

특허(特許) ① [특별히 허락함] permiso *m* especial. ~하다 permitir especialmente. ② 【법률】 patente *f*. ~를 받은 patentado. ~를 얻을 수 있는 patentable. ~ 출원 중 bajo la solicitación del privilegio. ~가 주어지다 ser otorgado una patente. ~를 출원하다 [신청하다] dirigir una petición para obtener una patente. …의 ~를 얻다 patentar *algo*, obtener [sacar] la patente de *algo*.
◆ 발명(發明) ~ patente *f* de invención. 전매(專賣) ~ monopolio *m*.
■ ~ 갱신료 cargo *m* por renovación de patente. ~ 거래 comercio *m* de patentes. ~ 계류 중 patente *f* en tramitación. ~ 관리 administración *f* de patentes. ~국(局) Departamento *m* de la Propiedad Industrial. ~권(權) patente *f*, derechos *mpl* de patente. ~권 로열티 =특허권 사용료. ~권 보호 protección *f* de patentes. ~권 사용료 derechos *mpl* de patente (de invención). ~권 소유자 propietario, -ria *mf* de una patente, poseedor, -dora *mf* de una patente. ~권 전매 monopolio *m* legal de patente. ~권 유효 기간 duración *f* de una patente, vigencia *f* de una patente. ~권 출원 중 ((게시)) Patente solicitada, Patente en trámite, Patente presente, Patente bajo solicitud. ~권 침해 violación *f* de patente, uso *m* indebido de patente. ~ 기업 empresa *f* de una patente. ~ 기한(期限) duración *f* de la patente, vigencia *f* de una patente. ~ 대리업 agencia *f* de una patente. ~ 대리인 agente *mf* de una patente. ~ 등기부 rol *m* [lista *f*·archivo *m*] de patentes. ~료 derechos *mpl* de patente. ~ 명세서 especificaciones *fpl* de una patente. ~ 목록(目錄) descripción *f* de la patente. ~ 발명 invención *f* de patente. ~ 법 ley *f* de patentes. ~ 변리사 agente *mf* de patentes. ~ 사무소(事務所) oficina *f* de abogados de patente. ~ 사용료 derechos *mpl* de patente. ~ 설명서 [특허 출원 때의] descripción *f* de la patente. ~ 소유자 titular *mf* (de una patente). ~ 심사(審査) examen *m* de la patente. ~ 심판 arbitraje *m* de patentes. ~ 원부(原簿) registro *m* de patentes. ~ 은행 banco *m* registrado. ~ 의약품 especialidad *f* medicinal. ~ 자문위원회 el Comité de Patentes. ~장 título *m* [patente *f*] de privilegio, licencia *f* espe-

cial. ~ 전문 변호사 abogado, -da *mf* especialista en patentes. ~ 전쟁 guerra *f* de patentes. ~ 조약 el Tratado sobra Patentes. ~증 certificado *m* de patente. ~청 Dirección *f* General de Patentes, Registro *m* de la propiedad industrial, Registro *m* de patentes y marcas. ~ 출원(出願) aplicación *f* [solicitud *f*] de una patente. ~ 출원인 solicitante *mf* de patentes. ~ 출원중 ((게시)) Patente pendiente, Patente en trámite, Patente en tramitación. ~ 침해 violación *f* de una patente. ~품 artículo *m* patentado. ~ 효력(效力) vigencia *f* de una patente.

특혜(特惠) tratamiento *m* preferente, preferencia *f*, favor *m* especial, privilegio *m*. ~의 preferencial, preferente. ~를 주다 dar un tratamiento preferente. ~를 받다 recibir un tratamiento preferente.
■ ~ 관세(關稅) tarifa *f* preferencial, tarifa *f* preferente. ~ 관세율 (tasa *f* de) tarifa *f* preferencial [preferente]. ~ 대우 trato *m* preferencial, tratamiento *m* preferente. ~ 무역 comercio *m* preferencial. ~ 세율 tasa *f* de tarifa preferencial. ~ 융자 préstamo *m* preferencial.

특혜국(特惠國) nación *f* más favorecida.
■ ~ 대우(待遇) tratamiento *m* que implica preferencida. ~ 세율 trarifa *f* preferencial, aranceles *mpl* preferenciales.

특효(特效) eficacia *f* especial, virtud *f* especial. ~가 있다 tener una eficacia especial, ser específico.
■ ~약 específico *m*, medicina *f* milagrosa.

특히(特－) especialmente, en especial, particularmente, en particular, sobre todo; [예외적으로] excepcionalmente. ~ 중요한 문제(問題) problema *m* importantísimo. ~ 주의하다 prestar atención especial. 영화에 ~ 관심이 있다 tener un interés especial en el cine. 나는 스포츠, ~ 수영을 좋아한다 Me gustan los deportes, sobre todo la natación. 금년은 ~ 비가 적다 Este año en particular llueve poco. ~ 건강에 주의하십시오 Tenga cuidado especialmente con su salud.

튼실하다 ser fuerte y firme.

튼튼하다 ① [생김새나 물건의 만듦새가 매우 단단하고 실하다] (ser) fuerte, resistente, sólido, durable, estar sujeto. 튼튼한 집 casa *f* sólida, casa *f* robusta. 튼튼한 줄 cuerda *f* resistente. 줄이 튼튼합니까? ¿Está bien sujeta la cuerda? 이 의자는 ~ Esta silla es resistente. ② [몸이 건강하다] (ser) fuerte, vigoroso, robusto; [건강한] sano, con buena salud. 튼튼한 사람 persona *f* fuerte [robusta]. 튼튼한 남자 hombre *m* robusto [fuerte]. 몸이 ~ tener un cuerpo fuerte, tener buena salud, gozar de buena salud, estar bien (de salud). 다리가 ~ tener buenas piernas. 체격(體格)이 ~ ser de constitución sólida [robusta]. 튼튼하게 되다 ponerse fuerte, ponerse vigoroso; [건강을 되찾다] recobrar la salud, sanar. 몸을 튼튼하게 하다 fortalecerse [fortificarse · vigorizarse] (el cuerpo).
튼튼히 bien, fuertemente, sólidamente, sanamente, rigorosamente. ~ 만든 hecho sólidamente. 보트는 두꺼운 줄로 ~ 묶여 있었다 El bote estaba bien amarrado con una soga.

틀 ① [물건을 만드는 데 「골」이나 「판」이 되는 물질] molde *m*., matriz *f*. ~을 넣어 만들다 moldear. ~을 부수다 romper moldes. ② [물건을 받치거나 버티거나 팽팽히 켕기게 하기 위해 테두리만으로 된 물건] ㉮ [구조] [건물 · 선박 · 비행기의] armazón *m* (*pl* armazones); [자동차 · 자전거의] bastidor *m*; [자전거의] cuadro *m*, *Chi*, *Col* marco *m*; [침대 · 문의] bastidor *m*. ㉯ [테두리] [그림의] marco *m*; [창문 · 문의] marco *m*; [라켓의] armazón *m(f)*, marco *m*. ③ ((속어)) =기계. ④ ((준말)) =재봉틀(máquina de coser). ⑤ =틀거지. ¶~이 진 인물 persona *f* de dignidad. ⑥ [일정한 격식이나 형식] formalidad *f*. ~에 박힌 formal, convencional. ~에 박힌 말 palabra *f* convencional. ~에 박힌 인사를 하다 dirigir un saludo formal, dirigir un saludo de acuerdo con las normas establecidas.
◆수(繡)~ bastidor *m*, tambor *m* (de bordar).

틀거지 dignidad *f*. ~가 있다 (ser) digno, circunspecto. ~가 없다 faltar dignidad. ~를 유지하다 conservar la dignidad. ~를 잃다 perder la dignidad.

틀국수 *teulguksu*, tallarín *m* hecho de máquina.

틀누비 *teulnubi*, guata *f* por la máquina.

틀니 diente *m* postizo, diente *m* falso; [어금니의] muela *f* postiza; [집합적] dentadura *f* postiza. ~를 넣다 ponerse la dentadura postiza. ~를 빼다 quitarse la dentadura postiza.

틀다 ① [한 물건의 양 끝을 서로 반대쪽으로 돌리다] torcer, volver, dejar, dar vueltas (a). 오른쪽으로 ~ torcer a la derecha. ② [일이 어그러지도록 방해하다] frustrar, fallar, desbaratar, contrarrestar. 일을 ~ frustrar [fallar · contrarrestar] el plan. ③ [솜틀로 솜을 타다] limpiar, sobrehilar, encandelillar, *RPI* surfilar. 솜을 트는 기계 limpiadora *f* de algodón. 솜을 ~ limpiar el algodón. ④ [머리 · 상투를 묶다] atar. 상투를 ~ atar el moño. ⑤ [라디오 · 수도 따위의 기계나 장치를 작동하게 하다] abrir, poner, encender. 라디오를 ~ poner la radio. 음악을 ~ difundir [poner] una música; [방송하다] emitir música. 수도꼭지를 ~ abrir el grifo. 텔레비전을 ~ encender la televisión.

틀리다 ① [셈이나 사실 · 이치 따위가 맞지 않다] estar mal, estar equivocado, ser incorrecto, equivocarse, cometer; [다르다. 잘못하다] (ser) distinto, diferente, diferir (de), diferenciarse (de), variar, discordar.

틀린 equivocado, erróneo, incorrecto, diferente, distinto. 계산이 ~ calcular mal, cometer un error de cálculo, la cuenta está mal [equivocada]. 의견이 ~ no compartir la opinión (de *uno*), no estar de acuerdo (con *uno*). …라 말해도 틀리지 않다 Bien se puede decir que + *ind.* 굉장히 틀린다 Hay una gran diferencia. 그것은 틀렸다 No es así / Eso está equivocado. 틀리고 말고요 Desde luego que no. 대답이 틀렸다 La respuesta está mal [equivocada] / La respuesta es incorrecta [errónea]. 이것은 원문(原文)과 ~ Esto es diferente del texto original. 당신이 틀렸습니다 Usted se equivoca / Usted no tiene razón / Es erróneo lo que dice usted / No es exacto lo que dice usted. 신문에 나온 시간은 틀렸다 La hora que salió en el periódico estaba mal. 그는 틀린 결론을 냈다 El sacó una conclusión equivocada. 당신이 준 거스름돈이 틀렸다 Usted se ha equivocado al darme el cambio. 책은 틀린 장소에 있다 El libro no está donde debería [debiera] / El libro no está en su sitio [en su lugar]. 우리는 틀린 버스를 탔다 Nos hemos equivocado de autobús. 그들은 틀린 방향으로 갔다 Ellos cogieron [tomaron] para dóndo no debía. 어제 지하철을 탈 때 방향이 틀렸다 Ayer me equivoqué de dirección al tomar el tren. ② [사이가 틀어지다] discorar (de · en). 사이가 ~ estar en malos términos (con), estar en relaciones poco amistosas (con), no estar en buenos términos (con), llevarse mal (con). 의견이 ~ discordar en parecerse. ③ [「틀다」의 피동으로, 한 물건의 양쪽 끝이 서로 반대쪽으로 돌림을 당하다] ser torcido, torcerse. 병마개가 ~ torcerse el tapón (de la botella).

틀림 equivocación *f*, error *m*, falta *f*, culpa *f*, discrepancia *f*, diferencia *f*.

틀림없다 (ser) igual, idéntico, el mismo, cierto, seguro; [믿을 수 있다] confiable, fidedigno. 틀림없는 사람 persona *f* de entereza. 틀림없는 여자 mujer *f* que vale mucho, mujer *f* que sabe donde pisa. 틀림없는 소식통의 정보에 따르면 según la información de fuente confiable [fidedigna]. 내 기억이 틀림없다면 si no recuerdo mal, si no me falla la memoria, si yo recuerdo bien. …과 조금도 ~ ser completamente igual a *algo*, ser distinto a *algo*. A는 B임에 ~ A es ni más ni menos que B, A es todo igual a B. …임에 ~ No cabe duda que + *ind* · *subj* / Estoy seguro de que + *ind.* 그것은 ~ Eso debe de ser verdad / No cabe duda de eso / Eso no admite duda. 그것임에 ~ No es ni más ni menos que eso / No puede ser otra cosa que ésa. 위와 같이 틀림없습니다 Declaro que lo que precede es conforme a la verdad. 그가 오는 것은 ~ Estoy seguro (de) que él vendrá / Seguro que él viene / Ya verás como él viene / El debe de venir. 그는 어제 출발했음에 ~ El ha debido [debió] de marcaharse ayer / El debe de haberse marchado ayer. 내일은 비가 내릴 것임에 ~ Seguro que lloverá mañana. 그 일을 한 사람은 그 사람임에 ~ Debe de ser él quien lo ha hecho / Sin duda, él lo ha hecho. 그 여자는 정신이 나갔음이 ~ Ella debe de ser loca.

틀림없이 sin duda, indudablemente, sin falta, seguramente, exactamente. ~ 그렇습니다 Tiene usted toda la razón / Claro que sí / Así es ciertamente. 그것은 ~ 한국제이다 Creo que es de fabricación coreana. ~ 너는 오지 않으리라 생각했다 Yo estaba seguro de que no vendrías / Yo daba por supuesto que no vendrías. 내일은 ~ 출석하겠습니다 Asistiré mañana sin falta. 그 사람은 ~ 범인이다 No cabe duda de que él es el autor del crimen. 그 사람은 ~ 온다고 생각한다 Creo que él viene sin falta. 서류(書類)는 ~ 받았습니다 Acusamos recibo de los documentos. 그녀는 ~ 지금 서반아에 있을 것이다 Seguramente ella estará en España ahora. 나는 ~ 당신에게 전화했지만 아무도 받지 않았습니다 Le aseguro que llamé por teléfono, pero no me contestó nadie.

틀수하다 (ser) generoso y modesto.

틀스럽다 (ser) digno, circunspecto, majestuoso, señorial.
틀스레 con dignidad, majestuosamente.

틀어넣다 meter, embutir, envasar, enpaquetar, embalar. 나는 물건을 가방에 틀어넣었다 Metí [embutí] todas mis cosas en la maleta. 그들은 그를 방으로 틀어넣었다 Ellos le metieron a la fuerza en la habitación. 선적하기 위해 상품을 틀어넣었다 Las mercancías están embaladas y listas para ser despachadas.

틀어막다 ① [억지로 틀어넣어 못 통하게 하다] rellenar, llenar, tapar, obstruir, cerrar. 틈을 ~ llenar la abertura. 구멍에 종이를 ~ rellenar el agujero [el hueco] con papel. 벽의 구멍을 ~ tapar [cerrar] el agujero de la pared. 귀를 ~ [자신의] taparse los oídos. ② [말 · 행동을 제멋대로 하지 못하게 억제하다] tapar. 입을 ~ [남의] tapar*le* a *uno* la boca. ③ [일이 안 되게 억지로 막다] obstruir a la fuerza.

틀어박다 meter, embutir. ☞틀어넣다

틀어박히다 encerrarse (en), recluirse (en). 밤낮 집에만 틀어박혀 있는 (사람) casero, -ra *mf.* 집에 ~ quedarse en casa sin hacer nada, estarse encerrado en casa. 산에 ~ encerrarse en una montaña. 절에 ~ encerrarse en un templo. 틀어박혀 책을 다 쓰다 recluirse para terminar *su* libro. 방에 틀어박혀 있다 estar encerrado en la habitación. 자신의 세계에 ~ meterse en *su* concha, encerrarse en sí mismo, encerrarse en *su* cascarrón.

틀어쥐다 capturar, apresar, aprehender, tomar, tomar posesión (de).

틀어지다 ① [제 갈 자리에서 옆으로 굽어 나가다] [차량·운전수·말이] virar bruscamente, dar un viraje brusco, *Méj* dar un volantazo; [사람·편지가] extraviarse, perderse; [동물이] descarriarse; [공이] ir con efecto; [축구 선수가] fintar, quebrar; [선박·비행기가] desviarse. 대부분의 사람들이 틀어지는 경향이 있는 화제 un tema que la mayoría de la gente tiende a evitar [eludir]. 방향이 ~ desviarse, cambiar de rumbo. 사실에서 ~ apartarse (de). ② [새끼 모양으로 꼬여 틀리다] ser retorcido, ser deformado, ser crispado. 그녀의 얼굴이 고통으로 틀어졌다 Ella tenía el rostro crispado por del dolor. ③ [사귀는 사이가 서로 벌어지다] discrepar (de), disentir (de), diferenciarse (de), alejarse (de), distanciarse (de). 그의 틀어진 아내 su mujer, de quien está separado. 정치에서 다른 사람과 ~ disentir de otro en política. 틀어지게 하다 alejar, distanciar. 그들은 지금 틀어져 있다 Ellos están separados. 그녀는 남편과 사이가 틀어져 있다 Ella vive [está] separada de su marido. 두 사람의 사이가 틀어졌다 Los dos se alejaron. 이것은 그의 모든 친구들의 사이를 틀어지게 했다 Esto ha hecho que todos sus amigos se alejen [se distancien] de él. ④ [꾀하는 일이 어그러지다] echarse a perder, aguarse, estropearse. 틀어지게 하다 desarreglar, trastornar, desordenar. 판단을 틀어지게 하다 perturar el juicio, trastornar el juicio. 우리들의 여행 계획은틀어졌다 Se nos aguó el proyecto del viaje. 악천후(惡天候)로 계획이 틀어졌다 El mal tiempo estropeó el plan.

틀지다 tener dignidad, ser digno. 사람이 틀지어 믿을 만하다 ser digno y fidedigno.

틀톱 sierra *f* abrazadera.

틈 ① [벌어져 사이가 난 자리] grieta *f*, raja *f*, quebraja *f*, intersticio *m*, resquicio *m*, fisura *f*, abertura *f*, redija *f*. 담의 ~ grietas *fpl* de una tapia, rajas *fpl* de una tapia. 문~으로 엿보다 atisbar por la rendija de la puerta. 창에 ~이 있다 Hay intersticios en las ventanas. ② [겨를] tiempo *m* libre, hora *f* ociosa, horas *fpl* muertas, rato *m* ocioso, horas *fpl* desocupadas, horas *fpl* de recreo, tiempo *m* desocupado, claro *m*; [시간] tiempo *m*. ~이 있을 때에 a ratos perdidos, en momentos imprevistos. ~을 내다 encontrar tiempo. ~이 나다 estar libre, estar desocupado, tener tiempo libre. …할 ~이 있다 tener tiempo de [para] + *inf*. ~을 내어 …하다 destinar [consagrar·dedicar] mucho tiempo para + *inf*. ~을 내어 물건을 사다 aprovechar un claro para hacer compras. ~을 내어 책을 읽다 aprovechar el tiempo libre para leer libros. 만일에 당신이 ~이 나면 cuando tenga usted tiempo libre. 그럴 ~이 없다 No tengo tiempo para eso / No tengo tiempo para [de] hacer tal cosa. 내일은 ~이 난다 Estoy libre mañana. ③ [기회] ocasión *f*, oportunidad *f*. ~을 노리다 estar al acecho de un descuido (de). 책 볼 ~이 없다 no tener oportunidad de leer libros. …의 방심한 ~을 이용해서 …하다 aprovechar un momento de descuido de *uno* para + *inf*. 나는 도망칠 ~이 없다 No se me presenta la oportunidad de huir. ④ [간격] cabida *f*, puesto *m*, tiempo *m*, intervalo *m*. ~이 있다 caber. 한 사람 들어갈 ~이 있다 Hay puesto para una persona. 그 사전이 가방에 들어갈 ~이 없다 El libro no cabe en el estuche. ⑤ [불화(不和)] desavenencias *fpl*, roces *fpl*, tirantez *f*, distanciamiento *m*, alejamiento *m*. 가족 간의 ~ desavenencias *fpl* familiares, roces *fpl* familiares.

틈나다 ① [겨를이 생기다] estar libre, tener tiempo libre. 틈나는 대로 찾아가마 Te visitaré cuando yo esté libre. 틈나는 대로 집에 한번 오너라 Ven a mi casa cuando estés libre. ② [서로 사이가 벌어지다] alejarse (uno de otro), distanciarse (uno de otro), separarse (uno de otro).

틈내다 encontrar tiempo, hacer tiempo.

틈바구니 ((속어))＝틈.

틈바귀 ((속어)) ＝틈.

틈새 espacio *m*. ~를 만들다 dejar un espacio.

틈새기 rendija *f*, parte *f* muy estrecha de la grieta [de la raja]. ~로 바람이 들어온다 Entra el viento por las rendijas.
■~ 바람 chilflón *m*, aire *m* colado, corriente *f* de aire, corriente *f* de viento.

틈입(闖入) irrupción *f*. ~하다 irrumpir (en).
■~자(者) intruso, -sa *mf*.

틈타다 ① aprovechar la oportunidad [la ocasión]. ② ((성경)) buscar ocasión, buscar un pretexto.

틈틈이 ① [틈이 난 구멍마다] en cada abertura. ② [겨를이 있을 때마다] en momentos imprevistos, siempre que se está libre.

틔우다 hacer abrirse, hacer extenderse.

티[1] ① ㉮ [재·흙 등의 부스러기] polvo *m*, mata *f*, átomo *m*. 눈에 ~가 들어가다 tener mota en *su* ojo. ㉯ ((성경)) paja *f*. 남의 눈에 있는 ~ la paja en el ojo ajeno. ② [조그마한 흠집] fallo *m*, defecto *m*, falta *f*, tacha *f*, falla *f*, imperfección *f*. 옥에 ~ fallo *m* en una joya. ~ 없는 어린이 niño, -ña *mf* inocente. ~ 없는 사람은 없다 Nadie es perfecto.

티[2] [어떠한 색태(色態)나 기색 또는 버릇] estilo *m*, manera *f*, modo *m*, aspecto *m*, aire *m*; [버릇] costumbre *f*, hábito *m*; [악습(惡習)] vicio *m*, mala costumbre *f*. 그는 인텔리~가 난다 El tiene aspecto [aire] de intelectual.

티(영 *tea*) té *m*.
◆레몬~ té *m* con limón. 일본~ té *m* japonés. 중국~ té *m* chino. 한국~ té *m* coreano.

■ ~룸 salón *m* (*pl* salones) de té, cafetería *f*, *RPI* confitería *f*. ~ 세트 juego *m* de té, juego *m* de café. ~스푼 cucharilla *f*, cucharita *f*. ~타임 hora *f* del té, hora *f* de merendar, *Col*, *Chi* hora *f* de onces. ~ 파티 fiesta *f* de té. ~포트 [찻주전자] tetera *f*.

티(영 *tee*) ((골프)) [쐐기못] tee *ing.m*, soporte *m* para la pelota de golf, soporte *m* donde se pone la pelota; [공을 올려놓는 자리] punto *m* de salida, punto *m* de partida. 5번 홀의 ~ el punto de salida del quinto hoyo. 공을 ~ 위에 올려놓다 colocar la pelota (en el tee). ~에서 제1구를 치다 dar el primer golpe.
■ ~ 샷 ((골프)) primer golpe *m*. ~하다 dar el primer golpe.

티격나다 desavenirse (con), enemistarse (con); [서로] desavenirse (uno de otro), enemistarse (uno de otro). 그들은 티격나 있다 Ellos están desavenidos [enemistados].

티격태격 peleándose, riñendo, discutiendo. ~하다 pelearse, reñir, discutir, causar un conflicto muy complicado. ~함 altercado *m*, disputa *f*, riña *f*, pelea *f*. A와 ~하다 pelearse con A. …로 A와 ~하다 discutir [reñir] con A por *algo*.

티그리스 강(Tigris 江)【지명】el Tigris.

티끌 polvo *m*; [옷에 묻은] mota *f*. ~만큼도 없다 no haber un ápice.
■ ~세상 este mundo *m* (mugriento).
■ 티끌 모아 태산(泰山) 된다 ((속담)) Cada día un grano pon y harás montón / Muchos pocos hacen un mucho.

티눈 callo *m*, ojo *m* de gallo, callo *m* en la planta del pie. ~이 생기다 tener callo (en la planta del pie).
■ ~약 callicida *f*. ~ 전문의 callista *mf*.

티 뜯다 tachar, criticar.

티몰(영 *thymol*)【화학】timol *m*.

티베트【지명】el Tibet. ~의 tibetano.
■ ~ 사람[인] tibetano, -na *mf*. ~ 어[말] tibetano *m*.

티 보다 tachar, criticar.

티브이(영 *TV*, *television*) televisión *f*, tele *f*, TV *f*. ☞텔레비전

티비(영 *TB*, *tuberculosis*)【의학】=결핵병.

티석티석 de modo irregular, de modo poco uniforme. ~하다 (ser) irregular, poco uniforme, disparejo.

티셔츠(영 *T-shirts*) camiseta *f*, jersey *m*, polo *m*.

티스푼(영 *teaspoon*) [찻수저] cucharita *f*, cucharilla *f*. ~으로 하나(의 양) cucharadita *f*.

티 없다 (ser) inocente, tierno. 티 없는 나이 tierna edad *f*.
티 없이 inocentemente, tiernamente, con inocencia. ~ 맑은 blanco como la nieve, inocente. ~ 맑은 가을 cielo *m* claro del otoño.

티엔티(영 *TNT*, *trinitrotoluene*) TNT *m*, trinitrotolueno *m*.

티오[1](영 *TO*, *table of organization*) ① =조직표. 편성표. ② =정원(定員).

티오[2](영 *thio-*)【화학】tio-. ~요소(尿素) tiourea *f*.

티자(T—) regla *f* T.

티자(T字) T *f*. ~형(形) forma *f* de T. ~형 교차로(交叉路) cruce *m* de caminos en forma de T.

티적거리다 seguir provocando.

티케이오(영 *TKO*, *technical knockout*) K.O. *m* técnico.

티켓(영 *ticket*) [버스·기차의] billete *m*, *AmL* boleto *m*; [비행기의] billete *m*, pasaje *m*; [극장·박물관 등의] entrada *f*.

티크(영 *teak*) (madera *f* de) teca *f*.

티타늄(라 *titanium*) titanio *m*.

티탄(독 *Titan*) titanio *m*.

티티새【조류】① =지빠귀. ② =개똥지빠귀.

티푸스(영 *typhus*) tifus *m*, fiebre *f* tifoidea.
◆발진 ~ tifus *m* exantemático. 장(腸)~ tifus *m* abdominal, fiebre *f* tifoidea.
■ ~균(菌) bacilo *m* de Eberth.

티하다 tener algo (de), mostrar la mota.

틴에이저(영 *teenager*) [십대] adolescente *mf*, joven *mf* de trece a diecinueve años. ~들 chicos *mpl* jóvenes, chicas *fpl* jóvenes. ~ 시절 adolescencia *f*. 내 ~ 시절에(는) en mi adolescencia.

팀(영 *team*) equipo *m*, partido *m*. ~의 del equipo. 한국 ~의 선수들 jugadores *mpl* del equipo de Corea. ~에 들어가다 hacerse miembro de un equipo. 축구~을 만들다 organizar un equipo de fútbol. 한 ~이 되다 asociarse (con), unirse (con), combinar (con). 그들은 좋은 ~을 이루고 있다 Ellos forman un buen equipo. 그것은 ~이 노력한 덕분이었다 Fue un trabajo de equipo.
■ ~ 동료 compañero, -ra *mf* de equipo. ~워크 trabajo *m* [labor *f*] de equipo, espíritu *m* de equipo. ~ 컬러 colores *mpl* del equipo. ~ 파울 falta *f* [faul *m*·*AmL* foul *m*] de equipo.

팀파눔(영 *tympanum*) ①【해부】[고막] tímpano *m*. ②【해부】[중이(中耳)] oído *m* medio.

팀파니(이 *timpani*)【악기】tímpano *m*.

팁(영 *tip*) propina *f*. ~으로 de propina. ~을 주다 dar*le* (una) propina *a uno*, *Méj* propinar. ~을 (남겨)두다 dejar propina. ~을 후하게 주다 dar una buena propina. ~을 2달러를 주다 dar dos dólares de propina, dar una propina de dos dólares. 이것은 ~입니다 Esto es de propina (para usted).

팃검불 fragmentos *mpl* de paja.

팅크(영 *tincture*) (tintura *f* de) yodo *m*.

팅팅 con un hinchazón, hinchando. ~ 붓다 hincharse mucho. 내 왼쪽 다리가 ~ 부어올랐다 Se me hinchó mucho la pierna izquierda.

ㅍ

파 【식물】 puerro *m*, cebolleta *f*, [양파] cebolla *f*, [골파] chalote *m*, chalota *f*, [당파・실파] cebolla *f* escalonia.
■ ~밭 cebollar *m*, sitio *m* sembrado de cebollas.

파(派) [주의(主義)・사상・행동 등을 같이하는 계통] [유파(流派)] escuela *f*, [종파(宗派)] secta *f*, [당파(黨派)] partido *m*, bando *m*; [파벌] camarilla *f*, facción *f*, [단체] grupo *m*. 민주당은 세 ~로 나누어져 있다 El Partido Demócrata [Democrático] se fracciona en tres fracciones.

파(破) ① [깨어지거나 상한 물건] artículo *m* dañado, objeto *m* averiado [perjudicado]; [손상(損傷)] daño *m*, perjuicio *m*. ② [사람의 결점] defecto *m*, falta *f*, privación *f*.

파(이 *fa*) 【음악】 fa *m*.

파(영 *par*) ((골프)) par *m*. 스리 언더 ~ tres bajo par. 스리 오버 ~ tres sobre par.

-파(波) onda *f*. 전자(電磁)~ onda *f* electromagnética. 충격(衝擊)~ onda *f* de choque.

파격(破格) categoría *f* extraordinaria, irregularidad *f*, 【시학】 licencia *f* poética; 【언어】 solecismo *m*.
■ ~적(的) especial, excepcional, anormal, roto, sin precedentes, inaudito. ¶~으로 especialmente, excepcionalmente, anormalmente. ~인 대우 trato *m* excepcional. ~인 승진(昇進) promoción *f* sin precedentes. ~인 염가 대매출 gran venta *f* de saldos, gran ganga *f*. ~인 대우를 받다 gozar de buen trato excepcional.

파견(派遣) envío *m*, despacho *m*, expedición *f*. ~하다 enviar, despachar. 대사(大使)를 ~하다 acreditar un embajador (en un país). 회의에 대표를 ~하다 enviar un representante a la conferencia.
■ ~군(軍) cuerpo *m* expedicionario. ~단 delegación *f*. ~대 destacamento *m*. ~ 대표 delegado, -da *mf*, [집합적] misión *f*. ~ 부대 tropas *fpl* expedicionarias.

파경(破鏡) ① [깨어진 거울] espejo *m* roto. ② [이지러진 달] luna *f* creciente. ③ [부부의 금실이 좋지 않아 이별하게 되는 일] separación *f*, divorcio *m*. ~에 이르다 llegar a separar [divorciar].

파계(破戒) transgresión *f* [infracción *f*・violación *f*] de los mandamientos budistas, pecado *m*, falta *f*. ~하다 violar los mandamientos budistas, infringir, transgredir.
■ ~승(僧) sacerdote *m* [monje *m*・bonzo *m*] depravado; sacerdote *m* budista pecador. ~자 transgresor, -sora *mf*, infractor, -tora *mf*, ((종교)) pecador, -dora *mf*.

파고(波高) altura *f* de la ola.
■ ~계(計) ondómetro *m*.

파고다(영 *pagoda*) [탑] pagoda *f*.
■ ~ 공원 el Parque (de) Pagoda.

파고들다 ① [(속사정이나 비밀을 알아내기 위하여) 조직이나 사건의 내부를 비집고 들어가다] penetrar (en), introducirse (en・dentro de), invadir, meter(se) (en), inquirir. 핵심을 파고드는 질문을 하다 hacer una pregunta penetrante [inquisidor・aguda]. 철저히 파고들어 조사하다 examinar [averiguar] a fondo. ② [깊이 스며들다] quedar(se) grabado (en). 마음속에 ~ quedar(se) grabado en el corazón. ③ [비집고 들어가 발을 붙이다] penetrar (en), invadir. 외국 시장에 ~ penetrar en [invadir] el mercado exterior [extranjero]. ④ [깊이 캐어 알아내다] ahondar, investigar, sudar la gota gorda. 문제를 깊이 ~ profundizar [ahondar] (en) el problema, profundizar una cuestión, examinar una cuestión a fondo.

파곡(波谷) hoya *f* del mar.

파골(破骨) rompimiento *m* del hueso; [뼈] hueso *m* roto. ~하다 romper el hueso.

파곳(영 *fagot*) 【악기】 fagot *m*, bajón *m*.
■ ~ 연주자 fagot *mf*, fagotista *mf*, bajonista *mf*.

파과(破瓜) ((준말)) =파과지년(破瓜之年).
■ ~기 pubertad *f*. ~병 hebefrenia *f*. ~지년(之年) desfloración *f*, pubertad *f*.

파괴(破壞) destrucción *f*, rompimiento *m*, demolición *f*, ruina *f*, [괴멸(壞滅)] aniquilación *f*. ~하다 destruir, romper, demoler, arruinar, demoler, destrozar, aniquilar. 홍수(洪水)로 철도가 ~되었다 El ferrocarril fue destruido por la inundación.
■ ~ 강도(强度) resistencia *f* a la rotura por tracción. ~ 계수(係數) carga *f* unitaria de rotura a la flexión. ~력(力) poder *m* destructivo. ~ 무기(武器) armas *fpl* destructivas. ~ 분자 elemento *m* subversivo. ~ 시험 prueba *f* destructiva. ~ 응력 esfuerzo *m* de rotura. ~자 destructor, -tora *mf*, destruidor, -dora *mf*. ~ 작용(作用) metabolismo *m* destructivo. ~적(的) destructivo, arruinador. ~점 límite *m* de rotura. ~주의 vandalismo *m*. ~ 폭탄(爆彈) bomba *f* destructiva. ~ 하중(荷重) carga *f* de rotura. ~ 행위[활동] actividades *fpl* subversivas.

파국(破局) catastrofe *f*, desastre *m*, cataclismo *m*. 그들의 결혼 생활은 ~에 이르렀다 Su vida matrimonial ha llegado a su fin.
■ ~적(的) catastrófico *adj*.

파급(波及) influencia *f*, repercusión *f*. ~하다 extenderse (a・en), propagarse (a・en), influir (en), afectar (a). 임금 인상에 따른 물가에 끼치는 ~ repercusión *f* de la subida de los salarios en los precios. 불황이 한국에까지 ~되었다 La depresión se extendió hasta Corea.

파기(破棄) anulación *f*, cancelación *f*, abolición *f*, rompimiento *m*, ruptura *f*; [판결의] anulación *f*, cesación *f*. ~하다 anular, cancelar, romper, abolir, cesar. 계약의 ~ anulación *f* de un contrato. 조약의 ~ anulación *f* de un tratado. 계약을 ~하다 romper el contrato. 조약을 ~하다 anular el tratado. 혼약(婚約)을 ~하다 anular el compromiso de matrimonio.

파김치 *pakimchi*, chalote *m* encurtido, encurtidos *mpl* de puerros.
◆ 파김치(가) 되다 estar muy cansado.

파 나다(破－) estar roto. 파 난 그릇 recipiente *m* roto.

파나마(영 *panama*) ((준말)) ＝파나마모자.

파나마【지명】 Panamá. ~의 panameño.
■ ~ 공화국 República de Panamá. ~모자 panamá *m* (*pl* panamáes), (sombrero *m* de) jipijapa *f*. ~ 분쟁 disputa *f* panameña. ~ 사람[인] panameño, -ña *mf*. ~ 시(市) la Ciudad de Panamá. ~ 운하 el Canal de Panamá.

파내다 cavar, excavar, ahondar; [시체를] desenterrar, exhumar, excavar. 사체(死體)를 ~ desenterrar los restos, exhumar los restos. 유적(遺蹟)을 ~ cavar ruinas, hacer excavaciones de ruinas.

파노라마(영 *panorama*) panorama *m*. ~ 같은 panorámico. ~ 같은 풍경(風景) vista *f* panorámica.

파니 ociosamente, perezosamente, con ociosidad, con pereza.

파다 ① [구멍이나 구덩이를 만들다] cavar, excavar; [동물이] escarbar; [코로] hozar. 깊이 ~ ahondar, cavar hondo. 땅을 ~ cavar la tierra. 삽으로 구멍을 ~ hacer un hoyo con una pala. 감자를 ~ cosechar patatas. ② [일의 밑자리를 속까지 깊이 알아내다] investigar, estudiar, considerar, inquirir. 원인을 ~ investigar la razón. ③ [새기다] tallar, esculpir, grabar; [끌로, 돌에] cincelar; [끌로, 나무·금속에] labrar, tallar. 목재에 파진 새 los pájaros tallados [esculpidos] en madera. 비석에 파진 이름 el nombre grabado en la lápida. 다이아몬드를 ~ tallar el diamante. 대리석에 인물을 ~ esculpir una figura en mármol. 그는 대리석에 사자 한 마리를 팠다 El esculpió un león en mármol. 그는 팔찌에 그녀의 이름을 파게 했다 El hizo grabar su nombre en la pulsera. 이름이 책상에 파져 있었다 Los nombres estaban grabados en los pupitres. 조각상이 화강암에 파져 있었다 La estatua estaba esculpida en granito. 조각상이 단 한 덩어리에 파졌다 La estatua fue esculpida [tallada] en un solo bloque. ④ [전력을 기울여 하다] concentrar toda *su* energía (en), consagrar toda *su* energía (a). 공부를 ~ consagrar toda su energía al estudio. ⑤ [젖을 몹시 빨다] mamar mucho. 아이가 어머니의 젖을 파고 있었다 El bebé estaba mamando mucho.

파다하다(頗多－) (ser) muchísimo, numeroso, abundante.
파다히 muchísimo, numerosamente, abundantemente, con abundancia.

파다하다(播多－) ser esparcido por todas partes.

파닥거리다 [새가] revoltear; [물고기가] moverse, aletear.

파담(破談) ruptura *f*, rompimiento *m*. ~하다 romperse, interrumpirse.

파당(派黨) ＝당파(黨派).

파도(波濤) ola *f*, [집합적] oleada *f*; [큰] oleaje *m*, marejada *f*; [진동 현상] onda *f*; [거품이 이는 작은] cabrillas *fpl*. ~ 없는 tranquilo, quieto, sereno. ~를 넘어 atravesando el mar. 태평양의 거센 ~ olas *fpl* enfurecidas del Océano Pacífico. ~를 일으키다 levantar olas. ~를 가르며 가다 ir surcando el agua, hender las olas. ~에 휩쓸리다 ser tragado por una ola. ~가 인다 Se levantan las olas. ~가 격하게 인다 Se enfurecen las olas. ~가 높다 El mar está agitado / Hay marejada. 오늘은 ~가 높다 Hoy hay mar de fondo [de marejada]. ~가 높이 오른다 Las olas suben [se elevan]. ~가 잔다 Se calman [Se tranquilizan · Amainan] las olas. ~가 바위에 부딪쳐 부서진다 Las olas estallan [revientan · (se) rompen] chocando contra las rocas.
파도치다 ondular, ondear. 미풍(微風)에 파도치는 밀밭 campos *mpl* de trigo que ondulan en la brisa. 파도치는 대로 표류하다 flotar a merced [al capricho] de las olas.

파도타기 surf *ing.m*, surfing *ing.m*. ~하다 practicar el surf, jugar al surf. ~의 de surf, de surfing. ~하는 사람 surfista *mf*, persona *f* que practica el surf. ~를 즐기다 gozar del surf.
■ ~광(狂) surfista *mf*. ~꾼 surfista *mf*. ~널 tabla *f* de surf, tabla *f* de surfing.

파동(波動) ① [물결의 움직임] ondulación *f*, movimiento *m* ondulatorio. ~하다 ondular. ② [사회적으로 일으킨 큰 변동] fluctuación *f*, agitación *f*, crisis *f*. ③【물리】fluctuación *f*. ④ [주기적인 변화] fluctuación *f* (conyutural). ~하다 fluctuar, ondear. 인플레이션이 시세에 ~을 일으킨다 La inflación alza la cotización.
◆ 가격(價格) ~ fluctuación *f* de precios. 경제(經濟) ~ crisis *f* económica. 단기(短期) ~ fluctuación *f* a corto plazo. 유류(油類) ~ fluctuación *f* del petróleo. 장기(長期) ~ fluctuación *f* a largo plazo. 정치(政治) ~ agitación *f* política.
◆ 파동(이) 치다 moverse las olas.
■ ~ 광학 óptica *f* ondulatoria. ~설 teoría *f* ondulatoria. ~ 역학(力學) mecánica *f* ondulatoria

파두(波頭) cresta *f*.

파드닥거리다 ＝파닥거리다.

ㅍ

파라과이【지명】el Paraguay. ☞빠라구아이
파라구아이【지명】el Paraguay. ☞빠라구아이
파라다이스(영 *paradise*) [낙원] paraíso *m.*
파라볼라 안테나(영 *parabolic antenna*)【물리】[접시 모양의 안테나로서 미약한 전파를 모음] antena *f* parabólica.
파라솔(불 *parasol*) parasol *m*, quitasol *m.*
파라슈트(영 *parachute*) paracaídas *m.sing.pl.* ~로 내려가다 lanzar(se) [tirar(se)·bajar] en paracaídas.
파라오(영 *Pharaoh*) [옛 이집트의 왕] faraón, -ona *mf.*
파라티온(독 *Parathion*) parathion *m.*
파라티푸스(독 Paratyphus) paratifoidea f.
파라핀(영 *paraffin*; 독 *Paraffin*) parafina *f*, queroseno *m*, petróleo *m* lampante. ~의 parafínico.
■~ 연고(軟膏) ungüento *m* de parafina. ~유(油) aceite *m* de parafina. ~지(紙) papel *m* de parafina.
파락호(破落戶) bribón *m* (*pl* bribones), haragán *m* (*pl* haraganes).
파란 =법랑(琺瑯). ¶~을 입히다 esmaltar.
파란(波瀾) ① =파랑(波浪). ② [어수선한 사단(事端)] [분쟁] confusión *f*, tumulto *m*, disturbio *m*; [성쇠] vicisitud *f*, [이야기 등의] incidente *m.* ~ 많은 생애(生涯) vida *f* accidentada. ~을 일으키다 armar un tumulto.
■~만장(萬丈) vicisitudes *fpl.* ¶~한 이야기 historia *f* llena de incidentes. ~한 일생 vida *f* llena de vicisitudes. ~중첩(重疊) dificultades *fpl* tormentosas. ¶~한 국회(國會) sesión *f* tormentosa de la Asamblea Nacional.
파랄림픽(영 *Paralympics*) [장애인 올림픽 대회] los Juegos Paralímpicos.
파랑 (color *m*) azul *m*; [초록] (color *m*) verde *m.*
■~ 물감 tintura *f* azul, tinte *m* azul; [색] color *m* azul.
파랑(波浪) la ola pequeña y la (ola) grande, ola *f*, onda *f.*
파랑벌【곤충】=청벌.
파랑새 ① [푸른 빛깔을 띤 새] pájaro *m* azul. ②【조류】azulejo *m.*
파랑이 cosa *f* azul.
파랑콩 soja *f* verde, alubia *f* verde, haba *f* verde.
파랗다 (ser) muy azul; [초록] verde; [안색이] pálido; [덜 익다] verde, inmaduro. 파란 눈 ojos *mpl* azules. 파란 사과 manzana *f* verde. 파란 얼굴 cara *f* pálida, rostro *m* pálido. 파란 잎 hoja *f* verde. 파란 하늘 cielo *m* azul. 파란 눈의 소녀 muchacha *f* ojiazul, muchacha *f* ojizarca. 눈이 ~ tener los ojos azules. 파랗게 칠하다 pintar de azul. 그 여자는 파랗게 질렸다 Ella se puso pálida.
파래【식물】lechuga *f* del mar, ova *f*, ulva *f.*
파래박 cáscara *f* de calabaza usada para sacar el agua del bote.
파래지다 ponerse azul, ponerse verde; [안색이] ponerse pálido.
파렴치(破廉恥) desvergüenza *f*, infamia *f*, escándalo *m*, descaro *m*, desuello *m*, avilantez *f*, impudencia *f*, ignominia *f*, oprobio *m*, desfachatez *f.* ~하다 (ser) desvergonzado, infame, escandaloso, sin vergüenza, descarado, descollado. ~한 행위(行爲) acción *f* escandalosa, conducta *f* desvergonzada.
■~범 criminal *mf* infame. ~죄 crimen *m* infame. ~한(漢) =철면피(鐵面皮).
파륜자(破倫者) persona *f* incestuosa; incestuoso, -sa *mf.*
파르께하다 (ser) algo azul, algo verde.
파르대대하다 (ser) azulado; [녹색의] verdoso; [창백하다] algo pálido..
파르댕댕하다 ser azulado. ☞파르대대하다
파르르 ① [적은 물이 갑자기 넘을 듯이 끓어오르는 모양이나 소리] silbando, chisporroteando. ② [조급한 사람이 갑자기 성을 내거나, 심한 충격으로 몸의 일부에 경련을 일으키는 모양] enfurruñándose, estando de moros, estando con mufa. ③ [잎사귀 등이 떠는 모양] temblando, tiritando.
파르무레하다 (ser) algo azul.
파르스레하다 (ser) azulado, verdoso; [창백하다] pálido.
파르스름하다 =파르스레하다.
파르족족하다 =파르대대하다.
파르티잔(영 *partizan*) partisano, -na *mf*, miembro *mf* de la resistencia; guerrillero, -ra *mf.*
파릇파릇 verdeantemente. ~하다 ser verdeante. ~한 잔디밭 césped *m* verdeante.
파릇하다 (ser) algo azul; [녹색] algo verde.
파리 ①【곤충】mosca *f.* ~를 잡다 matar [aplastar] una mosca. ~가 윙윙거린다 Zumban las moscas. 음식물에 ~가 앉는다 Se paran las moscas sobre la comida. ② =집파리.
■~똥 cagadita *f* de mosca. ~목숨 vida *f* efímera, vida *f* barata, existencia *f* insignificante. ~약(藥) insecticida *f.* ~잡이 papamoscas *m.* ~채 matamoscas *m.sing.pl.* ~통 tubo *m* de cristal para moscas.
파리【지명】París (불란서의 수도). ~의 parisiense. ~ 사람 parisiense *mf.*
파리(玻璃) ① =유리(琉璃). ② =수정(水晶).
■~모(母) trozo *m* de cristal fundido.
파리(笆籬) ① =울타리. ②【준말】=파리변물(笆籬邊物).
■~변물(邊物) cosa *f* vana, cosa *f* inútil.
파리지앵(불 *parisien*) parisiense *m*, parisién *m*, parisino *m.*
파리지엔(불 *parisienne*) parisiense *f*, parisina *f.*
파리하다 (ser) flaco, delgado, demacrado, ojeroso, enjuto, flacucho. 파리한 얼굴 cara *f* flaca, cara *f* delgada, rostro *m* flaco, rostro *m* delgado. 파리해지다 ponerse flaco [delgado], perder *su* peso.
파립(破笠) sombrero *m* de bambú muy gastado.
파마 =퍼머넌트 웨이브(permanente).

파먹다 ① [파서 먹다] sacar y comer. ② [벌지 않고, 있는 것으로 놀고먹다] vegetar, vivir sin trabajar.

파면(罷免) destitución *f*, despido *m*, deposición *f*. ~하다 destituir, deponer, despedir.

파멸(破滅) ruina *f*, perdición *f*; [파국] catástrofe *m*; [몰락] caída *f*, decadencia *f*; [종말] fin *m*. ~하다 perderse, arruinarse, caer, decaer. ~시키다 arruinar, perder, echar a perder, dar fin (a). 싸움으로 몸의 ~을 초래하다 arruinarse a [por] causa de las riñas. 술은 그를 ~시킬 것이다 La bebida alcohólica [El licor alcohólico] será su ruina [perdición] / El vino le va a perder. 이 나라의 경제는 ~의 벼랑에 있다 La economía de este país está al borde del abismo.

파문(波紋/波文) ① [수면에 이는 잔 물결] rizo *m* del agua en círculos concéntricos. ~이 번지다 extenderse en círculos concéntricos. ~이 번졌다 El agua se extendió en círculos concéntricos. ② [물결 모양의 무늬] figura *f* de la forma de la ola. ③ [어떤 일의 영향] resonancia *f*, repercusión *f*. 세상에 ~을 던지다 tener repercusión [resonancia] en el mundo. 그 결정은 정계(政界)에 ~을 던졌다 La decisión tuvo repercusión [resonancia] en el mundo político.

파문(破門) ① [사제의 의리를 끊고 문하(門下)에서 제척(除斥)함] expulsión *f*. ~하다 expeler, expulsar, echar (fuera), arrojar. ② ((종교)) excomunión *f*, anatema *m(f)*, anatematismo *m*, excomulgación *f*. ~하다 excomulgar, anatematizar.

파묻다[1] ① [땅을 파고 무엇을 묻다] poner, plantar; [매장하다] enterrar, sepultar. 보물을 ~ enterrar un tesoro. 알뿌리를 땅에 ~ poner [plantar] un bulbo en la tierra. 고인(故人)을 ~ sepultar a un difunto. 나는 나무 밑에 파묻어 주기를 원한다 Quiero que me entierren al pie del árbol. ② [남몰래 깊이 감추다] hundir, esconder. 어둠 속에 ~ esconder en la oscuridad. 손수건에 얼굴을 파묻고 울다 llorar con la cara hundida en el pañuelo. 베개에 얼굴을 ~ hundir la cabeza. en la almohada. ③ [깊숙이 대거나 기대다] reclinarse (en), echarse hacia atrás (en). 나는 안락의자에 몸을 파묻었다 Yo me recliné en el sillón / Yo me eché hacia atrás en el sillón.

파묻다[2] [여러 번 자세히 따지어 묻다] inquirir inquisitivamente, preguntar inquisitivamente, interrogar.

ㅍ

파묻히다 hundirse, enterrarse, cubrirse; [굴 따위가] llenarse; [시체가] sepultarse. 선로(線路)가 진흙 속에 파묻혔다 Las vías del ferrocarril quedaron enterradas por el barro. 해변은 해수욕객으로 파묻혀 있다 La playa está plagada de bañistas. 그는 책에 파묻혀 살고 있다 El vive rodeado de libros / El pasa la vida enterrado en libros.

파물(破物) artículo *m* dañado, mercancía *f* dañada.

파미(派美) envío *m* a los Estados Unidos de América. ~하다 enviar a los Estados Unidos de América.

■ ~ 사절단(使節團) misión *f* coreana a los Estados Unidos de América. ~ 특사(特使) enviado, -da *mf* especial a los Estados Unidos de América.

파발(擺撥) oficina *f* de correos, estación *f* postal.

■ ~꾼 mensajero *m* exprés, mensajero *m*, correo *m*, rutero *m*. ~마(馬) caballo *m* postal.

파벌(派閥) pandilla *f*, camarilla *f*, corrillo *m*, facción *f*, bando *m*. ~을 만들다 formar una facción. 여러 ~로 갈라지다 dividirse en unas facciones.

■ ~ 싸움 lucha *f* entre facciones. ~적 de facciones, entre facciones, faccionario.

파별(派別) división *f*.

파병(派兵) despacho *m* de las tropas. ~하다 enviar [despachar] las tropas. 외국에 ~하다 enviar las tropas al extranjero.

파본(破本) libro *m* mal encuadernado.

파뿌리 ① [파의 뿌리] raíz *f* (*pl* raíces) de puerro. ② [백발(白髮)] cana *f*, cabello *m* blanco. 검은 머리가 ~가 되도록 살다 vivir mucho tiempo.

파삭거리다 (ser) crespo, quebradizo, tostado.

파삭파삭 crujientemente, *Arg* crocantemente. ~하다 (ser) crujiente, crocante. ~한 과자(菓子) dulce *m* crujiente. ~하게 굽다 tostar ligeramente. ~할 때까지 굽다 tostar [cocinar] hasta que esté crujiente.

파삭하다 =파삭거리다.

파산(破産) quiebra *f*, bancarrota *f*, insolvencia *f*. ~하다 quebrar, ir a la bancarrota, arruinarse, hacer quiebra, hacer bancarrota. ~한 en quiebra, en bancarrota, arruinado, insolvente, quebrado. ~ 직전에 al borde de la bancarrota. ~시키다 hacer quebrar, llevar a la quiebra, llevar a la bancarrota. ~ 상태에 있다 estar en bancarrota. ~ 중이다 estar en quiebra, estar en bancarrota. ~ 직전에 있다 estar a punto a la quiebra. ~을 선고하다 declarar en quiebra. 넌 나를 ~시킬 거야 ¡Me vas a arruinar! / ¡Me vas a llevar a la bancarrota! 그들은 1999년에 ~했다 Quebraron en 1999 (mil novecientos noventa y nueve). 많은 기업체(企業體)가 ~(정리)을 했다 Muchas empresas fueron a la quiebra. 그 회사는 ~했다 [~ 신청(申請)을 했다] La compañía se declaró en quiebra. 불경기로 회사는 ~했다 La compañía quebró debido a la recesión.

◆ 고의(故意) ~ bancarrota *f* voluntaria. 뜻하지 않은 ~ quiebra *f* involuntaria. 사기(詐欺) ~ quiebra *f* fraudulente. 은행(銀行) ~ quiebra *f* bancaria.

■ ~ 관리인 administrador, -dora *mf* de bancarrota. ~ 관재인 síndico, -ca *mf* en quiebra. ~법 Ley *f* de Quiebras. ~ 법원

juzgado *m* para la bancarrota, tribunal *m* de quiebras. ~ 사건(事件) caso *m* de bancarrota. ~ 선고(宣告) adjudicación *f* de bancarrota, declaración *f* de bancarrota. ~를 하다 declarar en quiebra. ~를 받다 declararse en quiebra. ~ 수속 =파산 절차. ~ 신청 declaración *f* de quiebra [de bancarrota]. ¶그들은 ~을 했다 Se declararon en bancarrota. ~ 신청서 solicitud *f* de declaración de quiebra. ¶~를 제출하다 presentar una solicitud de declaración de quiebra. ~자 fallido, -da *mf*; quebrado, -da *mf*. ~ 재단 fundación *f* de bancarrota. ~ 재산 bienes *mpl* de una quiebra, bienes *mpl* puestos en quiebra, propiedad *f* por bancarrota, .propiedad *f* por quiebra. ~ 절차 procedimiento *m* de quiebra. ~ 청산인 cesionario, -ria *mf* en quiebra. ~ 통지(通知) aviso *m* de quiebra, notificación *f* de quiebra. ~ 판결 juicio *m* de quiebra. ~ 회사 firma *f* en bancarrota.

파산적(-散炙) *pasancheok*, pincho *m* de puerro dado un hervor y carne de vaca cortada delgadamente con salsa china, aceite, sal con ajonjolí y pimiento en polvo.

파상(波狀) ondulación *f*, voluta *f*, espiral *f*, ola *f*, onda *f*. ~의 en [de] forma de espiral.

■~ 공격 asaltos *mpl* sucesivos, asaltos *mpl* discontinuos. ¶~을 가하다 dar asaltos sucesivos [discontinuos]. ~ 데모 manifestación *f* en forma de espiral. ~문(紋) figura *f* ondulante. ~ 연동 diastalsis *f*. ~열 fiebre *f* ondulante. ~열 구균 melitococo *m*. ~운(雲) nube *f* ondulante. ~ 운동 ondulación *f*. ~ 평원 =준평원(準平原).

파상(破傷) herida *f*.

파상풍(破傷風)【의학】tétano(s) *m*. ~의 tetánico.

파생(派生) derivación *f*. ~하다 derivarse.

■~물 derivado *m*. ~법 ley *f* derivada. ~어 lengua *f* derivada, palabra *f* derivada, derivado *m*. ~적(的) derivado; [이차적인] secundario.

파선(破船) naufragio *m*. ~하다 naufragar.

파손(破損) daño *m*, perjuicio *m*, deterioro *m*, rotura *f*, [화물의] avería *f*. ~하다 romper, destruir, quebrar, quebrantar, derribar; [기계 따위를] averiar, dañar, destrozar, estropear, deteriorar, perjudicar. ~되다 romperse, destruirse, quebrarse, quebrantarse, fracturarse, derribarse; [기계 따위가] averiarse, dañarse, destrozarse, sufrir daños, estropearse, deteriorse, partirse. ~된 averiado, estropeado, deteriorado, roto, partido, quebrado, dañado; [고장난] descompuesto. ~되기 쉬운 frágil, quebradizo, delicado, deleznable, fácil de romper(se), fácil de quebrarse. ~된 물건 objeto *m* roto, objeto *m* quebrado. ~되기 쉬운 물건 objeto *m* frégil, objeto *m* quebradizo. 반 ~된 집 casa *f* medio rota [arruinada]. 자전거를 ~하다 estropear una bicicleta. 카메라가 ~되었다 Se rompió la cámara (fotográfica). 이 하물(荷物)은 ~이 심하다 Este cargamento está terriblemente dañado. 습기로 책이 ~되었다 Los libros se estropearon con la humedad. 태풍으로 울타리가 ~되었다 El tifón ha roto [estropeado] la cerca.

■~물 artículos *mpl* dañados, objetos *mpl* rotos. ~ 부분(部分) parte *f* dañada [rota], sección *f* dañada [rota]. ~ 주의(注意) ((게시)) Frágil. ~품 =파손물.

파쇄(破碎) machacamiento *m*, ruina *f*, quiebra *f*. ~하다 machacar, hacer pedazos, hacer añicos, romper de golpe.

파쇠(破-) chatarra *f*, metal *m* viejo, hierro *m* viejo.

파쇼(이 *fascio*) fascio *m*, fascismo *m*.

파수(把守) ① [경계하여 지킴] vigilancia *f*. ~하다 vigilar. ② [경계하여 지키는 사람] vigilante *mf*.; sereno, -na *mf*, guarda *mf*.

◆파수(를) 보다 vigilar.

■~꾼 vigilante *mf*; [수위] guarda *mf*. ~막 atalaya *f*, puesto *m* de observación. ~병(兵) centinela *m*.

파스텔(영 *pastel*) pastel *m*.

■~ 조(調) tono *m* pastel. ¶~로 en tonos pastel. ~화(畵) pintura *f* [dibujo *m*] al pastel.

파슬리(영 *parsley*)【식물】perejil *m*.

파슬파슬 desmigajando. ~하다 ser susceptible de desmigajarse.

파시(波市) mercado *m* de pescado de temporada.

파시스트(영 *fascist*) fascista *mf*.

파시즘(영 *fascism*) fascismo *m*.

파악(把握) comprensión *f*, entendimiento *m*. ~하다 comprender, entender. 정세를 ~하다 comprender la situación. 문장의 의미를 ~하다 entender el sentido de la frase.

파안(破顔) sonrisa *f* abierta.

■~대소(大笑) risa *f* a carcajadas. ¶~하다 reír a carcajadas.

파약(破約) ruptura *f* [anulación *f*] de un contrato. ~하다 romper un contrato, anular un contrato.

파업(罷業) huelga *f*, *AmL* paro *m*. ~하다 hacer huelga, declararse en huelga, *AmL* declararse en paro. ~ 중이다 estar en [de] huelga, *AmL* estar en [de] paro. ~중인 en huelga. ~ 중인 광원들 mineros *mpl* en huelga. ~ 중인 노동자들 obreros *mpl* en huelga. ~으로 정지된, ~에 시달리는 paralizado por la huelga. ~에 들어가다, ~을 결행하다 ir a la huelga, ponerse [declararse] en huelga, declarar la huelga. ~을 중지하다 suspender la huelga. ~이 취소되었다 Se canceló la huelga.

◆공식(公式) ~ huelga *f* oficial. 교대(交代) ~ huelga *f* escalonada [alternativa · por turno]. 농성(籠城) ~ sentada *f*, huelga *f* de brazos caídos, huelga *f* de brazos cruzados. 부분(部分) ~ huelga *f* [*AmL* paro *m*] parcial. 비공식(非公式) ~ huelga *f* no oficial. 연대(連帶) ~ huelga *f* por solidaridad. ¶연대 ~을 하다 hacer huelga por solidaridad, hacer huelga por simpatía. 연좌(連坐) ~ =농성 파업. 총(總)~ huelga *f* [*AmL* paro *m*] general.

■ ~권 derecho *m* de huelga. ~ 기금(基金) fondo *m* de resistencia. ~ 수당 subsidio *m* de huelga, paga *f* de huelga, *AmL* subsidio *m* de paro. ~자 huelguista *mf*. ~ 지도자 líder *mf* de huelga. ~ 파괴자 rompehuelgas *mf.sing.pl*; esquirol *mf*, *RPI* carnero, -ra *mf*. ~ 행위(行爲) medida *f* de huelga.

파열(破裂) estallido *m*, reventón *m*, explosión *f*, [교섭의] rompimiento *m*. ~하다 estallar, reventar(se), dar un estallido, hacer explosión, romperse. 한파(寒波)로 수도관이 ~했다 Reventó la cañería de agua por causa del frío.

■ ~ 방전(放電) descarga *f* disruptiva. ~음 explosiva *f*, sonido *m* explosivo. ~ 전압 volaje *m* de la descarga disruptiva, voltaje *m* de perforación. ~점(點) punto *m* de explosión. ~탄 explosiva *f*, bomba *f*.

파옥(破屋) casa *f* rota.

파옥(破獄) =탈옥(脫獄).

■ ~도주 escape *m* de la prisión.

파와(破瓦) teja *f* rota.

파우더(영 *powder*) ① [가루. 분말] polvo *m*. ② [화장용의 분] polvos *mpl*. ③ [화약] pólvora *f*.

파우치(영 *pouch*) [행낭] valija *f*.

◆외교(外交)~ valija *f* diplomática.

파운데이션(영 *foundation*) ① [기초 화장에 쓰는 화장품의 하나] base *f* de maquillaje, (crema *f*) base *f*, maquillaje *m* de fondo. ② [몸의 선을 고르게 하기 위한, 여성의 속옷] prenda *f* de corsetería. ③ [기초. 토대] fundación *f*, [건축의] cimientos *mpl*.

파운드(영 *pound*) ① [무게의 단위] libra *f*, 454 gramos. 2분의 1 ~ media libra. 4분의 1 ~ un cuarto de libra. 버터 2~ dos libras de mantequilla. ~로 팔다 vender por libras. ② [화폐의 단위] libra *f*. 이집트 ~ libra *f* egipcia. ③ [영국의 화폐 단위] libra *f* (esterlina). 10~ 지폐 billete *m* de diez libras. 1~짜리 동전 una moneda de (una) libra. 1~에 2달러 dos dólares la libra.

■ ~ 지역 zona *f* de la libra esterlina. ~환 cambio *m* de la libra esterlina.

파울(영 *foul*) ① [규칙 위반. 반칙] violación *f*, falta *f*. 부득이한 ~ falta *f* de emergencia. 불필요한 ~ falta *f* estúpida. ~을 범하다 cometer una falta. ② ((준말)) =파울 볼.

■ ~ 라인((야구)) una de las líneas que delimitan el campo y que no se puede pasar. ~ 볼 ㉮ ((야구)) pelota *f* bateada fuera de los límites. ㉯ ((볼링)) bola *f* mala. ~ 플레이 ((운동)) juego *m* sucio, jugada *f* antirreglamentaria.

파워(영 *power*) [영향] poder *m*; [국가의] poderío *m*, poder *m*. 교회의 ~ el poder de la iglesia. 국민의 ~ poder *m* popular. 국민을 위한 ~ poder *m* para el pueblo.

파월(派越) envío *m* a Vietnam. ~하다 enviar a Vietnam.

■ ~ 장병(將兵) soldados *mpl* enviados a Vietnam.

파이(영 *pie*) ① [고기·생선의] pastel *m*, empanada *f*. 레몬 ~ empanada *f* de limón. ② [과실의] pastel *m*, tarta *f*. 사과 ~ pastel *m* de mazana.

파이 【수학】 pi (π).

파이널(영 *final*) final *f*.

■ ~ 세트 último set *m*.

파이버(영 *fiber*) ① [섬유. 섬유질] fibra *f*. ② ((준말)) =스테이플 파이버(fibrana). ③ ((준말)) =벌커나이즈드 파이버(fibra vulcanizada).

■ ~글래스 fibra *f* de vidrio, vidriofibra *f*.

파이버보드(영 *fiberboard*) cartón *m* madera, fibra *f* vulcanizada.

파이트(영 *fight*) ① [개인 간의 싸움] pelea *f*, [개인 간의 치고 받는 싸움] pelea *f*, riña *f*, [군대나 회사 사이의 싸움] lucha *f*, contienda *f*. ② [권투 시합] pelea *f*, combate *m*. ③ [투쟁] lucha *f*.

파이팅(영 *fighting*) ① [전투] enfrentamientos *mpl*. ② [개인 간의 치고 받는 싸움] peleas *fpl*. ③ [언쟁] peleas *fpl*, pleitos *mpl*. ④ ((복싱)) boxeo *m*. ⑤ ((감탄사)) [힘내라!] ¡Animo!

파이프(영 *pipe*) ① [액체·가스용 관] tubo *m*, caño *m*, tubería *f*, cañería *f*. ② [서양식 담뱃대] pipa *f*, *ReD* cachimbo *m*; [궐련용] boquilla *f*. ~에 담배를 넣다 llenar la pipa con tabaco, cargar la pipa. ~에 불을 붙이다 encender la pipa. ~로 담배를 피우다 fumar la pipa, fumar (tabaco) en [con la] pipa. 나는 ~로 담배를 피운다 Yo fumo en pipa. ③ [관악기] caramillo *m*; [풍금용] tubo *m*, cañón *m* (*pl* cañones).

■ ~라인 [석유의] oleoducto *m*; [가스의] gasoducto *m*; [석유·가스 등의] conducto *m*, *Méj* ducto *m*. ~ 오르간 【악기】 órgano *m*.; [교회의] gran órgano *m* (*pl* grandes órganos).

파인더(영 *finder*) 【사진】 visor *m*, enfocador *m*. 자동 조절 직시 ~ iconómetro *m*.

파인애플(영 *pineapple*) piña *f*, *RPI* ananá *f*.

파인 플레이(영 *fine play*) ① [경기에서의, 미기(美技). 묘기(妙技)] jugada *f* magnífica. ~를 하다 hacer una jugada magnífica. ② [경기에서의, 정정당당한 싸움] juego *m* limpio.

파일(八日) cumpleaños *m* de Buda, el ocho de abril del calendario lunar.

■ ~등(燈) linterna *f* encendida en el cumpleaños de Buda.

파일(破日) el cinco, el catorce y el veintitrés de cada mes del calendario lunar.

파일[1](영 *file*) ① [서류철] [접는 것] carpeta *f*, [카드 목록용의] fichero *m*; [상자 파일] clasificador *m*, archivador *m*. ② 【컴퓨터】 archivo *m*.

ㅍ

◆ 메인(main) ~【컴퓨터】 fichero *m* principal. 백업 ~ archivo *m* de reserva [de seguridad].
■ ~ 디렉터리【컴퓨터】 directorio *m* de ficheros. ~ 메뉴【컴퓨터】 menú *m* de archivos, menú *m* de ficheros. ~북 libro *m* de archivos, libro *m* de ficheros. ~ 서버(server)【컴퓨터】 servidor *m* de ficheros. ~카드 ficha *f*.
파일[2](영 *pile*) ①【물리】 [원자로] (horno *m*) reactor *m*, pila *f* atómica. ② [첨모(添毛) 직물. 유모(有毛) 직물] pelo *m*. ③【건축·토목】 [말뚝] pilar *m*, pilote *m*. ④【전기】 pila *f*.
◆ 콘크리트 ~ pilote *m* de hormigón armado.
파일럿(영 *pilot*) ① [비행기·우주선의 조종사(操縱士)] piloto *mf*. ② [항구의 도선사] práctico *mf* (de puerto). ③ [라디오·텔레비전의] programa *m* piloto. ④ [비지니스의] producto *m* piloto [experimental]. ⑤ ((준말)) =파일럿 라이트. ⑥ [형용사적으로, 시험적인] piloto, experimental.
■ ~라이트 [점화용 불씨] piloto *m*.
파임내다 romper un acuerdo, anular el plan.
파자마(영 *pajamas*) pijamas *fpl*.
파장(波長)【물리】 longitud *f* de onda.
■ ~계 frecuencímetro *m*, ondámetro *m*. ~ 단위 unidad *f* de longitud de onda. ~ 분광계(分光計) espectrómetro *m* de longitud de onda.
파장(罷場) [과거의] conclusión *f* del examen estatal; [시장의] cierre *m* del mercado.
파재목(破材木) madero *m* roto.
파쟁(派爭) conflictos *mpl* faccionales.
파적(破寂) acción *f* de matar el tiempo, diversión *f*. ~하다 matar el tiempo, divertirse.
파전(-煎) tortilla *f* de puerros.
파전(破錢) billete *m* roto, moneda *f* rota.
파전(罷戰) cese *m* de guerra.
파정(破精) =사정(射精).
파종(播種) sementera *f*, siembra *f*. ~하다 sembrar. 밭에 보리를 ~하다 sembrar la cebada en el campo.
■ ~기(機) sembradera *f*, instrumento *m* [máquina *f*] para sembrar. ~ 시기(時期) sementera *f*.
파죽지세(破竹之勢) fuerza *f* irresistible. ~로 con una fuerza irresistible.
파지(破紙) ① [찢어진 종이] papel *m* roto. ② [인쇄·제본 등의 공정에서 손상하여 못 쓰게 된 종이] papel *m* estropeado, papel *m* inútil. ③【북한】 [못쓰게 된 종이] papel *m* estropeado.
파직(罷職) dimisión *f* (de la oficina). ~하다 dimitir [despedir] de la oficina.
파찰음(破擦音) africada *f*.
파천(播遷) refugio *m* real, huida *f* del palacio real, deposición *f* de la capital. ~하다 huir del palacio real, evacuar la capital.
파천황(破天荒) lo inaudito. ~의 inaudito, sin precedente.
파초(芭椒)【한방】 =천초(川椒).
파초(芭蕉)【식물】 musácea *f*;【학명】 Musa basjoo. ~과 식물 musáceas *fpl*.
파출(派出) envío *m*. ~하다 enviar, mandar.
■ ~부 empleada *f*. ¶시간제 ~ 구함 ((게시)) *Chi* Se necesita empleada puertas afuera. ~소(所) casilla *f* de policía [de guardia], puesto *m* de policía [de guardia].
파충(爬蟲) reptil *m*.
파충류(爬蟲類)【동물】 reptiles *mpl*.
■ ~학 erpetología *f*. ~학자 erpetólogo, -ga *mf*.
파치(破-) artículo *m* roto, artículo *m* defectivo [defectuoso], mercancía *f* averiada, artículos *mpl* descabalados. ~를 내다 dañar, averiar, perjudicar, estropear. ~가 나다 dañarse, averiarse, perjudicarse, estropearse.
파키스탄【지명】 Pakistán *m*, Paquistán *m*. ~의 paquistaní, pakistaní, pakistano.
■ ~ 사람[인] pakistaní *m*, paquistaní *m*.
파킨슨병(Parkinson 病) enfermedad *f* [mal *m*] de Parkinson, Parkinson *m*, parálisis *f* agitante [temblorosa].
파킨슨의 법칙(Parkinson-法則) ley *f* de Parkinson.
파킨슨 증후군(Parkinson 症候群) síndrome *m* parkinsoniano, parkinsonismo *m*. ~의 parkinsoniano.
파킹(영 *parking*) [주차. 주차장] aparcamiento *m*, *AmL* estacionamiento *m*, parquing *ing.m*, parqueadero *m*. ~하다 aparcar, *AmL* estacionar, *AmL* parquear. 일요일에는 ~ 문제가 없다 Los domingos no hay problemas para aparcar [estacionar].
■ ~ 금지(禁止) ((게시)) Prohibido aparcar [*AmL* estacionar · *AmL* parquear · *Chi*, *Méj* estacionarse] / No estacionar(se) / No estacione.
파타(영 *PATA*, *Pacific Area Travel Association*) [태평양 지역 관광 협회] la Asociación Turística del Area Pacífica.
파탄(破綻) [실패] fracaso *m*; [파산] quiebra *f*, bancarrota *f*; [결렬] ruptura *f*. ~하다 hacer bancarrota. ~을 가져오다 fracasar. 계획에 ~을 일으킨다 El plan fracasa [se echa a perder].
파트너(영 *partner*) compañero, -ra *mf*; [댄스·테니스에서] pareja *f*; [사업상의] socio, -cia *mf*; [성관계의] pareja *f*, compañero, -ra *mf*. 두 나라는 무역 ~이다 Los dos países mantienen relaciones comerciales.
◆ 결혼 ~ cónyuge *mf*, esposo, -sa *mf*.
파티(영 *party*) ① [당파. 정당] partido *m* (político). ② [연회·다과회] fiesta *f*, tertulia *f*. ~를 열다 ofrecer [dar · organizar] una fiesta. ~에 나가다 ir [asistir] a una fiesta. 송별(送別) ~ fiesta *f* de despedida. ③ [무도회] baile *m*.
파파노인(皤皤老人) persona *f* muy vieja.
파파라조(이 *paparazzo*) [유명인을 쫓아다니는 프리랜서 사진가] paparazzo *m* (*pl* paparazzi).

ㅍ

파파야(영 *papaya*) 【식물】 papayo *m.* ~의 열매 papaya *f.*
파편(破片) fragmento *m,* pedazo *m,* trozo *m,* cacho *m,* astilla *f,* [돌·유리·뼈 따위의] esquirla *f,* [가는] añicos *mpl.*
파푸아 【지명】 Papua. ~의 papú.
■ ~ 어[말] papú *m.* ~ 인[사람] papú *mf.*
파푸아 뉴기니 【지명】 Papua Nueva Guinea.
■ ~ 사람[인] papú *mf* (*pl* papúes).
파피루스(영 *papyrus*) [종이. 고문서] papiro *m.*
파피리 flauta *f* de hoja de puerro, flauta *f* de cebolleta.
파하다(破-) ① [일을 다하다] terminar, acabar, concluir, cesar, parar. 파할 시간 hora *f* de salida [de retirada] (de las oficinas · de la escuela). 학교가 파한 후에 después de (la) clase. 일을 ~ terminar [acabar] el trabajo. 학교가 오후 다섯 시에 파한다 La oficina se cierra a las cinco de la tarde. ② [헤어지다] separarse.
파하다(罷-) superar, vencer, romper, quebrar, hacer pedazos, estrellar.
파행(爬行) lo que se arrastra. ~하다 arrastrarse, gatear. ■ ~ 동물 reptil *m.*
파행(跛行) cojera *f.* ~하다 cojear.
■ ~ 경기 prosperidad *f* irrgular.
파헤치다 ① [속에 든 물건이 드러나도록 파서 젖히다] cavar, excavar, abrir. 땅을 ~ excavar la tierra. 묘를 ~ abrir la tumbar, exhumar el cadáver (de). ② [남의 비밀·악행·실패 등을 파 들추어 세상에 드러내다. 폭로하다] revelar, delatar. 악사(惡事)를 ~ revelar [delatar] maldades. 문제의 핵심을 ~ arrancar [revelar · desenterrar] la médula del problema.
파형(波形) ① [물결의 모양] (forma *f* de la) onda *f.* ~의 ondulado, ondeado, ondulante. ~으로 만들다 ondular. ② [전파나 음파(音波)의 모양] onda *f.*
파혼(破婚) rompimiento *m* de compromiso matrimonial. ~하다 romper el compromiso matrimonial.
파훼(破毁) ① [깨뜨려 헐어 버림] destrucción *f.* ~하다 destruir. ② 【법률】 =파기(破棄).
■ ~ 자판(自判) =파기 자판(破棄自判).
파흥(破興) rompimiento *m* de placer. ~하다 romper el placer. ~하는 사람 aguafiestas *mf.sing.pl.* ~하지 마라 No seas aguafiestas.
팍 ① [힘차게 냅다 지르는 모양] violentamente, dando un golpetazo, dando un golpe seco. ~ 지르다 dar un golpetazo, dar un golpe seco. ② [힘없이 거꾸러지는 모양] débilmente, con debilidad. ~ 거꾸러지다 caerse débilmente.
팍삭 desmoronándose, desplomándose. ~하다 (ser) frágil, desmigajarse. ~ 무너지다 desmoronarse. ~ 주저앉다 dejar caer. 그녀는 안락의자에 ~ 주저앉았다 Ella dejó caer en un sillón.
팍팍하다 ① [다리가 몹시 지쳐서 걸음을 내디디기가 어렵도록 무겁다] dar un paso difícil por cansancio. ② [음식이 끈기나 물기가 적어서 목이 약간 메일 정도로 메마르고 부드러운 맛이 없다] (ser) seco y no ser suave.
판 ① [일이 벌어진 자리] [장소] lugar *m,* sitio *m;* [때] momento *m;* [경우(境遇)] ocasión *f,* [판국] situación. 말하는 ~에 en el momento de hablar. ~을 깨지 마라 No seas aguafiestas. ② [승부를 겨루는 일의 수효를 세는 말] partida *f,* juego *m,* concurso *m.* 장기 한 ~ una partida de ajedrez. 장기 한 ~ 두시겠습니까? ¿Quiere usted jugar una partida de ajedrez? ③ [도박·카지노에서] jugada *f, ReD* mano *f.* 한 ~ una jugada, *ReD* una mano. 다섯 ~ cinco jugadas, cinco manos.
판(板) ① [널빤지] tabla *f,* tablero *m;* [얇은] placa *f,* [금속의] plancha *f,* lámina *f.* …에 ~을 입히다 revestir *algo* de [con] una tabla, entablar *algo.* ② 【인쇄】 =판(版). ③ ((준말)) =유성기판. ④ ((준말))=축음기판. ⑤ ((준말)) =레코드판. ⑥ [달걀 30개를 오목오목하게 파인 종이나 플라스틱 판에 세워 담은 것을 세는 말] *pan,* treinta huevos. 달걀 두 ~ dos *pan* de huevos, sesenta huevos.
판(版) ① [그림이나 글씨 등을 새기어 인쇄에 사용하는 나뭇조각 또는 쇳조각] =판(板). ② ((준말)) =활판. ③ 【인쇄】 =판면(版面). ④ [인쇄해서 책을 만드는 일, 또, 같은 책의 동일한 판에 의한 인쇄 횟수] edición *f,* tirada *f,* [인쇄] imprenta *f.* ~을 개정하다 [신판] publicar una nueva edición; [개정판] publicar una edición revisada [corregida]. 이 사전은 11~ 중이다 Este diccionario va por la quinta edición. 이 책은 20~에 이르렀다 Han llegado a publicar la vigésima edición de este libro.
◆ 개정(改訂)~ edición *f* revisada, edición *f* corregida. 신(新)~ nueva edición *f.* 제3~ tercera edición *f.* 증보(增補)~ edición *f* aumentada. 지방(地方)~ edición *f* local. 초(初)~ primera edición *f,* edición *f* príncipe.
◆ 판에 박은 것 같다 ser muy parecido, parecerse mucho, parecerse como dos gotas de agua.
◆ 판에 박은 말 una frase hecha.
◆ 판을 거듭하다 publicar varias ediciones.
판(瓣) ① =꽃잎(pétalo). ② [밸브] válvula *f.* ③ 【악기】 lengüeta *f.* ④ 【해부】 =판막(瓣膜)(válvula).
판(判) tamaño *m;* [서적의] formato *m.* 대(大)~의 de tamaño grande. 중(中)~의 de tamaño medio. 소(小)~의 de tamaño pequeño. 2절~의 책 libro *m* en folio, infolio *m.*
판가름 decisión *f,* prueba *f* decisiva. ~하다 decidir, tener prueba decisiva final. ~ 나다 decidirse.
판각(板刻) 【인쇄】 grabado *m* en madera. ~하다 grabar en madera.

■ ～본 libro *m* grabado en madera. ～사 grabador, -dora *mf* en madera. ～술 arte *m* de grabado en madera, xilografía *f*. ～자(字) (letras *fpl*) mayúsculas *fpl* de imprenta. ～화(畵) grabado *m* en madera.

판검사(判檢事) jueces y fiscales..

판결(判決) sentencia *f*, fallo *m*. ～의 경정(更正) revisión *f* de la sentencia. ～의 공시(公示) publicidad *f* de la sentencia. ～의 정정(訂正) corrección *f* de la sentencia. ～에 앞선 조사 investigación *f* anterior a la sentencia. ～을 내리다 dar [dictar · pronunciar] una sentencia [un fallo], sentenciar. ～에 복종하다 someterse a la sentencia. ～에 영향을 끼치다 afectar a la sentencia. ～에 영향을 미칠 명백한 법령 위반 violación *f* de la ley y ordenanza que afecta claramente a la sentencia. ～에 영향을 미칠 명백한 사실 오인 error *m* que afecta claramente a la sentencia. ～을 선고받은 자 persona *f* a la cual se dictó la sentencia. 그에게 징역 10년의 ～이 내렸다 Le han sentenciado a diez años de trabajos forzados.

◆사형(死刑) ～ sentencia *f* capital, sentencia *f* de muerte.

■ ～례(例) precedentes *mpl* jurídicos. ～문[서] ejecutoria *f*, sentencia *f* escrita. ～ 선고 dictado *m* de la sentencia. ～ 원문 texto *m* original de la sentencia. ～ 이유 razón *f* de la sentencia. ～ 주문(主文) texto *m* de una decisión.

판공(辦公) dedicación *f* a los asuntos públicos.

■ ～비 cuenta *f* de gastos; [기밀비] dinero *m* confidencial, dinero *m* secreto, expensas *fpl* confidenciales, expensas *fpl* secretas.

판관(判官) juez *m* (*pl* jueces).

■ ～사령(使令) marido *m* dominado por *su* mujer, calzonazos *m*.

판교(板橋) ＝널다리.

판국(-局) situación *f*. 위험한 ～에 en la situación peligrosa.

판권(版權/板權) derechos *mpl* de autor, derechos *mpl* reservados, derechos *mpl* de reproducción, propiedad *f* literaria, copyright *ing.m*. ～을 소유(所有)하다 tener el copyright [los derechos] (de). ～을 얻다 obtener el copyright (de), registrar los derechos (de), registrar (una publicación) en el registro de la propiedad literaria. 내년에 ～은 만기가 된다 El copyright vence [Los derechos vencen] el año que viene. 이 영화는 ～으로 보호된다 Todos los derechos de esta película están reservados / Esta película está protegida por copyright.

■ ～법 ley *f* de propiedad intelectual, Ley *f* de Derechos de Autor. ～ 소유 propiedad *f* de derechos de autor; ((표기)) Reservados todos los derechos. ～ 소유자(所有者) titular *mf* del copyright; tenedor, -dora *mf* de derechos de autor. ¶～의 사전 허락 없이 어떤 형태나 매체로도 이 책의 전부나 부분의 복제는 허가되지 않음 ((광고)) No está permitida la reproducción total o parcial de ninguna forma o cualquier medio sin el permiso previo del titular del copyright. ～장(張) página *f* de derechos de autor, colofón *m*. ～ 침해 violación *f* de derechos de autor.

판금(板金) chapa *f* metálica, hoja *f* metálica, placa *f*, lámina *f* de metal, plancha *f* de metal.

■ ～ 가공기 máquina *f* de chapa metálica. ～공(工) trabajador, -dora *mf* de chapa metálica.

판금(販禁) ((준말)) ＝판매 금지(販賣禁止).

판나다 ① [판이 끝나다] terminar, acabar. 전쟁(戰爭)이 판나자마자 en cuanto terminó la guerra. 영화는 12시 전에 판났다 La película terminó [acabó] antes de las doce. ② [재산이 다 없어지다] acabarse, hacerse bancarrota. 판난 집안 familia *f* que se hace bancarrota. 돈이 다 판났다 Se ha acabado el dinero / No queda nada de dinero.

판다(영 *panda*) 【동물】 (oso *m*) panda *m*, (osa *f*) panda *f*.

판다르다 ser enteramente diferente.

판단(判斷) juicio *m*. ～하다 juzgar, considerar. 내 ～으로는 a mi juicio, a mi parecer. …으로 ～하면 a juzgar por *algo*. 내 경험으로 ～하면 a juzgar por mi experiencia. ～을 내리다 formar un juicio; [재정하다] fallar, sentenciar, enjuiciar. ～할 수 없다 no poder juzgar. 잘못 ～하다 juzgar mal, equivocarse de juicio. 공평한 ～을 내리다 formar un juicio imparcial (sobre). 외모로 사람을 ～하다 juzgar a la gente por *sus* apariencias. …의 ～에 맡기다 dejar a(l) juicio de *uno*. 우리들은 그것이 불가능하다고 ～했다 Juzgamos que era imposible.

■ ～ 기준(基準) norma *f* de juicio. ～ 능력 facultad *f* de juicio. ～력 juicio *m*, criterio *m*, discernimiento *m*. ～ 중지 【철학】 época *f*.

판도(版圖) territorio *m*, dominio *m*. ～를 넓히다 extender el territorio.

판도라(영 *Pandora*) 【그리스 신화】 Pandora *f*.

■ ～의 궤(櫃) caja *f* de Pandora.

판독(判讀) desciframiento *m*, descifre *m*. ～하다 descifrar. ～하기 어려운 서체(書體) escritura *f* difícil de descifrar, escritura *f* casi indescifrable.

판돈 apuesta *f*, banca *f*, cantidad *f* que se apuesta en un juego, pozo *m*, bote *m*. ～을 그러당기다 rastillar en la apuesta, llevarse el pozo, llevarse el bote.

◆판돈(을) 떼다 dividir el pozo, dividir el bote.

판둥거리다 holgazanear, haraganear, flojear. 그는 판둥거리면서 하루를 보냈다 El se pasó holgazaneando [haraganeando · flojeando]. 나는 일요일마다 보통 집 주변을 판둥거린다 Los domingos me los paso casi siempre holgazaneando.

판들다 gastarse, liquidar, derrochar, despilfarrar. 가산(家産)을 ~ gastarse *su* fortuna.

판례(判例) ((준말)) =판결례(判決例).
■ ~법 jurisprudencia *f.* ~집(集) informe *m* de jurisprudencia.

판로(販路) mercado *m*, salida *f.* ~를 개척(開拓)하다 abrir un mercado. ~를 확장하다 ampliar el mercado.
◆ 수출(輸出) ~ salida *f* de exportación.

판막(瓣膜) 【해부】 válvula *f.* ~의 valvular.
■ ~염 valvulitis *f.* ~ 절개 =판막 절개술. ~ 절개도 valvulótomo *m.* ~ 절개술 valvotomía *f*, valvulotomía *f.* ~증 enfermedad *f* valvular. ~ 혈전 trombo *m* valvular.

판매(販賣) venta *f.* ~하다 vender, despachar. ~하기 쉬운 de fácil venta, vendible. ~하기 곤란한 de difícil venta. ~ 때의 상품의 특성[강조점] característica *f* especial que se utiiza para la venta de un producto. ~ 중이다 estar en venta. ~를 중지하다 frenar la venta (de), dejar de vender. ~ 가능성이 있다 ser vendible.
■ ~가 ((준말)) =판매 가격. ~ 가격(價格) precio *m* de venta; [매겨진 가격] precio *m* pedido, oferta *f.* ~ 개시(開始) puesta *f* en marcha de la venta; [증권 따위의] emisión *f.* ~ 개시 가격 precio *m* de emisión. ~ 경쟁 competencias *fpl* en las ventas. ~ 계약 contrato *m* de venta. ~ 계획 planificación *f* de ventas. ~고 cantidad *f* de venta. ~과 sección *f* de ventas. ~ 관리 dirección *f* de ventas gerencia *f* de ventas. ~ 금지 prohibición *f* de venta; ((게시)) Prohibida la venta. ~ 기록 registro *m* de ventas. ~ 기술 técnica *f* de venta. ~ 기점 atractivo *m* que ofrece al comprador. ~ 담당자 vendedor, -dora *mf.* ~ 대리인(代理人) agente *mf* [intermediario, -ria *mf*] de ventas. ~ 대리점 agencia *f* de venta. ~량 cantidad *f* de venta. ~ 루트 canal *m* de comercialización. ~망 red *f* de ventas. ~부(部) departamento *m* de ventas. ~ 부장 director, -tora *mf* de ventas. ~ 분석(分析) análisis *m* de ventas. ~ 분석가 analista *mf* de ventas. ~비 gastos *mpl* de ventas, gastos *mpl* comerciales, gastos *mpl* de comercialización. ~ 상품 productos *mpl* a la venta. ~세 impuesto *m* sobre (las) ventas. ~소 oficina *f* de ventas, cuarto *m* de ventas; [백화점 따위의] sección *f*, departamento *m.* ¶~장 jefe, -fa *mf* de oficina de ventas. ~ 주임 jefe, -fa *mf* de sección. ~ 수수료 comisión *f* a vendedor. ~액(額) cantidad *f* de ventas. ~ 영수증 recibo *m* de ventas. ~ 예측 previsión *f* de ventas. ~원(員) vendedor, -dora *mf*; [가게의 점원] dependiente, -ta *mf* de tienda. ~ 원장(元帳) libro *m* mayor de ventas. ~자 vendedor, -dora *mf.* ~ 전문 기술자 ingeniero, -ra *mf* de ventas. ~ 전술 estrategia *f* de ventas. ~점 tienda *f*, comercio *m*; [특약의] agente *m* especial. ~ 정책 política *f* de ventas. ~ 조직(組織) organización *f* de ventas. ~ 조직자 organizador, -dora *mf* de ventas. ~ 조합 unión *f* de ventas. ~ 지향 orientación *f* de ventas. ~ 촉진 promoción *f* de ventas. ~ 카르텔 cartel *m* de ventas. ~ 캠페인 campaña *f* de ventas. ~ 통제 control *m* de ventas. ~ 회사 sociedad *f* vendedora, compañía *f* vendedora. ~ 회의 reunión *f* de ventas.

ㅍ

판면(板面) superficie *f* de la tabla.

판면(版面) página *f* de imprenta.

판명(判明) aclaración *f*, confirmación *f.* ~되다 [분명히 하다] aclararse, esclarecerse; [확실히 하다] confirmarse; [알려지다] saberse; [···로 판명되다] resultar + *adj*; [신원이] identificarse. 그는 이제 한국에 있지 않다는 것이 ~되었다 Se ha confirmado que él ya no está en Corea. 그의 거처는 아직 ~되지 않았다 Todavía no se sabe su domicilio. 내일 결과가 ~된다 Mañana se sabrá el resultado. 그것은 허위로 ~되었다 Eso ha resultado falso.

판목(版木) plancha *f* de madera.

판몰이 lo que el ganador se lleva todas las apuestas.

판무(辦務) administración *f.* ~하다 administrar.
■ ~관(官) comisario, -ria *mf*; administrador, -dora *mf.* ¶고등 ~ comisario *m* alto, comisaria *f* alta. 총(總)~ comisario, -ria *mf* general.

판무식(判無識) ignorancia *f* completa, analfabetismo *m.*

판무하다(判無-) no haber nada.

판문(板門) puerta *f* de tabla.

판박이(版-) ① [판에 박아 낸 책] libro *m* impreso. ② ㉮ [꼭 같은 것] forma *f* estereotipada. ㉯ [변통성이 없는 모양] inadaptabilidad *f*, inflexibilidad *f*, cosa *f* convencional. ㉰ [변통성이 없는 사람] persona *f* inadaptable, persona *f* inflexible. ③ ((준말)) =판박이그림.
■ ~그림 dibujo *m* impreso. ~ 문구 frase *f* hecha, frase *f* convencional. ~ 소리 cliché *m*, tópico *m*, expresión *f* convencional, expresión *f* estereotipada. ~ 인사(人事) saludo *m* convencional.

판법(判法) manera *f* de considerar, método *m* de juicio.

판벽(板壁) pared *f* de tabla.

판별(判別) discernimiento *m*, discriminación *f*, distinción *f.* ~하다 discernir, discriminar, distinguir. A와 B를 ~하다 discernir [discriminar · distinguir] A de B [entre A y B].
■ ~력(力) discriminación *f*, poder *m* de discernimiento, juicio *m.* ~식 【수학】 discriminante *m.*

판본(板本/版本) 【인쇄】 ((준말)) =판각본.

판불(板佛) estatua *f* de Buda grabada en madera [en cobre].

판비(辦備) preparación *f.* ~하다 preparar.

판사(判事) juez *mf* (*pl* jueces).

판상(-上) lo mejor, la mejor cosa de todo,

el as, la flor y nata, la crema.
판상(板狀) forma *f* de tabla.
판상(辦償) compensación *f*, indemnificación *f*. ~하다 compensar, indemnificar.
판상놈(-常-) el tipo más humilde, la persona más humilde.
판서(判書) 【고제도】 ministro *m*.
판서(板書) escritura *f* con tiza en la pizarra. ~하다 escribir con tiza en la pizarra.
판설다 no estar muy familiarizado (con).
판세(-勢) situación *f*; [전망] perspectiva *f*.
판소리 【음악】 *pansori*, canto *m* folclórico [canción *f* folclórica] desde el rey *Yeongcho* de la dinastía de *Choson*.
판수 ① [점치는 일로 업을 삼는 소경] adivinador *m* ciego, adivinadora *f* ciega. ② = 소경(ciego).
판시(判示) juicio *m*, fallo *m*, sentencia *f*. ~하다 decidir.
판시세(-時勢) situación *f*, estado *m* de asuntos, condición *f* de asuntos, perspectiva *f*, vista *f*.. [시장의] precio *m* del mercado corriente.
판연하다(判然-) (ser) claro, cierto, evidente, indudable.
판연히 claramente, con claridad, ciertamente, evidentemente, indudablemente, sin duda, a la verdad.
판유리(板琉璃) cristal *m* [vidrio *m*] cilindrado, vidrio *m* plano, vidrio *m* en hojas; [두꺼운] luna *f*, cristal *m* de espejo; [얇은] vidrio *m* laminado.
판윤(判尹) 【고제도】 alcalde *m* de Seúl (de la dinastía de *Choson*).
판이하다(判異-) ser enteramente diferente. 판이한 의견(意見) opinión *f* enteramente diferente.
판자(板子) ① [나무로 만든 널조각] tabla *f*; [두꺼운] tablón *m* (*pl* tablones), tabla *f* gruesa. 얇은 ~ tabla *f* delgada. ~를 대다 entablar, cubrir con tablas. ~를 댄 벽 pared *f* entablada. ~로 이은 지붕 tejado *m* cubierto de tabals [con ripias]. 마루에 ~를 깔다 entablar el suelo, cubrir el suelo con tablas. 지붕을 ~로 이다 cubrir el tejado con tablillas [con ripias]. ② =송판(松板).
■ ~문 puerta *f* de tabla. ~벽 pared *f* de tabla. ~ 울타리 cerca *f* [valla *f*] de tabla. ~ 지붕 tejado *m* de teja plana y delgada, tejado *m* con maderas. ~촌 chabolas *fpl*, *AmL* barriada *f*, *Chi* población *f* callampa, *Arg* villa *f* miseria, *Méj* ciudad *f* perdida, *Urg* cantegril *m*, *Ven* ranchos *mpl*; choza *f* [casucha *f* · *AmL* rancho *m* · *Méj* jacal *m* · *AmC*, *Col* bohío *m*. ~ㅅ집 chabola *f*, casucha *f*, *AmL* rancho *m*.
판장(板墻) ((준말)) =널판장.
◆판장이 되다 ser viejo y caer enfermo.
판장원(-壯元) la persona de talento más sobresaliente.
판재(板材) ① [널빤지] tabla *f*, tablero *m*. ② [관재(棺材)] tablas *fpl* para el ataúd.
판정(判定) juicio *m*, decisión *f*. ~하다 juzgar, decidir. 불명확한 ~ decisión *f* discutible. 적절한 ~ decisión *f* apropiada.
■ ~ 기준 criterio *m* (para juicio). ~승(勝) victoria *f* por puntos. ¶~하다 ganar por puntos. ~패(敗) pérdida *f* por puntos. ¶ ~하다 perder por puntos.
판제(辦濟) =판상(辦償).
판지(板紙) cartón *m*; [엷은] cartulina *f*.
■ ~ 상자 caja *f* de cartón.
판짜기(版-) 【인쇄】 =조판(組版).
판 짜다 organizar un grupo.
판초자(板硝子) =판유리.
판치다 sobresalir (en), distinguirse (en), descollar (en).
판타지(영 *fantasy*) ① [공상. 환상] fantasía *f*. ② 【음악】 =환상곡(幻想曲)(fantasía).
판타지아(이 *fantasia*) 【음악】 =환상곡.
판탈롱(불 *pantalon*) pantalón *m*.
판판 enteramente.
판판이 cada tiempo, cada jugada, todo el tiempo, cada vez, cada juego, siempre, constantemente. ~ 이기다 ganar cada tiempo. ~ 거짓말만 하다 siempre mentir, mentir constantemente.
판판하다 (ser) llano, liso, plano, raso, chato, suave. 판판한 길 camino *m* liso. 판판한 땅 terreno *m* llano. 마루가 판판하지 않다 El suelo no está nivelado. 판자를 판판하게 대패질하세요 Cepille [(tú에게) Cepilla] las tablas para igualarlas.
판판히 lisamente, planamente, llanamente, suavemente.
판하다 (ser) ancho, vasto, infinito.
판히 anchamente, vastamente, infinitamente.
판행(版行) publicación *f*. ~하다 publicar.
판형(判型) tamaño *m* del libro.
판화(版畵) grabado *m*, aguafuerte *f*, [동판의] grabado *m* al aguafuerte.
■ ~가(家) aguafuertista *mf*; grabador, -dora *mf*. ~ 상점 tienda *f* especializada en grabados. ~술(術) arte *m* de grabado, xilografía *f*.
판히(判-) ((준말)) =판연(判然)히.
팔 【해부】 brazo *m*; [앞의] antebrazo *m*. 주로 많이 사용하는 ~ mano *f* que se usa más que la otra; [오른팔] brazo *m* derecho. 왼~ brazo *m* izquierdo. ~을 벌려 con los brazos abiertos. ~에 매달리다 dejarse caer en los brazos (de). ~에 주사를 놓다 poner una inyección en el brazo. ~을 끼다 cruzar los brazos, enlazarse los brazos. ~을 다치다 herirse (en) el brazo. ~을 잡고 연행해 가다 llevar cogido del brazo. ~을 잡다 [붙들다] coger [agarrar] del [por el] brazo. ~을 펼치다 extender [alargar] el brazo. ~의 소매를 걷다 remangarse. ~이 가늘다 tener unos brazos delgados. ~이 두툼하다 tener unos brazos robustos. ~이 부러지다 romperse un [el] brazo. 두 ~을 (크게) 벌려 통행을 가로막다 impedir el paso con los brazos extendidos. 아이를

~에 품다 tener (a) un bebé en brazos. 오버를 ~에 걸치다 llevar un abrigo al [en el] brazo. 책을 ~에 끼다 llevar un libro bajo el brazo. 남녀가 ~을 끼고 걷고 있다 Un hombre y una mujer pasean del brazo. 나는 그의 ~에 기대고 걷고 있었다 Yo caminaba apoyándose [apoyado] en su brazo. 그녀는 내 ~을 잡아끌어 나를 멈추게 했다 Me detuvo, cogiéndome del brazo.

■ 팔은 안으로 굽는다 ((속담)) El hombre es ciego en sus propias causas.

팔(八) ocho. ~분의 일 un octavo. ~ 일(日) [달의] el ocho; [기간] ocho días.

팔가락지 brazalete *m*, pulsera *f*.

팔각(八角) ocho ángulos *mpl*. ~의 octagonal.

■ ~기둥 prisma *f* octagonal. ~당 santuario *m* [templo *m*] budista octagonal. ~뿔 cono *m* octagonal. ~정 =팔모정. ~주 = 팔각기둥. ~집 casa *f* octagonal, casa *f* octagonalmente construida. ~형 octágono *m*. ¶~의 octagonal. 정(正)~ octágono *m* regular.

팔걸이 ① [의자나 소파의, 팔을 걸치는 부분] brazo *m*; [자동차나 비행기의 팔을 걸치는 부분] apoyabrazos *m.sing.pl*. ② ((씨름·레슬링)) llave *f* (de brazo). ~하다 hacer*le* una llave a *uno*. …를 ~로 조이다 inmovilizar a *uno* con una llave. 경찰관이 그를 ~로 조였다 El policía le tenía inmovilizado con una llave.

■ ~의자 sillón *m* (*pl* sillones), butaca *f*, silla *f* de brazos, poltrona *f*.

팔괘(八卦) ① [중국 상고 시대의 복희씨가 지었다는 여덟 가지의 괘] ocho trigramas *mpl*. ② =점(占).

팔구(八九) ocho o nueve.

팔구(八區) mundo *m*, todo el mundo.

팔구십(八九十) ochenta o noventa.

팔구월(八九月) agosto o septiembre.

팔꿈치 【해부】 codo *m*. ~로 찌르기 codazo *m*. ~로 떼밀다 dar*le* un codazo (a). ~로 밀다 empujar con el codo. ~로 베다 apoyar la cabeza en el codo. ~로 쿡 찌르다 dar*le* un codazo (a). ~로 쿡쿡 찌르다 codear, dar*le* codazos (a). ~를 고이다 apoyar los codos (en), acodarse (en). 상 위에 ~를 놓지 마라 No pongas los codos sobre la mesa. 내 스웨터는 ~가 닳는다 Se me están gastando los codos del suéter. 그들은 서로 ~로 떼밀었다 Ellos se daban codazos. 나는 그의 얼굴을 ~로 떼밀었다 Le di un codazo en la cara. 나는 테이블에 ~를 고였다 Yo me acodé en la mesa.

■ ~ 관절염 anconitis *f*. ~근 músculo *m* ancóneo. ~ 통증 anconagra *f*.

팔난봉 bribón *m* (*pl* bribones), haragán *m* (*pl* haraganes), libertino *m*, hombre *m* disoluto.

팔다 ① [값을 받고 물건이나 노력을 주다] vender, ofrecer. 팔 수 있는 vendible. 팔 집 casa *f* de venta, casa *f* que se vende. 파는 (방)법 manera *f* [forma *f*] de vender. 팔려고 외치는 소리 gritos *mpl* de vendedor, pregón *m*. (이 집 저 집) 팔고 다니다 vender de puerta en puerta, vender por las calles, vender de casa en casa, andar [ir] vendiendo de puerta en puerta. 가게를 ~ vender la tienda. 근(斤)으로 ~ vender a peso. 모두 ~ [주식을] agotar; [물건을] agotar las existencias. 도매로 ~ vender al por mayor. 비싸게 ~ vender caro. 서둘러 ~ apresurarse [precipitarse] a vender. 소매로 ~ vender al por mayor. 싸게 ~ vender barato. 외상으로 ~ vender a plazo. 정보(情報)를 ~ ofrecer un informe secreto. 타(打)로 ~ vender por docenas. 현금으로 ~ vender al contado. 천 원에 ~ vender a [por] mil wones. 팔려고 내놓다 poner en venta, lanzar al mercado. 팔려고 내놓고 있다 estar en venta. 팔려고 하다 promover las ventas (de), abrir un nuevo mercado (para). 팔아 치우다 deshacerse (de), vender(se). 미련 없이 팔아 치우다 malvender, malbaratar, deshacerse (de), liquidar. 여자를 팔아 먹다 vender una mujer por dinero. 체화(滯貨)를 팔아 치우다 deshacerse de las mercancías almacenadas. 이 가게에서는 야채를 팔고 있다 Se vende verduras en esta tienda. 이 키오스코에서는 신문을 판다 Se venden periódicos en este quiosco. 이것은 어디서 팝니까? ¿Dónde se vende esto? 만 원 이하로는 팔지 않습니다 No se vende a [por] menos de diez mil wones. 이 이상 싸게는 팔 수 없습니다 No se puede vender a [por] un precio más bajo. 그녀는 가재기물(家財器物)을 전부 팔아 버렸다 Ella vendió todo el mobiliario de la casa. 점포 팝니다 ((게시)) Se vende tienda / Se vende local. ② [이름을 빙자하다] explotar, aprovecharse (de). 이름을 ~ popularizar [propagar] *su* propio nombre, hacer *su* propia propaganda. ③ [정신이나 눈을 딴 곳으로 돌리다] desviar. ④ [돈을 주고 남의 곡식을 사다] comprar (grano). 쌀을 ~ comprar arroz. ⑤ [여자가 돈을 받고 몸을 허락하다] vender(se). 몸을 ~ venderse. 그녀는 돈 때문에 몸을 팔았다 Ella se vendió por dinero. ⑥ [배반하다] traicionar, denunciar, vender. 나라를 ~ traicionar al país. 친구를 ~ traicionar al amigo. 조국을 적에게 ~ vender *su* patria al enemigo. ⑦ ((성경)) entregar, traicionar. 그러나 보라 나를 파는 자의 손이 나와 함께 상 위에 있도다 ((누가복음 22:21)) Mas he aquí, la mano del que me entrega está conmigo en la mesa / Pero ahora la mano del que me va a traicionar está aquí, con la mía, sobre la mesa.

팔다리 miembro *m*, los brazos y las piernas. ~가 쑤시다 doler*le* a *uno* los brazos y las piernas, tener dolor de brazos y piernas.

■ ~ 운동 ejercicio *m* para el miembro.

팔달(八達) ① [길이 팔방으로 통함] lo que se

ㅍ

lleva por todas partes. ② [모든 일에 정통함] conocimiento *m* hondo. ~하다 conocer bien, estar corriente (de), tener perfecto conocimiento (de), ser experto.

팔도(八道) ①【지명】ocho provincias (en la dinastía de *Choson*): *Gyeongkido, Chungcheongdo, Gyeongsangdo, Cheolado, Gangwondo, Hwanghaedo, Pyeongando* y *Hamgyeongdo*. ② [우리 나라 전국] todo el país, toda Corea.
◆팔도를 무른 메주 밟듯 하였다 Se recorrió todo el país [toda Corea].
▪~강산 los ríos y las montañas de todo el país de Corea, toda Corea, paisaje *m* de todos los rincones de Corea, todas las partes de Corea. ~ 명산 las montañas famosas de todo el país de Corea.

팔등신(八等身) figura *f* bien formada. ~의 미인(美人) mujer *f* hermosa y altísima, moza *f* maja y bien puesta; *AmL* mujer *f* chula.

팔딱 ① [힘을 모아서 가볍게 뛰는 모양] soltando. ② [맥이 뛰는 모양] palpitando.
팔딱거리다 ㉮ [힘을 모아서 가볍게 계속하여 뛰다] soltar, mover el corazón. ㉯ [맥이 자꾸 뛰다] palpitar. 맥이 ~ palpitar el pulso. 가슴이 ~ palpitar.
팔딱이다 soltar.
팔딱팔딱 ㉮ [가슴이] siguindo palpitando. ~하다 seguir palpitando. ㉯ [힘을 모아 계속해 뛰는 모양] siguiendo soltando. ~하다 seguir soltando.

팔뚝 antebrazo *m*.

팔라듐(영 *palladium*)【화학】paladio *m* (Pd).

팔라우【지명】Palau. ~의 palauano.
▪~ 사람[인] palauano, -na *mf*. ~ 어[말] palauano *m*.

팔랑개비 molinete *m*, molinillo *m*, molino *m* de viento, *Chi, Urg* remolino *m*, *Col* ringlete *m*.

팔랑거리다 columpiarse, moverse de arriba abajo.

팔레스타인【지명】Palestina *f*. ~의 palestino.
▪~ 사람[인] palestino, -na *mf*.

팔레스타인 해방 기구(-解放機構) O.L.P. *f*, OLP *f*, la Organización para la Liberación de Palestina.

팔레스티나【지명】=팔레스타인.

팔리다 ① [물건이나 노력을 다른 사람이 사가게 하다] venderse, ser vendido. 잘 팔리는 popular, (que goza) de una gran popularidad de moda, bien vendido, que se vende bien. 잘 팔리는 사람 persona *f* de moda; [남자] hombre *m* de moda; [여자] mujer *f* de moda. 팔리지 않고 남아 있는 물건 artículo *m* de difícil venta, artículo *m* que no se vende. 팔리지 않고 남아 있다 quedar [exponerse] mucho tiempo en el escaparate. 많이 팔리는 책을 쓰다 escribir un libro que se vende mucho. 날개 돋치듯 ~ venderse como (el) pan caliente, venderse como rosquillas. 이 책은 잘 팔린다 Este libro se vende mucho. 이 차는 쉬 팔릴 것이다 Este coche se venderá fácilmente. 그는 잘 팔리는 가수다 El es el cantante de moda. 빵은 다 팔렸습니다 No nos queda pan / Se nos ha agotado el pan. 붉은 것은 토요일에 다 팔렸습니다 El sábado ya se habían agotado los rojos / El sábado ya no quedaban en rojo. ② [정신이 한쪽으로 쏠리다] apartarse, distraerse (de·en). 눈이 한쪽으로 ~ apartarse la mirada. 이야기에 정신이 ~ distraerse en [de] la conversación.

팔림새 venta *f*. ~가 빠르다 [늦다] venderse rápidamente [lentamente].

팔만대장경(八萬大藏經) ((불교)) ((준말)) =팔만사천대장경.

팔만사천대장경(八萬四千大藏經) ((불교)) *Koryo Daechanggyong*, la Escritura Budista de xilografía de la época (de) *Koryo*, la Tripitaka Coreana (que está compuesta más de ochenta mil bloques).

팔매 lanzamiento *m*, tirada *f*.
◆팔매(를) 치다 lanzar, tirar (hasta lejos).
▪~질 lo que tira, lo que lanza. ¶~하다 tirar, lanzar, arrojar. 그는 경찰에게 ~을 했다 El le tiró una piedra al policía. ~치기 juego *m* de tirar la piedra.

팔면(八面) ① [여러 방면] muchas direcciones *fpl*, varias partes *fpl*; [각 방면] cada dirección, cada parte. ②【수학】ocho planos *mpl*.
▪~육비(六臂) ㉮ [여덟 개의 얼굴과 여섯 개의 팔] ocho caras y seis brazos. ㉯ [어느 일을 당해도, 묘하게 처리하는 수완·역량이 있음] mucha hablidad, mucho talento. ~체 octaedro *m*.

팔모(八-) =팔각(八角).
▪~기둥 columna *f* octagonal. ~살 enrejado *m* octagonal. ~정(亭) pabellón *m* octagonal. ~지붕 tejado *m* octagonal. ~항아리 jarra *f* octagonal.

팔목【해부】muñeca *f*.

팔방(八方) ① [사방(四方)과 사우(四隅). 곧, 동·서·남·북·북동·남동(南東)·북서(北西)·남서(南西)] norte, sur, este, oeste, noreste, sudeste, noroeste, y sudoeste. ② [모든 방면] todas las direcciones, todas las partes, todos los lados.

팔방미인(八方美人) hombre *m* orquesta, mujer *f* orquesta; manitas *mf*. ~이다 tratar de ser afable con todos, tratar de agradar a todos. 그는 ~이다 El sabe mucho de todo. 그는 ~이지만 뛰어난 재주는 없다 El sabe un poco de todo y mucho de nada. ~은 믿을 수 없다 ((서반아 속담)) Quien de todos es amigo, de ninguno es amigo.

팔백(八百) ochocientos, -tas.

팔베개 brazo *m* por almohada. ~를 하고 자다 dormir con el brazo por almohada.

팔분쉼표(八分-標)【음악】pausa *f* de corchea.

팔분음표(八分音標)【음악】corchea *f*.

팔불용(八不用) =팔불출(八不出).

팔불출(八不出) idiota *mf*, imbecil *mf*, tonto,

-ta *mf*, bobo, -ba *mf*, necio, -cia *mf*. 이 ~아 ¡Imbécil!

팔불취(八不取) =팔불출(八不出).

팔뼈 hueso *m* del brazo.

팔삭(八朔) el día primero de agosto del calendario lunar.

■~둥이 ㉮ [제 달을 채우지 못하고 밴 지 여덟 달 만에 낳은 아이] bebé *m* prematuro en ocho meses de embarazo. ㉯ [똑똑하지 못한 사람] idiota *mf*.

팔순(八旬) ochenta años (de edad).

■~ 노인(老人) octogenario, -ria *mf*.

팔 시간 노동제(八時間勞動制) sistema *m* de labor de ocho horas.

팔심 fuerza *f* de antebrazo, músculos *mpl*, poder *m* muscular, vigor *m*. ~이 세다 tener brazos fuertes [musculosos].

팔십(八十) ① [여든] ochenta. ~ 명 ochenta personas. ~ 일(日) ochenta días. ~ 종류 ochenta especies. 제~(의) octogésimo. ② ((준말)) =팔십 세(八十歲).

■~ 노인 octogenario, -ria *mf*, ochentón, -tona *mf*. ~ 세 ochenta años (de edad).

팔싹 ① [연기나 먼지 같은 것이 한바탕 일어나는 모양] de repente, de pronto, repentinamente, de súbito, súbitamente, ligeramente. ② [갑자기 주저앉는 모양] de repente, de pronto. 그는 안락의자에 ~ 주저앉았다 El dejó caer en un sillón.

팔씨름 lucha *f* de brazo, pulso *m*. 그는 ~이 세다 El tiene buena muñeca. 그는 ~을 잘 한다 El es muy bueno echando pulsos [pulseando].

◆팔씨름하다 pulsear, medir [echar] el [un] pulso (con), probar dos personas la fuerza del pulso, cogiéndose de la mano derecha y apoyando los codos sobre una mesa.

팔아 내다 ① [물건을 연해 잘 팔다] vender bien. ② [물건을 팔아서 돈으로 내다] pagar al contado vendiendo.

팔아먹다 ① [팔아서 돈으로 바꿔 없애다] venderse. 가산을 모두 ~ venderse todos bienes. ② [정신을 남에게 쏠리어 버리다] absorber, atraer, cautivar. 정신을 ~ absorber la atención. ③ [곡식을 사 먹다] comprar cereales. ④ [값을 받고 권리를 남에게 주다] vender *su* derecho recibiendo el dinero. ⑤ [여자가 금품을 받고 몸을 남에게 맡기다] venderse.

팔오금 parte *f* interior del codo.

팔월(八月) agosto *m*.

■~ 한가위 *palwol hangawi*, el quince de agosto del calendario lunar, fiesta *f* de la cosecha del medio otoño.

-팔이 vendedor, -dora *mf*. 신문~ vendedor, -dora *mf* de periódicos. 껌~ vendedor, -dora *mf* de chicles.

팔인교(八人轎) palanquín *m* (*pl* palanquines) llevado por ocho portadores.

팔일오(八一五) el Día de Liberación, el quince de agosto. ~ 50주년 기념식 la ceremonia del quincuagésimo aniversario de la Liberación.

팔자(八字) destino *m*, sino *m*, fortuna *f*, suerte *f*. ~ 좋게 felizmente, dichosamente. ~ 좋은 사람 persona *f* feliz; [남자] hombre *m* feliz; [여자] mujer *f* feliz. ~ 좋다 ser fortunado, tener buena suerte. 그것도 ~ 탓이었다 El destino lo quiso así. ~가 좋은 사람은 누구냐? ¿Quién es el fortunado?

◆팔자(가) 늘어지다 (ser) fortunado, feliz. 팔자(가) 늘어지게 afortunadamente, por suerte. 팔자(가) 사납다 (ser) desfortunado, desventurado. 팔자(가) 사납게 desafortunadamente, desaventuradamente. 팔자(가) 세다 nacer sin fortuna, ser desfortunado de nacimiento, nacer desfortunado. 팔자(를) 고치다 ㉮ [재가하다] contraer segundo matrimonio, casarse por segunda vez. ㉯ [갑작스레 부자가 되거나 지체를 얻어 딴 사람처럼 되다] hacerse rico de repente.

■~걸음 ((준말)) =여덟팔자걸음. ¶~을 걷다 caminar [andar] erguido, caminar [andar] con aire arrogante.

팔재간(-才幹) habilidad *f* con *su* brazo.

팔절판(八切判) octavo *m*.

팔죽지 brazo *m* superior.

팔중주(八重奏) 【음악】 octeto m.

팔짓 balanceo *m* de *sus* brazos. ~하다 balancear *sus* brazos.

팔짝 saltando de repente.

팔짝 뛰다 saltar de repente.

팔짱 cruce *m* de los brazos.

◆팔짱(을) 꽂다 =팔짱(을) 지르다. 팔짱(을) 끼고 보다 ver [quedarse · estar] con los brazos cruzados [con las manos cruzadas], no dar pie ni patada, quedarse cruzado de brazos. 팔짱(을) 끼다 cruzar los brazos; [거만한 태도로] cruzarse de brazos. 팔짱을 끼고 con los brazos cruzados, brazo a brazo. 팔짱을 끼고 생각하다 reflexionar con los brazos cruzados. …와 팔짱을 끼고 가다 ir de [del] brazo con *uno*. 그는 팔짱을 끼고 앉아 있었다 El estaba sentado con los brazos cruzados. 팔짱(을) 지르다 cruzar los brazos, cruzarse de brazos.

팔찌 ① ((준말)) =팔가락지. ② [활의] brazalete *m*.

팔척장신(八尺長身) hombre *m* muy alto.

팔초하다 tener cara estrecha y mandíbula puntiaguda.

팔촌(八寸) ① [여덟 치] ocho *chi*. ② [삼종간(三從間)의 촌수] octavo grado *m* de consanguinidad.

팔팔 ① [적은 물이 용솟음치며 끓는 모양] hirviendo. 물이 ~ 끓는다 Hierve el agua. ~ 끓는 물을 첨가해라 Añade el agua hirviendo. ② [몸이나, 온돌방이 몹시 달치는 모양] ardiendo. 몸이 ~ 끓다 tener fiebre alta [violenta], arder con fiebre. 볼이 ~ 끓었다 Me ardían las mejillas. ③ [작은 것이 기운차게 한 자리에서 자꾸 날거나 뛰는 모양] revoloteando. 새가 ~ 날아갔다 Un pájaro se alejó aleteando.

◆팔팔 뛰다 saltar con sorpresa.

팔팔하다 ① [성질이 급하고 매우 쌀쌀하다] ser de mal carácter, ser de mal genio, ser irascible. ② [날 듯이 아주 생기가 있다] (ser) vivo, enérgico, vigoroso, listo, ágil, activo, sano como una manzana. 팔팔한 아가씨 chica *f* rebosante de vida, chica *f* de vivo frescor. 팔팔한 음악가 músico *m* destacado, música *f* destacada. 대학 출신의 팔팔한 청년 brillante joven *m* diplomado. 팔팔하게 일하다 trabajar enérgicamente. 그는 ~ El es vigoroso / El es enérgico / El está lleno de vitalidad.

팔푼이(八－) idiota *mf*, bobo, -ba *mf*, estúpido, -da *mf*, torpe *mf*.

팔풍(八風) viento *m* de todas las direcciones.

팔행시(八行詩) poesía *f* de ocho líneas.

팜파스(서 *pampas*) [(남미, 특히 아르헨띠나의 나무 없는) 대초원] pampa *f*, pampas *fpl*.

팝(영 *pop*) popular, pop.
▪ ~ 그룹 grupo *m* pop. ~ 뮤직 música *f* pop. ~송 ((준말)) =포퓰러 송. ~ 스타 estrella *f* pop. ~ 싱어 cantante *mf* pop. ~ 아트 pop-art *ing.m*, arte *m* popular. ~ 콘서트 concierto *m* popular, festival *m* de música popular.

팝콘(영 *popcorn*) palomitas *fpl* (de maíz), rosetas *fpl* de maíz, *Méj* esquites *mpl*, *Chi* cabritas *fpl*, *RPl* pororó *m*, *Arg* pochoclo *m*, *Col* maíz *m* pira, maíz *m* tote, *ReD* maíz *m* (*pl* maíces), pop corn *ing.m*.

팟종 tallo *m* de chalote.

팡 estallando, reventando. ~ 터지다 estallar, reventar(se). ~! ¡Pum!

팡파르(불 *fanfare*) tocata *f*, marcha *f* militar, charanga *f*, banda *f* militar, fanfarria *f*, toque *m* de trompeta. ~를 울린다 Suena la fanfarria.

팡파지다 (ser) desarrollado.

팡파짐하다 (ser) desarrollado, choncho, regordete.

팡팡 ① [눈이나 물 같은 것이 세차게 쏟아지거나 솟는 모양] abundantemente, copiosamente, pesadamente, mucho. 눈이 ~ 내린다 Nieva mucho. ② [여러 번 계속하여 나는 거센 총소리] tiroteando. ~ 쏘다 tirotear.
팡팡거리다 ㉮ [연해 팡팡하는 소리가 나다] seguir tiroteando. ㉯ [팡팡하고 쏟아지다] verterse mucho, echarse mucho, ser vertido mucho, ser echado mucho. ㉰ [작은 물건이 얕은 물속으로 자꾸 떨어져 들어가다] seguir entrando. ㉱ [재산을 헤프게 자꾸 쓰다] seguir gastándose de manera poco económica.

팥 【식물】 judía *f* pinta, frijol *m*, haba *f* roja, judía *f* roja. ((*ing* red-bean, *fr* haricot rouge)).
▪ ~가루 judía *f* pinta en polvo. ~고물 judía *f* pinta molida. ~고추장 *gochuchang* de judía pinta. ~꼬투리 baina *f* de judía pinta. ~꽃 flor *f* de judía pinta. ~단자 bola *f* de masa de judía pinta. ~떡 pan *m* con judía pinta molida. ~물 el agua de la judía pinta cocida. ~밥 arroz *m* de [con] judía pinta. *ReD* arroz *m* con habichuela, *Cuba* arroz *m* con frijol. ~비누 harina *f* de judía pinta. ~소 pasta *f* de judía pinta. ~알 grano *m* de judía pinta. ~잎 hoja *f* de judía pinta. ~장 salsa *f* de judía pinta. ~죽 gachas *fpl* de frijoles; ((성경)) guisado *m* de lentejas, guiso *m* de lentejas. ~편 *patpyeon*, comida *f* cocida con miel después de mezclar el agua de judía pintaa en harina de trigo.

팥배 pera *f* silvestre.

팥배나무 【식물】 peral *m* silvestre.

패(貝) ① =조개(concha). ② =조가비. 조개껍질. ③ [고대의] =돈. 화폐.

패(牌) ① [특징·이름·성분 등을 알릴 목적으로 그림이나 글씨를 그리거나 쓰거나 새긴 자그마한 종이나 나뭇조각] etiqueta *f*, marbete *m*, rótulo *m*, cédula *f*, billete *m*, placa *f*. 명(名)~ etiqueta *f* de identificación. 문(門)~ etiqueta *f* con la dirección. ② [몇 사람이 어울린 동아리] grupo *m*, partido *m*; [공범자] cómplice *mf*. ~ 중의 한 사람 uno del mismo partido, cómplice *mf*.
▪ ~거리 ((낮춤말)) =패(牌)❷.

패(覇) estratagema *f* astuta.
◆ 패에 떨어졌다 ser presa de la estratagema del otro, caer en la trampa.

패가(敗家) bancarrota *f* de una familia.
▪ ~망신 bancarrota *f* de sí *mismo* y *su* familia.

패각(貝殼) concha *f*, cáscara *f*.
▪ ~ 추방 ostracismo *m*.

패갑(貝甲) =패각(貝殼).

패검(佩劍) [차는 칼] espada *f* puesta; [칼을 참] lo que se pone la espada. ~하다 ponerse la espada.

패군(敗軍) ejército *m* vencido.
▪ ~지장(之將) general *m* vencido. ¶~은 병법(兵法)을 논할 수 없다 El general vencido no debe hablar de la guerra / No es propio del general vencido hablar de la guerra.

패권(覇權) supremacía *f*, hegemonía *f*, heguemonía *f*, maestría *f*, liderazgo *m*, poder *m* supremo, dominio *m*. ~을 가진 hegemónico. ~을 잡은 hegemonista. ~을 다투다 luchar por conseguir la supremacía. ~을 쥐다 obtener la supremacía, conseguir la hegemonía. 해상(海上)의 ~을 장악하다 dominar sobre los mares.

패기(覇氣) ánimo *m*, vivacidad *f*, energía *f*, vitalidad *f*, [열심] afán *m*, ardor *m*, entusiasmo *m*; [야심] ambición *f*, aspiración *f*. ~가 있는 animoso, brioso, ambicioso. ~가 없는 inerte, apático. 비상한 ~로 con mucho ardor, con gran entusiasmo, con chos bríos. ~ 있는 사람 hmbre *m* de espíritu, persona *f* ambiciosa. ~가 없는 사람 persona *f* apática. ~ 있게 대답하다 contestar con brío. 그는 ~가 있다 El está lleno de ardor / El es ambicioso.

패기만만하다 estar lleno de energía.
패기발발하다 estar en plena energía.
패널(영 *panel*) ① 【건축】 panel *m*, entrepaño *m*. ② [토론회 등의 심사원단] panel *m*, equipo *m*. ③ [시험에서] mesa *f*, tribunal *m*.
■ ~화(畵) tabla *f*.
패널리스트(영 *panelist*) ① [공개 토론회의 토론자] panelista *mf*; miembro *mf* del panel. ② [(라디오·텔레비전 따위의) 퀴즈 프로의 해답자] concursante *mf*; miembro *mf* del equipo.
패다[1] [곡식의 이삭이 나오다] espigar(se), empezar las semillas a crecer y echar espigas.
패다[2] [사정없이 마구 때리다] golpear, dar golpes, pegar, asestar, azotar, dar*le* una paliza (a); [몽둥이로] aplastar, aniquilar. 늘씬하게 ~ dar*le* una paliza tremenda a *uno*, hacer papilla a *uno*.
패다[3] [도끼로 장작 등을 쪼개다] partir, tajar, rajar, separar, cortar, talar. 장작을 ~ partir [cortar] la leña.
패다[4] ① [파지다] ser cavado, ser excavado, ser ahuecado. 낙숫물에 땅이 팼다 Las gotas de lluvia han ahuecado la tierra. ② [파게 하다] hacer cavar, hacer excavar.
패담(悖談) palabras *fpl* irrazonables, charla *f* indecente [inmoral·indecorosa], broma *f* colorada [verde]. ~하다 hablar inmoralidad [indecencia].
패덕(悖德) inmoralidad *f*, desmoralización *f*, corrupción *f*.
■ ~한(漢) hombre *m* inmoral, truhán *m*, pícaro *m*, canalla *m*. ~ 행위 conducta *f* inmoral.
패덕(敗德) conducta *f* contra humanidad. ~하다 ser contrario a [ir en contra de] la humanidad.
패도(佩刀) ＝패검(佩劍).
패도(覇道) gobierno *m* militar, reinado *m* militar, dominio *m*.
■ ~ 정책(政策) política *f* para la agresión mundial.
패드(영 *pad*) [덧대는 것] [양재의] almohadilla *f*; [브래지어 속에 넣는] rellenos *mpl*. ~를 넣은 enguatado, acolchado; [브래지어에] con relleno. 어깨 ~를 넣은 오버 un abrigo con hombreras.
◆무릎 ~ rodilleras *fpl*. 어깨 ~ hombreras *fpl*. 정강이 ~ espinilleras *fpl*. 허벅다리 ~ musleras *fpl*.
패랭이【식물】((준말)) ＝패랭이꽃.
패랭이꽃【식물】clavelina *f*.
패러그래프(영 *paragraph*) ① [문장의 절(節)] párrafo *m*. ② [신문 등의 소기사(小記事)] artículo *m* corto.
패러독스(영 *paradox*) [역설] paradoja *f*.
패러디(영 *parody*) parodia *f*.
패럿(영 *farad*)【전기】faradio *m*, farad *m*, faraday *m*. 백만 ~ megafaradio *m*. 백만분의 일 ~ microfaradio *m*.
패려궂다(悖戾－) (ser) violento y descortés.
패려하다(悖戾－) (ser) violento y feroz.
패류(貝類)【동물】marisco *m*, mariscos *mpl*
■ ~학 conchología *f*. ~학자 conchólogo, -ga *mf*.
패류(悖類) grupo *m* violento y feroz.
패륜(悖倫) inmoralidad *f*, depravación *f*. ~의 inmoral, depravado, malvado. ~ 생활을 하다 llevar una vida depravada, llevar una vida de depravación.
■ ~아(兒) persona *f* inmoral [depravada].
패리티(영 *parity*)【경제】paridad *f*.
■ ~ 가격 precio *m* de paridad. ~ 계산(計算) sistema *m* de paridad. ~ 비트(bit)【컴퓨터】bitio *m* de paridad. ~ 지수 índice *m* de paridad. ~ 체크 【컴퓨터】comprobación *f* de paridad, control *m* de paridad.
패리하다(悖理－) (ser) irracional, absurdo. 패리함 irracionalidad *f*, disparate *m*, ilógica *f*, absurdo *m*.
패만하다(悖慢－) (ser) violento, grosero, maleducado, descortés, tosco, basto.
패망(敗亡) derrota *f*, ruina *f*, rota *f*, vencimiento *m*, destrucción *f*. ~하다 derrotar, vencer, destruir. 로마 제국의 ~ la decadencia y caída del Imperio Romano.
패멸(敗滅) destrucción *f*, ruina *f*, caída *f*, derrota *f*, aniquilación *f*, demolición *f*. ~하다 (ser) destruido, derrotado, caído, aniquilado, demolido.
패모(貝母)【식물】corona *f* imperial.
패목(牌木) ＝팻말.
패물(貝物) artículos *m* de coral.
패물(佩物) ① [몸에 지니는 장식물] ornamentos *mpl* personales. ② ＝노리개.
패배(敗北) derrota *f*, pérdida *f*, pérdida *f* de una batalla. ~하다 ser derrotado, ser vencido, sufrir derrota, perder una batalla. 아까운 ~ derrota *f* con un margen estrecho. 치욕적인 ~ victoria *f* vergonzosa, victoria *f* humillante. ~시키다 derrotar, vencer. ~를 당하다 sufrir una derrota. ~를 인정하다 darse por vencido. ~를 초래하다 producir [ocasionar] la derrota. 반란군을 ~시킨 뒤에 tras derrotar a los rebeldes. 미국 사람들이 그들을 ~시켰다 Ellos fueron derrotados por los estadounidenses. 경찰 측은 연속 ~했다 La policía ha cometido repetidos errores.
■ ~주의 derrotismo *m*. ~주의자 derrotista *mf*.
패병(敗兵) soldados *mpl* derrotado de forma aplastante.
패보(敗報) noticia *f* de derrota.
패 보다(敗－) ser fracasado.
패분(貝粉) polvo *m* de cáscara de concha.
패사(敗死) muerte *f* por la derrota de guerra.
패사(敗事) lo fracasado.
패사(稗史) historia *f* no oficial.
패산(敗散) huida *f* en desbandada. ~하다 poner en fuga. 적을 ~시키다 dispersar el enemigo.
패상(敗喪) ＝패망(敗亡).
패색(敗色) señal *f* de derrota. 이 팀은 ~이

짙다 Es muy probable que este equipo pierda el partido.
패석(貝石) concha *f* fosilizada.
패설(悖說/誖說) ＝패담(悖談).
패설(稗說) habladurías *fpl*, rumores *mpl*.
패세(敗勢) señal *f* de derrota.
패션(영 *fashion*) moda *f*. 모자의 최신 ～ la última moda en sombreros. 빠리 ～으로 a la moda de París. 서반아 ～으로 a la española.
◆하이(high) ～ alta costura *f*.
▪～ 디자이너 diseñador, -dora *mf* de modas. ～모델 modelo *mf* (de moda), maniquí *mf* (*pl* maniquíes). ～ 북 libro *m* de modas. ～ 상품 artículos *mpl* de moda. ～쇼 pase *m* de modelos, desfile *m* de modas, desfile *m* de modelos, presentación *f* de modelos. ～ 잡지 revista *f* de modas. ～ 편집장 editor, -tora *mf* de modas. ～ 퍼레이드 desfile *m* de modas, desfile *m* de modelos, presentación *f* de modelos.
패소(敗訴) pérdida *f* de una causa, pérdida *f* de un proceso. ～하다 perder una causa, perder un proceso.
패스(영 *pass*) ① [통과. 합격. 급제] aprobado *m*. ～하다 sacar un aprobado. ② ㉮ [무임 승차권. 무료 입장권] pase *m*. ㉯ [정기권] pase *m*. 버스 ～ abono *m* de autobús. 열차 ～ abono *m* de tren. ③ ((준말)) ＝패스포트(pasaporte). ④ [축구·농구 등에서, 같은 편끼리 공을 주고 받아 연락함] pase *m*. ～하다 hacer un pase. 긴 ～ pase *m* largo. 긴 크로스 ～ pase *m* largo cruzado. 깊은 (직진) ～ pase *m* profundo. 높은 크로스 ～ pase *m* horizontal cruzado. 빠른 ～ pase *m* rápido. 짧은 ～ pase *m* corto. 자로 잰 듯한 ～, 정확한 ～ pase *m* preciso. ⑤ [카드놀이에서, 자기 차례를 거르고 다음 차례로 돌림] pase *m*.
◆공간 ～ pase *m* en profundidad. 그라운드 ～ pase *m* por abajo, pase *m* al piso. 다이렉트 ～ pase *m* directo, pase *m* primero. 대각선 ～ pase *m* diagonal. 대인 ～ pase *m* jugador a jugador. 드롭 ～ pase *m* neutral. 땅볼 ～ ＝그라운드 ～. 러닝 ～ pase *m* en marcha. 로빙 ～ pase *m* por aire. 롱 ～ pase *m* largo. 롱 ～ 공격 ataque *m* de pase largo. 리턴 ～ devolución *f* del pase. 바운드 ～ pase *m* picado, pase *m* de soberpique. 백 ～ pase *m* hacia atrás. 삼각 ～ pase *m* triangular. 삼(3) 대 일(1) ～ tres contra uno, uno-dos-tres *m*. 쇼트 ～ pase *m* corto. 이(2) 대 일(1) ～ doble pase *m*, uno-dos *m*. 전진 ～ pase *m* adelante, pase *m* en profundidad. 지그재그 ～ pase *m* en zigzag. 직선 ～ pase *m* directo, pase *m* recto. 직진 ～ ＝전진 ～. 측면 ～ pase *m* cuadrado, pase *m* de cruz. 푸싱 ～ pase *m* de empuje. 헤딩 ～ pase *m* de cabeza. 후진 ～ pase *m* hacia atrás.
▪～ 미스 pase *m* malogrado.
패스트푸드(영 *fast-food*) comida *f* rápida.
패스포트(영 *passport*) [여권(旅券)] pasaporte *m*. ～를 좀 보여 주세요 El pasaporte, por favor.
패습(悖習) mal hábito *m*, mala costumbre *f*, [악폐] abuso *m*, vicio *m*. ～을 없애다 eliminar la mala costumbre.
패싸움(牌－) lucha *f* de pandilla.
패쌈(牌－) ((준말)) ＝패싸움.
패악하다(悖惡－) (ser) malvado, perverso, malo, maligno.
패업(敗業) fracaso *m* de negocios.
패업(霸業) logro *m* de un conquistador, dominio *m*, hegemonía *f*, heguemonía *f*.
패역무도(悖逆無道) rebeldía *f*, rebelión *f*.
패역하다(悖逆/誖逆－) (ser) rebelde, insurrecto.
패연하다(沛然－) (ser) fuerte, torrencial. 패연히 fuertemente, torrencialmente.
패용(佩用) acción *f* de tener puesto, acción *f* de llevar. ～하다 tener puesto, llevar.
패운(敗運) suerte *f* inclinante.
▪～살(煞) actitud *f* del diablo de la suerte inclinante.
패이다 ser ahuecado, ser excavado. 패인 볼 mejillas *fpl* hundidas. ☞패다[4]❶
패인(敗因) causa *f* de una derrota. 방심이 시합의 ～이었다 El descuido fue la causa de que perdieron el partido.
패자(敗者) vencido, -da *mf*, perdedor, -dora *mf*. ～ 부활전 (prueba *f* de) repesca *f*. ～전 partido *m* de consolación.
패자(霸者) campeón, -peona *mf*.
패잔(敗殘) sobevivencia *f* [supervivencia *f*] después de la derrota.
▪～군 restos *mpl* de un ejército vencido. ～병 restos *mpl* de una tropa vencida, tropas *fpl* fugitivas.
패장(敗將) ((준말)) ＝패군지장(敗軍之將).
패적(敗敵) enemigo *m* vencido.
패전(敗戰) derrota *f*, batalla *f* perdida. ～하다 perder la guerra, ser derrotado, sufrir una derrota.
▪～국 país *m* vencido, país *m* derrotado. ～주의 derrotismo *m*. ～주의자 derrotista *mf*. ～ 투수 lanzador *m* perdido.
패전트(영 *pageant*) festividades *fpl*, espectáculo *m* histórico al aire libre.
패주(敗走) derrota *f*, fuga *f*, rota *f*, huida *f*, afufa *f*. ～하다 huir derrotado, afufar(se), ponerse en fuga, darse a la fuga, fugarse, escaparse. ～시키다 poner en fuga.
패총(貝塚) 【역사】 [조개더미] montón *m* (*pl* montones) prehistórico de conchas, terrero *m* de concha.
패키지(영 *package*) ① ＝소포 우편물(小包郵便物)(paquete). ② [언제든지 곧 사용할 수 있도록 미리 기획·제작해 놓은, 라디오·텔레비전 프로나 여행 계획 따위] viaje *m* organizado.
▪～ 관광 paquete *m* turístico.
패킹(영 *packing*) [포장] empaque *m*, embalaje *m*. ～하다 empaquetar, embalar.
패턴(영 *pattern*) ① [모형] modelo *m*. ② [견본] muestra *f*. ③ [주형(鑄型)을 만드는 원

형] molde *m.* ④ [도안. 도형. 무늬] diseño *m,* dibujo *m.*
■ ~ 북 [드레스 디자인의] revista *f* de patrones.
패퇴(敗退) derrota *f.* ~하다 salir derrotado, sufrir una derrota, ser derrotado; [시합에서] perder la partida.
패트런(영 *patron*) ① [스폰서] patrocinador, -dora *mf.* 예술상의 ~ un mecenas. ② [상점·여관의 고객] cliente, -ta *mf.*
패트롤(영 *patrol*) patrulla *f,* [사람] patrulla *mf.* ~ 보트 (lancha *f*) patrullera *f.* ~ 카 coche *m* patrulla; *Chi, RPl* patrullero *m.*
패하다(敗-) ① [싸움에 지다] ser vencido, ser derrotado, sufrir una derrota, perder, rendirse. 경쟁에 ~ ser vencido en la competencia. 시합에 ~ perder un partido. 싸움에 ~ perder un combate. A는 B에 2대1로 패했다 A perdió ante B por dos a uno. ② [살림이 거덜나다] venirse abajo. ③ [여위고 못되다] estar [sentirse] débil, tener mala cara, consumirse, atrofiarse.
패행(悖行) actitud *f* irrazonable.
패향(佩香) perfume *m* que lleva en el cuerpo.
패혈증(敗血症) 【의학】 sepsis *f,* septicemia *f,* fiebre *f* séptica, hematosepsis *f,* icoremia *f.* ~의 septicémico.
팩 ① [작은 몸이 맥없이 쓰러지는 모양] débilmente. ② [썩은 새끼나 줄·끈 등이 힘없이 끊어지는 모양] débilmente.
팩(영 *pack*) ① [비닐로 만든 작은 용기] envase *m.* ② [피부의 보호, 노화(老化) 방지 및 희게 하기 위해 하는 미용법] emplasto *m.*
팩스(영 *fax*) [「팩시밀리」의 약칭] fax *m.*
팩시밀리(영 *facsimile*) facsímil(e) *m.* ~의 facsimilar. ~로 보내다 facsimilar.
팩팩 débilmente, sin energía.
팩하다 =팍하다.
팬(영 *fan*) ① [부채] abanico *m.* ② [송풍기. 선풍기] ventilador *m.* ③ [경기나 연극·영화 등의 애호가] aficionado, -da *mf,* forofo, -fa *mf,* seguidor, -dora *mf,* amante *mf,* [열성의] entusiasta *mf,* hincha *mf,* admirador, -dora *mf,* fan *mf.* 비틀즈의 ~ admirador, -dora *mf* [fan *mf*] de los Beatles. 나는 A 팀의 ~이다 A es mi equipo favorito / Soy un hincha del equipo.
◆ 야구 ~ aficionado, -da *mf* al béisbol. 영화 ~ aficionado, -da *mf* al cine. 재즈 ~ aficionado, -da *mf* al jazz. 축구 ~ aficionado, -da *mf* al fútbol.
■ ~레터 correspondencia *f* de los admiradores. ~클럽 club *m* [*pl* clubs] de admiradores; [음악의] club *m* de fans.
팬둥거리다 holgazanear, haraganear, flojear. 그는 온종일 팬둥거리며 지내고 있다 El se pasa el día holgazaneando [haraganeando · flojeando] / El no pega sello en todo el día. 나는 일요일마다 보통 집 주위를 팬둥거린다 Los domingos me los paso casi siempre flojeando.
팬들거리다 holgazanear [haraganear] *su* tiempo.
팬들팬들 ociosamente, indolentemente.
팬지(영 *pansy*) 【식물】 pensamiento *m,* trinitaria *f.*
팬츠(영 *pants*) ① [바지] pantalones *mpl; AmL* pantalón *m.* ② [남자용 속내의] calzoncillos *mpl; Méj* calzones *mpl; Col, Ven* interiores *mpl;* [여자용 속내의] bragas *fpl.* ~를 입다 ponerse los calzoncillos. ~를 입고 있다 llevar calzoncillos. ③ [육상 경기용의 짧은 바지] pantalones *mpl* cortos.
팬케이크(영 *pancake*) ① [프라이팬이나 번철에 구운, 아침 식사용의 빈대떡 모양의 먹거리] crep(e) *m, AmL* panqueque *m,* crepa *f, AmC, Col* panqué *m, Ven* panqueca *f.* ② [상표 이름] pancake *m,* Pan-Cake®.
팬터마임(영 *pantomime*) pantomima *f,* comedia *f* musical navideña, basada en cuentos de hadas. ~의 pantomímico. ~을 공연하다 representar una pantomina.
■ ~ 배우 pantomimo, -ma *mf.* ~ 작가(作家) pantomimista *mf.*
팬터지(영 *fantasy*) fantasía *f.*
팬티(영 *panties*) ① [남자용] calzoncillos *mpl; Méj* calzones; *Col, Ven* intereriores *mpl. ReD* pantaloncillo *m.* ② [여자용] bragas *fpl; AmL* calzones *mpl; Col, Ven* pantaletas *fpl; RPl* bombachas *fpl; AmC* calzoneta.
팬티스타킹(영 *panty stocking*) pantimedias *fpl,* pantys *ing.mpl.*
팸플릿(영 *pamphlet*) folleto *m,* volante *m;* [풍자·중상의] panfleto *m.*
팻돈(牌-) apuesta *f.*
팻말(牌-) tabla *f* de anuncio, cartel *m,* señal *f,* letrero *m.* 출입 금지라는 ~이 세워져 있다 Hay puesto un letrero que dice: Prohibida la entrada.
팽 [팽나무의 열매] almez *m.*
팽개질 acción *f* de arrojar.
팽개치다 arrojar, echar, lanzar, rechazar, renunciar. 자리를 ~ renunciar a *su* puesto. 일을 중도에서 ~ dejar *su* trabajo a medio hacer. 침대에 몸을 ~ echarse [tenderse] en la cama. 하물(荷物)을 땅에 ~ arrojar el equipaje al suelo.
팽그르르 ① [미끄러지듯 빨리 한 바퀴 도는 모양] dando una vuelta rápidamente. ② [갑자기 정신이 아찔한 모양] mareando. 머리가 ~ 돌다 estar mareado.
팽글팽글 dando vueltas rápidamente.
팽나무 【식물】 almez *m,* almezo *m.*
팽대(膨大) expansión *f.* ~하다 extender.
팽만하다(膨滿-) ① [음식을 많이 먹어 배가 불룩하다] estar lleno, estar harto. ② [점점 부풀어 올라 터질 듯하다] hincharse, inflarse, ser hinchado, ser inflado. 팽만함 hinchamiento *m,* inflaminto *m,* inflación *f.*
팽배(澎湃/彭湃) oleada *f,* fuerza *f.* ~하다 surgir como una gran marea. 평화를 갈구

하는 소리가 ~했다 Las voces que piden la paz han surgido como una gran marea.

팽이 trompo *m*, peonza *f*, peón *m* (*pl* peones). ~를 돌리다 hacer girar un trompo, hacer bailar un trompo. ~를 돌리면서 놀다 jugar a la peonza. ~가 돈다 El trompo baila / El trompo gira.

■ ~채 vara *f* del trompo. ~치기 giro *m* del trompo.

팽창(膨脹) expansión *f*, inflamiento *m*, inflación *f*, dilatación *f*; [증대] aumento *m*. ~하다 expandir, hincharse, inflarse, expansionar, aumentar. 예산(豫算)이 ~한다 Se dilata el presupuesto.

■ ~계 dilatómetro *m*. ~ 계수[률] coeficiente *m* de expansión. ~력 fuerza *f* expansiva. ~성 expansibilidad *f*. ~ 정책 política *f* de expansión. ~주의 expansionismo *m*. ~주의자 expansionista *mf*. ~판(瓣)[밸브] válvula *f* de expansión, distribuidor *m* de expansión.

팽패롭다 (ser) maniático, raro, cascarrabias, malhumorado. 팽패로운 사람 persona *f* maniática, persona *f* rara.

팽패로이 maniáticamente, raramente, malhumoradamente.

팽패리 maniático, -ca *mf*, raro, -ra *mf*, cascarrabias *mf*, gruñón, -ñona *mf*.

팽팽 ① [연해 빨리 도는 모양] siguiendo dando vueltas rápidamente. ② [총알 따위가 공중으로 빠르게 지나가는 소리] pasando rápidamente.

팽팽하다 ① [물건이 잔뜩 켕기어 튀길 힘이 있다] (ser) tirante, tenso, (estar) ajustado, apretado, estrecho. 팽팽하게 tirantemente, tensamente, ajustadamente, apretadamente, estrachamente, fijamene. 팽팽하게 당긴 실 hilo *m* tirante. 가슴에 팽팽한 느낌 una opresión en el pecho. 팽팽하게 하다 tensar. 팽팽해지다 tensarse, apretarse. 줄이 팽팽해지다 apretarse la cuerda. A를 B에 팽팽하게 감다 enrollar [enroscar] fijamente B en A. ② [성질이 너그럽지 못하고 퍅하다] (ser) de mentalidad cerrada, estrecho de miras, intolerante, susceptible, enojadizo, quisquilloso, áspero. ③ [양쪽의 힘이 서로 어슷비슷하다] (ser) igual, igualar. 승부는 ~ Ambos están empatados en el juego. 수지(收支)가 ~ El ingreso iguala al gasto / Salimos sin ganar ni perder.

팽팽히 igualmente, a competencia, en empate. ~ 되다 [동점(同點)] empatarse, quedar empatados.

팽팽하다(膨膨―) estar repleto (de), estar (lleno) hasta los topes, estar (lleno) hasta el tope (de).

팽하다 (ser) moderado, módico, comedido, no ser más ni menos.

퍅 débilmente, sin fuerza. ~ 쓰러지다 caerse sin fuerza.

퍅성(愎性) carácter *m* malhumorado.

퍅퍅 ① [가냘픈 몸이 여럿이 또는 잇따라 힘없이 쓰러지는 모양] sin fuerza continuamente. ~ 쓰러지다 seguir cayéndose. ② [가냘픈 몸이 지지 않으려고 자꾸 대드는 모양] implacablemente, rígidamente, firmemente. ~ 대들다 dar*le* frente a *uno* firmemente, resistir firmemente.

퍅퍅 쏘다 hacer un comentario hiriente.

퍅하다(愎―) (ser) estrecho de miras, enojadizo, quisquilloso, áspero, malhumorado, irritable, de mal genio, cascarrabias, desagradable. 퍅하는 노인(老人) un viejo cascarrabias. 퍅한 성질의 여인(女人) una mujer cascarrabias.

퍼내다 sacar, achicar, recoger, vaciar, extraer. 물을 ~ sacar (el) agua. 주걱으로 ~ sacar con cucharón. 연못의 물을 ~ vaciar [sacar · extraer] el agua de un estanque, agotar un estanque. 배에서 물을 ~ echar el agua fuera de la barca, vaciar el agua de la barca, achicar la barca. 펌프로 물을 ~ sacar agua con bomba.

퍼니 ociosamente, perezosamente, sin hacer nada. 그는 하루를 햇볕을 쪼이면서 ~ 보냈다 El se pasó el día tumbado perezosamente al sol [tumbado al sol sin hacer nada].

퍼덕거리다 [새가] batir; [물고기가] aletear, dar un aletazo. 퍼덕거림 aletazo *m*. 새가 날개를 퍼덕거리면서 날기 시작했다 El pájaro echó a volar batiendo las alas. 독수리가 날개를 퍼덕거리며 날기 시작했다 El águila echó a volar con un batir de alas / El águila echó a volar dando un aletazo.

퍼덕이다 =퍼덕거리다.

퍼덕퍼덕 siguiendo batiendo, siguiendo aleteando.

퍼드덕거리다 =퍼덕거리다.

퍼드덕대다 =퍼드덕거리다.

퍼드덕퍼드덕 =퍼덕퍼덕.

퍼떡거리다 =퍼덕거리다.

퍼떡대다 =퍼떡거리다.

퍼떡이다 =퍼덕이다.

퍼떡퍼떡 =퍼덕퍼덕.

퍼뜨리다 [지식 · 소식을] difundir, propagar, divulgar; [영향을] extender; [소문을] hacer correr, difundir; [질병을] propagar; [공포를] sembrar; [사상 · 문화를] diseminar, divulgar, difundir. 거짓말을 ~ circular mentiras. 공산주의 사상을 ~ difundir [propagar] el comunismo. 소문을 ~ hacer correr el rumor, extender un rumor. …의 모략을 ~ propagar calumnias contra *uno*. 자식의 출세를 퍼뜨리고 다니다 pregonar la brillante carrera de *su* hijo. 그녀는 험담이나 퍼뜨리는 사람이 아니다 Ella no es de las que andan con chismes.

퍼뜩 rápidamente, pronto, enseguida, en seguida, inmediatamente, de repente, repentinamente, de súbito, súbitamente, en un momento, en un abrir y cerrar de ojos, volando. 나는 ~ 돌아왔다 Yo volví volando. 그는 ~ 나갔다 El salió volando. 모든 것이 ~ 지나갔다 Todo pasó en un momento / Todo pasó en un abrir y

ㅍ

cerrar de ojos.
퍼렁 (color *m*) azul *m*.
퍼렁이 cosa *f* azul.
퍼렇다 (ser) muy azul.
퍼레이드(영 *parade*) ① [관병식. 열병식] desfile *m*, parada *f*. ~하다 desfilar. ② [축하 행렬. 시위 행렬] desfile *m*. ~하다 desfilar. 사람들은 그 결정을 비난하는 플래카드를 들고 ~를 했다 Desfilaron con pancartas que condenaban la decisión.
퍼레지다 hacerse azul.
퍼르르 ① [많은 물이 넓게 퍼져 끓어오르는 모양. 또, 그 소리] bullendo, burbujeando. ② [속이 좁은 사람이 대수롭지 않은 일에 갑자기 성을 내는 모양] estando furioso, hirviendo la sangre, hirviendo de cólera, estando enfurruñado, estando de morros, estando con mufa. ③ [갑자기 몸을 떠는 모양] temblando de repente. 무서워 ~ 떨다 temblar de miedo. ④ [얇은 종이나 펴 놓은 나뭇개비에 불이 붙어 타오르는 모양] estando en llamas.
퍼마시다 beber mucho.
퍼머넌트(영 *permanent*) ① [영속적] permanente *adj*. ② ((준말)) =퍼머넌트 웨이브.
■ ~ 웨이브 permanente *f*, *Méj* permanente *m*.
퍼먹다 ① [퍼서 먹다] sacar y comer. 밥을 숟가락으로 ~ sacar arroz con cuchara y comerlo. ② [함부로 많이 먹다] engullar la comida, zamparse la comida, comer [masticar] a dos carrillos, comer mucho. 나는 음식을 퍼먹었다 Yo engullé [me zampé] la comida.
퍼벌하다 dejar de arreglarse, abandonarse.
퍼붓다 ① [비·눈 따위가 억세게 마구 쏟아지다] [비가] llover mucho; [눈이] nevar mucho. 내리 퍼붓는 빗속을 bajo la lluvia que cae incesantemente [sin parar], bajo una lluvia incesante. 비가 억수같이 ~ llover a cántaros. 비가 억수같이 퍼부었다 Llovió a cántaros. 비가 계속 퍼붓는다 Llueve sin parar / No para de llover. ② [물 따위로 퍼서 붓다] verter, echar, hacer caer. 물을 ~ echar agua (a), verter agua (sobre·en), dar un baño (a), dar una ducha (a). 적(敵)에게 포화(砲火)를 ~ hacer caer una lluvia de balas sobre los enemigos. ③ [(비난이나 질문을) 마구 해대다] ㉮ [욕을] decir (a), echar (a), bañar (a). 욕을 마구 ~ decir [echar] insultos [injurias] (a), bañar de insultos. 비난을 ~ censurar fuertemente. 그의 발언에 대해 사람들은 비난을 퍼부었다 La gente censuró fuertemente su declaración. ㉯ [질문을] acribillar (a), estrechar (a), acosar (con). 질문(質問)을 마구 ~ acribillar [estrechar] a preguntas, acosar con preguntas.
퍼석하다 [케이크·치즈·흙이] desmenuzarse; [벽이] desmoronarse.
퍼석퍼석 desmenuzándose, desmoronándose. ~하다 (ser) frágil, crujiente, crocante, desmigajarse, desmenuzarse fácilmente. ~한 흙 la tierra que se mesmigaja. ~한 벽 la pared que se desmenuza fácilmente.
퍼센트(영 *percent*) porcentaje *m*; [부사적] por ciento (%). 100~ ciento por ciento. 0.5~ un cero coma cinco por ciento; [주식거래의] un medio punto por ciento. 5~의 수수료 comisión *f* del cinco por ciento, cinco por ciento de comisión. 10~의 할인 un descuento del cinco por ciento, un cinco por ciento de descuento. 이익은 20~ 증가했다 Los beneficios han aumentado (en) un veinte por ciento. 나는 백 ~ 확신한다 Estoy cien por cien(to) seguro.
퍼센티지(영 *percentage*) porcentaje *m*.
퍼스널(영 *personal*) [개인의] personal *adj*, privado *adj*, individual *adj*.
■ ~ 컴퓨터 ordenador *m* personal, *AmL* computadora *f* [computador *m*] personal.
퍼스컴 ((준말)) =퍼스널 컴퓨터.
퍼스트(영 *first*) ① [첫째] primero *m*. ② ((준말)) =퍼스트 베이스. ③ ((준말)) =퍼스트 베이스맨.
■ ~레이디 [대통령의 부인] primera dama *f*. ~ 베이스 ((야구)) [일루(一壘)] primera base *f*, inicial *f*. ~ 베이스맨 [일루수] primera base *mf*, inicialista *mf*.
퍼즐(영 *puzzle*) [수수께끼] rompecabezas *m.sing.pl*, crucigrama *m*, enigma *m*, puzzle *ing.m*.
퍼지다 ① [끝이 넓적하게 또는 굵게 벌어지게 되다] extenderse. 퍼진 가지 ramas *fpl* extendias. 뿌리가 퍼졌다 Las raíces se extendieron. ② [널리 미치다] [병이] propagarse; [사상·문화가] diseminarse, divulgarse; [공포가] cundir; [영향·폭동이] extenderse; [소식이] correr, circular. 소문이 ~ correr el rumor. 나쁜 소문은 빨리 퍼진다 cundir como la mancha de aceite. 소식은 확 퍼졌다 La noticia corrió como un reguero de pólvora. 그 소식은 동네에 퍼졌다 La noticia ha circulado por el pueblo. 유행은 전 대륙으로 퍼졌다 La moda se extendió por todo el continente. 페스트는 전 유럽에 퍼졌다 La plaga se extendió a toda Europa. 도시에 감기가 퍼졌다 En la ciudad se está propagando la gripe / Hay mucha gripe en la escuela. ③ [자손이 번성하여지다] prosperar. 자손이 ~ tener numerosos descendientes. ④ [초목이 무성하게 되다] (ser) frondoso. 가지가 퍼진다 Las ramas son frondosas. ⑤ [삶은 것이 불어 커지다. 밥이나 죽 따위가 푹 삶겨지다] ser hervido bien, ser llevado a punto de ebullición. 잘 퍼진 죽 las gachas bien hervidas. ⑥ [빨래의 구김살이 잘 다려지다] plancharse bien. 잘 펴지지 않는 바지 los pantalones bien planchados. ⑦ [고루 미치다] [불이나 액체가] extenderse.
퍼터(영 *putter*) ((골프)) putter *ing.m*.
퍼트(영 *putt*) ((골프)) golpe *m* de la bola. ~하다 golpear la bola, *AmL* potear.
퍼티(영 *putty*) 【화학】 masilla *f*. 창유리를 ~로 누르다 enmasillar los cristales, sejetar

ㅍ

con masilla los cristales.

퍼팅 그린(영 *putting green*) ((골프)) [홀 주위의 잔디. 퍼트 연습장] putting green *ing.m.*

퍼펙트 게임(영 *perfect game*) juego *m* perfecto.

퍽[1] ① [힘있게 냅다 지르는 모양이나 소리] fuertemente, firmemente. ~ 지르다 dar patadas fuertes, patalear fuertemente. ② [힘없이 한 번에 거꾸러지는 모양이나 소리] con un golpe sordo, con un ruido sordo. ~ 떨어지다 caer con un golpe sordo, caer con un ruido sordo. 땅에 ~ 떨어지다 caer al suelo con un ruido sordo.

퍽[2] [썩 많이] muy, mucho, bastante, consideramente; [아주 지나치게] demasiado, muchísimo. ~ 강하다 ser muy fuerte, ser fortísimo. ~ 기쁘다 alegrarse mucho. ~ 비싸군요 Es muy caro / [지나치게] Es demasiado caro. 날씨가 ~ 덥다 Hace mucho calor. 그는 서반아어가 ~ 나아졌다 El ha hecho muchos adelantos en español / El ha adelantado mucho en español.

퍽(영 *puck*) [아이스하키에서] disco *m*, puck *ing.m.*

퍽석 ① [맥없이 주저앉는 모양이나 소리] sin fuerzas, lánguidamente. ~ 주저앉다 sentarse sin fuerzas. ② [메마르고 엉성한 물건이 가볍게 가라앉거나 여지없이 깨어지는 모양] frágilmente, con fragilidad.

퍽신하다 (ser) muy cómodo.

퍽퍽 ① [힘있게 자꾸 내지르는 모양] dando estocadas repetidas veces. ② [힘없이 연해 거꾸러지는 모양] con un ruido sordo. ③ [눈이나 비가 많이 쏟아지는 모양] muchísimo, a cántaros. 비가 ~ 쏟아지다 llover a cántaros. ④ [진흙 같은 데를 디딜 때 깊이 빠지는 모양] profundamente, con profundidad.

퍽퍽하다 ① [메진 가루 같은 것을 씹을 때, 물기나 끈기가 없어서 목이 메일 정도로 메마르다] (ser) seco, crujiente, crocante. ② [다리가 아주 지쳐서 꼼짝 못할 정도로 힘이 없다] estar cansado y sin fuerzas.

펀더기 campo *m* espacioso.

펀드(영 *fund*) [자금] fondo *m*.

■ ~ 매니저 gestor, -tora *mf* de fondos.

펀둥거리다 =빈둥거리다.

펀둥대다 =펀둥거리다.

펀둥펀둥 =빈둥빈둥.

펀들거리다 =빈둥거리다.

펀뜻 en un instante, en un momento, en un abrir y cerrar de ojos, al instante, en el acto, instantáneamente, de inmediato, inmediatamente, pronto, rápidamente, rápido, enseguida, ligeramente. 그의 이름이 ~ 생각나지 않는다 A mí no se me ocurre su nombre en un instante.

펀처(영 *puncher*) ① ((권투)) pegador, -dora *mf.* 그는 강~다 El pega fuerte. ② ((준말)) =키펀처. ③ [(표·종이 따위에) 구멍을 뚫는 기구] perforadora *f.*

펀치(영 *punch*) ① ((권투)) puñetazo *m*, piña *f.* ~를 먹이다 dar*le* un puñetazo a *uno.* 강한 ~를 날리다 pegar fuerte, pegar duro. ② [차표 등에 구멍을 뚫는 가위] perforadora *f.* ③ [철판 등에 구멍을 뚫는 기구] sacabocados *m.sing.pl.* ④ ((준말)) =펀치화(畵). ⑤ [과일즙에 설탕·양주 따위를 섞은 일종의 음료] ponche *m*, refresco *m* de frutas.

■ ~기 perforadora *f.* ~ 볼 ㉮ ((운동)) tipo *m* de béisbol que se juega sin bate y con bola de goma. ㉯ =펀칭 볼. ~ 카드 [천공 카드] ficha *f* perforada. ~화(畵) caricatura *f* de bromas.

펀칭(영 *punching*) 【축구】 despeje *m* con el puño.

■ ~ 백 [샌드백] saco *m* de arena. ~ 볼 pera *f*, punching-ball *ing.m.*

펀트킥(영 *punt kick*) ((축구)) patada *f* de despeje.

펀펀하다 (ser) plano, llano. 펀펀한 땅 terreno *m* llano.

펀하다 (ser) vasto, extenso, inmenso, amplísimo. 펀한 바다 mar *m* vasto.

펄 ① ((준말)) =개펄. ② [아주 넓고 평평한 땅] tierra *f* vasta y llana, llanura *f*, pradera *f.*

펄떡거리다 ① [힘을 모아 가볍게 자꾸 뛰다] saltar muchas veces. ② [맥이 세게 자꾸 뛰다] palpitar. 나는 흥분으로 심장이 펄떡거리며 기다렸다 Esperé con el corazón palpitante de emoción.

펄떡이다 saltar flexiblemente.

펄떡펄떡 vivamente; [심장이] palpitando. 물고기가 ~ 뛴다 Salta un pez / Los peces saltan vivamente.

펄럭 ondeando, agitándose, revoloteando, aleteando.

펄럭거리다 ㉮ [깃발이] ondear, agitarse; [나뭇잎이] agitarse, revoltear. 나뭇잎이 땅바닥에 펄럭거리며 떨어졌다 Las hojas cayeron revoloteando al suelo. ㉯ [돛·커튼이] agitarse, sacudirse. ㉰ [새·나비가] revolotear, aletear; [새가] batir. 날개를 ~ batir las alas. 새가 펄럭거리며 날았다 El pájaro se alejó aleteando. 새가 날개를 펄럭거리며 날기 시작했다 El pájaro echó a volar batiendo las alas.

펄럭이다 ondear, agitar, flamear. 기가 바람에 펄럭인다 La bandera ondea al [flamea movida al] viento / El viento agita la bandera.

펄럭펄럭 siguiendo ondeando, siguiendo agitándose, siguiendo revoloteando, siguiendo aleteando. ~ 책장을 넘기다 hojear un libro rápidamente. 기가 ~ 나부낀다 Una bandera ondea [flamea] al viento.

펄렁 ondeando, agitándose, revoloteando, aleteando.

펄렁거리다 =펄럭거리다.

펄렁펄렁 =펄럭펄럭.

펄썩 ① [연기나 먼지 등이 일어나는 모양] hinchando, agitando, moviendo. ② [갑자기 주저앉는 모양] dejándose caer. 그는 ~ 주

저앉았다 El se sentó dejándose caer.

펄쩍 ① [문이나 뚜껑 등을 급히 여는 모양] aprisa, de prisa, apuresuradamente. 문을 ~ 열다 abrir la puerta de prisa. ② [갑자기 뛰거나 솟아오르는 모양] de repente, repentinamente, de súbito, súbitamente, rápido, rápidamente, velozmente. ~ 뛰다 saltar, brincar. ~ 뛰며 좋아하다 saltar de gozo. ~ 달리다 correr rápido.

펄쩍거리다 ① [문이나 뚜껑 따위를 연해 바삐 여닫다] seguir abriendo y cerrando de prisa. ② [연해 뛰거나 솟아오르다] seguir saltando.

펄쩍 뛰다 sobresaltarse, saltar de susto. 기뻐서 ~ saltar de alegría. 그는 전화벨 소리를 듣자 펄쩍 뛰었다 El saltó al oír sonar el teléfono. 나는 펄쩍 뛸 정도로 아팠다 El dolor me hizo saltar.

펄쩍펄쩍 saltando, brincando. ~ 뛰는 가슴으로 con el corazón lleno de gozo. ~뛰다 saltar, brincar. 기뻐서 ~ 뛰다 saltar de gozo, saltar de alegría. 나는 기뻐서 가슴이 ~ 뛰었다 Mi corazón saltó de gozo.

펄펄 ① [많은 물이 계속해서 끓는 모양] bullendo, hirviendo. 물이 ~ 끓다 bullir el agua. 물을 ~ 끓이다 hacer bullir el agua. ② [날짐승이나 물고기 따위가 힘차게 날거나 뛰는 모양] aleteando, revoloteando. 새가 ~ 날아갔다 El pájaro se alejó aleteando. ③ [온돌방이나 몸이 높은 열로 매우 뜨거운 모양] ㉮ [온돌방이] muy caliente, ardiendo. ~ 끓는다 Está muy caliente / Está ardiendo. ㉯ [몸이] con fiebre, afiebrado. ~ 끓다 estar afiebrado, tener fiebre, tener calentura. ④ [눈이나 깃발 따위가 바람에 세차게 날리거나 나부끼는 모양] revoloteando, ondeando, agitándose. 꽃잎이 ~ 날린다 Los pétalos (se) caen revoloteando.

펄펄하다 ① [성질이 급하고 매우 괄괄하다] (ser) irascible, de mal genio, de genio vivo, de mucho genio, fogoso, exaltado. 그는 성질이 ~ El es irascible / El es de mal genio. ② [날 듯이 생기가 있다] (ser) animado, enérgico, vigoroso. 나이에도 불구하고 그는 아직 ~ El todavía está en plena forma [está como una rosa] a pesar de *su* edad.

펄프(영 *pulp*) ① [종이의 원료] pulpa *f* (de papel), pasta *f* (de papel). ~로 만들다 hacer pasta [pulpa] (con). ② [(연한) 과육(果肉)] pulpa *f*, carne *f*. ~를 제거하다 hacer papilla [puré] (con). ③ [치수(齒髓)] pulpa *f* (dentaria). ④ [싸구려 잡지] revista *f* barata.

■ ~재(材) madera *f* para la manufactura de pulpa.

펌블(영 *fumble*) ((야구)) fumble *ing.m.*

펌프(영 *pump*) bomba *f*, aguatocha *f*; [자전거의] bombín *m* (*pl* bombines), *Bol, Per, RPI* inflador *m*; [가솔린이나 석유의] surtidor *m*, *Ven, Andes* bomba *f*. 손으로 누르는 ~ bomba *f* de mano. ~로 퍼 올리다 [퍼내다] bombear. ~로 물을 올리다 sacar agua con una bomba. ~로 타이어에 공기를 넣다 hinchar un neumático, inflar el neu-mático con una bomba.

◆공기 ~ bomba *f* de aire. 급수(給水) ~ bomba *f* alimenticia, bomba *f* de alimentación. 기압 ~ bomba *f* neumática. 날개 ~ bomba *f* de aletas. 밀~ bomba *f* impelente. 발 ~ bomba *f* de pie. 배수(配水) ~ bomba *f* de drenaje. 빨~ bomba *f* aspirante. 소방 ~ bomba *f* de incendios. 손 ~ bomba *f* de mano. 원심(遠心) ~ bomba *f* centrífuga. 증기(蒸氣) ~ bomba *f* de vapor. 진공(眞空) ~ bomba *f* al [de] vacío. 회전 ~ bomba *f* rotatoria.

■ ~질 bombeo *m*. ¶~하다 dar a la bomba. ~차(車) camión *m* con bombas a motor.

펑 ① [갑자기 무엇이 세게 터지거나 튀는 소리] pum, con un plaf. ~하(고 소리나)다 hacer pum, reventar. ~하고 con un chasquido, con una explosión. ~하고 떨어뜨리다 dejar caer. ~하고 떨어지다 dejarse caer. ~하고 터지다 reventar, hacer pum. ~하고 터지게 하다 hacer estallar, reventar. ~하고 마개가 빠지다 descorcharse haciendo pum. 떨어질 때 ~하다 hacer pum [plaf] al caer. 마개를 ~하고 빼다 hacer saltar el tapón. ~! ¡Pum! / ¡Paf! ② [큰 구멍이 훤히 뚫어진 모양] grande. 구멍이 ~ 뚫려 있다 Hay un agujero grande.

펑크(영 *puncture*) ((속어)) pinchazo *m*, pinchadura *f*, *Méj* ponchadura *f*.

◆펑크(가) 나다 pinchar, *Méj* poncharse. 우리는 길에서 펑크가 났다 Pinchamos por el camino / *Méj* Se nos ponchó una llanta por el camino.

펑퍼지다 (ser) ancho, curvilíneo. 펑퍼진 엉덩이 caderas *fpl* anchas. 펑퍼진 어깨 hombros *mpl* anchos.

펑퍼짐하다 (ser) suavemente curvo, espacio. 펑퍼짐한 엉덩이 caderas *fpl* curvilíneas.

펑펑 ① [눈이나 액체 따위가 세차게 쏟아져 나오는 모양] mucho. 눈이 ~ 내리다 nevar mucho. 비가 ~ 쏟아졌다 Llovió a cántaros. 눈이 ~ 쏟아진다 Nieva pesadamente / Nieva muchísimo. ② [여러 번 거세게 나는 총소리] con un estallido. ~하는 소리가 들렸다 Se oyó una explosión. ③ [갑자기 무엇이 세게 터지거나 튀는 소리] pum, pum. ~ 불꽃이 오른다 Se disparan atronadores los fuegos artificiales.

펑펑거리다 ㉮ [연해 펑펑하는 소리가 나거나 나게 하다] seguir revenándose, hacer reventarse continuamente. ㉯ [펑펑하고 쏟아지다] caer mucho, caer a cántaros. ㉰ [큰 물건이 깊은 물에 계속하여 떨어지다] seguir cayendo. ㉱ [재산을 계속해서 헤프게 쓰다] gastarse *su* fortuna.

페넌트(영 *pennant*) banderín *m* (*pl* banderines), gallardete *m*, flámula *f*, banderola *f*, bandera *f* de campeonato.

■ ~ 교환 intercambio *m* de banderola. ~

레이스 competición *f* por la bandera del camponato. ¶~를 하다 competir por la bandera del campeonato.

페널티(영 *penalty*) [축구에서] castigo *m*, penalti *m*; [럭비에서] penalti *m*, penalty *ing.m*, golpe *m* de castigo. 명확한 ~ penalti *m* claro [discutible]. 모호한 ~ penalti *m* ambiguo. 문제성이 있는 ~ penalti *m* cuestionable. ~를 받다 cobrar un penalti [un castigo]. ~를 얻어 내다 ganar un penalti.
■~ 골 gol *m* de castigo [de penalti]. ~ 마크 punto *m* de penalti, punto *m* fatídico. ~ 박스 ((아이스하키)) banquillo *m* (de castigo); ((축구)) el área *f* de castigo [de penalti]. ¶~ 안쪽으로 돌파하다 penetrar al área de penalti. ~ 서클 ((아이스하키)) área *f* de castigo [de penalti]. ~ 아크 arco *m* de círculo al límite del área de reparación. ~ 에어리어 ((축구)) el área *f* de castigo [de penalty]. ~ 지역 =페널티 에어리어. ~ 지점 punto *m* de penalti. ~ 코너 ((하키)) córner *m* de penalti. ~키커 tirador, -dora *mf* de castigo [de penalti]. ~킥 patada *f* de penalti *m*, (tiro *m* de) penalti *m*; *AmL* penal *m*; *Andes* pénal *m*. ¶~을 성공시키다 transformar un penalti, convertir un penalti. ~을 실축하다 fallar un penalti.

페놀(영 *phenol*) 【화학】 fenol *m*. ~의 fenólico.
■~산(酸) ácido *m* fenólico. ~ 수지(樹脂) colofonia *f* fenólica, resina *f* fenólica.

페놀프탈레인(영 *phenolphthalein*) 【화학】 fenolftaleína *f*.

페니(영 *penny*) [영국의 화폐 단위] penique *m*.

페니스(라 *penis*) pene *m*; ((속어)) polla *f*, verga *f*, *RPI* pija *f*, *Chi* pico *m*.

페니실린(영 *penicillin*) penicilina *f*. ~에 의한 쇼크사(死) muerte *f* de anafilaxia debido a la penicilina. 혼합 ~ penicilina *f* mixta.
■~ 분말 polvo *m* de penicilina. ~ 쇼크 shock *m* de penicilina, anafilaxia *f* debido a la penicilina. ~ 쇼크사 muerte *f* de anafilaxia debido a la penicilina. ~ 알레르기 alergia *f* de penicilina. ~ 연고(軟膏) ungüento *m* de penicilina. ~ 주사(注射) inyección *f* de penicilina.

페닐기(phenyl 基) 【화학】 fenilo *m*.

페달(이 *pedal*; 영 *pedal*) pedal *m*. 자전거의 ~ los pedales de una bicicleta. ~을 밟다 pedalear. …의 ~을 밟다 dar*le* a los pedales (de). 자전거의 ~을 세게 밟다 darle fuerte a los pedales de una bicicleta.
◆라우드(loud) ~ 【음악】 pedal *m* fuerte. 브레이크(brake) ~ pedal *m* de(l) freno. 소프트(soft) ~ 【음악】 sordina *f*. 액셀러레이터 ~ pedal *m* del acelerador. 클러치 ~ pedal *m* de embrague.

페더급(feather 級) ((권투)) peso *m* pluma.

페디큐어(영 *pedicure*) [발과 발톱 미장술] pedicura *f*.

페레스트로이카(러 *perestroika*) perestroika *f*, reconstrucción *f*, reforma *f*.

페로-(영 ferro-) ferro-. ~니켈 ferroníquel *m*.

페로타이프(영 *ferrotype*) ferrotipo *m*.

페루 【지명】 el Perú. ☞뻬루

페르시아 【지명】 la Persia. ~의 persa.
■~고양이 gato *m* persa. ~ 만 Golfo *m* Pérsico. ~ 사람[인] persa *mf*. ~ 새끼양 caracul *m*. ~ 어[말] persa *m*. ~ 카펫 alfombra *f* persa.

페미니스트(영 *feminist*) feminista *mf*.

페미니즘(영 *feminism*) feminismo *m*.

페서리(영 *pessary*) pesario *m*.

페세타 peseta *f*. ☞뻬세따

페소 peso *m*. ☞뻬소

페스트(영 *pest*) 【의학】 peste *f*, peste *f* bubónica, peste *f* levantina. ~에 걸린 apestado. ~에 걸리다 apestarse. ~에 감염시키다 apestar.
■~균(菌) bacilo *m* de la peste.

페스티벌(영 *festival*) ① ((종교)) fiesta *f*, festividad *f*. ② 【영화·연극·음악】 festival *m*. 팝 (뮤직) ~ festival *m* de música pop. ③ [축하·의식의] fiesta *f*.

페시미스트(영 *pessimist*) pesimista *mf*.

페시미즘(영 *pessimism*) pesimismo *m*.

페어플레이(영 *fair play*) juego *m* limpio, fair play *ing.m*. ~하다 jugar limpio. ~ 정신에 따르다 observar el espíritu de juego limpio. 그것은 ~가 아니다 Eso no es jugar limpio. ■~상(賞) premio *m* de fair play.

페이(영 *pay*) paga *f*, sueldo *m*, salario *m*.
■~데이 [봉급날] día *m* de paga, día *m* de cobro.

페이스(영 *pace*) ① [보조] paso *m*. 자신의 ~를 유지하다 mantener *su* paso. ② [일의 진행도나 일상생활의 리듬] ritmo *m*. ~를 조절하다 marcar el rítmo. 시합은 빠른 ~로 진행되었다 El partido se desarrolló un ritmo acelerado.

페이지(영 *page*) página *f*. 한 ~ una página. 다섯 ~ cinco páginas. 첫 ~ la página primera. ~를 매기다 paginar, numerar las páginas escritas. …의 역사에 새로운 한~를 가하다 añadir una nueva página a la historia de *algo*. 책의 ~를 넘기다 volver las hojas del libro, pasar las páginas, hojear un libro. ~의 귀퉁이를 접다 doblar la esquina [el pico] de una página. 20~에서 [부터] 계속 Continúa en [de] la página veinte. 30~를 펴십시오 Abran por la página treinta. 나는 ~를 넘겼다 Volví la página [la hoja].

페이퍼(영 *paper*) ① [종이] papel *m*. ② ((준말)) =샌드페이퍼.
■~백 libro *m* de bolsillo; [종이 표지] libro *m* en rústica; *Méj* libro *m* de pasta blanda.

페인트¹(영 *feint*) ((운동)) finta *f*, amago *m*.
◆보디 ~ amago *m*, finta *f* con el cuerpo.

페인트²(영 *paint*) pintura *f*. ~를 칠하다 pintar. ~가 벗겨지다 desconcharse. 책상을

흰 ~로 칠하다 pintar el escritorio de blanco. 나는 주방을 핑크색으로 ~를 칠했다 Pinté la cocina de rosa. 문은 갓 ~ 칠해져 있다 La puerta está recién pintada. ~ 주의! ((게시)) Ojo, (que) pinta / Pintura fresca / Cuidado con la pintura / Recién pintado.

■ ~공 pintor, -tora *mf* (de brocha gorda). ~ 롤러 rodillo *m*. ~브러쉬 ㉮ [화필] pincel *m*. ㉯ [페인트공의] brocha *f*. ~ 스프레이 pistola *f* (para pintar), istola *f* (rociadora) de pintura.

페치카(러 *pechka*) chimenea *f*, hogar *m*.

페티코트(영 *petticoat*) [여자의 속옷] enagua *f*, *Méj* fondo *m*.

페팅(영 *petting*) [남녀간의 관능적인 애무] caricias *fpl*, manoseo *m*, sobo *m*. ~하다 acariciarse, tocarse, manosearse.

페퍼(영 *pepper*) [후추] pimienta *f*.

■ ~ 가스 [최루 가스] gas *m* lacromógeno.

페퍼민트(영 *peppermint*) [박하] menta *f*.

펜(영 *pen*) ① ㉮ [펜촉] pluma *f*. ㉯ [만년필] pluma *f* estilográfica, estilográfica *f*, *AmL* pluma *f* fuente, *CoS* lapicera *f* fuente, *Col* estilógrafo *m*. ㉰ [볼펜] bolígrafo *m*, boli *m*, *RPl* birome *f*, *Méj* pluma *f* atómica, *Chi* lápiz *m* de pasta. ~을 잡다 tomar la pluma. ~으로 쓰다 escribir con una pluma. ~으로 생활하다 ganarse la vida con la pluma, vivir de *su* pluma, ganarse la vida escribiendo. 이 ~은 잘 쓰이지 않는다 Esta pluma no escribe bien. ② [양우리] redil *m*; [우리] corral *m*. ③ [교도소] talego *m*, *AmL* cana *f*, *Méj* tanque *m*. ④ [백조의 암컷] cisne *m* hembra.

■ ~대 portaplumas *m.sing.pl*. ~습자(習字) caligrafía *f*, escritura *f*. ~촉 pluma *f*, plumilla *f*, plumín *m* (*pl* plumines). ~화(畵) dibujo *m* a pluma.

펜더(영 *fender*) [자동차 · 자전거의 흙받기] guardabarros *m.sing.pl*, *Méj* salpicadera f, *Chi*, *Per* tapabarros *m.sing.pl*.

■ ~ 미러 [자동차의 옆 거울] espejo *m* retrovisor exterior.

펜맨십(영 *penmanship*) caligrafía *f*, arte *m* de escribir, escritura *f*, acto *m* de escribir.

펜스(영 *pence*) [영국의 화폐 단위] penique *m*.

펜싱(영 *fencing*) esgrima *f*.

■ ~ 선수 esgrimador, -dora *mf*, *AmL* esgrimista *mf*.

펜치(영 *pinchers*) pinzas *fpl*, tenazas *fpl*, tenaza *f*, alicates *mpl*. ~ 하나 unas tenazas, una tenaza.

◆ 둥근 ~ alicates *mpl* de boca redonda. 납작한 ~ alicates *mpl* de boca plana. 만능 ~ alicates *mpl* universal. 절단(切斷) ~ alicates *mpl* para alambres. 철사 절단 [껍질 벗기는] ~ alicates *mpl* pelacables, *Méj* pinzas *fpl* de corte.

펜클럽(영 *PEN club, Poets, Playwriters, Editors, Essayists and Novelists' club*) [국제 펜클럽] la Asociación Internacional de poetas, dramaturgos, editores, ensayistas y novelistas.

펜타곤(영 *Pentagon*) 【지명】 [미국 국방성] Pentágono *m*.

펜팔(영 *pen pal*) amigo, -ga *mf* por correspondencia. 내 멕시코의 ~ mi amigo mejicano por correspondencia. 나는 서반아에 ~을 가지고 있다 Me escribo [Me carteo] con un chico [una chica] de España.

펠리컨(영 *pelican*) 【조류】 [사다새] pelícano *m*, pelicano *m*.

펠트(영 *felt*) fieltro *m*, *CoS* pañolenci *m*

■ ~ 모자 sombrero *m* de fieltro.

펨프(영 *pimp*) [뚜쟁이] proxeneta *m*, chulo *m* (de putas), *Méj* padrote *m*, *Arg*, *Chi* cafiche *m*.

펩신(영 *pepsin*) pepsina *f*.

펩톤(영 *peptone*) 【화학】 peptona *f*.

펭귄(영 penguin) 【조류】 pingüino *m*.

펴내다 [발행하다] publicar.

펴낸이 =발행인(發行人)(editor).

펴놓다 ① [펴서 벌리어 놓다] [테이블보 · 지도를] desdoblar, extender; [신문을] abrir. 이부자리를 ~ hacer [preparar] la cama. 선물을 ~ abrir el regalo. ② [마음속을 숨김없이 나타내다] abrir, desahogar. 속마음을 ~ desahogarse (con), abrir*le* el pecho [el corazón] (a).

펴다 ① [개킨 것을 젖혀 놓다] desdoblar, desplegar, extender, abrir, estirar. 이부자리를 ~ desdoblar la cama, hacer la cama. ② [구김살을 반반하게 펴다] alisar, descoger. 주름을 ~ alisar [descoger] el pliegue. ③ ㉮ [굽은 것을 곧게 하다] [못 · 철사를] enderezar, poner derecho; [팔 · 다리를] estirar, extender. 다리를 ~ estirar las piernas. 허리를 ~ levantarse, ponerse de pie. 그는 넥타이를 폈다 El enderezó la corbata. 어깨를 펴라 ¡Ponte derecho! ㉯ [말린 것을 곧게 하다] desenrollar, desarrollar, extender. 지도를 ~ desenrollar [extender] un mapa. ④ =헤치다. ⑤ [넓게 깔다] extender. 융단을 ~ extender una alfombra. 자리를 ~ extender la cama. ⑥ [마음을 놓다 · 기운을 돋우다] sentir un gran alivio, sentirse aliviado. tranquilizar. 기(氣)를 ~ aliviar el corazón. ⑦ [세력 따위의 범위를 넓히다] extender, establecer, ejercer. 세력을 ~ extender *su* influencia [*su* poder], ejercer *su* poderío [*su* autoridad]. ⑧ [숨기지 않다] revelar, no esconder. ⑨ [수족을 뻗다] extender, abrir. 다리를 ~ extender [abrir] las piernas. 손가락을 ~ abrir los dedos. ⑩ [접은 것을 벌리다] abrir; [지도 · 돛 · 날개를] desplegar. 책을 ~ abrir el libro. 부채를 ~ abrir abanico. 우산을 ~ abrir el paraguas. 면도를 ~ abrir una navaja. 날개를 ~ abrir las alas. 편지를 ~ abrir una carta. 가위를 ~ abrir las tijeras. 책을 펴십시오 Abran ustedes el libro. 공작이 꼬리를 폈다 El pavo real desplegó la cola / El pavo real hizo la rueda. ⑪ =나누다. ⑫ [세상에 널리 알리다] promulgar, propagar, divulgar. 계엄령을 ~ promulgar la ley marcial. 지식을 ~ promulgar el conocimiento. 종교(宗教)를 ~ divulgar [promulgar] la religión. ⑬ [옹색함을 여유 있게 하다] aliviar, calmar, mitigar, mejorar. 그녀는 내 옹색함을 펴 주었다 Ella me ayudó de la dificultad económica. ⑭ [노염을 품다] tener el enfado [el enojo], guardar enfado [enojo].

펴이다 [「펴다[1]」의 피동] ① [옭혔던 것이 제대로 되다] desdoblarse, desplegarse. ② [옹색함이 없어지다] alisarse, descogerse. 주름이 ~ alisarse el pliegue. ③ [굽혔던 것이 곧게 되다] enderezarse. 철사가 곧게 ~ enderezarse el alambre. ④ [접힌 것이 벌어지다] abrirse. 우산이 ~ abrirse el paraguas.

편 =떡.

편(便) ① ((준말)) =인편(人便). ② [한쪽] una parte, un lado; [방향] una dirección. 건너~ otro lado. 양~에 en ambos lados, en ambas partes. 오른~에 a la derecha, al lado derecho. 왼~에 a la izquierda, al lado izquierdo. ③ [패로 갈린 한쪽] un grupo, un lado; [스포츠의] un equipo. 우리~이 이겼다 Nuestro equipo ganó. ④ [무엇을 하기에 알맞은 계제나 편의(便宜)] servicio *m*. 다음 ~으로 por el próximo servicio. A와 B 사이에는 배[버스] ~이 있다 Hay servicios de barco [de autobús] entre A y B. ⑤ [사물을 몇 개로 나누어 생각했을 경우의 한쪽] una parte. 그 사람보다 내 ~이 키가 크다 Yo soy más alto que él. 그는 한국인으로서는 키가 큰 ~이다 El es alto de estatura para ser coreano. 나는 커피 ~으로 하겠다 Prefiero tomar café. 나는 포도주를 더 좋아하는 ~이다 Me gusta más el vino / Prefiero el vino. 너는 즉시 돌아가는 ~이 더 낫다 Es mejor que vuelvas en seguida / Haces mejor volviendo [en volver · si vuelves] enseguida. 그 남자와 결혼하느니 차라리 죽는 ~이 낫겠다 Preferiría morir a casarme con él / Quisiera morir antes [más bien] que casarme con él. 틀린 것은 네 ~이다 Eres tú el que está [estás] equivocado.

편(編) [인명·단체명 등에 붙어 편찬의 뜻을 표하는 일] compilación *f*, dirección *f*, cargo *m*. 김 박사 ~ compilado [editado] por el Dr. Kim. 김씨 ~의 bajo la compilación [la dirección] del señor Kim, a cargo del señor Kim.

편(便/偏) ((준말)) =편쪽.

편(篇) ① [형식이나 내용·성질 등이 다른 글을 구별하여 나타내는 말] tomo *m*, libro *m*. 상[중·하]~ tomo *m* primero [segundo · tercero]. 전 5~의 저서 obra *f* de cinco tomos. ② [책이나 시문의 수효] pieza *f*. 한 ~의 시 una pieza de poema, un poema. ③ [책 속에서 큰 대목의 수효를 가리키는 말] capítulo *m*.

편(片) pedazo *m*, pieza *f*, trozo *m*, fragmento *m*. 인삼 세 ~ tres pedazos de ginseng.

편 가르다(便—) dividir en dos equipos. 편갈라 일하다 trabajar en grupos.

편각(片刻) =삽시간(tiempo corto).

편각(偏角) ① 【지리】 declinación *f*, ángulo *m* de desviación. ② 【수학】 amplitud *f*. ③ 【물리】 =방위각(方位角). ④ 【항공】 variación *f*. ■ ~계(計) declinómetro *m*.

편간(編刊) compilación y publicación. ~하다 compilar y publicar.

편 갈리다 dividirse en dos equipos.

편갑(片甲) pedazo *m* de la armadura.

편강(片薑) jenjibre *m* secado cortado en rodajas.

편견(偏見) prejuicio *m*, prevención *f*. ~ 없이 sin prejuicio. ~을 버리다 dejar el prejuicio. ~의 눈으로 보다 mirar con prejuicio. ~에 사로잡히지 않다 estar libre de prejuicios, no ser presa de prejuicios. …에 ~을 가지다 tener perjuicio contra *algo* · *uno*. …에게 ~을 품게 하다 disponer a *uno* contra *algo*. 그는 매사(每事)를 ~을 가지고 생각한다 El considera todas las cosas con perjuicio.

편경(編磬) 【악기】 *pyongyeong*, uno de los instrumentos folclóricos.

편계피(片桂皮) canela *f* secada cortada.

편곡(編曲) adaptación *f*, arreglo *m*, transcripción *f*. ~하다 adaptar, arreglar, transcribir. 피아노곡을 ~하다 adaptar [arreglar · transcribir] una composición de piano para la orquesta.

편광(偏光) 【물리】 [작용] polarización *f*, [빛] luz *f* polarizada.
■ ~각 ángulo *m* de polarización. ~경(鏡) polariscopio *m*. ~계 polarímetro *m*. ~기 plarizador *m*, polariscopio *m*. ~면 plano *m* de polarización. ~ 오차(誤差) error *m* de polarización. ~ 측정 polarimetría *f*. ~ 탄성 fotoelasticidad *f*. ~ 태양 관측 망원경 helioscopio *m* de polarización. ~판 placa *f* de polarización. ~ 프리즘 polarizador *m*. ~ 필터 filtro *m* polarizador. ~ 현미경 microscopio *m* de polarización. ~ 효과(效果) efecto *m* de polarización.

편년(編年) compilación *f* de la historia cronológica.
■ ~사(史) crónica *f*, anales *mpl*. ~체(體) forma *f* cronológica.

편뇌(片腦) 【한방】 canfor *m*, alcanfor *m*.
■ ~유(油) aceite *m* de canfor.

편달(鞭撻) ① [채찍으로 때림] azotamiento *m*. ~하다 azotar, dar*le* azotes (a), dar*le* latigazos (a). ② [타이르고 격려함] ánimo *m*, estímulo *m*, aliento *m*, exhortación *f*. ~하다 animar, alentar, estimular, exhortar. 앞으로도 가일층 ~해 주십시오 Le ruego que me siga dando más consejos y ánimos.

편당(偏黨) ① [한쪽의 당파] facción *f*, grupo *m*. ② [한 당파에 치우침] parcialidad *f* a un partido. ~하다 ser parcial a un partido.

편대(編隊) formación *f*, escuadrilla *f*. 세 대 ~로 en formación de tres en tres. 세 대 ~로 비행하다 volar en formación de tres.
■~ 비행 vuelo *m* en formación.

편도(片道) camino *m* sencillo; [여행에서] ida *f*. ~의 sencillo, de ida. …까지는 ~ 한 시간 걸린다 Se tarda una hora en ir a *un sitio*. …까지는 ~ 3만 5천 원이다 Cuesta treinta y cinco mil wones hasta *un sitio*. ~입니까 왕복입니까? ¿Ida sólo o ida y vuelta? / *Méj* ¿Sencillo o redondo? 부산 ~ 한 장 주십시오 Un billete (sencillo) para Busan, por favor.
■~ 무역 =편무역(片貿易). ~ 요금 precio *m* de ida. ~ 티켓[표] billete *m* [*AmL* boleto *m*] de ida.

편도(扁桃) ① 【식물】 almendro *m*. ② [열매] almendra *f*. ~ 모양의 amigdaloide. ~ 열매 같은 amigdáleo. ~를 함유한 amigdalino. ~(가 든) 시럽 jarabe *m* amigdalino. ③ 【해부】 [편도선] amígdala *f*.
■~ 결석(結石) tonsilolito *m*. ~경(鏡) tonsiloscopio *m*. ~ 동맥 arteria *f* tonsilar. ~염(炎) tonsilitis *f*. ~유(油) aceite *m* de almendra.

편도(便道) [지름길] atajo *m*, senda *f* [lugar *m*] por donde se abrevia el camino.

편도선(扁桃腺) 【해부】 amígdala *f*.
■~도(刀) tonsilótomo *m*. ~ 수술(手術) operación *f* de amígalas, amigdalotomía *f*. ~염(炎) amigdalitis *f*.

편두통(偏頭痛) 【의학】 hemicránea *f*, migraña *f*, jaqueca *f*. ~이 나다 tener la migraña, sufrir de la migraña.

편들다(便-) ponerse de parte (de), ponerse del lado (de), tomar partido (por), apoyar, respaldar. 아들을 ~ ponerse de parte de *su* hijo, tomar partido por *su* hijo. 너는 어느 팀을 편드나? ¿De qué equipo eres (hincha)? 그는 민주당을 편들었다 El apoyó el Partido Demócrata. 여론은 그에게 편들었다 Lo opinión pública estaba en su favor. 그는 늘 나에게 편들었다 El siempre está en mi lado. 하나님은 정의에 편드신다 Dios está en el lado de justicia.

편람(便覽) manual *m*, guía *f*, vademécum *m*. 학생 ~ guía *f* [libro *m*] del estudiante.
■~표(表) tabla *f*.

편력(遍歷) ① [이곳저곳을 돌아다님] peregrinación *f*, [방랑(放浪)] vagabundeo *m*. ~하다 peregrinar, vagabundear. ② [여러 가지 경험을 함] muchas experiencias.
■~ 기사(騎士) caballero *m* andante. ~ 시인 juglar *m*. ~자 peregrino, -na *mf*.

편로(便路) =편도(便道).

편류(偏流) 【항공】 deriva *f*, [포술] desvío *m* de un proyecto por efecto del viento.

편리(便利) comodidad *f*, ventaja *f*, conveniencia *f*, [용이함] facilidad *f*. ~하다 (ser) conveniente, cómodo, fácil; [취급하기 쉬운] manejable; [실용적인] práctico. 대중(大衆)의 ~를 위해 para la conveniencia del pueblo. 다루기에 ~하다 (ser) manejable, fácil de manejar. ~하지 않다 (ser) incómodo, inconveniente. 이 부엌은 ~하다 Esta cocina es cómoda. 이 학교는 기차 편이 ~하다 Esta escuela queda cerca de la estación de ferrocarril. 이곳은 역에서 가까워 ~하다 Este lugar es cómodo por estar cerca de la estación. ~할 때에 와 주십시오 Venga a verme cuando le sea oportuno [conveniente] / Venga cuando mejor le convenga. ~할 대로 해 주십시오 Hágalo a su conveniencia / Hágalo como le parezca. 그것은 나한테 ~하지 않다 Eso no me conviene / Eso no me viene bien. 이 사전은 작아서 휴대하기에 ~하다 Este diccionario es pequeño y cómodo de llevar consigo. 철도의 개통으로 그곳에 가기가 ~해졌다 Con la instalación del ferrocarril se ha hecho más fácil ir allí.

편린(片鱗) parte *f*, porción *f*. 재능의 ~을 보이다[나타내다] revelar ciertos facetas de su talento. 그것에서 그의 재능(才能)의 ~을 엿볼 수 있다 Se vislumbra en eso su talento.

편마비(片痲痺) =반신불수(半身不隨).

편마암(片麻巖) 【광물】 gneis *m*, neis *m*.

편만하다(遍滿-) (ser) omnipresente, ubicuo.

편면(片面) un lado, una cara. ~ 20리코더 disco *m* de veinte minutos por cara.

편모(片貌) figura *f* fragmentaria.

편모(偏母) *su* madre solitaria, *su* madre enviudada.
■~슬하 situación *f* de servir a *su* madre solitaria, bajo el techo de *su* madre solitaria.

편모(鞭毛) 【생물】 flagelo *m*. ~의 flagelar. ~가 있는 flagelado.
■~균(菌) microbio *m* flagelar. ~류(類) ㉮ 【동물】 =편모충류. ㉯ 【식물】 =편모 조류. ~ 운동(運動) flagelación *f*. ~ 조류(藻類) alga *f* marina flagelar. ~충 flagelado *m*. ~충류 flagelata *f*. ~충증 flagelosis *f*.

편무(片務) obligación *f* unilateral, responsabilidad *f* unilateral.
■~ 계약(契約) contrato *m* unilateral. ~적(的) unilateral.

편무역(片貿易) comercio *m* exterior no equilibrado.

편물(編物) ① [뜨개질] punto *m*, *AmL* tejido *m*. ~을 하다 ㉮ [손으로] hacer punto, hacer calceta, *AmL* tejer. ㉯ [기계로] tricotar, *AmL* tejer. 내가 ~을 어디에 놓았더라? ¿Dónde habré dejado el punto [*AmL* el tejido]? ② =뜨갯것.
■~기 ((준말)) =편물 기계. ~ 기계(機械) tricotosa *f*, *AmL* máquina *f* de tejer. ~ 바늘 aguja *f* de hacer punto, *AmL* aguja *f* de tejer, *Chi* palillo *m*.

편발(扁-) =편평족(扁平足).

편발(編髮) ① [관례(冠禮)하기 전에 머리를 땋아 늘이던 일. 또, 그 머리] trenzado *m*; [머리] pelo *m* trenzado. ② =변발(辮髮).
■~아이 niño, -ña *mf* con pelo trenzado largo.

편백(扁柏)【식물】=노송나무.
편법(便法) medida *f* conveniente, expediente *m*, recurso *m*; [수단] medio *m*. 일시적 ~ expediente *m* temporal. ~을 강구하다 proyectar [planear] un método conveniente. ~을 쓰다 adoptar un expediente.
편벽(便辟) adulación *f*, [사람] adulador, -dora *mf*. ~하다 adular.
편벽되다(偏僻-) (ser) excéntrico. 편벽되이 excéntricamente.
편벽하다(偏僻-) (ser) excéntrico. 편벽함 excentricidad *f*, extravagancia *f*. 편벽한 사람 excéntrico, -ca *mf*.
편복(便服) vestido *m* de civil [de paisano·*AmL* de particular]. ~의 de civil, de paisano, *RPI* de particular. ~의 경찰관 un policía de civil [de paisano·*RPI* de particular].
편상화(編上靴) bota *f*, botín *m* (*pl* botines), borceguí *m* (*pl* borceguíes), tricotadora *f*.
편서풍(偏西風)【기상】viento *m* del oeste preponderante.
편성(偏性) excentricidad *f*, parcialidad *f*, inclinación *f* particular, falta *f* de objetividad. ~의 excéntrico, parcial, tendencioso, partidista.
편성(編成) ① [엮어서 만듦] compilación *f*, edición *f*. ~하다 compilar, editar. ② [조직하고 형성함] [형성] formación *f*, [조직] organización *f*, [구성] composición *f*, constitución *f*. ~하다 formar, organizar, componer, constituir. 예산을 ~하다 formar el presupuesto. 학급(學級)을 ~하다 organizar una clase. 40명의 반을 ~하다 formar clases de cincuenta alumnos.
■~ 진지(陣地) posición *f* organizada. ~표 cuadro *m* de organización.
편소하다(褊小-) (ser) estrecho y pequeño.
편수 [공장의 두목] jefe *m* de taller.
편수(片手) un brazo, un solo brazo.
편수(編修) compilación *f*, edición *f*. ~하다 compilar, redactar, editar.
■~관 editor, -tora *mf*. ~부 departamento *m* editorial.
편술(編述) edición *f*, compilación *f*. ~하다 editar, compilar, redactar.
편승(便乘) ① [남이 타고 가는 차 등의 한 자리를 얻어 탐] viaje *m* oportuno. ~하다 ir a bordo, embarcarse; [이용하다] aprovechar. 자동차에 ~하다 aprovechar un coche. ② [세태나 남의 세력을 이용해 자신의 이익을 거둠] aprovechamiento *m* oportuno. ~하다 subirse al carro, subirse al tren. 시류에 ~하여 이름을 팔다 aprovechar [aprovecharse de] la situación actual para hacer propaganda de *su* nombre.
■~주의 =기회주의(機會主義).
편시(片時) un momento, un instante.
■~간(間) (por) un momento, un rato.
편식(偏食) alimentación *f* [dieta *f*] desequilibrada. ~하다 tener dieta desequilibrada. 내 아이는 ~을 한다 Mi niño come sólo lo que le gusta / Mi niño hace muchas mañas para comer. 나는 ~을 한다 Mi alimentación está mal equilibrada.
편신(偏信) creencia *f* excéntrica.
편신(遍身) =전신(全身)(todo el cuerpo).
편심(片心) ① [작은 마음] corazoncito m, corazón *m* pequeño. ② [일반적인 마음] corazón *m* general.
편심(偏心) ① [치우친 마음. 편벽된 마음] corazón *m* excéntrico. ②【물리】excentricidad *f*. ~의 excéntrico.
■~ 거리(距離) radio *m* excéntrico. ~기 excéntrica *f*. ~력 fuerza *f* excéntrica. ~륜(輪) (rueda *f*) excéntrica *f*. ~률(率) excentricidad *f*. ~ 반경 radio *m* excéntrico. ~봉(棒) vástago *m* excéntrico.
편싸움 lucha *f* [pelea *f*] entre dos grupos, pelea *f* de pandillas. ~하다 tener la pelea de pandillas.
편쌈(便-) ((준말)) =편싸움.
■~꾼 luchador *m* de pandillas. ~질 lucha *f* entre dos grupos.
편안하다(便安-) (ser) cómodo, tranquilo, pacífico. 편안함 paz *f*, tranquilidad *f*, conveniencia *f*, comodidad *f*, bienestar *m*, sosiego *m*. 편안한 생활(生活) vida *f* cómoda. 마음이 ~ sentirse a *sus* anchas. 나는 그녀와는 결코 마음이 편안하지 않다 Con ella nunca me siento que me puedo relajar / Con ella nunca me siento a mis anchas. 나는 평상복을 입으면 마음이 더 ~ Me siento más cómodo [más a gusto] vestido de sport. 인생은 편안하기만 하지 않다 La vida no es un lecho de rosas. 편안한 때에 오히려 괴로움을 잊어서는 안 된다 No hay que olvidarse de la guerra ni siquiera en la paz.
편안히 tranquilamente, apaciblemente, pacíficamente, en paz, cómodamente, con comodidad, con tranquilidad, con desahogo, descansadamente, fácilmente, con facilidad. ~ 쉬다 descansar a gusto y con toda comodidad, ponerse cómodo, estar a *sus* anchas, sentirse en *su* propia casa. ~ 죽다 mori tranquilamente. ~ 텔레비전을 보다 ver [mirar] la televisión cómodamente. ~하십시오 [찾아온 손님에게] Está (usted) en su casa / Siéntese cómodamente. ~ 쉬십시오 Póngase cómodo, por favor / Descanse bien.
편암(片巖)【광물】esquisto *m*.
편애(偏愛) preferencia *f*, predilección *f*; [불공평] parcialidad *f*; [정실(情實)] favoritismo *m*. ~하다 preferir, favorecer, tener predilección (por·para), ponerse parcial, parcializar. ~의 parcial, de mala fe. ~ 없는 imparcial, sin imparcialidad. 부모의 ~ parcialidad *f* de padres para sus hijos. 선생님이 A를 ~한다 El profesor tiene preferencia por A / A es la favorita del profesor. 그는 A를 ~하고 있다 El favorece demasiado a A.
편애하다(偏隘-) (ser) excéntrico y de mentalidad cerrada.

편액(扁額) cuadro *m* oriental que tiene poca altura y mucha anchura.
편언(片言) ① [한쪽 사람의 말] un lado (de una historia). ② [한마디의 말] una palabra; [간단한 말] palabra *f* breve.
편영(片影) sombra *f* pequeña.
편운(片雲) nube *f* en pedazo.
편월(片月) luna *f* en pedazo.
편육(片肉) *pyeonyuk*, tajada *f* de la carne hervida.
편의(便衣) =평복(平服).
편의(便宜) conveniencia *f*, comodidad *f*, convención *f*, acomodación *f*, facilidad *f*. ~상 por conveniencia, convenientemente, con motivo de comodidad, por conveniencia, por el objeto [fin] de conveniencia, provisionalmente. 설명(說明)의 ~상 por conveniencia explicativa. ~를 도모하다 facilitar, procurar la facilidad, proporcionar (las) facilidades (a). ~를 얻다 obtener facilidad, llevarse mucha ventaja. …에 ~를 주다 dar facilidades para *algo*. 그는 ~상 내 이름을 빌렸다 Para su conveniencia pidió un préstamo en mi nombre. 우리 회사의 문의에 대해서는 다음 은행의 ~를 제공할 것입니다 En cuanto a nuestra referencia, pueden facilitársela los bancos siguientes.
▪ ~주의 convencionalismo *m*, oportunismo *m*. ~주의자 oportunista *mf*.
편의(偏倚) 【수학】 =편차(偏差).
편의(偏意) =편심(偏心).
편이 =펴낸이. 발행자(發行者).
편이하다(便易－) (ser) conveniente y fácil.
편익(便益) beneficio *m*, utilidad *f*, provecho *m*, ventaja *f*; [편의] conveniencia *f*, comodidad *f*, oportunidad *f*. ~하다 (ser) conveniente, beneficioso, ventajoso, favorable. 상호 ~을 위해 para beneficio mutual. ~을 주다 dar una conveniencia.
편인(偏人) persona *f* excéntrica.
편입(編入) ① [얽거나 짜 넣음] tejido *m*. ~하다 tejer. ② [한동아리에 끼게 함] entrada *f*, incorporación *f*, admisión *f*; 【군사】 alistamiento *m*. ~하다 incluir (en), incorporar; [학교에] admitir; [군대에] alistar; [학급에] poner (en). 3학년에 ~되다 ser puesto en la clase de tercer año.
▪ ~ 시험 examen *m* de admisión.
편자 ① [말발굽에 대어 붙이는 쇳조각] herradura *f*. ~를 박다 herrar, ajustar y clavar las herraduras (a). 말에 ~를 박다 herrar un caballo, ajustar y clavar las herraduras a las caballerías. ② ((준말)) = 망건편자.
편자(編者) =엮은이.
편작(編作) tejido *m* de la estera. ~하다 tejer la estera.
편장(偏長) superior *mf* del partido.
편재(偏在) distribución *f* desigual. 부(富)의 ~ repartición *f* no equitativa de las riquezas.
편재(遍在) omnipesencia *f*, ubicuidad *f*, inmanencia *f*, inherencia *f*. ~하다 (ser) omnipresente, ubicuo, inmanente, estar en [por] todos los lugares.
편재(騙財) estafa *f*, timo *m*. ~하다 estafar, timar. ~자(者) estafador, -dora *mf*; timador, -dora *mf*.
편저(編著) compilación *f*, redacción *f*. ~하다 compilar, redactar. ~자 compilador, -dora *mf*; redactor, -tora *mf*.
편전(片箭) =아기살.
편전(便殿) palacio *m* real, aposento *m* real.
편전지(便箋紙) =편지지(片紙紙).
편제(扁題) =편액(扁額).
편제(編制) 【군사】 formación *f*, organización *f*, composición *f*. ~하다 formar, organizar, componer.
▪ ~ 기구도(機構圖) organigrama *m*. ~ 병력 efectivos *mpl* orgánicos. ~표 cuadros *mpl* de organización y equipos
편조(編造) tejido *m*. ~하다 tejer.
편족(片足) ① [한쪽 다리] una pierna. ② [한쪽 다리가 없는 불구자] lisiado, -da *mf* sin una pierna.
편주(片舟) =편주(扁舟).
편주(扁舟) botecillo *m*, bote *m* pequeño.
편죽(片竹) pedazo *m* de bambú.
편중(偏重) ① [무게의 중점이 한쪽으로 치우침] preponderancia *f*, predominio *m*, concentración *f*. ~하다 preponderar, predominar, apoyarse (en). 인구가 도시에 ~되어 있다 La población está concentrada en las ciudades. ② [치우치게 소중히 여김] importancia *f* excéntrica. ~하다 conceder [dar] demasiada importancia (a).
편증(偏憎) odio *m* excéntrico. ~하다 odiar excéntricamente.
편지(片志) =촌지(寸志).
편지(片紙/便紙) carta *f*, epístola *f*; [주고받는 서신] correspondencia *f*, comunicación *f*; [단신(短信)] nota *f*, recado *m*; [상업 서신에서] grata *f*, atenta *f*. 어제 주신 ~ su atenta carta fechada [con la fecha] de ayer. 10월 5일 자 ~ grata *f* (con) fecha 5 de octubre, carta *f* fechada 5 de octubre. 이달 10일 자의 당신의 ~ grata *f* fechada 10 del actual. 앞서 ~에 말씀드린 바와 같이 como le dije en la carta anterior. ~에 날짜를 기입하다 fechar (una carta). ~를 보내다 escribir, mandar [enviar] una carta. ~를 써 놓다 dejar una nota [un recado] (para). ~를 우체통에 넣다 echar una carta al correo [al buzón]. ~ 쓰기를 귀찮아하다 tener pereza para escribir (una carta), ser perezo en escribir. ~를 주고받다 escribirse, cartearse. ~로 …을 알리다 notificar [comunicar] por (la) [en la] carta que …. ~로 알려 드리겠습니다 Notificaré por carta. 그 ~는 12월 11일 자 날짜가 기입되어 있었다 La carta estaba fachada el once de diciembre / La carta tenía fecha del once de diciembre. 그녀는 서울에 도착하자마자 ~하겠다고 말했다 Ella me dijo que escribiría en cuanto llegara a Seúl.

■ ~꽂이 cajita *f* para poner las cartas y tarjetas. ~ 내왕(來往) correspondencia *f*, comunicación *f*. ~ 봉투 sobre *m* de carta. ~ 상자【컴퓨터】 buzón *m*. ~ 왕래 =편지질. ~지 papel *m* de escribir (carta). ~질 correspondencia *f*, comunicación *f*, intercambio *m* de cartas. ~통 buzón *m* (*pl* buzones).

편집(偏執) obstinacia *f*, excentricidad *f*, parcialidad *f*, sesgo *m*.

■ ~광(狂) ㉮【의학】monomanía. ㉯ [사람] monomaniaco, -ca *mf*; monomaníaco, -ca *mf*. ~병(病) paranoia *f*. ~병 환자 paranoico, -ca *mf*. ~성 인격 personalidad *f* paranoide. ~ 장애(障碍) desorden *m* paranoide. ~증 paranoia *f*.

편집(編輯) ① compilación *f*, redacción *f*. ~하다 compilar, redactar. ②【영화】 montaje *m*. ~하다 montar.

■ ~ 고문(顧問) editor *m* consultivo, editora *f* consultiva. ~국 (departamento *m* de) redacción *f*, sección *f* editorial. ~국 부국장 subdirector *m* ejecutivo, subdirectora *f* ejecutiva. ~국장 director *m* ejecutivo, directora *f* ejecutiva. ~권(權) derecho *m* de redacción. ~ 마감 fecha *f* límite [tope] editorial [de redacción]. ~ 배정(配定) disposición *f*. ~부(部) redacción *f*. ~실(室) redacción *f*, oficina *f* de redacciones, oficina *f* de redactores. ~원 los redactores; [집합적] la redacción. ~ 위원(委員) miembro *mf* de la redacción; [집합적] comité *m* de la redacción. ~인[자] ㉮ [편집 책임자] director, -tora *mf*; redactor, -tora *mf* (en) jefe; jefe, -fa *mf* de redacción; jefe, -fa *mf* de redactores. ㉯ [편집하는 사람] redactor, -tora *mf*; compilador, -dora *mf*; [필름의] montador, -dora *mf*. ~장 redactor, -tora *mf* (en) jefe ~ 차장 subredactor, -tora *mf*. ~ 책임자 redactor, -tora *mf*. ~ 회의 conferencia *f* editorial, reunión *f* del comité de redacción. ~ 후기 nota *f* de la redacción.

편짓다(片—) ① [목재의 감을 용도에 따라 미리 마련하다] clasificar de acuerdo al uso. ② [인삼을] clasificar de acuerdo al tamaño.

편짜다(便—) formar un equipo [un partido], separar en grupos.

편차(便車) carretilla *f*.

편차(偏差) ① [천체의] variación *f*; [자침의] declinación *f*. ②【수학】desviación *f*.

◆ 자기(磁氣) ~ declinación *f* magnética.

■ ~계 declinómetro *m*. ~치(値) valor *m* de desviación.

편차(編次) compilación *f* de acuerdo al turno; [순서] turno *m* de compilación. ~하다 compilar de acuerdo al turno.

편찬(編纂) [사료·법령집의] recopilación *f*, compilación *f*; [사전 등의] redacción *f*. ~하다 recopilar, compilar, redactar. 사전의 ~ redacción *f* del diccionario.

■ ~물 compilación *f*. ~부 departamento *m* de redacción. ~소 oficina *f* de redacción. ~원(員) los redactores, miembro *mf* de redacción; [집합적] la redacción. ~ 위원 miembro *mf* de compilación; [집합적] comité *m* de compilación. ~ 자(者) redactor, -tora *mf*; compilador, -dora *mf*; recopilador, -dora *mf*.

편찮다(便—) ① [편하지 아니하다] (ser) inconveniente. ② [병으로 앓고 있다] estar enfermo, caer enfermo. 몸이 편찮아서 por enfermedad. 몸이 ~ estar enfermo, caer enfermo, sentirse enfermo.

편청(—淸) miel *f* para la tarta.

편취(騙取) estafa *f*, defraudación *f*, usurpación *f*. ~하다 estafar, defraudar, usurpar.

■ ~자(者) estafador, -dora *mf*; defraudador, -dora *mf*; usurpador, -dora *mf*.

편측(片側) una parte, un lado.

■ ~ 마비 =반신불수(半身不隨).

편친(偏親) [아버지] padre *m* soltero, padre *m* que cría a *su(s)* hijo(s) sin pareja, padre *m* aún viviente; [어머니] madre *f* soltera, madre *f* que cría a su(s) hijo(s) sin pareja, madre *f* aún viviente. ~의 monoparental. 그는 ~뿐이다 [부친밖에 없다] El es huérfano de padre / [모친밖에 없다] El es huérfano de madre. 나는 ~을 잃었다 Perdí a mi padre [모친을 a mi madre]. 그는 자녀를 기르는 ~이다 El es un padre que cría a su(s) hijo(se) sin pareja.

■ ~ 가정 familia *f* monoparental. ~시하 situación *f* de servir al padre [a la madre] sin pareja, situación *f* de servir al padre soltero [a la madre soltera].

편토(片土) terreno *m* pequeño, un terreno, una parcela.

편파성(偏頗性) parcialidad *f*, favoritismo *m*, falta *f* de equidad. ~이 없는 imparcial, recto, justo, sin imparcialidad. ~ 없이 imparcialmente, rectamente, justamente, con imparcialidad.

편파적(偏頗的) parcial, de mala fe. ~으로 parcialmente. ~인 판결 sentencia *f* parcial. 저 심판은 ~이 아니다 Aquel árbitro es imparcial [no es parcial] en sus juicios.

편파하다(偏頗—) ser parcial, ponerse parcial, parcializar.

편편(片片) pedazos *mpl*.

편편이 en pedacitos, en pedazos, en trozos. ~ 깨지다 hacerse pedazos.

편편이(便便—) por cada mensajero, por cada correo.

편편찮다 ser inconveniente.

편편하다(便便—) (ser) cómodo, confortable.

편편히 cómodamente, confortablemente.

편평족(扁平足) pie *m* plano, pie *m* achatado. 그는 ~이다 El tiene (los) pies planos.

편평하다(扁平—) (ser) llano, plano, nivelado, allanado, achatado; [코가] chato. 편평한 땅 terreno *m* llano. 편평한 발 pies *mpl* planos. 편평한 지붕 techo *m* plano. 지붕이 편평한 집 casa *f* con techos [con azoteas].

편평하게 하다 aplanar, allanar, nivelar, aplastar, achatacar, alisar. 길을 편평하게 하다 aplanar el camino. 사람들은 지구가 편평하다고 믿었다 Creían que la tierra era plana.
편평히 llanamente, planamente, niveladamente, allanadamente.

편폐(編嬖) preferencia *f* excéntrica, favoritismo *m* excéntrico. ~하다 preferir [favorecer] un sola parte excéntricamente.

편포(片脯) pedazo *m* secado de carne de vaca.

편하다(便—) ① ㉮ [거북하거나 괴롭지 않다] [의자·옷이] (ser) cómodo; [집·방이] confortable, cómodo. 편하지 아니하다 ser incómodo; [주어가 사람일 때] sentirse incómodo, no sentirse cómodo. 편하게 느끼다 sentirse cómodo. 편하게 살다 vivir en la abundancia, llevar una vida holgada. 의자에 편하게 앉다 arrellanarse en un sillón. 이 방은 ~ Esta habitación es cómoda [agradable] / Se siente uno a gusto en esta habitación. 이 의자는 무척 ~ Esta silla es muy cómoda. 나는 이 옷[의자]이 별로 편하지 않다 No estoy muy cómodo con este vestido [en esta silla]. 그는 안락의자가 편했다 El se acomodó [se arrellanó] en el sillón. 나는 그들과 함께 있으면 편하지 않다 Cuando estoy con ellos, me siento un poco molesto. 이 좌석은 세 사람도 편하게 앉을 수 있다 Hay bastante sitio para tres personas. 이 차는 여섯 사람이 편하게 탈 수 있다 En este coche seis personas van holgadas / En este coche caben holgadamente seis personas. ㉯ [편리하다] conveniente. 화요일은 나에게는 편하지 않다 El martes no me resulta conveniente / El martes no me viene bien. ② [근심 걱정이 없다] (ser) estable. 마음이 ~ estar desahogado. 마음이 편해지다 desahogarse. 그녀는 밤을 편하게 보냈다 Ella pasó buena noche. 그들은 편한 생활을 하고 있다 Ellos llevan una vida desahogada. ③ [쉽고 만만하다] (ser) fácil. 편하게 fácilmente, con facilidad. 편하게 돈을 벌다 ganar dinero con facilidad.
편히 cómodamente, con comodidad, confortablemente, convenientmente; desahogadamente, holgadamente, con holgura; fácilmente, con facilidad, en casa. ~ 느끼다 sentir cómodo [a gusto] (con). ~ 살(아가)다 vivir cómodamente [con comodidad·abundantemente·con abundancia·en la abundancia·holgadamente·con holgura], vivir con desahogo, tener una posición desahogada [acomodada], llevar una vida desahogada. ~ 앉다 sentarse a *sus* anchas, sentarse cómodamente [con comodidad]. ~ 있게 하다 desahogar. ~ 하세요 ¡Pónte cómodo! / Está usted en su casa. 앉으시고~ 하세요 Siéntese y ponte cómodo, está usted en su casa. 간호사가 그를 ~ 해 주려고 왔다 La enfermera vino a ponerle cómodo.

편향(偏向) ① [한쪽으로 치우침] inclinación *f*, tendencia *f*, propensión *f*. ~하다 inclinar. ② 【물리】 desviación *f*.
◆우익(右翼) ~ desviación *f* de derechas.
■~ 교육(教育) educación *f* tendenciosa. ~률 coeficiente *m* de desviación. ~ 코일 bobina *f* de desviación.

편협심(偏狹心) corazón *m* de miras estrechas.

편협하다(偏狹—) ① [땅 같은 것이 좁다] (ser) estrecho, angosto. ② [도량이나 생각하는 것이 좁고 치우치다] (ser) de miras estrechas, parcial, terco, porfiado, mezquino, intolerante. 편협함 estrechez *f* de miras, parcialidad *f*, mezquindad *f*, [종교·정치적인] intolerancia *f*. 편협한 사람 persona *f* de miras estrechas, persona *f* de un espíritu limitado.

편형(扁形) forma *f* llana.
■~동물 platelmintos *mpl*.

펼치다 abrir, extender, tender, estirar; [폭을] ensanchar; [접은 것을] desplegar; [만 것을] desenrollar, desarrollar. 가슴을 ~ respirar profundamente, mostrarse valiente. 상점을 ~ poner la tienda. 세력을 ~ ejercer *su* poderío, ejercer *su* autoridad. 손을 ~ abrir *su* mano. 우산을 ~ abrir el paraguas. 지도를 ~ desenrollar un mapa, extender un mapa. 커튼을 ~ correr la cortina.
펼쳐지다 abrirse, extenderse, dilatarse, ensancharse, estirarse, desplegarse, desenrollarse, desarrollarse.

펼친그림 =전개도(展開圖).

폄(貶) menosprecio *m*, desprecio *m*. ~하다 menospreciar, despreciar.

폄강(貶降) bajada *f* de categoría. ~하다 bajar de categoría; 【군사】 degradar.

폄론(貶論) crítica *f* adversa, crítica *f* desfavorable, menosprecio *m*. ~하다 censurar, menospreciar.

폄박(貶薄) crítica y menosprecio. ~하다 criticar y menospreciar.

폄사(貶辭) palabra *f* crítica.

폄척(貶斥) ① [벼슬을 떼어 물리침] bajada *f* de categoría. ~하다 bajar de categoría. ② [인망을 깎아 말하여 배척함] crítica *f*, menosprecio *m*, desprecio *m*. ~하다 criticar, menospreciar, despreciar.

폄천(貶遷) =좌천(左遷).

폄출(貶黜) =폄척(貶斥)❶.

폄하(貶下) bajada *f* de categoría. ~하다 bajar de categoría.

폄하다(貶—) menospreciar, despreciar.

폄훼(貶毁) menosprecio *m*, desprecio *m*. ~하다 menospreciar, despreciar.

평(評) ① [비평(批評)] crítica *f*, juicio *m* crítico, comentario *m*, reseña *f*. ~하다 criticar, hacer crítica (de), hacer comentarios, comentar. ~이 좋다 ser popular. ~이 나쁘다 impopular. ② ((준말)) =평론(評論).
◆신문~ comentarios *mpl* [reseña *f*] de

periódico.

평(坪) *pyeong*, unidad *f* de la dimensión superficial (3.31 metros cuadrados).

평-(平) común (*pl* comunes), ordinario; [명사 앞에서] simple, mero. ~교사 maestro, -tra *mf* común. ~사원(社員) simple empleado *m*, mero empleado *m*, empleado *m* subalterno; simple empleada *f*, mera empleada *f*, empleada *f* subalterna.

평가(平家) casa *f* de un piso.

평가(平價) ① ((준말)) =표준 가격. ②【경제】paridad *f*, par *f*. ~로 a la par. ~ 이상으로 sobre la par. ~ 이하로 bajo la par. ~에 의한 환산 cambio *m* a la par.
■~ 발행(發行) emisión *f* a la par. ~ 절상(切上) revaluación *f*, revalorización *f*. ¶ ~하다 revaluar, revalorizar. 원화를 ~하다 revaluar [revalorizar] del won. ~ 절하(切下) devaluación *f*, devalorización *f*. ¶ ~하다 devaluar, devalorizar. 달러를 ~하다 devaluar el dólar. ~ 환시세 tipo *m* de cambio a la par.

평가(評價) apreciación *f*, estimación *f*, evaluación *f*, [사정] tasación *f*, valoración *f*, valuación *f*. ~하다 estimar, apreciar, evaluar, tasar, valorar, valuar, poner un precio. 높이 ~하다 [물건을] apreciar en mucho; [사람을] estimar mucho, tener en gran aprecio. …의 능력을 ~하다 estimar la habilidad de *uno*. 이 토지는 1억 원으로 ~되었다 Este terreno fue valorado en cien millones de wones. 그의 연구는 별로 높이 ~되고 있지 않다 Su investigación no está bien estimada.
■~액 tasa *f*, valor *m* tasado, avalúo *m*, suma *f* tasada. ~자 tasador, -dora *mf*; avaluador, -dora *mf*.

평가락지(平—) anillo *m*.

평각(平角)【수학】ángulo *m* llano, ángulo *m* de 180°.

평강하다(平康—) =평안(平安)하다.

평결(評決) veredicto *m*, decisión *f*. ~하다 decidir, rendir un veredicto.

평경(平鏡) =맞보기.

평교(平交) amigo *m* parecido [amiga *f* parecida] en la edad.
■~간(間) entre amigos parecidos en la edad. ~배(輩) amigos *mpl* parecidos en la edad.

평균(平均) ① [많고 적음이 없이 균일함] promedio *m*, media *f*, término *m* medio. ~의 promedio, medio. ~이상의 más arriba del promedio, ~ 이하의 más abajo del promedio. ~으로 por [en] término medio. ~해서 por término medio, en general, por lo común. ~ 10% un premio de diez por ciento. 당좌 예금의 ~ 잔고 promedio *m* de cuenta corriente. 하루에 ~ 50명 un promedio [una media] de cincuenta personas por día, cincuenta personas al día como término medio. ~ 시속 120킬로미터로 a la velocidad media de ciento veinte kilómetros por hora. ~ 여섯 시간 자다 dormir seis horas por término medio. 각자의 일의 양을 ~하다 igualar la cantidad de trabajo de cada uno. 나는 일주일에 ~ 500 달러를 번다 Gano un promedio [una media] de quinientos dólares a la [por] semana / Gano unos quinientos dólares semanales como promedio [como término medio]. 그는 ~ 키다 El es de estatura mediana [regular]. 학급의 ~ 점수는 80점이다 La nota media de la clase es de ochenta puntos. 서반아 사람들은 ~해서 키가 작다 Por lo común, los coreanos son bajos de estatura. 그는 전 과목 ~해서 좋은 점수를 받았다 El obtuvo por [como] término medio buenas notas en todas las materias. ~은 천 미터를 넘지 않는다 El promedio no pasa de mil metros. ② [여럿을 고르게 함] igualación *f*. ~하다 igualar. ③【수학】promedio *m*, media *f*. ~하다 hacer [sacar] el promedio [la media] (de), calcular el término medio (de), promediar. ~ 이상으로 por encima de la media. ~ 이하로 por debajo de la media. ~을 내다 =~하다.
◆가중(加重) ~ promedio *m* compensado [pesado · ponderado]. 연(年)~ media *f* anual. 월(月)~ media *f* mensual.
■~가(價) precio *m* medio. ~값 valor *m* medio. ~ 거리 distancia *f* media. ~ 기온 temperatura *f* media. ~ 높이 altura *f* media. ~대 barra *f* horizontal, barra *f* de equilibrio. ~ 두께 espesor *m* medio. ~ 물가 지수 índice *m* de precios medio. ~ 분배 división *f* igual, distribución *f* media. ~ 분점 equinoccio *m* medio. ~ 세율 tipo *m* impositivo medio. ~ 속도(速度) velocidad *f* media, velocidad *f* promedio. ~수(數) número *m* medio. ~ 수면 =평균 해수면. ~ 수명(壽命) esperanza *f* de vida, duración *f* media de la vida. ~ 수입(收入) ingresos *mpl* medios. ~ 수준 nivel *m* medio. ~시(時) ((준말)) =평균 태양시(平均太陽時). ~ 연령 edad *f* promedia, edad *f* media. ~ 오차(誤差) error *m* medio. ~ 온도 temperatura *f* media. ~ 운동 moción *f* media. ~율 ratio *m* medio. ~ 이윤율 ratio *m* de ingreso medio. ~ 이율 tasa *f* de interés promedio. ~인(人) hombre *m* medio. ~ 임금 salario *m* medio. ~점 nota *f* media, nota *f* proporcional. ~ 정오(正午) mediodía *m* medio. ~ 지수(指數) índice *m* medio. ~치(値) ((구용어)) =평균값. ~ 태양 sol *m* medio, sol *m* promedio. ~ 태양시 tiempo *m* solar medio. ~ 태양열 calor *m* solar medio. ~ 태양일 día *m* solar medio. ~ 풍속(風速) velocidad *f* del viento media. ~ 해수면 nivel *m* medio del mar. ~화(化) estandarización *f*, nivelación *f*, igualdad *f*, igualación *f*.

평나막신(平—) zapatos *mpl* bajos de madera.

평년(平年) ① [윤년이 아닌 1년이 365일인 해] año *m* común. ② [농사가 보통으로 된 해] año *m* ordinario, año *m* normal. 금년

여름은 ~에 비해 더위가 극심하다 Este verano el calor es más riguroso que el año ordinario.

■ ~작 cosecha *f* normal, cosecha *f* media [promedia]. ¶금년의 쌀 수확은 ~이다 Este año la cosecha de arroz es normal. 금년의 쌀 수확은 ~ 이하다 Este año la cosecha de arroz es más baja de lo normal.

평다리치다(平—) sentarse a *sus* anchas con piernas estiradas.

평단(評壇) mundo *m* de críticos literarios. 한국 ~의 제일인자 el más gran crítico literario de Corea.

평당(坪當) por *pyeong*. ~ 백만 원 un millón de wones el *pyeong*.

평등(平等) igualdad *f*. ~하다 ser igual. ~하게 igualmente, al igual, por igual; [공평하게] imparcialmente. ~하게 하다 igualar, nivelar. ~하게 대하다 tratar imparcialmente. ~하게 분배하다 dividir igualmente, dividir en partes iguales. ~한 입장에 서서 말하다 hablar mutuamente de igual al igual. …과 ~한 입장에 있다 estar en la misma situación que la de *uno*. 그들은 유산을 ~하게 나누었다 Ellos se dividieron la herencia por igual [en partes iguales]. 모든 인간은 태어나면서부터 ~하다 Todos los hombres son iguales de nacimiento. 만인(萬人)은 법 앞에 ~하다 Todos (los hombres) son iguales ante la ley. 법은 만인에게 ~하다 La ley es igual para todos.

◆기회(機會) ~ igualdad *f* de oportunidad. 민족(民族) ~ igualdad *f* racial, igualdad *f* de los pueblos. 인권(人權) ~ igualdad *f* de derechos humanos.

■ ~관 vista *f* de igualdad. ~권 derecho *m* de igualdad. ~론자 igualitario, -ria *mf*. ~사상 idea *f* igualitaria. ~주의 igualitarismo *m*. ~주의자 igualitario, -ria *mf*. ~화(化) igualación *f*, igualamiento *m*.

평란(平亂) represión *f* de rebelión, represión *f* de levantamiento. ~하다 sofocar una rebelión, reprimir una rebelión, reprimir un levantamiento.

평로(平爐) horno *m* de hogar abierto, horno *m* Siemens-Martín.

◆시멘스 ~ horno *m* Martín-Siemens.

■ ~강(鋼) acero *m* Martín-Siemens, acero *m* fundido en solera.

평론(評論) [비평] crítica *f*, [시사 문제 등의] comentarios *mpl*. ~하다 hacer crítica (de), criticar.

■ ~가 crítico, -ca *mf*, comentarista *mf*. ¶문예(文藝) ~ crítico *m* literario, crítica *f* literaria. 정치(政治) ~ comentarista *mf* de política. ~계 mundo *m* crítico, círculos *mpl* críticos. ~ 기자 revistero, -ra *mf*. ~문 ensayo *m* crítico. ~ 잡지 revista *f* (crítica). ~집 colección *f* de comentarios.

평맥(平脈) pulso *m* normal. 보통 사람의 ~은 1분에 70이다 Un hombre normal tiene (un pulso de) unos setenta latidos por minuto.

평면(平面) plano *m*; [평평한 표면] superficie *f* plana. ~의 plano, llano, raso, chato. …과 동일 ~상에 있다 estar a nivel con *algo*.

■ ~각 ángulo *m* plano. ~거울[경] espejo *m* plano. ~ 곡선 curva *f* plana. ~ 기와 teja *f* plana. ~ 기하학 geometría *f* plana. ~ 대칭 =면대칭(面對稱). ~도 plano *m*, figura *f* plana. ~ 도형 figura *f* plana. ~ 묘사 delineación *f* llana. ~미 belleza *f* exterior. ~ 삼각법 trigonometría *f* plana. ~ 좌표 coordinadas *fpl* planas. ~ 지도 plano *m*, mapa *m* de plano. ~ 측량(測量) medición *f* plana. ~ 항법 navegación *f* loxodrómica. ~형 ㉮ [평면과 같이 넓고 평평한 면] figura *f* plana. ㉯ ((준말)) =평면도형(平面圖形).

평명(平明) ① [아침 해가 뜨는 시각] hora *f* de salir el sol. ② [쉽고 명석함] claridad y sencillez. ~하다 (ser) llano, claro y sencillo, claro (y sencillo). ~한 문장(文章) estilo *m* claro, estilo *m* sencillo y preciso.

평미리치다 igualar, nivelar.

평민(平民) plebeyo, -ya *mf*; pueblo *m* común, hombre *m* del pueblo, gentualla *f*, gentuza *f*, [집합적] pueblo *m*.

■ ~ 계급 clase *f* plebeya. ~어 palabra *f* plebeya. ~ 재상(宰相) premier *m* democrático. ~적 democrático, plebeyo. ~주의 democracia *f*, plebeyo *m* principal. ~주의자 demócrata *mf*.

평방(平方) 【수학】 ((구용어)) =제곱.

■ ~근 【수학】 ((구용어)) =제곱근. ~근표 ((구용어)) =제곱근표. ~수 ((구용어)) =제곱수. ~형 = 정사각형(正四角形).

평범하다(平凡—) (ser) ordinario, común, vulgar, mediocre, banal, corriente, trivial; [특징이 없는] que no tiene nada de particular. 평범함 vulgaridad *f*, mediocridad *f*, trivialidad *f*. 평범한 가정(家庭) hogar *m* ordinario, familia *f* ordinaria. 평범한 남자 hombre *m* mediocre. 평범한 디자인 diseño *m* ordinario. 평범한 사람 persona *f* mediocre. 평범한 생각 idea *f* ordinaria, idea *f* banal. 평범한 여자 mujer *f* mediocre. 평범한 작품 obra *f* mediocre. 평범한 테마 tema *m* vulgar. 평범한 표현 expresión *f* trivial. 평범한 것을 말하다 decir banalidades. 평범하게 생활하다 llevar una vida corriente. 그녀는 평범한 용모다 Ella es de una fisonomía corriente [nada característica]. 그는 일생을 평범한 샐러리맨으로 마칠 것이다 El pasará toda su vida como un simple asalariado [como un asalariado cualquiera].

평보(平步) paso *m* ordinario.

평복(平服) vestido *m* de todos los días, traje *m* de calle; [사복(私服)] traje *m* civil. ~으로 en traje de calle, vestido de un traje de calle, de trapillo.

■ ~ 경관 policía *mf* de vestido civil.

평분(平分) ((준말)) =평균 분배(平均分配).

평사원(平社員) (simple) empleado, -da *mf*,

empleado *m* subalterno, empleada *f* subalterna.

평삭반(平削盤) alisadora *f*, cepilladora *f*, aplanador *m*.

평상(平床) *pyeongsang*, catre *m* [tabla *f*] con sus pies, cama *f* de madera, cama *f* de bambú, banco *m* de madera, banco *m* de bambú.

평상(平常) ((준말)) =평상시(平常時). ¶~으로 복구하다 volver a la normalidad.
■ ~복(服) =평복(平服).

평상시(平常時) ① días *mpl* cotidianos, tiempo *m* oridinario, tiempo *m* diario, vida *f* diaria, normalidad *f*, [평화시] tiempo *m* de paz, tiempo *m* no bélico. ~의 de siempre, habitual, normal, ordinario, cotidiano, usual, diario, acostumbrado. ~대로 como de costumbre, como de ordinario. ~의 행동 conducta *f* habitual. ~로 복구하다 volver a la normalidad. ~대로 회복하다 restaurarse normal. 나는 ~ 그렇게 생각하고 있다 Sigo pensando así desde hace tiempo. ~에 격조하였음을 사과드립니다 Le ruego a usted que me perdone por mi largo silencio. ② [부사적] cotidianamente, usualmente, ordinariamente, comúnmente, habitualmente, siempre. 그는 ~의 행동이 좋다[나쁘다] El lleva siempre una conducta respetable [poco respetable]. ~ 공부하지 않아서 너는 시험에 떨어졌다 Has salido mal en el examen porque no has estudiado habitualmente.

평상일(平常日) ① [일요일에 대한] día *m* laborable, día *m* de trabajo. ② [주일] día *m* de semana. 나는 ~에는 일찍 일어난다 Yo me levanto temprano los días de semana [entre semana].

평생(平生) ① [일생] vida *f*, toda la vida. ~에 en (toda) la [*su*] vida. ~의 경험 toda la vida de experiencia. ~의 기회(機會) oportunidad *f* de *su* vida. ~의 사업 obra *f* [trabajo *m*] de toda la vida. ~의 일 trabajo *m* de toda una vida. ~에 한 번 una vez en la vida. 연구에 ~을 바치다 dedicar [consagrar] *su* vida al estudio. 그런 일은 내 ~에는 일어나지 않을 것이다 No lo verán mis ojos / No sucederá mientras yo viva. 내 ~에 이런 바보 같은 남자는 본 적이 없다 En toda mi vida he visto hombre tan tonto. 내 ~에 저렇게 명석한 여자는 본 적이 없다 En la vida he visto mujer tan inteligente. ② [평생을·평생토록] toda la vida. ~ 행복하게 살다 vivir feliz toda la vida. 그녀는 ~회원이었다 Ella había sido miembro durante toda la vida. 이 은혜는 ~ 잊지 않겠습니다 Mientras viva no olvidaré cuanto le debo / Mi gratitud hacia usted soló terminará con mi muerte.
■ ~ 교육 educación *f* de toda la vida. ~ 보증 garantía *f* para toda la vida. ~소원 deseo *m* de toda la vida. ~지계(之計) proyecto *m* [plan *m*] de toda la [*su*] vida. ~ 출전 금지 조치 ((축구)) suspensión *f* definitiva, inhabilitación *f* de por vida. ~ 친구 amigo, -ga *mf* de toda la vida. ~회원 miembro *mf* durante toda la vida.

평서문(平敍文)【언어】oración *f* enunciativa.

평석(評釋) comentario *m*, anotación *f*. ~하다 anotar.

평소(平素) vida *f* diaria. ~의 cotidiano, ordinario. ☞평상시(平常時)

평수(坪數) número *m* del *pyeong*; [넓이] espacio *m*. ~가 넓은 집 una casa amplia [espaciosa]. ~가 꽤 넓다 ser bastante amplio [espacioso · grande].

평순하다(平順—) ① [성질이 온순하다] (ser) dócil, manso. ② [몸에 병이 없다] no tener enfermedad, ser sano.

평승(平僧) sacerdote *m* budista ordinario.

평시(平時) ((준말)) =평상시(平常時).
■ ~ 공법 =평시 국제법. ~ 국제 공법 = 평시 국제법. ~ 국제법 ley *f* internacional en tiempos de paz. ~ 봉쇄 bloqueo *m* pacífico. ~ 산업 industria *f* en tiempos de paz. ~ 점령 ocupación *f* en tiempos de paz. ~ 정원 establecimiento *m* de paz. ~ 징발 leva *f* [reclutamiento *m*] en tiempos de paz. ~ 편제(編制) organización *f* (en tiempos) de paz, fundamento *m* de paz.

평신도(平信徒) seglar *mf*, laico, -ca *mf*.

평안하다(平安—) estar bien, estar en paz. 평안함 paz *f*, tranquilidad *f*, comodidad *f*, bienestar *m*.
평안히 en paz, tranquilamente, apaciblemente, pacíficamente. ~ 앉으십시오 [tú에게] Estás en tu casa / [usted에게] Está usted en su casa.

평야(平野) llanura *f*, llano *m*, planicie *f*, campiña *f* llana.

평양(平壤)【지명】Pyongyang.

평어(評語) ① =평언(評言). ② [학과 성적을 표시하는 짧은 말] calificación *f*, nota *f*.

평언(評言) comentario *m* (crítico).

평연(平椽)【건축】=들연.

평연하다(平然—) (ser) sereno, tranquilo. 평연함 serenidad *f*, tranquilidad *f*.
평연히 con serenidad, tranquilamente, con tranquilidad.

평열(平熱) temperatura *f* normal, calor *m* natural.

평영(平泳) braza *f* (de pecho), (estilo *m*) pecho *m*, natación *f* a pecho. ~으로 헤엄치다 nadar a braza. 200미터 ~ doscientos metros braza. 너는 ~을 할 수 있느냐? ¿Sabes nadar a braza? / *AmL* ¿Sabes nadar (estilo) pecho?

평온(平溫) ① [평상시의 온도] temperatura *f* normal. 인체(人體)의 ~은 36도이다 La temperatura normal del cuerpo humano es de 36 grados. ② [평균 온도] temperatura *f* media.

평온하다(平穩—) (ser) tranquilo, pacífico, quieto, calmado, apacible. 평온함 tranquilidad *f*, calma *f*, sosiego *m*. 국내는 평온했다 El país ha recobrado su tranquilidad. 항해

는 평온했다 La travesía fue sin novedad. 그의 표정은 평온해졌다 El volvió a su expresión apacible.
평온히 tranquilamente, con tranquilidad, en paz, pacíficamente, en calma, con calma, apaciblemente. ~ 말하다 hablar con calma. ~ 살다 vivir en paz, llevar una vida tranquila.

평원(平原) llanura *f*, llano *m*, planicie *f*, *AmL* sabana *f*, pampa *f*, pradera *f*, pradería *f*.

평유(平癒) recobro *m*, recuperación *f*. ~하다 recobrarse, recobrar la salud, restablecerse.

평의(評議) consultación *f*, conferencia *f*, deliberación *f*, consulta *f*. ~하다 consultar, conferenciar, deliberar, conferir. ~에 부치다 someter al debate, someter a la discusión.
■ ~원 consejero, -ra *mf*. ~회(會) consejo *m*, concilio *m*.

평이하다(平易-) [쉽다] (ser) fácil; [간단하다] simple, sencillo; [명쾌하다] claro. 평이함 facilidad *f*, simplicidad *f*. 평이하게 fácilmente, sencillamete. 평이한 말 palabra *f* simple. 평이한 문체 estilo *m* simple. 평이한 표현 expresión *f* simple. 평이하게 하다 simplificar. 평이하게 설명하다 explicar en términos simples y claros.

평일(平日) ① =평상시(平常時). ② =평상일(平常日). ¶그는 ~에는 일찍 일어난다 El se levanta temprano los días de semana [entre semana]. ③ =평소(平素).

평자(評者) crítico, -ca *mf*, censor, -sora *mf*, revistero, -ra *mf*.

평작 flecha *f* ni larga ni corta, flecha *f* mediana.

평작(平作) ① ((준말)) =평년작(平年作). ② [고랑을 치지 않고 작물을 재배하는 법] cultivo *m* normal sin surcos.

평저(平底) fondo *m* plano, hondo *m* chato. ~의 de hondo chato.
■ ~선(船) chalana *f*.

평전(評傳) biografía *f* crítica.

평점(評點) marca *f*, notas *fpl*.

평정(平定) pacificación *f*. ~하다 pacificar; [반란을] reprimir; [반란자를] someter, dominar.

평정(平靜) calma *f*, tranquilidad *f*, quietud *f*, [냉정함] serenidad *f*, placidez *f*. ~하다 (ser) tranquilo, sereno, plácido. ~을 가장(假裝)하다 fingir (la) calma, afectar tranquilidad. ~을 되찾다 recobrar *su* tranquilidad, recobrar *su* calma. ~을 지키다 [마음의] guardar la serenidad, guardar la tranquilidad.

평정(評定) promeditación *f*, conferencia *f*. ~하다 conferir, deliberar, consultar, discutir, reunirse en junta para deliberar.

평좌(平坐) acción *f* de sentarse cómodamente. ~하다 sentarse cómodamente.

평준(平準) ① [수준기를 써서, 재목·위치 따위를 수평으로 하는 일] nivelación *f*. ② = 수준기. ③ [물가 따위를 균일하게 조정하는 일] igualidad *f*, uniformidad *f*.
■ ~법(法) método *m* de nivel. ~점(點) punto *m* de nivel. ~화(化) igualación *f*.

평지 【식물】 colza *f*.
■ ~꽃 flor *f* de colza. ~씨 semilla *f* de colza.

평지(平地) terreno *m* plano, tierra *f* nivelada; [평원] llanura *f*, llano *m*, planicie *f*.
■ ~풍파(風波) alboroto *m* imprevisto. ¶~를 일으키다 hacer olas.

평지붕(平-) tejado *m* nivelado.

평직(平織) tejido *m* llano.

평집(平-) casa *f* de un piso.

평찌 flecha *f* de volar baja y llanamente.

평천하(平天下) pacificación *f* de todo el mundo. ~하다 pacificar todo el mundo.

평치(平治) reinado *m* pacífico. ~하다 reinar pacíficamente.

평탄하다(平坦-) ① [지면이 평평하다] (ser) llano, liso, plano, chato. 평탄함 llanura *f*, lisura *f*, chatedad *f*. 평탄한 길 camino *m* llano. ② [마음이 편하고 고요하다] (ser) cómodo y pacífico. ③ [일이 순조롭다] ir [marchar] bien, mejorar, estar en vena.

평토(平土) nivelación *f* del terreno después del entierro. ~하다 nivelar la tumba.
■ ~장(葬) entierro *m* de nivelar la tumba. ~제 =봉분제(封墳祭).

평판(平板) ① [편편한 널빤지] tabla *f* plana. ② =측판(測板). ③ [씨를 뿌릴 때 땅을 고르는 농구] instrumento *m* agrícola de nivelar la tierra. ④ [시문(詩文)에 변화가 없고 아취(雅趣)가 적음] monotonía *f*. ~하다 (ser) monótono.

평판(平版) 【인쇄】 litografía *f*, offset *ing.m*, fotolitografía *f*, estampa *f* de un dibujo en piedra.
■ ~ 인쇄 litografía *f*. ~ 인쇄공 litógrafo, -fa *mf*. ~ 인쇄소 litografía *f*. ~ 인쇄술 litografía *f*.

평판(評判) reputación *f*, [명성] fama *f*, renombre *m*, notoriedad *f*, [인기] popularidad *f*. ~이 있는 reputado, renombrado; [유명한] célebre, popular. ~이 좋은 de buena fama. ~이 나쁜 de mala fama, impopular, desfavorable. ~이 좋지 않음 impopularidad *f*, mala reputación *f*. ~이 좋다 tener buena fama. ~이 나쁘다 tener mala fama. ~이 높다 gozar de buena fama, ser renombrado. ~을 얻다 adquirir (gran) renombre, adquirir fama, ganar [conseguir] reputación. ~을 잃다 perder la reputación. 미인(美人)이란 ~이 높다 ser célebre por hermosa. 수재(秀才)라는 ~이 높다 ser famoso por *su* talento. 그는 중역이라는 타이틀로는 ~이 좋지만 … El título de gerente está muy bien visto, pero …. 그는 학생들에게 ~이 좋다 El es muy popular entre los alumnos. 그는 과장(課長)으로는 ~이 좋다 El goza del favor del jefe. 그의 ~은 별로 좋지 않다 El no tiene buena reputación. 그것은 세간에 ~이 나쁘다 Eso no está bien visto por [ante] la gente. 그는 수재(秀才)로 ~이 자자하다 El es famoso [bien conocido] por su brillantez en los estudios / El es famoso por su talento. 그는 교장(校長)으로 ~이 나쁘다 El director le ve mal / El está mal visto por el director.

평평범범하다(平平凡凡一) =평범(平凡)하다.

평평탄탄하다(平平坦坦一) =평탄(平坦)하다.

평평하다(平平一) ① [높낮이가 없이 널찍하고 판판하다] (estar) plano, llano; [같은 높이로] estar al nivel, estar a ras; [코가] (ser) chato; [도로가] igual. (땅을) 평평하게 하다 nivelar, aplanar, allanar, emparejar, explanar, igualar. 평평한 땅 terreno *m* llano. 길을 평평하게 하다 explanar [allanar] el camino. 책을 평평하게 하다 [세워 놓지 않고] poner un libro horizontalmente. 언덕을 평평하게 깎아 택지를 조성하다 allanar una colina y parcelar el terreno para vivienda. ② [특별함이 없이 예사롭고 평범하다] (ser) ordinario, común, corriente.
평평히 ㉮ llanamente, lisamente, planamente. ㉯ ordinariamente, comúnmente.

평하다(評一) ((준말)) =비평(批評)하다.

평행(平行) paralelo *m*, paralelismo *m*. ~하다 paralelarse, ser pararelo, correr parejas (con), ponerse en dirección pararela. ~의 paralelo. 선로(線路)에 ~한 길 camino *m* paralelo al ferrocarril. 양자(兩者)의 의견이 ~한 채 회담이 끝났다 Terminó la negociación sin que ambas opiniones se reconciliasen.
■~권 círculo *m* paralelo. ~력 fuerzas *fpl* paralelas. ~맥 =나란히맥. ~봉 [기계 체조의] (barras *fpl*) paralelas *fpl*, barra *f* doble. ~ 사변형 paralelogramo *m*. ~선 (línea *f*) paralela *f*. ~ 육면체 paralelepípedo *m*. ~자 regla *f* paralela. ~ 좌표(座標) coordenadas *fpl* cartesianas. ~ 좌표축 ejes *mpl* de coordenadas cartesianas. ~ 직선 (línea *f*) paralela *f*.

평형(平衡) balanza *f*, equilibrio *m*. ~을 유지하다 equilibrarse, guardar el equilibrio. ~을 잃다 perder el equilibrio, desquilibrarse. …의 ~을 유지시키다 equilibrar *algo*.
■~ 가격 paridad *f*. ~ 감각 sentido *m* del equilibrio. ~력 equilibrio *m*. ~륜(輪) [시계의] rueda *f* catalina.

평화(平和) paz *f*; [화합] armonía *f*. ~의 pacífico, de paz; para la paz; [행진·캠페인] por paz. ~를 위한 para la paz, por paz. ~로 가는 길 el camino para [el sendero] hacia la paz. ~를 유지하다 mantener la paz, conservar la paz. ~를 지키다 salvaguardar la paz. ~를 파괴하다 romper la paz. ~를 회복하다 restablecer la paz. 가정의 ~를 교란(攪亂)하다 perturbar [turbar] la paz hogareña [familiar]. 영원한 ~를 확립하다 establecer la paz perpetua [eterna]. ~는 국가의 경제 발전을 조장한다 La paz favorece el desarrollo económico de las naciones.
◆가정(家庭) ~ paz *f* doméstica. 세계(世界) ~ paz *f* mundial. 집단(集團) ~ paz *f* colectiva.
■~ 공세 ofensiva *f* de la paz. ~ 공존(共存) coexistencia *f* pacífica, convivencia *f* pacífica. ~ 교섭 negociación *f* de la paz. ~ 기념일 Día *m* de Armisticio. ~ 단체 organización *f* de pacifistas. ~론자(論者) pacifista *mf*. ~ 봉사단 Cuerpo *m* de Paz. ~ 봉사 단원 miembro *mf* del Cuerpo de Paz. ~ 사절 enviado, -da *mf* de paz. ~ 산업 industria *f* de tiempos de paz, industria *f* civil. ~시 tiempo *m* de paz. ~ 시대 época *f* de paz, tiempos *mpl* de paz. ~ 애호국 nación *f* amante de la paz. ~ 애호 국민 pueblo *m* amante de la paz. ~ 운동 el movimiento facifista, movimiento *m* de la paz, campaña *f* de los pacifistas, campaña *f* pacifista, campaña *f* en favor de la paz. ~ 유지 mantenimiento *m* de la paz. ~ 유지군 fuerzas *fpl* de la paz, fuerzas *fpl* del mantenimiento de la paz, fuerzas *fpl* pacificadoras, fuerzas *fpl* de protección. ~ 유지 군인 soldado *m* del mantenimiento de la paz. ~ 의정서(議定書) protocolo *m* de la paz. ~의 집 la Casa de la Paz. ~ 이용 fines *mpl* pacíficos. ~적(的) pacífico. ¶~으로 pacíficamente, en paz, tranquilamente, apaciblemente. ~인 이용(利用) uso *m* pacífico. 원자력의 ~ 이용 uso *m* de la energía nuclear para fines pacíficos. 핵의 ~ 이용 utilización *f* pacífica [para fines pacíficas] de la energía nuclear. ~ 수단으로 문제를 해결하다 resolver un problema pro medios pacíficos. ~적 공존 =평화 공존. ~ 정책 política *f* de la paz universal. ~ 조건 término *m* de paz. ~ 조약 tratado *m* de paz, paz *f*. ~ 조항 cláusula *f* de la paz. ~주의 pacifismo *m*. ~주의자 pacifista *mf*. ~ 통일 unificación *f* pacífica. ~ 행진(行進) marcha *f* de la paz. ~ 혁명 revolución *f* sin derramiento de sangre. ~ 회담(會談) negociaciones *fpl* por la paz, conversaciones *fpl* por la paz. ~ 회복 restauración *f* de la paz. ~ 회의 conferencia *f* de la paz. ¶국제 ~ conferencia *f* de la paz internacional.

평활근(平滑筋) 【해부】 músculo *m* liso.
■~종(腫) leiomioma *m*.

평활하다(平滑一) (ser) plano y deslizadero.

평활하다(平闊一) (ser) plano y ancho.

평회(評會) reunión *f* de la crítica.

폐(肺) 【해부】 pulmón *m*. ~의 pulmonar.
■~결석(結石) neumolito *m*, cálculo *m* pulmonar. ~결핵 tuberculosis *f* pulmonar, consunción *f*, tisis *f*. ~결핵증 tuberculosis *f* pulmonar. ~결핵 환자 tísico, -ca *mf*. ~경색 infarto *m* pulmonar. ~경화증 neumoesclerosis *f*. ~고혈압증 hipertensión *f* pulmonar. ~기능 부전증 insuficiencia *f* pulmonar. ~기생충 gusano *m* pulmonar. ~기종 enfisema *m* pulmonar. ~낭(囊) bolsa *f* pulmonar, bolsa *f* del pulmón. ~동맥 arteria *f* pulmonar. ~면진증(綿塵症)

lisinosis *f.* ~박리술(剝離術) neumólisis *f.* ~병 enfermedad *f* pulmonar, consunción *f*; [폐결핵] tisis *f*, tuberculosis *f* pulmonar. ~병 환자 paciente *m* consuntivo, paciente *f* consuntiva. ~병증(病症) neumonopatía *f.* ~암(癌) cáncer *m* de pulmón. ~연화증 neumomalacia *f.* ~인대(靭帶) ligamento *m* pulmonar. ~장염 neumoenteritis *f.* ~절개술 neumonotomía *f.* ~절제 neumonectomía *f*, neumectomía *f.* ~절제술 neumonectomía *f*, neumectomía *f.* ~정맥 vena *f* pulmonar. ~진균증 neumomicosis *f.* ~진증 neumoconiosis *f.* ~질 neumonopatía *f.* ~천자 neumocentesis *f.* ~출혈 ㉮ [폐 조직의 손상 및 여러 증상으로 폐혈관에 출혈하는 증상] neumorragia *f*, hemorragia *f* pulmonar. ㉯ =객혈(喀血). ~충혈 neumonemia *f*, hiperemia del pulmón. ~침윤 infiltración *f* pulmonar, infiltración *f* de los pulmones. ~탄저 ántrax *m* pulmonar, gangrena *f* pulmonar. ~페스트 plaga *f* [peste *f*] neumónica.

폐(弊) ① ((준말)) =폐단(弊端). ② [남에게 끼치는 괴로움] molestia *f*, inquietud *f*, incomodidad *f.*
◆폐(를) 끼치다 molestar. 폐를 끼쳐 죄송합니다 Siento mucho molestarle (a usted) / Le pido perdón por las molestias que le he causado.

폐-(弊) nuestro, -tra; nosotros, -tras; mi. ~교(校) nuestra escuela *f.* ~사(社) nuestra compañía *f*, nuestra empresa.

폐가(弊家) mi casa.

폐가(廢家) casa *f* arruinada, familia *f* destruida.

폐각(廢脚) piernas *fpl* de no andar.

폐간(肺肝) 【의학】 el pulmón y el hígado.

폐간(廢刊) suspensión *f* de publicación. ~하다 dejar de publicar, descontinuar la publicación, cesar de publicar. 그 잡지는 ~되었다 La revista ha cesado de aparecer / Dejaron de publicar la revista / La revista fue descontinuada.

폐강(閉講) suspensión *f* de la clase.

폐갱(廢坑) mina *f* abandonada.

폐경기(閉經期) menopausia *f.*

폐공동(肺空洞) 【의학】 cavidad *f* pulmonar.

폐관(閉管) pipa *f* cerrada.

폐관(閉館) cierre *m.* ~하다 cerrarse. 도서관은 8시 ~한다 La biblioteca se cierra a las ocho.

폐광(廢鑛) mina *f* arruinada, mina *f* abandonada. ~하다 arruinar la mina, abandonar la mina.

폐교(弊校) nuestra escuela.

폐교(廢校) cierre *m* de una escuela; [학교] escuela *f* cerrada. ~하다 cerrar una escuela. ~되다 cerrarse la escuela.

폐기(閉氣/肺氣) =딸꾹질.
■~량 =폐활량(肺活量). ~종 enfisema *f* (pulmonar). ~종성 천식 el asma *f* enfisematosa.

폐기(廢棄) supresión *f*, abandono *m*; [조약 등의] abolición *f*, anulación *f*, abrogación *f.* ~하다 suprimir, abandonar, abolir, anular. ~될 수 있는 abolible. ~할 수 있는 anulable. 조약을 ~하다 abrogar [anular] un pacto.

폐기물(廢棄物) [산업의] desechos *mpl*, (productos *mpl* de) desechos *mpl*, residuos *mpl*; [생리적인] excrementos *mpl.* ~더미, ~ 처리장 【광산】 escombrera *f.* 방사능(放射能) ~ desechos *mpl* radiactivos. 산업(産業) ~ residuos *mpl* de materiales industriales. 핵(核)~ residuos *mpl* [desechos *mpl*] nucleares [radiactivos]

폐기판(廢氣瓣) =배기판(排氣瓣).

폐꾼(弊-) =폐객[2](幣客).

폐농(廢農) abandono *m* de la agricultra, fracaso *m* en la agricultura. ~하다 abandonar la agricultura.

폐다 ((준말)) =펴이다.

폐단(弊端) maldad *f*, vicio *m*, abuso *m.* ~을 고치다 remediar el abuso.

폐동맥(肺動脈) 【해부】 arteria *f* pulmonar.

폐동정맥류(肺動靜脈瘤) fístula *f* arteriovenosa pulmonar.

폐디스토마(肺 distoma) 【동물】 dístomo *m* pulmonar. ■~증 paragonimiasis *f.*

폐렴(肺炎) 【의학】 pulmonía *f*, neumonía *f*, pneumonía *f.* ~의 pulmoninaco, pulmoníaco, neumático. ~에 걸리다, ~을 앓다 padecer [sufrir de] pulmonía [neumonía], padecer inflamación pulmoniaca.
◆급성(急性) ~ pulmonía *f* [neumonía *f*] aguda. 기관지(氣管支) ~ pulmonía *f* bronquial. 만성(慢性)~ pulmonía *f* [neumonía *f*] crónica. 양측(兩側) ~ pulmonía *f* [neumonía *f*] doble 엽성(葉性) ~ pulmonía *f* [neumonía *f*] lobular. 한쪽 ~ sola pulmonía *f.*
■~ 간균 bacilo *m* neumoníaco. ~ 구균(球菌) neumococo *m.* ~ 구균 요균 neumococosuria *f.* ~ 구균 용해 neumococolisis *f.* ~ 구균증 neumococosis *f.* ~ 구균 혈증 neumococemia *f.* ~균 microbio *m* pulmoníaco. ~균 독소 neumotoxina *f.* ~균형 tipos *mpl* neumocócicos. ~성 단독 neumoerisipela *f.* ~ 쌍구균 neumococo *m.* ~ 환자 pulmoniaco, -ca *mf*, neumático, -ca *mf.*

폐륜(廢倫) fracaso *m* en el matrimonio. ~하다 no casarse, quedarse solo.

폐리(敝履) sandalias *fpl* gastadas, botas *fpl* rotas.

폐립(廢立) destronamiento y entronización. ~하다 destronar y entronizar.

폐막(閉幕) clausura *f*, fin *m*, cierre *m.* ~하다 clausurar, finalizar, terminar, poner fin (a). ■~식(式) ceremonia *f* de clausura.

폐멸(廢滅) arruinamiento *m.* ~하다 arruinar.

폐문(閉門) cierre *m* de una puerta. ~하다 cerrar una puerta.
■~ 시간 hora *f* de cerrar la puerta, tiempo *m* fijo para cerrar la puerta.

폐문(肺門) hilo *m* pulmonar, hilo *m* de

pulmón.

■~ 임파선염(淋巴線炎) adenitis *f* tuberculosa del hilo pulmonar.

폐물(幣物) regalo *m*, obsequio *m*.

폐물(廢物) desperdicio *m*, (objeto *m* de) desechos *mpl*, derroche *m*, residuos *mpl*.

■~ 이용(利用) utilización *f* de (objetos de) desechos, utilización *f* de productos desechados. ~ 처리(處理) disposición *f* de desechos [de residuos].

폐방(閉房) interrupción *f* de la cópula. ~하다 interrumpir la cópula.

폐방(廢房) habitación *f* abandonada, habitación *f* dejada de utilizarse.

폐백(幣帛) ① [신부가 처음 시부모를 뵐 때 큰절을 하고 올리는 대추·포 등] tela *f* ofrecida por la novia a los padres de su esposo. ② [혼인 때 신랑이 신부에게 주는 청단 홍단 등] seda *f* de color rojo y azul ofrecida por el novio a la novia. ③ [제자가 처음 뵙는 선생에게 올리는 예물] regalo *m* ofrecido por el discípulo a su maestro.

폐병(肺病) enfermedad *f* pulmonar. ☞폐(肺)

폐병(廢兵) soldado *m* inválido [mútilo·lisiado].

폐부(肺腑) ①【해부】=폐(肺). ② [마음의 깊은 속] corazón *m* (profundo). 그의 말은 ~에서 우러나온 것이다 Su palabra fue una expresión verdadera de su corazón. ③ [일의 요긴한 점 또는 급소] punto *m* vital, partes *fpl* vitales, el área *f* crítica.

◆폐부를 찌르다 ㉮ [깊은 감명을 주다] dar una impresión profunda. ㉯ [급소를 찌르다] aguijonear a la sensibilidad, apelar al corazón. 폐부에 새기다 no olvidar guardando en el corazón.

■~지언(之言) palabra *f* verdadera del corazón. ~지친(之親) pariente *m* cercano de la familia real.

폐비(廢妃) [왕비의 자리를 물러앉게 함] destronamiento *m* de la reina; [자리를 물러앉게 한 왕비] reina *f* destronada.

폐사(弊社) nuestra compañía, nosotros, mi firma, mi compañía. ~는 귀사(貴社)에 주문품을 보냈습니다 Nosotros les mandamos los pedidos.

폐사(廢寺) templo *m* (budista) arruinado.

폐색(閉塞) [닫아 막음, 또는 닫혀서 막힘] obliteración *f*, obturación *f*; [항구 등의] bloqueo *m*. ~하다 obliterar, obturar, bloquear, ocluirse. ~의 obliterador, -dora; obturador, -triz. 장(腸)~ obstrucción *f* de los intestinos, íleo *m*.

■~기 =폐색 장치. ~띠 zónula *f* oclusiva. ~선 barco *m* hundido. ~성 폐기종 enfisema *m* obstructivo. ~ 장치 obturador *m*. ~ 전선(前線)【기상】oclusión *f*.

폐석(肺石) neumolito *m*.

■~증(症) neumolitiasis *f*.

폐석(廢石)【광산】pedazos *mpl* de piedra sin valor.

폐선(廢船) barco *m* fuera de servicio, barco *m* raído, barco *m* jubilado.

폐쇄(閉鎖) cierre *m*, clausura *f*; [배출구의] atresia *f*;【의학】obstrucción *f*. ~하다 cerrar, clausurar. 사업소를 ~하다 cerrar el establecimiento. 고속 도로는 ~되어 있다 Está cerrada la autopista. 공항은 악천후 때문에 ~되었다 Han cerrado el aeropuerto debido al mal tiempo.

◆공장(工場) ~ cierre *m*; [노동 쟁의 때의] cierre *m* patronal, *AmL* paro *m* patronal.

■~ 구멍 agujero *m* obturador. ~ 근막 fascia *f* obturatriz. ~기 mecanismo *m* de cierre. ~ 기관 organización *f* [institución *f*] cerrada. ~ 난포 folículo *m* atrético. ~능선 crista *f* obturatoria. ~ 동맥 arteria *f* obturatriz. ~물 obturador *m*. ~ 부전(不全) asintaxia *f*. ~ 사회 sociedad *f* cerrada. ~선(腺) glándula *f* cerrada. ~성 결핵 = 폐쇄성 폐결핵. ~성 기관지염 bronquitis *f* obliterante. ~성 수막염 meningitis *f* oclusiva. ~성 월경 곤란증 dismenorrea *f* obstructiva. ~성 처녀막 himen *m* oclusivo. ~성 폐결핵 tuberculosis *f* cerrada. ~성 혈전(性血栓) trombo *m* oclusivo. ~ 수술 operación *f* cerrada. ~ 수축(收縮) contracción *f* cerrada. ~ 신경 nervio *m* obturador. ~ 신호 señal *f* de tramo. ~음 sonido *m* oclusivo. ~적(的) cerrado; [배타적] exclusivo. ¶~인 사회(社會) sociedad *f* cerrada. ~ 정맥 vena *f* obturatriz. ~ 처녀막 himen *m* imperforado. ~ 회로 circuito *m* cerrado. ~ 회로 텔레비전 televisión *f* en circuito cerrado. ~ 회사 corporación *f* cerrada, compañía *f* cerrada.

폐수(廢水) aguas *fpl* residuales, *AmL* aguas *fpl* negras (*CoS* 제외), *CoS* aguas *fpl* servidas.

◆공장 ~ aguas *fpl* residuales de fábrica.

■~ 오염(汚染) contaminación *f* de aguas residuales. ~ 처리(處理) tratamiento *m* de aguas residuales [negras]. ~ 처리 시설(處理施設) planta *f* de tratamiento de aguas residuales.

폐수종(肺水腫)【의학】neumonedema *m*.

폐순환(肺循環)【해부】circulación *f* pulmonar.

폐습(弊習) ① [나쁜 버릇] vicio *m*, malas costumbres *fpl*, mal hábito *m*, abuso *m*. ② =폐풍(弊風).

폐시(閉市) cierre *m* de la tienda en el mercado. ~하다 cerrar la tienda en el mercado.

폐시키다(弊—) molestar.

폐식(閉式) terminación *f* de la ceremonia. ~하다 terminar la ceremonia.

■~사 discurso *m* de la terminación de la ceremonia.

폐안(廢案) proyecto *m* de ley rechazada, propuesta *f* desprobada, plan *m* desaprobado.

폐암(肺癌)【의학】cáncer *m* de pulmón.

폐어(肺魚)【어류】pez *m* nipneo, pez *m* pulmonado.

폐어(廢語) palabra *f* desusada, palabra *f* anticuada.

폐업(閉業) ① [문을 닫고 영업을 쉼] descanso *m* de los nogocios. ~하다 descansar el negocio. ② =폐점(閉店).
폐업(廢業) [직업이나 영업을 그만둠] cese *m* [cesación *f*] de los negocios, abandono *m* de *su* profesión, renuncia *f* de *su* oficio, retiro *m* de los nogocios. ~하다 abandonar *su* profesión, renunciar a *su* oficio; [은퇴하다] retirarse de los negocios. ~중이다 estar fuera de negocios. 그는 변호사를 ~했다 El ha abandonado la abogacía.
■ ~ 신고(申告) declaración *f* de cese de negocios. ~를 내다 declarar el cese de negocios.
폐열(肺熱) calor *m* del pulmón.
폐엽(肺葉) lóbulo *m* del pulmón.
폐옥(廢屋) casa *f* ruinosa, casa *f* arruinada.
폐왕(廢王) rey *m* destronado, ex-rey *m*, rey *m* anterior.
폐외과(肺外科) neumocirugía *f*.
폐원(閉院) [학원의] cierre *m* del instituto; [병원의] cierre *m* del hospital; [국회의] clausura *f* de la Asamblea General, clausura *f* de la Asamblea Nacional. ~하다 cerrar el instituto, cerrar el hospital.
■ ~식 [국회의] ceremonia *f* de la clausura de la Asamblea Nacional. ¶~을 거행하다 tener ceremonia de la clausura de la Asamblea Nacional.
폐원(廢園/廢苑) jardín *m* arruinado.
폐위(廢位) destronamiento *m*. ~하다 destronar, deponer. ~되다 destronarse, ser destronado.
폐유(廢油) aceite *m* lubricante de desechos.
폐읍(弊邑) ① [폐습이 많아 어지러운 고장] pueblo *m* corrupto. ② [자기 고장] nuestro pueblo.
폐읍(廢邑) pueblo *m* perdido.
폐인(廢人) ① [병·마약 등으로 몸을 망친 사람] persona *f* baldada; [불구가 된] discapacitado, -da *mf*; minusválido, -da *mf*; [병약자] inválido, -da *mf*. ② [남에게 버림받아 쓸모없는 사람] persona *f* inútil, muerto *m* viviente. 그는 ~이나 마찬가지다 El es como un muerto viviente.
폐일언(蔽一言) una palabra. ~하고 en una palabra.
폐장(肺腸) ① [허파와 창자] el pulmón y el intestino. ② [마음. 마음속] corazón *m*.
■ ~염(炎) neumoenteritis *f*.
폐장(肺臟) 【해부】 =폐(肺).
■ ~디스토마 =폐디스토마. ~암 =폐암.
폐장(閉場) cierre *m* (de local), clausura *f*. ~하다 cerrar. ~되다 cerrarse.
■ ~식(式) ceremonia *f* de clausura.
폐적(廢嫡) desheredación *f*, desderedamiento *m*, exheredación *f*. ~하다 desheredar.
폐절(廢絶) extención *f*. ~하다 extinguirse.
■ ~가(家) familia *f* extinta.
폐점(閉店) cierre *m* de la tienda. ~하다 cerrar la tienda. 오후 8시에 ~함 ((게시)) La tienda se cierra a las ocho.
■ ~ 시간 hora *f* de cierre [de cerrar].
폐점(弊店) nuestra tienda.
폐정(閉廷) clausura *f* del tribunal; [휴정] levantamiento *m* de la audiencia. ~하다 levantar la sesión una tribunal, levantar la audiencia.
폐정(弊政) gobierno *m* corrupto, gobernación *f* corrupta, desgobierno *m*, mala administración *f*.
폐정(廢井) pozo *m* arruinado.
폐정맥(肺靜脈) 【해부】 vena *f* pulmonar.
폐제(廢帝) emperador *m* destronado [destituido · abdicado].
폐주(廢主) monarca *m* destronado.
폐지(閉止) cesación *f*, cese *m*, cierre *m*. ~하다 cesar, cerrar.
폐지(廢止) abolición *f*, derogación *f*, anulación *f*, supresión *f*. ~하다 abolir, derogar, anular, cancelar, suprimir. ~될 수 있는 abolible. ~할 수 있는 anulable. 노예의 ~ abolición *f* de la esclavitud. 구법(舊法)을 ~하다 abolir la ley antigua. 법률을 ~하다 abolir [derogar] la ley. 사형(死刑)을 ~하다 abolir la pena capital. 수당(手當)을 ~하다 suprimir el subsidio.
■ ~론(論) abolicionismo *m*. ~론자(論者) abolicionista *mf*. ~안(案) proyecto *m* de abolición.
폐지(廢地) terreno *m* inútil.
폐지(廢址) ruina *f*.
폐지(廢紙) ① [못 쓰게 된 종이] papel *m* gastado. ② =휴지(休紙).
폐진애증(肺塵埃症) 【의학】 =진폐증(塵肺症).
폐진증(肺塵症) 【의학】 neumonoconiosis *f*.
폐질(廢疾) enfermedad *f* incurable, enfermedad *f* fatal, inhabilidad *f*, incapacidad *f*, imposibilidad *f* (física). ~이 되다 inhabilitarse.
■ ~ 보험 seguro *m* por invalidez. ~자 inválido, -da *mf*; persona *f* inhabilitada [imposibilitada · inutilizada]; imposibilitado, -da *mf*; minusválido, -da *mf*.
폐차(廢車) ① [못 쓰게 된 차] coche *m* desusado. ② [폐차 처분을 함] desecho *m* del coche; [폐차 처분된 차] coche *m* desechado. ~하다 desechar el coche.
■ ~ 처분 desecho *m* del coche. ¶~하다 desechar el coche.
폐창(廢娼) abolición *f* [derogación *f*] de prostitución pública.
■ ~ 운동(運動) campaña *f* de purificación.
폐첨(肺尖) 【해부】 ápice *m* pulmonar, ápice *m* del pulmón.
■ ~ 카타르 catarro *m* del ápice pulmonar.
폐포(肺胞) 【생물】 alveolo *m*, alvéolo *m*. ~의 alveolar.
■ ~ 세포 célula *f* alveolar. ~염 alveolitis *f*. ~음 decrepitación *f*.
폐포파립(弊袍破笠) la ropa gastada y el sombrero roto, aprarición *f* sucia y muy gastada..
폐품(廢品) artículos *mpl* desusados, (objeto *m* de) desechos *mpl*, desperdicio *m*, chatatarrero *m*, chapucero *m*, ropavejero *m*.

■~ 이용(利用) utilización *f* de objetos de desechos. ~ 회수 recogida *f* [colección *f*] de los desechos. ~ 회수업 trapería *f*. ~ 회수업자 trapero, -ra *mf*.

폐풍(弊風) =폐습(弊習)(mala costumbre).

폐하(陛下) Su Majestad, S.M.; [부를 때] Vuestra Majestad, V.M.

◆황제 ~ S.M. el Emperador. 황후 황제 양 ~ SS. MM. el Emperador y la Emperatriz.

폐하다(廢-) ① [있던 제도·법규·기관 등을 치워 없애다] abolir, anular, abrogar, derogar, dejar. 악세(惡稅)를 ~ abolir mal impuesto. 허례허식을 ~ dejar el formalismo. ② [중도에서 그만두다] abandonar, suspender. 학업을 ~ abandonar los estudios. 술을 ~ quitarse la bebida. 이틀 동안 식사를 ~ ayunar por tres días. ③ [쓰지 않고 버려 두다] dejar. ④ [어떤 지위에서 내치어 버리다] renunciar, deponer, destituir, destronar. 왕을 ~ destronar al rey, deponer al rey.

폐학(廢學) abandono *m* de estudios. ~하다 abandonar los estudios.

폐함(廢艦) buque *m* de gurra jubilado.

폐합(廢合) abolición *f* y unión. ~하다 abolir y unirse. 국과(局課)의 ~ reorganización *f* de departamentos y secciones.

■~ 정리 reorganización *f*.

폐해(弊害) daño *m*, perjuicio *m*, injuria *f*, mal *m*, abuso *m*; [악영향] mala influencia *f*, efecto *m* perjudicial, efecto *m* pernicioso, influencia *f* nefasta. ~를 끼치다 ejercer una mala influencia, tener mal efecto. 그 제도에는 ~가 있다 Ese sistema da lugar a abusos / Ese sistema tiene efectos perniciosos.

폐허(肺虛)【한방】=폐결핵(肺結核).

폐허(廢墟) ruinas *fpl*, restos *mpl*. ~가 된 성(城) castillo *m* arruinado, castillo *m* en ruina. 폭격으로 도시는 ~화되었다 La ciudad ha quedado reducida a ruinas por el bombardeo / El bombardeo ha arrasado la ciudad. 이 집은 완전히 ~가 되어 있다 Esta casa está completamente abandonada [en ruina].

폐환(肺患)【의학】=폐병(肺病).

폐활량(肺活量) capacidad *f* respiratoria, capacidad *f* pulmonar.

■~계(計) espirómetro *m*. ~ 측정법(測定法) espirometría *f*, neumatometría *f*.

폐회(閉會) clausura *f* (de una asamblea · de una reunión · de una sesión). ~하다 cerrar [terminar] (una reunión · la asamblea · una sesión), clausurar [levantar] la sesión. ~ 중이다 [의회가] estar en vacaciones. 회의는 ~한다 Se levanta la sesión. 이것으로 ~합시다 Con esto demos por terminada la reunión / Señores, levantamos la sesión.

■~사 discurso *m* de clausura. ¶~를 하다 pronunciar el discurso de clausura. ~식 ceremonia *f* de clausura. ~ 인사(人事) el habla *f* de clausura.

폐회로(閉回路) circuito *m* cerrado.

■~ 텔레비전 televisión *f* en circuito cerrado.

폐후(廢后) emperadora *f* destronada.

폐흉막(肺胸膜) pleura *f* pulmonar. ~의 pleuropulmonar. ■~염 neumopleuritis *f*.

포【인쇄】((준말)) =포인트(point).

포(包) ①【장기】*po*, cañón *m*. ②【건축】=촛가지. ③ ((동학)) lugar *m* de reunión.

포(苞)【식물】=꽃턱잎(bráctea).

포(砲) ① ((준말)) =대포(大砲)(cañón). ¶~를 장비한 cañonero. ~를 장비한 배 lancha *f* cañonera. 75밀리 ~ cañón m de setenta y cinco. ~를 쏘다 hacer fuego. ② [옛적 무기의 하나] *po*, bombarda *f*, una de las armas antiguas.

포(脯) ((준말)) =포육(脯肉). ¶육(肉)~ tajada *f* de carne de vaca secada.

포(鮑)【조개】=전복(全鰒).

-포 por, durante, período *m*. 나는 서반아에서 달~나 있었다 Yo estuve en España por un mes (más o menos). 그를 만난 지가 달~나 된다 Hace un mes que no le vi a él.

포가(砲架)【군사】afuste *m*, cureña *f*, encabalgamiento *m*., armón *m* (*pl* armones) de artillería.

포강(砲腔) cavidad *f* del cañón.

포개다 amontonar, apilar, acumular; [기왓장 등을 차곡차곡] traslapar. A를 B에 ~ sobreponer [superponer] A a B. 접시를 포개어 놓다 colocar [poner] amontonados los platos. 스웨터를 두 장 포개어 입다 ponerse un suéter encima de otro. 그들은 포개어 넘어졌다 Ellos cayeron los unos sobre los otros. 사람들은 포개어 넘어졌다 Cayeron unos encima de otros.

포개지다 apilarse, amontonarse, acumularse, traslaparse. 서류(書類)가 여러 통 포개져 있다 Están amontonados muchos documentos.

포갤꽁짓점(-點) =세미콜론(semicolon).

포갤점(-點) =콜론(colon). 쌍점.

포갬포갬 amontonando, acumulando.

포격(砲擊) bombardeo *m*, cañoneo *m*, cañonazo *m*, acción *f* de cañonear. ~하다 bombardear, cañonear, acañonear, batir a cañonazos. ~을 받다 sufrir bombardeos. 선박에 ~하다 cañonear un barco.

포경(包莖)【의학】fimosis *f*.

■~ 수술 operación *f* de fimosis. ~ 절제술(切除術) fimosiectomía *f*.

포경(砲徑) calibre *m* del cañón.

포경(捕鯨) pesca *f* de ballenas, caza *f* de ballenas, captura *f* de ballenas. ~의 ballenero.

◆국제 ~ 조약 el Tratado Ballenero Internacional.

■~국(國) país *m* (*pl* países) ballenero. ~기지 estación *f* ballenera. ~모선(母船) buque *m* nodriza ballenero. ~선(船) (buque *m*) ballenero *m*. ~ 선단(船團) flotilla *f* ballenera. ~업 industria *f* ballenera, pesca *f* ballenera. ~ 연도(年度) año *m* ballenero. ~포(砲) cañón *m* (*pl* cañones) lanzaarpones *m.sing.pl*, cañón *m* arponero. ~ 회사 compañía *f* ballenera.

포고(布告/佈告) ① [일반에게 널리 알림] decreto *m*, proclama *f*; [행위] promugación *f*, proclamación *f*, declaración *f*. ~하다 proclamar, promulgar, declarar, decretar, publicar, notificar, anunciar, echar bando. ② [국가의 결정 의사를 공식으로 일반에게 발표하는 일] nota *f* oficial. ~를 내다 publicar [emitir] una nota oficial.
■ ~령(令) decreto *m*. ¶~을 발표하다 promulgar un decreto. ~문 declaración *f*, decreto *m*.

포괄(包括) inclusión *f*. ~하다 incluir, englobar, abarcar, comprender.
■ ~ 범위 cobertura *f*. ~ 보험 증권 póliza *f* abierta. ~ 승계 sucesión *f* general. ~ 승계인 sucesor, -sora *mf* general. ~ 유증(遺贈) legado *m* universal. ~적(的) inclusivo, global, general, universal, comprensivo. ¶ ~으로 inclusivamente, globalmente, generalmente, universalmente. ~ 허가 permiso *m* global.

포교(布敎) propaganda *f*; [그리스도교의] evangelización *f*; [외국에서] misión *f*. ~하다 propagar, evangelizar.
■ ~단 misión *f*. ~사 misionero, -ra *mf*. ~ 사업(事業) obra *f* misionera. ~자(者) misionero, -ra *mf*. ~지 región *f* misionera.

포구(浦口) entrada *f*, puerta *f*.

포구(砲口) boca *f* del cañón, boca *f* de arma de fuego; [구경] calibre *m*.
■ ~개(蓋) tapadera *f* [cubierta *f*] de la boca de arma de fuego.

포국(布局) ① [전체의 배치] composición *f*, colocación *f*, arreglo *m*. ② ((바둑)) táctica *f*.

포군(砲軍) 【군사】 artillería *f*; [병사(兵士)] artillero *m*.

포근포근 suave y cómodamente. ~하다 (ser) suave y cómodo.

포근하다 ① [탄력성이 있고 보드라워 편안하다] (ser) suave y cómodo. 포근한 이불 cama *f* suave y cómoda. ② [겨울날이 바람도 없이 부드럽고 푹하다] (ser) templado, benigno, no muy frío. 오늘은 날씨가 ~ Hoy no hace nada de frío.
포근히 suave y cómodamente.

포기 ① [초목의 뿌리를 단위로 한 낱개] raíz *f*, planta *f*, cabeza *f*. ② [초목을 세는 단위] cabeza *f*, planta *f*. 속이 찬 배추 한 ~ un repollo con buena cabeza. 상추 한 ~ una cabeza de lechuga.
■ ~가름[나누기] división *f*, multiplicación *f* de una planta por la separación de las raíces. ¶~하다 multiplicar una planta separando *sus* raíces.

포기(抛棄) abandono *m*, renuncia *f*, renunciamiento *m*, renunciación *f*, sacrificio *m*. ~하다 abandonar, renunciar, hacer abandono (de), dejar, sacrificar; [승부 따위를] retirarse. 계획을 ~하다 renunciar el plan. 권리를 ~하다 renunciar a *sus* derechos. 시합을 ~하다 abandonar el partido. 책임(責任)을 ~하다 abandonar [dejar] *su* responsabilidad. 나는 경기를 ~했다 Me retiré del juego. 나는 이 계획을 ~했다 Me retiré de este plan. 그는 권리를 ~했다 El renunció su derecho. 그는 가족을 위해 장래를 ~했다 El sacrificó su futuro por su familia. 우리들은 새 차를 ~해야 할 것이다 Tendremos que renunciar al coche nuevo. 나는 어머님의 병 때문에 외국 여행을 ~해야 했다 Yo he tenido que renunciar al viaje extranjero por la enfermedad de mi madre.
◆ 채권 ~ abandono *m* de un crédito.

포니(영 *pony*) [몸이 작은 말] jaca *f*, poney *m*, poni *m*.

포달 lenguaje *m* abusivo, palabrotas *fpl*.
◆ 포달(을) 부리다 llevar una buena regañiza. 포달을 부리지 마라 No digas palabrotas.
포달스럽다 (ser) díscolo, caprichoso, perverso.
포달스레 caprichosamente, perversamente.
포달지다 decir palabrotas.

포대(布袋) saco *m* de tela.

포대(布帶) cinturón *m* (*pl* cinturones) de tela.

포대(包袋) saco *m*, costal *m*, talega *f*, bala *f*, paca *f*, fardo *m*, bolsa *f*, *AmS* bolsillo *m*; [큰] bolsón *m* (*pl* bolsones), costal *m*; [작은] saquete *m*, saquillo *m*. 종이 ~ bolsa *f* de papel. 멕시코 면 500~ quinientas pacas de algodón mejicano. ~에 넣다 meter un saco, meter en una bolsa, ensacar, embolsar. ~를 채우다 llenar un saco. ~를 비우다 vaciar un saco. 나는 양파 세 ~를 샀다 Yo compré tres sacos [costales · *Arg, Chi* bolsas] de cebollas.

포대(砲臺) 【군사】 batería *f*. ~를 구축하다 construir la batería.

포대기 mantilla *f*, colcha *f* para la criatura.

포도(葡萄) uva *f*. ~ 한 송이 un racimo de uvas. ~가 주렁주렁한 arracimado. ~를 수확하다 vendimiar, coger la uva. 농부는 ~ 한 송이를 주기 위해 장님을 부른다 Un campesino llama al ciego para darle un racimo de uvas.
◆ 건(乾)~ (uva *f*) pasa *f*. 디저트용 ~ uva *f* de mesa. 무스카트 ~ uva *f* moscatel. 백~ uva *f* blanca. 적~ uva *f* tinta.
■ ~당 d-glucosa *f*, glucosa *f*, dextrosa *f*, azúcar *m* de uva. ~당 산염 gluconato *m*. ~당 신생 gluconeogénesis *f*. ~당액 líquido *m* de glucosa. ~ 덩굴 parra *f*, cepa *f*. ~막(膜) úvea *f*. ~밭 viña *f*. ~상 구균 estafilococo *m*. ~상 구균 백신 estafilobacterina *f*. ~색 purpúreo *m* obscuro. ~ 수확 vendimia *f*. ~ 수확자 vendimiador, -dora *mf*; recolector, -tora *mf* de uvas. ~ 요법 ampeloterapia *f*, botrioterapia *f*. ~원 viña *f*, viñal *m*, viñedo *m*. ~ 재배 viticultura *f*.

~ 재배 산업 industria *f* vitivinícola, industria *f* vinícola. ~ 재배자 vitícola *mf*; viticultor, -tora *mf*; viñador, -dora *mf*; viñatero, -ra *mf*. ~ 재배 지역 región *f* vinícola. ~종(腫) estafiloma *m*. ~즙 zumo *m* [jugo *m*] de vino, mosto *m*. ¶~ 짜는 기구 prensa *f* de uvas.

포도(鋪道) pavimento *m*, calle *f* pavimentada.

포도나무(葡萄-) 【식물】 vid *f*.

포도대장(捕盜大將) 【역사】 Jefe *m* de la Agencia de Policía (de la dinastía de Choson).

포도동 revoloteando. ~하다 revolotear, aletear, sacudir las alas.

포도동거리다 seguir [continuar] revoloteando, revolotear y revolotear.

포도동대다 =포도동거리다.

포도주(葡萄酒) vino *m*. ~ 담는 가죽 포대 odre *m*, pellejo *m*. ~ 품질 [맛] 감정 cata *f* [catadura *f*] de vinos, degustación *f* de vinos. 거품이 이는 ~ vino *m* espumante, vino *m* espumoso. 단맛이 있는 ~ vino *m* dulce. 단맛이 없는 ~ vino *m* seco. 가정에서 만든 ~ vino *m* de la casa. 엷은 장밋빛 ~ vino *m* rosado. ~에 물을 타다 bautizar el vino. 좋은 ~ 저장량이 많다 tener una buena bodega. 그것은 싸구려 ~다 Es un vino peloón. 우리들은 ~를 몇 잔 마셨다 Tomamos unos vinos.

◆ 백(白)~ vino *m* blanco. 식탁용 ~ vino *m* de mesa. 적(赤)~ vino *m* tinto. 지역 ~ vino *m* del país.

■ ~계 vinómetro *m*. ~ 냉각기 recipiente *m* para mantener frío el vino. ~ 병(瓶) botella *f* de vino. ~ 생산국 país *m* productor de vino. ~ 양조법 vinicultura *f*, elaboración *f* de vinos. ~ 양조업(釀造法) viticultura *f*. ~ 양조업자 viticultor, -tora *mf*; viñatero, -ra *mf*. ~ 양조장 bodega *f*. ~ 잔 copa *f* de vino.

포도청(捕盜廳) 【고제도】 la Agencia de Policía.

포동포동 rechonchamente. ~하다 (ser) rechoncho, rellenito, llenito, regordete, rollizo, gordinflón; [통닭이] gordo; [여자가] con mucho busto, con mucho pecho, bien dotada, pechugona, retozono. 얼굴이 ~한 mofletudo. ~한 얼굴 cara *f* regordete. ~한 여아 niña *f* gordinflona. ~한 여자 mujer *f* con mucho busto. 살이 ~ 찌다 ser rechoncho.

포란(抱卵) incubación *f*, empolladura *f*. ~하다 empollar, ponerse las aves sobre los huevos, incubar, encobar.

■ ~기(期) incubadora *f*, aparato *m* para efectuar la incubación artificial.

포로(捕虜) ① [전투에서 적에게 사로잡힌 병사(兵士)] prisionero, -ra *mf* de guerra; cautivo, -va *mf*. ~가 되다 ser apresado, ser hecho prisionero, quedarse prisionero, hacerse prisionero. ~로 하다 apresar, aprisionar, capturar, prender, cautivar, hacer prisionero. ② [어떤 것에 매여서 꼼짝 못하는 상태] cautiverio *m*, cautividad *f*. ~로 만들다 atraer, cautivar. 청중을 ~로 만들다 cautivar a un auditorio. 나는 그의 예술의 화려함에 ~가 되었다 Me cautivó el esplendor de sus artes.

■ ~ 교환 canje *m* de prisioneros. ~ 교환 협정 el Pacto de Canje de Prisioneros de Guerra. ~ 생활 vida *f* en cautiverio. ~ 송환 repatriación *f* de prisioneros de guerra. ~ 수용소 campo *m* de prisioneros, campo *m* de concentración, campamento *m* de prisioneros. ~ 심문 interrogatorio *m* de prisioneros de guerra. ~ 인도 entrega *f* de prisioneros. ~ 취급 tratamiento *m* de los prisioneros de guerra. ~ 취급 규정 reglamento *m* de prisioneros de guerra. ~ 학대 atrocidades *fpl* de prisioneros de guerra.

포르노 ((준말)) =포르노그래피.

■ ~ 극장 cine *m* porno. ~ 비디오 video *m* porno. ~ 신문 periódico *m* porno. ~ 영화 película *f* porno. ~ 잡지 revista *f* porno.

포르노그래피(영 *pornography*) [춘화(春畵). 도색 문학] pornografía *f*.

포르말린(영 *formalin*) 【화학】 formalina *f*, formol *m*. ~으로 처리(處理)된 conservado [puesto] en formalina.

포르투갈 【지명】 Portugal *m*. ~의 portugués.

■ ~ 사람[인] portugués, -guesa *mf*. ~어[말] portugués *m*.

포마드(영 *pomade*) pomada *f*, brillantina *f*. 머리에 ~를 바르다 untarse el cabello con pomada.

포만(飽滿) saciedad *f*, hartura *f*, hartazgo *m*. ~하다 hartarse, saciarse, estar lleno, estar harto.

포말(泡沫) ① =물거품(burbuja, espuma). ② [덧없는 것] lo pasajero, lo fugaz, lo efímero.

포맷(영 *format*) ① [형식. 체재. 판형] formato *m*. ② [라디오·텔레비전 프로 등의 전체 구성] formato *m*. ③ 【컴퓨터】 formato *m*. …의 ~을 지정하다 formatear *algo*.

포목(布木) lienzo *m* y algodón, paños *mpl* [telas *fpl*] de lana, paño *m*, tela *f*, género *m*, tejido *m* (de seda).

■ ~상 [장사] pañería *f*, [장수] sedero, -ra *mf*; pañero, -ra *mf*. ~업 pañería *f*. ~업자 pañero, -ra *mf*. ~점 pañería *f*, lencería *f*.

포문(砲門) boca *f* del cañón; [군함 등의] porta *f*, cañonera *f*, tronera *f*, cañonería *f*. ~을 열다 abrir fuego.

포물면(抛物面) 【수학】 paraboloide *m*.

■ ~ 거울 espejo *m* paraboloidal. ~ 안테나 antena *f* paraboloidal. ~ 접시 안테나 antena *f* de disco paraboloidal.

포물선(抛物線) 【수학】 parábola *f*, línea *f* parabólica. ~의 parabólico. ~을 그리며 날다 volar describiendo una trayectoria parabólica.

■ ~경(鏡) reflector *m* parabólico. ~ 궤도 órbita *f* parabólica. ~ 모양 parabolicidad *f*.

~ 안테나 antena *f* parabólica. ~ 운동(運動) movimiento *m* parabólico. ~체(體) paraboloide *m*.

포물체(抛物體)【물리】paraboloide *m*.

포미(砲尾) recámara *f*.

포박(捕縛) captura *f*, arresto *m*. ~하다 capturar, arrestar, prender. ~을 풀다 desatar. 도둑을 ~하다 arrestar [capturar] al ladrón. 아직 ~되지 않았다 No está arrestado todavía.

포배기 situación *f* repetida.

포백(布帛) el cáñamo y la seda.

포백(曝白) decoloración *f*. ~하다 decolorar.

포병(砲兵) artillería *f*; [장병] artillero *m*, soldado *m* de artillería.

■ ~과 división *f* de artillería. ~대 artillería *f*. ~ 대대 batallón *m* de artillería. ~ 사령관 comandante *m* de artillería. ~ 연대 regimiento *m* de artillería. ~ 연락 장교 oficial *mf* de enlace de artillería. ~ 운용 계획 plan *m* de empleo de la artillería. ~전 duelo *m* de artillería. ~ 중대 batería *f*. ~ 진지 posición *f* de artillería.

포복(匍匐) arrastramiento *m*. ~하다 arrastrarse, prosternarse.

■ ~ 전진 avance *m* a rastras. ¶~하다 avanzar a rastras, avanzar arrastrándose.

포복절도(抱腹絶倒) carcajada *f*. ~하다 reventar de risa, caerse de risa, reírse a carcajadas, morirse de risa, desternillarse. ~시키다 hacer que se muera de risa.

포볼(영 *four+ball*) ((야구)) =사구(四球).

포부(抱負) ambición *f*, aspiración *f*. ~를 말하다 hablar de *su* ambición, hablar de *su* aspiración. 원대한 ~를 가지다 tener una gran ambición. …에 대한 ~를 가지고 있다 tener ambición de *algo*, tener anhelo de *algo*, anhelar por *algo*.

포삭하다 ① [부피가 크고 메말라서 바스러지기가 쉽다] (ser) quebradizo, frágil. ② [얼굴에 핏기가 없이 약간 부은 듯하고 까칠하다] (ser) pálido y demacrado.

포살(砲殺) matanza *f* con el rifle. ~하다 matar con el rifle.

포삼(圃蔘) ginseng *m* cultivado.

■ ~장뇌(樟腦) ginseng *m* cultivado artificialmente.

포상(布商) pañero, -ra *mf*.

포상(褒賞) recompensa *f*, galardón *m*. ~하다 galardonar, premiar, recompensar. …의 ~으로 en recompensa de *algo*, en premio de *algo*. ~을 받다 obtener un premio, ganar un premio, recibir el galardón. ~을 주다 compensar, premiar, dar un premio. 시인(詩人)에게 ~하다 galardonar a un poeta. ~으로 너에게 장난감을 주겠다 Como premio te daré un juguete.

■ ~ 수령자(受領者) premiado, -da *mf*, galardonador, -dora *mf*. ~ 수여 entrega *f* de premios, distribución *f* de premios. ~ 수여식(授與式) ceremonia *f* de entrega [distribución] de premios. ~품 premio *m*, recompensa *f*.

포석(布石) ①【바둑】distribución *f* de las piedras en el juego de *baduc*. ② [장래를 준비함] preparación *f* para el futuro. ~하다 preparar para el futuro.

포석(鋪石) losa *f*, adoquín *m* (*pl* adoquines), piedra *f* de pavimento; [포장도로] pavimento *m*. …에 ~을 깔다 enlosar *un sitio*, adoquinar *un sitio*. ~이 깔린 길 camino *m* enlosado [empedrado · adoquinado].

포섭(包攝) ① [자기편에 가담시킴] atracción *f* [participación *f*] a *su* partido. ~하다 ganar [atraer] a *su* partido, poner de *su* lado. 경찰을 ~하다 hacerse *suya* a la policía. ②【논리】connotación *f*.

포성(砲聲) cañonazo *m*, estallido *m* de cañón, estruendo *m* de cañón. ~이 울린다 Truena el cañón.

포수(砲手) cazador *m*; [대포수] artillero *m*.

포수(捕手)【야구】receptor, -tora *mf*.

포술(砲術) artillería *f*.

■ ~ 교관 instructor *m* de artillería. ~ 연습함 buque *m* práctico de artillería. ~ 학교 escuela *f* de artillería.

포스터(영 *poster*) cartel *m*, afiche *m*, póster *ing.m*; [대형의] cartelón *m* (*pl* cartelones). ~를 붙이다 fijar un cartel (en), pegar un cartel (en · a). ~ 붙이는 사람 cartelero, -ra *mf*. ~ 부착 금지 ((게시)) Se prohíbe fijar carteles.

■ ~ 디자이너 cartelista *mf*. ~ 사이즈 tamaño *m* de carteles. ~컬러 colores *mpl* para el futuro. ~판 cartelera *f*. ~ 페인트 pintura *f* al agua.

포슬포슬 =파슬파슬.

포승(捕繩) cuerda *f* para atar un reo, soga *f* de policía.

포식(捕食) depredación *f*. ~하다 rapiñar, alimentarse. ~하는 [동물] depredador; [식물] de presa, rapaz.

■ ~ 동물 depredador *m*; [새] el ave *f* (*pl* las aves) de presa, el ave *f* rapaz. ~자 depredador *m*.

포식(飽食) hartada *f*, glotonería *f*, gula *f*, saciedad *f*. ~하다 comer hasta hartarse [saciarse], llenar hasta el hastío, hartarse de comida, estar ahíto de comida, alimentarse bien, vivir en lujo.

■ ~자 glotón (*pl* glotones), -tona *mf*.

포신(砲身) tubo *m*, cañón *m* (*pl* cañones).

포실하다 (ser) adinerado, acomodado, rico, acaudalado. 포실한 생활을 하다 vivir holgadamente, vivir con holgura, tener una posición acomodada [desahogada].

포악(暴惡) violencia *f*, atrocidad *f*, ferocidad *f*, fiereza *f*, tiranía *f*, maldad *f* horrible. ~하다 (ser) atroz, feroz, cruel, tiránico.

◆ 포악(을) 부리다 comportarse atrozmente.

포악스럽다 (ser) feroz, fiero, atroz.

포악스레 ferozmente, fieramente, atrozmente.

포안(砲眼) tronera *f*, aspillera *f*, cañonera *f*.

포연(砲煙) humo *m* de arma de fuego, humarada *f* de cañones.

■～탄우 una lluvia de cañones [de balas].
포열(砲列) línea *f* de batería. ～을 치다 disponer una batería, sentar cañones en posición.
포영(泡影) [물거품과 그림자] la espuma y la sombra; [덧없음] fugacidad *f*, lo efímero.
포옹(抱擁) abrazo *m*, abrazamiento *m*. ～하다 abrazar, dar un abrazo (a), estrechar entre los brazos en señal de cariño. 서로 ～하다 abrazarse (uno al otro). 아내를～하다 abrazar a *su* esposa.
포용(包容) generosidad *f*, comprensión *f*, magnanimidad *f*. ～하다 comprender, abarcar.
■～력 capacidad *f*, tolerancia *f*, generosidad *f*. ¶그는 ～이 있다 El es generoso / El tiene [es de] manga ancha. ～성(性) catolicidad *f*, magnanimidad *f*, capacidad *f*.
포워드(영 *forward*) [구기(球技)의 전위(前衛)] delantero *m*.
포위(包圍) sitio *m*, asedio *m*, cerco *m* envolvimiento *m*. ～하다 sitiar, asediar, cercar, poner sitio (a), envolver. ～된 sitiado. ～하는 sitiador, -dora. ～를 풀다 levantar un sitio. 해륙(海陸)으로 ～하다 sitiar por tierra y mar. 코너에 도둑이 ～되었다 Sitiaron a un ladrón en la esquina.
■～ 공격 ataque *m* envuelto, sitio *m*. ～군 ejército *m* sitiador. ～권 cerco *m*. ～망 red *f* envolvente. ～ 부대(部隊) fuerzas *fpl* [tropas *fpl*] envolventes. ～ 사격 descarga *f* envolvente. ～선 línea *f* envolvente. ～자 sitiador, -dora *mf*. ～ 작전(作戰) operación *f* envolvente. ～전 batalla *f* de cerco. ～ 태세 movimiento *m* envolvente.
포유(哺乳) lactación *f*, mamada *f*.
■～기 (período *m* de) lactancia *f*, mamada *f*. ～ 기구(器具) mamadera *f*, biberón *m* (*pl* biberones), tetero *m*. ～동물 mamífero *m*. ～동물학 mamalogía *f*. ～류 mamíferos *mpl*. ～병 ＝젖병(biberón). ～아 criatura *f*, mamón *m* (*pl* mamones).
포육(脯肉) tajadas *fpl* de la carne secada y condimentada con espacias, carne *f* secada y salada.
포의(布衣) sabio *m* sin rango gubernamental.
■～지교(之交) amigo *m* que en el tiempo del sabio se conocía. ～한사(寒士) sabio *m* pobre sin rango oficial.
포의(胞衣) placenta *f*.
■～불하증 enfermedad *f* que la placenta no desciende. ～수(水)【해부】＝양수(羊水).
포인터(영 *pointer*) [개의 한 종류] perro, -rra *mf* de muestra, pointer *ing.m*.
포인트(영 *point*) ① [철도의 전철기(轉轍機)] agujas *fpl*. ～를 바꾸다 cambiar las agujas. ②【인쇄】((준말)) ＝포인트 활자. ¶8 ～ 활자 carácter *m* de ocho puntos. ③ [소수점] coma *f*, punto *m*. 원 ～ 파이브 1,5 (uno coma cinco; 라틴 아메리카에서는 1.5 라 쓰고 uno punto cinco라 읽음). ④ [득점(得點). 점수(點數)] punto *m*, tanto *m*. 매치 ～ ((테니스)) bola *f* de partido. 세트 ～ ((테니스)) bola *f* de set. ～를 얻다 obtener un punto, ganar un tanto. ⑤ ＝요점(要點)(clave).
■～ 활자(活字) punto *m*.
포자(胞子) ①【식물】espora *f*, esporo *m*. ～를 포함한 esporífero. ②【동물】quiste *m*, quisto *m*, saco *m* membronoso, vejiga *f* membranosa.
■～낭 esporangio *m*. ～낭과 esporocarpio *m*. ～ 생식 reproducción *f* espórica. ～ 세포 esporoblasto *m*. ～ 식물(植物) planta *f* espórica. ～엽 esporofil *m*. ～체 esporofite *m*. ～충(蟲) esporozoario *m*. ～충류(蟲類) esporozoarios *mpl*.
포장(布帳) capota *f*; [차량 연결 부분의] fuelle *m*; [비를 막는] toldo *m*. ～을 치다 subir la capota. ～을 걷다 bajar la capota.
■～마차 ㉮ [포장을 친 마차] carroza *f*, diligencia *f*, *Arg* mateo *m*. ㉯ ((속어)) [주로 밤의 이동식 간이주점] bar *m* [cafetería *f*] ambulante nocturno.
포장(包裝) envolvimiento *m*, empaque *m*, embalaje *m*, envase *m*. ～하다 envolver, empaquetar, empacar, embalar, envasar. 선물용 ～재(材) papel *m* para ragalo. 종이로 ～하다 envolver en papel. …의 ～을 풀다 desempaquetar *algo*, desembalar *algo*. 선물용으로 ～하다 envolver para regalo [obsequio]. 초콜릿이 석박(錫箔)으로 ～되어 있다 El chocolate está envuelto en papel de estaño. ～해 드릴까요? ¿Quiere usted que se lo envuelva? / ¿Se lo envuelvo?
■～ 기계(機械) máquina *f* empaquetadora, máquina *f* para empaquetear [embalar · envolver]. ～ 담당자 empaquetador, -dora *mf*. ～명세표 lista *f* de empaque. ～지(紙) papel *m* de envolver, papel *m* de embalaje, papel *m* para empaquetar.
포장(包藏) el empaque y el depósito. ～하다 contener, guardar en sí, empaquetear y depositar, incluir.
포장(褒章) medalla *f*, medalla *f* de mérito, medalla *f* comendataria.
포장(褒獎) instigación *f*, incitación *f*. ～하다 instigar, incitar.
포장(鋪裝) pavimentación *f*, revestimiento *m* del suelo; [포석(鋪石)으로] adoquinado *m*, embaldosado *m*, enlosado *m*; [쇄석(碎石)으로] soladura *f* de macadam, soladura *f* de macadán. ～하다 pavimentar, empedrar con [de] adoquines, solar con macadam, macadamar; [아스팔트로] asfaltar.
■～ 공사 obras *fpl* de pavimentación. ～도로 camino *m* pavimentado, pavimento *m*, camino *m* solado, camino *m* macadamizado, camino *m* asfaltado.
포전(布廛)【역사】tienda *f* de telas.
포전(圃田) ＝남새밭.
포전(浦田) campo *m* costero, campo *m* de la costa.
포전(砲戰) cañoneo *m*, combate *m* de artillería.

포정(庖丁) carnicero *m.*
포족하다(飽足－) ① [배부르고 만족하다] estar harto y satisfecho. ② ＝풍족하다.
포졸(捕卒) 【역사】 policía *m*, detective *m.*
포좌(砲座) 【군사】 plataforma *f* de cañón, marco *m* de cañón, barbeta *f.*
포주(包主) ((동학)) encargado, -da *mf* del lugar de reunión.
포주(抱主) ① ＝기둥서방. ② [창녀를 두고 영업을 하는 주인] rufián, -ana *mf*; proxeneta *m*, chulo *m* (de putas), *Méj* padrote *m*, *CoS* cafiche *m.*
포즈(영 *pose*) [자세] pose *m*, postura *f.* ～를 취하다 posar, colocarse en postura, tomar una postura (para una instantánea).
포지션(영 *position*) ① [지위. 위치. 부서] posición *f*; [직업] puesto *m.* 자기 ～을 지키다 guardar *su* posición. ② 【음악】 [화음의 위치] posición *f.* ③ 【음악】 [현악기의 지판(指板) 위의 손가락의 위치] posición *f.*
포지티브(영 *positive*) positivo *m.*
포진(布陣) toma *f* de posición. ～하다 tomar posición, colocarse en posición.
포집다 apilar, amontonar.
포차(砲車) cureña *f.*
포착(捕捉) ① [꼭 붙잡음] captura *f*, apresamiento *m.* ～하다 captar, coger, asir, agarrar, alcanzar, prender. 기회(機會)를 ～하다 captar la oportunidad. 전파(電波)를 ～하다 captar una onda eléctrica. ② [사람의 마음이나 표현의 뜻 따위를 이해함] entendimiento *m.* ～하다 entender. 문제의 핵심을 ～하다 enfocar un solo aspecto del problema.
포척(布尺) cinta *f* métrica, metro *m.*
포촌(浦村) aldea *f* costera [de la costa].
포충망(捕蟲網) red *f* para cazar mariposas, cazamariposas *m.sing.pl.*
포츠담 【지명】 Potsdam (베를린 서남쪽에 있는 독일의 도시).
■～ 선언 la Declaración de Potsdam. ～ 협정(協定) el Acuerdo de Potsdam.
포커(영 *poker*) póquer *m*, póker *m*, juego *m* de naipes.
포켓(영 *pocket*) bolsillo *m*, *Méj* bolsa *f.* ～에 넣다 meter en el bolsillo.
■～북 libreta *f*, cuaderno *m*; [문고본(文庫本)] libro *m* en rústica. ～ 사이즈 tamaño *m* bolsillo. ～판 libro *m* en rústica.
포크[1](영 *fork*) ① [식탁 용구] tenedor *m.* ～로 먹다 comer con un tenedor. ② [두엄이나 풀무덤용 농구] horca *f*, bieldo *m*, horqueta *f.*
포크[2](영 *pork*) [돼지고기] carne *f* de puerco, carne *f* de cerdo.
포크 댄스(영 *folk dance*) danza *f* folclórica, baile *m* folclórico, baile *m* popular.
포크 뮤직(영 *folk music*) [전래의] música *f* folclórica; [현대의] música *f* folk.
포크 송(영 *folk song*) [전래의] canción *f* tradicional [popular]; [현대의] canción *f* folk.
■～ 가수(歌手) ＝포크 싱어.
포크 싱어(영 *folk singer*) [전래의] cantante *mf* de música folclórica; [현대의] cantante *mf* (de música) folk.
포타슘(영 *potassium*) 【화학】 potasio *m.*
포타주(불 *potage*) [진한 수프] sopa *f.*
포탄(砲彈) bala *f* de cañón, obús *m*, proyectil *m* de artillería.
포탈(逋脫) evasión *f* de impuestos. ～하다 evadir impuestos.
포탑(砲塔) torre *f*, [전차의] torreta *f*, torrecilla *f*, cúpula *f*, torre *f* blindada. 선회(旋回) ～함(艦) buque *m* de torrecilla.
포태(胞胎) ＝잉태(孕胎).
포터(영 *porter*) [역・공항의 수화물 운반인] maletero *m*, mozo *m*, *RPI* changador *m*; [원정대・탐험대의] porteador *m*; [병원의] camillero *m.*
포터블(영 *portable*) [휴대용의] portátil *adj.*
■～ 라디오 radio *f* portátil.
포털(영 *portal*) 【컴퓨터】 portal *m.*
포폄(褒貶) el elogio y la censura, crítica *f.* ～하다 criticar.
포플러(영 *poplar*) 【식물】 álamo *m.* ～ 재목(材木) álamo *m.* 흰 ～ álamo *m* (blanco). 검은 ～ álamo *m* [chopo *m*] negro.
포플린(영 *poplin*) popelín *m* (*pl* popelines), popelina *f.*
포피(包皮) ① [자지의 귀두부를 싼 가죽] prepucio *m*, acrobistia *f.* ～의 prepucial. ② [표면을 싼 가죽] piel *f* de envolver la superficie.
■～ 결석(結石) acrobistiolito *m.* ～선(腺) glándula *f* prepucial. ～염(炎) postitis *f*, acropostitis *f*, acrobistitis *f.* ～ 절개술 prepuciotomía *f*, circuncisión *f.* ～ 절단(切斷) circuncisión *f.*
포학(暴虐) tiranía *f*, atrocidad *f*, crueldad *f.* ～하다 (ser) tiránico, atroz, cruel. ～한 행위 actitud *f* [acción *f*] violente, violencia *f*, atrocidad *f.*
포학무도하다(暴虐無道－) (ser) de horca y cuchillo, tiránico y injusto. 포학무도한 사람 hombre *m* de horca y cuchillo.
포함 【민속】 *poham*, palabras *fpl* inspiradas de chamán.
◆포함(을) 주다 gritar las palabras inspiradas.
포함(包含) inclusión *f*, contenida *f*, comprensión *f.* ～하다 incluir, contener, comprender; [내포하다] implicar; [집어넣다] incorporar, integrar; [예정에 넣다] meter. ～한 global, todo incluido. ～해서 incluyendo, contando. 송료 ～해서 con gasto de envío inclusive. 전부 ～해서 todo incluido. 제5장까지 [제5장을] ～해서 [～하지 않고] hasta el capítulo quinto inclusive [exclusive]. 150쪽까지 ～해서 hasta ciento cincuenta páginas inclusive. 10월 5일까지 ～해서 hasta el 5 de octubre inclusive. 보험은 ～하지 않고 sin incluir el seguro. 귀측(貴側)의 제(諸) 비용을 ～해서 más sus gastos eventuales. A를 B에 ～시키다 incluir A en B. 리스트 이름을 ～시키다 incluir *su* nombre

en la lista. …을 예산에 ~시키다 incluir *algo* en el presupuesto.

포함(砲艦) (lancha *f*) cañonera *f*, cañonero.

포합(抱合) abrazo *m*. ~하다 abrazarse (uno del otro).

포항(浦港) la ensenada y el puerto.

포화(布靴) calzado *m* de paño.

포화(砲火) fuego *m* (de artillería), cañoneo *m*, cañonazos *mpl*. ~를 교환하다 cambiar fuegos; [전쟁하다] hacerse la guerra. ~를 열다 romper el fuego. ~를 집중하다 concentrar fuego. ~를 퍼붓다 darse fuego. ~중에 있다 estar bajo el fuego. 적의 ~ 세례를 받다 exponerse al fuego del enemigo.

포화(飽和) saturación *f*. ~하다 ser saturado. ~시키다 saturar.

▪~ 곡선 curva *f* de saturación. ~ 상태(estado *m* de) saturación *f*. ¶~가 되다 saturarse. ~에 있다 estar saturado, estar colmado. 시장에는 이 종류의 상품으로 ~에 있다 El mercado está saturado de esta clase de artículos. ~ 용액(溶液) solución *f* saturada. ~ 인구 población *f* de saturación. ~ 전류 corriente *f* de saturación. ~점(點) punto *m* de saturación. ~ 증기(蒸氣) vapor *m* saturado. ~ 지방(脂肪) grasa *f* saturada. ~ 지방산(脂肪酸) ácido *m* graso de saturación. ~ 화합물(化合物) compuesto *m* saturado.

포환(砲丸) ① [대포의 탄알] bala *f* del cañón. ② [포환던지기에 쓰이는 쇠로 만든 공] peso *m*, bola *f*.

▪~던지기 lanzamiento *m* de peso [*AmL* de bala]. ~던지기 선수 lanzador, -dora *mf* de peso [*AmL* de bala].

포획(捕獲) captura *f*, apresamiento *m*, presa *f*, arresto *m*. ~하다 capturar, apresar, arrestar, prender, coger. 맹수의 ~ captura *f* de una fiera. 늑대를 ~하다 capturar un lobo. 새우를 ~하다 coger camarones. 연어를 ~하다 pescar [coger] salmones. 적선(敵船)을 ~하다 capturar [apresar] un barco enemigo.

▪~고(高) pesca *f*. ~ 군함 buque *m* de guerra capturado. ~량 pesca *f*. ~물 botín *m* (*pl* botines). ~선 buque *m* capturado. ~자 captor, -tora *mf*.

포효(咆哮) rugido *m*, bramido *m*, mugido *m*; aullido *m*, latido *m*. ~하다 rugir, bramar, mugir, latir, aullar.

폭[1] ① [셈] ¶잘된 ~이야 Resulta que estaba bien. ② [정도] ¶그는 내 동생 ~ 밖에 안 된다 El debe de ser de la misma edad que mi hermano menor.

폭[2] ① [아주 깊고 느긋하게] muy profundamente. 잠이 ~ 들다 dormirse muy profundamente. ② [힘 있게 깊이 찌르는 모양] fuerte y profundamente. ③ [빈틈없이 잘 덮거나 잘 싸는 모양] bien, con cuidado. 아이를 ~ 싸다 envolver bien al niño. 몸을 ~ 싸다 abrigarse bien. ④ [함빡 익은 모양] bien (hirviendo). 국이 ~ 끓었다 La sopa ha hervido bien. ⑤ [남김없이 죄다] todo. ⑥ [얕고 또렷하게 팬 모양] profundamente. 땅이 ~ 패었다 La tierra tiene un hueco profundo. ⑦ [수렁 등에 갑자기 빠지는 모양] de repente, repentinamente, de súbito, súbitamente. 도랑에 ~ 빠지다 caerse en la acequia de repente. 발밑의 땅이 ~ 꺼졌다 El terreno debajo de los pies se hundió de repente. ⑧ ((준말)) = 폭삭. ⑨ [고개를 깊이 숙이는 모양] profundamente. 고개를 ~ 숙이다 inclinar [bajar] *su* cabeza profundamente.

폭(幅) ① =너비[1](ancho, anchura) ¶~이 넓은 ancho, amplio. ~이 좁은 estrecho, angosto. ~이 10미터 diez metros de ancho. ~넓은 지지(支持) apoyo *m* extenso (de personas de distintos campos). 도로의 ~을 넓히다 [좁히다] ensanchar [estrechar] el camino. 이 천의 ~은 얼마입니까? ¿Qué ancho tiene la tela? / ¿Cuánto mide [tiene] la tela de ancho? 이 하천의 ~은 얼마나 됩니까? ¿Cuál es la anchura de este río? ~이 10미터다 Tiene diez metros de ancho. 이 수영장은 길이 25미터, ~ 9미터이다 La piscina tiene veinticinco metros de largo y nueve metros de ancho. ② [넓게 하나로 이으려고 길이가 같게 잘라 놓은 종이·피륙·널 따위의 조각] [옷의] cuarto *m*. 앞~ cuartos *mpl* delanteros. 뒤~ cuartos *mpl* traseros. ③ [도량·포용성·지식 따위의 다과(多寡)] generosidad *f*. ~이 넓은 사람 persona *f* generosa; [남자] hombre *m* generoso. ~이 넓은 여자 mujer *f* generosa. 그는 사람에게 ~이 넓다 Se le ha ensanchado el corazón / El ha adquirido flexibilidad de espíritu. ④ [사회면에 있어서의 인망(人望)·세력·위세] influencia *f*, poder *m*. ~이 있는 poderoso, influyente. ~이 미치다 tener influencia (entre · en). ⑤ [종이·피륙·널 같은 조각 또는 그림·족자를 셀 때 쓰는 말] rollo *m*, tira *f*, pintura *f*, cuadro *m*, pedazo *m*. 무명 한 ~ una tira de algodón estampado. 한 ~의 그림 una pintura, un cuadro.

폭(幅) margen *m*(*f*). 인상(引上) ~ margen *m* de la subida de precio.

폭거(暴擧) violencia *f*, acción *f* violenta, acción *f* temeraria, acto *m* desenfrenado. ~로 나오다 emprender una acción violenta. ~를 경고하다 advertir un acto atrevido.

폭격(爆擊) bombardeo *m* (aéreo). ~하다 bombardear.

▪~기(機) bombardero *m*, avión *m* bombardeador, avión *f* de bombardeo. ¶전투 ~ caza-bombardero *m*. ~기대 escuadrón *m* de bombarderos. ~대 artificieros *mpl*, grupo *m* de desactivación de explosivos. ~ 부대 =폭격대. ~수(手) bombardero *m*. ~ 조준기(照準器) mira *f* de bombardero.

폭군(暴君) tirano *m*, déspota *m*.

폭넓다(幅—) (ser) ancho, extenso, profundo. 폭넓은 지식 conocimiento *m* profundo.

폭도(暴徒) rebeldes *mpl*, insurrectos *mpl*, sublevados *mpl*, turbamulta *f*, insurgente *mf*, amotinador, -dora *mf*, revoltoso, -sa *mf*, alborotador, -dora *mf*, mafioso, -sa *mf*, amotinado, -da *mf*, banda *f*, gánster *m*, tumulto *m*.

폭동(暴動) motín *m*, alboroto *m*, tumulto *m*, disturbio *m*, revuelta *f*, sedición *f*, [봉기(蜂起). 반란] sublevación *f*, levantamiento *m*, rebelión *f*. ~에 참여한 죄수들 los presos que participaron en el motín. ~을 선동(煽動)하다 provocar una sublevación. ~을 진압(鎭壓)하다 reprimir la sublevación, sofocar el motín. …에 대해 ~을 일으키다 causar disturbios [desórdenes], sublevarse [alzarse · levantarse · amotinarse] (contra *algo* · *uno*). ~이 일어났다 Estalló una sublevación.
◆ 무장(武裝) ~ revuelta *f* armada.
■ ~자 alborotador, -dora *mf*, revoltoso, -sa *mf*, insurgente *mf*, rebelde *mf*. ~ 진압 경찰 policía *f* antidisturbios. ~ 진압 경찰관 policía *mf* antidisturbios. ~ 진압 경찰대 brigada *f* antidisturbios. ~ 진압 부대 brigada *f* antidisturbios.

폭등(暴騰) subida *f* repentina, subida *f* vertiginosa. ~하다 subir repentinamente [de repente · vertiginosamente · de súbito · súbitamente], remontarse muy alto. 물가가 ~한다 Los precios suben mucho de repente.

폭락(暴落) ① [값의] caída *f* en picado [*AmL* en picada], (gran) baja *f* repentina (del precio). ~하다 caer en picado [*AmL* en picada], dar un bajón, bajar (mucho) repentinamente el precio. 값이 ~했다 Los precios cayeron en picado [*AmL* en picada] / Los precios han bajado notablemente / Ha habido una baja sensible de los precios. ② [인기 · 평판 등의] sufrimiento *m* de un bajón. ~하다 sufrir un bajón. 그의 신용은 ~했다 El ha perdido completamente su crédito.

폭려하다(暴戾-) (ser) tiránico, atroz, brutal, cruel. 폭려함 tiranía *f*, atrocidad *f*, brutalidad *f*, crueldad *f*.

폭력(暴力) violencia *f*, fuerza *f*, brutalidad *f*. ~에 호소하다 apelar [recurrir] a la violencia. ~을 행사하다 usar [emplear] la violencia.
■ ~단 terroristas *mpl*, corporación *f* de terroristas, organización *f* de gángsteres dados al uso de la violencia. ~배(輩) gamberro, -rra *mf*, vándalo, -la *mf*, *Méj* porro, -rra *mf*. ~주의 terrorismo *m*. ¶비~ la no violencia. ~주의자 terrorista *mf*. ~ 행위 acto *m* de violencia, gamberrismo *m*, vandalismo *m*, *Méj* porrismo *m*. ~ 혁명(革命) revolución *f* armada, revolución *f* violenta, revolución *f* por la violencia..

폭렬(爆裂) explosión *f*. ☞폭발(爆發)

폭로(暴露) revelación *f*, divulgación *f*. ~하다 revelar, divulgar, delatar, poner al descubierto, sacar a la luz, descubrir, demostrar, desenmascarar. 과거를 ~하다 revelar [descubrir] el pasado (de). 사악(邪惡)한 짓을 ~하다 revelar [delatar] maldades. 음모가 ~되었다 Se descubrió el complot. 그는 자신의 무지를 ~했다 El hizo patente su ignorancia.
■ ~ 기사(記事) artículo *m* revelador. ~ 문학 literatura *f* reveladora. ~ 소설 novela *f* reveladora. ~ 전술(戰術) táctica *f* de desenmascarar.

폭론(暴論) opinión *f* extravagante. ~을 토하다 emitir una opinión extravagante.

폭뢰(爆雷) granada *f* de profundidad, carga *f* de profundidad.

폭리(暴吏) funcionario *m* público irrazonable.

폭리(暴利) ganancia *f* excesiva, utilidad *f* excesiva, usura *f*, [부당한] especulación *f*. ~를 단속하다 controlar especulación. ~를 취하다 usurear, sacar una ganancia exorbitante [excesiva], especular. ~를 탐하다 sacar utilidad excesiva.
■ ~자(者) especulador, -dora *mf*. ~ 행위 actitud *f* especulativa.

폭명(爆鳴) detonación *f*.
■ ~ 가스 gas *m* denotante.

폭민(暴民) populacho *m*, gentuza *f*, alborotador *m*, insurgente *m*., chusma *f*, amotinador *m*, abanderizador *m*, insurrecto *m*, rebelde *m*.

폭발(暴發) ① [감정 등이 갑작스럽게 터짐] explosión *f*. 시기심의 ~ explosión *f* de envidia. ② [졸지에 벌어짐] ocurrencia *f* repentina.

폭발(爆發) explosión *f*, detonación *f*, [화산의] erupción *f*. ~하다 detonar, explotar, estallar, entrar en erupción. ~시키다 hacer detonar. 공장에서 ~이 일어났다 Hubo una explosión en la fábrica. 그의 노기(怒氣)가 ~했다 Su cólera explotó / Su cólera estalló.
◆ 원자(原子) ~ explosión *f* atómica. 핵(核) ~ explosión *f* [detonación *f*] nuclear.
■ ~ 가스 gas *m* explosivo; [갱내(坑內)의] (fuego *m*) grisú *m*, metano *m*, gas *m* de los pantanos. ~ 가스 검출기 grisuómetro *m*. ~관(管) detonador *m*. ~력 poder *m* explosivo, fuerza *f* de una explosión. ~물 substancias *fpl* explosivas, explosivo *m*. ¶~ 전문가 experto, -ta *mf* en explosivos. ~성 메탄가스 grisú *m*, metano *m*, gas *m* de los pantanos. ~성 메탄가스 검출기 grisuómetro *m*. ~ 신관(信管) detonador *m*, mecha *f* denotante, cuerda *f* denotante. ~실(室) cámara *f* de explosión. ~ 압력(壓力) presión *f* denotante. ~약 polvo *m* detonante, pólvora *f* negra, pólvora *f* de mina, explosivo *m*. ~ 온도 temperatura *f* detonante. ~음(音) explosión *f*, sonido *m* detonante. ¶~이 들렸다 Se oyó una explosión. ~적 explosivo, tremendo. ¶~인 인기 popularidad *f* tremenda. 인구의 ~인 증가 explosión *f* de popularidad. ~인 인기를 얻다 tener un éxito clamoroso, hacer furor. ~점 punto *m* de explosión.

~탄(彈) proyectil *m* explosivo, bomba *f* calorimétrica.

폭사(暴死) muerte *f* trágicamente repentina, muerte *f* violenta. ~하다 morir violentamente, morir repentinamente y trágicamente.

폭사(爆死) muerte *f* por una voladura. ~하다 morir por una voladura; [폭발로] morir por una explosión.

폭삭 ① [온통 곪아서 썩은 모양] enteramente, completamente, todo. 건물이 ~ 주저앉았다 Un edificio se derrumbó completamente. 지붕이 ~ 내려앉았다 El tejado se hundió [se vino abajo] completamente. ② [부피만 있고 엉성한 물건이 보드랍게 가라앉거나 쉽게 부서지는 모양. 또, 그 소리] desmoronándose, frágilmente. ③ [맥없이 주저앉은 모양] débilmente. 의자에 ~ 주저앉다 sentarse en el sillón débilmente. ④ [늙어서 기력이 빨리 줄고 맥이 빠진 모양] agotándose. 그는 너무 걸어서 기운이 ~ 빠졌다 El se ha agotado con mucho andar. ⑤ [담겼던 물건이 모두 엎질러지는 모양] todo, enteramente, completamente. 물이 땅에 ~ 엎질러졌다 El agua se derramó al suelo enteramente.

폭서(暴暑) calor *m* intensivo, calor *m* sofocante, calor *m* severo, calor *m* tórrido.

폭설(暴雪) nieve *f* fuerte, gran nevada *f*.

폭성(爆聲) explosión *f*, detonación *f*, estampido *m*, estallido *m*, tiro *m*, trueno *m*, traquido *m*, estruendo *m*.

폭소(爆笑) carcajada *f*, erupción *f* de risa, explosión *f* de risa. ~하다 soltar una carcajada, reírse a carcajadas, echarse a reír, prorrumpir en risa, estallar de risa, caerse de risa, romper a risa estrepitosa, *RPI* largar la risa. 그들은 ~를 터뜨렸다 Ellos se rieron a carcajadas. 관객들은 ~를 터뜨렸다 El auditorio estalló en una expolsión de risa. 귀퉁이 테이블에서 ~가 들렸다 Se oyeron carcajadas en la mesa del rincón.

폭스트롯(영 *fox trot*) [짧고 빠르며 활발한 스텝. 그 무곡] foxtrot *m*.

폭식(暴食) glotonería *f*, gula *f*, voracidad *f*, exceso *m* en la comida, abdominia *f*. ~하다 glotonear, comer en exceso, comer excesivamente. ~의 abdomínico, voraz (*pl* vorces). ~으로 con voracidad, vorazmente. ▪~가(家) glotón (*pl* glotones), -tona *mf*; tragón (*pl* tragones), -gona *mf*; persona *f* glotona.

폭신폭신 blandamente, cómodamente. ~하다 (ser) muelle, blando, mullido. ☞푹신푹신

폭신하다 (ser) suave y cómodo. ☞푹신하다

폭심(爆心) epicentro *m*.

폭압(暴壓) opresión *f*, coerción *f*, violencia *f*. ~하다 oprimir, forzar, obligar.

폭약(爆藥) ((준말)) =폭발약(爆發藥).

폭양(暴陽/曝陽) sol *m* abrazador, luz *f* del sol abrazador.

폭언(暴言) lenguaje *m* violento, lenguaje *m* impetuoso, lenguaje *m* arrebatado, palabra *f* abusiva, palabra *f* ofensiva, palabra *f* insultante. ~하다 emplear palabra abusiva, hablar violentamente.

폭염(暴炎) =폭서(暴暑).

폭우(暴雨) chaparrón *m*, fuerte aguacero *m*, lluvia *f* torrencial, turbión *m*.

폭원(幅員) ancho *m*, anchura *f*. (선박의) 최대 ~ anchura *f* extrema.

폭위(暴威) tiranía *f*, gran violencia *f*. ~를 떨치다 abusar el poder, acreentarse en violencia, tiranizarse, obrar con tiranía.

폭음(暴飮) bebida *f* excesiva, exceso *m* en la bebida. ~하다 beber en [con] exceso, beber demasiado. ~하는 사람 borrachín, -china *mf*; (gran) bebedor, -dora *mf*. ▪~ 폭식 excesos *mpl* en la bebida y comida, borrachera y glotonería. ¶~하다 beber y comer hasta más no poder [inmoderadamente], cometer excesos en la comida y bebida.

폭음(爆音) (ruido *m* de) explosión *f*, estallido *m*, estampido *m*; [엔진의] detonación *f*, zumbido *m*. ~을 내다 producir un estallido, zumbar, detonar. ~을 내는 detonante, detonador. ~을 내면서 날다 volar con estruendo. 오토바이가 ~을 내면서 달렸다 La motocicleta, lanzando un zumbido, echó a correr.

폭정(暴政) tiranía *f*, gobierno *m* tiránico, despotismo *m*, cesarismo *m*, absolutismo *m*.

폭주(暴走) ① [함부로 난폭하게 달림] corrida *f* violenta. ~하다 correr violentamente. ② [딴 사람의 생각이나 주위의 상황을 생각하지 않고 함부로 일을 추진함] propulsión *f* imprudente. ~하다 propulsar [impulsar] imprudentemente. ③ [운전자가 없거나 운전자의 뜻에 반하여 차가 멋대로 달리는 일] corrida *f* desenfrenada. ~하다 correr desenfrenadamente. 트럭이 ~해 상점을 덮쳤다 Un camión desenfrenado se lanzó contra una tienda. ④ ((야구)) corrida *f* imprudente. ~하다 correr imprudentemente. ▪~ 열차 tren *m* fuera de control. ~족(族) jóvenes *mpl* fuera de control.

폭주(暴酒) exceso *m* en la bebida. ~하다 beber con exceso. ▪~가 borrachín (*pl* borrachines), -china *mf*; (gran) bebedor, -dora *mf*.

폭주(輻輳/輻湊) ① ((준말)) =폭주병진. ¶~하다 apiñarse, aglomerarse, remolinarse. 교통량의 ~ congestión *f* (del tráfico); [사람과 함께] abarrotamiento *m*. 교통이 ~한 congestionado; [사람과 함께] aborratado (de), repleto de gente. 주문의 ~ gran cúmulo *m* de pedidos. 선박이 ~한다 Afluyen [Se aglomeran] los buques. 주문이 ~한다 Se acumulan los pedidos / Llegan los pedidos a montones. 주문 ~ 때문에 지연되어 죄송합니다 Siento mucho que la aglomeración de pedidos ha causado una demora. 큰길에서는 교통이 ~한다 Hay

mucha congestión del tráfico en la avenida. ② 【생물】 congestión *f.* ~하다 acumular, amontonar, hacerse obstruido.
■ ~병진 cúmulo *m*, amontonamiento *m*, concurso *m*, acumulación *f*, aglomeración *f*.

폭죽(爆竹) cohete *m*, petardo *m*. ~을 터뜨리다 hacer estallar petardos.

폭취(暴醉) mucha borrachez, mucha embriaguez. ~하다 estar muy borracho, embriagarse mucho, emborracharse mucho.

폭침(爆枕) hundimiento *m* por explosión. ~하다 hundir por explosión. ~되다 hundirse por explosión.

폭탄(爆彈) bomba *f*. ~을 투하하다 bombardear, lanzar bombas (sobre), descargar bombas.
◆ 고성능(高性能) ~ bomba *f* de TNT. 로켓 ~ bomba *f* de cohete. 수소(水素) ~ bomba *f* hidrógena. 시한(時限)~ bomba *f* de tiempo. 원자(原子) ~ bomba *f* atómica. 플라스틱 ~ bomba *f* plástica. 핵(核)~ bomba *f* nuclear.
■ ~ 발사 장치 lanzabombas *m*. ~선언 declaraciones *fpl* explosivas. ¶~을 하다 pronunciar declaraciones explosivas. ~ 수송기(輸送機) portabombas *m.sing.pl*. ~ 실험 prueba *f* de una bomba explosiva. ~ 적재기 =폭탄 수송기. ~ 조준기 mira *f* de bombardero. ~주(酒) *poktanchu*, vino *m* fuerte mezclado la cerveza en el vino importado. ~ 투하(投下) lanzamiento *m* de bombas, bombardeo *m*.

폭투(暴投) ((야구)) lanzamiento *m* malo, tirada *f* extravagante. ~하다 lanzar mal.

폭파(爆破) voladura *f*, explosión *f*. ~하다 volar, hacer estallar, hacer explotar. 다리의 ~ voladura *f* del puente.
■ ~약 explosivo *m* de voladura. ~ 작업 operación *f* de voladura.

폭포(瀑布) ((준말)) =폭포수(瀑布水). ¶비가 ~처럼 내린다 Llueve a cántaros / Llueve torrencialmente.
◆ 나이아가라 ~ las Cataratas del Niágara. 이구아수 ~ las Cataratas de Iguazú.
■ ~수(水) [큰] catarata *f*; [작은] cascada *f*; [쏟아져 내리는] torrente *m*, salto *m* (de agua). ~가 되어 떨어지다 caer en cascada. 물이 ~가 되어 떨어졌다 El agua caía en cascada.

폭폭 ① [연해 깊이 찌르거나 쑤시는 모양] picando repetidas veces. ② [자꾸 폭 빠져 들어가는 모양] profundamente. ③ [남김없이 죄다 썩어 들어가는 모양] pudriéndose completamente. ~ 썩다 pudrirse completamente. ④ [속속들이 익도록 삶는 모양] hirviendo completamente, bien. ~ 삶다 cocer [hervir] completamente. ⑤ [암팡지게 연해 쏟거나 담는 모양] siguiendo virtiendo, virtiendo violentamente. ⑥ [앞뒤를 가리지 않는 말씨로 거침없이 대들어 따지는 모양] insultando duramente. ⑦ [눈 같은 것이 소복소복 내려 쌓이는 모양] colmando mucho.

폭풍(暴風) tempestad *f*, borrasca *f*, tormenta *f*, huracán *m* (*pl* huracanes), temporal *m*; [강풍(强風)] ventarrón *m* (*pl* ventarrones); [태풍] tifón *m* (*pl* tifones); [사이클론] ciclón *m* (*pl* ciclones); onda *f* de explosión; [폭탄의] rebufo *m* de bomba. ~의 밤 noche *f* de tempestad. ~에도 불구하고 a pesar de [desafiando · arrostrando] la tempestad. ~이 몰아친다 El tiempo está tempestuoso [borrascoso]. ~이 올 것 같다 Parece que va a venir la borrasca / Amenaza tempestad. ~이 사납게 분다 Se enfurece la tempestad.
◆ 폭풍 전(前)의 고요 calma *f* que precede a la tempestad.
■ ~ 경보 alarma *f* de tempestad. ~ 신호(信號) señal *f* de tempestad. ~ 주의보(注意報) señal *f* de aviso de tempestad.

폭풍(爆風) onda *f* explosiva, (onda *f* de) explosión *f*; [폭탄의] ráfaga *f* [rebufo *m*] de (la) bomba. ~의 강타를 받다 ser cogido por la onda explosiva, ser alcanzado por la explosión; [폭탄의] recibir la ráfaga de la bomba.

폭풍설(暴風雪) tormenta *f* de nieve.
■ ~ 경보 alarma *f* de tormenta de nieve.

폭풍우(暴風雨) tormenta *f*, tempestad *f*, borrasca *f*; [허리케인] huracán *m*; [태풍(颱風)] tifón *m*. ~가 될 구름 nube *f* [nubarrón *m*] de tormenta. ~를 몰고 올 듯한 구름 nubes *fpl* que amenazan tormenta. 금세기(今世紀) 최악의 ~ la peor tormenta del siglo. ~가 퍼붓는다 Descarga [Se desata] la tempestad.
■ ~권(圈) zona *f* de tempestad. ~ 경보(警報) alarma *f* de tempestad. ~ 주의보(注意報) señal de aviso de tempestad.

폭한(暴寒) frío *m* severo, frío *m* intenso.

폭한(暴漢) rufián *m*, canalla *m*, facineroso *m*, malhechor *m*. ~에게 습격당하다 ser asaltado por un facineroso.

폭행(暴行) ① [난폭한 행동] violencia *f*, asalto *m*, acto *m* de violencia, acto *m* violento, brutalidad *f*. ~하다 portarse violentamente. ② 【법률】 [다른 사람에게 폭력을 가하는 행위] violencia *f*. ~하다 proceder con violencia. ~을 가하다 hacer violencia (a). ③ [강간(强姦)] violencia *f*, agresión *f* sexual, ataque *m* contra la libertad sexual. ~하다 violar, agredir sexualmente. 여자를 ~하다 violar a una mujer.
■ ~ 구타 agresión *f* con lesiones. ~자(者) perpetrador *m* del ultraje [de la afrenta]. ~죄 delito *m* de violencia.

폰[1](영 *phone*) [전화] teléfono *m*.
■ ~ 카드 [전화 카드] tarjeta *f* telefónica.

폰[2](영 *phone*) 【물리】 fon *m*. 이 거리는 소음이 80~ 이상이다 El ruido supera los ochenta fones en esta calle.

폴라로이드(영 *Polaroid*®, *polaroid*) ① [인조 편광판(人造偏光板)의 상표 이름] polaroid® *f*. ② ((준말)) =폴라로이드 카메라.
■ ~ 카메라 (cámara *f*) polaroid *f*.

폴란드【지명】Polonia *f.* ～의 polaco.
■～ 사람[인] polaco, -ca *mf.* ～어[말] polaco *m.*
폴로(영 *polo*) polo *m.*
■～ 경기자 polista *mf,* jugador *m* de polo.
폴로네즈(불 *polonaise*)【음악】[완만한 무도곡(舞蹈曲)] polonesa *f,* polaca *f.*
폴로늄(영 *polonium*)【화학】polonio *m* (Po).
폴리네시아【지명】Polinesia. ～의 polinesio.
■～ 사람[인] polinesio, -sia *mf.*
폴리에스테르(영 polyester) poliéster *m.*
폴리에틸렌(영 *polyethylene*)【화학】polietileno *m.* ～글리콜 polietilenglicol *m.* ～ 바께쓰 cubo *m* de polietileno. ～ 주머니 bolsa *f* de polietileno.
폴리우레탄【화학】poliuretano *m.*
폴카(영 *polka*)【음악】polca *f.*
폼(영 *form*) forma *f,* figura *f.*
◆폼을 잡다 ((속어)) tomar una medida para comenzar *algo.* 폼을 재다 ((속어)) jactarse.
폼페이【지명】Pompeya.
퐁소리(砲－) ＝포성(砲聲).
퐁당 con un plaf, haciendo plaf, ruidosamente. ～ 떨어지다 caer ruidosamente.
퐁당거리다 seguir haciendo plaf al caer (en · sobre), seguir cayendo ruidosamente.
퐁당퐁당 con un plaf repetido, cayendo ruidosamente repetidas veces.
퐁퐁 ① [좁은 구멍으로 물이 쏟아지는 소리] virtiendo en el agujero estecho. ② [막혔던 공기나 가스가 좁은 곳으로 잇따라 터져 나오는 소리] rompiendo repetidas veces. ③ [작은 구멍이 잇따라 뚫어지는 소리] siguiendo abriendo el agujerito.
퐁퐁거리다 seguir virtiendo en el agujero estrecho.
표(表) ① [위. 겉. 바깥쪽] superficie *f.* ② ＝표지(標識) ③ [요항(要項)을 순서에 좇아 열기한 것] tabla *f,* cuadro *m;* [목록] índice *m,* catálogo *m;* [리스트] lista *f;* [도표] gráfica *f.* ～를 만들다 hacer [formar] una tabla [una lista] (de), tabular. 시간～ horario *m.* 차림～ menú *m,* lista *f* de precios, carta *f.* ④ ((준말)) ＝표적(表迹).
표(票) ① [증거가 될 만한 쪽지] [버스 · 기차의] billete *m, AmL* boleto *m;* [비행기의] billete *m,* pasaje *m;* [극장 · 박물관 등의 입장권] entrada *f;* [좌석권] localidad *f;* [배급권] bono *m;* [가방 · 코트 등의] ticket *m;* [세탁소 · 수선소 등의] resguardo *m,* ticket *m;* [제비뽑기의] billete *m,* número *m;* [주차장의] ticket *m;* [전당포의] papeleta *f* de empeños. ～를 사다 sacar un billete. ～를 개찰하다 picar [taladrar · horadar] billete. ② [투표수를 나타내는 단위] voto *m.* 한 ～를 던지다 emitir *su* voto, dar*le a uno su* voto. 깨끗한 한 ～를 던지다 emitir *su* voto limpio [honesto]. 200～를 얻다 obtener doscientos votos (a favor).
◆왕복(往復)～ billete *m* de ida y vuelta.
◆표를 끊다 sacar un billete.
■～ 파는 곳 taquilla *f, AmL* boletería *f.* ～ 파는 사람 taquillero, -lla *mf, AmL* boletero, -ra *mf.*
표(標) ① [증거] prueba *f,* evidencia *f,* testimonio *m.* 두 나라의 친선의 ～로 en testimonio de la amistad mutua de los dos países. ② [부호] marca *f,* signo *m,* señal *f.* ～를 하다 marcar, poner una señal (a). 나무에 ～를 하다 poner una señal a un árbol. 붉은 잉크로 ～를 하다 marcar con (la) tinta roja. ③ [휘장] divisa *f,* escudo *m,* emblema *m,* símbolo *m,* insignia *f,* chapa *f.* ④ [상표(商標)] marca *f* (de fábrica). ⑤ ((준말)) ＝표지(標紙).
■～ㅅ대 señal *f,* poste *m* indicador. ～ㅅ돌 mijero *m,* piedra *f* millera. ¶～을 세우다 levantar [erigir] el mijero. ～ㅅ말 poste *m,* pilar *m.* ¶～을 세우다 levantar [erigir] el poste.
표결(表決)【법률】votación *f.* ～하다 votar. 감사의 ～ voto *m* de gracias.
■～권(權) voto *m* activo.
표결(票決) votación *f,* decisión *f* por votación. ～하다 votar, decidir [determinar] *algo* por votos.
표고【식물】(una especie de) seta *f,* champiñón *m* (*pl* champiñones).
표고(標高) sobre el nivel del mar.
표고버섯 ((식물)) ＝표고.
표구(表具) paspartú *m,* empapelado *m,* adorno *m* de un cuadro con papel o con tela, *Méj* maríaluisa *f.* ～하다 empapelar, adornar un cuadro con papel o con tela.
■～사 empapelador, -dora *mf.* ～점 tienda *f* de paspartú. ～틀 [액자] paspartú *m, Méj* maríaluisa *f.*
표기(表記) apunte *m,* apuntación *f,* escritura *f.* ～하다 escribir, anotar, apuntar. ～의 금액 suma *f* declarada.
■～법(法) ortografía *f,* sistema *m* de representación por signo, anotación *f.* ¶외래어(外來語) ～ ortografía *f* de la lengua extranjera.
표기(標記) marca *f,* señal *f.* ～하다 marcar.
표 나다(表－) (ser) característico, llamativo. 표 나게 de forma llamativa.
표독(標毒) ferocidad *f,* brutalidad *f.* ～하다 (ser) feroz (*pl* feroces), brutal.
표독스럽다 (ser) feroz, brutal. 표독스러운 얼굴 cara *f* feroz.
표독스레 ferozmente, brutalmente, con ferocidad, con brutalidad.
표등(標燈) lámpara *f* signal, lámpara *f* indicadora.
표류(漂流) (navegación *f* a la) deriva. ～하다 derivar(se), ir [estar · flotar] a la deriva, ir al garete.
■～물 pecio *m,* pedazo *m* de la nave naufragada. ～선 barco *m* que flota a la deriva. ～자 náufrago, -ga *mf.*
표리(表裏) ① [안팎] anverso *m* y reverso, cara y cruz; [양면(兩面)] dos lados, ambos lados. 매사(每事)에는 ～가 있다 Todas las cosas tienen su cara y cruz. ② [이심(異

心)] dos caras, doblez *f*, duplicado *m*, fraude *m*, indecisión *f*, insidia *f*; [위선(僞善)] hipocresía *f*. ~가 있는 de dos caras, doble, traidor, traicionero, alevoso, aleve, insidioso, indeciso; [위선의] hipócrita. ~없이 concienzudamente. ~ 있는 사람 persona *f* doble.

■ ~부동 hipocresía *f*. ¶~한 사람 hipócrita *mf*.

표면(表面) [윗면] superficie *f*; [외면(外面)] exterior *m*; [외관] apariencia *f*. ~(상)의 superficial, exterior; [공식적] oficial, formal, nominal. ~으로는 superficialmente, exteriormente; [표면상은] públicamente, nominalmente, aparentemente; [공식적으로는] oficialmente, formalmente. ~상의 이유(理由) razón *f* exterior. 건강을 ~상의 이유로 con el pretexto de *su* escasa salud. ~상은 사찰(査察)을 위해 oficialmente para inspeccionar. ~에 나타나다 aparecer en la superficie. ~에 떠오르다 subir a la superficie. ~상 냉정을 유지하다 mantener calma superficial.

■ ~ 마찰 fricción *f* superficial. ~ 마취(痲醉) anestesia *f* superficial. ~압 presión *f* superficial. ~ 장력 tensión *f* interfacial. ~적(的) superficial. ~적(積) =겉넓이. ~파(波) onda *f* superficial. ~화(化) descubrimiento *m*, revelación *f*. ¶~하다 descubrirse, revelarse, publicar, dar al público, hacer público. ~되다 hacerse público, ser público.

표명(表明) manifestación *f*, expresión *f*, designación *f*. ~하다 manifestar, expresar, anunciar, exponer, formular. designar. 희망을 ~하다 formular *su* deseo. 불만을 ~하다 formular *su* queja. 입후보를 ~하다 anunciar *su* candidatura.

표목(標木) =푯말. ☞표(標)

표박(漂泊) ① =표류(漂流). ② [일정한 주거나 생업이 없이 떠돌아다니며 지냄] vagabundeo *m*, vagamundo *m*. ~하다 vagabundear, vagamundear.

표방(標榜) ① [어떠한 명목을 붙여 주의·주장을 앞에 내세움] defensa *f*, propugnación *f*. ~하다 profesar. A당은 민주주의를 ~하고 있다 El partido (político) A profesa la democracia. ② [남의 선행을 칭찬하고 기록하여 여러 사람에게 보임] divulgación *f*. ~하다 divulgar, hacer público.

표밭(票-) circunscripción *f* [distrito *m* electoral] de la votación favorable.

표백(表白) expresión *f*, confesión *f*. ~하다 expresar, confesar.

표백(漂白) blanqueo *m*, blanqueamiento *m*, decoloración *f*. ~하다 decolorar; [태양에] blanquear (al sol), descolorir; [표백제로] poner en lejía [en blanqueador]. ~되다 decolorarse, desteñire. ~한 무명 tela *f* blanqueada de algodón.

■ ~분 polvos *mpl* de blanqueo, cloruro *m* de cal viva. ~액 solución *f* de blanqueo. ~ 작용(作用) acción *f* de blanqueo. ~제 blanquete *m*, decolorante *m*, lejía *f*, *Col*, *Méj* blanqueador *m*, *Arg* levandina *f*, *Urg* el agua *f* Jane®, *Chi* el agua *f* (de) cuba..

표범(豹-) 【동물】 leopardo *m*, pantera *f*.

표변(豹變) cambio *m* repentino. ~하다 cambiar de opinión de la noche a la mañana, volver la casaca, cambiar repentinamente [de repente], mudar de partido, adaptarse de circunstancia alterada.

표본(標本) espécimen *m* (*pl* especímenes); [식물의] herbario *m*; 【통계】 muestra *f*.

◆무료 ~ muestra *f* gratuita [gratis]. 공장 ~ muestra *f* de fábrica. 바위 ~ muestra *f* de roca. 오줌 ~ muestra *f* de sangre. 인구(人口) ~ muestra *f* de la población. 피[혈액] ~ muestra *f* de sangre. 흙~ muestra *f* de suelo.

■ ~ 분포 distribución *f* de (la) muestra. ~실 sala *f* de muestras. ~ 조사 (encuesta *f* por) muestreo *m*. ~ 조사법(調査法) método *m* de muestreo. ~지(紙) papel *m* de encuesta. ~ 진열소(陳列所) galería *f* de muestras. ~ 추출 muestreo *m*.

표상(表象) ① [상징(象徵)] símbolo *m*, emblema *m*. ~하다 simbolizar. 평화의 ~ emblema *m* de paz. ② 【심리】 representación *f*. ~하다 representar.

■ ~주의 =상징주의(象徵主義).

표석(表石) lápida *f* [piedra *f*] sepulcral.

표석(漂石) mijero *m*, piedra *f* millera.

표석(標石) =푯돌. ☞표(標)

표시(表示) ① [겉으로 들어내 보임] indicación *f*, manifestación *f*. ~하다 indicar, manifestar. ② [남에게 알리느라고 겉으로 드러내어 발표함] mención *f*, expresión *f*. ~하다 mencionar, expresar.

표시(標示) signo *m*, señal *f*, marca *f*. ~하다 señalar, marcar, poner una señal (a). 변변찮은 감사의 ~로 en [como] modesta señal de mi gratitud. 두 나라의 친선의 ~로 en testimonio de la amistad mutua de los dos países. 나무에 ~를 하다 poner una señal a un árbol. 붉은 잉크로 ~를 하다 marcar con (la) tinta roja. 이 배지(badge)는 회원의 ~이다 Esta insignia es señal de ser miembro / Esta insignia es señal de asociación.

◆십자(十字) ~ señal *f* de la cruz. 항로(航路) ~ marca *f* de canal.

■ ~기(器) indicador *m*. ~등 ㉮ [기계의 작동 상태·과정 등의 형편을 나타내어 보여 주는 작은 전등] lámpara *f* piloto. ㉯ [수로(水路)를 안내하는 선박에 다는 등] baliza *f*, fanal *m* (del barco).

표실(漂失) =유실(流失).

표어(標語) mote *m*, lema *m*. 「단결」이 우리의 ~이다 La *Unión* es nuestro lema.

표연하다(飄然-) ① [바람에 가볍게 나부껴 팔랑거리다] [기(旗)가] restallar, chasquear; [돛이] gualdrapear. ② [다 떨쳐 버리고 훌쩍 떠나다] irse rápido, salirse [marcharse] a la francesa.

표연히 sin rumbo fijo, sin designio. ~ 사

라지다 desaparecer sin rumbo fijo [sin designio].

표음(表音) representación *f* fonética. ~하다 representar fonéticamente.

■~ 기호 =발음 부호. ~ 문자 escrituras *fpl* fonéticas.

표의(表意) representación *f* ideográfica. ~하다 representar ideográficamente.

■~ 문자(文字) ideograma *m*, escrituras *fpl* ideográficas.

표일하다(飄逸-) ① [마음 내키는 대로 행동하고 세상일에 초연하다] (ser) bohemio, bohémico, optimista, poco convencional, original. 표일한 사람 bohemio, -mia *mf*. ② [뛰어나게 훌륭하다] (ser) muy respetable, muy excelente.

표장(標章) emblema *m(f)*, divisa *f*, marca *f*.

표적(表迹) señal *f*, indicio *m*, rastro *m*, marca *f*.

표적(標的) blanco *m*, objeto *m*, meta *f*, objetivo *m*; 【군사】 objetivo *m* (미사일 공격의). ~에 맞다 dar en el blanco. ~을 맞히다 hacer blanco. 사람들의 조소(嘲笑)의 ~이다 ser el blanco de la mofa de todos. 그는 비난의 ~이 되었다 El fue el objeto de la crítica / El presentó blanco a la crítica.

■~ 사격 tiro *m* al blanco, práticas *fpl* de tiro. ~선[함] buque *m* piloto, buque *m* al blanco.

표절(剽竊) plagio *m*, piratería *f*, abstracción *f*, refrito *m*, copia *f*. ~하다 plagiar, cometer plagio, abstraer, copiar. 남의 책을 ~하다 plagiar un libro ajeno.

◆위장(僞裝) ~ plagio *m* disfrazado.

■~자(者) plagiario, -ria *mf*.

표절따(驃-) 【동물】 caballo *m* con cuerpo amarillo mezclado con el pelo blanco y con el crin y la cola blancos.

표점(標點) =표적(標的).

표정(表情) expresión *f*, [얼굴의] semblante *m*. ~이 없는 inexpresivo, poco expresivo, falto de expresión. ~이 풍부한 expresivo. 얼굴의 ~ expresión *f* facial, semblante *m*. 슬픈 ~ expresión *f* triste. 걱정스러운 ~으로 con el [un] semblante preocupado. ~이 풍부하게 expresivamente, de una manera expresiva. ~이 굳어지다 endurecerse *su* cara. ~이 풍부하다 tener expresión, ser expresivo. 놀란 ~을 띠다 poner cara de sorpresa, poner cara de sorprendido. 그는 어두운 ~을 했다 Se le obscureció [ensombreció] la cara.

표제(標題/表題) título *m*; [기사(記事)의] titular *m*. ~를 붙이다 titular, poner un título (a). 「어머님께 바칩니다」 라는 ~가 붙은 책 libro *m* cuyo título es *A mi madre*.

■~어(語) [사전의] entrada *f*. ¶~ 10만 이상 más de cien mil entradas. ~ 음악 (音樂) música *f* de programa, música *f* descriptiva. ~지(紙) portada *f*, carátula *f*.

표주(標柱) =푯대. ☞표(標)

표주(標註) nota *f* marginal.

표주박(瓢-) calabaza *f* seca (empleada como vasija).

표준(標準/表準) norma *f*, estándar *m*, criterio *m*, regla *f* establecida; [수준] nivel *m*; [평균] término *m* medio, promedio *m*; [전형] modelo *m*, tipo *m*, marca *f*. ~의 normal, ordinario, de marca, de ley, de promedio. ~ 이상의 superior al nivel. ~ 이하의 inferior al nivel. 생산(生産)의 ~ marca *f* de producción. ~에 달하다 llegar al nivel. ~을 정하다 fijar [establecer] un criterio, fijar normal, poner norma.

■~ 가격(價格) precio *m* normal. ~ 감각 sensación *f* normal. ~ 궤간(軌間) plantilla *f*, calibre *m* patrón, galga *f* patrón. ~ 궤간 철도 ferrocarril *m* de ancho normal. ~ 규격 norma *f* estándar. ~ 기록 récord *m* normal. ~ 기압(氣壓) atmósfera *f* tipo, atmósfera *f* normal. ~량 cantidad *f* normal. ~ 번역 traducción *f* autorizada. ~ 사이즈 tamaño *m* normal, tamaño *m* estándar. ~ 상태 estado *m* normal. ~ 생계비 coste *m* de vida normal, *AmL* costo *m* de vida normal. ~ 서반아어 español *m* normal. ~ 시(時) hora *f* oficial, hora *f* legal. ~ 시계 cronómetro *m*. ~식(食) comida *f* normal. ~ 압력 presión *f* normal. ~액 =규정액. 노르말액. ~어 lengua *f* común, lengua *f* normal. ~ 예산 presupuesto *m* normal. ~ 임금 salario *m* normal. ~ 전압 voltaje *m* normal. ~ 체온 temperatura *f* del cuerpo normal. ~ 출력 salida *f* normal. ~ 편차 desviación *f* tipo, desviación *f* standard. ~ 항성 estrella *f* normal. ~형 modelo *m*, tipo *m*. ~화 normalización *f*, estandarización *f*, estandardización *f*. ¶~하다 normalizar, estandarizar, estandardizar. 국제~기구 la Organización Internacional de Normalización, OIN *f*.

표지(表紙) ① [책뚜껑] portada *f*, tapa *f* (del libro), encuadernación *f*, cubierta *f*, farro *m*, pasta *f*, [신문·잡지·서적의] portada *f*. 두꺼운 ~ tapas *fpl* de papel espeso [de cartulina]. ~를 씌우다 encuadernar, empastar. ② =서표(書標).

◆가죽 ~ encuadernación *f* de cuero. 타이틀 ~ portada *f* titular.

■~ 디자인 diseño *m* de la portada. ~ 의장 =표지 디자인. ~ 커버 [책 표지를 씌우는] sobrecubierta *f*, camisa *f*.

표지(標紙) marca *f*, nota *f*, certificado *m*, cheque *m*.

표지(標識) señal *f*, indicador *m*; [표지 기둥] poste *m* indicador. 이곳에는 주차 금지의 ~가 세워져 있다 Aquí hay una señal que dice: Prohibido aparcar. 1킬로미터 간격으로 제한 속도의 ~가 되어 있다 La velocidad límite está señalizada a intervalos de un kilómetro.

■~등 luz *f* de baliza. ~물 señal *f*, aviso *m*, signo *m*.

표징(表徵) señal *f*, símbolo *m*, marca *f*, indicación *f*.

표차롭다(表-) sobresalir, destacar(se).

표착(漂着) llegada *f* [arribo *m*] a flote. ～하다 ser llevado a tierra, arribar a flote, arribar a tierra, ser arrojado a tierra.
■ ～물(物) pecio *m*.

표찰(標札) etiqueta *f*, marbete *m*, plancha *f* de nombre portal, plancha *f* con el nombre que habita en casa, placa *f* [letrero *m*] con el nombre que se pone en la puerta.

표창(表彰) mención *f* de honor, recomendación *f* [apreciación *f*] oficial; [상] galardón *m*, premio *m*; [메달] condecoración *f*. ～하다 galardonar, premiar, remunerar, apreciar. 그는 결근이 없어서 ～받았다 El fue galardonado por no haber faltado ni un día al trabajo.
■ ～대(臺) estrado *m* de honor. ～식(式) ceremonia *f* de concesión de galardones, mención *f* de honor. ～장(狀) certificado *m* de mérito.

표출(表出) ＝표현(表現).

표층(表層) capa *f* superficial.
■ ～ 구조(構造) estructura *f* superficial. ～ 눈사태 alud *f* superficial. ～ 해류(海流) corriente *f* marítima superficial.

표토(表土) ＝경토(耕土).

표표하다(表表－) (ser) llamativo, manifiesto, notorio, evidente, distinguido, famoso, renombrado, de renombre, conocido, célebre, de nota.
표표히 de forma llamativa, manifiestamente, sin designio, notoriamente, famosamente.

표표하다(漂漂－) ① [높이 떠 있다] estar flotando alto. ② [물에 둥둥 떠 있다] estar flotando en el agua.

표표하다(飄飄－) ① [나부끼는 모양이 가볍다] (ser) flotante, boyante. ② (ser) despreocupado, indiferente. 그는 표표한 인물이다 El es un bohemio.
표표히 flotantemente, boyantemente; indiferentemente, despreocupadamente.

표피(表皮) ①【해부·식물】epidermis *f*. ～의 epidérmico. ② [수목(樹木)의] corteza *f*. ～의 cortical.
■ ～ 세포(細胞) célula *f* epidérmica. ～염 epidermitis *f*. ～ 이식술 epidermatoplástica *f*. ～ 조직 tejido *m* epidérmico;【식물】tejido *m* cortical. ～ 탈락(脫落) descamación *f*.

표하다(表－) expresar, hacer saber, desplegar, manifestar, mostrar. …에 경의를 표해서 en honor de *algo*. …에 사의(謝意)를 표해서 en estimación de *algo*. …에 조의(弔意)를 표해서 en condolencia de *algo*. …에 축의(祝意)를 표해서 en congratulación de *algo*. 만족(滿足)의 뜻을 ～ expresar la satisfacción. 사의(謝意)를 ～ manifestar el agradecimiento.

표하다(標－) proponerse, querer, tener como un objeto.

표한하다(剽悍－) (ser) fiero, feroz, furibundo, salvaje.

표현(表現) expresión *f*, manifestación *f*, representación *f*. ～하다 expresar, manifestar, representar; [기술하다] describir. 딱딱한 ～ expresión *f* ceremoniosa, término *m* protocolario. 적절한 ～ expresión *f* acertada. 적절하지 못한 ～ expresión *f* torpe, expresión *f* poco acertada. ～의 자유(自由) libertad *f* de expresión. 말로 ～할 수 없는 indecible, inefable, inexpresable, indescriptible. 자신의 생각을 ～하다 expresarse, expresar [exponer · manifestar] *su* pensamiento.
■ ～력 poder *m* de expresión. ～법 modo *m* [manera *f*] de expresar. ～주의(主義) expresionismo *m*. ～파 expresionista *mf*. ～ 형식 forma *f* de expresión.

푯대(標－) ☞표(標)

푯돌(標－) ☞표(標)

푯말(標－) ☞표(標)

푸 ① [입술을 모아 김을 내뿜는 소리] con ¡uf! ② [힘없이 뀌는 방귀 소리] con un pedo ligero.

푸가(이 *fuga*)【음악】fuga *f*.

푸근푸근 suave y cómodamente. ～하다 (ser) suave y cómodo.

푸근하다 ① [탄력성이 있고 부드러워서 솜 위에 살이 닿을 때와 같이 약간 따뜻하고 편안한 느낌이 있다] (ser) volloso, felpudo, blando, suave, cómodo, aterciopelado, sedoso. 푸근한 이부자리 cama *f* aterciopelada. ② [겨울날이 바람도 없이 부드럽게 푹하다] (ser) templado, benigno. 푸근한 겨울 날씨 tiempo *m* templado del invierno. ③ [매우 넉넉하여 마음에 느긋하다] sentirse apacible, sentirse agradable, (ser) dulce, delicado. 푸근한 성질 disposición *f* dulce.
푸근히 vellosamente, blandamente, suavemente, cómodamente, atersiopeladamente, sedosamente; dulcemente, delicadamente, apaciblemente, agradablemente; benignamente.

푸나무 la hierba y el árbol.

푸나무서리 entre las hierbas y los árboles espesos.

푸네기 *su* pariente cercano.

푸념 refunfuño *m*, refunfuñadura *f*, rezongo *m*, rezongueo *m*, machaqueo *m*, machaconería *f*, chochez *f*, chochera *f*, quejumbre *f*, [불평] queja *f*. ～하다 rezongar, refunfuñar, gruñir, quejarse (de), volver a contar la misma historia, machaconear. 노인(老人)의 ～ machaqueo *m* [machaconería *f* · chochez *f* · chochera *f*] de los viejos. ～을 잘하는 quejumbroso, refunfuñón (*pl* refunfuñones). …에 관해 ～하다 quejarse constantemente de *algo* · *uno*.

푸다 ① [물·분뇨 등을 떠내다] sacar. 물을 ～ sacar el agua. 국자로 ～ sacar con cucharrón. 샘물을 ～ sacar agua del pozo. 그들은 보트에서 물을 펐다 Ellos sacaron el agua del bote. ② [그릇 속에 든 곡식 등을 떠내다] sacar. 나는 자루에서 쌀을 약간 펐다 Yo saqué un poco de arroz de la bolsa / [손으로] Yo saqué un puñado de

arroz de la bolsa.
퍼 올리다 sacar, extraer. 냇물을 ~ sacar agua del río. 석유를 ~ extraer petróleo. 양동이로 물을 ~ echar agua en un cubo.
푸닥거리 exorcismo *m*. ~하다 exorcizar los espíritus malignos.
푸닥지다 (ser) abundante, profuso.
푸대접(一待接) maltratamiento *m*, mal tratamiento *m*, recepción *f* fría, tratamiento *m* [recibimiento *m*] frío, inhospitalidad *f*. ~하다 tratar mal, maltratar, recibir con frialdad, recibir [tratar] fríamente, tratar despiadamente, desatender, descuidar. 부모를 ~하다 tratar mal [descuidar] a *sus* padres.
푸두둥 revoloteando.
푸두둥거리다 seguir revoloteando.
푸두둥푸두둥 revoloteando y revoloteando.
푸둥푸둥 =포동포동.
푸드덕 batiendo las alas.
푸드덕거리다 seguir batiendo las alas.
푸드득 con un chorro, con un borbotón.
푸드득거리다 salir a chorros, salir a borbotones.
푸드득푸드득 saliendo a chorros, saliendo a borbotones.
푸들(영 *poodle*) 【동물】 caniche *m*, perro *m* caniche, perro *m* de lanas.
푸딩(영 *pudding*) budín *m* (*pl* budines), pudín *m* (*pl* pudines), pudding *ing.m*.
푸뜩푸뜩 a menudo, bastante seguido, con frecuencia, frecuentemente. ~하다 (ser) intermitente. 생각이 ~ 나다 Se me ocurre las ideas.
푸렁 color *m* azul, tintura *f* azul.
푸렁이 tintura *f* [tinte *m*] azul.
푸르께하다 (ser) azulado, verdoso.
푸르다 ① [하늘빛·초록빛과 같은 빛이다] (ser) azul; [초록빛] verde. 푸른 대나무 bambú *m* verde. 푸른 바다 mar *m* azul. 푸른 숲 bosque *m* verde, bosque *m* frondoso. 푸른 잎 hoja *f* verde, verdor *m*; [무성한] frondas *fpl* verdes. 푸른 잉크 tinta *f* azul. 푸른 풀 hierba *f* verde. 푸른 하늘 cielo *m* azul. 하늘은 ~ El cielo es azul. 하늘이 ~ [일시적으로] El cielo está azul. ② [세력이 당당하다] (ser) (alto y) poderoso, influyente. 서슬이 ~ ser influyente, tener el filo.
■ 푸른 양반 noble *m* influyente.
푸르대콩 【식물】 soja *f* [alubia *f*] verde.
푸르데데하다 (ser) azulado, verdoso.
푸르뎅뎅하다 =푸르데데하다.
푸르디푸르다 (ser) muy azul, muy verde, lozano. 풀이 연도(沿道)를 따라 푸르디푸르게 무성했다 La hierba crecía lozana a lo largo del camino.
푸르르 enfurruñándose.
푸르무레하다 (ser) algo verde, algo verde.
푸르스레하다 =푸르스름하다.
푸르스름하다 (ser) azulado, verdoso.
푸르죽죽하다 =푸르데데하다.
푸르퉁퉁하다 (ser) pálido. 푸르퉁퉁한 얼굴 cara *f* pálida.
푸른거북 【동물】 =바다거북.
푸른곰팡이 【식물】 moho *m* verde [azul].
푸른도요 【조류】 =댕기물떼새.
푸른똥 excremento *m* verde.
푸른백로(一白鷺) 【조류】 garzota *f*, garza *f* real, airón *m*.
푸릇푸릇 azul [verde] aquí y allá. ~하다 (ser) azul [verde] aquí y allá.
푸만하다 estar muy cargado.
푸새[1] [옷 따위에 풀을 먹이는 일] almidonado *m*, almidonante *m*. ~하다 almidonar.
푸새[2] [산과 들에 저절로 나서 자란 풀의 총칭] hierbas *fpl*, plantas *fpl*.
푸서 deshilachado *m*.
푸서리 tierra *f* llena de hierbajos.
푸석돌 piedra *f* que se desmigaja.
푸석살 carne *f* blanda que se desmenuza fácilmente.
푸석이 ① [거칠고 단단하지 못해 부스러지기 쉬운 물건] cosa *f* frágil. ② [옹골차지 못하고 아주 무르게 생긴 사람] persona *f* delicada, persona *f* débil.
푸석하다 ① [메마르고 부피가 커서 부스러지기가 쉽다] (ser) quebradizo, fofo, desmigajarse, desmenuzarse fácilmente, friable. ② [핏기가 없이 약간 부은 듯하고 꺼칠하다] estar pálido y algo hinchado.
푸석푸석 crujientemente, ~하다 desmigajarse, desmenuzarse fácilmente, (ser) quebradizo, fofo, fláccido, lacio. 과실이 ~하다 avanecerse..
푸성귀 verduras *fpl*, hierbas *fpl*, hortaliza *f*.
■ 푸성귀는 떡잎부터 알고 사람은 어렸을 때부터 안다 ((속담)) La primera impresión es la más duradera / La primera vista es muy importante pero, no obstante / El que tiene la esperanza en el futuro se sabe desde su niñez.
푸솜 algodón *m* crudo.
푸슬푸슬 =파슬파슬.
푸에르토리코 【지명】 Puerto Rico. ~의 portorriqueño, puertorriqueño.
■ ~ 사람[인] puertorriqueño, -ña *mf*, portorriqueño, -ña *mf*.
푸접없다 (ser) seco, brusco, categórico.
푸접없이 secamente, bruscamente, categóricamente. ~ 거절하다 rehusar rotundamente, rehusar categóricamente. ~ 대답하다 responder secamente, responder bruscamente.
푸조기 una especie de la corvina amarilla.
푸주(一廚) carnicería *f*.
■ ~한(漢) carnicero *m*.
푸줏간(一間) carnicería *f*.
푸지다 (ser) abundante, rico, liberal. 푸진 음식 comida *f* abundante. 푸진 대접 tratamiento *m* liberal. 푸지게 먹다 comer abundantemente.
푸짐하다 (ser) abundante, profuso, generoso.
푸집개 cubierta *f* para tapar las armas.
푸하다 (estar) desordenado, desaliñado, hinchado, inflado. 푸한 머리 cabello *m* desor-

denado. 푸한 짐 fardo *m* suelto.

푹 ① [아주 깊고 느긋하게] bien, perfectamente bien, profundamente, a pierna suelta. ~ 자다 dormir (perfectamente) bien, dormir plácidamente, dormir profundamente, dormir a pierna suelta, soñar con los angelitos. ~ 주무세요 ¡Que duermas bien! 그는 ~ 자고 있다 El está como (hecho) un tronco / El está [El ha quedado] profundamente dormido. 나는 간밤에 ~ 잤다 Dormí perfectamente bien anoche. ② [힘있게 깊이 찌르는 모양] profunda y fuertemente. 칼로 ~ 찌르다 herir con arma blanca. 칼로 가슴을 ~ 찌르다 dar*le* una puñalada en el pecho, clavar un puñal en el pecho (de · a). A를 B에 ~ 찌르다 clavar A en B. 타이어에 못이 ~ 찔렸다 El neumático se ha pinchado con un clavo. ③ [빈틈없이 잘 덮거나 잘 싸는 모양] enteramente. 모포를 ~ 뒤집어쓰다 cubrirse enteramente con una manta. ④ [흠뻑 익은 모양] bien, completamente, enteramente. 약한 불에 ~ 끓이다 cocer bien a fuego lento. ⑤ [남김없이 죄다] todo, exhaustivamente, completamente, enteramente. ⑥ [깊게 뚜렷이 팬 모양] profundamente. ⑦ [수령 등에 갑자기 빠지는 모양] de repente, repentinamente. ⑧ [힘없이 단번에 쓰러지는 모양] débilmente. ~ 쓰러지다 caerse débilmente. 그는 무릎을 ~ 꿇었다 El hincó abatido sus rodillas. 그녀는 테이블에 ~ 엎드렸다 Ella se hundió [se cayó] sobre la mesa. ⑨ ((준말)) =푹석. ⑩ [고개를 아주 깊이 숙이는 모양] profundamente. 고개를 ~ 숙이다 bajar *su* cabeza profundamente.

푹석푹석하다 (ser) crujiente, crocante, desmigajarse, desmenuzarse fácilmente.

푹신푹신 cómodamente, blandamente, suavemente. ~하다 (ser) cómodo; [부드럽다] blando, suave. ~한 요[방석] colchón *m* (*pl* colchones) blando. ~한 의자 sillón *m* (*pl* sillones) cómodo [blando]. ~한 침대 cama *f* cómoda, cama *f* blanda.

푹신하다 (ser) cómodo, suave, mullido, sedoso, aterciopelado. 푹신한 융단 alfombra *f* mullida. 푹신한 침대 cama *f* cómoda.

푹푹 ① [연해 깊이 찌르거나 쑤시는 모양] con fuerza repetida. 칼로 호박을 ~ 찌르다 picar la calabaza repetidas veces. ② [자꾸 빠지거나 들어가는 모양] profundamente. 진흙에 ~ 빠지다 atascarse en el barro profundamente. ③ [남김없이 죄다 썩어 들어가는 모양] completamente, perfectamente. 고구마가 ~ 썩는다 Los boniatos se pudren completamente. ④ [속속들이 익도록 찌거나 삶은 모양] bien. 콩을 ~ 삶다 cocer [hervir] las alubias bien. ⑤ [암팡지게 연해 쏟거나 담는 모양] virtiendo mucho, sacando mucho. 쌀을 ~ 퍼 담다 sacar el arroz mucho. ⑥ [날이 찌는 듯이 더운 모양] sofocantemente, bochornosamente, pesadamente. ~ 찌는 삼복더위 calores *mpl* caniculares sofocantes. 오늘은 ~ 찌는 날씨다 Hoy hace verdadero bochornoso / Hoy es muy caliente. ⑦ [눈 같은 것이 소복소복 쌓이는 모양] profundamente, muchísimo. 발이 ~ 빠지다 *sus* pies caer profundamente. 눈에 무릎까지 ~ 빠지다 caer de rodillas profundamente en la nieve.

푹하다 estar [ser] templado. 날씨가 ~ El tiempo es templado / El día está templado. 겨울 날씨가 춥지 않고 ~ El tiempo no hace frío sino está templado en (el) invierno.

푼[1] [백분율의 단위] *pun*, por ciento. 5~ cinco por ciento. 3~의 이자(利子) interés *m* del tres por ciento.

푼[2] ① [옛날 엽전의 단위] *pun*, céntimo *m*, centavo *m*. 닷 냥 서 ~ cinco *nyang* tres *pun*, cinco pesetas y tres céntimos. 한 ~도 없다 No tengo ni un céntimo. ② [무게의 단위] *pun*, 0.375 g. 한 돈 오 ~ un *don* cinco *pun*. ③ [길이의 단위] *pun*. 두 치 오 ~ dos *chi* cinco *pun*.

푼거리 compra *f* [venta *f*] la leña por el fardo. ~하다 comprar [vender] la leña por el fardo.

■ ~나무 leña *f* vendida por el montón. ~질 ㉮ [푼거리나무를 사서 때는 일] el hacer un fuego comprando la leña vendida por el montón. ㉯ [물품을 조금씩 조금씩 감질나게 사서 쓰는 일] el usar las cosas comprándolas poco a poco.

푼끌 cinsel *m* pequeño.

푼나무 ((준말)) =푼거리나무.

푼내기 ① [노름에 몇 푼의 돈으로 하는 조그마한 내기] apuesta *f* pequeña. ② =푼거리.

■ ~흥정 negocio *m* de poca monta.

푼더분하다 ① [얼굴이 두툼하여 탐스럽다] (ser) rellenito, regordete, curvilíneo. ② =푼푼하다.

푼더분히 rellenitamente, regordetemente.

푼돈 alfileres *mpl*, (dinero *m*) suelto *m*, dinero *m* para gastos particulares, dinero *m* (en) efectivo pequeño.

푼사(—絲) hilo *m* de seda (de bordar).

■ ~실 =푼사.

푼수(—數) ① [얼마에 상당한 정도] ratio *m*, porcentaje *m*. ② [어떠한 꼴이나 셈판] circunstancias *fpl*. ③ =분수.

푼어치 penique *m*.

푼주 tazón *m* llano de porcelana.

푼치 diferencia *f* pequeña, distancia *f* pequeña, brecha *f* pequeña.

푼푼이 poco a poco. ~ 모은 돈 dinero *m* ahorrado poco a poco.

푼푼하다 ① [모자람이 없이 넉넉하다] (ser) bastante, suficiente, abundante ② [옹졸하지 않고 활달하다] (ser) liberal, generoso, magnánimo.

푼푼히 bastante, suficientemente, abundantemente; liberalmente, generosamente, magnánimamente.

푼소 *putso*, vaca *f* que se alimenta la hierba

cruda solamente en el verano.
■ ~가죽 piel *f* de *putso*. ~고기 carne *f* de *putso*.

풀¹ [쌀·밀가루 등의 녹말질에서 빼낸 접합제] [붙이는] engrudo *m*; [밀가루의] pasta *f*, [녹말의] almidón *m* (*pl* almidones), fécula *f*, [벽지 등의] pegamento *m*, cola *f*. ~을 먹이다 almidonar. ~을 먹인 almidonado. ~을 먹임 almidonante *m*, almidonado *m*, empastado *m*. 갓 ~을 먹인 옷 ropa *f* recién almidonada. ~을 바르다 engrudar. ~을 붙이다 aplicar pegamento [cola] (a). ~을 쑤다 preparar la pasta. ~로 붙이다 enpastar, dar de engrudo, engrudar. ~로 붙인 empastado, pegado. ~로 광고를 붙이다 pegar el anuncio con engrudo. ~로 종이를 붙이다 engrudar papel. 세탁할 와이셔츠가 다섯입니다 - ~을 먹일까요? Tengo cinco camisas para lavar - ¿Las quiere almidonadas?
■ 풀 먹은 개 나무라듯 한다 ((속담)) Se reprende severamente.
■ ~끝 un poquito de pasta. ~비 pincel *m* para empastar. ~주걱 espátula *f* para almidonar.

풀² ① [초본 식물의 속칭] hierba *f*, [어린 풀] hierba *f* joven, hierba *f* tierna; [식물] planta *f*, [약초] hierbas *fpl* medicinales; [목초] dehesa *f*, pasto *m*, hierbazal *m* (초원의); [잡초] hierbajo *m*, mala hierba *f*, *RPI* yuyo *m*, *AmL* maleza *f*, [잔디] césped *m*, céspede *m*. ~을 먹다 alimentarse de hierbas, pacer, pastar. ~을 먹이다 herbajar, apacentar, pastorear. ~을 베다 segar hierbas; [잡초를] escardar. ~을 뽑다 desyerbar. ~이 많이 나다 ser invadido de hierbas, extenderse con hierbas. 뜰의 ~을 뽑다 escardar [desyerbar] un jardín, quitar [arrancar] las hierbas del jardín. ~이 자라고 있다 Crece la hierba. 이 토지에는 ~이 덮혀 있다 Este terreno está repleto [cubierto] de hierba. ② ((준말)) =갈풀.
◆ 풀 끝의 이슬 La vida es en vano.
■ ~내 olor *m* a hierba.

풀³ ((준말)) =풀기.
◆ 풀이 죽다 anonadarse, tener un aspecto abatido. 풀이 죽어 con desaliento, hecho migas, abatido. 그는 풀이 죽어 있었다 El tenía un aspecto terriblemente ababido. 그녀는 풀이 죽어 있었다 Ella quedó anonadada.

풀(영 *pool*) ① [수영장(水泳場)] piscina *f*, *RPI* pileta *f*, natatorio *m*, *Méj* alberca *f*. ~에서 수영하다 nadar en la piscina. ② [자동차 등이 모이는 곳] parque *m*. 모터 ~ parque *m* de automóviles. ③ [웅덩이. 연못] charca *f*. ④ 【경제】 [합동 자금. 공동 출자] fondos *mpl* comunes. ~로 하다 hacer un fondo común (de), poner en un fondo común. 그들은 선박을 구입하기 위해 ~로 했다 Ellos hicieron fondo común para comprarse un barco.
◆ 실내(室內) ~ piscina *f* cubierta. 옥외(屋外) ~ piscina *f* al aire libre.
■ ~ 개장 apertura *f* de la piscina. ~ 계산 cuenta *f* común. ~제 sistema *m* de fondo común.

풀갓 =초립(草笠).

풀기(-氣) ① [풀을 먹여 빳빳하게 된 기운] almidón *m* (*pl* almidones). ~가 있는 almidonado. ② [사람의 씩씩한 활기] vivacidad *f*, animación *f*, actividad *f*, vigor *m*, energía *f*, vitalidad *f*. ~가 있다 estar lleno de espíritu, (ser) vigoroso, animado. ~가 없다 languidecer, ser lánguido, tener un aspecto terriblemente abatido. 그는 ~ 없는 얼굴을 하고 있다 El tiene una cara desanimada [abatida · deprimida]. 나는 요즈음 ~가 없다 Estoy deprimido [muy triste · hecho polvo] estos días / Estoy que me muero de abatimiento.

풀꽃 flor *f* de la hierba.

풀다 ① [묶은 것이나 뭉킨 것을 끄르거나 풀어지게 하다] desatar, deshacer, desenlazar, desanudar, desamarrar; [개·말을] soltar, desatar, *AmL* desamarrar (*RPI* 제외); [꿰맨 것을] descoser; [얽힌 것을] desenredar, desenmarañar; [느슨하게 하다] aflojar, relajar. 풀어 주다 soltar; [사람을] dejar ir, poner en libertad, dejar en libertad. 구두끈을 ~ desatar los cordones de los zapatos. 끈을 ~ desatar una cuerda. 끈의 매듭을 ~ desanudar una cuerda. 나사를 ~ aflojar un tornillo. 매듭을 ~ desatar [deshacer · aflojar] un nudo. 오버의 꿰맨 데를 ~ descoser un abrigo. 포장을 ~ desatar un paquete. 허리띠를 ~ aflojar el cinturón [*ReD* la correa]. 손을 좀 풀어 주십시오 Suélteme la mano, por favor. ② [감정·분노 따위를 누그러지게 하거나 가라앉게 하다] dar rienda suelta (a), dar salida (a). 원한을 ~ dar rienda suelta a su rencor inteverado. ③ [액체에 다른 것을 타다. 섞다] disolver, desleír, derretir. 물감을 ~ disolver la tinte. 밀가루를 물에 ~ desleír la harina en el agua. ④ [생땅이나 밭을 논으로 만들다] transformar [convertir] (el campo) en arrozal. 개펄에 논을 ~ convertir el cieno en el estuario en arrozal. ⑤ [꿈·점괘의 길흉을 판단해 내다] interpretar, exponer. 점괘(占卦)를 ~ interpretar la señal de adivinación. ⑥ [금지·제한되었던 것 따위를 터놓다] eliminar, levantar, acabar (con). 봉쇄를 ~ levantar un bloqueo. 포위를 ~ levantar un sitio. ⑦ [마음에 품은 것을 이루어지게 하다] [소원을] realizar, satisfacere; [원한을] satisfacer, vengarse (de); [의심·두려움·울적함을] disipar, hacer desvanecer; [노여움을] aplacar; [시장기·갈증을] mitigar. 기분을 ~ divertirse. 시장기를 ~ mitigar *su* hambre. 원(願)을 ~ realizar el deseo. 원한을 ~ vengarse (de). ⑧ [피로·독기 같은 것을 없어지게 하다] calmar, mitigar, aliviar, relajar. 피로(疲勞)를 ~ mitigar [aliviar] la fatiga. ⑨ [깊은 이치, 난문제 등을

궁구해 밝히다] resolver, solucionar, desembrollar(se). 문제(問題)를 ~ resolver el problema. 수수께끼를 ~ desembrollar un misterio. 암호(暗號)를 ~ descifrar una clave, descifrar un código. ⑩ [사람을 동원하다] movilizar. 조사를 하기 위해 부하들을 풀어놓다 movilizar a *sus* subordinados para que lleven a cabo las investigaciones. ⑪ [코를 불어 밖으로 나오게 하다] sonarse (las narices), limpiarse el moco. 그는 코를 풀었다 El se sonó las narices. ⑫ [돈 따위를 방출하다] dispensar, ceder. ⑬ [「몸을 풀다」의 꼴로 쓰이어, 「해산하다」「아기를 낳다」의 뜻] parir, dar a luz.

풀덤불 maleza *f*, maraña *f*.

풀등 banco *m* de arena cubierto de hierba.

풀떡[1] ((준말)) =풀떼기.

풀떡[2] [힘을 모아 가볍게 뛰는 모양] ligeramente, ágilmente, con agilidad.

풀떡거리다 [심장이] latir con fuerza, palpitar; [뛰다] saltar repetidamente.

풀떼기 gachas *fpl* de cereales en polvo.

풀럭거리다 ondear [agitarse] muy rápidamente.

풀렁거리다 ondear [agitarse] pesadamente.

풀렁대다 =풀렁거리다.

풀리다 ① [「풀다」의 피동, 풂을 당하다] ㉮ [묶은 것이] desatarse; [매듭이] desanudarse; [꿰맨 것이] descoserse; [매듭·나사·악기의 현(絃) 따위가] aflojarse. 풀린 머리카락 pelo *m* [cabello *m*] suelto. 매듭이 풀린다 El nudo se desata [se deshace]. 구두끈이 풀려 있다 Tiene desatado el cordón del zapato. 새끼줄이 풀린다 La soga se desata. 소매의 꿰맨 곳이 풀렸다 Se ha descosido la manga. ㉯ [멍이] disolverse. ㉰ [한이 해소되다. 의심이 사라지다] aliviarse, ablandarse, aclararse, esclarecer, satisfacerse. 그의 표정이 풀렸다 Se le ablandaron las facciones / Se aclaró [Esclareció] su rostro. 그는 기분이 풀렸다 Se alivió su corazó [su ánimo]. ㉱ [피로가] mitigarse. ㉲ [자금이] circular, entrar en circulación; [경제가] recuperarse. ㉳ [어려운 이치나 문제가 밝혀지다] desembrollarse. 비밀이 ~ desembrollarse un misterio. ㉴ [암호(暗號)가] descifrarse. ㉵ [문제가] resolverse, solucionarse. 문제가 잘 풀린다 El problema se resuelve bien. 이 문제는 간단히 풀린다 Este problema se resuelve fácilmente. ② [추워서 죄던 날이 누그러지다] aliviarse, disminuir(se); [날씨가] amainar, moderarse, hacer calor. 추위가 풀린다 Se alivia [(Se) Disminuye] el frío. 날씨가 풀린다 Amaina [Se modera] el tiempo. 날씨가 풀리기 시작했다 Ya empezó a hacer calor. ③ [얼었던 것이 녹다] disolverse, fundirse, licuarse. 소금은 물에 풀린다 La sal se disuelve [se licua] en el agua. ④ [기운이나 기강 따위가 느슨해지다] relajarse. 긴장이 ~ relajarse la tensión. 맥이 탁 ~ quedarse sin fuerzas, dejar abatido, anonadar. 규율[단속]이 풀렸다 Se relajó la disciplina [la inspección]. 나는 시험이 끝나자 맥이 탁 풀렸다 Terminados los exámenes, me quedé sin fuerzas. 나는 시합에 져서 맥이 탁 풀렸다 La pérdida del partido me dejó abatido. 그들은 그 소식에 맥이 탁 풀렸다 La noticia les anonadó. 그는 긴장이 풀렸다 Se le relajó la tensión.

풀막(-幕) choza *f* de paja.

풀매 molino *m* pequeño.

풀매듭 nudo *m* que se desata fácilmente.

풀머리 pelo *m* suelto.

풀 먹이다 almidonar.

풀무 fuelle *m*.
■ ~질 bramido *m*. ¶~하다 bramar.

풀밭 hierba *f*, prado *m*, pradera *f*; [잔디밭] césped *m*, céspede *m*. ~에서 놀다 jugar en la hierba.

풀백(영 *fullback*) ((축구)) defensa *mf*, zaguero, -ra *mf*; ((럭비)) zaguero, -ra *mf*; ((미식 풋볼)) fulbac *mf*, corredor *m* de poder.

풀벌 llano *m* cubierto de hierbas.

풀벌레 insecto *m* en la hierba.

풀베기 siega *f* (de la hierba). ~하다 segar la hierba. ~하는 기계(機械) segadora *f* mecánica, máquina *f* de segar, (máquina *f*) segadora *f*. ~하는 낫 hoz *f* (*pl* hoces); [큰] dalle *m*, guadaña *f*. ~하는 사람 segador, -dora *mf* de la hierba, dallador, -dora *mf*.

풀 베이스(영 *full base*) ((야구)) base *f* llena.

풀보기 primera visita *f* de la novia a sus padres políticos después del matrimonio.

풀비 escoba *f* pequeña de las espigas de paja.

풀빛 verde *m* oscuro, verde *m* prado. ~의 de verde oscuro.

풀색(-色) =풀빛.

풀솜 seda *f* floja, filadiz *f*.

품솜할머니 =외할머니.

풀숲 maleza *f*, espesura *f*, matorral *m*.

풀 스피드(영 *full speed*) mayor velocidad *f*, máxima velocidad *f*, velocidad *f* total. ~로 a máxima velocidad, a toda velocidad, a toda marcha, a todo correr.

풀쌀 arroz *m* para preparar la pasta de arroz.

풀썩 levantando de repente. 먼지가 ~ 나다 levantar una nuve de polvo.

풀썩거리다 [먼지가] seguir levantando una nube de polvo.

풀쐐기 【곤충】 oruga *f*.

풀 쑤다 ① [무리풀이나 밀가루를 물에 타서 불에 익히다] preparar la pasta. ② [재산을 휘저어 버림] gastarse toda la fortuna.

풀쑥 ① [갑자기 내미는 모양] de repente, repentinamente, de súbito, súbitamente. ~ 손을 내밀다 alargar [extender] la mano de repente. ② [느닷없이 말하는 모양] de improviso, sin previo aviso, de forma imprevista, cuando nadie lo esperaba.

풀어내다 ① [얽힌 것, 얼크러진 것을 끌러 내다] [실을] desenredar, desenmarañar; [편물을] deshacer; [천·피륙을] deshilachar. ②

[깊은 이치나 어려운 문제를 궁구하여 밝혀 내다] desentrañar, aclarar. ③ =풀어먹이다 ❷.

풀어놓다 ① [맨 것을 풀어 주다] desatar, deshacer; [개·말을] soltar, desatar, *AmL* desamarrar (*RPI* 제외). ② [무엇을 몰래 탐지하기 위하여 사람을 널리 베풀어 놓다] movilizar. ☞풀다 ⑩

풀어먹이다 ① [음식·재물 등을 여러 사람에게 나누어 주다] distribuir (la comida) entre la gente. ② [귀책(鬼責)이 있는 병에 죽을 쑤어 버리거나 무당·판수를 시켜 푸닥거리를 하여 풀다] practicar el exorcismo con la comida expiatoria para expulsar los espíritus malvados.

풀어지다 ① [매이거나 얽힌 것이 풀리게 되다] [모직·스웨터가] deshacerse; [천·피륙이] deshilacharse. ② [뭉친 것, 단단한 것이 엉길 힘이 없이 풀리다] hacerse suave. ③ [눈동자가 초점이 없이 흐려지다] estar adormilado. 눈이 풀어진 con cara de sueño. 그는 졸려 눈이 풀어졌다 El todavía tenía cara de sueño. 그녀의 눈은 눈물로 풀어졌다 Ella tenía ojos empañados [nublados] de lágrimas. ☞풀리다

풀이 explicación *f*, interpretación *f*, aclaración *f*. ~하다 explanar, interpretar, aclarar.

-풀이 exorcismo *m*, rito *m* de chamanismo.

풀이말【언어】=술어(述語). 서술어(敍述語).

풀이씨【언어】=용언(用言).

풀잎 hoja *f* de hierba, brizna *f* de hierba. 그곳에서는 단 하나의 ~도 자라지 않는다 Allí no crece ni una brizna de hierba.
▪~피리 flautillo *m*, caramillo *m*, pipiritaña *f*.

풀장(pool 場) =수영장(水泳場).

풀 죽다 ① [풀기가 적어서 빳빳하지 못하다] perder *su* almidón. 옷이 풀 죽었다 La ropa perdió su almidón. ② [성(盛)하던 기세가 꺾여 약해지다] languidecer, ser lánguido, abatirse, desanimarse, desalentarse, descorazonarse, tener murria, anonadarse. 풀 죽어 lánguidamente, con languidez. 그렇게 풀 죽지 마라 No te desanimes [te desalientes] tanto.

풀줄기 tallo *m* de hierba.

풀질 pegamento *m* (de la pasta), aplicación *f* de pegamento. ~하다 aplicar pegamento [cola] (a). …에 …을 ~하다 pegar *algo* en *algo*.

풀집 tienda *f* de la pasta.

풀쩍 ① [문을 갑작스레 열거나 닫는 모양] abriendo y cerrando la puerta de repente. ② [둔하고 힘 있게 뛰어오르는 모양] saltando ligeramente.
풀쩍거리다 ㉮ [문을 연해 갑작스럽게 여닫고 드나들다] abrir y cerrar de repente, entrar y salir constantemente. ㉯ [둔하고 힘 있게 자꾸 뛰어오르다] saltar ligeramente.
풀쩍대다 =풀쩍거리다.

풀쳐생각 relajación *f*. ~하다 relajar.

풀치다 perdonar generosamente.

풀칠(一漆) ① [종이 등을 붙이려고 무엇에 풀을 바름] (aplicación *f* de) pegamento *m*. ~을 하다 aplicar pegamento, pegar. ② [겨우 끼니를 이어 감] sustento *m* escaso, existencia *f* precaria, existencia *f* pobre. 입에 ~하다 mantener la existencia precaria.

풀풀 ① [열쌔고 기운차게 자꾸 뛰거나 나는 모양] revoloteando, batiendo. 새가 ~ 난다 Las aves vuelan batiendo las alas. ② [물이 자꾸 끓어오르는 모양] hirviendo, bullendo. 물이 ~ 끓다 hervir el agua. 물이 ~ 끓는다! ¡Hierve el agua!

풀풀하다 enfadarse fácilmente, (ser) de mal genio, irascible. 그는 자녀들에게 매우 ~ El tiene tan poca paciencia con sus hijos.

풀피리 ((준말)) =풀잎피리. ☞풀잎

풀하다[1] [풀을 먹이다] almidonar, mojar la ropa blanca en almidón desleído en agua, o cocido, para ponerla blanca y tiesa.

풀하다[2] ((준말)) =갈풀하다.

품[1] ① [윗옷의 양쪽 겨드랑이 밑의 가슴과 등을 두르는 부분의 넓이] anchura *f*. ② [윗옷을 입었을 때 가슴과 옷과의 틈] pechera *f*. ~이 넉넉하다 La pechera es suficiente. ③ [안거나 안기는 것으로서의 가슴] pecho *m*, seno *m*. ~에 숨기다 esconder en el pecho. ~에 안다 abrazar. 그는 그녀를 ~에 꼭 껴안았다 El la estrechó contra su pecho. ④ [비유적으로, 따뜻이 맞아들이거나 감싸 주는 곳] seno *m*. 조국의 ~ seno *m* de la [*su*] patria. 가족의 ~에 en el seno de la familia.

품[2] [무슨 일에 드는 힘 또는 수고] trabajo *m*, pena *f*, labor *f*, esfuerzo *m*. ~이 들다 costar (trabajo). ~을 덜다 ahorrar trabajo, ahorrar molestia, economizar tiempo (de penas). 그는 많은 ~이 들지 않을 것이다 No le costará mucho tiempo. 나는 이 일에 많은 ~을 들였다 Este trabajo me ha costado muchos esfuerzos.

품[3] [됨됨이] carácter *m*, naturaleza *f*, porte *m*, disposición *f*, forma *f*, manera *f*, modo *m*. 사람된 ~ *su* carácter.

품(品) ① ((준말)) =품질(品質). ② =품격(品格). 품위(品位). ③【역사】((준말)) =직품(職品).

-품(品) objeto *m*, cosa *f*, artículo *m*; [상품] género *m*, mercancía *f*. 생활 필수~ artículos *mpl* de primera necesidad. 골동(骨董)~ antigüedades *fpl*, (artículos *mpl* de) curiosidades *fpl*.

품값 paga *f*, gajes *mpl*, renumeración *f* a destajo.

품갚음 cambio *m* de labor. ~하다 cambiar labor.

품격(品格) gracia *f*, elegancia *f*, refinamiento *m*, finura *f*, dignidad *f*, carácter *m*, nobleza *f*. ~이 있다 (ser) elegante, refinado, digno. ~을 높이다 ennoblecer, enaltecer, dignificar *su* carácter. ~을 떨어뜨리다 perder *su* dignidad, degradarse.

품계(品階) grado *m*, rango *m*.

품고(稟告) informe *m* (al superior). ~하다

informar (al superior).

품귀(品貴) escasez *f*, penuria *f*, carestía *f*. ~하다 escasearse. 비누가 ~다 Hay carestía de jabones. ~로 야채 값이 올랐다 Ha subido el precio de la verdura debido a su escasez.

■ ~ 현상(現狀) escasez *f*, carestía *f*. ¶~으로 물가가 올랐다 La carestía ha subido los precios. 인력 ~이 굉장하다 Hay una gran escasez de mano de obra.

품급(品級) grado *m* del rango oficial.

품꾼 ((준말)) =품팔이꾼.

품다[1] ① [품속에 넣거나 가슴에 대어 안거나 몸에 지니다] llevar en *su* pecho, abrazar, estrechar entre los brazos, tomar los brazos, coger los brazos. 비수를 가슴에 ~ llevar un puñal [una daga] en *su* pecho. 아기를 ~에 품다 estrechar el bebé en *su* pecho. ② [원한·슬픔·기쁨·생각 등을 마음속에 가지다] tener, guardar; [소망·의심을] albergar; [희망을] abrigar. 의문을 ~ poner en duda. 의심을 ~ albergar la sospecha. 원한(怨恨)을 ~ guardar rencor. 환영(幻影)을 ~ abrigar ilusión. 희망을 ~ abrigar el deseo. 그의 증언은 의문을 품을 여지가 없다 Su atestación no admite ninguna duda. ③ [알을] empollar. 알을 ~ ampollar (los huevos), incubar (los huevos). ④ [함유하다. 포함하다] contener.

품다[2] [괴어 있는 물을 계속해서 많이 푸다] [···을 ··· 에서] sacar *algo* de *algo* con una bomba.

품다[3] [모시풀 껍질을 품칼로 벗기다] quitar*le* la piel (de *mosipul*) con un cuchillo (a), pelar (*mosipul*) con un cuchillo.

품달(稟達) informe *m* (al superior). ~하다 informar (al superior).

품돈 paga *f*, jornal *m*.

품등(品等) la calidad y el grado.

품렬하다(品劣－) (ser) inferior.

품류(品類) varias clases *fpl* de los artículos.

품명(品名) nombre *m* de artículos.

품목(品目) artículo *m*, nombre *m* de un artículo, lista *f* de artículos. 주요 수출 ~ artículo *m* principal de exportación.

◆비과세(非課稅) ~ artículos *mpl* libres de impuestos, artículos *mpl* no sujetos a impuestos.

■ ~별(別) partida *f*, item *m*. ¶~로 por partidas. ~로 나누다 hacer una lista (de), enumerar, dividir por partidas.

품별(品別) clasificación *f*. ~하다 clasificar.

품사(品詞) 【언어】 parte *f* de la oración. 팔(八)~ las ocho partes de la oración.

■ ~론(論) 【언어】 analogía *f*.

품삯 jornal *m*, paga *f*, gaje *m*, salario *m*, sueldo *m*; [병사의] soldada *f*.

■ ~ 노동자 peón, -ona *mf*; jornalero, -ra *mf*. ~ 문제 problema *m* de paga.

품성(品性) carácter *m*, categoría *f* personal, personalidad *f*. 저속한 ~ carácter *m* vulgar. ~이 훌륭한 사람 persona *f* de buen carácter; [남자] hombre *m* de buen carácter; [여자] mujer *f* de buen carácter. ~을 도야(陶冶)하다 formar carácter. 그는 ~이 비열하다 El es un hombre de poca categoría personal. 그런 말을 하면 네 ~을 의심할 것이다 Si tú dices tal cosa, dudarán de la integridad de tu persona.

품성(稟性) naturaleza *f*, disposición *f* natural, don *m* natural.

품세 ((태권도)) *pumse m*.

품속 seno *m*, pecho *m*, corazón *m*. ~에 en *su* pecho, en *su* seno. ~에 껴안다 estrechar contra *su* pecho.

품안 =품속.

품앗다 trabajar a destajo.

품앗이 trabajo *m* a destajo.

품위(品位) ① [직품(職品)과 지위] el grado y la posición. ② [사람이 갖추고 있는 기품이나 위엄. 또는 인격적 가치] dignidad *f*, elegancia *f*, gracia *f*. ~ 있는 elegante, digno. ~ 없는 사람 hombre *m* de carácter ordinario. ~ 없는 언사(言辭) lenguaje *m* vulgar. ~를 높이다 ennoblecer, enaltecer, dignificar *su* carácter. ~를 떨어뜨리다 perder *su* dignidad, degradarse. ~를 지키다 mantener *su* dignidad, mantener una actitud digna, conservar la apariencia. 그는~에 맞지 않는 것을 했다 [말했다] El ha hecho [dicho] algo que no es propio de él. 미인 대회들에서는 여성의 ~를 저하시키고 있다 En los concursos de belleza se exhibe a las mujeres como en una feria de ganado. ③ [금은화가 머금은 금과 은의 비례] quilate *m*. ④ [광석 중에 포함된 금속의 정도] grado *m*, calidad *f*, excelente calidad *f*. ~가 낮은 광석 mineral *m* de grado inferior.

품의(稟議) consulta *f* (con el superior), pregunta *f*. ~하다 consultar (con el superior), preguntar, hacer [formular] una pregunta, pedir consejo, aconsejar.

품절(品切) mercancías *fpl* agotadas, agotamiento *m*. ~되다 agotarse. ~이다 Ya no tenemos existencias / Está agotado. ☞절품(切品)

품종(品種) [종류] género *m*, especie *f*, [품질] calidad *f*, cualidad *f*, clase *f*, [변종(變種)] variedad *f*, [가축의] casta *f*, raza *f*, [상품 따위의] grado *m*.

■ ~ 개량(改良) mejoramiento *m* de la raza; [식물의] mejoramiento *m* de las plantas.

품질(品質) cualidad *f*, calidad *f*. ~이 좋은 de buena cualidad [calidad]. ~이 나쁜 de mala cualidad [calidad], de cualidad [calidad] inferior. ~이 우수한 de primera cualidad [calidad]. ~이 좋은 제품(製品) productos *mpl* de buena cualidad [calidad]. ~이 나쁜 제품 productos *mpl* de cualidad [calidad] inferior, productos *mpl* de mala cualidad [calidad]. ~이 좋다 ser de buena cualidad [calidad]. ~이 나쁘다 ser de mala cualidad [calidad]. ~이 저하하다 bastardear, degenerar. ~을 개량하다 mejorar en cualidad. …에 비해 ~이 나쁘다 ser inferior de cualidad [calidad] comparado con *algo*. 이것은 저것보다 다소 ~이 떨어진다 Este es de cualidad [calidad] inferior a aquél.

■~ 관리(管理) control *m* de cualidad [calidad], administración *f* de la cualidad. ~ 보증 aseguramiento *m* de cualidad, garantía *f* de cualidad; ((게시)) Cualidad garantizada. ~ 본위(本位) ((게시)) Cualidad primero. ~ 저하 degeneración *f* (de cualidad). ~ 증명서(證明書) certificado *m* de cualidad. ~ 평가(評價) valoración *f* de cualidad.

품 팔다 ajornalar, jornalar.

품팔이 jornal *m*. ~하다 ajornalar, jornalar.

■~꾼 jornalero, -ra *mf*, trabajador, -dora *mf*, asalariado, -da *mf*.

품평(品評) calificación *f*, crítica *f*, evaluación *f*. ~하다 calificar, criticar, evaluar, juzgar los méritos (de), juzgar el valor (de)..

■~회 concurso *m* (de productos), exposición *f*, graduación *f* de productos; [견본시] feria *f* (de muestras).

품하다(稟-) decir, proponer, informar.

품행(品行) conducta *f*, comportamiento *m*, proceder *m*, porte *m*. ~이 좋은 de buena conducta. ~이 나쁜 de mala conducta. 좋은 ~ buena conducta *f*. 나쁜 ~ mala conducta *f*. ~이 좋다 conducirse bien, comportarse bien, portarse bien. ~이 나쁘다 conducirse mal, comportarse mal, portarse mal. 그녀는 ~이 방정하다 Su conducta es ejemplar. 그의 아이들은 ~이 무척 좋다 Sus hijos se portan muy bien.

풋- [새로운 것] nuevo; [덜 익은 것] verde, que no está maduro; [젊은] joven (*pl* jóvenes); [신선한] fresco; [경험이 없는] novel, novato, nuevo, principiante, con poca experiencia. ~고추 chile *m* [ají *m*] verde. ~사과 manzana *f* verde.

풋가지 ① [풋나무의 가지] rama *f* del árbol joven. ② [새로 난 만물 가지] berenjena *f* verde.

풋감 caqui *m* verde, kaki *m* verde.

풋거름 ① =녹비(綠肥). ② [충분히 썩지 않은 거름] abono *m* que no se ha podrido suficientemente.

풋것 fruta *f* [verdura *f*] cosechada que está nuevamente madura del año.

풋게 cangrejo *m* del otoño temprano.

풋고추 chile *m* [ají *m* · guindilla *f*] verde.

풋곡(-穀) ((준말)) =풋곡식.

풋곡식(-穀-) nuevo grano *m*, nuevos cereales *mpl*, cereales *mpl* que no están maduros.

풋과실(-果實) fruta *f* verde.

풋김치 *kimchi m* verde.

풋나물 hortaleza *f* nueva, verduras *fpl* nuevas.

풋내 ① [새로 나온 푸성귀로 만든 음식에서 나는 풀 냄새] olor *m* a hierbas (verdes). ~ 나다 oler a hierbas verdes. ② [미숙함] inmadurez *f*, inexperiencia *f*. ~ 나는 inmaduro, inexperto. ~ 나는 의견을 말하다 exponer una opinión inmadura [poco hecha].

풋내기 novato, -ta *mf*, novel *mf*, joven *m* inexperto, joven *f* inexperta; persona *f* sin experiencia; jovenzuelo, -la *mf*, hombre *m* joven, mujer *f* joven; paleto *m*; barbilampiño, ña *mf*, mocosuelo, -la *mf*, pipiolo, -la *mf*, bisoño, -ña *mf*, diletante *mf*, aficionado, -da *mf*, amateur *mf*. ~의 novel, novato, nuevo, principiante, joven, sin experiencia, inexperto. 그는 아직 ~다 El es todavía un novato. 나는 기술면에서 ~다 Soy profano [ignorante] en el ramo de la técnica.

풋담배 tabaco *m* verde.

풋대추 dátil *m* verde.

풋돈냥(-兩) poca fortuna *f*.

풋마늘 ajo *m* verde.

풋바심 cosecha *f* del grano antes de madurarse. ~하다 cosechar el grano antes de madurarse.

풋밤 castaña *f* verde.

풋배 pera *f* verde.

풋벼 arroz *m* verde.

■~바심 cosecha *f* del arroz verde.

풋보리 cebada *f* verde.

풋볼(영 *football*) ① [축구] fútbol *m*, *Méj* futbol *m*. ② [축구에 쓰는 공] balón *m* (*pl* balones), *AmL* pelota *f*.

■~ 선수(選手) futbolista *mf*, jugador, -dora *mf* de fútbol.

풋사과(-沙果) manzana *f* verde.

풋사랑 amor *m* pasajero, amor *m* ligero.

풋솜씨 falta *f* de habilidad, habilidad *f* inexperta.

풋술 vino *m* de beber no sabiendo el sabor.

풋실과(-實果) =풋과실.

풋워크(영 *footwork*) juego *m* de piernas.

풋잠 sueño *m* ligero que acaba de dormirse.

풋장기(-將棋) ajedrez *m* no cualificado.

풋콩 soja *f* [soya *f*] verde, alubia *f* verde.

풋풋하다 (ser) fresco como la fruta cosechada que está nuevamente madura del año.

풍[1](風) ((준말)) =허풍(虛風)(jactancia). ¶~을 떨다 jactarse, fanfarronear.

풍[2](風) ① 【한방】 [정신 작용·근육 신축·감각 등에 탈이 생긴 병] parálisis *f*, perlesía *f*. ~에 걸리다 sufrir de parálisis. ② 【한방】 [원인 불명의 살갗의 질환] dermatosis *f* inexplicable.

-풍(風) ① [풍속] costumbre *f*. ② [양식] estilo *m*, modo *m*, manera *f*. 서양~ estilo *m* occidental. 남유럽~의 집 casa *f* de estilo de la Europa meridional. 피카소~의 그림 cuadro *m* al estilo [a la manera] de Picasso. 벨라스케스~의 그림 cuadro *m* velazqueño, cuadro *m* al estilo de Velázquez. 한국~으로 살다 vivir a la (manera) coreana.

풍각쟁이(風角-) mariachi *m*.

풍간(諷諫) exhortación *f* por insinuación. ~

하다 exhortar por insinuación.

풍객(風客) =바람둥이.

풍건(風乾) secado *m* [secamiento *m*] al aire. ~하다 secar al aire.

풍걸(豊乞) mendigo, -ga *mf* del año de buena cosecha.

풍격(風格) [풍채] apariencia *f*, [성격] carácter *m*, personalidad *f*. ~이 있는 인물(人物) persona *f* de carácter distinguido [notable]. 독자적인 ~을 지니고 있다 tener la pernalidad propia. 그의 작품에는 ~이 있다 Su obra respira dignidad.

풍경(風景) ① [경치(景致)] paisaje *m*, escena *f*, vista *f*. ~의 paisajístico. ~이 좋은 도시 ciudad *f* paisajística. 시골의 ~ paisaje *m* del campo. 크리스마스 ~ escena *f* de la Navidad. 이 근처는 ~이 좋다 Dominan los buenos paisajes por aquí. 열차에서 바라보는 ~ 때문에 여행은 매우 재미있었다 El viaje fue muy interesante por los paisajes que se contemplan desde el tren. ② ((준말)) =풍경화(風景畵).

▪~ 묘사 representación *f* de un paisaje. ~화 pintura *f* paisajista, paisajismo *m*, paisaje *m*, país *m*. ~화가 paisajista *mf*, pintor, -tora *mf* paisajista.

풍경(風磬) campanilla *f* sonante al viento, campanilla *f* que se suena por el viento, campanilla *f* colgante que suena al [con el] viento.

풍경치다(風磬-) entrar y salir frecuentemente.

풍광(風光) paisaje *m*. ☞경치(景致)

▪~명미(明媚) hermosura *f* del tiempo, belleza *f* del clima, paisaje *m* (claro y) hermoso, paisaje *m* maravilloso. ~하다 tener el paisaje hermoso [maravilloso]. ~의 곳 sitio *m* (de un paisaje) maravilloso.

풍교(風敎) =풍화(風化).

풍구(風-) ① [곡물에서 쭉정이·겨·먼지 등을 제거하는 농구] máquina *f* aventadora, aventador *m*, aventadora *f*. ② =풀무.

▪~질 aventamiento *m*. ¶~하다 aventar.

풍금(風琴) 【악기】 órgano *m*; [손풍금] acordeón *m*. ~을 치다 tocar el órgano.

풍기(風紀) moral *f* pública; [규율] disciplina *f*. ~를 바로잡다 restablecer la moral pública. ~를 문란하게 하다 agraviar [corromper] la moral pública. 학생들의 ~가 문란하다 Los estudiantes tienen poca moralidad.

▪~ 문란 corrupción *f* [decaecimiento *m*] de la moral pública. ~ 문란죄 delito *m* de corrupción de la moral pública.

풍기[1](風氣) =풍속(風俗).

풍기[2](風氣) =풍병(風病).

풍기다 ① [냄새·기미 따위가 퍼지다. 냄새·기운을 퍼뜨리다] emitir, dar, despedir, oler, olfatear; [악취를] apestar. 주방에서 풍겨 나오는 커피 냄새 el olor a café que viene de la cocina. 그가 숨 쉴 때 알코올 냄새가 풍겼다 El aliento le apestaba a alcohol. ② [모여 있던 사람이나 짐승이 놀라서 흩어지다] dispersarse; [사람·짐승을 놀라 흩어지게 하다] dispersar. ③ [곡식에 섞인 겨나 검불들을 까불러서 날리다] aventar. 겨를 ~ aventar la barcia [las ahechaduras].

풍년(豊年) año *m* abundante, año *m* de abundancia, año *m* óptimo, año *m* provechoso, año *m* rico, buen año *m*; [풍작] buena cosecha *f*. ~이다 tener cosecha abundante, tener buena cosecha. 금년은 ~이다 Este año tenemos buena cosecha. 금년은 사과가 ~이다 Este es un buen año para las manzanas / Este año hay buena cosecha de manzanas.

▪~거지 el que no gana nada en el tiempo que todos ganan. ~기근 daños *mpl* severos que dan a los agricultores a causa del precio demasiado barato en el año abundante. ~제(祭) fiesta *f* del año abundante, fiesta *f* que reza la buena cosecha. ~풀덩이 cosa *f* apetitosa.

풍덩 con un plaf. ~하다 hacer plaf. ~ 떨어지다 dejarse caer. 떨어질 때 ~하다 hacer plaf al caer (en·sobre). 그는 그것을 ~ 물에 떨어뜨렸다 El lo dejó caer en el agua. 나는 물에 ~ 빠졌다 Me dejé caer en el agua.

풍덩거리다 seguir salpicando.

풍덩풍덩 con un sonoro plaf, ruidosamente. ~ 호수에 떨어지다 caer ruidosamente al lago, caer al lago con un sonoro plaf. 우리들은 ~하는 소리를 들었다 Oímos el ruido de algo al caer al agua.

풍뎅이[1] [모양이 남바위 같은, 머리에 쓰는 방한구의 하나] ropa *f* del invierno frío.

풍뎅이[2] 【곤충】 bupresto *m*, escabeche *m*.

풍도(風度) actitud *f*. 대인(大人)의 ~ actitud *f* del caballero.

풍동(風洞) túnel *m* del aire.

▪~ 시험(試驗) prueba *f* del túnel del aire.

풍 떨다 ((준말)) =허풍 떨다.

풍랑(風浪) ① [바람과 물결] el viento y las ondas, el viento y las olas. ~과 싸우다 luchar contra viento y ondas. ~이 심하다 Las ondas son altas. ② [바람결에 따라 일어나는 물결] oleada *f*.

풍력(風力) fuerza *f* [velocidad *f*] del viento; [에너지] energía *f* eólica.

▪~계 anemómetro *m*, anemógrafo *m*. ~계수 coeficiente *m* de la fuerza del viento. ~ 발전 generación *f* por la energía eólica. ~ 발전소 central *f* energética eólica. ~ 측정 anemometría *f*. ~ 측정법 anemometría *f*, medida *f* de la fuerza [la velocidad] del viento.

풍로(風爐) hornillo *m* (portátil).

◆석유(石油) ~ hornillo *m* petrolero [del petróleo]. 전기 ~ hornillo *m* eléctrico.

풍로(風露) ① [바람과 이슬] el viento y el rocío. ② [바람결에 빛나는 이슬] rocío *m* brillante por el viento.

풍류(風流) ① [속되지 않고 운치가 있는 일] elegancia *f*, garbo *m*, (buen) gusto *m*, poética *f*, refinamiento *m* poético, gusto *m* poético, gusto *m* refinado. ~를 아는 elegante, de buen gusto, poético. ~가 없는 sin gusto, no refinado. ~가 있는 집 casa *f* de buen gusto. ~를 아는 사람 hombre *m* de gusto refinado, hombre *m* de gusto poético. ~가 없다 ser apático al arte, no tener gusto. ② =음악(音樂).

■ ~가(家) hombre *m* de gusto poético, hombre *m* de gusto refinado. ~랑(郞) joven *m* elegante, hombre *m* de mundo. ~인(人) hombre *m* de gusto. ~장(場) sociedad *f* elegante.

풍만하다(豐滿−) ① [풍족하여 그득하다] (ser) abundante, opulento. 풍만함 abundancia *f*, opulencia *f*. ② [살집이 넉넉하다] (ser) redondo, voluptuoso, rellenito, regordete, corpulente, bien formado, de formas voluptuosas; [여자의 가슴이] con mucho busto, con mucho pecho, pechugona, bien dotada. 풍만함 corpulencia *f*, redondez *f*, lo regordete, lo rellenito. 풍만한 육체 figura *f* voluptuosa. 가슴이 풍만함 redondez *f* [turgencia *f*] del seño. 육체가 풍만한 미인(美人) belleza *f* voluptuosa y pechugona. 풍만한 육체에 빠진 남자 hombre *m* voluptuoso. 그녀는 풍만한 육체를 가지고 있다 Ella tiene formas opulentas.

풍매(風媒) 【식물】 anemofilia *f*, fecundación *f* por viento. ~의 anemófilo.

■ ~ 식물 plantas *fpl* anemófilas. ~화(花) flor *f* anemófila.

풍모(風貌) aire *m*, apariencia *f*, fisionomía *f*, semblante *m*. ~가 당당한 사람 persona *f* de aspecto grave. 그에게는 귀족의 ~가 있다 El tiene un aire aristocrático.

풍문(風紋) figura *f* de la forma de ondas ocasionadas por el viento.

풍문(風聞) rumor *m*, murmuración *f*, voz *f* que corre entre el público, dicho *m* de las gentes. ~이 퍼지는 rumoroso, que causa rumor. ~에 따르면 según el rumor público. ~이 나돌다 correr el rumor, circular el rumor, rumorear, difundirse vagamente entre las gentes, dicho de noticias, *AmL* rumorarse, correr un rumor entre las gentes. ~을 알아보고 다니다 murmurar [chismear · chismorrear] (de). …라는 ~이다 Se rumorea que + *ind* / Se dice que + *ind* / Dicen que + *ind* / Se habla que + *ind*. …라고 ~을 퍼뜨리다 difundir [hacer correr · poner en circulación] el rumor de que + *ind*. ~이 온 마을에 퍼지고 있다 Un rumor circula [se difunde] por el pueblo entero. 그가 죽었다는 ~이다 Se rumorea que él ha muerto.

풍물(風物) ① =경치(景致)(paisaje, vista). ¶ 멕시코의 ~ cosas *fpl* mejicanas, *AmL* cosas *fpl* mexicanas. 서반아 ~담 plática *f* sobre cosas típicas españolas. 그는 자연의 ~을 그리기를 좋아한다 Le gusta pintar la naturaleza. ② 【악기】 instrumentos *mpl* para la música folclórica.

■ ~시(詩) poesía *f* natural. ~잡이 músico, -ca *mf* del instrumento folclórico. ~장이 fabricante *mf* del instrumento folclórico. ~지(誌) descripción *f* sobre las costumbres, funciones anuales y vida de una nación.

풍미(風味) ① [음식의 좋은 맛] sabor *m* rico, sabor *m* delicado, sabor *m* delicioso, gusto *m* delicado. ~가 있는 delicioso, sabroso, rico, que tiene un sabor delicado. ~가 없는 insípido, insulso, soso, sin sabor. ~가 있다 tener un sabor delicado. ~를 잃다 dañar el sabor (de), echar a perder el sabor (de). ② [사람 됨됨이가 멋스럽고 아름다움] elegancia y hermosura en carácter.

풍미(風靡) dominio *m*. ~하다 dominar, vencer todos los obstáculos, arrastrar con todo, predominar, conquistar.

풍미(豐味) sabor *m* (abundante), gusto *m*.

풍미하다(豐美−) (ser) corpulento y hermoso.

풍범선(風帆船) velero *m*, barco *m* de vela, buque *m* de vela.

풍병(風病) ① 【한방】 [풍증(風症)] parálisis *f*, perlesía *f*. ② [한센병] lepra *f*, elefancía *f*.

풍부하다(豐富−) (ser) rico, abundante, opulento, copioso, profuso, abundar (en). 풍부함 abundancia *f*, riqueza *f*. 풍부한 지식 grandes conocimientos *mpl*. 풍부하게 하다 enriquecer. 풍부하게 살다 vivir con mucha comodidad. 자원(資源)이 ~ ser rico [abundante] en recursos naturales. 비타민이 ~ ser rico en vitaminas. 그는 경험이 ~ El tiene muchas experiencias / El tiene una gran experiencia. 그는 문재(文才)가 ~ El tiene talento para escribir. 그 나라는 자원이 ~ El país abunda [es rico] en recursos naturales.

풍부히 ricamente, abundantemente, copiosamente, en [con] abundancia, abundosamente.

풍비박산(風飛雹散) dispersión *f* en todas las direcciones. ~하다 dispersar en todas las direcciones, estar desperdigado por todas las direcciones.

풍상(風霜) ① [바람과 서리] el viento y la escarcha. ② [많이 겪은 세상의 고난] muchos apuros, muchas dificultades, privaciones *fpl*, molestia *f*, mucha pena, penalidad *f*.

◆풍상을 겪다 pasar muchos apuros [muchas dificultades · privaciones]. 나는 풍상을 겪었다 Pasé muchos apuros [muchas dificultades · privaciones].

풍선(風扇) ① =선풍기(扇風機) (ventilador). ② [풍구] aventador *m*, bieldo *m*.

풍선(風船) ① =기구(氣球)(globo). ② ((준말)) =고무풍선(balón). 종이풍선 (balón de papel). ¶~을 부풀리다 hinchar un balón.

■ ~껌 chicle *m* (de globos), *Col*, *Ven* chicle *m* de bomba, *Urg* chicle *m* globero.

풍설(風雪) el viento y la nieve, tempestad *f* de nieve, nevasca *f*, nevada *f*, ventisca *f*.

～을 무릅쓰고 combatiendo con la nevasca. 30년의 ～에 견디다 aguantar treinta años contra viento y nieve.

풍설(風說) ＝풍문(風聞)(rumor sin base). ¶～이 퍼지다 cundir el rumor.

풍성(風聲) ① ＝바람 소리(ruido del viento). ② [들리는 명성] fama *f* que corre. ③ ＝풍화(風化).

풍성(豐盛) abundancia *f*, riqueza *f*. ～하다 (ser) abundante, rico.

풍성풍성 muy abundantemente, en gran cantidad, muy profusamente, muy copiosamente. ～하다 (ser) muy abundante, muy copiosamente.

풍성풍성히 ＝풍성풍성.

풍성히 abundantemente, con [en] abundancia, en gran cantidad, profusamente, copiosamente. 이 궁전에는 대리석이 ～ 사용되었다 Se ha empleado mármol en gran cantidad en este palacio.

풍세(風勢) fuerza *f* [velocidad *f*] del viento. ～를 이용하다 aprovechar el [aprovecharse del] viento.

풍속(風俗) costumbres *fpl*, hábitos *mpl*, modales *mpl*, usos *mpl*; [풍기(風紀)] moral *f* pública, moralidad *f* pública. 한국의 ～ costumbres *fpl* coreanas. ～을 해치다 perjudicar la moral pública.

▪ ～도(圖) pintura *f* de género. ～ 문학(文學) literatura *f* de género. ～범[사범] violación *f* de morales públicas. ～ 소설(小說) novela *f* costumbrista, novela *f* de costumbres, novela *f* de modales. ～ 습관 modales y costumbres. ～화(畵) pintura *f* de género.

풍속(風速) velocidad *f* del viento. 한 시간 15 킬로미터의 ～으로 a la velocidad de quince kilómetros por hora. ～이 매초 15 미터이다 El viento corre a la velocidad de quince metros por segundo.

◆최대 ～ velocidad *f* del viento máximo.

▪ ～계(計) anemómetro *m*. ～ 측정법(測定法) anemometría *f*.

풍수(風水) ① 【민속】 [음양 오행설에 기초하여 민속적으로 지켜 내려오는 지술(地術)] adivinación *f* por la configuración del terreno. ② 【민속】 ＝지관(地官).

▪ ～도(圖) plano *m* en base de la topografía. ～설 ㉮ [풍수에 관한 학설] teoría *f* de configuración del terreno. ㉯ ＝풍수지리설. ～쟁이 ((속어)) ＝지관(地官). ～지리(설) teoría *f* de división basada en la topografía. ～학 geomancía *f*, geomancia *f*, estudios *mpl* geománticos. ～학자(學者) geomántico, -ca *mf*.

풍수해(風水害) daños *mpl* causados por el viento y la inundación, daño *m* de [por] tempestad.

▪ ～ 대책(對策) medidas *fpl* contra desastres naturales.

풍습(風習) ① ＝기습(氣習). ② [풍속과 습관] (uso *m* y) costumbre *f*, hábito *m*. 조선 시대의 ～ costumbres *fpl* de la dinastía de *Choson*. ～에 따르다 seguir [observar · respetar] la costumbre. ～을 깨다 violar [romper] la costumbre.

풍식(風蝕) 【지질】 erosión *f* eólica, corrosión *f* por el viento. ～된 trillado por el viento.

▪ ～ 작용(作用) 【지질】 ＝풍식(風蝕).

풍신(風信) ① [바람의 방향] dirección *f* del viento. ② [소식(消息)] noticia *f*.

▪ ～기(器) veleta *f*, aspa *f*, giraldilla *f*, cataviento *m*.

풍신(風神) ① [바람을 맡은 신(神)] dios *m* del viento. ② ＝풍채(風采). ¶～이 좋다 tener buena figura [apariencia].

풍아(風雅) fineza *f* poética, elegancia *f*, refinamiento *m*, garbo *m*. ～하다 (ser) poético, elegante, refino, refinado, de buen gusto, con fina sensibilidad. ～한 사람 persona *f* de buen gusto; [남자] hombre *m* de buen gusto; [여자] mujer *f* de buen gusto. ～한 집 casa *f* artística.

풍아로이 elegantemente, con elegancia, refinadamente.

풍아롭다 (ser) elegante, refinado.

풍아스럽다 (ser) elegante, refinado.

풍아스레 elegantemente, con elegancia.

풍악(風樂) música *f* clásica.

풍압(風壓) 【물리】 presión *f* del viento, presión *f* del aire.

▪ ～계(計) anemómetro *m* de presión.

풍어(豊漁) pesca *f* abundante, gran pesca *f*. 금년에는 청어가 ～다 Este año es abundante la pesca de arenques.

▪ ～제(祭) servicio *m* funeral al dios de agua para la pesca abundante en la aldea pesquera.

풍염하다(豊艶－) (ser) voluptuoso, encantador. 풍염함 voluptuosidad *f*.

풍요(豊饒) riqueza *f*, abundancia *f*, fertilidad *f*, fecundidad *f*. ～하다 (ser) rico, abundante, fértil, fecundo, acaudaloso, opulento, productivo, copioso, profuso.

풍요롭다 (ser) abundante, fértil, fecundo, profuso. 풍요로운 수확(收穫) cosecha *f* abundante. 풍요로운 토지(土地) tierra *f* fértil. 풍요롭게 살다 vivir abundantemente, vivir en la abundancia. 생활이 ～ enriquecerse. 벼가 풍요롭게 여물었다 El arroz ha ganado profusamente.

풍우(風雨) [바람과 비] el viento y la lluvia; [태풍] tempestad *f*, tormenta *f*, elementos *mpl*. ～를 맞은 expuesto al aire y la lluvia. ～에 시달린 cutido por la intemperie. ～를 무릅쓰고 a pesar de la tempestad. ～가 심하다 El viento y la lluvia arrecian. ～가 쏟아졌다 Se desataron los elementos.

▪ ～계(計) ＝청우계(晴雨計).

풍운(風雲) ① [바람과 구름] el viento y la nube. ② [세상에 큰 변이 일어날 듯한 어지러운 형세나 기운] situación *f* inminente. 유럽 정세는 ～이 닥치고 있다 Una tormenta inminente se ciern sobre Europa.

◆풍운의 뜻 gran ambición *f*.

■ ～아(兒) aventurero *m* afortunado, hombre *m* que desempeña un papel importante en una crisis. ～조화(造化) misterios *mpl* de viento y nube, ejercicio *m* de poder supernatural, variación *f* de no poder predecir sobre el viento, la lluvia y la nube.

풍월(風月) ① [청풍(淸風)과 명월(明月)] el viento y la luna, belleza *f* de naturaleza, naturaleza *f*, hermosura *f* natural. ～을 벗삼다 admirar la hermosura de naturaleza [natura]. ② ((준말)) =음풍농월(吟風弄月).
■ ～객 persona *f* de componer poesía, poeta *mf*. ～주인(主人) persona *f* de gozar de la naturaleza sobre el viento claro y la luna clara.

풍위(風位) dirección *f* del viento.

풍위(風威) poder *m* del viento fuerte.

풍유(諷諭) exhortación *f* por insinuación; 【수사】 alegoría *f*. ～하다 exhortar por insinuación, usar una alegoría.
■ ～법(法) alegoría *f*.

풍유(豊裕) =풍요(豊饒).

풍자(諷刺) sátira *f*; [비난문] libelo *m*; [비난 낙서] pasquín *m* (*pl* pasquines). ～하다 satirizar, pasquinar, aludir; [만화에] caricaturar. 이 영화는 관료(官僚)를 통렬히 ～하고 있다 Esta película satiriza a los burócratas.
◆사회(社會) ～ sátira *f* sobre la sociedad.
■ ～가(家) escritor *m* satírico, escritora *f* satírica; satírico, -ca *mf*. ～극 drama *m* satírico. ～ 문학 literatura *f* satírica, sátira *f*. ～ 문학가(文學家) satírico, -ca *mf*. ～ 소설 novela *f* satírica. ～시 sátira *f*, poesía *f* satírica; [짧은] epigrama *m*. ～ 시인(詩人) satírico, -ca *mf*. ～적(的) satírico. ¶～으로 satíricamente. ～화(畵) caricatura *f* satírica. ～화가(畵家) caricaturista *mf*.

풍작(豊作) buena cosecha *f*, recolección *f* [cosecha *f*] abundante. ～의 해 año *m* de cosecha extraordinaria. 금년에 쌀이 ～이다 Este año hay buena cosecha de arroz.

풍장(風葬) sepultura *f* aérea, entierro *m* aéreo.

풍재(風災) desastre *m* causado por tormenta.

풍적토(風積土) 【지질】 tierra *f* eolia.

풍전(風前) delante del viento.
■ ～등화(風前燈火) luz *f* (de vela) ante el viento. ¶～같이 위태롭다 estar en la posición muy precaria, colgarse por un pelo. 그의 운명은 ～와 같다 Su vida está pendiente de un hilo.

풍정(風情) elegancia *f*, sabor *m*, encanto *m*, gracia *f*. ～이 있는 elegante, refinado, encantador. ～이 없는 insípido, insulso, seco. 비로 인해 정원에 ～이 더한다 La lluvia añade encanto al jardín.

풍조(風鳥) 【조류】 =극락조(極樂鳥).

풍조(風潮) ① [바람과 조수] el viento y la marea. ② [바람 따라 흐르는 조수] marea *f* que corre siguiendo el viento. ③ [세상의 되어 가는 추세] tendencia *f*, corriente *f*. ～에 따르다 seguir la corriente. ～에 역행하다 oponerse a la corriente.

풍족하다(豊足－) (ser) abundante, profuso, abundar (en · de). 풍족함 abundancia *f*. 풍족하게 abundantemente, con abundancia, copiosamente. 풍족한 수확(收穫) cosecha *f* abundante. 풍족한 자원(資源) recursoso *mpl* abundantes. 석유는 중동(中東)에 ～ El petróleo abunda en el Medio Oriente. 미국은 밀이 ～ Los Estados Unidos de América abunda en [de] trigo.
풍족히 abundantemente, con abundancia, en abundancia, copiosamente. 아주 ～ muy abundantemente, abundantísimamente. ～ 살다 vivir abundantemente, vivir en la abundancia.

풍증(風症) 【한방】 =풍병(風病).

풍지(風紙) ((준말)) =문풍지(門風紙).

풍진(風疹) rubéola *f*.

풍진(風塵) ① [비바람에 날리는 티끌] polvo *m*. ② [세상의 속된 일] asuntos *mpl* mundiales. ③ =병진(兵塵).
■ ～세계(世界) mundo *m* no pacífico.

풍질(風疾) =풍병(風病).

풍차(風車) ① [바람의 힘을 동력으로 이용해 쓰는 장치] molino *m* (de viento). ～와 싸우다 luchar contra molinos de viento. ② =풍구. ③ =팔랑개비.

풍차(風遮) ① [토끼·여우 등의 모피로 지은 방한용 두건(頭巾)] capucha *f* de piel. ② [어린아이의 바지나 고의의 마루폭에 좌우로 길게 대는 헝겊] tela *f* sujeta a los pantalones de los niños.

풍채(風采) apariencia *f*, aire *m*, figura *f*, comporte *m*, presencia *f*. 좋은 ～ buena apariencia *f*. 나쁜 ～ mala apariencia *f*. ～가 좋지 않은 desgarbado, desgalichado, desaliñado. ～가 당당한 사람 hombre *m* de apariencia elegante, hombre *m* de noble presencia. ～가 보잘것없는 남자 hombre *m* de una apariencia poble. 괴이(怪異)한 ～의 남자 hombre *m* de apariencia sospechosa. ～가 좋다 tener buena apariencia. ～가 좋지 않다 tener mala apariencia. 그는 ～가 좋다 El tiene buena presencia / El es de buen talle. 이 옷을 입으니 ～가 훨씬 당당한 것 같구나 Parecerás mejor que con este vestido.

풍취(風趣) ① [경치] paisaje *m*, escena *f*, vista *f*. ② =풍치(風致).

풍치(風致) gusto *m*, encanto *m* de paisaje, elegancia *f*, paisaje *m*. ～ 있는[좋은] elegante, de buen gusto, hechicero, encantador, fascinante, pintoresco. ～를 해치다 empeorar la hermosura del paisaje.
■ ～림(林) plantación *f* decorativa hermoseadora. ～ 지구(地區) sitio *m* protegido (para mantener el encanto del lugar).

풍 치다(風－) ((준말)) =허풍 치다.

풍침(風枕) =공기 베개.

풍토(風土) ① [기후와 토지의 상태] característica *f* natural, clima *m*. ～에 익숙하다 aclimatarse (en), acostumbrarse al clima

(de). ~에 적응하다 aclimatar. ② [비유적으로, 인간 정신의 형성에 기반이 되는 인위적인 환경] ambiente *m*. 정신적(精神的) ~ ambiente *m* espiritual.
■ ~기(記) descripción *f* histórica y geográfica (de una región), topografía *f*. ~병(病) endemia *f*. ~색 color *m* climatológico. ~ 순화(馴化) aclimatación *f*. ~ 치료학 climatoterapia *f*. ~학 climatología *f*.

풍파(風波) ① [세찬 바람과 험한 물결] el viento fuerte y las olas agitadas. ~를 무릅쓰고 contra la tempestad, luchando contra las olas agitatas. 해상(海上)은 ~가 높다 El mar está agitado. ② [파란(波瀾)] disturbio *m*, discordancia *f*, disputa *f* y reyerta, disensión *f*. ~를 진정시키다 tratar de apaciguar los ánimos.
◆ 가정(家庭) ~ disturbio *m* familiar.

풍해(風害) daños *mpl* [perjuicios *mpl*] causados por el viento.

풍향(風向) dirección *f* del viento. ~이 좋다 [나쁘다] El viento es agradable [desagradable]. ~이 바뀐다 El viento se cambia de puesto / El viento cambia de dirección. ~이 서쪽으로 바뀌었다 Ha cambiado al oeste la dirección del viento. ~이 어느 쪽입니까? ¿En qué dirección sopla el viento?
■ ~계(計) giraldilla *f*, cataviento *m*, amemoscopio *m*, veleta *f*, aspa *f*.

풍화[1](風化) =풍교(風敎).

풍화[2](風化) ① **【지질】** =풍화 작용(風化作用). ¶~하다 erosionarse con el aire. ② **【화학】** eflorescencia *f*. ~하다 eflorescerse.
■ ~물 eflorescencia *f*. ~석회 =소석회. ~ 작용 erosión *f* eólica.

풍흉(豊凶) ① [풍년과 흉년] el año abundante y el año desgraciado. ② [풍작과 흉작] la buena cosecha y la mala cosecha.

퓨리턴(영 *Puritan*) ((기독교)) [청교도] puritano, -na *mf*.

퓨마(영 *puma*) **【동물】** puma *m*, *Chi*, *Méj* león *m* (*pl* leones).

퓨즈(영 *fuse*) plomo *m*, fusible *m*, *CoS* tapón *m* (*pl* tapones). ~가 터지다 fundirse el plomo, saltar el fusible, fundirse el fusible, *CoS* quemarse el tapón. ~가 터지게 하다 fundir el plomo, hacer saltar el fusible. ~를 교환하다 reemplazar el fusible. ~를 달다 ponerle un plomo [un fusible] (a). ~를 단 con fusible. ~가 탄다 Se quema [Salta] el fusible. ~가 터졌다 Se fundieron los plomos / Saltaron [Se fundieron] los fusibles / *CoS* Se quemaron los tapones. 너는 ~를 터지게 할 것이다 Vas a fundir el plomo / Vas a hacer saltar el fusible.
■ ~ 박스(box) caja *f* de fusibles [de plomos · *CoS* de tapones].

퓰리처상(Pulitzer 賞) premio *m* Pulitzer.

프라스코(포 *frasco*) **【화학】** frasco *m*; [실험실의] matraz *m* (*pl* matraces), redoma *f*.

프라우다(러 *Pravda*) [소련 공산당 기관지] Pravda.

프라이(영 *fry*) fritada *f*, frito *m*, fritura *f*; [밀가루를 묻힌 것] rebozado *m*; [음식] plato *m* frito. ~하다 freír. ~한 frito. ~한 생선 pescado *m* frito, pescado *m* rebozado. 달걀을 ~하다 freír un huevo.
■ ~용 닭고기 pollo *m*. ~팬 sartén *f* (*pl* sartenes), *AmL* sartén *m*(*f*).

프라이드(영 *pride*) orgullo *m*. 내가 구걸하리라 기대하지 마라. 나는 내 ~가 있다 No pienses que te lo voy a rogar, yo tengo mi orgullo. 그는 그의 어머니의 ~며 기쁨이다 El es el orgullo y la alegría de su madre.

프라이드 에그(영 *fried egg*) huevo *m* frito.

프라이드치킨(영 *fried chicken*) pollo *m* frito.

프라이버시(영 *privacy*) [사생활(私生活)] vida *f* privada, privacidad *f*, intimidad *f*. ~를 존중하다 respetar la intimidad (de), respetar el secreto de la vida privada (de). ~를 침해(侵害)하다 violar la vida privada (de), violar la intimidad (de). A의 ~를 침해하다 no respetar la privacidad de *uno*. 그것은 ~ 침해다 Eso es una violación de la vida privada / Eso es entrometerse en la vida privada.

프라임 레이트(영 *prime rate*) [최우대 대출 금리] tipo *m* de interés preferencial [preferente].

프락치(러 *fraktsiya*) fracción *f*.
■ ~ 활동 actividadese *fpl* de fracción.

프랑(불 *franc*) [프랑스의 전 화폐 단위] franco *m*.

프랑스 **【지명】** Francia. ~의 francés. ☞불란서. ■ ~ 사람[인] francés, -cesa *mf*. ~ 어[말] francés *m*.

프랑스 대혁명(France 大革命) **【역사】** la Revolución Francesa.

프런트(영 *front*) ① [정면] frente *m*. ② [호텔 현관의 계산대] recepción *f*. ③ [전선(前線). 전선(戰線)] frente *m*.

프런티어 정신(frontier 精神) espíritu *m* pionero y emprendedor de los hombres de la frontera.

프레스(영 *press*) ① [인쇄. 출판. 신문] imprenta *f*, prensa *f*. ② [금속이나 합성 수지를 가열 강한 압력으로 눌러 성형 가공하는 일, 또 그 각종 기계] prensa *f*.
■ ~ 센터 centro *m* de prensa. ~ 카드 pase *m* de periodista.

프레스코(이 *fresco*) fresco *m*.
■ ~화(畵) fresco *m*, pintura *f* al fresco. ~화가 pintor, -tora *mf* al fresco.

프레올림픽(영 *Pre-Olympic*) las Pre-olimpiadas, los Juegos Preolímpicos.

프레월드컵(영 *Pre-World Cup*) Pre-Copa *f* Mundial.

프레이즈반(fraise 盤) fresadora *f*.

프레젠트(영 *present*) [선물] regalo *m*, obsequio *m*. ~하다 regalar, obsequiar.

프레파라트(독 *Präparat*) [현미경용의 표본] espécimen *m* (*pl* especímenes).

프렐류드(영 *prelude*) **【음악】** [전주곡(前奏曲)] preludio *m*.

프로(영 *pro*) ① ((준말)) =프로그램. ¶방송 ~ programa *m* emisor. ② ((준말)) =프로덕션. ③ ((준말)) =프로파간다(propaganda). ④ ((준말)) =프롤레타리아. ¶~ 문학(文學) literatura *f* proletaria. ⑤ ((준말)) =프로페셔널. ¶~ 선수 jugador, -dora *mf* profesional. ⑥ ((준말)) =프로센토(procento).

■~ 골퍼 golfista *mf* profesional. ~ 골프 golf *m* profesional. ~ 골프 선수 golfista *mf* profesional. ~ 권투 boxeo *m* profesional. ~ 권투 선수 boxeador, -dora *mf* profesional. ~ 권투 시합 combate *m* de boxeo profesional. ~ 레슬링 lucha *f* libre profesional. ~ 레슬링 선수 luchador *m* profesional. ~ 레슬링 시합 combate *m* de lucha libre profesional. ~ 문학 ((준말)) = 프롤레타리아 문학. ~ 야구 beisbol *m* profesional. ~ 야구 선수 beisbolista *mf* profesional. ~ 야구팀 equipo *m* profesional de beisbol. ~ 축구 fútbol *m* profesional. ~ 축구 시합 partido *m* de fútbol profesional. ~ 축구팀 equipo *m* profesional de fútbol. ~ 테니스 tenis *m* profesional. ~ 테니스 선수 jugador, -dora *mf* profesional de tenis.

프로그래머(영 *programmer*) ① [프로그램을 작성하는 사람] [텔레비전·라디오의] encargado, -ga *mf* de programación. ②【컴퓨터】programador, -dora *mf*.

프로그래밍(영 *programming*) ①【컴퓨터】programación *f*. ② [라디오·텔레비전의] programación *f*.

■~ 언어【컴퓨터】lenguaje *m* de programación.

프로그램(영 *program*) ① [스케줄이나 연주회 등의] programa *m*; [교육의] curso *m*, programa *m*. ~을 짜다 programar, planear. ~을 변경하다 modificar el programa. …의 ~을 만들다 programar *algo*, hacer un programa de *algo*. 회의를 ~에 따라 진행하다 dirigir la reunión según [de acuerdo con] el programa. 당신의 내일 ~은 무엇입니까? ¿Qué programa [planes] tiene usted para mañana? 그는 교환 ~으로 마드리드에 갔다 El viajó a Madrid en un programa de intercambio. ② [계획] programa *m*. 대중 건강 ~ programa *m* de salud pública. 연구(硏究) ~ programa *m* de investigación. ③ [라디오나 텔레비전의] programa *m*. ④【컴퓨터】programa *m*. ~을 짜다 programar.

■~ 디스크【컴퓨터】disco *m* del programa. ~ 작성【컴퓨터】programación *f*. ~ 편성 [라디오·텔레비전의] programación *f*. ~ 학습 estudios *mpl* programados, tareas *fpl* programadas.

프로덕션(영 *production*) producción *f*.

프로듀서(영 *producer*) ① [연극·영화·방송 관계의 기획·제작자] productor, -tora *mf*. 텔레비전 ~ productor, -tora *mf* de televisión. ② [무대 감독·연출자] director, -tora *mf*.

프로메테우스(영 *Prometheus*)【신화】Prometeo *m*.

프로모터(영 *promotor*) ①【경제】promotor, -tora *mf*. ② ((운동)) empresario, -ria *mf*.

프로세서(영 *processor*)【컴퓨터】procesador *m*, unidad *f* de proceso.

프로세스(영 *process*) proceso *m*, procesamiento *m*. ■~ 치즈 queso *m* elaborado, queso *m* fundido.

프로젝트(영 *project*) proyecto *m*;【교육】trabajo *m*.

◆대형(大型) ~ gran proyecto *m*, proyecto *m* de gran envergadura. 주택(住宅) ~ complejo *m* de viviendas subvencionadas.

■~ 매니저 director, -tora *mf* de proyecto. ~ 팀 equipo *m* de un proyecto.

프로테스탄트(영 *Prostestant*) [신교도(新教徒)] protestante *mf*.

프로텍터(영 *protector*) protector, -tora *mf*.

프로트악티늄(영 *protactinium*)【화학】protactinio *m*.

프로판(영 *propane*)【화학】propano *m*.

■~ 가스 gas *m* de propano.

프로페셔널(영 *professional*) [전문가. 직업 선수] profesional *mf*.

프로펠러(영 *propeller*) hélice *f*. ~의 날개 aleta *f*, paleta *f*.

■~기(機) avión *m* (*pl* aviones) de hélice. ~축(軸) [자동차의] árbol *m* de transmisión; [비행기·선박의] árbol *m* de hélice.

프로포즈(영 *propose*) proposición *f* [propuesta *f*] matrimonial [de matrimonio]. ~하다 proponer*le* matrimonio a *uno*.

프로필(영 *profile*) perfil *m*, reseñas *fpl*. 몇몇 젊은 작가들의 ~ reseñas *fpl* sobre varios escritores jóvenes.

프록코트(영 *frock coat*) levita *f*.

프롤레타리아 ① [사람] (영 *proletarian*) proletario, -ria *mf*. ② [프롤레타리아트] (불 *prolétariat*; 영 *proletariat*) proletariado *m*.

■~ 독재 dictadura *f* del proletariado. ~ 문학 literatura *f* preletaria. ~ 문화 대혁명 la Gran Revolución Cultural Proletaria ~ 예술(藝術) arte *m* proletario. ~ 혁명 la Revolución Proletaria.

프롤레타리아트(독 *Proletariat*) proletariado *m*.

프롤로그[1](영 *PROLOG, Programming in Logic*)【컴퓨터】programación *f* en lógica, lenguaje *m* informático de programación que describe lo que debe hacer una computadora en lugar de cómo debe hacerlo.

프롤로그[2](영 *prologue*) [머리말. 서사(序詞). 서언(序言)] prólogo *m*.

프롬프터(영 *prompter*) apuntador, -dora *mf*.

프리(영 *free*) [자유로운] libre *adj*.

■~ 배팅 ((야구)) bateo *m* libre. ~섹스 [자유 성애(性愛)] sexo *m* libre. ~ 스로 [자유투] tiro *m* libre. ~킥 tiro *m* libre. ¶ 간접 ~ tiro *m* libre indirecto. 직접 ~ tiro *m* libre directo. ~ 토킹 [자유 토론] conversación *f* libre. ~ 패스 [무임 승차권] abono *m* libre.

프리깃(영 *frigate*) fragata *f.*
■ ~함(艦) fragata *f.*
프리랜서(영 *freelancer*) [자유 계약 작가] trabajador, -dora *mf* que trabaja por cuenta propia [por libre]; freelance *ing.mf.*
■ ~ 사진가 [유명인을 좇아다니는] *ital* paparazzo *m* (*pl* paparazzi).
프리마 돈나(이 *prima donna*) prima donna *f,* primadonna *f,* primera actriz *f.*
프리마 발레리나(이 *prima ballerina*) primera bailarina *f.*
프리미엄(영 *premium*) prima *f.*
프리즘(영 *prism*) prisma *f,* espectro *m* solar. ~의 prismático.
◆ 직각(直角) ~ prisma *f* rectángulo, prisma *f* en ángulo recto.
■ ~ 분광기 espectrómetro *m* de prisma. ~ 스펙트럼 espectro *m* de prisma. ~ 쌍안경 anteojos *mpl* prismáticos. ~ 안테나 antena *f* en prisma.
프린터(영 *printer*) ① ㉮ [인쇄업자] impresor, -ra *mf.* ㉯ [식자공(植字工)] tipógrafo, -fa *mf.* ② [인쇄 기계] impresora *f,* máquina *f* impresora. ③ 【컴퓨터】 impresora *f.*
프린트(영 *print*) ① [인쇄된 것] impreso *m,* grabado *m,* copia *f.* ~하다 imprimir, copiar, sacar copias (de). 강의(講義)의 ~ [개요의] copia *f* de la sinopsis de una clase. ② [음화(陰畵)에서 양화(陽畵)를 박아냄. 또는 그 필름] estampa *f.* ~하다 estampar.
■ ~ 배선 circuito *m* impreso. ~업자 impresor, -sora *mf.* ~지(地) estampado *m.* ~ 합판 contrachapado *m* impreso.
프토마인(독 *Ptomaine*; 영 *ptomaine*) (p)tomaína *f.* ■ ~ 중독(中毒) emponzoñamiento *m* de ptomaína, envenenamiento *m* ptomaínico.
프티 부르주아(불 *petit bourgeois*) ① [소시민(小市民)] pequeño burgués *m,* pequeña burguesa *f,* gente *f* de medio pelo. ~의 pequeño burgués, pequeña burguesa. ② [중산 계급(中産階級)] pequeña burguesía *f.*
프티알린(독 *Ftyalin*; 영 *ptyalin*) ptialina *f.*
플라멩꼬(서 *flamenco*) 【음악】 [서반아 남부, 안달루시아 지방의 집시의 노래와 춤] flamenco *m.* ~의 flamenco.
■ ~ 기타 guitarra *f* flamenca. ~ 무희 flamencólogo, -ga *mf.* ~ 민요 cante *m* [aire *m*] flamenco. ~ 연구 flamencología *f.* ~ 연구가 flamencólogo, -ga *mf.*
플라멩코(서 *flamenco*) 【음악】 =플라멩꼬.
플라스마(독 *Plasma*; 영 *plasma*) plasma *m.*
◆ 혈액(血液) ~ plasma *m* sanguíneo.
■ ~ 물리학 física *f* de plasma. ~ 이론 teoría *f* de plasma. ~ 전자 electrón *m* del plasma.
플라스크(영 *flask*) [병] frasco *m*; [실험실의] matraz *m,* redoma *f.*
플라스틱(영 *plastic*) plástica *f,* plástico(s) *m(pl).* ~(제품)의 plástico, de plástico.
■ ~ 공업 industria *f* plástica. ~ 모델 modelo *m* de plástico. ~ 제품 producto *m* de plástico. ~ 폭탄 bomba *f* de plástico.
플라이(영 *fly*) ((야구)) [뜬 공] globo *m,* fly *ing.m.*
■ ~급 peso *m* mosca. ~ 볼 ((야구)) [뜬 공] globo *m,* fly *ing.m.*
플라타너스(라 *platanus*) 【식물】 platanus *m,* plátano *m.*
플라토닉 러브(영 *platonic love*) amor *m* platónico.
플란넬(영 *flannel*) franela *f.*
◆ 면(綿) ~ franela *f* de algodón.
플랑드르 【지명】 Flandes. ~의 flamenco.
■ ~말[어] flamenco *m.* ~ 민족(民族) los flamencos. ~ 사람[인] flamenco, -ca *mf.* ~파(派) escuela *f* flamenca.
플랑크톤(독 *Plankton*; 영 *plankton*) plancton *m.*
플래시(영 *flash*) ① [섬광(閃光)] destello *m,* flash *ing.m.* ~를 터뜨려 촬영하다 sacar una foto con flash. ② =손전등. ③ [사진용 섬광 전구] lámpara *f* [bombilla *f*] de flash.
■ ~ 건 flash *ing.m* electrónico. ~백 flashback *ing.m,* escena *f* retrospectiva, analepsis *f.*
플래카드(영 *placard*) pancarta *f.* ~를 들고 행진하다 marchar llevando pancartas.
플래티나(영 *platinum*) [백금] platino *m.*
플랜(영 *plan*) ① [계획] plan *m,* proyecto *m.* 여행 ~을 짜다 planear el viaje, hacer el plan de un viaje. ② [설계도. 평면도] plano *m.*
플랜트(영 *plant*) planta *f.*
■ ~ 수입 importación *f* de una planta. ~ 수출 exportación *f* de una planta.
플랫(영 *flat*) 【음악】 [내림표] bemol *m.*
◆ 더블(doble) ~ doble bemol *m.*
플랫폼(영 *platform*) ① [역이나 정거장의 승강장] andén *m* (*pl* andenes). 열차는 1번 ~에 도착한다 [~에서 출발한다] El tren llega al [sale del] andén (número) uno. ② [버스의] plataforma *f.* ③ [연단] estrado *m,* tribuna *f;* [밴드용] estrado *m.* ④ [대(臺)] plataforma *f.*
◆ 도착(到着) ~ andén *m* de llegada. 출발(出發) ~ andén *m* de salida.
플러그(영 *plug*) ① [전기 회로에 붙은 코드 끝의 접속 기구, 콘센트에 꽂음] toma *f* de corriente, enchufe, *AmL* tomacorriente(s) *m(pl),* clavija *f.* ~를 꽂다 enchupar, introducir [conectar] la clavija. 다리미의 ~를 꽂다 enchufar la plancha. 소켓에 ~를 꽂다 enchufar un aparato. ~가 느슨해져 있다 Está flojo el enchue. 확성기에 마이크로폰을 꽂는다 El micrófono se enchufa al amplificador. ② [점화 플러그] enchufe *m*; [스파크 플러그] bujía *f.* ③ [마개] tapón *m* (*pl* tapones). ~를 막다 poner el tapón. ~를 뽑다 quitar [quitar] el tapón. ④ [씹는 담배] rollo *m.* ⑤ [(프로그램에 끼우는) 짤막한 광고] publicidad *f,* [선전] propaganda *f.*
플러스(영 *plus*) ① 【수학】 [덧셈표] signo *m*

de más, más *m.* 3 + 5 =8 (Tres más cinco es igual a ocho). ② [양수(陽數)·양전기(陽電氣)·양극(陽極) 등을 나타내는 말. 그 기호「+」의 이름] positivo *m.* ③ [포지티브] positivo *m.* ④ [잉여·흑자(黑字)·유익(有益) 등을 나타내는 말] ventaja *f*, pro *m.* 그 체험은 너에게는 무척 ~가 될 것이다 La experiencia será algo muy positivo para ti / La experiencia servirá de mucho.

◆비 ~(B+) [성적에서] calificación f entre A y B, más baja que A-.

■~알파 más un extra.

플레이(영 *play*) ① [경기. 유희] juego *m.* ~하다 jugar. 거친 ~ juego *m* duro. 과감한 ~ juego *m* atrevido. 창조성이 있는 ~ juego *m* creativo. 조직적이지 못한 ~ juego *m* desorganizado. ②【연극】obra *f* (de teatro), pieza *f* (teatral), comedia *f.* ③ ((준말)) =플레이 볼.

◆개인 ~ juego *m* individualista. 서포트 ~ juego *m* de apoyo. 세트 ~ jugada *f* técnica, acción *f* a balón parado. 오픈 ~ juego *m* abierto. 윙 ~ juego *m* por las bandas. 콤비네이션 ~ juego *m* de combinación. 포스트 ~ ataque *m* del poste. 포지션 ~ ataque *m* posicional.

■~ 볼 jugar (la) bola. ~오프 partido *m* de desempate.

플레이보이(영 *playboy*) hombre *m* de mundo, playboy *ing.m*, don Juan *m.*

플레이어(영 *player*) ① [경기자(競技者). 선수(選手)] jugador, -dora *mf.* ② [연주자] músico, -ca *mf*, instrumentista *mf.* ③ [연기자] actor, -triz *mf.* ④ ((준말)) =레코드 플레이어.

플레이트(영 *plate*) ① [금속판] chapa *f*, placa *f*, [얇은 금속판] lámina *f.* ② [접시] plato *m.* ③ [자동차의 번호판] matrícula *f*, placa *f* de matrícula, *CoS* patente *f*, *RPI* chapa *f.* ④ ((야구)) [홈 플레이트] pentágono *m*, home (plate) *ing.m*, *Méj* plato *m.* ☞홈 플레이트

플로피 디스크(영 *floppy disk*) disquete *m*, disco *m* flexible, disco *m* blanco, floppy (disk) *ing.m.*

플롯(영 *plot*) argumento *m*, trama *f.*

플루토늄(영 *plutonium*)【화학】plutonio *m.*

■~ 폭탄 bomba *f* de plutonio.

플루트(영 *flute*)【악기】flauta *f.* ~를 불다 tocar la flauta. ■~ 연주자 flautista *mf.*

피[1] ① [혈액] sangre *f.* ~로 물들인 tinto en sangre. ~로 얼룩진, ~가 묻은 sangriente, ensangrentado, manchado de sangre. ~를 흘리는 sangrante. ~를 흘리지 않고 sin derramar la sangre, sin derramiento de sangre. 썩은 ~ sangraza *f*, sangre *f* corrompida y espesa. 응고된 ~ cuararón *m.* ~를 흘리는 상처(傷處) herida *f* sangrante. ~ 뽑는 바늘 sangradera *f.* ~의 숙청(肅淸) masacre *m*, baño *m* de sangre, carnicería *f.* ~가 나다, ~가 흐르다 sangrar, salir la sangre, derramarse la sangre, ensangrentar. ~가 많이 나다 sangrar mucho, producir*le* grandes flujos de sangre. ~를 멈추다 restañar, detener la hemorragia. ~를 빨아내다 chupar la sangre. ~를 뽑다 sangrar. ~를 토하다 vomitar sangre, echar sangre por la boca. ~를 흘리다 sangrar, arrojar sangre, ensangrentar. 자기의 ~를 뽑다 sangrarse. 젊은 ~가 들끓다 bullir*le* (a *uno*) la sangre, tener mucho vigor y lozanía. 상처에서 ~가 흐른다 La herida sangra / Sale [Se derrama] sangre de la herida. 상처에서 ~가 많이 난다 La herida sangra mucho. 전쟁으로 많은 ~가 흘렀다 En la guerra se derramó mucha sangre. 거리는 ~로 강물을 이루었다 Corría sangre por las calles / Las calles eran ríos de sangre. 나는 코에서 ~가 자주 난다 Sangro por la nariz frecuentemente. ~는 속일 수 없다 No se le pueden pedir peras al olmo. ~는 물보다 진하다 La sangre tira / La familia siempre tira / La sangre es más densa que el agua. ② [혈통(血統)] linaje *m*, sangre *f*, estirpe *m*; [핏줄] lazo m de sangre. ~가 좋은 de buen linaje, de buena sangre. …의 ~를 이어받다 descender de *uno*, ser de linaje [de estirpe] de *uno*. 왕가(王家)의 ~를 이어받은 de sangre real. 귀족(貴族)의 ~를 이어받은 de sangre azul, de linaje noble. ③ =혈기(血氣)(vigor, coraje). ④ [희생(犧牲)] sacrificio *m*; [노력] esfuerzo *m*, sudores *mpl.* ~와 땀과 눈물 sudores *mpl*, gran esfuerzo.

◆동맥(動脈)~ sangre *f* roja. 정맥(靜脈)~ sangre *f* negra.

◆피가 끓다 ㉮ =흥분하다. ㉯ [젊고 혈기 왕성하다] bullir*le* la sangre a *uno*, tener mucho vigor y lozanía, estar lleno de vigor joven. ㉰ [기분이 격앙되고 용기가 넘치다] apasionarse (por), entusiamarse (por). 그는 (젊은) 피가 끓는다 Le bulle [hierve] la sangre en las venas.

◆피도 눈물도 없다 (ser) inhumano, cruel, feroz.

◆피로 피를 씻는다 reñir entre consanguíneos.

◆피를 나누다 ser parentesco de consanguinidad, ser de la misma sangre, ser entre los padres y los hijos. 피를 나눈 형제(兄弟) hermano *m* de sangre, hermano *m* verdadero, hermano *m* de la misma sangre.

■피는 물보다 진하다 ((속담)) La sangre tira / Los lazos familiares son fuerte (팔이 들이굽지 내굽나). *ing Blood is thicker than water.*

■~검사 =혈액 검사. ~은행 =혈액은행.

피[2]【식물】mijo *m* de era, panizo *m.*

피[3] [남을 비웃을 때 내는 소리] ¡Bah! ~하다 decir con sorna [con desdén], burlarse, adoptar un aire despectivo..

피가수(被加數)【수학】sumando *m.*

피감수(被減數)【수학】minuendo *m.*

피검(被檢) ¶~되다 ser detenido [arrestdo].
■ ~자 persona *f* bajo custodia, persona *f* al cuidado.

피겨(영 *figure*) ① [모양. 도형] figura *f.* ② [도표의 번호를 나타내는 데에 쓰는 말] cifra *f,* número *m,* guarismo *m.* ③ ((준말)) =피켜 스케이팅.
■ ~ 스케이팅 patinaje *m* artístico.

피격(被擊) ¶~당하다 ser atacado [asaltado].

피고(被告) 【법률】 ① [민사 소송에서 소송을 당한 사람] demandado, -da *mf.* ② ((준말)) =피고인.
■ ~ 대리인 representante *mf* de acusado [demandado]. ~ 변호인 abogado, -da *mf* para la defensa [para el acusado]. ~인 [형사의] acusado, -da *mf;* [민사의] demandado, -da *mf;* [공소의] notificado, -da *mf.* ~인석 banco *m* [banquillo *m*] de los acusados.

피고름 pus *m* sanguíneo.

피고소인(被告訴人) acusado, -da *mf.*

피곤(疲困) fatiga *f,* cansancio *m.* ~하다 estar cansado. ~해지다 cansarse, fatigar. ~을 느끼다 sentir cansancio, sentir fatiga, estar cansado ~하게 하다 cansar, fatigar. 당신은 ~하게 보인다 Tienes cara de cansado. 나는 눈이 ~하다 Tengo la vista cansada. 나는 많이 걸어서 다리가 ~하다 Tengo las piernas cansadas de tanto caminar

피골(皮骨) la piel y el hueso.
■ ~상접(相接) esqueleto *m* vivo, flacura *f,* flaqueza *f, AmL* flaquedad *f, Col, Cuba, ReD, Ven* flaquecia *f.* ¶~하다 estar hecho un esqueleto, estar esquelético, estar en los huesos. 그는 ~하다 El es un esqueleto vivo / No le quedan más que huesos y piel. 그녀는 ~하다 Ella está hecha un esqueleto / Ella está esquelética / Ella está en los huesos.

피교육자(被教育者) educado, -da *mf.*

피그미 족(Pygmy 族) pigmeos *mpl.*

피근피근 tercamente, obstinadamente, porfiadamente, rehusando escuchando. ~하다 (ser) terco, obstinado, porfiado.

피나다 ① [출혈하다] sangrar, salir la sangre, derramarse la sangre. ② [무척 고생하다] pasar un trago amargo.

피나무 【식물】 tilo *m.*

피난(避難) refugio *m;* [소개(疏開)] evacuación *f.* ~하다 refugiarse, tomar refugio, guarecerse, ponerse a cubierto, ponerse sobre seguro. ~시키다 refugiar, evacuar. 아이들을 안전한 장소에 ~시키다 dar un refugio seguro a los niños, refugiar a los niños en un sitio seguro. 우리들은 나무 밑에 ~했다 Nos guarecimos [Nos refugiamos] bajo un árbol.
■ ~ 명령(命令) orden *f* de evacuación. ~민 refugiado, -da *mf;* pueblo *m* refugiado. ~살이 vida *f* de refugiados. ~ 입항(入港) arribada *f* forzosa. ~자 refugiado, -da *mf.* ~처 (lugar *m* de) refugio, abrigo *m,* asilo *m.* ~항 puerto *m* de refugio, rada *f.*

피날레(이 *finale*) final *m.*

피낭(被囊) 【생물】 encapsulación *f,* quiste *m.*

피넛(영 *peanut*) 【식물】 =땅콩(cacahuete).

피눈물 lágrimas *fpl* de agonía, lágrimas *fpl* amargas. ~을 흘리다 llorar lágrimas amargas.
◆피눈물(이) 나다 ㉮ [몹시 슬프거나 절통(切痛)하다] (ser) muy triste. ㉯ [몹시 고생스럽다] (ser) demasiado duro.

피닉스(영 *phoenix*) [불사조] fénix *m.*

피다[1] ① [꽃봉오리·잎 등이 벌어지다] [꽃이] florecer, echar [dar · poner] flores, producir flores, abrir (los pétalos), *Chi, Méj* florear. 꽃이 핀[꽃이 만발한] florido, con flores. 금방 핀 꽃 una flor recién abierta. 꽃이 핀[만발한] 들 campo *m* florido. 여름에 꽃이 핀 식물 planta *f* que florece en verano. 꽃이 한창 피어 있다 estar en plena floración. (꽃이) 피기 시작하다 empezar a abrirse. 장미가 피어 있다 Las rosas están en flor. 벚꽃이 피기 시작한다 Las flores de los cerezos empiezan a abrirse / Los cerezos empiezan a echar [a poner] flores. ② [사람이 살이 오르고 혈색이 좋아지다] *su* complexión estar en la plenitud. 한창 핀 소녀 muchacha *f* en la flor de la juventud. ③ [불이 차츰 일어나다] arder, quemarse, quemar [abrasar · consumir] con fuego. 불이 ~ quemarse, quemar con fuego. ④ ((준말)) =펴이다.

피다[2] ((준말)) →피우다. ¶불을 ~ pegar fuego. 담배를 ~ fumar el cigarrillo.

피대(皮袋) bolso *m* de cuero de animal.

피대(皮帶) correa *f* de transmisión.

피동(被動) pasibilidad *f.* ~의 pasivo.
■ ~문(文) oración *f* pasiva. ~사 verbo *m* pasivo. ~ 운동 ejercicio *m* pasivo. ~적(的) pasivo. ~형 forma *f* pasiva.

피둥피둥 ① [뚱뚱하고 원기가 좋은 늙은이의 살갗이 탄력이 있는 모양] rellenitamente, regordetemente, corpulentamente. ~ 살찌다 (ser) regordete, corpulento, rellenito, gordo, echar carrillos. ② [남의 말을 잘 듣지 않고 부득부득 엇나가는 모양] tercamente.

피드백(영 *feedback*) ① 【전자】 realimentación *f.* ② 【물리】 retroalimentación *f.*

피디(영 *PD*) ① [방송계의 프로듀서] productor, -tora *mf.* ② [방송계의 프로그램 디렉터] director, -tora *mf.* ③ [생산자(生産者)] fabricante *mf;* productor, -tora *mf.*

피딱지[1] [피가 굳어서 된 딱지] coágulo *m.*

피딱지[2] [닥나무 껍질의 찌끼로 뜬 종이] papel *m* de cualidad inferior (hecho) de morera.

피땀 ① [피와 땀] la sangre y el sudor. ② [큰 노력] gran esfuerzo *m,* sudores *mpl.* ③ [온갖 힘을 들여 일할 때 나는 진땀] sudor *m* grasiento.
◆피땀(을) 흘리다 costar*le* sudores. 피땀을 흘리며 일하다 sudar tirita, sudar la gota gorda. 그는 그 일을 끝내기 위해 피땀을

흘렸다 Le costó sudores terminarlo.

피똥 excrementos *mpl* sangrientos, excrementos *mpl* mezclados con sangre.

피뜩 de repente, repentinamente, de súbito, súbitamente, rápido, rápidamente. ~ 지나가다 pasar rápido.

피뜩피뜩 a veces, raras veces, de cuando a cuando, de vez en cuando.

피라미 【어류】 albur *m*.

피라미드(영 *Pyramid*) pirámide *f*. ~ 모양의 piramidal. ~ 모양으로 piramidalmente.

◆달의 ~ *Méj* el Pirámide de la Luna. 인구(人口) ~ pirámide *f* de población. 해의 ~ *Méj* el Pirámide del Sol.

■ ~식 판매(式販賣) venta *f* piramidal.

피란(避亂) ① [난리를 피함] refugio *m*. ~하다 refugiarse, tomar refugio. ② [난리를 피해 있는 곳을 옮김] movimiento *m* del lugar de refugio. ~(을) 가다 mover el lugar para el refugio.

■ ~민 refugiado, -da *mf*. ~살이 vida *f* de refugio. ~지[처] (lugar *m* de) refugio *m*.

피랍(被拉) ¶~되다 ser secuestrado, ser raptado. ~된 아이 niño *m* secuestrado.

피력(披瀝) exposición *f*, confesión *f*. ~하다 mostrar, abrir, exponer, revelar, confesar, decir francamente. 의도(意圖)를 ~하다 exponer *sus* propósitos. 흉금을 ~하다 abrirse (a · con *uno*), abrir *su* corazón (a *uno*).

피로(披露) [알림] anunciación *f*, anuncio *m*; [소개] presentación *f*, introducción *f*. ~하다 anunciar, hacer un anuncio, celebrar la inauguración, introducir, presentar. 개점의 ~를 하다 anunciar la apertura de una tienda. 결혼을 ~하다 anunciar el matrimonio.

■ ~연 recepción *f*, banquete *m*. ~회(會) reunión *f* de banquete.

피로(疲勞) fatiga *f*, cansancio *m*. ~하다 estar cansado, fatigarse, cansarse, agotarse, extenuar; [지치다] consumirse. ~를 모르는, ~할 줄을 모르는 incansable, infatigable. 극도의 ~ agotamiento *m*, extenuación *f*. 정신적 ~ fatiga *f* mental, cansancio *m* nervioso. ~하게 하다 cansar. ~가 가시다, ~가 풀리다 recobrar energía, recuperar energía, restablecerse. ~를 풀다 descansar de la fatiga, reposar, quitarse la fatiga, recobrarse de la fatiga. ~를 잊다 olvidarse de la fatiga, olvidarse del cansancio. ~하고 지치다 estar sumamente [completamente] cansado, estar rendido por la fatiga, aburrirse. 다리의 ~를 풀다 descansar los pies, quitar la fatiga de los pies. 너무 ~하여 전혀 먹을 수 없다 no tener gana de comer ni un bocado por estar demasiado cansado. 일의 ~를 풀기 위해 여행하다 viajar para recuperarse del cansancio por el trabajo. …하는 것은 ~하다 Es cansado [fatigoso · pesado · agotador] + *inf*. 나는 지금 무척 ~하다 Ahora estoy muy cansado.

피뢰(避雷) escape *m* del relámpago. ~하다 escapar del relámpago.

■ ~기 pararrayos *m*. ~침 pararrayos *m*.

피륙 pieza *f* de tela, paño *m*, textil *m*.

피리 【악기】 flauta *f*. ~를 불다 tocar la flauta.

■ ~ 구멍 registro *m* de la flauta. ~ 소리 sonido *m* de la flauta. ~ 연주가 flautista *mf*. ~혀 lengüeta *f*.

피리어드(영 *period*) 【언어】 punto *m*. ~를 찍다 dar punto; [종료하다] poner fin (a), poner punto final (a).

피마(-馬) =빈마(牝馬)(yegua).

피마자(蓖麻子) ① 【식물】 ricino *m*. ② =아주까리씨.

■ ~유(油) aceite *m* de ricino.

피막(皮膜) película *f*.

피막(被膜) 【해부 · 동물】 túnica *f*.

피망(불 *piment*) guindilla *f*, pimiento *m* chile.

피맺히다 ser contusionado, quedar lleno de moretones [cardenales].

피명(被命) recibo *m* de la orden [del mandato]. ~하다 recibir la orden [el mandato].

피바다 mar *m* de sangre. 사방은 ~를 이루었다 Había un mar de sangre por todos (los) lados.

피범벅 mar *m* de sangre en todas las partes, lugares *mpl* manchados de sangre..

피병원(避病院) hospital *m* de enfermedad infecciosa, lazareto *m*.

피보험물(被保險物) artículo *m* asegurado, mercancía *f* asegurada.

피보험액(被保險額) cantidad *f* asegurada, suma *f* asegurada, monto *m* asegurado, monta *f* asegurada.

피보험자(被保險者) asegurado, -da *mf*.

피보호국(被保護國) país *m* protegido, dependencia *f*, estado *m* dependiente.

피보호자(被保護者) protegido, -da *mf*, paniaguado, -da *mf*.

피복(被服) ropa *f*, traje *m*, vestido *m*.

■ ~창(廠) departamento *m* de ropaje.

피복(被覆) revestimiento *m*, recubrimiento *m*.

■ ~력(力) poderío *m* de cubrimiento. ~선(船) barco *m* revestido [recubierto].. ~선(線) alambre *m* cubierto, alambre *m* revestido [recubierto], hilo *m* revestido [recubierto].

피봉(皮封) =겉봉.

피부(皮膚) [사람의] piel *f*, [특히 얼굴의] cutis *m*, piel *f*, tez *f*; [표피(表皮)] epidermis *f*; [동물 · 새 · 물고기의] piel *f*; [토마토 · 자두의] piel *f*, [감자 · 바나나의] piel *f*, cáscara *f*. 그의 검은 ~ su tez [piel] oscura. 그 여자는 ~가 곱다 Ella tiene buen cutis. 내 누이는 ~가 나쁘다 Mi hermana tiene mal cutis. 그녀는 ~가 좋다[나쁘다] Ella tiene muy buen [mal] cutis.

■ ~ 감각(感覺) sensación *f*. ~ 건조증(乾燥症) xeroderma *f* cutánea. ~ 경화증(硬化症) dermatoesclerosis *f*. ~과(科) dermotología *f*. ¶~ 병원 hospital *m* dermatológico. ~ 의사 dermatólogo, -ga *mf.* ~ 과학 dermatología *f.* ~ 관리 cuidado *m* de la piel, cuidado *m* del cutis. ~근 músculo *m* cutáneo. ~ 기생 진균 dermatófito *m.* ~ 반응(反應) dermorreacción *f.* ~ 반점(斑點) magulladura *f,* magullamiento *m,* cardenal *m,* equimosis *f,* estigma *m;* [태어날 때부터 의] marca *f* [mancha *f*] de nacimiento. ~병 dermatosis *f,* enfermedad *f* cutánea, enfermedades *fpl* de la piel. ~병학 dermatopatología *f.* ~ 봉합 sutura *f* cutánea. ~ 색소 결핍증 acromatosis *f,* acromoderma *f,* acromia *f.* ~ 성형술 dermoplastia *f.* ~암 cáncer *m* de (la) piel. ~염 dermatitis *f,* cutitis *f.* ~ 위축 dermatotrofia *f,* adermotrofia *f.* ~위축증 atrofodermatosis *f.* ~ 이식 anaplastia *f,* injerto *m.* ~ 이식술 injerto *m* de piel, injerto *m* cutáneo. ~ 이식용 피부 조각 injerto *m* de piel. ~ 정맥 vena *f* cutánea. ~ 질환 dermatopatía *f.* ~ 출혈 dermatorragia *f.*

피붙이 pariente *mf.*

피브리노겐(영 *fibrinogen*) fibrinógeno *m.*

피브린(영 *fibrin*) fibrina *f.*

피브이시(영 *PVC, polyvinyl chloride*) cloruro *m* de polivinilo (material plástico), PVC *m.* (「삐베세」로 읽음).

피비린내 lo sanguinario, crueldad *f.* ~ 나다 oler a sangre. ~ 나는 que huele a sangre, sanguinario, sangriento, ensangrentado, manchado de sangre. ~ 나는 싸움 batalla *f* sangrienta, lucha *f* sangrienta.

피빨강이 =헤모글로빈.

피사리 deshierba *f,* desyerba *f,* deshierbe *m.* ~하다 desherbar, deshierbar, *AmL* desmalezar, *RPl* sacar los yuyos (de).

피사의 사탑(Pisa－斜塔) la Torre Inclinada de Pisa.

피사체(被寫體) sujeto *m.*

피살(被殺) ¶~되다 ser matado [asesinado].

■ ~자 matado, -da *mf,* asesinado, -da *mf.*

피상(皮相) superficialidad *f.*

■ ~ 관찰 observación *f* superficial. ~ 교육 educación *f* [enseñanza *f*] superficial [de por encima]. ~적 superficial, aprencial, poco profundo. ¶~(인) 견해 vista *f* superficial.

피상속인(被相續人) antepasado, -da *mf,* predecesor, -sora *mf,* heredero, -ra *mf.*

피새 genio *m* vivo, genio *m* pronto.

◆피새(가) 여물다 tener el genio vivo [pronto], ser una polvorilla. 피새(를) 내다 perder los estribos fácilmente.

피새나다 revelarse el secreto.

피새놓다 calumniar, difamar, deshonrar, vilipendiar.

피서(避暑) veraneo *m.* ~하다 veranear, pasar el verano. ~ 가다 veranear, pasar el verano, ir a veranear. 산으로 ~ 가다 ir a la montaña para pasar el verano [para veranear], ir de veraneo a la montaña.

■ ~객 veraneante *mf.* ~ 계절 estación *f* veraniega. ~지 veraneario *m,* lugar *m* de veraneo.

피선(被選) ¶~하다 ser elegido.

피선거권(被選擧權) elegibilidad *f.* ~이 있다 ser elegible.

피선거인(被選擧人) persona *f* elegible; electo, -ta *mf,* candidato, -ta *mf.*

피스톤(영 *piston*) émbolo *m,* pistón *m* (*pl* pistones).

피스톨(영 *pistol*) pistola *f,* revólver *m.*

피습(被襲) asalto *m,* ataque *m.* ~하다 asaltar, atacar. ~되다 asaltarse, atacarse.

피승수(被乘數) multiplicando *m.*

피시(영 *PC, personal computer*) computadora *f* personal.

피신(避身) refugio *m,* escape *m.* ~하다 refugiarse, escaparse, huirse.

피아(彼我) él y yo, ambos *mpl,* ambos lados *mpl,* nosotros, éste y ése; [서로] mutuamente, uno de otro, el uno del otro, uno a otro, el uno al otro, unos de otros, unos a otros, los unos de los otros, los unos a los otros. ~의 mutuo. ~ 구별 없이 sin distinción de campos. ~ 정국(政局)이 다르다 Las condiciones de los ambos países son diferentes mutuamente.

■ ~간(間) entre él y yo, entre ambos lados.

피아노[1](영 *piano*) 【악기】 piano *m.* ~를 배우다 aprender a tocar el piano. ~를 치다 tocar el piano. ~를 연습하다 hacer ejercicios de piano. ~로 연주하다 tocar (una pieza) al [con el · en el] piano.

◆그랜드 ~ piano *m* de cola.

■ ~ 독주(獨奏) solo *m* de piano. ~ 레슨 clase *f* de piano. ~ 삼중주 trío *m* para piano, violín y violoncelo. ~ 연주가(演奏家) pianista *mf.* ~ 연주회 concierto *m* de piano. ~용 의자 banqueta *f* [taburete *m*] (del piano). ~ 콘서트 concierto *m* para piano.

피아노[2](이 *piano*) 【음악】 [천천히. 느리게] despacio, lentamente, *ital* piano.

피아니스트(영 *pianist*) pianista *mf.*

피아르(영 *PR, public relation*) relaciones *fpl* públicas. ~하다 hacer relaciones públicas, hacer propaganda (de). ~의 de relaciones públicas. 그것은 ~용일뿐이었다 Fue sólo para hacer relaciones públicas.

■ ~ 영화 película *f* de relaciones públicas.

피안(彼岸) el otro mundo; [열반(涅槃)] Nirvana *f,* [바라밀다] Paramita *f.*

피압박 계급(被壓迫階級) clase *f* oprimida.

피압박 민족(被壓迫民族) pueblo *m* oprimido.

■ ~ 해방 liberación *f* del pueblo oprimido. ~ 해방 운동 campaña *f* para la liberación del pueblo oprimido.

피앙세[1](불 *fiancé*) [남자 약혼자] prometido *m,* novio *m,* desposado *m.*

피앙세[2](불 *fiancée*) [약혼녀] prometida *f,* novia *f,* desposada *f.*

피어나다 ① [꺼져 가던 불이 다시 살아나다] reavivar, quemarse otra vez, arder otra vez. ② [곤란한 형편이 차츰 풀리게 되다]

recobrarse poco a poco. ③ [거의 죽게 된 사람이 다시 깨어나다] recobrar el sentido, volver en sí, recobrarse. ④ [꽃 따위가 피게 되다] florecer, abrirse. 한창 ~ estar en plena floración.

피에로(불 *pierrot*) [무언극의 어릿광대] pasayo, -ya *mf*.

피에조 전기(piezo 電氣) 【물리】 [압전기(壓電氣)] piezoelectricidad *f*. ~의 piezoeléctrico.

피엑스(영 *PX, Post Exchange*) [군매점] economato *m* militar, cooperativa *f* militar.

피엘오[1](영 *PLO, phase locked oscillator*) 【컴퓨터】 oscilador *m* de fase bloqueada.

피엘오[2](영 *PLO, Palestine Liberation Organization*) [팔레스타인 해방 기구] Organización *f* de [para] la Liberación de Palestina, OLP *f*, O.L.P. *f*.

피우다 ① [피게 하다] encender, prender. 불을 ~ encender fuego, prender fuego, hacer fuego. 난로에 불을 ~ hacer fuego en la estufa. ② [수단·계교·재주 등을 나타내다] jugar, hacer, exponer, cumplir. 익살을 ~ bromear. 재주를 ~ jugar una pasada, hacer una jugada. ③ [난봉·소란 등을 부리다] perturbar, disturbar, tumultuarse, alborotar. 소란을 ~ alborotar. 소란을 피우는 사람 alborotapueblos *mf.sing.pl.* ④ [담배를 빨아 연기를 입이나 코로 내보내다] fumar. 담배를 ~ fumar un cigarrillo. 담배를 피우지 마십시오 No fume / No fumar / Prohibido fumar. 담배를 다 피우고 지금 없다 Estoy sin tabaco ahora / Me he quedado sin tabaco. ⑤ [냄새나 먼지 따위를 퍼뜨리거나 일으키다] [사람이] oler; [동물이] olfatear, oler. 향내를 ~ fumigar, perfumar.

피육(皮肉) la piel y la carne.

피의자(被疑者) sospechoso, -sa *mf*, persona *f* sospechada de un delito; reo *mf* presunto.

피인(彼人) ① [저 사람] aquella persona *f*, aquel hombre *m*; [여자] aquella mujer *f*. ② [외국 사람] extranjero, -ra *mf*.

피임(被任) nombramiento *m* a una oficina. ~하다 nombrarse.

피임(避妊) contracepción *f*, prevención *f* de concepción, prevención *f* de preñez. ~하다 ejercer la contracepción, impedir la concepción, controlar [restringir] los nacimientos. ~의 contraceptivo.

■~ 기구 aparato *m* anticonceptivo. ~법 contraconcepción *f*, método *m* de concepción evitable. ~약(藥) medicina *f* anticonceptiva, medicina *f* contraconceptiva, medicina *f* de concepción evitable; [알약] tableta *f* anticonceptiva. ~ 약제(藥劑) anticonceptivo *m*. ~제(劑) píldora *f* abortiva. ~ 젤리 gelatina *f* anticonceptiva.

피자(이 *pizza*) pizza *f*. ~는 오븐에 굽는다 Se cuece en el horno. ~는 반죽된 밀가루로 만드는데 그 위에 치즈, 기름에 튀긴 토마토 및 멸치, 올리브 등 다른 재료를 친다 La pizza se hace con harina de trigo amasada, encima de la cual se pone queso, tomate frito y otros ingredientes como anchoas, aceitunas, etc.

■~ 가게 pizzería *f*. ¶~ 주인 pizzero, -ra *mf*. ~ 배달원 pizzero, -ra *mf*. ~ 전문 식당 pizzería *f*.

피자식물(被子植物) angiospermas *fpl*.

피장파장 el mismo, no diferencia, igual. ~이다 Tal para cual / Cual es Pedro, tal es Juan. 두 사람은 ~이다 Ambos son tal para cual.

피점령국(被占領國) país *m* ocupado.

피제수(被除數) 【수학】 dividendo *m*.

피조물(被造物) cosa *f* creada, creación *f*.

피죽(一粥) gachas *fpl* de mijo.

◆피죽도 못 먹었다 Se tambaleó sin fuerza.

피죽(皮竹) vaina *f* de bambú.

피지(皮紙) vello *m*.

피지(皮脂) sebo *m*. ~의 sebáceo.

■~선(腺) 【해부】 glándulas *fpl* sebáceas.

피지 【지명】 Fiji, Fidji, Fiyi. ~의 fijiano, de (las islas) Fiji, de Fiyi.

■~ 사람[인] fijiano, -na *mf*.

피지에이(영 *PGA, P.G.A., Professional Golfers' Association*) PGA *f*.

피진(皮疹) exantema *m*.

피질(皮質) 【해부】 corteza *f*. ~의 cortical.

피차(彼此) éste y aquél, tú y yo, ambas partes *fpl*, uno de otro. 걱정마십시오. ~ 마찬가지입니다 No se preocupe. Nos ocurre a todos.

■~간(間) entre tú y yo, entre ambas partes. ~일반(一般) ambos los mismos, no diferencia entre nosotros. ¶~이다 estar en la misma situación, ser mutuamente igual, ser mutuamente el mismo. 가난하기는 ~이다 Yo soy tan pobre como tú.

피처(彼處) allí, en aquella lugar.

피처(영 *pitcher*) ((야구)) lanzador, -dora *mf*.

■~ 마운드[플레이트] montículo *m* (del lanzador).

피천 poco dinero *m*, blanca *f*, ardite *m*. ~ 한 닢 주지 않다 no dar ni un centavo.

◆피천 한 닢 없다 estar sin blanca, no tener ni un cuarto, no tener ni un céntimo.

피천(被薦)) ¶~하다 ser recomendado.

피체(被逮) ¶~하다 ser arrestado.

피층(皮層) corteza *f*.

피치(영 *pitch*) ① ((야구)) lanzamiento *m*. ② ((골프)) pitch *ing.m.* ③ [보트에서, 1분간에 젓는 노의 횟수] razón *f* de boga. ④ [작업 능률] ritmo *m*. ~를 올리다 acelerar [precipitar] el movimiento [el ritmo], aumentar la velocidad. 공사를 급~로 서두르다 apresurar [acelerar] el ritmo de las obras.

피치자(被治者) gobernado, -da *mf*, reinado, -da *mf*.

피치카토(이 *pizzicato*) 【음악】 pizzicato.

피침(披針/鈹鍼) =바소.

피칭(영 *pitching*) ((야구)) lanzamiento *m*. ~하다 lanzar.

피컬리리(영 *piccalilli*) [야채의 겨자 절임] condimento *m* a base de encurtidos picados y especias.

피케(불 *piqué*) piqué *m*, tela *f* de algodón cuyo tejido forma unos como granillos redondos o cuadrados.

피케팅(영 *picketing*) piquete *m*. ~을 치다 instalar piquetes.

피켈(영 *pickel*) piolet *m*, piqueta *f*, píckel *m*, pico *m* montañero.

피켓(영 *picket*) piquete *m*. ~을 치다 estar de centinela.

■ ~ 라인(line) piquete *m*.

피코(불 *picot*) [레이스 따위의 단을 장식하고자 둥근 무늬를 도드라지게 짠 것. 또 그렇게 짜는 뜨개질] puntilla *f*, piquillo *m*.

피콜로(영 *piccolo*) 【악기】 flautín *m* (*pl* flautines), piccolo *m*.

피크(영 *peak*) [정상. 정점. 절정] cima *f*, cúspide *f*, pico *m*, cumbre *f*.

■ ~ 시즌 temporada *f* alta. ~ 아워 [교통량의 최고시] las horas punta [pico]. ~ 타임 [골든 아워] horas *fpl* de mayor demanda [consumo]; [텔레비전의] horas *fpl* de máxima audiencia. ¶~의 시청자 수 número *m* de telespectadores a las horas de máxima audiencia.

피크닉(영 *picnic*) picnic *m*, jira *f*, excursión *f*, merienda *f* campestre, partida *f* de campo. ~ 가다 ir de picnic, ir de jira, ir de excursión, tener una partida de campo.

피크르산(一酸) 【화학】 ácido *m* pícrico.

피클스(영 *pickles*) [서양식 김치] escabeche *m*, encurtidos *mpl*, adobo *m*. 오이 ~ encurtido *m* de pepino, pepinillos *mpl* encurtidos.

피탈(被奪) acción *f* de sufrir el robo. ~하다 ser robado.

피투성이 lo sangriento, lo manchado de sangre. ~의 sangriento, ensangrentado, sangrante, manchado de sangre. ~가 된 tinto en sangre. ~의 싸움 lucha *f* sangrienta. ~가 되다 anegarse de sangre, ensangrentarse, empaparse de sangre. ~로 만들다 anegar de sangre.

피트(영 *feet*) [길이의 단위] pie *m* (영국에서는 30.5cm, 불란서에서는 33cm, 가스띠야에서는 28cm). 그는 키가 6~다 El mide seis pies.

피티에이(영 *PTA*, *Parent-Teacher Association*) [사친회] la Asociación de Padres y Maestros.

피파(불 *FIFA*, *Fédération Internationale de Football Association*) la FIFA, Federación Internacional de Fútbol Asociación.

■ ~월드컵 Copa *f* Mundial [del Mundo] *de la FIFA*. ~월드컵축구대회 한국조직위원회 Comité *m* Organizador Coreano para la Copa del Mundo de la FIFA. ~ 총회(總會) Congreso *m* de la FIFA.

피펫(영 *pipette*) 【화학】 pipeta *f*.

피폐(疲弊) extenuación *f*, agotamiento *m*; [나라 등의] empobrecimiento *m*, decaimiento *m*. ~하다 extenuarse, agotarse, empobrecerse, decaer. 재정의 ~ extenuación *f* financiera. 이 지방의 농촌은 ~되어 있다 Los pueblos de esta comarca se encuentran en un estado empobrecido.

피폐(疲斃) muerte *f* de fatiga, muerte *f* de cansancio. ~하다 morir(se) de fatiga, morir(se) de cansancio.

피폭(被爆) sufrimiento *m* de la bomba (atómica). ~되다 sufrir la bomba (atómica).

■ ~ 도시 ciudad *f* sufrida por la bomba. ~자 víctima *f* de la bomba (atómica). ~ 지구(地區) el área *f* (*pl* las áreas) sufrida por la bomba.

피하(皮下) bajo el cutis. ~의 hipodérmico, subcutáneo.

■ ~염 hipodermitis *f*. ~ 주사 inyección *f* hipodérmica, inyección *f* subcutánea. ~ 주사기 jeringa *f* hipodérmica. ~ 주입(注入) hipodermoclisis *f*. ~ 지방(脂肪) panículo *m* adiposo, sebo *m* hipodérmico, sebo *m* subcutáneo. ~ 출혈 =내출혈(內出血). ~층 panículo *m*. ~ 투약 medicamiento *m* hipodérmico.

피하다(避一) ① [비키다. 멀리하다] evitar, eludir, esquivar, librarse, escapar, huir, rehuir, dejar, apartarse (de), evadirse (de), guarecerse (de), zafarse (de). 피할 수 있는 evitable. 피할 수 없는 inevitable, ineluctable, ineludible. 마주치는 것을 ~ esquivar [capear · evadir] enfrentarse (con). 몸을 ~ hurtar el cuerpo, hacer un quiebro, dar un quiebro. 법망(法網)을 ~ eludir la ley, escapar de la justicia. 위험(危險)을 ~ evitar el peligro, escapar de un peligro, librarse de un peligro. 자동차를 ~ esquivar el automóvil [el coche]. 질문을 ~ eludir las preguntas. 공격에서 몸을 ~ esquivar un ataque, evitar un ataque. …을 피해서 지나가다 pasar alejado de *un sitio*. 너는 왜 나를 피하느냐? ¿Por qué me rehúyes? / ¿Por qué intentas eludirme? 그는 나와 마주치는 것을 피했다 El evadió enfrentarse conmigo. 그는 가족 이야기를 피했다 El evita hablarnos de su familia. 그는 신문기자를 피했다 El elude a los periodistas. 그는 나를 피하려 하고 있다 El trata de esquivar mi encuentro / El procura evadir el [trata de no] encontrarse conmigo. 그녀는 그의 시선을 피했다 Ella evitó mirarlo a los ojos / Ella le eludió la mirada. 주의를 끄는 것을 피해라 Evita llamar la atención / Procura no llamar la atención. 그녀는 아슬아슬하게 익사(溺死)를 피했다 Ella se escapó por los pelos de ahogarse. 당신은 이따금 그녀를 만나는 것을 피할 길이 없다 No puedes evitar verla a ella de vez en cuando. 나는 그것을 피할 수 있다면 지불하지 않겠다 Si puedo evitarlo, no pago. 그는 감옥에 가는 것을 간신히 피했다 Ella se salvó de ir a la cárcel por muy poco. ② [피신하다] refugiarse; [비 따위를] protegerse (de). 비를 ~ protegerse [refugiarse] de la lluvia. ③ [책임이나 의무를 회피하다] eludir, evadir, evitar, eximirse (de), dispensarse (de). 책임을 ~ eludir [evadir] *su* responsabilidad, eximirse [dispensarse] de la responsabilidad.

피한(避寒) hibernación *f*, invernación *f*, huida *f* del frío invernal. ~하다 hibernar, invernar, refugiarse del frío, pasar el invierno. ~하는 invernador.

■ ~객 invernante *mf*. ~지 invernadero *m*.

피해(被害) perjuicio *m*, daño *m*, estragos *mpl*. ~를 주다 damnificar. ~를 받다 dañarse, sufrir un daño, sufrir unos estragos. ~를 면하다 escapar del daño, escapar de los estragos. ~를 복구하다 reparar los daños causados. ~를 입히다 [빌딩・차량을] dañar; [건강을] perjudicar, ser perjudicial (para); [생명 기관에] dañar; [평판 등에] perjudicar, dañar. ~를 입은 dañado, averiado. 자타에게 ~ 없이 sin daño de barras. 태풍으로 ~를 입은 가족 familia *f* damnificada del huracán. 폭풍으로 인한 ~ daños *mpl* ocasionados por una tormenta. 화재로 인한 ~ daños *mpl* ocasionados por un incendio. 화재[비]로 ~를 입은 상품(商品) mercancías *fpl* dañadas por un incendio [la lluvia]. ~는 복구되었다 El daño ya está hecho. 태풍으로 농작물은 심한 ~를 받았다 El tifón ha causado grandes daños a la cosecha / Las cosechas han sufrido enormes estragos a causa del tifón.

■ ~망상 delirio *m* de persecución, manía *f* persecutoria. ~액 suma *f* de daños. ~자(者) víctima *f*; [재해의] damnificado, -da *mf*. ~지(地) región *f* devastada, región *f* dañada, región *f* damnificada.

피해(避害) evasión *f* de la calamidad. ~하다 evadir la calamidad.

피험자(被驗者) ① [시험을 받는 자] examinando, -da *mf*. ② [심리학상 실험자에게 하나의 연구 대상으로서 시험을 당하는 자] sujeto *m*; examinado, -da *mf*.

피혁(皮革) piel *f*; [무두질한] cuero *m*.

◆인공(人工) ~ piel *f* artificial. 진짜 ~ piel *f* legítima, cuero *m* legítimo. 합성(合成) ~ piel *f* sintética.

■~ 가게 cuerería *f*, pellejería *f*. ~공(工) curtidor, -dora *mf*. ~ 공업 pellejería *f*. ~상 [장사] pellejería *f*; [장수] pellejero, -ra *mf*. ~ 제품(製品) artículos *mpl* de cuero, artículos *mpl* de piel, objeto *m* de cuero. ~ 제품 의류 ropa *f* de piel, ropa *f* de cuero.

피화(避禍) escape *m* de la calamidad. ~하다 escapar la calamidad.

피후견인(被後見人) pupilo, -la *mf*.

픽 ① [힘없이 가볍게 쓰러지는 모양] débilmente. ~ 쓰러지다 caerse débilmente. ② [「픽」 소리를 내면서 웃는 모양] indiferentemente, sin ánimo. ~ 웃다 sonreír sin ánimo. ③ [증기나 공기가 한 번 터져 나오는 모양] silbando. ④ [썩은 새끼・줄 등이 힘없이 끊어지는 모양] débilmente.

픽션(영 *fiction*) ① [허구(虛構)] ficción *f*. 사실입니까 ~입니까? ¿Realidad o ficción? 그것은 순수한 ~이다 No es más que pura imaginación [ficción]. ② [소설에서 가공적인 이야기] ficción *f*, narrativa *f*.

■ ~ 작품 obra *f* narrativa [de ficción].

픽업[1](영 *pickup*) ① ((준말)) =픽업트럭. ② [방송실 밖에서 제작된 프로그램을 방송국에 연결시키는 장치] pick-up *ing.m*. ③ [전축에서 바늘의 진동을 전류의 진동으로 변환시키는 장치] fotocaptor *m*, brazo *m* (del tocadiscos), pick-up *ing.m*.

■ ~트럭 camioneta *f* [furgoneta *f*] (de reparto).

픽업[2](영 *pick up*) [많은 사람들 중에서 특히 가려 뽑음] recogida *f*.

핀(영 *pin*) ① [옷・종이용의] alfiler *m*; [머리핀] horquilla *f*, *Méj* prendedor *m*; [브로치, 배지] insigna *f*. ~으로 꽂다 sujetar [prender] con alfileres. 머리카락을 ~으로 꽂다 sujetar el pelo con horquillas. 두 천을 ~으로 잇다 unir dos telas con afileres. 나는 ~으로 종이를 꽂았다 Yo sujeté los papeles con un alfiler. 그 여자는 머리를 ~으로 꽂았다 Ella se sujetó el pelo con horquillas. 그 여자는 머리에 ~을 꽂고 있었다 Ella llevaba el pelo recogido (con horquillas・*Méj* prendedores). 그 소녀는 드레스에 꽃을 ~으로 꽂고 있었다 La muchacha llevaba una flor prendida en el vestido. 나는 줄에 옷을 ~으로 꽂았다 Yo colgué [tendí] la ropa. ② ((골프)) banderín *m* (*pl* banderines). ③ ((볼링)) bolo *m*, *Méj* pino *m*.

◆넥타이~ alfiler *m* de corbata, *Méj* fistol *m*. 머리~ horquilla *f*. 안전(安全)~ imperdible *m*, *CoS*, *Ven* alfiler *m* de gancho, *Col* gancho *m*, *Méj* seguro *m*. 압~ tachuela *f*. 옷~ imperdible *m*.

핀(영 *PIN*, *personal identification number*) [(은행 카드의) 비밀번호] número *m* personal de identificación, NPI *m*, PIN *m*.

핀둥거리다 =빈둥거리다.

핀들거리다 =빈들거리다.

핀란드【지명】Finlandia *f*. ~의 finlandés, finés.

■~ 사람[인] finlandés, -desa *mf*; finés, -nesa *mf*. ~ 어[말] finlandés *m*.

핀셋(불 *pincette*) pinza(s) *f(pl)*, tenazas *fpl*; [의료용] fórceps *m.sing.pl*. ~으로 집다 coger con las pinzas.

핀잔 reprensión *f*, reprimenda *f*, amonestación *f*, censura *f*. ~하다 reprender, censurar, dar una reprimenda.

◆핀잔(을) 맞다 ser rependido [censurado]. 핀잔(을) 주다 reprender, censurar, dar una reprimenda.

핀치(영 *pinch*) [절박한 사태] aprieto *m*, apuro *m*, crisis *f*. ~를 뚫고 나가다 librarse de un aprieto, salir bien [adelante] de un apuro.

■ ~ 러너 corredor, -dora *mf* suplente. ~

히터 ((야구)) bateador, -dora *mf* de emergencia; bateador, -dora *mf* suplente. ~ 히트 ((야구)) batear de emergencia, batear de suplente, batear en sustitución del titular.

핀트(네 *brandpunt*) ① [초점] foco *m.* ~를 맞추다 enfocar. 카메라의 ~를 맞추다 enfocar una máquina fotográfica. ~가 맞추어져 있다 estar enfocado. ~가 잘 맞은 사진 fotografía *f* borrosa [movida]. ② [요점] punto *m.* ~가 빗나간 flojo. ~가 틀어짐 desenfoque *m.* ~가 틀어진 desenfocado. 너의 말은 언제나 ~가 틀린다 Tú siempre andas desenfocado (por las ramas) en la conversación.

필(匹) [마소를 세는 단위] cabeza *f.* 소 세 ~ tres cabezas de vacas, tres vacas. 말 두 ~ dos caballos.

필(疋) ① [일정한 길이로 짠 피륙을 셀 때 쓰는 단위] rollo *m.* 명주 한 ~ un rollo de seda. 명주 열 ~ diez rollos de seda. ② =필(匹).

-필(畢) acabado. 검사~ Aprobado, Examinado. 지불~ Pagado.

필가(筆架) estante *m* del cepillo de escribir.

필가(筆家) calígrafo, -fa *mf.*

필갑(筆匣) ① [붓을 넣어 두는 갑] estuche *m* [caja *f*] de plumas [de cepillo de escribir]. ② =필통.

필경(筆耕) copia *f.* ~하다 copiar.
 ■ ~생(生) copista *mf.*

필경(畢竟) en fin, al fin, por fin, finalmente, después de todo, al fin y al cabo. ~에 가서는 나는 그녀와 결혼할 것이다 Yo me casaré con ella finalmente.

필공(筆工) manufacturero, -ra *mf* de los cepillos de escribir.

필관(筆管) tallo *m* del cepillo de escribir.

필기(筆記) escritura *f,* manuscrito *m.* ~하다 escribir, apuntar, anotar, tomar nota (de), inscribir, registrar. 강의를 ~하다 tomar notas de la clase.
 ■ ~구(具)[도구] artículos *mpl* de escritorio, utensilios *mpl* para escribir. ~시험(試驗) examen *m* escrito. ~장 cuaderno *m*; [작은] libreta *f,* cuadernillo *m.* ~체 letra *f* corrida.

필납(畢納) Pagado.

필낭(筆囊) bolso *m* para los cepillos de escribir.

필누비(匹一) guata *f,* tela *f* acolchada.

필단(筆端) punta *f* de cepillo de escribir.

필담(筆談) conversación *f* por escrito. ~하다 conversar [hablar] con *uno* por escrito.

필답(筆答) respuesta *f* por escrito.
 ■ ~시험 examen *m* escrito.

필더(영 *fielder*) [외야수] fildeador, -dora *mf.*

필독(必讀) lectura *f* indispensable.
 ■ ~서 libro *m* que es menester [se debe] leer.

필두(筆頭) primer nombre *m* de una lista. ~로 오르다 ser cabeza [cabecilla] (de); [리스트의] ser el primero en la lista. 자동차를 ~로 많은 산업이 발전했다 Con la industria automovilística a la cabeza, muchas industrias se han desarrollado.

필드(영 *field*) ① ((운동)) [경기장. 구장] campo *m,* *AmL* cancha *f*; [내외야] campo *m*; [외야] campo *m.* ② [밭] campo *m.* ③ [들판] campo *m.* ④ [연구 분야] campo *m*; [활동 분야] esfera *f.* ⑤【컴퓨터】campo *m.*
 ■ ~ 경기 saltos y lanzamientos; la caza y la pesca. ~ 종목 prueba *f* de atletismo. ~ 플레이어 jugador, -dora *mf* de terreno. ~ 하키 hockey *m* sobre hierba.

필딩(영 *fielding*) ((야구)) fildeo *m.*

필라리아(영 *filaria*)【동물】filaria *f.*
 ■ ~병 filariasis *f,* filariosis *f.*

필라멘트(영 *filament*) filamento *m.*

필력(筆力) vigor *m* de escritura.

필름(영 *film*) ① película *f.* ~의 fílmico. ~ 한 통 un rollo [una carrete] (de fotos), una película. 36장 촬영용 ~ 한 통 un rollo [un carrete] de treinta y seis fotos. ~에 담다 filmar. 카메라에 ~을 끼우다 poner un carrete en la máquina fotográfica, cargar la cámara. ② [영화] película *f,* filme *m,* film *ing.m.*
 ◆컬러 ~ película *f* en color, película *f* en [de] colores naturales. 흑백 ~ película *f* blanca y negra.
 ■ ~ 보관소(保管所) filmoteca *f.* ~ 수집(蒐集) fimoteca *f,* colección *f* de filmes.

필리핀【지명】(las) Filipinas. ~의 filipino.
 ■ ~ 사람[인] filipino, -na *mf.*

필링(영 *feeling*) sentimiento *m.*

필마(匹馬) un (solo) caballo.
 ■ ~단기 paseo *m* a caballo solitario sin criado. ~단창 paseo *m* a caballo sólo con armas sencillas.

필멸(必滅) calidad *f* de perecedero; ((종교)) aniquilación *f.* ~의 perecedero, mortal.

필명(筆名) nombre *m* de pluma, seudónimo, -ma *mf*; nombre *m* de guerra.

필묵(筆墨) la pluma y la tinta china, pluma y tinta., cepillo de escribir y tinta.

필방(筆房) tienda *f* de cepillos de escribir.

필벌(必罰) El criminal es castigo sin falta.

필법(筆法) arte *m* [técnica *f*] de caligrafía.

필봉(筆鋒) ① [붓끝] punta *f* de la pluma china, punta *f* del cepillo de escribir. ② [붓의 위세] poder *m* de pluma. 날카로운 ~ poder *m* de pluma agudo.

필부(匹夫) [한 남자] un hombre; [신분이 낮은 남자] hombre *m* común.
 ■ ~지용(之勇) imprudencia *f,* insensatez *f.*

필부(匹婦) [한 여자] una mujer; [신분이 낮은 여자] mujer *f* común.

필사(必死) [반드시 죽음] muerte *f* inevitable; [목숨을 걺] desesperación *f.* ~의 투쟁 lucha *f* a muerte. …하기 위해 ~의 노력을 하다 hacer esfuerzos deseperados, esforzarse a más no poder por + *inf.*
 ■ ~적(的) desesperado, perdido, frenético.
 ¶~으로 con toda energía, a riesgo de *su*

vida, a muerte, desesperadamente, a la desesperada, a más no poder, frenéticamente; [전력을 다해] con todas *sus* fuerzas. ～인 노력 gran [mucho] esfuerzo *m*, esfuerzo *m* sobrehumano. ～인 저항 resistencia *f* hasta la muerte [hasta el último momento]. ～으로 일하다 trabajar con todo ahinco. 그는 ～으로 공부했다 El estudió desesperadamente [a más no poder]. 그는 ～으로 나를 제지했다 El hizo todo lo posible para retenerme.

필사(筆寫) copia *f*, transcripción *f*. ～하다 copiar, transcribir, manuscribir.
■～본(本) libro *m* copiado. ～자(者) copista *mf*.; copiante *mf*, copiador, -dora *mf*, amanuense *mf*, escribiente *mf*.

필생(畢生) toda la vida. ～의 que dura toda la vida. ～의 노력(努力) esfuerzos *mpl* que duran toda la vida.

필생(筆生) copista *mf*, escribiente *mf*, copiador, -dora *mf*.

필설(筆舌) cepillo *m* de escribir y lengua, escritura *f* y habla. ～로 다 할 수 없다 (ser) indescriptible, inexpresable, indecible, inefable. ～로는 다 할 수 없는 아름다움 hermosura *f* indescriptible, belleza *f* sin par. ～로 다 할 수 없이 아름다운 여인 una mujer de belleza sin par. ～로는 다 할 수 없는 맛 sabor *m* de una delicadeza indescriptible. ～로는 다 할 수 없는 향기(香氣) perfume *m* inefable, perfume *m* de una suavidad exquisita.

필세(筆勢) ＝필력(筆力).

필수(必修) ¶～의 obligatorio.
■～ 과목 asignatura *f* obligatoria.

필수(必須) esencialidad *f*. ～의 esencial, indispensable, obligatorio, requerido.
■～ 과목 asignatura *f* obligatoria. ～ 아미노산 aminoácidos *mpl* esenciales. ～적 indispensable, esencial, obligatorio, necesario. ～ 조건 requisito *m*, condición *f* indispensable, condición *f* sin qua non. ～ 조항 cláusula *f* obligatoria. ～ 지방산 ácido *m* sebáceo esencial.

필수품(必需品) necesidades *fpl*, lo necesario, abasto *m*, cosas *fpl* necesarias [imprescindibles · indispensables].

필승(必勝) triunfo *m* seguro. ～의 신념(信念) creencia *f* en triunfo seguro. ～을 기해 con una voluntad firme de vencer; [확신으로] con una convicción firme de vencer. ～을 기하다 estar seguro del triunfo, tener una voluntad firme de ganar a toda costa.

필시(必是) ciertamente, indudablemente, sin duda, a la verdad, seguramente, sin falta. ～ …이다 Es seguro [cierto] que + *ind*. 그도 ～ 모를 것이다 El no sabrá seguramente tampoco. 그녀는 ～ 아름다울 것이다 Ella será hermosa sin duda / Ella debe de ser hermosa. ～ 당신은 피로하다 Seguramente usted estará cansado / Usted debe de estar cansado.

필역(畢役) terminación *f* [finalización *f*] de la obra de construcciones. ～하다 terminar la obra de construcciones.

필연(必然) ① inevitabilidad *f*, necesidad *f*. ② [부사적] inevitablemente, sin duda, sin falta, seguramente.
■～론 ＝결정론(決定論). ～성(性) inevitabilidad *f*, necesidad *f*. ～적 inevitable, necesario, ineludible, ineluctable. ¶～으로 inevitablemente, necesariamente, naturalmente. ～인 결과 consecuencia *f* necesaria, resultado *m* inevitable. 자연의 파괴는 공업화(工業化)의 ～ 결과이다 La destrucción de la naturaleza es un resultado inevitable de la industrialización. ～적 판단 juicio *m* necesario. ～코 ((강조)) ＝필연(必然). ¶이번에는 ～ 합격해야지 Esta vez tendré buen éxito sin falta.

필연(筆硯) ① [붓과 벼루] pluma *f* china [cepillo *m* de escribir] y tintero chino. ② [문필(文筆)] obra *f* literaria. ～을 벗삼다 dedicarse a la obra literaria.

필요(必要) necesidad *f*, requerimiento *m*, demanda *f*, exigencia *f*, indispensabilidad *f*. ～하다 (ser) necesario, preciso, indispensable, imprescindible, esencial, necesitar, precisar, requerir, tener necesidad de + *inf*, hacer falta, *RPI* precisar. ～ 없는 innecesario. …에 ～한 necesario para *algo*. … 때문에 por necesidad. ～에 의해서 necesariamente. ～에 응하여 conforme a la demanda. ～ 이상으로 más de lo [que es] necesario. ～한 것 una necesidad, cosa *f* necesaria. 당신이 매일 ～한 비타민 las vitaminas que usted necesita diariamente. ～한 경우에(는) en caso necesario, en caso de necesidad, si es necesrio. ～할 때 cuando sea necesario. ～로 하다 necesitar, hacer falta, hacer necesario, exigir, requerer. ～해서 … 하다 verse obligado a + *inf*. …할 ～가 있다 necesitar + *inf* / Es necesario [preciso · menester] + *inf* [que + *subj*] / Hace falta + *inf* / Hay necesidad de + *inf*. …할 ～가 없다 no tener que + *inf*, [비인칭] No hay que + *inf* / No hace falta + *inf* [que + *subj*]. …을 ～로 하다 necesitar de +「명사」. …할 ～를 느끼다 sentir la necesidad de + *inf*. …할 ～에 처해 있다 verse [encontrarse · estar] en la necesidad de + *inf*. 살기 위해 일할 ～가 있다 tener necesidad de trabajar para vivir. …하는 것이 ～하다 Es necesario [preciso] + *inf* [que + *subj*] / Hace falta + *inf*. 그것은 절대 ～하다 Es imprescindible / Es preciso. 주의가 ～하다 La precaución es indispensable [imprescindible]. 나는 돈이 ～하다 Necesito dinero / Me hace falta dinero. 많은 인내가 ～하다 Hace falta tener mucha paciencia. 이 일에는 많은 사람이 ～하다 Este trabajo requiere mucho personal. 여기 의자가 둘 ～하다 Aquí hacen falta dos sillas. 오늘 자네를 만날 ～가 있다 Necesito verte hoy. 사람이 한 사람 ～하다 Hace falta [Se necesita] una persona. 많은 사람이 도움을 ~로 하고 있다 *Per* Mucha gente necesita la ayuda. 나는 오늘 그것을 살 ~가 없다 No necesito comprarlo hoy. 그에게 그것을 말할 ~가 있다 Es necesario decírselo (a él). 내가 그것을 시험할 ~가 있다 Falta [Hace falta] que lo ensaye yo. 너는 이곳에 올 [있을] ~가 없다 Aquí no haces falta. 너는 약속을 이행할 ~가 있다 Es indispensable que tú cumplas la promesa. 여러분 모두가 그곳에 있는 것이 ~하다 Es necesario que estén todos allí. 당신에게 보고할 ~가 없었다 No era necesario que se te informara. 네가 참석할 ~가 없다 No hay ninguna necesidad de que estés presente / No hace falta que estés presente. 너는 고마워할 ~가 없다 Tú no tienes que dar las gracias / No es necesario que tú des las gracias. 수치스러워할 ~가 없다 No necesita avergonzarse. 너는 갈 ~가 없다 No tienes que ir / No hace falta que vayas. 그를 부를 ~가 없다 No hay que llamarle. 그렇게 놀랄 ~가 없다 No es de sorprenderse / No hay de qué sorprenderse. 나는 그런 물건이 ~ 없다 No me hace falta / No lo quiero. ~ 없는 책이 있으면 빌려 주세요 Si tiene usted algún libro que no necesite préstemelo. 우리들은 그곳에 다섯 시까지 갈 ~가 있다 Es necesario que lleguemos allí para las cinco. 망치가 ~합니까? ¿Necesita [*RPI* Precisa] usted el martillo? 그것이 바로 내가 ~했던 것이다 ¡Justo lo que yo necesitaba! / ¡Justo lo que me hacía falta! 너야말로 정말로 샤워가 ~하다 ¡Qué falta te hace una ducha! 그는 소금이 약간 ~할 뿐이었다 Sólo le faltaba un poco de sal. 여보, 난 당신이 ~하오 Querida, yo te necestio. 안내 데스크에서 너를 ~로 한다 Te necesitan en el mostrador de información. 나는 아이들을 돌보아 줄 사람이 ~하다 Necesito a alguien que me cuide a los niños. 국이 나오려면 10분이 ~하다 A la sopa le faltan diez minutos. 내가 갈까? ― ~ 없다 ¿Voy yo? ― ¡No hace falta! 그 일을 곧 해야 합니까? ― 아니, 그럴 ~ 없다 ¿Tengo que hacerlo en seguida? ― No, no hace falta. ~하다면 내 자신이 그 일을 하겠다 Si hace falta [Si es necesario], lo haré yo mismo. ~하게 되면 우리의 예금을 쓰면 된다 Si fuera necesario, podemos recurrir a nuestros ahorros. 너는 그곳에 개인적으로 갈 ~가 없다 No hace falta que vayas en persona / No hay necesidad de que vayas en persona. 네가 나보다 더 ~하다 A ti te hace falta (que a mí) / Tú lo necesitas más (que yo). 그녀에게 그걸 말할 ~가 없다 No hay ningún necesidad de decírselo a ella. 히스테리를 일으킬 ~는 없다 ¡No hay por qué [No hace falta] ponerse histérico! 회사 설립을 위해 오천만 원이 ~하다 Para establecer la nueva compañía, necesito cincuenta millones de wones. 나는 휴가가 며칠 ~하다 Yo tengo necesida de unas vacaciones. 네가 경찰을 부를 ~는 없었다 No había necesidad de que llamaras a la policía. 자동차는 나한테 ~하다 Para mí tener coche es una necesidad. 우리 모두가 협력하는 것이 ~하다 Es necesario que nosotros cooperemos todos. 이 제라늄은 물이 ~하다 Estos geranios necesitan agua. 누군가가 그녀를 돕는 것이 ~하다 Necesita que alguien le eche una mano a ella. 우리는 모두의 협력이 ~하다 Necesitamos de la cooperación de todos. 우리는 서반아어를 하는 소년이 한 사람 ~하다 Nosotros necesitamos un muchacho que hable español. 우리는 일을 많이 할 ~가 있다 Necesitamos trabajar mucho. 마리아에게는 줄곧 뒤를 보아 주어야 할 ~가 있었다 María necesitaba de incesantes cuidados. 우리는 당신이 ~하다 Necesitamos de usted. 그는 돈이 ~해서 도둑질을 했다 El ha cometido un robo arrastrado por la codicia del dinero / El dinero le hizo cometer un robo. 나는 무엇보다도 여행이 ~하지만 방법이 없다 Yo desearía viajar, pero no tengo los medios para ello. 너는 그 일을 할 ~가 없다 No tienes que hacerlo. 지금은 당신의 도움이 ~ 없다 No necesito [preciso] por ahora sus servicios. 때로는 방심하는 것이 ~하다 Es necesario [menester] distraerse [que se distraiga usted]. 나는 그를 찾아볼 ~가 있다 Tengo necesidad de visitarle a él. 그 편지는 등기로 보낼 ~가 없다 No hay necesidad de certificar esa carta. 여러 분야에서 컴퓨터의 정보 처리 지식이 ~하다 En muchos campos se ha hecho imprescindible [indispensable] tener conocimientos de informática. 그녀의 입원 가료를 ~로 했다 Exigió [Requirió · Hizo necesario] su hospitalización. 그녀가 알 ~는 없다 No hay necesidad de que ella se entere. 그것을 들어 올리려면 네 사람이 ~하다 Se necesitan cuatro personas para levantarlo. 그는 엄격히 ~한 것 이상은 결코 하지 않는다 El nunca hace más de lo estrictamente necesario. ~한 것 이외에는 사지 마라 No compres más de lo necesario. ~한 경우에는 그녀가 나에게 그것을 빌려 줄 것이다 En caso de necesidad ella me lo prestaré. ~하면 우리는 항상 그것에 다시 페인트칠을 할 수 있다 Siempre le podemos dar otra mano de pintura, si fuera necesario. 나는 곧 그 일을 할 ~를 느끼지 못한다 No siento (la) necesidad de hacerlo en seguida. 이 문제는 세밀한 검토가 ~하다 Esta cuestión requiere un examen detenido. 무엇이 ~하면 전화해라 Si necesitas algo, llámame. 그녀는 ~한 돈을 가지고 있지 않다 Ella no dispone del dinero necesario. 나는 ~하다고 느꼈다 Me sentía necesario. 그 상황으로 그가 즉시 귀가하는 것이 ~했다 La situación hizo necesario su regreso inmediato. 나는 그의 후원이 절실

히 ~하다 Su apoyo me es muy necesario. ~하면 내 자신이 그에게 그것을 가지고 가겠다 Si es necesario se lo llevaré personalmente. 상자를 전부 열 ~는 없을 것이다 No será necesario abrir todas las cajas. 너는 밤새도록 머무를 ~는 없다 No es necesario que te quedes toda la noche. 그것을 믿기 위해서는 천진난만할 ~가 있다 Se necesita ser ingenuo para creerse eso. 그것은 사치가 아니고 ~한 것이다 No es un lujo sino una necesidad. 봉투가 더 ~하면 마음대로 쓰십시오 Si necesitan más sobres aquí [allí] están. 운전 기사가 ~함 ((광고)) Se necesita chófer. 가정부 한 사람이 ~함 ((광고)) Se necesita una sirvienta. ~는 강력한 무기다 ((서반아 속담)) La necesidad obliga. ~ 앞에는 법률은 없다 ((서반아 속담)) A necesidad no hay ley / La necesidad carece de ley / Donde no hay regla, la necesidad la inventa (사흘 굶어 도둑질 안 할 놈 없다).

■필요는 발명(發明)의 어머니 ((속담)) La necesicad hace maestros / La necesidad aguza el ingenio / La necesidad es la madre de la habilidad / La necesidad es madre de la invención / No hay mejor maestro que la necesidad / La necesidad hace maestro / La necesidad despierta la inteligencia / La necesidad hace sabios.

■~ 경비(經費) gastos *mpl* necesarios, gastos *mpl* indispensables. ~성 necesidad *f*, [불가피성] inevitabilidad *f*. ~악(惡) mal *m* necesario. ~조건(條件) requisitos *mpl*, condición necesaria [indispensable]. ~충분조건 condición *f* necesaria y suficiente. ~품(品) artículo *m* indispensable.

필유곡절(必有曲折) Hay una razón para todo.

필자(筆者) escritor, -tora *mf*; autor, -tora *mf*.

필적(匹敵) competencia *f*, rivalidad *f*. ~하다 igualar (a), ser igual (a), rivalizar (con), competir (con), parangonarse (con). ~할 수 없는 sin igual, sin rival, sin par, que no tiene rival. 나는 그에게 ~할 수 없다 No puedo rivalizar con él / El es demasiado fuerte para mí. 태권도에서는 그에게 ~할 사람이 없다 No hay nadie que le gane en taekwondo / No hay nadie que le iguale practicando el taekwondo. 이 경치의 아름다움에 ~할 것이 없다 No hay nada que iguale a la belleza de este paisaje. 아인슈타인의 공적은 뉴턴의 그것에 ~하고 있다 La hazaña de Einstein iguala a la de Newton / Einstein iguala a Newton en su hazaña.

필적(筆跡) manuscrito *m*, característica *f* (personal) de las letras, (rasgos *mpl* de la) escritura *f*, caligrafía *f*, letra *f*. ~을 감정하다 verificar la escritura. ~을 모방하다 imitar la escritura (de). 서명한 ~을 감정하다 identificar la firma. 이것은 내 ~이 아니다 Esta no es mi letra. 내 ~은 엉망이다 Tengo muy mala letra.

■~ 감정(鑑定) análisis *m* de la letra personal, grafología *f*. ~ 감정가(鑑定家) experto, -ta *mf* en escritura; grafólogo, -ga *mf*. ~학(學) grafología *f*. ~학자(學者) grafólogo, -ga *mf*.

필전(筆戰) guerra *f* de la pluma, batalla *f* de palabras.

필주(筆誅) denuncia *f* en escritura. ~를 가하다 denunciar en escritura, atacar abiertamente en un papel.

필지(必至) inevitabilidad *f*. ~하다 (ser) inevitable, ineludible, inminente. 파업은 ~다 La huelga es inminente.

필지(必知) información *f* indispensable.

필진(筆陣) personal *m* editorial.

필첩(筆帖) ① [필적집] especímenes *mpl* de caligrafía. ② =수첩(手帖).

필체(筆體) forma *f* de la escritura, forma *f* de la caligrafía, estilo *m*, modo *m* de escribir. ~는 곧 그의 얼굴이다 El estilo es el hombre mismo.

필촉(筆觸) toque *m* de un cepillo de escribir.

필축(筆軸) =붓대.

필치(筆致) rasgo *m*, toque *m*; [문장의] pluma *f*, estilo *m*; [글씨의] escritura *f*, [그림의] pincelada *f*.

필터(영 *filter*) ① =여과기(濾過器). ② [사진 촬영이나 광학 실험 등의 카메라 렌즈 앞의] filtro *m*. 푸른 ~로 촬영하다 sacar una foto con [de] un filtro azul. ③ [전기 통신 기계의] filtro *m*. ④ [궐련 끝에 붙여 입에 물게 된 부분으로 담배의 진을 거르기 위해 만듦] filtro *m*. ~ 있는 담배 cigarrillos *mpl* con filtro, *Méj* cigarros *mpl* con filtro. ~ 없는 담배 cigarrillos *mpl* sin filtro.

◆자외선 ~ filtro *m* ultravioleta. 적외선 ~ filtro *m* infrarrojo, filtro *m* ultrarrojo.

필통(筆筒) ① [붓을 꽂는 통] lapicero *m*, *Arg*, *Chi* lapicera *f*. ② [붓·연필 등을 넣어 가지고 다니는 기구] estuche *m* [caja *f*] de plumas.

필하다(畢-) terminar, acabar, completar. 일을 ~ terminar [acabar] *su* trabajo. 등기를 ~ terminar el registro. 검사를 ~ terminar la inspección.

필하모닉(영 *philharmonic*) ① [음악 애호가] filarmónico, -ca *mf*. ② [음악회] concierto *m*. ③ [교향악단] Filarmónica *f*. 비엔나 ~ 오케스트라 (Orquesta *f*) Filarmónica *f* de Viena.

필화(筆禍) lapsus *m* cálami serio. ~를 입다 ser acusado [procesado] por *su* escrito.

■~ 사건 caso *m* de un lapsus cálami serio.

필획(筆劃) =자획(字畫)

필휴(必攜) indispensabilidad *f*, [안내서] guía *f*, manual *m*. ~의 indispensable, imprescindible.

필히(必-) sin falta, de cualquier modo, de cualquier manera, a toda costa, sin duda, infaliblemente, seguramente. ~ …하다 no dejar de + *inf*, ser seguro [cierto] + *inf* [que + *ind*].

핌프(영 *pimp*) [뚜쟁이] proxeneta *m*, chulo *m* (de putas), *Méj* padrote *m*, *CoS* cafiche *m*.

핍근(逼近) acceso *m*, aproximación *f*. ~하다 aproximarse, acercarse.

핍박(逼迫) ① [형세가 매우 절박하도록 바싹 닥쳐옴] urgencia *f*. ~하다 (ser) urgente. 정세가 ~하다 La situación es alarmante. 금융 사정이 ~하다 La situación monetaria está muy tirante. 우리 나라의 재정이 ~하다 Nuestro país atraviesa [se encuentra en] dificultades financieras / Las finanzas de nuestro país están en una situación grave [difícil · apurada]. ② [곤궁함] estrechez *f*. ~하다 (ser) estrecho, reducido.

핍재(乏材) escasez *f* [carestía *f*] de talento.

핍재(乏財) escasez *f* de propiedad, carestía *f* de propiedad.

핍진하다(逼眞-) (ser) verosímil.

핍하다(乏-) ① =모자라다. ② =없다.

핏기 complexión *f*, tez *f*. ~가 없다 ponerse pálido, tener mala complexión.

◆ 핏기(가) 가시다 ponerse pálido.

핏대[1] [큰 혈관] vaso *m* sanguíneo grande.

◆ 핏대(를) 올리다[세우다] enfadarse, enojarse, irritarse. 그는 성이 나면 얼굴에 핏대를 올린다 Cuando él se enfada se le hinchan eneseguida las venas de la frente.

핏대[2] [피의 줄기] vena *f*, arteria *f*.

핏덩어리 ① [피의 덩어리] coágulo *m* de sangre, cuajo *m* de sangre, sangre *f*. ② [갓난아이] recién nacido, -da *mf*.

핏덩이 =핏덩어리.

핏발 congestión *f*.

◆ 핏발(이) 서다 (ser) rojo, inyectado de sangre, congestionado. 핏발이 선 눈 ojos *mpl* congesnados [ensangrentados].

핏빛 color *m* rojo sangre. ~의 [하늘이] teñido de rojo; [장미가] encarnado; [포도주가] de color rojo sangre.

핏속 ① [피의 속] interior *m* de la sangre. ② =혈통(血統).

핏자국 mancha *f* de sangre. ~이 묻은 manchado de sangre.

핏줄 ① [혈관] vena *f*. ② [혈통] linaje *m*, sangre *f*, estirpe *m*, lazo *m* de sangre. ~이 끊어졌다 La línea se ha extinguido. ~은 속일 수 없다 La sangre tira / La sangre es más densa que el agua (피는 물보다 진하다).

핏줄기 ① [피의 줄기] vena *f*. ② =혈통.

핑 ① [한 바퀴 힘차게 도는 모양] redondamente, ligeramente, velozmente, rápido, rápidamente. ~ 돌다 darse la vuelta, volverse, dar vueltas alrededor (de). ② [갑자기 정신이 아찔한 모양] mareadamente, vertiginosamente, aturdidamente. ③ [별안간 눈물이 어리는 모양] de repente, repentinamente, de súbito, súbitamente. 눈물이 ~ 돌다 derramarse las lágrimas de repente.

핑거볼(영 *finger bowl*) [손가락 씻는 그릇] lavadedos *m.sing.pl*, lavafrutas *m.sing.pl*.

핑계 [변명] disculpa *f*, excusa *f*, apología *f*; [구실] pretexto *m*; [이유(理由)] razón *f*; [석명(釋明)] explicación *f*, justificación *f*. …의 ~로 so [a] pretexto de *algo*. 아프다는 ~로 con el [bajo · so · a] pretexto de estar enfermo. ~를 찾다 buscar una excusa [un pretexto], poner excusas. 그의 과실(過失)은 ~를 댈 수 없다 Su error es inexcusable [indisculpable · injustificable] / Su error no admite disculpa / Su error no tiene excusa. 그것은 사고(事故)의 ~가 될 수 없다 Eso no justifica el accidente / Eso no da la razón del accidente. 그런 ~는 통하지 않는다 Tales excusas son inaceptables. 그에게 뭐라고 ~를 대려느냐? ¿Qué razón le das? / ¿Cómo te disculpas ante él? 그것은 ~밖에 되지 않는다 Es un pretexto, nada más. 그것은 ~에 불과하다 No es más que un pretexto [una excusa]. 그는 (가벼운) 병을~로 일을 지체했다 El retardó su trabajo el pretexto de su indisposición.

◆ 핑계(를) 삼다 tomar por pretexto, dar excusas, dar evasivas, dar pretextos, disculparse (de *algo* con *uno*), excusarse (de *algo* con *uno*), presentar *sus* excusas (a *uno* por *algo*), pretextar, explicar, justificar. 핑계를 삼는 evasivo. 그는 동생의 병을 핑계 삼았다 El tomó por pretexto la enfermedad de su hermano.

■ 핑계 없는 무덤이 없다 ((속담)) Cualquier cosa tiene su excusa sin falta.

핑그르르 alrededor suavemente, girando, bailando. ~ 돌다 girar, bailar. 팽이가 ~ 돌다 girar [bailar] el trompo.

핑글핑글 siguiendo girando [bailando]. ~ 돌다 seguir girando [bailando].

핑크(영 *pink*) ① 【식물】 =패랭이꽃. ② [분홍색. 석죽색] (color *m*) rosa *m*, *AmL* rosado *m*. ③ [색정적] destape, pornográfico.

■ ~ 무드 atmósfera *f* amorosa. ~색 =핑크❷. ¶~의 rosa *mf*; [얼굴이] sonrosado; *AmL* rosado. ~ 얼굴 cara *f* sonrosada. ~ 영화 película *f* de destape, película *f* pornográfica.

핑퐁(영 *ping-pong*) [탁구(卓球)] tenis *m* de mesa, ping-pong *m*, ping pon *m*. ~을 치다 jugar al tenis de mesa, jugar al ping-pong.

핑핑 ① [계속하여 힘 있게 도는 모양] vertiginosamente. ② [총알 따위가 공중으로 빠르게 지나는 소리. 또 그 모양] rápido, rápidamente.

핑핑하다 ① [잔뜩 켕겨 있다] (ser) estrecho, muy ajustado. ② [서로 어슷비슷하다] (ser) igual. ③ [한껏 팽팽해 있다] (ser) hinchado, hincharse.

핑핑히 ㉮ [팽팽히] tensamente, con firmeza, firmemente, bien apretado, con estrechez. ㉯ [어슷비슷하게] igualmente. ㉰ [딴딴히] duro, fuerte.

ㅎ

하[1] [많이] mucho; [크게] grande; [매우] -ísimo, muy, mucho, demasiado, muchísimo, excesivamente, terriblemente. ~ 비싸다 (ser) muy caro,

하[2] [입김을 많이 내는 소리] con un aliento caliente y húmedo.

하[3] [심중의 감정을 나타내는 소리] ¡Oh! / ¡Ajá! ~ 참 잘 되었다 ¡Ajá, vale!

하(下) ① [아래. 밑] bajo, debajo (de), inferior. ~반신(半身) parte *f* inferior del cuerpo. ② [아랫길 되는 품질이나 등급] clase *f* baja, clase *f* inferior, grado *m* inferior. ③ [하권(下卷)] [두 권 한 질일 때] tomo *m* segundo (II); [세 권 한 질일 때] tomo *m* tercero (III), último tomo *m*.

하(河) ① =황하(黃河). ② =운하(運河). ③ [강(江). 큰 내] río *m*. ④ =은하(銀河).

-하(下) bajo. 지배~ bajo el reinado. 책임~ bajo la responsabilidad.

하가(下嫁) matrimonio *m* de una princesa a uno del rango inferior.

하가(何暇) un tiempo, un tiempo libre. 어느 ~에 책을 읽나 ¿Cuándo encontraría yo tiempo para leer?

하감(下疳) 【한방】 llaga *f*, chancro *m* (sifilítico).

◆경성(硬性) ~ chancro *m* duro. 연성(軟性) ~ chancro *m* suave.

하감(下瞰) mirada *f* hacia abajo. ~하다 mirar (hacia) abajo.

▪ ~도(圖) vista *f* aérea, vista *f* a vuelo de pájaro.

하감(下鑑) lectura *f* de la carta del inferior. ~하다 leer la carta del inferior.

하강(下降) ① [강하(降下)] baja *f*, descenso *m*, descensión *f*. ~하다 bajar, descender, aterrizar, declinar. 경기가 ~한다 Baja la actividad económica. ② =하가(下嫁). ③ [신선 또는 웃어른이 속계(俗界) 또는 아랫자리로 내려옴] descender en el mundo. 선녀가 ~한다 El hada desciende en el mundo.

▪ ~ 경향(傾向) tendencia *f* descendente, tendencia *f* a la baja. ~ 곡선(曲線) curva *f* descendente. ~ 기류(氣流) corriente *f* atmosférica descendente. ~선(線) línea *f* descendente.

하객(賀客) congratulador, -dora *mf*; el que *le* desea mucha felicidad; visita *f*. 신년(新年)의 ~ visita *f* del Año Nuevo.

하게하다 tutear. 우리는 서로 하게하는 사이지 Nosotros nos tuteamos una a otro. 우리 서로가 하게하고 지냅시다 Vamos a tutearnos uno a otro [uno de otro].

-하게 하다 ① [원인이 되다] causar. ② [시키다] dejar + *inf*, hacer + *inf*.

하경(下京) baja *f* de Seúl. ~하다 bajar de Seúl.

하경(夏景) paisaje *m* veraniego, paisaje *m* de(l) verano.

하계(下計) el peor plan, el peor proyecto.

하계(下界) ① [사람이 사는 세상] este mundo, mundo *m* actual. ② [높은 곳에서 낮은 곳을 일컫는 말] tierra *f*.

하계(夏季) verano *m*, temporada *f* veraniega, temporada *f* de(l) verano. ☞하기(夏期)

▪ ~ 올림픽 경기 대회(Olympic 競技大會) los Juegos Olímpicos de Verano.

하고 ① [와·과] y, e. 아버지~ 나 padre y yo. 아버지~ 아들 padre e hijo. ② [비교를 나타내는 부사격 조사] a, con. 동생은 형~ 많이 닮았다 El hermano menor se parece a su hermano mayor / El hermano menor es muy parecido a su hermano mayor / Dos hermanos se parece como dos gotas de agua. ③ [어떤 일을 함께 함을 나타내는 부사격 조사] con; [대해서] contra. 적(敵)~ 싸우다 luchar contra el enemigo. 너~ 나~ 함께 먹자 Tú y yo comeremos juntos / Vamos a comer juntos.

하고많다 (ser) abundante, numeroso, copioso, bastante, innumerable.

하곡(夏穀) granos *mpl* de(l) verano, trigo y cebada. ▪ ~ 수매가 precio *m* de compras de cebada.

-하곤 하다 soler + *inf*. 나는 때때로 그 산책을 하곤 했다 Yo de vez en cuando solía pasearse.

하관(下棺) bajada *f* del ataúd en la tumba. ~하다 bajar el ataúd en la tumba.

▪ ~포(布) tela *f* para bajar el ataúd en la tumba.

하관(下觀) parte *f* inferior de la cara, mandíbula *f*. ~이 빨다 tener la mandíbula puntiaguda.

하교(下敎) orden *f*, instrucción *f*, mandato *m*, mandamiento *m*. ~하다 mandar, ordenar, instuir.

하교(下校) salida *f* de la escuela. ~하다 salir de la escuela.

▪ ~시(時) cuando se sale de la escuela, al salir de la escuela.

하구(河口) boca *f* [dembocadura *f*] del río, ría *f*.

▪ ~언 dique *m* del estuario. ~ 지대 estero *m*, estuario *m*. ~항 puerto *m* del estuario.

하권(下卷) [두 권 중의] tomo *m* segundo (II); [세 권 중의 마지막 권] tomo *m* tercero (III).

하극상(下剋上) motin *m*, sublevación *f* [rebelión *f*] contra la persona más antigua [el socio más antiguo].

하근(瑕瑾) =흠(欠). 결점(缺點). 단점(短點)

하급(下級) clase *f* inferior, grado *m* inferior, categoría *f* inferior, clase *f* baja; [저학년] curso *m* inferior; [품질의] baja cualidad *f*. ~의 de clase inferior, bajo, subordinado, menor, de curso inferior.
■~ 공무원 funcionario, -ria *mf* (público) de rango inferior. ~ 관리(官吏) oficial *mf* menor; oficial *m* subordinado, oficial *f* subordinada; oficiala *f* menor [subordinada]. ~ 관청 oficina *f* subordinada. ~ 노동자 trabajador, -dora *mf* de clase inferior [baja]. ~반 clase *f* baja. ~ 법원 tribunal *m* inferior. ~ 사원 personal *mf* de rango inferior de la compañía. ~ 사회 categoría *f* inferior, sociedad *f* inferior. ~생(生) estudiante *mf* [alumno, -na *mf*] de los cursos inferiores. ¶…보다 1학년 ~ alumno, -na *mf* de un curso inferior a *uno*. ~ 선원 marinero, -ra *mf* inferior; tripulación *f* pequeña. ~심 proceso *m* del tribunal inferior. ~자 subordinado, -da *mf*. ~ 장교 oficial *m* subalterno, oficial *f* [oficiala *f*] subalterna. ~ 재판소 tribunal *m* inferior. ~ 직원 personal *mf* del rango inferior de la oficina gubernamental. ~품 artículos *mpl* de baja cualidad.

하기(下記) mención *f* abajo, anotación *f* abajo. ~의 siguiente, mencionado abajo, anotado abajo. ~와 같이 como sigue. ~의 사람들 personas *fpl* siguientes. ~의 사람을 제명함 Serán expulsados los nombrados a continuación.

하기(下旗) bajada *f* de la bandera.
■~식(式) ceremonia *f* de bajada de la bandera.

하기(夏期) verano *m*, estío *m*, temporada *f* veraniega, temporada *f* de(l) verano, tiempo *m* de verano. ~의 veraniego, estival, de(l) verano.
■~ 강좌 curso *m* de verano. ~ 대학 colegio *m* de verano. ~ 방학 vacaciones *fpl* de verano. ~ 캠프 campamento *m* de veraneo. ~ 학교 escuela *f* de verano. ~ 휴가 vacaciones *fpl* de verano. ~ 휴업(休業) cierre *m* de(l) verano.

하기는 ① [실상은] en efecto, de hecho, en realidad. ② [그러나] pero, sin embargo, mas.

하기야 claro, desde luego, de veras.

하나[1] ① [일] uno. ~의 un (남성 단수 명사 앞에서), una, solo, único, singular; [제일의] primero. ~에서 열까지 de uno a diez; [전부] todo, del todo, enteramente, totalmente, completamente, sin excepción. ~를 들으면 열을 알다 ser de percepción rápida, ser muy inteligente, ser inteligentísimo. 배 ~ 주세요 Quiero una pera / Déme una pera. 벚꽃이 ~ 둘 피기 시작한다 Las flores de cerezo empiezan a abrirse aquí y allá. 그 아이는 ~를 들으면 열을 안다 El es uno de esos niños para quienes una sola palabra es suficiente. 그는 정직 ~로 통하고 있다 La honestidad es la norma que él rige su conducta en todo. 그의 머리털에 백발(白髮)이 ~ 둘 보이기 시작한다 En su cabello empiezan a aparecer las canas / Sus cabellos se vuelven grises. 이것은 ~에 얼마입니까? ¿Cuánto cuesta [es] uno de éstos? 이 사과는 ~에 천 원입니다 Estas manzanas cuestan mil wones (cada) uno. 케이크는 내가 ~도 남김없이 먹어 버렸다 Me he comido todas las tortas sin dejar ni una. ② [오직 그것뿐] sólo, solamente. 성공하는 것은 네 노력 ~에 달려 있다 El éxito depende sólo de tu esfuerzo / El éxito cuenta con tu esfuerzo. ③ [일체(一體)] un cuerpo, un solo cuerpo. ~가 되어 en masa, en conjunto. 모두의 힘을 ~로 하다 unir [reunir · juntar] el esfuerzo de todos. ④ [같은 것] lo mismo. ⑤ [부사적] [(주로「하나도」의 꼴로 쓰이어) 도무지. 조금도] no … ni, no … ni siquiera. 하늘에는 구름 ~ 없다 En el cielo no se ve [no hay] ni una nube. 그는 자신의 이름 ~도 만족스레 쓸 줄 모른다 El no sabe ni siquiera escribir su propio nombre en debida forma.
◆하나 가득 llenamente.
◆하나부터 열까지 todo, completamente, del todo, enteramente, sin excepción.
■하나를 보고 열을 안다 ((속담)) Por el hilo se saca el ovillo / Se puede concluir lo general de lo particular.
하나같다 parecerse como dos gotas de agua, parecerse mucho.
하나같이 igualmente, sin excepción.
하나씩 =하나하나.
하나하나 ㉮ [하나씩] uno a uno, una por una; uno por uno, una por una; [개인적으로] individualmente, separadamente. ~ 세다 contar uno por uno. ~ 답장을 쓰다 responder a todas cartas. 질문에 ~ 답하다 responder a las preguntas una por una. 그 건(件)의 경과를 ~ (자세히) 보고해 주십시오 Infórmese de la marcha del asunto. ② [빠짐없이 모두] todos, -das; cada uno, cada una.

하나[2] [그러나] pero, sin embargo.

하나님 ((기독교)) ((성경)) Dios *m*. 사람으로는 할 수 없으되 ~으로서는 다 할 수 있느니라 ((마태복음 19:26)) Para los hombres esto es imposible; mas para Dios todo es posible / Para los hombres esto es imposible, pero no para Dios. ☞하느님

하녀(下女) criada *f*, sirvienta *f*, doméstica *f*, doncella *f* (de servicio).

하념(下念) consideración *f* graciosa. ~하다 dar la consideración graciosa.

하느님 ① ((종교)) [종교적 신앙의 대상] Dios *m*; Providencia *f* (divina); [기독교 이외의] dios, -sa *mf*; ((회교)) Alá *m*. ~ 맙소사! ¡Ave María! / ¡Válgame Dios! 내가 최선을 다한 것을 ~은 아신다 Bien sabe Dios que hice todo lo que pude. 다음에 무엇을 할 거냐? — ~만이 아신다 ¿Y ahora qué vas a hacer? — ¡Ni idea! / ¡(Y) Qué sé yo! / ¡Sabe Dios! 그들이 그 안에서 무엇을 할 것인지는 ~만이 아신다 ¡Quién sabe qué estarán haciendo ahí dentro! 그런 일이 절대 일어나지 않기를 ~께 기원합니다 Dios quiera que nunca suceda. ~만큼 확실한 보상자(補償者)는 없다 ((서반아 속담)) No hay tan buen pagador como Dios (~은 기억하시므로 종국에는 상벌을 내리신다). ~ 앞에서는 빈부귀천이 없다 ((서반아 속담)) Ante Dios todos somos iguales (~ 앞에서는 모두가 동등하다). ~은 부르지 않는 자를 돌아보지 않는다 ((서반아 속담)) A quien no le sobre pan, no críe can. ~은 부지런한 자를 돕는다 ((서반아 속담)) A quien madruga, Dios le ayuda (부지런해야 수가 난다 / 새도 일찍 일어나야 벌레를 잡는다). ~이 사랑하는 자는 요절한다 ((서반아 속담)) A quien Dios ama, le llama / A quien Dios quiere para sí, poco tiempo lo tiene aquí (유족을 위로하는 속담). ~은 스스로 돕는 자를 돕는다 ((서반아 속담)) A quien se ayuda, Dios le ayuda. ~은 양손으로 때리시지는 않는다 ((서반아 속담)) Dios aprieta pero no ahoga. ~은 이가 없는 자에게 편도(扁桃)를 보내신다 ((서반아 속담)) Da Dios almendras al que no tiene muelas / Da Dios habas al que no tiene quijadas / Da Dios mocos al que no tiene pañuelo (때로는 사람들은 즐길 수 없는 것을 가진다). ~은 추위를 보내시지만 옷도 보내신다 ((서반아 속담)) Dios, si da nieve, también da lana / Dios que da el mal, da su remedio cabal / Dios da el frío conforme la ropa. ~의 도움이 일찍 일어나는 것보다 낫다 ((서반아 속담)) Más hace a quien Dios ayuda que el que mucho madruga. 국민의 소리는 ~의 소리 ((서반아 속담)) Lo que el pueblo quiere, Dios lo quiere. 바다에 가지 않는 자는 ~에게 기도할 줄 모른다 ((서반아 속담)) El que no va por la mar, no sabe a Dios rogar. 사람은 누구나 자신을 위해 마음을 쓰지만 ~은 우리 모두를 위해 준비하시고 축복해 주신다 ((서반아 속담)) Cada uno en su casa y Dios en la de todos. 사람은 일을 꾸미고 ~은 성패를 결정한다 ((서반아 속담)) El hombre propone y Dios dispone (계획은 사람이 꾸미되, 성패는 하늘에 달렸다). ② ((성경)) Dios *m*. ~, 우리를 어여삐 보시고, 축복을 내리소서. 웃는 얼굴을 우리에게 보여 주소서 ((공동 번역; 시편 67:1)) Dios tenga misericordia de nosotros, y nos bendiga; haga resplandecer su rostro sobre nosotros.

하느작거리다 aletear, revolotear, batir rápidamente, temblar, vibrar.

하느작하느작 siguiendo [continuando] aleteando, airosamente.

하는 수 없다 (ser) inevitable.
하는 수 없이 inevitablemente, ineludiblemente, de mala gana, de mala voluntad. 나는 ~ 늦었다 No pude evitar llegar tarde. 열차는 ~ 연착했다 El tren sufrió un retraso inevitable.

하늘 ① [지평선으로 한정되어 아득히 높고 멀리 궁륭상(穹窿狀)을 이루는 시계(視界)의 공간] cielo *m*; 【문학】 firmamento *m*. ~의 celeste, celestial, del cielo. 잔뜩 찌푸린 ~ cielo *m* borreguero. ~ 여행 viaje *m* aéreo, viaje *m* por aire. ~의 도움 ayuda *f* providencial, ayuda *f* del cielo. ~의 선물 divina merced *f*, don *m* del cielo, regalo *m* del cielo. ~ 높이 muy alto en el cielo. 타향(他鄕)의 ~ 아래 bajo el cielo extranjero. ~을 올려다보다 alzar la vista al cielo. ~을 우러러보다 levantar los ojos al cielo. ~을 날다 volar por el aire. ~ 보고 침을 뱉다 escupir el cielo. ~은 푸르다 El cielo es azul. ~이 푸르다 El cielo está azul. 서쪽 ~이 붉다 Está encendido el cielo del poniente. ~에는 구름이 끼어 있다 El cielo está nublado. ~에는 구름 한 점 없다 No hay [No se ve] ni una nube en el cielo / No hay ni una mancha de nube [un rastro de nubes] en el cielo. ② [(고대의 사상으로) 천지 만물의 주재자(主宰者)] Dios *m*, Providencia *f*. ~에 기도하다 rezar a Dios. ~에 맹세하다 jurar a Dios. ③ ((종교)) [신·천사가 살며 청정무구(淸淨無垢)하다는 세계] paraíso *m*, cielo *m*. ~에 계신 우리 아버지 ((성경)) Padre nuestro que estás en los cielos. ④ [날씨] tiempo *m*. 가을 ~의 변덕 capricho *m* del tiempo otoñal. ⑤ ((불교)) Budas *mpl*.
▪ 하늘 무서운 말 ((속담)) palabra *f* maligna castigada por el Cielo. 하늘에 침 뱉기 ((속담)) El que quiere perjudiciar a otro vuelve a sí mismo al contrario / El que escupe contra el cielo cae en su cara. 하늘은 스스로 돕는 자를 돕는다 ((속담)) A Dios rezando [rogando] y con el mazo dando / *AmL* Ayúdate que Dios te ayudará [te ayudará el Cielo] / AmL Ayúdate y ayudaráte Dios. 하늘의 별 따기 ((속담)) Es una cosa muy difícil de cumplirse. 하늘이 무너져도 솟아날 구멍이 있다 ((속담)) La esperanza es el pan del alma / Se puede vivir siempre que haya esperanza.
▪ ~가 borde *m* del cielo. ~ 같다 (ser) muy alto, altísimo. ~같이 muy altamente, como el cielo. ¶~ 믿는 남편 esposo *m* creyente como el cielo. ~ 궁전(宮殿) ((불교)) palacio *m* en el cielo. ~나라 ((기독교)) =천국(天國). 천당. ~눈 ((불교)) ojos *mpl* penetrables. ~땅 el cielo y la tierra. ~마음 ((불교)) corazón *m* claro, generos y tranquilo como el cielo, voluntad *f* del cielo, corazón *m* del cielo. ~ 밑 todo el mundo, mundo *m* entero. ~바라기논 =천수답(天水畓). ~빛 azul *m* cielo, azul *m* celeste, *AmL* celeste *m*.

하늘가재 【곤충】 =사슴벌레.

하늘거리다 oscilar, vacilar, temblar.

하늘다람쥐 【동물】 ardilla *f* voladora.

하늘대다 =하늘거리다.

ㅎ

하늘밥도둑 【곤충】 grillo *m* cebollero [real].
하늘소 【곤충】 escarabajo *m* longicornio.
하늘지기 【식물】 juncia *f*.
하늘하늘 ligeramente, boyantemente, flotantemente, siguiendo oscilando, siguiendo vacilando. ~하다 ser ligero; [촉감이] muy suave, suavísimo.
하늬바람 viento *m* oeste.
하늬쪽 oeste *m*, oriente *m*.
하니 porque, pues, como.
하니까 porque, pues, como.
하다[1] ① [의식적 또는 무의식적으로 무슨 목적을 위하여 움직이다] hacer, obrar, actuar, practicar, dar. 공부를 ~ hacer un estudio, estudiar. 노력을 ~ hacer un esfuerzo (por + *inf*), esforzarse (por + *inf*). 독서를 ~ leer un libro. 등산을 ~ practicar el alpinismo. 산책을 ~ pasear(se), dar un paseo. 수술을 ~ operar, hacer una operación. 실험을 ~ hacer un experimento. 야구를 ~ jugar al béisbol. 약속을 ~ (만날) tener una cita. 여행을 ~ hacer un viaje, viajar. 운동을 ~ hacer un ejercicio. 일을 ~ hacer un trabajo, trabajar. 자살을 ~ matarse, suicidarse. …을 할 수 있다 poder + *inf*. …을 할 수 없다 no poder + *inf*. 무엇을 할지 모르다 no saber qué hacer. 할 일이 많다 tener mucho [muchas cosas] que hacer. 할 일이 없다 no tener nada que hacer. 내가 싫어한다고 할 수는 없지만 … No quiero decir que no me guste, pero …. 내 힘으로 할 수 있는 한 en cuanto alcancen mis fuerzas, en la medida de mis posibilidades. 무엇을 하고 계십니까? ¿Qué hace usted? / ¿Qué está haciendo? 나는 일을 하고 있다 Estoy trabajando. 나는 낚시를 하고 있다 Estoy pescando. 네가 하고 싶은 대로 해라 Haz como [(todo) lo que] quieras. 그가 하는 것은 모두가 나를 괴롭힌다 Me molesta todo lo que él hace. 나는 그것을 모른다고만 할 수 없다 No es [digo] que yo no lo sepa. 그 아이를 혼자 있게 할 수만은 없다 No podemos [podremos · podríamos] dejar solo al niño. 이 일은 내 힘으로는 할 수 없다 Este trabajo supera mis fuerzas. 나로서는 해외 여행은 할 수 없다 El viaje al extranjero supera mis medios [mis posibilidades] / Para mí es imposible viajar al extranjero. 그가 그렇게 한 것이 나는 이상하지 않다 No me extraña que él hiciera [hiciese] una cosa así. 그것은 나 같은 범인(凡人)으로서는 도저히 할 수 없는 일이다 Eso escapa a una persona del montón como soy yo. 하면 된다 Querer es poder / Donde hay voluntad hay camino / Buscad y hallaréis. 하려고 들면 방법은 있는 법이다 ((서반아 속담)) Donde hay querer todo se hace bien / Más hace el que quiere que no el que puede.
② [다른 동사 대용으로 씀. 곧 점심을 「먹다」를 점심을 「하다」로 쓰는 따위] tomar, beber, comer; [피우다] fumar. 한 잔 ~ beber una copa. 점심을 ~ tomar el almuerzo, almorzar. 그는 술도 담배도 하지 않는다 El no bebe ni fuma.
③ [조사 「로」 「으로」 등의 뒤에 쓰이어, 「어떤 상태 · 지위가 되게 하다」의 뜻을 나타내는 말] hacer, convertir, adoptar. A를 B로 ~ hacer B de A, convertir A en B. 양자로 ~ adoptar, ahijar, prohijar. 아들을 의사로 ~ hacer de *su* hijo un médico, hacer a *su* hijo médico. 물을 증기(蒸氣)로 ~ convertir el agua en vapor. 나는 그녀를 행복하게 하겠다 Yo la haré feliz.
④ [종사하다] servir, entregarse (a), dedicarse (a); [경영하다] ejercer (de). 변호사를 ~ ser abogado, ejercer la abogacía, ejercer de abogado. 카페를 ~ tener un café, ser propietario de un café. 회의의 의장을 ~ hacer de presidente en la conferencia.
⑤ [경험하다] experimentar, tener experiencia, sufrir, padecer, hacer. 고생을 ~ sufrir privación, padecer privación, pasar un trago amargo. 그들은 많은 고생을 했다 Ellos sufrieron [padecieron] grandes privaciones. 그녀는 수술을 해야 한다 La van a tener que operar / Ella va a tener que ser sometida a una intervención quirúrgica. 그는 여러 번 테스트를 했다 Le hicieron distintos análisis.
⑥ [착용하다] vestirse, ponerse. 귀고리를 ~ ponerse los pendientes.
⑦ [말하다] hablar, decir. 서반아어로 ~ hablar en español. 자네 지금 무어라 했나? ¿Qués dices ahora? 서반아어로 그것을 무엇이라고 합니까? ¿Cómo se dice eso en español? / ¿Qué significa [quiere decir] eso en español?
⑧ [생각하다] pensar, suponer (que + *subj* · *ind*), imaginar (que + *subj* · *ind*). 그가 지금 이곳에 있다고 합시다 Imaginemos que él está aquí ahora. 그분이 아직 살아 있다고 하면 쉰 살임에 틀림없다 Suponiendo que él viva todavía, debe tener cincuenta (años). 이 말은 우리가 하지 않았던 걸로 하겠다 Haré como que no hemos hablado del asunto. 나는 출석하지 않은 걸로 해 주십시오 Suponga usted que no he estado presente.
⑨ [(값을 나타내는 말 아래 쓰이어) 「그 액수에 이름」을 뜻함] valer, costar. 한 개에 천 원 하는 사과 manzana *f* que cuesta mil wones cada una. 이것은 얼마 합니까? ¿Cuánto es esto? / ¿Cuánto vale esto? / ¿Cuánto cuesta esto? / ¿A cómo es esto? / ¿Qué precio tiene esto? 이 웃옷은 오만 원 한다 Esta chaqueta cuesta cincuenta mil wones. 그것은 얼마 했습니까? ¿Cuánto le ha estado eso? / ¿Cuánto ha pagado usted por eso?
⑩ [(인용하는 조사 「고」 「라고」 「하고」 아래에 쓰이어) 「그리 말함」을 뜻함] Dicen (que + *ind*), Se dice (que + *inf*), decir (que + *ind*). 그녀가 온다고 한다 Dicen [Se dice] que viene ella. 그의 말에 따르면 정

부는 총사직할 것이라 한다 Según él, el gobierno va a dimitir.
⑪ [(동사 어미「-려」「-려고」「-고자」 아래 쓰이어) 앞으로 하고자 하는 뜻을 나타냄] ㉮ [예정] ir a + *inf*, estar para + *inf*. 나는 그녀를 내일 만나려고 한다 Voy a verla mañana. 그는 떠나려고 한다 El va a salir / El está para salir. ㉯ [시도] probar a + *inf*, ensayar a + *inf*, ver de + *inf*. ㉰ [애쓰다] tratar de + *inf*, procurar + *inf*, esforzarse por + *inf*. 나는 이해하려고 한다 Me esfuerzo por entender. ㉱ [의욕] querer + *inf*. 나는 자려고 하지만 잘 수 없다 Quiero dormir, pero no puedo.
⑫ [(용언 어미「-아야 [-어야]」「-여야」 아래 쓰이어) 마땅히 그리해야[그러해야]함을 나타냄] tener que + *inf*, deber + *inf*, haber que + *inf*, necesitar + *inf*, faltar (a), hacer falta (a). …할 a + *inf* 취할 조치 medidas *fpl* a tomar. 읽어야 할 책 libro *m* (que hay) que leer. …을 청구할 권리 derecho *m* a pedir *algo*. 그것을 즉시 해야 합니까? — 그럴 필요가 없습니다 ¿Tengo que hacerlo en seguida? — No, no hace falta. 너는 사의를 표해야 한다 Tú tienes que dar las gracias / Es necesario que tú des las gracias. 부끄러운 줄 알아야 한다 Se tiene que saber avergonzarse. 나는 회사에 가야 한다 Tengo que ir a la oficina. 그는 벌써 도착해야 한다 El tiene que llegar ya. 너는 그까짓 일을 이해해야 한다 Tú debes comprender una cosa así. 학생은 공부를 열심히 해야 한다 El estudiante tiene que estudiar mucho. 해야 할 일이 많다 Hay muchas cosas que hacer. 당신은 머물러야 한다 Usted debe quedarse. 너는 그런 일을 해서는 안 되었다 Tú no debiste hacerlo / No debías haberlo hecho // [현재 분사와 관련시켜] No has debido hacerlo / No debes haberlo hecho. 나는 너에게 말해야 할 것이 있다 Tengo algo que decirte. 가야 할지 어떨지 의심스럽다 No sé si ir o no. 나는 그것을 사야 할지 어떨지 의심스럽다 Dudo si comprarlo o no. 합격하려면 80점 이상을 받아야 한다 Hay que sacar más de ochenta puntos para ser aprobado. 우리는 지금 당장 출발해야 한다 Debemos partir ahora mismo. 나는 즉시 출발해야 한다 Debo partir en seguida. 당신은 어제 출발했어야 했다 Usted debió partir [debía haber partido] ayer. 너도 우리와 함께 가야 하는데 Tú también debieras [debías] acompañarnos. 너는 어제 출발했어야 했는데 Hubieras debido partir ayer. 당신한테는 나를 벌할 권리가 없다 Usted no tiene derecho a castigarme. 너는 그것을 인수(引受)해야 할 것이다 Tendrás que aceptarlo. 사람은 살기 위해 먹어야 한다 Hay que comer para vivir. 싫든 좋든 그것을 수락해야 한다 Habrá que admitirlo, se quiera o no se quiera. 나는 그것을 그에게 말해야 한다 He de decírselo a él. 너는 네 일을 더 걱정해야 한다 Has de preocuparte más de ti. 너는 그것을 해서는 안 된다 No tienes que hacerlo. 그 건(件)에 관해서 내일 너와 이야기해야 한다 Sobre el asunto necesito hablar contigo mañana. 당신은 때때로 방심해야 한다 Es necesario [menester] distraerse [que se distraiga usted] de vez en cuando. 나는 그를 방문해야 한다 Tengo necesidad de visitarle a él. 너는 그것을 테스트해야 한다 Falta [Hace falta] que lo ensayes. 많은 인내력을 가져야 한다 Hace falta tener mucha paciencia. 나는 약속을 지켜야 한다 Es indispensable que yo cumple la promesa. 만일 내가 그에게 어떤 손해를 줄 경우에는 그에게 변상해야 한다 Me obligo a indemnizarle en caso de que le cause algún perjuicio. 그 문제는 세세한 검토를 해야 한다 La cuestión requiere un examen detenido. 우리들은 급히 여기를 떠나야 한다 Es urgente que salgamos de aquí / Nos urge salir de aquí.
⑬ [(동사 어미「-도록」「-게」아래에 쓰이어) …하게·하도록 하다] inducir [empujar·incitar·impulsar·impelar] (a *uno* a + *inf*·a que + *subj*); [사역] hacer [mandar] + *inf* [que + *subj*]; [방임] dejar + *inf*; [강제] forzar [obligar] a + *inf*. 재단사에게 옷을 만들게 ~ mandar al sastre hacer un traje. 나는 그가 찬성하게 했다 Le empujé a consentir [a que consintiera]. 나는 그를 오게 했다 Le hice venir / Le mandé venir / Le mandé que viniera. 나는 강제로 그를 출발하게 했다 Le forcé a salir / Le forcé a que saliera. 나에게 강제로 자백하게 했다 Me hicieron confesar a la fuerza [por fuerza]. 그가 마음대로 하게 합시다 Vamos a dejarle hacer lo que quiera. 잠깐 생각하게 해 주십시오 Déjeme pensar un momento.
⑭ [습관] tener la costumbre de + *inf*, tener por costumbre + *inf*, soler + *inf*, estar costumbrado a + *inf*. 나는 아침마다 산책을 한다 Tengo la costumbre de dar un paseo todas las mañanas.
◆하라는 대로 하다 estar a merced (de), obedecer ciegamente (a), actuar como marioneta [muñeco] (de).

하다² [강조로, 매우. 몹시] muy, mucho, bastante, realmente, verdaderamente, consideramente, completamente, perfectamente, de veras. 많기도 ~ ser verdaderamente numeroso. 좋기도 ~ ser muy bien. 빠르기도 ~ ser muy veloz. 물이 맑기도 ~ El agua es muy clara. 감사하기도 해라 Muchísimas gracias. 참 이상하기도 하구나! ¡Qué extraño!

-하다 ① [명사 아래 쓰여 동작을 나타내는 동사를 만드는 말] hacer, dar. 결혼~ casarse. 공부~ estudiar, hacer un estudio. ② [형용사의 어근에 붙는 말] ser. 착~ ser bueno. ③ [부사에 붙어 동사·형용사를 만드는 말] ser. 번쩍번쩍~ relumbrar, relucir, brillar, emitir destellos. ④ [부사형 어미「과」「겨」「ㅏ」「ㅓ」에 붙어 동사를

만드는 말] -ar, -er, -ir. 기뻐~ alegrarse. ⑤ [의존 명사「체」「듯」등의 아래에 쓰이어 보조 동사 또는 보조 형용사를 만드는 말] ¶체~ pretenderse.

하다가 =더러. 간혹. 어쩌다가.

하다못해 al menos, a lo menos, por lo menos. ~ 60점이라도 받았으면 싶은데 [싶다] Quisiera [Quiero] sacar por lo menos sesenta puntos. ~ 저녁이라도 함께 했으면 싶습니다만 Desearía que por lo menos cenáramos [cenásemos] juntos.

하단(下段) ① [글의 아래쪽 부분] columna *f* inferior, línea *f* inferior. ② [여러 단으로 된 것의 아래의 단] [계단의] grada *f* inferior, peldaño *m* inferior; [침대차의] litera *f* de abajo.

하단(下端) [페이지의] extremo *m*.

하단(下壇) =강단(降壇).

하달(下達) mandamiento *m*, mandato *m*, orden *f*. ~하다 mandar, ordenar.

하답(下答) respuesta *f* a *su* inferior. ~하다 responder [contestar] a *su* inferior.

하대(下待) ① [낮게 대우함] tratamiento *m* desdeñoso, recepción *f* fría. ~하다 tratar desdeñosamente [fríamente]. ② [상대자에게 낮은 말을 씀] tuteamientoo *m*, tuteo *m*. ~하다 tutear.

하도 ((강조)) =하(muchísmo, demasiado). ¶이 책은 ~ 어려워 읽을 수 없다 No puedo leer este libro, porque es demasiado difícil.

하도급(下都給) subcontrato *m*. ~하다 subcontratar. ~(을) 주다 encargar a un subcontratista. 건축(建築) ~을 주다 trabajar de subcontratista en una obra de construcción.
 ■~ 공장 fábrica *f* de subcontrato. ~ 기업(企業) empresa *f* de subcontrato. ~자(者) subcontratista *mf*.

하도롱지(-紙) papel *m* de sulfato, papel *m* de estraza, kraft *m*.

하동거리다 no saber cómo hacer.

하드 디스크(영 *hard disk*) 【컴퓨터】 disco *m* duro.
 ■~ 드라이브(drive) unidad *f* de disco duro. ~ 타입(type) tipo *m* de disco duro.

하드 리턴(영 *hard return*) 【컴퓨터】 retorno *m* manual.

하드보드(영 *hardboard*) [판지] cartón *m* madera.

하드 스페이스(영 hard space) 【컴퓨터】 espacio *m* manual.

하드 에러(영 *hard error*) 【컴퓨터】 error *m* de hardware.

하드웨어(영 *hardware*) 【컴퓨터】 hardware *m*, soporte *m* físico, equipo *m*, conjunto *m* de componentes electrónicos y mecánicos de un sistema de ordenador, parte *f* física de un ordenador.
 ■~ 랭귀지(language) lenguaje *m* de máquina. ~ 모니터(monitor) monitor *m* de hardware. ~ 어드레스(address) dirección *f* de hardware. ~ 인터럽트(interrupt) interrupción *f* de hardware. ~ 체크(check) comprobación *f* de hardware. ~ 컨버션(conversion) conversión *f* de hardware. ~ 키(key) llave *f* de hardware. ~ 트리(tree) árbol *m* de hardware. ~ 페일리어(failure) fallo *m* de hardware. ~ 프로필(profile) perfil *m* de hardware. ~ 핸드쉐이크(handshake) saludo *m* de hardware.

하드 카드(영 *hard card*) 【컴퓨터】 disco *m* duro de tarjeta.

하드 카피(영 *hard copy*) 【컴퓨터】 copia *f* impresa.

하드커버(영 *hardcover*) =하드백.

하드 트레이닝(영 *hard training*) [맹훈련. 맹연습] entrenamiento *m* duro, entrenamiento *m* severo, entrenamiento *m* intensivo.

하드 하이픈(영 *hard hyphen*) guión *m* manual.

하등(下等) [하급(下級)] clase *f* baja, clase *f* inferior; [열등] inferioridad *f*, bajeza *f*; [질이] tosquedad *f*; [상스러움] vulgaridad *f*. ~의 de clase baja, de clase inferior, bajo, inferior, tosco, vulgar, vil, soez, grosero, malo.
 ■~ 감각(感覺) sentido *m* inferior. ~ 동물 animal *m* de orden inferior. ~ 사회 clases *fpl* inferiores, proletariado *m*. ~ 식물(植物) planta *f* de orden inferior. ~ 인간 hombre *m* mesquino. ~품(品) artículo *m* inferior, artículo *m* de cualidad inferior.

하등(何等) alguno; [부정문에서] ninguno, ninguno [nada] en absoluto, alguno (명사 뒤에서). ~의 이유도 없이 sin alguna razón, sin razón ninguna, sin razón alguna. ~의 관계가 없다 no tener ninguna conexión en absoluto. 이것은 그 계획과는 ~의 관계가 없다 Esto no tiene conexión alguna con ese proyecto.

하락(下落) baja *f*, depreciación *f*, bajada *f*, caída *f*. ~하다 depreciarse, caer, bajar; [증권이] aflojar. 원화의 ~ caída *f* del won. 석유 값의 ~ caída *f* [baja *f*] en el precio del petróleo. 물가가 ~한다 Los precios bajan.
 ■~ 경향 tendencia *f* a la baja, tendencia *f* de depreciación. ¶시가(時價)는 ~이 있다 El mercado tiene tendencia de depreciación. ~세(勢) tendencia *f* de depreciación; [증권의] tendencia *f* al retroceso.

하략(下略) omitido abajo, omisión *f* de aquí. ~하다 omitir abajo.

하량(下諒) consideración *f*. ~하다 considerar.

-하러 a (+ *inf*), para (+ *inf*). 나는 일~ 간다 Yo voy a trabajar. 우리는 매일 산책~ 공원에 간다 Nosotros vamos a dar un paseo al parque todos los días.

하렘(영 *harem*) harén *m*, harem *m*.

하려(下廬) =하념(下念).

하령회(夏令會) ((기독교)) retiro *m* espiritual de verano, ejercicios *mpl* espirituales de verano. ~에 가다 hacer un retiro espiritual.

하례(賀禮) ceremonia *f* de enhorabuena, ceremonia *f* de felicitación, celebración *f*. ~

하다 celebrar, felicitar, dar la enhorabuena, hacer una ceremonia de enhorabuena.

하로동선(夏爐冬扇) el hogar en verano y el abanico en invierno, cosas *fpl* inútiles.

하롱거리다 portarse [comportarse] precipitadamente [sin reflexionar], (ser) displicente, indiferente, frívolo, poco serio.
하롱하롱 precipitadamente, sin reflexionar, displicentemente, imprudentemente, descuidadamente, petulantemente, impertinentemente, frívolamente, con ligereza. ~ 까불다 comportarse imprudentemente.

하료(下僚) ① [아랫자리에 있는 동료] subordinado, -da *mf.* ② [지위가 낮은 관리] oficial *mf* inferior.

하루 ① [한 날] un día. ~에 al día, por día. ~ 만에 en un día. ~ 세 번 tres veces al día, tres veces por día. ~ 내내 todo el día. ~ 여덟 시간 ocho horas al día. ~ 여덟 시간의 노동 jornada *f* de ocho horas. ~ 삼만 원의 임금 jornal *m* de treinta mil wones. 단 ~ un solo día. ~ 만에 일을 끝내다 acabar el trabajo en un día. 개회(開會)를 ~ 연기하다 diferir la apertura de la sesión por un día. 우리는 ~에 세 번 식사한다 Comemos tres veces al día / Tomamos tres comidas al día. 그는 ~ 내내 일하지 않는다 El no trabaja en todo el día. ~ 종일 비가 왔다 Llovió todo el día. 어제는 ~ 종일 집에서 너를 기다렸다 Ayer te esperé en casa todo el día. ② [해가 있는 동안] día *m.* ③ [막연히 지칭할 때의 어느 날] [과거의] un día, el otro día; [미래의] algún día. ~는 바닷가에 나갔더니 … Un día yo fui a la playa …. 봄에 ~ 나는 소풍을 갔다 Un día de (la) primavera fui de excursión. ④ ((준말)) =하룻날.
◆하루가 멀다고 casi todos los días, casi cada día.
하루갈이 espacio *m* del arrozal o del campo que se puede arar (la tierra) al día.
하루같이 sin cambiar como un día. 그는 십 년을 ~ 착실하게 계속 일하고 있다 El sigue trabajando hoy tan asiduamente como hace diez años.
하루거리 fiebre *f* terciana, terciana *f.*
하루건너 cada dos días.
하루걸러 cada dos días, un día sí y otro no. ~ 의사에게 가다 ir al médico cada dos días.
하루바삐 lo más pronto posible, cuanto antes.
하루빨리 =하루바삐.
하루아침 ㉮ [짧은 시간] tiempo *m* corto, duración *f* muy corta, un momento. 로마는 ~에 이루어지지 않는다 ((서반아 속담)) No se ganó Zamora en una hora / No se fundó Roma en una hora / No se ganó Toledo en un credo. ㉯ [어떤 날 아침] una mañana.
하루치 parte *f* del día, ración *f* del día.
하루하루 de día en día, día tras día, cada día, de un día para otro. 시험 날이 ~ 가까워진다 El examen se acerca con los días.
하룻강아지 ㉮ [난지 얼마 안 되는 어린 강아지] cacharro, -rra *mf*, cría *f.* ㉯ =초보자(初步者). 신출내기.
하룻길 distancia *f* de alcanzar al día.
하룻날 ((준말)) =초하룻날(el primero).
하룻망아지 [수컷] potro *m*, potrillo *m*; [암컷] potra *f*, potranca *f.*
하룻밤 ㉮ [한 밤] una noche. ~ 사이에 en una noche, de la noche a la mañana. ~을 밝히다, ~을 보내다 pasar una noche; [나그네로] hacer noche (en). ~ 유숙(留宿)하다 hospedarse una noche. ~ 숙박을 청하다 pedir asilo [hospedaje] por una noche. 그는 ~ 사이에 부자가 되었다 El amaneció siendo una persona rica. 그녀는 ~ 사이에 유명인(有名人)이 되었다 Ells se convirtió en una estrella / Ella alcanzó el estrellato de la noche a la mañana. ㉯ [어떤 날 밤] [과거의] una noche; [미래의] alguna noche.

하루살이 ①【곤충】insecto *m* efímero, insecto *m* que vive un solo día, efímera *f*, efémera *f*, cachipolla *f.* ② [덧없음. 생명이 짧음] vida *f* efímera. ~ 같은 인생(人生) esta vida efímera.

하류(下流) ① [하천의 아래쪽] parte *f* más baja del río, corriente *f* inferior de un río, curso *m* bajo. ~로, ~에 río abajo. …의 ~에 más abajo de *un sitio*, en la pate más baja de *un sitio*. 한강 ~에 en el bajo Han, en el curso bajo del Han. 이 강의 2킬로미터 ~에 a dos kilómetros más abajo [de aquí a lo largo] de este río. 마을은 여기서 10킬로미터 ~에 있다 El pueblo queda a diez kilómetros río abajo de aquí. 이구아수 강 ~에는 약 200개의 폭포가 있다 En el curso bajo del Iguazú hay unas doscientas cataratas. ② [하층의 계급] clase *f* baja.
■~ 계급 clase *f* baja. ~ 사회 sociedad *f* de clase baja, clases *fpl* bajas. ~ 생활(生活) vida *f* baja. ~지배(之輩) personas *fpl* [gente *f*] de las clases bajas.

하류(河流) corriente *f* (del río).

하륙(下陸) desembarco *m*, desembarque *m.* ~하다 desembarcar.

하르르 con poca solidez. ~하다 (ser) poco sólido, endeble, delgado, débil, delicado, leve.

하릅 añojo *m*, animal *m* de un año.
■~강아지 cacharro, -rra *mf* de un año. ~망아지 potro, -tra *mf* de un año. ~비둘기 paloma *f* de un año. ~송아지 ternero, -rra *mf* de un año.

하리(下痢)【의학】diarrea *f*, descomposición *f* de vientre, soltura *f* de vientre. ~하다 padecer [tener] diarrea [cursos]. ~를 멈추다 estreñir [cortar] la diarrea.
■~약 opilativo *m*, medicina *f* opilativa, medicina *f* con la diarrea. ~제 medicina *f* contra la diarrea.

하리놀다 calumniar, difamar, denigrar.
하리다[1] [마음껏 사치하다] vivir rodeado de lujos, ser extravagante. 옷에 ~ ser extragante en *su* ropa.
하리다[2] [매우 아둔하다] (ser) muy estúpido.
하리들다 ser frustrado. 계획에 ~ ser frustrado en *su* plan.
하리망당하다 (ser) vago.
하리망당히 vagamente.
하리아드렛날 el primero de febrero del calendario lunar.
하리쟁이 calumniador, -dora *mf*.
하리타분하다 =흐리터분하다.
하릴없다 ① [어떻게 할 도리가 없다] (ser) inevitable, eneludible, desesperanzado, desilusionado. ② [틀림없다] (ser) correcto, perfecto, preciso.
하릴없이 ㉮ inevitablemente, eneludiblemente, sin esperanza. ㉯ corretamente, con precisión, inequívocamente, sin dejar lugar a dudas.
하림(下臨) ① [귀인 내방] visita *f*, venida *f*. ~하다 visitar, venir. ② =강림(降臨).
하마(下馬) desmontadura *f*, apeamiento *m*. ~하다 apearse, desmontarse, descabalgar.
■ ~비 tablilla *f* de piedra de indicar la desmontadura del caballo. ~석 =노둣돌. ~평 rumores *mpl*, habladurías *fpl*, crítica *f* irresponsable, observación *f* sin orden ni concierto.
하마(河馬) 【동물】 hipopótamo *m*, jipocampo *m*, caballo *m* marino.
하마터면 por poco, casi, a poco. ~ …할 뻔하다 Casi + *ind* / Por poco + *ind* / Por faltó para que + *subj*. ~ 죽을 뻔하였다 Por poco me morí. ~ 넘어질 뻔했다 Por poco me caí / Estuve a punto de caer. ~ 강물에 빠질 뻔했다 Casi iba a caer al río. ~ 다칠 뻔했다 Por poco me caigo herido.
하마하마 inminentemente uno tras otro.
하며 =하고. ¶떡~ 고기~ con *teok* [pan coreano] y carne.
하면(下面) parte *f* de abajo.
하면(夏眠) 【동물】 estivación *f*.
하명(下命) orden *f*, mandato *m*. ~하다 ordenar, mandar.
하모니(영 *harmony*) ① 【음악】 [화성(和聲)] armonía *f*. ② [조화(調和)] armonía *f*.
하모니카(영 *harmonica*) 【악기】 armónica *f*. ~를 불다 tocar la armónica.
하문(下門) vulva *f*, vagina *f*, partes *fpl* que rodean y constituyen la abertura exterior de la vagina.
하문(下問) pregunta *f* de Su Majestad, interrogación *f* de la parte superior. ~하다 interrogar una cuestión a sus inferiores, preguntar, hacer una pregunta.
하물(荷物) carga *f*, cargazón *m*, cargamento *m*, equipaje *m*, mercancía *f*. ~을 싣다 cargar. ~을 내리다 descargar.
■ ~ 수령 recepción *f* de mercaderías. ~ 수령인 consignatorio, -ria *mf*. ~ 인환증 etiqueta *f* (del equipaje). ~ 취급소(取扱所) despacho *m* de equipajes.
하물며 tanto más, otro tanto más, aún más, mucho más, todavía más, más aún [부정문에서] aún menos, mucho menos, todavía menos, menos aún. 나는 영어도 못하는데 ~ 서반아어야 No sé siquiera hablar inglés, aún menos español.
하바네라(서 *habanera*) 【음악】 habanera *f*. ☞아바네라(habanera).
하바리(下一) grupo *m* del grado inferior.
하박(下膊) 【해부】 antebrazo *m*.
■ ~골 hueso *m* de antebrazo. ~근 músculo *m* de antebrazo.
하박하박하다 (ser) muy suave, suavísimo.
하반(下半) segunda mitad *f*.
■ ~기 segunda mitad *f* del año, mitad *f* posterior del año, segundo semestre *m*, última mitad *f* del año. ~부(部) parte *f* inferior de la mitad. ~신(身) parte *f* inferior del cuerpo.
하반(河畔) orilla *f* del río, margen *f* del río, ribera *f*. ~에 a la orilla del río.
하반(夏半) julio *m* del calendario lunar.
하백(河伯) dios *m* del agua.
하변(河邊) orilla *f* del arroyo.
하복(下腹) vientre *m* inferior, abdomen *m* inferior.
■ ~부(部) región *f* abdominal, abdomen *m*, bajo vientre *m*; 【해부】 hipogastrio *m*. ¶ ~의 hipogástrico.
하복(夏服) ropa *f* de verano, vestido *m* de verano, traje *m* de verano.
하부(下部) ① [아래쪽 부분] parte *f* inferior; [신체의] región *f* inferior. ② [하급 기관] organización *f* inferior de la oficina gubernamental; [사람] subordinado, -da *mf*; subalterno, -na *mf*.
■ ~ 구조(構造) infraestructura *f*. ~ 조직 organización *f* subordinada.
하분하분하다 (ser) suave y jugoso.
하비다 ① [손톱이나 날카로운 물건으로 긁어 파다] arañar, rascar. 코를 ~ meterse el dedo en la nariz, hurgarse la nariz. 그녀는 그의 얼굴을 하비려고 했다 Ella trató de arañarle la cara. 고양이가 문을 하비고 있었다 El gato está arañando la puerta. ② [남을 결점을 헐뜯다] criticar, hablar mal (de). 그들은 항상 나를 하비고 있다 Todo lo que hago les parece mal / Siempre me están criticando.
하비작거리다 seguir arañando.
하뿔싸 ¡Caramba! ☞아뿔싸
하사(下士) 【군사】 sargento *m*.
■ ~관 【군사】 sargento *m*, cabo *m*, oficial *m* nombrado por el jefe de un cuerpo; [해군의] oficial *m* subordinado; [후보생(候補生)] cadete *m*.
하사(下賜) regalo *m* real, donación *f* [dádiva *f* · merced *f* · obsequio *m*] real. ~하다 dar, donar, regalar, obsequiar.
■ ~금(金) subvención *f* [*AmL* subsidio *m*] real, donación *f* presidencial [real]. ~품(品) regalo *m* [obsequio *m*] real, don *m*,

ㅎ

presente *m* presidencial [real].
하산(下山) descenso *m* de la montaña, bajada *f*] de la montaña. ~하다 bajar (de) la montaña, descender de la montaña.
하상(河床) cauce *m*, lecho *m*, madre *f*.
하선(下船) desembarco *m*, desembarque *m*. ~하다 desembarcar.
하선(河船) barco *m* del río.
하선(荷船) barco *m* de carga, carguero *m*.
하소연 rogación *f*, súplica *f*, petición *f*, queja *f*. ~하다 rogar, suplicar, pedir, quejarse (de), dar quejas (de). 마음의 고뇌(苦惱)를 신부(神父)에게 ~하다 acudir al sacerdote con penas internas. 그는 머리가 아프다고 의사에게 ~했다 El se quejó al médico de que le dolía la cabeza.
하속(下屬) =하인배(下人輩).
하솔(下率) =하인배(下人輩).
하송(下送) consignación *f*. ~하다 consignar.
■~인(人) consignador, -dora *mf*; consignante *mf*; expeditor, -tora *mf*.
하수(下水) aguas *fpl* residuales, aguas *fpl* negras, *CoS* aguas *fpl* servidas.
■~ 공사 obras *fpl* de alcantarillado. ~관(管) atarjea *f*, cañería *f* de albañal ~구 desaguadero *m*, desaguador *m*. ~도(道) alcantarilla *f*. ¶~ 일꾼 alcantarillero, -ra *mf*. ~도 공사(道工事) obras *fpl* de desagüe (de aguas residuales), obras *fpl* de canalización (de agua de lluvia). ~(도)망 (red *f* de) alcantarillado *m*. ~ 설비(設備) alcantarillado *m*. ~ 시설(施設) [도시의] alcantarillado *m*; [건물의] tuberías *fpl* de desagüe. ¶~을 하다 alcantarillar. 거리에 ~을 하다 alcantarillar la calle. ~ 오물(汚物) aguas *fpl* residuales, aguas *fpl* negras, *CoS* aguas *fpl* servidas. ~정화(淨化) depuración *f* de aguas residuales. ~ 처리(處理) tratamiento *m* de aguas residuales [negras]. ~ 처리장 planta *f* de tratamiento de aguas residuales [negras], estación *f* depuradora [de depuración] de aguas residuales. ~통 =수채통.
하수[1](下手) ① [낮은 솜씨] inhabilidad *f*, desmaña *f*. ~의 poco hábil, torpe, desmañado, inhábil. ② [솜씨가 낮은 사람] persona *f* poco hábil.
하수[2](下手) ① =착수(着手). ② [손을 대어 사람을 죽임] asesinato *m*, homicidio *m*. ~하다 asesinar, matar.
■~인(人) asesino, -na *mf*; homicida *mf*; autor, -tora *mf* de un crimen; criminal *mf*; matador, -dora *mf*.
하수(下壽) sesenta u ochenta años de edad.
하수(河水) =냇물. 강물.
하수체(下垂體) 【해부】 hipófisis *f*, pituitaria *f*, cuerpo *m* pituitario, glándula *f* pituitaria.
■~염 hipofisitis *f*. ~종(腫) hipofisoma *m*.
하숙(下宿) ① [방값과 식비(食費)를 내고 비교적 오랜 기간 남의 집 방에 숙박함. 또, 그 집] pensión *f*, albergue *m*, aposentamiento *m*; [집] pensión *f*, casa *f* de huéspedes. ~하다 alojarse (en la pensión), hospedarse (en la pensión), vivir en una pensión, vivir como pensionista. 식사가 딸린 ~ comida y alojamiento. 하루에 세 끼 먹는 ~, 식사도 제공하는 ~ pensión *f* completa. 1박 2식 ~ media pensión *f*. 식사를 제공하는 ~을 하고 있다 estar a pensión. …댁에서 ~하고 있다 vivir como pensionista en casa de *uno*. ② [값싼 여관] hostal *m*, posada *f*.
■~방 habitación *f* alquilada. ~비 pensión *f*, pupilaje *m*. ¶~를 내다 pagar la pensión. ~생 huésped *mf*. ~인 inquilino, -na *mf* (de una habitación en una casa particular); pensionista *mf*, huésped *mf*. ¶~을 두다 alquilar habitaciones, alojar a un inquilino [a un pensionista]. ~을 내쫓다 arrojar [echar fuera] a un inquilino. 그들은 ~을 두고 있다 Ellos aquilan habitaciones. ~집 pensión *f*, casa *f* de huéspedes, casa *f* de inquilinato. ¶~을 경영하다 mantener una pensión. 나는 ~을 찾고 있다 Estoy buscando alojamiento. ~집 주인(主人) patrón, -trona *mf*.
하순(下旬) finales *mpl* [fines *mpl*] del mes. 6월 ~에 a fines [finales] de junio. 이달 ~에 a fines del mes corriente. 12월 ~경에 hacia finales de diciembre.
하시(下視) ① [멸시함] desprecio *m*, desdén *m*, menosprecio *m*. ~하다 despreciar, desdeñar, menospreciar, desestimar. 그는 다른 사람을 ~한다 El menosprecia a otro. ② [아래를 봄] mirada *f* hacia abajo. ~하다 mirar hacia abajo.
하시(何時) cuándo, algún tiempo. ~라도 찾아오너라 Visítame cuando quieras.
하악(下顎) 【해부】 =아래턱(barbilla, mandíbula inferior). ¶~의 mandibular, maxilar.
■~골(骨) 【해부】 quijada *f* inferior, mandíbula *f* inferior, maxila *f* inferior.
하안(河岸) ribera *f* (del río), orilla *f* (del río), margen *f* (del río). ~에 있는 카페 café *m* a orillas del río.
하야(下野) retiro *m* [retirada *f*] de la vida pública. ~하다 demitir [retirarse de] *su* cargo oficial, retirar a la vida campestre, dejar el (servicio del) gobierno, dejar el poder, retirarse de la vida de funcionario público.
■~ 성명 declaración *f* de dejar el poder.
하야말갛다 (la complexión) (ser) claro y blanco.
하야말쑥하다 (la complexión) (ser) claro y blanco.
하양 ① [흰빛] (color *m*) blanco *m*. ② [하얀 것] cosa *f* blanca.
하얗다 (ser) blanquísimo, muy blanco, blanco como la nieve. 하얗게 blancamente, con tinte blanco 하얗게 하다 blanquear. 벽을 하얗게 칠하다 enyesar, enjalbegar, enlucir. 그의 집은 ~ Su casa es muy blanca.
하얘지다 blanquearse, ponerse blanco; [창백해지다] ponerse pálido.
하여간(何如間) de todos modos, de todas

maneras, de cualquier modo, de cualquier manera, en cualquier caso, salga lo que saliere, sea lo que sea. ~ 집에 바로 오세요. De todos modos regresa a casa inmediatamente. ~ 나는 외출해야 한다 De todos modos tengo que salir. ~ 그렇다고 생각하고 있었다 Ya lo imaginaba.

하여금 dejando, haciendo, obligando, forzando. 나로 ~ 말하게 한다면 si me deja decir. 그로 ~ 가게 하라 Déjale ir. 나로 ~ 그것을 하게 하라 Déjame hacerlo.

하여튼 =어쨌든. ¶~ 해 보자 Vamos a hacerlo de todos modos.

하역(荷役) embarque y desembarque, carga y descarga de mercancías. ~하다 embarcar y desembarcar.
■ ~부(夫) estibador *m,* cargador *m,* descargador *m,* sacatrapos *m.sing.pl*, trabajador *m* de muelle. ~ 작업(作業) trabajo *m* de embarque y desembarque. ~장(場) desembarcadero *m*. ~항 puerto *m* de muelle.

하연(賀宴) fiesta *f* de enhorabuena, fiesta *f* de (las) felicidades. ~을 베풀다 dar [celebrar] una fiesta de enhorabuena.

하열하다(下劣—) (ser) vil, ruin, abyecto, bajo. 그는 성품이 ~ El es un hombre ruin.

하염없다 (ser) penoso, ansioso, desasosegado, desconsolado, inconsolable, distraído, despistado, desanimado, alicaído, abatido, abstraído, aturdido. 하염없는 날 días *mpl* de ocio.
하염없이 distraídamente, con desaliento, con expresión ausente, abstraídamente. ~ 걸어가다 darse un paseo distraídamente. ~ 나날을 보내다 llevar los días desconsolados.

하염직하다 valer la pena (de + *inf*), merecer la pena (de + *inf*). 경주를 방문~ valer [merecer] (la) pena de visitar a Guionchu.

하오(下午) tarde *f*. 월요일 ~에 el lunes por la tarde. ~ 다섯 시에 a las cinco de la tarde.

하오하다 tutear. 우리 하오하고 지냅시다 Vamos a tutear.

하옥(下獄) encarcelamiento *m,* encarcelación *f*, encierro *m,* prisión *f*, reclusión *f*. ~하다 encarcelar, meter en la cárcel, encerrar, poner preso.

하와(그 *Hawwāh*) ((기독교)) 【인명】 Eva.

하와이 【지명】 Hawai. ~의 hawaiano.
■ ~ 사람 hawaiano, -na *mf*.

하와이안 기타(영 *Hawaiian guitar*) 【악기】 guitarra *f* hawaiana.

하우스 재배(house 栽培) 【농업】 cultivo *m* por vinilo.

하원(下院) Cámara *f* de (los) Diputados, Congreso *m* de (los) Diputados, cámara *f* baja; *Col* Cámara *f* de Representantes, *Ecu* Cámara *f* de Diputados; [영국의] Cámara *f* de los Comunes.
■ ~ 의원 diputado, -da *mf*; representante *mf*, congresista *mf*, parlamentario, -ria *mf*.

하위(下位) posición *f* [puesto *m* · lugar *m*] inferior. ~의 inferior. …보다 ~에 있다 ocupar una posición inferior a *uno*, estar en una posición más que *uno*, ser inferior a *uno*. ~를 점(占)하다 ocupar posición subordinada. ~에 머물다 acabar en la parte baja de la tabla clasificatoria.
■ ~ 랭킹 팀 equipo *m* de baja calificación. ~ 타자(打者) ((야구)) el lanzador y el bateador de baja clasificación. ~ 팀 equipo *m* de baja clasificación.

하의(下衣) pantalones *mpl*. ~를 입다 ponerse los pantalones.

하의(夏衣) traje *m* [ropa *f* · vestido *m*] de verano.

하이(영 *high*) alto *adj*.
■ ~ 다이빙 salto *m* de palanca. ~ 도스 메모리 【컴퓨터】 memoria *f* alta de DOS. ~라이트 ㉮ [광선이 가장 세게 닿는 부분] toque *m* de luz. ㉯ [스포츠 · 연극 등에서, 가장 흥미로운 장면] lo más importante, lo más lucido, lo más llamativo. 금주(今週)의 뉴스 ~ aspecto *m* notable [interesante] de las noticias de esta semana. ~ 메모리 【컴퓨터】 memoria *f* alta. ~볼 [위스키에 소다수나 물을 탄 음료] highball *ing.m*, whisky *m* con soda, whisky *m* con hielo y soda, whisky *m* con hielo y agua gaseosa. ~ 비트 【컴퓨터】 byte *m* alto. ~ 점프 [높이뛰기] salto *m* de altura, *AmL* salto *m* alto. ~칼라 dandismo *m*, modernismo *m*; [사람] dandi *mf*; galán *m*. ¶~하다 (ser) gentil, moderno. ~클래스 [품질이나 신분 등이 높음] [식당 · 호텔의] lujo *m*; [상품의] primera calidad *f*; [지역 · 아파트의] alto standing *m*, categoría *f*; [신분이] clase *f* alta. ~ 허들 ((운동)) valla *f* alta, carrera *f* con vallas altas. ~힐 zapatos *mpl* de tacón alto.

하이에나(영 *hyena*) 【동물】 hiena *f*.

하이웨이(영 *highway*) [주요 도로] carretera *f*.

하이재커(영 *hijacker*) [공중 납치자] secuestrador, -dora *mf*; [비행기의] pirata *m* áereo, pirata *f* áerea.

하이잭(영 *hijack*) [(비행기 등의) 공중 납치] secuestro *m*. ~을 하다 secuestrar.

하이커(영 *hiker*) [도보 여행자] excursionista *mf*, caminante *mf*.

하이킹(영 *hiking*) caminata *f*, gira *f*, excursión *f*, excursionismo *m*. ~ 가다 dar una caminata, ir de excursión. ~을 하다 hacer una caminata, dar una caminata.
■ ~ 코스 ruta *f* de la excursión.

하이테크(영 *high tech*) 【준말】 =하이테크놀로지.

하이테크놀로지(영 *high-technology*) [첨단 기술. 고도 과학 기술] alta tecnología *f*.

하이테크 산업(high tech 産業) industria *f* de alta tecnología.

하이틴(영 *highteen*) jóvenes *mpl* menores de veinte años, adolescente *mf* entre quince y diecinueve años.

하이파이(영 *hi-fi*) ① [라디오 전축이 원음을 재생하는 고충실도] alta fidelidad *f*. ② [하

ㅎ

이파이 장치] equipo *m* de alta fidelidad, hi-fi *m*.
하이픈(영 *hyphen*) guión *m*.
하인(下人) sirviente, -ta *mf*.
하인(何人) quién, alguien.
하인방(下引枋)【건축】umbra *f* de puerta.
하인배(下人輩) sirvientes *mpl*.
하일(夏日) día *m* veraniego, día *m* estival, días *mpl* de verano.
하자(瑕疵) ① [흠. 결점] defecto *m*, falta *f*, [단단한 물건의 표면에 생긴] raya *f*. ~가 있는 defectuoso, imperfecto, rayado. …에 ~를 내다 dañar [perjudicar · estropear] *algo*. 이 과실에는 ~가 있다 Esta fruta está tocada [picada]. 이 다이아몬드에는 ~가 있다 Este diamante está rayado / Este diamante es defectuoso / Este diamante es imperfecto. ②【법률】defecto *m*.
■ ~ 담보(擔保) garantía *f*.
하자마자 en cuanto, tan pronto como, apenas, no bien, luego que, así que. 그는 나에게 말~ en cuanto me lo dijo, tan pronto como me lo dijo. 그가 외출~ 비가 내리기 시작했다 Tan pronto como [Luego que] él salió de casa, empezó a llover.
하잘것없다 (ser) insignificante, trivial, vulgar, poco importante, pequeñísimo, despreciable, no valer nada. 하잘것없는 일 nimiedad *f*. 하잘것없는 일에 시간을 허비하지 마라 No pierdas el tiempo en nimiedades. 네 문제는 내 문제에 비하면 ~ Tu problema no es nada comparado con el mío / Tu problema es una nimiedad comparado con el mío.
하잘것없이 insignificantemente, trivialmente, vulgarmente, despreciablemente.
하장(賀狀) carta *f* de enhorabuena, carta *f* congratularoria.
하저(河底) lecho *m*, fondo *m* del río.
하전(荷電)【물리】① =대전(帶電). ② =전하(電荷).
■~ 입자【물리】partículas *fpl* cargadas.
하절(夏節) estación *f* estival, estación *f* de verano.
하정(下情) ① =하회(下懷). ② [아랫사람의 사정] vida *f* popular, condiciones *fpl* de vida de la gente. ~을 알다 conocer el pueblo, conocer la vida popular, estar al tanto de las condiciones de la vida de la gente.
하정(賀正) saludos *mpl* del Año Nuevo, ¡Feliz Año Nuevo!
하제(下劑) purgante *m*, purga *f*, [완화제] laxante *m*, laxativo *m*. ~를 주다 purgar, dar un purgante. ~를 먹다 purgar, tomar un purgante.
하종가(下終價)【경제】precio *m* del límite más bajo. ☞하한가(下限價)
하주(荷主) dueño, -ña *mf* de (la) carga, dueño, -ña *mf* de (la) mercancías, embarcador, -dora *mf*, [하송인(下送人)] consignador, -dora *mf*, expeditor, -tora *mf*. ☞화주(貨主)
하중(荷重) gravamen *m*, carga *f*, peso *m*. 이 다리의 ~은 30톤이다 La carga admisible (de seguridad) por este puente es de treinta toneladas.
■ ~ 시험(試驗) prueba *f* de carga.
하지(下肢)【해부】pierna *f*, miembro *m* inferior.
하지(夏至) solsticio *m* estival [vernal · de estío · de verano].
■~선 trópico de Cáncer). ~점(點) punto *m* del solsticio estival. ~ㅅ날 día *m* del solsticio estival.
하지만 pero, mas, sin embargo, aunque. 고맙다 ~ 사양하겠다 Gracias pero no lo acepto. 그는 가난~ 정직하다 El es pobre, pero honrado / Aunque él es pobre, es honrado.
하직(下直) ① [먼 길을 떠날 때 웃어른에게 작별을 고함] acción *f* de decir adiós. ~하다 decir adiós, despedirse (de). ② [작별을 고함] muerte *f*, fallecimiento *m*. 세상을 ~하다 morir, fallecer, dejar de existir.
하차(下車) acción *f* de bajar del coche. ~하다 bajar del coche, apearse del coche; [열차에서] bajar(se) [apearse] del tren.
하차묵지않다 ① [품질이 약간 좋다] (la cualidad) ser algo bueno. ② [성질이 약간 착하다] (el carácter) ser algo bueno.
하찮다 ((준말)) =하치않다. ¶하찮은 선물 regalo *m* insignificante. 하찮은 사업(事業) modesto negocio *m*, humilde negocio *m*. 하찮은 월급쟁이 modesto empleado *m*, modesta empleada *f*. 하찮게 보다 no hacer caso (de), menospreciar, tener en poco, tener en menos. 마음뿐인 하찮은 감사의 표시일 뿐입니다 Es sólo una pequeña manifestación de mi agradecimiento. 내 문제는 당신의 문제에 비하면 하찮은 것이다 Mi problema no es nada comparado con el suyo.
하책(下策) =하계(下計)(el peor plan).
하처(何處) ¿Dónde? ☞어디
하천(河川) río *m*. ~의 fluvial.
■~ 개수 reparo *m* fluvial. ~ 공사 obra *f* ribereña. ~ 공학 ingeniería *f* fluvial. ~ 교통(交通) tráfico *m* fluvial. ~법 derecho *m* fluvial. ~ 부지(敷地) lecho *m* (del río). ~ 수송 transporte *m* fluvial. ~ 어업 pesca *f* fluvial. ~ 오염 contaminación *f* fluvial. ~ 측량 agrimensura *f* fluvial. ~ 항해(航海) navegación *f* fluvial.
하청(河淸) la no realización por más que trata. 백년(百年) ~을 기다린다 Cuando el cielo cae, cogeremos la alondra.
하체(下體) ① [몸의 아랫도리] parte *f* inferior del cuerpo. ② [남녀의 음부] partes *fpl* secretas.
하초(下焦)【한방】parte *f* inferior del ombligo.
하층(下層) ① [아래층. 밑층] capa *f* inferior, estratos *mpl* bajos; [건물의 아래층] planta *f* baja. ~의 이웃 사람 vecino *m* de(l piso de) abajo. ② [하급] clase *f* baja.

■ ~ 계급 clases *fpl* bajas, pueblo *m* bajo. ~ 구름 nubes *fpl* inferiores. ~민(民) pueblo *m* de clases bajas. ~ 사회 clases *fpl* inferiores. ~ 생활 vida *f* baja. ~운(雲) nubes *fpl* inferiores.

하치(下―) artículo *m* de cualidad inferior.

하치(荷置) depósito *m* [almacén *m*] de la carga. ~하다 depositar [almacenar] la carga.

■ ~장(場) almacén *m*, depósito *m*. ¶석탄(石炭) ~ depósito *m* de carbón.

하치않다 ① [그다지 훌륭하지 아니하다] no ser muy bueno. ② [대수롭지 아니하다] (ser) insignificante, indigno, inservible, desmerecedor, modesto, mezquino, humilde, pobre, inútil, vano, sin valor; [당치않은] absurdo, ridículo, bobo; [지루한] aburrido, tedioso, pesado; [무미건조한] insípido, soso. 마음뿐인 하치않은 선물(膳物) regalo *m* modesto. 하치않은 남자 hombre *m* insignificante. 하치않은 소설 novela *f* sosa, novela *f* aburrida. 하치않은 일[것] trabajo *m* trivial, trabajo de poca importancia, nimiedad *f*, insignificancia *f*. 하치않은 것으로 걱정하다 preocuparse por cosas de poca importancia [de poca monta]. 하치않은 것으로 성내다 enfadarse [enojarse] por nada [por poco · por poca cosa]. 하치않은 것으로 싸우다 pelear por nada (con), reñir por poca cosa (con), disputar por nada (con). 하치않은 일에 돈을 쓰다 gastar dinero sobre cosa inservible, gastar dinero en cosas inútiles.

하키(영 *hockey*) ① [필드하키] hockey *m* (sobre hierba). ② ((준말)) =아이스하키.

■ ~링크 pista *f* de hockey sobre hielo. ~ 선수 jugador *m* de hockey sobre hielo. ~ 스틱 palo *m* de hockey, stick *m* de hockey. ~ 시합 partido *m* de hockey sobre hielo.

하퇴(下腿)【해부】=종아리(pandorilla).

■ ~골 hueso *m* crural. ~ 동맥 arteria *f* crural. ~ 삼두근(三頭筋) (músculo *m*) tríceps *m* sural. ~절단 amputación *f* de la pandorilla.

하트(영 *heart*) ① [심장] corazón *m*. ~형의 de forma de corazón, acorazonado. ② [마음] corazón *m*. ③ [카드놀이 패의 하나] corazón *m*.

하편(下篇) [두 권 중의] tomo II [segundo]; [세 권 중의] tomo III [tercero], último tomo *m*.

하품 bostezo *m*. ~하다 bostezar, dar un bostezo. ~을 (억지로) 참다 sofocar [contener · reprimir] un bostezo [las ganas de bostezar]. ~하며 말하다 decir bostezando, decir con un bostezo. 싫증이 나서 ~하다 bostezar de hastío. ~이 날 것 같은 강의다 Es una clase soporífera [aburrida]. 나는 ~을 참을 수 없었다 Yo no pude reprimir un bostezo.

◆하품만 하고 있다 El mercado está flojo / No se tiene nada que hacer.

하품(下品) ① =하치(cualidad inferior). ② [낮은 품격] elegancia *f* inferior, gracia *f* inferior, dignidad *f* inferior, carácter *m* inferior, nobleza *f* inferior, vulgaridad *f*.

하프(영 *half*) ① [반(半)] mitad *f*. ② ((준말)) =하프백(halfback). ③ ((축구)) =중위(中衛). ④【수학】medio *m*. ⑤ ((운동)) [시합의 전반 · 후반] tiempo *m*. ⑥ =혼혈아(混血兒).

■ ~ 라인 línea *f* media, línea *f* de medio. ~ 마라톤 medio maratón *m*, media maratón *f*, carrera de 13.21 millas. ¶~ 선수, ~을 뛰는 사람 corredor, -dora *mf* de medio maratón [media maratón]. ~백 ((축구)) half back *mf*; ((럭비)) medio *m*. ~백 라인 ((운동)) línea *f* media. ~ 타임 ㉮ ((운동)) descanso *m*, medio tiempo *m*. 스코어는 ~에 2 대 0 이었다 A mitad de tiempo iban 2 a 0. ㉯ [제한된 시간의 반] mitad *f* de la hora limitada.

하프(영 *harp*)【악기】el arpa *f* (*pl* las arpas). ~를 연주하다 tocar el arpa.

■ ~ 연주자(演奏者) arpista *mf*.

하필(何必) nada menos que, precisamente, ni más ni menos, en peor. 그런데 ~ 그 사람이 감히 그런 말을 했을까? ¿Y se atrevió a decir eso, nada menos que él [precisamente él]? ~ 교회 옆에서 그것을 짓다니 Lo están construyendo ni más ni menos que al lado de la iglesia ¡imagínate! 왜 ~ 그들이 이곳에 왔을까? ¿Por qué se les habrá ocurrido venir precisamente aquí?

◆하필이면 en peor momento. ~ 이런 때를 택하다니! ¡No podía haber sido en peor momento!

하하 ① [기뻐서 입을 크게 벌리어 웃는 소리] ¡Ja! / ¡Ja, ja! ② [기가 막히어 탄식하여 내는 소리] ¡Ajá! ③ [무엇을 처음으로 깨달았을 때 내는 소리] ¡Ajá!

하하거리다 seguir riéndose a carcajadas.

하학(下學) terminación *f* de la clase. ~하다 terminar la clase, salir de la escuela. ~후에 después de la clase.

■ ~ 시간 hora *f* de terminación de clase. ~종 campana *f* de avisar la terminación de la clase.

하한(下限) el límite más bajo, límite *m* inferior. ■ ~가(價) =하종가(下終價).

하항(河港) puerto *m* fluvial, ría *f*.

하해(河海) el río grande y el mar. ~ 같은 은혜 gracia *f* grande, gracia *f* ilimitada.

■ ~지택 gracia *f* grande y ancha como el mar.

하행(下行) ① [아래쪽으로 내려감] bajada *f*, descenso *m*, descendimiento *m*. ~의 descendiente, descendente. ② [서울에서 지방으로 내려감] ida *f* de la capital al campo. ③ ((본딧말)) =하행 열차.

■ ~ 열차 tren *m* descendente.

하향(下向) ① [아래로 향함] inclinación *f* hacia abajo. ~하다 inclinar hacia abajo. ~기미다 inclinarse hacia abajo. ② [쇠퇴하여 감] decaimiento *m*, decadencia *f*. ~하다

decaer, decrecer. ~ 기미다 mostrar tendencia a bajar; [물가가] mostrar tendencia descendente.

■~ 경향 =하향세. ~세(勢) tendencia *f* a bajar; ((증권)) tendencia *f* bajista.

하향(下鄕) ① [시골로 내려감] ida *f* al campo. ~하다 ir al campo. ② [고향으로 내려감] ida *f* a la tierra natal. ~하다 ir a la tierra natal, ir al terruño.

하현(下弦) la última fase de la luna.

■~달 luna *f* menguante.

하혈(下血) flujo *m* de sangre. ~하다 sangrar, echar sangre.

하회(下回) ① =차회(次回). ② [윗사람이 아랫사람에게 내리는 회답] contestación *f* del superior al inferior. ~를 기다리다 esperar *su* contestación.

하회(下廻) inferioridad *f*, rompimiento *m*. ~하다 ser menos que *algo*, ser inferior a *algo*, romper, estar por debajo de *algo*. 10초를 ~하다 romper los diez minutos. 전번(前番)보다 ~하고 있다 El número de los asistentes es inferior [no alcanza] al de la vez anterior. 평균은 만 원을 ~하고 있다 El promedio está por debajo de de diez mil wones. 금년 쌀 수확고는 평년작을 25만 톤 ~했다 Este año, la cosecha de arroz ha sido de doscientas cincuenta mil toneladas menos que la de los años normales.

하후상박(下厚上薄) la generosidad con el inferior y la tacañería al superior. ~하다 ser generoso con el inferior y ser tacaño al superior.

하후하박(何厚何薄) tratamiento *m* discriminatorio, discriminación *f*. ~하다 discriminar.

학(學) ① [학술] ciencia *f*, [연구] estudio *m*; [학식] erudición *f*, [지식] sabiduría *f*, conocimiento *m*, saber *m*. ② ((준말)) =학문(學問).

학(鶴) 【조류】 grulla *f*.

-학(學) -logía *f*, -ía *f*, ciencia *f*. 동물(動物)~ zoología *f*. 심리(心理)~ psicología *f*.

학감(學監) superintendente *mf* de una escuela.

학계(學界) mundo *m* científico, círculos *mpl* academicos, círculo *m* científico, academia *f*. 그는 서반아어 ~의 권위자다 El es una autoridad en el mundo del español [de los hispanistas].

학과(學科) departamento *m*.

■~목 asignatura *f*, tema *m* [plan *m*] de estudios. ~ 시간표 horario *m* de las asignaturas. ~ 시험(試驗) examen *m* de las asignaturas.

학과(學課) lección *f*. ~를 예습하다 preparar la lección [la clase].

학관(學館) ① [학교(學校)의 이칭] escuela *f*, colegio *m*. ② [학교의 명칭을 붙일 조건을 못 갖춘 사립 교육 기관] instituto *m*, academia *f*.

학교(學校) escuela *f*, [사립의 초등·중등·고등학교] colegio *m*, *Chi* facultad *f*, [공립의 중등·고등학교] instituto *m*; [대학교] universidad *f*, [사립의 각종 학교] academia *f*, [트레이닝을 목적으로 한] academia *f*, escuela *f*. ~의 성적 통지서 boletín *m* (*pl* boletines) de calificaciones, boletín *m* de notas. ~를 그만두다 abandonar [dejar] los estudios escolares. ~를 졸업하다 salir de la escuela, terminar los estudios de la escuela; [대학교] graduarse en [por] la universidad. ~를 휴학하다 faltar a la escuela [a la clase]. ~에 가다 ir a la escuela, ir al colegio. ~에 입학하다 entrar [ingresar] en la escuela. ~에서 가르치다 enseñar [dar clase] en la escuela. 고등~를 졸업하다 terminar el curso de la escuela superior, graduarse de la escuela superior. 아들을 ~에 보내다 poner a *su* hijo en la escuela, enviar a *su* hijo a la escuela. ~는 아홉 시에 시작한다 Las clases comienzan a las nueve. 내일은 ~에 가지 않는다 Mañana no tenemos clase. 내일부터 ~는 쉰다 Mañana la escuela entra en el período de vacaciones. 내 아들은 아직 ~에 가지 않는다 Mi hijo todavía no va a la escuela. 아이들은 언제 ~에 갑니까? ¿Cuándo empiezan las clases? 어느 ~에 다니셨습니까? ¿En qué universidad estudió usted? / ¿A qué universidad fue usted?

■~ 경영자 propietario, -ria *mf* [dueño, -ña *mf*] de la escuela. ~ 관리(管理) administración *f* escolar. ~ 교육 enseñanza *f* escolar, educación *f* escolar. ~ 급식(給食) comida *f* escolar. ~ 농장(農場) granja *f* escuela. ~ 도서관 biblioteca *f* escolar. ~림(林) bosque *m* escolar. ~ 문법(文法) gramática *f* escolar. ~방송(放送) emisión *f* escolar. ~ 법인(法人) fundación *f* de enseñanza, centro *m* de enseñanza con personalidad jurídica. ~ 생활(生活) vida *f* escolar. ~ 선생 [초등학교의] maestro, -tra *mf*, [중등·고등학교의] profesor, -sora *mf*. ~ 성적 récord *m* escolar. ~ 시절 tiempos *mpl* de la escuela, días *mpl* escolares. ~ 신문 periódico *m* escolar. ~용품 artículos *mpl* para la escuela. ~ 운동장 patio *m* de recreo. ~ 위생 higiene *f* escolar. ~의(醫) médico *m* de escuela. ~장(長) director, -tora *mf* de la escuela. ~장(葬) funerales *mpl* escolares. ~차(差) disparidad *f* académica entre escuelas. ~친구 amigo, -ga *mf* de la escuela [del colegio · de clase · de estudios]; compañero, -ra *mf* de la escuela [del colegio]; condiscípulo, -la *mf*.

학구(學究) ① [오로지 학문 연구에만 몰두함] estudio *m*, aprendizaje *m*. ② [학문에만 열중하여 세상일을 모르는 사람] hombre *m* letrado, estudiante *mf*, erudito, -ta *mf*, estudioso, -sa *mf*, escolar *mf*. ③ [글방의 선생] maestro *m*.

■~적(的) académico, escolástico, de hombre letrado, estudioso. ¶~인 생활 vida *f* académica, vida *f* de estudio. ~인 정신 espíritu *m* académico. ~인 학생 estudioso, -sa *mf*, científico, -ca *mf*.

학구(學區) distrito *m* escolar.
■~제(制) sistema *m* de distritos escolares.

학군(學群) grupo *m* de las escuelas.
■~ 제도 sistema *m* del grupo de las escuelas.

학군단(學軍團) ((준말)) =학도 군사 훈련단.

학급(學級) clase *f*, grado *m*, curso *m*. 세 ~으로 나누다 dividir en tres clases.
■~ 경영 administración *f* de clase. ~ 담임 encargado, -da *mf* de clase. ~ 문고(文庫) biblioteca *f* de clase. ~회(會) reunión *f* de clase.

학기(學期) semestre *m*, término *m*, período *m* del curso, cada una de las divisiones de un año escolar.
■~말 fin *m* de semestre escolar. ~말 시험[고사] examen *m* de trimestre [de cuatrimestre]. ~초(初) principios *mpl* de semestre, comienzos *mpl* de semestre.

학내(學內) ¶~의[에] en la universidad, en el campus, dentro del recinto universitario.
■~ 사정 situaciones *fpl* universitarias.

학년(學年) ① [1년간의 학습 과정의 단위] año *m* escolar, año *m* lectivo, año *m* académico.② [1년간의 수업하는 학과의 정도에 따라 구분한 학교의 단계] grado *m*. 한 ~ un curso, un grado, un año. 한 ~ 아래 학생 estudiante *mf* [alumno, -na *mf*] de un curso inferior. 일 ~ primero *m* de EGB, primer grado *m*, primer año *m*. 이 ~ segundo grado *m*, segundo año *m*. 삼 ~ tercer grado *m*, tercer año *m*. 일 ~ 학생 alumno, -na *mf* de primero de EGB, alumno, -na *mf* de primer año, estudiante *mf* de primer año, estudiante *mf* de primero.
■~말(末) fin *m* del año escolar. ~말 시험 examen *m* del fin del año escolar, examen *m* anual. ~제 sistema *m* del año escolar. ~초 principios *mpl* del año escolar.

학당(學堂) ① =글방. ② =학교(學校).

학대(虐待) maltratamiento *m*, maltrato *m*, tormento *m*, tortura *f*, violencias *fpl*, crueldad *f*, inhumanidad *f*, atrocidad *f*. ~하다 maltratar, tratar mal, tratar cruelmente, tratar con atrocidad, atormentar, torturar, tiranizar. ~당하는 여성의 은신처 [피난 시설] un refugio para mujeres maltratadas. 국민을 ~하다 tiranizar al pueblo.
■~ 성욕 도착증 sadismo *m*. ~ 성욕 도착증 환자 sadista *mf*. ~ 음란증 sadismo *m*. ~ 음란증 환자 sadista *mf*.

ㅎ

학덕(學德) ciencia y virtud. ~을 겸비(兼備)한 사람 persona *f* con ciencia y virtud.

학도(學徒) ① [학생. 생도] estudiante *mf*, alumno, -na *mf*. 청년 ~ estudiantes *mpl* jóvenes. ② [학문을 닦는 사람] hombre *m* dedicado a una ciencia; especialista *mf*; el que se dedica a una ciencia.
■~대(隊) cuerpo *m* de estudiantes. ~ 동원령 ley *f* de Movilización Estudiantil. ~병 soldado *m* estudiantil. ~ 의용대 cuerpo *m* de voluntarios estudiantiles. ~ 의용병 soldados *mpl* de voluntarios estudiantiles. ~ 호국단 el Cuerpo de Defensa Nacional de Estudiantes.

학도 군사 훈련단(學徒軍事訓練團) la Cuerpo de Instrucción de Oficiales de Reservas

학동(學童) alumno, -na *mf* de la escuela primaria; niño, -ña *mf* (que va a la escuela).

학력(學力) conocimientos *mpl* escolares, habilidad *f* académica, habilidad *f* escolar, logro *m* en el campo académico. ~이 있다[없다] tener un nivel escolar alto [bajo].
■~ 검사(檢査) prueba *f* pedagógica. ~고사 examen *m* de habilidad escolar.

학력(學歷) carrera *f* académica, estudios *mpl* cursados, educación *f*, carrera *f*, curso *m* [anales *mpl*] de estudios, curso *m* [carrera *f*] de los estudios dedicados; [연대기] anales *mpl*. ~을 중요시하다 conceder demasiado importancia a los títulos académicos. 그는 ~이 없다 El no tiene estudios. ~은 묻지 않는다 No tenemos en consideración los antecedentes académicos.

학령(學齡) edad *f* escolar, edad *f* para la escuela; [의무 교육 기간] período *m* de la educación obligatoria. ~에 달하다 alcanzar la edad escolar, tener la edad para la escuela. ~에 달해 있다 estar en la edad escolar.
■~ 아동(兒童) niño, -ña *mf* en edad escolar, niño, -ña *mf* que tiene la edad para la escuela.

학리(學理) razón *f* científico, teoría *f*, principio *m* científico. ~의 실지 응용 aplicación f práctica de teoría.
■~적(的) teórico, científico. ¶~으로 teóricamente, científicamente.

학맥(學脈) ① [학문상의 관계로 얽힌 인간 관계] relaciones *fpl* humanas por estudios. ② =학연.

학명(學名) ① [학술상의 편의를 위하여, 라틴어로 표기하는 동식물의 세계 공통적인 이름] nombre *m* científico. ② [학자로서의 명성・평판] fama *f* [reputación *f*] como un científico.

학모(學帽) gorra *f* escolar, gorra *f* colegiala.

학무(學務) asuntos *mpl* educadores, asuntos *mpl* de la educación.
■~과 sección *f* de asuntos educadores. ~과장 jefe, -fa *mf* de sección de asuntos educadores. ~국장 director, -tora *mf* de departamento de negocios de la instrucción común [especial]. ~ 위원 miembro *mf* del consejo escolar.

학문(學問) ① [배워서 익힘・학예(學藝)를 수업함] estudio *m*, erudición *f*, [학술] ciencia *f*. ~을 위한 ~ el estudio por el estudio, la ciencia por la ciencia. ~을 하다

estudiar, hacer el estudiar, dedicarse a los estudios. ～을 좋아하다 ser aficionado a estudiar, gustar*le* el estudio a *uno*. ～에 전념하다 dedicarse a *sus* estudios. 대학은 ～을 하는 곳이다 La universidad es el lugar del estudio / La universidad es la sede de la ciencia. ～에는 국경이 없다 La ciencia no tiene fronteras. ～에는 왕도가 없다 Para aprender es menester padecer / No hay ciencia sin trabajo. 그것은 ～상의 문제다 Es un problema de orden científico. ② [체계가 선 지식] conocimiento *m*, sabiduría *f*. ～이 있는 docto, sabio. ～이 없는 poco educado, sin formación académica. ③ ＝학식. ¶～이 있는 사람 persona *f* docta.

■ ～의 자유(自由) libertad *f* científica. ～적(的) científico. ～으로 científicamente.

학벌(學閥) camarilla *f* académica, camarilla *f* universitaria, clan *m* académico, clan *m* universitario, corrillo *m* académico. ～의 폐해(弊害) depravación *f* de corillos académicos. ～을 형성하다 formar un corillo académico.

학병(學兵) ((준말)) ＝학도병(學徒兵).

학보(學報) gaceta *f*, información *f* de estudio, revista *f* de información de una escuela.

학부(學府) centro *m* académico, institución *f* docente, instituto *m* erudito.

학부(學部) ① [구제 대학의 본과] facultad *f*, departamento *m*; [기술계의] escuela *f*. ② [대학] universidad *f*.

■ ～장(長) decano, -na *mf* (de la facultad).

학부모(學父母) padres *mpl* de estudiantes.

■ ～회(會) ㉮ [조직] asociación *f* de padres. ㉯ [모임] reunión *f* de padres.

학부형(學父兄) padres *mpl* (y hermanos) de estudiantes.

■ ～회(會) ㉮ [조직] asociación *f* de padres (y hermanos) de ㉯ [모임] reunión *f* de padres (y hermanos).

학비(學費) gastos *mpl* de estudios [de escuela · de escolaridad], expensas *fpl* de escuela. ～를 내주다 costear [sufragar · subvenir] los estudios. ～를 지급하다 suministrar los gastos de educación. 그들은 그의 ～를 냈다 Le pagaron la educación [los estudios]. 부친께서는 내 ～를 내주신다 Mi padre me costea los estudios.

학사(學士) licenciado, -da *mf*; graduado, -da *mf* de universidad.

■ ～ 과정 licenciatura *f*, maestría *f*. ～ 논문(論文) tesis *f* de licenciatura. ～ 등록제 sistema *m* de matrícula de licenciados. ～ 학위 licenciatura *f*. ¶과학 ～ licenciatura *f* en Ciencias. 교육 ～ licenciatura *f* en E-ción. 문(文)～ licenciatura *f* en Filosofía y Letras. ～호(號) título *m* [grado *m*] de licenciado, licenciatura *f*. ～회(會) la Asociación de los Graduados de la Universidad. ～ 회관 el Club de los Graduados Universitarios.

학사(學舍) academia *f*, instituto *m*, escuela *f*.

학사(學事) ① [학문에 관계되는 일] asuntos *mpl* de la ciencia. ② [학교의 교육·경영 등에 관한 모든 일] asuntos *mpl* de educación, asuntos *mpl* escolares, negocios *mpl* escolares.

■ ～력(曆) calendario *m* escolar. ～ 보고(報告) informe *m* sobre asuntos escolares. ～ 시찰(視察) inspección *f* sobre asuntos escolares.

학살(虐殺) asesinato *m* cruel; [다수의] carnicería *f*, matanza *f*, degollina *f*, mortandad *f*; [민족의] genocidio *m*. ～하다 asesinar [matar] cruelmente, hacer genocidio, hacer una carnicería, matar con atrocidad, dar muerte cruel.

■ ～자(者) asesino, -na *mf*; homicida *mf*.

학생(學生) [초등학교의] colegial, -la *mf*; [초등·중등학교의] alumno, -na *mf*; [고등학교 등의] estudiante *mf*; [대학생] (estudiante *m*) universitario *m*, (estudiante *f*) universitaria *f*. ～의 escolar, estudiantil. 두 사람은 ～ 때 결혼했다 Los dos se casaron siendo estudiantes.

■ ～감(監) superintendente *mf* de estudiantes. ～ 군사 교련단 cuerpo *m* de cadetes. ～군사 교육단＝학도 군사 훈련단. ～ 기숙사 dormitorio *m*, convictorio *m*, residencia *f* de estudiantes. ～란(欄) columna *f* para estudiantes. ～모(帽) gorra *f* escolar, gorra *f* colegiala. ～ 문예 los artes y literatura de estudiantes. ～복(服) uniforme *m* de estudiantes, uniforme *m* de escolares. ～ 생활 vida *f* estudiantil. ～ 시절 años *mpl* de estudiante, edad *f* escolar, días *mpl* de estudiantes. ～식당(食堂) comedor *m* para estudiantes. ～ 신문(新聞) periódico *m* de estudiantes. ～ 운동(運動) movimiento *m* estudiantil. ～증 carnet *m* [carné *m*] de estudiante. ～판 edición *f* para estudiantes. ～ 할인 rebaja *f* [descuento *m* · reducción *f*] para estudiantes. ¶영화관은 ～이다 Los estudiantes gozan de descuento en los cines / En los cines hacen descuento a los estudiantes. ～회 [조직] asociación *f* de alumnos [de estudiantes]; [모임] reunión *f* de alumnos [de estudiantes]. ～ 회관(會館) palacio *m* para estudiantes, centro *m* de estudiantes.

학설(學說) teoría *f*, doctrina *f*, dogma *m*. 그릇된 ～ doctrina *f* errónea. ～을 세우다 crear [elaborar] una teoría, exponer y defender una teoría. 새로운 ～을 제창하다 plantear una nueva teoría.

학수(鶴壽) ＝장수(長壽).

학수고대(鶴首苦待) espera *f* con impaciencia. ～하다 esperar, aguardar, esperar con impaciencia, esperar impacientemente, estar de puntillas en expectación, esperar con el cuello alargado. ～하면서 con el cuello alargado.

학술(學術) ciencias *fpl* y artes, estudios *mpl*, técnica *f*, ciencia *f* y aplicación, ilustración *f*; [과학(科學)] ciencia *f*. ～상의 científico,

técnico. ~상의 문제 cuestión *f* académica. 뛰어난 ~ estudios *mpl* eminentes. ~이 우수하다 sobresalir en los estudios.

■ ~ 강연 lectura *f* científica. ~ 강연회 conferencia *f* científica. ~ 논문(論文) tesis *f* académica. ~ 단체 grupo *m* científico, agrupación *f* académica. ¶그는 여러 ~에 속해 있다 El es miembro de varias agrupaciones académicas. ~서 libro *m* científico, obra *f* científica. ~어(語) término *m* técnico, palabra *f* técnica. ~ 여행 viaje *m* de estudios. ~ 연구 estudios *mpl*. ¶~의 목적을 가지고 con el propósito de proseguir los estudios. ~영화(映畵) película *f* científica. ~원(院) la Academia de Artes y Ciencias. ~원 회원 académico, -ca *mf*. ~잡지 publicación *f* especializada, revista *f* científica. ¶그것은 ~에 나왔다 Salió en una publicación especializada. ~적(的) científico. ¶~으로 científicamente. ~ 조사(調査) investigación *f* científica. ~지(誌) =학술 잡지(學術雜誌). ~ 회의 conferencia *f* científica.

학습(學習) estudio *m* (y práctica), aprendizaje *m*, aplicación *f*. ~하다 estudiar (y practicar), aprender, tomar lección, proseguir los estudios, aplicar, enterarse (de). ~을 지도하다 prepararle para *su* estudio, dar*le* clases (a). 그는 ~ 태도가 좋다 El es muy serio en las aulas / El estudia con dedicación.

■ ~란(欄) columna *f* para estudios. ~ 발표회 =학예회(學藝會). ~서 manual *m* de estudio. ~ 안내서 =학습서. ~ 여행 viaje *m* de estudio. ~자 estudiante *mf*, alumno, -na *mf*. ~장 cuaderno *m* de ejercicios. ~ 지도 orientación *f* [dirección *f*] de estudios, orientación *f* para la enseñanza. ~ 지도안 proyecto *m* de orientación para la enseñanza. ~ 지도 요령 normas *fpl* de orientación para la enseñanza. ~ 참고서 libro *m* de consulta para estudios. ~ 활동(活動) actividad *f* para estudios.

학승(學僧) sacerdote *m* docto.

학식(學識) conocimiento *m*, sabiduría *f*, ciencia *f*. ~이 있는, ~이 많은 docto, sabio, erudito. ~이 풍부한 사람 persona *f* docta. 심오한 ~ conocimiento *m* profundo.

학업(學業) ① [학문을 수학하는 일] estudios *mpl*, trabajo *m* escolar, escuela *f*, colegio *m*. ~에 전념하다 dedicarse en cuerpo y alma a los estudios. ~을 마치다 terminar la escuela [el colegio], completar los estudios. ~이 진척되다 progresar en los estudios. 나는 1990년에 ~을 시작했다 Yo empecé la escuela [el colegio] en 1990 (mil novecientos noventa). 그 아이는 ~이 부진하다 El niño va atrasado con el trabajo escolar. ② =학문(學問).

■ ~ 부진아 niño, -ña *mf* que va atrasado con el trabajo escolar.

학연(學緣) relación *f* de estudios.

학예(學藝) artes *mpl* y ciencias.

■ ~란(欄) columna *f* de artes y ciencias. ~면 página *f* de artes y ciencias. ~부 departamento *m* de artes y ciencias. ~품 obras *fpl* de artes y ciencias. ~회 festival *m*, exhibición *f* literaria, ejercicios *mpl* literarios.

학용품(學用品) material *m* escolar, ajuares *mpl* de estudios, cosas *fpl* materiales para escolares; [세트] equipo *m* escolar.

학우(學友) compañero, -ra *mf* de la escuela [del colegio]; condiscípulo, -la *mf*; amigo *m* literario, amiga *f* literaria.

■ ~회(會) asociación *f* de estudiantes, asociación *f* de los miembros y amigos de una escuela; [동창회] asociación *f* de graduados, asociación *f* de antiguos alumnos.

학원(學院) ① =학교(學校)(escuela, colegio). ② [학교 설치 기준의 여러 조건을 구비하지 못한 사립 교육 기관] instituto *m*, academia *f*. 외국어(外國語) ~ el Instituto de la Lengua Extranjera.

학원(學園) escuela *f*, centro *m* docente, casa *f* docente, instituto *m*. ~의 자유(自由) libertad *f* de cátedra.

학위(學位) título *m*; [박사의] doctorado *m*; [석사의] mastería *f*, master *m*; [학사의] licenciatura *f*, título *m* de licenciado. 인문학 석사 ~ 소지자 poseedor, -dora *mf* de una maestría en Humanidades. 박사 ~를 받다 obtener el doctorado (en). 문학 박사 ~를 수여하다 otorgar el doctorado en Filosofía y Letras.

■ ~ 논문 tesis *f.sing.pl*. ¶박사 ~ tesis *f* doctoral. ~ 수여식 ceremonia *f* de entrega de los títulos. ~ 제도(制度) sistema *m* del título universitario.

학자(學者) estudioso, -sa *mf*, científico, -ca *mf*, [연구자] investigador, -dora *mf*, [박식한 사람] docto, -ta *mf*, erudito, -ta *mf*, [현자(賢者)] sabio, -bia *mf*, [전문가(專門家)] especialista *mf*. ~ 티를 내다 pedantear. ~ 기질이 있다 tener pasta de erudito, tener madera de sabio. 그는 상당한 ~다 El tiene mucha ciencia. ~들은 날짜에 동의할 수 없었다 Los especialistas [los estudiosos] no se han puesto de acuerdo en la fecha.

학자(學資) =학비(學費). ¶~를 지급(支給)하다 suministrar [proporcionar] gastos de escuela.

■ ~금 gastos *mpl* de estudios. ~ 보험(保險) seguro *m* sobre gastos de estudios.

학장(學長) rector, -tora *mf*, director, -tora *mf*.

학재(學才) talento *m* académico.

학적(學籍) matrícula *f*, registro *m* de escuela. A 대학교에 ~을 두다 estar matriculado en la Universidad A.

■ ~부(簿) registro *m* académico.

학점(學點) unidad *f*, nota *f*, punto *m*. 20~을 따다 tomar veinte unidades. 그는 ~이 부족하다 Le faltan unidades.

■ ~제(制) sistema *m* de unidades.

학정(虐政) tiranía *f*, despotismo *m*, gobierno *m* arbitrario. ~에 신음하다 estar agobiado por la tiranía.

학제(學制) sistema *m* de educación, sistema *m* de enseñanza.
■ ~ 개혁(改革) reforma *f* del sistema de enseñanza. ~ 개혁안(改革案) proyecto *m* de reforma del sistema de enseñanza.

학질(瘧疾) 【의학】 =말라리아. ¶~의 malario. ■ ~모기 anofeles *m*. ~ 환자 malario, -ria *mf*.

학창(學窓) escuela *f*, campus *m*, patio *m*, instituto *m* educativo. ~을 떠나다 graduarse de la escuela, salir de la escuela.
■ ~ 시절 tiempos *mpl* [años *mpl* · días *mpl*] de escuela [de colegio].

학춤(鶴—) danza *f* de grulla.

학칙(學則) reglamento *m* [reglas *fpl* · normas *fpl*] de la escuela.

학파(學派) escuela *f*, secta *f*. ~를 이루다 fundar una escuela. 세 ~로 갈라지다 ser dividido en tres escuelas diferentes.

학풍(學風) tendencia *f* académica, tradiciones *fpl* académicas, escuela *f*; [학교의 기풍] carácter *m* escolar; [연구법] método *m* de estudio. ~을 세우다 establecer una tradición académica.

학해(學海) mundo *m* de conocimiento.

학행(學行) conocimiento *m* y virtud.

학형(學兄) señor (Sr.), usted.

학회(學會) academia *f*, instituto *m*, asociación *f*, institución *f*, sociedad *f* (cultural), sociedad *f* de estudio científico.
■ ~원(員) académico, -ca *mf*.

한 ① [하나] uno, una, un (남성 단수 명사 앞에서). ~ 개 una pieza. ~ 곡(曲) una pieza (musical). ~ 그릇 una vasija. ~ 남자 un hombre. ~ 여자 una mujer. ~ 번 una vez. ~ 잔 una taza, una copa, un vaso, una caña. 자동차 ~ 대 un coche. 나는 ~ 시민에 불과하다 No soy nada más que un ciudadano. ~ 남자가 나를 만나러 왔다 Un hombre vino a verme. 이것은 ~ 개에 얼마입니까? ¿Cuánto cuesta [vale · es] uno de éstos? 이 배는 ~ 개에 천 원 입니다 Estas peras cuestan mil wones (cada) una. ② [대략] unos, unas, más o menos, aproximadamente. ~ 열흘 unos diez días, diez días más o menos. ~ 천 명 unas mil personas. ~ 천만 원 unos diez millones de wones. ③ [같다] el mismo, la misma. ~마음 la misma mente, el mismo corazón. ~학교 la misma escuela, el mismo colegio. ~곳에 살다 vivir en un mismo lugar; [같은 집에] vivir en una misma casa. ④ [어떤 · 어느] un, una, algún, alguna. ~ 착한 학생이 있었다 Había un buen estudiante.
■ 한 갯물이 열 갯물 흐린다 ((속담)) Una podrida daña racimo / La manzana podrida pierde a su compañía / Una cosa mala acaba dañando las que tiene cerca. 한 부모는 열 자식을 거느려도 열 자식은 한 부모를 못 거느린다 ((속담)) Un padre puede mantener [sostener · sustentar] a diez hijos, pero diez hijos no (pueden mantener) a un padre.

한(限) ① =한도(限度)(límite). ¶~이 있는 limitado, con límite, definido. ~이 없는 infinto, ilimitado, sin fin. 나는 기쁘기 ~이 없다 Me alegro infinito. 그의 놀라움은 ~이 없었다 Su sorpresa no tuvo límites. 계속 토론해 보아야 ~이 없다 Aunque sigamos discutiendo, no llegaremos a ninguna parte. 인류(人類)의 진보(進步)에는 ~이 없다 El desarrollo de la humanidad no tiene límites. 욕망(慾望)에는 ~이 없다 La codicia es infinita / La codicia no conoce límites / La codicia no se satisface con nada. 인간의 힘에는 ~이 있다 El poder humano es limitado. ② ((준말)) =계한(界限). ③ ((준말)) =기한(期限). ④ ((준말)) =제한(制限). ⑤ [「-ㄴ」「-는」으로 활용한 용언 밑에 붙어 「까지 · 범위 · 한도」의 뜻으로 쓰이는 말] en (todo) lo que, en cuanto. 가능한 ~ dentro de lo posible, en cuanto sea posible. 내가 아는 ~ que yo sepa. 사정이 허락하는 ~ en cuanto lo permita la situación. 될 수 있는 ~ 그를 돕겠다 Le ayudaré todo lo que pueda [en cuanto] me sea posible. 나는 아프지 않는 ~ 학교에 가겠다 Iré a la escuela mientras n esté enfermo. 이것은 내가 알고 있는 ~ 최상의 술이다 Que yo sepa, éste es el mejor vino. 그가 사죄하지 않는 ~ 용서하지 않겠다 No lo perdonaré hasta que me pida perdón. 나에 관계하는 ~ 그녀가 좋아하는 것을 할 수 있다 En lo que a mí respecta [Por mí], que haga lo que quiera ella. 그녀가 할 수 있는 ~ 그녀는 도울 것이다 Ella ayudará en (todo) lo que pueda. 여행은 예기치 않은 일이 일어나지 않는 ~ 예정대로 갑니다 A no ser [A reserva de] que ocurra algo inesperado, se realizará el viaje como está proyectado. 위급한 경우가 아닌 ~ 일요일은 휴진함 ((게시)) No hay consulta los domingos, salvo casos de emergencia.

한(恨) ① ((준말)) =원한(怨恨)(rencor, enemistad antigua). ¶~(이) 많은 lamentable, aborrecible. ~(이) 많은 죽음 muerte *f* lamentable. ② ((준말)) =한탄(恨歎)(lamentación, pesadumbre).

-한(限) hasta, a. 10일 정오~ al mediodía del diez. 접수는 금일(今日)~ 마감함 La solicitud se cierra hoy. 선착순 100명~ 기념품 증정 Se harán obsequios conmemorativos sólo a las cien personas que sean las primeras en llegar.

한가(限—) resentimiento *m*, rencor *m*. ~하다 molestar, ofender, tener celos (de).

한가락 ① [노래나 소리의 한 곡조] un tono, una melodía. ② [그 방면에서 녹록하지 않은 재주와 솜씨] talento *m*, buena habilidad *f*. ~ 하는 사람 persona *f* muy hábil.

◆한가락 뽑다 cantar muy bien una melodía, mostrar buena habilidad.

한가롭다(閑暇—) holgar, no trabajar, estar ocioso.
한가로이 holgadamente, ociosamente, con holgazana, con ociosidad. 소가 ~ 풀을 뜯고 있다 Una vaca pace holgadamene.

한가운데 centro *m*, medio *m*, corazón *m*, mitad *f*. …의 ~에 en el centro [(el) medio · la mitad] de *algo*. 도시의 ~ el corazón [el centro] de la ciudad. 나라의 ~ el corazón [el centro] del país. 시골의 ~에서 en pleno campo, en el centro del campo.

한가위 *hangawi*, el 15 (quince) de agosto del calendario lunar.

한가윗날 =한가위.

한가을 ① [가을이 한창일 때] pleno otoño *m*. ~에 en pleno otoño. ② [가을일이 한창 바쁜 때] tiempo *m* de cosecha ocupado.

한가지 una clase, un tipo, una variedad, una diversidad, una (misma) cosa. ~의 el mismo, la misma. ~ 일에 집착하다 persistir en una misma cosa. 이 사람들은 국적은 다르지만 이해관계는 ~다 Estos hombres son diferentes en nacionalidad, pero sus intereses son idénticos [comunes]. ~ 기예(技藝)를 가진 자는 어디를 가도 살 수 있다 ((서반아 속담)) Quien tiene arte, va por toda parte.

한가하다(閑暇—) (estar) libre, desocupado. 한가한 사람 persona *f* desocupada, persona *f* que pasa el tiempo en diversiones, persona *f* que no tiene nada que hacer. 한가한 시간에 독서하다 aprovechar el tiempo libre para leer libros. 한가할 때 cuando estar libre, cuando tener tiempo libre. 한가하면 와 주십시오 Si está usted libre [Si no tiene nada que hacer], venga a verme. 내일 한가하십니까? — 예, 한가합니다 ¿Está libre mañana? / ¿Tiene usted tiempo mañana? — Sí, estoy libre. 나는 오늘 밤~ Estoy libre esta noche.
한가히 libremente, con tiempo libre.

한갓 sólo, solamente, simplemente. ~ …이란 이유로 solamente porque …. ~ 시간(時間)의 문제 solamente una cuestión de tiempo. 그것은 ~ 핑계에 불과하다 Eso es solamente una excusa, nada más.

한갓지다 (ser) tranquilo, solitario. 한갓진 곳 lugar *m* [sitio *m*] solitario, lugar *m* apartado, lugar *m* poco conocido.

한 개(一個) uno, una, una pieza. 비누를 ~씩 팔다 vender el jabón por pastillas [por piezas]. ~ 백 원짜리 감을 열 개 주세요 Quiero diez caquis de cien wones.

한거(閑居) =한적(閑寂).

한걱정 gran preocupación *f*, gran ansiedad *f*, gran dolor de cabeza. ~ 생기다 tener un gran dolor de cabeza. ~ 놓다 sentir un gran alivio, sentirse aliviado. 그가 무사히 도착했다는 말을 듣고 우리는 ~ 놓았다 A todos nos tranquilizó enterarnos que él ya había llegado sin novedad.

한 걸음 un paso, un segundo. ~ ~ paso a paso, poco a poco. 앞으로 ~ 내딛다 dar un paso adelante. ~ 먼저 실례하겠습니다 Me marcho (un segundo) antes con su permiso. 나는 ~ 차이로 그를 만날 수 없었다 No pude verle a él por un segundo. 나는 녹초가 되어 ~도 더 걸을 수 없다 Estoy tan agotado que no puedo dar ni un paso más. ~도 움직이지 마라 No te muevas ni un paso.
■천 리 길도 한 걸음부터 ((속담)) Poco a poco se anda todo / Quien va poco a poco hace buena jornada.

한겨울 pleno invierno *m*, lo más recio del invierno. ~에 en pleno invierno, en lo más recio del invierno.

한결 [눈에 띄게] conspicuamente, sobresalientemente, notablemente, insignemente; [한층] mucho más; [특히] especialmente, en especial, particularmente, en particular, sobre todo.

한결같다 (ser) constante; [동일하다] el mismo; [균일하다] uniforme. 한결같은 사랑 amor *m* constante.
한결같이 constantemente, invariablemente, siempre, sistemáticamente, de lo misma manera, uniformemente. ~ 흰옷을 입고 있다 uniformarse de blanco, ir todos vestidos de blanco. 그는 ~ 틀렸다 El ha estado sistemáticamente equivocado. 전원(全員)이 ~ 그것에 반대했다 Todos se opusieron a eso unánimemente. 우리들은 모든 것을 ~ 다룰 수는 없다 No podemos aplicar la misma regla a todo.

한겻 un cuarto del día. ~ 일 trabajo *m* de un cuarto del día.

한계(限界) límite *m*, término *m*, confín *m* (*pl* confines), margen *m*. ~의 marginal. ~를 넘다 pasar [exceder · rebasar · traspasar] el límite. ~를 정하다 marcar [poner · señalar] el límite [(los) límites]. ~에 달하다 llegar a los límites [al límite]. 체력(體力)의 ~를 알다 conocer el límite de *su* fuerza física. 이것이 내 능력의 ~이다 Ya he llegado al límite de mis facultades. 모든 것에는 ~가 있다 Todo tiene su límite.
■~ 가격 precio *m* máximo. ~각 =임계각(臨界角). ~ 개념(概念) concepto *m* de limitación. ~ 농도 concentración *f* límite. ~ 능률(能率) eficiencia *f* marginal. ~량 cantidad *f* límite. ~ 생산 productividad *f* marginal. ~ 생산물 producto *m* marginal. ~ 생산비 costes *mpl* marginales [*AmL* costos *mpl* marginales] de producción. ~ 생산설 teoría *f* marginal de la productividad. ~선 línea *f* divisoria, linde *m*(*f*). ~ 성향 propensión *f* marginal. ~ 소비 성향 propensión *f* marginal al consumo. ~ 속도 velocidad *f* crítica. ~ 수익 beneficio *m* marginal. ~ 수입 성향 propensión *f* marginal a la importación. ~ 온도(溫度) temperatura *f* crítica. ~ 원가(原價) coste *m* marginal, *AmL* costo *m* marginal. ~ 자본

ㅎ

효과 eficiencia *f* marginal del capital. ~ 저축 성향 propensión *f* marginal al ahorro. ~점 tope *m*, límite *m*, punto *m* crítico, máximo *m*. ¶생산은 ~에 있다 La producción está al tope. 미곡(米穀)의 시장 가격은 ~에 왔다 El precio del mercado del arroz ha llegado al tope. 내 급료(給料)는 100만 원이 ~이다 Con un millón de wones llego al límite de mi sueldo. 나는 ~까지 양보했다 Cedí hasta el límite. ~ 조정(調停) ajustes *mpl* marginales. ~ 투자 성향(投資性向) propensión *f* marginal a la inversión. ~ 투자 효용(投資效用) eficiencia *f* marginal de la inversión. ~ 효용 utilidad *f* marginal. ~ 효용설 (teoría *f* de la) utilidad marginal. ~ 효용 균등의 법칙 ley *f* de utilidades equimarginales. ~ 효용 체감의 법칙 ley *f* de utilidad marginal decreciente.

한계(韓系) ((준말)) =한국계(韓國系). ¶~의 coreano.

■~ 멕시코인 mejicano-coreano *m*, mejicano-coreana *f*. ~ 미국인 estadounidense-coreano *m*, estadounidense-coreana *f*. ~ 브라질인 brasileño-coreano *m*, brasileño-coreana *f*. ~ 서반아인 español-coreano *m*, español-coreana *f*.

한고비 el momento más grave [serio], momento *m* crítico, crisis *f*, clímax *m*, punto *m* culminante, cenit *m*, zenit *m*, punto *m* crítico. ~를 넘다 pasar la crisis; [병 따위가] dar la vuelta a la esquina, doblar la esquina. 병세(病勢)가 ~를 넘었다 El peor síntoma se ha calmado. 외교 문제는 이제 ~를 넘었다 La cuestión diplomática ya ha pasado su punto crítico.

한교(韓僑) residente *m* coreano [residente *f* coreana] en el extranjero.

한구석 una esquina, un rincón. 교실 ~에 놓다 poner en un rincón de la clase. 시골 ~에 박히다 estar metido en una aldea solitaria.

한국(寒國) país *m* (*pl* países) muy frío.

한국(寒菊) 【식물】 crisantemo *m* de invierno.

한국(韓國) ① ((준말)) =대한민국(大韓民國). ¶~의 coreano, de Corea, de la República de Corea. 그는 ~에 와 있다 El está (de visita) en Corea. ~은 산악 국가(山嶽國家)이다 Corea es un país montañoso. ~ 어디에서 살고 계십니까? ¿En qué parte de Corea vive usted? ② ((준말)) =대한 제국.

■~계 ascendencia *f* coreana. ~ 국민(國民) (pueblo *m*) coreano *m*. ~군 ejército *m* coreano. ~ 대사관 la Embajada de la República de Corea. ¶서반아 주재 ~ la Embajada de la República de Corea en (el Reino de) España. ~말 coreano. ☞한글. 한국어. ~ 문학 literatura *f* coreana. ~ 문학사 la Historia de la Literatura Coreana. ~ 사람 coreano, -na *mf*. ¶우리 ~은 무척 부지런하다고들 말한다 Dicen [Se dice] que los coreanos somos muy diligentes. ~식 estilo *m* coreano. ~어 *Hangul*, coreano *m*, lengua *f* coreana, idioma *m* coreano. ☞한글. ~ 요리 cocina *f* coreana, plato *m* coreano, comida *f* coreana, plato *m* típico coreano, comida *f* tradicional coreana. ~ 육군 el Ejército de la República de Corea. ~인(人) coreano, -na *mf*. ¶~의 성격 carácter *m* coreano. ~적(的) coreano, típico coreano. 가장 ~인 음식 comida *f* más típica coreana. ~ 정부 gobierno *m* coreano. ~제 fabricación *f* coreana. ~의 de fabricación coreana, hecho en Corea. ~풍 estilo *m* coreano. ¶~의 de estilo coreano. ~으로 a la coreana, al estilo coreano. ~학 coreanología *f*, estudio *m* coreano. ~학 학자 coreanólogo, -ga *mf*. ~화(化) coreanización *f*. ¶~하다 coreanizar. ~화(畵) pintura *f* coreana. ~화가(畵家) pintor *m* coreano, pintora *f* coreana.

한국문학통사(韓國文學通史) 【책】 la Historia de la Literatura Coreana.

한국 방송 통신 대학교(韓國放送通信大學校) la Universidad a Distancia de Corea, la Universidad Abierta de Corea.

한국서어서문학회(韓國西語西文學會) la Asociación Coreana de Hispanistas.

한국에스페란토협회(韓國 Esperanto 協會) la Asociación Coreana de Esperantistas, la Asociación de Esperanto de Corea, *esper* Korea Esperanto-Asocio.

한국 유스 호스텔 연맹(韓國 Youth Hostels 聯盟) la Asociación de los Albergues Juveniles de Corea.

한국은행(韓國銀行) el Banco de Corea.

한국 조폐 공사(韓國造幣公社) la Casa de la Moneda de Corea, la Corporación de Casa de la Moneda de Corea.

한국 중앙 은행(韓國中央銀行) el Banco Central de Corea.

한국 체육 기자 연맹(韓國體育記者聯盟) la Unión de Prensa de Deportes de Corea.

한국 칠레 자유 무역 협정(韓國 Chile 自由貿易協定) el Acuerdo de Libre Comercio entre Corea y Chile.

한국 투자 개발 공사(韓國投資開發公社) la Corporación de Inversión y Desarrollo de Corea.

한국 표준 협회(韓國標準協會) la Asociación de la Norma de Corea.

한국 항공 협회(韓國航空協會) la Asociación Aeroportuaria Coreana [de Corea].

한군데 ① [한곳] un lugar, un sitio. ② [같은 장소] el mismo lugar, el mismo sitio.

한극(寒極) la región más fría del mundo, el lugar [el sitio] más frío de la tierra.

한글 *Hangul*, alfabeto *m* coreano, coreano *m*, lengua *f* coreana, idioma *m* coreano. ~로 번역하다 traducir al [en] coreano. 서반아어를 ~로 번역하다 traducir el español al [en] coreano. ~은 세계에서 가장 과학적인 언어라고 한다 Dicen [Se dice] que *Hangul* es el idioma más científico del mundo. ~은 세계에서 가장 훌륭한 언어 중의 하나이다 El coreano es uno de los idiomas más magníficos del mundo.

■ ~날 el Día de *Hangul*, el Día de la Lengua Coreana, el Día del Idioma Coreano. ~ 맞춤법 Reglas *fpl* de la Ortografía de *Hangul*. ~ 문단 mundo *m* literario de *Hangul*. ~ 문학 literatura *f* coreana, literatura *f* de *Hangul*. ~ 전용 uso *m* exclusivo de *Hangul*. ~학자(學者) coreanólogo, -ga *mf*.

한기(寒氣) ① =추위(frío, algidez). ¶~를 느끼다 sentirse frío. 나는 ~를 느끼지 못했다 Yo no me sentí frío. ② [병적으로 느끼는 으스스한 기분] escalofrío *m*, calofrío *m*, repeluzno *m*, ataque *m* de frío, frialdad *f*, frigidez *f*. ~를 느끼다 tener escalofríos, sentir escalofríos. ~가 있다 tener escalofrío. 어젯밤은 나는 ~가 들었다 Tuve escalofríos anoche.

한길 carretera *f*, camino *m* real.

한꺼번에 [일거에] de una vez, de un golpe; [동시에] al mismo tiempo, simultáneamente, a la vez, a un tiempo; [한목에] en un pedazo; [모두 함께] (todos) juntos, en conjunto. ~ 두 가지 일을 하다 hacer dos cosas a la vez. ~ 맥주 열 병을 마시다 beber(se) diez botellas de cerveza seguidas [de una vez]. 요리를 ~ 식탁에 나르다 llevar la comida a la mesa de una vez. 나는 ~ 세 아이가 아파 드러누웠다 Me he juntado con tres niños enfermos en cama / Yo he tenido tres niños en cama a un tiempo. 포도가 ~ (시장에) 쏟아져 나왔다 Las uvas inundaron el mercado.

한끝 un extremo, una punta, un borde, un lado. 끈의 ~을 잡다 coger un extremo de la cuerda. 줄의 ~에 돌을 달다 atar una piedra en el extremo de la cuerda.

한 끼 una comida. 하루에 ~만 먹다 comer solamente una comida al día.

한나절 medio día *m*.

한낮 pleno día *m*; [정오(正午)] mediodía *m*. ~에 en pleno día, en plena luz; [정오에] a(l) mediodía. ~이 지나서 al principio de la tarde, a eso de las dos de la tarde. ~의 태양(太陽) sol *m* de mediodía.

한낱 ① [단지 하나뿐의] sólo uno, solamente uno. ② [하잘것없는] sólo, solamente, nada más.

한내(限內) ① [기한 안] dentro del plazo. ② [한정한 그 안] dentro de la limitación.

한눈[1] ① [한 번 봄. 잠깐 봄] una mirada, un vistazo, una ojeada. ~에 de un vistazo, a primera vista, a simple vista, de una sola mirada. ~에 반하다 estar enamorado (de). 나는 그녀한테 ~에 반했다 Yo estuve enamorado de ella a primera vista. 나는 ~에 그녀를 알아보았다 La reconocí a simple vista. ② [한 번에 전부 둘러보는 일] vista *f*, campo *m* visual, visibilidad *f*. ~에 들어오다 entrar en el campo visual [a la vista]. 이 언덕에서 항구(港口)가 ~에 보인다 Desde este collado se ve todo el puerto / Este collado domina todo el puerto.

한눈[2] [마땅히 볼 데를 안 보고 딴 데를 보는 눈] mirada *f* a los ojos.

◆한눈(을) 팔다 desviar la mirada, volver la cabeza. 한눈을 팔면서 운전하다 desviar la mirada conduciendo un coche, volver la cabeza conduciendo un coche. 한눈 팔지 않고 …하다 aplicarse en *algo* con entusiasmo, entregarse a *algo* [a + *inf*]. 한눈 팔다가 넘어지다 caerse desviando la mirada.

한다하는 prominente, destacado, eminente, influyente. ~ 학자 científico *m* [estudioso *m*] eminente, científica *f* [estudiosa *f*] eminente.

한닥거리다 seguir moviendo, seguir bamboleando, seguir meneando.

한닥이다 [가지 · 나무가] balancearse; [건물 · 탑이] bambolearse, balancearse, oscilar.

한 달 un mes. ~에 한 번 una vez al mes.

한 달 서른 날 un mes entero.

한달음에 corriendo, deprisa y corriendo, a la(s) carrera(s). 나는 ~ 모든 것을 했다 Todo lo hice (deprisa y) corriendo [a la(s) carrera(s)].

한담(閑談) charla *f*, cotilleo *m*, chismoreo *m*, *AmL* conversación *f*, *AmC*, *Méj* plática *f*. ~하다 charlar, cotillear, chismorrear, contar chismes, hablar, *AmL* conversar, *AmC*, *Méj* platicar. ■ ~설화(屑話) charla *f*, conversación *f* lenta.

한대(寒帶) zona *f* glacial, zona *f* ártica, zona *f* frígida.

■ ~ 기후 clima *m* glacial. ~ 동물 fauna *f* (de la zona) glacial, fauna *f* ártica, fauna *f* polar. ~림 bosque *m* glacial. ~ 식물 flora *f* (de la zona) glacial, flora *f* ártica, flora *f* polar. ~ 전선(前線) frente *f* glacial, frente *f* polar. ~ 지방 latitudes *fpl* frías.

한댕거리다 seguir moviendo ligeramente.

한댕한댕 siguiendo moviendo ligeramente.

한댕이다 mover [temblar] ligeramente.

한더위 calor *m* intenso, calor *m* severo, estación *f* caliente, tiempo *m* más caliente.

한데[1] [한곳 · 한군데] un lugar, un sitio; [같은 장소] el mismo lugar, el mismo sitio. ~ 모이다 reunirse en un lugar. ~ 뭉치다 unirse [juntarse] en un bloque. ~ 뭉쳐 적에게 덤비다 lanzarse unidos contra [sobre] los enemigos.

한데[2] [노천(露天)] el aire libre; [규정 지역 밖] fuera. ~에 al aire libre. ~에 있는 expuesto al viento, a la intemperie. ~에 있는 장소 lugar *m* sin ningún resguardo. ~서 잠을 자다 dormir al aire libre. 공사장은 ~에 있다 El taller está expuesto al viento.

■ ~아궁이 hogar *m* al aire libre. ~우물 pozo *m* al aire libre. ~ㅅ뒷간(間) servicio *m* al aire libre. ~ㅅ부엌 cocina *f* al aire libre. ~ㅅ솥 olla *f* al aire libre. ~ㅅ잠 sueño *m* al aire libre.

한도(限度) límite *m*, término *m*, confín *m* (*pl*

ㅎ

confines). ~를 정하다 fijar el límite. ~를 넘다 sobrepasar el límite. ~에 이르다 llegar al límite. 백만 원 ~로 대출(貸出)해 드립니다 Le prestamos hasta un millón de wones como máximo. 매사(每事)에는 ~가 있다 Todas las cosas tienen su límite.

한독(韓獨) ① [한국과 독일] Corea y Alemania. ~의 coreano-alemán, de Corea y Alemania. ② [한국어와 독일어] el coreano y el alemán.

한독하다(悍毒/狠毒－) (ser) fiero, cruel, feroz, salvaje, malhumorado y agresivo.

한돌 primer aniversario *m.*

한돌림 una vuelta. 술이 ~ 돌다 dar una vuelta de bebida.

한동갑(一同甲) la misma edad, el mismo año (de edad). 우리는 ~이다 Tenemos el mismo año de edad / Somos de la misma edad / Soy de [Tengo] la misma edad que usted.

한동기(一同氣) hermanos *mpl* carnales.
■ ~간(間) entre los hermanos carnales.

한동생 =한동기(同氣).

한동안 un momento, un rato. 마드리드에 ~ 머물다 quedarse un momento en Madrid.

한동자 *handongcha*, lo que cocina el arroz otra vez dentro de poco después de la comida.

한되다(恨－) (ser) lamentable, lamentar. 자식의 무식함이 ~ lamentar la ignorancia de *su* hijo. 내가 참석할 수 없는 것이 한됩니다 Lamento no poder asistir. 내가 그녀와 접촉을 계속하지 못했던 것이 한된다 Lamento no haber mantenido el contacto con ella.

한두 uno y [o] dos. ~ 번 una o dos veces. ~ 예를 인용하다 citar unos pocos [unos cuantos] ejemplos. 나는 친지를 ~ 사람 찾아보았다 Visité a uno que otro conocido.
◆ 한두 가지가 아니다 hay varias cosas.

한두째 el primero o el segundo.

한둘 uno o dos. 보기를 ~ 들다 dar unos ejemplos.

한드랑거리다 balancearse.
한드랑한드랑 balanceándose.

한드작거리다 balancearse.
한드작한드작 balanceándose.

한들거리다 sacudir, temblar.
한들한들 (sacudiendo) lentamente. ~ 흔들리다 mecerse lentamente.

한때 un tiempo, un momento, un rato, una duración. ~의 temporario, trasitorio, efímero. ~의 영화(榮華) prosperidad *f* efímera. 즐거운 ~를 보내다 pasar [tener] un momento agradable, pasar un buen rato. 이 도시는 ~ 아주 번창했다 En su día esta ciudad gozó de gran prosperidad. 나는 ~ 선생질을 했다 En otros tiempos fui profesor. 구름이 끼고 ~ 소나기 [일기 예보에서] Tiempo nublado con ligeros chubascos.
■ ~심기 【농업】 =가식(假植).

한란(寒暖) el calor y el frío, temperatura *f.*
■ ~계(計) termómetro *m*; [섭씨] termómetro *m* de centígrado; [화씨] termómetro *m* de Fahrenheit. ~는 25도를 가리키고 있다 El termómetro marca veinticinco grados..

한랭(寒冷) frío *m*, temperatura *f* baja y mucho frío. ~하다 (ser) frío.
■ ~감 sicroestesia *f.* ~ 감각 criestesia *f.* ~ 고기압 alta presión atmosférica fría. ~ 공포증(恐怖症) sicrofobia *f.* ~ 과민(過敏) sicrohiperestesia *f.* ~기 관절통 crimodinia *f.* ~ 단백 crioproteína *f.* ~ 병증 criopatía *f.* ~ 보존(保存) criopreservación *f.* ~사(紗) estopilla *f*, muselina *f* de algodón. ~ 수술 criocirugía *f.* ~ 요법(療法) crimoterapia *f.* ~ 전선(前線) frente *m* frío. ~지(地) región *f* fría. ~지 농업 agricultura *f* de la región fría.

한량(限量) cantidad *f* limitada, límite *m.*
한량없다 (ser) infinito, sin límites, ilimitado. 욕심에는 ~ La codicia no conoce [tiene] límites.
한량없이 infinitamente, sin límites, ilimitadamente, inmensamente.

한량(閑良) libertino *m*, despilfarrador *m*, derrochador *m.*

한량하다(寒涼－) (ser) delgado y lánguido, pálido.

한련(旱蓮) 【식물】 una especie del loto con hojas pequeñas.
■ ~과(科) 【식물】 ((학명)) Tropaeolaceae. ~초(草) 【식물】 una especie de áster.

한류(寒流) corriente *f* fría.

한림(翰林) la Real Academia.
■ ~원(院) academia *f.* ¶~ 회원 académico, -ca *mf.* 서반아 왕립 ~ la Real Academia Española.

한마디 una palabra. ~로 말하면 en una palabra, en resumen, en suma, en breve, en resumidas cuentas. ~도 놓치지 않고 siendo todo oídos, para no perder una sola palabra, para no dejar escapar una sola palabra. ~ 없이 sin decir (ni) una palabra, ~ 허락도 받지 않고 sin pedir ningún permiso. ~도 말하지 않다 no decir ni una (sola) palabra. ~도 털어놓지 않다 no soltar una palabra. ~로 거절하다 rechazar rotundamente, rechazar categóricamente, rechazar redondamente. ~ ~를 기억(記憶)하다 recordar cada palabra. 무언가 ~ 지껄이다 pronunciar unas palabras. ~ 하겠습니다 Déjeme decir unas palabras. 남자의 ~다 Te doy palabra de honor. 그의 행동은 ~로 무모하다 Su acción es demasiado temerario.

한마음 un corazón, una mente, acuerdo *m*, unanimidad *f*, concordia *f.* ~으로 con un acuerdo. ~으로 협력(協力)하다 cooperar [colaborar] en armonía.

한마지로(汗馬之勞) servicios *mpl* meritorios en la guerra.

한만(韓滿) Corea y Manchuria.
■ ~ 국경(國境) frontera *f* de Corea y

Manchuria.

한말(韓末) fin *m* del Imeperio Coreano.

한 모금 un trago, un sorbo, una buchada. 물 ~ un trago de agua. 물을 ~ 마시다 beber un trago [un poco] de agua, beber un dedo de agua.

한목에 todo de una vez. 빚을 ~ 다 갚다 pagar toda la deuda de una vez.

한몫 porción *f*, cuota *f*, cupón *m* (*pl* cupones), cotizacón *f*. ~ 끼다 tener una participación (en). ~ 보다 [잡다] tener mucho beneficio (en).

한무릎공부(一工夫) estudio *m* que hace profundamente por un momento.

한문(漢文) escrito *m* chino, composición *f* china, caracteres *mpl* chinos clásicos; [문헌] texto *m* de caracteres clásicos; [문학] literatura *f* clásica china; [작품] obra *f* clásica de caracteres chinos.

■ ~체(體) estilo *m* de caracteres chinos. ~학(學) ㉮ [중국 고대의 문학] literatura *f* clásica china. ㉯ [한문을 연구하는 학문] sinología *f*, estudios *mpl* de los caracteres chinos. ㉰ [중국 고전의 형식에 따른 한문 문학] literatura *f* clásica china según la forma clásica china.

한문자(閑文字/閒文字) letra *f* inútil, literatura *f* inútil, palabras *fpl* inútiles.

한물 el mejor tiempo, la mejor estación *f*, flor *f*, flor *f* y nata.

◆한물가다 decrecer, decaer *su* fortuna. 전염병이 한물갔다 La epidemia decrece. 장사가 한물갔다 Los negocios andan [van] de mal en peor. 그는 한물갔다 El decae su fortuna / La fortuna comienza a serle adversa (a él).

◆한물지다 estar de la estación.

한미(韓美) ① [한국과 미국] Corea y los Estados Unidos de Américoa. ~의 coreano-estadounidense, de Corea y los Estados Unidos de América. ② [한글과 미국 영어] el coreano y el inglés americano.

■ ~ 경제 협력 위원회 el Comité de Cooperación Económica para Corea y los Estados Unidos de América. ~ 관계(關係) relación *f* coreano-estadounidense. ~ 문제 cuestión *f* coreano-estadounidense. ~ 상호 방위 협정 el Acuerdo de Defensa Mutua entre Corea y los Estados Unidos de América. ~ 안전 보장 조약 el Tratado de Seguridad entre Corea y los Estados Unidos de América. ~ 원자력 협정(原子力協定)el Acuerdo Coreano-Estadounidense de la Energía Atómica. ~ 재단 la Fundación Coreana-Estadounidense. ~ 합동 위원회 el Comité Conjunto entre Corea y los Estados Unidos de América. ~ 행정 협정 el Acuerdo Administrativo Coreano-Estadounidense. ~ 협회(協會) la Asociación Coreano-Estadounidense. ~ 환율 tipo *m* de cambio de *won*-dólar.

한미하다(寒微一) (ser) pobre y de mal linaje.

한민족(韓民族) ＝한족(韓族).

한민족(漢民族) ＝한족(漢族).

한밑천 cantidad *f* considerable de capital. ~ 잡다 hacer *su* agosto (en), ponerse las botas (en). …으로 ~ 벌다 encontrar un filón en *algo*, tener una viña con *algo*, sacar un gran provecho de *algo*.

한 바퀴 una vuelta, un rodeo, una rotación, un giro. ~ 돌다 dar una vuelta. 공원을 ~ 돌다 dar una vuelta por el parque. 야경이 담당 구역을 ~ 돌았다 El sereno [El vigilante de la noche] hizo su ronda.

한바탕 una escena, un acontecimiento; ((권투)) un combate, un encuentro; ((레슬링)) un combate, un encuentro, una caída; ((펜싱)) un asalto. ~ 야단을 치다 reprender severamente, echar una buena ragañina. 레슬링을 ~하다 tener un combate de una lucha. 나는 그녀을 ~ 야단쳤다 Yo la reprendí severamente / Yo le eché una buena regañina. ~ 폭풍우가 올 것 같다 La tempestad va a estallar / Parece que vamos a tener una tormenta / Está amenazando tempestad. ~ 파란이 일 것 같다 Esto va a estallar. ~ 비가 내렸다 Ha llovido por algún tiempo.

한반도(韓半島) la Península Coreana, la Península de Corea.

한 발 un paso. 앞으로 큰 ~ un gran paso adelante. ~ ~ paso a paso; [느리게] lentamente; [천천히] gradualmente. ~ 앞으로 나아가다 dar un paso adelante. ~ 뒤로 물러나다 dar un paso hacia detrás. ~ 오른쪽으로 나아가다 dar un paso a la derecha.

한발(旱魃) ① [가뭄을 맡은 신(神)] dios *m* de la sequía. ② [가뭄] sequía *f*. ~의 계속 larga sequía *f*, largo período *m* del tiempo seco. ~의 피해 daños *mpl* ocasionados por una sequía. ~로 인해 곡물이 흉작이 되었다 La sequía ha destruido los cereales.

한 발짝 ＝한 발. ¶~도 밖에 안 나가다 quedarse en casa, quedarse (a)dentro. 나는 ~도 움직일 수 없었다 No pude dar otro paso.

한밤중(一中) medianoche *f*, media noche *f*, plena noche *f*. ~에 a medianoche, en plena noche. ~쯤 hacia media noche. 거의 ~에 casi a media noche, cerca de la media noche. ~까지 연장되다 prolongarse hasta (las) altas horas de la noche.

한밥[1] [누에의 마지막 잡힌 밥] última serie *f* de alimento de gusano de seda.

한밥[2] [끼니때가 지난 뒤에 차리는 밥] ＝한동자.

한 방(一放) [일발(一發)] un tiro, un disparo. ~ 쏘다 disparar un tiro (a).

한방(一房) ① [같은 방] la misma habitación, el mismo cuarto. ~을 사용하다, ~에 거처하다 vivir en el mismo cuarto [en la misma habitación]. ② [온 방] toda la habitación, todo el cuarto. ~에 사람이 가득하다 En todo el cuarto la gente está llena.

한방(韓方) 【한방】 medicina *f* (terapéutica) coreana, terapéutica *f* coreana.
■ ~약(藥) medicamento *m* coreano, farmamacopea *f* coreana. ~의(醫) médico, -ca *mf* de medicina tradicional coreana.

한방(漢方) medicina *f* oriental, terapéutica *f* oriental.
■ ~약 medicamento *m* oriental. ~의(醫) médico, -ca *mf* oriental.

한 방울 una gota. ~씩 gota a gota. ~씩 떨어지다 caer gota a gota.

한배[1] ① [한 태(胎)에서 나거나, 한때에 여러 알에서 깬 새끼] camada *f*, lechigada *f*, ninada *f*. ② ((속어)) =동복(同腹).

한배[2] ① 【음악】 [국악에서, 곡조의 장단(長短)] tempo *m*. ② [쏜 화살이 미치는 한도] tiro *m* de flecha

한번 ① [지나간 한 때] tiempo *m* pasado, un momento, un instante. ~(만이라도) 그녀를 만나고 싶었다 Quería verla aunque fuera un instante. ② [아주 참] muy, ¡qué! 키 ~ 크다 ser muy alto. 노래 ~ 잘한다 ¡Qué bien canta!

한 번(一番) una vez. ~도 [부정문에서] nunca, jamás. ~에 de una vez, de un golpe. ~으로 de una vez. 단 ~ sólo una vez. 일 년에 ~ una vez al año. ~ 약속한 일 promesa *f* hecha, lo prometido una vez. 단 ~의 기회 única ocasión *f*, única oportunidad *f*. ~ 해보다 hacer una vez. ~도 …이 아니다 no … nunca [jamás · ninguna vez] (동사 앞에서는 no가 필요 없음). ~으로 시험에 합격하다 aprobar [salir bien en · tener éxito en] el examen en el primer intento. ~에 전액(全額)을 지불하다 pagar toda la suma de una vez. 나는 ~도 그녀를 만나 본 적이 없다 Yo nunca la he visto / Yo no la he visto nunca. 나는 ~ 그를 만난 적이 있다 Le he visto una vez (a él). 평생에 ~만이라도 서반아에 가고 싶다 Quisiera ir a España una vez siquiera en la vida. 나는 ~ 잠들면 쉽게 깨어나지 않는다 Una vez que me quedo dormido, no me despierto fácilmente. 나는 금년에 ~ 사고를 냈다 He causado un accidente este año. 나는 ~도 앓아누워 본 적이 없다 Nunca he caído enfermo.
■ 한 번 실수는 병가(兵家)의 상사 ((속담)) Un tropezon puede impedir que se caiga otra vez. 한 번 엎지른 물은 다시 주워 담지 못한다 ((속담)) Una vez muerto el burro, la cebada al rabo / Lo hecho, hecho está. 한 번 한 말은 어디든지 날아간다 ((속담)) Palabras y plumas el viento las lleva.

한 벌 juego *m*, traje *m*. 여름옷 ~ un traje para verano. 식탁용 날붙이 ~ un juego de cubiertos, una cubertería. 찻잔 ~ un juego de tazas de té.

한복(韓服) ropa *f* coreana, traje *m* coreano, vestido *m* coreano. ~을 입다 vestirse del traje coreano, ponerse el vestido coreano [el traje coreano · la ropa coreana]

한복판 centro *m*, corazón *m*. 길 ~ centro *m* de la calle. 바다 ~ centro *m* del mar. 서울 ~ corazón *m* de Seúl.

한불(韓佛) ① [한국과 프랑스] Corea y Francia. ~의 coreano-francés, de Corea y Francia. ② [한글과 프랑스어] el coreano y el francés.
■ ~ 협회 la Asociación Coreano-Francesa.

한빈하다(寒貧-) ser tan pobre como un ratón de sacristía.

한사(限死) desesperación *f*. ~하다 arriesgar *su* vida (por), poner en peligro *su* vida (por). ■ ~결단 decisión *f* de prepararse para la muerte.

한사(恨死) muerte *f* lamentable. ~하다 morir lamentablemente.

한사(恨事) lástima *f*, pena *f*.

한사(寒士) estudioso *m* [erudito *m*] pobre.

한 사람 una persona, un individuo, uno, una. 남자 ~ un hombre. 여자 ~ una mujer. ~~(씩) uno por uno, uno a uno, de uno en uno, uno después de otro, uno tras uno. ~도 남김없이 todos sin excepción, todos sin faltar ni uno. 그는 인기 가수 중 ~이다 El es uno de los cantantes populares. 부상자는 ~도 없었다 No hubo ningún herido / Nadie fue herido. 나는 ~씩 만나겠다 Voy a entrevistarme con cada uno en particular. 그들은 ~ 남기지 않고 검거되었다 La policía los detuvo a todos / Todos ellos, sin faltar ni uno, fueron capturados.

한사리 marea *f* viva.

한사코(限死-) arriesgando la vida, desesperadamente, obstinadamente, una y otra vez, implacablemente, despiadadamente, incesantemente, sin tregua. 그는 ~ 그것을 부인했다 El persistió en su negativa / El lo negó una y otra vez. 그들은 ~ 그를 추적(追跡)했다 Ellos le persiguieron sin darle tregua.

한산하다(閑散-) (estar) libre, ocioso, poco animado, quieto, tranquilo, desanimado, paralizado, calmarse. 한산함 ociosidad *f*, quietud *f*. 한산한 시간 tiempo *m* libre. 한산한 생활을 하다 llevar una vida de ocio. 거리가 ~ Las calles están poco animadas. 시장이 ~ Hay poca animación [actividad] en el mercado.
한산히 tranquilamente, con tranquilidad, ociosamente, con ociosidad.

한 살 un año (de edad). ~의 de un año (de edad). ~ 먹은 아이 nene, -na *mf* de un año.

한삼덩굴 【식물】 lúpulo *m* japonés.

한색(寒色) color *m* frío.

한생전(限生前) =한평생(限平生).

한서(寒暑) ① [추위와 더위] el frío y el calor, temperaturas *fpl*. ~의 차이 diferencia *f* entre el frío y el calor. 이곳은 ~의 차이가 심하다 Aquí hay un contraste muy marcado entre el frío y el calor. ② [겨울

과 여름] el invierno y el verano.

한서(韓西) ① [한국과 서반아] Corea y España. ~의 coreano-español, hispano-coreano, de Corea y España. ② [한글과 서반아어] el coreano y el español.
 ■~ 사전 el Diccionario Coreano-Español. ~ 협회 la Asociación Coreano-Española.

한서(漢書) libro *m* escrito en caracteres chinos.

한선(汗腺) 【해부】 =땀샘.

한설(寒雪) nieve *f* fría.

한세상(一世上) ① [한평생 동안] toda la vida. ② [잘사는 한때] apogeo *m*, auge *m*, época *f* dorada, edad *f* de oro. 누구나 다 ~이 있는 법이다 ((서반아 속담)) A cada pajarillo le llega su veranillo / A cada santo le llega su día de fiesta.

한세월(閑歲月) tiempo *m* ocioso.

한센병(Hansen 病) =나병. 문둥병.

한소하다(寒素一) (ser) pobre pero honrado.

한속 ① [같은 뜻] la misma voluntad. ② [같은 셈속] conspiración *f*, confederación *f*. ~이 되다 conspirar (con), estar aliado (con), estar confabulado (con).

한손놓다 ① [일이 일단 끝나다] arreglarse, resolverse, acabar, terminar. ② [상대방을 얕보다] despreciar, menospreciar.

한손잡이 =외손잡이.

한솥밥 rancho *m*. ~을 먹다 comer en un mismo plato, comer rancho, tomar rancho, convivir bajo el mismo techo. 그와는 ~을 먹고 있다 El y yo convivimos bajo el mismo techo. 그 사람과 나는 ~을 먹었다 El y yo comíamos en un mismo plato.
 ◆한솥밥 먹고 송사하다 ((속담)) Los hombres íntimos se riñen uno a otro.

한순(一巡) un tiro de disparar cinco flechas.

한술 ① [한 숟가락 (분량)] una cucharita. ② [적은 음식] un poco de comida. ~ 뜨다 tomar una cucharada de comida, tomar un poco.
 ◆한술 더 뜨다 burlar, ser más listo que. 도둑이 경찰보다 한술 더 떠 도망쳤다 El ladrón burló a la policía y se escapó. 그들의 적들이 한술 더 떴다 Sus enemigos habían burlado / Sus enemigos habían sido más listos que ellos.
 ■한술 밥에 배 부르랴 ((속담)) No se puede esperar un gran efecto con un esfuerzo pequeño.

한숨 ① [한 번의 호흡이나 그 동안] una respiración, un respiro, un aliento. ~ 돌리다 recobrar el aliento, tomar aliento. ② [잠깐 동안의 휴식이나 잠] pausa *f*, intervalo *m*, un poco de descanso. ~ 돌리다 respirar, descansar, hacer una pausa, pausar. 잠깐 ~ 돌리게 해 주십시오 Déjeme descansar un poco. ③ [근심이나 서러움이 있을 때 길게 몰아서 쉬는 숨] suspiro *m*.
 ◆한숨(을) 쉬다 ㉮ respirar. ㉯ suspirar, dar un suspiro, dar un quejido. 땅이 꺼지도록 ~ dar un hondo suspiro. 사랑 때문에 ~ suspirar de amor. 안도의 ~ dar un suspiro de alivio, suspirar aliviado. 그는 깊은 한숨을 쉬었다 El suspiró profundamente. 내 아내는 안도의 한숨을 쉬었다 Mi esposa suspiró aliviada / Mi esposa dio un suspiro de alivio.
 한숨에 [단숨에. 단결에] de un trago, a grandes tragos; [한 번에] de una vez, de un tirón. ~ 맥주를 들이켜다 vaciar [beber(se)] la cerveza de un trago [a grandes tragos]. ~ 일을 끝내다 acabar el trabajo de una vez [de un tirón].

한스럽다(恨一) suspirar, dar un suspiro, lamentar. 한스러운 세상(世上) mundo *m* lamentable.
 한스레 lamentablemente.

한습 un año del caballo y de la vaca. ☞하릅

한습(寒濕) 【한방】 =습랭(濕冷).

한시(一時) ① [같은 시각] la misma hora. ② [잠깐 동안] por un momento, por un rato, hora *f* corta. 나는 당신을 ~도 잊을 수 없습니다 No te puedo olvidar ni por un momento. 나는 그 일을 ~도 잊지 않고 있다 No lo olvido ni por un momento.

한시(漢詩) poema *m* chino, poesía f china.

한시름 gran ansiedad *f*, gran preocupación *f*, gran dolor *m* de cabeza.
 ◆한시름 놓다 sentir un gran alivio, sentirse aliviado, tranquilizarse. 우리 모두는 그녀가 무사히 도착했다는 것을 알고 한시름 놓았다 A todos nos tranquilizó enterarnos de que ella había llegado sin ningún percance.

한식(韓式) estilo *m* coreano.
 ■~집 casa *f* de estilo tradicional coreano. ~ 요리(料理) plato *m* tradicional coreano, cocina *f* tradicional coreana.

한식(韓食) plato *m* tradicional coreano, cocina *f* tradicional coreana.
 ■~집 restaurante *m* tradicional coreano.

한식경(一食頃) duración *f* de poder comer la comida de una vez.

한심스럽다(寒心一) (ser) lastimoso, lamentable, deplorable, lástima; [비참하다] miserable, desgraciado; [수치스럽다] avergonzado. 한심스러운 사람 persona *f* lamentable, persona *f* miserable, persona *f* infeliz. 한심스러운 표정으로 con un semblante miserable, con una cara triste. 한심스럽게 되다 sentirse miserable, sentirse desgraciado. 한심스러운 것은 …하다 /…하다니 ~ Es (una) lástima que + *subj* / Es lamentable que + *subj* / Es una vergüenza que + *subj*. 너 참 한심스럽구나! ¡Das pena! / ¡Das lástima! 정말 한심스러운 놈이군! ¡Pobre tipo! / ¡Qué miseria de hombre!
 한심스레 lamentablemente, miserablemente, infelizmente. ~ 아주 적은 사람이 참가했다 Lamentable asistió muy poca gente.

한심하다(寒心一) ser lástima, (ser) lamentable; [절망적이다] desesperado. 한심한 사람 persona *f* desesperada. 한심한 남자 hombre *m* desesperado. 한심한 여자 mujer *f* desesperada. 한심한 놈 tipo *m* desesperado.

한 쌍(一雙) un par. ~의 남녀 una pareja. 행복한 ~ la feliz pareja. ~으로 만들다 emparejar, formar pares (con). ~을 이루다 emparejar(se). 남녀 ~으로 만들다 poner en parejas. 그녀는 폴과 ~이 되었다 Le pusieron a Paul de pareja. 내 친구들은 내가 그와 ~이 되도록 애썼다 Mis amigos me quisieron hacer gancho con él.

한 아름 un brazado, una brazada. 장작 ~ una brazada de leña. 내 아내는 옷을 ~ 안고 방으로 들어왔다 Mi esposa entró en la habitación con un montón de ropa. 그는 서류를 ~ 가지고 왔다 El traía montones de documentos.

한아스럽다(閑雅－) (ser) gracioso, elegante. 한아스러움 gracia *f*, elegancia *f*. 한아스레 graciosamente, elegantemente, con elegancia.

한아하다(閑雅－) (ser) gracioso, elegante.

한야(寒夜) ① [추운 밤] noche *f* fría. ② [겨울 밤] noche *f* invernal.

한약(漢藥) ((준말)) ＝한방약(漢方藥).
■~국 tienda *f* de la medicina oriental. ~재(材) materiales *mpl* de medicina oriental.

한약(韓藥) ((준말)) ＝한방약(韓方藥).
■~방 tienda *f* de la medicina coreana, tienda *f* de hierbas. ~업사(業士) vendedor, -dora *mf* preparando las hierbas medicinales según la receta. ~재(材) materiales *mpl* de la medicina coreana. ~종상(種商) lo que se vende preparando las materiales de la medicina coreana y la medicina coreana.

한없다(限－) [여행・모임이] (ser) interminable; [평원(平原)・사랑・슬픔・인내가] sin límites, infinito; [자원・에너지가] inagotable, ilimitado, sin límites, sin términos; [이야기・불평이] continuo, incesantte; [공간・우주가] infinito; [셀 수 없는] innumerable; [사슬・벨트・케이블이] sin fin; [영원한] eterno. 한없는 기쁨 alegría *f* infinita. 한없는 시도 innumerables intentos *mpl*, (una) infinidad [un sinnúmero・un sinfin] de intentos. 한없는 일 trabajo *m* interminable. 한없는 바다 mar *m* infinito. 한없는 생명 vida *f* eterna. 한없는 천지(天地) universo *m* infinito. 가능성은 ~ Las posibilidades son infinitas / Hay (una) infinidad de posibilidades.
한없이 sin límites, incesantemente, sin cesar, constantemente, permanentemente, sin parar, interminablemente, infinitamente; ilimitadamente, perpetuamente, continuamente; [영원히] eternamente, para siempre. ~ 넓은 바다 mar *m* inmenso. ~ 마시다 beber insacialmente. 나는 당신에게 ~ 감사드립니다 Le estoy infinitamente agradecido. 눈물이 ~ 흐른다 Caen lágrimas sin cesar.

한여름 pleno verano *m*. ~에 en pleno verano, en los días más calurosos del verano.

한역(漢譯) traducción *f* a los caracteres chinos. ~하다 traducir a los caracteres chinos.

한역(韓譯) traducción *f* al coreano. ~하다 traducir al coreano.

한열(旱熱) calor *m* sofocante en la estación de sequía.

한열(寒熱) 【한방】 el escalofrío y la fiebre.

한영(韓英) ① [한국과 영국] Corea e Inglaterra. ~의 coreano-inglés. ② [한글과 영어] coreano e inglés.
■~ 사전 diccionario *m* coreano-inglés.

한옆 un lado, un flanco. ~으로 비키다 hacerse a un lado, apartarse.

한오금 entre el codo corto y codo *m* lejano del arco.

한옥(韓屋) casa *f* tradicional del estilo coreano.

한와(韓瓦) teja *f* coreana.

한외(限外) fuera del límite.
■~ 발행(發行) exceso *m* de emisión. ¶ 지폐의 ~ exceso *m* de emisión de papel moneda.

한용스럽다(悍勇－) (ser) intrépido, atrevido, audaz.
한용스레 intrépidamente, con audacia, con atrevimiento, audazmente.

한우(寒雨) ① [찬 비] lluvia *f* fría. ② [겨울에 오는 비] lluvia *f* del invierno.

한우(韓牛) vaca *f* coreana.

한우충동(汗牛充棟) gran colección *f* de libros, libros *mpl* innumerables.

한운(旱雲) nubes *fpl* en la sequía.

한운(閑雲) nubes *fpl* flotantes en el cielo.
■~야학(野鶴) vida *f* ociosa sin ninguna restricción.

한운(寒雲) nube *f* del cielo del invierno.

한 움큼 un puñado *m*. 쌀 ~ un puñado de arroz.

한월(寒月) luna *f* invernal [de(l) invierno]..

한위(寒威) frío *m* muy severo.

한유(閑遊) holgazanería *f*, pereza *f*, ociosidad *f*. ~하다 (ser) holgazán, perezoso, ocioso.

한유하다(閑裕－) pasar el tiempo libre, pasar la hora ociosa, pasar las horas muertas, entretenerse, divertirse, distraerse. 그들은 잡담을 하면서 한유했다 Ellos pasaron las horas muertas charlando.

한은(韓銀) ((준말)) ＝한국은행(韓國銀行).

한음(漢音) pronunciación *f* de caracteres chinos.

한음식(－飮食) tentempié *m*, refrigerio *m*, comida *f* fuera de las tres comidas.

한의(漢醫) ① [한방(韓方)의 의술] medicina *f* oriental. ② [한방 의사] médico, -ca *mf* oriental.
■~학(學) medicina *f* oriental. ~학과(學科) departamento *m* de medicina oriental.

한의(韓醫) ① [한방(韓方)의 의술] medicina *f* tradicional coreana. ② [한방 의사] médico *m* tradicional coreano.
■~과대학(科大學) la Facultad de Medicina Tradicional Coreana. ~사(師) médico *m* tradicional coreano, médica *f* tradicional

coreana. ～생 estudiante *mf* de medicina tradicional coreana. ～서(書) libro *m* de medicina tradicional coreana. ～술(術) medicina *f* tradicional coreana. ～약(藥) medicamento *m* para la medicina tradicional coreana. ～원(院) clínica *f* de medicina tradicional coreana. ～학(學) medicina *f* tradicional coreana. ～학과 departamento *m* de medicina tradicional coreana.

한이(韓伊) Corea e Italia. ～의 coreano-italiano. ▪～ 협회 la Asociación Coreano-Italiana.

한인(閑人) persona *f* desocupada, persona *f* sin trabajo; holgazán (*pl* holgazanes), -zana *mf*; perezoso, -sa *mf*.

▪～물입(勿入) Prohibida la entrada [No entre] excepto negocios.

한인(漢人) chino, -na *mf*.

한인(韓人) coreano, -na *mf*.

▪～촌(村) barrio *m* coreano.

한인(韓印) Corea e India. ～의 coreano-indio, de Corea e India.

한일(閑日) día *m* libre.

▪～월(月) ㉮ [한가한 세월] tiempo *m* libre. ㉯ [여유 있는 마음] corazón *m* libre.

한일(韓日) ① [한국과 일본] Corea y Japón. ～의 coreano-japonés, de Corea y Japón. ② [한글과 일본어] el coreano y el japonés, el *hangul* y el japonés.

▪～ 각료급 회담 la Conferencia a Nivel Ministerial entre Corea y Japón. ～ 각료 회담 la Conferencia Ministerial entre Corea y Japón. ～ 경제 협의회(經濟協議會) la Asociación Económica de Corea-Japón. ～ 사전 diccionaro *m* coreano-japonés. ～ 의원 연맹 la Unión Parlamentaria de Corea y Japón. ～ 조약(條約) el Tratado Coreano-Japonés. ～ 합방(合邦) la Anexión Japonesa de Corea. ～ 합작 영화 película *f* conjunta hecha por Corea y Japón. ～ 협회 la Asociación Corano-Japonesa. ～ 회담(會談) la Conferencia Coreano-Japonesa.

한일자로(一一字一) en línea recta. 입을 ～ 다물다 cerrar su boca firmemente.

한입 ① [하나의 입] una boca; [한 사람의 입] boca *f* de una persona. ② [한 번 벌린 입] [음식의] un bocado; [마실 것의] un trago. ～에 de un bocado. ～ 먹다 tomar un bocado. 그는 그것을 ～에 먹어 치웠다 El se lo comió de un bocado.

한자(漢字) caracteres *mpl* chinos. ～로 쓰다 escribir en caracteres chinos.

▪～어(語) palabra *f* escrita en caracteres chinos. ～ 제한 limitación *f* en el uso de los caracteres chinos. ～ 철폐 abolición *f* de los caracteres chinos.

한자리 ① [같은 자리] el mismo lugar, el mismo sitio. ② [한몫] una porción; [한 벼슬] un puesto gubernamental. ～ 얻다 obtener un puesto gubernamental.

한잔(一盞) ① [잔 하나의 분량] una taza, un vaso, una copa; [맥주의] una caña. 맥주 ～ una caña de cerveza, un vaso de cerveza. 물 ～ un vaso de agua. 우유 ～ un vaso de leche. 차 ～ una taza de té. 커피 ～ una taza de café. 포도주 ～ una copa de vino. 커피 ～ 더 주세요 Otra taza de café, por favor / Quiero otra taza de café. ～ 어떻습니까? ¿No quieres tomar una copita? / ¿No te apetece una copa? 술 ～ 대접하고 싶습니다 Le quiero invitar a tomar una copa. ② [간단히 먹는 술] una copita. 딱 ～만 하자 Vamos a tomar sólo una copita. 자리를 옮겨 ～ 더 합시다 Vamos a cambiar de lugar y seguir bebiendo.

◆한잔 걸치다 ((속어)) ＝한잔 먹다.

◆한잔 내다 invitar a tomar una copa [unas copas · unos vasos de vino]. 제가 한잔 내겠습니다 Le invito a tomar una copa.

◆한잔 먹다 tomar [beber] una copa, tomar unos chatos, tomarse una copa, echar(se) un trago. 한잔 먹읍시다 Vamos a tomar una copa.

한잠 ① [매우 깊은 잠] sueño *m* muy profundo. ～이 들다 dormirse el sueño muy profundo. ② [잠시 자는 잠] una siesta. ～ 자다 dormir un momento, dormir un poco; [잠깐 졸다] dormitar, descabezar el sueño. 낮잠을 ～ 자다 tomar [echar · dormir] una siesta.

한재(旱災) daño *m* [perjuicio *m*] de la sequía, desastre *m* de sequía, aridez *f*, sequedad *f*, sequía *f*. ～를 입다 sufrir del daño de la sequía.

▪～ 지구 distrito *m* asolado por la sequía.

한저녁 cena *f* tardía.

한적(漢籍) ＝한서(漢書).

한적하다(閑寂一) (ser) tranquilo. 한적함 tranquilidad *f*, gusto *m* por la sencillez y la quietud. 한적한 곳 lugar *m* tranquilo. 한적히 tranquilamente, con tranquilidad.

한절(寒節) estación *f* fría, invierno *m* frío.

한 점(一點) un punto. 하늘에는 구름 ～ 없다 No hay una nube en el cielo.

한점심(一點心) almuerzo *m* tardío.

한정(限定) limitación *f*, restricción *f*; 【언어】 determinación *f*. ～하다 limitar, restringir, determinar. ～된 limitado. ～되다 limitarse. 비용을 백만 원으로 ～하다 limitar el gasto a un millón de wones. 후보자의 자격을 ～하다 restringir las condiciones para ser un candidato. 말의 의미(意味)를 ～하다 definir la palabra, fijar [precisar] el significado de la palabra. 내 관심은 문학에만 ～되지 않는다 Mi interés no se limita a la literatura.

▪～ 가격(價格) precio *m* tope. ～ 능력(能力) capacidad *f* limitada. ～ 승인(承認) reconocimiento *m* limitado, aceptación *f* restringida (de herencia). ～ 전쟁 ＝국지 전쟁(局地戰爭). ～ 책임 능력 imputabilidad *f* limitada. ～ 치산(治産) semiinterdicción *f*, semiincapacitación *f*, causi-incompetencia *f*.

～ 치산자(治産者) semi-interdicto, -ta *mf*, semi-incapacitado, -da *mf*, persona *f* causi-incompetente; capacitado *m* limitado, capacitada *f* limitada. ～판(版) edición *f* limitada.

한제(寒劑) mezcla *f* refrigerante.

한제(韓製) ＝한국제(韓國製). 한국산(韓國産).

한 조각 una pieza, un pedazo. 빵 ～ un pedazo de pan. ～의 양심(良心) un poco de conciencia.

한족(漢族) raza *f* china.

한족(韓族) raza *f* coreana.

한종신(限終身) toda la vida, hasta la muerte.

한종일(限終日) todo el día, hasta la puesta de(l) sol, desde que amanece hasta que se pone el sol.

한줄기 ① [한 계통. 한바탕] racha *f*. ～의 소나기 una racha de chubasco. ② [한 가닥] racha *f*. ～의 희망(希望) una racha de esperanza.

한 줌 un puñado. ～씩 a mechones, a manojos. ～의 모래 un puñado de arena. ～의 쌀 un puñado de arroz. ～의 재 un puñado de cenizas. 그의 머리카락은 ～씩 빠졌다 El pelo se le caía a mechones [a manojos].

한중(閑中) durante el tiempo libre.

한중(寒中) pleno invierno *m*. ～ 수영(水泳) natación *f* en pleno invierno.

한중(韓中) ① [한국과 중국] Corea y China. ② [한글과 중국어] el coreano y el chino.
▪～ 관계 relaciones *fpl* entre Corea y China, relaciones *fpl* sino-coreanas. ～ 무역(貿易) comercio *m* entre Corea y China, comercio *m* sino-coreano. ～ 사전(辭典) diccionario *m* coreano-chino. ～ 합작 영화 película *f* hecha por Corea y China, película *f* conjunta hecha por coreanos y chinos..

한즉 ((준말)) ＝그러한즉. 그리한즉. ¶～ 네가 여기 남아 있어라 Y por eso quédate aquí.

한증(汗蒸) sudorífico *m*. ～하다 bañar para sudar.
▪～막 sudadero *m*. ～탕 baño *m* sauna, baño *m* de sudorífico, baño *m* para sudar.

한지(寒地) región *f* fría.

한지(韓紙) papel *m* hecho en Corea.

한 지붕 el mismo techo. 그와는 ～ 아래에서 살았다 El y yo hemos convivido bajo el mismo techo.

한직(閒職) sinecura *f*. ～에 있다 estar a la sinecura.

한집안 ① [같은 집의 가족] una familia, miembro *mf* de una familia. ～처럼 취급하다 tratar como un miembro de *su* familia. ② [일가 친척] *su* pariente, *su* familiar, *su* parentesco.
▪～간(間) relaciones *fpl* de parentesco. ～ 식구(食口) *su* familia.

한쪽 un lado, una mano. ～ 눈 un ojo. ～으로 비키다 hacerse a un lado, apartarse.

한차례 una vuelta, una racha; ((레슬링·권투)) asalto *m*, round *ing.m.* 씨름을 ～ 하다 tener un asalto de lucha.

한참 ① [일을 하거나 쉬는 동안의 한 차례] una vez. ～을 일하다 trabajar una vez. ② [한동안] un momento, un rato. ～을 쉬다 descansar un momento.

한창 ① [가장 성할 때] [꽃의] plena floración *f*, plena florescencia *f*, florecimiento *m*; [과실의] sazón *m*; [인생의] plenitud *f*, auge *m*, primavera *f* de la edad; [젊음의] primavera *f* de la vida. ～이다 estar en *su* apogeo [en *su* cenit · en el punto culminante]. 꽃이 ～이다 Está en plena florescencia. 축제가 ～이다 La fiesta está en su apogeo. 이제 가을도 ～이다 Ya está bien entrado el otoño. 사과는 지금이 ～이다 Las manzanas están ahora en sazón. 벚꽃은 지금이 ～이다 Los cerezos están en plena floración. 딸기는 지금이 ～이다 Las fresas están en ahora en sazón. ② [가장 활기 있게] en pleno. ～ … 중에 en medio de *algo*. ～ 시합 중에 en pleno juego. ～ 더울 때에 en pleno calor, en lo más fuerte del calor. ～ 더운 대낮에 en pleno día; [여름의] en pleno calor. 비가 ～ 내리고 있을 때 en plena lluvia. ～ 젊을 때에 en la flor de *su* juventud. 그는 ～ (젊을) 때에 죽었다 El murió en la flor de la edad [de la juventud · de la vida]. 우리들은 지금 ～ 저녁 식사 중이다 Ahora estamos cenado. 그 건(件)은 ～ 교섭 중이다 El asunto está en vías de negociación.
한창나이 primavera *f* de la edad.
한창때 [꽃의] plena floración *f*, [과실의] sazón *m*; [인생(人生)의] plenitud *f*, auge *m*, primavera *f* de la edad; [젊음의] primavera *f* de la vida. 배는 지금이 ～이다 Las peras están ahora en sazón. 포도는 이제 ～가 지났다 Las uvas están ya fuera de sazón / Ya ha pasado la estación de las uvas. 그는 소설가로서 그때가 ～였다 Entonces él vivía su plenitud como novelista. 그녀는 지금이 ～이다 Ahora ella está en la flor de su vida. 그녀는 ～가 지났다 Ella ha pasado la primavera de su vida.

한천(旱天) tiempo *m* seco, cielo *m* del verano seco. ～의 감우(甘雨) precipitación *f* ansiosamente anhelante.

한천[1](寒天) [우무] agar-agar *m*.

한천[2](寒天) [한절(寒節)] invierno *m*, estación *f* invernal, cielo *m* del invierno frío.

한철 ① [봄·여름·가을·겨울 중 한 계절] una estación. ② [한때] un tiempo, una vez, un momento, un rato, temporalmente, provisionalmente, *AmL* temporariamente, *AmL* provisionariamente.

한촌(寒村) aldea *f* solitaria, pueblecito *m* solitario.

한추위 pleno *m* frío, lo más fuerte del frío.

한층(一層) más, tanto más, notablemente, considerablemente, en alto grado. ～ 좋은 mejor. ～ 나쁜 peor. ～ 더 높은 산 montaña *f* más alta. ~ 수월하다 ser más fácil. 금년은 추위가 ~ 더 심하다 Este año el frío es particularmente severo.

한 치 [한 자의 십분의 일의 길이] una pulgada; [매우 가까운 거리] distancia *f* muy cercana; [적은 차이] distancia *f* pequeña. 짙은 안개 때문에 ~ 앞을 볼 수 없다 No podemos ver ni un centímetro adelante por causa de la niebla densa. 너무 어두워 ~ 앞도 보이지 않는다 Está tan oscuro que no sabemos ni donde pisamos. ~ 앞을 볼 수 없을 만큼 눈보라가 쳤다 Sobrevino una ventisca de nieve cegadora.

◆한 치를 못 본다 ㉮ [시력이 좋지 못하다] La vista es débil. ㉯ [식견(識見)이 얕다] El conocimiento es superficial.

■한 치 앞이 어둠 ((속담)) Nadie sabe lo que nos reserva el futuro.

한치 【동물】 una especie del calamar.

한 칠레 자유 무역 협정(韓 Chile 自由貿易協定) =한국 칠레 자유 무역 협정.

한칩(寒蟄) estancia *f* sólo en casa por ser propenso al frío [por tener sensibilidad para el frío]. ~하다 quedarse sólo en casa por ser propenso al frío [por tener sensibilidad para el frío].

한카래 un equipo de los tres labradores.

한카래꾼 =한카래.

한칼 ① [한 번 휘둘러서 치는 칼질] un golpe de una espada. ~로 베다 cortarse con un golpe de una espada. ② [한 번 베어 낸 고깃덩이] una tajada de carne.

한탄(恨歎) lamentación *f*, suspiro *m*, aflicción *f*. ~하다 lamentar, suspirar, dar suspiros; [슬프다] afligirse, desconsolarse, entristecerse; [탄성을 지르다] gemir; [불행·죽음 따위를] deplorar, llorar; [불평을 하다] quejarse (de), lamentarse (de). 부모의 사망을 ~하다 deplorar la muerte de *su* padre. 정계(政界)의 부패를 ~하다 quejarse de la corrupción del mundo político. 쓸데없이 지난날을 ~하다 lamentarse donde no hay remedio, lamentarse por una pérdida irreparable.

한탄스럽다 (ser) lamentable, deplorable, lastimoso. …하는 것은 ~ Es lamentable [(una) lástima·deplorable·lastimoso] que + *subj* / Siento [Lamento·Deploro] que + *subj*. 오직(汚職)이 되풀이되는 것은 ~ Es lamentable que se repitan las corrupciones. 세상이 ~ ¡Qué deplorable es el mundo!

한탄스레 lamentablemente, deplorablemente, lastimosamente.

한턱 convite *m*. 이번은 내가 ~ 씁니다 Esta vez pago yo / Está usted invitado / Esta vez le invito / [tú에게] Esta vez te invito. 우리들은 그의 ~으로 실컷 마셨다 Bebimos a invitación [por cuenta] suya.

◆한턱내다 invitar, convidar, pagar. 커피를 ~ invitar [convidar] a tomar café. 그는 나에게 포도주를 한턱냈다 El me invitó una copa de vino. 오늘은 내가 한턱내겠습니다 Hoy le invito [convido] yo / Soy yo quien paga hoy. 가르시아 가족이 나에게 저녁을 한턱냈다 Los García me invitaron a cenar en su casa.

◆한턱먹다 comer [beber] a invitación [por cuenta] suya.

한테 a, para. 형~ 보낼 물건 cosa *f* que enviaré a mi hermano. 형님~ 얻어맞았다 Mi hermano me pegó. 이 책을 너~ 주겠다 Te daré este libro. 나는 돈을 친구~ 꾸었다 Le pedí prestado dinero a mi amigo. 책임은 나~ 있다 Yo soy culpable / Me responsabilizo de todo.

한테로 a. 돈은 누나~ 보내졌다 Enviaron el dinero a mi hermana. 영구는 철수~ 돌아갔다 Younggu volvió a Cholsu.

한테서 de. 서반아에 있는 친구~ 온 편지 carta *f* de mi amigo en España. 나는 그것을 누나~ 받았다 Yo lo recibí de mi hermana.

한통[1] [활의 한가운데] parte *f* central del arco.

한통[2] ((준말)) =한통속.

한통속 partidario *m*, grupo *m*; [공모자] cómplice *mf*. …와 ~이다 confabularse con *uno*, conchabarse con *uno*. …와 ~이 되어 있다 estar conchabado con *uno*, estar en cinnivencia con *uno*, estar en complicidad con *uno*. 그 사람도 ~이다 El también es cómplice.

한통치다 agrupar (juntos), poner en un mismo grupo. 한통쳐서 como un grupo, incluyendo, todo incluido, global. 학생들은 탁자 주변에 한통쳤다 Los estudiantes se agruparon alrededor de la mesa.

한파(寒波) onda *f* fría, ola *f* de(l) frío. ~가 한국을 내습했다 Una ola de frío azotó [atacó·llegó a] Corea.

한판 ① [내기 따위에서의 한 차례] un juego, un partido, un asalto, un round; [카드에서] una partida. 승부는 ~으로 결정될 것이다 Una sola partida decidirá el juego. ② ((유도)) caída *f*.

■~ 승부 compeición *f* de un solo asalto.

한 팔 ① [한쪽의 팔] un brazo. ② [신뢰하는 조력자] brazo *m* derecho. 그는 대통령의 ~이 되었다 El llegó a ser el brazo derecho del presidente.

한팔접이 persona *f* que falta la fuerza o la técnica.

한패 partidario, -ria *mf*; conspirador, -dora *mf*; [공모자] cómplice *mf*. …와 ~다 confabularse [conchabarse] con *uno*. …와 ~가 되어 있다 estar conchabado [en connivencia·en complicidad] con *uno*. 쿠데타의 ~에 끼다 tomar parte de en el golpe de estado. 그는 강도단의 ~다 El es uno de los bandidos. 그 여자도 ~다 Ella también es cómplice.

한편(一便) ① [한쪽. 일방(一方)] un lado, una parte, una vía, una dirección; [다른 쪽] otro lado, otro bando; [적대 관계] un bando. ~에서 보면 visto desde un punto;

[다른 각도] desde un ángulo diferente. ~의 말만 듣다 dar oídos sólo a lo que dice un bando [una parte de los interesados]. 길 ~은 산이요 다른 ~은 강이 흐르고 있다 En [A] un lado del camino se yerguen las montañas, y en el [al] otro corre un río. ② [한짝. 같은 동아리] una pareja, el mismo grupo. ② [한쪽으로는] por su parte, por otra parte, por otro lado; [반면에] al [por el · por lo · en] contrario, en cambio. 수입은 격증했지만 ~ 수출은 격감했다 Han aumentado fuertemente las importaciones, y por otro lado han disminuido considerablemente las exportaciones. 이 회사는 건축이 전문이지만 ~ 출판에도 손을 대고 있다 Esta es una compañía constructora, pero se dedica también a las publicaciones. 그는 대학에 다니면서 ~으로는 가정 교사를 하고 있다 El da clases particulares mientras estudia en la universidad. ~으로는 마시고 ~으로는 먹으면서 우리들은 무척 재미있게 보냈다 Disfrutamos mucho bebiendo y comiendo.

한평생(一平生) vida *f*, toda la vida, toda *su* vida, en *su* vida, durante el tiempo de la vida. ~에 한 번 una vez en la vida. ~의 경험 toda una vida de experiencia. ~ 한 번의 기회 la oportunidad de *su* vida. 그런 일은 내 ~에 일어나지 않을 것이다 No lo verán mis ojos / No sucederá mientras yo viva. 그녀는 가난한 사람들을 돕는 데 ~을 바쳤다 Ella dedicó [consagró] su vida a ayudar a los pobres.

한 푼 un céntimo, un centavo. ~이 없는 arruinado, pelado, sin un céntimo, sin un centavo, pobretón (*pl* pobretones). 일전 ~ 없다 estar sin blanca, no tener (ni) un céntimo [un cuarto], no tener una perra chica; ((속어)) estar planchado. 일전 ~ 없이 되다 quedarse sin un céntimo, quedarse limpio. 그것은 ~의 가치도 없다 No vale nada / No vale una perra chica / No vale ni diez / No vale un céntimo.

한풀 un ánimo, un brío, un espíritu, una paciencia.
◆한풀 꺾이다 hacer un gesto de dolor, estremecerse, desanimarse, titubear, balbucear. 그는 위험 앞에서 한풀 꺾였다 El se amilanó ante el peligro.

한 풀다(恨一) realizar *sus* deseos, obtener [lograr · conseguir] una ambición, tener *su* voluntad.

한풀이(恨一) satisfacción *f* de rencor. ~하다 satisfacer un rencor, satisfacer *su* resentimiento, vengarse (de), ajustar [saldar] (las) cuentas pendientes, desquitarse. 아이들에게 ~하지 마라 No te desahogues con los niños. 그가 그렇게 한 것에 대해 ~를 하겠다 Me voy a vengar de él por lo que ha hecho.

한풍(寒風) viento *m* frío, viento *m* glacial. ~이 분다 Brama un viento frío / Un viento glacial ruge [brama].

한하다(限一) limitar, fijar un límite (en). 한해 있는 시간 내에 dentro del tiempo limitado. 이곳의 회원은 여성에 한한다 Esta sociedad sólo admite mujeres. 연설은 1인당 10분에 한한다 El discurso se limita a diez minutos cada uno. 재고품에 한해져 있으므로 빨리 사십시오 Cómprenlo pronto, ya que el surtido es limitado. 이곳은 수용 인원이 한해 있다 Este lugar tiene poca capacidad. 이번에 한해서 예외(例外)가 인정된다 Se admiten excepciones sólo esta vez. 반복은 1회에 한한다 Se permite repetir sólo una vez.

한하다(恨一) ① [원통히 여기다] lamentar, arrepentirse (de). ② [불평을 품다] estar resentido (con), estar descontento (con). 그는 그의 아버지에게 무엇인가에 한한 것 같았다 El parecía estar resentido con su padre por algo.

한학(漢學) ① estudio *m* de clásicas chinas; [중국학] sinología *f*. ② ((준말)) =한문학(漢文學).

한한 사전(漢韓辭典) diccionario *m* chino-coreano.

한해(旱害) daño *m* de sequía, daños *mpl* [perjuicios *mpl*] causados por la sequía. ~를 당하다 sufrir de la sequía.
▪~ 지구 zona *f* asolada por la sequía.

한해(寒害) daño *m* de frío.

한해살이【식물】planta *f* anual.

한해살이풀【식물】planta *f* anual.

한호(韓濠) Corea y Autralia. ~의 coreano-australiano, de Corea y Australia.

한화(閑話) =한담(閑談)(charla, chisme). ¶~하다 charlar, chismear, murmurar.
▪~휴제(休題) Vamos a dejar de charlar.

한화(韓貨) moneda *f* coreana.

한화(韓華) Corea y China. ~의 coreano-chino, sino-coreano.

한화(漢和) China y Japón. ~의 sinojaponés.

한화(漢畵) pintura *f* china.

할(割) porcentaje *m*, por ciento, tipo *m*. 일 ~ el [un] diez por ciento. 삼 ~ 할인 rebaja *f* [descuento *m*] del 30% [treinta por ciento]. 연 이 ~ el [un] veinte por ciento al año. 일 ~의 이자로 por el [un] interés del diez por ciento. 정가의 팔 ~로 팔다 vender a un [al] ochenta por ciento del precio fijo.

할갑다 quedar flojo, (estar) suelto, holgado, amplio. 이 청바지는 나한테는 허리가 ~ Estos vaqueros me quedan flojos de cintura. 수갑이 그에게는 ~ Las esposas le quedan flojas.

할거(割去) corte *m*, rompimiento *m*. ~하다 cortarse, romper(se).

할거(割據) mantenimiento *m* de *su* territorio [de *su* independencia]. ~하다 mantener *su* territorio [*su* independencia].

할근거리다 jadear, respirar entrecortadamente. 할근거리며 말하다 decir jadeando. 그녀는 숨을 할근거렸다 Ella respiraba con dificultad / Ella daba boqueadas. 그녀는

할근거리면서 몇 마디 했다 Ella dijo algo entrecortadamente. 「나는 해냈다」라고 그는 할근거리며 말했다 ¡Lo logré! — dijo jadeando.

할근할근 siguiendo jadeando. ~하다 seguir jadeando.

할기족족 con mirada desagradable. ~하다 mirar desagradablemente.

할깃거리다 =흘깃거리다.

할낏거리다 =흘깃거리다.

할날 un día.

할당(割當) asignación *f*, distribución *f*, atribución *f*, reparto *m*, repartición *f* (por cabeza); [할당분] cuota *f*, cupo *m*, contingente *m*. ~하다 asignar, dar, dividir (en partes iguales), dividir igualmente, dividir imparcialmente, repartir (a tanto por cabeza), atribuir, distribuir. ~된 일 trabajo *m* asignado. 예산(豫算)의 ~ distribución *f* del presupuesto. 조세(租稅)의 ~ reparto *m* de impuesto. 방을 ~하다 asignar *su* habitación, repartir las habitaciones (entre). 일을 ~하다 asignar [distribuir] el trabajo. 수입액(收入額)을 ~하다 asignar la cuota de importación. 비용을 등분으로 ~하다 dividir los gastos en partes iguales. 부하들에게 일을 ~하다 asignar trabajos a cada uno de *sus* subordinados. 그에게 어떤 일을 ~해 주십시오 Asígnenle algún trabajo.

■ ~금[액] adjudicación *f*, evaluación *f*, tasación *f*. ~량(量) cuota *f*, cupo *m*, asignación *f*, parte *f* de trabajo. ¶수입(輸入) ~ cuotas *fpl* [cupos *mpl*] de importación. 이민 ~ cuotas *fpl* [cupos *mpl*] de inmigración. 이것이 네 일의 ~이다 Esta es tu parte de trabajo / Esta es la parte de trabajo que se te ha asignado [que te corresponde]. 나는 이미 내 ~을 했다 Yo ya he hecho mi parte. ~제 sistema *m* de cuotas, sistema *m* de cupos.

할 듯 할 듯 estar para + *inf*, ir a + *inf*. ~하다 parecer que se va a hacer. 그는 무언가 말을 ~ 했다 El iba a decir algo.

할딱거리다 seguir jadeando.

할딱할딱 siguiendo jadeando.

할딱이다 jadear. 할딱이는 jadeante, sin aliento. 할딱이면서 jadeando.

할딱하다 (ser) flaco y ponerse pálido.

할똥말똥 vacilantemente, con ganas, con poco entusiasmo. ~하다 (ser) poco entusiasta, vacilar, titubear.

할랑거리다 ① [몹시 할거워서 자꾸 흔들리다] (estar) suelto, holgado, amplio. ② [삼가지 아니하고 경망한 행동을 계속하다] (ser) precipitado, imprudente.

할랑하다 (estar) suelto, holgado, amplio. 이 바지는 내게는 허리가 ~ Estos pantalones me quedan flojos de cintura.

할랑할랑하다 ① [매우 할가운 듯한 느낌이 있다] estar muy flojo. ② [하는 짓이 들뜨고 실답지 않은 느낌이 있다] (ser) de poca confianza, informal, infiel, poco sincero, falso, no ser fiel.

할렐루야(히 *Hallelujah*) [하나님을 찬양하다] Aleluya, ¡Alabado sea el Señor! 호흡이 있는 자마다 여호와를 찬양할지어다 ~ ((시편 150:6)) Todo lo que respira alabe a JAH. Aleluya / ¡Qué todo lo que respira alabe al Señor! ¡Alabado sea el Señor!

할례(割禮) circuncisión *f*. ~하다 circuncidar. ~를 받다 ser circuncidado. ~를 행하다 circuncidar.

할로겐(독 *Halogen*) ((준말)) =할로겐족 원소(族元素).

■ ~족 원소 halógeno *m*. ~화물(化物) halogenuro *m*, haluro *m*.

할 말 lo que desea decir, *su* habla; [주장] declaración *f*, pretensión *f*, demanda *f*; [불평(不平)] queja *f*, lamento *m*; [이의(異議)] objeción *f*, reclamación *f*; [의견] opinión *f*; [변명] excusa *f*, disculpa *f*; [구실] pretexto *m*. …에게 ~을 하게 하다 dejar a *uno* exponer *su* opinión. 두 사람의 ~을 듣다 prestar oído a ambos, escuchar los argumentos de las dos partes. 네게 ~이 있다 Yo tengo algo [una cosa] que decirte. 그에게 ~을 하게 해라 Déjale dar su opinión / Que hable él. 양측이 모두 ~이 있다 Ambos lados tienen su parte de razón / Hay mucho que decir a favor de ambos. 무슨 ~이 있느냐? ¿Tienes alguna objeción? 그는 ~을 억지로라도 하고 싶어한다 El quiere salirse con la suya / El quiere imponer [persistir en] su opinión.

할 말 없다 avergonzarse (de). 당신한테 할 말 없습니다 Me avergüenzo de ti.

할 말 없이 con vergüenza, avergonzadamente.

할망구 anciana *f*, vieja *f*, mujer *f* anciana, mujer *f* vieja.

할머니 ① [아버지의 어머니] abuela *f*; [애칭] abuelita *f*. ② [늙은 여자의 존칭] vieja *f*. ③ [부모의 어머니와 한 항렬되는 여자의 통칭] abuela *f*.

■ 할머니 뱃가죽 같다 ((속담)) Se arruga / Está arrugado.

할멈 ① [신분이 비천한 사람의 할머니] abuela *f* de persona humilde en posición social. ② [제 할머니의 겸칭] abuelita *f*. ③ [신분이 천한 늙은 여자] el ama *f* (*pl* las amas) de llaves vieja de nacimiento humilde.

할미꽃 【식물】 anémona *f*.

할미새 【조류】 aguzanieves *f.sing.pl*, arandillo *m*.

할복(割腹) suicidio *m* abriéndose el vientre. ~하다 suicidar abriéndose el vientre, destriparse..

■ ~자살 haraquiri *m*. ¶~하다 hacerse el haraquiri, suicidarse con el haraquiri.

할부(割賦) asignación *f*, cuota *f*, adjudicación *f*. ~하다 asignar, repartir, distribuir, adjudicación *f*.

■ ~ 구매 compra *f* a plazos, *AmL* compra *f* en cuotas. ¶~하다 comprar a plazos,

AmL comprar en cuotas. ~금 asignación *f*, cuota *f*. ~ 상환 amortización *f*. ~ 지불 pago *m* a plazos. ~ 판매(販賣) venta *f* a plazos, *AmL* venta *f* en cuotas.

할선(割線) 【수학】 (línea *f*) secante *f*.

할 수 없다 (ser) inevitable.
할 수 없이 inevitablemente. 기차는 ~ 지연했다 El tren sufrió un retraso inevitable. 나는 ~ 늦게 도착했다 No pude evitar llegar tarde.

할쑥하다 (ser) delgado, fino, demacrado, descarnado, delgado y adusto. 할쑥한 얼굴 cara *f* demacrada.

할아버지 ① [아버지의 아버지] abuelo *m*; [애칭] abuelito *m*. ② [부모의 아버지와 같은 항렬의 늙은 남자] abuelo *m*. ③ [나이 많은 남자] viejo *m*, anciano *m*.

할아범 ① [신분 낮은 사람의 할아버지] abuelo *m* de la persona humilde en posición social. ② [지체 낮은 늙은 남자] hombre *m* viejo de nacimiento humilde. ③ [제 할아버지의 겸칭] abuelito *m*.

할애(割愛) compartimiento *m*. ~하다 compartir.

할양(割讓) cesión *f*, traspaso *m*. ~하다 ceder, traspasar.

할인(割引) ① [일정한 값에서 얼마를 감함] rebaja *f*, descuento *m*, reducción *f* del precio. ~하다 rebajar, descontar, reducir, bajar el precio, reducir el precio, hacer un descuento, hacer una rebaja, hacer una reducción. ~해서 con descuento, a precio reducido, a un descuento, a una rebaja, con rebaja. 30% ~ 30% [el treinta por ciento] de descuento. 20% ~으로 con rebaja [con descuento] del veinte por ciento. 숙박료 10% ~ el diez por ciento de descuento en hospedaje. 전혀 ~ 없이 sin rebaja alguna. 일 할 ~해서 con rebaja [descuento] del diez por ciento. 5% ~하다 reducir el cinco por ciento, hacer na rebaja de cinco por ciento, hacer una reducción de cinco por ciento. 5천 원 ~하다 rebajar cinco mil wones (del precio). 어음을 ~하다 rebajar [descontar] una letra. 약간 ~해 주실 수 없습니까? ¿No puede usted rebajarme un poco? 10% ~해 드릴 수 있습니다 Podría descontarle un 10%. 최대한으로 ~해 드리겠습니다 Voya ofrecerle el mejor precio / Voy a rebajar en lo posible / Voy a hacerle toda la rebaja que pueda. 나는 20% ~을 받았다 Me hicieron un 20% de descuento [un descuento del 20%]. 그녀는 나에게 소파의 값에서 ~해 주었다 Ella me hizo un descuento en el precio del sofá. 동업자 간에 ~ 있습니까? ¿Hacen descuentos al gremio? 상품은 ~하여 판매했다 La mercancía se vendió con descuento [a precio reducido]? 이 주식은 발행가(發行價)에서 ~하여 값을 매긴다 Estas acciones se cotizan por debajo do su precio de emisión. ② ((준말)) =어음 할인.
■ ~ 가격 precio *m* reducido, precio *m* con descuento. ¶~ 입장권 entrada *f* a precios reducidos [más bajos]. ~권(券) billete *m* de tarifa reducida, billete *m* de precio reducido, billete *m* con rebaja, billete *m* con descuento, talón *m* (*pl* talones) de descuento. ~ 기간(期間) período *m* de descuento. ~료(料) tarifa *f* de descuento, precio *m* reducido. ¶~로 a precio reducido. ~ 발행 emisión *f* de descuento. ~ 소매점 tienda *f* de descuento, tienda *f* de saldos, sociedad *f* mediadora en el mercado de dinero. ~ 수표 letra *f* descontada. ~ 승차권 billete *m* de tarifa reducida. ~ 시장 mercado *m* de descuento. ~ 시장채(市場債) préstamo *m* del mercado de descuento. ~ 어음 letra *f* de descuento, letra *f* descontada. ~ 여행 viaje *m* con descuento. ~ 요금(料金) gastos *mpl* de descuento. ~율(率) tasa *f* de descuento, redescuento *m*, tipo *m* de descuento. ~ 은행 banco *m* de descuento. ~채(債) bono *m* descontado.

할인(割印) sellado *m* en dos documentos con un sello. ~하다 sellar en dos documentos con un sello.

할 일 cosas *fpl* que hacer. ~이 많다 tener mucho que hacer. ~이 없다 no tener nada que hacer. ~이 거의 없다 tener poco que hacer. ~이 조금 있다 tener algo que hacer.

할주(割註) nota *f* insertada en el cuerpo del texto.

할증(割增) prima *f*, suplemento *m*, extra *m*.
■ ~금 prima *f*. ¶~에 붙은 채권(債券) obligación *f* con prima, obligación *f* con lotes. ~을 지불하다 pagar la prima. ~금부 채권(金附債券) bono *m* de prima. ~료 precio *m* suplementario, tarifa *f* extra. ~ 발행 (coste *m* de) emisión *f* de bono con prima. ~ 배당금 dividendo *m* extraordinario. ~ 비율 tipo *m* de prima; 【주식】 tasa *f* de prima. ~ 요금 recargo *m*. ~ 임금(賃金) paga *f* extra.

할짝거리다 seguir lamiendo.
할짝할짝 lamiendo y lamiendo. ~하다 lamer repetidas veces.

할쭉거리다 =할짝거리다.

할쭉하다 (ser) demacrado, ojeroso. 할쭉한 얼굴 cara *f* ojerosa.

할퀴다 rascar, hacer un rasguño, arañar, raspar. 할퀸 상처 [자국] rasguño *m*, arañazo *m*, lamedura *f*. 할퀸 상처일 뿐이다 No es más que un rasguño. 그녀는 그의 얼굴을 할퀴려고 했다 Ella trató de arañarle la cara.

핥다 lamer; [자신의 신체의 일부를] lamerse; [빨다] chupar, chupetear. 접시를 ~ lamer un plato. 아이스크림을 ~ lamer un helado. 캐러멜을 ~ chupar un caramelo. 고양이가 우유를 핥는다 El gato bebe leche a lengüetadas. 개가 주인의 손을 핥는다 El perro lame una mano a su dueño. 아이가

손가락을 핥는다 El niño se lame los dedos. 손가락을 핥지 마라 No te lamas dos dedos.

핥아먹다 ㉮ [혓바닥으로] lamer, beber a lengüetazos. ㉯ [남의 물건을 사취하다] estafar, timar, defraudar, trampear.

핥이다 ① [((핥다의 피동)) 핥음을 당하다] ser lamido, lamerse. ② [((핥다의 사동)) 핥게 하다] hacer lamer.

함(函) caja *f.*

함(艦) ((준말)) =군함(軍艦).

-함(函) caja *f.* 사서~ apartado *m*, apartado *m* postal, apartado *m* de correos. 우편~ buzón *m*.

-함(艦) buque *m* de guerra. 충무공 이순신~ buque *m* de guerra de Chungmugong Lee Sun Sin.

함교(艦橋) puente *m* de mando.

함구(緘口) callada *f*, silencio *m*. ~하다 quedarse callado, callarse, no hablar, dejar de hablar, guardar silencio. ~령(令) norma *f* que establece un límite de tiempo para un debate.

함께 juntos, juntas, juntamente. …와 ~ con *uno*, junto con *uno*, en compañía de *uno*; [협력하여] en cooperación con *uno*; [쌍방이] ambos, -bas; [동시에] al mismo tiempo, a la vez. 나와 ~ conmigo. 너와 ~ contigo. 그이와 ~ con él. 그녀와 ~ con ella. 우리와 ~ con nosotros, con nosotras. 자기 자신과 ~ consigo. 두 사람이 ~ los dos juntos, los dos juntamente; [여자들이] las dos juntas, las dos juntamente. 모두 ~ todos juntos, todas juntas, todos al unísono. 부모와 자식들이 ~ los padres e hijos juntos. 일동(一同)이 ~ todos juntos; [여자들] todas juntas. ~일하다 trabajar juntos. 이해를 ~하다 tener intereses comunes. 대중(大衆)과 ~하다 ser el amigo inseparable de las masas. …와 ~ 여행하다 viajar con *uno*. …와 ~ 기쁨을 나누다 compartir la alegría con *uno*. 편지와 ~ 현금을 보내다 enviar el dinero junto con la carta. 나와 ~ 극장에 가실 수 있습니까? ¿Puede usted ir al cine conmigo? 나와 ~ 가자 Ven conmigo / Acompáñame. ~ 식사합시다 Vamos a comer

함께하다 hacer juntos, participar juntos. …와 ~ hacer con *uno*, participar con *uno*. 이해를 ~ tener intereses comunes. 제 의견도 당신과 함께합니다 Tengo la misma opinión que usted / Soy del mismo parecer que usted.

함닉(陷溺) ① [물속으로 빠져 들어감] hundimiento *m*, sumersión *f*, sumergimiento *m*. ~하다 hundirse, sumergirse, ahogarse, morir ahogado. ② [주색 등의 못된 구렁에 빠져 들어감] adicción *f* (a). ~하다 ser adicto (a). 주색에 ~하다 ser adicto a la bebida y al sexo.

함당률(含糖率) tasa *f* del azúcar contenido.

함대(艦隊) flota *f*, escuadra *f*, armada *f*. 여덟 척의 전함(戰艦)으로 구성된 ~ una escuadra compuesta de ocho barcos de guerra.

■ ~ 기지(基地) base *f* de la flota. ~ 사령관 comandante *m* de la flota.

함락(陷落) ① [땅이 무너져 내려앉음. 함몰(陷沒)] hundimiento *m*. ~하다 hundirse. 지반(地盤)의 ~ hundimiento *m* del terreno. ② [적의 요지·요소 등을 쳐서 빼앗거나 빼앗김] capitulación *f*, rendición *f*; [지위에서] degradación *f*. ~하다 capitular, rendirse, entregarse, degradarse, dejarse convencer. ~시키다 tomar [capturar] por asalto. 수도(首都)가 ~되었다 Se entregó la capital.

■ ~ 지진 terremoto *m* caído.

함락호(陷落湖) =함몰호.

함량(含量) ((준말)) =함유량(含有量).

함령(艦齡) edad *f* del buque de guerra.

함루(含淚) llenado *m* de lágrimas. ~하다 llorar de la emoción. 나는 ~했다 Lloré de la emoción.

함몰(陷沒) hundimiento *m*, depresión *f*. ~하다 hundirse, deprimirse, sumergirse. ~시키다 hundir, sumergir, deprimir.

■ ~만 bahía *f* de depresión. ~ 지진 =함락 지진. ~해 mar *m* de depresión. ~호 lago *m* de depresión.

함미(艦尾) popa *f* del buque de guerra.

함바기 【식물】 ((학명)) Stephania japonica.

함박꽃 【식물】 peonía *f*, peonia *f*.

함박꽃나무 【식물】 magnolio *m*, magnolia *f*.

함박눈 gran copo *m* de nieve. ~이 온다 Nieva en gran copo.

함박만 하다 (el agujero) ser muy grande.

함박조개 【조개】 almeja *f* hembra.

함부로 ① [생각함이 없이 마구] a la ventura, por acaso, a diestro y siniestro, al tuntún, a trochemoche. ② [이것저것 닥치는 대로] al azar, sin permiso. 나무를 ~ 자르다 cortarse los árboles al azar. ③ [버릇없이] groseramente. ~ 행동하다 portarse groseramente.

함분(含憤) guarda *f* de rencor. ~하다 guardar rencor.

함빡 ① [모자람이 없이 아주 넉넉하게] bastante, suficientemente, abundantemente, con abundancia, copiosamente, ampliamente. ② [흐뭇이 온통. 에누리 없이 죄다] todo, completamente, perfectamente. ~ 젖은 mojado hasta los huesos. ~ 젖다 calarse, empaparse; [옷이] mojarse hasta los huesos, mojarse hasta los tuétanos. ~ 젖어 있다 quedar mojado [empapado] hasta los huesos. 땀에 ~ 젖다 empaparse con el sudor.

함상(艦上) ¶~의, ~에(서) a bordo. ~에 오르다 subir a bordo.

함상기(艦上機) 【군사】 =함재기(艦載機).

함석 cinc *m* (*pl* cines), zinc *m* (*pl* zines). ~으로 덮다 cubrir de una chapa de zinc.

■ ~장이 cinquero, -ra *mf*. ~지붕 tejado *m* de zinc. ~집 casa *f* cubierta de chapas de zinc. ~판 cinc *m*, zinc *m*, chapa *f* de zinc [cinc].

함선(艦船) buque *m* naval [de guerra].
함성(喊聲) (gran) gritería *f*, (gran) vocería *f*, protesta *f* (enérgica); [전투·공격 때의] grito *m* de guerra. ～을 지르다 [전쟁에서] dar un grito de guerra. 승리(勝利)의 ～을 지르다 dar un grito de triunfo, cantar victoria.
함소(含笑) ① [웃음을 머금음] acción *f* de tener la sonrisa, sonrisa *f*. ～하다 tener la sonrisa en *sus* labios, sonreír. 얼굴에 ～하다 sonreír de oreja a oreja. ② [꽃이 피기 시작함] florecimiento *m*. ～하다 florecer.
함수(含水) ¶～의 hidratado.
■～ 결정(結晶) cristalización *f* hidratada. ～ 탄소 hidrato *m* de carbono. ～ 화합물 hidato *m*.
함수(含漱) cepilladura *f* de los dientes. ～하다 cepilar los dientes.
함수(函數)【수학】función *f*. ～의 funcional. Y는 X의 ～이다 Y es función de X.
■～가[값] valor *m* de la función. ¶～를[을] 계산하다 calcular el valor de la función. ～ 관계 relación *f* funcional. ～ 그래프[도표] gráfica *f* de la función. ～론(論) teoría *f* de (la) función. ～ 방정식(方程式) ecuación *f* de la función. ～식 fórmula *f* funcional. ～표 =함수 그래프.
함수(鹹水) ① =짠물. ② =바닷물.
■～어(魚) pez *m* de mar, pez *m* de agua salada. ～호(湖) lago *m* salado.
함수(艦首) proa *f*. ～포(砲) cañón *m* de proa.
함수초(含羞草)【식물】sensitiva *f*.
함실 hogar *m* del fondo plano.
■～방 habitación *f* con un hipocausto calentado por el hogar del fondo plano. ～아궁이 =함실.
함실함실 =흠실흠실.
함씨(咸氏) *su* sobrino.
함양(涵養) formación *f*, cultivo *m*. ～하다 cultivar, formar, educar, estblecer, promover. 국력(國力)을 ～하다 promover el poder nacional. 덕성(德性)을 ～하다 cultivar el carácter moral.
함원(含怨) rencor *m*, ojeriza *f*. ～하다 tener*le* [guardar*le*] rencor a *uno*.
함유(含有) lo contenido. ～하다 contener, incluir, comprender, abarcar. 비타민 C를 다량 ～한 rico en vitamina C, que contiene gran cantidad de vitamina C. 물을 ～한 스펀지 esponja *f* mojada en el agua. 이 액체에는 다량의 수은(水銀)이 ～되어 있다 Este líquido contiene gran cantidad de mercurio.
■～량(量) contenido *m*, cantidad *f* contenida.. ¶금(金)의 ～ contenido *m* de oro. 납 ～ contenido *m* de plomo. 비타민 ～ contenido *m* vitamínico. 설탕 ～ contenido *m* de azúcar. 알코올 ～ contenido *m* de alcohol. 지방(脂肪) ～ contenido *m* de grasa. ～ 성분(性分) componente *m*.
함유(含油) lo contenido del petróleo. ～하다 contener el petróleo.
■～셰일 pizarra *f* bituminosa. ～ 수지(樹脂) oleorresina *f*. ～층 capa *f* que contiene el petróleo.
함입(陷入) depresión *f*, concavidad *f*, hundimiento *m*. ～하다 deprimir, hundirse.
함자(銜字) su nombre y apellido. ～를 말씀해 주십시오 Por favor, dígame su nombre y apellido / ¿Puede usted decirme su nombre y apellido? 선생님의 ～는 어떻게 됩니까? ¿Cómo se llama usted?
함장(艦長) capitán *m* (*pl* capitanes), comandante *m* del buque de guerra.
함재(艦載) transporte *m* a bordo de un barco de guerra. ～하다 transportar a bordo de un barco de guerra. ～의 transportado a bordo de un barco de guerra.
■～기(機) avión *m* de bordo.
함적(艦籍) lista *f* de armada.
함정(陷穽) trampa *f*, hoya *f* cubierta, peligro *m* latente, engaño *m*. ～에 빠지다 caer(se) en la trampa, caer(se) en el lazo. ～을 놓다 tender*le* una trampa [una celada] a *uno*. ～을 파놓다 armar trampa. ～에 빠뜨리다 entrampar, hacer caer en la trampa. 자신이 파놓은 ～에 빠지다 caer en *su* propia trampa. 적(敵)은 ～에 빠졌다 El enemigo cayó en la trampa. 나는 그의 ～에 걸려들었다 Yo caí en su trampa.
■～ 수사(搜査) entrampamiento *m*.
함정(艦艇) barcos *mpl* de guerra.
함지 gran vasija *f* de madera achicada.
■～박 plato *m* de madera achicado.
함지(陷地) tierra *f* hundida, hueco *m*, tierra *f* más hundida que el terreno plano..
함지방(一房) habitación *f* que no se puede salir después de que se entre una vez.
함축(含蓄) consecuencia *f*, repercusión *f*, implicación *f*, implicancia *f*, importancia *f*, trascendencia *f*, relevancia *f*, comprensión *f*. ～하다 implicar, tener importancia, comprender.
■～미(美) belleza *f* significativa. ～성(性) lo sugestivo. ¶～ 있는 significativo, sugestivo. ～ 있는 말 palabra *f* significativa, palabras *fpl* con sentido oculto, palabras *fpl* sobretendidas. ～적(的) significativo.
함치르르하다 (ser) lacio y brillante.
함포(艦砲) barco *m* de guerra.
■～ 사격(射擊) bombardeo *m* desde el barco de guerra, bombardeo *m* naval. ¶～을 하다 bombardear desde el barco de guerra.
함하다(陷－) ① [땅바닥이 우묵하다] (ser) hueco. 함한 땅 tierra *f* hueca. ② [기운이 아주 까라지다] (ser) lánguido.
함함하다 (ser) suave y brillante.
함함하다(顑頷－) tener mucha hambre y no poder vivir.
함혐(含嫌) suspicacia *f*. ～하다 (ser) suspicaz.
함형(艦型) forma *f* del buque de guerra.
함호(含糊) lago *m* salado.
함흥차사(咸興差使) mensajero *m* perdido. 그는 그때부터 ～다 Desde entonces él no da

noticia de sí [señales de vida].

합(合) total *m*, suma *f*. ~해서 en total.

합(盒) tazón *m* (*pl* tazones) de latón.

합가(闔家) toda la familia, toda la casa.

합각(合閣) aguilón *m*, gablete *m*, hastial *m*.
■ ~ 지붕 tejado *m* [*AmL* techo *m*] a [de] dos aguas. ~ 처마 alero *m* a [de] dos aguas.

합격(合格) aprobación *f*, admisión *f*, buen éxito *m*, adecuación *f*, eligibilidad *f*. ~하다 ser aprobado (en), tener buen éxito (en), salir bien (en), pasar, adecuarse. ~시키다 aprobar (en). 콩쿠르에 ~하다 ser aprobado para el [admitido al] concurso. 시험에 ~하다 salir bien en el examen, tener buen éxito en el examen, aprobar el examen, pasar el examen. 입학 시험에 ~하다 pasar [aprobar · tener buen éxito en · salir bien en] el examen de ingreso.
■ ~률 proporción *f* de aprobación. ~ 여부 éxito o fracaso. ~자(者) aprobado, -da *mf*, admitido, -da *mf*. ~점(點) nota *f* de aprobación. ~증(證) certificado *m*. ~ 통지 aviso *m* de aprobación. ~품 artículo *m* aprobado, marca *f* garantizada.

합계(合計) [액] importe *m* [monto *m*] total, total *m*, suma *f*; [행위] totalización *f*. ~하다 sumar, totalizar. ~하면, ~로 en total, en suma, en totalidad. ~를 내다 hacer el total. ~로 …이 되다 totalizar en *algo*. 3과 7의 ~를 구(求)하다 sumar tres y siete, hacer la adición [la suma] de tres y siete. 대출은 ~ 천만 원이 되었다 Los préstamos se totalizaron en diez millones de wones. 손실은 ~ 50만 원이 된다 La pérdida suma quinientos mil wones / La pérdida llega a (la cantidad de) quinientos mil wones en total. 이 세 반(班)을 ~하면 학생 수는 100명을 상회한다 Uniendo [Juntando] estas tres clases, el número de los alumnos pasa de ciento.

합궁(合宮) relaciones *fpl* sexuales entre los esposos, relaciones *fpl* sexuales entre el hombre y la mujer.

합금(合金) aleación *f*. ~을 만들다 alear. A와 B의 ~을 만들다 alear A con B.
■ ~강(鋼) acero *m* de aleación. ~ 주물(鑄物) fundición *f* de aleación. ~판 capa *f* galvanoplástica de mezcla de dos o más metales.

합기도(合氣道) *hapkido*, un arte de defensa personal. ~ 선수 hapkidoísta *mf*.

합내(閤內) *su* familia.
■ ~ 제절(諸節) toda *su* familia.

합당(合黨) unión *f* [fusión *f*] del partido. ~하다 unir [fusionar] el partido. ~되다 unirse, fusionarse.

합당하다(合當-) (ser) apto, conveniente, adecuado, convenir (a), quedar [sentar · venir] (a). 합당함 aptitud *f*, conveniencia *f*, buena condición *f*, conformidad *f*. ☞적당(適當)하다

합동(合同) ① unión *f*, incorporación *f*, fusión *f*, amalgamación *f*. ~하다 unirse (con · a), incorporarse (a); [주어는 복수] unirse, fusionar. ~의 conjunto. ~으로 conjuntamente, en conjunto; [협동으로] en cooperación. ~으로 회의를 열다 tener [celebrar] una reunión conjunta [mixta]. ②【수학】congruencia *f*.
■ ~ 결혼 matrimonio *m* en masa. ~ 결혼식 bodas *fpl* en masa, ceremonia *f* de matrimonio en masa. ~ 경영 codirección *f*. ~ 경영자 cogerente *mf*. ~ 공연 función *f* conjunta. ~ 관리 control *m* conjunto. ~ 미사 misa *f* conjunta. ~ 방송 emisión *f* conjunta. ~ 법률 사무소 bufete *m* conjunto de abogados. ~ 사업 empresa *f* conjunta. ~ 상륙 부대 la Fuerza de Tarea Anfibia Conjunta. ~ 선거 연설 campaña *f* electoral conjunta. ~ 위령제 servicio *m* conjunto para los caídos [los muertos]. ~ 위원회 comisión *f* mixta, comité *m* conjunto, comité *m* paritario. ~ 작전(作戰) operaciones *fpl* combinadas. ~장(葬) funerales *mpl* conjuntos. ~ 재판(裁判) juicio *m* conjunto. ~ 정견 발표회 reunión *f* conjunta de campaña. ~ 정찰 reconocimientos *mpl* de conjunto. ~ 참모 el Estado Mayor Conjunto. ~ 참모 본부 Cuartel *m* General [Sede *m*] de Estado Mayor Conjunto. ~ 참모 의장 presidente *m* de Esatdo Mayor Conjunto. ~ 참모 회의 의장 presidente *m* de la Conferencia del Estado Mayor Conjunto. ~ 특수 임무 부대 la Fuerza de Tarea Conjunta. ~ 회의 sesión *f* conjunta.

합동(合洞) unión *f* de *Dong*. ~하다 unir *Dong*.

합뜨리다 =합치다.

합력(合力) ①【물리】resultante *f*. ② [흩어진 힘을 한데 모음. 또, 그 힘] cooperación *f*, esfuerzos *mpl* conjuntos, fuerza *f* combinada.

합류(合流) [냇물이] confluencia *f*, [사람이] incorporación *f*, unión *f*. ~하다 confluir (en); [특히 사람이] concurrir (a), incorporarse (a), encontrarse (con), juntarse (con), reunirse (con). …과 ~하다 confluir con *algo*. 그는 사절단에 ~했다 El se incorporó a la delegación. 나는 여기서 그들과 ~하기로 되어 있다 He de reunirme con ellos aquí / Me he citado con ellos aquí.
■ ~점(點) confluencia *f*, confluente *m*, punto *m* de unión.

합리(合理) racionalidad *f*, razonabilidad *f*.
■ ~론(論)【철학】=오성론(悟性論). 이성론(理性論). 합리주의(合理主義). ~성 racionalidad *f*, racionabilidad *f*. ~적(的) racional, razonable, justificable. ¶~으로 racionalmente, razonablemente, con racionalidad. ~ 방법(方法) manera *f* [modo *m*] razonable. 그의 사고방식은 ~이다 Su manera de pensar es bien lógica. ~적 자애(的自愛) egoísmo *m* racional. ~주의

racionalismo *m.* ~주의자 racionalista *mf.* ~화(化) racionalización *f.* ¶~하다 racionalizar, hacer razonable.

합명(合名) fusión *f*, unión *f.* ~하다 fusionar, unir.

■~ 회사(會社) sociedad *f* (regular) colectiva, *Méj* sociedad *f* en nombre colectiva.

합반(合班) clase *f* combinada. ~하다 combinar las clases.

합방(合邦) [병합] anexión *f* (de un país); [통합] unificación *f* de dos países. ~하다 anexar, anexionar.

합방(合房) acción *f* de usar la misma habitación para dormir juntos. ~하다 usar la misma habitación para dormir juntos.

합법(合法) legalidad *f*, legitimidad *f.*

■~성 legalidad *f*, legitimidad *f.* ~ 운동 movimiento *m* legal. ~적(的) legítimo, legal. ¶~으로 legalmente, legítimamente. ~인 수단 medio *m* legal. ~적 유산 상속인 heredero *m* legítimo, heredera *f* legítima. ~ 투쟁 huelga *f* de celo. ~화 legalización *f.* ~하다 legalizar, legitimar.

합병(合倂) unión *f*, fusión *f*, amalgamación *f*; [병합] incorporación *f*, anexión *f.* ~하다 unir, fusionar, amalgamar, incorporar, anxionar. A와 B를 ~하다 unir [fusionar] (a) A con B [A y B]. A와 B가 ~한다 Se unen [fusionan] A y B. A가 B를 ~한다 A fusiona [absorbe] (a) B. ~은 이미 서명날인되었다 La fusión ya se ha formalizado. 기존의 기업(企業)을 ~시켜 두세 개의 그룹으로 만들었다 Amalgamaron las empresas existentes y formar dos o tres agrupaciones.

■~증(症) complicación *f.* ~호 número *m* combinado.

합보시기(盒-) cuenco *m* con tapa.

합본(合本) ① [여러 권을 함께 매어 제본함] encuadernación *f* de unos libros en un volumen; [책] ejemplares *mpl* encuadernados en un volumen, volumen *m* (*pl* volúmenes) coleccionado. 몇 권의 책을 ~하다 encuadernar unos libros en un volumen. ② =합자(合資).

합부인(閤夫人) *su* señora, *su* esposa.

합사(合祀) servicios *mpl* funerales del alma de más de dos muertos. ~하다 practicar los servicios funerales reuniendo el alma de más de dos muertos.

합사(合絲) hilo *m* enrollado, trenza *f*, hilos *mpl* trenzados.

합삭(合朔) conjunción *f* de luna y sol.

합산(合算) adición *f.* ~하다 sumar, adicionar.

■~액(額) cantidad *f* total.

합살머리 carne *f* de panal.

합석(合席) acción *f* de sentarse juntos. ~하다 sentarse juntos. 이 분과 ~해 주시겠습니까? [식당 등에서] ¿No le importa compartir la mesa con este señor?

합선(合線) ① [선(線)이 합침] unión *f* de las líneas. ~하다 unir las líneas. ②【전기】 cortocircuito *m.* ~하다 poner en cortocircuito. ~되다 ponerse en corto circuito.

■~ 접촉기 contactor *m* de cortocircuito.

합성(合成) ① [두 가지 이상을 합하여 한 가지 상태를 이룸] composición *f.* ~하다 componer. ~의 compuesto. ②【화학】 síntesis *f.* ~하다 sintetizar. ~의 sintético. ~할 수 있는 sintetizable. 알코올 ~은 A가 달성했다 La síntesis del alcohol fue conseguida por Berthelot.

■~ 가속도 aceleración *f* resultante. ~ 결여 asintesis *f.* ~ 고무 caucho *m* sintético, goma *f* sintética.. ¶~는 상당한 중요성을 가져 왔다 El caucho sintético ha tomado importancia considerable. ~금(金) =합금(合金). ~ 대명사 pronombre compuesto. ~ 동사 verbo *m* compuesto. ~ 력 fuerza *f* resultante. ~ 명사(名詞) nombre *m* compuesto. ~물 mezcla *f*, mixtura *f.* ~ 물감 =인조 물감. ~ 부사(副詞) adverbio *m* compuesto. ~ 분석법 sintoanalítica *f.* ~ 분석 정신 요법 sintosicoterapia *f.* ~비료 abono *m* sintético. ~ 사진 =몽타주 사진. ~ 석유 petróleo *m* sintético. ~ 섬유 fibra *f* sintética. ~ 세제(洗劑) detergente *m* sintético. ~수지(樹脂) resinas *fpl* sintéticas, plástica *f.* ~어(語) alabra *f* compuesta. ~ 연료(燃料) combustible *m* sintético. ~ 염료 tinte *m* sintético. ~ 운동(運動) moción *f* resultante. ~음 sonido *m* compuesto. ~ 장뇌(樟腦) canfor *m* sintético. ~적(的) sintético. ¶~으로 sintéticamente, por síntesis. ~주(酒) licor *m* compuesto, licor *m* sintético. ~지(紙) papel *m* sintético. ~ 진자(振子) =복진자(復振子). ~ 피혁 cuero *m* sintético. ~ 향료 especia *f* sintética. ~ 형용사 adjetivo *m* compuesto.

합세(合勢) fuerza *f* unida. ~하다 unir fuerzas, formar la alianza.

합수(合水) confluente *m.* ~하다 fluir [correr] juntos.

합숙(合宿) cohabitación *f*, aposentamiento *m* conjunto, campamento *m* (para entrenamiento). ~하다 alojarse juntos (para entrenamiento), residir temporalmente con otras personas, cohabitar, aposentar juntos.

■~소(所) casa *f* de equipo deportivo, posada *f*, hostería *f*, casa *f* de huéspedes para estudiantes; [노무자의] caseta *f* de obreros constructores. ~ 훈련(訓練) entrenamiento *m* de campamento. ¶~을 하다 quedarse en el campamento para el entrenamiento, acampar para el entrenamiento. ~ 훈련소 campamento *m* de entrenamiento.

합승(合乘) monta *f* en común. ~하다 montar juntos. 이 택시로 ~해서 갑시다 Vamos juntos en este taxi.

■~ 마차 diligencia *f.* ~ 버스 autobús *m*, omnibús *m*, colectivo *m*, *ReD* concho *m.* ~ 택시 colectivo *m*, *ReD* derecho *m.*

합심(合心) unisón *m*, unísono *m*, acuerdo *m*,

convenio *m.* ～하다 ser unido, estar de acuerdo, obrar en forma conjunta obrar al unísono.

합의(合意) conformidad *f,* acuerdo *m,* (mutuo) consentimiento *m,* concordia *f,* consenso *m,* entendimiento *m* mutuo, avenencia *f.* ～하다 acordar + *inf,* convenir (en) + *inf* [(en) que + *inf*], estar conforme, estar en acuerdo, consentir mutuamente. …와 ～ 아래 de común acuerdo con *uno.* 쌍방은 ～에 도달했다 Las dos partes llegaron a un acuerdo. 가격에 대한 ～가 성립되었다 Se ha firmado [llegado a] un acuerdo sobre el precio.

■～ 결혼 matrimonio *m* consensual. ～ 계약(契約) contrato *m* consensual. ～ 이혼 divorcio *m* por el mutuo consentimiento. ～제(制) sistema *m* de consejo.

합의(合議) consulta *f,* conferencia *f;* [토의(討議)] deliberación *f.* ～하다 consultar, conferenciar, celebrar una conferencia; [주어가 복수일 때] deliberar en junta (sobre). ～전(前)에 antes de la consulta. ～ 후(後)에 después de la consulta. 결정은 모두 ～로 이루어진다 Toda resolución se hace de común acuerdo.

■～ 기관 organización *f* colegial. ～ 재판 juicio *m* colegial. ～제 sistema *m* colegial, principio *m* colegiado. ～제 법원 tribunal *m* colegial.

합일(合一) unión *f,* unidad *f,* unificación *f.* ～하다 unir, unificar, juntar.

■～ 문자(文字) monograma *m.*

합자(合字) letra *f* doble, ligadura *f.*

합자(合資) acción *f* mancomunada, sociedad *f* personal, sociedad *f* de responsabilidad ilimitada. ～하다 afiliar las acciones, entrar en la sociedad personal.

■～ 회사(會社) sociedad *f* comanditaria, sociedad *f* en comandita por acciones, comandita *f,* compañía *f* en comandita.

합작(合作) colaboración *f;* [작품] obra *f* en común, trabajo *m* colectivo, obra *f* hecha con otra persona. ～하다 colabrar, producir juntos.

■～ 영화 coproducción *f* cinematográfica. ¶남북(南北) ～ coproducción *f* cinematográfica norte-sur. 한미(韓美) ～ coproducción *f* cinematográfica coreano-estadounidense. 한일(韓日) ～ coproducción *f* cinematográfica coreano-joponesa. 한중(韓中) ～ coproducción *f* cinematográfica sinocoreana. ～자 colaborador, -dora *mf;* [저작자] coautor, -tora *mf.* ～ 투자 coinversión *f,* empresa *f* conjunta, empresas *fpl* mixtas, alianza *f* estratégica; 【증권】 agrupación *f* de empresas, riesgo *m* compartido. ～투자 은행 banco *m* de coinversión. ～ 회사(會社) compañía *f* de coinversión, compañía *f* de inversión conjunta; 【증권】 agrupación *f* de empresas.

합장(合掌) acción *f* de juntar las manos para rezar. ～하다 juntar las palmas para rezar [adorar], juntar las manos (para rezar), rezar con las manos juntas.

■～ 배례(拜禮) adoración *f* de [culto *m* a] juntar las palmas para rezar.

합장(合葬) entierro *m* conjunto. ～하다 enterrar [inhumar · sepultar] juntos. 아내를 남편과 ～하다 enterrar a la esposa junto con su esposo.

합재떨이(盒-) cenicero *m* con tapa.

합저(合著) [저서] obra *f* conjunta; [저술] autoría *f* conjunta.

■～자(者) colaborador, -dora *mf;* coautor, -tora *mf.*

합주(合奏) concierto *m,* música *f* de concierto; [관현의] música *f* de orquesta. ～하다 ejecutar un concierto, tocar en concierto.

◆2부 ～ dueto *m.* 3부 ～ trío *m.* 4부 ～ cuarteto *m.* 5부 ～ quinteto *m.*

■～곡(曲) conjunto *m.* ～단(團) conjunto *m* musical. ～자(者) concertante *mf.*

합주(合酒) una especie de *makgoli* de arroz apelmazado, bebida *f* alcohólica hecha en casa.

합죽거리다 farfullar [hablar entre dientes] con la boca sin dientes.

합죽선(合竹扇) *hapchukseon,* abanico *m* con rayos hechos de pedazo de bambú fino.

합죽이 persona *f* desdentada [sin dientes] con la boca fruncida.

합죽하다 (la boca) ser fruncida.

합죽할미 bruja *f* vieja desdentada.

합죽합죽 mascullando.

합중국(合衆國) ① [둘 이상의 국가 또는 주(州)가 동일 주권(同一主權) 아래 연합하여 형성한 단일 국가] federación *f,* los Estados Unidos. ② ((준말)) =아메리카 합중국 (los Estados Unidos de América, los EE.UU.). ¶～의 estadounidense. ～ 사람 estadounidense *mf.*

합참(合參) ((준말)) =합동 참모 본부.

■～ 의장(議長) jefe *m* del Estado Mayor Conjunto.

합창(合唱) coro *m.* ～하다 cantar en [a] coro. ～으로 노래를 부르다 cantar en coro, cantar al unísono.

◆남성 ～ coro *m* varonil, coro *m* masculino. 여성 ～ coro *m* femenino. 혼성 ～ coro *m* mixto. 2부 ～ dueto *m,* dúo *m.* 3부 ～ trío *m,* terceto *m.* 4부 ～ cuarteto *m,* coro *m* a cuatro veces. 5부 ～ quinteto *m.*

■～곡 coro *m,* canto *m* coral. ～단 coro *m.* ～대 coro *m.* ～대원 corista *mf.* ～자 corista *mf.*

합체(合體) unión *f,* incorporación *f,* combinación *f,* alianza *f,* liga *f,* coligación *f;* [합병] anexión *f.* ～하다 unirse, juntarse, incorporarse, combinarse, estar aliado, absorberse, mezclarse.

합치(合致) acuerdo *m,* convenio *m;* [부합] coincidencia. ～하다 estar de acuerdo, concordarse.

합치다(合-) ((힘줌말)) =합(合)하다.

합판(合板) contrachapado *m*, madera *f* chapeada, madera *f* contrapeada, madera *f* laminada, tablero *m* en varias capas, chapa *f* cruzada.
◆프린트~ contrachapado *m* impreso.
■~재(材) madera *f* contrachapada.

합판(合版) publicación *f* conjunta. ~하다 publicar conjuntamente.

합판(合辦) codirección *f*. ~하다 dirigir [administrar · manejar] conjuntamente.
■~ 사업 empresa *f* colectiva. ¶한국과 서반아의 ~ empresa *f* colectiva entre Corea y España. ~ 회사(會社) sociedad *f* mixta, sociedad *f* de capital mixto. ¶외국 자본과의 ~를 만들다 formar una sociedad mixta con capital extranjero.

합평(合評) crítica *f* (que se hace) en común. ~하다 comentar en común, hacer observaciones juntos.
■~회 reunión *f* para criticar en común.

합하다(合—) ① [(둘 이상이) 하나가 되다] ㉮ [결합하다] juntarse, reunirse, unirse, combinarse. ㉯ [겹치다] poner (sobre · encima de). 합해서 en junto, a bulto, de todo, por completo, enteramente; [한 덩어리로] en masa. 두 강이 합하는 곳 confluencia *f* de dos ríos. 합해서 팔다 vender a bulto; [세트로] vender por juegos. ② [(둘 이상을) 모아 하나로 만들다 · 한데 모으다] juntar, unir, combinar; [더하다] adicionar, sumar, añadir, agregar; [합병하다] anexar, adjuntar, amalgamar. 두 당을 ~ unir dos partidos a uno. 본대(本隊)와 ~ juntar con el cuerpo principal. 두 손을 ~ juntar las manos. 힘을 ~ unir las fuerzas, cooperar (con), colaborar (con). …와 힘을 합해서 en colaboración con *uno*, en cooperación con *uno*. 종이 두 장을 합해서 자르다 cortar dos papeles juntos. 부부의 수입은 합해서 삼백만 원이다 Los ingresos del matrimonio sumados llegan a tres millones de wones. 그는 지혜와 용기를 합해 가지고 있다 El tiene a la vez sabiduría y valor / El une la sabiduría a la bravura. ③ [뒤섞다] mezclar, combinar. 두 가지 술을 ~ mezclar dos licores. 기름과 식초를 ~ mezclar vinagre con aceite. 술과 물을 ~ mezclar agua en el vino.

합헌(合憲) lo *constitucional*. ~의 constitucional, conforme a la constitución.
■~성(性) constitucionalidad *f*.

합환(合歡) ① [기쁨을 함께함] acción *f* de alegrarse juntos. ~하다 alegrarse juntos. ② [남녀가 한 이불 속에서 즐김] acción *f* que hombre y mujer se divierten en una cama. ~하다 (hombre y mujer) divertirse en una cama.
■~목 árbol *m* de la seda. ~주 ㉮ [혼례 때 신랑 신부가 서로 바꿔 마시는 술] vino *m* nupcial. ㉯ [합환하기 전에 남녀가 마시는 술] vino *m* que los novios beben antes de divertirse en una cama.

핫- ① [솜을 둔 것] enguatado con algodón. ~바지 pantalones *mpl* enguatados con algodón. ② [배우자를 갖추고 있음] que tiene cónyuge. ~어미 mujer *f* que tiene cónyuge.

핫것 ropa *f* enguatada con algodón, colchón *m* enguatado con algodón.

핫길(下—) cualidad *f* [calidad *f*] inferior, objeto *m* de cualidad [calidad] inferior.

핫뉴스(영 *hot news*) [큰 뉴스] noticia *f* bomba; [최신 뉴스] noticias *fpl* de última hora.

핫도그(영 *hot dog*) perro *m* caliente, perrito *m* caliente, hot dog *ing.m*, *RPI* pancho *m*.

핫두루마기 *hatdurumaki*, abrigo *m* enguatado con algodón para hombres.

핫바지 ① [솜을 두어 지은 바지] *hatbachi*, pantalones *mpl* enguatado con algodón. ② ((속어)) [시골 사람] campesino, -na *mf*; [무식하고 어리석은 사람] persona *f* ignorante y estúpida.

핫옷 ropa *f* enguatada con algodón.

핫이불 colchón *m* enguatado con algodón.

핫저고리 *hatcheogori*, blusa *f* tradicional coreana enguatada con algodón.

핫케이크(영 *hot cake*) crep(e) *m*, *AmL* panqueque *m*, *Méj* crepa *f*, *AmC*, *Col* panqué *m*, *Ven* panqueca *f*.

핫퉁이 ① [솜을 많이 두어 퉁퉁한 옷] ropa *f* enguatada con algodón. ② [철 지난 뒤에 입은 솜옷] ropa *f* enguatada con algodón fuera de temporada.

핫팬츠(영 *hot pants*) minishots *mpl*, hot pants *ing.mpl*, pantalones *mpl* cortos.

항(項) ① [조항(條項)] cláusula *f*. 제4조 제3~ la cláusula tercera del artículo cuarto. ② [문장의] párafo *m*. ③ [항목] artículo *m*. ④ 【수학】 término *m*.

항-(抗) anti-. ~비타민제 antivitamina *f*.

-항(港) puerto *m*. ~내에 en el puerto, dentro del puerto. ~을 떠나다 zarpar del puerto.
◆부산~ el Puerto (de) Busan. 자유(自由)~ puerto *m* libre.

항간(巷間) mundo *m*, calle *f*, ciudad *f*. ~에서 en la calle. ~에 떠도는 이야기 rumor *m*.

항거(抗拒) resistencia *f*, desobediencia *f*, rebelión *f*. ~하다 resistir, oponer, desobedecer.

항고(抗告) 【법률】 apelación *f*, demanda *f*, recurso *m*. ~하다 apelar de [contra] una sentencia, demandar, querellarse.
■~ 기간 término *m* de demanda. ~심(審) examen *m* de testigos de demanda. ~인 demandante *mf*.

항공(航空) aviación *f*, vuelo *m*, navegación *f* aérea. ~의 aéreo, aeronáutico.
■~계 mundo *m* aéreo, círculos *mpl* de aviación. ~ 계기(計器) instrumentos *mpl* aeronáuticos. ~ 공학(工學) tecnología *f* aeronáutica. ~ 관제 ((준말)) = 항공 교통 관제. ~ 관제탑 torre *f* de control, torre *f* de mando. ~ 교통 tráfico *m* aéreo. ~ 교통 관제 control *m* del tráfico aéreo. ~ 교

통 관제관 controlador *m* aéreo, controladora *f* aérea. ~기 avión *m* (*pl* aviones), aeroplano *m*. ¶~ 납치범 pirata *m* aéreo, pirata *f* aérea. ~ 산업 industria *f* aeronáutica. 정기(定期) ~ avión *m* de línea. ~ 기관사 mecánico, -ca *mf* de vuelo [de a bordo]. ~ 기사(技師) ingeniero *m* aeronáutico, ingeniera *f* aeronáutica. ~기 산업 industria *f* aeronáutica. ~ 기상 기록기 aerometeorógrafo *m*. ~ 기상학 meteorología *f* aeronática, aerología *f*. ~기 운항 안전법 ley *f* de seguridad en la operación de aviones. ~ 기지(基地) base *f* aérea. ~대 (cuerpo *m* de) aviación *f*. ¶육군 ~ aviación *f* militar. 해군 ~ aviación *f* naval. ~도(圖) =항공 지도. ~ 등기(謄記) correo *m* aéreo registrado. ~ 등대 faro *m* aéreo. ~로 aerovía *f*, ruta *f* aérea, línea *f* aérea. ~모함(母艦) buque *m* aeródomo, (buque *m*) portaaviones *m.sing.pl*, portaviones *m.sing.pl*, portaaeronaves *m.sing.pl*. ~무선(無線) radiotelegrafía *f* aérea. ~ 문학(文學) literatura *f* de aviación. ~법 ley *f* de aviación. ~병(兵) ㉮ [파일럿] aviador, -dora *mf*. ㉯ [사병(士兵)] soldado, -da *mf* de la fuerza aérea. ~병(病) enfermedad *f* aérea, aeropatía *f*. ~ 보험 seguro *m* de vuelo. ~ 봉함 엽서 aerograma *m*. ~ 부대 división *f* de la fuerza aérea, aviación *f*. ~사(士) piloto *mf*, aviador, -dora *mf*, manipulador, -dora *mf*. ~사(史) historia *f* de la aviación, historia *f* de la navegación aérea. ~ 사업(事業) negocio *m* de transportación aérea, servicio *m* aéreo. ~ 사진 fotografía *f* aérea. ~ 생물학(生物學) aerobiología *f*. ~선(船) =비행선(飛行船). ~성 부비 강염(性副鼻腔炎) aerosinusitis *f*. ~성 이염 otitis *f* de aviación. ~성 중이염 aerotitis *f*. ~성 치통 aerodontalgia *f*. ~ 세관(稅關) aduana *f* aeroportuaria. ~ 수송 transporte *m* aéreo, transportación *f* aérea [por el aire]. ¶~하다 aerotransportar, transportar por avión [por vía aérea]. ~의 transportado por el aire. 정기(定期) ~ tráfico *m* aéreo regular. ~ 수송병 tropas *fpl* transportadas. ~술(術) aeronáutica *f*, aviación *f*. ~ 스케줄 programa *m* de vuelos. ~ 시간 tiempo *m* de vuelo. ~ 시대 edad *f* aérea. ~ 시설 servicio *m* aéreo, facilidades *fpl* de aerolínea. ~ 신경증(神經症) aeroastenia *f*, aeroneurosis *f*. ~ 심리학 psicología *f* de aviación. ~ 여행 가방 bolso *m* de mano. ~ 역학 aerodinánica *f*. ~ 연료 combustible *m* de [para] aviación. ~ 요금 precio *m* del pasaje, precio *m* del billete de avión, tarifas *fpl* aéreas. ~ 우주의학 medicina *f* de aeroespacio. ~ 우편 correo *m* aéreo, correo *m* por avión. ¶~으로 por correo aéreo, por avión. ~으로 보내다 enviar [mandar] por correo aéreo, enviar [mandar] por vía aérea, enviar [mandar] por avión. ~ 우표(郵票) sello *m* [*AmL* estampa *f*] de correo aéreo. ~ 의학 aeromedicina *f*. ~ 일지(日誌) libro *m* de vuelo, diario *m* de vuelo. ~ 적하 수취증 conocimiento *m* de embarque aéreo. ~전(戰) =공중전(空中戰). ~ 전자 공학(電子工學) aviónica *f*, electrónica *f* aeronáutica, electrónica *f* espacial. ~ 정찰 exploración *f* aérea [de vuelo]. ~ 중이염(中耳炎) aerotitismedia *f*, barotitis *f*. ~ 지도 mapa *m* aéreo. ~ 측량 medición *f* aérea. ~ 치과학 aerodontia *f*. ~편 ㉮ vuelo *m*., servicio *m* aéreo. ¶~으로 en vuelo, volando. 마드리드행[발] K-123 ~ vuelo *m* K-123 con destino a [procedente de] Madrid. 대서양 횡단 ~ servicio *m* aéreo transatlántico. 태평양 횡단 ~ servicio *m* aéreo transpacífico. ㉯ ((준말)) =항공 우편. ~표 billete *m* de avión, pasaje *m* (de avión). ~ 표지 aerofaro *m*. ~ 프로그래머 programador, -dora *mf* de vuelos. ~학 aeronáutica *f*. ~학교 escuela *f* de aeronáutica, escuela *f* de pilotos. ~ 학회 sociedad *f* para la ciencia aeronáutica y espacial. ~항 =공항(空港) (aeropuerto). ~ 화물 carga *f* aérea. ~ 화물 운임(貨物運賃) flete *m* aéreo. ~ 화물편(貨物便) transporte *m* aéreo. ¶~으로 보내다 enviar [transportar] por avión, enviar [transportar] por vía aérea. ~ 회사(會社) compañía *f* de aviación, compañía *f* (de nevegación) aérea.

항구(港口) puerto *m*. ~에 들르다 hacer escala en el puerto.
 ■ ~ 도시(都市) ciudad *f* portuaria. ~세(稅) derechos *mpl* de puerto.

항구성(恒久性) permanencia *f*, constancia *f*, perpetuidad *f*, eternidad *f*.

항구여일(恒久如一) constancia *f* de mucho tiempo.

항구적(恒久的) constante, perpetuo, permanente, eterno. ~으로 constantemente, perpetuamente, a perpetuidad, eternamente. 반(半)~으로 casi eternamente. ~ 평화 paz *f* perpetua.

항구하다(恒久－) (ser) perpetuo, permanente, eterno.

항구화(恒久化) perpetuación *f*. ~하다 perpetuar. 세계 평화를 ~하다 perpetuar la paz mundial.

항균성(抗菌性) antibiosis *f*. ~의 antibiótico.
 ■ ~ 물질(物質) antibióticos *mpl*.

항기(降旗) bandera *f* blanca, bandera *f* de rendición.

항내(港內) el área *f* [*pl* las áreas] de puerto, interior *m* de puerto. ~에 dentro de puerto, en el puerto.
 ■ ~ 시설(施設) facilidades *fpl* del puerto.

항다반(恒茶飯) =일상(日常).
 ■ ~사(事) asunto *m* de incidencia común.

항담(巷談) =항설(巷說).

항도(港都) ((준말)) =항구 도시(港口都市).

항독소(抗毒素) antitoxina *f*.

항등식(恒等式) 【수학】 ecuación *f* idéntica, identidad *f*.

항라(亢羅) seda *f* pura.

항력(抗力) 【물리】 resistencia *f* aerodinámica, resistencia *f* al avance.

항렬(行列) grado *m* de parentesco. ~로 아저씨뻘이다 ser *su* tío por ascendencia.

■ ~자(字) letra *f* escrita en el nombre para la ascendencia.

항례(恒例) práctica *f* usual, uso *m*, costumbre *f*. ~의 usual, acostumbrado, habitual. ~와 같이 como usual, según la costumbre de tiempo honrado. 매년 ~의 대매출(大賣出)이 시작되었다 Han empezado las grandes ventas de todos los años.

항로(航路) ruta *f* aérea, línea *f* (aérea), ruta *f* de navegación, derrotero *m*. …로 ~를 정하다 tomar una ruta para *un sitio*.

◆ 대서양 ~ línea *f* transatlántica. 유럽 ~ [한국과의] ruta *f* entre Corea y Europa. 정기(定期) ~ servicio *m* regular, servicio *m* fijo de pasaje. 태평양 ~ línea *f* transpacífica.

■ ~도(圖) mapa *m* hidrográfico, carta *f* de navegación. ~ 목표(目標) marca *f* de reconocimiento. ~ 변경 desviación *f*, desvío *m*. ~ 부표 boya *f* de la canal. ~ 신호 señal *f* marina. ~ 표지 descripción *f* de rutas aéreas, marca *f* náutica, baliza *f*. ~ 표지법(標識法) ley *f* de descripción de rutas aéreas.

항론(抗論) refutación *f*, impugnación *f*, confutación *f*. ~하다 refutar, contradecir, impugnar, rebatir, confutar, argüir.

항만(港灣) puertos *mpl*, puertos y bahías. ~의 portuario, de puerto(s).

■ ~ 개량(改良) mejora *f* portuaria. ~ 경비정 barco *m* de vigilancia del puerto. ~ 공사 obra *f* de construcción del puerto. ~과(課) sección *f* de obras portuarias. ~ 노동자(勞動者) estibador, -dora *mf*; obrero *m* portuario, obrera *f* portuaria. ~법 ley *f* de puertos. ~ 스트라이크 huelga *f* portuaria, huelga *f* de estibadores. ~ 시설 instalaciones *fpl* portuarias. ~ 운송(運送) servicio *m* de transporte del puerto. ~ 위원회 autoridad *f* portuaria. ~청(廳) la Dirección Marítima y Portuaria. ~ 하역 carga y descarga portuarias.

항명(抗命) desobediencia *f*. ~하다 desobedecer. ■ ~죄(罪) amotinamiento *m*.

항모(航母) ((준말)) =항공모함.

항목(項目) artículo *m*, párrafo *m*, apartado *m*; 【부기】 partida *f*. 열다섯 ~의 요구 demanda *f* en quince puntos. ~으로 나누다 dividir en artículos. ~별로 나누다 especificar, dividir en párrafos. 사전에서 …의 ~을 색인하다 consultar un diccionario por la voz [por el apartado] de *algo*.

■ ~별 색인 índice *m* de materias. ~화 especificación *f*. ¶~하다 especificr, hacer una lista (de), enumerar

항무(港務) servicio *m* de puerto.

항문(肛門) 【해부】 ano *m*., orficio *m*, sieso *m*. ~의 anal, del ano.

■ ~경(鏡) anoscopio *m*, proctoscopio *m*. ~공(孔) abertura *f* anal, orificio *m* anal. ~과(科) proctología *f*. ~과 전문의(科專門醫) proctólogo, -ga *mf*. ~관(管) canal *m* anal. ~ 괄약근 esfínter *m* anal [del ano]. ~ 괄약근 검사법 esfinteroscopia *f*. ~ 괄약근경(括約筋鏡) esfinteroscopio *m*. ~ 괄약근 마비 proctoplejía *f*, proctoparalisis *f*. ~ 괄약근통 esfinteralgia *f*. ~동(洞) seno *m* anal. ~동굴(洞窟) seno *m* anal. ~루(瘻) fístula *f* anal. ~ 미골 신경(尾骨神經) nervio *m* anococcígeo. ~ 미골 인대(尾骨靭帶) ligamento *m* anococcígeo. ~병(病) sufrimiento *m* anal; [치질] hemorroide *f*. ~ 병원 hospital *m* de enfermedad anal. ~부 región *f* anal. ~샘 glándula *f* anal. ~선(腺) glándula *f* anal. ~ 성교 coito *m* anal. ~성형술 anoplastia *f*, proctoplastia *f*. ~염(炎) anusitis *f*, arquitis *f*. ~ 융기(隆起) tubérculo *m* anal. ~ 주위염 periproctitis *f*. ~ 직장(直腸) anorecto *m*. ~ 출혈(出血) hemoproccia *f*, hemoproctia *f*. ~탈 봉합술 proctorrafia *f*. ~ 폐쇄 anquiloproccia *f*. ~ 폐쇄증(閉鎖症) atresia *f* anal. ~ 하수증 proctoptosis *f*. ~ 협착 anquiloproccia *f*. ~ 회음 봉합술 proctoperineorrafia *f*. ~ 회음 성형술 proctoperineoplastia *f*.

항법(航法) navegación *f*.

◆ 극지(極地) ~ navegación *f* polar. 천문(天文) ~ navegación *f* astronómica, astronavegación *f*.

■ ~사(士) navegante *mf*.

항변(抗辯) refutación *f*, réplica *f*, confutación *f*, protesta *f*; [법정에서의] defensa *f*, alegato *m*. ~하다 refutar, replicar, protestar, defenderse.

항병(降兵) soldado *m* rendido.

항복(降伏/降服) rendición *f*; [조건부의] capitulación *f*; [복종] sumisión *f*, sometimiento *m*. ~하다 rendirse, someterse, entregase *sus* armas. ~시키다 rendir, someter. 적(敵)에게 ~하다 rendirse [someterse] al enemigo. 적을 ~시키다 someter [rendir] a los enemigos. 적과 ~ 조건을 협정하다 capitular con el enemigo. ~이라고 말하다 declararse vencido. ~(이다)! Me rindo / Me doy por vencido // 【유도】 Maitta / Estoy derrotado. 그는 적(敵)에게 ~하지 않았다 El no se rindió al enemigo. 3개월 포위를 당하자 적(敵)은 ~했다 Después de tres meses del cerco se rindieron los enemigos.

■ ~기(旗) =항기(降旗). ~ 문서(文書) documento *m* de rendición.

항비타민제(抗 vitamin 劑) antihistamina *f*.

항상(恒常) siempre, constantemente. 그는 ~ 나에게 친절히 대해 왔다 El siempre ha sido amable conmigo.

항생(抗生) antibiosis *f*. ~의 antibiótico.

■ ~ 물질 antibiótico *m*. ~제 antibióticos *mpl*.

항서(降書) carta *f* de capitulación.

항설(巷說) rumor *m* público, hablilla *f*, objetos *mpl* de las hablillas de un pueblo, chismografía *f*, chismería *f*, charlanduría *f*, picotería *f*, parlanduría *f*, [속설] voz *f* común.

항성(恒性) constancia *f*. ～의 constante.

항성(恒星) estrella *f* fija, astro *m*. ～의 sideral, sidéreo.

■～ 광도(光度) luminosidad *f* sideral. ～기(期) ((준말)) ＝항성 주기. ～년(年) año *m* sideral, año *m* sidéreo. ～도(圖) plano *m* sideral. ～시 hora *f* sideral, hora *f* sidérea. ～월 mes *m* sideral, mes *m* sidérea. ～일 día *m* sideral, día *m* sidéreo. ～ 주기(週期) revolución *f* sideral. ～표 ＝성표(星表).

항소(抗訴) apelación *f* (ante el tribunal superior), recurso *m* de apelación ante segunda instancia. ～하다 interponer [presentar] una apelación (ante el tribunal superior). ～를 기각하다 desestimar una apelación. ～를 철회하다 retirar una apelación. 판결에 대해 ～하다 apelar de [contra] la sentencia.

■～권(權) derecho *m* de apelación ante segunda instancia. ¶～의 소멸(消滅) extinción *f* del derecho del recurso de apelación ante segunda instancia. ～ 기각(棄却) desestimación *f* del recurso de apelación ante segunda instancia. ～ 법원 tribunal *m* del recurso de apelación ante segunda instancia. ～ 신청서(申請書) escrito *m* de la interposición del recurso de apelación ante segunda instancia. ～심(審) instancia *f* del recurso de apelación, juicio *m* de apelación. ～ 이유서 escrito *m* del alegato de fundamentos para el recurso de apelación ante segunda instancia. ～인 apelante *mf*. ～장(狀) escrito *m* del recurso de apelación ante segunda instancia. ～ 제기 기간 término *m* de la interposición del recurso de apelación ante segunda instancia. ～ 제기 방식 forma *f* de la interposición del recurso de apelación ante segunda instancia. ～ 제기 이유(提起理由) fundamentos *mpl* de la interposición del recurso de apelación ante segunda instancia.

항속(恒速) velocidad *f* constante.

항속(航速) velocidad *f* de navegación.

항속(航續) navegación *f* aérea continua.

■～ 거리(距離) autonomía *f* (de vuelo), recorrido *m*. ～ 기간(期間) duración *f* de navegación. ～력 poder *m* de navegación. ～ 시간 duración *f* de navegación.

항쇄(項鎖) canga *f*.

■～족쇄(足鎖) la picota y los grillotes.

항습(恒習) costumbre *f* regular, hábito *m* usual.

항시(恒時) ① ＝상시(常時). ② ＝늘.

항시(港市) ((준말)) ＝항구 도시(港口都市).

항심(恒心) creencia *f* firme, constancia *f*, perveración *f*, firmeza *f*, corazón *m* constante. ～ 없는 사람 persona *f* firme en su propósito. 항산 없는 사람은 ～이 없다 Una propiedad real, un propósito real.

항아리(缸－) vasija *f*, jarro *m*, jarra *f*, pote *m*, tinaja *f*, [큰] cántaro *m*, orza *f*. ～에 넣다 echar en un pote.

항아리손님(缸－) parotiditis *f*.

항암제(抗癌劑) anticanceroso *m*, medicina *f* anticanserosa.

항오(行伍) formación *f*, fila *f*.

항온(恒溫) ＝상온(常溫).

■～기(器) termóstato *m*. ～대(帶) ＝상온층(常溫層). ～ 동물 ＝정온 동물(定溫動物). ～조(槽) ＝항온기(恒溫器). ～층(層) ＝상온층(常溫層).

항용(恒用) ① [보통임] lo normal, lo corriente. ② [늘. 보통] siempre, ordinariamente.

항우장사(項羽壯士) persona *f* muy fuerte.

항원(抗元/抗原) 【생리】 antígeno *m*. ～의 antígeno.

■～ 과잉(過剩) exceso *m* de antígeno. ～균(菌) germen *m* antigénico. ～성(性) antigenicidad *f*. ～성 변이 variación *f* antigénica. ～ 주사 요법 antigenoterapia *f*. ～체(體) anticuerpo *m*. ～혈증 antigenemia *f*.

항의(抗議) protesta *f*, [이의 신청(異議申請)] reclamación *f*, [불평] queja *f*, [반대] oposición *f*. ～하다 protestar (de · por · contra), hacer protestas (de · por · contra), reclamar (contra), quejarse (de), oponerse (a). ～의 소리를 높이다 prorrumpir en gritos de protesta [de queja] (contra *algo*). 경찰관에게 ～하다 protestar a un policía. 정부에 ～하다 protestar [hacer protestas] al [ante el] gobierno (contra). 중상(中傷)에 ～하다 protestar contra la calumnia. 심판의 판정에 ～하다 reclamar contra el fallo del árbitro. 주심(主審)의 결정에 ～하다 reclamar contra una decisión del árbitro.

■～ 데모 manifestación *f* de protesta. ¶～를 하다 manifestarse (contra), organizar una manifestación pública (contra). ～문(文) (carta *f* de) protesta *f*, escrito *m* de protesta. ～서(書) ＝항의문. ～ 집회(集會) reunión *f* [mitin *m*] de protesta.

항의(巷議) rumor *m* público en la calle.

항일(抗日) anti-Japón, resistencia *f* al Japón. ～의 anti-japonés.

■～ 사상 sentimiento *m* antijaponés. ～운동(運動) movimiento *m* antijaponés. ～투사 luchador *m* antijaponés, luchadora *f* antijaponesa. ～투쟁 lucha *f* antijaponesa.

항장(降將) general *m* rendido.

항쟁(抗爭) lucha *f*, conflicto *m*, pugna *f*, resistencia *f*, protesta *f*, rebelión *f*, [대항] rivalidad *f*. ～하다 luchar, resistir, protestar, contender. 필사적인 ～ resistencia *f* hasta la muerte, resistencia *f* hasta el último momento.

항적(抗敵) resistencia *f*. ～하다 resistir.

항적(航跡) estela *f*.

항전(抗戰) resistencia *f* (al enemigo). ～하다 resistir, intentar resistencia. 적(敵)에 ～하다 resistir [oponer resistencia] al enemigo.

항정 ① [개 · 돼지 같은 짐승의 목덜미] nuca *f*. ② [양지머리 위에 붙은 쇠고기] carne *f*

de vaca del cuarto delantero.
항정(航程) distancia *f* de un viaje, travesía *f* de barco, distancia *f* cubierta por un barco; [일주야의] singladura *f*.
■ ~선(線) cordel *m* de la corredera. ~표 cuaderno *m* de bitácora, libro *m* de navegación, diario *m* de a bordo.
항조하다(亢燥-) (la tierra) ser árido debido a la zona alta.
항주력(航走力) velocidad *f* de navegación.
항직하다(伉直-) =강직하다.
항진(亢進) ① [자꾸 높아짐. 더함] elevación *f*, crecida *f*, acelaración *f*, acreencia *f*, exacerbación *f*. ~하다 elevarse, crecer, exacerbar, exasperar, crecer a violencia. ② [(기세나 병세 따위가) 높아지거나 심하여짐] gravedad *f*, empeoramiento *m*. ~하다 agravarse, empeorar(se). 병세(病勢)가 ~한다 El estado de la enfermedad se agrava [(se) empeora].
항진(航進) avance *m*. ~하다 avanzar.
항체(抗體) anticuerpo *m*.
항풍(恒風) viento *m* preponderante, viento *m* constante.
항해(航海) navegación *f* (marítima), viaje *m* por mar, travesía *f* en barco. ~하다 navegar, viajar por mar, darse a la vela. ~ 중에 durante la navegación. …를 향해서 ~하다 hacer rumbo hacia *un sitio*. 칠대양을 ~하다 navegar por todos los oceános, surcar los siete mares.
■ ~권 derecho *m* de navegación. ~도 carta *f* de navegación. ~등 luces *fpl* de navegación. ~력(曆) calendario *m* de navegación. ~ 보험 seguro *m* de navegación. ~사(士) piloto *m*. ~ 생활(生活) vida *f* marinera, vida *f* de mar. ~ 속력(速力) velocidad *f* de mar. ~술(術) arte *m* de navegar, náutica *f*. ~ 일지(日誌) diario *m* [libro *m*] de navegación, cuaderno *m* de bitácora, diario *m* de a bordo. ~자(者) marinero, -ra *mf*; navegante *mf*. ~장(長) piloto *m*. ~ 조례(條例) reglamentos *mpl* de navegación. ~ 증서(證書) certificado *m* de navegación. ~표(表) tabla *f* náutica.
항행(航行) navegación *f*, viaje *m* por mar. ~하다 navegar, viajar por el mar. ~의 자유 libertad *f* de navegación. ~ 중인 배 barco *m en navegación*. ~ 가능한 강 río *m* navegable. ~이 불가능한 강(江) río *m* innavegable. 강[바다]을 ~하다 ir por río [mar] en barco.
■~ 구역 zona *f* [el área *f* (*pl* las áreas)] de navegación. ~권(權) derecho *m* de navegación. ~도(圖) carta *f* de navegación.
항혈청(抗血淸) 【의학】 antisuero *m*.
항효소(抗酵素) antifermento *m*.
항히스타민제(抗 histamine 劑) antihistamina *f*.
해[1] ① [태양(太陽)] sol *m*. ~가 뜨다 salir el sol. ~가 저물다 anochecer. ~가 뜰 때 al salir el sol, al apuntar la mañana. ~가 뜬다 Sale el sol. ~가 높다 El sol está alto. ~가 기운다 El sol empieza a ponerse / Empieza a caer el día. ~는 동쪽에서 뜬다 El sol sale por el este. ② [지구가 태양을 한 바퀴 도는 동안. 연(年)] año *m*. ~마다 cada año, todos los años. ~가 바뀌다 cambiarse el año. ~를 넘기다 pasar el año. 내가 태어난 ~ el año (en) que nací. ~가 지남에 따라 a medida que pasan los años, con los años. ③ [「낮」의 장단(長短)을 일컫는 말] día *m*. 오뉴월 긴긴 ~ día *m* larguísimo de mayo y junio. 여름에는 ~가 길다 El día es largo en el verano. 겨울에는 ~가 짧다 El día es corto en el invierno. ~가 길어진다 Se alargan los días / El día se hace más largo. ~가 짧아진다 Se acortan los días. ④ [1월부터 12월까지 열두 달을 한 단위로 세는 말] año *m*. 두 ~ dos años. 몇 ~ 동안 por varios años. ⑤ [햇빛. 햇볕] luz *f* del sol. ~에 비추어 빛나다 brillar al sol. ~를 쪼이다 tomar el sol. ~가 드는 장소에 al sol. ~가 들지 않는 장소에 a la sombra.
◆해가 길다 el día es largo. 해가 긴 여름날 día *m* veraniego que el día es largo.
◆해가 서쪽에서 뜨다 ser absolutamente imposible.
◆해가 지다 ponerse el sol. 해가 질 때 al caer el sol, a la puesta del sol. 해가 진 다음에 después de anochecer. 해가 진다 Se pone el sol / Anochece / Atardece / Cae el día. 해는 서쪽으로 진다 El sol se pone por el oeste.
◆해가 짧다 el día es corto. 해가 짧은 겨울날 día *m* invernal que el día es corto.
해[2] [사람을 나타내는 명사·대명사의 뒤에 붙어서 「그의 소유의 것」이라는 뜻을 나타내는 말] lo *suyo*, el *suyo*, la *suya*, los *suyos*, las *suyas*. 내 ~ el mío. 뉘 ~냐? ¿De quién es? 이건 네 ~다 Esto es (el) tuyo. 큰 것이 내 ~ Lo grande es mío / Lo grande es de mí. 우리 ~는 어느 것일까? ¿Cuál será lo nuestro?
해[3] [반말체 명령형] =해라(Haz). ¶이 일을 ~ Haz esto.
해[4] [힘없이 멋쩍게 입을 벌리는 모양] con la boca abierta.
해[5] [입을 반쯤 벌리고 속없이 벙그레 웃는 모양. 또, 그 소리] riéndose ligeramente, con una risita ligera. ~ 웃다 reírse ligeramente.
해[6] =하여. ¶그렇게 ~도 된다 Tú puedes hacerlo así.
해(亥) ① [12지(支)의 끝] el Signo del Cerdo, el último de los doce signos horarios. ② ((준말)) =해방(亥方). ③ ((준말)) =해시(亥時).
해(害) daño *m*, perjuicio *m*; [작물의] plaga *f*; [해악] mal *m*. ~하다, ~를 끼치다 perjudicar (a), dañar (a), hacer daño (a), causar perjuicio (a). ~가 되는, ~가 있는 dañoso, perjudicial, nocivo; [생물 등이] dañino. ~가 없는 inocuo, inofensivo, inocente.

메뚜기의 ~ plaga *f* de langosta. 식물에 ~를 끼치다 causar perjuicio a las plantas. …에게 ~를 가하다 agraviar*le* a *uno*. 알코올은 건강에 많은 ~를 끼친다 El alcohol perjudica mucho a la salud. 약의 과용(過用)은 건강에 ~를 끼친다 El abuso de medicinas es perjudicial [dañoso] para la salud. 공장의 폐수가 주민들에게 ~를 끼치고 있다 Las aguas residuales arrojadas por las fábricas hacen daño [causan perjuicio] a los habitantes. 그것은 ~도 이(利)도 되지 않는다 Ni pincha ni corta.

해- nuevo, del año en curso. ☞햇-

해-(該) ese, esa; aquel, aquella; lo dicho, en cuestión. ~지역(地域) esa región, la dicha reión. ~교(校) esa escuela, la dicha escuela. ~인물(人物) el hombre en cuestión, la dicha persona.

-해(海) mar *m*. 다도(多島)~ archipiélago *m*, parte *f* del mar poblada de islas. 지중(地中)~ el Mar Mediterráneo.

해각(海角) ① [갑(岬)] promontorio *m*, cabo *m*. ② [멀리 떨어져 있던 곳] lugar *m* lejano.

해갈(解渴) ① [갈증을 풀어 버림] saciedad *f* de la sed. ~하다 saciar [apagar · satisfacer · calmar · aplacar · mitigar] la sed. ② [가뭄에 비가 내려 마르는 상태를 겨우 면함] un poco de lluvia en la sequía.

해감 ① [물속에 생기는 썩은 냄새나는 찌끼] poso *m* de agua. ② 【식물】 =해캄.

■ ~내 olor *m* a barro. ¶~가 나다 oler a barro.

해거름 ocaso *m* del sol, puesta *f* del sol, crepúsculo *m*.

해거리 ① [격년(隔年)] cada dos años. ② [격년 결과(隔年結果)] fructificación *f* de cada dos años.

해결(解決) [문제 · 사건의] solución *f*, resolución *f*, [분쟁의] arreglo *m*, ajuste *m*. ~하다 resolver, solucionar, arreglar, componer; [끝내다] acabar, terminar, despachar. ~곤란한 difícil de resolver. ~할 수 있는 soluble. ~할 문제 problema *m* que resolver. ~이 되다 resolverse, llegar a una solución, arreglarse. 분쟁을 ~하다 arreglar una disputa. 빚을 ~하다 pagar las deudas, poner *sus* cuentas en orden. 숙제를 ~하다 hacer *sus* deberes (de clase). 일을 ~하다 acabar [despachar] *su* trabajo. ~의 서광[가망]이 비치다 ver el fin de una tarea difícil. 골치 아픈 작자를 ~하다 matar [liquidar] el importuno. 벌금으로 그럭저럭 ~되다 librarse con sólo una multa. 사건(事件)이 ~되었다 El asunto se ha arreglado. 숙제가 ~되었다 He terminado mis deberes. 결국 빚[일]이 ~되었다 Al fin ha liquidado las deudas [el trabajo]. 문제는 모두 ~되었다 Todo está resuelto / Ya no hay problema. 금융 문제(金融問題)는 이미 ~되었다 Los problemas financieros ya han quedado solucionados. 그것은 쉽게 ~할 수 있는 문제가 아니다 No es un problema de fácil solución. 이 문제는 ~되지 않을 것이다 Este problema no se va a resolver solo. 돈으로 ~될 문제가 아니다 No es un problema qeu se puede [se pueda] arreglar con dinero. 그것으로 ~된다고 생각하느냐? ¿Crees que eso basta para que te disculpen?

■ ~점 conclusión *f*, entendimiento *m*. ¶~에 도달하다 llegar a una conclusión, llegar a un entendimiento. ~책 solución *f*, manera *f* de arreglar.

해경(海警) ① [바다의 수비] defensa *f* del mar; [해변의 방비] defensa *f* de la playa. ② ((준말)) =해양 경찰청. ③ ((준말)) =해양 경찰대.

해고(解雇) destitución *f*, despido *m*, desocupación *f*, despedida *f*, deposición *f*, remoción *f*. ~하다 destituir, despedir, despachar, echar, deponer, quitar el empleo, quitar la ocupación, dar calabazas, remover, echar fuera, plantar en la calle, poner en la calle, echar a la calle. ~되다, ~당하다 ser destituido, ser despedido, ser despuesto, ser echado. 그녀는 ~당했다 La echaron / La despidieron / Ella fue destituida [despedida]. 당신은 ~다! ¡Queda usted despedido! 나는 직장에서 ~당했다 Me despidieron del trabajo. 그는 직무 태만으로 ~되었다 El fue despedido porque descuidaba sus deberes. 그는 품행이 나빠 ~당했다 Le destituyeron por ciertas inmoralidades que cometió.

■ ~ 수당 subsidio *m* [indemnización *f*] de despido. ~자 despedido, -da *mf*. ~장(狀) certificado *m* de despido. ~ 처리(處理) procedimiento *m* de despido. ~ 통지 aviso *m* de despido.

해골(骸骨) ① [몸을 이루고 있는 뼈] hueso *m*. ② [살이 썩고 남은 뼈] esqueleto *m*, osamenta *f*, calavera *f*, cráneo *m*. ~처럼 여위다 adelgazar hasta quedar como un esqueleto, quedarse [llegar a estar] en los huesos, enflaquecerse como un esqueleto.

해공(海空) ① [바다와 하늘] el mar y el cielo. ② [해군과 공군] las fuerzs navales y las fuerzas aéreas.

해관(海關) aduana *f* marítima.

■ ~세 derechos *mpl* de aduana. ~ 세율(稅率) tarifa *f* [arancel *m*] de aduana.

해괴망측하다(駭怪罔測-) (ser) sumamente escandaloso.

해괴하다(駭怪-) (ser) extraño, excéntrico, extravagante, escandaloso, monstruoso, extraordinario. 해괴한 처사(處事) medida *f* extraordinaria. 해괴하게 굴다 comportarse de modo extravagante.

해괴히 extrañamente, excéntricamente, extravagantemente, de manera excéntrica, de manera extravagante, de forma escandalosa.

해교(該校) esa escuela.

해구(海口) entrada *f* al puerto.

해구(海狗) 【동물】 =물개(nutria).

■ ~신(腎)【한방】pene *m* de la nutria.

해구(海區) sección *f* del mar, zona *f* marítima.

해구(海寇) piratas *mpl.*

해구(海溝) fosa *f* (submarina), abisal *m.* 마리아나 ~ fosa *f* [sima *f*] de las Marianas.

해국(海國) =섬나라(país isleño).

해군(海軍) fuerzas *fpl* navales, Fuerza *f* Armada, marina *f,* marina *f* de guerra, armada *f,* servicio *m* naval. ~의 naval, de marina. ~에 입대하다 entrar en la marina. ~에 복무하다 servir en la marina.

■~ 공창(工廠) arsenal *m* naval. ~국(國) potencia *f* naval [marítima]. ~ 군악대 la Banda de la Marina. ~기(旗) bandera *f* naval. ~기(機) avión *m* naval. ~ 기념일 el Día Naval. ~ 기지(基地) base *f* naval. ~대령 capitán *m* de navío. ~ 대위(大尉) teniente *m* de navío, *Per* teniente *m* primero, *Arg* teniente *m* de fragata. ~ 대장 capitán *m* general. ~ 대학 el Colegio Superior de Marina, la Escuela Naval. ~력 poder *m* naval, fuerza *f* naval, poder *m* marítimo. ~ 무관(武官) agregado *m* naval. ~ 병원 hospital *m* naval. ~ 보병 학교 la Escuela Naval Militar. ~ 본부 el Cuartel General Naval. ~ 사관(士官) oficial *mf* de marina. ~ 사관학교 la Academia Naval, el Colegio Naval, la Escuela Naval Militar. ~ 사관후보생 aspirante *mf* de marina, cadete *mf* naval. ~ 사령부(司令部) el Estado Mayor de la Armada [de la Marina]. ~성(省) Ministerio *m* de Marina. ~ 소령 capitán *mf* de corbeta. ~ 소위(少尉) alférez *mf* de fragata, *Chi* teniente *m* segundo, *Ven* alférez *mf* de navío. ~소위 후보생 guardiamarina *f,* guardia *f* marina. ~ 소장 vicealmirante *m.* ~ 장관 ministro *m* de Marina. ~ 장교(將校) oficial *mf* de marina. ~ 조병창 arsenal *m* naval. ~ 중령 capitán *m* de fragata. ~ 중위 alférez *mf* de navío, *Chi* teniente *m* primero, *Per* teniente *m* segundo, *Ven* teniente *m* de fragata. ~중장 almirante *m.* ~ 참모 총장 jefe *m* de Estado Mayor de la Marina [de la Armada]. ~ 특별 감시 체계 sistema *m* de vigilancia especial de la Armada. ~포(砲) cañón *m* naval. ~ 함선(艦船) naves *fpl* navales ~ 화력(火力) fuego *m* naval. ~ 화력 계획(火力計劃) plan *m* de fuego naval.

해굽성(−性)【식물】heliotropismo *m* positivo.

해금(奚琴)【악기】*haegum,* violín *m* coreano.

■ ~수(手) violinista *mf.*

해금(解禁) levantamiento *m* [revocación *f*] de prohibición [de una veda], rescisión *f* de prohibición, remoción *f* de edicto. ~하다 remover el edicto, rescindir la prohibición. 수렵의 ~일 día m de levantamiento de la veda. 금수출이 ~되었다 Se ha levantado la prohibición de la exportación de oro. 고래잡이가 ~되었다 Se ha abierto la estación de la pesca de ballenas.

해기(海技) marinería *f,* náutica *f.*

해기(海氣) aire *m* del mar, olor *m* del mar, brisa *f* del mar, atmósfera *f* oceánica.

■ ~욕(浴) baño *m* del aire del mar.

해껏 hasta que se ponga el sol, hasta la puesta del sol.

해끄무레하다 (ser) limpio y blanquecino. 해끄무레한 얼굴 cara *f* limpia y blanquecina.

해끄스름하다 (ser) blanquecino, blancuzco.

해끔하다 (ser) blanquecino y limpio.

해낙낙하다 (estar) contento, satisfecho.

해난(海難) desastre *m* marítimo, siniestro *m* marítimo; [난파(難破)] naufragio *m.* ~을 당하다 naufragar, sufrir un desastre marítimo.

■~ 구조 salvamento *m,* desencalladura *f,* salvavidas *m.sing.pl*; [선박의] obra *f* de salvamento. ~ 구조선 buque *m* [barco *m*] de salvamento. ~ 구조소 estación *f* que salva vidas. ~ 구조원 salvavidas *mf,* socorrista *mf, RPl* bañero, -ra *mf.* ~ 사고 accidente *m* marítimo. ~ 신호 señal *f* de socorros, señal *f* de aviso de peligro y petición de socorro, SOS *m,* S.O.S. *m.* ¶ ~를 보내다 mandar un S.O.S. ~ 심판법 ley *f* procesal de avería del mar, acta *f* de investigación de siniestros [de accidentes] marítimos. ~ 심판소 la Agencia de Petición de Embargo Marítimo. ~ 심판원(審判院) el Instituto de Accidente Marítimo. ~ 심판 위원회 el Comité de Petición de Accidente Marítimo. ~ 작업 operación *f* [obra *f*] de salvamento. ~ 증명서(證明書) certificado *m* de naufragio.

해납작하다 (ser) blanco y ancho.

해내(海內) todo el país. ~에 dentro de los cuatro mares, en todo el país.

해내다 ① [상대방을 여지없이 이겨 내다] acometer, ganar*le* (a), derrotar, vencer. 그는 그의 생명이 달려 있는 것처럼 그 일을 해냈다 El acometió la tarea como si le fuera la vida en ello. 그는 장기에서 나를 해낼 수 있다고 믿고 있다 El se cree que me puede ganar al ajedrez. ② [맡은 일·당한 일을 능히 치러 내다] llevar a cabo, realizar, lograr, conseguir.

해넘이 puesta *f* del sol, ocaso *m* del sol, anochecer *m.* ~ 때에 al anochecer.

해녀(海女) buceadora *f,* submarinista *f,* buzo *f,* mujer-rana *f.*

해년(亥年)【민속】el Año del Cerdo.

해님 el Sol. ~과 달님 el Sol y la Luna.

해단(解團) disolución *f* (de un equipo atlético). ~하다 disolver. ~되다 disolverse, desbandarse.

■ ~식(式) ceremonia *f* de disolución.

해달(海獺)【동물】nutria *f* de mar.

해답(解答) solución *f,* respuesta *f,* contestación *f.* ~하다 resolver, solver, solucionar, responder, contestar. ~할 수 있는 문제 cuestión *f* responsable. ~할 수 없는 문제 pregunta *f* a la que no se puede respon-

der. 문제의 ~을 내다 resolver [solucionar] un problema. 질문에 ~하다 contestar (a) una pregunta.
■ ~자(者) solvente *mf.*
해당(害黨) acción *f* de perjudicar al partido.
■ ~분자 elemento *m* de causar perjuicio al partido. ~ 행위(行爲) acción *f* de causar perjuicio al partido.
해당(解黨) disolución *f* de un partido. ~하다 disolver un partido.
해당(該當) correspondencia *f,* equivalencia *f.* ~하다 corresponder (a), convenir (con), conformarse (con), caer (bajo), equivaler (a). ~의 correspondiente. 그 규정에 ~하는 사람 persona *f* que cumple con los requisitos exigidos por la regla. 제5조에 ~하다 corresponder al capítulo cinco. 그 예는 다른 부류(部類)에 ~한다 El caso está comprendido [incluido] en otra categoría. 그것은 상법 제8조에 ~한다 Cae bajo [Cuadra con] el artículo ocho del Cádigo de Comercio. 1유로는 몇 원에 ~됩니까? ¿A cuántos wones equivale un euro? 금년 크리스마스는 월요일에 ~된다 La Navidad (de) este año cae en lunes. 서반아어로는 이 표현에 ~하는 말이 없다 En español no hay término que corresponda a esta expresión / Esta expresión no tiene equivalente en español. 그 행위는 회칙 제10조에 ~된다 Este acto corresponde al artículo diez del reglamento.
해당화(海棠花)【식물】e(n)glantina *f.*
해대(解隊) disolución *f.* ~하다 licenciar.
해대다 acometer, ganar, derrotar, vencer.
해도(海島) isla *f* en el centro del mar.
해도(海圖) carta *f* de navegación, carta *f* de navegar, carta *f* hidrográfica. ~에 나타나지 않은 암초(暗礁) escollo *m* que no aparece en la carta hidrográfica.
■ ~ 제작자(製作者) cartógrafo, -fa *mf.* ~학 cartografía *f,* ciencia *f* cartográfica.
해도(海濤) ola *f.*
해독(害毒) mal *m,* daño *m,* perjuicio *m;* [악영향] mal influencia *f,* infección *f.* ~을 끼치다 dañar, perjudicar. 회사(會社)에 ~을 끼치다 ejercer una influencia dañosa en la sociedad, corromper [depravar · pervertir] la sociedad.
해독(解毒) contraveneno *m,* antitoxina *f.* ~하다 contrarrestar el efecto de un veneno. ~ 작용이 있는 antivenenoso.
■ ~약[제] antídoto *m,* contraveneno *m,* triaca *f.*
해독(解讀) desciframiento *m,* descifre *m.* ~하다 descifrar. 암호를 ~하다 descifrar un criptograma. 그 고고학자는 이집트의 상형문자를 ~할 줄 안다 El arqueólogo sabe descifrar el jeroglífico egipcio.
■ ~자(者) [암호의] descifrador, -dora *mf.*
해돈(海豚)【동물】=돌고래.
해돋이 salida *f* del sol, amanecer *m.* ~에 al amanecer.
해동(孩童) =어린아이. 젖먹이.
해동(海東) Corea.
해동(解凍) deshielo *m.* ~하다 deshelar, descongelar. 외교 관계의 ~ el deshielo de las relaciones diplomáticas. ~이 시작되었다 Ha empezado el deshielo.
해동갑(一同甲) hasta la puesta del sol, todo el día.
해득(解得) entendimiento *m,* comprensión *f.* ~하다 entender, comprender.
해뜨리다 ((준말)) =헤어뜨리다.
해뜩해뜩하다 tener manchado de blanco.
해라하다 usar el estilo sencillo de habla.
해란(蟹卵) hueva *f* de cangrejo.
해람(解纜) =출항(出航). 출범(出帆).
해로(海路) ruta *f* del mar, vía *f* marítima. ~로 por mar, por vía marítima.
해로(偕老) lo que los esposos envejecen juntos en la vida conyugal [en la vida de casado]. ~하다 envejecer [volverse viejo] juntos en la vida conyugal [en la vida de casado].
■ ~동혈(同穴) juramento *m* del amor conyugal que se comparte su destino.
해롭다(害一) (ser) perjudicial, dañoso, dañino, nocivo, pernicioso. 해롭게 하다 perjudicar, dañar. 건강에 ~ ser malo [dañino · perjudicial] para la salud, perjudicar la salud, dañar la salud. 눈에 ~ ser perjudicial a [para] la vista. 공부에 ~ estorbar el estudio. 담배는 몸에 ~ El tabaco es dañoso [perjudicial · dañino · malo] para la salud. 담배는 폐에 ~ El tabaco es malo para los pulmones. 알코올과 담배는 몸에 ~ El alcohol y el tabaco son perjudiciales para la salud. 흡연은 몸을 심하게 해롭게 한다 Fumar perjudica seriamente la salud.
해롭게(도) dañosamente, con daño, con peligro, perjudicialmente.
해롱거리다 comportarse como un niño malcriado.
해류(海流) corriente *f* marítima, corriente *f* de marea, corriente *f* marina, corriente *f* océana.
■ ~도(圖) carta *f* de corriente marítima. ~ 발전(發電) generación *f* de corriente marítima. ~병(瓶) botella *f* de corriente océana.
해륙(海陸) el mar y la tierra. ~의 anfibio.
■ ~군(軍) fuerzas *fpl* navales y el ejército. ~ 양면 작전 operación *f* anfibia. ~ 양서 동물 los anfibios. ~ 양용 비행기 avión *m* anfibio. ~ 양용 전차 tanque *m* anfibio. ~풍(風) viento *m* de tierra y mar.
해리(海狸)【동물】castor *m.*
해리(解離)【화학】disociación *f.* ~하다 disociar.
■ ~도(度) grado *m* de disociación. ~압(壓) presión *f* de disociación. ~열 calor *m* de disociación. ~ 정수(定數) constante *f* de disociación.
해리(海里) milla *f* náutica, milla *f* marina, nudo *m.*
해마(海馬) ①【동물】hipocampo *m,* caballo

m de mar, morsa *f*, elefante *m* marino. ②【어류】caballo m marino.
해마다 todos los años, cada año, anualmente.
해만(海灣) ① [바다와 만] el mar y el golfo. ② [만(灣)] golfo *m*.
해말갛다 (ser) limpio.
해말쑥하다 (ser) limpio y hermoso.
해맑다 (ser) blanco y limpio.
해망쩍다 (ser) estúpido, tonto, bobo.
해망하다(駭妄－) (ser) extraño y caprichoso.
해맞이 ① ＝영년(迎年). ② [새벽에 떠오르는 태양의 아름다움을 관상(觀賞)함] admiración *f* de la belleza del sol que sale al amanecer. ～하다 admirar la belleza del sol que sale al amanecer.
해머(영 *hammer*) ① [망치] martillo *m*. ～로 두드리다 martillar. ②【음악】macillo *m*. ③ [해머던지기에 쓰이는 운동 기구] martillo *m*. ～를 던지다 lanzar el martillo.
■～던지기【운동】lanzamiento *m* de martillo. ～질 martilleo *m*, martillazo *m*. ¶～하다 martillear.
해먹(영 *hammock*) hamaca *f*, *RPI* hamaca *f* paraguaya. ～을 매달다 colgar la hamaca. ～에 누워 흔들다 hamaquear. ～에서 자다 dormir en una hamaca.
해먹다 ① [음식을 만들어 먹다] comer preparando. 떡을 ～ preparar el pan coreano y comerlo. ② ((속어)) [부정하게 재물을 모아 사복(私腹)을 채우다] desfalcar, malversar. 은행의 돈을 ～ malversar el dinero del banco. ③ [무슨 일을 직업으로 삼고 지내다] ganarse la vida. ④ [남에게 해를 끼치다] perjudicar, dañar.
해면(海面) superficie *f* del mar; [표준 해면] nivel *m* del mar. ～에서 깊이 100미터의 곳에 a cien metros de bajo de la superficie del mar.
해면(海綿) ①【동물】＝해면동물. ② [해면동물의 골격] esponja *f*. ～의 esponjoso. ～모양의 espongiforme. ～으로 닦다 *Cuba* esponjear.
■～ 고무 espuma *f* de goma, gomaespuma *f*. ～공(孔) agujero *m* cavernoso. ～동물 espongiarios *mpl*. ～상(狀) esponjosidad *f*, espongina *f*. ～상 림프종 linfangioma *m* cavernoso. ～상 조직 ＝해면 조직. ～ 상태 espongiosis *f*. ～상 혈관종 angioma *m* *cavernoso*. ～상 형질 *espongioplasma f*. ～신(腎) riñón *m* de esponja. ～ 신경 아세포종 espongioneuroblastoma *m*. ～ 아세포종 espongioblastoma *m*. ～ 이식 injerto *m* de la esponja. ～ 정맥동 seno *m* cavernoso. ～ 조직(組織) tejido *m* esponjoso. ～종 cavernoma *m*. ～질(質) esponjina *f*, esponjosidad *f*. ¶～의 esponjoso, esponjado. ～질 골종 esteoma *m* esponjoso. ～철 hierro *m* de esponja. ～체 cuerpo *m* de esponja. ～체염 espongitis *f*, cavernitis *f*. ～체 정맥 vena *f* cavernosa. ～체질(體質) espongiositis *f*. ～층 capa *f* esponjosa.
해면(解免) despido *m*, exoneración *f*. ～하다 despedir, exonerar.
해명(解明) explanación *f*, explicación *f*, justificación *f*. ～하다 explanar, explicar, dilucidar, aclarar, esclarecer. ～을 요구하다 pedir explicación. 문제점을 ～하다 dilucidar los problemas. 사건을 ～하다 aclarar un asunto. 당신에게는 ～의 여지가 없다 No le cabe justificación a usted.
■～서(書) carta *f* de explanación.
해몽(解夢) oniromancia *f*, interpretación *f* de un sueño. ～하다 interpretar un sueño [los sueños]. ■～가(家) oneirocrítico, －ca *mf*.
해무(海霧) niebla *f* de mar.
해묵다 ① [물건이 한 해를 지나다] pasar un año, añejarse un año. ② [해 오던 일이나 하려던 일을 다 마치지 못하고 한 해를 지나다] alargarse un año, pasar un año sin terminar.
해묵히다 hacer pasar un año (sin terminar), añejar.
해물(海物) ((준말)) ＝해산물(海産物).
해미 niebla *f* espesa sobre el mar.
해미(海味) plato *m* sabroso hecho de los productos marinos.
해바라기【식물】girasol *m*, mirasol *m*, *Chi* maravilla *f*.
해바라지다 (ser) muy ancho, llano, plano.
해박하다(該博－) (ser) erudito, sabio, instruido. 해박함 erudición *f*, profundidad *f*. 해박한 지식(知識) sabiduría *f* profunda. 그는 해박한 지식이 있다 El es un hombre de gran erudición.
해반닥거리다 mirar con los ojos desorbitados, mirar con los ojos muy abiertos, mirar con los ojos de soslayo, mirar con los ojos saltones, poner los ojos saltones, entornar los ojos, hacer girar los ojos, saltárse*le* a *uno* los ojos.
해반드르르하다 (ser) hermoso y precioso.
해반주그레하다 (ser) blanco y hermoso.
해반지르르하다 (ser) blanco y hermoso, limpio y hermoso.
해발(海拔) sobre el nivel del mar; [표고] altitud *f*. ～ 삼천 미터 tres mil metros sobre el nivel del mar, la altitud de tres mil metros.
해방(亥方)【민속】*haebang*, la Dirección del Cerdo.
해방(海防) defensa *f* de las costas, defensa *f* marítima.
■～함(艦) guardacostas *m.sing.pl*.
해방(解放) liberación *f*, libertad *f*, descarga *f*, soltura *f*; [노예의] emancipación *f*. ～하다 poner en libertad, poner libre, dar libertad, libertar, emancipar, liberar; [면제하다] librar, descargar, soltar, desagarrar. ～감을 느끼다 sentirse esparcido, sentirse libre. 노예를 ～하다 libertar [emancipar · manumitir] a los esclavos. 국민은 압제에서 ～되었다 El pueblo se liberó [se libertó] de la tiranía. 나는 무거운 책임에서 ～되었다 Me han librado [Me han descargado] de una grave responsabilidad.
■～구 región *f* libertada, zona *f* libertada.

~군 ejército *m* de (la) liberación. ~둥이 persona *f* que nació en 1945. ~ 문학(文學) literatura *f* de liberación. ~ 신학 teología *f* de liberación. ~ 운동 movimiento *m* de emancipación, movimiento *m* de liberación. ¶여성(女性) ~ movimiento *m* de emancipación [de liberación] de las mujeres. ~자 libertador, -dora *mf*; emancipador, -dora *mf*. ~ 전쟁 guerra *f* de liberación. ~ 지구 el área *f* (*pl* las áreas) liberada.

해변(海邊) playa *f*, orilla *f* del mar, ribera *f*, litoral *m*, costa *f*. ~에 가다 ir a la playa. ~에 살다 vivir junto al mar. ~에서 놀다 jugar en la playa. ~을 걷다 pasear por la orilla.
■~ 도시(都市) ciudad *f* costera. ~ 식물 plantas *fpl* de la orilla del mar. ~ 학교(學校) escuela *f* costera.

해병(海兵) ① [해군의 병졸] marinero, -ra *mf*; marino, -na *mf*; [집합적] marina *f*. ② [해병대의 병졸] marino *m*, infante *m* de marina; [집합적] marina *f*.

해병대(海兵隊) infantería *f* de marina.
■~원 =해병❷. ~ 사령관 comandante *m* de la Infantería de Marino.

해보(海堡) batería *f* costera.

해보다 ① [무슨 일이 되도록 시도하다] tratar (de + *inf*), intentar (+ *inf*). 일을 ~ tratar de trabajar. 다시 한 번 ~ tratar de hacer otra vez. 나는 회담을 해보려 했다 Traté de [Intenté] entablar conversación. ② [끝까지 맞겨루다] luchar, combatir, pelear.

해보다(害-) sufrir daño, padecer daño, recibir daño, averiarse.

해부(解剖) ① 【해부】 anatomía *f*, disección *f*; [검시(檢屍)] autopsia *f*. ~하다 desecar, anatomizar. ~의 anatómico. 시체를 ~하다 hacer la autopsia de un cadáver. ② [사물의 조리를 자세하게 나누어 연구함] análisis *m*. 사건을 ~하다 analizar el caso.
■~가(家) anatomista *mf*. ~ 결절(結節) tubérculo *m* anatómico. ~대(臺) tabla *f* de disección. ~도(刀) escalpelo *m*, bisturí *m*. ~도 carta *f* anatómica. ~실 cuarto *m* de disección. ~자 disector, -tora *mf*. ~ 치관(齒冠) corona *f* anatómica. ~ 표본(標本) espécimen *m* anatómico. ~학 anatomía *f*, analíticas *fpl*. ¶~의 anatómico. ~학 용어(學用語) nómina *f* anatómica. ~학자(學者) anatomista *mf*; disector, -tora *mf*. ~학적(學的) anatómico. ~학적 구조 estructura *f* anatómica. ~학적 위치 posición *f* anatómica. ~학적 자세 posición *f* anatómica.

해빙(海氷) hielo *m* del mar.

해빙(解氷) ① [얼음이 풀림] deshielo *m*, derretimiento *m* del hielo. ~하다 deshelarse. ~이 시작된다 Empieza el deshielo / Empieza a deshelar / La nieve empieza a derretirse. ② [국제간의 긴장 완화] deshielo *m*. 외교 관계의 ~ el deshielo de las relaciones diplomáticas. 양국 간의 관계가 ~되고 있다 Las relaciones entre los dos países se están haciendo más cordiales [se están distendiendo].

해사(海士) ((준말)) =해군 사관학교.

해사(海事) asunto *m* marítimo.
■~국(局) departamento *m* marino. ~ 협회(協會) asociación *f* marítima, confederación *f* naval.

해사(海蛇) 【동물】 serpiente *f* marina.

해사하다 (ser) limpio y hermoso.

해산(海産) ((준말)) =해산물(海産物).
■~ 동물(動物) animales *mpl* marinos. ~물 productos *mpl* marítimos, productos *mpl* marinos, productos *mpl* del mar. ~ 비료 fertilizante *m* [abono *m*] marítimo.

해산(解産) parto *m*, dolores *mpl* de parto, alumbramiento *m*. ~하다 parir, dar a luz. 첫 ~ *su* primer parto. ~으로 죽다 morir de parto.
■~기(期) período *m* de partos. ~구완 asistencia *f* para partos. ~달 =산월(産月). ~미역 alga *f* marina para la puérpera. ~바라지 asistencia *f* para partos. ~비(費) gastos *mpl* de partos. ~실(室) sala *f* de partos. ~쌀 arroz *m* para la puérpera. ~어미 puérpera *f*, mujer *f* recién parida, mujer *f* en el sobreparto.

해산(解散) disolución *f*, desintegración *f*; [흩어짐] dispersión *f*; [폐회] levantamiento *m*. ~하다 disolver, dispersar. ~되다 disolverse, dispersarse, separarse. 의회(議會)를 ~하다 disolver las cortes [la cámara]. 적(敵)을 쫓아 ~시키다 dispersar a los enemigos, poner en fuga a los enemigos. 회사(會社)를 ~하다 disolver [liquidar] una sociedad. 회의는 여덟 시에 ~되었다 Se levantó la sesión a las ocho. 데모대는 군대에 의해 ~되었다 Los manifestantes fueron dispersados por el ejército. 당국(當局)은 집회의 ~을 명령했다 La autoridad ordenó disolver la reunión.
■~ 명령(命令) orden *f* de disolución. ~식 ceremonia *f* de disolución.

해삼(海蔘) 【동물】 cohombro *m* de mar, pepino *m* de mar.

해상(海上) en el océano, marítimo *adj*, marino *adj*, mar *m*. ~의 del océano, del mar, marítimo, marino, naval. ~에서 a bordo, en el mar. ~ 경유의 por vía marítima, por mar. ~에서 일어난 사건(事件) acontecimiento *m* en el mar.
■~ 거래 comercio *m* marítimo. ~ 경비대 guardacostas *mpl*. ~ 경비대원(警備隊員) guardacostas *mf*. ~ 경찰(警察) policía *f* marítima, *Méj* guardia *f* costera. ~ 공격(攻擊) ataque *m* naval. ~ 공원(公園) parque *m* marítimo. ~ 교통(交通) tráfico *m* marítimo, transporte *m* marítimo. ~ 교통 안전법 ley *f* de seguridad de transporte marítimo. ~권(權) poder *m* naval, potencia *f* del mar. ~ 근무 servicio *m* en el mar, servicio *m* a bordo, servicio *m* naval. ~ 급유 abastecimiento *m* [suministro *m*] de petróleo en el océano. ~ 무역 comercio *m* marítimo. ~법(法) ley *f* de [sobre]

navegación. ~ 보급로 ruta *f* transportada por vía marítima. ~ 보안(保安) seguridad *f* marítima. ~ 보험 seguro *m* marítimo. ~ 보험업자 asegurador, -dora *mf* contra riesgos del mar. ~ 봉쇄(封鎖) bloqueo *m* marítimo. ~ 비행 vuelo *m* marítimo, vuelo *m* sobre el mar. ~ 생활 vida *f* océana. ~ 수송[운송] transporte *m* marítimo, transporte *m* por mar. ~침입(侵入) invasión *f* naval.

해상(海商) [장사] comercio *m* marítimo; [장수] comerciante *m* marítimo.
■ ~법(法) ley *f* marítima.

해상[1](海象) fenómeno *m* de la ciencia natural.

해상[2](海象) 【동물】 =바다코끼리.

해상(解喪) =탈상(脫喪)(terminación del luto). ¶~하다 terminar el luto. 나는 ~했다 He terminado el luto.

해생(亥生) 【민속】 nacimiento *m* del Año del Cerdo.

해생물(海生物) la fauna marina y la flora marina.

해서(楷書) escritura *f* de imprenta, escritura *f* de molde, forma *f* cuadrada de la escritura china. ~로 쓰다 escribir en caracteres de imprenta.

해석(解析) ① [사물을 자세하게 풀어서 이론적으로 연구함] análisis *m*, investigación *f* analítica. ~하다 analizar. ② 【수학】 ((준말)) =해석학(解析學). ③ 【수학】 ((준말)) =해석 기하학(解析幾何學).
■ ~ 기하학 geometría *f* analítica. ~학(學) analítica *f*.

해석(解釋) interpretación *f*, [정의] definición *f*, [주석(註釋)] comentario *m*; [추정(推定)] construcción *f*, [번역] traducción *f*, [설명] explanación *f*, explicación *f*, aclaración *f*, [해설] exposición *f*. ~하다 interpretar, comentar, construir, traducir, explanar, explicar, aclarar, exponer. ~에 고심하다 no saber cómo interpretar. ~을 틀리다 interpretar mal, entender mal. 좋은 쪽으로 ~하다 tomar a bien, interpretar bien. 나쁜 쪽으로 ~하다 tomar a mal, interpretar mal. 자신에게 편리하게 ~하다 interpretar para *su* conveniencia [a *su* favor]. 그의 의도(意圖)에 관해서 나는 다음과 같이 ~한다 Respecto a su intención, mi interpretación es la siguiente. 이 조문(條文)의 ~은 법률가에 따라 차이가 많다 La interpretación de este artículo difiere mucho según los juristas. 그의 말은 두 가지로 ~할 수 있다 Sus palabras permiten una doble interpretación. 그의 말은 여러 가지로 ~할 수 있다 Su relato permite diversas interpretaciones / Se puede interpretar de distintos modos lo que dice. 당신의 침묵은 동의(同意)로 ~하겠다 Interpreto su silencio como que está de acuerdo. 그것은 순전한 ~의 차이다 Es una mera diferencia de opinión.

해설(解雪) desnieve *f*. ~하다 desnevar.

해설(解說) explicación *f*, explanación *f*, exposición *f*, comentario *m*; [해석] interpretación *f*, introducción *f*. ~하다 explicar, explanar, exponer, comentar, ilustrar, elucidar. 뉴스를 ~하다 comentar las noticias.
■ ~서(書) comentario *m*. ¶동끼호떼의 ~ comentario *m* del Quijote. ~자(者) comentarista *mf*.

해성 단계(海成段階) terraza *f* marina.

해성층(海成層) 【지질】 capa *f* marina.

해성토(海成土) 【지질】 tierra *f* marina.

해소(解消) [조직의] disolución *f*, extinción *f*; [약속의] anulación *f*, cancelación *f*. ~하다 disolver, anular, cancelar. ~되다 disolverse. 교통 체증의 ~ descongestión *f* del tráfico. 불균형의 ~ extinción *f* [supresió *f*] del desequilibrio. 계약을 ~하다 anular el contrato. 약혼(約婚)을 ~하다 romper *su* compromiso matrimonial.

해소(解訴) retirada *f* del caso. ~하다 retirar el caso.

해소수 mientras pasa un poco el año.

해소일(一消日) pérdida *f* de tiempo. ~하다 pasar las horas muertas, perder el tiempo, desperdiciar *su* vida.

해손(海損) avería *f*.
■ ~ 계약서[계약 증서] bono *m* de avería, fianza *f* de avería. ~ 공탁금 depósito *m* de averías. ~ 정산 ajustamiento *m* de avería. ~ 정산인 ajustador, -dora *mf* de averías; árbitro, -tra *mf* de seguros marítimas; repartidor, -dora *mf* de averías, tasador, -dora *mf* de averías. ~ 조항(條項) cláusula *f* de avería. ~ 화물 cargas *fpl* averiadas, mercancías *fpl* averiadas.

해송(海松) ① 【식물】 [해변에 있는 소나무] pino *m* en la orilla del mar. ② [곰솔] una especie de pino. ③ 【식물】 [잣나무] pino *m* blanco coreano.
■ ~판(板) tabla *f* de pino blanco coreano.

해수(咳嗽) 【의학】 tos *f*.
■ ~병[증] tisis *f*, consunción *f*. ~약(藥) pastilla *f* para la tos, jarabe *m* para la tos.

해수(海水) =바닷물(agua de mar).
■ ~면(面) nivel *m* del mar.

해수욕(海水浴) baños *mpl* de mar. ~을 하다 bañarse en el mar, tomar baños en el mar, gozar del baño en el mar. ~ 가다 ir a la playa, ir a bañarse al mar.
■ ~객 bañista *mf*. ~모(帽) gorro *m* del baño. ~복 bañador *m*, ropa *f* [traje *m*] de baño, *Col* vestido *m* de baño, *RPl* malla *f* (de baño). ~장 bañadero *m*, balneario *m*, playa *f*. ¶~ 개장(開場) apertura *f* de la temporada de baños. ~ 팬츠 taparrabo *m*, calzón *m* (*pl* calzones) (de baño), bikini *m*.

해시(亥時) ① [십이시(十二時)의 열두째 시] la duodécima de las doce horas dobles, período *m* entre las nueve y las once de la noche. ② [이십사시의 스물셋째 시] la vigesimotercera de las veinticuatro horas, desde las nueve y media y las diez y media de la noche.

해시계(一時計) reloj *m* solar, reloj *m* del sol.

해식(海蝕) erosión *f* del mar.

■ ~굴 cueva *f* del mar.

해식(解式) 【수학】 solución *f*, clave *f*.

해신(海神) dios *m* del mar, divinidad *f* marina; ((로마 신화)) Neptuno *m*.

해심(垓心) centro *m* del límite.

해심(害心) corazón *m* de perjudicar a otro.

해심(海心) centro *m* del mar.

해심(海深) profundidad *f* del mar.

해쓱하다 ponerse pálido, ponerse descolorido, ponerse cadavérico. 얼굴이 ~ tener la cara pálida. 당신은 약간 해쓱해 보인다 Tú estás un poco pálido. 해쓱한 인텔리가 되지 마라 No seas un intelectual paliducho.

해악(害惡) injuria *f*, perversidad *f*, mal *m*, depravación *f*, detrimento *m*, daño *m*; [악영향] influencia *f* pernicioisa, mala influencia *m*. 사회에 ~을 퍼뜨리다 ejercer una influencia perniciosa sobre la sociedad.

해안 antes de la puesta del sol, antes de que salga el sol. ☞해전(前)

해안(海岸) costa *f*, playa *f*, orilla *f* del mar, ribera *f*. ~의 litoral, costero, de costa, de la playa. ~에 a la orilla del mar. ~의 별장 quinta *f* en la playa. 대한민국의 동(東)~ costa *f* oriental de la República de Corea. 바다 멀리까지 얕은 ~ playa *f* que penetra en el mar en suave pendiente. ~을 산책하다 dar un paseo por la playa.

■ ~ 경비(警備) defensa *f* costera. ~ 경비대 guardacostas *m*. ~ 경비대원(警備隊員) guardacostas *mf*. ~ 기후 tiempo *m* costero. ~길 camino *m* a lo largo de la costa. ~단구(段丘) banco *m* costero. ~도(島) isla *f* costera. ~사구(砂丘) médano *m* costero. ~선 (línea *f* de) costa *f*, línea *f* costera, línea *f* de la playa, ribera *f*. ~ 요새 fortaleza *f* costera. ~ 지방 litoral *m*, región *f* costera. ~평야(平野) llano *m* costero.

해야 하다 tener que + *inf*, deber + *inf*, haber que + *inf*. 나는 곧 출발해야 한다 Tengo que salir en seguida / Debo salir en seguida. 자식들은 부모님께 순종해야 한다 Los hijos deben obedecer a sus padres.

해약(解約) ① [파약(破約)] anulación *f*, rescisión *f*, cancelación *f*. ~하다 anular, rescindir, cancelar. 계약의 ~ anulación *f* de un contrato. 보험을 ~하다 rescindir [anular · cancelar] un seguro. ② 【법률】 ((구용어)) =해지(解止).

■ ~권 derecho *m* de rescisión. ~료 precio *m* de rescisión, precio *m* de anulación. ~ 반환금 indemnización *f* de rescisión, reembolso *m* por la rescisión. ~ 통고 aviso *m* de rescisión. ~ 해제 cancelación *f* de un contrato.

해양(海洋) mar *m*(*f*), océano *m*. ~의 marítimo, marino, oceánico, oceanográfico.

■ ~ 개발 explotación *f* oceánica. ~ 개발 기본법 ley *f* básica sobre explotación oceánica. ~ 경찰청 la Agencia de la Policía Marítima. ~ 경찰청장 director, -tora *mf* de la Agencia de la Policía Marítima. ~ 과학(科學) oceanografía *f*. ~관측선(觀測船) buque *m* [barco *m*] de investigación marítima. ~국(國) país *m* (*pl* países) marítimo, nación *f* marítima. ~ 국민 pueblo *m* marítimo. ~ 기상대(氣象臺) observatorio *m* de meteorología oceánica [marina]. ~ 기후 =해양성 기후(海洋性氣候). ~ 대학(大學) facultad *f* marítima [marina mercante]. ¶한국~교 la Universidad Marítima de Corea. ~ 동물학(動物學) zoología *f* marítima. ~ 목장 ganadería *f* marítima [marina]. ~ 문학(文學) literatura *f* marítima [marina]. ~ 물리학 oceanografía *f* física, física *f* oceánica. ~ 박람회(博覽會) la Exposición Oceánica Internacional. ~ 박물관 museo *m* arqueológico y marítimo. ¶국립 ~ el Museo Nacional Marítimo. ~법 ley *f* oceánica. ~ 봉쇄(封鎖) bloqueo *m* oceánico. ~생물(生物) vida *f* oceánica, organismo *m* marítimo. ~ 생물학 biología *f* marítima. ~ 석유 petróleo *m* submarino. ~성(性) oceánico *adj*. ~성 기후(性氣候) clima *m* oceánico. ~소년단 exploradores *mpl* marinos. ~ 소설 novela *f* marítima, novela *f* de mar. ~ 수산부 el Ministerio de Asuntos Marítimos y Pesca. ~ 수산부 장관 ministro, -tra *mf* de Asuntos Marítimos y Pesca. ~식물(植物) planta *f* marítima. ~ 연구소(研究所) el Instituo de Investigación y Desarrollo Marítimos. ~ 오염 contaminación *f* oceánica. ~ 오염 방지법 ley *f* de prevención de contaminación oceánica. ~오염 방지 조약 la Convención sobre la Prevención de Contaminación Oceánica. ~ 자원(資源) recursos *mpl* marítimos. ~ 지리학 geografía *f* de océano. ~ 측량(測量) agrimensura *f* marítima. ~학(學) oceanografía *f*. ¶~의, ~적(인) oceanográfico. ~학자 oceanógrafo, -fa *mf*. ~ 학회 el Instituto Oceanográfico. ¶한국 ~ Instituto Oceanográfico de Corea.

해어(海魚) =바닷물고기.

해어(解語) comprensión *f* de la significación. ~하다 comprender la significación.

해어뜨리다 gastar. 옷을 ~ gastar *su* ropa.

해어지다 [타이어 · 옷이] (ser) gastado; [카펫이] raído, gastado; [옷 · 신발이 닳아빠진] muy gastado; [자동차가 닳아빠진] inservible.

해역(海域) aguas *fpl*. 필리핀 ~ aguas *fpl* filipinas.

해연(海淵) la profundidad *f* más baja, lo profundo, abismo *m*.

해연(海燕) ① 【동물】 una especie del erizo de mar. ② 【조류】 =바다제비.

해연풍(海軟風) =해풍(海風).

해열(解熱) eliminación *f* de fiebre, olvido *m* de fiebre. ~하다 aliviar la fiebre, (hacer) bajar la fiebre. ～의 효과가 있다 ser eficaz contra fiebre.

■ ～약[제] antifebrina *f*, febrífugo *m*, antipirético *m*.

해염(海鹽) sal *f* hecha del agua de mar.

해오라기 【조류】 garza *f*, garzota *f*.

해왕성(海王星) 【천문】 Neptuno *m*.

해외(海外) países *mpl* extranjeros, extranjero *m*, ultramar *m*. ～의 exterior, extranjero, ultramarino, en el exterior, en el extrajero, del exterior. ～에, ～로 al extranjero. ～에서 en el (país) extranjero. ～에 가다 ir(se) al extranjero, ir(se) al exterior. ～에 보내다 mandar [enviar] al extranjero. ～에 여행하다 viajar al extranjero. ～에 이주하다 emigrar al extranjero. ～에서 살다 vivir en el extranjero.

■ ～ 개발 desarrollo *m* exterior. ～ 개발국 la Agencia Estatal para el Desarrollo Exterior. ～ 개발 협회 el Instituto para el Desarrollo Exterior. ～ 경제 협력 자금 fondos *mpl* para la cooperación económica exterior. ～ 고객 cliente *m* extranjero, cliente *f* extranjera. ～ 고용 empleo *m* de ultramar. ～ 공관 oficina *f* diplomática en el país extranjero. ～ 관광 turismo *m* extranjero. ～ 관광객 turista *m* extranjero, turista *f* extranjera. ～ 근무 servicio *m* en el extranjero. ～ 근무 수당 subsidio *m* del servicio en el extranjero. ～ 기지 base *f* en el extranjero. ～ 뉴스 noticias *fpl* del exterior [del extranjero]. ～ 대리인 agente *mf* exterior. ～ 만유(漫遊) viaje *m* extranjero. ～ 무역(貿易) [외국 무역] comercio *m* exterior, comercio *m* de ultramar. ～ 무역 박람회 feria *f* de comercio internacional. ～ 무역 위원회 junta *f* [comité *m*] para el comercio exterior. ～ 무역 통계 estadísticas *fpl* de comercio exterior. ～ 문학 literatura *f* extranjera, literatura *f* exterior. ～ 박람회 feria *f* internacional. ～ 방문객 visitante *m* extranjero, visitante *f* extranjera. ～ 방송(放送) radiodifusión *f* internacional. ～부(部) departamento *m* de ultramar. ～ 사정 asuntos *mpl* exteriores, conocimientos *mpl* [información *f*] del extranjero. ～ 시장 mercado *m* exterior, mercado *m* del ultramar. ～ 시찰 gira *f* de inspección extranjera. ～ 시황(市況) mercado *m* extranjero. ～여행 viaje *m* al [por el] extranjero. ～ 원조(援助) ayuda *f* exterior, ayuda *f* externa, ayuda *f* a los países en vías de desarrollo. ～ 유학 estudio *m* en el extranjero. ～ 유학생(留學生) estudiante *m* enviado [estudiante *f* enviada] al extranjero para estudiar. ～이민 emigración *f* al extranjero. ～ 이주법 ley *f* de emigración al extranjero. ～ 이주자 emigrante *mf* al (país) extranjero. ～ 자산 activo *m* extranjero, activos *mpl* en el exterior. ～ 저금(貯金) ahorro *m* en el extranjero. ～ 전보(電報) telegrama *m* extranjero. ～ 지점(支店) sucursal *f* en el extranjero. ¶그는 ～에 부임했다. Le destinaron a la sucursal en el extranjero. ～ 진출 expansión *f* al extranjero. ～ 통신(通信) noticias *fpl* del extranjero. ～ 투자 inversión *f* internacional, inversión *f* en el extranjero. ～ 투자자(投資者) inversor *m* extranjero, inversora *f* extranjera. ～ 파병 envío *m* de tropas al exterior, despacho *m* de las tropas al extranjero. ～판(版) edición *f* extranjera. ～ 프로젝트 자금 fondo *m* de proyecto de ultramar, fondo *m* para la financiación de proyectos en el extranjero. ～ 홍보 활동 actividad *f* de información extranjera.

해우(海牛) 【동물】 manatí *m*.

해운(海運) ((준말)) ＝해상 운송.

■ ～계 círculo *m* de la marina mercante. ～국 país *m* (*pl* países) naviero. ～ 대리점 agencia *f* de transporte marítimo. ～ 동맹 conferencia *f* marítima. ～법 ley *f* de transporte marítimo. ～ 시장 mercado *m* de transporte marítimo. ～업 servicio *m* de transportes marítimos, comercio *m* marítimo. ～업자(業者) agente *m* marítimo, agente *f* marítima; traficante *mf* de la marina; consignatario, -ria *mf*. ～ 정책 política *f* naviera. ～ 협정 acuerdo *m* de transporte marítimo. ～ 회사 compañía *f* naviera, compañía *f* de navegación, empresa *f* naviera.

해웃값 precio *m* para una prostituta.

해웃돈 dinero *m* del precio para una prostituta.

해원(海員) marinero *m*, marino *m*, nuata *m*; [집합적] tripulación *f*.

■ ～ 양성소 escuela *f* naval, escuela *f* práctica de marinos. ～ 용어 términos *mpl* náuticos. ～ 조합(組合) sindicato *m* de marineros. ～ 협회(協會) la Asociación de Marineros.

해읍스레하다 ＝해읍스름하다.

해읍스름하다 (ser) blanquecino, blancuzco.

해의(海衣) 【식물】 ＝김[1].

해의(害意) malicia *f*, malevolencia *f*, aversión *f*, mala voluntad *f*.

해이(解弛) relajación *f*. ～하다 relajar, aflojarse. ～한 indolente, perezoso, apático. ～해지다 relajarse, hacerse indolente. ～한 기강(紀綱) disciplina *f* aflojada. 마음의 ～ falta *f* de concentración, falta *f* de tensión; [방심] descuido *m*. ～하게 일하다 trabajar asiduamente [infatigable · sin escatimar esfuerzos]. ～한 생활(生活)을 하다 llevar una vida relajada. ～하지 않도록 노력하다 perservar en *sus* esfuerzos. 그는 마음이 ～해졌다 Se le relajó la tensión.

해인사 대장경판(海印寺大藏經板) ((불교)) plancha *f* de madera de la colección completa de la Sutras Budistas del Templo Haein.

해인초(海人草) 【식물】 hierba *f* corsa.

해일(亥日) 【민속】 el Día del Cerdo.

해일(海溢) maremoto *m*, aguaje *m*, desbor-

damiento *m* de marea, ola *f* de marea, olas *fpl* gigantescas producidas por seísmo. ～하다 desbordarse, tener maremoto. ～을 만나다 ser batido por el aguaje.
■ ～ 경보 alarma *m* de ola de marea.

해임(解任) descargo *m* de los deberes, descargo *m* de los oficios, destitución *f*, despedida *f*, depido *m*. ～하다 destituir, desponer, despedir, descargar los deberes. A를 사령관에서 ～하다 destituir a A del puesto de Comandante en Jefe. 그는 직장에서 ～되었다 Le despidieron del trabajo.
■ ～장(狀) carta *f* de retiro.

해자(垓字) ① [능(陵)·원(園)·묘(墓) 등의 경계] límite *m*. ② [성 밖으로 둘러 판 못] foso *m*.

해자(楷字) estilo *m* cuadrado de letra china.

해작거리다 seguir [continuar] jugueteando con la comida.

해작이다 juguetear con la comida de mala gana.

해작질 acción *f* de juguetear frecuentemente con la comida. ～하다 juguetear con la comida. 그녀는 ～하고 있었다 Ella estaba jugueteando con la comida.

해장 *haechang*, acción *f* de beber un poco para mitigar la resaca antes de desayunar. ～하다 beber un poco para mitigar la resaca antes de desayunar.
■ ～국 *haechangguk*, sopa *f* para mitigar la resaca antes de desayunar. ～술 *haechangsul*, vino *m* para mitigar la resaca antes de desayunar. ～탕(湯) ＝해장국.

해장(海葬) funerales *mpl* marítimos, entierro *m* en el mar. ～하다 enterrar en el mar.

해저(海底) fondo *m* del mar, lecho *m* marino. ～의 submarino. 배가 ～에 침몰했다 El buque se hundió en el fondo del mar.
■ ～곡(谷) valle *m* submarino. ～ 광물 mineral *m* submarino. ～ 목장 ganadería *f* submarina. ～ 산맥 cordillera *f* submarina. ～ 유전(油田) yacimiento *m* submarino de petróleo. ～ 전선 cable *m* submarino. ～ 전신 telégrafo *m* submarino, telégrafo *m* marino, cable *m*. ～ 전화 teléfono *m* submarino, teléfono *m* marino. ～ 지진(地震) maremoto *m*, marejada *f*. ～ 천공(穿孔) perforación *f* submarina. ～ 침식(浸蝕) erosión *f* submarina. ～ 터널 túnel *m* submarino. ～ 풍화 erosión *f* submarino. ～ 화산(火山) volcán *m* submarino.

해적(海賊) pirata *mf*, corsario *m*. ～의 pirata.
■ ～기(旗) bandera *f* pirata. ～ 방송 radio *f* pirata. ～ 방송국(放送局) estacón *f* emisora pirata. ～선(船) barco *m* pirata, barco *m* de piratas, corsario *m*. ～질 piratería *f*. ¶～하다 piratear, cometer piratería. ～판(版) edición *f* pirata, edición *f* desautorizada, edición *f* furtiva, copia *f* pirata. ～판 복사 copia *f* pirata. ～판 비디오 vídeo *m* pirata. ～판 테이프 cinta *f* pirata. ～ 행위 piratería *f*.

해전(一前) antes de que se pone el sol, antes de la puesta del sol. ☞해안

해전(海戰) batalla *f* naval, combate *m* naval.

해정(亥正) 【민속】 *haecheong*, las diez de la noche.

해정(海程) distancia *f* por (el) mar.

해제(解除) ① ＝해면(解免). ② [취소] cancelación *f*, anulación *f*, rescisión *f*; [철폐] supresión *f*, abrogación *f*. ～하다 cancelar, anular, rescindir, suprimir, levantar; [무장(武裝)을] desarmar, deguarnecer. 계약을 ～하다 anular [rescindir] el contrato. 책무(責務)를 ～하다 descargar [absolver] de una obligación. 수출 제한을 ～하다 levantar [suprimir] la restricción de las exportaciones.
■ ～ 조건 condición *f* resolutoria. ～ 조항 cláusula *f* resolutoria.

해제(解題) notas *fpl* bibliográficas, introducción *f* bibliográfica, explicación *f* bibliográfica, explanación *f* de un texto, comentario *m* de un texto, sinopsis *f*, nota *f*.
■ ～자(者) bibliógrafo, -fa *mf*, copilador, -dora *mf* de bibliografías.

해조(害鳥) pájaro *m* dañino [nocivo].

해조(海鳥) el ave *f* (*pl* las aves) marina.
■ ～분(糞) guano *m*.

해조(海潮) ＝조수(潮水).

해조(海藻) 【식물】 alga *f* marina, alga *f*, planta *f* marina.

해조(諧調) ① [잘 조화됨] armonía *f*. ② [즐거운 가락] eufonía *f*, melodía *f*.

해 주다 ((준말)) ＝하여 주다. ¶심부름을 ～ hacer un recado (a). 편지의 번역을 ～ traducir una carta. 나는 어머니의 심부름을 해 주어야 했다 Tengo que hacerle a mi madre.

해죽 sonriendo enseñando los dientes. ～ 웃다 sonreír enseñando los dientes.

해죽거리다[1] [마음에 흐뭇하여 귀엽게 계속 웃다] seguir sonriendo dulcemente [con dulzura].
해죽해죽 siguiendo sonriendo dulcemente.

해죽거리다[2] [팔을 내저어 활개를 치며 걷다] andar con brío balanceando *sus* brazos.
해죽해죽 andando con brío balanceando *sus* brazos.

해죽이 sonriendo dulcemente.

해중(海中) centro *m* del mar. ～의 marino; [해변 아래] submarion. ～에 al mar, en el mar. ～에 뛰어들다 arrojarse al mar, arrojarse en el mar, entrar en el mar, sumergirse. ～에 살다 vivir en el mar.
■ ～고혼(孤魂) el alma *f* solitaria que se ahogó en el mar. ～ 공원(公園) parque *m* natural en el mar. ～림(林) bosque *m* submarino. ～전(戰) batalla *f* submarina [en el mar]. ～ 조림 repoblación *f* forestal artificial en el mar. ～ 화산 ＝해저 화산. ～ 핵실험 prueba *f* nuclear submarino.

해지(解止) terminación *f*. ～하다 terminar, abandonar, acabar.

해지다 ((준말)) ＝해어지다.

해직(解職) destitución *f*, disposición *f*, despido *m*. ~하다 despedir, destituir, deponer, reveler del oficio.
■ ~ 수당(手當) subsidio *m* de despido. ~ 통고(通告) aviso *m* de despido.
해진(海震) maremoto *m*.
해 질 녘 crepúsculo *m*, anochecer *m*, anochecida *f*, nochecita *f*, vespertino *m*. ~에 al atardecer, al anochecer, a la caída del día, a la caída de la tarde, a crepúsculo, al caer la tarde, al caer el día, a la nochecita, a la puesta del sol, al ponerse el sol, al oscurecer el día.
해찰궂다 =해찰스럽다.
해찰스럽다 (ser) imprudente, frívolo, descuidado, poco cuidadoso, maleducado, grosero, descortés.
해찰하다 meterse y estropear.
해천(咳喘) la tos y la asma.
해체(解體) ① [하나로 뭉쳐진 것이 낱낱으로 흩어짐. 또, 뜯어 헤침] desmontaje *m*, desarme *m*, demolición *f*, [조직의] desarticulación *f*, desmembración *f*, desmembramiento *m*. ~하다 desmontar, desarmar, hacer pedazos, demoler, desarticular, desmantelar, desmembrar. ~할 수 있는 separable, desmontable. ~할 수 없는 inseparable; [고정된] fijo, inmovible. ~하여 운반(運搬)하다 transportar en secciones. 고물차(古物車)를 ~하다 desmontar un coche viejo. 부품(部品)을 ~하다 desmontar las piezas, separar las piezas. 설비를 ~ 수리하다 reparar un equipo desmontándolo, reparar un equipo por piezas desmontadas. ② 【생물】 =해부(解剖).
해초(亥初) 【민속】 *haecho*, alrededor de las nueve de la noche.
해초(海草) ① [충남 바닷가에서 나는 담배] tabaco *m* producido a la orilla del mar de la provincia de *Chungcheongnamdo*. ② =해조(海藻).
해춘(解春) deshielo *m*, comienzo *m* de la primavera, deshielo *m* de la primavera. ~하다 deshelar, comenzar [empezar] la primavera.
해충(害蟲) insecto *m* nocivo, insecto *m* dañino, insecto *m* dañoso, insecto *m* destructivo.
■~ 구제(驅除) esterminio *m* de bichos. ~ 구제제(驅除劑) exterminador *m*.
해치(영 *hatch*) [갑판의 승강구] escotilla *f*, [승강구 뚜껑] trampilla *f*.
해치다 ① [해롭게 만들다] perjudicar, causar perjuicio, dañar, hacer daño, herir, injuriar, agraviar, ofender, lastimar, corromper, emponzoñar, envenenar. 감정을 ~ herir el sentimiento (de), herir (a), ofender (a), herir el amor propio. 건강을 ~ perjudicar a la salud, dañar la salud, perder la salud. 신용을 ~ perjudicar al [en] crédito. 이익을 ~ perjudicar el interés. 알코올은 건강을 무척 해친다 El alcohol perjudica mucho a la salud. 흡연은 네 몸을 해친다 El tabaco perjudica tu salud. 흡연은 건강을 심하게 해친다 Fumar perjudica seriamente la salud. 흡연은 건강을 해친다 *Parag* Fumar daña la salud. 흡연은 건강을 해칠 수 있다 *ReD* Fumar puede ser perjudicial para la salud. 알코올은 건강을 몹시 해친다 El alcohol perjudicia mucho a la salud. 이 책은 어린이들을 해친다 Este libro corrompe a los niños. ② [남을 상하게 하거나 죽이다] dañar, hacer daño; [죽이다] matar.
해치우다 ① [어떤 일을 빨리 시원스럽게 끝내다] terminar. 당근을 모두 해치워라 Termina las zanahorias / Cómete todas las zanahorias. ② [일의 방해가 되는 대상을 없애 버리다] eliminar, quitar.
해커(영 *hacker*) 【컴퓨터】 pirata *m* informático, pirata *f* informática, hacker *ing.m* (*pl* hackers).
해코지(害—) conducta *f* de perjudicar a otro.
해킹(영 *hacking*) 【컴퓨터】 piratería *f* informática. ~하다 piratear.
해타(懈惰) pereza *f*, holgazanería *f*. ☞해태(懈怠).
해탈(解脫) 【불교】 rescate *m* del mal, salvación *f* del espíritu, liberación *f* del espíritul. ~하다 rescatar [salvarse · librarse] (de las cadenas del mundo).
■ ~문(門) 【해부】 =산문(産門).
해태 【동물】 león *m* (*pl* leones) de piedra.
해태(海苔) 【식물】 alga *f* marina.
해태(懈怠) =게으름(pereza, holgazanería). ¶ ~하다 (ser) perezoso, holgazán.
해토(解土) deshielo *m* de la tierra. ~하다 deshelar.
■ ~머리 comienzo *m* del deshielo.
해트 트릭(영 *hat trick*) ((축구 · 하키)) tríada *f*, tripleta *f* de goles, tres goles seguidos. ~을 기록하다 marcar tres goles [tantos] seguidos.
해파(海波) ola *f* del mar.
해파리 【동물】 medusa *f*, aguamar *m*, *Per* malagua *f*, *RPI* aguaviva *f*, *Col, Méj* aguamala *f*.
해판(解版) 【인쇄】 distribución *f* de tipos, descomposición *f*. ~하다 distribuir tipos, descomponer.
■ ~공(工) distribuidor *m* de tipos.
해포 un año más o menos.
해포석(海泡石) 【광물】 sepiolita *f*.
해표(海豹) 【동물】 lobo *m* marino. ☞물범
해풍(海風) [바닷바람] viento *m* marero, viento *m* del mar, brisa *f* marina, brisa *f* del mar. 낮에는 ~이 분다 Por la tarde sopla el viento del mar.
해프닝(영 *heppening*) ① [우발적인 일] suceso *m*, accidente *m*. ② [예사가 아닌 표현 수단에 의한 전위적(前衛的)인 풍속이나 예술 활동] happening *ing.m*, espectáculo *m* artístico improvisado en el que participa el público.
해피 뉴 이어(영 *Happy New Year*) [새해 복 많이 받으십시오] ¡Próspero Año Nuevo! /

¡Feliz Año Nuevo!
해피 버스데이(영 *Happy birthday*) [생일을 축하합니다] ¡Feliz cumpleaños! / ¡Felicidades!
해피 스모크(영 *happy smoke*) una especie de marijuana.
해피 아워(영 *happy hour*) hora *f* feliz, horas *fpl* durante las cuales se reduce el precio de las consumiciones en los bares.
해피 엔딩(영 *happy ending*) final *m* feliz, feliz desenlace *m*.
해하다 sonreír con la boca abierta.
해하다(害-) dañar, perjudicar, hacer daño (a), causar perjuicio (a). ☞해치다
해학(諧謔) =유머(humorismo, chiste, broma).
■ ~가(家) humorista *mf*, chistoso, -sa *mf*, chancero, -ra *mf*. ~곡(曲) scherzo *m*. ~극(劇) drama *m* humorístico. ~ 문학(文學) literatura *f* humorística. ~ 소설 novela *f* humorística. ~적 humorístico, gracioso, ridículoso, chistoso, jocoso, cómico. ¶ ~(인) 그림 cuadro *m* humorístico.
해항(海港) ① [해안에 있는 항구] puerto *m* marítimo, puerto *m* de mar. ② [외국 무역에 쓰이는 항구] puerto *m* para el comercio extranjero.
해해 riéndose tontamente.
해해거리다 reírse tontamente.
해협(海峽) estrecho *m*, canal *m*.
해후(邂逅) encuentro *m* casual. ~하다 encontrar casualmente, encontrarse (con), acertar a encontrar.
■ ~상봉(相逢) =해후(邂逅).
핵(核) ① [사물·행동 등의 중심이 되는 곳. 핵심] núcleo *m*, meollo *m*. 문제의 ~ meollo *m* de la cuestión. ② 【해부】 núcleo *m*. ~의 nuclear, nucleario. ~이 있는 nucleado. ③ [신경학상, 같은 구실을 하는 신경 세포의 집단] núcleo *m*. ④ [핵과의 씨를 싸고 있는 껍데기] almendra *f*, grano *m*, núcleo *m*. ⑤ =원자핵(原子核)(núcleo atómico, núcleo átomo). ¶~의 nuclear, atómico. ~문제에 관한 토론 debate *m* sobre la cuestión nuclear.
■ ~가족 familia *f* nuclear, unifamilia *f*, núcleo *m* de la familia. ~개발 desarrollo *m* nuclear. ~겨울 invierno *m* nuclear. ~결합 enlaces *mpl* nucleares. ~결합 에너지 energía *f* de enlace nuclear. ~공격 ataque *m* nuclear. ~공명(共鳴) resonancia *f* nuclear. ~ 공중 폭발 explosión *f* nuclear en el aire. ~구조 estructura *f* del núcleo. ~군비(軍備) armamento *m* nuclear. ~군축 desarme *m* nuclear. ~군축 운동(軍縮運動) plataforma *f* para desarme nuclear. ~금(禁) ((준말)) =핵실험 금지. 핵무기 금지. ~냉각 enfriamiento *m* nuclear. ~ 네트워크 armazón *m* nuclear, red *f* nuclear. ~논쟁 debate *m* sobre la cuestión nuclear. ~농축 picnosis *m*. ~단백질 nucleoproteinas *fpl*, albúmina *f* nuclear. ~ 대피소 refugio *m* antinuclear. ~력(力) fuerza *f* nuclear. ~로켓 cohete *m* nuclear, cohete *m* de propulsión nuclear. ~막(膜) membrana *f* nuclear. ~무기 armas *fpl* nucleares, armas *fpl* nucleares como elemento de disuasión [como fuerza disuasoria]. ~무기 사용 uso *m* [empleo *m*] de armas nucleares. ~무기 보유국(武器保有國) potencia *f* nuclear. ~무장 armamento *m* nuclear. ~물리학 física *f* nuclear. ~물리학자 físico, -ca *mf* nuclear. ~물질 materiales *mpl* nucleares. ~ 미사일 mísil *m* nuclear. ~반응(反應) reacción *f* nuclear. ~발전소 central *f* nuclear, nuclear *f*. ~ 방사성 강하물 대피소 refugio *m* atómico. ~병기 el arma *f* (*pl* las armas) nuclear. ~보유국 poder *m* nuclear. ~분산 dispersión *f* nuclear. ~분열 fisión *f* nuclear, escisión *f* del núcleo de los átomos, desintegración *f* nuclear. ~분열로 reactor *m* de fisión nuclear. ~분열 물질 materiales *mpl* fisionables. ~분열 생성물 producto *m* de la fisión nuclear. ~분열 연쇄 반응 reacción *f* en cadena de fisión nuclear. ~분열 폭탄 bomba *f* de la fisión nuclear. ~붕괴 desintegración *f* de la célula nuclear. ~사찰(査察) inspección *f* nuclear. ~산(酸) ácido *m* nucleico. ~산업(産業) industria *f* nuclear. ~세포 célula *f* nucleada. ~시대 era *f* nuclear [atómica]. ~실험 prueba *f* nuclear. ¶대기권(大氣圈) ~ prueba *f* nuclear atmosférica. 지하 ~ prueba *f* nuclear subterránea. ~실험 금지 조약 tratado *m* de prohibición de pruebas nucleares. ~실험 금지 협정 acuerdo *m* de prohibición de pruebas nuclares. ~실험장 terreno *m* de pruebas nucleares. ~억지력(抑止力) fuerza *f* disuasiva nuclear, fuerza *f* disuasoria nuclear. ~에너지 energía *f* nuclear. ~ 엔진 motor *m* nuclear, máquina *f* nuclear. ~연료(燃料) combustible *m* nuclear. ~연료 사이클 ciclo *m* de combustible nuclear. ~연료 요소 elemento *m* de combustible nuclear. ~용량 capacidad *f* nuclear. ~우산 sombrilla *f* nuclear. ~원자 átomo *m* nuclear. ~융합 fusión *f* nuclear. ~융합 반응 reacción *f* de fisión nuclear. ~의 겨울 [핵전쟁으로 인한 전(全)지구적인 한랭 현상] invierno *m* nuclear. ~의학 medicina *f* nuclear. ~이식 trasplante *m* nuclear. ~인(仁) nucléolo *m*. ~입자(粒子) nucleón *m*. ~자(子) nucleón *m*. ~자기(磁氣) magnetismo *m* nuclear. ~자기 공명 resonancia *f* magnética nuclear. ~잠수함(潛水艦) submarino *m* nuclear. ~재생기 autorregenerador *m* nuclear, reproductor *m* nuclear. ~전쟁 guerra *f* nuclear. ~종(種) núcleo *m*. ~질(質) nucleoplasma *f*. ~ 클럽 club *m* nuclear. ~탄두(彈頭) cabeza *f* nuclear, ovija *f* nuclear, carga *f* nuclear. ~폐기물(廢棄物) residuos *mpl* [desechos *mpl*] nucleares [radiactivos]. ~폭발(爆發) explosión *f* nuclear, desintegración *f* nuclear. ~폭발 실험 prueba *f* nuclear. ~폭발 장치 el arma *f* (*pl* las armas) nuclear, artefacto *m* explosivo nuclear. ~폭발 탐

지 위성 satélite *m* detector de explosiones nucleares. ~폭탄 bomba *f* nuclear, bomba *f* atómica, bomba *f* termonuclear. ~협정(協定) acuerdo *m* nuclear. ~화(化) nuclearización *f.* ~화학 química *f* nuclear. ~화학자 químico, -ca *mf* nuclear. ~확산 proliferación *f* nuclear. ~확산 금지 조약 =핵확산 방지 조약. ~확산 방지 no proliferación *f* nuclear. ~확산 방지 조약(擴散防止條約) tratado *m* de no proliferación nuclear.

핵막(核膜) membrana *f* nuclear.

핵심(核心) médula *f,* núcleo *m,* meollo *m,* quid *m.* ~의 nuclear, nucleario, básico. 문제(問題)의 ~ meollo *m* de la cuestión. 천 단어 ~ 어휘 un vocabulario básico de mil palabras. ~을 찌르다 acertar, dar en el clavo. ~을 찌르는 agudo, ingenioso, acertado, feliz (*pl* felices), oportuno. ~을 찌르는 말 expresión *f* feliz, dichos *mpl* agudos. ~을 찌르는 착상을 하다 tener una feliz ocurrencia. 사건의 ~을 찌르다 tocar la médula de un asunto, dar en el blanco, dar en el clavo, acertar. 이것이 문제의 ~이다 Esto es [constituye] la médula [el quid] del problema. 네 말은 ~을 찌른다 [~을 찌르는 말이다] Tus palabras vienen al dedo / Tus palabras han dado en el clavo. 너는 ~을 찔렀다 Te has pasado de la raya en lo que has dicho / Tú has acertado / Tú estás en lo cierto.

■ ~ 교육 과정 plan *m* de estudios común. ~적(的) nuclear, nucleario, básico.

핸드백(영 *handbag*) bolso *m* (de mano); cartera *f, Méj* bolsa *f* (de mano).

핸드볼(영 *handball*) ① [경기] balonmano *m; AmL* handball *ing.m; USA* frontón *m,* pelota *f.* ~공 pelota *f* de balonmano, *AmL* pelota *f* de handball, *USA* pelota de frontón. ② ((축구)) mano *f.* ~! ¡Mano!

핸드북(영 *handbook*) ㉮ [편람(便覽)] manual *m.* ㉯ [강요(綱要)] elementos *mpl.* ㉰ [안내기(案內記)] guía *f.*

핸드폰(영 *hand+phone*) (teléfono *m*) móvil *m, Arg, Col, Cuba, Salv, Urug, Ven* (teléfono *m*) celular *m.* ~의 번호 número *m* del celular. 당신의 ~은 몇 번입니까? ¿Qué número es su celular? 대한민국 서울의 ~ 016-9221-7767과 통화를 했으면 합니다 Quisiera hablar con el número del celular de Seúl, Corea 016-9221-7767.

핸들(영 *handle*) [자동차의] volante *m;* [자전거의] manillar *m,* guía *f,* [기계의] manubrio *m,* manivela *f,* [문의] tirador *m,* botón *m* (*pl* botones), pomo *m.* 오른쪽 ~ 차 coche *m* de volante. ~을 잡다 ponerse al volante. ~을 잡고 있다 llevar [tomar] el timón. ~을 돌리다 girar el volante. ~을 왼쪽[오른쪽]으로 돌리다 girar [virar] a la izquierda [a la derecha].

핸들링(영 *handling*) mano *f,* toque *m.* ~을 하다 jugar con la mano. 고의적인 ~ mano *f* deliberada, mano *f* intencionada. 고의성이 없는 ~ mano *f* involuntaria. ~! ¡Usted incurrió la mano!

핸디 ((준말)) =핸디캡.

핸디캡(영 *handicap*) ① [곤란, 불이익] desventaja *f.* ② ((골프)) hándicap *ing.m.* ~을 만들다 llevar hándicap. ③ [장애] impedimento *m,* retraso *m.* 신체적인 ~ impedimento *m* físico. 정신적인 ~ retraso *m* mental.

핸섬하다(handsome-) (ser) guapo, apuesto, bien parecido, *AmL* buen mozo. 그는 무척 ~ El es muy guapo / El es un hombre apuesto / *AmL* El es muy buen mozo. 그녀는 핸섬한 여자다 Ella es una mujer apuesta / *AmL* Ella es muy buena moza.

핼쑥하다 (ser) delgado, flaco; [창백하다] estar pálido, ponerse pálido. 핼쑥해지다 adelgazar, ponerse delgado; [창백해지다] ponerse pálido, palidecer, ponerse descolorido. 핼쑥한 얼굴 cara *f* pálida, rostro *m* pálido. 그는 핼쑥해졌다 El se puso pálido. 당신은 무척 핼쑥해지고 있다 Tú estás adelgazando mucho.

햄[1](영 *ham*) [말리거나 절여 보존 처리된] jamón *m* (*pl* jamones) serrano, jamón *m* (crudo); [요리된] jamón *m* (de) York, jamón *m* (cocido).

◆ 생(生) ~ jamón *m* crudo.

■ ~샌드위치 emparedado *m* de jamón, sandwich *m* de jamón. ~샐러드 ensalada *f* de jamón. ~에그 huevos *mpl* (fritos) con jamón.

햄[2](영 *ham*) [아마추어 무선사] radioaficionado, -da *mf,* aficionado, -da *mf* a la radiofonía.

햄버거(영 *hamburger*) ① [둘로 자른 둥근 빵에 햄버그스테이크를 끼운 것] hamburguesa *f,* emparedado *m* de carne molida. ② [햄버그스테이크용의 다진 고기] carne *f* picada, carne *f* molida.

■ ~ 가게 hamburguesería *f.* ~ 체인 cadena *f* de hamburgueserías.

햄버그스테이크(영 *hamburg steak*) hamburguesa *f.*

햄프셔종(Hampshire 種) hampshire *m.*

햅쌀 arroz *m* de la última cosecha, arroz *m* de cosecha temprana.

■ ~밥 arroz *m* blanco [cocido] de la cosecha temprana.

햇- nuevo, primer producto del año. ~것 nueva cosecha *f,* cosecha *f* del año. ~곡식 grano *m* de nueva cosecha, cosecha *f* del año.

햇것 primeros frutos *mpl;* primeros cereales *mpl,* nueva cosecha *f,* cosecha *f* del año.

햇곡식(-穀-) primeros cereales *mpl,* grano *m* de nueva cosecha, cosecha *f* del año.

햇귀 sol *m* de la mañana temprana, primer rayo *m* de sol.

햇김치 nuevo kimchi *m.*

햇나물 verduras *fpl* tempranas.

햇무리 halo *m,* halón *m,* corona *f.*

햇물 ① ((준말)) =햇무리. ② [장마 뒤에 잠시 괴다가 없어지는 샘물] el agua *f* del pozo después de la estación de lluvias.

햇발 =햇귀.

햇벼 arroz *m* de la cosecha temprana.

햇병아리 ① [그 해에 새로 깐 병아리] nuevo polluelo *m* que salió del cascarón ese año. ② =풋내기. ¶~ 외교관(外交官) futuro diplomático *m*, futura diplomática *f*.

햇볕 rayo *m* de sol, luz *f* del sol, sol *m*, rayos *mpl* solares. ~에 al sol. ~이 쪼이지 않는 곳에 a la sombra. ~에 말리다 secar al sol. ~에 쬐다 exponer al sol. ~에 타다 tostarse al sol, curtirse con el sol, atezarse, ponerse moreno con el sol. ~을 쬐다 tomar el sol, *Chi, Arg* tomar sol, *AmL* asolearse. ~을 쬐는 사람 persona *f* que toma el sol. ~에 탐 quemadura *f* de sol. ~에 탄 quemado por el sol. ~에 구운 벽돌 ladrillo *m* secado al sol. ~에 탄 얼굴 cara *f* bronceada, cara *f* tostada (por el sol), cara *f* atezada. ~에 타는 것을 방지하는 크림 crema *f* contra las quemaduras del sol. ~에 탄 데 바르는 크림 crema *f* bronceadora, bronceador *m*. 피부가 ~에 타 있다 tener la piel tostada [bronceada]. 피부가 ~에 탄다 La piel se tuesta al sol / La piel se ateza / El sol tuesta [pone morena · broncea] la piel. ~에 쬐지 않도록 해라 No te expongas al sol.

■~ 정책(政策) política *f* solar, política *f* de sol, política *f* que toma el sol.

햇보리 cebada *f* de la cosecha temprana.

햇빛 sol *m*, luz *f* del sol, rayos *mpl* del sol, claridad *f* del sol. ~에 al sol. ~에 빛나다 brillar al sol. ~을 보다 [공개 · 출판] salir a (la) luz, aparecer. 직접적인 ~을 피하다 evitar la luz del sol directa. ~이 보이지 않다 no ver las luces del sol. ~이 눈부시다 La luz del sol me deslumbra / El sol ofusca la vista. ~이 들어온다 Penetra la luz / Entra el sol. 벌써 ~이 나와 있다 Ya está apareciendo el sol.

햇살 luz *f* del sol, rayo(s) *m*(*pl*) de sol. 오후의 ~ rayo *m* de sol de la tarde. ~이 강하다 Los rayos de sol queman / Los rayos de sol son ardientes / El sol pega fuerte / El sol calienta mucho. ~이 약하다 El sol vierte [arroja] rayos débiles de luz. 구름 사이에서 약한 ~이 새어 나온다 Débiles rayos de sol se filtran entre las nubes.

햇수(一數) número *m* de años. 우리가 결혼한 지 ~로 삼 년이 된다 Pronto hará tres años que nos casamos / Nuestra vida matrimonial está en el tercer año.

햇콩 soja *f* [alubia *f*] de la cosecha temprana.

햇팥 judía *f* pinta [haba *f* roja] de la cosecha temprana.

행(行) ① [글의 세로 또는 가로의 줄] línea *f*, renglón *m* (*pl* renglones). 50쪽의 여덟 번째 ~ la línea ocho de la página cincuenta. 3쪽 밑에서 다섯 번째 ~ la línea cinco de la página tres empezando desde abajo. 5쪽 밑에서 두 번째 ~ la penúltima línea de la página cinco. ② 【시】 verso *m*. 2~시 pareado *m*. 3~ 시 terceto *m*. 4~ 시 cuarteto *m*. 5~ 시 quinteto *m*.

행(幸) ((준말)) =다행(多幸)(fortuna, felicidad). ¶~인지 불행(不幸)인지 afortunadamente o desgraciadamente.

-행(行) para, a. 서울~ 열차(列車) el tren para [a] Seúl.

행각(行脚) ① ((불교)) peregrinación *f*, peregrinaje *m*, romería *f*. ~하다 peregrinar. ② [어떤 목적으로 여기저기로 돌아다님] viaje *m* a pie, andanza *f*. ~하다 viajar a pie, seguir viaje, continuar. 사기(詐欺) ~에 나서다 seguir [continuar] el viaje fraudulento.

■~승(僧) sacerdote *m* (budista) en peregrinación, monje *m* (budista) ambulante..

행간(行姦) acción *f* de cometer adulterio. ~하다 cometer adulterio.

행간(行間) entrelínea *f*, espacio *m* entre dos renglones. ~에 기입하다 entrelinear, interlinear. ~을 띄우다 espaciar los renglones.

행객(行客) viajero, -ra *mf*; turista *mf*; viajante *mf*; pasajero, -ra *mf*; caminante *mf*.

행군(行軍) marcha *f*. ~하다 marchar. ~ 중(中) en la marcha.

◆강(强)~ marcha *f* forzada.

■~ 대형(隊形) formación *f* de marcha. ~로 ruta *f*, línea *f* de marcha. ~ 명령 orden *f* de marcha. ~ 속도 tiempo *m*. ~ 종대 columna *f* de marcha, columna *f* de ruta.

행궁(行宮) palacio *m* temporario.

행글라이더(영 *hang glider*) ① el ala *f* (*pl* las alas) delta, *Méj* deslizador *m*. ~로 날다 volar con ala delta, *Méj* volar en deslizador. ② [사람] piloto *mf* de ala delta, piloto *mf* de deslizador.

■~ 비행(飛行) vuelo *m* con ala delta, *Méj* vuelo *m* en deslizador.

행낭(行囊) saca *f* de correos, saco *m* de correspondencia, valija *f* (del correo); [우편 집배원의] cartera *f* (del cartero).

행년(行年) ① [그해까지 먹은 나이] *su* edad, *sus* años (de edad). 내 어머님은 ~ 일흔아홉 살이었다 Mi madre murió a los setenta y nueve años de edad. ② ((불교)) *sus* años de vida terrenal.

■~신수(身數) fortuna *f* del año. ~점(占) adivinación *f* del año para *su* fortuna.

행동(行動) hecho *m*, acto *m*, acción *f*, obra *f*, movimiento *m*, conducta *f*, comportamiento *m*, proceder *m*. ~하다 actuar, obrar, conducirse, portarse, comportarse, proceder. 용감한 ~ actos *mpl* de valor, hazañas *fpl* heroicas. 좋은 ~ buena conducta *f*, buen comportamiento *m*, buenas acciones *fpl*, buenas obras *fpl*. ~에 옮기다 ponerse [entrar] en acción [en movimiento]. ~을 감시(監視)하다 vigilar la conducta (de), vigilar el comportamiento (de). ~을 개시

(開始)하다 principar a operar. ～을 잘못하다 portarse mal, comportarse mal. 생각을 ～에 옮기다 llevar *sus* ideas a la práctica [a la acción]. 예절(禮節) 바르게 ～하다 portarse bien, comportarse. 좋은 ～을 하다 hacer una buena acción. 나쁜 ～을 하다 hacer una mala acción. …와 ～을 같이하다 obrar en conformidad con *uno.* 임의로 ～해서는 안 된다 No debes obrar a tu antojo [a tu arbitrio · a tu capricho]. 그는 신사다운 ～을 한다 El se porta como un caballero. 그들은 ～을 요구했지 말을 요구하지 않았다 Ellos exigían hechos y no palabras. 그는 말과 ～으로 나를 지원했다 El me apoyó de palabra y obra. 나는 내 자신의 ～에 수치심(羞恥心)을 느낀다 Me avergüenzo de mi propia conducta. 두 사람은 ～을 함께해 시험에 낙방(落榜)했다 Los dos fueron suspendidos como buenos amigos en el examen. 그는 결코 악인(惡人)처럼 ～할 수 없을 것이다 El nunca podrá portarse como un perfecto pícaro. 다른 사람들의 ～을 보고 네 ～을 고쳐라 Corrige tu conducta viendo la de los otros.

■～ 개시(開始) despliegue *m.* ¶～하다 desplegar. ～거지 porte *m,* conducta *f,* actitud *f,* comportamiento *m,* maneras *fpl,* aire *m,* apariencia *f,* ademán *m.* ～가 수상한 남자 hombre *m* de actitud sospechosa, hombre *m* de apariencia sospechosa. ～가 좋다 ser (una persona) de buena conducta [de buenos modales], ser educado, tener buenos modales, portarse bien. ～가 나쁘다 ser (una persona) de mala conducta [de malos modales], ser mal educado, no tener educación, portarse mal, comportarse mal. ～를 잘해라 Pórtate bien / Compórtate bien. 그녀의 ～는 여자답지 못하다 Su conducta carece de feminidad / Ella no tiene porte femenino. ～ 과학 ciencia *f* de la conducta. ～권(圈) radio *m* de acción. ～ 규범(規範) normas *fpl* de comportamiento. ～대 grupo *m* de acción. ～력 poder *m* de acción. ～ 미술 pintura *f* de acción. ～ 미술가 pintor, -tora *mf* de acción. ～반경(半徑) radio *m* de acción. ¶～이 훨씬 더 넓다 El radio de acción es mucho más amplio. ～ 방향 línea *f* de acción. ～ 범위 esfera *f* de acción. ～ 연구(硏究) [행동 과학에 입각한] conductismo *m,* behaviorismo *m.* ～ 요법(療法) terapia *f* de conducta. ～주의 conductismo *m,* behaviorismo *m.* ～주의자 conductista *mf;* behaviorista *mf.* ～ 통일(統一) acción *f* en concierto, acción *f* unida. ¶～하다 actuar en concierto. ～로 al unísono. 그들은 새로운 법률에 ～로 항의했다 Ellos protestaron al unísono contra la nueva ley.

행락(行樂) paseo *m,* excursión *f,* jira *f,* caminata *f,* partida *f* al campo, romería *f.* 하루의 ～ paseo *m* de un día. 오늘은 ～하기에 이상적인 날씨다 Hoy hace un tiempo ideal para hacer una excursión.

■～객(客) paseante *mf;* excursionista *mf;* turista *mf.* ～일 día *m* de paseo, día *m* de diversión. ～지 lugar *m* de excursión; [관광지] lugar *m* de turismo, lugar *m* de recreo. ～철 estación *f* de turismo, temporada *f* de turismo.

행랑(行廊) ① [대문 양쪽에 있는 방] corredor *m,* pasillo *m;* [절의] claustro *m.* ② [지난날, 서울 장거리에 줄대어 있던 이층의 전방(廛房)] tienda *f* de dos pisos.

■～것 criado, -da *mf;* serviente, -ta *mf.* ～뒷골 callejuela *f* detrás de las tiendas en *Chongro,* Seúl. ～방 habitación *f* en el corredor. ～살이 vida *f* de criado. ～아범 criado *m,* serviente *m.* ～어멈 criada *f,* servienta *f.* ～채 recibidor *m,* recibimiento *m.*

행려(行旅) vagabundería *f,* vagamundería *f.* ～하다 vagabundear, vagamundear.

■～병사자 persona *f* caída enferma en el camino. ～병자(病者) persona *f* que cae enferma en el camino. ～사망 muerte *f* en el camino, moribundo *m* en la calle. ～사망자 muerto, -ta *mf* en la calle; persona *f* muerta en la calle. ～시(屍) cadáver *m* del muerto en el camino.

행렬(行列) ① [여럿이 벌이어 줄서서 감, 또는 그 줄] desfile *m;* [주로 종교적인] procesión *f;* [퍼레이드] parada *f;* [기마(騎馬)의] cabalgata *f;* [창구 등의] cola *f,* fila *f.* ～의 procesional. 장송(葬送)의 ～ un corteje fúnebre. ～을 짓다 desfilar; [차례를 기다리면서] hacer cola. ～을 흐트리다 estorbar el desfile; [순번을 지키지 아니하다] no respetar la cola. ～의 뒤에 서다 ponerse en [a la] cola, seguir al último de la fila. 축제 ～이 길게 계속되고 있다 Continúa pasando el largo desfile de la fiesta. 군인들이 ～을 지어 간다 Los soldados van en procesión. 상점 앞에 ～이 서 있다 Está formada una cola delante de la tienda. 거리를 가는 저 ～의 의미를 저에게 설명을 해 주시겠습니까? ¿Quiere usted explicarme el significado de esa procesión que va por la calle? 표를 사기 위해 사람들이 ～을 짓고 있다 La gente hace cola para sacar billetes [*AmL* boletos]. ② 【수학】 matriz *f.*

■～식(式) 【수학】 determinante *m.*

행로(行路) paso *m,* curso *m,* camino *m,* ruta *f,* vía *f.*

◆인생(人生) ～ camino *m* espinoso de la vida, curso *m* de la vida (humana), camino *m* de la vida.

행리(行李) ＝행장(行裝).

행림(杏林) ① [살구나무의 수풀] bosque *m* del albaricoquero. ② ＝의원(醫員)(médico).

■～계(界) mundo *m* [círculo *m*] de médicos.

행망쩍다 (ser) descuido, desatento, negligente, despreocupado.

행매(行賣) ① [팔기 시작함] comienzo *m* de la venta. ～하다 comenzar [empezar] a vender. ② [상품을 들고 다니면서 팖] venta *f* de puerta en puerta. ~하다 vender en las calles, vender de puerta en puerta.

행방(行方) paradero *m*, rastro *m*. ~을 정하지 않은 여행 viaje *m* sin objeto, viaje *m* sin destino (fijo), viaje *m* sin designio. ~을 감추다 desaparecer, huir sin dejar rastro, cubrir el rastro, ocultarse, esconderse. ~을 놓치다 perder los pasos (de), perder la pista (de). ~을 좇다 seguir (tras · detrás de), rastrear, seguir la pista (de), seguir las huellas (de), buscar siguiendo *sus* huellas. 자식의 ~을 찾다 buscar el paradero de *su* hijo. 그의 ~이 아직 묘연하다 Su paradero es aún un misterio. 아무도 그의 ~을 모른다 Se desconoce su paradero / Nadie conoce su paradero.

■ ~불명(不明) paradero *m* desconocido, desaparición *f*, desparecimiento *m*. ¶~되다 desaparecer(se). 다섯 명의 등산객이 ~되었다 Han desaparecido cinco alpinistas. ~불명자 desparecido, -da *mf*.

행보(行步) paseo *m*. ~하다 pasear(se), dar un paseo, andar, caminar.

행복(幸福) felicidad *f*, dicha *f*. ~하다 (ser) feliz, dichoso, afortunado; [행운의] venturoso. ~하게 felizmente. ~하게 하다 hacer feliz (a). ~하게 살다 vivir feliz, vivir felizmente, vivir bien, vivir [llevar] una vida feliz. ~을 기원(祈願)하다 desear muchas venturas (para). ~에 겨워 있다, 아주 ~해 있다 estar como unas Pascuas, estar loco de contento. ~하시길 바랍니다 Le deseo felicidad. 그녀는 소식을 듣고 아주 ~해했다 Ella se puso como unas Pascuas [loca de contento] cuando se enteró. 그 반지는 당신에게 ~을 안겨 줄 것이다 El anillo te traerá la felicidad. 그는 그렇게 참한 아들을 갖게 되어 ~하다 El es feliz de tener un hijo tan bueno. 진정한 ~은 남을 ~하게 하는 데 있다 La verdadera felicidad consiste [estriba] en hacer felices a los demás. 최고의 ~은 꾹 참는 것이다 ((서반아 속담)) La mejor felicidad es la conformidad. 모든 ~은 마음속에 있다 ((서반아 속담)) No es dichoso el que lo parece, sino el que por tal se tiene.

■ ~감 euforia *f*, sentido *m* [sensación *f*] de felicidad. ~설[주의] eudemonismo *m*. ~추구(追求) búsqueda *f* de la felicidad. ~추구권 derecho *m* de la búsqueda de la felicidad.

행불자(行不者) ((준말)) =행방불명자.

행불행(幸不幸) felicidad y desgracia, bueno o malo, buena o mala fortuna. 인생(人生)의 ~ felicidad o infortunio de la fortuna. 매사(每事)는 ~이 있기 마련이다 En todo juega su parte el destino.

행사(行使) ejercicio *m*, aplicación *f*, uso *m*. ~하다 ejercer, aplicar, usar (de), hacer usos (de). 권리의 ~ ejercicio *m* de un derecho. 힘의 ~ ejercicio *m* del poder. 권력을 ~하다 ejercer la autoridad (del superior) (sobre · en), imponer la autoridad (a), usar de la facultad concedida + *inf*. 권리를 ~하다 ejercer [utilizar · hacer valer] el derecho. 전권(全權)을 ~하다 desempeñar la plenipotencia. 너는 어떤 수단을 ~해도 된다 Tú puedes usar [hacer uso de] cualquier medio / Cualquier medio es aplicable.

행사(行事) evento *m*, rituales *mpl*, ceremonias *fpl*, fiestas *fpl*, festival *m*.

◆공식 문화 ~ evento *m* oficial de cultura. 공식(公式) ~ evento *m* oficial, actos *mpl* oficiales. 기념 ~ ceremonia *f* de conmemoración. 문화 여흥(文化餘興) ~ eventos *mpl* culturales y de entretenimiento. 문화 예술(文化藝術) ~ festival *m* de cultura y arte. 문화(文化) ~ eventos *mpl* culturales. 연중(年中)~ eventos *mpl* [rituales *mpl*] del año. 종교(宗敎)~ ritos *mpl* religiosos, ceremonia *f* religiosa. 주요(主要) ~ evento *m* principal. 특별(特別) ~ evento *m* especial.

행상(行商) ① [도붓장수] comercio *m* ambulante; [외치며 파는] pregón *m*; [싼 잡화의] buhonería *f*. ~하다 ir [andar] vendiendo de puerta en puerta, ejercer el oficio de buhonero, vagabundear revendiendo. ② [도붓장수] buhonero, -ra *mf*; revendedor, -dora *mf*; baratillero, -ra *mf*; pregonero, -ra *mf*; [외판원(外販員)] vendedor, -dora *mf* ambulante.

■ ~인 buhonero, -ra *mf*; (vendedor, -dora *mf*) ambulante *mf*; vendedor *m* callejero, vendedora *f* callejera. ☞행상(行商)❷

행상(行賞) otorgamiento *m* del premio, dádiva *f* de recompensa. ~하다 dar [otorgar · conceder] el premio.

행색(行色) ① [행동을 하는 태도] conducta *f*. ② [길 떠나는 사람의 차림새] apariencia *f*. 그녀는 ~이 초라했다 Ella iba mal [pobremente] vestida / Ella llevaba ropa vieja y gastada.

행서(行書) estilo *m* semi-cursivo de escritura.

행선(行先) =행선지(行先地).

■ ~지 *su* destinación, destino *m*. 그는 ~도 말하지 않고 가 버렸다 El se ha marchado sin decir adónde iba.

행선(行船) navegación *f*. ~하다 navegar.

행성(行星) 【천문】 planeta *m*.

행세(行世) conducta *f*, proceder *m*. ~하다 conducirse, comportarse bien, portarse bien, hacerse pasar (por), disfrazarse (de). 그는 경찰관 ~를 하면서 강도짓을 했다 El cometió un robo violento disfrazándose de policía. 그는 ~깨나 한다 El apalea los millones / El está forrado de dinero. 저 집은 ~깨나 한다 En aquella casa rueda el dinero. 그는 어른 ~를 한다 El se da aire de importancia por ser el mayor.

행수(行首) jefe, -fa *mf* [líder *mf*] de un

grupo, jefe, -fa *mf*, cacique *m*.
■ ~ 기생(妓生) jefa *f* de *kisaeng* oficial.

행수(行數) número *m* de líneas. ~를 줄이다 reducir el número de líneas.

행습(行習) ① =버릇(hábito, costumbre). ¶~이 사납다 tener mal hábito [mala costumbre]. ② =기습(氣習).

행신(行身) =처신(處身).

행실(行實) conducta *f*, proceder *m*, comportamiento *m*. ~이 못된 처녀 muchacha *f* que se porta mal. ~이 바르다 [어린이가] portarse bien, comportarse. ~이 나쁘다 portarse mal, comportarse mal. ~을 고치다 corregirse, enmendarse. ~을 바르게 하라고 그녀에게 충고했다 Le han dicho que se comporte. ~을 바르게 해라! ¡Pórtate bien! / ¡Haz el favor de comportarte!

행악(行惡) violencia *f*, maldad *f*, perversidad *f*, iniquidad *f*. ~하다 hacer violencia.

행여(行一) por ventura, casualmente, por acaso, por casualidad.

행여나 ((강조)) =행여.

행운(幸運) (buena) suerte *f*, (buena) fortuna *f*, dicha *f*, ventura *f*. ~의 afortunado, dichoso, venturoso. ~을 가져오다 traer buena suerte [buena fortuna]. ~을 만나다 tener (buen) éxito, ir viento en popa. ~을 빌다 desear buena suerte. ~의 절정에 있다 estar en el colmo de la prosperidad. 생각지도 않은 ~을 만나다 *Ven* estar en la sabana. 갑자기 ~이 오다 ponerse en la sabana, adquirir súbitamente gran fortuna. 자신의 ~을 감사하다 agradecer *su* buena fortuna. 그가 입상한 것은 ~이었다 Fue una suerte que él hubiera sido premiado. 당신의 ~을 빕니다 Le deseo buena [mucha] suerte / ¡Que tenga buena suerte! / ¡Buena suerte! ~의 여신이 나에게 미소 지었다 La fortuna me ha sonreído. ~의 여신이 나에게 조금씩 미소 짓기 시작한다 Poco a poco empieza a sonreír la fortuna. ~의 여신이 너에게 미소 지을 것이다 La fortuna te sonreirá con el tiempo. 그가 그 사고에서 피할 수 있었던 것은 ~이었다 Por suerte escapó del accidente / Fue una suerte que él escapara del accidente / El tuvo la suerte de escapar del accidente. 이런 근사한 상을 받게 되어 정말 ~입니다 Me siento muy dichoso de haber recibido este estupendo premio. ~은 찾는 자에게 온다 ((서반아 속담)) Viene ventura a *quien procura*.

행운아(幸運兒) afortunado, -da *mf*, favorito, -ta *mf* de fortuna, hombre *m* de fortuna, persona *f* afortunada, persona *f* dichosa, persona *f* venturosa.

행원(行員) ((준말)) =은행원(銀行員).

행위(行爲) conducta *f*, acto *m*, acción *f*, comportamiento *m*, hecho *m*, proceder *m*. 영웅적 ~ acción *f* heroica, hazaña *f*, proeza *f*. 그의 ~는 비난받을 만한 점이 없다 Su conducta no tiene punto de reproche. ~는 말보다 웅변적이다 Obras son amores, que no buena
movimiento se demuestra a
◆부정(不正) ~ irregularid
cas *fpl* ilegales. 불법(
ilegal. 자선(慈善) ~ act
to *m* benéfico, obra *f*
beneficencia.
■ ~ 능력(能力) capac
력 incompetencia *f*
-dora *mf*. ~지(地) lug

행음(行淫) =행간(行姦).

행인(行人) transeúnte
peón *m*.

행인(杏仁) 【한방】 hueso

행자(行者) ((불교)) asceta
de una religión; peregrin

행장(行狀) ① [사람이 죽은
낸 일을 기록한 글]
difuntos, necrología *f*. ②
■ ~기(記) récord *m*
vida del difunto, la Vida

행장(行長) ((준말)) =은행장

행장(行裝) equipaje *m*. ~
prepararse para el viaje
cansar después del viaje

행재소(行在所) residencia

행적(行績/行蹟) ① [행위의
proceder *m*, comportam
한 일] hazaña

행전(行纏) polaina
sus piernas con p

행정(行政) administración
nistrativo, ejecutivo. ~의 a
■ ~ 각부(各部) sucursal
tivas. ~ 감독 control *m* al administra
감사 inspección *f* administrativo. ~
vigilancia *f* administrativa. ~ 감시
reforma *f* administrativa. ~ 경혁(改革)
administrativa. ~ 계약(契約) contrata *f*
administrativo. ~관(官) oficial *m* administrador, oficial(a) *f* administradora; funcionario *m* público, funcionaria *f* pública. ~ 관리 dirección *f* administrativa. ~ 관청 oficina *f* [autoridad *f*] administrativa ~ 광고 anuncio *m* administrativo. ~ 구분(區分) división *f* administrativa. ~ 구역(區域) sección *f* administrativa. ~ 국가 estado *m* administrativo. ~권(權) poder *m* administrativo, poder *m* ejecutivo. ~ 규칙(規則) reglamento *m* administrativo. ~ 기관(機關) órgano *m* [cuerpo *m*] administrativo. ~ 기구(機構) organización *f* administrativa, organización *f* ejecutiva, sistema *m* administrativo. ¶~의 간소화(簡素化) simplificación *f* de sistema administrativo. ~ 당국 autoridades *fpl* administrativas. ~ 대학원 escuela *f* [curso *m*] de posgrado administrativo. ~ 명령(命令) orden *m* administrativo. ~벌(罰) castigo *m* administrativo. ~법 derecho *m* administrativo. ~ 법원 tribunal *m* administrativo. ~ 법학 derecho *m* administrativo. ~부 poder *m* ejecutivo, centro m administrativo. ~ 사무

administrativos. ~ 서사(書士) ministrativo. ~ 소송 litigio *m* ~ 소송 자료 contencioso vo. ~ 수완 habilidad *f* ~ 위원회(委員會) comité ~ 입법 legislación *f* 자치부 el Ministerio de bernamental y de Auto- 치부 장관 ministro, -tra ción Gubernamental y de ~ 작용(作用) acción *f* 재산(財産) propiedad *f* 재판소 =행정 법원(行政 administrativo. ¶~으로 nte. ~ 수완(手腕)이 있다 en asuntos administrativos. e *m* administrativo. ~ 조직 administrativa. ~ 조치(措 ministrativa. ~ 지도(地圖) rativo. ~직(職) puesto *m* ~ 책임(責任) responsabili- ativa. ~ 처벌 castigo *m* ~ 처분(處分) disposición *f* a. ~학(學) administración *f* 협정 acuerdo *m* adminstrativo. ~ el Acuerdo Administrativo Estadounidense.

① [멀리 가는 길] 는 길의 이수 o *m*, jornada *f*, reorrido *m*, tray cha *f*. 그곳은 여 distancia *f*, sitio está a dos 의 ~이다 quí. 그는 백 킬로미터 viaje des 었다 El recorrió (una 이틀에 kilómetros en dos días. cia de) 왕복하는 거리] tiempo *m*.

스톤, bayeta *f*, *RPI* fregón *m* (*pl* ① tra [씻은 접시를 닦는] paño *m* gone *RPI* repasador *m*, *Col* limpión c (를) 치다 enjugar [secar] con paño. enjugadura *f* con paño. ¶~하다 ar [secar] con paño. ~치마 delantal antal *m*. ~ㅅ감 tela *f* para el paño.

행중(中) compañía *f*.

행진(行進) marcha *f*, desfile *m*, avance *m*, parada *f*. ~하다 desfilar, marchar en fila. 죽음의 ~ marcha *f* de muerte. ~ 중이다 estar en marcha.

행진곡(行進曲) 【음악】 marcha *f*. 결혼(結婚) ~ marcha *f* nupcial. 군대 ~ marcha *f* militar. 장송(葬送) ~ marcha *f* funeral.

행짜 =행티.

행차(行次) visita *f*, viaje *m*, gira *f*. ~하다 ir, venir, visitar, viajar, hacer una gira, hacer un viaje.

◆행차 뒤에 나팔 Ya es demasiado tarde.

행커치프(영 *handkerchief*) [손수건] pañuelo *m*.

행태(行態) modo *m* de actuar.

행티 rencor *m*, herida *f*, travesura *f*, diablura *f*, treta *f*. 이것이 그의 평생의 ~다 Esta es su treta usual. ~ 사납다 (ser) malhumorado, desagradable, malicioso, malintencionado.

◆행티(를) 부리다 mostrar un rencor.

행패(行悖) violencia *f*, mala conducta *f*. ~하다 hacer violencia, portarse mal. ~를 부리다 portarse mal, cometer una atrocidad. ~를 부리지 마라 ¡Portaos bien! / *AmL* ¡Pórtense bien!

행포(行暴) violencia *f*. ~하다 hacer violencia.

행하(行下) propina *f*, cohecho *m*, soborno *m*. ~를 주다 dar una propina, sobornar, cohechar.

행하다(行-) ① [작정한 대로 해 나가다] hacer, conducirse, portarse, obrar, actuar. 선(善)을 ~ hacer el bien. 악(惡)을 ~ hacer el mal. 수술(手術)을 ~ hacer una operación. 실험을 ~ hacer un experimento. ② [거행하다] celebrarse, tener lugar. 회의를 ~ celebrar una conferencia.

행해지다 ① [작정한 대로] hacerse, obrarse. ② [실행하다] efectuarse, llevarse a cabo, ponerse en práctica, practicarse. 그 습관은 지금도 행해지고 있다 Todavía se practica esa costumbre. ③ [실현하다] realizar. ④ [거행하다] celebrarse, tener lugar. 오늘은 이곳에서 집회가 행해진다 Hoy se celebra aquí una concentración.

행형(行刑) ① [사형의 집행] ejecución *f*, decapitación *f*. ~하다 ejecutar, decapitar. ② [형벌(刑罰)의 집행] ejecución *f* de una setencia.

■ ~학(學) estudios *mpl* de ejecución.

행화(杏花) =살구꽃.

행흉(行凶) asesinato *m*. ~하다 asesinar.

향(向) dirección *f* de enfrente del solar de la casa o del solar de la tumba.

향(香) incienso *m*. ~의 향기(香氣) aroma *f* de incienso. ~을 태우다 quemar incienso, perfumar con incienso. 제일 좋은 ~은 아라비아에서 온다 El mejor incienso viene de Arabia.

■ ~갑(匣) cajita *f* para el incienso. ~궤(櫃) caja *f* del incienso. ~꽂이 perfumadero *m*, perfumador *m*. ~낭(囊) bolsa *f* del incienso. ~다(茶) té *m* aromático. ~불 fuego *m* de incienso, incienso *m* encendido. ¶~(을) 피우다 fumar el cigarrillo. ~함(函) caja *f* del incienso. ~합(盒) caja *f* del incienso, jarro *m* del incienso.

향가(鄕歌) *hyangga m*, canción *f* autóctona, canción *f* tradicional de Corea.

향곡(鄕曲) campo *m*, distritos *mpl* campesinos.

향관(鄕貫) =관향(貫鄕).

향관(鄕關) entrada *f* de la tierra natal, suelo *m* natal, pueblo *m* natal, tierra *f* natal, casa *f*. 청운의 뜻을 품고 ~을 떠나다 dejar *su* casa alentado por un aspiración.

향광성(向光性) 【식물】 =굴광성(屈光性).

향교(鄕校) 【역사】 *hyanggyo*, templo *m* confuciano y *su* escuela.

향국(鄕國) =고국(故國). 고향(故鄕).

향군(鄕軍) ((준말)) ① =재향 군인(在鄕軍人).

② ＝향토 예비군(鄕土豫備軍).

향긋하다 (ser) fragante. 향긋한 냄새 olor *m* fragante.

향기(香氣) fragancia *f*, perfume *m*, aroma *m*, olfato *m*, olor *m*. ～가 좋다 exhalar fragancia, oler bien. ～를 발하다 echar fragancia, despedir fragancia. 바람에 ～를 발하다 perfumar por el aire. 이 향수는 장미의 ～가 난다 Este perfume huele a rosa. 꽃～가 물씬 난다 Las flores perfuman el ambiente.

향기롭다 (ser) fragante, aromático, oloroso. 향기로운 꽃 flor *f* fragante. 향기로운 냄새 olor *m* fragante. 향기로운 향수(香水) perfume *m* aromático. 향기롭기 그지없는 커피 café *m* con gran [mucho] aroma. 향기로운 냄새를 풍기다 despedir fragancia, exhalar un olor delicioso y suave.
향기로이 fragantemente, con fragancia, aromáticamente.

향나무(香－)【식물】árboles *mpl* aromáticos, plantas *fpl* aromáticas.

향내(香－) ＝향기(香氣).

향냄새(香－) ＝향기(香氣).

향년(享年) los años de la vida. 그는 ～ 일흔일곱 살이다 El murió a los setenta y siete años de edad / El murió a la edad de setenta y siete años.

향당(鄕黨) comunidad *f* de convecinos.

향도(嚮導) guía *f*, conducción *f*, primacía *f*. ～하다 guiar, conducir, gobernar, llevar el timón.
▪～자 guía *mf*; piloto *mf*. ～함(艦) guía *f* de escuadra.

향락(享樂) placer *m*, complacencia *f*, disfrute *m*, goce *m*, solaz *f*, goces *mpl* mundanos. ～에 빠지다 entregarse a los placeres.
▪～ 생활 vida *f* homosexual, disipación *f*, libertinaje *m*, vida *f* disipada. ～적(的) de placer, de recreo, de atracciones, de diversiones. ¶～인 생활 vida *f* de placeres. ～인 사람 epicúreo, -a *mf*; hedonista *mf*; sibarita *mf*. ～주의(主義) epicureísmo *m*, hedonismo *m*, sibaritismo *m*, sensualismo *m*. ～주의자 epicúreo, -a *mf*; hedonista *mf*; sibarita *mf*; sensual *mf*; voluptuoso, -sa *mf*; sensualista *mf*.

향랑각씨(香娘閣氏)【동물】＝노래기.

향랑자(香娘子)【곤충】＝바퀴^2.

향로(香爐) incensario *m*.
▪～석(石) piedra *f* antes de la tumba para el incensario.

향료(香料) ① aroma *m*, perfume *m*; [요리의] especia *f*; [집합적] perfumería *f*. ～를 가하다 condimentar con especia. 소스에 ～를 넣다 sazonar la salsa con especia. ～는 거의 모두가 동양에서 난 것이다 Las especias vienen casi todas del Oriente. ② ＝부의(賻儀).
▪～ 가게 perfumería *f*. ～류 perfumería *f*. ～ 식물 plantas *fpl* aromáticas. ～ 장수 perfumero, -ra *mf*; perfumista *mf*.

향리(鄕里) pueblo *m* natal, tierra *f* natal, tierra *f* nativa, suelo *m* natal, país *m* nativo, *su* pueblo, terruño *m*. ～를 떠나다 dejar la tierra natal. ～에 돌아가다 volver al pueblo, volver a *su* tierra natal.

향목(香木)【식물】＝향나무.

향미(香味) savor *m*.
▪～료(料) saborete *m*, sainete *m*.

향발(向發) salida *f* para el destino. ～하다 salir para el destino. 서반아(西班牙)로 ～하다 salir para España.

향방(向方) dirección *f*, destinación *f*.

향배(向背) para o contra, pro o contra, actitud *f*. ～를 명확히 하다 tomar la actitud manifiesta [patente].

향복(享福) disfrute *m* [goce *m*] de felicidad. ～하다 disfrutarse [gozarse] de felicidad.

향북(向北) hacia el norte. ～하다 estar hacia el norte.

향불(香－) fuego *m* de incienso. ☞향(香)

향사(向斜)【지질】sinclinal *m*. ～의 sinclinal.

향사(鄕士) hidalgo *m*. 재치 있는 ～ el ingenioso hidalgo.

향상(向上) ① [위로 향하여 나아감] avance *m* hacia arriba. ② [보다 나아지거나 나아지려고 노력함] progreso *m*, adelanto *m*, adelantamiento *m*, elevación *f*; [개선(改善)] mejora *f*, mejoramiento *m*. ～하다 progresar (en), adelantar (en), elevarse, mejorar (de). ～시키다 elevar, hacer progresar, hacer adelantar, mejorar. 학력의 ～ elevación *f* [mejoramiento *m*] del nivel científico, promoción *f* científica. 생활 수준이 ～되었다 Se ha elevado [mejorado] el nivel de vida. 여성의 지위(地位)가 ～되었다 La posición de la mujer se ha mejorado [elevado].
▪～심(心) deseo *m* de perfeccionamiento, espíritu *m* de superación, espíritu *m* progresivo, aspiración *f*.

향속(鄕俗) costumbre *f* campesina.

향수(享受) disfrute *m*, goce *m*. ～하다 disfrutarse (de), gozar (de). 특권을 ～하다 disfrutarse de un privilegio.

향수(享壽) disfrute *m* [goce *m*] de longevidad. ～하다 disfrutarse [gozar] de longevidad.

향수(香水) perfume *m*, el agua *f* perfunada, el agua *f* de olor, olor *m*. ～를 흠뻑 바른, ～로 목욕한 impregnado de perfume. ～를 뿌리다[바르다] perfumar, aromatizar, echar perfume. ～ 냄새가 강하다 oler reciamente a perfumada. ～ 냄새를 풍기다 despedir perfume.
◆합성(合成) ～ perfume *m* sintético.
▪～류(類) perfumería *f*. ～병(甁) pomo *m* de perfume. ～ 분무기(噴霧器) perfumador *m*, perfumadero *m*, pulverizador *m*. ～ 장수 perfumista *mf*; perfumero, -ra *mf*; perfumador, -dora *mf*. ～ 제조업(製造業) perfumería *f*. ～ 제조자(製造者) perfumista *mf*; perfumero, -ra *mf*; perfumador, -dora *mf*. ～지 papel *m* perfumado.

향수(鄕愁) nostalgia *f*, añoranza *f* (de la

tierra). ~를 느끼다 sentir nostalgia (de *su* tierra natal). ~를 느끼게 하다 hacer sentir la nostalgia. 당신은 아직 ~를 느낄 시간이 안 되었습니다 Todavía no le ha llegado el tiempo de la nostalgia.

■ ~병 nostalgia *f*, añoranza *f*, morriña *f*. ¶~에 걸리다 [가족에 대해] añorar a *su* familia; [고국에 대해] sentir nostalgia [añoranza] por *su* país, tener morriña, añorar *su* país.

향습성(向濕性) hidrotropismo *m*.

향신료(香辛料) especia *f*; [집합적] especiería *f*.

향악(鄕樂) 【음악】 *hyang-ak*, música *f* tradicional coreana.

■ ~기(器) instrumento *m* musical para tocar *hyang-ak*. ~보(譜) nota *f* musical de *hyang-ak*.

향연(香煙) ① [향을 피우는 연기] humo *m* de incienso quemante. ② [향기로운 냄새가 나는 담배] tabaco *m* fragnante.

향연(饗宴) banquete *m*, fiesta *f*, festín *m* (*pl* festines). ~을 베풀다 dar un banquete, dar una fiesta.

향유(享有) disfrute *m*, goce *m*, fruición *f*. ~하다 disfrutar (de), gozar (de), beneficiarse (con · de), gozarse (en). 사람은 살 권리를 ~하고 있다 Los hombres gozamos del derecho a la vida.

향유(香油) ① [향기로운 냄새가 나는 화장용 물기름] aceite *m* perfumado, bálsamo *m*. ② =참기름.

향유고래(香油-) 【동물】 cachalote *m*, esperma *f*, esperma *f* de ballena.

향응(響應) ① [메아리] resonancia *f*, consonancia *f*. ~하다 resonar, hacer eco. ② [호응] acuerdo *m*. ~하다 actuar en concierto.

향응(饗應) convite *m*, agasajo *m*, festín *m* (*pl* festines), festejo *m*, banquete *m*, fiesta *f*. ~하다 convidar, tratar, dar de comer a los que se convida, festejar, agasajar, dar una fiesta, dar un banquete, celebrar un banquete. ~을 받다 ser convidado, ser agasajado, tomar parte del banquete. 공무원은 업자(業者)의 ~을 받아서는 안 된다 Los funcionarios públicos no deben ser agasajados por los comerciantes.

향의(向意) intención *f*, inclinación *f*, pensamiento *m*. ~하다 intentar, pensar.

향일(向日) ① [지난번] el otro día, hace poco. ② [햇볕을 마주 향함] acción *f* de volverse hacia la luz del sol.

향일성(向日性) heliotropismo *m*.

향자(向者) =향일(向日)❶.

향전(香奠) =부의(賻儀).

향점(向點) 【천문】 ápice *m*. 태양 ~ ápice *m* solar.

향정신성 의약품(向精神性醫藥品) (p)sicofármaco *m*.

향정신제(向精神劑) =향정신성 의약품.

향지성(向地性) 【식물】 geotropismo *m* (positivo).

향초(香草) ① [향기 나는 풀] hierba *f* perfumada. ② [향기로운 담배] tabaco *m* perfumado.

향촉(香燭) el incienso y la candela.

향촌(鄕村) aldea *f*, villa *f*, pueblo *m*.

향취(香臭) olor *m* del incienso.

향탕(香湯) el agua *f* perfumada para el cadáver.

향토(鄕土) campo *m*, terreno *m* de la tierra natal, tierra *f* natal, país *m* natal, suelo *m* nativo, pueblo *m* nativo, patria *f* chica. ~의 local, regional, provincional, folclórico, de la provincia.

■ ~ 교육 enseñanza *f* regional. ~ 무용 baile *m* folclórico. ~ 문학 literatura *f* folclórica. ~ 민요(民謠) canción *f* tradicional, canción *f* popular, canción *f* folclórica. ~사(史) historia *f* local. ~색(色) color *m* local. ~애(愛) amor *m* a la tierra natal. ~ 예비군 fuerza *f* de defensa local; reservista *mf*. ~ 예술 arte *m* regional, arte *m* folclórico, arte m indígeno. ~ 요리 plato *m* local. ~ 음악 música *f* folclórica, música *f* local. ~ 정서 emoción *f* local. ~지(誌) crónica *f* de la provincia. ~ 지리 geografía *f* local.

향포(香蒲) 【식물】 =부들[1].

향하다(向-) ① [얼굴을 돌려 대하다] dar (a), caer (a). 이 집은 공원으로 향하고 있다 Esta casa da al parque. ② [마음을 기울이다] añorar. 마음이 고향을 ~ añorar *su* patria. ③ [마주 서거나 보다] encararse (con), ponerse cara a cara. 상대방의 얼굴을 서로 ~ mirar frente a frente ④ [지향하여 가다] conducir (a), llevar (a), salir (para), partir (para), dirigirse (para), encaminarse (para). 서반아를 ~ salir [partir] para España. 해안으로 ~ conducir a la playa. 모든 길은 로마로 향한다 ((서반아 속담)) Por todas partes se va a Roma / Todos los caminos conducen [llevan] a Roma.

향학(向學) acción *f* de tener voluntad al estudio [a la ciencia]. ~하다 tener voluntad al estudio [a la ciencia].

■ ~심(心) amor *m* al estudio, gran afición *f* al estudio. deseo *m* para pretensión de erudición. ¶~이 강하다 ser muy amigo de estudiar, estar deseoso de estudiar, tener mucho amor al estudio, tener una gran afición al estudio. ~열 entusiasmo *m* [pasión *f* · gusto *m*] por el estudio.

향혼(香魂) ① [꽃의 향기] perfume *m* de la flor. ② [계집의 혼] el alma *f* de la mujer.

향화(香火) ① =향불. ② =제사(祭祀).

향화(香花) ① [향과 꽃] el perfume y la flor. ② [향기로운 꽃] flor *f* fragante.

향후(向後) de aquí en adelante, en lo futuro, el lo sucesivo. ~ 10년 de aquí en adelante diez años.

향훈(香薰) perfume *m* de la flor, olor *m* fragante.

허(虛) ① [결함(缺陷)으로 인한 약점] punto *m* débil, lado *m* descuidado, momento *m* incauto; [거짓] falsedad *f*, embuste *m*, mentira *f*, engaño *m*. ～를 틈타다 aprovecharse del descuidado de otro. ～를 찌르다 sorprender el descuido. 적의 ～를 찌르다 atacar al enemigo desprevenido [de improviso · por sorpresa]. ② [아무것도 없다] no haber nada. ③ [방비가 없다] quedar indefenso. ④ [헛되다] (ser) en vano. ⑤ [약하다] (ser) débil. ⑥ [겸손하다] (ser) modesto.

허가(許可) permiso *m*, licencia *f*, certificado *m*; [당국의] autorización *f*; [입학 등의] admisión *f*; [동의(同意)] consentimiento *m*. ～하다 permitir, dar licencia, licenciar, dar el permiso, autorizar, admitir, consentir. ～받은 permitido, licenciado, autorizado. 주류(酒類) 판매를 위해 ～를 받은 autorizado para vender bebidas alcohólicas. ～를 얻어 con autorización, con permiso, con licencia. ～ 없이 sin permiso. ～를 구하다 pedir el permiso. ～를 내주다 autorizar, otorgar*le* un permiso [una licencia] a *uno*. ～를 부탁하다 pedir permiso. ～를 받고제조(製造)하다 fabricar *algo* bajo licencia. ～를 얻다 conseguir permiso, obtener el permiso. 면허(免許)를 ～하다 permitir la entrevista. 외출(外出)을 ～하다 permitir salir. …에 입회를 ～하다 admitir en *algo*. 우리는 외출을 ～받았다 Nos permitieron salir / Nos permitieron que saliéramos 나는 외출 ～를 얻었다 Me han concedido permiso para salir. 정부는 석유 개발 ～를 얻었다 El gobierno ha concedido autorización para la exportación petrolera. 수입 신청은 ～되지 않았다 Ha sido rechazada la petición de licencia de importación. 나는 대학 입학을 ～받았다 Me admitieron en la universidad. 나는 휴가를 ～받았다 Me permitieron tomar vacaciones. 나는 외출 ～를 받아 두고 있다 Se me permite salir. 주류(酒類)를 판매하기 위해서는 ～를 받아야 한다 Se necesita obtener licencia para vender licores. 그들은 특별 ～를 받아 결혼했다 Ellos se casaron con una licencia especial. 이 택시는 승객을 네 사람까지 태울 수 있도록 ～되었다 Este taxi está autorizado para transportar hasta cuatro pasajeros. ～ 없이 출입을 금함 Prohibida la entrada sin autorización. 작가의 서면 ～ 없이 어떤 방법으로도 복사를 금함 *Col* Prohibida la reproducción por cualquier medio sin permiso escrito del autor. 이 작품은 발행자의 서면 ～ 없이 전체건 일부건 복사될 수 없음 ((Diccionario de Incorrecciones de la Lengua Española)) Esta obra no puede ser reproducida, total o parcialmente, sin la autorización escrita del editor. 발행자의 사전 서면 ～ 없이 컴퓨터건 타자건 어떤 형태로도 이 작품의 내용의 전체나 일부를 복사하거나 방송하는 것을 금함 *Méj* Queda prohibida la reproducción o transmisión total o parcial del contenido de la presente obra en cualquier formas, sean electrónicas o mecánicas, sin el consentimiento previo y por escrito del editor.

■～서 permiso *m*, licencia *f*. ¶선적(船積) ～ permiso *m* de embarcación, permiso *m* de embarque, licencia *f* de embarque. 수입(輸入) ～ licencia *f* de importación. ～ 영업 negocio *m* permitido. ～장 permiso *m*, licencia *f*. ～제 sistema *m* de licencia, sistema *m* de permitir. ～증(證) licencia *f*, certificado *m* de autorización. ¶수출 ～ licencia *f* de exportación. 통행 ～ pase *m*, salvoconducto *m*. ～증 소지자 titular *mf* de un permiso, titular *mf* de una licencia. ～품 artículo *m* permitido.

허겁지겁 confusamente, con ruido y tumulto, más qué paso, muy de prisa. ～하다 ponerse nervioso, aturullarse. 그는 ～ 나갔다 El salió disparado. 그녀는 식사를 준비하기 위해 ～ 달려 나갔다 Ella corría de aquí para allá preparando la comida.

허공(虛空) ① [텅 빈 공중] cielo *m* vacío, aire *m* vacío, espacio *m* vacío, vacío *m*; [공중] aire *m*, cielo *m*. ～에 들뜬 마음으로 distraídamente. ～에 사라지다 desaparecer hacia el vacío. ～에서 춤추다 bailar en el aire. ～을 바라보다 mirar al vacío, mirar al espacio, clavar [fijar] los ojos en el espacio. ～을 짚고 쓰러지다 caerse agarrando el vacío. ～을 짚다 [가르다] cortar el aire. ～을 치다 batir el aire, azotar el aire, dar golpes en el aire. ～을 허우적거리며 떨어지다 caer con las manos crispadas en el aire. 그는 ～을 바라보면서 앉아 있었다 El estaba sentado mirando al vacío / El estaba sentado con la mirada perdida. ② ((불교)) vacío *m*. ③ 【수학】 10^{-20}.

허구(虛構) [소설 · 희곡 등에서, 실제로는 없는 일을 꾸며 내는 일. 픽션] ficción *f*, cosa *f* sin fundamento. ～의 ficticio, fabuloso, falso. 사실입니까 ～입니까? ¿Realidad o ficción? 그것은 완전한 ～다 No es más que pura imaginación [ficción] / Eso es una pura ficción.

■～설(說) teoría *f* falsa, noticia *f* mentirosa. ～적(的) ficticio, fabuloso, falso.

허구렁(虛－) agujero *m* vacío. ～에 빠지다 caer en la trampa.

허구리 flanco *m*, costado *m*, lado *m*.

허구하다(許久－) (ser) un largo tiempo, (ser) muy largo.

허근(虛根) 【수학】 raíz *f* imaginaria.

허기(虛飢) el hambre *f*. ～를 느끼다 sentir hambre. ～를 참다 aguantar el hambre, matar el hambre. ～를 호소하다 quejarse de hambre. 심한 ～가 지다 tener hambre canina, tener mucha hambre, tener el estómago en los pies. 나는 ～로 죽겠다 Tengo hambre canina / Me muero de hambre.

■～증(症) el hambre *f* persistente.

허기지다 ① [몹시 배가 고프고 기운이 빠지다] tener mucha hambre, tener hambre canina, tener el estómago en los pies. ② [간절히 바라거나 탐내는 마음이 생기다] desear sinceramente.

허깨비 fantasma *m,* aparición *f,* espectro *m* horrible, duente *m.*

허니문(영 *honeymoon*) ① [결혼한 첫 한 달 동안. 밀월] luna *f* de miel. ② [신혼여행] viaje *m* de novios. 그들은 파리로 ~을 간다 Ellos se van a París de viaje de novios [de luna de miel]. ~을 보내다 pasar la luna de miel.

■ ~ 기간 luna *f* de miel. ~ 커플 pareja *f* de recién casados. ¶호텔은 ~로 꽉 차 있었다 El hotel estaba lleno de parejas de luna de miel.

허다하다(許多—) (ser) muchísimo, numeroso, innumerable. 허다한 경우에 en innumerables ocasiones, en infinidad de ocasiones. 허다한 전례가 있다 Hay precedentes numerosos.

허다히 muchísimo, innumerablemente, numerosamente.

허닥하다 comenzar a gastar el dinero que se tiene amontonado.

허덕거리다 ① [숨이 차도록 애쓰다] jadear, respirar con dificultad, sofocarse, ahogarse. 허덕거리며 뛰어다니다 correr jadeando. 허덕거리며 말하다 hablar jadeando. 짐이 무거워 ~ ahogarse con una pesada carga. 말은 짐 때문에 숨을 허덕거렸다 El caballo jadeaba con la carga. ② [쩔쩔매다] sufrir (de). 자금난에 ~ sufrir de la escasez de fondos. ③ [어린아이가 손발을 계속하여 움직이다] (el niño) seguir moviendo las manos y los pies.

허덕허덕 siguiendo [continuando] jadeando, jadeando penosamente, con palpitación.

허덕이다 ① [힘에 겨워서 괴로워하다. 애를 쓰다] suspirar (de). 괴로움 때문에 ~ suspirar de pena. 사랑 때문에 ~ suspirar de amor. 그녀는 가죽 외투를 입고 싶어 허덕였다 Ella suspiraba por un abrigo de pieles. ② [어린아이가 손발을 움직이다] (el niño) mover las manos y los pies.

허덕지덕 jadeando penosamente, con palpitación.

허두(虛頭) [글이나 말의 첫머리] palabras *fpl* iniciales. 의장(議長)의 ~ las palabras con las que el presidente abrió la reunión. ~를 꺼내다 abrir las palabras, comenzar a hablar.

허둥거리다 ponerse [mostrarse] turbado [confuso · asustado], agitarse, ponerse nervioso, perturbarse, azorarse, trastornarse, turbarse. 허둥거리며 trastornadamente, turbadamente. 허둥거리는 태도로 con un aire confuso, con un aire trastornado. 허둥거리는 목소리로 con una voz turbada.

허둥허둥 trastornadamente.

허둥지둥 a todo correr, a toda prisa, apresuradamente, muy de prisa, rápidamente, precipitadamente, a las carreras, más que paso. ~하다 esforzarse [pugnarse] en vano, patear contra hincadura [picadura], turbarse, desconcertarse, apresurarse, azorarse, aturdirse, ponerse nervioso, aturullarse, *AmL* apurarse. ~ 도망치다 poner pies en polvorosa, tomar las de Villadiego. 나는 ~ 나갔다 Salí a todo correr. 그녀는 ~ 떠났다 Ella se fue muy de prisa. 그녀는 ~ 대답했다 Ella respondió desconcertada [todo confusa · lleno de confusión].

허드레 cosas *fpl* sueltas, retales *mpl,* retazos *mpl,* chucherías *fpl,* cachivaches *mpl,* trastos *mpl* viejos, basura *f.*

■ ~꾼 hombre *m* [mujer *f*] que hace pequeños trabajos o arreglos.

허드렛물 el agua *f* para varios usos.

허드렛일 galopín *m,* pinche *m,* oficio *m* subordinado, pequeños trabajos *mpl.*

허드재비 bagatelas *fpl,* cachivaches *mpl;* [고물(古物)] antiguallas *fpl,* objetos *mpl* [utensilios *mpl*] antiguos [usados].

■ ~ 시장 feria *f* de objetos usados; [마드리드의] El Rastro.

허든거리다 desorientarse, desconcertarse, andar a tropezones, bambolear, tambalear(se), marearse, temblar.

허든허든 tambaleándose, dando tumbos. 그는 방에서 ~ 나갔다 El salió de la habitación tambaleándose [dando tumbos].

허들(영 *hurdle*) ① [장애물 경주에서 쓰는 장애물] obstáculo *m,* valla *f.* ② ((준말)) = 허들 레이스.

■ ~ 경주 carrera *f* de obstáculos, carrera *f* de vallas. ¶100미터 ~ los 100 metros vallas. ~ 경주자 corredor, -dora *mf* de vallas. ~ 레이스 =허들 경주.

허락(許諾) [허가] permiso *m,* licencia *f,* autorización *f;* [동의] consentimiento *m,* asentimiento *m;* [승인] aprobación *f.* ~하다 permitir (+ *inf* · que + *subj*), dar el permiso (para + *inf*), autorizar (para + *inf*), consentir, admitir, aprobar. ~ 없이 sin permiso (de *uno*). ~을 부탁하다 pedir el permiso (de + *inf*). ~을 얻다 obtener (de *uno*) el permiso (de + *inf*). ~을 얻어 con permiso (de *uno*). 면회(面會)를 ~하다 permitir la entrevista. 네 외출(外出)을 ~한다 Te permito que salgas / Te permito salir. 나는 외출을 ~받았다 Se me permitió salir. 나는 휴가를 ~받았다 Me permitieron tomar vacaciones. 그는 대학 입학을 ~받았다 Le admitieron en la universidad. 주치의(主治醫)가 그에게 포도주를 ~했다 El médico de cabecera le permitió el vino. 그는 ~을 받지 않고 외출했다 El salió sin que se lo pidieran [pidiesen]. 누구에게 ~을 받고 그런 일을 했느냐? ¿A quién has pedido permiso para hacer eso? 두 사람은 부모의 ~을 받은 사이다 Son novios con aprobación de los padres. ☞허가(許可)

허랑방탕하다(虛浪放蕩—) (ser) disoluto, libertino, relajado, disipado. 허랑방탕함 libertinaje *m,* disipación *f.* 허랑방탕한 사람 libertino, -na *mf.* 허랑방탕한 생활 una vida disipada. 허랑방탕한 여자 una mujer fácil, una mujer de vida alegre. 허랑방탕한 생활을 하다 llevar una vida disipada.

허례(虛禮) formalidades *fpl*, formalidad *f* superflua, formalidad *f* vana, formalismo *m*, cortesía *f* formal. ～적인 언사(言辭) palabras *fpl* vanas.

■～ 폐지 운동(廢止運動) campaña *f* contra las formalidades superfluas. ～허식(虛飾) vanidad *f*.

허룩하다 (estar) casi vacío. 쌀자루가 ～ El saco de arroz está casi vacío.

허룽거리다 (ser) imprudente, frívolo.

허름하다 ① [좀 모자라거나 낡은 데가 있거나 값이 좀 싼 듯하다] (estar) gastado, muy usado, sórdico; [싸다] (ser) barato. 허름한 옷 ropa *f* gastada, ropa *f* muy usada. 허름한 집 casa *f* vieja. 허름한 물건 artículo *m* barato. ② [귀중하지 아니하다] (ser) sin valor. 허름한 물건 artículo *m* sin valor.

허릅숭이 persona *f* indigna de confianza, persona *f* incierta, persona *f* informal.

허리 ①【해부】cintura *f*, caderas *fpl*, talle *m*. ～가 굽은 encorvado. 가는～ talle *m* delgado, cintura *f* delgada. 두 손을 ～에 받치고 de [en] jarras. ～가 굵다 tener las caderas anchas. ～가 가늘다 tener las caderas finas. ～를 구부리다 encorvarse, inclinarse, doblarse. ～를 펴다 levantarse, ponerse de pie. ～를 삐끗하다 torcerse los riñones. ～에 차다 colgar (*algo*) de la cintura. ～에 차고 있다 llevar (*algo*) colgado de la cintura. ～까지 차다 llegar a la cintura. ～까지 물이 차다 entrar en el agua hasta la cintura. ～ 높이까지 이르다 llegar a la altura de la cintura. ～까지 알몸이다 estar desnudo de la cintura para arriba. 담배 쌈지를 ～에 차다 llevar una bolsita de tabaco a la cinta. 그는 ～가 굽어 있다 El está encorvado. 나는 ～가 아프다 Me duelen las caderas. 그녀의 ～는 가늘다 Su cintura es fina [estrecha]. 그녀의 ～는 60센티미터이다 Ella tiene sesenta centímetros de cintura. 그는 두 손을 ～에 받치고 막아 섰다 El se puso en jarras. 그녀는 ～가 짧다 Ella es corta de talle. 우리들은 ～까지 진흙 속에 빠졌다 Estábamos hundidos en el barro hasta la cintura. 우리들은 ～까지 찬 물이 있는 강을 걸어서 건넜다 Vadeamos el río con el agua hasta la cintura. ② [옷의 허리] talle *m*. 높은 ～ talle *m* alto. 낮은 ～ talle *m* bajo. ～가 높은 드레스 vestido *m* de talle alto. 스커트의 ～가 나한테 너무 조인다 La falda me queda apretada de talle [de cintura]. ③ [위아래가 있는 물건의 한가운데 부분] ladera *f*, collado *m*, ensillada *f*. 산～ ladera *f* de la montaña.

◆허리가 꼿꼿하다 ㉮ [나이에 비하여 젊다] ser joven para *su* edad. ㉯ [몸이 피로하다] estar cansado.

◆허리가 부서지다 ㉮ [기세가 꺾이다] desanimarse, desalentarse, descorazonarse. 허리가 부서진 desanimado, alicaído, abatido. ㉯ [아주 우습다] (ser) cómico, gracioso.

◆허리를 굽히다 ㉮ [허리를 구부리어 절하다] saludar inclinándose. ㉯ [남에게 겸손한 태도를 취하다] tomar una actitud modesta. ㉰ [머리 숙여 남에게 굴하다] ceder inclinándose.

◆허리를 못 펴다 [남에게 굽죄어 지내다] dar*le* corte (a *uno*), dar*le* vergüenza (a *uno*), dar*le* pena (a *uno*), estar avergonzado (de), estar apenado (por).

◆허리를 잡다 =허리를 쥐고 웃다.

◆허리를 쥐고 웃다 [자지러지게 웃다] morirse de risa, desternillarse de risa.

◆허리를 펴다 ㉮ [기를 펴다. 힘을 쓰다] sentir a *sus* anchas, sentir que poder relajar. ㉯ [편한 자세로 쉬다] descansar con una actitud cómoda.

■～갈비인대 ligamento *m* lumbocostal. ～꺾기 ((씨름·유도)) proyección *f*, volteo *m*. ¶～하다 tumbar (a), tirar (a). 깨끗한 ～로 이기다 vencer con una proyección limpia. ～꺾기 기술 técnica *f* de tumbar. ～끈 [스커트·바지 등에 꿰매 단] pretina *f*, cinturilla *f*. ～ 동맥 arterias *fpl* lumbares. ～ 둘레 cintura *f*, talle *m*. ～등뼈 =요추(腰椎). ～띠 cinturón *m* (*pl* cinturones), correa *f*, *ReD* [남자용] correa *f*, [여자용] cinturón *m*; [스커트·바지 등에 꿰매 단] pretina *f*, cinturilla *f*. ¶ ～를 늦추다 ㉮ [생활에 여유가 생기다] aflojar la bolsa. ㉯ [긴장을 풀고 편한 마음을 가지다] relajar la tensión y tener la comodidad. ～를 졸라매다 ㉮ [검소한 생활을 하다] apretarse el cinturón, no abrir fácilmente la bolsa. ㉯ [단단한 각오로 일을 시작하다] comenzar a trabajar con una resolución firme. ～를 졸라매고 con mucho brío, con un ánimo especial. ～띠쇠 hebilla *f*. ～ 부분 región *f* lumbar. ～뼈 =요골(腰骨). ～ 신경 nervios *mpl* lumbares. ～ 신경절 ganglia *f* lumbar. ～앓이 =요통(腰痛). ～엉치신경얼기 plexo *m* lumbosacral. ～ 정맥(靜脈) venas *fpl* lumbares. ～죄기 ((씨름·유도)) proyección *f*, volteo *m*. ¶깨끗한 ～로 이기다 vencer con una proyección limpia. ～로 눕히다 tumbar (a), tirar (a). ～죄기 기술 técnica *f* de tumbar. ～질러 cruzando el centro. ～춤 (en) el interior de la cintura de *sus* pantalones. ～통 cintura *f*, talle *m*

허리맥(虛里脈) pulso *m* palpitante debajo del pecho izquierdo.

허리케인(영 *hurricane*)【기상】huracán *m*.

허릿간(一間) =고물간.

허릿간마디 nudo *m* en el centro de la flecha.

허릿달 pedazo *m* del bambú en el centro de la cometa.

허릿매 cintura *f*, talle *m*.

허릿심 ① [허리의 힘] resistencia *f* [fuerza *f*] de *su* cintura. ② [화살의 중간이 단단함] elasticidad *f* del centro de la la flecha.

허망스럽다(虛妄－) (ser) vano, inútil. 허망스레 vanamente, en vano, inútilmente.

허망지설(虛妄之說) parecer *m* infundado, opinión *f* infundada, dictamen *m* infundado.

허망하다(虛妄－) (ser) vano, inútil, falso, informal, infundado, mentiroso. 허망함 falsedad *f*, mentira *f*, engaño *m*.

허맥(虛脈) pulso *m* lento y débil por la falta de sangre.

허명(虛名) reputación *f* falsa, nombre *m* vacío, nombre *m* falso, vanagloria *f*, notoriedad *f* (vana), publicidad *f*. ～을 구하다 buscar notoriedad vana. ～을 떨치다 ganar notoriedad vana. 계좌 개설을 위해 ～을 사용하다 utilizar un nombre falso para abrir las cuentas.

■ ～무실(無實) vanidad *f*, falsedad *f*. ¶～하다 (ser) vano, falso, vacío, nominal, insustancial, endeble, poco sólido.

허무(虛無) nada *f*, nihilidad *f*, vacío *m*. ～하다 (ser) vano, vacío, nihilista, inexistente, nulo. ～한 최후를 마치다 tener una muerte trágica.

■ ～감 sentido *m* de inutilidad, sentimiento *m* nihilista. ～ 사상 ideología *f* nihilista. ～적(的) nihilista, vacío. ¶～인 표정(表情) expresión *f* vacía. ～주의 nihilismo *m*. ～주의자 nihilista *mf*.

허무맹랑하다(虛無孟浪－) (ser) extremadamente falso, no ser muy cierto.

허문(虛聞) ① ＝헛소문. ② ＝허명(虛名).

허물[1] ① [살갗에서 일어나는 꺼풀] piel *f*, [얼굴의] cutis *f*. ② [동물·새·물고기의] piel *f*, [거북·달팽이의] caparazón *m(f)*, caparacho *m*. ～을 벗기다 despellejar, desollar, pelar, quitar la concha (a), desconchar. 산채로 ～을 벗기다 desollar vivo (a), arrancar la piel a tiras (a). 내 코의 ～이 벗겨진다 Se me está pelando [despellejando] la nariz. 내 살갗의 ～이 벗겨지고 있다 Me estoy pelando [despellejando].

◆허물(을) 벗다 ㉮ [살갗의 꺼풀이 벗어지다] pelarse, despellejarse. ㉯ [뱀·매미 등이 탈피(脫皮)하다] mudar (de).

허물[2] ① [그릇된 실수·과실] culpa *f*, error *m*; [결점] defecto *m*, tacha *f*, falta *f*. ～ 있는 defectuoso. ～ 없는 impecable, intacable, perfecto, sin tacha. ～이 없는 사람 persona *f* sin tacha. ～을 감추다 ocultar *su* defecto. ～을 고치다 corregir *su* defecto. ～을 눈감아 주다 pasar por alto *su* error. ～을 들추다 encontrar*le* defectos (a), criticar. ～을 용서하다 perdonar [disculpar] *su* falta. 그것은 누구의 ～이냐? ¿Quién tiene la culpa? / ¿De quién es la culpa? 그것은 네 ～이다 La culpa es tuya / Tú tienes la culpa. 그의 행동은 ～을 찾을 수 없다 Su comportamiento es intachable [impecable]. 그들은 항상 내 ～을 들춘다 Todo lo que hago les parece mal / Ellos siempre me están criticando. ② ＝흉❷.

◆허물(을) 벗다 exculpar (a), exculparse (de).

허물다[1] [헌데가 생기다] salir el absceso.

허물다[2] [짜이거나 쌓인 물건을 뜯어서 허물어뜨리다] destruir, demoler, deshacer, arruinar, echar abajo, tirar abajo, derribar, *Méj* tumbar. 건물을 ～ echar abajo el edificio. 벽을 ～ derribar la pared. 정부는 새로운 도시 계획을 수행하기 위해 많은 가옥을 허물었다 El gobierno ha derribado muchas casas para llevar a cabo la nueva urbanización.

허물어뜨리다 destruir, echar abajo, derribar. ☞허물다[2]

허물어지다 destruirse; [흙이] desmenuzarse; [벽이] desmoronarse, derribarse; [동맹·민주주의·결정이] desmoronarse, derrumbarse. 학교가 허물어지고 있다 La escuela está viniendo abajo.

허물없다 (ser) demasiado familiar [libre] (con); [남성이 여성에게] atrevido (con). 허물없는 친구 amigo, -ga *mf* de tertulia. 허물없이 con excesiva [demasiada] confianza [familiaridad], sin ceremonia, sin reserva, sin cuidado, tranquilamente, con franqueza, de corazón, lista y llanamente. ～ 지내다 franquearse, explayarse, expansionarse. …에게 ～ 하다 tomarse confianzas [familiaridades · libertades] con *uno*, mostrar familiaridades excesivas con *uno*. 그는 ～ 행동한다 El se toma demasiada confianza. 두 사람은 대화 중(對話中) ～ 행동했다 Los dos, mientras hablaban, perdieron toda reserva. 나는 그 사람과는 ～ 상담(相談)할 수 있다 Puedo consultar sin reserva con él. ～ 나한테 이야기하지 마라 No te dirijas a mí con tanta confianza.

허밍(영 *humming*) canturreo *m*, tatareo *m*. ～으로 부르다 canturrear, tatarear.

허발 voracidad *f*, glotonería *f*, avidez *f*. ～하다 comer glotonamente [con voracidad · con ansia · a dos carrillos], glotonear.

허방 [움푹 팬 땅] hueco *m*., lugar *m* hueco, hoyo *m*, depresión *f*. ～을 딛다 pisar en el hueco. ～에 빠지다 caer en el hueco.

◆허방(을) 짚다 calcular mal, fracasar por error. 허방(을) 치다 fracasar lo deseado.

허방다리 ＝함정(陷穽)❶.

허벅다리 muslo *m*.

허벅살 carne *f* del muslo.

허벅지 interior *m* rollizo del muslo.

허벅허벅하다 (ser) muy suave, muy fofo, muy flojo, muy blando.

허병(虛病) ＝꾀병.

허보(虛報) informe *m* falso, noticia *f* falsa, mentira *f*. ～를 전하다 circular la noticia falsa.

허분허분 suave y jugosamente. ～하다 (ser) suave y jugoso.

허브(영 *herb*) [풀. 식용·약용·향료 식물] hierba *f*, *Per, RPl* yuyo *m*. ～ 제품의 de hierbas. ～로 만든 샴푸 champú *m* de hierbas.

◆약용(藥用) ～ hierbas *fpl* medicinales.

허비(虛費) gasto *m.*, gastos *mpl* inútiles. ~하다 gastar; [소비하다] consumir; [낭비하다] malgastar, derrochar. 노력(努力)을 ~하다 gastar mucho trabajo (en). 시간을 ~하다 ocupar el tiempo (en), dedicar el tiempo (a), pasar mucho tiempo. 돈을 ~하다 gastar mucho dinero. 아무런 결실 없이 시간을 ~하다 perder [disipar] el tiempo, gastar el tiempo sin fruto [inútilmente]. 청춘을 공부에 ~하다 consagrar [dedicar] *su* juventud al estudio. 이 공사에는 어마어마한 비용이 ~되었다 En esta construcción se ha gastado una enorme cantidad de dinero.

허비다 arañar, atacar. 그녀는 내 얼굴을 허볐다 Ella me arañó la cara. 고양이가 모든 의자를 허볐다 El gato ha arañado todas las sillas. 호랑이가 사슴을 허벼 죽였다 Un tigre atacó al ciervo y lo mató.

허비적거리다 seguir arañando, arañar. 귀를 ~ hurgarse las orejas, meterse el dedo en las orejas.

허비적허비적 siguiendo arañando.

허사(虛事) esfuerzo *m* vano, intento *m* vano [inútil], fracaso *m.* 모든 것이 ~였다 Todo fue en vano. 나는 그 일을 해 보았으나 ~였다 Lo intenté en vano. 우리는 당신을 기다렸지만 ~였다 Le aguardamos a usted en balde. 그녀를 도우려는 내 노력(努力)은 ~였다 Mis esfuerzos por ayudarla fueron vanos.

허사(虛辭) ①【언어】palabra *f* expletiva. ② =허언(虛言).

허상(虛像) ①【물리】imagen *m* virtual. ② [헛된 거짓상(像)] ilusión *f*, visión *f*, espejismo *m.*

허설(虛說) informe *m* falso, rumor *m* falso.

허섭스레기 cosas *fpl* sueltas, zarandajas *fpl*, basura *f*, residuos *mpl*, desperdicio *m*, derroche *m*, despojos *mpl*, asaduras *fpl*, *RPI* achuras *fpl*, *Chi* interiores *mpl.*

허성(虛聲) ① =헛소리. ② =허명(虛名). ③ [터무니없는 소문] rumor *m* infundido.

허세(虛勢) ánimo *m* [brío *m*] ficticio [fingido], poder *m* ficticio, influencia *f* falsa, fanfarrón *m*, fanfarronada *f*, baladronada *f*, fachenda *f.* ~를 부리다 fingirse animoso, fingirse brioso, fanfarronear, darse de valiente, baladronear, ostentar gran poder, alardear, fachendear, blasonar de valiente, darse aires de valiente, dárselas de valiente. ~를 부리는 사람 baladrón (*pl* baladrones), -drona *mf*; fanfarrón (*pl* fanfarrones), -rrona *mf*; fachendoso, -sa *mf*; bravucón (*pl* bravucones), -cona *mf*; tigre *m* de cartón piedra. 그것은 일부러 부린 ~다 Es la última bravata de un vencido. 그는 틀림없이 이긴다고 ~를 부렸다 El se ufanaba de que ganaría sin falta.

허송(虛送) gasto *m* del tiempo.

■ ~세월(歲月) acción *f* de matar el tiempo. ¶~하다 matar el tiempo, pasar el tiempo sin objeto.

허수(虛數)【수학】número *m* imaginario.

허수아비 ① [막대기와 짚 등으로 사람 형상을 만들어 헌 삿갓 등을 씌워 만든 물건] espantapájaros *m.sing.pl*, ahuyentador *m*, fantasma *m*, espantajo *m.* ② [쓸데없는 사람이나 실권 없는 사람] persona *f* inútil; bobo, -ba *mf.* ③ [주관 없이 행동하는 사람. 로봇] títere *m*, marioneta *f.*

■ ~ 사장 presidente, -ta *mf* nominal.

허술하다 ① [헐어서 짜임새가 없어 보이다] (ser) humilde. 허술한 집 casa *f* humilde. ② [낡아서 너절하거나 허름하다] (ser) pobre, gastado. 허술한 의복 vestido *m* pobre, ropa *f* gastada y vieja. ③ [(매거나 꾸린 것이) 느슨하다] (quedar) flojo, suelto, holgado, amplio. ④ [어떤 일이 엉성하여 빈틈이 있다] ser insuficiente, faltar. 이 방면은 경비가 ~ En esta parte, la vigilancia es insuficiente. 이 회사는 연구자가 ~ En esta compañía faltan investigadores.

허술히 mal, humildemente, pobremente. ~대하다 [사람을] tratar mal, desatender. ~다루다 [물건을] descuidar, desperdiciar.

허스키(영 *husky*) [쉰 목소리] voz *f* ronca; [목소리가 쉰 사람] persona *f* con voz ronca.

허식(虛飾) adorno *m*, superfluo *m*, vanidad *f*, ostentación *f*, gala *f*, jactancia *f*, pompa *f*, alarde *m*, fachenda *f.* ~으로 가득 찬 lleno de ostentación. ~이 없는 simple, franco, honesto, honrado, modesto.

■ ~가(家) fachendista *mf*; petimetre, -tra *mf.* ~ 허영(虛榮) pompas y vanidades.

허실(虛實) verdad *f* y falsedad, verdad *f* y ficción. ~을 확인(確認)하다 establecer la verdad.

허심(許心) permiso *m* del corazón. ~하다 permitir el corazón.

허심(虛心) franqueza *f*, candor *m*, ausencia *f* de prejuicio, imparcialidad *f*, indiferencia *f*, lo desinteresado.

■ ~탄회 sinceridad *f* absoluta, llaneza *f*, simplicidad *f.* ¶~하다 (ser) de actitud abierta, sin perjuicios, imparcial, franco, sincero, abierto. ~하게 con franqueza, francamente, con sinceridad absoluta, con llaneza, con simplicidad; [선입관 없이] sin (ningún tipo de) prejuicios. ~하게 이야기하다 hablar francamente. 나는 그녀의 문제에 대해 그녀와 ~하게 이야기한다 Hablamos con franqueza de su problema.

허심하다(虛心-) confiar (en), tener confianza (en), fiarse (de), admitir en *su* confianza.

허약(虛弱)【의학】adinapia *f.*

허약하다(虛弱-) (ser) débil, feble, enclenque, enfermizo, delicado, endeble. 허약함 debilidad *f*, delicadeza *f*, [정신의] imbecilidad *f*, 허약한 사람 persona *f* débil, alfeñique *m.* 허약한 체질 complexión *f* débil, constitución *f* débil. 신체가 ~ tener una constitución débil. 그때까지 그는 이미 허약해져 있었다 Ya para entonces estaba muy

débil.
■ ~아(兒) niño *m* delicado [débil], niña *f* delicada [débil].
허어(虛語) =허언(虛言).
허언(虛言) mentira *f*, falsedad *f*, embuste *m*. ~하다 mentir, decir mentiras. ~을 토하다 mentir, decir mentiras.
■ ~자(者) mentiroso, -sa *mf*.
허여(許與) =허락(許諾).
허여멀겋다 ser fino y hermoso, tener un cutis hermoso.
허여멀쑥하다 (ser) fino y hermoso.
허열(虛熱) 【한방】 fiebre *f* tísica.
허영(虛榮) vanidad *f*, vanagloria *f*, ostentación *f*, fama *f* vacía. 여자의 ~ vanidad *f* femenina. ~에 찬 여자 mujer *f* llena de vanidad. ~을 좋아하다 gustar*le* la ostentación (a *uno*), vanagloriarse.
■ ~심(心) vanidad *f*, vanagloria *f*. ¶~이 강한 vanidoso, vanaglorioso. 단순한 ~으로 por pura vanidad. ~을 불러일으키다 excitar la vanidad. ~을 만족시키다 satisfacer la vanidad. ~주머니 persona *f* llena de vanidad.
허영거리다 tambalearse, titubear, balbucear. 그녀는 허영거리며 방으로 들어갔다 Ella entró en la habitación tambaleándose [haciendo eses]. 그는 허영거리며 침대로 들어간다 El se acerca a la cama tambaleándose [haciendo eses].
허영허영 vacilantemente, inseguramente, siguiendo tambaleándose.
허영상(虛影像) 【물리】 =허상(虛像).
허옇다 (ser) blanquísimo, muy blanco, blanco como la nieve, níveo.
허예지다 hacerse blanco como la nieve, hacerse blanquísimo.
허욕(虛慾) ambición *f* vana, avaricia *f*, codicia *f*. ~이 많은 avaricioso, codicioso. ~이 많은 사람 persona *f* avariciosa [codiciosa]. ~이 많은 남자(男子) hombre *m* avaricioso [codicioso]. ~이 많은 여자(女子) mujer *f* avariciosa [codiciosa].
허용(許容) permiso *m*, permisión *f*, licencia *f*, sanción *f*; [용서] perdón *m*, tolerancia *f*, indulgencia *f*. ~하다 permitir, sancionar, dispensar, perdonar, tolerar, aguantar. ~할 수 있는 admisible, tolerable. 관용상 ~되어 있다 Está sancionado por usaje.
■ ~량 margen *m* de tolerancia. ~ 범위(範圍) límite *m* permitido. ~ 법규(法規) ley *f* permitida. ~ 오차 error *m* admisible. ~ 온도 temperatura *f* admisible. ~ 응력(應力) esfuerzo *m* admisible. ~ 이륙 중량 peso *m* bruto de despegue admisible. ~ 한도 *límite m de tolerancia*. ¶소음(騷音) ~ margen *m* de tolerancia del ruido.
허우대 cuerpo *m* con apariencia [presencia]. ~가 좋다 tener muy buena presencia
허우룩하다 echar de menos, sentirse muy solo, *AmL* extrañar. 당신이 없어 퍽 허우룩했습니다 Te echo (muchísimo) de menos / *AmL* Te extraño (muchísimo) / *AmL* Me haces mucha falta.
허우적거리다 forcejar, forcejear. 나는 벗어나려고 허우적거렸다 Forcejeé tratando de liberarme. 그녀는 물에서 허우적거렸다 Ella luchaba por mantenerse a flote en el agua.
허우적허우적 forcejeendo. ~하다 estar a punto de ahogarse.
허울 apariencia *f*, aspecto *m*, aire *m*. ~이 좋다 ser guapo, tener una buena apariencia. 그는 회장이라고는 하지만 ~뿐이다 El no es más que un presidente decorativo [nominal].
허위(虛位) ① [실권이 없는 지위] puesto *m* nominal, rango *m* nominal. ② [빈 자리] vacancia *f*, posición *f* vacante.
허위(虛威) influencia *f* nominal.
허위(虛僞) ① =거짓(mentira, falsedad). ¶ ~의 falso, mentiroso, engañoso. 이 신문 기사는 ~다 Son falsas las noticias de este periódico. ② [그릇된 지식. 특히, 그릇된 사고(思考). 오류(誤謬)] conocimiento *m* equivodado, pensamiento *m* equivocado, equivocación *f*, error *m*.
■ ~ 고발(告發) acusación *f* falsa. ¶~을 하다 hacer una acusación falsa, acusar falsamente. ~ 증언 falso testimonio *m*. ¶ ~을 하다 dar un falso testimonio. ~ 진술 declaración *f* falsa. ¶~을 하다 dar declaración falsa, manifestar falsamente, jurar en falso. ~ 행위 acto *m* de fraude.
허위넘다 subir penosamente. 나는 언덕을 허위넘었다 Subí penosamente la cuesta.
허위단심 ① [허위적거리며 무척 애를 씀] gran esfuerzo *m* con todas *sus* fuerzas. ② [허위허위 애를 써서 어느 곳에 가거나 이르는 모양] con gran dificultad, laboriosamente, trabajosamente, penosamente. ~ 달려가다 correr penosamente [trabajosamente · con gran dificultad]. 그는 ~ 언덕을 올랐다 El subió penosamente [trabajosamente] la cuesta / El subió la cuesta con gran dificultad.
허장(虛葬) entierro *m* falso, sepultura *f* falsa. ~하다 enterrar falsamente, sepultar falsamente, poner en la sepultura falsa, dar la sepultura falsa.
허장성세(虛張聲勢) jactancia *f*, fanfarronería *f*, fanfarronada *f*, baladronada *f*, fachenda *f*. ~하다 vanagloriarse (de), jactarse (de). ~하는 사람 presumido, -da *mf*, fanfarrón (*pl* fanfarrones), -rrona *mf*. ~하면서 말하다 decir vanagloriándose.
허적거리다 seguir rebuscando [revolviendo].
허적허적 siguiendo [continuando] rebuscando [revolviendo].
허적이다 saquear, rebuscar, hurgar, escudiñar, buscar desordenadamente; [방이나 서랍을] revolver; [집안을] registrar de arriba a abajo. 나는 서랍을 허적였다 Revolví (en) el cajón / Hurgué en el cajón. 그들은 방을 샅샅이 허적였다 Ellos rebuscaron la habitación cuidadosamente. 그는 그 옛날

책들 속을 허적였다 El rebuscó [hurgó] entre esos libros viejos. 나는 열쇠를 찾느라 호주머니를 허적였다 Hurgué en mis bolsillos buscando las llaves / *Col*, *Méj* Me esculqué los bolsillos para encontrar las llaves. 나는 수저를 찾느라 찬장을 허적였다 Hurgué en [*Col*, *Méj* esculqué] los armarios buscando las cucharas.

허전거리다 tambalearse, titubear, balbucear. 노인은 허전거리며 우리에게 접근했다 El viejo se nos acercó tambaleándose.

허전하다 sentirse solitario, echar de menos, *AmL* extrañar. 당신이 없어서 ~ Te echo de menos / *AmL* Te extraño / *AmL* Me haces mucha falta. 호주머니가 ~ Yo tengo un bolsillo ligero.

허전허전하다 ① =허전거리다. ② [계속해서 허전한 느낌이 강력하게 일어나다] seguir echando muchísimo de menos.

허점(虛點) punto *m* flaco, punto *m* débil, debilidad *f*. ~을 이용하다 aprovecharse [abusar] de la debilidad (de).

■~ 지역 ((축구)) [무방비 지역. 상대 수비의 후방 공간] lado *m* descubierto.

허정 hueco *m*, vacancia *f*, vacío *m*. ~하다 estar vacío, estar hueco.

허정거리다 tambalearse, andar dando traspiés. 나는 허정거리면서 방에서 나갔다 Yo salí de la habitación tambaleándome [haciendo eses].

허정허정 tambaleándose, haciendo eses.

허족(虛足) =위족(僞足).

허주(虛舟) barco *m* vacío sin cargos.

허줄하다 tener un poco de hambre.

허줏굿【민속】*heochutgut*, primer baile *m* de chamán para invocar el espíritu.

허청대고 ciegamente, imprudentemente, de modo temerario, al azar, despreocupadamente. ~ 일을 시작하다 comenzar el trabajo ciegamente.

허초점(虛焦點)【물리】foco *m* virtual.

허출하다 tener bastante hambre, estar vacío. 배가 ~ tener bastante hambre, tener el estómago vacío.

허탄하다(虛誕-) =허망하다.

허탈(虛脫) atrofia *f*, postración *f*, colapso *m*, marasmo *m*. ~하다 atrofiarse, postrarse.

■~ 상태(狀態) colapso *m*, marasmo *m*, estado *m* de letargo, estado *m* de postración. ~의 postrado, abatido. ~가 되다 sufrir un colapso. 그는 더워서 ~가 됐다 El calor le tenía sumido en un marasmo. ~ 요법(療法) colapsoterapia *f*.

허탕 esfuerzo *m* vano.

◆허탕(을) 짚다 hacer esfuerzos vanos por equivocación. 허탕(을) 치다 hacer esfuerzos vanos. 허탕 치게 하다 dar un plantón. 그녀는 나를 허탕 치게 했다 Ella me ha dado un plantón / Ella me ha dejado plantado / Ella ha faltado a una cita conmigo.

허투(虛套) fingimiento *m*, pretensión *f*, simulación *f*, simulacro *m*, farsa *f*, parodia *f*, comedia *f*. 그녀의 슬픔은 모두 ~였다 Su pena era pura comedia [puro teatro].

허투루 descuidadamente, desatentamente, negligentemente, de manera despreocupada, bruscamente, de manera violenta. ~ 다루다 tratar bruscamente. ~ 쓰다 escribir descuidadamente. 그는 ~ 볼 사람이 아니다 El es un cuco / El es listo.

허튼 =헤픈.

■~계집 mujer *f* lasciva, ramera *f*, puta *f*. ~맹세 promesa *f* inútil, promesa *f* vana. ~소리 palabra *f* infundada, palabra *f* vana, tonterías *fpl*, estupideces *fpl*. ¶술이 취해서 ~를 하다 hablar sin ton ni son por la borrachera. ~수작 comentario *m* inútil, palabra *f* vana. ☞허튼소리

허파【해부】pulmón *m* (*pl* pulmones).

◆허파에 바람이 들었다 ser una persona dada a reírse tontamnte. 허파 줄이 끊어졌나 Es un carácter disparatado [absurdo] / Es imbécil.

허풍(虛風) jactancia *f*, expresión *f* de ostentación, arrogancia *f*, vanagloria *f*, bravata *f*, exageración *f*, fanfarronada *f*, palabrería *f*. 그건 순전한 ~이다 Es pura palabrería / *AmS* Es puro bla bla bla.

◆허풍(을) 떨다 jactarse, vanagloriarse, alabarse, prorrumpir en alabanzas propias, fanfarronear, exagerar, hablar ampulosamente, hablar enfáticamente. 허풍(을) 치다 exagerar, ponderar, hiperbolizar.

■~선(扇) ㉮ [숯불을 불어서 피우는 손풀무의 하나] fuelle *m*. ㉯ =허풍선이. ~선이 fanfarrón, -rrona *mf*, bocón, -cona *mf*, jactancioso, -sa *mf*, vanaglorioso, -sa *mf*.

허하다(許-) ① [허가하다] permitir. ② [허락하다] aceptar.

허하다(虛-) ① [옹골차지 못하다] (ser) robusto, macizo, sólido, firme. ② [속이 비다] estar vacío, estar vacante. ③ [담력이 없다] faltar*le* valor, faltar*le* coraje. 그는 허해서 그 일을 할 수 없다 Le falta valor [coraje] para hacerlo. ④【한방】[원기가 부실하다] (ser) débil, delicado.

허한(虛汗)【한방】sudor *m* frío.

허행(虛行) =헛걸음.

허허[1] [기뻐서 크게 웃는 소리] ¡Ja, ja! ~ 웃다 reír fuerte.

허허[2] ① [슬프거나 기막힌 일을 당할 때 탄식하여 내는 소리] ¡Anda! / ¡Vaya! / ¡Ah! ② [일이 틀어져 버릴 때 내는 소리] ¡Mi Dios! ~ 또 졌는걸 ¡Mi Dios, he perdido otra vez!

허허거리다 seguir riendo fuerte.

허허바다 mar *m* infinito y vasto.

허허벌판 pradera *f*, llanura *f*.

허허실실(虛虛實實) ¶~의 전술 duelo *m* de tirante. ~의 술책을 쓰다 negociar con ingenio.

허혈(虛血) isquemia *f*. ~의 isquémico.

■~성 대장염(性大腸炎) colitis *f* isquémica. ~성 질환 enfermedad *f* isquémica.

허혼(許婚) consentimiento *m* del matrimonio.

~하다 consentir en [acceder a] *su* matrimonio, dar *su* consentimiento para que se casen.

허황하다(虛荒一) (ser) falso, increíble, informal. 그것은 허황한 이야기다 Es un cuento extremadamente vago.

헌 viejo, gastado, usado, de segundo mano. ~ 것 cosa *f* vieja. ~ 신문(新聞) viejos periódicos *mpl.* ~신짝 zapato *m* viejo. ~옷 ropa *f* gastada. ~책 libro *m* de segunda mano, libro *m* viejo.

◆헌 신같이 버리다 abandonar generosamente [pródigamente]. 헌 체로 술 거르듯 hablar corrientemente, hablar con fluidez.

■헌 고리도 제 짝이 있다 ((속담)) =헌 짚신도 제 짝이 있다. 헌 짚신도 제 짝이 있다 ((속담)) Cada oveja con su pareja.

헌가락지조개 =퇴조개.

헌거롭다(軒擧一) (ser) brioso y corpulento. 헌거로이 briosa y corpulentamente.

헌거하다(軒擧一) (ser) brioso y corpulento.

헌걸스럽다 (ser) brioso, majestuoso. 헌걸스레 briosamente, majestuosamente.

헌걸차다 (ser) vigoroso, fuerte, robusto, lleno de euforia, estar eufórico (por). 헌걸차게 살다 vivir enérgicamente 헌걸찬 청년이 되다 hacerse un joven fornido. 그는 심신이 ~ El es fuerte física y moralmente.

헌것 cosa *f* vieja.

헌계집 mujer *f* ya casada, mujer *f* que no es virgen.

헌금(獻金) ① [돈을 바침. 또, 그 돈] contribución *f*, subscripción *f*. ~하다 contribuir, subscribir. 학생 운동의 자금으로 10만 원을 ~하다 hacer una contribución de cien mil wones para el fondo del movimiento estudiantil. ② ((기독교)) ofrenda *f*, donación *f*. ~하다 ofrendar, hacer una ofrenda.

◆정치(政治) ~ contribución *f* de fondos políticos; [정당의] contribución *f* a un partido político.

■~ 기도(祈禱) oración *f* de ofrenda, oración *f* de donación. ~대(袋) bolsa *f* de ofrenda. ~자(者) donador, -dora *mf*, contribuidor, -dora *mf*. ~함 hucha *f*, cepo *m*, cepillo *m*, *AmL* alcancía *f*.

헌납(獻納) ofrenda *f*, dedicación *f*, consagración *f*, presentación *f*, contribución *f*. ~하다 ofrendar, dedicar, consagrar, hacer una ofrenda (de), contribuir. 군자금(軍資金)을 ~하다 contribuir alguna cantidad de dinero para el fondo de guerra.

■~금 contribución *f*, donación *f*. ~식(式) ceremonia *f* de presentación. ~자(者) contribuidor, -dora *mf*, donador, -dora *mf*, donante *mf*. ~품 ofrecimiento *m*, dádiva *f*, regalo *m*, obsequio *m*, estrenas *fpl*.

헌당(獻堂) ((기독교)) dedicación *f* [consagración *f*] de una iglesia. ~하다 dedicar una iglesia.

■~식(式) ceremonia *f* de consagración de una iglesia.

헌데 furúnculo *m*, divieso *m*, absceso *m*, tumor *m*.

헌등(軒燈) lámpara *f* del alero.

헌등(獻燈) linterna *f* votiva.

헌배(獻杯) ofrecimiento *m* de una copa de vino a otro. ~하다 ofrecer una copa de vino a otro.

헌법(憲法) ① [근본이 되는 법규(法規)] ley *f* básica. ② [한 국가의 최고의 법] constitución *f* (del Estado). ~의 constitucional. ~에 따라, ~상 constitucionalmente. ~상의 권리 derechos *mpl* establecidos por la constitución. ~을 개정하다 modificar [reformar] la constitución. ~을 공포하다 promulgar la constitución. ~에 위반하다 infringir [quebrantar] la constitución. ~을 제정(制定)하다 redactar la constitución.

◆대한민국 ~ la Constitución de la República de Corea. 불문(不文) ~ constitución *f* no escrita. 성문(成文) ~ constitución *f* escrita.

■~ 개정(改正) modificación *f* [reforma *f*] de la constitución. ¶~을 하다 modificar [reformar] la constitución. ~ 개정안(改正案) proyecto *m* de modificación de la constitución. ~ 공포(公布) promulgación *f* de constitución. ~ 기관 institución *f* constitucional. ~ 기념일 el Día de la Constitución. ~ 발포 =헌법 공포. ~ 소원 demanda *f* de la constitución. ~ 옹호 운동 movimiento *m* para protección de la constitución. ~ 옹호자 constitucionalista *mf*. ~ 위반 violación *f* de la constitución, acto *m* anticonstitucional. ~ 위원회(委員會) comité *m* [comisión *f*] de la constitución. ~ 재판소 la Corte Constitucional. ~ 정신 espíritu *m* constitucional [de la constitución]. ~ 정치 constitucionalismo *m*, gobierno *m* constitucional. ~ 제도(制度) régimen *m* constitucional. ~ 제정(制定) promulgación *f* de la constitución. ¶~을 하다 promulgar la constitución. ~ 제정권(制定權) poder *m* constituyente. ~학자 constitucionalista *mf*.

헌병(憲兵) policía *f* militar, gendarme *m*.

■~대 gendarmería *f*, policía *f* militar. ~사령관 jefe *m* de la policía militar. ~사령부 cuartel *m* general de la policía militar. ~ 장교 oficial *mf* de la policía militar. ~ 파견대 destacamento *m* de la policía militar.

헌본(獻本) presentación *f* (de ejemplares) de libros; [저자(著者)가] dedicación *f* de *su* obra. ~하다 regalar [obsequiar] un libro; [저자가 서명해서] dedicar *su* obra, presentar.

헌사(獻詞/獻辭) dedicatoria *f*. ~를 쓰다 dedicar. 이 책의 저자는 그의 책을 어머니에게 바치는 ~를 쓰고 있다 El autor de este libro dedica su libro a su madre. 그 친구는 선물과 ~에 무척 감사했다 El amigo agradeció mucho el regalo y la dedicatoria.

헌상(獻上) dedicación *f*, presentación *f*, ofre-

cimiento *m.* ～하다 dedicar, presentar, ofrecer (respetuosamente), obsequiar (*algo* con respeto a *uno*).
■～품(品) ofrenda *f,* donativo *m,* cosa *f* obsequiada con respeto.
헌서(獻書) =헌본(獻本).
헌쇠 hierro *m* viejo.
헌수(獻壽) brindis *m* por *su* longevidad. ～하다 brindar por *su* longevidad.
헌시(獻詩) poema *m* dedicatorio, poesía *f* dedicatoria. ～하다 dedicar un poema [una poesía].
헌신(獻身) abnegación *f,* devoción *f,* altruismo *m,* olvido *m* de *sí* mismo, sacrificio *m* de *sí* mismo. ～하다 abnegarse, dedicarse, sacrificarse, rendir servicio. 조국(祖國)에 ～하다 servir a *su* patria.
■～적(的) abnegado, desinteresado, altruista. ¶～으로 abnegadamente, con abnegación. ～인 노력(努力) esfuerzo *m* desinteresado. ～인 봉사(奉仕) servicio *m* abnegado.
헌신짝 zapato *m* gastado, zapato *m* viejo.
◆헌신짝 버리듯 하다 tirar a la basura después de haber usado importantemente.
헌신짝 같다 no tener ningún valor, no valer nada.
헌신짝같이 sin (ningún) valor.
헌앙하다(軒昂―) =헌거(軒擧)하다.
헌 옷 vestidos *mpl* usados, ropa *f* vieja, ropa de segunda mano. ～ 가게 ropavejería *f,* prendería *f,* tienda *f* de ropa usada. ～ 가게 주인 ropavejero, -ra *mf;* prendero, -ra *mf.* ～ 장수 ropavejero, -ra *mf.*
헌작(獻爵) ① [제사 때 술잔을 올림] ofrenda *f* de una copa del vino al superior. ～하다 ofrendar una copa del vino al superior. ② ((천주교)) ofrenda *f* del vino. ～하다 ofrendar el vino.
헌장(憲章) ① [헌법의 전장(典章)] regla *f* de la constitución. ② [국가 등이 이상(理想)으로서 정한 원칙] carta *f.*
◆국민 교육(國民敎育) ～ la Carta de la Educación Nacional. 대(大)～ la Carta Magna. 대서양 ～ la Carta (del) Atlántico. 어린이 ～ la Carta de los Niños. 어머니 ～ la Carta de la Madre. 유엔 ～ la Carta de las Naciones Unidas.
헌정(憲政) régimen *m* constitucional, gobierno *m* constitucional, constitucionalismo *m.* ～을 실시하다 adoptar el régimen constitucional. ～을 정상으로 복귀하다 devolver al estado normal el gobierno constitucional.
■～ 옹호(擁護) defensa *f* de la constitución, constitucionalismo *m.* ～ 옹호 운동 movimiento *m* para la defensa de la constitución. ～ 옹호자 constitucionalista *mf.* ～ 위기 crisis *f* constitucional. ～ 질서 orden *f* constitucional. ～파 constitucional *mf.*
헌정(獻呈) presentación *f,* dedicación *f.* ～하다 presentar, dedicar, ofrecer, regalar, obsequiar. 저서를 ～하다 dedicar *su* libro. 자신의 책 한 권을 ～하다 dedicar un ejemplar de *su* libro a *uno.*
헌 짚신 sandalias *fpl* de paja muy gastados.
■헌 짚신도 (제)짝이 있다 ((속담)) Cada oveja con su pareja / Dios los cría y ellos se juntan / Tal para cual, María para Juan.
헌책(獻策) consejo *m,* sugerencia *f,* dictamen *m,* recomendación *f,* advertimiento *m.* ～하다 aconsejar, sugerir, proponer, advertir, recomendar.
헌책(―冊) libro *m* de segunda mano, libro *m* usado.
■～방 librería *f* de viejo, librería *f* de segunda mano. ～사(肆) =헌책방. ～ 장수 librero, -ra *mf* de segunda mano.
헌칠민틋하다 (ser) esbelto.
헌칠하다 (ser) alto y esbelto.
헌털뱅이 =헌것.
헌헌장부(軒軒丈夫) hombre *m* varonil, hombre *m* valeroso, caballero *m* bravo.
헌혈(獻血) donación *f* de sangre. ～하다 donar (la) sangre, dar sangre. ～보다 더 큰 사랑은 없습니다 No hay amor más grande que la donación de sangre.
■～ 운동(運動) campaña *f* en favor de la donación de sangre. ～자(者) donante *mf* de sangre.
헌화(獻花) ofrenda *f* de las flores. ～하다 ofrendar las flores.
헐값(歇―) precio *m* baratísimo, precio *m* barato, precio *m* bajo. ～의 barato, bajo, moderado, de pacotilla. ～으로 a bajo precio, a precio moderado, por una nonada; [거의 공짜로] casi gratuitamente, casi por nada, casi de rositas. ～으로 팔다 vendeer tirado [medio regalado · por un precio ruinoso]. ～으로 팔아 치우다 venderse a precio barato, malvender.
헐객(歇客) libertino, -na *mf.*
헐겁다 estar flojo, estar suelto, aflojarse, soltarse. 헐거운 suelto, flojo, holgado, amplio. 헐겁게 flojamente, sueltamente, sin apretar. 헐거운 바지 pantalones *mpl* anchos (de cintura). 헐겁게 하다 aflojar, soltar. 드레스가 ～ El vestido no es entallado. 매듭이 ～ El nudo está flojo. 깃이 그에게 헐거웠다 El cuello le quedaba flojo [grande]. 이 구두는 나한테는 약간 ～ Estos zapatos me están un poco anchos. 나는 허리띠를 헐겁게 해야 했다 Tuve que aflojarme el cinturón. 그녀는 핸들의 손잡이를 헐겁게 했다 Ella dejó de apretar con tanta fuerza el volante.
헐근거리다 jadear, respirar entrecortadamente, respirar con dificultad, resollar. 헐근거리면서 말하다 decir jadeando. 그는 숨을 헐근거리고 있었다 Ella respiraba con dificultad. 나는 선두자 뒤를 헐근거리며 달렸다 Yo corría, jadeando, detrás de los primeros.
헐근헐근 jadeando con dificultad.

헐다[1] ① [부스럼이나 상처가 나서 살이 짓무르다] tener tumor. 입 안이 ~ tener tumor en la boca. ② [물건 따위가 오래되거나 많이 써서 낡아지다] (estar) gastado, muy usado, viejo, gastarse.

헐다[2] ① [집이나 쌓은 것을 무너뜨리다] destruir, romper, derribar, demoler, echar abajo. 울타리를 ~ derriar [echar abajo] la cerca. 건물을 ~ echar abajo el edificio. ② [남의 단점을 쳐들어서 험담하다] calumniar, censurar, difamar, hablar mal (de), maldecir (de). 본인 없는 데서 헐어 말하는 사람 maldiciente *mf.* 남을 헐어 말하다 hablar mal de otro. 그녀는 내 성격을 헐하려 했다 Ella intentó difamarme. ③ [일정한 액수의 돈·일정한 양의 물건 따위를 꺼내거나 쓰기 시작하다] cambiar. 천 원짜리를 백 원짜리 동전으로 ~ cambiar un billete de mil wones en monedas de cien.

헐떡거리다 seguir jadeando. ☞헐떡이다
헐떡헐떡 (siguiendo) jadeando. ~하면서 그는 산을 올라갔다 El subía a la montaña

헐떡이다 ① [연하여 숨을 가쁘게 쉬다] jadear, respirar con dificultad, resoplar, dar resoplidos, resollar, sofocarse, ahogarse; [임종에] boquear. 헐떡이면서 말하다 decir jadeando. 헐떡이면서 달리다 correr jadeando. 「나는 해냈다」라고 그는 헐떡이면서 말했다 ¡Lo logré! — él dijo jadeando. 나는 헐떡이면서 계단을 올라갔다 Yo subí las escaleras resoplando. 개가 누워 헐떡이고 있었다 El perro, acostado, jadeaba. ② [신이 헐거워 자꾸 벗어졌다 신기었다 하다] aflojarse, estar flojo.

헐떡하다 ① [얼굴이 여위고 핏기가 없다] ponerse pálido, aflojarse. ② [몹시 지치어 눈이 껄떡하다] (*sus* ojos) estar demacrados por la fatiga.

헐뜯다 calumniar, infamar, criticar (duramente), poner como un trapo, censurar, despreciar, abusar, denigrar, hablar mal (de), vilipendiar; [나쁘게 평하다] desacreditar. 남을 헐뜯는 사람 calumniador, -dora *mf,* difamador, -dora *mf,* maldiciente *mf.* 남의 공적을 ~ despreciar la proeza de otro. 친구를 헐뜯어서는 안 된다 No debe hablar mal de su amigo.

헐렁거리다 ① [헐거워 이리저리 자꾸 흔들리다] quedar flojo. 이 바지는 나한테는 허리가 헐렁거린다 Estos pantalones me quedan flojos de cintura. ② [신중함이 없이 들떠서 허랑한 짓을 자꾸 하다] portarse [comportarse] precipitadamente [sin reflexionar], ser frívolo.
헐렁헐렁 [옷 등이] flojamente; [행동이] frívolamente, imprudentemente, indecisamente, con vacilación.

헐렁이 persona *f* frívola, persona *f* imprudente.

헐렁하다 (ser) amplio, grande, muy holgado. 헐렁한 옷 vestido *m* muy amplio, ropa *f* muy floja. 헐렁한 옷을 입고 있다 llevar un vestido muy amplio, salirse por los vestidos.

헐렁헐렁하다 ① [매우 헐거운 듯한 느낌이 들다] quedar flojo, (ser) ancho, suelto, demasiado amplio [grande · holgado]. 옷이 ~ quedar flojo. ② [하는 짓이 들뜨고 실답지 아니하다] (ser) muy inestable.

헐레벌떡 jadeando.
헐레벌떡거리다 jadear. 헐레벌떡거리는 jadeante.
헐레벌떡헐레벌떡 siguiendo jadeando.

헐리다 destruirse, echarse abajo, derribarse, ser demolido [derribado · destruido]. 건물이 헐렸다 El edificio fue demolido.

헐리우드【지명】Hollywood.

헐벗다 ① [떨어져 해진 누더기를 걸치다] (estar) cubierto de harapos [andrajos], harapiento, andrajoso, lleno de andrajos. 헐벗은 사람 persona *f* cubierta de harapos, persona *f* andrajosa. 그는 헐벗고 왔다 El vine vestido de harapos. ② [나무가 없어서 산이 맨바닥을 드러내고 있다] (ser) pelado. 헐벗은 산 monte *m* pelado, montaña *f* pelada.

헐수할수없다 ① [이리도 저리도 어떻게 할 수 없다] (ser) desesperado, sin esperanzas, imposible, no poder más, no guantar más. 이제 나는 ~ Ya no puedo más / Ya no aguanto más. ② [너무 가난하여 살아갈 길이 막연하다] llevar una vida difícil por gran pobreza.
헐수할수없이 sin esperanzas, imposiblemente.

헐쑥하다 (ser) flaco y pálido, delgado, enjuto.

헐어지다 [집·벽이] venirse abajo, derrumbarse; [건물·다리가] derrumbarse, desmoronarse, desplomarse; [지붕이] hundirse, venirse abajo; [흙이나 케이크나 치즈가] desmenuzarse.

헐쭉하다 ponerse flaco, ponerse delgado, adelgazar.

헐하다(歇—) ① [값이 시세보다 싸다] (ser) barato. 헐하게 사다 comprar barato, comprar a bajo precio. 헐한 것으로 하겠다 Me quedo con lo barato. ② [일이 생각하는 것보다는 힘이 덜 들다] (ser) fácil, ligero, simple. 헐한 일 trabajo *m* ligero. ③ [엄하지 않고 만만하다] (ser) ligero, poco severo. 헐한 벌(罰) castigo *m* poco severo.

헐후하다(歇后—) (ser) trivial, banal, insignificante, sin valor, indigno, inútil, no ser digno, no valer nada, no tener ningún valor.

험객(險客) ① [성질이 험악한 사람] matón *m* (*pl* matones), persona *f* brusca. ② ＝험구가(險口家).

험구(險口) calumnia *f,* infamia *f,* difamación *f,* acusación *f* falsa, denigración *f.* ~하다 calumniar, infamar, difamar, denigrar, hablar mal (de).
■ ~가(家) calumniador, -dora *mf,* difamador, -dora *mf,* difamante *mf.*

험난하다(險難—) ① [위험하고 어렵다] (ser)

peligroso y difícil, estar lleno de peligro, estar lleno de dificultad. ② [험하여 고생스럽다] estar erizado de dificultades.

험담(險談) calumnia *f*, difamación *f*. ~하다 calumniar, difamar, hablar mal (de). (그럴 리가 없지만) 만일 자기가 자기의 ~을 한다면 정신 나간 짓일 것이다 Si uno hablara [hablase] mal de sí mismo, estaría perdido.

■ ~가(家) calumniador, -dora *mf*; difamador, -dora *mf*; difamante *mf*.

험로(險路) camino *m* escarpado [áspero · desigual · escabroso · de cabras · lleno de baches]; [곤란한 길] camino *m* duro [penoso · difícil].

험산(險山) montaña *f* escarpada [espinada].

험상(險狀) lo escarpado, lo escabroso, brusquedad *f*, rudeza *f*, aspereza *f*, violencia *f*.

험상궂다 (ser) siniestro, de facciones duras.

험상스럽다 (ser) áspero, tosco, escabroso, escarpado, siniestro, nefasto. 험상스러운 길 camino *m* escarpado. 험상스러운 얼굴 cara *f* nefasta, cara *f* siniestra, facciones *fpl* duras.

험상스레 ásperamente, toscamente, escarpadamente, siniestramente, nefastamente.

험상(險相) facciones *fpl* duras.

험악스럽다(險惡－) ＝험악하다.

험악하다(險惡－) ① [길 · 지세(地勢) · 천후(天候) · 형세(形勢) 등이 험난하다] ㉮ [길 · 땅이] (ser) escarpado, desigual, lleno de baches. ㉯ [지세가] accidentado, escabroso, agreste. ㉰ [바다가] agitado, picado, encrespado. ㉱ [날씨가] tempestuoso, tormentoso. 험악한 날씨 tiempo *m* tempestuoso. ㉲ [형세가] grave, serio, agitado, violento. 정세(情勢)가 험악하게 된다 La situación se agrava / La situación toma un cariz serio. 병세(病勢)가 험악해졌다 La enfermedad se ha vuelto muy seria. 중동(中東)의 형세가 매우 험악해지고 있다 La nube de guerra cuelga pesadamente en el Medio Oriente. 회의는 험악한 분위기다 En la conferencia reina un ambiente tempestuoso [agitado · violento]. ② [성질 · 인심이 흉악하다] (ser) brusco, peligroso, amenazante, amenazador, alarmante. 험악한 얼굴 semblante *m* amenazador [grave].

험조하다(險阻－) (ser) escarpado, abrupto, escarboso, empinado. 험조한 산길 camino *m* abrupto [áspero · duro] de montaña.

험준하다(險峻－) (ser) precipitoso, pendiente, escarpado. 험준한 산 montaña *f* escarpada.

험하다(險－) ① [땅의 생긴 형세가 발붙이기 어렵다] ㉮ [험준하다] (ser) precipitado, escarpado, escabroso, abrupto. 험한 산(山) montaña *f* escarpada [escabrosa · precipitada · abrupta]. 높고 험한 산 montaña *f* alta y escarpada. 길이 ~ El camino es abrupto [áspero · duro]. ㉯ [경사가 급하다] (ser) empinado. 험한 언덕 cuesta *f* empinada, fuerte pendiente *f*. ② [나타난 모양이 보기 싫게 험상스럽다] (ser) siniestro, macabro, severo, grave, serio, crítico. 험한 얼굴 cara *f* siniestra. 험한 형세 situación *f* crítica. 험한 얼굴로 con un semblante grave [serio]. 험한 눈을 하다 dirigir una mirada severa. ③ [움직이는 형태가 위태롭다] (ser) peligroso, arriesgado. ④ [말이나 행동 따위가 막되다] (ser) maleducado, sin educación, descortés, grosero. 그는 매우 ~ El no tiene modales [educación] / El es muy maleducado. 네 할머님에게 험하게 하지 마라 No seas grosero con tu abuela / No le faltes al respeto a tu abuela. ⑤ [먹는 것이나 입는 것이 너무나도 너절하다] (estar) gastado, muy usado. 험한 옷 ropa *f* muy usada. 험한 음식 comida *f* sencilla. ⑥ [매우 거칠고 힘에 겹다] (ser) duro, difícil. 전도(前途)가 ~ El porvenir está lleno de dificultades. ⑦ [날씨가 궂다] (ser) malo, tempestuoso, tormentoso. 험한 날씨 tiempo *m* tempestuoso, tiempo *m* tormentoso, mal tiempo. 날씨가 ~ El tiempo es tempestuoso [tormentoso · malo].

험히 escarpadamente, precipitadamente, abruptamente, escabrosamente, empinadamente, ásperamente, severamente, gravemente, seriamente, críticamente, tempestuosamente, tormentosamente.

헙수룩하다 ① [머리털이나 수염이 텁수룩하다] (ser) peludo, enmarañado, greñudo, despeinado, alborotado, desmelenado. 헙수룩한 머리카락 pelo *m* despeinado, pelo *m* alborotado, pelo *m* enmarañado. 헙수룩한 수염 barba *f* enmarañada. ② [옷차림이 허름하다] (estar) gastado, usado. 헙수룩한 옷 ropa *f* gastada.

헙수룩히 enmarañadamente, desmelenadamente.

헙헙하다 ① [융통성이 있어 활발하다] (ser) espléndido, generoso, liberal. ② [규모는 없으나 인색하지 않다] no ser tacaño [mísero · mezquino]. ③ [어이없으리만큼 허망하다] (ser) vano, falso, increíble.

헛- falso, vano. ~수고 esfuerzo *m* vano. ~소문 rumor *m* falso.

헛가게 [시장에서] puesto *m*; [전시장에서] barraca *f*, caseta *f*.

헛가지 rama *f* inútil.

헛간(－間) almacén *m* (*pl* almacenes), depósito *m*; [곡물의] granero *m*, troj *m*; [밭농사 따위의] hórreo *m*, panera *f*; [건초(乾草)의] henil *m*; [가축용] establo *m*. ~에 넣다 entrojar.

헛갈리다 no poder discernir [distinguir].

헛걸음 viaje *m* en vano, viaje *m* inútil. ~하다 hacer un viaje en vano, hacer un viaje inútil, viajar inútil [en vano].

헛것 ＝헛일❶.

헛고생(－苦生) penalidad *f* vana, vida *f* difícil inútil.

헛공론(－公論) opinión *f* pública vana [inútil].

헛구역(－嘔逆) arcada *f*. ~을 하다 hacer arcadas, dar arcadas. 그것을 보는 것은 그녀로 하여금 ~질을 하게 했다 Verlo la hizo hacer arcadas / Al verlo le dieron arcadas (a ella).

헛글 letra *f* inútil.

헛기운 =환상(幻想). 환영(幻影).

헛기침 carraspeo *m*, tos *f* seca. ~하다 carraspear; [인기척을 내기 위해 일부러] fingir tos.

헛김 escape *m*, fuga *f*.
◆헛김(이) 나다 ㉮ [기운이 딴 곳으로 잘못 새어 나오다] escaparse, salirse. ㉯ [맥빠지다] desanimarse. 그는 역경을 당해 헛김이 났다 El se ha animado ante las adversidades.

헛노릇 esfuerzo *m* vano [inútil · infructuoso]. ~하다 trabajar en vano, hacer un trabajo inútil.

헛다리 pies *mpl* de pisar mal.

헛다리 짚다 fracasar, fallar, salir mal, quedar en la nada, echar a perder; [비유적] calcular mal, errar.

헛돌다 [바퀴가] patinar, derrapar. 자동차는 얼음 위에서 헛돌았다 El coche patinó [derrapó] en el hielo.

헛되다 ① [아무 보람이 없다] (ser) vano, inútil. 헛된 노력 esfuerzo *m* vano [inútil]. 그의 노력도 헛되었다 Sus esfuerzos resultaron inútiles [en vano]. ② [허황하여 믿기 어렵다] (ser) falso, increíble, infundado, poco fidedigno. 헛된 이야기 cuento *m* infundado.
헛되이 en vano, vanamente, inútilmente, en balde, infructuosamente, increíblemente, infundadamente. ~ 되다 hacerse nulo, reducirse a nada. 나는 사소한 일로 하루를 ~ 보내야 했다 Tuve que sacrificar un día entero por asuntos triviales.

헛된 말 palabras *fpl* vacías, palabras *fpl* increíbles.

헛듣다 oír mal, entender mal, comprender mal. 헛들은 척하다 hacer oídos de mercader, hacer oídos sordos. 나는 헛들었다 Lo oí mal. 내 말을 헛듣지 마라 Por favor entiéndeme.

헛들리다 oírse mal.

헛디디다 dar un paso (en) falso, dar un paso errado. 그는 발을 헛디뎌 계단에서 떨어졌다 El se cayó por la escalera al fallarle / El dio un paso en falso y se cayó por la escalera.

헛맹세 promesa *f* falsa [vacía]. ~하다 prometer falsamente.

헛물켜다 hacer vanos esfuerzos, trabajar en vano.

헛발 ① [잘못 디디거나 내찬 발] pies *mpl* con falso paso. ② =위족(僞足).

헛발질 patada *f* perdida.

헛방(－房) trastero *m*, almacén *m* (*pl* almacenes), depósito *m*, habitación *f* para las cosas sueltas, *Méj* bodega *f*; [음식용] despensa *f*.

헛방(－放) ① [쏘아서 못 맞힌 총질] tiro *m* [disparo *m*] de no dar en el blanco. ② [실탄이 없는 총탄] bala *f* sin cartucho cargado. ③ [보람 없는 말. 미덥지 않은 말] palabra *f* falsa, palabra *f* increíble.
◆헛방(을) 놓다 ㉮ [맞히지 못하는 총을 쏘다] la bala pasar rozando, no dar en el blanco. ㉯ [공포를 쏘다] disparar sin bala, batir a cañonazo vacuo, hacer disparo al aire. ㉰ [미덥지 않은 말을 하다] usar la palabra increíble.

헛방귀 pedo *m* suave. ~를 뀌다 tirarse [echarse] un pedo suave.

헛배 estómago *m* lleno de gas sin comer.
◆헛배(가) 부르다 tener gas en el estómago.

헛보다 tomar, equivocar, confundir. A를 B로 ~ tomar [equivocar] a A por B, confundir a A con B. 나는 너를 네 누이로 헛보았다 Te confundí con tu hermana.

헛보이다 tomarse, equivocarse, confundirse.

헛부엌 cocina *f* de no usar en tiempo ordinario.

헛불 tiro *m* de no dar en el blanco.
◆헛불(을) 놓다 no dar en el blanco.

헛소리 ① [앓는 사람이 정신을 잃고 중얼거리는 소리] jerigonza *f*, habladuría *f* incoherente, delirio *m*, desvario *m*. ~하다 hablar en delito, delirar, desvariar. ② [미덥지 않은 말] galimatías *m*, tonterías *fpl*, estupideces *fpl*, disparates *mpl*, palabra *f* tonta. ~하다 decir tonterías [estupideces · disparates].

헛소문(－所聞) rumor *m* falso, rumor *m* infundado. ~이 돌고 있다 Corre un rumor falso [infundado].

헛손질 manoseo *m* en el aire. ~하다 manosear en el aire.

헛수(－手) movimiento *m* inútil. ~를 두다 hacer el movimiento inútil.

헛수고 trabajo *m* vano, esfuerzo *m* vano. ~하다 echar agua en el mar, llevar agua al río, coger agua en un cesto, hacer esfuerzos vanos, empeñarse inútilmente, perder tiempo y labor, asar en el mar, gastar pólvora en salvas, ser como clavar al corcho, ser inútil. ~가 되다 no dar resultado. ~만 하다 trabajar en vano. ~로 끝나다 no llegar a nada, resultar vano. 모든 노력은 ~였다 Todos los esfuerzos fueron infructuosos. 모든 노력은 ~로 끝났다 Todos los esfuerzos resultaron vanos. 수색을 계속했지만 ~였다 La búsqueda seguía siendo infructuosa. 애쓴 보람도 없는 ~다 Es un esfuerzo infructuoso.

헛심 fuerza *f* vana, fuerza *f* gastada.

헛애 esfuerzo *m* vano.

헛웃음 sonrisa *f* fingida, sonrisa *f* forzada, sonrisa *f* tonta. ~을 웃다 sonreír(se) como un tonto [una tonta]. ~을 웃으며 말하다 decir con una sonrisa tonta.

헛일 ① [쓸모없는 일] cosa *f* inútil, trabajo *m* infructuoso. ② [헛노릇] esfuerzo *m* vano. ~하다 sembrar en la arena, hacer esfuezos vanos.

헛잠 ① [거짓으로 자는 체하는 일] sueño *m* fingido. ~을 자다 fingir soñar. ② [잔 둥 만 둥 한 잠] sueño *m* ligero. ~을 자다 dormir ligeramente.

헛잡다 agarrar mal, coger mal.

헛잡히다 ser agarrado mal, ser cogido mal.

헛장 alarde *m*, alardeo *m*, fanfarronada *f*, fanfarronería *f*.

◆헛장(을) 치다 alardear, fanfarronear, jactarse (de), hacer alarde (de). 헛장을 치는 사람 fanfarrón (*pl* fanfarrones), -rrona *mf*.

헛청(-廳) edificio *m* convertido en la cabaña al aire libre.

■헛청 기둥이 칙간 기둥 흉본다 ((속담)) Dijo la sartén al cazo: quítate que me tiznas.

헛총(-銃) cartucho *m* sin bala, cañonazo *m* descargado, disparo *m* al aire. ☞공포(空砲)

◆헛총(을) 놓다 disparar sin bala, batir a cañonazo vacuo, hacer disparo al aire. ☞공포(를) 놓다

헛총질(-銃-) disparo *m* sin bala. ~하다 disparar sin bala, hacer disparo al aire.

헛코 ronquidos *mpl* fingidos [falsos].

◆헛코(를) 골다 fingir roncar, roncar falsamente.

헛헛증(-症) =공복감(空腹感).

헛헛하다 morirse de hambre, tener ganas de comer a causa de hambre.

헝가리 【지명】 Hungría *f*. ~의 húngaro.

■~ 공화국 la República de Hungría. ~ 사람[인] húngaro, -ra *mf*. ~어[말] húngaro *m*.

헝거스트라이크(영 *hunger strike*) [단식 투쟁] huelga *f* de hambre. ~를 하다 hacer huelga de hambre. ~ 중이다 estar haciendo huelga de hambre.

헝겁지겁 en embelesos, en éxtasis. ~하다 estar extasiado (con).

헝겊 pedacito *m* de paño, trapo *m*.

■~신 zapatos *mpl* de trapo.

헝클다 enredar, enmarañar, desgreñar, desmelenar.

헝클리다 enredarse, enmarañarse.

헝클어뜨리다 hacer enredarse.

헝클어지다 ① [실 따위가] enredarse, embrollarse, trabarse, enmarañarse. 헝클어진 enredado, enmarañado, embrollado. 내 머리카락이 헝클어졌다 Se me enredó el pelo. ② [일·사건 따위가] confundirse, complicarse.

헤 con la boca bien abierta. ~ 웃다 reír con la boca bien abierta.

헤게모니(독 *Hegemonie*; 불 *hégémonie*; 영 *hegemony*) hegemonía *f*, heguemonía *f*. ~를 가진 hegemónico. ~를 잡은 hegemonista. ~를 잡은 사람 hegemonista *mf*. ~를 잡고 있다 ejercer la hegemonía.

헤겔 【인명】 Jorge Guillermo Federico Hegel (1770-1831) (독일의 철학자). ~의 hegeliano. ■~ 학파 hegelianismo *m*, escuela *f* hegeliana, escuela *f* de Hegel.

헤근거리다 (ser) tambaleante, poco firme, poco sólido, desvencijado, destartalado, inestable.

헤근헤근 inestablemente, poco firmemente, poco sólidamente. 사개가 ~ 놀다 tambalearse la cola de milano. 책상 다리가 ~거린다 Las patas de la mesa se tambalean.

헤다[1] ① [팔다리를 놀려 물을 헤치고 앞으로 나아가다] nadar. ② [어려운 고비를 벗어나려고 애쓰다] tratar de escapar la crisis *f* difícil.

헤다[2] [마음대로 행하다] portarse [comportarse] como se quiera.

헤대다 ir y venir afanosamente, ir de aquí para allá, trajinar.

헤덤비다 apresurar, darse prisa, tener prisa.

헤드(영 *head*) ① [머리] cabeza *f*. ② [우두머리] jefe, -fa *mf*. ③ [전류(電流)를 자기(磁氣)로, 자기를 전류로 바꾸어 녹음·기록·재생(再生)이 가능하게 하는 장치] cabeza *f*. ④ 【컴퓨터】 [자기 디스크의 자료를 읽고, 기록하고, 지우는 장치] cabeza *f*, cabezal *m*.

■~기어 ㉮ [머리 장식물. 쓸것] tocado *m*; [모자] sombrero *m*, gorra *f*. ㉯ [머리 덮개] casco *m*. ¶노동자는 보호 ~를 써야 한다 Los trabajadores deben llevar casco. ~라이트 ㉮ faro *m*, linterna *f* delantera; [기관차의] farol *m*. ¶~를 켜다 encender los faros. ~를 끄다 apagar los faros. ㉯ =장등(檣燈). ~라인 [책의] título *m*; [신문의] titular *m*, título *m*, cabecera *f*, encabezado *m*. ~ 램프 faro *m*; [기관차의] farol *m*. ~ 코치 [수석 코치] primer entrenador *m*, primera entrenadora *f*. ~폰 auriculares *mpl*, cascos *mpl*, *AmL* audífonos *mpl*.

헤딩(영 *heading*) cabezazo *m*, cabeceo *m*, golpe *m* dado con la cabeza, cabezada *f*, toque *m* de cabeza. ~을 하다 dar un toque de cabeza.

◆다이빙 ~ palomita *f*, remate *m* de cabeza en plancha. 뒤통수 ~ cabezazo *m* [cabeceo *m*] trasero. 이마 ~ cabezazo *m* [cabeceo *m*] frontal. 점프 ~ cabezazo *m* [cabeceo *m*] en salto.

■~슛 ((축구)) tiro *m* de cabeza. ~ 패스 ((축구)) pase *m* de cabeza.

헤뜨다 sorprenderse durmiendo.

헤뜨러지다 dispersarse. 사방으로 ~ dispersarse por todas direcciones.

헤뜨리다 dispersar, esparcir.

헤라클레스 ((그리스 신화)) Hércules *m*, Heracles *m*. ■~자리 【천문】 Hércules *m*.

헤로인[1](영 *heroin*) [진정제의 하나] heroína *f*.

헤로인[2](영 heroine) [여걸. 여장부] heroína *f*.

헤르니아(라 *hernia*) [탈장(脫腸)] hernia *f*. ~의 herniario. ~에 걸린 herniado, hernioso. ~ 모양의 hernioide. ~를 앓다 herniarse.

■~ 근치 수술 hernioplastia *f*. ~ 봉합술 herniorrafia *f*. ~성 종기(性腫氣) tumor *m* herniario. ~ 전문의 hernista *mf*. ~절개(切開) celotomía *f*. ~ 절개 개복술(切開開腹術) herniolaparotomía *f*. ~ 절개술(切開

術) herniotomía *f.* ~ 천자(穿刺) hernio-puntura *f.* ~학 herniología *f,* celología *f.* ~ 환자 herniado, -da *mf.*

헤르츠¹(영 *hertz*)【물리】hercio *m,* hertzio *m,* hertz *m.*

헤르츠²【인명】Enrique Hertz (1857-1894) (독일의 물리학자). ~의 hertziano.
■ ~ 발진기(發進機) oscilador *m* hertziano. ~파(波) ondas *fpl* hertzianas.

헤르페스(영 *herpes*)【의학】[(수)포진] herpe *m(f),* herpes *m(f).* ~의 herpético.

헤매다 ① [목적하는 것을 찾아 이리저리 돌아다니다] ir en busca de (*algo*), perseguir (*algo*), buscar, correr tras (*algo*), correr en busca de (*algo*), pescar, andar a la caza (de *algo*). 고서(古書)를 찾아 ~ andar [ir] en busca de libros de segunda mano. 쓰레기통을 찾아 ~ revolver [hurgar en] el basurero en busca de *algo.* 개가 먹이를 찾아 헤맨다 El perro lo revuelve [husmea] todo en busca de comida. 새가 모이를 찾아 헤맨다 El pájaro picotea buscando comida. ② [어디를 이리저리 방황하다] deambular, errar, andar vagando, vagar, vaguear, caminar sin rumbo fijo, callejear, corretear, rondar. 숲을 ~ vagar por el bosque. 시내(市內)를 ~ vagar por la ciudad. 목적도 없이 ~ vagar sin objeto [a la ventura · sin rumbo fijo]. 우리들은 마을을 헤매면서 오후를 보냈다 Pasamos la tarde paseando por el pueblo. 그들은 그가 거리를 헤매고 있는 것을 발견했다 Ellos le encontraron deambulando [vagando] por las calles. 이런 시간에 어디를 헤매고 돌아다녔느냐? ¿Por dónde andabas vagando [rodeando] a estas horas? 수상한 놈이 이 근처를 헤매고 있다 Por aquí ronda un tipo sospechoso. ③ [마음이 안정되지 않아 갈피를 잡지 못하다] no saber qué + *inf,* quedar perplejo. 어찌할 줄 몰라 ~ no saber qué hacer.

헤먹다 (estar) suelto, flojo, holgado, amplio.

헤모글로빈(영 *hemoglobin*) hemoglobina *f.*

헤무르다 (ser) débil, fláccido. 헤무른 사람 persona *f* débil.

헤묽다 (ser) débil y acuoso, frégil y delgado, blando y pálido.

헤벌어지다 (ser) muy ancho. 입이 헤벌어진다 La boca se abre muy ancha.

헤벌쭉 abierto de par en par. ~하다 estar abierto de par en par. ~ 웃다 sonreír de oreja a oreja.

헤벌쭉이 abiertamente de par en par, de oreja a oreja.

헤브라이(그 *Hebrai*)【역사】los hebreos. ~의 hebreo. ☞히브리
■ ~ 문학(文學) literatura *f* hebrea. ~ 사람[인] hebreo, -a *mf.* ~ 사상 hebraísmo *m.* ~ 어[말] hebreo *m.* ~ 어 학자 hebraísta *mf.* ~즘 hebraísmo *m,* judaísmo *m.*

헤브루(그 *Hebrew*) =헤브라이(Hebrai).

헤비급(heavy 級) ((권투 · 레슬링)) categoría *f* de los pesos pesados. ~의 [권투 선수 · 레슬러] de la categoría de los pesos pesados; [타이틀] de los pesos pesados.
■ ~ 선수 peso *mf* pesado. ¶라이트 ~ 선수 peso *mf* pesado ligero. ~ 타이틀 título *m* de los pesos pesados.

헤살 obstáculo *m.*
◆ 헤살(을) 놓다[부리다] obstruir, dificultar.
■ ~꾼 obstructor, -tora *mf,* obstruccionista *mf.* ~질 obstrucción *f.* ¶~하다 obstruccionar.

헤식다 ① [단단하지 못하여 헤지기 쉽다] (ser) quebradizo, frágil, precario, endeble, suave. 헤식은 쌀 arroz *m* suave. ② [탐탁하지 못하다] (ser) desfavorable, desagradable.

헤실바실 malgastando, derrochando. 돈을 ~ 다 써 버리다 malgastar todo dinero.

헤싱헤싱하다 (estar) suelto, holgado, flojo, amplio.

헤아리다 ① [수량을 세다] contar. 헤아릴 수 있는 contable. 헤아릴 수 없는 incontable, innumerable. 돈을 ~ contar el dinero. ② [짐작으로 가늠하여 따지고 살피다. 미루어 생각하다] sondear, rastrear, penetrar, profundizar, examinar a fondo; [추찰하다] suponer, imaginar; [이해하다] comprender, entender, compartir. 헤아릴 수 없는 insondable, inmenso, infinito, inestimable, inapreciable, inescrutable. …의 의도(意圖)를 ~ suponer las intenciones de *uno.* 헤아리시는 바와 같이 como bien supone usted. 헤아리셨던 바와 같습니다 Tal como usted ha supuesto [adivinado]. 그의 입장(立場)도 헤아려라 Sé comprensivo con su situación / Ten la generosidad de comprender su situación. 제 고통을 헤아려 주십시오 Comprenda mi dolor. 그의 마음을 헤아릴 수 없다 Es imposible penetrar en sus intimidades. 그녀에게는 헤아릴 수 없는 음악적 재능이 있다 Ella tiene inestimables dotes para la música. 신도(神道)는 인간의 분별로는 헤아릴 수 없다 Los caminos de la Providencia son inescrutables para la razón humana. 다망(多忙)하실 것으로 헤아리고 있습니다 Supongo que usted estará muy ocupado. 당신의 고통(苦痛)을 헤아리고 있습니다 Comparto [Le acompaño en] su dolor / Dios le dé salud para sufrir tan lamentable pérdida. 헤아리건대 당신은 많은 고통을 받고 있음에 틀림없습니다 Por lo visto, usted debe (de) estar pasando muchos apuros.

헤어(영 *hair*) [사람의 머리털] pelo *m,* cabello *m;* [사람의 몸에 난 털] vello *m;* [동물 · 식물의 털] pelo *m.*
■ ~네트 redecilla *f* (para el cabello), albanega *f.* ~드라이어 secador *m, Méj* secadora *f* (de pelo). ~ 브러시 cepillo *m* (del pelo). ~스타일 peinado *m,* corte *m* de pelo. ~핀 [머리핀] horquilla *f, AmS* gancho *m,* pasador *m.*

헤어나다 atravesar [vencer · sobrepujar] obstáculos.

헤어지다 ① [흩어지다] dispersarse, esparcirse. ② [이별하다] despedirse (de), separarse (de), ser separado, decir adiós; [연인과] romper (las relaciones) (con); [이혼하다] divorciarse (de). 친구와 ~ despedirse de *su* amigo. 50년 이상이나 헤어진 가족의 모임 la reunión de familias que fueron separadas desde hace más de cincuenta años. 여기서 헤어집시다 Nos despediremos aquí. ③ [(살갗이) 갈라지다] agrietarse, partirse, *RPI* pasparse. 헤어진 입술 labios *mpl* agrietados [partidos · *RPI* paspados].

헤엄 natación *f.* ~하다 nadar; [물에 들어가다] bañarse. ~을 배우다 aprender a nadar. ~을 가르치다 enseñar a nadar. ~을 잘하다 nadar bien, nadar como un pez, ser un buen nadador [una buena nadadora]. 나는 ~을 조금도 못한다 Nado como un pez de plomo.

◆헤엄(을) 치다 nadar. 헤엄치는 사람 nadador, -dora *mf.* 헤엄치러 가다 ir a bañarse. 강을 헤엄쳐 건너다 atravesar un río nadando [a nado]. 이리저리 헤엄쳐 돌아다니다 nadar acá y allá. 강으로 헤엄쳐 갑시다 Vamos a bañarnos al río.

헤이(영 *hey*) ¡hola!

헤이그【지명】 la Haya (네덜란드 서부의 도시; 사실상의 수도; 공식 수도는 Amsterdam).

■~ 국제 중재 재판소 la Corte Permanente de Arbitración. ~ 재판소 la Corte de la Haya.

헤적거리다[1] [활개를 벌려 가볍게 저으며 걷다] andar balanceando ligeramente *sus* brazos.

헤적헤적 siguiendo andando balanceando ligeramente *sus* brazos.

헤적거리다[2] [연해 헤적이다] seguir [continuando] rebuscando.

헤적헤적 siguiendo rebuscando.

헤적이다 escudriñar, buscar desordenadamente, saquear, rebuscar, hurgar. 그는 그 오래된 책들을 헤적였다 El rebuscó [hurgó] entre esos libros viejos. 그는 열쇠를 찾기 위해 호주머니를 헤적였다 El hurgó en sus bolsillos buscando las llaves / *Col, Méj* El se esculcó los bolsillos para encontrar las llaves.

헤적질 rebusca *f.* ~하다 rebuscar.

헤죽거리다 andar con brío balanceando sus brazos.

헤죽헤죽 siguiendo andando con brío balanceando *sus* brazos.

헤지라(아랍 *Hegira*) [회교 기원] héjira *f.*

헤집다 cavar, excavar.

헤치다 ① [속에 든 물건을 드러나게 하려고 거죽을 파거나 깨뜨려 잡아 젖히다] cavar, excavar. ② [흩어져 가게 하다] esparcir, disipar, dispersar. ③ [옷자락을 벌리다] abrir la falda. ④ [앞에 걸리는 물건을 좌우로 물리치다] abrirse. 헤치고 들어가다 penetrar (en), entrar abriόndose camino [paso]. 수풀을 헤치고 들어가다 penetrar [internarse] en la selva. 길을 헤치며 덤불의 가운데를 나아가다 abrirse camino a través de la maleza. ⑤ [가난 · 고난 따위를 이겨나가다] abrirse paso, abrirse a codos. 인파를 헤치고 가다 ir abriéndose paso [a codos] entre la multitud. 정계(政界)를 교묘히 헤쳐 나가다 saber desenvolverse en el mundo político.

헤프다 ① [물건이 쉽게 닳거나 없어지다] (ser) despilfarrador, derrochador, poco económico. 자원의 헤픈 사용 una manera poco económica de utilizar los recursos. ② [몸가짐 · 물건을 쓰는 버릇이 어설픈 데가 있다] no ser durable, disoluto; [함부로 쓰다] malgastar, gastar mal, desperdiciar. 돈을 헤프게 쓰다 malgastar dinero. (여자가) 몸가짐이 ~ (ser) licenciosa, frívola, ligera. ③ [말을 조심하지 않고 함부로 지껄이다] (ser) verboso, farragoso, locuaz, conversador, hablador, parlanchín, hablantín, ampuloso, bombástico. 입이 헤픈 사람 persona *f* verbosa. 입이 헤픈 남자 hombre *m* verboso. 입이 헤픈 여자 mujer *f* verbosa.

헤피 ㉮ de manera poco económica, desperdiciadamente, pródigamente, extravagantemente, profusamente. ~ 쓰다 utilizar *algo* de manera poco económica, desperdiciar, malbaratar, malgastar. 돈을 ~ 쓰다 derrochar el dinero, gastar dinero profusamente [liberalmente · despilfarro]. 시간을 ~ 쓰는 것은 돈을 ~ 쓰는 것보다 더 나쁘다 Desperdiciar el tiempo es peor que el dinero. ㉯ disolutamente. ~ 생활하다 vivir disolutamente. ㉰ con locuacidad.

헤하다 sonreír abiertamente.

헥타르(영 *hectare*) hectárea *f.*

헥토-(그 *hecto-*) hecto-.

■~그램 [100그램] hectogramo *m.* ~리터 [100리터] hectolitro *m.* ~미터 [100미터] hectómetro *m.* ~와트 [100와트] hectovatio *m.* ~파스칼 [100파스칼] hectopascal *m* (hPa).

헬기(-機) =헬리콥터(helicopter).

헬레니즘(영 *Hellenism*) helenismo *m.* ~은 로마 문화를 깊숙히 바꾸어 놓았다 El helenismo modificó profundamente la cultura romana.

헬륨(영 *helium*) 【화학】 helio *m.*

헬리콥터(영 *helicopter*) helicóptero *m.* 다목적(多目的) ~ helicóptero *m* de todo uso. ~로 en helicóptero. ~로 나르다 llevar en helicóptero. ~로 여행하다 viajar en helicóptero.

◆중무장(重武裝) ~ [지상 공격용] helicóptero *m* artillado.

■~ 착륙장 helipuerto *m*, pista *f* de aterrizaje para helicópteros.

헬리포트(영 *heliport*) [헬리콥터 발착장] helipuerto *m.*

헬멧(영 *helmet*) ① [헤드기어] casco *m.* ~을 쓰다 ponerse el casco. ~을 쓰고 있다 estar con el casco puesto. ② [옛날의 투구] yelmo *m.*

헬스클럽(영 *health club*) gimnasio *m*.

헬싱키 【지명】 Helsinki (핀란드의 수도·항구).

헴 ¡Ejem!

헷갈리다 ① [정신을 차리지 못하다] confundirse, estar confundido. ② [갈피를 못 잡다] no tener ni pies ni cabeza. 나는 그것에 헷갈린다 Para mí esto no tiene ni pies ni cabeza. ③ [여러 갈래로 뒤섞이다] mezlarse en varias partes.

헹가래 acción *f* de llevar en [a] hombros.
◆헹가래(를) 치다 llevar [sacar] (a *uno*) en [a] hombros, lanzar al aire en señal de triunfo.

헹구다 enjuagar, deslavar, lavar otra vez con agua limpia, aclarar. 헹구는 일 enjuague *m*, aclaración *f*, aclarado *m*. 헹구는 물 enjuagatorio *m*, el agua *f* de aclaración, el agua *f* de enjuague. 세탁물을 ~ aclarar la ropa, enjuagar la ropa. 입을 ~ [자신의] enjuagarse (la boca).

헹글헹글 suelto, holgado, flojo, amplio. ~하다 quedar flojo [grande], aflojarse, soltarse.

혀 ① 【해부】 lengua *f*. ~의 lingual. ~를 내밀다 sacar la lengua (경멸할 때도 사용함). ~를 깨물다 morderse la lengua. ~가 깔깔하다 La lengua está áspera [pastosa]. ② 【음악】 lengüeta *f*.
◆혀(가) 꼬부라지다 hablar ambiguamente [con ambigüedad].
◆혀가 돌아가다 hablar con fluidez, hablar por los codos, hablar con mucha labia. 그는 혀가 잘 돌아가지 않는다 Se le traba la lengua / El tiene la lengua de trapo. 그는 그녀가 옆에 있으면 혀가 (잘) 돌아가지 않는다 El se cohíbe [se corta] cuando está ella. 나는 프랑스어를 하려고 하면 혀가 (잘) 돌아가지 않는다 Se me traba la lengua cuando trato de hablar francés.
◆혀가 짧다 [혀가 잘 돌지 않아, 말하는 것이 불명료하다] hablar ambiguamente, hablar con ambigüedad; [말을 더듬다] balbucear. 혀가 짧은 아이 niño, -ña *mf* balbucenate.
◆혀를 굴리다 quedarse maravillado, caerse de espaldas.
◆혀를 차다 chascar [chasquear·sonar] la lengua; [화가 나서] poner hocico de despecho.
■혀를 빼물었다 ((속담)) El trabajo es muy duro. 혀 아래 도끼 들었다 ((속담)) Si se habla mal, se recibirá desgracia.
■~ 가로근 músculo *m* transverso lingual. ~ 갑상선 tiroides *m* lingual. ~ 갑상선염 tiroiditis *f* lingual. ~ 결손증 aglosia *f*. ~ 근육(筋肉) músculo *m* lingual. ~꼬부랑이 ceceante *mf*. ~끝 punta *f* de la lengua. ~등 dorso *m* lingual. ~등 정맥 vena *f* dorsal lingual. ~ 신경총 plexo *m* lingual. ~암 cáncer *m* de la lengua. ~엽 lóbulo *m* lingual. ~ 표면 superficie *f* lingual.

혀밑 【해부】 hipoglotis *f*. ~의 hipogloso, submental, sublingual.
■~ 동맥(動脈) arteria *f* submental. ~샘 glándula *f* sublingual. ~ 신경(神經) nervio *m* hipogloso. ~ 신경 마비 neurolepsis *f* hipoglosa, neuroplegia *f* hipoglosa. ~ 신경절 ganglio *m* hipogloso. ~ 정맥(靜脈) vena *f* sublingual. ~ 주름 plica *f* sublingual. ~ 핵 núcleo *m* del hipogloso.

혀뿌리 =설근(舌根).

혀짤배기 persona *f* tímida, persona *f* cohibida. 나는 그녀가 옆에 있으면 ~가 된다 Yo me cohibo [me corto] cuando está ella. 그는 불란서어를 하려고 할 때는 ~가 된다 Se le traba la lengua cuando trata de hablar francés.
■~소리 ceceo *m*. 그들은 내 ~ 때문에 나를 놀린다 Ellos se burlan [se ríen] de mí a causa de mi ceceo / Ellos me toman el pelo por mi ceceo.

혁대(革帶) cinturón *m* (*pl* cinturones); *ReD* correa *f*. 돈 숨기는 곳이 있는 ~ faltriquera *f*. 가죽 ~ cinturón *m* de cuero.
■~ 장식(裝飾) hebilla *f*.

혁명(革命) revolución *f*. ~의 revolucionario. ~의 태풍 vendaval *m* revolucionario. ~을 일으키다 llevar a cabo una revolución, provocar una revolución, revolucionar, inducir una revolución. 1959년 쿠바에서 ~이 일어났다 Estalló [Se produjo] una revolución en Cuba en 1959 (mil novecientos cincuenta y nueve). 원자력은 에너지 산업에 ~을 일으키고 있다 La energía atómica está produciendo una revolución en la industria energética.
◆공산주의(共産主義) ~ revolución *f* comunista. 군사(軍事) ~ revolución *f* militar. 기술(技術) ~ revolución *f* técnica. 무력(武力) ~ revolución *f* armada. 무혈(無血) ~ revolución *f* sanguínea. 문화(文化) ~ revolución *f* cultural. 사상(思想) ~ revolución *f* ideológica. 사일구(四一九) ~ la Revolución del Día Diecinueve de Abirl. 사회(社會) ~ revolución *f* social. 사회주의(社會主義) ~ revolución *f* socialista. 산업(産業) ~ revolución *f* industrial. 삼월(三月) ~ la Revolución de Marzo. 시민(市民) ~ revolución *f* de los ciudadanos. 평화(平和) ~ revolución *f* pacífica. 폭력(暴力) ~ revolución *f* por fuerza [por violencia]. 프랑스 ~ la Revolución Francesa.
■~가(家) revolucionario, -ria *mf*. ~가(歌) canción *f* revolucionaria. ~군(軍) ejército *m* revolucionario. ~기(旗) bandera *f* roja. ~당(黨) el Partido Revolucionario. ~ 문학 literatura *f* revolucionaria. ~ 사상 ideas *fpl* revolucionarias. ~아(兒) hombre *m* de temperamento revolucionario. ~ 운동(運動) movimiento *m* revolucionario. ¶반(反)~ movimiento *m* antirevolucionario. ~ 이론 teoría *f* de la revolución. ~ 재판(裁判) juicio *m* revolucionario. ~ 재판소 la Tribunal Revolucionario, la Corte Revolucionario. ~ 전쟁(戰爭) guerra *f*

revolucionaria. ~ 정부[정권] gobierno *m* revolucionario. ~ 투쟁 lucha *f* revolucionaria. ~화(化) revolucionarización *f.* ¶~하다 revolucionarizar.

혁신(革新) innovación *f,* reforma *f,* renovación *f.* ~하다 innovar, renovar, reformar. 사상의 ~ renovación *f* del pensamiento. 정계(政界)의 ~ reforma *f* política.
■~당 partido *m* reformista, partido *m* progresista. ~당원(黨員) reformista *mf;* progresista *mf.* ~ 세력(勢力) fuerza *f* reformista, fuerza *f* progresista. ~ 운동 movimiento *m* de renovación. ~적(的) reformador, renovador. ~ 정당 partido *m* reformista. ~주의 reformismo *m.* ~파 grupo *m* reformista.

혁장(革裝) encuadernación *f* de cuero. ~하다 encuadernar en cuero.

혁정(革正) reforma *f.* ~하다 reformar.

혁지(革砥) asentador *m* de navajas, asentador *m* de cuero, suavizador *m.* ~로 면도칼을 갈다 asentar una navaja.

혁혁하다(赫赫—) (ser) brillante, glorioso, distinguido. 혁혁한 무훈(武勳) servicios *mpl* distinguidos. 명성(名聲)이 ~ tener una reputación brillante.
혁혁히 brillantemente, gloriosamente, distinguidamente.

현(弦) ① =활시위. ¶~을 매다 encordar, poner en tensión la cuerda de arco. ② [음력 칠팔일께와 이십이삼일께 사이의 반달] *hyeon,* media luna *f* entre el siete o el ocho y el el veintidós o el veintitrés del calendario lunar. ③【수학】=활줄. ④【수학】[직각 삼각형의 빗변] hipotenusa *f.* 직각의 맞변은 ~으로 불린다 El lado opuesto al ángulo recto se llama hipotenusa.

현(絃) ① [현악기의 켕겨 맨 줄] cuerda *f.* 바이올린에 ~을 놓다 poner cuerdas al violín, encordar el violín. ② ((준말)) =현악기(絃樂器).

현(現) ① [목전에 나타나 있음. 또, 그 일] lo inmediato. ② ((준말)) =현세(現世).

현(舷) =뱃전. ¶우(右)~ estribor *m.*

현(現) actual, presente, corriente, existente. ~ 내각(內閣) gabinete *m* actual. ~ 대통령 presidente *m* actual.

현가(現價) precio *m* presente [corriente].

현격하다(懸隔—) (ser) diferente, notable, diferenciar. 현격함 diferencia *f,* disparidad *f,* desigualdad *f.* 현격한 차이 diferencia *f* considerable. 빈부의 현격함 disparidad *f* entre los pobres y los ricos. 현격한 진보를 하다 hacer progreso notable. A와 B와는 현격한 차이가 있다 Hay gran diferencia entre A y B.
현격히 muy diferentemente, notablemente. 그의 방식이 나보다 ~ 강하다 El es muy superior a mí / El es mucho más fuerte que yo / El es mucho más fuerte que yo / No puedo competir [rivalizar con él en absoluto].

현관(玄關) vestíbulo *m,* portal *m,* zaguán *m* (*pl* zaguanes); [입구] entrada *f,* [문] puerta *f,* [기둥을 두른] atrio *m,* pórtico *m.* ~의 계단 escalón *m* (*pl* escalones) delante de la puerta, escalera *f* exterior. ~의 입구(문) puerta *f* de entrada. ~으로 들어가다 entrar por la puerta principal [por el vestíbulo]. ~까지 마중하다 acompañar a [hasta] la puerta. ~까지 배웅하겠습니다 Permítame que lo acompañe hasta la salida [la puerta].

현관(顯官) oficial *mf* [funcionario, -ria *mf*] de alto rango, dignatario, -ria *mf.*

현교(懸橋) =조교(弔橋).

현군(賢君) rey *m* sabio, buen rey *m.*

현금(現今) [지금] ahora, actualmente, en la actualidad; [이제] ya; [오늘날] hoy, hoy (en) día, nuestros días, en estos días.

현금(現金) ① [현재 가지고 있는 돈] dinero *m* que se tiene ahora. ② [현찰] dinero *m* (en) efectivo, dinerno *m* contante. ~으로 en efectivo, al contado, de contado, en metálico. ~으로 사다 comprar al contado. ~으로 지불하다 pagar al contado, pagar en dinero contante. ~으로 팔다 vender al contado. ~으로 바꾸려고 은행에 가다 ir al banco a cobrar un cheque. 수표를 ~으로 만들다 hacer efectivo el cheque. 수중에 ~을 가지고 있다 tener dinero en mano. ~으로 지불해 주십시오 Pague usted al contado [en dinero], por favor. 이 ~을 은행에 예금하려고 한다 Voy a depositar [ingresar] este dinero ((en) efectivo) en el banco. 우리들은 ~으로 금(金)을 산다 Compramos oro al contado. 나는 ~으로 900달러를 가지고 있다 Tengo novecientos dólares en efectivo [en metálico]. ~으로 얼마나 가지고 계십니까? ¿Cuánto dinero en efectivo tiene usted? ~만 취급합니다 [받습니다] Pagos únicamente al contado. 너에게 수표를 ~으로 바꾸어 주겠다 Yo te cambio el cheque. 나는 수중에 ~으로 만원밖에 없다 No tengo más que diez mil wones conmigo. ③ [통용하는 화폐] billete *m* válido.
■~가(價) precio *m* al contado. ~ 가격 = 현금가. ~ 거래 transacción *f* [operación *f*·negocio *m*·compraventa *f*] al contado. ~ 계정 cuenta *f* al contado. ~ 과부족 sobrantes y faltantes de caja. ~ 관리(管理) dirección *f* de la tesorería, gestión *f* de caja, gestión *f* de la tesorería, gestión *f* de liquidez. ~ 관리 기술 técnica *f* administrativa de dinero. ~ 관리 제도 sistema *m* de gestión de caja. ~ 교환 entrega *f* contra reembolso. ~ 등록기 registradora *f,* registrador *m* de caja. ~ 매매 =현금 거래. ~ 매입 compra *f* al contado. ~ 매입자(買入者) comprador, -dora *mf* al contado. ~ 배당금【주식】dividendo *m* en efectivo. ~ 보너스 bonificación *f* en efectivo;【주식】dividendo *m* extraordinario en efectivo. ~ 보유고 efectivo *m* en caja, existencia *f* en caja. ~ 부족 déficit

m de caja. ~불 pago *m* al contado. ~ 비율 [은행의 지불 준비금의 총예금에 대한] coeficiente *m* de caja. ~ 상환 amortización *f* al contado. ~ 손실 siniestro *m* al contado. ~ 수납장 libro *m* de ingresos de caja. ~ 수입 ingresos *mpl* de efectivo. ~ 시장 mercado *m* al contado. ~ 억제 control *m* de caja. ~ 억제 제도 sistema *m* de control de caja. ~ 예산 presupuesto *m* de caja. ~ 유출 flujo *m* de caja, flujo *m* de dinero. ~ 유출 예상 previsión *f* de flujos de caja, previsión *f* de fondos, previsión *f* de tesorería. ~ 유출입 flujo *m* de caja. ~이 불필요한 사회 sociedad *f* de las tarjetas de crédito. ~ 이익 배당(利益配當) dividendo *m* en efectivo. ~ 인출 카드 tarjeta *f* del cajero automático. ~ 자동 인출기 cajero *m* automático. ~ 자동 인출 카드 tarjeta *f* del cajero automático. ~ 자동 지급기 cajero *m* automático, dispensador *m* de dinero en efectivo, máquina *f* dispensadora de dinero. ~ 자산(資産) activos *mpl* disponibles, activos *mpl* líquidos, tesorería *f*, valor *m* disponible. ~ 잔액 excedente *m* de efectivo. ~ 전표(傳票) comprobante *m* de caja. ~ 점두 판매점 tienda *f* de venta al por mayor. ~ 정가 precio *m* al contado. ~ 제한 límite *m* de efectivo, límite *m* de tesorería, límite *m* de liquidez. ~ 주문 pedido *m* al contado. ~ 주의 base *f* de valor en efectivo [de contado]. ~ 지불 pago *m* al contado. ~ 지불장 libro *m* de salidas de caja. ~ 지불 주문 pago *m* al hacer el pedido. ~ 지불 할인 descuento *m* por pago al contado. ~ 출납부(出納部) departamento *m* de caja. ~ 출납부(出納簿) libro *m* de caja, diario *m* de caja, caja *f*. ~ 출납원 cajero, -ra *mf*. ~ 카드 tarjeta *f* para cajero automático. ~ 통화 moneda *f* en efectivo. ~ 판매 venta *f* al contado. ~ 판매주의 pago *m* al contado, venta *f* al contado. ~ 할인(割引) descuento *m* por pago al contado. ~화 conversión *f* en dinero efectivo. ¶~하다 convertir en efectivo, convertir en dinero, hacer efectivo. ~ 환율 tipo *m* de cambio al contado.

현기(眩氣) mareo *m*, vahído *m*, vértigo *m*.
■ ~증 vahido *m*, vahído *m*, mareo *m*, vértigo *m*, vertiginosidad *f*. ¶~의 vertiginoso. ~ 나게 vertiginosamente. ~이 나다 tener vahidos, andarse la cabeza, desmayarse, tener vértigo, dar*le* un vértigo [un vahido] (a *uno*). 일어섰을 때 ~이 나다 tener vértigo [marearse] al ponerse de pie.

현녀(賢女) mujer *f* benévola.

현 단계(現段階) fase *f* actual. ~에서는 por ahora, por el momento, por el presente; [지금까지는] hasta ahora, hasta el presente; [아직] todavía. ~에서는 그 책은 필요 없다 Por el momento no necesito ese libro. ~에서는 아무 일이 없다 Hasta ahora no ha pasado nada. ~에서는 결정을 내릴 상황이 아니다 Todavía no estamos en condiciones de tomar una decisión.

현달(賢達) ganancia *f* de fama y eminencia. ~하다 ganar fama y eminencia.

현대(現代) edad *f* contemporánea, nuestra época *f*, edad *f* presente, nuestro tiempo *m*, tiempos *mpl* modernos, nuestros días *mpl*, tiempo *m* actual, días *mpl* de hoy, hoy. ~의 moderno, contemporáneo, de tiempo actual, de nuestro tiempo, de días de hoy, actual. ~에는 en nuestra época, hoy (en) día. ~의 한국 Corea *f* moderna, Corea *f* contemporánea.
■ ~ 과학(科學) ciencia *f* moderna. ~ 교육 educación *f* moderna. ~ 국제 예술 arte *m* contemporáneo internacional. ~극 drama *m* moderno. ~문 estilo *m* actual. ~ 문학 literatura *f* contemporánea. ~ 문학사(文學史) Historia *f* de la Literatura Contemporánea. ~사 historia *f* contemporánea. ~ 사상 modernismo *m*, idea *f* moderna. ¶문학의 ~ modernismo *m* literario. ~ 사조(思潮) pensamiento *m* actual. ~ 생활 vida *f* moderna. ~ 서반아어 español *m* moderno. ~성(性) modernidad *f*. ~ 시조(時調) *sicho m* [verso *m*] contemporáneo. ~식(式) estilo *m* moderno, lo moderno. ¶~의 moderno. ~으로 a la moderna, a lo moderno. ~ 건물(建物) edificio *m* del estilo moderno. ~어 lengua *f* viva, lengua *f* moderna. ¶동끼호떼의 ~ 번역 versión *f* moderna del Ingenioso Hidalgo Don Quijote de la Mancha. ~어판(語版) edición *f* moderna, versión *f* moderna. ~ 음악(音樂) música *f* contemporánea. ~인 modernos *mpl*; contemporáneo, -a *mf*. ~ 작가 escritores *mpl* modernos. ~적(的) moderno. ¶~으로 modernamente, de modo moderno. ~ 감각 sentido *m* moderno. ~인 사람 modernista *mf*. ~인 남자 hombre *m* moderno. ~인 여자 mujer *f* moderna. ~인 생활 양식 modo *m* de vivir a la moderna. ~전(戰) guerra *f* moderna. ~주의(主義) modernismo *m*. ~주의자 modernista *mf*. ~판 versión *f* moderna, edición *f* moderna. 동끼호떼의 ~ versión *f* moderna del Quijote. ~풍 estilo *m* moderno, modernismo *m*, lo moderno. ¶~으로 a la moderna, a lo moderno. ~화 modernización. ¶~하다 modernizar. 완전히 ~되다 ser modernizado completamente.

현덕(賢德) virtud *f* generosa.

현등(舷燈) piloto *m*, luz *f* de posición, *Col*, *Ven* cocuyo *m*.

현란하다(眩亂—) estar mareado. 현란함 mareo *m*, vahído *m*.

현란하다(絢爛—) ① [눈이 부시도록 찬란하다] (ser) espléndido, brillante, magnífico, suntuoso. 현란함 esplendor *m*, brillantez *f*, brillo *m*, magnificencia *f*, suntuosidad *f*. ② [시나 글의 수식이 매우 아름답다] (ser) vistoso, florido. 현란한 문체(文體) estilo *m* florido, estilo *m* adornado con galas retóricas, estilo *m* vistoso.

현량(賢良) ① [어질고 착함] lo generoso y lo bueno. ~하다 (ser) generoso y bueno. ② [어진 사람과 착한 사람] la persona generosa y la buena persona.

현명하다(賢明―) (ser) sagaz, sensato, discreto, inteligente, prudente, juicioso, razonable. 현명함 sensatez *f*, prudencia *f*, discreción *f*, inteligencia *f*, sabiduría *f*, juicio *m*. 현명한 방법 método *m* razonable, manera *f* sensata, manera *f* prudente. 현명한 판단 juicio *m* sano. 현명한 조치를 취하다 actuar prudentemente. …하는 것이 더 ~ Es más juicioso [sensato · prudente] + *inf* [que + *subj*]. 주말(週末)에는 여행하지 않는 것이 더 현명할 것이다 Será más prudente no viajar [que no viaje] en el fin de semana. 그의 말에 따르면 남을 비난하지 않는 것이 현명한 생활 방식이다 Según él, no criticar a los demás, constituye una inteligente [prudente] forma de vida.

현모(賢母) madre *f* sabia, madre *f* virtuosa, madre *f* discreta.

■ ~양처(良妻) la madre sabia (a *sus* niños) y la buena esposa (a *su* esposo).

현목(玄木) algodón *m* amarillento.

현몽(現夢) apariencia *f* en el sueño. ~하다 aparecer en el sueño.

현묘하다(玄妙―) (ser) abstruso, misterioso, lleno de misterio, milagroso, maravilloso, sobrenatural, inasequible, oculto, profundo. 현묘함 complejidad *f*, lo abstruso, misterio *m*, milagro *m*, maravilla *f*, profundidad *f*, secreto *m*. 현묘하게 abstrusamente, misteriosamente, milagrosamente, maravillosamente, ocultamente, profundamente. 현묘한 사상(思想) ideas *fpl* profundas.

현무암(玄武巖) 【광물】 basalto *m*.

현물(現物) cosa *f* real, artículo *m* actual. ~의 al contado. ~로 지불하다 pagar en especie.

■ ~ 가격 precio *m* del momento, cambio *m* al contado; 【주식】 cotización *f* al contado. ~ 거래 operación *f* de [al] contado, negocio *m* de valores reales. ~ 교환(交換) cambio *m* al contado. ~ 교환율 tipo *m* de cambio al contado. ~ 교환 차액 margen *m* de cambio al contado. ~ 급여 salario *m* [sueldo *m*] al contado, entrega *f* en especie, retribución *f* en especie, entrega *f* de artículos en lugar de dinero. ~ 매매(賣買) acto *m* de transacción, acto *m* de negocios. ~ 배상 indemnización *f* en especie. ~세(稅) impuesto *m* en especie. ~ 소득 ingreso *m* en especie. ~ 시세(時勢) cotización *f* al contado. ~ 시장 mercado *m* al contado. ~ 외환 시장 mercado *m* de divisas al contado. ~ 인도 entrega *f* al contado. ~ 중매인(仲買人) comisionista *mf* al contado. ~ 출자 inversión *f* en especie. ~환(換) cambio *m* al contado. ~ 환율 tipo *m* [tasa *f*] de cambio al contado.

현미(玄米) arroz *m* integral, arroz *m* por descascarar, arroz *m* no descascarrillado, arroz *m* sin descascarrillar.

■ ~기(機) máquina *f* de descascarar. ~빵 pan *m* de arroz con cáscara.

현미경(顯微鏡) microscopio *m*. ~의 microscópico, al microscopio. ~으로 microscópicamente. ~에 의한 연구(硏究) estudios *mpl* microscópicos. ~으로 보다 mirar al [por el] microscopio, observar con un microscopio. ~의 초점을 맞추다 enfocar el microscopio.

◆금속 ~ microscopio *m* metalográfico. 복합 ~ microscopio *m* compuesto. 수술용 ~ microscopio *m* operativo. 쌍안(雙眼) ~ microscopio *m* binocular. 양자(陽子) ~ microscopio *m* protónico. 전자(電子) ~ microscopio *m* electrónico. 한외(限外) ~ ultramicroscopio *m*. 형광 ~ microscopio *m* fluorescente, microscopio *m* ultravioleta.

■ ~ 검사(檢査) examen *m* microscópico, microscopia *f*. ~ 관찰 observación *f* por el microscopio. ~ 분석(分析) análisis *m* microscópico. ~ 사진 microfotografía *f*, fotomicrografía *f*. ~ 사진기 fotomicroscopio *m*. ~ 영화(映畵) microcinematografía *f*. ~용 절편(用切片) microsección *f*. ~자리 【천문】 Microscopio *m*. ~ 조작 microscopia *f*.

현미 수술(顯微手術) micromanipulación *f*, microcirugía *f*.

현미 해부(顯微解剖) microdisección *f*.

현미 화학(顯微化學) microquímica *f*.

현봉(現俸) sueldo *m* [salario *m*] actual.

현부(賢婦) ① [현명(賢明)한 부인] mujer *f* virtuosa. ② [어진 며느리] nuera *f* virtuosa.

현부인(現夫人) esposa *f* actural.

현부인(賢夫人) ① [어진 부인] mujer *f* virtuosa. ② [남의 부인의 존칭] su señora, su esposa.

현사(賢士) sabio *m* virtuoso.

현상(現狀) estado *m* actual, situación *f* actual, situación *f* presente. ~으로는 en la situación actual. ~에 만족하다 contenerse con la situación actual. ~을 유지하다 mantener en *su* estado actual, mantener el statu quo (de). ~을 타파하다 destruir el statu quo. 나는 무척 바빠서 휴가를 갖지 못할 ~이다 No estoy en situación de tomarme unas vacaciones porque me encuentro ocupadísimo.

■ ~ 유지(維持) mantenimiento *m* del statu quo, mantenimiento *m* de la situación actual, estado *m* actual, el statu quo. ¶~의 방침(方針) política *f* del statu quo. ~를 하다 mantener en *su* estado actual, mantener el statu quo (de). ~ 유지 작전 operaciones *fpl* dilatorias. ~ 타파 destrucción *f* del statu quo, destrucción *f* de la posición, revolución *f*. ¶~하다 destruir el statu quo.

현상(現象) fenómeno *m*. ~의 fenomenal. 일시적 ~ fenómeno *m* transitorio, fase *f* pasajera. ~으로 나타나다 fenomenalizar.

학생이 책을 읽지 않는 ~이 나타나고 있다 Se da el fenómeno de que los estudiantes no leen libros.
▪ ~계(界) mundo *m* fenomenal. ~ 과학 ciencia *f* fenomenal. ~론 fenomenalismo *m*, fenomenismo *m*, fenomenología *f*. ~론자(論者) fenomenalista *mf*. ~론적(論的) fenomenalista *adj*. ~적(的) fenomenal *adj*. ~으로 fenomenalmente. ¶~으로 생각하다 fenomenalizar. ~으로는 세계는 진보하고 있다 A juzgar por las apariencias el mundo está progresando. ~주의 fenomenismo *m*, fenomenalismo *m*. ~학 fenomenología *f*. ~형(型) fenotipo *m*.

현상(現像) revelado *m*, revelación *f*. ~하다 revelar. 필름을 ~하다 revelar la película.
▪ ~ 과도 exceso *m* de revelación. ~ 부족 falta *f* de revelación. ~소 laboratorio *m* de revelación. ~액 revelador *m*, solución *f* reveladora, solución *f* de revelar. ~ 쟁반 bandeja *f* para la solución reveladora, bandeja *f* para el revelado. ~지 papel *m* fotográfico. ~ 처리기 máquina *f* de revelar. ~ 케이스 estuche *m* para el revelado.

현상(賢相) primer ministro *m* sabio.

현상(懸賞) [현상 모집] concurso *m*; [학술적인] certamen *m*; [상(賞)] premio *m*. ~하다 ofrecer un premio (a). ~이 붙은 con premio. ~에 당선되다 ganar [llevarse · obtener] el premio. ~에 응모하다 presentarse a un concurso.
▪ ~ 광고 convocatoria *f* de un concurso. ~금 premio *m* (en metálico). ~ 당선 논문 ensayo *m* premiado, ensayo *m* galardonado. ~ 당선 소설 novela *f* premiada, novela *f* galardonada. ~ 당선자 premiado, -da *mf*, ganador, -dora *mf* del premio. ~ 모집 convocación *f* de un concurso. ¶~하다 convocar un concurso. 이 잡지에서는 ~을 하고 있다 En esta revista se convoca un concurso.

현성(玄聖) ① [가장 뛰어난 성인(聖人)] el santo más sobresaliente. ② =공자(孔子).

현성(賢聖) ① [현인과 성인] el sabio y el santo. ② ((불교)) monje *m* generoso, monja *f* generosa.

현세(現世) este mundo, esta vida, vida *f* terrenal, mundo *m* transitorio, mundo *m* actual. ~의 de este mundo, terrenal, mundano. ~의 행복 felicidad *f* terrenal.
▪ ~ 인류(人類) humanidad *f* presente. ~주의 secularismo *m*.

현세(現勢) situación *f* [influencia *f*] actual.

현손(玄孫) hijo *m* de *su* tataranieto, cuarto nieto *m*, nieto *m* de *su* nieto.
▪ ~녀(女) nieta *f* de *su* nieto. ~부(婦) esposa *f* del nieto de *su* nieto. ~서(壻) esposo *m* de la nieta de *su* nieto.

현송(現送) envío *m* en monedas. ~하다 enviar en monedas.

현수(現數) número *m* actual; 【군대】 fuerza *f* efectiva.

현수(懸垂) ① [아래로 꼿꼿하게 달려 드리워짐] suspensión *f* (extendida). ~의 catenaria. ② ((준말)) =현수 운동.
▪ ~ 곡선(曲線) curva *f* catenaria. ~교(橋) puente *m* colgante, puente *m* de suspensión. ~막 pancarta *f* colgante. ~선(線) atenaria *f*. ~ 운동 ejercicio *m* en la barra horizontal. ~ 철도 ㉮ [지주(支柱) 사이의 가로대에 부설한 레일에 차량을 매달아서 운전하는 철도] ferrocarril *m* colgante. ㉯ =케이블카.

현숙하다(賢淑－) (ser) buena y virtuosa. 현숙함 sabiduría *f* y virtud femeninas, fidelidad *f*..

현시(現時) ahora.

현시(顯示) revelación *f*. ~하다 revelar.

현시대(現時代) época *f* actual [moderna], edad *f* moderna.

현시점(現時點) punto *m* de tiempo actual.

현신(賢臣) vasallo *m* [súbdito *m*] sabio.

현신(現身) lo que la persona baja conoce al superior. ~하다 la persona baja conoce al superior.

현신불(現身佛) ((불교)) =석가(釋迦).

현실(玄室) =널방.

현실(現實) actualidad *f*, realidad *f*. ~의 actual, real. ~로 en realidad, realmente. ~의 사회(社會) mundo *m* real. ~로 일어나는 문제(問題) dificultad *f* que surgió efectivamente [realmente]. ~로 돌아가다 volver a la realidad. ~로는 그것은 불가능하다 Realmente [En realidad] es posible. 꿈이 ~로 변했다 El sueño se convirtió en realidad. 계획은 ~에 맞는다 [맞지 않는다] Es un proyecto realista [poco realista].
▪ ~감 sentido *m* de la realidad. ~계 mundo *m* real. ~ 도피 escapismo *m*. ~론 realismo *m*. ~성(性) realidad *f*. ~ 원칙 principio *m* real. ~적(的) real, realista. ¶ ~인 의견 opinión *f* realista. 그는 ~인 남자다 El es un hombre realista. ~주의 realismo *m*. ~주의자 realista *mf*. ~파 realistas *mpl*. ~ 폭로 desilusión *f*. ¶~의 비애(悲哀) pesar *m* [pena *f* · dolor *m*] de desilusión. ~화(化) realización *f*. ¶~하다 realizar, actualizar. ~되다 realizarse, actualizarse, tomar realidad.

현악(絃樂) 【음악】 música *f* de cuerda.
▪ ~기 【악기】 instrumento *m* (musical) de cuerda. ¶~의 골무 clavete *m*. ~의 목 clavijero *m*. ~ 사중주(四重奏) cuarteto *m* de cuerdas. ~ 삼중주 trío *m* de cuerdas. ~ 오중주 quinteto *m* de cuerdas. ~ 트리오 trío *m* de cuerdas. ~ 합주 orquesta *f* de cuerdas.

현안(懸案) cuestión *f* pendiente [suspendida · por resolver]. ~의 pendiente, suspendido, suspenso. 다년간(多年間)의 ~ cuestión *f* dejada pendiente por muchos años. 남북간(南北間)의 ~ cuestión *f* pendiente entre el Norte y el Sur. ~으로 남겨 두다 dejar *algo* pendiente, dejar *algo* sin resolver dejar *un asunto* en suspenso. 그 문제는 ~으로 되었다 Quedó pendiente el problema.

현액(現額) cantidad *f* actual.
현양(顯揚) ensalzamiento *m*, exaltación *f*. ~하다 ensalzar, exaltar, ganar fama, hacerse famoso.
현업(現業) tarea *f* operativa, función *f*.
■ ~원(員) operario, -ria *mf*; obrero, -ra *mf*. ¶철도(鐵道) ~ operario, -ria *mf* de ferrocarril.
현역(現役) servicio *m* activo. ~의 (en) activo, en servicio, a la lista activa (장교), a las banderas (병사). ~에 들어가다 incorporarse a filas. ~에 복귀하다 volver al servicio activo. ~에서 퇴역(退役)하다 retirarse del servicio activo. ~으로 대학 입시에 합격하다 pasar el examen de entrada en la universidad inmediatamente después de terminar el bachillerato.
■ ~ 군인 soldado, -da *mf* en activo. ~ 명부(名簿) lista *f* activa. ~ 선수 atleta *mf* en activo. ~ 장교 oficial *mf* a la lista activa. ~함(艦) navío *m* en servicio.
현옹(懸壅)【해부】=목젖.
현옹수(懸壅垂)【해부】=목젖.
현왕(現王) rey *m* actual.
현왕(賢王) rey *m* benigno, rey *m* benévolo.
현요(顯要) prominencia *f*, preeminencia *f*. ~하다 (ser) prominente, preeminente,
현요하다(眩耀-) (ser) muy brillante.
현우(賢友) amigo, -ga *mf* inteligente; amigo *m* sabio, amiga *f* sabia.
현우(賢愚) ① [어짊과 어리석음] la benignidad y la estupidez. ② [어진 사람과 어리석은 사람] la persona benigna y la persona estúpida.
현원(現員) personal *m* actual.
현월(玄月) septiembre *m* del calendario lunar.
현유(現有) actualidad *f*. ~의 existente, presente, actual.
현인(賢人) sabio *m*, docto *m*, hombre *m* discreto.
■ ~군자(君子) ㉮ [현인과 군자] el sabio y el hombre de virtud. ㉯ [어진 사람] persona *f* benigna, persona *f* benévola.
현임(現任) puesto *m* presente [actual].
현자(賢者) =현인(賢人).
■ ~의 돌 la piedra filosofal.
현장(現場) ① [일이 생긴 그 자리] lugar *m*, sitio *m*. ~에서 en flagrante, in flagranti. 공사(工事)의 ~ local *m* [sitio *m*] de construcción, solar *m*. 범죄의 ~ lugar *m* del delito, lugar *m* del crimen. 사건의 ~ lugar *m* del suceso, escena *f*. 사고의 ~ lugar *m* del accidente. 도둑의 ~을 목격하다 presenciar [observar] un hurto en flagrante. 그는 ~에서 잡혔다 El fue sorprendido en flagrante [in flagranti]. ② [사물이 현존한 곳] lugar *m* existente. ③ =공사장(工事場).
■ ~ 감독 capataz *m*, maestro *m* de obras. ~ 검사 inspección *f* sobre el terreno. ~ 검증 inspección *f* sobre el lugar del suceso. ¶~을 행하다 inspecionar el (hacer una investigación judicial del) lugar del suceso. ~ 부재 증명 =알리바이. ~ 시찰 inspección *f* al lugar de los hechos. ~ 조사 investigación *f* al lugar de los hechos.
현재(現在) ① [이제] ahora, actualmente, en la actualidad, al presente; [목하] en este momento, en el momento actual [presente]; [실제] actualidad *f*, momento *m* actual, momento *m* presente. ~까지 hasta ahora, hasta el presente, hasta hoy, hasta la fecha. ~도 todavía, aun ahora. ~까지 없는 sin precedente, inaudito. ~로는 por ahora, por el presente, por el momento (actual), hoy por hoy, de momento. 그 집의 ~의 주인 cabeza *f* actual (de una familia). 2월 7일 ~의 주가(株價) cotización *f* de las acciones del dos de julio. 그는 ~ 멕시코에 있다 El está en Méjico ahora. ~ 당사(當社)의 업적은 굉장히 좋다 En la actualidad marchan estupendamente las actividades de nuestra compañía. 나는 ~의 생활에 만족하고 있다 Estoy contento de mi vida actual [de la vida que llevo]. 너의 ~의 위치를 알려 주라 Comunícame el lugar en que te encuentras actualmente. 부친이 돌아가신 ~ 집에는 내가 일할 수 밖에 없다 Ahora que se ha muerto mi padre, el único sostén de la familia soy yo. ~ 한국의 어느 지역에서도 텔레비전을 볼 수 있다 Hoy se puede ver la televisión en cualquier sitio de Corea. 서반아의 ~의 국가 원수는 누구입니까? ¿Quién es el actual jefe de estado de España? ~대로 곧장 가십시오 Siga usted todo derecho por este camino. 나를 ~대로 두어 주십시오 Déjelo en paz. 모든 것이 ~대로는 안될 것이다 [너는] No creas que todo va a quedar así // [상황이] La cosa no terminará así / La cosa va a traer cola. ~대로는 둘 수 없다 No podemos dejar las cosas como están. ~대로 계속된다면 회사는 파산할지도 모른다 Si esto continúa así, nuestra compañía podrá hacer quiebra. ② [이 세상] este mundo. ③ [과거와 미래와의 경계(境界)] entre el pasado y el futuro. ④【언어】presente *m*. 동사의 ~형 forma *f* del presente de un verbo.
■ ~ 분사 gerundio *m*. ~불(佛) Buda *m* de este mundo. ~ 시제 presente *m*. ~ 완료 pretérito *m* perfecto compuesto. ~원(員) personal *m* actual. ~형(形) presente *m*.
현재(賢才) [현명한 재지(才智)] habilidad *f* distinguida, talento *m* distinguido; [사람] persona *f* sabia, hombre *m* de talento, hombre *m* de habilidad.
현재(顯在) manifestación *f*. ~하다 manifestar. ~하는 manifiestado, patente;【철학】actual.
현재상(賢宰相) primer ministro *m* sabio [benévolo].
현저하다(顯著-) (ser) notable, eminente, marcado, acentuado, destacado, visible,

conspicuo, ilustre, considerable, célebre; [명백하다] evidente, claro, notorio, indisputable, esclarecido, señalado, manifiesto, distinguido, distinguible, expreso. 현저함 notabilidad *f*, eminencia *f*. 현저한 공적(功績) servicios *mpl* distinguidos. 현저한 발전(發展) desarrollo *m* considerable. 현저한 사실(事實) hecho *m* evidente, hecho *m* notorio, efecto *m* notable, evidencia *f*. 현저한 예(例) ejemplo *m* notable. 현저한 진보(進步) progreso *m* notable. 현저한 차이(差異) diferencia *f* notable, diferencia *f* manifiesta. diferencia *f* acentuada. 현저한 특징(特徵) característica *f* singular. 현저해지다 llegar a ser conspicuo. 한국의 경제 발전은 ~ Destaca [Es notable] el progreso de la economía de Corea.

현저히 notablemente, evidentemente, claramente, eminentemente, visiblemente, ilustremente, célebremente, sorprendentemente, extraordinariamente, increíblemente.

현절하다(懸絶－) diferir notablemente, diferir evidentemente. 현절함 diferencia *f* notable, diferencia *f* manifiesta.

현 정권(現政權) poder *m* (político) presente.

현 정부(現政府) gobierno *m* presente [actual], administración *f* presente [actual].

현제(舷梯) pasarela *f*.

현존(現存) existencia *f*. ~하다 existir, vivir, subsistir. ~의 existente, actual; [현행의] vigente. ~하는 최고의 목조 건축(木造建築) el edificio de madera más antiguo que existe.

현주(現住) ① [지금 머물러 삶] residencia *f* actual. ~하다 residir ahora. ② ((준말)) = 현주소(現住所).

현주(賢主) rey *m* sabio, monarca *m* sabio.

현주소(現住所) domicilio *m* (actual), dirección *f* (actual), señas *fpl*, lugar *m* de residencia.

현지(現地) lugar *m* actual, el (mismo) lugar *m*; [문제의 장소] lugar *m* en cuestión; [사건의] lugar *m* del suceso. ~의 del lugar. ~에서 en el lugar, en el mismo lugar, en el campo. ~에서 얻은 정보 información *f* obtenida en el lugar en cuestión. 그는 ~에서 결혼했다 El se casó en el lugar [en el país] al que había sido enviado.

■ ~ 금융 financiación *f* en el país. ~ 기관 organización *f* en el campo. ~답사 exploración *f* en el mismo lugar. ~ 대부 préstamo *m* en el país. ~ 로케 =현지 로케이션. ~ 로케이션 lugar *m* de filmación en el campo. ~ 방송 emisión *f* en el lugar. ~ 법인(法人) persona *f* jurídica en el lugar. ~ 보고(報告) noticias *fpl* enviadas desde el lugar en cuestión, reporte *m* del lugar. ~ 본부 oficina *f* central en el lugar. ~ 생산 producción *f* en el lugar. ~ 시간 hora *f* local. ~ 시찰 여행 viaje *m* de investigación, viaje *m* investigador. ~ 연구(研究) investigación *f* en el lugar. ~인 indígena *mf*, autóctono, -na *mf*, nativo, -va *mf*, natural *mf*. ~ 입대 alistamiento *m* en el mismo lugar. ~ 제대(除隊) baja *f* en *su* área de servicio. ~ 조달(調達) abastecimiento *m* en el mismo lugar; [식량의] aprovisionamiento *m* en el lugar. ~ 조사 investigación *f* en el campo. ¶~를 하다 hacer investigación en el campo. ~ 채용 empleo *m* al personal nativo. ¶~하다 emplear al personal nativo. ~처(妻) esposa *f* en el país. ~ 특파원 corresponsal *mf* en el lugar.

현직(現職) puesto *m* [profesión *f*·oficio *m*] actual, servicio *m* activo. ~의 de servicio actual, activo, en ejercicio. ~에 머물다 quedarse en servicio actual [en el puesto actual].

■ ~ 경찰관 policía *mf* en activo. ~ 대통령 presidente, -ta *mf* en ejercicio.

현직(顯職) puesto *m* eminente.

현찰(現札) =현금(現金).

현창(舷窓) portilla *f*, lumbrera *f*.

현창(顯彰) presencia *f* brillante. ~하다 dar a conocer. …의 공적을 ~하다 dar a conocer los méritos (de).

현처(賢妻) esposa *f* vituosa [inteligente].

현철(賢哲) ① [현인과 철인] el sabio y el filósofo. ② [어질고 밝음] sabiduría *f*, sagacidad *f*; [어질고 밝은 사람] persona *f* sabia y honrada.

현충일(顯忠日) el Día de Conmemoración de los Caídos, el día en que se recuerda a los caídos en la guerra, el seis de junio.

현충탑(顯忠塔) monumento *m* a los Caídos.

현측(舷側) =뱃전(costado del buque, borde). ~에 al costado del buque.

■ ~ 인도(引渡) franco al costado, franco al costado del buque. ~ 포대 batería *f* al costado del buque.

현칭(現稱) nombre *m* actual.

현탁액(懸濁液)【물리·화학】suspensión *f*.

현판(懸板) tabla *f* colgante, placa f.

■ ~식 primera ceremonia *f* de colgar la placa.

현품(現品) artículo *m* actual; [재고품] mercancías *fpl* almacenadas.

■ ~ 급여 salario *m* en especie. ~ 상환불 entrega *f* contra reembolso. ~ 선행도 entrega *f* a plazos. ~한(限) Este artículo únicamente.

현하(現下) tiempo *m* presente; [형용사적] presente, pendiente, inminente. ~의 국제정세(國際情勢) estado *m* de asuntos internacionales. ~의 큰 문제 seria cuestión *f* inmediata.

현하(懸河) arroyo *m* que corre rápido en la pendiente empinada.

■ ~구변(口辯) elocuencia *f*, (mucha) fluidez *f* [soltura] en habla, el habla elocuente. ~웅변 =현하구변. ~지변(之辯) =현하구변.

현학(衒學) pedantería *f*, pedantismo *m*.

■ ~자 pedante *mf*, pedantesco, -ca *mf*. ~적(的) pedante, pedantesco. ¶~인 태도

actitud *f* pedantesca, pedantismo *m*, pedantería *f*.

현행(現行) lo vigente. ～의 vigente, en vigor, existente, corriente. ～대로 conforme a lo vigente, según lo que está acostumbrado.
■～ 교과서 libro *m* de texto en vigor. ～ 규정(規定) reglamentos *mpl* en vigor [en vigencia]. ～ 맞춤법 ortografía *f* vigente. ～범 ㉮ delito *m* flagrante, delito *m* in fraganti. ¶～으로 en flagrante, in fraganti, en el acto de cometer un delito. …를 ～으로 붙잡다 [체포하다] coger [agarrar] a *uno* con las manos en la masa, coger [agarrar] a *uno* in fraganti. ～으로 체포되다 ser cogido in fraganti. 경찰관들은 그를 ～으로 체포했다 Le cogieron los guardias en flagrante. ㉯ [사람] criminal *mf* flagrante. ～ 범죄 ＝현행범❶. ～법 ley *f* vigente, ley *f* en vigor. ～ 제도 sistema *m* en vigor. ～ 조약 tratado *m* [pacto *m*] existente. ～ 화폐 monedas *fpl* vigente [en vigor · en vigencia].

현현(顯現) encarnación *f*, manifestación *f*, expresión *f*, evidencia *f*. ～하다 encarnar, manifestarse, expresar, evidenciar, demostrar.
◆예수 그리스도 ～ 시대(時代) plenitud *f* de los tiempos, la Epoca de la Encarnación de Jesucristo.

현혹(眩惑) deslumbramiento *m*, ofuscación *f*. ～하다 deslumbrar, fascinar, embelesar, ofuscar, cegar, obcecar, aturdir. 나는 그녀의 아름다움에 ～되었다 Fui [Quedé] fascinado [hechizado] por su belleza.

현화(現化) realización *f*, encarnación *f*. ～하다 ser realizado, ser encarnado.

현화식물(顯花植物)【식물】fanerógamas *fpl*. ～의 fanerógamo.

현황(現況) actualidad *f*, situación *f* actual, condición *f* [estado *m* · aspecto *m*] actual.
■～표(表) tabla *f* de situación actual.

현훈(眩暈【한방】desmayo *m*, vértigo *m*, vahído *m*, vaguido *m*. ～하다 desmayarse, tener vértigo, dar*le* vértigo [vahído] a *uno*. ■～증(症) ＝어질증.

혈(穴) ① [풍수지리의 용맥(龍脈)의 정기가 모인 자리] lugar *m* que se reúnen las influencias a *su* fortuna. ② [경혈(經穴)] región *f* para la acupuntura. ③ [구멍] agujero *m*, abertura *f*. ④ [굴. 동굴] cueva *f*.

혈(血) ① [피. 혈액] sangre *f*. ② [핏줄] linaje *m*. ③ [세찬 생명력] vida *f* fuerte. ④ [심한 싸움] lucha *f* grave.

혈거(穴居) residencia *f* cavernícola, vivienda *f* en cueva, trogloditismo *m*. ～하다 vivir en cueva. ～의 cavernícola, cavernario, troglodita.
■～ 생활 vida *f* troglodítica. ～ 시대 edad *f* troglodítica. ～야처 vida *f* troglodítica, vida *f* al aire libre. ～인 cavernícola *mf*, troglodita *mf*, cavernario, -ria *mf*, [현대의 동굴에서 사는 사람] habitante *mf* de las cuevas. ～학 angiología *f*.

혈관(血管)【해부】vasos *mpl* sanguíneos, vena *f*. ～의 vascular.
■～ 각화종 angioqueratoma *f*. ～ 경련(痙攣) vasospasmo *m*, espasmo *m* vascular. ～ 경화 angioesclerosis *f*. ～ 경화성 근무력증 miastenia *f* angiosclerótica. ～ 경화증 angiosclerosis *f*. ～계 vasculatura *f*. ～ 골화(骨化) angiosteosis *f*. ～ 구축 anginosis *f* arquitetónica. ～근 신경종 angiomioneuroma *m*. ～근 육종 angiomiosarcoma *m*. ～근종 angiomioma *m*. ～근 지방종 angiomiolipoma *m*. ～ 긴장 vasotonia *f*. ～ 긴장 저하(緊張低下) angiohipotonia *f*. ～ 낭포 angioquiste *m*. ～ 내막(內膜) endangio *m*, túnica *f* interna de los vasos sanguíneos. ～ 내막염(內膜炎) endoangilitis *f*, intimitis *f*. ～ 내막 절제술 endarterectomía *f*. ～ 내피종(內皮腫) hemendotelioma *m*, hemangioendotelioma *m*. ～ 내피 종양 tumor *m* angioendotelial. ～내 혈량계 pletismómetro *m*. ～내 혈량 측정법 pletismometría *f*. ～ 돌기 proceso *m* vascular. ～륜 anillo *m* vascular. ～ 림프관종 hematolimfangioma *m*, angiolimfangioma *m*. ～ 마비 angioparálisis *f*. ～ 모세포 angioblasto *m*. ～ 모세포종 angioblastoma *m*. ～ 문합술 angiostomía *f*. ～미주 신경 vago *m* vascular. ～ 미주 신경성 발작 ataque *m* vasovagal. ～ 반사 vasoreflejo *m*. ～벽 경화증 angiorigosis *f*. ～ 병증(病症) angiopatía *f*. ～ 봉합 angiorrafia *f*. ～ 봉합술 angiorrafia *f*. ～ 부전 마비 angiopáresis *f*. ～ 부종 angioedema *m*. ～ 섬유종 hemagiofibroma *m*. ～성 갑상선종 estruma *m* vasculoso. ～성 교종 angioglioma *m*. ～성 교종증 angiogliomatosis *f*. ～성 근위축 angiomiopatía *f*. ～성 모반 nervio *m* vascular. ～성 부종 edema *m* vasogénico. ～성 성홍열 escarlatina *f* anginosa. ～성 신경 교종 glioma *m* telangiectático. ～성 육종 gemangioma *m*. ～성 이염 angiotitis *f*. ～성 혈우병 hemofilia *f* vascular. ～ 성형술 angioplastia *f*. ～ 수축 vasoconstricción *f*. ～ 수축 신경 (nervio *m*) vasoconstrictor *m*. ～ 수축 인자 material *m* vasoexcitor. ～ 수축제 vasoconstrictor *m*. ～ 신경 마비 vasoparálisis *f*. ～ 신경병 angioneuropatía *f*, vasoneuropatía *f*. ～ 신경 부전 마비 vasopáresis *f*. ～ 신경성 부종 edema *m* angioneurótico. ～ 신경성 울혈 peristasis *f*. ～ 신경성 피부병 dermatofitosis *f* angioneurótica. ～ 신경 절개술 angioneurotomía *f*. ～ 신경 절제술 angioneurectomía *f*. ～ 신경증 vasoneurosis *f*. ～ 신경증성 부종 edema *m* angioneurótico. ～ 심장염 angiocarditis *f*. ～ 심장 운동 angiocardiocinético *m*. ～ 아세포 angioblasto *m*, hemangioblasto *m*. ～ 아세포종 hemangioblastoma *m*, angioblastoma *m*. ～ 압박 겸자 angioclasto *m*. ～ 연골증 angiocondroma *m*. ～ 연축증 angiospasmo *m*. ～ 연화증 angiomalacia *f*. ～염 angeitis *f*. ～ 염전술 angiostrofía *f*. ～ 외피 세포종

hemangiopericitoma *m.* ~ 용해소(溶解素) angiolisina *f.* ~ 운동 vasomoción *f.* ~ 운동계 sistema *m* vasomotor. ~ 운동 섬유 fibra *f* vasomotora. ~운동성 비염 rinitis *f* vasomotora. ~ 운동 신경 nervio *m* vasomotor. ~ 운동 신경 마비 angiopáresis *f.* ~ 운동 억제 vasodepresión *f.* ~ 운동 억제 신경 vasoinhibidor *m.* ~유리종 angiohialinosis *f.* ~ 육종(肉腫) angiosarcoma *m,* hemangiosarcoma *m.* ~ 이영양증 angiodistrofia *f.* ~ 이완 angiohipotonia *f.* ~ 잡음(雜音) soplo *m* vascular. ~절(節) vasoganglio *m.* ~ 절개술 angiotomía *f.* ~ 절제술 angiectomía *f.* ~절증 hemartrosis *f,* hemartros *f.* ~ 조영 사진 vasograma *m.* ~ 조영술 vasografía *f,* angiografía *f.* ~종 hemangioma *m,* angioma *m,* angioendotelioma *m,* endotelioma *m* rico en vasos sanguíneos. ~종증(腫症) angiomatosis *f,* hemangiomatosis *f.* ~ 주사 inyección *f* vascular. ~ 주위강 espacio *m* perivascular. ~ 주위 세포 pericito *m.* ~ 주위염 perivasculitis *f.* ~ 지방종 angiolipoma *m.* ~ 질환 angiosis *f.* ~ 촬영법 angiografía *f.* ~ 태반 조영술 angioplacentografía *f.* ~통(痛) angialgia *f,* angiodinia *f.* ~ 퇴화(退化) angiolisis *f.* ~투과성 vasopermeabilidad *f.* ~ 투과성 비타민 vitamina *f* permeable. ~ 파열 angiorrexis *f.* ~ 폐색 =혈관 협착. ~학 angiología *f.* ~ 혈우병 angiohemofilia *f.* ~ 협착 angiostenosis *f.* ~ 형성 angiopoiesis *f.* ~화(化) vascularización *f.* ~ 확장 vasodilatación *f.* ~ 확장소 vasodilatina *f.* ~ 확장 신경 nervio *m* vasodilatador. ~ 확장약[확장제] vasodilatador *m.* ~ 확장증 angiomegalia *f,* hemangiectasia *f,* angiectasis *f.*

혈괴(血塊) 【한방】 grumo *m* de sangre, sangre *f* engrumecida; [응혈] cuajarón *m.*

혈구(血球) glóbulo *m* sanguíneo, célula *f* sanguínea.

■ ~ 감소(減少) hematopenia *f.* ~ 감소증 hematocitopenia *f.* ~계 hemacitómetro *m,* hematómetro *m.* ~ 계산기 hemacitómetro *m.* ~뇨증 hematocituria *f.* ~ 모세포 hemocitoblasto *m.* ~ 붕괴 hemocitólisis *f.* ~소(素) hemoglobina *f.* ~소계(素計) hemómetro *m.* ~ 소아 세포 hematogonía *f.* ~소 측정법 hemocromometría *f.* ~아세포 protometrocito *m.* ~아세포종 hemocitoblastoma *m.* ~ 응집 hemaglutinación *f.* ~ 응집 반응 hemaglutinación *f.* ~ 응집소 hemaglutinina *f.* ~ 자가 용해 hematolisis *f.* ~ 증다증 hematocitosis *f.* ~ 파괴 hematocrasia *f.* ~ 파괴 물질 globulicida *f.* ~학(學) hemocitología *f.* ~ 형성 hemocitopoyesis *f.*

혈기(血氣) ① [목숨을 유지하는 피와 기운] la sangre y la fuerza para matener la vida. ② [격동하기 쉬운 의기] vigor *m,* coraje *m.* ~가 왕성한 vigoroso, juvenil. ~가 없는 exangüe, pálido. ~ 왕성한 청년 joven *m* de mucha vitalidad, joven *m* de sangre ardiente. 젊은 ~로 llevado por *su* ardor juvenil, por irreflexión juvenil, por ligereza juvenil. 젊은 ~의 과용 indiscreción *f* de la juventud. ~가 왕성하다 (ser) vigoroso, brioso, fogoso, tener la sangre caliente, ser apasionado. ~에 치우치다 arder de entusiasmo, volverse loco de entusiasmo. ~에 치우쳐서 llevado por el entusiasmo. 혈기방장하다 (ser) muy vigoroso. 혈기방장함 mucha vitalidad, mucho vigor, mucha fuerza física. 혈기방장한 젊은이 joven *mf* de mucha vitalidad, joven *mf* de sangre ardiente.

■ ~심막증 hemopneumopericardio *m.* ~지용(之勇) bravura *f* que se enorgullece de [con] fuerza vigorosa. ~흉증(胸症) hemopneumotórax *m.*

혈낭종(血囊腫) hematocele *m.*

혈농(血膿) =피고름.

■ ~뇨(尿) hematopiuria *f.* ~흉(胸) piohemotórax *m.*

혈뇨(血尿) hematuria *f.*

■ ~증(症) hemuresis *f.*

혈담(血痰) flema *f* (mezclada) con sangre; [객혈] hemoptisis *f.*

혈당(血糖) azúcar *m* sanguíneo.

혈독소(血毒素) hematotoxina *f.*

혈로(血路) salida *f* a través de enemigos. ~를 열다 abrir paso a través de las líneas enemigas, abrir camino, abrir(se) paso.

혈루(血淚) lágrimas *fpl* amargas, lágrimas *fpl* de sangre. ~를 흘리다 llorar amargamente, verter lágrimas de sangre.

■ ~증(症) cromodacriorrea *f.*

혈루(血漏) 【의학】 enfermedad *f* que la sangre sale de la vulva de vez en cuando.

■ ~성 발기(性勃起) estimatosis *f.*

혈류(血流) circulación *f* de la sangre.

■ ~계 hemadromómetro *m.* ~ 동태학 hemorreología *f.* ~ 속도계 hemotacómetro *m.* ~ 속도 계측법 tacografía *f.*

혈맥(血脈) ① [혈관(血管)] vaso *m* sanguíneo; [정맥] vena *f,* [동맥] arteria *f.* ② =혈통(血統).

■ ~ 상통(相通) consanguineidad *f,* relación *f* sanguínea.

혈맹(血盟) promesa *f* sanguínea.

혈반(血斑) mancha *f* sanguínea.

■ ~병(病) púrpura *f.*

혈변(血便) hemafecia *f,* excrementos mpl sangrientos.

■ ~ 배설(排泄) hematoquecia *f.*

혈병(血餠) coágulo *m* [grumo *m*] de sangre, cuajarón *m.*

혈분(血分) cantidad *f* nutritiva de sangre.

■ ~ 광도 검사 hematospectroscopia *f.* ~ 광도계 hematospectrofotómetro *m.*

혈상(血相) color *m* de *su* rostro. ~을 변하다 demudarse, alterarse, inmutarse. ~을 변해 demudado, alterado, inmutado.

혈색(血色) semblante *m,* color *m* (del rostro), tinte *m* del color del rostro, complexión *f.* ~이 좋은 saludable, colorado, sonrojado. ~이 나쁜 pálido, cetrino, lívido. ~이 좋다 tener un semblante saludable, tener buen color, tener una cara llena de vida. ~이 나쁘다 estar pálido, tener una cara macilenta. ~이 나쁘게 되다 palidecer.

혈색소(血色素) hemoglobina *f.*
■~ 감소(減少) hipocromía *f.* ~계(界) cromocitómetro *m,* hemocromómetro *m,* hemoglobinómetro *m.* ~뇨 eritruria *f.* ~뇨증 hemoglobinuria *f.* ¶~의 hemoglobinúrico. ~뇨증열 fiebre *f* hemoglobinúrica. ~담즙증 hemoglobinocolia *f.* ~독(毒) cromotoxina *f.* ~ 디형(D型) hemoglobina D. ~병(病) hemoglobinopatía *f.* ~ 시형(C型) hemoglobina C. ~ 에이치형(H型) hemoglobina H. ~ 용해 hemoglobinólisis *f.* ~ 이형(E型) hemoglobina E. ~증(症) hemocromatosis *f.* ~ 혈증 hemoglobinemia *f.*

혈서(血書) escritura *f* en [con] sangre. ~하다 escribir con sangre. ~로 맹세하다 firmar con sangre.

혈석(血石) hematites *m;* 【광물】 cálculo *m* de sanguíneo.

혈성(血誠) devoción *f,* sinceridad *f,* lealtad *f.*
■~남자(男子) hombre *m* valiente y heroico que no tiene miedo.

혈세(血稅) impuesto *m* cruel, derechos *mpl* pesados, impuestos *mpl* gravosos. ~를 무리하게 징수하다 agobiar con impuestos gravosos.

혈소판(血小板) plaqueta *f.* ~의 plaquetario.
■~ 감소성 자반병 púrpura *f* trombocitopénica, púrpura *f* trombótica. ~ 감소증 trombocitopenia *f,* trombopenia *f.* ~계(系) series *fpl* de trombocito. ~ 무력증(無力症) trombastenia *f.* ~ 병증 trombopatía *f.* ~ 분리 반출법 trombocitaferesis *f.* ~성 골수로 tromboftisis *f.* ~성 혈전증 trombosis *f* paquetaria. ~수 측정법(數測定法) trombocitometría *f.* ~ 응집(凝集) agregación *f* plaquetaria. ~ 인자(因子) factor *m* plaquetario. ~증 trombocitopatía *f.* ~ 증가증 trombocitosis *f,* plastocitosis *f,* poliplastocitosis *f.* ~ 촉진 인자 acelerador *m* plaquetario. ~ 혈병(血病) trombocitemia *f.* ~ 형성 trombocitopoyesis *f,* trombopoyesis *f.*

혈속(血屬) pariente *m* consanguíneo.

혈손(血孫) descendientes *mpl* relacionados por la sangre.

혈안(血眼) ojos *mpl* sangrientos.
◆혈안이 되다 enloquecer, arrebatarse. 혈안이 되어 locamente, arrebatadamente, furiosamente, frenéticamente.

혈암(頁巖) 【광물】 esquisto *m,* pizarra *f.*

혈압(血壓) tensión *f* (arterial), presión *f* (arterial). ~이 높다 tener alta presión arterial, tener la tensión alta, tener la presión alta. ~이 낮다 tener baja presión arterial, tener la tensión baja, tener la presión baja. ~을 재다 medir la presión (de la sangre). …의 ~을 재다 tomar*le* la tensión [la presión] a *uno.* ~이 130이다 La presión de sangre es de ciento treinta grados. 당신의 ~이 매우 높다 Usted tiene muy alta tensión. 그녀의 ~이 올랐다 Le ha subido la tensión [la presión]. 그녀의 ~이 내렸다 Le ha bajado la tensión [la presión]. 나는 노(怒)하면 ~이 올라간다 Cuando me enfado, me aumenta la presión arterial.
◆고(高)~ hipertensión *f,* alta presión *f* arterial. 저(低)~ hipotensión *f,* baja presión *f* arterial. 정상(正常) ~ tensión *f* [presión *f*] normal. 최고(最高) ~ tensión *f* [presión *f*] máxima. 최저(最低) ~ tensión *f* [presión *f*] mínima.
■~ 강하(降下) vasorelaxación *f.* ~ 강하제(降下劑) antihipertensivo *m.* ~계(計) hemodinamómetro *m,* esfigmomanómetro *m.* ~ 변조 감수성 presosensitividad *f.* ~ 부동(不同) anisopiesis *f.*

혈액(血液) sangre *f.* A형의 ~ sangre *f* de grupo A. B형의 ~ sangre *f* de grupo B. AB형의 ~ sangre *f* de grupo AB. O형의 ~ sangre *f* de grupo O. ~을 검사하다 examinar la sangre. ~을 맑게 하다 purificar la sangre.
■~ 가스계 hemataerómetro *m.* ~ 가스 분석 análisis *f* de gas de sangre. ~ 가스압 측정기 aerotonómetro *m.* ~ 강장제 hematónico *m.* ~ 검사 análisis *m* de sangre, prueba *f* de sangre, examen *m* de sangre. ¶~를 받다 hacérse*le* la prueba de sangre. ~ 결빙점 측정법 hemocrioscofía *f.* ~계 hematoscopio *m.* ~ 공급 riego *m* sanguinario. ~ 기생충 hematofite *m.* ~ 기증자 donante *mf* de sangre. ~ 농축(濃縮) hemoconcentración *f.* ~ 누출(漏出) hemodiapedesis *f,* angiorrea *f.* ~ 단백질(蛋白質) hemoproteína *f.* ~ 담즙 요증 hemobilinuria *f.* ~ 담즙증 hemobilia *f.* ~ 도핑 dopage *m* de sangre. ~독 hemotoxina *f.* ~ 동태(動態) hemodinámica *f.* ~량 감퇴증 hipovolemia *f.* ~량 과다증 hipervolemia *f.* ~량 측정 hematoncometría *f.* ~ 배양 hemocultura *f.* ~병 hemopatía *f.* ~ 병리학 hematopatología *f,* hemopatología *f.* ~ 분리 반출법 hemaféresis *m.* ~ 분석 hemanálisis *m.* ~ 비중계 hemabarómetro *m.* ~ 산소 결핍증 anoxemia *f.* ~ 산소계 hemoxómetro *m.* ~ 산소압계 hemoxitensímetro *m.* ~ 색소 hemocromógeno *m.* ~ 생성 hemogénesis *m.* ~ 세포학 hemocitología *f.* ~ 속도계 hemodromómetro *m.* ~ 순환 circulación *f* (de sangre). ~ 여과(濾過) hemofiltración *f.* ~ 요법 hemoterapia *f,* hematerapia *f,* hemototerapia *f.* ~원(原) hemotogen *m.* ~원(院) =혈액은행. ~은행 banco *m* de sangre, hospital *m* de sangre. ~ 이상(異常) dishemia *f.* ~ 정화 hemocatarsis *m.* ~ 제공자 donante *mf* de sangre. ~ 조직 아세포 hemohistioblasto *m.* ~ 진단법 hemodiagnosis *m.* ~ 질환 hematonosis *f,* hematodiscrasia *f.* ~ 취약성 fragilidad *f* de sangre. ~ 침강소 hemoprecipitina *f.* ~ 콜레스테린 추출 de-

colesterolización *f.* ~ 투석 hemodiálisis *f.* ~ 투석기 hemodializador *m.* ~학(學) hematología *f.* ~학자 hematólogo, -ga *mf.* ~형 grupo *m* sanguíneo [sanguinario]. ~형 검사 prueba *f* de(l) grupo sanguíneo [sanguinario]. ~형계(型系) sistema *m* de grupo sanguíneo [tipo de sangre]. ~ 희석(稀釋) hemodilución *f.*

혈연(血緣) linaje *m*, parentesco *m*, pariente *m* consanguíneo.

■ ~관계(關係) parentesco *m* de consanguinidad. ~ 단체 grupo *m* de parentesco. ~ 사회 sociedad *f* de parentesco. ~ 집단 =혈연 단체.

혈온(血溫) temperatura *f* de (la) sangre.

혈우병(血友病) hemofilia *f.* ~의 hemofílico.

■ ~ 비형 hemofilia B. ~ 시형 hemofilia C. ~ 에이형 hemofilia A. ~ 유사증 parahemofilia *f.* ~ 환자 hemofílico, -ca *mf.*

혈육(血肉) ① [피와 살] la sangre y la carne. ② [자기 소생의 자녀] *su* propio hijo, *su* propia hija. 슬하에 ~이 없다 no tener hijos. ~이 없는 sin hijos.

◆혈육을 나누다 ser relaciones sanguíneas, ser hermanos de sangre.

■ ~ 상쟁 discordia *f* en la familia, discordia *f* doméstica. ~애(愛) amor *m* consangíneo, caridad *f* consanguínea. ~지간(之間) relaciones *fpl* de consanguinidad.

혈장(血漿) plasma *m.* ~의 plasmático.

■ ~ 공장 planta *f* de plasma. ~교환(交換) cambio *m* de plasma. ~ 글로불린 globulina *f* plasmática. ~ 단백 과잉 albuminemia *f.* ~ 아메바 plasmameba *f.* ~ 주사 요법 plasmaterapia *f.* ~학 plasmología *f.*

혈전(血栓) 【의학】 trombo *m.*

■ ~계 trombómetro *m.* ~낭 trombocistis *f.* ~ 낭종 trombocistoma *m.* ~ 내막 적출술 tromboendarterectomía *f.* ~ 동맥염(動脈炎) tromboarteritis *f.* ~ 맥관염(脈管炎) tromboangiitis *f.* ~ 문맥염 piletromboflebitis *f.* ~ 붕괴 trombólisis *f.* ~ 색전증 tromboembolismo *m.* ~ 색전 형성 tromboembolización *f.* ~성 경막동염 trombosinusitis *f.* ~성 동맥 내막염 tromboendarteritis *f.* ~성 림프관염 trombolimfangitis *f.* ~성 심내막염 tromboendocarditis *f.* ~성 정맥염 tromboflebitis *f.* ~성 치핵 hemorroide *f* trombosada. ~성 혈소판 감소성 자반병 púrpura *f* trombótica, púrpura *f* trombocitopénica. ~ 저항 tromboresistancia *f.* ~ 절제술 trombectomía *f.* ~증 trombosis *f.* ~ 형성 trombogénesis *f.*

혈전(血戰) batalla *f* sangrienta, batalla *f* ensagrentada, batalla *f* encarnizada, batalla *f* desesperada, guerra *f* sin cuartel.

혈족(血族) consanguinidad *f*, (pariente *m*) consanguíneo *m.*

■ ~ 결혼 matrimonio *m* entre consanguíneos. ~ 관계 relación *f* familiar, consanguinidad *f*, pariente *m* consanguíneo, parentesco *m* de consanguinidad, lazo *m* de sangre, vínculo *m* de sangre. ~친(親) consanguíneo *m* dentro de sexto grado de consanguinidad.

혈중 알코올 농도(血中 alcohol 濃度) concentracióm *f* de alcohol en la sangre.

혈청(血淸) 【의학】 suero *m*, linfa *f*, aguosidad *f.* ~의 sueroso.

◆예방 ~ suero *m* preventivo. 인공 ~ suero *m* medicinal. 항(抗)~ antisuero *m.*

■ ~ 간염(肝炎) hepatitis *f* serosa. ~ 검사 examen *m* de suero. ~ 독소 serotoxina *f.* ~ 반응 reacción *f* serosa, seroreacción *f.* ~ 반응 증상(反應症狀) serodiagnóstico *m.* ~ 변환 seroconversión *f.* ~병 enfermedad *f* del suero. ~ 생리학 serofisiología *f.* ~ 석회 감소증 hipocalcemia *f.* ~성 쇼크 choque *m* sérico. ~ 역가 불응(力價不應) seroresistencia *f.* ~ 예방법 seroprevención *f.* ~ 요법 sueroterapia *f*, tratamiento *m* de suero, bacterioterapia *f.* ~ 인류학(人類學) seroantropología *f.* ~ 접종 serovacunación *f.* ~ 주사 inyección *f* de suero. ~ 진단 serodiagnosis *f*, serodiagnóstico *m.* ~ 치료 tratamiento *m* de suero. ~학 serología *f.* ~학자 serólogo, -ga *mf.* ~학적 선별 조사(調査) seroinspección *f.* ~학적 진단법 serodiagnosis *f.* ~형 serotipo *m.*

혈충(血忠) lealtad *f* sincera.

혈통(血統) sangre *f*, linaje *m*, parentesco *m*, línea *f* de sangre, ascendencia *f*, consanguinidad *f*, alcurnia *f*, linaje *m* de familia. ~이 좋은 de buena sangre, de buena casta, de buena familia, bien nacido, de ilustre linaje; [동물의] de sangre pura, de buena genealogía. ~이 천한 de humilde nacimiento, de baja extracción, de origen humilde. ~이 바른 집안의 de esclarecido linaje, de noble estirpe. ~을 알 수 없는 de linaje dudoso, de linaje sospechoso, de origen dudoso. 귀족의 ~ sangre *f* noble. 왕의 ~ línea *f* de sangre del rey. 평민(平民)의 ~ sangre *f* plebeya. 고귀한 ~을 이어받다 ser de alta cuna, ser de alto linaje. 그녀는 귀족 ~이다 Ella es de ascendencia noble / Ella desciende de nobles. 그는 색맹의 ~이다 El es de una familia de daltonianos. ~은 속일 수 없다 Buena casta no se puede negar / El linaje no miente.

■ ~서(書) carta *f* de origen, pruebas *fpl.* ~주의(主義) =속인주의(屬人主義).

혈투(血鬪) batalla *f* sangrienta, batalla *f* ensangrentada. ☞혈전(血戰)

혈판(血判) sello *m* de sangre. ~하다 sellar con *su* sangre.

■ ~장 petición *f* sellada con *su* sangre.

혈한(血汗) =피땀.

혈행(血行) circulación *f* de la sangre. ~을 좋게 하다 avivar la circulación de la sangre. ~을 나쁘게 하다 estorbar la circulación de la sangre.

혈혈단신(孑孑單身) lo único en el mundo. ~의 solo, solitario. ~이다 no tener ni amigos ni parientes.

혈혈하다(孑孑一) ① [의지할 데 없이 외롭다] (ser) solitario sin parientes. ② [아주 작다] (ser) pequeñísimo, muy pequeño.
혈혈히 solitariamente, sin parientes.
혈홍색(血紅色) (color *m*) rojo *m*.
혈홍소(血紅素) 【화학】 hematina *f*.
혈흔(血痕) mancha *f* de [con] sangre. ~이 묻은 manchado de sangre, con manchas de sangre, ensangrentado.
혐기(嫌忌) aversión *f*, aborrecimiento *m*, disgusto *m*, odio *m*, destestación *f*. ~하다 detestar, aborrecer.
혐기 생활(嫌氣生活) =혐기성 생활.
혐기성(嫌氣性) aerofobia *f*. ~의 anaeróbico.
■ ~균 =혐기성 세균. ~ 생물 =혐기성 세균. ~ 생활(生活) anaerobiosis *f*. ~ 세균 anaerobio *m*. ~ 호흡(呼吸) respiración *f* anerobica.
혐기증(嫌氣症) aerofobia *f*. ~의 aerófobo.
■ ~ 환자(患者) aerófobo, -ba *mf*.
혐염(嫌厭) disgusto *m*, detestación *f*. ~하다 disgustar, detestar.
혐오(嫌惡) repugnancia *f*, asco *m*, aversión *f*, disgusto *m*, odio *m*, fastidio *m*, repugnación *f*, odiosidad *f*, aborrecimiento *m*. ~하다 sentir [tener] repugnancia (a · hacia · por), aborrecer, tener aversión (a), detestar, abominar, odiar, repugnar. ~할 만한 detestable, aborrecible, repugnante, asqueroso. ~의 정을 품다 tener una repugnancia, tener aversión (para). ~의 정을 일으키다 hacer*le* sentir aversión a *uno*.
■ ~감(感) sentido *m* de repugnancia.
혐의(嫌疑) sospecha *f*, duda *f*, acusación *f* falsa. ~하다 sospechar, tener duda, echar sospecha (sobre), sospechar (de). …의 ~로 bajo sospecha de *algo*. …의 ~를 받다 ser objeto de sospecha de *algo*, ser acusado (de un crimen), ser sospechado. ~를 씻다 aclararse de sospecha. 횡령 ~를 받다 ser acusado de usurpación. 그는 간첩 ~를 받고 있다 El está bajo sospecha de espionaje / Es es sospechoso de espionaje. 그는 ~를 받을 사람이 아니다 El no es un hombre de quien se pueda sospechar. 그는 선거법 위반 ~로 체포되었다 Le han detenido por presunta violación de la ley electoral.
■ ~자(者) sospechoso, -sa *mf*, persona *f* sospechosa.
혐점(嫌點) causa *f* de sospecha.
협간(峽間) valle *m*.
협객(俠客) hombre *m* de la espíritu caballeroso, persona *f* caballerosa, persona *f* propia de caballero.
협객답다 (ser) caballeresco, caballeroso.
협격(挾擊) ataque *m* por ambos lados. ~하다 atacar por ambos lados.
협곡(峽谷) desfiladero *m*, cañón *m*.
협골(俠骨) espíritu *m* caballeresco. ~의 caballeroso.
협골(頰骨) 【해부】 =광대뼈.
협공(挾攻) ataque *m* por ambos lados. ~하다 atacar por ambos lados, atacar por dos lados. ~을 받다 ser atacado de ambos lados.
■ ~ 작전(作戰) operación *f* de tenazas.
협궤(挾軌) vía *f* estrecha, *AmS* trocha *f* angosta.
■ ~ 기관차 locomotora *f* de vía estrecha, *AmS* locomotora *f* de trocha angosta. ~선(線) línea *f* de vía estrecha. ~ 철도(鐵道) ferrocarril *m* de vía estrecha, *AmS* ferrocarril *m* de trocha angosta.
협기(俠氣) espíritu *m* caballeresco [varonil · generoso], caballerosidad *f*, galantería *f*. ~가 있는 caballeresco, varonil, viril, galante. 그는 ~가 있는 사람이다 El es todo un caballero. 그는 ~로 그 일을 떠맡았다 Haciendo alarde de su espíritu varonil, se encargó de ese trabajo.
협동(協同) cooperación *f*, colaboración *f*, asociación *f*, unión *f*. ~하다 cooperar, colaborar, asociarse.
■ ~ 기업 empresa *f* cooperativa. ~ 농장 granja *f* colectiva; [옛 소련의] koljoz *m*; [이스라엘의] kibuttz *m*, kibutz *m*. ~ 생활 vida *f* comunitaria. ~ 작전 operaciones *fpl* unidas. ~ 전선 frente *m* unido. ~ 정신 espíritu *m* cooperativo. ~조합 sociedad *f* cooperativa, asociación *f* cooperativa, unión *f* cooperativa, cooperativa *f*. ¶농업 ~ cooperativa *f* agraria. ~조합 운동(組合運動) cooperativismo *m*. ~조합 운동주의자 cooperativista *mf*. ~체(體) comunidad *f*, sociedad *f* comunitaria.
협량(狹量) intolerancia *f*, cobardía *f*, timidez *f*, mezquindad *f*, bajeza *f* de espíritu. ~하다 (ser) de mentalidad cerrada, intolerante, de miras estrechas, poco generoso, intolerante, mezquino, cobarde, tímido, apocado, iliberal.
협력(協力) cooperación *f*, colaboración *f*, fuerza *f* unida, fuerza *f* combinada, concurso *m*; [원조] ayuda *f*, [후원] auspicio *m*. ~하다 cooperar, colaborar, ayudar, prestar ayuda. ~의 cooperativo. …과 ~하여 en colaboración con *uno*. …의 ~을 얻다 conseguir la colaboración de *uno*. 경찰에 ~하다 colaborar con la policía. 자원 개발에 ~하다 colaborar en la exploración de los recursos naturales. 모두 ~하여 거리를 깨끗이 하다 mantener limpias las calles (colaborando) entre todos. 선생님들은 부모님들과 ~하여 일하고 있다 Los profesores trabajan conjuntamente con los padres. 그들은 30년 동안 ~해 왔다 Ellos llevan treinta años asociados. 그는 그의 매형과 ~했다 El se asoció con su cuñado.
◆ 경제(經濟) ~ cooperación *f* económica. 국제(國際) ~ cooperación *f* internacional. 기술(技術) ~ cooperación *f* técnica. 상호(相互) ~ cooperación *f* mutua.
■ ~자 colaborador, -dora *mf*, cooperador, -dora *mf*, cooperario, -ria *mf*. ~적(的) cooperativo. ¶그는 ~이었다 El se mostró

cooperativo.
협로(夾路) ramal *m*.
협로(峽路) sendero *m* en las montañas.
협로(狹路) camino *m* estrecho.
협만(峽灣) fiordo *m*.
협문(夾門) puerta *f* pequeña al lado de la puerta principal.
협박(脅迫) amenaza *f*, intimidación *f*, exacción *f* por medio de amenaza. ～하다 amenazar, intimidar, obligar, compeler, amedrentar, aterrar, arrancar dinero con amenaza de escándalo o denuncia. 간청도 해 보고 ～도 해 보아도 ni con súplica ni con amenaza. ～하여 …시키다 intimidar a *uno* para que haga. 그에게는 ～이 소용없다 Con él no valen amenazas. 그들은 아들을 죽이겠다고 그를 ～한다 Le amenazan con matarle a su hijo. 그는 권총으로 나를 죽이겠다고 ～했다 El amenazó matarme con la pistola. 그는 소년들을 ～해서 도둑질을 하게 했다 El obligó a los muichachos con amenazas a cometer robos / Con amenazas impelió a los muchachos al robo.
■ ～자 amenazador, -dora *mf*; chantajista *mf*. ～장 carta *f* conminatoria, carta *f* amenazante, carta *f* de indimidación. ～적(的) amenazador, amenazante, conminatorio. ～ 전화 llamada *f* amenazadora. ～죄 (delito *m* de) amenaza *f*, intimidación *f*. ～ 행위 conducta *f* amenazadora, conducta *f* amenazante, conducta *f* intimidatoria.
협사(俠士) hombre *m* caballeroso.
협상(協商) ① [협의(協議)] negociación *f*. ～하다 negociar. ② [둘 이상의 나라 사이에 외교 문서를 교환하여 어떤 일을 약속하는 일] pacto *m*, acuerdo *m*, entente *m*. ～을 맺다 hacer pacto, pactar.
◆삼국(三國) ～ la Triple Entente. 화친(和親) ～ entente *m* cordial.
■ ～국(國) países *mpl* acuerdos. ～자(者) negociador, -dora *mf*. ～ 조약(條約) entente *m* (cordial), acuerdo *m*, convención *f*, convenio *m*. ¶～을 맺다 firmar un convenio. ～ 테이블 mesa *f* de negociaciones. ¶ 북한을 ～로 끌어내다 conducir a Corea del Norte a la mesa de negociaciones.
협성(協成) colaboración *f*. ～하다 colaborar.
협소하다(狹小－) (ser) pequeño y estrecho. 협소함 angostura *f*, estrechez *f*. 협소한 길 calle *f* angosta, calle *f* estrecha. 협소한 방 habitación *f* pequeña y estrecha.
협실(夾室) ＝곁방.
협심(協心) cooperación *f*, unisonancia *f*. ～하다 cooperar, unir.
협심증(狹心症) 【의학】 estenocardia *f*, angina *f* de pecho, estrechez *f* de corazón. ～의 anginal.
■ ～ 상태(狀態) estado *m* anginoso.
협심통(狹心痛) angina *f*.
협애하다(狹隘－) (ser) estrecho, limitado. 협애함 estrechez *f*. 협애한 거리 calle *f* estrecha.
협약(協約) ((준말)) ＝협상 조약(協商條約). ¶～을 맺다 firmar un convenio.
◆노동 ～ convenio *m* entre empresarios y trabajadores. 단체 ～ acuerdo *m* laboral. 통상 ～ entente *m* comercial.
■ ～ 헌법(憲法) ＝협정 헌법.
협업(協業) ① [많은 노동자들이 협력하여 계획적으로 하는 노동] cooperación *f*, trabajo *m* cooperativo. ② ＝분업(分業).
협연(協演) co-ejecución *f*. ～하다 co-ejecutar.
협의(協議) conferencia *f*, deliberación *f*, discusión *f*, consulta *f*. ～하다 deliberar, discutir, consultar, conferenciar. ～ 아래 después de deliberar, por aprobación mutua. 그 건(件)은 ～ 중이다 El asunto está en deliberación. 그것에 관해서 ～가 이루어졌다 Llegamos a un acuerdo sobre el asunto. 우리는 그 건(件)에 대해 전화로 ～했다 Sobre el asunto nos pusimos de acuerdo por teléfono.
■ ～ 사항(事項) tema *m* [asunto *m*] de discusión. ～안 proyecto *m* de conferencia. ～원(員) delegado, -da *mf* a una conferencia. ～ 이혼 divorcio *m* consentido por ambas partes. ～ 조항(條項) cláusula *f* de conferencia. ～회 comisión *f*, conferencia *f*. ¶양원(兩院) ～ conferencia *f* unida de dos cámaras de las Cortes.
협의(狹義) sentido *m* estricto, sentido *m* estrecho. ～의 de sentido estrecho. ～로 해석하다 interpretar en sentido estrecho.
협잡(挾雜) fraudulencia *f*, fraude *m*, falsedad *f*, superchería *f*, fullería *f*, engaño *m*, trampa *f*, impostura *f*, ratería *f*. ～하다 defraudar, engañar, estafar, entrampar, cometer fraude, cometer engaño.
■ ～꾼[배] impostor, -tora *mf*; farsante *mf*. ～물(物) adulteración *f*, falsificación *f*, imitación *f*. ～질 fraudulencia *f*. ～ 투표 voto *m* fraudulento, voto *m* engañoso.
협장(脇杖) ＝목다리.
협정(協定) convenio *m*, acuerdo *m*, pacto *m*, concordia *f*, avenencia *f*. ～하다 convenir, acordar, ponerse de acuerdo, concordar, ajustar, estipular, pactar. ～으로 por acuerdo. ～을 체결하다 firmar un acuerdo. ～을 지키다 cumplir el convenio. ～을 깨뜨리다 violar [romper] el convenio [el acuerdo]. ～이 성립(成立)하다 llegar a un acuerdo. 가격을 ～하다 hacer un convenio de precios. ～에 의해 가격을 유지하다 mantener los precios por un acuerdo. 양사(兩社)간에 ～이 체결되었다 Se ha establecido un acuerdo entre las dos compañías.
◆한(국) 칠레 자유 무역 ～ el Acuerdo de Libre Comercio entre Corea y Chile.
■ ～ 가격 precio *m* convenido, precio *m* acordado. ～ 관세 derechos *mpl* aduanales convenidos. ～ 관세율 tarifa *f* convencional. ～ 무역 comercio *m* convenido. ～서 el acta *f* (*pl* las actas) de convenio, protocolo *m*, acuerdo *m*. ～ 세율 tarifa *f*

convencional, tarifa *f* acordada. ~안(案) propuesta *f* de acuerdo. ~ 임금 salario *m* de acuerdo. ~ 헌법 constitución *f* convenida.

협조(協助) ayuda *f*, asistencia *f*. ~하다 ayudar. …의 ~로 con la ayuda de *uno*. 서로 ~하다 ayudarse [prestarse ayuda] mutuamente.

▪ ~자(者) ayudante *mf*.

협조(協調) cooperación *f*, armonización *f*, acción *f* concertada; [타협] conciliación *f*; [조화] armonía *f*. ~하다 cooperar, conciliar, armonizar, ejecutar en armonía. …와 ~해서 en armonía con *uno*.

▪ ~심 espíritu *m* de armonización. ~적 cooperativo, conciliador, conciliativo, armonioso, armónico. ¶~ 태도(態度) actitud *f* conciliativa.

협주(協奏) 【음악】 =합주(合奏).

▪ ~곡 concierto *m*. ¶바이올린 ~ concierto *m* para violín (y orquesta). 첼로 ~ concierto *m* para violoncelo. 피아노 ~ concierto *m* para piano (y orquesta).

협죽도(夾竹桃) 【식물】 adelfa *f*, laurel *m* rosa.

협착(狹窄) estrechez *f*; 【의학】 estenosis *f*, constricción *f*, estrangulación *f*, contracción *f*. ~하다 (ser) estrecho, angosto, pequeño, limitado, estrangulado. ~의 estenótico.

◆ 요도(尿道) ~ estenosis *f* de la uretra. 직장(直腸) ~ estenosis *f* del recto.

▪ ~경(鏡) estricturoscopio *m*. ~ 골반(骨盤) pelvis *f* constreñida. ~ 두개(頭蓋) estenocefalia *f*. ~성 심막염 pericarditis *f* constrictiva ~증(症) estenosis *f*. ¶~의 estenótico.

협찬(協贊) auspicios *mpl*, patrocinio *m*. ~하다 patrocinar, prestar su concurso (para). …의 ~으로 bajo los auspicios de *uno*, patrocinado por *uno*. …의 ~으로 행하는 캠페인 campaña patrocinada por *uno*.

협하다(狹―) (ser) de mentalidad cerrada, intolerante.

협화(協和) ① [협력하여 화합함] armonía *f*, conformidad *f*, concordia *f*, buena inteligencia *f*. ~하다 estar en armonía, concordar. ② 【음악】 armonía *f*.

▪ ~음 acorde *m*, consonancia *f*, armonía *f*. ~ 음정 intervalo *m* consonante.

협회(協會) asociación *f*, sociedad *f*, federación *f*, instituto *m*, institución *f*. ~를 조직하다 organizar una asociación, organizar una sociedad.

▪ ~장 presidente, -ta *mf* de una asociación [una federación]

혓바늘 erupción *f* en la lengua.

혓바닥 ① [혀의 입천장으로 향한 면] superficie *f* superior de la lengua. ② ((속어)) [혀] lengua *f*. ~으로 핥다 lamer con la lengua.

혓살 [소의] lengua *f* (de ternera).

혓소리 (sonido *m*) lingual *m*.

형(兄) ① [동기나 같은 항렬에서 저보다 나이 많은 사람] hermano *m* (mayor). ② [나이가 비슷한 친구 사이에서 서로 높여 부르는 말] usted. ~의 승진을 진심으로 축하합니다 Le felicito a usted sinceramente por su promoción. ③ [서먹서먹한 사이나 나이가 아래인 사람을 대접하여 부르는 말] usted. ④ [성이나 이름 아래 써서, 친구나 나이가 비슷한 사람에게 상대방을 높여 부를 때 쓰는 말] [성 앞에서] señor, Sr.; [이름 앞에서] don, D. 김 ~ el señor Kim. 일남 ~ Don Ilnam. 김 ~! ¡Señor Kim!

▪ 형만 한 아우 없다 ((속담)) El hermano menor nunca es igual a su hermano mayor.

형(刑) ((준말)) =형벌(刑罰). ¶~에 과하다 infligir [imponer · aplicar] la pena. ~에 복역하다 someterse a la pena, cumplir *su* pena, someter a la sentencia. ~에 처하다 condenar a la pena (de). ~을 가볍게 하다, ~을 감하다 conmutar la pena. ~을 무겁게 하다 agravar la pena. ~을 선고(宣告)하다 sentenciar (contra), pronunciar la sentencia (contra). 징역 3년의 ~에 처하다 condenar a tres años de prisión. ~의 집행이 유예되었다 Había sido suspendido la ejecución de la penalidad.

형(形) ① ((준말)) =형상(形狀)(forma). ¶~이 나쁜 mal formado. ~이 좋은 bien formado. …의 ~을 한 que tiene la forma de *algo*, de [en] forma de *algo*. T자~의 de [en] forma de T. 여러 ~의 de diversas figuras, de varias formas. ~이 망가지다 deformarse. 기묘한 ~을 하고 있다 tener una forma extraña. 둥그런 ~을 하다 tomar una forma redonda. 둥그런 ~으로 만들다 dar una forma redonda. 펜싱의 ~을 가르치다 enseñar las formas de la esgrima. 양복의 ~이 망가졌다 El traje se ha deformado. ② [도형의 모양] forma *f*. 오각~ pentágono *m*. 타원~ elipse *m*.

형(型) ① [부어서 만든 물건의 모형] molde *m*. ② =골[3] ③ [어떤 특징을 형성하는 형태. 타입] tipo *m*. ④ [본보기나 틀 · 본 · 골의 뜻] modelo *m*, tipo *m*, estilo *m*. 신(新)~ modelo *m* nuevo, estilo *m* nuevo. 구(舊)~ modelo *m* pasado [anticuado], estilo *m* pasado [anticuado]. 최신~ el último modelo. 2002년~ 승용차 coche *m* del modelo 2002. 이 ~의 수영복 este modelo de bañador.

형관(荊冠) corona *f* de espinas, corona *f* de púas; ((종교)) pasión *f*.

형광(螢光) ① =반딧불. ② 【물리】 fluorescencia *f*. ~의 fluorescente.

▪ ~경(鏡) fluoroscopio *m*. ~계 fluorómetro *m*. ~관 tubo *m* fluorescente. ~ 도료 pintura *f* fluorescente. ~등(燈) ㉮ [형광 방전등] lámpara *f* fluorescente, tubo *m* fluorescente. ㉯ ((속어)) [센스가 느린 사람] persona *f* con sensibilidad lenta. ~ 물질 material *m* fluorescente, substancia *f* fluorescente, cuerpo *m* fluorescente. ~ 분광기 fluorofotómetro *m*. ~ 분광법 fluorofotometría *f.* ~ 사진법 fluorografía *f.* ~ 색소 fluorocromo *m.* ~성 fluorescencia *f.* ~ 엑스선 rayo *m* X fluorescente. ~ 염료 pigmento *m* fluorescente. ~ 적혈구(赤血球) fluorocito *m.* ~ 조명 iluminación *f* fluorescente. ~체 =형광 물질. ~ 측정계 fluorímetro *m.* ~ 측정법 fluorometría *f.* ~ 투시 검사 fluoroscopia *f.* ~ 투시경(透視鏡) fluoroscopio *m.* ~판(板) pantalla *f* fluorescente, tabla *f* fluorescente. ~ 표백(漂白) descoloración *f* fluorescente. ~ 현미경 microscopio *m* fluorescente.

형구(刑具) útiles punitivos *mpl.*

형국(形局) aspecto *m,* fase *f,* situación *f.*

형극(荊棘) zarzas *fpl,* otro cualquier arbusto *m* espinoso. ~의 길 camino *m* zarzoso, camino *m* lleno de zarzas.

형기(刑期) término *m* de encarcelación, duración *f* de encarcelación, término *m* [período *m*] de pena. ~가 만료된다 Expira la pena / Expira la condena.

■ ~ 계산 cómputo *m* del período de pena. ~ 만료 expiración *f* de la pena, expiración *f* del período de encarcelación.

형기(衡器) balanza *f,* báscula *f.*

형님(兄－) ((존칭)) =형(兄).

형량(刑量) cantidad *f* de la pena.

형률(刑律) =형법(刑法).

형명(刑名) nombre *m* de la pena.

형무(刑務) asuntos *mpl* sobre la ejecución.

■ ~관 ((구칭)) =교도관. ~소 ((구칭)) =교도소.

형벌(刑罰) penalidad *f,* punición *f,* pena *f,* castigo *m.* ~의 개별화(個別化) individualización *f* de castigo. ~을 가하다 imponer la pena. ☞형(刑)

■ ~권 derecho *m* punitivo. ~ 법규 leyes y reglamentos penales. ~ 법령 leyes y ordenanzas penales.

형법(刑法) derecho *m* criminal, derecho *m* penal; [법전(法典)] código *m* penal. ~상의 criminal, penal. ~상의 범죄(犯罪) delito *m* criminal. ~의 죄인(罪人) delincunete *mf* penal. ~의 책임(責任) responsabilidad *f* penal.

■ ~ 위반 delito *m* penal. ~전 código *m* penal. ~학 jurisprudencia *f* criminal. ~학자 penalista *mf,* criminalista *mf.*

형부(兄夫) cuñado *m,* esposo *m* de *su* hermana mayor.

형사(刑事) ① [형법의 적용을 받는 사건] caso *m* criminal, asunto *m* criminal. ~상의 criminal, penal. ② [형사 사건의 수사 담당 경찰관] detective *mf,* agente *mf* de policía.

■ ~ 기동대 la Unidad Motorizada de Agentes de Policía ~ 문제 caso *m* criminal. ~ 미성년자 menor *mf* criminal. ~범 ofensa *f* criminal. ~법 derecho *m* criminal. ~ 법원[법정] corte *f* criminal, tribunal *m* criminal, sala *f* de lo penal. ~ 보상 compensación *f* criminal, indemnización *f* criminal. ~ 사건(事件) causa *f,* caso *m* criminal. ~ 소송 pleito *m* criminal, causa *f* criminal. ~ 소송법(訴訟法) código *m* de procedimiento penal. ~ 소송 절차(訴訟節次) procedimiento *m* criminal. ~ 소추(訴追) procesamiento *m.* ~ 시효 prescripción *f* criminal. ~ 재판 juicio *m* criminal. ~ 정책 policía *f* criminal. ~ 제재 sanción *f* penal. ~ 지방 법원 la Tribunal Criminal Regional. ~ 책임 responsabilidad *f* penal. ~ 처분 disposición *f* criminal. ~특별법 derecho *m* especial criminal. ~ 피고인 procesado, -da *mf,* acusado, -da *mf.* ~학 criminología *f.*

형상(形狀) forma *f,* figura *f,* configuración *f.*

형상(形相) ① =형상(形狀). ② 【철학】 =에이도스.

형상(形象) ① =형상(形狀). ② [어떤 표현 수단에 의해 구상화(具象化)하는 일] fenómeno *m.* ■ ~ 예술 arte *m* figurativo.

형상(形像) estatua *f* figurativa.

형상하다(形象－) =형용하다.

형색(形色) la forma y el color, aspecto *m* general.

형석(螢石) 【광물】 fluorita *f,* fluorina *f,* flúor *m,* espato *m.*

형설(螢雪) estudio *m* diligente. ~의 공(功)을 쌓다 proseguir *sus* estudios (por) muchos años.

■ ~지공 (los frutos del) estudio diligente. ¶~을 쌓다 proseguir *sus* estudios muchos años.

형성(形成) formación *f.* ~하다 formar, dar forma (a), moldear, constituir, componer. ~되다 formarse, constituirse, componerse. 성격을 ~하다 formar el carácter, moldear el carácter. 인격(人格)을 ~하다 formar la personalidad. 역을 중심으로 도시가 ~되었다 La ciudad se formó teniendo a la estación como centro. 개인이 모여 사회를 ~하고 있다 La reunión de los individuos constituye la sociedad. 다섯 개 회사가 독점 그룹을 ~하고 있다 Cinco compañías forman un grupo monopolista.

■ ~ 가격 precio *m* de formación. ~기(期) período *m* formativo, período *m* de formación. ~ 물질 substancia *f* formativa. ~ 부전(不全) hipoplasia *f,* malconformación *f.* ~ 부전증 aplasia *f.* ~ 세포 célula *f* formativa. ~ 이상 anamorfosis *f.* ~ 장애 displasia *f.* ~층 cambium *m.*

형세(形勢) ① [살림살이의 경제적 형편] circunstancias *fpl.* ~가 곤궁하다 estar en circunstancias difíciles. ~가 넉넉하다 estar en circunstancias abundantes. ② =정세(情勢)(situación, circunstancia). ¶목하(目下)의 ~로는 en las actuales circunstancias, en el estado actual de (las) cosas, tal como está la situación. ~를 관망하다 esperar a ver hacia dónde se vuelva las tornas. ~가 좋다 [나쁘다] La situación es [está] favorable [desfavorable]. ~가 괴이하다 El asunto toma un aspecto amenazador / Las cosas presentan un mal cariz.

～가 나날이 악화되어 간다 La situación se pone cada día peor. ～가 일변한다 Cambia la marcha de las cosas. 불온한 ～다 La situación es [está] inquietante [alarmante]. ③ [풍수지리의 산형(山形)과 지세(地勢)] la forma de la montaña y la topografía.

형수(兄嫂) cuñada *f*, hermana *f* política, esposa *f* de *su* hermano mayor.

형승(形勝) paisaje *m* muy hermoso. ～하다 el paisaje es muy hermoso.
■～지국(之國) país *m* (*pl* países) en la buena topografía. ～지지(之地) tierra *f* del paisaje muy hermoso, lugar *m* [sitio *m*] pintoresco, tierras *fpl* pintorescas, lugar *m* [sitio *m*] de la belleza natural.

형식(形式) forma *f*, fórmula *f*, formalidad *f*; 【철학】 modo *m*. ～ 없이 sin formalidades, sin ceremonia. ～과 내용 la forma y el contenido. 일기(日記) ～의 소설 novela *f* a modo de [en forma de] diario. ～에 따르면 según la forma. 우리가 제의한 ～대로 como nuestra propuesta. ～을 중시하다 respetar las formas. ～을 타파하다 romper (con) la tradición [las convenciones]. ～을 타파한 사람 persona *f* original, persona *f* que va en contra de las convenciones. ～에 구애되다 aferrarse a las formas, tener (demasiado) apego a las formas. ～에 사로잡히다 preocuparse por la forma. ～을 갖추어 축하하다 celebrar modestamente. 정당으로서의 ～을 갖추다 formalizarse como un partido político. 이것은 단순히 ～에 불과하다 Esto no es más que una formalidad. 내 여행은 회사 업무의 ～으로 되어 있다 Mi viaje está formalizado como para negocios de la compañía.
■～ 과학 ciencia *f* formal. ～ 논리학(論理學) lógica *f* formal. ～ 도야(陶冶) cultivo *m* formal. ～론 formalismo *m*. ～ 명사 ((구용어)) =의존 명사. ～미(美) belleza *f* formal. ～범 =거동범(擧動犯). ～법 =절차법(節次法). ～ 분류 clasificación *f* formal. ～ 연도(年度) año *m* modelo. ～적 formal, metódico, de fórmula, modal. ¶～으로 formalmente, convencionalmente, por (pura) fórmula. ～인 인사(人事) saludo *m* formal, saludo *m* mecánico. ～인 인사를 하다 hacer un saludo mecánico [por ceremonia · por cumplimiento]. ～적 추리(的推理) deducción *f* formal. ～주의 formalismo *m*. ～주의자 formalista *mf*, ritualista *mf*. ～화(化) formalización *f*, formalismo *m*. ¶ ～하다 formalizar. 법적 ～ formalización *f* legal. 행정(行政)의 ～ formalismo *m* administrativo.

형안(炯眼) ojo *m* penetrante, penetración *f*, perspicacia *f*. ～의 que tiene vista perspicaz, penetrativo, penetrante, perspicaz.

형언(形言) descripción *f*, expresión *f*. ～하다 describir, expresar. ～할 수 없는 indescriptible. ～할 수 없는 미인(美人) belleza *f* indescriptible. 그녀의 아름다움은 ～할 수 없었다 Su belleza era indescriptible.

형옥(刑獄) ① =형벌(刑罰). ② =감옥(監獄).

형용(形容) ① [생긴 모양] forma *f*, figura *f*, aspecto *m*. ② [수식] modificación *f*; [서술] descripción *f*; [비유] metáfora *f*, figura *f* retórica. ～하다 calificar, modificar, describir figurativamente.

형용사(形容詞) adjetivo *m*. ～의 adjetivo.
■～구 frase *f* adjetiva. ～문 oración *f* adjetiva.

형이상(形而上) lo metafísico. ～의 metafísico, incorpóreo, abstracto, inmaterial.
■～학 metafísica *f*, ciencia *f* abstracta. ¶ ～의 metafísico. 유교의 ～ metafísica *f* confuciana. ～학자 metafísico, -ca *mf*. ～학적 metafísico *adj*. ～학적 결정론 determinismo *m* metafísico. ～학적 논리학 lógica *f* metafísica. ～학적 유심론 idealismo *m* metafísico.

형이하(形而下) lo físico. ～의 físico, concreto, material.
■～학(學) ciencia *f* física [concreta].

형장(刑杖) palo *m* para el interrogatorio del criminal.

형장(刑場) lugar *m* de ejecución.
◆형장의 이슬로 사라지다 morir en el lugar de ejecución.

형장(兄丈) usted.

형적(形迹) huella *f*, rastro *m*, indicio *m*, señal *f*, indicaciones *fpl*; [증거] evidencia *f*. …의 ～이 있다 Hay indicio de *algo*. 방에 도둑이 들어온 ～이 있다 Hay indicio de que ha entrado un ladrón en el cuarto.

형정(刑政) administración *f* penal.
■～국 departamento *m* de administración penal.

형제(兄弟) ① [형과 아우] el hermano mayor y el hermano menor, hermanos *mpl*, hermanas *fpl*. ～간의 fraternal, ～처럼, ～같이 fraternalmente. ～간의 싸움 riña *f* entre hermanos. ～의 우애(友愛) fraternidad *f*, amistad *f* fraternal. 김 씨 ～ los hermanos Kim. ～처럼 사귀다 fraternizar. ～처럼 대하다 tratar a *uno* como si fuera *su* propio hermano. ～가 있습니까? ¿Tiene usted hermanos? 그는 ～가 많다 El tiene muchos hermanos. 그와 나는 서로 친～처럼 대한다 El y yo nos tratamos como si fuéramos verdaderos hermanos. ② =동기(同期). ③ [신도들이 스스로를 일컫는 말] hermano, -na *mf*.
■～애(愛) fraternidad *f*, amor *m* fraternal, cariño *m* fraternal. ～자매 hermanos *mpl*, hermano y hermana. ～지국(之國) país *m* hermano. ～지의(之誼) fraternidad *f*.

형조(刑曹) 【고제도】 el Ministerio de Justicia.
■～ 판서(判書) ministro *m* de Justicia.

형지(型紙) modelo *m* de papel.

형질(形質) forma *f* y naturaleza; 【생물】 carácter *m*, característica *f*, [원형질(原形質)] plasma *f*.
◆유전(遺傳) ～ carácter *m* heredado.
■～구(球) plasmocito *m*. ～구성 백혈병

leucemia *f* de célula plasmática. ~구 증가증 plasmacitosis *f.* ~대(帶) plasmodesma *f.* ~ 도입 transducción *f.* ~막 plasmalema *f.* ~성 세포 붕괴 plasmatorrexis *f.* ~ 세포 plasmacito *m.* ~ 세포 골수종 mieloma *m* de la célula plasmática. ~ 세포성 국한성 귀두염 balanitis *f* circunscrita plasmacelular. ~ 세포성 유선염 mastitis *f* de la célula plasmática. ~ 세포종 plasmocitoma *m.* ~ 세포 증식성 plasmoproliferativo *adj.* ~ 아구 plasmablasto *m.* ~ 아세포 plasmablasto *m.* ~ 융해 plasmatosis *f.* ~ 인류학 antropología *f* física.

형찰(詗察) investigación *f* secreta. ~하다 investigar secretamente.

형처(荊妻) mi esposa, mi mujer.

형체(形體) forma *f,* cuerpo *m;* 【심리】 configuración *f.*

형태(形態) forma *f,* figura *f;* 【심리】 configuración *f.* ~를 바꾸다 transformar, transfigurar.

■ ~론 morfología *f.* ~론적 morfológico *adj.* ~론적 구조 construcción *f* morfológica. ~미(美) belleza *f* física. ~ 발생(發生) morfosis *f,* morfogénesis *f.* ~ 발생령 campo *m* morfogenético. ~ 발육학(發育學) morfofísica *f.* ~ 변화 modificación *f.* ~ 분류 clase *f* de forma, clasificación *f* de tamaño. ~ 분화 morfodiferenciación *f.* ~소(素) morfema *m.* ~ 심리학 morfosicología *f.* ~원(原) morfogene *m.* ~ 음운론 morfofonemática *f.* ~ 이상 cacomorfosis *f.* ~학 morfología *f.* ~학적 morfológico *adj.* ¶~ 성별(性別) sexo *m* morfológico.

형통(亨通) lo que todo va bien. ~하다 ir bien, estar bien. 만사가 ~하다 Todo va bien.

형틀(刑―) canga *f.*

형틀(型―) molde *m.* ~을 뜨다 sacar molde (a). …의 ~을 넣고 만들다 formar en los moldes de *algo.*

형판(形板) plantilla *f.*

형편(形便) ① [일이 되어 가는 모양·경로·결과] situación *f,* estado *m,* aspecto *m,* desarrollo *m.* ② [살림살이의 형세(形勢)] situación *f* familiar, circunstancias *fpl* domésticas. ~이 딱하다 estar en circunstancias difíciles. ③ [형세] condición *f,* circunstancia *f,* conveniencia *f.* 세계의 ~ situación *f* mundial. 재정(財政)의 ~ condiciones *fpl* monetarias.

형편없다 [비참하다] (ser) miserable; [시시하다] trivial, pobre, inútil; [지독하다] terrible. 형편없는 놈 el inútil, el zángano. 장사가 ~ El negocio se ha echado a perder. 형편없이 terriblemente, miserablemente, despiadadadamente, sin piedad, sin clemencia, sumamente, muchísimo, completamente, totalmente. ~ 고생하다 sufrir muchísimo [terriblemente · miserablemente]

형평(衡平) balanza *f,* equilibrio *m.*

■ ~ 운동 movimiento *m* de igualdad social. ~ 원칙 principio *m* de equidad.

형해(形骸) ① [육체] cuerpo *m* (humano). ② [뼈대] esqueleto *m,* restos *mpl.* ~화(化)되다 reducirse a los restos, no quedar más que los restos. 이 나라의 의회 제도는 ~화되어 있다 De la institución parlamentaria de este país no queda más que los restos.

형향(馨香) perfume *m* floral.

형형색색(形形色色) todas las clases, varios, diverso, diferente. ~으로 de forma muy diversa, diversamente. ~의 물건 artículos *mpl* diversos. ~의 의견 varias opiniones *fpl.*

형형하다(炯炯―) (ser) brillante y claro. 형형히 brillante y claramente.

형형하다(熒熒―) (ser) claro siguiendo brillando.

형형히 claramente siguiendo brillando.

혜고(惠顧) ① [남의 방문에 대한 존칭] su visita graciosa. ~하다 visitar amablemente. ② [잘 돌보아 줌] atención *f* amable. ~하다 atender bien, tratar bien.

혜민하다(慧敏―) (ser) listo, inteligente, hábil.

혜사(惠賜) concesión *f,* otorgamiento *m.* ~하다 conferir, otorgar, dar gentilmente.

혜서(惠書) su amable carta.

혜성(彗星) ① 【천문】 cometa *m.* ~ 같은 semejante a un cometa, que causa espanto [admiración]. ② [어떤 분야에 갑자기 나타나 두각을 나타냄을 비유하는 말] incógnita *mf,* enigma *m,* ganador, -dora *mf* sorpresa. ~처럼 como un cometa. ~처럼 나타나다 aparecer como un cometa. 신인 가수가 ~처럼 나타났다 El nuevo cantante ha aparecido con la brillantez de un cometa / El debut del nuevo cantante ha constituido una revelación.

혜송(惠送) su envío. ~하다 enviar, mandar.

혜시(惠示) su instrucción amable, su información amable. ~하다 informar amablemente.

혜시(惠施) otorgamiento *m,* concesión *f.* ~하다 otorgar [conferir] amablemente.

혜안(慧眼) ① [총기 있는 눈] ojos *mpl* inteligentes. ② ((불교)) perspicaz *f.*

혜존(惠存) [증정본에] A …, con gran aprecio y amistad. 석규관 선생님 ~ Al Sr. Seok Gyu Kwan, con gran aprecio y amistad.

해찰(惠札) =혜서(惠書).

혜택(惠澤) favor *m,* beneficio *m,* gracia *f,* benevolencia *f,* amistad *f,* amabilidad *f.* 문명(文明)의 ~ beneficio *m* de la civilización. 이것은 세금 면제의 ~이 있다 Esto se beneficia de la extención de impuestos. 모든 사람에게 골고루 ~이 돌아가게 하는 정책이다 Es una política favorable para todos / Es una política que no queda mal con nadie.

혜한(惠翰) =혜서(惠書).

혜함(惠函) =혜서(惠書).

호 con un soplido. ~하다 soplar.

호(戶) ① [호적상(戶籍上)의 집] familia *f,*

casa *f*, puerta *f*. ② [집의 수] (número *m* de) las casas. 60~쯤 되는 마을 aldea *f* de unas sesenta casas.

호(弧) 【수학】 arco *m*.

호(湖) ((준말)) =호수(湖水). ¶바이칼 ~ el lago de Baikal.

호(號) ① [본명이나 자(字) 이외에 쓰는 아명(雅名). 별호] seudónimo *m*, nombre *m* de guerra. ② [차례를 나타내는 데 쓰는 말] número *m*. 일 ~ número uno. 사 ~ número cuatro. 10~실 [호텔의] habitación número diez. ③ [같은 번지의 집들이 여럿이 있을 경우에, 다시 순서를 매기어 붙여 쓰는 말] casa *f*. 145의 11~ undécima casa del número 145, 145-11. ④ [신문 · 잡지 등 정기 간행물의 발행 순서] número *m*. 일월 ~ número *m* de enero. 창간~ primer número *m*. ⑤ 【인쇄】 punto *m*. 5~활자 tipo *m* de punto cinco. ⑥ 【미술】 *ho*, tamaño *m* del cuadro.

호(壕) ((준말)) =참호(塹壕)(trinchera).

호(濠) ① [성벽 바깥을 도랑처럼 파서 물이 괴게 한 곳] zanja *f* fuera del castillo. ② ((준말)) =호주(濠洲)(Australia).

호-(好) bueno. ~기회 buena oportunidad *f*. ~시절 buena estación *f*.

-호(號) *ho*, nombre del tren, el barco o el avión, el …. 통일~ *Tong Il Ho*, el Tong Il.

호가(好價) buen precio *m*.

호가(呼價) ① [팔거나 사려는 물건의 값을 부름] precio *m* ofrecido. ~하다 ofrecer el precio. ② 【경제】 oferta *f*, puja *f*.

호가호위(狐假虎威) asno *m* cubierto con piel de león.

호각(互角) igualdad *f*, equivalencia *f*. ~의 igual, equivalente. ~의 승부(勝負) lucha *f* igualada.
■ ~지세(之勢) lucha *f* igualada. ¶두 사람은 ~로 싸우고 있다 Los dos luchan igualadamente.

호각(號角) silbato *m*, pito *m*. ~을 불다 silbar, tocar un silbato, tocar un pito, dar un silbido, pitar, chiflar.
■ ~ 소리 silbido *m*, chilido *m*.

호감(好感) ((준말)) =호감정(好感情). ¶~이 가는 favorable, grato, agradable, deseable. ~이 가지 않은 desfavorable, desagradable. ~을 주는 atractivo, atrayente, agradable, simpático. ~이 가는 인상(印象) impresión *f* favorable, impresión *f* agradable, buena impresión *f*. ~이 가지 않는 인상 impresión *f* desfavorable, impresión *f* desagradable, mala impresión *f*. ~이 가지 않은 인물 hombre *m* indesable; 【외교】 persona *f* no grata. ~을 갖다 tener [sentir] simpatía (hacia · por), simpatizar (con). ~을 주다 dar [causar] buena impresión (a), inspirar simpatía (a). 그는 나에게 ~을 준다 Me causa buena impresión / Le tengo por muy simpático [por buen hombre]. 그는 남에게 ~을 살 성품이다 El tiene una facilidad natural para ganarse la simpatía de todos / El tiene una facilidad natural de inspirar simpatía a todos. 그의 솔직함이 ~이 간다 Me gusta su franqueza / Su franqueza me hace buena impresión.

호감정(好感情) buena impresión *f*, simpatía *f*. ☞호감

호강 comodidad *f*, confortación *f*, confortamiento *m*, conveniencia *f*, lujo *m*, pompa *f*. ~하다 vivir en lujo, disfrutar [gozar] de un nivel de vida alta, disfrutar [gozar] de lujo. ~으로 자라다 ser criado entre rosas, ser criado entre algodones.
호강스럽다 (ser) lujoso, exuberante, sobreabundante. 호강스러운 살림 vida *f* lujosa, vida *f* exuberante, vida *f* sobreabundante.
호강스레 lujosamente, con lujo, exuberantemente, sobreabundantemente.
■ ~첩(妾) concubina *f* con vida lujosa.

호강하다(豪强—) (ser) muy fuerte, muy firme, fortísimo.

호객(呼客) acción *f* de andar a la caza de clientes. ~하다 buscar clientes, andar a la caza de clientes, tratar de captar clientes.
■ ~꾼 persona *f* que busca clientes; gancho, -cha *mf*.

호객(豪客) ① [호탕한 사람] hombre *m* magnánimo. ② [기운을 뽐내는 사람] hércules *m*, hombre *m* hercúleo.

호거(好居) vida *f* abundante. ~하다 vivir abundantemente.

호건(好件) buena cosa *f*.

호건하다(豪健—) (ser) muy saludable.

호걸(豪傑) héroe *m*, hombre *m* heroico, hombre *m* valiente. ~처럼 웃다 reírse a grandes carcajadas, reírse mandíbula batiente.
호걸스럽다 (ser) heroico, valiente, bravo.
호걸스레 heroicamente, valientemente, bravamente.
■ ~ 남자(男子) hombre *m* heroico. ~웃음 risa *f* de oreja a oreja. ~풍(風) aire *m* heroico.

호격(呼格) 【언어】 vocativo *m*.

호결과(好結果) buen resultado *m*.

호경기(好景氣) gran prosperidad *f*, auge *m*, boom *m* económico. ~다 estar en auge.
◆전쟁(戰爭) ~ auge *m* de guerra.
■ ~ 산업 industria *f* en auge. ~ 시대(時代) período *m* de auge, días *mpl* prósperos, buenos tiempos *mpl*.

호고추(胡—) ají *m* (*pl* ajíes) [chile *m*] producido en la Manchuria.

호곡(號哭) llanto *m*, gemidos *mpl*, lloro *m* en alto. ~하다 llorar en voz alta, llorar en alto, gemir, lamentarse, llorar amargamente.
■ ~성(聲) llanto *m*, gemidos *mpl*.

호골(虎骨) hueso *m* del tigre.

호과(胡瓜) 【식물】 =오이(pepino).

호광(弧光) =아크(arco).
■ ~등 =아크등(lámpara de arco). ~로(爐) horno *m* eléctrico de arco. ~ 전압 voltaje *m* de arco.

호구(戶口) número *m* de casas y familias.
■ ~ 조사 censo *m*. ¶~를 하다 levantar el censo.

호구(虎口) ① [범의 입] boca *f* del tigre. ② [매우 위험한 지경이나 경우] caso *m* peligroso, peligro *m*, riesgo *m*. ~에 들어가다 entrar en el lugar peligroso. ~에서 벗어나다 escapar del peligro, escapar de las garras de la muerte.

호구(糊口) sustento *m* muy escaso.

호구지계(糊口之計) =호구지책.

호구지책(糊口之策) modo *m* de vivir, modo *m* de ganar la vida, mantenimiento *m*, sustento *m*. ¶~을 구하다 buscar el modo de vivir.

호구책(糊口策) =호구지책.

호국(護國) defensa *f* del país, defensa *f* de la patria. ~의 꽃으로 산화(散華)하다 morir gloriosamente en el campo de batalla, morir luchando gloriosamente por la patria.
■ ~ 불교 budismo *m* para la defensa de la patria. ~ 영령 patriotas *mpl* caídos por la patria.

호굴(虎窟) ① [범의 굴] guarida *f* del tigre. ☞범굴. 호혈(虎穴). ② [가장 위험한 곳] el lugar [el sitio] más peligroso.
■ 호굴에 들어가야 범을 잡는다 ((속담)) Quien no se aventura no pasa la mar.

호궁(胡弓) ① 【악기】 [동양의 현악기의 하나] una especie del instrumento musical de cuerda del Oriente. ② 【악기】 =호금(胡琴).

호금(胡琴) 【악기】 ① =비파(琵琶). ② [당악(唐樂)을 연주하는 현악기의 하나] violín *m* chino.

호기(好奇) curiosidad *f*, afición *f* a las novedades. ~하다 gustar de las novedades. ~의 눈으로 보다 mirar con [implido por (la)] curiosidad.
■ ~심 curiosidad *f*. ¶~이 많은 curioso; [캐고 듣기를 좋아하는] fisgón (*pl* fisgones). ~이 많은 아이 niño *m* curioso. ~에서 por curiosidad. …에 대한 ~으로 con curiosidad por *algo* o *uno*. 누구의 ~을 불러일으키다 despertar [excitar] la curiosidad de *uno*. ~이 나서 죽겠지만 나는 그것을 알려고 하지 않기로 했다 Yo eso no lo iba a saber, aunque me matase la curiosidad.

호기(好期) estación *f* favorable, buena estación *f*, buen tiempo *m*, buena temporada *f*.

호기(好機) (buena) oportunidad *f*, buena ocasión *f*, momento *m* favorable. ~를 기다리다 esperar [aguardar] una oportunidad. ~를 놓치다[잃다·상실하다] perder [desperdiciar·dejar pasar] una oportunidad. ~를 이용하다 aprovechar una oportunidad [una buena ocasión]. ~를 포착(捕捉)하다 coger [agarrar] una oportunidad. ~가 오기를 기다리다 esperar el momento oportuno, esperar a que venga [se presente] la oportunidad. ~가 왔다 Se presenta [Se ofrece] una buena ocasión. 이것은 서반아에 갈 더 없는 ~다 Esta es la mejor ocasión para ir a España.

호기(呼氣) aliento *m*, aire *m* exhalado, espiración *f*, exhalación *f*. ~하다 espirar, exhalar. ~를 나쁘게 만들다 producir mal aliento.

호기(浩氣) ánimo *m* magnánimo.

호기(號旗) bandera *f* para la señal.

호기(豪氣) espíritu *m* heroico.
◆ 호기(를) 부리다 baladronear, hacer baladronadas, decir baladronadas. 나는 호기를 부려 고급차를 샀다 Me di [permití] el lujo de comprar un coche caro.
호기로이 heroicamente, orgullosamente, con orgullo.
호기롭다 (ser) heroico, orgulloso.

호기성(好氣性) 【식물】 aerotropismo *m*.

호기회(好機會) buena oportunidad *f*, buena ocasión *f*. ☞호기(好機)

호깨나무 【식물】 ((학명)) Hovenia dulcis.

호남(湖南) 【지명】 *Honam*, las provincias de *Cheolanamdo* y de *Cheolabukdo*, distrito *m* de *Honam*.
■ ~ 고속 도로 la Autopista de *Honam*. ~선 la Línea de *Honam*. ~평야 llanuras *fpl* de *Honam*.

호남아(好男兒) ① [씩씩하고 쾌활한 남자] hombre *m* vigoroso y jovial. ② =미남자(美男子)(guapo).

호남자(好男子) =호남아(好男兒).

호녀(胡女) ① [만주족(滿洲族)의 여자] (mujer *f*) manchúa *f*. ② [중국 여자] (mujer *f*) china *f*.

호농(豪農) agricultor *m* rico, agricultora *f* rica.

호다 coser escasamente.

호담(虎膽) hiel *m* del tigre.

호담자(虎毯子) manta *f* de piel del tigre.

호담하다(豪膽—) (ser) muy intrépido, valiente, audaz. 호담함 intrepidez *f*, valentía *f*, audacia *f*.

호당(戶當) por casa. ~ 십만 원씩 cien mil wones por casa.

호대(戶大) =술고래.

호대하다(浩大—) (ser) bastante ancho y grande.

호도(糊塗) arreglo *m* provisional, *AmL* arreglo *m* provisorio. ~하다 tratar de ganar tiempo, hacer un arreglo provisionalmente (a), cubrir, encubrir, paliar. 실패를 ~하다 cubrir [encubrir·paliar] una falta.

호도깝스럽다 (ser) imprudente, precipitado, insensato, irresponsable, inestable.
호도깝스레 imprudentemente, precipitadamente, insensatamente, irresponsablemente, inestablemente.

호도애 【조류】 =멧비둘기(tórtola).

호돌이(虎乭—) *hodori* (*ho* significa tigre, *dori*, un diminutivo masculino muy frecuente), muñeca *f* de tigre que se pone el sombrero de fieltro con pelo fino del color rojo

호되다 ① [매우 심하다] (ser) muy serio. 호

되게 꾸짖다 poner de vuelta y media. 호되게 혼내다 reprender, dar una reprimenda. ② [혹독스럽다] (ser) severo, riguroso, violento, furioso, cruel, intenso. 호되게 severamente, rigurosamente, violentamente, furiosamente, cruelmente, duramente, intensamente. 호된 추위 frío *m* intenso, frío *m* severo. 호된 형벌 castigo *m* severo, pena *f* severa. 호되게 경을 치다 pasar malos ratos, pasar un trago amargo, pasarlas negras, vérselas negras, verse negro. 호되게 꾸중하다 reprender muy duramente [severamente]. 호되게 비난하다 criticar severamente [despiadadamente]. 호된 훈련을 받다 (hacer) sudar, exigir mucho esfuerzo. 그는 수학으로 호된 수업을 받았다 Le hicieron sudar en matemáticas. 나는 호되게 꾸중을 들었다 Me reprendieron duramente. 그는 나를 게으름뱅이로 호되게 나무란다 El me tacha de perezoso. 나는 믿었던 그에게 호되게 배신당했다 El ha traicionado la confianza que yo tenía en él / El ha faltado completamente a mi confianza.

호두(胡一) nuez *f*. ~를 깨다 cascar [partir] una nuez. ~ 까는 집게 cascanueces *m*, rompenueces *m.sing.pl.*

■호두속 같다 ((속담)) No se tiene ni pies ni cabeza por complicación.

■~ 껍질 cáscara *f* de nuez. ~나무【식물】nogal *m*. ~ㅅ속 ㉮ [호두 껍질의 안쪽 부분] parte *f* interior de la cáscara de nuez. ㉯ [뒤숭숭하거나 복잡한 사물을 비유하는 말] laberinto *m*.

호드기 flauta *f* de paja.

호드득 ① [깨·콩 따위를 볶을 때 튀면서 나는 작은 소리] crujiendo. ② [멀리서 총포·딱총 등이 부산하게 터지며 나는 소리] traqueando, traqueteando. ③ [잔 나뭇가지나 검불 따위가 타들어가며 나는 소리] crepitando, chisporroteando.

호드득거리다 ㉮ [경망스럽게 연해 방정을 떨다] (ser) imprudente. ㉯ [콩이나 깨 등을 볶을 때 튀는 소리가 계속해서 나다] crujir. 호드득거림 crujido *m*. ㉰ [총포(銃砲)나 딱총 등이 계속해서 터지며 소리가 나다] traquetear, traquear. 포화(砲火)의 호드득거림 el traqueteo de los fusiles. ㉱ [잔 나뭇가지나 마른 검불 따위가 기세 좋게 타면서 연해 호드득 소리를 내다] crepitar, chisporrotear. 불이 호드득거림 el crepitar [el chisporroteo] del fuego.

호드득호드득 crujiendo, dando chasquidos, crepitando, chisporroteando.

호들갑 actitud *f* tumultuosa frívolamente.

◆호들갑(을) 떨다 (ser) extravagante, desbordante de vida y entusiasmo.

호들갑스럽다 (ser) abrupto y frívolo.

호들갑스레 abrupta y frívolamente.

호등(弧燈) =아크등(燈).

호떡(胡一) crepe *m* relleno chino.

◆호떡집에 불난 것 같다 (ser) bullicioso, ruidoso, vociferante, acalorado. 광장은 ~ En la plaza hay tanto ruido.

호라지좆【식물】espárrago *m*.

호락질 agricultura *f* sin (la) ayuda de nadie. ~하다 ser agricultor sin ayuda de nadie.

호락호락 ① [쉽사리] fácilmente, con facilidad. 그것은 ~ 대답할 수 없다 No se puede contestar fácilmente a eso. ② [성격이 만만하고 능력이 없는 모양] inhábilmente, torpemente.

호란(胡亂) ① [호인(胡人)들로 인한 병란(兵亂)] rebelión *f* causada por los manchúes, guerra *f* manchúa. ② ((준말)) =병자호란.

호랑(虎狼) ① [범과 이리] el tigre y el lobo. ② [욕심 많고 잔인한 사람] persona *f* codiciosa y cruel.

■~지심(之心) corazón *m* cruel y incompasivo.

호랑가시나무【식물】acebo *m*.

호랑나비【곤충】cola *f* ahorquillada, macaón *m* (*pl* macaones).

호랑이 ①【동물】tigre *m*; [암컷] tigresa *f*. ② [몹시 사납고 무서운 사람] persona *f* feroz, persona *f* cruel, persona *f* formidable, tigre *m*.

◆호랑이 담배 먹을 적 hace muchísimo tiempo, érase que se era, desde muy antiguo.

■호랑이도 제 말 하면 온다 ((속담)) Hablando del rey de Roma, por la puerta asoma / En mentando al rey de Roma luego asoma / Al ruin, cuando lo mientan, luego viene / Burro nombrado, burro presentado. 호랑이 없는 골에는 토끼가 스승이다 ((속담)) Cuando el gato duerme, bailan los ratones / En tierra de ciegos, el tuerto es rey.

호랑이 굴 guarida *f* del tigre.

■호랑이 굴에 가야 호랑이 새끼를 잡는다 ((속담)) Quien [El que] no se arriesga no pasa la mar / Quien [El que] no arriesga no gana / Quien no se aventura, no pasa la mar / Si no nos arriesgamos no conseguimos nada / Quien no se aventuró, ni perdió ni ganó.

호래아들 zafio *m*, grosero *m*, persona *f* de mal carácter; patán *m* (*pl* patanes), villano *m*, aldeano *m*, oveja *f* negra.

호래자식(一子息) =호래아들.

호렴(胡一) sal *f* cruda producida en China.

호령(號令) ① [지휘하여 명령함] orden *f*, mandato *m*, voz *f* de mando. ~하다 ordenar, mandar, dar órdenes, dar una voz de mando. ② [큰 소리로 꾸짖음] reprensión *f*, censura *f*. ~하다 reprender, censurar. ③ =구령(口令).

호례(好例) buen ejemplo *m*, ejemplo *m* típico.

호롱 lámpara *f* de queroseno.

호롱불 fuego *m* de la lámpara de queroseno.

호루라기 silbato *m*, pito *m*, chifle *m*, chiflato *m*, chifla *f*. ~를 불다 tocar un silbato [un pito], pitar, silbar, chiflar.

■~ 소리 silbato *m*, pitido *m*.

호르너 증후군(Horner 症候群) síntoma *m* de Horner.

호르르 ① [날짐승이 나는 소리] batiendo las alas, aleteando, con un batir de alas, dando un aletazo. 독수리가 ~ 날기 시작했다 El águila echó a volar con un batir de alas / El águila echó a volar dando un aletazo. ② [얇은 종이 같은 것이 타오르는 모양] rápido, rápidamente, ligeramente. ~ 타 버리다 quemarse rápido.

호르몬(영 *hormone*) 【생리】 hormona *f.* ~의 hormonal.

◆갑상선(甲狀腺) ~ hormona *f* tiroidea. 난소(卵巢) ~ hormona *f* ovárica. 남성(男性) ~ hormona *f* andrógena, hormona *f* masculina. 발정(發情) ~ hormona *f* estrogénica. 부갑상선 ~ hormona *f* paratiroidea. 부신 피질(副腎皮質) ~ hormona *f* adrenocortical. 부신 피질 자극 ~ hormona *f* adrenocorticotrópica. 성(性)~ hormona *f* sexual. 성선 자극(性腺刺戟) ~ hormona *f* gonadotrópica. 성장(成長) ~ hormona *f* somatotrópica. 신경 하수체 ~ hormona *f* neurohipofisaria. 여성(女性) ~ hormona *f* femenina. 태반(胎盤)~ hormona *f* placentaria. 피질(皮質) ~ hormona *f* cortical. 항이뇨(抗利尿) ~ hormona *f* antidiurética. 황체 자극 ~ hormona *f* luteotrópica. 황체 형성 ~ hormona *f* luteinizante.

■~ 결핍증(缺乏症) enfermedad *f* deficiente hormonal. ~ 분비 촉진제 secretagogo *m* hormonal. ~ 생성 hormonogénesis *f.* ~선(腺) glándula *f* hormonal. ~ 요법(療法) hormonoterapia *f.* ~ 혈주사 요법 hemocrinoterapia *f.*

호른(독 *Horn*) 【악기】 corno *m*, trompa *f.* 영국 ~ corno *m* inglés.

■~ 연주자(演奏者) trompa *mf.*

호리 arado *m* de un toro.

■~질 arado *m.* ¶~하다 arar.

호리(狐狸) la zorra y el lince.

호리(豪釐) cantidad *f* pequeñísima.

■~불차(不差) exactitud *f.* ~지차(之差) mínima diferencia *f.* ¶~로 이기다 ganar por una mínima diferencia. ~천리(千里) Mínima diferencia primero, luego gran diferencia.

호리건곤(壺裏乾坤) situación *f* que siempre está borracho.

호리다 ① [유혹하다] fascinar, embelesar, cautivar, encantar, seducir. 여자를 잘 호리는 남자 Don Juan, donjuán *m*, seductor *m* de mujeres. 남자를 잘 호리는 여자 vampiresa *f*, vampi *f.* ② [매력으로 남의 정신을 흐리게 하여 빼앗다] seducir.

호리병(葫-甁) calabaza *f.*

호리병박(葫-甁-) 【식물】 calabaza *f*, cabeza *f* vinatera.

호리호리하다 (ser) esbelto, delgado. 그는 몸매가 ~ El es esbelto de talle / El tiene el talle esbelto.

호마(胡馬) caballo *m* manchú.

호마(胡麻) 【식물】 ajonjolí *m*, alegría *f*, sésamo *m.*

■~유(油) aceite *m* de ajonjolí [sésamo]. ~인(仁) 【한방】 ajonjolí *m.*

호말(毫末) cosa *f* pequeñísma..

호매하다(豪邁-) (ser) magnánimo y sagaz, intrépido, valiente, valeroso, indomable, indómito. 호매한 기상(氣相) espíritu *m* magnánimo y sagaz.

호맥(胡麥) =호밀.

호면(胡綿) algodón *m* de buena calidad.

호면(胡麵) =당면(唐麵).

호면(湖面) superficie *f* del lago.

호명(呼名) pase *m* de lista. ~하다 pasar la lista. ~은 오전 아홉 시 반이다 Pasan lista a las nueve y media de la mañana.

호모[1](라 *homo*) [사람. 인간(人間)] ser *m* humano, hombre *m.*

호모[2](라 *homo*) ① [동성애] homosexualidad *f.* ② [동성애를 하는 사람] homosexual *mf.*

■~ 네안데르탈렌시스 hombre *m* de Neanderthal. ~ 사피엔스 [지성인] el *homo sapiens*, hombre *m* sabio. ~ 에렉투스 [직립인(直立人)] el *homo erectus*, hombre *m* erguido. ~ 에코노미쿠스 =경제인(經濟人). ~ 파베르 [공작인(工作人)] el homo faber.

호무하다(毫無-) no hay nada.

호미 azada *f.* ~로 땅을 파다 cavar la tierra con azada.

■호미로 막을 것을 가래로 막는다 ((속담)) Por un clavo se pierde una herradura / Con pequeña brasa suele quemarse la casa / Un remiendo a tiempo ahorra ciento / Una puntada a tiempo ahorra nueve.

호미(虎尾) rabo *m* del tigre.

■~난방(難放) =진퇴유곡(進退維谷).

호미(胡米) arroz *m* (producido en) chino.

호미(狐媚) coquetería *f*, coqueteo *m.* ~하다 coquetear.

호미자락 parte *f* de la punta de la hoja de azada.

호민(豪民) pueblo *m* abundante y influyente.

호밀(胡-) ① 【식물】 centeno *m.* ② [곡물] centeno *m.*

호박 【식물】 calabaza *f*, calabacera *f*, [작은] calabacín *m* (*pl* calabacines). ~ 같은 여자(女子) mujer *f* fea.

◆호박에 말뚝 박기 ㉮ [심술궂고 잔혹한 짓] conducta *f* malhumorada y cruel. ㉯ =호박에 침 주기. 호박에 침 주기 ㉮ [아무 반응이 없음] No hay ningún efecto. ㉯ [아주 쉬운 일] cosa *f* muy fácil, cosa *f* facilísima.

■호박이 굴렀다 ((속담)) Le cayó como llovido del cielo. 호박이 넝쿨째 굴러떨어졌다 ((속담)) =호박이 굴렀다. 호박 잎에 청개구리 뛰어오르듯 ((속담)) El inferior se porta groseramente al superior.

■~고지 rodaja *f* secada de la calabaza joven. ~김치 *kimchi* de calabaza. ~김치찌개 sopa *f* de *kimchi* de calabaza. ~꽃 ㉮ 【식물】 flor *f* de calabaza. ㉯ [아름답지 못한 여자] mujer *f* fea. ~떡 *hobakteok*, pan *m* coreano de calabazas. ~밭 calabazar *m*, plantío *m* de calabazas.. ~씨 semilla *f* de calabazas. ~엿 calabazate *m*, caramelo *m* de calabaza confitada, melcocha *f* de calabaza. ~ 요리 calabacinate *m*, guisado *m* de calabacines. ~전(煎) tortilla *f* de calabazas. ~죽(粥) gachas *fpl* de calabazas. ~지짐이 tortilla *f* de calabacines.

호박(琥珀) 【광물】 ámbar *m*.
◆인조(人造) ~ ámbar *m* artificial.
■~ 박물관 el Museo de Ambar. ~산(酸) 【화학】 ((구칭)) =숙신산. ~색(色) (color *m* de) ámbar *m*. ~유(油) aceite *m* de ámbar.

호박개 perro *m* peludo y fuerte.

호박단(琥珀緞) tafetán *m* (*pl* tafetanes).

호박벌 【곤충】 abeja *f* carpintero.

호박하다(浩博－) (ser) grande y ancho.

호반(虎班) 【역사】 nobleza *f* militar.

호반(湖畔) orilla *f* del lago, borde *m* del lago. ~의, ~에서 a la orilla del lago. ~의 별장(別莊) villa *f* a la orilla del lago.
■~ 도시 ciudad *f* a la orilla del lago.

호반새 【조류】 martín *m* pescador.

호발(毫髮) ① [자디잔 털] pelo *m* muy fino. ② [아주 잔 물건] artículo *m* finísimo.
■~부동(不動) el no movimiento. ¶~이다 No mueve ni un poco.

호방하다(豪放－) (ser) generoso y audaz.

호배추(胡－) berza *f*, col *f*.

호번하다(浩繁－) (ser) ancho, grande y próspero.

호법(護法) ① [법을 수호함] defensa *f* de la constitución. ~하다 defender la constitución. ② ((불교)) defensa *f* del budismo. ~하다 defender el budismo.

호변(好辯) elocencia *f*, oratoria *f*.
■~가(家) orador, -dora *mf* elocuente.

호변(虎變) hermosura *f*, belleza *f*.

호별(戶別) todas las casas, casa por casa, a cada casa. ~의 puerta a puerta. ~로 de casa en casa, casa por casa, de puerta en puerta.
■~ 방문 visita *f* de puerta a puerta, visita *f* de casa en casa. ¶~하다 hacer una visita puerta a puerta, visitar de casa en casa. ~세(稅) impuesto *m* de la casa. ~ 조사 investigación *f* de casa en casa, investigación *f* de puerta a puerta. ~ 판매 venta *f* a domicilio, venta *f* de casa en casa.

호병(虎兵) soldado *m* muy intrépido.

호복(胡服) ropa *f* china, traje *m* chino.

호복(胡福) gran felicidad *f*.

호봉(胡蜂) 【곤충】 =말벌.

호봉(號俸) escala *f* de salario, escala *f* de sueldos.

호부(好否) bueno y/o malo, gusto y/o disgusto. ~가 심하다 tener fuertes gustos y aversiones. 누구나 ~가 있다 Todo el mundo tiene sus gustos y aversiones. 그는 음식물에 ~가 없다 El no es caprichoso en materia de comida.

호부(豪富) rico, -ca *mf* influente; millonario, -ria *mf*, persona *f* rica.

호불호(好不好) =호부(好否).

호비다 ① [구멍이나 틈 속을 긁어 파내다] cavar, excavar, limpiar. 귓속을 ~ limpiar los oídos. ② [일의 내막을 깊이 파다] inquirir el hecho confidencial.

호비칼 gubia *f*, buriladora *f*.

호사(好事) buena ocasión *f*, evento *m* feliz.
■~가(家) curioso, -sa *mf*; [애호가] aficionado, -da *mf*; diletante *mf*. ~다마(多魔) El bien nunca viene solo / A la luz sigue, generalmente, la sombra / Del plato a la boca se enfría la sopa.

호사(豪士) persona *f* generosa y audaz.

호사(豪奢) lujo *m*, extravagancia *f*, suntuosidad *f*.
호사스럽다 (ser) lujoso, suntuoso, magnífico, fastuoso. 호사스러운 생활을 하다 vivir con mucho lujo, vivir como un sultán [un rey · un rajá], sostener un tren de vida, darse [llevarse] la gran vida, vivir de (las) rentas, llevar una vida fastuosa.
호사스레 lujosamente, suntuosamente, fastuosamente, con lujo.
■~바치 persona *f* bien adornada con hijo.

호산나(라 *hosanna*) ((기독교)) ((성경)) hosanna *f*, gloria *f*. 앞에서 가고 뒤에서 따르는 자들이 소리지르되 ~ 찬송하리로다 주의 이름으로 오시는 이여 찬송하리로다 오는 우리 조상 다윗의 나라여 가장 높은 곳에서 ~ 하더라 ((마가복음 11:9-10)) Los que iban delante y los que venían detrás daban voces, diciendo: ¡Hosanna! ¡Bendito el que viene en el nombre del Señor! ¡Bendito el reino de nuestro padre David que viene! ¡Hosanna en las alturas! / Tanto los que iban delante como los que iban detrás, gritaban: ¡Gloria! ¡Bendito el que viene en el nombre del Señor! ¡Bendito el reino que viene, el reino de nuestro padre David! ¡Gloria en las alturas!

호상(互相) =상호(相互).
■~ 감응 =상호 유도. ~ 연결 unión *f* mutua. ~ 연락 comunicación *f* mutua. ~왕래 ida *f* y vuelta mutuas. ~ 입장(入葬) entierro *m* de los parientes en la misma tumba.

호상(好喪) luto *m* favorable.

호상(湖上) sobre el lago.
■~ 가옥 vivienda *f* sobre el lago. ~ 생활 vida *f* sobre el lago. ~ 생활자 persona *f* que vive sobre el lago, habitantes *mpl* sobre el lago.

호상(豪商) comerciante *m* rico, comerciante *f* rica; negociante *m* rico, negociante *f* rica.

호상(護喪) ① [초상 일을 주장하여 보살핌] el hacerse cargo de los funerales. ~하다 hacerse cargo de los funerales, entregarse de los funerales. ② ((준말)) =호상차지.
■~소 oficina *f* del director funeral. ~차지(次知) director *m* funeral, persona *f* de hacerse cargo de los funerales.

호상하다(豪爽－) (ser) magnánimo y brioso.
호색(好色) sensualidad *f*, lasciva *f*, lujuria *f*, lubricidad *f*, voluptuosidad *f*, libertinaje *m*, erotismo *m*, salacidad *f*. ～하다 ser aficionado al sexo, aficionarse al sexo, entregarse a la lujuria, (ser) sensual, lujurioso, lascivo, lúbrico, voluptuoso, salaz, licencioso, verde. ～적인 이야기 cuento *m* verde. ～적인 노인 tío *m* [viejo *m*] verde [sátiro・libertino]. 그는 ～ 근성을 드러냈지만 실패했다 El quiso explotar las circunstancias [El puso en juego su impudencia], pero le fracasó el plan.
■ ～가(家) Don Juan, tenorio *m*, libidinoso *m*, sátiro *m*, coquetón *m* (*pl* coquetones), hombre *m* sensual [lascivo・lujurioso・lúbrico]. ～꾼 ＝호색가. 호색한. 색골. ～문학 literatura *f* pornográfica, literatura *f* erótica, pornografía *f*. ～ 소설 novela *f* erótica. ～ 소성(素性) cromatofilia *f*. ～증 erotomanía *f*. ～한 ＝호색가(好色家).
호생(互生) 【식물】 ＝어긋나기.
■ ～엽(葉) hojas *fpl* alternas.
호선(互先) ＝맞바둑.
호선(互選) elección *f* mutua, elección *f* recíproca, voto *m* alternativo. ～하다 elegir entre *sí*. 우리들은 의장을 ～했다 Elegimos al presidente entre nosotros.
■ ～ 의원 miembro *m* elegido [miembro *f* elegida] por el voto alternativo. ～ 자격 calificación *f* por el voto alternativo. ～ 투표 voto *m* alternativo.
호선(弧線) arco *m*.
호설(胡說) palabra *f* a diestro y siniestro.
호세(豪勢) influencia *f* fuerte.
호세아서(Hosea 書) ((성경)) Oseas.
호소(呼訴) apelación *f*, ruego *m*, súplica *f*; [불평・고통 따위의] queja *f*. ～하다 apelar (a), recurrir (a), acudir (a), rogar, suplicar, quejar (de), dar quejas (de). 법(法)에 ～하다 entablar acción judicial. 시각(視覺)에 ～하다 apelar a la vista. 양심에 ～하다 apelar al buen sentido. 마음의 고뇌를 신부(神父)에게 ～하다 acudir al sacerdote con penas internas. 이 광고는 사람들에게 ～력이 부족하다 Este anuncio no llama la atención del público. 나는 의사에게 두통을 ～했다 Me quejé al médico que me dolía la cabeza / Me quejé al médico que tenía dolor de cabeza.
호소(湖沼) el lago y la laguna.
호송(互送) envío *m* mutuo. ～하다 enviar [mandar] mutuamente [uno de otro, uno a otro].
호송(護送) escolta *f*, convoy *m*. ～하다 escoltar, convoyar, conducir bajo guarda, llevar, conducir. 경찰의 ～으로 escoltado por la policía, con escolta policial. 해군의 ～ 아래 escoltado por la armada. 죄수를 ～하다 escoltar a un prisionero.
◆ 무장(武裝) ～ escolta *f* armada.
■ ～선(船) buque *m* escolta, barco *m* de escolta. ～ 업무 servicio *m* de escolta. ～원 escolta *f*. ～차 coche *m* escolta.
호수(戶數) número *m* de casas.
호수(好手) habilidad *f* sobresaliente; [사람] persona *f* con la habilidad sobresaliente.
호수(好守) buena defensa *f*.
호수(湖水) lago *m*. 호숫가에 a orillas del lago. 호숫가에 있는 호텔 hotel *m* a orillas del lago.
호수(號數) número *m*.
◆ 집～ número *m* de una casa.
호스(영 *hose*) manguera *f*, manga *f*, manguito *m*. 소방(消防) ～ manguera *f* contra incendios.
호스텔(영 *hostel*) residencia *f*, albergue *m*, hotel *m*, parador *m*.
호스트(영 *host*) [주인 (노릇)] anfitrión *m* (*pl* anfitrones), huésped *m*; [여인숙의] hostelero *m*, mesonero *m*.
호스티스(영 *hostess*) ① [여주인] anfitriona *f*, huéspeda *f*; [여인숙의] hostelera *f*, mesonera *f*. ② [여급・접대부] [나이트클럽의] cabaretera *f*, chica *f* de alterne, *AmS* copera *f*; [바 따위의] camarera *f*, chica *f*. ③ [스튜어디스] azafata *f*.
호승지벽(好勝之癖) espíritu *m* competitivo.
호시기(好時機) ＝호기(好機).
호시절(好時節) buena estación *f*, estación *f* favorable.
호시탐탐(虎視眈眈) ¶～하다 fulminar con la mirada. ～ 노리다 acechar, estar al acecho (de).
호신(護身) defensa *f* propia, protección *f* de *sí* mismo. ～하다 defenderse.
■ ～도(刀) espada *f* para *su* propia protección. ～법 manera *f* de defensa propia. ～부(符) ((불교)) amuleto *m*, talismán *m*. ～불(佛) ((불교)) Buda *m* para *su* propia protección. ～술(術) arte *m* de defensa (propia). ～용 uso *m* de la defensa propia; [부사적] para la defensa propia.
호심(湖心) centro *m* del lago.
호심경(護心鏡) peto *m*.
호악(胡樂) música *f* china.
호안(好顔) cara *f* feliz.
호안(護岸) dique *m* de protección, protección *f* de la orilla [de la costa].
■ ～ 공사 construcción *f* de un dique de protección; [하안(河岸)의] obras *fpl* de protecciónde la orilla; [해안(海岸)의] obras *fpl* de protección de la costa.
호안석(虎眼石) ojo *m* de tigre.
호양(互讓) concesiones *fpl* mutuas, compromiso *m*. ～하다 hacerse concesiones mutuas [recíprocas]. 노사(勞使)는 ～을 보였다 La dirección y el sindicato se mostraron dispuestos a hacerse concesiones mutuas.
■ ～ 정신 espíritu *m* conciliador. ¶～으로 con espíritu conciliador.
호언(好言) amable palabra *f*, buena palabra *f*.
호언(豪言) jactancia *f*, expresión *f* de ostentación, vanagloria *f*, bravata *f*. ～하다 jactarse (de), vanagloriarse, alabarse, declararse capaz (de), declarar jactanciosamente

(que + *ind*).

■ ~장담(壯談) fanfarronada *f*, fanfarronería *f*, jactancia *f*, hipérbole *m*. ¶~하다 fanfarronear, jactarse, decir fanfarronadas, echar fanfarronadas, jactarse vanamente (de), proferrir jactancias [fanfarronadas · arrogancias · impertinencias], darse importancia, darse bombo.

호역(戶疫) =천연두(天然痘).

호역(虎疫) 【의학】 =콜레라(cólera).

호연(好演) función *f* excelente, buena función *f*, buena representación *f*. ~하다 funcionar excelentemente

호연지기(浩然之氣) ① [하늘과 땅 사이에 넘치게 가득 찬, 넓고도 큰 원기(元氣)] ánimo *m* ancho y grande lleno del cielo y la tierra. ② [도의에 뿌리를 박고 공명정대하여 조금도 부끄러울 바 없는 도덕적 용기] valor *m* moral, gran moral *f*. ③ =호기(浩氣).

호연하다(浩然-) (ser) grande y ancho, vasto, magnánimo.

호열자(虎列刺) 【의학】 =콜레라(cólera).

호오(好惡) gusto y/o disgusto. ~의 감정(感情) sentimiento *m* de gusto y disgusto. ~를 무척 가리다 (ser) muy parcial.

호외(戶外) aire *m* libre. ~의 al aire libre. ~에(서) fuera de la casa, al aire libre; [노천에서] al raso, a cielo descubierto, a la intemperie. ~에 나가다 salir de casa, salir fuera. ~에서 놀다 jugar al aire libre. ~에서 밤을 새우다 dormir al raso.

■ ~ 경기(景氣) juegos *mpl* al aire libre. ~ 생활 vida *f* al aire libre.

호외(號外) extra *m*, número *m* extra. ~요, ~! 최신 뉴스입니다! ¡Extra, extra! ¡Ultimas noticias!

호우(好雨) lluvia *f* oportuna.

호우(豪雨) lluvia *f* torrencial, lluvia *f* fuerte; [단시간(短時間)의] chaparrón *m*, aguacero *m*, chubasco *m*, turbión *m*. ~가 내린다 Llueve torrencial [mucho · fuertemente · a cántaros · a mares].

◆ 집중 ~ aguacero *m* [caparrón *m*] local.

■ ~ 경보 alarma *f* de la lluvia torrencial. ~ 주의보 aviso *m* de la lluvia torrencial.

호운(好運) buena suerte *f*, buena fortuna *f*.

호위(護衛) ① [행위] escolta *f*, guardia *f*, convoy *m*. ~하다 escoltar, convoyar, guardar. ~의 de escolta. 경찰의 ~ 아래 escoltado por la policía, con escolta policial. 해군의 ~ 아래 escoltado por la armada. ② [사람] escolta *mf*; guardia *mf*; guarda *mf*; guardaespaldas *mf*.

◆ 무장(武裝) ~ escolta *f* armada.

■ ~대 guardia *f*, escolta *f*. ~병 soldado *m* de escolta. ~선(船) barco *m* de escolta, buque *m* (de) escolta. ~ 함대 escolta *f*, buque *m* (de) escolta.

호유(豪遊) juerga *f* extravagante, festejos *mpl* extravagantes, orgía *f*. ~하다 divertirse lujosamente [con derroche], estar de juerga, estar de jarana, tener la juerga extravagante.

호음(豪飮) borrachera *f*, juerga *f*, jarana *f*, parranda *f*. ~하다 estar de juerga, estar de jarana, jaranear, beber excesivamente, embriagarse.

호읍(號泣) gemido *m*, lamento *m*, lamentación *f*, quejido *m*. ~하다 gemir, lamentarse, quejarse, llorar, llorar a gritos, llorar a grito pelado.

호응(呼應) ① [부름에 따라 대답함] salutación *f*, saludo *m*. ~하다 llamar, saludar. ② [서로의 기맥이 통함] respuesta *f*, unísono *m*. ~하다 responder (a), obrar de forma conjunta, obrar al unísono. …와 ~해서 respondiendo a *uno*. ③ [위의 어떤 말이 있을 때, 아래에 이어 응하는 말이 따르는 일] concordancia *f*, secuencia *f*. 시제의 ~ la concordancia de los tiempos verbales.

호의(好衣) buena ropa *f*, buen traje *m*, buen vestido *m*.

■ ~호식 vida *f* de lujo. ¶~하다 vivir a lo grande, darse la gran vida, comer bien y ir*le* bien, vivir lujosamente.

호의(好意) buena intención *f*, buena voluntad *f*; [우의(友誼)] amistad *f*; [친절(親切)] amabilidad *f*, bondad *f*, benevolencia *f*, favor *m*; [동정] simpatía *f*. ~로 con buena intención, con toda buena voluntad, con todo *su* afecto. …의 ~로 gracias a *uno*, merced a *uno*, a favor de *uno*. …에게 ~를 가지다 tener simpatía con [hacia] *uno*, sentir simpatía por *uno*, tener buen concepto de *uno*, tener buena opinión de *uno*. 귀하의 ~에 감사드립니다 Le agradezco su amabilidad / Gracias por su amabilidad / (Muchas) Gracias a su favor.

■ ~적(的) simpático, amable, favorable, benévolo, bondadoso, íntimo. ¶~으로 con buena intención, amablemente, favorablemente, íntimamente, bondadosamente, benévolamente. ~(인 눈)으로 보다 ver con luz favorable, mirar con ojos (favorables). 여론은 그에게 ~이다 La opinión pública está a su favor / Tiene a su favor al público. 아무리 ~(인 눈)으로 보아도 그가 나쁘다 Por más que lo mire con buenos ojos, él tiene la culpa. ~적 중립(的中立) neutralidad *f* favorable.

호의(好誼) buena amistad *f*, amistad *f* íntima.

호인(好人) buena gente *f*, buena persona *f*, buen hombre *m*; bonachón (*pl* bonachones), -chona *mf*; buen tipo *m*, el alma *f* (*pl* las almas) de Dios; hombre *m* afable, hombre *m* amable, mujer *f* afable, mujer *f* amable; buen chico *m*, buen muchacho *m*, buena chica *f*, buena muchacha *f*; persona *f* de buen genio. 그는 ~이다 El es un bonachón / El es (una) pastaflora / El tiene un corazón blando / El es mejor que el pan / El se cae de bueno.

호인(胡人) ① [만주 사람] manchú, -chúa *mf*. ② [야만인] bárbaro, -ra *mf*. ③ [외국인]

extranjero, -ra *mf.*
호장하다(豪壯－) ① [호화롭고 장쾌(壯快)하다] (ser) grandioso, suntuoso, magnífico, lleno de esplendor, espléndido. 호장함 grandiosidad *f,* suntuosidad *f.* 호장한 저택 mansión *f,* residencia *f* grandiosa, residencia *f* suntuosa. ② [세력(勢力)이 강하고 왕성하다] (ser) vigoroso, enérgico.
호재(好材) ((준말)) ＝호재료(好材料).
호재료(好材料) ① [좋은 재료] buen material *m.* ② [시세를 등귀시키는 원인이 되는 조건] factor *m* de carácter favorable.
호저(豪豬) 【동물】 puercoespín *m.*
호적(戶籍) registro *m* civil, (registro *m* de) censo *m,* (actas *fpl* del) estado *m* civil, empadronamiento *m.* ～에 싣다 entrar en un registro de censo. ～을 조사하다 averiguar un registro de censo.
■～ 담당 공무원 funcionario *m* encargado [funcionaria *f* encargada] de llevar los registros de nacimientos, defunciones, etc. ～ 등본 copia *f* de las actas del estado civil, copia *f* del registro civil. ¶～을 떼다 obtener una copia de las actas del estado civil, obtener una copia del registro civil. ～법 ley *f* de registro civil, ley *f* de registro de familia. ～부(簿) registro *m* civil, registro *m* de censo. ～ 수수료 matrícula *f* (del registro civil). ～ 증명서 certificado *m* del registro civil. ～ 초본 extracto *m* de las actas del estado civil, extracto *m* del registro civil.
호적(胡笛) 【악기】 una especie de la clarinete. ■～수(手) clarinetista *mf,* clarinete *mf.*
호적(號笛) ① ＝사이렌(sirena). ② [신호로 부는 피리] flauta *f* para la señal.
호적수(好敵手) buen adversario *m,* buena adversaria *f,* rival *mf,* buen competidor, buena competidora *f,* buen rival *m,* buena rival *f,* adversario *m* merecedor, adversaria *f* merecedora. ～를 만나다 encontrar con un buen competidor.
호적하다(好適－) (ser) conveniente, apropiado, adecuado, cómodo, ajustado, confortable; [이상적] ideal. 호적한 장소(場所) lugar *m* ideal, lugar *m* confortable. 이 책은 서반아어를 배우기에 ～ Este libro es muy apropiado [recomendable] para el estudio del español. 오늘은 산책하기에 호적한 날이다 Hoy es el día ideal para dar un paseo.
호전(好戰) belicosidad *f,* belicismo *m,* militarismo *m.*
■～국 país *m* belicoso. ～성 belicosidad *f.* ～적 bélico, belicoso, belicista, guerrrero, de guerra.
호전(好轉) mejoría *f,* mejora *f,* mejoramiento *m,* ocasión *f* favorable, giro *m* favorable. ～하다 mejorarse, ponerse mejor, tomar buen cariz [sesgo]. 상태(狀態)가 ～되어 안심하다 librarse de la inquietud, dar un respiro de alivio, sentirse aliviado. 경기가 ～되었다 Los negocios se han mejorado. 경기(景氣)는 ～되고 있다 Los negocios presentan buenas perspectivas / La economía está mejorando / La economía se recobra.
호접(胡蝶) mariposa *f.*
호젓하다 (ser) tranquilo [silencioso · desierto] y solitario; [외지다] (ser) apartado, aislado. 호젓한 거리 calle *f* desierta y solitaria. 호젓한 길 camino *m* solitario. 호젓한 모임 reunión *f* poco concurrida. 이곳은 밤이 되면 ～ Este lugar se queda solitario por la noche.
호젓이 traquila y solitariamente, aisladamente.
호정(戶庭) patio *m* (interior de la casa).
■～출입 movimiento m solamente en el patio. ¶～하다 mover solamente en el patio.
호조(戶曹) 【고제도】 el Ministerio de Finanzas. ■～ 판서 ministro *m* de Finanzas.
호조(好調) buen estado *m,* buena condición *f,* marcha *f* feliz; [스포츠에서] buena forma *f.* ～이다 estar en buen estado, marchar bien; [신체가] ir [andar · estar] bien de salud. 내 몸은 ～이다 Ando bien la salud / Mi salud anda bien. 만사가 ～ Todo va [marcha] bien. 기계는 ～로 움직인다 La máquina funciona [trabaja] bien.
호조건(好條件) buena condición *f.*
호족(豪族) familia *f* poderosa, clan *m* poderoso.
호졸근하다 ① [종이나 피륙 같은 것이 약간 젖어서 풀기가 없어져 보기 흉하게 늘어지다] mojarse. ② [몸이 고단하여 축 늘어지듯 힘이 없다] sentirse cansado y sin fuerzas, desfallecer con fatiga, estar cansado.
호졸근히 mojándose hasta los huesos; con cansancio, con fatiga.
호종(胡種) origen *m* manchú.
호종하다(豪縱－) ＝호방(豪放)하다.
호주(戶主) cabeza *f* de familia, jefe *m* de familia.
■～권(權) derecho *m* de nacimiento, primogenitura *f* ～ 상속 sucesión *f* de cabeza de familia. ～ 상속권 derecho *m* de sucesión de cabeza de familia. ～ 상속인 heredero, -ra *mf.* ～ 승계 sucesión *f* de la cabeza de familia.
호주(好酒) amor *m* de licor. ～하다 ser aficionado al licor, gustar*le* beber.
호주(豪酒) acción f de mucha bebida. ～하다 beber mucho.
■～가(家)[객(客)] (gran) bebedor *m,* (gran) bebedora *f,* borracho, -cha *mf.*
호주(濠洲) 【지명】 Australia *f.* ～의 australiano.
■～ 사람[인] australiano, -na *mf.* ～ 연방(聯邦) Commenwealth de Australia.
호주머니 bolsillo *m.* ～에 손을 집어넣고 con las manos (metidas) en los bolsillos. ～에 넣다 meter(se) [poner · guardarse] en el bolsillo. ～에서 꺼내다 sacar del bolsillo. ～가 두툼하다 estar rico, tener bolsillo

caliente [lleno · pesado]. ~가 비었다 estar pobre, tener el bolsillo frío. 나는 오늘 ~가 비었다 Estoy sin blanca hoy. 그는 ~에 편지를 넣었다 El se metió [se guardó] en el bolsillo. 그는 동전을 한 ~ 가득 넣고 돌아왔다 El volvió con los bolsillos llenos de monedas.

◆뒷~ bolsillo *m* de atrás, *Méj* bolsa *f* de atrás. 앞~ bolsillo *m* delantero. 윗~ bolsillo *m* superior.

▪~ 사정(事情) posición *f* financiera, circunstancia *f* financiera.

호지(胡地) tierra *f* salvaje, Manchuria.

호초(胡椒) ① 【식물】 =후추. ② [후추의 껍질] cáscara *f* de pimienta.

호출(呼出) ① [불러냄] llamada *f*, llamada *f* al teléfono. ~하다 llamar, llamar al teléfono. ② ((속어)) =소환(召喚). ③【컴퓨터】acceso *m*. ~하다 obtener acceso (a).

▪~ 부호 indicativo *m*. ~ 시간【컴퓨터】tiempo *m* de acceso. ~장 ㉮ [호출하기 위해 낸 문서] citación *f*, [출두 명령(出頭命令)] comparendo *m*, orden *f* de comparecer. ㉯ ((구용어)) =소환장(召喚狀).

호치(皓齒) diente *m* blanca y limpia.

호치키스(영 *Hotchkiss*) ① [박음쇠] grapadora *f*, *AmL* engrapadora *f*, *Chi* corchetera *f*. ~로 박다 grapar, *AmL* engrapar, *Chi* corchetear. ② ((상표명)) Hotchkiss.

호칭(互稱) denominación *f* mutua. ~하다 denominar uno de otro.

호칭(呼稱) nombre *m*, nombramiento *m*, título *m*, designación *f*. ~하다 nombrar, llamar, designar.

호콩(胡—)【식물】=땅콩.

호쾌하다(豪快—) (ser) animoso, fascinante, heroico, magnánimo, dadivoso, desprendido. 호쾌한 숏 tiro *m* espléndido. 호쾌한 인물(人物) hombre *m* magnánimo, hombre *m* animoso y abierto.

호크(네 *hock*) ① [옷의 여미는 곳을 채울 때 단추처럼 쓰는 갈고리 모양의 물건] corchete *m*, ganchito *m*; [패인 쪽] corcheta *f*, corchete *f* hembra. 암수 ~ corchetes *mpl* (macho y hembra). 바지의 ~를 채우다 fijarse [sujetarse · abrocharse] el pantalón con corchetes. 바지의 ~를 풀다 soltarse [desabrochar] el corchete del pantalón. ~가 채워지지 않는다 Los corchetes n se abrochan. ② =똑딱단추.

호탕하다(浩蕩—) ((준말)) =호호탕탕하다.

호탕하다(豪宕—) (ser) magnánimo.

호텔(영 *hotel*) hotel *m*. ~의 hotelero. 고급 ~ hotel *m* lujoso, hotel *m* de lujo. 싼 ~ hotel *m* económico. ~에 묵다 alojarse [parar] en un hotel. ~에 방을 예약하다 reservar una habitación [una pieza] en un hotel. ~을 경영하다 mantener [administrar] un hotel. 서울에서 제일 좋은 ~에서 묵다 alojarse en el mejor hotel de Seúl. ~은 어디에 있습니까? ¿Dónde hay un hotel? 싼 ~은 어디쯤에 있습니까? ¿Dónde hay un hotel económico? 이 근처에는 ~이 하나도 없다 No hay ni un hotel por aquí.

▪~ 경영자(經營者) hotelero, -ra *mf*. ~대장 registro *m* de hotel. ~ 매니저 hotelero, -ra *mf*. ~ 산업(産業) industria *f* hotelera. ~ 소유주 propietario, -ria *mf* de hotel. ~ 숙박 alojamiento *m* hotelero. ~ 숙박 시설 alojamiento *m* hotelero. ~업 industria *f* hotelera, hotelería *f*. ~ 업무 trabajo *m* de hotelería, trabajo *m* en la industria hotelera. ~업자 hotelero, -ra *mf*. ~학 hotelería *f*.

호통 rabia *f*, ira *f*, cólera *f*, enfado *m*, enojo *m*, furor *m*, arrebato *m* de cólera.

◆호통(을) 치다 rabiar, enfadarse, enojarse, enfurecerse, encolerizarse, reñir, bramar, gritar de ira, regañar, reprender, expresar *su* furia, rabiar, protestar furiosamente (contra). 호통을 치며 들어가다 ir a montar un escándalo (a *un sitio*), entrar lleno de furia (en *un sitio*), entrar bramando (en *un sitio*).

▪~바람 grito *m*, chillido *m*.

호투(好投) lanzamiento *m* perfecto. ~하다 lanzar bien.

호패(號牌)【고제도】etiqueta *f* de identidad.

호평(好評) crítica *f* favorable, comentario *m* favorable, acogida *f* [aceptación *f*] pública favorable; [인기] reputación *f*, popularidad *f*. ~을 받다 recibir una crítica [un comentario · una acogida] favorable, tener mucha aceptación, ganar popularidad.

호포(號砲) cañonazo *m* de señal. ~를 쏘다 disparar un cañonazo de señal.

호풍(胡風) ① [호인(胡人)의 풍속(風俗)] costumbre *f* manchúa. ② [북풍(北風)] viento *m* norte.

호프(영 *hope*) ① [희망] esperanza *f*. ② [기대되는 사람이나 물건] esperanza *f*. 영화계의 ~ esperanza *f* del mundo del cine.

호피(虎皮) piel *f* del tigre.

▪~ 방석 almohadón *m* de piel del tigre.

호학(好學) amor *m* de los estudios, ansia *f* intelectual. ~하다 ser aficionado a los estudios.

▪~지사 persona *f* amante de los estudios.

호한(好漢) hombre *m* caballeresco, hombre *m* amable, buen hombre *m*.

호한하다(浩汗—) (ser) exenso sin límite.

호한히 extensamente.

호한하다(浩瀚—) (ser) voluminoso, abultado, extenso.

호한히 voluminosamente, extensamente.

호한하다(豪悍—) ① =호한(浩汗)하다. ② [책 따위가 한없이 많다] (ser) numeroso sin límite.

호한히 extensamente, numerosamente.

호항(湖港) puerto *m* a la orilla del lago.

호헌(護憲) defensa *f* de la constitución.

▪~ 운동(運動) campaña *f* para la defensa de la constitución, movimiento *m* defensor de la constitución nacional.

호혈(虎穴) guarida *f* del tigre. ☞범굴. 호랑이

굴

호협하다(豪俠-) (ser) caballeroso, cortés, galante, bizarro, gallardo, aguerrido, valiente, arrojado.

호형(弧形) arco *m*; [곡선] curva *f*. ~을 그리며 날다 volar describiendo [trazando] un arco.

호형호제(呼兄呼弟) amistad *f* cercana. ~하다 ser buenos amigos, ser íntimo uno de otro, llamarse hermano el uno del otro.

호혜(互惠) reciprocidad *f*, beneficios *mpl* mutuos. ~의 recíproco.

■~ 과세 협정 acuerdo *m* de imposición recíproca. ~ 관세 derechos *mpl* aduanales recíprocos. ~ 관세율 tarifa *f* recíproca. ~ 무역 comercio *m* recíproco, negocio *m* recíproco. ~ 무역 협정 acuerdo *m* de comercio recíproco. ~ 조약(條約) pacto *m* recíproco, tratado *m* recíproco. ~주의 reciprocidad *f*, principio *m* de reciprocidad. ~ 통상 comercio *m* recíproco. ~ 통상 계획 programa *m* recíproco de comercio. ~ 협정 acuerdo *m* recíproco.

호호[1] [입을 오므려 간드러지게 웃는 모양. 또, 그 소리] ¡Ajajá! ~ 웃다 sonreír, reírse tontamente.

호호거리다 seguir [continuar] sonriendo, seguir riéndose tontamente.

호호[2] [입을 오므리고 입김을 연해 불어 내는 소리] soplando. ~ 불다 soplar.

호호거리다 seguir [continuar] soplando.

호호(戶戶) todas las casas, cada casa. ~에 a cada casa, de casa en casa, a cada puerta, de puerta en puerta.

호호(皓皓) brillante y claramente. ~하다 (ser) brillante y claro.

호호막막하다(浩浩漠漠-) (ser) vasto, espacioso, extenso.

호호백발(皜皜白髮) pelo *m* cano, pelo *m* canoso.

호호탕탕하다(浩浩蕩蕩-) (ser) infinito, sin límites, inmenso, enorme.

호화롭다(豪華-) (ser) espléndido, magnífico, lleno de esplendor, de lujo, lujoso, pomposo, pedante, presuntuoso, precioso, divino, maravilloso, suntuoso, palaciego, aparatoso, fastoso. 호화로움 pompa *f*, lujo *m*, suntuosidad *f*, magnificencia *f*, fausto *m*, fastuosidad *f*. 호화로운 저택(邸宅) mansión *f* palaciega. 호화로운 옷을 입고 있다 estar lujosamente [suntuosamente・fastuosamente] vestido.

호화로이 espléndidamente, magníficamente, con gran esplendor, lujosamente, en clase de lujo, pomposamente, maravillosamente, suntuosamente, fastuosamente, con suntuosidad, con fastuosidad, a cuerpo de rey. 마구 ~ 지내다 darse la gran vida, vivir en grande, vivir a lo grande.

호화본(豪華本) libro *m* lujosamente encuadernado.

호화스럽다(豪華-) =호화롭다.

호화 저택(豪華邸宅) mansión *f* placiega.

호화 제본(豪華製本) encuadernación *f* lujosa [de lujo].

호화찬란하다(豪華燦爛-) (ser) espléndido, magnífico, suntuoso, precioso, divino, hermosísimo, bellísimo. 호화찬란함 esplendor *m*, magnificencia *f*, hermosura *f*, belleza *f*. 호화찬란하군요 ¡Qué preciosa! / ¡Qué espléndido! / ¡Qué suntuoso!

호화판(豪華版) edición *f* de lujo.

호환(虎患) desastre *m* causado por tigres.

호황(好況) prosperidad *f* (económica), gran prosperidad *f*, bonanza *f*, buena marcha *f* [mucha actividad *f*] en los negocios, mercado *m* activo, condición *f* próspera, negocios *mpl* favorecientos, auge *m*, boom *ing.m.* ~의 próspero; [활발한] activo. ~의 최절정기 época *f* de suprema prosperidad. ~의 해 año *m* de gran prosperidad. 20세기의 ~ el boom económico de los años 20. 경제 ~ 시대 período *m* de auge, período *m* de boom económico. 제철업계의 ~ auge *m* siderúrgico. 집값의 ~ el boom en el precios de la vivienda. ~이다 tener mucha actividad, gozar de prosperidad, estar en estado próspero, ir viento en popa, ser próspero, ser activo, ser favorable. ~이 다가오다 encaminarse hacia la prosperidad, tomar un buen cariz [sesgo]. 시장(市場)이 ~을 이루고 있다 El mercado está mejorando.

■~ 산업(産業) industria *f* en auge. ~ 시대(時代) tiempo *m* de bonanza.

호흡(呼吸) ① [숨] respiración *f*, respiro *m*, aliento *m*. ~하다 respirar, alentar. ~의 respirante, respiratorio, respirador. ~할 수 있는 respirable. ~이 가쁘다 jadear. 그는 ~이 곤란했다 Se le puso [Se le hizo] penosa [difícil] la respiración. 강하게 ~해 주십시오 Respire usted fuerte. ② [두 사람 이상이 일을 함께 할 때의 장단] tono *m*, ritmo *m*, pareja *f* estupenda, coordinación *f* admirable. 두 사람은 ~이 맞는다 Los dos constituyen una pareja estupenda / Los dos se coordinan admirablemente.

◆무(無)~ apnea *f*. 복식(腹式) ~ respiración *f* abdominal. 심(深)~ respiración *f* profunda. 인공(人工) ~ respiración *f* artificial.

■~계(計) respirómetro *m*. ~ 곡선(曲線) espirograma *m*. ~ 곤란 dificultad *f* de la respiración; 【의학】 disnea *f*. ~ 곤란증(困難症) disnea *f*. ~공(孔) atrioporo *m*. ~관 canal *m* respiratorio. ~관근 =호흡관 근육. ~관 근육 músculo *m* del canal respiratorio. ~근[1] 【식물】 raíz *f* respiratoria. ~근[2] 【해부】 músculo *m* respirador. ~기(器) 【해부】 aparato *m* respiratorio, órgano *m* respiratorio. ~기 계통 sistema *m* respiratorio. ~ 기관 órgano *m* respiratorio. ~ 기능 función *f* respiratoria. ~ 기록기 anapnógrafo *m*. ~기병 enfermedad *f* del órgano respiratorio, enfermedad *f* respiratoria. ~기 질환(器疾患) problemas *mpl* respiratorios. ¶~을 앓다 tener problemas respiratorios. ~기학 neumología *f.* ~기 합포체 바이러스 virus *m* sincitial respiratorio. ~ 능력 측정법 neumoscopia *f.* ~ 단절 anaerosis *f.* ~력 capacidad *f* aspirante. ~ 묘사기 espirógrafo *m.* ~ 빈번 polipnea *f.* ~상(商) cociente *m* respiratorio. ~ 색소(色素) pigmento *m* respiratoiro. ~성 비경종 escleroma *m* respiratorio. ~성 산증 acidosis *f* respiratoria. ~ 세기관지 bronquíolo *m* respiratorio. ~ 소엽(小葉) lobulillo *m* respiratorio. ~ 소생 reanimación *f* respiratoria. ~수(數) número *m* de respiración. ~ 압력계 neumómetro *m.* ~열(熱) calor *m* respiratorio. ~ 완만 oligopnea *f.* ~ 완서(緩徐) bradipnea *f.* ~ 요법(療法) atmoterapia *f.* ~ 운동(運動) ejercicios *mpl* respiratorios. ~ 운동 그래프 atmógrafo *m.* ~ 운동도 neumatograma *m.* ~ 운동 묘기기 estetógrafo *m.* ~ 운동 묘사기 neumatógrafo *m.* ~ 운동 지체 aislamiento *m,* revestimiento *m.* ~음(音) sonido *m* respiratorio. ~음 기록기 respirofonógrafo *m.* ~ 음 선택기 fonoselectoscopio *m.* ~ 입구(入口) espiráculo *m.* ~ 작용 respiración *f.* ~ 재기 anapnea *f.* ~ 정상 eucapnia *f.* ~ 정지 apnea *f.* ~ 중추 centro *m* respiratorio. ~ 지수 espiroíndice *m.* ~ 촉진(促進) anhelación *f.* ~ 효소 enzima *m* respiratorio.

혹[1] ① [병적으로 살가죽에 내미는 기형의 군더더기 살덩이] lobanillo *m,* lupia *f,* verruga *f,* tumor *m,* chichón *m* (*pl* chichones). ~이 있는 jorobado, giboso. ~이 있다 tener un chichón (en). 이마에 ~을 만들다 hacerse un chichón en la frente. ② [물건의 거죽에 불룩하게 내민 부분] nudo *m,* bulto *m.* ③ [방해물] obstáculo *m,* embarazo *m.* ④ 【식물】 lobadillo *m,* excrecencia *f,* nudo *m.*

■혹 떼러 갔다 혹 붙여 온다 ((속담)) Ir por lana y volver [salir] trasquilado / Muchos van por lana y vuelven trasquilados / Salir de llamas y caer en las brasas / Salir de Málaga y meterse en Malagón / Salir de un apuro y meterse en otro tan malo o peor.

혹[2] ① [액체를 단숨에 들이마실 때에 내는 소리] con un trago. ~하다 tragarse. 단숨에 ~ 들이마시다 tragarse [beberse · tomarse] de un trago. ② [입을 오므리고 입김을 세게 부는 소리] con un soplo, con un soplido. ~하다 soplar. 나는 모든 촛불을 ~ 불어 껐다 Apagué todas las velas de un soplo [con un soplido].

혹(或) ① ((준말)) =혹시(或時/或是). ¶~ 그렇지도 모른다 Eso puede ser. ② [혹자] unos. ~은 검고 ~은 붉다 Unos son negros, otros rojos.

혹간(或間) =간혹(間或).

혹닉(惑溺) adicción *f.* ~하다 ser adicto (a), perderse (en), ahogarse (en), abandonarse (a), entregarse (a). 헤로인에 ~하다 ser adicto a la heroína.

혹대패 =뒤대패.

혹독(酷毒) severidad *f,* rigurosidad *f,* rigor *m,* rigidez *f.* ~하다 (ser) severo, excesivo, duro, cruel, riguroso, estricto, rígido. ~하게 severamente, intensamente, rigurosamente, estrictamente, rígidamente, en rigor, terriblemente. ~한 비평(批評) crítica *f* severa, crítica *f* dura. ~한 추위 frío *m* penetrante, frío *m* intenso, frío *m* horroroso. ~한 더위 calor *m* intenso, calor *m* horroroso. 북한의 추위는 ~하다 El frío de Corea del Norte es muy riguroso. 그것은 너무 ~하다 Eso es demasiado cruel. 사원에게 그렇게 일을 시키는 것은 ~하다 Es cruel hacer trabajar tanto a los empleados.

혹란하다(惑亂−) disturbarse, perturbarse. 혹란함 disturbio *m,* perturbación *f.* 혹란된 disturbado, perturbado.

혹렬하다(酷烈−) (ser) severo, intenso, extremo. 혹렬함 severidad *f,* intensidad *f,* extremidad *f.*

혹부리 persona *f* con lobanillo en la cara.

혹사(酷使) abuso *m,* explotación *f.* ~하다 hacer trabajar duramente [demasiado · excesivamente], imponer trabajo duro, impeler al trabajo (muy) duro, hacer sudar, recargar de trabajo, mandonear. 눈을 ~하다 maltratar los ojos. 두뇌(頭腦)를 ~하다 maltratar [agotar · exprimir] *su* cerebro. 엔진을 ~하다 forzar el motor. 노동자를 ~하다 hacer sudar a los obreros. 그는 항상 사람들을 ~시키고 있다 El siempre anda mandoneando. 나를 그만 ~시켜라 Deja de darme órdenes / Deja de mandonearme. 어린이를 ~해서는 안 된다 Los niños no deben ser explotado.

혹사하다(酷似−) asemejarse estrechamente (a), ser bien parecido, ser una copia (de).

혹살 carne *f* del cuarto trasero de la vaca.

혹서(酷暑) calor *m* canicular [tórrido · ardiente · excesivo · intenso · terrible · agobiante], quemazón *m,* verano *m* severo. ~의 tórrido, muy cálido, bochornoso, sofocante. ~의 계절 estación *f* del calor ardiente.

혹설(或說) una opinión, cierta teoría *f,* cierta vista *f.*

혹설(惑說) idea *f* seducida.

혹성(惑星) planeta *m.* ~의 planetario. ~은 자신의 빛을 가지고 있지 않다 Los planetas no tienen luz propia.

◆내(內)~ planeta *m* inferior. 소(小)~ planetas *fpl* pequeños, planetas *fpl* telescópicos. 외(外)~ planeta *m* superior.

■~ 로켓 cohete *m* interplanetario. ~ 운동(運動) movimiento *m* planetario. ~ 환류 circulación *f* planetaria.

혹세(惑世) ① [어지러운 세상] mundo *m* caótico. ② [세상을 어지럽고 문란하게 함] acción *f* de perturbar el mundo. ~하다 perturbar el mundo.

■~무민(誣民) seducción *f* al público. ¶~하다 seducir al público, engañar al pueblo.

혹시(或是) ① [만일에] si (+ *subj*), si acaso + *ind*, si por casualidad + *ind*. ~ …에 대비해서 por si + *ind*, por si acaso + *ind*·*subj*. ~ 내가 그 책을 발견하면 si encuentro el libro por casualidad. ~ 내가 죽기라도 하면 si ocurre por casualidad que yo muera [muero]. ~ 그가 돌아올 것에 대비해서 조금 더 기다리십시오 Espere usted un poco más por si acaso vuelve. ~ 그 여자가 전화하면 내 번호를 주어라 Si ella (por casualidad) llamara [llegara a llamar], dale mi número del teléfono. ② [어떤 경우에] por casualidad, de casualidad, en (el) caso de que + *subj*. ~ 내 모자를 보았니? ¿Has visto mi sombrero por casualidad? 그 여자가 어디 사는지 ~ 알고 계십니까? ¿Sabe usted por casualidad dónde vive ella? ~ 김 선생이 아니십니까? ¿No es usted por casualidad el señor Kim? ~ 그 사람이 올지도 모른다 Es posible que acaso él venga.

혹신(惑信) creencia *f* equivocada [necia]. ~하다 creer equivocadamente [erróneamente·neciamente]

혹심하다(酷甚－) (ser) severo, extremo, violento, cruel, riguroso. 혹심함 severidad *f*, violencia *f*, crueldad *f*, rigor *m*. 혹심하게 severamente, cruelmente, rigurosamente, duramente. 혹심한 공격(攻擊) ataque *m* encarnizado. 혹심한 말 palabras *fpl* mayores, frases *fpl* picantes, sarcasmo *m* cortante. 혹심하게 해대다 atacar severamente.

혹악하다(酷惡－) (ser) cruel, feroz, fiero.

혹애(惑愛) encaprichamiento *m*. ~하다 amar mucho, adorar, encapricharse (con·de), estar encaprichado (con·de).

혹야(或也) ＝혹시(或是).

혹여(或如) ＝혹시(或是).

혹열(酷熱) ＝혹서(酷暑).

혹염(酷炎) ＝혹서(酷暑).

혹왈(或曰) Se dice que …, Dicen que ….

혹은(或－) o, u, ya … ya, o … o. 그가 그것을 모르든가 ~ 그것을 말하고 싶지 않든가 O no lo sabe, o no lo quiere decir. 오늘인가 ~ 내일인가? ¿Hoy o mañana?

혹자(或者) ① [어떤 사람] unos, cierta persona *f*, cierto hombre *m*. ② [혹시] acaso, quizá, quizás, tal vez, probablemente, puede ser.

혹정(酷政) política *f* severa.

혹평(酷評) crítica *f* severa, criticismo *m* severo. ~하다 criticar severamente [duramente].

혹하다(惑－) ① [아주 반하다] estar muy enamorado (de), estar entusiasmado (con), estar loco (por). 우리는 그 아이디어에 아주 혹했다 Estamos muy estusiasmados con la idea. 그녀가 그에게 정말로 혹한 것 같다 Parece que ella está verdaderamente loca por él. 그는 이번에 그녀에게 혹했음에 틀림없다 Esta vez sí que él está locamente enamorado de ella. ② [빠져서 본정신을 잃다] ser adicto (a). 마약에 ~ ser adicto a la droga.

혹한(酷寒) frío *m* severo [intenso·extremo·riguroso·terrible]. ~에 견디다 soportar [aguantar·tolerar] el frío intenso. ■ ~지절(之節) la estación más fría, días *mpl* del pleno invierno.

혹해(酷害) desastre *m* severo, calamidad *f* severa.

혹형(酷刑) pena *f* severa, castigo *m* severo, penalidad *f* severa. ~을 과하다 imponer la penalidad severa.

홀홀 ① [액체를 조금씩 계속해서 들이마실 때에 나는 소리] bebiéndose de un trago. ② [입을 오므리고 계속해서 입김을 세게 내부는 소리] soplando y soplando.

혹화(酷禍) desastre *m* [calamidad *f*] terrible.

혼(魂) alma *f*, espíritu *m*. ~이 살아 있는 vivo, con alma. ~이 빠진 sin vida. ~ 나간 몸 cuerpo *m* sin vida, persona *f* distraída. 아버지의 ~ espíritu *m* de *su* padre. ~을 빼다 encantar.

혼가(婚家) familia *f* que tiene una recepción de boda.

혼가(渾家) toda la familia.

혼거(混居) ＝잡거(雜居).

혼겁(魂怯) asombro *m* extremo. ~하다 asombrar extremamete.

혼계영(混繼泳) revelo *m* estilos.

혼곤하다(昏困－) (ser) lánguido. 혼곤히 lánguidamente.

혼구(婚具) equipo *m* de boda.

혼기(婚期) edad *f* de casarse, edad *f* de merecer, edad *f* casadera, edad *f* núbil, nubilidad *f*, edad *f* adecuada para matrimonio. ~의 púber, núbil. ~에 달한 casadero, en edad de casarse, en edad de merecer. ~에 달한 딸 hija *f* casadera [núbil·en edad de casarse·en edad de merecer]. ~를 넘기다 pasar de la edad casadera. 나는 ~에 달한 딸이 둘이 있다 Tengo dos hijas casaderas [en edad de casarse·en edad de merecer].

혼나다(魂－) ser reñido, ser reprendido, temblar de miedo. 이 섬은 매년 태풍으로 혼난다 Todos los años esta isla sufre grandes daños por los tifones.

혼내다(魂－) reñir, reprender, regañar, torturar, hacer sufrir; [토론 따위에서] dejar como un trapo. 나는 그를 바둑으로 혼내주겠다 Le haré sufrir en la partida de *baduc*.

혼담(婚談) propuesta *f* de matrimonio, negociaciones *fpl* de casamiento. ~을 거절하다 rehusar la propuesta de matrimonio. ~을 성립시키다 ajustar [mediar en] el matrimonio (de). ~이 있다 tener una propuesta de matrimonio. 내 딸아이에게 ~이 들어왔다 Mi hija ha recibido una propuesta de matrimonio.

혼담(魂膽) alma *f*, espíritu *m*.

혼도(昏倒) desmayo *m*, deliquio *m*, desfallecimiento *m*. ~하다 desmayarse, desvanecerse, caer sin sentido, perder el sentido.

혼돈(混沌/渾沌) caos *m*, confusión *f*, desorden *m*. ~하다 (ser) caótico, confuso, vago, nebuloso, desordenado. ~된 caótico, confuso, en desorden revuelta, azarado. ~상태에 있다 estar en el estado caótico.
■~ 세계(世界) caos *m*.

혼동(混同) ① [뒤섞음] mezcla *f*. ~하다 mezclar. ② [뒤섞어 보거나 잘못 판단함] confusión *f*. ~하다 confundir, desordenar, enredar. ~해서 sin discriminación, confusamente, de manera confusa. A를 B와 ~하다 confundir A con B; [잘못 이해하다] tomar A por B. 언니와 동생을 ~하다 tomar a la hermana mayor por la menor. 자유와 방종(放縱)을 ~하다 confundir la libertad con el libertinaje. 그는 일과 놀이를 ~하고 있다 El confunde el trabajo y el juego. ③ 【법률】 fusión *f*.

혼뜨다(魂－) tener miedo (a), temer (a), dar*le* miedo.

혼띄다(魂－) asustar, amedrentar.

혼란(混亂) confusión *f*, desorden *m*, alboroto *m*, disturbio *m*, desconcierto *m*, conmoción *f*, tumulto *m*, trastorno *m*. ~하다 confundirse, desordenarse, turbarse. 사회(社會)의 ~ confusión *f* [desorden *m*] de la sociedad. 전후(戰後)의 ~ 상태(狀態) situación *f* confusa de la postguerra. ~시키다 confundir, desordenar, turbar, alborotar. ~을 수습하다 salvar la situación. ~을 일으키다 causar una confusión, trastornar. ~ 상태에 있다 encontrarse en una situación confusa. ~이 생긴다 Nace [Ocurre · Se produce] una confusión [un desorden]. 그는 너무 흥분해서 머리가 ~했다 El perdió la cabeza por demasiada excitación. 적(敵)은 큰 ~에 빠졌다 El enemigo cayó en un gran desorden. 이것은 우리의 스케줄에 심각한 ~을 일으켰다 Esto desbarató nuestro calendario de trabajo / Esto ocasionó graves trastornos en nuestro calendario de trabajo.

혼란하다(昏亂－) (estar) trastornado, desquiciado, confundido, perplejo, desconcertado. 그의 머리는 ~ Su cabeza es un torbellino / La cabeza le da vueltas / El está confundido.

혼령(婚齡) edad *f* de casarse. ☞혼기(婚期)

혼령(魂靈) espíritu *m*, alma *f*, fantasma *m*, espectro *m*, aparición *f*. ~의 집 casa *f* de fantasmas.
■~ 인구(人口) populación *f* falsa. ~ 회사 compañía *f* falsa.

혼례(婚禮) etiqueta *f* de la boda.
■~식(式) =결혼식(結婚式).

혼류(混流) contracorriente *f*.

혼망하다(昏忘－) =혼미(昏迷)하다.

혼매하다(昏昧－) (ser) estúpido y ignorante.

혼미(昏迷) aturdimiento *m*, desorden *m*, confusión *f*, caos *m*, azoramiento *m*, estupor *m*, insensibilidad *f*. ~하다 (estar) confuso, estúpido. ~한 정국 situación *f* confusa de la política. 정세가 ~해 있다 Estamos en una situación confusa.

혼방(混紡) mezcla *f*, hilaza *f* mezclada. 20% ~ un veinte por ciento (fibra de hilaza) de algodón. 면(綿)과 화섬(化纖)의 ~ mezcla *f* de algodón y fibra sintética.
■~사(絲) hilo *m* [hilaza *f*] mezclada.

혼백(魂魄) el alma *f*, espíritu *m*.

혼불[1](魂－) fuego *m* del alma, fuego *m* del espíritu, fuego *m* de la vida.

혼불[2](魂－) 【문학】 El fuego del alma (de Choi Myeong Hee)

혼비백산(魂飛魄散) susto *m*, lo que el alma se dispersa por mucha sorpresa. ~하다 dar*le* un susto de muerte, asustarse. 불쌍한 아이는 ~했다 La pobre criatura estaba asustadísima.

혼사(婚事) asuntos *mpl* sobre el matrimonio.
■혼사 말하는 데 장사(葬事) 말한다 ((속담)) Se habla cosas extravagantes que no tienen la relación alguna con el tema.

혼상(婚喪) asuntos *mpl* sobre el matrimonio y el luto.
■~구(具) equipos *mpl* para el matrimonio y el luto.

혼색(混色) mezcla *f* de los colores; [뒤섞인 색] colores *mpl* mezclados. ~하다 mezclar los colores.

혼서(婚書) *honseo*, carta *f* nupcial de la familia del novio a la de la novia.
■~지(紙) papel *m* de escribir *honso*. ~지보(之褓) envoltorio *m* de envolver el *honseo*.

혼선(混線) ① [전선 · 전화 등의 줄이 서로 닿아 전류가 헝클어짐] confusión *f* de circuitos, confusión *f* de líneas. ~하다 [전화가] cruzarse las líneas. ~으로 말이 들리지 않는다 No puedo oírte por estar cruzados los alambres. 전화가 ~되어 있다 La comunicación (telefónica) está cruzada. ② [언행이 앞뒤가 안 맞아 종잡을 수 없음] confusión *f*. ~하다 confundirse.

혼성(混成) mixtura *f*, composición *f*. ~하다 mixturar, juntar, mezclar, combinar.
■~ 가스 gas *m* mixto. ~ 경기(競技) competición *f* mezclada, juegos *mpl* mixtos. ~림(霖) =혼효림. ~문 oraciones *fpl* compuestas. ~물 mezcla *f*, mixtura *f*. ~ 방파제 malecón *m* mixto. ~ 부대 unidad *f* mixta. ~ 비행단 el ala *f* (*pl* las alas) mixta. ~암(巖) roca *f* compuesta. ~어(語) híbrido *m*. ~ 여단 brigada *f* compuesta [juntada]. ~ 음성 효과 montaje *m*. ~ 재배(栽培) cultivo *m* mixto. ~주(酒) licor *m* compuesto. ~ 중합 polimerización *f* mixta. ~체 cosas *fpl* compuestas. ~팀 equipo *m* combinado.

혼성(混聲) ① [뒤섞인 소리] voces *fpl* mixtas. ② [남성(男聲)과 여성(女聲)을 서로 합함] mezcla *f* de las voces masculinas y de las voces femeninas.
■~ 사부 합창 coro *m* mixto de cuatro voces. ~ 합창 coro *m* mixto.

혼수(昏睡) aletargamiento *m*, sopor *m*, letar-

go *m*, modorra *f*, estado *m* hipnótico, amodorramiento *m*; [지각 상실] estupor *m*; [무의식] coma *m*.
■ ~ 상태(狀態) aletargamiento *m*, estado *m* letárgico, condición *f* letárgica. ¶~의 letárgico, comatoso. ~에 빠지다 aletargarse, caer en estado letárgico, caer en estado comatoso, estar en coma, amodorrarse. ~에 빠지게 하다 aletargar. ~에 빠진 aletargado.

혼수(婚需) ① [혼인에 드는 물품] artículos *mpl* esenciales al matrimonio. ② [혼비(婚費)] gastos *mpl* para el matrimonio.
■ ~ㅅ감 materiales *mpl* para el matrimonio.

혼숙(混宿) alojamiento *m* mixto. ~하다 (el hombre y la mujer) dormir juntos.

혼식(混食) ① [이것저것 섞어서 먹음] comida *f* mezclada. ~하다 tomar la comida mezclada. ② [쌀에 잡곡을 섞어 먹음] comida *f* mezclada los cereales en el arroz.

혼신(混信) 【통신】 interferencia *f*.

혼신(渾身) todo el cuerpo, todo *su* cuerpo. ~의 힘 toda (*su*) fuerza. 작가가 ~을 다한 작품 obra *f* en la que el autor pone su alma. ~의 힘으로, ~의 힘을 다하여 con toda fuerza, con todas *sus* fuerzas. ~의 힘을 다하다 espolear todo *su* cuerpo. ~의 힘을 다하여 밀다 empujar con todas *sus* fuerzas. ~의 힘을 다하여 싸우다 luchar con todas *sus* fuerzas. …에 ~을 다 쏟다 poner toda el alma en *algo*. 몸도 마음도 ~을 쏟다 darse [entregarse] en cuerpo y alma (a).

혼야(昏夜) noche *f* oscura y profunda, medianoche *f* oscura.

혼야(婚夜) =첫날밤.

혼약(婚約) =약혼. ¶~을 파기하다 romper [anular] la promesa de matrimonio. 두 사람은 ~했다 Los dos se han dado palabra de casamiento.

혼연(渾然) todo armonioso.
혼연히 formándose consistentemente, en armonía perfecta. ~ 융화하다 estar en armonía amable, formar un conjunto feliz.
■ ~일체(一體) un todo armonioso. ¶~가 되다 formar [constituir] un todo armonioso.

혼영(混泳) natación *f* mixta.

혼외(婚外) ¶~의 extramatrimonial, extraconyugal, extramarital, fuera del mantrimonio.
■ ~ 성관계(性關係) relaciones *fpl* sexuales extramatrimoniales. ~ 정사(情事) amoríos *mpl* extramatrimonial, amoríos *mpl* extraconyugales, cópula *f* [coito *m*] extramatrimonial, un affaire amoroso extramatrimonial. ~의 경험(經驗) experiencias *fpl* extramatrimonial.

혼욕(混浴) baño *m* mixto, baño *m* promiscuo. ~하다 bañar promiscuamente.

혼용(混用) uso *m* mezclado. ~하다 usar junto con, mezclar. 한글과 한자(漢字)를 ~하다 mezclar *Hangul* con los caracteres chinos.

혼음(混淫) adulterio *m* mixto. ~하다 cometer adulterio mixto.

혼음(混飮) bebida *f* mixta. ~하다 beber mezclando varios vinos.

혼인(婚姻) matrimonio *m*, casamiento *m*. ~하다 casarse, contraer matrimonio.
■ ~계 ((구용어)) =혼인 신고. ~ 관계(關係) relaciones *fpl* matrimoniales; [배우자의 부모] suegros *mpl*; [배우자의 가족] parientes *mpl* políticos. ~날 día *m* de la boda. ~ 미사 misa *f* matrimonial. ~ 신고 registro *m* de matrimonio, declaración *f* de matrimonio. 시청에 ~를 내다 registrar el matrimonio en el Ayuntamiento, declarar el casamiento en el Ayuntamiento. ~ 적령 pubertad *f*. ¶그녀는 아직 ~에 미치지 못했다 Ella no ha llegado aún a la edad de tomar estado / Ella no ha llegado aún a la edad de matrimonio. ~ 증명서 certificado *m* [acta *f*] matrimonial. ~집 casa *f* [familia *f*] de celebrar la fiesta matrimonial.

혼일(混一) consolidación *f*, unificación *f*, reunión *f*, conjunción *f*, amalgamación *f*. ~하다 consolidar, unificar, amalgamar.

혼일(婚日) =혼인날.

혼입(混入) mezcla *f*, entremezcladura *f*. ~하다 entremezclar, mezclar. ~되다 entremezclarse, mezclarse.

혼자 solo, -la; a solas, sin (la) ayuda de nadie. ~ 하는 여행(旅行) viaje *m* solitario, viaje *m* sin compañía. ~ 힘으로 por *sí* solo. ~ 걷다 andar solo, pasear(se) sin compañía. ~ 살다 vivir solo. ~ 여행하다 viajar solo. ~ 남게 되다 ser dejado solo atrás, quedarse solo atrás. ~ 오다 venir solo. ~ 생각으로 행동하다 actuar por *su* propia cuenta, actuar por *sí* solo. ~만의 생각으로 …하다 hacer *algo* por *su* propia voluntad, hacer *algo* bajo *su* propia responsabilidad. 그녀는 ~ 나갔다 Ella salió sola. 그는 ~ 기뻐한다 El goza solo. 나는 ~ 있는 것이 필요하다 Necesito estar solo [a solas]. 나는 서반아어를 ~ 공부했다 [독학했다] Yo estudié el español sin ayuda de nadie. 그것은 나 ~ 생각으로 행해졌다 Eso lo hice yo / Lo hice por (mi) propia voluntad. 너 ~ 생각으로는 그것을 결정할 수 없다 No puedo decidirlo solo. 그는 ~(서) 그 일을 하는 것은 무리다 Es imposible que lo hagas tú solo. 그는 ~(서) 그것을 들어 올렸다 El lo alzó por sí solo / El lo alzó sin ayuda de nadie. 나는 ~ 있기를 좋아한다 A mí me gusta estar solo. 어린아이가 ~ 걷기 시작한다 El nene ya empieza a hacer pinitos [a andar solo]. 밤에 여성이 ~ 걷는 것은 매우 위험하다 Es muy peligroso que la mujer ande sola [sin compañía] por la noche. 그녀는 ~ 세계 일주 항해를 했다 Ella dio la vuelta al mundo navegando en solitario.

■혼자 사는 동네 면장(面長)이 구장(區長) ((속담)) Cuando el gato no está los ratones bailan [hacen fiesta].

혼자되다 quedar solo, encontrarse enteramente solo.

혼작(混作) cultivo *m* mixto. ～하다 cultivar como una cosecha mixta.

혼잡(混雜) aglomeración *f*, hormiguero *m*, muchedumbre *f*; [자동차의] embotellamiento *m*, congestión *f*; [쇄도] afluencia *f*, concurrencia *f*; [혼란] desorden *m*, confusión *f*. ～하다 aglomerarse; [상태] estar lleno (de), estar atestado (de), estar congestionado, estar confuso, estar desordenado, estar en desorden, estar abarrotado, estar en confusión (excesiva). ～한 틈을 타서 en la confusión del momento, aprovechándose del disturbio, aprovechándose del desorden. 백화점은 손님으로 ～하다 El almacén está atestado [abarrotado] de gente. 러시아워의 ～은 굉장하다 La aglomeración de las horas puntas es horrible. 거리는 사람으로 ～하다 Hay muchísima gente en la calle / Hay gran muchedumbre en la calle / La calle está llena [atestada] de gente. 교차로는 자동차로 ～하다 Hay un embotellamiento (de coches) en el cruce. 집 안이 아주 ～했다 La casa estaba en confusión. 큰길에서는 교통이 매우 ～하다 Hay mucha congestión del tráfico en la avenida. 죄인들이 화재의 ～한 틈을 타 도망쳤다 Unos presos aprovecharon el alboroto del fuego para huir. 나는 이사하는 ～한 틈에 그것을 깜박 잊고 있었다 Se me olvidaba eso con el jaleo de la mudanza. 열차가 너무 ～해 질식할 것 같았다 El tren iba tan atestado que ahogaba.

◆교통(交通) ～ congestión *f* del tráfico

혼잣말 soliloquio *m*, monólogo *m*. ～하다 soliloquiar, hablar a solas, hablar consigo mismo, hablar para *sí*. …라 ～을 하다 decir para *sí* (mismo) que + *ind*.

혼잣소리 ＝혼잣말.

혼잣손 sin ayuda de nadie. ～으로 일하다 trabajar sin ayuda de nadie.

혼재(婚材) persona *f* casadera.

혼전(婚前) ¶～의 prematrimonial, preconyugal. ～의 (정사) 경험 experiencias *fpl* prematrimoniales.

■～ 관계(關係) relaciones *fpl* prematrimoniales; [육체 관계] sexo *m* prematrimonial.

혼전(混戰) batalla *f* confusa, batalla *f* desordenada, conflicto *m* confuso, pelea *f* confusa, combate *m* libre; ((축구)) lucha *f*, pelea *f*. ～하다 combatir [batallar · pelear] desordenadamente [libremente].

■～지(地) [선거 등의] escena *f* de lucha fervorosísima.

혼절(昏絶) desmayo *m*, desvanecimiento *m*. ～하다 desmayarse, desvanecerse, sufrir un desvanecimiento.

혼직(混織) tejedura *f* mixta.

혼쭐나다(魂－) ① [아주 훌륭하여 정신이 흐릴 지경이 되다] ser cautivado [embelesado] con placer. ② [혼나다] tener miedo, temer, tener experiencias amargas.

혼처(婚處) familia *f* casadera, persona *f* casadera.

혼척(婚戚) ＝인척(姻戚).

혼천의(渾天儀) 【천문】 globo *m* celeste.

혼취(昏醉) embriaquez *f*, intoxicación *f* etílica, *Chi* intemperancia *f*. ～하다 estar en estado de embriaguez [*Chi* intemperancia].

혼취(婚娶) ＝혼인(婚姻).

혼탁하다(混濁－) (ser) turbio, enturbiado, confuso. 혼탁함 turbiedad *f* suciedad *f*, confusión *f*. 사회(社會)가 혼탁해져 있다 La sociedad está turbulenta [conflictiva].

혼탕(混湯) baño *m* mixto.

혼택(婚擇) selección *f* del día de la boda. ～하다 seleccionar el día de la boda.

혼합(混合) mezcla *f*, mixtura *f*, mixtión *f*. ～하다 mezclar, mixturar, combinar, fundir.

■～ 경기 ＝혼성 경기. ～ 경제 economía *f* mixta. ～ 경제 제도(經濟制度) sistema *m* de economía mixta. ～ 계영 ＝혼계영. ～ 관절(關節) articulación *f* mixta. ～ 교육 coeducación *f*, educación *f* mezclada. ～기 mezclador *m*, mezcladora *f*. ～ 기체(氣體) mezcla *f* gaseosa. ～ 농업 policultivo *m*. ～ 마비 parálisis *f* mixta. ～ 매체 medios *mpl* mezclados. ～물 mixtura *f*; [잡다한] mezcolanza *f*; [화합물] compuesto *m*; [합금] aleación *f*. ～ 백신 vacuna *f* mixta. ～법 【수학】 aligación *f*. ～비 proporción *f* mezclada. ～ 비료(肥料) abono *m* mezclado [mixto]. ～선(腺) glándula *f* mixta. ～성 난시 astigmatismo *m* mixto. ～ 신경 nervio *m* mixto. ～액 líquido *m* mixto. ～ 연료 combustible *m* mixto. ～열 calor *m* mixto. ～ 열차 tren *m* mixto. ～ 영양 mixotropismo *m*. ～ 종양 tumor *m* mixto. ～주 licores *mpl* compuestos [mixtos]. ～ 치열 dentadura *f* mixta. ～형 동맥 arteria *f* de tipo mixto.

혼행(婚行) procesión *f* de matrimonio. ～하다 ir a la casa de *su* novio [novia] a celebrar la boda.

혼혈(混血) ① [다른 종족과 통혼하여 두 계통의 특징이 섞임. 또, 그 혈통] mestizo *m*, sangre *f* mezclada. ～의 mixto; [백인과 인디오의] mestizo; [백인과 흑인의] mulato. ② ((준말)) ＝혼혈아.

■～아(兒) mixto, -ta *mf*; hijo *m* híbrido, hija *f* híbrida; [백인과 인디오의] mestizo, -za *mf*; [백인과 흑인의] mulato, -ta *mf*; [인디오와 흑인의] zambo, -ba *mf*.

혼혼하다(昏昏－) ① [어둡다] (ser) oscuro. ② [도리에 어둡고 마음이 흐리다] (ser) irracional. ③ [정신이 아뜩하여 희미하다] estar en un estupor.

혼혼히 oscuramente, irracionalmente.

혼화(混化) mezcla *f*. ～하다 mezclar.

혼화(混和) mixtura *f*, compuesto *m*. ～하다

mezclarse, componerse, unirse.
■ ~제(劑) compuesto *m*.
혼효(混淆) confusión *f*, mixtura *f*, revoltillo *m*. ~하다 mezclarse, confundirse. ~해서 en confusión, confusamente.
◆옥석(玉石) ~ (mixtura *f* de) gema y guija en confusión.
■ ~림(林) bosque *m* mixto.
홀(笏) cetro *m*.
홀- solo, -la. ~아비 viudo. ~어머니 viuda.
홀(영 *hall*) ① [대학의 식당] comedor *m*, *Chi* casino *m*. ② [회관] salón *m* (*pl* salones). 마을의 ~ salón *m* (de actos) del pueblo. ③ [현관의 홀] vestíbulo *m*, entrada *f*, hall *ing.m*. ④ ((준말)) = 댄스홀(dance hall).
홀(영 *hole*) ① ((골프)) [팅 그라운드(teeing ground)에서 그린까지 한 코스 전체의 명칭] hoyo *m*. 1번 ~ hoyo uno. 15번 ~ hoyo quince. 9~ [18~] 시합을 하다 jugar (un partido) a nueve [dieciocho] hoyos. 골프공을 ~에 처넣다 meter la pelota en el hoyo. 그는 8번 ~에서 네 타에 홀에 처넣었다 El hizo el hoyo ocho en cuatro golpes. ② ((골프)) [그린 위에 마련된 구멍] hoyo *m*. ~에 처넣다 embocar. 한 타로 골프공을 ~에 처넣다 embocar en un golpe, hacer un hoyo en un golpe. ③ [구멍] [벨트·물건·옷의] agujero *m*; [땅의] hoyo *m*, agujero *m*; [길의] brache *m*; [벽의] boquete *m*.
■ ~인 ((골프)) *ing* hole in. ~인원 ((골프)) hoyo *m* en uno, un hoyo en un golpe. ¶~하다 hacer un hoyo en un golpe, embocar en un golpe.
홀가분하다 ① [가뿐하고 산뜻하다] (ser) ligero, vivo, activo, listo, ágil. 홀가분한 동작(動作) movimiento *m* ágil. 홀가분한 기분으로 con un corazón ligero. ② [복잡하지 않다] no ser complicado, ser fácil, no ser difícil, ser breve, ser conciso, ser simple, ser sencillo. ③ [대수롭지 않은 상대자다] (ser) despreocupado, libre de preocupaciones, negligente, desenfadado, fácil. 그는 홀가분한 남자다 El es un hombre desenfadado [sin problemas].
홀가분히 ligeramente, vivamente, activamente, ágilmente; fácilmente, sencillamente, brevemente, concisamente, sin preocupación, cómodamente, desenfadadamente. ~ 살다 vivir sin problemas, vivir a su aire. 너는 책임이 없으므로 ~ 말할 수 있다 Como tú no eres el responsable, puedes hablar a tu gusto.
홀대(忽待) tratamiento *m* poco hospitalario, tratamiento *m* poco amable. ~하다 tratar mal, tratar con poca amabilidad. 나를 ~하지 마라 No me trates mal.
홀딩(영 *holding*) ① ((축구·농구)) bloqueo *m*, holding *ing.m*. ~! ¡Usted lo agarró! ② ((배구)) bloqueo *m*. ③ ((권투)) bloqueo *m*.
홀딱 ① [몹시 반하거나 여지없이 속는 모양] con toda alma, locamente, perdidamente. ~ 반하다 enamorarse locamente, prendarse, estar perdidamente enamorado (de), estar en amor hasta las orejas (con), enamorarse de uno hasta las orejas. ~ 반한(듯한) encantador, fascinante, cautivador, muy atractivo. ~ 반해 (정신없이) 바라보다 contemplar fascinado [encantado] (*algo*·a *uno*), embelesarse contemplando (*algo*·a *uno*). …에 ~ 빠지다 perderse [ahogarse] en *algo*, abandonarse [entregarse] a *algo*. …에 ~ 빠져 있다 estar absorto en *algo*, estar perdido por *algo*. 그는 노름에 ~ 빠져 있다 El está perdido por el juego. 그는 한 여인한테 ~ 빠져 있다 El está enamorado perdidamente de una mujer. 나는 그의 남자다운 성격에 ~ 반했다 Me ha fascinado su carácter viril. 그녀는 그에게 ~ 반해 있다 Ella está locamente enamorado [prendada] de él / Ella está loca por él. ② [죄다] todo. 재산을 ~ 다 날리다 perderse toda propiedad. 머리가 ~ 벗어지다 ser más calvo que una bola de billar, quedarse calvo completamente. ③ [옷을 벗거나 벗는 모양] completamente. 옷을 ~ 벗다 desnudarse completamente, desvestirse completamente, quitarse toda la ropa. ④ [뒤집거나 뒤집히는 모양] del revés, al revés. ⑤ [뛰어넘는 모양] con un salto, de un salto, fácilmente.
홀딱홀딱 siguiendo desnudándose. ~ 옷을 벗다 seguir desnudándose.
홀딱거리다 (los zapatos) quitarse siempre.
홀딱홀딱 siguiendo quitándose.
홀라들이다 =홀라들이다.
홀랑 ① [죄다 들어나는 모양] todo desnudo, completamente. 옷을 ~ 벗다 desnudarse completamente. ② [가볍게 벗어지거나 벗은 모양] ligeramente. 머리가 ~ 벗어지다 quedarse calvo ligeramente. ③ [들어갈 물건이 구멍보다 작아서 헐겁게 들어가는 모양] difícilmente, con dificultad. ④ [미끄럽게 뒤집히는 모양] completamente. 배가 ~ 뒤집혔다 El barco se volcó completamente.
홀랑거리다 =홀렁거리다.
홀랑홀랑 siguiendo desnudándose. 옷을 ~ 벗다 seguir desnudándose.
홀로 solo, -la; a solas; solitariamente. ~ 걷다 andar solo [a solas], pasear(se) solo [a solas]. ~ 살다 vivir solo. ~ 앉아 있다 estar sentado solo. ~ 사색(思索)에 잠겨 있다 estar meditando a solas. 그녀는 ~ 살고 있다 Ella vive sola. 김 양은 ~ 앉아 있었다 La señorita Kim estaba sentada sola.
홀로되다 quedar viuda, perder *su* esposo. 그녀는 서른에 홀로되었다 Ella quedó viuda a sus treinta años (de edad).
홀로서다 independizarse (de), ganarse la vida, ganarse el sustento. 그는 가족한테서 홀로서기를 원한다 El quiere independizarse de su familia.
홀리다 ① [아주 반하다] enamorarse mucho (de), estar perdidamente enamorado (de).

② [현혹되거나 유혹에 빠져 정신을 차리지 못하다] ver con admiración, mirar con embeleso, quedarse [ser] encantado [cautivado · fascinado · hechizado]; [귀신 등에] estar endemoniado, estar poseído (por el demonio). 그 광경에 ~ ver la escena con admiración. 그녀의 아름다움에 ~ prenderse de [embelesarse con] su hermosura de ella. 악마한테 ~ estar endemoniado, estar poseído por el demonio. (악마한테) 홀린 사람처럼 como un endemoniado, como un poseso.

홀맺다 atar bien, asegurar. 홀맺어 있는가를 확인하십시오 Asegúrese de que está bien atado [bien sejeto].

홀몸 soltero, -ra *mf*.

홀뮴(독 *Holmium*) 【화학】 holmio *m*.

홀보드르르하다 (ser) bastante ligero y suave.

홀소리 【언어】 =모음(母音)(vocal).

홀수(-數) (número *m*) impar *m*, (número *m*) non *m*.

■~ 번호(番號) número *m* impar. ~ㅅ날 día *m* impar, día *m* non.

홀스타인종(Holstein 種) vaca *f* holandesa, vaca *f* frisona.

홀시(忽視) ① [눈여겨보지 않고 슬쩍 보아 넘김] mirada *f* disimulada. ~하다 mirar disimuladamente. ② [깔봄] desprecio *m*, menosprecio *m*. ~하다 despreciar, menospreciar.

홀씨 【식물】 =포자(胞子)(espora, esporo).

홀아비 viudo *m*. ~로 살다 vivir en viudez.

◆홀아비 법사 끌듯 Se suele aplazar.

■홀아비는 이가 서 말이고 홀어미는 은이 서 말이라 ((속담)) La mujer puede vivir sola, pero el hombre no.

■~김치 *kimchi* preparado solamente con rábano (*baechu*). ~살림 vida *f* del viudo. ~ 생활 viudez *f*.

홀알 =무정란(無精卵).

홀앗이 situación *f* de vivir solo.

■~살림 sola vida *f*.

홀어미 viuda *f*. ~가 되다 quedar vidua. ~로 살다 vivir en viudez. ~로 일생을 보내다 quedar viuda toda la vida.

홀어버이 padre *m* sin *su* cónyuge, madre *f* sin *su* cónyuge.

홀연하다(忽然-) aparecer o desaparecer repentinamente.

홀연히 repentinamente, de repente, súbitamente, de súbito, de pronto, de improviso, inesperadamente. ~ 나타나다 aprarecer de repente. ~ 사라지다 desaparecer de improviso, desaparecer así como por magia.

홀짝[1] ① [짝수와 홀수] el número par y el número impar. ② [아이들의 장난] *holchak*, una especie del juego de los niños.

홀짝[2] ① [적은 분량의 액체를 단번에 들이마시는 모양] sorber. 우유를 ~ 마시다 sorber la leche. ② [단번에 가볍게 뛰거나 날아오르는 모양] con un salto, rápidamente, con rapidez, velozmente, con prontitud, ágilmente, con agilidad, repentinamente, de repente, súbitamente, de súbito.

홀짝거리다 seguir sorbiendo; seguir sorbiéndose la nariz [los mocos], seguir gimoteando; seguir subiendo volando ligeramente.

홀짝이다 ㉮ [적은 분량의 액체를 들이마시다] sorber. ㉯ [콧물을 들이마시며 느껴 울다] sorberse la nariz, sorberse los mocos, gimotear. ㉰ [거침없이 가볍게 날아오르다] subir volando ligeramente.

홀짝홀짝 poco a poco, sorbo a sorbo. ~ 마시다 beber sorbo a sorbo.

홀쭉이 persona *f* desgarbada, persona *f* larguirucha, persona *f* flaca, persona *f* delgada.

홀쭉하다 ① [몸피가 가늘고 길다] (ser) delgado y largo; [허리가] fino. 허리가 ~ tener una cintura fina. ② [끝이 뾰족하고 길다] (ser) puntiagudo y largo. ③ [앓거나 지쳐서 살이 빠지고 야위다] ponerse muy flaco [delgado], adelgazar mucho; [볼이나 눈이] estar hundido. 턱이 홀쭉한 남자 hombre *m* de carrillo hundido. 볼이 ~ tener las mejillas hundidas. 홀쭉해져 있다 estar en los huesos. 그녀는 홀쭉해져 있다 Ella está en los huesos. 나는 홀쭉해져 가고 있다 Estoy adelgazando mucho.

홀치다 atar, amarrar.

홀치어매다 atar, *AmL* amarrar.

홀태 trilladora *f*.

■~질 trilladura *f*. ¶~하다 trillar.

홀태바지 pantalones *mpl* muy ceñidos, pantalones *mpl* muy ajustados.

홀태버선 calcetines *mpl* ajustados.

홀태부리 punta *f* delantera del objeto puntiagudo.

홀하다(忽-) (ser) descuidado, poco cuidadoso.

홀홀 ① [날짐승이 날개를 자주 치며 가볍게 나는 모양] volando. ② [가볍게 움직여 날듯이 뛰는 모양] a pasos agigantados. ③ [작고 가벼운 물건을 연해 멀리 던지는 모양] tirando y tirando. ④ [물이나 묽은 죽 등을 조금씩 들이마시는 모양] sorbiendo poco a poco. ⑤ [불이 조금씩 일어나는 모양] en llamas. 불이 ~ 타오르다 incendiarse. ⑥ [옷을 가볍게 벗어 버리는 모양] desnudándose ligeramente.

홀홀하다 =훌훌하다.

홅다 tirar poniendo algo entre los objetos.

홈 [나사의] muesca *f*, ranura *f*; [미닫이용의] guía *f*, [도르래용의] garganta *f*, hendidura *f*; [기둥의] estría *f*; [레코드의] surco *m*. ~을 파다 ahuecar [vaciar] la guía.

■~끝 borde *m* de la guía [de la estría]. ~통 [지붕의] canalón *m* (*pl* canalones), canaleta *f*.

홈(영 *home*) ① [거주지] casa *f*, [가정] hogar *m*. ② 【컴퓨터】 inicio *m*. ③ ((준말)) =홈베이스.

■~경기 juego *m* en casa. ~ 관중 los seguidores del equipo local [de casa]. ~

그라운드 *su* (propio) terreno, *su* lugar; ((축구)) casa *f*, campo *m* local, campo *m* de casa. ¶~의 이점(利點) ventaja *f* (del campo) de casa. ~에서 en *su* propio terreno. ~에서 경기하다 jugar en casa. ~드라마 pieza *f* ligera de teatro sobre [de] asuntos de famila. ~ 디렉토리(directory)【컴퓨터】directorio *m* de inicio. ~런 cuadrangular *m*, carretera *f* completa del bateador, *AmL* jonrón *m*, home run *ing.m.* ¶~을 치다 pegar un cuadrangular, *AmL* jonronear. ~런왕 rey *m* del jonrón. ~런히트 jonrón *m*, carrera *f* cuadrangular de un bateador. ~ 레코드【컴퓨터】registro *m* de inicio. ~룸 [학급 전원이 모이는 생활 지도 교실·시간] clase *f* del curso, aula *f* del curso. ~룸 티처 tutor, -tora *mf* de curso. ~리스 ㉮ [집 없는] sin hogar, sin techo. ㉯ [집 없는 사람] la gente sin hogar, la gente sin techo. ~ 매치 ((운동)) partido *m* en casa. ~메이드 [집에서 만든] [빵·된장 등] casero, hecho en casa; [옷 등] hecho en casa. ~뱅킹(banking) banca *f* telefónica, banco *m* en casa. ~ 베이스 ㉮【군사】base *f* de operaciones. ㉯ ((야구)) base *f* del bateador, home *ing.m.* ㉰ [주요 주거지] lugar *m* de residencia. ~스트레치 ((경마)) recta *f* final, recta *f* de llegada. ~스펀 tela *f* de fabricación casera, tela *f* hecha en casa, casero *m*, lo que se hila [se hace] en casa. ~ 식 =향수병(鄕愁病)(nostalgia, añoranza). ¶~에 걸리다 ponerse nostálgico, echar de menos; [가정에 대해] añorar a su familia; [고국에 대해] tener morriña, sentir añoranza [nostalgia] por *su* país, añorar *su* país, *AmL* extrañar a *su* familia [*su* país]. ~을 느끼다 sentir nostalgia (de). ~ 어드레스 [주소(住所)] domicilio *m*.¶내 ~ mi dirección particular, las señas de mi casa. ~어드밴티지 ventaja *f* en casa. ~를 가지다 jugar en casa. ~ 오피스【컴퓨터】oficina *f* en casa. ~워크 [숙제] deberes *mpl*, tarea *f*. ~ 컴퓨터 ordenador *m* doméstico, ordenador *m* personal, *AmL* computadora *f* doméstica, *AmL* computadora *f* familiar, *AmL* computador *m* doméstico, computadora *f* personal. ~ 컴퓨팅 informática *f* doméstica. ~ 키【컴퓨터】tecla *f* Inicio. ~ 팀 equipo *m* local, equipo *m* de casa. ~페이지【컴퓨터】[인터넷의] página *f* frontal, página *f* principal. ~ 플레이트 base *f* del bateador, goma *f*, plato *m*, *Méj* pentágono *m*, home *ing.m.*

홈대패 acanalador *m*.

홈스테이(영 *homestay*) [외국 유학생이 일반 가정에서 지내는 일] alojamiento *m* en una casa particular.
■~ 숙박 =홈스테이. ~ 숙박 프로그램 programa *m* de alojamiento en casas particulares.

홈질 puntada *f*. ~하다 coser; [자수(刺繡)를] bordar.

홈착거리다 ① [보이지 않는 곳에 있는 것을 찾으려고 계속해서 더듬어 뒤지다] revolver [hurgar] a tientas. 그는 어둠 속에서 무언가를 홈착거리고 있었다 El buscaba algo a tientas y a ciegas en la oscuridad. 그녀는 호주머니를 홈착거렸다 Ella revolvión [hurgó] en sus bolsillos. ② [흐르는 눈물을 이리저리 씻다] secar, enjugar. 눈물을 ~ seguir enjugando las lágrimas.

홈쳐때리다 dar un golpe.

홈치다 ① [물기나 때가 묻은 것을 깨끗이 닦아 없애다] enjugar. ② [남의 물건을 슬그머니 휘몰아 가지다] hurtar secretamente. ③ [손으로 보이지 않는 곳을 더듬어 만지다] tocar a tientas. ④ =홈쳐때리다.

홈치작거리다 buscar lentamente. 주머니를 ~ buscar *su* bolsillo lentamente.
홈치작홈치작 siguiendo [continuando] buscando lentamente.

홈켜잡다 agarrar fuerte y rápidamente.

홈켜쥐다 agarrar fuerte y rápidamente.

홈타기 horqueta *f*, bifurcación *f*. 홈타기진 bifurcado. 나무의 ~ entrepierna *f* de un árbol. 나무 ~에 앉다 sentarse en la horqueta de un árbol.

홈통(-桶) ① [물을 이끄는 데 쓰는 물건] ㉮ [지붕의] canalón *m* (*pl* canalones), canaleta *f*. ㉯ [배수 설비가 된·하수도로 내보내는] encañado *m*, conducto *m*. ~으로 물을 끌다 traer el agua por medio de un conducto. ② [창틀·장지 등의 아래위를「凹」자 모양으로 파낸 줄] guía *f*.

홈파다 acanalar.

홈패다 ser acanalado, acanalarse.

홈홈하다 tener una expresión contenta en la cara.

홉(合) *hob*, unidad *f* del peso, 0.2 litros.

홉(영 *hop*)【식물】lúpulo *m*.

홋홋하다 (ser) despreocupado, libre de preocupaciones. 그녀는 홋홋한 어린 시절을 가졌다 Ella tuvo una infancia despreocupada [sin problemas].
홋홋이 despreocupadamente, libre de preocupaciones.

홍(紅) ((준말)) =홍색(紅色).

홍기(紅旗) bandera *f* roja.

홍당무(紅唐-) ①【식물】rábano *m* encarnado. ② =당근(zanahoria). ③ [수줍거나 무안하여 얼굴이 붉어지는 모양] rubor *m*, bochorno *m*, sonrojo *m*.
◆홍당무가 되다 ruborizarse, sonrojarse, tener vergüenza.

홍대하다(弘大-) (ser) ancho y grande.

홍대하다(洪大/鴻大-) ① [썩 크다] (ser) bastante grande, enorme, inmenso, gigantesco. ②【한방】el pulso latir más fuere que lo normal.

홍덕(鴻德) gran virtud *f*.

홍도(紅桃) ① ((준말)) =홍도화. ② ((준말)) =홍도나무.
■~화(花) flor *f* del melocotonero.

홍동백서(紅東白西) las frutas rojas en el este, las frutas blancas en el oeste en los ritos funerales.

홍두깨 ① [다듬잇감을 감아 다듬는 도구] *hongduke*, rodillo *m* de madera de alisar la tela. ② [소 볼기에 붙은 고기의 한 가지] una especie de la papada de vaca.
■홍두깨에 꽃이 핀다 ((속담)) Uno se encontró con la buena suerte inesperadamente.
■~다듬이질 alisadura *f* con *hongduke*. ~살 =홍두깨❷. ~질 =홍두깨다듬이질.

홍등(紅燈) luz *f* (*pl* luces) roja.
■~가(街) burdel *m*, barrio *m* chino, zona *f* de tolerancia, *AmL* zona *f* roja.

홍련(紅蓮) loto *m* rojo.

홍로(紅爐) horno *m* al rojo vivo.
■~점설(點雪) Un copo de nieve en el horno al rojo vivo / El poder pequeño en el trabajo grande es en vano.

홍루(紅淚) ① [피눈물] lágrimas *fpl* sangrientas. ② [미인의 눈물] lágrima *f* de la belleza.

홍루(紅樓) ① [부귀한 집안의 여자가 거처하는 곳] residensia *f* de la mujer de la familia noble. ② =기생집.

홍매(紅梅) ciruelo *m* rojo.

홍모(紅毛) pelo *m* rojo.

홍모(鴻毛) cosa *f* muy ligera.

홍문(紅門) ① ((준말)) =홍살문. ② =정문(旌門).

홍백(紅白) ((준말)) =홍백색(紅白色).
■~색 el color rojo y el color blanco.

홍보(弘報) información *f* pública, publicidad *f*, relaciones *fpl* públicas. ~하다 informar públicamente (al pueblo).
■~과(課) sección *f* de información pública. ~관(館) cabina *f* de publicidad. ~지(誌) revista *f* de relaciones públicas. ~ 책자 folleto *m*, folletos *mpl* informativos. ~ 활동 actividad *f* de información.

홍보석(紅寶石) 【광물】 rubí *m* (*pl* rubíes).

홍복(洪福) gran felicidad *f*.

홍살문(紅-門) puerta *f* roja con puntas.

홍삼(紅蔘) ginseng *m* rojo.

홍색(紅色) ① [붉은 빛깔] color *m* rojo. ② ((준말)) =홍색짜리.
■~ 인종 =홍인종. ~짜리 【민속】 novia *f* recién casada.

홍소(哄笑) carcajada *f*, risa *f* violenta y ruidosa [y clamorosa], risa *f* estrepitosa. ~하다 soltar la carcajada, soltar una gran risotada, reír a carcajadas, reír estrepitosamente, carcajear.

홍송(紅松) pino *m* rojo.

홍수(洪水) ① [큰물] inundación *f*, desbordamiento *m*, riada *f*, [대홍수] diluvio. 노아의 ~ ((성경)) el Diluvio (Universal), el Diluvio de Noé. ~가 나다 desbordarse, inundarse. ~를 당하다 sufrir de diluvio. ~가 났다 Hubo inundación. 그 지방은 ~로 강타당했다 Esa región ha sido azotada por una inundación. ② [넘쳐 흐를 정도로 많은 사물] avalancha *f*, diluvio *m*.
◆홍수를 이루다 estar inundado (de), inundar. 서울은 자동차로 홍수를 이루고 있다 Seúl está inundada de automóviles / Los automóviles inundan la ciudad de Seúl.
■~ 경보 alarma *f* de inundación. ~ 예보 pronóstico *m* de inundaciones. ~ 이재민 damnificados *mpl* por las inundaciones. ~ 조절 control *m* de inundaciones. ~ 피해 daños *mpl* causados por las inundaciones.

홍수(紅樹) mangle *m*.
■~림(林) bosque *m* de mangle. ~피(皮) cáscara *f* de mangle.

홍순(紅脣) ① [(여자의) 붉은 입술] labios *mpl* rojos. ② [반쯤 핀 꽃송이] flor *f* entreabierta.

홍시(紅枾) *hongsi*, caqui *m* maduro que es rojo y muy blando.

홍실(紅-) hilo *m* rojo.

홍안(紅顔) mejillas *fpl* sonrojadas, mejillas *fpl* rosadas, rostro *m* sonrojado, rostro *m* rosado, cara *f* colorada. ~의 미소년(美少年) muchacho *m* [joven *m*] guapo [de rostro sonrojado].
■~박명 =미인박명. ~백발 El pelo es cano, pero el rostro rojo y lustroso

홍어(洪魚) 【어류】 raya *f*.

홍업(洪業/鴻業) gran hazaña *f*, obra *f* gloriosa, gran empresa *f*.

홍역(紅疫) 【의학】 sarampión *m*. ~에 걸리다 coger [tener · contagiarse del] sarampión. ~은 피부에 붉은 발진(發疹)으로 나타난다 El sarampión se manifiesta por una erupción de manchas rojas en la piel.
◆홍역(을) 치르다 sufrir de las dificultades.

홍염(紅焰) ① [붉은 불꽃] llama *f* roja. ② [태양의 채층(彩層)에서 분출하고 있는 심홍색의 불꽃] prominencia *f*.

홍염하다(紅艶-) (ser) rojo y apetitoso.

홍엽(紅葉) ① [단풍이 든 나뭇잎] hoja *f* colorada. ② [현상] enrojecimiento *m* de las hojas de los árboles.

홍예(虹霓) ① [무지개] arco *m* iris. ② ((준말)) =홍예문(虹霓門).
◆홍예(를) 틀다 construir como un arco, formar un arco.
■~다리 puente *m* formado un arco. ~대(臺) estribo *m* de puente. ~문 arco *m* de una puerta. ~석(石) piedra *f* angular.

홍옥(紅玉) ① 【광물】 rubí *m* (*pl* rubíes). ② [사과 품종의 하나] *hongok*, una especie de la manzana.

홍위병(紅衛兵) las Guardias Rojos; [개인] guardia *m* rojo, guardia *f* roja.

홍은(鴻恩) gran favor *m* [benevolencia *f*].

홍익(弘益) ① [큰 이익] mucha ganancia. ② [널리 이롭게 함] devoción *f* al bienestar público, promoción *f* de la bienestar público. ~하다 promover el bienestar público.
■~인간 humanitarianismo *m*, devoción *f* al bienestar público. ¶~의 이념 ideal *m* humanitario.

홍인종(紅人種) raza *f* roja, indio *m* americano.

홍일점(紅一點) única mujer *f*, única dama *f*. 그녀는 클럽의 ~이다 Ella es la única mujer que hay en el club.
홍적기(洪積期) 【지질】 =홍적세(洪績世).
홍적세(洪積世) 【지질】 época *f* diluvial, diluvium *m*.
홍적층(洪積層) 【지질】 diluvial *m*. ~의 diluvial.
홍적층토(洪積層土) diluvium *m*.
홍조(紅潮) ① [아침 햇살에 붉게 보이는 해조(海潮)] marea *f* roja por rayo de sol. ② [부끄럽거나 취하여 붉어진 얼굴] rostro *m* colorado. ~되다 abochornarse, sonrojarse, ponerse colorado, ruborizarse. 얼굴에 ~를 띠다 ponerse rojo; [수치심으로] ruborizarse, abochonarse. 그는 기뻐서 볼에 ~를 띠고 있다 El tiene las mejillas encendidas [coloreadas] de alegría. 그녀는 수치심으로 얼굴에 ~를 띠었다 Ella se ruborizó [se le encendió la cara] de vergüenza. ③ =월경(月經)(monstruo).
홍진(紅塵) ① [벌겋게 이는 티끌] polvo *m* denso. ② [번거롭고 속된 세상] mundo *m* irritante y vulgar.
■ ~만장(萬丈) nube *f* de polvo. ~세계 mundo *m* polvoriento, mundo *m* lleno de polvo.
홍차(紅茶) té *m* (negro · inglés). ~ 한 잔 una taza de té. ~(용) 잔 taza *f* de té. ~(용) 잔 세트 juego *m* de tazas de té. ~를 끓이다 preparar té. ~를 들다 tomar el té. ~ 드시겠습니까? ¿Quiere usted tomar el té? ~ 한 잔 더 주십시오 Otra taza de té, por favor.
홍채(虹彩) 【해부】 iris *m* (del ojo). ~의 iridal, irídico. ~ 모양의 iridiano.
■ ~ 각막염(角膜炎) iridoqueratitis *f*. ~경(鏡) iridoscopio *m*. ~ 괄약근(括約筋) iridoconstrictor *m*. ~근 músculo *m* iridal. ~ 마비 iridoparálisis *f*. ~병(病) iridopatía *f*. ~ 성형술 coreoplastía *f*, coroplastía *f*, corotomía *f*, iridocistectomía *f*. ~염(炎) iritis *f*. ~ 적출 iridoavulsión *f*. ~ 절개 irotomía *f*. ~ 절개술 coretomía *f*, iridotomía *f*, iritomía *f*. ~ 절제 iridectomía *f*, iridavulsión *f*. ~ 절제술(切除術) iridectomía *f*. ~ 출혈 iridemia *f*. ~통(痛) iralgia *f*, iridalgia *f*. ~학 iridología *f*. ~ 확장술 iridotasis *f*.
홍초¹(紅一) [붉은 물감을 들인 밀초] candela *f* roja.
홍초²(紅一) [연머리 외에는 전체가 붉은 연] cometa *f* de papel que es roja menos la cabeza.
홍초(紅草) =불경이.
홍촉(紅燭) =홍초¹.
홍치마(紅一) ((준말)) =다홍치마.
홍칠(紅漆) barniz *f* roja, laca *f* roja.
홍콩 【지명】 Hong Kong. ~의 hongkonés. ~ 사람[인] hongkonés, -nesa *mf*.
홍탕(紅糖) azúcar *m* rojo.
홍토(紅土) 【지질】 laterito *m*.
홍포(弘布) información *f* extensa. ~하다 informar extensamente.
홍포(紅布) paño *m* rojo, tela *f* roja.
홍하(洪河) río *m* grande.
홍하(紅霞) arrebol *m* rojo.
홍학(紅鶴) 【조류】 flamenco *m*.
홍합(紅蛤) 【조개】 mejillón *m* (*pl* mejillones), almeja *f*, telina *f*.
홍해(紅海) 【지명】 el Mar Rojo.
홑 sencillo, simple, solo. ~ 눈꺼풀 párpado *m* sencillo, párpado *m* simple.
홑- solo, sencillo, simple, sin forro. ~옷 ropa *f* sin forro. ~이불 sábana *f*.
홑겹 capa *f* simple.
홑그루 =단작(單作).
홑꽃 【식물】 flor *f* simple, flor *f* de pétalos simples.
홑꽃잎 【식물】 =단판(單瓣). 단판화(單瓣花).
홑눈¹ 【동물】 estema *f*.
홑눈² 【식물】 =단아(單芽).
홑담 muro *m* de capa simple.
홑닿소리 【언어】 =단자음(單子音).
홑대패 cepillo *m* con un solo filo.
홑몸 ① [배우자가 없는] soltero; [여자] soltera. ② [임신 안 한 여자] mujer *f* que no está encinta.
홑바지 ropa *f* interior de mujer.
홑반 algodón *m* de capa simple.
홑벌 uno simple, único uno.
■ ~사람 persona *f* cerrada, persona *f* de miras estrechas.
홑벽(一壁) muro *m* fino.
홑소리 voz *f* de una sola sílaba, voz *f* monosilábica.
홑수(一數) =단수¹(單數).
홑실 hilo *m* simple.
홑씨방(一房) 【식물】 =단실 자방(單室子房).
홑암꽃술 【식물】 =홑암술.
홑암술 【식물】 pistilo *m* simple.
홑옷 *hot-ot*, ropa *f* sin forro.
홑으로 en númeroso pequeños.
◆홑으로 보다 no tener ninguna consideración (por).
홑이불 ① [한 겹의 이불] *hot-ibul*, sábana *f*. ② =이불잇.
홑잎 【식물】 =단엽(單葉).
홑지다 no ser complicado sino simple.
홑집 choza *f*, casucha *f*, *AmL* rancho *m*, *Méj* jacal *m*, *AmC*, *Col*, *Ven* bohío m.
홑창(一窓) ventana *f* corrediza sin la ventana interior.
홑치마 ① [한 겹으로 된 치마] *hotchima*, falda *f* sin forro. ② [속에 아무것도 안 입고 입은 치마] *hotchima*, falda *f* vestida sin enaguas.
홑홀소리 【언어】 =단모음(單母音).
화¹(火) ((준말)) =화요일(火曜日)(martes).
화²(火) ① ((준말)) =화기(火氣). ② 【민속】 [오행(五行)의 하나] ㉮ [방위로는 남쪽] sur *m*. ㉯ [계절로는 여름] verano *m*. ㉰ [빛깔로는 붉은색] (color *m*) rojo *m*. ③ [언짢아서 내는 성] cólera *f*, ira *f*, enfado *m*, exasperación *f*, *AmL* enojo *m*. ~가 나서 enojosamente, enfadosamente. ~를 잘 내는 사람 rascarrabias *mf.sing.pl.* ~가 나다

exasperarse (por), irritarse (por). ~가 나 있다 estar enfadado, estar enojado. ~를 내다 enfadarse, irritarse, encenderse de [en] ira, *AmL* enojarse. ~가 나서 안달하다 irritarse (por), impacientarse (por · de). ~가 나서 속이 끓어오르다 estar furioso. 몹시 ~를 내다 ponerse hecho una furia, montar en cólera. 나는 ~가 나서 참을 수 없다 No puedo contenerme / No puedo contener mi cólera / No se me calma la ira. 나는 ~가 나서 속이 부글부글 끓어올랐다 Me hervía a sangre / Yo estaba furioso / Yo estaba que ardía. 그녀는 ~가 나서 속이 부글부글 끓었다 Ella hervía de cólera. 나는 정부가 하는 짓에 ~가 난다 La manera de actuar del gobierno me exaspera [me irrita · me saca de quicio]. 나는 그의 오만한 태도에 ~가 났다 Su actitud arrogante me ha ofendido. ☞화나다. 화내다

◆화가 머리끝까지 나다 exasperarse [irritarse · enfadarse · enojarse] muchísimo.

화(和) ① 【수학】((구용어)) =합(合). ② 【악기】 *hwa*, una especie del instrumento de viento.

화(禍) disgracia *f*, desastre *m*, calamidad *f*, catástrofe *f*. ~는 홀로 오지 않는다 Las disgracias nunca vienen solas.

-화(化) -zación. 국유(國有)~ nacionalización *f*. 기계(機械)~ mecanización *f*. 도시(都市)~ urbanización *f*. 합리(合理) ~ racionalización *f*.

-화(花) flor *f*. 장미(薔薇)~ rosa *f*.

-화(畫) cuadro *m*, pintura *f*. 동양(東洋)~ pintura *f* oriental.

-화(靴) calzado *m*, zapatos *mpl*, botines *mpl*. 축구(蹴球)~ botines *mpl* de fútbol. 럭비~ botines *mpl* de rugby.

화가(畫架) caballete *m*.

화가(畫家) pintor, -tora *mf*.

◆동양(東洋) ~ pintor, -tora *mf* oriental. 산수(山水) ~ paisajista *mf*. 서양(西洋) ~ pintor, -tora *mf* occidental. 여류(女流) ~ pintora *f*.

화간(和姦) fornicación *f*, adulterio *m* voluntario, cópula *f* carnal entre dos personas que no están casadas, fornicio *m*. ~하다 fornicar.

화강석(花崗石) granito *m*.

화강암(花崗巖) 【광물】 granito *m*.

화객(貨客) la carga y los pasajeros.

■ ~선(船) barco *m* de carga-pasajero.

화격(畫格) ① =화법(畫法). ② =화품(畫品).

화경(火耕) cultivo *m* del campo quemado.

화경(火鏡) lente *m* convexo.

화경(花莖) 【식물】 =꽃줄기.

화경(花梗) 【식물】 =꽃자루.

화계(花階) =화단(花壇).

화고(畫稿) bosquejo *m*, esbozo *m*, boceto *m*.

화공[1](化工) ((준말)) ① =화학 공업. ② =화학 공학.

■ ~ 약품 medicamento *m* de la industria química.

화공(火工) ① [불을 때는 직공] obrero, -ra *mf* de echar leña. ② [탄약에 화약을 재는 직공] obrero, -ra *mf* de poner pólvora en municiones.

■ ~품(品) artículo *m* hecho de la pólvora o el explosivo.

화공(火攻) ataque *m* incendiario. ~하다 atacar con fuego.

화공(畫工) pintor, -tora *mf*; artista *mf*.

화공(靴工) zapatero, -ra *mf*.

화관(花冠) ① 【식물】 =꽃부리. ② [칠보로 꾸민 여자의 관] corona *f* adornada con siete tesoros.

화광(火光) =불빛.

■ ~충천(衝天) llamas *fpl* intensas. ~하다 Las llamas iluminan intensamente.

화교(華僑) comerciantes *mpl* chinos (que residen) en el extranjero, residentes *mpl* chinos en el extranjero.

■ ~촌(村) barrio *m* chino.

화구(火口) ① [불을 때는 아궁이의 아가리] entrada *f* del hogar. ② [불을 내뿜는 아가리] entrada *f* del fuego. ③ 【지질】 [화산의 터진 구멍] cráter *m*.

■ ~곡(谷) valle *m* del cráter. ~구(丘) cono *m* volcánico. ~벽(壁) pared *f* del cráter. ~원(原) cuenca *f* del cráter. ~항(港) puerto *m* natural por el cráter. ~호(湖) lago *m* volcánico; [작은 화구호] laguna *f* volcánica.

화구(火具) ① [불을 켜는 제구] equipo *m* de encenderse. ② [폭발에 쓰는 제구] equipo *m* para la explosión.

화구(畫具) colores *mpl* de pintura. 유화(油畫)의 ~ colores *mpl* de pintura al óleo.

■ ~상 ㉮ [화구를 파는 상업] comercio *m* de vender los colores de pintura. ㉯ [화구를 파는 상인] comerciante *mf* de los colores de pintura.

화근(禍根) raíz *f* de desgracia, raíz *f* de injuria, raíz *f* de daño, raíz *f* del mal, causa *f* de desgracia, fuente *f* de calamidad, origen *m* de calamidad. ~을 없애다 acabar con la raíz del mal. 장래에 ~을 남기다 dejar viva la raíz del mal.

■ ~거리 fuente *f* de la desgracia futura.

화급하다(火急-) (ser) urgente, apremiante, inminente. 화급함 urgencia *f*, emergencia *f*. 화급한 일[용무] asunto *m* urgente, negocio *m* urgente. 화급한 경우에는 en caso de urgencia, en caso de una inminencia. 화급한 용무로 por negocio urgente.

화급히 urgentemente, con urgencia, apremiantemente, inminentemente.

화기(火氣) ① [불의 뜨거운 기운] fuego *m*, fuerza *f* del fuego, actividad *f* del fuego. ~가 없는 방 habitación *f* [cuarto *m*] sin fuego; [난방이 안 된 방] habitación *f* [cuarto *m*] sin calefacción. ~가 약해진다 El fuego pierde su fuerza / El fuego debilita su actividad. ~ 엄금 ((게시)) Prohibido el fuego / Cuidado con fuego / ¡No acercar al fuego! / Precávase de fuego / Aléjese del fuego / Manténgase alejado del fuego. ② [가슴이 답답해지는 기운] sensación *f* sofocante en el pecho. ③ =화증(火症).

화기(火器) ① 【군사】 el arma *f* (*pl* las armas) de fuego. ② [불을 담는 그릇] estufa *f*, calentador *m*.

화기(和氣) ① [화창한 일기] tiempo *m* de sol. ② [화목한 기운] armonía *f*, paz *f*, concordia *f*.
■ ~애애(靄靄) armonía *f*, paz *f*, amigabilidad *f*, concordia *f*, amistad *f*. ¶~하다 (ser) armonioso, pacífico. ~하게 amigablemente, amistosamente, armoniosamente, pacíficamente. ~한 가정 hogar *m* [familia *f*] en paz y armonía. ~했다 La paz reinaba sobre toda la compañía. 회합은 ~했다 En la reunión reinaba una atmósfera muy amistosa [amigable · íntima].

화기(花期) estación *f* floral, estación *f* de las flores.

화기(花器) florero *m*, ramilletero *m*, maceta *f*.

화끈 ① [얼굴이나 몸이 몹시 달아오르는 모양] ruborizándose. 얼굴이 ~ 달아오르다 ruborizarse a *uno* la cara, ponerse a uno la cara. 나는 얼굴이 ~ 달아올랐다 Se me ha ruborizado la cara / Se me ha puesto la cara. ② ((속어)) [열기가 뜨거워 긴장과 흥분이 고조되는 모양] excitantemente. ~한 경기(競技) juego *m* excitante.
화끈거리다 encendérsel*e* a *uno* la sangre, sentir caliente, arder, tener sensación vehemente.

화나다(火-) enojarse, irritarse, enfadarse. 화난 얼굴 cara *f* enfadada, cara *f* enojada. 화나 있다 estar enfadado, estar enfurecido, estar enojado. 화나서 얼굴이 붉어지다 enrojecer de cólera. 화나서 얼굴이 창백해지다 palidecer de cólera, ponerse pálido de cólera. 화난 얼굴을 하다 poner cara de enfado. 아직도 나한테 화나 있나? ¿Estás enfadado [enojado] conmigo todavía? 그녀는 화나 있어 한마디도 말하고 싶지 않다 Ella está enfadada y no quiere decir ni una palabra? 그는 화나서 가 버렸다 Enfadado, él se marchó [se fue]. 그의 행위(行爲)는 나를 화나게 했다 Me enfadó [irrita · enoja] su conducta. 열쇠를 잃어버려 무척 화난다 Me da mucha rabia haber perdido las llaves. ☞화[2](火)❸

화난(火難) =화재(火災).

화난(禍難) desastre *m*, calamidad *f*, desgracia *f*.

화난하다(和暖-) (ser) templado y agradable.

화내다(火-) ① [성이 나서 화증을 내다] enfadarse, irritarse, *AmL* enojarse. 잘 화내는 colérico, irascible, enfadadizo, enojadizo. 술 취하면 화내는 버릇이 있는 남자 hombre *m* que se enfada cuando bebe. …해서 ~ enfadarse [irritarse · enojarse] de + *inf.* 화내게 하다 enfadar, irritar, enojar. 하찮은 일로 친구에게 ~ enfadarse por poco con [contra] un amigo. 화내지 않으신다면 말씀드리겠습니다 Se lo diré si usted no es enfada [se enoja]. 그는 나를 보고 화냈다 El se enfadó de verme. 그는 후안의 말에 화냈다 El se enfadó de lo que dijo Juan. 그는 하찮은 일로 나에게 화냈다 El se enfadó conmigo por poca cosa. 나는 화낼 이유가 없다 No tengo motivo para enfadarme. 화내지 않겠다고 나에게 약속하겠느냐? ¿Me prometes que no te vas a enfadar [enojar]? 그것에 그렇게 화낼 가치가 없다 No vale la pena enfadarse [enojarse] tanto por eso. ② [부정(不正)에 대해] indignarse. ③ [격노하다] montar en cólera, enrabiarse, enfurecerse, airarse.

화냥년 mujer *f* fácil, mujer *f* de vida alegre, desvergonzada *f*, descocada *f*, libertina *f*.

화냥질 adulterio *m*. ~하다 cometer adulterio, poner*le* los cuernos (a *uno*). ~한 여자의 남편 cornudo *m*.

화농(化膿) piogénesis *f*, diapiesis *f*, piesis *f*, purulencia *f*, supuración *f*. ~하다 supurar, formar pus, enfistolar.
■ ~ 구균(球菌) piococo *m*. ~균(菌) microbio *m* piógeno. ~기(期) amputación *f* consecutiva. ~성 간염 purohepatitis *f*. ~성 근염 piomiositis *f*. ~성 기관염 traqueopiosis *f*. ~성 염증 inflamación *f* purulente, inflamación *f* supurativa. ~성 자궁염 piometritis *f*. ~성 출혈(性出血) apoplexia *f* supurativa. ~성 피부병 piodermitis *f*, piodermatitis *f*, piodermatosis *f*. ~열 fiebre *f* madurativa. ~ 작용 piogénesis *f*. ~제 supurativo *m*, pustulante *m*, maturante *m*, antibiótico *m*, madurativo *m*. ~증 piosis *f*.

화닥닥 ① [갑자기 뛰어나가려고 급하게 날뛰는 모양] de un salto, con un respingo. 나는 의자에서 ~ 일어났다 Me levanté de la silla de un salto. ② [일을 빨리 하느라고 급히 서두르는 모양] de sobresalto. 나는 꿈에서 ~ 깨었다 Me desperté de un sueño sobresaltado.

화단(花壇) arriate *m*, arriata *f*, macizo *m*, parterre *m*, *Cuba*, *RPI* cantero *m*. 정원의 한가운데 ~이 있다 En medio del jardín hay un macizo de flores.

화단(畵壇) mundo *m* de pintores, círculos *mpl* de pintores, mundillo *m* pictórico.

화답(和答) respuesta *f*. ~하다 responder.

화대(花代) propina *f* a una *guisaeng*.

화대(花臺) macetero *m*.

화덕(火-) cocina *f* económica, horno *m*, hogar *m*, horno-asador *m*, fogón *m* (*pl* fogones) (hundido en el suelo). ~에 굽다 asar en el horno.

화도(火刀) pieza *f* del metal para el fuego.

화도(火度) temperatura *f* de asar la porcelana.

화도(畵道) arte *m* de la pintura.

화도(畵圖) cuadros *mpl*, pinturas *fpl*.

화독(火毒) inflamación *f* causada por la quemadura.
■ ~내 olor *m* a la comida quemada.

화동(和同) unísono *m*, armonía *f*, concordia *f*.

~하다 estar en armonía, concordar (con).
화두(話頭) tema *m* de conversación. ~를 바꾸다 cambiar el tema, cambiar la conversación.
화라지 rama *f* extendida largamente.
화락하다(和樂－) (ser) pacífico y alegrarse.
화란(和蘭) 【지명】 Holanda *f*, los Países Bajos. ~의 neerlandés, holandés.
■~ 사람[인] neerlandés, -desa *mf*; holandés, -desa *mf*.
화란(禍亂) la calamidad y el desorden, disturbio *m*, desorden *m*, alboroto *m*, tumulto *m*, guerra *f* civil. ~을 진정시키다 allanar el disturbio.
화랑(花郞) 【역사】 *hwarang*, caballeros *mpl* jóvenes, flor *f* de juventud en la dinastía de *Sila*.
■~도(徒) grupo *m* de *hwarang*, la Orden de los Caballeros Jóvenes. ~도(道) principios *mpl* de *hwarang*, principios *mpl* de los Caballeros Jóvenes. ~이 【민속】 *hwarangyi*, una especie del artista teatral.
화랑(畵廊) [박물관] pinacoteca *f*, museo *m*; [가게] galería *f* de arte.
화려하다(華麗－) (ser) espléndido, magnífico, suntuoso, esplendoroso, vistoso, llamativo, ostentoso, aparatoso, brillante, resplandeciente, grandioso, precioso, ostentoso, solemne, alegre. 화려함 esplendidez *f*, magnificiencia *f*, belleza *f*, hermosura *f*, pompa *f*, brillantez *f*, resplandor *m*, esplendor *m*. 화려하게 espléndidamente, magníficamente, brillantemente, vistosamente, llamativamente, grandiosamente, resplandecientemente, suntuosamente. 화려한 무대(舞臺) escena *f* solemne, escenario *m* solemne, representación *f* solemne. 화려한 복장(服裝) traje *m* ostentoso. 화려한 색채(色彩) color *m* alegre, color *m* llamativo. 화려한 생활(生活) vida *f* alegre, vida *f* lujosa. 화려한 옷 ropa *f* ostentosa, traje *m* ostentoso, vestido *m* ostentoso; ((성경)) ropa *f* de gala, fino vestido *m*. 화려한 파티 fiesta *f* resplandeciente. 복장이 화려한 vestido llamativamente. 눈부시게 화려한 옷 traje *m* radiante. 화려한 생활을 하다 vivir a lo grande, vivir en lujo. 화려하게 차려입다 engalanarse, vestirse de etiqueta, vestirse de gala. 그녀는 화려한 것을 좋아한다 A ella le gusta lucirse [la ostentación・el boato]. 이 디자인은 나한테는 너무 ~ Este dibujo es demasiado llamativo para mí.
화력(火力) ① [불의 힘] poder *m* calorífico, potencia *f* calorífica, potencia *f* térmica, potencia *f* de caldeo, energía *f* térmica, fuerza *f* de fuego. ~이 강한 de gran fuerza calorífica. ② 【군사】 potencia *f* de fuego, fuego *m*.
■~ 계획 【군사】 plan *m* de fuego. ~ 발전(發電) termogeneración *f*, producción *f* térmica de la energía eléctrica. ~ 발전소 central *f* termoeléctrica, central *f* térmica, planta *f* de vapor, estación *f* de fuerza calefaciente a máquina. ~ 전기(電氣) electricidad *f* de energía *f* térmica, fuerza calorífica. ~ 증강 aumento *m* de potencia de fuego. ~ 지원 apoyo *m* de fuego. ~ 집중 densidad *f* de fuego.
화로(火爐) brasero *m*, braserillo *m* de mano, hogar *m*. ~에 불을 쪼이다 calentarse en el brasero. ~를 둘러싸고 앉다 sentarse alrededor del brasero.
■~ㅅ불 fuego *m* en el brasero.
화로수(花露水) perfume *m* floral.
화룡점정(畵龍點睛) última pincelada *f* (para que la obra sea perfecta), toque *m* final, toque *m* último, logro *m* final, última consecución *f*. ~을 찍다 dar*le* los últimos toques *a algo*, dar*le* el toque de colmo a *algo*. 그의 작품은 ~만 남았다 Falta una última pincelada para que la obra sea perfecta.
화류(花柳) ① [꽃과 버들] la flor y el sauce. ② =유곽(遊廓). ③ =기생(妓生). 갈보.
■~계(界) barrio *m* chino, zona *f* de tolerancia, sociedad *f* frívola, sociedad *f* alegre, demimonde *m*, *Chi* zona *f* roja. ¶~에 출입하다 frecuentar el distrito de mujeres de vida libre. ~병 venéreo *m*, malfrancés *m*, enfermedad *f* venérea. ~ 여성(女性) demimondana *f*. ~장(場) =화류계(花柳界). ~항(巷) barrio *m* nocturno de diversiones.
화마(火魔) fuego *m*, lumbre *f*.
화면(畵面) ① [그림의 표면] lienzo *m*, tela *f*. ② [영사막에 비친 사진의 면] pantalla *f*. ③ [필름・인화지에 촬영된 영상] imagen *f* (*pl* imágenes). (음성을) ~과 일치시키다 sincronizar. ~이 밝다 La imagen es clara. ~이 어둡다 La imagen es oscura [obscura].
■~ 구성 composición *f* de una pintura. ~비(比) ratio *m* de pintura.
화명(花名) nombre *m* de la flor.
화명(畵名) ① [그림의 이름] nombre *m* de la pintura. ② [영화의 이름] nombre *m* de la película. ③ [화가로서의 명성] fama *f* [reputación *f*] como un pintor.
화목(火木) ① =땔나무. ② ((성경)) fuego *m*, leña *f* para el fuego.
화목(花木) =꽃나무.
화목(和睦) ① armonía *f*, intimidad *f*, paz *f*; [친화] reconciliación *f*; [강화] restauración *f* de paz, concertación *f* de paz. ~하다 concluir la paz (con), hacer las paces (con), ser amable (con), reconciliarse. ~하게 하다 reconciliar, hacer establecer la paz. ② ((성경)) reconciliación *f*, paz *f*. ~하다 tener paz, vivir en paz.
화무십일홍(花無十日紅) La flor de la belleza es poco duradera.
화문(火門) boca *f* del arma de fuego.
화문(花紋) figuras *fpl* de flores, modelos *mpl* de flores.
■~석(席) estera *f* con figuras, estera *f* tejida con figuras [modelos] de flores.
화물(貨物) mercancía *f*, géneros *mpl*, carga *f*; [전체] cargamento *m*. 선불한 ~ carga *f*

prepagada, flete *m* pagado por antipagado, portes *mpl* pagados. ～의 이동이 활발하다 La circulación de mercancías está muy activa / El comercio tiene mucha actividad. ～의 위아래를 거꾸로 하지 말 것 ((게시)) No dar vuelta / No poner al revés / Se ruega no invertir.

■ ～계(係) sección *f* de carga. ～기 avión *m* de carga, (avión *m*) carguero *m*. ～ 담당자 encargador, -dora *mf* de carga, dependiente *mf* de carga. ～ 등급(等級) clasificación *f* de carga. ～ 목록 sobordo *m*. ～ 보관증 comprobante *m*, recibo *m* de almacén. ～ 보험 seguro *m* de flete. ～ 보험 증권 póliza *f* de flete. ～ 상환증 recibo *m* de carga. ～선(船) buque *m* de carga, barco *m* de carga, *AmL* fletero *m*. ～ 수송 transporte *m* de mercancías; [트럭의] camionaje *m*. ～ 수송기 avión *m* de carga, avión *m* de transporte de mercancías, avión *m* carguero, carguero *m*. ～ 수송 협회 la Sociedad de Transportistas de Carga. ～ 수집 cobro *m* de mercancías. ～역 estación *f* de carga, estación *f* de mercancías. ～ 열차 tren *m* de carga, tren *m* de mercancías. ～ 운송 transporte *m* de mercancías. ～ 운송업자 agente *mf* de transportes. ¶～의 영수증 certificado *m* de recibo de expedición de flete, certificado *m* de recibo del expedidor del flete. ～ 운임 porte *m*; [트럭의] camionaje *m*; [배의] flete *m*. ～ 인환증(引換證) talón *m* de resguardo, conocimiento *m* de carga, conocimiento *m* a bordo, conocimiento *m* embarcado, conocimiento *m* de embarque, conocimiento *m* de carga. ¶～ 조항(條項) cláusula *f* del conocimiento de embarque. ～ 신청용지 formulario *m* de conocimiento de embarque. ～ 사기 fraude *m* en el conocimiento de embarque. ～ 자동차 camión *m*, furgón *m*. ～ 적치장 patio *m* de carga. ～차 camión *m* de mercancías. ～창(艙) ＝화물 창고. ～ 창고 depósito *m* de mercancías. ～ 취급(取扱) despacho *m* de equipajes, despacho *m* de mercancías. ～ 취급소 despacho *m* de facturación. ～ 취급인 agente *mf* de mercancías. ～ 컨테이너 contenedor *m* de mercancías. ～ 터미널 terminal *f* de carga.

화미하다(華美－) (ser) fastuoso, lujoso, suntuoso, esplendoroso, gayo. 화미함 fastuosidad *f*, lujo *m*, suntuosidad *f*, fausto *m*, magnificencia *f*. 화미한 생활(生活) vida *f* fastuosa. 화미한 옷 ropa *f* suntuosa, traje *m suntuoso*, vestido *m* suntuoso. 화미한 생활을 하다 vivir en lujo.

화밀(火蜜) ＝화청(火淸).

화밀(花蜜) néctar *m* (floral).

화반(花盤) [꽃을 담게 만든 자기(瓷器)] maceta *f* [tiesto *m*] para la porcelana.

화반석(花斑石) mármol *m* rojo.

화방(畵房) florería *f*, floristería *f*.

화방(畵舫) barco *m* de recreo adornado.

화방수(－水) remolino *m*, torbellino *m*.

화백(畵伯) pintor, -tora *mf*; artista *mf*; maestro, -tra *mf* de pintura.

화벌(華閥) familia *f* distinguida, familia *f* con título, familia *f* nobiliaria, familia *f* de nobleza.

화법(話法) narración *f*.

◆간접(間接) ～ narración *f* indirecta. 직접(直接) ～ narración *f* directa.

화법(畵法) arte *m* de pintura, arte *m* de dibujo, arte *m* gráfica.

화변(火變) ＝화재(火災).

화변(禍變) calamidad *f*, desastre *m*.

화병(火病) ((준말)) ＝울화병. 심화병(心火病).

화병(火餠) torta *f* de harina asada.

화병(花甁) florero *m*, vaso *m* de flores, jarrón *m* (*pl* jarrones) de flores. ☞꽃병

화병(畵屛) biombo *m* con cuadros.

화병(畵甁) botella *f* con cuadros.

화보 mujer *f* de la cara ancha y de la carne algo gorda.

화보(花譜) catálogo *m* de flores.

화보(畵報) revista *f* ilustrada.

화보(畵譜) libro *m* de pinturas, album *m* de pinturas.

화복(禍福) fortuna *f* y desgracia, dicha *f* y desdicha, buena suerte y mala suerte.

화본(畵本) lienzo *m*, tela *f*, papel *m* para el dibujo.

화본과(禾本科)【식물】((학명)) Graminaceae. ～의 gramíneo.

■ ～ 식물(植物)【식물】gramíneas *fpl*.

화부(火夫) ① [기관에 불을 때는 인부] fogonero *m*. ② ((불교)) persona *f* de echar leña (en el templo budista).

화분(花盆) tiesto *m*, maceta *f* (de flores); *AmS* macetero.

■ ～대(臺) macetero *m*.

화분(花粉)【식물】＝꽃가루(polen).

■ ～관(管) tubo *m* de polen. ～병(病) ＝꽃가룻병.

화사(花蛇)【동물】＝산무애뱀.

화사(花詞) ＝꽃말.

화사(花絲)【식물】＝수술대.

화사(畵師) ＝화공(畵工).

화사첨족(畵蛇添足) superfluidad *f*, rebundancia *f*, exceso *m*, demasía *f*. ～의 superfluo, sobrante, redundante, innecesario. ～을 붙이다 añadir superfluidades. 그것은 ～입니다만 … No hace falta decir que + *ind* / Es superfluo decir que + *ind*.

화사하다(華奢－) (ser) lujoso, pomposo, espléndido, faustoso, suntuoso. 화사함 lujo *m*, pompa *f*, esplendor *m*, fausto *m*.

화산(火山) volcán *m*. ～의 volcánico.

◆해저(海底) ～ volcán *m* submarino. 활(活)～ volcán *m* activo. 휴(休)～ volcán *m* inactivo.

■ ～국(國) país *m* volcánico. ～군(群) grupo *m* volcánico. ～대(帶) zona *f* volcánica. ～도(島) isla *f* volcánica. ～맥 sierra *f* volcánica, cadena *f* volcánica. ～ 분출물 eyección *f*. ～사(砂) arena *f* volcánica. ～

성 지진 terremoto *m* volcánico. ～암 roca *f* volcánica. ～ 원뿔 cono *m* (volcánico). ～ 작용 actividad *f* volcánica, actividad *f* del volcán. ～재 ceniza *f* volcánica. ～지대 región *f* volcánica. ～ 지진 ＝화산성 지진. ～진 polvo *m* volcánico. ～탄 bomba *f* volcánica. ～학 vulcanología *f*, volcanología *f*. ～학자(學者) vulcanologista *mf*; vulcanólogo, -ga *mf*; volcanólogo, -ga *mf*. ～ 현상 ＝화산 작용. ～호(湖) lago *m* volcánico. ～ 활동 ＝화산 작용. ～회 ＝화산재.

화살 flecha *f*, saeta *f*. ～을 쏘다 tirar [disparar · soltar] una fleche. ～을 쏘는 것처럼 tan veloz como una flecha, como mucha velocidad. ～에 부상하다 herir de un flechazo. ～처럼 달리다 correr como una flecha. ～처럼 재촉하다 apremiar urgentemente. 활에 ～을 먹이다 poner una flecha al arco, armar un arco. 세월은 흐르는～과 같다 El tiempo corre [pasa] como una flecha.

◆화살을 돌리다 dirigir un ataque (contra).

▪～대 el asta *f* (*pl* las astas) de una flecha. ～촉 punta *f* de flecha. ¶돌～ punta *f* de flecha de piedra. ～표(標) flecha *f*. ¶～로 가리키다 señalar con la flecha. ～가 가리킨 대로 según indica la flecha.

화살자리 【천문】 Flecha *f*.

화상(火床) chimenea *f*.

화상(火傷) [불 · 태양에 덴] quemadura *f*, [뜨거운 물에 덴] escaldadura *f*. ～을 입다 quemar con líquido hirviendo [caliente], escaldarse, quemarse. 4도 ～을 입다 sufrir quemaduras de cuarto grado. 손가락에～을 입다 quemarse los dedos. 그는 손에 ～을 입었다 El se ha hecho una quemadura en la mano. 그는 3도 ～을 입었다 El tiene quemaduras de tercer grado. 발바닥만 ～을 당하지 않았다 Sólo las plantas de los pies no sufrienron quemaduras. 2도 ～으로 완전 생고기가 되었다 Estaba completamente en carne viva, con quemaduras en segundo grado. 나는 김으로 손에 ～을 입었다 Me escaldé la mano con el vapor. 그녀는 얼굴에 심한 [가벼운] ～을 입었다 Ella sufrió quemaduras graves [leves] en la cara.

▪～약 ungüento *m* para la quemadura, mecina *f* para quemadura. ～ 자국 cicatriz *f* de una quemadura.

화상(花床) ＝꽃턱.

화상(和尙) superior *m* (de un templo budista).

화상(華商) comerciante *m* chino, comerciante *f* china.

화상(畵商) comerciante *mf* de cuadros.

화상(畵像) ① [사람의 얼굴을 그림으로 그린 형상] retrato *m*. ② ((속어)) [얼굴] cara *f*, rostro *m*. ③ ((속어)) [상대방이 마땅치 못하여 꾸짖는 말] tipo *m*. ④ [텔레비전 수상기의 화면에 나타나는 상(像)] imagen *f*.

▪～송신 transmisión *f* de imágenes. ～정보 처리 tratamiento *m* de imágenes; 【컴퓨터】 procesamiento *m* de imágenes.

화색(和色) armonía *f* jovial, armonía *f* simpática, complexión *f* rubicunda.

화생(化生) metamorfosis *f*, transformación *f*. ～하다 metamorfosear, transformar.

화생방(火生放) ¶～의 químico, biológico y radiológico.

▪～ 대피호(待避壕) abrigo *m* antitóxico. ～ 무기 armas *fpl* químicas, biológicas y radiológicas. ～ 방어(防禦) defensa *f* antitóxica. ～ 방호복(防護服) uniforme *m* de protección química, biológica y radiológica. ～전(戰) guerra *f* química, biológica y radiológica.

화서(禾黍) el arroz y el mijo.

화서(花序) 【식물】 ＝꽃차례.

화서지몽(華胥之夢) ① [낮잠] siesta *f*. ② [좋은 꿈] buen sueño *m*.

화석(火石) ＝부싯돌(piedra de chispa).

화석(化石) fósil *m*. ～의 fósil. ～을 함유한 fosilífero. ～을 함유한 땅 terreno *m* fosilífero. ～이 되다 fosilizarse, convertirse en fósil, petrificarse. ～이 된 조개 concha *f* fosilizada.

◆나무 ～ madera *f* fósil. 나뭇잎 ～ hoja *f* fosilizada, hoja *f* petrificada.

▪～ 수지(樹脂) resina *f* fósil. ～ 식물(植物) planta *f* fósil. ～ 어류(魚類) peces *mpl* fósiles. ～ 연료 combustible *m* fósil. ～ 인류 humano *m* fósil. ～층 capa *f* fósil. ～학 paleontología *f*. ¶기술(記述) ～ paleontografía *f*. ～학자 paleontólogo, -ga *mf*. ～화 fosilización *f*, petrificación *f*. ¶～하다 fosilizarse, petrificarse, convertirse en fósil. ～된 fosilizado, petrificado.

화선(畵仙) ＝화성(畵聖).

화선지(畵宣紙) papel *m* coreano para dibujar.

화섬(化纖) ((준말)) ＝화학 섬유(化學纖維).

▪～사(絲) hilo *m* de fibra sintética.

화성(化成) 【화학】 metamorfosis *f*, transformación *f*, mudanza *f* de una cosa en otra, formación *f*. ～하다 metamorfosear, transformar.

▪～ 공업 industria *f* química (y sintética). ～ 광물 mineral *m* química, mineral *m* sintética. ～ 비료 fertilizante *m* química, fertilizante *m* sintético.

화성(火成) ¶～의 ígneo, eruptivo, plutónico.

▪～ 광상(鑛床) depósitos *mpl* ígneos. ～설(說) teoría *f* vulcania. ～암(岩) roca *f* ígnea, roca *f* eruptiva, roca *f* plutónica.

화성(火星) 【천문】 Marte *m*. ～의 marciano.

▪～인 marciano *m*, habitante *m* de Marte.

화성(和聲) 【음악】 armonía *f*, concordia *f*, consonancia *f*.

◆개리(開離) ～ armonía *f* abierta. 밀집(密集) ～ armonía *f* cerrada.

▪～법 ley *f* de armonía. ～적(的) armónico. ¶～으로 armónicamente. ～학 armonía *f*, teoría *f* musical, ciencia *f* de armonía.

화성(畵聖) gran maestro *m* [gran maestra *f*] de pinturas; gran artista *mf*, gran pintor

m, gran pintora *f*.
화세(火勢) fuerza *f* del fuego [del incendio], extensión *f* del fuego [del incendio], dilatación *f* del fuego [del incendio]. ~가 맹렬하다 La dilatación del incendio está alarmante.
화속하다(火速－) (ser) rápido como un fuego encendido.
화솥 olla *f* de la forma de sombrero.
화수(禾穗) espiga *f* del arroz.
화수(花樹) ＝꽃나무.
▪ ~회(會) reunión *f* familiar.
화수(花穗) espiga *f*.
화수(花鬚)【식물】＝꽃술.
화순(花脣) ①【식물】＝꽃잎. ② [미인(美人)의 입술] labios *mpl* de la belleza.
화순하다(和順－) (ser) obediente, dócil. 화순함 obediencia *f*, docilidad *f*.
화술(話術) arte *m* de conversación, arte *m* de hablar bien, arte *m* de la narración. ~이 능란하다 saber hablar bien, ser un conversador brillante, tener [ser] un pico de oro, brillar en la conversación.
화승(火繩) cordón *m* de mecha.
▪ ~총(銃) fusil *m* de mecha, mosquete *m*.
화시(花時) estación *f* floreciente.
화식(火食) comida *f* cocida. ~하다 tomar la comida cocida, comer manjares cocidos.
화식(和食) plato *m* japonés, comida *f* japonesa, cocina *f* japonesa.
화식(貨殖) acumulación *f* de riqueza, acumulación *f* de fortuna, lucro *m*.
화식(華飾) adorno *m* espléndido.
화식조(火食鳥)【조류】casuario *m*.
화신(化身) encarnación *f*, personificación *f*. 악마의 ~ diablo *m* personificado, demonio *m* personificado. 욕심의 ~ encarnación *f* de la avaricia.
화신(火神) dios *m* del fuego.
화신(花信) ＝꽃소식.
▪ ~풍(風) brisa *f* primaveral.
화신(花神) dios *m* de la flor.
화신(花晨) mañana *f* floreciente.
화신(禍神) dios *m* de la calamidad.
화실(火室) fogón *m* (*pl* fogones), cámara *f* de combustión, caja *f* de fuego de una caldea.
화실(畵室) taller *m*, estudio *m* de un artista, estudio *m* de un pintor.
화심(花心) ①【식물】[꽃술이 있는 부분] corazón *m* de una flor. ② [미인의 마음] corazón *m* de la belleza.
화심(禍心) intención *f* maligna, intención *f* malvada.
화씨(華氏) Fahrenheit *adj*. ~ 20도 veinte grados en el termómetro de Fahrenheit, viente grados según el sistema de Fahrenheit, 20°F.
▪ ~ 온도계 termómetro *m* de Fahrenheit.
화아(火蛾)【곤충】＝불나방.
화아(花芽)【식물】＝꽃눈.
화안(花顔) cara *f* hermosa [rostro *m* hermoso] como una flor.
화안(和顔) cara *f* armoniosa.
화압(花押) la firma y el nombre.
화압(畵押) firma *f*. ~하다 firmar.
화액(禍厄) el desastre y la dificultad, aflicción *f*, mal *m*.
화약(火藥) pólvora *f*. ~을 재다 preparar pólvora, cebar un arma de fuego, cargar con pólvora, cargar con santa bárbara.
◆ 면(綿)~ fulmicotón *m*, algodón *m* pólvora.
▪ ~고 ㉮ [화약을 저장하는 창고] polvorín *m* (*pl* polvorines); [배의] santabárbara *f*. ㉯ [분쟁이나 전쟁 따위가 일어날 위험성이 있는 지역] región *f* peligrosa (de la guerra). ~ 공장 ＝화약 제조소. ~류(類) explosivos *mpl*. ~ 심지 ㉮ ＝화승(火繩). ㉯ ＝도화선(導火線). ~ 제조 fabricación *f* de pólvora. ~ 제조소 fábrica *f* de pólvora, fábrica *f* de explosivos. ~통 barril *m* de pólvora.
화언(禍言) palabra *f* de mala suerte.
화연(花宴) ＝환갑잔치. 회갑연(回甲宴).
화염(火焰) llama *f*, fogarada *f*, hoguera *f*. ~에 휩싸이다 estar (envuelto) en llamas. 집은 ~에 휩싸였다 La casa quedó envuelta en llamas. 가솔린에 불이 붙었기 때문에 차가 ~에 휩싸였다 Como se prendió la gasolina, el coche estalló en llamas.
▪ ~ 방사기 lanzallamas *m*. ~병 coctel *m* Molotov.
화엽(花葉) ① [꽃과 잎] la flor y la hoja. ② ＝꽃잎.
화영(花影) sombra *f* de la flor.
화예(花蕊)【식물】＝꽃술.
화왕지절(火旺之節)【민속】verano *m*.
화요일(火曜日) martes *m.sing.pl*. ~ 오전(에) el martes por la mañana. ~ 오후(에) el martes por la tarde. ~ 밤(에) el martes por la noche. 다음 ~(에) el martes próximo [que viene], el próximo martes. 지난 ~(에) el martes pasado. 매주 ~ (todos) los martes. 5월 첫 ~ el primer martes de mayo.
화용(花容) cara *f* hermosa de la mujer.
▪ ~월태(月態) cuerpo *m* hermoso de la belleza.
화운(火雲) nube *f* del verano.
화원(火源) origen *m* del incendio.
화원(花園) ① [꽃동산] campo *m* de flores, jardín *m* de flores, jardín *m* florido, huerto *m* de flores, plantel *m*, plantío *m*. ② ＝꽃가게(florería).
화원(禍源) ＝화근(禍根).
화월(花月) ① [꽃과 달] la flor y la luna. ② [꽃 위에 비치는 달] luna *f* brillante en las flores.
화음(和音)【음악】acorde *m*.
화응(和應) respuesta *f*, acuerdo *m*. ~하다 responder, estar de acuerdo (con), aprobar.
화의(和議) negociación *f* para paz, conferencia *f* de paz;【법률】convenio *m*. ~하다 negociar para la paz. ~를 제의하다 ten-

der*le* la mano a *uno* en son de paz. 사건(事件)을 ~하다 arreglar (amistosamente) el asunto entre los interesados.

■ ~법 ley *f* de convenio. ~ 사건 caso *m* de convenio. ~ 신청 aplicación *f* de convenio. ~ 절차(節次) procedimiento *m* de convenio. ~ 채권(債券) obligación *f* de convenio. ~ 채권자 acreedor, -dora *mf* de convenio.

화의(畵意) ① [그림을 그리려는 마음] intención *f* que se va a pintar. ② [그림의 의장(意匠)] diseño *m* de las pinturas.

화이트칼라(영 *white collar*) [샐러리맨] asalariado *m*; oficinista *mf*; administrativo, -va *mf*; gente *f* de pluma.

화이트 크리스마스(영 *White Christmas*) navidades *fpl* blancas, navidadese *fpl* con nieve.

화이트 하우스(영 *White House*) [백악관(白堊館)] la Casa Blanca.

화인(火印) ① =낙인(烙印). ② =시승(市升).

화인(火因) causa *f* del incendio.

화인(禍因) causa *f* de la calamidad.

화자(火者) =고자(鼓者).

화자(花瓷) porcelana *f* de figuras.

화자(華字) caracteres *mpl* chinos.

화자(話者) hablante *mf*; narrador, -dora *mf*.

화잠(花簪) pasador *m* de la recién novia.

화장(化粧) maquillaje *m*, tocado *m*, atavío *m*, afeite *m*. ~하다 maquillarse, pintarse, tocarse, ataviarse. ~한 얼굴 cara *f* maquillada. 엷은 ~ arrebol *m* claro, atavío *m* ligero, maquillaje *m* ligero. 짙은 ~ arrebol *m* espeso, atavío *m* pesado, maquillaje *m* denso. 엷은 ~을 한 여인 mujer *f* discretamente pintada. ~을 고치다 arreglar(se) el maquillaje. ~을 지우다 quitarse el maquillaje. ~을 해 주다 maquillar. 엷은 ~을 하다 maquillarse [pintarse] ligeramente. 짙은 ~을 하다 maquillarse [pintarse] densamente.

■ ~ 거울 espejo *m* de tocador. ~기 rastro *m* [huella *f*] de maquillaje. ~대 tocador *m*, estuche *m* de aseo. ~ 도구 juego *m* de tocador, requisito *m* de tocador. ~ 도구 상자 (estuche *m* de) tocador *m*. ~ 벽돌 azulejo *m*. ~ 비누 jabón *m* (*pl* jabones) de tocador, jabón *m* de olor, jaboncillo *m*. ~ 상자(箱子) (estuche *m* de) tocador *m*, neceser *m*. ~수 el agua *f* de colonia, el agua *f* de tocador, loción *f*. ~술 arte *m* de maquillaje. ~실 ㉮ [화장하는 방] cuarto *m* [habitación *f*] de aseo; [극장의] camerino *m*, camarín *m*.. ㉯ [변소] servicios *mpl*, aseos *mpl*, baño *m*, *Méj* sanitarios *mpl*. ¶실례합니다만 ~은 어디에 있습니까? Perdón, ¿dónde está el baño? ~지 papel *m* higiénico. ¶두루마리 ~ rollo *m* de papel higiénico. ~ 크림 crema *f* facial. ~ 타일 azulejo *m*. ~통 (estuche *m* de) tocador *m*, neceser *m*. ~품(品) cosméticos *mpl*, artículos *mpl* de tocador. ¶세면 ~류 artículos *mpl* de tocador [de perfumería]. ~ 세트 juego *m* de cosméticos. ~품점 perfumería *f*, tienda *f* de cosméticos.

화장(火葬) cremación *f*, incineración *f*. ~하다 incinerar, cremar. 시체(屍體)를 ~하다 incinerar un cadáver.

◆ 전기(電氣) ~ cremación *f* eléctrica.

■ ~ 인부(人夫) incinerador *m*. ~장[터] crematorio *m*, horno *m* crematorio, horno *m* de incineración, campo *m* de cremación.

화재(火災) fuego *m*, incendio *m*, conflagración *f*, pérdida *f* por incendio. 작은 ~ pequeño incendio *m*, incendio *m* abortivo. ~ 때 비상구가 없는 건물 edificio *m* peligroso en caso de incendio. ~를 일으키다 provocar [causar] un incendio, originar incendio; [방화하다] incendiar. ~를 진화(鎭火)하다 apagar el incendio, extinguir el incendio. ~가 일어난다 Se declara [Estalla · Ocurre] un incendio. ~가 확산되고 있다 El fuego se extiende [se propaga]. ~의 혼잡한 틈을 타 도둑질하다 robar aprovechándose de un incendio, aprovechar un incendio para robar. 그 집이 ~다 La casa está ardiendo [en llamas] / La casa arde. ~는 그의 집에서 일어났다 El incendio se originó en su casa. 어젯밤 큰 ~가 있었다 Anoche hubo un gran incendio [un incendio devastador]. 작은 ~로 모든 것이 끝났다 Todo acabó en un pequeño incendio. 내 집이 ~가 났다 Se me ha incendiado la casa. 처음 ~를 낸 곳은 욕실이었다 En el baño es (en) donde ha empezado el fuego / El origen del fuego fue en el cuarto de baño.

■ ~ 감시 망루 torre *f* de vigilancia (para prevenir incendios forestales). ~경보기 alarma *f* contra incendios. ~ 경보 시스템 sistema *m* de detección de incendio. ~ 대피구 salida *f* de incendios. ~ 보험 seguro *m* contra [de] incendio. ¶~에 들다 asegurar contra incendios. ~ 보험 증권 póliza *f* del seguro de incendios. ~ 보험 협정 convenio *m* asegurador contra incendios. ~ 보험 회사 compañía *f* de seguro contra incendios. ~ 예방 prevención *f* de incendios. ~ 예방 주간 semana *f* para la prevención de incendios. ~ 원인 causa *f* de incendios. ~ 위험 peligro *m* de incendio, riesgo *m* de incendio. ¶화물의 ~ riesgo *m* de incendio en la carga. ~ 위험 경보 alarma *f* del riesgo de fuego, alarma *f* del peligro de incendio. ~ 책임 보험 seguro *m* de responsabilidad en caso de incendio. ~ 탐지기 detector *m* de incendios; 【광산】 grisuscopio *m*. ~ 피난 장치 escalera *f* de incendios. ~ 현장(現場) lugar *m* de un incendio.

화재(畵才) talento *m* artístico.

화재(畵材) material *m* del cuadro.

화저(火箸) =부젓가락.

화적(火賊) =불한당(不汗黨).

화전(火田) tierra *f* ardida [campo *m* ardido]

para el cultivo.

■ ~민(民) agricultor, -tora *mf* del campo ardido para el cultivo.

화전(火箭) flecha *f* de fuego.

화전(花田) =화초밭.

화전(花煎) ① =꽃전(tortilla hecha en la forma de la flor). ② [꽃을 붙여 부친 부꾸미] tortilla *f* de flores.

화전(花戰) =꽃쌈.

화전(和戰) ① [화친과 전쟁] la paz y la guerra. ~ 양면의 태세를 취하다 hacer preparativos tanto para la paz como para la guerra. ② [전쟁을 멈추고 화해함] paz *f*, amistad *f*.

■ ~ 조약 pacto *m* de amistad, tratado *m* de amistad. ¶~을 맺다 firmar el pacto de amistad.

화전지(花箋紙) papel *m* para escribir las cartas.

화제(畵題) sujeto *m* [tema *m*] de un cuadro.

화제(話題) ① [이야기의 제목] título *m* de una conversación. ② [이야깃거리] tópico *m*, tema *m*. ~로 삼다 someter a crítica, poner sobre el tapete, hacer (de *algo*) tema de conversación. ~를 바꾸다 cambiar de tema. ~를 일으키다 producir [causar] sensación (entre). ~에 오르다 hablarse (de), referirse (de), ser un tema de conversación. 너에 대해 ~였다 Se ha comentado algo de ti. 그는 ~가 풍부하다 El es un hombre que no agota los temas de conversación. 그것이 ~의 카메라다 Esa es la máquina fotográfica de que se habla mucho ahora. 본래의 ~로 돌아갑시다 Volvamos al tema. 휴가(休暇)가 모두의 ~가 되었다 Las vacaciones han construido el tema de conversación.

화젯거리(話題-) tema *m*.

화조(花鳥) ① [꽃과 새] la flor y el pájaro. ② [꽃을 찾아다니는 새] pájaros *mpl* que visitan las flores. ③ [꽃과 새를 그린 그림이나 조각] cuadro *m* [escultura *f*] con las flores y los pájaros.

■ ~월석(月夕) tiempo *m* del buen paisaje. ~풍월(風月) ㉮ [천지간의 아름다운 경치] paisaje *m* hermoso del mundo. ㉯ =풍류(風流). ~ 화첩(畵帖) álbum *m* de flores y pájaros.

화주(火酒) licor *m* fuerte.

화주(花柱) 【식물】=암술대.

화주(貨主) =하주(荷主).

화중군자(花中君子) loto *m*.

화중신선(花中神仙) =해당화(海棠花).

화중왕(花中王) rey *f* del flor, poenía *f*.

화중지병(畵中之餠) castillos *mpl* en el aire, objeto *m* deseable pero imposible de conseguir.

화중화(花中花) ① [꽃 가운데서 제일 아름다운 꽃] la flor más hermosa de las flores. ② [뛰어나게 어여쁜 여자] mujer *f* muy hermosa.

화증(火症) ira *f*, enfado *m*, furia *f*, pasión *f*, *AmL* enojo *m*.

◆화증(을) 내다 enfadar, enojar.

◆화증(이) 나다 enfadarse, irritarse, *AmL* enojarse.

화지(畵紙) papel *m* de dibujo.

화집(畵集) =화첩(畵帖).

화차(火車) ① [옛날 화공(火攻)에 쓰던 병거(兵車)] carro *m*. ② [우리 나라의 옛 전차(戰車)] tanque *m*. ③ =기차(汽車).

화차(貨車) ((준말)) ① =화물차. ② =화물열차.

◆무개 ~ vagón *m* (*pl* vagones) descubierto. 유개 ~ vagón *m* cubierto.

■ ~ 인도(引渡) franco sobre vagón, puesto sobre vagón. ~ 인도 가격 precio *m* franco sobre vagón.

화창하다(和暢-) (ser) claro, agradable, templado y agradable, de sol. 화창한 날 día *m* agradable, día *m* claro. 화창한 날씨 día *m* agradable [claro] en (la) primavera. 화창한 날씨에 cuando hace sol. 화창한 봄날 día *m* primaveral templada y agradable. 어느 화창한 봄날 un día luminoso de primavera. 화창한 봄의 일광욕을 하다 bañarse en el sol suave de primavera. 화창한 날씨다 Hace un tiempo agradable. 오늘은 ~ Hoy hace sol.

화채(花菜) jugo *m* mezclado con frutas.

화채(花債) =해웃값.

화천월지(花天月地) paisaje *m* de la noche primaveral con la luna clara que florece.

화첩(畵帖) libro *m* de pinturas, álbum *m* de pinturas.

화초(花草) flores *fpl*, planta *f* que florece, planta *f* que da flores. 실내 화분용 ~ planta *f* de interior.

■ ~방(房) habitación *f* de admirar las flores. ~밭 plantación *f* de flores. ~분(盆) tiesto *m* para las flores. ~장(欌) cómoda *f* con figuras de las flores. ~ 재배 floricultura *f*. ~ 재배자 floricultor, -tora *mf*. ~쟁이 floricultor, -tora *mf*. ~ 전시회[품평회] exposición *f* de flores. ~집 florería *f*.

화초첩(花草妾) =노리개첩.

화촉(華燭) ① [그림을 그리는 데 쓰이는 밀초] candela *f* pintada. ② [빛깔 들인 밀초] candela *f* con colores. ③ [혼례] boda *f*, nupcias *fpl*, casamiento *m*, matrimonio *m*, celebración *f* de matrimonio. ~을 밝히다 casarse ceremoniosamente.

■ ~동방(洞房) habitación *f* que los novios duermen por la noche nupcial. ~지전(之典) =결혼식(結婚式).

화축(花軸) 【식물】=꽃대.

화충하다(和沖/和衷-) (ser) pacífico cordialmente.

화충협의(和沖協議) convenio *m* con corazón pacífico.

화치다 (el barco) mover a la izquierda y a la derecha.

화치하다(華侈-) (ser) magnífico y lujoso.

화친(和親) amistad *f*, relaciones *fpl* íntimas, relaciones *fpl* amistosos.

■ ~ 조약(條約) pacto *m* de amistad, tra-

tado *m* de amistad.
화침(火針) aguja *f* ardiente.
화탁(花托)【식물】=꽃받침.
화톳불 hoguera *f*, fogata *f*. ~을 피우다 encender una hoguera, hacer hoguera, hacer fuego (al aire libre).
화통(火一) =울화통.
화통(火筒) ① [기차·기선의 굴뚝] chimenea *f*. ② ((속어)) =기관차(機關車).
■~간(間) ((속어)) =기관차(機關車).
화투(花鬪) *hwatu*, naipes *mpl* coreanos.
◆화투(를) 치다 jugar al *huatu*, jugar a la carta, jugar a los naipes.
화판(花瓣)【식물】=꽃잎.
화판(畵板) tablero *m* de dibujo.
화편(花片) pétalo *m* de la flor.
화평(和平) paz *f*, armonía *f*. ~하다 (ser) pacífico, armonioso.
■~ 교섭 negociación *f* de la paz.
화폐(貨幣) moneda *f* (corriente), dinero *m*; [지폐] papel *m* moneda, billete *m*. ~의 monetario. ~를 발행하다 emitir la moneda, poner la moneda en circulación. ~를 수집하다 coleccionar las monedas. ~를 주조하다 acuñar [batir] moneda.
◆주조(鑄造) ~ moneda *f* acuñada.
■~ 가치 valor *m* monetario, valor *m* de moneda. ~ 개혁 reforma *f* monetaria; [평가 절하] devaluación *f*. ~ 경제 economía *f* monetaria. ~ 공황 pánico *m* monetario. ~ 교환 가치 valor *m* de cambio monetario. ~ 교환소 casa *f* de cambio. ~ 단위(單位) unidad *f* monetaria. ¶현재의 ~ unidades *fpl* monetarias actuales. ~ 동맹 unión *f* monetaria. ~법 ley *f* de acuñación. ~ 본위 norma *f* monetaria. ~ 소득 ingresos *mpl* monetarios. ~ 수량설 teoría *f* de cantidad de moneda. ~ 시장 mercado *m* de dinero, mercado *m* monetario. ~ 시장 뮤추얼 펀드 fondos *mpl* de inversión en activos del mercado monetario. ~ 시장 자금 fondo *m* de inversión en activos del mercado monetario. ~ 위조 falsificación *f* monetaria. ~ 위조자 falsificador, -dora *mf*. ~ 유통액 circulación *f* monetaria, volumen *m* de moneda corriente [circulante]. ~ 유통 속도 velocidad *f* de circulación monetaria. ~ 인플레이션 inflación *f* monetaria. ~ 자본 capital *m* monetario. ~ 정책 política *f* monetaria. ~ 제도 sistema *m* monetario. ~주조(鑄造) acuñación *f* de moneda. ~ 팽창 expansión *f* monetaria. ~ 협정 acuerdo *m* monetario.
화포(火砲) arma *f* de fuego.
화포(花布) algodón *m* con figuras de las flores blancas.
화포(花苞)【식물】=꽃떡잎(bráctea).
화포(花砲) dispositivo *m* pirotécnico.
화포(花圃) plantación *f* de las flores.
화포(畵布) lienzo *m*.
화폭(畵幅) pintura *f*, cuadro *m*, dibujo *m*.
화풀이(火一) venganza *f*, represalia *f*. ~하다 desahogarse (con), dar rienda a suelta a *su* ira (a, descargar *su* ira sin razón (contra). ~로 por venganza, por represalia. 아이들에게 ~하다 desahogar *su* malhumor en *sus* hijos. 주위 사람들에게 (마구) ~하다 descargar *su* ira sobre todos los que están a *su* alrededor. 아이들에게 ~하지 마라 No te desahogues con sus niños. 그는 병을 깨면서 ~했다 El dio rienda a suelta a su ira rompiendo la botella / El se desahogó rompiendo la botella.
화품(花品) dignidad *f* de las flores.
화품(畵品) mérito *m* artístico de la pintura.
화풍(和風) ① =춘풍(春風)(brisa primaveral). ②【기상】=건들바람.
■~감우(甘雨) la brisa primaveral y la lluvia oportuna. ~난양(暖陽) el viento agradable y el sol templado. ~병 =상사병(相思病).
화풍(畵風) estilo *m* de pintura.
화피(花被) periantio *m* (de una flor).
화피(樺皮) cáscara *f* del cerezo.
■~단장 adorno *m* del arco con las cáscaras del cerezo. ~전(廛) tienda *f* de los tintes.
화필(畵筆) pincel *m* (de pintura).
화하다(化一) ① [어떤 일에 아주 익숙하게 되다] estar familiarizado (con), estar al tanto (de), estar al corriente (de), llegar a conocer, ser muy versado (en). ② [한 상태가 딴 상태로 되다. 한 물질(物質)이 딴 물질로 바뀌다] convertirse (en), transformarse. 돌로 ~ fosilizarse, petrificarse.
화하다(和一) ① [무엇에 무엇을 타거나 또는 섞다] mezclar. ② [아주 온화하다] (ser) muy afable, muy dulce, muy suave.
-화하다(化一) hacer que + *subj*. 공업(工業)~ industrializar. 민주(民主)~ democratizar.
화학(化學) química *f*. ~의 químico.
■~ 결합 combinación *f* química, enlace *m* químico, ligadura *f* química. ~ 공업(工業) industria *f* química. ~ 공학(工學) ingeniería *f* química, tecnología *f* química. ~과 departamento *m* de química. ~ 기계(機械) máquina *f* química, maquinaria *f* química. ~ 기사 ingeniero *m* químico, ingeniera *f* química. ~ 기호 símbolo *m* químico. ~ 기호법 notación *f* química. ~ 당량(當量) equivalente *m* químico. ~력(力) poder *m* químico. ~ 무기 arma(s) *f*(*pl*) química(s). ~ 물리학(物理學) fisicoquímica *f*. ~ 물질 sustancia *f* química. ~ 반응 reacción *f* química. ~반응식 fórmula *f* de reacción química. ~ 발광 radiación *f* química. ~ 방정식 ecuación *f* química. ~ 변질(變質) transmutación *f* química. ~ 변화(變化) transformación *f* química, modificación *f* química, alteración *f* química. ~ 병기 el arma *f* (*pl* las armas) química. ~ 부호 = 화학 기호(化學記號). ~ 분석 análisis *m* químico. ~ 비료 fertilizante *m* químico, abono *m* químico. ~선 =자외선(紫外線). ~ 섬유 fibra *f* química. ~식 fórmula *f*

química. ~ 실험실 laboratorio *m* químico. ~ 약품 medicamentos *mpl* químicos. ~ 에너지 energía *f* química. ~ 연구소 el Instituto para Investigación Química. ~ 요법 quimioterapia *f.* ~자 químico, -ca *mf.* ~ 작용 =화학적 작용. ~ 저울 balanza *f* química. ~적(的) químico. ~적 변화(的變化) transformación *f* química. ~적 성질 propiedades *fpl* químicas. ~적 작용 acción *f* química. ~적 풍화(的風化) eflorescencia *f* química. ~전 guerra *f* química. ~ 전지 batería *f* química. ~제(劑) productos *mpl* químicos. ~ 제품 producto *m* químico. ~ 조미료 condimento *m* químico. ~주 =합성주(合成酒). ~ 진화 evolución *f* química. ~ 천칭 =화학 저울. ~ 친화력 afinidad *f* química. ~ 펄프 pulpa *f* química, pasta *f* química. ~ 평형 equilibrio *m* químico. ~ 합성 síntesis *f* química.

화합(化合) combinación *f* (química). ~하다 combinarse. ~된 combinado. A와 B를 ~시키다 combinar A con B. 수소와 산소가 ~되면 물이 된다 El hidrógeno y el oxígeno, al combinarse, se convierten en agua.
■ ~량 peso *m* combinado. ~력 afinidad *f* química. ~물 compuesto *m* (químico). ~수 el agua *f* combinada. ~열 calor *m* de combinación.

화합(和合) armonía *f,* paz *f,* concordia *f.* ~하다 armonizar, unirse, ajustarse, hermanarse, concertar, vivir en armonía. ~시키다 unir, armonizar. 부부(夫婦)의 ~ armonía *f* conyugal, concordia *f* conyugal. 일단 갈라졌던 남녀가 다시 ~했다 La pasión mal extinguida tomó fuego de nuevo.

화해(火海) =불바다.

화해(和解) ① [다툼질을 그치고 품] reconciliación *f,* paz *f,* concorda *f,* arreglo *m,* pacificación *f,* acordamiento *m.* ~하다 reconciliarse (con), arreglarse (con), avenirse (con), ponerse de acuerdo, romper el hielo, hacer [firmar] las paces (con). ~시키다 reconciliar, arreglar, avenir. ~를 제의하다 tender*le* la mano a *uno* en son de paz. 서로 ~하다 reconciliarse. A와 B를 ~시키다 reconciliar a A con B. 두 사람은 ~했다 Los dos se reconciliaron. 그는 이웃과 ~했다 El hizo las paces con su vecino. 부부(夫婦)가 ~하고 다시 함께 살았다 Marido y mujer se reconciliaron / Marido y mujer volvieron a vivir juntos como antes. ② 【법률】 contrato *m* de concordia.
◆ 화해(를) 붙이다 reconciliar.

화해(禍害) =재난(災難).

화향(花香) ① [꽃의 향기] perfume *m* de la flor. ② ((불교)) la flor y el incienso que se ofrece al Buda.

화협(和協) armonía *f,* cooperación *f* armoniosa.

화형(火刑) suplicio *m* del fuego, tosta *f,* polla *f.* ~하다 someter al suplicio del fuego.
■ ~식(式) ceremonia *f* de suplicio del fuego.

화형(靴型) horma *f.*

화형관(花形冠) penacho *m* de la forma de flor.

화호불성(畵虎不成) fracaso *m* del éxito imitando al otro, fracaso *m* del éxito tratando de hacer la cosa difícil con la habilidad no cualificada.

화호하다(和好—) ser íntimo mutuamente.

화혼(華婚) sus bodas. 축(祝) ~! ¡Felicidades por sus bodas!

화환(花環) guirnalda *f,* corona *f* de flores; [장례식의] corona *f* de muerto. 묘에 ~을 바치다 ofrecer una corona de flores a la tumba.
■ ~ 증정(贈呈) ofrenda *f* floral.

화환(禍患) =화난(禍難).

화환어음(貨換—) letra *f* documentada, letra *f* documental, letra *f* documentaria, letra *f* de cambio decumentado, letra *f* pagadera contra documentos.

화훼(花卉) ① [관상·장식·미화용(美化用) 등으로 재배되는 식물] flantas *fpl* floridas, plantas *fpl* de floración. ② =화초(花草). ③ 【미술】 cuadro *m* a base de las flores.
■ ~가(家) floricultor, -tora *mf.* ~ 원예(園藝) floricultura *f.* ~ 원예가 floricultor, -tora *mf;* hortelano, -na *mf.* ~ 재배(栽培) floricultura *f.* ~ 재배가(栽培家) floricultor, -tora *mf.*

확[1] ① =돌확. ② [절구 아가리로부터 밑바닥까지의 구멍] agujero *m* de la entrada del mortero a *su* fondo.

확[2] ① [갑자기 세게 불거나 내뿜는 모양] con un soplo fuerte. 촛불을 ~ 불어 끄다 apagar soplando la luz de una vela. ② [불길이 갑자기 일어나는 모양] de sopetón, de repente, precipitadamente, como una bomba. ~ 타오르다 inflamarse. ③ [날래고 힘차게 행하는 모양] fuerte, fuertemente, violentamente. ~ 잡아당기다 dar un tirón fuerte (de), tirar (de algo) violentamente. 그는 내 소매를 ~ 끌어당겼다 El me tiró violentamente de la manga. ④ [묶였던 것이나 긴장 따위가 갑자기 풀리는 모양] de repente, repentinamente, de súbito, súbitamente. 나는 긴장이 ~ 풀렸다 Me alivié [Me relajé] la tensión de mis nervios repentinamente.

확견(確見) opinión *f* evidente.

확고부동(確固不動) firmeza *f,* lo inquebrantable, seguridad *f,* inflexibilidad *f,* invencibilidad *f.* ~하다 (ser) firme, inquebrantable, inflexible, invencible, infatigable, incansable, ~하게 firmemente, inquebrantablemente, inflexiblemente, invenciblemente, infatigablemente, incansablemente. 우리 회사에서 그의 지위는 ~하다 Su posición en nuestra compañía es absolutamente segura.

확고불발(確固不拔) =확고부동.

확고하다(確固—) (ser) firme, resuelto, estable, decidido, sólido, fijo, constante, inmutable, determinado, positivo. 확고함 firme-

za *f.* 확고한 결심 determinación *f* firme, resolución *f* firme, propósito *m* resuelto. 확고한 신념 convicción *f* firme. 확고한 증거 prueba *f* positiva. 확고한 지위 posición *f* estable. 확고한 태도 actitud *f* resuelta. 확고한 판단 juicio *m* sólido. 확고한 태도를 취하다 tomar una actitud resuelta, portarse decididamente.
확고히 resueltamente, firmemente, positivamente, decididamente, categóricamente. ¶기반을 ~ 하다 tener los pasos firmes, estar firme sobre sus piernas.

확답(確答) contestación *f* definitiva, respuesta *f* decisiva. ~하다 contestar definitivamente, dar una respuesta definitiva [decisiva]. ~을 피하다 eludir una respuesta definitiva, mostrarse evasivo.

확대(擴大) ① [넓혀 크게 함] agrandamiento *m*; [확장] ampliación *f*, expansión *f*, ensansanchamiento *m*; [증가] aumento *m.* ~하다 agrandar, ampliar, extender, ensanchar, aumentar, engrandecer, escalar, dilatar, alargar, tender; [음(音)을] amplificar. 현미경으로 ~해서 보다 examinar por el microscopio. 전쟁(戰爭)이 ~되고 있다 La guerra escala. 분쟁(紛爭)이 ~되고 있다 Se extiende el conflicto / El conflicto alcanza serias proporciones. ② 【사진】 ampliación *f.* ~하다 ampliar.
■ ~ 가족 familia *f* grande. ~경 lente *m* de aumento, lente *f* dióptrica, lente *m* aumentivo, ampliador *m*, cristales *mpl* de aumento, lupa *f*; [현미경의] amplificador *m.* ~ 균형(均衡) desarrollo económico equilibrado. ~기 ampliadora *f.* ~ 사진(寫眞) fotografía *f* ampliada. ~ 시험 prueba *f* de expansión. ~ 유전자(遺傳子) gene *m* de expansión. ~율 poder *m* amplificador, potencia *f* de aumento. ~ 재생산(再生産) producción *f* expansiva. ~ 해석 ampliación *f* de la interpretación. ¶~하다 ampliar la interpretación. 법률을 ~하다 ampliar la interpretación de una ley.

확론(確論) argumento *m* infalible, noción *f* asentada, teoría *f* establecida.

확률(確率) ① probabilidad *f*, posibilidad *f.* 그가 죽을 ~은 거의 없다 La probabilidad de que él muera es casi nula. 그 사람이 생각을 바꿀 ~이 있느냐? ¿Hay alguna posibilidad [probabilidad] de que él cambie de opinión? 그런 일이 일어날 ~이 전혀 없다 No hay ninguna probabilidad [posibilidad] de que eso suceda. ② 【수학】 probabilidad *f.*
■ ~ 곡선(曲線) curva *f* de probabilidad. ~론 teoría *f* de las probabilidades. ~ 오차 error *m* probable. ~ 표본 muestra *f* de probabilidad. ~ 함수(函數) unción *f* de probabilidad.

확립(確立) establecimiento *m*, instalación *f.* ~하다 establecere (firmemente), instalar definitivamente, asentar definitivamente, asegurar, afirmar, fijar. 기초(基礎)를 ~하다 fundamentar. 정책을 ~하다 decidir una línea política. 평화를 ~하다 establecer la paz.

확문(確聞) noticia *f* de buena fuente, información *f* fidedigna. ~에 따르면 según una fuente confiable, según noticias de buena tienta.

확보(確保) aseguramiento *m*; [보장] garantía *f*; [예약] reserva *f*; [유지] mantenimiento *m.* ~하다 asegurar, garantizar, reservar, mantener. 좌석(座席)을 ~하다 [예약하다] reservar un asiento. 지위(地位)를 ~하다 asegurar el puesto. 보안 요원(保安要員)을 ~하다 asegurar el personal de seguridad. 극동(極東)의 평화를 영구히 ~하다 asegurar eteramente la paz en el Lejano Oriente.

확보(確報) reporte *m* confirmado, noticias *fpl* definidas, información *f* definida [digna de confianza · fidedigna · auténtica]. 아직 ~가 없다 Todavía no está confirmado el reporte / Noticias definidas no llegan todavía.

확산(擴散) ① [흩어져 번짐] difusión *f*, diseminación *f*, proliferación *f.* ~하다 difundirse, diseminarse, proliferar. ② 【물리】 difusión *f.* 빛의 ~ difusión *f* de luz.
■ ~ 계수 coeficiente *m* de difusión. ~광(光) luz *f* difusa. ~면 superficie *f* difusora. ~ 반사 reflexión *f* difusa. ~벽 pared *f* difusora. ~체(體) difusor *m.* ~ 투과(透過) transmisión *f* difusa.

확설(確說) opinión *f* confiable, teoría *f* establecida.

확성기(擴聲器) altavoz *f* (*pl* altavoces), megáfono *m*, micrófono *m*, *AmL* altoparlante *m*, *AmL* parlante *m.*

확성 나발(擴聲－) ＝메가폰(megaphone).

확수(確守) ＝고수(固守).

확신(確信) convicción *f*, creencia *f* firme, firmeza *f*, fe *f.* ~하다 convencerse (de), estar seguro (de), creer firmemente, estar persuadido, creer a puño cerrado. ~해서 de buena fe. ~을 가지고 con firmeza. …라고 ~하고 있다 estar seguro (de) que + *ind.* 나는 그의 성공을 ~하고 있다 Estoy seguro que tendrá éxito / Estoy convencido de su éxito. 불이 켜졌는지 어쩐지 ~이 없다 No estoy seguro de haber apagado [de si apagué] el fuego o no. 나는 내가 옳다고 ~하고 있다 Estoy convencido que soy correcto.
■ ~범(犯) criminal *mf* de convicción.

확실성(確實性) certeza *f*, certidumbre *f*, seguridad *f.*

확실하다(確實－) (ser) cierto, seguro, positivo; [절대 확실하다] infalible; [명확하다] claro, evidente; [신뢰할 수 있다] confiable, digno de confianza, fiel, leal; [안전하다] seguro, firme, sólido. 확실함 certeza *f*, certidumbre *f.* 확실하지 않은 inseguro, dudoso. 확실한 계약 contrato *m* seguro. 확실한 방법 medio *m* seguro. 확실한 보증

fianza *f* segura. 확실한 소식 noticia *f* cierta, noticia *f* confiable, noticia *f* de confianza. 확실한 정보(情報) información *f* cierta, información *f* confiable, información *f* fidedigna, información *f* de confianza. 확실한 증거(證據) prueba *f* segura, prueba *f* evidente. 출처가 확실한 정보에 따르면 según la información de fuente confiable [fidedigna]. 나는 …이 ~고 생각한다 Estoy seguro [convencido] de que + *ind.* 그의 당선은 ~ El será elegido con seguridad. 확실한 사람을 보내 주십시오 Envíeme una persona confiable [de confianza]. 나는 그 말을 확실한 사람한테서 들었다 Lo sé de buena tinta. 나는 확실한 숫자는 모른다 No sé el número exacto. 그 사람이 오는 것은 ~ Es seguro que él viene. 그녀가 오는 것은 ~ Estoy seguro (de) que ella vendrá / (Es) Seguro que ellla viene / Ya verás como viene ella / Ella debe de venir. 그녀가 어제 출발했음에 ~ Ella ha debido [debió] de marcharse ayer / Ella debe de haberse marchado ayer. 그 사람은 확실한 범인이다 No cabe duda de que él es el autor del crimen.

확실히 ciertamente, seguramente, con seguridad; [틀림없이] sin falta, sin duda, indudablemente. ~ 그렇습니다 Tiene usted toda la razón / Claro que sí / Así es ciertamente. ~ 그렇다고 생각합니다 Creo que es así en efecto. 이것은 ~ 잘되어 있습니다 Esto sí que está muy bien hecho. 나는 그것을 ~는 모른다 No lo sé a ciencia cierta. 그 사람이 ~ 온다고 믿는다 Creo que él viene sin falta. 서류는 ~ 받았습니다 Acusamos recibo de los documentos. 나는 ~ 전화했으나 아무도 받지 않았다 Le aseguro que llamé por teléfono, pero no me contestó nadie. 내일은 ~ 출석하겠습니다 Asistiré mañana sin falta. 빌린 돈을 ~ 갚겠습니다 Pagaré la deuda con toda seguridad. 그는 ~ 잘 있다 Seguramente él está [estará] bien. 나는 ~ 간다 Voy sin falta.

확약(確約) promesa *f* definitiva, promesa *f* formal. ~하다 prometer, asegurar, dar (*su*) palabra (de), soltar prendas, comprometerse. 나는 당신에게 …라 ~한다 Le aseguro que + *ind.*

확언(確言) aseveración *f*, aserto *m*; [단언(斷言)] afirmación *f*. ~하다 afirmar (que + *ind*), asegurar, aseverar, verificar.

확연하다(確然-) (ser) positivo, definitivo.

확연히 positivamente, definitivamente.

확인(確因) causa *f* segura.

확인(確認) confirmación *f*, comprobación *f*, convicción *f*. ~하다 confirmar, comprobar, asegurarse (de), cercionarse, afirmar, ser convencido; [틀림없음을] [사람·선박·종류가] identificar; [시체가] identificar, reconocer. ~되다 confirmarse, comprobarse, identificarse, reconocerse. 사체(死體)를 ~하다 identificar el cadáver. 주소를 ~하다 confirmar el domicilio. 진상(眞相)을 ~하다 asegurarse de la verdad. 범인의 본인 여부를 ~하다 proceder a la identificación de un criminal. 사건의 진상을 ~하다 averiguar la verdad del asunto. 그는 갱단의 일원으로 ~되었다 Se lo identificó como miembro de la banda. 단단히 묶였는가 ~해 보아라 Asegúrate de que está bien atado. 그는 내 말의 사실 여부를 ~했다 El se aseguró de mis palabras. 그의 죽음은 아직 ~되지 않았다 Su muerte no está aún confirmada. 버스가 정시에 오는가 ~해 보아라 Asegúrate de si viene el autobús a su hora. 그 보도(報道)는 이제 ~되었다 El informe ya está confirmado. 동봉 사본(寫本)에 따라 이달 5일 자 폐점의 전편(前便)을 ~합니다 Confirmamos nuestro anterior escrito del 5 del actual, según copia adjunta.

◆주문(注文) ~ confirmación *f* de pedido.

▪~서 carta *f* de confirmación. ~ 소송 pleito *m* declarativo. ~ 신용장 carta *f* de crédito confirmado. ~ 은행 [신용의] banco *m* que confirma un crédito. ~ 취소 불능 신용장 crédito *m* irrevocable confirmado. ~ 통지 aviso *m* de confirmación. ~ 판결 resolución *f* declarativa.

확장(擴張) expansión *f*, [폭 따위의] ensanchamiento *m*; [사업 따위의] ampliación *f*. ~하다 extender, ensanchar, amplificar, ampliar, agrandar. 전화 설비의 ~ expansión *f* del servicio telefónico. 공장(工場)을 ~하다 ampliar la fábrica. 도로를 ~하다 ensanchar la calle, ensanchar el camino. 사업을 ~하다 extender el negocio, ampliar el negocio. 영토(領土)를 ~하다 extender el territorio. 점포(店鋪)를 ~하다 ensanchar la tienda. 판로(販路)를 ~하다 extender el mercado.

▪~ 계획(計劃) plan *m* de ampliación. ~ 공사(工事) obra *f* de ensanche. ~론(論) expansionismo *m*. ~론자 expansionista *mf*. ~ 재생산 =확대 재생산. ~ 정책(政策) expansionismo *m*, política *f* de expansión. ~주의 expansionismo *m*.

확정(確定) decisión *f*, determinación *f*, confirmación *f*, afirmación *f*. ~하다 decidir, determinar, fijar, afirmar. ~되다 determinarse, decidirse, fijarse. 회합 날짜를 ~하다 determinar [fijar] la fecha de la reunión. 가격은 아직 ~되지 않았다 El precio no está decidido aún.

▪~ 금액 cantidad *f* definida. ~ 신고 [세금의] declaración *f* definitiva de impuestos. ¶~를 하다 hacer *su* declaración definitiva de impuestos. ~ 재판 juicio *m* decisivo. ~적 definitivo. ¶~으로 definitivamente. 그의 승진은 ~이다 Es casi seguro que él será promovido. ~ 판결 juicio *m* decisivo [concluyente · terminante].

확증(確證) prueba *f* decisiva [clara · convincente · positiva], prueba *f* concluyente, testimonio *m* concluyente. ~하다 probar positivamente, dar prueba convincente. ~을 얻다 obtener pruebas decisivas. 그가 범인이라는 ~이 없다 Falta una prueba decisiva que le declare autor del cirmen.

확지(確知) conocimiento *m* seguro. ~하다 conocer seguramente.

확집(確執) discordia *f*, contienda *f*, disputa *f*. ~하다 estar en discordia [contienda · daga · desenvainada · enemistad].

확충(擴充) amplificación *f*, ampliación *f*, extensión *f*, expansión *f*, fortalecimiento *m*. ~하다 amplificar, extender, ampliar, fortalecer, aumentar. 군비를 ~하다 fortalecer el poder militar. 시설을 ~하다 ampliar las instalaciones.

확호(確乎) firmemente, con firmeza, con resolución, con decisión, resueltamente, categóricamente. ~하다 (ser) firme, categórico.

확확 ① [바람이 잇따라 세차게 부는 모양] con un gran soplo, con una ráfaga, con una racha. ② [불길이 잇따라 세차게 타오르는 모양] en llamas.

환[1] [「줄」처럼 쓰이는 연장] una especie de la lima. ~ 쓸다 limar.

환[2] [아무렇게나 마구 그린 그림] pintura *f* barata, dibujo *m* áspero.

◆환을 치다 bosquejar, hacer un bosquejo (de).

환(丸) ① ((준말)) =환약(丸藥). ② [환약의 개수를 세는 말] píldora *f*.

환(換) ① [멀리 떨어진 사람에게 돈을 보낼 때의 불편·비용·위험을 덜기 위해 어음이나 수표로 송금하는 방법] giro *m*, cambio *m*. ~의 변동 variaciones *fpl* de los tipos de cambio. ~의 안정 estabilización *f* de cambio. ~의 재정(裁定) arbitraje *m* de cambio. ~을 발행하다 girar [librar] una letra (de cambio). ~을 현금으로 바꾸다 hacer efectiva [cobrar] la letra. ② ((준말)) =환전(換錢).

■~계약 contrato *m* de cambio. ~관리 control *m* de cambio. ~ 발행인 librador, -dora *mf*. ~ 브로커 =환중매인(換仲買人). ~ 수취인 tenedor, -dora *mf*. ~시세 ☞환시세(換時勢). ~시장(市場) mercado *m* de cambios. ~ 안정 자금(安定資金) fondo *m* de estabilización de los cambios. ~어음 ☞환어음(換-). ~ 인플레이션 inflación *f* de cambio. ~조작 operación *f* de cambio. ~중매인 comisionista *mf* de cambio. ~증서(證書) certificado *m* de cambio. ~ 차이 diferencia *f* de cambio. ~평가 valoración *f* de cambio. ~ 환산율 cambio *m*, tipo *m* de cambio, tasa *f* de cambio, cotización *f* de cambio.

환(環) 【화학】 aro *m*, anillo *m*.

환(圜) ① [1953년부터 1962년까지의 우리 나라 화폐 단위의 하나] hwan *m*. ② [대한제국 때의 화폐 단위] hwan *m*.

환가(患家) =병가(病家).

환가(換價) conversión *f* (en dinero). ~하다 convertir en dinero, cobrar.

환가(還家) acción *f* de volver a casa. ~하다 volver a casa.

환각(幻覺) 【심리】 alucinación *f*, ilusión *f*, visión *f*, alucinación *f*. ~에 빠지다 alucinarse. ~을 일으키다 alucionar, tener alucinaciones.

■~범(犯) crimen *m* alucinador. ~병(病) alucinosis *f*. ~ 예술 arte *m* alucinógeno. ~ 음악 música *f* alucinógena. ~제 alucinógeno *m*. ~제 상용자 (p)sicodélico, -ca *mf*. ~증 alucinosis *f*.

환각(還却) devolución *f*. ~하다 devolver.

환갑(還甲) aniversario *m* del cumpleaños sexagésimo, ciclo *m* de sesenta años.

◆환갑 진갑 다 지내다 gozar de una larga vida, vivir bastante largo tiempo.

■~날 cumpleaños *m* sexagésimo. ~노인 sexagenario, -ria *mf*. ~연[잔치] banquete *m* de *su* sexagésimo cumpleaños, fiesta *f* [celebración *f*] de los sesenta años. ¶~을 열다 dar un banquete de *su* sexagésimo cumpleaños. ~주(主) persona *f* del aniversario del cumpleaños sexagésimo.

환거래(換去來) transacción *f* de cambio.

환경(環境) medio *m* ambiente, medio *m*, ambiente *m*, atmósfera *f*. ~의 ambiental, medioambiental, en ecología, en medio ambiente. ~친화적(親和的) ecológico, que no daña el medio ambiente. ~의 영향(影響) impacto *m* medioambiental, impacto *m* sobre el medio ambiente, influencia *f* del medio ambiente. 인간에 적대적인 ~ medio *m* hostil al hombre. ~친화적 산물(産物), ~을 해치지 않는 산물 productos *mpl* ecológicos, productos *mpl* que no dañan al medio ambiente. ~적인 견지에서 (보면) desde el punto de vista ecológico, en lo que concierne al medio ambiente. ~에 순응하다 adaptarse al medio ambiente. ~에 좌우되다 ser influido [dejarse influir] por el ambiente. 이곳은 모두한테 ~이 좋다 Aquí se vive en un ambiente favorable en todos los sentidos. 이곳은 아이들의 교육에 좋은 ~이다 Este es un ambiente favorable para la formación de los niños. 이곳은 공부하기에 적당한 ~이 아니다 Este no es un ambiente propicio para estudiar. 그는 좋은 ~에서 자랐다 El se formó en (un) buen ambiente. 그녀는 자연 ~ 속에서의 토끼를 연구하고 있다 Ella estudia a los conejos en su entorno [hábitat] natural. 야생 동물들은 동물원 ~에 고통을 받고 있다 Los animales salvajes sufren en el ambiente de un jardín zoológico. 아이들은 안정된 가정 ~이 필요하다 Los niños necesitan un hogar estable.

■~ 공학 ingeniería *f* (medio)ambiental. ~ 공학자(工學者) ingeniero, -ra ,*mf* (medio)-ambiental. ~ 과학(科學) ciencia *f* (medio)-ambiental. ~ 교육(教育) educación *f* medioambiental [del medio ambiente]. ~권 derecho *m* medioambiental [del medio ambiente]. ~ 기준 norma *f* del medio ambiente. ~ 난민(難民) refugiado, -da *mf* ambiental. ~ 노동 위원회 comisión *f* del trabajo ambiental. ~ 농법(農法) método *m* agrícola del (medio) ambiente. ~ 단체 grupos *mpl* ecologistas. ~ 마크 marca *f* del medio ambiente. ~ 미화원 trabajador, -dora *mf* de la limpieza, recolector, -tora *mf* de residuos. ~ 보존 conservación *f* ambiental, preservación *f* (medio)ambiental [del medio ambiente]. ~ 보호 protección *f* (medio)ambiental [del medio ambiente]. ¶~를 주장하는 ecologista. ~ 보호국(保護局) el Departamento de Protección Medioambiental [Ambiental]; [미국의] la Agencia de Protección Medioambiental [Ambiental]. ~ 보호론(保護論) ecología *f*. ~ 보호법(保護法) ley *f* de protección (medio)ambiental. ~ 보호주의 ecologismo *m*. ~ 보호주의자 ecologista *mf*. ~부(部) el Ministerio del Medio Ambiente; *Méj* la Secretaría del Medio Urbano y Ecología. ~부 장관 ministro, -tra *mf* del Medio Ambiente; *Méj* secretario, -ria *mf* del Medio Urbano y Ecología. ~ 생물학(生物學) biología *f* (medio)ambiental. ~ 심리학(心理學) psicología *f* (medio)ambiental. ~ 영향 평가(影響評價) evaluación *f* (medio)ambiental. ~ 영향 평가 제도(影響評價制度) sistema *m* de la evaluación (medio)ambiental. ~ 예술 arte *m* (medio)ambiental. ~ 오염 contaminación *f* (medio)ambiental [de medio ambiente]. ~ 오염 물질 (agente *m*) contaminante *m*. ~ 운동 movimiento *m* ecologista. ~ 운동가(運動家) ecologista *mf*. ~ 위생 higiene *f* ambiental [del medio ambiente]. ~ 위생과 la Sección de Higiene Ambiental, la Sección de Higiene Medioambiental [del Medio Ambiente]. ~ 위생학 higiene *f* (medio)ambiental [del medio ambiente]. ~ 위생학자 higienista *mf* (medio)ambiental. ~ 의학(醫學) geomedicina *f*. ~ 전문가 ecólogo, -ga *mf*. ~ 제어 장치 equipo *m* de control ambiental. ~청(廳) la Dirección General del Medio Ambiente. ~ 파괴 trastorno *m* ambiental. ~학(學) ecología *f*. ~학자 ecólogo, -ga *mf*. ~ 호르몬 hormón *m* [hormona *f*] medioambiental [de medio ambiente].

환곡(換穀) cambio *m* mutuo de los cereales. ~하다 cambiarse los cereales uno a otro

환골탈태(換骨奪胎) adaptación *f*, modificación *f*.

환공(環攻) sitio *m*, asedio *m*, cerco *m*. ~하다 sitiar, asediar, cercar.

환과고독(鰥寡孤獨) viudos *mpl*, viudas *fpl*, huérfanos *mpl*, personas *fpl* sin hijos.

환관(宦官) 【역사】 =내시(內侍)(enunco).

환국(還國) vuelta *f* a *su* país. ☞귀국(歸國)

환군(還軍) =회군(回軍).

환궁(還宮) vuelta *f* al palacio real. ~하다 volver al palacio real.

환규(喚叫) grito *m*. ~하다 gritar, dar un grito.

환금(換金) ① [물건을 팔아 돈으로 바꿈] conversión *f* en dinero. ~하다 convertir en dinero, realizar. 장물(贓物)을 ~하다 realizar géneros robados. ② =환전(換錢).
■ ~성(性) convertibilidad *f*. ~ 작물(作物) cosecha *f* en efectivo.

환급(還給) devolución *f*; [정산한 나머지의] reembolso *m*; [양도 물건의] retrocesión *f*; [부당 취득 물건의] restitución *f*. ~하다 devolver, reembolsar, restituir. 세금(稅金)의 ~ devolución *f* de impuestos.
■ ~금 reembolso *m*.

환기(喚起) despertamiento *m*. ~하다 despertar. ~시키다 despertar, desadormecer, despabilar, avispar, animar, conmover, excitar, llamar. 여론을 ~시키다 despertar la opinión pública. 주의를 ~시키다 llamar [despertar] la atención (sobre).

환기(換氣) aireación *f*, ventilación *f*. ~하다 airear, ventilar. ~가 잘된 bien ventilado. ~가 나쁜 mal ventilado. ~가 잘되는 방 habitación *f* bien ventilada.
■ ~ 구멍 ventilador *m*, abertura *f* de ventilación. ~ 작용 ventilación *f*. ~ 장치 ventilador *m*, sistema *m* de ventilación. ~창 ventilador *m*. ~탑 torre *f* ventiladora.

환난(患難) desgracia *f*, aflicción *f*, tribulación *f*, angustia *f*. ■~상구(相救) Se socorre en la adversidad.

환녀(宦女) ① 【역사】 sirviente, -ta *mf* oficial. ② [환관(宦官)과 여자] enunco y mujer.

환담(歡談) conversación *f* agradable. ~하다 tener una conversación agradable.

환대(歡待) bienvenida *f*, recepción *f* cordial, buena acogida *f*, festejo *m*, agasajo *m*, obsequio *m*. ~하다 dar recepción cordial, hospedar afectuosamente, dar la bienvenida, recibir con agasajo, festejar, agasajar, obsequiar, invitar a una buena [rica] comida. 무척 ~하다 llevar [recibir · traer] en palmitas, llevar [traer] en palmas. 극진히 ~하다 llevar en palmas, traer en palmas.

환도(還刀) sable *m*.
■ ~뼈 ㉮ hueso *m* de la cadera. ㉯ ((성경)) muslo *m*.

환도(還都) vuelta *f* a la capital. ~하다 volver a la capital.

환등(幻燈) ((준말)) =환등기(幻燈機).
■ ~기(機) proyector *m* de diapositiva, proyección *f* de diapositivas, literna *f* mágica, diapositiva *f*. ¶~를 비추다 proyectar diapositiva. ~ 슬라이드(slide) diapositiva *f*, tira *f* de vidrio.

환락(歡樂) alegría *f*, júbilo *m*, regocijo *m*, placer *m*, deleite *m*. ~에 빠지다 abandonarse [entregarse] a los placeres. ~을 추구하다 perseguir placeres, estar sediento de placeres, correr tras placeres, ir al curso florido. ~에 취하다 tomar copa de júbilo a las heces.
■ ~가(街) centro *m* de diversiones.

환란(患亂) ＝재앙(災殃). 병란(兵亂).
환롱(幻弄) engaño *m* [estafa *f*] cambiando de los objetos. ～하다 engañar [estafar] cambiando de los objetos.
◆환롱(을) 치다 cambiar de los objetos estafando.
환류(還流) ① [물 또는 공기의 흐름이 방향을 바꾸어 되돌아 흐르는 일] reflujo *m*. ～하다 fluir. ②【전기】corriente *f* de retorno. ～하다 fluir.
■～ 냉각기(冷却機) condensador *m* de reflujo, refrigerador *m* de reflujo. ～ 자금 reflujo *m* de capital.
환매(換買) trueque *m*, permuta *f*, canje *m*. ～하다 cambiar, trocar, canjear.
환매(還買) recompra *f*. ～하다 recomprar.
■～ 계약 pacto *m* de recompra. ～권 derecho *m* de recompra. ～자 redentor, -tora *mf*.
환매(還賣) reventa *f*. ～하다 revender.
환멸(幻滅) desilusión *f*, desengaño *m*, desencanto *m*. ～을 느끼다 desilusionarse (de), desencantarse (de), sentirse desilusionado (de), desengañarse (de). 나는 미국에는 ～이었다 Quedé desilusionado de los Estados Unidos de América. 그녀가 그런 사람이란 것을 알고 나는 ～을 느꼈다 Me desilusioné saber que ella era una mujer así.
■～감(感) sentido *m* de desilusión.
환몽(幻夢) sueño *m* vacío.
환문(喚問) llamamiento *m*, llamada *f*;【법률】citación *f* (a un examen). ～하다 llamar, citar, citar a una investigación. 증인을 ～하다 citar a un testigo. 증인으로 ～하다 citar a *uno* de testigo.
환물(換物) conversión *f* de dinero en los objetos. ～하다 convertir dinero en los objetos.
환부(患部) parte *f* afectada, parte *f* padecida, parte *f* enferma, parte *f* dolorida, parte *f* lastimada.
환부(還付) ＝환급(還給).
■～금(金) ((구용어)) ＝환급금(還給金).
환부(鰥夫) viudo *m*.
환불(還拂) reembolso *m*, devolución *f*, restitución *f*; [보험금 따위의] reintegro *m*. ～하다 reembolsar, devolver, restituir; [보험금 따위를] reintegrar. ～을 청구하다 reclamar [demandar] el reembolso. 요금을 ～하다 devolver el importe.
■～금(金) (importe *m* de) reembolso *m*.
환산(換算) cambio *m*, intercambio *m*, conversión *f*. ～하다 convertir, cambiar. 달러의 ～ conversión *f* a dólar. A를 B로 ～하다 cambiar [convertir] A en B. 원을 달러로 ～하다 cambiar [convertir] wones en dólares. 킬로그램을 파운드로 ～하다 convertir el kilogramo en libra. 만 원을 달러로 ～하면 얼마입니까? ¿Cuántos dólares son diez mil wones?
■～ 계수(係數) factor *m* de conversión. ～식 fórmula *f* de conversión. ～율 tipo *m* de cambio. ～표 tabla *f* de conversión; [통화의] tabla *f* de cambio.
환상(幻想) ilusión *f*, quimera *f*, visión *f*, fantasía *f*, fantasma *m*, sueño *m*. ～ 같은 fantasmagórico. ～의 명작(名作) obra *f* maestra fantástica. ～을 쫓다 perseguir ilusiones. ～을 품다 concebir [forjarse] ilusiones, ilusionarse.
■～가(家) visionario, -ria *mf*; soñador, -dora *mf*; ilusionista *mf*. ～곡 fantasía *f*. ～ 교향곡 sinfonía *f* fantástica. ～미(美) belleza *f* fantástica. ～적(的) visionario, fantástico. ¶～으로 fantásticamente. ～주의 ilusionismo *m*.
환상(幻像) fantasma *m*, ilusión *f*, visión *f*, imagen *f* falsa, imagen *f* secundaria.
환상(喚想) ＝상기(想起).
환상(環狀) círculo *m*, forma *f* anular. ～의 circular, anular.
■～ 도로(道路) carretera *f* [ronda *f*] de circunvalación, *Méj* periférico *m*. ～문(紋) figura *f* anular. ～선 línea *f* circular. ～선 도로 camino *m* circular, ronda *f*. ～ 연골 cartílago *m* cricoides. ～ 전류 corriente *f* anular, corriente *f* circular. ～ 철도(鐵道) ferrocarril *m* circular. ～ 화합물(化合物) compuesto *m* cíclico.
환생(幻生) ＝환생(還生).
환생(還生) renacimiento *m*, restauración *f*, restablecimiento *m*. ～하다 renacer, volver a nacer. 내가 ～한다면 교사(敎師)가 되고 싶다 Cuando yo vuelva a nacer, quisiera ser un maestro.
환석(丸石) piedra *f* redonda y deslizante.
환성(歡聲) grito *m* de alegría, aclamación *f* (de júbilo), ovación *f*. ～을 지르다 aclamar, vitorear, dar vivas, dar vítores, jubilar, ovacionar.
환세(換歲) cambio *m* del año.
환소(還巢) vuelta *f* a *su* casa. ～하다 volver a *su* casa.
환속(還俗) secularización *f*. ～하다 secularizarse, colgar los hábitos, abandonar la vida eclesiástica, volver a la vida secular, dejar sacerdocio. ～시키다 secularizar, exclaustrar.
환송(還送) reenvío *m*. ～하다 reenviar. 일심(一審)으로 ～하다 reenviar el asunto al tribunal de primera instancia.. ☞반송(返送). 회송(回送)
환송(歡送) despedida *f*. ～하다 despedirse.
■～식(式) ceremonia *f* de despedida. ～연(宴)[파티] fiesta *f* de despedida, fiesta *f* para alentar (a *uno*) con motivo de *su* partida. ～회 reunión *f* de despedida. ¶～를 열다 tener [celebrar] una reunión de despedida (en honor de *uno*), reunirse para celebrar la partida (de *uno*).
환수(還收) amortización *f*. ～하다 amortizar.
환술(幻術) magia *f*, hechizo *m*, brujería *f*, hechicería *f*, encantamiento *m*, sortilegio *m*.
환시(幻視)【심리】fantasmoscopia *f*, seudopsia *f*. ■～화(畫) ＝디오라마(diorama).

환시(環視) miradas *fpl* concetradas. 중인(衆人)~의 대상 foco *m* de la atención pública. 중인~ 중에 mirado por todos lados en público, públicamente.

환시세(換時勢) cambio *m*, tipo *m* de cambio, tasa *f* de cambio, cotización *f* de cambio. ~가 얼마입니까? — 1달러에 1,250원입니다 ¿A cómo está el cambio? — A mil doscientos cincuenta wones el dólar.
◆고정 ~ tipo *m* de cambio fijo. 대미(對美) ~ tipo *m* de cambio sobre los Estados Unidos de América. 선물(先物) ~ tipo *m* de cambio a futuro [a término]. 자유 ~ tipo *m* de cambio libre. 자유 변동 ~ tipo *m* de cambio de libre fluctuación. 직물(直物) ~ cotización *f* de cambio inmediata.
■~표 lista *f* de las cotizaciones de los cambios.

환심(歡心) favor *m*, buenas gracias *fpl*, complacencia *f*.
◆환심(을) 사다 buscar el favor (de), congraciar (con), atraerse la benevolencia, buscar la benevolencia; [아부하다] adular, lisonjear. 상사(上司)의 ~ congraciarse con *su* superior. 돈으로 여자의 ~ atraerse a [conquistar a · conseguir el efecto de] una mujer mediante dinero. 그는 연인의 어머니의 환심을 사려고 노력했다 El trató de congraciarse con la madre de su novia.

환심장(換心腸) locura *f* del corazón. ~하다 volverse loco, enloquecerse.

환약(丸藥) pastilla *f*, píldora *f*. ~을 먹다 tomar la píldora. ~을 먹기 시작하다 empezar [comenzar] a tomar la píldora.

환어음(換—) letra *f* de cambio, libranza *f*. ~을 발행하다 girar [librar] una letra (de cambio). ~을 현금으로 바꾸다 hacer efectiva [cobrar] una letra (de cambio).

환언(換言) dicho *m* en otras palabras. ~하다 decir en otras palabras. ~하면 en otra palabra, dicho en otras palabras, en otros términos; [다시 말하면] es decir, o sea. 쉬운 말로 ~하다 decir en [con] palabras más sencillas, expresar en forma más sencilla.

환열(歡悅) =환희(歡喜).

환영(幻影) visión *f*, ilusión *f*, espejismo *m*, fantasma *m*, espectro *m*, aparición *f*, sombra *f*, estantigua *f*. ~과 같은 visionario, imaginario, ilusorio. ~과 같이 como una visión. ~과 같은 인생(人生) vida *f* como soñado. ~을 좇다 ilusionarse, forjarse ilusiones, perseguir ilusiones. 나는 아버님의 ~을 보았다 Se me apareció mi padre en mi visión.

환영(歡迎) bienvenida *f*, (buena) acogida *f*, recibimiento *m*; [환대] festejo *m*. ~하다 dar la bienvenida, dispensar una buena acogida, dar buena acogida, hacer un buen recibimiento, festejar, recibir con agasajo. ~의 뜻을 표하다 expresar *su* bienvenida. 일반한테서 ~을 받다 encontrarse con favor público. 성대한 ~을 받다 ser recibido con agasajo efusivo, encontrarse con un bienvenida afectuosa. 열렬한 ~을 하다 acoger calurosamente, dar una calurosa bienvenida [acogida · un caluroso recibimiento]. 그는 열렬한 ~을 받았다 El fue recibido con entusiasmo / Se le dio una bienvenida entusiasta [un entusiasta recibimiento · un recibimiento apoteósico]. 쌍수로 ~합니다 Le recibimos cordialmente / Le recibimos con los brazos abiertos. 언제든지 ~합니다 Es usted siempre bienvenido. 그들은 나를 쌍수로 ~했다 Ellos me recibieron con los brazos abiertos. 한국에 오신 것을 ~합니다 Bienvenido [Bienvenida (여자 한 사람에게) · Bienvenidos (남자들이나 남녀에게) · Bienvenidas (여자들에게)] a Corea. 그 계획은 누구한테나 ~을 받았다 El plan fue bien recibido por todos. 그는 그녀의 가족한테서 열렬한 ~을 받았다 Su familia le dio una calurosa acogida. 나는 문으로 달려가 그들을 ~했다 Corrí a la puerta y los hizo pasar dándoles la bienvenida.
■~ 만찬회 cena *f* de bienvenida. ~사 discurso *m* de bienvenida. ¶~를 하다 pronunciar un discurso de bienvenida. ~아치 arco *m* de bienvenida. ~연 fiesta *f* de bienvenida, banquete *m* de bienvenida. ¶~을 베풀다 dar una fiesta [un banquete] de bienvenida. ~은 절정에 달해 있다 El banquete está en su apogeo. ~ 위원 miembro *mf* del comité *m* [de la comisión] de recepción, miembro *mf* del comité *m* [de la comisión] de bienvenida. ~ 위원회 comisión *f* [comité *m*] de bienvenida [de recepción]. ~자(者) el que acoge [da] la bienvenida. ~회 reunión *f* [recepción *f*] de bienvenida, recepción *f*. ¶~를 열다 tener una recepción. 김 선생의 ~를 열다 tener una recepción en honor del Sr. Kim.

환우(換羽) muda *f*. ~하다 mudar.
■~기(期) la (época de) muda.

환원(還元) ① [근본으로 되돌아감] restauración *f*, reinstauración *f*, restablecimiento *m*. ~하다 restaurar, reinstaurar, restablecer, restituir. 이익의 일부를 소비자에게 ~하다 restituir una parte de las ganancias a los consumidores. ② 【화학】 reducción *f*, desoxidación *f*, desoxigeneración *f*. ~하다 reducir, desoxidar, desoxigenar.
■~력(力) capacidad *f* reductora. ~법(法) [설] reduccionismo *m*. ~염[성 불꽃] llama *f* reductora. ~ 작용 proceso *m* reducido. ~제 reductor *m*. ~철 hierro *m* reducido.

환유법(換喩法) 【논리】 metonimia *f*.

환율(換率) tipo *m* de cambio. 1달러 대 1246원의 ~로 al cambio de mil doscientos cuarenta y seis wones a un dólar. 유로화의 ~은 얼마나 됩니까? ¿A cómo está el cambio de euro?
■~ 변동 fluctuación *f* del tipo de cambio, oscilaciones *fpl* de los tipos de cambio. ~제도 régimen *m* de los tipos de cambio.

¶고정(固定) ~ régimen *m* de los tipos de cambio fijo. 변동(變動) ~ régimen *m* de los tipos de cambio fluctuante. ~ 타깃존 [국제 통화 안정을 위한 목표로 설정된 외환 시세 변동 폭] zona *f* meta de los tipos de cambio. ~ 파동 fluctuación *f* del tipo de cambio. ~ 협정 acuerdo *m* sobre los tipos de cambio.

환은(換銀) ① ((준말)) =외환 은행(外換銀行). ② [물건을 돈으로 바꿈] conversión del artículo en dinero.

환은행(換銀行) =외환 은행(外換銀行).

환의(換意) cambio *m* de la voluntad. ~하다 cambiar la voluntad.

환자(宦者) 【역사】 =내시(內侍).

환자(患者) paciente *mf*, enfermo, -ma *mf*, caso *m*; [개업 의사의] cliente *mf*; [집합적으로] clientela *f*. 두 명의 뇌막염 ~ dos casos de meningitis. 천 명 이상의 ~ más de mil casos. ~용 식사 dieta *f* para enfermos. ~를 진찰하다 examinar a un paciente [una paciente]. 대기실은 ~로 가득 차 있다 La sala de espera está llena de pacientes [clientes]. 의사는 그가 가망이 없는 ~라 말했다 El médico dijo que él no tenía cura.

◆ 외래(外來) ~ paciente *mf* externo, -na. 입원(入院) ~ hospitalizado, -da *mf*. 콜레라 ~ paciente *mf* de cólera. 폐병 ~ paciente *mf* de tisis.

■ ~ 명부 lista *f* de enfermos. ~ 운반차 ambulancia *f*.

환장(換腸) ((준말)) =환심장(換心腸). ¶~하다 volverse loco, enloquecerse.

환쟁이 pintamonas *mf*, pintor, -tora *mf* poco hábil.

환전(換錢) ① [환표(換標)로 보내는 돈] giro *m* postal. ② [서로 종류가 다른 화폐와 화폐를 교환함] cambio *m*. ~하다 cambiar.

■ ~기(器) aparato *m* que contiene monedas para dar el cambio. ~상 cambista *mf*. ~소 casa *f* de cambio.

환절(患節) =병환(病患).

환절(換節) ① [철이 바뀜] cambio *m* de estaciones. ~하다 cambiarse la estación. ② [절조를 바꿈] cambio *m* de la integridad.

■ ~기(期) (temporada *f* de) cambio *m* de estaciones. ¶~에 al [en el] cambio de la estación (del año), al cambiar la estación. ~머리 alrededor del cambio de estaciones.

환절(環節) 【동물】 segmento *m*. ~이 있는 anuloso.

환절기(環節器) =신관(腎管).

환절동물(環節動物) =환형동물.

환제(丸劑) =환약(丸藥).

환지(一紙) papel *m* de bosquejar.

환지(換地) terreno *m* sustitutivo.

환짓다(丸一) preparar [hacer] una píldora.

환처(患處) =병처(病處).

환천희지(歡天喜地) éxtasis *m*. 나는 ~의 상태에 있었다 Yo me hallaba transportado de alegría.

환청(幻聽) 【심리】 alucinación *f* auditiva.

환초(環礁) atalón *m* (*pl* atalones), isla *f* anular de coral, isla *f* madrepórica.

환치다 pintorrear, pintarrajear, pintarrajar.

환택(還宅) vuelta *f* a casa. ~하다 volver a casa.

환토(換土) =환지(換地).

환퇴(幻退) =환생(幻生).

환퇴(還退) ① [산 땅·집 등을 도로 무름] reembolso *m*. ~하다 reembolsar. ② ((불교)) =환속(還俗).

환표(換票) ① [표를 바꿈. 또, 그 표] cambio *m* de los billetes; billetes *mpl* de cambiar. ② [선거에서, 특정 후보자를 당선시키려고 표를 바꿔침] cambio *m* de la votación. ~하다 cambiar de la votación.

환품(換品) cambio *m* de los objetos. ~하다 cambiar de los objetos.

환풍기(換風機) ventilador *m*.

환하다 ① [광선이 비쳐 맑고 밝다] (ser) claro, brillante. 환하게 brillantemente, claramente. 환해지다 aclararse, despejarse, clarear; [비인칭 표현] aclarar. 환하게 하다 alumbrar, aclarar, iluminar. 방이 ~ La habitación es clara. 이제 아침 여섯 시에는 ~ Ya hay luz [claridad] a las seis de la mañana. 보름달이 있는 밤은 ~ Son claras las noches de luna llena. 동쪽 하늘이 환해졌다 Clarearon los cielos orientales / Alborea el cielo hacia el este / Alborean los cielos orientales. 이 전구는 환하지 않다 Esta bombilla tiene poca luz / Esta bombilla alumbra poco / Esta bombilla de poca luz. 홀이 환하게 조명되어 있다 El salón está brillantemente iluminado. 큰길은 아직 환했다 La avenida todavía resplandecía de luz. ② [앞이 틔어 넓고 멀다] (ser) claro, libre, despejado. 자유로에의 길이 우리 앞에 환하게 열려 있었다 El camino de la libertad se abría ante nosotros. ③ [조리나 속내가 또렷하다] (ser) evidente, obvio, lógico, constar. 환한 사실(事實) verdad *f* evidente. ④ [얼굴이 잘생겨 시원스럽다] (ser) bien parecido. 얼굴이 환한 사람 persona *f* muy parecida. 얼굴이 환한 남자 hombre *m* bien parecido. 얼굴이 환한 여자 mujer *f* bien parecida. ⑤ [맛이 약간 매운 듯하며 개운하고 상쾌한 느낌이 있다] (ser) refrescante. ⑥ [통달하다] ser muy versado (en), conocer bien, estar familiarizado (con), familiarizarse (con). 역사에 환한 사람 persona *f* muy versada en la historia. 수학에 ~ ser muy versado en las matemáticas. 주제에 ~ conocer bien el tema, estar familiarizado con el tema.

환히 claramente, obviamente, evidentemente, lógicamente, de oreja a oreja, de par en par. ~ 웃다 sonreír de oreja a oreja. 문이 ~ 열려 있었다 La puerta estaba abierta de par en par. 민주주의로 향한 길이 ~ 열렸다 Se han abierto las puertas a la democracia.

환향(還鄕) vuelta *f* a *su* tierra natal. ~하다

volver a su tierra natal, volver a casa.
◆금의(錦衣) ~ vuelta *f* a casa en gloria.

환형(環形) =환상(環狀).
■~동물【동물】anélidos *mpl*.

환호(歡呼) aplauso *m*, vivas *fpl*, vítores *mpl*, grito *m* de entusiasmo, aclamación *f*, ovación *f*. ~하다 aplaudir, vitorear, dar exclamación de alegría. ~로 맞이하다 acoger con (gritos de) entusiasmo, aclamar, recibir con vítores entusiásticos. ~로 맞아지다 ser recibido con aplauso.
■~성 aplauso *m*, exclamación *f*, vítor *m*, grito *m* con entusiasmo. ¶~을 지르다 exclamar, vitorear, aplaudir, dar vivas, gritar con entusiasmo.
■~작약 salto *m* de alegría, el bailar de alegría. ¶~하다 saltar de alegría, bailar de alegría. 그는 ~했다 El saltaba de (la) alegría.

환혹(幻惑) fascinación *f*. ~하다 fascinar.

환후(患候) [웃어른의 병의 높임말. 병환] enfermedad *f* del superior.

환희(歡喜) alegría *f*, júbilo *m*, regocijo *m*, éxtasis *m*; [광희(狂喜)] exultación *f*. ~하다 alegrarse, regocijarse, exultar, no caber en sí de gozo, regocijar excesivamente, saltar de alegría, estar en exaltación.

활 ① [화살을 메워서 쏘는 무기] arco *m*. ~의 살 varilla *f* elástica. ~의 줄 cuerda *f*. ~에 살을 놓다 poner la flecha en el arco. ~을 쏘다 tirar al arco, tirar flechas con el arco. ② ((준말)) =무명활. ③【악기】cuerda *f*.

활강(滑降) deslizamiento *m*; ((스키)) descenso *m*. ~하다 descender con esquís.
◆사(斜)~ descenso *m* oblicuo, descenso *m* en diagoanl. 직(直)~ descenso *m* en línea recta, descenso *m* recto.
■~ 경기[경주]【스키】(prueba *f* de) descenso *m*, descenso *m* contra-reloj. ~ 선수 corredor, -dora *mf* de descenso contra-reloj.

활개 ① [새의 양쪽 죽지에서 날개까지의 부분] alas *fpl* del pájaro. ② [사람의 어깨에서 양쪽 팔까지 또는 궁둥이에서 양쪽 다리까지의 부분] *sus* brazos, *su* miembro. 네 ~를 벌리고 자다 tenderse con brazos y piernas abiertos, dormir a pierna suelta [tendida].
◆활개(를) 젓다 vibrar *sus* brazos.
◆활개(를) 치다 ㉮ vibrar *sus* brazos; [날개를] aletear, sacudir las alas. ㉯ [의기양양하게 굴다] tomar una actitud impetuosa. 활개 치면서 걷다 [당당히] andar impetuosamente; [뽐내면서] andar muy afano, pavonearse, darse aires. 그는 활개를 치면서 방으로 들어갔다 [방에서 나갔다] El entró en [salió de] la habitación pavoneándose [dándose aires].
◆활개(를) 펴다 ㉮ [두 팔을 옆으로 넓게 펴다] extender los brazos abiertos. ㉯ [당당한 태도를 취하다] tomar una actitud impetuosa.

활개똥 flujo m líquido de la diarrea.

활갯짓 ① [걸음을 걸을 때 두 팔을 힘차게 내어 젓는 짓] vibración *f* de los brazos. ~을 치다 vibrar los brazos. ② [새가 두 날개를 치는 짓] aleteo *m*. ~을 치다 aletear, sacudir las alas.

활게(活−) cangrejo vivo.

활계(活計) =생계(生計).

활공(滑空) vuelo *m* sin motor, planeo *m*, vuelo *m* planeado. ~하다 volar sin motor, planear, cernerse.
■~ 거리(距離) distancia *f* de planeo. ~기 planeador *m*. ~사(士) piloto *mf* de vuelo sin motor.

활극(活劇) escena *f*, acción *f* belicosa; [실제의] escena *f* realística; [소동] escena *f* sediciosa; [영화] película *f* activa. ~을 연출하다 hacer una escena, venir a las manos, batallar.
◆서부(西部) ~ película *f* occidental.

활기(活氣) vigor *m*, animación *f*, energía *f*, vivacidad *f*, actividad *f*, ánimo *m*, brío *m*, viveza *f*, denuedo *m*, arte *m* de resucitar. ~에 찬 vivo, lleno de vida, animado, enérgico, vigoroso, animoso, espiritoso, brioso, activo. ~가 없는 exánime, abatido, inanimado, amilanado, sin viveza. ~찬 의논 argumento *m* espiritoso. ~를 띠다 dar viveza (a), animar(se), infundir ánimo, infundir valor, alentarse, cobrar ánimo, cobrar aliento, cobrar coraje, excitar, vivificar, presentar actividad, presentar animación, presentar prosperidad. ~를 띠게 하다 alentar, animar, avivar, estimular, levantar la moral (de). ~를 불어넣다 activarse, animarse, alentarse, avivarse, aplicar arte de resucitar a un desmayo. 옛 조직에 ~를 불어넣다 vitalizar la vieja organización. 이 도시는 ~가 차 있다 Esta ciudad está llena de vida. 그 성공으로 그는 무척 ~를 띠고 있다 El éxito le animó [alentó] mucho. 증권 시장은 ~를 띠고 있다 Hay gran actividad en la bolsa. 시장(市場)은 ~를 되찾았다 El mercado ha recobrado ligeramente su actividad.

활꼴 forma *f* de arco, forma *f* de media luna. ~의 en arco, arqueado; [만곡된] encorvado.

활달대도(豁達大度) magnanimidad *f*, generosidad *f*.

활달하다(豁達−) (ser) magnánimo, generoso, liberal, jovial, grande (de alma). 활달함 magnanimidad *f*, generosidad *f*, liberalidad *f*, jovialidad *f*. 활달하게 magnánimamente, generosamente, liberalmente, jovialmente, a la llana. 성격이 ~ ser franco de carácter.

활대 verga *f*.

활동(活動) actividad *f*, movimiento *m*, acción *f*, moción *f*, operación *f*, dinamismo *m*. ~하다 trabajar; [활약하다] trabajar enérgicamente, trabajar activamente, desplegar una gran actividad, funcionar. 화산(火山)이 ~하고 있다 El volcán está en acción.

화산이 ~을 시작하고 있다 El volcán entra [se pone] en actividad. 그 사건에 경찰이 ~하고 있다 La policía trabaja [se mueve] en ese asunto. 민주당은 활발한 ~을 하고 있다 El Partido Demócrata despliega una enérgica actividad.

◆과외(課外) ~ actividades *fpl* extracurriculares, actividades *fpl* extraacadémicas. 교내(校內) ~ actividades *fpl* escolares. 군사(軍事) ~ actividad *f* militar. 마약 거래자들의 ~ actividades *fpl* de los narcotraficantes. 연구(硏究) ~ actividades *fpl* académicas. 외교(外交) ~ actividad *f* diplomático. 정신(精神) ~ actividad *f* mental. 정치(政治) ~ actividades *fpl* políticas.

■~가(家)[객] ㉮ [정당 등의] militante *mf* (activo), activista *mf.* ㉯ [정력가] hombre *m* enérgico, hombre *m* de actividad, persona *f* vigorosa. ~력(力) actividad *f*, vitalidad *f*, energía *f*. ~ 무대 escena *f* [campo *m*] de acción. ~물 cosa *f* viviente. ~ 반경(半徑) radio *m* de acción. ~ 범위[분야] esfera *f* [campo *m*] de acción [de actividad]. ~사진 cine *m*, cinema *m*, película *f*. ~적 activo, enérgico, dinámico. ¶~인 사람 persona *f* activa, persona *f* dinámica, hombre *m* de acción. ~ 전류 corriente *f* de acción. ~주의 activismo *m*.

활등 espalda *f* del arco.

활등코 nariz *f* encorvada.

활딱 ① [남김없이 시원스럽게 벗거나, 벗어진 모양] enteramente, completamente calvo, completamente desnudo. 옷을 ~ 벗다 desnudarse enteramente. ~ 벗어진 머리 calva *f*, cabeza *f* calva. ② [물이 갑자기 한꺼번에 끓어 넘는 모양] de repente, repentinamente. ③ =훌딱.

활량 holgazán *m* (*pl* holgazanes), haragán *m* (*pl* haraganes), poltrón *m* (*pl* poltrones).

활력(活力) vitalidad *f*, energía *f*, fuerza *f*, vigor *m*, energía *f* vital. ~을 불어넣다 vitalizar. 그는 해가 거듭함에 따라 그를 특징 지우고 있던 ~을 잃었다 El ha perdido con los años aquella vitalidad, que le caracterizaba.

■~론 =활력설. ¶~의 vitalista. ~론자 vitalista *mf.* ~설 vitalismo *m*. ~소(素) tónico *m*, vitamina *f*.

활로(活路) modo *m* de salvarse, último recurso *m*, medio *m* de escaparse, medio *m* de salir de una dificultad. ~를 열다 abrir paso de huir, desembarazarse de una dificultad. ~가 열리다 abrirse paso, abrirse camino. ~를 찾아내다 hallar el medio de escaparse, hallar el medio de salir de una dificultad.

활머리 trenza *f* del pelo falso puesta antes por la novia en las bodas.

활 메우다 hacer el arco de nuevo.

활무대(活舞臺) ruedo *m*, arena *f*. 정치적 ~ ruedo *m* político, arena *f* política. 세 번째 입후보자가 ~에 뛰어들었다 El tercer candidato ha saltado a la palestra [al ruedo] / El tercer candidato ha entrado en liza.

활물(活物) criatura *f* viva.

■~ 기생(寄生) parasitismo *m* en la criatura viva. ~ 기생 식물 planta *f* parásita en la criatura viva.

활발하다(活潑–) (ser) vivo, lleno de actividad, activo, enérgico, animado, vivaz, vivaracho. 활발함 viveza *f*, vivacidad *f*, actividad *f*, agilidad *f*, protitud *f*. 활발한 기상(氣相) espíritu *m* vigoroso. 활발한 남자 hombre *m* activo. 활발한 놀이 juego *m* activo. 활발한 무역 comercio *m* floreciente. 활발한 사람 persona *f* activa. 활발한 수요(需要) demanda *f* animada. 활발한 시황(市況) mercado *m* animado. 활발한 여자 mujer *f* activa. 활발한 협상 negociación *f* ágil. 무역의 활발성 actividad *f* del comercio. 사업(事業)이 ~ El negocio va bien. 시황(市況)이 ~ El mercado está activo [animado].

활발히 vivamente, activamente, enérgicamente, vigorosamente. ~ 일하다 trabajar vivamente. ~ 의논(議論)하다 tener una discusión activa [acalorada], discutir activamente [calurosamente]. 이 책은 ~ 읽히고 있다 Este es un libro muy leído.

활법(活法) modo *m* de utilizar.

활변(滑便) 【한방】 =물찌똥.

활보(闊步) ① [거드럭거리며 걷는 걸음] zancada *f*, tranco *m*. ~하다 dar grandes zancadas, andar a zancadas, contonearse, pavonearse, andar con paso majestuoso, fanfarrear. 거리를 ~하다 dar grandes zancadas por la calle, andar por las calles con pasos majetuosos. ② [남을 얕보고 제멋대로 하는 행동] actitud *f* despreciativa.

활불(活佛) ① =생불(生佛)(Buda vivo). ② ((라마교)) =수장(首長).

활비비 taladradora *f* de cuerda del arco.

활빈당(活貧黨) *hwalbindang*, pandilla *f* de Robin Hood.

활빙(滑氷) =얼음지치기.

■~장(場) lugar *m* para los esquiadores.

활살(活殺) =생살(生殺).

■~자재(自在) poder *m* de vida o muerte. ¶~하다 tener el poder de vida o muerte.

활상(滑翔) ① [새가 날개를 놀리지 않고 미끄러지듯이 나는 모양] vuelo *m* alto. ~하다 volar alto. ② [글라이더가 상승 기류에 떠받쳐 미끄러지듯이 날거나 상승하는 모양] vuelo *m* sin motor. ~하다 planear.

활새머리 corte *m* de pelo muy corto.

활색(活塞) [피스톤] pistón *m*, émbolo *m*.

활석(滑石) 【광물】 talco *m*, esteatita *f*.

■~ 편암 【광물】 esquisto *m* de talco.

활선어(活鮮魚) pez *m* vivo.

■~ 수출(輸出) exportación *f* de los peces vivos.

활설(滑泄) enfermedad *f* de disposiciones relajadas.

활성(活性) lo activo. ~의 activo, activado.

■~ 비타민 vitamina *f* activa, vitamina *f*

activada. ~ 산소 oxígeno *m* activo. ~선 rayos *mpl* actínicos. ~ 수소 hidrógeno *m* activo. ~ 인자(因子) factor *m* activo. ~제(劑)【화학】activador *m*. ~ 질소(窒素) nitrógeno *m* activo. ~탄(炭)【화학】carbón *m* activo, carbón *m* activado. ~ 탄소(炭素)【화학】carbono *m* activo. ~화(化)【화학】activación *f*. ¶~하다 activar. ~ 화합물(化合物) compuesto *m* activo.

활수(活水) el agua *f* corriente.

활수(滑水) dadivosidad *f*, liberalidad *f*, generosidad *f*, largueza *f*, desprendimiento *m*. ~하다 (ser) dadivoso, desprendido, franco, liberal, generoso, de buen corazón. ~하게 con generosidad, generosamente, davidosamente. ~하게 보이다 mostrarse dadivoso, mostrarse generoso. ~하게 돈을 쓰며 즐기다 tirar la casa por la ventana.

활수(闊袖) =광수(廣袖).

활시위 cuerda *f* del arco. ~를 메우다 extender la cuerda del arco.
◆활시위(를) 얹다 extender la cuerda del arco.

활안(活眼) ojos *mpl* penetrantes, observación *f* aguda.

활액(滑液) sinovia *f*. ~의 sinovial.
▪ ~낭 bursa *f* (sinovial). ~낭염 bursitis *f*. ~막 membrana *f* sinovial. ~ 세포 célula *f* sinovial.

활약(活躍) actividad *f*, animación *f*, acción *f*. ~하다 desplegar [mostrar] gran actividad, ser activo [agencioso · negocioso · diligente], jugar una parte activa [papel importante], ir a velas desplegadas. 정치계에서 ~하다 activarse de política. 그의 ~으로 우리는 시합에 이겼다 Hemos ganado el partido gracias a la actividad desplegada por él. 그는 정계에서 큰 ~을 하고 있다 El despliega un actividad notable en los círculos políticos.

활어(活魚) pez *m* vivo.
▪ ~ 무역 comercio *m* de pez vivo. ~선 barco *m* de transportar pez vivo. ~ 요리 plato *m* de pez vivo. ~조(槽) nansa *f*, vivero *m*; [어선(漁船)의] pozo *m*. ~차(車) camión *f* de transportar pez vivo.

활연관통(豁然貫通) percepción *f* de la verdad.

활연대오(豁然大悟) gran percepción *f*.

활연하다(豁然-) ① [환하게 터져 있다] (ser) extensivo. ② [밝게 깨달아 막힘이 없다] (ser) fluente.
활연히 extensivamente, fluentemente.

활엽(闊葉)【식물】hoja *f* latifoliada.
▪ ~수(樹)【식물】árbol *m* latifoliado, árbol *m* de hojas anchas.

활옷 vestido *m* para la princesa o la recién novia.

활용(活用) ① [살리어 잘 활용함] utilización *f*, aprovechamiento *m*. ~하다 utilizar, sacar partido (de), aprovecharse (de). 인재를 ~하다 sacar partido de los hombres de talento. ②【언어】accidente *m*; [동사의] conjugación *f*; [성 · 수의] declinación *f*; [어미의] declinación *f*. ~하다 conjugarse, declinarse. ~시키다 conjugar, declinar.
◆동사 ~표 paradigmas *mpl* [modelos *mpl*] de la conjugación.
▪ ~어(語) palabra *f* variable. ~ 어미(語尾) desinencia *f*, terminación *f*. ~형 forma *f* declinada.

활유(蛞蝓)【동물】babosa *f*, limaza *f*.

활유법(活喩法)【언어】=의인법(擬人法).

활음조(滑音調)【언어】eufonía *f*.

활인(活人) lo que perdona la vida. ~하다 perdonar*le* la vida.
▪ ~화(畫) cuadro *m* al vivo.

활자(活字)【인쇄】tipo *m*, letra *f* de molde, caracteres *mpl*. ~의 잘못 errata *f*, error *m* de imprenta, error *m* tipográfico. ~로 조판하다 colocar en tipo. ~를 조판하다 poner en tipo, componer, ordenar los tipos. 원고(原稿)를 ~로 조판하다 componer un manuscrito.
◆포인트 ~ tipo *m* de sistema por puntos.
▪ ~금(金)【인쇄】metal *m* de tipo. ~면(面)【인쇄】tipo *m* (de imprenta), (tipo *m* de) caracteres *mpl*, (tipo *m* de) letra *f*. ~본 libro *m* impreso. ~ 인쇄 tipografía *f*. ~체【인쇄】letra *f* impesa. ~판 edición *f* impresa. ~화(化) composición *f*.

활잡이 ① [활을 잡는 사람] persona *f* de coger el arco. ② [궁술에 능한 사람] gran arquero, -ra *mf*. ③ [활 쏘는 일을 업으로 하는 사람] arquero, -ra *mf*.

활적(猾賊) ladrón *m* astuto y maligno.

활전(活栓)【음악】pistón *m* (*pl* pistones).

활주(-柱)【건축】poste *m* arqueado.

활주(滑走) deslizamiento *m*; [비행기 이륙의] carrera *f* de despegue; [비행기 착륙의] carrera *f* de aterrizaje. ~하다 deslizarse, resbalar(se); [비행기가] rodar por la pista.
◆공중 ~ plano *m*. 선회 ~ deslizamiento *m* espiral.
▪ ~각(角) ángulo *m* de deslizamiento. ~기(機) planeador *m*. ~대 deslizamiento *m*. ~로 pista *f* (de despegue y aterrizaje). ~로 등 luz *f* de pista. ~륜(輪) tren *m* de aterrizaje.

활주(滑奏)【음악】ligadura *f*.

활죽 relinga *f*.

활줄 =활시위(cuerda del arco).

활줌통 =줌통.

활집 bolsa *f* para el arco.

활짝 ① [문 따위가 한껏 시원스럽게 열린 모양] de par en par, totalmente; [완전히] completamente, enteramente. ~ 열린 문 puerta *f* abierta de par en par. 문을 ~열다 abrir la puerta totalmente [de par en par]. 문을 ~ 열어 놓다 dejar abierta la puerta de par en par. 문이 ~ 열려 있었다 La puerta estaba abierta de par en par. 꽃이 ~ 피었다 Las flores están en su plenitud. ② [넓고 멀어 시원스럽게 트인 모양] extensamente. ③ [날씨가 매우 맑게 갠 모양] del todo, completamente. ~ 갠 날씨

tiempo *m* despejado completamente. ~ 갠 하늘 cielo *m* descubierto [despejado] completamente. 하늘이 ~ 갠다 El cielo se despeja del todo.
활짱 cuerpo *m* del arco.
활짱묶음 =중괄호.
활차(滑車) =도르래(polea).
활착(活着) arraigamiento *m*. ~하다 arraigar, echar raíces.
활착(滑着) aterrizaje *m* deslizando. ~하다 aterrizar deslizando.
활촉(-鏃) ((준말)) =화살촉.
활터 campo *m* de tiro al arco.
활판(活版) tipografía *f*, imprenta *f*. ~의 tipográfico. ~을 찍다 componer tipos.
■~ 기계(機械) prensa *f* tipográfica. ~본(本) libro *m* impreso. ~소 imprenta *f*. ~쇄 ((준말)) =활판 인쇄. ~업자 tipógrafo, -fa *mf*. ~ 인쇄(印刷) tipografía *f*. ~ 인쇄물 impresos *mpl*.
활하다(滑-) ① [반들반들하고 미끄럽다] (ser) liso, suave. ② [빡빡하지 않고 헐겁다] quedarse flojo, suelto, holgado, amplio. ③ [똥이 묽다] (el estiércol) ser suave.
활화(活火) fuego *m* vivo.
활화(活畵) paisaje *m* pintoresco, escena *f* pintoresca.
활화산(活火山) 【지질】 volcán *m* (*pl* volcanes) vivo, volcán *m* activo, volcán *m* en acción.
활활 ① [불길이 세게 타오르는 모양] flamente, en llamas, vivamente. ~ 타올라서 en llamas vehementes, en todas llamas. ~타는 불꽃 llamarada *f* violenta. ~ 타다 arder como una torcha. ~ 타오르다 encenderse vivamente. 불을 ~ 태우다 avivar la llama. 불이 ~ 타고 있다 El fuego arde vivamente. 숯이 ~ 타고 있다 El carbón arde en llamas. ② [큰 부채로 느릿느릿 시원스럽게 부치는 모양] con brío, vigorosamente. ③ [날짐승이 높이 떠서 날개를 느릿느릿 치며 시원스럽게 나는 모양] aleteando lentamente.
활황(活況) actividad *f*, prosperidad *f*, animación *f*. ~을 보이다 mostrar actividad, presentar actividad [animación · prosperidad]. 증권 시장은 ~을 보이고 있다 Hay gran actividad en la bolsa. 시장(市場)은 약간 ~을 회복했다 El mercado ha recobrado ligeramente su actividad.
홧김 arrebato *m* [acceso *m* · arranque *m* · influencia *f*] de ira. ~에 en un acceso [arrebato · arranque] de ira.
■홧김에 서방질한다 ((속담)) Uno se porta extraordinariamente en un arrebato de ira.
홧술 licor *m* borracho en un arrebato de ira.
홧홧 ardientemente, calurosamente, picantemente. ~하다 (ser) ardiente, caluroso, picante, con fiebre, afiebrado. 몸이 열로 ~하다 ser ardiente con fiebre. 얼굴이 ~ 달다 sentirse *su* cara ardiente.
황(黃) ((준말)) =황색(黃色).
황(簧) =혀.
황갈색(黃褐色) (color *m*) rojo *m* anaranjado, color *m* suela. ~의 moreno [castaño] amarillento. ~ 재킷 chaqueta *f* suela, chaqueta *f* (de) color suela.
황감(黃柑) mandarina *f*.
황감하다(惶感-) estar profundamente agradecido. 황감함 profunda gratitud *f*, profundo agradecimiento *m*. 황감하게도 con gratitud, graciosamente, benignamente, agradablemente.
황강홍(黃降汞) 【화학】 =황색 산화 제이수은.
황겁하다(惶怯-) tener miedo.
황경(皇京) =황성(皇城).
황경(黃經) longitud *f* eclíptica (de un astro).
황계(皇系) linaje *m* imperial.
황계(黃鷄) gallina *f* con pelo amarillo.
황고(皇考) ((높임말)) =선고(先考).
황고랑(黃-) caballo *m* con pelo amarillo.
황고집(黃固執) persona *f* terca, persona *f* testaruda, persona *f* obstinada.
황곡(黃鵠) 【조류】 =백조(白鳥).
황골(黃骨) esqueleto *m* amarillo en la tumba.
황공무지(惶恐無地) lo sumamente atemorizado. ~하다 ser sumamente atemorizado.
황공재배(惶恐再拜) [편지 끝에 써서 경의를 표함] Atentamente / Le saluda atentamente / Saludo a usted cordialmente / Les saludamos muy atentamente / Su seguro seguridad (S.S.S.) / Atentos saludos / Aprovechamos esta oportunidad para enviarles un afectuoso saludo / Sin otro particular, aprovechamos la ocasión para saludarles / Sin más por el momento, nos repetimos sus atentos y servidores.
황공하다(惶恐-) (ser) atemorizado, tener miedo, temer. ☞황송(惶悚)하다
황관(黃冠) ① [누른빛의 관] corona *f* amarilla. ② [풀로 만든 평민의 관] corona *f* de hierbas. ③ [도사(道士)의 관] corona *f* del taoísta. ④ =야인(野人). ⑤ =도사(道士)(taoísta).
황괴하다(惶愧-) ser atemorizado y avergonzarse.
황구(黃口) niño, -ña *mf*.
■~유취(乳臭) ser niño y insignificante.
황구(黃狗) perro *m* amarillo..
■~신(腎) pene *m* del perro amarillo.
황구렁이(黃-) boa *f* amarilla.
황국(皇國) imperio *m*.
황국(黃菊) crisantemo *m* amarillo.
황군(皇軍) ejército *m* imperial.
황궁(皇宮) palacio *m* imperial.
황극(皇極) puesto *m* del rey.
황금(黃金) ① [금(金)] oro *m*. ~의 de oro, áureo. ~은 만능이다 Por el pan baila el can. ② [돈] dinero *m*, moneda *f*, *AmL* plata *f*. ~은 모든 것을 얻는다 ((서반아 속담)) Asno con oro, alcánzalo todo / Cuando carga de oro el asno lleva, sube al azotea. ~이 많으면 많을수록 불행은 커진다 ((서반아 속담)) A más oro, menos reposo.
■~국(國) el Dorado. ~률 regla *f* de oro.

~만능 omnipotencia *f* del oro. ~만능주의 principio *m* de la omnipotencia del oro. ~방울새 jilguero *m*, lugano *m*. ~ 보관(寶冠) corona *f* de oro. ~ 분할 sección *f* áurea. ~불(佛) estatua *f* de Buda de oro. ~비 =외중비(外中比). ~색 color *m* de oro. ¶~의 dorado, rubio, de amarillo subido. ~술 arte *m* de hacer oro. ~ 숭배 plutocracia *f*. ~시대 ㉮ [사회가 진보되어 행복과 평화가 가득 찬 시대] la Edad de Oro. ¶서반아 문학의 ~ el Siglo de Oro. ㉯ [일생을 통해 가장 번영한 시대] época *f* dorada, edad *f* de oro, siglo *m* de oro. ~쌀 arroz *m* de oro. ~열 fiebre *f* del oro. ~정략 diplomacia *f* del dólar. ~충(蟲) escarabajo *m*. ~향(鄕) El Dorado.

황금(黃芩) 【식물】 escutelaria *f*.

황급(遑急) urgencia *f*. ~하다 (ser) urgente, apresurado, precipitado.
황급히 a toda prisa, de prisa, urgentemente, apresuradamente, precipitadamente, con precipitación.

황기(皇基) base *f* del reino imperial.

황기(荒饑) el hambre *f* por el año de mala cosecha.

황기(黃旗) bandera *f* amarilla.

황기끼다(-氣-) intimidar, asustar, cohibir.

황녀(皇女) hija *f* del emperador, princesa *f* imperial.

황년(荒年) =흉년(凶年).

황달(黃疸) 【한방】 ictericia *f*, coleplasia *f*, coloplania *f*. ~의 ictérico, ictericiado. ~ 모양의 icteroide. ~에 걸리다 padecer de ictericia.
■ ~ 간염(肝炎) icterohepatitis *f*. ~ 발생물 icterogen *m*. ~성 간염 icterohemoglobinuria *f*. ~성 빈혈 icteroanemia *f*. ~ 혈뇨증 icterohematuria *f*. ~ 환자 ictérico, -ca *mf*.

황답(荒畓) arrozal *m* tosco.

황당객(荒唐客) fanfarrón, -rrona *mf*; jactancioso, -sa *mf*; charlatán, -tana *mf*.

황당무계하다(荒唐無稽-) (ser) absurdo, ridículo, irracional, ilógico, disparatado, extravagante; [가공의] quimérico. 황당무계함 absurdidad *f*, fábula *f*, patraña *f*, disparate *m*. 황당무계한 이야기 tonterías *fpl* puras, estupideces *fpl* puras, disparates *mpl* puros, historia *f* absurda, cuento *m* chino, camelo *m*. 그것은 황당무계한 말이다 Es una cuenta absurda.

황당하다(荒唐-) (ser) absurdo, fabuloso, ridículo, disparatado. 황당함 absurdidad *f*, fábula *f*, disparate *m*.

황대구(黃大口) balacao *m* secado sin sal después de partir el vientre.

황도(皇都) =황성(皇城)

황도(黃桃) 【식물】 una especie del melocotón.

황도(黃道) 【천문】 eclíptica *f*, órbita *f* el sol.
■ ~광(光) luz *f* zodiacal. ~대(帶) zodíaco *m*. ~면(面) plano *m* de la eclíptica. ~ 십이궁(十二宮) signos *mpl* del zodíaco.

황독(黃犢) ① [누런 송아지] ternera *f* amarilla. ② =달팽이.

황동(黃銅) 【광물】 latón *m*, bronce *m*.
■ ~광 mina *f* de bronce. ~전(錢) moneda *f* de latón.

황등롱(黃燈籠) ((준말)) =황사등롱.

황락하다(荒落-) (ser) desierto, desolado, inhóspito.

황랍(黃蠟) =밀[2]. 밀랍(蜜蠟).

황량하다(荒凉-) (ser) desierto, desolado, solitario, inhabitado, despoblado, en ruinas, vasto, extenso, inmenso. 황량한 원야(原野) llanura *f* desierta.

황록색(黃綠色) verde *m* aceituna, verde *m* oliva, verde *m* amarillento, verde *m* tirando a amarillo. 짙은 ~ (color *m*) caqui *m*.

황률(黃栗) castaña *f* amarilla.

황릉(皇陵) mausoleo *m* del emperador.

황린(黃燐) fósforo *m* amarillo.

황림(荒林) bosques *mpl* llenos de maleza.

황마(黃麻) 【식물】 cáñamo *m* amarillo.

황막하다(荒漠-) (ser) desierto, solitario, inhabitado, despoblado, vasto, extenso, inmenso, sin límites. 황막한 평야(平野) páramo *m* extenso.

황망하다(慌忙-) estar muy ocupado.
황망히 muy ocupadamente.

황망하다(遑忙-) (ser) rápido, apresurado.
황망히 apresuradamente, rápidamente, de prisa, atropelladamente, a la desbandada.

황매(黃梅) ① [익어서 누렇게 된 매화나무의 열매] ciruela *f* amarilla ② 【식물】 =황매화나무. ■ ~화(花) flor *f* de la rosa amarilla.

황매화나무(黃梅花-) 【식물】 rosa *f* amarilla.

황명(皇命) orden *f* del emperador.

황모(黃毛) pelo *m* de la cola de la comadreja. ■ ~필(筆) pluma *f* de pelo de la cola de la comadreja.

황무지(荒蕪地) erial *m*, tierra *f* asolada [devastada·inculta], tierra *f* árida, tierra *f* estéril.

황무하다(荒蕪-) (ser) estéril, árido, yermo.

황민(荒民) pueblo *m* del hambre.

황바리 【동물】 cangrejo *m* con dos tentáculos largos.

황반(黃斑) mancha *f* amarilla.

황밤(黃-) castaña *f* amarilla después de secarse y pelar las cáscaras.

황백(黃白) dinero *m*.

황부루(黃-) caballo *m* amarillo y blanco.

황비(皇妃) reina *f*, emperatriz *f*.

황비(皇妣) reina *f* muerta de la generación anterior.

황비(荒肥) fertilizante *m* mezclado excrementos con hierba.

황사(皇嗣) príncipe *m* heredero.

황사(黃砂) ① [누른 모래] arena *f* amarilla. ② =사막(砂漠)(desierto). ③ 【기상】 polvo *m* arenoso, viento *m* de arena amarilla.
■ ~ 경보(警報) alarma *f* contra el polvo arenoso. ~ 경보 시스템 sistema *m* de detección del polvo arenoso. ~ 주의보 aviso *m* contra el polvo arenoso. ~ 중대 경보 alarma *f* grave contra el polvo arenoso. ~ 현상 fenómeno *m* del polvo

arenoso.

황사(黃紗) gasa *f* amarilla.

■ ~등롱 linterna *f* de gasa amarilla.

황사(黃絲) hilo *m* amarillo.

황산(黃酸) 【화학】 ácido *m* sulfúrico, ácido *m* de amoníaco, vitriolo *m*.

■ ~ 겔 sulfogel *m*. ~구리[동] sulfato *m* de cobre, vitriolo *m* azul. ~마그네슘 sulfato *m* de magnesio. ~아연 sulfato *m* de cinc. ~암모늄 sulfato *m* de amoníaco. ~염 sulfato *m*. ~염 혈증 sulfatemia *f*. ~제이철 sulfato *m* férrico. ~제일철 sulfato *m* ferroso, vitriolo *m* verde, caparrosa *f*, melanterita *f*. ~지 papel *m* pergamino. ~철 sulfato *m* de hierro, caparrosa *f*. ~칼륨 sulfato *m* de potasio. ~칼리 =황산칼륨. ~칼슘 sulfato *m* de calcio.

황상(皇上) emperador *m* de su propio país.

황새 【조류】 cigüeña *f*.

황새걸음 grandes zancadas *fpl*. ~하다 dar grandes zancadas.

황새늦새끼 ((속어)) persona *f* estúpida.

황새치 【어류】 pez *m* espada.

황새치자리 【천문】 Pez *m* espada.

황새풀 【식물】 algodonosa *f*.

황색(黃色) (color *m*) amarillo *m*. ~의 amarillo, xanto-. ~ 천 tela *f* amarilla.

■ ~ 골수 médula *f* ósea flava. ~ 골수종 xantomieloma *m*. ~ 대하 xantorrea *f*. ~맹 axanopsia *f*, axantopsia *f*. ~ 버짐 tiña *f* flava. ~병 xantodermia *f*. ~ 산화수은 óxido *m* mercúrico amarillo. ~ 색소 형성 xantopsis *f*. ~ 섬유종 xantofibroma *m*. ~세포 xantocito *m*. ~소 xantofila *f*. ~시증(視症) xantopsia *f*. ~ 신문(新聞) la prensa amarilla [amarillista · sensacionalista], el periódico amarillo, el periódico sensacionalista. ~ 연고 ungüento *m* amarillo. ~ 육아종 xantogranuloma *m*. ~ 인대(靭帶) ligamento *m* flavo. ~ 인종 raza *f* amarilla, raza *f* mongólica, mongoloide *m*, xantoderma *f*. ¶~의 mongoloide. ~ 조합 =어용조합. ~종(腫) xantoma *m*. ~종증 xantomatosis *f*, xantelasmatosis *f*. ~치(齒) xantodonte *m*. ~판증(板症) xantelasma *f*. ~ 피부증 ocrodermatosis *f*. ~ 혈증(血症) xantemia *f*.

황서(黃書) documento *m* (de papel) amarillo.

황석(黃石) 【광물】 calcita *f* amarilla.

황석어(黃石魚) 【어류】 =참조기.

■ ~젓 corvina *f* amarilla salada.

황설(荒說) historia *f* absurda, tonterías *fpl*, estupideces *fpl*, paparruchas *fpl*.

황설탕(黃雪糖) azúcar *m* amarillo.

황성(皇城) capital *f* del imperio.

황성(荒城) fortaleza *f* arruinada, fuerte *m* arruinado, castillo *m* arruinado.

황소(黃-) ① 【동물】 toro *m*; [거세한 소] buey *m*. ② ㉮ [미련한 사람] persona *f* estúpida, persona *f* idiota, persona *f* tonta. ㉯ [기운이 센 사람] persona *f* fuerte, persona *f* enérgica. ㉰ [많이 먹는 사람] comilón, -lona *mf*.

■ 황소 불알 떨어지면 구워 먹으려고 다리미에 불 담아 다닌다 ((속담)) Se espera la ganancia imprevista.

■ ~걸음 ㉮ [황소처럼 느릿느릿 걷는 걸음] paso *m* lento, paso *m* de tortuga. ㉯ [느리기는 하나 실수 없이 해 나가는 행동] acción *f* lenta pero sin error. ~바람 viento *m* fuerte que entra en el boquete pequeño.

황소개구리(黃-) 【동물】 rana *f* toro.

황소자리(黃-) 【천문】 Tauro *m*, Toro *m*.

황손(皇孫) nieto *m* imperial, nieto *m* del imperio.

황송(黃松) pino *m* amarillo.

황송하다(惶悚-) tener miedo reverencial, temer reverencialmente, (ser) atemorizado, estar en deuda (con · por), estar obligado (a + *inf*), tener obligación (de + *inf*), verse obligado (a + *inf*). 그런 말씀을 하시니 황송합니다 No hay de qué / De nada.

황수(皇壽) longevidad *f* del imperio.

황수증(黃水症) 【한방】 enfermedad *f* hinchada de la cintura al vientre.

황숙(黃熟) madurez *f* (amarilla), sazón m de los frutos. ~하다 madurar amarillamente.

황술레(黃-) una especie de la pera.

황시안산염(黃-酸鹽) sulfocianato *m*.

황실(皇室) la Casa Imperial, la Familia Imperial.

■ ~비(費) gastos *mpl* para la Casa Imperial. ~ 재산(財産) bienes *mpl* imperiales, propiedad *f* imperial.

황아(黃-) artículos *mpl* diversos.

■ ~장수 vendedor, -dora *mf* de artículos diversos. ~전(廛) tienda *f* de artículos diversos.

황야(荒野) desierto *m*, yermo *m*, campo *m* desierto; [미개간] terreno *m* inculto, erial *m*, páramo *m*; [초원] matorral *m*, estepa *f*; [황무지] terreno *m* desolado; [불모의] llanura *f* yerma.

황양목(黃楊木) 【식물】 =회양목.

황어(黃魚) 【어류】 albur *m*.

황연(黃鉛) 【화학】 cromo *m* amarillo.

황연대각(晃然大覺) entendimiento *m* perfecto. ~하다 entender perfectamente.

황연하다(晃然-) ① [환하게 밝다] (ser) brillante, claro. ② [환하게 깨달아 분명하다] entender perfectamente.

황열(黃熱) 【의학】 fiebre *f* amarilla.

황열병(黃熱病) 【의학】 =황열(黃熱).

황엽(黃葉) 【식물】 hoja *f* amarilla.

황오리(黃-) 【조류】 tadorna *f* macho.

황옥(黃玉) topacio *m*. ~색의 de color de topacio.

■ ~석(石) gema *f* amarilla, piedra *f* preciosa amarilla.

황운(皇運) ① [황실의 운] suerte *f* de la familia imperial. ② [황제의 운명] fortuna *f* del emperador.

황운(黃雲) ① [황색의 구름] nube *f* amarilla. ② [누렇게 익은 벼] arroz *m* bien madura.

황원(荒原) =황야(荒野).

황위(皇位) trono *m* imperial, corona *f*, posi-

ción *f* del emperador. ~를 계승하다 suceder en el trono, heredar el trono, heredar la corona. ~에 오르다 subir al trono imperial, ceñirse la corona.
■~ 계승(繼承) sucesión *f* al trono.
황위(皇威) dignidad *f* del emperador.
황위(黃緯)【천문】latitud *f* eclíptica (de un astro).
황육(黃肉) carne *f* de vaca, *AmL* carne *f* de res.
황은(皇恩) favor *m* [gracia *f*· benevolencia *f*] del emperador.
황음(荒淫) lasciva *f* excesiva.
황의(黃衣) ① [누른 빛깔의 의복] ropa *f* amarilla, traje *m* [vestido *m*] amarillo. ② =보리 누룩.
황인종(黃人種) ((준말)) =황색 인종.
황자(皇子) hijo *m* del emperador, príncipe *m* de la sangre.
황작(黃雀) ① ((조류)) =꾀꼬리. ② ((조류)) =참새.
황잡하다(荒雜-) (ser) incoherente, falto de coherencia, falto de ilación, suelto, desganado, descuidado, chapucero, poco sistemático, sin método. 황잡한 논의(論議) argumento *m* incoherente. 황잡한 생각 idea *f* suelta.
황적색(黃赤色) (color *m*) crema *m* asalmonado, (color *m*) rojo *m* anaranjado.
황전(荒田) campo *m* desierto.
황제(皇帝) emperador, -triz *mf.* ~의 imperial. ~의 위(位)에 오르다 [자리에 앉다] subir al trono imperial, ascender al trono (imperial).
◆러시아 ~ czar *m*, zar *m*. 신성 로마 ~ el Emperador Romano.
■~기(旗) estandarte *m* imperial. ~ 폐하 Su Majestad el Emperador.
황조(皇祚) años *mpl* del reinado del emperador.
황조(皇祖) ① [황제의 조상] antepasados *mpl* del emperador. ② [황제를 지낸 선조] antepasados *mpl* que eran emperadores. ③ [돌아가신 자기의 할아버지] mi difunto abuelo.
황조(皇朝)【역사】corte *f* del emperador.
황조(皇鳥)【조류】=꾀꼬리.
황조롱이【조류】cernícalo *m*.
황족(皇族) familia *f* imperial; [개인] miembro *mf* de la familia imperial.
■~ 회의 junta *f* [consejo *m*] de la familia imperial.
황지(荒地) terreno *m* estéril, tierra *f* yerma.
황지(黃紙) papel *m* amarillo.
황진(黃塵) ① [누른빛의 흙먼지] polvo *m*, térreo *m*, polvareda *f*. ② =속진(俗塵).
■~만장(萬丈) polvo *m* amarillo que sube alto al cielo. ¶~의 도시 ciudad *f* con calles polvorientes.
황차(況且) =하물며.
황채(黃菜) plato *m* de pepino viejo cortado en rodajas y frito.
황척하다(荒瘠-) (ser) estéril.
황천(皇天) ① [크고 넓은 하늘] cielo *m* grande y extenso, cielo *m* alto. ② =하느님(Dios).
■~후토(后土) dios *m* del cielo y de la tierra.
황천(荒天) tiempo *m* tempestuoso, tiempo *m* borrasco, borrasca *f*.
황천(黃泉) Hades *m*, otro mundo *m*, infierno *m*.
■~객 persona *f* muerta; difunto, -ta *mf*, muerto, -ta *mf*. ¶~이 되다 morir, fallecer, dejar de vivir, perecer, fenecer, dar fin, estirar las piernas, cerrar los ojos, dejar este mundo, dejar esta vida, llamarlo Dios. ~길 camino *m* al Hades, muerte *f*, fallecimiento *m*.
황철광(黃鐵鑛)【광물】pirita *f*, pirita *f* de hierro.
황청(黃淸) miel *f* amarilla y de buena calidad.
황체(黃體)【해부】cuerpo *m* luteínico.
■~ 세포 célula *f* luteínica. ~ 자극 호르몬 hormona *f* luteotrópica, hormón *m* luteotrópico. ~종 luteoma *m*. ~ 호르몬 luteohormona *f*, hormona *f* del cuerpo luteínico, progesterona *f*.
황초(黃-) =황촉(黃燭).
황촉(黃燭) =밀초.
황촉규(黃蜀葵)【식물】=닥풀.
황촌(荒村) aldea *f* arruinada y solitaria.
황치마(黃-) cometa *f* con la parte superior blanca y la parte inferior negra.
황칠(黃漆) laca *f* amarilla.
■~나무 ((학명)) Textoria morbifera.
황탄무계하다(荒誕無稽-) (ser) increíble y absurdo.
황탄하다(荒誕-) =황당(荒唐)하다.
황태(黃太) abadejo *m* secado (amarillo).
황태손(皇太孫) nieto *m* heredero.
황태자(皇太子) príncipe *m* heredero, heredero *m* del trono.
■~비 princesa *f* heredera. ~비 전하 Su Alteza la Princesa Heredera. ~ 전하 Su Alteza (Real) el Príncipe Heredero.
황태후(皇太后) emperatriz *f* viuda, madre *f* de la reina, reina *f* madre.
황토(荒土) tierra *f* estéril.
황토(黃土) ocre *m*, tierra *f* de Holanda, tierra *f* de Valencia, tierra *f* amarilla, terreno *m* amarillo.
■~벽 pared *f* de ocre. ~색 color *m* ocre. ~층 capa *f* de ocre.
황톳길(黃土-) camino *m* cubierto de ocre.
황통(皇統) línea *f* imperial. ~을 계승하다 ascender al trono.
황파(荒波) ola *f* bruta.
황평 양서(黃平兩西) las provincias de *Hwanghaedo* y de *Pyongando.*
황폐(荒廢) ruina *f*, desolación *f*, devastación *f*, dilapidación *f*, estrago *m*. ~하다 arruinarse, asolarse, arrasarse, destruirse, devastarse, desolarse, reducirse a escombros. ~된 arruinado, desolado, asolado, devas-

tado, abandonado. ~된 듯한 desolador. ~된 마을 pueblo *m* arruinado, pueblo *m* desolado, pueblo *m* devastado. ~된 정원(庭園) jardín *m* (*pl* jardines) abandonado. ~한 집 casa *f* ruinosa, casa *f* abandonada en ruinas, casa *f* miserable, chabola *f*, casucha *f*. ~하게 만들다 devastar, destrozar, asolar, arrasar, arruinar, desolar. 그 집은 완전히 ~해져 있다 La casa está completamente arruinada [asolada·abandonada]. 그 나라는 전쟁으로 ~되었다 El país ha sido arruinado [desolado·devastado] por la guerra / La guerra ha arruinado [ha reducido a escombros] el país.

◆산림(山林) ~ denudación *f* de floresta, denudación *f* de bosques.

■~지(地) terreno *m* desolado. ~화(化) devastación *f*, arruinamiento *m*. ¶~하다 devastar, arruinar.

황포(黃布) tela *f* amarilla.

■~돛대 velero *m* con la vela de tela de algodón teñida en amarillo por el ocre.

황포(黃袍) toga *f* real.

황하(黃河) el Río Amarillo, el Río Huang-Ho.

황하다(荒-) (ser) brutal, brusco, rudo, basto, poco educado.

황해(黃海) el Mar Amarillo.

황허(荒墟) ruinas *fpl* arruinadas.

황혼(黃昏) ① [해가 지고 어둑어둑할 때] crepúsculo *m* vespertino, anochecer *m*, nochecita *f*, anochecida *f*. ~의 crepuscular, crepusculino, perteneciente al crepúscula. ~에 al anochecer, en el crepúsculo, a la caída del día, al anochecer, al ponerse el sol, al oscurecer el día, al caer el día, a la caída de la tarde. ~ 무렵에 나오는 나비 mariposa *f* crepuscular. 이미 ~이 되어 나는 집주소를 알아볼 수가 없었다 Era ya anochecido y no podía distinguir el número de la casa. ② [쇠퇴하여 종말에 이른 때] decadencia *f*, crepúsculo *m*. 인생(人生)의 ~기(期) otoño *m* [atardecer *m*] de la vida, crepúsculo *m* de la vida.

■~월(月) luna *f* nocturna.

황홀(恍惚) éxtasis *m*, fantasía *f*, embeleso *m*, arrobamiento *m*, rapto *m*. ~하다 (ser) encantador, cautivador, extático, extasiado, arrobador, fascinador. ~해지다 embelesarse, extasiar, arrobarse, quedarse encantado, transportarse. ~하여 en éxtasis, extáticamente, con los sentidos embelesados, con embeleso, embelesadamente. ~한 눈으로 con ojos embelesados, con ojos encantados. ~해 있다 estar en éxtasis, estar en embeleso, estar en arrobo, quedarse extasiado, quedarse arrobado, estar fascinado, estar encantado; [노인이] estar tocado de la cabeza. ~해서 얼굴이 상기하다 ruborizarse. ~해서 바라보다 mirar en éxtasis. ~한 기분이다 creer soñar. 나는 ~한 기분이다 Creo estar soñando. 나는 정말로 ~했다 ¡Qué fantástico he sido! 그는 미녀를 보자 ~해졌다 El quedó embelesado al ver a una mujer hermosa.

■~경 éxtasis *m*, embeleso *m*. ¶~에 빠지다 embelesarse, transportarse, estar en éxtasis, estar transportado de gozo, creerse en el paraíso. ~에 빠지게 하다 embelesar. ~에 빠져 듣다 embelesar en oír. 음악을 ~에 빠져 듣다 escuchar extasiado [embelesado] la música. 청중을 ~에 빠지게 하다 embelesar a los oyentes.

황화(荒貨) ☞황아.

황화(黃化) sulfuración *f*. ~하다 sulfurar.

■~물(物) sulfurado *m*. ~수소 ácido *m* sulfhídrico. ~수소염 sulfhidrato *m*. ~암모늄 sulfurado *m* de amonio. ~은(銀) sulfurado *m* de plata. ~철 sulfurado *m* de hierro.

황화(黃花) ① [누른 빛깔의 꽃] flor *f* amarilla. ② [국화의 꽃] crisantemo *m*. ③ =황국(黃菊).

황화(黃禍) peligro *m* amarillo, desastre *m* amarillo.

황후(皇后) emperatriz *f*, reina *f*.

■~ 폐하 Su Majestad la Emperatriz.

홰[1] ① [새장·닭장 속에 새나 닭이 앉도록 가로지른 나무 막대] percha *f*. ~에 앉다 posar(se) en la percha. ~에 오르다 ponerse en percha, emperchar. ② ((준말)) =횃대. ③ [새벽에 닭이 홰를 치면서 우는 번수를 세는 말] vez *f*. 닭이 두 ~ 울다 (la gallina) cantar dos veces.

◆홰(를) 치다 aletear, batir las alas.

홰[2] [싸리나 갈대 등을 묶어 밤길을 밝히거나 제사 때 화톳불을 놓는 데 쓰는 물건] tea *f*, antorcha *f*, hacha *f*. ~를 켜다 encender la tea, encender la antorcha. ~를 켜고 con tea encendida, por fulgor de antorcha.

홰꾼 persona *f* con antorcha.

홰나무【식물】=회화나무.

홰치다 aletear, batir las alas.

홰홰 ¶단장을 ~ 휘두르다 blandir un bastón. 칼을 ~ 휘두르다 blandir un sable.

홱 [망설이지 않고] sin vacilación; [얼른] rápidamente, rápido, pronto, velozmente; [갑자기] de repente, repentinamente, de súbito, súbitamente; [힘차게] con energía, enérgicamente, vigorosamente, fuerte, fuertemente, violentamente. ~ 잡아당기다 dar un tirón fuerte (de), tirar violentamente (de). 일을 ~ 해치우다 terminar el trabajo sin vacilación. ~ 물러서다 retirarse de un salto; [뒤로] saltar hacia atrás; [옆으로] saltar al lado. 몸을 ~ 돌리다 hurtar el cuerpo. 담배를 ~ 던지다 tirar *su* cigarrillo al suelo. 그는 내 소매를 ~ 잡아당겼다 El me tiró violentamente de la manga. 그는 내 손에서 지갑을 ~ 가로챘다 El me arrebató la cartera de las manso. 그는 고개를 ~ 돌렸다 El volvió la cabeza con un aire disgustado [enfadado]. 기차가 ~ 멈추었다 El tren se detuvo con una sacudida. 그녀는 문을 ~ 열었다 Ella abrió la puerta bruscamente. 그는 그녀를 껴안으려 했으나 그녀가 ~ 뿌리쳤다 El trató de abrazarla pero lo apartó de un empujón. 그는 그녀의 손에서 지갑을 ~ 빼앗았다 El le arrebató el monedero de la mano / El le quitó el monedero de la mano de un tirón.

핵핵 [날쌔게] rápidamente, rápido, pronto, con toda prontitud; [갑자기] de repente, repentinamente; [자동차가] haciendo zuum. 일을 ~ 해치우다 terminar *su* trabajo rápido. 채찍으로 ~ 갈기다 dar*le* una paliza [un azote] a *uno*. 자동차가 ~ 지나갔다 El coche pasó haciendo 'zuum'.

횃대 cuelgacapas *m.sing.pl*, colgador *m*, colgadero *m*, percha *f*.

횃댓보(一褓) tela *f* de envolver para la ropa en el cuelgacapas.

횃불 luz *f* de la(s) antorcha(s), antorcha *f*, tea *f*. ~을 들고 con antorchas. ~을 켜다 encender una antorcha. ~을 켜고 con tea encendida, por fulgor de antorcha.
■ ~ 데모 demostración *f* [manifestación *f*] con antorchas. ~잡이 persona *f* con antorchas. ~ 행진 procesión *f* con antorchas.

횃줄 cuerda *f* de tender.

횅댕그렁하다 (estar) vacío, hueco, concavo. 횅댕그렁한 방 habitación *f* vacía, cuarto *m* vacío.

횅하다 ① [통달하다] saber a fondo, enterarse, dar cuenta (de), ser muy versado (en). …에 ~ saberse *algo* al dedillo. 글에 ~ ser muy versado en literatura. 길을 횅하게 알다 conocer bien el camino. 이곳 지리에 ~ saber qué terreno se pisa alrededor de aquí. ② [속이 비어 맑고 시원스럽게 뚫려 있다] (estar) vacío, vacante. 집이 ~ La casa está vacía. 거리가 ~ La calle está despoblada. ③ ((준말)) =횅댕그렁하다.

회 ((준말)) =회두리.

회(灰) ①【화학】((준말)) =석회(石灰). ¶~를 바르다 enyesar, cubrir con yeso, revocar con yeso. ②【화학】((속어)) =산화칼슘.
■ ~ㅅ가루 ㉮ [회의 가루] cal *f* en polvo. ㉯ ((속어)) =산화칼슘. ~ㅅ돌 =석회석. ~ㅅ물 =석회수. ~ㅅ반 trozo *m* de la cal solidificada.

회(蛔)【동물】=회충(蛔蟲).
◆회가 동(動)한다 abrir el apetito.
■ ~ㅅ배【한방】=거위배. ¶~를 앓다 tener dolor de estómago causado por el gusano.

회(會) ① [회합] reunión *f*, asamblea *f*; [집회] concentración *f*; [회의] junta *f*; [정치 집회] mitin *m* (*pl* mítines); [연회] fiesta *f*; [경기대회] concurso *m*. ~를 열다 celebrar [tener] una reunión. ~에 출석하다 asistir a la reunión. ~는 오후에 열린다 Se celebra [Tiene lugar] la reunión esta tarde. ~는 어제 열렸다 [끝났다] La sesión se abrió [se levantó] ayer. ② [단체] asociación *f*, sociedad *f*; [클럽] club *m* (*pl* clubs), círculo *m*. ~를 만들다 formar [organizar] una sociedad. ~를 떠나다 separarse [retirarse] de una sociedad. ~를 해산하다 disolver [suprimir] uns sociedad. ~에 들어가다 entrar en [formar parte de] una sociedad.

회(膾) pez *m* crudo (cortado), carne *f* de pescado en tajadas. ~에 곁들이는 야채 따위 guarnición *f*, aderezo *m*.
◆도미~ besugo *m* crudo con su carne en tajadas.
■ ~ㅅ감 ingredientes *mpl* para preparar el plato de pescado crudo y verduras condimentadas en vinagre. ~ㅅ집 restaurante *m* de pez crudo.

회(回) ① [몇 번임을 세는 말] vez *f* (*pl* veces). 일 ~ una vez. 하루에 3~ tres veces al día. 3개월에 1~ una vez cada tres meses. 삼사 ~ 반복해서 repetidas veces. 10~ 계속해서 diez veces seguidas. 4~째에 a la cuarta vez. 이 콘테스트는 ~를 거듭함에 따라 성황이다 Este concurso se hace cada vez más popular. 경기 대회는 ~를 거듭하여 30~가 되었다 La reunión atlética se ha celebrado una y otra vez y ésta es la trigésima. ② [승부의] partido *m*, partida *f*, jugada *f*; [경기의] vuelta *f*, rueda *f*; [권투의] asalto *m*, round *ing.m*; [트럼프의] mano *f*, partida *f*. 3~ 승부 partido *m* de tres juegos [mangas]. 제2~전 segunda vuelta *f*, segunda rueda *f*.

회갑(回甲) =환갑(還甲).
■ ~ 노인 sexagenario, -ria *mf*.

회갑연(回甲宴) =환갑잔치.

회개(悔改) arrepentimiento *m*, penitencia *f*, contrición *f*, conversión *f*. ~하다 arrepentirse (de), volverse a Dios. ~하라 천국이 가까웠느니라 ((마태복음 3:2)) Arrepentíos, porque el reino de los cielos se ha acercado / Vuélvanse a Dios, porque el reino de Dios está cerca.

회견(會見) entrevista *f*, interviú *m*; [많은 사람을 상대로] conferencia *f*; [접견(接見)] audiencia *f*. ~하다 entrevistarse (con), entrevistar (a), hacer una interviú (a). ~을 받은 사람 entrevistado, -da *mf*. ~을 신청하다 solicitar una entrevista [una interviú] (a · de). 기자 ~에 응하다 dar [conceder] una entrevista al periodista. 대통령과의 ~을 허락받다 ser recibido en audiencia por el presidente. 오는 화요일에 ~을 할 것이다 Las entrevistas tendrán lugar el próximo martes. 나는 텔레비전 ~을 한다 Hago entrevistas para la radio.
◆공식(公式) ~ entrevista *f* formal. 기자(記者) ~ rueda *f* de prensa, conferencia *f* de prensa. 단독(單獨) ~ entrevista *f* exclusiva. 비공식 ~ entrevista f informal.
■ ~기(記) récord *m* de entrevista. ~담 entrevista *f*. ~자 entrevistador, -dora *mf*.

회계(會計) contabilidad *f*, cálculo *m*, cuenta *f*, liquidación *f* de una cuenta. ~하다 tomar

cargo de cuentas, pagar una factura, pagar la cuenta, costear expensas.
◆일반(一般) ~ cuenta *f* general. 특별(特別) ~ cuenta *f* especial.
■~ 감사 intervención *f* (y ajuste) de cuentas, revisión *f* de cuentas, inspección *f* de cuentas. ¶~를 하다 revisar [intervenir·inspeccionar·controlar] las cuentas. ~ 감사관 inventor, -tora *mf*, revisor, -sora *mf* de cuentas; ordenador, -dora *mf* de pagos; interventor, -tora *mf* cuentas públicas; censor, -sora *mf* de cuentas. ~ 감사원 el Departamento de Intervención y Ajuste de Cuentas, el Tribunal de Cuentas. ~과(課) contaduría *f*, sección *f* de contabilidad. ~관(官) ㉮ cajero, -ra *mf*, tesorero, -ra *mf*, perito, -ta *mf* en contabilidad; pagador, -dora *mf*, contador, -dora *mf*. ㉯ [군대의] intendente *m* del ejército, tesorero *m* militar, oficial *m* pagador. ~국 la Dirección de Presupuesto. ~ 기간(期間) período *m* de cuentas. ~ 단위 unidad *f* de contabilidad. ~법 ley *f* rentística, ley *f* monetaria. ~ 보고 informe *m* financiero [rentística·de tesorero]. ~부(簿) libro *m* de cuenatas. ~사 contable *mf*, tesorero, -ra *mf*, perito, -ta *mf* en contabilidad; *AmL* contador, -dora *mf*. ¶공인(公認) ~ contador *m* público, contadora *f* pública; contable *m* público (certificado), contable *f* pública (certificada). ~ 사무소 contaduría *f*. ~ 서류 documentos *mpl* financieros. ~ 연도 ㉮ [회사의] ejercicio *m*. ㉯ [정부의] año *m* fiscal [financiera·económico] ~ 용어 términos *mpl* de contabilidad. ~원 contable *mf*, tesorero, -ra *mf*, cajero, -ra *mf*. ~ 장부(帳簿) libro *m* de cuentas. ~ 주임(主任) jefe, -fa *mf* de contables. ~학(學) contabilidad *f*.

회고(回顧) recordación *f*, recuerdo *m*, memoria *f*, reminiscencia *f*, facultad *f* de recordar cosas pasadas, mirada *f* retrospectiva, reflexión *f*. ~하다 recordar, acordarse (de), mirar retrospectivamente, reflexionar (sobre·en). 소년 시절을 ~하다 recordar *su* niñez, acordarse de *su* niñez. 지난날을 ~하다 recordar lo pasado. ~해 보면 벌써 30년이 지났다 Echando una mirada hacia atrás, ya hace treinta años que pasó aquello.
■~록(錄) memorias *fpl*, autobiografía *f*, recuerdos *mpl*. ~ 장면(場面) [영화의] toma *f* retrospectiva. ~전(展) (exposición *f*) retrospectiva *f*.

회고(懷古) recuerdo *m* [recordación *f*] de lo pasado. recuerdos *mpl*, memorias *fpl*. ~하다 añorar lo pasado, tener nostalgia de lo pasado. …를 ~하다 recordar *algo* con añoranza.
■~담 reminiscencias *fpl*, recuerdos *mpl*, charla *f* de reminiscencia, recordación *f*. ¶~을 하다 contar los recuerdos.

회과(悔過) arrepentimiento *m*. ~하다 arrepentirse.

회관(會館) salón *m* (*pl* salones), palacio *m*, sala *f*; [클럽] club *m* (*pl* clubes).
◆교회(敎會) ~ el salón parroquial. 기독교 청년 ~ la YMCA, la Asociación Cristiana de Jóvenes. 마을 ~ el salón (de actas) del pueblo. 시민(市民) ~ el palacio para ciudadanos, el salón municipal. 어린이 ~ el Salón de [para] los Niños. 학교 ~ el salón (de actas) del colegio.

회광경(回光鏡) helióstato *m*.

회교(回敎) ((종교)) mahometismo *m*, islamismo *m*, islam *m*. ~의 musulmán, mahometano, islámico.
■~국 país *m* (*pl* países) musulmán, país *m* islámico. ~권 islam *m*. ~도 musulmán, -mana *mf*, mahometano, -na *mf*, islamita *mf*, [집합적] islam *m*. ¶~가 되다 islamizar(se), mahometizar, profesar el mahometismo, adoptar la religión islámica. ~력(曆) =이슬람력. ~ 문화(文化) cultura *f* musulmana, cultura *f* islámica. ~ 사원(寺院) mesquita *f*.

회구(繪具) ① [회화(繪畵)에 쓰이는 화필·물감 따위] pincel *m*, colores *mpl*. ② =채료(彩料).

회구(懷舊) =회고(懷古).

회국(回國) ① [여러 나라를 두루 돌아다님] viaje *m* por muchos países, peregrinación *f* a muchos países. ~하다 viajar por muchos países, ir en peregrinación a muchos países. ② =귀국(歸國).
■~ 순례(巡禮) peregrinación *f* a la Tierra Santa de todos los países.

회군(回軍) retirada *f* del ejército. ~하다 retirar el ejército.

회귀(回歸) ① recurrencia *f*, revolución *f*. ~하다 recurrir, volver. ② 【수학】 regresión *f*. ~하다 repetirse (hasta el infinito).
■~ 계수 coeficiente *f* de regresión. ~ 곡선 curva *f* de regresión. ~기 período *m* trópico. ~년 año *m* trópico. ~대(帶) zona *f* trópica. ~ 무풍대(無風帶) zona *f* de calma de los trópicos, zonas *fpl* de calmas subtropicales. ~선(線) rópico *m*. ¶남~ trópico *m* de Capricornio. 북~ trópico *m* de Cáncer. ~ 신경 nervio *m* recurrente. ~열 fiebre *f* recurrente, fiebre *f* periódica. ~월 mes *m* trópico.

회규(會規) =회칙(會則).

회기(回忌) conmemoración *f* de los difuntos, (servicio *m* de) aniversario *m*, aniversario *m* (de muerte). 모친(母親)의 3~ tercer aniversario *m* de la muerte de *su* madre.

회기(回期) fecha *f* de vuelta.

회기(會期) sesión *f*, período *m* de sesiones, duración *f*. ~ 중에 durante la sesión. 임시 국회의 ~는 4주간이다 La sesión extraordinaria de la asamblea nacional dura cuarto semanas. ~는 3월 15일부터 9월 14까지 6개월간임 Duración de la sesión: del 15 [quince] de marzo hasa el 13 [trece] de septiembre, seis meses.

■ ~ 연장 prolongación *f* [alargamiento *m*] de la sesión.

회깟(膾-) hígado *m* crudo cortado en tajadas.

회담(會談) conferencia *f*, conversación *f*, charla *f*; [회견(會見)] entrevista *f*; [교섭] negociaciones *fpl*. ~하다 conferenciar, conversar, tener conversaciones, dar una conferencia, tener una entrevista. 장관은 그의 서반아의 동료 장관과 ~을 했다 El ministro mantuvo un conversación con su colega español.
◆군비 축소 ~ conferencia *f* de desarme. 당수(黨首) ~ conferencia *f* de los jefes de partidos. 본(本)~ conferencia *f* principal. 비공식(非公式) ~ conferencia *f* informal. 삼국(三國)[삼자(三者)] ~ conferencia *f* tripartita. 여야(與野) ~ conferencia *f* bipartidista, conferencia *f* de dos partidos. 예비(豫備) ~ conferencia *f* preliminar. 정상(頂上) ~ conferencia *f* (en la) cumbre, cumbre *f*.

회답(回答) respuesta *f*, contestación *f*. ~하다 responder, contestar, dar respuesta, dar contestación, enviar una contestación. 귀하의 서신(書信)에 ~으로 en contestación [respuesta] a su estimada carta. 질문에 ~하다 contestar (a) [responder a] una pregunta. 전보[편지]로 ~하다 contestar por telegrama [carta]. A씨에 대한 귀하의 문의에 ~으로 en respuesta a su pregunta acerca del Sr. A. 귀하의 문의에 ~으로 …을 기꺼이 알려드립니다 En contestación a su pregunta, tengo el gusto de informarle a usted que + *ind.* 귀한(貴翰)을 기다리며, 경구(敬具) [불비(不備)] En espera de su atenta respuesta. Muy atentamente / Queda en su respuesta, somos de Uds. sus Attos. y Ss. Ss [atentos y seguros servidores]. 귀하의 조속한 ~을 기다리면서 [편지 끝 부분] En espera de su pronta contestación [respuesta]. Queda en la espera de su contestación. 귀하의 ~을 받게 된 데에 감사드립니다 Le agradezco mucho por haberme sido favorecido con su respuesta. 귀하의 질문에 ~으로 …을 알려드리게 되어 기쁩니다 En contestación [respuesta] a su pregunta, tengo el gusto de informarle a usted que + *ind.* 받으신 대로 곧 ~해 주십시오 Contésteme a vuelta de correo. 지난달 15일 자의 귀하의 서신에 서둘러 ~해 드립니다 Me apresuro a contestar a su estimada carta del 15 del anterior.

회당(會堂) ① =회관(會館)(salón, palacio). ② ((기독교)) =예배당(禮拜堂)(iglesia).

회독(回讀) lectura *f* en circulación. ~하다 leer en circulación.
■ ~회(會) asociación *f* de la lectura en circulación. ¶잡지 ~ asociación *f* de la lectura en circulación de revistas.

회독(會讀) acción *f* de tener una reunión para leer y discutir los libros juntos. ~하다 reunir y leer alternamente.

회동(會同) reunión *f*, junta *f*, asamblea *f*. ~하다 reunirse, juntarse, allegar, unirse [juntarse] en congreso [en junta]. 대책을 위해 ~하다 reunirse para las medidas.

회동그라지다 [눈이] abrirse anchamente; [놀라다] quedar sorprendido.

회동그랗다 ① [놀라거나 두려워서 눈이 크게 동글다] quedarse boquiabierto, quedarse con ojos como platos. 나는 놀라 눈을 회동그랗게 뜨고 그녀를 바라보았다 Me quedé mirándola boquiabierto [con ojos como platos]. ② [일이 죄다 끝나고 남은 일이 없다] ser terminado completamente.

회동그스레하다 =회동그스름하다.

회동그스름하다 (ser) encorvado y redondete

회두리 final *m*, último turno *m*, última vuelta *f*, último asalto *m*.
■ ~ 씨름 último asalto *m* de la lucha coreana. ~판 último asalto *m*, último round *m*, última vuelta *f*.

회람(回覽) circulación *f*. ~하다 circular, poner en circulación.
■ ~ 문고 biblioteca *f* (circular). ~ 잡지 revista *f* circular. ~판 aviso *m* circular, boletín *m* circular.

회랑(回廊) ① [정당(正堂)의 좌우에 있는 긴 집채] corredor *m*, galería *f*, veranda *f*. ② =화랑(畵廊).
■ ~퇴 suelo *m* de galería coreana circular alrededor del edificio.

회례(回禮) ① [선물] regalo *m* de gratitud, correspondencia *f* a un obsequio. ② [답례] devolución *f* a una cortesía [a la visita], contestación *f* a un saludo. ~하다 dar un obsequio en retorno, devolver cumplimientos. …의 ~로 en reconocimiento de *algo*, en retorno de *algo*. ~로 선물하다 hacer un obsequio en retorno. 방문에 대해 ~하다 devolver la visita.

회례(廻禮) visita *f* social. ~하다 hacer una visita social.

회례(會禮) cortesía *f* de la reunión.

회로(回路) ① =귀로(歸路). ② 【물리】 ((준말)) =전기 회로(電氣回路)(circuito).
■ ~망 red *f* de circuitos. ~ 소자 montaje *m*, circuitería *f*, conjunto *m* de circuitos. ~ 시험기 galvanómetro *m*. ~ 접속기(接續器) cierracircuito *m*. ~ 정수 constante *f* de circuito. ~ 제어기 controlador *m* de circuito. ~ 제어 패널 panel *m* de control del circuito. ~ 차단기(遮斷器) cortacircuito *m*, interruptor *m*, disyuntor *m*.

회로(懷爐) calentador *m* de bolsillo, calorífero *m* de bolsillo.

회록(回祿) ① =화재(火災)(incendio, fuego). ② [화재를 맡은 신(神)] dios *m* del fuego.

회록(會錄) ((준말)) =회의록(會議錄).

회뢰(賄賂) soborno *m*, cohecho *m*. ~를 주다 sobornar, cohechar, comprar.

회루(悔淚) lágrimas *fpl* del arrepentimiento.

회류(回流) corriente *f* redonda. ~하다 fluir redondo.

회류(會流) confluencia *f.* ～하다 fluir juntos.
■ ～점(點) confluencia *f.*
회리(懷裡) ① =품속. ② =마음속.
회리바람 ((준말)) =회오리바람.
회리밤 ((준말)) =회오리밤.
회리봉(-峰) ((준말)) =회오리봉.
회매하다 (ser) muy arreglado.
회맹(會盟) liga *f.* ～하다 ligarse, unirse.
회명(晦明) la obscuridad y la claridad.
회명(會名) nombre *m* de la asociación, nombre *m* de la sociedad.
회명하다(晦冥-) (ser) oscuro. 천지(天地)가 ～ El cielo y la tierra son oscuros.
회모(懷慕) anhelo *m*, ansia *f*, añoranza *f*, nostalgia *f.* ～하다 echar de menos, echar en falta, anhelar, ansiar, desear.
회목(檜木) 【식물】 =노송나무.
회무(會務) asuntos *mpl* de una asociación, asuntos *mpl* de una sociedad. ～를 처리하다 manejar los asuntos de la sociedad.
회무(懷憮) calma *f*, tranquilización *f.* ～하다 calmar, tranquilizar.
회문(回文) =회장(回章).
회백색(灰白色) gris *m* ligero. ～의 lívido, ceniciento.
회백질(灰白質) 【해부】 substancia *f* gris, ectocinerea *f.*
회벽(灰壁) pared *f* revocada.
회보(回報) noticia *f*, respuesta *f*, contestación *f.* ～하다 responder, contestar.
회보(會報) boletín *m* (*pl* boletines).
◆ 동창(同窓) ～ boletín *m* de ex-alumnos.
회복(回復) ① restauración *f*, recobro *m*, recuperación *f.* ～하다 recobrar, recuperar; [명성 · 재산 따위를] reconquistar, reinvindicar. 권리(權利)를 ～하다 reinvindicar [recuperar] los derechos. 명예를 ～하다 [자신의] recobrar su honor, rehabilitarse. 생산 수준을 ～하다 reconquistar los niveles de producción. 시력을 ～하다 recobrar la vista. 식욕을 ～하다 recobrar [recuperar] el apetito. 신용을 ～하다 recobrar la confianza. 우세(優勢)를 ～하다 volver a llevar ventaja. 원기를 ～하다 recobrar el ánimo, rehacerse. 의식을 ～하다 volver en sí, recobrar el sentido, recobrarse. 평판(評判)을 ～하다 recuperar *su* reputación. 날씨가 ～되고 있다 El tiempo mejora / Vuelve a hacer buen tiempo.
② [건강의] recuperación *f*, restablecimiento *m*, mejoría *f*, convalecencia *f.* ～하다 recuperar(se), restablecerse, reponerse (de la enfermedad), mejorar(se), curarse, convalecer, recobrar. ～할 수 있는 recuperable. ～되다 mejorarse, recuperarse. 건강을 ～하다 recuperar [recobrar · mejorar] *su* salud. ～ 단계에 있다 estar en vías de recuperación. 산후(産後)의 ～이 좋다[나쁘다] tener buena [mala] convalecencia después del parto. 체력을 ～하다 recobrar las fuerzas. 그는 급속히 ～되었다 El se recuperó [se mejoró] rápidamente. 그는 완전히 ～되었다 El está completamente / El se ha restablecido [curado] del todo. 그는 순조롭게 ～되어 가고 있다 El está en curso de restablecimiento / Su recuperación marcha favorablemente. 귀하의 조속한 ～을 바랍니다 Le deseo una pronta recuperación. 환자는 금주(今週)에 ～의 기미를 느꼈다 El enfermo sintió alguna mejoría esta semana. 너는 ～하기 위해 장기간의 휴식이 필요하다 Necesitas un largo período de descanso para recuperarte. 그녀는 병에서 ～되어 가고 있다 Ella está convaleciendo [se está recuperando] de una enfermedad. 그는 조속한 ～을 바라는 많은 카드를 받았다 El recibió muchas cartas en que le deseaban una pronta recuperación.
■ ～기(期) ㉮ [경기(景氣)의] tiempo *m* de recuperación. ㉯ [병의] convalecencia *f.* ～의 convaleciente. ～의 환자 convaleciente *mf.* ～ 환자의 요양소 clínica *f* de reposo. 그는 아직 병의 ～에 있다 El está convaleciente de su enfermedad. 그의 병은 ～에 있다 El va mejorando su enfermedad / El está en (vías de) convalecencia. ～실 sala *f* de recuperación.
회복(恢復) [경제 · 산업의] recuperación *f*, reactivación *f*; [이익 · 값의] mejora *f*, repunte *m.* ～하다 recuperar, mejorar. 가격의 ～ recuperación f de los precios. 경기가 ～되고 있다 El comercio se recupera / Los negocios van mejor.
회복통(蛔腹痛) dolor *m* de estómago causado por las lombrices intestinales.
회부(回附) remisión *f*, envío *m.* ～하다 remitir, enviar.
회분(灰分) ingrediente *m* cálcico.
회비(會費) cuota *f*; [일시적 회합의] subscripción *f* para una reunión, admisión *f.* ～ 제도로 a cuota, por subscripción. ～를 납부하다 pagar *su* cuota. ～를 모집하다 cobrar [recaudar] las cuotas. ～ 만 원으로 파티를 열다 celebrar una fiesta cobrando una cuota de diez mil wones por persona.
회사(回謝) expresión *f* de agradecimiento. ～하다 expresar *su* agradecimiento, agradecer, dar las gracias.
회사(會社) compañía *f*, empresa *f*, sociedad *f*; [상사(商社)] firma *f*, casa *f*; [공적(公的)인] corporación *f*; 【상법】 sociedad *f* mercantil. ～의 차 coche *m* de la empresa. ～를 설립하다 formar [fundar · establecer · organizar] una compañía. ～에 근무하다 trabajar [ser empleado] en una compañía.
◆ 방계(傍系) ～ compañía *f* subsidiaria. 자(子)～ compañía *f* filial. 직계(直系) ～ compañía *f* controla.
■ ～ 근무 servicio *m* de la compañía. ～ 근무 계약 contrato *m* de servicio de la compañía. ～ 내규 regulaciones *fpl* de la compañía. ～ 로고 logo *m* de la compañía, logotipo *m* de la empresa. ～명(名) razón *f* social, denominación *f* de una sociedad. ～법 derecho *m* de sociedades (mercantiles), ley *f* de sociedades mercantiles, código *m*

de empresa. ～ 업무 asuntos *mpl* de la compañía. ～원 empleado, -da *mf* (de una compañía); [사무원] oficinista *mf*. ～ 재산 propiedad *f* de una compañía. ～ 정관(定款) artículos *mpl* de asociación. ～ 조직 sistema *m* de compañía. ～ 중역(重役) director, -tora *mf* de empresa. ～차 coche *m* de la empresa, automóvil *m* de la empresa. ～채 =사채(社債).

회삭(晦朔) el último día (del mes) y el primero del mes próximo.

회삽하다(晦澁—) (ser) ambiguo, oscuro.

회상(回想) recuerdo *m*, reminiscencia *f*, retrospección *f*. ～하다 recordar, acordarse (de), mirar atrás, volverse atrás. 어머니를 ～하는 것을 쓰십시오 Escriba lo que se acuerde de su madre.

■ ～록 memorias *fpl*, recuerdos *mpl*.

회색(灰色) (color *m*) gris *m*. ～의 gris, ceniciento, lívido.

■ ～시장(市場) [공정 가격보다 비싸게 판매함] 【주식】 mercado *m* gris. ～ 지대(地帶) [어느 초강대국의 세력 아래 있는지 애매한 지역] zona *f* gris. ～파(派) =중간파(中間派).

회색차일구름(灰色遮日—) altostrato *m*.

회생(回生) reanimación *f*, resucitación *f*. ～하다 reanimar, resucitar, revivir, volver a vivir, tener nueva vida.

회서(回書) =답장(答狀).

회석(會席) lugar *m* de reunión, reunión *f*, sala *f* de asamblea.

회선(回線) circuito *m*, circuito *m* eléctrico.

◆ 개방(開放) ～ circuito *m* abierto. 전화(電話) ～ circuito *m* telefónico. 폐색(閉塞) ～ circuito *m* cerrado.

회선(回旋) turno *m*, rotación *f*, revolución *f*. ～하다 girar, dar vueltas.

■ ～곡(曲) rondó *m*. ～ 골절 fractura *f* espinal. ～교(橋) =선개교. ～근 músculo *m* rotatorio. ～ 기중기 grúa *f* giratoria. ～ 동맥 arteria *f* circunfleja. ～등 lámpara *f* giratoria. ～ 사상충증 volvulosis *f*. ～상 동맥 arteria *f* convoluta. ～ 운동 moción *f* giratoria, moción *f* espinal. ～탑 pasos *mpl* de gigantes. ～포 cañón *m* (*pl* cañones) giratorio. ～포탑 torre *f* blindada rotatoria.

회송(回送) transmisión *f*, traspaso *m*; [편지의] reexpedición *f*, reenvío *m*. ～하다 trasmitir, traspasar; [편지를] hacer seguir, reexpedir. 이사한 곳으로 ～해 주십시오 Se ruega hacer seguir [reexpedir] a su nuevo destino.

■ ～ 열차 tren *m* fuera de servicio.

회수(回收) recuperación *f*, [자금의] retirada *f*, cobro *m*, cobranza *f*. ～하다 recuperar, retirar, cobrar. 불량품(不良品)을 ～하다 recuperar los artículos defectuosos. 자금(資金)을 ～하다 retirar fondos, reembolsarse fondos. 차관(借款)을 ～하다 recoger [cobrar] los empréstitos. 폐품을 ～하다 recuperar los desechos. 자금 ～는 활발하다 La recogida de empréstito es activa. 이 금액을 귀사(貴社)에 대한 폐사 계정(弊社計定)으로 ～해 주십시오 Sírvanse reembolsarse por nuestra cuenta con ustedes por el importe.

■ ～ 불능(不能) lo incobrable. ¶～하다 congelarse, hacerse incobrable, ser incobrable. 그에게 빌려 준 돈이 ～이다 Es incobrable el dinero que le presté. ～ 불능 대금 deuda *f* fallida, deuda *f* incobrable, insolvencia *f*. ～ 불능 채권 crédito *m* incobrable, crédito *m* congelado.

회수권(回數券) cupón *m* (*pl* cupones). 10매 짜리 ～ cupón *m* de diez billetes.

회순(會順) prgrama *m* de reunión.

회술레(回—) divulgación *f* de un secreto. ～하다 divulgar *su* secreto.

회시(回示) [회답] respuesta *f*, contestación *f*. ～하다 responder, contestar.

회식(會食) festín *m*, banquete *m*. ～하다 asistir al festín, comer (con), cenar (con); [주어가 복수일 때] comer juntos, cenar juntos.

■ ～자 convidado, -da *mf*; comensal *mf*.

회신(回申) contestación *f* al superior. ～하다 contestar al superior.

회신(回信) contestación *f* por la carta o el teléfono.

회신(灰燼) cenizas *fpl*, ceniza y restos del incendio.

■ ～화(化) reducción *f* a cenizas. ¶～하다 quedar reducido a cenizas, reducirse a la ceniza.

회심(回心) cambio *m* de corazón, conversión *f*. ～하다 cambiar de *su* corazón, convertirse.

회심(悔心) remordimiento *m*, compasión *f*, piedad *f*, arrepentimiento *m*, penitencia *f*.

회심(會心) cordialidad *f*, autocomplacencia *f*. ～의 congenial, satisfactorio, satisfecho de *sí* mismo, cordial enteramente del gusto de *uno*. ～의 미소 sonrisa *f* satisfecha de *sí* mismo. ～의 미소를 짓다 sonreír con suficiencia.

■ ～작(作) obra *f* cordial enteramente. ～지우(之友) amigo, -ga *mf* cordial. ～처(處) fuente *f* de *su* autocomplacencia.

회약(蛔藥) ((준말)) =회충약(蛔蟲藥).

회양목(—楊木) 【식물】 boj *m*.

■ ～ 목재 madera *f* de boj.

회연(會宴) banquete *m*. ☞연회(宴會)

회오(悔悟) arrepentimiento *m*, remordimiento *m*, penitencia *f*, pesar *m*. ～하다 arrepentirse (de), tener arrepentimiento (por), tener remordimiento (por), sentir mucho, sentir pesar (por). ～의 눈물 lágrimas *fpl* de arrepentimiento. 그는 ～의 정이 현저하다 Es evidente que él está lleno de [que le comen los] remordimientos.

회오리바람 torbellino *m*, remolino *m*; [해상(海上)의] tromba *f*. 그는 ～처럼 방으로 들어왔다 El entró en la habitación como un torbellino [una tromba].

회오리밤 sola castaña *f* llena dentro del

abrojo.

회오리봉(一峰) pico *m* cónico.

회오리치다 ① [바람 따위가] mover fuerte espiralmente. ② [감정·기세·사상 따위가] mover latiendo con fuerza.

회우(會友) compañero, -ra *mf* [miembro *mf*] (de la asociación).

회원(會員) [위원회·국제 기구 등의] miembro *mf*; [클럽의] socio, -cia *mf*. ~이 되다 hacerse miembro, inscribirse (en una sociedad), ser admitido. ~으로 가입시키다 inscribir (en una sociedad), admitir (en una sociedad). ~으로 뽑다 elegir para miembro. ~으로 신청(申請)하다 solicitar el ingreso [la admisión] en un club. 나는 이 클럽의 ~이다 Soy miembro [socio] de este club. 전 ~이 반대 투표를 했다 Todos los miembros votaron en contra. 이 회사는 천 명의 ~을 보유하고 있다 Esta sociedad tiene mil miembros. 그 회는 ~이 만 명이 넘는다 La sociedad tiene más de diez mil miembros / *AmL* La sociedad tiene una membresía de más de diez mil.. 클럽 ~은 주민만 될 수 있다 Sólo los residentes pueden hacerse socios del club. 서반아는 유럽 공동체의 ~이다 España es miembro de la Comunidad Europea. 대한민국과 조선민주주의인민공화국은 유엔의 ~이다 La República de Corea y La República Popular Democrática de Corea son miembros de la Organización de las Naciones Unidas.

◆명예(名譽) ~ socio *m* honorario, socia *f* honoraria. 일반(一般) ~ socio *m* ordinario, socia *f* ordinaria; miembro *m* ordinario, miembra *f* ordinaria. 정(正)~ socio, -cia *mf* regular; miembro *mf* de número. 준(準) ~ socio *m* asociado, socia *f* asociada. 찬조(贊助) ~ miembro *m* patrocinado, miembra *f* patrocinada. 창립 ~ miembro *m* fundador, miembro *f* fundadora. 특별(特別) ~ socio, -cia *mf* especial; miembro *m* especificado, miembro *f* especificada. 회비 납입필 ~ miembro *mf* que ha pagado su cuota.

■~국 país *m* (*pl* países) miembro. ~ 기장(記章) insigna *f* de socio, escarapela *f* de calidad de miembro. ~ 명부(名簿) lista *f* [nómina *f*] de miembros [de socios]. ~ 배지 insigna *f* [chapa *f*] de socio. ~ 수 número *m* de socios. ~제 sistema *m* de miembros. ¶이 수영장은 ~다 Esta piscina está reservada a [para] los socios. ~증 carnet *m* [carné *m*] de socio.

회유(回游) migración *f*. ~하다 migrar.

■~어(魚)【어류】pez *m* migratorio.

회유(回遊) excursión *f*, viaje *m* circular, crucero *m*, ~하다 hacer una excursión, hacer un viaje circular, hacer un crucero. 세계를 ~하다 hacer un crucero alrededor del mundo.

■~객 turista *mf*. ~권 billete *m* circular. ~선(船) barco *m* de excursión. ~ 승차권 billete *m* circular. ~ 여행(旅行) viaje *m* circular, circuito *m*. ~ 열차 tren *m* de excursión. ~차 coche *m* de excursión.

회유(懷柔) concilación *f*, pacificación *f*. ~하다 conciliar, pacificar, granjearse, ganar-(se) el favor (de). 돈의 힘으로 반대파를 ~하다 ganar el favor de los oponentes con dinero.

■~ 전술 estrategia *f* conciliadora. ~ 정책 política *f* conciliadora. ~책 medidas *fpl* conciliadoras, medidas *fpl* pacificadoras.

회음(會陰)【해부】perineo *m*. ~의 perineal.

■~근 músculo *m* perineal. ~ 동맥 arteria *f* perineal. ~부(部) región *f* perineal.

회음(會飮) juerga *f*. ~하다 beber juntos, estar de juerga.

회의(會議) junta *f*, reunión *f*; [정치·과학 등 중요한 일에 대한] conferencia *f*, convención *f*; [대회] congreso *m*; [중역·대표자 등의] consejo *m*; [회기] sesión *f*. ~하다 tener una reunión, tener consejo; [협의하다] deliberar (sobre). ~를 열다 empezar la conferencia, abrir la sesión; [개최하다] celebrar una conferencia, celebrar una sesión. ~를 끝내다 cerrar [clausurar] la conferencia, levantar la sesión. ~를 소집하다 convocar una conferencia. ~에 출석(出席)하다 asistir a una conferencia. ~ 중이다 estar de reunión. …을 ~에 제출하다 someter *algo* a la conferencia, llevar *algo* a la conferencia, presentar *algo* en la conferencia.

◆각료(閣僚) ~ el Consejo de Ministros. 경제(經濟) ~ conferencia *f* económica. 국무(國務) ~ consejo *m* de ministros. 국제(國際) ~ conferencia *f* internacional. 군축(軍縮) ~ conferencia *f* de desarme. 긴급(緊急) ~ conferencia *f* urgente. 당무(黨務) ~ comité *m* executivo. 본(本)~ [국회의] sesión *f* plenaria. 비밀(秘密) ~ conferencia *f* secreta, conferencia *f* a puerta(s) cerrada(s). 원탁 ~ conferencia *f* de mesa redonda. 유럽 ~ el Consejo de Europa, el CE. 친족(親族) ~ conferencia *f* familiar. 평화(平和) ~ conferencia *f* de la paz.

■~록 acta *f*, libro *m* de actas, libro *m* de sesión. ~소 ㉮ [회의를 하는 곳] sala *f* de conferencias, sala *f* de sesiones, sala *f* de juntas, sala *f* de asambleas. ㉯ [(어떤 사항에 관하여) 회의를 하는 단체나 기관] cámara *f*. ~실 sala *f* de conferencia. ~장(場) sala *f* de conferencia.

회의(懷疑) duda *f*, sospecha *f*, escepticismo *m*, incredulidad *f*. ~하다 dudar, sospechar.

■~론 escepticismo *m*. ~론자 escéptico, -ca *mf*. ~설(說) escepticismo *m*. ~적 escéptico, incrédulo. ~주의 escepticismo *m*. ~주의자 escéptico, -ca *mf*. ~파(派) escuela *f* escéptica.

회의 문자(會意文字) ideograma *m*.

회의안(回議案) proyecto *m* circular.

회임(懷妊) =잉태(孕胎).

회잉(懷孕) =잉태(孕胎).

회자(膾炙) ① [회와 구운 고기] la carne cruda y la carne asada. ② [널리 사람의 입에 오르내림] lo que es encontrado en la boca de todo el mundo. ~하다 estar en la boca de todo el mundo, ser conocido a todo el mundo.

회자정리(會者定離) El que se encuentra se separa sin falta.
◆ 생자필멸(生者必滅) ~ El hombre es mortal y el que se encuentra se separa sin falta.

회장(回章) (carta *f*) circular *f*. 회원에게 ~을 돌리다 enviar una circular a los miembros, hacer circular una carta [un aviso] entre los miembros.

회장(回腸) íleon *m*. ~의 ileal, iléaco.
■ ~ 동맥(動脈) arteria *f* ileal. ~염 ileítis *f*. ~ 절제술(切除術) ileectomía *f*. ~ 정맥 vena *f* ileal.

회장(會長) presidente, -ta *mf*. 선출된 ~ presidente *m* electo, prisidenta *f* electa. 클럽의 ~이 되다 hacerse [pasar a ser] presidente de un club.
◆ 이사회(理事會) ~ presidente, -ta *mf* del directorio [de la junta directiva].
■ ~ 대리 presidente *m* interino, presidenta *f* interina. ~석 sillón *m* [silla *f*] de la presidencia. ~직 presidencia *f*.

회장(會場) sala *f* [lugar *m*·sitio *m*] de reunión [de sesión·de conferencia], sala *f* de asamblea, auditorio *m*. 파티 ~은 어디입니까? ¿Dónde se celebra la fiesta? ~의 사분의 삼이 찼다 Tres cuartos de la sala están llenos.
◆ 강연(講演) ~ sala *f* de la conferencia. 박람(博覽)~ local *m* de la exposición. 전람(展覽)~ sala *f* [galería *f*] de la exposición.

회장(會葬) asistencia *f* a los funerales [a un entierro]. ~하다 asistir a los funerales [a un entierro].
■ ~자(者) asistentes *mpl* a los funerales, acompañante *mf* al entierro [al funeral].

회장석(灰長石)【광물】anortita *f*.

회전(回傳) devolución *f* de la cosa prestada. ~하다 devolver la cosa prestada.

회전(回電) =답전(答電).

회전(回轉) revolución *f*, vuelta *f*, giro *m*; [자전(自轉)] rotación *f*, [선회(旋回)] viraje *m*. ~하다 girar, dar vueltas, rotar, rodar. ~시키다 girar, hacer girar. ~의 giratorio, rotatorio. ~ 강하(降下)하다 [비행기 따위가] entrar en barrena. 일 ~하다 dar una vuelta. 프로펠러를 ~시키다 girar los hélices. 지구는 태양의 주위를 ~하고 있다 La Tierra gira alrededor del Sol. 그 엔진은 1분에 천 ~한다 El motor hace mil revoluciones por minuto. 자금(資金)의 ~이 빠르다 La rotación de fondos es rápida / Es rápido el movimiento del fondo rotativo. 그는 두뇌의 ~이 빠르다 El es vivo de inteligencia / El es perspicaz / El entiende rápido.
◆ 대(大)~ slalom *m* gigante. 반(半)~ media vuelta *f*. 사분의 일 ~ un cuarto de vuelta. 일(一) ~ una vuelta.
■ ~각 ángulo *m* rotatorio. ~ 거울 espejo *m* giratorio. ~ 경기 ((스키)) slalom *m*. ~계 tacómetro *m*, contador *m* de vueltas, cuentarrevoluciones *fpl*, taquímetro *m*. ~관절(關節) articulación *f* rotatoria. ~근(筋) músculo *m* rotatorio. ~기(器) rotatorio *m*. ~ 기계 rotativa *f*. ~ 기관 máquina *f* rotativa. ~ 기금 =회전 자금. ~ 기중기 grúa *f* de pivote. ~ 날개 =회전익(回轉翼). ~등 luz *f* giratoria, luz *f* de destellos. ~력 par *m* de rotación, par *m* motor. ~력 수압계 hidrogirómetro *m*. ~로 horno *m* rotativo. ~면 superficie *f* de revolución. ~목마 tiovivo *m*, caballitos *mpl*. ~ 무대 escenario *m* giratorio. ~ 무전 표지(소) radiofaro *m* giratorio. ~문(門) puerta *f* giratoria; [자동 개찰구] torniquete *m*. ~반(盤) disco *m* giratorio. ~ 반경 radio *m* de giro. ~ 방향 sentido *m* de rotación. ~ 변류기 convertidor *m* rotativo. ~ 속도(速度) velocidad *f* de revolución. ~ 속도계(速度計) tacómetro *m*, contador *m* de revoluciones. ~수 número *m* de rotaciones [de revoluciones]. ~술 versión *f*. ~ 스위치 interruptor *m* rotativo. ~ 안테나 antena *f* giratoria. ~ 운동 movimiento *m* rotatorio, movimiento *m* circular, rotación *f*. ~율(率) proporción *f* de rotación. ~의(儀) giroscopio *m*, giróscopo *m*. ~의자 silla *f* giratoria. ~익(翼)【물리】palas *fpl*, rotor *m*. ~자((子)【전기】rotor *m*. ~ 자금(資金) fondo *m* rotatorio, fondo *m* rotativo, fondo *m* de rotación, fondo *m* renovable. ~창 ventana *f* giratoria. ~체 cuerpo *m* de revolución, cuerpo *m* de rotación. ~ 촬영기 rotatógrafo *m*. ~ 촬영법 rotatografía *f*. ~축 eje *m* de rotación. ~ 테이블 mesa *f* giratoria. ~톱 sierra *f* circular. ~ 포탑(砲塔) torreta *f* giratoria. ~ 표지(標識) faro *m* giratorio.

회전(悔悛) arrepentimiento *m* de *su* error pasado. ~하다 arrepentirse de *su* error pasado.

회전(會戰) ① [어울려서 싸움] batalla *f*, combate *m*, lucha *f*, contienda *f*, encuentro *m*. ~하다 luchar (contra), combatir (contra), librar batalla, tener un encuentro, tener un choque. ② ((권투)) asalto *m*, round *ing.m* (*pl* rounds). 4~ ((권투)) cuarto asalto, cuarto round, el round cuatro, 4 rounds. 4~ 이후 después de 4 rounds.

회절(回折)【물리】difracción *f*. ~하다 difractar, hacer difracción.
■ ~격자(格子) red *f* difractora, rejilla *f* de difracción.

회정(回程) viaje *m* de vuelta. ~하다 volver. ~에 오르다 comenzar *su* viaje de vuelta.

회정(懷情) cariño *m* en *su* corazón, amor *m* en *su* corazón.

회조(回漕) transporte *m* por mar, transporte *m* por barco. ~하다 transportar por mar, transportar por barco.
■ ~선 barco *m* del transporte marítimo. ~업 negocio *m* del transporte marítimo. ~업자 agente *m* marítimo, agente *f* marítima; comisionista *m* expedidor, comisionista *f* expedidora.

회죄(悔罪) arrepentimiento *m* de *su* pecado, penitencia *f.* ~하다 arrepentirse de *su* pecado.

회주(會主) promotor, -tora *mf* de la reunión [del mitin].

회중(會中) ① [회를 하는 동안] durante la reunión, durante la sesión, durante la conferencia. ② ((불교)) durante el sermón budista.

회중(會衆) concurrencia *f,* asistentes *mpl;* público, -ca *mf;* [청중] auditorio *m;* [교회의] feligreses *mpl.*

회중(懷中) ① [품속] pecho *m.* ~의 de bolsillo, (de) tamaño bolsillo. ② [마음속] corazón *m.*
■ ~경 espejo *m* de bolsillo. ~물 =회중품. ~시계 reloj *m* de bolsillo. ~일기 =일기수첩. ~전등(電燈) linterna *f,* lámpara *f* de bolsillo. ~품 artículo *m* de bolsillo.

회지(會誌) boletín *m;* [학회의] anales *mpl.*

회진(回診) visita *f* (del médico), visita *f* que hace el médico a las casas de los enfermos. ~하다 visitar de paciente en paciente, visitar el médico los enfermos a domicilio, visitar a los enfermos, hacer visitas a los enfermos.
■ ~ 시간(時間) hora *f* de (la) visita.

회진(灰塵) ① [재와 먼지] la ceniza y el polvo. ② [하잘것없는 물건] cosa *f* insignificante, cosa *f* trivial.

회집(會集) reunión *f,* concurrencia *f,* muchedumbre *f,* multitud *f,* gentío *m* ~하다 reunirse [congregarse · juntarse] juntos.

회청색(灰青色) (color *m*) azul *m* grisáceo.

회초리 vara *f,* varilla *f,* vara *f* pequeña, férula *f.* ~로 때리다 azotar con una vara, dar*le* una paliza [un azote] (a *uno*) con una vara. ~를 아끼는 자는 자식을 미워한다 / 초달을 차마 못하는 자는 그 자식을 미워함이라 ((잠언 13:24)) El que detiene el castigo, a su hijo aborrece / Quien no corrige a su hijo, no lo quiere / Quien ahorra la vara odia a su hijo. 여자와 당나귀는 ~가 약이다 ((서반아 속담)) A la mujer y a la mula, vara dura.

회춘(回春) ① [봄이 다시 돌아옴] vuelta *f* primaveral de nuevo. ~하다 la primavera vuelve a venir. ② [중한 병이 낫고 건강이 회복됨] recobro *m,* recuperación *f,* restauración *f* de la salud, mejoría *f* de una enfermedad. ~하다 recobrar la salud, recuperar la salud, mejorar de salud. ③ [도로 젊어짐] rejuvenecimiento *m,* remozamiento *m.* ~하다 rejevenecerse, volverse joven. ~시키다 rejuvenecer, volver joven, hacer joven. 나는 완전히 ~한 기분이다 Me siento completamente rejuvenecido.
■ ~법(法) cura *f* [tratamiento *m*] de rejuvenecimiento. ~제(劑) afrodisíaco *m.*

회춘(懷春) despertamiento *m* de instinto sexual.
■ ~기(期) pubertad *f,* pubescencia *f.*

회충(蛔蟲) 【동물】 lombriz *f* (*pl* lombrices) intestinal, gusano *m* intestinal, helminto *m,* ascáride *m.* 그는 ~이 있다 El tiene lombrices (intestinales). 그에게서 ~이 나왔다 El cogió [Le salieron] lombrices en el intestino.
■ ~병 ascaridiasis *f,* ascaridiosis *f.* ~약 antihelmíntico *m,* vermífugo *m.* ~증 ㉮ [회충의 기생으로 생기는 병] dolor *m* de estómago de lombrices. ㉯ =거위배.

회치다(膾—) cortar el pez crudo en tajadas y sazonarlo.

회칙(回勅) [로마 교황의] encíclica *f.*

회칙(會則) reglamento *m* (de una asociación), estatuto *m* (de una asociación).

회칼(膾—) cuchillo *m* para cortar el pez crudo en tajadas.

회태(懷胎) =잉태(孕胎)(embarazo, concepción).
■ ~ 기간 período *m* de gestación. ~ 연령 [나이] edad *f* de concepción.

회판 ((준말)) =회두리판.

회편(回便) mensajero, -ra *mf* de vuelta.

회포(懷抱) *su* pensamiento íntimo. 슬픈 ~ pensamientos *mpl* tristes.

회풍(回風) =회오리바람.

회피(回避) evasión *f,* evitación *f,* huida *f,* escape *m.* ~하다 evitar, evadir, rehuir, esquivar; [도망하다] huir, eludir, escapar. 내전(內戰)을 ~하다 evitar la guerra civil. 책임을 ~하다 eludir la responsabilidad, evadir la responsabilidad.
■ ~ 전술(戰術) tácticas *fpl* evasivas. ~책(策) medidas *fpl* evasivas.

회하다(晦—) no ser claro sino oscuro.

회한(回翰) respuesta *f,* contestación *f.*

회한(悔恨) arrepentimiento *m,* remordimiento *m,* sentimiento *m,* pesar *m.* ~하다 arrepentirse (de). ~의 눈물 lágrimas *fpl* de arrepentimiento. ~의 정(情)이 있다 estar afligido por el remordimiento, estar lleno de arrependimiento.

회합(會合) reunión *f,* asamblea *f,* junta *f.* ~하다 reunirse, juntarse. 나는 오늘 밤 ~이 있다 Tengo una reunión esta noche.
■ ~ 약속 cita *f.* ~ 장소 lugar *m* dde la cita, lugar *m* de la reunión.

회항(回航) navegación *f* de regreso. ~하다 navegar de regreso, traer un barco, circunnavegar.

회향(回向) misa *f.* ~하다 rezar por un difunto, recitar misa de réquiem, recitar misa de ánima.

회향(茴香) ① =회향풀. ② 【한방】 fruto *m* de hinojo, fruto *m* de anís.
■ ~유(油) aceite *m* de hinojo, aceite *m* de

anís.
회향(懷鄕) nostalgia *f*, añoranza *f* de *su* tierrra natal. ~하다 sentir nostalgia, ser presa de la nostalgia.
■ ~병 nostalgia *f*, añoranza *f* de *su* tierra natal.
회향풀(茴香－) 【식물】 hinojo *m*, anís *m*.
회헌(會憲) ＝회칙(會則).
회혼(回婚) sexagésimo aniversario *m* de boda. ■ ~례(禮) bodas *fpl* de diamante.
회홍하다(恢弘－) (ser) ancho y grande.
회화(悔禍) arrepentimiento *m* de la ira. ~하다 arrepentirse de la ira.
회화(會話) ① [대화(對話)] diálogo *m*. ~하다 dialogar, conversar, hablar (con). ② [외국어로 이야기함] conversación *f*. 서반아어 ~를 배우다 aprender a hablar español, aprender la conversación española. 서반아어 ~ 연습을 하다 practicar (la conversación de) español. 그녀는 서반아어 ~를 잘 한다 Ella habla español muy bien / Ella habla muy bien el español.
■ ~문 literatura *f* coloquial. ~반 clase *f* de conversación. ~ 실력 habilidad *f* de habla. ~책 libro *m* de conversación. ~체 estilo *m* coloquial, estilo *m* dialogal, estilo *m* conversacional.
회화(繪畵) pintura *f*; [작품] cuadro *m*. ~의 pictórico.
■ ~관(館) pinacoteca *f*, museo *m* de pintura, galería *f* de pintura. ~론 teoría *f* de pintura. ~ 문자(文字) ＝그림 문자. ~적(的) pintoresco. ~ 전람회 exposición *f* de pinturas. ~ 진열관 ＝회화관.
회화나무 【식물】 acacia *f* blanca, sófora *f*.
회환(回還) vuelta *f*, regreso *m*. ~하다 volver, regresar.
회회교(回回敎) ((종교)) ＝이슬람교.
회회청(回回靑) tinte *m* azul para la porcelana.
회회하다(恢恢－) (ser) inmenso, enorme, vasto, extenso.
회훈(回訓) instrucciones *fpl* gubernamentales. ~하다 contestar con instrucciones.
획 ① [갑자기 세게 돌거나 돌리는 모양] con una vuelta, con un giro. ② [동작이 매우 날쌔거나 갑작스러운 모양] rápido, rápidamente, ágilmente, con agilidad, de repente, repentinamente. 그는 내 손에서 지갑을 ~ 가로챘다 El me arrebató la cartera de las manos. ③ [바람이 갑자기 세게 부는 모양] fuerte, fuertemente, con una ráfaga, con una racha. 바람이 ~ 불었다 Había un ráfaga de viento.
획(畫) trazo *m*, rasgo *m*, pincelada *f*, plumada *f*. ~이 굵은 grueso. 다섯 ~의 한자(漢字) carácter *m* chino compuesto de cinco trazos. 굵은 ~으로 쓰다 escribir en letras gruesas.
◆ 획을 긋다 hacer. 영화 사상 한 시대의 ~ hacer época en la historia del cine.
획기적(劃期的) trascendental, que hace época (nueva). 교육 체제에 ~인 개혁이 도입되었다 Se ha introducido una reforma trascendental en el sistema de educación.
획득(獲得) adquisición *f*, obtención *f*, consecusión *f*, posesión *f*. ~하다 conseguir, obtener, ganar, adquirir, lograr, hacerse dueño. 우승배(優勝盃)를 ~하다 adjudicarse [ganar] la copa campeón.
◆ 외화(外貨) ~ adquisición *f* de divisas.
■ ~력 adquisividad *f*. ~ 면역 inmunidad *f* adquirida. ~물 adquisición *f*. ~ 형질(形質) carácter *m* adquirido.
획력(畫力) poder *m* de pincelada [plumada] (en la caligrafía).
획법(畫法) estilo *m* de pincelada.
획수(畫數) número *m* de pincelada.
획순(畫順) orden *f* de pincelada.
획시대적(劃時代的) que hace época, que marca un hito.
획연하다(劃然－) (ser) distinto, bien diferenciado.
획연히 distintamente.
획일 교육(劃一敎育) educación *f* uniforme.
획일성(劃一性) uniformidad *f*.
획일적(劃一的) uniforme, regularizado, formalista. ~으로 uniformemente, de modo uniforme, a la letra, en rigor. ~으로 교육하다 dar una educación uniforme.
획일주의(劃一主義) uniformismo *m*.
획일하다(劃一－) (ser) uniforme.
획일화(劃一化) uniformización *f*. ~하다 uniformar, uniformizar, hacer uniforme.
획정(劃定) demarcación *f*, deslinde *m*. ~하다 demarcar. 국경(國境)을 ~하다 demarcar la frontera.
획책(劃策) intención *f*, intento *m*, plan *m*, proyecto *m*, traza *f*, designio *m*. ~하다 intentar; [계획하다] proyectar, hacer proyectos; [음모하다] intrigar, maquinar. 정당(政黨)의 분열(分裂)을 ~하다 intentar la escisión del partido.
획획 ① [연해 빨리 돌아가는 모양] siguiendo girando, siguiendo dando vueltas. ~ 돌다 seguir girando, seguir dando vueltas. ② [바람이 잇따라 세게 부는 모양] como una bala, como un bólido, como una ráfaga. 바람이 온종일 ~ 불었다 El viento sopla fuertemente todo el día. ③ [계속해서 힘주어 던지는 모양] fuertemente. ~ 던지다 seguir tirar fuertemente.
횟가루(灰－) ＝석회 가루.
횟감(膾－) ☞회(膾)
횟돌(灰－) ＝석회암(石灰巖).
횟물(灰－) ＝석회수(石灰水).
횟배(蛔－) ＝거위배.
횟수(回數) número *m* de veces; [빈도] frecuencia *f*. 최근 그는 지각 ~가 잦다 Estos días llega tarde con más frecuencia. 그는 내가 넘어지는 ~를 세고 있다 El cuenta cuántas veces [las veces que] me caigo.
횟집(膾－) ☞회(膾)
횡(橫) anchura *f*, ancho *m*, lo ancho. 너는 일어나 그 땅을 종과 ~으로 행하여 보라 내

가 그것을 네게 주리라 ((창세기 13:17)) Levántate, vé por la tierra a lo largo de ella y a su ancho; porque a ti la daré / ¡Levántate, recorre esta tierra a lo largo y a lo ancho, porque yo te la voy a dar!

횡갱(橫坑) =수평갱(水平坑).

횡격 동맥(橫膈動脈) arteria *f* diafragmática.

횡격막(橫膈膜)【해부】diafragma *m*, septo *m*. ~의 frénico.
■~염 diafragmatis *f*. ~통 diafragmalgia *f*.

횡격 신경(橫膈神經) nervio *m* frénico.

횡관(橫貫) penetración *f* horizontal. ~하다 penetrar horizontalmente.
■~ 철도(鐵道) ferrocarril *m* que penetra horizontalmente.

횡단(橫斷) ① [가로로 절단함] corte *m* transversal. ~하다 cortar transversalmente. ② [가로로 지나감] cruce *m*, travesía *f*, intersección *f*. ~하다 cruzar, atravesar, intersecarse. ~의 transversal, transverso. ~으로 transversalmente. 거리를 ~하다 atravesar la calle, cruzar la calle. 요트로 태평양을 ~하다 atravesar el Pacífico en yate. 차도(車道)를 ~하다 atravesar [cruzar] la carretera. 공원을 ~해서 가다 ir atravesando [a través de] un parque.
■~로 camino *m* de peatones. ~면 corte *m* transversal, sección *f* representativa; [목재(木材)의] cortadura *f* hecha en una madera. ~보도(步道) paso *m* de peatones, cruce *m* peatonal, cruce *m* de peatones, paso *m* a pie, paso *m* pedestre, paso *m* cebra, paso *m* de cebra. ~ 비행 vuelo *m* transversal. ¶태평양 ~ vuelo *m* transpacífico. ~선 línea *f* transversal. ~ 철도 ferrocarril *m* transversal. ¶대륙 ~ ferrocarril *m* transcontinental.

횡대(橫隊) línea *f*, fila *f* horizontal, hilera *f*. ~로 만들다 ponerse en fila horizontal. 2열 ~로 나아가다 avanzar en dos filas horizontales.
■~ 대형(隊形) formación *f* de línea.

횡도(橫道) ① [가로로 나간 길] carretera *f* secundaria, carretera *f* vecinal, camino *m* apartado, calle *f* lateral, lateral *f*. ② [정도에서 벗어난 길] injusticia *f*, maldad *f*, perversidad *f*, iniquidad *f*.

횡돌기(橫突起)【해부】apófisis *f* transversa.

횡동맥(橫動脈) artería *f* transversa.

횡득(橫得) ganancia *f* imprevista. ~하다 tener una ganancia imprevista, ganar una ganancia imprevista. 그는 상금 백만 원을 ~했다 El premio de un millón de wones le cayó como llovido del cielo.

횡듣다 entender mal, oír mal.

횡래지액(橫來之厄) accidente *m* eventual, desastre *m* inesperado, desgracia *f*, mala fortuna *f*.

횡렬(橫列) línea *f*, fila *f*, hilera *f*.

횡렬(橫裂) cisura *f* transversa, hendidura *f* transversa,

횡령(橫領) usurpación *f*, desfalco *m*, malversación *f*, peculado *m*; [탈취] apoderamiento *m*. ~하다 usurpar, desfalcar, detentar, apropiarse injustamente (de), apoderarse, malversar. 재산(財産)을 ~하다 usurpar los bienes.
■~자 usurpador, -dora *mf*; detentador, -dora *mf*; desfalcador, -dora *mf*. ~죄(罪) usurpación *f*, desfalco *m*, peculado *m*.

횡로(橫路) =횡도(橫道)❶.

횡류(橫流) venta *f* ilegal. ~하다 vender en bolsa negra.

횡면(橫面) =옆면. 측면(側面).

횡목(橫木) madera *f* transversal.

횡문(橫紋) =가로무늬.
■~근 =가로무늬근. ~근종 rabdomioma *m*.

횡문(橫聞) mala escucha *f*, mal entendimiento *m*. ~하다 entender mal, oír mal.

횡보(橫步) paso *m* de lado, paso *m* de costado, paso *m* hacia un lado. ~하다 pasar [andar] de lado, pasar [andar] de costado, moverse [desplazarse] sigilosamente [furtivamente].

횡보다(橫-) ver mal, juzgar mal.

횡사(橫死) muerte *f* violenta, occisión *f*, muerte *f* contranatural. ~하다 morir por accidente, morir de muerte violenta.

횡서(橫書) escritura *f* horizontal. ~하다 escribir horizontalmente.

횡선(橫線) línea *f* horizontal;【수학】abscisa *f*. 수표에 ~을 긋다 cruzar el cheque.
■~ 수표 cheque *m* cruzado, cheque *m* rayado, cheque *m* barrado.

횡설수설(橫說竪說) galimatías *fpl*, jerigonza *f*, habladuría *f* incoherente, guirigay *m*, monserga *f*. ~하다 hablar a trochemoche. ~하는 incoherente, confuso. ~ 변명하다 excusarse confusamente, balbucir excusas. 술에 취해 ~하다 hablar sin ton ni son por la borrachera. 그의 대답은 ~했다 Titubeaba al contestar.

횡수(橫竪) ① [가로와 세로] la anchura y la longitud. ② [공간과 시간] el espacio y el tiempo. ③ ((불교)) [타력과 자력] la inercia y la fuerza propia.

횡수(橫數) fortuna *f* imprevista. ~로 돈을 벌다 ganar dinero por fortuna imprevista.
■~막이【민속】exorcismo *m* celebrado en el principio del año para eliminar los espíritus malignas.

횡액(橫厄) ((준말)) =횡래지액(橫來之厄).

횡영(橫泳) estilo *m* de natación de costado.

횡와(橫臥) acostamiento *m* de lado [de costado]. ~하다 acostarse de lado, acostarse de costado.

횡의(橫議) digresión *f*, discusiones *fpl* irrelevante.

횡일하다(橫逸-) =방자하다.

횡재(橫災) desastre *m* inesperado.

횡재(橫財) ganancia *f* inesperada, ganancia *f* imprevista, regalo *m* del cielo, ganga *f*, chiripa *f*, buena suerte *f*, bendición *f* (del cielo). ~하다 encontrar gangas. 그 수표는 나에게 ~였다 El cheque me vino como caído del cielo. 천만 원의 상금은 나에게는 뜻밖의 ～였다 El premio de diez millones de wones me cayó como llovido del cielo.

횡적(橫笛) 【악기】 ＝저(flauta).

횡조(橫組) ＝가로짜기.

횡좌표(橫座標) 【수학】 ＝가로좌표.

횡창(橫窓) 【건축】 ＝교창(交窓).

횡침(橫侵) invasión *f* ilegal. ～하다 invadir ilegalmente.

횡탈(橫奪) usurpación *f.* ～하다 usurpar.

횡포(橫暴) tiranía *f,* despotismo *m,* opresión *f,* arbitrariedad *f,* violencia *f.* ～하다 (ser) tiránico, insolente, arbitrario. ～하게 de una manera tiránica [arbitraria]. 독재자의 ～는 극에 달했다 El tirano procede con una arbitrariedad extrema.

횡행(橫行) predominio *m,* preponderancia *f.* ～하다 preponderar, andar a *sus* anchas, pollar, tiranizar, pulular, abundar. 악인(惡人)이 세상에 ～하다 Pululan los pícaros en el mundo. 도둑이 전국에 ～하고 있다 Los bandidos infestan todo el país. 방탕자들이 거리를 ～하고 있다 Los gamberros andan vagando [vagabundean] por las calles.

횡화(橫禍) calamidad *f* inesperada.

효(孝) piedad *f* filial, devoción *f* filial, obediencia *f* a *sus* padres. 부모에게 ～를 다하다 ser el más sumiso a *sus* padres, ser consciente de *sus* deberes a *sus* padres, ser un buen hijo, ser una buena hija.

효(效) ((준말)) ＝효험(效驗).

효(曉) ＝새벽.

효건(孝巾) ＝두건(頭巾).

효경(孝敬) servicio *m* y respeto a *sus* padres. ～하다 servir y respetar a *sus* padres.

효경(孝經) 【책】 el Libro de Piedad Filial.

효계(曉鷄) gallina *f* que avisa la madrugada.

효과(效果) ① [보람이 있는 결과] efecto *m*; [효력] eficacia *f,* virtud *f,* validez *f*; [결과] resultado *m,* consecuencia *f*; [작용] acción *f.* ～가 있는 efectivo, eficaz, eficiente, válido, activo. ～가 없는 ineficaz, ineficiente; [무효의] nulo. 경제적(經濟的) ～ efecto *m* económico. ～를 나타내다 hacer efecto, surtir efecto. ～가 있다 tener [hacer · surtir · producir] efecto, hacer mella. ～가 없다 no hacer efecto, no producir efecto, no tener ninguna efecacia, no dar buen resultado. …에 ～가 있다 tener efecto en *algo*, ser eficaz para *algo*, tener eficacia para *algo*, hacer efecto a *uno*, producir efecto a *uno*, ser bueno para *algo*, ir bien a *algo*. …에 좋은 ～가 있는 약 medicina *f* que va bien a *algo*. 이 약은 감기에 ～가 있다 Esta medicina es buena [eficaz] para el resfriado. 이 약은 두통(頭痛)에 ～가 있다 Esta medicina es eficaz [de buena eficacia] para el dolor de cabeza. 약이 ～를 내고 있다 La medicina está haciendo efecto. 약이 이제 ～가 없다 La medicina ya no produce. [tiene · surte] efecto. 공부한 ～가 나타나기 시작한다 Empieza a notarse el resultado del estudio. 복습하면 수업의 ～는 더 오른다 La eficacia de las clases aumenta con el repaso. 이런 선전은 ～가 없다 Esta propaganda es ineficaz. 그를 나무란 것이 ～가 있었다 Le hizo mella la represión. 내 꾸중이 그에게 ～가 있는 것 같다 Parece que mi reprimenda ha tenido efecto. 비판한 것은 전혀 ～가 없었다 Las críticas no hicieron la menor mella en él. ② 【연극 · 영화】 efectos *mpl* acústicos.

■～ 담당자 【연극】 efectuador *m* acústico, efectuadora *f* acústica. ～음(音) sonido *m* acústico. ～적 eficaz, eficiente. ¶～으로 eficazmente, con eficacia, con eficiencia.

효광(曉光) luz *f* del sol de la madrugada.

효기(曉氣) aire *m* de la madrugada.

효기(曉起) madrugada *f,* madrugón *m.* ～하다 madrugar, levantarse temprano.

효기(驍騎) caballería *f* eficaz.

효녀(孝女) hija *f* filial, niña *f* filial, niña *f* obediente, hija *f* obediente a *sus* padres.

효능(效能) eficacia *f,* eficiencia *f,* efecto *m,* beneficio *m,* virtud *f.* ～이 있는 eficaz, virtuoso, efectivo. ～이 없는 ineficaz. ～을 열거하다 enumerar las ventajas (de), extenderse en la enumeración de las ventajas (de). 나는 약을 먹었지만 ～이 없다 Tomé la medicina, pero no resultó eficaz [no me hizo efecto ninguno].

■～서 lista *f* de los efectos eficaces, lista *f* de las virtudes, nota *f* de virtudes.

효도(孝道) piedad *f* [devoción *f*] filial, obediencia *f* a *sus* padres. ～하다 ser obediente a *sus* padres, ser consciente de *sus* deberes a *sus* padres, ser el más sumiso a *sus* padres, ser un buen hijo, ser una buena hija. ～하는 아들 hijo *m* filial. ～하는 딸 hija *f* filial.

◆효도 보다 recibir la piedad filial de *sus* hijos [*sus* nueras].

효득(曉得) entendimiento *m.* ～하다 entender.

효력(效力) eficacia *f,* virtud *f,* [효과] efecto *m*; [유효성] validez *f,* vigencia *f,* vigor *m.* ～이 있는 efectivo, eficaz, válido. ～이 없는 ineficaz. ～이 있다 tener efecto, tener validez. ～을 발생하다 producir efecto, entrar en vigor, efectuar eficacia. ～을 잃다 perder validez; [약이] perder efecto [fuerza · eficacia]. 이 약은 이제 ～이 없다 Esta medicina ya no tiene efecto. 이 계약은 아직 ～이 있다 Este contrato todavía tiene fuerza. 이 법률(法律)은 ～이 없다 Esta ley carece de vigor.

효모(酵母) levadura *f,* fermento *m,* masa *f* fermentada (para hacer pan).

■～균(菌) 【식물】 hongo *m* de levadura.

효복(孝服) ＝상복(喪服).

효부(孝婦) nuera *f* filial.

효상(曉霜) escarcha *f* de la madrugada.

효색(曉色) color *m* de la madrugada.

효성(孝誠) piedad *f* [devoción *f*] filial, amor

m a *sus* padres. ~이 지극하다 tener devoción por *sus* padres, tener mucho cariño a *sus* padres. ~이 지극한 사람 quien [el que] ama a *sus* padres. 부모에게 ~을 다하다 ser el más sumiso a *sus* padres.
효성스럽다 (ser) consciente de *sus* deberes a *sus* padres, filial a *sus* padres.
효성스레 filialmente, con amor de hijo.

효성(曉星) =샛별(Venus).

효소(酵素) 【화학】 enzima *f*, [발효소] levadura *f*, fermento *m*.
◆세포내(細胞內) ~ endoenzima *f*. 호흡 ~ enzima *f* respiratoria.
■~ 공학(工學) ingeniería *f* de enzima. ~법 tratamiento *m* de la fermentación. ~병 enzimopatía *f*. ~원(原) cimógeno *m*. ~학(學) enzimología *f*.

효손(孝孫) nieto *m* filial.

효수(梟首) 【역사】 colgamiento *m* de la cabeza de un criminal decapitado. ~하다 colgar la cabeza de un criminal decapitado.

효순하다(孝順-) (ser) filial y dócil, obediente a *sus* padres. 효순함 piedad *f* filial y docilidad, obediencia *f*, piedad *f* [obediencia *f*] filial.

효시(梟示) exhibición *f* de la cabeza decapitada al público. ~하다 exponer al público la cabeza decapitada.

효시(嚆矢) ① [온갖 사물의 맨 처음으로 됨] principio *m*, comienzo *m*, origen *m*, causa *f* explorador de un país. 우리 나라 근대극의 ~ origen *m* del teatro moderno de nuestro país. ② =우는살.

효신세(曉新世) =팔레오세(世).

효심(孝心) devoción *f* filial, piedad *f* filial, afección *f* filial. ~이 깊다 (ser) filial, obediente a *sus* padres.

효양(孝養) servicio *m* filial a *sus* padres. 부모에게 ~을 다하다 ser filial [obediente] a *sus* padres.

효열(孝烈) ① [효행과 열행] la piedad filial y la castidad de la mujer. ② [효자와 열녀] el hijo filial y la mujer virtuosa.

효용(效用) ① =효험(效驗). ¶약의 ~ eficacia *f* del medicamento. ② [용도] uso *m*. ③ 【경제】 utilidad *f*.
■~ 가치 valor *m* efectivo. ~ 예술(藝術) arte *m* efectivo.

효용하다(驍勇/梟勇-) (ser) feroz y ágil.

효웅(梟雄) héroe *m* feroz y valiente.

효월(曉月) luna *f* de la madrugada.

효유(曉諭) amonestación *f*, admonición *f*, instrucción *f*, inculcación *f*. ~하다 amonestar, instruir, inculcar.

효율(效率) ① 【물리】 rendimiento *m*, efecto *m* útil. 모터의 ~ rendimiento *m* de un motor. ② [일의 능률] eficiencia *f*. 높은 ~ eficiencia *f* de alto grado. ~이 좋은 기계(機械) máquina *f* eficiente. 노동 ~을 높이다 elevar la eficiencia del trabajo. 이 방법은 ~이 좋다 Este método es eficiente.
■~ 곡선 curva *f* de rendimiento. ~성(性) eficiencia *f*. ~적(的) eficiente. ¶~으로 eficientemente.

효자(孝子) hijo *m* filial, hijo *m* obediente, hijo *m* consciente de *sus* deberes.
■~도(圖) cuadro *m* del hijo filial. ~문 puerta *f* al hijo filial. ~비 monumento *m* al hijo filial. ~손 rastrillo *m* (para rascarse la espalda).

효장(梟將) general *m* feroz y ágil.

효적(梟敵) enemigo *m* malvado y fuerte.

효제(孝悌) =효우(孝友).
■~충신(忠信) la piedad filial, la amistad, y la fidelidad.

효종(曉鐘) campana *f* que toca por la madrugada.

효천(曉天) ① [새벽녘] el alba *f*, amanecer *m*, madrugada *f*. ~의 별과 같다 ser tan raros como estrellas del alba. ② [새벽 하늘] cielo *m* del alba.

효행(孝行) piedad *f* filial, devoción *f* filial, deber *m* filial, obediencia *f* a *sus* padres. ~하다 practicar la piedad filial. 부모에게 ~하다 practicar la piedad filial a *sus* padres, ser obediente a *sus* padres.
■~상(賞) premio *m* de conducta filial.

효험(效驗) eficacia *f*, efecto *m*, virtud *f* de una medicina. 인삼(人蔘)의 ~ eficacia *f* del ginseng. ~이 있는 eficaz, eficiente, poderoso. ~이 없는 ineficaz, ineficiente, poco eficiente. ~이 있다 tener efecto, hacer efecto, surtir efecto, producir efecto. …에 ~이 있다 ser eficaz [bueno] para *algo*, ir bien a *algo*. …에 ~이 있는 약 medicina *f* eficaz [buena] para *algo*, medicina *f* que va bien a *algo*. 이 약은 감기에 ~이 있다 Esta medicina es eficaz [buena] para el resfriado. 약이 ~이 있기 시작한다 La medicina empieza a hacer efecto. 이 약은 이제 ~이 없다 Esta medicina ya no produce [tiene · surte] efecto.

후[1] [입을 오므려 앞으로 내밀고 김을 많이 불어 낼 때의 소리] con un soplo. ~ 불다 soplar. 뜨거운 국을 ~ 불다 soplar la sopa caliente. 촛불을 ~ 불어서 끄다 apagar la luz de una vela con un soplo.

후[2] ((준말)) =후유.

후(后) ((준말)) =후비(后妃).

후(後) ① [무슨 뒤. 나중. 그 다음] después, luego. ~의 posterior, subsiguiente. ~에 después, más tarde, luego. … ~에 después de *algo*, tras *algo*. 그 ~에 después de aquello, después de aquel tiempo, desde entonces. 결혼 ~ después de casarse, después del casamiento. 10년 ~ diez años después, diez años más tarde, a los diez años. 수시간 ~ unas horas después. 지금부터 5년 ~에 de ahora [de aquí] a cinco años. 죽은 ~에 그 이름이 알려지다 *su* nombre ser conocido después de morir [de la muerte]. 열차가 출발한 지 30분 ~에 우리들은 역에 도착했다 Media hora después de salir el tren llegamos a la estación. 싸움은 그 ~에 어떻게 되었나? ¿En qué quedó la riña después? 그 ~에 그를 다시 만나지 못했다 No he vuelto a verle desde entonces / Fue entonces cuando le vi por primera vez. 그 문제는 그 ~에도 그대로 있다 Ese asunto está como se quedó [como lo dejamos]. ② ((준말)) =추후(追後).

후(侯) ((준말)) =후작(侯爵).

후가(後家) casa *f* de atrás.

후가(後嫁) =후살림. 개가(改嫁).

후각(後脚) pata *f* trasera, pata *f* de atrás.

후각(嗅覺) olfato *m*, osmesis *f*, sentido *m* de olfato. ~의 olfatorio, olfativo. ~이 예민하다 tener un olfato fino [agudo].

■ ~ 감퇴 hiposmia *f*. ~ 검사 olfatometría *f*. ~ 결여 anosmia *f*, anosfrasia *f*. ~계(計) olfatómetro *m*, odorímetro *m*. ~ 과민(過敏) hiperestesia *f* olfatoria. ~ 과민증(過敏症) hiperosmia *f*. ~기(관) órgano *m* olfatorio, órgano *m* del olfato, nariz *f*. ~ 동물 animal *m* osmático. ~력 osmestesia *f*. ~론 osmología *f*. ~병학 osmonosología *f*. ~ 세포 célula *f* olfatoria. ~ 신경(神經) nervio *m* olfatorio. ~ 작용 olfacción *f*. ~ 정상(正常) euosmia *f*. ~ 착오 parosmia *f*, alotrismia *f*. ~ 측정 odorimetría *f*. ~ 측정기 osfresiómetro *m*. ~학 olfatología *f*, osfresiología *f*.

후감(嗅感) sensación *f* olfatoria.

후견(後見) tutela *f*, tutoría *f*; [보호(保護)] protección *f*; 【법률】 gestión *f* tutelar. ~하다 tener bajo *su* tutela, tener bajo *su* cuidado, tener bajo *su* protección. servir de tutor, proteger legalmente.

■ ~인 tutor, -tora *mf*; padrino *m*, madrina *f*. ¶~으로 기르다 criar como su tutor.

후계(後繼) sucesión *f*, herencia *f*. ~하다 suceder (a). ~의 sucediente. …의 ~ 내각(內閣) gobierno *m* sucesor [continuador] de *uno*.

■ ~자 sucesor, -ra *mf*; heredero, -ra *mf*. ¶누가 그의 ~였습니까? ¿Quién fue su sucesor? / ¿Quién le sucedió?

후고(後顧) ① [지난 일을 돌아보아 살핌] mirada *f* de atrás. ~하다 mirar (hacia) atrás. ② [뒷날의 근심] inquietud *f* por lo futuro. ~의 염려를 하게 하다 procurar para que esté libre de toda ansia en el futuro. ~를 없애다 quitar toda causa de temor por el futuro. 나는 ~ 없이 물러날 수 있다 Puedo retirarme sin necesidad de preocuparme por el trabajo que dejo.

후골(喉骨) 【해부】 nuez *f* (de Adán).

후관(嗅官) 【해부】 órgano *m* olfatorio.

후광(後光) ① ((불교)) halo *m*, nimbo *m*, aureola *f*. ② [어떤 사물을 더욱 빛나게 하는 배경이 되는 현상] aureola *f*, corona *f*. 그에게 ~이 비치고 있다 Una aureola irradia de su cabeza / El tiene la cabeza nimbada. ③ [성화(聖畵) 중의 인물을 감싸는 금빛] color *m* dorado.

후군(後軍) retaguardia *f*.

후굴(後屈) 【의학】 retroflexión *f*, inflexión *f* hacia atrás. 자궁(子宮) ~증 retroflexión *f* del útero, inflexión *f* hacia atrás del útero.

후궁(後宮) ① [제왕의 첩] concubina *f* del rey; [집합적] harén *m*. ② [주되는 궁전의 뒤쪽에 있는 궁전] harén *m*, serrallo *m*.

후기(後記) [편지의] posdata *f*, postdada *f*; [책의] epílogo *m*. 편집 ~ epílogo *m* del editor.

후기(後氣) poder *m* persistente.

후기(後期) segunda mitad *f* (de una época), término *m* posterior; [학기] segundo semestre *m*. ~의 de segundo término, de segunda mitad del año.

■ ~ 시험 examen *m* del fin del segundo semestre, examen *m* final. ~ 인상파(印象派) escuela *f* postimpresionista, postimpresionismo *m*. ~ 인상파 화가(印象派畵家) postimpresionista *mf*, pintor, -tora *mf* postimpresionista. ~ 작품(作品) obras *fpl* posteriores.

후기(嗅器) 【해부】 =후관(嗅官).

후끈 calientemente. ~하다 (ser) caliente. 몸이 ~하다 tener una sensación de calor ligero, sentir el cuerpo suavemente caliente.

후끈거리다 seguir sintiéndose caliente, seguir poniéndose rojo [colorado]. 얼굴이 열로 ~ ponerse rojo [colorado] por la fiebre.

후끈후끈 calientemente, con calor.

후난(後難) agravio *m* posterior, complicaciones *fpl* futuras, consecuencias *fpl* futuras. ~이 두려워서 por temor de [para evitar] las complicaciones futuras. ~을 두려워하다 temer las complicaciones [las consecuencias] futuras.

후년(後年) ① =내내년. 내명년. ② =후세.

후념(後念) estribillo *m* musical.

후뇌(後腦) metencéfalo *m*.

후닥닥 ① [갑자기 열쌔게 활동하는 모양] dando un respingo, asustándose, sobresaltándose, de repente, repentinamente, de súbito, súbitamente. ② [급히 서두르는 모양] a todo correr, aprisa, a prisa, deprisa, de prisa, apresuradamente. ~ 도망치다 huirse a todo correr, poner pies en polvorosa, tomar las de Villadiego. ~ 나가다 salir a todo correr.

후닥닥거리다 ㉮ [갑자기 열쌔게 계속하여 활동하다] corretear, seguir saltando. ㉯ [계속하여 급히 서두르다] seguir dándose prisa, *AmL* seguir apurándose.

후대(後代) generaciones *fpl* futuras, época *f* posterior. ☞후세(後世)

후대(厚待) hospitalidad *f*, recepción *f* cordial [calurosa · sincera], buena acogida *f*, bienvenida *f*. ~하다 dar la bienvenida, acoger [tratar] cordialmente [con cordialidad], recibir calurosamente, dar buena acogida, dar un buen trato, tratar bien, tratar con respeto. ~를 받다 ser tratado cariñosamente [hospitalariamente], ser recibido cordialmente, recibir la recepción cordial.

후대(後隊) 【군사】 ① [뒤의 대오(隊伍)] rangos *mpl* traseros. ② [후방의 부대] tropas *fpl* de atrás.

후더침(後－) ＝후탈.

후덕(厚德) generosidad *f*, liberalidad *f*, favor *m* liberal, gran virtud *f*. ～하다 (ser) generoso, liberal.
■～군자(君子) caballero *m* liberal, caballero *m* virtuoso.

후덥지근하다 (ser) pesado. 이 방은 공기가 무척 ～ En esta habitación hay un ambiente muy pesado. 날씨가 무척 ～ ¡Qué tiempo tan pesado!

후독(後毒) ＝여독(餘毒).

후두(後頭) 【해부】 occipucio *m*. ～의 occipital. ～의 뼈 hueso *m* occipital.
■～ 결합체 iniópago *m*. ～골 hueso *m* occipital. ～근(筋) músculo *m* occipital. ～동맥 arteria *f* occipital. ～면(面) plano *m* occipital. ～부 región *f* occipital. ～ 삼각 triángulo *m* occipital. ～엽 lóbulo *m* occipital. ～엽 정맥 vena *f* occipital. ～ 정맥 vena *f* occipital. ～ 정맥동 seno *m* occipital.

후두(喉頭) 【해부】 laringe *f*. ～의 laríngeo. ～는 목소리의 기관이다 La laringe es el órgano de la voz.
■～개 epiglotis *f*. ～개염 epiglotitis *f*. ～검사 laringoscopia *f*. ～ 결절 tubérculo *m* laríngeo. ～ 결핵 tuberculosis *f* laríngea. ～경 laringoscopio *m*. ～ 경련 laringismo *m*. ～ 구멍 ventrículo *m* laríngeo. ～근(筋) músculo *m* laríngeo. ～ 기관(氣管) laringotráquea *f*. ～낭 bolsa *f* laríngea. ～부 región *f* laríngea. ～암 cáncer *m* laríngeo, cáncer *m* de laringe. ～염 laringitis *f*. ～음 voz *f* laríngea. ～ 절개술 laringotomía *f*. ～ 진균증 laringomicosis *f*. ～ 카타르 ＝후두염(喉頭炎). ～통(痛) laringalgia *f*. ～학 laringología *f*.

후두두 golpeteando, repiqueteando. ～ 떨어지다 golpetear, repiquetear. 빗방울이 창문에 ～ 떨어졌다 La lluvia golpeteaba la ventana / La lluvia repiqueteaba en la ventana. 빗방울이 ～ 떨어진다 Caen unas gotas de lluvia / Llovizna / Chispea.

후둥이(後－) gemelo *m* joven.

후드(영 *hood*) ① [비옷 따위의 두건] capucha *f*. ～ 부착 코트 capuchón *m* (*pl* capuchones). ② [카메라의 덮개] parasol *m*.

후드득 ① [콩이나 깨를 볶을 때에 툭툭 튀는 소리] crujiendo. ② [총포·딱총 등이 터지면서 나는 소리] estallando, reventando. ③ [잔 나뭇가지나 검불 따위가 타 들어가며 나는 소리] crepitando, chisporroteando. ④ [굵은 빗방울 따위가 성기게 떨어지는 소리] con un golpeteo, con un tamborileo.
후드득거리다 ㉮ [경망스럽게 연해 방정을 떨다] portarse [comportarse] frívolamente. ㉯ [콩이나 깨를 볶을 때에 툭툭 튀는 소리가 연해 나다] seguir crujiendo. ㉰ [수많은 총포나 딱총 같은 것이 몰방질로 터지며 소리가 나다] estallar, reventar(se). ㉱ [큰 나뭇가지나 잘 마른 땔나무 따위가 기세 좋게 타면서 연해 후드득 소리를 내다] crepitar, chisporrotear. ㉲ [굵은 빗방울 따위가 성기게 떨어지는 소리가 계속 나다] seguir golpeteando, seguir tamborileando.

후들거리다 temblar. 나는 다리가 후들거렸다 Me temblaban las piernas.
후들후들 temblando (y temblando). ～ 떨다 temblar. 놀라 몸을 ～ 떨다 temblar por el susto.

후딱 con toda prontitud, prontamente, con presteza, rápido, rápidamente, velozmente, en seguida, inmediatamente. ～ 해치워라 Hazlo rápidamente.
후딱후딱 muy rápido. ～ 읽어라 Lee muy rápido.

후락(朽落) ① [낡고 썩어서 못 쓰게 됨] pudrimiento *m*, corrupción *f*, putrefacción *f*, deterioro *m*. ～하다 pudrirse, corromperse, descomponerse. ② [빛깔이 변하고 구지레하게 됨] decoloración *f*. ～하다 perder color, desteñirse, decolorarse.

후래(後來) venida *f* tardía.
■～삼배(三杯) Los que lleguen tarde tendrán que beber tres copas de vino seguidas. ～선배(先杯) Los que lleguen tarde tendrán que beber una copa de vino primero.

후략(後略) omisión *f* de lo que sigue.

후레아들 zafio *m*, grosero *m*, patán *m*, tipo *m* sin educación, tipo *m* maleducado, tipo *m* descortés, hijo *m* de puta, hijo *m* de perro, hi de puta, hi de perro, *Méj* hijo *m* de la chingada, *Méj* hijo *m* de la guayaba, *Méj* hijo *m* de la mañana, *Méj* hijo *m* de la pelona.

후레자식(－子息) ((속어)) ＝후레아들.

후려(後慮) ansiedad *f* sobre *su* futuro. ～를 없애다 liberar de la ansiedad sobre *su* futuro.

후려갈기다 golpear, dar un golpe, pegar, dar de puñetazos. 머리를 ～ dar un golpe en la cabeza, dar un coscorrón en la cabeza. 몽둥이로 ～ dar un golpe con un palo, dar un palo, dar un bastonazo, dar de palos. 세게 ～ dar golpes fuertes, tundir a golpes, golpear duramente. 그는 내 머리를 후려갈겼다 El me golpeó (en) la cara.

후려치다 azotar, dar*le* latigazos (a), darle una paliza (a), darle un azote (a); [말을] fustigar. 채찍으로 ～ pegarle con la fusta.

후련하다 sentirse refrescado, sentirse aliviado, sentirse de buen humor, alegrarse, sentirse libre, respirar. 후련한 de buen humor, alegre, radiante. 그가 이긴 것을 보고 (가슴이) 후련했다 Me sentí aliviado al ver que él había ganado. 나는 마침내 마음이 후련해진다 Por fin me siento libre de trabas.

후렴(後染) reteñidura *f*. ～하다 reteñir, volver a teñir, teñir otra vez.

후렴(後斂) 【음악】 estribillo *m*.

후렴(厚斂) impuesto *m* pesado.

후로(朽老) pérdida *f* de energía por la vejez;

[사람] persona *f* debilitada por la vejez.

후록(厚祿) estipendio *m* generoso, salario *m* liberal.

후료(厚料) salario *m* [sueldo *m*] generoso.

후루루 ① [호각 따위를 부는 소리] silbato *m*, chiflido *m*, silbido *m*. ② =후르르.

후루룩 ① [날짐승이 갑자기 날개를 가볍게 치며 나는 소리] con un aleteo, con un revoloteo. ~ 날다 revolotear. 새가 ~ 날아갔다 El pájaro se alejó aleteando. ② [죽 따위를 야단스럽게 들이마시는 소리] con un sorbetón, con un gorgoteo, con un borboteo, de un trago. ~ 마시다 sorber haciendo ruido, beberse [tomarse] de un trago, gorgotear, borbotar, gorjear. 마실 때 ~ 소리를 내다 hacer ruido al beber. 우유를 마실 때 그렇게 ~ 소리를 내지 마라 ¡Bébete la leche sin hacer ruido!

후루룩거리다 ① [날짐승이 날개를 연해 가볍게 치며 날다] seguir aletando, seguir revoloteando. ② [묽은 죽 같은 것을 계속 야단스럽게 들이마시다] seguir bebiéndose de un trago.

후르르 ① [날짐승이 나는 소리] con un aleteo, con un revoloteo. ~ 날다 aletear, revolotear. ② [종이 따위가 순식간에 타오르는 모양] en un abrir y cerrar de ojos. ~ 타 버리다 quemarse en un abrir y cerrar de ojos.

후리 ((준말)) =후릿그물.

후리(厚利) ① [큰 이익] gran ganancia *f*. ② [비싼 이자] interés *m* caro.

후리다 ① [휘둘러서 몰거나 쫓다] expulsar, expeler. ② [모난 곳을 깎아 버리다] cortar. 잔디를 ~ cortar el césped. ③ [급작스레 잡아채서 빼앗다] agarrar [coger] rápidamente. 가방을 ~ agarrar [coger] rápidamente la maleta. ④ [매력으로 남의 정신을 흐리게 하여 빼앗다] cautivar, embelesar, encantar, seducir.

후리질 pesca *f* con una red, arte *m(f)* de cortina [cerco]. ~하다 pescar con una red, tirar de la jábega.

후리채 red *f* del aire.

후리후리하다 (ser) delgado y alto, desgarbado, esbelto. 후리후리한 몸매 figura *f* desgarbada, figura *f* esbelta.

후림 seducción *f*, truco *m* seductor.
■ ~대수작(酬酌) palabras *fpl* seductoras. ~비둘기 paloma *f* de reclamo

후림불 enredo *m*, lío *m*, pelea *f*. 싸움에 ~을 입다 verse envuelto en un lío [en una pelea]. 사건에 ~을 입다 ser [verse] envuelto en un suceso, meterse en el embrollo del caso. 네가 ~을 입고 싶지 않으면 si no quieres cobrar tú también.

후릿그물 jábega *f*, red *f* barredera, arte *m(f)* de cortina [cerco]. ■ ~ 어업(漁業) bou *m*.

후면(後面) parte *f* trasera, parte *f* posterior, parte *f* de atrás. 건물 ~에 있는 방(房) habitación *f* en la parte trasera [en la parte de atrás] del edificio. 건물 ~에 있는 뜰 patio *m* de detrás del edificio. ~에 있는 사람들은 들을 수 없었다 La gente que estaba al fondo no oía.

후무리다 desfalcar, malversar, meterse en el bolsillo, guardarse en el bolsillo, apropiarse deshonestamente (de), estafar, sisar, escamotear, hurtar con maña [sutilmente], robar a escondidas. 회사의 돈을 ~ estafar dinero a la compañía.

후문(後門) puerta *f* trasera. ☞뒷문

후문(後聞) información *f* posterior, anécdota *f*, historieta *f*. ☞뒷소문

후문(喉門) 【해부】 =목구멍(garganta).

후물거리다 hablar entre dientes, farfullar. 후물거리지 마라. 한마디도 알아들을 수 없다 ¡Habla claro [No hables entre dientes], que no te digo!

후물림 desecho *m*; [물건] artículo *m* desechado. 이 옷은 큰형의 ~이다 Este es un traje desechado por mi hermano mayor.

후물후물 hablando entre dientes, farfullando. ~하다 hablar entre dientes.

후미 cala *f*, caleta *f*, ensenada *f*, entrada *f*, brazo *m*.

후미(後尾) parte *f* trasera, parte *f* posterior, cola *f*, rabo *m*. ~의 de parte posterior, de popa. ~에 a la cola de una fila.
■ ~등(燈) luz *f* trasera, luz *f* de atrás. ~부대 retaguardia *f*.

후미(後味) saborete *m* que queda de haber comido o bebido una cosa. ☞뒷맛.

후미(厚味) ① [짙은 맛] sabor *m* rico, sabor *m* espeso. ② [훌륭한 음식] comida *f* de lujo.

후미지다 ① [후미가 매우 깊다] formar una cala. 후미진 곳 cala *f*, caleta *f*. ② [무서우리만큼 호젓하고 깊숙하다] (estar) apartado, aislado, solitario. 후미진 곳[장소] lugar *m* aislado, lugar *m* apartado, lugar *m* solitario.

후박(厚朴) 【한방】 cáscara *f* de magnolia dorada.

후박(厚薄) ① [두꺼움과 얇음] lo espeso y lo delgado. ② [후하게 구는 일과 박하게 구는 일] lo generoso y lo tacaño.

후박나무(厚朴—) 【식물】 magnolia *f* dorada.

후박하다(厚朴—) (ser) reconfortante y honrado [honesto].

후반(後半) segunda mitad *f*, parte *f* posterior; ((운동)) el segundo tiempo. 20세기의 ~ segunda mitad *f* del siglo XX. 주(週)의 ~ segunda mitad *f* de la semana.
■ ~기 segunda mitad *f* del año. ~부(部) parte *f* posterior, segunda parte *f*. ~생 segunda mitad *f* de la vida, segunda parte *f* de la vida. ~신(身) medio cuerpo *m* posterior, mitad *f* del cuerpo posterior. ~전 segunda mitad *f* del partido; [축구 따위의] segundo tiempo *m*; [농구 따위의] segunda parte *f*.

후발(後發) ① [뒤늦게 떠남] salida *f* tardía. ~하다 salir tarde. ② [나중에 쏨] segundo disparo *m*, segundo tiro *m*, último disparo *m*, último tiro *m*. disparar [tirar] más tarde.

■ ~대(隊) tropa *f* que marcha más tarde.

후방(後方) ① [뒤쪽] parte *f* trasera, parte *f* posterior, parte *f* de atrás. ~의 trasero, posterior, de atrás. ~에 atrás, detrás, para atrás, hacia atrás. 우리들의 ~을 트럭이 달리고 있다 Detrás de nosotros viene un camión. ② [전쟁이 벌어지고 있지 않은 지역이나 국내(國內)] retaguardia *f*. ~의 사람들 los hombres de la retaguardia.

■~ 교란(攪亂) hostigamiento *m* de la retaguardia. ¶~을 하다 hostigar la retaguardia. ~ 근무(勤務) servicio *m* de retaguardia, servicio *m* trasero. ~ 기지(基地) base *f* de la retaguardia. ~ 부대 tropa *f* en parte posterior, (tropas *fpl* de) retaguardia *f*. ~ 지역(地域) zona *f* de comunicaciones; ((축구)) espacio *m* negativo.

후방(後房) =뒷방.

후배(後配) ① [죽은 후실(後室)] concubina *f* muerta. ② =후실(後室).

후배(後輩) seguidor, -dora *mf*, menor *mf*, [집합적] jóvenes *mpl*; nueva generación *f*, generación *f* joven. 그는 내 1년 ~다 El se graduó un año después que yo. 그는 나보다 훨씬 ~다 El es mucho menor que yo. 그는 내 회사 몇 년 ~다 El entró en nuestra compañía unos años después que yo.

후배주(後配株)【증권】acción *f* diferida, acción *f* de dividendo diferido.

후보(後報) reporte *m* posterior, reporte *m* subsecuente.

후보(厚報) =후수(厚酬).

후보(候補) ① [어떤 지위나 신분에 나가기를 바람] candidatura *f*, [어떤 지위에 나가는 사람] candidato, -ta *mf*. 공석인 교수 자리에 ~를 내세우다 presentar *su* candidatura a una cátedra vacante. ② [장래에 어떤 지위에 나갈 자격이 있음, 또 그 사람] candidato, -ta *mf*, [지망자] aspirante *mf*, [왕위(王位)·구애의] pretendiente *mf*. ~로 나서다 presentarse como candidato. ~로 내세우다 presentar un candidato, ofrecerse como candidato. 재선거에 ~를 내세우다 presentar (como) candidato para la reelección. 한 개의 직(職)에 세 사람의 ~가 있다 Hay tres candidatos para una sola plaza. 이 작품은 노벨상의 ~에 올라 있다 Esta obra se da como posible ganadora para el Premio Nobel. ☞후보자(候補者)

◆노벨상 ~ candidato *m* al Premio Nobel. 대통령 ~ candidato, -ta *mf* a la presidencia.

■~생 cadete *mf*. ~ 선수(選手) suplente *mf*, jugador, -dora *mf* suplente. ~자(者) candidato, -ta *mf*. ¶대통령 ~ candidato, -ta *mf* a la presidencia, candidato, -ta *mf* presidencial.. 국회 의원 ~ candidato, -da *mf* a diputado. 공석인 교수직에 다섯 명의 ~가 있었다 Hubo cinco candidatos a la cátedra vacante. ☞후보❷. ~자 명단 [비행기 등의 대기자 명단] lista *f* de espera. ~자 지명 nominación *f* de un candidato. ~작 obra *f* eventual, obra *f* posible. ~지 lugar *m*, sitio *m*. ¶다음 올림픽 ~로 A가 제안되었다 Se ha propuesto a A como lugar para los próximos Juegos Olímpicos. ~ 희망자(希望者) candidato, -da *mf* posible, candidato, -da *mf* eventual.

후부(後夫) =후서방(後書房).

후부(後部) parte *f* posterior, parte *f* trasera, parte *f* de atrás; [배의] popa *f*, [탈것의] trasera *f*. ~의 posterior, trasero, de atrás, zaguero, postrero. ~에 en la parte posterior, en la parte trasera, en la parte de atrás, en trasera.

후분(後分) suerte *f* de la vejez. ~이 좋다 ser feliz en la vejez.

후불(後佛) ① ((불교)) [미래에 나타날 부처] Buda *m* (que aparecerá en el) futuro. ② ((불교)) [불상 뒤에 모시는 그림 부처] Buda *m* pintado puesto detrás de la estatua de Buda.

■~ 탱화 pintura *f* colgante que pintó el Buda.

후불(後拂) pago *m* diferido, pago *m* atrasado. ~로 사다 comprar a crédido, comprar a plazo. 대금은 ~로 하겠습니다 Déjeme diferir la cuenta.

후비(后妃) emperatriz *f*, reina *f*.

후비(後備) ① [전투 태세를 펴고 있는 후방의 수비. 또 그 병사] segunda reserva *f*, [병사] soldado, -da *mf* de segunda reserva. ② ((준말)) =후비역.

■~ 병역(兵役)[역(役)] servicio *m* en la segunda reserva.

후비다 ① [구멍이나 틈의 속을 돌려 파내다] hurgarse, meterse el dedo (en), escarbarse, tocarse, cavar, excavar, ahondar, escarbar, voltear; [귀·코·이를] mondar, limpiar. 귀를 ~ limpiar el oído; [자신의] limpiarse las orejas, escarbarse el oído, limpiarse el oído. 땅을 ~ escarbar la tierra, voltear la tierra. 코를 ~ meterse el dedo en la nariz, hurgarse la nariz, escarbarse las narices. 이를 ~ escarbarse los dientes, mondarse los dientes, limpiarse los dientes. 여드름을 후비지 마라 No te toques los granitos. 개가 땅을 후빈다 El perro escarba la tierra. ② [일의 속내를 깊이 파다] desenterrar, descubrir. 비밀(秘密)을 ~ desenterrar el secreto, descubrir el secreto.

후비적거리다 seguir escarbando, seguir limpiándose, seguir hurgándose. 코를 ~ seguir metiéndose el dedo en la nariz.

후비적후비적 excavando, escarbándose.

후사(後事) asuntos *mpl* futuros, asuntos *mpl* después de morir. ~를 부탁하다 confiar un asundo por resolver, poner el porvenir al cuidado (de), encomendar el futuro.

후사(後嗣) heredero, -ra *mf*, [후계자] sucesor, -ra *mf*.

후사(厚賜) obsequio *m* generoso, regalo *m* generoso. ~하다 obsequiar [regalar] generosamente.

후사(厚謝) recompensa *f* generosa, remuneración *f* generosa. ～하다 recompensar generosamente, remunerar generosamente.

후산(後山) montaña *f* de atrás (de).

후산(後産) placenta *f*, secundinas *fpl*, parias *fpl*.

후살이(後－) segundas nupcias *fpl*.

후생(厚生) ① [넉넉하게 삶] bienestar *m* público, mejoría *f* de la vida. ② [건강을 유지 증진함] promoción *f* de salud, mantenimiento y mejoramiento de la salud.

■ ～ 경제 economía *f* de bienestar público. ～ 경제학 economía *f* política de bienestar público. ～ 복지(福祉) bienestar *m* público [social]. ～ 복지 사업(福祉事業) obra *f* para el bienestar social. ～비 gastos *mpl* para el bienestar público. ～ 사업 obra *f* social. ～ 시설 [기업의] instalaciones *fpl* de recreo y entrenamiento, instalaciones *fpl* de los empleados de una compañía. ～ 연금 pensión *f* de bienestar público. ～ 연금 보험 seguro *m* de previsión social. ～ 주택(住宅) vivienda *f* para el bienestar público.

후생(後生) ① [뒤에 난 사람] el [la] que nace más tarde. ～이 가외(可畏)한 젊은이 joven *m* esperanzador, joven *m* prometedor. ② ＝후예(後裔).

후서(後序) prólogo *m* posterior.

후서방(後書房) ((속어)) ＝후부(後夫).

후성(喉聲) voz *f* (*pl* voces).

후성(後成) 【지질】 epigénesis *f*.

■ ～설 【생물】 (teoría *f* de) epigénesis *f*.

후세(後世) otra vida *f*, vida *f* después de la muerte, posteridad *f*, generaciones *fpl* futuras, generaciones *fpl* posteriores, generación *f* venidera, mundo *m* venidero, vida *f* futura, lo futuro, edades *fpl* que vienen, eternidad *f*. ～의 posterior. ～에 en la otra vida, en lo venidero. ～까지 para eternidad, eternamente, para siempre. ～의 평가 apreciación *f* de la posteridad. ～에 전하다 transmitir a la posteridad. 그의 이름은 ～에 전해질 것이다 Se transmitirá su nombre a la posteridad.

후속(後續) sucesión *f*, lo sucesivo, lo siguiente, seguimiento *m*. ～하다 suceder, seguir. ～의 sucedero, siguiente, que sigue, que viene después.

■ ～ 부대(部隊) refuerzo *m*.

후속(後屬) ＝후손(後孫).

후손(朽損) deterioro *m*, putrefacción *f*. ～하다 pudrirse, descomponerse.

후손(後孫) descendiente *mf*, hijos *mpl*; [총칭] descendencia *f*, posteridad *f*.

후송(後送) evacuación *f*. ～하다 enviar a la retaguardia, evacuar. 부상병(負傷兵)을 ～하다 evacuar [enviar a la retaguardia] a los soldados heridos.

■ ～ 병원 hospital *m* de evacuación. ～ 환자 herido *m* evacuado, herida *f* evacuada.

후수(厚酬) pago *m* generoso.

후술(後述) mención *f* abajo. ～하다 mencionar más abajo. ～한 것처럼 como se dirá [se mencionará] más abajo.

후시대(後時代) época *f* posterior [futura].

후식(後食) ① [나중에 먹음] acción *f* de comer después. ～하다 comer después. ② [식사 후에 먹는 과일·아이스크림 따위와 같은 간단한 먹을 것] postre *m*. ～으로 de postre. ～으로 무엇을 드시겠습니까? [식당에서] ¿Qué pide [quiere] usted de postre? / [가정에서] ¿Qué quiere usted de postre?

후신(後身) ser *m* futuro; [후계자] sucesor, -sora *mf*.

후신경(嗅神經) 【해부】 nervio *m* olfatorio.

후실(後室) *su* segunda esposa.

후안(厚顔) desvergüenza *f*, insolencia *f*, descaro *m*, impudencia *f*. ～하다 (ser) descarado, desvergonzado, sinvergüenza, insolente.

■ ～무치(無恥) procacidad *f*, desvergüenza *f*, descaro *m*, impudencia *f*. ¶～하다 (ser) de cara dura y desvergonzado, impudente y desvergonzado, descarado y sin vergüenza, descarado, procaz. ～한 사람 persona *f* sinvergüenza, persona *f* descarada.

후약(後約) promesa *f* futura.

후연(後緣) ① [뒤쪽의 가장자리] borde *m* posterior. ② [뒤의 인연] relaciones *fpl* futuras.

후열(後列) fila *f* trasera, última fila *f*.

후엽(後葉) ＝후대(後代).

후예(後裔) descendiente *mf*; [집합적] descendencia *f*, posteridad *f*. …의 ～이다 ser descendiente de *uno*.

후원(後苑) jardín *m* en el palacio real.

후원(後援) patrocinio *m*, apoyo *m*, amparo *m*, ayuda *f*, auxilio *m*, tutela *f*, sostén *m*, garantía *f*, protección *f*. ～하다 patrocinar, amparar, ayudar, apoyar, auxiliar, espaldar, respaldar, proteger, favorecer, abogar, sostener, apadrinar, secundar [apoyar] una proposición. …의 ～ 아래 bajo el auspicio de *uno*. A씨(가) ～(하는) 음악회 concierto *m* en auxilio del Sr. A. 재정적(財政的)으로 ～하다 mantener económicamente [rentísticamente].

■ ～군(軍) refuerzos *mpl*. ～ 단체(團體) asociación *f* de patrocinadores. ～자(者) patrocinador, -dora *mf*, patrón, -trona *mf*, defensor, -sora *mf*, sostenedor, -dora *mf*, mantenedor, -dora *mf*, protector, -tora *mf*, tutor, -tora *mf*, espalda *f*, respaldo *m*. ～회(會) asociación *f* de patrocinadores, asociación *f* de sostenedores. ～회장(會長) presidente, -ta *mf* de la asociación de patrocinadores.

후원(後園) [포장된] patio *m* trasero; [잔디가 깔린] jardín *m* trasero, *RPl* fondo *m*.

후위(後衛) ① [뒤쪽의 호위나 방위] escolta *f* de la parte posterior, protección *f* de la parte trasera. ～를 맡아보다 ponerse a la cola, ir a la zaga. ② ((준말)) ＝후위대. ③ ((운동)) defensa *mf*, zaguero, -ra *mf*, ((럭

비)) defensa *m* ofensivo, defensa *f* ofensiva.

■ ~대(隊) retaguardia *f.* ~전 acción *f* de retaguardia. ~ 진지(陣地) posición *f* de retaguardia.

후유 ¡Uf!, con un suspiro. ~ 하고 한숨을 쉬다 suspirar aliviado, dar un suspiro de alivio, sentir alivio, sentir sosiego, tranquilizarse, sosegarse. 그 소식을 듣고 나는 ~ 하고 한숨을 쉬었다 Sentí alivio al oírlo / Me tranquilicé la noticia. 나는 하루의 일을 끝내고 ~ 한숨을 쉬었다 Di un suspiro de alivio al terminar el trabajo del día. ~ 이제 한숨 돌렸다 ¡Qué alivio!

후유증(後遺症) ① 【의학】 secuela *f.* 그는 일산화탄소 중독(中毒)의 ~이 남아 있다 Le quedan secuelas del envenamiento por monóxido de carbono. ② [어떤 일을 치르고 난 뒤에 생기는 부작용] repercusiones *fpl*, consecuencias *fpl*, secuelas *fpl*.

후은(厚恩) gran favor *m*, grandes obligaciones *fpl*, merced *f*, deuda *f*, amabilidad *f* profunda. ~을 입다 estar en deuda profunda (con *uno* por *algo*), deber*le* mucho (a *uno*). 나는 선생님께 ~을 입고 있습니다 Le debo mucho a usted. ~을 잊지 않겠습니다 Yo nunca (me) olvidaré su gran favor.

후음(喉音) 【언어】 sonido *m* gutural, gutural *m*.

후의(厚意) favor *m*, (gran) amabilidad *f*, bondad *f*, intenciones *fpl* amables, íntima amistad *f*. ~에 감사하다 dar las gracias por *su* amabilidad. ~에 정말 감사드립니다 Estoy muy agradecido por su favor. 재직(在職) 중 ~에 감사합니다 Muchas gracias por su bondad durante mis años de servicio aquí. 이것은 나에게 베푸신 ~라고 생각합니다 Lo consideraría como un favor personal para mí.

후의(厚誼) amistad *f* estrecha, hospitalidad *f*, buena acogida *f*, amabilidad *f.* ~에 보답하다 pagar *su* amabilidad, corresponder a *su* amabilidad. 귀하의 ~에 어떻게 보답할 수 있을지 모르겠습니다 No sé cómo voy a poder corresponder a su amabilidad. 귀하의 ~에 보답할 수 있으면 합니다 Quisiera corresponder a su amabilidad.

후인(後人) generaciones *fpl* futuras, posteridad *f*.

후일(後日) otro día *m*, futuro *m*, días *mpl* posterioes. ~에 en el futuro, más tarde. ~의 증거로 por referencia futura. ~을 기약하다 proponerse + *inf* de nuevo algún día. ~에 알려드리겠습니다 Le avisaré otro día.

■ ~담(談) consecuencia *f*, cola *f.* ¶그 사건에는 ~이 있다 Ese asunto tiene cola [consecuencia].

후임(後任) ① [전임자 대신에 맡은 임무] sucesión *f.* ~의 entrante. ~으로 en sucesión. ② =후임자(後任者). ¶…의 ~이 되다 suceder a *uno* (en el puesto), reemplazar a *uno* (en el puesto), suceder a *uno* en algún oficio [en *su* puesto], tomar posición de otro, asumir el cargo en lugar de *uno*. A를 B의 ~으로 교체하다 sustituir [substituir · reemplazar] a B a A. 그는 A씨의 ~으로 장관에 임명되었다 El ha sido nombrado [Le nombraron] al cargo de jefatura como sucesor del Sr. A.

■ ~ 시장 alcalde, -desa *mf* entrante. ~자 sucesor, -sora *mf* (en un puesto).

후자(後者) posterior *mf*; último, -ma *mf*; éste, -ta *mf*. 전자와 ~ el primero y el último, el aquél y el éste. 그곳에는 A사와 B사가 있지만 ~가 전자보다 크다 Allí se encuentran las compañías A y B, pero ésta es más grande que aquélla.

후작(後作) segunda cosecha *f*.

후작(侯爵) marqués *m* (*pl* marqueses).

■ ~ 부인(夫人) marquesa *f*.

후장(後場) ① [다음 번의 장(場)] feria *f* que viene. ② [다음 번의 장날] día *m* del mercado que viene. ③ 【증권】 sesión *f* de la tarde.

■후장 떡이 클지 작을지 누가 아나 ((속담)) Es difícil de conjeturar lo futuro.

후장(後裝) retrocarga *f*.

■ ~총(銃) rifle *m* de retrocarga. ~포(砲) cañón *m* (*pl* cañones) de retrocarga.

후장(厚葬) entierro *m* generoso, sepultura *f* generosa. ~하다 enterrar [sepultar] generosamente.

후정(後庭) ① [뒤껼] jardín *m* (*pl* jardines) de la parte posterior, jardín *m* de (la parte de) atrás, jardín *m* de detrás. ② [뒤쪽의 궁전] palacio *m* real en la parte trasera.

후정(厚情) amabilidad *f*, amistad *f*, intenciones *fpl* amables, hospitalidad *f*, favor *m*, trato *m* afable, mucha benevolencia *f*.

후제(後一) algún día, luego.

후조(候鳥) 【조류】 =철새.

후주(後酒) licor *m* suave, licor *m* (hecho) de cereales de cerveza.

후주(後註) nota *f* posterior.

후주곡(後奏曲) 【음악】 postludio *m*.

후줄근하다 ① [종이나 피륙이 젖어서 풀기가 없어져 보기 흉하게 되다] (ser) húmedo, tener mojado, calarse hasta los huesos. 네 옷이 후줄근하구나 Tú tienes la ropa empapada. ② [몸이 피곤하여 축 늘어지듯 힘이 없다] (ser) fláccido, desfallecer, flaquear.

후줄근히 húmedamente, calándose hasta los huesos. 당신은 ~ 젖었군요 Estás calado hasta los huesos / Estás empapado.

후줏국 segundo líquido *m* suave.

후중 ataúd *m* de pino de la calidad muy inferior.

후즈후(영 *Who's Who*) [명사록] Who's Who, publicación *f* que consiste en una lista de las personas importantes en determinado campo.

후증(後證) prueba *f* futura, testimonio *m* futuro.

후증(喉症) 【한방】 =인후병(咽喉病).

후지(厚志) benevolencia *f*, benignidad *f*, buena voluntad *f*, bondad *f*, favor *m*, amabilidad *f*, intención *f* amable. 귀하의 ~에 깊은 사의를 표합니다 Estoy muy agradecido de [por] su (gran) amabilidad [benevolencia] / Agradezco profundamente su bondad.

후진(後陣) retaguardia *f*.

후진(後進) ① [뒤쪽을 향해 나아감] avance *m* hacia atrás. ~하다 avanzar hacia atrás. ② ㉮ [나이나 사회적 지위가 뒤짐] inferioridad *f*, retraso *m*, demora *f*. ㉯ [나이나 사회적 지위가 뒤진 사람] inferior *mf*. ③ [문물의 발달이 뒤진 상태] regresión *f*. ④ [후배] los (más) jóvenes, generación *f* joven. ~에게 길을 양보하다 ceder el paso a los más jóvenes. ~에게 길을 열어 주다 dejar el camino libre para los jóvenes, abrir pasos para los jóvenes.
■ ~국 país *m* (*pl* países) subdesarrollado [atrasado]; [발전 도상국] país *m* en vías de desarrollo. ~ 기어 marcha *f* atrás, *Col, Méj* reversa *f*. ~력 【조선】 potencia *f* de marcha atrás, potencia *f* de ciar. ~성 lo poco desarrollado, retraso *m*. ~ 장치(裝置) engranaje *m* de marcha atrás. ~ 지역 zonas *fpl* subdesarrolladas. ~ 터빈 turbina *f* de marcha atrás. ~파(波) ola *f* retrógrada.

후처(後妻) ((낮춤말)) =후취(後娶). ¶~를 맞이하다 contraer matrimonio por segunda vez, recibir a una mujer como *su* nueva esposa, casarse (con *uno*) en segundas nupcias.

후천(後天) naturaleza *f* postnatal. ~의 adquirido, postnatal.
■ ~ 매독(梅毒) sífilis *f* adquirida. ~ 면역 inmunidad *f* adquirida. ~병 enfermedad *f* adquirida. ~사(事) asunto *m* futuro. ~성 posterioridad *f*, carácter *m* adquirido. ¶~의 adquirido. ~성 결손(性缺損) defecto *m* adquirido. ~성 난시(性亂視) astigmatismo *m* adquirido. ~성 면역(性免疫) inmunidad *f* adquirida. ~성 면역 결여(性免役缺如) inmunodeficiencia *f* adquirida. ~성 면역 결핍증 sida *m*, Sida *m*, SIDA *m*, Síndrome *m* de Inmunodeficiencia Adquirida. ~성 면역 부전 =후천성 면역 결여. ~성 질병(性疾病) enfermedad *f* adquirida. ~성 체질 adiatesia *f*. ~적 ㉮ [생후에 얻어진 (것)] adquirido, postnatal, a posteriori. ¶~으로 a posteriori. ㉯ 【철학】 =아포스테리오리 (a posteriori). ~ 형질(形質) característica *f* adquirida.

후추 pimienta *f*, pimiento *m*, pimentón *m* (*pl* pimentones), pimienta *f* de Castilla.. ~ 빻는 기구 molino *m* de pimienta. 여문 [여물지 않은] 씨로 만든 ~ pimienta *f* blanca [negra]. ~를 치다 [뿌리다 · 양념하다] poner [echar] pimienta, sazonar [rociar] con pimienta, espolvorear con pimienta molida.
■ ~ 그릇 pimentero *m*. ~나무 pimiento *m*, pimientero *m*. ~병(甁) pimentero *m*. ~ 열매 grano *m* de pimienta. ~ 장수 pimentonero, -ra *mf*, vendedor, -dora *mf* de pimientos. ~ 제분기(製粉機) molinillo *m* de pimienta. ~통(桶) pimentero *m*. ~ㅅ가루 pimienta *f* molida, pimiento *m*, pimentón *m*.

후출하다 querer comer a causa del estómago vacío.

후충(候蟲) insectos *mpl* del tiempo, insectos *mpl* de la estación.

후취(後娶) segundas nupcias *fpl*; [사람] *su* segunda esposa. ☞재취(再娶)

후치사(後置詞) 【언어】 posposición *f*.

후탈(後頉) ① [아이를 낳은 뒤에 일어나는 잡병] enfermedad *f* de placenta, complicaciones *fpl* de parto. ☞후더침. ② [뒤탈] repercusiones *fpl*, secuelas *fpl*.

후터분하다 (ser) algo sofocante [bochornoso · pesado]. 후터분한 날씨 tiempo *m algo* bochornoso, tiempo *m* algo sofocante.

후텁지근하다 (ser) sofocante, caluroso, bochornoso, abochornado, sin ventilación. 후텁지근한 날씨 tiempo *m* sofocante, tiempo *m* bochornoso.
후텁지근히 sofocantemente, calurosamente, bochornosamente.

후퇴(後退) retroceso *m*; [자동차 등의] marcha *f* atrás; [퇴각(退却)] retirada *f*; [퇴보(退步)] regresión *f*. ~하다 retroceder, marchar [ir · volver] hacia atrás, retirarse, echarse para atrás; [말이] cejar. 경기(景氣)의 ~ retroceso *m* en la economía. 정부의 정책(政策)이 ~했다 La política del gobierno ha dado un paso atrás.

후파문하다 (ser) abundante, más que suficiente, considerable.

후패(朽敗) estropeamiento *m*. ~하다 estropear.

후편(後便) ① [뒤쪽] lado *m* de atrás. ② [나중의 인편이나 차편] próxima carta *f*, otra carta *f* que seguirá, próximo correo *m*. ~에 en la próxima carta, en otra carta que seguirá. ~으로 por próximo correo. ~에 상세히 설명드리겠습니다 Se lo explicaré detalladamente en la próxima carta.

후편(後篇) segunda parte *f*, parte *f* segunda; [3편 이상일 때] última parte *f*.

후폐(後弊) abuso *m* futuro.

후피향나무(厚皮香一) paquidermos *mpl*.

후하다(厚一) ① [인심이 두텁다] (ser) bondadoso, de buen corazón, amable, hospitalario. 그는 매우 ~ El tiene muy buen corazón / El es muy hospitalario. ② [두껍다] (ser) espeso, denso, grueso. ③ [인색하지 않다] (ser) generoso, liberal, cordial, indulgente, benévolo. 후한 대접 recepción *f* cordial. 후한 보수 recompensa *f* generosa. 점수가 ~ dar fácilmente buenas notas, ser indulgente en las calificaciones, ser un profesor benévolo.
후히 bondadosamente, amablemente, hospitalariamente; espesamente, densamente,

gruesamente; generosamente, liberalmente, cordialmente, indulgentemente, benévolamente.

후학(後學) ① [후진의 학자(學者)] estudioso, -sa *mf* [científico, -ca *mf*] más joven, los que estudiarán después. ② [장래에 도움이 될 학문] referencia *f*, información *f*. ~을 위하여 para referencia futura. ~을 위해서 알아 두자 Vamos a verlo para que nos sirva de referencia en el futuro.

후항(後項) ① [뒤에 있는 조항] cláusula *f* siguiente. ② 【수학】 consecuente *m*.

후행(後行) acompañante *mf* de un novio [de una novia].

후형질(後形質) 【생리】 metaplasmo *m*.

후환(後患) turbación *f* futura, confusión *f* futura, daño *m* posterior. ~을 남기다 sembrar la semilla de la fuente de males.

후회(後悔) arrepentimiento *m*, penitencia *f*; [양심의 가책] remordimiento *m*. ~하다 arrepentirse (de) (재귀형으로만 쓰임), pesar (간접 목적 대명사 me, te, le, nos, os, les와 함께 3인칭으로만 활용됨), tener remordimientos, penitenciarse, estar lleno de remordimiento, morderse las manos, darse de cabeza en la pared. ~하게 하다 remordar. 자신의 잘못을 ~하다 arrepentirse de *sus* culpas. 말했던 것을 ~하다 arrepentirse de haber dicho. 부주의했던 것을 ~하다 arrepentirse de *su* descuido. 내 행동을 ~하고 있다 Me arrepiento de mi conducta. 너는 이 일을 ~하게 될 것이다 ¡Te vas a arrepentir de esto! 이제는 ~해도 소용없다 Ahora ya es demasiado tarde para arrepentirte. 그 시합에 ~는 없다 Estoy satisfecho del partido. 너는 나중에 ~하리라는 것을 확신한다 Seguro que te vas a arrepentir después. 나는 그것을 산 것을 ~하지 않는다 No me pesa haberlo comprado. 나는 그것을 말하자마자 ~했다 Me arrepentí en cuanto lo dije. 네가 ~할 일은 아무것도 하지 마라 No hagas nada de lo que te puedas arrepentir. 사람은 누구나 늘 ~하는 법이다 Uno se arrepiente siempre.

■~막급(莫及) arrepentimiento *m* amargo, Siempre llega tarde el arrepentimiento. ~하다 arrepentirse amargamente.

후후 con un soplo, ~ 불다 seguir soplando. 뜨거운 국을 ~ 불다 soplar la sopa caliente.

후후년(後後年) año *m* después del que viene.

훅 ① [액체를 단숨에 세게 들이마실 때 나는 소리] con un sorbo. 국을 ~ 들이마시다 sorber la sopa. ② [입을 오므리고 한 번 세게 내부는 소리] con un soplo. 불을 ~ 불어 끄다 apagar el fuego con un soplo. ③ [높은 데를 가볍게 뛰어넘는 모양] ligeramente, levemente.

훅(영 *hook*) ① [갈고리] gancho *m*; [옷걸이용] percha *f*, gancho *m*; [낚싯바늘] anzuelo *m*. ② ((권투)) gancho *m*. 레프트 ~ gancho *m* de izquierda. 라이트 ~ gancho *m* de derecha. ③ ((골프)) hook *ing.m.*

훅하다 tener muchos deseos (de), tener muchas ansias (de) 그는 돈이라면 훅한다 El tiene muchos deseos de ganar dinero / El tiene muchas ansias de ganar dinero.

훅훅 ① [액체를 조금씩 계속해 마시는 소리] siguiendo sobiendo. 국을 ~ 불어 마시다 sorber la sopa. ② [김을 계속해 내부는 소리] siguiendo soplando.

훈(訓) traducción *f* coreana del carácter chino.

훈(暈) ① [색다른 빛으로 물건의 중심을 향해 고리처럼 둘린 테] halo *m*, anillo *m*, corona *f*. ② [그림·글씨의 획에서 번지는 먹의 흔적] borrón *m*, mancha *f* de tinta.

훈(勳) ① ((준말)) =훈공(勳功). ② ((준말)) =훈위(勳位). ¶~ 일등 primer grado *m* del mérito.

훈감하다 ① [맛이 진하고 냄새가 좋다] (ser) sabroso y aromático. ② [푸짐하고 호화롭다] (ser) abundante y lujoso.

훈계(訓戒) sermón *m*, amonestación *f*, consejo *m*, admonición *f*, advertencia *f*. ~하다 sermonear, amonestar, echar [largar · soltar] un sermón, aconsejar, dar consejo, prevener, adventir, exhortar.

■~ 방면(放免) liberación *f* después de admonición. ¶~하다 libertar después de admonición.

훈고(訓告) comentario *m*, anotación *f*. ~하다 comentar, anotar.

훈고(訓詁) exposición *f*, interpretación *f*, anotación *f*, [성경의] exégesis *f*.

■~학 exégesis *f*. ~학자 exegeta *m*.

훈공(勳功) mérito *m*, hazaña *f*, proeza *f*, acción *f* meritoria. ~이 있는 meritorio. ~을 세우다 hacer méritos.

훈기(勳記) diploma *m*, título *m* de condecoración.

훈기(薰氣) ① [훈훈한 기운] aire *m* templado. ② =훈김.

훈김(薰-) ① [연기나 김 등으로 생기는 훈훈한 기운] aire *m* cálido. 이 방은 사람의 ~으로 후텁지근하다 Esta sala está sofocante con tanta gente. ② [권세가의 그 세력] influencia *f*, poder *m*.

훈도(訓導) [일제 강점기 때, 초등학교의 교원] maestro, -tra *mf* de la escuela primaria.

훈도(薰陶) disciplina *f*, educación *f*, instrucción *f*, enseñanza *f*, guía *f*, formación *f*. ~하다 disciplinar, instruir, educar, formar. ~를 받다 ser educado (por), ser formado (por). A의 ~를 받고 공부하다 estudiar bajo la dirección benévola de A. A의 훌륭한 ~를 받다 recibir una buena formación de A.

훈독(訓讀) lectura *f* de los caracteres chinos con *su* pronunciación coreana. ~하다 leer los caracteres chinos con su pronunciación coreana.

훈등(勳等) grado *m* de(l) mérito.

훈련(訓練) disciplina *f* (교육 · 스포츠의), entrenamiento *m*, formación *f*, ejercicio *m*, adiestramiento *m*; [실습] práctica *f*, [군대의] instrucción *f*. ~하다 disciplinar (신체(身體)·마음을), entrenar (운동 선수·동물을), formar, ejercitar, adiestrar (군인을), enseñar (아이·동물을), capacitar (종업원·노동자를), amaestrar, instruir (군인을). ~할 수 있는 adiestrable. ~을 잘 받은 군대(軍隊) tropa *f* perfectamente (bien) entrenada. ~을 받다 recibir entrenamiento, entrenarse. 개를 ~하다 entrenar (a) un perro. 말을 ~하다 adiestrar un caballo. 태권도를 ~시키다 dar lecciones de taekwondo. 아이들에게 수영을 ~시키다 ejercitar a los niños en la natación. 그들은 ~이 부족하다 Les falta entrenamiento.

◆기술(技術) ~ entrenamiento *m* técnico. 전술(戰術) ~ entrenamiento *m* táctico. 합숙(合宿) ~ entrenamiento *m* de campamento.

■~ 교본 libro *m* de instrucción, manual *m* de instrucción. ~ 기간(期間) período *m* de entrenamiento. ~병(兵) soldado *m* de instrucción. ~ 비행(飛行) vuelo *m* de instrucción. ~ 사격 ejercicio *m* de tiro. ~선(船) buque *m* escuela. ~ 센터 centro *m* de formación, centro *m* capacitación. ~소 escuela *f* de instrucción, campo *m* de instrucción, campo *m* de entrenamiento; [스포츠의] lugar *m* de concentración. ~ 코스 curso *m* de formación, curso *m* de capacitación.

훈령(訓令) instrucciones *fpl*, precepto *m*, orden *m*. ~하다 instruir, ordenar, dar instrucción.

훈륜(暈輪) halo *m*, corona *f*, anillo *m*.

훈민정음(訓民正音) *Hunmincheongeum*, coreano *m*, lengua *f* coreana, idioma *m* coreano.

훈방(訓放) ((준말)) =훈계 방면(訓戒放免).

훈벌(勳閥) linaje *m* meritorio.

훈병(訓兵) ((준말)) =훈련병(訓鍊兵).

훈사(訓辭) palabra *f* admonitoria, instrucciones *fpl*.

훈수(訓手) insinuación *f*, indirecta *f*, ayuda *f* de la persona de fuera. ~하다 dar una insinuación, ayudar del lado.

■~ 팔단 Los espectadores ven más claro en el juego que los mismos jugadores.

훈시(訓示) instrucción *f*, admonición *f*. ~하다 instruir, amonestar.

훈신(勳臣) hombre *m* de estado de mérito, sujeto *m* meritorio.

훈약(薰藥) 【한방】 rapé *m* medicinal.

훈연(燻煙) ahumado *m*.

■~ 소독 fumigación *f*. ¶~하다 fumigar. ~ 소독기(消毒器) fumigador *m*. ~ 소독소 fumigatorio *m*. ~ 소독제 fumigante *m*.

훈영(暈影) 【사진】 halo *m*.

훈위(勳位) orden *f* de mérito, grado *m* de mérito, mérito y rango. ~ 1등 primer grado *m* de mérito. ☞훈(勳)

훈유(訓諭/訓喩) admonición *f*, exhortación *f*, consejo *m*, educación *f*. ~하다 admonestar, exhortar, consejar, educar.

훈육(訓育) instrucción *f*, educación *f*, enseñanza *f*, disciplina *f*. ~하다 instruir, educar, enseñar, disciplinar. ~상의 relativo a la educación, disciplinal, disciplinario.

훈육(燻肉) carne *f* ahumada; [생선] pescado *m* ahumado.

훈작(勳爵) el grado de mérito y el título de lord.

훈장(訓長) *hunchang*, maestro *m* de *gulbang* [escuela privada tradicional].

■훈장 똥은 개도 안 먹는다 ((속담)) La enseñanza es muy difícil.

■~질 ㉮ [훈장 노릇] enseñanza *f*, trabajo *m* de maestro. ㉯ ((속어)) =선생질.

훈장(勳章) orden *f*, cruz *f*, condecoración *f*. ~을 달다 ponerse una condecoración. ~을 달고 있다 llevar una condecoración. ~을 받다 recibir una condecoración, ser ilustrado con una condecoración, ser decorado con una cruz, ser condecorado. ~을 주다 [수여하다] condecorar, conceder [dar·otorgar] una condecoración. 장군은 ~을 받았다 El general fue condecorado con una cruz.

◆국민 ~ la Orden Nacional. 십자 대~ la Gran Cruz de la Orden.

훈전(訓電) instrucción *f* telegráfica. ~하다 instuir telegráficamente, enviar instrucción telegráfica.

훈제(燻製/薰製) ahumado *m*, ahumamiento *m*. ~하다 ahumar; [특히 고기를] acecinar. ~한 ahumado. ~는 고기를 보관하기에 좋다 El ahumado es excelente para la conservación de la carne.

◆청어 ~ arenque *m* ahumado.

■~ 연어 salmón *m* ahumado. ~품 carne *f* ahumada, pescado *m* ahumado.

훈증(燻蒸) ① [더운 연기에 쐬어서 찜] ahumado *m*. ~하다 ahumar. ② [해충 따위를 죽이기 위해 가스상 화학 혼합물을 분무하는 일] fumigación *f*. ~하다 fumigar. ~의 fumigatorio. ~하는 사람 fumigador, -dora *mf*.

■~ 소독(消毒) fumigación *f*, fumigación *f* desinfectante. ~ 소독기 fumigador *m*. ~제 fumigante *m*.

훈증하다(薰蒸-) hacer un calor espantoso, ser muy caliente, ser muy sofocante.

훈풍(薰風) brisa *f* bernal.

훈학(訓學) enseñanza *f* a los niños en la escuela privada tradicional.

훈화(訓話) admonición *f*, precepto *m*, consejo *m*, instrucción *f*.

훈훈하다(薰薰-) ① [견디기 좋을 만큼 덥다] [온도가] (ser) templado; [날씨가] apacible. 몸이 ~ estar muy caldeado, estrar echando bombas. 금년 겨울은 ~ Tenemos un invierno templado / Este invierno es [está] templado. ② [마음을 부드럽게 해 주는 따뜻한 감정이 있다] (ser) afectuoso, cordial, afable, de corazón tierno. 훈훈해지

다 emocionarse. 훈훈한 가정 hogar *m* alegre, hogar *m* feliz. 훈훈한 이야기 historia *f* emocionante. 훈훈한 환영 cordial bienvenida *f*. 그는 마음이 훈훈한 사람이다 El es un hombre de corazón afectuoso [acogedor]. 그는 가정의 훈훈함을 모른다 El no conoce la felicidad hogareña.
훈훈히 templadamente, apaciblemente. ~ 자다 acostarse bien abrigado. 몸을 ~ 하다 calentarse.

홀닦다 regañar, reprender, reñir. 가정부를 ~ repender [regañar · reñir] a la criada.

홀닦이다 regañarse, reprenderse, ser regañado, ser reprendido.

홀떡 ① [남김없이 벗어지거나 벗는 모양] rápido, rápidamente, completamente. ~ 벗고 completamente desnudo, en cueros (vivos). ~ 벗다 desnudarse, quitarse la ropa, desvestirse. ~ 벗어지다 pelarse, despellejarse. 가죽이 ~ 벗어지고 있다 Me estoy pelando [despellejando]. ② [남김없이 뒤집히거나 뒤집는 모양] enteramente, perfectamente. ③ [힘차게 뛰는 모양] rápido, rápidamente.

홀떡거리다 ① [신이 헐거워서 자꾸 벗어지려 하다] ser propenso a quitarse. ② [헐거워서 가만히 붙어 있지 않고 자꾸 움직이다] mover siempre sin apretar.

홀떡홀떡 sin apretar, flojamente, resbaladizamente, resbalosamente. 신이 ~ 벗어지다 los zapatos siguen quitándose siempre.

홀라 댄서(영 *hula dancer*) bailadora *f* de hula-hula.

홀라 댄스(영 *hula dance*) =홀라홀라 댄스. ¶~를 추다 bailar el hula-hula.

홀라들이다 ① [마구 힘차게 쑤시거나 훑다] trillar fuerte, pelar fuerte, desenvainar fuerte. ② [자주 드나들게 하다] dejar entrar y salir frecuentemente.

홀라후프(영 *hula-hoop*) Hula Hoop *m*.

홀라홀라 댄스(영 *hula-hula dance*) hula-hula *m*, baile *m* típico de Hawaii.

홀렁 completamente, desnudamente. ☞홀떡

홀렁거리다 quedar flojo [suelto · holgado · amplio]. 이 진바지는 허리가 홀렁거린다 Estos vaqueros me quedan flojos de cintura.
홀렁홀렁 sin apretar. ~하다 quedar flojo, quedar grande. 깃이 나에게는 ~하다 El cuello me queda flojo [grande].

홀렁이질 trilladura *f* fuerte, la entrada y la salida frecuentes.

홀렁이치다 seguir trillando fuerte, seguir entrar y salir frecuentemente.

홀렁하다 quedar flojo [holgado · suelto · ancho · amplio]. 이 옷은 나한테는 무척 ~ Este traje me queda muy flojo.

훌륭하다 ① [무엇을 한 결과 아주 좋아서 칭찬할 만하다] (ser) magnífico, excelente, espléndido, brillante, distinguido, maravilloso, extraordinario, estupendo, exquisito, delicioso, suntuoso, bueno, inteligente; [솜씨가] hábil, experto, diestro, genial; [성적 · 평가가] favorable. 훌륭한 그림 cuadro *m* maravilloso. 훌륭한 대답 contestación *f* hábil, contestación *f* genial. 훌륭한 생각 idea *f* estupenda. 훌륭한 선물(膳物) regalo *m* [obsequio *m*] espléndido, regalo *m* [obsequio *m*] precioso. 훌륭한 성공 éxito *m* extraordinario, éxito *m* maravilloso. 훌륭한 연회 banquete *m* exquisito, banquete *m* delicioso. 훌륭한 작품 obra *f* excelente. 훌륭한 저택 mansión *f* magnífica. 훌륭한 집 casa *f* suntuosa, casa *f* espléndida. 훌륭한 표현(表現) expresión *f* inteligente. 노래 솜씨가 ~ cantar bien. 장기 솜씨가 ~ ser un buen jugador de ajedrez, jugar muy bien al ajedrez. 이 집은 ~ Esta casa es magnífica. ~! ¡Bien! / ¡Bravo! / ¡Espléndido! / ¡Bien hecho! 네 시험 성적은 훌륭하지 못하다 No son buenas las notas de tu examen. 그의 평판은 그다지 훌륭하지 못하다 El no tiene buena reputación.
② [말이나 행실이 거의 완전하여 나무랄 곳이 없다] (ser) grande, eminente, importante; [존경할 만한] respetable, estimable. 훌륭한 사람 gran hombre *m* (*pl* grandes hombres). 훌륭한 집안 familia *f* respetable. 훌륭한 학자 gran estudioso, -sa *mf*; gran erudito, -ta *mf*. 훌륭한 사람이다 ser un gran hombre. 공부해서 훌륭한 사람이 되어라 Estudia y hazte un hombre importante. 그는 언젠가 훌륭한 사람이 될 것이다 Algún día él llegará a ser un hombre importante. 군대에서 제일 훌륭한 계급은 장군이다 El grado supremo en el ejército es el de general.
③ [마음에 흡족하도록 매우 아름답다] (ser) hermoso, bello, bonito, guapo. 훌륭한 경치(景致) paisaje *m* hermoso, vista *f* hermosa, escena *f* hermosa.
훌륭히 magníficamente, excelentemente, esplendidamente, brillantemente, maravillosamente, perfectamente bien. 그는 서반아어를 ~ 말한다 El habla español perfectamente bien.

훌리건(영 *hooligan*) [무뢰한] gamberro, -rra *mf*; vándalo, -la *mf*; *Méj* porro, -rra *mf*. ~들의 행위 gamberrismo *m*, vandalismo *m*, *Méj* porrismo *m*.
■~ 전담 경찰(專擔警察) antigamberro *m*, antihooligan *m*.

훌부드르르하다 (ser) bonito y suave.

훌부시다 ① [그릇 같은 것을 찌끼를 남기지 아니하고 깨끗하게 죄다 씻어 내다] enjuagar, aclarar, quitar. ② [그릇에 남긴 음식을 남기지 아니하고 부신 듯이 죄다 먹다] comerse. 떡 한 접시를 순식간에 ~ comerse un plato de *teok* en un abrir y cerrar de ojos [en un santiamén].

훌뿌리다 ① [마구 뿌리다] sacudir a quemarropa, sacudir a boca de jarro. ② [업신여겨 냉정하게 뿌리치다] rehusar [rechazar] rotundamente [categóricamente · de plano].

훌쩍[1] ① [거침새 없이 가볍게 날아 오르거나 단번에 뛰는 모양] ligeramente, ágilmente.

몸을 ~ 비키다 esquivarse ligeramente. 담장을 ~ 뛰어넘다 saltar ligeramente la cerca. ~ 말에 오르다 montar ágilmente (a horcajadas) al caballo. ~ 창에서 뛰어내리다 saltar legeramente de [por] la ventana al suelo. ② [적은 양의 액체를 남김없이 들이마시는 모양] de un trago. ~ 들이마시다 beberse [tomarse] de un trago. ③ [흘러내리는 콧물을 들이마시는 모양] con una moquita, con un moco.

훌쩍거리다 [액체를] beborrotear, echar sorbitos, echar traguitos, echar copitas, ensopar, sorber, beber a sorbitos, libar, empapar; [울다] sollozar, gimotear; [코를] sorberse los mocos, sorber por las narices, aspirar con la nariz, seguir sorbiendo la nariz. 훌쩍거리며 울다 sollozar. 훌쩍거리는 울음소리 sollozo *m*. 코를 훌쩍거리지 마라 ¡No hagas ese ruido con la nariz! / ¡No te sorbas la nariz!

훌쩍이다 ㉮ [가볍게 거침새 없이 날아 오르다] subir volando ligeramente. ㉯ [적은 분량의 액체를 들이마시다] sorber poco a poco. ㉰ [콧물을 들이마시면서 느끼어 울다] llorar a moco tendido.

훌쩍훌쩍 [마실 것을] a sorbos, a sorbitos; [코를] a moco tendido. ~ 마시다 beber a sorbos, beber a sorbitos, sorber. ~ 울다 sollozar, llorar en silencio, llorar hasta hincharse los carrillos, llorar a moco tendido, llorar sin parar. 커피를 ~ 마시다 beber [tomar] el café a sorbos, sorber el café.

훌쩍² [망설이지 않고 표연히 떠나는 모양] sin fin fijo, al azar. ~ 떠나다 salir sin fin fijo.

훌쭉하다 ① [몸피는 가늘고 길이는 길다] (ser) delgado y larguirucho. 그는 키가 ~ El crece delgado y larguirucho. ② [끝이 뾰족하고 길이는 길다] (ser) puntiagudo y largo. ③ [몸이 여위어 가늘게 보이다] (ser) delgado, esbelto, fino. ④ [(속이 비어) 안으로 우므러져 있다] (estar) hueco.

훌쭉히 delgadamente, esbeltamente, finamente, huecamente.

훌훌 ① [날짐승이 날개를 가볍게 치며 얕게 나는 형용] revoloteando ligeramente, aleteando ligeramente. 새가 ~ 날아갔다 El pájaro se alejó aleteando. ② [동안을 띄어 날듯이 뛰는 모양] saltando ligeramente. 사슴이 ~ 재를 넘어간다 El ciervo salta ligeramente por el cerro. ③ [가벼운 물건을 계속 멀리 던지는 모양] siguiendo lanzando, siguiendo arrojando. 짐짝을 ~ 던지다 seguir lanzando el equipaje. ④ [옷 따위를 연해 떠는 모양] sacudiendo. 옷자락을 ~ 털며 일어서다 levantarse sacudiendo la ropa. ⑤ [옷 따위를 거침새 없이 벗어부치는 모양] quitánndose. 옷을 ~ 벗다 quitarse la ropa. ⑥ [묽은 죽 따위를 시원스럽게 들이마시는 모양] de un trago. ~ 들이마시다 beberse [tomarse] de un trago. ⑦ [불이 시원스럽게 타오르는 모양] en llamas. 장작이 ~ 탄다 Las leñas suben en llamas.

훌훌하다 (ser) suave, acuoso.

훑다 ① [겉에 붙은 것을 훌라들여 떼어 내다] trillar [apalear] grano. desgranar. 벼이삭을 ~ trillar las espigas del arroz. ② [속에 붙은 것을 부시어 내다] remover, tirar de una cosa entre un puño o un espacio. 오징어 속을 훑어내다 remover las entrañas de un calamar. ③ [한쪽에서부터 죽 더듬거나 살피다] acariciarse con una mano, atusarse. 수염을 ~ acariciarse la barba con una mano, atusarse la barba.

훑어보다 inspeccionar, examinar, mirar, escudriñar, ojear. 사람을 위아래로 ~ mirar a *uno* de arriba abajo. 나는 그녀의 얼굴을 훑어보았다 Yo le escudriñé el rostro.

훑이 instrumento *m* para trillar.

훑이다 ① [부풋하고 많던 것이 다 빠져서 졸아들다] [살이] contraerse; [옷 · 천이] encogerse; [고기가] achicarse; [나무 · 금속이] contraerse. ② [옭힘을 당하여 헝클어지다] enredarse. 머리카락이 ~ enredársele el pelo. ③ [「훑다」의 피동으로, 훑음을 당하다] ser trillado.

훔척거리다 ① [보이지 않는 데에 있는 것을 찾으려고 계속 더듬어 뒤지다] buscar a tientas (y a ciegas), revolver, hurgar. 그는 어둠 속에서 무언가를 훔척거렸다 El buscaba algo a tientas y a ciegas en la oscuridad. 그녀는 호주머니를 훔척거렸다 Ella revolvió [hurgó] en sus bolsillos. 나는 자물통을 훔척거렸다 Yo busqué a tientas la cerradura. ② [흐르는 눈물을 마구 이리저리 씻다] secar *sus* lágrimas, enjugar *sus* lágrimas.

훔쳐내다 ① [물기가 묻은 것을 깨끗이 닦아내다] enjugar(se), pasar*le* un trapo (a), limpiar la boca con agua, borrar, lavar, quitar. 먼지를 ~ limpiar el polvo. 걸레로 물을 ~ enjugar el agua con trapo. ② [남의 눈을 속여 물건을 후무려 내다] robar, hurtar, pillar, afanarse. ③ [보이지 않는 데의 것을 손으로 더듬어 잡아내다] buscar a tientas (y a ciegas).

훔쳐때리다 pegarle (a), darle una paliza (a). 사람들은 그녀를 무섭게 훔쳐때렸다 Le dieron tremenda paliza / Le pegaron brutalmente.

훔쳐먹다 comer lo que ha hurtado, hurtar ilícitamente, apropiar(se) ilícitamente, desfalcar, malversar 훔쳐먹는 맛이 그만이다 No hay mejor bocado que el hurtado. .

훔쳐보다 ① [몰래 엿보다] asomarse a mirar, mirar (a hurtillas), echar un vistazo, espiar, atisbar, *RPl* vichar. 훔쳐보지 마라 No mires / *RPl* No viches. 그녀는 창문으로 가서 훔쳐보았다 Ella se acercó a la ventana y se asomó a mirar. 그는 커튼을 통해 나를 훔쳐보았다 El me espiaba [me atisbaba] a través de la cortina / *RPl* El me vichaba a través de la cortina. ② [남모르게 흘깃흘깃 보다] hurtar a hurtadillas, echar una ojeada oculta, lanzar miradas furtivas (a), mirar disimuladamente. 공책을 ~ echar furtivamente una mirada a los apuntes.

훔치개질 ① [물기 따위를 훔쳐 닦는 짓] enjugadura *f*, limpiadura *f*, lavadura *f*. ② [남몰래 물건을 후무려 가지는 짓] hurto *m*, robo *m*, pillaje *m*.

훔치다 ① [걸레·행주 따위로 깨끗이 씻어 내다] enjugar(se), limpiar, lavar, quitar, borrar. 이마의 땀을 ~ enjugarse el sudor de la frente. 바닥에 쏟아진 물을 ~ enjugar el agua vertida en el suelo. ② [물건을 후무려 갖다] robar, ratear, hurtar, pillar; [눈을 속이다] escamotear; [착복하다] desfalcar, malversar. 돈을 ~ robar dinero. ③ [보이지 않는 데의 것을 잡으려고 손으로 더듬다] buscar a tientas (y a ciegas). ④ =훔쳐때리다. ⑤ [논밭을 맨 뒤 얼마 후에 손으로 풀을 뜯어내다] desherbar.

훔켜잡다 agarrar firmemente. 그는 내 팔을 훔켜잡았다 El me agarró firmemente del brazo.

훔켜쥐다 =훔켜잡다.

훔파다 acanalar.

훔패다 ser acanalado, acanalarse.

훔훔하다 demostrar la cara de satisfacción.

훗국(後−) segunda sopa *f*.

훗날(後−) días *mpl* futuros, algún día *m*, otro día *m*. ~에 en el futuro, más tarde, más adelantado.

훗달(後−) mes *m* próximo, mes *m* que viene.

훗배앓이(後−) complicaciones *fpl* [dificultades *fpl*] después de parto.

훗사람(後−) posteridad *f*, generación *f* futura.

훗시집가다(後−) casarse por segunda vez.

훗일(後−) futuro *m*, provenir *m*. ☞뒷일

훗훗하다 hacer calor desagradable [molesto]. 날씨가 훗훗하기 시작했다 Empezaba a hacer un calor desagradable [molesto].
훗훗이 haciendo calor desagradable.

훙거(薨去) muerte *f*, fallecimiento m. ~하다 morir, fallecer.

훙서(薨逝) =훙거(薨去).

훙어(薨御) =훙거(薨去).

훤당(萱堂) *su* madre.

훤소하다(喧騷−) tener [meter] mucho ruido.

훤칠하다 (ser) alto. 훤칠한 키 estatura *f* alta. 훤칠한 여자 mujerona *f*. 훤칠하게 뻗다 medrar bien.
훤칠히 altamente.

훤하다 ① [광선이 비쳐 조금 흐릿하게 밝다] (ser) gris, despejado, claro. 훤한 하늘 cielo *m* despejado, cielo *m* claro. 날이 훤해질 때 al clarear [despuntar] el día. ② [앞이 탁 트여 넓고 멀다] (estar) libre, despejado, extenso, abierto. ③ [무슨 일의 조리나 속내가 뚜렷하다] estar familiarizado (con). ④ [얼굴이 맑게 잘생겨 시원스럽다] (estar) guapo, (ser) brillante, inteligente, listo. 신수가 훤하십니다 Tú estás guapísimo / [여자에게] Tú estás guapísima.

훤화(喧譁) alboroto *m*, tumulto *m*. ~하다 alborotar, tumultuarse.

훨떡 =홀떡.

훨썩 sin lugar a dudas, con mucho, de lejos. 그는 ~ 나은 선수다 El es sin lugar a dudas [con mucho] el mejor jugador / *AmL* El es de lejos el mejor jugador. 그녀는 나머지보다 ~ 낫다 Ella es muchísimo mejor que el resto. 그들의 팀은 ~ 나빴다 Su equipo fue con mucho el peor / *AmL* Su equipo fue de lejos el peor.

훨씬 ① [정도 이상으로 매우 많거나 적게] mucho, mucho más, mucho menos, con mucho, de muy distinto modo, notablemente, considerablemente, en alto grado. ~ 못하다 ser mucho inferior. 그보다 ~ 위다 ser mucho superior que él. 이것이 ~ 낫다 Esto es mucho mejor. 그녀는 나보다 ~ 연하(年下)다 Ella es mucho menor que yo. 내가 그 사람보다 ~ 연상(年上)이다 Yo soy mucho mayor que él. ② [공간적으로] lejos. ~ 저편에 a gran distancia, a lo lejos, allá a lo lejos, en lontananza. ~ 멀리에서 de muy lejos, muy de lejos. 한국의 ~ 남쪽에서 muy lejos al sur de Corea. 여기서부터 숲이 ~ 더 멀리까지 펼쳐지고 있다 Desde aquí se extiende el bosque hasta perderse en la lejanía. ③ [시간적으로] mucho. ~ 이전에 hace mucho (tiempo). ~ 이전부터 desde hace mucho tiempo. ~ 뒤에 mucho tiempo después, mucho más tarde.

훨쩍 ① [문 따위가 한껏 시원스럽게 열린 모양] bien, completamente, totalmente. 입을 ~ 벌리십시오 Abra bien la boca / Abra grande. ② [넓고 시원스럽게 멀리 트인 모양] extensamente, vastamente, ampliamente.

훨찐 ① [들 따위가 아주 시원스럽게 벌어진 모양] muy extensamente. ② =훨쩍.

훨훨 ① [부채 따위로 바람을 매우 시원스럽게 일으키는 모양] con brío, vigorosamente. ② [불길이 세차게 타오르는 모양] en llamas, vigorosamente. ③ [큰 날짐승이 높이 떠서 시원스럽게 날아가는 모양] aleteando, revoloteando. ~ 날다 aletear, revolotear. 새가 ~ 날아갔다 El pájaro se alejó aleteando. 새가 ~ 날아가기 시작했다 El pájaro echó a volar batiendo las alas. 독수리가 날개를 치면서 ~ 날아갔다 El águila echó a volar con un batir de alas / El águila echó a volar dando un aletazo. ④ [옷을 거침없이 벗어젖히는 모양] completamente, desnudamente. 옷을 ~ 벗다 desnudarse completamente.

훼기(毁棄) devastación *f*, demolición *f*, derribo *m*, destrozo *m*, destrucción *f*; 【법률】 injuria *f* voluntaria, injuria *f* maliciosa. ~하다 demoler, derribar, echar abajo, desttruir, destrozar, devastar, injuriar voluntariamente. 정부 재산(政府財産)의 ~ injuria *f* voluntaria a la propiedad del gobierno.

훼방(毁謗) ① [남을 헐뜯어 비방함] calumnia *f*, denigración *f*, infamación *f*. ~하다 calumniar, denigrar, infamar, hablar mal. ② [남의 일을 방해함] interrupción *f*, obstáculo *m*. ~하다 interrumpir, estorbar, impedir. (계획을) ~하지 마라 No me fastidies los planes.
◆훼방(을) 놓다[치다] salir al paso, fastidiar*le* los planes (a). 훼방 놓지 마라 No seas aguafiestas / No fastidies los planes
■ ~꾼 ㉮ [비방자] calumniador, -dora *mf*, difamador, -dora *mf*. ㉯ [방해자] aguafiestas *mf.sing.pl*.

훼살 ((변한말)) =훼사(毁事).
◆훼살(을) 놓다 interrumpir.

훼상(毁傷) injuria *f*, daño *m*, perjuicio *m*. ~하다 injuriar, agravar, dañar.

훼손(毁損) ① [체면·명예를 손상함] difamación *f*, menoscabo *m*. ~하다 difamar, herir, lastimar, viciar, menoscabar. ~된 perjuicado. 명예(名譽) ~ difamación *f*. 명예를 ~시키다 deshonar, herir [lastimar] el honor. ② [헐거나 깨뜨려 못쓰게 함] daño *m*, perjuicio *m*. ~하다 dañar, perjudicar.

훼언(毁言) calumnia *f*, difamación *f*. ~하다 calumniar, difamar.

훼예(毁譽) alabanza y crítica. ~하다 alabar y criticar.

훼절(毁節) privación *f* de integridad. ~하다 privarse de la integridad.

훼파(毁破) destrucción *f*, demolición *f*. ~하다 destruir, demoler.

휑뎅그렁하다 ① [속이 비고 넓기만 하여 매우 허전하다] (estar) desierto, vacío. 방이 ~ La habitación está desierta. ② [넓은 곳에 물건이 얼마 없어 거의 빈 것 같다] (estar) vacío, desierto. 가구가 없어 방이 ~ La habitación está vacía de muebles. 열차가 ~ El tren está vacío. 호텔이 ~ El hotel está desierto.

휑하다 ① [(사물의 이치나 학문 따위에) 막힘이 없이 두루 통하여 알고 있다] estar familiarizado (con), ser muy versado (en). 문학에 ~ estar muy versado en la literatura. 역사에 무척 휑한 사람 hombre *m* muy versado en la historia. ② [(구멍 따위가) 매우 밝고 시원스럽게 뚫려 있다] ser hueco. 벽이 ~ El muro es hueco. 구멍이 휑하게 뚫려 있다 Hay un agujero muy grande. 가슴이 휑하게 트인다 Me siento muy fresco. ③ ((준말)) =휑뎅그렁하다.

휘 ① [센 바람이 가늘고 긴 물건에 부딪쳐 나는 소리] silbando, aullando, con un silbido. 바람이 ~ 불었다 El viento silbó. 바람이 솔밭을 ~ 불고 간다 El viento aúlla [silba] a través del bosque de pino. ② ㉮ [숨을 한꺼번에 세게 내쉬는 소리] ㉯ [한숨을 쉬는 소리] suspirando, con un suspiro. ~ 한숨 쉬며 con un suspiro. ~ 한숨을 쉬다 suspirar. 나는 ~ 하고 안도의 한숨을 쉬었다 Yo suspiré aliviado.

휘(諱) nombre *m* póstumo.

휘(徽) trece piezas de madreperla del *gomungo*.

휘(揮) ① =휘두르다. ② [(액체를) 뿌리다] rociar, pulverizar. ③ [지휘하다] mandar, dirigir. ④ [대장기(大將旗)] estandarte *m* del general.

휘(輝) ① [(찬란한) 빛] luz *f* brillante. ② [빛나다. 광휘(光輝)를 발휘하다] resplandecer, brillar.

휘갈(揮喝) mandato *m* en voz alta. ~하다 mandar en voz alta.

휘갈기다 pegar blandiendo. 휘갈겨 쓰다 escribir de prisa, escribir en la letra corrida, escarabajear, escribir en letras mal formadas.

휘감기다 ① [휘둘러 감기다] enredarse (a · con · en), trepar (por), abrazar. 덩굴이 나무에 휘감긴다 La zarcilla se enreda en el árbol. 담쟁이덩굴이 벽에 휘감겨 있다 La yerba trepa por la pared. 나는 발에 줄이 휘감겨 넘어졌다 Me caí porque se me enredó al pie una cuerda. 붕대가 무척 단단히 휘감겼다 Tenía la venda muy apretada. ② [정신이 휘둘리다] confundirse.

휘감다 ovillar, devanar, enroscar (alrededor de), enrollar (alrededor de). 필름을 ~ (hacer) correr la película. 테이프를 ~ rebobinar la cinta. 뱀이 가지를 휘감았다 La serpiente se enroscó alrededor de la rama. 어부가 낚싯줄을 휘감았다 El pescador fue cobrando sedal.

휘갑쇠 metal *m* de hacer dobladillo.

휘갑치기 dobladillo *m*, *Chi* basta *f*.

휘갑치다 ① [피륙·멍석·돗자리 등의 가를 얽어서 둘러 감아 꿰매다] hacer*le* el dobladillo [*Chi* la basta] (a). ② =휘갑하다. ③ [더는 말 못하게 말막음하다] hacer callar, acallar, echar tierra (sobre), correr un velo (sobre). ④ [어려운 일을 임시변통으로 꾸며 피하다] resolver, solucionar, esclarecer, aclarar, disponer (de). 일을 ~ poner *sus* asuntos en orden.

휘갑하다 =휘갑치다❹.

휘기(諱忌) ocultación *f*. ~하다 ocultar.

휘날리다 ① [깃발·피륙 등이 바람에 펄펄 거세게 날리다] ondear, agitarse. 바람에 돛이 휘날림 el batir [el golpeteo] de las velas con el viento. ② [거세게 펄펄 나부끼게 하다] hacer ondear fuertemente. ③ [명성·이름 등을 몹시 널리 떨치다] resonar la fama, resonar la reputación.

휘늘어지다 inclinarse, dejar caer. 휘늘어진 버들 sauce *m* llorón. 허리까지 휘늘어진 검은 머리 el pelo negro inclinado hasta la cintura. 그녀의 머리가 내 어깨 위에 휘늘어졌다 Ella dejó caer su cabeza sobre mi hombro.

휘다[1] ((준말)) =휘어지다.

휘다[2] ① [꼿꼿하던 것이 구부러지다] arquear, encorvar, doblar, curvar, combar, torcer (나무가), encorvarse hacia atrás (뒤에). 휨 curvatura *f*, comba *f*, corvadura *f*, [목재의] torcedura *f*. ② [휘어지게 하다] hacer arquear, hacer encorvar, hacer curvar. ③ [남의 의기를 꺾어 제게 굽히게 하다] ceder (a). 의지를 ~ ceder a *su* voluntad. 욕망을 ~ ceder a *sus* deseos. 그는 그녀의 의지를 휘었다 El cedió a su voluntad.

휘달리다 ① [급한 걸음으로 빨리 달아나다] huir a todo correr, ir a toda velocidad. 자동차가 휘달린다 El coche va a toda velocidad. ② =시달리다.

휘도(輝度) 【물리】 luminosidad *f.*

휘돌다 girar, dar vueltas alrededor [circularmente]. 물레방아의 날개가 쉬지 않고 휘돌았다 Las aspas del molino giraban sin parar.

휘돌리다 girar, dar vueltas alrededor.

휘동광(輝銅鑛) 【광물】 calcocita *f*, cobre *m* sulfurado vidrioso.

휘두들기다 golpear, apalear, aporrear, dar*le* una paliza (a).

휘두르다 ① [무엇을 잡고 둥글게 휘휘 돌리다] blandir, esgrimir, agitar, florear. 곤봉을 ~ blandir un palo. 라켓을 ~ blandir la raqueta, practicar blandiendo la raqueta. 창을 ~ blandir la lanza. 칼을 ~ blandir el sable. ② [정신을 차릴 수 없도록 얼을 빼놓다] confundir, desconcertar, dejar perplejo. ③ [남의 의사를 무시하고 제 뜻대로만 하다] abusar (de). 권한을 ~ abusar de *su* autoridad.

휘둘리다 estar confundido.

휘둥그러지다 sorprender*le* mucho a *uno*, extrañar*le* mucho a *uno*, asustarse por un ruido. 놀라서 눈이 ~ quedarse mirando sorprendido.

휘둥그렇다 estar con los ojos muy abierto (con sorpresa).

휘둥그레지다 estar con los ojos muy abiertos. 휘둥그레진 눈을 하고 con los ojos muy abiertos, con (los) ojos como platos.

휘뚜루 de forma muy diversa, diversamente, por separado, individualmente. ~ 쓰이다 tener usos diversos.

휘뚜루마뚜루 al azar.

휘뚝거리다 ① [넘어질 듯 넘어질 듯 자꾸 흔들리다] tambalearse, (ser) inseguro; [바퀴가] bailar; [의자가] tambalearse. 휘뚝거리게 하다 mover, bambolear. 굽 높은 신을 신고 ~ tambalearse con los zapatos de tacón. 그는 휘뚝거리면서 계단을 내려갔다 El bajó la escalera tambaleándose. 이 바퀴는 약간 휘뚝거린다 Esta rueda baila un poco. 그는 휘뚝거리면서 걸었다 El se tambaleaba al caminar. 내 발이 휘뚝거린다 Me tiemblan las piernas. 책상 다리가 휘뚝거린다 Se tambalean las patas de la mesa. 탁자를 휘뚝거리게 하지 마라 Deja de mover [bambolear] la mesa. ② [일이 위태위태하여 마음을 놓을 수 없는 고비에 서다] estar [ponerse] nervioso. 그 여자는 무척 휘뚝거린다 Ella se pone nerviosísima.

휘뚝휘뚝 tambaleándose, inseguramente, vacilantemente. ~ 걷는 노인 un viejo de andar vacilante. ~한 발디딤 los pasos inseguros.

휘뚤휘뚤 serpenteando. ~하다 (ser) serpenteante, sinuoso, serpentear. 길이 ~하다 El camino está serpenteando. 우리는 ~한 길로 그들을 따라갔다 Los seguimos por el laberinto de calles.

휘말다 ① [마구 휘어 감아 말다] devanar [ovillar] sin la debida atención. ② [옷 따위를 적셔 더럽히다] hacer mojado y sucio, estropear, arruinar.

휘몰다 ① [절차·격식에 좇지 않고 결과만 서둘러 급히 하다] animar, alentar, acelerar, meter*le* prisa (a), apurar. 자동차를 휘몰아 현장으로 급행하다 correr a toda prisa a la escena en un coche. ② [마구 휘어잡아 몰다] espolear. 말을 ~ espolear un caballo.

휘몰아치다 bramar, rugir. 세찬 바람이 밤새도록 휘몰아쳤다 Un viento furioso bramó [estuvo desencadenado] toda la noche. 한풍(寒風)이 휘몰아친다 Un viento glacial ruge [brama].

휘묻이 acodo *m.* ~하다 acodar. 포도나무는 ~로 자주 번식된다 La vid se suele multiplicar por acodo.

휘발(揮發) volatilización *f.* ~하다 volatilizarse, evaporarse.

■ ~기 carburador *m.* ~물 componentes *mpl* volátiles. ~성(性) volatilidad *f.* ~유 aceite *m* volátil, aceite *m* esencial, nafta *f*, bencina *f*, gasolina *f.* ¶이 차는 ~를 참 많이 소비합니다 Este coche es una esponja / Este es un coche que consume mucha gasolina.

휘보(彙報) ① [여러 가지를 종류에 따라 모은 보고. 또, 그 기록] colección *f* enumerada de informes. ② =잡지(雜誌)(revista).

휘비스무트광(輝 Bismut 鑛) bismutinita *f.*

휘석(輝石) 【광물】 piroxena *f.*

휘선(輝線) 【물리】 línea *f* brillante.

휘슬(영 *whistle*) ① [휘파람] silbido *m*; [큰] chiflido *m.* ② [호루라기] silbato *m*, pito *m*, pitido *m.* ~을 불다 tocar un silbato, tocar un pito, pitar. ~에 따라 경기를 진행하다 atender al silbato. ~에 따라(서만) 진행하세요 ¡Atiendan sólo al silbato!

◆종료(終了) ~ silbato *m* final.

휘안광(輝安鑛) 【광물】 estitina *f.*

휘양(揮一) gorro *m* para la protección contra el frío.

휘어가다 correr serpenteando.

휘어넘어가다 ser engañado, caer por las artimañas de otro.

휘어대다 dar un empujón para que entre (en), meter(se).

휘어들다 ser metido (en).

휘어박다 ① [조금 높은 곳에서 함부로 넘어뜨리다] tirar, echar abajo. ② [굴복하도록 함부로 다루다] doblegar, humillar, someter, sujetar, subyugar.

휘어박히다 ① tirarse, echarse abajo. ② [굴복하다] ceder, rendirse.

휘어잡다 ① [꾸부려 거머잡다] agarrar. 세게 ~ tener firmemente agarrado. ② [억센 사람을 손아귀에 넣고 마음대로 부리다] controlar, dominar, tener (a *uno*) agarrado por las narices, manejar (a *uno*) a *su* antojo, tener (a *uno*) metido en un puño.
휘어잡히다 ser dominado. 휘어잡혀 있다 estar dominado (por).

휘어지다 encorvarse, curvarse, doblarse, plegarse, torcerse; [궁형(弓形)으로] arquearse; [판자 따위가] combarse. 휘어지기 쉬운 flexible. 책장이 책의 무게로 휘어져 있다 El estante está inclinado [torcido · derrengado] por el peso de los libros. 가지가 눈의 무게 때문에 휘어진다 La rama se curva por [cede bajo] el peso de nieve. 가지가 열매의 무게 때문에 휘어졌다 Se encorvaron las ramas por el peso de los frutos. 가지가 휘어지도록 열매가 열려 있다 Las ramas están cargadas [cuajadas] de frutas. 나무들이 바람에 휘어진다 Los árboles se agitan al viento.

휘영청 brillantemente, de lleno. ~ 밝은 달 luna *f* llena argentina. 달이 ~ 밝다 La luna cae de lleno.

휘우듬하다 (estar) algo curvado [doblado · encorvado · torcido].

휘우뚱 tambaleándose. ~하다 tambalearse. 노인은 ~하면서 우리에게 다가왔다 El viejo se nos acercó tambaleándose. 공화당 정권이 ~한다 El régimen está a punto de caer.
휘우뚱거리다 seguir tambaleándose.
휘우뚱휘우뚱 tambaleándose (y tambaleándose).

휘움하다 estar inclinado [torcido · derrengado · combado · arqueado] un poco.

휘은광(輝銀鑛) **【광물】** argentita *f*.

휘장(揮帳) cortina *f*, telón *m* (*pl* telones). ~을 열다 descorrer la cortina. ~을 치다 correr la cortina.

휘장(徽章) insignia *f*, emblema *m(f)*, divisa *f*, escarapela *f*; [둥근 안전핀이 있는] chapa *f*, placa *f*, *AmL* botón *m* (*pl* botones); ((운동)) logo *m*, logotipo *m*. 학교의 ~을 달다 ponerse na escarapela de la escuela.
◆경찰 ~ placa *f* [chapa *f*] de policía.

휘적거리다 balancear, bambolear, hacer dar vueltas en el aire. 팔을 앞뒤로 휘적거리십시오 Balancee los brazos hacia atrás y hacia adelante. 그들은 팔을 휘적거리며 걸었다 Ellos caminaban erguidos / Ellos caminaban con aire arrogante. 그는 팔을 휘적거리며 바에 들어갔다 El entró en el bar con aire arrogante.
휘적휘적 con aire arrogante. ~ 걷다 caminar [andar] con aire arrogante. 선원들은 온 시내를 ~ 걸어 다녔다 Los marineros anduvieron pavoneándose por toda la ciudad.

휘적시다 hacer humedecerse sin la debida atención.

휘젓다 ① [골고루 섞이도록 마구 젓다] agitar, avivar, atizar, batir, remover, hurgar. 불을 ~ avivar [atizar · hurgar] la lumbre [el fuego]. 계란을 ~ batir los huevos. 커피를 ~ remover el café. 크림을 ~ batir la crema. 휘저어 뒤섞다 mezclar batiendo, batir, revolver. 휘저어 찾다 escarbar, voltear. 땅을 휘저어 찾다 cavar y remover la tierra, cavar y revolver la tierra, escarbar la tierra, voltear la tierra. 계란을 휘저어 뒤섞다 batir los huevos. 샐러드를 휘저어 뒤섞다 mezclar la ensalada. 시멘트를 휘저어 뒤섞다 revolver el cemento. 암탉이 먹이를 찾기 위해 땅을 휘저었다 La gallina escarbó la tierra para buscar su alimento. ② [뒤흔들어서 어지럽게 만들다] perturbar. 회의를 ~ perturbar la reunión. 회사 안을 ~ causar disturbios en la compañía.

휘젓거리다 remover, revolver, mezclar, confundir.

휘주근하다 ① [몹시 지쳐서 몸을 못 가눌 정도로 맥이 없다] (estar) lánguido, pálido, pesar como (un) plomo. 휘주근해지다 estar muerto de cansancio. 나는 다리가 휘주근했다 Las piernas me pesaban como (un) plomo. ② =후줄근하다.

휘주무르다 manosear, tentar repetidamente, tocar repetidamente.

휘지다 (estar) agotado, exhausto, reventado.

휘지르다 ensuciar, manchar. 바지를 ~ ensuciar [manchar] los pantalones.

휘지비지(諱之秘之) respuesta *f* evasiva, silencio *m*. ~하다 responder evasivamente, acallar, echar tierra (sobre), correr un velo (sobre), guardar un secreto. 결과를 ~해 버리다 confundir. 그는 결과를 ~해 버리려고 애쓰고 있다 Lo que él quiere es confundir.

휘질(諱疾) ocultación *f* de la enfermedad. ~하다 ocultar la enfermedad.

휘집(彙集) colección *f*. ☞유취(類聚)

휘청거리다 ① [가늘고 긴 물건이 잇따라 휘어지며 느리게 흔들리다] (ser) flexible, suave, sacudirse, zarandearse. ② [아랫도리에 힘이 없어 똑바로 가누지 못하고 좌우로 빗나가다] tambalearse, debilitarse, vacilar, titubear. 다리가 ~ no estar firme en *sus* piernas. 피로로 ~ estar agotado [rendido] de fatiga. 그는 다리를 휘청거린다 Se le tambalean las piernas. 나는 술에 취해 다리를 휘청거린다 Me tambalean los pies por la borrachera. 나는 휘청거리면서 방으로 들어갔다 Yo entré en la habitación tambaleándose [haciendo eses].
휘청휘청 tambaleantemente, vacilantemente, inseguramente, titubeantemente.

휘추리 rama *f* fina y larga, varilla *f*.

휘코발트광(輝 cobalt 鑛) cobaltina *f*.

휘파람 silbido *m*; [큰] chiflido *m*; [심판의 호각에 의한] silbato *m*, pitido *m*.
◆휘파람(을) 불다 silbar; [크게] chiflar; [심판이] pitar. 휘파람을 불어 개를 부르다 silbar para llamar al perro.

휘파람새 **【조류】** ruiseñor *m*, filomela *f*.

휘필(揮筆) ＝휘호(揮毫).

휘하(麾下) tropas *fpl* bajo el mando (de), vasallo *m*. ～의 군대(軍隊) soldados *mpl* [hombres *mpl*] bajo el mando (de). ～의 군대를 이끌고 con *sus* hombres, con *sus* soldados, con *sus* huestes.

휘하다(諱－) evitar mencionar, evitar usar, rechazar, rehusar. 임금의 이름을 ～ evitar mencionar [usar] el nombre del rey.

휘호(揮毫) pintura *f*, escritura *f*, dibujo *m*. ～하다 pintar, escribir, dibujar.
■ ～료(料) honorarios *mpl* de pintura.

휘황찬란하다(輝煌燦爛－) ① [광채가 빛나서 눈이 부시다] (ser) resplandeciente, brillante, irisado, iridiscente. 휘황찬란함 resplandor *m*, resplandecimiento *m*, brillantez *f*, irisación *f*, iridiscencia *f*. ② [행동이 보기에 야단스럽다] (ser) camaleónico, poco fidedigno, veleidoso, inconstante, voluble.

휘황하다(輝煌－) ((준말)) ＝휘황찬란하다.

휘휘 ① [여러 번 휘어 감는 모양] alrededor y alrededor. ～ 감다 enroscar *algo* alrededor (de), enrollar *algo* alrededor (de). 뱀이 나뭇가지를 ～ 감는다 La serpiente se enrosca alrededor de la rama. ② [이리저리 휘두르는 모양] blandiendo, agitando. 단장을 ～ 휘두르다 blandir el bastón, agitar el bastón.

휘휘친친 ovillando [devanando · enroscando · enrollando] firmemente. ～ 감다 ovillar [devanar · enroscar · enrollar] firmemente

휘휘하다 (estar) desierto, desolado, solitario, de abandono. 휘휘한 촌락 aldea *f* desierta. 휘휘한 황야(荒野) páramo *m* desierto. 장소가 휘휘했다 El lugar estaba desierto / No había un alma en el lugar.

휙 ① [갑자기 세게 돌거나 돌리는 모양] con un viraje brusco. ～ 돌리다 dar una vuelta, girar una vez. 몸을 ～ 돌(리)다 volverse, mirar hacia atrás. 주변을 ～ 둘러보다 mirar alrededor de *sí*. ② [동작이 매우 날쌔거나 갑작스러운 모양] rápido, rápidamente, de repente, repentinamente, súbitamente, de súbito, bruscamente. ～ 끌어당기다 dar un tirón rápido (de *algo*), tirar (de *algo*) rápidamente. ～ 사라지다 desaparecer rápidamente. ③ [바람이 갑자기 세게 부는 모양] como un rayo. 바람이 ～ 불었다 Ha soplado una ráfaga de viento.

휠체어(영 *wheel chair*) silla *f* de ruedas, sillón *m* de ruedas.

휩싸다 ① [휘둘러 감아서 싸다] envolver, rodear. 나는 종이로 장난감을 휩쌌다 Yo envolví el juguete con papel. ② [좋지 않은 행실을 뒤덮어 감싸다] proteger, hacer cargo (de).

휩싸이다 ① [쌈을 당하다] estar envuelto, estar rodeado. 비밀에 휩싸인 사건 caso *m* envuelto en un velo de misterio, caso *m* rodeado de misterio. 불길에 ～ estar envuelto en llamas. 비밀에 ～ estar envuelto en un velo de misterio, estar rodeado de misterio. 주변은 완전히 어둠으로 휩싸였다 Están totalmente oscuros los alrededores / En los alrededores reina una completa oscuridad. 도시는 안개로 휩싸였다 La ciudad estaba envuelta en nieblas / Un velo de niebla envolvía la ciudad. ② [비호받다] ser protegido.

휩쌔다 ＝휩싸이다.

휩쓸다 ① [빠짐없이 모조리 휘둘러 쓸다] devastar, destrozar, asolar, arrasar; [해치다] dañar, hacer daño (a), perjudicar; [약탈로] saquear, entrar a caso (en). 상금을 ～ llevarse el premio. 인기를 ～ acaparar la popularidad. 돈을 휩쓸어 도망치다 fugarse con el dinero. 전화(戰火)가 전원(田園)을 휩쓸었다 La guerra arrasó [devastó] los campos. 쥐가 밭을 휩쓸고 있다 Los ratones estropean [dañan · devastan · perjudican] los sembrados. 귀가했을 때 도둑이 방 안을 휩쓸고 간 것을 알았다 Al volver a casa encontré mi cuarto desvalijado / Al volver a casa encontré que un ladrón había revuelto todo mi cuarto. ② [거침없이 행동을 함부로 하다] comportarse al azar.

휩쓸리다 implicarse, enredarse, envolverse. 분쟁에 ～ implicarse (con uno) en un enredo. 보트가 파도에 휩쓸렸다 Un golpe de mar se llevó el bote.

휫손 habilidad *f* controlada.

휴가(休暇) [노동 · 학교의] vacaciones *fpl*, *Col*, *Méj*, *RPI* licencia *f*, [임시의] asueto *m*; [군인 등이 얻은] permiso *m*, licencia *f*. ～ 중이다 estar de vacaciones, *Col*, *Méj*, *RPI* estar de licencia. ～를 보내다 vacar, pasar las vacaciones. ～를 얻다 tomarse unas vacaciones. 3일의 ～를 얻다 tomarse tres días de vacaciones. 1주일간의 ～를 주다 dar [conceder] una semana de vacaciones. ～를 산에서 보내다 pasar las vacaciones en las montañas. ～로 산에 가다 ir de vacaciones a las montañas. 학교는 ～에 들어갔다 La escuela ha entrado en (las) vacaciones. 나는 ～ 중이다 Estoy de vacaciones / *Col*, *Méj*, *RPI* Estoy de licencia. 나는 여름에 1개월 ～를 가진다 Tengo un mes de vacaciones en verano. 그는 7월에 ～를 얻었다 El se tomó [cogió] las vacaciones en julio / *Col*, *Méj*, *RPI* El se tomó la licencia en julio. 나는 ～를 서반아에서 보냈다 Pasé las vacaciones en España.
◆ 동계(冬季) ～ vacaciones *fpl* de invierno, vacaciones *fpl* de Navidad. 병(病)～ ausencia *f* por enfermedad. 여름 ～ vacaciones *fpl* de verano. 유급(有給) ～ vacaciones *fpl* retribuidas.
■ ～원(願) solicitud *f* de licencia. ¶～을 제출하다 pedir vacaciones.

휴간(休刊) suspensión *f* de la publicación, suspensión *f* de la tirada. ～하다 suspender la publicación (de). 오늘 석간은 ～이다 Hoy no hay [no saldrá] tirada de la tarde. 내일 ～함 Mañana no se publicará el periódico.

휴강(休講) cierre *m* de clase. ~하다 no dar (la) clase, cerrar de clase, no dar lectura por el día. 김 교수는 오늘 ~이다 Hoy no hay clase del profesor Kim.

휴게(休憩) (tiempo *m* de) descanso *m*, reposo *m*; [학교의] (tiempo *m* de) recreo; [극장 따위의] entreacto *m*, intermedio *m*. ~하다 descansar, reposar, tomar descanso. ■~소 lugar *m* de descanso, descansadero *m*. ~ 시간 hora *f* de descanso, hora *f* de recreo. ~실 sala *f* [salón *m*] de descanso [de recreo].

휴경(休耕) descanso *m* de cultivo. ~하다 descansar el cultivo. ■~지(地) terreno *m* de descansar el cultivo.

휴관(休館) cierre *m* temporal. ~하다 cerrar temporalmente. 이 도서관은 월요일은 ~합니다 Esta biblioteca no se abre al público los lunes. 금일 ~ ((게시)) Cerrado hoy.

휴교(休校) cierre *m* [cerrado *m*] temporal de escuela, día *m* festivo de escuela. ~하다 cerrar escuela temporalmente, suspender las actividades escolares [las clases]. 1주일간 ~다 La escuela cierra por una semana. 금일 ~함 ((게시)) Hoy no hay clases.

휴대(携帶) transporte *m* personal. ~하다 llevar(se), llevar con*sigo*, portar. ~의 portátil. ~하고 있다 llevar una cosa con*sigo*. 우산을 ~하고 외출하다 salir con un paraguas. 큰돈을 ~하다 llevar una gran cantidad de dinero consigo, llevar una gran suma (de dinero). 이것은 ~하기에 편리하다 Esto es fácil de llevar. 그 경찰관은 무선기를 ~하고 있다 Ese policía lleva consigo un radiorreceptor. 총포의 ~를 금함 ((게시)) Se prohíbe llevar arma de fuego. 그는 권총을 ~하고 있었다 El estaba armado con un revólver. 그는 큰돈을 ~하고 있다 El lleva en sí gran cantidad de dinero.
■~ 식량(食糧) alimento *m* portátil. ~용 portátil *adj*. ~용 라디오 radio *f* pórtatil. ~용 무선 전화기 radioteléfono *m* portátil. ~ 전류(電流) =대류 전류(對流電流). ~ 전화 =휴대 전화기. ~ 전화기 (teléfono *m*) móvil *m*, *Arg, Col, Cuba, Sal, Ur, Ven* (teléfono *m*) celular *m*, teléfono *m* portátil. ~ 타자기 máquina *f* de escribir portátil. ~ 텔레비전 televisor *m* portátil. ~폰 = 휴대 전화기. ~품(品) equipaje *m* de mano. ~품 보관소 guardarropa *m*. ~품 예치소 guardarropa *m*; [공항이나 역의] consigna *f*.

휴머니스트(영 *humanist*) humanista *mf*.

휴머니즘(영 *humanism*) humanismo *m*.

휴머니티(영 *humanity*) humanidad *f*.

휴면(休眠) [동물·식물의] letargo *m*; [누에의] inactividad *f*, quiescencia *f*. ~의 [동물·식물이] aletargado; [화산이] inactivo; [누에가] inactivo, quiescente, de inactividad. ~ 중이다 permanecer latente.
■~기 período *m* de letargo, período *m* de inactividad. ~ 상태 [화산의] estado *m* latente, estado *m* de inactividad. ~아(芽) [포자] yema *f* adormilada, espora *f* adormilada.

휴무(休務) descanso *m* del trabajo. ~하다 descansar el trabajo.

휴식(休息) ① [잠깐 쉼] descanso *m*, reposo *m*. ~하다 descansar, reposar, tomar descanso. 잠깐 ~을 취하다 descansar un rato, tener un buen rato. ② =휴지(休止). ③ ((성경)) santo día *m* de reposo, día *m* de reposo.
■~리 【한방】 disentería *f* crónica. ~부(部) 【음악】 =쉼표. ~소 lugar *m* [sala *f*] de descanso. ~ 시간 hora *f* de descanso. ~ 자본 capital *m* inactivo.

휴양(休養) reposo *m*, descanso *m*, recreo *m*, recreación *f*, recuperación *f*. ~하다 reposar, descansar, recobrar nuevas fuerzas, tomar buen reposo, solazarse. 나는 ~하는 것을 허가받았다 Me autorizaron tomar alguna recreación. 약보다는 ~이 더 낫다 Más vale descanso que medicina.
■~ 도시 ciudad *f* recreativa. ~ 생활 vida *f* recreativa. ~ 시설(施設) instalaciones *fpl* recreativas. ~ 여행 viaje *m* de recreación. ~지 lugar *m* recreativo. ~ 지대 el área *f* recreativa. ~처 lugar *m* recreativo.

휴업(休業) cierre *m*, descanso *m* de trabajo, paro *m*. ~하다 cerrar, descansar el trabajo. ~ 중인 cerrado. ~ 중인 공장(工場) fábrica *f* cerrada, fábrica *f* en suspensión. ~ 중 ((게시)) Cerrado. 금일 ~(함) ((게시)) Cerrado hoy. 당일(當日) 은행은 ~이다 El banco estará cerrado ese día.
■~일(日) día *m* de descanso, día *m* festivo. ¶임시 ~ día *m* de asueto.

휴연(休演) suspensión *f* de las representaciones. ~하다 suspender la representación; [개인이] ausentarse de las representaciones (del escenario). 오늘은 ~이다 Se suspende la función de hoy / Hoy no hay función. 그는 오늘은 ~이다 El no aparecerá hoy en el escenario.

휴일(休日) día *m* feriado, día *m* de descanso; [축제일] (día *m* de) fiesta *f*, día *m* festivo, festivo *m*, festividad *f*. ~ 없이 일하다 sacrificar *sus* vacaciones para continuar trabajando. 오늘은 ~이다 Hoy es día de descanso.
■~ 출근 asistencia *f* al trabajo en día de descanso.

휴작(休作) =휴한(休閑).

휴장(休場) descanso *m* del teatro, descanso *m* del cine, cierre *m* del teatro, cierre *m* del cine. ~하다 cerrarse (un teatro) temporalmente, ausentarse del escenario.

휴재(休載) ¶~하다 no estar insertado, no aparecer, no estar publicado.

휴전(休電) suspensión *f* del suministro de poder. 오늘은 ~함 No tenemos suministro de poder hoy.

휴전(休戰) armisticio *m*, tregua *f*, suspensión *f* de las hostilidades, cese *m* de hostilidades, alto el fuego, *AmL* cese *m* del fuego. ~하다 hacer una tregua, dar treguas, suspender las hostilidades; [체결하다] decidir un armisticio. ~이 조인되었다 Se firmó la tregua. 그들은 크리스마스 ~에 관하여 회담하고 있다 Ellos están tratando de una tregua de la Navidad.
▪~ 교섭 negociaciones *fpl* de armisticio. ~기(旗) bandera *f* de armisticio. ~ 기념일 día *m* de Armisticio. ~ 명령 alto el fuego. ~선 línea *f* de armisticio. ~ 조약 tratado *m* de armisticio. ¶~을 체결하다 firmar un (tratado de) armisticio. ~에 체결했다 Firmaron el armisticio. ~ 협정 tregua *f*, acuerdo *m* de armisticio. ¶~을 깨뜨리다 romper la tregua. ~ 회담(會談) conversaciones *fpl* de armisticio.

휴정(休廷) suspensión *f* de la audiencia. ~하다 suspender la audiencia. ~을 선언하다 declarar la suspensión de la audiencia. ~중이다 Los tribunales están vacando.
▪~일(日) día *m* no judicial.

휴지(休止) pausa *f*, suspensión *f*, 【시학】 pausa *f*.
▪~부(部) 【언어·음악】 =쉼표(silencio). ¶~를 찍다 suspender, cesar, parar, detenerse, hacer alto, interrumpir. 배전 [전·2분·4분·8분·16분·32분] ~ silencio *m* de cuadrada [de redonda·de blanca·de negra·de corchea·de semicorchea·de fusa].

휴지(休紙) ① [못 쓰게 된 종이] papel *m* usado, papeles *mpl* viejos, papel *m* de desecho. 그는 창문 밖으로 ~를 던졌다 El tiró el papel usado por la ventana. ~를 거리에 버리지 마라 No tires los papeles viejos en la calle. ② =화장지(化粧紙).
▪~통 papelera *f*, cesto *m* de los papeles, canasto *m* de los papeles, *CoS* papelero. ~에 넣다 echar [arrojar·poner] en la papelera.

휴직(休職) cesación *f* temporal. ~하다 cesar en *su* trabajo, ausentarse de *su* trabajo; [병결(病缺)하다] darse de baja. ~하고 있다 estar dado de baja. 그는 ~을 명령받았다 Le ordenaron que cesara en su trabajo.
▪~급(給) pago *m* parcial, cesantía *f*. ~자(者) cesante *mf*.

휴진(休診) asueto *m* de consulta. 오늘 ~함 ((게시)) No hay consulta hoy.
▪~날[일] día *m* sin consulta.

휴학(休學) interrupción *f* de los estudios, descanso *m* de la escuela, ausencia *f* de la escuela. ~하다 interrumpir temporalmente *sus* estudios, suspender *sus* estudios, retirar provisionalmente [temporalmente] de la escuela. 6개월간의 ~원을 내다 solicitar permiso de ausencia por seis meses.

휴한(休閑) barbecho *m*, ocio *m*, desocupación *f*, descanso *m*. ~ 중인 en barbecho. ~하고 있다 estar en barbecho.
▪~지 barbecho *m*, tierra *f* en barbecho; [집합적] barbechera *f*. ¶~의 이용(利用) utilización *f* de tierra en barbecho.

휴항(休航) suspensión *f* del servicio naviero. ~하다 suspender el servicio naviero.

휴행(携行) ¶~하다 llevarse, llevar con*sigo*.

휴화산(休火山) volcán *m* (*pl* volcanes) inactivo [dormido·en reposo].

휴회(休會) suspensión *f* de la reunión; [의회(議會)의] suspensión *f* de la sesión parlamentaria. ~하다 suspender la reunión, suspender la sesión. 의장은 ~를 선언했다 El presidente declaró suspendida la sesión. 의회는 ~ 중이다 La sesión parlamentaria está suspendida.

휼계(譎計) trampa *f*, ardid *m*, artificio *m*.

휼궤(譎詭) ① [속임] engaño *m*. ② [괴이함. 이상함] anormalidad *f*, misterio *m*.

휼금(恤金) fondos *mpl* de auxilio, dinero *m* de auxilio.

휼미(恤米) arroz *m* de auxilio.

휼민(恤民) auxilio *m* a los damnificados. ~하다 auxiliar a los damnificados.

휼병(恤兵) auxilio *m* a los soldados. ~하다 auxiliar a los soldados.

흉 ① [상처·부스럼 따위가 아문 자리] cicatriz *f*, chirlo *m*; [천연두 따위의] marca *f*, señal *f*. ~을 남기다 dejar una marca (en). 수술은 그에게 ~을 남겼다 La operación le dejó (la) cicatriz. 이마에 ~이 있다 tener una cicatriz en la frente. ☞흉터. ② [비웃을 만한 거리. 비난을 받을 만한 점] defecto *m*, culpa *f*. ~ 없는 사람은 없다 Nadie es perfecto / No es perfecto nadie.

흉가(凶家) casa *f* embrujada, casa *f* frecuentada por duendes y apariciones.

흉간(胸間) *su* pecho, entre el tórax.
▪~ 근통(筋痛) pleurodinia *f*.

흉갑(胸甲) coraza *f*, armadura *f*, peto *m*.

흉강(胸腔) cavidad *f* torácica.

흉격(胸膈) pecho *m* inferior.

흉계(凶計) plan *m* malvado, proyecto *m* malvado, maquinación *f*, intriga *f*, conspiración *f*. ~를 꾸미다 intrigar (contra), conspirar (contra), maquinar [tramar·armar·urdir] una intriga (contra). 마음속에 한 가지 ~를 꾸미다 tener algún designio secreto, llevar una intención oculta [una segunda intención].

흉골(胸骨) 【해부】 vértebra *f* esternal, esternón *m*.
▪~각(角) ángulo *m* esternal. ~근(筋) músculo *m* esternal. ~막(膜) membrana *f* esternal. ~통 esternalgia *f*, esternodinia *f*.

흉곽(胸廓) 【해부】 tórax *m* pectoral. ~의 torácico.
▪~ 성형술 toracoplastia *f*. ~ 절개술(切開術) toracectomía *f*, toracotomía *f*.

흉근(胸筋) músculos *mpl* pectorales, pectoral *m*. ~의 pectoral.

흉금(胸襟) pecho *m*, sentimientos *mpl* del

corazón.

◆흉금을 털어놓다 abrir(se) [descubrir · fiar] el pecho (a), abrir el corazón, descubrir los sentimientos del corazón, descubrir un secreto. 흉금을 털어놓고 abiertamente, francamente. 흉금을 털어놓고 이야기하다 tener una conversación íntima y franca, decir sin reserva. 나는 그에게 흉금을 털어놓았다 Le abrí mi pecho a él.

흉기(凶器) el arma *f* (*pl* las armas) blanca, arma *f* mortal, arma *f* mortífera, arma *f* peligrosa. ~를 든 강도(强盜) ladrón *m* armado. ~에 의한 부상(負傷) herida *f* de armas blancas. ~를 휴대하다 llevar el arma blanca.

흉내 imitación *f*, bufanda *f*, mímica *f*. 목소리의 ~ imitación *f* de la voz (de).

◆흉내(를) 내다 imitar (a), remedar (a), contrahacer, copiar. …을 흉내(를) 내어 en imitación de *uno*. 목소리를 ~ imitar [remedar · contrahacer] la voz (de). 말을 ~ remedar el habla (de). 죽은 ~ fingirse muerto. 그는 원숭이 흉내를 잘 낸다 El imita estupendamente al mono. 그는 남의 흉내를 잘 낸다 [경멸해서] El es un mono.

■~말 onomatopeya *f*. ¶~의 onomatopéyico. ~쟁이 imitador, -dora *mf*, copión, -piona *mf*, *Méj* imitamonos *mf*.

흉년(凶年) ① año *m* desgraciado, año *m* de mala cosecha, año *m* de escasez, año *m* calamitoso, año *m* desastroso, año *m* de calamidad, año *m* malo, año *m* de carestía. ② ((성경)) el hambre *f*, escasez *f* de comida.

◆흉년(이) 들다 ㉮ tener la mala cosecha. ㉯ ((성경)) venir una hambre, haber una escasez de comida. 흉년에 배운 장기(長技) Se come solamente. 흉년에 윤달 Siempre llueve sobre mojado / Las desgracias nunca vienen solas.

■~거지 mendigo, -ga *mf* en el año de escasez, mucho trabajo con poco resultado.

흉노(匈奴) los hunos, Shungnu.

흉당(凶黨) [흉악한 무리] alborotadores *mpl*, bandoleros *mpl*, bandidos *mpl*.

흉도(凶徒) ① [흉악하고 사나운 무리] bandidos *mpl*, alborotadores *mpl*, bandoleros *mpl*. ② [모반인] rebelde *mf*, traidor, -dora *mf*, insurgente *mf*.

흉막(胸膜) 【해부】 pleura *f*. ~의 pleural.

■~염 pleuritis *f*, pleuresía *f*. ~ 절개술 pleurotomía *f*. ~통 pleuralgia *f*.

흉몽(凶夢) mal sueño *m*, sueño *m* maligno, pesadilla *f*. ~을 꾸다 tener pesadilla.

■~대길(大吉) El sueño maligno, al contrario es un síntoma de la fortuna.

흉문(凶聞) ① [죽었다는 소식] noticia *f* que uno murió. ② [좋지 못한 소식] mala noticia *f*.

흉물(凶物) persona *f* astuta; villano, -na *mf*, serpiente *f*, culebra *f*.

흉물스럽다 (ser) astuto.

흉물스레 astutamente, con astucia.

흉배(胸背) ① [가슴과 등] el pecho y la espalda. ② [가슴의 등 쪽] región *f* dorsal del pecho. ③ 【역사】 refuerzos *mpl* bordados en el pecho y en la espalda de los uniformes oficiales.

■~근(筋) 【해부】 gran dorsal *m*.

흉범(凶犯) criminal *m* peligroso, criminal *f* peligrosa.

흉벽(胸壁) ① =흉장(胸墻)(parapeto). ② [흉곽(胸廓)의 외벽(外壁)] pared *f* del pecho.

흉변(凶變) desastre *m*, calamidad *f*, catástrofe *f*. ~의 catastrófico.

흉보(凶報) ① [불길한 기별] mala noticia *f*. ② [사람이 죽었다는 통보(通報)] noticia *f* fúnebre, noticia *f* lastimosa, noticia *f* de *su* muerte. ~를 알리다 avisar una noticia fúnebre.

흉보다 hablar mal (de), decir mal (de), infamar, menospreciar. 안 듣는 데서 ~ maldecir (de), hablar mal (de).

흉복(凶服) =상복(喪服).

흉복(胸腹) ① [가슴과 배] el pecho y el vientre. ② [가슴의 복부] región *f* de diafragma.

■~통 dolor *m* en el diafragma.

흉부(胸部) ① [가슴 부분] busto *m*, pecho *m*, seno *m*, tórax *m*, región *f* del pecho. ② =호흡기.

■~ 질환(疾患) afección *f* pulmonar. ~ 투시기 estetendoscopio *m*.

흉사(凶事) ① [흉악한 일] asunto *m* cruel. ② [궂은 일] asunto *m* desgraciado [infortunado · desdichado · desafortunado], desastre *m*, accidente *m*, calamidad *f*.

흉상(凶狀) ① [음충맞고 험악한 태도] actitud *f* maliciosa. ② [괴악(怪惡)한 모양] aspecto *m* vicioso, aspecto *m* feo.

흉상(凶相) ① [좋지 못한 상격(相格)] fisonomía *f* maligna, fisonomía *f* malvada. ② [보기 흉한 외모] cara *f* fea, aspecto *m* feo, aspecto *m* indecoroso.

흉상(胸像) busto *m*. ~을 세우다 levantar [eregir] un busto.

흉선(胸線) timo *m*.

■~독 timotoxina *f*. ~병 timopatía *f*. ~비대증 megalotimo *m*. ~염 timitis *f*.

흉설(凶說) palabra *f* taimada y malvada.

흉성(凶星) estrella *f* de mal agüero.

흉세(凶歲) =흉년(凶年).

흉수(兇手) ① [흉악한 독수(毒手)] actitud *f* de intentar asesinar a otro. ② [흉악한 짓을 하는 사람] persona *f* cruel; [살인자] asesino, -na *mf*.

흉신(凶神) mal diablo *m*.

흉악(凶惡) ① [성질이 거칠고 사나움] atrocidad *f*, brutalidad *f*, crueldad *f*, perversidad *f*. ~하다 (ser) atroz, brutal, cruel, malvado, perverso. ~한 짓을 하다 cometer una atrocidad. ② [용모가 험상궂고 모짊] fealdad *f*, monstruosidad *f*. ~하다 (ser) feo, de feo aspecto, monstruoso. 그의 행동은 ~하다 Su conducta es fea. 이 건물(建物)

은 ~하다 Este edificio es una monstruosidad.

◆ 흉악을 부리다 portarse cruelmente.

■ ~범 criminal *m* peligroso, criminal *f* peligrosa. ~ 범죄(犯罪) crimen *m* atroz. ~성 brutalidad *f*, atrocidad *f*, crueldad *f*.

흉악스럽다 ㉮ (ser) atroz, cruel, brutal, malvado, perverso. 흉악스러움 atrocidad *f*, crueldad *f*. ㉯ (ser) feo, espantoso. 흉악스러움 fealdad *f*.

흉악스레 ㉮ atrozmente, cruelmente. ㉯ feamente, muy mal, pésimamente, fatal.

흉악망측스럽다(凶惡罔測—) ser una actitud muy atroz [cruel].

흉악망측스레 muy atrozmente, muy cruelmente.

흉악망측하다(凶惡罔測—) (ser) muy atroz [cruel · malvado · perverso].

흉악무도하다(凶惡無道—) (ser) feroz, atroz, cruel.

흉액(胸液) suero *m* en la cavidad torácica.

흉어(凶漁) pesca *f* escasa. ~다 La pesca es escasa / Se pesca poco.

흉업다(凶—) El dicho y el hecho son muy infelices.

흉위(胸圍) busto *m*, pecho *m*, anchura *f* de pecho, periferia *f* del tóraz, cintura *f*, talle *m*. 그녀의 ~는 36인치다 Ella tiene 36 pulgadas de busto. 내 ~는 90센티미터이다 La anchura de mi pecho es de noventa centímetros.

흉음(凶音) ① [흉사(凶事)의 기별] noticia *f* desventurada, noticia *f* desafortunada. ② [죽음을 알리는 소식] noticia *f* de la muerte.

흉인(凶刃) daga *f* asesina, daga *f* del asesino. ~에 쓰러지다 ser asesinado, caer víctima de daga asesina.

흉일(凶日) día *m* aciago, día *m* desgraciado, día *m* infortunado, día *m* de mal agüero, día *m* fata.

흉작(凶作) mala cosecha *f*, cosecha *f* escasa, pobre cosecha *f*, fracaso *m* de cosecha; [기근] carestía *f*, [공복] el hambre *f*. 금년은 벼가 ~이다 Este año no hay buena cosecha de arroz / Este año la cosecha de arroz no es buena. 금년은 밀이 ~이다 Ha sido mala la cosecha de trigo este año / Este ha sido un año malo para el trigo.

흉잡다 quejarse sin motivo (de), criticar por criticar. 그들은 늘 나를 흉잡고 있다 Todo lo que hago les parece mal, siempre me están criticando.

흉잡히다 ser quejado sin motivo, ser criticado.

흉장(胸章) emblema *m* en el pecho.

흉장(胸墻) parapeto *m*.

흉적(凶賊) bandido *m*, ladrón *m* fiero.

흉조(凶兆) mal agüero *m*, mal pronóstico *m*, mal presagio *m*.

흉조(凶鳥) pájaro *m* taimado.

흉중(胸中) corazón *m*. ~에 en el corazón. ~을 터놓다 abrir *su* pecho (a), franquearse (a). ~에 깊이 간직하다 tener oculto *algo* en el corazón.

흉증(凶證) ① =흉조(凶兆). ② [음흉한 성벽(性癖)] astucia *f*. ~하다 (ser) astuto, insidioso.

◆ 흉증(을) 부리다 portarse insidiosamente.

흉증스럽다 (ser) insidioso, astuto. 흉증스러운 사람 persona *f* insidiosa, serpiente *f*, culebra. 흉증스러운 수단 medidas *fpl* poco limpias.

흉증스레 isidiosamente, astutamente.

흉지(凶地) tierra *f* de mal agüero.

흉추(胸椎) 【해부】 vértebra *f* dorsal.

흉측스럽다(凶測—) (ser) muy feo.

흉측스레 feamente, con fealdad.

흉측하다(凶測—) (ser) muy feo, parecer un coco, ser un coco.

흉탄(兇彈) balazo *m*. ~에 쓰러지다 ser asesinado de un balazo.

흉터 cicatriz *f*, [천연두 · 종두의] marca *f*, señal *f*. ~를 남기다 dejar marca (en). ~가 남다 cicatrizar. 그는 주사 ~가 남았다 La operación le dejó (una) cicatriz. 그의 얼굴은 ~투성이였다 El tenía la cara cubierta de cicatrices.

흉통(胸痛) 【한방】 dolor *m* de pecho. ~을 앓다 tener dolor de pecho, doler*le* el pecho. 그는 ~을 앓고 있다 El tiene dolor de pecho / A él le duele el pecho.

흉특하다(凶慝—) (ser) fiero y astuto.

흉패하다(凶悖—) (ser) siniestro y malvado.

흉포하다(凶暴—) (ser) bruto, brutal, bárbaro. 흉포함 brutalidad *f*, bestialidad *f*, violencia *f*. 흉포한 사람 persona *f* brutal [bruta]. 흉포한 성격 carácter *m* bruto [brutal]. 흉포성이 있는 환자(患者) paciente *mf* con inclinaciones a la brutalidad. 흉포성을 발휘하다 desplegar la brutalidad.

흉풍(凶風) ① [사나운 바람] viento *m* tempestuoso, viento *m* tormentoso. ② [음흉스럽고 타락된 기풍이나 풍조] tendencia *f* astuta y decadente.

흉풍(凶豊) buen año y mal año, buena cosecha y mala cosecha.

흉하다(凶—) ① [무슨 일의 결과가 좋지 못하다] (el resultado) ser malo, no ser bueno. ② [불길하다] (ser) infeliz, ominoso, siniestro. ③ [보기에 나쁘다] (ser) feo, indecente, terrible. ④ [마음씨가 나쁘고 거칠다] (ser) malvado y violento. ⑤ [인연이 나쁘다] El karma es malo.

흉하적 crítica *f*. ~하다 encontrarle defectos (a). 그의 행위는 ~할 수 없다 Su comportamiento es intachable [impecable]. 그의 ~에 신물이 난다 Estoy harto de que a todo le encuentre defectos.

흉학하다(凶虐—) (ser) muy fiero.

흉한(兇漢) ① =악한(惡漢). ② [흉행을 하는 사람] asesino *m*. ~의 손에 쓰러지다 ser asesinado por el asesino, caer una víctima al asesino. ~을 체포하다 arrestar al asesino.

흉해(凶害) asesinato *m*. ~하다 asesinar.

흉행(兇行) atentado *m*, violencia *f*, barbarie *f*, injuria *f*; [살인(殺人)] asesinato *m*. ~을 저지르다 perpetrar [cometer] un atentado, hacer uso de la violencia, cometer un asesinato.
■ ~범(犯) perpetrador, -dora *mf*.

흉허물 culpas *fpl*, defectos *mpl*.
흉허물 없다 tener relaciones familiares. …와는 흉허물 없는 사이다 tener relaciones familiares con *uno*.
흉허물 없이 íntimamente, con intimidad, familiarmente.

흉험하다(凶險—) (ser) astuto.

흉화(凶禍) ① [흉악한 재화(災禍)] calamidad *f* cruel. ② [부모의 상사(喪事)] luto *m* de *sus* padres.

흉흉하다(洶洶—) ① [물결이 어지럽게 일어나서 세차다] (la ola) ser tempestuosa. ② [인심이 몹시 어지럽고 어수선하다] estar atemorrizado, ser sobrecogido de temor, dejar consternado, llenar de consternación.

흐너뜨리다 demoler, derribar, destruir.

흐너지다 caerse, romperse.

흐너트리다 =흐너뜨리다.

흐놀다 =그리워하다. 동경하다.

흐느끼다 sollozar, llorar con sollozos, lloriquear, gemir, dar sollozos, dar gemidos, llorar silenciosamente. 흐느낌 sollozo *m*. 흐느끼는 듯한 소리 sollozo *m*. 흐느끼며 sollozando, entre sollozos. 흐느껴 울다 sollozar, llorar sollozando, gimotear, zollipar. 흐느끼며 말하다 decir sollozando, decir entre sollozos. 가슴이 메이도록 흐느껴 울다 llorar a lágrima viva. 비보(悲報)를 듣고 ~ sollozar al oír la noticia triste. 그녀는 비보(悲報)를 들으면서 흐느꼈다 Ella sollozaba mientras oía la noticia triste.「나는 그것을 잃었어」하고 그녀는 흐느끼면서 말했다 Lo perdí — ella dijo sollozando [entre sollozos]. 그녀는 자기의 이야기를 흐느끼면서 늘어놓았다 Ella los contó lo que le había pasado entre sollozos.

흐느적거리다 aletear, revolotear, batir rápidamente, ondear, ondular.
흐느적흐느적 aleteando (y aleteando).

흐늘거리다 ① [매인 데 없이 편안하게 놀고 지내다] haraganear, holgazanear, perder el tiempo, tontear. ② [힘없이 늘어져서 연해 흔들리다] colgarse, bambolearse, quedar colgado, estar colgado. ③ [단단하지 못하여 건드리는 대로 계속 흔들리다] seguir oscilando [bamboleándose · balanceándose]. 밀이 미풍에 흐늘거렸다 El trigo se mecía con la brisa.
흐늘흐늘 oscilando, bamboleándose, balanceándose. ~하다 (ser) blanducho, como unas gachas. ~해지다 ponerse blando, ponerse como unas gachas, reblandecerse, ablandarse.

흐늘쩍거리다 seguir moviendo muy lentamente. 흐늘쩍거리며 걷다 andar [caminar] como un paso de tortuga.
흐늘쩍흐늘쩍 siguiendo moviendo muy lentamente, lentamente. ~ 걷다 andar muy lentamente.

흐드러지다 ① [썩 탐스럽다] (ser) espléndido, atractivo. 흐드러진 여자 mujer *f* atractiva. ② [흐무러지다] (estar) pasado, demasiado maduro.

흐들갑스럽다 (ser) extravagante [sobrexitado] en la palabra.
흐들갑스레 extravagantemente.

흐려지다 ① [색이] descolorarse, desteñirse, palidecer. 이 텔레비전은 흐려졌다 Este televisor tiene los colores inestables [apagados] / Los colores palidecen en este televisor. ② [윤곽이] volverse borroso, difuminarse. 이 사진은 흐려졌다 Esta foto está borrosa. 영상(映像)이 흐려졌다 La imagen está turbia. ③ [정신이] chochear. 흐려진 chocho. 그는 여행에서 방금 돌아와 머리가 흐려져 있다 El acaba de volver del viaje y tiene la cabeza un poco cargada.

흐르다[1] ① [액체가 낮은 곳으로 내려가거나 넘쳐 떨어지다] fluir; [조수(潮水)를 타고] subir, crecer; [피가] correr; [상처에서] manar, salir; [눈물이] derramarse, verterse. 물 흐르는 듯한 문체(文體) estilo *m* fluido, estilo *m* fácil. 강물이 ~ correr el río. 물이 ~ correr el agua. 눈물이 ~ derramarse [verterse] las lágrimas. 나는 눈물이 흘렀다 Se me saltaron las lágrimas. 그의 이마에 땀이 흐른다 El sudor le rezuma por la frente. 흔들려서 잔에서 물이 흐른다 Con el vaivén se derrama [se vierte] el agua del vaso. 하수가 흐르지 않는다 Está obstruida [cegada] la alcantarilla. 한강은 서울시를 흐른다 El Han pasa por [atraviesa] la ciudad de Seúl. 내 집 옆을 강이 흐르고 있다 Un río corre [pasa] junto a mi casa. 강물은 바다로 흘러 들어간다 El río desemboca [desagua] en el mar. 눈물이 그녀의 볼에서 흘러내렸다 Las lágrimas le corrían por las mejillas. 조류가 세차게 흐르고 있었다 La corriente era muy fuerte. 그녀의 이마에서 땀방울이 흘러내렸다 A ella le corrían gotas de sudor por la frente. 파이프에서 물이 흘러내리고 있었다 Salía un hilito de agua de la cañería. 모래가 내 손가락 사이로 흘러내렸다 La arena se deslizó por entre mis dedos. 물이 조금씩 조금씩 흘러 내려 갔다 El agua se iba escurriendo poco a poco. 한국인의 피가 그의 정맥에 흐르고 있었다 La sangre coreana corría por sus venas.
② [공중이나 물에 떠서 미끄러지듯 움직이다] flotar. 기름이 물 위에 흐른다 El aceite flota en el agua. 통나무가 강 아래로 흘러갔다 Los maderos bajaban flotando por el río. 카누가 조수에 밀려 흘러갔다 La marea se llevó la canoa.
③ [사물이 어떤 방향으로 쏠리다] prevalecer, preponderar. 침묵(沈默)으로 ~ callarse, quedarse callado. 나쁜 습관으로 ~

adquirir malos hábitos.
④ [시간·세월이 가다] pasar, transcurrir, correr. 시간(時間)이 빨리 흐른다 El tiempo trascurre [transcurre] rápidamente. 여러 시간이 흘렀다 Habían transcurrido varias horas. 세월은 흐른다 El tiempo vuela. 흘러간 세월은 다시 오지 않는다 ((서반아 속담)) Tiempo ido, nunca más venido.
⑤ [어떤 범위 안에 번져서 점차 퍼지다] correr, sonar. 실내(室內)에는 음악이 흐르고 있다 Corre [Suena] la música dentro de la habitación. 아름다운 곡(曲)이 흘렀다 Se dejó oír una bella música.
⑥ [전기가 통하다] fluir, correr, pasar, ser cargado. 전류가 ~ pasar la corriente.
⑦ [새거나 떨어지거나 하다] [양동이·탱크 따위가] gotear, entrar, escaparse, hacer agua, rezumarse, verterse, salirse, *RPI* perder, *Chi* salirse; [구두·천막이] dejar pasar el agua; [수도 등의 꼭지나 마개에서] gotear. 물이 흐르는 통 barril *m* que se rezuma. 파이프가 흐른다 La cañería pierde agua / Hay un escape en la cañería. 지붕에서 물이 흐른다 Hay una gotera en el techo / Hay goteras en el techo / Entra agua por el tejado. 이 펜은 잉크가 흐른다 Esta pluma pierde tinta. 천장으로 물이 흘렀다 Había entrado agua por el techo. 배에서 물이 흐른다 El navío hace agua.
⑧ [넘치다] inundar, desbordarse (de), rebosar (de). 포도주가 잔에서 흐른다 El vino se desborda [rebosa] de la copa.
⑨ [걸치거나 두른 것이 처지거나 미끄러지다] caer. 이 스커트는 잘 흘러내린다 Esa falda tiene muy buena caída / Esta falda cae muy bien. 양말이 자꾸 흘러내린다 Los calcetines caen muy bien / Los calcetines tienen muy buena caída.
⑩ [어떤 상태나 기운 따위가 겉으로 드러나다] aparecer, revelar, tener. 윤기가 흐르는 머리 pelo *m* brillante. 촌티가 ~ tener el aire campesino, ser rústico, ser rural.

흐르다² [짐승이 흘레를 하다] aparearse, acoplarse, copular.

흐르르 delgadamente, finamente, ligeramente. ~하다 (ser) delgado, fino, ligero. ~한 천 tela *f* delgada, paño *m* delgado.

흐름 marcha *f*, trayectoria *f*, curso *m*. 역사(歷史)의 ~ trayectoria *f* [curso *m*] de la historia.

흐름소리【언어】=유음(流音).

흐리다¹ ① [흔적을 지워 버리다] borrar. 말끝을 ~ hablar con evasivas, hablar con subterfugio, usar equívocos, hablar embiguamente, hablar de una manera vaga, andar(se) con rodeos, recurrir a evasivas. 말끝을 흐린 equívoco, ambiguo. 말끝을 흐려 de modo equívoco, de modo ambiguo. 그는 말끝을 흐리고 내 질문에 대답하지 않았다 El me respondió con una evasiva, eludiendo la pregunta. 나는 기억에서 사고를 완전히 흐려 버렸다 Yo había borrado totalmente el incidente de mi memoria.
② [잡것을 넣어 탁하게 하다] [혼탁하다] (estar) turbio, cenagoso, lodoso, sucio, enturbiado; [액체가] enturbiarse, perder la transparencia; [공기가] hacerse impuro; [색채(色彩)가] obscurecerse, deslustrarse. 흐린 turbio, enturbiado; [불투명(不透明)한] intransparente; [불순한] impuro; [질척한] lodoso, fangoso. 흐린 물 el agua turbia. 흐린 색(色) color *m* fangoso, color *m* poco claro. 냇물이 흐려져 있다 Está enturbiada el agua del río / El río lleva el agua turbia. 강물이 흐렸다 El río iba revuelto / Las aguas del río estaban turbias.
③ [집안이나 단체의 명예를 더럽히다] manchar, mancillar. 가문을 ~ manchar *su* linaje.
④ [혼탁하게 하다] enturbiar, hacer turbio, poner turbio. 물을 ~ enturbiar el agua, hacer turbia el agua, poner turbia el agua. 연못의 물을 ~ enturbiar el agua del estanque. 비가 와서 강물이 흐렸다 La lluvia hizo turbio el río.

흐리다² ① [기억력·판단 따위가 분명하지 않다] (ser) poco claro, borroso, vago, confuso. 기억이 ~ La memoria es poco clara. 나는 기억이 ~ Tengo una memoria vaga.
② [다른 물질이 섞여 맑지 못하다] estar empañado, empañarse. 흐리게 하다 [유리 따위를] empañar. 흐린 유리 cristal *m* empañado, vidrio *m* empañado. 김으로 창유리가 흐려진다 Los cristales de la ventana se empañan de vapor. 습기로 유리가 ~ la humedad empaña los vidrios. 안경이 흐려진다 Se empañan las gafas.
③ [등불·빛 따위가 밝지 않고 희미하다] (ser·estar) vago, oscuro, obscuro, débil, tenue. 불빛이 ~ La luz está oscura.
④ [시력(視力)·청력(聽力)이 쇠해 잘 보이거나 들리지 않다] (ser) turbio de vista, corto de vista. 눈이 ~ los ojos son turbios. 눈물로 흐려진 눈 ojos *mpl* empañados de lágrimas. 그녀는 눈이 ~ Ella es corta de vista / Ella es turbia de vista. 나는 눈이 흐려졌다 Mi vista se ha nublado. 그녀는 눈물로 목소리가 흐렸다 Se le empañó / Ella habló en voz empañada. 그녀의 눈은 눈물로 흐려졌다 Las lágrimas enturbiaron sus ojos. 그의 시력은 흐려져 가고 있다 Cada vez ve peor / Le está fallando la vista.
⑤ [걱정스러운 빛이 있다] preocuparse, inquietarse. 너는 안색이 흐리군 Pareces preocupado.
⑥ [구름·안개가 끼어 날씨가 나쁘다] (estar) nublado, nubloso; [하늘이] (estar) nublado, nuboso, nublarse, encapotarse. 흐린 날씨 tiempo *m* nublado. 흐린 하늘 cielo *m* nublado. 흐려 보이다 estar neblinoso [brumoso·calinoso]. 날씨가 ~ Está nublado. 날씨가 흐렸다 Estaba nublado. 오늘은 ~ Hoy está nublado. 하늘이 흐려진다 El cielo se va nublando. 하늘이 약간

～ El día está ligeramente nublado. 비가 내릴 듯 잔뜩 ～ El cielo está nublado y amenaza lluvia. 거리는 안개로 흐려져 있다 La niebla enturbia la calle. 날씨가 따뜻했지만 흐렸다 Hacía calor pero estaba nublado [había nubes]. 오늘은 안개로 약간 ～ Hoy hay algo de neblina [calima · bruma]. 흐리고 때때로 비 [일기 예보에서] Tiempo nublado con lluvias pasajeros. 흐린 후 맑음 [일기 예보에서] Nublado, después claro.
⑦ [셈을 가리는 일이 분명치 않거나 더디다] no ser seguro, no saber bien. 셈이 약간 ～ no ser muy seguro de la cuenta, no saber muy bien qué contó.

흐리디흐리다 (estar) muy turbio, muy cenagoso, muy lodoso, muy vago, muy oscuro, muy nublado, muy nuboso.

흐리마리 ① [거취(去就) 따위가 분명하지 못한 모양] ambiguamente, vagamente, con evasivas. ～한 대답 respuesta *f* evasiva. 대답이 ～하다 dar una respuesta evasiva, responder ambiguamente, responder vagamente. 태도가 ～하다 mirar los toros desde la barrera, nadar entre dos aguas, no definirse. ② [생각 · 기억이 분명하지 않은 모양] vagamente, ambiguamente. ～하다 notar levemente, notar vagamente, tener el vago pensamiento (de que + *inf*). ～하게 알고 있다 tener cierta idea (de), tener una ligera idea. 기억이 ～하다 la memoria es vaga [ambigua].

흐리멍덩하다 (ser) vago, confuso, indistinto, blando, tibio, poco enérgico, negligente, dejado, descuidado. 흐리멍덩한 태도를 취하다 tomar [adoptar] posturas descuidadas. 금전(金錢)에 ～ ser negligente en asuntos de dinero. 그의 태도는 ～ Su comportamiento es de mal educado / Le falta firmeza. 이 사건은 경찰이 흐리멍덩한 탓이다 En este asunto la policía ha sido muy negligente. 이런 문제 하나 해결하지 못하다니 흐리멍덩하구나 ¡Qué flojo eres! / No eres capaz de solucionar este problema. 그는 술을 마실 때는 ～ Cuando bebe él, no es dueño de sí mismo.
흐리멍덩히 en vago, vagamente, confusamente, ambiguamente.

흐리터분하다 ① [사물이 똑똑하지 못하고 흐리며 터분하다] (ser) poco serio, vago, ambiguo, equívoco. ② [성미가 분명하거나 산뜻하지 못하다] (ser) sospechoso, solapado, incierto, inseguro. 흐리터분한 기억(記憶) memoria *f* incierta. 흐리터분한 짓 actitud *f* sospechosa. 흐리터분한 일을 하다 hacer un trabajo descuidado [chapucero]. 그는 ～ El es un hombre poco serio.

흐린소리 【언어】 ＝울림소리.

흐릿하다 [방이] (ser) oscuro, poco iluminado; [빛이] débil, tenue; [기억이] borroso; [생각이] vago; [목소리가] indistinto, poco definido; [말이] poco claro.

흐무러지다 ① [잘 익어서 무르녹다] (estar) pasado, demasiado maduro. ② [물이 불어서 썩 무르다] (ser) muy blando, demasiado blando. 쌀이 물에 불어 흐무러졌다 El arroz fue muy blando absorbiendo [embebiendo] el agua.

흐무뭇하다 (ser) muy agradable, muy satisfactorio, estar muy satisfecho, estar muy contento.

흐물흐물 demasiado maduramente, muy suavemente. ～하다 (ser) demasiado maduro, pasado, muy suave. ～해지도록 삶은 고기 carne *f* cocida como unas gachas.

흐뭇하다 estar satisfecho, estar contento, alegrarse, encantar, ser satisfactoiro. 흐뭇한 encantador, risueño, que provoca a sonrisa. 흐뭇한 광경 escena *f* encantadora. 흐뭇해서 웃다 sonreír con satisfacción, reírse con deleite.
흐뭇이 con satisfacción, satisfactoriamente, de manera satisfactoria, lo suficientemente, alegremente, satisfechamente, contentamente.

흐벅지다 (ser) regordete, rellenito.

흐슬부슬 desmenuzándose, desmigajándose. ～하다 desmigajarse, desmenuzarse fácilmente, no ser viscoso, no ser pegajoso, no ser adhesivo, no ser glutinoso; [쌀이] no ser apelmazado. 과자가 ～하다 La tarta [El pastel] se desmigaja. 이 밥은 ～하다 El arroz cocido no es apelmazado.

흐지부지 indirectamente, de un modo indirecto, de rodeo, inútilmente. ～되다 dejar en incertidumbre, quedarse como lo era; [희망(希望)이] esfumarse, desvanecerse; [야망 · 계획이] quedar en agua de borrajas. ～말하다 aludir (a). ～ 작별을 고하다 despedirse sin decir nada. 돈을 ～ 써 버리다 gastarse todo el dinero. 그 계획은 ～되었다 El proyecto quedó abortado. 사건은 ～되었다 El caso quedó allí sin resolverse. 그의 연설은 중도에서 ～되었다 Su discurso quedó sin concluir / El dejó el discurso a medio terminar.

흐트러뜨리다 ① [흩다] esparcir, disipar, desparramar, tirar. 닭이 모이를 흐트러뜨렸다 La gallina esparció el alimento. ② [산란하다] despeinar, alborotar, desordenar, desarreglar. 머리카락을 ～ espeinar el pelo. 방을 ～ desordenar la habitación, desarreglar la habitación. ③ [정신 · 마음을] distraer. 정신을 ～ distraer *su* atención. 그들은 감시자의 정신을 흐트러뜨리기 위해 소리를 지르기 시작했다 Ellos empezaron a gritar para distraer a los guardias [para distraer la atención de los guardias]. 그를 일에서 정신을 흐트러뜨리게 하지 마라 No le distraigas de su trabajo.

흐트러지다 dispersarse, esparcirse, disiparse, desparramarse, deshilacharse; [모양이] deformarse; desamoldarse; [머리카락이] despeinarse, alborotarse; [방이] desordenarse, desarreglarse; [마음 · 정신이] distraerse. 머리카락이 흐트러진 despeinado, alborotado.

흐트러진 머리카락 pelo *m* [cabello *m*] suelto. 흐트러진 방 habitación *f* desordenada, habitación *f* desarreglada. 머리카락이 흐트러져 있다 estar despeinado. 이 옷 옷은 모양이 흐트러져 있다 Está deformada esta chaqueta. 봉지가 터져 그녀가 장 본 것이 모두 흐트러졌다 La bolsa se rompió y se le desparrmaron todas las compras. 옷이 온 방에 흐트러져 있었다 Había ropa desparramada [tirada] por toda la habitación. 소음 때문에 마음이 흐트러졌다 Me distraigo por [con] el ruido. 소음으로 내 정신이 계속 흐트러졌다 El ruido me distraía continuamente. 그녀는 슬픔[근심]으로 마음이 흐트러졌다 Ella estaba trastornada por la pena [por la angustia]. 적(敵)의 일각이 흐트러졌다 Se ha deshecho una ala de la defensa de los enemigos.

흐트러트리다 =흐트러뜨리다.

흐흐 ¡Bah! / ¡Puf! / ¡Ja!

흑 con un sollozo, sollozando. ~ 울다 sollozar.

흑(黑) ① ((준말)) =흑색(黑色)(color negro). ② ((준말)) =흑지(piedra negra). ③ [검다] ser negro. ④ [마음이 검다] (ser) malvado, perverso, malo, maligno. ⑤ [어둡다] (ser) oscuro, obscuro. ⑥ [거메지다] ennegrecerse. ⑦ [양(羊)] oveja *f.* ⑧ [돼지] cerdo *m*, puerco *m*, chancho *m.*

흑각(黑角) cuerno *m* negro del búfalo.

흑갈색(黑褐色) marrón *m* oscuro, castaño *m* oscuro, *Chi, Méj* café *m* oscuro.

흑건(黑鍵) 【음악】 teclado *m* negro.

흑고래(黑-) 【동물】 ballena *f* negra.

흑고약(黑膏藥) ungüento *m* negro, emplasto *m* negro.

흑귀자(黑鬼子) ① =흑인(黑人). ② [살빛이 검은 사람] persona *f* negra, persona *f* morena.

흑기(黑旗) bandera *f* negra.

흑기러기(黑-) 【조류】 ganso *m* silvestre negro.

흑내장(黑內障) 【의학】 amaurosis *f*, catarata *f* negra.

흑노(黑奴) ① [흑인 노예] esclavo *m* negro, esclava *f* negra. ② =흑인(黑人).

흑단(黑檀) 【식물】 ébano *m.*

흑당(黑糖) ① [검은 엿] melcocha *f* negra. ② =흑설탕.

흑대두(黑大豆) soja *f* [soya *f*] negra.

흑대모(黑玳瑁) carey *m* negro, concha *f* negra.

흑도(黑道) 【천문】 órbita *f* de la luna.

흑두(黑豆) haba *f* negra, soja *f* negra.

흑두(黑頭) ① [빛이 검은 머리] pelo *m* negro. ② [젊은 사람] joven *mf.*
■ ~재상(宰相) primer ministro joven.

흑두루미(黑-) 【조류】 grulla *f* con capucha.

흑룡(黑龍) dragón *m* (*pl* dragones) negro.

흑마(黑馬) caballo *m* negro.

흑마포(黑麻布) cáñamo *m* negro.

흑막(黑幕) ① [검은 장막] cortina *f* negra. ② [겉으로 드러나지 않은 음흉한 내막(內幕)] circunstancias *fpl* ocultas, interior *m.* 사건의 ~ mente *f* directora del asunto. 정계(政界)의 ~ eminencia *f* gris del mundo político, intrigante *m* político. ~에서 움직이다 moverse entre bastidores. ~에 숨어 있다 hacerse titiritero, estar detrás de cortina [escena · movimiento]. 그가 이 사건의 ~이다 El maneja el tinglado en este asunto / El mueve los hilos en este asunto.
■ ~ 정치(政治) política *f* controlada por la minoría.

흑맥주(黑麥酒) cerveza *f* negra, cerveza *f* oscura.

흑반(黑斑) mancha *f* negra; 【의학】 melasma *f.*

흑발(黑髮) cabello *m* negro, pelo *m* negro.

흑백(黑白) ① [검은빛과 흰빛] el (color) negro y el (color) blanco. ② [잘잘못] justicia e injusticia. ~을 다투다 contender cuál es justo. 법정(法廷)에서 ~을 다투다 recurrir a la justicia para saber cuál [quién] tiene razón. ③ ((바둑)) la piedra blanca y la piedra negra. ④ [흑인과 백인] el negro y el blanco.
◆ 흑백을 가리다 discernir lo justo de lo injusto, discernir entre justicia e injusticia.
■ ~ 사진 foto *f* en blanco y negro. ~ 영화 película *f* en blanco y negro. ~ 텔레비전 televisión *f* en blanco y negro. ¶~ 세트 televisor *m* en blanco y negro. ~ 필름 película *f* [filme *m*] en blanco y negro.

흑보기 persona *f* bizca; bizco, -ca *mf.*

흑빵(黑-) pan *m* negro, pan *m* bazo, pan *m* moreno; [호밀빵] pan *m* de centeno.

흑사(黑砂) 【광물】 arena *f* que contiene muchos minerales negros.

흑사병(黑死病) peste *f.*

흑사탕(黑砂糖) =흑설탕.

흑색(黑色) (color *m*) negro *m.* ~의 negro. ~ 잉크 tinta *f* negra.
■ ~도료 betún *m* negro, pintura *f* negra. ~ 모발(毛髮) melanotriquia *f.* ~ 방송 transmisión *f* calumniosa. ~병 enfermedad *f* negra. ~선전 propaganda *f* calumniosa. ~ 인종 raza *f* negra, negroide *m.* ~종 melanoma *m*, cromatoforoma *m.* ~ 피부염 melanodermatitis *f.* ~ 화약(火藥) pólvora *f* negra.

흑석(黑石) ① [검은 빛깔의 돌] piedra *f* negra. ② =흑요암(黑曜巖). ③ [검은 바둑돌] piedra *f* negra.

흑석영(黑石英) 【광물】 cuarzo *m* negro.

흑선(黑線) ① [검은 빛깔의 선] línea *f* negra. ② 【물리】 rayo *m* oscuro.

흑설탕(黑雪糖) azúcar *m* moreno, azúcar *m* negro.

흑셔츠(黑 shirts) ① [검은 빛깔의 셔츠] camisa *f* negra. ② [예전에, 이탈리아 파쇼 당원의 제복] camisa *f* fascista.

흑송(黑松) 【식물】 =해송(海松).

흑수(黑手) ① [검은 손] mano *f* negra. ② [음흉한 수단] conspiración *f* malvada, intriga *f* maligna.

흑수(黑穗) 【식물】 =깜부기.
■ ~균 =깜부기균. ~병 =깜부깃병(tizón).

흑수정(黑水晶) 【광물】 cuarzo *m* negro, cristal *m* de roca negro.

흑심(黑心) intención *f* malévola, intención *f* malvada. ~이 있는 malévolo, malvado.

흑암(黑暗) ((성경)) tiniebla *f*, oscuridad *f*. 흑암하다 (ser) muy oscuro, (oscuro) como boca de lobo, negro como el azabache.

흑암(黑巖) roca *f* negra.

흑야(黑夜) =칠야(漆夜).

흑양피(黑羊皮) piel *f* negra de la oveja.

흑연(黑煙) humo *m* negro.

흑연(黑鉛) 【광물】 grafito *m*, plombagina *f*.
■ ~광 ㉮ [흑연을 파내는 광산] mina *f* de grafito. ㉯ [흑연을 함유하고 있는 광석] mineral *m* grafitoso.

흑영(黑影) sombra *f* negra, sombra *f* oscura, silueta.

흑요석(黑曜石) 【광물】 obsidiana *f*, espejo *m* de los Incas.

흑요암(黑曜巖) 【광물】 piedra *f* negra.

흑우(黑牛) vaca *f* negra.

흑운(黑雲) nube *f* negra.

흑운모(黑雲母) 【광물】 magnesia *f* mica.

흑의(黑衣) ropa *f* negra, vestido *m* negro, traje *m* negro. ~를 입다 vestirse de negro.

흑인(黑人) ① [흑색 인종에 속한 사람] negro, -gra *mf*. ② [털과 피부가 검은 사람] persona *f* de color negro; negro, -gra *mf*.
■ ~가(街) barrio *m* negro. ~ 공포증 negrofobia *f*. ~ 문제 problema *m* de los negros. ~ 문학 literatura *f* negra. ~ 애호증 negrofilia *f*. ~ 영가(靈歌) (canto *m*) espiritual negro.

흑인종(黑人種) ((준말)) =흑색 인종.

흑자(黑子) ① =흑지. ② =사마귀[1].

흑자(黑字) ① [검은빛의 글자] letras *fpl* negras. ② 【경제】 superávit *m*, cifra *f* negra. ~의 benificioso, provechoso. 무역수지의 ~ superávit *m* de la balanza comercial. ~이다 ser positivo en el balance [en la balanza]. 회사는 ~가 되어 왔다 La compañía ha sido negro.
■ ~ 재정(財政) finanzas *fpl* con superávit.

흑자체 활자(黑字體活字) 【인쇄】 =고딕.

흑적색(黑赤色) (color *m*) rojo *m* oscuro.

흑점(黑點) ① [검은 점] punto *m* negro. ② ((준말)) =태양 흑점(太陽黑點).

흑조(黑潮) corriente *f* negra.

흑죽학죽 someramente, superficialmente, de pasada, incidentalmente, como por obligación, mecánicamente, sin entusiasmo, con desgana. ~하다 (ser) poco científico, dejar mucho librado al azar.

흑지(黑一) piedra *f* negra (del *baduc*).

흑책질 interrupción *f* astuta. ~하다 interrumpir astutamente.

흑청(黑淸) miel *f* negra.

흑체(黑體) 【물리】 cuerpo *m* negro, cuerpo *m* absorbente de neutrones incidentes.

흑칠(黑漆) laca *f* negra.

흑탄(黑炭) 【광물】 =역청탄(瀝青炭).

흑토(黑土) tierra *f* negra, arcilla *f* negra.
■ ~대(帶)[지대] zona *f* [distrito *m*] de la arcilla negra.

흑판(黑板) pizarra *f*. ~에 쓰다 escribir en la pizarra. ~을 지우다 borrar la pizarra.
■ ~ 지우개 borrador *m*.

흑포도(黑葡萄) uva *f* negra.

흑풍[1](黑風) 【기상】 torbellino *m* fuerte.
■ ~백우(白雨) chubasco *m* en el torbellino fuerte.

흑풍[2](黑風) 【한방】 una especie del dolor de ojo.

흑피(黑皮) piel *f* negra, cuero *m* negro.
■ ~증(症) melanoderma *f*, melanosis *f*, melasma *f*.

흑한증(黑汗症) melanefidrosis *f*, melanidrosis *f*.

흑해(黑海) 【지명】 el mar Negro.

흑혈증(黑血症) nigremia *f*.

흑호마(黑胡麻) ajonjolí *m* negro.

흑훈(黑暈) halo *m* rodeado del color negro.

흑흑 sollozando, con sollozos. ~ 느껴 울다 sollozar, llorar convulsivamente.

흔감(欣感) alegría *f*, júbilo *m*. ~하다 alegrarse mucho, regocijarse. 나는 그 소식에 ~했다 La noticia me llenó de alegría / Me alegré mucho con la noticia.

흔덕거리다 [가지·나무가] balancearse; [건물·탑이] bambolearse, balancearse, oscilar. 보리가 미풍에 흔덕거렸다 La cebada se mecía con la brisa.

흔덕이다 (ser) inestable, poco firme.

흔뎅거리다 seguir mecerse suavemente. 흔뎅흔뎅 siguiendo meciéndose suavemente.

흔뎅이다 mecerse, balancearse, sacudirse.

흔드렁거리다 balancearse, bambolearse, oscilar.
흔드렁흔드렁 balanceándose, bamboleándose, oscilando.

흔드적거리다 =흔드렁거리다.

흔들거리다 balancearse, bambolearse, oscilar, temblar.

흔들다 [병·칵테일·손수건·깃발을] agitar; [사람을] sacudir, zarandear, mecer; [건물 등을] sacudir, hacer temblar; [주사위를] agitar, *AmL* revolver; [꼬리를] menearse, moverse; [요람(搖籃)을] mecer; [아이를] acunar; [팔·다리를] balancear; [줄에 있는 물건을] hacer oscilar. 나무를 ~ sacudir un árbol. (디스코 음악에 맞추어) 몸을 ~ mover [menear] el esqueleto, bailar; [자신의] sacudirse. 흔들어 깨우다 sacudir para despertar. 손을 ~ agitar la mano. 손수건을 ~ agitar un pañuelo. 병을 잘 ~ sacudir bien la botella. 마음을 ~ mover el corazón (de), conmover. 어깨를 ~ sacudirse los hombros. 의자를 ~ traquetear una silla; [흔들의자를] mecer una mecedora. 팔을 ~ balancear los brazos. 손을 흔들어 작별하다 hacer adiós con la mano.

(어깨와) 엉덩이를 흔들며 걷다 contonearse, contonear las caderas, menear las caderas. …의 요람(搖籃)을 ~ cunear a *uno*. 개가 꼬리를 흔든다 El perro se menea *su* cola. 어머니는 요람의 아이를 흔들었다 La madre mecía al niño en la cuna. 그녀는 아이를 팔에 안고 흔들었다 Ella acunó al niño en sus brazos. 그는 딸아이를 흔들어 재웠다 El acunó a su hija hasta que se durmió. 사용하기 전에 잘 흔드십시오 Agítese bien antes de usar(se). 우리는 과실을 떨어뜨리기 위해 가지를 흔들었다 Sacudimos la rama para que cayese la fruta. 나는 그녀에게 손을 흔들어 작별했다 Yo le hice adiós con la mano a ella. 그녀는 슬픔에 가득 차 손을 흔들어 작별했다 Ella hizo adiós con la mano, llena de tristeza. 그는 지팡이를 흔들면서 그들을 위협했다 El los amenazó agitando su bastón en el aire [blandiendo su bastón]. 그녀는 웃으면서 그에게 편지를 흔들었다 Sonriente, ella le enseñaba la carta agitándola en el aire. 팔을 앞뒤로 흔들어라 Balancea los brazos hacia atrás y hacia adelante. 그는 다리를 흔들면서 벽에 기대앉아 있었다 El estaba sentada en el muro balanceando las piernas.

흔들리다 ① [좌우나 앞뒤로 잇달아 움직이다] moverse, temblar, agitarse, sacudirse; [가볍게] mecerse, balancearse; [건물(建物)·땅이] sacudirse, estremecerse, temblar; [마차·자동차·기차가] traquetear; [흔들흔들] oscilar, balancearse; [횡(橫)으로] balancearse; [종(縱)으로] cabecear; [빛·불꽃 따위가] oscilar, vacilar. 마음이 ~ vacilar, titubear. 바람에 ~ agitarse [moverse] al [por el] viento. 바람에 흔들리는 갈대처럼 como las cañas que se agitan al viento. 집이 흔들린다 La casa tiembla / La casa se mueve. 이 의자는 흔들린다 Esta silla no es estable / Esta silla se tambalea / Esta silla se mueve. 진자(振子)가 흔들린다 El péndulo oscila. 차가 흔들린다 El vehículo da tumbos / El vehículo traquetea. 비행기가 몹시 흔들렸다 Tuvimos mucho balanceo en el avión / Se movió mucho el avión. 이 집은 흔들리고 있다 Esta casa amenaza ruina. 이가 하나 흔들린다 Se me mueve un diente. 이 사진은 흔들렸다 Esta foto está movida. 바늘이 많이 흔들린다 La aguja oscila mucho. 나뭇가지가 바람에 흔들렸다 Las ramas se agitaban con el viento / Las ramas se mecían en el viento. 바람에 불꽃이 흔들린다 La llama oscila (movida por el viento). 지진으로 건물이 흔들렸다 Tembló el edificio por el terremoto. 배가 파도에 가볍게 흔들렸다 El barco se mecía suavemente en las olas. 마차가 덜커덩덜커덩 흔들리며 길을 가고 있었다 El carro iba traqueteando [dando tumbos] por el camino. 기차가 흔들려 나는 커피를 쏟았다 El tren dio [pegó] una sacudida y se me derramó el café.

② [어떤 안정된 상태가 동요되다] vacilar, oscilar, tambalearse, flaquear. 흔들리지 않는 firme, inestable. 흔들리지 않는 신념(信念) creencia *f* firme, convicción *f* firme. 결심[신념]을 흔들리게 하다 hacer vacilar la determinación [la fe] (de), hacer oscilar la determinación [la fe] (de). 자신(自信)이 흔들린다 Flaquea la confianza en sí mismo. 그의 의견[계획]이 흔들리고 있다 Su opinión [Su proyecto] está vacilante. 그의 지위가 흔들리고 있다 Su posición es inestable. 생각이 흔들린다 Fluctúa la opinión. 정계(政界)가 흔들린다 Está agitado el mundo político. 세계가 흔들린다 El mundo se agita. 국가의 권위가 흔들린다 Se tambalea la autoridad del Estado.

흔들바람【기상】＝질풍(疾風).

흔들바위 roca *f* mecedora.

흔들비쭉이 persona *f* malhumorada.

흔들의자(－椅子) mecedora *f*, *Col*, *Ven* mecedor *m*, *Cuba* columpio *m*.

흔들이【물리】＝진자(振子)(péndulo).

흔들흔들 moviéndose, temblando, sacudiéndose, estremeciéndose, agitándose. ~하다 moverse, temblar, agitarse, sacudirse, estremecerse, balancear, oscilar, vacilar, tembalearse. ~ 흔들리다 mecerse lentamente. 의자에 앉아 발을 ~거리다 balancear los pies sentado en la silla. 탁자가 ~한다 Esta silla no es estable / Esta silla se tambalea / Esta silla se mueve. 이 집은 ~한다 Esta casa amenaza ruina. 어금니 둘이 ~한다 Se me mueven dos muelas. 지진(地震)으로 땅이 ~했다 Tembló la tierra por el terremoto.

흔모(欣慕) ＝흠모(欽慕).

흔연스럽다(欣然－) tener la actitud feliz. 흔연스레 felizmente, con felicidad, alegremente.

흔연하다(欣然－) (ser) feliz, alegre, jovial. 흔연히 felizmente, alegremente, jovialmente, con buen humor, de buena gana, con placer, con gusto, gustosamente, de buen grado. ~ 승낙하다 consentir alegremente, aceptar con gusto, alegrarse de aceptar. 그는 그들의 비평을 ~ 받아들였다 El aceptó sus críticas con buen humor.

흔적(痕迹) marca *f*, huella *f*, impresión *f*, señal *f*; [족적(足跡)] rastro *m*, indicio *m*, pista *f*, pasos *mpl*; [상처 흔적] cicatriz *f*; [유적(遺蹟)] ruinas *fpl*, vestigio *m*. 고대 문명(古代文明)의 ~ vestigios *mpl* [huellas *fpl*] de una civilización antigua. 이로 문 ~ impresión *f* de dientes. ~도 없는 que no tiene ni un rastro, que no deja ningún rastro. ~도 없이 sin dejar rastro. ~을 남기다 dejar la huella, dejar el rastro, dejar la impresión. ~을 보존하다 guardar la huella (de), guardar el rastro (de). ~도 없이 사라지다 desaparecer sin dejar rastro. …의 ~이 있다 haber rastro de *algo*, estar marcado con *algo*, tener la marca de *algo*. 다툰 ~이 없었다 No había señales [indicios · rastros] de que hubiera habido una pelea. 여기 자동차가 지나간 ~이 있다 Aquí queda la huella de las ruedas. 도시에는 전쟁의 ~이 남아 있다 En la ciudad quedan rastros de la guerra. 여기 손가락 ~이 있다 Aquí hay una huella [una impresión] digital. 책에 묶여진 ~이 남아 있다 En el libro quedó la impresión de la cuerda con que había sido atado. 그의 얼굴에는 고뇌의 ~이 보인다 Su rostro refleja [lleva la huella de] mucha aflicciones. 내 서반아어는 진보의 ~이 전혀 없다 No da ninguna muestra [señal] de progreso en mi español. 선거법 위반 ~이 전혀 없다 No desaparecen [se extinguen] las violaciones de ley electoral. 이곳에는 옛날 주민들의 ~이 남아 있다 Quedan aquí vestigios de los habitantes de la antigüedad remota. 최초의 계획은 그 ~도 없다 Ya no queda traza del proyecto original. 그곳에는 중세(中世)의 ~이 남아 있다 Allí se conserva una atmósfera medieval.

■~ 기관(機關) órgano *m* rudimentario [vestigial].

혼전거리다 vivir en lujo, gastar en profusión..

혼전만전 en abundancia, abundantemente, en profusión, copiosamente, ampliamente. 돈을 ~ 쓰다 gastar dinero en profusión.

혼전하다 (ser) muy bastante.

혼쾌하다(欣快—) (ser) feliz, alegre, agradable.

혼쾌히 felizmente, alegremente, agradablemente, de buena gana, con mucho gusto. ~ 동의하다 consentir [aceptar] con mucho gusto.

혼하다 (ser) común (y corriente), copioso, abundante, ordinario; [독창적이 아닌] poco original; [하찮은] vulgar, trivial. 혼하지 않은 poco frecuente, raro, extraño, extraordinario, nada común. 혼한 말 palabras *fpl* triviales, palabras *fpl* banales. 혼한 생각 pensamiento *m* estereotipado, idea *f* poco original. 이 넥타이는 ~ Esta corbata es muy corriente / Esta corbata es poco original. 과실(過失)은 혼한 일이다 Somos capaces de hacer errores. 겨울에 화재(火災)는 혼한 일이다 Incendio ocurre frecuentemente en el invierno.

혼히 profusamente, pródigamente, abundantemente, en abundancia; [보통. 종종] usualmente, comúnmente, por lo común, ordinariamente, frecuentemente, con frecuencia, a veces, unas veces, algunas veces, de vez en cuando, de cuando en cuando; [주로] por la mayor parte; [대개] generalmente, en general. 그것은 요즈음 젊은이들에게 ~ 있는 경향이다 Es una tendencia [una inclinación] común [característica] de los jóvenes de estos días. 그런 유(類)의 실수는 누구에게나 ~ 있다 Todo el mundo es propenso [tiende] a cometer esa clase de errores.

혼해 빠지다 ser corriente. 이런 사건은 혼해 빠졌다 Son corrientes este tipo de sucesos. 그것은 혼해 빠진 것이 아니다 Es una cosa extraordinaria [rara].

혼혼하다(欣欣—) alegrarse mucho (de).

혼혼히 muy alegremente.

혼희(欣喜) alegría *f*, júbilo *m*, goce *m*, gusto *m*, complacencia *f*, deleite *m*. ~하다 alegrarse, regocijarse. ☞환희(歡喜)

■~작약(雀躍) brincos *mpl* de alegría, saltos *mpl* de alegría, exaltación *f* de alegría, regocijo *m*, júbilo *m*, goce *m*. ¶~하다 dar brincos de alegría, dar saltos de alegría, exaltarse de alegría, regocijarse.

홀가휴의(迄可休矣) Deje de hacer adecuadamente.

홀게 늦다 (ser) suelto, flojo, holgado, amplio.

홀게 빠지다 =홀게 늦다.

홀겨보다 lanzar una mirada lasciva, bizquear, ojear de soslayo [de reojo], mirar de soslayo [de reojo], mirar con amenaza. 그는 홀겨보는 경향이 있다 El tiene tendencia a bizquear.

홀근거리다 andar [caminar] lentamente.

홀근홀근 lentamente, con lentitud, con pereza, perezosamente.

홀금거리다 seguir mirando de soslayo [de reojo].

홀금홀금 siguiendo mirando de soslayo [de reojo].

홀긋 echando un vistazo. ~ 보다 echar [dar] un vistazo [ojeada] (a), echar una mirada rápida (a). 그의 모습이 ~ 보였다 Lo vi de pasada / Lo vi sólo un momento.

홀긋거리다 seguir mirando de soslayo [de reojo].

홀긋홀긋 siguiendo mirando de soslayo [de reojo].

홀기다 mirar con recelo, mirar con amenaza.

홀기죽죽 mirando disgustado, con una mirada disgustada. ~하다 mirar disgustado.

홀깃 con una mirada, con una rápida ojeada. ~ 보다 echarle una (rápida) ojeada (a), echar*le* [dar*le*] un vistazo (a). 나는 큰 표제를 ~ 보았다 Les eché una rápida ojeada a los titulares. 이 보고서를 ~ 봐 주시겠습니까? ¿Le darías un vistazo a este informe?

홀깃거리다 seguir echando una rápida ojeada.

홀깃홀깃 siguiendo echado una rápida ojeada.

홀끔하다 (estar) hundido. 나는 앓고 나서 눈이 ~ Mis ojos están hundidos después de la enfermedad.

홀끗 ((센말)) =홀긋.

홀끗거리다 ((센말)) =홀긋거리다.

홀끗홀끗 ((센말)) =홀긋홀긋.

홀낏거리다 ((센말)) =홀깃거리다.

홀낏홀낏 ((센말)) =홀깃홀깃.

홀떼기 parte *f* membranosa de carne.

홀러가다 ① [냇물이] desembocar (en), deaguar (en), afluir (a); [물 따위가] desaguar (en), verter (en). 한강은 황해(黃海)로 흘러간다 El río Han desemboca en el [afluye al · vierte al] Mar Amarillo. 물이 하수로 흘러간다 El agua vierte en la zanja. ② [시간이] pasar, correr. 시간이 흘러간다 El tiempo pasa [trascurre · transcurre].

흘러나오다 ① [새거나 빠져서 흐르며 나오다] [액체가] fluir; [피가] correr; [상처에서] manar, salir; [고름이] supurar. 세차게 ~ [물 · 기름 · 피가] salir a borbotones, salir a chorros. 내 상처에서 피가 흘러나왔다 Me salía sangre de la herida. 상처에서 고름이 흘러나왔다 La herida (le) supuraba. ② [말소리나 음악이 밖으로 퍼져 나오다] salir. 음악실에서 흘러나오는 멜로디 melodía *f* que sale de la revista de variedades.

흘러 내려가다 bajar fluyendo hacia abajo.

흘러내리다 ① [위에서 아래로 흐르면서 내려오다] caer deslizándose, caer resbalando. ② [(매었거나 걸어 놓은 것이) 느슨해져서 밑으로 처지다] bajarse, caerse. 바지가 흘러내려 귀찮다 Me molesta que se me bajen los pantalones. 스타킹이 흘러내렸다 Llevan caídas las medias. 그의 바지가 흘러내렸다 El tiene los pantalones caídos. 나는 안경이 흘러내렸다 Tengo las gafas caídas.

흘러보다 tantear, sondear. 나는 그녀가 어떻게 생각하고 있는가를 흘러보았다 La tanteé para ver qué pensaba / Traté de averiguar qué pensaba.

흘레 cópula *f*, coito *m*. ~하다 tener coito, copularse, unirse sexualmente, juntarse sexualmente.

흘레붙다 ((속어)) =흘레하다.

흘레붙이다 copular.

흘리다 ① [쏟아지게 하다. 새어 떨어지게 하다] derramar, verter. 눈물을 ~ derramar lágrimas. 피를 ~ derramar (la) sangre. 물을 ~ derramar el agua. 땀을 ~ sudar. 피눈물을 ~ llorar lágrimas amargas. 피를 흘리지 않고 sin derramiento de sangre, sin derramar sangre. 잉크를 ~ volcar el tintero. 한 방울 한 방울 ~ verter a gotas. 탁자 위에 물을 ~ derramar agua sobre la mesa. 프라이팬에 기름을 ~ echar aceite en la sartén. 그는 이마에서 땀을 흘리고 있다 El sudor le cae por la frente / Su frente gotea sudor. 바닥에 물을 흘리지 마라 No derrames agua al suelo. 아이가 식탁보에 물을 흘렸다 El niño derramó el agua en el mantel. 그녀는 한 방울도 흘리지 않고 커피를 이층으로 가져갔다 Ella subió el café sin derramar [verter] una gota. 식탁보에 차를 흘리지 마라 No derrames té sobre el mantel / No manches el mantel de té.

② [빠뜨리거나 떨어뜨려 잃다] perder, caer. 돈을 자주 ~ soler perder el dinero. 나는 지갑을 흘렸다 Yo he perdido el monedero [portamonedas].

③ [흘림 글씨를 쓰다] escribir en letra cursiva [en letra corrida]. 흘려 쓴 글씨 letra *f* escrita corridamente. 편지를 흘려 쓰다 escribir la carta en letra cursiva [en letra corrida].

④ [말을 귀담아듣지 않고 귓전으로 지나치다] no prestar especial atención, no hacer caso. 흘려 들은 이야기 conversación *f* que no hizo caso. 이 지시를 흘려 들어 주십시오 No preste especial atención a estas instrucciones. 내가 그에게 멈추라고 말했지만 그는 흘려 들었다 Le dije que parara pero no hizo caso. 그의 말을 흘려 들어라 No le hagas caso.

⑤ [여러 차례에 나누어서 주다] dar poco a poco [de manera poco sistemática].

흘리어주다 dar poco a poco.

흘림 estilo *m* cursivo de la caligrafía. 글을 ~으로 쓰다 escribir en estilo cursivo.

▪ ~체(體) estilo *m* cursivo de caligrafía.

흘림걸그물 una especie de la malla.

흘림흘림 poco a poco. 돈을 ~ 갚다 devolver dinero poco a poco.

흘립하다(屹立-) elevarse, encumbrarse, erguirse verticalmente. 낭떠러지가 해면(海面)에 흘립하고 있다 Los acantilados se yerguen verticalmente sobre el mar.

흘미죽죽 someramente, por encima.

흘수(吃水) calado *m*, profundidad *f* de las aguas navegables. ~가 낮은 [깊은] 배 barco *m* de pequeño [gran] calado. ~가 5미터다 calar cinco metros de agua, tener cinco metros de calado.

▪ ~선(線) línea *f* de flotación, línea *f* de agua, marcas *fpl* de calado.

흘쩍거리다 holgazanear, haraganear, flojear, entretenerse. 길에서 흘쩍거리지 마라 No te entretengas en el camino.

흘쩍흘쩍 ociosametne, perezosamente, lentamente, con lentitud.

흘쭉거리다 seguir holgazaneando.

흙 ① [지구의 외각을 이루는 토석] tierra *f*. ~으로 만든 벽돌 ladrillo *m* de tierra. ~ 한 줌 un puñado de tierra. ② [암석이 부스러져 된 분말. 토양(土壤)] suelo *m*, terreno *m*, tierra *f*. ~ 속의 벌레 gusano *m* en el suelo. 화분에 ~을 약간 더 넣어 주세요 Ponga un poco más de tierra en el tiesto. ③ [동물이 죽어서 썩어짐을 이르는 말] polvo *m*. ~으로 돌아가다 volver a polvo.

흙감태기 lo que está cubierto de barro. ~가 되다 estar cubierto de barro.

흙구덩이 agujero *m* en el suelo.

흙내 olor *m* a tierra. ~가 나다 oler a tierra. ~가 나는 que huele a tierra.

◆ 흙내(를) 맡다 echar raíces, arraigar.

▪ 흙내가 고소하다 ((속담)) Se tiene el deseo de morir.

흙다리 puente *m* de tierra, puente *m* cubierto de tierra.

흙담 tapia *f*, muro *m* (de barro).

흙더미 montón *m* (*pl* montones) de tierra.

흙덩어리 =흙덩이.

흙덩이 terrón *m* (*pl* terrones) (grande).
흙도배(一塗褙) empapelado *m* de tierra en la pared. ～하다 empapelar con tierra en la pared.
흙뒤 tendón *m* de Aquiles.
흙먼지 polvo *m*, nube *f* de polvo. (굉장한) ～를 일으키다 levantar una (gran) nube de polvo.
흙메 =토산(土山).
흙무더기 montón *m* de tierra.
흙물 el agua lodosa.
흙뭉치 bola *f* de tierra.
흙뭉텅이 bola *f* grande de tierra.
흙바람 viento *m* polvoriento.
흙바탕 ① =토대(土臺). ② =토질(土質).
흙받기 ① [흙손질할 때에 이긴 흙을 받쳐 드는 제구] esparavel *m*. ② [자전거·자동차 등의 바퀴의 위나 뒤에 대어 튀는 흙을 막는 장치] guardabarros *m.sing.pl*, guardafangos *m.sing.pl*, *Méj* salpicadera *f*, *Chi, Per* tapabarros *m.sing.pl*. ～의 자락 faldón *m* (del guardabarros).
흙밥 una palada de tierra.
흙방(一房) habitación *f* empapelada con barro.
흙배 =토선(土山).
흙벽(一壁) pared *f* de barro, muro *m* (de barro).
흙벽돌 ladrillo *m* de tierra.
흙부처 estatua *f* de Buda de barro.
흙비 tormenta *f* de arena.
흙빛 color *m* de tierra, color *m* moreno, color *m* pardo. ～의 cenizoso, ceniciento, pálido, pardo. 얼굴이 ～이 되다 ponerse pálido. ～ 얼굴을 하고 있다 tener la cara lívida [terrosa]. 안색이 ～이 되어 있다 La cara está mortalmente pálida.
흙빨래 ¶～하다 ensuciar [manchar] la ropa con el agua lodosa.
흙손 paleta *f*, llana *f*, palustre *m*.
■ ～끌 cincel *m* [escoplo *m*] de la forma de paleta. ～질 extensión *f* con palustre. ～하다 extender con el palustre.
흙일 trabajos *mpl* de preparación del terreno.
흙장난 juego *m* con tierra. ～하다 jugar con tierra.
흙창(一窓) ventana *f* empapelada.
흙체 criba *f* para la tierra.
흙칠 enbadurnamiento *m* de barro. ～하다 enbadurnar con barro.
흙탕 ((준말)) =흙탕물.
■ ～길 camino *m* lleno del agua lodosa. ～물 el agua *f* cenagosa, el agua lodosa; [탁한 물] el agua *f* tibia.
흙투성이 lo cubierto de tierra. 바지가 ～이다 Los pantalones están llenos [cubiertos] de tierra.
흙풍로(一風爐) hornillo *m* de barro.
흙화덕(一火一) estufa *f* de barro.
흠 ¡Um!
흠(欠) ① [흉] defecto *m*, falta *f*, demérito *m*, tacha *f*. ～을 발견하다 hallar un defecto (en). ～을 찾으려 애쓰다 tratar de buscar faltas (en), tratar de poner tachas (en). ～없는 사람은 없다 Nadie es perfecto. ② [물건이 이지러지거나 깨어진 곳] grieta *f*, raja *f*, defecto *m*, fallo *m*, falla *f*, imperfección *f*; [단단한 물건의 표면의] raya *f*. ～이 있는 defectuoso, imperfecto, rayado. ～이 있는 사기그릇 porcelana *f* con imperfecciones. 이 다이아몬드에는 ～이 있다 Este diamante está rayado / Este diamante es defectuoso / Este diamante es imperfecto. ③ [물건이 썩거나 좀먹어 성하지 않은 부분] [식물·과실의] magulladura *f*, *Méj*, *Ven* mallugadura *f*, *CoS* machucón *m*. 이 과실에는 ～이 있다 Esta fruta está tocada [picada]. ④ [물건의 불충분하거나 불완전한 국부(局部). 하자(瑕疵)] defecto *m*. 공사(工事)의 ～ defecto m de construcción. 그 계획은 ～이 많다 El plan tiene muchos defectos. ⑤ [상처 자국] cicatriz *f*. 얼굴에 ～이 있다 tener una cicatriz en la cara.
흠가다 grietarse, agrietarse.
흠구덕 lenguaje *m* injurioso, lenguaje *m* ofensivo. ～하다 insultar (a), despotricar (de).
흠나다 mallugarse, magullarse, *CoS* machucarse. 흠나게 하다 magullar, *Méj*, *Ven* mallugar, *CoS* machucar. 흠난 magullado, *Méj*, *Ven* mallugado, *CoS* machucado. 흠난 사과 manzana *f* magullada [*Méj*, *Ven* mallugada · *CoS* machucada].
흠내다 hacer alguna herida [cicatriz] en el cuerpo, estropear, deteriorar, dañar, perjudicar; [단단한 물건에] rayar. 얼굴에 ～ herir (en) la cara; [자신의] herirse (en) la cara. 벽에 ～ rayar la pared, dañar la pared. 벽에 흠내지 마라 No rayes la pared.
흠되다 =흠지다.
흠뜯다 difamar, injuriar, hablar mal (de). 남을 잘 흠뜯는 사람 difamador, -dora *mf*.
흠결(欠缺) =흠축(欠縮).
흠모(欽慕) admiración *f*, adoración *f*. ～하다 admirar, adorar, hacer ídolo (de). 그는 여전히 한국인의 ～를 받고 있다 El es todavía un ídolo de los coreanos.
흠빨다 chupar [sorber] mordiendo profundamente.
◆ 흠빨며 감빨다 sorber con gula.
홈빡 ① [분량이 꽉 차고도 남도록 흡족하게] mucho, muchísimo, todo, a cántaros. ～ 젖은 mojado [empapado] hasta los huesos, calado. ～ 젖어 como un pollo mojado, como una sopa, hecho una sopa. ～ 젖다 calarse, empaparse; [몸이] mojarse [empaparse] hasta los huesos [hasta los tuétanos]. ～ 적시다 impregnar. ～ 칠하다 empolvarse con exceso. 비가 ～ 내리다 llover mucho, llover a cántaros, hacer mucha lluvia.. 그는 ～ 젖어 있다 El está como una sopa. 나는 ～ 젖어 집에 왔다 Llegué a casa hecho una sopa. 소나기로 빨래가 ～ 젖었다 El chaparrón ha empapado la ropa que estaba tendido. 그는 알코올에 솜

을 ~ 적셨다 El impregnó el algodón en alcohol. 나는 땀을 ~ 흘렸다 He sudado mucho. ② [흐뭇하게 온통] completamente.

흠실흠실 demasiado suavemente [blandamente]. ~ 삶다 hervir carne tiernamente.

흠씬 suficientemente, muchísimo, completamente. 비에 ~ 젖다 mojarse hasta los huesos. ☞흠뻑

흠앙(欽仰) adoración *f*, reverencia *f*, veneración *f*. ~하다 adorar, reverenciar, venerar.

흠잡다(欠—) criticar, buscar defectos. 흠잡을 데가 없다 ser impecable, ser intachable. 흠잡을 데가 없는 사람 persona *f* impecable, persona *f* intachable. 그녀는 흠잡을 데가 없다 Ella no tiene ninguna tacha / Ella es intachable. 그들은 항상 나를 흠잡는다 Todo lo que hago les parece mal, siempre me están criticando.

흠절(欠節) =결점(缺點).

흠점(欠點) =흠절(欠節).

흠정(欽定) autorización *f*, establecimiento *m*. ~하다 autorizar, establecer. ~의 compilado por el orden imperial, autorizado.

▪~ 시인 poeta *m* galardonado, poeta *m* laureado. ~역 성서(譯聖書) la Versión Autorizada (de la Santa Biblia). ~ 헌법 constitución *f* promulgada por el rey [por el emperador].

흠지다(欠—) herirse, lastimarse, rayarse, dañarse, perjudicarse, estropearse, hacerse cicatriz.

흠지러기 carne *f* fibrosa.

흠집(欠—) cicatriz *f* (*pl* cicatrices) (상처 자국), abertura *f* [labios *mpl* · boca *f*] de la herida (상처 받은 자리); [물건의] defecto *m*, falta *f*; [단단한 물건의 표면에 생긴] raya *f*. 이 에메랄드에는 ~이 있다 Esta esmeralda está rayada. ☞흠(欠)

흠처(欠處) =결점(缺點).

흠축(欠縮) deficiencia *f*, déficit *m*, falta *f*, escasez *f*, carencia *f*, necesidad *f*.

◆흠축(을) 내다 hacer faltar. 흠축(이) 나다 (ser) insuficiente, escaso, falto.

흠치르르 lacia y brillantemente. ~하다 ser brillante, lustroso, lacio y brillante. ~한 안색(顔色) tez *f* lustrosa.

흠칫 tímidamente, medrosamente, nerviosamente. ~하다 retroceder, intimidarse, temblar de miedo, inquietarse, mostrarse tímido, mostrarse nervioso. 그녀는 무서워 ~했다 El miedo la hizo retroceder / Ella retrocedó de miedo. 그는 시체를 보자 ~했다 El retrocedió impresionado al ver los cadáveres.

흡각(吸角) 【의학】 ventosa *f*.

흡기(吸氣) aspiración *f*, inhalación *f*.

▪~관(管) válvula *f* de aspiración. ~기(器) aspirador *m*. ~ 밸브 válvula *f* de aspiración. ~ 측정계 inspirómetro *m*.

흡력(吸力) poder *m* absorbente.

흡반(吸盤) 【동물】 =빨판.

흡사(恰似) semejanza *f*. ~하다 tener una gran semejanza (con), parecerse mucho (a).

흡상(吸上) chupadura *f*, chupada *f*. ~하다 chupar, aspirar. ▪~ 펌프 bomba *f* aspirante.

흡수(吸水) aspiración *f* de agua. ~하다 aspirar el agua.

▪~관 sifón *m* (*pl* sifones). ~ 펌프 bomba *f* aspirante.

흡수(吸收) absorción *f*, absorbencia *f*, succión *f*; [동화(同化)] asimilación *f*. ~하다 absorber, embeber, chupar; asimilar. 외국 문화(外國文化)를 ~하다 asimilar una cultura extranjera. 채권 채무를 ~하다 absorber el activo y pasivo.

▪~계(計) absorciómetro *m*. ~ 계수(係數) coeficiente *m* de absorción. ~관 vaso *m* absorbente. ~기 absorbente *m*. ~ 기둥 [석유의] columna *f* de absorción. ~ 냉각 refrigeración *f* por absorción. ~능(能) absorbencia *f*. ~력 fuerza *f* de absorción. ~력 상실 pérdida *f* de absorción. ~선 rayas *fpl* de absorción. ~ 설비(設備)[시설] instalación *f* de absorción. ~성(性) absortividad *f*. ~ 스펙트럼 espectro *m* de absorción. ~열 calor *m* de absorción. ~작용 absorción *f*. ~제 absorbente *m*. ~탑 [석유의] torre *f* de absorción. ~ 합병(合倂) incorporación *f* por absorción.

흡습성(吸濕性) higroscopicidad *f*. ~의 higroscópico.

흡연(吸煙) (el) fumar, fumada *f*, *CoR* fumado *m*. ~하다 fumar. ~을 중지하다 dejar de fumar. 마리화나의 ~이 만연하고 있다 (El) Fumar está muy extendido. ~은 당신의 건강에 해롭습니다 Fumar es perjudicial para la salud. ~은 건강을 심하게 해친다 Fumar perjudica seriamente la salud.

▪~ 구역 sector *m* para fumadores. ~ 금지 ㉮ prohibición *f* de fumar. ㉯ ((게시)) Se prohibe fumar / Prohibido fumar / No fumar / No fume. ~ 금지 구역 *CoR* sección *f* de no fumado. ~석 asiento *m* de fumar. ~실(室) salón *m* de fumar, fumadero *m*. ~자 fumador, -dora *mf*. ~차 coche *m* [vagón *m* · carro *m*] de fumadores. ~ 찻간 compartimento *m* de fumadores.

흡연하다(洽然—) (ser) muy satisfactorio, muy contento.

흡연하다(翕然—) (ser) espontáneo.

흡열 반응(吸熱反應) 【화학】 reacción *f* endotérmica.

흡유기(吸乳期) período *m* de chupar la leche.

흡유기(吸乳器) bomba *f* para la leche.

흡음(吸音) absorción *f* de sonido.

▪~력 poder *m* de absorción de sonido. ~재(材) materiales *mpl* de absorción de sonido.

흡인(吸引) absorción *f*, succión *f*, aspiración *f*. ~하다 absorber, aspirar, embeber, chupar.

▪~기(器) aspirador *m*. ~력 fuerza *f* de absorción. ~ 요법 terapia *f* de absorción.

～ 작용 absorción *f*, atracción *f*. ～ 펌프 bomba *f* de aspiración.

흡입(吸入) inspiración *f*, inhalación *f*. ～하다 inspirar, inhalar, aspirar.
■ ～기 inspirador *m*, inhalador *m*. ～액 líquido *m* inspirante. ～ 요법 terapia *f* de inspiración.

흡장(吸藏) 【물리】 oclusión *f*. ～하다 ocluir.

흡족하다(洽足－) (ser) suficiente, bastante, satisfactorio. 그들은 흡족할 때까지 즐겼다 Ellos se divirtieron hasta la saciedad.
흡족히 bastante, satisfactoriamente, sufientemente. ～ 먹다 hartarse, comer hasta la saciedad, hartarse un hartazgo (de). ～ 먹었습니다 Estoy harto [lleno], gracias. 나는 포도를 ～ 먹었다 Me he dado un hartazgo de uvas.

흡착(吸着) 【물리·화학】 absorción *f*. ～하다 absorber, pegarse. ～성(性)의 absortivo. 거머리가 내 발에 ～했다 Una sanguijuela se pegó a mi pierna.
■ ～력 poder *m* absortivo. ～제 adsorbente *m*, materia *f* adhesiva, sustancia *f* adhesiva.

흡출(吸出) chupada *f*, chupadura *f*. ～하다 chupar.

흡혈(吸血) chupadura *f* de la sangre. ～하다 chupar la sangre.
■ ～귀 ㉮ [밤중에 무덤에서 나와 사람의 피를 빨아 먹는다는 귀신] vampiro *m*. ～같은 vampírico. ～ 같은 여자 vampiresa *f*. 드라큘라는 전형적인 ～다 Dracula es un vampiro típico. ㉯ [사람의 고혈(膏血)을 착취하는 인간] sanguijuela *f*, [고리대금업자] usurero, -ra *mf*.
■ ～ 동물 hematófago *m*. ～마 ＝흡혈귀.

흣대 vara *f* de alfarero.

흥 ① [업신여기거나 아니꼬울 때 코로 비웃는 소리] ¡Bah! ～하고 콧방귀를 뀌다 no hacer caso (de), desdeñar, despreciar, tomar a broma. ② [신이 나서 감탄(感歎)하는 소리] ¡Hummm…! / ¡Um!

흥(興) gozo *m*, placer *m*, deleite *m*, alegría *f*, interés *m*, excitación *f*, júbilo *m*, goce *m*, regocijo *m*, entusiasmo *m*. ～에 겨워 en el exceso de regocijo. ～을 깨는 사람 aguafiestas *mf.sing.pl.* ～을 깨다 aguar la fiesta, matar la alegría (de), echar un jarro de agua fría (a), echar a perder el interés (de). ～이 깨지다 aguarse la fiesta. ～을 돋우다 elevar el interés (de), añadir interés (a). …에 ～이 오르다 tener un gran interés (en·por). 나는 그 일 때문에 완전히 ～이 깨졌다 Eso me enfrió [quitó] todo el entusiasmo / Eso fue como un jarro de agua fría. ～을 깨지 마라 No seas aguafiestas.

흥감 farol *m*, fanfarronada *f*.
◆흥감(을) 부리다 tirarse un farol, farolear, fanfarronear, exagerar.

흥건하다 inundarse (de·en), llenar (de), estar lleno de agua. 땅바닥은 피로 ～ inundarse de [en] sangre el suelo. 국이 ～ La sopa es acuosa.
흥건히 lleno de agua, acuosamente, inundantemente.

흥겹다 divertirse, distraerse, complacerse, deleitarse. 카드놀이를 하면서 흥겨워하다 divertirse jugando a las cartas.
흥겨이 deliciosamente, deleitosamente.

흥국(興國) prosperidad *f* de un país. ～하다 prosperar el país.

흥글방망이놀다 frustrar, estorbar, dificultar, obstaculizar, molestar.

흥기(興起) ascensión *f*, subida *f*, poder *m*. ～하다 ascender.

흥김(興－) influencia *f* de conmoción.

흥 나다(興－) estar alegre, tener diversión.

흥덩흥덩 lleno de agua, acuosamente. ～하다 tener demasiada agua (en).

흥뚱항뚱 descuidadamente, desatentamente, negligentemente, sin la debida atención, de manera descuidada, sin prestar atención, imprudentemente, de modo temerario, sin ganas, con poco entusiasmo.

흥륭(興隆) prosperidad *f*, florecimiento *m*. ～하다 prosperar, florecer.

흥망(興亡) vicisitudes *fpl*, prosperidad y decadencia, levantamiento y caída, vaivén *m*, hado *m*, destino *m*. 로마 제국의 ～ prosperidad *f* y decadencia del Imperio Romano. 인생(人生)의 ～ vicisitudes *fpl* de la vida. 국가의 ～을 결정하다 decidir el destino de una nación.
■ ～성쇠(盛衰) vicisitudes *fpl*, altibajos *mpl*. 인생에는 ～가 있다 Hay vicisitudes en la vida / La vida tiene sus altibajos. 그의 사업은 ～가 있었다 Su negocio ha tenido sus altibajos.

흥미(興味) interés *m*, entusiasmo *m*, gusto *m*, brío *m*, ganas *fpl*. ～ 있는 interesante. ～ 없는 insípido, poco interesante. ～를 가지고 con interés. ～를 끌다 interesar (a), despertar el interés (de), suscitar el interés (de). ～를 잃다 perder el interés (en). …에 ～가 있다 estar interesado en *algo*, tener interés por [en] *algo·uno*. …에 ～가 솟다 tomar interés en [por] *algo*. ～ 있는 얼굴을 하다 poner cara de tener mucho interés. 나는 골프에 ～가 있다 Tengo interés en el golf. 그것에 대단히 ～가 있다 Es de mucho interés. 그것은 나한테는 전혀 ～가 없다 No tiene interés alguno para mí. 그는 그 영화에 ～를 보였다 El mostró interés en esa película. 이 책은 무척 ～가 있다 Este libro es muy interesante. 그는 생(生)에 ～를 잃었다 El perdió las ganas de vivir. 누가 올 것인가를 아는 것은 나에게는 무척 ～가 있다 Me interesa mucho saber quién vendrá.
흥미로이 interesantemente.
흥미롭다 (ser) interesante, sentirse interesante.
■ ～ 본위(本位) ¶～의 sensacionalista, amarillo, popular. ～의 문학(文學) literatua *f* popular. ～의 신문 diario *m* amarillo,

prensa *f* sansacionalista, prensa *f* amarilla. ～의 읽을 거리 lectura *f* divertida. ～로 기사를 쓰다 escribir un artículo sensacionalista.

홍미진진하다(興味津津－) (ser) muy interesante, estar lleno de interés, tener un enorme interés. 홍미진진한 de mucho interés, muy interesante. 그것은 나한테는 ～ Eso tiene un enorme interés para mí / Eso está lleno de interés para mí.

홍복(興復) ＝부홍(復興).

홍분(興奮) excitación *f*, exaltación *f*, entusiasmo *m*, agitación *f*, arrebato *m*. ～하다 exaltarse, excitarse, entusiasmarse, acalorarse, agitarse, apasionarse. ～해서 acaloradamente, agitadamente, apasionadamente. ～하기 쉬운 excitable, irritable. ～시키다 excitar, exaltrar, entusiasmar, apasionar, arrebatar. ～을 진정시키다 calmar [aplacar・apaciguar] la exaltación [la excitación]. ～이 가라앉다 calmarse, apaciguarse, aplacarse. ～해서 말하다 hablar entusiasmado [exaltado]. 기쁨으로 ～하다 enajenarse de alegría. 기쁨으로 ～되어 있다 estar enajenado de alegría. 몹시 ～하여 있다 estar como una Pascuas, estar loco de contento. 몹시 ～해서 이야기하다 apresurarse a [en] hablar, hablar precipitadamente [aprisa・impacientemente]. ～하지 마라 No te agites / No te pongas nervioso. ～한 군중이 돌을 던졌다 La muchedumbre excitada tiró piedras. 그는 신경이 ～해 있다 El está excitado [nervioso] / Sus nervios están excitados. 여행으로 나는 무척 ～해 있다 Estoy tan entusiasmado con el viaje / El viaje me hace tanta ilusión. 그는 너무 ～해서 떨리기 시작했다 El se excitó tanto que empezó a temblar. 그렇게 ～하지 마라 No te excites tanto. 그는 쉽게 ～하는 경향이 있다 El tiene tendencia a excitarse fácilmente / El es propenso a excitarse. 그는 소식을 들었을 때 몹시 ～해 있었다 El se puso como unas Pascuas [loco de contento] cuando se enteró. 멋진 시합에 관중들은 ～해 있다 Los expectadores están entusiasmados ante un partido tan emocionante.

■～ 상태(狀態) condición *f* excitada. ～제 estimulante *m*, excitante *m*, afrodisiaco *m*.

홍성(興盛) prosperidad *f*. ～하다 prosperar.

홍성홍성 prósperamente. ～하다 (ser) próspero. 사업이 ～하다 El negocio es próspero.

홍신소(興信所) agencia *f* privada de investigaciones secretas, agencia *f* de detectives privados. 상업 ～ agencia *f* de investigación comercial.

홍얼거리다 tararear, canturrear entre dientes, ronronear, zumbar, cantar en tono bajo y monótono. 홍얼거림 tarareo *m*, canturreo *m*.

홍얼홍얼 tarareando. 혼자 ～ 노래하다 tararear solo.

홍업(興業) promoción *f* de industrias, empresa *f* industrial.

■～권(權) ＝홍행권. ～ 은행(銀行) banco *m* industrial.

홍왕하다(興旺－) (ser) muy influyente.

홍융(興戎) estallido *m* de la guerra. ～하다 hacer estallar la guerra.

홍이야항이야 metiéndose, entrometiéndose, inmiscuíndose. ～하다 meterse (en), entrometerse (en), inmiscuirse (en), meter las narices (en). 남의 일에 ～하다 meterse [entrometerse・inmiscuirse] en *sus* asuntos. 내 일에 ～하지 마라 ¡No te metas [entrometas・inmiscuyas] en mis asuntos.

홍정 ① [매매(賣買)] compraventa *f*. ～하다 comprar y vender. ② [물건을 사고 팔기 위해 값 따위를 따지고 의논하는 일] regateo *m*. ～하다 regatear. ③ [(교섭 따위에서) 자기에게 유리하도록 상대방과 수작을 하는 일] negociación *f*, táctica *f*, estrategia *f*, maniobra *f*, astucia *f* diplomática. ～하다 negociar, darse maña. 의회(議會) 내의 ～ tácticas *fpl* parlamentarias. 그는 ～에 능란하다 [둔하다] El es hábil [torpe] para negociar.

◆홍정(을) 붙이다 portarse como un agente, ayudar la cormpraventa..

■홍정은 붙이고 싸움은 말리랬다 ((속담)) Se tiene que ayudar lo bueno y interrumpir [impedir] lo malo.

■～거리 mercancía *f*, *AmL* mercadería *f*. ～꾼 ㉮ agente *mf*. ㉯【주식】corredor, -dora *mf* de bolsa; agente *mf* de bolsa.

홍진비래(興盡悲來) La tristeza viene después de la alegría / La adversidad viene después de la felicidad / No hay mal que por bien no venga.

홍청거리다 alegrarse hasta lo sumo, regocijarse sobremanera, alborotar, exultar, regocijarse. 요릿집을 돌아다니며 ～ irse de juerga.

홍청망청 en abundancia, en gran cantidad, profusamente, copiosamente. 물을 ～ 쓰다 usar agua en abundancia.

홍청홍청 con júbilo, con exaltación del ánimo, con viva alegría, exaltadamente, triunfantemente, jubilosamente, exultantemente de alegría, de júbilo, con exultación.

홍취(興趣) interés *m*, gusto *m*. ～가 있다 ser interesante. ☞홍미(興味)

홍치(興致) diversión *f*, entretenimiento *m*, placer *m*, deleite *m*, satisfacción *f*, elegancia *f*.

홍타령(－打令) *heungtaryeong*, una especie de la canción tradicional coreana con el '*heung*' en el fin de cada línea.

홍판(興販) venta *f* después de regatear. ～하다 vender después de regatear.

홍패(興敗) destino *m*, suerte *f*, fortuna *f*. 국가의 ～에 관한 중대한 문제 una gran cuestión sobre el destino del país. 한 나라의 ～가 달려 있는 싸움 batalla *f* que depende del destino de un país.

홍폐(興廢) vicisitud *f*, prosperidad y decadencia, levantamiento y decaída. 우리 나라의 ~는 이 일전(一戰)에 있다 El hado de nuestro país depende de esta batalla [este combate].

홍하다(興—) prosperar, gozar de fortuna, gozar de prosperidad, tener éxito, enriquecerse, ser próspero. 홍하는 집안 la próspera familia. 나라가 ~ el país prosperar. 장사가 ~ el negocio ser próspero. 홍하든 망하든 해보겠다 Yo trataré a mi suerte.

홍행(興行) función *f*, representación *f*, empresa *f*, exhibición *f*. ~하다 dar función, representar, dar, interpretar, tocar, ejecutar. 연극을 ~하다 representar en teatro, dar función teatral. ~이 끝났다 Ha terminado la función / Bajó el telón.

◆야간(夜間) ~ función *f* nocturna. 오후 ~ vermut *m*. 주간(晝間) ~ matinée *m*. 특별 ~ función *f* extraordinaria. 효과(效果) ~ función *f* de gala.

■~권 derecho *m* de función, derecho *m* de producción escénica. ~단 empresa *f*, compañía *f*; [곡예(曲藝)] circo *m*. ~물(物) representación *f*, espectáculo *m*, producción *f*, exhibición *f*. ~ 비행(飛行) exhibición *f* de vuelo. ~사 empresario, -ria *mf* de expectáculo público; director, -tora *mf* de empresa; empresario, -ria *mf* de teatro [de circo]. ~세(稅) impuesto *m* sobre los espectáculos. ~장(場) lugar *m* de función, circo *m*. ~주(主) ㉮【경제】promotor, -tora *mf*. ㉯ ((운동)) empresario, -ria *mf*.

홍황(興況) circunstancias *fpl* interesantes.

홍회(興懷) corazón *m* que eleva interés.

홍홍 ¡Bah!

홍흥거리다 ㉮ [홍겨워 연해 콧소리가 나다] cantar con voz suave, cantar suavemente. ㉯ [어린애가 못마땅하거나 무엇을 달라고 어리광 떨며 울다] lloriquear, gimotear.

흩날리다 esparcirse, dispersarse, desparramarse, ir volando en diferentes direcciones, flotar, ondular, ondear. 바람에 ~ [기 따위가] flotar en el viento, ondular al viento, ondear al viento. 낙엽이 바람에 흩날린다 Las hojas se esparcen al viento / El viento esparce las hojas caídas. 창유리가 산산조각이 나 흩날렸다 Los cristales de la ventana se han roto en mil pedazos.

흩다 esparcir, desparramar, derramar; [머리카락 따위를] desmelenar, desgreñar; [씨앗을] sembrar.

흩뜨리다 dispersar, esparcir, desparramar; [머리카락 따위를] desmelenar, desgreñar, despeinar. 머리카락을 흩뜨리고 con el pelo [el cabello] despeinado [desgreñado · en desorden]. 머리카락을 흩뜨린 여인(女人) mujer *f* desgreñada. 마음을 ~ disturbar [perturbar] la atención (de). 적을 쫓아 ~ dispersar a los enemigos. 마음을 흩뜨리지 않고 공부하다 estudiar sin distraerse. 바람이 나뭇잎을 흩뜨린다 El viento dispersa las hojas. 경찰은 구경꾼들을 흩뜨렸다 La policía dispersó a los curiosos. 우리들은 정원(庭園)에 재를 흩뜨렸다 Nosotros esparcimos las cenizas por el jardín.

흩어뿌리기 esparcimiento *m*, sembradura *f*.

흩어지다 dispersarse, esparcirse, disiparse, desparramarse, extenderse. 새들이 ~ desparramarse los pájaros. 군중(群衆)이 흩어진다 La muchedumbre se dispersa. 병사들이 여기저기 흩어졌다 Los soldados se dispersaron aquí y allá. 서류가 온 방안에 흩어져 있다 Los papeles están dispersos en [por] toda la habitación. 바람에 쓰레기가 흩어졌다 El viento arrastró las basuras. 공원에 종이가 흩어져 있다 En el parque hay mucho papeles tirados / Papeles usados ensucian el parque. 봉투가 터져 그녀가 산 것이 죄다 흩어졌다 La bolsa se rompió y se le desparramaron todas las compras. 옷이 온 방에 흩어져 있다 Hay ropa desparramada [tirada] por toda la habitación. 장난감이 온 방에 흩어져 있었다 Había juguetes desparramados [tirados] por toda la habitación.

흩이다 ser dispersado, ser esparcido, ser extendido. 꽃이 바람에 흩인다 Las flores son dispersado por el viento.

흩트리다 =흩뜨리다.

희-(稀) raro, noble.

희가극(喜歌劇) opera *f* bufa, opera *f* cómica, comida *f* musical, zarzuela *f*.

희가스(稀 gas) gas *m* noble.

■~류 원소(類元素) gas *m* raro, gas *m* noble.

희갈색(稀褐色) marrón *m* ligero.

희경(喜慶) ocasión *f* feliz.

희곡(戲曲) drama *m*, pieza *f* teatral, obra *f* teatral.

■~ 작가 dramaturgo, -ga *mf*; autor *m* dramático, autora *f* dramática; dramatista *mf*. ~ 작법 dramaturgia *f*, dramática *f*. ~화(化) dramatización *f*. ¶~하다 dramatizar.

희괴하다(稀怪—) (ser) raro y extraño.

희구(希求) deseo *m*, aspiración *f*. ~하다 desear, aspirar.

희구(戲具) juguetes *mpl*.

희구서(稀覯書) libro *m* muy raro.

희귀하다(稀貴—) (ser) raro, curioso, común (*pl* comunes), fenomenal, extraordinario. 희귀한 물건 raridad *f*, curiosidad *f*, artículos *mpl* raros. 희귀한 일 raridad *f*. 희귀한 책 libro *m* raro.

희극(喜劇) ① [사람을 웃길 만한 일이나 사건] humorismo *m*. ②【연극】comedia *f*. ~의 cómico. 쉐익스피어의 ~들 comedias *fpl* de Shakespeare.

■~ 문학(文學) literatura *f* cómica. ~ 배우 comediante *mf*; (actor *m*) cómico *m*, (actriz *f*) cómica *f*; humorista *mf*.; [광대] payaso *m*. ~ 쇼 espectáculo *m* humorístico, espectáculo *m* de humor. ~ 영화(映畵) película *f* cómica. ~ 작가 dramaturgo *m* cómico, dramaturga *f* cómica. ~적 ㉮

humorista, humorístico. ㊥ cómico *adj*. ~ 프로그램 programa *m* humorístico, programa *m* de humor.

희극(戲劇) ① [진실하지 않은 행위] actitud *f* mentirosa, actitud *f* falsa. ② 【연극】 [익살을 부리는 연극] humorismo *m*.

희금속(稀金屬) metales *mpl* raros.

희끄무레하다 (ser) agrisado, blanquizco, blanquecino. 희끄무레한 흑판(黑板) pizarra *f* agrisada. 희끄무레하게 하다 agrisar, dar color gris.

희끈거리다 estar mareado.

희끔하다 (ser) blanquecino, blancuzco.

희끗거리다 estar mareado.

희끗희끗 [머리가] (ser) entrecano. ~한 (센) 머리 pelo *m* entrecano, cabello *m* entrecano, cabeza *f* entrecana, cabeza *f* con canas, cabeza *f* sembrada de canas. 머리카락이 ~한 con algunas canas. 희고 검은 점이 ~ 뒤섞인 코트 abrigo *m* moteado de blanco y negro.

희나리 leña *f* medio secada.

희넓적하다 (ser) blanco y ancho.

희년(稀年) setenta años de edad.

희누르스레하다 =희누르스름하다.

희누르스름하다 (ser) blanco y amarillento.

희다 ① [눈빛과 같다] (ser) blanco. 희어지다 ponerse blanco. 희게 하다 blanquear, poner blanco. 얼굴이 ~ La cara es blanca. 살결이 ~ La tez es blanca. 머리카락이 희어진다 Se vuelve blanco el pelo. 그녀는 피부가 ~ Ella tiene la piel blanca. ② ((준말)) =희떱다.

◆희고 곰팡 슨 소리 mala palabra *f*. 희고 곰팡 슬다 (ser) vanaglorioso, vano, presumido, orgulloso, jactancioso, fanfarrón. 희고도 곰팡 슨 놈 persona *f* superficial.

희담(戲談) [웃음거리로 하는 실없는 말] chiste *m*, broma *f*.

희대(稀代) rareza *f*, singularidad *f*, extrañeza *f*. ~의 raro, extraño, extraordinario, inaudito, excepcional, único, poco frecuente, curioso, solo, sin igual. ~의 악한(惡漢) villano *m* bien conocido. ~의 영웅 héroe *m* sin igual, único héroe *m*, héroe *m* excepcional.

▪~미문(未聞) lo que no he escuchado a causa de la rareza.

희디희다 (ser) muy blanco, blanquísimo, blanco como la nieve. 희디흰 이 dientes mpl blanquísimos.

희떱다 ① [속은 텅텅 비어 있어도 겉으로는 호화롭다] ser muy espléndido aparentemente a pesar del corazón vacío. ② [한 푼 없어도 손이 크며 마음이 넓다] ser tan pobre como un ratón de sacristía pero generoso. 희떱게 보이다 mostrarse generoso [davidoso]. ③ [몹시 궁하면서도 소인과 같은 행실이 없어 배때 벗다] ser arrogante aunque ser pobre.

희뚝거리다 tambalearse, dar tumbos.

희뚝머룩이 despilfarrador, -dora *mf*, derrochador, -dora *mf*, gastador, -dora *mf*.

희뚝머룩하다 (ser) despilfarrador, derrochador.

희뚝희뚝 [흰 머리카락이] canosamente, con canas. ~하다 (ser) canoso. 머리카락이 ~한 사람 persona *f* canosa.

희라(噫−) ¡Qué triste! / ¡Ah, qué lástima!

희락(喜樂) alegría *f* y placer, felicidad *f*.

희랍(希臘) 【지명】 Grecia. ~의 griego. ☞그리스

▪~ 교회 la Iglesia Ortodoxa. ~ 문자 = 그리스 문자. ~어 griego *m*. ~인 griego, -ga *mf*. ~ 정교회 la Iglesia Ortodoxa. ~ 철학 filosofía *f* griega.

희로(喜怒) alegría *f* y cólera, emoción *f*, sentimiento *m*.

▪~애락 alegría, cólera, tristeza y placer; emociones *fpl*. ¶~을 드러내다 descubrir *sus* emociones.

희롱(戲弄) ridiculez *f*, extravagancia *f*. ~하다 ridiculizar, escarnecer, burlarse (de), hacer burla (de), mofarse (de), hacer mofa (de), reírse (de), gastar bromas, tomar el pelo. ~조로 아가씨에게 손을 대다 meterse con una chica. 여성과 함께 갔기 때문에 그는 ~당했다 Como iba con una chica le gastaron bromas.

희롱거리다 juguetear, bromear, *AmS* chancear; [들떠서 떠들다] retozar; [놀리다] mofarse, burlarse, reírse. 희롱거리는 burlón (*pl* burlones), falto de formalidad, falto de seriedad. 희롱거리지 마라 Déjate de bromas / No me fastidies.

희롱희롱 en broma, de burla, con [de · en] guasa, de [en] chunga.

희맑다 (ser) blanco y claro.

희망(希望) esperanza *f*, [원망] deseo *m*; [기대] expectación *f*, [포부] aspiración *f*, ambición *f*, [절망] ansia *f*, anhelo *m*. ~하다 esperar, desear, ansiar, anhelar. ~에 찬 lleno de esperanza. ~ 없이 sin esperanza. ~을 가지고 con la esperanza (de). …의 ~에 따라 conforme al deseo de *uno*. …의 ~에 반(反)해 contra el deseo de *uno*. …의 ~에 의해 según el deseo de *uno*. ~을 가지다[품다] tener [concebir · abrigar · alimentar] una esperanza, esperanzar. ~을 되찾다 recobrar la esperanza. ~을 만족시키다 satisfacer [contentar · cumplir] el deseo (de). ~을 술회(述懷)하다 expresar *su* deseo. ~을 잃다 desesperarse, perder esperanza. ~을 주다 dar esperanzsa, esperanzar. ~을 포기하다 cejar esperanza. ~을 품다 concebir esperanzas. ~에 가득 차 있다 estar lleno de esperanza. …에 ~을 걸다 contar con *algo* · *uno*. 나는 원만한 해결을 ~한다 Deseo que lleguen a un arreglo amigable. 내 ~은 가족이 건강하게 사는 것이다 Mi deseo es que toda la familia goce de buena salud. 그의 ~에 부응해 노력하겠다 Trataré de satisfacer su deseo / Veré de complacerle. 그의 마음에 ~이 싹텄다 La esperanza brotó en su corazón. ~은 굉장한 위로가 된다 La esperanza es gran consoladora. 상황이 아무리 나쁘더라도 ~을 포기해서도 잃어서도 안 된다 Por mala que sea una situación no hay que cejar ni perder esperanza. ~은 가난한 사람의 빵이다 ((서반아 속담)) La esperanza me sustenta. 생명이 있는 동안은 ~이 있다 ((서반아 속담)) Mientras hay vida hay esperanza. 사람은 ~으로 산다 ((서반아 속담)) Con la esperanza se vive. 인간에게는 늘 ~이 있다 ((서반아 속담)) La esperanza es larga y ancha / La esperanza es un pan de lontananza.

■ ~자 [응모자] aspirante *mf*; [후보자] candidato, -ta *mf*; [탄원자] suplicante *mf*; [지원자] pretentiente *mf*. ~적 prometente, que promete. ~ 조건 condición *f* deseada.

희멀겋다 (ser) blanco y brillante.

희멀쑥하다 (ser) blanco y claro.

희모(稀毛) vello *m* poco denso.

희묵(戲墨) mi pintura, mi escritura.

희문(戲文) obra *f* burlesca.

희묽다 (ser) blanco y flojo.

희미하다(稀微—) (estar) obscuro, opaco, imperceptible, débil, tenue, ligero. 희미함 opacidad *f*, ofuscamiento *m*, obscurecimiento *m*, vislubre *f*. 희미하게 oscuramente, con oscuridad, opacamente, débilmente, con debilidad, ligeramente, vagamente, tenuemente. 희미한 기억(記憶) memoria *f* opaca. 희미한 빛 luz *f* opaca. 희미하게 밝은 빛 claridad *f* tenue [débil], penumbra *f*, media luz *f*; [아침·저녁의] crepúsculo *m*. 희미한 목소리로 con voz débil [apagada·ahogada]. 희미하게 기억하다 tener un recuerdo confuso [vago] (de). 야명(夜明)의 희미하게 밝아 오는 빛에 독서하다 leer un libro a la luz del crepúsculo matutino. 불빛이 희미하게 보인다 Se ve una luz trémula [tenue]. 동녘 하늘이 희미하게 밝아 온다 El cielo del oriente esclarece suavemente.

희박(稀薄) rareza *f*. ~하다 (ser) raro, poco espeso; [액체가] diluido; [기체가] rarificado, enrarecido. ~하게 하다 enrarecer, rarificar, diluir. 이곳은 공기가 ~하다 Aquí el aire está enrarecido.

희번덕거리다 mirar asombrado, mirar con ojos de asombro, mirar con los ojos desorbitados.

희번덕희번덕 mirando con los ojos desorbitados.

희번드르르하다 (ser) claro y radiante.

희번주그레하다 (ser) limpio y hermoso.

희번지르르하다 (ser) limpio y hermoso.

희번하다 (ser) poco blanco. 동녘 하늘이 희번해졌다 El amanecer blanqueó el cielo del este.

희보(喜報) noticia *f* alegre.

희부옇다 (ser) agrisado. 희부옇게 하다 agrisar, dar color gris.

희불그레하다 (ser) rosado, tirando a rosa.

희붐하다 esclarecer suavemente. 동녘 하늘이 ~ El cielo del este esclarece suavemente.

희비(喜悲) alegría y tristeza. ~가 교차하다 tener el sentimiento mezclado con alegría y tristeza. ~가 엇갈린다 La tristeza y la alegría [y el júbilo] vienen por turnos [alternativamente].

■ ~극 ㉮ [희극과 비극] la comedia y la tragedia. ㉯【연극】tragicomedia *f*. ~쌍곡선 sentimiento *m* mezclado con alegría y tristeza. ~애락 alegría, tristeza, lástima y placer.

희뿌옇다 (ser) agrisado, blanquecino. 희뿌연 살결 tez *f* blanquecina. 희뿌옇게 하다 agrisar, dar color gris.

희사(喜事) cosa *f* alegre, alegría *f*, lo alegre.

희사(喜捨) donación *f*, caridad *f*, oblación *f*. ~하다 donar, ofrendar, hacer una ofrenda, dar limosnas, hacer caridad.

■ ~금 limosmas *fpl*, oblación *f*, ofrenda *f*, donativo *m*, contribución *f*, dinero *m* dado para propósito caritativo. ~자 donador, -dora *mf*. ~함(函) cepillo *m*, alcancía *f*.

희색(喜色) semblante *m* alegre, cara *f* alegre, cara *f* contenta, alegría *f*, júbilo *m*, placer *m*.

■ ~만면 cara *f* llena de alegría. ¶~하다 fulgurar con alegría. ~하여 con una cara alegre [contenta], con la cara rebosante de alegría.

희생(犧牲) ① [천지 묘사(廟社)에 제사 지낼 때 산 제물을 바침, 또 그 짐승] ofrenda *f*, víctima *f* (propiciatoria). 통상(通常)의 ~은 염소였다 Solían sacrificar una cabra. ② [어떤 사물·사람을 위해서 자기 몸을 돌보지 않음] sacrificio *m*, inmolación *f*. ~하다 sacrificar(se), hacer sacrificios, inmolar. ~의 sacrificatorio. ~되다 sacrificarse, ser [caer] víctima (de). ~의 대가(代價) precio *m* de sacrificio. ~으로 하여 sacrificando. 재산을 ~하여 sacrificando [a costa de] *sus* bienes. 어떤 ~을 치르고라도 cueste lo que cueste, a toda costa, a cualquier precio. 굉장한 ~을 치르고 a costa de [al precio de] un gran sacrificio. 자신을 ~하다 sacrificarse, inmolarse. 대(大)를 위해 소(小)를 ~하다 sacrificar lo pequeño para salvar lo grande, matar unos pocos para salvar a muchos. 나는 큰 ~을 치르고 그것을 얻었다 Yo lo logré a costa de grandes sacrificios. 그는 가족을 위해 일생을 ~했다 El sacrifió su vida por su familia. ~ 없이 목적을 달성할 수는 없다 Nada que valga la pena se logra sin crear conflictos. ③ [전쟁·사고 등에 휘말려 목숨을 잃거나 다침] sacrificio *m*, víctima *f*. 큰 ~을 치르다 hacer un gran sacrificio. 조국을 위해 ~하다 [~되다] sacrificarse por la patria. 그는 전쟁의 ~이 되었다 El fue [murió] víctima de la guerra.

◆자기(自己) ~ abnegación *f*, sacrificio *m* de *sí* mismo.

■ ~물 ㉮ [물건] presa *f*. ㉯ [사람] sacrificio *m*, víctima *f*. ~ 번트 ((야구)) toque *m* de sacrificio. ~자 ㉮ [희생을 당한 사

람] víctima *f.* ～적 de sacrificio. ～정신 espíritu *m* de sacrificio. ～타(打) ((야구)) sacrificio *m.* ¶～를 치다 sacrificarse. (주자를) ～로 진루시키다 sacrificar.

희서(稀書) libro *m* raro.
 ■～ 도서관 biblioteca *f* de los libros raros.

희석(稀釋) dilución *f.* ～하다 diluir. ～한 diluido.
 ■～도 dilución *f.* ～률 ley *f* de dilución. ～액 (solución *f*) diluyente *f,* dilución *f.* ～열 calor *m* de dilución. ～제 diluyente *m.*

희성(稀姓) apellido *m* muy raro.

희세(稀世) rareza *f,* singularidad *f,* extrañeza *f.* ～의 extraordinario, raro, único (en *su* género), fenomenal. ～의 영웅(英雄) héroe *m* extraordinario, héroe *m* para el siglo.
 ■～지재(之才) talento *m* raro en el mundo.

희소(喜笑) risa *f* de alegría. ～하다 reír de alegría.

희소(嬉笑) ① [실없이 웃는 웃음] risa *f* estúpida, risa *f* tonta. ② [예쁘게 웃는 웃음] risa *f* hermosa.

희소가치(稀少價値) valor *m* debido a *su* escasez [a *su* rareza], valor *m* raro.

희소 물자(稀少物資) materiales *mpl* escasos.

희소성(稀少性) escasez *f.* ～의 법칙 principio *m* de escasez.

희소식(喜消息) noticia *f* alegre, buena noticia *f.* ～을 학수고대하다 esperar [tener ganas de] tener la buena noticia. 무소식이 ～이다 ((서반아 속담)) Sin noticias, buenas noticias.

희소하다(稀少－) (ser) escaso, poco, raro, esparcido. 희소함 escasez *f,* rareza *f.*

희수(稀壽) setenta años de edad, *su* septuagésimo cumpleaños.

희수(喜壽) setenta y siete años de edad, *su* septuagésimo séptimo cumpleaños.

희아리 chile *m* secado estropeado con manchas blancas.

희언(戱言) chiste *m,* broma *f,* disparate m, tontería *f.* ～을 하다 hablar disparate, decir tontería.

희열(喜悅) júbilo *m,* alegría *f,* gozo *m,* regocijo *m,* exaltación *f.*

희염산(稀鹽酸) 【화학】 ácido *m* clorhídrico diluido.

희우(喜雨) lluvia *f* alegre, lluvia *f* después de la sequía.

희우(喜憂) la alegría y la preocupación.

희원(希願) ＝희망(希望).

희원소(稀元素) 【화학】 ＝희유원소(稀有元素).

희월(喜月) marzo *m* del calendario lunar.

희유곡(嬉遊曲) 【음악】 *ital* divertimento *m.*

희유금속(稀有金屬) ＝희금속(稀金屬).

희유원소(稀有元素) elemento *m* raro.

희유하다(稀有－) (ser) raro. 희유함 rareza *f.* 희유한 사건 asunto *m* raro.

희읍(欷泣) sollozo *m.* ～하다 sollozar, llorar con sollozos.

희읍스레하다 ＝희읍스름하다.
 희읍스레 ＝희읍스름히.

희읍스름하다 (ser) blanquecino.
 희읍스름히 blanquecinamente.

희작(戱作) literatura *f* ligera.

희종(稀種) especie *f* rara, clase *f* rara.

희죽(稀粥) gachas *fpl* poco espesas.

희질산(稀窒酸) 【화학】 ácido *m* nítrico diluido.

희짓다 obstruir, tapar, interferir, entrometerse, inmiscuirse.

희치희치 ① [피륙·종이 등이 군데군데 치이거나 미어진 꼴] gastado aquí y allá. 천이 ～했다 La tela (se) gastó aquí y allá. ② [물건의 반드러운 면이 스쳐서 드문드문 벗어진 모양] saliéndose [desconchándose] aquí y allá. 책상의 칠이 ～ 벗어졌다 La pintura de la mesa se salió aquí y allá.

희토류 원소(稀土類元素) elementos *mpl* de tierras raras.

희필(戱筆) ＝희묵(戱墨).

희학(戱謔) chiste *m,* broma *f.* ～하다 hacer bromas.
 ■～질 chiste *m,* broma *f.*

희한하다(稀罕－) (ser) raro, escaso, curioso. 희한함 rareza *f,* carestía *f,* escasez *f.* 희한한 물건 objeto *m* rarísimo, rareza *f.* 희한한 사람 persona *f* rara.

희행하다(喜幸－) (ser) alegre y feliz.

희화(戱畵) caricatura *f,* dibujo *m* cómico. ～화하다 caricaturizar.
 ■～ 작가(作家) caricaturista *mf.*

희황산(稀黃酸) 【화학】 ácido *m* sulfúrico diluido.

희황상인(羲皇上人) ermitaño, -ña *mf;* eremita *mf.*

희희 sonriendo como un tonto [una tonta]. ～ 웃다 sonreír(se) como un tonto [una tonta]. ～ 웃으며 말하다 decir con una sonrisa tonta.

희희(嘻嘻) sonriendo alegremente.

희희(嬉嬉) sonriendo de alegría.

희희낙락(喜喜樂樂) alegría *f,* regocijo *m,* júbilo *m.* ～하다 regocijarse, recrearse, sentir júbilo, sentir alegría. ～거리며 alegremente, con júbilo, gozosamente. ～거리며 놀고 있다 retozar, juguetear gozosamente. 그는 ～거리고 있다 Le rebosa la alegría. 그는 ～거리는 얼굴을 하고 있다 El tiene la cara llena de alegría [de contento].

흰개미 【곤충】 hormiga *f* blanca, termita *f,* comején *m* (*pl* comejenes).
 ■～집 comejenera *f,* hormiguero *m* del comején.

흰골무 ＝흰골무떡.
 ■～떡 *teok* [pan *m* coreano] de arroz del tamaño del dedo sin cubrir el condimento.

흰곰 【동물】 oso *m* blanco, oso *m* polar.

흰구름 nube *f* blanca.

흰깨 sésamo *m* blanco, ajonjolí *m* blanco.

흰꼬리수리 【조류】 melión *m* (*pl* meliones).

흰나비 【곤충】 mariposa *f* de la col.

흰누룩 malta *f* hecha de cebada en polvo y

arroz apelmazado.
흰눈썹뜸부기 【조류】 rascón *m* (*pl* rascones), polla *f* de agua, *Cuba* gallinuela *f*, martinete *m*.
흰담비 【동물】 armiño *m*.
흰돌비늘 【광물】 =백운모(白雲母).
흰둥이 ① [털빛이 흰 짐승] animal *m* blanco. ② [살빛이 흰 사람] persona *f* con piel blanca. ③ ((속어)) =백인(白人).
흰떡 *teok* blanco, pan *m* coreano blanco, torta *f* típica coreana con color blanco.
흰말 caballo *m* blanco.
흰머리 cana *f*, cabello *m* blanco. 그는 최초의 ~를 발견했다 El se encontró la primera cana.
흰무리 torta *f* de arroz cocido al vapor sin forma.
흰바곳 【식물】 =백부자(白附子).
흰밥 arroz *m* blanco sin mezclar con otros cereales.
흰빛 (color *m*) blanco *m*.
흰소리 broma *f* gastada, frase *f* gastada, chiste *m* pesado, retruécano *m*, gracia *f*, jactancia *f*, fanfarronada *f*, arrogancia *f*, impertenencia *f*. ~를 치다 proferir jactancias [fanfarronadas · arrogancias · impertinencias], darse importancia, darse bombo.
흰신 zapatos *mpl* blancos.
흰여우 【동물】 zorro *m* blanco.
흰엿 dulces *mpl* [caramelos *mpl*] de arroz, *Guat* melcocha *f* (blanca).
흰옷 ropa *f* blanca. 그녀는 ~을 입고 있다 Ella lleva un traje blanco / Ella está vestida con un traje blanco / Ella va vestida de blanco.
흰원미(一元味) =원미(元味).
흰자 ((준말)) =흰자위.
■ ~ㅅ가루 huevos *mpl* en polvo.
흰자위 ① [새알 · 달걀 등의 속에 노른자위를 싸고 있는 단백질의 부분] clara *f* del huevo, albúmina *f*. ② [눈알의 흰 부분] blanco *m* del ojo.
흰자질(一質) =단백질(蛋白質).
흰죽(一粥) gachas *fpl* de arroz.
흰쥐 【동물】 ratón *m* (*pl* ratones) blanco.
흰콩 soja *f* blanca, alubia *f* blanca.
흰털 ① [흰빛의 털] vello *m*. ② [허옇게 센 머리털] cana *f*.
흰털발제비 【조류】 avión *m* común.
흰팥 alubia *f* blanca pequeña.
흰포도주(一葡萄酒) vino *m* blanco.
흰표범(一豹一) 【동물】 onza *f*.
흰피톨 【생물】 =백혈구(白血球).
휭하다 estar aturdido, estar confundido. 그는 그 소식에 휭했다 La noticia le dejó aturdido. 정신이 ~ estar aturdido. 그는 휭했다 El estaba totalmente confundido. 나는 머리가 휭했다 Mi cabeza era un torbellino / Mi cabeza me daba vueltas.
휭허케 rápidamente, rápido, deprisa, con rapidez, velozmente, con (toda) prontitud. ~ 걷다 andar [caminar] velozmente.
히말라야 산맥(Hymalaya 山脈) 【지명】 los Montes Himalaya.
히말라야삼나무(一杉一) 【식물】 deodara *f*.
히브리(영 *Hebrew*) ((성경)) =헤브루.
■ ~ 사상 hebraísmo *m*. ~어 hebreo *m*. ~어 학자 hebraísta *mf*. ~인 hebraico, -ca *mf*, hebreo, -a *mf*.
히브리서(Hebrew 書) ((성경)) la Epístola a los Hebreos, la Carta de los Hebreos.
히스타민(영 *histamine*) 【화학】 histamina *f*.
◆ 항(抗)~제(劑) agente *m* antihistamínico.
히스테리(독 *Hysterie*) 【의학】 histeria *f*, histerismo *m*. ~성의 histérico. ~ 증상의 histeriforme. ~ 증상의 여자 mujer *f* histérica. ~를 일으키다 ponerse histérica, tener un ataque de histeria.
■ ~ 환자 histérico, -ca *mf*.
히아신스(영 *hyacinth*) 【식물】 jacinto *m*.
히어로(영 *hero*) ① [영웅] héroe *m*. ② [인기를 모으고 있는 사람] favorito *m*. ③ [소설 · 희곡 등의 남주인공] héroe *m*, protagonista *m*, personaje *m* principal.
히어링(영 *hearing*) oída *f*.
히죽 sonriendo satisfactoriamente. ~ 웃다 sonreír enseñando los dientes.
히죽거리다 seguir sonriendo suavemente.
히죽히죽 a solas, bobamente, desdeñosamente, burlonamente. ~ 웃다 sonreír a solas, sonreír bobamente, sonreír desdeñosamente, sonreír burlonamente, sonreír con aire de entendido, sonreír a escondidas, sonreír irónicamente, sonreír maliciosamente.
히죽이 con una sonrisa feliz [contenta · suave]. ~ 웃다 sonreír felizmente.
히치하이커(영 *hitchhiker*) [지나가는 자동차에 편승하여 하는 도보 여행자] autoestopista *mf*, autostopista *mf*.
히치하이크(영 *hitchhike*) [지나가는 자동차에 편승하여 하는 도보 여행] autostop *m*. ~하다 hacer autostop, hacer dedo, viajar a dedo, *Col*, *Méj* ir de aventón. 우리는 마드리드까지 ~했다 Fuimos a dedo [*Col*, *Méj* de aventón] hasta Madrid.
히터(영 *heater*) ① [난방 장치] calefacción *f*. ~를 켜다 encender la calefacción. ~가 작동하지 않는다 [자동차에서] La calefacción no funciona. ② [난방기. 가열기] calentador *m*, calefactor *m*, estufa *f*. 날씨가 추울 때는 ~를 작동시켜야 한다 Hay que hacer funcionar el calentador cuando hace frío.
◆ 물 ~ calentador *m*.
히터(영 *hitter*) ((야구)) bateador, -dora *mf*, *AmL* toletero, -ra *mf*.
히트(영 *hit*) ① [안타(安打)] bateo *m* seguro, buen golpe *m*, hit *ing.m*. 단 세 개의 ~를 허하다 dejar solamente tres golpes. ② [명중(命中)] blanco *m*, diana *f*, [대포의] impacto *m*. ③ [대성공] (buen) éxito *m*, gran éxito *m*, buen resultado *m*, logro *m*. 비틀즈의 큰 ~ los Grandes Exitos de los Beatles. 쇼는 큰 ~였다 El espectáculo fue un gran éxito [un exitazo].
◆ 히트(를) 치다 tener buen éxito. 이 노래

는 큰 히트를 치고 있다 Esta canción constituye un gran éxito. 돈 후안은 그가 히트를 친 역(役)이다 El papel de Don Juan es el que más éxito le ha dado.
■ ~송 (canción *f* de) éxito *m*. ~작 obra *f* de éxito.

히프(영 *hip*) [둔부. 엉덩이] cadera *f*. ~가 크다 ser ancho de cadera(s). ~가 작다 ser estrecho de cadera(s). ~를 흔들며 걷다 contonearse, contonear las caderas, menear las caderas.

히피(영 *hippie*) hipie *mf*; hippy *mf*. ~의 hippy.
■ ~ 스타일 estilo *m* hipi. ~족 hipi *m*.

힌두교(Hindu 敎) ((종교)) induismo *m*, hinduismo *m*, hinduísmo *m*, indoísmo *m*. ~의 hindú. ■ ~도[신자] hindú *mf*.

힌트(영 *hint*) insinuación *f*, indirecta *f*., sugestión *f*, sugerencia *f*, alusión *f*. ~를 주다 insinuar, sugerir, sugestionar, dar una insinuación, dar una sugestión, dar a entender. …로부터 ~를 얻다 inspirarse en *algo*·*uno*. 아마 마지막 방문이 되리라고 그는 우리에게 ~를 주었다 El nos dio a entender que quizás fuera su última visita.

힐(영 *heel*) ① [발꿈치] talón *m* (*pl* talones). ② ((준말)) =하이힐.

힐금 con vistazo. ~ 보다 dar un vistazo, mirar al soslayo, mirar de refilón.
힐금힐금 con una mirada escrutadora. ~ 보다 echar una mirada escrutadora, mirar sospechosamente, clavar la vista, mirar de hito en hito; [경멸적으로] echar una ojeada despectiva.

힐끔 ((센말)) =힐금.

힐끗 ((센말)) =흘긋.

힐난(詰難) crítica *f*, censura *f*. ~하다 criticar, censurar, culpar, reprender, tachar, reprobar, censurar [reprochar·reprender] pertinazmente.

힐문(詰問) interrogatorio *m* estricto. ~하다 interrogar severamente, someter a un examen severo, reprochar, cesurar, reprender echar en cara, reprobar, recriminar, presionar (para obtener una respuesta).

힐책(詰責) reprensión *f*, reprimenda *f*, amonestación *f*, censura *f*, reproche *m*. ~하다 reprender, censurar, dar una reprimenda, reprochar, recriminar, ofender, incurrir en el enfado (de). ~하는 투로 con [en] tono de reproche. 부주의를 ~하다 reprochar (por) *su* descuido. …의 과실을 ~하다 reprochar el error de *uno*. 성적이 나쁘다고 나는 그녀를 ~했다 La reproché por las malas notas / Le reproché las malas notas.

힘 ① [사람·동물이 몸에 갖추고 있으면서 스스로 움직이거나 다른 것을 움직일 수 있는 근육의 작용] poder *m*, fuerza *f*, poderío *m*, vigor *m*, energía *f*, vitalidad *f*, actividad *f*, ánimo *m*, brío *m*. ~이 센, ~이 있는 poderoso, vigoroso, enérgico, fuerte, robusto, vivo, animoso, brioso. ~이 없는 débil, inactivo, impotente; [무기력(無氣力)한] apocado, sin ánimo, apático. 술의 ~으로 por la fuerza del alcohol, estimulado por el vino. 자연의 ~으로 por la fuerza de las cosas [de los hechos], como consecuencia natural. ~을 내다 animarse, cobrar ánimo, hacerse activo, despegar [demostrar·exhibir] *sus* fuerzas. ~을 내게 하다 animar, alentar, dar ánimo. ~이 빠지다 perder fuerza, debilitarse; [낙담하다] descorazonarse, desalentarse, desanimarse, perder el ánimo, perder el corajo. ~을 회복하다 cobrar fuerzas. ~이 넘치다 entusiasmarse, animarse. ~이 넘쳐 있다 estar lleno de ardor, estar lleno de entusiasmo, estar muy animado. ~의 균형을 깨뜨리다 destruir el equilibrio de poder. 팔에 ~이 있다 [없다] tener fuerza [poca fuerza] en el brazo. 일어설 ~도 없다 no tener ninguna fuerza para ponerse de pie. 나는 ~이 다했다 Se me ha agotado la fuerza. 우리들은 ~을 합해 줄을 잡아당겼다 Uniendo nuestras fuerzas tiramos de la cuerda. 나는 몸의 ~이 완전히 빠졌다 Sentí un enervamiento total. 그는 그 당시까지는 별로 ~이 없었다 Ya para entonces él estaba muy débil. ~ 앞에서는 굴복해라 El más fuerte siempre lleva las de ganar. 그는 있는 ~을 다해 소리 질렀다 El gritó con todas sus fuerzas / El gritó a voz a cuello. 아이들은 있는 ~을 다해 달리기 시작했다 Los niños echaron a correr con toda fuerza. 내리막길에서 차는 ~이 났다 En la cuesta abajo el coche ganó la velocidad. 태풍은 ~이 약해졌다 La tormenta perdió su fuerza. 그는 달리는 ~으로 벽에 부딪쳤다 Con el impulso del salto él chocó con la pared. 나는 몸이 아파 ~이 없다 No tengo ánimo por estar enfermo. 목적지(目的地)에 가까워지자 모두 ~이 솟았다 Todos recobraron el ánimo porque estaban cerca del destino. 그의 편지로 우리들은 ~이 났다 Nos alentó su carta. ~을 내십시오 ¡Animo! / ¡Anímese! / ¡Arriba! 단결은 ~을 만든다 / 단결은 곧 ~이다 ((서반아 속담)) La unión es fuerza. ~이 오면 권리는 사라진다 ((서반아 속담)) Donde fuerza viene, derecho se pierde. ~이 정복할 수 없는 것도 지혜는 정복한다 ((서반아 속담)) Lo que fuerza no puede, ingenio lo vence.
② 【물리】 fuerza *f*, poder *m*, energía *f*, potencia *f*. ~의 분해 descomposición *f* de fuerzas. ~의 평행 사변형 paralelogramo *m* de fuerzas. ~의 합성(合成) composición *f* de fuerzas. 열의 ~ energía *f* del calor. 전기의 ~ poder *m* eléctrico. 증기의 ~ poder *m* del vapor. ~을 가하다 aplicar fuerza (a), dar fuerza (a).
③ [일을 하는 능력] habilidad *f*, capacidad *f*, facultad *f*. ~이 있는 hábil, competente, capacitado. …할 ~이 있다 tener capacidad para [de] + *inf*. 그것은 내 ~으로는 미치지

못한다 No está a mi alcance / Está fuera de mi alcance / Supera [Va más allá del] mis posibilidades [mis fuerzas]. ~이 닿는 데까지 hasta donde llegue mi fuerza, lo más posible, todo lo que pueda.

④ [견디거나 해낼 수 있는 한도] facultad *f*, aptitud *f*, habilidad *f*. ~ 자라는 한 en (todo) lo que pueda. ~ 자라는 한 도와드리겠습니다 Ayudaré en (todo) lo que pueda.

⑤ [재주] talento *m*. 원서(原書)를 읽을 ~이 없다 no tener el talento de leer el libro original.

⑥ [세력이나 권력] poder *m*, potencia *f*, autoridad *f*; [영향력] influencia *f*. ~이 있는 poderoso, potente, influyente. 국민의 ~ poder *m* popular, poder *m* del pueblo. 돈의 ~ poder *m* del dinero. 국민을 위한 ~ poder *m* para el pueblo. 교회의 ~ poder *m* de la iglesia. 돈의 ~으로 por el poder [la fuerza] del dinero. ~을 행사하다 ejercer gran influencia [autorida] (sobre). …에 큰 ~을 가지고 있다 tener [gozar de] gran influencia en *algo*. 아는 것이 ~이다 Saber es poder. 아는 것 자체가 바로 ~이다 El saber mismo es poder. 돈이 곧 ~이다 ((서반아 속담)) Todo lo puede el dinero / Donde el oro habla, la lengua calla / Poderoso caballero es don dinero.

⑦ [도움이 되는 것] ayuda *f*, apoyo *m*, asistencia *f*, contribución *f*, colaboración *f*, servicio *m*. …의 ~으로 con la ayuda de *uno*, con el apoyo de *uno*. ~을 믿다 contar con *uno*, contar el apoy o de *uno*. ~을 빌려 주다 ayudar, prestar la ayuda. ~을 합하다 unir fuerzas. ~이 되다 servir de ayuda. …와 ~을 합하다 colaborar con *uno* (en). …의 ~이 되어 주다 echar (una mano de) ayuda a *uno*, hacer un esfuerzo a *uno*.

⑧ [은혜. 은덕] favor *m*, benevolencia *f*. 어머님의 ~이 크다 El favor de mi madre es grande.

⑨ [효력. 효능] eficacia *f*, eficiencia *f*, efecto *m*. 약의 ~ eficacia *f* de la medicina. 이 약은 이제 ~이 없다 Esa medicina ya no tiene efecto. 나는 약을 먹었지만 ~이 없다 Yo tomé la medicina, pero no resultó eficaz [pero no me hizo efecto ninguno].

⑩ [폭력(暴力)] violencia *f*. ~으로 por fuerza, a la fuerza. ~에 호소하다 recurrir a la fuerza.

⑪ [노력] esfuerzo *m*, labor *f*. ~을 들이다 esforzarse (para · en · por). ~을 다하다 desplegar todos *sus* esfuerzos (para + *inf*). ~을 내어 일하다 redoblar sus esfuerzos en el trabajo, trabajar con ardor [con ánimo · con entusiamo]. ~을 아끼지 아니하다 no escatimar [no perdonar] esfuerzos (en · para + *inf*). 나는 있는 ~을 다했다 Me esforcé cuanto pude / Saqué toda la fuerza que pude.

힘겨룸 competición *f* de fuerza. …와 ~하다 comparar *su* fuerza con la de *uno*.

힘겹다 ser duro; [상대하기에] fuerte, tenaz, temible. 힘겨운 상대 adversario, -ria *mf* temible. 힘겨운 일을 계획하다 tratar de abarcar más de lo que se puede. 힘겨운 일을 계획해서는 안 된다 Mira que quien mucho abarca, poco aprieta.

힘껏 con todas *sus* fuerzas, con mucha fuerza, hasta [a] más no poder, todo lo posible, todo lo que se puede, cuanto se puede, cuanto posible, con lo mayor de *su* fuerza. ~ 당기다 tirar (de *algo*) con toda la fuerza, dar tirones (de). ~ 던지다 lanzar con todas las fuerzas. ~ 밀다 empujar con todas *sus* fuerzas dar con mucha fuerza. dar empujones. ~ 밀어 부수다 romper empujándolo con violencia, forzar. ~ 소리 지르다 gritar hasta desgañitarse, gritar lo más fuerte posible, gritar toda la fuerza de los pulmones. ~ 싸우다 luchar con todas *sus* fuerzas. ~ 애쓰다 [노력하다] hacer todo lo que se puede, hacer cuanto se puede, hacer (todo) lo posible, hacer lo más posible. ~ 일하다 trabajar con todas *sus* fuerzas. 문을 ~ 밀어 열다 abrir la puerta de un empujón.

힘꼴 ① [약간의 완력(腕力)] músculo *m*, vigor *m*. ② =힘.

◆힘꼴(이나) 쓰다 (ser) muscular, membrudo, fuerte, con músculo. 힘꼴이나 쓰는 남자 hombre *m* fuerte.

힘내다 ① [힘을 내어 어떤 일에 당하다] animarse, cobrar ánimo, hacerse vivo. 힘내세요 ¡Animo! / ¡Anímese! ② [꾸준히 힘을 써서 일을 행하다] trabajar con ánimo [con entusiasmo · con ardor], redoblar *sus* esfuerzos en el trabajo.

힘닿다 llegar *su* fuerza, alcanzar *su* fuerza. 힘닿는 데까지 hasta donde llegue mi fuerza, todo lo que pueda, lo más posible.

힘들다 (ser) arduo, duro, dificultoso, penoso, trabajoso, fatigoso; [어려운] difícil; […하기 어렵다] no poder + *inf*; [거의 …할 수 없다] apenas poder + *inf*; […할 준비가 되어 있지 않다] no estar en disposición de + *inf*; [주저하다] vacilar en + *inf*. …하기에 힘든 difícil de + *inf*. 힘든 일 trabajo *m* arduo, trabajo *m* duro, trabajo *m* penoso, gran esfuerzo *m*. 말은 꺼내기가 ~ vacilar en referirse (a). 그는 굉장히 힘든 생활을 했다 El ha llevado una vida tan dura. 단어 암기는 힘든다 Es difícil aprender de memoria los vocablos. 그 일은 별로 힘들지 않다 El trabajo no era tan difícil. 닭 털을 뜯는 일은 힘든다 Es fatigoso [trabajoso] pelar un pollo. 문제 해결은 무척 힘들었다 Me costó mucho trabajo resolver el problema. 빚을 지지 않고 지탱하기는 힘든다 Es difícil mantenerse sin contraer deudas. 저는 그 일을 떠맡기가 힘듭니다 No puedo encargarme de ese trabajo. 그것에 찬성하기 힘든다 No me atrevo a asentir a eso / Me es muy difícil consentir en eso. 나는 그것을 수락하기가 힘들었다 Yo no estaba en condiciones [en disposición] de aceptarlo. 그것은 나한테는 힘든다 Eso excede [sobrepasa] mi capacidad. 나는 그것을 알기가 힘든다 No estoy en disposición de saberlo. 나는 결심하기가 힘든다 No me atrevo a decidirme. 요즈음 젊은이들은 힘든 일을 마다한다 Estos días los jóvenes no quieren hacer el trabajo duro / A los jóvenes no les gusta el trabajo duro [penoso] estos días.

힘들이다 hacer un esfuerzo (por · en), esforzarse (por · en). 힘들인 시합 partido *m* reñido. 그는 회사 발전에 힘들이고 있다 El se esfuerza en [por] hacer prosperar la compañía.

힘부치다 estar por encima de *su* capacidad, no ser de *su* competencia, estar fuera del control (de), escapar al control (de), no ser muy fuerte, ser fuera de mi habilidad. 그것은 그에게는 힘부친다 No es de su competencia. 그 일은 네게는 힘부쳤다 El trabajo estaba por encima de tu capacidad. 내게는 힘부치는 일이다 El trabajo es fuera de mi habilidad. ☞힘에 부치다. 힘겹다

힘빼물다 alardear [jactarse · vanagloriarse] de *su* poder.

힘살 músculo *m*.

힘세다 (ser) poderoso, enérgico, fuerte, robusto, vigoroso; [기골이 장대한] musculoso. 힘센 청년 joven *m* robusto. 힘센 남자 hombre *m* hercúleo, hombre *m* de gran fuerza física, hércules *m*. 세계에서 가장 힘센 사람 el hombre más fuerte del mundo.

힘쓰다 ① [힘을 다하다] aplicarse (a), dedicarse (a), afanarse (en). 일에 ~ aplicarse al trabajo, afanarse en el trabajo. 오로지 공부에만 ~ solamente dedicarse a estudiar. ② [남을 도와주다] ayudar, asistir. 내가 좀 힘써 주지 Te ayudaré. ③ [고난을 무릅쓰고 꾸준히 행하다] esforzarse, hacer un esfuerzo. 그는 그의 일에 무척 힘썼다 El se esforzó mucho en su trabajo. ④ [부지런히 일하다] trabajar diligentemente. ⑤ [힘을 들여 일하다] trabajar duro.

힘없다 (ser) débil, inactivo, impotente; [무기력한] apocado, sin ánimo, apático.
힘없이 débilmente, abatidamente, descorazonadamente; [힘없는 목소리로] en voz débil.

힘입다 deber, recibir *su* ayuda. 이번 성공은 그의 도움에 힘입은 바 크다 Este éxito se debe, en gran parte, a su ayuda.

힘 있다 ① [힘이 세다] (ser) fuerte, enérgico, robusto, vigoroso, tener poder, tener fuerza, tener vigor. 힘 있게 con fuerza, con energía, con vigor, vivamente, animosamente, con brío; [격렬하게] violentamente, con ímpetu, con vehemencia. 힘있는 남자 hombre *m* enérgico. ② [어떤 일을 해낼 능력이 있다] (ser) hábil, tener habilidad. ③ [문장 · 어조가] (ser) poderoso, enérgico, fuerte. ④ [지위 · 권력으로 보아] (ser) influencial, tener poder.

힘주다 acentuar, enfatizar, dar énfasis.

힘줄 ① 【해부】[건(腱)] tendón *m* (*pl* tendones). ~이 많은 tendinoso, fibroso. ~이 많은 살 carne *f* tendinosa. ~이 많은 고기 carne *f* fibrosa. ② [혈관 · 혈맥 등의 총칭] vena *f*. ③ [모든 물질의, 섬유로 이루어진 가는 줄] fibra *f*, hilo *m*; [야채의] hebra *f*; [엽맥] vena *f*; [엽맥 · 시맥] nervadura *f*; [손바닥의] rayas *fpl*. ~이 불거진 nervudo. 콩의 ~을 빼다 quitar las hebras de la vaina de las judías.
■ ~ 다발 【해부】 fascículo *m* tendinoso. ~ 활 【해부】 arco *m* tendinoso.

힘줄기 =힘줄.

힘줌말 palabra *f* intensiva, palabra *f* enfática.

힘차다 (ser) poderoso, vigoroso, enérgico, fuerte. 힘차게 enérgicamente, vigorosamente, fuertemente, con buen ánimo, con pleno vigor, con mucha energía. 힘찬 문체(文體) estilo *m* vigoroso. 힘찬 어조(語調)로 con un tono firme [enérgico]. 힘차게 노래합시다 Vamos a cantar con vigor. 네가 나타나니 우리가 힘차진다 Tu presencia noa da ánimo / Tu presencia no infunde confianza.

힝 ① [코를 푸는 소리] sonándose la nariz. 코를 ~ 풀다 sonarse la nariz. ② [아니꼬워 코로 비웃는 소리] riéndose con un aire despectivo.

힝그럭 punta *f* de flecha en la forma de la hoja de sauce.

힝힝 ① [잇따라 코를 푸는 소리] siguiendo sonándose la nariz, sonándose la nariz repetidas veces. ② [잇따라 코웃음 치는 소리] siguiendo adoptando un aire despectivo, adoptando un aire despectivo repetidas veces.

MINJUNG'S
Essence
DICCIONARIO
COREANO-
ESPAÑOL

엣센스 한서사전

2003년 1월 10일 초 판 발행
2025년 1월 10일 제23쇄 발행

편 자 김 충 식
발행인 김 철 환

발행처 사전전문 民衆書林

10881 경기도 파주시 회동길 37-29
(파주출판문화정보산업단지)
전화 (영업) 031) 955-6500~6 (편집) 031) 955-6507
Fax (영업) 031) 955-6525 (편집) 031) 955-6527
E-mail editmin@minjungdic.co.kr (편집)
홈페이지 http: // www.minjungdic.co.kr
등록 1979. 7. 23. 제2-61호

ISBN 978-89-387-0703-1
정가 55,000원

* 파본은 교환해 드립니다.
* 상호(商號)에 대한 주의 요망 *
사전의 명문 민중서림은 유사 민중○○
들과 다른 회사입니다.
구매에 착오 없으시기 바랍니다.